가나다순 찾아보기

	ㅏ	ㅑ	ㅓ	ㅕ	ㅗ	ㅛ	ㅜ	ㅠ	ㅡ	ㅣ
ㄱ	1	135	135	179	234	369	383	475	480	533
ㄲ	596	605	605	609	609		620		625	629
ㄴ	632	704	704	716	717	758	758	771	775	783
ㄷ	792	898	898	915	915	993	993	1015	1015	1036
ㄸ	1045		1054		1058		1060		1063	1065
ㄹ	1069	1085	1086	1097	1098	1111	1111	1117	1118	1119
ㅁ	1134	1211	1211	1234	1250	1289	1292	1355	1355	1357
ㅂ	1400	1520	1520	1561	1584		1640	1713	1713	1724
ㅃ	1768	1773	1773	1776	1776	1778	1778	1781		1781
ㅅ	1786	1970	1973	2076	2078	2142	2143	2213	2218	2250
ㅆ	2350	2359	2359	2360	2360		2362		2364	2365
ㅇ	2370	2493	2527	2592	2690	2789	2811	2895	2959	2998
ㅈ	3148	3264	3265	3430	3431	3497	3497	3568	3569	3579
ㅉ	3668		3672	3673	3674		3676		3677	3677
ㅊ	3681	3718	3718	3774	3774	3803	3803	3834	3834	3840
ㅋ	3864	3889	3889	3898	3899		3921	3928	3928	3947
ㅌ	3954	3992	3992	4006	4006	4037	4037	4046	4046	4060
ㅍ	4067	4107	4107	4121	4141	4162	4168	4186	4186	4206
ㅎ	4228	4332	4337	4360	4389	4493	4495	4513	4518	4539
모음	4548	4548	4548	4548	4548	4549	4549	4549	4549	4549

국어대사전

—제 3 판—

수정판

문학박사

이 희 승 편저

辭書專門

民衆書林

題字：素荃 孫 在 馨

제3판을 내면서

일찍이, 1954년 5월부터 시작하여 6년 여의 각고(刻苦) 끝에 1961년 민중서관(民衆書館)에서 국어 대사전 초판이 간행되었을 때, 학계(學界)는 물론이거니와 온 겨레로부터 격찬(激讚)의 소리가 대단했었다. 그도 그럴 것이 여기에는 고대의 이두(吏讀)와 고어(古語)로부터 현대어에 이르기까지의 수많은 낱말들과 방언, 속어 및 각종 전문어(專門語)들이 총망라되었음은 물론, 3,400여 면에 이르는 방대한 양을, 독자의 편의를 위해 단권(單卷)으로 수록해 내었기 때문이었다. 그 뒤 국어 대사전은 우리 나라를 대표하는 국어 사전으로서의 지위를 확고히 다지면서 출판계와 일반 독자들의 대환영 속에 판을 거듭하여 왔던 것이다.

이는 따지고 보면 아직 사서류(辭書類)의 개척기(開拓期)에 불과하였던 당시에 있어서 이 같은 백과사전(百科事典)적인 기능을 아울러 갖춘 사전의 출현이 그야말로 일대 획기적(劃期的)인 업적이 아닐 수 없었기 때문이기도 하였다.

간행 즉시 1962년 한국 일보사가 제정한 '한국 출판 문화상(韓國出版文化賞)'을 받은 것도 그런 까닭에서였던 것이다.

그 후 판권(版權)이 민중서림(民衆書林)으로 넘어온 다음에도 대대적인 보완 작업을 꾸준히 계속하여 1982년에는 판형(版型)을 4·6 배판으로 키우고, 면수도 4,400여 면으로 불려서 명실 공히 사서(辭書)의 진면목을 보여 주는 대사전을 또다시 단권으로 간행하였었다.

물론 이를 이룩하기까지에는 넘어야 할 허다한 난관(難關)들이 있었다. 자료 수집과 정리의 고된 작업은 말할 것도 없고 막상 단권으로 펴내고자 하니 초판(初版) 때에도 그러하였거니와 더욱 양이 많아진 분량을 단권으로 제본하기란 여간 어려움이 있는 것이 아니었지만, 우리는 지혜를 총결집하여 끝내 이룩해 내고야 말았던 것이다.

이러는 가운데에도 시대의 변천(變遷)은 날로 가속화하여 하루가 다르게 생겨나는 새 낱말들을 수합하고 다듬어 나가야 하는 의무가 사전 편찬자에게 있음을 아는 우리는 한시도 보완 작업의 손을 늦추지 않았다.

더욱이 1986년에는 문교부(文敎部) 고시로 '외래어 표기법'이 개정 공표되었고, 뒤이어 1988년에는 '한글 맞춤법'과 '표준어 규정'이 공표되매, 무엇보다 이에 따르는 개정 작업이 또한 시급한 형편이었다. 더불어 독자들의 요망 역시 간절하였으나 사전을 개정한다는 것이 생각대로 하루 아침에 이루어질 수 있는 것이 아니어서 마음만 조급할 뿐이었다.

게다가 1989년 11월 27일에는 편자(編者)이신 일석 이희승(一石 李熙昇) 박사의 서거(逝去)를 맞는 슬픔까지 겪어야 했다. 하지만 개편 작업의 손을 늦출 수는 없었다. 다행히 초판 당시부터 줄곧 본사전 편찬을 주관해 온 유한성(劉漢成) 전상무(前常務)의 계속적인 주도하에 일은 순조로이 진행되어 오늘에 이르러 비로소 새 모습을 드러내게 된 것이다.

이번 개편에서는 전기한 맞춤법과 표준어 규정 및 외래어 표기법에 따라 모두 바꾸어 고쳤음은 말할 것도 없고, 천여 어의 단어에 대한 어원(語源) 구명(究明)을 새로운 각도에서 시도하였으며, 어의(語義) 역시 달라지거나 미흡한 것에 대해서는 대폭 수정 보완하였다. 한편 지난번에 누락되거나 새로이 생긴 신어(新語)들과 수없이 생겨난 전문어(專門語)들도 최대한의 노력을 기울여 수집 채록(採錄)하였고, 낱말에 따르는 예문(例文)도 문헌(文獻)에서 직접 발췌(拔萃)하여 지면의 허용 범위 내에서 최대한 추록(追錄)하였다.

그러다 보니 지면의 엄청난 증가로 또다시 제본(製本)상의 어려움이 제기되어, 부득이 본문의 행(行)을 2 행씩 늘려 총 4,784 면에 담아 냄으로써 그 고충을 다소 극복할 수 있게 하였다.

한편 통일(統一)의 염원이 날로 간절해 가는 작금(昨今)의 추세(趨勢)에 비추어, 자칫 이질적인 언어 문화의 골이 깊어감을 우려하면서, 북쪽에서만 쓰이고 있는 낱말들도 따로 수집하여 부록에 수록함으로써 장차의 통일에 대비함도 잊지 않았다.

이 일을 해오면서 사회 각 분야의 도움을 받았음을 밝혀 두거니와, 특히 어원을 밝히는 작업을 위하여 애써 주신 국립 국어 연구원(國立國語硏究院)의 안병희(安秉禧) 원장, 한국 정신 문화 연구원(韓國精神文化硏究院)의 송기중(宋基中) 어문 연구실장(語文硏究室長) 및 서울 대학교 국어 국문학과(國語國文學科)의 이현희(李賢熙) 교수(敎授)에게 감사 드리고, 아울러 자료를 제공해 주신 국립 국어 연구원(國立國語硏究院), 통일원(統一院), 내무부(內務部)를 위시한 각 단체·기관에도 고마움을 표한다.

끝으로 그 동안 서신으로나 전화로 격려와 충언을 해 주신 많은 독자(讀者)들에게도 심심한 사의를 표하면서 더욱 많은 지도와 편달을 바라는 바이다.

1994년 1월 일

민중서림 편집국

◇

제3판 편찬에 협력한 편집 진용

高杰柱	金珉政	金鉉永	白台熙	兪活蘭	李泰煥	韓榮珣
高明秀	金相鏡	南宮貞心	安京喜	尹次鉉	田在萬	黃圭顯
權榮植	金雪英	朴建鎬	安在昶	李聖淑	全昌鎭	(가나다순)
權孝明	金英模	朴美貞	梁在成	李英淑	鄭允朝	
權熙星	金玉仁	朴宣映	廉京子	李宜貞	趙麟瑞	
金東憲	金泰珠	朴恩京	柳一香	李泰周	崔鍾漢	

초판 머리말

한 민족이 국가의 체제(體制)를 갖추어 가지고 수천 년 동안의 연면한 역 니지마는, 한 민족이 고유한 언어를 가지고, 또 그 언어를 기록하기 위하여 다는 것은 더욱 흔한 일이 아니다.

그리고, 그 언어와 문자가 고도의 문화적 가치를 지니고 있다면, 이것은 더

우리는 이와 같이 아름답고, 훌륭한 언어와 문자를 가졌음에도 불구하고, 이 일찌감치 나타나지 못하여, 서기 1880년에 불란서 선교사들이 「한불 자전(이라는 것을 생각하여 보지 못하고 지내 왔다.

우리 말의 첫 사전이 외국 사람의 손으로 이루어졌다는 것은 결코 명예로운 사전」을 출판하여 낸 후로는, 여러 사람의 손으로 대소 여러 종류의 국어 사전이 이 없지 않다 하겠으나, 또한 다행한 일이라 아니 할 수 없다.

그런데, 사전의 편찬이라는 것이 그다지 용이한 일이 아니다. 이 세상에 수월 마는, 사전의 편찬처럼 힘들고 어려운 일은 다시 없을 것이다.

다른 민족의 언어도 마찬가지지마는, 우리 국어는 여러 만 년을 내려 오며 무 발달되어 오늘날에 이르렀으며, 현대에 있어서도 삼천만의 동포가 날마다 종횡 무 서, 그 무수한 어휘와, 자유 자재(自由自在)한 운용의 법칙을 유루(遺漏)없이 이 없는 것이다.

한 민족의 언어는 그 민족의 사상·감정의 투영(投影)이니, 다른 말을 빌어서 표 (總和)와 물질 생활의 전부가 반영(反映)된 상징(象徵)이라 하겠다. 그러므로 언어 가 담겨 있는 그릇이라 할 수 있고, 사전은 그러한 언어가 담겨 있는 또한 그릇이

한 민족의 문화의 총체(總體)가 되는 언어를 한 권의 사전에 담아 놓는다는 것은 므로, 다수한 인원(人員)을 동원하고 장구한 시간을 들여 가며, 풍부한 지식을 이용 하고, 각 단어에 대하여는 가장 정확한 뜻을 가장 간결하게 주석하지 않으면 안 된다 게 되는 것이다.

그런데, 우리 사회 현실의 여건(與件)은 이 사전 편찬 사업에 불가결인 조건을 하

이 사전의 편찬과 출판은, 민중 서관(民衆書館)의 사장 이 병준(李炳俊)씨의 기획 밑 을 극복하고, 오직 사전이 지닌 겨레의 문화적 의의와, 출판사로서의 권위를 생각하여, 전 추진한 사업이다. 그리하여, 편저자의 종합 통리(綜合統理) 밑에서 편찬에 착수한 것이 서기 르기까지 실로 100여 명의 인원의 협력을 얻어, 근 6년이란 세월을 들여서, 이에 완공(完工)을 보

그런데, 사전 편찬에 선행(先行)하는 문제는, 문법 체계와 용어(用語)의 채택을 어떻게 하느냐 하

이것은 편저자가 다년 연구·검토한 나머지, 가장 과학적이요 합리적이라고 생각되는 체계(졸저 「새 고 따랐으며, 용어도 우리 사회에서 가장 우선적으로 알려졌으며, 또 가장 널리 보급되어 누구든지 알기에 평이 詞)」·「동사(動詞)」식의 한자(漢字)로 된 말을 사용하였다.

이러한 말도 엄연하고 귀중한 우리 국어일 뿐 아니라, 이러한 외래어(外來語)는 어떠한 문명 국가에 있어서도 그것 제(排除)하거나 말살(抹殺)하는 일이 없이 잘 가꾸어 쓰고 있기 때문이다.

대개, 언어는, 그것이 고유어(固有語)든지 외래어든지를 물론하고, 그 사회의 무언중(無言中)의 공약(公約)에 의하여 자연 발생적으로 탄생되든지 채택되는 것이오, 어느 특정한 사람이 인위적으로 또는 개인의 의사대로 만들어 쓸 성질의 것이 아니라는 것을 인식하여 둘 필요가 있다.

우리 나라에서는 문법에 관한 용어가 이중(二重)으로 되어 있어서, 같은 국어 문법을 배울 때에 또는 국어 문법과 외국어 문법을 배울 적에, 용어의 번잡과 불통일로 말미암아, 어린 국민에게 아무 필요도 없이 과중한 부담을 지우는 것은 차마 간과(看過)할 수 없는 일이라 생각된다. 그리고 모든 학문은 피차간 관련성이 있고, 전체로서의 통일이 이루어져야 할 것이며, 국어 문법만이 다른 학문의 테두리 밖에 고립(孤立)할 수 없는 것이다. 이와 같은 이유로, 이 사전에서는 문법 용어를 조속히 통일시키기 위하여, 자연히 이루어지고, 먼저 사용되어 왔으며, 보다 많은 사람들이 잘 알고 있는 편을 채택한 것이다.

또 이 사전의 편찬을 실제로 진행시킴에 있어서, 변전(變轉)하는 사회상을 여실히 반영하고 있는 현대 국어 생활의 양태(樣態)를 충실하게 추구하기 위하여,

① 새로운 어사(語辭)의 수집과 정리에 노력하였다. 즉, 고어(古語)·기본어(基本語)는 물론 신어·외래어·유행어·신문어(新聞語) 기타 전문어 들을, 편자의 평소의 「노트」 외에도, 신문·잡지와 일반 교양 도서 및 국민 학교, 중·고등 학교 전과목에 걸친 교과서 등에서 새로 추려서 정리하기만 1년이 넘는 시간을 소비하였다.

② 이와 같이 정리하여 수록(收錄)한 모든 어사에 대하여는 간명하고 평이하게, 그리고 정확하고 주도(周到)하게 주석을 달기에 노력하였다. 특히 기본 어휘(基本語彙)의 주석에 가장 심혈(心血)을 기울였으며, 그러기 위하여 국내외(國內外) 선진(先進)의 대저(大著)를 참조하고, 때로는 전문 분야의 석학(碩學)과 신진 학자(新進學者)에게 집필을 의뢰하기도 하였다.

즉, 식물에 관한 어휘는 성균관 대학교 교수 정 태현(鄭台鉉) 선생이, 동물에 관한 어휘는 고려 대학교 교수 조 복성(趙福成) 선생이, 어류(魚類)에 관한 어휘는 동국 대학교 교수 정 문기(鄭文基) 선생이, 고제도(古制度)에 관한 어휘는 이화 여자 대학교 사학(史學) 교수 김 성준(金成俊) 선생이, 고어 및 방언에 대하여는 이 기문(李基文)·김 완진(金完鎭)·이 승욱(李承旭)·안 병희(安秉禧) 여러 동지가 각각 집필하여 주신 것을 특히 감사하여 마지 않는다.

넘기게 된 것이 서기 1959년 7월 30일, 수록된 어휘의 총수 23만 훨씬 넘는 실(實質)을 갖춘, 글자 그대로 대사전이 된 것이다.

원고의 정리와 검토(檢討)를 끝내 출판사 편집부측의 부단한 노력과 철저하고 주밀한 주의력의 집중으로써 진행되

방대(尨大)한 분량과, 광범하고 (謬) 없기를 기(期)하였거니와, 가장 새롭고 충실한 사전이 되게 하고자, 교정 도중

제작 과정에 들어가서 그 개서(改書)되었다.

었다. 된 이 사전을 대하매 편저자의 미력(微力)으로써 이 대사업을 완수하게 한 것은 오

관후(寬厚)한 아량과 동학(同學) 제현(諸賢)의 끊임없는 계발 격려의 덕택이며, 편집부

각하여 감개가 무량한 바 있다.

교정은 평균 9교 교정의 전과정에서 수고해 준 출판사측의 편집 진용 여러 분의 공로를 길이 기념하기 위

에도 수없이 며, 특히 최 기원(崔基元)씨와 유 한성(劉漢成)씨는 시종 일관(始終一貫)이 사전 편찬 사무

밝히어 감사를 올린다.

이제 명 와 같은 커다란 사전의 편찬에 있어서는 기확성(企劃性)과 지속성(持續性) 및 통일성(統一性)

편저자로서 그 임무(任務)를 온전히 다하였는지 적이 송구스러운 바 있다. 다행히 뜻 있는 독

로지 기다려 점차 완벽한 사전으로 시정하여 갈 수 있도록 노력하려 한다.

11월 일

편저자 이 희 승 적음

◇

편저자를 도와 이 사전 편찬에 협력한 편집 진용

舜植 金福植 朴一俊 李康光 趙南喆
在聲 金承姬 石凡鎭 李錫元 趙英來
高昌範 金英淑 石松 李淳泰 曺耀陽
權祭植 金榮柱 成耆說 李鍾琳 崔根培
權重嶽 金寅準 孫世一 林大植 韓榮珣
金慶順 金株奉 宋基文 林炳潤 許焊
金基業 金泰珠 申東滿 林英茂 洪和植
金基榮 南啓鎬 柳春子 張憲澤 (가나다순)
金命桓 朴光玉 尹錫萬 丁海重

수정 증보판 간행사

언어(言語)에는 생명이 있다고 한다. 언어가 호흡(呼吸)을 하고, 그 속에 혈액이 순환(循環)하며, 또 그것이 외형적(外形的)인 동작(動作)을 하는 것이 아니지마는, 말도 나고 자라고 죽고 하는 것이 일반 생물체(生物體)와 유사(類似) 공통(共通)되는 현상을 띠고 있어서, 새 말이 생기고, 그 말이 성장(成長)하며 (곧, 어형(語形)이나 그것이 담겨 있는 의미가 변천하며), 또 어느 시기에 이르면 사멸(死滅)하여 버리는 일이 있을 뿐 아니라, 언어가 일종의 무형한 현상(現象)이면서도, 그 속에는 정신(精神)이 포함(包含)되어 있어서, 어떠한 종류의 언어를 일상 생활에서 계속(繼續) 사용(使用)하게 되면, 그 화자(話者)는 그 언어를 만들어 낸 사회(社會)의 정신적인 영향(影響)을 받게 되므로, 이러한 점에서도 언어에 생명이 있다는 것을 뒷받침하게 된다.

우리 국어를 두고 볼지라도, 먼 고대(古代)는 고사하고, 갑오 경장(甲午更張—1894년) 이후 또는 더 가까이 8·15 광복(1945년) 이후에, 서양의 신풍조(新風潮)가 밀어닥치는 북새통에서 놀랄 만큼 새 말이 많이 생기었고, 또는 이미 있던 말도 외형과 내용이 변모(變貌)한 것이 적지 않다. 이러한 반면(反面)에 옛날부터 사람의 입에 항상 오르내리던 말도 그 필요성이 희박(稀薄)하여져서, 좀처럼 사용되는 일이 없게 되면, 일반 언중(一般言衆)이 잊어버리게 되고, 나아가서는 현대인이 전혀 모르는 폐어(廢語)가 된다. 그리하여, 언어학(言語學)에서는 새로 생긴 말을 신생어(新生語) 혹은 신어(新語)라 이르고, 폐기(廢棄)된 말을 사어(死語)라 일컫는다. 옛날 우리 조상(祖上)들 사이에서 항용 쓰던 말이 오늘날에 와서는 들어도 무슨 뜻인지 알 수 없는 사어가 된 말이 많다는 것은 국어를 역사적(歷史的=通時的)으로 연구하는 사람들은 잘 알고 있는 바다.

말하자면 언어는 유동성(流動性)이 강하여 출몰 무상(出沒無常)한 존재(存在)라고 보아 지나치는 표현(表現)은 결코 아니다. 즉 이러한 복잡 다단(複雜多端)한 언어를 깨알 줍듯 하여, 어떠한 체계(體系)를 갖추어 한 책의 사전(辭典)에 담아 놓는다는 것은 참으로 수월한 일이 아니다. 설혹 완전에 가깝게 하여 놓았다 할지라도, 시일(時日)이 흘러서 십 수년(十數年) 지나게 되면, 어제가 옛날같이 급속도(急速度)로 변하는 오늘날 세상에 있어서는, 기성(旣成) 사전이 벌써 고물(古物)이 되고 마는 것이다. 그러나, 사전이란 것은 일반 출판물과 달라서, 해마다 쉽사리 개편(改編)할 수 있는 성질의 것이 아니오, 또 타면(他面)으로는, 변하려고 하는 유동성(流動性)이 강한 언어를 사전이라는 책 속에 고정(固定)시켜서 가능한 한(限), 불변의 상태(狀態)로 붙들어 매 놓는 직책(職責)을 가진 것이 또한 사전의 사명(使命)이란 것을 이해(理解)하여야 할 것이다. 그러나 이러한 말은 훨씬 상대적(相對的)인 이야기요, 결코 절대성(絕對性)은 없는 것이다. 따라서 이 사전도 1961년 12월 28일 그 초판(初版)을 발행(發行)한 지 벌써 만 20년의 세월이 흘렀으므로, 오늘날의 현실적인 국어와 상당한 정도의 어긋난 점이 없지 않을 것이다. 그리하여, 사전의 수정(修正)이나 증보(增補)가 결코 용이한 사업이 아니지만, 일찍부터 만난(萬難)을 무릅쓰고, 이 계획(計劃)을 추진(推進)하여 온 지도 또한 10년에 가까와, 이제 새 면모(面貌)를 가다듬어, 애용자(愛用者) 여러분 앞에 현신(現身)하는 바다.

이번에 특히 유의(留意)한 점은 문명한 각 민족의 국어 사전에는 관용어(慣用語; idiom)가 풍부하게 수록(收錄)되어 있는 것이 일반적인 경향(傾向)인데, 우리 나라 국어 사전의 실정(實情)으로는, 아직 이 점에 큰 손색(遜色)이 있음을 유감으로 생각하여, 편저자(編著者)는 이 관용어의 채집(採集)·정리(整理)에만도 십 수년(十數年)의 세월을 소비하여, 이 개신판(改新版) 사전에 수록하였으므로, 이 점만으로도 우리 국어 사전 편찬사(編纂史)에 새 시기(時機)를 만들어 냈다고 자부(自負)하는 바다.

위에서 잠깐 언급(言及)한 바와 같이, 이 사전의 수정 작업(修正作業)은 10년 전 민중 서관(民衆書館) 시대에 착수(着手)하여 계속(繼續) 추진(推進)하다가, 불행히 동 서관이 문을 닫게 되어, 일시 중단 상태(中斷狀態)에 빠졌었다. 그러다가 수년 전에 그 판권(版權) 일체가 민중 서림(民衆書林)으로 넘어오게 되어, 구판(舊版)을 계속 출간하는 동시에, 수정 작업도 극력 추진하여, 오늘날 완성(完成)의 경지에 이르게 되었으니, 이는 온전히 같은 계열(系列)의 출판사인 법문사(法文社) 김 성수(金性洙) 사장이 권위(權威) 있는 사전 간행에 대한 사명감(使命感)을 가지고 과감하게 뒷받침을 해 준 결과, 이루어진 성과(成果)라고 믿어 마지 않는다.

또, 이 수정 작업(修正作業)의 일선(一線)에 나서서 주되는 직책(職責)을 맡아 온 유 한성(劉漢成)씨는 이 사전 초판 때부터 헌신(獻身)적으로 활약하여 온 사계(斯界)의 원로(元老)임을 밝히어, 그 노고(勞苦)에 감사의 뜻을 표한다.

1982년 3월 일

편저자 李熙昇 적음

<u>편저자를 도와 수정 증보판 편찬에 협력한 편집 진용</u>

慶 祖 浩
高 杰 柱
權 五 甲
金 東 憲
金 英 模
金 在 潤
金 澈 鎬
金 哲 煥

金 泰 仁
金 泰 珠
金 鴻 烈
文 祥 奉
朴 建 鎬
朴 太 玉
白 台 熙
徐 幸 子

安 在 祖
梁 在 成
兪 承 在
柳 熙 貞
尹 次 鉉
李 起 勝
李 富 榮
李 義 根

李 貞 甲
李 泰 周
李 泰 煥
林 根 澤
林 大 植
林 昌 雨
張 宇 淳
張 鎭 源

全 大 植
全 東 天
田 在 萬
鄭 永 鎭
鄭 允 朝
鄭 幸 龍
陳 錫 柱
車 光 秀

蔡 泰 錫
崔 昌 碩
韓 季 珠
黃 龍 夏
(삽 화)
權 孝 明
金 美 香
金 永 俊

宋 勳
柳 亭 九
李 相 協
崔 衡 根
(가나다순)

일 러 두 기

이 사전은 국어 사전이면서 백과 사전이나 각종 전문 사전의 구실을 겸할 수 있도록 엮었다. 그 편찬 방침의 개요는 다음과 같다.

어휘의 수록

1. 국어 항목에 관해서는 고대로부터 현대에 이르기까지의 표준어·비표준어·방언·속어·결말·변말·심마니말·궁중어(宮中語)·고어·이두·관용 어구·속담 등을 널리 수집하여, 그 중요한 것을 망라하였다.
2. 또 백과 사전적인 항목은 철학·논리·심리·윤리·종교·신화·고고학·역사·지리·전기(傳記)·지지(地誌)·정치·경제·사회·법률·행정·교육·민속·전설·군사·물리·화학·수학·컴퓨터·천문·기상·지학·동물·식물·생물·생리·의학·한의학·약학·산업(產業)·기술(技術)·공학·공업·토목·건축·기계·전기·광업·농업·임업·어업·상업·무역(貿易)·교통·통신·매스컴·가사(家事)·복식(服飾)·요리·미용(美容)·미술·음악·연극·영화·무용·공예·체육·운동·오락·언어·문법·문학 등 온갖 분야에 걸친 사항(事項)·용어(用語) 외에 인명·지명·책이름·곡명(曲名) 등의 고유 명사 및 외래어·시사어(時事語)·신조어(新造語)·유행어 들을 그 중요성·영구성·빈도수(頻度數) 등을 참작하여 엄선하였다.

   인명은 동서 고금을 통하여 중요한 인물을 채택하였으나, 우리 나라 사람은 고인(故人)에 한하였다.

표제어

1. 표제어는 일어(一語) 일표제어식(一標題語式)을 취하여 이어(二語) 이상의 단어도 각각 독립된 표제어로 올리되, 다음의 예외를 두었다.
   - a. 명사에 접미어 '**-하다**'가 붙어서 된 말이나 '-하다' 자리에 '**-히**'가 붙어 부사로 된 말들은 한데 실었다. 다만, 접미어 '**-이**'로 변해서 부사로 되는 경우에는 일일이 따로 표제어로 올렸다.

     보기 : **유쾌【愉快】**[명] 주석…. ——-하다 [형][여불]. ——-히 [부]

     마땅-하다 [형][여불] 주석…. **마땅-히** [부]

     마뜩-하다 [형][여불] 주석….

     마뜩-이 [부] 주석….

     이 경우에, 접미어 '**-하다**'가 붙는 원말이 한 음절의 한자말일 때에는, 찾아 보기에 편리하도록 접미어 '**-하다**'가 붙어 이루어진 말도 따로 표제어로 올려 거듭 실었다.

     보기 : **명:【命】**[명] 주석…. ——-하다 [타][여불] 주석….

     명:-하다【命一】[타][여불] 주석….
   - b. 접미어 '**-스럽다**', '**-롭다**'가 붙어 형용사가 된 말은 따로 표제어로 싣되, 그 말들의 파생어(派生語) '**…-스레**', '**…-로이**'는 그 기본 어휘 '…-스럽다' '…-롭다'의 주석 끝에 고딕체(體)로 그 형태(形態)를 보이고 품사(品詞)만 밝혀 놓았다.

     보기 : **자유-스럽다【自由一】**[형][ㅂ불] 주석…. **자유-스레【自由-】**[부]

     번거-롭다 [형][ㅂ불] 주석…. **번거-로이** [부]
   - c. 접미어 '**-거리다**'를 가지는 의태어·의성어의 파생어는 그 기본 어휘 끝에 한데 실었다.

     보기 : **덜렁-거리다** [자][타] 주석…. >달랑거리다. **덜렁-덜렁** [부]. ——-하다 [자][타][여불]
2. 속담은 찾기 쉽도록 하기 위하여, 그 첫 말의 주석 다음에 줄을 바꾸어 [ ] 안에 명조체 활자로 실었다.

   보기 : [소 잃고 외양간 고친다]는 '**소**' 항에,

   [먹는 죄는 없단다]는 '**먹다**' 항에.
3. 성구(成句)·관용구(慣用句)는 그 첫머리에 나오는 말의 주석이 끝난 다음, 속담(俗談) 아랫자리에 한 자(字) 들이켜서 별행(別行)을 잡아 조금 작은 고딕체 활자로 싣되, 뜻이 둘 이상일 경우에는 ㉠, ㉡, ㉢, …으로 가르고, 여러 개의 성구가 있을 때에는 가나다순(順)으로 각각 줄을 바꾸어 배열하였다.

   보기 : **간-장【肝腸】**[명] 주석….

   간장을 끊다 [구] 주석….

   간장을 녹이다 [구] ㉠주석…. ㉡주석….

   간장을 태우다 [구] 주석….

   이 경우에 첫 말 다음에 붙는 조사가 생략되어 쓰일 수 있을 때에는 그 조사를 괄호로 둘러 표시하였다.

   보기 : **누:명【陋名】**[명] 주석….

   누:명(을) 벗다 [구] 주석….

   누:명(을) 쓰다 [구] 주석….
4. 하이픈은 한 표제어에 하나만을 지름을 원칙으로 하였다.

   보기 : **고기압-권【高氣壓圈】**[명]〖기상〗주석….
5. 둘 이상의 단어로 된 복합어는 원칙적으로 띄어쓰되, 다음의 예외를 두었다.
   - a. 동식물명

     보기 : **너도밤-나무** [명]〖식〗주석….
   - b. 주의(主義)가 붙는 말.

     보기 : **통화-주의【通貨主義】**[명] 주석….
   - c. 서양의 지명(地名)

     보기 : **코스타-리카**〔Costa Rica〕[명]〖지〗주석….
6. 한 집안에서 배출(輩出)된 인물이 여럿 있는 서양 사람의 이름은 성(姓)을 나타내는 한 표제어에 한데 묶어 싣되, 이름의 철자(綴字)의 알파벳 순(順)으로 ①, ②, ③, …으로써 구분하여 풀이하였다.

   보기 : **루:스벨트**〔Roosevelt〕 [명] 〖사람〗 ①〔Anna Eleanor R.〕 주석…. ②〔Franklin Delano R.〕 주석…. ③〔Theodore R.〕 주석….

어휘의 배열

1. 모든 어휘는 다음의 자모 차례를 따랐다.
   - a. 초성

     ㄱ ㄲ ㄴ ㅥ ㄷ ㄸ ㄹ ㅀ ㅁ ㅂ ㅳ ㅄ ㅴ ㅵ ㅶ ㅷ ㅃ ㅸ ㅅ ㅺ ㅼ ㅽ ㅾ ㅆ ㅿ ㅇ ㆁ ㆆ ㆀ ㅈ ㅉ ㅊ ㅋ ㅌ ㅍ ㅎ ㆅ
   - b. 중성

     ㅏ ㅐ ㅑ ㅒ ㅓ ㅔ ㅕ ㅖ ㅗ ㅘ ㅙ ㅚ ㅛ ㆉ ㅜ ㅝ ㅞ ㅟ ㅠ ㆌ ㅡ ㅢ ㅣ ㆍ ㆎ
   - c. 종성

     ㄱ ㄲ ㄳ ㄴ ㄵ ㄶ ㄷ ㄹ ㄺ ㄻ ㄼ ㄽ ㄾ ㅀ ㅁ ᇚ ㅂ ㅄ ㅅ ㅈ ㅆ ㅿ ㅇ ㆁ ㅈ ㅊ ㅋ ㅌ ㅍ ㅎ
2. 같은 자모(字母)로 표기되는 말은 우선 어법(語法)의 차례(별도 표시)로, 어법이 같은 것은 우리 말·한자어·

외래어의 차례로 하되, 우리말에서는 첫 글자 음의 단장순(短長順), 한자어는 자획(字畫) 수의 적고 많은 차례, 외래어는 원어 첫 글자의 차례, 모든 조건이 같은 것은 현대어와 고어, 일반 어휘와 전문 어휘의 차례로 싣고, 그 말들의 오른편 어깨에 각각 1, 2, 3,…의 차례를 매겼다. 단, 그 말의 앞이나 뒤에 하이픈이 붙는 말들은 각각 따로따로 차례를 매겼다.

보기 : **양**[1] 명 주석….
양[2] 【羊】 명 〖동〗 주석….
양[3] 【良】 명 주석….
양[4] 【良】 명 주석….
양:[5] 【羘】 명 주석….
양[6] 【涼】 명 〖역〗 주석….
양[7] 【涼】 명 주석….
양[8] 【梁】 명 주석….
양[9] 【梁】 명 〖역〗 주석….
양[10] 【粱】 명 주석….
양[11] 【陽】 명 ①〖철〗 주석….
양[12] 【陽】 명 주석….
양[13] 【揚】 명 〖악〗 주석….
양[14] 【揚】 명 주석….
양[15] 【量】 명 주석….
양[16] 【楊】 명 주석….
양[17] 【樣】 명 주석….
양[18] 〔Yang, Chen-Ning〕 명 〖사람〗 주석….
양[19] 의명 주석….
양[20] 【兩】 一 의명 주석….
양[21] 【孃】 의명 주석….
양[22] 【壤】 수 주석….
양[23] 감 〈방〉 주석….
양:-[1] 【兩】 두 주석….
양-[2] 【洋】 두 주석….
양:-[3] 【養】 두 주석….
로크[1] 〔lock〕 명 주석….
로크[2] 〔Locke, John〕 명 〖사람〗 주석….
로크[3] 〔아랍 rokh〕 명 주석….
마[1] 명 〖악〗 주석….
마[2] 명 주석….
마[3] 명 〈옛〉 주석….
마:[4] 명 〖식〗 주석….
마:[5] 【馬】 명 주석….
마[6] 【痲】 명 〖식〗 주석….
마[7] 【痲】 명 주석….
마[8] 【魔】 명 주석….
마[9] 【碼】 의명 주석….
마[10] 조 〈옛〉 주석….
마:[11] 준 주석….
-마[1] 【媽】 미 주석….
-마[2] 【魔】 미 주석….
-마[3] 어미 주석….

3. 동명 이인(同名異人)의 사람 이름은 그 생존 연대 차례로 실었다.

보기 : **김-득신**[1] 【金得臣】 명 〖사람〗주석…. [1604-84]
김-득신[2] 【金得臣】 명 〖사람〗 주석…. [1754-1822]
태종[1] 【太宗】 명 〖사람〗 주석…. [598-649 ; 재위 626-649]
태종[2] 【太宗】 명 〖사람〗 주석…. [939-997 ; 재위 976-997]
태종[3] 【太宗】 명 〖사람〗 주석…. [1367-1423 : 재위 1401-18]
태종[4] 【太宗】 명 〖사람〗 주석…. [1597-1643 ; 재위 1626-43]

맞춤법 및 표준어

1. 맞춤법과 표준어는 1988년 1월 확정 고시된 '한글 맞춤법'(문교부 고시 제88-1호)과 '표준어 규정'(문교부 고시 제88-2호) 및 1990년 9월에 문화부에서 고시한 '표준어 모음'에 따랐다.
2. 고어는 원문에 적힌 원형대로 싣되, 낱말로의 형태로 되어 있지 않은 것은 기본 어형(基本語形)으로 만들어 실었다. 예를 들면, '초미'를 '**쵸**'으로 잡아 수록하였다.
3. 이두어의 읽는 법과 맞춤법은 중추원의 '이두집성(吏讀集成)'(1937. 3. 30. 발행)을 원칙적으로 기준 삼았다.

발음의 표시

1. a. 발음은 원칙적으로 '표준어 규정 제2부 표준 발음법'을 따랐으나, 발음이 자연히 그렇게 나는 것과 연음(連音)되는 부분은 표기하지 않았다.
b. 원음과 다르게 발음되는 말에는 그 표제어 옆 [ ] 안에 실제의 발음을 표시하였다.

보기 : **곧이** [고지] 부 주석….
붙이다 [부치—] 타 주석….
헌:법 【憲法】 [—뻡] 명 주석….
공업-용 【工業用】 [—뇽] 명 주석….
옮기다 [옴—] 타 주석….
넓다 [널따] 형 주석….

2. 길게 발음되는 음절은 그 글자 오른편에 :표를 질렀다.

보기 : **도:리** 【道理】 명 주석….
설:-빔 명 주석….

3. 옛말은 그 음의 단장(短長)이 확실하지 않으므로 일절 음의 단장 표시를 하지 않았다.

어원의 표시

1. 한자어 및 일상 생활에서 보통 로마자(字)로 그대로 쓰이는 구미어(歐美語) 약자는 그 한글 표제자 바로 옆 【 】 안에 각각 한자·로마자를 보였다.

보기 : **태양** 【太陽】 명 주석….
케이-오: 【K.O.】 명 주석….

2. 그 밖의 외래어는 표제자 바로 옆 〔 〕 안에 각각 로마자, 중국 글자, 가나 등 원어(原語)를 내걸고, 그 원어의 국명을 밝혔다. 본디 로마자를 쓰지 아니하는 러시아어·그리스어·아랍어 등도 로마자화(化)한 표기로 보였다. 그리고, 영어의 경우에는 국명 표기를 생략하였다. 특히 미국 영어임을 밝힐 필요가 있는 때에는 그 뜻을 명기(明記)하였다.

보기 : **페이퍼** 〔paper〕 명 주석….
자일 〔도 Seil〕 명 주석….
메이-파쯔 〔중 沒法子〕 명 주석….
다꾸앙 〔일 沢庵 : たくあん〕 명 주석….
로큰-롤 〔미 rock'n'roll〕 명 〖악〗 주석….

3. 한자 역어(漢字譯語)가 있는 범어(梵語)의 경우는 【 】 안에 한자를 들어 보이고, 품사 표시 다음에 로마자(字)로 나타내었다.

보기 : **바라밀다** 【波羅蜜多】 [—따] 명 〔범 Paramita〕 주석….

4. 인명·지명 등의 외국어의 고유 명사에는 원칙으로서 표제어란(標題語欄)에 그 국적(國籍)을 밝혀 적지 않고 주석의 서술로 알게 하였다.

보기 : **모:파상** 〔Maupassant, Guy de〕 명 〖사람〗 프랑스의 소설가. …
캘커타 〔Calcutta〕 명 〖지〗 인도 서(西)벵골주의 수도. …

5. 우리 말과 외래어의 합성어(合成語)는 각 요소(要素) 구성어(構成語)의 어원을 따로따로 밝히는 방식과 그 합성어에 상당하는 외국어의 원어(原語)를 품사 표시 다음에 보이는 방식의 두 방법을 병용(倂用)하였다.
보기 : **가솔린 기관** 【一機關】〔gasoline〕 명 주석….
리보 핵산 【一核酸】 명 〔ribonucleic acid〕〖화〗 주석….
6. 본디 외국말이 아닌 외래어식의 조어(造語)는 구성 요소 사이에 +를 넣어 표시하였다.
보기 : **나이터** 〔night+er〕 명 주석….
오피스 오토메이션 〔office+automation〕 명 주석….
7. 어원은 확실하나 발음이 달라진 말은 주석의 첫머리에 〔←〕표로 그 어원을 밝혔다.
보기 : **대:로** 【大怒】 명 〔←대노〕 주석….
8. 한자어에서 뜻과 음이 같은 말들은 【 】 안에 그 한자들을 병기해 주었다.
보기 : **차질** 【蹉躓·蹉跌·差跌】 명 주석….
9. 속음(俗音)으로 읽혀지는 한자어에는 '†'표를 그 한자의 왼편 어깨에 질렀다.
보기 : **시방** 【†十方】 명 주석….
10. 취음자(取音字)로 된 한자(漢字)가 있는 말은, 주석 끝의 주의란에 그 한자를 보여주는데 그쳤다.
보기 : **생각** 명 주석…. 주의 '生覺·省覺'으로 쓰은 취음.
11. 순 우리말에 관해서는 어원란에 중세어(中世語)나 근대어(近代語)의 어형(語形)을 보여 주었으며, 가능하면 그 말의 형태소(形態素)끼리의 결합 관계도 밝혔다.
보기 : **가:-다루다** 타 〔중세 : 가달호다←갈-+달호-+-다〕 주석….
제웅 명 〔근대 : 졔용〕 주석….
12. 우리가 보통 순 우리말인 줄 알고 있는 말 가운데에는 실제로는 외래어(外來語)를 빌려 쓰고 있는 경우가 제법 있다. 그런 말들의 어원 설명 방식은 다음과 같다.
보기 : **냄비** 명 〔일 なべ〕 주석….
무명 명 〔근세 중국어 木綿〕 주석….
가라치 【加羅赤】 명 〔몽 qarači(전령·심부름꾼)〕 주석….

어법의 표시

1. 문법 체계(文法體系)와 용어는 1963년에 공포된 '학교 문법 통일안' 및 1991년 3월 1일 발행 '고등 학교 문법 교과서'를 준거(準據)하였다.
2. 각 어휘의 어법 표시는 별도 표시의 부호로써 하였다.
3. 고어에는 불규칙 활용의 표시를 하지 않았다.
4. 이두어 중에서 품사 표시가 곤란한 것은 어법 표시를 하지 않았다.
5. 방언에는 불규칙 활용의 표시를 하지 않음을 원칙으로 하였다.
6. 외래어는 그 원말의 품사를 돌아보지 않고, 우리 말에서의 역할로 보아 품사를 매겼다.
보기 : **스마:트** 〔smart〕 명 주석…. ——-하다 형여불
커닝 〔cunning〕 명 주석…. ——-하다 자여불

해설의 방식

1. 어휘의 풀이는 소략(疏略) 추상에 흐르지 않고 정확한 개념을 잡아 쉽고 분명하게 정의를 내렸다.
2. 어휘의 개념을 더욱 명확하게 하고 이해하는 데 도움이 되도록 하기 위하여, 풀이 끝에 동의어(同義語), 용례(用例), 변한 말, 준말, 어감의 강약과 대소, 상대어, 참고어 등을 밝혔다.
3. 한 어휘의 뜻이 여럿일 경우에는 원칙적으로 어원에 가까운 것 또는 일반적인 것으로부터 ① ② ③…의 순으로 벌였다. 또, 한 표제 항목(標題項目)을 둘 이상의 품사(品詞)로 나누어 해설할 때에는 각각 그 품사 표시 앞에 ㊀㊁㊂…의 번호를 붙였다.
보기 : **키**[1] 명 ①주석…. ②주석….
마당[1] ㊀명 ①주석…. ②주석…. ㊁의명 ①주석…. ②주석….
4. 동의어에는 일일이 주석을 붙이지 않고 가장 대표적인 것 하나만을 풀이하여 그 곳에 가 보도록 하였다.
보기 : **기주** 【寄主】 명 〖생〗 숙주(宿主).
숙주 【宿主】 명 〖생〗 주석…. 기주(寄主).
5. 원말과 변한 말에 있어서도 그 중 하나에만 주석을 달았다.
a. 원말을 풀이했을 경우
보기 : **천칭** 【天秤】 명 주석…. →천평(天秤).
천평 【天秤】 명 ←천칭(天秤).
b. 변한 말을 풀이했을 경우
보기 : **곤:난** 【困難】 명 →곤란.
곤:란 【困難】 [골—] 명 〔←곤난〕 주석….
——-하다 형여불
6. 원말과 준말에 있어서는 원칙적으로 원말에 주석을 달았다.
보기 : **병판** 【兵判】 명 〖역〗 ↗병조 판서.
병조 판서 【兵曹判書】 명 주석…. ㊟병판(兵判).
7. 방언(方言)은 되도록 그 쓰이는 지역을 명시하였다.
보기 : **우쁘다** 형 〈방〉 우습다(함경).
8. 특정한 지역에서만 쓰이는 방언이 아닌 비표준어(非標準語)는 ☞로 표준말에 가서 찾아 보게 하였다.
보기 : **상키다** 타 ☞삼키다.
9. 동식물은 주석의 첫머리 [ ] 안에 라틴어 학명을 사체(斜體) 활자로 보였다.
보 기 : **고추-잠자리** 명 〖충〗 [*Crocothemis servilia*] 주석….
10. 외국의 작품이나 학술 전문어 등의 우리 말 역어(譯語)에는 필요한 경우에 본문 주석 머리의 〔 〕 안에 원어, 주로 영어 원어를 넣어 주었다.
보기 : **젊은 파르크** 명 〔프 La Jeune Parque〕〖문〗 주석….
표면 장력 【表面張力】 명 〔surface tension〕〖물〗 주석….
11. 지명에 있어서 강·산맥·운하·철교 등은 길이, 산에는 높이, 호수에는 넓이, 국가나 지방명·섬에는 넓이와 인구, 도시에는 인구 들을 주석 끝 [ ] 안에 표시하였다. 인구수에 있어서, 우리 나라의 시·읍(市邑) 및 군·도(郡道)는 주로 1991년 10월 1일에 실시한 인구 센서스의 자료에 따랐으며, 외국의 것은 가장 새로운 데이터를 수집하여 그 조사 연도(調査年度)를 ( )안에 주기(注記)하였다.
보기 : **한:-강** 【漢江】 명 ①〖지〗 주석…. [514km]
터:키 〔Turkey〕 명 〖지〗 주석…. [779,452 km^2 : 67,330,000명(1991 추계)]
12. 인명에 있어 서양 사람은 성(姓)을 앞에, 이름을 뒤에 보였다. 그리고, 자(字)·호(號)·필명(筆名)·별명 등은 주석 속에서 다루었으며, 그 생몰(生沒) 연대, 그 밖에 재위(在位)·재직(在職)기간을 주석 끝 [ ] 안에 표시하였다.
보기 : **헤밍웨이** 〔Hemingway, Ernest〕 명 〖사람〗 주석…. [1899-1961]
13. 조선 시대 때의 인명의 풀이에서 '○○ 사람'이라 함은,

그 곳이 관향(貫鄕)임을 나타낸다.

보기 : **이:-황**【李滉】명〖사람〗주석…. 진보(眞寶) 사람.…

14. 중국의 지명·인명은 중국음으로 실음을 원칙으로 하였으나, 신해 혁명(辛亥革命)을 기준으로 그 이전 사람의 이름은 한자음으로 표제어에 올렸다.

보기 : **린 위탕** 〔林語堂〕 명 〖사람〗 주석….[1895-1976]

임-어(:)당【林語堂】명〖사람〗'린 위탕'을 우리 음으로 읽은 이름.

타이베이〔臺北〕명〖지〗주석…. [2,720,000명(1991)]

대북【臺北】명〖지〗'타이베이'를 우리 음으로 읽은 이름.

두-보【杜甫】명〖사람〗주석…. [712-770]

15. 일본의 지명·인명은 일본 음으로 실음을 원칙으로 하였으나, 예로부터 우리 음으로 불러 와서 익은 몇몇 이름은 한자음으로도 표제어에 올렸다.

보기 : **에도**〔江戸 : えど〕명〖역〗주석….

강호【江戶】명〖역〗'에도(江戶)'를 우리 음(音)으로 읽은 이름.

도쿠가와 이에야스〔德川家康 : とくがわいえやす〕명〖사람〗주석….

덕천-가강【德川家康】명〖사람〗'도쿠가와 이에야스'를 우리 음으로 읽은 이름.

16. 화학 원소는 주석 끝 [ ] 안에 원자 번호·기호·원자량을 표시하였다.

보기 : **칼슘**〔calcium〕명〖화〗주석….[20번 : Ca : 40.08]

17. 고어는 현대어로 풀이한 다음에 출전(出典)에 있는 원문을 소개하고 그 책의 이름과 있는 자리를 밝혔다.

보기 : **녀름**[1] 명〈옛〉여름. ¶녀름 하(夏)≪字會 上1≫.

18. 고사나 성구어 또는 일반 어휘에 있어서도 그 말들의 전거(典據)·유래·어원 등을 주석 첫머리 〔 〕 안에 소개하였다.

보기 : **망라**【網羅】[一나] 명〔망(網)은 물고기를 잡는 그물, 라(羅)는 날짐승을 잡는 그물〕주석….

새옹지-마【塞翁之馬】명〔회남자(淮南子) 인간훈(人間訓)에 나오는 고사…〕주석….

19. 연대는 서기를 사용하되, 우리 나라나 중국의 사실은 그 때 그때의 연호(年號)를 쓰기도 하였다. 이런 경우에는 ( ) 안에 서기를 병기하였다.

20. 전문어 표시

주석의 첫머리 〖 〗 안의 전문어 표시는 혼동의 염려가 없는 것은 별도 표시의 약어로, 그 외의 것은 그대로나 그에 가까운 명칭을 사용하였다.

21. 주의 사항·참고 사항의 부기

주석이 다 끝난 다음에 어원(語源)·발음(發音)·어법(語法) 등에 관한 주의 사항을 주의란에, 주석의 내용 상의 참고 사항을 참고란에 각각 부기(附記)하였다.

보기 : **가:탄**【可歎】명 주석…. **——-하다** 형여불 주의 '-할'로만 활용됨.

대:림【待臨】명〖천주교〗①주석…. ②주석…. 참고 '장림(將臨)'의 고친 이름.

22. 용례(用例)의 주요 출전(出典)

1991년 삼성당(三省堂) 간행 '한국 문학 전집(전 36권)', 1969년 을유 문화사(乙酉文化史) 간행 '한국 신소설 전집(전 10권)', 1991년 창작과 비평사 간행 김주영(金周榮) 저작의 '객주(客主) 육판(六版)(전9권)', 1991년 사계절사 간행 홍명희(洪命憙) 저작의 '임꺽정(林巨正) 재판(再版)(전10권)', 1894년 예수 성교회 간행 '찬양가(讚揚歌)' 등이다.

삽 화

동식물을 비롯하여 기계·기구, 옛 제도와 문물 등 자구(字句)의 설명만으로는 어휘의 개념 파악이 곤란한 것 또는 우리의 주변에서 흔히 볼 수 없는 것들 약 5,800개를 골라 실었다.

외래어

외래어의 표기는 원칙적으로 1986년 1월 7일 확정 고시된 '외래어 표기법'(문교부 고시 제85-11호)에 따르고, 외래어 표기의 용례를 다룬 '편수 자료 Ⅱ-1·Ⅱ-2'(1987) 및 '외래어 표기 용례집 일반 용어'(국어 연구소(1988))와 '외래어 표기 용례집 동구권 지명·인명'(국립 국어 연구원(1993))을 참작하였다. 단, 원음과 달리 바뀌어 고정된 말들과 천주교·기독교 등에서 익히 쓰여 온 외래어들은 관용을 그대로 살렸다.

약 호

어 법

명 명사
의명 의존 명사
인대 인칭 대명사
지대 지시 대명사
수 수사
자 자동사
불자 불완전 자동사
타 타동사
불타 불완전 타동사

피동 피동사
사동 사역 동사
보동 보조 동사
형 형용사
보형 보조 형용사
관 관형사
부 부사
감 감탄사
조 조사

준 준말
간 어간
두 접두어
미 접미어
선어미 선어말 어미
어미 어미
구 성구・관용구
ㅅ불 ㅅ 불규칙
ㅎ불 ㅎ 불규칙

ㅂ불 ㅂ 불규칙
ㄷ불 ㄷ 불규칙
여불 여 불규칙
러불 러 불규칙
르불 르 불규칙
거라불 거라 불규칙
너라불 너라 불규칙
우불 우 불규칙

전 문 어

〔건〕 건축
〔경〕 경제
〔공〕 공업・공학
〔광〕 광물・광업
〔교〕 교육
〔군〕 군사
〔기〕 기계
〔논〕 논리
〔농〕 농업
〔동〕 동물
〔문〕 문학
〔물〕 물리

〔민〕 민속
〔법〕 법률
〔사〕 사회
〔생〕 생물・생리
〔성〕 성서
〔수〕 수학
〔식〕 식물
〔신〕 신화
〔심〕 심리
〔악〕 음악
〔약〕 약학
〔어〕 어류

〔언〕 언어학
〔역〕 역사
〔연〕 연극・연예
〔예〕 예술
〔원자〕 원자 물리학
〔윤〕 윤리
〔의〕 의학
〔일제〕 일본 제도
〔전〕 전기
〔정〕 정치
〔조〕 조류
〔종〕 종교

〔지〕 지리・지학
〔책〕 책이름
〔천〕 천문
〔철〕 철학
〔춤〕 무용
〔충〕 곤충
〔토〕 토목
〔한의〕 한의학
〔해〕 해사・항해
〔화〕 화학

외 래 어

그 그리스어
네 네덜란드어
노 노르웨이어
도 독일어
라 라틴어
러 러시아어

몽 몽고어
미 미국어
범 범어
벨 벨기에어
스 스페인어
아랍 아라비아어

영 영어
이 이탈리아어
인 인도어
일 일본어
중 중국어
페 페르시아어

포 포르투갈어
폴 폴란드어
프 프랑스어
핀 핀란드어
헤 헤브라이어

용 법

〈궁중〉 궁중어
〈방〉 방언
〈비〉 비어

〈소아〉 소아어
〈속〉 속어
〈시〉 시어

〈심마니〉 심마니말
〈아〉 아어
〈옛〉 옛말

〈유〉 유행어
〈이두〉 이두어
〈학〉 학생어

고어 인용 문헌

≪家禮≫ 家禮諺解
≪家禮圖≫ 家禮圖諺解
≪加髢≫ 加髢申禁事目
≪警民≫ 御製警民音
≪敬信≫ 敬信錄諺解
≪鷄類≫ 鷄林類事
≪救簡≫ 救急簡易方
≪救方≫ 救急方諺解
≪救荒≫ 救荒撮要
≪勸善≫ 五臺山上院寺重創勸善文
≪龜鑑≫ 禪家龜鑑諺解
≪金剛≫ 金剛經諺解
≪金三≫ 金剛經三家解
≪南明≫ 證道歌南明泉禪師繼頌諺解
≪蘆溪≫ 蘆溪集
≪老乞≫ 老乞大諺解
≪老朴≫ 老朴集覽
≪論語≫ 論語諺解
≪聾岩≫ 聾岩集
≪楞嚴≫ 楞嚴經諺解
≪陶山≫ 陶山十二曲
≪東國新續三綱≫ 東國新續三綱行實圖
≪同文≫ 同文類解
≪痘方≫ 痘瘡經驗方
≪杜諺≫ 分類杜工部詩諺解
≪痘要≫ 諺解痘瘡集要
≪馬經≫ 馬經抄集諺解
≪孟諺≫ 孟子諺解
≪牧訣≫ 牧牛子修心訣
≪蒙法≫ 蒙山和尙法語略錄諺解
≪妙蓮≫ 妙法蓮華經諺解
≪武藝≫ 武藝圖譜通志諺解
≪無寃錄≫ 無寃錄諺解
≪物名≫ 物名考
≪朴新解≫ 朴通事新釋諺解
≪朴解≫ 朴通事諺解
≪般若≫ 般若波羅蜜多心經諺解
≪方藥≫ 重訂方藥合編
≪百聯≫ 百聯抄解
≪飜小≫ 飜譯小學
≪法語≫ 四法語
≪辟瘟≫ 辟瘟方諺解
≪普勸≫ 念佛普勸文
≪佛頂≫ 佛頂心陀羅尼經諺解
≪史略≫ 史略諺解
≪四聲≫ 四聲通解
≪三綱≫ 三綱行實圖
≪三略≫ 三略諺解
≪三史≫ 三國史記
≪三譯≫ 三譯總解
≪三韻≫ 三韻聲彙
≪三遺≫ 三國遺史
≪常訓≫ 常訓諺解
≪書諺≫ 書經諺解
≪釋譜≫ 釋譜詳節
≪石千≫ 石峰千字文
≪星湖≫ 星湖僿說
≪小諺≫ 小學諺解
≪續三綱≫ 續三綱行實圖
≪松江≫ 松江歌辭
≪修行≫ 發心修行章
≪水滸≫ 水滸志
≪施食≫ 施食供養文
≪施食文≫ 三壇施食文
≪詩諺≫ 詩經諺解
≪新救荒≫ 新刊救荒撮要
≪新語≫ 捷解新語
≪阿彌≫ 佛說阿彌陀經諺解
≪雅言≫ 雅言覺非
≪樂範≫ 樂學軌範
≪樂詞≫ 樂章歌詞
≪野雲≫ 野雲自警諺解
≪語錄≫ 語錄解
≪諺簡≫ 李朝御筆諺簡集
≪呂約≫ 呂氏鄕約諺解
≪譯語≫ 朝鮮館譯語
≪譯解≫ 譯語類解
≪永嘉≫ 禪宗永嘉集諺解
≪永言≫ 靑丘永言
≪靈驗≫ 靈驗略抄
≪五倫≫ 五倫行實圖
≪五洲≫ 五洲衍文長箋散稿
≪瘟疫≫ 分門瘟疫易解方
≪王郎傳≫ 王郎返魂傳
≪倭解≫ 倭語類解
≪龍歌≫ 龍飛御天歌
≪牛方≫ 牛馬羊猪染疫病治療方
≪圓覺≫ 圓覺經諺解
≪月令≫ 鄕藥採取月令
≪月序≫ 月印釋譜序
≪月釋≫ 月印釋譜
≪月俗≫ 農家十二月俗詩
≪月印≫ 月印千江之曲
≪類聚≫ 時調類聚
≪類合≫ 新增類合
≪六祖≫ 六祖法寶壇經諺解
≪恩重諺≫ 佛說大報父母恩重經諺解
≪二倫≫ 二倫行實圖
≪吏文≫ 吏文續輯覽
≪頤齋≫ 頤齋遺稿
≪煮硝≫ 新傳煮硝方諺解
≪字會≫ 訓蒙字會
≪字恤≫ 字恤典則
≪正俗≫ 正俗諺解
≪濟衆≫ 濟衆新篇
≪重杜諺≫ 重刊本杜詩諺解

≪重三綱≫	重刊本三綱行實圖	≪合字解≫	訓民正音合字解
≪中聲解≫	訓民正音中聲解	≪海謠≫	海東歌謠
≪地藏≫	地藏經諺解	≪行釋≫	行願品釋
≪參禪≫	八陽經附參禪曲	≪鄕樂≫	時用鄕樂譜
≪初杜諺≫	初刊本杜詩諺解	≪鄕藥≫	鄕藥集成方
≪村方≫	村家救急方	≪華類≫	華語類抄
≪春香≫	烈女春香守節歌	≪華音≫	華音啓蒙諺解
≪七大≫	七大萬法	≪火砲≫	火砲式諺解
≪湯液≫	東醫寶鑑湯液篇	≪孝經≫	孝經諺解
≪太平≫	太平廣記諺解	≪訓例≫	訓民正音解例本
≪漢淸≫	韓漢淸文鑑	≪訓諺≫	訓民正音諺解

기 호

:	장음 표시(표제어에서 장음으로 발음되는 글자의 오른편에)
(:)	성(姓)과 이름을 함께 부를 때 단음(短音), 이름만 부를 때 장음(長音) 표시
【 】	표제어의 한자·로마자 약자
†	속음 표시(표제어 다음의 한자에)
[ ]	발음 표시(표제어 다음)
	인명에서 생몰 연대 표시(주석 끝)
	지명에서 면적, 인구, 산의 높이, 강의 길이 표시(주석 끝)
	화학 원소의 번호·부호·원자량 표시(주석 끝)
	동식물의 학명 표시(주석의 첫머리)
—	한자란에서 순 우리말이나 외래어 부분의 생략 표시. 발음란에서 변동 없는 부분의 생략 표시
〔 〕	말의 전거(典據)·유래·어원 표시(주석의 첫머리)
	표제어의 외래어 표기
〖 〗	전문어 표시(주석 첫머리에서)
〈 〉	말의 위상(位相) 표시(주석 첫머리에서)
( )	주석 중의 보충 설명
=	고어의 동의어 표시
☞	비표준어 표시(표준말 앞에)
↗	준말의 원말 앞에
≪ ≫	작품 이름 표시(주석 속에서)
-	햇수·수량의 변화 표시(「…부터 …까지」·「내지」의 뜻)
¶	예문 시작 표시
～	예문에서 표제어 부분의 생략 표시
／	여러 예문의 구분
→	변한 말 앞에
←	원말 앞에
	어원란에서 형태소끼리의 결합 관계 표시
㊀㊁㊂…	한 표제어에서 품사가 바뀔 때
①②③…	한 표제어에서 주석이 바뀔 때
㉠㉡㉢…	성구·관용구·속담에서 주석이 바뀔 때
——-	표제어 부분의 되풀이 표시(파생어의 경우)
↔	상대어 또는 반대어 앞에
*	참고되는 말 앞에
㊟	준말 앞에(주석 끝)
ㅗ	어감이 보통인 말 앞에
ㅛ	어감이 센 말 앞에
ㅛ	어감이 거센 말 앞에
＜	어감이 큰 말 앞에
＞	어감이 작은 말 앞에
❶❷❸…	참고 표제어의 상당 번호 표시
[ ]	속담 표시(주석 끝난 다음에)

ㄱ[1] (기역) ①한글 자모의 첫째 글자. ②〖언〗 자음의 하나. 혀뿌리를 높이어 뒷 입천장에 붙였다가 뗄 때에 나는 무성 파열음(破裂音). 받침으로 그칠 때는 혀뿌리를 떼지 아니함. ¶ ㄱ는 엄쏘리니 君군ㄷ字쫑 처엄 펴아나는 소리 ᄀᆞᄐᆞ니 ᄀᆞᆯᄫᅡ 쓰면 虯끃ㅸ字쫑 처ᅀᅥᆷ 펴아나는 소리 ᄀᆞᄐᆞ니라《訓諺》.

ㄱ[2] 조 〈옛〉 ①아음(牙音) 'ㆁ' 밑에서 소유격으로 쓰는 사잇자. ¶ 兄ㄱ 뜨디 일어시ᄂᆞᆯ(兄讓旣遂)《龍歌 8章》 / 乃終ㄱ소리(終聲)《訓諺》. ②동사(動詞) 밑에 붙어, 강세(強勢)의 조사로 쓰이던 말. ¶ 네 仔細히 ᄉᆞ랑ᄒᆞ약(汝諦思念)《楞嚴 Ⅱ:53》.

ㄱㄴ-순【一順】[기역니은—] 명 한글 자모의 차례를 따라서 매기는 순서. ㄱㄴ 차례. 자모순(字母順). ＊가나다순.

ㄱㄴ-차례【一次例】[기역니은—] 명 ㄱㄴ순(順).

ㄱ-자【一字】[기역—] 명 가장 쉬운 글자를 비유해서 이르는 말. ¶ 낫 놓고 ~도 모른다.

ㄱ자-쇠【一字一】[기역—] 명 〔L-strap〕〖건〗 띠쇠를 ㄱ자형으로 만든 접합부 보강용 철물.

ㄱ자-자【一字一】[기역—] 명〖공〗 ㄱ자 모양으로 만든 자. 곱자.

ㄱ자-집【一字一】[기역—] 명〖건〗 용마루가 ㄱ자 모양으로 된 집.

ㄱ자턱솔-이음【一字一】[기역—] 명〖건〗 턱솔을 ㄱ자 모양으로 만들어 끼이게 한 이음.

가[1] 명〖악〗 음계의 제 6 음. 곧, 라(la).

가:[2] 명 복판에서부터 바깥 쪽으로 향해서 끝진 곳. 또, 그 안팎. 복판에 반대되는 부분. 가장자리. 변두리. 주연(周緣). ¶ 강~/길~/하늘은 ~가 없다. ↔가운데·복판.

가:[3]【可】명 ①옳음. ②좋음. ¶ 분할 상환도 ~. ③무던함. ④찬성하는 의사의 표시. ¶ ~도 없고 부(否)도 없다. 1)-4): ↔부(否). ⑤〖교〗 성적 평가 기준의 한 가지. 양(良)의 아래, 불가(不可)의 위. ＊수(秀). **——-하다** 형 여불. **——-히** 부

가[4]【加】명 ①〖수〗 '더하기'의 구용어. ②〖수〗 ↗가법(加法). ③ ↗가산(加算). ¶ 원금에 이자를 ~하다. 1)-3): ↔감(減). ④〖역〗 부여·고구려의 씨족장·부족장·고관의 칭호. ＊마가(馬加)·우가(牛加)·상가(相加)·대가(大加). **——-하다** 타 여불

가[5]【家】명〖법〗 전에, 호적상 일가(一家)로 등록된 친족(親族) 집단을 이르던 말.

가[6]【笳】명〖악〗 호가(胡笳).

〈가[7]〉

가[7]【斝】명 예전에, 예식 때 사용하던 술잔.

가:[8]【賈】명 성(姓)의 하나. 현재 우리 나라에는 본관이 소주(蘇州) 하나뿐임.

가[9]【價】명 성(姓)의 하나. 우리 나라에는 현존하지 아니함.

가[10] 조 ①받침 없는 체언 아래에 붙어, 그 말을 주격(主格)이 되게 하는 격조사. ¶ 해~ 뜬다. ②받침 없는 체언 아래에 붙어, 그것이 다른 것으로 변하여 감을 나타내는 보격 조사. 그 아래에 '되다'가 옴. ¶ 꽃이 열매~ 된다. ③받침 없는 체언에 붙어, 그것이 아님을 나타내는 보격 조사. 그 아래에 '아니다'가 옴. ¶ 나는 바보~ 아니다 / 그는 부자~ 아니다. ④연결 어미 '-지'나 '-게' 따위에 붙어, 부정하는 뜻을 강조하는 보조사. ¶ 별반 크지~ 않다 / 길게~ 아니라 널찍이 잡도록 해라. ⑤받침 없는 일부 부사에 붙어, 부정의 뜻을 강조하는 보조사. ¶ 도대체~ 돼먹지 않았다 / 원체~ 잘못된 일이다. ＊이[29].

가[11] 조 〈옛〉 인가. ¶ 夫人ᄭᅴ 무로ᄃᆡ 이 두 사ᄅᆞ미 眞實로 네항것가《月釋 Ⅷ:94》/이 네 권당가(是你親眷那)《老乞 上 14》.

가:[12] 준 가아. ¶ ~ 보아라.

가[13]【加】준〖지〗 ① 가나다(加那陀). ② 가주(加州).

가-[1]【加】두 더하는. 첨가하는. ¶ ~지방(地枋)/~추렴하다.

가:-[2]【假】두 ①임시적인. 시험적인. ¶ ~압류/~매장/~건물/~등기. ＊본(本)-. ②가짜의. 거짓의. ¶ ~기자/~문서. ＊진(眞)-.

-가[1]【家】미 ①어떤 명사 아래에 붙어, 그 방면의 일이나 지식이 남보다 뛰어난 사람을 이르는 말. ¶ 혁명~/무용~/발명~. ② 행동에 어떤 특징이 있는 사람. 그 성질을 특히 가진 사람. ¶ 정열~/노력~. ③어떤 것을 많이 가지고 있는 사람. ¶ 장서~. ④성 아래에 붙어, 그 집안을 나타내는 말. ¶ 록펠러~.

-가[2]【哥】미 ①성에 붙여 부르는 말. ¶ 최~. ②성 밑에 붙여 낮게 부르는 말. ¶ 홍~야. ＊-씨(氏).

-가[3]【街】미 ①시가의 특수한 지구(地區). ¶ 주택~/번화~/은행~. ②도시의 큰 거리를 이르는 말. ¶ 월(Wall)~/다우닝~. ③큰 동(洞)이나 -로(路)를 다시 몇 개로 구분할 때 쓰는 말. ¶ 장충동 1~/종로 2~.

-가[4]【歌】미 어떤 명사 아래에 붙어, 노래 이름이나 종류를 나타내는 말. ¶ 애국~/춘향~/유행~/주제~.

-가[5]【價】[까] 미 ①어떤 명사 아래에 붙어, '값'이라는 뜻을 나타내는 말. ¶ 적정~/최고~. ②〖화〗 숫자 아래에 붙여, 원자가(原子價)를 나타내는 말. ¶ 2~ 이온.

-가- 선어미 〈옛〉 선어말 어미 '-거-'와 '-우-'가 결합된 형태. ¶ 維那ᄅᆞᆯ 사모려 ᄒᆞ실씨 듣ᄌᆞᆸ고 깃거ᄒᆞ가니와《月釋 Ⅷ:93》. ＊-거-.

가:가[1]【可呵】명 '스스로 우습다'는 뜻으로, 흔히 편지에 쓰는 말.

가:가[2]【可嘉】명 착하다고 여길 만함. 또, 어떤 일이 잘되었다고 칭찬할 만함. **——-하다** 형 여불

가:가[3]【呵呵】명 ①대단히 우스움. ②웃는 소리의 형용. ¶ ~ 대소(大笑).

가가[4]【家家】명 집집마다. ¶ ~ 호호(戶戶)를 찾아다니다.

가:가[5]【假家】명 ①임시로 지은 집. ②〖역〗 조선 시대의 가게의 하나. 그 규모가 방(房)보다는 작고, 재가(在家)보다는 큼. ＊전(廛). ③ →가게.

가:가 대:소【呵呵大笑】명 소리를 크게 내어 웃음. 홍연 대소. **——-하다** 자 여불

가가-례【家家禮】명 집집마다 달리 행하는 예법·풍속·습관.

가가린 〔Gagarin, Yurii Alekseevich〕 명〖사람〗 소련의 군인·우주 비행사. 1961년 4월 12일 보스토크(Vostok) 1호를 타고 지구를 일주, 세계 최초의 우주 비행에 성공함. 1968년 시험 비행 중 추락사(墜落死)함. [1934-68]

가가 문전【家家門前】명 부 집집마다의 문 앞. ¶ ~ 다니면서 구걸하다.

가가붓 자식【一子息】명 ☞ 각아비 자식.

가가 성:자【家家聖者】명〖불교〗 성문(聲聞)들이 깨닫는 4 계급의 하나인 일래과(一來果)를 얻기 위하여 수행하는 지위에 있는 성자.

가가아-수【加加阿樹·柯柯阿樹】명〖식〗 카카오나무.

가가와 도요히코 〔賀川豊彦:かがわとよひこ〕 명〖사람〗 일본의 기독교 사회 사업가. 가난을 기독교적 사랑의 힘으로 해결하고자 노력하였음. 문필에도 능하여 자전적(自傳的) 소설 《사선(死線)을 넘어서》 등 저서도 많음. [1888-1960]

가가와 현【一縣】〔香川:かがわ〕 명〖지〗 일본 시코쿠(四国) 북동쪽의 현. 5 시(市) 7 군(郡). 농산물은 쌀·보리·귤·사과·담배·올리브 등이며, 특산물로서 칠기(漆器)·부채·장갑이 유명함. 내해 양식(內海養殖)이 성한 외에 대규모의 조선소·구리 제련소가 있음. 현청 소재지는 다카마쓰 시(高松市). [1,875km²: 1,023,714명(1990)]

가가 호:호【家家戶戶】명 부 각 집과 각 호. 집집마다. ¶ ~ 다니며 설문서(設問書)를 도르다.

가가 호:호이【家家戶戶—】부 집집마다.

가:각[1]【苛刻】명 모질고 매서움. 잔인하고 박정함. 급각(急刻). ¶ 어쨌든, 어떤 행동하고 도달해야 할 목표가 정해졌다는 의식에서 한결 ~이 덜어진 듯한 느낌이 들었다《金東里: 人間動議》. **——-하다** 형 여불. **——-히** 부

가각[2]【街角】명 가곽(街廓)의 모서리. 길모퉁이. ¶ ~ 정리 사업.

가:각-고【架閣庫】명〖역〗 ①고려 때, 궁중의 도서(圖書)를 간직하던 관아. 공민왕(恭愍王) 5년(1356)에 베풂. ②조선 시대에, 도서·문서를 보관하던 관아. 태조(太祖) 원년(1392)에 설치함.

가각-본【家刻本】명 중국에서, 관리나 학자가 개인적으로 출판한 사각본(私刻本)의 하나. ＊방각판(坊刻版)·가숙본(家塾本)·감본(監本).

가간-사【家間事】명 ①집안의 사사로운 일. 집안 일. ②자기 집에만 관계되는 일. 가중사(家中事).

가감[1]【加減】명 ①더함과 감함. 덧셈과 뺄셈. ②〖수〗 가법과 감법. ＊승제(乘除). ③적당히 조절함. ¶ ~ 저항기/수입에 따라 지출을 ~하다. **——-하다** 타 여불

가:감[2]【可堪】명 ①감당할 수 있음. ②견딜 수 있음. **——-하다** 형 여불

가감-례【加減例】[—녜] 명〖법〗 형(刑)을 가중(加重)·감경(減輕)하여야 할 원인이 있을 경우에, 그 방법·순서 등을 나타낸 원칙. 사형을 감경하여 무기 또는 10년 이상의 징역이나 금고에 처하고, 재법(再犯)

가중을 제일로 해서 작량(酌量) 감경을 최후로 하는 일 따위.

가감-법【加減法】[-뻡] 명〖수〗①가감하는 법. 더하고 빼는 법. ②가법과 감법. ③연립 1차 방정식의 해법(解法)의 하나. 어떤 미지수의 계수(係數)를 승법 또는 제법을 써서 같게 한 후, 각 방정식의 각 변을 더하거나 뺌으로써 그 미지수를 소거(消去)한 다음, 1원 1차 방정식으로 유도해서 푸는 방법. ＊소거법(消去法)·대입법(代入法).

가감 부득【加減不得】명 ↗가부득 감부득.

가감-산【加減算】명 가산(加算)과 감산(減算). ——-하다 자타여불

가감 순:서【加減順序】명〖법〗범죄의 정상(情狀)에 따라, 형을 가중(加重)하거나 감경(減輕)하는 경우의 순서.

가-감-승-제【加減乘除】명〖수〗가법·감법·승법·제법을 합쳐서 이르는 말. ＊사칙(四則).

가감승 합제【加減乘合題】명〖수〗가법과 감법과 승법을 모두 써서 풀게 된 수학 문제. ＊사칙 잡제·가감 합제.

가:-감역【假監役】명〖역〗↗가감역관.

가:-감역관【假監役官】명〖역〗조선 시대에, 선공감(繕工監)의 한 벼슬. 임시로 임용한 감역관으로, 품계는 종구품임. ㊗가감역.

가감 저:항기【加減抵抗器】명〖전〗가변(可變) 저항기.

가:감지-인【可堪之人】명 맡은 일을 감당할 만한 사람. ¶일변 ~을 추풍으로 보내어 사랑에서 어디 계신 곳을 자세히 알아 이리로 나오시게 하든지…≪李海朝:巢鶴嶺≫.

가감 축전기【加減蓄電器】명〖전〗가변(可變) 축전기.

가감 합제【加減合題】명〖수〗가법과 감법을 아울러 써서 풀게 된 수학 문제. ＊가감승 합제.

가갑다 형〈방〉가볍다(함남·평북).

가:-강수량【可降水量】명〔precipitable water〕〖기상〗기층(氣層) 중에 함유되어 있는 수증기가 모두 응결하였을 경우를 가정하여 산정(算定)한 강수량. 이 중 실제로 비가 되어 내리는 부분을 유효 가강수량이라고 함. 가강수량의 값이 크면 많은 비가 내릴 가능성이 있음.

가개[1] 명〈방〉가계(加計).

가개[2] 명〈방〉홍역(紅疫)(경남).

가:개[3] 명 ☞가게.

가개[4] 명〈옛〉시렁. 나뭇가지 사이나 어울리어 된 작대기에 걸쳐서 맨 「시렁. ¶가개(涼棚)≪四聲 下 59 棚字註≫.

가개비 명〈방〉〖동〗개구리(제주).

가객[1]【佳客】명 반가운 손님. 귀한 손님. 가빈(佳賓).

가객[2]【歌客】명 ①노래를 잘하는 사람. 율객(律客). ②노래로 업을 삼는 「사람. 가인(歌人).

가갭다 형〈방〉가볍다(함경).

가갸 명 반절 본문(反切本文)의 첫째인 가와 갸.

【가갸 뒷다리도 모른다; 가갸 뒷자(字)도 모른다】㉠문자를 해득하지 못한다는 말. ㉡일반적으로, 사리에 어두운 사람을 비웃는 말.

가갸-날 명 '한글날'의 처음 이름. 1928년에 '한글날'로 바뀌었음.

가갸-뒤풀이 명 한글 뒤풀이.

가거[1]【家居】명 집안에만 박히어 있음. ——-하다 자여불

가:거[2]【假居】명 가우(假寓). ——-하다 자여불

가거[3]【街渠】명〖토〗①길바닥의 배수를 위하여 차도와 인도의 경계선에 따라 만든 낮은 도랑. 측구(側溝). ②도로나 철도 선로에 따라 베푼 배수로(排水路).

가:거-도【可居島】명〖지〗소흑산도(小黑山島)의 전 이름.

가:거지-지【可居之地】명 살 만한 곳. 살기 좋은 곳.

가:거-처【可居處】명 살기에 알맞은 곳.

가:-건물【假建物】명 임시로 지은 집.

가:-건축【假建築】명 임시로 하는 건축.

가겁다 형〈방〉가볍다(강원·함남).

가:게 명〔←가가(假家)〕①물건을 파는 집. 가겟방. 가겟집. 전방(廛房). 전한(廛閈). ¶구멍 ~/옷~/~를 내다/~를 드리다/~를 차리다. ②길가나 장터 같은 데서 물건을 벌이어 놓고 파는 곳.

【가게 기둥에 입춘이라; 가게 기둥에 주련(柱聯)】제격에 맞지 아니한 다는 말.

가:게거밋-과【—科】명〖동〗[Agelenidae] 절지(節肢) 동물 거미목(目)에 속하는 한 과. 옥내의 구석 같은 데에 삼각형의 선반 모양의 거미줄을 침. 집가게거미·들풀거미 등이 이에 속함.

가:게-채 명 가게로 쓰는 집채.

가:겟-방【—房】명 ①가게로 차리어 쓰는 방. ②가게❶.

가:겟-집 명 ①가게❶. ②가게를 벌이고 장사하는 집. ¶~은 몇 식구냐. ③가게로 쓰는 집. 점포(店鋪). ↔살림집.

가격[1]【加擊】명 공격을 가함. 침. ¶적의 미사일 기지를 ~하다. ——-하 「다 타여불

가격[2]【歌格】명 노래의 격식 또는 품격.

가격[3]【家格】명 문벌(門閥). 지체.

가격[4]【價格】명 ①금액으로 나타낸 물건의 가치. 금. 값. 고가(估價). ②〖경〗화폐로 나타낸 상품의 교환 가치. 화폐 가격. ¶공정 ~/~ 안정/공장도 ~.

가격 경기【價格景氣】명〖경〗상품 가격이 오름에 따라 기업의 수익이 늘고 생산·거래량이 증대함으로써 경기가 좋아지는 상태. ↔수량 경기.

가격 경:쟁【價格競爭】명〔price competition〕〖경〗같은 종류의 재화(財貨)를 공급하고 있는 기업 사이에서 벌어지는 가격 인하(引下) 경쟁. 자유 시장 경쟁에서 전형적으로 나타나며, 과점(寡占) 시장에서는 보다 치열하게 일어남.

가격 기구【價格機構】명〔price mechanism〕〖경〗공급이 수요보다 크면 가격이 내리고, 수요가 공급보다 크면 가격이 오르는데, 이처럼 가격을 통하여 수급이 균형을 이루게 되는 조정을 이름. 가격 메커니즘.

가격 변:동 준:비금【價格變動準備金】명〖경〗재고 자산(在庫資産)·유가 증권(有價證券) 등의 가격의 저락(低落)으로 말미암은 손실에 대비하여 설정되는 준비금.

가격 분석【價格分析】명〖경〗미크로 분석.

가격 분할【價格分割】명〖법〗가치(價値) 분할.

가격 선도제【價格先導制】명〔price leadership〕〖경〗거대(巨大) 메이커가 결정한 가격에, 다른 메이커가 따라가는 가격 형성 방식. 소수의 대기업(大企業)이 높은 시장 점유율(占有率)을 차지하는 과점(寡占) 상태에 있는 업종에서 볼 수 있음.

가격 소구【價格訴求】명〖경〗상품 광고(商品廣告)에서, 소비자에게 호소하는 기본 테마를 가격에 두는 일.

가격 시점【價格時點】[—쩜] 명〖법〗재산의 감정(鑑定)·평가에서, 대상 물건의 가격 조사를 완료한 날짜.

가격 역지정 주:문【價格逆指定注文】명〖경〗유가 증권(有價證券) 매매 방법의 하나. 자기가 지정한 값보다 시세가 오르면 사들이고, 내리면 팔도록 위탁(委託)하는 주문 방법. 역지정가 주문.

가격 연동제【價格連動制】[—넌—] 명〖경〗어떤 상품의 생산비와 그 가격에 있어서, 어떤 요인에 의해 생산비가 상승하면 상품 가격도 상승되는 제도. 원유가(原油價) 인상에 따르는 석유 제품 가격의 인상 따위.

가격 우선의 원칙【價格優先—原則】[—/—에—] 명〔priority of best quotation principle〕〖경〗유가 증권 시장의 경쟁 매매에서 호가의 우선 순위를 정하는 원칙의 하나. 주식에서는 매도 호가(呼價)가 저가의 것이 고가의 것보다 우선하고 매수 호가는 고가의 것이 저가의 것보다 우선함. 채권에 있어서는 매도 호가가 고수익률의 것이 저수익률의 것에 우선하고, 매수 호가는 저수익률의 것이 고수익률의 것에 우선함.

가격 유지 제:도【價格維持制度】[—뉴—] 명〖경〗생산 과잉 또는 수입(輸入)의 압박을 받아 가격이 급락(急落)하는 경우, 가격 안정책으로 정부가 그 물품을 매수(買收)하거나 또는 융자를 행하는 제도.

가격 인하 판매【價格引下販賣】명 일정 시점을 기해 상품의 판매 가격을 내려서 무기한 판매하는 일.

가격 자유화【價格自由化】명 물가를 국가에서 통제하지 아니하고 시장 기능(市場機能)에 맡기는 일.

가격 정책【價格政策】명〖경〗가격에 대한 국가의 정책. 「제도.

가격-제【價格制】명〖경〗물건의 가치를 금전상의 가격으로 나타내는

가격 지수【價格指數】명〖경〗어떤 시기를 기준으로 잡아, 다른 시기에 있어서의 물품의 가격을 지수로 나타낸 수치. ＊물가 지수.

가격 차별【價格差別】명〔price discrimination〕〖경〗구매자의 인적(人的)·지리적·시간적·수량적·질적 차이를 통해 동일 상품에 대한 구매자를 분할하고, 동일 상품이 그 분할된 각 부분 시장마다 다른 가격으로 거래되는 것. 독점 기업의 판매 전략 수단의 하나임.

가격차 보:급금【價格差補給金】명〖경〗공정(公定) 가격제 밑에서, 소비자 가격이 생산자 가격보다 밑돌면, 그 차액을 국가가 부담하여 생산자에게 지급하여 주는 돈. 저물가(低物價) 정책의 하나임.

가격 차이【價格差異】명〖경〗원가(原價)의 일부 또는 전부를 예정(豫定) 가격 또는 표준 가격에 의거(依據)하여 계산한 원가와 실제 가격과의 차액(差額).

가격 차익【價格差益】명〖경〗사고 팔 때의 가격차로 말미암은 이익.

가격 카르텔【價格—】〔도 Kartell〕명〖경〗↗가격 협정 카르텔.

가격 탄:력성【價格彈力性】[—탈—] 명〔price elasticity〕〖경〗상품의 가격이 변화할 때 판매량이 어떻게 변화하는가를 나타내는 지표(指標). 판매량의 변화율(판매 변화량을 당초의 판매량으로 나눈 값)을 가격의 변화율(가격 변화액을 당초의 가격으로 나눈 값)로 나눈 비율로 표 「시함.

가격 통:제【價格統制】명〖경〗물가 통제.

가격 파:괴【價格破壞】명 일상의 상거래 관행을 무시하고 일반 시장보다 훨씬 싼 가격으로 물건을 파는 일(염가 다매의 판매 전략).

가격폭 제:한【價格幅制限】명〖경〗증권 시장에서, 급격한 주가(株價)의 변동으로 인한 시장 질서의 혼란을 막기 위하여, 전일 종가(終價)를 기준으로, 하루에 오르내릴 수 있는 가격의 상한선·하한선(下限線)을 「정하는 일.

가격-표[1]【價格表】명 가격을 적은 일람표.

가격-표[2]【價格票】명 일정한 물품에 대한 가격을 적어 놓은 쪽지.

가격 표기【價格表記】명 속에 들어 있는 물건의 가격을 거죽에 나타내어 적는 일.

가격 표기 우편물【價格表記郵便物】명〖법〗가격 표기를 한 우편물. 전에 우편물 특수 취급의 일종으로, 통화·금·은·보석 그 밖의 값진 물건을 봉해 넣고 가격을 표기하여서, 보통 요금 외에 규정된 특수 요금을 더 내고, 만일 그 우편물이 분실 혹은 손상된 때에는 우체국에 그 가격에 대한 손해 배상을 청구할 수 있었던 우편물. 현재는 보험 등기 우편으로 이를 대신할 수 있음.

가격 혁명【價格革命】명〔Price Revolution〕〖역〗16-17세기의 유럽 제국(諸國)에 일어난 2-3배의 물가 등귀 현상. 멕시코·페루 등지에서, 값이 싼 은(銀)의 대량 유입(流入)으로 말미암아 은 값이 폭락한 데에 원인이 있었음.

가격 현:실화【價格現實化】명 곡가(穀價)·유가(油價)·공공 요금 등, 정부의 가격 정책에 의해 통제받고 있는 품목의 가격을, 실제로 형성되고 있는 시가(時價)에 준해서 조정하는 일.

가격 협정 카르텔【價格協定—】〔도 Kartell〕명〖경〗동종(同種) 산업에 종사하는 각 기업자들이, 동업자간의 자살적인 상호 경쟁을 피하고 시장(市場)을 독점할 목적으로, 판매 가격을 협정하는 카르텔. 보통, 판매 가격의 최저 한도를 협정해서 그 이하 가격으로는 판매하지 아니함. ㊗가격 카르텔.

가격 효:과【價格效果】명〖경〗가격 변화가 생산·수요 따위 경제 활동에 미치는 영향. ＊소득 효과(所得效果).

가견【加譴】명 꾸짖음. 견책(譴責). ——-하다 타여불

가:결[1]【可決】명 의안을 옳다고 결정함. ¶ 만장 일치로 ~하다. ↔부결(否決). ——-하다 타여불

가결[2]【加結】명〖역〗①결세(結稅)의 율을 올림. 지금의 증세(增稅)와 같음. ②증가한 결복(結卜). 가복(加卜). ——-하다 자여불

가:결 비:율【可決比率】명〔approval ratio〕회의에서, 제출된 의안(議案)에 대한 가결된 건수(件數)의 비율.

가:결-안【可決案】명 가결된 의안.

가:-결의【假決議】[-/-이] 명 ①효력이 불확정한 결의. ②〖법〗주식회사의 정관(定款)을 고치기 위한 주주 총회에서 출석 회원수가 정원 미달일 때, 우선 잠정적으로 작정하는 결의. 다음 번 총회에서 이것이 통과되면 정식 결의가 되고, 부결되면 효력을 잃음. 현행 우리 나라 상법(商法)에서는 이 제도를 인정하지 아니함. ——-하다 타여불

가결-전【加結錢】[-쩐] 명〖역〗조선 말엽의 잡세(雜稅)의 하나.

가:경[1]【可驚】명 가히 놀랄 만함. ¶ ~할 사건. ——-하다 형여불. 주의 '-할'로만 활용됨.

가경[2]【佳景】명 아름다운 경치. 훌륭한 풍경.

가경[3]【佳境】명 ①재미있는 판. ¶ 점입(漸入) ~. ②묘미를 느끼는 고비. 묘경(妙境). ③경치가 좋은 곳.

가경[4]【嘉慶】명 즐겁고 경사스러움.

가경[5]【歌磬】명〖악〗조선 세종(世宗) 때에, 특경(特磬)을 일컫던 이름.

가:경-자[1]【可敬者】명〔venerable〕가톨릭에서 시복(諡福) 후보자에게 잠정적으로 주어지는 칭호.

가경-자[2]【嘉慶子】명 '자두'의 딴이름.

가경-전【加耕田】명〖역〗조선 시대에, 새로 개간(開墾)하여 아직 양안(量案)에 올리지 아니한 논밭. *강속전(降續田).

가경-절【嘉慶節】명〖대종교〗대종교(大倧敎) 경절 중의 하나. 음력 팔월 보름날로, 초대 교주(敎主) 나철(羅喆)이 1916년의 이 날에 순교(殉敎)한 것을 기리는 날.

가:경-지【可耕地】명 경작할 수 있는 땅.

가:경-할【可驚-】관 가히 놀랄 만한.

가계[1]【加計】명 ①통화(通貨)의 액면(額面)과 시가(時價)가 다를 때, 그 차액(差額)을 더 계산하는 일. ②가산(加算)❶. ——-하다 타여불

가계[2]【加階】명〖역〗품계(品階)를 올림. ——-하다 타여불

가계[3]【家戒】명 조상(祖上)이 자손에게 끼친 그 집안의 교계(敎誡). *가규(家規).

가계[4]【家系】명 한 집안의 계통. ¶ ~도(圖)/신랑 집의 ~를 조사하다.

가계[5]【家計】명 ①집안 살림의 수입·지출. 살림살이. ¶ ~부(簿). ②생계(生計). 가도(家道). ¶ ~가 쪼들리다.

가계[6]【家契】명 대한 제국 때, 관에서 발급한 집문서. 가권(家券). *지계(地契).

가계[7]【家繼】명 가독(家督)을 상속함. ——-하다 자여불

가계[8]【家鷄】명 집에서 기르는 닭.

가계 경제【家計經濟】명 가정(家政) 경제.

가계-도【家系圖】명 혈연(血緣)이나 결혼 관계 등의 가계를 그린 그림. 유전의 연구 등에 사용됨.

가계 미가【家計米價】[-까] 명〖경〗통제하에 있어서의, 미가 결정의 한 방법. 어떤 해에 조사한 가계비를 기초로 하여 산출한 쌀값. 그 목적은 소비자, 특히 일반 대중이 쌀값으로서 지출할 수 있는 최대 한도의 가격을 산정하여 최고 미가 결정의 기초로 하려는 데 있음.

가계 보:험【家計保險】명〖경〗개인 생활에 관련하여, 그 생활의 안정을 도모하기 위하여 가입하는 보험. 가족의 생활비의 확보를 목적으로 하는 생명 보험이나, 주택·가재 도구의 화재 손해를 보전(補塡)하기 위한 화재 보험 따위. ↔기업 보험.

가계-부【家計簿】명 집안 살림의 수입·지출 등의 생계비를 적는 장부.

가계 부기【家計簿記】명 집안 살림의 수지를 기록하기 위한 부기.

가계-비【家計費】명 한 집안의 살림살이에 드는 비용.

가계 소:득【家計所得】명〖경〗가족 개개인의 근로 수입, 사업 수입 및 재산 수입 등을 합한 가족의 총소득.

가계 수표【家計手票】명 은행에 가계 종합 예금을 가진 사람이 그 은행 앞으로 발행하는 소액 수표. 1매의 발행 한도액은 봉급생활자가 100만 원, 개인 사업자가 500만 원임.

가:-계약【假契約】명 정식 계약을 맺기 전에 임시로 맺는 계약. 임시 계약. ¶ ~이라도 맺어 둡시다. ——-하다 타여불

가계 연:구법【家系硏究法】[-뻡] 명〖의〗쌍생아법과 더불어 인간의 여러 형질의 유전성을 연구할 때 쓰이는 한 방법. 어떤 특성을 가진 개인을 중심으로, 그 특성이 동일한 가계에 속하는 어떤 개인에게는 나타나고, 어떤 개인에게는 왜 나타나지 아니하는가를 추구하고 통계적으로 검토하여, 그 유전형을 정함.

가:-계정【假計定】명〖경〗부기에서, 아직 확정되지 아니한 사실이나, 어느 계정 항목에 속하는지 불분명한 계정을 장부 정리상 임시로 기장(記帳)하여 두는 계정 과목. 가수금(假受金)·가지급금·미결산 계정 따위.

가계 조사【家計調査】명 국민의 생활 상태를 조사하기 위하여, 각 가구(家口)의 수입 지출 등을 조사하는 일.

가계 종합 예:금【家計綜合預金】[-네-] 명 은행 예금의 하나. 급여 생활자나 소상인이 가계 수표(家計手票)를 발행하는 조건으로 그 자금으로서 예입하는 예금. 급여 생활자의 경우는 보통, 급여일에 자동적으로 은행에 입금 처리됨.

가계-주【-紬】명 아롱아롱한 뇌문(雷文)이 있는 예전의 중국 비단.

가:고[1]【可考】명 참고할 만함. ——-하다 형여불. 주의 '-할'로만 활용됨.

가고[2]【加鼓】명〖악〗서역(西域)의 강국(康國), 곧, 지금의 사마르칸트의 북의 한 가지.

가고[3]【家故】명 집안의 사고. 집안의 연고.

가고[4]【歌稿】명 시가(詩歌)의 원고(原稿).

가:고-건【可考件】[-껀] 명 참고될 만한 일이나 물건.

가:고 문적【可考文蹟】명 참고될 만한 문서(文書).

가:고 문헌【可考文獻】명 참고될 만한 기록(記錄).

가고시마〔鹿児島: かごしま〕명〖지〗일본 규슈(九州)의 남단 가고시마 현의 중남부(中南部)의 시. 현청 소재지. 교통의 요지이며 사적(史跡)이 많으며, 임해(臨海) 공업 지대와 항구가 조성되었음. [545,067명(1996)]

가고시마 현【-縣】〔鹿児島: かごしま〕명〖지〗일본 규슈(九州) 남단의 현. 14시(市) 12군(郡). 금·잎담배·직물·감자·축세공품 등을 산출하며, 소·돼지·닭 등 축산이 성함. 80년대초에는 3000톤급 전용의 큰 안벽(岸壁)과 원자력 발전소 등이 건설됨. 현청(縣廳) 소재지는 가고시마 시(市). [9,185 km² : 1,793,158 명(1996)]

가:고-처【可考處】명 참고할 만한 곳.

가:고-할【可考-】관 참고할 만한.

가곡[1]【歌曲】명 ①노래. 칸토. ②〖악〗작곡가에 의하여 창작된 독창용(獨唱用)의 소곡(小曲). 피아노 반주에 의하여 연주되는 수가 많음. 리트(Lied). ¶ 슈만 ~집. ③〖악〗정악(正樂)에 속하는 우리 나라 재래 가악(歌樂)의 한 가지. 시조(時調)를 5장(章) 형태로 얹어 부르는 것으로, 평조(平調)와 계면조(界面調) 두 음계에, 남창(男唱) 24곡, 여창(女唱) 14곡이 있음. 아명(雅名)은 만년 장환지곡(萬年長歡之曲).

가곡[2]【嘉穀】명 ①좋은 곡식. ②벼.

가곡-선【歌曲選】명〖책〗1913년 남악 주인(南岳主人)이 엮은 시조집. 596수의 시조가 실려 있음. 남악 주인은 최남선(崔南善)이라고도 함.

가곡 원류【歌曲源流】[-월-] 명〖책〗박효관(朴孝寬)과 안민영(安玟英)이 조선 고종(高宗) 13년(1876)에 편찬한 시조 및 가사집. 남창(男唱)과 여창(女唱)으로 분류하였는데 남창부는 800여 수, 여창부는 170여 수를 수록하였음. 《청구 영언(靑丘永言)》·《해동 가요(海東歌謠)》와 함께 3대 시조집으로 일컬어짐.

가곡 장단【歌曲長短】명〖악〗정악(正樂) 중의 가곡을 연주할 때 쓰이는 장단. 16박(拍) 한 장단의 기본 장단과, 10박 한 장단의 편(編)장단이 있음.

가곡-집【歌曲集】명 가곡을 모아 엮은 책이나 레코드 판 등. ¶ 슈베르트 ~.

가곡 형식【歌曲形式】명〖악〗리트(Lied) 형식.

가:골【假骨】명〖의〗골절(骨折)하였을 때, 뼈의 결손부(缺損部)를 보충하기 위하여 신생한 불완전한 골조직(骨組織). 골절의 양끝 사이에 일어난 출혈이 응고(凝固)되고, 그곳의 골막(骨膜) 또는 골수(骨髓)로부터 새로운 골아(骨芽) 세포가 신생·증식(增殖)하며, 혈관의 신생 및 이동(移動) 세포의 첨가로 일종의 육아(肉芽) 조직을 만든 후 석회화(石灰化)·골화(骨化)한 것.

가공[1]【加工】명 ①인공을 더함. ②천연물이나 미완성품에 다시 수공(手工)을 더함. 원료나 다른 제품에 세공(細工)하여 새 제품을 만드는 일. ¶ ~비(費)/~품/수지(樹脂) ~/원료를 ~하다. ③〖법〗남의 소유물, 특히 동산(動產)에 공작(工作)을 더하여 다른 형상으로 변경하는 일. ——-하다 타여불

가공[2]【加功】명 ①남의 행위의 일부를 분담하는 일. 주모자를 돕는 일. ②〖법〗범죄 행위를 방조(幇助)함. ——-하다 자여불

가:공[3]【可恐】명 두려워할 만함. ¶ ~할 핵무기의 파괴력. ——-하다 형여불. 주의 '-할'로만 활용됨.

가:공[4]【架空】명 ①공중에 가설함. ¶ ~ 전력선. ②터무니없음. 근거가 없음. 사실이 아님. ¶ ~ 인물. ↔실재(實在). ——-하다 타여불

가공[5]【歌工】명〖악〗고려 때 및 조선 초기에, 제례 의식(祭禮儀式)에 노래를 부르던 악사(樂士).

가:공 가:소【可恐可笑】명 두려움과 우스꽝스러움.

가공 경화【加工硬化】명〖물〗물체를 구성하는 재료에 소성(塑性) 변형을 주면, 이 변형을 거치지 아니한 원래의 재료보다 굳어지는 성질.

가:공 망:상【架空妄想】명 터무니없는 상상. 근거 없는 망령된 생각.

가공 무:역【加工貿易】명〖경〗위탁 가공 계약(委託加工契約)에 따라, 외국에서 원자재(原資材) 또는 반제품(半製品)을 수입하여, 이를 가공 제품화한 후, 다시 수출하는 방식의 무역.

가공-물【加工物】명 가공품(加工品).

가공 배상【加工賠償】명〖경〗재화로써 배상할 수 없는 경우에, 그 대신으로 기술 및 노력을 상대국에 제공하는 배상. 서비스 배상.

가공-법【加工法】[-뻡] 명 재료를 가공하여 가공품을 만드는 방법.

가공-비【加工費】명 가공을 하는 데 드는 비용.

가공-사【加工絲】명 특수한 기술 가공을 베풀어, 원사(原絲)를 화학적으로 또는 기계적으로 변화시킨 실. 금실·은실·광택사(光澤絲)·실켓(silket) 따위.

가:공 삭도【架空索道】명〔aerial ropeway〕〖토〗강철 기둥과 기둥 사이 또는 산마루와 산마루 사이에 강철선을 건너질러 매고, 사람이나 물건을 수송하는 장치. 산지·항만 등 육상 운반에 불편한 곳에서 이용됨. 고가(高架) 삭도. 공중(空中) 삭도.

가공 생산【加工生產】명 원시 생산에 의한 생산물을 그 형태나 성질을 바꾸어 생산하는 일.

가:공-선【架空線】명 ①〔aerial line〕〖토〗공중에 가설(架設)한 선. ②「라디에이터❸.

가공 수입【加工輸入】명〖경〗가공(加工)하여 판매 또는 수출할 목적으로 원자재(原資材)를 수입하는 일.

가공 수출【加工輸出】명〖경〗수입한 원자재(原資材)를 가공하여 재수출(再輸出)하는 일.

가:공-스럽다【可恐—】형ㅂ불 보기에 가공하다. 가:공-스레【可恐—】부

가공 식품【加工食品】명 농산물·축산물·수산물 등의 식품을 먹기 편하게 하고 영양과 저장성 등을 고려하여 인공을 가한 식품.

가공 야:금학【加工冶金學】[—냐—] 명 [mechanical metallurgy] 기계적 힘이 가해졌을 경우에 금속이 나타내는 현상을 다루는 과학과 기술.

가공-업【加工業】명 상품으로 만들기 위하여 재료에 가공하는 직업.

가공-용【加工用】[—뇽] 명 가공하는 데 씀. ¶ ~ 원면(原綿).

가공-유【加工乳】[—뉴] 명 저장성을 높이거나 영양 가치를 강화하기 위하여 또는 소화 흡수를 용이하게 하기 위하여, 특수한 가공을 베푼 우유. 비타민 강화 우유·효모 우유·요오드 우유·조제 분유(調製粉乳)·고형(固形) 우유 따위. *강화 식품(強化食品).

가공 유지【加工油脂】[—뉴—] 명〖공〗유지를 원료로 하여 화학적·물리적 변화를 주어서 만든 여러 가지 제품. 비누·마가린 따위.

가:공 의:치【架工義齒】명〖의〗하나 또는 여러 개의 이가 결손되었을 때, 그 결손된 이의 좌우에 있는 이를 버팀으로 하여 다리를 놓은 듯이 해 박는 의치. 가공치. 교의치(橋義齒). 브리지.

가:공 이:익【架空利益】[—니—] 명〖경〗진정한 이익이 아닌데 장부상으로만 계상(計上)된 기업 이익. 수익의 과대 계상, 비용의 과소(過小) 계상에 의해서 생김. 명목 이익(名目利益).

가:공 인물【架空人物】명 상상 또는 가상(假想)으로 지어 낸 인물.

가:공 인입선【架空引入線】명〖전〗가공 전선로(電線路)의 지지물(支持物)로부터 다른 지지물을 거치지 아니하고 수용(需用) 장소의 접속점에 이르는 가공 전선.

가공-자【加工者】명 ①가공을 하는 사람. ②〖법〗남의 동산(動產)에 공작(工作)을 가한 자.

가:공 자산【架空資產】명〖경〗대차 대조표에 계상되어 있는 자산(資產)으로서, 현실로 존재하지 아니하는 것, 또는 자산으로서의 실질적 가치를 갖지 아니하는 자산.

가:공-적【架空的】명관 ①터무니없는 모양. ②근거 없는 모양. ③사실이 아닌 모양.

가:공 전:선【架空電線】명 나무 기둥·콘크리트 기둥·쇠기둥·철탑(鐵塔) 등을 세워 지상 높이 가설한 전선.

가:공 정원【架空庭園】명 [Hanging Garden of Babylon]〖역〗고대 세계의 7대 불가사의의 하나. 높은 벼랑 위에 마치 허공에 걸려 있는 것처럼 만든 정원으로, 기원전 6세기의 바빌로니아의 왕 네부카드네자르(Nebuchadnezzar)가 메디아(Media)에서 맞아들인 왕비(王妃)를 위해 바빌론에 만들었다 함.

가공지선
송전선
지표면
〈가공 지선〉

가공-지【加工紙】명 윤을 내거나 물을 들이거나, 또는 그 밖의 다른 세공(細工)을 가한 종이. 아트지·인화지 따위.

가:공 지선【架空地線】명〖전〗송전선의 도선(導線)에 벼락이 직격(直擊)하는 일을 막기 위하여, 도선 위에 도선과 평행되게 친 접지 전선(接地電線).

가공 창고【加工倉庫】명 보관 중의 물품을 그곳에서 포장하며 간단한 손질 등을 할 수 있는 창고. *보존(保存) 창고.

가:공 철도【架空鐵道】[—또] 명 [elevated railway]〖토〗①왕래가 번잡한 도회지의 교통의 위험성을 덜기 위하여, 지상에 높은 대(臺)를 지어 놓고 그 위에 가설한 철도. ②고가(高架) 철도.

가:공-치【架工齒】명〖의〗가공 의치.

가:공 케이블【架空—】[cable] 명〖토〗전주를 세우고 공중에 가설한 케이블. ↔지하 케이블.

가공-품【加工品】명 천연물이나 미완성품에 인공을 가한 제품. 가공물(加工物).

가:공-할【可恐—】관 두려워할 만한.

가과[1]【佳果】명 맛이 좋은 과실. 가실(佳實).

가:과[2]【假果】명〖식〗헛열매.

가곽【街廓】명 가로(街路)와 가로와의 사이의 한 구역의 지역. 가확(街廓).

가관[1]【加冠】명〖역〗관례(冠禮)를 행하여 갓을 씀. ——하다 자여불

가:관[2]【可觀】명 ①볼 만함. ¶ 산천 경치가 ~이다. ②언행이 꼴답지 않아 비웃는 말. ¶ 으쓱거리는 꼴이 ~이다.

가:관[3]【假官】명〖역〗①조선 시대에, 임시로 임명하는 관원(官員). 가승지(假承知)·가감역관(假監役官) 따위. ②사변 가주서(事變假注書).

가:관[4]【假觀】명〖불교〗삼관(三觀)의 하나. 모든 존재를 공(空)으로 관(觀)한 그 위에 서서, 모든 것이 있다고 보는 일. 이에 의해서, 지혜가 모자라 스스로 모든 차별상(差別相)을 알려고 하지 아니 하는 미혹(迷惑), 곧 진사혹(塵沙惑)을 깨뜨릴 수 있음. ↔공관(空觀)·중관(中觀). └*삼관(三觀).

가관[5]【笳管】명〖악〗피리.

가:관-스럽다【可觀—】형ㅂ불 꽤 볼 만하다. 가:관-스레【可觀—】부

가:-관절【假關節】명 [psudoarthrosis]〖생〗골절(骨折)의 치유(治癒) 장애의 하나. 골절단(骨節端)에 있어서의 가골(假骨) 형성이 극히 적거나, 골절 후의 정복(整復)·고정(固定)의 불량, 골절부의 세균 감염 등에 의하여 골절부에 가동성(可動性)을 남기는 상태. 「만 활용됨.

가:괴【可怪】명 괴이하게 여길 만함. ——하다 형여불. 주의 '-할'로

가:교[1]【可教】명 가히 상대로 하여 가르칠 만함. 가르칠 수 있을 만함.

가:교[2]【架橋】명 다리를 놓음. 교량(橋梁)을 가설함. ——하다 자여불

가교[3]【家教】명 집에서 제자(弟子)를 가르침. 정고(庭誥).

가:교[4]【假橋】명 교량을 수리하거나 그 밖에 다른 필요성에 의하여 임시로 놓은 다리.

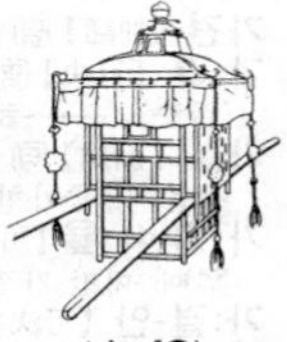
〈가교[5]❶〉

가:교[5]【駕轎】명〖역〗①임금이 타는 가마. 두 마리의 말을 앞뒤에 한 마리씩 배치하고 안장의 양편에 채의 끝을 걸어 멍에하고, 앞뒤 양쪽에 각각 거덜이 서서 채가 흔들리지 아니하도록 껴누르고 감. 정가교(正駕轎)와 공가교(空駕轎)의 구별이 있음. ②쌍가마.

가:교 공사【架橋工事】명〖토〗교량을 가설하는 공사.

가:교-마【駕轎馬】명〖역〗가교를 끄는 말.

가:교 봉:도【駕轎奉導】명〖역〗가교가 떠날 때의 봉도. 임금의 수레가 큰 거리나 네거리를 지날 때, 거가(車駕)를 편안하게 모시기 위하여, 근시하면 봉도 별감(奉導別監)이 연이나 옥교(玉轎)의 머리채를 잡고 나아가면서, '시위(侍衛)! 출입지 말고 반듯이! 도시위! 예시위!' 하고 소리를 치면, 여러 별감이 따라서 화창(和唱)함. 진행 중의 장면에 따라, 부르는 말이 다름.

가:-교사【假校舍】명 임시로 쓰는 학교 건물. 임시 교사.

가:-교실【假教室】명 임시로 쓰는 교실.

가:교 엄:호【架橋掩護】명〖군〗자기 편의 가교 공사를 용이하게 할 목적으로 적을 공격하거나 또는 적의 공격을 방어하는 일.

가:교-제【架橋劑】명 [cross-linker]〖화〗고무 가황(加黃) 등에서, 선상(線狀) 분자 중의 특정 원자 사이에 다리를 놓듯이 연결하는 물질. 교차 결합체.

가구[1]【佳句】명 잘 지은 글귀. 좋은 문구(文句). *명구(名句).

가:구[2]【架構】명 재료를 서로 결합하여 만든 구조물.

가구[3]【家口】㊀명 ①집안 식구. ②집안의 사람 수효. ③한 집을 차린 독립적 생계(生計). ¶ ~주. ㊁의명 한 집 안이나 한 골목 안에서 각살림하는 집의 수효. 세대(世帶). ¶ 두 ~/세 ~.

가구[4]【家具】명 ①집안 살림살이에 쓰이는 기구. 집물(什物). 가재(家財). ②목물(木物)을 주로 해서 만든 세간. 장·책상·의자·찬장 따위. ¶ 사무용 ~/조립식 ~.

가:구[5]【假構】명 상상력(想像力)에 의해서 얽어 꾸밈. 또, 그렇게 하여 꾸며진 것. 허구(虛構). ——하다 타여불

가구[6]【街衢】명 ①길거리. ②시정(市井)❶.

가구 경행【街衢經行】명〖불교〗고려 때, 민간의 질병과 재액을 물리치기 위하여, 법복(法服)을 입은 중들이 향불을 들고 북을 치며, 성내(城內)의 큰 거리를 돌아다니면서 불경(佛經)을 외어 백성의 복을 빌던 행사의 한 가지. 세 구역(區域)으로 나누어진 개경(開京)의 각 구역별로 만든 채색 누각(樓閣)에 반야경(般若經)을 싣고 다녔음. 궁중(宮中)의 구정(毬庭)에 모이어 시중(侍中)이 향을 피우고 절하며 보내야 행렬(行列)이 출발했음. 고려초 정종(靖宗) 12년(1046) 이래 연중 행사가 되었음. ㊐경행(經行). 「칭.

가:구-물【架構物】명 낱낱의 재료를 조립(組立)해서 만든 구조물의 총

가구-용【家具用】명 가구를 만드는 데 쓰임. ¶ ~ 목재(木材).

가구-자【家韭子】명〖한의〗부추의 씨. 성질이 온(溫)하여, 유뇨(遺尿)·몽설(夢泄)·요통(腰痛)·백대하(白帶下)에 쓰임.

가구-장이【家具匠—】명 가구 만드는 일을 업으로 하는 사람.

가구-재【家具材】명 가구를 만드는 재료. 특히, 목재를 이름.

가구 적간【家口摘奸】명〖역〗죄인 또는 혐의자 체포를 위해 집집마다

가구-점【家具店】명 가구를 파는 가게. └수색하는 일.

가구-주【家口主】명 한 가구의 주장이 되는 사람. 세대주. 가장(家長). *호주(戶主).

가국[1]【佳局】명 좋은 국면(局面). 「(故鄉).

가국[2]【家國】명 ①자기의 집안과 나라. 가방(家邦). ②고국(故國). 고향

가군【家君】명 ①남에게 대하여 자기의 아버지를 일컫는 말. 가부(家父). 가친(家親). 가대인(家大人). ②남에게 대하여 자기의 남편을 일컫는 말. 가부(家夫).

가굽다 형〈방〉가볍다(함남·강원).

가권[1]【家券】[—꿘] 명 집문서. 가계(家契).

가권[2]【家眷】명 ①자기에게 딸린 권속(眷屬). ②집안 식구. ③한 집안의 권속. 가솔(家率).

가권[3]【家權】[—꿘] 명 집안을 다스리는 권리. *가장권(家長權).

가-권진【歌勸進】명〖불교〗불공(佛供)드릴 때에 노래하는 일.

가:귀 명 노름판에서, 다섯 끗의 일컬음.

가:귀-노름 명 가귀대기를 하는 노름. ——하다 자여불

가:귀-대기 명 투전에서 열 다섯 끗 뽑기로 내기하는 노름. ——하다

가:귀-뜨기 명 ☞ 가귀대기. ——하다 자여불 └자여불

〈가귀 선인기〉

가:귀 선인기【駕龜仙人旗】명〖역〗의장기(儀仗旗)의 한 가지. 흰 바탕에 가장자리에는 청·적·황·백의 네 가지 색깔로 된 화염(火焰)과 기각(旗脚)을 붙이고, 그 안에 물결과 운기(雲氣)를 그리고, 그 위에 녹색 거북을 탄 선인(仙人)이 도관(道冠)을 쓰고 누른 옷과 붉은 바지를 입고 앉아 있음.

가규【家規】명 집안의 규칙. *가도(家道)·가법(家法)·가계(家戒).

가그기 부〈옛〉갑자기. =가마기. ¶ 가그기 브레 뙤면 즉재 주그리라(便將火炙即死)《救簡 Ⅰ:77》.

가그랑-비 명〈방〉가랑비(경상·강원).

가극[1]【加棘】명〖역〗귀양간 사람이 있는 집의 담이나 울타리에 가시나무를 밖으로 둘러치는 일. 죄가 중한 경우에 하는 형벌의 형식임. 천극(栫棘). ——하다 자여불

가단성(可鍛性)을 준 주철. 주철 속의 탄소를 고온으로 산화 제거한 백심(白心) 가단 주철과, 탄소분(炭素分)을 고온으로 흑연화(黑鉛化)한 흑심(黑心) 가단 주철이 있음. 여느 주철보다 인성(靭性)이 강하고 충격에 잘 견디므로, 자동차 부품(部品)·철관(鐵管) 조인트(joint) 등에 널리 쓰임. 가단철.

가:단-철【可鍛鐵】명〖공〗가단 주철.

가달 명〈방〉가랑이(강원·제주).

가달-박 명〈방〉자루바가지.

가담[1]【加擔】명 ①거들어 도와 줌. ②한편이 되어 일을 같이 함. 편듦. ——-하다 자여불

가담[2]【街談】명 세상의 풍문. 거리의 화제. 항담(巷談).

가담-범【加擔犯】명〖법〗방조범(幇助犯).

가담-자【加擔者】명 가담한 사람.

가담 항:설【街談巷說】명 길거리나 항간에 떠도는 소문. 가담 항의(街談巷議). 가담 항어(街談巷語).

가담 항:어【街談巷語】명 가담 항설(街談巷說).

가담 항:의【街談巷議】[—/—이] 명 가담 항설(街談巷說).

가답아【加荅兒】명〖의〗'카타르(Katarrh)'의 취음(取音).

가:당【可當】명 ①합당함. ②비슷이 맞음. ③당할 수 있음. ——-하다 형여불. ——-히 부

가당 연:유【加糖煉乳】[—년—] 명 진공 속에서 농축한 우유에 수크로오스를 섞은 연유. 콘덴스트 밀크(condensed milk). ↔무당(無糖) 연유.

가:당-찮다【可當—】[—찬타] 형 ①조금도 합당하지 아니하다. ¶ 가당찮은 값. ②쉽사리 당할 수 없다. ③대단하다. ¶ 가당찮게 춥다.

가:당-찮이【可當—】[—찬—] 부 가당찮게.

가:대[1]【架臺】명 ①무엇을 얹어 놓기 위하여, 밑에 받치어 세운 구조물(構造物). ②〖토〗철도·교량(橋梁) 따위를 밑받침하는 쇠 또는 나무의 튼튼한 가구물(架構物). ③〖화〗화학 실험 때, 레토르트(retort) 따위를 받쳐 놓는 물건.

가대[2]【家垈】명 ①집의 터전. ②집의 터전과 그에 딸린 원림(園林) 및 전토(田土)의 총칭.

가:대[3]【假貸】명 ①너그럽게 용서함. ②하는 대로 내버려 둠. ③너그럽게 빌려 줌. ——-하다 타여불

가대기[1] 명 가까운 거리에서 쌀가마니 따위의 무거운 짐을 인부들이 한 손에 쥔 갈고리로 짐의 윗부분을 찍어 당기어 어깨에 메고 나르는 일.

가대기[2] 명〈방〉까대기.

가대기[3] 명〈방〉쟁기.

가대 무:전【歌臺舞殿】명〖악〗예전의 무대의 하나. 난간을 두른 다락을 본떠서 만들었음.

가-대인【家大人】명 자기 아버지의 경칭(敬稱). 자기에게 제일 소중한 어른이라는 뜻으로 씀. 엄군(嚴君). 가군(家君).

가댁-질 명 서로 피하고 잡고 하는, 아이들의 장난. ——-하다 자여불

가덕【嘉德】명 훌륭한 덕.

가덕 대:부【嘉德大夫】명〖역〗조선 시대에, 종일품(從一品) 종친(宗親)의 품계(品階). 고종(高宗) 2년(1865)까지 쓰임. ＊소덕(昭德) 대부.

가덕-도[1]【加德島】명〖지〗부산 광역시 강서구(江西區) 천가동(天加洞)을 이루는 섬. 수산업의 중심지이며, 특히 굴의 양식업(養殖業)이 유명함. [20.75km²]

가덕-도[2]【駕德島】명〖지〗전라 남도의 남해상(南海上), 완도군(莞島郡) 노화읍(蘆花邑) 방서리(防西里)에 위치하는 섬. [0.03km²]

가덕도 해:전【加德島海戰】명〖역〗조선 선조(宣祖) 30년(1597) 6월, 통제사(統制使) 원균(元均)이 왜군의 해로(海路)를 끊기 위하여 전선(戰船) 90여 척을 이끌고 가덕도에 이르러, 왜장 시마즈 요시히로(島津義弘)가 이끄는 적군의 기습을 받고 패한 싸움.

가덕-치【加德—】명 부산 광역시 가덕도에서 산출하는 탕건(宕巾).

가도[1]【加賭】명〖역〗도조(賭租)의 부과율(賦課率)을 올리어 매김. ——-하다 타여불

가:도[2]【呵導】명 갈도(喝導)❷.

가도[3]【家道】명 ①가정 도덕. 집안에서 행하여야 할 도덕. ＊가규(家規)·가법(家法). ②한 집안의 살림 형편. 가계(家計).

가:도[4]【假渡】명 운송업자나 창고업자들이 선하 증권 또는 창고 증권과 교환하지 아니하고 운송품·수탁물을 인도하는 일. ——-하다 타여불

가:도[5]【假道】명 길을 임시로 빌림. ——-하다 자여불

가:도[6]【假賭】명〖역〗↗가도조(假賭租).

가:도[7]【街道】명 ①큰 길거리. 가로(街路). ②도시 사이를 통한 큰 길. ¶ 경인(京仁) ～.

가:-도[8]【椵島】명〖지〗평안 북도 철산군(鐵山郡)에 있는 섬. 수산업의 중심지이며, 특히 조기의 어획이 많았음. [19.2km²]

가:-도[9]【賈島】명〖사람〗중국 당(唐)나라의 시인. 자는 낭선(閬仙·浪仙). 허베이(河北) 출생. 한때 중이었으나 뒤에 한유(韓愈)에게 인정을 받아 환속(還俗)하여, 미관(微官)이 되었음. 오언 율시(五言律詩)에 뛰어나며, 저서로 《장강집(長江集)》·《시격(詩格)》 등이 있음. '조숙지변수 승고월하문(鳥宿池邊樹僧敲月下門)'이란 구절의 퇴고(推敲)에 관한 일화는 유명함. [780?-843]

가-도[10]【歌島】명〖지〗전라 북도의 서해상(西海上), 군산시(群山市) 소룡동(少龍洞)에 위치한 섬. [0.05km²]

가:-도관【假導管】명〖식〗헛물관.

가:도-교【架道橋】명 육교(陸橋)❷.

가-도구【家道具】명 집안 살림에 필요한 도구.

가도다[1] 타〈옛〉가두다. ¶ 獄운 罪지슨 사름 가도는 따히라 《月釋 1:28》. ¶ 니(涕灑不能收)《杜諺 XXIV:47》.

가도다[2] 타〈옛〉걷다. 거두다. =갇다. ¶ 눉므를 쓰려 能히 가도디 몯호

가:-도련【—刀鍊】명 가장자리를 도련함. ——-하다 타여불

가-도리【加—】명〈방〉덧두리.

가:도 멸괵【假道滅虢】명 처음에 우선 길을 빌려 쓰다가 마침내 그 나라를 쳐 없앰. ——-하다 타여불

가:-도밋국【假—】명 도미를 넣지 않고 쑥갓만 넣어서 도밋국처럼 끓인 국.

가:도 사:건【椵島事件】[—껀] 명〖역〗조선 인조(仁祖) 원년(1623), 가도(椵島)를 둘러싸고 조선·명(明)·후금(後金)의 세 나라간에 얽힌 외교적 사건. 후금 태종(太宗)에게 쫓긴 명(明)나라의 랴오둥 도사(遼東都司) 모문룡(毛文龍)이 의주(義州) 앞 가도에 동강진(東江鎭)을 설치하고 후금에 대한 배후 교란 작전의 거점으로 삼는 한편, 양식이 떨어지면 조선 본토에 상륙하여 약탈을 일삼는 등 큰 골칫거리더니, 명(明)나라의 입장에서도 그의 이용 가치를 의문시한 랴오둥 경략(遼東經略) 원숭환(袁崇煥)이 모(毛)를 유인해 죽임으로써 일단락을 지음.

가도이다 피동〈방〉갇히다.

가:-도조【假賭租】명〖농〗우선 가량(假量)하여 치르는 도조. ㊟가도(假賭).

가도 종용【家道從容】명 생계가 풍부함.

가도켜다 타〈옛〉켕겨 오그리다. ¶ 네 발을 가도켜고 호번 눕고 니디 아니호는 이는 근골이 알푸이오(四足卷攣一臥不起者筋骨痛也)《馬經上 74》.

가도혀ᄒᆞ다 타〈옛〉단속하다. 검속(檢束)하다. ¶스스로 모수를 가도혀 ᄒᆞ면 나날 법다오매 나사가ᄂᆞ니라(自檢束則日就規矩)《飜小 Ⅷ:6》.

가독【家督】명 ①집안을 상속할 맏아들의 신분. ②〖법〗구민법(舊民法)에서, 호주(戶主)의 신분에 딸린 권리와 의무.

가독-권【家督權】명〖법〗구민법(舊民法)에서, 가독으로서의 권리.

가독부【可毒夫】명〖역〗발해(渤海)에서, 일반 백성들의 임금에 대한 호칭. ＊기하(其下).

가독 상속【家督相續】명〖법〗구민법(舊民法)에서, 한 집안의 호주의 사망 또는 그 밖의 다른 원인으로 호주권이 상실되는 경우, 가독 상속인이 전호주의 법률상의 지위를 승계받는 신분 상속. ＊호주 상속.

가독 상속권【家督相續權】명〖법〗구민법에서, 가독 상속을 받을 권리.

가독 상속인【家督相續人】명〖법〗구민법에서, 가독 상속의 개시에 의하여 법률상 당연히 피상속인(被相續人)의 지위를 승계(承繼)하는 자. 가독 상속은 일인 상속이며 또한 가족 제도의 근본이 되므로, 가독 상속인의 순위는 법률에 의하여 정하여짐. 피상속인의 가족인 직계 비속(直系卑屬)이 이에 해당함이 보통이나, 일정한 부덕(不德) 또는 부정행위를 한 자는 결격자(缺格者)로 가독 상속인이 될 수 없음. 법정 가독 상속인·독정(督定) 가독 상속인·선정(選定) 가독 상속인의 세 가지가 있음.

가독 상속인 폐:제【家督相續人廢除】명〖법〗구민법에서, 가독 상속인의 자격을 박탈하는 행위. 정당한 이유가 있을 때에 한하여 피상속인이 원고가 되어 상속인을 피고로 소송을 행함.

가:독-성【可讀性】명 읽어 낼 수 있는 정도. ¶ ～이 큰 화면.

가돈【家豚】명 남에게 대하여 자기의 아들을 이르는 말. 자기의 미련한 아들이라는 뜻. 가아(家兒). 돈아(豚兒). 미돈(迷豚). 미식(迷息).

가돌레-산【—酸】명 [gadoleic acid]〖화〗대구의 간유(肝油)에서 유도되는 지방산(脂肪酸). 녹는점 20°C. [$C_{20}H_{38}O_2$]

가돌리나이트 [gadolinite] 명〖화〗이트륨(yttrium)·베릴륨(beryllium)·철, 그 밖의 원소를 포함하는 규산염(珪酸塩) 광물. 빛은 흑색·녹흑색 또는 갈색. 희토류(稀土類) 원소의 자원의 하나임. 보통, 페그마타이트(pegmatite) 중에 형석(螢石)과 함께 공존(共存)하는데, 스웨덴·노르웨이·미국 등지에서 산출됨. 가돌린석(石). [$Be_2FeY_2Si_2O_{10}$]

가돌리늄 [gadolinium] 명〖화〗[발견자인 핀란드의 화학자 가돌린(Gadolin, Johaun; 1760-1852)을 기념하여 명명] 희토류(稀土類) 원소의 한 가지. 새마스카이트(samarskite)에서 추출(抽出)되는 흡습성(吸濕性)을 가진 주석과 같은 흰빛의 금속. 육방 정계(六方晶系)의 결정(結晶). 단단하고 연성(延性)과 전성(展性)이 있으며, 공기 중의 탄소의 흡수력이 있음. 산(酸)에 용해되며 수은(水銀)과 합금을 만들어 충치(蟲齒) 구멍을 메우는 데나 극초단파의 여파기(濾波器) 등에 씀. [64번 : Gd : 157.25]

가돌린-석【—石】[gadolin] 명〖화〗가돌리나이트.

가:동[1]【可動】명 움직일 수 있음. 또, 움직이게 할 수 있음. ——-하다 형여불

가동[2]【呵凍】명 언 것에 입김을 내불어 녹게 하거나 덥게 함. ——-하다 타여불

가동[3]【家僮】명 ①집안 심부름하는 어린 사내종. 동복(童僕). 아이종. ②한 집안의 노복(奴僕)이나 비처(婢妻).

가:동[4]【街童】명 거리에서 노는 아이.

가동[5]【歌童】명〖역〗조선 시대 때, 장악원(掌樂院)에 속하여, 정재(呈才) 때 노래를 부르던 아이. 공천(公賤) 중에서 뽑음.

가동[6]【稼動】명 ①사람이 움직여 일함. ②기계 따위를 움직여 일하게 함. 또, 기계 따위가 움직여 일함. ¶ ～ 일수(日數). ——-하다 자타여불

가동-가동 ㊀감 어린아이에게 가동질을 시킬 때에 하는 소리. ㊁부 가동거리는 모양. ¶이승지가 어린아이를 붙들고 ～하다가 주팔을 보며…《洪命憙 : 林巨正》. ——-하다 자타여불

가:동 가:서【可東可西】명 ↗가이동 가이서(可以東可以西).

가동-거리다 ㊀자 어린아이의 양쪽 겨드랑이를 치켜들고 올렸다 내렸다 할 때, 아이가 다리를 옹그렸다 폈다 하다. 가동대다. ㊁타 어린아이의 겨드랑이를 치켜들고 다리를 옹그렸다 폈다 하게 하다. 가동대다.

가:동 관절【可動關節】명〖생〗동물의 몸의 운동을 맡은 관절. 두 뼈의 끝이 마주 닿은 곳에 연골(軟骨)과 활액(滑液)의 작용으로 마찰이나 충돌을 막도록 되었음. ↔부동 관절(不動關節).

가:동-교【可動橋】명〖토〗강이나 운하(運河)에 있는 교량(橋梁)의 높이가 낮은 경우, 선박의 통행이나 그 밖에 다른 필요를 위하여, 다리의

전부 또는 일부를 움직일 수 있게 만든 다리. 선개교(旋開橋)·승개교(昇開橋)·도개교(跳開橋) 등이 있음. 개폐교(開閉橋).
가동-그리다 타 ☞ 가든그리다.
가동-대다 자타 가동거리다.
가:동-댐【可動—】〔dam〕명〖토〗수위·수량(水量)을 조절할 수 있는 수문을 갖춘 댐. *가동언(可動堰).
가동-력【稼動力】〔—녁〕명 가동하는 능력.
가동-률【稼動率】〔—뉼〕명 ①생산 능력의 총량(總量)에 대한 실제 생산량의 비율. ②설비의 총수(總數)에 대한 실제 가동 설비의 비율.
가동 막장【稼動—】명〔active workings〕〖광〗현재도 작업이 행해지고 있는 광산 안의 작업장.
가:동-성【可動性】〔—썽〕명 ①움직일 수 있는 성질. ②움직이기 쉬운 성질.
가:동-언【可動堰】명〖토〗가동(可動) 장치를 갖춘 둑. 필요에 따라, 하천·용수(用水)의 유량(流量), 저수지·호소(湖沼)의 수량(水量)을 조절할 수 있음. 가동 언제(堰堤). 가동 제언(堤堰). *수문(水門)·가동댐.
가:동 언제【可動堰堤】명 가동언.
가동이-치다 자 가동질을 힘차게 하다.
가:동 접촉자【可動接觸子】명〔movable contact〕〖전〗한 개 이상의 고정접점(固定接點)과 접촉시키거나 떼기 위하여, 기계적으로 움직이는 계전기(繼電器)나 차단기(遮斷器)의 접점.
가동 주:졸【街童走卒】명 ①길거리에서 노는 철없는 아이. ②일정한 주견(主見)이 없이 길거리를 떠돌아다니는 하류배(下流輩).
가동-질 명 가동거리는 짓. ——하다 자타여불
가:동 철편형 전:류계【可動鐵片型電流計】〔—절—〕명〖전〗교류용(交流用)의 전류계의 하나. 측정할 전류를 고정(固定)된 코일에 통하였을 때에 생기는 자기장(磁氣場)에 의하여 철편이 움직여, 그 움직인 거리로써 전류의 크기를 측정하는 전류계.
가동 체수【家僮替囚】명〖역〗'차지 수금(次知囚禁)'에서 법을 어긴 사람 대신에 그의 노비를 가두던 일.
가:동 코일 검:류계【可動—檢流計】〔—뉴—〕명〔moving-coil galvanometer〕〖전〗검류계의 한 가지. 고정된 자석 사이에 회전할 수 있는 코일을 금속 파이버(fiber)로 매달고, 거기에 전류를 통해서 코일이 자기장(磁氣場)으로부터 받는 짝힘에 의하여 회전되는 각도를 재게 되어 있는 검류계.
가:동 코일형 계:기【可動—型計器】〔coil〕명〖전〗직류(直流) 전용의 전압계·전류계로 사용되는 계기. 영구 자석의 자기장(磁氣場) 속에 회전성 코일을 넣은 형식의 것으로, 측정 전류를 코일에 통하였을 때 생기는 전자기력으로 지침(指針)을 움직임.
가:동 코일형 전:류계【可動—型電流計】〔—절—〕명〔moving-coil type ammeter〕〖전〗직류용 전류계의 일종. 영구 자석의 양극 사이에 회전성 코일을 두고, 측정 전류를 통하여 코일에 생기는 전자기력(電磁氣力)에 의한 코일의 회전각(角)의 크기로써 전류를 측정할 수 있게 한 것.
가:두[1]【假痘】명〔varioloid〕〖의〗이미 종두(種痘)를 한 사람이 걸리는 극히 가벼운 두창(痘瘡). 2 주일의 잠복기(潛伏期)가 지난 후, 전율(戰慄)·고열(高熱)·두통·요통(腰痛) 등과 함께 발진(發疹)하며, 발진 후에 열이 내림. 경미(輕微)할 때는 가벼운 두진(痘疹)이 생기나, 아무 증상 없이 경과하며 약 2 주일 후에 없어짐. ↔진두(眞痘).
가:두[2]【街頭】명 시가지(市街地)의 길거리. ¶~ 선전반.
가:두 검:문【街頭檢問】명 범죄자를 잡기 위해 길거리에서 행인(行人)들을 검문하는 일.
가:두 검:색【街頭檢索】명 범법자들을 잡기 위해 길거리에서 행인들을 조사하는 일.
가:두 극장【街頭劇場】명 공원·길거리 등에서 공연하는, 서민층을 위한 무료 극장. 1960년대초, 미국에서 시작함.
가두기 명〈방〉가랑잎.
가:두 녹음【街頭錄音】명 ①가두에서 채취(採取)하는 녹음(錄音). ②라디오·텔레비전 방송 종목의 하나로서, 어떤 특수한 문제에 관하여 가두에서 시민의 의견을 물어 녹음하는 일.
가두다 타〔중세 : 가도다〕①한정된 곳에 넣어 두고 마음대로 나들지 못하게 하다. ¶감옥에 ~. ②일정한 곳에만 있게 하다. ¶논물을 ~.
가:두 데모【街頭—】명〔street demonstration〕가두 시위.
가:-두리[1] 명〔←중세 : ᄀᆞᆺ(가)+-도리〕물건의 가에 둘린 언저리. ¶~에 테가 둘려 있다.
가두리[2]【加—】명〈방〉덧두리.
가:두리 양:식【—養殖】명 그물을 물에 쳐서 구획을 지어, 그 안에서 물고기 등을 양식하는 방법.
가:두 모금【街頭募金】명 거리에서 행인으로부터 기부금을 모으는 일. 또, 그 돈.
가:두 문학【街頭文學】명〖문〗어떤 특정한 계급이 아닌 일반 대중에게 널리 개방된 통속적 문학.
가:두 방:송【街頭放送】명 거리에서 행하여지는 방송. 주로, 광고·선전을 위한 영리 목적의 방송을 이름.
가:두 선전【街頭宣傳】명 마이크 장치·샌드위치맨 등을 이용하여 거리에서 선전을 하는 일.
가:두 시:위【街頭示威】명 길거리에서 행하는 시위. 가두 데모.
가:두 연:설【街頭演說】명 거리에 서서 통행인을 상대로 하는 연설.
가두이다 피동〈방〉갇히다.
가:두 진:출【街頭進出】명 가두로 진출함. 길거리로 나아감.
가:두 집회【街頭集會】명 길거리에서 하는 집회. *옥외 집회(屋外集會).
가:두 판매【街頭販賣】명 거리에 벌이어 놓거나 들고 다니며 판매하는 일. ㊟가판.
가두히다 피동 →갇히다.
가둑-나무 명〈방〉〖식〗①졸참나무. ②떡갈나무.
가둑-잎〔—닙〕명〈방〉가랑잎.
가둥-각지 명〈방〉앙감질. ——하다 자여불
가둥-거리다 자 몸피가 작은 사람이 홰홰 엉덩이를 흔들다. 가둥-가둥 부. ——하다 자여불
가둥-대다 자 가둥거리다.
가뒤다 피동〈방〉갇히다(경상).
가:드〔guard〕명 ①수위(守衛). 경호(警護). ¶~ 맨(man). ②농구에서, 상대편이 자기편 바스켓(basket)에 공을 넣지 못하도록 막아 내는 역할. 또, 그 사람. ③미식 축구에서, 스크럼을 짤 때 센터의 양쪽에 있는 선수. ④시계의 끈이나 줄.
가:드 계급【—階級】〔guard〕명 경제적인 구호를 요하는 가난한 계급.
가:드너[1]〔gardener〕명 정원사. 원정(園丁). 원예가.
가:드너[2]〔Gardiner, Alfred George〕명〖사람〗영국의 수필가·비평가. 필명은 Alpha of the Plough. 런던의 데일리 뉴스지의 주필을 역임. 수필집《원근 사색》·《가을 소묘》등이 있음. [1865-1946]
가:드너[3]〔Gardner, Erle Stanley〕명〖사람〗미국의 탐정 소설 작가·변호사. 형사 사건 변호사 페리 메이슨(Perry Mason)이 활약하는 연재물로 유명함. A.A. 페어란 별명으로 된 저작도 있음. [1889-1970]
가드락-거리다 자 경솔하고 버릇없이 굴다. 경망스럽게 젠 체하다. ㊟가들거리다. ㅆ까드락거리다. <거드럭거리다. 가드락-가드락 부. ——하다 자여불
가드락-대다 자 가드락거리다.
가:드-레일〔guardrail〕명 ①철도에서, 바퀴의 탈선 따위를 막기 위하여 본선(本線) 레일과 평행되게 설치하여 놓은 보조 레일. ②도로에서 차의 사고 방지나 차도와 인도와의 칸막이로 쳐 놓은 철책.
가:드 링〔guard ring〕명 반지가 빠지지 아니하도록 그 위에 덧끼는 반지.
가:드 맨〔guard man〕명 경비원. 감시인. *보디가드(bodyguard).
가:드 펜스〔guard fence〕명 차도와 보도(步道)의 경계나, 고속 도로의 중앙 분리대에 설치한 철망.
가득[1] 부 가득하게. 가득히. ¶방안에 ~ 찬 사람. ㅆ가뜩. <그득.
가득[2]【稼得】명 가동(稼動)하여 결과를 얻음. ¶~률(率). ——하다 타여불
가득-가득[1] 부 각각 모두 가득한 모양. ㅆ가뜩가뜩. <그득그득. ——하다 형여불
가득-가득[2] 부〈방〉가닥가닥.
가득-률【稼得率】〔—뉼〕명〖경〗〔rate of foreign exchange earning〕가공 무역에서 순수하게 자국으로 입금되는 외화의 획득 비율. 자기 나라 원자재를 많이 사용한 것 또는 부품의 자급도가 높은 것일수록 가득률이 높아짐. 외화 가득률.
가:득-봉【可得峰】명〖지〗강원도 인제군(麟蹄郡) 상남면(上南面) 상남리(上南里)에 있는 산봉우리. 태백 산맥의 일부를 이루고 있으며, 북한강의 지류인 소양강(昭陽江)·인북천(麟北川) 등의 발원지임. [1,060 m]
가득-하다 형여불 분량이나 수효가 한도에 차다. ㅆ가뜩하다. <그득하다. 가득-히 부. ¶한 잔 ~ 붓다/~ 담다. ㅆ가뜩이.
가:든〔garden〕명 정원(庭園). 화원(花園). ¶~ 파티.
-가든 어미〈옛〉-거든. -면. ¶무든 가마로 켜가든(引至埋釜ㅣ어든)《煮硝 11》.
가든-가든 부 각각 모두 가든한 모양. ㅆ가뜬가뜬. <거든거든. ——하다 형여불. ——히 부
가:든 골프〔garden golf〕명 정원(庭園)이나 옥상(屋上) 정원에서 하는 규모가 작은 골프.
가든그-뜨리다 타 '가든그리다'의 힘줌말. ¶짐을 ~. <거든그뜨리다.
가든-그리다 타 가든하게 거두어 싸다. <거든그리다.
가든그-트리다 타 가든그뜨리다. <거든그트리다.
가:든 트랙터〔garden tractor〕명 원예용의 소형 트랙터. 땅을 갈고 흙덩이를 으깨며, 씨나 약을 뿌리고, 풀을 베어 내고 하는 장치가 한데 되어 있음.
가:든 파:티〔garden party〕명 원유회(園遊會).
가든-하다 형여불 가볍고 단출한 느낌이 있다. ¶가든한 몸차림. ㅆ가뜬하다. <거든하다. *홀가분하다. 가든-히 부
가들-거리다 자 ↗가드락거리다. ㅆ까들거리다. <거들거리다. 가들-가들 부. ——하다 자여불
가들-대다 자 가들거리다.
가들막-거리다 자 신이 나서 버릇없이 경솔하고 교만하게 행동하다. ㅆ까들막거리다. <거들먹거리다. 가들막-가들막 부. ——하다 자여불
가들막-대다 자 가들막거리다.
가들막-하다 형여불 거의 가득하다. <그들먹하다.
가등[1]【加等】명 ①등급을 올림. ②〖역〗형벌(刑罰)의 등수를 원래 정한 것보다 더 올림. ——하다 타여불
가등[2]【街燈】명 ↗가로등(街路燈).
가:-등기【假登記】명〖법〗정식으로 등기를 해야 하겠으나 절차상의 조건이 미비한 때 장래의 본등기(本登記)의 순위(順位)를 확보(確保)하기 위하여 임시로 하는 등기.
가등 청정【加藤淸正】명〖사람〗'가토 기요마사'를 우리 음으로 읽은 이름.
가디[1] 명〈옛〉나무의 가지. ¶가디 것금은 쉽고(折枝易)《內訓 6》.
가디[2] 자〈옛〉가기. '가다'의 활용형. ¶내 겨지비라 가져가디 어려볼씨《月釋 Ⅰ:13》. *-디.
가디록 부〈옛〉갈수록. ¶어와 聖恩이야 가디록 罔極ᄒᆞ다《松江 關東別曲》.
가디약-질 명〈방〉가댁질. ——하다 자
가:디언〔Guardian, the〕명 영국의 진보적인 일간지. 1821년에 주간지 '맨체스터 가디언(Manchester Guardian)'으로 창간, 1959년에 현재의 명칭으로 개칭. 외교 문제에 관한 공평한 논평 등이 높이 평가되고 있으며, '타임스(The Times)'와 함께 영국의 대표지로 꼽힘. 본사는 맨체스터에 있음.
가ᄃᆞ니 타〈옛〉거두니. 걷히니. '갇다'의 활용형. ¶ᄆᆞᄅᆞ미 가ᄃᆞ니 믌ᄀᆞ이 나고(江斂洲渚出)《重杜諺 Ⅲ:44》.
가ᄃᆞ며 타〈옛〉거두며. ¶ᄀᆞᅀᆞᆯ히 가ᄃᆞ며 겨스레 갈ᄆᆞ며(秋收冬藏)《金三 Ⅱ:6》.

가ᄃᆞ샤 타 〈옛〉 거두시어. '갇다'의 활용형. ¶ 百千歲 츠 後에사 도로 舌相올 가ᄃᆞ샤≪月釋 XVIII:6≫.

가ᄃᆞ시고 타 〈옛〉 거두시고. '갇다'의 활용형. ¶ 그 뼈 부테 神足 가ᄃᆞ시고≪月釋 VII:54 之 1≫.

가ᄃᆞ시니 타 〈옛〉 거두시니. '갇다'의 활용형. ¶ 百千年이 ᄎᆞ거ᅀᅡ 廣長舌 가ᄃᆞ신대 八方分身이 ᄯᅩ 가ᄃᆞ시니≪月釋 XVIII:1≫.

가ᄃᆞ신대 타 〈옛〉 거두신대. '갇다'의 활용형. ¶ 百千年이 ᄎᆞ거ᅀᅡ 廣長舌 가ᄃᆞ신대 八方分身이 ᄯᅩ 가ᄃᆞ시니 ≪月釋 XVIII:1≫.

가따가나 부 〈방〉 가뜩이나 (함경).

가따기나 부 〈방〉 가뜩이나.

가뜩 부 ①가뜩하게. ㅗ가득. ②가뜩이나. 「하다 형 여불

가뜩-가뜩 부 각각 모두 가뜩한 모양. ㅗ가득가득. <그뜩그뜩. ——-

가뜩-에 부 곤란한 위에 또. 더군다나. ¶ 몸이 아픈데 ~ 일까지 시킨다. *가뜩한데.

가뜩-이 부 ①가뜩하게. 가뜩. ㅗ가득히. <그뜩이. ②가뜩이나.

가뜩-이나 부 그러지 않아도 매우. 이미 있는 사정만으로도 대단히. 가뜩. 가뜩이. ¶ ~ 피로한데. 「뜩하다.

가뜩-하다 형 여불 분량이나 수효가 한도에 꽉 차다. ㅗ가득하다. <그

가뜩-한데 부 고생이나 걱정이나 곤란이 극도에 이르렀는데. ¶ 그뿐인가, ~ 또 도둑을 맞았네그려. *가뜩에.

가뜬-가뜬 부 모두가 다 가뜬한 모양. ㅗ가든가든. <거뜬거뜬. ——-하다 형 여불. ——-히 부

가뜬-하다 형 여불 썩 가볍고 단출한 느낌이 있다. ¶ 몸차림이 ~/마음이 ~. ㅗ가든하다. <거뜬하다. 가뜬-히 부

가라[1] 명 〈방〉 가루[1](제주).

가라[2] 【伽羅】 명 『식』 침향(沈香)❶.

가라[3] 【加羅·伽羅·迦羅】 명 『역』 가라국(加羅國).

-가라 어미 〈옛〉 -거라. ¶ 이 ᄂᆞᆫ 恩을 알아라 ᄒᆞ니야 恩을 갑가라 ᄒᆞ니야(是知恩耶報恩耶) ≪蒙法 31≫.

가라간쟈 ᄉᆞ죡빅이 몰 명 〈옛〉 오명마(五明馬). ¶ 가라간쟈 ᄉᆞ죡빅이 몰(五明馬)≪老乞 下 8≫.

가라-국 【加羅國】 명 『역』 가야국(伽倻國).

가라-말 명 〔몽 qara(검다)〕 『동』 털빛이 검은 말. 여구(驪駒).

가라몰 명 〈옛〉 가라말. ¶ 가라몰(黑馬)≪老乞 下 8, 譯語 下 28≫.

가라빈가 【伽羅頻伽】 명 『불교』 가릉빈가(迦陵頻伽).

가라사대 불자 '가로되'의 높임말. 말씀하시기를. ¶ 공자(孔子) ~.

가라쓰 〔唐津:からつ〕 명 『지』 일본 사가 현(佐賀縣) 북서부 겐카이나다(玄海灘)에 임한 해항(海港). 옛날부터 중국 도항지로 이름이 있으며, 해안 일대는 국립 공원 지정지임. [79,504명(1990)]

가라-앉다 [—안따] 자 ①뜬 것이 밑바닥에 이르다. ¶ 배가 물 속에 ~. ②마음이나 기운이 고요해지다. 진정되다. ¶ 흥분이 ~/소용돌이가 ~/아픔이 ~/기침이 ~/풍랑이 ~. ③부기가 내리다. ¶ 부기가 ~. 준갈앉다.

가라-앉히다 [—안치—] 사동 어떤 힘을 가해서 가라앉게 하다. ¶ 배를 ~/앙금을 ~/들뜬 마음을 ~. 준갈앉히다.

가라오케 〔일 からオケ〕 명 〔'から'는 '비어 있음', 'オケ'는 '오케스트라'의 뜻〕 노래는 들어 있지 않고 반주만을 녹음한 레코드나 테이프. 또, 그것을 반주로 하여 노래를 부르는 일.

가라조 명 〈방〉 『식』 가라지[1].

가라:주 〔프 garage〕 명 자동차의 차고(車庫). 또, 그 수리고(修理庫).

가라지[1] 명 『식』 ①밭에 난 강아지풀. 준가랒. ②'독보리'의 성서(聖書)에서의 이름.

가라지[2] 명 『어』 [*Decapterus maruadsi*] 전갱잇과에 속하는 바닷물고기. 전갱이와 비슷한데, 몸길이 30cm 가량, 몸빛은 등 쪽이 녹색, 배 쪽이 백색이며, 각 지느러미는 연한 황색임. 맛이 좋으며, 한국 중남부·일본 중부 이남 및 하와이에 분포함.

〈가라지[2]〉

가라지-봉 【加羅支峰】 명 『지』 함경 북도 무산군(茂山郡) 영북면(永北面)과 동면(東面) 사이에 있는 산봉우리. 함경 산맥의 첫머리 부분을 구성하고 있으며, 두만강의 지류인 소홍단수(小紅湍水)·서두수(西頭水)·연면수(延面水) 등의 발원지를 이룸. [1,420m]

가라치 【加羅赤】 명 〔몽 qarači (전령·심부름꾼)〕 『역』 ①정경(正卿) 이상의 벼슬아치가 출입할 때 긴요한 문서를 담아 가지고 다니던 제구. 기름먹인 직사각형의 종이로 접어 만들었음. ②가라치를 끼고 앞서서 다니던 조례(皁隷).

가라치다 타 〈방〉 ①가르치다. ②가리키다 (경상).

가라테 〔일 唐手:からて〕 명 일본 특유의 권법(拳法). 치기·받기·차기의 세 가지 방법을 기본으로 함. 당수(唐手). *태권(跆拳).

가라-한 【駕羅韓】 명 『역』 변한(弁韓).

가라후토 〔樺太:からふと〕 명 『지』 '사할린(Sakhalin)'의 일본명.

가락[1] ㊀ 명 ①물레로 실을 자을 때, 고치 솜에서 풀리어 나오는 실을 감는 쇠꼬챙이. 전정자(錠錠子). ②가느스름하고 기름하게 토막진 물건의 낱개. ¶ 엿 ~/~이 굵다. ③손이나 발의 갈라진 부분의 하나. ¶ 손~. ㊁ 의명 가느스름하고 기름하게 토막진 낱개를 세는 말. ¶ 엿 다섯 ~.

가락[2] 명 ① 〔melody〕 『악』 음악의 3 요소(要素) 중의 하나. 리듬과 높낮이의 어울림. 선율(旋律). 멜로디. 칸토. * 리듬. 화성. ②일의 솜씨나 능률이나 기분. ¶ 점점 ~이 난다 / 옛날에 하던 ~.

가락(이) 나다 구 일이 궤도에 올라 호조(好調)를 나타내다.

가락(을) 떼:다 구 ㉠풍류를 치다. ㉡신나는 일에 첫 동작을 시작하다.

가락(이) 맞다 구 노래나 하는 짓이 서로 척척 잘 들어맞다.

가락-가락 부 가락마다. 가락가락이.

가락가락-이 부 가락가락.

가락-고동 명 물레의 왼쪽에 있는 괴머리 기둥에 가락을 꽂기 위하여 박은 두 개의 고리. 가락바퀴. 방추차(紡錘車).

가락-국 【駕洛國】 명 『역』 가야국(伽倻國).

가락국-기 【駕洛國記】 명 『책』 고려 문종(文宗) 때, 금관 지주사(金官知州事)로 있던 성명 미상(未詳)의 사람이 지은 가락국, 주로 금관 가야(金官伽倻)의 역사 기록. 지금은 전부가 전하지 아니하고, 다만 그 약문(略文)만이 삼국 유사에 실려 있음.

가락-국수 명 ①굵게 뽑은 국수의 한 가지. ②우동.

가락-나무 명 〈방〉 『식』 떡갈나무.

가락 단음계 【—短音階】 명 『악』 보통의 단음계를 올라갈 때만 제 6음과 제 7음을 반음 올려서 으뜸의 종지감(終止感)을 강조하는 단음계. 선율 단음계.

가락-덜이 명 『악』 삼현 영산 회상(三絃靈山會相)의 넷째 곡(曲). 앞선 곡인 세영산(細靈山)이나 중영산(中靈山)에서 잔가락을 덜어 버리고 중요한 가락만 추려 연주함. 취음:加樂除只.

가락 문화제 【駕洛文化祭】 명 경상 남도 김해시(金海市)에서 매년 10 월 중순경에 거행되는 예술제. 1962 년에 시작됨. 수로왕릉(首露王陵) 광장에서 서막식을 올리고 음악·문학·미술 등 11 개 부문에서 경연을 벌임.

가락-바퀴 명 『고고학』 가락고동.

가락-엿 [—랑녇] 명 가래엿.

가락-옷 명 물레로 실을 자을 때, 가락에 끼워 실을 감아 내는 댓잎이나 종이 또는 지푸라기.

가락-윷 [—눋] 명 둥글고 곧은 나무토막을 반으로 쪼개어 네 개의 가락으로 만든 윷짝. 「(旋律音程).

가락-음정 【—音程】 명 『악』 차례로 나는 두 음 사이의 음정. 선율 음정

가락-잡이 명 ①굽은 물레 가락을 바로잡아 주는 사람. ②〈속〉 애꾸눈이.

가락-제지 【加樂除只】 명 『악』 '가락덜이'의 취음(取音).

가락-조개 명 〈방〉 『조개』 가막조개.

가락지 명 〔중세:가락지〕 ①장식용으로 여자의 손가락에 끼는 금·은 또는 주옥 등으로, 안은 빤빤하고 겉은 통통하게 만든 두 짝의 고리. *반지. ②『건』 기둥 머리를 둘러 감은 쇠로 만든 테. 편철(編鐵). ③소반의 중대(中臺)의 딴이름.

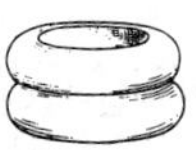
〈가락지❶〉

가락지-나물 명 『식』 뱀혀.

가락지-나비 명 『충』 [*Aphantopus hyperantus*] 뱀눈나빗과에 속하는 곤충. 편 날개의 길이 45mm 내외, 암갈색의 날개는 앞날개 표면에 두 세 개의 눈알 모양의 무늬가 있으며, 뒷날개 표면에 두 개, 뒷 면에는 다섯 개의 눈 모양의 무늬가 있는데, 그 무늬 속은 희고 주위는 담황색임. 한국·아무르 지방에 분포함.

가락지 매듭 명 매듭의 기본형(基本型)의 하나. 가락지 모양으로 2층으로 된 둥근 매듭. 매듭 작품의 운치를 살리거나, 공간을 메울 때 씀.

가락짓-벌 명 상투를 짤 때 감아서 넘기는 제일 큰 고.

가락-토리 명 물레로 실을 겹으로 드릴 때, 가락의 두 고동 사이에 끼우는 대통. *물레.

가락-통 명 ☞ 가락토리.

가란 【家亂】 명 ①집안의 분란. 집안의 풍파. ②집안이 어지러움. ——-하다 형 여불

가란-도 【佳蘭島】 명 『지』 전라 남도 서해상 신안군(新安郡) 압해면(押海面) 가란리(佳蘭里)에 위치하는 섬. 압해도(押海島) 동남쪽에 있음. [1.60km²]

가란침-못 명 『토』 침전지(沈澱池).

가:랄 【苛辣】 명 몹시 악랄함. 매우 신랄함. ——-하다 형 여불. ——-히 부

가람[1] 명 '강(江)'의 예스러운 일컬음.

가람[2] 【伽藍】 명 『불교』 ↗승가람마(僧伽藍摩).

가람[3] 【嘉藍】 명 『사람』 이병기(李秉岐)의 호(號).

가람-고 【伽藍考】 명 『책』 조선 시대 중기의 학자 신경준(申景濬)이 지은 우리 나라 절에 관한 자료집. 520 여 개의 사찰을 도별(道別)로 나누어 절의 명칭·소재지·기문(記文)·현판 등을 기록하였음. 1 책.

가람-당 【伽藍堂】 명 『불교』 가람신(伽藍神)을 모신 당.

가람-신 【伽藍神】 명 『불교』 절을 수호(守護)하는 신(神).

가람-조 【伽藍鳥】 명 『조』 사다새❷.

가랍나모 명 〈옛〉 떡갈나무. 갈참나무. ¶ 가랍나모 우(栩), 가랍나모 작(柞)≪字會 上 10≫.

가랍다 형 〈방〉 가렵다(전북·경북·함남).

가랑[1] 명 〈방〉 겉가랑. 「얌전한 소년.

가랑[2] 【佳郞】 명 ①재주가 뛰어나고 얌전한 신랑(新郞). 훌륭한 신랑. ②

가랑-가랑[1] 부 ①액체가 가장자리까지 거의 찰 듯 찰 듯한 모양. ②국물이 건더기보다 많아서 조화되지 아니한 모양. ③물을 많이 먹어서 뱃속에 가득히 괴어 있는 듯한 느낌이 있는 모양. 1)-3):ㅆ카랑카랑. <그렁그렁. ——-하다[1] 형 여불

가랑-개미 명 자디잔 개미.

가랑-거리다 자타 ↗가르랑거리다. 가랑-가랑[2] 부. ——-하다[2] 자타 여불

가랑구 명 〈방〉 가랑이(전남).

가랑-나무 명 〈방〉 『식』 떡갈나무.

가랑-눈 명 조금씩 잘게 내리는 눈. 분설(粉雪). 세설(細雪).

가랑-니 명 서캐에서 깨어 나온 지 얼마 아니 된 이의 새끼.

【가랑니가 더 문다】 하찮은 것이 더 괴롭히거나 애를 먹인다는 뜻.

가랑-대다 자타 가랑거리다.

가랑-머리 명 두 가닥으로 갈라 땋아 늘인 머리.

가랑-무 명 밑동이 두셋으로 가랑이진 무.

가랑-비 명 이슬비보다는 좀 굵으나 잘게 내리는 비. 안개비. 세우(細雨).

[가랑비에 옷 젖는 줄 모른다] 조금씩 없어지는 줄 모르게 재산 따위가 줄어드는 것을 말함.

가랑-비녀 명 머리에서 나란히 두 가랑이가 진 비녀.

가랑이 명 ①원몸의 끝이 갈라져 벌어진 부분. ¶ 바짓~. ②다리 가랑이. ¶ ~를 쩍 벌리고 앉다.

[가랑이에 두 다리를 넣는다] 너무 성급하게 서둘러 정신을 못 차리는 사람의 비유.

가랑이(가) 째:지다 구 동분 서주하느라 다리 가랑이가 째질 정도로 몹시 가난하다. ¶ 가랑이가 째지게 가난하다.

가랑이-지다 자 원몸뚱이의 끝이 가랑이로 갈라지다.

가랑이-표【一標】 명【인쇄】'＜'의 이름. 문장에서는 '큰말표'로 쓰이고, 수식(數式)에서는 '부등호'로 쓰임.

가랑-잎 [―닙] 명 ①활엽수(闊葉樹)의 저절로 떨어진 마른 잎. 준갈잎. ②〈방〉 떡갈잎.

[가랑잎에 불붙기] 타기를 잘하여 걷잡기 어렵다는 뜻으로, 성질이 조급하고 아량이 적은 것을 비유한 말. ¶ 성깔도 급하기도 급하여 가랑잎에 불붙기로구나《鳳山 탈춤》. [가랑잎으로 눈 가리기] ㉠어리석게도 작은 것으로 전체를 가려 보려 한다는 뜻. ㉡미련하여 아무리 애써도 경우에 맞는 처사를 뜻대로 하지 못한다는 뜻. [가랑잎으로 눈을 가리고 아웅한다] 얕은 속셈으로 남을 속이려고 한다는 말. [가랑잎으로 똥 싸 먹겠다] 잘 살던 사람이 별안간에 궁해져서 어쩔 수 없는 신세가 되었다는 말. [가랑잎이 솔잎더러 바스락거린다고 한다] 자기 허물은 생각지 않고 도리어 남의 허물만 나무란다는 뜻.

가랑잎-나비 [―닙―] 명【충】[*Kallima inachus*] 네발나빗과에 속하는 곤충. 크고 아름다운 나비로서, 편 날개의 길이 70mm 가량, 몸빛은 흑갈색에 청람색 광택이 나며, 앞날개 중앙에 넓고 비스듬한 등황색의 띠가 둘림. 날개의 뒷면은 암갈색인데, 짙은 빛의 줄이 져 있어 모양과 빛이 가랑잎 비슷하여, 보호색과 의태(擬態)의 대표적 예임. 유충은 쐐기풀을 먹으며, 1개월 만에 알에서 성충이 되고, 비오는 날에는 가지 밑에 늘어져 정지함. 3월부터 늦가을에 걸쳐 산중의 계곡 지대에 많은데, 인도의 원산(原産)으로, 중국·한국·일본·류큐(琉球)·대만 등지에 분포함.

〈가랑잎나비〉

가랑잎-벌레 [―닙―] 명【충】[*Phyllium siccifolium*] 메뚜기목(目) 대벌레아목(亞目) 가랑잎벌렛과에 속하는 곤충. 몸길이 45-76mm, 몸빛은 녹색임. 수컷은 가늘고, 암컷은 넓고 납작한데, 뒷날개는 없고, 퇴절(腿節)과 경절도 납작함. 앞날개는 엽맥(葉脈) 같은 굵은 시맥(翅脈)이 있어서 가랑잎 모양과 비슷하여, 의태(擬態)와 보호색의 좋은 예가 됨. 활엽수 잎 위에 살며, 잎을 갉아먹음. 유럽이나 미국에서는 동물원 등에서 사육하기도 하는데, 열대 지방의 원산(原產)으로, 인도·남양의 여러 섬에 분포함.

〈가랑잎벌레〉

가랑잎-조개 [―닙―] 명【조개】개굴.

가랑지 명〈방〉가랑이(전남).

가랑-파 명〈방〉【식】실파(경상).

가랒 명【식】↗가라지¹.

가래¹【농】㊀명 ①흙을 파헤치거나 떠서 던지는 기구. 날을 끼운 넓적한 몸에 긴 자루를 박고, 양편에 줄을 매어, 한 사람은 자루를 잡고, 두 사람이 줄을 잡아당기어 흙을 떠 던짐. ②〈옛〉 넉가래. ¶ 가래 흠(杴)《字會》. ㊁의명 ❶로 흙을 뜨는 양이나 횟수를 세는 말. ¶ 흙을 한 ~ 떠서 던지다.

[가래 터 종놈 같다] 가래질하는 마당의 종놈처럼, 무뚝뚝하고 거칠어서 예의 범절을 도무지 모른다는 말.

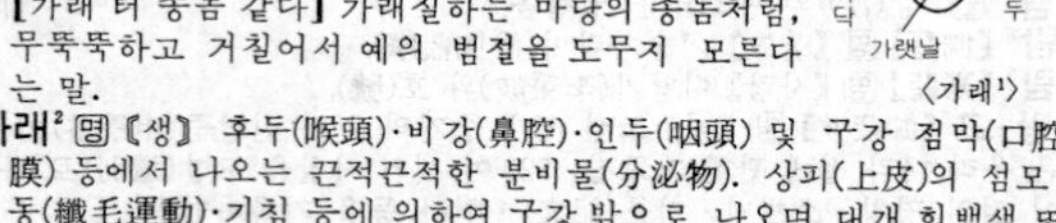

〈가래¹〉

가래² 명【생】후두(喉頭)·비강(鼻腔)·인두(咽頭) 및 구강 점막(口腔粘膜) 등에서 나오는 끈적끈적한 분비물(分泌物). 상피(上皮)의 섬모 운동(纖毛運動)·기침 등에 의하여 구강 밖으로 나오며, 대개 회백색 또는 황록색임. 담(痰). 가래침.

가래³ 명 ①가래나무의 열매. 모양이 호두와 비슷한데, 거무데데한 두꺼운 내과피(內果皮) 속에 떫은 맛이 나는 살이 조금 있음. 식용(食用)에 적당하지 못함. 추자(楸子). ②〈방〉 호두 (함경).

가래⁴ ㊀명 떡이나 엿 같은 것을 둥글고 길게 늘이어 놓은 토막. ¶ ~떡/엿~. ㊁의명 떡이나 엿 등의 도막을 세는 말.

가래⁵ 명〈방〉【어】가라지².

가래⁶ 명〈방〉가뢰.

가래⁷ 명〈방〉낟가리(경남).

가래⁸ 명〈방〉맷돌(제주).

가래⁹ 명〈옛〉갈래. ¶ 믈의 비컨대 근원이 ᄒᆞᆫ가지오 가래 다롬이니(比如水同源而異派)《警民編 13》.

가:래¹⁰ 명【식】[*Potamogeton franchetii*] 가랫과에 속하는 다년초. 근경(根莖)은 진흙 속에 벋어 번식함. 줄기는 가늘고 길이 50-60cm이며, 잎은 두 가지 형(型)이 있는데, 침수엽(沈水葉)은 단병(短柄)에 가늘고, 물위에 뜬 잎은 장병(長柄)에 긴 타원형을 이룸. 7-8월에 황록색 꽃이 길이 7cm 내외의 화경(花莖) 끝에 수상(穗狀) 화서로 액생(腋生)하며, 핵과(核果)는 넓은 달걀꼴임. 연못에 나는데, 제주·경기·황해·평북 등지에 분포함. 준갈.

〈가래¹⁰〉

가래기 명〈방〉①가랑잎. ②솔가리(평안).

가래-꾼 명 가래질을 하는 사람. 가래질꾼.

가래-나무 명【식】[*Juglans mandshurica*] 호두나뭇과에 속하는 낙엽 활엽 교목. 잎은 기수(奇數)로 우상 복생(羽狀複生)하며, 소엽(小葉)은 7-15개인데 타원형임. 자웅 일가(雌雄一家)로, 수꽃이삭은 액생(腋生), 암꽃이삭은 정생(頂生)하여 5월에 피고, 핵과(核果)는 10월에 익음. 산 밑이나 골짜기에 나는데, 한국의 경북·충북 이북 및 중국·만주·시베리아 등지에 분포함. 목재가 단단하여 총대·장농·기구(器具)·조각(彫刻) 등의 재료로 쓰이고, 종자는 식용·약용(藥用)하며, 수피(樹皮)는 줄 대신으로 쓰임. 추목(楸木).

〈가래나무〉

가래다 타 ①맞서서 옳고 그름을 따지다. ②남의 일을 방해하다. 남을 해롭게 하다.

가래-떡 명 둥글리어 길고 가늘게 만든 흰떡.

가래-상어 명【어】[*Rhinobatos schlegeli*] 수구릿과에 속하는 바닷물고기. 몸길이 1m 가량. 몸통이 가래 모양이며, 꼬리가 살지고, 등지느러미와 꼬리지느러미가 잘 발달되어 있어 상어 무리의 형태와 비슷하나, 몸이 납작하고 아가미 구멍이 배 쪽에 있으므로 가오리 무리에 속함. 몸빛은 흑갈색, 반문이 없음. 6월경에 열 마리 가량 태생함. 근해의 바다 밑에 서식하는데, 한국 중남부 및 일본 남부해에 분포함. 맛이 좋고, 특히 지느러미는 중국 요리 재료로 진중(珍重)함.

〈가래상어〉

가래 소리 명【악】①고기잡이할 때, 그물에 담긴 물고기를 가래질로 풀어 놓으며 부르는 소리. ②논에서 물을 퍼내거나 흙을 퍼낼 때, 가래질을 하면서 부르는 소리.

가래-엿 명 둥글리어 길고 가늘게 뽑은 엿. 가락엿.

가래이 명〈방〉가랑이(경상).

가래-조【一調】 명【악】↗가래조 장단.

가래조 장단【一調長短】 명【악】무악(巫樂) 장단의 하나. 한강(漢江) 이남의 경기도 및 충청도의 무속(巫俗) 음악에 쓰임. 10 박자 또는 5 박자로 이루어짐.

가래-질 명【농】가래로 흙을 퍼서 떠 옮기는 일. ――하다 자여불

가래질-꾼 명 가래꾼.

가:래-초【一草】 명〈방〉가래¹⁰.

가래-춤 명〈방〉가래침(전남).

가래-침 명 ①가래가 섞인 침. 담연(痰涎). ②담(痰). 가래.

가래-토시 명〈방〉호두(함북).

가래-톳 명【의】불두덩 옆 허벅다리의 서혜부(鼠蹊部)의 림프샘이 부어, 켕기고 아프게 된 멍울.

가래톳(이) 서다 구 허벅다리에 가래톳이 생기다. ¶ ~이 서서 걷지 못하다.

가램-질 명〈방〉가백질. ――하다 자

가:랫-과【一科】 명【식】[Potamogetonaceae] 단자엽 식물에 속하는 한 과. 담수 또는 해수에 나는 다년생의 수초(水草)로 전세계에 150여 종, 한국에는 가래·말·대가래·실말 등이 분포함.

가랫-날 명【농】가래의 끝에 끼우는 쇠. 삽 모양으로 끝이 둥글 뻬죽하고, 위는 가로 홈이 져서 가랫바닥의 끝이 끼이게 되었으며, 양편에 꺾쇠 구멍이 있음.

가랫다 타〈옛〉갈아 있다. 갈았다. ¶ 禾穀이 나니 받이러미 東西ㅣ 업시 가랫도다(禾生隴畝無東西)《杜諺 Ⅳ:2》.

가랫-바닥 명【농】가래의 몸. 위에 긴 자루가 달리고, 끝이 둥글 뻬죽하여 가랫날을 끼우게 된 넓적한 나무.

가랫-밥 명 가래로 떠 낸 흙의 덩이.

가랫-장 명【민】고싸움놀이에 쓰이는 고의 머리 쪽에 낸 가로나무. 지름 20cm, 길이 4-5m의 통나무로, 멜꾼이 어깨에 메고 손으로 받쳐들어, 고를 움직임.

가랫-장부 명【농】가래의 자루와 몸.

가랫-장치 명〈방〉가랫장부(충청).

가랫-줄 명【농】가래의 양옆에 맨 줄.

가랭-비 명〈방〉가랑비 (경북).

가랭이 명 ☞ 가랑이.

가량¹【佳良】 명 아름답고 착함. ――하다 형여불

가:량²【假量】 명 어림 짐작. ――하다 타여불

가량³【假量】 [까―] 의명 수량을 대강 어림쳐서 나타낼 때, 명사나 수사(數詞) 아래에 붙이는 말. 쯤. ¶ 비용이 얼마 ~ 들까/두어 달 ~.

가량-가량 부 얼굴이 야윈 듯하면서도 탄력성이 있어 보이는 모양. ――하다 형여불. ――히 부

가량-국【加良國】 명【역】가야국(伽耶國).

가:량-맞다 형 조촐하지 못하여 격에 맞지 아니하다. <거령맞다.

가:량-스럽다 형ㅂ불 가량맞은 데가 있다. <거령스럽다. 가:량-스레 부

가:량-없다【假量―】 [―업―] 형 ①어림 짐작도 할 수 없다. ¶ 높이가 ~. ②어림짐작이 없다. ¶ 가량없이 덤비다.

가:량-없이【假量―】 [―업씨] 부 가량없게.

가:량-통【假量―】 명【역】벼를 마당통보다 적게, 평두량(平斗量)으로 대두 열 말 되게 담은 섬통. 부정한 마름이 소작인에게서 벼를 받을 때 마당통으로 받아 가지고, 지주에게는 가량통으로 만들어 바쳤음. ↔마당통.

가럽다 형〈방〉가렵다 (경북).

가:려¹【可慮】 명 염려됨. 걱정스러움. 가념(可念). ――하다 형여불

가려²【佳麗】 명 모양이나 경치 같은 것이 곱고 새뜻함. 미려(美麗). ¶ ~한 비로봉(毗盧峰). ――하다 형여불

가:려³【苛厲】 명 가혹하고 사나움. ――하다 형여불

가려-내다 타 ①잘잘못을 밝히어 내다. ②골라 내다. 분간하여 추리다.

¶ 조악품을 ~.

가려륵【訶黎勒】명〖식〗가리륵(訶梨勒).

가려-먹다 자타 입에 맞는 음식만 골라서 먹다. 편식(偏食)하다.

가려우- 간 '가렵다'의 불규칙 어간. ¶ ~니/~ㄴ.

가려움 명 가려운 느낌. ¶ ~증(症).

가려워-하다 자여불 가려움을 느끼다.

가려-잡다 타 골라잡다.

가려-지다 자 ↗가리어지다.

가력【家力】명 살림살이를 해 나가는 재력(財力). 터수.

가력-되다 자 개력하다².

가련 수정과【加蓮水正果】명 연꽃의 어린 순에 밀가루를 묻혀 살짝 데쳐서 오미자(五味子) 물에 띄우고 꿀을 타서 마시는 수정과의 일종.

가:련-하다【可憐—】형여불 신세가 딱하고 가엾다. 불쌍하다. 가긍하다. ¶ 가련한 고아(孤兒). **가:련-히**【可憐—】부

가렴¹【加斂】명〖역〗조세(租稅) 같은 것을 정한 액수 이외에 더 거둠. ——하다 타여불 「여불

가:렴²【苛斂】명 조세(租稅) 같은 것을 가혹하게 징수함. ——하다 타

가렴³【葭簾】명 갈대를 가늘게 쪼개서 엮은 발.

가:렴 주구【苛斂誅求】명 가혹하게 세금을 징수하며, 무리하게 재물을 빼앗음. ¶ ~로 백성이 시달리다.

가렵다 형ㅂ불 ①피부에 긁고 싶은 느낌이 있다. ¶ 가려운 데를 긁다. ②좀스럽고 다랍다. ¶ 몹시 가렵게 굴다.

가려운 데를 긁어 주다 구 바로 요긴한 대목을 찌름의 비유. 또, 이쪽에서 바라는 바를 이루어 줌의 비유.

가령¹【加齡】명 새해를 맞이하여 나이가 많아짐. 나이를 먹음. ——-하다 자여불

가:령²【苛令】명 너무 가혹한 명령.

가령³【家令】명〖역〗①높은 벼슬아치의 집이나 대갓집에 딸려, 그 집안의 고용인을 지휘·감독하고 가사(家事) 일체를 관리하는 사람. ②고려 때, 동궁(東宮)의 종사품 벼슬. 문종(文宗) 22년(1068)에 정함. ③구한국 때, 왕족가(王族家)의 주임(奏任) 혹은 판임(判任) 벼슬.

가령⁴【家領】명 한 집안의 소유로 되어 있는 영지.

가:령⁵【假令】부 무엇을 보충 설명할 때 가정(假定)의 뜻으로 쓰는 접속부사. 예를 들면. 이를테면. 가사(假使).

가령 현:상【加齡現象】명〖생〗시간이 경과함에 따라 생체(生體) 구조가 완만하게 변화하는 현상. 특히, 생체 세포의 보충·교체가 부진하여, 생체 기능을 유지하는 데에 충분한 수의 세포를 보유할 수 없어서 노화(老化)하는 과정을 가리킴.

가례¹【家例】명 한 집안의 관례(慣例).

가례²【家禮】명 ①한 집안의 예법. 주로, 관혼 상제의 사례(四禮)에 관한 예제(禮制). ②〖책〗↗주자 가례(朱子家禮).

가례³【嘉禮】명 ①왕의 성혼이나 즉위 또는 왕세자·왕세손·황태자·황태손(皇太孫)의 성혼·책봉 때의 예식. ②경사스러운 예식.

가례 고증【家禮考證】명〖책〗조선 인조 24년(1646)에 민응협(閔應協)이 맡아 간행한, 《주자 가례(朱子家禮)》를 알기 쉽게 시작하였으나, 편찬 도중에 사망하자, 처음에 조호익(曺好益)이 쓰기 시작하였으나, 편찬 도중에 사망하자, 그의 제자인 김육(金堉) 등이 유고(遺稿)를 정리하여 편찬하였음. 7권 3책. 「청.

가례 도감【嘉禮都監】명〖역〗조선 시대에, 가례를 맡아 보던 임시 관

가례 도감 의궤【嘉禮都監儀軌】명〖책〗임금과 세자(世子)의 혼례 때의 절차를 적은 책. 가례 도감을 설치하여 절차를 관리하고 기록하게 한 것임. 날짜·헌장(憲章)·제작(製作)·사체(史體)·부규(簿規)가 갖추어지고, 그 사례(事例)가 밝혀져 있음. 29 책.

가례 부:췌【家禮附贅】명〖책〗《주자 가례(朱子家禮)》에 설명을 가한 책. 조선 인조 6년(1628)에 안신(安玑)이 엮음. 선유(先儒)들의 주해(註解)를 간략히 모으고, 왕실의 제례(制禮)와 민간에서 행하는 바를 첨가했음. 8권 4책. 「치.

가례-색【嘉禮色】명〖역〗왕이나 왕세자의 가례에 임하여 두던 벼슬아

가례 언:해【家禮諺解】명〖책〗《주자 가례(朱子家禮)》를 한글로 번역한 책. 조선 인조(仁祖) 10년(1632)에 신식(申湜)이 발간하였음. 5권.

가례 원류【家禮源流】[—월—] 명〖책〗《주자 가례(朱子家禮)》에 관한 여러 글을 분류 정리한 책. 조선 현종(顯宗) 때 유계(兪棨)가 편찬함. 《주자 가례》의 본문을 기본으로 삼고 널리 《의례(儀禮)》·《주례(周禮)》·《대례(戴禮)》 등의 경전을 뽑아 주(註)를 붙여 이를 원(源)이라 하고, 후세 제유(諸儒)의 예설(禮說)을 유(流)라 하여, 고래(古來) 예설(禮說)의 본원(本源)과 분류(分流)를 밝혔음. 14권 8책.

가례 원류 속록【家禮源流續錄】[—월—녹] 명〖책〗유계(兪棨)가 편찬한 《가례 원류》의 보유편(補遺編). 왕가(王家)의 예(禮)에 관해서 엮음. 2권 1책.

가례 증해【家禮增解】명〖책〗《주자 가례(朱子家禮)》를 증수(增修) 해설한 책. 원래 이선조(李宣祖)의 아버지가 《주자 가례》를 대본으로 하고 고금의 예설(禮說)을 모아 놓은 것을, 이선조가 정확히 교정하여, 조선 정조 16년(1792)에 간행하였음. 10권 10책.

가례 집고【家禮集考】명〖책〗《주자 가례(朱子家禮)》의 본문에다 고금의 경전(經傳)·자(子)·사(史)·패림(稗林)·소설 등에서 여러 설(說)과 예(例)를 뽑아 절(節)마다 기록 편찬한 책. 김종후(金鍾厚)가 엮음. 8권 8책.

가례 집람【家禮輯覽】[—남] 명〖책〗《주자 가례》에 관한 제가(諸家)의 설을 엮은 책. 조선 효종 10년(1659)에 김장생(金長生)이 편집함. 11권 6책.

가로¹ 명부 ①좌우로 건너지른 상태. 횡(橫). ↔세로. ¶ ~쓰기. ②옆으로 퍼진 모양새. ¶ 엉덩이가 ~ 퍼지다.

가로 뛰고 세로 뛰다 구 감정이 북받쳐, 이리저리 날뛰다. ¶ 초취(初娶) 장가를 들 제는 이절 저절 아무 철 모르고 다만 상투 짜고 새옷 입는 것만 좋아하여 가로 뛰며 세로 뛰더니 《李海朝:牧丹峯》.

가로 지나 세로 지나 구 이렇게 되든지 저렇게 되든지. 외로 지나 바로 지나.

가로² 명〈방〉가루¹(함경).

가로³ 명〈옛〉갈래. 가닥. ¶ 여러 가로로 흐르게 우노라(萬行啼)《杜諺 Ⅷ:37》

가로⁴【家老】명 일족(一族)의 장로(長老).

가로⁵【街路】명 시가지(市街地)의 도로. 일반적으로, 교통 안전을 위하여 차도(車道)와 보도(步道)로 구분되어 있음. 가도(街道).

가로⁶【葭蘆】명〖식〗갈대.

가로-가다 자 ①제 길에서 벗어나 바람직하지 못한 상태로 나가게 되다. ¶ 불경기를 만나 회사가 ~. ②〈속〉옆으로 쓰러지거나 죽다. ¶ 주먹 한 방에 ~.

가로-거치다 자 앞에서 거치적거려 방해가 되다.

가로 공원【街路公園】명 도시의 가로에 연(沿)하여 베푼 간이 공원.

가로-글씨 명 글줄이 왼쪽에서 오른쪽으로 또는 오른쪽에서 왼쪽으로 나아가는 글씨. 서양 문자는 전자(前者)에 속하며, 아라비아 문자·헤브라이 문자는 후자에 속함. 가로 문자. 횡문자(橫文字). 횡서(橫書). ↔세로글씨.

가로-금 명 가로 그은 금. 가로줄. 횡선(橫線). ↔세로금.

가로-길이 명〖불교〗공간과 시간. 자기 힘과 남의 힘. 횡수(橫竪).

가로-나비 명 피륙 따위의 가로 잰 넓이. 폭의 넓이. 횡폭(橫幅).

가로-날 명〖고고학〗긁개 따위에 날을 가로로 내어 쓰는 날. 횡인(橫刃).

가로-놓다 [—노타] 타 가로질러 놓다.

가로-놓이다 [—노—] 자 ①가로질러 놓이다. ②장애물 따위가 앞에 버티고 있다. ¶ 어려운 일이 가로놓이어 있다.

가로-누르기 명 유도에서, 자빠져 쓰러진 상대방의 상체(上體)에 옆으로 덮치면서, 양팔로 상대의 어깨와 다리를 끼고 누르는 술법.

가로-누이다 사동 옆으로 눕게 하다.

가로-눕다 자ㅂ불 ①옆으로 눕다. ②바닥에 기다랗게 눕거나 또는 누운 것 같이 놓이다.

가로다 불자 ('가로되', '가론'의 꼴로) '말하다', '이르다'의 뜻을 나타내는 말.

가로-다지 명 ①가로 된 방향. ②가로지른 물건.

가로-닫다 자 옆으로 돌아 닫다. ¶ 바로 가지 않고 저쪽으로 ~.

가로-닫이 [—다지] 명 가로 열고 닫게 된 창이나 문.

가로-대¹ 명 ①가로지른 나무 막대기. 가로장. ②베틀의 두 누운다리 사이에 가로지른 나무. ③천칭(天秤)의 가로놓인 저울대.

가로대² 불자〈방〉가로되.

가로-동자【—童子】명 장(欌)의 부분 이름. 군쇠와 부출 사이에 건너지른 좁은 나무 오리.

가로되 불자 말하기를. 이르기를. ¶ 성인이 ~.

가로-등【街路燈】명 길거리에 달아 놓은 등. 가설 형식에 따라, 다등식(多燈式)·현수식(懸垂式)·주두식(柱頭式) 등이 있음. 준가등(街燈).

현수식 주두식 다등식

〈가로등〉

가로-딴죽 명 씨름이나 태권도 같은 경기(競技)에서, 발로 상대자의 다리를 옆으로 걷어차서 쓰러뜨리는 동작.

가로-띠 명 가로로 두르거나 뻗친 띠. 횡대(橫帶). ↔세로띠.

가로띠-잡이 명〖고고학〗그릇의 몸통이나 어깨의 양쪽에 옆으로 길게 달린 넓은 띠 모양의 잡이. 횡대상 파수(橫帶狀把手).

가로림-만【加露林灣】명〖지〗충청 남도 서해안에 돌출된 태안 반도(泰安半島) 중에 있는 만. 천수만(淺水灣)의 반대쪽에 있음.

가로-막【—膜】명〖생〗횡격막(橫隔膜).

가로-막다 타 ①앞을 가로질러 막다. ¶ 길을 ~. ②옆에서 무슨 일을 못하게 하다.

가로-막히다 피동 가로막음을 당하다.

가로-맡다 타 ①남의 일을 가로차서 맡다. ¶ 싸움을 가로맡아 하다. ②남의 일에 곁에서 참견하다.

가로-무늬 [—니] 명 가로 난 무늬. 횡문(橫紋). ↔세로무늬.

가로무늬-근【—筋】[—니—] 명〖생〗근육 조직(筋肉組織)의 한 가지. 무수한 가로무늬를 가지고 골격근(骨格筋)을 이루며 의사(意思)에 따라 마음대로 움직일 수 있음. 곧, 구간(軀幹)·눈·혀·귀 등을 움직이게 하는 근육임. 횡문근(橫紋筋). ↔민무늬근(筋). ＊골격근(骨格筋).

가로 문자【—文字】[—짜] 명 가로글씨.

가로-변【街路邊】명 도시의 큰길 가.

가로-복원력【—復元力】[—녁] 명 [transverse stability]〖공〗선박 또는 항공기가 파도나 바람의 작용으로 옆으로 기울어졌을 때, 앞서의 평형 위치(平衡位置)로 되돌아오는 능력.

가로-뻗다 자 길게 가로 누워서 뻗다. ¶ 전주에 머리를 부딪히고 그대로 가로뻗어 버렸다.

가로사대 불자〈방〉가라사대.

가로-상【街路上】명 시가(市街)의 길거리 위.

가로-새다 자 중간에서 슬그머니 딴 곳으로 빠져 나가다. ¶ 같이 가던 박군이 어느 틈에 가로새었다.

가로-서다 자 ①옆으로 서다. ②중도에서 빠져 나서다.

가로-세로 ㊀명 가로와 세로. ㊁부 ①가로로 또 세로로. ¶ 줄을 ~ 긋다. ②이리저리 여러 방향으로. ¶ 군중이 ~ 흩어지다.

가로-수【街路樹】명 가로의 미관(美觀) 및 보건상의 목적으로, 길에 따라 줄지어 심은 나무. 도로수(道路樹).

가로-쓰기 명 글씨를 가로 써 나가는 방식. 왼편에서 오른편으로 쓰는 것과 오른편에서 왼편으로 쓰는 것의 두 가지가 있음. 횡서(橫書). ↔세로쓰기·내리쓰기. ——-하다 타여불

가로-압력【—壓力】[—녁] 명〖물〗측압(側壓).

가로왈-부【—曰部】명 한자 부수(部首)의 하나. '曲'이나 '會' 등의 '曰'의 이름.

가로-원【街路園】명 가로의 교차점 등에 정원같이 수목을 심어 놓은 곳. ＊녹지대(綠地帶).

가로-잡이 명〖고고학〗그릇 표면에 가로로 붙은 손잡이. 횡위 파수(橫位把手).

가로-장 명 가로 건너지른 나무 막대기. 가로대.

가로 전도【街路傳道】명 노방 전도(路傍傳道).

가로 조:명【街路照明】명 전등이나 수은등(水銀燈)으로 가로를 비추어 밝게 하는 일.

가로-좌표【—座標】명〖수〗엑스(x)좌표. ↔세로좌표.

가로-줄 명 ①가로 그은 줄. 횡선(橫線). ↔세로줄. ②〖농〗모를 심을 때 바로 심기 위하여 가로치는 못줄.

가로-지 명 ①창호지 등과 같이, 종이를 뜬 자국이 가로놓인 종이 결. ②포목(布木)이나 종이 등의 가로로 넓은 조각. 1)·2):↔세로지.

가로-지르다 타르불 ①가로 건너지르다. ¶빗장을 ~. ②어떤 곳을 가로로 지나가다. ¶큰길을 가로질러 달려 가다.

가로-질리다 피동 가로지름을 당하다.

가로-짜기 명〖인쇄〗조판에서, 각 행의 활자를 가로 읽도록 짜는 방식. 횡조(橫組). ↔세로짜기.

가로-차다 타 ☞가로채다.

가로-채다 타 ①갑자기 옆에서 쳐서 잡다. ¶보따리를 ~. ②남의 것을 옳지 못한 방법으로 빼앗다. ¶남의 일을 ~. ③남이 말하는 중간에 끼어들어 말을 가로막고 못하게 하다. ¶사회자의 말을 가로채고 자기 주장만 내세우다.

가로-채이다 피동 가로챔을 당하다.

가로-축【—軸】명〖수〗평면상(平面上)의 직교(直交) 좌표에서 가로로 그은 축. 엑스축. 횡축(橫軸). ↔세로축.

가로-침식【—浸蝕】명〖지〗측방(側方) 침식.

가로-타다 타 ①산길 같은 데를 가로질러 타고 가다. ¶산길을 가로타고 가다. ②몸을 모로 하고서 타다. ¶자전거 뒷자리에 가로타고 가다.

가로-퍼지다 자 ①옆으로 자라다. 옆으로 커지다. ②살쪄서 퉁퉁해지다. ¶가로퍼진 몸.

가로-회【哥老會】명〖역〗중국 청(淸)나라 건륭(乾隆) 때, 청조(淸朝)를 전복하고 한인(漢人)의 세력을 회복하려던 비밀 결사. 가제회(哥弟會).

가로-획【—畫】명 글자의 가로 긋는 획.

가록¹【加錄】명〖역〗①문부(文簿)를 정리할 때, 금액 따위를 추가로 기록함. ②홍문관(弘文館) 관원을 추천함에 있어서, 누락된 사람을 의정부에서 추가로 기입함. ——-하다 타여불

가록²【家祿】명 세습적(世襲的)으로 집안 대대로 물려받는 녹(祿). 세록(世祿).

가론¹【歌論】명 가곡(歌曲)에 대한 논평 또는 이론.

가론² 부 '이른바, 가로되, 이르되'의 뜻의 접속 부사.

가론 강【—江】[Garonne] 명〖지〗프랑스의 남서부에 있는 강. 피레네 산맥에서 발원하여 보르도 북쪽에서 도르도뉴 강(Dordogne江)과 합류, 지롱드 강(Gironde 江)이 되어 비스케이 만(Biscay 灣)으로 들어감. 유역에 포도밭이 많으며, 수력 발전도 성함. [647km]

가롬 타〈옛〉갊. '갈다³'의 명사형. ¶ 봆 가로몰 瀼水ㅅ 西ㅅ녀글 허리노라(春耕破瀼西)《杜諺 Ⅶ:13》.

가:롱 성진【假弄成眞】명 농가 성진(弄假成眞).

가뢰 명〖충〗①가룃과에 속하는 곤충의 총칭. 먹가뢰·왕가뢰·목람가뢰 등이 있음. 몸에 칸타리딘(cantharidin)을 함유하여 유독(有毒)하므로 한방(韓方)에서 건조하여 피부 자극제·발포제(發疱劑) 등의 약제로 씀. 길앞잡이 종류는 무독(無毒)한데 '반묘(斑猫)'라고 하여 약제에 쓰인다고 함은 오전(誤傳)임. 지담(地膽). 반모(斑蝥). 토반모(土斑蝥). 토반묘(土斑猫). 땅가뢰. ②길앞잡이❷.

가룃-과【—科】명〖충〗[Meloidae] 딱정벌레목(目)에 속하는 한 과. 몸길이 3cm 가량인데, 중형이며 다소 원통상(圓筒狀)이고 연약함. 촉각은 11절로 실 또는 염주(念珠) 모양임. 앞날개가 짧고 뒷날개가 퇴화하여 날지 못하며 땅 위를 기어다니기만 함. 몸빛은 청람색·자람색에 녹색·흑색을 띰. 성충은 농작물의 해충임. 다리에서 악취가 나는 노란 독액(毒液)을 분비하는데, 여러 가지 약용으로 사용함. 전세계에 2,300여 종이 분포함.

가료¹【加料】명〖역〗겸료(兼料).

가료²【加療】명 치료를 가함. ¶일주일 간의 ~를 요함. ——-하다 자여불

가루¹ 명 깨뜨리거나 부수거나 갈아서 썩 잘게 만든 마른 물건. 분말(粉末). ¶~약/설탕 ~.

[가루 가지고 떡 못 만들랴] 누구나 당연히 할 수 있는 일을 가지고 잘했느니 잘못했느니 여러 소리 할 때 이르는 말. [가루는 칠수록 고와지고 말은 할수록 거칠어진다] 가루는 체에 칠수록 고와지지만, 말은 이 입에서 저 입으로 옮아갈수록 보태어져서 거칠어진다는 뜻으로, 말이 많음을 경계하는 말. [가루 팔러 가니 바람이 불고 소금 팔러 가니 이슬비 온다] ㉠세상 일이란 뜻대로 되지 않고 엇나가는 수가 많다는 말. ㉡무슨 일에 마(魔)가 끼어서 잘 안 된다는 말.

가루² 명부 ☞가로¹.

가루³【加累】명 재앙을 더함. ——-하다 자여불

가루⁴【家累】명 ①가족이나 가사(家事)에 관한 근심과 걱정. ②가사에 관계되는 모든 사물.

가루-것 명 ☞가루붙이.

가루-눈¹ 명〖식〗분아(粉芽).

가루-눈² 명 가루 모양의 눈. 기온(氣溫)이 낮고 수증기가 적을 때 옴. ↔함박눈.

가루다¹ [포 carta] 명 놀이딱지.

가루다² 자타 나란히 함께 하다. 맞서서 겨루다.

가루다³ 타〈방〉①고르다(경남). ②가르다(전남).

가루라【迦樓羅】명 [범 Garuda]〖불교〗불교 경전(經典)에 나오는 상상(想像)의 큰 새. 머리는 매와 비슷하고, 몸은 사람을 닮았으며, 날개는 금빛이고, 머리에 여의주(如意珠)가 박혀 있고, 입으로 화염을 내뿜으며 용(龍)을 잡아먹는다고 함. 수미산(須彌山)의 사해(四海)에 살며, 불법 수호 팔부중(佛法守護八部衆)의 여섯째임. 금시조(金翅鳥). 묘시조(妙翅鳥).

〈가루라〉

가루-모이 명 곡식·생선 등의 가루를 알맞게 섞어서 만든 가축의 모이.

가루라-법【迦樓羅法】명〖불교〗진언종(眞言宗)에서, 가루라를 본존(本尊)으로 하여 병고(病苦)·뇌우(雷雨) 등을 제거하기 위하여 하는 수법(修法).

가루라-염【迦樓羅炎】명〖불교〗가루라가 뿜는 화염(火炎).

가루-받이 [—바지] 명〖식〗수분(受粉).

가루-분【—粉】명 가루로 된 분(粉). ↔물분.

가루-붙이 [—부치] 명 ①음식의 재료가 되는 가루. ②가루를 재료로 하여 만든 음식.

가루-비누 명 ①덩이지지 아니하고 가루로 된 비누. ②'합성 세제(合成洗劑)'의 속칭.

가루-사탕【—砂糖】명 덩이지지 아니하고 가루로 된 사탕. 분당(粉糖). 설탕(雪糖). 설탕(屑糖). ↔각사탕(角砂糖).

가루-새 명〈방〉〖조〗가리새³.

가루-소금 명 굵지 아니하고 고운 소금.

가루-약【—藥】명 가루로 된 약. 분말약(粉末藥). 분약(粉藥). 산약(散藥). 말제(末劑). ↔물약·알약.

가루-우유【—牛乳】명 수분을 증발시키고 말리어서 가루로 만든 우유. 분유(粉乳). 락토겐(laktogen). 드라이 밀크(dry milk).

가루-자반【—佐飯】명 메밀 가루에 밀가루를 조금 섞고, 소금물로 반죽하여 잣가루·후춧가루·석이(石耳) 이긴 것 들로 소를 넣고, 넓적하게 빚어서 기름에 지진 짠 반찬. 분자반(粉佐飯).

가루-장 명〈방〉가로장.

가루-좀 명 오래 되어 삭은 나무나 메주 같은 것에 구멍을 뚫으면서 가루를 내는 벌레.

가루-즙【—汁】명 가루를 묽게 푼 물.

가루-지 명〈방〉가로지.

가루지기-타:령【—打令】명〖악〗변강쇠 타령(打令).

가루-집 명 오래 된 가루나 곡식이나 약재(藥材) 등에 생긴 벌레가 거미줄 같은 것을 분비하여 가루를 묻히어 놓고 그 속에서 사는 집.

가루-체 명 가루를 치는 데 쓰는 체.

가루쿠다 타〈방〉가리우다.

가류【加硫】명 [vulcanization]〖화〗'가황(加黃)'의 구칭.

가류 고무【加硫—】명〖화〗'가황(加黃) 고무'의 구칭.

가류타이【伽留陀夷】명 [범 Kalodayin]〖불교〗십육 나한(十六羅漢)의 하나. 얼굴에 검은 빛이 있고, 항상 밤에 나와 걸식(乞食)하여 사람들이 두려워하므로 부처가 이를 금지하였다 함.

가르강튀아 [프 Gargantua] 명〖문〗프랑스의 작가 라블레가 지은 소설. 1534년에 간행되었음. 작자가 1532년에 발표한 소설 《팡타그뤼엘(Pantagruel)》의 성공에 힘입어, 1532년에 출판된 작자 미상(作者未詳)의 중세 전설의 집대성(集大成) 《가르강튀아 대연대기(大年代記)》를 새롭게 개작하여 낸 것으로, 거인왕(巨人王) 가르강튀아를 중심 인물로 하여 봉건주의와 가톨릭 교회를 풍자 비판한 작품임.

가르니에¹ [Garnier, Jean Louis Charles] 명〖사람〗프랑스의 건축가. 파리 태생. 1848년 로마 대상(大賞)을 받고 로마에 유학. 터키·그리스 등에도 유학하였으며, 이후 프랑스에서 활동함. 베네치아·르네상스 양식에 바로크 양식을 가미한 작풍으로, 대표작인 파리의 국립 음악원(國立音樂院)은 오랫동안 극장 건축의 모범이 되었음. [1825-98]

가르니에² [Garnier, Marie Joseph François] 명〖사람〗프랑스 해군 장교·탐험가. 프랑스의 인도차이나 진출 시대에 메콩 강을 답사, 다시 윈난(雲南)을 거쳐 양쯔 강 상류 부근까지 탐험함. 1873년 하노이에서 유럽인의 통상(通商) 개시를 절충하다 이루어지지 않자, 하노이와 그 주변의 삼각주 일대를 장악했으나, 유영복(劉永福)이 이끄는 흑기군(黑旗軍) 청병(淸兵)의 습격을 받아 전사함. [1839-73]

가르니에³ [Garnier, Tony] 명〖사람〗프랑스의 건축가. 1898년 로마 대상(大賞)을 받아 이탈리아에 유학한 후, 출생지 리옹에서 활약함. 참신한 아이디어에 의한 치밀한 도시 계획과 혁신적인 철근 콘크리트 건축은 현대 건축에 커다란 시사를 주었음. 작품에 리옹 공업 도시 계획안·리옹시 도살장·리옹시 경기장(競技場) 등이 있음. [1869-1948]

가르다 타르불 ①쪼개다❷. ¶생선의 배를 ~. ②따로따로 구별되게 하다. 분별하다. ¶크기에 따라 ~/편을 ~. ③두 갈래로 나누다. ¶이익을 반씩 ~/ 물살을 ~.

가르다 호【—湖】[Garda] 명〖지〗이탈리아의 북부, 알프스 산기슭에 있는 이탈리아 최대의 빙하호(氷河湖). 호안(湖岸)에 오렌지·올리브·

포도나무 들이 우거져 경치가 아름답기로 유명함. [370 km²]
가르랑-거리다 자타 목구멍에 가래가 걸리어 숨쉬는 대로 떨리어 소리가 나다. 또, 그 소리를 내다. 가르랑대다. ¶ 목이 ~/가르랑거리는 목소리. ㊀가랑거리다. <그르렁거리다. **가르랑-가르랑** 부. ──-하다 자타여불
가르랑-대다 자타 가르랑거리다.
가르렁-거리다 자타 〈방〉 가르랑거리다.
가르마 명 이마로부터 정수리까지의 머리털을 양쪽으로 가른 금. ¶ ~가 바른 머리.
가르마(를) 타다 구 가르마꼬챙이로 머리털을 양쪽으로 갈라 붙이다.
가르마-꼬챙이 명 가르마를 타는 데 쓰는 가느다란 꼬챙이.
가르맛-자리 명 가르마를 타서 길이 난 자국.
가르미슈-파르텐키르헨 〔Garmisch-Partenkirchen〕 명 〖지〗 독일 바이에른 주(州) 남부의 도시. 윈터 스포츠의 중심지이고, 피서지로도 유명함. 1935년에 두 개의 도시가 합병하여 현재의 이름이 되었음. 1936년 동계 올림픽의 개최지. [28,114명(1983)]
가르보 〔Garbo, Greta〕 명 〖사람〗 스웨덴 태생의 미국 여우(女優). 우수(憂愁)를 지닌 신비적 미모로 1920-30년대의 은막의 여왕으로 군림하였음. 주연 작품에 《육체와 악마》·《그랜드 호텔(Grand Hotel)》·《니노치카(Ninotchka)》 등이 있음. [1905-90]
가르-보다 타 〈방〉 흘겨보다(함경).
가르보르그 〔Garborg, Arne Svensen〕 명 〖사람〗 노르웨이 작가·국어 운동가. 향토어(鄕土語)인 란스몰(Landsmål)을 사용하여 창작하였으므로 국외(國外)에는 그다지 알려지지 않았으나, 사상적 깊이가 있는 작가로서 평판이 높으며, 근대 부르주아(bourgeois) 문화의 비판자로 톨스토이에 가까움. 대표작으로 《농민 대학생》·《사나이들》·《자유 사상가》 등이 있음. [1851-1924]
가르새 명 베틀의 양쪽 채 어중간에 맞춘 나무.
가르손 〔프 garçonne〕 명 남성적인 신식 여성.
가르송 〔프 garçon〕 명 남자. 보이(boy).
가르시아 〔Garcia, Carlos Polestico〕 명 〖사람〗 필리핀의 정치가. 제2차 대전중 항일(抗日) 게릴라에 참가함. 대전 후, 야당인 국민당의 지도자로 활약하여 1953년 부통령 겸 외상이 되었다가 1957년 막사이사이(Magsaysay, R.)의 사망으로 대통령을 승계, 그 해의 선거에서 재선(再選)되었으나, 1961년 선거에 패배함. [1896-1971]
가르시아 로르카 〔García Lorca, Federico〕 명 〖사람〗 스페인의 시인·극작가. 민중 심리를 묘사한 시를 짓고, 또 스페인 연극의 혁신에 진력함. 스페인 내란이 일어난 직후 팔랑헤당(Falange黨)에 의해 총살당함. 작품으로 시집 《집시 가곡집》, 희곡 《피의 혼례(婚禮)》 등이 있음. 로르카. [1899-1936]
가르시아 로블레스 〔García Robles, Alfonso〕 명 〖사람〗 멕시코의 정치가·외교관. 1967년 중남미 비핵무장 지역 조약의 조인을 위하여 활약했음. 1982년 노벨 평화상을 수상함. [1911-]
가르시아 마르케스 〔García Márquez, Gabriel〕 명 〖사람〗 콜롬비아의 작가. 1961년부터 작가 활동을 개시하여 멕시코와 에스파냐에서 저작에 전념함. 남미 대륙의 인간의 생활과 투쟁을 묘사한 소설 《백년 동안의 고독》·《낙엽》 등의 대표작이 있음. 1982년 노벨 문학상을 받음. [1928-]
가르시아 모레노 〔García Moreno, Gabriel〕 명 〖사람〗 에콰도르의 정치가. 초대 대통령 플로레스(Flores, J. J.)의 양자(養子)로서, 1861-65년과 1869-75년에 걸쳐 대통령을 지냄. 열렬한 가톨릭 신자로 교회에 교육 지배권을 주는 등, 교회·성직자의 특전을 강화했기 때문에 자유주의자의 반발을 사서 암살당함. [1821-75]
가르신 〔Garshin, Vsevolod Mikhailovich〕 명 〖사람〗 러시아의 작가. 1870-80년대의 페시미즘과 인도주의의 대표자로, 빈민의 고뇌에 찬 생활을 즐겨 그렸으며, 그 중, 광기(狂氣)의 환상을 상징(象徵)으로까지 높인 《붉은 꽃》, 자신의 러시아·투르크 전쟁 체험을 바탕으로 한 《4일간》 등의 단편 소설이 유명함. 정신 이상의 발작으로 여러 번 정신 병원에 입원하더니 마침내 계단에서 뛰어내려 자살하였음. [1855-88]
가르이 명 〈방〉 가루¹(제주).
가르치다 타 ①지식이나 기능 따위를 가지도록 알아듣게 설명하여 인도하다. ¶ 음악을 ~/헤엄치는 법을 ~. ②상대방이 아직 모르는 일을 알도록 일러 주다. ¶ 비밀을 가르쳐 주다/차례를 ~. ③타일러 경계하다. 지각이나 인식을 높여 주다. ¶ 역사가 가르치는 교훈. ㊀갈치다. *가리키다.
가르친-사위 명 창조성이 없고 남이 시키는 대로만 하는 어리석은 사람의 별명.
가르침 명 ①가르쳐 알게 하는 일. ¶ ~을 청하다. ②가르치는 사항·내용. 교훈(敎訓). ¶ 공자의 ~. ③〖종〗 교의(敎義)❶.
가르키다 타 〈방〉 ①가르치다. ②가리키다.
가르토크 〔Gartok: 噶大克〕 명 〖지〗 가얼(噶爾).
가른-돌 명 〖건〗 가름돌.
가름¹ 명 ①함께 하던 일을 서로 가르는 일. ②구별. 분별. ──-하다 타여불
가름² 명 장(章)❷.
가름-길 명 〈옛·방〉 갈림길. ¶ 가름길(岔路) 《同文 上 41》.
가름-끈 명 책 갈피에 끼워, 읽던 곳이나 특정한 곳의 표시로 삼는 끈. 책의 등에 붙임. 보람줄. *서표(書標).
가름-대 [-때] 명 주판의 윗알과 아래알을 가르기 위하여 댄 나무. 뀀대를 꿰게 되었음.
가름-돌 [-똘] 명 〖건〗 ①용도에 따라 여러 가지 형태로 갈라 놓은 돌. ②규칙적인 일정한 형태로 쪼갠 돌.
가름-둑 [-뚝] 명 〖토〗 하천의 합류 지점에 난류(亂流)를 완화하기 위하여 두 하천이 합류하지 못하도록 유수(流水) 방향으로 설치한 둑.
가름-솔 [-쏠] 명 솔기를 중심으로 하여 시접을 좌우 양쪽으로 갈라 붙인 솔기. 모직물·견직물 등 두꺼운 천에서 이용됨.
가름-장 명 〖건〗 인방이나 하방 같은 것의 기둥에 들어박히는 촉을 두 갈래지게 하는 방식.
가릉 【訶陵】 명 〖역〗 당(唐)나라 때, 특히 천보(天寶), 곧 7세기 후반 이후로 자주 중국에 입공(入貢)한, 지금의 자바(Java) 중부에 있던 나라.
가릉-강 【嘉陵江】 명 〖지〗 자링 강.
가릉-령 【加陵嶺】 [-녕] 명 〖지〗 평안 북도 자성군(慈城郡)과 함경 남도 장진군(長津郡) 사이에 있는 고개. 지형이 험하고 골짜기가 깊은 낭림(狼林) 산맥에 의하여 동서 두 지역간의 두절된 교통을 개통시켜 예로부터 주요 교통로로 이용되었음. [1,441 m]
가릉-빈가 【迦陵頻伽】 명 〔범 Kalavinka〕 〖불교〗 불경에 나타나는 상상(想像)의 새. 히말라야 산에 사는데 몹시 미묘한 소리를 낸다 하며, 또 극락정토에 깃들이며, 인두 조신(人頭鳥身)의 모양을 하고 있다 함. 가라빈가(迦羅頻伽). 묘음조(妙音鳥). 빈가조(頻伽鳥). 선조(仙鳥). 호성조(好聲鳥). 비천(飛天). ㊀빈가(頻伽).

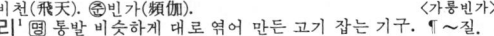

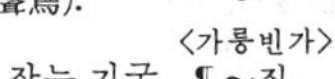
〈가릉빈가〉

가리¹ 명 통발 비슷하게 대로 엮어 만든 고기 잡는 기구. ¶ ~질.
가리² 명 ☞ 갈비¹❷.
가리³ ㊀ 명 곡식·땔나무 같은 것을 높이 쌓은 더미. ¶ 볏~. ㊁ 의명 볏단·땔나무 등의 스무 뭇을 일컫는 말.
가리⁴ 명 ↗가리새¹. ¶ 하도 어수선하여 ~를 못 차리겠다.
가리(를) 틀다 구 ㉠순리로 될 일을 어그러지도록 방해하다. ㉡횡재(橫財)에 대하여 무리하게 한 몫을 청하다. ¶ 남의 횡재에 가리틀고 우격다짐으로 휘젓고 다니면서 풍동으로 바람을 잡아? 《金周榮: 客主》. ㉢일단 승낙한 일을 요구한 대로 들어 주지 아니하다.
가리⁵ 명 〖동〗 몸길이 두 뼘 반 크기의 민어를, 서울 상인들이 일컫는 말.
가리⁶ 명 〈속〉 ↗아가리.
가리⁷ 명 〈방〉 〖조〗 물오리(함경).
가리⁸ 명 〈방〉 까닭(함경).
가리⁹ 명 〈방〉 가루¹(전라·경상·강원).
가리¹⁰ 명 〈방〉 어리(함경).
가리¹¹ 【加里】 명 〖화〗 '칼리(kali)'의 취음. 칼륨(Kalium).
가:리¹² 【苛吏】 명 무자비하고 가혹한 관리.
가:리¹³ 【假吏】 명 〖역〗 지방의 세습(世襲)이 아니고 다른 고을에서 온 아전. ↔향리(鄕吏).
가리¹⁴ 【街里】 명 길거리.
가리¹⁵ 【駕犂】 명 〖조〗 가리새³.
가리¹⁶ 〔Gary, Romain〕 명 〖사람〗 프랑스의 작가. 유태계(系) 러시아인으로 태어나, 어려서 프랑스로 이민, 법학(法學)을 전공한 뒤 교사·외교관 등을 지냄. 1945년에 처녀작 《유럽식(式) 교육》 이후 시대 정신·풍속의 교묘한 묘사를 통해, 현대 문명의 퇴폐를 고발하는 작품을 냄. 시나리오 작가·영화 감독으로도 활약함. 주요 작품으로 《하늘의 뿌리들》·《새벽의 약속》·《흰 개》 등이 있음. 권총 자살함. [1914-80]
가리¹⁷ 의명 삼을 벗길 때, 널어 말리기 위하여 몇 꼭지씩 한데 묶은 한 줌 남짓한 분량.
가리-가리 부 여러 가닥으로 찢어진 모양. ㊀갈가리.
가리-개 명 넓은 두 폭으로 만든 병풍. 머리맡이나 사랑방 같은 데의 치장으로 침. 곡병(曲屛). *침병(枕屛).
가리-구이 명 ☞ 갈비구이.
가리기 그리드 〔grid〕 명 〖물〗 진공관에 있어서, 양극(陽極)과 제어(制御) 그리드 사이에 놓여져, 두 사이를 정전기적(靜電氣的)으로 차폐(遮蔽)하는 그리드. 음극(陰極)에 양(陽)의 전압을 가하여 입출력 회로(入出力回路)간의 결합을 작게 하기 때문에 고주파라도 안정된 증폭을 할 수가 있음. 스크린 그리드. 구용어: 차폐(遮蔽) 그리드.
가리기다 타 〈옛〉 가리우다. 가리어 끼다. ¶ 이후는 光明 日月을 가리기게 말리라 《古詩調 李鼎輔》.
가리끼다 자 사이에 가리어 거리끼다.
가리-나무 명 솔가리를 갈퀴로 긁어 모은 땔나무. *잎나무.
가리-늦게 부 〈방〉 뒤늦게(경남).
가리다¹ ㊀ 자 보이지 않게 막히다. ¶ 사람이 가려서 안 보인다. ㊁ 타 바로 보이거나, 통하지 못하도록 사이에서 가로막다. ¶ 얼굴을 ~/앞을 ~. 【가림은 있어야 의복이라 한다】 제가 맡은 바 구실을 온전히 하여야만 그에 마땅한 대우를 받는다는 말.
가리다² 자 〈옛〉 갈리다. ¶ 가린 여흘(岐灘) 《龍歌 Ⅰ:44》.
가리다³ 타 ①여럿 가운데서 분간하여 골라 내다. ¶ 불량품을 가려 내다. ②어린아이가 낯선 사람을 싫어하다. ¶ 낯을 ~. ③셈을 일일이 따지어 밝히다. ¶ 셈을 ~. ④머리를 대강 빗다. ⑤분별·구별하다. ¶ 밤낮을 가리지 아니하다. ⑥음식을 편벽되게 골라 먹다. ¶ 음식을 가리지 않고 먹다. ⑦어린애가 똥이나 오줌을 함부로 싸지 아니하고 눌 데에 누게 되다. ¶ 대소변을 ~. *그느다.
가리다⁴ 타 곡식이나 땔나무 같은 것의 단을 차곡차곡 쌓아 더미를 짓다. ¶ 마당에 장작을 ~.
가리다⁵ 타 〈방〉 가르다(전남·경상).
가리륵 【訶梨勒】 명 〔범 Haritaki〕 〖식〗 [*Terminalia chebula*] 사군자과(使君子科)에 속하는 낙엽 교목. 높이 약 30 m, 잎은 약 10 cm의 길쭉한 타원형인데, 엽병(葉柄)이 길고 대생(對生)하며, 흰 꽃이 수상(穗狀) 화서로 핌. 초가을에 치자(梔子) 비슷하게 여섯 모가 진 갈색의 핵과가 맺는데, 한약국에서 '가자(訶子)'라 하여 이질 및 거담약(祛痰藥)으로 씀. 또 과즙(果汁)에서 미로발란(myrobalan)이란 노란 물감을 빼냄. 재목은 가구를 만

〈가리륵〉

드는 데 쓰임. 중국·인도·인도차이나 지방·말레이 반도에 남. 가려륵(訶黎勒).

가리마[1] 명 ① ☞가르마. ②예전에 부녀자가 큰머리 위에 덮어 쓰던 검은 헝겊. 차액(遮額). 주의 '加理亇'로 쓰은 취음.

가리마[2] 명〖역〗부녀자가 예장(禮裝)할 때에 큰머리 위에 덮어 쓰는 검은 헝겊. 차액(遮額). 주의 '加理亇'로 쓰은 취음(取音).

가리마-꼬챙이 명 ☞가르마꼬챙이.

가리맏 명〈옛〉가리맛조개. ¶ 가리맏 뎡(蟶)《字會 上 20》.

가리-맛 명〖조개〗가리맛조개. 준맛·갈맛.

가리맛-살 명 가리맛조개의 속에 든 회백색의 살. 준맛살.

가리맛-자리 명 ☞가르맛자리.

가리맛-저냐 명 밀가루에 달걀을 풀고, 가리맛살을 버무리어 지진 저냐.

가리맛-조개 명〖조개〗[*Sinnovacula constricta*] 긴맛과에 속하는 바닷조개. 패각은 앞뒤로 길쭉하여 길이 10cm, 높이 3cm, 폭 2.3cm 내외임. 각표(殼表)에 가는 윤맥(輪脈)이 많으며 담황색의 각피(殼皮)가 덮여 있음. 산란기는 10-2월이고, 간조시에 노출되는 내만(內灣)의 모래땅을 30-60cm 깊이로 파고 서식하는데, 한국·일본·중국 등지에 분포함. '맛살'이라 하여 긴맛과 함께 식용함. 가리맛. 토화(土花). 토여(土魚). 진합(眞蛤). 진정(眞蟶).

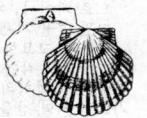

〈가리맛조개〉

가리맛-찌개 명 고추장을 풀고 가리맛살을 넣어 끓인 찌개.

가리매 명〈방〉가리마[1](함경).

가리발디 [Garibaldi, Giuseppe] 명〖사람〗이탈리아의 정치가·장군. 일찍부터 청년 이탈리아당에 가입, 공화파(共和派)의 혁명 운동에 참가하였으나 실패하고 수차 외국에 망명하였음. 차츰 사르데냐 왕국을 중심으로 한 이탈리아의 통일에 뜻을 두어, 1860년 '붉은 셔츠대'를 이끌고 시칠리아 섬 및 남부 이탈리아를 쳐서 이를 사르데냐 왕 비토리오 에마누엘레(Vittorio Emanuele) 2세에게 바쳐 이탈리아 통일을 촉진함. 만년(晩年)에 자유당의 당수가 됨. 정치가로서의 식견(識見)은 부족하였으나, 이탈리아 통일사상(統一史上) 삼대 위인의 한 사람으로서 지금도 국민적 애국 영웅으로 추앙(推仰)됨. [1807-82]

가리-백숙【一白熟】명 ☞갈비 백숙.

가리-볶음 명 ☞갈비 볶음.

가리-봉【加里峰】명〖지〗강원도 인제군(麟蹄郡) 인제읍(麟蹄邑) 가리산리(加里山里)와 북면(北面) 한계리(寒溪里)와의 경계에 있는 산봉우리. 태백 산맥에 속함. [1,519m]

가리-부피 명 곡식단이나 나뭇단 같은 것을 차곡차곡 쌓아 올린 더미의 부피.

가리비 명〖조개〗[*Patinopecten yessoensis*] 가리빗과에 속하는 바닷조개. 패각(貝殼)은 부채 모양으로 둥글넓적한데, 길이 20cm, 높이 19cm, 폭 50cm 가량임. 각편(殼片)의 한쪽은 판판하고, 다른 한쪽은 불룩하며, 표면에는 방사륵(放射肋)이 25-26개 있고, 왼쪽은 엷은 홍갈색, 오른쪽은 희고, 안은 모두 백색임. 왼쪽 껍데기로 배처럼 물에 뜨고, 오른쪽 껍데기를 돛처럼 세우고 다닌다고 함은 속설(俗說)이며, 껍데기를 급히 여닫아 아귀로 물을 내뿜으며 도약(跳躍) 전진함. 3-7월에 산란하며, 해안 40m 깊이의 모래 또는 자갈밭에 서식하는데, 한국 북부·일본 홋카이도 등지에 분포함. 조개 관자와 살은 식용, 껍데기는 세공(細工)에 쓰이며 바가지의 대용품으로도 쓰임. 해선(海扇).

〈가리비〉

가리 비누【加里一】명 칼리 비누.

가리빗-과【一科】명〖조개〗[Pectinidae] 사새목(絲鰓目)에 속하는 한 과. 가리비·국자가리비 등이 이에 속함.

가리쌔 명〈옛〉갈비뼈. ¶ 가리뼈 열두낫치 너므면 됴코(肋骨過十二條者良)《馬經 上 5》.

가리사니 명 ①사물을 판단할 만한 지각(知覺). ②사물을 분간할 수 있는 실마리. ¶ ~를 잡을 수 없다.

가리사니(가) 없:다 구 분별력이 없다. 지각이 없다. ¶ 가리사니 없는 사람.

가리-산【加里山】명〖지〗①강원도 홍천군(洪川郡) 두촌면(斗村面)과 춘천시(春川市) 북산면(北山面)과의 경계에 있는 산. 태백 산맥에 딸리며, 또 소양강(昭陽江)의 수원을 이룸. [1,051m] ②경기도 포천군(抱川郡)에 위치하는 산. 광주 산맥(廣州山脈)의 서남단을 이루고 있음. [775m]

가리산-지리산 부〈속〉갈팡질팡. ——하다 자여불

가리-새[1] 명 일의 갈피와 조리(條理). 준가리.

가리-새[2] 명〖공〗도자기를 만들 때, 그릇의 몸을 긁어서 모양을 내는 데 쓰는 고부라진 쇠.

가리-새[3] 명〖조〗노랑부리저어새.

가리-새김 명 ☞갈비새김.

가리알 [garial] 명〖동〗가비알.

가리어-지다 자 무엇이 사이에 가리게 되다. ¶ 산에 가리어진 들판/범가 비밀에 ~. 준가려지다.

가리오아【GARIOA】명 [Government and Relief in Occupied Areas의 약칭] 제2차 대전 후, 미군 점령지의 질병(疾病)이나 기아(飢餓) 등으로 인한 사회 불안을 제거하고 점령 행정의 원활을 이룰 목적으로 미 육군 예산에서 지출한 자금. 이 자금으로 식량·의약품·비료·석유 등이 공급되었음. 점령 지역 구제 자금(占領地域救濟資金). *에로아(EROA).

가리온 명 [몽 qaliɣun(갈색)] 털이 희고 갈기가 검은 말. 낙(駱). 해류마(海騮馬).

가리왕-산【加里旺山】명〖지〗강원도 정선군(旌善郡) 정선읍과 평창군(平昌郡) 진부면(珍富面)과의 경계에 있는 산. 태백 산맥 중앙부의 일부이며, 송천(松川)의 발원지(發源地)임. [1,560m]

가리우다 사동 가리게 하다.

가리운몰 명〈옛〉가리온. ¶ 가리운몰(黑鬃馬)《老乞 下 8》.

가리워-지다 자 ☞가리어지다.

가리이다 피동 가리움을 당하다. ¶ 산에 가리이어 보이지 않다.

가리-장일 명〈방〉갈비구이.

가리-적【一炙】명 ☞갈비적.

가리-조림 명 ☞갈비조림.

가리-질 명 대로 엮은 가리로 물고기를 잡는 일. ——하다 자여불

가리-찜 명 ☞갈비찜.

가리치다 타〈방〉①가르치다. ②가리키다.

가리키다 타 ①손가락으로 목표물을 지적(指摘)하다. ¶ 선생님이 나를 가리켰다. ②말이나 동작으로 무엇이 있는 곳을 알려 주다. ¶ 길을 가리켜 주다. ③특별히 지적하다. ¶ 자네 같은 사람을 가리켜서 바보라고 하네. *가르치다.

가리킴 그:림씨 명〖언〗'지시 형용사(指示形容詞)'의 풀어 쓴 이름.

가리킴 대:이름씨【一代一】명〖언〗'지시 대명사(指示代名詞)'의 풀어 쓴 이름.

가리킴 매김씨 명〖언〗'지시 관형사(指示冠形詞)'의 풀어 쓴 이름.

가리킴 어찌씨 명〖언〗'지시 부사(指示副詞)'의 풀어 쓴 이름.

가리-탕【一湯】명〈방〉갈빗국.

가리-틀다 타 ①잘 되어 가는 일을 안 되도록 헤살 놓다. ②남의 횡재에 대하여 억지로 한 몫을 요구하다.

가린길 명〈옛〉갈림길. ¶ 어느 가린길히 혼티 가디 아니ㅎ리 이시리오(有何岐路不同歸)《南明 上 12》.

가린-나무 명〖건〗용도에 따라 건축 용재(用材)로서 제재(製材)한 재목.

가린-맛 명〈방〉〖조개〗가리맛조개.

가린-병아리 명 암수를 구별하여 놓은 병아리. 감별추(鑑別雛).

가린-스럽다 형ㅂ불〔←간린(慳吝)스럽다〕다랍게 인색하다. 가린-스레 부

가린-주머니 [一주一] 명〈속〉다랍게 인색한 사람을 조롱하여 이르는 말.

가림[1] 명〈방〉가리마[1](함경).

가림[2] 명〈옛〉갈래. 가닥. ¶ 가림 기(岐)《類合 下 54》.

가림[3]【加林】명〖역〗지금의 부여군(扶餘郡) 남쪽 임천(林川)의 옛이름.

가림-새 명 가리거나 감추는 태도. ¶ 아무리 저에게는 ~ 없이 모든 것을 터놓고 말하는 터이지만, 남녀 간의 관계에 들어서는 자연 은휘하는 일이 있을 것이 의심스럽고…《沈熏 : 常綠樹》.

가림-색【一色】명〖동〗보호색(保護色).

가림자 명〈방〉가리마.

가림-장 명〈방〉가름장.

가림-집 [一찝] 명 우리 나라 남부 지방의 부유한 민가(民家)에서, 울안의 으슥한 곳에 지어 하인들이 사는 딴 채.

가림-천【佳林川】명〖지〗함경 남도 혜산군(惠山郡) 대진면(大鎭面)에서 발원하여 압록강(鴨綠江)으로 흘러드는 하천. [54.3km]

가립다 형〈방〉가렵다(경상).

가릿-국 명 ☞갈빗국.

가릿-대 명 ☞갈빗대.

가르 명〈옛〉갈래. ¶ 열 네 가르리니 가르마다 七寶비치오《月釋 Ⅷ:13》.

가ᄅ다 타〈옛〉가르다. ¶ 良兩뿐이 갈아 안즈시니《月印 上 16》.

가ᄅ드듸다 타〈옛〉가로 건너 디디다. ¶ 노픈 양지 하늘해 가ᄅ드듸엿ᄂ니(高標跨蒼穹)《重杜諺 Ⅸ:32》.

가ᄅ 샹토 명〈옛〉쌍으로 된 상투. ¶ 머리에 가ᄅ샹토 조지고(頭挽雙丫髻)《朴新解 Ⅲ:46》.

가ᄅᆞᆯ 명〈옛〉①갈래. ¶ 네 비록 네 가ᄅᆞᆯ로 滅을 뵈나(昔雖四派示滅)《楞嚴 Ⅸ:120》. ②가랑이. ¶ 드러 내 자리롤 보니 가ᄅ리 네히로섀라《樂範 處容歌》.

가ᄅ톳 명〈옛〉가래톳. ¶ 가ᄅ톳(便毒)《救簡 目錄 3》.

가마[1] 명 ↗가마솥.

【가마가 검기로 밥도 검을까】겉보기에 좋지 아니하다고 하여 속마저 좋지 아니한 것이라고 경솔하게 판단하지 말라록 훈계하는 말. 【가마 밑이 노구솥 밑을 검다 한다】제 흉은 모르고 남의 흉을 본다는 말. *부저 소정저(釜底笑鼎底). 【가마 속의 콩도 삶아야 먹는다】다 된 듯하고 쉬운 일이라도, 실지로 손을 대어 힘들이지 않으면 제게 이익이 되지 않는다는 말.

가마[2] 명 숯·질그릇·기와·벽돌 등을 굽는 곳. ¶ 숯~.

가마[3] 명 ①정수리에 소용돌이 모양으로 난 머리털. 선모(旋毛). ¶ 쌍~. ②말·소 따위 짐승의 털이 소용돌이 모양으로 된 곳.

가:마[4] 명 조그만 집 모양으로 생기어, 그 안에 사람이 들어앉고, 앞뒤에서 멜빵에 걸어 메게 된 탈것. 보교(步轎)·장독교(帳獨轎)·장보교(帳步轎)·사인교(四人轎)·덩 등이 있음. 승교(乘轎). 교군(轎軍). ¶ 꽃~. 주의 '駕馬'로 쓰은 취음(取音).

【가마 타고 시집 가기는 큿집이 앙그러졌다;가마 타고 시집 가기는 틀렸다】제 격식대로 하기는 틀렸다는 말.

가마[5] 명의명 ↗가마니. ¶ 한 섬은 두 ~다.

가마[6]【加麻】명 ①소렴(小殮) 때, 상제가 처음으로 수질(首絰)을 머리에 쓰는 일. ②스승이나 존경하는 이의 초상(初喪)에서, 복(服)이 없는데도 복을 입는 일. ——하다 자여불

가마[7]【家馬】명 집에서 기르는 말.

가마[8] [Gama, Vasco da] 명〖사람〗포르투갈의 항해가. 1497년에 포르투갈의 왕 마누엘(Manuel) 1세의 원조로 리스본을 떠나서 아프리카의 희망봉을 돌아 인도의 서남단 캘리컷(Calicut), 지금의 코지코

드(Kozhikode)에 도달하여 인도 항로를 개척하고, 1499년에 포르투갈로 돌아왔음. 1502년에 재차 인도 항해를 함. 뒤에 인도 총독(總督)이 됨. 바스쿠 다 가마. [1469-1524]

가마[9] 의명 갈모나 쌈지 따위를 셀 때 백 개를 일컫는 말. ¶쌈지 한 ~.

가마- 간 '가맣다'의 불규칙 어간. ¶~ㄴ 머리.

가마괴 명〈옛〉까마귀. ¶다섯 가마괴 디고(五鴉落兮)《龍歌 86章》.

가마구 명〈방〉〖조〗까마귀(경북).

가마귀 명〈옛·방〉까마귀(제주). ¶가마귀 검다 ᄒᆞ고 白鷺야 웃지 마라《古時調 李稷》.

가마기 명〈옛〉까마귀. =가마귀. ¶가마기와 간치왜(烏鵲)《重杜諺 ⅩⅥ:37》.

가:마-꾼 명 교군(轎軍)꾼.

가마노르께-하다 형여불 가만빛을 띠면서 노르께하다. <거무누르께하다.

가마니[1]〔일 叺:かます〕一 명 곡식·소금 따위를 담는, 짚으로 만든 용기. ¶쌀~. ㊥가마. 二 의명 물건을 담은 가마니의 수효를 셀 때 쓰이는 말. ¶쌀 한 ~를 거뜬히 들다. ㊥가마.

가마니[2] 부〈옛〉가만히. =ᄀᆞ마니·ᄀᆞᄆᆞ니. ¶가마니 튱(沖), 가마니 막(漠)《類合 下 55》.

가마니-때기 명〈속〉낡은 가마니의 낱개. 헌 가마니 조각. ㊥가마때기.

가마니 바늘 명 가는 새끼를 귀에 꿰어 가마니 따위를 꿰매는 데 쓰는 큰 쇠바늘.

가마니-틀 명 가마니를 치는 데 쓰는 재래식의 기구.

가마닛-둥【—垌】명 흙을 채운 가마니를 쌓아서 만든 둑.

가마두에 명〈옛〉솥뚜껑. ¶가마두에 덥고(鍋子上蓋覆了)《老乞 上 19》.

가마득-하다 형여불 ↗가마아득하다. ㅆ까마득하다. **가마득-히** 부

가마-때기 명〈속〉↗가마니때기.

가:마-뚜껑 명 가마 위에 지붕처럼 씌운 덮개.

-가마리 미 일부 명사 뒤에 붙어, 그 말이 뜻하는 대상을 가리킴. ¶맷~/걱정~.

가마말쑥-하다 형여불 가맣고 말쑥하다. ㅆ까마말쑥하다. <거머멀쑥하다.

가:마-멀미 명 가마를 타면 일어나는 어질증. *차멀미.

가마무트름-하다 형여불 얼굴이 가무스름하고 토실토실하다. ㅆ까마무트름하다. <거머무트름하다.

가마반드르-하다 형여불 가무스름하고 반드르르하다. ㅆ까마반드르하다. <거머번드르하다.

가마반지르-하다 형여불 가무스름하고 반지르르하다. ㅆ까마반지르하다. <거머번지르하다.

가마보꼬〔일 蒲鉾:かまぼこ〕명 '어묵'의 일본 이름.

가마-봉【加馬峰】명〖지〗평안 남도 덕천군(德川郡)과 평안 북도 영변군(寧邊郡) 사이에 있는 산봉우리. [1,304m]

가마-부:리 명〈방〉바곳[1].

가:마-산【可馬山】명〖지〗강원도 인제군(麟蹄郡) 남면(南面)과 홍천군(洪川郡) 두촌면(斗村面) 사이에 있는 산. 태백 산맥의 일부를 이루며, 또 소양강(昭陽江)·인북천(麟北川) 등의 발원지임. [1,192m]

가마-솔 명 그릇, 특히 솥을 씻는 솔.

가마-솟 명〈방〉가마솥(경기·강원·충청·전라).

가마-솥 명 아주 크고 우묵한 솥. ㊥가마.

가마솥에 든 고기 구 꼼짝없이 죽을 몸의 비유. ¶~와 같이 목숨이 조석간에 있음도 모르고《玉樓夢》.

〈가마솥〉

가마솥 더위 명 가마솥 속처럼 뜨겁고 숨 막히는 더위.

가:마 싸움 명〖민〗경상 북도 의성군(義城郡) 의성읍에 전해지는 서당(書堂) 아이들의 민속 놀이. 팔월 추석에 남북(南北)으로 편을 갈라 바퀴 네 개 달린 가마를 앞세우고 맞닥뜨려 먼저 상대편 가마를 부수는 편이 이기는데, 이긴 쪽의 서당에서 그 해 과거 급제자가 많이 나온다고 함.

가마아득-하다 형여불 ①아주 멀어서 가맣게 아득하다. ¶가마아득하게 보이다. ②아주 오래 되어서 가맣게 아득하다. ¶가마아득한 옛날. 1)·2): ㊥가마득하다. ㅆ까마아득하다. **가마아득-히** 부

가마오디 명〈옛〉가마우지. ¶가마오디와 믌돌가 ᄉᆞᆨ결업시 ᄒᆞ오사 깃디 말라(鸕鶿鸂鶒莫漫喜)《初杜諺 X:4》/가마오디 로(鸕), 가마오디 ᄌᆞ(鶿)《字會 上 17》.

가마오지 명〈옛〉가마우지. ¶가마오지 西ㅅ녁 히 비취엿ᄂᆞᆫ ᄃᆡ(鸕鶿西日照)《重杜諺 Ⅶ:5》/가마오지(鸕鶿)《柳氏物名考》.

가마우지 명〖조〗①가마우짓과에 속하는 새의 총칭. 노자(鸕鶿). ㊥우지. ②바다가마우지.

가마우짓-과【—科】명〖조〗[Phalacrocoracidae] 사다새목(目)에 속하는 한 과. 전세계에 60여 종이 분포하는데, 민물가마우지·바다가마우지·애가마우지·호가마우지 등이 이에 속함.

가마이 명〈방〉가마니[1](경상).

가마조시 명〈옛〉까마종이. ¶가마조시(龍葵)《湯液》.

가마종이 명〈옛〉까마종이. ¶가마종이(龍葵)《方藥 17》.

가마-중 명〈방〉〖식〗까마종이.

가마-짝 명〈방〉가마니[1](경기).

가:마-채 명 가마를 멜 때 멜빵을 걸고 손으로 들도록 가맛바탕 양편 밑에 지른 기다란 나무.

가마-치[1] 명〈방〉눌은밥.

가마치[2] 명〈방〉〖어〗가물치.

가마쿠라〔鎌倉:かまくら〕명〖지〗일본 가나가와 현(神奈川縣) 남동부에 있는 시(市). 1192년부터 호조씨(北条氏) 멸망까지 가마쿠라 막부(幕府)의 소재지였음. 절과 사적(史蹟)이 많고 풍광이 아름다운 휴양 별장지·고급 주택지로서, 해수욕장도 있음. [168,503명(1996)]

가마쿠라 막부【—幕府】〔일 鎌倉:かまくら〕명〖역〗1192년 일본의 미나모토노 요리토모(源賴朝)가 가마쿠라에 설치했던 일본 최초의 무가(武家)의 정부. 처음에는 미나모토가(家)의 가인(家人) 통제 기관이었으나, 뒤에 전일본의 지배 기관이 되었음. 미나모토 집안은 3대로 망하고, 호조씨(北条氏)가 갈마들어 세습적으로 집권하여 1333년에 9대로 끝남.

가마쿠라 시대【—時代】〔일 鎌倉:かまくら〕명〖역〗12 세기 말에, 일본의 미나모토노 요리토모(源賴朝)가 가마쿠라에 막부를 창설한 후, 호조 다카토키(北条高時)가 멸망할 때까지, 무인 집권(武人執權)이 행해졌던 시기. [1192-1333]

가:마-타기 명〖민〗두 아이가 마주 서서 손으로 가마 모양을 짓고, 다른 아이가 그 위에 걸터 타고 즐기는 놀이.

가마-터 명 그릇을 굽는 가마가 있던 옛터. 요지(窯址).

가마-통 명 ①한 가마니에 드는 분량. 보통, 대두 닷 말이 표준임. ¶~넉 섬. ②빈 가마니.

가마-티 명〈방〉눌은밥.

가마-호수【—戶首】명〖공〗도자기 굽는 가마에 불을 때는 사람.

가막- 두 어떤 명사 앞에 붙여 그 물건이 검거나 검은 빛에 가까운 빛깔을 띠었음을 나타내는 말. ¶~조개. ㅆ까막-.

가막-가치 명〈옛·방〉까막까치. ¶오ᄂᆞᆳ 아ᄎᆞᆷ 가막가치 깃비 우루믄(今朝烏鵲喜)《杜諺 V:11》.

가막-관자【—貫子】명 ☞까막관자.

가막-나무 명〈방〉〖식〗떡갈나무.

가막-두거리 명〈방〉〖조〗가막딱따구리(평북).

가막-딱따구리 명〖조〗[*Dryocopus martius martius*] 딱따구릿과에 속하는 새. 까마귀와 비슷한데 날개 길이 24cm 가량이고, 몸빛은 흑색에 수컷은 머리 위와 목 뒤가 적색이며, 암컷은 목 뒤만 붉음. 울음 소리가 크게 울리어 특이함. 삼림 지대에 서식하는데, 한국·일본 및 세계 각지에 분포함. 보호조(保護鳥)임. 까막딱따구리. 오탁목(烏啄木).

〈가막딱따구리〉

가막-베도라치 명〖어〗[*Tripterygion etheostoma*] 가막베도라칫과에 속하는 바닷물고기. 몸길이 65mm 내외로, 세 개의 등지느러미와 큰 빗비늘이 특징임. 몸의 앞쪽은 원통에 가깝고, 뒤쪽은 측편(側扁)하며, 입은 작고 머리에는 비늘이 없음. 몸빛은 수컷은 꼬리지느러미 이외는 검고, 꼬리지느러미에 여섯 줄의 회갈색 가로띠가 있으며, 암컷은 담회적색인데 체측에 여섯 줄 가량의 흑갈색 가로띠가 있음. 암초성 연안(岩礁性沿岸)에 서식하는데, 한국에서는 제주도에 분포함.

〈가막베도라치〉

가막베도라칫-과【—科】명〖어〗[Tripterygiidae] 농어목(目)에 속하는 한 과(科). 한국에는 가막베도라치가 있을 뿐임.

가막-부리 명 제도(製圖)에 쓰이는 기구의 하나. 끝을 까마귀 부리 모양으로 강철로 만들어, 먹물이나 물감을 찍어 줄을 긋는 데 씀. 강필(鋼筆). 오구(烏口).

〈가막부리〉

가막-사리 명〖식〗[*Bidens tripartita*] 국화과에 속하는 일년초. 줄기 높이 60-90cm이고, 잎은 대생하고 유병(有柄)이며 3-5 갈래로 째지고, 열편(裂片)은 달걀꼴 피침형(披針形)임. 8-10월에 황색(黃色)의 두화(頭花)가 반구형(半球形)으로 줄기 끝과 가지 끝에 피고, 과실은 수과(瘦果)임. 밭둑에나 물가에 나는데, 한국 각지에 분포함. 어린 잎은 식용함. 낭파초(狼把草).

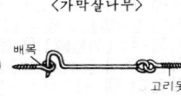

〈가막사리〉

가막살-나무【—라—】명〖식〗[*Viburnum dilatatum* var. *pilosum*] 인동과에 속하는 낙엽 활엽 관목. 잎은 대생하고 거의 원형 또는 넓은 거꿀달걀꼴이며 잎 뒤에 선점(腺點)이 있음. 5월에 흰 꽃이 취산(聚繖) 화서로 정생(頂生)하며, 핵과(核果)는 10월에 적색으로 익음. 산복(山腹) 이하의 숲 속에 나는데, 한국의 중부 이남 및 일본·중국에 분포함.

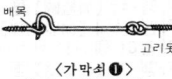

〈가막살나무〉

가막-소 명〈속〉〔←감옥서(監獄署)〕감옥(監獄).

가막-쇠 명 ①한 끝을 감아 고리못을 달고, 한 끝을 갈고랑쇠 모양으로 꺾어 꼬부리어 배목에 걸도록 만든 쇠. 문짝 아래와 문지방에 배목과 마주 박아 문짝이 움직이지 못하게 하려 할 때 씀. ②〖악〗편경(編磬)이나 특경(特磬)에서, 경(磬)쇠를 가자(架子)에 거는 쇠고리. ③〖악〗편종(編鐘)이나 특종(特鐘)의 종(鐘)을 나무틀에 걸기 위한 쇠고리. 주의 '加莫釗'로 씀은 취음(取音).

배목 고리못

〈가막쇠❶〉

가막-싸리 명〈방〉〖식〗①도깨비바늘. ②새모래덩굴.

가막-저구리 명〈방〉〖조〗가막딱따구리(함경).

가막-조개 명〖조개〗[*Cyclina sinensis*] 참조갯과에 속하는 조개. 패각(貝殼)은 둥근데, 높이와 길이가 각 50mm, 폭 32mm 내외임. 뚜렷한 윤맥(輪脈)과 가는 방사맥(放射脈)이 교차되고 표면은 갈색, 가장자리는 자색임. 해안의 얕은 진흙 속에 사는데, 한국·일본·대만 등지에 분포함. 가무라기. 모시조개. 황합.

가막죠개 명〈옛〉가막조개. ¶가막죠개 현(蜆)《字會 上 20》.

가막-집기 명 ☞까막잡기.

가막-청조거리 명〈방〉〖조〗가막딱따구리(함남).

가만 一 부 가만히. ¶그대로 ~ 자거라. 二 감 삽입구로 쓰이어, 남의 말이나 행동을 제지할 때에 쓰는 말. ¶~, 그리 서두르지 말게.

가만-가만 부 가만히 가만히. ¶ ~ 걸어라. ——-히 부

가만-두다 타 손을 대지 아니하고 가만히 두다. 건드리지 아니하고 그대로 두다. ¶ 말 안 들으면 가만두지 않겠다.

가만-있거라 감 생각이 얼른 떠오르지 아니할 때 하는 말. ¶ ~, 내가 책을 사무실에 놓고 왔나?

가만-있다 자 가만히 있다. 조용히 있다. ¶ 가만있는 사람을 공연히 건드린다.

가만-있자 감 생각이 얼른 떠오르지 아니할 때 쓰는 말. ¶ ~, 오늘이 무슨 요일이더라.

가만-하다 형여불 움직임이 매우 조용하다. 은은하여 그다지 드러나지 아니하다. ¶ 가만한 약속/이렇게 부르짖으며 가만한 한숨을 날렸다.
【가만한 바람이 대목(大木)을 꺾고 모기 다리 쇠썹한다; 가만한 바람이 대목(大木)을 꺾는다】 작고 조그마하다고 업신여기지 말라는 말.

가만-히 부 ①움직임이 없이. 손을 쓰지 않고. ¶ ~ 앉아 있다/~ 보기만 한다/~ 앉아 놀고 먹는다. ②소리 없이. 조용히. ¶ 떠들지 말고 ~ 있어라. ③넌지시. 살그머니. 지그시. ¶ ~ 눌러라. ④몰래. ¶ ~ 안으로 들어가다. ⑤마음 속으로. 마음을 가다듬어 곰곰이. ¶ 지난 일을 ~ 돌이켜 생각하다.
【가만히 먹으라니까 뜨겁다고 한다】 비밀히 하자는 것이 손발이 맞지 않아 드러난다는 말.

가만ᄒᆞ다 형 〈옛〉 조용하다. ¶ 九月九日애 아으 藥이라 먹논 黃花 고지 안해 드니 새셔 가만ᄒᆞ얘라 아으 動動다리 ≪樂範 動動≫.

가:말다 타 일을 맡아 처리하거나 재량(裁量)하다.

가맛-바가지 명 쇠죽 가마에 쓰는 자루 바가지.

가:맛-바람 명 가마를 타고 가면서 쐬는 바람.

가:맛-바탕 명 사람이 들어앉게 된, 가마의 밑바탕. 승교(乘轎) 바탕.

가맛-박적 명 〈방〉 가맛바가지.

가:맛-방석 【一方席】 명 가마를 탈 때 까는 방석.

가:망[1] 명 〔←감응(感應)〕 〖민〗 ①중부와 북부 지방에서 굿을 할 때 모시는 신(神). ②↗가망굿.

가:망[2] 【可望】 명 가능성 있는 희망. 될 만한 또는 바랄 만한 희망. ¶ 살~이 있다.

가망[3] 【加望】 명 〖역〗 조선 시대 때, 관원을 추천할 경우, 그 관직에 해당한 품계보다 한 계급 낮은 사람을 삼망(三望)이나 삼망 밖에 더하여 넣는 일. ——-하다 타여불

가:망-거리 [一꺼一] 명 〖민〗 가망굿.

가:망-굿 명 〖민〗 무당 굿의 열두 거리 중의 둘째 거리의 이름. 이 거리부터 비로소 공수가 내린다 함. *부정(不淨)❸. 가망거리. 준가망.

가:망-성 【可望性】 [一썽] 명 가망이 있는 상태나 정도. ¶ ~이 있다/~ 없는 일.

가망이 명 〈방〉 가마니[1](경상).

가:망 청배 【一請陪】 명 〖민〗 서울과 경기 지역에서, 굿을 할 때 먼저 부정거리를 하고 나서 신을 맞는 일.

가:맣다[1] [一마타] 형ㅎ불 아주 감다. 매우 감다. ㅆ까맣다. <거멓다.

가:맣다[2] [一마타] 형ㅎ불 ①아주 멀어서 아득하다. 멀어서 눈이 미치지 아니하다. ¶ 고향길이 ~. ②도무지 기억이 없다. ¶ 가맣게 모르고 있다/가맣게 잊었던 일. 1)·2): ㅆ까맣다.

가매[1] 명 ①〈옛〉 가마[1]. ¶ 블 셔더 가매 덥거든(燒的鍋滾時) ≪老乞 上 19≫. ②〈방〉 가마[2]. ③〈방〉 가마[3](강원·함경·평안).

가:매[2] 명 〈방〉 가마[4](전라·경상).

가:매[3] 【假埋】 명 임시로 묻어 두는 일. ——-하다 타여불

가:매[4] 【假寐】 명 ①거짓으로 자는 체함. ②잠잘 준비를 차리지 아니하고 그대로 잠. 가수(假睡). ③〈궁중〉 낮잠. ——-하다 자여불

가:매[5] 【假賣】 명 속임. ——-하다 타여불

가매-긁이 명 〈방〉 누룽지(평안).

가매-똥 명 〈방〉 소댕(평안).

가매-목 명 〈방〉 부뚜막(함경).

가매-솟 명 〈방〉 가마솥(강원·충북·전라·경상·황해·함경·평안).

가매-솥 명 〈방〉 가마솥(평안).

가:-매장 【假埋葬】 명 ①임시로 매장하는 일. ②〖법〗 행려 병사자(行旅病死者)의 시체의 인수인이 없을 때, 관청에서 임시로 매장하는 일. ——-하다 타여불

가:매-지다 자 빛이 가맣게 되다. ㅆ까매지다. <거메지다.

가매-쪽박 명 〈방〉 가맛바가지(전라·충청).

가맷-보 명 〈방〉 들보[1](함경).

가맹 【加盟】 명 맹약(盟約)에 가입함. 동맹이나 연맹(聯盟)에 듦. ——-하다 자여불

가맹-국 【加盟國】 명 동맹이나 연맹에 든 나라.

가맹 단체 【加盟團體】 명 동맹이나 연맹에 든 단체.

가맹이 명 〈방〉 가마니[1](전남·경북·제주).

가맹-자 【加盟者】 명 동맹이나 연맹에 든 사람.

가:면[1] 【假免】 명 임시로 방면(放免)함. ——-하다 타여불

가:면[2] 【假面】 명 ①나무·흙·종이 따위로 만든 얼굴의 형상. 연극이나 가장(假裝) 등에 쓰임. 탈. ¶ ~극(劇). ②본심을 감추고 거짓으로 꾸민 표면. ¶ ~을 쓰고 남과 사귀다.
가:면(을) 벗다 구 속마음을 드러내다. 본심을 그대로 털어놓다. 정체(正體)를 드러내다. 탈을 벗다.
가:면(을) 쓰다 구 ㉠가면을 얼굴에 착용하다. ㉡본심이나 본성을 감추고, 겉으로는 그렇지 않은 것처럼 꾸미다. 탈쓰다.

가:면-극 【假面劇】 명 〖연〗 가면을 쓰고 하는 연극. 고대 그리스의 극이나 우리 나라의 산대놀음 같은 것. 가면희(假面戱). 탈놀이. 마스크 플레이(mask play). 마스케라데(Maskerade).

가:면-무 【假面舞】 명 가면극에서 탈을 쓰고 추는 춤. 탈춤.

가:면 무:도 【假面舞蹈】 명 가면을 쓰고 하는 무도.

가:면 무:도회 【假面舞蹈會】 명 가면을 쓰고 하는 무도회. 가장(假裝) 무도회. 마스케라데(Maskerade).

가:면 울증 【假面鬱症】 [一쯩] 명 〖의〗 내인성(內因性) 울증 중, 신체 증상은 표면에 나타나는데, 정신 증상은 드물게 나타나거나 없는 울증. 신체 증상은 두통·식욕 부진·변비·불면 등으로 다양하고 객관적 근거가 없으며 변하기 쉬움.

가:면 의신 【假面擬神】 명 〖민〗 강원도 고성(高城)의 풍습. 관(官)에서 제사하는 군사당(郡祠堂)에 비단으로 만든 신(神)의 가면(假面)이 있어, 음력 섣달 스무날 뒤 그 신이 내려와서 읍(邑) 사람을 끄는데, 그 끌린 사람은 그 사당의 가면을 쓰고 춤추며 읍을 돌면, 집집에서 이것을 맞아 즐기다가 정월 보름 전에 이 신을 사당에 다시 돌려 둔다 함.

가:면-적 【假面的】 명관 탈을 쓰고, 거짓 태도나 언동을 하는 모양.

가:-면제 【假免除】 명 어떠한 조건 아래에서 의무의 부담을 면제하는 일. ——-하다 타여불

가:-면허 【假免許】 명 정식이 아닌 편의상(便宜上)의 임시(臨時) 면허. ——-하다 타여불

가:면-희 【假面戱】 [一히] 명 ①가면을 쓰고 하는 놀이. ②가면극.

가:멸다 형 재산이 많다. 살림이 넉넉하다.

가멸-지다 형 ☞가멸다.

가멸-하다 형여불 ☞가멸다. ¶ 이 백성으로 하여금 가멸한 백성이 되게 하고…≪金東仁 : 雲峴宮의 봄≫.

가명[1] 【佳名】 명 ①아름다운 이름. ②좋은 평판.

가명[2] 【家名】 명 ①한 집안의 명성(名聲). 한 집안의 명예(名譽). ¶ ~을 더럽히다. *가성(家聲). ②한 집안의 이름.

가:명[3] 【假名】 명 ①거짓으로 일컫는 이름. 본이름이 알려지고 싶지 않은 자가 제 이름을 임시로 붙여 부르는 경우와, 신문·잡지 등의 기사에서 본이름을 일부러 숨기고 가공(架空)의 이름을 쓰는 경우가 있음. 가함(假啣). ¶ 범인이 ~을 쓰다. ↔실명(實名)·본명(本名). ②〖불교〗 실다움이 없는 헛이름. 만물의 이름뿐인 이름.

가명[4] 【嘉名】 명 좋은 이름. 좋게 지은 명칭.

가:명-종 【假名宗】 명 〖불교〗 모든 법은 가짜이고 실체가 없다고 하는 종파. 성실종(成實宗) 등이 이에 속함.

가모[1] 【家母】 명 ①남에게 대하여 자기의 어머니를 일컫는 말. 가자(家慈). *자친(慈親). ②한 집안의 주부(主婦)로서의 어머니. 주모(主母). 1)·2): ↔가부(家父).

가:모[2] 【假母】 명 핏줄이 다른 어머니. 양모·계모 또는 아버지의 첩.

가:모[3] 【假冒】 명 남의 이름으로써 제 이름을 모칭(冒稱)함. ——-하다 타여불

가모[4] 【嫁母】 명 개가(改嫁)한 어머니. 팔모(八母)의 하나.

가모[5] 【嘉謀·嘉謨】 명 임금께 아뢰거나 권하는 좋은 의견.

가모[6] 〔Gamow, George〕 명 〖사람〗 러시아 태생의 미국 물리학자. 레닌그라드 대학을 나와 유럽 각지에 유학, 레닌그라드 대학·워싱턴 대학·콜로라도 대학 교수를 역임함. 최초로 양자 역학(量子力學)에 의거하여 α붕괴(崩壞)를 설명하였으며, 원자핵 반응에 의해 항성(恒星)의 진화를 논하였고, 분자 생물학에 흥미를 가져 유전을 연구함. 그 밖에 우수한 과학 해설서(科學解說書)를 많이 썼음. 가모프. [1904-68]

가모-기 【家母器】 명 겨울에 어미닭 없이 병아리를 양육(養育)하는 장치. 방한 장치 등을 하였음.

가모 장벽 【一障壁】 〔Gamow〕 명 〖물〗 가모-콘든-거니의 이론에 의한, 핵으로부터 튀쳐나가는 α입자를 방해하는 퍼텐셜 장벽.

가모 콘든 거:니의 이:론 【一理論】 [一/一에一] 명 〔theory of Gamow-Condon-Gurney. 1928년에 이 이론을 공동으로 제출한 G. Gamow, E.U. Condon, R.W. Gurney의 이름에 유래〕 〖물〗 α입자 붕괴 초기의 양자 역학적(量子力學的) 이론. α입자는 핵 표면 가까이 있는 퍼텐셜 장벽을 터널 효과로 통과하여 핵 밖으로 나간다고 함.

가모티 명 〈옛〉 가물치. =가몰티. ¶ 今俗 呼火頭魚 가모티 ≪四聲 上 28≫/가모티 례(鱧) ≪字會 上 20≫.

가모프 〔Gamow, George〕 명 〖사람〗 가모(Gamow)의 러시아식 발음.

가목[1] 【椵木】 명 〖식〗 피나무.

가:목[2] 【榎木·檟木】 명 〖식〗 노나무. 개오동나무.

가목[3] 【嘉木】 명 아름답고 진귀한 나무.

가목사 【佳木斯】 명 〖지〗 '자무쓰'를 우리 음으로 읽은 이름.

가몰티 명 〈옛〉 가물치. =가모티. ¶ 가몰티(蠡魚) ≪湯液 卷二 魚部≫.

가묘[1] 【家廟】 명 한 집안의 사당(祠堂).

가:묘[2] 【假墓】 명 묏자리에 시신(屍身)을 묻지 않고 임시로 만들어 놓은 무덤.

가묘-제 【家廟制】 명 〖역〗 조선 시대 때, 주로 양반층에서 ≪주자 가례(朱子家禮)≫에 따라 4대(代)의 조상의 신주를 가묘(家廟)에 봉안(奉安)하던 제도. 가묘가 없는 집에서는 사당방(祠堂房)으로 대신하였음.

가무[1] 【家務】 명 집안 일. 가사(家事).

가무[2] 【笳舞】 명 〖악〗 신라 때의 무악(舞樂)의 하나. 내물왕(奈勿王) 때에 지은 것으로, 피리 소리에 맞추어 춤을 추게 된 무곡. 현재 악보는 전해지지 아니함.

가무[3] 【歌舞】 명 ①노래와 춤. 무영(舞詠). ¶ ~ 음곡(音曲). ②노래하고 춤춤. ——- 하다 자여불

가무- 간 '가물다'의 어간. ¶ ~니/~오.

가무끄름-하다 형여불 어둡게 가무스름하다. ¶ 가무끄름하게 그을다. ㅆ까무끄름하다. <거무끄름하다.

가무대대-하다 형여불 천하게 가무스름하다. ¶ 가무대대하게 때가 끼었다. ㅆ까무대대하다. <거무데데하다.

가무댕댕-하다 형여불 격에 어울리지 아니하게 가무스름하다. ㅆ까무댕댕하다. <거무뎅뎅하다.

가무-뜨리다 타 아주 가무리어 버리다. 가무트리다.

가무라기 명 〖조개〗 '가막조개'의 딴이름.

가무락-조개 명 〖조개〗 '가막조개'의 딴이름.

가무러-지다 [자] 정신이 가물가물하여지다. 기력(氣力)이 없어지다. ¶세게 얻어맞고 가무러졌다. ㅆ까무러지다.
가무러-치다 [자] 잠깐 동안 정신을 잃고 죽은 것처럼 되다. ¶놀라서 가무러쳤다. ㅆ까무러치다.
가무레-하다 [형][여불] 엷게 가무스름하다. ¶속눈썹이 ~. ㅆ까무레하다. <거무레하다.
가무리다 [타] ①가뭇없이 후무리다. 몰래 훔쳐서 혼자 차지하다. ¶서림이가 물건을 받고도 물목을 자기 손에 두었다가 두 장을 가무린 뒤에 슬그머니 없애버린 까닭에 서림의 거짓말을 잡아낼 거리가 없었다≪洪命憙 : 林巨正≫. ②감추다❶.
가무 백희【歌舞百戲】[—히] [명]〖역〗궁중 행사 때에, 노래와 춤을 벌이던 다채로운 놀이.
가무 별감【歌舞別監】[명]〖역〗조선 시대 때, 궁중에서의 가무에 관한 일을 맡아 보던 액정서(掖庭署)의 별감.
가무 보살【歌舞菩薩】[명]〖불교〗천계(天界) 음악의 가무로써 부처의 공덕을 찬양하며, 또 왕생 극락(往生極樂)한 사람을 기쁘게 하는 보살.
가무숙숙-하다 [형][여불] 수수하고 걸맞게 감다. ¶얼굴이 가무숙숙하게 타다. ㅆ까무숙숙하다. <거무숙숙하다.
가무스레 [부] 가무스름하게. ——-하다 [형][여불]
가무스름-하다 [형][여불] 조금 감다. 가무스레하다. [준]가뭇하다. ㅆ까무스름하다. <거무스름하다. **가무스름-히** [부]
가무-연【歌舞宴】[명] 노래와 춤으로 흥겹게 노는 연회(宴會).
가무 음곡【歌舞音曲】[명] 노래와 춤과 음악.
가무잡잡-하다 [형][여불] 납작한 얼굴이 칙칙하게 가무스름하다. ㅆ까무잡잡하다. <거무접접하다.
가무족족-하다 [형][여불] 좁다란 얼굴이 맑지 아니하게 가무스름하다. ㅆ까무족족하다. <거무죽죽하다.
가무치다 [타]〈방〉삐다(경상).
가무칙칙-하다 [형][여불] 감은 빛이 곱지 아니하게 짙다. ㅆ까무칙칙하다. <거무칙칙하다.
가무퇴퇴-하다 [형][여불] 무디고 흐릿하게 가무스름하다. ㅆ까무퇴퇴하다. <거무튀튀하다.
가무-트리다 [타] 가무뜨리다.
가무-희【歌舞戲】[—히] [명]〖연〗노래와 춤으로써 간단한 내용을 연출하여, 보고 듣는 이들을 즐겁게 하는 놀이. 넓은 뜻으로는, 꾀뢰희(傀儡戲)나 영희(影戲) 같은 것도 포함됨.
가:문¹【苛問】[명] 가혹하게 물음. 노하여 물음. ——-하다 [타][여불]
가문²【家門】[명] ①집안과 문중(門中). ¶명사가 많이 난 ~. ②그 집안의 문벌(門閥). 집안과 문중의 사회적 지위. ¶훌륭한 ~.
【가문 덕에 대접 받는다】㉠자신은 변변치 못하여도 좋은 가문에 태어난 덕으로 상당한 대우를 받게 된다는 말. ㉡제가 지니고 있는 조건이 유리하면 좀 못났더라도 사람 대접 받으며 지낼 수 있다는 말.
가문(을) 흐리다 [구] 한 집안의 명예를 더럽히다.
가문³【家紋】[명] 한 가문(家門)의 표지로 정한 일정한 문장(紋章).
가:문⁴【假門】[명]〖불교〗기근(機根)이 얕은 이를 제도(濟度)하려고 가설(假設)한 법문(法門).
가문⁵【嘉聞】[명] 좋은 평판. 영문(令聞).
가문⁶【價文】[명]〖역〗값. 가금(價金).
가문-비 [명]〖식〗↗가문비나무.
가문비-나무 [명]〖식〗[*Picea jezoensis*] 전나뭇과에 속하는 상록 침엽교목. 높이 30-40m 가량이며, 수피(樹皮)는 흑회색으로 비늘 모양임. 잎은 호생하고 길이 2cm 가량이며, 겉은 짙은 녹색, 뒤쪽은 회백색인데, 중륵(中肋)의 양측에 백색 기공선(氣孔線)이 있음. 자웅 일가(雌雄一家)인데 9월에 수꽃이삭은 원기둥꼴의 황갈색, 암꽃이삭은 달걀꼴의 홍자색으로 피고, 길이 5-8cm의 황록색의 구과(毬果)가 9월에 익음. 깊은 산에 나는데, 사할린·만주·우수리·한국 북부에 분포함. 재목은 건축·기구·상자·성냥개비·펄프재(材)로 이용됨. [준]가문비.

〈가문비나무〉

가:-문서【假文書】[명] 가짜로 꾸민 문서. 위조한 서류.
가:문 설화【可聞說話】[명] 들을 만한 가치가 있는 이야기.
가문 소:설【家門小說】[명]〖문〗가문 사이의 갈등(葛藤)이나 가문 내의 구성원 사이의 애정 문제 등을 다룬 고대 소설의 한 유형(類型). ≪명주 보월빙(明珠寶月聘)≫·≪명행 정의록(明行正義錄)≫·≪유씨 삼대록(劉氏三代錄)≫·≪하진 양문록(河陳兩門錄)≫ 등이 있음.
가문-형【家門刑】[명]〖역〗가문의 명예를 더럽힌 자에 대하여 문중(門中)의 이름으로 과하는 사형(私刑).
가물 [명]〔↗가물음〕가뭄.
【가물에 돌 친다】물이 없을 가물에 돌을 쳐서 창수(漲水)를 막는다는 뜻이니, 사전에 미리 준비함을 말함.
가물(이) 들다 [구] ㉠날이 오랫 동안 가물게 되다. ㉡가물이 어떤 곳, 또는 어떤 물건에 나쁜 영향을 주다. ㉢가물의 영향을 받아 생활 조건이 나빠지다.
가물에 콩나기 [구] 일이나 물건이 드문드문 나타난다는 말.
가물에 콩 나듯 [구] '가물에 콩나기'와 같은 뜻.
가물(을) 타다 [구] 가물에 견디는 힘이 약하다. 가물의 영향을 쉽게 받다.
가물-거리다 [자] ①불빛 같은 것이 아주 약하여서 희미하게 사라질 듯 말 듯하다. ②멀리 있는 물건이 희미하게 보일 듯 말 듯하다. ③정신이 맑지 못하여 의식(意識)이 있는 둥 만 둥하다. 1)-3): ㅆ까물거리다. <거물거리다. **가물-가물** [부]. ¶나지막한 천장 아래 어둠침침하고 ~하는 호롱불이 켜져 있다≪金東里 : 山火≫. ——-하다 [자][여불]
가물다 [자]〔중세 : ᄀᆞᄆᆞᆯ다〕①오랫 동안 비가 아니 오다. ¶날이 ~. ②오랫 동안 인재(人材)가 나지 아니하다.
【가문 논에 물 대기】'마른 논에 물대기'와 같은 뜻.
가물-대다 [자] 가물거리다.
가:물막이 공법【假—工法】[—뻡] [명]〖토〗강에 임시로 물막이를 설치하여 물을 퍼낸 다음 하상(河床)을 파내고 함형(函型) 구조물을 설치하는 방식. ＊나틈(NATM) 공법.
가물-쓰다 [자]〈방〉가무러치다.
가물음 [명] '가물·가뭄'의 원말.
가물음-못자리 [명]〖농〗①가물음에 겨우 물을 실어서 만든 못자리. ②마르기 쉬운 못자리.
가물-철 [명] 비가 오지 아니하고 가물이 계속되는 철.
가물치 [명]〖어〗[*Channa argus*] 가물칫과에 속하는 민물고기. 몸길이 60cm 내외이고, 몸빛은 짙은 암청갈색이며, 배는 백색 또는 황백색임. 체측 위아래에 한 줄의 가로로 된 불규칙한 무늬가 있고, 등지느러미 양쪽에 여덟 개의 무늬가 있음. 머리는 뱀과 비슷하며, 살은 붉은 색을 띤 백색임. 진흙물에서 살고, 생식기에는 물가의 얕은 곳으로 옮기는데, 아시아 동남부에 널리 분포함. 식용 또는 산부(產婦)의 보혈약 등으로 쓰임. 뇌어(雷魚). 동어(鮦魚). 수염(水厭). 여어(蠡魚). 예어(鱧魚). 흑어(黑魚).

〈가물치〉

가물치-곰 [명] 가물치를 푹 고아 만든 국.
가물치-목【—目】[명]〖어〗[Ophicephalida] 경골어류(硬骨魚類)에 속하는 한 목(目). 가물칫과가 이에 속함.
가물치-회【—膾】[명] 가물치의 살을 썰어서 막걸리에 빨아 초간장이나 초고추장에 버무린 회. 동어회(鮦魚膾).
가물칫-과【—科】[명]〖어〗[Channidae] 가물치 아목(亞目)에 속하는 어류의 한 과. 가물치가 이에 속함.
가뭄 [명]〔↗가물음〕오래 비가 안 오는 날씨. 가물. 한기(旱氣). 염발(炎魃). 한발(旱魃). 천한(天旱).
【가뭄 끝은 있어도 물난 끝은 없다】가뭄 때는 농사나 안 되고 말지만, 홍수가 지면 그 피해가 더 크다는 말.
가뭄 피:해【—被害】[명] 가뭄으로 인한 피해, 한해(旱害).
가뭄-해【—害】[명] 한해(旱害).
가뭇-가뭇 [부] 점점이 감은 모양. ㅆ까뭇까뭇. <거뭇거뭇. ——-하다 [형][여불]
가뭇-없다 [—문업—] [형] ①눈에 띄지 아니하다. ②간 곳을 알 수 없다. ③소식이 없다. ④흔적이 없다.
가뭇-없이 [—문업씨] [부] 가뭇없게. ¶금순이는 그만큼 어머니의 눈을 ~ 숨기고 순태와 만나 오는 것이었다≪吳有權 : 방앗골 혁명≫.
가뭇-하다 [형][여불] ↗가무스름하다. ㅆ까뭇하다. <거뭇하다.
가뷔다 [타]〈방〉갉쪼으다.
가ᄂᆞᆫ뵈 [명]〈옛〉황포(黃布). ¶이 가ᄂᆞᆫ뵈예(這黃布)≪老乞 下 53≫.
가믈란〔인도네시아 gamelan〕[명]〖악〗인도네시아의 목제·죽제·금속제 등의 타악기를 중심으로 한 대편성(大編成)의 합주 음악. 의식(儀式) 외에, 연극이나 춤의 반주로도 연주됨.
가미¹ [명]〈방〉개미¹.
가미²【加味】[명] ①음식에 다른 물건을 넣어서 맛이 더 나게 함. ②〖한의〗원 약방문에 다른 약재를 더 넣음. ¶~ 이중탕(二重湯). ③다른 요소(要素)를 보태어 넣음. ¶법에 인정을 ~하다. ——-하다 [타][여불]
가미³【佳味·嘉味】[명] ①좋은 맛. 산뜻한 맛. ②맛있는 음식. 진미(珍味).
가:미⁴【架尾】[명]〖군〗포가(砲架)의 뒤쪽 끝.
가밀〔gammil〕[의명]〖화〗농도(濃度)의 단위. 1가밀은 용매(溶媒) 1l당(當), 용질(溶質) 1mg을 함유하고 있는 농도와 같음.
가밀렬【加密列】[명]〖식〗'카밀레(kamille)'의 취음(取音).
가ᄆᆞ두에 [명]〈옛〉솥뚜껑.
가ᄂᆞᆫ [형]〈옛〉가는. ¶가ᄂᆞᆫ 뵈 두 필에 뀨라(賣細麻布兩匹)≪老乞 上 12≫
가바【GABA】[명]〔gamma-aminobutyric acid의 약칭〕〖화〗감마 아미노 부티르산(酸).
가:박【假泊】[명] 선박이 항구나 앞바다에 임시로 잠시 머묾. ¶~지(地). ——-하다 [자][여불]
가반【加飯】[명] ①정한 몫 이외에 밥을 더 받음. 또, 그 밥. ②〖불교〗더 도리. ——-하다 [자][타][여불]
가:반-교【可搬橋】[명] 운반·조립·분해가 간단히 되어, 현장(現場)에서 단시간에 꾸며 맞추어서 응급의 용도에 쓰이게 하는 다리. 흔히, 군대의 도하 작전(渡河作戰)에 쓰임.
가반-자【嫁反者】[명] 시집에서 친정으로 쫓기어 온 여자.
가발¹【加撥】[명]〖역〗돈이나 곡식 따위를 정액(定額)이나 정량(定量) 이외에 더 내어 줌. ——-하다 [타][여불]
가:발²【假髮】[명] 머리털로 여러 가지 머리 모양을 만들어 치레로 머리에 쓰는 물건. 흔히, 대머리를 감추려 할 때나 머리 모양을 바꿀 때, 연극의 분장(扮裝) 등에 씀.

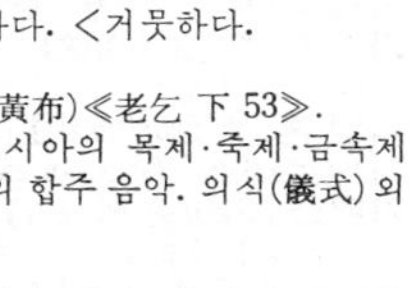
〈가발²〉

가밥-도둑 [명]〈방〉〖충〗하늘밥도둑.
가방¹【加枋】[명]〖건〗↗가지방(加地枋).
가방²【佳芳】[명] 아름다운 향기(香氣). 가향(佳香).
가방³【家邦】[명] 가국(家國)❶.
가:방⁴【假房】[명] 겨울에 외풍을 방지하기 위하여, 방안에 장지를 들이어 조그맣게 막은 아랫방. 흔히, 중천장을 따로 하며 여름에는 장지와 중천장을 떼어 내기도 함. 방옥(房屋).
가방⁵ [명]〔궤·상자의 뜻인 중국어 '夾板'의 변한 말. 일설에는 네덜란드 말의 'kabas', 프랑스어의 'cabas', 일본말의 'かわばん(皮盤)'이 어

원이라고 함〕①물건을 넣어 들고 다니는 손그릇의 하나. 대개 가죽·즈크·비닐 등으로 만들며, 트렁크·학생 가방·보스턴백 등 종류가 많음. ②란도셀. ③책가방.

가:-방면【假放免】명【법】유죄(有罪)의 증거가 충분하지 아니한 경우, 일시적으로 방면하였다가 새로운 증거가 나타나면 다시 공소를 제기하는 제도. 칼로리나 법전(Calorina 法典)을 통하여 1848년에 개정될 때까지 독일에서 채택되었음. ——하다 타여불

가:방-성【可紡性】〔—썽〕명 실이 지니고 있는, 방적(紡績)을 할 수 있 └는 성질.

가배[1]【佳配】명 좋은 배우자(配偶者). 좋은 배필.

가배[2]【咖啡·珈琲】명 '커피(coffee)'의 음역.

가배[3]【嘉俳·嘉排】명【역】신라 유리왕(儒理王) 때에 궁중(宮中)에서 놀던 놀이. 7월 16일부터 나라 안의 여자들을 두 편으로 갈라, 왕녀 두 사람이 한 편씩 거느리고, 밤낮 길쌈을 시켜 8월 보름 전날까지의 많고 적음을 견주어, 진 편에서 8월 15일에 음식을 내고 노래와 춤과 여러 가지 유희를 하였음. 가우(嘉優). 가위.

가배-일【嘉俳日·嘉排日】명 가윗날.

가배-절【嘉俳節·嘉排節】명 가윗날. 가위.

가백【家伯】명 남에게 대하여 자기의 맏형을 일컫는 말. 사백(舍伯). 「*가형(家兄).

가-백작약【家白芍藥】명【한의】집에서 재배한 백작약.

가뱅〔Gabin, Jean〕명【사람】프랑스의 영화 배우. 본명은 Jean Alexis Moncorge. 1922년에 연예장의 배우로 데뷔하여, 1930년 토키가 나오자 영화계로 들어섬. 개성이 짙은 중후(重厚)한 남성적 성격 배우로, 영화 ≪망향(望鄕)≫·≪밤주막≫·≪현금에 손 대지 마라≫·≪커다란 환영(幻影)≫·≪헤드라이트≫등 93편의 영화에 주연, 1971년에는 ≪르샤≫로 베를린 영화제 최우수 남우상(男優賞)을 받음. [1904-76]

가버나움〔Capernaum〕명【성】갈릴리(Galilee) 바다의 북쪽에 있는 팔레스타인의 도시(都市). 예수가 고향인 나사렛에서 이주(移住)한 곳으로, 갈릴리 전도(傳道)의 중심지였음.

가벌【家閥】명 한 집안의 사회적 지위(地位). 문벌(門閥).

가:벌적 위법성【可罰的違法性】〔—쩍—〕명【법】형법상 처벌할 만한 위법성. 이것이 결여되어 있을 때에는 처벌을 받지 않는다는 형법 이론.

가범【家範】명 한 가문 및 그 자손이 지켜야 할 규범(規範).

가법[1]【加法】〔—뻡〕명【수】'덧셈'의 구용어. 더하기. 준가(加). ↔감법(減法).

가:법[2]【苛法】명 가혹한 법령. 너무 엄한 법률.

가법[3]【家法】명 ①한 집안의 법도(法度) 또는 규율. ②한 집안에 대대로 전해 내려오는 법식. *가규(家規)·가헌(家憲).

가:법[4]【假法】명【불교】인연 화합(因緣和合)을 따라서 나온 거짓된 법.

가법다 형〈방〉가볍다(전남·경기·황해).

가법 함:수【加法函數】〔—뻡—쑤〕명【수】$f(x+y)=f(x)+f(y)$라는 가법을 가진 함수.

가법 혼:색【加法混色】〔—뻡—〕명 가산 혼합(加算混合).

가베로네스〔Gaberones〕명【지】'가보로네(Gaborone)'의 구칭.

가베스〔Gabès〕명【지】튀니지 중부, 가베스 만안(灣岸)의 항구 도시. 대추야자·올리브·포도주·피혁 등을 수출함. 철도의 종점이며, 공항이 있음. [92,298 명(1984)]

가벼우- 간 '가볍다'의 불규칙(不規則) 어간. ¶ ~ㄴ/~며.

가벼운-비읍 명【언】옛 자음 'ㅸ'의 이름. *순경음(脣輕音).

가벼이 부 가볍게. ¶ 그를 ~ 보지 마라.

가:변[1]【可變】명 사물의 형상이나 성질이 고쳐지거나 달라질 수 있음. ¶ ~ 저항기. ↔불변(不變).

가변[2]【家變】명 집안의 변고. 집안의 재앙. 집안의 재변.

가:변 길이 레코:드【可變—】명〔variable length record〕【컴퓨터】워드(word)·문자·비트(bit)·필드(field) 등의 개수(個數)가 가변적인 레코드. ↔고정(固定) 길이 레코드.

가:변 변:압기【可變變壓器】명【전】이차(二次) 코일의 노출한 코일에 따라 움직이는 접촉암(接觸 arm)을 써서, 출력 전압을 일정 범위 또는 0으로부터 최대 출력 전압까지, 연속적으로 변화시킬 수 있도록 된 변압기.

가:변 비:용【可變費用】명【경】생산량의 증감(增減)에 따라 변화하는 비용. 곧, 조업도(操業度)와 관계되는 비용으로, 비례(比例) 비용과 불비례 비용으로 구분됨. 비례비는 생산량에 정비례하여 증감하는 것으로, 직접 원료비·직접 노무비 등 직접비를 말하며, 불비례비는 생산량에 따라 증감하나, 비례적이 아닌 비용으로 동력비(動力費)·기계 수선비 따위를 가리킴. ↔불변 비용.

가:변-성【可變性】〔—썽〕명 일정한 조건하에서 변할 수 있는 성질. ↔불변성.

가:변 요소【可變要素】〔—뇨—〕명【경】생산량의 증감에 따라 그 양(量)이 변하는 생산 요소. 노동량(勞動量)이 여기에 해당되는데, 생산은 가변 요소와 고정(固定) 요소의 결합으로 이루어짐. ↔고정 요소.

가:변 용량 다이오드【可變容量—】〔diode〕〔—냥—〕명【전】전압에 의하여 pn 접합부의 정전(靜電) 용량이 변화함을 이용한 다이오드. 주파수 변조·자동 주파수 조정 등에 쓰임.

가:변익-기【可變翼機】명【항공】비행중에, 주익(主翼)의 넓이를 증감(增減)하거나 또는 그 각도를 변경할 수 있는 항공기.

가:변 자본【可變資本】명【경】노동력에 대한 임금 등으로 지출되는 자본. 임금은 수익(收益)과 직접 관계가 있으며 잉여 가치(剩餘價値)를 낳으므로 가변 자본이라 함. ↔불변 자본.

가:변 저:항기【可變抵抗器】명〔rheostat〕【전】연속적 혹은 단속적으로 저항(抵抗) 값을 바꿀 수 있는 저항기의 일종. 저항선(抵抗線)을 감은 코일 위를 접촉편(接觸片)이 자유로이 움직일 수 있도록 만들었음. 전류·전압의 조정(調整), 전자 회로 부품에 널리 쓰임. 가감 저항기(加減抵抗器).

가:변-적【可變的】명관 바꿀 수 있는 모양. ¶ ~ 상태.

가:변 차로【可變車路】명 대도시의 교통 혼잡 지구에서, 교통 소통의 원활을 기하기 위하여 그 수(數)가 변경·조절되는 차로. 좌우 차로의 수를 차량 통행이 많을 때 많은 쪽은 늘리고, 적은 쪽은 줄여서 조정함. ¶ ~제(制) / ~ 구역.

가:변 축전기【可變蓄電器】명〔variable capacitor〕【전·물】전기 용량(容量)을 바꿀 수 있는 축전기. 무선 전신이나 라디오의 동조부(同調部)에 씀. 바리콘. 가변 콘덴서. 가감 축전기.

가:변 콘덴서【可變—】〔condenser〕명 가변 축전기.

가:변폭 도:파관【可變幅導波管】명【전】크기를 주기적으로 바꿀 수 있는 도파관. 고속 주사(高速走査)에 쓰임.

가:변 피치 프로펠러【可變—】〔pitch propeller〕명 비행중 또는 엔진 운전중에 적당히 프로펠러의 날개를 돌려, 영각(迎角)을 바꿀 수 있게 만든 장치를 가진, 비행기 또는 배의 프로펠러. 이것을 사용하면 발동기를 경제적으로 사용할 수 있음. 프로펠러 브레이크.

가:-별장【假別將】〔—짱〕명【역】조선 시대 후기에 각 지방의 산성(山城)과 나루터를 지키기 위해 둔 별장직(別將職)의 임시 관원. 종9품임.

가볍다 형ㅂ불 ①무게가 무겁지 아니하다. ¶ 나무는 돌보다 ~. ②중대하지 아니하다. 가치나 비중 따위가 작다. ¶ 남한테 가볍게 보이다. ③언어·행동이 진중하지 아니하다. 경솔하다. ¶ 입이 ~/궁둥이가 ~. ④책임이나 부담이 많지 아니하다. ¶ 책임이 ~. ⑤홀가분하다. 경쾌(輕快)하다. ¶ 가벼운 옷차림/몸도 가볍고 마음도 ~. ⑥심하지 아니하다. ¶ 가벼운 상처. ⑦소리가 웅숭깊지 않다. ¶ 높고 가벼운 음색. ⑧식사 따위가 담박하고 간단하다. ¶ 가볍게 한잔 하다. ⑨다루기가 수월하다. 힘들지 아니하다. ¶ 상대방을 가볍게 쓰러뜨리다. 1)-9) : <거볍다. 1)-7) : ↔무겁다.

가볍디-가볍다 형ㅂ불 매우 가볍다. 썩 가볍다. <거볍디거볍다.

가보[1] 명 민어 부레 속에 쇠고기·두부·오이 등으로 소를 넣고 삶은 다음 둥글둥글하게 썬 음식. *강화 보금.

가:보[2] 명〈방〉과부(寡婦)(경남).

가보[3]【加補】명 보충(補充)함. ——하다 타여불

가보[4]【家譜】명 ①한 집안의 계보(系譜). ②한 집안의 족보.

가보[5]【家寶】명 ①한 집안의 보배. ②한 집안의 대대로 전해 내려오는 보물. ¶ 조상 전래(傳來)의 ~.

가보[6]〔Gabo, Naum〕명【사람】러시아 태생의 미국 조각가. 1916년 최초의 구성적(構成的) 작품 ≪구성된 두부(頭部)≫를 제작, 1920년 친형 페프스너(Pevsner)와 함께 리얼리즘 선언(宣言)'을 발표, 1931년 파리에서 구성된 압스트락시옹 크레아시옹(Abstraction-Création)의 지도적 지위를 차지함. 1946년 미국에 이주, 공허 공간(空虛空間)을 윤곽짓는 선(線)과 면(面)의 구성을 주장하고, 주로 유리·플라스틱 등의 투명한 재료를 사용함. [1890-1977]

가보[7]〔일 かぶ〕명 노름판에서 아홉 끗을 일컫는 말. ¶ ~를 잡다. 【가보 쪽 같은 양반】세도가 제일 가는 양반이라는 뜻.

가보-낭청 명 노름판에서 가보를 내놓으며 하는 말.

가보-대:기 명〈방〉가보잡기.

가보로네〔Gaborone〕명【지】아프리카 남부 보츠와나의 수도. 남아프리카 공화국과의 국경 가까운 해발 1,100m의 고원에 위치함. 축산물 거래의 중심지이며, 교원 양성소(敎員養成所)·병원·비행장 등이 있음. 구칭 : 가베로네스. [133,468명(1991)]

가보:르〔Gabor, Dennis〕명【사람】헝가리 태생의 영국의 물리학자. 1927년 베를린 공대를 졸업하여, 1958년부터 런던 대학 교수, 1967년부터 미국 CBS 연구소 연구원을 역임. 1971년 홀로그래피의 발명과 발전에 기여한 공로로 노벨 물리학상을 수상함. 문명 비평가로도 이름이 남. 저서에 ≪성숙 사회(成熟社會)≫ 등이 있음. [1900-79]

가보세-요【—謠】명【문】동학 혁명의 실패를 예언조(豫言調)로 부른 참요(讖謠). '가보세 가보세 을미적 을미적 병신되면 못 간다'라는 내용으로 '가보·을미·병신'은 '갑오(甲午)·을미(乙未)·병신(丙申)'의 음 └을 딴 것.

가보-왕【嘉寶王】명【사람】가실왕(嘉實王).

가보-잡기 명 투전 혹은 골패에서, 두 장이나 석 장을 뽑아서 아홉 끗을 만드는 노름.

가보트〔프 gavotte〕명【악】4 분의 4 혹은 4 분의 2 박자의 활발하고 우미(優美)한, 17세기 프랑스의 무곡. 또, 그에 맞추어 추는 춤.

가보-풀잠자리 명【충】[*Chrysopa japonica*] 풀잠자릿과에 속하는 곤충. 몸길이 10mm, 편 날개 길이 25mm 내외의 작은 종류로, 몸빛은 녹색인데 머리에 아홉 개의 무늬가 있고, 날개는 투명하며 연문(緣紋)은 녹색임. 촉각은 황갈색, 중흉배와 후흉배에는 각각 네 개의 흑색 무늬가 있음. 한국·일본에 분포함.

가복[1]【加卜】명【역】의정(議政)을 천거할 때, 임금의 마음에 맞는 이가 없어, 한 사람이나 두 사람을 더 천거하는 일. 복상(卜相). ——하다 └타여불

가복[2]【加卜】명【역】가결(加結)❷.

가복[3]【家僕】명【역】사삿(私私)집에서 부리는 사내종. 가노(家奴).

가복[4]【家福】명 집안의 복. 집안의 행복.

가:본【假本】명 옛 책이나 글씨·그림 따위의 가짜. ↔진본(眞本).

가본다리 명〈방〉【동】진드기(경남).

가:-본적【假本籍】명 8·15 광복 당시, 가호적이 편제된 경우의 그 본적. 1960년에 호적법의 시행과 동시에 본적으로 되었음.

가볼러지〔garbology〕명〔garbage(쓰레기)와 ecology(생태학)의 합성어〕쓰레기 중의 재생(再生) 가능한 금속·유리·펄프·플라스틱 등을

활용하여 자원으로서 재이용하기 위한 학문.

가볼오다 타 〈옛〉 까부르다. ¶ 가볼울파(簸)《字會 下 6》.

가봅다 형 〈방〉 가볍다(전남).

가봉[1]【加俸】명 일정한 봉급 외에 돈이나 곡식을 따로 더 줌. 또, 그 더 주는 봉급. ¶ ~이 붙다. ↔감봉(減俸). ——-하다 타여불

가봉[2]【加捧】명 정한 액수 밖에 돈이나 곡식을 더 징수함. ——-하다 타여불

가:봉[3]【假縫】명 양복(洋服)을 완전히 짓기 전에 몸에 잘 맞도록 입어 보기 위하여 임시로 듬성듬성 시쳐 놓는 바느질. 또, 그 옷. ¶ ~을 입어 보다. ＊시침 바느질. ——-하다 타여불

가봉[4]〔Gabon〕명〖지〗서아프리카 기니 만(灣)에 임한 공화국. 북쪽은 카메룬, 동쪽과 남쪽은 콩고 공화국에 접함. 대부분이 동서로 관류(貫流)하는 오고우에 강(Ogooué江) 유역으로 열대림(熱帶林)에 싸였으며, 마호가니가 주산물이고, 코코아 등의 식재(植栽) 농업도 행하여짐. 망간·석유·우라늄 등의 광산 자원이 풍부함. 19세기 이래 프랑스 식민지였으나, 1958년 프랑스 공동체 안의 자치국, 1960년 독립국이 됨. 수도는 리브르빌(Libreville). 정식 명칭은 '가봉 공화국(Gabonese Republic)'. 〔267,667 km²: 1,320,000 명(1995 추계)〕

가봉-녀【加捧女】명 여자가 덤받이로 데리고 온, 전(前) 남편의 딸. 의붓딸.

가봉-자【加捧子】명 여자가 덤받이로 데리고 온, 전 남편의 아들. 의붓아들.

가:부[1] 명 〈방〉 과부(寡婦)(전남·경상).

가:-부[2]【可否】명 ①옳은가 그른가의 여부(與否). 가불가(可不可). ¶ 남녀 공학의 ~를 논하다. ②표결에 있어서의 가와 부. ¶ ~ 동수.

가부[3]【佳婦】명 재질이 뛰어나고 얌전한 신부(新婦).

가부[4]【家父】명 ①남에게 대하여 자기의 아버지를 일컫는 말. 가친(家親). 가군(家君). 가대인(家大人). 엄군(嚴君). 엄친(嚴親). ↔가모(家母). ②가부장(家父長).

가부[5]【家夫】명 ①남에게 대하여 자기의 남편을 일컫는 말. 가군(家君). ②아내에게 대하여 자기를 일컫는 말.

가부[6]【家鳬】명〖조〗집오리.

가부[7]【跏趺】명〖불교〗↗가부좌(跏趺坐).

가부[8]【葭莩】명 갈청. 「자.

가:부-간【可否間】부 옳거나 그르거나. 아무러하든지. ¶ ~ 결정을 내

가:부 결정【可否決定】[—쩡] 명 가부를 정하는 일.

가부-권【家父權】[—꿘] 명 가장권(家長權). 부권(父權).

가부나리 명 〈방〉〖동〗진드기(경남).

가부-다님 명 〈방〉 대님(경남).

가부득 감:부득【加不得減不得】명 더할 수도 덜할 수도 없음. 준가감부득(加減不得).

가부-땡이 명 〈방〉 대님(경상).

가부랭이 명 〈방〉〖어〗가오리(경남).

가부리 명 〈방〉 가오리(경상).

가:부번 집합【可付番集合】명〖수〗가산 집합(可算集合).

가부사리 명 〈방〉〖동〗진드기(강원).

가부자리 명 〈방〉 가락옷.

가부-장【家父長】명〔라 pater familias〕〖법〗고대 로마에서 가장권(家長權)의 주체가 되는 사람. 반드시 아버지는 아니며, 가족에 대해서 절대적인 권력을 가지었음. 가부(家父).

가부장-권【家父長權】[—꿘] 명〖사〗가장권(家長權).

가부장-적【家父長的】명관 가부장이나 가부장제와 같은 데가 있는 모양. ¶ ~인 권위 의식(意識).

가부장-제【家父長制】명〖사〗①부계(父系)의 가족 제도에서, 가장(家長)이 그의 가족 전원에 대하여 지배권(支配權)을 가지는 가족 형태. 노예제(奴隸制) 사회·봉건 사회에서 볼 수 있음. ②가부장제적(家父長制的) 가족의 체계(體系) 및 이를 원리로 하는 사회의 지배 형태. 가장제(家長制).

가부장제 국가【家父長制國家】명〖사〗가부장이 최고의 지배권을 장악하고 있는 국가 유형(類型). 비정치적인 원시 공동체가 붕괴하고 최초로 발생한 정치 사회이며 가장 오랜 옛적의 국가 형태라고 생각됨.

가부재기 명 〈방〉〖동〗진드기(경북).

가부-좌【跏趺坐】명〖불교〗책상다리. 결가부좌와 반가부좌의 총칭. 준가부(跏趺). ——-하다 자여불

가부좌(를) 겯다 구 가부좌(를) 틀다.

가부좌(를) 틀다 구 책상다리를 하고 앉다.

가부지-친【葭莩之親】명 촌수가 먼 인척(姻戚).

가부진데 명 〈방〉〖동〗진드기(충북).

가부진디 명 〈방〉〖동〗진드기(충북).

가:부 취:결【可否取決】명 회의에서 의안(議案)을 회칙(會則)에 따라 가부를 결정함.

가부키〔일 歌舞伎:かぶき〕명〖연〗16-17세기에 걸쳐 일본 교토(京都)를 중심으로 일어나 에도(江戶) 시대에 완성된 일본 고유의 연극. 배우가 주로 에도(江戶) 시대 이전의 인물(人物)로 분장(扮裝)하여 기발(奇拔)한 의상을 입고 당시에 유행하던 노래에 맞추어 춤을 추면서 하는 고전적 전통 연극임.

가부토-초:〔兜町:かぶとちょう〕명〖지〗일본 도쿄도(東京都) 주오구(中央区) 니혼바시(日本橋)의 지명. 일본의 대표적인 증권가(證券街). '도쿄의 주식 시장'의 뜻으로도 씀.

가:부-편【可否便】명 가편과 부편.

가:분[1]【可分】명 나눌 수 있음. 분할할 수 있음. ↔불가분(不可分).

가분[2]【加分】명〖역〗조선 시대 때, 환곡(還穀)을 정한 분량 이외에 더 대출(貸出)해 줌. 또, 그 분량. ——-하다 타여불

가:분[3]【假扮】명 거짓으로 꾸며 분장(扮裝)함. 가식(假飾). ——-하다 자여불

가분[4]【價本】명 〈이두〉 값어치. 값.

가분-가분 부 ①여럿의 무게가 모두 들기 좋은 정도로 가벼운 모양. ②말이나 동작이 진중하지 아니하고 가벼운 모양. 1)·2): 쓰가뿐가뿐. 〈거분거분. ——-하다 형여불. ——-히 부

가:분 급부【可分給付】명〖법〗성질이나 가치를 해치지 아니하고 분할할 수 있는 급부. 돈·곡식 등에 의한 급부 따위. ↔불가분 급부.

가분다리 명 〈방〉〖동〗진드기(경남).

가분데 명 〈방〉 가운데(경상).

가:분-물【可分物】명〖법〗전체의 성질이나 가치를 해치지 아니하고 분할(分割)할 수 있는 권리의 목적물(目的物). 돈·토지·쌀 따위. ↔불가분물(不可分物).

가:분-성【可分性】[—썽] 명〖물〗물질이 가지고 있는 성질의 한 가지. 극히 미세(微細)한 형태로 나눌 수 있는 물질의 성질. 분성(分性). ↔불가분성(不可分性).

가:-분수【假分數】[—쑤] 명〖수〗분자(分子)가 분모(分母)보다 크거나 또는 분모와 같은 분수. 형태는 분수이나 그 절대값은 1 이상인 분수. 7/7이나 8/7 따위. ↔진분수(眞分數).

가:분 의무【可分義務】명〖법〗가분 채무(可分債務).

가:분 채:권【可分債權】[—꿘] 명〖법〗가분 급부를 목적물로 하는 채권. 금전 채권(金錢債權) 등과 같이, 목적물이 분할되어 이행(履行)되더라도, 그 가치나 성질이 손상되지 아니하는 경우의 채권.

가:분 채:무【可分債務】명〖법〗가분 급부를 목적물로 하는 채무. 금전의 채무 따위와 같이, 성질이나 가치를 손상하지 아니하고, 분할하여 이행할 수 있는 채무. 가분 의무(義務).

가분테 명 〈방〉 가운데(경북).

가분-하다 형여불 들기 좋을 정도로 가볍다. 또, 마음이 부담없이 가볍다. ¶ 몸이 ~/마음이 ~. 쓰가뿐하다. 〈거분하다. **가분-히** 부

가붇댕이 명 〈방〉 대님(경상).

가:불【假拂】명 가지급(假支給). ——-하다 타여불

가:-불가【可不可】명 옳음과 옳지 아니함. 가함과 불가함. 가부(可否).

가불-거리다 자타 격에 맞지 아니하게 자꾸 까불다. 쓰까불거리다. 〈거불거리다. 가불-가불 부. ——-하다 자타여불

가:불-금【假拂金】명 가지급금.

가불-대다 자타 가불거리다.

가불땡이 명 〈방〉 대님(경상).

가붑다 형 〈방〉 가볍다(강원·충북·전남·평북).

가붓-가붓 부 모두 가붓한 모양. 쓰가뿟가뿟. 〈거붓거붓. ——-하다 형여불

가붓가붓-이 부 가붓가붓하게. 쓰가뿟가뿟이. 〈거붓거붓이.

가붓-이 부 가붓하게. 〈거붓이.

가붓-하다 형여불 가븐한 듯하다. 쓰가뿟하다. 〈거붓하다.

가붕【佳朋】명 좋은 동무. 좋은 벗. 양우(良友).

가브리엘〔Gabriel, Gabhriel〕명〖성〗헤브라이 신화(神話)의 대천사(大天使). 계시(啓示)하는 일을 맡음. 신약 성서에서는 예수의 탄생을 마리아에게 고지(告知)하였음. 이슬람교에서도 4대 천사의 하나로 침.

가브리엘리〔Gabrieli〕명〖사람〗이탈리아의 음악가. ①〔Andrea G.〕이탈리아의 작곡가·오르간 연주가. 베네치아(Venezia)에서 활약했음. 작품에는 마드리갈·미사곡·모테토의 각종 성악·기악곡이 있음. [1510경-86]. ②〔Giovanni G.〕❶의 조카. 베네치아 악파의 대표자로, 황홀한 양식이 특징임. 교회의 오르간 주자(奏者)로 있으면서 교회 음악 기악곡을 작곡하였음. 대표작 《신성 교향곡(神聖交響曲)》 등. [1557-1613]

가븨야온 형 〈옛〉 가벼운. =가비야온. ¶ 기븨야온 빗돗그로 됴히 가미 됴ᄒᆞ니(輕帆好去便)《重杜諺 XIII:25》.

가비【歌婢】명〖역〗조선 시대 초·중기에, 사대부 집에서 노래로써 접빈객(接賓客)하는 관기(官妓) 출신의 계집종.

가:-비둘기【假—】명 〈방〉〖조〗언치새.

가비라【迦毘羅】명〔범 Kapila〕〖불교〗①↗가비라위(迦毘羅衛). ②↗가비라 외도(迦毘羅外道). ③↗가비라천(迦毘羅天).

가비라바소도【迦毘羅婆蘇都】명〔범 Kapilavastu〕〖지〗가비라위(迦毗羅衛).

가비라-선【迦毘羅仙】명〔범 Kapilamaharsi〕〖사람〗인도 육파 철학(六派哲學)의 하나인 수론파(數論派)의 전설적 시조(始祖). 제식(祭式)의 공덕(功德)을 경시하고, 인격신(人格神)의 존재를 의심하여, 사변적 지견(思辨的知見)에 의한 해탈(解脫)을 중시하였다고 함. 생몰년 미상.

가비라 외:도【迦毘羅外道】명 인도에서 석가가 나기 전, 기원전 350-250년경에 있었던 교(敎). 가비라선(迦毘羅仙)이 그 시조(始祖)라고 함. 준가비라(迦毘羅).

가비라위【迦毘羅衛】명〔범 Kapilavastu〕〖불교〗석가(釋迦)가 탄생한 땅. 석가족(釋迦族)의 수도(首都)였음. 북인도의 히말라야 산맥의 기슭, 지금의 네팔 남서 경계의 타라이 지방. 가비라바소도(迦毘羅婆蘇都). 준가비라.

가비라-천【迦毘羅天】명 옛날, 인도에서 복덕(福德)을 맡았던 신. 준가비라(迦毘羅).

가비마라【迦毘摩羅】명〔범 Kapimala〕〖사람〗불교 열세째 조사(祖師)의 이름. 2세기경, 인도 마가다국 화씨(華氏) 나라 사람인데, 본디는 외도(外道)의 두목으로, 사론(邪論)으로써 마명(馬鳴)과 겨루다가, 항복하여 그의 제자가 되고, 후에 깊은 산중에서 용수(龍樹)를 제도(濟度)하여 전법(傳法)하였음.

가비알 〔gavial〕 명 〖동〗 [*Gavialis gangeticus*] 악어과에 속하는 동물. 악어과 중에서 가장 큰 것으로, 몸길이 9 m에 달하고, 주둥이는 가늘고 길며, 머리는 번철(燔鐵) 모양으로 둥글넓적하고, 이는 가늚. 등은 감람색에 암갈색의 반문이 있으며, 배는 엷은 색임. 떼지어 살지만, 늙으면 혼자 삶. 물고기만을 먹고, 인축에 해를 끼치지는 않으며, 몸이 큰 데 비하여 동작이 경쾌함. 인도 북부의 갠지스·인더스 강 유역에 분포함. 가리알(garial).

〈가비알〉

가비의 이:【加比一理】[—/—에—] 명 〖수〗 '수 또는 같은 종류의 양의 몇 개의 비(比)가 서로 같을 때, 이들 각 비는 그 전항(前項)의 합(合)과 후항(後項)의 합과의 비와 같다'는 비례의 정리. 곧, a:b=c:d=e:f=………라면 a+c+e+……:b+d+f+……가 됨. 합비(合比)의 이(理).

가비지 〔garbage〕 명 〖컴퓨터〗 ①프로그램의 오류나 시스템의 오(誤)작동으로 기억 장치에 쓸모없이 남아 있는 정보. ②기억 장치 공간이 지나치게 세분되어 프로그램에서 쓸 수 없는 부분.

가빈[1]【佳賓·嘉賓】 명 ①반가운 손님. 가객(佳客). 진객(珍客). ②〖조〗 참새.

가빈[2]【家貧】 명 집안이 가난함. 살림이 넉넉지 못함. ——-하다 형여불

【가빈에 사양처(思良妻)라】 집안이 가난할 때 어진 아내 생각을 한다는 뜻으로, 비상시에야 바로소 진부(眞否)를 안다는 말. 가빈즉 사현처(家貧則思賢妻).

가빈[3]【家殯】 명 집안에 빈소(殯所)를 차림. ——-하다 자여불

가빈즉 사:현처【家貧則思賢妻】 명 '가빈에 사양처(思良妻)라'와 같은 뜻. *가빈(家貧).

가빕다 형 〈방〉 가볍다(황해).

가ᄇᆞ얍다 형 〈옛〉 가ᄇᆡ얍다. ¶이 은혜를 생각하니 태산이 아조 가ᄇᆞ얍다 ≪찬양가 제 38≫.

가ᄫᆡ[1] 명 〈옛〉 고의. 속곳. ¶袴曰柯背. 裩曰安海柯背 ≪雞類≫.

가ᄫᆡ[2] 명 〈옛〉 가위. 추석(秋夕). ¶八月ㅅ보로ᄆᆞᆫ 아으 嘉俳 나리마ᄅᆞᆫ 니믈 뫼셔녀곤 오ᄂᆞᆯ 낤 嘉俳샷다 아으 動動다리 ≪樂範 動動≫.

가ᄫᆡ압다 형 〈옛〉 가볍다. =가ᄫᆡ얍다. ¶曹操의게 알욀 ᄉᆞ이예 ᄇᆡ 가ᄫᆡ압고 믈이 급ᄒᆞ여서 ≪三譯 Ⅳ:19≫.

가ᄫᆡ야ᄫᆡ 부 〈옛〉 가벼이. =가ᄫᆡ야이. ¶네 미친 마ᄅᆞᆯ 가ᄫᆡ야ᄫᆡ 發ᄒᆞ야(汝…輕發狂言) ≪牧訣 9≫.

가ᄫᆡ야ᄫᆞᆫ 형 〈옛〉 가벼운. '가ᄫᆡ얍다'의 활용형. ¶입시울 가ᄫᆡ야ᄫᆞᆫ 소리(脣輕音) ≪訓諺≫.

가ᄫᆡ야ᄫᆞᆯ 형 〈옛〉 가벼울. '가ᄫᆡ얍다'의 활용형. ¶輕은 가ᄫᆡ야ᄫᆞᆯ 씨라 ≪訓諺≫.

가ᄫᆡ야온 형 〈옛〉 가벼운. '가ᄫᆡ얍다'의 활용형. ¶ᄀᆞᄂᆞᆫ 밀흔 가ᄫᆡ야온 고지 듣ᄂᆞ다(細麥落輕花) ≪初杜諺 Ⅶ:5≫.

가ᄫᆡ야이 부 〈옛〉 가벼이. =가ᄫᆡ야ᄫᆡ. ¶나ᅀᅡ 비호ᄆᆞᆯ 가ᄫᆡ야이 너기며 슬희여 ᄒᆞ리와(輕厭進習者) ≪圓覺 上 一之一 90≫.

가ᄫᆡ압다 형 〈옛〉 가볍다. =가ᄫᆡ얍다·가ᄫᆡ압다. ¶輕淸ᄋᆞᆫ 몸 가ᄫᆡ얍고 ᄆᆞᅀᆞᆷ ᄆᆞᆯᄀᆞᆯ 씨라 ≪蒙法39≫.

가ᄫᆡ얍다 형 〈옛〉 가볍다. =가ᄫᆡ얍다·가ᄫᆡ압다 ¶. 輕은 가ᄫᆡ야ᄫᆞᆯ 씨라, 입시울 가ᄫᆡ야ᄫᆞᆫ 소리(唇輕音) ≪訓諺≫.

가ᄫᆡ여이 부 〈옛〉 가벼이. ¶엇디 가ᄫᆡ여이 ᄒᆞᆫ다 니ᄅᆞᄂᆞ뇨(何謂輕哉) ≪飜小 X:4≫.

가빠 〔ス capa〕 명 ①비올 때 입는 비옷의 한 가지. 나사·무명·유지(油紙) 같은 것으로 만드는데, 소매가 있는 것도 있고 없는 것도 있음. ②비올 때, 짐 같은 것을 덮는 동유지(桐油紙)나 방수포(防水布)의 넓은 조각. ③유둔(油芚).

가빠-지다 자 힘에 겨워 숨쉬기가 어려워지다.

가뿐-가뿐 부 ①물건의 무게가 다 가뿐한 모양. ②말이나 동작이 가벼운 모양. ¶~ 걷다. 1)·2):ㅅ가분가분. <거뿐거뿐. ——-하다 형여불. ——-히 부

가뿐-하다 형여불 들기 좋을 정도로 아주 가볍다. 마음이, 부담이 없고 아주 가볍다. ¶보따리가 ~/마음이 ~. ㅅ가분하다. <거뿐하다. 가뿐-히 부

가뿟-가뿟 부 여럿이 모두 가뿟한 모양. ㅅ가붓가붓. <거뿟거뿟. ——-하다 형여불

가뿟가뿟-이 부 가뿟가뿟하게. ㅅ가붓가붓이. <거뿟거뿟이.

가뿟-이 부 가뿟하게. ㅅ가붓이. <거뿟이.

가뿟-하다 형여불 가뿐한 듯하다. ㅅ가붓하다. <거뿟하다.

가쁘다 형 힘에 겨워 어렵고 괴롭다. ¶숨이 ~.

가삐 부 가쁘게. ¶숨을 ~ 내쉬다.

가ᄫᆞᆫᄃᆡ 명 〈옛〉 가운데. =가온ᄃᆡ. ¶方便力으로 긼 가ᄫᆞᆫᄃᆡ 쉬우믈 爲ᄒᆞ야 ≪月釋 XIV:80≫.

가ᄶᆞᄫᆡ 부 〈옛〉 가까이. 가깝게. =갓가ᄫᆡ. ¶가ᄶᆞᄫᆡ 완 몯 보ᅀᆞᄫᆞ리러라 ≪月釋 Ⅶ:55≫.

가ᄰᆞ디 자 〈옛〉 거꾸러지지. '가ᄰᆞᆯ다'의 활용형. ¶ᄆᆞᅀᆞ미 가ᄰᆞ디 아니ᄒᆞ야(心不顚倒) ≪阿彌 17≫.

가ᄰᆞ라 타 〈옛〉 깎으려. '갔다'의 활용형. ¶難陁ᄋᆡ 머리ᄅᆞᆯ 가ᄰᆞ라ᄒᆞ야시ᄂᆞᆯ 難陁ㅣ 怒ᄒᆞ야 머리 갓ᄂᆞᆫ 사ᄅᆞᄆᆞᆯ 주머귀로 디르고 닐오ᄃᆡ ≪月釋 Ⅶ:8≫.

가ᄰᆞᆯ다 자 〈옛〉 거꾸러지다. =갓ᄀᆞᆯ다. ¶ᄆᆞᅀᆞ미 가ᄰᆞ디 아니ᄒᆞ야(心不顚倒) ≪阿彌 17≫.

가사[1]【加賜】 명 증가(增加)하여 하사함. ——-하다 타여불

가사[2]【佳詞】 명 좋은 말씀. 아름다운 말씀. 잘 지은 시문(詩文).

가사[3]【家士】 명 가신(家臣).

가사[4]*【家舍】 명 사람이 사는 집. 가택(家宅).*

가사[5]【家事】 명 ①집의 살림살이에 관한 일. 집안 일. 살림을 꾸려 나가는 일. ¶~에 쫓기다. ②집안 안의 일. 한 집의 사사로운 일. 가내사(家內事). ¶~와 공사를 혼동하다. ↔국사(國事).

【가사에는 규모가 제일이라】 살림을 잘 하려면 무엇보다도 규모가 있어야 한다는 말.

가:사[6]【假死】 명 〖의〗 생리적 기능이 극도로 약해져서, 인사 불성이 되어 호흡이 정지하고 맥박(脈搏)이 미약하여져 얼핏 보기에 죽은 것같이 된 상태. 동공 반사(瞳孔反射)만은 그대로 작용하며, 인공 호흡법의 처치(處置)를 하면 원상 회복함. ¶~ 상태.

가사[7]【袈裟】 명 〔범 kasaya〕 〖불교〗 승려가 장삼 위에 왼쪽 어깨에서 오른쪽 겨드랑 밑으로 걸치어 입는 법복(法服). 종파(宗派)와 계급에 따라 그 빛깔과 형식에 엄밀한 규정이 있음. 무구의(無垢衣). 탁의(卓衣). 인욕개(忍辱鎧). 해탈 당상(解脫幢相).

〈가사[7]〉

가사[8]【嘉事】 명 즐거운 일. 좋은 일. 경사(慶事).

가사[9]【歌詞】 명 〖악〗 ①정악(正樂) 가운데, 고아(古雅)한 체로 된 장편의 노래 종류의 이름. 어부사(漁父詞)·백구사(白鷗詞) 등 십이 가사(十二歌詞)가 전해짐. ②가곡·가요곡이나 가극, 그 밖의 노래의 내용이 되는 문구. ¶교가(校歌) ~ 현상 모집. ↔곡조(曲調).

가사[10]【歌辭】 명 ①시가(詩歌)의 말. ②〖문〗 조선 시대 초기에 발생한 시가의 한 형식. 삼사조(三四調) 혹은 사사조(四四調)를 기조(基調)로 하는 비교적 장편의 율문시(律文詩). 음악상의 가사(歌詞)와 구별하기 위하여 한자를 '歌辭'로 씀. 정철(鄭澈)·박인로(朴仁老)·정극인(丁克仁) 등의 초기의 양반 가사(兩班歌辭), 농가 월령가·일동 장유가·우부가(愚夫歌)·내방(內房) 가사 등의 조선 시대 후기의 평민(平民) 가사 및 개화기(開化期) 가사 등으로 나눔.

가사[11]【稼事】 명 농사(農事)일.

가:사[12]【假使】 부 가령(假令).

가사 경제【家事經濟】 명 〖경〗 가정 경제(家政經濟).

가사 노동【家事勞動】 명 〖사〗 가정 생활을 유지 배양(培養)하고 사회적 노동의 재생산을 지탱하는 보조적 역할. 곧, 주부를 중심으로 부인들의 손에 의한 의식주, 즉 육아(育兒)·교육·취사(炊事)·재봉(裁縫)·세탁(洗濯)·청소·잡용 등의 노동.

가사-도【加沙島】 명 〖지〗 전라 남도 서남해상(西南海上), 진도군(珍島郡) 조도면(鳥島面) 가사도리(加沙島里)를 이루는 섬. 나주 군도(羅州群島)에 속하는 섬의 하나. [6.67 km²]

가사리 명 〖식〗 ①↗우뭇가사리. ②↗풀가사리. 주의 '加士里'로 씀은 취음(取音).

가사리-밭 명 바닷가의 풀가사리가 많이 난 곳.

가사-목【一木】 명 〈방〉 〖식〗 가시목.

가사 무:대【歌榭舞臺】 명 〖연〗 이전의 간이(簡易) 무대의 하나.

가사 문학【歌辭文學】 명 〖문〗 가사체로 된 문학 작품.

가사 불사【袈裟佛事】[—싸] 명 〖불교〗 가사를 짓는 일.

가사 비송【家事非訟】 명 〖법〗 가정 법원이 가정 내나 친족 간의 분쟁에 대한 이해 관계인의 신청에 대하여 소송 절차에 의하지 않고 특례 절차에 의해 심판하는 제도. 가사 소송법 제 2 조 1 항 나호의 가사 비송 사건의 라류(類)사건(예 : 한정 치산·금치산 선고와 그 취소, 실종 선고와 그 취소 등)과 마류(類)사건(예 : 부부의 동거·부양·협조 또는 생활 비용 부담에 관한 처분, 재산 관리자의 변경 또는 공유물의 분할을 위한 처분 등) 등이 이에 속함.

가사 사:건【家事事件】[—껀] 명 〖법〗 가족 및 친족 간의 분쟁 사건이나 가정에 관한 사건. 가사 소송법 제 2 조 1 항에 열거(列擧)된 가사 소송 사건의 가·나·다류(類) 사건과 가사 비송 사건의 라·마류(類)에 규정된 사건 등임.

가사사다【伽邪舍多】 명 〖사람〗 불교의 열여덟째 조사(祖師). 인도 사람인데, 승가난제(僧伽難提)에게서 법을 이어받고, 19대 조사인 구마라다(鳩摩羅多)에게 전법(傳法)하였음.

가사 사:용인【家事使用人】 명 〖법〗 가정부·침모(針母) 등과 같이 가사 일반에 사용하기 위하여 고용된 사람. 근로 기준법의 적용은 받지 아니함.

가사-산【袈裟山】 명 〖지〗 황해도 곡산군(谷山郡)과 함경 남도 덕원군(德源郡)의 사이에 있는 산. 마식령 산맥(馬息嶺山脈) 첫머리 부분을 이룸. [1,381 m]

가:사성 있다【可使性一】[—썽—] 형 능란하다. 일을 잘 보다.

가사 소송【家事訴訟】 명 〖법〗 가정 법원이 가정 내나 친족 간의 분쟁 등에 대하여 소송 절차에 의하지 않고 특례(特例) 절차에 의해 심리 재판하는 제도. 혼인 관계 소송, 부모와 자 관계, 곧 친생자 관계와 입양 관계 소송, 호주 승계 관계 소송 등이 이에 속함.

가사 소송법【家事訴訟法】[—뻡] 명 가사(家事)에 관한 소송과 비송(非訟) 및 조정(調停)에 대한 절차의 특례(特例)를 규정한 법. 인격의 존엄과 평등을 기본으로 하고 가정 평화와 친족 상조(相助)의 미풍 양속을 유지 향상하기를 목적으로 함. 1990 년 제정. 이로 인해 인사 소송법 및 가사 심판법은 폐지됨.

가사 시:주【袈裟施主】 명 〖불교〗 가사 불사(袈裟佛事)의 비용을 내는 일. 또, 그 비용을 낸 사람.

가사 심:판【家事審判】 명 〖법〗 '가사 소송'의 구칭.

가사 심:판법【家事審判法】[—뻡] 명 〖법〗 1990 년 12 월 31 일 '가사 소송법' 제정으로 폐지됨.

가사-제【家舍制】 명 〖역〗 조선 시대 때, 집의 규모를 정한 제도. 대군(大君)은 60간(間), 왕자·공주는 50 간, 옹주·종친 및 2 품 이상의 문관은 40간, 3 품 이하는 30 간, 서민(庶民)은 10 간으로 정함. 세종 13년(1431)에 제정됨.

가사 조사관【家事調査官】 명 〖법〗 가정 법원에 계속(係屬)된 사건에서,

리를 내는 데에는 관계 없음.

가:성 반:음양【假性半陰陽】[명] 본디 남성인데 외견상(外見上) 여성으로 오인(誤認)되고 또는 본디 여성인데 남성으로 오인되는 외음부(外陰部)의 형상(形狀). 외음부의 발육 불완전으로, 동시에 이차 성징(二次性徵)이 일어남.

가:성 비:대【假性肥大】[명] 〖의〗 병으로 인한 것이 아니고, 생리적(生理的)으로 일어나는 일시적(一時的)인 비대(肥大).

가:성 빈혈【假性貧血】[명] 〖의〗 얼굴, 그 밖의 피부의 색이 창백하며 얼핏 보면 빈혈 상태로 보이나, 혈액을 검사하면 적혈구(赤血球)·혈색소(血色素) 따위의 감소나 변화가 없는 상태. 이것은 비위생적 환경 또는 일광(日光)의 부족 등에서 옴. 주(主)증상은 안면 창백·두통·권태감·식욕 부진·복통·변비 등임. 세민 빈혈(細民貧血). 실내 빈혈(室內貧血).

가:성 석회【苛性石灰】[명] 〖화〗 '수산화 칼슘(水酸化calcium)'의 속칭.

가:성 세:척【苛性洗滌】[명] 〔caustic wash〕 〖화〗 불순물 제거를 위하여, 가성 알칼리 용액(溶液)으로 제품을 세척하는 일.

가:성 세:척액【苛性洗滌液】[명] 〔caustic wash〕 〖화〗 가성 세척에 쓰이는 가성 알칼리 용액(溶液).

가:성 소:다【苛性—】〔soda〕 [명] 〖화〗 '수산화 나트륨(水酸化natrium)'의 속칭. [준]소다. 취음: 가성 조달(苛性曹達).

가:성 소:아 콜레라【假性小兒—】〔cholera〕 [명] 〖의〗 젖뗄 시기 전후의 어린이에게 주로 늦여름에서 겨울에 걸쳐 많이 발생하는 병. 젖을 분수처럼 토하고, 쌀뜨물 같은 설사를 하나, 호흡기 증상이나 열은 현저하지 않음. 병인으로는 바이러스설(說)이 가장 유력한데, 경증이면 10일 정도로 끝나지만, 중증일 때는 수일내에 사망함. 옛날에 중증(重症) 소화 불량증은 소아 콜레라로 불려 왔으므로, 증상이 그와 비슷하되, 증상 발생·예후(豫後)에 차이가 있다 하여 이름지어진 것임.

가:성 알칼리【苛性—】[명] 〔caustic alkali〕 〖화〗 알칼리 금속의 수산화물의 속칭. 보통, 수산화 나트륨과 수산화 칼륨을 가리킴. 알코올에 녹고, 수용액은 강한 염기성임.

가:성 알코올【苛性—】〔alcohol〕 [명] 〖약·화〗 98% 이상의 알코올에 금속 나트륨을 섞어 만든 흰빛의 고형체(固形體). 부식제(腐蝕劑)로 쓰임.

가:성 조달【苛性曹達】[명] 〖화〗 '가성 소다(苛性soda)'의 취음(取音).

가:성-졸【假性—】〔도 Sol〕 [명] 〔extrinsic sol〕 〖화〗 콜로이드 입자(粒子) 표면상의 전하(電荷)에 의해서 안정화되어 있는 졸.

가:성직 제:도【假聖職制度】[명] 〖천주교〗 우리 나라 초기 천주교회에서 평신도들이 성직자의 고유한 성무(聖務)를 집행하였던 제도.

가:성 침지【苛性浸漬】[명] 〔caustic dip〕 〖야금〗 가성 소다와 같은 가성 용액(溶液)에 금속을 담그는 일.

가:성 칼리【苛性—】〔kali〕 [명] 〖화〗 '수산화 칼륨(水酸化 kalium)'의 속칭. 취음: 가성 가리(苛性加里).

가:성 크루:프【假性—】〔croup〕 [명] 〖의〗 어린 아이들이 걸리는 목병. 밤중에 갑자기 기침이 나서 잠을 못 이루고, 열은 없되, 호흡이 곤란해짐.

가:성 포:경【假性包莖】[명] 〖의〗 포피(包皮)를 완전히 반전(反轉)시킬 수 있으나 포피의 과잉 때문에 귀두(龜頭)가 덮여 있는 포경.

가:성 피저【假性皮疽】[명] 〖의〗 말에 발생하는 피저(皮疽) 비슷한 전염병. 병원체는 분아(分芽) 곰팡이의 일종으로, 안장에 쓸린 상처나 하지(下肢)의 외상(外傷)으로부터 침입, 림프관계(系)로 들어가 궤양(潰瘍)을 이룸.

가성 화합물【加成化合物】[명] 〔addition compound〕 〖화〗 어떤 화합물의 구조에 분자(分子) 또는 이온이 부가된 화합물.

가세[1] [명] 〈방〉 가시[1](평안).

가세[2] [명] 〈방〉 그릇(평안).

가세[3] [명] 〈방〉 가위(전남·경상).

가세[4] [명] 〈방〉 가. 가장자리(경상·전라).

가세[5]【加稅】[명] 세금을 올림. ——-하다 [자][여불]

가세[6]【加勢】[명] 힘을 보탬. 거듦. ¶ 백군에 ~하다. ——-하다 [자][여불]

가:세[7]【苛細】[명] 성질이 까다롭고 잚. ——-하다 [형][여불]

가:세[8]【苛稅】[명] 가혹(苛酷)한 조세(租稅).

가세[9]【家世】[명] 집안의 품위와 계통. 문벌(門閥)과 세계(世系).

가세[10]【家貰】[명] 집세.

가세[11]【家勢】[명] 집안 살림살이의 형세. 터수. ¶ ~가 넉넉하다.

가세[12]【嫁稅】[명] 〖역〗 조세를 떠넘기는 일. 재난(災難)으로 논밭이 매몰되어 세(稅)를 받을 수 없는 경우, 그 보충으로 다른 논밭에 물리게 하는 일. ——-하다 [타][여불]

가세-타:령【—打令】[명] 〖악〗 '가세 가세'하는 입타령이 첫 마루에 끼기 때문에, '선유가(船遊歌)'를 일컫는 딴이름.

가세-통 [명] 〈방〉 개수통.

가셋-물 [명] 〈방〉 개숫물(평안).

가:소[1]【可笑】[명] 우스움. 웃을 만함.

가:소[2]【苛小】[명] 썩 작음. ——-하다 [형][여불]

가소[3]【佳宵】[명] ①아름다운 저녁. ②기분 좋은 저녁. ③가인(佳人)을 만나는 저녁.

가:소[4]【假笑】[명] 거짓 웃음. ——-하다 [자][타][여불]

가:소[5]【假蘇】[명] ①〖식〗 형개(荊芥)❶. ②〖한의〗 형개(荊芥)❷.

가소겐〔gasogen〕[명] 숯을 불완전 연소시켜 만드는 연료 가스의 하나. 서유럽에서 개발(開發)된 가솔린의 대용품.

가:소-롭다【可笑—】[형][ㅂ불] 대수롭지 아니하여 우습다. **가:소-로이**【可笑—】[부]

가:소-물【可塑物】[명] 소성체(塑性體).

가:소-사【可笑事】[명] 우스운 일. 웃음거리가 될 만한 일.

가:소-성【可塑性】〔—썽〕 [명] 〖물〗 소성(塑性).

가:소성 물질【可塑性物質】〔—썽—찔〕 [명] 소성체(塑性體).

가:소성 점토【可塑性粘土】〔—썽—〕 [명] 소성 점토.

가소올〔gasohol〕[명] 〔가솔린(gasoline)과 알코올(alcohol)의 합성어〕 가솔린에 메틸 알코올을 섞어 만든 합성유(合成油). 보통, 가솔린에 농산물이나 그 폐물에서 채취되는 알코올류(類)를 10-20% 섞은 자동차용 연료를 가리킴. 바이오매스(biomass) 에너지 이용의 일환으로 개발되어 사용되고 있음.

가:소-제【可塑劑】[명] 〖화〗 수지(樹脂) 따위의 가공을 용이하게 하며 탄성·강도를 조절하기 위하여 가해지는 화학 재료. 아세틸셀룰로오스에 첨가(添加)하는 프탈산(酸) 디메틸, 폴리 염화 비닐에 첨가하는 프탈산 디에틸헥실 따위.

가소홀〔gasohol〕[명] ☞ 가소올.

가:소-화【可塑化】[명] 〖공〗 ① 가열 또는 반죽하여, 물질을 말랑말랑하게 만듦. ② 가소제(可塑劑)의 첨가 또는 가열에 의해서, 물질을 변형하기 쉬운 상태 혹은 성형(成形) 가능하게 되도록 말랑말랑하게 만듦. ——-하다 [자][타][여불]

가:소화용 오일【可塑化用—】[명] 〔plasticizing oil〕 〖화〗 증류(蒸溜) 범위가 300°C 이상인 콜타르 유분(溜分) 혹은 용제(溶劑) 나프타. 플라스틱의 가소제(可塑劑)로 쓰임. 가솔. ——-하다 [자][타][여불]

가속[1]【加速】[명] ①속도를 더함. ②속도가 더해짐. 1)·2):↔감속(減速).

가속[2]【家屬】[명] ①집안 권속. 가족. ②'아내'의 낮춤말.

가속-기【加速器】[명] 가속 장치.

가-속도【加速度】[명] 〔acceleration〕 ①〖물〗 단위 시간(單位時間) 내에 있어서의 속도가 시간이 지나감에 따라 점점 증가하여 가는 비율. 속률(速率). ②속도가 차차 더해지는 일. 사물이 시간의 경과에 따라, 그 정도가 더해 가는 일. ¶ ~가 붙다.

가속도-계【加速度計】[명] 〔accelerometer〕 운동체의 가속도를 재는 기계(器械). 진자(振子)를 운동체에 장치하여 두면, 그 가속도의 영향으로 움직이는 진자의 주기(周期)가 충분히 짧을 때, 그 흔들림은 운동체의 가속도에 비례한다는 원리를 이용하여 만든 것으로, 전기적·기계적 확대법(擴大法)에 의한 것이 많이 사용되고 있음. 원래는 지진동(地震動)의 진동 가속도를 잴 목적으로 지진계(地震計)의 한 종류로서 발달한 것임. *지진계.

〈가속도계〉

가속도 내:성【加速度耐性】[명] 〖생〗 조절 능력이나 의식을 잃지 않고, 최대의 중력 가속도(重力加速度)에 견뎌 낼 수 있는 성질.

가속도-병【加速度病】〔—뼝〕 [명] 〖의〗 속도가 급격히 변화할 때 생물체에 일어나는 장애. 보통, 항공기 특히 전투기에 의한 고속 비행 중에 일어나는데, 가벼우면 시력(視力) 장애·구토·현기증, 심하면 의식 장애를 가져옴. 원인은 압력이 머리에서 다리를 향하여 가하여지고, 혈류(血流)가 다리에서 머리의 방향으로 향하기 때문임.

가속도 운:동【加速度運動】[명] 〖물〗 시간이 지나감에 따라 그 속도를 더하는 물체의 운동. 중력(重力) 때문에 낙하하는 물체의 운동 따위.

가속도 원리【加速度原理】〔—월—〕 [명] 〖경〗 기계·설비 등 내구적(耐久的)인 자본재에 대한 새로운 수요(需要)는 그 자본 설비가 만들어 내는 완성재(完成財)의 절대량에 의존하여 변화하는 것이 아니고, 완성재의 양의 증가율에 의존한다고 하는 경제 이론.

가속도 인자【加速度因子】[명] 〖경〗 자본과 생산량과의 상호 관계를 나타내는 인자. 곧, 자본 스톡(stock)과 그로 인한 산출량 사이의 관계, 산출량의 변동과 그것이 유발하는 투자와의 관계로써 나타냄.

가속도-적【加速度的】[명][관] 진행함에 따라 그 속도가 더욱 빨라지는 상태에 있는 모양.

가속-동【加速動】[명] 〖물〗 ↗가속 운동.

가속 상각【加速償却】[명] 〖경〗 자산 취득(資產取得) 후, 단기간에 급속한 비율로 상각하는 일. 사용도가 높은 공장 설비나, 기계·광산 설비 등에 채용됨. 고속(高速) 상각.

가속 운:동【加速運動】[명] 〖물〗 가속도 운동. [준]가속동(加速動).

가속 입자【加速粒子】[명] 〖물〗 가속 장치로 가속된 양성자·중성자 따위의 입자.

가속 장치【加速裝置】[명] 물체의 속도를 증가하기 위한 장치. 특히, 교통 기관으로서의 자동차 또는 원자핵 물리학 실험용의 하전 입자(荷電粒子)에 있어서의 그 장치를 말함. 자동차에 있어서는 차륜(車輪)의 회전수(回轉數)를 변하게 하기 위하여 가솔린 기관의 기화기(氣化器)로부터 실린더(cylinder)에 들어가는 혼용(混用) 가솔린의 양을 조절하는 장치이며, 원자핵 구조나 소립자(素粒子)의 성질을 연구하는 데 있어서는, 알파(α) 입자·양성자(陽性子)·전자 등의 하전 입자를 인공적으로 가속하여 고에너지(高energy) 입자가 생기도록 하는 장치임. 가속기(加速器).

가속 전:극【加速電極】[명] 〖전〗 브라운관(管) 따위에서, 전자 빔(電子beam)의 속도를 빠르게 하기 위한 전극(電極).

가속 전:압【加速電壓】[명] 〖전〗 브라운관(管) 따위에서, 전자 빔(電子beam)의 속도를 가속하기 위하여 전극에 가하는 전압.

가속 차선【加速車線】[명] 〔acceleration lane〕 고속 도로로 진입하는 램프웨이에 연결되는 직선 도로. 이 도로에서 가속하여 본선으로 합류함.

가속 펌프【加速—】〔pump〕 [명] 〖기〗 내연 기관의 기화기(氣化器)의 부속품. 내연 기관에서, 갑자기 회전율(回轉率)을 높이면, 연료 보급에 부족(不足)이 일어나게 되어 기관이 순조로이 운전되지 아니하므로, 급격한 가속 운전의 경우에만 이것을 작용시켜 연료를 보급하게 됨.

가속 페달【加速—】〔pedal〕 [명] 액셀러레이터(accelerator).

가:손[1] [명] 〈방〉 가선[1]❷.

가손[2]【家孫】[명] 자기 집의 손자.

가손[3]【家損】명 가명(家名)의 손상 또는 치욕.
가솔[1]【家率】명 집안의 식솔. 가권(家眷).
가:솔[2]【假率】명〖역〗조선 시대 후기에 변방(邊方) 방비(防備)를 위하여 선발한 특수 병졸. 가솔 군관(軍官).
가:솔 군관【假率軍官】명〖역〗가솔(假率).
가솔린〔gasoline〕명 석유의 휘발(揮發) 성분을 이루는 무색의 액체(液體). 석유의 원유(原油)를 증류하여 얻어지는 직류(直溜) 가솔린, 끓는점이 높은 유분(溜分)을 석유 분해에 의하여 끓는점이 낮은 기름으로 변화시킬 때 얻어지는 것, 합성(合成) 또는 인조로 얻어지는 것과 천연의 것 등이 있음. 끓는점 30-200°C 로서 불이 붙기 쉬우며, 내연 기관의 연료로서 자동차·항공기 등에 쓰이고, 도료 공업·고무 공업·드라이클리닝용(用) 등으로 쓰임. 휘발유(揮發油). 준가스.
가솔린 걸:〔gasoline girl〕명 주유소의 여자 판매원.
가솔린 기관【一機關】〔gasoline〕명〖기〗가솔린을 연료(燃料)로 하는 내연 기관. 기화기(氣化器)에서 가솔린을 기화하여 점화 폭발시켜 피스톤을 움직임. 휘발유 기관. 가솔린 엔진.
가솔린 동:차【一動車】〔gasoline〕명 가솔린 기관을 원동기(原動機)로 하는 철도 차량. 현재는 디젤 기관의 발달에 따라 거의 실용되지 아니함. 가솔린 카(car).
가솔린 발동기【一發動機】〔gasoline〕〔一똥一〕명〖기〗가솔린을 연료로 하여 동력(動力)을 내는 발동기.
가솔린 스탠드〔gasoline stand〕명 주유소(注油所).
가솔린 엔진〔gasoline engine〕명〖기〗가솔린 기관(機關).
가솔린 자동차【一自動車】〔gasoline〕명 가솔린을 연료로 하는 자동차. 보통의 자동차를 말하며, 이전의 목탄(木炭) 자동차에 대해서 일컫는 말. 근래에는 디젤 자동차와의 구별에 쓰임.
가솔린-차【一車】〔gasoline〕명 가솔린 자동차.
가솔린 탱크〔gasoline tank〕명 가솔린을 저장하는 탱크.
가솔린 펌프〔gasoline pump〕명 주유소(注油所)에서 볼 수 있는, 가솔린을 자동차에 공급하면서 계산하는 장치.
가솔-송〔一쏭〕명〖식〗[*Phyllodoce coerulea*] 철쭉과에 속한 작은 상록 관목. 줄기 높이 10-20cm로 가로 벋고, 잎은 밀생(密生)하며 선형(線形)인데, 뒤로 엽신(葉身)이 말림. 7월에 자홍색 꽃이 묵은 가지 끝에 여러 개가 액생(腋生)하여 늘어져 피고, 동글납작한 삭과(蒴果)는 가을에 익음. 높은 산의 꼭대기에 나는데, 한국 동북부 및 일본·북미 동부·만주·시베리아 등지에 분포함. 관상용임.

〈가솔송〉

가:-송장【假送狀】〔一짱〕명〖경〗무역 거래(去來)에 있어서, 사전에 수출인이 수입인에게 화물의 품목·가격·비용, 기타 필요한 사항을 적어 보내는 계산서.
가쇄[1]【枷鎖】명〖역〗죄인에게 칼을 씌우고 족쇄(足鎖)를 채움. ——「하다 타여불
가:쇄[2]【假刷】명〖인쇄〗주로, 교정용(校訂用)으로 정식 인쇄 전에 찍는 인쇄. 또, 그 인쇄한 것. ——-하다 타여불
가수[1]【加水】명 물을 더함. ——-하다 자여불
가수[2]【加修】명 수리함. ——-하다 타여불
가수[3]【加數】〔一쑤〕명 ①액수나 수효를 증가함. ②〖수〗어떤 수에 다른 수를 더할 때, 그 다른 수를 일컫는 말. 5에 3을 더할 때는 3이 가수임. 덧수. ↔피가수(被加數). ——-하다 타여불
가수[4]【枷囚】명〖역〗죄인의 목에 칼을 씌워 가둠. ——-하다 타여불
가수[5]【家嫂】명 남에게 대하여 자기 형수(兄嫂)를 이르는 말. 「수.
가수[6]【家數】명 ①한 집안의 사회적 처지. 문벌(門閥). ②성가(成家)한
가:수[7]【假受】명 어떤 물건이나 돈을 사유(事由)가 확정(確定)될 때까지 임시로 받아 둠. ¶ ～금(金). ——-하다 타여불
가:수[8]【假需】명 ↗가수요(假需要). ↔실수(實需).
가:수[9]【假數】명〖수〗로그(log)에서의 소수점(小數點) 이하의 부분. 곧, log 20=1.3010에서 3010을 말함. *정수(整數)·진수(眞數).
가:수[10]【假睡】명 ①거짓 졸. ②잠자리가 아닌 곳에서 잠깐 잠. 가매(假寐). ——-하다 자여불
가수[11]【歌手】명 ①노래를 잘 불러 그것으로 업을 삼는 사람. ¶ 오페라 ～. ② 유행 가수.
가수[12]【嫁樹】명〖민〗음력 정월 초하룻날이나 보름날에 하던 풍속의 하나. 과일 나무 있는 집에서 과일 나무의 두 가지 틈에 돌을 끼우는데, 그렇게 함으로써 그 해에 과일이 많이 열린다고 함. *대추나무 시집보내기. ——-하다 자여불
가수[13]【價數】명〖화〗①원자가(原子價)의 수. ②이온가(價)의 수. ③수산기(水酸基)·니트로기(基) 등과 같은 원자단(原子團)을 원자가처럼 나타낸 수. ④유기 화학에서, 히드록시기의 수. 히드록시기의 수가 1개인 것을 일가(一價) 알코올이라 함.
가수 결절【歌手結節】〔一쩔〕명〔singer's nodules〕〖의〗가수·아나운서·교사 등 성대를 혹사하는 사람의 성대에 잘 생기는 작은 결절. 좌우 대칭적으로 발생함.
가:수-금【假受金】명 가수(假受)한 돈. 부기에서, 현금의 수입(收入)이 있었으나 그 해당 계정(計定) 또는 액수가 확정되지 않은 것으로, 부채(負債)에 속함.
가:수금 계:정【假受金計定】명〖경〗가수금을 그 해당 계정 과목이나 액수가 확정될 때까지 일시적으로 처리하는 가(假)계정.
가수나 명〈방〉계집아이(경남).
가:수-롭다 형〈방〉가소롭다.
가수 변:성 작용【加水變成作用】명 고온(高溫)·고압(高壓)의 영향이 없이, 물에 의하여 용액 속에 운반된 물질에 의한 암석(岩石)의 변질.
가수 분해【加水分解】명〖화〗〔hydrolysis〕①무기 염류(塩類)가 물의 작용에 의해 산(酸)과 염기(塩基)로 분해하는 반응. 수소 이온 또는 수산(水酸) 이온이 생겨서, 용액(溶液)은 산성 또는 알칼리성을 띠게 됨. 또, 그렇게 하는 일. 가수 해리(加水解離). ②유기 화합물이 물과 반응하여 분해하는 일. 에스테르의 비누화(化), 수크로오스의 전화(轉化), 녹말이나 셀룰로오스의 당화(糖化) 따위.
가수 분해 효소【加水分解酵素】명〔hydrolase〕〖화〗효소의 분류상의 명칭. 생체내(生體內)의 가수 분해 반응을 촉매(觸媒)하는 효소의 총칭. 에스테라아제·아밀라아제·카르보히드라아제·프로테아제의 네 군(群)으로 대별됨. 수해 효소(水解酵素). 히드롤라아제(hydrolase).
가수알-바람〔一빠一〕명 뱃사람의 말로, 서풍(西風).
가:-수요【假需要】명〖경〗①앞으로의 가격 인상이나 물자 부족을 예상하고, 당장 실제 수요가 없는데도 생산자·판매업자로 향하는 수요. 최종적인 소비자층(消費者層)보다도 중간적인 유통 단계에서 일어나는 수가 많음. ②증권 거래소에서, 투기적인 가격 변동 차익(差益)을 목적으로 주식을 매수(買收)하는 일. 일반적으로 가수요가 많으면 향후의 주가 전망이 밝지 않은 것으로 봄.
가:-수요자【假需要者】명 가수요로 몰리는 수요자. ↔실수요자.
가:-수용소【假收容所】명 이재민·포로 등을 임시로 수용하는 시설.
가수 해:리【加水解離】명〖화〗가수 분해❶.
가숙[1]【家叔】명 남에게 대하여 자기의 숙부를 일컫는 말.
가숙[2]【家塾】명 개인이 설립한 글방. 사숙(私塾). 문숙(門塾).
가숙-본【家塾本】명 중국에서, 사숙(私塾)이 간행한 사각본(私刻本)의 하나. *가각본(家刻本)·방각판(坊刻版)·감본(監本).
가숨 명〈방〉가슴(경상).
가:-숭어【假一】명〖어〗[*Liza haematocheila*] 숭어과에 속하는 물고기. 몸길이 1m이고 숭어와 비슷하나, 주둥이가 짧음. 몸빛은 등은 청회색, 배 쪽은 암백색이며, 온몸에 검은 가로띠가 있음. 산란기는 10월임. 평소는 근해에 산재하나 9-10월경부터 차츰 기수(汽水)의 내만 및 하구에 모이는데, 한국 전 연해·일본·중국에 분포함. 여름에 식용하는데, 맛이 좋음.

〈가숭어〉

가스〔gas〕명 ①기체(氣體)의 총칭. 특히, 폭발 위험이나 독성(毒性)이 있는 것을 이르는 수가 많음. 한역(漢譯):와사(瓦斯). ②석탄 가스·천연 가스·프로판 가스 등의 연료용 가스. 특히, 도시(都市) 가스의 일컬음. ③↗독가스. ④↗가스실[1]. ⑤↗가솔린. ⑥〖등산〗산에 낀 짙은 안개. ⑦소화기(消化器) 안에 괸 기체(氣體).
가스 경유【一輕油】〔gas〕명 석탄을 건류(乾溜)할 때, 석탄 가스 속에 부산물로서 함유되는 휘발성의 기름. 물보다 가볍고 끈적거리지 않는 노란 기름으로, 주성분은 벤젠·톨루엔·크실렌 등임. 연료로서 쓰이나, 흔히 분류 정제(分溜精製)하여 각 성분을 분리함. 콜타르 경유. ↔석유(石油) 경유. *경유(輕油).
가스 계:량기【一計量器】〔gas〕명〖물〗주로, 도시 가스의 통과량(通過量)을 면판(面板)에 적산(積算) 기록 또는 지시하는 장치. 가스량계. 가스 미터(gas meter).
가스-관【一管】〔gas〕명 주로, 도시 가스를 보내는 강철관. 가스 파이프. 가스 도관(導管). 와사관(瓦斯管).
가스 괴저【一壞疽】〔gas〕명〖의〗흙 속에 있는 가스 괴저균이 상처를 통하여 몸 속에 들어감으로써 일어나는 괴저. 전상(戰傷)에 많으며, 흔히 환부(患部)에 가스가 발생하고 종창(腫脹)이 심하며, 독소(毒素)가 있어 심장이 쇠약하여짐.
가스 괴저균【一壞疽菌】〔gas〕명〖의〗가스 괴저의 병원균. 혐기성 아포 형성균(嫌氣性芽胞形成菌)의 한 무리로, 도처의 흙탕 속에 아포(芽胞)로서 존재함.
가스 교환【一交換】〔gas〕명〖생〗생물체가 외계로부터 산소를 흡입하고 이산화 탄소를 외계로 내보내는 일. 기체 교환. 가스 대사(代謝).
가스 기관【一機關】〔gas〕명〖공〗내연 기관(內燃機關)의 하나. 액화(液化) 가스·발생로(發生爐) 가스·용광로(鎔鑛爐) 가스·천연 가스 등 각종의 가연성 가스를 공기와 적당히 혼합하여 실린더 안에 압축하여 넣은 다음 점화하여, 그 폭발 연소에 의하여 피스톤을 왕복 운동시켜 동력을 얻는 기관. 가스 발동기(發動機). 가스 엔진(gas engine).
가스나 명〈방〉계집아이(경남).
가스나그 명〈방〉계집아이(전남).
가스나기 명〈방〉계집아이(전라).
가스 난:로【一煖爐】〔gas〕〔一날一〕명 도시 가스 또는 프로판 가스를 연료로 하는 난로. 가스 스토브.
가스내 명〈방〉계집아이(전라).
가스 냉:각형 원자로【一冷却型原子爐】〔gas〕명 기체 냉각식 원자로.
가스 냉:난방【一冷暖房】〔gas〕명 액화 천연 가스(LNG)를 이용하여 실내의 난방과 냉방을 겸하는 방식. 기왕에는 난방용 보일러와 냉방용 에어컨 시스템이 각각으로 설치되었으나, 가스 냉난방은 하나의 기계로 시스템의 진공 상태를 이용하여 냉방과 난방 기능을 겸하는 방식임.
가스 냉:장고【一冷藏庫】〔gas〕명 가스를 연소(燃燒)시켜서 냉각 장치를 작동(作動)시키는 냉장고. 발생기(發生器) 안의 암모니아 수용액(水溶液)을 버너로 가열한 후, 압축 액화(液化)된 암모니아를 저압으로 하여 가스로 증발할 때, 주위에서 증발열을 빼앗아 주위의 온도가 내려가는 원리를 이용한 것임.
가스-대[1]【一帶】명〔gas zone〕〖지〗지표(地表)에서 가스가 밀려 나온 경우에, 그 가스를 방출하는 데 충분한 압력을 가지고 있는 가스 함유

암석층(岩石層).

가스-대²【一臺】〔gas〕 명 가스 풍로를 올려 놓는 받침. 또, 가스 풍로를 부착하여 놓은 받침.

가스 대:사【一代謝】〔gas〕 명 『생』 가스 교환(交換).

가스 도:관【一導管】〔gas〕 명 가스관(管).

가스 돌출【一突出】 명 〔outburst〕 『광』 탄광의 막장으로부터, 주로 메탄 가스로 이루어지는 가스가 갑자기 발생하는 일. 종종, 탄진(炭塵)을 수반함.

가스들이 케이블 명 〔gas-filled cable〕 『전』 가스가 들어 있는 케이블. 가스가 절연체·방습제(防濕劑)로서의 기능을 할 수 있도록 압력이 가해져 있음.

가스-등【一燈】〔gas〕 명 석탄 가스 따위를 도관(導管)으로 통하여 점등하는 등. 파르스름한 불빛을 냄. 가스 램프(gas lamp). 와사등(瓦斯燈).

가스라기 명 〈방〉 가시랭이.

가스 라이터〔gas lighter〕 명 ①가스 풍로·가스 스토브 등을 점화하기 위한 기구. 가스 점화기(點火器). ②액화(液化) 가스를 연료로 하여 담배에 불을 붙이는 라이터.

가스라이트-지【一紙】 명 〔gaslight paper〕 염화은(塩化銀)을 주제(主劑)로 하는 사진 유제(乳劑)를 칠한 인화지(印畫紙). 감광도(感光度)가 낮으므로 밀착(密着)에 사용함. 1881년 발명 당시 가스등(燈)으로 인화하였기 때문에 이 이름이 붙음.

가스랑-비 명 〈방〉 가랑비(경북).

가스랑이 명 ☞ 가시랭이.

가스 램프〔gas lamp〕 명 가스등(gas 燈).

가스량-계【一量計】 명 〔gas meter〕 가스 계량기.

가스러-지다 자 ①성질이 순하지 못하고 거칠어지다.¶ 별제가 가스러져서 와서(瓦署) 기와는 나라 기와이지 우의정댁 기와가 아니라고 호령을 통통히 합디다《洪命憙 : 林巨正》. ②잔털이 거칠게 일어나다.¶ 20년의 세월이 사람과 짐승을 함께 늙게 하였다. 가스러진 목 뒤털은 주인의 머리털과도 같이 바스러지고, …《李孝石 : 메밀꽃 필 무렵》. 1)·2): <거스러지다.

가스 레인지〔gas range〕 명 연료용 가스를 사용하는, 여러 개의 풍로 또는 여러 개의 풍로와 오븐(oven)을 짝지은 조리용 가스대(臺).

가스 렌즈〔gas lens〕 명 공기와 유리의 굴절률을 이용한 보통 렌즈에 대하여, 농도(濃度)가 다른 두 가지 가스를 접촉(接觸)시켜 그 경계면(境界面)이 렌즈의 구실을 하도록 하는 장치.

가스-로【一爐】〔gas〕 명 『화』 가스를 태워 높은 열을 내게 하여 도가니를 달구는 노(爐). 화학 실험이나 시금술(試金術)에서 쓰임.

가스리 명 〈방〉 숲(함경).

가스 마스크〔gas mask〕 명 유독(有毒) 가스·연기 등이 호흡기나 눈에 들어가는 것을 막기 위하여 쓰는 마스크. 마스크 아래쪽에 독가스 흡수용의 약품을 넣은 용기가 있음. 방독면(防毒面). 방독 마스크.

가스 맨틀〔gas mantle〕 명 가스등(燈)의 점화구(點火口)에 씌우는 그물 모양의 통. 연소한 가스의 열에 의하여 빛을 발함. 백열투(白熱套).

가스 멸균【一滅菌】 명 〔gas sterilization〕 포름알데히드·에틸렌옥시드·β-프로피올락톤 등의 가스상(狀) 살균제로 멸균하는 일. 열이나 액체에 불안정한 물건의 소독·멸균에 알맞음.

가스미 명 〈방〉 가슴.

가스미가우라 호【一湖】〔霞ヶ浦:かすみがうら〕 명 『지』 일본 이바라키 현(茨城縣) 남동부의 해적호(海跡湖). 일본 2대호의 하나. [189 km²]

가스 미터〔gas meter〕 명 가스 계량기(計量器).

가스 발동기【一發動器】〔gas〕 [一똥一] 명 『공』 가스 기관(機關).

가스 발생기【一發生器】〔gas〕 [一쌩一] 명 『공』 석탄·코크스·목탄·나무 등의 고체 연료를 불완전 연소시켜 일산화 탄소(一酸化炭素)를 주성분으로 하는 가연성(可燃性) 가스를 발생하게 하는 소형의 장치. 발생로(發生爐)·냉각기·청정기(淸淨器) 등으로 이루어짐. 가스 기관 등에 장치함.

가스 발생로【一發生爐】〔gas〕 [一쌩노] 명 『공』 코크스·석탄·숯 등의 탄소질(炭素質) 고체 연료를 불완전 연소시켜, 일산화 탄소·질소 따위를 주성분으로 하는 저발열량(低發熱量)의 공업용 연료 가스를 제조하는 노(爐). ＊발생로 가스.

가스 방:사기【一放射機】〔gas〕 명 〔chemical spray〕 『군』 독가스 또는 공중에 연막(煙幕)을 치기 위하여 액상(液狀) 가스를 공중으로 살포하는 장치.

가스방:전【一放電】〔gas〕 명 기체 방전.

가스 방:출【一放出】 명 〔outgassing〕 『공』 진공관이나 그 밖의 진공 장치로부터, 보통, 가열에 의해서 흡수(吸收) 가스·수증기를 방출하는 일.

가스 버:너〔gas burner〕 명 버너의 한 가지. 연료 가스를 가는 구멍으로부터 내보내고, 공기 구멍으로 적당한 양의 공기를 넣어 잘 혼합시켜서 완전 연소하게 함. 분젠(Bunsen) 버너·테클루(Teclu) 버너·메커(Meker) 버너 등이 있음.

테클루 버너 · 공기구멍 · 노즐 · 분젠 버너 · 메커 버너

〈가스 버너〉

가스 보일러〔gas boiler〕 명 가스를 연료로 물을 끓이는 보일러.

가스-봄베〔도 Gasbombe〕 명 고압 가스나 액화(液化) 가스 등을 넣는 강철제의 원통 용기.

가스 분석【一分析】〔gas〕 명 『화』 기체 분석.

가스 블랙〔gas black〕 명 『화』 천연 가스의 부분 연소 또는 열분해에 의해서 생기는 탄소(炭素)의 미세한 입자. 타이어 따위 고무 제품의 보강(補強)에 쓰임.

가스-사【一絲】〔gas〕 명 가스실¹.

가스 사이클론〔gas cyclone〕 명 와류 기체(渦流氣體)의 원심력을 이용하여 기체 속에 부유하고 있는 미세한 고체 입자를 분리하는 기계. 집진기(集塵機) 등에 이용됨. ＊사이클론❷.

가스 산:란【一散亂】 [一살一] 명 〔gas scattering〕 『전자』 진공관 안의 잔류(殘留) 가스에 의한, 전자나 그 밖의 입자 빔의 산란.

가스상 성운【一狀星雲】〔gas〕 명 『천』 가스 성운.

가스새 명 〈방〉 설거지.

가스 색전증【一塞栓症】〔gas〕 [一쯩] 명 『의』 잠수부병(潛水夫病) 등에서 볼 수 있는 것으로, 가스가 색전(塞栓)이 되어 일어나는 색전증. 고기압 속에서 작업할 때에는 평상시보다 다량의 가스가 혈액 속에 용해되는데, 이것이 평압(平壓) 밑에서는 급격히 기포(氣泡)가 되는 것임. ＊기생체(寄生體) 색전증.

가스 성무【一星霧】〔gas〕 명 『천』 가스 성운(星雲).

가스성운【一星雲】〔gas〕 명 〔gaseous nebula〕 『천』 주로 기체(氣體)로 이루어진 은하계내(銀河系內) 성운의 총칭. 수소·헬륨·산소 또는 그 밖의 중성 원자(中性原子)·전리(電離) 이온 등의 특유한 휘선(輝線) 스펙트럼을 나타냄. 행성상(行星狀) 성운·산광(散光) 성운·암흑(暗黑) 성운 따위를 포함하며, 중심부에 있는 항성(恒星)에서 나오는 자외선(紫外線)을 받아 빛을 발함. 가스상 성운. 가스 성무(星霧).

가스 세:정【一洗淨】 명 〔gas scrubbing〕 『화』 액체의 작용을 이용해서, 가스로부터 가스상(狀)·액상(液狀)·고체 입자상(粒子狀)의 불순물을 제거하는 일. 가스가 그 액체에 접촉하면, 용해 또는 화학적 결합에 의하여 불순물이 제거됨.

가스 세:정병【一洗淨甁】〔gas〕 명 『물』 가스 속에 있는 불순물을 제거(除去)하기 위한 병. 세정액(洗淨液) 속에 잠긴 관(管)으로 가스를 넣으면 불순물이 제거되어 한쪽 관으로 순수한 가스가 나오게 되어 있음.

농황산

〈가스 세정병〉

가스 수소화물【一水素化物】 명 〔gaseous hydride〕 『화』 기체 수소화물.

가스 스토:브〔gas stove〕 명 가스 난로(gas 煖爐).

가스-실¹ 명 〔gassed yarn〕 주란사실. ㈜가스.

가스-실²【一室】〔gas〕 명 ①『군』 독가스에 대비하여 방독면을 쓰는 훈련 등을 시키기 위하여 흔히 최루성 가스를 살포한 방. ②독가스로 사형수(死刑囚)를 처형하는 방.

가스 압접【一壓接】〔gas〕 명 『공』 압접법(壓接法)의 한 가지. 산소 아세틸렌염(acetylene 炎)을 가열원(加熱源)으로 하여, 가열 중에 2.5-3 cm²/kg의 압력을 줄곧 가해서 용접시키는 방법.

가스-애비 명 〈방〉 장인(丈人)(함남).

가스-액【一液】〔gas〕 명 『화』 석탄을 건류(乾溜)하여 생긴 석탄 가스를 냉각(冷却)·응축(凝縮)할 때 생기는 수용액. 암모니아를 함유하고 있으므로 회수(回收)하여 황산 암모늄을 만드는 데 사용하는 외에, 미량(微量)으로 포함되어 있는 게르마늄·페놀·피리딘 등을 회수(回收)하는 데도 쓰임.

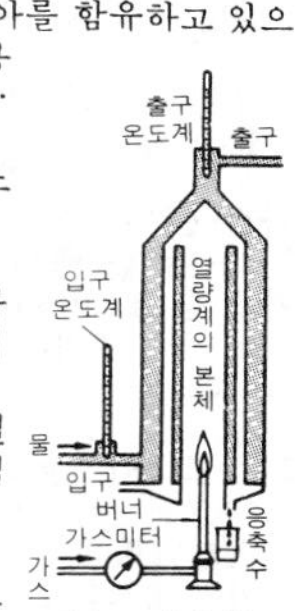

〈가스 열량계〉

가스 엑스선관【一X線管】〔gas〕 명 『물』 이온 엑스선관.

가스 엔진〔gas engine〕 명 『공』 가스 기관(機關).

가스 연료【一燃料】〔gas〕 [一열一] 명 가스 난로·가스 발동기 같은 데에 쓰는 연료. 불이 잘 붙고 연기가 아니 남. 기체 연료(氣體燃料).

가스 열량계【一熱量計】〔gas〕 명 기체 연료의 발열량(發熱量)을 측정하기 위한 열량계. 보통, 융커스식(Junkers式) 열량계를 사용함.

가스 오일〔gas oil〕 명 석유 경유(石油輕油).

가스 온도계【一溫度計】〔gas〕 명 『물』 기체 온도계.

가스 용접법【一鎔接法】〔gas〕 명 『공』 산소 및 아세틸렌(acetylene) 가스를 연소시켜 생긴 고열(高熱)로 이을 곳을 가열 용융(熔融)하거나 또는 용접봉(鎔接棒)을 녹여 용접하는 방법.

가스 용:출【一湧出】 명 〔gas emission〕 『광』 채탄(採炭) 막장에 탄층(炭層) 속의 가스가 나오는 현상.

가스 원:심 분리법【一遠心分離法】 [一불一뻡] 명 기체 원심 분리법.

가스 이:용식 총【一利用式銃】 명 〔gas gun〕 『군』 주로 가스에 의해서 작동하는 자동총. 탄환의 발사에 의한 가스압(壓)의 일부를, 피스톤 실린더 장치에 작용시켜서 작동함.

가스 자재【一資材】 명 〔gas munition〕 『군』 전쟁용 가스를 넣은 폭탄이나 발사체(發射體)·병·통과 같은 병기(兵器) 자재.

가스 저:장법【一貯藏法】〔gas〕 [一뻡] 명 식품을 이산화 탄소나 질소 가스 중에 저장하는 방법.

가스-전【一田】 명 〔gas field〕 천연 가스를 산출하는 지역. 또, 천연 가스 광상(鑛床)이 있는 지역.

가스 전:구【一電球】 명 〔gas-filled bulb〕 전구 내부에 질소(窒素)·아르곤 등의 불활성(不活性) 가스를 넣은 전구. 필라멘트가 고온이 되어도 승화되지 아니하므로 진공인 것보다 효율이 좋음.

가스 전:류【一電流】 [一절一] 명 〔gas current〕 『전자』 전자관 안의 잔류(殘留) 가스 입자와 전자의 충돌로 생성되는 양(陽)이온 전류.

가스 전:지【一電池】〔gas〕 명 기체 전지(氣體電池).

가스 절단【一切斷】 [一딴] 명 〔gas cutting〕 『야금』 산소 아세틸렌염(炎)의 열로 금속을 절단하는 일.

가스 점:화기【一點火器】〔gas〕 명 가스 기구에 점화시키기 위한 기구.

가스 라이터.
가스-정【—井】명〔gas well〕가스층(層)으로부터 천연 가스를 추출하기 위하여 파는 갱정(坑井).
가스 중독【—中毒】〔gas〕명 이산화 탄소(二酸化炭素)·일산화 탄소(一酸化炭素)·일산화 질소(一酸化窒素)·황화 수소(黃化水素) 등의 유독성 가스를 마심으로써 일어나는 중독. 두통(頭痛)·현기증 따위를 일으키고, 인사 불성(人事不省)이 되며, 심하면 죽는 일도 있음. ¶ 연탄 ～.
가스 증배【—增倍】명〖전자〗기체 증배.
가스 증폭률【—增幅率】〔gas〕〔—뉼〕명 기체 증폭률.
가스 지지미〔gas+일 ちぢみ〕명 주란사실로 짠 쭈글쭈글한 직물(織物).
가스-직【—織】〔gas〕명 주란사(紗).
가스-징【—徵】〔gas〕명 땅속이나 바다 밑에 천연 가스가 부존하고 있음을 나타내는 징후. 지하의 가스 광상(鑛床)에서 가스가 새어나와 지표면의 논·연못·우물 등으로 솟아나오는 경우 등 가스징은 석유의 부존을 암시하기 때문에 유징(油徵)에 준하여 취급하는 경우가 많음.
가스 착화【—着火】명〔gas ignition〕〖광〗탄광에서, 축적된 폭발성 가스에 불이 붙는 일.
가스 청정【—淸淨】명〔gas cleaning〕〖공〗도시 가스·공업 가스로부터 불순물·오염물 따위를 제거하는 일.
가스-체【—體】〔gas〕명 기체(氣體).
가스-총【—銃】〔gas〕명 ①액화 이산화 탄소가 기화할 때 생기는 힘을 이용하여 총탄을 발사하는 총. ②최루탄 따위를 발사하기 위한 총.
가스 총유탄【—銃榴彈】〔—뉴—〕명〔gas grenade〕〖군〗전쟁용 가스를 발생하도록 설계된 화학(化學) 총유탄의 통칭. 보통, 최루(催淚) 가스나 자극성 가스가 쓰임.
가스-층【—層】명 ①〔gas reservoir〕〖지〗천연 가스가 모인 부분. 지각(地殼)에서, 원유(原油)의 집적층(集積層)과 함께 또는 그 근처에서 발견됨. ②〔firedamp layer〕〖광〗갱도의 천반(天盤) 아래에 괸 가스의 층. 통기가 불충분하고, 가스의 회석이나 제거가 잘 안 되어 생김.
가스 카:본〔gas carbon〕명〖화〗석탄 가스를 만들 때, 가스의 일부가 열의 작용에 의하여 분해되어 레토르트(retort) 안에 고착(固着)되는, 거의 순수한 탄소. 전극으로 쓰임. 가스탄(炭). 레토르트 카본.
가스코뉴〔Gascogne〕명〖지〗프랑스의 서남단, 대서양 연안으로부터 랑그도크(Languedoc)까지의 사이의 지방. 중세까지는 비옥한 평야였던 것 같으나, 현재는 모래에 덮인 불모지(不毛地)가 많음. 산간 지대(山間地帶)에는 옛날의 관습이 보존되고 있으며, 방언(方言)은 특이한 존재로서 주목되고 있음.
가스코뉴 만【—灣】〔Gascogne〕명〖지〗비스케이 만(Biscay 灣).
가스 코:크스〔gas cokes〕명 석탄의 고온(高溫) 건류(乾溜)로 석탄 가스를 만들 때, 따라 생기는 코크스.
가스 크로마토그래피〔gas chromatography〕명〖화〗여러 성분이 혼합된 시료(試料)를 분석하는 방법. 소량(少量)의 기체나 액체 시료를 가스 상태로 하여 캐리어 가스를 써서 분리관내(分離管內)를 통과시켜 각 성분으로 분리, 이들을 검출하여 정성(定性) 분석, 정량(定量) 분석을 함. 석유·향료 등의 성분, 미량의 염소계(塩素系) 농약 등의 분석 등에 많이 이용되고 있음. 기상(氣相) 크로마토그래피.
가스-탄[1]【—炭】〔gas〕명〖화〗가스 카본(gas carbon).
가스-탄[2]【—彈】〔gas〕명〖군〗↗독가스탄(毒gas彈).
가스 탱크〔gas tank〕명 도시 가스나 화학 공업용의 원료 가스를 저장해 두는 장치. 보통, 원기둥꼴이나 공 모양의 큰 통(桶)으로 됨.
가스 터:빈〔gas turbine〕명〖물〗회전식 내연 기관(回轉式內燃機關)의 한 가지. 압축 공기에 연료를 혼합 연소시켜, 거기서 생긴 고온 고압(高溫高壓)의 가스로 터빈을 회전시키는 엔진. 고속(高速) 회전하므로 효율이 높음. 제트 엔진(jet engine)이 그 대표적인 예임.

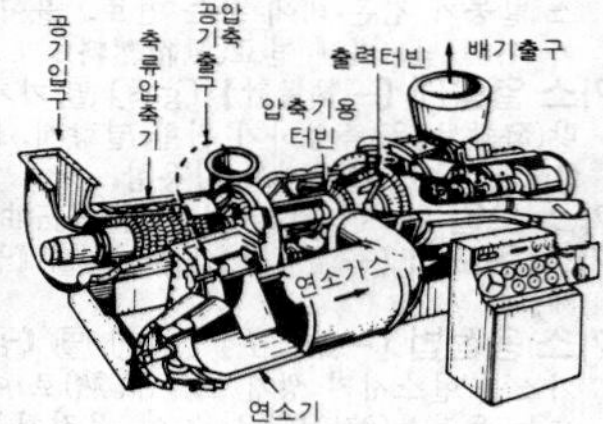

〈가스 터빈〉

가스 터:빈 기관차【—機關車】〔gas turbine〕명 가스 터빈으로 발전기를 돌리고 거기서 발생하는 전력으로 전동기(電動機)를 회전시키는 기관차. 연료로는 중유(重油)나 미분탄(微粉炭)을 사용함.
가스 터:빈 발전【—發電】〔gas turbine〕〔—쩐〕명 가스 터빈을 원동기로 이용하는 발전. 천연 가스 등을 연소·분사시켜 발전용 터빈을 돌리는 방식임.
가스 테이블〔gas table〕명 여러 개의 가스 풍로를 짝지어서 하나로 만든 것. 받침 위에 놓고 사용함.
가스 통기공【—通氣孔】명〔gas vent〕〖공〗가스가 방출되는 관(管)이나 구멍.
가스트로-스코:프〔gastroscope〕명〖의〗위경(胃鏡).
가스트로-카메라〔gastrocamera〕명〖의〗위(胃) 카메라.
가스트리노마〔gastrinoma〕명〖의〗췌장 종양(膵臟腫瘍)에 의한 가스트린 분비 과다에 기인(起因)하는 다발성(多發性) 위궤양.
가스트린〔gastrin〕명〖생화학〗위의 유문부 점막(幽門部粘膜)에서 분비되는 소화관 호르몬. 혈액에 들어갔다가 다시 위에 작용하여 강한 염산(塩酸) 분비와 약한 펩신 분비를 촉진함.
가스 파이프〔gas pipe〕명 가스관(管).
가스 패킹〔gas packing〕명〖공〗식품과 같은 재료의 변질을 막기 위하여, 산소 이외의 가스를 넣어 밀봉(密封)하는 일.
가스 포켓〔gas pocket〕명〖지〗가스로 채워진 암석(岩石) 가운데의 공동(空洞). 특히, 석유(石油) 포켓의 위에 있는 것을 일컬음.
가스 폭발【—爆發】명〔gas explosion〕〖광〗①탄광에서, 메탄 가스 등의 폭발성 가스에 의한 폭발 사고로서, 탄진(炭塵)은 표면상 주요한 구실을 하지 않을 경우. ②가연성(可燃性) 가스와 공기의 혼합 기체의 폭발.
가스 폭탄【—爆彈】〔gas〕명〖군〗독가스와 작약(炸藥)을 함께 충전(充塡)한 폭탄.
가스 풍로【—風爐】〔gas〕〔—노〕명 석탄 가스·천연(天然) 가스 등을 연료로 하는 풍로.

〈가스 풍로〉

가스 한란계【—寒暖計】〔gas〕〔—할—〕명 기체 온도계.
가스 화학 공업【—化學工業】〔gas〕명 천연 가스의 반응(反應) 과정을 주체로 하는 화학 공업의 한 분야.
가스 확산법【—擴散法】〔—뻡〕명 기체 확산법.
가스 회:사【—會社】〔gas〕명 석탄 가스·천연 가스 등의 연료용 가스를 땅 속에 묻은 파이프로 각 수요가(家)에게 공급하여 주는 회사.
가스 히:터〔gas heater〕명 연료 가스를 사용하는 난방기.
가슬 명〈방〉가을(전라·경상·함경·평북·제주).
가슬-가슬 부 ①성질이 까다로워서 온순하지 아니한 모양. ②살결이 거친 모양. ¶ ～한 손. ③베옷이나 어떤 물건의 거죽이 매끄럽지 아니하고 촉감에 거슬리는 모양. 1)-3): 쓰까슬까슬. <거슬거슬. ——하다 형 여불.
가슬개 명〈방〉가을(강원).
가슬-령【嘉瑟嶺】명〖지〗경상 남도 울산(蔚山) 광역시 언양읍(彦陽邑) 동북쪽에 있는 재. 임진 왜란(壬辰倭亂) 때, 언양·청도(淸道)의 뜻있는 사람들이 지방민을 데리고 이 재에서 싸워 왜적을 막아 낸 곳으로 유명함.
가슬-하다 자타 〈방〉가을하다(전남·제주).
가슴[1] 명 ①〖생〗척추 동물(脊椎動物), 특히 포유류의 몸통의 앞쪽 상반부. 배와 목 사이에 있는 부분으로, 좌우에 상지(上肢)가 있고, 심장(心臟)·폐(肺)·유방(乳房) 등을 갖추며, 쇄골(鎖骨)·검상 돌기(劍狀突起)로 싸였음. ②〖동〗결지(節肢) 동물, 특히 곤충의 머리·배가 아닌 부분. ③마음❺. ¶ ～이 뭉클하다/～이 설레다. ④심장 또는 폐. ¶ ～이 두근거리다/～을 앓다. ⑤옷의 가슴에 해당하는 부분. 옷가슴.
가슴(이) 벅차다 구 기쁨·영예 또는 자부심 등으로 가슴이 가득 차서 넘칠 듯하다.
가슴(이) 뿌듯하다 구 만족감이 가슴에 그득하여 흐뭇하다.
가슴(이) 설레다 구 기쁨·기대 또는 불안 등으로, 가슴이 두근거리다.
가슴(이) 아프다 구 마음이 몹시 쓰리다. ¶ 가슴 아픈 사연.
가슴에 맺히다 구 통절한 원한이나 근심 따위가 가슴에 꽉 차다. ¶ 근심이 가슴에 맺혀서 웃끈이 자연 늦어지는 터이언마는《崔瓚植: 秋月色》.
가슴에 못박다 구 마음 속에 상처를 입히다.
가슴에 불이 붙다 구 마음 속으로 고민하여 감동이 격해져서, 가슴이 뜨거워지는 것같이 느껴지다.
가슴에 손을 얹다 구 마음을 가라앉히고 조용히 생각하기 위하여, 양손을 가슴에 대다.
가슴을 불태우다 구 의욕이나 기세가 몹시 끓어 오르게 하다.
가슴을 앓다 구 뜻대로 되지 않아 마음의 고통을 느끼다.
가슴을 에:다 구 마음이 몹시 쓰리고 아프다.
가슴을 쥐어뜯다 구 답답하거나 억울하여 가슴을 뜯다시피 분하게 여기다.
가슴을 짓찧다 구 마음에 심한 고통을 받다.
가슴을 치다 구 답답하거나 억울하여 가슴을 두드리다.
가슴을 태우다 구 몹시 애태우다.
가슴을 헤쳐 놓다 구 마음 속의 생각을 거리낌없이 다 털어놓다.
가슴이 내려앉다 구 ㉠몹시 놀라거나 위태로운 일 등으로 맥이 풀리다. ㉡몹시 슬퍼서 가슴이 무너지는 듯하다.
가슴이 덜컥하다 구 가슴이 내려앉다㉠.
가슴이 두 근 반 세 근 반 한다 구 불안 따위로 '가슴이 두근두근한다'를 익살스럽게 이르는 말. 가슴이 두 방망이질을 한다.
가슴이 뜨끔하다 구 어떤 충격을 받아 마음이 깜짝 놀라거나 몹시 질리다.
가슴이 막히다 구 슬픔·괴로움·감동 등이 치밀어 올라, 가슴이 메어지는 듯이 느끼다.
가슴이 미어지다 구 슬픔·감동·고통 등으로 가슴이 터지는 듯하다.
가슴이 뻐근하다 구 걱정이나 한탄 따위로 가슴이 메어져서, 뿌듯하고 아픈 느낌이다.
가슴이 뿌듯하다 구 매우 만족스러워 흐뭇하다.
가슴이 섬뜩하다 구 몹시 놀라서 무섭거나 두려운 느낌이 들다.
가슴이 찔리다 구 양심의 가책을 받거나 느끼다.
가슴이 찢어지다 구 슬픔·괴로움·미움·분함 등이 커서, 가슴이 째지는 듯한 고통을 느끼다. ¶ 가슴이 천 갈래 만 갈래로 찢어지는 아픔.
가슴이 철렁하다 구 가슴이 내려앉다㉠.
가슴이 타다 구 마음 속으로 고민하여 가슴이 뜨거워지는 것같이 느껴지다.
가슴이 터:지다 구 슬픔·괴로움·미움·분함 따위가 커서 가슴이 미어지는 듯한 고통을 느끼다. ¶ 그 말을 들으매 기가 막히고 가슴이 터져서 어찌할 줄을 모르는 중《崔瓚植: 雁의 聲》.
가슴이 후련하다 구 뜻대로 되어 막혔던 것이 뚫리듯 마음이 시원하다.
가슴[2] 명〈방〉갑[2]❶(전남·경북).
가슴-걸이 명 ①말의 가슴에 걸어 안장에 매는 가죽 끈. ②〖농〗소의 가슴에 걸어 멍에에 매는 끈.
가슴검은-도요 명〖조〗[*Pluvialis dominicus*] 도욧과에 속하는 새. 날

개 길이 165mm, 꽁지 60mm, 부리 23mm 가량임. 몸빛은 등은 흑갈색에 약간의 흰 얼룩점이 섞이고, 가슴과 배는 검되 겨울에는 흰빛으로 변함. 부리는 검고 다리는 푸른 회색인데 며느리발톱이 없음. 아시아 동북부에서 번식하고, 가을에 한국·일본·만주·중국·인도·오스트레일리아 등지에서 월동함. 한국에서는 금렵조(禁獵鳥)임.

〈가슴검은도요〉

가슴-관【一管】명〔thoracic duct〕〖생〗파충류(爬蟲類) 이상의 척추동물에서 볼 수 있는 림프관(lymph管)의 본간(本幹). 양쪽 사타구니에서 온 림프관이 대혈관(大血管)을 따라 올라와, 복부(腹部)에서 좌우(左右)가 합하여 굵은 가슴관이 되어 다시 올라와 흉부(胸部) 위쪽에서 대정맥(大靜脈)과 합함. 흉관(胸管).

가슴-다리 명〖동〗절지(節肢) 동물의 가슴마디에 달린 다리. 대개 기어 다니는 데 쓰임. 흉각(胸脚). 흉지(胸肢).

가슴-동〔一똥〕명 '가슴통'의 뜻으로, 활터에서 쓰는 말.

가슴-둘레 명 몸의 가슴과 등을 잰 몸통의 둘레. 흉위(胸圍).

가슴-등뼈 명〖생〗경추(頸椎)와 요추(腰椎) 사이의 척추(脊椎)의 한 부분. 8번째 추골(椎骨)에서부터 20번째까지 열 두 개의 추골임. 이 부분의 추골은 늑골과 관절에 의하여 접속하는 점이 특징임. 흉추(胸椎).

가슴-마디 명〖동〗절지(節肢) 동물의 가슴 부분의 몸의 마디. 흉절(胸節).

가슴-배기 명〈방〉가슴패기(전북).

가슴-빡 명〈방〉가슴팍(전남).

가슴-뼈 명〔breast bone〕〖생〗흉곽(胸廓)의 앞 쪽 한복판에 있어 좌우 늑골(肋骨)과 연접(連接)하여 흉곽의 앞 벽(壁)을 구성하는 뼈. 흉골(胸骨).

가슴-살〔一쌀〕명 가슴에 붙은 살.

가슴-샘 명〖생〗흉선(胸腺).

가슴-소리〔一쏘一〕명〖악〗주로 흉강(胸腔)에 공명(共鳴)시키어 내는 비교적 낮은 음역의 소리. 흉성(胸聲).

가슴-속〔一쏙〕명 ①가슴의 속. ¶ ~이 쓰리고 아프다. ②마음속. 흉중(胸中). ¶ ~을 털어놓다.

가슴-숨 명 ↗가슴 숨쉬기.

가슴 숨:쉬기 명 흉식 호흡(胸式呼吸). 준가슴숨. ↔배숨쉬기.

가슴-아피 명〈방〉가슴앓이.

가슴-알:다 타〈방〉가말다(강원).

가슴-앓이〔一알一〕명 가슴 속이 켕기고 쓰리며 아픈 병. 흉복통(胸腹痛).

가슴 운:동【一運動】명 주로 가슴을 뒤로 젖히는 운동. 가슴의 발달과 가슴등뼈 부분의 자세(姿勢)를 바르게 함을 목적함.

가슴-지느러미 명〖어〗물고기의 가슴에 붙은 지느러미. 전진(前進) 운동에 쓰임. 흉기(胸鰭). 협기(頰鰭).

가슴츠레 부 졸리어 눈이 흐릿하고 자꾸 눈이 감길 듯한 모양. 졸리거나 술에 취하여 눈에 정기가 없는 모양. <거슴츠레. ──하다 형여불

가슴-통 명 ①가슴의 앞쪽 전부. ¶ ~이 넓다. ②가슴둘레의 크기.

가슴-팍 명〈속〉가슴패기.

가슴-패기 명〈속〉가슴.

가슴푸레-하다 형여불 ☞가슴츠레하다.

가슴 호흡【一呼吸】명 흉식 호흡.

가습-기【加濕器】명 수증기를 내어 방 안의 습도를 올리는 전기 기구.

가승[1]【加升】명〖역〗세곡(稅穀)을 징수할 때, 축날 것을 예상하여 한 섬에 석 되씩 더 받던 일. ──하다 자여불

가승[2]【家升】명〖역〗식승(食升).

가승[3]【家乘】명 한 집안의 사승(史乘). 한 집안의 기록으로서 족보·문집 등을 이름.

가승[4]【家蠅】명〖충〗집파리.

가:승[5]【假僧】명〖불교〗거짓 중.

가:-승전색【假承傳色】명〖역〗임시로 임명한 승전색(承傳色).

가:-승지【假承旨】명〖역〗임시로 임용한 승지.

가싀 명〈옛〉가시[1]. =가싀 ¶ 훈손에 막디 잡고 또 훈손에 가싀 쥐고「《永言》.

가싀다 자〈옛〉가시다. 변하다. =가싀다. ¶ 님 向훈 一片丹心이야 가싈 줄이 이시랴《永言》.

가싀엄 명〈옛〉장모(丈母). ¶ 가싀엄이 뵈는 네도롤 뭇고(拜姑禮畢)《飜小 Ⅸ:59》.

가시[1] 명 ①〖식〗식물의 줄기나 잎에 바늘 모양으로 뾰족하게 돋아난 부분. 식물이 제 몸을 보호하기 위하여 가지나 잎의 전체 또는 일부분이 변태한 것임. 극침(棘針). 침(針). ¶ 장미의 ~. ②물체나 동물의 표면에 가늘고 빳빳하게 돋아난 것. ¶ 철조망의 ~ / 고슴도치의 ~. ③물고기의 잔뼈. ¶ 목에 ~가 걸리다. ④미운 사람의 비유. ¶ 눈엣~. ⑤나무나 대 또는 자리 같은 것의 가늘고 뾰족한 거스러미가 살에 박혔을 때의 일컬음. ¶ 손가락에 ~가 박히다. ⑥사람의 마음을 찌르는 것. ¶ ~ 돋친 말.

가시(가) 돋치다 구 남의 감정을 자극하는 심술궂음이 내포되어 있다.

가시(가) 박히다 구 말 속에 악의(惡意)가 있다.

가시 먹은 것 같다 구 남에게 받거나 얻어먹은 것이 마음에 걸려 꺼림칙하다.

가시(가) 세:다 구 앙칼지고 고집이 세다.

가시[2] 명 음식물에 생긴 구더기. ¶ 된장에 ~가 생기다.

가시[3] 명 ①가시나무의 열매. 도토리 비슷함. ②〈방〉도토리.

가시[4] 명〈옛〉계집. ¶ 俗號姬妾爲加氏《睿宗實錄》.

가:시[5]【可視】명 볼 수 있음. ¶ ~ 광선(光線)/~ 거리.

가시[6]【佳詩】명 아름답게 잘 지은 시가(詩歌).

가:시[7]【假時】명〖불교〗어느 날, 어느 시간과 같은 가정한 시일. 삼마야(三摩耶).

가시[8]【歌詩】명 노래와 시. 시가(詩歌).

가시[9]〈옛〉아내이-. '갓[6]'의 서술격형. ¶ 妻는 가시라《月釋 Ⅰ:12》.

가시-가자미 명〖어〗〔*Acanthopsetta nadeshnyi*〕붕넙칫과에 속하는 바닷물고기. 중형(中型)의 가자미로, 뒷지느러미 앞에 강대한 가시가 앞쪽을 향하여 있음. 옆줄은 가슴지느러미 위쪽에서 반월형(半月形)으로 만곡되어 있으며, 주둥이와 눈 위쪽에 많은 비늘이 있음. 한국 동해안 북부 일대에 많이 나며, 오호츠크 해(海)·일본에 분포함. 식용함.

가시개 명〈방〉가위[1](전남·경상).

가시-개미 명〖충〗〔*Polyrhachis lamellidens*〕개밋과에 속하는 곤충. 일개미는 몸길이 6-8mm이고 몸빛은 흑색, 흉부 및 복병(腹柄)은 암적색, 흉부에는 세 쌍, 복병에는 한 쌍의 가시 모양의 돌기가 있음. 암컷은 몸길이 9-10mm이고 복부만 암적색인데, 수컷은 가시 돌기가 없고 흑색임. 수목의 썩은 부분에 서식하는데, 한국·일본·대만 등에 분포함. 뿔개미.

〈가시개미〉

가:시 거:리【可視距離】명 ①방해를 받지 아니하고 육안으로 볼 수 있는 목표물까지의 수평 거리. ②송신된 전파가 방해를 받지 않고 텔레비전을 수상(受像)할 수 있는 거리. ③자동차를 운전하는 사람이 도로(道路) 전방을 살펴볼 수 있는 거리. 도로 위 1.3m의 높이에서 도로면의 중심선 위에 있는 높이 15cm인 물체의 정점을 볼 수 있는 거리. 준시거(視距).

가시거미-불가사리 명〖동〗〔*Ophiothrix koreana*〕거미불가사리강에 속하는 극피 동물(棘皮動物)의 하나. 중앙반(中央盤)은 원형이며, 직경 1.7cm 가량임. 온 몸에 짧은 가시가 있으며, 복부(輻部)의 순판(楯板)은 감씨 모양임. 배완판(背腕板)은 능형(菱形)이고, 복완판(腹腕板)은 사각형인데, 형태와 색채에 변이(變異)가 심하고 주정(酒精) 표면, 곧 알코올 속에 담갔을 때의 표면은 백색·회색·담홍색임. 깊이 20-350m 바닷속에 서식하는데, 한국·일본·태평양에 분포함. 조선애거머리불가사리.

가시게 명〈방〉가위[1](경북).

가시-고기 명〖어〗〔*Pungitius sinensis*〕큰가시고깃과에 속하는 바닷물고기. 몸길이 5cm 내외의 가는 방추형이고, 꼬리자루는 아주 가늘며, 체측에 작은 비늘판이 있고, 각 가시의 막은 흰빛임. 몸빛은 등 쪽이 암회색이고 배 쪽은 담백색인데, 생식 기간에는 수컷은 아름다운 홍색을 띰. 한국의 동북부와 서북부, 일본 중부 이북에 분포함.

〈가시고기〉

가시-고둥 명〖조개〗〔*Bursa rana*〕가시고둥과에 속하는 연체 동물의 하나. 패각(貝殼)은 방추형(紡錘形)이고 높이 70mm, 직경 50mm 내외이며, 나층(螺層)은 약 9층이고, 표면에는 크고 작은 두 줄의 가시 있는 나맥(螺脈)이 있고 외의 껍질에는 적갈색의 구름무늬가 있음. 한국·중국·일본 등지에 분포함. 옷깃가시고둥.

가시-관【一冠】명〖기독교〗↗가시 면류관.

가:시 광선【可視光線】명〔visible rays〕〖물〗육안(肉眼)으로 볼 수 있는 보통 광선. 파장 범위는 개인차(個人差)가 있으나 하한(下限)은 360-400 나노미터(nm), 상한(上限)은 760-830nm 정도로, 자색(紫色)·남색·청색·녹색·황색·등색·적색의 일곱 가지가 있음. 이보다 파장이 긴 것은 적외선(赤外線), 짧은 것은 자외선(紫外線)임. 준 가시선(可視線). ↔불가시(不可視) 광선.

가시-까치밥나무 명〖식〗〔*Ribes diacantha*〕까치밥나뭇과에 속하는 낙엽 활엽 관목. 줄기에 가시가 나며, 잎은 거꿀달걀꼴임. 자웅 이가(雌雄二家)인데, 봄에 황록색 꽃이 총상(總狀) 화서로 피며, 장과(漿果)는 가을에 홍색으로 익음. 고원(高原)의 숲 속에 나는데, 함경 북도 무산(茂山) 및 만주·시베리아 등지에 분포함. 관상용임.

가시-꺽정이 명〖어〗〔*Ocynectes maschalis*〕둑중갯과에 속하는 바닷물고기. 몸길이 5.5cm 내외이고, 몸빛은 청색을 띤 갈색으로 폭 넓은 갈색 무늬가 있고, 배 쪽은 백색이며, 배지느러미와 뒷지느러미를 제외한 다른 지느러미는 모두 무늬가 밀포되어 있음. 아래턱은 위턱보다 짧음. 한국 및 일본에 분포함.

가시-꽈리 명〖식〗〔*Physaliastrum echinatum*〕가짓과에 속하는 다년초. 줄기 높이 60cm 내외이고, 잎은 쌍생(雙生)하며 유병(有柄)에 넓은 달걀꼴임. 6-8월에 황백색 꽃이 두세 개씩 액출(腋出)하여 피고, 장과(漿果)는 구형(球形)임. 산이나 들에 나는데, 제주·전남의 완도 및 경기·평북 등지에 분포함.

가시나 명〈방〉계집아이(충청·전라·경상).

【가시나 못된 게 과부 중매 선다】제 앞도 못 가리는 주제에 남의 일을 해주려고 덤빈다는 말.

가시-나무 명〖식〗①가시가 있는 나무. ②참나뭇과에 속(屬)하는 돌가시나무·북가시나무·종가시나무·참가시나무 등의 총칭. ③〔*Cyclobalanopsis myrsinaefolia*〕참나뭇과에 속하는 상록 활엽 교목(喬木). 높이 16-20m, 직경 60cm 이상이며, 껍질은 적록색으로 빤빤함. 잎은 호생하고 긴 타원형인데, 표면은 짙은 녹색, 뒷면은 회백색임. 자웅 일가(雌雄一家)로 봄에 황갈색의 단성화가 핌. 견과(堅果)는 '가시'라 하는데, 10월에 익음. 남향(南向)한 골짜기에 나는데, 제주도·일본·중국에 분포함. 내한성(耐寒性)이 강하여 산울타리·방풍수(防風樹)로 심고, 재목이 단단하고 탄력성이 풍부하여 기구재 및 신탄재로 쓰이며 과실은 식용함. 가시목. 면저(麪櫧). 첨저(甛櫧). ④민둥인가목.

〈가시나무❸〉

【가시나무에 가시가 난다】 원인이 있으면 으레 결과가 있는 법이니 특출한 행동을 하기 어려운 것에 비유하는 말.

가시나무에 연줄 걸리듯 㐃 ㉠인정에 걸려 어쩌지도 못하는 모양. ㉡친척 인척 관계가 얼키설키 걸려 있는 모양.

가시나이 명 〈방〉 계집아이(경북).

가시-납지리 명 〖어〗 [*Acanthorhodeus gracilis*] 잉어과에 속하는 민물고기. 몸길이 7-12cm 가량에, 입은 작고 입수염이 없음. 몸빛은 은빛에 등은 감람색인데, 몸의 후부 측면에 청색 세로띠가 있음. 등지느러미에는 담색 점과 암색 점의 종렬(縱列)이 번갈아 있음. 수컷은 성숙하면 뒷지느러미 하연(下緣)이 흑색으로 됨. 한강·영산강·금강 수계(水系)에 분포함.

가시낭 명 〈방〉 〖식〗 가시나무(제주).

가시-낭구 명 〈방〉 〖식〗 가시나무(전역).

가시-낭그 명 〈방〉 〖식〗 가시나무(전역).

가시내 명 〈방〉 계집아이(전라·경상).

가시네 명 〈방〉 계집아이(전남).

가시-눈 명 가시돋친 눈. 남의 감정을 자극하는 심술궂은 시선(視線).

가시다 ㊀ 자 변하여 없어지거나 달라지다. ¶ 얼굴의 부기(浮氣)가 ~/홍분이 ~. ㊁ 타 깨끗이 씻다. 부시다. ¶ 입 안을 ~/대야를 ~.

가시-덤불 명 ①가시가 많은 덤불. ②가시밭❷.

가시-두더지 명 〖동〗 바늘두더지.

가시-딸기 명 〖식〗 [*Rubus hongnoensis*] 장미과에 속하는 낙엽 활엽 관목. 잎은 우상 복생(羽狀複生)하고 가에 톱니가 있으며, 소엽(小葉)은 넓은 피침형이고 양면에 선점(腺點)이 있음. 6월에 담홍색의 오판화(五瓣花)가 피며, 반구형(半球形) 또는 달걀꼴의 과실군(群)이 가을에 황홍색으로 익음. 잎과 줄기에는 갈색의 털과 가시가 밀생함. 산지에 나는데, 제주도 서귀포의 폭포 근처에 분포함. 과실은 수분이 많으며 식용함.

가시라구 명 〈방〉 가시랭이(전북).

가시라기 명 〈방〉 가시랭이.

가시락 명 〈방〉 가시랭이(제주).

가시랑-비 명 〈방〉 가랑비.

가시랑쿠 명 〈방〉 가시랭이(전북).

가시랑-풀 명 〈방〉 가시랭이(전북).

가시랭이 명 ①초목의 가시의 부스러기. ②〈방〉 까끄라기.

가시-련 【一蓮】 명 〖식〗 '가시연'의 잘못.

가시리¹ 명 〖문〗 고려 가요의 하나. 이별의 노래로서, ≪악장 가사(樂章歌詞)≫에 실려 있음. 귀호곡(歸乎曲).

가시리² 명 〈방〉 〖식〗 가사리.

가시-망둑 명 〖어〗 [*Pseudoblennius cottoides*] 둑중갯과에 속하는 바닷물고기. 몸길이 15cm 가량이고, 몸빛은 회갈색인데, 가슴지느러미에서 꼬리자루 사이에 은백색의 가로띠가 있으며, 가슴지느러미 바로 위에 몇 개의 작은 골상판(骨狀板)이 있음. 연안성(沿岸性) 어종으로, 한국 동남부 연해 및 일본 연해에 분포함. 식용됨.

가시 면:류관 【一冕旒冠】 [一멸一] 명 〖기독교〗 예수가 십자가(十字架)에 못박힐 때 로마 병정이 씌운 가시나무로 만든 관. 자관(刺冠). ㊣가시관.

가시-모메뚜기 명 〖충〗 [*Acantholobus japonicus*] 모메뚜깃과에 속하는 곤충. 몸길이는 날개 끝까지 19-27mm이고 몸빛은 회색 또는 갈색임. 촉각은 복안(複眼) 사이에 있고, 전흉배(前胸背)의 측면 가시는 뒤쪽으로 향하며, 전흉배는 비교적 매끈함. 한국·일본 등지에 분포함.

〈가시모메뚜기〉

가시-목 【一木】 명 〖식〗 가시나무❸. 주의 '加時木'으로 씀은 취음(取音).

가시-물뱀 명 〖동〗 [*Lapemis hardwickii*] 물뱀과에 속하는 독사(毒蛇)의 하나. 몸길이 90cm 가량, 위턱에는 독니 외에 3-6개의 이가 있으며, 비늘에 가시 모양의 돌기가 있음. 몸빛은 황록색이나 녹색이며, 배 부분은 연한 색인데, 몸 표면에 감람색·암회색의 가로무늬가 있음. 중국·필리핀·대만 등지에 분포함.

〈가시물뱀〉

가시미 명 〈방〉 가슴(경상).

가시-방석 【一方席】 명 바늘방석.

가시-밭 [一받] 명 ①가시덤불이 얽히어 있는 곳. ②어렵고 험난한 환경이나 행로(行路)의 비유. 가시덤불.

가시밭-길 명 ①가시밭 속의 험한 길. ②고난이 많은 사업이나 인생의 행로(行路)의 비유.

가시-버시 명 '부부(夫婦)'의 낮춤말. ¶ "명색없이 데리구 살려고 생각했소?" "같이 살면 ~지 어째 명색이 없느냐?" ≪洪命憙: 林巨正≫.

가시-벌레 명 〖충〗 [*Rhadinosa nigrocyanea*] 잎벌렛과에 속하는 곤충. 몸길이 4.5mm 내외이고, 몸빛은 흑색이며, 시초(翅鞘)는 다소 금속 광택이 나는 흑남색임. 촉각 제1절의 배면(背面)에 한 개의 가시가 있고, 전배판(前背板)의 전연각(前緣角)의 변두리와 시초에는 침상(針狀) 돌기가 있음. 한국·일본·만주에 분포함.

가시벼룩-과 【一科】 명 〖충〗 [Dolichopsyllidae] 벼룩목에 속하는 한 과. 벼룩목 중 최대형으로 30여 속이 알려져 있음. *쥐벼룩.

가시-복 명 〖어〗 [*Diodon holacanthus*] 가시복과에 속하는 바닷물고기. 몸길이 40cm 가량이고, 몸은 짧고 굵으며 배를 불리면 밤송이 모양으로 둥글게 됨. 온몸에 센 가시가 있고, 각 가시는 두세 뿌리를 갖춤. 몸빛은 등 쪽이 흑갈색, 배 쪽이 흰빛으로 크고 작은 흑점 혹은 검은 무늬가 있음. 한국 서남부·중부 일본 이남 및 온대와 열대에 널리 분포함.

〈가시복〉

가시복-과 【一科】 명 〖어〗 [Diodontidae] 복어목(目)에 속하는 어류의 한 과. 한국에는 가시복 하나만이 알려져 있음.

가시-복분자딸기 【一覆盆子一】 명 〖식〗 [*Rubus schizostylus*] 장미과에 속하는 낙엽 활엽 관목. 줄기는 땅 위로 벋으며 가시가 많이 났음. 잎은 한두 쌍씩 복생(複生)하며, 앞뒷면에 미모(微毛)가 있음. 봄에 장미색 꽃이 산방(繖房) 화서로 정생(頂生)하여 피고, 과실은 구형(球形)이며 가을에 홍색으로 익음. 해안 지대에 나는데, 제주도에 분포함. 과실은 약용(藥用) 및 식용함.

가시-새¹ 명 〖건〗 벽 속에 가로 대는 나무오리나 댓가지.

가시-새² 명 〈방〉 설거지❶. ——하다 자

가:시-선 【可視線】 명 〖물〗 ↗가시 광선(可視光線).

가시-성 【一城】 명 탱자나무나 장미 등의 가시나무로 한 울타리.

가시-섶 명 가시나무의 땔나무.

가:시 수평선 【可視水平線】 명 육지와 바다, 바다와 하늘 사이를 눈으로 볼 수 있는 분계선.

가:시 스펙트럼 【可視一】 〔spectrum〕 명 〖물〗 가시 광선의 스펙트럼.

가:시 신:호 【可視信號】 명 기(旗)나 신호등(信號燈) 따위로 눈에 보이게 하는 신호. ↔음향 신호(音響信號).

가시-아방 명 〈방〉 장인²(丈人)(경북).

가시-아배 명 〈방〉 장인²(丈人)(경북).

가시-아버지 명 〈방〉 장인²(丈人)(경기).

가시-아비 명 〈비〉 장인²(丈人).

가시-애비 명 〈방〉 장인²(함경).

가시-어미 명 〈비〉 장모¹(丈母).

【가시어미 눈 멀 사위】 제주도 풍습에, 사위가 오면 국을 끓여 주느라고 연기와 김으로 눈이 멀 지경이라는 뜻으로, 국을 매우 좋아하는 사람을 두고 이르는 말. 【가시어미 장 떨어지자 사위가 국 싫다 한다】 무슨 일이나 공교롭게 잘 들어맞음을 이르는 말.

가시-엉겅퀴 명 〖식〗 [*Cirsium xanthacanthum*] 국화과에 속하는 다년초. 줄기 높이 25cm 가량이고, 잎은 호생하며 무병(無柄)인데, 여러 갈래로 째지고 열편(裂片)은 타원형 또는 달걀꼴임. 5-7월에 엷은 홍색 두화(頭花)가 가지 끝에 하나 또는 두셋씩 달리어 관상화(管狀花)로 피고, 과실은 수과(瘦果)임. 산이나 들에 나는데, 제주도와 거문도(巨文島) 등지에 분포함.

가시-여뀌 명 〖식〗 [*Persicaria fauriei*] 마디풀과에 속하는 일년초. 줄기 높이 1.8m 가량이고, 잎은 호생하며 장병(長柄)이고, 초상 탁엽(鞘狀托葉)은 막질(膜質)임. 7-8월에 원추상(圓錐狀) 담홍색 꽃이 수상(穗狀) 화서로 정생(頂生)하고, 과실은 수과(瘦果)임. 산지의 나무 그늘에 나는데, 거의 한국 각지에 분포함.

가시-연 【一蓮】 명 〖식〗 [*Euryale ferox*] 수련과에 속하는 일년생 수초(水草). 전체에 가시가 났으며, 엽병(葉柄)이 길고 잎은 타원형인데, 상면은 주름이 있고 광택이 나며, 하면은 암자색을 띰. 7-8월에 잎 사이에서 긴 화경(花莖)이 나와 자주빛 사판화(四瓣花)가 하나씩 피는데, 낮에는 피고 밤에는 오므리며, 장과(漿果)는 구형(球形)임. 연못에 나는데, 경남의 진주(晋州) 등지에 분포함. 지하경(地下莖)은 식용, 열매는 '가시연밥'·'감실(芡實)'이라 하여 그 속의 씨인 '감인(芡仁)'과 함께 약으로 씀.

〈가시연〉

가시연-꽃 【一蓮一】 명 가시연의 꽃.

가시연-밥 【一蓮一】 [一빱] 명 가시연의 열매. 감실(芡實). 계옹(鷄雍).

가시-오갈피나무 명 〖식〗 [*Eleutherococcus senticosus*] 두릅나뭇과에 속하는 낙엽 활엽 관목. 가시가 있으며, 잎은 장상(掌狀)이고 소엽(小葉)은 거꿀달걀꼴임. 꽃은 여름에 산형(繖形) 화서로 정생(頂生)하여 많이 피고, 핵과(核果)는 장과(漿果) 모양이며 9월에 흑색으로 익음. 깊은 산의 골짜기에 나는데, 한국 각지 및 일본·사할린·중국·만주에 분포함. 수피(樹皮)는 약용함.

가시-우럭 명 〖어〗 [*Pikea japonica*] 농어과에 속하는 바닷물고기. 체측에 갈색 점의 가로줄이 있고, 새개골(鰓蓋骨) 끝에 작은 톱니가 있음. 희귀(稀貴)한 어종으로, 한국 포항(浦項)에서 발견됨.

가시-우무 명 〖식〗 [*Hypnea chroides*] 가시우뭇과의 해조(海藻). 몸은 가는 원주상(圓柱狀)으로, 높이는 보통 10-20cm 정도임. 가지는 불규칙하게 나와 서로 얽혀 전체가 큰 덩어리를 이룸. 가지의 굵은 부분은 3mm 정도로 끝은 뾰족함. 물러서 부러지기 쉽고 빛깔의 변화가 심하여 홍색(紅色)·황색·녹색 등 여러 가지임. 간조선(干潮線) 밑의 바위에 나며 봄부터 여름까지 무성함. 한천(寒天) 제조에 섞어 쓰는데 질은 좋지 않음. 우리 나라 남해안과 일본 남부·남중국해 등지에 분포함.

가시우뭇-과 【一科】 명 〖식〗 [Hypneaceae] 홍조(紅藻) 식물 돌가사리목(Gigartinales)에 속하는 한 과. 몸은 원주상(圓柱狀) 또는 편압(扁壓)된 것과 엉켜서 덩이가 진 것이 있음. 주축(主軸)에 가시가 난 것도 있으며 식용으로 씀. 우리 나라에는 3종이 분포함.

가시-잎 명 〖식〗 잎이 변태하여 가시로 된 것. 몸을 보호함.

가:시-적 【可視的】 명관 눈으로 직접 확인할 수 있는 모양. ¶ ~인 성과를 거두다.

가시-줄 명 가시철사(鐵絲).

가시-줄상어 명 〖어〗 [*Etmopterus lucifer*] 곱상어과에 속하는 바닷물고기. 몸길이 40cm 가량의 작은 상어로, 비늘은 강모상(剛毛狀)이고, 몸빛은 흑색 혹은 회흑색이며, 눈에는 순막(瞬膜)이 없고, 몸 양옆에 다섯 개의 아가미 구멍이 있음. 한국 남부 연해 및 제주도 심해와 일본에 분포함.

가시-집 명 〈비〉 처가(妻家).

가시-철 【一鐵】 명 가시철사에 끼우는 가시 모양의 쇠. 양끝이 뾰족한 짧은 철사 동강을 중동을 비틀어 가시철사의 꼰 틈에 듬성듬성 끼움. ¶ ~망.

가시-철사 【一鐵絲】 [一싸] 명 가시철을 끼운 철사. 가시줄.

가시-털 명 〖동〗 극모(棘毛).

가시-톡토기 명 〖충〗 [*Tomocerus varius*] 가시톡토깃과에 속하는 하등(下等) 곤충. 몸길이 2.5cm 내외이고, 온몸에 은백색의 인편(鱗片)이 덮여 있어서 생시(生時)에는 광택이 남. 인편이 떨어지면 갈황색 바탕에 적자색의 가는 점이 드문드문 있음. 촉각은 적자색이고, 안상(眼狀)의 반문에는 각각 여섯 개의 소안(小眼)이 있음. 낙엽(落葉)·돌밑 등에 서식하는데, 한국·일본 등지에 분포함. ＊알톡토기.

〈가시톡토기〉

가시톡토깃-과 【一科】 명 〖충〗 [Tomoceridae] 절지 동물 무시아강(無翅亞綱)에 속하는 곤충의 한 과. 가장 원시적인 하등(下等) 곤충으로, 몸은 원통형·구형(球形)·편평한 것 등이 있고, 복부(腹部)는 6절이 보통임. 제4 복절에 뿔 모양의 돌기(突起)가 아래 쪽에 나서, 이것으로 톡톡 뜀. 날개는 퇴화하여 없으며, 불완전 변태를 함. 농작물·원예 식물의 큰 해충임.

가시-파래 명 〖식〗 [*Enteromorpha prolifera*] 녹조류(綠藻類) 청태과(靑苔科)에 속하는 해조(海藻). 몸은 통상(筒狀)이며, 길이는 보통 10cm 정도로, 긴 것은 1m 이상인 것도 있음. 주축(主軸)에 해당하는 굵은 부분에서 많은 가지가 나며, 가지는 다시 부지(副枝)를 냄. 내만(內灣)이나 하구(河口) 부근의 잔잔한 바다에서 자라며, 겨울에서 봄에 걸쳐 무성하게 자람. 때로, 김 양식장에서 많이 나기도 함. 전세계에 분포하며 식용함.

가시-할미 명 〈비〉 장조모(丈祖母).

가시-할아비 명 〈비〉 장조부(丈祖父).

가시-해마 【一海馬】 명 〖어〗 [*Hippocampus histrix*] 실고깃과에 속하는 바닷물고기. 목 부분과 체측의 각 체륜(體輪)이 돌출하여 쭈뼛한 가시 모양을 형성하고 있음. 몸빛은 갈색 바탕에 흰 점이 있고, 주둥이에 갈색 비늘이 있음. 전남의 여수 지방에서 채집되고, 일본·동인도 제도에도 분포함.

가:시-화 【可視化】 명 현상·상태 등이 실제로 드러나게 됨. 또, 현상·상태 등을 실제로 드러나게 함. ——-하다 자타여불

가식¹ 【加飾】 명 꾸미는 일. ——-하다 타여불

가:식² 【假植】 명 임시로 심음. 한때 심기. ——-하다 타여불

가:식³ 【假飾】 명 ①언행을 거짓 꾸밈. ¶ ~ 없이 말하다. ②임시로 장식함. 가분(假粉). ——-하다 타여불

가식⁴ 【暇式】 명 〖역〗 관원(官員)이 가기(家忌)에 받는 말미.

가:식-법 【假植法】 명 〖농〗 종자(種子)나 모종을 제자리에 옮겨 심기 전에, 다른 곳에 임시로 심어 키우는 방법.

가:신¹ 【可信】 명 믿을 만함. ——-하다 형여불

가신² 【佳辰】 명 ①좋은 날. 화창한 날. 경사스러운 날. 길일(吉日). 가신(嘉辰). ②좋은 때. 좋은 시절. 가절(佳節). 가기(佳期).

가신³ 【家臣】 명 〖역〗 정승의 집안 일을 맡아 보던 사람. 경대부(卿大夫)의 집에서 섬기는 사람. 배신(陪臣). 가사(家士).

가신⁴ 【家信】 명 자기 집에서 온 서신(書信)이나 소식. 가서(家書).

가신⁵ 【家神】 명 집에 딸려 집을 지킨다는 귀신.

가신⁶ 【嘉辰】 명 경사스러운 날. 가신(佳辰). 가일(嘉日).

가신 신:앙 【家神信仰】 명 〖민〗 민속 신앙의 하나. 집안에 위치하는 신적(神的) 존재들에 대한 신앙. ＊가신제(家神祭).

가신-제 【家神祭】 명 〖민〗 민간 신앙 의식의 하나. 일반 가정에서 섬기는 가신(家神), 곧 성주(城主)·지신(地神)·세존(世尊)·조왕(竈王)·문신(門神)·측신(廁神)·마부신(馬夫神)·조상신(祖上神)·삼신(三神) 등에 드리는 제사.

가:신지-인 【可信之人】 명 믿음직한 사람.

가실¹ 명 〈방〉 가을(전라·경상·충북).

가실² 【佳實】 명 좋은 과실. 가과(佳果).

가실³ 【家室】 명 ①한 집안이나 안방. ②한 집안 사람. 가족(家族). ③아내.

가실⁴ 【嘉實】 명 〖사람〗 신라 진평왕(眞平王) 때 사량부(沙梁部)의 의인(義人). 율리(栗里) 민가의 설씨(薛氏)가 병으로 수자리 가지 못함을 알고 설씨의 딸과 약혼, 설씨를 대신하여 출정(出征)하였는데, 6년이 지나도록 소식이 없자 약혼녀는 다시 다른 남자와 약혼하였지만, 가실이 돌아와 떠날 때 가지고 간 파경(破鏡)을 내보이매, 설씨 딸과 결혼을 이루었음.

가실게 명 〈방〉 가을(경북).

가실-망둑 명 〖어〗 [*Cilias ommaturus*] 망둑어과에 속하는 물고기. 꼬리지느러미에 크고 명백한 흑문(黑紋)이 있고, 체측에 세 개의 'V' 자형의 똑똑하지 아니한 갈색 무늬가 있음. 연안·내만 및 하구(河口)의 기수(汽水)에 서식하는데, 특히 평북 용암포(龍岩浦)에 많음.

가실-왕 【嘉實王】 명 〖사람〗 6세기 가야국(伽倻國)의 왕. 중국 당(唐)나라의 악기(樂器)를 보고 우륵(于勒)에게 명하여 12현(絃)의 가야고를 만들게 하였음. 여기의 가야국은 6가야 중 고령(高靈) 가야로 추측됨. 가보왕(嘉寶王).

가실-하다 자타 〈방〉 가을하다(충남·전라·경상).

가심¹ 명 깨끗이 가시는 일. ＊입가심. ——-하다 타여불

가심² 명 〈방〉 가슴(경기·강원·충청·전라·경상).

가심³ 명 〈방〉 감²(강원·경북).

가심⁴ 【歌心】 명 ①시가(詩歌)의 뜻. ②시가(詩歌)를 읊으려 하는 마음. 시가를 이해하는 마음.

가심-끌 명 〖공〗 나무에 뚫은 구멍을 다듬는 데 쓰는 날이 길고 얇은 끌.

가심-배기 명 〈방〉 가슴패기(전북).

가심이 명 〈방〉 가슴(경북).

가심-질 명 〖공〗 가심끌로 나무에 뚫은 구멍을 다듬는 일. ——-하다 타여불

가십 〔gossip〕 명 ①세상의 뜬소문. 항설(巷說). ②만필(漫筆).

가십-난 【一欄】 〔gossip〕 명 신문·잡지 따위에서 가벼운 잡담이나 소문 같은 것을 게재하려고 테를 둘러 마련한 난.

가십-멍거 〔gossipmonger〕 명 문단(文壇)이나 정계(政界)의 풍설을 얻어 듣고 이야기하며 돌아다니는 사람.

가싯-물 명 〈방〉 개숫물(평안).

가싱이 명 〈방〉 가²(경남).

가ᄉᆞ나ᄒᆡ 명 〈옛〉 계집아이. ¶ 少女ᄂᆞᆫ ᄀᆞᆺ난 가ᄉᆞ나ᄒᆡ라 ≪七大 15≫.

가ᄉᆞᆷ 명 〈옛〉 가슴. ¶ 가ᄉᆞᆷ 가온ᄃᆡ(胸中)≪金三 Ⅱ:46≫/처ᅀᅥᆷ 깃거 가ᄉᆞ매 다맛ᄂᆞᆫ 므ᅀᆞ몰 소다 내요라(初欣寫胸臆)≪杜諺 Ⅸ:17≫.

가ᄉᆡ¹ 명 〈옛〉 가시¹. ¶ 소ᄅᆞᆫ 고ᄃᆞ며 가ᄉᆡᄂᆞᆫ 구브며(松直棘曲)≪楞嚴 V:25≫.

가ᄉᆡ² 〈옛〉 아내의. '갓'의 소유격형. ¶ 가ᄉᆡ 樣 무르시고 눈먼 납 무러시늘≪月釋 Ⅶ:5≫.

가ᄉᆡ다 자 〈옛〉 변하다. =가싀다. ¶ 本來ㅅ ᄆᆞᆯᄀᆞᆫ 性이 가ᄉᆡ디 아니ᄒᆞ야≪月釋 Ⅰ:50≫.

가ᄉᆡ련 명 〈옛〉 가시연. ¶ 가ᄉᆡ련 감(芡), 가ᄉᆡ련 역(葰)≪字會 上 12≫.

가ᄉᆡ야 부 〈옛〉 다시. =가ᄉᆡ여. ¶ 가ᄉᆡ야 幽深ᄒᆞᆫ ᄯᅡ홀 ᄉᆞ쳐(更想幽期處)≪杜諺 Ⅸ:11≫.

가ᄉᆡ여 부 〈옛〉 다시. =가ᄉᆡ야. ¶ ᄃᆞ리 도ᄃᆞ니 뫼히 가ᄉᆡ여 괴외ᄒᆞ도다(月出山更靜)≪杜諺 Ⅸ:14≫.

가ᄉᆞ면집 명 〈옛〉 부잣(富者)집. ¶ 少君이 가ᄉᆞ면지븨셔 기러나(少君生富驕)≪飜小 Ⅸ:59≫.

가ᄉᆞ며니 명 〈옛〉 가멸은 사람. 부자(富者). ¶ 가ᄉᆞ며니 艱難ᄒᆞ니 골히디 아니ᄒᆞ야≪月釋 Ⅶ:31≫.

가ᄉᆞ며다 형 〈옛〉 가멸다. 부유하다. =가ᄉᆞ멸다. ¶ 居는 살씨니 居士ᄂᆞᆫ 쳔량 만히 두고 가ᄉᆞ며 사ᄂᆞᆫ 사ᄅᆞ미라≪釋譜 Ⅸ:1≫.

가ᄉᆞ면짓 〈옛〉 부잣(富者)집의. ¶ 가ᄉᆞ면짓 珊瑚ᄭᅧᆺ돈과 麒麟을(豐屋珊瑚鉤麒麟)≪初杜諺 XXIV:27≫.

가ᄉᆞ멸다 형 〈옛〉 가멸다. =가ᅀᆞᆷ열다·가ᄉᆞ며다. ¶ 벼슬도 노ᄑᆞ며 가ᄉᆞ멸며≪月釋 Ⅱ:23≫.

가ᅀᆞᆷ 명 〈옛〉 가슴. ¶ 눈므리 가ᄉᆞᄆᆡ ᄀᆞ독ᄒᆞ엿도다 (淚滿胸襟)≪恩重 7≫.

가ᅀᆞᆷ열다 형 〈옛〉 가멸다. =가ᄉᆞ멸다. ¶ 비록 貴ᄒᆞ고 가ᅀᆞᆷ여나 敢히 貴ᄒᆞ며 가ᅀᆞᆷ여름으로ᄡᅥ(雖貴富不敢以貴富)≪小諺 Ⅱ:20≫.

가아¹ 【家兒】 명 남에게 대하여 자기의 아들을 일컫는 말. 가돈(家豚). 돈아(豚兒). 미돈(迷豚). 미식(迷息). 미아(迷兒).

가:아² 【假我】 명 ①〖불교〗 오온 화합(五蘊和合)으로 된 육신(肉身)인 자기. ②〖철〗 가상(假象)으로서 생각되는 미적(美的) 대상에 투입(投入)되어 그 표현과 하나가 되어 가상을 의미 있게 하는 자아(自我).

가아지 명 〈방〉 강아지(경상).

가악¹ 【歌樂】 명 ①노래와 음악(音樂). ②〖악〗 정악(正樂) 가운데, 시가(詩歌)를 얹어 부르는 노래. 가곡(歌曲)·가사(歌詞)·시조가 있음.

가악² 【嘉樂】 명 경사로운 음악.

가안 【家雁】 명 〖조〗 거위¹.

가안지-곡 【嘉安之曲】 명 〖악〗 고려 제악(祭樂)의 하나. 왕이 원구제(圜丘祭)를 지낼 때, 전폐(奠幣)·헌작례(獻酌禮)의 등가악(登歌樂)임.

가알 명 〈방〉 가을(경북).

가압¹ 【加壓】 명 압력을 가함. ↔감압(減壓). ——-하다 자타여불

가압² 【家鴨】 명 〖조〗 집오리.

가압-기 【加壓機】 명 제본 공정(製本工程)에서 접지(摺紙)된 것을 밀착시키기 위하여 가압하는 기계. 수동식·전동식(電動式)·수압식(水壓式) 등이 있음.

가압 도:전 고무 【加壓導電一】 〔프 gomme〕 명 압력을 가했을 때 그 부분에만 전기가 흐르는 고무. 실리콘 고무 속에 구형(球形) 금속 입자를 분산시켜서 만듦. 전자 악기의 건반이나 워드프로세서의 키보드 등에 쓰임.

가:-압류 【假押留】 [一뉴] 명 〖법〗 채무자의 재산이 은폐(隱蔽) 또는 매각(賣却)에 의하여 없어질 우려가 있을 경우에 강제 집행을 보전(保全)하기 위하여 그 재산을 임시로 압류하는 법원의 처분. ——-하다 타여불

가:압류 결정 【假押留決定】 [一뉴一쩡] 명 가압류의 신청에 대해서 관할 법원이 구두 변론을 거치지 아니하고 인가하는 결정.

가:압류 명:령 【假押留命令】 [一뉴一녕] 명 가압류 결정에 의하여 내리는 명령.

가:압류 법원 【假押留法院】 [一뉴一] 명 〖법〗 가압류 명령을 내리는 법원. 가압류 사건은 가압류를 할 물건의 소재지 관할 지방 법원이나, 본안(本案)의 관할 법원에 전속함.

가압 성형 【加壓成型】 명 〖공〗 압축(壓縮) 성형.

가압수형 원자로 【加壓水型原子爐】 명 〔pressurized water reactor; PWR〕 〖물〗 경수로(輕水爐)의 하나. 냉각재(冷却材)의 물에 약 150기압(氣壓)의 압력을 가하여 100°C 이상의 고온(高溫)으로 하고, 증기 발생기(蒸氣發生器)로 증기를 만들어 터빈을 돌리는 방식의 발전용(發電用) 원자로. 본디, 미국의 웨스팅하우스 회사에서 원자력 잠수함용으로 개발(開發)하여, 뒤에 발전용으로 개량한 것임. ＊비등수형(沸騰水型) 원자로.

가압 처:리 장치 【加壓處理裝置】 명 화학 공장이나 석유 공장 등에서 대기압(大氣壓)보다 더 고압(高壓)으로 조작되는 화학 처리 장치.

가:앙 【苛殃】 명 혹심한 재앙.

가애¹ 명 〈방〉 가위¹(평안).

가애² 【加愛】 명 몸을 돌봄. ¶ 객지에서 더욱 ~ 있으시기 바랍니다. ——-하다 자여불

가:애³ 【可愛】 명 사랑할 만함. 사랑스러움. ——-하다 형여불

가애⁴ 【嘉愛】 명 가상(嘉尙)히 여기어 사랑함. ——-하다 타여불

가액¹ 【加額】 명 돈의 액수를 더함. 또, 그 액수. ——-하다 타여불

가액² 【加額】 명 기다리는 사람이 오는 것을 바라보기 위하여 손을 이마에 얹음. ——-하다 자여불

가액³ 【價額】 명 값❸.

가야¹ 【伽倻】 명 ① 〖지〗 경상 남도 함안군(咸安郡)의 한 읍(邑). 군의 복판에 위치한 함안 분지의 중심지로, 옛 가야의 왕궁(王宮)터, 말산리(末

山里)와 도항리(道項里)의 가야 고분군(古墳群), 가야리의 무릉산성(武陵山城) 등의 사적(史蹟)이 있음. [18,249 명(1996)] ②〖역〗 가야국.

가야[2] 〔Gaya〕 [명] 〖지〗 인도 북동부의 도시. 비하르 주(Bihar 州) 갠지스 강 지류에 연한 도시. 힌두교의 성지로 많은 사원들이 있으며 순례자도 많음. 랙(lac)의 산지로 유명하며 부근에 역청(瀝青) 우라늄광이 있음. 남방에는 석가 성도의 곳인 부다가야가 있음. [291,220 명(1996)]

가야-관 【伽倻館】 [명] 〖지〗 경상 북도 고령(高靈)에 있는 조선 시대 초기의 객사(客舍). 고려 말기의 건축 양식을 이어받고 원(元)나라 양식을 배합하여 독자적인 기풍을 발휘한 것이 특징이며, 조선 시대의 대표적인 지방 관아 건물임. 성종 24 년(1493)에 건립됨. *가학루(駕鶴樓).

가야-국 【伽倻國】 [명] 〖역〗 신라 유리왕(儒理王) 때 가야산(伽倻山)의 서남쪽 옛 변한(弁韓)의 땅에, 변한의 열두 나라를 통합하여 김 수로왕(金首露王)의 형제 여섯 사람이 후한 광무제(後漢光武帝)의 건무(建武) 18년(42)에 세웠다고 전해 오는 여섯 나라의 통칭. 수로왕이 세운 본가야(本伽倻), 곧 금관 가야(金官伽倻)를 특히 가야(伽倻)라고 부르기도 함. 가라국(加羅國). 가락국(駕洛國). 가량국(加良國). 구야(狗倻). *육가야.

가야-금 【伽倻琴】 [명] 〖악〗 우리 나라 고유의 현악기(絃樂器)의 하나. 신라 진흥왕(眞興王) 때에, 가야국(伽倻國)의 가실왕(嘉實王)이 악사(樂師) 우륵(于勒)을 시키어 처음 만들었음. 법금(法琴)은 오동나무 통나무의 뒷면에 직사각형의 향공(響孔)을 파서 바탕을 삼고, 열두 줄을 세로 매어 줄마다 기러기발을 세웠는데, 풍미(風尾) 끝에 부들을 매는 양이두(羊耳頭)가 있음. 길이 164 cm, 폭 29 cm, 두께 6.7 cm. 오른손의 엄지손가락·집게손가락·가운뎃손가락으로 줄의 머리를 튀기면서 왼손의 각 손가락으로 줄의 기러기발 바깥쪽 부분을 눌렀다 놓았다 하여 소리를 냄. 가얏고. *거문고·산조 가얏고.

〈가야금〉

가야금 산:조 【伽倻琴散調】 [명] 〖악〗 가야금으로 산조 가락을 옮긴 독주(獨奏) 음악. 조선 고종(高宗) 때의 악사(樂師) 김창조(金昌祖)에 의하여 1890 년경에 창시됨.

가야르드 〔프 gaillarde〕 [명] 15 세기 말에 이탈리아 롬바르디아에서 일어나 16-17세기 프랑스에서 유행하였던 사교 댄스의 하나. 보통 3박자로 쾌활하고 활발한 춤임.

가야미 [명] 〈옛〉 개미[2]. =개야미·가얌벌게. ¶ 王侯와 가야미왜 ᄒᆞᆫ가지로 다 주거 뫼 두들글 좃ᄂᆞ니라(王侯與螻蟻同盡隨丘墟) ≪杜諺 Ⅸ:19≫.

가야믜 〈옛〉 개미의. ¶ 가야믜 사릴 븨오 몸 닷길 勸勸ᄒᆞ야놀 ≪月印上 62≫.

가야바 〔Caiaphas〕 [명] 〖성〗 예수 시대의 유대교 대제사장(大祭司長). 본명은 요셉(Joseph)으로, 대제사장 안나스(Annas)의 아들이며, 예수를 심판하였음.

가야-산 【伽倻山】 [명] 〖지〗 ①경상 북도 성주군(星州郡)과 경상 남도 합천군(陜川郡)의 사이에 있는 산. 해인사(海印寺)·황계 폭포(黃溪瀑布) 등의 명승 고적들이 있음. 국립 공원의 하나. [1,430 m] ②충청 남도 예산군(禮山郡)과 서산시(瑞山市) 사이에 있는 산. 신라 시대에는 서진(西鎭)을 삼았고, 조선 시대에는 소재관(所在官)으로 하여금 춘추에 제사지내게 하였음. 명승지로서 동쪽에 가야사(伽倻寺), 서쪽에 수렴동(水簾洞)이 있음. [678 m]

가야산 국립 공원 【伽倻山國立公園】 [—닙—] [명] 〖지〗 경북 성주군(星州郡)과 경남 합천군(陜川郡)·거창군(居昌郡)에 걸쳐서 가야산을 중심으로 하는 국립 공원. 공원 내에 가야산·두리봉·남산(南山)·단지봉(丹芝峰)·이상봉(二上峰) 등과 가야 계곡·용문 폭포(龍門瀑布)·낙화담(落花潭) 등이 있음. 문화재로 국보 제 52 호인 해인사 팔만 대장경 판고(板庫) 4 동, 국보 제 32 호인 대장경판 등이 있음. 1972 년 국립 공원으로 지정됨. [79.14 km²]

가야-선 【伽倻線】 [명] 〖지〗 부산 시내의 범일(凡一)에서 가야(伽倻)를 거쳐 사상(沙上)에 이르는 철도. 1944년 6월 10일 개통. [8.4 km]

가야지 [명] 〈옛〉 버들개지[1]. ¶ 霏霏히 불근 곳과 힌 가야지 가비얍도다(霏霏紅素輕) ≪初杜諺 X:5≫.

가:약[1] 【可約】 [명] 〖수〗 약분(約分)할 수 있음. ↔기약(旣約).

가약[2] 【佳約】 [명] ①좋은 언약(言約). ②가인(佳人)과 만날 언약. ③혼약(婚約). ¶ 백년 ~.

가:약 분수 【可約分數】 [—쑤] [명] 〖수〗 약분할 수 있는 분수. ↔기약(旣約) 분수.

가:약 분수식 【可約分數式】 [—쑤—] [명] 〖수〗 약분할 수 있는 분수식.

가:-약정 【假約定】 [명] 본약정(本約定)을 맺기까지 임시로 맺는 약정.

가얌 [명] 〈방〉 개암❶(경기·전남·경상).

가얌-나무 [명] 〈방〉 〖식〗 개암나무.

가얌-벌게 [명] 〈옛〉 개미[2]. =가야미. ¶ 아릐 양으로 다시 가얌벌게과 모기 둥의 되요매 니르리라(乃至依前再爲螻蟻蚊虻) ≪龜鑑 下 60≫.

가얏-고 【伽倻—】 [명] 〖악〗 가야금.

가얐다 [자] 개었다. ¶ 하ᄂᆞᆳ ᄀᆞᆺ앳 霜雪에 ᄎᆞᆫ 하ᄂᆞᆯ히 가얏도다(天涯霜雪霽寒宵) ≪重杜諺 XXIV:19≫. *개다.

가양[1] 【家樣】 [명] 집안 살림살이의 모양. 터수.

가양[2] 【家釀】 [명] ①가용으로 술을 빚어 만듦. ②↗가양주. ——-하다 [타][여불]

가양[3] 【佳釀】 [명] 맛 좋은 술. 가주(佳酒).

가양-주 【家釀酒】 [명] 집에서 빚어 만든 술. [준]가양(家釀). ↔매주(賣酒).

가어[1] 【加魚】 [명] 〖어〗 가자미.

가어[2] 【家語】 [명] ①한 집안의 기록(記錄). ②↗공자 가어(孔子家語).

가어[3] 【嘉魚】 [명] 〖어〗 곤들매기.

가어[4] 【駕御】 [명] ①말을 길들여 마음대로 부림. ②사람을 마음대로 부림. ——-하다 [타][여불]

가:-어사 【假御史】 [명] 가짜로 어사 행세하는 사람. 가짜 어사.

가어-산 【加御山】 [명] 〖지〗 평안 북도 초산군(楚山郡)에 있는 산. 압록강의 지류인 충만강(忠滿江)의 발원지를 이룸. [1,070 m]

가:-어옹 【假漁翁】 [명] 〖문〗 〔어부가 아니면서 어부처럼 지내는 사람이라는 뜻〕 속사(俗事)를 잊고 산간 수변(山間水邊)에서 낚시나 드리우며 술잔이나 기울이고 시(詩)나 읊으면서 강호(江湖)에서 묻혀 지내던 양반들을 가리킴.

가:-어음 【假—】 [명] 〖경〗 어음 예약을 기재한 서면. 직접 어음상의 권리 의무를 발생시키는 것이 아니므로 어음과는 다름.

가:언[1] 【假言】 [명] 〖논〗 어떤 조건을 가정(假定)한 말. 가설(假說).

가언[2] 【嘉言·佳言】 [명] 본받을 만한 좋은 말. 미언(美言).

가:언 명:제 【假言命題】 [명] 〖논〗 어떤 가정(假定) 아래에서 결론을 주장하는 명제. 가언적 판단.

가언 선:행 【嘉言善行】 [명] 좋은 말과 착한 행실.

가:언-적 【假言的】 [명][관] 〔hypothetica〕 〖논〗 어떤 가정(假定)·조건 아래에서 입언(立言)하는 모양. 가설적(假說的). ↔정언적(定言的)·선언적(選言的).

가:언적 명:령 【假言的命令】 [—녕] [명] 〖논〗 가언적 명법.

가:언적 명:법 【假言的命法】 [—뻡] [명] 〖논〗 일정한 목적의 달성을 조건으로 하는 명령. 가언적 명령. ↔정언적 명법(定言的命法).

가:언적 삼단 논법 【假言的三段論法】 [—뻡] [명] 〖논〗 가언적 판단을 전제로 하는 삼단 논법. 가언적 판단을 대전제(大前提)로 하고, 소전제(小前提)에 있어서 그 전건(前件)을 긍정하거나 후건(後件)을 부정하여 결론으로 이끄는 반(半)가언적 삼단 논법이 보통의 형식임. 예를 들면, 'A가 B면 C는 D다', 'A는 B다', 고(故)로 'C는 D다'라고 하는 것과 같은 논법인데, 양전제가 모두 가언적 판단이 되는 경우도 있음.

가:언적 추론 【假言的推論】 [명] 〖논〗 가언 명제(假言命題)로 된 추론.

가:언적 판단 【假言的判斷】 [명] 〔hypothetical judgement〕 〖논〗 조건 또는 원인과, 귀결 또는 결과와의 관계를 나타내는 판단. 예를 들면, 'A가 B라면(전건), C는 D다(후건)'와 같은 것. 가언 명제. 조건 판단. 가언 판단. ↔정언적 판단(定言的判斷).

가:언 판단 【假言判斷】 [명] 〖논〗 가언적 판단.

가얼 〔噶爾〕 [명] 〖지〗 중국 시짱 자치구(西藏自治區) 서부의 교역 도시. 야루짱부 강(雅魯藏布江) 상류 연안에 있음. 카일라스(Kailas) 산의 북서쪽, 해발 4,600 m의 고지에 있으며, 라사(拉薩)에서 카슈미르(Kashmir)로 통하는 요지로, 히말라야를 넘는 지도(支道)가 분기함. 가르토크.

가:엄[1] 【苛嚴】 [명] 가혹하고 엄격함. ——-하다 [형][여불]

가엄[2] 【家嚴】 [명] 자기의 엄친. 가친(家親).

가업[1] 【家業】 [명] ①집안의 직업. 가직(家職). ②세업(世業).

가업[2] 【街業】 [명] 길거리에서 하는 영업.

가업[3] 【稼業】 [명] 〖광〗 가행(稼行). ——-하다 [자][타][여불]

가:-없다 [—업—] [형] 그지없다. 헤아릴 수 없다. ¶ 가없는 부모의 은혜.

가:-없이 [—업씨] [부] 가없게.

가에 [명] 〈방〉 가위[1](평안).

가여 [자] 〈옛〉 개어(霽). '개다'의 활용형. ¶ ᄇᆞᄅᆞ미 이어면 뮈오 가여 澄ᄒᆞ면 ᄆᆞᆰ고(風搖則動 霽澄則淸) ≪楞嚴 Ⅳ:40≫.

가:여 【駕輿】 [명] 〖역〗 왕세자(王世子)나 황태자(皇太子)가 타는 가마.

가:여워-지다 [자] 가엾어지다.

가:여워-하다 [타] 가엾어하다.

가:역[1] 【可逆】 [명] 〖물〗 물질을 상태 A로부터 상태 B로 변화시킨 후 다시 원래의 A의 상태로 복귀시켰을 때, 외계(外界)에도 아무런 변화가 남지 아니하는 과정. ↔비가역(非可逆). *가역 반응·가역 변화.

가:역[2] 【苛役】 [명] 매우 힘드는 일. 고역(苦役).

가역[3] 【家役】 [명] 집을 짓거나 고치는 일. 집 역사.

가:-역[4] 【假驛】 [명] 임시로 마련한 정거장.

가:역 기관 【可逆機關】 [명] 〔reversible engine〕 〖물〗 모든 과정(過程)이 가역 변화만으로 성립되어 있는 열(熱)기관. 사고 상(思考上)의 열기관으로, 카르노 기관이 이에 해당됨.

가:역 반:응 【可逆反應】 [명] 〔reversible reaction〕 〖화〗 화학 반응에서 정반응과 역반응이 동시에 일어나는 반응. *가역(可逆)·화학 평형.

가:역 변:화 【可逆變化】 [명] 〖물〗 〔reversible change〕 어떤 물질계(物質系)가 외계로부터 영향을 받아 어떤 상태로부터 다른 상태로 변화할 때에는 일반적으로 그 물질계 이외의 딴 물질계에도 변화가 일어나는데, 다시 원상태로 환원시킬 때 그대로 모든 것이 원상태로 되는 경우의 변화. 순수 역학적인 것은 가역 변화이나 열현상으로 일어나는 것은 그러하지 아니함. ↔비가역 변화.

가:역-성 【可逆性】 [명] 〖물·화〗 가역 반응이나 가역 변화를 일으킬 수 있는 성질.

가:역 전:지 【可逆電池】 [명] 〖물〗 방전(放電)에 의하여 화학 변화를 일으킨 전극 전해액(電極電解液)이 충전에 의하여 다시 원래의 상태로 되돌아가는 전지. 축전지·다니엘 전지 등. ↔불가역(不可逆) 전지.

가:연[1] 【可燃】 [명] 불에 잘 탈 수 있음. ¶ ~성/~물.

가연[2] 【佳宴】 [명] 경사스런 연회. 좋은 연회.

가연[3] 【佳緣】 [명] ①아름다운 인연(因緣). ②사랑을 맺게 된 연분(緣分).

가연[4] 【家宴】 [명] 집안 사람들이 모여서 하는 잔치.

가:연-물 【可燃物】 [명] 불에 타기 쉬운 물건. 가연성 물질.

가:연-성 【可燃性】 [—썽] [명] 불에 타기 쉬운 성질. 가연질(可燃質). 연소성(燃燒性).

가:연성 가스 【可燃性—】 [—썽—] [명] ①〔firedamp〕 〖광〗 갱내에 발생하는 메탄 가스. 석탄, 기타 탄화물(炭化物)의 분해에 의하여 생김. ②〔combustible gas〕 〖화〗 연소(燃燒) 가스·연료 가스·수소·탄화 수소(炭化水素)·일산화 탄소, 기타 이들의 혼합물의 총칭.

가:연성 독물【可燃性毒物】[—썽—] 명〖화〗연료 또는 연료 피복(被覆)에 섞이어 들어 있는 중성자 흡수재(中性子吸收材). 중성자 조사(照射)에 의해 서서히 연소할 수 있음.

가:연성 생물암【可燃性生物岩】[—썽—] 명 〔caustobiolith〕〖지〗식물 물질(植物物質)이 직접 집적(集積)하여 된 가연성의 유기물(有機物) 암석. 석탄·이탄(泥炭)을 포함함.

가:연성 직물【可燃性織物】[—썽—] 명 불이 잘 붙는 섬유(纖維)로 짠 직물(織物). 미국에서는 직물(織物)을 길이 6인치, 넓이 2인치로 잘라서 불을 붙여 4초(秒) 이내에 완전 소진(完全燒盡)되면 가연성으로 취급함.

가:연-질【可燃質】명 가연성(可燃性).

가:연-체【可燃體】명 불에 잘 타는 성질의 물체.

가연 효:과【加鉛效果】명 4에틸납의 일정량을 첨가함으로써 가솔린의 옥탄값이 증대하는 일.

가열¹ 명〖민〗광대·걸립패의 행중(行中)에서, 각 기예(技藝)의 연희자(演戲者).

가열²【加熱】명 ①어떤 물질에 더운 기운을 줌. ②열을 더 세게 함. ——-하다 자여불

가:열³【苛烈】명 가혹하고 격렬함. ——-하다 형여불. ——-히 부

가:-열⁴【假熱】명〖한의〗몸에 열이 있어 양증(陽症) 같으면서도 양증이 아니고, 더운 성질의 약을 써야 내리는 열.

가열⁵【嘉悅】명 손아랫사람의 경사에 대한 기쁨. ——-하다 형여불

가열-기【加熱器】명〖물〗증기(蒸氣)·가스(gas)·전기(電氣) 등으로 열(熱)을 가하는 장치의 기구. 각종 버너·전기로(電氣爐) 등. 히터.

가열 램프【加熱—】〔lamp〕명〖전〗도료(塗料)·잉크의 건조, 식물(食物)의 보온, 열을 요하는 치료, 병아리 보육기(保育器) 등에 쓰이는 적외선(赤外線) 램프.

가열-로【加熱爐】명〖공〗금속에 가전성(可展性)·가단성(可鍛性)·연성(延性) 등을 증가시키기 위하여, 일정한 시간 적당한 온도로 가열시키는 데 사용하는 노(爐). 반사로(反射爐)·용광로(鎔鑛爐) 등이 있음.

가열 살균【加熱殺菌】명 가열하여 미생물(微生物)을 죽이는 일.

가열 진공 증발기【加熱眞空蒸發器】명 식품 보존 목적으로, 식품에서 수분을 제거하기 위해 사용하는 일종의 진공 증발 건조기. 건조 온도·건조 속도가 모든 과정에서 순식간에 정확하게 자동적으로 조절됨.

가열 착색【加熱着色】명〖광〗닦은 금속 표면을 가열에 의하여 산화(酸化)시켜, 미세 조직(微細組織)을 나타내는 일.

가:엽【假葉】명〖식〗헛잎.

가:엽다 형ㅂ불 가엾다.

가엽-포【茄葉包】명 가짓잎쌈.

가:엾다 [—엽—] 형 불쌍하고 딱하다. 가엽다. ¶ 그 애가 고아가 되다니 참으로 ~/안달하는 것을 보니 ~.

가:엾어-지다 자 가엾게 되다. 가여워지다.

가:엾어-하다 타 가엾게 여기다. 가여워하다.

가:엾-이 [—엽씨] 부 가엾게.

가영【歌詠】명 ①시가(詩歌)를 읊음. ②〖악〗범패(梵唄)의 하나. 불보살을 칭송하는 내용으로, 범패승(僧)에 의해서 독창(獨唱)됨. ——-하다 자여불

가:-영업【假營業】명 임시로 하는 영업.

가:-영업소【假營業所】명 임시로 차린 영업소.

가:-영치【假領置】명〖법〗본인 또는 타인의 생명과 재산에 대한 위해(危害)를 방지하기 위하여 필요하다고 인정되는 경우에, 보호 조치에 따라 일시적으로 소지자의 의사(意思)에 반(反)하여 흉기 등을 경찰 기관이 보관하는 일. 기간은 30일을 초과하지 못함. *보호 조치.

가:-예산【假豫算】명〖법〗예산안의 심의가 늦어져 신회계 연도 개시까지 의결(議決)되지 못한 때 연도 개시 후 일정한 기간 동안의 집행을 위해 국회가 잠정으로 의결 편성하는 예산. 잠정 예산.

가오¹ 형명〈방〉가웃(경남).

가오² 명〈방〉가위²(전북).

가오 강〔高崗〕명〖사람〗중국의 정치가. 산시 성(陝西省) 헝산 현(横山縣)에서 출생함. 1952년 국가 계획 위원회의 초대 주석과 중앙 인민 정부 위원회 부주석 등을 겸임한 후 반당(反黨) 활동의 혐의를 받아 자살함. 고강. [1905-55?]

가:오다 타〈방〉가져오다(경상).

가오리 명〖어〗가오릿과에 속하는 바닷물고기의 총칭. 몸이 가로 넓적하고 꼬리가 긴 근해어(近海魚)인데, 노랑가오리·홍어·오동가오리·상어가오리·저자가오리·묵가오리·살홍어·눈가오리·흰가오리·꽁지가오리·나비가오리 등이 있음. 요어(鰩魚). 해요어(海鰩魚). 분어(鱝魚). *홍어(洪魚).

가오리-목【—目】명〖어〗[Rajida] 어류의 한 목. 가오릿과·시끈가오릿과·수구릿과·목탁가오릿과·색가오릿과·쥐가오릿과 등이 있는데, 한국에는 이 목에 속하는 것으로 19종이 알려져 있음.

가오리-무침 명 가오리를 잘게 뜯어 무친 반찬.

가오리-백숙【—白熟】명 가오리를 굵게 토막쳐서 양념을 않고 맹물에 삶아 익힌 음식.

가오리-어채【—魚菜】명 생선 가오리를 토막쳐서, 녹말에 묻혀 물에 데치어 만든 어채. 분어채(鱝魚菜).

가오리-연【—鳶】명 '꼬빡연'을 가오리 모양으로 생겼다 하여 일컫는 이름.

가오리-탕【—湯】명 ☞ 가오릿국.

가오리 홍정 명 잘못하여 오히려 값을 올린 흥정.

가오릿-과【—科】명〖어〗[Rajidae] 가오리목(目)에 속하는 한 과.

가오릿-국 명 생선 가오리를 끓인 국.

가오미〔高密〕명〖지〗중국 산둥 성(山東省) 동쪽에 있는 도시. 칭다오(青島) 시의 서북 65km, 자오허(膠河) 강의 동쪽 기슭에 자리잡고 있음. 정현(鄭玄)의 출생지이며 밀·고량(高粱)·땅콩 등의 집산지임.

가오사〔高砂〕명〖지〗'타이완'의 별칭.

가오슝〔高雄〕명〖지〗타이완(臺灣) 서남부의 도시. 타이완 제2의 항구 도시로, 항만 시설이 완비되어 남방 무역의 중심지를 이룸. 공업으로는 시멘트·철강·조선(造船) 등이 성함. 보세(保稅) 공업 지구 등이 건설되어 가공 무역이 성함. 고웅. [1,407,444명(1993)]

가오시 호【—湖】〔高士〕명〖지〗중국 '시호(西湖)'의 별칭.

가오유〔高郵〕명〖지〗중국 장쑤 성(江蘇省) 중서부의 도시로 가오유 현(高郵縣)의 현청 소재지. 대운하(大運河)로 쌀·밤을 베이징(北京) 방면으로 운송함. 서방의 가오유 호(高郵湖)는 대운하·화이허(淮河)의 수량 조절호(水量調節湖)임. 고우.

가옥¹【家屋】명 사람이 사는 집. 옥사(屋舍).

가:옥²【假玉】명 가짜 옥. 사람이 만든 옥.

가:옥³【假屋】명 임시로 지은 오두막집.

가:옥⁴【假獄】명〖역〗고려 광종(光宗) 때에 전옥서(典獄署) 외에 임시로 설치한 옥(獄).

가:-옥기【假玉器】명〖공〗중국 당(唐)나라 고조(高祖) 때, 창남진(昌南鎭)의 도옥(陶玉)이 처음 구운 자기(瓷器).

가옥 대장【家屋臺帳】명 가옥의 상황을 밝히기 위하여 그 소재(所在)·번호·종류·면적·소유자 등을 등록하는 공부(公簿). *토지 대장.

가옥-세【家屋稅】명 가옥의 소유자에 대하여 과하는 지방세. 현재의 '재산세 가옥분'의 구칭.

가온대 명〈방〉가운데(경남).

가온데 명〈방〉가운데(경북).

가:-온도【假溫度】명 〔virtual temperature〕〖기상〗습윤 공기(濕潤空氣)를 같은 압력과 밀도의 건조 공기로 바꾸어 놓았을 때를 가정한 온도.

가온ᄃᆡ 명〈옛〉가운데. =가ᄫᆞᆫᄃᆡ. ¶ 中은 가온ᄃᆡ라《訓諺》.

가온딧소리 명〈옛〉홀소리. 중성(中聲). ¶ ㅏ는 覃ㅂ字 가온딧 소리 ᄀᆞ트니라《訓諺》.

가온-음【—音】명 〔mediant〕〖악〗음계의 제3도의 음. 으뜸음과 딸림음의 사이에 있으므로 이와 같이 말함. 중음(中音). 메디안테.

가온음자리-표【—音—標】명 〔C clef〕〖악〗악보의 첫머리에 써서 음부(音部)의 높이를 나타내는 기호. C자를 장식화한 것임. 중음부 기호. 다음 기호. 다음자리표.

가온 화음【—和音】명〖악〗가온음 위에 이룩된 3화음.

가올 명〈방〉가을(경남).

가옷 의명〈옛·방〉가웃(경기·충청·전라·경상). ¶ 두 말 가옷이 드니(二斗半)《煮硝 3》.

가옹【家翁】명 집주인. 호주(戶主). 가장(家長).

가와무라-맵시벌〔일 川村:かわむら〕명〖충〗[*Ctenichneumon kawamurae*] 맵시벌과에 속하는 곤충. 암컷의 몸길이는 15mm 가량이고 두흉부의 제1·4·5·6·7 복절은 흑색, 제2·3 복절은 적황색임. 촉각은 흑색이며 중앙에 황백색의 반문이 있음. 일본·한국에 분포함.

가와무라-해면【—海綿】〔일 川村:かわむら〕명〖동〗[*Heteromeyenia bailey*] 담수해면과에 속하는 해면 동물. 각층상(殼層狀)이며 군데군데 손가락 모양의 돌기가 있음. 몸빛은 초록색이고, 골격 골편(骨格骨片)은 간상(桿狀)임. 아구(芽球)는 구상이며 체내에 많이 형성되어 있음. 못·늪에 서식하는데, 한국·사할린·대만에 분포함.

가와바타 야스나리〔川端康成:かわばたやすなり〕명〖사람〗일본의 소설가. 오사카(大阪) 출생. 도쿄(東京) 대학 국문과 졸업. 신감각파(新感覺派) 문학 운동을 전개, 특이한 서정적 작가로 알려짐. 1968년 노벨 문학상을 탐. 작품에 《유키구니(雪国)》·《이즈(伊豆)의 무희(舞姬)》 등이 있음. 자살(自殺)함. [1899-1972]

가와사키〔川崎:かわさき〕명〖지〗일본 가나가와(神奈川) 현 북동쪽의 도시. 근대 공업 도시로, 제강(製鋼)·전기구(電機具)·자동차·비료 등의 공업이 성하며, 배·복숭아의 특산지임. [1,188,981명(1996)]

가와사키-병【—病】〔일 川崎:かわさき〕명〖의〗〔1967년에 학회에 처음으로 발표한 일본의 소아과 의사 가와사키 도미사쿠(川崎富作)의 이름에서 유래〕급성 열성 피부 점막 림프절 증후군(急性熱性皮膚粘膜 lymph 節症候群)의 속칭. 주로 젖먹이에 발생하는데, 고열과 눈의 충혈(充血)에 이어 손발이 벌겋게 붓고, 등과 배에 건성 습진(乾性濕疹)이 돋으며, 사망률은 1-2%임. 원인 불명으로 알았으나, 1977년 용혈성 연쇄 구균(溶血性連鎖球菌)의 감염증으로 지적됨.

가:왕¹【假王】명 가짜 임금.

가왕²【歌王】명 노래 부르는 데의 제일인자. ¶ 판소리 ~ 송흥록(宋興祿).

가왕-도【加王島】명〖지〗경상 남도의 남해상(南海上), 통영시(統營市) 한산면(閑山面) 매죽리(每竹里)에 위치한 섬. [0.19 km²]

가왜 명〈방〉가위¹(경상).

가외¹ 명〈옛·방〉가위. 추석(경북·강원). ¶ 가외(中秋)《譯語 上 4》.

가외²【加外】명 일정(一定)한 것 이외에 더하는 일. ¶ ~ 수입/~ 지출.

가:외³【可畏】명 두려워할 만함.

가욋-돈【加外—】명 일정한 액수 이외에 더한 돈.

가욋-사람【加外—】명 필요 밖의 사람.

가욋-일【加外—】[—닐] 명 필요 밖의 일.

가요¹【哥窯】명 가기(哥器).

가요²【歌謠】명 ①악가(樂歌)와 속요(俗謠). ②민요·동요·속요·유행가 등의 총칭. 사곡(詞曲). ③〖역〗↗교방 가요(敎坊歌謠).

가요-계【歌謠界】명 주로, 대중 가요에 관한 것을 업으로 삼는 사람의 사회.

가요-곡【歌謠曲】명〖악〗①악장(樂章)에 맞추어 부르는 속요의 곡조. ②유행가. 대중 가요. 요곡(謠曲).

가요 만:담【歌謠漫談】명 노래와 콩트(conte)로 구성된 연예(演藝).

가요-문【哥窯紋】명 잘게 갈라진 것처럼 보이는 도자기(陶瓷器)의 무늬. *장청자(章青瓷).

가:요-성【可撓性】[—썽] 명 물질의, 구부려 휠 수 있는 성질.

가:요성 풍관【可撓性風管】[—썽—] 명〖광〗구부려 쓸 수 있는 풍

관. 나선상(螺旋狀)의 철사 위를 고무나 염화 비닐(塩化 vinyl)의 시트로 덮은 것. 국소 통기(局所通氣)에 쓰임.

가:요 저:항기【可撓抵抗器】명〔flexible resistor〕〖전〗리드선(lead 線)처럼 만들어진, 가요성(可撓性)의 코일 저항기. 「예 행사.

가요-제【歌謠祭】명 새 가요의 발표나 가수의 노래 경연 등을 베푸는 연

가:요 철탑【可撓鐵塔】명〖전〗송전선(送電線)에서 전선로가 직선을 이루어 표준 경간(徑間)을 초과하지 아니하는 곳에 사용하는 철탑.

가욕-관【嘉峪關】명〖지〗'자위관(嘉峪關)'을 우리 음으로 읽은 이름.

가:용1【可用】명 쓸 수 있음. 쓸 만함.

가:용2【可溶】명 액체에 잘 녹음. ↔불용(不溶).

가:용3【可鎔】명 금속이 비교적 낮은 온도에서도 잘 녹음.

가용4【佳容】명 아름다운 용모. 화용(華容).

가용5【家用】명 ①집안 살림의 비용. ¶ ~을 절약하다. ②집안 소용으로 씀. 또, 그 물건. ¶ ~으로 빚은 술. ——-하다 타여불

가용6【家茸】명〖한의〗집에서 기른 사슴으로부터 자른 녹용(鹿茸).

가용 공:물【加用貢物】명〖역〗원공(元貢)의 부족분을 메우기 위한 것. 또는 공안(貢案)에 들어 있지 아니하는 가외의 공물. ↔원공(元貢).

가:용-금【可鎔金】명〖화〗가용 합금(可融合金). 가융금(可融金).

가:용-물【可溶物】명 액체(液體)에 잘 녹는 물체.

가:용-성1【可溶性】[-썽] 명 액체에서 녹을 수 있는 성질. 물에서 소금, 알코올에서 기름의 성질 따위. 「성질.

가:용-성2【可鎔性】[-썽] 명 비교적 낮은 온도에서도 잘 녹는 금속의

가:용성 녹말【可溶性綠末】[-썽-] 명〖화〗공업용 덱스트린(dextrin)의 하나. 냉각한 광산(鑛酸)에 담근 후 물로 씻어 내어 말린 녹말. 입상(粒狀)으로, 더운 물에 잘 녹음.

가:용 외:환 보:유액【可用外換保有額】명〖경〗외국의 점포에 예치된 외화(外貨)를 제외한 정부의 외환 보유액.

가:용 인구【可容人口】명〖사〗지구상의 식료(食料) 소비면으로 본, 부양(扶養)할 수 있는 인구의 총수(總數).

가:용 탑재량【可用搭載量】명〔available pay load〕사용자가 이용할 수 있는 화물 용량이나 인원 또는 중량.

가우1 명〈방〉가위1·2·3.

가:우2【假寓】명 임시로 삶. 또, 그 집. 가거(假居). ——-하다 자여불

가우3【嘉優】명〖역〗가배(嘉俳·嘉排).

가우가멜라의 싸움〔Gaugamela〕[-/-에-] 명〖역〗기원전 331년, 알렉산더 대왕의 동정군(東征軍)이 티그리스 강 상류의 가우가멜라에서 페르시아군(軍)을 크게 이긴 싸움. 이 싸움의 승리로, 알렉산더 대왕의 페르시아 제패가 결정적으로 이루어짐. 아르벨라의 싸움.

가우기 명〈방〉거위1(경기).

가우-도【駕牛島】명〖지〗전라 남도의 남해안(南海岸), 강진군(康津郡) 도암면(道岩面) 신기리(新基里)에 위치한 섬. [$0.23 km^2$]

가우디〔Gaudí, Antonio〕명〖사람〗스페인의 건축가. 네오고딕(neo-Gothic)·아르누보 등의 요소가 섞인 쉬르레알리슴적 작품이 특징이며, 식물을 연상시키는 장식(裝飾) 모티프 또는 환상적 곡선(幻想的曲線)·곡면을 많이 사용한 괴기한 작품을 남김. [1852-1926]

가우리 명〈방〉①지렁이(제주). ②가오리(강원·전남·경상).

가우리상카르 산【-山】〔Gauri Sankar〕명〖지〗네팔 동부, 중국 국경에 위치한 히말라야 산맥의 한 고봉(高峰). 에베레스트 산 서쪽 55 km 지점에 있음. [7,145 m]

가우스1〔Gauss, Karl Friedrich〕명〖사람〗독일의 수학·물리·천문학자. 괴팅겐(Göttingen) 대학 교수·천문대장을 지냄. 19세 때에 17각형 작도에 성공, 24세 때 유명한 《정수론 연구(整數論研究)》를 내어 수학계에 새로운 기원을 이루었음. 최소(最小) 제곱법·곡면론(曲面論)·초기하 급수(超幾何級數)·복소수 함수론을 전개하고, 측지학(測地學)·전자기학(電磁氣學)·천문학·모관(毛管) 현상의 연구 등, 다방면으로 업적을 남겼음. [1777-1855]

가우스2〔gauss〕의명〖물〗독일의 물리학자 가우스가 제창한 자기력선속(磁氣力線束) 밀도를 나타내는 C.G.S. 단위(單位) 또는 가우스 단위. 1가우스는 1 cm^2당 1 맥스웰(Mx)의 자기력선속 밀도와 같음. 기호는 G.

가우스 곡선【-曲線】〔gauss〕명〖수〗오차 곡선(誤差曲線).

가우스 단위계【-單位系】〔gauss〕명〖물〗전기적(電氣的)인 양에는 C.G.S. 정전(靜電) 단위계, 자기적(磁氣的)인 양에는 C.G.S. 전자기 단위계를 사용하는 단위계. 전자기장(電磁氣場)의 이론적 취급에 편리함.

가우스 분포【-分布】〔Gauss〕명〖수〗정규(正規) 분포.

가우스의 기호【-記號】〔Gauss〕[-/-에-] 명〖수〗[ ]로 표시되는 기호. 실수(實數) x에 대하여 x를 넘지 않는 최대의 정수(整數)를 뜻함. a가 실수로서 $a \leq x < a+1$일 때 $[x]=a$가 됨.

가우스의 법칙【-法則】〔Gauss〕[-/-에-] 명〖물〗가우스가 제시한 정전기학(靜電氣學)에 있어서의 법칙. 어떤 정전계내(靜電界內)의 폐곡면(閉曲面)을 뚫고 나가는 전기력선속(電氣力線束)의 총수는 그 폐곡면내에 존재하는 총전하량(總電荷量)에 비례한다는 정리(定理). 가우스의 정리. 「법칙.

가우스의 정:리【-定理】〔Gauss〕[-니/-에-니] 명〖물〗가우스의

가우스 평면【-平面】〔Gauss〕명〖수〗복소 평면(複素平面).

가우-일【嘉優日】명 가윗날.

가우-절【嘉優節】명 가위2.

가우초〔gaucho〕명 남미 팜파스(pampas)의 주민의 통칭. 스페인·포르투갈 식민자(植民者)와 원주민과의 혼혈임. 이 지역 일대가 목축 지대이므로 '목부(牧夫)'의 뜻으로도 쓰임.

가우하티〔Gauhati〕명〖지〗인도의 아삼 주(Assam 州) 북서쪽에서 브라마푸트라 강에 접해 있는 도시. 스리랑카 북서쪽 70 km 지점에 위치해 상업 중심지임. 부근에 힌두교 순례지가 있음. [577,591명(1991)]

가운1【家運】명 집안의 운수. 문조(門祚). ¶ ~이 기울다.

가운2〔gown〕명 ①여성용의 긴 겉옷. ②판사·검사·변호사들의 법복(法服). ③졸업식 등에 교수·대학생이 입는 예복(禮服). ④예배·미사 때에 신부(神父)·목사들이 입는 옷. ⑤의사·간호원들이 입는 위생복.

가운데 명 ①시간이나 공간이나 사물의 끝이 아닌 부분. 안. 사이. 중간. ¶ 바쁜 ~에도/연못 ~. ②여럿 있는 중의 일부분. ¶ 많은 ~서 고르다. ③↗한가운데. ¶ ~ 토막. 1)-3):↔가.

가운데-뜰 명 집안의 건물과 건물과의 사이에 있는 뜰. 중정(中庭).

가운데-씨방【-房】명〖식〗자방 중위(子房中位). 중위 자방(中位子房).

가운데-열매껍질 명〖식〗중과피(中果皮).

가운데-창자 명〖생〗중장(中腸). *앞창자·뒤창자.

가운데-층【-層】명 세 층으로 된 건물의 둘째 층.

가운데-치마 명 갈퀴코를 잡아매도록 갈퀴의 위아래 두 치마 사이에 가로지른 나무.

가운데-톨 명 세톨박이 밤의 한가운데 있는 밤톨. ↔가톨.

가운뎃-가슴 명〖동〗중흉(中胸).

가운뎃-골 명〖생〗중뇌(中腦).

가운뎃-귀 명〖생〗중이(中耳).

가운뎃-마디 명 화살의 윗마디와 아랫마디와의 사이의 부분.

가운뎃-발가락 [-까-] 명 다섯 발가락 중 한가운데의 발가락.

가운뎃-소리 명〖언〗한 음절의 가운데에 오는 모음. '말'에서의 'ㅏ' 따위. 중성(中聲).

가운뎃-손가락 [-까-] 명 다섯 가운데 제일 긴, 셋째 손가락. 장지(長指·將指). 중지(中指). 장가락.

가운뎃-점【-點】명〖언〗열거된 여러 단위가 대등하거나 밀접한 관계임을 나타낼 때, 각 단위 사이에 찍는 점. '·'을 이름. 중점(中點).

가운뎃-줄 명 큰 연(鳶)이 바람에 뒤집히지 아니하도록 연의 귀·꽁수·허리의 세 달의 교차되는 중심에다 하나 더 맨 줄.

가운뎃-집 명 삼형제의 가운데 사람의 집.

가운테 명〈방〉가운데(경기·강원·충북·경북).

가울 명〈방〉가을(경기). 「~. *되사·아웃.

가웃 의명 되·말·자의 수를 셀 때 남는 반분. ¶ 두 되 ~/서 말 ~/석 자

가웃-날 명〈방〉가윗날. 「마지기'를 일컫는 말. ¶ 두 말 ~.

가웃-지기 의명 논밭의 넓이의 단위에서, 한 마지기 이상 되고 남는 '반

가:-웅예【假雄蕊】명〖식〗헛수술.

가웆 의명〈방〉가웃(강원·경북).

가워〔Gower, John〕명〖사람〗영국의 시인. 라틴어와 영어로 시를 썼으며, 영어로 쓴 작품으로 《애인의 고해(告解)》가 있음. [1330-1408]

가:원【可寃】명 원통스러움.

가월1【佳月】명 아름다운 달. 명월(明月).

가월2【嘉月】명 음력 삼월의 미칭.

가웨 명〈방〉가위1(황해·평남).

가위1 명 ①옷감·종이·머리털 따위를 베는 기구. 날이 엇결어 있는 두 개의 다리를 맞잡고 벰. 교도(交刀). 전도(剪刀). 협도(鋏刀). ¶ ~로 자르다. ②가위바위보에서, 집게손가락과 가운뎃손가락 또는 엄지손가락을 벌려 내민 것. ¶ ~는 보에 이긴다.

가위2 명 음력 팔월 보름 명절. 신라의 가배(嘉俳)에서 유래하며, 햅쌀로 송편을 빚어서 차례(茶禮)를 지내고, 벌초(伐草)·성묘(省墓) 등을 행함. 추석(秋夕). 가배절(嘉俳節). 가우절(嘉優節). 중추(中秋). *한가위.

가위3 명 자는 사람을 놀라게 한다는 귀신.

가위(에) 눌리다 구 자다가 무서운 꿈을 꾸고 놀라서 몸짓을 하거나 소리를 지르다.

가:위4【可危】명 위험스러움. 위태함.

가위5【葭葦】명〖식〗갈대. 「라운 일이로다/~ 신사다.

가:위6【可謂】부 ①가히 이르자면. 가히 이르는 바. ②과연. 참. ¶ ~ 놀

가위-노린재 명〖충〗[*Acanthosoma labiduroides*] 노린잿과에 속하는 곤충. 몸빛은 녹색으로 앞 등 양편은 홍색, 막질부(膜質部)는 암갈색, 촉각은 황갈색임. 몸에서 고약한 냄새가 나며, 수컷의 배 끝에는 홍색의 가위 같은 것이 달리어 있음. 한국에도 분포함.

가위-놀이 명〖민〗음력 팔월 보름날 밤에 남녀 노소가 즐겁게 춤을 추며 즐기는 놀이. 추석놀이.

가위-다리 명 ①가위의 두 다리. 곧, 가위의 손잡이. ②길쭉한 두 개의 물건을 서로 어긋매끼어 '×' 모양으로 걸친 형상.

가위다리(를) 치다 구 '×' 모양으로 서로 어긋매끼어 걸치어 놓다.

가위다리-양자【-養子】명 두 형제에 하나밖에 없는 외아들이 아들 둘을 낳을 때, 그 중 한 아들이 그 종조(從祖)의 양손(養孫)이 되는 일. 또, 그 양손. ——-하다 타여불

가위다리-차【-車】명 장기 둘 때, 상대편 궁(宮)의 한편에서 연거푸 장군을 부르게 된 위치에 있는 두 차(車).

가위-뛰기 명 육상 경기에서 멀리뛰기를 할 때, 공중에서 다리를 가위처럼 벌렸다 오므리면서 뛰는 동작. 시저스 점프(scissors jump).

가위-력【加威力】명〖불교〗부처와 보살이 중생에게 가피(加被)하여 주는 위신(威神)과 공덕의 힘.

가위-바위-보 명 순서나 승부를 결정할 때 손을 내밀어 하는 방법. 집게손가락과 가운뎃손가락의 둘을 내민 것을 가위, 주먹 쥔 것을 바위, 주먹을 펴서 내민 것을 보로 하고 가위는 보에, 바위는 가위에, 보는 바위에 각각 이기는 것으로 정함.

가위-벌 명〖충〗가위벌과(科)에 속하는 곤충의 총칭. 중형(中型) 또는 대형이며 꿀벌과 비슷하나 더 크고 몸빛이 짙음. 집은 보통 장미의 잎이나 그 밖의 나뭇잎을 뜯어 지음.

가위벌-과【一科】[一꽈] 명〖충〗[Megachilidae] 벌목에 속하는 곤충의 한 과. 장미가위벌·왕가위벌 등이 이 과에 속함.

가위-벌레 명〈방〉〖충〗집게벌레.

가위-뽕 명〖식〗☞가새뽕.

가위손끝-찌르기 명 태권도에서 공격 기술의 하나. 가위바위보의 가위 모양으로 집게손가락과 가운뎃손가락을 벌려 내밀고 상대방의 눈을 찌르는 기술.

가위-염【一簾】명 ☞가새염.

가위-좀 명〖충〗일자좀나비의 유충. 벼의 잎을 갉아먹어서 때로는 큰 해를 줌.

가위-주리 명〖역〗☞가새주리.

가위-주먹 명 ☞가위바위보.

가위-지르다 타 르불 ☞가새지르다.

가위-질 명 가위로 자르거나 오리는 일. ──-하다 자 여불

가위-춤 명 가위를 쥔 손을 벌렸다 오므렸다 하는 일.

가위춤(을) 추다 구 가위를 쥔 손을 자꾸 벌렸다 오므렸다 하다.

가위-톱 명〖식〗[*Ampelopsis japonica*] 포도과에 속하는 낙엽 활엽 만목(蔓木). 잎은 피침형인데 호생하며 소엽(小葉)은 재우상(再羽狀)으로 째지고 총병(總柄)에 날개가 달림. 꽃은 5-6월에 취산(聚繖) 화서로 피고 장과(漿果)는 처음은 벽자색이나 가을에 백색으로 익음. 산지에 나는데, 황해·평남·만주·중국 등지에 분포함. 뿌리는 '백렴(白蘞)'이라 하여 약재로 씀. 백렴(白蘞). 백초(白草).

〈가위톱〉

가위-표【一標】명 틀린 것을 표시하거나 글자의 빠진 데를 메우거나, 또는 다른 안표(眼標)로 쓰는 '×'의 이름. ↔동그라미표. ＊곱셈표.

가윗-날 명 한가윗날. 추석날. 가배일(嘉俳日). 가우일(嘉優日).

가윗-밥 명 가위질할 때 베어 내버린 부스러기.

가유[1]【加由】명〖역〗↗가급유(加給由). ──-하다 자 여불

가:유[2]【假有】명〖불교〗인연 화합(因緣和合)에 의하여 현실로 나타나 있는 세계 만유(萬有). ↔실유(實有).

가:-유치【假留置】명〖법〗유치 방법의 하나. 구속 영장의 집행을 받은 피고인·피의자를 호송 도중, 필요에 따라 가장 가까운 교도소에 임시 유치하는 일.

가유 호:세【家諭戶說】명 집집마다 깨우쳐 일러 줌. ──-하다 타 여불

가율【加律】명〖역〗형벌을 더함. 가중(加重). 가죄(加罪). ──-하다 자타 여불

가:융【可融】명 녹일 수 있음.

가:융-금【可融金】명〖화〗가융 합금(可融合金).

가:융-성【可融性】[一썽] 명〖물〗열로써 녹일 수 있는 양(量) 또는 정도.

가:융 합금【可融合金】명 [fusible alloy]〖화〗납·주석(朱錫)·카드뮴(cadmium)·비스무트(bismuth) 등과 같이 녹는점이 낮은 금속을 적당한 비율로 섞어 만든, 녹는점이 더욱 낮은 합금. 70℃에서 녹는데, 땜납·퓨즈(fuse) 등이 있음. 이융 합금(易融合金). 가융금. 가용금.

가으-내 부 [중세: ᄀᆞᅀᆞᆳ내←ᄀᆞᅀᆞᆶ+-내] 온 가을 동안 죽. ¶ ～ 비가 온다.

가:-으로 구 가장자리 쪽으로의 뜻인 '가로'를, 옆으로의 뜻인 '가로'와 구별하여 특별히 쓰는 말. ¶ ～ 돌아가며 심은 꽃. ＊서(西)으로.

가으말다 자 〈방〉가말다.

가은[1]【加恩】명 은혜를 더욱 내리어 식록(食祿)을 증여(增與)함. ──-하다 자 여불

가은[2]【加恩】명〖지〗경상 북도 문경시(聞慶市)의 한 읍(邑). 은성(恩城) 탄전에서 나는 석탄을 운반(運搬)하는 가은선(加恩線)의 요역(要驛). [6,633명(1996)]

가은-선【加恩線】명〖지〗문경선(聞慶線)의 진남역(鎭南驛)에서 가은에 이르는 산업 철도. 1969년에 개통됨. [11.7 km]

가을 명 ①일 년 사시 중의 셋째 철. 이십사 절기로는 입추(立秋)로부터 입동(立冬)까지, 천문학적으로는 추분부터 동지까지의 기간. ②↗가을걷이. 준갈. ──-하다 자타 여불 ↗가을걷이하다.

【가을 닭띠는 잘 산다】흔히 닭띠로서, 가을에 난 사람은 잘 산다 하여 이르는 말. 【가을 더위와 노인의 건강】끝장이 가까워 기운이 쇠하고 오래 가지 못하는 것을 두고 이르는 말. 【가을 마당에 빗자루 몽당이를 들고 춤을 추어도 농사 밑이 어둑하다】가을 타작을 하여, 가령 것을 다 가리고 빈손에 빗자루 하나만 들더라도, 그래도 농사일이 든든한 것이라는 말. 【가을 무 껍질이 두꺼우면 겨울에 춥다】 가을 무를 뽑아 껍질을 벗겼을 때, 그것이 두꺼우면, 그 겨울은 춥다는 말. 【가을 물은 소 발자국에 괸 물도 먹는다】가을 물은 매우 맑고 깨끗하다는 말. 【가을 밭은 안 갈아 엎는다】가을 밭농사가 끝난 후의 밭은 그대로 내버려 둔다는 말. 【가을 상추는 문 걸어 잠그고 먹는다】가을 상추는 특별히 맛이 좋다는 말. 【가을 식은밥이 봄 양식이다】봄에는 궁하니 절약해야 한다는 말. 【가을 아욱국은 계집 내어쫓고 먹는다】아내를 내쫓고 혼자서 먹을 만큼 가을 아욱국은 맛이 좋다는 뜻. 【가을에 내 아비 제(祭)도 못 지내거든 봄에 의붓아비 제(祭) 지낼까】곡류(穀類)가 흔한 가을에도 친부(親父)의 대례(大禮)를 지내지 못하였는데 어찌 군색한 봄에 소례(小禮)를 지낼 수가 있으랴 함이니, 소중한 일도 못할 계제에 어느 겨를에 형식의 일까지 다 참섭하랴 하는 말. 【가을에는 부지깽이도 덤벙인다】추수기에는 대단히 분망하여 어린아이까지도 일한다는 말. 【가을에 무 꽁지가 길면 겨울이 춥다】가을에 무를 뽑아서 꽁지가 길면, 그 겨울은 춥다는 말. 【가을에 밭에 가면 가난한 친정에 가는 것보다 낫다】가을 밭에는 먹을 것이 많다는 말. 【가을 중 싸대듯 한다】가을에 행각승(行脚僧)이 동냥 다니듯 바빠서 분주히 싸다님을 이르는 말. 【가을 중의 시주(施主) 바가지 같다】추수가 끝나 곡식이 풍성하면 시주가 많이 걷힌다는 뜻으로, 무엇이 가득히 담긴 것을 이르는 말. 【가을 판에는 대부인(大夫人) 마님이 나막신짝 들고 나선다】추수기가 되면 존귀하신 대부인께서도 나선다 함이니 대단히 분망함을 이르는 말.

가을-갈이 명 가을에 논을 갈아 두는 일. 추경(秋耕). ↔봄갈이. 준갈갈이. ──-하다 자타 여불

가을-걷이 [一거지] 명 가을에 곡식을 거두는 일. 추수(秋收). 준가을. ──-하다 자타 여불 준가을하다.

가을게둠-하다 자타 〈방〉가을걷이하다(강원·경남).

가을-고치 명 가을누에가 만든 고치. 이것으로 만든 생사(生絲)는 봄누에의 다음으로 품질이 좋으며 실의 양도 많음. ＊봄고치.

가을-꽃 명 가을에 피는 꽃. 추화(秋花).

가을-날 [一랄] 명 가을철의 날. 추일(秋日).

가을-내 [一래] 명 →가으내.

가을-누에 [一루一] 명 가을에 치는 누에. 추잠(秋蠶). ↔봄누에.

가을-달 [一딸] 명 가을철의 밝은 달. 추월(秋月).

가을-밀 명 가을에 씨를 뿌리어 이듬해 초여름에 거두어 들이는 밀.

가을-바람 [一빠一] 명 가을에 부는, 선선하고 서늘한 바람. 추풍(秋風). 준갈바람.

【가을 바람은 총각 바람, 봄 바람은 처녀 바람】가을철에는 남자가 바람기가 나기 쉽고, 봄에는 여자가 바람기가 나기 쉽다는 말.

가을바람에 새:털 구 끗끗하지 못한 것을 비유하는 말.

가을-밤 [一빰] 명 가을철의 밤. 추소(秋宵). 추야(秋夜).

가을-볕 [一뼏] 명 가을철에 따갑게 쬐는 볕. 추양(秋陽).

【가을 볕에는 딸을 쬐고 봄볕에는 며느리를 쬔다】봄볕을 쬐면 살갗이 타고 거칠어지므로, 며느리보다 딸을 위한다는 말.

가을-보리 명 가을에 씨를 뿌리어 이듬해 첫여름에 거두는 보리. 추모(秋麰). 추맥(秋麥). 준갈보리. ＊봄보리.

가을-봄 명 가을과 봄. 준갈봄.

가을-비 [一삐] 명 가을철에 오는 비. 추우(秋雨).

【가을비는 떡 비라】가을에 비가 오면 들에 나가 일을 할 수 없고, 곡식은 넉넉하니 집안에서 떡이나 해 먹고 지낸다는 말. 【가을비는 장인의 나룻 밑에서도 긋는다】㉠가을비는 잠시 오다가 곧 그친다는 말. ㉡그때 그때의 잔걱정은 순간적이어서 곧 지나간다는 말.

가을-빛 [一삗] 명 추색(秋色). ¶ ～이 완연하다.

가을-뿌림 명 가을에 씨를 뿌리는 일. 추파(秋播). ──-하다 타 여불

가을-심기 [一끼] 명 가을에 심는 일. 추식(秋植). ──-하다 타 여불

가을-일 [一릴] 명 가을걷이하는 일. 가을에 곡식을 거두어 들이는 일. ──-하다 자 여불

【가을 일은 미련한 놈이 잘한다】가을 농촌 일은 매우 바쁜데, 꾀를 부리지 말고 닥치는 대로 해 치워야 성과가 많다는 말.

가을-작물【一作物】명 가을철에 심는 농작물.

가을-장마 [一짱一] 명 가을철에 여러 날 계속하여 오는 비. 추림(秋霖).

가을-철 명 가을의 계절. 가을의 절기(節氣). 추절(秋節).

【가을철에는 죽은 송장도 꿈지럭거린다】가을철 농가에서는 매우 분주하다는 말.

가을-카리 명 ☞가을갈이. ──-하다 자타 여불

가을 판공【一判功】명 천주 교회에서, 신부가 가을에 공소를 방문하는 일. 이 때에 판공이 이루어지는 데서 이르는 말임.

가음[1] 명〈방〉감[2]❶ (경북).

가음[2]【加音】명〖물〗진동수가 다른 두 개의 음을 동시에 울릴 때 생기는, 두 진동수의 합(合)의 진동수의 음.

가음여다 형〈옛〉가멸다. ＝가ᄋᆞ멸다·가ᄋᆞᆷ열다. ¶ 가음여다(富了), 크게 가음여다(巨富了)《漢淸文鑑 Ⅵ:15》.

가음열다 형〈옛〉가멸다. 부요(富饒)하다. ¶ 가음여름으로써 가난ᄒᆞ니를 피오지 말며(無以富吞貧)《警民編 27》.

가의[1]【加衣】[一/一이] 명 책가위.

가의[2]【加意】[一/一이] 명 특별히 주의함. ──-하다 자 여불

가:의[3]【可疑】[一/一이] 명 의심스러움. 의심할 만함. ──-하다 형 여불. 주의 '-할'로만 활용됨.

가의[4]【佳意】[一/一이] 명 ①선의(善意)❶. ②가취(佳趣)❷.

가-의[5]【賈誼】[一/一이] 명〖사람〗중국 서한(西漢)의 학자·정치가. 뤄양(洛陽) 사람. 23세에 박사(博士)가 됨. 문제(文帝)에 상주하여 유학(儒學)과 오행설에 기초를 둔 신제도의 시행을 역설하고, 제후(諸侯)를 분봉(分封)하여 그 세력을 깎았음. 뒤에 공신들의 반대로 좌천되어 양왕(梁王)의 태부(太傅)가 되었음. 저서에 《복조부(鵩鳥賦)》·《신서(新書)》·《좌씨전 훈고(左氏傳訓詁)》 등이 있음. [200-168 B.C.]

가의[6]【歌意】[一/一이] 명 ①노래의 뜻. ②시가(詩歌)의 뜻.

가의[7]【嘉義】[一/一이] 명〖지〗중국의 '자이(嘉義)'를 우리 음으로 읽은 이름.

가의[8]【嘉儀】[一/一이] 명 경사스러운 의식(儀式). 좋은 의식.

가의 대:부【嘉義大夫】[一/一이一] 명〖역〗조선 시대의 종이품의 문무관(文武官)의 품계. 영조 때 가정 대부(嘉靖大夫)를 고친 이름. 고종(高宗) 2년(1865)부터 문무관·종친(宗親)·의빈(儀賓)의 품계로 병용(並用)하였음.

가의-도【賈誼島】[一/一이一] 명〖지〗충청 남도 서해상, 태안군(泰安郡) 근흥면(近興面) 가의도리(賈誼島里)에 위치한 섬. 수산업의 근해 중심지로, 조기·새우의 어획고가 많음. 또, 김의 양식업이 성함. [2.19 km²]

가:의-할【可疑一】[一/一이一] 관 가히 의심할 만한.

가이[1] 명〈방〉〖동〗개[3](황해).

〈가이[2]〉

가이[2]【斝彝】명 종묘(宗廟) 제향에 쓰는 제기(祭器)의 하나. 겉에 벼이삭이 그려져 있으며, 가을·겨울과 납향(臘享)에 명수(明水)나 울창(鬱鬯)을 담음. ＊이(彝).

가이[3] 〔guy〕 명 놈. 자식. 녀석. 새끼. ¶ 터프(tough) ~/나이스 ~.

가이거[1] 〔Geiger, Hans〕 명 『사람』 독일의 물리학자. 러더퍼드(Rutherford, E.)에 사사(師事), 방사능과 우주선을 연구하여 1913년 첨단 계수기(尖端計數器)를 발명하였고, 1928년 뮐러(Müller)와 함께 '가이거 뮐러 계수기(器)'를 고안하였음. [1882-1945]

가이거[2] 〔Geiger, Theodor〕 명 『사람』 독일의 사회학자. 군중론(群衆論), 지식인론(知識人論), 계급·계층론(階層論)에 뛰어난 업적을 남겼음. 주저(主著) 《군중(群衆)과 그 행동》 등. [1891-1952]

가이거 계:수기 【一計數器】 명 〔Geiger counter〕 『물』 ①계수관의 하나. 방사선 입자(粒子)의 입사(入射)로 일어나는 기체 방전(氣體放電)을 이용하여 그 입자를 하나씩 세는 장치. 계수 효율(効率)이 부정확하므로 현재 별로 쓰이지 아니함. 1913년 가이거가 발명함. 첨단(尖端) 계수기. ② ↗가이거 뮐러 계수기.

가이거 뮐러 계:수기 【一計數器】 명 〔Geiger-Müller counter〕 『물』 방사능 측정 장치로, 계수관의 하나. 금속 원통을 음극, 그 중심축(中心軸)에 맨 철사를 양극으로 하고, 속에 아르곤이나 헬륨 가스를 넣고 밀봉(密封)하여 높은 전압을 통한 것으로, 방사선이 입사(入射)하면 양극 사이에서 방전이 일어나는데, 이 방전 전류를 증폭(增幅)하여 측정함. 주로 베타선(β線)·감마선(γ線) 측정에 쓰임. ㈜가이거 계수기.

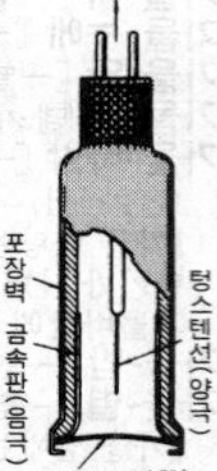

〈가이거 뮐러 계수기〉

가이나 명 〈방〉 계집아이(전라·경상).

가이네 명 〈방〉 계집아이(전라).

가이다 자 〈옛〉 개다. ¶ 몰기 가야 氣이 가ᄃ면(澄霽斂氛) 《楞嚴 Ⅱ: 25》.

가이던스 〔guidance〕 명 ①지도. 안내. ②『교』 교육상 당면한 문제에 관하여 피교육자의 개성에 따라 지도하는 교육 활동. 직업 지도에서 출발하여 최근에는 그 영역을 넓혀 학습 지도·건강 지도·여가(餘暇) 지도·사회성(社會性) 지도까지를 포함함. 지도. ＊학습 지도(學習指導). ③『교』 학교에서 신입생에 대하여 행하는 교내 사정의 설명회. ＊오리엔테이션.

가이 데릭 〔guy derrick〕 명 크레인의 하나. 철제의 지지구(支持具) 위에 마스트를 세워 최상부로부터 몇 가닥의 가이 로프를 쳐서 쓰러지지 아니하도록 하고 마스트의 각부(脚部)에 가로대를 부착시켜 그 선단을 강철 밧줄로 마스트의 최상부와 연결, 선단에 매단 후크로 물건을 달아 올림. 건설 공사에 사용됨.

가:이동 가:이서 【可以東可以西】 명 이렇게 할 만도 하고 저렇게 할 만도 함. ㈜가동 가서(可東可西).

가이두섹 〔Gajdusek, Daniel Carleton〕 명 『사람』 미국의 소아과 의사이며 바이러스 학자. 뉴기니의 한 부족(部族) 사이에서 생기는 쿠루병(kuru 病)이 전염성 신경 질환임을 확인하고, 이것이 지발성(遲發性) 바이러스 감염증임을 밝혔음. 이 업적으로 1976년 노벨 생리 의학상을 수상하였음. [1923-]

가이드 〔guide〕 명 ①안내. 지도. ②안내자(案內者). 관광 안내원. ③↗가이드북.

가이드 넘버 〔guide number〕 명 사진에서, 섬광(閃光) 전구나 스트로보(strobo) 등에 표시된 광량(光量)의 값. 이 값을 피사체와의 거리로 나누면 적정한 조리갯값(f)이 나오고, 반대로 사용하는 조리갯값으로 가이드 넘버를 나누면 적정 촬영 거리가 나옴.

가이드-라인 〔guideline〕 명 강제하지는 않지만 자주적으로 지키는 것이 요청되는 목표치(目標値). 정책·시책 등의 지침(指針). 유도 지표(誘導指標). ¶ 봉급 인상의 ~.

가이드 로:프 〔guide rope〕 명 『항공』 기구(氣球)·비행선 등의 유도삭(誘導索). ㈜가이드.

가이드-북 〔guidebook〕 명 ①여행 안내서. 관광 안내서. ②상품이나 점포의 소개서.

가이드-포:스트 〔guidepost〕 명 ①도로 표지(道路標識). ②정부가 수립하는 경제 정책의 지도 목표.

가이디드 미사일 〔guided missile〕 명 『군』 무선 유도탄(無線誘導彈).

가이디드 클라이밍 〔guided climbing〕 명 가이드, 곧 직업적인 등산 안내인의 기술적 지원을 얻어 등반(登攀)하는 일.

가이벨 〔Geibel, Emanuel〕 명 『사람』 독일의 시인. 뮌헨 시파(詩派)의 지도자. 형식 및 수사(修辭)의 기교에 뛰어나고, 감상적인 그의 서정시는 많이 작곡되어 애창됨. 주요 작품 《신시집(新詩集)》·《6월의 노래》 등. [1815-84]

가이사 〔Caesar〕 명 『성』 본래 로마의 절대 집정자 카이사르(Caesar)와 그 양자 아우구스투스(Augustus)를 가리켰으나, 후에 일반 황제(皇帝)의 칭호로 됨.

가이사랴 〔Caesarea〕 명 『성』 팔레스타인의 서해안에 있는 항구. 로마 총독(總督)의 저택(邸宅)이 있던 곳이며, 바울(Paul)이 이곳에 2년간 억류(抑留)되었음. 카이사레아.

가이샤 〔垓下〕 명 『지』 중국 안후이 성(安徽省) 링비 현(靈璧縣) 남동의 땅. 기원전 202년에 한 고조(漢高祖)의 군사가 초(楚)나라 항우(項羽)의 군사를 쳐서 깨뜨린 곳. 해하.

가이스트 〔도 Geist〕 명 ①넋. ②정신.

가이슬러 〔Geissler, Heinrich〕 명 『사람』 독일의 기술자(技術者). 1857년에 가이슬러관을, 1858년에 수은 펌프를 발명하였음. [1814-79]

가이슬러-관 【一管】 명 〔Geissler tube〕 『물』 썩 희박한 기체(氣體)를 넣고 백금선의 전극(電極)을 붙인 유리 밀폐관(密閉管). 가이슬러가 발명한 것으로 진공 방전(放電)의 실험과 기체의 스펙트럼 연구나 진공계로 쓰임.

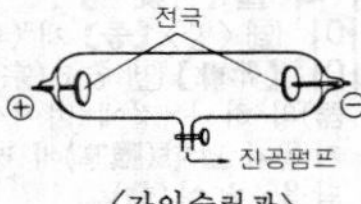

〈가이슬러관〉

가이아 〔Gaia〕 명 『신』 그리스 신화 중의 대지(大地)의 여신(女神). 카오스에서 태어나 그의 아들 천공신(天空神) 우라노스(Uranos)의 아내가 되어 티탄(Titan)이라는 신족(神族)을 낳음. 로마 신화에서는 텔루스(Tellus)의 이름으로 숭배됨. 게(Gê).

가이아나 〔Guyana〕 명 『지』 남아메리카 대륙의 북동부, 대서양에 면한 공화국. 국토의 대부분이 구릉 지대(丘陵地帶)로, 북서부에서는 소를 기르고, 대서양 연안부에서는 농사를 지어 쌀·사탕수수를 산출하는데, 이 밖에 금·보크사이트·다이아몬드의 광산(鑛産)도 있음. 주민은 약 반수(半數)가 인도인(人)이며, 공용어는 영어이지만 힌두어(語)도 쓰임. 네덜란드령(領)에서 영령(英領) 기아나로 되었다가, 1961년 자치 정부를 가지고, 1966년 영연방내의 독립국, 1970년 공화국이 됨. 수도는 조지타운(George Town). 정식 명칭은 '가이아나 협동 공화국(Cooperative Republic of Guyana)'. [214,970 km²: 800,000 명(1990 추계)]

가이-없다[1] [一업ㅡ] 형 끝없다. 한이 없다. 가없다. ¶ 가이없는 평원(平原).

가이-없다[2] 형 〈방〉 가엾다. ¶ 금주의 생명을 가이없어 하며 캔버스 위에 그려 놓은 자기의 생명도 반드시 가이없게 보아 주어야 마땅할 것이다 《桂鎔默: 靑春圖》.

가이-없이 [一업씨] 부 가이없게.

가이우스 〔Gaius〕 명 『사람』 2세기경의 로마 법학자. 생애와 성(姓)이 알려지지 아니하였으나, 그의 《법학 제요(法學提要)》는 로마의 민사법(民事法)에 관하여 역사적 설명을 가하면서 개설(槪說)한 것으로, 후세의 사법(私法) 발달에 큰 영향을 주었음. [110?-180?]

가이유니-교 【加爾維尼敎】 명 『기독교』 '칼뱅교'의 음역(音譯).

가이저 〔Geyser, Josef〕 명 『사람』 독일의 철학자. 신토머스주의(新Thomas主義) 학파의 대표자. 스콜라적 아리스토텔레스주의를 근대 철학과 결부시켜 기독교 철학으로서의 종합을 완성하려 하였음. 그 업적은 심리학·논리학·인식론·형이상학·종교 철학의 여러 영역에 미침. 저서 《원인의 법칙》. [1864-1948]

가이핑 【蓋平】 명 『지』 중국 만주 지방 랴오닝 성(遼寧省) 하이청 현(海城縣) 남서쪽의 도시. 창다(長大) 철도의 연선(沿線)에 있는 상업 도시로, 잡곡·소금·야채·작잠사(柞蠶絲)의 집산지임. 개평.

가인[1] 【佳人】 명 ①고운 여자. ¶ 절세(絶世) ~. ②고운 남자. ③이성(異性)으로서 애정을 느끼게 하는 사람.

가인[2] 【家人】 명 ①집안 사람. ②남에게 자기 집안 사람을 일컫는 말. ③『민』 ↗가인괘.

가인[3] 【街人】 명 『사람』 김병로(金炳魯)의 호(號).

가인[4] 【歌人】 명 노래를 짓거나 부르는 사람. 가객(歌客). ↔가녀(歌女).

가인[5] 〔Cain〕 명 『성』 아담(Adam)과 이브(Eve)의 큰아들. 농부. 여호와가 동생 아벨(Abel)의 제물(祭物)은 받고, 자기의 것은 거절함을 분내고 질투하여 동생을 죽이어 내쫓김. 카인.

가인[6] 〔Gayne〕 명 『악』 소련의 작곡가 하차투리안(Khachaturian, A.)이 1942년에 작곡한 발레 음악. 그 중의 몇 곡은 조곡(組曲)으로 되어 있으며, 특히 《검무(劍舞)》는 유명함.

가인-괘 【家人卦】 명 『민』 64괘(卦)의 하나. 손괘(巽卦)와 이괘(離卦)가 거듭된 것. 바람이 불에서 남을 상징함. ㈜가인(家人).

가인 박명 【佳人薄命】 명 용모가 아름다운 여자는 수명이 짧음.

가인-봉 【珂仁峰】 명 『지』 강원도 인제군(麟蹄郡)과 홍천군(洪川郡) 및 양양군(襄陽郡) 사이에 있는 산봉우리. [1,240 m]

가인산 분해 【加燐酸分解】 명 〔phosphorolysis〕 『생』 분자(分子)에 오르토인산(ortho 燐酸)이 가해져서 분해하는 반응. 생체(生體) 안에서 효소(酵素)의 촉매(觸媒) 작용으로 녹말을 분해하여 인산염으로, 또 가역적(可逆的)으로 인산염을 녹말로 되게 하는 일.

가:-인의 【假引儀】 [ㅡ/ㅡ이] 명 『역』 조선 시대 때, 통례원(通禮院)에서 임시로 임용(任用)하던 인의(引儀)로 종구품의 벼슬.

가인 재자 【佳人才子】 명 가인과 재자. 고운 여인과 재주 있는 젊은이.

가인 전:목단 【佳人剪牧丹】 명 『악』 당악(唐樂)에 속한 춤의 한 가지. 조선 순조(純祖) 29년(1829)에 세자(世子)가 예제(睿製)한 것으로, 흔히 궁궐 안의 잔치에서 추는데, 모란 꽃병을 가운데 놓고 여기(女妓) 열 사람이나 열두 사람 또는 열네 사람이 각각 모란꽃 한 가지를 가지고 그 가에 둘러서서 주악(奏樂)에 맞춰 빙빙 돌아가면서 춤. 남악(男樂)으로는 여덟이나 또는 열여덟 사람이 함.

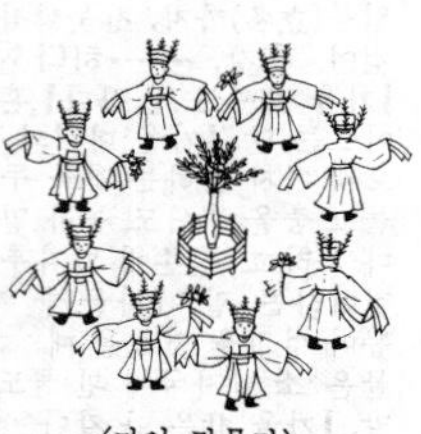
〈가인 전목단〉

가일[1] 【佳日】 명 ①좋은 날. ¶ 양춘(陽春) ~. ②좋은 일이 있는 날. ¶ 임금 탄신의 ~.

가:일[2] 【暇日】 명 여가(餘暇)가 있는 날. 한가한 날.

가일[3] 【嘉日】 명 경사스러운 날. 가신(嘉辰).

가-일과 【加一瓜】 명 『역』 임기(任期)가 다 된 관원을 한 임기 더 있게 함. ——하다 타여불

가-일년 【加一年】 [ㅡ련] 명 만기가 된 기한을 다시 일 년 더 늘이는 일. ——하다 타여불

가일-바람 명 〈방〉 서풍(西風) (경남).

가일배-법 【加一倍法】 [ㅡ뻡] 명 역경(易經)의 '易有大極 是生兩儀 兩儀生四象 四象生八卦'란 말에 근거를 두고 중국 송나라의 소옹(邵雍)이 천지 만물의 소장(消長)·변화의 수리(數理)를 추측함에 사용한 계산법. 1을 원수(原數)로 하여 차차로 배가(倍加)하여 감.

가-일층 【加一層】 ㊀ 부 한층 더. 더한층. ¶ ~ 노력하다. ㊁ 명 한층 더함. ¶ ~의 애호를 바랍니다. ——하다 자타여불

가임 【家賃】 명 집세. 가세(家貰).

가입【加入】명 ①이미 있는 것에 새로 더 넣음. ②단체나 조직에 참가함. 단체 따위에 들어감. ——-하다 자타여불

가입-권【加入權】명 ①단체나 조직 등에 가입할 수 있는 권리. ②↗전화 가입권(電話加入權).

가입-금【加入金】명 단체·조직 등에 가입할 때 내는 돈.

가입-자【加入者】명 단체·조직 등에 가입한 사람.

가입 전:신【加入電信】명 텔렉스.

가입 전:화【加入電話】명 한국 전기 통신 공사의 산하 기관인 전화국이 특정한 개인·회사 등과 계약하여 설치하는 전화.

가ᄋᆞ며니 명〈옛〉가멸은 사람. 부자. =가ᄉᆞ며니.¶가ᄋᆞ며닐 업시 너기논디라 가난ᄒᆞ야도 ᄯᅩ 足히 너기노라(無富貧亦足)≪重杜諺 Ⅱ:58≫.

가ᄋᆞ며롬 형〈옛〉가멸음. 부요(富饒)함. '가ᄋᆞ멸다'의 명사형(名詞形). ¶北녁 ᄆᆞ올핸 가ᄋᆞ며로미 하놀해 ᄢᅬ여(北里富薰天)≪重杜諺 Ⅱ:68≫.

가ᄋᆞ면 짓〈옛〉가멸은 집의. 부자(富者)집의. =가ᄉᆞ면 짓. ¶아ᄎᆞᄆᆡ 가ᄋᆞ면 짓 送葬ᄋᆞᆯ 맛보니(朝逢富家葬)≪重杜諺 Ⅱ:70≫.

가ᄋᆞ면 ᄒᆡ 명〈옛〉가멸은 해. 풍년. ¶가ᄋᆞ면 ᄒᆡ롤 뉘 닐오ᄃᆡ 더듸다 ᄒᆞᄂᆞ뇨(豐年孰云遲)≪重杜諺 Ⅴ:34≫.

가ᄋᆞ멸다 형〈옛〉가멸다. =가ᄉᆞ멸다. ¶가ᄋᆞ멸 부(富)≪石千 22≫.

가ᄋᆞ 멸이 부〈옛〉가멸게. 부요(富饒)하게. ¶쥐 구무 ᄑᆞ다가 금 수쳔량ᄋᆞᆯ 어더 ᄆᆞ장 가ᄋᆞ멸이 되외니라(因見鼠掘地得黃金數千兩遂爲巨富焉)≪重三綱 孟熙≫.

가ᄋᆞᆷ열다 형〈옛〉가멸다. 부요(富饒)하다. =가ᄋᆞ멸다. ¶사ᄅᆞᆷ이 ᄲᅮᆫ 財物을 엇디 못ᄒᆞ면 가ᄋᆞᆷ여디 못ᄒᆞᆫ다 ᄒᆞᄂᆞ니(人不得橫財不富)≪老乞上 29≫.

가ᄋᆡ 명〈옛〉기위. =ᄀᆞᅀᆡ. ¶가ᄋᆡ(剪子)≪譯語下 15≫.

가ᄋᆡ면 집 명〈옛〉가멸은 집. 부자(富者)집. =가ᄉᆞ면 짓. ¶가ᄋᆡ면 지븨어븨 고깃내어 놀(富家廚肉臭)≪重杜諺 ⅩⅥ:73≫.

가자[1]【加資】명〔역〕①정삼품(正三品) 통정 대부(通政大夫) 이상의 품계(品階). ②정삼품 통정 대부 이상의 품계를 올리는 일. ——-하다 타여불

가자[2]【茄子】명〔식〕가지[1].

가:자[3]【架子】명 ①초목의 가지가 늘어지지 아니하도록 받쳐 세운 시렁. ②갸자. ③〔악〕편경(編磬)·편종(編鐘) 등을 달아 놓는 틀.

가자[4]【家資】명 한 집안의 자산(資産). 가산(家產).

가자[5]【家慈】명 남에게 자기의 어머니를 일컫는 말. 가모(家母). 자친(慈親).

가자[6]【假子】명 ①양자(養子). ②의붓자식.

가자[7]【訶子】명〔한의〕가리륵(訶梨勒)의 열매. 성질이 더운데 설사·기침·천식·곽란에 씀.

가자[8]【嫁資】명 ①여자를 시집보낼 비용. ②여자가 시집올 때에 가지고 오는 재산.

가자[9]【歌者】명〔역〕정재(呈才)의 한 가지. 또, 그 정재의 노래를 부르는 사람. 가곡(歌曲)과 가사(歌詞)에 정통한 민간(民間) 사람을 뽑아서 편성(編成)함. 자줏빛 두건(頭巾)을 쓰고, 녹색 단령(團領)을 입고, 자줏빛 광대(廣帶)를 띠고, 흑화(黑靴)를 신은 네 사람이 나란히 앞에 서서 노래를 부르고, 뒤에서 악공(樂工) 두 사람이 각기 거문고와 가야금을 가지고 서서 반주함. 모두 머리에 가화(假花)를 꽂음.

가자[10]〔Gaza〕명〔지〕이집트의 북동부, 이스라엘 국경에 접한 지중해 연안의 도시. 고대로부터 지중해와 이집트를 잇는 무역의 중요한 중계지이며 군사상 요지임. 1967년 중동 전쟁에서 이스라엘이 점령함. 구약 성서의 삼손(Samson)과 관계가 깊은 곳.

가자미 명〔어〕가자밋과에 속하는 바닷물고기 가운데 목탁가자미·동백가자미·별목탁가자미 등의 총칭. 대개 몸이 위아래로 납작하여 타원형에 가깝고, 두 눈이 다 오른편에 몰리어 붙었으며 몸이 넙치보다 작음. 가어(加魚). 접어(鰈魚).

가자미-눈 명 화가 나서 흘겨보는 눈을 가자미의 눈에 빗대어 이르는 말.

가자미-목【一目】명〔어〕[Pleuronectida] 경골어류(硬骨魚類)에 속하는 한 목(目). 풀넙칫과(科)·가자밋과·붕넙칫과·양서댓과·참서댓과 등이 이에 속하는데, 두 눈이 몸의 한쪽에 있으며 등지느러미와 뒷지느러미의 기저(基底)가 아주 길고 배지느러미가 가슴에 붙어 있음. 몸이 극히 측편(側扁)하고 구간부(軀幹部)가 짧음.

가자미 식해【一食醢】명 함경도 향토 음식의 하나. 가자미를 토막쳐서 메조밥과 마늘·생강·고춧가루·엿기름 가루를 섞어 항아리에 켜켜이 눌러 담고 삭힌 다음 소금에 절인 무채·통깨·고춧가루와 버무려 익힘.

가자미 저:냐 명 가자미의 살에 밀가루·파 뿌리와 소금을 넣어서 으깬 다음 밤알만큼씩 하게 동글리어 달걀을 씌워서 지진 음식. 접어 전유화(鰈魚煎油花).

가자미-젓 명 가자미를 토막쳐서 소금과 고춧가루를 치고 담근 것. 접어해(鰈魚醢).

가자미 조림 명 가자미를 토막쳐서 간장과 설탕을 넣고 끓이어 조린 음식.

가자미 지짐이 명 고추장을 물에 풀어 파와 쇠고기를 넣고 끓이다가 가자미 토막을 넣어 지진 음식. 접어전(鰈魚膞).

가자미-회【一膾】명 가자미의 살을 얇게 저미어서 만든 회. 접어회(鰈魚膾).

가자밋-과【一科】명〔어〕[Bothidae] 가자미목(目)에 속하는 한 과. 넙치·넙치가자미·동백가자미·목탁가자미·별목탁가자미·점넙치 등이 이 과에 속함.

가자 분산【家資分散】명 ①가산을 탕진함. ②〔법〕자기의 재산으로 빚을 전부 갚을 수 없는 사람에게 대하여, 법원(法院)이 강제 집행 처분(強制執行處分)으로 전가산(全家產)을 채권자에게 적당히 분할하여 주는 일. 구(舊) 파산법(破產法)의 용어로, 현재는 폐지됨. ——-하다 타여불

가자 산:적【茄子散炙】명 가지 누름적.

가자-적【茄子炙】명 가지적.

가자-전【茄子煎】명 가지전.

가-자제【佳子弟】명 얌전한 아들. 착한 자제.

가자-증【茄子蒸】명 가지찜.

가자-채【茄子菜】명 가지 나물.

가자-체【加資帖】명〔역〕가자(加資)를 내릴 때 주던 교지(敎旨)의 속칭(俗稱).

가자 화향적【茄子花香炙】명 가지 누름적.

가자-회【茄子膾】명 가지회.

가작[1]【佳作】명 ①잘된 작품. 가편(佳篇). ②당선으로 인정하기는 어려우나 꽤 잘된 작품. 선외(選外) 가작.

가작[2]【家作】명 남에게 소작을 주지 아니하고 직접 자기 집에서 농사짓는 일. 자작(自作). ——-하다 타여불

가:작[3]【假作】명 ①거짓 행동. ②완전하지 아니한 임시적 제작. ——-하다 타여불

가작다 형〈방〉가깝다(경북).

가-작약【家芍藥】명〔한의〕집에서 가꾼 작약.

가잔 칸〔Ghazan Khan〕명〔사람〕일 한국(Il汗國)의 제 7 대 왕. 훌라구(Hulagu)의 증손(曾孫). 후견자(後見者)인 아미르 나우루즈(Amir Nauruz)의 영향을 받아 1 만 명의 몽고병과 함께 이슬람교로 개종함. 문학·예술 등을 보호하고 자연 과학을 연구하는 등 박학(博學)하였으며, 중국·인도·스페인·영국 등과도 국교를 맺었음. 당시의 재상(宰相)에 명하여 ≪몽고사(蒙古史)≫와 ≪종합사(綜合史)≫를 편찬하게 하였음. [1271-1304 ; 재위 1295-1304]

가잘리〔Ghazzali, al-〕명〔사람〕이란계(系)의 신학자(神學者)·사상가. 합리주의적 철학을 배격하고 신비주의적 입장에서 신앙의 내면화(內面化)를 꾀하여 이슬람교의 교의(敎義)를 확립함. 그의 저작은 현존하는 것이 약 70종이며, 주저(主著) ≪종교 제학(宗教諸學)의 부활(復活)≫·≪철학자의 파괴≫ 등은 특히 유명함. [1058-1111]

가잠[1] 명〈방〉〔어〕가자미(경북).

가잠[2]【家蠶】명 집에서 치는 누에. 집누에. ↔작잠(柞蠶).

가잠-나룻 명 짧고 숱이 적게 난 구레나룻.

가잠-사【家蠶絲】명 가잠에서 뽑아 낸 생사(生絲).

가잠-성【椵岑城】명〔역〕삼국 시대(三國時代)에 한강 유역에 위치하였던 것으로 추측되는 성. 611년 백제 무왕(武王)이 이곳을 공략하였으며, 618년에는 신라 진평왕(眞平王)이 탈환하였는데 이 싸움에서 해론(奚論)이 전사하였음.

가잣매 명〈심마니〉〔동〕흑색 다람쥐의 일종.

가장[1]【加張】명 인쇄나 제본 과정에서 손실이 날 종이를 예측하여 미리 더 준비하는 종이. 예비지(豫備紙).

가:장[2]【架藏】명 시렁 위에 소장(所藏)함. 주로 책에 대하여 쓰임. ——-하다 타여불

가장[3]【家長】명 ①집안의 어른. 호주. 가구주. ②남편.

가장[4]【家狀】명 ①조상의 행적에 관한 사사 기록. ②한 집안의 조상의 행장(行狀).

가장[5]【家藏】명 자기 집에 간직하여 둠. 또, 그 물건. ——-하다 타여불

가:장[6]【假將】명〔역〕전장(戰場)에서 어느 장수의 결원이 있을 때, 주장(主將)의 명령으로 임시로 그 직무를 맡아 보는 장수.

가:장[7]【假葬】명 ①임시로 묻어 둠. ②임시 권도로 장사지냄. ③어린 아이의 시체를 묻음. ——-하다 타여불

가:장[8]【假裝】명 ①가면으로 꾸밈. 거짓으로 꾸미는 일. ¶~ 행렬. ②임시로 변장(變裝)함. ¶손님을 ~하다. ——-하다 자타여불

가장[9]【嘉獎】명 칭찬하여 권장(勸獎)함. ——-하다 타여불

가장[10] 부〔중세 : ᄀᆞ장〕여럿 가운데 어느것보다도 더. 제일. ¶이것이 ~ 좋다.

가장구[1] 명〈방〉〔동〕가재[1](평안).

가장구[2] 명〈방〉가지[2](경기·전북).

가장-권【家長權】[一꿘] 명 가부장 제도(家父長制度)에서 가장이 가족을 통솔하고 가산(家產)을 관리하는 권한. 후에 친권(親權)과 부권(夫權)으로 분리·해소됨. 고대 및 중세(中世)의 가장권은 절대적인 것이었으며 가족의 생명·재산이 그 지배하에 있었음. 로마법(法)의 가부권(家父權)은 그 전형적인 예이며, 우리 나라의 호주권(戶主權)도 그 일례임. 가부장권(家父長權).

가장귀 명〔←가지+-앙귀〕나뭇가지의 아귀. *가지[2].

가장귀-지다 자 나무의 몸이 갈라져서 가장귀가 생기다.

가장귀-창【一槍】명 끝이 가장귀 모양으로 갈라져 있는 창.

가:장 도:구【假裝道具】명 가장에 쓰이는 도구.

가:-장령【假掌令】[一녕] 명〔역〕①정원 2 명이 모두 비었을 때 임시로 임용된 사헌부(司憲府)의 장령. ②조선 후기에, 실권(實權)을 행사하지 못하는 힘없는 당파 출신의 장령을 놀리는 말.

가:장 매매【假裝賣買】명 ①실제로는 매도할 의사가 없는데도 타인과 통하여 행하는 외관상의 매매. ②〔경〕거래소(去來所)에서 증권 또는 상품의 권리를 이전(移轉)할 의사가 없으면서, 그 이전을 목적하는 것처럼 가장하여 하는 매매. 보통, 제삼자에게 매매 거래가 성행된다는 착각을 일으키어 거래 상황에 대한 정확한 판단을 방해하며 시세를 조작할 목적으로 행함.

가:장 무:도【假裝舞蹈】명 ①각자가 제 마음대로 가장을 하고 추는 춤. ②탈춤.

가:장 무:도회【假裝舞蹈會】명 각자 가장하고 춤추는 모임. 가면 무도회.

가:장-물【假裝物】명 가장에 쓰이는 물건. 또, 가장된 물건.

가:-장비【假張飛】명〈속〉용모와 태도가 우악스러운 사람의 별명.

가장이 명〔←가지+-앙이〕나뭇가지의 몸.

가:장자리 명〔←중세 : ᄀᆞ장+자리〕물건의 주위. 물건의 가를 이룬 선(線). 가. *언저리.

가:장 자본【假裝資本】명〔경〕의제 자본(擬制資本).

가:장적 선점【假裝的先占】명〔법〕국제법상으로는 실효적(實効的)이 아닌 선점. 연안 일대(沿岸一帶)의 선점이 그 배후지(背後地)에까지 효력이 미친다는 사상(思想)은 실효적인 선점에 대한 가장적 선점임. 의제적(擬制的) 선점.

가장 정치【家長政治】명 〖정〗 한 집안의 우두머리인 가장이 주권을 가지고 실시하던 고대의 정치 제도.

가장 제:도【家長制度】명 〖사〗 한 집안의 우두머리인 가장이 절대적인 권력을 가지고 그 가족을 통제하고 지배하는 대가족 제도. ＊가장권(家長權).

가:장 조건【假裝條件】[―껀] 명 〖법〗 조건으로서의 외관 형식만 갖추었을 뿐, 진정한 의미에서의 조건이 아닌 조건. 기성 조건·필요 조건·불능 조건 등은 이에 속함.

가장-질 명 노름이나 투전판에서 패(牌)를 속이는 짓. ――-하다 자여불

가장 집물【家藏什物】명 집안의 온갖 세간. 세간. ㊌가집(家什).

가:장 행렬【假裝行列】[―녈] 명 운동회나 축하회 같은 때에, 여러 사람이 각양 각색으로 가장하고 다니는 행렬. ――-하다 자여불

가:장 행위【假裝行爲】명 ①실제로 없는 일을 있는 것처럼 꾸미어 만드는 행위. ②〖법〗 제삼자를 속이기 위하여, 상대방과 통모(通謀)하여 사실을 감추고 허위로 의사 표시함으로써 성립된 법률 행위. 예를 들면, 실제로는 증여(贈與)인 것을 매매(賣買)로 가장하는 따위.

가:장-회【假裝會】명 각자가 각양 각색으로 변장을 하고 모이는 모임. 여흥(餘興) 따위로 행하여짐.

가:재[1] 명 〔중세 : 가재〕〖동〗 [*Cambaroides similis*] 가재과에 속하는 절지 동물. 새우와 게의 중간형으로, 대하와 비슷한데 몸길이 3-6.5cm이며, 맨 앞의 큰 발에 집게발톱이 있고, 뒷걸음질을 잘하는 특성이 있음. 개울 상류의 돌 밑에 서식하는데, 한국, 일본의 홋카이도와 혼슈(本州) 북동부에 분포함. 페디스토마의 중간 숙주(宿主)로 알려짐. 맛은 게와 비슷하며 식용함. 석해(石蟹).
[가재는 게 편이요 초록은 한 빛이라; 가재도 게 편이라] 모양이 근사하고 서로 인연이 있는 데로 편들어 붙는다는 말. [가재 물 짐작하듯] 미리 예측을 잘하는 모양.

1. 작은 더듬이　7. 복부(腹部)
2. 큰 더듬이　8. 꼬리
3. 집게발　9. 교미지(交尾肢)
4. 다리　10. 헤엄다리
5. 눈　11. 항문
6. 두흉부(頭胸部)　12. 입
13. 생식문

〈가재[1]〉

가:재(를) 치다 구 샀던 물건을 도로 무르다.

가재[2] 〈옛〉 가지에. ¶ 즘겟 가재 연ᄌᆞ니(寘樹之揚) ≪龍歌 7章≫.

가재[3]【家財】명 ①한 집의 재물이나 재산. ＊가산(家產). ②집안 도구. 가구(家具).

가재[4]【歌才】명 노래의 재주.

가재[5]【稼齋】명 〖사람〗 김창업(金昌業)의 호(號).

가:재-걸음 명 ①뒤로 기어가는 걸음. ②모든 일이 지지(遲遲)하고 진보가 없는 모양.
가:재걸음(을) 치다 구 ㉠가재 모양으로 뒤로 걷다. ㉡퇴보하다.

가재기 명 튼튼하지 못하게 만든 물건.

가재 기물【家財器物】명 집안에서 쓰는 온갖 기구. 가재 도구(家財道具).

가재다 타 〈옛〉 가져다가. ¶ 소니 가재다 므로ᇦ노이다≪樂範 動動≫.

가재 도:구【家財道具】명 가재 기물(家財器物).

가재-무릇 명 〈방〉 〖식〗 얼레지.

가재미 명 〖어〗 ☞ 가자미.

가:재-수염【―鬚髯】명 윗수염이 양옆으로 뻗은 수염.

가:재-지짐이 명 가재의 등딱지와 발목을 떼어 버리고, 쇠고기·파·새앙·고추장·기름 등과 한데 주물러 물을 치고 지진 반찬. 석해전(石蟹膞). 오전(鰲膞).

가:잿-과【―科】명 〖동〗 [Potamobiidae] 절지 동물 십각류(十脚類)에 속하는 한 과.

가쟁이[1] 명 〈방〉 가랑이(전라).

가쟁이[2] 명 〈방〉 가지[2](경기·충청·전라·경상·제주).

가저[1]【茄菹】명 가지 김치.

가저[2]【家猪】명 집돼지.

가적[1]【佳適】명 마음에 들어 매우 즐거움. ――-하다 형여불

가적[2]【家嫡】명 한 집안의 적자(嫡子).

가적다 형 〈방〉 가깝다(경상).

가전[1]【加腆】명 한층 더 후하게 함. ――-하다 타여불

가전[2]【加錢】명 웃돈.

가전[3]【家傳】명 한 집안의 세전(世傳). 집안에 대대로 전하여 내려옴. 또, 그 물건. ――-하다 자여불

가전[4]【家電】명 ↗가정 전기 기기(家庭電氣機器). ¶ ～ 제작 회사.

가전[5]【嘉典】명 경사스러운 의례(儀禮).

가:전[6]【駕前】명 〖역〗 임금이 행차할 때에 그 수레 앞에 서던 시위병(侍衛兵). ↔가후(駕後).

가전[7]【價錢】명 〖역〗 값.

가:전 가:후【駕前駕後】명 〖역〗 가전과 가후. 임금이 행차할 때에 그 수레의 앞뒤에 따르던 시위병(侍衛兵).

가:전-기【駕前旗】명 〖역〗 가전 별초(駕前別抄)를 호령(號令)하던 기. 붉은 바탕에 흰 가장자리가 있으며 기엽(旗葉)은 석 자 정사각형이고, 깃대 길이는 열다섯 자임. 영두(纓頭)·주락(珠絡)·장목이 있음.

가:전-면【可展面】명 평면상에 전개도(展開圖)를 만들 수 있는 곡면. 기둥면 따위.

가:전 별초【駕前別抄】명 〖역〗 가전(駕前) 이외에 따로 앞서던 군대(軍隊).

가전 보:옥【家傳寶玉】명 집안에 대대로 전하여 내려오는 보옥.

가전 비:방【家傳祕方】명 비밀히 그 집안에만 대대로 전하여 내려오는 약의 처방.

가:전-성【可展性】[―썽] 명 〖물〗 전성(展性).

가-전자【價電子】명 원자가 전자(原子價電子).

가전 제:품【家電製品】명 [↗가정 전기 기기 제품] 상품이나 제품으로서의 가정용 전기 기기.

가전지-보【家傳之寶】명 집안에 대대로 전하여 내려오는 보물.

가:전-체【假傳體】명 〖문〗 사물을 의인화(擬人化)하여 전기체(傳記體)로 쓴 문학 양식.

가:전체 소:설【假傳體小說】명 〖문〗 물건을 의인화(擬人化)하여 창작한 소설. 설화(說話) 문학의 정통(正統)에 속하는 것으로, 고려 중기 이후에 나타남. 한유(韓愈)의 ≪모영전(毛穎傳)≫에서 비롯된 것으로, ≪국선생전(麴先生傳)≫·≪청강 사자 현부전(淸江使者玄夫傳)≫·≪죽부인전(竹夫人傳)≫ 등.

가전-하다 형 〈방〉 가든하다.

가전-학【家傳學】명 그 집안에 대대로 전하여 내려오는 학업.

가절[1]【佳絕】명 매우 좋음. 더할 수 없이 고움. ――-하다 형여불

가절[2]【佳節】명 좋은 시절. 좋은 명절. 가신(佳辰). 영절(令節).

가절[3]【價折】명 ①값을 작정함. ②값을 깎음. ――-하다 자여불

가절 전:문【價折錢文】명 〖역〗 값으로 작정한 돈머리.

가점【加點】명 글이나 글자에 점을 더하여 찍음. ――-하다 자여불

가접다 형 〈방〉 가깝다(경남).

가정[1]【加定】명 물품·비용·인원(人員)을, 정한 수 이상으로 더함. ――-하다 타여불

가:정[2]【苛政】명 가혹한 정치. ↔관정(寬政).
[가정이 맹어호(猛於虎)] 예기(禮記) 단궁하편(檀弓下篇)에 나오는 말로, 가혹한 정치는 그것이 백성에게 미치는 해독으로 보아 호랑이보다 더 심하다는 뜻.

가정[3]【柯亭】명 〔중국 저장 성(浙江省) 사오싱 현(紹興縣) 남서쪽에 있는 정자의 이름〕 후한의 채옹(蔡邕)이 이 가정의 대나무 서까래로 피리를 만들었다는 고사(故事)에서, '피리'의 이칭. ＊가정죽(柯亭竹).

가정[4]【家丁】명 자기 집에서 부리는 남자 일꾼. 하인.

가정[5]【家政】명 ①집안 살림을 다스리는 일. ↔국정(國政). ②가정 생활을 처리하여 나아가는 수단과 방법.

가정[6]【家庭】명 ①한 가족이 살림하고 있는 집 안. 집의 울안. ②부부와 어버이 자식들이 공동 생활을 하고 있는 사회의 가장 작은 집단(集團).

가:정[7]【假定】명 ①임시로 정함. ②〖논·수〗 사실이 아니거나, 사실인지 아닌지 분명하지 아니한 것을 사실인 것처럼 임시적으로 인정함. 또, 그 인정한 것. 가설(假說). ――-하다 자타여불

가:정[8]【假晶】명 〖광〗 광물이 제 본래의 결정형(結晶型)으로 되지 아니하고 다른 형(型)으로 나타나는 결정.

가정[9]【嘉靖】명 ①잘 다스리어 편안하게 함. ②〖역〗 중국 명(明)나라 세종(世宗)의 치세 연호(治世年號). [1522-66] ＊만력(萬曆)❷.

가정[10]【稼亭】명 〖사람〗 이곡(李穀)의 호(號).

가:정[11]【駕丁】명 가마를 메는 사람. 가마꾼.

가:-정거장【假停車場】명 임시로 만든 정거장.

가정 경제【家政經濟】명 〖경〗 집안 살림을 잘 다스리는 데 관한 경제. 가계 경제(家計經濟). 가사(家事) 경제.

가정 경제학【家政經濟學】명 〖경〗 가정 경제에 관한 학문(學問).

가정 공업【家庭工業】명 가내 공업.

가정-과【家政科】[―꽈] 명 ①중·고등 학교의 교과의 하나. 가정 생활에 대한 지식·기술·태도 등을 교수함. ②대학에 설치된 학과의 하나. 요리·피복·가계 등에 대한 강좌(講座)가 많음.

가:-정관【假定款】명 〖법〗 주주 총회의 의결을 거치지 아니한 회사의 정관(定款).

가정 관리【家庭管理】[―괄―] 명 〔home management〕 가족 각원이 인생 목적을 달성하기 위하여 계획하고 통제하고 평가하는 일련(一連)의 조직적 작용. 그 자원(資源)이라고 볼 수 있는 것은 능력·태도·지식·세력·시간·금전·자산·사회적 편익(便益)과 봉사임.

가정 교:사【家庭敎師】명 남의 집에서 보수를 받고 개인적으로 그 집 자녀를 가르치는 사람.

가정 교:육【家庭敎育】명 가정의 환경·생활 상태 및 집안 어른들의 일상(日常) 생활을 통하여, 자녀나 제매(弟妹)가 받는 언행(言行)·도덕(道德)·규율·습관·취미·성격·사고 등의 영향과 교화(敎化) 또는 부형·자모(姉母) 들이 의식적으로 행하는 가정에서의 교육. ＊학교 교육·사회 교육.

가정 교:훈【家庭敎訓】명 집안 어른들이 그 자녀나 제매에게 주는 교훈. ㊌가훈(家訓).

가정-극【家庭劇】명 가정 생활을 주제로 한 연극·영화 또는 라디오 드라마·텔레비전 드라마 따위. 홈 드라마.

가정-난【家庭欄】명 ☞가정란.

가정 대:부【嘉靖大夫】명 〖역〗 조선 시대 때, 종이품(從二品) 문무관의 품계(品階). 영조(英祖) 때에 가의 대부(嘉義大夫)로 고침.

가정-란【家庭欄】[―난] 명 신문이나 잡지에, 주로 가정 생활에 필요한 육아·위생·가계(家計)·요리·미용(美容)·유행(流行)·원예(園藝) 기타의 기사(記事)를 실은 난.

가:-정류소【假停留所】[―뉴―] 명 임시로 정한 정류소. 가정류장.

가:-정류장【假停留場】[―뉴―] 명 가정류소.

가정-면【家庭面】명 신문이나 잡지에 주로 집안 살림에 필요한 기사(記事)를 실은 지면(紙面). ＊가정란.

가정 방:문【家庭訪問】명 교사가 학생의 가정 환경을 이해하고 가정과 긴밀한 연락을 갖기 위하여, 그 가정을 방문하는 일.

가정 배:달【家庭配達】명 물품을 가정으로 돌라줌.

가:정-법【假定法】[—뻡] 명 ①〖언〗영문법에서, 동사의 법(法)의 하나. 그 동사가 의미하는 내용이 가정 내지 요망(要望)·원망(願望)인 것을 나타내는 동사의 형태. ②〖수〗수학의 문제 해법(解法)의 하나. 미지(未知)의 수를 적당하게 정하고, 문제의 수량 관계를 적용시켜 생기는 모순을 비례(比例) 관계에 의하여 조정(調整)하는 방법. 가설법(假說法).

가정 법원【家庭法院】명〖법〗가정이나 소년에 관한 사건을 전문으로 다루는 하급(下級) 법원. 지방 법원과 동격(同格)으로, 가사(家事) 심판과 조정, 소년 보호 및 호적에 관한 사무를 관장함. 현재 서울에만 설치되어 있음.

가정 법원 소:년부【家庭法院少年部】명〖법〗소년법에 의하여 소년 보호 사건과 벌금 이하의 형에 해당하는 소년의 형사 사건을 관할하는 가정 법원의 한 부. ㊥소년부. *지방 법원 소년부.

가정-보【嘉靖譜】명 조선 명종(明宗) 17년(1562), 곧 중국 명(明)나라 가정(嘉靖) 41년에 만들어진 문화 유씨(文化柳氏)의 족보(族譜). 현존하는 가장 오래된 체계적인 족보임. *성화보(成化譜).

가정-복【家庭服】명 집안에서 허드레로 입는 옷.

가정 복지 보:험【家庭福祉保險】명〖사〗화재·도난·상해(傷害)·배상 책임(賠償責任) 등으로 인한 가계(家計)의 재산 및 인명(人命) 피해를 보상하기 위한, 보험 기간 3-5년의 장기 보험. *소득 보상 보험.

가정-부[1]【家政婦】명 일정한 보수를 받고 한 집안 살림에 딸린 일을 하

가:-정부[2]【假政府】명〖정〗임시 정부. 「는 여자.

가정 부인【家庭婦人】명 가정에서 살림하는 부인. ↔직업 부인(職業婦

가정 불화【家庭不和】명 한 집안 사람끼리 화목하지 못함. 「人).

가정 상담소【家庭相談所】명 교육·건강·직업·법률 등 가정 생활 전반에 걸쳐 상담하는 곳. 「하여 항상 비치하여 두는 약.

가정 상비약【家庭常備藥】명 가정에서 구급용 또는 간단한 치료를 위

가정 생활【家庭生活】명 ①가정에서 하는 생활. ②가장(家長)과 그 식구가 한 집안을 이루어 하는 생활.

가정 소:설【家庭小說】명 ①가정에서 읽기 좋게 씌어진 소설. ②가정 생활의 좋고 나쁜 여러 가지 일들을 소재로 하여 쓴 소설.

가정 실습【家庭實習】[—씁] 명 학교에서 배운 내용을 가정 생활에서 실지로 해 보는 학습.

가정 오랑캐【家丁—】명 ①〖역〗청나라 사신(使臣)이 올 때 따라온 가정(家丁)을 낮게 이르던 말. 가정호(家丁胡). ②행패(行悖)를 잘 부리는 사람의 비유. 「이, 매를 몹시 맞음을 이르는 말.

【가정 오랑캐 맞듯】행패를 부리다가 매를 되게 맞는 가정 오랑캐같

가정 음악【家庭音樂】명〖악〗연주회용(演奏會用)의 음악이 아니고 가정적인 작은 집회를 위해서 된 음악.

가정-의【家庭醫】[—/—이] 명〖의〗지역 사회 주민의 각 가정 가족의 모든 병을 지속적으로 진료하고 상담한다는 뜻에서 전과 전문의(全科專門醫)를 일컫는 속칭.

가정의 날【家庭—】[—/—에—] 명 온 가족이 하루를 화목·단란하게 보내기 위하여 정한 날. 매주 토요일.

가정의 달【家庭—】[—/—에—] 명 가정의 화목과 단란을 새삼스레 되새기기 위하여 정한 달. 어린이날, 어버이날, 성년의 날 등이 들어 있

가정 의례【家庭儀禮】명 관혼 상제에 관한 의례. 「는 매년 5월.

가정 의례 심:의 위원회【家庭儀禮審議委員會】[—/—심이—] 명〖법〗보사부 장관의 자문 기관으로서, 가정 의례에 관한 사항을 조사(調査)·연구(研究)·심의하는 위원회.

가정 의례에 관한 법률【家庭儀禮—關—法律】[—뉼] 명〖법〗가정 의례에 있어서 허례 허식을 일소하고 그 의식 절차를 합리화함으로써 낭비를 억제하고, 건전한 사회 기풍을 진작(振作)함을 목적으로 한 법률. 1973년 공포.

가정 의례 준:칙【家庭儀禮準則】명〖법〗'가정 의례에 관한 법률'에 의거하여 그 의식 절차의 기준을 정한 규칙. 혼례·상례·제례·회갑연 등을 간소하게 치르도록 규정함. 「늑한 분위기가 감도는 모양.

가정-적[1]【家庭的】명관 ①가정 생활에 적합한 모양. ②가정과 같이 아

가:정-적[2]【假定的】명관 임시로 정하거나 인정하는 모양.

가:정적 주장【假定的主張】명〖법〗민사 소송에서, 원고가 그 청구의 이유를 붙이는 방법으로서, 하나의 주장이 인정받지 못함을 고려에 넣어서, 그것이 인정되면 법률상 소용 없게 되는 다른 주장을 가정적 또는 예비적으로 제출하는 일.

가:정적 처:분【假定的處分】명〖법〗가처분(假處分)❷.

가:정적 항:변【假定的抗辯】명〖법〗민사 소송에서, 피고가 원고의 청구(請求)에 대항하는 방법으로서, 원고가 주장하는 권리의 성립에 관한 사실을 부인하면서, 가정적으로 그 권리의 장해 또는 소멸의 원인이 되는 사실을 진술하는 일.

가정 전:기 기기【家庭電氣機器】명 가정의 일상 생활에 쓰이는, 전기를 이용한 각종 기계·기구의 총칭. 라디오·텔레비전·냉장고·믹서·전기 밥솥 따위. ㊥가전(家電).

가정 전:화【家庭電化】명 일반 가정의 등불·열(熱)·동력(動力)에 전력을 이용하도록 만들어, 노력을 덜고 능률을 높여 생활을 명랑하고 편리하고 경제적으로 향상시키는 일.

가정-제【嘉靖帝】명〖사람〗중국 명(明)나라의 12대 황제. 헌종(憲宗)의 손자. 망부(亡父)인 흥헌왕(興獻王)의 제사(祭祀) 문제로 4년간이나 정쟁에 휘말렸으며, 도교(道教)를 광신하고, 권신(權臣) 엄숭(嚴嵩)이 정치를 독점하여 관계(官界)는 부패하고, 치세(治世)의 후반은 남왜 북로(南倭北虜)에 시달렸음. 묘호(廟號)는 세종(世宗). [1507-66; 재위 1521-66]

가정-죽【柯亭竹】명〖역〗중국 후한(後漢)의 채옹(蔡邕)이 가정(柯亭)의 서까래로 쓰인 대나무로 만든 피리. 절묘한 소리가 났다고 함. *가정(柯亭). 「(家庭教育). 가정학(家庭學).

가정지-학【家庭之學】명 가정의 어른들에게서 받은 배움. 가정 교육

가정-집[1]【家庭—】[—찝] 명 사삿(私私)집.

가정-집[2]【稼亭集】명〖책〗고려 말기의 문신, 가정(稼亭) 이곡(李穀)의 문집. 전국 경향 각지가 시제(詩題)로 등장하는 기행시가 많음.

가정 통신【家庭通信】명〖교〗초등 학교·중고등 학교 학생의 교육 지도를 위하여 그 필요한 사항을 교사와 가정이 상호 간에 서로 주고받는 통신.

가정 파:괴범【家庭破壞犯】명 강도 행위를 넘어서 부녀자에게 성폭행(性暴行)을 하여 가정 생활을 파괴하는 범인. 또, 그 범죄.

가정 폭력【家庭暴力】명〖법〗배우자, 자기 또는 배우자의 직계 존비속(直系尊卑屬)·동거하는 친족 등 관계에 있는 사람 사이에서 신체적·정신적 또는 재산상 피해를 주는 행위. 곧 폭행으로 인한 상해·유기(遺棄)·학대(虐待)·혹사(酷使)·감금·협박·공갈·강요·명예 훼손 및 재물 손괴 등의 행위. 이러한 행위를 한 사람에게는 특별히 보호 처분을 하도록 특례법(特例法)이 제정되어 있음.

가정 하:수【家庭下水】명〖토목〗가정의 배수관(排水管)과 공공 하수관(公共下水管) 사이를 연결하는 하수.

가정-학[1]【家政學】명 집안 살림을 잘 다스리기 위하여, 사회 생활과의 관계 아래에서 가정 생활의 모든 문제를 연구하는 학문.

가정-학[2]【家庭學】명 가정지학(家庭之學). 「일.

가정 학습【家庭學習】명 학교의 숙제나 기타 과제 등을 집에서 익히는

가정 혐기증【家庭嫌忌症】[—쯩] 명 [ecomania]〖심〗집안에서는 폭위(暴威)를 휘두르고 오만하며 화를 잘 내지만, 가정(家庭) 밖의 권위(權威)에 대해서는 겸손한 태도로 대하는 복합 증상(複合症狀).

가정-호【家丁胡】명〖역〗가정 오랑캐❶.

가:제[1] 명〖동〗①강치. ②〈방〉가재[1](전남·제주).

가제[2]【加除】명 ①보탬과 뺌. ②〖수〗가법과 제법. ③원고를 검토하여 삭제·생략·보충·정정하는 일. ——-하다 타여불 「兄).

가제[3]【家弟】명 남에게 자기 아우를 일컫는 말. 사제(舍弟). ↔가형(家

가제[4]【家祭】명 집에서 호주가 모시는, 조상에 대한 제사(祭祀). 기제(忌祭)와 절제(節祭)가 있음.

가:제[5]【假製】명 임시로 대강 만듦. ¶ ~품. ——-하다 타여불

가:제[6]【假諦】명〖불교〗[←가체] 삼제(三諦)의 하나. 만유(萬有) 일체가 모두 공(空)이나 삼라 만상의 상(相)은 뚜렷하다고 하는 진리.

가제[7]【歌題】명 노래의 제목.

가:제[8] [도 Gaze] 명 썩 부드럽고 성긴 외올 무명 베. 완전 소독하여 의

가제[9] 부〈방〉갓[13](평안). 「료용으로 씀. 붕대지. 거즈(gauze).

가:-제목【假題目】명 임시로 붙인 제목.

가:-제본【假製本】명 제본 방법의 하나. 책의 내용물을 실이나 철사로 철하여 표지로만 그냥 싸서 재단한 것.

가제-식【加除式】명 공책이나 장부 등의 용지를 자유로 끼웠다 뺐었다 할 수 있는 방식. ¶ ~ 노트.

가:제어-성【可制御性】[—썽] 명 제어(制御) 시스템에서, 임의(任意)의 초기(初期) 상태와 목적으로 하는 상태가 주어졌을 때, 시스템을 그 초기 상태에서 목적 상태로 이동시킬 수 있는 시간 간격(時間間隔)과 입력 신호(入力信號)가 존재하는 특성(特性).

가제오다 타〈방〉가져오다(함남).

가제-회【哥弟會】명〖역〗가로회(哥老會).

가젯 백 [gadget bag] 명 어깨에 걸어 늘어뜨리게 된 가방. 보통 핸드백보다 크며, 사진기와 그 부속품을 넣어 가지고 다니기에 편리함.

〈가젯 백〉

가져-가다 타거라불 [↗가지어 가다] ①한 곳에서 다른 곳으로 옮겨 가다. ¶ 그릇을 조심해서 가져가거라. ②어떤 상태로 끌어 가다. ¶ 일을 바람직한 방향으로 ~.

가져다-주다 타 ①한 곳에서 가지고 와서 주다. ¶ 책 한 권을 ~. ②어떤 결과를 생기게 하다. ¶ 큰 변화를 ~. ㊥갖다주다.

가져-오다 타너라불 [↗가지어 오다] ①한 곳에서 다른 곳으로 옮겨 오다. ¶ 네가 가져오너라. ②어떤 상태로 끌어 오다. ¶ 좋은 결과를 ~.

가젯다 타〈옛〉가져 있다. 가졌다. ¶ 모딘 뎌를 가젯디 마로리라(不要管他)《蒙法 26》.

가조[1]【佳兆】명 좋은 징조. 잘될 징조. 가조(嘉兆).

가조[2]【家祖】명 한 집안의 조상(祖上).

가:조[3]【假助】명 도와 줌. 힘이 되어 줌.

가:조[4]【假造】명 거짓 꾸며 만듦. 또, 그 물건. 위작(僞作). ——-하다 타여불

가조[5]【嘉兆】명 경사스러운 징조. 가조(佳兆).

가:-조각【假爪角】명〖악〗당비파(唐琵琶)로 향악(鄕樂)을 연주할 때, 오른손의 둘째·셋째·넷째 손가락에 끼우고 줄을 타는 뿔로 만든 두겁.

〈가조각〉

가:-조기 명 배를 째개어 넓적하게 펴서 말린 조기. 건석어(乾石魚). 부염 석어(剖塩石魚). 「끓인 찌개.

가:조기-찌개 명 가조기를 토막쳐서 쇠고기·무·파와 함께 양념하여

가조-도【加助島】명〖지〗경상 남도 거제시(巨濟市) 사등면(沙等面) 창호리(倉湖里)에 위치하는 섬. [5.86 km²]

가조로니 부〈방〉가지런히(전북).

가조롱이 부〈방〉가지런히(전라·경남).

가조롱-하다 형 ☞ 가지런하다. ¶ 논에는 벌써 완구해진 모포기가 어디고 ~《蔡萬植: 濁流》.

가-조수【嫁棗樹】명〖민〗대추나무 시집 보내기.

가:조-시【可照時】명〖물〗가조 시간.

가:조 시간【可照時間】명〖물〗어떤 지점에서 태양의 중심이 지평선에 나와서 질 때까지의 시간. 가조시. ＊일조 시간.

가:-조약【假條約】명〖정〗정식 조약의 확정 이전에 우선 임시로 체결된, 아직 주권자(主權者)의 비준(批准)·재가(裁可)를 거치지 아니한 조약. 잠정 조약(暫定條約).

가:-조인【假調印】명〔initial signature〕조약이나 협정의 내용이 외교 교섭에서 대충 확정되었을 때, 합의(合意)의 증거로 전권 위원(全權委員) 또는 대표의 머리글자를 서명(署名)하는 일. ——-하다 타여불

가족¹ 명〈옛〉가죽. ¶범을 그리매 가족은 그려도 뼈 그리기 어렵고(畫虎畫皮難畫骨)≪朴解 下 40≫.

가족²【家族】명 ①어버이와 자식·부부 등의 관계로 맺어져 한 집안에서 생활을 함께 하는 집단. 부부를 기초로 하여 한 집안을 이루는 사람들. 가속(家屬). ②가족 제도에 있어서 호주의 친족 및 그 배우자들. 한 집안의 친족.

가:족³【假足】명〖생〗위족(僞足).

가족 경제【家族經濟】명〖경〗생산에서 소비에 이르기까지의 모든 경제 행위가 한 가족 안에서 이루어지는 경제 상태. 사회의 진보가 유치한 시대에 흔히 볼 수 있음. ↔국민 경제.

가족 계:획【家族計劃】명 부부(夫婦)가 각자의 생활 능력이나 생활 이상에 따라서 출산(出產)의 간격이나 산아(產兒)의 수를 계획적으로 조정하여서, 행복한 가정 생활을 영위하는 데 있어서의 적당한 가족의 크기를 스스로 설계하는 일. 또, 그 계획. ＊산아 제한.

가족 공:동장【家族共同葬】명〖역〗온 가족을 한 곳에 장사 지내던 일. 옥저(沃沮) 때, 시신을 가매장한 후 뼈만 추려 큰 나무 덧널에 넣어 장사 지냈음.

가족 국가【家族國家】명 국가는 하나의 큰 가족이라고 주장하여, 가정을 국가 지배의 원리로 하는 국가 유형(類型). 제2차 대전 전, 일본과 같이 제국주의적 팽창(膨脹)의 정당화 이론으로서 작용하였음.

가족 노동【家族勞動】명 자가(自家)의 영업에 들이는 가족 성원(成員)의 노동.

가족 농업【家族農業】명 주로 가족의 노동력에 의하여 이루어지는 농업.

가족-법【家族法】명〖법〗민법의 '친족법(親族法)'과 '상속법(相續法)'의 통칭. 혈연 관계 및 혼인에 의해서 맺어지는 가족 생활을 규범하는 법. ＊신분법(身分法).

가족 생활 주기【家族生活周期】명 한 가족의 경제 환경의 단계에 따라 달라지는 그 가족의 발달 주기. 가정 경제와 자녀의 교육 상황을 근거로 분류한 것과, 첫 아이를 기준으로 분류한 것이 있음. 결혼기, 출산기, 보육기, 자녀 교육기, 자녀 독립기 따위로 나타남. 가족 주기.

가족-석【家族席】명 극장이나 그 밖의 모임 같은 데에서, 가족끼리 앉도록 마련된 자리.

가족-설【家族說】명〖정〗국가는 가족의 확대·발전에 의해 성립되었다고 하는 학설.

가족-성【家族性】명 유전성 질환이 있는 가족에게 가끔 나타나는 성질. 일부 병명과 함께 쓰임. ＊가족성 황달.

가족성 황달【家族性黃疸】명〖의〗용혈성(溶血性) 황달 중 선천적(先天的)으로 가족성을 띠고 나타나는 황달. 적혈구(赤血球)의 저항이 선천적으로 약하여 파괴되기 쉬운 것이 그 원인인데, 정신의 흥분 또는 육체의 과로(過勞)에 의하여 정도가 심하여지며, 안정(安靜)하게 휴양하면 정도가 좀 가벼워짐.

가족 세:습 재산【家族世襲財產】명 법률 행위에 의하여 영구(永久)히 처분을 제한받으며, 보통 일정한 상속 순위(順位)에 따라서 일정한 사람이 상속할 것으로 정하여진 재산. 이 제도의 재산을 설정할 수 있는 자, 설정의 목적물 및 설정의 방법 등은 나라 또는 시대에 따라 달랐지만, 대개 귀족에게 이용되었던 제도임.

가족 수당【家族手當】명 ①부양 가족이 있는 근로자의 생활 보조를 목적으로 하여 그 수에 따라 본봉 외에 더 지급되는 수당. ②가족의 생활 수준을 유지하기 위하여 사회 보장으로 지급되는 급부(給付).

가족 유전성【家族遺傳性】[—썽] 명〖의〗가족적 발생(家族的發生)을 나타내고, 유전적(遺傳的)이라 생각되는 질병 또는 장애의 성질.

가족-적【家族的】명관 ①한 가족에 관한 것. ②가족끼리의 사이처럼 친밀한 모양. ¶～ 분위기.

가족 제:도【家族制度】명〖사〗①가족이 사회의 가장 중요한 단위로 되어 있는 사회 제도 또는 사회 제도에 의해서 결정되는 가족 형태. 고대 사회 및 미개 사회에서는 대가족 또는 분립(分立)된 소가족을 포함하는 집합 가족으로 모계(母系) 혈통을 따랐으나, 그 후 가부장권(家父長權) 밑에 통솔되고, 현대 사회에서는 부부와 그 자식을 성원으로 하는 소가족이 보편적임. ②가부장권을 중심으로 하는 대가족주의.

가족 주기【家族周期】명 가족 생활 주기.

가족-주의【家族主義】[—/—이] 명 가족 제도에 입각한 입장에서 국가 또는 사회의 여러 가지 정책의 수행을 주장하는 주의.

가족-탕【家族湯】명 온천 같은 데서, 가족 동반의 손님이 전세(專貰)로 빌려 사용하도록 되어 있는 목욕탕.

가족 통:계【家族統計】명 부부의 수와 부부 사이에서 난 출생아(出生兒)의 수에 관한 통계.

가족 해:체【家族解體】명〖사〗가족의 기능이나 공동 생활이 기질(氣質)의 차이, 성적(性的) 불일치, 습성의 불일치 등으로 붕괴하여 유지할 수 없는 상태. 그 형태로는 이혼·가출·별거·폭행·기아(棄兒)·의절(義絕) 등이 있음.

가족-회【家族會】명 ↗가족 회의.

가족 회:의【家族會議】[—/—이] 명 가족끼리의 회합이나 회의. 준가족회.

가존【家尊】명 자기의 아버지 또는 남의 아버지의 존칭.

가:-종피【假種皮】명〖식〗보기에는 종피(種皮)와 같으나 실지는 수정(受精) 후에 태좌(胎座)나 주병(珠柄)이 비대(肥大)하여져서 씨를 싸게 된 종피. 용안(龍眼)·주목(朱木) 등이 이에 속함.

가좆다 타〈방〉가져오다(전라·경북·경기·황해·평안).

가좌¹【家座】명 집터의 위치 및 경계.

가좌²【跏坐】명〖불교〗↗결가부좌(結跏趺坐).

가좌 적간【家座摘奸】명〖역〗조선 시대 때, 가좌의 부적당함을 조사하는 일. ——-하다 자여불

가좌-전【家座錢】명〖역〗호포(戶布).

가좌 차서【家座次序】명〖역〗번지순(番地順).

가죄¹【加罪】명〖역〗①죄에 죄가 더함. ②형벌을 더함. 가율(加律). ——-하다 자타여불

가죄²【嫁罪】명 죄를 남에게 전가(轉嫁)시킴. ——-하다 자여불

가주¹【加州】명〖지〗미국의 '캘리포니아 주(California州)'의 음역(音譯). ¶남～ 대학. 준가(加).

가주²【佳酒·嘉酒】명 좋은 술. 미주(美酒). 가양(佳釀).

가:주³【架柱】명 기둥을 세움. 또, 그 기둥. ——-하다 자여불

가주⁴【家主】명 ①한 집안의 주인. ②집 임자.

가:주⁵【假主】명 ①신주(神主) 대신으로 만든 신위(神位). ②〖역〗국상(國喪) 때, 기성(旣成) 전에 임시 뽕나무로 만든 신주.

가:주⁶【假株】명 ↗가주권(假株券).

가주⁷ 부〈방〉갓¹³.

가:-주거【假住居】명 임시로 머물러 사는 곳. 잠정적으로 사는 집.

가:-주권【假株券】[—꿘] 명 나중에 본주권(本株券)을 교부할 목적으로 회사에서 주주(株主)에게 주는 임시 증서(證書). 준가주(假株).

가주니 부〈방〉가지런히(경북).

가주러니 부〈방〉가지런히(전남).

가:-주서【假注書】명〖역〗↗사변 가주서(事變假注書).

가:-주소【假住所】명 ①거짓으로 꾸며 대는 주소. ②〖법〗어느 특정한 행위의 당사자가 그 행위에 대하여 주소에 대신할것으로 선정한 장소. 실지 주소는 아니나 법률상은 그 행위에 관하여 주소로 간주되며 생활의 설비 또는 장소를 필요로 하지 않음.

가주오다 타〈방〉가져오다(경상).

가죽¹ 명〔중세: 가족〕①동물의 몸을 싸고 있는 껍질을 이룬 질긴 물질(物質). ②짐승의 껍질을 다루어서 정제(精製)한 물건. 구두·가방 따위를 만드는 데 씀. 피혁(皮革).

【가죽이 있어야 털이 나지】무엇이나 재료가 있어야 만들 수 있다는 말.

가죽² 명〈방〉참죽(경상).

가죽 가방 명 가죽으로 만든 가방.

가죽 구두 명 가죽으로 만든 구두. 피혁화(皮革靴).

가죽-나무¹ 명〖식〗〈방〉참죽나무.

가:-죽나무²【假—】명〖식〗[*Ailanthus altissima*] 소태나뭇과에 속하는 낙엽 활엽 교목. 잎은 우상 복생(羽狀復生)이며 소엽(小葉)은 달걀꼴의 피침형인데, 잎의 기부(基部) 근처에 큰 톱니가 있음. 자웅 잡가(雌雄雜家)인데 6월에 백록색 꽃이 원추(圓錐) 화서로 피고, 시과(翅果)는 선상(線狀)이며 9월에 익음. 산지에 나는데, 한국 각지 및 중국·만주에도 분포함. 재목은 옹이가 많고 뒤틀리어 좋지 못하나, 촌락 부근이나 정원에 심음. 근피(根皮)는 '저근 백피(樗根白皮)'라 하여 약용함. 저목(樗木).

〈가죽나무²〉

가죽나무-산누에나방【—山—】명〖충〗[*Samia cynthia pryeri*] 산누에나방과에 속하는 곤충. 편 날개의 길이 127-130mm이고, 몸빛은 갈색이며 날개의 내외 횡선(內外橫線)은 백색이고, 중앙실(中央室) 끝의 초승달 무늬는 반투명, 앞날개 시정부(翅頂部)는 담황색임. 유충은 백청색이고 육질(肉質)의 돌기가 있음. 황벽나무 잎 등의 해충으로, 한국에도 분포함.

〈가죽나무 산누에나방〉

가죽다 형〈방〉가깝다(경남).

가죽-띠 명 가죽으로 만든 띠. 혁대(革帶).

가죽 부대 명 가죽으로 만든 부대.

가죽 숫돌 명 면도칼을 문질러서 날을 세우는 가죽띠. 혁지(革砥).

가죽-신 명 가죽으로 만든 신. 갖신.

가죽-옷 명 가죽을 다루어서 지은 옷.

가죽-위【—韋】명 한자 부수(部首)의 하나. '韜'나 '韓' 등의 '韋'의 이름.

가죽 잠바〔jumper〕명 가죽을 다루어 만든 잠바.

가죽 장갑【—掌匣】명 가죽으로 만든 장갑.

가죽 장화【—長靴】명 가죽으로 만든 장화.

가죽-칼 명〖고고학〗가죽을 자르던 삼각형 돌칼. 한 변에 가로날이 있음. 박편(剝片)날.

가죽-피【—皮】명 한자 부수(部首)의 하나. '皺'나 '皰' 등의 '皮'의 이름.

가죽-혁【—革】명 한자 부수(部首)의 하나. '靴'나 '鞭' 등의 '革'의 이름.

가중¹【加重】명 ①더 무거워짐. 더 무겁게 함. ②〖생〗신경·근육 등에 준 두 개 이상의 자극이 겹쳐, 개개의 자극보다 큰 효과가 나타나는 현상. 이를테면, 반복 자극(反復刺戟)에 의하여 근육(筋肉)이 강축(強縮)하는 따위. ③〖역〗죄가 더 무거워짐. 형벌을 더 무겁게 함. 가율(加律). ④〖법〗누범(累犯) 또는 일명 수죄(一名數罪)·수명 수죄(數名數罪)의 경우 법정형(法定刑)의 범위를 넘어서 형을 무겁게 함. ——-하다 자타여불

가중²【加重】명 주속(紬屬)의 품질이 썩 좋아 무게가 더 나감. ——-하다 형여불

가:중³【苛重】명 가혹하고 부담이 무거움. ——-하다 형여불. ——-히

가중⁴【家中】명 ①한 집의 안. ②온 집안. 집안. [부

가중 감:경【加重減輕】명〖법〗법정형(法定刑)을 법률상 또는 재판상 가중하거나 감경하는 일.

가중-값【加重—】[—깝] 명〖경〗①일반적으로 평균값을 산출할 때 개별(個別)값에 부여되는 중요도. ②어떤 상품(商品)이 경제 생활에서 차지하는 중요도. 상품에 대한 지출액(支出額)을 총지출액으로 나눈 값에 1,000을 곱하여 나타냄.

가중 등가 감:각 소음 기준【加重等價感覺騷音基準】[—까—] 명 [weighted equivalent continuous perceived noise level; W. E. C. P. N. L.] 하루 동안의 비행 횟수를 고려한 항공기에 의한 '소음'의 평가 단위. 공항 주변에서의 '소음'의 국제 단위로서 국제 민간 항공 기관이 정한 것임. 피 엔 엘(PNL)에 음질(音質)이나 지속 시간의 보정(補正)을 가한 것에 하루 동안의 비행 횟수를 고려한 것을 말함.

가중-범【加重犯】명〖법〗법률상 형이 가중되는 범죄.

가중-사【家中事】명 집안의 일. 가간사(家間事).

가중 산:술 평균【加重算術平均】명〖수〗가중 평균. ↔단순 산술 평균.

가중-주의【加重主義】[—/—이] 명〖법〗병합죄를 처단하는 데 그 병합죄 중 가장 무거운 죄의 형을 가중한 것으로써 형으로 하는 주의.

가중 지수【加重指數】명〖경〗개별(個別) 지수를 종합하는 경우, 개개의 지수에 웨이트(weight)를 두어 구하는 지수. 생산 지수·소비자 물가 지수·도매 물가 지수 등은 이 지수로 측정함.

가중 처:벌【加重處罰】명〖법〗형(刑)의 선고에 있어서, 그 형을 가중하는 처벌. ＊특정 범죄 가중 처벌법. ——-하다 타여불

가중 평균【加重平均】명〖수〗각 수치(數値)에 웨이트(weight)를 가하였을 때의 평균. 정도(精度)가 다른 측정(測定)값의 평균, 들어온 양(量)이 같지 아니한 물품의 평균 가격 등과 같이, 원래의 수치가 동등하지 아니하다고 생각될 때 사용함. 가중 산술 평균. ↔단순 평균.

가중 평균법【加重平均法】[—뻡] 명〖경〗평균 원가법(平均原價法)의 하나. 단순 평가법의 계산에 수량(數量)을 가미(加味)하여 결정한 것을 평균값으로 삼는 방법. 통계학에서도 쓰임. ＊이동(移動) 평균법.

가중-형【加重刑】명〖법〗법정 사유(事由)에 따라 법이 정한 범위를 넘어서 가중하는 형.

가줘기 명〈방〉가죽¹(함경).

가즈가즛 관〈옛〉가지가지의. 여러 가지의. ¶가즈가즛 業 짓거뇨ᄒᆞ시다(造種種業)《龜鑑 下 51》.

가즈나 왕조【—王朝】[Ghazna] 명〖역〗가즈니 왕조(Ghazni王朝).

가즈니 [Ghazni] 명〖지〗아프가니스탄의 수도인 카불(Kabul)의 남서쪽에 있는 도시. 10세기 말에서 11세기 중엽 사이에 가즈니 왕조의 수도로 번창했으며, 부근에 인도풍의 대사원·탑 등이 남아 있음. 곡물·과일·양모 등의 교역이 성함.

가즈니 왕조【—王朝】[Ghazni] 명〖역〗10세기 중엽 사만 왕조(Saman王朝)의 노예이며 돌궐인(突厥人)인 알프티긴(Alptigin)이 아프가니스탄 남동부의 도시 가즈니(Ghazni)에 세운 투르크계(系) 이슬람 왕조. 영주(英主) 마무드(Mahmūd) 때에는 아무 다리야(Amu Dar'ya) 강으로부터 페르시아만(灣)에 이르는 일대를 영유하여 세력이 매우 컸으나, 그가 죽은 후부터 쇠퇴하였음. 가즈나 왕조. [962-1186]

가즈런-하다 형여불 ☞가지런하다. **가즈런-히** 부

가즈럽다 형ㅂ불 아무 것도 없으면서 온갖 것을 다 갖춘 듯이 빼기는 태도가 있다. 있는 체 하는 태도가 있다.

가즉다 형〈방〉가직다.

가즉이¹ 명〈방〉가지기. ¶과부로 시집오는 사람을 별실이나 ～로 대접하지 누가 정실부인으로 대우할까《作者未詳 : 홍도화》.

가즉-이² 부〈방〉가직이. [시니《永言》.

가즉이³ 부〈옛〉정제(整齊)하게. 가지런히. ¶禮義廉恥로 가즉이 네여

가즉:-하다 형〈방〉①가지런하다. ②가직하다.

가증¹【加症】명 딴 증세가 일어남. 딴 증세를 일으킴. ——-하다 자타여불 [다 자타여불

가증²【加增】명 증가한 데에 더 증가함. 붙은 데다가 더 보탬. ——-하

가:증³【可憎】명 얄미움. ——-하다 형여불

가증⁴【加贈】명 위계(位階) 등을 더하여 줌. ——-하다 자타여불

가증-률【加增率】[—뉼] 명〖경〗유가 증권의 액면(額面) 또는 납입 금액과 그 이상의 매매 가격과의 차이.

가:증-스럽다【可憎—】형ㅂ불 얄밉게 생각되다. 보기에 괘씸하고 얄밉다. 가:증-스레【可憎—】부

가증 임:금제【加增賃金制】명 [premium bonus system] 일정한 일의 양을 해내는 표준 노동 시간을 척도(尺度)로 하여, 절약된 시간에 따라 가산(加算) 임금을 지급하는, 능률급(能率給)의 하나. ＊목표 달성급.

가지¹ 명〖식〗[*Solanum melongena*] 가짓과에 속하는 일년초. 줄기 높이 60-100cm이며, 잎은 호생하고 달걀꼴인데 장병(長柄)이며, 녹색이나 자색을 띰. 엽액(葉腋)에서 담자색·남색(藍色)·백색 등의 합판화(合瓣花)가 피며, 열매는 거꿀달걀꼴·긴 원통형 또는 구형(球形) 등으로 빛은 자흑색·녹색·백색 등이 있음. 인도 원산(原產)으로 추측되며, 세계 각지에 150여 종이 분포함. 옛날부터 주요한 과채(果菜)로 재배되었음. 가자(茄子).

〈가지¹〉

[가지 나무에 목을 맨다] ㉠몹시 딱하거나 서러워서 목맬 나무의 크고 작음을 가리지 않고 죽으려 한다는 뜻. ㉡이것 저것 가릴 처지가 아니라는 말. [가지 따먹고 외수(外數)한다] 남의 눈을 피하여 좋지 않은 일을 하고 시치미를 뗀다는 말. [가지 붕탱이 같다] 키가 작고 뚱뚱하여 옷 맵시가 두리뭉실하고 미끈하지 못한 사람을 비웃는 말.

가지² 명 [중세 : 가지] ①초목의 눈이 생장 발육하여 원줄기에서 갈라져 벋은 줄기. ＊가장이·가장귀. ②근본에서 갈라져 나간 것. ③〖언〗접사(接辭).

[가지 많은 나무가 바람 잘 날이 없다] 자식을 많이 둔 어버이는 근심 끊일 날이 없다는 말.

가지(를) 치다 구 ㉠초목의 가지가 번식하다. ㉡초목의 곁가지를 베어 내다.

가지³ 명〈옛〉진 땅에서 신는 나막신. ¶가지 교(屩)《字會 中 27》.

가:지⁴ 명〈방〉강아지(경북).

가:지⁵ 명〈비〉남을 천대하고 업신여기는 뜻으로 욕하는 말. ¶～ 같은 자식. 〈거지¹.

가:지⁶【可知】명 알 수 있음. 알 만함. ¶불문(不問) ～. ↔불가지(不可知).

가지⁷【加持】명 ①〖불교〗부처의 대자 대비(大慈大悲)한 힘의 가호를 받아, 중생(衆生)이 불범 일체(佛凡一體)의 경지로 들어가는 일. 진언종(眞言宗)·천태종(天台宗)의 밀교(密敎)의 행자(行者)가 손으로 인계(印契)를 맺고, 입으로는 진언(眞言)을 외며, 마음이 삼매(三昧)에 들면, 이 경지에 도달한다고 함. ②속간(俗間)에서, 병이나 재앙을 면하기 위해서 올리는 기도를 이르는 말. ¶～ 기도(祈禱).

가지⁸ 의명 ①사물(事物)을 종류별로 따로따로 구별하여 헤아리는 말. ¶한 ～/여러 ～. ②제기를 찰 때, 차기 시작해서부터 땅에 떨어지기까지의 동안. ¶한 ～에 몇이나 찼느냐.

가지⁹ 부〈방〉갓¹³(경상).

가지-가지¹ ㊀명 여러 종류. 여러 가지. ㊟갖가지. 갖갖. ㊁관 여러 가지의. 여러 종류의. ㊟갖가지·갖갖.

가지-가지² 부 나무의 가지마다. ¶～ 붉은 꽃이 피어 있다.

가지가지-로 부 온갖 종류로. 여러 가지로. ㊟갖가지로.

가지-각색【—各色】명 여러 가지의 온갖 형태. 가지가지. 각색 각양(各色各樣). 종종 색색.

가지-개 곽향【—藿香】명〖식〗[*Teucrium brevispicum*] 꿀풀과에 속하는 다년초. 줄기는 방형(方形)인데 높이 40cm 내외이며, 잎은 대생하고 유병(有柄)인데, 긴 달걀꼴 또는 타원에 가까운 달걀꼴임. 7-8월에 담홍색 꽃이 윤산(輪繖) 화서로 줄기 끝과 가지 끝에 액생(腋生) 또는 정생(頂生)하며, 수과(瘦果)는 거꿀달걀꼴임. 산이나 들에 나는데, 함북의 명천(明川)·어대진(魚大津) 등지에 분포함.

가지고 보동 어미 '-아'나 '-어' 아래에 붙어, 그 동작이나 상태를 그대로 지니고 있음을 나타내는 말. ¶돈을 받아 ～ 왔다 / 그렇게 게을러 ～ 시험에 붙겠니.

가지-고르기 명 ①나무의 가지를 조절하여 뜻하는 바의 형상대로 보기 좋게 잘 가꾸는 일. ②과수(果樹)의 불필요한 가지를 잘라 내어 그 모양을 가지런히 하여 미관(美觀)을 더하고 건강을 유지·증진하며 결실(結實) 작용을 조절(調節)해서 관리에 편하도록 하는 일. 정지(整枝). ——-하다 자여불

가지-고비 명〖식〗↗가지고비고사리.

가지-고비고사리 명〖식〗[*Coniogramme japonica*] 고사릿과에 속하는 다년초. 고비고사리와 비슷하나, 줄기는 높이 50-60cm이고 다갈색이며 근경(根莖)에서 끝이 뾰족한 피침형의 잎이 이회 우상 복엽(二回羽狀複葉)으로 나고 뒷면에 자낭(子囊)이 비스듬히 배열되었음. 산이나 들의 나무 그늘에 나는데, 제주도·전남의 무안(務安) 및 일본·대만·중국 등지에 분포함. ㊟가지고비.

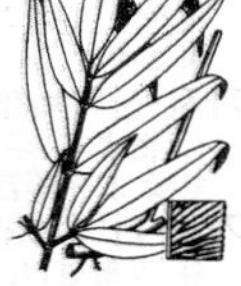

〈가지고비고사리〉

가지골-나무 명〈방〉〖식〗제비꿀.

가지-괭이눈 명〖식〗[*Chrysosplenium ramosum*] 범의귓과에 속하는 다년초. 줄기 높이 20cm 가량이고 잎은 대생하며 유병(有柄)이고 원형(圓形)임. 꽃은 줄기 끝과 가지 끝에 1-3개씩 착생(着生)하고, 과실은 삭과(蒴果)임. 산지에 나는데, 경기·강원·평남·함북 등지에 분포함.

가지구 명〈방〉〖동〗가재(경북).

가지-굴 명〖어〗[*Gymnothorax hepatica*] 곰칫과에 속하는 바닷물고기. 몸빛은 자색이고 등지느러미와 뒷지느러미는 폭이 넓고 가에 흰 빛이 둘렸음. 등지느러미는 높고 양턱에는 큰 구멍이 있음. 한국 제주도 연해 및 일본 남부 연해에서 동인도 제도 연해에 분포함.

가:-지급【假支給】명 ①올릴 과목(科目)이나 금액이 확정되지 아니하였을때, 임시로 하는 지급. ②급료(給料) 따위를 기일이 되기 전에 지급하는 일. 가불(假佛). ——-하다 타여불

가:지급-금【假支給金】명〖경〗회사가 그 대주주(大株主)나 종업원 등에 대하여 회사 자금을 일시 빌려 주는 돈. 가불금.

가지기 명 예식을 갖추지 아니하고 미혼 남자와 동거하는 과부나 이혼한 여자. 가직(家直).

가지 기도【加持祈禱】명 가지와 기도. 또, 병·재난을 면하기 위하여 신불에게 기도하는 일.

가지 김치 명 가지로 담근 김치. 가저(茄菹).

가지-꽂이 명 꺾꽂이의 하나. 가지를 잘라 모래에 꽂고 뿌리를 내리게 하는 방법으로, 장미·동백·개나리 등을 번식시키는 방법임. [子菜).

가지 나물 명 가지를 쪄서 길이로 찢어 양념해서 무친 반찬. 가자채(茄

가지 노리개 명 가지 모양을 본뜬 패물을 달아 꾸민 노리개.

가지 누름적 명 데친 가지를 잘게 쪼개어 양념에 주물러 꼬챙이에 꿰어 밀가루를 묻히고 달걀을 씌워 지진 누름적. 가지 산적. 가자 산적(茄子散炙). 가자 화향적(茄子花香炙).

가지다 一 타 ①손에 들어오게 또는 들어와 있게 하다. 손에 쥐다. 잡다. ¶공을 가지고 놀러 가다 / 책을 한 권씩 손에 ~. ②몸에 지니다. ¶용돈을 가지고 다니다. ③마음에 지니다. 마음에 두다. ¶큰 야심을 가진 사람. ④제것이 되게 하다. 소유하다. ¶가게를 가지고 있다. ⑤(관련이나 관계를) 맺다. 유지하다. ¶긴밀한 협조 관계를 가지고 있다. ⑥치르다. 행하다. ¶간부 회의(幹部會議)를 ~. ⑦아이를 배다. ¶아이를 ~. ⑧'을[를] 가지고'의 꼴로 쓰이어, ㉠수단이나 기구를 나타내는 말. ¶찹쌀을 가지고 술을 빚다. ㉡무엇을 대상으로 함을 나타내는 말. ¶왜 나를 가지고 법석들이냐. 二 보동 어미 '-아'·'-어'의 뒤에 '가지고'의 꼴로 쓰이어, 그 동작이나 상태를 그대로 지니고 있음을 나타내는 말. ¶돈을 받아 가지고 왔다. ㊟갖다.

【가진 놈의 겹철릭】 한 사람이 필요 이상의 물건을 겹쳐서 가지고 있음을 이르는 말. 【가진 돈이 없으면 망건 꼴이 나쁘다】 지니고 다니는 돈이 없으면, 겉모양도 허술해 보이고 마음이 떳떳하지 못하다는 말.

가지 돌연 변:이 【一突然變異】 명 〔식〕 눈돌연변이.

-가지라 어미 〈옛〉 -어지라. ¶혼 말 니르고 죽가지라 니르라 ᄒᆞ니 《三綱 忠臣 15》. ＊-지라.

가지런-하다 형 여불 여러 끝이 한 줄로 고르게 되어 있다. 크고 작은 것이 없이 고르다. ¶벤 자리가 ~. **가지런-히** 부. ¶신발을 ~ 정돈하다.

가지런할제-부 【一齊部】 [一쩨一] 명 한자 부수의 하나. '齋'에서의 '齊'의 이름.

가지-만지 명 가지를 슬쩍 데치어 물기를 짜낸 다음 속을 타서 고명을 넣고 소금을 뿌려서 켜켜이 재어 3, 4일 동안 삭힌 반찬.

가지무늬 토기 【一土器】 [一니一] 명 〔고고학〕 어깨 부분에 검은 가지 모양 무늬가 돌려 있는 회백색(灰白色) 항아리형(型)의 청동기 시대 민무늬 토기. 채문 토기(彩文土器). 채도(彩陶).

가지-문 【加持門】 명 〔불교〕 중생을 가호(加護)하고 이롭게 하기 위하여 불신(佛身)을 나타내어 설법(說法)하는 부처의 힘. 또, 그러한 힘을 가진 방면(方面). ＊본지문(本地門).

가지미 명 〈방〉 〔어〕 가자미(경북).

가-지방 【加地枋】 명 〔건〕 문설주 안으로 덧댄 문지방. ㊟가방(加枋).

가지 방석 매듭 【一方席一】 명 아래위로 도래 매듭을 맺고, 다섯 개의 생쪽 매듭을 연결한 둥근 매듭. 머리꽂이나 선추(扇錘) 등에 쓰임.

가지-방울 명 〔고고학〕 2개 또는 8개로 갈라진 가지 끝에 방울이 달린 청동기 시대의 유물(遺物). 특별한 무속(巫俗)에 쓰여진 것으로 보임. ＊쌍두령(雙頭鈴)·팔주령(八珠鈴).

가지-번호 【一番號】 명 차례로 매긴 번호에서 다시 가지를 치듯 갈라져 나간 차례에 매긴 번호. 1-1, 1-2, 2-1, 2-2…에서, 뒷번호 '1'·'2' 등.

가지-별꽃 명 〔식〕 [*Stellaria friesiana*] 너도개미자릿과에 속하는 다년초. 줄기 높이 25cm 가량이며, 잎은 피침상 선형(線形)이고 끝이 뾰족함. 6-7월에 백색 꽃이 원추(圓錐) 화서로 피는데 다소 방상(房狀)이며, 삭과(蒴果)는 달걀꼴임. 산지에 나는데, 한국 북부에 분포함.

가지-복수초 【一福壽草】 명 〔식〕 [*Adonis amurensis* var. *ramosa*] 미나리아재빗과에 속하는 다년초. 높이 30cm 가량이고 잎은 호생하며 2회 우상 복생(羽狀複生)하고 소엽(小葉)은 우상 심렬(羽狀深裂)함. 4-5월에 노란 꽃이 줄기나 가지 끝에 하나씩 달려서 피고, 과실은 수과(瘦果)임. 산지의 음지(陰地)에 나는데 경기도 광릉에 분포함. 관상용임. ＊복수초.

가지-산[1] 【加智山】 명 〔지〕 경상 북도 청도군(清道郡)과 경상 남도 밀양시(密陽市)와 울산(蔚山) 광역시 사이에 있는 산. 낙동강의 지류인 밀양강(密陽江)의 발원지임. 석남산(石南山). [1,240m]

가지-산[2] 【迦智山】 명 ①〔지〕 전라 남도 장흥군(長興郡) 유치면(有治面)과 장평면(長平面) 사이에 있는 산. [504m] ②〔불교〕 구산(九山)의 하나. 선법(禪法)을 맨 처음 전한, 도의 선사(道義禪師)가 개조(開祖)이며, 보림사(寶林寺)가 그 근본 도량(道場)이었음. 고려말엽에 구산이 모두 극도로 쇠운에 빠지었을 때, 이 산문(山門)의 태고 화상(太古和尙)이 왕사(王師)로서 공민왕(恭愍王) 5년(1356)에 구산을 통합하여 일가(一家)를 이룬 뒤로 그 문풍(門風)을 전하여 왔음.

가지 산:적 【一散炙】 명 가지 누름적.

가지산-파 【迦智山派】 명 〔불교〕 신라 시대 불교의 한 종파. 선종 구산문(禪宗九山門)의 하나로, 41대 헌덕왕 때, 도의 선사(道義禪師)가 일으키었음.

가지-삿갓사초 【一莎草】 명 〔식〕 [*Carex paniculigera*] 방동사닛과에 속하는 다년초. 줄기는 삼릉주(三稜柱)로 높이 50cm 가량이고, 근생엽(根生葉)은 총생(叢生)하고 경엽(莖葉)은 호생하며 넓은 선형(線形)임. 수술은 정생(頂生)하는데 원주형으로 길이 30cm 가량이고, 암술은 3-4개가 측생(側生)하며 6-7월에 핌. 과낭(果囊)은 달걀꼴임. 산지에 나는데, 전남의 백양산·지리산 등지에 분포함. 「大 10》.

가지아지 명 〈옛〉 가지가지. ¶고훈 가지아짓 내뭀 마토라 주시고《七

가지안테프 〔Gaziantep〕 명 〔지〕 터키 남부의 가지안테프 주(州)의 주도(主都). 면직물·양피(羊皮) 가공·식품 공업이 성하고, 담배·목화 등을 수출함. 십자군 시대의 전략상의 요지였음. [603,434명(1990)]

가지-오다 타 〈방〉 가져오다(전남·경상·황해·함남).

-가지이다 어미 〈옛〉 -아지고자 하나이다. ¶다 이젯 世尊 ᄀᆞᆮ가지이다 《月釋 Ⅱ:9》. 「자적(茄子炙).

가지-적 【一炙】 명 가지를 쪼개어 양념하여 꼬챙이에 꿰어 구운 적. 가

가지-전 【一煎】 명 껍질을 벗기어 얇게 쪼갠 가지에 난도질한 쇠고기를 한데 맞붙이어 밀가루를 묻히고 달걀을 씌워 지진 전(煎). 혹은 짜갠 가지만을 그냥 기름에 지지기도 하고 빈대떡처럼 부치기도 함. 가자전.

가지-접 【一椄·一接】 명 〔농〕 접붙이기의 한 가지. 대목(臺木)에 다른 우량종(優良種) 나무의 접순을 접붙이는 일. 여러 종류가 있으나 보통 깎기접을 많이 함. 주로 과수(果樹)에 하며 3월 상순(上旬)부터 4월 하순까지 실시함. 지접(枝椄). ＊깎기접·눈접.

가지-찜 명 가지를 세 갈래로 쪼개어, 다진 고기에 양념과 밀가루를 버무리어 그 속에 넣고 실로 잘 동이어 맑은 장국에 바특하게 끓인 반찬. 가자증(茄子蒸). 「진 창.

가지-창 【一槍】 명 〔고고학〕 끝이 나뭇가지와 같이 둘이나 셋으로 갈라

가지-치기 명 〔농〕 과수·원예 식물 및 뽕나무 등의 생육(生育)과 결실(結實)을 균일하게 하고 미관상 수형(樹形)을 고르게 하기 위하여 가지의 일부분을 잘라 냄. 전정(剪定). 전지(剪枝). ——-하다 자타 여불

가:-지평 【假持平】 명 〔역〕 ①임시로 임용된 사헌부(司憲府)의 지평(持平). ②조선 후기에, 힘없는 당파 출신의 지평(持平)을 실권을 행사하지 못한다는 뜻으로 놀리는 말.

가지 향수 【加持香水】 명 〔불교〕 진언종(眞言宗)의 수법(修法) 때, 도량(道場)이나 공양물을 정화(淨化)하기 위해서 뿌리는 향수를 빌어서 깨끗하게 하는 일. 또, 그 향수.

가지-회 【一膾】 명 가지를 둘로 쪼개어 물에 담가 아린 맛을 빼고 끓는 물에 소금을 좀 넣고 데쳐 내어 꼭 짠 뒤에, 얇게 썰어 겨자를 찍어 먹는 회. 가자회(茄子膾).

가직[1] 【家直】 명 가지기.

가직[2] 【家職】 명 가업(家業).

가직다 형 ↗가직하다.

가직-이 부 가직하게. ↔멀찍이. 「찍하다.

가직-하다 형 여불 〔근대 : 가ᄌᆞᆨᄒᆞ다〕 거리가 좀 가깝다. ㊟가직다. ↔멀

가진-대이름씨 【一代一】 명 〔언〕 '소유 대명사(所有代名詞)'의 풀어쓴 이름.

가:질[1] 【苛疾】 명 몹시 중한 병. 중병(重病).

가질[2] 【家姪】 명 남에게 자기 조카를 이르는 말.

가질[3] 【家秩】 명 한 집안의 질록(秩祿).

가:질[4] 【假質】 명 〔역〕 조선 인조(仁祖) 때인 병자 호란 이후, 대신들이 자제를 인질로 보낼 때에 자기의 자제를 보내지 아니하고 다른 사람의 자제를 보내던 일.

가짐 명 〈방〉 개짐.

가짐-말 명 〈방〉 거짓말(경기·경상).

가집[1] 【加執】 명 〔역〕 환곡(還穀)을 제한한 이외에 더 내어 주는 일. ——-하다 타 여불

가집[2] 【佳什】 명 아름답게 잘 지은 시가(詩歌).

가집[3] 【家什】 명 ↗가장 집물(家藏什物).

가집[4] 【家集】 명 자가(自家)의 시문집.

가집[5] 【歌集】 명 시가집(詩歌集).

가:-집행 【假執行】 명 〔법〕 민사 소송에서, 승소자의 불이익을 피하기 위하여, 가집행 선고에 의거, 아직 미확정인 판결의 취지를 우선 집행하는 일. 법원이 직권 또는 신청에 의하여 함. ——-하다 타 여불

가:집행 면:제의 선고 【假執行免除一宣告】 [一/一에一] 명 〔법〕 가집행 면제가 인정되는 때에, 패소 예기자(敗訴豫期者)의 신청이나 또는 직권(職權)으로써, 판결 주문(判決主文)에, 담보를 공여(供與)하고 가집행 선고의 집행력을 배제할 수 있다는 취지의 선고를 내리는 일.

가:집행 선고 【假執行宣告】 명 〔법〕 민사 소송에서, 법원이 판결의 확정 전에 집행력(執行力)을 주는 재판의 선고.

가짓-과 【一科】 명 〔식〕 [Solanaceae] 쌍자엽(雙子葉) 식물 합판화류에 속하는 한 과. 초본(草本)·관목(灌木)·반연성(攀緣性) 관목·작은 교목으로 전세계에 82속(屬) 1,700여 종이, 한국에는 가지·독말풀·사리풀·담배·꽈리·미치광이·까마종이 등 재배종을 합하여 9속 30여 종이 분포함. 열매는 장과(漿果) 또는 삭과(蒴果)임.

가:짓-말 명 남을 속이는 말. 사실과 다르게 꾸미어 하는 말. <거짓말. ——-하다 자 여불

가:짓말-쟁이 명 가짓말을 잘하는 사람. <거짓말쟁이.

가:짓-부렁 명 가짓부렁이. <거짓부렁.

가:짓-부렁이 명 '가짓부리'의 낮춤말. 가짓부렁. <거짓부렁이.

가:짓-부리 명 '가짓말'의 낮춤말. ㊟가짓불. <거짓부리.

가:짓-불 명 ↗가짓부리. <거짓불.

가짓-빛 명 24색 중 순색(純色)의 하나. 보랏빛에 파란빛이 연하게 섞인 것으로서 중간색(中間色)으로 치기도 함. 색상 번호 20, 명도 12, 채도 5, 기호 bp.

가짓-수 【一數】 명 여러 가지의 수효. ¶~가 많다.

가짓잎-괭이 [一닙一] 명 날이 가지의 잎 모양으로 생긴 괭이.

가짓잎-쌈 [一닙一] 명 가지의 잎을 쪄서 밥을 싸 먹는 쌈. 가엽포(茄葉包).

가징 【加徵】 명 더 증가하여 징수함. ——-하다 타 여불

가ᄌᆞ기 부 〈옛〉 가까이. ¶南녁 가ᄌᆞ기 몬져 벼ᄒᆞᆯ 곬 블 살고 《家禮 Ⅷ:14》. 「스시니 《月釋 Ⅰ:52》.

가졸버리 명 〈옛〉 견줄 것. 비유할 것. ¶十方世界예도 또 가졸버리 업

가졸봄 타 〈옛〉 비유함. 견줌. '가졸비다'의 명사형. ¶如來 니ᄅᆞ산 金剛 가졸보믄(如來所說 金剛喩者) 《金剛 上 序 7》.

가졸비다 타 〈옛〉 비유하다. 견주다. ¶比度ᄋᆞᆫ 類ᄅᆞᆯ 가졸벼 혜아릴씨라 《月釋 Ⅸ:8》.

가:짜 【假一】 명 참 것처럼 꾸민 거짓 것. 위조한 것. ¶~ 돈/~ 헌병. ↔진짜.

【가짜가 병이라】 무엇이나 가짜라는 것은 차라리 없는 것만 못하다는 뜻.

가:짜-배기 【假一】 명 〈속〉 가짜. ↔진짜배기.

가:차 【假借】 명 ①임시로 빌림. ②사정을 보아 줌. ¶~ 없이 처벌하다. ③한자 육서(六書)의 하나. 어떤 뜻을 지닌 음을 적는 데 적당한 글자가 없을 때, 뜻은 다르나 음이 같은 글자를 빌려서 쓰는 법. 가령, 옛

날에 호령(號令)을 뜻하는 '令'자를 빌려 으뜸 벼슬의 뜻으로서 '縣令'이라 쓰던 따위가 그 예임. 외래어의 음역 '독일(獨逸)'·'비구니(比丘尼)' 같은 것은 대개 이 가차임. ——-하다 (타)(여불)

가차-도【加次島】(명)〔지〕평안 북도 서해상의 섬. [0.31 km²]

가차라기 (명)〈방〉〔식〕올방개.

가:-차사【假差使】(명)〔역〕가짜 차사(差使).

가:-차압【假差押】(명)〔법〕'가압류(假押留)'의 구용어. ——-하다 (타)(여불)

가:차-없다【假借—】[—업—] (형) 조금도 사정을 보아 주거나 너그러움이 없다.

가:차-없이【假借—】[—업씨] (부) 가차없게. 사정 없이. ¶ ~ 처벌하다.

가차-이 (부)〈방〉가까이(평안).

가-차하【加差下】(명)〔역〕관원을 정원 외에 더 임명하던 일. ——-하다 (타)(여불)

가착다 (형)〈방〉가깝다(경남).

가찬¹【加餐】(명) ①음식을 많이 먹음. 식사를 잘함. ②몸을 조리(調理)함. ——-하다 (자)(여불)

가찬²【佳饌·嘉饌】(명) 좋은 반찬. 훌륭한 요리.

가:찰【苛察】(명) 까다롭게 자세히 살핌. 또, 그러한 모양. 가혹한 관찰. ——-하다 (타)(여불)

가:-참봉【假參奉】(명)〔역〕임시로 임명된 능참봉.

가찹다 (형)〈방〉가깝다(경기·강원·충청·전라·경상·제주·황해·함경·평안).

가창¹【街娼】(명) 가로상에서 손님을 끄는 창녀(娼女).

가창²【歌唱】(명) ①노래를 부름. 창(唱). ②노래❷. ¶ ~ 지도. ——-하다 (자)(여불)

가창-오리 (명)〔조〕[*Anas formosa*] 오릿과에 속하는 담수조(淡水鳥). 날개의 길이 암컷은 19cm, 수컷은 22cm 가량인데 수컷은 머리가 검고 얼굴에 담황갈색과 녹색의 반문이 있고 등 쪽은 회갈색이며, 암컷은 부리의 기부(基部)의 양측에 백색 반점이 있음. 낮에는 연못·냇가·바닷가에 소군(小群)을 이루고 야간에는 논에서 고기·곤충 등을 잡아먹고 서식하는데, 시베리아의 중동부에서 번식하고 한국·중국·일본·인도 등에서 월동함. 되우새. 조압(刀鴨).

〈가창오리〉

가:채¹【可採】(명) 채굴이나 채취가 가능함. ¶ ~ 석탄 매장량.

가채² (부)〈방〉가까이(함경).

가:-채권【假債券】[—꿘] (명) 본채권을 교부할 때까지 임시로 교부하는 채권.

가:채 매장량【可採埋藏量】[—냥] (명)〔광〕현재 매장되어 있는 광물이나 석유 중 현재의 기술로 향후(向後) 기업적으로 채취할 수 있는 광물·석유의 양.

가:책¹【呵責】(명) 꾸짖음. 책망함. ¶ 양심의 ~. ——-하다 (타)(여불)

가:책²【苛責】(명) 가혹하게 책망함. ——-하다 (타)(여불)

가책³【葭簀】(명) 갈대로 짠 발.

가:-처분【假處分】(명) ①임시로 어떤 사물을 처분함. ②〔법〕금전 채권 이외의 특정물(特定物)의 급부(給付)·인도(引渡)를 보전(保全)하기 위하여 또는 계쟁(係爭) 중에 있는 권리 관계에 관하여 임시적 지위(地位)를 정하기 위하여, 법원의 결정에 따라 그 동산 혹은 부동산을 상대방이 처분하지 못하도록 금지하는 잠정적 처분. 가정적(假定的) 처분. ——-하다 (타)(여불)

가:처분 명:령【假處分命令】[—녕] (명)〔법〕가처분의 신청을 인용(認容)하는 재판. 가처분 집행의 채무 명의(債務名義)가 됨.

가:처분 법원【可處分法院】(명)〔법〕가처분 신청에 관한 관할권을 가지며, 가처분 명령을 내릴 수 있는 법원. 가처분의 재판은 본안(本案)의 관할 법원이 관할하는 것이 원칙이나, 급박한 경우는 가처분을 할 물건 소재지 관할 지방 법원이 가처분 명령을 발할 수 있음.

가:처분 소:득【可處分所得】(명) 어떤 해의 개인 소득 전액에서 세금을 제한 개인 소득. 각자의 욕망에 따라 자유로이 소비할 수 있는 소득. 소비·구매력의 원천이 됨. 실소득(實所得). ＊국민 소득.

가:처분의 집행【假處分—執行】[—/—에—] (명)〔법〕가처분 명령의 집행. 가압류 명령의 집행에 준함. 단, 가처분 명령의 내용은 가압류와 같이 단일(單一)한 것이 아니므로, 그 집행 방법도 그 내용에 따라 각각 다름.

가:처분의 취:소【假處分—取消】[—/—에—] (명)〔법〕보통 가처분 명령의 취소를 뜻하며, 때로 널리 그 집행의 취소도 포함함. 원칙적으로 가압류의 취소에 관한 규정이 준용(準用)되나, 법원이 정한 담보를 제공할 경우에는 가처분 절차에 특칙(特則)이 있음.

가척¹【笳尺】(명)〔역〕신라 때, 피리를 불던 악공(樂工)의 하나.

가척²【歌尺】(명)〔역〕노래자이.

가천【歌天】(명)〔불교〕①가요(歌謠)를 맡아 보는 천인(天人). ②태장계 만다라(胎藏界曼荼羅)의 서방(西方) 낙천(樂天)의 좌측과 북방 긴나라(緊那羅)의 북외측(北外側)에 위치하는 천부(天部)의 이름.

가:철【假綴】(명) 책이나 서류를 임시로 대강 매어 둠. ——-하다 (타)(여불)

가첨【加添】(명) 더한 위에 더함. 덧붙임. ——-하다 (자)(타)(여불)

가첨-밥【加添—】[—빱] (명) 먹을 만큼 먹은 위에 또 더 먹는 밥.

가첨-석【加檐石】(명) 비석(碑石) 위에 지붕 모양으로 덮어 얹는 돌. 개두(蓋頭). 개석(蓋石). ＊비신(碑身).

〈가첨석〉

가첨-잠【加添—】[—짬] (명) 알맞게 잔 뒤에 또 더 자는 잠.

가첩【家牒】(명) 한 집안의 보첩(譜牒).

가:청【可聽】(명) ①들을 만함. ②들을 수 있음. ¶ ~ 지역.

가:청-도【可聽度】(명) 청감도.

가:청 범:위【可聽範圍】(명)〔생〕소리로서 느낄 수 있는 진동수의 범위. 사람은 20-20,000 Hz로 이 상한(上限)은 노령(老齡)과 함께 저하됨.

가:청 신:호【可聽信號】(명)〔물〕사람의 귀에 소리로서 느껴지는 기계적(機械的)인 파동의 주파수를 가지는 전기(電氣) 신호.

가:청-역치【可聽閾値】(명)〔생〕귀로 들을 수 있는 최소(最小)의 음의 세기 또는 음압(音壓). 보통, 데시벨(db)로 나타냄.

가:청-음【可聽音】(명) 귀로 들을 수 있는 범위의 음. 대략 주파수(周波數) 20-20,000Hz, 음의 크기 0-130 폰(phone) 사이의 음을 말함.

가:청 음파【可聽音波】(명)〔물〕보통 사람의 귀에 들리는 범위의 음파. 대개 20-20,000Hz 까지의 음파임.

가:청 주파수【可聽周波數】(명)〔audio frequency〕〔물〕보통 사람의 귀에 들리는 범위의 주파수. 가청 음파와 거의 같은 범위의 진동수를 갖는 전기 진동으로 16-20,000Hz 정도의 주파수. 저주파.

가:청 주파 증폭기【可聽周波增幅器】(명)〔전자〕음성을 녹음·재생할 때, 가청 주파수(可聽周波數)의 전기 신호를 증폭하는 전자 회로(電子回路) 장치.

가체¹【加髢】(명) 여자가 성장(盛裝)할 때 머리에 가환(假鬟)을 얹는 일. ——-하다 (자)(여불)

가체²【歌體】(명) 가사(歌詞)의 체재(體裁).

가체 신금 사:목【加髢申禁事目】(명)〔책〕부녀의 머리에 다리를 틀어 얹는 것을 금하는 법령문. 조선 영조(英祖)·정조(正祖) 시대에 가체의 풍습이 성해지자 이 폐습을 없애려고, 정조 12년(1788)에 사대부(士大夫) 처첩 이하의 부녀의 결발(結髮) 양식을 제정 반포하였음. 1책 18장. 정조 12년 간행.

가:-체포【假逮捕】(명)〔법〕외국 정부의 청구에 의하여, 그 나라의 도망 범죄인이 자기 나라에 있을 때, 그를 임시로 체포하는 일.

가:-체포장【假逮捕狀】[—짱] (명)〔법〕외국 정부의 청구에 의하여 그 나라의 도망 범죄인이 자기 나라에 있을 때, 그를 임시로 체포하기 위하여 내리는 체포장.

가초다 (타)〈방〉갖추다.

가촌【街村】(명) 가도(街道)를 따라서 가옥이 줄을 지어 길게 서 있는 마을.

가:추【假椎】(명)〔생〕척추의 일부. 추 끝을 형성하는 것으로 천추(薦椎)와 미저골(尾骶骨)을 말함.

가-추렴 (명)〔←가출렴(加出斂)〕추렴한 뒤 그것이 부족할 때에 다시 더 추렴하는 일. ——-하다 (타)(여불)

가축¹ (명) 알뜰하게 매만져서 잘 간직함. ¶ 몸은 비록 ~하지 아니하여 머리도 빗지 않고 옷도 갈아입지 아니하였으나…《崔瓚植:春夢》. ——-하다 (타)(여불)

가축²【家畜】(명) 생산 또는 애완(愛玩) 등의 목적으로 사육하는 짐승. 소·말·돼지·닭·개 같은 것들. 집짐승.

가축 검:역【家畜檢疫】(명) 가축의 전염병의 예방을 위하여 수출입 가축에 대하여 행하는 검역.

가축 검:역소【家畜檢疫所】(명) '국립 동물 검역소'의 구칭.

가축-농【家畜農】(명) 가축 사육을 중심으로 경영하는 농업. 또, 그 농가.

가축 단위【家畜單位】(명) 가축의 수를 총체적으로 표시하기 위한 단위. 소나 말 같은 것은 한 마리를 1 단위, 돼지는 다섯 마리를 1 단위, 양이나 염소는 열 마리를 1 단위, 토끼는 쉰 마리를 1 단위, 가금은 백 마리를 1 단위로 함.

가축 법정 전염병【家畜法定傳染病】[—뼝] (명) 소·말·돼지·닭 따위의 가축이 걸려, 그 전염이 빠르고 피해가 크기 때문에 가축 전염병 예방법으로 규정하여 병이 퍼지는 것을 방지하고 있는 전염병. 우역(牛疫)·광견병·가금(家禽) 인플루엔자·결핵병·탄저(炭疽)·돼지 콜레라·브루셀라병 등 제1종 가축 전염병과 소 유행열·돼지 유행성 설사·돼지 단독(丹毒) 등 제2종 가축 전염병이 있음. (준)가축 전염병.

가축-상【家畜商】(명) 가축의 매매·교환 또는 그 알선을 업으로 하는 사람.

가:축-성【可縮性】(명) 오그라지거나 줄어들 수 있는 성질.

가축 시험장【家畜試驗場】(명) '국립 종축원(國立種畜院)'의 전신.

가축 심:사【家畜審査】(명) 가축의 경제 가치의 판정(判定)을 위한 심사. 개체 심사 외에, 여러 마리의 가축을 놓고 그 우열(優劣)을 견주는 비교 심사, 우수한 형질의 유전(遺傳)이 확실한가 어떤가를 조사하는 계통(系統) 심사 등이 있음.

가축 위생 연:구소【家畜衛生研究所】[—년—] (명)〔법〕농촌 진흥청에 속하는 연구소의 하나. 가축·가금(家禽)의 질병에 관한 시험 연구, 생물학적 제제(製劑)의 생산, 수의(獸醫) 약품의 검정 및 축산물의 검사 등을 관장(管掌)함.

가축 인공 수정【家畜人工受精】(명) 가축의 개량·증식을 목적으로 소·말·양·돼지 등의 수컷의 정액을 채취·처리하여 그것을 암컷에 주입하는 수정.

가축 전염병【家畜傳染病】[—뼝] (명) 소·말·돼지 등 가축이 걸리는 전염병. ＊가축 법정 전염병.

가축-차【家畜車】(명) 가축을 수송하는 유개 화차(有蓋貨車). 측판(側板)은 성기게 짜 붙이고, 차내에 소 따위를 매는 두 개의 가로대가 있으며, 사료통(飼料桶)과 물통을 갖춤.

가축-학【家畜學】(명)〔animal husbandry〕〔농〕가축의 번식법·사육법 등을 다루는 농학(農學)의 한 부분.

가축-화【家畜化】(명) 생물을 인위적(人爲的)으로 사육 교배(交配)하여, 사람의 제어하(制御下)에 두고, 사람에게 편리하도록 적용시키는 일.

가출¹【加出】(명)〔역〕관아에서 정원 외에, 명의(名儀)만의 사정(使丁)을 두던 일. ——-하다 (타)(여불)

가출²【家出】(명) 집에서 뛰쳐나옴. ¶ ~ 신고/~ 소년. ——-하다 (자)

가-출렴【加出斂】(명) →가추렴. ——-하다 (타)(여불)

가:-출소【假出所】[—쏘] 명 '가석방'을 일반적으로 일컫는 말. ——-하다 자여불

가:-출옥【假出獄】명〖법〗'가석방'의 구칭. ——-하다 자여불

가출-인【家出人】명 집에서 뛰쳐나온 사람. ¶ ~ 신고.

가:-출장【假出場】[—짱] 명〖법〗구치소(拘置所)나 노역장(勞役場)에 갇힌 자를 그 정상에 따라 행정 처분으로 나가게 하는 일.

가춥다 형〈방〉가깝다(경기). 「여불

가취[1]【加取】명 물건을 살 때 덤으로 받음. 또, 그 물건. ——-하다 타

가:취[2]【可取】명 가히 취할 만함. 쓸 만함. ——-하다 형여불. 주의 '-할'로만 활용됨. 「意).

가취[3]【佳趣】명 ①멋있는 취미. ②좋은 흥취. 재미스러운 흥취. 가의(佳

가취[4]【嫁娶】명 시집가고 장가듦. 혼인(婚姻). 결혼(結婚). 취가(娶家). ——-하다 자여불

가취[5]【歌吹】명 노래를 부르고 관악기를 붊. ——-하다 자여불

가취지-례【嫁娶之禮】명 혼인의 예식. 혼례(婚禮).

가:취-할【可取—】관 가히 취할 만한. 쓸 만한.

가:측-치【可測値】명〖경〗사후적(事後的)으로 실제 측정할 수 있는 수치. 경제 지표의 통계적 함수표(函數表)에 의하며, 사전(事前)에 추정하는 균형치(均衡値)나 이론치에 대립되는 용어임.

가치[1] 명 ☞ 개비.

가치[2] 명〈방〉가지[2](강원).

가치[3] 명〈옛·방〉까치(황해·함경·평북). ¶ 븘야미 가칠 므러(大蛇啣鵲) 「《龍歌 7章》

가:치[4]【假齒】명 의치(義齒).

가치[5]【價値】명 ①값. 값어치. ②〖철〗어떤 대상에 대한 인간 주체와의 관계에 있어서 그것이 가지는 의의. ③〖철〗인간의 정신적 노력의 목표로 간주되는 객관적 당위(當爲). ④〖경〗욕망을 충족시키는 재화의 중요 정도. 생활에 있어서의 직접적 효용의 견지에서 보는 사용 가치와 어떤 재화의 일정량과 다른 재화의 일정량과 교환되는 정도로서 보는 교환 가치의 두 가지로 나뉨.

가치 감:정【價値感情】명〖심〗쾌·불쾌·미·추·선·악과 같이 가치 인식에 따라 일어나는 감정.

가치 공학【價値工學】명〖경〗[value engineering] 제품을 최소의 비용으로 제조하기 위하여, 제품의 가치를 기술적·공학적으로 조사·분석하는 기법(技法). 제품의 기능을 밝혀 내고 평가하며, 대체품(代替品)을 찾아 내는 일 등의 절차가 있음. 브이 이(VE).

가치-관【價値觀】명 인간이 자기를 포함한 세계나 그 속의 만물에 대하여 가지는 평가의 근본적 태도나 보는 방법. 또, 가치를 중심으로 보는 관점.

가치 교:육학【價値敎育學】명〔도 Wertpädagogik〕〖교〗가치 철학의 입장에서 가치 개념에 의하여 교육 전체를 해명하려는 교육학.

가치-권【價値權】[—꿘] 명〖경〗물건의 교환 가치의 취득을 목적으로 하는 권리. 저당권(抵當權) 같은 것.

가치노을 명〈옛〉사나운 파도. ¶ 四面이 거머어득 져믓 天地寂寞 가치노을 쎳는듸 水賊 만난 都沙工의 안과《永言》.

가치 단계법【價値段階法】[—뻡] 명〖심〗어떤 사람이 개개의 대상에 대하여 일정한 표준, 곧 쾌·불쾌·선·악·미(美)·추(醜) 등에 의하여 판단을 내릴 때 그 가치를 수(秀)·우(優)·미(美)·양(良)·가(可) 등으로 나누어 평가하는 방법.

가치런히 부〈방〉가지런히(강원).

가치-론【價値論】명 ①〖철〗가치의 본질, 가치 인식의 문제, 가치와 사실의 관계 등을 다루는 철학의 한 분과. 가치 철학. 가치학. ②〖경〗재화의 가치, 특히 그 교환 가치의 본질·성립 조건·증식 과정(增殖過程) 등을 취급하는 경제학의 한 영역.

가치 법칙【價値法則】명〖경〗상품 생산 사회에서 상품의 가치를 결정하는 경제 법칙.

가치 분석【價値分析】명〔value analysis〕〖경〗생산 관리, 특히 구매(購買) 관리에 있어서, 제품을 구성하는 부품 및 자재의 기능을 분석하여, 원가 절감을 꾀하는 경영 기술.

가치 분할【價値分割】명〖법〗공유물(公有物)의 분할 방법의 하나. 공유물을 매각하여 그 대금(代金)을 분할하거나, 어느 공유자가 공유물을 차지하고 다른 공유자에게 그 지분(持分)에 해당하는 금전을 지급하는 일. 가격 분할.

가치 생산물【價値生産物】명〖경〗일정한 생산 과정에 있어서 새로 형성된 가치. 곧, 생산 과정에서 소비된 노동력 가치의 보상 부분과 잉여 가치 부분과를 합한 것임.

가치-설【價値說】명〖경〗↗가치 학설(價値學說).

가치 심리학【價値心理學】[—니—] 명〖심〗가치를 심리학적인 입장에서 연구하는 학문. 가치론의 한 고찰 방법으로 볼 수 있으나, 가치의 현상학적(現象學的) 설명 방법에서 실험 현상학적으로 발전하고, 나아가서 역학적(力學的) 설명까지 요하는 점에서 그것과 구별됨.

가치 윤리학【價値倫理學】[—율—] 명〖윤〗↗실질적 가치 윤리학.

가치 인식【價値認識】명〖윤〗가치를 직관(直觀)으로 포착(捕捉)하고, 다시 둘 이상의 가치를 비교하여 하나를 선택, 가치 판단을 할 때까지의 인식 과정.

가치작-거리다 자 일에 방해되게 여기저기 자꾸 걸리고 닿치다. 가치작대다. ㅆ까치작거리다. <거치적거리다. 가치작-가치작 부. ——-하다 자여불

가치작-대다 자 가치작거리다.

가치 전:환【價値轉換】명〔도 Umwertung aller Werte〕〖철〗니체의 용어로서, 일체의 가치의 근원인 기독교의 가치 서열(序列)을 전환함으로써 지금까지 금지되고 경멸되었던 가치관의 회복을 기도(企圖)하여야 한다는 주장.

가치 증식 과:정【價値增殖過程】명〖경〗상품을 생산할 때, 노동력 가치 이상의 새로운 가치, 곧 잉여 가치를 형성하는 과정.

가치 척도【價値尺度】명〖경〗상품의 가치를 측정하는 척도. 화폐는 모든 상품의 공통된 가치 척도로서 쓰이고 있음.

가치 철학【價値哲學】명〖철〗가치의 원리에 관한 철학적 연구. 곧, 철학의 문제는 실재(實在) 그 자체를 논하는 것이 아니고, 진·선·미 등의 보편 타당적 가치를 기초로 하는 학문이라고 주장하는 입장. 빈델반트(Windelband, W.)·리케르트(Rickert, H.) 등의 서남(西南) 독일학파는 이 철학의 대표적인 학자임. 가치론.

가치 판단【價値判斷】명〖철〗사실에 대한 표상(表象) 또는 개념 사이의 관계에 대한 판단(사실 판단)에 상대하여, 표상된 대상과 가치의 관계에 관하여 행하여지는 판단. 가령, '저 꽃은 희다'(사실 판단)에 상대하여, '저 꽃은 아름답다'라는 따위.

가치-학【價値學】명〖철〗가치론(價値論)❶.

가치 학설【價値學說】명〖경〗경제 가치의 본질 및 그 결정을 설명하는 학설. 객관 가치설과 주관 가치설이 있는데, 전자는 정통학파·사회주의학파 들의 주장으로, 재화의 가치는 다른 재화를 지배하는 힘이며 다른 재화와의 교환 비율이라고 보는 데 대하여, 후자는 오스트리아학파의 주장으로, 재화의 가치는 인간의 욕망을 충족시키는 힘, 곧 효용(效用)에 대한 사람들의 주관적 인식이라고 보아, 각 재화의 한계 효용으로써 그 가치가 결정된다고 설명함. ㊊가치설.

가치 형태【價値形態】명〖경〗한 상품이 다른 상품의 가치를 나타내는 형태. 예컨대, 양복 한 벌의 가치가 쌀 두 가마의 가치와 같다 할 때, 쌀은 양복의 가치를 나타내는 재료가 되는데 이때에 양복 한 벌을 '상대적 가치 형태', 쌀 두 가마를 '등가(等價) 형태'라 함.

가친【家親】명 남에게 대하여 자기 아버지를 일컫는 말. 가군(家君). 가대인(家大人). 가부(家父). 가엄(家嚴).

가칠[1]〈옛〉까치를. '가치'의 목적격형(目的格形). ¶ 븘야미 가칠 므러 즘겟 가재 연즈니(大蛇啣鵲 寘樹之揚)《龍歌 7章》.

가칠[2]【加漆】명 칠한 위에 덧 칠함. 개칠(改漆). ——-하다 자타여불

가:칠[3]【假漆】명 ①옻나무 진이 아닌 인공적으로 만든 칠. 니스·페인트 등. ②〖건〗단청(丹靑)할 때 애벌로 채색함. ——-하다 타여불

가칠-가칠 부 반드럽지 않은 모양. ¶ ~한 촉감. ㅆ까칠까칠. <거칠거칠. ——-하다 형여불

가칠-봉[1]【加七峰】명〖지〗강원도 양구군(楊口郡)과 인제군(麟蹄郡) 사이에 있는 산봉우리. 태백 산맥의 일부를 이루며 북한강의 지류인 수입천(水入川)·소양강 등의 발원지임. [1,242 m]

가칠-봉[2]【加漆峰】명〖지〗강원도 인제군(麟蹄郡)의 남동쪽 인제읍과 기린면(麒麟面) 사이에 있는 산봉우리. 태백 산맥 중에 솟아 있는 고산의 하나. [1,164 m]

가:칠-장이【假漆匠—】명 단청할 때 가칠하는 사람.

가:칠-하다 형여불 몸이 여위어서 살갗이나 털이 거칠고 윤기가 없다. ㅆ까칠하다. <거칠하다.

가침-박달 명〖식〗[*Exochorda serratifolia*] 조팝나뭇과에 속하는 낙엽 활엽 관목. 잎은 도피침형 또는 긴 타원형이고 뒷면이 백색임. 4-5월에 흰 꽃이 가지 위에 총상(總狀) 화서로 정생(頂生)하고, 삭과(蒴果)는 종자에 날개가 있으며 가을에 익음. 산록 및 골짜기에 나는데, 경기도 이북에 분포함. 관상용임.

가칫-거리다 자 작고 단단한 것이 조금씩 살에 닿아 걸리다. 촉각에 조금씩 거칠게 느껴지다. ¶ 면도한 수염 자리가 ~. 가칫대다. ㅆ까칫거리다. <거칫거리다. 가칫-가칫 부. ——-하다 자여불

가칫-대다 자 가칫거리다. 「다. <거칫하다.

가:칫-하다 형여불 야위고 윤기가 없어 앙그러지지 못하다. ㅆ까칫하

가:칭[1]【假稱】명 임시(臨時) 또는 거짓으로 일컬음. 또, 그 이름. ——-하다 타여불

가칭[2]【嘉稱】명 ①가상(嘉賞). ②좋은 명예. 영명(令名).

가칰〈옛〉가치의. '가치'의 소유격형(所有格形). ¶ 네 또 가마괴 울며 가치 우룸소릴 듣는다(汝還聞鴉鳴鵲噪之聲麼)《牧訣 19》.

가쾌【家儈】명 집주릅.

가쿨막 명〈방〉가풀막.

가타【伽陀】명〔범 gāthā〕〖불교〗부처의 공덕이나 교리를 찬미하는 노래 글귀. 네 구로 되어 경전(經典)의 일단의 끝이나 맨 끝에 붙임. '諸行無常 是生滅法 生滅滅已 寂滅爲樂' 같은 것. 게(偈).

가:타-부타【可—否—】부 [가(可)하다 부(否)하다의 축약] 가하다느니 부하다느니. 옳다느니 그르다느니. ——-하다 자여불

가:타부타 말:이 없:다 구 옳다든지 그르다든지 무슨 말이 없다.

가탁[1] 명〈옛〉뿔로 만든 술잔. ¶ 가탁 굉(觥)《字會 中 13》.

가:탁[2]【假託】명 거짓 핑계. ——-하다 자여불

가탄[1]【加炭】명〖야금〗강철을 탄소질(炭素質)의 물질과 접촉시키면서 가열하여, 저탄소강(低炭素鋼)의 바깥 층(層)을 고탄소강(高炭素鋼)으로 바꾸어 표면 경화강(表面硬化鋼)으로 만드는 일. ——-하다 타여불

가:탄[2]【可歎】명 탄식할 만함. ——-하다 형여불. 주의 '-할'로만 활용됨.

가탄[3]【嘉歎】명 가상(嘉尙)히 여기어 감탄함. 매우 칭찬함. ——-하다 「타여불

가:탄 가:탄【可歎可歎】명 매우 탄식할 만함.

가:탄-스럽다【可歎—】형ㅂ불 탄식할 만하게 생각되다. 가탄-스레【可歎—】부

가:탄-할【可歎—】관 탄식할 만한. ¶ ~ 노릇.

가탈[1] 명 ①일이 순하게 진행되지 못하게 방해하는 조건. ㅆ까탈. ②이러니저러니 트집을 잡아 까다롭게 구는 일.

가탈(을) 부리다 구 일이 잘 진행되지 못하게 방해하는 조건을 만들어 내다.

가탈² 명 〔중세 : 가탈. 몽 qatar(빠른 걸음 · 깡충깡충 뛰기)〕 타기에 거북스러운 말의 걸음걸이.

가탈-거리다 자 말의 걸음이 탄 사람에게 불편을 자꾸 주다. 가탈대다. 가탈-가탈 부. ——-하다 자여불

가탈-걸음 명 말이 가탈거리며 걷는 걸음.

가탈-대다 자 가탈거리다.

가탈-스럽다 형ㅂ불 ☞ 까다롭다.

가탈-지다 자 까다로운 조건이 생기다. ⟹까탈지다.

가탈ᄒᆞ다 자 〈옛〉 가탈거리다. ¶ 가탈ᄒᆞᄂᆞᆫ ᄆᆞᆯ(點的馬)《譯語 下 29》.

가-탐【賈耽】 명 〖사람〗 중국 당대(唐代)의 정치가·지리학자. 현종(玄宗) 때 명경(明經)에 급제하여, 안사(安史)의 난 후 절도사(節度使)로서 치적(治績)을 올리고, 덕종(德宗) 때 재상(宰相)을 13년이나 지냄. 한편, 축척(縮尺) 약 150만분의 1 지도《해내 화이도(海內華夷圖)》와 지지(地誌)인 《고금 군국현도(古今郡國縣道) 사이술(四夷述)》 등을 저술하여 중국 지리학사 상 한 시기를 획하였음. [730—805]

가택¹【家宅】 명 세간을 지니고 살고 있는 집. 살림하는 집. 가사(家舍).

가:택²【假宅】 명 임시로 사는 주택(住宅).

가택 방:문【家宅訪問】 명 사택 방문(私宅訪問).

가택 수색【家宅搜索】 명 〖법〗 경찰관 등이 가택 안에 들어가 범인·증거물 등을 수색하는 일. ——-하다 자타여불

가택 침입【家宅侵入】 명 〖법〗 '주거 침입(住居侵入)'의 구용어. ——-하다 자여불

가택 침입죄【家宅侵入罪】 명 〖법〗 '주거 침입죄(住居侵入罪)'의 구용어.

가:터 〔garter〕 명 양말 대님.

가:터-뜨기 〔garter〕 명 편물에서, 대바늘뜨기의 하나. 평평하게 뜰 때에는 갈 때나 올 때는 모두 겉뜨기로 하고, 통으로 뜰 때는 한 줄은 겉뜨기, 다음 줄은 안뜨기로 하여 안팎이 없이 뜸.

가:터 벨트 〔garter belt〕 명 여자용 양말 대님으로 쓰는 띠.

가:터 훈장【一勳章】 〔Garter〕 명 국가 원수(元首)나 특별한 기사(騎士)에게 수여되는 영국의 최고 훈장. 1348년경 에드워드 3세가 제정함. 가터 · 목걸이 · 성장(星章) · 외투로 구성되었으며, 양말 대님 모양의 가터는 왼쪽 무릎 아래에 닮.

가텨놀 자 〈옛〉 갇히거늘. '가티다'의 활용형. ¶ 崔浩ㅣ史記 얼로 가텨놀(崔浩 以史事被收)《飜小 Ⅸ:44》.

가토¹【加土】 명 ①초목의 뿌리 위에 북돋아 줌. 또, 북돋아 주는 흙. ②무덤 위에 다른 흙을 더 얹음. ——-하다 자여불

가토²【家兎】 명 집에서 기르는 토끼. 집토끼. ↔야토(野兎).

가토: 기요마사【加藤清正: かとうきよまさ】 명 〖사람〗 일본 아즈치모모야마(安土桃山) 시대의 무장(武將). 도요토미 히데요시(豊臣秀吉)의 막하(幕下)로서 전공(戰功)을 세워 구마모토(熊本)의 성주(城主)가 됨. 임진 왜란(壬辰倭亂)·정유 재란(丁酉再亂) 때에 선봉(先鋒)으로 우리 나라에 쳐들어 왔음. 울산(蔚山)에서 포위되었다가 간신히 목숨을 건짐. [1562-1611]

가토리 명 〈옛〉 까투리. ¶ 매게 ᄧᅩ친 가토릐 안과《永言》.

가:-톨 명 세톨박이 밤의 양쪽 가에 박힌 밤톨. ↔가운데톨.

가톨릭 〔Catholic〕 명 〖종〗 ①가톨릭교. 가톨릭 교회. ②가톨릭 교도. 카톨릭.

가톨릭-교【一教】 〔Catholic〕 명 〖종〗 ①정통 교의(正統教義)를 신봉하는 기독교. 교황을 수장(首長)으로 하는 로마 가톨릭교와 그와 독립한 그리스 정교(Greece正教)로 대별됨. ②특히, 로마 가톨릭교의 일컬음. 천주교(天主教). 성교(聖教). 카톨리시즘.

가톨릭 교:도【一教徒】 〔Catholic〕 명 가톨릭교를 믿는 신도. 천주교도.

가톨릭 교:도 해:방령【一教徒解放令】 [—녕] 명 〔Catholic Emancipation Bill〕 〖종〗 1829년 영국 의회에서 제정된, 구교도에 대한 정치적 차별 대우의 철폐를 내용으로 하는 법률. 구교도 자유 법안(自由法案).

가톨릭 교:회【一教會】 〔Catholic〕 명 〖종〗 ①가톨릭교를 믿는 교회. ②로마 가톨릭 교회.

가톨릭 종교 개:혁【一宗教改革】 〔Catholic〕 명 〖종〗 반종교(反宗教)개혁.

가톨릭-주의【一主義】 [—/—이] 명 〔Catholicism〕 〖종〗 로마 교황을 수장(首長)으로 하는 가톨릭 교회의 종교적 · 사상적 입장.

가통¹【加痛】 명 ①병자의 증세가 더하여짐. ②열병이나 중병(重病)의 증세가 재발함. ——-하다 자여불

가:통²【可痛】 명 통탄할 만함. ——-하다 형여불. 주의 '-할'로만 활용됨.

가통³【家統】 명 집안의 계통 또는 내림.

가:통 가:통【可痛可痛】 명 매우 통탄할 만함. 몹시 통분할 만함.

가:통-할【可痛一】 관 통탄할 만한. 통분할 만한. ¶ ~ 일.

가투【歌鬪】 명 시조나 노래를 적은 놀이딱지. 또, 그것을 가지고 하는 놀이. ——-하다 자여불

가투리 명 〈방〉 〖조〗 까투리(전라).

가:-투표【假投票】 명 〖법〗 투표소에서 투표 관리인의 투표 거부의 결정에 대하여, 선거인 또는 투표 입회인이 이의(異議)를 제기한 경우에 투표 관리인이 임시로 시키는 투표. 우리 나라에는 이 제도가 없음.

가툰 호【一湖】 〔Gatun〕 명 〖지〗 중미 파나마 운하의 인조호(人造湖). 해발 26m로 파나마 운하의 수원(水源)임. 차그레스 강(Chagres 江)을 막아 만듦. [423km²]

가트 〔GATT〕 명 〖경〗 〔General Agreement on Tariffs and Trade의 약칭〕 관세·수출입 규제 등 무역 상의 장애를 없애고, 국제 무역의 자유·무차별의 원칙을 확립할 것을 목적으로 하는 국제적 협정. 1947년 23개국이 제네바에서 조인, 이듬해 1948년 발효. 우리 나라는 1967년 3월 정회원국이 됨. …세 협정.

가트 케네디 방식 〔… 드(Kennedy round).

가특력-교【加特力教】 …

가티노올 명 〈옛〉 백두… 티노올(白頭波)《物譜 …

가티다 피동 〈옛〉 갇히다. …《飜小 Ⅸ:44》.

가파【加派】 명 ①사람을 … ——-하다 타여불

가파-도【加波島】 명 … (大靜邑) 가파리(加波里)에 …

가파롭다 형 〈방〉 가파르다.

가파르다 형르불 땅이 몹…

가판¹【架版】 명 〖인쇄〗 인쇄… 에 페이지 차례대로 배열…

가:판²【街版】 명 신문… 가…

가:판³【街販】 명 ↗가… 판매…

가팔-막 명 →가풀막.

가팔막-지다 형 →가풀막지다.

가팔-지다 형 ↗가팔막지다.

가패【歌唄】 명 〖불교〗 불교… 여 범패(梵唄)를 부르는 일.

가:편¹【可便】 명 의안을 표결…

가편²【加鞭】 명 채찍질하여 …

가편³【佳篇】 명 잘된 작품. 가…

가평¹ 명 〈방〉 개평.

가평²【加平】 명 〖지〗 경기도 … 지로, 가평군의 군청 소재지인… 재·농산물의 집산지임. [16,60…

가:평³【苛評】 명 가혹한 비평. 혹…

가평⁴【嘉平】 명 가평절.

가평-군【加平郡】 명 경기도의 … 화천군, 동은 강원도 춘성군, 남은… 해 있으며, 산악과 하천이 많고 … 과 잣이며, 이 밖에 축산·공산·임… 락 폭포(水落瀑布)·명지산(明智山)… 추 폭포 유원지·대성(大成) 유원지 … km²: 50,951 명(1990)]

가:-평균【假平均】 명 〖수〗 평균값을 … 임의로 정한 평균값. 대개는 도수가 가… 면, 5·6·7의 세 수에서 각각 4를 빼고 … 6이라는 평균이 나왔을 때의 4를 이름.

가평-월【嘉平月】 명 '음력 12월'의 별칭.

가평-절【嘉平節】 명 '납일(臘日)'을 명절…

가포【價布】 명 〖역〗 조선 시대 때, 역(役)에… 포(軍布)에 준하여 역의 대신 바치는 포(布)…

가:-포교【假捕校】 명 〖역〗 가짜 포교(捕校).

가:폭【苛暴】 명 지독하게 사나움. ——-하다…

가폰 〔Gapon, Georgij Apollonovich〕 명 〖사… 정부 비밀 경찰과 짜고 수도 페테르부르크… 체를 조직, 1905년의 총파업 때에 노동자를 … 정을 청원(請願)하여, '피의 일요일' 사건을 … 드러나 영국에 망명, 뒤에 핀란드에서 암살당…

가:표¹【可票】 명 표결(表決)에 찬성을 표시한 표…

가표²【加標】 명 〖수〗 '덧셈표'의 구용어. 가호(…

가풀 명 〈방〉 갖풀.

가풀-막 명 〔←가팔막〕 가파른 땅바닥.

가풀막-지다 형 〔←가팔막지다〕 땅이 가풀막으로 …

가풀-지다 형 ↗가풀막지다.

가품¹【佳品】 명 품질이 좋은 물건. 양품(良品).

가품²【家品】 명 ①가풍(家風). 문품(門品). ②한 집안… 일반적 성품.

가풍¹【家風】 명 한 집안의 기율과 풍습. 각 가정의 특…

가풍²【歌風】 명 시가(詩歌)에서 풍기는 특징이나 품격.

가:프【GARP】 명 〔Global Atmospheric Research Pr… 〖기상〗 지구 대기 연구 계획.

가플 명 〈옛〉 칼집. =가풀. ¶ 가플 쇼(鞘)《訓蒙 中 18》.

가피¹ 명 〈방〉 개비¹.

가피²【加被】 명 〖불교〗 부처나 보살이 중생들에게 힘을 주…

가피³【痂皮】 명 딱지¹.

가피-떡 명 〈방〉 개피떡.

가피-력【加被力】 명 〖불교〗 부처가 가피하여 주는 힘.

가피-병【痂皮病】 [—뼝] 명 〖의〗 딱지가 앉는 피부병.

가피-자【茄皮紫】 명 〖공〗 중국 청(淸)나라 강희(康熙) 때, 낭요… 유색(銅釉色)의 한 가지.

가피-초【蚵蚾草】 명 〖식〗 여우오줌풀.

가필¹【加筆】 명 ①붓을 대어 글씨를 고침. ②글을 고침. 시문(詩文) 첨삭(添削)함. 조필(助筆). ¶ ~ 수정하다. ——-하다 자여불

가필²【呵筆】 명 언 붓에 입김을 쐬어 녹임. ——-하다 자여불

무역 일반 협정(關稅貿易一般協定). 제네바 관…

GATT Kennedy〕 명 〖경〗 케네디 라운…

'가톨릭교'의 취음(取音).

…나운 바다 물결. =가치노을. ¶ 가…

…人道部 舟車》.

…일로 가텨늘(崔浩 以史事被收)

②사람을 증원(增員)함.

…군(南濟州郡) 대정읍

…쎄기 판 위 …작정(工程). …타여불

…名山)·청평노… 관광지가 있음.

간단히 하기 위하여 …으로 정함. 이를테 … 다시 4를 더하여

가평(嘉平). …하는 사람이 군

…사제(司祭). …노동자 단 …헌법 제 …관계가

가필드

가:필:드 〔Garfield, James Abram〕 명 미국의 정치가. 제20대 대통령. 남북 전쟁 때는 자원하여 …, 소장(少將)까지 오름. 공화당 소속으로 상하 의원을 … 이 되었으나 취임 4개월 만에 저격을 받아 사망함.

…(緊坡子)《譯語 上 6》

가푸르다 명 〈옛〉 가파르다 〔比諺 XVI:F〕 …가푸래 싸혀니 하늘 … 가타부타. ——-하다

가폴 명 〈옛〉 칼집. … 더 낸 … 줌. ②정된 액수의에 돈을 … -하다 자여불

가:볶다-부:볶다 … 씀. … 로 돈이 더 쓰이어지다.

… 히 爲주야 뇽도다 … 의외로 돈 더 쓰다.

… 수보 가산(加算)하다. ②(조사 '을' 또는 … 하게 어떤 행동을 베풀어 그 영향을 입 …

가:하 … 하다(加下)하는 ~/박찬 …

자 여불

가하【加下】 … 어떤 안건·문제가 뜻에 맞아 좋다. ② … 더 훌륭하다. 가:-히 可-】 부

… 가하 내어 빚가 …

… 가함. ¶ ~성 색 … 이(色慾異常). ——-하다

… 독하게 학대함. ——하다 타여불

… 내려오는 학문.

… 한 집안에 대대로 전 …(加虐症). 가학애(加虐愛).

…(嗜虐愛) 명 〔의〕 가…

…樓) 〔—누〕 명 〔지〕 … 남도 안변군(安邊郡) 학성면(鶴 … 成宗) 24년(1493)에 건립됨. 고령 … 는 객사(客舍). 조선 시대 지방 관아의 대표적 건물 … 가야관(伽倻館)과 더

… adism). 가학 기애.

…【加虐愛】명 〔의〕 사 …

…증【加虐症】명 〔의〕 …(鞑靼)·몽고·투르크 등 아시아 북방 유 …

…【可汗】명 〔몽 hagan〕칭호. 한(汗). 칸(khan).

…민 여러 부족의 수장(首). ②거짓 꾸며댄 이름. 가명(假名).

…함【假銜】명 ①거짓 할 것 같다. 합당할 듯하다.

…:함직-하다【可一】 … 당함. 적합함. ¶연산은 일일이 사람들의 … 무 … 허락을 내리시었다《朴鍾和 : 錦衫의 피》. …

가:합¹【可合】 … 이름을 친감하신 … 더함. ——-하다 자타여불

… ——-하다 … 당함.

가합²【加合】명 … 지정된 항로가 아닌, 가까운 항로를 임시

가:항¹【可航】명 자여불

가:항²【假航】명 … 로 떠나는 일.

가항³【街巷】 … 명 〔해〕 해상의 태풍 또는 그 밖의 열대 저기 … 에서 북반구(北半球)에서는 좌반부(左半部), 남

가:항 반:원 … 반부(…半部). 이 반원에서는 바람도 비교적 약해서 선 … 압의 진행풍의 후방으로 밀려 나가서 역외(域外)로 빠져 … 반구에… 반원.

…「성. 박은 〔—썽〕 명 항공기·선박 따위의 운행할 수 있는 가능 … 나 남에게 해를 줌. ②남을 다치게 하거나 죽임. 1)·2):↔

가:해-하다 자여불

가해… 명 남에게 손해나 상해를 입힌 사람. 신체의 행동 또 … 에 의하여 타인의 권리인 생명권·신체권·자유권·명예 … 를 침해한 자. ↔피해자.

…【…行爲】명 남에게 손해나 상해를 입힌 행위.

… 명 〔불교〕 힘을 더하여 마음과 계행(戒行)을 닦는 일. … 자여불

… 명 한 집안의 풍습. 가풍(家風). 가품(家品).

… 명 가상할 만한 행동. 선행(善行). *덕행(德行).

… 명 〔광〕 광산 운영의 작업을 진행함. 가업(稼業). ——-하 … 여불

…【加行道】명 〔불교〕 ①사도(四道)의 하나. 번뇌를 끊으려고 다 … 더하며 수행하는 경지. 방편도(方便道). ②가행위(加行位).

…【加行位】명 〔불교〕 오위(五位)의 하나. 불도 수행의 둘째 단계 … 견도(見道)에 들어 유식(唯識)의 성(性)에 머물기 위하여 특별히 노 … 는 단계. 가행도(加行道).

…탄:전【稼行炭田】명 〔광〕 현재 채광 작업이 진행되고 있는 탄광. … 봉쇄 탄전(封鎖炭田).

…향¹【佳香】명 가방(佳芳).

…향²【家鄕】명 자기 집이 있는 고향.

…헌【家憲】명 한 집안의 원만하고 행복스러운 발전을 달성하기 위하 여 온 가족이 지켜야 할 규율과 법식. *가법(家法).

가-현¹【柯峴】명 〔지〕 전라 북도 순창군(淳昌郡)에 있는 재. [132 m]

가:현²【假現】명 〔종〕 신이나 부처가 사람의 형상으로 잠시 이 세상에 나타나는 일. ——-하다 자여불

가:현-설【假現說】명 〔기독교〕 ↗기독(基督) 가현설.

가:현 운:동【假現運動】명 〔심〕 실제로는 움직이지 아니하는 대상(對象)이 어떤 조건하에서 움직이고 있는 것같이 보이는 현상. 영화 화면의 움직이는 장면은 이 현상 때문임. 가상(假象) 운동.

가형¹【加刑】명 형벌을 더함. ——-하다 자타여불

가형²【家兄】명 남에게 자기 형을 일컫는 말. ↔가제(家弟). *가백(家伯)·사백(舍伯)·사형(舍兄).

가형 토기【家形土器】명 〔고고학〕 집토기.

가호¹【加號】명 〔수〕 가표(加標). ↔감호(減號).

가호²【加護】명 ①보호하여 줌. 두호(斗護). ②신 또는 부처가 힘을 베풀어 잘 두호하여 줌. ——-하다 자타여불

가호³【家戶】㊀ 명 호적 상의 집. ㊁ 의명 작은 촌락이나 어떤 지역의 집 수를 세는 말. ¶다섯 ~.

가호⁴【嘉湖】명 〔지〕 경상 남도 합천군(陜川郡)에 있는 호수. [0.14 km²]

가호-력【加護力】명 신이나 부처의 가호하는 힘.

가:-호적【假戶籍】명 본적지에 있어서의 호적 사무의 정상적인 집무가 불가능할 때, 원본적지 아닌 곳에 임시로 본적지를 설정하여 만든 호적. 1962년 12월, 호적 개정법에 의하여 폐지됨.

가호-전【加戶錢】명 〔역〕 조선 시대 말기에, 탐관 오리(貪官汚吏)들이 백성들에게 부과한 잡세(雜稅)의 하나.

가:혹【苛酷】명 각박하고 혹독함. 매우 엄격하고 잔인함. ¶~한 처분. ——-하다 형여불 ——-히 부

가홀오다 타 〈옛〉 거우르다. 기울이다. ¶낫과 바미 곳다온 酒樽을 가홀오노라(日夜倒芳樽)《初杜諺 VIII:25》.

가화¹【佳話】명 ①재미있고 좋은 이야기. ②아름다운 이야기. ¶인정 ~.

가화²【家禍】명 집안의 화변(禍變). 집안에 일어난 재앙.

가:화³【假花】명 조화(造花). 「——-하다 자여불

가화⁴【嫁禍】명 재화를 남에게 전가(轉嫁)함. 재앙을 남에게 넘겨씌움.

가화⁵【嘉禾】명 열매가 많이 붙은 큰 벼. 경사스러운 징조라고 함. 대화(大禾).

가:-화류【假樺榴】명 〔공〕 화류빛과 같이 칠한 목재.

가화 만:사성【家和萬事成】명 집안이 화목하면 모든 일이 잘되어 나아감.

가:-화합【假和合】명 〔불교〕 우주 만물이 인연에 따라 임시로 화합하여 이루어지는 일. 사물(事物)의 존재는 모두 가화합이며 실재(實在)가 아니라고 봄.

가확【街廓】명 가곽(街廓).

가:환¹【可換】명 〔수〕 수학적 연산(演算)이나 수학적 조작(操作)에 관한 성질로, 연산이나 조작의 순서를 바꾸어도 결과에 변화가 없는 일. 실수(實數)의 덧셈·곱셈 등이 이에 해당됨.

가환²【家患】명 집안의 우환(憂患). 「나 어여머리.

가:환³【假鬟】명 부인이 성장(盛裝)할 때 쪽 찐 머리 위에 얹는 큰머리

가:환-군【可換群】명 〔수〕 임의의 두 개의 원소(元素) a, b에 대하여 교환 법칙 $ab=ba$가 성립되는 군(群). 아벨(Abel)군.

가:-환부【假還付】명 〔법〕 법원에서 압수물(押收物)을 소유자 또는 보관자의 청구에 의하여 법의 결정에 따라, 사건 종결 전이라도 돌려주는 일. ——-하다 타여불

가:-환지【假換地】명 토지 구획 정리 사업을 시행하는 도중에 공사를 하거나 환지 처분(換地處分)을 하기 위해, 임시로 하는 환지.

가:환-체【可換體】명 〔수〕 교환 법칙이 성립되는 체(體). 유리수(有理數) 전체, 실수(實數) 전체, 복소수(複素數) 전체가 만드는 체를 이름.

가:환-환【可換環】명 〔수〕 곱셈에 대하여 교환 법칙이 성립되는 환(環). 정수(整數)의 환이나 다항식의 환 따위.

가황【加黃】명 〔화〕 ①〔vulcanization〕 생고무에 황을 가하고 가열(加熱)하여 신장성(伸張性)·탄성(彈性)을 늘리는 일. 현재는, 황을 쓰지 아니하고도 널리 플라스틱 등의 가소성체(可塑性體)를 탄성체로 바꾸는 조작(操作)을 이름. ②〔vulcanization〕 아마인유(亞麻仁油)·피마자유·면실유(棉實油)·어유(魚油) 등의 유지(油脂)에, 황 또는 염화황을 가하여 가열 처리를 행하는 조작. ③〔thionation〕 황화(黃化) 물감을 만드는 일로, 유기 화합물에 황과 황화 나트륨을 가하여 융해(融解) 또는 끓이는 조작. 구칭 : 가류(加硫)·화류(和硫). ——-하다 자여불

가황 계:수【加黃係數】명 〔화〕 가황할 때의 각 조건의 정도를 나타내는 수(數).

가황 고무【加黃—】〔프 gomme〕 명 〔화〕 생고무에 황을 가하고 가열하여, 탄성도(彈性度)가 있게 한 고무. 함황(含黃) 고무. 황화 고무.

가황산 반:응 시험【加黃酸反應試驗】명 〔화〕 황산과 반응시켜, 그 반응열을 측정하여, 유기 화합물의 불포화도를 정량(定量)하는 방법.

가황-유【加黃油】〔—뉴〕 명 〔화〕 고무 대용품으로, 유지(油脂)에 황을 작용 시켜 만든 흑갈색의 탄력있는 덩어리 또는 거칠고 굵은 가루. 또, 유지에 염화황을 작용시켜 만든 담황색의 탄력 있고 무른 물질.

가회¹【佳會·嘉會】명 기쁜 모임. 즐거운 회합.

가회²【葭灰】명 갈청을 태운 재. 옛날, 중국에서 사시(四時)의 절기를 징험(徵驗)하는 데 사용하였음. 예를 들면, 동지가 이르면, 동지 절기를 맞추어 만든 대통 속의 가회가 날아 움직인다고 함.

가획【加畫】명 글자의 획수를 더함. ——-하다 자여불

가효【佳肴·嘉肴】명 맛 좋은 안주. 맛있는 요리. 미효(美肴).

가효-당【佳孝堂】명 〔역〕 조선 시대, 장헌 세자빈(莊獻世子嬪) 혜경궁 홍씨(惠慶宮洪氏)가 거처하던 집의 당호(堂號). 또, 혜경궁 홍씨.

가:후【駕後】명 〔역〕 거동 때에, 임금이 탄 수레 뒤에 따르던 시위병(侍衛兵). ↔가전(駕前).

가:후-기【駕後旗】명 〔역〕 가후(駕後)의 금군(禁軍)을 호령하던 기. 깃발의 바탕은 검고 가장자리는 누르며, 가로 세로 석 자의 정사각형임. 깃대의 길이는 열다섯 자로, 영두(纓頭)·주락(珠絡)·장목이 달려 있음.

가후리 어업【—漁業】명 배로 그물을 바닷속으로 운반하여 둥글게 던져 넣은 다음, 그 그물 양쪽의 벼릿줄을 땅 위에서 당기어 끌어올려 하는 고기잡이. 지인망 어업.

가훈【家訓】명 ↗가정 교훈(家庭敎訓).

가훼【嘉卉】명 아름다운 초목. 좋은 풀.

가휘【家諱】명 부조(父祖)의 이름을 부르기를 꺼리고 피하는 일. 또, 그

草. 높이 1-1.5m이고 잎은 근경(根莖)에서 총생(叢生)하고 삼회 우상(三回羽狀)이며, 소엽(小葉)은 담녹색으로 부드럽고 작은데, 황갈색의 얇은 막(膜)으로 덮인 자낭군(子囊群)이 붙었음. 엽병(葉柄)은 길. 들이나 산에 나는데, 제주도 및 대청도(大青島) 등지에 분포함.

〈각시고사리〉

각시-괴불나무 [—라—] 명 〖식〗 [*Lonicera chrysantha* var. *typica*] 인동과의 낙엽 활엽 관목. 줄기 수(髓)는 갈색이고 가운데가 비었으며 잎은 타원형에 톱니가 없음. 꽃은 여름에 쌍생(雙生)하며 처음에는 희었다가 후에 노랗게 변하며, 장과(漿果)는 가을에 홍색으로 익음. 산록 숲 속에 나는데, 한국의 충청도 이북 및 일본·사할린·만주 등지에 분포함. 과실은 식용함.

각시-노리 명 〖농〗 가래의 양편에 있는 군듯 구멍을 얼러 펜 군두 새끼가 감아 돌아간 장부의 목 부분. 「다 자여불

각시-놀음 명 계집아이들이 각시를 만들어 가지고 노는 장난. ——-하

각시-놀이 명 ☞ 각시놀음. ——-하다 자여불

각시-돔 명 〖어〗 [*Chelidoperca hirundinacea*] 농어과에 속하는 바닷물고기. 몸 길이 18cm 내외로 몸이 길고 입이 크며 아래턱이 나와 있음. 몸빛은 선홍색(鮮紅色)인데 옆구리와 배에는 16-17줄의 황색 가로띠가 있음. 온대성 어종으로 한국 및 일본의 중부 이남 근해에 분포함. 각시도미.

각시-둥굴레 명 〖식〗 [*Polygonatum humile*] 백합과에 속하는 다년초. 줄기 높이 30cm 가량이고 원기둥꼴, 잎은 호생(互生)하고 무병(無柄)이며 길이 5-10cm의 긴 타원형임. 꽃은 단립(單立)하고 단경(短梗)이며 통상(筒狀)인데 액출(腋出)하여 녹백색으로 핌. 과실은 구형(球形)의 장과(漿果)로 까맣게 익음. 깊은 산의 숲 속에 나는데, 어린 엽경(葉莖)은 식용으로 함. 둥굴레와 가까운 종류로, 매우 작고 빈약하며, 잎 뒷면이 희읍스름하지 않은 점이 다름. 전남·강원·경기·평북·함경남북 등지에 분포함. 둥굴레아재비.

각시마 명 〖식〗 [*Dioscorea tenuipes*] 맛과에 속하는 여러해살이풀. 줄기는 가늘고 길어 다른 물건에 감겨서 기어오름. 지하에 편평(扁平)하고 살이 많은 괴근(塊根)이 있음. 잎은 긴 심장형으로 잎자루가 있고 대생함. 여름에 희고 작은 단성화(單性花)가 수상(穗狀) 화서로 피고, 삭과(蒴果)가 열림. 지하경(地下莖)은 먹음. 동부 아시아 원산으로 각국에서 재배됨. 불장서(佛掌薯).

〈각시마〉

각시-바꽃 명 〖식〗 [*Aconitum monanthum*] 성탄꽃과에 속하는 다년초. 줄기 높이 25cm 내외, 잎은 호생하며 장병(長柄)임. 7-8월에 자색꽃이 줄기 끝에 1-3개씩 액생(腋生)하여 피고, 골돌과(蓇葖果)를 맺음. 함남·함북 등지의 산지에 분포함. 유독(有毒) 식물임.

각시-방 【一房】 명 ①조그만 인형을 둔 방. ②〈방〉 새색시가 거처하는 방.

각시-붓꽃 명 〖식〗 [*Iris rossii*] 붓꽃과에 속하는 다년초. 줄기 높이 10-15cm, 잎은 두세 편(片)으로 똑바로 나고 길이가 길며 폭이 좁고 끝이 뾰족함. 4-5월에 자색 또는 백색의 꽃이 피며 삭과(蒴果)는 작은 구형(球形)임. 산야에 나는데, 한국 각지에 분포함. 관상용으로 재배함. 산난초(山蘭草).

〈각시붓꽃〉

각시-붕어 명 〖어〗 [*Pseudoperilampus uyekii*] 잉어과에 속하는 민물고기. 몸 길이 3-6cm로 암컷의 등지느러미 전하부(前下部)에 엷은 흑판이 있는 것이 특징임. 낙동강 수계 및 수원(水原)·전남 해남·전북 운암 저수지 등에 분포하는데, 암컷은 긴 산란관(産卵管)으로 쌍각류(雙殼類)의 조개의 몸 속에 산란함.

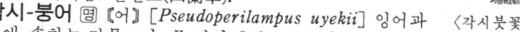

〈각시붕어〉

각시-서대 명 〖어〗 [*Zebrias japonicus*] 양서댓과에 속하는 바닷물고기. 몸 길이 30cm 남짓한데, 입이 작고 온 몸에 빗비늘이 있음. 눈 있는 쪽은 엷은 회색 바탕에 많은 흑색 가로띠가 있음. 한국 남부·일본 동경 이남·동지나해·대만 연해에 분포함.

각시-서덜취 명 〖식〗 [*Saussurea grandifolioides*] 국화과에 속하는 다년초. 줄기 높이 60cm 가량, 근생엽(根生葉)은 장병(長柄)이며 경엽(莖葉)은 긴 타원형 또는 피침형을 이룸. 7-9월에 홍자색 관상화(管狀花)로 된 두화(頭花)가 정생(頂生)하고 수과(瘦果)를 맺음. 산지에 나는데, 경북·강원·경기·평남·함남·함북 등지에 분포함. 어린 잎은 식용함.

각시-솔 명 〈방〉 통솔(경상).

각시-수련 【一睡蓮】 명 〖식〗 [*Nymphaea minima*] 수련과에 속하는 다년생 수초(水草). 잎은 말굽 모양을 이루는데 뿌리에서 총생(叢生)하고 긴 잎꼭지로 수면(水面)에 떠 있음. 7-8월에 뿌리에서 긴 줄기가 나와 줄기 끝에 흰 꽃이 하나씩 피고, 둥근 삭과(蒴果)를 맺음. 연못에 나는데, 황해의 장산곶(長山串) 등지에 분포함.

각시-제비꽃 명 〖식〗 [*Viola boissieuana*] 제비꽃과에 속하는 다년초. 무경성(無莖性)이며, 잎은 뿌리로부터 총생(叢生)하며 장병(長柄)에 삼각상 심장형 또는 심장상 달걀꼴을 이룸. 5월에 흰 꽃이 가는 꽃줄기 끝에 피고, 과실은 삭과(蒴果)임. 산지의 나무 그늘에 나는데, 제주도에 분포함.

각-시조 【刻時調】 명 〖악〗 창법(唱法)으로 본 시조의 한 가지. 가사(歌詞)의 자수(字數)에 따라 종장(終章)·중장(中章)에 5박이나 8박에 1각(刻)이 더 붙는 창법 형식으로 됨. 보통, 중장은 지름시조로 일정하고 다른 장은 평시조와 같음.

각-시차 【角視差】 명 〖물〗 물체의 보이는 방향과 실제의 방향과의 사이에 생기는 각. 광선의 굴절(屈折) 등에 의하여 생김.

각시-취 명 〖식〗 [*Saussurea pulchella*] 국화과에 속하는 다년초. 줄기 높이 120cm 내외, 녹색에 자색을 띠며, 잎은 호생하고 피침형을 이룸. 8-10월에 자색 두화(頭花)가 방상(房狀)의 구형(球形) 관상화(管狀花)로 핌. 산이나 들의 양지에 나는데, 한국 각지에 분포함. 어린 잎은 식용함.

각시-통점나도나물 명 〖식〗 [*Cerastium amurensis*] 너도개미자릿과에 속하는 다년초. 근경(根莖)은 가늘고 가로 벋으며, 줄기는 가늘고 총생(叢生)하여 높이 60cm에 달함. 잎은 대생, 무병(無柄)이며 피침형임. 6-7월에 백색 꽃이 취산(聚繖) 화서로 정생(頂生)하여 피고, 삭과(蒴果)를 맺음. 산지에 나는데, 함북 지방에 분포함.

각시-패랭이꽃 명 〖식〗 [*Dianthus deltoides*] 너도개미자릿과에 속하는 다년초. 줄기 높이 25cm 내외인데 잎은 긴 타원형 또는 선상(線狀) 피침형을 이룸. 7-8월에 향기로운 빨간 꽃이 취산(聚繖) 화서로 정생(頂生)하여 핌. 유럽 원산(原産)으로, 강원도 금강산에 분포함. 관상용으로 재배함.

각시-해바라기 명 〖식〗 [*Helianthus debilis*] 국화과에 속하는 일년초. 해바라기와 비슷하나 높이 1-2m이며 줄기가 여러 갈래 나옴. 잎은 심장형으로 끝이 뾰족하고 잎꼭지가 길며 가에 톱니가 있고 줄기와 잎에는 빳빳한 단모(短毛)가 있음. 7-9월에 직경 6-9cm의 노란 두상화(頭狀花)가 핌. 북미 원산(原産)인데 관상용으로 재배함.

〈각시해바라기〉

각식 기뢰 【角式機雷】 명 기뢰의 한 가지. 외부에 여러 개의 뿔을 달아 함선(艦船)이 이에 충돌하면 뿔이 부러져서 내부의 유리병이 깨어짐과 동시에 약액(藥液)이 흘러나와 전지(電池)의 극판(極板)에 작용함으로써 전기 회로(電氣回路)를 형성하여 폭발함. 항만 봉쇄(港灣封鎖)의 계류(繫留) 기뢰로서 쓰임. *시발(視發) 기뢰.

각신[1] 【恪愼】 명 조심함. 삼감. 각근(恪謹). ——-하다 자타여불

각신[2] 【閣臣】 명 〖역〗 규장각(奎章閣)의 벼슬아치.

각신 동격교 【各神同格敎】 [—껵—] 명 〖종〗 여러 신의 지위가 평등하며 상하·귀천의 구별을 두지 아니하는 종교. 인도의 베다교(吠陀敎) 같은 것.

각실 【慤實】 명 성실(誠實). ——-하다 형여불

각심[1] 【各心】 명 ①각기 서로 다른 마음. 각 사람의 마음. ②각기 마음을 달리함. ¶ ~ 먹고 헤어지다. ——-하다 자여불

각심[2] 【刻心】 명 명심(銘心). ——-하다 타여불

각심 소:원 【各心所願】 명 사람마다 원하는 바가 같지 아니함.

각심 소:위 【各心所爲】 명 사람마다 각기 딴마음으로 한 일. 마음이 서로 맞지 아니하여 일이 잘되어 나아가지 아니함을 가리킴.

각심이 명 〖역〗 조선 시대 때, 상궁(尙宮)·나인 들의 방에 각각 한 사람씩 딸려, 잡역(雜役)에 종사하던 여자 종. 방자(房子). 방아이. *비자(婢子)·무수리.

각씨 명 〈방〉 새색시(충남·전남·경남).

각-아문 【各衙門】 명 〖역〗 각각의 아문(衙門). 「*이부 동모(異父同母).

각아비 자식 【各一子息】 명 어머니는 같으나 아버지가 각각 다른 자식.

각안[1] 【擱岸】 명 배가 해안의 암초(暗礁) 위에 얹힘. ——-하다 자여불

각안[2] 【覺岸】 명 〖불교〗 깨달음의 해안. 미혹을 바다에 비유하여 미혹에서 깨어남을 각안에 오른다고 함.

각안[3] 【覺岸】 명 〖사람〗 조선 시대 말기의 중. 속성(俗姓)은 최(崔). 호는 범해(梵海). 1841년 시오(始悟)의 법통(法統)을 이어, 22년 동안 경전을 강론함. 저서로 《범해 선사 유고(梵海禪師遺稿)》·《동사 열전(東師列傳)》 등이 있음. [1820-96]

각암[1] 【角岩】 명 〖광〗 규암(珪岩)의 일종. 석영질(石英質)의 수성암(水成岩). 빛은 갈색 혹은 짙은 잿빛이며 아주 단단하고 파편은 능각(稜角)이 있는 불규칙한 모양을 이룸.

각암[2] 【擱岩】 명 선박이 좌초(坐礁)함. 각좌(擱坐). ——-하다 자여불

각양 【各樣】 명 ①여러 가지 모양. ②여러 가지.

각양 각색 【各樣各色】 명 여러 가지. ¶ ~의 복장.

각양 각식 【各樣各式】 명 여러 가지 양식(樣式). 「일.

각역 【刻役】 명 각수(刻手)가 하는 일. 새김질하는 일. 조각(彫刻)하는

각연-증 【脚軟症】 [—쯩] 명 〖한의〗 다리에 힘이 없어 행보(行步)가 곤란한 증세. 행지증(行遲症). ↔각경증(脚硬症).

각-연초 【刻煙草】 명 살담배.

각염-법 【榷塩法】 [—뻡] 명 〖역〗 고려 때에 소금을 전매하던 법.

각영 【各營】 명 〖역〗 서울 안에 있던 각 군영(軍營).

각오[1] 【覺悟】 명 ①도리를 깨달음. 각오(覺寤). ②앞으로 닥쳐올 일을 미리 알아차리고 마음을 정함. 마음의 준비. 생각. ¶ 죽음을 ~하다. ——-하다 타여불

각오[2] 【覺寤】 명 ①잠에서 깸. ②각오(覺悟)❶. ——-하다 자여불

각오 자살 【覺悟自殺】 명 앞으로 닥쳐올 곤경(困境)을 미리 알아차리고 자살함. ——-하다 자여불

각왕 【覺王】 명 〖불교〗 〔지혜가 구족(具足)하여 불도(佛道)의 극위(極位)에 있다는 뜻〕 불타(佛陀)의 이칭.

각외 【閣外】 명 내각(內閣)의 외부. ↔각내(閣內).

각외-상 【閣外相】 명 〖정〗 영국의 각료 가운데 격이 아래인 15-20명의 각료. 각의(閣議)의 구성원도 아니며, 참석도 하지 아니함. ↔각내상(閣內相).

각외 협력 【閣外協力】 [—녁] 명 입각(入閣)은 하지 아니하였으나 각외에서 그 정부에 협력함. ——-하다 자여불

각우 【角隅】 명 에워싼 구역(區域)의 모퉁이. 구석.

각-운[1]【脚韻】명〖문〗시가(詩歌)의 음률을 강조하기 위하여 구(句)나 행(行) 끝에 배치하는 동운(同韻)의 음(音). 한시(漢詩)에서 주로 쓰이며, 우리 나라 시에서는 드묾. *압운(押韻). ↔두운(頭韻).

각운[2]【覺雲】명〖사람〗①고려 고종(高宗) 때의 승려. 혜심(慧諶)의 제자. 저서에 ≪선문 염송 설화(禪門拈頌說話)≫가 있음. *선문 염송 설화. ②고려 공민왕(恭愍王) 때의 선승(禪僧). 성은 유씨(柳氏). 남원(南原) 사람. 호는 구곡(龜谷). 만행산(萬行山) 승련사(勝蓮寺) 주지(住持). 보우(普愚)의 법통(法統)을 이어 학행이 높고 필법이 뛰어나 공민왕의 총애를 받음. 생몰 연대 미상.

각-운동【角運動】명〖물〗물체가 한 정직선(定直線)의 주위로 언제나 같은 거리를 지속하며 도는 운동.

각운동-량【角運動量】[—냥] 명 〔angular momentum〕〖물〗회전하고 있는 물체의 회전축 주위의 관성(慣性) 모멘트에 각속도를 곱한 양.

각운동량 보:존의 법칙【角運動量保存—法則】[—냥—/—냥—에—] 명〖물〗역학의 기초 법칙의 하나. '어떤 점에 관한 외력(外力)의 모멘트의 합이 0이라면, 그 외력을 받고 운동하는 질점(質點) 또는 질점계(質點系)의 그 점의 둘레의 각운동량은 일정하다'는 것으로, 팽이의 회전(回轉)이나, 행성(行星) 운동·원자핵 이론 등에 응용됨.

각원[1]【各員】명 각각의 인원.

각원[2]【閣員】명 내각(內閣)을 구성하는 각 장관. 각료(閣僚).

각원[3]【覺苑】명 ①'마음'의 비유. ②〖불교〗정토(淨土)❶.

각월[1]【各月】명 매월(每月).

각월[2]【却月】명 ①반달 같은 눈썹의 비유. ②허리에 찬 활의 모양을 비「유한 말.

각위[1]【各位】명 ①앞앞의 여러분. ¶회원 ～. ②각각의 자리. 각각의 지위(地位). ③각각의 신위(神位).

각위[2]【覺位】명〖불교〗만유(萬有)의 실상을 완전히 깨달은 지위. 정각(正覺)의 위(位). 성불(成佛)한 지위.

각유 소:장【各有所長】명 각 사람마다 장점이나 장기(長技)가 있음.

각유 일능【各有一能】[—릉] 명 사람마다 각기 한 가지 재주는 갖고 있⌊음.

각유 해:면류【角維海綿類】[—뉴] 명〖동〗각질 해면류.

각은-광【角銀鑛】명 〔cerargyrite〕〖광〗염화은을 함유하는 광물. 밀랍 모양 또는 각질(角質)의 광물로 등축 정계(等軸晶系)에 속하며 백색 내지 회색의 수지(樹脂) 광택을 냄. 굳기는 2.5, 비중(比重)은 5.6, 은의 광석으로는 드물게 남. 혼 실버(horn silver). [AgCl]

각-읍【各邑】명 각각의 읍. 여러 읍.

각응【角鷹】명〖조〗매[7]❷.

각의【閣議】[—/—이] 명 내각의 회의. ¶～를 주재(主宰)하다.

각의 삼등분 문:제【角—三等分問題】[—/—에—] 명〖수〗주어진 각을 등분하라는 작도(作圖) 문제. 고대 그리스에서 생각하여 낸 세 가지 작도 불능(不能) 문제의 하나로, 직각 외에는 자와 컴퍼스를 한정된 횟수만 사용하여서는 작도할 수 없음. *불능(不能) 문제.

각이【各異】명 각각 다름. ——-하다 형여불

각인[1]【各人】명 각 사람. 사람사람.

각인[2]【刻印】명 ①도장을 새김. 또, 새긴 도장. ②〔imprinting〕〖생〗많은 동물 특히, 조류(鳥類)에서 가장 현저하게 나타나는 학습의 한 형태. 부화 후 얼마 되지 않은 특정 기간 내에 눈으로 본 동물 곧, 일반적으로는 어미나 물체가 새끼에게 고정적으로 인식되어 이후 그것과 같은 것을 보면 기계적으로 반응함. 오스트리아의 동물학자인 로렌츠(Lorenz, K.)에 의하여 밝혀졌음. ——-하다 자여불「¶～의 의견.

각인 각색【各人各色】명 사람마다 모두 다름. 각인 각양(各人各樣).

각인 각설【各人各說】명 사람마다 주장하는 의견이나 설(說)이 다름.

각인 각성【各人各姓】명 각 사람이 모두 성이 다름.

각인 각양【各人各樣】명 각인 각색(各人各色).

각인-별【各人別】명 각 사람마다 따로 함. ¶～로 나누다.

각인-처【各人處】명 각 사람의 앞.

각-일각【刻一刻】부 각각(刻刻)으로. ¶출발 시간이 ～ 다가오다.

각자[1]【各自】一 명 각각의 자신(自身). 인인(人人). 면면(面面). ¶～의 일은 ～가 처리할 것. 二 부 제각기. 제각각(各各). ¶～ 지참할 것.

〈각자[2]〉

각자[2]【角字】명 도안이나 무늬로 쓰이는 네모난 글자.

각자[3]【刻字】명 글자를 새김. ——-하다 자여불

각자[4]【覺者】명〖불교〗①자각(自覺)·각타(覺他)·각행 원만(覺行圓滿)의 세 덕을 갖춘 이. 곧 부처. ②우주·인생의 진리를 깨달아 안심 입명(安心立命)의 경지에 다다른 사람. 완전 원만한 인격자. 깨달은이.

각자 도생【各自圖生】명 제각기 살길을 도모함. ——-하다 자여불

각자리-하다【各—】자여불 각자 자리를 따로 잡고 벌려하다.

각자 무치【角者無齒】명 뿔이 있는 자는 이가 없다는 뜻으로, 한 사람이 모든 복을 겸하지 못함을 이름.

각자 병:서【各自竝書】명 같은 자음(子音) 두 글자를 가로 나란히 붙여 씀. 곧, 'ㄲ·ㄸ·ㅃ·ㅆ·ㅉ·ㆀ·ㆅ·ㅥ'. *합용(合用) 병서.

각자 위심【各自爲心】명 제각기 마음을 다르게 먹음. ——-하다 자여불

각자 이:위 대:장【各自以爲大將】명 제각기 잘난 것처럼 나섬.

각자-장【刻字匠】명〖역〗조선 시대의 경공장(京工匠)의 하나. 교서관(校書館)에 딸리어 글자를 새기던 공장(工匠).

각작-거리다 타〈방〉갉작거리다. 각작-각작 부. ——-하다 타

각잠【刻簪】명 여러 가지 무늬를 파서 새긴 비녀.

각장[1]【各葬】명 부부를 각각 딴 자리에 장사지냄. ↔합장(合葬). ——⌊하다 타여불

각장[2]【角壯】명 아주 두꺼운 장판지.

각장[3]【刻匠】명〖역〗조선 시대의 외공장(外工匠)의 하나. 새김질을 업으로 하는 장색(匠色).

각장[4]【榷場】명 ①옛날 중국에서, 매매(賣買)를 감독하던 곳. ②〖역〗고려 때, 보주(保州), 곧 지금의 의주(義州) 및 정주(定州), 곧 지금의 정평(定平)에 두고 거란·여진(女眞) 등 북방 민족 사이의 교역을 위해 설치⌊하던 곳.

각장 장판【角壯壯版】명 각장(角壯)으로 바른 장판.

각재【角材】명 긴 원목(原木)의 통을 네모지게 제재(製材)하여 놓은 재⌊목. ↔통나무.

각-재목【角材木】명 각재로 된 재목.

각저【角抵·角觝】명 ①옛날 중국의 유희(遊戲)의 하나. 두 사람이 맞붙어 힘을 겨루거나 또는 활쏘기·말타기 기타 다른 여러 가지 기예(技藝)도 경쟁하였음. 각희(角戲). ②씨름❶. ——-하다 자여불

각저-총【角抵塚】명〖역〗만주 지안 현(輯安縣) 퉁거우(通溝) 지방 무용총(舞踊塚) 옆에 있는 고구려 시대의 무덤. 흙무덤인데 묘실(墓室) 벽에 씨름하는 그림인 각저도(角抵圖)가 있어 이 이름이 있음.

각적【角笛】명 짐승의 뿔로 만든 피리. 흔히 사냥꾼·목동(牧童) 들이 붊. 뿔피리.

각-전[1]【各殿】명 왕(王)과 왕비(王妃)의 통칭(通稱).

각-전[2]【各廛】명〖역〗각가지의 전. 여러 전방(廛房). 【각전 시정 통비단 감듯】무엇을 줄줄 익숙하게 감음을 이르는 말. 【각전의 난전(亂廛) 모듯】정신을 차리지 못할 만큼 매우 급히 몰아침을 이르는 말.

각전[3]【角錢】명 십 전짜리 같은 잔돈.

각-전궁【各殿宮】명〖역〗왕·왕비·동궁(東宮)·제빈(諸嬪)에 대한 통「칭(通稱).

각전궁 동:가 의절【各殿宮動駕儀節】명〖책〗조선 후기에 왕실의 내전(內殿)·빈궁(嬪宮)·원자(元子)의 출입에 관한 의절(儀節)을 적은 책. 순조 11년(1811) 승정원에서 펴냈음. 1책. 사본.

각점【角點】명〖수〗특이점(特異點)의 하나. 곡선 상의 각(各) 점의 접선(接線)이 어떤 점에서 불연속적으로 방향을 바꿀 때의 그 점.

각점-문【刻點文】명〖고고학〗'점무늬'의 구용어.

각정【殼頂】명〖생〗조가비 꼭대기의 도드라진 부분. 보통 조가비에서는 이가 있는 도드라진 부분을 이르며, 우렁이류나 소라류에서는 뾰족⌊한 부분을 가리킴.

각젱이 명〈방〉종지(전라).

각-조[1]【各條】명 각 조목.

각조[2]【角調】명〖악〗음계(音階)의 하나. 한국·중국·일본의 아악(雅樂)에 쓰이는 조(調)의 이름. 각(角)에서 시작하여 각으로 끝남.

각존【覺存】명〖철〗↗자각 존재(自覺存在).

각종【各種】명 각가지. 여러 종류. 각색(各色).

각종 학교【各種學校】명〖교〗학교 교육과 유사한 교육을 하는 시설의 총칭. 국립 학교로는 국악 학교가 있고, 직업 학교·신학교(神學校)·예술 학교·실업 학교·외국인 학교 등이 있음. 잡종(雜種) 학교.

각-좆【角—】명 뿔이나 가죽 등으로 사내의 성기(性器)처럼 만든 장난감.

각좌【擱坐】명 각암(擱岩). ——-하다 자여불

각주[1]【角柱】명 ①네모진 기둥. ②〖수〗'각기둥'의 구용어. ③'감옥(監獄)'의 고칭(古稱).

각주[2]【却走】명 돌아서서 뜀. ——-하다 자여불

각주[3]【脚註·脚注】명 본문(本文)의 아래쪽에 쓴 주해(註解). ↔두주(頭⌊註).

각주[4]【榷酒】명 각고(榷酤). ——-하다 자여불

각주 구검【刻舟求劍】명〔여씨 춘추(呂氏春秋) 찰금편(察今篇)에 나오는 고사(故事). 옛날에 초(楚)나라 사람이 배를 타고 가다가 물 속에 칼이 떨어지자 뱃전에 안표를 하였다가 배가 정박한 뒤에 칼을 찾더라는 뜻〕사람이 미련해서 융통성이 없음을 비유한 말.

각-주파수【角周波數】명〔angular frequency〕〖물·전〗교류(交流)의 진동수에 원주율 파이(π)의 2배를 곱한 것. 교류의 파형(波形)에 대응하는 원운동의 각속도에 상당함. 각진동수(角振動數).

각죽【刻竹】명 무늬를 새긴 담배 설대.

각준【恪遵】명 정성으로 준수(遵守)함. 정성으로 복종함. ——-하다 타「여불

각-줄【角—】명 직각 홈이나 평면을 깎는 데 사용하는 줄.

각중에 부〈방〉갑자기(경남·충청).

각쥐애기 명〈방〉〖충〗버마재비(제주).

각즉【刻卽】명 즉각. 당장에.

각지[1] 명〈방〉껍데기(제주).

각:지[2] 명〈방〉갈퀴(강원·충북).

각지[3]【各地】명 각지방. 각처(各處).

각지[4]【各紙】명 각각의 신문. 여러 신문.

각지[5]【各誌】명 각각의 잡지. 여러 잡지.

각지[6]【角指】명 깍지[2].

각지[7]【覺知】명 깨달아서 앎. ——-하다 타여불

각지 각처【各地各處】명 여러 지방. 여러 곳.

각지거리-하다 자〈방〉깍지(를) 끼다(함경).

각-지기【閣—】명〖역〗규장각(奎章閣)의 사령(使令). 각직(閣直).

각-지방【各地方】명 각각의 지방. 여러 지방. 각지(各地).

각지 불공【却之不恭】명 거절함은 무례(無禮)하다는 말.

각지-하다【却之—】타여불 주는 것을 받지 아니하다. 물리치다.

각직【閣直】명〖역〗각(閣)지기.

각-진동수【角振動數】[—쑤] 명〖물〗각주파수(角周波數).

각질[1]【角質】명〖동〗①파충류 이상의 고등 척추 동물의 진피(眞皮) 위에 분포되어, 몸을 보호하는 비늘·털·뿔·새의 부리 등을 형성하는 물질. 단백질인 케라틴(keratin)이 그 주성분임. ②케라틴. *각화(角化).

각질[2]【脚疾】명 ①다리가 아픈 병의 총칭. ②각기(脚氣).

각질 섬유【角質纖維】명〖생〗케라틴으로 이루어진 섬유. 각질 해면류(角質海綿類)의 골격 따위.

각질 증식증【角質增殖症】명〖의〗각화증(角化症).

각질-층【角質層】명〖생〗피부의 맨 거죽의 층(層). 각화(角化)한 편평

(扁平) 세포로 이루어지며 손바닥·발바닥에서는 특히 두꺼워짐. 각화층(角化層). [준]각층(角層).
각질-판【角質板】[명]〖동〗각질(角質)로 이루어진 판(板).
각질 해:면류【角質海綿類】[—뉴] [명]〖동〗[Keratosa] 무석회(無石灰) 해면류의 한 목(目). 골격은 각질의 섬유로 형성되고 석회질이나 유리질의 골편은 없음. 주로 열대 지방의 바다에서 나는데, 대만 남쪽과 일본 근해에도 분포함. 목욕 해면·민물 해면 등이 있음. 각유(角維) ⌊해면류.
각질-화【角質化】[명]〖동〗각화(角化)❶. ——-하다 [자][여불]
각:째 [명]〈방〉〖동〗가재[1](강원).
각찬【角粲】[명]〖역〗이벌찬(伊伐飡).
각-창【角窓】[명] 모가 난 창. ↔원창(圓窓).
각책[1]【角柵】[명] 각재(角材)로 만든 목책(木柵).
각책[2]【刻責】[명] 몹시 꾸짖음. ——-하다 [타][여불]
각처【各處】[명] 여러 곳. 각지(各地).
각-철장【角鐵杖】[—짱] [명]〖건〗강철로 된 모난 막대기.
각-청령【角蜻蛉】[—녕] [명]〖충〗뿔잠자리.
각-체【各體】[명] 여러 가지 자체(字體) 또는 서체(書體)·문체(文體)·시체 ⌊(詩體).
각초【刻草】[명] 살담배.
각촉 부:시【刻燭賦詩】[명] 초에 금을 새겨 놓고, 그 부분이 다 타기까지를 시한(時限)으로 정하고, 그 안에 시(詩)를 짓는 일.
각-촌【各村】[명] 각 마을. 여러 마을.
각추[1]【角槌】[명]〖악〗각퇴(角槌).
각추[2]【角錐】[명] ①〖수〗'각뿔'의 구용어. ②모난 송곳.
각추-대【角錐臺】[명]〖수〗'각뿔대'의 구용어. [준]각대(角臺).
각-추렴 [명] [←각출렴(各出斂)] 각 사람에게서 같은 액수의 금품(金品)을 거둠. ——-하다 [타][여불]
각축【角逐】[명] [각(角)은 겨룬다는 뜻, 축(逐)은 쫓는다는 뜻] 서로 이기려고 경쟁함. 승부를 다툼. 경쟁. 추축(追逐). ¶우승을 노리고 ～을 벌이다. *축록(逐鹿). ——-하다 [자][여불]
각축-장【角逐場】[명] 각축을 벌이는 곳. ¶동서 양대(兩大) 진영의 ～.
각축-전【角逐戰】[명] 승부를 다투는 싸움. *축록전(逐鹿戰).
각출【各出】[명] ①각각 나옴. ②각각 내놓음. ——-하다 [자타][여불]
각-출렴【各出斂】[명] →각추렴. ——-하다 [타][여불]
각출-물【咯出物】[명] ①침[1]. ②〖의〗담. 가래.
각층[1]【各層】[명] ①각각의 층계나 층. ¶～마다 서는 승강기. ②각각의 계층. ¶각계 ～의 사람들. ③각각의 등급.
각층[2]【角層】[명]〖생〗↗각질층(角質層).
각치【角鴟】[명]〖조〗수리부엉이.
각치다 [타] ①할퀴다❶. ②말로 부아를 지르다.
각칙【各則】[명] ①각가지 법칙. ②〖법〗법률·명령·규칙·조약(條約) 등에 있어서, 다른 부분에 적용되지 아니하고 특정한 경우에 전용적(專用的)으로 적용되는 것으로 규정한 부분. ↔총칙(總則).
각침【刻針】[명] 분침(分針). ⌈(自覺). ——-하다 [타][여불]
각타【覺他】[명]〖불교〗스스로 깨달음과 동시에 남도 깨닫게 함. ↔자각
각탄【角炭】[명] 네모진 연탄. 사각탄(四角炭).
각태【角胎】[명] 뿔 속의 살.
각태-봉【角台峰】[명]〖지〗평안 북도 초산군(楚山郡) 도원면(桃源面)에 있는 산봉우리. 강남 산맥(江南山脈)의 일부를 구성하고 있으며, 또 압록강의 지류인 충만강(忠滿江)을 비롯하여 충면천(忠面川)·고면천(古面川) 등의 발원지를 이루고 있음. [1,164m]
각-택【各宅】[명] →각댁(各宅).
각통[1]【各通】[명] 문서(文書) 등의 각 벌.
각통[2]【角筒】[명]〖수〗각기둥.
각통[3]【脚痛】[명] 다리의 아픔.
각통-질 [명] 소장수가 소의 배를 크게 보이게 하기 위하여 억지로 풀과 물을 먹이는 일. ——-하다 [타][여불] ⌈뿔방망이. 각추(角槌).
각퇴【角槌】[명]〖악〗편종(編鍾)·편경(編磬) 등의 악기를 치는 데 쓰는
각-파[1]【各派】[명] ①동종(同宗)에서 갈려 나온 각각의 파. ②당파(黨派)
각파[2]【脚婆】[명] 탕파(湯婆). ⌊나 학파(學派) 등의 각각의 파.
각판[1]【刻板】[명]〖인쇄〗①서화를 새기는 데 쓰는 널 조각. ②서화를 널 조각에 새김. 판각(板刻). ——-하다 [타][여불]
각판[2]【刻版】[명] ↗각판본(刻版本).
각판-본【刻版本】[명] 각판하여 박은 인쇄물. 참본(槧本). [준]각판(刻版).
각-패【角牌】[명]〖역〗검은 뿔로 만든 호패. 정삼품 이하의 벼슬아치들이
각품【各品】[명]〖역〗각각의 품계(品階). ⌊참.
각피[1]【角皮】[명]〖생〗큐티쿨라층(cuticula層).
각피[2]【殼皮】[명] 겉껍데기.
각피-소【角皮素】[명]〖생〗큐틴(cutin). ⌈하다 [자][여불]
각필【閣筆·擱筆】[명] 쓰던 글을 멈추고 붓을 놓음. ↔기필(起筆). ——-
각하[1]【却下】[명] 국가 기관에 대한 행정 상 또는 사법 상의 신청을 물리치는 처분. 특히 민사 소송에서는 법원이 당사자나 기타 관계인의 소송에 관한 신청을, 형식적인 면에서 부적법한 것으로 하여 물리치는 재판을 말하며, 신청의 내용에 대해 이유없다고 하여 물리치는 경우의 기각과 구별됨. 형사 소송법에서는 '기각'으로 통일함. ——-하다 [타][여불]
각하[2]【刻下】[명] 시각을 다투는 이때.
각하[3]【脚下】[명] 발밑. 전(轉)하여, 목하(目下)·현금(現今).
각하[4]【脚荷】[명] 밸러스트(ballast)❶.
각하[5]【閣下】[명] ①벼슬이 높은 사람에 대한 경칭. ¶대통령 ～. ②〖천주교〗주교와 대주교에 대한 경칭. *전하(殿下)·성하(聖下).
각-하다【刻—】[타][여불] 연장으로 나무나 돌에 무엇을 새기다.
각하-성【脚下聲】[명] 아쉬운 경우에 남에게 비나리치는 말. 다리아랫
소리.
각한[1]【角干】[명]〖역〗이벌찬(伊伐飡
각한[2]【刻限】[명] 각기(刻期). ——-하
각-항【各項】[명] ①각 항목. ¶상기(上 [자][여불]
각해【覺海】[명]〖불교〗불교(佛敎)의 ～. ②각가지.
각행【覺行】[명]〖불교〗불보살(佛菩薩)-
각향【角香】[명] 은이나 옥(玉)으로 네모지). 스스로 깨닫고 자비로 ⌈행함.
각-향낭【角香囊】[명] 네모지고 겉에 수를 집에 넣은 향(香).
각향 노리개【角香—】[명] 네모진 향(香)집 겉 향주머니.
각혈【咯血】[명]〖의〗객혈(喀血). ——-하다 ...개.
각-혈암【角頁岩】[명]〖광〗혈암(頁岩)·점판
(砂岩) 등의 접촉 변질(接觸變質)로 인해서 파암(破岩)·사암
빛이 도는 치밀하고 단단한 암석임.
각형【角形】[명] ①각(角)이 진 모양. ②↗사각형 變成岩). 회색
끌.
각형 토기【角形土器】[명]〖고고학〗팽이 토기. 뿔 모양. 뿔
각-호[1]【各戶】[명] ①각 집. ②호적 상의 각 집. ③각
각호[2]【各號】[명] 매호(每號).
각호-산【角虎山】[명]〖지〗①충청 북도 영동군(永同郡
산맥의 첫머리에 있음. [1,204m] ②황해도 평산군(
安面)과 마산면(馬山面) 경계에 위치하는 산. 멸악 산
재령강(載寧江)의 지류인 은파천(銀波川)의 발원지를 이
각-혼[1]【各—】[명] 윷놀이에서, 두 편이 다 혼동임을 말함.
각혼[2]【覺魂】[명]〖천주교〗동물이 가지는 감각 기능. 모든
본 원리를 세 가지 혼(魂)으로 나누는 아리스토텔레스의
옴. *생혼·영혼.
각화[1]【角化】[명] [keratinization] ①〖동〗동물의 조직의 일부
층(表層)의 세포가 케라틴화(keratin化)하여서 각질층(角質層
는 일. 각질화(角質化). *각질. ②〖식〗여러 가지 식물에 있어
줄기·열매 등의 표피(表皮)가 굳어지는 현상. ——-하다 [자][여불]
각화[2]【刻花】[명]〖공〗도자기(陶瓷器)에 꽃무늬를 새김. 또, 그 꽃
——-하다 [자][여불] ⌈기.
각화문-기【刻花文器】[명]〖공〗그림을 음각(陰刻)으로 새겨 만든 도자
각화-사【覺華寺】[명]〖불교〗경상 북도 봉화군(奉化郡) 춘양면(春陽面) 석현리(石硯里)에 있는 고운사(孤雲寺)의 말사(末寺). 고려 때 대각 국사(大覺國師)의 제자인 계응(戒膺)이 창건(創建)함.
각화-산【覺華山】[명]〖지〗경상 북도 봉화군(奉化郡)에 있는 산. 소백 산맥에 속하는 고산(高山)의 하나. [1,202m]
각화-증【角化症】[—쯩] [명]〖의〗피부의 각질층이 이상적으로 증식(增殖)하여 고착(固着)하는 증상. 손바닥의 못 같은 것. 각질 증식증(角 ⌊質增殖症).
각화-층【角化層】[명]〖생〗각질층(角質層).
각황-사【覺皇寺】[명]〖불교〗서울 수송동(壽松洞)에 있던 절. 융희(隆熙) 4년(1910)에 전국 승니(僧尼)의 의연금으로 지었음. 그 옆에 조계사(曹溪寺)가 건립될 때까지 삼십일 대본산(大本山)의 중앙 포교당으로 사용되었음.
각훈【覺訓】[명]〖사람〗고려 때의 중. 호는 고양 취곤(高陽醉髡). 문명(文名)이 높았으며, 오관산(五冠山) 영통사(靈通寺) 주지로 있으면서 고종 2년(1215)에 왕명으로 《해동 고승전(海東高僧傳)》을 지음. 각월.
각흘-도【角屹島】[—또] [명]〖지〗전라 남도의 서남해 상(西南海上), 진도군(珍島郡) 조도면(鳥島面) 관매도리(觀梅島里)에 위치한 섬. [0.22 km^2:42명(1984)]
각희[1]【角戲】[—히] [명] ①각저(角抵). ②씨름❶. ——-하다 [자][여불]
각희[2]【脚戲】[—히] [명] ①한 발로 서로 상대자의 다리를 차서 넘어뜨리는 경기. 태껸. ②씨름❶. ——-하다 [자][여불]
각희-산【角戲山】[—히—] [명]〖지〗강원도 정선군(旌善郡)에 있는 산. 중앙 산맥의 일부를 구성하고 있으며, 한강의 지류인 송천(松川)의 발원지를 이룸. [1,083m]
각히【各—】[부] 각기(各其).
간[1] [명] ①짠 조미료. ¶～을 치다.②짠 맛의 정도. ¶국의 ～을 보다. ——-하다 [자][여불] 음식물에 간을 넣다.
간도 모르다 [구] 일의 내막을 짐작도 못 하다.
간[2] [명] ☞깐. ¶난옥이가 제가 한 ～은 있으니까 필경 무슨 뒷공론이 있을 줄 알고 …《李海朝 : 鳳仙花》.
간[3]【干】[명]〖역〗①옛날 춤추는 데 쓰던 기구. 간척무(干戚舞)나 일무(佾舞)에 무무인(武舞人)이 왼손에 쥐는 장식 있는 방패 같은 것. ②[←한] 신라 때 촌도전(村徒典)·마전(麻典)·육전(肉典)·재전(滓典)·석전(席典)·궤개전(机概典)·양전(楊典)·와기전(瓦器典)의 벼슬. ③신라 때 외위(外位)의 하나. 사지(舍知)의 대우. ④〖역〗방패(防牌)❶. ⑤〖한의〗약화제(藥和劑)나 약복지(藥袱紙)에 생강(生薑)의 뜻으로 쉽게 쓰는 말. ¶～삼 조이(召二). *조(召).
간[4]【干】[명] 성(姓)의 하나. 우리 나라에는 현존하지 아니함.
간[5]【刊】[명] 간행·출판의 뜻. ¶민중 서림 ～ 국어 대사전.
간:[6]【艮】[명]〖민〗①↗간괘(艮卦). ②↗간방(艮方). ③↗간시(艮時).
간[7]【奸】[명] ①간사(奸邪)함. ②간악(奸惡)한 사람. ¶참～장(斬奸狀). ——-하다 [형][여불]
간:[8]【肝】[명] ①[liver]〖생〗내장의 하나. 뱃속의 오른편 위쪽 횡격막 아래에 있어 위를 반쯤 덮은 암적갈색의 소화선(消化腺)으로, 좌우 두 개의 간엽(肝葉)으로 되고, 가운데에 쓸개가 붙었음. 쓸개즙(汁)의 분비, 양분의 저장소로서 탄수화물을 글리코겐으로 만들고, 요소(尿素)의 생성·해독(解毒) 작용 등의 기능을 가졌음. 간장(肝臟). ②음식에 쓰는 짐승의 간장(肝臟). ¶생～을 회쳐 먹다.

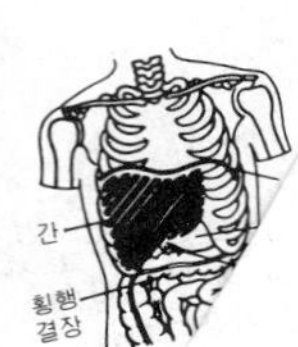

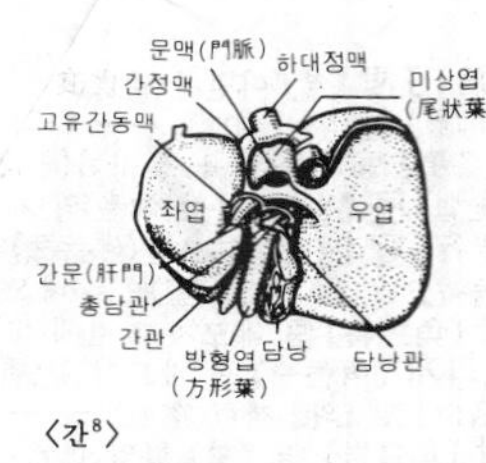

〈간[8]〉

… 아니 갔다】 양(量)이 적어서 먹은 것 같지 않음을 … 붙었다 쓸개에 붙었다 하다; 간에 가 붙고 염통에 가 … 없이 형편을 따라 이편에 붙었다가 저편에 붙었다가

【간에 …이라도 빼어 주겠다 ; 간이라도 뽑아 먹이겠다】 절친한 사 … 내 것 가리지 않고 아낌없이 내어 줄 것 같다는 뜻.

… 등쳐 먹다 ㉠ 남을 놀라게 해서 간이 콩알만하게 만들고, …어서 남의 재물을 빼앗아 먹다.

…람 들다 ㉠ 행동이 실없다.

…불붙었다 ㉠ 당한 일이 매우 다급하여, 간이 타는 것 같다.

… 차지 않다 ㉠ ㉠음식을 조금 먹어 도무지 양에 차지 않다. ㉡마…에 흡족히 여겨지지 않다. ¶ 마치 시장한 판에 밥알이나 한 알갱이 입에다 넣고 씹는 것 같아 간에도 차지 않았다《蔡萬植:濁流》.

간:이 뒤집혔나 허파에 바람이 들었나 ㉠ 마음의 평정(平靜)을 잃고 까닭없이 웃음을 나무라는 말.

간:이 오그라들다 ㉠ 몹시 놀람의 비유.

간:이 콩알만하다 ㉠ 몹시 놀라서 간이 콩알만하게 오그라들다.

간:이 큰 사람 ㉠ 대담한 사람.

간[9]【竿】 명 성(姓)의 하나. 우리 나라에는 현존하지 아니함.

간[10]【間】 ㊀ 명 〔↗간살〕 ☞ 칸. ¶ ~을 막다. ㊁ 의명 ① ☞ 칸. 주의 '초가 삼간', '육간 대청', '윗간' 따위는 '간'이 표준말임. ②척관법(尺貫法)의 길이의 단위. 1 간은 6 자로, 약 1.82 m.

간[11]【間】 명 성(姓)의 하나. 우리 나라에는 현존하지 아니함.

간[12]【間】 의명 ①둘의 사이. ¶ 서울과 인천 ~의 국도 / 형제 ~의 우애. ②동안. ¶ 며칠 ~ / 4 년 ~. ③('간에'로 쓰이어) '어느 쪽이든지 관계 없이'의 뜻을 나타내는 말. ¶ 있고 없고 ~에 / 누구든지 ~에.

간[13]【澗】 수 대수(大數)의 하나. ①구(溝)의 억 배(億倍), 정(正)의 억분의 일의 수. 곧, 10^{64}. ②구(溝)의 만 배(萬倍), 정(正)의 만분의 일의 수. 곧, 10^{36}.

간[14]【諫】 명 웃어른이나 임금께 잘못을 고치도록 말함. ——-하다 타 여불

간:[15]【簡】 명 성(姓)의 하나. 주요 본관(本貫)은 가평(加平)임.

간-[1] 두 '이미 지나간'의 뜻을 나타내는 말. 지난. ¶ ~밤에 온 비.

간-[2]【乾】 두 →건(乾). 「대장~.

-간[1]【間】 미 '…이 있는 곳, …으로 쓰이는 곳'의 뜻. ¶ 찻~ / 방앗~ /

-간[2]【間】 미 ①둘의 '사이' 또는 '관계'의 뜻. ¶ 부부~ / 부자~ / 남녀~ / 사제~. ②공간적 '사이' 또는 시간적 '동안'의 뜻. ¶ 다년~ / 지역~ / 대륙~. ③'어느 쪽이든지 관계 없이'의 뜻. ¶ 좌우~ / 금명~ / 피차~ / 가부~ / 다소~.

간가【間架】 명 ①칸살의 얽이. ②〖문〗 글의 짬새. 간가 결구(間架結構).

간가-세【間架稅】 명 〖역〗 중국 당(唐)나라 덕종(德宗) 때 행하였던 가옥세. 가옥(家屋)의 좋고 나쁨과 방수(房數)의 많고 적음에 따라 과하

간각[1] 명 이해(理解)하는 힘. ㄴ였음.

간각[2]【刊刻】 명 글씨를 새김. ——-하다 타 여불 「——-히 부

간:간[1]【侃侃】 명 ①화락(和樂)함. ②강직(剛直)함. ——-하다 형 여불.

간:간[2]【衎衎】 명 ①화락(和樂)함. ②굳세고 민첩함. ——-하다 형 여불.

간:간[3]【間間】 부 ↗간간이[2]. ¶ 말소리가 ~ 들리다. ㄴ——-히 부

간:간[4]【懇懇】 명 매우 간절(懇切)함. ——-하다 형 여불. ——-히 부

간:간[5]【懇諫】 명 지극히 간절하게 간함. ——-하다 타 여불

간:간 대:소【衎衎大笑】 명 얼굴에 화기를 띠고 소리내어 웃음. ¶ 커다랗게 홍내를 내어서 여러 사람은 천장을 우러러 ~를 하였다《沈熏:常綠樹》. ——-하다 자 여불

간:간 악악【侃侃諤諤】 명 '간악(侃諤)'의 힘줌말.

간:간-이【間間—】 부 ①드문드문. 이따금. ¶ 그런 일이 ~ 있다. ②듬성듬성. 띄엄띄엄. ¶ 집이 ~ 있다. 준 간간(間間). 「하다.

간간짭잘-하다 형 여불 음식이 입에 당기면서도 짭잘하다. <건건찝질

간간-하다[1] 형 여불 ①심심찮게 재미있다. ②간질간질하도록 위태롭다.

간간-하다[2] 형 여불 입맛에 당기게 약간 짠 듯하다. ¶ 맛이 좀 ~. <건

간객【看客】 명 구경꾼. 관객(觀客). ㄴ건하다. 간간-히 부

간:-거르다【間—】 타 르불 하나씩 사이를 거르다.

간:-거리【間—】 명 사이를 걸러 함. ¶ 한 ~/네 ~. ——-하다 타 여불

간:거리 장사【間—】 명 한 차례씩 걸러 하는 장사. *뜨내기 장사.

간검【看檢】 명 보살피어 검사함. ——-하다 타 여불

간격【間隔】 명 ①물건과 물건과의 거리. 뜬 사이. 간각(間刻). 간통(間通). ¶ 이보(二步) ~/~을 넓게 잡다. ②시간과 시간과의 동안. 인터벌. ¶ 두 시간 ~. ③인간 관계의 소원한 정도. 틈. ¶ 하찮은 일로 그와는 ~이 생겼다.

간격-범【間隔犯】 명 〖법〗 동작과 결과의 사이에 처소나 시간의 간격이 있는 범죄. 「——-히 부

간:결【簡潔】 명 간단하고 요령이 있음. ¶ ~한 문장. ——-하다 형 여불.

간:결-미【簡潔美】 명 번잡스럽지 아니하고 간결한 데서 찾아볼 수 있

간:결-성【簡潔性】[—썽] 명 간결한 특성. ㄴ는 미(美).

간:결-체【簡潔體】 명 〖문〗 문체의 하나. 문장을 간단하고 명쾌하게 나타내는 방식. ↔만연체(蔓衍體).

간경[1]【刊經】 명 〖불교〗 불경(佛經)을 간행함. ——-하다 타 여불

간:경[2]【肝經】 명 ①〖생〗 간(肝)에 붙은 인대(靭帶)의 총칭. ②〖한의〗 간에 딸린 경락(經絡).

간경[3]【看經】 명 〖불교〗 불경을 봄. 관경(觀經). 독경(讀經). ——-하다

간경[4]【間頃】 명 이마적. ㄴ자 여불

간:경[5]【簡勁】 명 간결하고 힘참. ¶ ~한 필치(筆致). ——-하다 형 여불

간경 도감【刊經都監】 명 〖역〗 조선 세조(世祖)가 불경을 언해(諺解)해서 간행하기 위하여 즉위 3년(1457)에 설치하였던 기관.

간:-경변증【肝硬變症】[—쯩] 명 〖의〗 간(肝)의 실질(實質) 세포의 장애와 결합 조직(結合組織)의 증식(增殖)에 의하여 간이 경화(硬化) 축소되는 병. 알코올 음료·영양의 결함(缺陷)·기생충 따위가 원인(原因)임. 증상(症狀)이 진행하면 복수(腹水)가 생기고 빈혈(貧血)·황달·부종(浮腫)·전신 쇠약 등을 일으킴.

간:경-풍【肝經風】 명 〖한의〗 손발과 눈이 뒤틀리는 간경의 병.

간계[1]【奸計】 명 간사한 꾀. 간모(奸謀). ¶ ~에 빠지다.

간:계[2]【諫戒】 명 간(諫)하여 경계(警戒)함. ——-하다 타 여불

간:고[1]【諫鼓】 명 옛날 중국에서 백성이 군주(君主)에게 간언(諫言)할 때 치던 북. 관청(官廳)에 설치해 두었음.

간고[2]【艱苦】 명 ①가난함. 곤궁함. 고간(苦艱). ②고생. ——-하다 형 여불. ——-히 부

간:고[3]【簡古】 명 간단하고 예스러움. 또, 그 모양. ——-하다 형 여불

간고-스럽다【艱苦—】 형 ㅂ불 생각 밖에 간고하다. 간고-스레【艱苦—】

간곡[1]【奸曲·姦曲】 명 간악(奸惡). ——-하다 형 여불 ㄴ부

간곡[2]【澗谷】 명 산골짜기. 「——-하다 형 여불. ——-히 부

간:곡[3]【懇曲】 명 간절하고 곡진(曲盡)함. ¶ ~하신 말씀/~히 타이르다.

간곡ᄒᆞ다 형 〈옛〉 간사하다. 교활하다. ¶ 간곡ᄒᆞᆯ 간(奸), 간곡ᄒᆞᆯ 사(詐), 간곡ᄒᆞᆯ 교(狡)《字會 下 30》. 「——-히 부

간곤【艱困】 명 간구(艱苟)하고 곤궁함. 빈곤(貧困). ——-하다 형 여불.

간곳-없다[—곧업—] 형 갑자기 자취를 감추어 온데 간데가 없다.

간곳-없이[—곧업씨] 부 간곳없게. ¶ ~ 사라지다. 「전쟁(戰爭).

간과[1]【干戈】 명 ①병장기(兵仗器)의 총칭. 간척(干戚). ¶ ~를 거두다. ②

간과[2]【看過】 명 ①대충 보아 넘김. ②깊이 유의하지 아니하고 예사로 내버려 둠. ¶ ~할 수 없는 사태/과실을 ~하다. ——-하다 타 여불

간:과[3]【諫果】 명 '감람(橄欖)'을 예찬(禮讚)하여 하는 말. 맛이 쓰고 떫으나 오래 씹으면 달고 맛이 있으므로, 충고하는 말의 맛과 같은 과실이라는 뜻.

간:관[1]【肝管】 명 〖생〗 간세포의 분비액 곧, 쓸개즙을 쓸개로 운반하는 간 조직 안의 세관(細管). 이것이 모여 하나의 큰 관이 되고 좌우 양엽(兩葉)으로부터 한 개씩 나와 간문(肝門)에서 합침.

간관[2]【間關】 명 ①길이 험하여 걷기 어려운 상태. ②수레바퀴가 돌아가면서 나는 소리. ③새가 듣기 좋게 우는 소리. ④글자가 난삽(難澁)함. ——-하다 형 여불

간:관[3]【諫官】 명 〖역〗 사간원(司諫院)의 관원(官員). 사간원·사헌부(司憲府)의 관원의 통칭. 간신(諫臣). 언관(言官).

간:-괘【艮卦】 명 〖민〗 ①팔괘(八卦)의 하나. 상형(象形)은 '☶'인데, 산을 상징함. ②육십사괘의 하나. '☶' 둘을 포갠 것인데, 아래위에 산이 거듭됨. 간상 간하(艮上艮下). 1)·2): 준 간(艮).

간교[1]【刊校】 명 교정(校正). ——-하다 타 여불

간교[2]【奸巧】 명 간사하고 교사(巧詐)함. ¶ ~한 늙은이. ——-하다 형 여불. ——-히 부

간교(를) 피우다 ㉠ 간사하고 교사스러운 짓을 하다. 「부

간교-스럽다【奸巧—】 형 ㅂ불 보기보다 간교하다. 간교-스레【奸巧—】

간구[1]【干求】 명 바람. 구함. 요구(要求). ——-하다 타 여불

간:구[2]【懇求】 명 간절히 구함. ——-하다 타 여불

간구[3]【艱苟】 명 가난함. 빈곤(貧困). ¶ ~한 백성들은 자식이면서도 그 아비가 운명을 한대야 약 한 첩 못 쓰고 팔짱을 끼고 들여다볼 뿐이요 …《朴鍾和:錦衫의 피》. ——-하다 형 여불. ——-히 부

간-국[1][—꾹] 명 짠 맛이 우러난 물. 간물.

간:국[2]【幹局】 명 재간(才幹)과 국량(局量). 재주와 도량(度量). *간판.

간군【艱窘】 명 가난함. 군색함. ——-하다 형 여불

간:권【諫勸】 명 간(諫)하여 옳은 일을 하도록 권함. ——-하다 타 여불

간:균【桿菌】 명 〖의〗 분열균(分裂菌)의 하나. 막대 모양 또는 타원형으로, 크기는 3-4μ임. 병원(病原)이 되는 것과 되지 아니하는 것이 있음. 병원이 되는 것은 티푸스균·디프테리아균·이질균(痢疾菌)·대장균·페스트균·백일해균·결핵균 등임. 바실루스(bacillus). 막대박테리아.

간극【間隙】 명 틈. 가극(暇隙). ¶ ~을 좁히다/~이 생기다.

간극 게이지【間隙—】〔gauge〕 명 〖공〗 '틈새 게이지'의 구용어.

간극-률【間隙率】[—뉼] 명 〖지〗 공극률(孔隙率).

간극-수【間隙水】 명 〖지〗 지층수(地層水)

간:근【幹根】 명 줄기와 뿌리.

간급【間級】 명 급과 급 사이에 임시로 매긴 급(級).

간-기[1]【—氣】[—끼] 명 짠 기운.

간기[2]【刊記】 명 한국·중국·일본 등 동양의 간본(刊本)에 있어서, 출판한 때·곳·간행자 등 출판에 관한 사항을 기입한 부분. *목기(木記).

간:기[3]【肝氣】 명 〖한의〗 어린아이가 소화 불량으로 식욕이 없어지고, 얼굴이 해쓱해져서 푸른 젖을 토하고 악취가 나는 푸른 대변을 누며 자꾸 우는 증세.

간기[4]【看棋】 명 바둑 두는 것을 봄. ——-하다 자 여불

간기[5]【間氣】 명 간세(間世)의 기품(氣稟). 세상에 드문 썩 뛰어난 기품.

음'의 뜻을 나타내는 말.
간발의 차이 구 서로가 엇비슷할 정도로 매우 적은 차이. 「여불

간:발²【簡拔】명 여러 사람 가운데서 뽑아 냄. 간탁(簡擢). ——-하다 타

간-밤 명 지난밤. 어젯밤. ¶ ~에 내린 눈/~에 도둑이 들었다.

간:방¹【艮方】명〖민〗①이십 사 방위(方位)의 하나. 정동(正東)과 정북(正北)의 사이 15°의 각거리(角距離)를 차지하는 간방(間方). ②팔방(八方)의 하나. 정동(正東)과 정북(正北)의 사이 45°의 각거리를 차지하는 간방(間方). 1)·2):준간(艮).

간:방²【杆棒·桿棒】명 →간봉(桿棒).

간방³【間方】명 정동(正東)·정남·정서·정북 네 방위(方位)의 각 사이. 곧, 건(乾)·곤(坤)·간(艮)·손(巽)의 방위. ¶ 동북 ~.

간:백-산【間白山】명〖지〗함경 남도 혜산군(惠山郡) 보천면(普天面)과 함경 북도 무산군(茂山郡) 삼장면(三長面)의 경계에 있는 산. 마천령 산맥(摩天嶺山脈) 중에 솟아 있는 고산의 하나로, 두만강을 비롯하여 소홍단수(小紅湍水)·서두수(西頭水)의 발원지를 이루고 있음. [2,164 m]

간:벌【間伐】명 밀림(密林)을 성기게 해서 나무의 발육을 돕기 위하여 나무를 솎아 베어 냄. 솎아베기. 소벌(疏伐). ——-하다 타여불

간벌-찬【干伐飡·干罰飡】명〖역〗이벌찬(伊伐飡).

간범【干犯】명 ①침범함. 간섭하여 남의 권리를 침범함. ¶ 통수권(統帥權) ~. ②〖역〗간련(干連)된 범죄. ——-하다 타여불

간법¹【簡法】[—뻡] 명 간단한 방법. 간편한 방법.

간법²【慳法】명〖불교〗교법(敎法)을 아끼어 남에게 일러 주지 않거나 베풀지 않는 일.

간:벽【癎癖】명 버럭 신경질을 잘 내는 버릇.

간:변 수양【澗邊垂楊】명 시냇가에 늘어선 늘어진 버들.

간병¹【看病】명 환자(患者)를 간호(看護)함. 병구완. 시병(侍病). *간호(看護). ——-하다 타여불

간:병²【癎病】명〖의〗어린 아이가 경련을 일으키는 병. 경기(驚氣). 경

간병-인【看病人】명 간호인. └풍(驚風).

간-보【干寶】명〖사람〗중국 진(晉)나라의 학자. 자는 영승(令升). 역사(歷史)·음양(陰陽)·산수(算數)를 연구하여 사관(史官)이 되었음. ≪진기(晉記)≫·≪춘추 좌자의 외전(春秋左子義外傳)≫·≪수신기(搜神記)≫ 등은 그의 주저임. 생몰년 미상.

간-보다 타 음식이 짠지 싱거운지 맛을 보다.

간-보대【間步帶】명〖생〗극피 동물(棘皮動物)의 보대(步帶)와 보대 사이의 부분.

간복【間服】명 봄철·가을철에 입는 옷. 춘추복(春秋服).

간:-볶음【肝—】명 소의 간을 얄팍하게 저미어 파·마늘 등으로 양념하여 볶은 음식.

간본【刊本】명 ↗간행본(刊行本).

간:봉¹【杆棒·桿棒】명〔←간방〕막대기. 몽둥이.

간:봉²【間烽】명〖역〗조선 시대에 봉수망(烽燧網)의 보조선(補助線). 직봉(直烽)의 중간 지역을 연락하는 것과, 변경(邊境)의 초소(哨所)로부터 본진(本鎭)·본읍(本邑)에 보고하는 것의 두 가지가 있음.

간부¹【奸婦】명 간악한 계집. *독부(毒婦). └↔직봉(直烽).

간부²【姦夫】명 간통한 사내. ↔간부(姦婦).

간부³【姦婦】명 간통한 계집. ↔간부(姦夫).

간:부⁴【間夫】명 샛서방.

간부⁵【幹部】명 ①단체의 수뇌부(首腦部)의 임원(任員). 카드르(cadre). ¶ ~ 사원/~ 회의. ②〖군〗군대에서 장교의 일컬음. ¶ ~ 후보생.

간부-급【幹部級】[—끕] 명 간부의 계급. 간부층(層).

간:-부임말【肝附荏末】명 간무침.

간:-부전【肝不全】명〔liver failure〕〖의〗간기능 장애의 중증. 여러 가지 증상(症狀)·증후(症候)를 나타내며, 황달·혼수(昏睡) 등을 볼 수 있음. 혈중(血中)에는 암모니아·담즙 색소(膽汁色素) 등의 이상 농도(異常濃度)가 나타남. 「회의.

간부-회【幹部會】명 단체의 운영을 의논하기 위하여 간부들이 하는

간부 후보생【幹部候補生】명〖군〗정규 사관 학교 교육 이외의 장교 교육 과정을 밟고 있는 피교육자. 사관 후보생.

간:-불용발【間不容髮】명〔머리털 하나 들어갈 틈도 없다는 뜻〕①일이 대단히 위급함. ②용의 주도해서 조금도 소루함이 없음.

간:-붓다【肝—】자ㅅ불 간이 커져서 배짱이 늘다.

간:-비대【肝肥大】명〖의〗간의 일부에 어떤 원인으로 인해서 위축이나 퇴행 변성(退行變性)이 일어났을 때에, 나머지 건강한 부분이 그의 기능을 유지하기 위하여 간세포에 비대 증식(肥大增殖)이 일어나는 현상. 비대부 자체는 병적이 아님.

간빙-기【間氷期】명〖지〗빙하 시대에 있어서, 한때 기후가 온화하여져서 빙하가 고위도(高緯度) 지방까지 퇴각하였던 시기. 현재는 제 4 간빙기에 해당됨. *빙기(氷期)·빙하 시대.

간사¹【奸邪】명 성질이 간교하고 행실이 바르지 못함. ——-하다 형여불. ——-히 부

간사²【奸詐】명 간사(奸邪)하여 남을 잘 속임. ¶ ~한 인간/~한 행동. ——-하다 형여불. ——-히 부
간사(를) 떨:다 구 간사스러운 짓을 하다.
간사(를) 부리다 구 간사스러운 태도를 짓다.

간사³【間砂】명〖건〗석재(石材)를 채취할 때 나오는 모가 난 막돌. 길이는 약 20-30 cm로, 간단한 석축이나 돌벽쌓기에 쓰임.

간사⁴【幹事】명 ①일을 맡아 처리함. ¶ ~인(人). ②단체의 사무를 주장으로 맡아 처리하는 직임(職任). 또, 그 사람. 세크레터리(secretary). ¶ 동창회 ~/~장(長). ——-하다 자여불 「타여불

간:사⁵【諫死】명 죽음으로써 간함. 죽음을 각오하고 간함. ——-하다

간사-성【幹事性】[—썽] 명 일을 잘 해내는 솜씨.

간사-스럽다¹【奸邪—】형ㅂ불 간사하고 바르지 못한 태도(態度)가 있다. 간사-스레¹【奸邪—】부

간사-스럽다²【奸詐—】형ㅂ불 ①간사하고 남을 속이는 재주를 가진 태도가 있다. ②지나치게 붙임성이 있고 아양을 떠는 면이 있다. 간사-스레²【奸詐—】부

간:-사위 명 ①면밀하고 변통성이 있는 수단. ②남의 사정을 이해하는 성질.

간사-인¹【干事人】명〈이두〉일에 관계된 사람.

간사-인²【幹事人】명 일을 맡아서 처리하는 사람.

간사-지【干瀉地】명 '간석지(干潟地)'의 잘못.

간사 회:사【幹事會社】명〖경〗유가 증권(有價證券)의 발행인으로부터 의뢰를 받아, 유가 증권의 인수(引受) 및 모집, 또는 매출 주선(賣出周旋)에 중심적인 역할을 담당하는 회사. 증권 회사·은행·단자(短資) 회사 등이 됨.

간삭¹【刊削】명 ①나무의 겉면·판목(版木)을 깎아 냄. ②문서·제도의 일부 또는 전부를 없애 버림. ③전(轉)하여, 붓으로 지워 버림. ——-하다 타여불

간:삭²【間朔】명 간월(間月).

간산【看山】명 ①묏자리를 잡으려고 산을 봄. ②성묘(省墓). ——-하다 자여불

간살¹ 명 간사스럽게 아첨하고 아양을 떠는 태도.
간살(을) 떨:다 구 간사스럽게 아양을 떨다. ¶ 동학군을 위해서 함께 싸우겠다고 간살을 떠는디 그걸 어떻게 내쫓겄능가? ≪劉賢鍾 : 들꽃≫.
간살(을) 부리다 구 간사스럽게 아양을 부리다. ¶ 상사에게 ~.

간살²【間—】명 ☞칸살.

간살-스럽다 형ㅂ불 간살을 부리는 태도가 있다.

간살-쟁이 명 간살을 잘 부리는 사람.

간살-질 명 간살을 부리는 짓. ——-하다 자여불

간:삼-봉【間三峰】명〖지〗함경 북도 무산군(茂山郡) 삼장면(三長面)에 있는 산봉우리. 함경 산맥의 첫머리 부분을 구성하며 두만강을 비롯하여 그 지류인 서두수(西頭水)·소홍단수(小紅湍水)·연면수(延面水) 등의 발원지를 이룸. [1,434 m]

간삼 조이【干三召二】명〖한의〗(약을 다릴 때 첩마다 넣는) 생 세 쪽과 대추 두 개. *간(干)❺·조(召).

간상¹【奸狀】명 간사한 행동의 정상.

간상²【奸商】명 간사한 짓을 하여 부정한 이익을 보는 장사아치.

간:상 간:하【艮上艮下】명 간괘(艮卦)❷.

간:-상련【艮上連】[—년] 명 '간괘(艮卦)의 상형(象形)인 '☶'의 일

간상-배【奸商輩】명 간상(奸商)의 무리. └컬음.

간:상 세:포【桿狀細胞】명〖생〗눈의 망막에 있는 막대기 모양의 세포. 어두운 곳에서 약한 광선을 받아들이고, 명암(明暗)을 식별하는 작용을 함. 밤에 활동하는 동물에 발달되어 있으며, 색각(色覺)을 일으키지 못함. 간상체(桿狀體). 간체(桿體). ↔원추(圓錐) 세포.

간:상-체【桿狀體】명〖생〗간상 세포(桿狀細胞). *추상체(錐狀體).

간새¹ 명〈방〉건건이(함경).

간새²【間—】명〈방〉간살².

간색¹【看色】명 ①물건의 좋고 나쁨을 알기 위하여 견본(見本)삼아 일부분을 봄. 간품(看品). ②구색(具色)으로 일부분씩 내놓는 눈비음. 감색(監色). ——-하다 타여불

간:색²【間色】명〔간(間)은 섞인다는 뜻〕①적(赤)·황(黃)·청(靑)·백(白)·흑(黑)의 오색 중에 어느 두 가지 이상의 빛을 혼합한 빛. 곧, 녹(綠)·홍(紅)·벽(碧)·자(紫)·유황(騮黃)의 다섯 빛. ↔정색(正色). ②〖미술〗두 원색을 혼합하여 생기는 색. 제이차색. ③〖미술〗그림에서 명(明)·암(暗)을 조화(調和)시키기 위하여 칠하는 빛.

간색-대【看色—】명 색대.

간색-미【看色米】명〖역〗조선 시대 말기에 각 군(郡)에서 세곡(稅穀)의 수량을 검사하는 급창(及唱)과 세곡을 보관하는 고(庫)지기에게 줄 보수를 세곡 징수 때에 함께 부과하여 징수하던 부가세(附加稅)의 하나.

간:색-복【間色服】명〖불교〗가사(袈裟)를 간색으로 되었다 하여 이르는 말.

간:-생검【肝生檢】명〖의〗간생체 검사.

간-생자【姦生子】명 중국에서, '사생아(私生兒)'를 일컫는 말.

간:생체 검:사【肝生體檢査】명〖의〗간질환 진단의 확정을 위하여 인체에서 간 조직의 일부를 조금 채취하여 병리학적으로 검사하는 일. 간생검(肝生檢). *생체 검사.

간서¹【刊書】명 서적을 간행함. 또, 그 간행(刊行)한 서적. 간본(刊本).

간서²【看書】명 책을 읽음. 또, 글을 소리내어 읽지 아니하고 눈으로 읽음. 묵독(默讀). ——-하다 자여불

간:서³【懇書】명 간곡한 편지. 다른 사람의 편지의 경칭(敬稱).

간:서⁴【簡書】명 편지의 글.

간:-서리목【肝—】명 소의 간을 넓게 저미어 양념한 후 꼬챙이에 꿰어 재었다가 구운 음식. 취음: 간설야멱(肝雪夜覓).

간서-벽【看書癖】명 글읽기를 좋아하는 성벽.

간석¹【干潟】명 ↗간석지(干潟地). 「자여불

간석²【刊石】명 돌에다 글을 새기는 일. ——-하다

간석³【竿石】명〖건〗장명등(長明燈)의 밑돌과 가운뎃돌 사이에 있는 받침대 모양의 돌.

간:-석기【—石器】명〖고고학〗돌을 갈아서 만든 신석기 시대(新石器時代) 및 청동기(靑銅器) 시대의

〈간석기〉

석기. 마제 석기(磨製石器).

간석-지【干潟地】[명] 조수가 드나드는 개펄. 해택(海澤). ¶ ~를 개간하다. [준]간석(干潟).

간선1【看―】[명] 선을 봄. ——-하다 [타][여불]

간:선2【間選】[명]〖정〗↗간접 선거(間接選擧). ↔직선(直選). ——-하다 [타][여불]

간:선3【揀選】[명] 간택하여 뽑음. ——-하다 [타][여불]

간선4【幹線】[명] 도로·철도·전신(電信) 등의 중요한 선. 본선(本線). 기선(基線). ¶ ~ 철도. ↔지선(支線)·분선(分線).

간:선5【簡選】[명] 간택(簡擇). ——-하다 [타][여불]

간선-거【幹線渠】[명]〖토〗중요 가로(街路)의 지하(地下)에 묻은 큰 하수거(下水渠).

간선 도:로【幹線道路】[명] 도로망(道路網)의 기간(基幹)이 되는 도로.

간선-로【幹線路】[―노][명]〖전〗송전선이나 배전선에 있어서 주요 전력의 수송에만 쓰이는 전기 회로(回路).

간:선 의원【間選議員】[명] 간접 선거에 의하여 선출된 의원.

간:선-제【間選制】[명] 간접 선거에 의하는 제도. ↔직선제(直選制).

간:-설야멱【肝雪夜覓】[명] '간서리목'의 취음(取音).

간섭【干涉】[명] ①남의 일에 공연히 또는 무리하게 참견함. ¶ 인사(人事)에 ~하다. ②〔interference〕〖물〗광파(光波)·음파(音波) 등의 파동(波動)이 같은 점에서 만났을 때, 그 점에서 서로 작용하여 강해지거나 약해지는 현상. ③〖법〗국제법상 한 나라가 다른 나라의 내정(內政)·외교(外交)에 관하여 그 의사(意思)에 반하여 강제적으로 개입하는 일. ¶ 내정 ~. ——-하다 [자][타][여불]

간섭-계【干涉計】[명]〔interferometer〕〖물〗①전자기파(電磁氣波)의 간섭 현상을 이용하여 빛의 파장(波長)·파장 분포 두 지점 사이의 거리·물체의 길이·굴절률의 정밀 측정 등에 응용하는 장치. ②↗간섭 굴절계.

간섭 굴절계【干涉屈折計】[―쩔―][명]〔interference refractometer〕〖물〗기체의 굴절률(屈折率)을 빛의 간섭에 의하여 측정하는 장치. 프랑스의 자맹(Jamin, J. C.)이 1856년에 발명함. 공기 속에 섞여 있는 수소(水素)·메탄·아르곤 등을 검출할 수 있음. [준]간섭계(干涉計).

간섭-권【干涉圈】[명]〖물〗간섭상(像).

간섭 무늬【干涉―】[―니][명]①〔interference fringe〕〖물〗빛의 간섭에 의하여 생기는 명암(明暗) 내지 착색(着色)한 무늬 모양. 단색광(單色光)의 경우에는 광도(光度)의 극대·극소에 응하여 교호적(交互的)으로 명암이 나타나며, 백색광(白色光)의 경우에는 성분광(成分光)의 파장에 따라 극대(極大)의 위치가 달라지므로 착색된 무늬가 됨. 비누 거품이나 수면(水面)에 퍼진 유막(油膜) 등에서 볼 수 있는 간섭색(干涉色)은 그 예(例)임. ②〔interference pattern〕〖물〗동일 진동수를 가진 동종(同種)의 진행파가 겹쳐졌을 때 생기는 압력·입자 속도·에너지 밀도·에너지 유속(流速) 등의 공간 분포(空間分布).

간섭 분광기【干涉分光器】[명]〖물〗광원(光源)으로부터의 빛을 적당한 방법으로 많은 평행한 빛의 무리로 나누어, 서로 이웃하는 무리와 무리의 광로차(光路差)가 빛의 방향에 의해서 일정하게 되도록 하고, 이들을 렌즈로 모아, 얻어진 간섭 무늬를 이용해서 분광하는 특수한 분광기. 분해능(分解能)이 극히 높으므로 주로 스펙트럼선의 미세(微細) 구조 연구에 이용됨.

간섭 사진【干涉寫眞】[명]〔interferogram〕〖사진〗충격파나 기타 유체(流體)의 흐름을 찍는 사진. 간섭계(干涉計)를 이용하여 만듦.

간섭-상【干涉像】[명]〔interference figure〕〖물〗복굴절성(複屈折性) 광물의 박편(薄片)에다 광물 현미경으로 집광(集光) 렌즈에 의한 수렴(收斂) 광선을 비추었을 때 볼 수 있는, 그 광물에 특유한 원형의 상(像). 간섭권(干涉圈).

간섭-색【干涉色】[명]〖물〗두 개의 백색광(光)이 간섭할 때, 광파(光波)의 조성(組成)이 변하기 때문에 나타나는 빛깔. 혼합색이므로 스펙트럼의 각 빛에 없는 자줏빛도 나타남. 비누 방울·콤팩트 디스크 등에 나타남.

간섭-성【干涉性】[명]〔coherence〕〖물〗① 복수의 파동의 위상(位相)에 상관이 있는 일. 이들 파동 사이에서는 간섭 효과를 볼 수 있음. ② 일제히 움직이는성질. 싱클로트론 안에서의 입자에서 볼 수 있음.

간섭성-빛【干涉性―】[명]〔coherent light〕〖물〗같거나 거의 같은 파장(波長)을 가진 일정한 위상 관계(位相關係)에 있는 빛.

간섭성 산:란【干涉性散亂】[―살―][명]〔coherent scattering〕〖물〗입사(入射)하는 입자나 광자(光子)와, 산란된 입자나 광자와의 사이에, 일정한 위상 관계(位相關係)가 있는 산란.

간섭 심리주의【干涉審理主義】[―니―/―니―이][명]〖법〗민사 소송법상의 직권 탐지주의.

간섭-자【干涉者】[명] 관계없는 일에 참견하는 사람.

간섭 작용【干涉作用】[명]〖화〗약한 산(酸)과 강한 염기(塩基)로 된 염에 미량의 약산을 가한 것은 거기에 다시 산 또는 염을 가하여도, 순수한 물에 산 또는 염을 가하였을 때보다 수소 이온 농도(水素ion濃度)의 변화가 아주 작은 현상.

간섭 침강【干涉沈降】[명]〖물〗액체나 기체 중의 물체가 그릇의 벽이나 동시에 가라앉는 딴 물체의 영향을 받으면서 가라앉는 일. 이 경우의 가라앉는 속도는 자유 침강의 속도에 비하여 더딤. *자유 침강.

간섭-파【干涉波】[명]〔interference wave〕〖물〗대기 하층(大氣下層)에서 반사되어 직접파(直接波)와 결합하여 간섭 무늬를 만드는 전파.

간섭 필터【干涉―】〔filter〕[명]〖물〗입사(入射)된 광선이 간섭을 일으켜 특정한 파장만 투과시키는 광학(光學) 필터. 투명한 판(板)의 표면에 진공 증착법(眞空蒸着法)으로 박막(薄膜)을 입힌 것.

간섭 현:미경【干涉顯微鏡】[명]〖물〗금속이나 합금의 평활면(平滑面)의 미소한 요철(凹凸)을 관찰하는 현미경. 시료면 상(試料面上)에 표준 반사면을 놓고 빛을 쬐어 0.03-1미크론의 간섭 무늬를 측정함.

간섭 현:상【干涉現象】[명]〖생〗숙주 세포(宿主細胞)에 어떠한 종류의 바이러스가 감염되어 있으면, 다른 바이러스의 감염이 방해되는 현상.

간섭-호【干涉縞】[명]〖물〗'간섭 무늬'의 구용어.

간성1【干城】[명]〔방패와 성의 뜻〕나라를 방위하는 군인. ¶ ~지재(之材).

간:성2【杆城】[명]〖지〗강원도 고성군(高城郡)의 군청 소재지로 읍(邑). 영동(嶺東) 지방의 교통의 요지임. 관동 팔경(關東八景)의 하나인 청간정(淸澗亭)이 있으며, 또 어항(漁港)으로서 정어리가 산출됨. [7,826명(1996)]

간성3【看星】[명]〖불교〗부전(副殿).

간:성4【間性】[명]①〖생〗어느 일정한 시기까지는 수컷 또는 암컷으로 발생한 개체가, 그후 성의 전환이 일어남으로써 자웅의 형질(形質)이 시간적으로 혼합되는 현상. ②〖동〗종(種)이 다른 동물을 교배시켜 얻은 동물. 말과 당나귀를 교배시켰을 때의 노새 같은 것. 중성(中性).

간:성5【澗聲】[명] 골짜기에 흐르는 물소리.

간:성6【懇誠】[명] 간곡하고 성실함. ——-하다 [형][여불]

간성 난:색【姦聲亂色】[명] 간사한 소리와 옳지 못한 빛깔. 간사한 소리는 귀를 어지럽히고, 좋지 못한 빛깔은 눈을 어지럽힘.

간성지-장【干城之將】[명] 나라를 지키는 믿음직한 장군.

간성지-재【干城之材】[명] 무사(武事)에 뛰어난 재주. 또, 그러한 사람.

간:성 혼수【肝性昏睡】[명]〖의〗간기능(肝機能) 장애가 심화되어 발생하는 혼수. 간의 해독 기능·요소 합성능(尿素合成能)이 탈락되어 암모니아·아민류(類)·저급 지방산(低級脂肪酸) 등의 유해 물질이 제거되지 않아서 뇌증(腦症)으로 된 상태임. 극증 간염(劇症肝炎)·아급성(亞急性) 간염 등의 경우는 고단백식(高蛋白食)·소화관(消化管) 출혈 등이 계기가 되어 발현함.

간세1【奸細】[명] 간사(奸邪)한 소인.

간세2【間世】[명] 여러 대를 통하여 드물게 있음. ¶ ~의 위인. ——-하다 [자][여불]

간:세3【間稅】[명]↗간접세(間接稅).

간세4【簡細】[명] 간략함과 세밀함. 간략하고도 세밀함. ——-하다 [형][여불]. ——-히 [부]

간세-배【奸細輩】[명] 간세지배.

간세지-배【奸細之輩】[명] 간사한 소인의 무리. 간세배.

간세지-재【間世之材】[명] 여러 세대를 통하여 드문 인재(人材). *간기인물.

간-세포1【幹細胞】[명]〔stem cell〕〖생〗①후생(後生) 동물의 발생 초기에서 시원 생식 세포(始原生殖細胞)를 형성하는 세포 계열 또는 그에 속하는 세포. ② 어떤 세포에서 증식한 세포가 모두 특정 조직 세포로만 분화(分化)하는 경우, 분화하기 전의 세포. ③조혈 기관(造血器管)·장상피(腸上皮) 조직 등의 세포 재생계(再生系)에서 세포 생산의 근원이 되는 세포. 이 세포의 증식에 의하여 생긴 세포는 후에 적혈구계·백혈구계·혈소판계 등으로 분화함. ④면역 세포계에서, 세망(細網) 세포의 일컬음.

간:-세포2【間細胞】[명]〖생〗어떤 조직에 특수한 역할을 하는 여러 세포군 사이에 있어, 다른 기능을 발휘하는 세포. 정소(精巢)에서, 정충(精蟲)의 사이에 있어 내분비(內分泌) 작용을 하는 세포 같은 것. 간질 세포. 사이 세포. 중간 세포.

간세포성 백혈병【幹細胞性白血病】[―썽―뼝][명]〔stem-cell leukemia〕〖의〗백혈병의 하나. 이 병에서 많이 나타나는 세포가 미분화(未分化) 상태여서, 계열 확인이 불가능함.

간:세포-암【肝細胞癌】[명]〖의〗간장(肝臟)에 발생하는 암종(癌腫) 가운데서 간세포(肝細胞)로부터 생긴 암. 젊은이에게서는 초발(初發)하는 수가 많지만, 노인의 경우는 간경변(肝硬變)을 바탕으로 하여 발생하는 수가 많음. 헤파토마(hepatoma).

간소1【奸訴】[명] 간악한 호소. 또, 간악하게 호소함. ——-하다 [타][여불]

간소2【姦所】[명] 간음한 곳.

간:소3【諫疏】[명] 간하여 상소(上疏)함. ——-하다 [타][여불]

간소4【簡素】[명] 간략하고 질소(質素)함. 훌지고 수수함. ¶ ~한 옷차림. ——-하다 [형][여불]. ——-히 [부]

간소롬-하다 [형]〈방〉가느스름하다. ¶ 환히 밝기만 한 50와트 전등불을, 눈도 아파 않고, 간소롬히 바라보면서 모로 누워 있는 초봉이는…《蔡萬植 : 濁流》.

간소-주의【簡素主義】[―/―이][명] 무슨 일이든지 간소하게 하고자 하는 주의.

간소-화【簡素化】[명] 복잡한 것을 간략하게 함. ¶ 의례(儀禮) ~/민원(民願) 서류의 ~. ——-하다 [타][여불]

간솔1【扞率】[명]〖역〗백제 때의 벼슬 이름. 십육품 관등(十六品官等)의 다섯째 등급.

간솔2【簡率】[명] 단순하고 솔직함. 꾸밈이 없음. ——-하다 [형][여불]. ——-히 [부]

간:송【澗松】[명]〖사람〗전형필(全鎣弼)의 호(號).

간송 전:보【間送電報】[명] 밤중 한가할 때에 취급하는 전보.

간:-쇄골【間鎖骨】[명]〔interclavicle〕〖동〗단공류(單孔類) 및 대부분의 파충류에서 볼 수 있는, 흉골(胸骨)의 앞 쇄골 사이에 있는 뼈.

간수1 [명] 잘 거두어 보호함. ¶ 물건은 ~할 탓이다/돈을 잘 ~해라. ——-하다 [타][여불]

간수2【―水】[명]〔bittern〕소금이 습기를 만나 저절로 녹아 흐르는 물. 고염(苦塩). 노수(滷水). 염담수(塩膽水).

간수3【看守】[명]〔중세 : 간슈. 중 看守〕①보살피고 지킴. ②'교도(矯導)'의 구칭. ③건널목지기. ——-하다 [타][여불]

간수4【看穗】[명]〖역〗간평(看坪).

간-수5【間數】[―쑤][명]〖건〗☞ 칸수.

간:수6【澗水】[명] 골짜기에서 흐르는 물.

간수-군【看守軍】[명]〖역〗고려 때, 각 관사(官司)와 창고(倉庫)의 경비를 맡아 보던 군인.

간슈ᄒᆞ다 타 〈옛〉 간수하다. =간ᄉᆞ하다. ¶ 保ᄒᆞ야 가지며 두퍼 간슈ᄒᆞ야(保持覆護)《楞嚴 Ⅸ:8》.

간:승【間繩】명〖농〗파종(播種)이나 모내기할 때, 심는 간격을 조정하는데 쓰는 노끈. 일정한 간격마다 표를 붙이었음. 못줄.

간-승법【簡乘法】[—뻡] 명〖수〗쉽게 곱셈하는 방법. 가령, 어떤 수에 600을 곱하려면 먼저 6으로 곱하고 거기다가 0 두 개를 붙이어 100배하는 방법($x \times 600 = x \times 6 \times 100$) 따위. ↔간제법(簡除法).

간:시[1]【艮時】명〖민〗이십사시(二十四時)의 넷째 시. 곧, 오전 2시 반부터 3시 반까지의 동안. 준간(艮).

간:시[2]【間時】명〖민〗지지(地支)로 일컫는 하루의 12시(時)를 24시로 나눌 때, 한 시마다 절반씩을 떼어 사이사이 딴이름으로 일컫는 각 시. 곧, 계(癸)·간(艮)·갑(甲)·을(乙)·손(巽)·병(丙)·정(丁)·곤(坤)·경(庚)·신(辛)·건(乾)·임(壬)의 열두 시.

간시 산지【—山地】〔贛西〕명〖지〗중국의 샹장(湘江) 강·간장(贛江) 강 사이의 산악 지대. 표고는 1,500-2,000 m로, 후난 성(湖南省)과 장시(江西)·광둥(廣東) 두 성의 경계를 이루고, 서쪽은 구이샹 산지(桂湘山地)에 연속됨. 감서 산지.

간:식[1]【旰食】명 →한식[1].

간:식[2]【間食】명 ①군음식을 먹음. 또, 그 음식. 군음식. ¶ 감자를 ∼으로 먹다. ②샛밥을 먹음. 또, 그 밥. 샛밥. ——-하다 자타여불

간식[3]【墾植】명 개간하여 심음. ——-하다 타여불

간신[1]【奸臣·姦臣】명 간사한 신하. 육사(六邪)의 하나. ↔충신(忠臣).

간:신[2]【肝腎】명 ①간장과 신장. ②마음 또는 심중(心中)의 뜻.

간:신[3]【諫臣】명 ①임금에게 옳은 말로 간하는 신하. ②〖역〗간관(諫官).

「부 가까스로. 겨우. ¶ ∼ 도망치다.

간신[4]【艱辛】명 힘들고 신고(辛苦)스러움. ——-하다 형여불. ——-히

간신-장【姦臣章】[—짱] 명 용비 어천가(龍飛御天歌) 제74장의 이름.

간신 적자【奸臣賊子】명 간사한 신하와 불효한 자식.

간신-질【奸臣—】명 ☞아첨(阿諂). ——-하다 자여불

간실-간실 부 간사한 언행으로 살살 남의 비위를 맞추는 모양. ㅆ깐실깐실. ——-하다 자여불

간심[1]【奸心·姦心】명 간악한 마음.

간심[2]【看審】명 잘 보아 살핌. 자세히 조사함. ——-하다 타여불

간심[3]【艱深】명 시문(詩文)의 뜻이 깊어 해석하기 어려움. ——-하다 형여불

간쑤 분지【—盆地】〔甘肅〕명〖지〗중국 간쑤 성 동부에 있는 분지. 두꺼운 황토층의 퇴적으로 이루어졌으며 농경(農耕) 및 경제의 중심 지대임. 감숙 분지.

간쑤 성【—省】〔甘肅〕명〖지〗중국의 거의 중앙에 있는 성. 황허(黃河)의 상류 지역을 차지하며, 주로 황토 고원으로 산악이 많음. 동남의 란저우(蘭州) 평야와 서부의 각 오아시스 지대가 농공 산업의 중심이며, 서부 초원은 목축 지대임. 석탄·금·은·동·철·석유 등이 나며, 란저우와 위먼(玉門)을 중심으로 철강·기계·석유 화학·원자력 등의 공업이 일어나고 있음. 고래로 실크 로드의 통로로서, 중앙 아시아와의 교통·대상(隊商) 무역의 요로였으며, 둔황(敦煌) 등의 유적(遺跡)이 많음. 회족(回族)·몽고족·티베트족 등 13종의 소수 민족이 거주함. 성도는 란저우(蘭州). 룽성(隴省). 룽시(隴西). 룽우(隴右). 감숙성. [454,300 km² : 21,720,000 명(1989)]

「는 일.

간쓰〔중 槓子〕명 마작(麻雀) 용어. 같은 패 네 개가 모여 한 짝을 이루

간아【看兒】명 아이를 봄. ——-하다 자여불

「히 부

간악[1]【奸惡】명 간사하고 악독함. 간곡(奸曲). ——-하다 형여불. ——-

간:악[2]【侃諤】명 강직하여 기탄없이 직언(直言)함. ——-하다 자여불

간:악-골【間顎骨】명〖생〗상악(上顎)의 앞 부분의 한 쌍의 뼈. 사람에 있어서는 상골과 유착(癒着)되어 버렸지만, 일반 포유류는 잘 발달하여 평생 독립된 뼈로서 존재함. 악간골(顎間骨). 전악골(前顎骨).

간악 무도【奸惡無道】명 간악하고 인도(人道)에 어긋남. 간악하고 무지막지함. ——-하다 형여불

「부

간악-스럽다【奸惡—】형ㅂ불 간악한 태도가 있다. 간악-스레【奸惡—】

간알【干謁】명 알현(謁見)을 청함. 사사로운 일로 청질함. ——-하다 자

간:암[1]【艮菴】명〖사람〗심의겸(沈義謙)의 호(號).

ㄴ여불

간:-암[2]【肝癌】명〖의〗간에 생기는 암의 통칭. 처음부터 간에 생기는 원발성(原發性)의 경우와, 위암·장암 등으로부터 옮아 일어나는 전이성(轉移性)의 경우가 있는데, 초기에는 특별한 증상을 나타내지 아니하나, 암종(癌腫)이 발육하면 간장은 비대(肥大)하여지고 상복부통(上腹部痛)·복수(腹水)·황달(黃疸)·빈혈 등의 증세를 나타내며 차차 악화함. *암(癌)·간세포암.

간약【簡約】[—냑] 명 간단(簡單)함. ——-하다 형여불. ——-히 부

간양-록【看羊錄】[—녹] 명〖책〗조선 시대 중기의 학자 강항(姜沆)이 정유 재란(丁酉再亂) 때, 일본에 잡혀 가서 겪은 견문(見聞)과 그곳에서 증답(贈答)한 시편(詩篇) 등을 모은 책.

간:-어제초【間於齊楚】명 〔중국 주(周)나라 말엽에 등(滕)나라가 대국인 제(齊)나라와 초(楚)나라 사이에 끼어 괴로움을 당한다는 뜻〕 약자가 강자 틈에 끼여 괴로움을 받는 것을 가리키는 말. ——-하다 자여불

간:언[1]【間言】명 남을 이간(離間)하는 말.

간:언(을) 놓다 구 남을 이간하기 위하여 간언을 하다.

간:언(이) 들다 구 잘 어울리는 일에 간언이 끼여 들다.

간:언[2]【諫言】명 간하는 말. ¶ 귀에 거슬리는 ∼. ——-하다 타여불

간여【干與】명 간예(干預). ——-하다 자여불

간여리다 형 〈방〉 가냘프다.

간역【看役】명 역사(役事)를 보살핌. ——-하다 자여불

간역 교폐【奸譯交蔽】명〖역〗조선 순조(純祖) 때 대마도(對馬島)에 있던 일본인 통역관들이 조선 왕조와 일본간의 국서(國書)를 위조함으로써 두 나라의 우호 관계에 금이 가게 한 일.

간역 당률【奸譯當律】[—뉼] 명〖역〗조선 24대 헌종 5년(1839)에 통역관들의 서계 위조(書契僞造) 행위를 처벌하기 위하여 제정한 법.

간:연【間然】명 ①이의(異議)를 제기(提起)함. ②결점을 지적하여 비난함. ——-하다 타여불

간:-열[1]【肝熱】명〖한의〗어린아이가 소화 불량으로 신열(身熱)이 높고, 때때로 놀라며 몹시 쇠약하여지는 병.

간:열[2]【簡閱】명 많은 수를 일일이 검열(檢閱)함. ——-하다 타여불

간:열 점호【簡閱點呼】명〖군〗이전에, 제대 군인을 소집하여 점검(點檢)하고 사열하던 일. ——-하다 타여불

간:-염【肝炎】명 〔hepatitis〕〖의〗급성 실질성(急性實質性) 간염·급성 화농성(化膿性) 간염(肝炎)·간농양(肝膿瘍) 또는 전염성 간염 등과 같은, 간의 염증성 질환의 총칭. 일반적으로 발열·황달을 일으키고, 전신이 나른하며, 간종창(腫脹)·소화 장애 등을 일으키는 일이 많음. 대표적인 것으로 바이러스성 간염이 있음. 간장염. ¶ B형 ∼ / ∼ 백신.

간:염 바이러스【肝炎—】〔virus〕명〖의〗바이러스성 간염의 병원체. 음식물 중에 섞이며 경구적(經口的)으로 감염되는 A형, 수혈(輸血) 등으로 감염되는 B형, A형이나 B형이 아닌 비(非)A 비(非)B형 등으로 구분되었는데, 비A 비B형은 후에 C형으로 구분됨. C형은 수혈 후의 급성 간염에서 흔히 나타나며, 이밖에도 B형 보균자 중에서 델타 항원(δ抗原)이 발견되어 D형이 되고, A형과는 다른 경구 감염이 되는 E형 등이 발견됨.

간:엽[1]【肝葉】명 간의 한쪽 조각. 형상이 잎사귀 같으며 우엽(右葉)·좌엽(左葉)의 두 개로 되어 있음. 간잎.

간엽[2]【間葉】명〖생〗간충직(間充織).

간엽 세:포【間葉細胞】명〖생〗간충직 세포.

「——-하다 자여불

간예【干預】명 관계함. 참견함. 간여(干與). 관여(關與). 참여(參與).

간오【刊誤】명 잘못된 글자 같은 것을 깎아 바로잡음. 교정함. ——-하다 타여불

「생긴 종기.

간:옹[1]【肝癰】명〖한의〗습열(濕熱)과 열독(熱毒)으로 인하여, 간에

간옹[2]【看翁】명〖역〗신라 때, 고역전(尻驛典)·평진음전(平珍音典)·연사전(煙舍典) 및 벽전(壁典) 등에 속한 벼슬.

간:-왕【簡王】명〖사람〗발해 제9대 왕. 휘(諱)는 대명충(大明忠). 강왕(康王)의 아들. 형 희왕(僖王)의 뒤를 이어 즉위, 연호를 태시(太始)라고 했음. [?-818; 재위 817-818]

간요[1]【奸妖】명 간사하고 요망(妖妄)함. ——-하다 형여불. ——-히 부

간:요[2]【肝要】명 썩 중요함. 아주 요긴함. ——-하다 형여불. ——-히 부

간요[3]【簡要】명 ①간략한 요점(要點). ②간단하고 요령이 있음. ——-하다 형여불. ——-히 부

간우【干羽】명〖악〗①무무(武舞)를 추는 사람이 손에 드는 간(干), 곧 방패와, 문무(文舞)를 추는 사람이 손에 드는 우(羽), 곧 새의 깃인 적(翟)을 일컫는 말. ②무무와 문무를 아울러 이르는 말.

간운 보:월【看雲步月】명 객지에서 집 생각을 하고 달밤에 멀리 구름을 바라보며 거닒. ——-하다 자여불

간운 폐:일【干雲蔽日】명 구름을 침범하고 해를 가린다는 뜻으로, 나무가 하늘을 찌를 듯이 높이 솟은 것을 형용한 말.

간웅【奸雄·姦雄】명 간사한 영웅. ¶ ∼ 조조(曹操).

간:원[1]【諫院】명〖역〗↗사간원(司諫院).

간:원[2]【懇願】명 간절히 원함. 곤원(悃願). ——-하다 타여불

간:월【間月】명 한 달씩 거름. 간삭(間朔). ——-하다 타여불

간월-도【看月島】[—또] 명〖지〗충청 남도 서해(西海)의 천수만(淺水灣), 서산시(瑞山市) 부석면(浮石面) 간월도리(看月島里)에 위치했던 섬. 서산(瑞山) 어리굴젓의 본고장임. 간척 사업으로 현재는 육지와 연결됨.

간:월-산【肝月山】[—싼] 명〖지〗울산 광역시 울주구(蔚州區) 상북면(上北面)에 있는 산. 신불산(神佛山)·천황산(天皇山) 등과 함께 태백 산맥(太白山脈)의 남단부를 이룸.

간위【奸僞】명 간사하고 거짓이 많음. ——-하다 형여불

간:-위축증【肝萎縮症】명〖의〗간의 조직이 급격히 파괴되어 용적이 축소되는 병. 급성인 경우에는 황달이 생기고 간성 혼수(肝性昏睡)에 이르게 됨.

간:유【肝油】명〖약〗명태·대구 따위 생선의 간에서 추출한, 불포화도(不飽和度)가 높은 지방을 주성분으로 하는 기름. 비타민 A 및 D가 많이 들어 있어 좋은 영양제임. 어간유(魚肝油).

간:-유리【—琉璃】[—뉴—] 명 빛깔이 부옇게 되어, 투명하지 못한 유리. 금강사 따위로 표면을 갈아서 광택과 투명성을 없앰. 젖빛 유리.

간은【干恩】명 임금의 은택(恩澤)을 간구(干求)함. ——-하다 자여불

간:음[1]【間音】명〖언〗한 단어 또는 한 어절(語節) 안의 두 모음(母音)이 동화하여 변화한 음. 속소리. 중음(中音).

간음[2]【姦淫·姦婬】명 부부 아닌 남녀가 음란한 육체 관계를 맺음. 불륜(不倫)의 정사(情事). *간통. ——-하다 자타여불

간음[3]【幹音】명〖악〗원음(原音)[1]❹.

간음-범【姦淫犯】명〖법〗간음죄에 해당하는 범행. 또, 그 범인.

간음-죄【姦淫罪】[—쬐] 명〖법〗강간죄·준강간죄·간통죄 및 혼인 빙자 간음죄의 총칭. 준간죄(姦罪).

간:음-화【間音化】명〖언〗모음 동화(母音同化)의 하나. 한 단어나 한 어절(語節) 안의 두 모음이 하나의 중간음으로 변하는 동화 현상. 'ㅏ·ㅓ·ㅗ·ㅜ'에 'ㅣ'가 후행(後行)하여 'ㅐ·ㅔ·ㅚ·ㅟ'로 변하는 경우 등. 중세(中世) 국어에서, 주격 조사 'ㅣ'가 선행어(先行語)의 모음

과 함께 이러한 현상을 일으키기도 함. ——-하다 자여불
간:의[1]【諫議】[—/—이] 명 임금을 간(諫)하여 정치를 의논함. ——-하다 타여불
간:의[2]【簡儀】[—/—이] 명 〖역〗 조선 세종 14년(1432)에 이천(李蕆)·장영실(蔣英實) 등이 만든, 천체(天體)의 운행과 현상을 관측하는 기계. 「절.
간:의[3]【懇意】[—/—이] 명 ①간절한 뜻. 성의(誠意). ②친
간:의-대【簡儀臺】[—/—이—] 명 조선 세종 때의 천문 관측대(天文觀測臺). 경회루(慶會樓) 북쪽에 높이 41 자, 길이 47 자, 나비 32 자의 돌축대를 쌓아 그 위에 간의를 올려 놓고 천문을 관측하였음.

〈간의[2]〉

간:의 대:부【諫議大夫】[—/—이—] 명 ①중국의 옛 관명. 천자(天子)를 간하고 정치의 득실(得失)을 논하는 관원. ②〖역〗 고려 문하부(門下府)의 벼슬. 목종(穆宗) 때부터 좌우 두 사람의 간의 대부가 있었는데, 문종(文宗)이 품질(品佚)을 정사품으로 정함. 예종(睿宗) 11년(1116)에 사의 대부(司議大夫)로 고치었다가, 충렬왕(忠烈王) 24년(1298)에 도로 본이름으로 하여 종사품으로 내리고, 뒤에 또 사의 대부로 고쳤다가, 공민왕(恭愍王) 5년(1356)에 합하여 간의 대부로 개칭. 종삼품으로 올리고, 동 11년(1362)에 또 사의 대부로, 동 18년(1369)에 도로 간의 대부로, 동 21년(1372)에 다시 사의 대부로 고치었음.
「형여불
간-이[1] 명 죽어 세상을 떠난 사람.
간:이[2]【簡易】 명 간단하고 쉬움. 경편(輕便). ¶ ~역/~ 식당. ——-하다
간:이 내:화 구조【簡易耐火構造】 명 〖건〗 철골조(鐵骨造)에 내화 재료로 벽이나 지붕을 시공한 건축 구조.
간:이 무선【簡易無線】 명 근거리 연락용의 간이한 무선 통신. 외출중의 가족과 필요한 연락을 취한다든가, 일상 생활이나 사업에 필요한 통신 연락을 목적으로 함. 일정한 주파수를 공용(共用)하는 관계 상 혼신(混信)을 면하지 못함.
간:이 벽온방 언:해【簡易辟瘟方諺解】 명 〖책〗 조선 중종 때, 의관(醫官) 김순몽(金順夢)·유영정(劉永貞)·박세거(朴世擧) 등이 동왕 19년(1524)에 평안도에 유행한 전염병에 관하여 치료법을 기술 편찬한 의서(醫書)인 《간이 벽온방》을 언해한 책. 중종 20년(1525)에 간행됨. 1권
간:이 생명 보:험【簡易生命保險】 명 〖경〗 국민 대중을 위하여, 적은 금액으로 계약 방법과 모든 절차가 편이(便易)하도록 제정된 생명 보험. 신체 검사의 생략, 보험 기간의 단기(短期) 등의 특징이 있음. ↔보통 생명 보험.
「편이하게 하는 생활.
간:이 생활【簡易生活】 명 모든 생활 방식을 될 수 있는 대로 간단하고
간:이 선형【簡易船型】 명 선박을 대량으로 급속히 건조할 필요가 생겼을 경우, 공사(工事)를 용이하게 하기 위하여 성능을 어느 정도 희생해서 간이화한 선형.
「품과 우편물에 부과하는 세율.
간:이 세:율【簡易稅率】 명 여행자 및 승무원이 휴대하여 수입하는 물
간:이 수도【簡易水道】 명 지하수를 위생 처리하여 일정한 지역 등에서 소규모로 공급·사용하는 상수도.
간:이 숙박소【簡易宿泊所】 명 〖사〗 서민 대중을 위하여, 약간의 휴양·오락 시설을 갖추고 저렴한 요금으로 숙박시키는 숙박소.
간:-이식【肝移植】 명 〖의〗 말기의 만성 간질환 또는 간암·급성 간부전(肝不全)·간 대사 이상(肝代謝異常) 등의 환자에게 간을 이식하는 일. 뇌사(腦死)에 이른 사람의 간을 이식하는 경우와 살아 있는 사람의 간을 부분적으로 이식하는 경우가 있음. 1963년 미국에서 처음으로 시술하였음. 간장 이식. *장기(臟器) 이식.
간:이 식당【簡易食堂】 명 간단하고 값싼 식사를 제공하는 식당. 공중(公衆) 식당.
간:이 언어【簡易言語】 명 〖컴퓨터〗 소형 컴퓨터로 쉽게 프로그래밍을 할 수 있는 단순한 구조의 컴퓨터 언어. 본격적인 언어로 사무 처리 프로그래밍을 하는 코볼(COBOL) 대신 쓰임. 원래는 미국의 스프레드 시트(spread sheet)라는 퍼스널 컴퓨터용 소프트 웨어에서 시작되었음.
간:이-역【簡易驛】 명 설비를 간이하게 차리어 놓거나, 전연 하지 아니하고 정거만 하는 역.
간:이 인도【簡易引渡】 명 〖법〗 점유권을 양도(讓渡)할 때 현실적인 인도를 하지 아니하고, 양도인·양수인 사이에 점유권 양도의 합의만으로 양수인에 대한 효과를 발생시키는 제도.
간:이 정거장【簡易停車場】 명 〈속〉 간이역(簡易驛).
간:이-집【簡易集】 명 〖책〗 조선 선조(宣祖) 때의 학자 최립(崔岦)의 시문집. 그의 사후(死後), 인조(仁祖) 9년(1631)에 문신들이 간행함. 9권 9책.
간:이 학교【簡易學校】 명 〖일제〗 학교에 취학하지 못한 한국인 아동들을 속성(速成)으로 가르치던 일제 때의 2년제 초등 학교. 1936년에 주로 농촌 지역의 보통 학교(普通學校)에 부설하여 개설되었었는데, 해방 직전에 폐지되었음. *공민(公民) 학교.
간:이-화【簡易化】 명 간단하고 손쉽게 변함. 또, 그렇게 변하게 함. ——-하다 자타여불
간인[1]【刊印】 명 간행(刊行)함. 출판함. ——-하다 타여불
간인[2]【奸人】 명 간사한 사람. 간물(奸物).
간인[3]【竿引】 명 〖악〗 신라 시대의 음악. 지증왕(智證王) 때 욱개(郁皆)의 아들 천상(川上)이 지은 관악곡(管樂曲). 그 곡보(曲譜)는 전하여지지 아니함.
간:인[4]【間人】 명 간첩(間諜)❶.
간:인[5]【間印】 명 철한 증빙 서류의 종잇장 사이마다 걸치어 도장을 찍음. 또, 그 도장. ——-하다 자여불
「자여불
간:일【間日】 명 ①하루씩 거름. 격일(隔日). ②며칠씩 거름. ——-하다

간:일-학【間日瘧】 명 〖한의〗 하루거리.
간:-잎【肝—】[—닙] 명 간엽(肝葉). ¶그 어린 것이 어미의 품을 떠나서 피골이 상연한 것을 보매 ~에 소금을 치는 듯이 가슴이 저리고 아픈지라…《崔瓚植: 春夢》.
간자[1] 명 어른의 '숟가락'을 높이어 일컫는 말.
간:자[2]【間者】 명 간첩(間諜)❶.
간자[3]【間者】 명 ①이 사이. 그 사이. 그 동안. ②이즈음. 이마적.
간:자[4]【間資】 명 〖역〗 한 품계(品階)에 급(級)이 둘이 있는 경우, 아랫급에서 윗급으로 올리는 일. 예를 들면, 종이품의 가선 대부(嘉善大夫)에서 같은 종이품의 가정 대부(嘉靖大夫)로, 정이품의 자헌 대부(資憲大夫)에서 같은 정이품의 정헌 대부(正憲大夫)로 자(資)를 올리는 일.
간자[5]【慳者】 명 ①욕심이 많은 사람. ②간악하고 무자비한 사람.
간:자[6]【諫子】 명 어버이의 잘못을 간하는 자식.
간자[7] (Gandzha) 명 〖지〗 '키로바바트(Kirovabad)'의 구칭.
간자-말 명 (몽 qaljan(이마에 흰 줄 있는 말·소, 대머리)) 이마와 뺨이 흰 말.
간자미 명 〖어〗 '가오리'의 새끼.
간자 숟가락 명 두껍고 곱게 만든 숟가락. ↔잎숟가락.
간:작【間作】 명 〖농〗 ①사이짓기. ¶뽕나무밭에 감자를 ~하다. *단작(單作). ②↗간접 소작. ——-하다 자타여불
간:작-림【間作林】[—님] 명 나무를 베어 낸 다음, 묘목(苗木)이 자랄 때까지 그 동안에 농작물을 재배하는 숲.
간잔지런-하다 형여불 졸리거나 또는 술에 취하여 눈시울이 가늘게 처지다. 간잔지런-히 부
간잡이-그림【間—】 명 건축의 설계도(設計圖).
간장[1]【—醬】 명 음식의 간을 맞추는, 짜고 특유한 맛이 있는 흑갈색의 액즙(液汁). 메주를 소금물에 담가, 30-40일 가량 볕 잘 드는 곳에 두었다가 체로 걸러서 솥에 붓고 달이기도 함. 이때의 건더기는 곧 된장이 됨. ㈜장. 주의 '艮醬'으로 씀은 취음(取音).
【간장국에 마른다】 오래 찌들어서 바짝 마르고 단단함을 이르는 말. 【간장에 전 놈이 초장에 죽으랴】 단단히 단련된 자가 그 정도를 무서워하겠느냐는 말. 【간장이 시고 소금이 곰팡난다】 절대 불가능한 일을 이르는 말.
간장[2]【干將】 명 〖사람〗 중국 춘추 시대, 오(吳)나라의 칼 만드는 장색. *간장 막야(莫耶).
간-장[3]【肝腸】 명 ①간과 창자. ②애가 타서 녹을 듯한 마음. ¶ ~이 탄다/~을 녹이다.
간장을 끊다 구 애를 끊다. ¶구슬픈 두견 소리일촌 간장 다 끈는다《薔花紅蓮傳 8 上》.
간장을 녹이다 구 ㉠감언 이설·아양 등으로 상대방의 환심을 사다. ㉡애타게 하다. ¶ 너는 어이한 계집이완대 丈夫의 肝腸을 다 녹이나 《小春香歌》.
간장을 태우다 구 애를 태우다. ¶니별이 불이 도야 ᄐᆡ우는니 간장이라 눈물이 비가 도면 븟을 불을 ᄭᅳ련마는 ᄒᆞᆫ숨이 바람 도야 졈졈 븟네 《古時調》.
간장이 녹다 구 ㉠ 몹시 마음에 들어 매혹되다. ㉡매우 애가 타다.
간장이 사라지다 구 몹시 놀라거나, 실망하거나, 애가 타서, 간장이 녹아 없어지는 것 같다. ¶스ᄉᆞ로 맘이 타고 간장이 사라져 졈졈 초최ᄒᆞ거늘 《九雲夢》.
간장이 썩다 구 마음이 몹시 상하다. 애가 타다. ¶가을 밤 ᄎᆡ 긴 적의 님 生覺 더욱 깁다 먹귀 선귄 비에 남은 肝腸 다 석놈이 암아도 薄命ᄒᆞᆫ 人生은 ᄂᆡ ᄒᆞᆫ진가 ᄒᆞ노라 《古時調》.
간장이 타다 구 조바심과 걱정으로, 속이 타는 듯하다. 애가 타다. ¶기다리는 사람은 간장이 타건만 무정한 세월은 속절없이 흘러.
간:장[4]【肝臟】 명 간(肝).
간:장[5]【諫長】 명 〖역〗 간관(諫官)의 우두머리인 대사간(大司諫).
간:장[6]【鐧匠】 명 수레바퀴의 쇠굴대를 만드는 장색.
간장[7] (贛江) 명 〖지〗 중국 장시 성(江西省)에 있는 강. 난링(南嶺) 산지에서 발원하여 북류(北流)하다가 우청전(吳城鎭) 동쪽에서 판양 호(鄱陽湖)로 흘러듦. 장시 성(江西省)과 광둥(廣東)·후난(湖南)·푸젠(福建) 여러 성(省)의 통상이 이 강에 의해서 행하여짐. 감강. [815km]
간:장 농양【肝臟膿瘍】 명 〖의〗 간농양.
간:장 디스토마【肝臟—】 (distoma) 명 〖동〗 간디스토마. 「병.
간:장 디스토마병【肝臟—病】 (distoma) [—뼝] 명 〖의〗 간디스토마
간장 막야【干將莫耶】 명 ①중국 오(吳)나라의 도공(刀工) 간장이 그 아내와 힘을 합하여 만든 두 자루의 명검(名劍). 오왕(吳王) 합려(闔閭)의 청탁으로 칼을 만들 적에, 아내 막야의 머리털과 손톱을 쇠와 함께 노(爐) 속에 넣어 비로소 완성시킨 두 칼에 각각 '간장'과 '막야'라고 이름을 지었다 함. ②좋은 칼. 명검(名劍). *간장(干將).
간:장 비:대【肝臟肥大】 명 〖의〗 간(肝)비대.
간장 비지【—醬—】 명 간장을 달이고 남은 찌꺼기.
간:장-암【肝臟癌】 명 〖의〗 간암.
간:장 엑스【肝臟—】 명 〖약〗 동물 또는 어류의 간의 유효 성분을 추출한 엑스트랙트(extract). 영양제로 씀. 간정(肝精).
간:장-염【肝臟炎】[—념] 명 〖의〗 간염(肝炎).
간:장 요법【肝臟療法】[—뇨뻡] 명 〖의〗 빈혈(貧血) 치료에 동물·어류 등의 간으로 된 약제를 이용하는 방법.
간:장 이식【肝臟移植】 명 〖의〗 간이식(肝移植).
간:-장자【間障子】 명 〖건〗 샛장지.
간:장 제:제【肝臟製劑】 명 〖약〗 간을 저온으로 건조하여 만든 가루. 빈혈 치료제·강장제로 쓰임.

간:장 종:창【肝臟腫脹】명〖의〗간종창.

간:-장지[1]【間障―】명〖건〗샛장지.

간:-장지[2]【簡壯紙】명 간지(簡紙)를 만드는 장지(壯紙).

간장 쪽박【―醬―】명 간장을 떠낼 때 쓰는 쪽박. ㈜장쪽박.

간:장 천:자술【肝臟穿刺術】명〖의〗장기(臟器) 천자술의 하나. 특수한 천자침을 우계륵부(右季肋部) 전면(前面)이나 배부(背部)에서 횡격막(橫隔膜) 접착부를 통하여 간 속에 찔러 넣어 조직편(組織片)을 흡인(吸引)하여 뽑아 냄.

간장-풀【―醬―】명〖식〗[*Nepeta stewartiana*] 꿀풀과에 속하는 다년초. 줄기는 방형(方形)이며 높이 1m 가량이고 잔털이 있음. 잎은 대생하는데, 긴 타원형 또는 달걀꼴 타원형이고, 가에 톱니가 있음. 7-8월에 자주빛 순형화(脣形花)가 엽액(葉腋)에 몇 개씩 몰려 핌. 깊은 산중에 나는데, 함남의 장진(長津)과 함북의 백두산 및 일본 홋카이도 등지에 분포함.

〈간장풀〉

간재【奸才】명 간사한 재주. 또, 간사한 재주가 있는 사람.

간재미 명〈방〉〖어〗가자미(전남).

간:쟁【諫爭·諫諍】명 굳세게 간(諫)함. ――하다 자여불

간쟈ᄆᆞᆯ 명〈옛〉간자말. ¶ 간쟈ᄆᆞᆯ(破臉馬)《老乞 下 8》.

간쟈ᄉᆞ죡빅 명〈옛〉오명마(五明馬). ¶ 五明馬 간쟈ᄉᆞ죡빅《譯語 下 28》.

간:-저냐【肝―】명 소의 간을 얇게 저미어 만든 저냐. 간전(肝煎).

간저우[1]〔甘州〕명〖지〗중국 간쑤 성(甘肅省) 중부의 도시. 장예(張掖)의 옛이름.

간저우[2]〔贛州〕명〖지〗중국 장시 성(江西省) 남부의 도시. 성(省) 남부의 교통·경제의 중심부로, 광둥(廣東)·푸젠(福建) 두 성(省)의 문호임. 직물·물감·텅스텐·설탕·담배·목기(木器)의 산지임.

간적[1]【奸賊】명 간악한 도적. 간도(奸盜).

간적[2]【姦跡】명 간통(姦通)한 흔적(痕跡).

간:전[1]【肝煎】명 간(肝)저냐.

간전[2]【墾田】명 개간(開墾)하여 밭을 만듦. ――하다 자여불

간:절【懇切】명 지성스럽고 절실함. ¶ ~한 소원 / 생각은 ~하지만. ――하다 형여불. ――히 부

간:점【間點】명〖악〗장구를 칠 때, 북편 또는 채편을 치고 그 다음에 다시 북편 또는 채편을 치는 동안의 중간 박. 간박(間拍).

간:점-선【間點線】명 사이사이에 점을 찍어 가면서 그은 선. '―·―·―' 또는 '+·+·+' 등으로 지도의 경계선 같은 데에 쓰임.

간:접【間接】명 ①직접이 아니고 중간에 매개(媒介)를 통하여 연락되는 관계. ¶ ~으로 듣다. ②무엇이라고 똑똑하게 밝히지 아니하고 에두름. ¶ ~적으로 시사(示唆)하다. 1)-2):↔직접(直接).

간:접 강:제【間接強制】명〖법〗법원이 채무를 이행하지 아니하는 채무자에 대하여, 일정 기한 내에 채무를 이행하지 아니하면, 손해 배상을 과할 것을 명령하여 채무자를 심리적으로 강제(強制)하여 채무를 이행시키는 집행 방법. ↔직접 강제.

간:접 경험【間接經驗】명〖철〗직접 사물에 부닥쳐서 체험하지 아니하고, 언어나 문자 따위의 중간 매개를 통하여 얻는 경험. ↔직접 경험.

간:접 공시【間接公示】명〖경〗상장 법인이 증권 거래소에 신고한 기업 내용을 거래소가 상장 법인을 대신하여 행하는 공시.

간:접 교:사【間接敎唆】명〖법〗범죄의 교사자(敎唆者)를 부추기는 일. 정범(正犯)을 직접 교사하지 않고 타인에게 교사하여 그 사람으로 하여금 정범이 실행하도록 부추기는 일. ↔직접 교사.

간:접 국세【間接國稅】명〖법〗국고(國庫)의 수입(收入)이 되는 간접세. ↔직접 국세.

간:접 군주제【間接君主制】명〖정〗군주가 자기의 대리인이나 대리 기관을 통하여 권능을 행사하는 군주 정치 체제. ↔직접 군주제.

간:접 금융【間接金融】[―늉/―] 명 자금의 공급자와 수요자와의 사이에 은행 등 금융 기관이 개재(介在)하는 금융 방식. 개인은 은행에 예금하고, 은행은 기업에 대출 또는 투자하는 것이 그 예임.

간:접 기관【間接機關】명〖법〗직접(直接) 기관 아래서, 직접 기관으로부터 위임받은 권한을 행사하는 기관. ↔직접 기관.

간:접 노무비【間接勞務費】명〖경〗제품의 제조에 있어서, 많은 제품에 공통적으로 발생하는 노무비. 특정 제품에 대한 소비액을 직접 파악하기 곤란한 부분임. ↔직접 노무비.

간:접 높임말【間接―】명〖언〗명사 중에서 높임의 대상과 관계가 있는 인물이나 소유물 등을 높이는 말. '계씨(季氏)'·'진지' 등. *직접 높임말.

간:접 대:리【間接代理】명〖법〗위탁 매매(委託賣買)와 같이 타인의 계산(計算)에 있어서, 자기의 이름으로 법률 행위를 행하는 일. 법률 행위의 효과가 일단 간접 대리인에게 귀속된 다음, 다시 본인에게 이전되는 점에서, 행위의 결과가 직접 본인에게 귀속되는 대리와는 다름.

간:접-떼기【間接―】명〖고고학〗후기 구석기 문화에서, 단단한 뿔·뼈 등의 쐐기를 이용하여 간접적으로 격지를 떼내는 수법. 간접 타격법. ↔직접떼기.

간:접 매매【間接賣買】명 대리업자나 중개자를 통하여 하는 매매. ↔직접 매매. ――하다 타여불

간:접 명:령문【間接命令文】[―녕―] 명〖언〗글 또는 매체를 통해서 간접적으로 명령하는 글월. 받침이 없는 동사 어간 뒤에서는 '-라', 받침이 있는 동사 어간 뒤에서는 '-으라'가 붙음. '보라'·'가라'·'세우라'·'먹으라' 따위로 나타냄. ↔직접 명령문. *명령문.

간:접 모집【間接募集】명〖경〗증권 발행의 한 형태. 발행 회사가 대중으로부터 직접 모집하지 아니하고 증권 회사나 은행 등의 중개 기관을 통해서 하는 방법. 위탁 모집·인수 모집·총액 모집 등이 있음.

간:접 목표【間接目標】명〖군〗산이나 언덕 등의 장애물로 인하여 직접으로 목표를 취하지 못할 때, 장애물을 사이에 두고 있는 어떤 목표를 간접으로 취하게 되는 목표.

간:접 무:역【間接貿易】명〖경〗①메이커(maker)가 상사(商社) 등을 중개로 하여 행하는 무역. ②제삼국이 중개(仲介)하여 행하는 무역.

간:접 민주 정치【間接民主政治】명〖정〗국민이 대표자를 통하여 간접적으로 국정에 참여하게 되는 공화 정치.

간:접 민주제【間接民主制】명〖정〗유권자가 선출한 대의원(代議員)을 매개로 하여, 국민이 국가 의사의 결정과 집행에 참여하는 민주 제도의 한 형태. 대표 민주제. 대의 제도(代議制度). ↔직접 민주제.

간:접 민주주의【間接民主主義】[―/―이] 명〖정〗국민의 대표에 의하여 통치되는 민주주의. 대표제·다수결제 등의회주의에서 볼 수 있음. ↔직접 민주주의.

간:접 발생【間接發生】[―쌩] 명〖동〗변태(變態)를 수반하는 발생. ↔직접(直接) 발생.

간:접 발행【間接發行】명〖경〗유가 증권(有價證券)의 발행자가 증권 회사 등을 중개로 하여 응모자를 모집하는 일. 채권의 위탁 모집·잔액 인수·총액 인수 등으로 분류됨. ↔직접 발행.

간:접 방공【間接防空】명〖군〗적의 항공기 생산 시설·보급 시설 및 지상에 있는 적기를 우군 항공기가 공격함으로써 간접적으로 이루어지는 방어.

간:접-범【間接犯】명〖법〗자기 스스로 범죄를 실행하지 아니하고, 타인을 이용하여 간접적으로 범죄 행위를 실행하게 하는 일. 또, 그 범인.

간:접-법【間接法】명〖언〗간접 화법(話法).

간:접 보:상【間接補償】명 간접 손해(損害)에 대한 보상. ↔직접 보상.

간:접 분석【間接分析】명〖화〗화학 분석에서, 시료(試料)와 시약(試藥)과의 화학 반응을 간접적으로 관찰하거나 또는 간접적인 조작(操作)이나 관계를 이용하여 물질을 분석·정량(定量)하는 일. 수분(水分)의 함유량을 건조 전후의 무게의 차로 구하는 일 따위.

간:접 분열【間接分裂】명〖생〗유사(有絲) 분열. ↔직접 분열.

간:접-비【間接費】명〖경〗원가 계산상, 제조 또는 판매에 관하여 공통으로 소요되는 비용. ↔직접비.

간:접 비:료【間接肥料】명〖농〗간접적으로 식물의 생육(生育)을 돕는 비료. 곧, 질소(窒素)·인산(燐酸)·칼륨(kalium)의 3 요소를 주성분으로 하지 않고 숯가루·소금·망간 등과 같이 땅 속에서 유기물의 분해를 촉진시키거나 또는 양분의 흡수를 촉진시키는 비료. ↔직접 비료.

간:접 사격【間接射擊】명〖군〗간접 조준(照準)에 의한 사격. ↔직접 사격. ――하다 타여불

간:접 사:실【間接事實】명〖법〗권리와 의무가 발생·소멸하는 요건 또는 범죄의 구성 요건이 되는 사실 등의 주요 사실의 존부(存否)를 경험상 추인(推認)시키는 사실. 징빙(徵憑). *간접 증거.

간:접 사:인【間接死因】명〖법〗사인의 형성을 유발(誘發)하게 하는, 간접적으로 관계되는 원인. ↔직접 사인.

간:접 생산비【間接生産費】명〖경〗간접비(間接費). ↔직접 생산비.

간:접 선:거【間接選擧】명〖법〗후보자의 당선이, 일반 유권자에 의하여 선출된 선거인의 투표에 의하여 결정되는 선거. 미국의 대통령 선거는 이에 속함. 복선거(複選擧). ↔직접 선거. ㈜간선(間選). ――하다 타여불

간:접-세【間接稅】명〖법〗납세자에게 직접 과하지 아니하고 타인에게 전가하여 과하는 조세. 부가 가치세·특별 소비세·인지세·교통세·주세·농어촌 특별세·증권 거래세 등. ↔직접세. ㈜간세(間稅).

간:접 소권【間接訴權】[―꿘] 명〖법〗채권자 대위권(代位權). 대위 소권(代位訴權). ↔직접 소권.

간:접 소비세【間接消費稅】[―쎄] 명 간접세 중에서, 주세(酒稅)·물품세·관세 등의 소비세.

간:접 소:작【間接小作】명〖농〗소작인과 지주와의 사이에 직접 체결되지 아니하고, 제삼자가 개재(介在)하여 체결되는 경우의 소작 계약. ㈜간작(間作).

간:접 손:해【間接損害】명 어떤 사건으로 인하여 간접적으로 입는 손해. 방사능과 같이 시간적·공간적으로 받는 손해 따위. ↔직접 손해.

간:접 수준 측량【間接水準測量】[―냥] 명 직접 수준 측량에 의하여 측정한 높이를 기준으로 하여, 간접적으로 비고(比高)를 구하는 측량법. 삼각법에 의한 삼각 수준 측량, 경위의(經緯儀)에 의한 시거법(視距法), 기압을 측정하여 비교하는 기압계법 따위가 있음.

간:접 심:리주의【間接審理主義】[―니―/―니―이] 명〖법〗소송을 심리하는 법원이 직접 변론(辯論)을 듣거나 증거를 조사하지 아니하고, 수명(受命) 법관·수탁(受託) 법관 등 따로 다른 기관을 설치하여 그 기관이 행한 변론 및 증거 조사의 결과를 소송 판결의 자료로 하는 주의. ↔직접 심리주의.

간:접 어음【間接―】명〖경〗지급지로서 제삼국을 지정한 외국환 어음.

간:접 염:료【間接染料】[―뇨] 명〔adjective dye〕〖화〗매염제(媒染劑)를 필요로 하는 염료. ↔직접 염료.

간:접 의:무【間接義務】명〖법〗의무적으로 실행을 강제하는 것은 아니나 그것을 실행하지 아니할 경우 법률상 불이익을 초래하게 되는 의무. 상품 매매에서, 매수인(買受人)의 하자(瑕疵) 통지 의무 따위.

간:접 인용【間接引用】명〖언〗문장에서, 다른 사람의 말이나 글 따위를 자기의 말로 바꾸어 나타내는 일. 앞뒤에 따옴표를 하지 않으며, 뒤에 부사격 조사 '고'가 옴. '그는 먹어 보았다고 말하였다'따위. ↔직접 인용.

간:접 재료【間接材料】명 제조 작업에는 쓰이나 그 자체가 제품의 일부가 되지 않으며, 그 비용(費用)이 간접적인 재료의 총칭.

간:접-적【間接的】명관 직접이 아니고 간접인 모양. 에두르는 모양. ↔직접적.

간:접적 논증【間接的論證】명〖논〗간접적으로 진(眞)임을 증명하는 방법. ↔직접적 논증.

간:접적 의:사 표시【間接的意思表示】명〖법〗묵시(默示)의 의사 표시.
간:접 전염【間接傳染】명〖의〗공기나 물 등을 매개(媒介)로 하여 간접적으로 전염하는 일. ↔직접 접촉(接觸) 전염.
간:접 점유【間接占有】명〖법〗본인이 직접 물건을 소유하지 아니하고 타인의 소유를 개재(介在)시킨 경우의 점유. 임대인(賃貸人)·질권(質權) 설정자인 본인이 임차인·질권자의 소유에 의하여 목적물을 점유하는 일. 본인에게 물건의 반환 청구권이 있음을 전제로 함. 구용어 : 대리(代理) 점유.
간:접 정:범【間接正犯】명〖법〗책임 무능력자 또는 범의(犯意)가 없는 타인의 행위를 이용하여 자기의 범죄 행위의 결과를 발생하게 하는 일. 또, 그 범인. 14세 미만의 연소자를 피어서 물건을 훔치게 하는 일, 광인(狂人)을 교사(教唆)하여 방화(放火)하게 하는 일 따위가 이에 해당함. ↔직접 정범.
간:접 조:명【間接照明】명〖연〗광원(光源)에서 나온 빛을 한 번 벽·천장 등에 반사시키어 그 반사광을 이용하는 조명. 광선이 부드러워 실내 조명에 쓰임. ↔직접 조명.

〈간접 조명〉

간:접 조사【間接調査】명 통계 용어. 집단의 단위를 조사할 때 다른 목적을 위하여 작성된 기존 자료(既存資料)로부터 또는 전문적 지식을 가진 자에게 질문함으로써 조사하는 방법. 세관(稅關)에 제출된 수출입 신고서를 근거 삼아 수출입 통계를 작성한다든가, 출생 신고나 사망 신고를 근거 삼아 인구 동태의 통계를 작성하는 일 등.
간:접 조:준【間接照準】명〖군〗목표에 직접 조준을 할 수 없는 경우, 보조 목표나 방향, 올려본각(角)을 결정하여 간접적으로 목표를 조준하는 일. ↔직접 조준.
간:접 증거【間接證據】명〖법〗간접 사실을 증명함으로써 주요 사실의 증명에 간접적으로 도움이 되는 증거. 알리바이를 위한 증인 따위. 상황(狀況) 증거. 정황(情況) 증거. ↔직접 증거. *간접 사실.
간:접 증명법【間接證明法】〔一뻡〕명〖수·논〗가정에서 결론으로 차례로 추론(推論)·유도하지 아니하고 결론 이외의 경우가 틀린다는 것을 나타내어 결론이 옳음을 증명하는 방법. 배리법(背理法)·전환법·동일법(同一法) 등. ↔직접 증명법.
간:접 책임【間接責任】명〖법〗회사에 있어서 사원의 책임이 회사 자체에 대한 책임에 그치는 것으로, 채권자에 대해서는 간접적으로만 지게 되는 책임.
간:접 촬영【間接撮影】명 엑스선(X線) 촬영법의 하나. 가슴 부분을 집단 검진하는 경우, 경제적·기술적인 곤란을 피하기 위하여 대상의 전부를 보통 촬영법으로 하지 않고 형광판에 폐를 투영(投影)하여 이것을 소형 카메라로 축소 촬영하는 일. ↔직접 촬영.
간:접 추리【間接推理】명〖논〗두 개 또는 그 이상의 판단을 전제로 하여 그 상호 간의 관계로부터 결론을 유도하는 추리. 삼단 논법·귀납적 추리 등. 이성(理性) 추리. ↔직접 추리.
간:접 측량【間接測量】〔一냥〕명 어떤 양을 측정할 때, 직접 측정할 수 있는 다른 양으로 계산함으로써 측정하는 방법. ↔직접 측량.
간:접 침:략【間接侵略】〔一냑〕명 무력의 직접 사용에 의하는 것이 아니고, 침투·파괴 행동 등, 곧 내란 발생의 지원(支援), 간첩의 파견, 특정한 정당에 대한 재정적 원조, 파괴 행위의 장려 같은 간접적인 방법에 의한 침략. ↔직접 침략.
간:접 타:격법【間接打擊法】명〖고고학〗간접떼기.
간:접 투자【間接投資】명〔indirect investment〕〖경〗외국 증권의 취득이나 장기 대부의 형식을 취하는 간접적인 장기 해외 투자. 자국 제품의 수출에 대한 장기 연불 융자(延拂融資) 또는 각국 정부 출자에 의한 국제 금융 기관의 발전 도상국에의 장기 융자도 이에 속함. ↔직접 투자.
간:접 프리: 킥【間接一】〔free kick〕명 축구에서 골인되기 전에, 찬 선수 이외의 사람에 공이 닿아야 득점이 인정되는 프리킥. 오프사이드 등 비교적 가벼운 반칙에 벌칙으로 적용됨. ↔직접 프리킥.
간:접 핵분열【間接核分裂】명〖생〗유사 분열(有絲分裂).
간:접 화법【間接話法】〔一뻡〕명〖언〗언어 표현에 있어, 남의 말을 재현(再現)할 때 원형(原形) 그대로 인용(引用)하지 아니하고, 인칭·시제(時制) 등을 고쳐서 그 말의 내용을 자기 말로 바꾸어 전하는 화법. 간접법. ↔직접 화법.
간:접-환【間接換】명〖경〗두 나라 사이에 직접 환취결(換就結)을 하지 아니하고, 다른 일국 또는 수개국과의 환취결을 경유하여 그 두 나라 사이의 대차(貸借)를 결제하는 일. ↔직접환. 「환원법.
간:접 환원법【間接還元法】〔一뻡〕명〖논·수〗귀류법(歸謬法). ↔직접
간:접 효:용【間接效用】명〖경〗사람의 욕망을 직접 만족시키지는 못하나, 화폐와 같이 다른 물건과 교환함으로써 간접적으로 만족시킬 수 있는 재화(財貨)의 효용. ↔직접 효용.
간:접 흡연【間接吸煙】명 담배를 피우지 않는 사람이 주위의 흡연자의 담배 연기의 영향을 불가피하게 받게 되는 상황(狀況).
간:정[1]【肝精】명 간장(肝臟) 엑스.
간:정[2]【侃亭】명〖사람〗이능화(李能和)의 호(號).
간정[3]【姦情】명 간통한 정상(情狀).
간정[4]【乾淨】명 →건정(乾淨). ¶신신당부해서 ~을 시킨 뒤 천봉삼은 압송도사에 이끌려 나갔다《金周榮 : 客主》. ──-하다 형여불
간정[5]【艱貞】명 어려움을 참고 정절(貞節)을 지킴. ──-하다 자여불
간:정[6]【懇情】명 간절한 마음.
간정[7]【簡淨】명 간단하고 깨끗함. ──-하다 형여불
간정-되다 자 소란하던 것이 가라앉아 진정되다.
간:-정맥【肝靜脈】명〖생〗척추 동물의 간에 들어온 혈액을 심장으로 보내는 정맥. 어류는 직접 정맥동(洞)으로, 다른 척추 동물은 좌우의 간정맥에 의하여 대정맥에 연결됨. *간동맥(肝動脈).
간:제【諫制】명 간하여 제지함. ──-하다 타여불
간-제법【簡除法】〔一뻡〕명〖수〗제법(除法)의 운산(運算)을 쉽게 하는 방법. 가령 $x \div 5$를 $x \times 2 \div 10$으로 또는 $x \div 4$를 $x \div 2 \div 2$로 하는 법. *간승법(簡乘法).
간조[1]【干潮】명〖지〗가장 낮은 썰물. 조수가 빠져 바다의 수면이 최저(最低)로 달한 상태. ↔만조(滿潮).
간조[2]【簡粗】명 간단하고 조잡함. ──-하다 형여불
간조로미 부〈방〉가지런히(경남).
간조로아니 부〈방〉가지런히(충남).
간조롱:-하다 형〈방〉가지런하다(경상).
간조름-치다 타〈방〉그루치다.
간조름-하다 형〈방〉가지런하다(경상).
간조-선【干潮線】명〖지〗간조 때의 해면과 육지와의 경계선. ↔만조선(滿潮線).
간졸니 부〈방〉가지런히(충남).
간:-졸이다【肝一】자 몹시 걱정이 되고 불안스러워 속을 태우다.
간종-간종 부 연해 간종그리는 모양. <건중건중.
간종-그리다 타 흐트러진 물건 따위를 가닥가닥 골라서 가지런하게 하다. 간종이다. <건중그리다.
간종-이다 타 간종그리다. <건중이다.
간:-종창【肝腫脹】명〖의〗간이 병적으로 커지는 일. 간의 염증·간암(癌)·심장 질환 등에 의한 혈액의 울체(鬱滯)로 생기는 울혈간(鬱血肝)이 중요한 원인이 됨. 가벼운 복부 압박감을 느낌.
간종-크리다 타〈방〉간종그리다.
간:좌【艮坐】명〖민〗묏자리나 집터 따위의 간방(艮方)을 등진 좌(坐).
간:좌 곤향【艮坐坤向】명 ①〖민〗간방(艮方)을 등지고 곤방(坤方)을 향한 좌향(坐向). ②약간 비뚜로 자리잡은 자리나 방향의 비유. ¶고개를 고기 쪼려는 따오기 모양으로 끼웃끼웃하다가 눈이 ~되며 입을 딱 벌리고…《作者未詳 : 산천초목》.
간죄【姦罪】〔一쬐〕명 ↗간통죄·간음죄.
간주[1]【看做】명 그렇다고 침. 그런 양으로 여김. 생각. ¶추첨의 불참자(不參者)는 권리를 포기한 사람으로 ~한다. ──-하다 자여불
간:주[2]【間柱】명〖건〗본디의 기둥 중간에 세운 좀 가는 기둥.
간:주[3]【間奏】명〖악〗①한 곡(曲)의 중간에 삽입하여 연주하는 일. ②간주곡. ↔전주(前奏)·후주(後奏).
간:주-곡【間奏曲】명〖악〗①극 또는 가극(歌劇)의 막간(幕間)에 연주하는 가벼운 음악. ②악곡·가곡이나 또는 시(詩)의 낭독 사이에 삽입하는 기악곡의 소품(小品). 간주(間奏). 간주악(樂). 인테르메초(intermezzo). 인터루드(interlude).
간주관-적【間主觀的】명관〔intersubjective〕복수(複數)의 주관의 구조나 인식(認識)에 공통되는 것이 있는 모양.
간주랑이 부〈방〉가지런히(경남).
간주러미 부〈방〉가지런히(경북).
간주렁이 부〈방〉가지런히(충남).
간주롱이 부〈방〉가지런히(충북).
간:주아 부〈방〉가지런히(강원).
간:주-악【間奏樂】명〖악〗간주곡.
간주이 부〈방〉가지런히(경북).
간:-주지【簡周紙】명 편지에 쓰는 두루마리.
간죽[1]【竿竹】명 간죽[2](間竹).
간:죽[2]【間竹·簡竹】명 담배 설대.
간:죽[3]【紵竹】명〖식〗자죽(紫竹). 「병.
간:중【癎中】명〖한의〗간증(癎症)과 중기(中氣)가 한꺼번에 일어나는
간즈래미 부〈방〉가지런히(경북).
간즈런-하다 형여불 ☞ 가지런하다. 간즈런-히 부
간즐기우다 타〈방〉간지리다(함경).
간증[1]【干證】명 ①〖역〗범죄에 관계 있는 증인. ②〖기독교〗지은 죄를 증명하여 자복(自服)하고 믿음을 고백(告白)하는 일. ──-하다 타여불
간:증[2]【鼾齁】명 기미.
간:증[3]【癎症】〔一쯩〕명〖의〗간질(癎疾)의 증세.
간증-담【干證談】명〖기독교〗간증하는 말.
간:지[1] 명〈방〉강아지(경북).
간지[2]【干支·幹枝】명 천간(天干)과 지지(地支). 십간(十干)과 십이지(十二支).
간지[3]【奸智·姦智】명 간사한 지혜. ¶~에 능(能)하다.
간:지[4]【間紙】명 ①접어서 맨 책의 종이가 얇아 힘이 없을 때, 그 접은 각 장의 속에 넣어 받치는 종이. ②속장. ③인쇄에서, 덜 건조된 인쇄면이 다른 지면이나 인쇄면에 달라붙는 것을 막기 위하여 사이에 넣는 얇은 종이.
간:지[5]【諫止】명 간하여 말림. ──-하다 타여불
간:지[6]【懇志】명 간곡한 뜻.
간:지[7]【簡紙】명 편지에 쓰는, 장지(壯紙)로 접은 종이. 이 편지지는 봉투도 같은 장지로 함.
간-지다 형 ①붙은 데가 가늘어 곧 끊어질 듯하다. ②간드러진 멋이 있다.
간지-때 명〈방〉바지랑대(전라·경남).
간지라기 명〔←간질-+-아기〕남의 마음을 잘 간지럽게 하는 사람.
간지랍다 형〈방〉간지럽다(함경).
간지러우- 간 '간지럽다'의 불규칙 어간. ¶~니/~ㄴ 말.

간지런-하다 (형)(여불) ☞ 가지런하다. 간지런-히 (부)

간지럼 (명) 간지러운 느낌. 연양(軟痒).

간지럼(을) 타다 (구) 간지러움을 잘 느끼다.

간지럼-히 (부) 〈방〉 가지런히(경남).

간지럽다 (형)(ㅂ불) ①무엇이 살에 닿아 가볍게 마찰될 때, 참을 수 없이 자리자리하게 느끼어지다. ¶ 목이 ~. <근지럽다. ②극히 위태하거나 단작스러운 일을 볼 때, 마음이 자리자리하게 느끼어지다. ¶ 낯이 ~/ 간지럽게 아양을 떨다.

간지럽히다 (타) 간질이다.

간지르다 (타) ☞ 간질이다.

간:지-봉【簡紙封】(명) 간지(簡紙)를 넣는 봉투.

간:지-석【間知石】(명)〖토〗견치돌.

간:지-제【捍止堤】(명)〖광〗광산에서, 금속 성분을 뽑아 내고 남는 찌꺼기를 처리하기 위하여 쌓아 올린 제방.

간직 (명) 잘 간수하여 둠. ¶ 소중히 ~하다. ——-하다 (타)(여불)

간:질[1]【肝蛭】(명)〖동〗간충(肝蟲). *간질병.

간:질[2]【間質】(명)〖생〗척추 동물의 정소(精巢)의 주요부를 구성하는 미세(微細)한 관(管) 사이를 메우는 결합 조직. 간세포(間細胞)를 포함함.

간:질[3]【癎疾】(명)〖의〗발작적으로 경련·의식 상실 등의 증상을 일으키는 질환. 인사 불성이 되어 졸도하며, 손발을 허위적거리고 입에서 거품을 뿜으나 잠시 지나면 회복됨. 전간(癲癎). 간기(癎氣). 지랄병.

간질-간질 (부) ①말이나 행동으로 남의 마음을 간지럽게 하는 모양. ㅆ깐질깐질. ②벌레가 기어가듯 자꾸 간지러운 모양. <근질근질 ③마음이 자리자리하여 자꾸 간지럽게 느끼는 모양. ¶ 속셈이 빤하여 얼굴이 ~하다. <근질근질. ——-하다 (자)(형)(여불)

간질갑다 (형) 〈방〉 간지럽다(함경).

간질-거리다 ㊀(자) 자꾸 간지러운 느낌이 나다. <근질거리다. ㊁(타) 자꾸 간질이다.

간질-대다 (자)(타) 간질거리다.

간질밥 먹이다 [—빱—] (타) 남의 살을 간지럽게 건드리다.

간:질-병[1]【肝蛭病】[—뼝] (명) 간충이 간에 기생하여 생기는 가축, 특히 소나 양의 병. 간이 비대하여지고 쓸개즙(汁)의 유통이 원활하지 못하며 빈혈·수종(水腫)·복수(腹水) 등의 증상이 일어남. *간질(肝蛭).

간:질-병[2]【癎疾病】[—뼝] (명)〖의〗간질(癎疾).

간:질성 각막염【間質性角膜炎】[—썽—넘] (명)〖의〗각막의 염증. 각막 조직이 미만성(瀰漫性)으로 혼탁하고 홍채(虹彩)는 거의 투시되지 않음.

간:질 세:포【間質細胞】(명)〖생〗간세포(間細胞).

간질이다 (타) 간지럽게 하다.

간질키다 (타) 〈방〉 간질이다.

간짓-대 (명) 대나무로 만든 긴 장대. ㊂간대.

간쯔〔甘孜〕(명)〖지〗중국 쓰촨 성(四川省) 서북부의 고지에 있는 도시. 라마교의 사원 간쯔 사(甘孜寺)가 있음. 감자.

간차-지〔중 桿車的〕(명) 마차의 차부(車夫).

간착【墾鑿】(명) 황무지를 개간하며 도랑을 팜. ——-하다 (자)(여불)

간:찰【簡札】(명) ①간지(簡紙)에 쓴 편지. ②편지.

간:찰-진【間擦疹】[—찐] (명)〖의〗피부(皮膚)가 서로 닿아 스침으로써 일어나는 피부염. 젖먹이·비만(肥滿)한 성인 등, 피부 분비(分泌)가 많은 사람의 샅·유방 밑·겨드랑·불기 등에 생기기 쉬움.

간책[1]【奸策】(명) 간사한 계책. ¶ ~을 쓰다.

간:책[2]【簡冊·簡策】(명) ①옛날, 종이 대신에 글씨를 쓰던 대쪽. ②서책(書冊).

간:-처녑【肝—】(명) 쇠고기의 간과 처녑.

간척[1]【干尺】(명)〖역〗고려 초기에서 조선 초기에, 세전(世傳)하여 특수한 국역(國役) 또는 신역(身役)에 종사하던 신량 역천(身良役賤)의 사회 신분 계층. 염간(塩干)·봉화간(烽火干)·수참간(水站干) 등과 진척(津尺)·수척(水尺)·화척(禾尺) 등이 있었음. 조선 왕조 태종(太宗) 말년부터, 이들을 보충군(補充軍)에 입속(立屬)시켜 입역(立役)을 마치면 자손 면역(子孫免役)의 길을 터 줌으로써 차차 소멸되어 갔음.

간척[2]【干拓】(명)〖지〗호수나 바닷가에 제방을 만들어 그 안의 물을 빼내어 육지나 경지(耕地)를 만드는 일. ——-하다 (타)(여불)

간척[3]【干戚】(명) ①간과(干戈)❶. ②〖악〗간척무(干戚舞)를 출 때 손에 잡던 무구(舞具). 간은 왼손에 잡는 방패, 척은 오른손에 잡는 도끼를 말함.

간척-무【干戚舞】(명)〖악〗둑제(纛祭) 때에, 스물 세 사람의 악생(樂生) 가운데 네 사람이 각각 왼손에 간(干), 오른손에 척(戚)을 쥐고 추던 춤. *궁시무(弓矢舞).

간척-지【干拓地】(명) 간척 공사를 하여 이룬 땅. 간척하여 경작지나 목축지로 이용하는 땅.

간:첩[1]【間諜】(명) ①비밀 수단을 써서 적이나 또는 경쟁 상대의 정보를 탐지하여 자기 편에 통보하는 사람. 간인(間人). 간자(間者). 첩자(諜者). 세인(細人). 세작(細作). 스파이(spy). ②〖군〗한쪽 교전국의 작전 지대 안에서 딴 교전국에 통보(通報)할 의사를 가지고 비밀하게 또는 허위의 구실(口實) 밑에 정보를 수집하는 자. 스파이(spy). 오열(五列). ¶ 밀파된 ~.

간:첩[2]【簡捷】(명) 간단하고 빠름. ——-하다 (형)(여불). ——-히 (부)

간:첩-망【間諜網】(명) 간첩을 여러 방면에 그물처럼 풀어 놓아 활동하게 하는 조직.

간:첩-선【間諜船】(명) ①간첩을 태운 배. ②간첩의 임무를 띤 배. ¶ ~을 나포하다.

간:첩-죄【間諜罪】(명)〖법〗적국(敵國)을 위하여 간첩 행위를 하거나, 적국의 간첩을 도와 주거나 또는 군사 상의 기밀을 적국에 누설함으로써 성립되는 죄.

간:첩 행위【間諜行爲】(명) 간첩 노릇을 하는 행위.

간:청【懇請】(명) 간절히 청함. 간촉(懇囑). ——-하다 (타)(여불)

간체【桿體】(명)〖생〗간상 세포(桿狀細胞).

간체-자【簡體字】(명) 중국에서, 문자 개혁에 의하여 1956년 이래로 자체(字體)를 간략화(簡略化)하여 제정한 한자(漢字). '廣'을 '广'으로 쓰는 따위. 간화자(簡化字).

간초【艱楚】(명) 간난과 고초(苦楚). 고초가 심함. 간고(艱苦). ——-하다 (형)(여불)

간촉[1]【干囑】(명) 청촉(請囑). ——-하다 (타)(여불)

간:촉[2]【懇囑】(명) 간곡히 부탁함. 간청(懇請). ——-하다 (타)(여불)

간추【看秋】(명)〖농〗병작(竝作)의 경우에 지주가 소작인의 추수 상황을 살펴봄. *간평(看坪). ——-하다 (자)(여불)

간추러이 (부) 〈방〉·가지런히〈경북〉.

간추르미 (부) 〈방〉 가지런히(경남).

간추리 (부) 〈방〉 가지런히(경북).

간-추리다 (타) 골라서 간략하게 추리다. ¶ 간추린 국어 참고서.

간추워 (부) 〈방〉 가지런히(경북).

간:축【簡軸】(명) 편지를 모은 철(綴).

간출[1]【刊出】(명) 발간(發刊)하여 냄. ——-하다 (타)(여불)

간:출[2]【簡出】(명) 뽑아 냄. 추려 냄. ——-하다 (타)(여불)

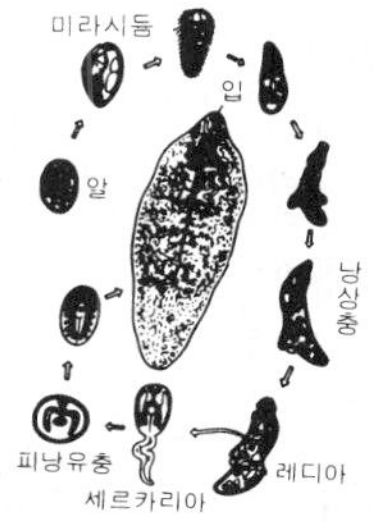

〈간충〉

간:충【肝蟲】(명)〖동〗[*Fasciola hepatica*] 간충과에 속하는 편형(扁形) 동물. 몸은 편평한 나뭇잎 모양인데 몸길이 20-30 mm, 폭 4-13 mm임. 몸의 표면에는 무수한 작은 가시가 있고, 장관(臟管)은 외측으로 붙은 맹관(盲管)이 특징임. 몸빛은 황갈색인데 성숙한 것은 언저리에 흑갈색을 띰. 알은 똥에 섞여 외계(外界)에 나오는데 물 속에 들어가서 섬모(纖毛)가 돋친 유생(幼生)이 되어 중간 숙주(宿主)인 우렁이 속으로 들어가며, 레디아(redia) 유생(幼生)·세르카리아(cercaria) 유충 시대를 거쳐 숙주를 떠나 물 속 또는 나뭇잎에 부착하였다가 최종 숙주인 양·소 그 밖의 초식성 짐승의 간(肝)으로 들어가 성충(成蟲)이 되어 기생함. 목축(牧畜)에 큰 해를 끼침. 간질(肝蛭). *간디스토마.

간:충 겔【間充—】〔gel〕(명)〖생〗간충질(間充質).

간:충-직【間充織】(명)〖생〗①척추 동물의 발생 과정에서, 형성 중인 기관(器官) 사이의 빈 곳을 메우는 조직. 중배엽(中胚葉)에서 파생하여 뼈·혈관·림프샘 등의 형성에 관여함. ②해면 동물에서 두 층으로 된 체벽(體壁) 사이를 채우는 중요한 조직. 간엽(間葉).

간:충직 세:포【間充織細胞】(명)〖생〗간충직 속에 있는 미분화(未分化) 세포. 각종 특수 결합 조직으로 분화한 것임. 간엽(間葉) 세포.

간:충-질【間充質】(명)〖생〗①해면 동물(海綿動物)의 피층(皮層)과 위층(胃層) 사이에 있는 겔(gel) 모양의 물질의 층. ②강장(腔腸) 동물의 표피(表皮)와 강장(腔腸) 사이의 겔 모양의 물질의 층. 간충 겔(gel).

간취【看取】(명) 보아서 내용을 알아차림. ——-하다 (타)(여불)

간:측【懇惻】(명) ①진정으로 측은히 여김. ②지극히 간절함. ——-하다 (형)(여불). ——-히 (부)

간치 (명) 〈옛·방〉 까치[1](제주). ¶ 門의 간치는 새뱃 비체 니렛고(門鵲晨光起) ≪重杜諺 XV:31≫.

간-치다 (자) 음식물에 맛을 내려고 간을 넣다.

간치런히 (부) 〈방〉 가지런히(경기).

간:친【懇親】(명) 다정하게 사귀어 친목함. ——-하다 (자)(여불)

간:친-회【懇親會】(명) 간친을 목적으로 하는 회. 친목회.

간:-크다【肝—】(형) 매우 대담하다.

간:-타다【肝—】(자) 〈방〉 애가 타다(경상).

간:탁【簡擢】(명) 골라 추림. 간발(簡拔). ——-하다 (타)(여불)

간:탄【懇歎·懇嘆】(명) 간곡히 탄원(歎願)함. ——-하다 (타)(여불)

간탐【慳貪】(명) 몹시 탐하고 인색함. ——-하다 (형)(여불)

간:태【杆太】(명) 강원도 간성(杆城) 앞바다에서 나는 명태. 품질이 좋지 못함.

간:-태우다【肝—】(자) 〈방〉 애태우다.

간:택[1]【揀擇】(명) ①임금이나 왕자·왕녀의 배우자(配偶者)를 고름. ②분간(分揀)하여 선택함. 간선(揀選). ——-하다 (타)(여불)

간:택[2]【簡擇】(명) 여럿 중에서 골라 냄. 간선(簡選). ——-하다 (타)(여불)

간:테 (명) 〈방〉 가운데(충북).

간:토【間土】(명)〖농〗사이흙.

간토 대:지진【—大地震】〔일 関東〕(명)〖역〗1923년 9월 1일 일본의 중앙부인 간토 지방에 일어난 대지진. 사상자(死傷者)가 10만 명이 넘었음. 이 지진이 있은 후 일본 정부는 계엄령을 선포하고 일본의 민족 감정을 통일하기 위하여 재일(在日) 한국인이 폭동을 음모, 방화하였다는 유언(流言)을 퍼뜨려 수많은 한국인을 학살하였음.

간:-토질【肝土疾】(명)〖한의〗간(肝) 디스토마병(病).

간토 평야【—平野】〔関東〕(명)〖지〗일본의 중앙부인 간토 지방의 주요부를 차지하는, 일본 최대의 평야. 충적 대지(沖積臺地)가 넓게 퍼져 있으며, 도네(利根) 강·아라카와(荒川) 강 연안은 충적 저지(低地)를 이루고 있음. 남쪽의 도쿄 만(東京灣) 저지대의 도쿄·요코하마(横浜) 등의 대도시를 중심으로 공업이 발달되었음.

간통[1]【姦通】(명) ①남녀가 불의(不義)의 밀통(密通)을 함. 통간. *간음(姦淫). ②〖법〗배우자 있는 사람이 그 배우자 이외의 이성과 성교하는 일. ——-하다 (자)(여불)

간통[2]【間通】(명) 간격(間隔).

간:통[3]【簡通】(명) 대각(臺閣)의 벼슬아치가 서면으로 의견을 통함. ——-하다 (타)(여불)

간-통[4]【間—】(의명) ☞ 칸통.

간통 쌍벌주의【姦通雙罰主義】[—/—이] (명)〖법〗남녀 평등의 입장에서 간통한 남녀를 똑같이 처벌하는 주의.

간통-죄【姦通罪】[—쬐] [명] 〖법〗 배우자 있는 자가 간통하거나 그와 상간(相姦)함으로써 구성되는 죄. 배우자의 고소에 의하여 성립되는 친고죄(親告罪)로서 쌍벌죄(雙罰罪)임. [준]간죄.

간:투-사【間投詞】[명] 〖언〗 감탄사(感歎詞)❶.

간트 차:트 [Gantt chart] [명] 〖경〗 ☞갠트 차트.

간특【奸慝·姦慝】[명] 간사하고 악함. ¶그토록 야무지고 ~한 궐녀가 궐한을 혼찌검할 방도라면 관령을 빙자하고 의금부나 포도청의 힘을 빌 수밖에 없겠는데…《金周榮 : 客主》. ——-하다 [형][여불]. ——-히 [부]

간특-스럽다【奸慝·姦慝—】[형][ㅂ불] 보기에 간사하고 악하다. ¶하는 짓이 ~. 간특-스레【奸慝·姦慝—】[부]

간파【看破】[명] 보아서 속내를 알아차림. ¶적의 흉계를 ~하다/약점을 ~하다. ——-하다 [타][여불]

간판[1]【看板】[명] ①가게 등에서 여러 사람의 주의를 끌기 위하여 상점의 이름과 그 밖의 상품명·영업 종목 등을 써서 내건 표지(標識). 목제·철제·아크릴(acryl) 등의 판면(板面)을 이용함. ②극장 등에서, 연예(演藝)의 제목 및 연예자의 이름 등을 흔히 그림과 함께 써 붙여 걸어 놓은 판자. ③〈속〉 외관 또는 학벌이나 경력 등과 같이 남 앞에 내세울 만한 것, 또는 얼굴. ¶~이 좋아서 출세했다.

간판을 내리다 [구] 상점·기관·회사 등이 영업이나 활동을 그만두다.

간판을 떼:다 [구] 간판을 내리게 하거나 내리게 되다.

간:판[2]【間判】[명] 소판(小判)과 중판(中判)과의 중간 정도의 크기의 사진 건판. 곧, 세로 12.7cm, 가로 10cm임.

간판[3]【幹—】[명] 간사(幹事)하는 보짱 또는 배포. *간국(幹局).

간판 대:여 계:약【看板貸與契約】[명] 〖법〗 명의 대여 계약.

간판-장이【看板匠—】[명] 간판을 그리거나 만들어 파는 사람.

간판-점【看板店】[명] 간판을 만들어 파는 가게.

간팡 [명] 〈방〉 얼음지치기(함경).

간:-팥 [명] 밥에 두어 먹기 위하여 맷돌에 갈아 부순 팥.

간편【簡便】[명] 간단하고 편리함. ¶~한 방법. ——-하다 [형][여불]. ——-히 [부]

간편-산【簡便算】[명] 〖수〗 '간편셈'의 구용어.

간편-셈【簡便—】[명] 〖수〗 쉽고 편하게 하는 셈. 이를테면, 5×99를 5×100−5로 셈하는 따위.

간평【看坪】[명] 〖농〗 지주가 도조(賭租)를 매기기 위하여 추수하기 전에 실지로 가서 농작물의 풍흉(豐凶)을 살펴봄. 검견(檢見). 간수(看穗). ¶평상시에는 근처 백성을 시켜 농사를 짓게 하고 가을에는 호조에서 이것을 ~하는 것이다《朴鍾和 : 錦衫의 피》. *간추(看秋). ——-하다 [타][여불]

간평 도조【看坪賭租】[명] 집음도조.

간:-폐【肝肺】[명] ①간과 폐. ②전(轉)하여, 마음.

간포【刊布】[명] 발간(發刊)하여 세상에 널리 폄. ——-하다 [타][여불]

간품【看品】[명] 품질의 어떠함을 간색(看色)함. ——-하다 [타][여불]

간:풍【癇風】[명] 〖한의〗 간질을 일으키는 풍증.

간-피다 [자] 바닷물에 미역감고 난 뒤에 피부에 소금기가 남게 되다.

간:필【簡筆】[명] 편지 쓰기에 알맞은, 초필(抄筆)보다 굵은 붓.

간핍【艱乏】[명] 몹시 가난함. ——-하다 [형][여불]

간-하다[1] [타][여불] ①음식에 간을 치다. ②생선·야채 따위를 소금에 절이다. ¶생선을 간하여 두다.

간:-하다[2]【諫—】[타][여불] 어른이나 임금께 잘못을 고치도록 말하다. ¶술을 절제하도록 ~.

간-하다[3]【奸—】[형][여불] 간사하다.

간:하-수【澗下水】[명] 〖민〗 육십 화갑자(六十花甲子)에서 병자(丙子) 정축(丁丑)의 납음(納音). ¶병자 정축 ~.

간:학【澗壑】[명] 산골짜기. 또, 산골짜기에 흐르는 시내.

간한【奸漢】[명] 간사한 놈. 간악한 자.

간활【奸黠】[명] → 간힐. ——-하다 [형][여불]

간-해 [명] ☞지난해.

간행[1]【刊行】[명] 인쇄하여 발행함. 인행(印行). 출판(出版). *상재(上梓).

간행[2]【奸行】[명] 간사한 행동. ——-하다 [타][여불]

간행[3]【間行】[명] 미행(微行). ——-하다 [자][여불]

간행-물【刊行物】[명] 간행한 출판물. 간행한 도서(圖書)나 도면.

간행-본【刊行本】[명] 간행한 책. [준]간본(刊本). ↔고본(稿本).

간향【奸鄕】[명] 간악한 좌수(座首)나 별감(別監).

간:헐【間歇】[명] 일정한 시간을 두고 주기적(週期的)으로 쉬었다 일어났다 함. →간흘. ——-하다 [자][여불]

간:헐 동:작【間歇動作】[명] 단속적(斷續的)으로 행하여지는 동작. 특히 자동 제어 장치(自動制御裝置)에 있어서, 제어 동작이 일정한 시간의 간격을 두고 행하여짐을 말함.

간:헐-류【間歇流】[명] 〖지〗 ①간헐 하천(間歇河川). ↔영구류(永久流). ②해류(海流)의, 단속(斷續)하는 단일 방향의 흐름.

간:헐 방:전【間歇放電】[명] 〖전〗 ①주기적으로 시간을 한정하고 내는 방전. ②송전선이 접지(接地)할 때에 생기는 간헐적·충격적인 방전. 이상 전압의 발생 원인이 됨.

간:헐 살균법【間歇殺菌法】[—뻡] [명] 〖의〗 살균법의 한 가지. 100°C에서는 연속 가열을 해도 죽지 아니하는 포자(胞子)를 60°C 정도에서 발아(發芽)시켜 균으로 만든 다음, 다시 100°C로 일정한 간격을 두고 세 번 가열하여 멸균시키는 방법.

간:헐성 파행증【間歇性跛行症】[—썽—쯩] [명] 〖의〗 간헐 파행증.

간:헐-열【間歇熱】[—렬] [명] 〖의〗 고열(高熱)과 평열(平熱)이 사이를 두고 나는 신열(身熱)의 형태. 말라리아·재귀열(再歸熱)·서교증(鼠咬症) 등에 나타남.

간:헐 온천【間歇溫泉】[명] 〖지〗 간헐천(間歇泉).

간:헐 유전【間歇遺傳】[—뉴—] [명] 〖생〗 격세(隔世) 유전❶.

간:헐 자분【間歇自噴】[명] 〖광〗 채유상(採油上)의 용어. 석유가 오랜 동안 산출됨에 따라 그 지층(地層)의 압력이 낮아지므로, 자연히 연속적으로 분출하지 아니하고 간헐적으로 분출되는 일.

간:헐-적【間歇的】[—쩍] [명][관] 일정한 시간의 간격을 두고 되풀이하여 일어나는 모양. ↔연속적.

간:헐 전동 기구【間歇傳動器具】[명] 원동체(原動體)인 회전축으로부터 종동체(從動體)에 간헐적으로 회전이나 왕복 운동을 전달하는 기구.

간:헐-천[1]【間歇川】[명] 〖지〗 간헐 하천.

간:헐-천[2]【間歇泉】[명] [geyser] 〖지〗 일정한 동안을 두고 주기적으로 뜨거운 물이나 수증기를 분출(噴出)하는 온천. 간헐하는 동안이 짧은 것은 수초(數秒), 긴 것은 두어 달 됨. 간헐 온천.

간:헐 파행증【間歇跛行症】[—쯩] [명] 〖의〗 혈관의 기능 마비로 혈액순환이 나빠지거나 막히기 때문에, 걸음을 조금 걸으면 다리가 켕기고 조금 쉬면 낫고 하는 병. 동맥혈의 공급이 나빠서 일어나며, 빈혈성 동통(疼痛)의 하나임. 간헐성 파행증.

간:헐 하천【間歇河川】[명] 〖지〗 개거나 건조기에는 유수(流水)가 없고 강우시나 우기(雨期)에만 유수가 있는 하천. 간헐천(川). 간헐류(流). ↔영구(永久) 하천.

간:헐 효:과【間歇效果】[명] 〖물〗 어느 일정량의 작용을 가할 때, 그 조작(操作)을 연속적으로 하느냐 간헐적으로 행하느냐에 따라 결과에 차가 생기는 일. 가령, 사진 감광(感光)의 경우, 총광량(總光量)이 같은 빛을 연속적으로 비추느냐 간헐적으로 비추느냐에 따라 사진 효과가 달라지는 따위.

간험【姦險】[명] 간악하고 음험함. ——-하다 [형][여불]

간협【姦俠】[명] 간악한 무뢰한(無賴漢).

간호【看護】[명] 병상자(病傷者)나 약한 늙은이·어린애를 보살피어 돌봄. *간병(看病). ——-하다 [타][여불]

간호-법【看護法】[—뻡] [명] 〖의〗 간호하는 여러 가지 방법.

간호 보:조원【看護補助員】[명] '간호 조무사'의 구칭.

간호-부【看護婦】[명] '여자 간호사'를 일컫던 말.

간호 부:이사관【看護副理事官】[명] 의무직(醫務職) 국가 공무원 직급 명칭의 하나. 간호 직렬(職列)에 속하며, 간호 서기관(書記官)의 위, 간호 이사관(理事官)의 아래로 3급 공무원임.

간호-사【看護師】[명] 〖의〗 의료인(醫療人)의 하나. 법정 자격을 가지고 의사의 진료를 돕고 환자의 간호에 종사하는 사람. 구칭 : 간호원(員).

간호 사:무관【看護事務官】[명] 의무직(醫務職) 국가 공무원 직급 명칭의 하나. 간호 직렬(職列)에 속하며, 간호 주사(主事)의 위, 간호 서기관(書記官)의 아래로 5급 공무원임.

간호 서기【看護書記】[명] 의무직(醫務職) 국가 공무원 직급 명칭의 하나. 간호 직렬(職列)에 속하며, 간호 주사보(主事補)의 아래로 8급 공무원임.

간호 서기관【看護書記官】[명] 의무직(醫務職) 국가 공무원 직급 명칭의 하나. 간호 직렬(職列)에 속하며, 간호 사무관(事務官)의 위, 간호 부이사관(副理事官)의 아래로 4급 공무원임.

간호-원【看護員】[명] '간호사'의 구칭.

간호 이:사관【看護理事官】[명] 의무직(醫務職) 국가 공무원 직급 명칭의 하나. 간호 직렬(職列)에 속하며, 간호 부이사관(副理事官)의 위, 관리관(管理官)의 아래로 2급 공무원임.

간호-인【看護人】[명] 간호하는 사람. 간병인(看病人).

간호-장【看護長】[명] '수간호사'의 구칭.

간호 장:교【看護將校】[명] 〖군〗 간호에 종사하는 여군(女軍) 장교.

간호 조:무사【看護助務士】[명] 의료법의 규정에 의거한 자격 인정을 받고, 간호와 진료 업무를 보조하는 사람. 구칭 : 간호 보조원.

간호 조:무원【看護助務員】[명] 보건 위생 기능직 국가 공무원 직급 명칭의 하나. 6급·7급·8급·9급·10급의 다섯 등급이 있음.

간호 주사【看護主事】[명] 의무직(醫務職) 국가 공무원 직급 명칭의 하나. 간호 직렬(職列)에 속하며, 간호 주사보(主事補)의 위, 간호 사무관(事務官)의 아래로 6급 공무원임.

간호 주사보【看護主事補】[명] 의무직(醫務職) 국가 공무원 직급 명칭의 하나. 간호 직렬(職列)에 속하며, 간호 서기(書記)의 위, 간호 주사의 아래로 7급 공무원임.

간호-학【看護學】[명] 〖의〗 간호에 관한 이론과 실제를 연구하는 학문.

간호학-과【看護學科】[명] 〖교〗 대학에서, 간호학을 전공하는 학과. *약학과(藥學科)

간호 학교【看護學校】[명] 〖교〗 간호에 관한 전문적인 지식과 이론 및 간호 기술을 교수 연구하며, 장차 간호사가 되고자 하는 사람을 양성함을 목적으로 하던 학교. 고등 학교 졸업자가 입학할 수 있었음. 지금은 초급 대학 과정으로 개편되어 간호 전문 대학이 됨.

간:혹【間或】[부] 이따금. 간간이. 어쩌다가. 혹시. ¶~ 눈에 띄다.

간:혼【間婚】[명] 남의 혼인을 이간질함. ——-하다 [자][여불]

간:혼-작【間混作】[명] 간작과 혼작. ——-하다 [타][여불]

간:화[1]【懇話】[명] 간담(懇談).

간화[2]【艱禍】[명] 간난(艱難)과 재화(災禍).

간화 결의론【看話決疑論】[— / —이—] [명] 〖책〗 고려 고종 2년(1215)에 지눌(知訥)이 간화선(看話禪)의 우수성을 주장하기 위하여 지은 책. 선종(禪宗)과 교종(敎宗)이 한가지로 실도(實道)로 들어간다는 취지로, 여러 가지 의문을 화엄경·원각경(圓覺經) 등을 인용하여 설명하였음. 1책.

간화-선【看話禪】[명] 〖불교〗 선(禪)의 공안(公案)을 보고 열심히 공부를 쌓아 마침내는 대오(大悟)하기에 이르도록 좌선(坐禪)함. 또, 그 좌선. 특히 임제종(臨濟宗)에서 성함. *묵조선(默照禪). ——-하다 [자][여불]

간화-자【簡化字】 명 간체자(簡體字).
간활【奸猾·姦猾】 명 간악하고 교활함. ¶ 왕왕히 ~한 시골 아전들이 장관 모르게 이같이 백성을 못살게 하여…《作者未詳 : 洗劍亭》. ——-하다 형여불
간:-회[1]【肝膾】 명 소의 간으로 만든 회.
간:회[2]【諫誨】 명 타일러 가르침. ——-하다 타여불
간휼【奸譎】 명 간사하고 음흉함. ——-하다 형여불
간흉【奸凶·姦凶】 명 간사하고 흉악함. 또, 그러한 사람. ——-하다 형여불
간:흘【間歇】 명 ←간헐. ——-하다 자여불
간:-흡충【肝吸蟲】 명 〖동〗 간디스토마(肝 distoma).
간힐【奸黠】 명 간사하고 꾀가 많음. ——-하다 형여불
간힘 명 내쉬는 숨을 억지로 참아 고통을 이기려고 애쓰는 힘.
  간힘(을) 쓰다 구 간힘을 주어 애를 쓰다.
  간힘(을) 주다 구 간힘을 아랫배에 내리밀다.
갇 명 〈옛〉 갓[1]. ¶ 즈식이 갇 스며 아돌 나ᄒᆞ며(初生子旣長而冠)《呂約 26》.
갇기다 피동 〈방〉 갇히다.
갇나히 명 〈옛〉 계집아이. =갓나히. ¶ 숟갇나히가 니믈리기가(女孩兒那後婚) 《朴解 上 45》.
갇다 타 〈옛〉 거두다. 걷다. ¶ 보매 나며 녀르메 길며 ᄀᆞ술히 가ᄃᆞ며 겨스레 갈ᄆᆞ며(春生夏長秋收冬藏)《金三 Ⅱ:6》.
갇히다 [가치—] 피동 〔←가두히다〕 가둠을 당하다. ¶ 감옥에 ~.
갇힌-물 [가친—] 명 빠져 나갈 데가 없어 흐르지 아니하고 괴어 있는 물.
갈[1] 명 ①학(學). ¶ 한글 ~. ② 논(論)'의 뜻.
갈[2] 명 〖식〗 ↗갈대.
갈[3] 명 〈옛〉 칼[1]. ¶ 져믄 나해 글스기와 갈쓰기와 배호니(壯年學書劍) 《杜諺 Ⅸ:15》 /갈 도(刀) 《字會 中 18》.
갈[4] 명 〈옛〉 칼[2]. ¶ 갈 가(枷)《字會 中 5》.
갈:[5] 명 〖건〗 기둥의 사개나 인방의 가름장 같은 것의 갈래.
갈:[6] 명 ↗갈보.
갈:[7] 명 ↗가을❶❷. ¶ ~ 봄 여름 없이 꽃이 피네. ——-하다 자타여불 ↗가을걷이하다.
갈:[8] 명 〖식〗 ↗가래[10].
갈:[9] 명 〖식〗 ① ↗갈나무. ② ↗갈잎.
갈[10]【楬】 명 〖악〗 어(敔).
갈[11]【葛】 명 성(姓)의 하나. 현재 우리 나라에는 청주(淸州)·양주(楊州)의 두 본관이 있음.
갈[12]【碣】 명 가첨석(加檐石)을 얹지 아니하고 머리를 둥글게 만든 작은 비석.
갈[13]【碣】 명 성(姓)의 하나. 우리 나라에는 현존하지 아니함.
갈[14]【羯】 명 〖역〗 흉노와 동족(同族)인 오호(五胡)의 하나. 중국 산시 성(山西省) 위서 현(楡社縣) 지방, 당시 갈실(羯室)로 불리던 곳에 웅거한 종족. 4세기 초두, 그 부장 석륵(石勒)이 후조(後趙)를 세움.
갈[15] 〔Gall, Franz Joseph〕 명 〖사람〗 독일 태생의 해부학자. 처음 빈(Wien)에서 의사를 하면서 골상학을 창시. 모든 정신 작용은 대뇌 피질(大腦皮質)의 일정한 부위에 국한되어 있으며, 그 발달 정도에 따라 두골에 융기와 함몰(陷沒)이 생기며 인간의 선악(善惡) 등을 판단할 수 있다고 하는 대뇌 기능의 국재설(局在說)을 주장함.
갈[16] 〔gal〕 의명 가속도의 C.G.S. 단위. 1 Gal=1 cm/sec^2의 속도 변화를 나타냄. 갈릴레이의 이름에서 유래. 기호 Gal.
갈가랑-비 명 〈방〉 가랑비(강원).
갈:-가리 부 ↗가리가리. ¶ 옷이 ~ 찢어지다.
갈-가마귀 명 〖조〗 ①갈가마귀·당까마귀·산갈가마귀의 통칭. ②[*Corvus dauricus*] 까마귓과에 속하는 새. 까마귀와 비슷하나 약간 작고, 목에서 가슴·배까지는 희고 나머지는 검음. 만주·시베리아 지방에서 번식하여, 늦은 가을부터 봄까지 우리 나라에 건너와서 떼를 지어 다님. 비거(鵯鶋). 여사(鸒斯). 연오(燕烏).

〈갈가마귀❷〉

갈가외 명 〈방〉 갈가위.
갈가위 명 인색하게 안달을 하며 제 실속만을 차리는 사람.
갈-가자미 명 〖어〗 [*Tanakius kitaharai*] 붕넙칫과에 속하는 바닷물고기. 몸길이 21 cm 내외로 두 눈은 몸의 오른쪽에 있고 두 눈 사이의 간격이 좁으며 주둥이는 작고, 몸빛은 청갈색임. 한국 남부 연해와 제주도 연해 및 일본 동북 지방 이남의 연해에 분포함. 맛이 좋음.

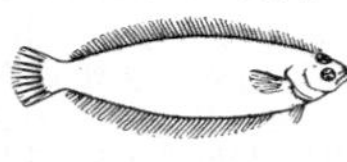
〈갈가자미〉

갈가지 명 〈방〉 개호주(경상).
갈:갈 부 얌치없이 갈근거리는 모양. <걸걸[2]. ——-하다 자여불
갈:갈-거리다 자 얌치없이 갈근거리다. 갈갈대다. <걸걸거리다.
갈:갈-대다 자 갈갈거리다.
갈:-갈이 명 〖농〗 ↗가을갈이. ——-하다 타여불
갈강-거리다 자 ↗갈그랑거리다. 갈강-갈강 부. ——-하다 자여불
갈강-대다 자 갈강거리다.
갈강-병【褐殭病】[—뼝] 명 〖농〗 갈강병균(菌)의 기생에 의하여 생기는 누에의 전염병. 병균이 붙은 자리가 검어지면서, 입으로 수분을 흘리고 설사를 하다가 죽음. 갈색굳음병.
갈강-비 명 〈방〉 가랑비(경상·강원).
갈개[1] 명 괸 물을 빠지게 하거나 경계를 짓기 위하여 얕게 판 작은 도랑.
갈개[2] 명 〈방〉 갈기[2](충남).
갈:개[3] 명 〈방〉 가을(강원).
갈개-꾼 명 ①종이의 원료인 닥나무의 껍질을 벗기는 사람. ②남의 일에 훼방을 놓는 사람.
갈개다 타 〈방〉 ①찢다. ②가래다(평안).
갈개-머리 명 〈방〉 갈기[2] (경기).
갈개-발 명 ①연의 아래의 좌우 양귀퉁이에 붙이는 쐐기 모양의 긴 종이 조각. ②권세 있는 집에 붙어서, 덩달아 세도 부리는 사람을 조롱하여 이르는 말.
갈개비 명 〈방〉〖동〗 개구리(제주).
갈갱이 명 〈방〉 ①갈기[2] (경남). ②호미[1] (제주).
갈강갈강-하다 형여불 얼굴이 파리하나 단단하고 굳센 기상(氣象)이 있어 보이다.
갈:-거두다 자 〈방〉 가을하다 (경기·충북).
갈거리 명 〈방〉 ①〖어〗 버들치. ②갈고리(경기).
갈-거미 명 〖동〗 ①갈거밋과에 속하는 거미의 총칭. ②특히, 장수갈거미를 일컫는 말.
갈:거지-하다 자타 〈방〉 가을하다 (강원·충남).
갈건【葛巾】 명 갈포(葛布)로 만든 두건.
갈건 야:복【葛巾野服】[—냐—] 명 〔갈건과 베옷〕 은사(隱士)의 의관(衣冠).
갈:-걷이 [—거지] 명 ↗가을걷이. ——-하다 자타여불
갈-게 명 〖동〗 갈대밭이 있는 강가에 사는 방게.
갈겨니 명 〖어〗 [*Zacco temmincki*] 잉어과에 속하는 민물고기. 피라미와 비슷하나 비늘이 작고 눈이 크며, 체측(體側) 중앙에 불분명한 종암대(縱暗帶)가 있음. 몸길이는 3년생이 14-16 cm 쯤 됨. 몸빛은 등 쪽이 창록갈색(蒼綠褐色), 체측이 은창색(銀蒼色), 배 쪽이 은백색인데, 5-6월경 산란기가 되면 수컷은 혼인색(婚姻色)이 현저하게 아름다와짐. 한국의 서해안 및 남해안의 하천과 동해안의 강원도 남부 이남, 일본의 중부 이남, 중국 등지의 각 하천에 분포함.
갈겨-먹다 타 ①음식이나 재물을 빼앗아 먹다. ②떼어먹다.
갈겨-쓰다 타 서둘러서 급하게 쓰다. ¶ 갈겨쓴 편지라서 읽기 어렵다.
갈경갈경-하다 형 〈방〉 갈강갈강하다.
갈고【羯鼓】 명 〖악〗 아악의 타악기의 한 가지. 장구와 거의 같되 양쪽 마구리의 크기가 같고, 다 얇은 말가죽으로 메우고, 축수(縮綬)가 양쪽에 있는 점이 다름. 좌우 두 개의 채로 치는데, 합주의 완급(緩急)을 조절함. 지금은 사용되지 않음. 양장고(兩杖鼓).

〈갈고〉

갈-고등어 명 〖어〗 [*Decapterus muroadsi*] 전갱잇과에 속하는 바닷물고기. 몸길이는 40 cm에 달하며 몸은 원통형인데, 몸빛은 등 쪽이 청록색, 배 쪽이 은백색이며, 폭이 넓은 갈색 세로띠가 주둥이 끝에서 꼬리 기저(基底)에 이르고 있음. 산란기인 5-6월경에 연안에 모여들며 외양성어(外洋性魚)로서 온해 수계에 사는데, 한국·일본 등지에 분포함. 식용함.

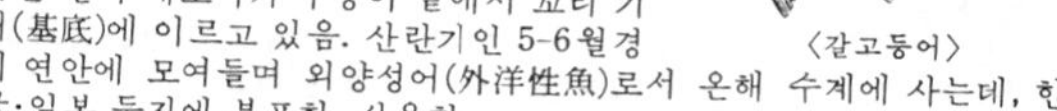
〈갈고등어〉

갈고라지 명 〈방〉 ①갈고랑이. ②가락옷.
갈고랑-막대기 명 갈고랑이 모양으로 생긴 막대기.
갈고랑-쇠 명 ①갈고랑이 모양으로 생긴 쇠. ②성질이 바르지 못하고 꼬부장한 사람.
갈고랑이 명 〔←갈고리+-앙이〕 ①끝이 뾰족하고 꼬부라진 물건. 흔히, 쇠로 만들어 물건을 끌어 잡아당기는 데 씀. ②갈고랑쇠에 긴 나무 자루를 박은 무기(武器)의 하나. 준갈고리.
갈고랑이-선인장【—仙人掌】 명 〖식〗 [*Hamatocactus uncinatus*] 선인장의 한 종류. 전체의 모양은 원뿔 모양이며 높이 10-20 cm, 직경 7.5 cm. 암적색의 꽃이 피는데, 흔히 분(盆)에 가꿈. 미국 텍사스 원산.
갈고랭이 명 〈방〉 갈고랑이(충남·경북).
갈고리 명 ↗갈고랑이.
  【갈고리 맞은 고기】 위급한 경우를 당하여, 어찌할 바 모르고 있음을 이르는 말.
갈고리-가시우무 명 〖식〗 [*Hypnea japonica*] 홍조(紅藻)식물 가시우뭇과에 속하는 해조(海藻). 외양(外洋)에 면한 저조선(低潮線) 부근 이하의 바위에 나거나 모자반류(類)에 엉겨 붙어 삶. 몸은 높이 7-20 cm, 굵기 1.5-3 mm의 원기둥꼴이고, 불규칙하게 많이 분지(分枝)하며, 끝이 갈고리 모양으로 굽었음. 다른 물건이나 가지끼리 얽혀 큰 덩어리를 이룸. 몸빛은 갈색을 띤 홍자색(紅紫色)인데 물 속에서는 청백색으로 빛나 보임. 식용도 가능함. 부산·거제도·제주도 등지와 일본 남부·대만 등지에 분포함.
갈고리궐-부【—亅部】 명 한자 부수(部首)의 하나. '了'나 '事' 등의 '亅'의 이름.
갈고리-나방 명 〖충〗 밤색갈고리나방.
갈고리나방-과【—科】[—꽈] 명 〖충〗 [Drepanulidae] 나비목(目)에 속하는 한 과. 전 세계에 250여 종이 분포함.
갈고리-나비 명 〖충〗 [*Anthocharis scolymus*] 흰나빗과에 속하는 곤충. 몸길이 약 15 mm, 편 날개의 길이 48 mm 내외이며, 몸빛은 흑색이고 날개는 백색임. 앞날개 끝은 갈고리 모양으로 돌출하고 중앙실 끝과 날개 끝에 흑색 무늬가 있음. 수컷의 앞날개 돌출부는 등황색이고 무늬는 흑색임. 유충은 겨잣과(科) 식물의 꽃이삭을 먹고, 성충은 4-5월에 발생하여 번데기로 월동함. 한국·일본·중국 등지에 분포함.

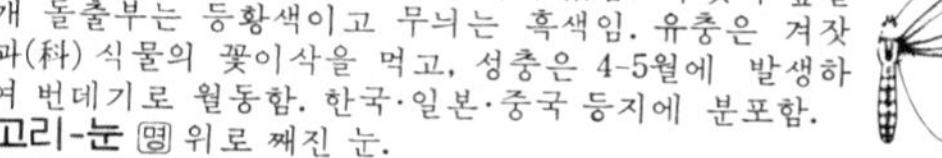
〈갈고리나비〉

갈고리-눈 명 위로 째진 눈.
갈고리-단추 명 호크.
갈고리-달 명 초승달이나 그믐달처럼 몹시 이지러진 달.
갈고리-못 명 대가리가 'ㄱ'자 모양으로 꼬부라진 못. 곡정(曲釘).
갈고리-바늘 명 미늘이 없는 낚시. 물 속의 물고기의 은어 따위의 몸을 걸어서 낚음.
갈고리-밤나방 명 〖충〗 [*Oraesia excavata*] 밤나방과에 속하는 곤충.

편 날개의 길이 50-54mm. 앞날개 시정(翅頂)은 갈고리 모양이고 적갈색이며, 복부 배면은 황갈색임. 앞날개의 전연부(前緣部)에 여덟 개 내외의 암적갈색 세선(細線)이 있고, 뒷날개는 갈황색이며, 그 외면은 암갈색임. 유충은 각종 과수 잎의 해충이며, 성충은 복숭아·포도 등의 과실의 즙을 빨아먹음. 한국에도 분포함.

갈고리-촌충【一寸蟲】명〖동〗[*Taenia solium*] 촌충과에 속하는 기생충. 몸길이 2-3m, 최대의 폭은 7-8mm, 편절수(片節數)는 800-900임. 머리는 갈고리 모양을 이루며 네 개의 흡반(吸盤) 외에 대소 두 가지의 갈고리가 26-28개 열생(列生)함. 묵은 편절(片節)은 똥에 섞여서 나옴. 사람의 소장(小腸) 안에 기생하는데, 돼지를 중간 숙주(中間宿主)로 함. 유구(有鉤) 촌충. ＊민촌충.

갈고링이 명〈방〉갈고랑이(전북).

갈고쟁이 명 가장귀진 나무의 옹이 밑과 우듬지를 잘라 버리어 만든 갈고랑이. (준)갈고지.

갈고지 명 ↗갈고쟁이.

갈골【渴汨】명 갈급(渴急)하게 골몰함. ——하다 형여불. ——히 부

갈공 명〈옛〉갈고랑이. ¶ ᄇᆞ롬 부는 바리 절로 갈공애 올앗ᄂᆞᆫ 돗 ᄒᆞ도다(風簾自上鉤)≪杜諺 XII:3≫.

갈공이 명〈방〉갈고랑이(제주).

갈공막대 명〈옛〉늙은이의 지팡이. ¶ 갈공막대 괘(枴 老者所持)≪字會 中 19≫.

갈-관박【褐寬博】명〔'갈(褐)'은 털로 짠 베, '관박(寬博)'은 옷이 헐렁해서 잘 맞지 않는다는 뜻〕거친 베로 헐렁하게 지어 입은 추레한 옷. 또, 그런 옷을 입은 빈천(貧賤)한 사람이나 무뢰한(無賴漢).

갈구¹ 명〈방〉가루¹(강원).

갈구²【渴求】명 몹시 갈망하여 구함. ¶ 행복을 ~하다. ——하다 타여불

갈구라지 명〈방〉갈고랑이.

갈구랑-쇠 명 ☞갈고랑쇠.

갈구랑이 명 ☞갈고랑이.

갈구래기 명〈방〉갈고랑이(강원).

갈구랭이 명〈방〉갈고랑이(강원·충남·경북).

갈구럽다 형〈방〉가렵다(충북).

갈구리 명〈방〉①갈고리(경기·강원·충남). ②갈퀴(경상).

갈-구슬【葛一】명〖식〗칡의 열매.

갈구자리 명〈방〉가락옷.

갈구쟁이 명 ☞갈고쟁이.

갈구지 명 ☞갈고지.

갈-굴 명〈방〉〖조개〗미네굴.

갈굽다 형〈방〉가렵다(충북).

갈그랑-거리다 자 거칠게 가르랑거리다. 갈그랑대다. <글그렁거리다. (준)갈강거리다. 갈그랑-갈그랑 부. ——하다 자여불

갈그랑-대다 자 갈그랑거리다.

갈그랑-비 명〈방〉가랑비(강원·경북).

갈근【葛根】명〖한의〗칡의 뿌리. 갈증·두통·요통·항강증(項強症) 및 상한(傷寒) 등에 발한(發汗) 해열제(解熱劑)로 씀. 건갈(乾葛). 칡뿌리.

갈근-거리다¹ 자 사소한 재물이나 음식 등을 구차하게 얻어 먹으려고 욕심을 부리다. 갈근대다. ¶ 푼돈을 얻어 쓰려고 ~. <걸근거리다¹. 갈근-갈근¹ 부. ——하다¹ 자여불

갈근-거리다² 자 목구멍에 가래가 붙어 간지럽게 가치작거리다. <걸근거리다². 갈근-갈근² 부. ——하다² 자여불

갈근-대다 자 갈근거리다¹·².

갈근 응이【葛根一】명 갈분(葛粉)으로 끓인 응이.

갈근-탕【葛根湯】명〖한의〗한방약(韓方藥)의 하나로, 감기약. 갈근·마황(麻黃)·생강(生薑) 등을 넣은 탕약. 갈근 해기탕.

갈근 해:기탕【葛根解肌湯】명 ①갈근탕. ②사상 의학(四象醫學)에서, 태음인(太陰人) 체질의 양명표증(陽明表症)과 어린아이의 열병의 하나인 양독(陽毒)을 치료하기 위한 처방. 갈근·황금(黃芩)·고본(藁本) 등으로 구성됨.

갈급【渴急】명 목마른 듯이 몹시 조급함. ——하다 형여불. ——히 부

갈급령-나다【渴急令一】[一녕一] 자 갈급증이 몹시 나다.

갈급-증【渴急症】명 몹시 조급하게 구는 마음. (준)갈증(渴症).

갈기¹ 명〈방〉가루¹(강원·경북·함경).

갈:기² 명〔중세 : 갈기〕말이나 사자 같은 짐승의 목덜미에 난 긴 털. 갈기털.

갈기-갈기 부 여러 가닥으로 찢어진 모양. ¶ ~ 찢긴 옷.

갈기다 타 ①옆으로 후려치다. 급히 때리다. ¶ 뺨을 ~. ②날카로운 연장으로 곁가지나 가는 줄기 같은 것을 후려쳐서 베다. ③총·대포 따위를 냅다 쏘다. ④글씨를 함부로 급하게 쓰다. ⑤똥·오줌 따위를 함부로 싸다.

갈기래【喝起來】명〖식〗도꼬마리.

갈:기-조팝나무 명〖식〗[*Spiraea trichocarpa*] 조팝나뭇과에 속하는 낙엽 활엽 관목. 잎은 긴 타원형 또는 달걀꼴의 피침형(披針形)인데, 톱니가 없거나 또는 상반부에만 톱니가 있음. 흰 꽃이 복산방(複繖房) 화서로 봄에만 핌. 과실은 골돌(蓇葖)이고 갈색의 털이 밀생(密生)하며 9월에 익음. 산이나 들에 나는데, 한국 북부·만주 등지에 분포함. 정원수(庭園樹)로 재배함.

갈:기-털 명 갈기².

갈깃-머리 명 ①상투·낭자·딴머리 따위에서, 원머리에 껴잡히지 아니하고 아래로 처지는 머리털. ② ☞갈기².

갈:께 명〈방〉가을(강원).

갈-꽃 명〖식〗↗갈대꽃.

갈꾸리 명〈방〉갈고리(전남).

갈:-나무 [一라一] 명〖식〗↗떡갈나무. (준)갈.

갈다¹ 타 먼젓것 대신에 새 것으로 바꾸다. ¶ 옷잇을 ~/이름을 ~.

갈:다² 타 ①물건을 닳게 하기 위하여 다른 물건에 대고 문지르다. ¶ 먹을 ~. ②숫돌 같은 데다 문질러서 날이 서게 하다. ¶ 칼을 ~. ③맷돌로 가루를 만들다. ¶ 녹두를 ~. ④문질러서 광채를 내다. ¶ 옥(玉)도 갈아야 보석이다. ⑤노력하여 더욱 훌륭하게 하다. 연마(研磨)하다. ¶ 갈고 닦은 솜씨.

갈:다³ 타 ①쟁기나 극젱이 같은 것으로 논밭의 흙을 파 뒤집다. ¶ 밭을 ~. ②경작(耕作)하다. 농사 짓다.

갈다귀 명〈방〉〖충〗각다귀.

갈단〔Galdan〕명〖사람〗중국 청초(淸初), 알타이 산맥 주변을 본거로 하여, 중앙 아시아·외몽고를 지배한 서몽고의 준갈이부(準噶爾部)의 추장(酋長). 달라이 라마의 지원을 얻어 라마교와 제휴하는 중가르 세계 국가를 꿈꾸었으나, 1696년 청(淸)의 강희제(康熙帝) 군사와 싸워 패하여 이듬해 자살함. 한자명 : 갈이단(噶爾丹). [1645-97]

갈-대 [一때] 명〖식〗[*Phragmites communis*] 볏과에 속하는 다년초. 높이는 1-3m 가량이고, 줄기는 곧고 단단하며 마디가 있으며, 잎은 호생하는데 길이 20-50cm의 피침형임. 가을에 회백색의 잔꽃이 줄기 꼭대기에 원추 화서로 핌. 습지나 물가에 나는데, 한국 각지와 북반구의 온대 및 오스트레일리아·아프리카 등지에 분포함. 줄기는 갈대발·갈삿갓·삿자리 등의 재료로 쓰이고, 뿌리는 한방에서 '노근(蘆根)'이라 하여 약으로 씀. 노위(蘆葦). 겸가(蒹葭). 가로(葭蘆). 문견초(文見草). (준)갈.

〈갈대〉

갈대-국수 [一때一] 명 노분면(蘆粉麪).

갈대-꽃 [一때一] 명 갈대의 꽃. 흰 털이 많고 부드러우며 솜과 같음. (준)갈꽃.

갈대-발 [一때一] 명 가는 갈대의 줄기로 엮은 발.

갈대-밭 [一때一] 명 갈대가 많이 난 벌. 노전(蘆田). 노장(蘆場). (준)갈밭.

갈대-배 [一때一] 명 갈대·골풀류(類)를 묶어 만든 원시적인 작은 배.

갈대-청 [一때一] 명 갈청.

갈데-없다 [一떼업一] 형 오로지 그렇게 될 수밖에 없다.

갈데-없이 [一떼업씨] 부 오로지 그렇게 틀림없이.

갈도¹【喝道】[一또] 명 ①큰소리로 꾸짖음. ②〖역〗지위 높은 사람이 다닐 때, 길 인도하는 하례(下隷)가 앞에 서서 소리를 질러 행인을 금하던 일. 또, 그 사람. 가금(呵禁). 가도(呵導). ③〖역〗사간원(司諫院)이나 옥당(玉堂)의 관원이 사진(仕進)할 때, 앞에 서서 길을 치우며 인도하던 하례. ——하다 타여불

갈-도²【葛島】[一또] 명〖지〗①경상 남도의 남해상, 통영시(統營市) 욕지면에 위치한 섬. [0.91km²] ②전라 남도의 서해상, 신안군(新安郡) 임자면(荏子面) 재원리(在遠里)에 위치한 섬. [0.28km²]

갈도-성【喝道聲】[一또一] 명〖역〗갈도하는 소리.

갈도스〔Galdós, Benito Pérez〕명〖사람〗페레스 갈도스.

갈:-돌 [一똘] 명〖고고학〗갈판 위의 곡물(穀物)이나 열매 등을 가는 선사(先史) 시대의 돌 연장. 바닥은 편평하고 위는 볼긋함.

갈-돔【褐一】명〖어〗[*Lethrinus choerorhynchus*] 갈돔과에 속하는 바닷물고기. 몸길이 50cm 내외로, 몸빛은 노란 빛을 띤 회갈색이고, 배쪽은 담색이며, 머리와 각 지느러미는 황색임. 양턱에 어금니가 있는 것이 특징임. 한국 중남부·일본 중부 이남·대만(臺灣) 등에 널리 분포함. 맛이 좋음.

갈돔-과【褐一科】[一꽈] 명〖어〗[Lethrinidae] 농어목(目)에 속하는 어류의 한 과. 이 과에는 갈돔·구갈돔·줄갈돔 등이 있음.

갈동【褐銅】명 청동(靑銅).

갈두¹【楬豆】[一뚜] 명 아무런 장식도 베풀지 아니한 나무 제기(祭器).

갈두²【喝斗】[一뚜] 명〖불교〗도리에 어긋난 이론을 관철하려고 다투는 교활한 무리를 우뚝 선 비석에 비유한 말.

갈등【葛藤】[一뜽] 명 ①칡덩굴과 등나무. 또, 덩굴의 부류(部類). 등갈(藤葛). ②일이 까다롭게 뒤얽혀서 풀기 어려운 형편을 이르는 말. ③서로 불화하고 다툼. ¶ 신구 세대의 ~/고부간(姑婦間)의 ~. ④〖심〗갈등 상태. ⑤〖불교〗선종(禪宗)에서, 문자나 어구에 구애(拘礙)됨의 비유. 또, 뜻이 번잡하여 이해하기 어려운 문자·어구·공안(公案) 등. 단지, 문자·언어를 뜻하기도 함. ⑥〖문〗희곡이나 소설 등에서, 인물 사이의 성격적인 대립이나 인물과 환경 사이에 생기는 대립 관계. 플롯(plot)에서 흔히 다루는 요소의 하나임.

갈등(이) 나다 구 서로 갈등이 생기다.

갈등 상태【葛藤狀態】[一뜽一] 명〖심〗두 개 이상의 요구가 동시에 존재하고 그 유인성(誘引性)의 강도(強度)는 거의 같으나 방향이 상반(相反)하여, 개체가 그 위치로부터 움직이는 것이 곤란하게 된 상태. 예를 들면, 인물이 뛰어난 갑(甲)에게 시집 가느냐 그렇지 않으면 돈이 많은 을(乙)에게 시집 가느냐로 망설이는 경우와 같은 따위. 갈등(葛藤).

갈등-선【葛藤禪】[一뜽一] 명〖불교〗종지(宗旨)를 알지 못하고 말에만 얽매이는 선객(禪客)을 비방하는 말.

갈라 명〈방〉계집아이(함남).

갈라고〔galago〕명〖동〗영장목 원원 아목(原猿亞目) 갈라고과(科)에 속하는 원숭이 무리의 총칭. 아프리카의 숲에 사는데, 크기는 쥐만한 것에서부터 고양이만한 것까지 있으며 꼬리가 굵고 긺. 생김새는 너구리와 비슷하고, 네 발은 손바닥 모양임. 잡식성(雜食性)으로 푸른 열매나 곤충·작은 동물 따위를 잡아 먹음. 밤에 활동하며, 사람을 잘 따르므로 애완용으로 기름. 꼬마갈라고(*Galago bemidovii*)·굵은꼬리갈라고(*Galago crassicaudatus*) 등 몇 종류가 있음. ＊원후류(原猴類).

갈라고-과【一科】〔galago〕[一꽈] 명〖동〗[Galagidae] 영장목 원원아목(原猿亞目)에 속하는 한 과(科). 갈라고가 이에 속함.

갈라-내다 타 합하였던 것을 각각 따로 떼어 내다.

갈라-놓다 [一노타] 타 합하였던 것을 각각 떨어지게 하여 놓다. ¶ 두 사람 사이를 ~.

갈라디아〔Galatia〕명〖성〗갈라티아.

갈라디아-서【一書】〔Galatia〕 명 『성』 신약 성서 중의 한 편. 사도(使徒) 바울이 갈라디아에 있는 여러 교회에 보낸 6장(章)으로 된 편지. 그곳 교회에 유대교인들이 침입하여 유대교적 의식(儀式)의 엄수를 강요하였으므로 그 오류를 지적하고 기독교의 복음(福音)을 옹호한 것임. 갈라디아인들에게 보낸 편지.

갈라디아인들에게 보낸 편:지【一人一片紙】〔Galatia〕 명 『성』 갈라디아서(書).

갈라람【羯邏藍】 명 〔범 kalala〕 『불교』 태내 오위(胎內五位)의 첫 단계. 태아가 태 안에서 생긴 지 이레까지의 상태. 응활(凝滑).

갈라-맡다 타 어떤 일을 나누어서 따로따로 한 부분씩 맡다.

갈라-붙이다 [一부치一] 타 둘로 갈라서 이쪽 저쪽에 각각 붙이다. ¶ 머리를 얌전하게 ~. ┌¶ 깨끗이 ~.

갈라-서다 자 ①서로의 관계를 끊고 따로따로 되다. ②부부가 이혼하다.

갈라전【曷懶甸】 명 『역』 고려 시대에 생여진(生女眞)이 살던 지역 이름. 지금의 길주(吉州) 이북 또는 정주(定州) 이북으로부터 두만강(豆滿江) 유역 일대로 여겨지고 있음.

갈라-지다 자 ①하나이던 것이 깨져 쪼개지거나 금이 가다. ¶ 벽이 ~. ②서로 사이가 멀어지다. ¶ 형제 사이가 ~.

갈라치〔Galaţi〕 명 『지』 루마니아의 동부, 다뉴브 강 하류 좌안에 위치하는 루마니아 최대의 무역항. 조선(造船)·차량(車輛) 공업이 성하며 1834-83년은 자유항이었음. [295,372 명(1986)]

갈라-치기 명 (바둑에서) 상대방이 서로 이웃한 두 귀에 선착(先着)한 경우, 변(邊)의 중간 부분에 두는 일. 아래위 또는 좌우의 벌림을 맞보기로 하여 착점(着點)을 가림.

갈라테이아〔Galateia〕 명 『신』 그리스 신화에 나오는 신(神)의 님프(nymph)로, 네레우스(Nereus)의 딸. 외눈박이 괴물(怪物) 폴리페모스(Polyphemos)가 사랑을 거절당하자 질투 끝에 이 님프의 애인 아키스(Acis)를 죽였음. 빛나고 잔잔한 바다를 인격화(人格化)한 것으로서, 예술상 요염·교태의 표상(表象)으로 취급되고 있음.

갈라티아〔Galatia〕 명 『역』 기원전 278년에 소아시아 중부에 갈리아 사람이 건설한 나라. 기원전 25년에 로마에 망하여 로마의 속주(屬州)가 되었음. 바울의 전도지임. 갈라디아.

갈라파고스 제도【一諸島】〔Galápagos〕 명 『지』 태평양 동부, 적도 직하(直下)에 점재(點在)하는 에콰도르령(領)의 13개로 된 화산 군도. 진귀한 동식물이 많아 생물학상 중요한 구역이며, 다윈의 진화론 성립에의 중요한 요인이 나왔던 곳임. 콜론(Colón) 제도. [$7.844\,km^2$:8,000명(1982 추계)]

갈락탄〔galactan〕 명 『화』 가수 분해하면 거의 또는 전부가 갈락토오스만을 생성하는 다당류(多糖類)의 총칭.

갈락토겐〔galactogen〕 명 『생』 다당류(多糖類)의 하나. 달팽이에 존재함. 가수 분해(加水分解)하면 갈락토오스를 생성(生成)함.

갈락토사민〔galactosamine〕 명 『화』 결정성(結晶性)의 아미노당(糖). 갈락토오스의 아미노 유도체. 박테리아의 세포벽(細胞壁)에서 발견됨. [$C_6H_{13}NO_5$]

갈락토시다아제〔galactosidase〕 명 『화』 갈락토시드를 가수 분해하여 갈락토오스를 유리(遊離)하는 효소.

갈락토시드〔galactoside〕 명 『화』 갈락토오스와 알코올의 반응으로 생성(生成)하는 배당체(配糖體). 가수 분해하면 갈락토오스가 생김.

갈락토오스〔galactose〕 명 『화』 단당류(單糖類)의 하나. 백색의 결정상 물질로 물에 잘 녹음. 다당류(多糖類)의 구성 성분으로서 식물 점액(粘液)이나 우무 속에, 또 이당류(二糖類)인 젖당의 구성 성분으로서 포유류의 유즙(乳汁) 속에 함유됨.

갈락토오스 혈증【一血症】〔galactose〕 [一쯩] 명 〔galactosemia〕 『의』 갈락토오스의 대사 이상(代謝異常)에 의하여 혈액이나 오줌의 갈락토오스 농도가 비정상적으로 높아지는 유전병. 영양 장애·지능 장애·백내장 등을 일으킴.

갈락톤-산【一酸】 명 〔galactonic acid〕 『화』 갈락토오스에서 유도되는 일염기산(一塩基酸). 세 종류의 광학 이성질체(光學異性質體)가 존재함.

갈란타민〔galanthamine〕 명 『약』 석산(石蒜)·상사화(相思花) 등, 각종 수선화과(水仙花科) 식물의 인경(鱗莖)에 함유되어 있는 알칼로이드의 하나. 1952년, 러시아 연방의 남서부 카프카스산(Kavkaz 産)의 갈란투스(galanthus)로부터 추출(抽出)되었음. 항콜린에스테라아제(抗cholinesterase) 작용(作用)이 있어, 소아 마비 후유증으로서의 근육 마비, 중증(重症)의 근무력증(筋無力症) 등의 치료에 쓰임.

갈란테〔이 galante〕 명 『악』 '우미(優美)하게'의 뜻.

갈란투스〔galanthus〕 명 『식』 [*Galanthus nivalis*] 수선화과(水仙花科)에 속하는 구근(球根) 식물. 구근에 두세 개의 선형(線形) 잎이 붙고 이른 봄에 20-30cm의 화경(花莖) 끝에 흰 꽃이 하나 피는데, 수술은 여섯 개, 암술은 한 개로 자방(子房)이 아래에 있음. 유럽 원산으로 관상용임. 스노드롭(snowdrop).

〈갈란투스〉

갈랑〔Galland, Antoinne〕 명 『사람』 프랑스의 동양학자·고고학자. 1704년 《아라비안 나이트》를 프랑스어로 최초로 번역·소개하여 유명함. [1646-1715]

갈래 ㊀명 한 군데로부터 몇 군데로 갈라져 나간 부분이나 가닥. ㊁의명 한 군데로부터 갈라져 나간 부분이나 가닥을 세는 말. ¶ 두 ~로 갈리다.

갈래(가) 뻗다 구 여러 줄기로 나뉘어 뻗다.

갈래-갈래 부 갈래마다.

갈래-꽃 명 『식』 이판화(離瓣花). ↔통꽃.

갈래꽃-류【一類】 [一뉴] 명 『식』 갈래꽃무리. 이판화류(離瓣花類). ↔통꽃류.

갈래-꽃무리 명 『식』 갈래꽃류(類)

갈래-꽃받침 명 『식』 여러 개의 꽃잎이 갈라져 있는 꽃의 꽃받침. 이판화악(離瓣花萼). ↔통꽃받침.

갈래-꽃부리 명 『식』 이판화관(離瓣花冠). ↔통꽃부리.

갈래꽃 식물【一植物】 명 『식』 이판화(離瓣花) 식물.

갈래다 자 ①길이나 정신이 이리저리 갈리어, 바른 길을 찾기 어렵게 되다. ¶ 정신이 ~. ②짐승이 갈 바를 잡지 못하고 이리저리 왔다갔다 하다.

갈래-창【一槍】 명 『고고학』 극(戟). ＊꺾창.

갈랙-질 명 〈방〉 가댁질.

갈랫-길 명 〈방〉 갈림길(평안).

갈:런드〔Garland, Hamlin〕 명 『사람』 미국의 소설가. 고향인 위스콘신의 농장에서 일한 체험을 바탕으로, 농촌 생활을 그린 《대초원(大草原)의 사람들》·《더처(Dutcher) 집안의 로즈(Rose)는 냉정하다》 등으로 알려짐. 자전적(自傳的) 소설 《중부(中部)의 딸》로 퓰리처상(賞)을 받음. [1860-1940]

갈레〔Galle, Johann Gottfried〕 명 『사람』 독일의 천문학자. 1846년 베를린 천문대에서 르베리에(Leverrier, U.J.J.)의 계산 지시(計算指示)에 따라 해왕성(海王星)을 발견함. 소행성(小行星)의 시차(視差)가 태양계(太陽系)의 거리 결정에 쓰임을 지적하였는데, 그가 죽은 뒤 20년 만에 그것이 실현됨. [1812-1910]

갈레노스〔Galēnós〕 명 『사람』 고대 그리스의 의학자. 로마 황제의 시의(侍醫). 수학·철학에도 뛰어났음. 해부학·생리학을 발전시켜 그리스 의학을 조직·체계화시켰으며, 400여 권의 의학 저서가 있음. [129?-199]

갈려-가기 명 〔contrary motion〕 『악』 화성(和聲)의 성부(聲部) 진행에서, 두 소리가 반대로 갈려나가는 일. 반진행(反進行).

갈려-가다 자 전근되어 다른 곳으로 가다. ¶ 시골로 ~.

갈려-오다 자 먼젓 사람 대신으로 전근되어 오다. ¶ 교장이 새로 ~.

갈력【竭力】 명 있는 힘을 다하여 애씀. 진력(盡力). ──하다 자여불

갈렴-석【褐簾石】 명 『광』 조암(造岩) 광물의 하나. 단사정계(單斜晶系)의 주상(柱狀) 또는 괴상(塊狀)을 이루며 흑갈색임. 널리 화강암 중에 부성분 광물(副成分鑛物)로 들어 있음.

갈로【葛盧】 명 『사람』 고구려 장수왕(長壽王) 때의 무장(武將). 동양 24년(436) 북위(北魏)가 북연(北燕)을 습격할 때, 북연을 돕기 위하여 맹광(孟光)과 같이 출전하였음. 생몰 연대 미상.

갈로-로만 시대【一時代】〔Gallo-Roman〕 명 기원전 1세기 중엽부터 5세기경까지 갈리아인(Gallia人), 곧 켈트인이 로마의 지배를 받게 됨으로써 갈리아인의 로마화(化)가 진행된 시대.

갈로로맨스-어【一語】〔Gallo-Romance〕 명 『언』 4,5 세기에서 9,10 세기에 걸치어 갈리아에서 쓰이던 여러 가지 로맨스어의 총칭. 고대 프랑스어에 선행(先行)하는 언어임. 넓은 뜻으로는 갈리아 지방, 곧, 프랑스와 벨기에 일부 지방에서 쓰이는 로맨스어로, 이탈리아어·에스파냐어 등 다른 로맨스어에 대하여 일컫는 말.

갈롱-스럽다 형ㅂ불 ☞ 간롱스럽다.

갈루 명 〈방〉 가루(경기·황해).

갈루아〔Galois, Évariste〕 명 『사람』 프랑스의 수학자. 군(群)과 대수(代數) 방정식과의 관계를 나타내는 '갈루아 이론(Galois 理論)'을 창안했음. 연애 사건으로 결투하여 21세에 죽음. [1811-32]

갈루아-군【一群】 명 〔Galois group〕 『수』 체(體) L이 체(體) K의 갈루아 확대체(擴大體)일 때, K의 원소(元素)를 움직이지 않도록 하는 L의 자기 동형 대응(自己同型對應) 전체를 만드는 군(群)의 L에 대한 일컬음.

갈루아 이:론【一理論】〔Galois〕 명 『수』 군(群)과 대수 방정식의 관계를 나타내는 이론. 방정식의 근(根)이 멱근(冪根)에 의하여 구성되는 얼개를 군(群) 사이의 어떤 치환군(置換群), 곧 갈루아군의 구조에 따라 분석하는 일반적인 원리임. 이 이론으로 대수 방정식의 대수적인 해(解)의 존재에 관한 연구에 결정적인 해답을 주었음.

갈루아 확대체【一擴大體】 명 〔extension field of Galois〕 『수』 확대체의 하나. 체(體) K의 원소(元素)를 계수(係數)로 하는 기약 다항식(既約多項式) $f(x)$에서 얻어지는 방정식(方程式) $f(x)=0$의 근(根)을 a_1, a_2, a_3, ……, a_n으로 할 때, 이들과 K를 포함하는 최소(最小)의 체(體) $K(a_1)$, $K(a_2)$, $K(a_3)$, ……$K(a_n)$ 및 a_1, a_2, a_3, ……, a_n 모두와 K를 포함하는 최소의 체(體) $K(a_1, a_2, a_3, \cdots a_n)=L$과의 사이에는 일반적으로 $K \subset K(a_i) \subset L$이라는 관계가 있는데, 특히 $K(a_1)=K(a_2)=K(a_3)=\cdots K(a_n)=L$일 때의 $K(a_i)$를 말함. 이 중에서 i는 1, 2, 3, ……n임. 정규(正規) 확대체.

갈륨〔gallium〕 명 『화』 희유 금속 원소의 하나. 회백색의 무른 고체로, 염화물(塩化物)의 전해(電解) 등에 의하여 얻어짐. 성질은 알루미늄과 비슷함. 반도체의 원료나 녹는점이 낮아 저융점 합금(低融點合金)·고온용 온도계 등에 쓰임. [31번 : Ga : 69.72]

갈륨 비:소【一砒素】〔gallium〕 명 『화』 비소화(砒素化) 갈륨.

갈르다 타 〈방〉 가르다(경기·강원·충청·전라·경북·제주).

갈리 명 〈방〉 가루(경상).

갈리다[1] ㊀ 피동 몇 갈래로 가름을 당하다. ¶ 야당의 표가 ~. ㊁ 자 가르는 형편이 생기다. ¶ 의론이 구구하게 ~.

갈리다[2] ㊀ 사동 헌 것을 새 것으로 갈아 대게 하다. ㊁ 피동 먼젓것이 새 것으로 갊을 당하다. 다른 것에게 자리를 빼앗기다. ¶ 교감(校監)이 ~.

갈리다[3] ㊀ 사동 ①문질러 갈게 하다. ②갈이칼로 나무 그릇을 깎아서 만들게 하다. ㊁ 피동 ①문질러 갊을 당하다. ¶ 분해서 이가 ~. ②나무 그릇이 갈이칼에 잘 깎이다.

갈리다[4] ㊀ 사동 논밭을 갈게 하다. ㊁ 피동 논밭이 갊을 당하다.

갈리시아 〔Galicia〕 명 〖지〗 ①폴란드 동남부에서 우크라이나 북서부에 걸치는 카르파티아 산맥(Carpathia 山脈)의 북면의 지방. 농경(農耕)에 적당하여 맥류(麥類)·고추·감자 등을 산출함. 제2차 대전 후 동부(東部)는 소련 영토가 됨. ②스페인 북서단(北西端)의 지방. 구릉성(丘陵性) 산지인데, 전반적으로 해양성 기후이며 연강수량(年降水量)은 1,000-1,500 mm로 스페인에서 가장 많음. 켈트계(Celt 系)의 갈리시아인이 살며 갈리시아어를 씀. 어업이 성하고 옥수수를 산출하며 목축도 행하여짐. 5 세기에 왕국을 형성, 8 세기초에 이슬람 교도가 침입하였으며, 19 세기초에는 반도(半島) 전쟁의 싸움터가 되었음.

갈리아 〔Gallia〕 명 〖역〗 기원 전 1000년경 이래 켈트인(Celt 人)이 거주한 유럽 지역의 총칭. 대체로 현재의 프랑스·벨기에·북(北)이탈리아에 걸친 지역의 고대명(古代名).

갈리아 전:기 【一戰記】 명 〔라 Commentarii de bello Gallico〕 〖책〗 로마의 정치가 카이사르가 지은 책. 모두 8 권. 기원전 58년 이후 수년 동안의 갈리아 원정(Gallia 遠征)에 관한 상세한 기록. 당시의 갈리아와 게르마니아를 연구하는 중요한 사료(史料)가 됨. 문체(文體)가 간결하며 문학 작품으로도 유명함. 제8권은 부하인 히르티우스(Hirtius)가 지음.

갈리카니슴 〔프 gallicanisme〕 명 〖천주교〗 교황(敎皇)의 절대권(絕對權)에 대하여 교회의 독립 자치를 요구한 프랑스 가톨릭 교회의 주장. 1682년 파리의 프랑스 성직자(聖職者) 회의에서 이 주장이 밝혀졌는데, 1870년 바티칸 공의회(公議會)에서 배척되었음. ↔울트라몬타니즘(ultramontanism).

갈리-쿠르치 〔Galli-Curci, Amelita〕 명 〖사람〗 이탈리아 태생의 미국 소프라노 가수. 1909년 로마에서 데뷔하여 콜로라투라(coloratura) 가창법(歌唱法)으로 명성을 떨침. 1920년에 미국 메트로폴리탄 극장에 출연, 미국에 귀화(歸化)함. [1889-1963]

갈리폴리 〔Gallipoli〕 명 〖지〗 ①터키의 다르다넬스 해협(Dardanelles 海峽) 북서쪽의 반도. 또, 그 반도 동쪽 해안에 있는 요새 항시(要塞港市). 제1차 대전 때의 전적지(戰跡地)임. ②남부 이탈리아의 해항(海港). 올리브유(olive 油)의 산지로 유명함.

갈리폴리-유 【一油】 〔Gallipoli〕 명 이탈리아의 갈리폴리에서 나는 올리브유. 유리 지방산(遊離脂肪酸)을 함유(含有)하는데, 매염제(媒染劑)로 쓰임.

갈:릭 〔garlic〕 명 마늘을 가루로 만든 조미료. 고기 요리에 많이 쓰임.

갈릭 문자 【一文字】 〔Galic〕 〔一짜〕 명 〖언〗 중국 원대(元代)에 불경(佛經)을 번역하기 위하여 위구르(Uighur) 문자를 윤색(潤色)하여 만든 글자. 모두 50자(字)로 왼편에서부터 세로 쓰기로 씀.

갈릭-산 【一酸】 〔gallic〕 명 〖화〗 '갈산'의 종전 이름.

갈릴레오 계:획 【一計劃】 〔Galileo〕 명 미국 항공 우주국의 목성 탐사기(木星探査機) 계획. '갈릴레이 위성'에서 유래된 이름임. 탐사기 갈릴레오는 탐측기와 궤도기(軌道機)로 구성되었는데, 1989년 우주 왕복선으로 발사하여 소행성(小行星)을 주회(周回)하면서 관측한 후 1995년 탐측기를 목성에 투하하여 궤도기의 중계로 관측 자료를 지구로 전송(傳送)할 계획임.

갈릴레이 〔Galilei, Galileo〕 명 〖사람〗 이탈리아의 물리학자·천문학자. 처음 의학을 배웠으나 수학으로 전향, 피사(Pisa) 및 파도바(Padova) 대학에서 수학을 강의하였음. 물체의 낙하 법칙(落下法則)을 발견하고, 굴절 망원경을 만들어 목성(木星)의 위성 및 태양 흑점을 발견하였으며, 코페르니쿠스(Copernicus, N.)의 지동설(地動說)을 실증하여 이를 창도한 것이 큰 업적임. 지동설을 창도했기 때문에 교권(敎權)의 박해를 받아 만년에 유폐(幽閉) 생활을 보냈음. 수학적으로 자연 법칙을 정식화하는 근대 자연 과학적 방법의 개조(開祖)로 불림. [1564-1642]

갈릴레이 망:원경 【一望遠鏡】 명 〔Galileian telescope〕 〖물〗 굴절(屈折) 망원경의 한 가지. 대물(對物) 렌즈는 볼록 렌즈, 대안(對眼) 렌즈는 오목 렌즈를 이용한 것으로 정립상(正立像)이 얻어짐. 처음 네덜란드에서 만든 것을 갈릴레이가 개량한 것임.

갈릴레이 변:환 【一變換】 〔Galilei〕 명 〖물〗 뉴턴 역학(Newton 力學)에서, 하나의 관성계(慣性系)로부터, 이에 대하여 등속도로 평행 이동하여 가는 좌표계로의 변환. 시간의 경과 방식은 공통인 것으로 가정하였음.

갈릴레이 위성 【一衛星】 〔Galilei〕 명 〖천〗 갈릴레이가 1610년에 발견한 목성(木星)의 4개 위성. 곧, 이오(Io)·유로파(Europa)·가니메데(Ganymede)·칼리스토(Callisto)로, 지구 이외의 행성(行星)의 위성 중에서 광도가 가장 큼.

갈릴리 〔Galilee〕 명 〖성〗 팔레스타인의 북부 지방. 갈릴리 호수를 중심으로 하여 서쪽으로 뻗친 지역. 예수의 고향인 나사렛도 여기에 있으며, 그의 선교 활동의 주요지였음.

갈릴리 호수 【一湖水】 〔Galilee〕 명 〖성〗 팔레스타인의 북동부에 있는 담수호(淡水湖). 지중해 해면보다 212m 낮으며, 요르단 강이 북쪽에서 흘러들어와서 사해(死海)로 흘러나감. 어업이 성하여 어부가 많은데, 성서에 나오는 베드로·안드레·야곱·요한 등은 이곳 출신임. 티베리아 호수(Tiberias 湖水). 게네사렛 호(Gennesaret 湖).

갈림-길 〔一낄〕 명 몇 갈래로 갈린 길. 기로(岐路). ¶ 인생의 ~에 서다/ ~에서 망설이다.

갈림-목 명 여러 갈래로 갈린 길목.

갈마 【羯磨】 명 〔범 karmra〕 〖불교〗 ①업(業)❸. ②수계(受戒)나 참회(懺悔)할 때의 의식(儀式). 이에서 멸죄 생선(滅罪生善)의 힘을 얻음. ③↗갈마 금강.

갈마 금강 【羯磨金剛】 명 〖불교〗 밀교(密敎) 특유의 불구(佛具). 삼고저(三鈷杵)를 十자(字) 모양으로 짜맞춘 것으로, 부처가 본디 갖추고 있는 지혜의 작용을 상징하는, 금강저(金剛杵)의 일종. 보통, 구리로 만듦. ㊂ 갈마.

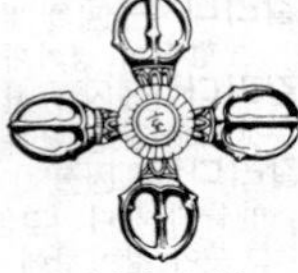
〈갈마 금강〉

갈마-득 【羯磨得】 명 〖불교〗 십종(十種) 득계연(得戒緣)의 하나. 보통, 규칙대로 열 사람이 전수(傳授)하는 갈마 작업, 곧 삼사 칠증(三師七證)을 모시고 구족계(具足戒)를 얻는 일.

갈마-들다 자 갈음하여 들다. 서로서로 대신하여 번갈아 들다. ¶ 내우 외환(內憂外患)이 ~.

갈마-들이다 사동 갈마들게 하다.

갈마 만다라 【羯磨曼荼羅】 명 〔범 karmamandala〕 〖불교〗 사만(四曼) 가운데의 하나. 제존(諸尊)의 위의(威儀)·사업(事業) 또는 상(像)을 주조(鑄造)한 만다라. ㊂갈만(羯曼).

갈마-바람 명 '서남풍(西南風)'을 뱃사람이 일컫는 말.

갈마 반:도 【葛麻半島】 명 〖지〗 함경 남도 영흥만(永興灣)에 돌출된 반도. 북쪽에서 뻗어 내린 호도 반도(虎島半島)와 더불어 원산항(元山港)의 자연적 방파제를 이루고 있음. 원산항을 중심으로 수산업이 성하며 특히 명사 십리 해수욕장 등 이상적인 임해(臨海) 휴양 지대로 유명함.

갈마-사 【羯磨師】 명 〖불교〗 삼사(三師)의 하나. 수계(受戒)할 때에, 개백(開白)과 갈마(羯磨)의 글을 읽는 스님. ＊교수사(敎授師)·계화상(戒和尙).

갈마잇다 자 〈옛〉 감추어져 있다. 감추어졌다. '갊다❶'의 활용형. ¶ 峽의 얼굴은 堂隍ㄹ흔 시이예 갈마잇고(峽形藏堂隍)《重杜諺 I:17》.

갈마-쥐다 타 ①한 손에 쥔 것을 다른 손에 바꾸어 쥐다. ②쥔 것을 놓고 다른 것으로 갈아 쥐다.

갈만 【羯曼】 명 ↗갈마 만다라(羯磨曼荼羅).

갈-말[1] 명 술어(術語). 학술어.

갈말[2] 【葛末】 명 〖지〗 강원도 철원군 중앙부의 읍(邑)으로 철원군의 군청 소재지. [13,505명 (1990)]

갈-맛 명 〖조개〗 ↗가리맛.

갈망[1] 명 어떠한 일을 능히 감당하여 수습하고 처리함. ¶ 뒷~도 못 하면서 나서다. ──하다 타 여불

갈망[2] 【渴望】 명 목마른 사람이 물을 바라듯이 간절히 바람. 열망(熱望). 「──하다 타 여불

갈매 명 ①갈매나무의 열매. 팥알만큼씩 하고 둥글며, 짙은 초록빛임. '서리자(鼠李子)'라 하여 물감 또는 약으로 쓰임. ②짙은 초록빛. 심록(深綠).

갈매기 명 〖조〗 ①갈매깃과에 속하는 괭이갈매기·붉은부리갈매기·재갈매기 등의 총칭. ②[*Larus canus kamtschatschensis*] 갈매깃과에 속하는 바닷물새. 날개 길이 35-38cm, 꽁지 길이 15cm 가량임. 몸빛은 대체로 백색인데, 배면(背面)은 담회색이고 부리와 다리는 녹황색임. 꽁지와 다리는 짧고 물갈퀴가 있어서 헤엄을 잘 침. 유조(幼鳥)는 온 몸에 회갈색의 반점(斑點)과 꽁지에 갈색 띠가 있음. 날개를 천천히 놀리어 훨훨 날며 괭이 소리같이 욺. 조개, 물고기, 물에 사는 곤충, 해조(海藻), 풀씨 등을 먹으며 해안·항구 등에 서식하는데, 캄차카·시베리아 등지에서 번식하고 홋카이도·일본·한국·대만 등에서 월동함. 백구(白鷗). 수효(水鴞).

〈갈매기❷〉

[갈매기도 제 집이 있다] 어찌 사람에게 집이 없겠느냐는 말.

갈매기-살 명 돼지 갈비 양쪽의 기름이 없는 고기. 맛이 좋음. ＊제비추리.

갈매깃-과 【一科】 명 〖조〗 [Laridae] 갈매기목(目)에 속하는 한 과. 번식기는 암석이나 땅에 집을 짓고 서너 개의 알을 낳음. 번식지는 주로 북극 부근인데, 전세계에 60여 종이 분포함.

갈매-나무 명 〖식〗 [*Rhamnus davurica*] 갈매나뭇과에 속하는 작은 낙엽 활엽 교목. 높이 2m 내외로, 가시가 돋고 잎은 톱니가 있으며 대생하는데, 넓은 도피침형 또는 피침형임. 자웅 이가로 꽃은 5월에 한두 송이씩 액생하고, 과실은 장과상(漿果狀)의 구형(球形)이며 9월에 흑색으로 익음. 골짜기 및 개울가에 나는데, 경북·충남을 제외한 한국 각지 및 만주·우수리·중국 등지에 분포함. 수피(樹皮)는 '서리피(鼠李皮)', 과실은 '갈매' 또는 '서리자(鼠李子)'라 하여 물감 또는 약재로 씀. 서리(鼠李). 우리(牛李). 저리(楮李). 조리(皂李).

〈갈매나무〉

갈매나뭇-과 【一科】 명 〖식〗 [Rhamnaceae] 쌍자엽 식물 이판 화류에 속하는 한 과. 전세계에 500여 종, 한국에는 갈매나무·대추나무·호깨나무 등의 17종 가량이 분포함.

갈매-못 명 〖천주교〗 충청 남도 보령군 오천면(鰲川面) 영보리(永保里)에 있는 가톨릭 교도의 순교지. 1866년 병인 박해(丙寅迫害) 때 프랑스 신부 다블뤼(Daveluy) 주교 등 5명이 체포되어 보령 수영(水營)으로 옮겨져, 초기 천주교인의 신앙 활동지인 내포(內浦) 지방의 이 연못에서 처형되었음.

갈맷다 타 〈옛〉 간직하여 있다. 간직하였다. '갊다❶'의 활용형. ¶ 흔 두들기 曲折을 갈맷느니(一丘藏曲折)《杜諺 X:15》.

갈-멍덕 명 갈대로 만든 모자.

갈명 【渴命】 명 굶주리거나 목이 말라 목숨이 위태롭게 되는 일. 또, 그 목숨.

갈모[1] 명 〔←갓모〕 갓 위에 덮어 쓰는 우구(雨具). 유지(油紙)로 만들며 접으면 쥘부채, 펴면 고깔 비슷함. 입모(笠帽).

[갈모 형제라] 아우가 잘나고 형이 아우만 못한 형제를 이르는 말.

〈갈모[1]〉

갈모[2] 명 ☞갓모.

갈모-걸련 [명] 〖건〗 금단청(錦丹靑)에 그리는 무늬의 한 가지.
갈모-금【一錦】[명] 〖건〗 금문(錦紋)의 한 가지.
갈모-받자 [명] 〈방〉 북받자.
갈모 산:방【一散枋】[명] 〖건〗 ☞산방(散枋).
갈모-지【一紙】[명] 갈모를 만드는 종이. 환지(還紙).
갈모-테 [명] 〔←갓모테〕 갓이 없이 갈모를 쓸 때에 갓 대신으로 갈모를 받치기 위하여 머리에 쓰는 물건.

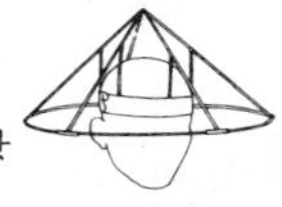
〈갈모테〉

갈-목 [명] 갈대의 이삭.
갈목-도【乫木島】[명] 〖지〗 전라 남도의 서남해상(西南海上), 진도군(珍島郡) 조도면(鳥島面) 진목도리(進木島里)에 위치한 섬. [0.17km²: 14명(1984)]
갈목-비 [명] 갈목을 매어서 만든 비. [준]갈비.
갈무리 [명] ①물건을 잘 정돈하여 간수함. ②〈방〉 마무리. ――하다 [타][여불]
갈문【渴聞】[명] 목마른 사람이 물마시듯 정신을 잃고 들음. 열심히 들음.
갈문-망둑【褐紋一】[명] 〖어〗 [*Gobius giurinus*] 망둑어과에 속하는 민물고기. 몸은 가늘고 길며 길이는 약 9cm임. 좌우의 배지느러미는 유합(癒合)하여 흡반(吸盤)을 형성하고 있음. 몸빛은 담회색 바탕에 몇 개의 큰 갈색 무늬가 체측 중앙에 한 줄로 있고, 그 위쪽으로도 같은 무늬가 있음. 큰 것은 주둥이와 머리의 측면에 암색의 연충상(蠕蟲狀) 무늬가 있음. 한국 중부 이남·일본 중부 이남·대만(臺灣)·중국 중남부에 분포함.
갈문-왕【葛文王】[명] 〖역〗 신라 때 왕의 부친, 왕모(王母)의 부친, 왕비의 부친, 왕의 동모제(同母弟), 여왕의 배필(配匹) 등 왕의 존족(尊族)과 왕에 준하는 자에게 준 칭호.
갈:-묻이 [―무지] [명] 〖농〗 논밭을 갈아 뒤집어 엎어, 묵은 끄트러기 같은 것이 묻히게 하는 일. ――하다 [타][여불]
갈:-물 [명] 떡갈나무 껍질에서 빼내는 검붉은 물감.
갈:미 [명] 〖동〗 광삼(光蔘).
갈미-봉【葛味峰】[명] 〖지〗 ①강원도 정선군(旌善郡)에 있는 산봉우리. 태백 산맥의 중앙부에 위치하며, 한강의 지류인 송천(松川)의 발원지를 이루고 있음. [1,271 m] ②함경 남도 단천군(端川郡) 남두일면(南斗日面)에 있는 산봉우리. 부전령 산맥의 첫머리 부분을 구성하며, 동해로 흘러가는 북대천(北大川)의 수원지를 이루고 있음. [1,328 m]
갈민 대:우【渴民待雨】[명] 가뭄 때 백성들이 비를 몹시 기다림.
갈므다 [타] 〈옛〉 감추다. 간직하다. =갊다❶. ¶鳳이 갈므니 불근 하놀 나조히오(鳳藏丹霄暮) ≪杜諺 XVI:3≫.
갈믜 [명] 〈옛〉 갈매. 갈매나무. ¶ 갈믜(鼠李) ≪月俗≫.
갈바노-미터 〔galvanometer〕 [명] 〖물〗 검류계(檢流計).
갈바니 〔Galvani, Luigi Aloisio〕 [명] 〖사람〗 이탈리아의 의학자. 1780년 개구리 다리가 금속에 닿아서 경련을 일으킴을 보고 생물 전기(生物電氣)의 존재를 발견하고, 또 '갈바니 전기'의 이론으로 볼타 전지(volta 電池) 발명의 기초를 이루었음. [1737-98]
갈바니 전:기【一電氣】〔Galvani〕 [명] 〖물〗 금속과 전해질(電解質) 용액 또는 종류가 다른 금속끼리의 접촉에 의해서 생기는 전기. 또, 이를 이용해서 만든 전지(電池)에 의해서 생기는 전기. 이탈리아의 갈바니가 발견하였음.
갈-바람 [명] '서풍(西風)' 또는 '서남풍'을 뱃사람들이 일컫는 말. 【갈바람에 곡식이 혀를 빼물고 자란다】 가을이 오려고 서풍이 불기 시작하면, 곡식들은 놀랄 만큼 빨리 자라서 익어 간다는 말.
갈:-바래다 [타] 〖농〗 논밭을 갈아 엎어서 볕과 바람에 바래다.
갈:-바름 [명] 〈방〉 갈바람(제주).
갈반【褐斑】[명] 갈색의 반점.
갈반-병【褐斑病】[―뼝] [명] ①〖농〗 누에 병의 한 가지. ②〖식〗 갈색점무늬병.
갈방-비 [명] 〈방〉 가랑비(경상).
갈-밭 [명] ↗갈대밭.
갈밭-쥐 [명] 〖동〗 [*Microtus fortis pelliceus*] 쥣과에 속하는 쥐. 몸길이 10-13 cm, 꼬리 4-6.5 cm 가량이고 몸의 상면(上面)은 흑색에 암회색의 털이 혼생(混生)하고, 하면은 회백색임. 귀는 작고, 발은 갈색, 꼬리의 상면은 농갈색, 하면은 백색임. 낮에 활동하며 세 쌍의 구치(臼齒)가 있어서 잡초의 종자·어린 잎을 먹으며, 밭·들·냇가에 굴을 파고 땅 속을 헤맴. 곡물(穀物)·야채를 먹어서 농작물에 해가 됨. 번식률이 큼. 한국 북부·일본 북부·만주(滿洲)에 분포함. 들쥐.

〈갈밭쥐〉

갈백-색【褐白色】[명] 갈색을 띤 백색(白色).
갈-범 [명] ☞칡범.
갈변【褐變】[명] 〖식〗 식물의 어느 부분이 병 따위로 말미암아 갈색으로 변하는 일. ――하다 [자][여불]
갈변-증【褐變症】[―쯩] [명] 〖식〗 갈색으로 변함을 특징으로 하는 식물의 변조(變調) 또는 병.
갈병【喝病】[명] 〖의〗 일사병(日射病).
갈보 [명] ①웃음과 몸을 팔며 천하게 노는 계집. 매소부(賣笑婦). 매춘부. ¶양(洋)~/~ 노릇을 하다. ②〈속〉 빈대. [준]갈. [주의] '蝎甫'로 씀은 취음(取音).
갈:-보리¹ [명] 〖식〗 ↗가을보리.
갈보리² 〔Calvary〕 [명] 〖성〗 '골고다(Golgotha)'의 라틴어 이름. 해골산(骸骨山).
갈:-봄 [명] ↗가을봄.
갈부【褐夫·褐父】[명] 너절한 옷을 입은 천한 사람.
갈:-부수기 [명] 갈아 부스러뜨림. 마쇄(磨碎). ――하다 [타][여불]
갈분【葛粉】[명] 칡뿌리를 짓찧어 물에 가라앉힌 후 말려서 만든 가루. 갈증(渴症)·주독(酒毒)을 푸는 약이 되며, 또 소변(小便)을 잘 통하게 함.
갈분 개:떡【葛粉一】[명] 갈분과 메밀 가루를 섞어 반죽하여 찐 개떡.
갈분 국수【葛粉一】[명] 갈분과 녹두 가루를 섞어 반죽하여 만든 국수. 갈분면(葛粉麪).
갈분 다식【葛粉茶食】[명] 갈분에 강즙(薑汁)을 타고 꿀로 반죽하여 만든 다식.
갈분-면【葛粉麪】[명] 갈분 국수.
갈분 응이【葛粉一】[명] 갈분을 묽게 쑤어 강즙(薑汁)과 설탕을 탄 음식. 술이 깬 뒤에 먹음. 갈분 의이(葛粉薏苡).
갈분 의이【葛粉薏苡】[명] 갈분 응이.
갈분-죽【葛粉粥】[명] 갈분에 멥쌀 가루를 넣고 쑨 죽.
갈-붙이다 [―부치―] [타] 남을 중상(中傷)하여 이간 붙이다.
갈비¹ [명] 〖생〗 ①늑골(肋骨). ②소의 갈비를 식용으로 일컫는 말. 갈비(가) 휘다 [구] 갈빗대(가) 휘다.
갈비² [명] 〖건〗 앞 추녀 끝에서 뒤 추녀 끝까지의 지붕의 너비.
갈비³ [명] ☞솔가리❶.
갈-비⁴ [명] ↗갈목비.
갈비-구이 [명] 쇠고기의 갈비를 토막쳐서 구운 음식. 갈비에 붙은 고기가 떨어지지 아니할 정도로 가로세로 에어 가지고 양념을 안팎에 발라 구움.
갈비 백숙【一白熟】[명] 쇠고기의 갈비를 토막쳐서 맹물에 삶은 음식.
갈비-볶음 [명] 쇠고기의 갈비를 잘게 잘라 양념을 하여 볶은 음식.
갈비-뼈 [명] 갈비의 뼈.
갈비-새김 [명] 소나 돼지의 갈비에서 발라 낸 고기.
갈비-씨【一氏】[명] 〈속〉 바싹 마른 사람.
갈비-적【一炙】[명] 쇠고기의 갈비를 한 뼘 가량씩 잘라서 잘게 에어, 양념을 안팎에 발라 구운 적. 흔히, 제사에 쓰임.
갈비-조림 [명] 소의 갈비를 잘게 토막쳐서 조린 반찬.
갈비-찜 [명] 쇠고기의 갈비를 삶아 만든 찜.
갈비-탕【一湯】[명] 토막친 쇠갈비를 넣어서 끓인 국에, 밥을 만 음식.
갈빗-국 [명] 쇠갈비를 토막쳐서 고아 만든 맑은 장국.
갈빗-대 [명] 〖생〗 갈비의 낱낱의 뼈대. 늑골(肋骨). 「갈비(가) 휘다.
갈빗대(가) 휘다 [구] 갈빗대가 휘어질 정도로, 짐이 무겁고 힘에 겹다.
갈빗대 힘살 [―쌀] [명] 〖생〗 '늑간근(肋間筋)'의 풀어쓴 용어.
갈사【暍死】[―싸] [명] 더위를 먹어 죽음. ――하다 [자][여불]
갈사-국【曷思國】[명] 〖역〗 고구려 초엽에 압록강 부근에 있었던 나라. 부여왕 대소(帶素)의 아우가 남하하여 세웠는데, 고구려 태조왕(太祖王) 16년(68)에 고구려에 투항한 것으로 전하여짐.
갈-사초【褐莎草】[명] 〖식〗 [*Carex ligulata*] 방동사닛과에 속하는 다년초. 줄기는 삼릉주(三稜柱)로 총생(叢生)하고 높이 7 cm 정도이며, 잎은 호생하고 피침상 선형임. 소수(小穗)는 5-8개인데 담다갈색 수꽃이삭은 한 개가 정생(頂生)하고, 암꽃이삭은 4-7개가 측생(側生)하여 원주형(圓柱形)으로 피고, 과낭(果囊)은 삼릉(三稜) 광난형(廣卵形)임. 6월에 꽃이 핌. 난지(暖地)의 산이나 들에 나는데, 전남의 진도군(珍島郡)과 경남 등지에 분포함.
갈-산【一酸】[명] 〔gallic acid〕 〖화〗 페놀산의 하나. 몰식자(沒食子)·오배자(五倍子) 등의 속에 산(酸) 또는 에스테르(ester)의 형태로 들어 있고, 또 배당체(配糖體)로서 널리 식물계에 분포되어 있는 무색의 결정체. 환원력(還元力)이 강하며 맛은 시고 떫음. 환원제·수렴제·세척제나 잉크·물감 제조에 쓰임. 구칭 : 몰식자산(沒食子酸). [$C_6H_2(OH)_3COOH$]
갈삼【葛衫】[―쌈] [명] 갈포(葛布)로 만든 적삼.
갈-삿갓 [명] 쪼갠 갈대를 결어 만든 삿갓. 노립(蘆笠). 우립(雨笠). ↔대삿갓.

〈갈삿갓〉

갈상-갈상 [부] ☞갈쌍갈쌍. ¶ 두 눈에 눈물이 ~하다. ――하다 [형][여불]
갈상-정장【葛上亭長】[―쌍―] [명] 〖충〗 먹가뢰.
갈-새: [명] 〈방〉 〖조〗 개개비.
갈색【褐色】[―쌕] [명] 검은 빛을 띤 주황색(朱黃色). 다색(茶色). 밤색.
갈색 고미【褐色苦味】[―쌕―] [명] 꿀벌이 유충(幼蟲)을 기르기 위하여 벌집 속에 모아 굳혀 놓은 화분(花粉). 필요할 때마다 특수한 액체를 분비, 이를 불리어 유충이 있는 봉방(蜂房)에 조금씩 옮기어 넣어 줌.
갈색-곰【褐色一】[―쌕―] [명] 〖동〗 불곰.
갈색굳음-병【褐色一病】[―쌕―뼝] [명] 〖농〗 갈강병(褐殭病).
갈색-류【褐色類】[―쌕뉴] [명] 〖동〗 삼공류(三孔類).
갈색-마라톤거미【褐色一】〔marathon〕 [―쌕―] [명] 〖동〗 [*Pisaura lama*] 마라톤거밋과에 속하는 거미의 하나. 몸길이 10mm 내외이고 두흉부(頭胸部)는 갈색, 중앙에 황색 종선이 있고 머리의 양측 선단이 돌출함. 복부에는 담갈색의 털과 강모(剛毛)가 밀생하고 적색·회색·암갈색의 파상(波狀) 광택이 남. 방랑(放浪)의 수렵성(狩獵性)임. 한국·일본·중국 등지에 분포함.
갈색 목탄【褐色木炭】[―쌕―] [명] 아주 검기 전에 불을 꺼서, 갈색이 날 정도로 구운 숯. 갈색 화약의 원료로 쓰임.
갈색-반【褐色斑】 [―쌕―] [명] 〔chloasma〕 〖의〗 황갈색의 반점이 생긴다는 뜻으로 '기미'를 일컫는 말.
갈색 부패병【褐色腐敗病】[―쌕―뼝] [명] 〔brown rot〕 〖식〗 조직이 갈변하여 썩는 식물의 균류병(菌類病)·세균병의 총칭.
갈색 삼림토【褐色森林土】[―쌕―님―] [명] 〖지〗 온난 습윤(溫暖濕潤)한 온대 기후 아래, 주로 활엽수림에 덮이어서 생성된 토양(土壤). 밑층은 산화철(酸化鐵)이 있어서 갈색 또는 적갈색을 띰.
갈색-아기나방【褐色一】[―쌕―] [명] 〖충〗 [*Sterrha jakima*] 자나방과(科)에 속하는 곤충. 편 날개 길이 17-19mm이고 몸빛은 담황갈색임. 앞날개 전연(前緣)은 적색, 앞뒤 날개의 외연부(外緣部)와 각 횡선(橫線)은 핑크색, 횡맥(橫脈) 위에는 흑색 점이 있음. 한국에도 분포함.
갈색-여치【褐色一】[―쌕―] [명] 〖충〗 [*Atlanticus ussuriensis*] 여칫

과에 속하는 곤충. 몸길이 2.5cm 가량이고, 몸빛은 암갈색에 검은 빛과 노란 빛이 군데군데 섞였음. 앞날개는 전흉배(前胸背)보다 길고 뒷날개는 퇴화(退化)하여 극히 짧은데 다리는 가늘고 긺. 우는 소리는 찍찍삐짱이와 비슷하나 소리가 작음. 한국·만주·우수리 지방에 분포함. 검노랑베짱이.

갈색-연【褐色煙】[—쌕—] 명 〔brown smoke〕흑연(黑煙)보다 입자(粒子)가 작은 갈색의 연기.

갈색 인종【褐色人種】[—쌕—] 명〖인류〗세계 인종의 하나. 피부는 갈색으로, 머리털이 검고 코가 납작하며 턱이 앞으로 내밀었음. 인도네시아 말레이 인종·아메리카 인디언 등 몽고 인종군(蒙古人種群)에 많음. *백색 인종·황색 인종·흑색 인종.

갈색점무늬-병【褐色點—病】[—쌕—니—] 명〖식〗식물의 병의 한 가지. 잎 또는 줄기에 갈색(褐色)을 띠고 주위에 뚜렷한 원형(圓形)의 고사반(枯死斑)이 생기는데, 병반(病斑)내에는 아주 작은 흑점(黑點)이 흩어져 있는 일이 많음. 병원(病原)은 주로 자낭균(子囊菌)이나 불완전균임. 갈반병(褐斑病).

갈색-제비【褐色—】[—쌕—] 명〖조〗[*Riparia riparia ijimae*] 제빗과에 속하는 새. 날개 길이 10cm이고, 깃은 흑색이 아니고 갈색이므로 다른 종류와 쉽게 구별됨. 몸의 상면은 회갈색, 머리 위는 흑갈색, 하면은 가슴 부분에 있는 갈색의 넓은 띠 이외는 모두 백색임. 동부 시베리아·사할린·한국·일본 등지에 분포함. 개천제비. 졸연(拙鷰).

〈갈색제비〉

갈색-조【褐色藻】[—쌕—] 명〖식〗갈조류에 속하는 식물의 통칭. 흙색말. 준갈조(褐藻).

갈색 조류【褐色藻類】[—쌕—] 명〖식〗갈조 식물(褐藻植物). 준갈조류(褐藻類).

갈색-쥐【褐色—】[—쌕—] 명〖동〗[*Rattus rattus alexandrinus*] 쥣과에 속하는 짐승. 이집트 원산으로, 등은 황갈색이며 등성마루에는 검은 줄이 서고, 배는 청회색임. 페스트균을 전염시킴.

〈갈색쥐〉

갈색 지방 조직【褐色脂肪組織】[—쌕—] 명 동면선(冬眠腺).

갈색-체【褐色體】[—쌕—] 명〖생〗①〔brownbody〕이끼벌레류(類)의 충실(蟲室) 안에 있는 갈색의 부정형(不定形) 덩어리. 벌레 몸 안의 노폐물로, 이와 함께 소수의 세포군(群)이 있으며 세포군이 분열 증식하여 벌레 몸이 재생되면 갈색체는 소화관을 거치어 밖으로 배출됨. ②〔phaeoplast〕갈조류(褐藻類)·규조류(硅藻類)·와편모류(渦鞭毛類) 따위의 세포에 함유된 엽록체(葉綠體). 엽록소 이외에 갈색 색소인 갈조소(素) 등이 있어 갈색으로 보임.

갈색-탄【褐色炭】[—쌕—] 명 갈탄(褐炭).

갈색-토【褐色土】[—쌕—] 명〖지〗온대(溫帶)의 건조 기후 밑에, 쑥무리를 주로 한 반사막(半砂漠)에 분포하는 토양(土壤). 수산화철 및 약간의 부식질(腐蝕質)을 함유하는 황갈색의 흙.

갈색 화:약【褐色火藥】[—쌕—] 명〖화〗초석(硝石)·황·갈색 목탄(木炭)이 혼합하여 된 갈색의 화약. 흑색 화약에 비하여 총알이 총구를 떠날 때에, 매우 높은 속도를 주는 이점(利點)이 있음.

갈-서다 자 나란히 서다.

갈수【渴水】[—쑤] 명 오랫 동안 가물이 계속되어 하천(河川)의 물이 마름. ↔풍수(豐水).

갈수-기【渴水期】[—쑤—] 명 갈수가 되는 시기. 비가 오래 오지 않아서 수원(水源)의 물이 마르는 시기. 우리 나라에서는 동절(冬節)이 이에 해당함. ↔풍수기(豐水期).

갈수-량【渴水量】[—쑤—] 명〖토〗가물어서 가장 적을 때의 강물 따위의 수량. ↔풍수량(豐水量).

갈-수록[—쑤—] 부 점점 더욱더. ¶~ 의기 양양/전투는 ~ 치열해지다. 【갈수록 수미산이라; 갈수록 태산이라】무슨 일을 하여 나아감에 있어서 점점 더 힘들고 견디기 어려워짐을 가리키는 말.

갈수-위【渴水位】[—쑤—] 명〖토〗한 해 중에 그 수위(水位)가 가장 낮은 때의 수위.

갈-시험【渴試驗】[—씨—] 명〖의〗농축(濃縮) 시험.

갈식【喝食】[—씩] 명〖불교〗〔큰소리로 밥 먹을 때를 알린다는 뜻〕선종(禪宗)이나 율종(律宗)의 절에서 식사(食事) 심부름하는 아이. 갈식

갈식 행자【喝食行者】[—씩—] 명〖불교〗갈식(喝食). ㄴ행자(行者).

갈신-들리다[—씬—] 자 몹시 굶주려서 음식에 대한 욕심이 심하게 나다. <걸신들리다.

갈신-쟁이[—씬—] 명 갈신들린 사람. <걸신쟁이.

갈쌍 부 눈물이 가득하여 넘칠 듯한 모양. <글썽. ——하다 형여불

갈쌍-거리다 자 눈물이 자꾸 갈쌍이다. 갈쌍대다. <글썽거리다. 갈쌍-갈쌍 부. ——하다 자형여불

갈쌍-대다 자 갈쌍거리다.

갈쌍-이다 자 눈물이 가득하게 고이다. <글썽이다.

갈씬-거리다 자 겨우 닿을락말락하다. 갈씬대다. ¶치맛자락이 땅에 ~. <걸씬거리다. 갈씬-갈씬 부. ——하다 자여불

갈씬-대다 자 갈씬거리다.

갈씬-하다 자여불 겨우 조금 닿고 말다. <걸씬하다.

갈아가다 자 〈옛〉갈라져 가다. ¶두 버미 사호거늘 보고 막다히로 가온ᄃᆡ 말이니 두 버미 各各 갈아가니라≪眞言勸供 供養文 22≫.

갈아-내다 타 새 것을 쓰기 위하여 묵은 것을 치워 버리다.

갈아-대다 타 묵은 것을 치우고 그 자리에 대신으로 새것을 가져다가 대다. ¶활줄을 ~/대팻날을 ~.

갈아-들다 자 묵은 것이 나간 자리에 새 것이 들어오다. ¶사람이 ~.

갈아-들이다 타 갈아들게 하다. ¶가정부를 ~.

갈아디다 자 〈옛〉갈라지다. ¶반ᄃᆞ기 민 가온ᄃᆡ 그르면 곧 갈아디리이다(當於結心解卽分散)≪楞嚴 V:24≫.

갈아-붙이다[1] [—부치—] 타 분함을 억제하지 못할 때 또는 결심을 굳게 할 때, 독한 마음으로 이를 바짝 갈다.

갈아-붙이다[2] [—부치—] 타 새 것으로 갈아대어 붙이다. ¶표지를 ~.

갈아-서다 자 묵은 것이 나간 자리에 새 것이 들어서다.

갈아-세우다 타 갈아서게 하다. ¶회장을 ~.

갈아앉다 자 〈옛〉갈라서 앉다. ¶兩分이 갈아 안ᄌᆞ시니≪月印 上 17≫.

갈아-엎다 타 보습이나 경운기 따위로 땅을 갈아서 뒤집어 엎어 놓다. ¶쟁기로 논을 ~.

갈아-입다 자 딴 옷으로 바꾸어 입다. ¶새 옷으로 ~.

갈아-주다 타 ①장수에게 이(利)를 붙이어 주고 물건을 사다. ②새 것으로 갈음하여 주다. ¶기저귀를 ~.

갈아-치우다 타 교체시켜 버리다. ¶선수를 ~.

갈아-타다 타 탔던 것을 버리고 딴 것을 새로 바꾸어 타다.

갈-앉다[—안따] 자 ↗가라앉다.

갈-앉히다[—안치—] 타 ↗가라앉히다.

갈앙【渴仰】명 ①목마르게 동경하고 사모함. ②〖불교〗기갈(飢渴)을 만나서 물을 생각하고 산을 만나서 우러러보는 것과 같이, 깊이 불도(佛道)를 숭상하는 일. ——하다 타여불

갈애【渴愛】명 ①몹시 사랑함. 몹시 좋아함. ②〖불교〗목이 말라 물을 찾듯이 범부(凡夫)가 몹시 오욕(五慾)에 애착하는 일. ——하다 타여불

갈연-광【褐鉛鑛】명〖광〗열대 지방의 연아연 광상(鉛亞鉛鑛床)에서 산출되는, 인회석족(燐灰石族)에 속하는 드문 광물. 육방 정계(六方晶系)에 속하며, 주상(柱狀) 또는 섬유상(纖維狀)의 결정을 이룸. 빛은 적색·황색·갈색 등인데, 얇은 조각은 무색을 띠는 때도 있음.

갈열【渴熱】명〖의〗유아(乳兒)에게서 볼 수 있는 수분 결핍에 의한 일과성(一過性) 발열. 미숙아(未熟兒)나 허약아(虛弱兒)에게 많으며, 계절적으로는 여름철에 많음. 원인은 기아(飢餓)·탈수(脫水) 등인데 온열중추(溫熱中樞)의 불안정이나 체질에도 관계가 있음. 기아열(飢餓熱). 탈수열(脫水熱). 신생아 일과성열(新生兒一過性熱). 초생아(初生兒) 일과성열.

갈외 명 〈옛〉가뢰. ¶갈외 반(蝥), 갈외 모(蝥)≪字會 上 23≫.

갈웜 명 〈옛〉칡범. ¶갈웜 호(虎)≪字會 上 18≫.

갈은-치【葛隱峙】명〖지〗경상 남도 함양군(咸陽郡)에 있는 재. 소백산맥 중에 있는 비교적 낮은 재의 하나로, 예로부터 호남·영남 두 지방 간의 주요 통로로 이용되고 있음. [253m]

갈음 명 갈은 것으로 서로 바꾸어 대신함. ——하다 자타여불

갈음-옷 명 ①갈아입는 깨끗한 옷. ②나들이할 때 입는 옷.

갈음-질 명 연장을 숫돌에 가는 일. ——하다 자여불

갈의【葛衣】[—/—이] 명 갈포(葛布)로 만든 옷.

갈이[1] 명〖공〗갈이틀이나 갈이 기계로 둥근 목기(木器)를 만드는 일.

갈이[2]【噶爾】명〖지〗'가얼'을 우리 음으로 읽은 이름.

갈이[3] ㊀명〖농〗논밭을 가는 일. ¶마른~/밭~. ㊁의명 하루 동안에 한 마리의 소가 갈 만한 논·밭의 넓이. 보통 2천 평임. ¶하루 ~/이틀 ~.

갈이[4] 의명 묵은 것을 없애고 새 것을 갈아대는 일. ¶구두의 창~.

갈이 공장【—工場】명 갈이 기계로 목기(木器)를 만드는 공장.

갈이 그릇 명 갈이 기계나 갈이틀로 갈리어 만든 나무 그릇.

갈이 기계【—機械】명〖공〗갈이틀을 개량한 선반(旋盤)의 한 가지. 갈이틀에 발로 돌리는 바퀴를 사용하여 굴대를 한 쪽으로만 돌게 하고 갈이칼을 쓰게 되어 있음. *선반(旋盤).

갈이단【噶爾丹】명〖사람〗'갈단(Galdan)'의 한자 이름.

갈이-박 명 갈이틀로 만든 나무 바가지.

갈이-방【—房】명 갈이틀을 놓고 나무 그릇을 만드는 집.

갈이-소리 명〖언〗마찰음(摩擦音).

갈이-장이【—匠—】명〖공〗갈이틀로 여러 가지 나무 기구를 만드는 일을 업으로 하는 사람.

갈이-질[1] 명〖농〗논밭을 가는 일. ——하다 자타여불

갈이-질[2] 명〖공〗갈이칼로 나무 기구를 깎는 일. ——하다 자여불

갈이-칼 명〖공〗갈이 기계나 갈이틀로 나무 기구를 깎아 만들 때 쓰는 쇠 연장.

갈이-통 명 〈방〉갈이틀.

갈이-틀 명〖공〗둥근 나무 기구를 갈리어 만드는 틀. 두 개의 기둥에 홍두깨 같은 굴대를 가로 질러 놓고, 그 한 머리는 가죽끈을 감아 한 사람이 끈의 양끝을 두 손으로 번갈아 잡아당기어 굴대가 쉴 새 없이 앞뒤로 돌게 하고, 굴대의 한 끝에는 갈릴 나무를 단단히 끼워 놓고 굴대 또는 대로 한 사람이 갈이칼을 쥐고, 만들고자 하는 그릇의 모양대로 갈아 냄. 굴대가 한 쪽으로 돌 때만 그릇이 갈리고 반대쪽으로 돌 때는 갈리지 아니함. 선기(鏇機). 목선반(木旋盤).

갈이-흙[—흑] 명 ①경토(耕土)❶. ②겉흙❷.

갈인-산【葛仁山】명〖지〗평안 남도 개천군(价川郡) 봉동면(鳳東面)과 평안 남도 덕천군(德川郡) 잠상면(蠶上面)의 경계에 있는 산. [1,088m]

갈:일-하다[—릴—] 자타 〈방〉가을하다(강원·충남).

갈:-잎[—립] 명 ①가랑잎. ②↗떡갈잎. 준갈.

갈:잎-나무[—립—] 명〖식〗①낙엽수(落葉樹). ②떡갈나무.

갈:잎-난쟁이나무[—립—] 명〖식〗갈잎작은떨기나무.

갈:잎-떨기나무[—립—] 명〖식〗낙엽 관목(落葉灌木). 갈잎좀나무. ↔늘푸른떨기나무.

갈:잎-작은떨기나무[—립—] 명〖식〗낙엽 소관목(落葉小灌木). 갈잎난쟁이나무.

갈:잎-작은키나무[—립—] 명〖식〗낙엽 소교목(落葉小喬木).

갈:잎-좀나무[—립—] 명〖식〗갈잎떨기나무. ↔늘푸른좀나무.

출발하여 대뇌(大腦)에 이르는 구심 신경(求心神經)의 작용 과정. 시각(視覺)·청각(聽覺)·후각(嗅覺)·미각(味覺)·압각(壓覺)·통양각(痛痒覺)·온각(溫覺)·냉각(冷覺)·유기각(有機覺) 등의 종류가 있는데, 그중 앞의 두 개를 고등 감각, 나머지를 하등 감각이라 함. ¶ 미적(美的) ～/～기. ⑤〖심〗 신경 계통의 외부에서 발생하여 얻어진 경험·의식(意識)의 지적 방면에 있어서의 가장 간단하고 요소적(要素的)인 것으로, 내관(內觀)에 의해서 그 이상 분석할 수 없는 경험 내용. ――-하다 타여불
「쾌·불쾌의 감정. *정서(情緖).

감:각 감:정【感覺感情】 명 〔sense-feeling〕 감각에 수반하여 일어나는

감:각-계【感覺界】 명 〖철〗 지각(知覺)의 대상(對象)이 되는 세계. 경험의 세계. 현상계(現象界). 감성계(感性界). ↔예지계(叡智界).

감:각-권【感覺圈】 명 〔sensory circle〕〖심〗 피부 위의, 접근하여 있는 두 점의 촉각 자극(觸覺刺戟)이 한 점으로밖에 감각되지 아니하는 장소로서 형성되는 범위.

감:각-기【感覺器】 명 〔sensory organ〕〖생〗 감각을 관장하는 기관(器官)의 총칭. 시각기(視覺器)·청각기(聽覺器)·후각기(嗅覺器)·근방추체(筋紡錘體) 등인데, 특정한 자극을 받아들이는 감각 세포가 모여 각기 특수한 구조를 가짐. 넓은 뜻으로는 자극을 전달하는 신경과 그것을 지각(知覺)하는 중추를 포함함. 감각 기관. 감촉 기관. 감관. 지각 기관.

감:각 기관【感覺器官】 명 〖생〗 감각기.

감:각 기능【感覺機能】 명 감각하는 기능.

감:각 뉴:런【感覺―】 명 〔sensory neuron〕〖생〗 감각기에서 흥분·자극을 척수(脊髓)에 전하는 신경 세포.

감:각 대:행【感覺代行】 명 〖의〗〔sensory substitution〕 장님·귀머거리·지체 부자유자 따위의 상실된 감각 기능을 전기적·기계적인 장치로 대행시키는 일.

감:각-력【感覺力】[―녁] 명 〖생〗 감각하는 능력.

감:각-령【感覺領】[―녕] 명 〔sensory area〕〖생〗 감각을 일으키는 작용을 지닌 대뇌 피질(大腦皮質)의 영역(領域). 감각 신경 섬유의 말단과 이에 접하는 영역으로 이루어짐. 감각야(野). ↔운동령(運動領).

감:각-론【感覺論】[―논] 명 〔sensualism〕〖철〗 모든 인식의 근원(根源)이 감각에 있다고 주장하는 학설. 날 때부터 이성(理性)을 갖춘 것이 아니고 밖으로부터의 감각이 지식의 근원이 된다고 하며, 내적 경험(內的經驗) 곧 반성(反省)을 인식의 근원으로 인정하지 아니함. 로크(Locke, J.)가 그 대표자임. 유각론(唯覺論). 육감론(肉感論). 센슈얼리즘(sensualism). *실증론(實證論).

감:각 마비【感覺痲痺】 명 〖의〗 지각 신경(知覺神經)의 장애(障碍)로 생기는 병.

감:각-모【感覺毛】 명 〔sensory hair〕〖생〗 기부(基部)에 특수한 신경 말단(末端)을 지니어 외계로부터의 자극, 특히 기계적 자극을 받아들이는 털의 총칭. 포유류(哺乳類)의 눈아귀나 눈 위쪽의 털, 곤충류의 모상(毛狀) 감각기(器), 식충(食蟲) 식물의 잎 윗면의 털 따위.

감:각 묘:사【感覺描寫】 명 문예·미술의 한 기법(技法). 주로 감각에 관한 면에 중점을 두는 묘사.

감:각 상실【感覺喪失】 명 감각 탈실(脫失).

감:각 상:피【感覺上皮】 명 〔sensory epithelium〕〖생〗 감각기의 가장 중요한 부분을 이루는 상피 조직. 감각 세포가 분포되었으며 자극 수용(受容) 기능이 있음.
「구하는 학문.

감:각 생리학【感覺生理學】[―니―] 명 〖생〗 감각을 생리학적으로 연

감:각-성【感覺性】 명 느껴 깨닫는 성질.

감:각성 망실【感覺性忘失】 명 〔acatamathesia〕〖의〗 병적(病的)인 둔감 또는 감각의 상실. 정신성(精神性) 장님·귀머거리 따위.

감:각성 실어증【感覺性失語症】[―쯩] 명 〖의〗 감각 실어증.

감:각 세:포【感覺細胞】 명 〔sensory cell〕〖생〗 감각 자극을 받아들일 수 있게 특수화한 상피(上皮) 세포. 일반적으로 동물의 시(視)세포·미(味)세포·청(聽)세포 등을 가리킴. 지각 세포.

감:각 소음 기준【感覺騷音基準】 명 한 대(臺)마다의 항공기(航空機) 소음의 지각(知覺) 소음 기준. 소음의 평가법(評價法)에 응용되고 있음. 피 엔 엘(PNL).

감:각 소음 데시벨【感覺騷音―】 명 〔perceived noise decibel〕 소음의 피해(被害)를 받는 측(側)의 감각을 감안한 시끄러움의 단위(單位). 노이수(noy數)의 총계(總計)를 바탕으로 하여 계산함. 기호는 PN-dB. 피 엔 데시벨(PN decibel).

감:각 시간【感覺時間】 명 자극이 주어진 후 감각이 일어날 때까지의 시간. 개인차(個人差)는 있으나 자극 강도(強度)의 로그(log)에 반비례한다고 함. 지각(知覺) 시간. 수용(受容) 시간.

감:각 식물【感覺植物】 명 외계의 자극에 따라 급속한 운동을 하는 기능이 있는 식물. 함수초(含羞草) 같은 것이 그 예임.

감:각 신경【感覺神經】 명 〖생〗 ①감각 기관이 외계로부터 받은 자극을 신경 중추에 전달하는 신경. 지각 신경. ②중추부(中樞部)에 자극을 전달하는 말초 신경의 총칭. 구심성 신경. *운동 신경.

감:각 실어증【感覺失語症】[―쯩] 명 〖의〗 언어 이해의 장애를 주로 하는 실어증. 곧, 스스로 언어를 말할 수는 있으나, 남의 언어의 소리를 들을 뿐 뜻을 이해하지 못하는 장애. 피질하(皮質下) 감각 실어증, 피질 감각 실어증, 초(超)피질 감각 실어증으로 나눔. 독일의 정신병학자 베르니케(Wernicke, C.; 1848-1905)가 발견한 언어 중추의 파괴로 이 증상이 일어나므로, '베르니케 실어증'이라고도 함. 감각성 실어증.
└*실어증.

감:각-야【感覺野】 명 〖생〗 감각령(感覺領).

감:각 온도【感覺溫度】 명 실제로 감각되는 온도. 기온(氣溫)과 기류(氣流)에 의해서 정해지는데, 온도계의 건구(乾球)·습구(濕球) 온도와 풍속(風速)을 측정하여 도표로써 구함.

감:각 유:추【感覺類推】[―뉴―] 명 '철혈(鐵血)'·'따뜻한 색'과 같이 하나의 감각적 성질을 다른 감각의 성질로써 표현하는 일.

감:각 유희【感覺遊戲】[―뉴히] 명 오관(五官)의 발달을 돕는 유희의 하나. 바람개비·팽팽이 등의 장난감을 가지고 노는 것으로, 생후 3개월부터 시작하여 두 살 때까지에 많음. *운동 유희.

감:각 자:극【感覺刺戟】 명 〖생〗 수용기(受容器)에 의하여 받아들이며 각종 감각을 일으키는 자극. 빛·열(熱), 기계적·화학적 에너지 등.

감:각 잔류【感覺殘留】[―잘―] 명 〔after sensation〕 자극이 없어진 후에도 아직 그 감각이 계속하는 현상. 잔상(殘像) 현상은 이 예임.

감:각-적【感覺的】 명 관 ①감각하는 대로 행동하거나 표현하는 모양. ②보는 사람 또는 듣는 사람에게 강한 자극(刺戟)을 주는 모양. 센슈얼(sensual). ↔개념적(槪念的).

감:각적 독재론【感覺的獨在論】〖철〗 감관(感官)을 통하여 직접 얻어지는 관념만이 실재(實在)한다는 설(說). 영국의 철학자 버클리(Berkeley, G.)가 그 대표적인 주창자임.

감:각적 운:동기【感覺的運動期】 명 〖심〗 스위스의 심리학자 피아제(Piaget, J.)의 지적(知的) 발달설에서, 0-2세까지의 시기. 아기들의 행동은 오로지 감각이나 운동에 의존한다는 이론. *구체적 조작기(操作期)·형식적 조작기.

감:각적 인식【感覺的認識】 명 감각 또는 감성(感性)에 의한 인식. 감관적(感官的) 인식. 감성적(感性的) 인식.

감:각-점【感覺點】 명 〔sensory spot〕〖생〗 피부에 분포(分布)하여 압각이나 온도를 감수(感受)하는 지각점(知覺點). 이것이 분포하는 피부의 부위(部位) 및 감각의 종류에 따라 밀도를 달리하며, 통점(痛點)·압점(壓點)·냉점(冷點)·온점(溫點)의 네 가지가 있음.

감:각 중추【感覺中樞】 명 〔sensory center〕〖생〗 감각의 기본이 되는 신경 중추. 고등 동물에서는 대뇌 피질(大腦皮質)에 감각령(感覺領)으로서 분포하며, 감각 신경에서 전하여 오는 자극을 감수(感受)함.

감:각 차:단【感覺遮斷】 명 〖생〗 시각·청각·평형(平衡) 감각 등의 감각에 대한 빛·소리·온도·중력 등의 자극을 장시간 차단 또는 감소시키거나, 혹은 단조롭게 반복·지속시킴으로써, 이러한 자극을 감각이 받아들이지 아니하게 된 상태. 환각(幻覺)·착각(錯覺)·지각 장애·불안감·공포감·방향 감각 상실·주의 집중 곤란·건망 등의 정신 기능 이상이 나타남. 우주 비행 중의 무중력 상태, 제트기(機)에 의한 장시간의 비행 때에는 일종의 감각 차단의 상태가 되며, 또, 세뇌(洗腦)는 감각 차단을 응용한 것임.

감:각 탈실【感覺脫失】[―씰] 명 〖의〗 자극을 받아도 감각이 일어나지 아니하는 상태. 주로 피부 감각에 관하여 이름. 감각 상실.

감감 부 감감한 모양. ¶ ～ 멀어져 가다.

감감 무소식【―無消息】 명 감감 소식.

감:감-법【減感法】[―뻡] 명 사진 현상 단계에서, 화학적 처리로 발색(發色)을 약하게 하여 노광시(露光時)의 감도(感度)를 내린 것과 동일한 효과를 주는 방법. 밝은 안전광에서 필름 현상을 할 수 있음. ↔증감법(增感法).

감감 소식【―消息】 명 소식이 감감함. 오래 소식이 없는 상태를 이름. 감감 무소식. ㅆ깜깜 소식.

감감-술레 명 〈방〉 강강술래.

감:-감작【減感作】 명 〖의〗 제감작(除感作).

감:감-제【減感劑】 명 사진의 감광 재료(感光材料)의 감광도를 저하시키는 약제. 촬영한 필름을 현상 전에 이것에 담그어 감광도를 수 백분의 일로 감소시켜 비교적 밝은 안전광 밑에서의 현상 따위에 쓰임. 페노사프라닌(phenosafranine) 등이 있음. ↔증감제(增感劑)·증감 색소(增感色素).

감감-하다 형 여불 ①소식이 없다. ②보이던 것이 아니 보이고 찾을 길이 아득하다. ③적적하다. 쓸쓸하다. **감감-히** 부

감갑-창【嵌甲瘡】 명 〖한의〗 갑저창(甲疽瘡).

감:-강【贛江】 명 〖지〗 '간장[7]'을 우리 음으로 읽은 이름.

감개[1] 명 〈방〉 신갱기.

감:개[2]【感慨】 명 ①깊이 느끼어 탄식함. ②어떤 사물에 대하여 깊은 회포를 느낌. 마음 속 깊이 사무치게 느낌. ――-하다 자여불

감:개 무량【感慨無量】 명 감개가 한이 없음. 사물에 대한 회포의 느낌이 한이 없음. ¶ 너를 10년 만에 만나니 참으로 ～하다. ――-하다 형
└여불

감검【勘檢】 명 잘 생각하고 검사함. ――-하다 타여불

감:겁【減劫】 명 〖불교〗 백 년마다 나이 한 살씩을 줄여서 8만 살로부터 열 살로 줄 때까지의 동안을 일컫는 말. ↔증겁(增劫). *소겁(小劫).

감:격【感激】 명 ①몹시 고맙게 느낌. ¶ ～의 눈물을 흘리다. ②크게 느끼어 분발함. ¶ ～과 흥분의 도가니로 화하다. ――-하다 자여불

감:격-성【感激性】 명 사물(事物)에 대하여 깊이 느끼고 분발하는 성질.

감:격-스럽다【感激―】 형 ㅂ불 감격할 만하다. **감:격-스레**【感激―】 부

감:격-적【感激的】 명 관 감격할 만한 모양. ¶ ～인 장면.

감결[1]【甘結】 명 〖역〗 조선 시대에, 상급 관아에서 하급 관아에 보내던
└공문.

감결[2]【勘決】 명 잘 조사하여 결정함. ――-하다 타여불

감:결[3]【減結】 명 〖역〗 결복(結卜)을 감하여 줌. ――-하다 타여불

감:-결합【減結合】 명 〔decoupling〕〖전〗 한 쪽 회로에서 다른 회로로 에너지가 이동(移動)하거나 또는 귀환(歸還)하는 것을 방지하는 회로.

감:경【減輕】 명 ①줄이어 가볍게 함. ②〖역〗 본형(本刑)보다 가벼운 형벌에 처함. ――-하다 타여불

감계【鑑戒】 명 본받을 만한 계훈(戒訓).

감고[1]【甘苦】 명 ①단것과 쓴것. 단맛과 쓴맛. ②즐거움과 괴로움. 고락(苦樂). ③고생을 달게 여김. ――-하다 타여불

감고[2]【勘考】 명 깊이 생각함. 숙고(熟考). ――-하다 자타여불

감고³【監考】명 ①〔역〕조선 시대에, 궁가(宮家)와 각 관아(官衙)에서 금곡(金穀)이나 물품의 출납과 간수를 보살피고 혹은 잡무(雜務)에 종사하던 사람. ＊감관(監官). ②↗말감고. ③조선 시대에, 국가에서 관리하는 산림·천택(川澤)의 감독인. ④조선 후기에, 봉수(烽燧)의 관리를 위하여 각 봉화대를 순회, 감독하던 관원.

감고⁴【鑑古】명 도자기·고서적(古書籍) 따위의 고물을 감정함. ——-하타 여불

감곡【嵌谷】명 산골짜기.

감공¹【嵌工】명 상감(象嵌) 세공. 또, 그것을 업으로 하는 사람.

감공²【嵌空】명 ①속이 비고 깊은 굴. ②깊은 산골짜기.

감공-란【嵌工卵】[—난] 명〔동〕모자이크란(mosaic 卵).

감공-사【監工司】명〔역〕조선 고종 19년(1882)에 설치한 관청. 통리군국 사무 아문(統理軍國事務衙門) 안에 두어 토목을 관장함.

감과¹【甘瓜】명〔식〕참외¹.

감과²【坩堝】명〔공〕도가니²❶.

감과³【柑果】명〔식〕장과(漿果)의 한 가지. 내과피(內果皮)의 일부가 주머니 모양으로 생겼으며, 속에 액즙(液汁)이 있고, 외과피(外果皮)와 중과피가 해면상(海綿狀)인 과실. 귤·감자(柑子)·유자(柚子) 같은 것.

〈감과³〉

감과⁴【勘過】명 검사하여 통과시킴. ——-하다 타여불

감:과⁵【感果】명〔불교〕원인에 감응(感應)해서 생긴 결과.

감곽【甘藿】명〔식〕미역².

감곽 냉:탕【甘藿冷湯】명 미역 찬국.

감곽-탕【甘藿湯】명 미역국.

감:관¹【感官】명〔생〕감각 기관(感覺器官)과 그것의 작용을 막연하게 일컫는 말.

감관²【監官】명〔역〕①궁가(宮家)와 관아에서 돈이나 곡식을 간수하고 출납을 맡아 보던 관리. ＊감고(監考). ②향임(鄕任).

감관³【鑑觀】명 조사하여 봄. 자세히 살펴봄. ——-하다 타여불

감:관-미【感官美】명〔철〕미(美)의 한 가지. 감관성이 정신성을 능가할 때 또는 외면성이 내면성을 능가할 때 생기는 미. 노골미(露骨美)·고혹미(蠱惑美)·풍염(豐艶) 등이 이에 속함.

감-관사【監館事】명〔역〕↗감춘추관사(監春秋館事).

감:관적 감:정【感官的感情】명〔심〕정조(情調)❷.

감:관적 인식【感官的認識】명〔철〕감각적 인식.

감:관적 착각【感官的錯覺】명〔심〕착각의 한 가지. 감관의 지각(知覺)에 의해서 일어나는 보통 착각으로, 감각 기관의 구조 기능 때문에 필연적으로 일어남. 시신경을 압박하고 빛을 보다가 한쪽 안구(眼球)를 누르면 물상(物像)이 두 개로 보이는 것과 같은 것.

감:관 표상【感官表象】명〔철〕외계의 자극, 곧 감관적 자극으로 말미암아 직접 일어나는 의식적인 표상. 지각 표상(知覺表象).

감:광¹【減光】명〔천〕지구의 대기(大氣)에 의하여 별이나 태양의 빛이 흡수되는 현상. 그 크기는 관측할 때의 기상(氣象) 조건이나 별의 천정거리(天頂距離), 빛의 파장(波長)에 의하여 변화함. ——-하다 자타여불

감:광²【感光】명〔화〕광선(光線)에 감응(感應)하여 화학적 변화를 일으키는 일. ——-하다 자여불

감:광-계【感光計】명〔sensitometer〕사진 필름의 감광도를 측정하는 기계. 또, 감광 재료의 감광도나 그것이 갖는 여러 성능을 측정하는 데 필요한 시약(試藥)을 만드는 장치.

감:광-기【減光器】명〔beam attenuator〕〔물〕소형 시료(試料)에 광선을 집중시키기 위한 분광 광도계(分光光度計)의 부속 장치.

감:광-도【感光度】명 감광 재료의 빛에 감응하는 능력을 수량적으로 표시한 값. 주로, 사진 필름의 감도 지수(感度指數)로 쓰이며, 노출(露出)의 세기와 환원은상(還元銀像)의 농도(濃度)와의 관계로 얻어짐. ASA·DIN 등으로 표시됨.

감:광-막【感光膜】명〔화〕감광성이 있는 얇은 막. 사진 필름이나 인화지 표면의 감광제가 말라서 된 것임.

감:광-상【感光相】명〔식〕식물이 정상적으로 개화 결실(開花結實)하기 위하여 일정한 낮과 밤의 길이의 비율을 필요로 하는 기간. 이 기간에 낮의 길이가 짧은 것을 필요로 하는 것을 단일(短日) 식물이라 하며, 낮의 길이가 길어야 하는 것을 장일(長日) 식물이라 함. ＊감온상(感溫相)·광주기성(光周期性).

감:광-성【感光性】[—썽] 명 ①〔화〕브롬화은(Brom化銀)·요오드화은(Jod化銀) 같은 물질이 빛을 받아 화학 변화를 일으키는 성질. ②〔photonasty〕〔식〕감성(感性)의 하나. 빛의 강약(强弱)의 변화가 자극이 되어, 식물 기관(器官)에 일어나는 일종의 생장(生長)운동. 빛이 강하면 꽃이 피거나 잎이 수평으로 되고, 빛이 약하면 꽃이 닫혀지거나 잎이 수직으로 되는 따위로, 연·민들레·싸리 등에서 볼 수 있음. 빛의 방향과는 무관(無關)하고, 잎이나 화관(花冠)의 기부(基部)에 있어서의 상하면(上下面)의 생장의 차(差)가 원인이 되어 일어남. 경광성(傾光性). ③〔photosensitivity〕〔농〕농작물의 출수(出穗)나 개화가 일조 시간(日照時間)에 의하여 영향을 받는 성질. 벼는 일반적으로 일조 시간이 짧아짐에 따라 영양 생장 기간이 짧아지는 성질이 있음.

감:광성 수지【感光性樹脂】[—썽—] 명〔화〕빛·자외선을 받아서 착색(着色)·분해·경화(硬化)하거나 용해성(溶解性)에 변화가 생기는 고분자 화합물. 인쇄의 수지 볼록판이나 프린트 회로 기판(基板)의 제조용 또는 집적(集積) 회로 제작 등에 쓰임.

감:광-액【感光液】명 감광(感光) 물질을 녹인 액체. 중(重)크롬산 나트륨의 용액이나 크롬 젤라틴액(gelatine液) 따위. 사진 제판(製版)에서 감광성을 주기 위해 판재(版材)에 바름.

감:광-약【感光藥】[—냑] 명〔화〕광선을 만나면 화학적 변화가 생기는 약품. 이를테면, 요드화은(Jod 化銀)·염화은(塩化銀) 등.

감:광 유리【感光琉璃】[—뉴—] 명〔물〕금·은·구리 따위의 콜로이드 착색제(colloid 着色劑)를 미량 함유하는 특수한 유리. 자외선(紫外線)을 조사(照射)하여 열처리(熱處理)를 하면 비친 부분만 착색할 수가 있으며, 영구적인 화상(畫像)의 밀착(密着)이 가능함. 착색부와 비착색부(非着色部)의 부식(腐蝕)이 다름을 이용하여 인쇄판으로 사용하기도 함.

감:광 유제【感光乳劑】[—뉴—] 명 감광제.

감:광 재료【感光材料】명 ①건판(乾板)·사진 필름·인화지 등 사진 유제(乳劑)를 발라 감광성을 지니게 한 재료. 사진 감광 재료. ②청사진·디아조(diazo) 사진·전자(電子) 사진의 감광지나 감광성 수지(樹脂) 등과 같이 감광성 물질을 이용하여 화상(畫像)·패턴을 만들기 위한 재료. 디아조 감광지. 양화(陽畫) 감광지.

감:광-제【感光劑】명〔화〕사진 필름이나 인화지 등에 칠하는 감광성 물질. 브롬화은(Brom 化銀) 등의 감광약에 젤라틴이나 갖풀 등을 조합한 것임. 감광 유제(感光乳劑).

감:광-지【感光紙】명〔화〕감광제(感光劑)를 바른 종이. 사진의 인화나 문서의 복사, 청사진 등에 쓰임. 피오피(P.O.P.) 브롬지(Brom紙)·청사진(靑寫眞) 종이·탄소지(炭素紙) 등 그 종류가 매우 많음.

감:광-체【感光體】명〔생〕안구(眼球) 안의 망막 외층(網膜外層)에 있는 시세포(視細胞). 특히, 그 돌기(突起)인 추상체(錐狀體) 및 간상체(桿狀體).

감:광-판【感光板】명〔화〕감광제를 바른 불연성(不燃性) 셀룰로이드판이나 유리판. 사진의 건판(乾板)·필름, 제판용 습판(濕板) 따위.

감:광 필름【感光—】〔film〕명〔화〕불연성(不燃性) 셀룰로이드의 얇은 판(板)에 감광제를 바른 사진 촬영용 필름. 일반 촬영용 외에 영화용 필름·적외선(赤外線) 필름·X선 필름 등이 있음.

감:-괘【坎卦】명〔민〕①팔괘(八卦)의 하나. 상형은 '☵'인데, 한 양(陽)이 두 음(陰) 속에 빠져 험난한 것을 뜻하며, 물을 상징(象徵)함. ②육십사괘의 하나. 두 개의 '☵'을 포갠 것인데, 물의 거듭됨을 상징함. 준감(坎).

감교【勘校】명 대조하여 바로잡음. 조사하여 고침. 교정함. ——-하다 타여불

감:구¹【感球】명〔생〕생물의 피부에 있는 감각 세포의 집단. 촉각을 맡음.

감:구²【感舊】명 지난날을 생각하여 감동함. ——-하다 자여불

감:구지-회【感舊之懷】명 지난 일을 생각하는 마음. ¶ ~를 이기지 못하다. 준감회(感懷).

감국¹【甘菊】명 ①〔식〕[*Chrysanthemum indicum*] 국화과에 속하는 다년초. 줄기 높이는 30-60cm 이고 보통 자흑색이며, 잎은 호생하는데, 모양은 달걀꼴로 생겼으며 흔히 다섯 갈래로 째지고, 열편(裂片)에는 톱니가 있음. 10-11월에 황색 두화(頭花)가 소방상(疎房狀) 화서로 피며 주변의 한 줄은 설상화(舌狀花)이고 중심은 관상화(管狀花)임. 산지에 나며, 거의 한국 각지에 분포함. 관상용. 꽃은 약용(藥用) 및 국화주 양조용(釀造用)임. 국화(菊花). ②〔한의〕감국의 꽃. 현기증 및 눈물 나오는 병에 씀.

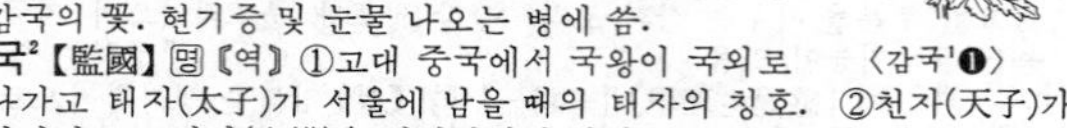

〈감국¹❶〉

감국²【監國】명〔역〕①고대 중국에서 국왕이 국외로 나가고 태자(太子)가 서울에 남을 때의 태자의 칭호. ②천자(天子)가 일시적으로 대권(大權)을 대행시키던 기관.

감국-전【甘菊煎】명 국화전(菊花煎).

감국-채【甘菊菜】명 감국의 순이나 싹을 데쳐서 기름·소금에 무친 나물. ——-하다 자여불

감:군¹【減軍】명 군사력을 줄임. 군대를 줄임. ＊군비 축소(軍備縮小).

감군²【監軍】명 ①군대를 감독함. 또, 그 구실을 맡은 사람. ②〔역〕조선 시대에 밤중에 도성(都城)의 안팎을 순행하며 군사의 행순(行巡)을 검독(檢督)하던 임시 벼슬.

감:-군은【感君恩】명〔문〕조선 초기의 송축가(頌祝歌). 작자를 정도전(鄭道傳)이나 하륜(河崙) 또는 상진(尙震)으로 추정하는 설(說)이 있음. 임금의 은덕을 사해(四海)와 태산(泰山)에 비유해서 칭송한 총 4장의 악장(樂章)으로, 각 장마다 동일행(同一行)이 반복되고 '一竿明月이 亦君恩이샷다'라는 후렴구가 첨가되어 있음. ≪악장 가사(樂章歌詞)≫와 ≪고금 가곡(古今歌曲)≫에 실려 전함.

감군-패【監軍牌】명〔역〕감군이 밤중에 순경할 때 가지고 다니던 패. 날마다 신시(申時)에 대내(大內)에서 받아 가지고 이튿날 아침에 도로 바쳤음.

감:-궂다 형 음충맞게 험상궂다. 성질이 감사납고 흉악하다.

감귤【柑橘】명〔식〕귤·밀감의 총칭.

감귤-류【柑橘類】명〔식〕운향과(芸香科)에 속하는, 귤 비슷한 열매가 열리는 과수·열매의 총칭. 귤·레몬·유자·탱자 따위. 밀감류(蜜柑類).

감:극【減極】명〔depolarization〕〔물〕전해질 용액 안에서 일어나는 전해 분극(電解分極)을 방해하여, 그 진행을 막는 일. 소극(消極).

감:극-제【減極劑】명〔depolarizer〕〔물〕전지 또는 전해조(電解槽)의 전해 분극(電解分極)을 방해하고 그 복극(復極)을 촉진시키기 위하여 더하는 물질. 질산·이산화 망간·산화(酸化) 구리·이산화(二酸化) 납 등. 전지의 성능은 이 감극제의 종류와 양(量)에 의하여 결정됨. 소극제(消極劑). ——-하다 타여불

감금【監禁】명 몸을 가두어 자유를 구속(拘束)하고 감시함. ¶ 불법 ~.

감금-죄【監禁罪】[—쬐] 명〔법〕불법으로 사람을 감금하여 신체적 활동의 자유를 침해한 죄. ＊체포 감금죄(逮捕監禁罪).

감:급【減給】명 급료(給料)나 급여(給與)를 정한 것보다 줄여서 내어

줌. ——-하다 [자][여불]

감기[1] [명] ↗신감기.

감기[2]【疳氣】[명]〖한의〗감병(疳病).

감:기[3]【感氣】[명]〖의〗추위에 상하여 일어나는 호흡기 계통의 염증성(炎症性) 질환. 물리적·화학적 자극, 알레르기성 등 비감염성이 포함되는데 감염성, 특히 바이러스에 의한 상기도(上氣道)의 염증을 일컬음. 코가 막히고 머리가 아프며 열이 오름. 고뿔. 감모(感冒). 한질(寒疾). 【감기 고뿔도 남을 안 준다】감기까지도 아니 줄 정도로 인색하다.【감기는 밥상머리에 내려앉는다】㉠감기 들어 앓고 있다가도, 밥상을 받으면 앓는 사람 같지 않게 잘 먹는다는 말. ㉡감기 들면, 어쨌든지 먹어야 빨리 낫는다는 말.

감:기[4]【感起】[명] 감분(感奮)하여 일어남. ＊분기(奮起). ——-하다 [자][여불]

감기다[1] ㊀ [피동] 눈이 저절로 감아지다. ㊁ [사동] 눈을 감게 하다. ¶ 죽은 자의 눈을 ～. ㊂ [자] 졸음이 오다.

감기다[2] ㊀ [피동] 노끈이나 실 같은 것이 감아지다. ㊁ [사동] 노끈이나 실 같은 것을 감게 하다.

감기다[3] ㊀ [사동] 머리나 몸을 물에 씻게 하다. ㊁ [타] 머리나 몸을 물로 씻어 주다. ¶ 머리를 ～.

감:-꼬치 [명] 곶감을 꿰 꽂은 나무 꼬챙이. 보통 열 개씩 꿴.

감:꼬치 빼: 먹듯 [구] 벌지는 못하고 기왕에 있던 한정된 재물을 하나씩 하나씩 축내어 가기만 하는 모양.

감:-꼭지 [명] 감의 위쪽에 붙어 있는 꼭지. 원래는 꽃받침임.

감:-나무 [명]〖식〗[*Diospyros kaki*] 감나뭇과에 속하는 낙엽 활엽 교목. 높이 10 m 내외이고 잎은 거꿀달걀꼴 또는 넓은 타원형임. 자웅 일가(雌雄一家)인데, 5-6월에 담황색의 꽃이 취산(聚繖) 화서로 피고, 장과(漿果)는 가을에 등황색 또는 홍색으로 익음. 촌락 부근에 심는 중요한 과수(果樹)로, 한국에서는 중부 이남에서 많이 재배하며 일본·중국·만주 등지에 분포함. 과실은 '감'이라고 하며 식용·약용이고, 재목은 조각(彫刻) 및 가구의 재료로 널리 쓰임.

〈감나무〉

【감나무 밑에 누워도 삿갓 미사리를 대어라】의당 자기에게 올 이익이라도 서둘러서 노력하지 아니하면 아니 된다는 말. 또, 무슨 일이고 준비와 수단이 없이는 아니 된다는 말.【감나무 밑에 누워 연시 입 안에 떨어지기 바란다】불로 소득(不勞所得)을 바란다는 말.【감나무 밑에서 먹는 수업(修業)을 하여라】좋은 환경과 조건에서도 스스로 애써 노력하지 아니하면 아니 된다는 말.

감:나무통-호랑하늘소【—虎狼—】[—쏘] [명]〖충〗[*Cyrtoclytus caproides*] 하늘솟과에 속하는 곤충. 몸길이 11-17 mm이고 몸빛은 흑색에 황색 털이 많음. 시초(翅鞘)에는 선황색(鮮黃色)의 띠가 있고 날개 끝은 황색, 날개 밑의 갈색 부분은 중앙은 흑색, 그 후연(後緣)은 회백색임. 유충은 감나무의 해충임. 한국에도 분포함. 왕표호랑하늘소.

〈감나무통호랑하늘소〉

감:나뭇-과【—科】[명]〖식〗[Ebenaceae] 쌍자엽 식물 합판화류(合瓣花類)에 속하는 한 과. 교목 또는 관목(灌木)으로, 열대·온대(溫帶)에 널리 분포함. 전세계에 6속(屬) 250여 종, 한국에는 감나무·고욤나무 등의 몇 종이 있음.

감낙[1]【甘諾】[명] 달갑게 승낙함. ——-하다 [타][여불]

감:낙[2]【感諾】[명] 감동하여 승낙함. ——-하다 [타][여불]

감:납【減納】[명] 세금이나 납부금 같은 것을 정한 것보다 줄여서 바침. ——-하다 [타][여불]

감내【堪耐】[명] 어려움을 참고 견딤. ——-하다 [타][여불]

감:-내기 [명]〖민〗황해도 지방 민요(民謠)의 한 가지. 도드리 장단에 의하여 밭에서 일하면서 부르는 농요(農謠)임. 자진아리.

감:-내다 [타]〈속〉해내다.

감-내림새 [명]〖건〗박공 처마 끝에 대는, 감새와 내림새를 겸한 부속 기와.

감:념【感念】[명] 사물에 대하여 느끼는 생각.

감노【監奴】[명] 노예의 우두머리.

감:-노라니 [부] 감노랗게. <검누러니.

감:-노랗다 [—라타] [형][ㅎ불] 감은 빛을 띠면서 노랗다. <검누렇다.

감:-노래지다 [자] 감노랗게 되다. <검누레지다.

감:-노르다 [형][러불] 감은 빛을 띠면서 노르다. <검누르다.

감:노 불감언【敢怒不敢言】[명] 성은 나되 입 밖에 나타낼 수가 없음. ——-하다 [자][여불]

감농【監農】[명] 농사짓는 일을 감독함. 농감(農監). ——-하다 [자][타][여불]

감:뇨-증【減尿症】[—쯩] [명]〖의〗오줌의 양이 현저하게 적어지는 병증(病症).

감눌 [명]〈방〉귤(전남).

감:는-줄기 [명]〖식〗전요경(纏繞莖).

감능【堪能】[명] ①일을 잘 감당할 만한 능력. ②재능이 있어 일에 잘 통달함. 또, 그 사람. ——-하다 [형][여불]

감닉-창【疳䘌瘡】[명]〖한의〗어린아이의 감병(疳病)의 한 가지. 치은염(齒齦炎)·치은 궤양(潰瘍)·치은 농양(膿瘍) 등 잇몸에 나는 병의 총칭.

감:다[1] [—따] [타] 아래위의 눈시울을 한데 붙이다. ↔뜨다[6].

감:다[2] [—따] [타] 머리나 몸을 물에 담가 씻다. ¶ 멱을 ～/창포물에 머리를 ～.

감:다[3] [—따] [타] ①노끈이나 실 같은 것을 무엇에 휘둘러 붙여서 말다. ¶ 붕대를 머리에 ～. ②옷을 입다. ¶ 나일론 옷만 몸에 ～.

감:다[4] [—따] [형] 빛깔이 먹이나 석탄 빛과 같다. ㅆ깜다[1]. <검다[2].

감단【勘斷】[명]〖역〗죄를 심리하여 처단함. 감처(勘處). ——-하다 [타][여불]

감:-단자【—團子】[명] 찹쌀 가루에 감을 썰어 넣고 만든 단자.

감당[1]【甘棠】[명]〖식〗①팥배. ②팥배나무.

감당[2]【堪當】[명] 능히 당하여 냄. ¶ 이 일은 ～하기 어렵다. ——-하다 [타][여불]

감당[3]【監幢】[명]〖역〗신라 육부 소감전(六部少監典)의 본피부(本彼部)·모량부(牟梁部)·한기부(漢祇部)·습비부(習比部) 들의 각 사지(舍知)의 다음 벼슬.

감대[1]【坩臺】[명]〖고고학〗'그릇 받침'의 구용어.

감:대[2]【感戴】[명] 감사히 여기어 봉대(奉戴)함. ——-하다 [타][여불]

감대-딸기 [명]〈방〉〖식〗복딸기.

감-대사【監大舍】[명]〖역〗신라 육부 소감전(六部少監典)의 본피부(本彼部)에 있던 감랑(監郞)의 다음 벼슬.

감:대-청【感戴廳】[명]〖역〗별군직청(別軍職廳)의 딴 이름.

감:도[1]【感度】[명] ①자극에 대하여 느끼는 정도. ②계측(計測) 기계의 민감도(敏感度)나 밀도(密度). ③필름·라디오·텔레비전 등이 빛이나 전파 등에 느끼는 정도. ¶ ～가 좋은 라디오. ④화약류(火藥類)에서, 폭발 반응을 일으키게 하는 충격·마찰 등의 기계적 작용에 대한 저항(抵抗)의 크기. ㊟감(感).

감:도[2]【感導】[명] 감응적(感應的)으로 인도함. ¶ 성신(聖神)의 ～. ——-하다 [타][여불]

감:도-법【減度法】[—뻡] [명] 감력법(減力法).

감:독[1]【減毒】[명] [attenuation]〖생〗미생물의 독성을 약화·감퇴시키는 일. ——-하다 [자][타][여불]

감독[2]【監督】[명] ①보살피어 단속(團束)함. 또, 그렇게 하는 사람. ②〖법〗어떤 사람이나 기관(機關)이 다른 사람이나 기관의 행위가 불법 또는 불리한 입장에 빠지지 아니하도록 감시하고, 필요한 경우에는 지휘·명령 또는 제재(制裁)를 가하는 일. ¶ ～ 관청. ③〖기독교〗감리 교회에서 교회를 관할하고 의식을 관장하며 신도를 보호하고, 종교적 교육을 임무로 하는 높은 교직자. 천주교나 성공회(聖公會)의 주교(主教)에 해당함. ④〖역〗조선 말기 궁내부 소속의 관직의 하나. 칙임관급에 해당됨. ⑤연극·영화 등에서, 연기를 직접 지도하는 사람. ⑥(운동 경기에서) 실전(實戰)을 직접 지도하는 사람. ⑦공사 현장에서 공사 진행의 잡도리를 하는 사람. ——-하다 [타][여불]

감독-관【監督官】[명] 감독하는 직무를 맡은 관리.

감독 관청【監督官廳】[명]〖법〗①하급 관청에 대해서 감독권을 가지는 상급 관청. ②지방 자치 단체나 민간(民間) 기업·단체·개인 등에 대하여, 감독권을 가지는 행정 관청. ㊟감독청(監督廳).

감독 관:할구【監督管轄區】[명]〖기독교〗한 사람의 감독의 관할 밑에 있는 교구(教區).

감독 교:회【監督教會】[명]〖기독교〗감독을 두어 교회를 관할하는 조직의 기독교. 감리 교회 같은 것이 이에 속함.

감독-권【監督權】[명]〖법〗①감독하는 권능(權能). ②상급 관청이 하급 관청을 지휘·명령하고 그 비위(非違)를 교정(矯正)하는 권리. ③국가(國家)가 도·시·군 등의 공공(公共) 단체를 감독하는 권리. ④국가가 은행·회사·거래소 또는 개인의 영업을 감독하고 단속하는 권리. ⑤친권자 또는 후견인(後見人)이 자식 또는 피후견인(被後見人)에 대하여 감독하는 권리.

감독 기관【監督機關】[명] 감독권(監督權)을 가진 기관.

감독 사:무【監督事務】[명] 감독권(監督權)을 행사(行使)하는 사무.

감독 소:할지【監督所轄地】[—찌] [명]〖기독교〗한 사람의 감독이 관할하는 지역.

감독-원【監督員】[명] 회사를 정리할 경우에 법원으로부터 회사의 업무·재산에 관한 감독을 명령받은 사람.

감독 의:무자【監督義務者】[명]〖법〗미성년자(未成年者)나 심신 상실자(心身喪失者) 또는 책임 무능력자(責任無能力者)를 감독할 법정(法定) 의무를 지닌 친권자(親權者) 또는 후견인(後見人).

감독-자【監督者】[명] 감독하는 직무를 맡은 사람.

감독-청【監督廳】[명]〖법〗↗감독 관청.

감독 프로그램【監督—】[명] [supervisor program]〖컴퓨터〗제어 프로그램의 핵심부로, 컴퓨터 시스템의 자원(資源)을 계획·할당·제어하는 기능을 수행하는 프로그램.

감독 행위【監督行爲】[명]〖법〗감독권의 집행(執行)으로 일어나는 행위. 피감독자(被監督者)로부터의 보고 청취(報告聽取)·사무 상황의 시찰·훈령(訓令)·지시 또는 행위의 취소·정지(停止) 및 허가·인정 등의 여러 가지가 있음.

감돈【嵌頓】[명]〖의〗장(腸)이나 자궁(子宮) 같은 복부의 내장 기관이 병적으로 생긴 틈으로 탈출된 채 원위치로 돌아가지 못하는 상태. 헤르니아 감돈(hernia 嵌頓).

감돈 탈장【嵌頓脫腸】[—짱] [명]〖의〗탈장(脫腸)이 되면 다시 잘 정복(整服)이 되던 것이 갑자기 탈장된 채로 있어 정복되지 아니한 상태(狀態). ＊헤르니아(hernia).

감:-돌 [—똘] [←중세 : ᄀᆞᆷ(감)+돌]〖광〗수지(收支) 계산에 넣을 광석(鑛石). ㊟감. ↔버력[2].

감-돌고기 [명]〖어〗[*Pseudopungtungia nigra*] 잉어과에 속하는 민물고기. 돌고기와 비슷하나 몸길이 8-11 cm 가량이고, 주둥이가 뾰족하며 말굽 모양의 입이 주둥이 아래쪽에 있음. 몸빛은 암갈색이고 체측에 폭이 넓은 암갈색 세로띠가 있으며, 등지느러미와 배지느러미에는 두 개의 폭 넓은 흑색 띠가 있고 가슴지느러미는 회색임. 금강(錦江) 상류에서 잡히는 한국 특산종임.

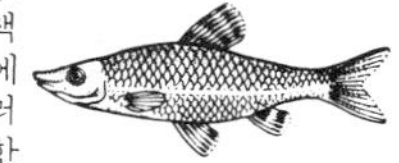

〈감돌고기〉

감:-돌다 ㊀ [자] [←감-+돌-+-다. 중세 : 감돌다, 감똘다] ①어떤 둘레를 여러 번 빙빙 돌다. ¶ 산봉우리에는 흰구름만 감돌고 있었다. ②앞에서 알씬거리며 떠나지 않다. ¶ 희미한 옛 추억이 머리속에 ～. ③

분위기·향기 따위가 주위에 가득 차다. ¶ 따뜻한 분위기가 ~/긴장이 ~. ⊜타 물굽이가 모퉁이를 감아 돌다. ¶ 바위를 감돌아 흐르는 강물.

감:돌아-들다 자 감돌아서 들어오다.

감:돌아-치다 자 매우 힘차게 감돌다.

감:돌-이 명 사소한 이끗을 보고 감돌아드는 사람.

감동¹【紺瞳】명 검푸른 눈동자.

감:동²【感動】명 깊이 느끼어 마음이 움직임. ——-하다 자여불

감동³【監董】명〘역〙↗감동관.

감동-관【監董官】명〘역〙조선 시대에 역사(役事)를 감독하기 위하여 임시로 임명하던 벼슬. ㊀감동(監董).

감:동-력【感動力】[—녁] 명 감동하거나 감동시키는 힘.

감:동-문【感動文】명 감동의 뜻을 나타내는 형식의 글.

감:동-사【感動詞】명〘언〙감탄사(感歎詞).

감:동-성【感動性】[—썽] 명〘심〙정동적(情動的) 자극을 받고 반응하기 쉬운 경향.

감동-유【—油】[—뉴] 명 곤쟁이젓에서 짜내어 만든 먹는 기름. 노하유(滷蝦油).

감:동-적【感動的】명관 감동할 만한 모양. ¶ ~인 처사.

감동-젓 명 푹 삭힌 곤쟁이젓. 쥐음: 감동해(甘冬醢).

감동-지 명〈방〉감동젓.

감동-해【甘冬醢】명 '감동젓'의 취음.

감:동형 카피【感動型—】명 [emotional copy]〘광고〙감정적(感情的)인 동기(動機)에 소구(訴求)하여 감동적으로 납득·이해시킬 것을 목적으로 하는 광고문.

감두【嵌竇】명 속이 빈 굴. 공동(空洞).

감둥- 튀 빛이 검은. ¶ ~개. ㅆ깜둥. <검둥.

감둥-사초【—莎草】명〘식〙[*Carex atrata*] 방동사닛과에 속하는 다년초. 줄기는 삼릉주(三稜柱)로 높이 50cm 가량이고, 잎은 호생하며 선형(線形)인데 길이 10-30cm, 폭 3-6mm 임. 3-5개의 소수(小穗)가 정생(頂生) 또는 측생(側生)하는데, 상수(上穗)는 양성(兩性)이고 측수(側穗)는 자성(雌性)으로 긴 타원형이며, 암꽃의 영(穎)은 달걀꼴이고 흑갈색으로 7-8월에 핌. 과낭(果囊)은 넓은 타원형 혹은 거꿀달걀꼴임. 깊은 산에 나는데, 평북·함남·함북 등지에 분포함.

감:득【感得】명 ①깊이 느끼어 얻음. ¶ 진리를 ~하다. ②영감(靈感)으로 깨달아 얻음. ——-하다 타여불

감:득-력【感得力】[—녁] 명 감득하는 힘·능력.

감:등【減等】명 ①등수·등급을 낮춤. ②〘역〙은전(恩典)이나 특별한 사정에 의하여 형벌을 감경(減輕)함. ——-하다 타여불

감:디-감다 [—띠—따] 형 몹시 감다. <검디검다.

감:때-사납다 형ㅂ불 매우 감사납다. 감때세다. ¶ 우리 수탉이 또 날쌔게 덤벼들어 다시 면두를 쪼니 그제서는 감때사나운 그 대강이에서도 피가 흐르지 않을 수 없다《金裕貞 : 동백꽃》/ 한천식씨의 감때사나운 음성이 들려 온다《李文熙 : 二寮三號室》.

감:때-세다 형 감때사납다.

감:-떡 명 찹쌀과 곶감의 가루에 잣과 호두를 넣어 경단처럼 만들어서 꿀을 바른 떡. 시고(柿糕).

감:-또개 명 꽃과 함께 떨어진 어린 감. ㊀감똑.

감:-똑 명 ↗감또개.

감락【酣樂】[—낙] 명 마음껏 즐김. 술을 마시며 즐김. ——-하다 타여불

감란【戡亂】[—난] 명 난리를 평온하게 진정시킴. 감이(戡夷). ——-하다 자여불

감란-수【甘爛水】[—난—] 명〘한의〙잘 저어서 거품이 잔뜩 생기게 하고 공기를 충분히 포화(飽和)시킨 맹물. 성질이 온(溫)하여, 콜레라·곽란(霍亂) 또는 방광병(膀胱病) 같은 데 씀. 백로수(百勞水).

감람¹【甘藍】[—남] 명〘식〙양배추.

감:람²【坎壈·轗軻·轗轗】[—남] 명 감가(坎坷·坎軻·轗軻)❷. ——-하다 형여불

감:람³【橄欖】[—남] 명〘식〙감람나무의 열매. 길이 3-4cm 되는 타원형의 핵과로, 익으면 백록색(白綠色)이 됨. 맛이 좀 쓰고 떫으며, 먹을수록 단맛이 나는데, 날로 먹기도 하고 꿀이나 소금에 절이어서도 먹음. 한약방에서는 어독(魚毒)을 푸는 데 효력이 있다고 하며, 씨로는 감람유(橄欖油)를 짬. 서양에서 중국 올리브(Chinese olive)라고 부르므로, 동양에서 올리브를 이 과실과 혼동하는 일이 있음. 간과(諫果). 청과(靑果). 충과(忠果). 감람과(橄欖果).

감:람-과¹【橄欖果】[—남—] 명 감람나무의 열매. 감람(橄欖).

감:람-과²【橄欖科】[—남꽈] 명〘식〙[Burseraceae] 이판화류(離瓣花類)에 속하는 한 과. 관목(灌木) 또는 교목(喬木)으로 아시아의 열대 지방에 16 속(屬) 500 종이 분포함.

감:람-나무【橄欖—】[—남—] 명 ①〘식〙[*Canarium album*] 감람과에 속하는 상록 교목. 높이 10m 가량이며, 잎은 기수 우상 복엽(奇數羽狀複葉)으로 호생하고 소엽(小葉)은 긴 타원형이며, 가죽처럼 두툼하고 거칠거칠함. 봄에 황백색의 삼판화(三瓣花)가 원추(圓錐) 화서로 피며, 과실은 '감람'이라고 하는데 양쪽이 뾰족하고 길이 3cm 되는 핵과(核果)임. 아시아 열대 지방의 각처 산야에 야생하는데, 중국의 남부 지방·대만(臺灣)·오키나와 등지에 옮기어 재배함. ②〘기독교〙올리브(olive)를 한역(漢譯)한 이름. 열매에서 짜낸 기름은 감람유(橄欖油)라 하며 의식(儀式)에 쓰고, 그 가지와 잎은 평화의 상징으로 삼음. 감람수(橄欖樹). 올리브(olive).

〈감람나무❶〉

감:람 녹색【橄欖綠色】[—남—] 명 올리브(olive)나무의 잎과 같이 누른 빛을 띤 녹색. 힘과 번영(繁榮)의 상징으로 침. '올리브색'을 잘못 번역한 것임. ㊀감람색.

감:람-산【橄欖山】[—남—] 명〘성〙예루살렘 동쪽의 산. 지금은 예벨레투르(Jebelettur)라 함. 원래 이 산에는 올리브가 무성하였으나 70년 로마인이 침입하여 남벌(濫伐)한 후 한 그루도 없음. 예수가 자주 이 산에 와서 기도를 올렸다고 함. [792m]

감:람-색【橄欖色】[—남—] 명 ↗감람 녹색(橄欖綠色).

감:람-석【橄欖石】[—남—] 명 [olivine]〘광〙사방 정계(斜方晶系)에 속하는 단주상(短柱狀)의 결정체로 된 광물. 철·마그네슘·망간 등의 규산염(珪酸塩)으로 이루어졌는데 색은 올리브색·백색·회색·황색 등 여러 가지이고, 염기성 화성암(塩基性火成岩)·열변성 석회암(熱變成石灰岩) 속에 나타나며, 운석(隕石) 중에도 있음. 빛이 곱고 투명(透明)한 것은 보석으로 씀. ＊고토(苦土) 감람석·철(鐵) 감람석·망간 감람석.

감:람-수【橄欖樹】[—남—] 명〘식〙감람나무.

감:람-암【橄欖岩】[—남—] 명〘광〙주로 감람석·휘석(輝石) 등으로 이루어지며, 장석을 포함하지 않는 초염기성(超塩基性) 심성암(深成岩). 변질하여 사문암(蛇紋岩)이 되기 쉬움. 부성분(副成分) 광물로서, 크롬철광·자철광(磁鐵鑛)·스피넬(spinel) 등을 포함하는 수가 있음.

감:람-원【橄欖園】[—남—] 명 감람나무를 재배하는 밭.

감:람-유【橄欖油】[—남뉴] 명 ①감람의 씨로 짠 기름. 식용·약용 외에 기계유(機械油)·등유·비누 만드는 데 씀. ②'올리브유(olive油)'를 잘못 번역한 말.

감랑【監郞】[—낭] 명〘역〙신라 육부 소감전(六部少監典)의 급량부(及梁部)·사량부(沙梁部)·본피부(本彼部)의 으뜸가는 벼슬.

감:량¹【減量】[—냥] 명 ①분량이 줆. ②분량을 줄임. ③물건을 매매할 때 전체 분량에서 빼야 할 포장·먼지 등의 무게. ④몸무게가 초과된 운동 선수가, 체계량(體計量)·재(再)체계량에 통과하기 위하여 몸무게를 줄이는 일. ¶ 체중 ~에 실패하다. ——-하다 자타여불

감:량²【感量】[—냥] 명 계기의 바늘이 감응(感應)을 할 수 있는 최저의 양. ¶ ~ 10 그램.

감:량 경영【減量經營】[—냥—] 명〘경〙저(低)성장 시대의 불황에 대처하기 위하여, 경비 절감(節減), 인원 축소, 채산(採算)이 맞지 않는 부문의 삭제(削除), 설비 투자의 억제, 차입금(借入金)의 축소(縮小) 등의 형태로 기업의 체질 개선을 꾀하는 경영 방식.

감력¹【堪力】[—녁] 명 견디어 내는 힘.

감:력²【減力】[—녁] 명 [reduction] 사진의 필름이나 인화지의 화상(畫像) 농도를 약품 처리에 의하여 낮추어 알맞게 하는 일. ——-하다 타여불

감:력-법【減力法】[—녁—] 명 감력하는 방법. 감도법(減度法).

감령【監令】[—녕] 명〘역〙신라(新羅) 사천왕사 성전(四天王寺成典)의 으뜸 벼슬. 경덕왕(景德王) 때 금하신(衿荷臣)을 고친 이름.

감례【甘醴】[—네] 명 감주(甘酒). 단술.

감로¹【甘露】[—노] 명 ①하늘에서 내려 주는 불로 불사의 영약(靈藥)인 달콤한 이슬. 옛날에 천하가 태평하면 하늘이 상서(祥瑞)로 내리는 것이라 함. ②〘불교〙도리천(忉利天)에 있는 달콤한 영액(靈液). 한 방울만 먹어도 온갖 괴로움이 없어지고, 산 사람은 오래 살 수 있고, 죽은이는 부활한다 함. 전하여, 부처의 깨달음·가르침의 뜻으로 비유됨. ③여름에 단풍나무·노나무·떡갈나무 등의 나뭇잎에서 떨어지는 달콤한 액즙(液汁). 진드기가 식물 세포 안의 탄수화물·단백질 등을 흡수하여 포도당이 많은 단 즙을 만들어 배설한 것임. ④↗감로법(甘露法). ⑤생물에게 이로운 이슬. ⑥↗감로수(水). ⑦↗감로주(酒).

감로²【疳勞】[—노] 명〘한의〙어린 아이 감병(疳病)의 한 가지. 기침·도한(盜汗)·설사가 나고 안색이 창백하여지는 병인데, 어린 아이의 폐결핵·만성 기관지 카타르의 일컬음.

감로-국【甘路國】[—노—] 명〘역〙삼한 시대(三韓時代), 진한(辰韓)에 속하였던 작은 부족 국가(部族國家). 지금의 경북 김천시(金泉市)의 북동쪽을 흐르는 감천(甘川)의 유역 일대에 있던 것으로 추측됨.

감로-다【甘露茶】[—노—] 명〘불교〙달고 정하게 하여 부처 앞에 올리는 다수(茶水).

감로-법【甘露法】[—노—] 명〘불교〙여래(如來)의 교법(敎法). 한번 믿으면 끝없는 공덕과 이익을 얻음을 감로에 비유하여 일컫는 말. ㊀감로(甘露).

감로-사【甘露寺】[—노—] 명〘불교〙천은사(泉隱寺).

감로-성【甘露城】[—노—] 명〘불교〙열반(涅槃)의 세계를 성(城)에 비유한 말.

감로-수【甘露水】[—노—] 명 ①설탕을 달게 타서 끓인 뒤에 식힌 물. 여름에 빙수(氷水) 같은 데에 침. ②깨끗하며 시원한 맛의 물을 일컫는 말. ㊀감로(甘露).

감로-왕【甘露王】[—노—] 명〘불교〙오여래(五如來)의 하나로 아미타 여래의 딴 이름. 이 부처의 설법(說法)이 감로(甘露)의 비처럼, 중생에게 은혜를 주는 덕이 있으므로 이르는 말.

감로-주【甘露酒】[—노—] 명 소주에 용안육(龍眼肉)·대추·포도·살구씨·구기자(枸杞子)·두충(杜冲)·숙지황(熟地黃)을 넣어 우린, 진하고 단 술. ㊀감로(甘露).

감로지-변【甘露之變】[—노—] 명〘역〙중국 당(唐)나라 문종 태화(太和) 9년(835)에, 환관(宦官)의 횡포를 보다 못한 이훈(李訓)·정주(鄭注) 등이 일을 꾸며 이들에게 감로를 보러 나오게 한 다음, 그 틈을 타서 주살(誅殺)하려다가 실패하여 붙잡혀 죽은 난리.

감:록【減祿】[—녹] 명 녹봉(祿俸)을 줄임. ——-하다 자여불

감:록 조항【減祿條項】[—녹—] 명〘역〙조선 시대에 징계 처분으로서 호조(戶曹)에서 정한 관원의 녹봉을 줄이던 규정. 환자곡(還子穀)의 환수(還收), 전세(田稅)·대동미(大同米)의 기한내 수송, 미포(米布) 징수 등의 성적이 불량한 관원에게 적용되었음.

감룡【撼龍】[—뇽] 명〘책〙[당(唐)나라의 양균송(楊筠松)이 지은 감룡경

(撼龍經)의 약칭] 조선 시대에 잡과(雜科)의 하나인 음양과(陰陽科) 초시(初試)의 시험 과목. 지리학의 하나로 관상감(觀象監)에서 보였음.

감루¹【疳瘻】[—누] 명 〖한의〗 잔구멍이 생기어 고름이 나는 부스럼. 낭루(狼瘻). 누창(漏瘡).

감:루²【感淚】[—누] 명 감격의 눈물. 마음에 깊이 느끼어 나오는 눈물. ¶ ~를 금하지 못하다. *열루(熱淚).

감류¹【甘榴】[—뉴] 명 맛이 달고 덜 신 석류.

감류²【柑類】[—뉴] 명 밀감(蜜柑)·등자나무 열매 등의 종류.

감률【甘栗】[—뉼] 명 ①맛이 단 밤. ②구운밤의 한 가지. 가열한 모래 속에 넣고 저어서 익힌 밤. 흔히, 알이 작은 밤을 사용함. 단밤.

감리¹【疳痢】[—니] 명 〖한의〗 감사(疳瀉)로 인하여 생긴 이질.

감리²【監吏】[—니] 명 〖역〗 감독하는 아전.

감리³【監理】[—니] 명 ①감독하고 관리함. ②〖역〗 감리서(監理署)의 우두머리. 감리사(監理使). ③〖법〗 건축사(建築士)가 아니면 설계(設計)할 수 없는 규모의 건축물의 건축·수리에 있어서, 건축사가 공사(工事)가 설계도대로 실시되는지 여부를 확인하는 일. 공사(工事) 감리. ④〖경〗 증권 시장에서, 증권 감독원 또는 증권 거래소가 비정상적인 주가(株價)의 움직임이나 매매 행위를 조사하는 일. ——-하다 타여불

감리-교【監理敎】[—니—] 명 〖기독교〗 기독교 신교의 한 교파. 18세기 초 영국의 웨슬리(Wesley, J.)가 자유 의지·성결(聖潔)을 제창하고 창시함. 한국에는 1864년 매클레이(Maclay, R.S.)·아펜젤러(Appenzeller, H.G.)가 선교함. 감독(監督)을 두어 교회를 다스리게 하고, 목사·권사·전도 부인 등의 교직을 둠. 메서디즘(Methodism).

감리 교:회【監理敎會】[—니—] 명 〖기독교〗 감리교의 교회. 메서디스트 교회.

감리 대:상 종:목【監理對象種目】[—니—] 명 〖경〗 상장 종목 중 주가(株價) 및 거래량 등이 이상(異常) 현상을 보여, 일반 투자자의 주의를 환기시키어 투자에 참고하도록 하기 위하여 증권 거래소에서 일정 기준에 따라 지정한 특정 종목. 신용 거래가 중지되고 대용(代用) 증권에서 제외됨. *관리 대상 종목.

감리-사¹【監理使】[—니—] 명 〖역〗 감리(監理)❷.

감리-사²【監理師】[—니—] 명 〖기독교〗 감리 교회의 한 교직(敎職). 한 지방 여러 교회의 모든 사항을 감독하고 관리함.

감리-서【監理署】[—니—] 명 〖역〗 개항장(開港場)·개시장(開市場)의 통상(通商) 사무를 맡던 관아(官衙). 조선 고종(高宗) 20년(1883)에 인천(仁川)·부산(釜山)·원산(元山)에 두었는데, 32년(1895)에 지사서(知事署)로 고쳤다가, 이듬해 건양(建陽) 원년(1896)에 다시 본이름으로 고침. 그 뒤 웅기(雄基)·진남포(鎭南浦)·군산(群山)·목포(木浦)·마산(馬山)·성진(城津)·용암포(龍岩浦)·신의주(新義州)의 각 항구와 평양(平壤)에 각각 더 두었다가 광무(光武) 10년(1906)에 다 폐지하였음. *지사서(知事署).

감리-영【監理營】[—니—] 명 〖역〗 감리(監理)가 직무를 행하던 영문. 곧, 감리서(監理署).

감리 위원회【監理委員會】[—니—] 명 〖법〗 증권 감독원(證券監督院)의 한 기구. 법인의 외부 감사제(外部監査制) 실시에 따른 기업 감사인(企業監査人)의 감사 보고서를 감리하고, 부실 감사가 적발되는 경우, 감사인을 문책(問責)하는 업무를 맡음.

감림¹【監臨】[—님] 명 감독에 임(臨)함. 현장에 나가 감독함. 또, 그 직에 있는 사람. ——-하다 자여불

감림²【瞰臨】[—님] 명 높은 데서 내려다보며 대함. ——-하다 자여불

감:마¹【減摩·減磨】명 ①닳아서 줄어듦. ②마찰을 적게 함. ——-하다 자타여불

감마²【Γ, γ】〔gamma〕 一명 ①그리스 자모의 셋째 글자. ②〖화〗 사슬 모양 화합물에 있어서 구조식의 주요한 기(基)에 대하여 셋째 번의 탄소의 위치를 나타내는 기호. 二 의명 ①미소한 질량의 단위. 1 감마는 10^{-6} g 또는 10^{-3}mg에 해당함. ②자기력선속 밀도(磁氣力線束密度)의 단위. 10^{-5}가우스.

감마 글로불린〔gamma globulin〕 명 〖생〗 혈청(血清) 글로불린의 일종으로, 혈장 단백질(血漿蛋白質)의 한 성분. 면역 항체(免疫抗體)에 해당되며 면역 글로불린이라고도 함. 홍역(紅疫)·유행성 간염(肝炎) 등의 예방에 이용함.

감마 단:면적【γ斷面積】명 〖물〗 원자핵 또는 원자에 의한, 감마선의 흡수·산란의 단면적.

감마-선【γ線】명 〔gamma-rays〕 〖물〗 방사성 물질에서 나는 방사선의 한 가지. 극히 파장이 짧은 전자기파(電磁氣波)로, 장파장(長波長)의 한계는 명확히 정하여지지 않았으나 0.1Å 이상까지 포함되는 경우가 많아서 X선과 겹침. 물질을 투과(透過)하는 능력은 몹시 강하나, 전리(電離) 작용이나 감광(感光) 작용은 X선보다 약함. 암 치료나 주물·용접부의 내부 결함 탐사, 물성(物性) 연구 등에 쓰임.

감마선 검:출기【γ線檢出器】명 〔gamma-ray detector〕 〖물〗 감마선의 검출과 그 선량(線量)을 측정하는 장치. 해양에서 감마선의 이상 분포(異常分布)를 측정하기 위해 배 위에서 사용함.

감마선 검:층【γ線檢層】명 〔gamma logging〕 〖공〗 암석층을 천공하여 감마선 프로브를 사용, 암석에서 방사되는 감마선의 강도를 기록하는 일.

감마선 계:수기【γ線計數器】명 〔gamma counter〕 〖물〗 주로 감마선에 의해 생성된 고속 전자를 검출하는 장치.

감마선 광자【γ線光子】명 〔gamma-ray photon〕 〖물〗 감마선의 에너지 양자(量子).

감마선속 밀도【γ線束密度】[—또] 명 〔gamma flux density〕 〖물〗 단위 시간에 단위 면적을 통과하는 감마선의 개수(個數).

감마선 천문학【γ線天[illegible]】 … 을 관측·분석하여 천체 …

감마선 프로:브【γ線—】〖천〗 … 갈 수 있도록 작게 만든 … 수기.

감마-성【γ星】명 각 별자리 …

감마 아미노 낙산【γ—酪[illegible]】 …

감마 아미노부티르산【γ[illegible]】 … 글루탐산(酸)과 함께 뇌 … 兒)의 작업 능률을 올리는 … 증에도 쓰임. 가바(GABA).

감마 운:동【γ運動】명 〖심〗 … 되었다가 사라질 경우, 노출 …

감:마-유【減摩油】명 〖공〗 …

감:마-제【減摩劑】명 〖공〗 기 … 찰을 적게 하고 운동을 원활 … 고체 혼합(液固體混合) 감마제 … 油)·그리스(grease) 등을 사용 …

감마 조:사【γ照射】명 〖물〗 어 …

감마-존데〔gammasonde〕 명 … 세기를 측정하는 라디오존데.

감마 지:티:피:【γ GTP】 명 〔g…〕 자〕 〖의〗 담도계(膽道系)에 있는 … 며, 담도계 질환·음주(飮酒) 등 … 값을 간기능(肝機能) 검사에 이용 …

감마 필:드〔gamma field〕 명 방사 … 변이(突然變異)를 통하여 품종 개량 …

감:마 합금【減摩合金】명 〖화〗 기계 … 분에 쓰는 합금. 주석이나 납을 주성 … (亞鉛)이나 구리를 주성분으로 하는 …

감면¹【甘眠】명 단잠.

감:면²【減免】명 ①경감(輕減)과 면제(免 … ~ 조건. ②등수(等數)를 낮춰 면제함. —— …

감:면³【減面】명 신문·잡지 등의 면수를 줄임. … 다 타여불

감면⁴【酣眠】명 달게 잠. 깊이 잠듦. 감와(酣臥). 감수(…).

감:면 관행【減免慣行】명 현물 정액 소작료(現物定額小 … 서 풍수 한해(風水旱害)나 불가항력적(不可抗力的)인 병충해 … 에 의하여 흉작(凶作)이 된 경우, 계약 소작료(契約小作料)의 얼마 … 시적으로 경감하거나 면제하는 관행.

감:면-세【減免稅】명 부과해야 할 조세를 감해 주거나 면제해 주는 일.

감:면 소:득【減免所得】명 국책상(國策上) 중요한 물산(物産)의 증산(增産) 등을 목적으로 전액(全額) 또는 일부에 대하여 과세(課稅)가 면제되는 소득. 제철 사업·제강 사업·발전(發電) 사업·채금(採金) 사업 등의 소득 및 그 이익 배당의 소득 같은 것. *비과세(非課稅) 소득.

감:명【感銘】명 감격하여 명심함. 크게 느끼어 마음속에 새기어 둠. ¶ 깊은 ~을 받다. ——-하다 자여불

감:명-적【感銘的】명관 잊지 못할 정도로 감격할 만한 모양.

감:모¹【減耗】명 줄어듦. 닳음. 감소(減少). ¶ ~율 / ~량 ——-하다 자여불

감:모²【感冒】명 〖의〗 감기(感氣).

감:모³【感慕】명 마음에 느끼어 사모함. ——-하다 타여불

감:모 공:제제【減耗控除制】명 석탄·비금속(非金屬)·석유 등의 매장량의 감모된 분량만큼 수익(收益)으로부터 일정률(一定率)의 공제를 인정하여 여기에 소득세를 과하지 아니하는 제도.

감:모 여재도【感慕如在圖】명 〖민〗 사당(祠堂)과 위패(位牌)를 그린 그림. 집안에 사당을 가지지 못한 사람이 제사지낼 때 썼음. 사당도(祠堂圖).

감목【監牧】명 ①〖역〗 조선 시대에 종6품의 외직(外職) 무관으로, 목장(牧場) 감독관. ②〖천주교〗 정식 자립 교구로 설정되기 전에 포교지(布敎地) 교구의 교구장(敎區長)인 주교.

감목-관【監牧官】명 〖역〗 감목(監牧)❶. *목감직.

감:-못내다【敢—】타 〈속〉 감히 해볼 엄두를 못 내다.

감무【監務】명 ①〖불교〗 주지(住持) 밑에서 감사(監事)와 법무(法務)를 통솔(統率)하고, 절의 사무를 총감독하는 승직(僧職). 삼직(三職)의 으뜸 자리. ②〖역〗 고려 중기(中期)부터 조선 초기까지 있었던 소현(小縣)의 원.

감문【監門】명 문지기. 문직(門直).

감문-국【甘文國】명 〖역〗 삼한(三韓) 시대, 경북 김천시(金泉市) 감문면(甘文面)에 있던 작은 나라. 신라 조분왕(助賁王) 2년(231), 신라가 점령하여 진흥왕 18년(557)에 군주(軍主)를 두어 청주(靑州)라 하였다가 진평왕 때 주를 폐하고 문무왕 원년(661)에 감문군(郡)을 설치한 후 35대 경덕왕(景德王) 16년(757)에 개령군(開寧郡)으로 고침.

감문-위【監門衛】명 〖역〗 ①고려 육위(六衛)의 하나. 상장군(上將軍)과 대장군(大將軍)이 통솔함. 궁성(宮城) 안팎의 문(門)을 수비함. 한 영(領)의 군대가 있음. ②조선 태조 원년(1392)에 베푼 의흥 친군(義興親軍)의 십위(十衛)의 하나. 4년에 호룡 순위사(虎龍巡衛司)로 고침.

감-물¹ 명 〈방〉 바닷물(경남·한남).

감:-물² 명 날감의 떫은 즙(汁). 시삽(柿澁).

감미¹【甘味】명 단맛. 감지(甘旨). ¶ ~와 산미(酸味). ↔고미(苦味). ——-하다 형여불 맛이 달다. 달콤하다.

감미(가) 돌:다 구 단맛이 느끼어지다.

감미²【甘美】명 ①달콤하여 맛이 좋음. ②감각에 달콤하게 느끼어짐. ——-하다 형여불

감미-롭다¹【甘味―】형ㅂ불 …
미-로이¹【甘味―】부 …
감미-롭다²【甘美―】형 …
감미-로이² 【甘 …
음악. …
감미-료【甘味料】명 …
料). 설탕·과당(果糖) …
감:바리 명 …
감:-발¹ 명 …

…살콤하다. ¶ 감미로운 과실. 감
…마콤하게 느끼어지다. ¶ 감미로운
…가미(加味)하기 위한 조미료(調味
…가린 따위.
…·엿·
…발감개. ②발감개를 한 차림새.
…내려온 하인과 함께…≪洪命憙:
…로 발을 감다.
…-하다 타여불
…(奮發)함. ——-하다 자여불
…잇속에 눈치 빠르게 달라붙는 사람. 준감바리.
…하나. 정북(正北)을 중심으로 45°의 각거
…(坎).
…을 그 죄상(罪狀)을 조사하고 놓아 줌. ——-
「¶ ~에 갇힌 몸.
…에서 죄수(罪囚)를 가두어 두는 방. 사방(舍房).
…(配當)이나 배급(配給) 등을 줄임. ¶ 식량을 ~하다.
…-하다 타여불
…히 범함. ——-하다 타여불 「法).
…[-뻡] 명〖수〗'뺄셈'의 구용어. 준감(減). ↔가법(加
…法記號】[―뻡―] 명〖수〗뺄셈표. ↔가법 기호(加法記號).
…減法混色】[―뻡―] 명 감산 혼합.
…방〉 깜부기(전북·경남).
…명 약간 검은 빛을 띤 청색.
…】명 ①사물의 진위(眞僞)나 선악(善惡)을 감정(鑑定)하여 분
…)함. ¶ 병아리의 암수를 ~하다. ②작품(作品)이 잘 되고 못 됨
…고 나쁨을 분별함. ③〖법〗비행 소년(非行少年)의 요보호성(要保
…)을 과학적인 전문 지식에 의하여 진단하고 그 교정 치료(矯正治
…)의 구체적 방법을 분명히 하는 절차. ——-하다 타여불

…별 배:양액【鑑別培養液】명〖생〗생물학적 성질의 차이를 이용하여 특정한 세균을 감별 선택하기 위한 배양액. 감별 배지(培地).

…별 배:지【鑑別培地】명〖생〗감별 배양액.

감별-추【鑑別雛】명 암·수를 가린 병아리.

감병【疳病】[―뼝] 명〖한의〗어린 아이의 병의 한 가지. 흔히, 젖먹이의 조절(調節)을 잘못하여 체(滯)하여 생기는 병으로 식욕이 항진(亢進)하여 많이 먹되 몸이 자꾸 여위어 가고, 맛이 신 과실·생쌀·진흙 같은 것을 자꾸 먹으려 함. 증상은 머리털이 누른 빛이 되고 입술이 창백해지며, 땀이 나고 목이 마르며, 배가 불러 끓고 산성(酸性)을 띤 설사를 하며, 조열(潮熱)·피진(皮疹)이 생김. 감기(疳氣). 감질(疳疾). 준감(疳).

감-병사【監兵使】명〖역〗감사(監司)와 병사(兵使).

감보【勘報】명〖역〗돈이나 곡식 따위의 출납(出納)에 관한 문서를 정리하여 상사(上司)에 보고함. ——-하다 타여불

감보기 명〈옛〉깜부기. ¶ 밀 감보기(小麥奴)≪湯液 卷一 穀部≫.

감:보-율【減步率】명 토지 구획 정리의 결과, 일정한 비율의 토지가 감축(減縮)되는 비율.

감복¹【甘鰒】명 전복에 꿀·기름·간장 등을 쳐서 만든 음식.

감:복²【感服】명 마음에 깊이 느끼어 충심으로 복종함. ¶ 그의 수완에는 참으로 ~했다. ——-하다 자여불

감:-복숭아 명〖식〗[*Prunus amygdalus* var. *amara*] 장미과에 속하는 낙엽 교목. 높이 6m 가량이고 잎은 호생하며 피침형이고 톱니가 있음. 이른봄에 담홍색 꽃이 피며, 열매는 납작감 비슷한데 익으면 갈라짐. 인(仁)은 쓴맛이 있어 먹지 못하나 기름을 짜서 화장품 원료·진해제(鎭咳劑)로 씀. 지중해 원산의 편도(扁桃)의 한 품종임. 고편도(苦扁桃).

감복이 명〈방〉깜부기.

감본【監本】명 ①중국의 국자감(國子監)에서 발간한 책. 내용이 가장 정확하다고 함. *가각본(家刻本). ②관본(官本).

감:봉【減俸】명 ①봉급(俸給)을 줄임. 월봉(越俸). ↔가봉(加俸)·증봉(增俸). ②〖법〗공무원 징계 처분의 하나. 일정한 기간 봉급의 3분의 1 이하를 줄임. 벌봉(罰俸). ¶ ~ 처분. ——-하다 타여불

감부【勘簿】명〖역〗①돈이나 곡식 등의 출납(出納) 문서를 마감하여 정리함. ②조선 시대에 영흥부(永興府)·함흥부(咸興府)의 도무사(都務司)·제학서(諸學署)·융기서(戎器署)·사창서(司倉署)·영작서(營作署), 평양부(平壤府)의 전례서(典禮署)·융기서·사창서·영작서, 영변 대도호부(寧邊大都護府)·경성 도호부(鏡城都護府)의 융기서·사창서·영작서, 의주목(義州牧)·회령(會寧)·경원(慶源)·종성(鐘城)·부령(富寧)·경흥(慶興)·강계 도호부(江界都護府)의 전례서에 딸린 동반(東班)의 종육품 토관(土官) 벼슬. ——-하다 자여불

감북 명〈방〉깜부기.

감:분¹【感憤】명 감동하여 분격함. ——-하다 자여불

감:분²【感奮】명 감격하여 분발(奮發)함. ——-하다 자여불

감:-불생심【敢不生心】[―쌩―] 명 감히 생각도 못 함. 감불생의.

감:-불생의【敢不生意】[―쌩―/―쌩이] 명 감불생심(敢不生心).

감비아〔Gambia〕명〖지〗아프리카 서쪽 대서양 연안에 있는 공화국. 감비아 강(江)을 따라 동서(東西)로 길쭉하며, 대부분 사바나(savanna) 지대에 속함. 주민의 태반이 이슬람 교도로, 농업이 주산업(主産業)이며, 땅콩이 주산물이자 주요 수출품임. 1843 년 이래 영국의 식민지(植民地)로서 19 세기 초까지 '노예 해안(奴隸海岸)'으로 불리었는데, 1965 년 영연방 내(英聯邦內)의 자치국으로 독립, 1970 년 공화국이 되었다가 1982 년 세네갈과 연합하여 세네감비아 연방을 결성하였으나 1988 년 해체됨. 수도는 반줄(Banjul). 정식 명칭은 감비아 공화국(Republic of The Gambia). [11.295 km^2 : 860,000 명(1990 추계)]

감:-빛 [―삗] 명 익은 감과 같은 빛깔. 시색(柿色).

감:-빨다 타 ①감칠맛 있게 빨다. 맛있게 먹다. 입맛을 붙이다. ¶ 통으로 삶아 놓은 아저 한 마리도 살이란 살은 감빨고 흠빨아 한 점 붙어 있지 않고 앙상한 뼈다귀만 가로세로 지저분하게 흩어졌다≪玄鎭健: 無影塔≫. ②이익을 탐내다.

감:-빨리다 자 ①입맛이 당기다. ②이익이 탐이 나서 욕심이 생기다.

감쏠다 자〈옛〉감돌다. =값돌다. ¶ 須彌山 허리예 히ᄃᆞ리 감ᄯᅩᄂᆞ니 須彌山이 ᄆᆞ리면≪月釋 Ⅰ:29≫.

감쌜다 타〈옛〉감빨다. 감칠맛이 있게 빨다. ¶ 皓齒丹脣으로 흠ᄲᅡ라 감ᄲᅡᆯ며 纖纖玉手로 두굿 마조 잡아 바뷔터 니으리라≪古時調≫.

감사¹ 명〈심마니〉고추장.

감사²【甘死】명 기꺼이 죽음. 죽기를 싫어하지 아니함. ——-하다 자여불

감사³【甘辭】명 달콤한 말. 감언(甘言).

감사⁴【疳瀉】명〖한의〗어린 아이 감병의 한 가지. 만성(慢性) 소화 불량이나 장결핵(腸結核) 따위로 얼굴이 누렇게 되고 몸이 야위며 청황백색의 대변을 누고, 심하면 감리(疳痢)가 됨.

감사⁵【勘査】명 생각하여 조사함. 대조(對照)하여 조사함. ——-하다 타여불

감:사⁶【敢死】명 ①죽기를 두려워하지 아니함. ②죽음을 결심함. ——-하다 자여불

감:사⁷【減死】명〖역〗죽일 죄인의 형(刑)을 감하여 줌. ——-하다 타여불

감:사⁸【感謝】명 ①고마움. ②고맙게 여김. ¶ ~하는 마음. ③고맙게 여기어 사의(謝意)를 표함. ——-하다 형자타여불. ——-히 부

감사⁹【監史】명〖역〗고려 때, 소부시(小府寺)·군기시(軍器寺)의 이속(吏屬).

감사¹⁰【監司】명〖역〗관찰사(觀察使)❷.
[감사 덕분에 비장(裨將) 나리 호사한다] 남의 덕분에 호사한다는 말.

감사¹¹【監寺】명〖불교〗선종(禪宗)에서 사원(寺院)의 사무를 도맡아 보는 사람. 감주(監主).

감사¹²【監事】명 ①단체의 서무(庶務)를 맡아 보는 사람. ②〖법〗법인(法人)의 감독 기관으로서 재산 상황이나 업무 집행 사항을 감사(監査)하는 사람. 주식 회사(株式會社)에서는 회계 감사를 주된 권한으로 하는 필요 상설(常設)의 기관임. ③〖불교〗삼직(三職)의 하나. 감무(監務)와 주지(住持)를 보좌하여 절의 재산을 맡아 보는 승직(僧職). ④〖역〗조선 시대에 정일품의 춘추관(春秋館) 벼슬. 좌·우의정(左右議政)이 겸임하였음.

감사¹³【監査】명 감독하고 검사함. ¶ 국정 ~/회계 ~. ——-하다 타여불

감사¹⁴【瞰射】명 내려다보고 활이나 총포(銃砲)를 쏨. ——-하다 타여불

감사¹⁵【鑑査】명 잘 살펴서 적부나 우열을 분별함. ——-하다 타여불

감-사과【甘沙菓】명 잘게 만든 강정 속에 아무 가루도 묻히지 아니하고, 붉은 물·퍼런 물·누런 물을 각각 탄 조청을 따로따로 발라 놓은 과자. 시사과(柿沙菓).

감사-관¹【監査官】명〖법〗①행정직 국가 공무원 직급 명칭의 하나. 감사 직렬(職列)에 속하며, 부감사관의 위, 부이사관의 아래로 4급 공무원임. ②대부분의 행정 각부의 차관(次官)의 보조 기관. 서정 쇄신 업무, 소속 기관·산하 단체에 대한 감사, 진정·비위 사항의 조사·처리 등 사항에 관하여 차관을 보좌함. 이사관 또는 부이사관으로 보(補)함.

감사-관²【鑑査官】명 물품을 감정(鑑定)·검사하는 관리.

감사 기관【監査機關】명〖법〗①행정법상, 행정 기관의 사무를 감독·검사하는 것을 임무로 하는 기관. 감사원(監査院) 같은 것. ②사법상(私法上) 법인의 재산 상황 및 업무 집행에 관하여 감독 검사하는 기관. 감사(監事)❷ 같은 것.

감:-사납다 형ㅂ불 ①억세고 사나워서 휘어 내기 힘들다. ②바탕이 험하고 거칠어 일하기 어렵다.

감:사 도배【減死島配】명〖역〗죽임직한 죄인을 죽이지 아니하고 섬으로 귀양보냄. *감사 정배. ——-하다 타여불

감:사 만:만【感謝萬萬】명 감사하기가 헤아릴 수 없을 정도임. 말할 수 없이 고마움. 감사 무지(感謝無地). 감사 천만. ——-하다 형여불

감:사 무지【感謝無地】명 감사한 정도가 깊어 닿을 곳이 없음. 그지없이 감사함. 감사 만만. 감사 천만. ——-하다 형여불

감사 서기【監査書記】명〖법〗행정직 국가 공무원 직급 명칭의 하나. 감사 직렬(職列)에 속하며, 감사 서기보(書記補)의 위, 감사 주사보(主事補)의 아래로 8급 공무원임.

감사 서기보【監査書記補】명〖법〗행정직 국가 공무원 직급 명칭의 하나. 감사 직렬(職列)에 속하며, 감사 서기(書記)의 아래로 9급 공무원임.

감:사-송【感謝誦】명〖천주교〗미사 전문(典文), 곧, 성찬 기도가 시작되는 부분으로, 하느님에게 드리는 찬양과 감사의 기도. 구칭: 감사 서문경(序文經).

감:사-식【感謝式】명〖기독교〗성찬식(聖餐式).

감:사-심【敢死心】명 곤란한 처지에서 두려워하지 아니하고 대담하게 죽음을 각오한 마음.

감사-역【監査役】명〖법〗주식 회사의 '감사(監事)'의 구칭(舊稱).

감사-원¹【監査院】명〖법〗국가의 세입(歲入)·세출(歲出)의 결산(決算) 및 회계 검사, 행정 기관과 공무원의 직무에 관한 감찰을 주임무로 하는, 대통령 직속의 헌법 기관의 하나.

감사-원²【鑑査員】명 감사의 임무를 맡은 사람.

감사원-장【監査院長】명〖법〗감사원의 원장인 감사 위원. 국회의 동의를 얻어 대통령이 임명하며, 임기는 4년임. 1차에 한하여 중임(重任)할 수 있음.

감사 위원【監査委員】명〖법〗①감사원의 의결 기관인 감사 위원 회의

열.

감:수-성[1]【減數性】[—썽] 명 〖식〗 식물의 줄기의 한 마디에 붙는 잎의 수가 보통의 수보다 감소하는 일.

감:수-성[2]【感受性】[—썽] 명 ①〔sensibility〕 외계의 자극을 직관적(直觀的)으로 받아들이는 능력. ¶예민한 ~. ②〖생〗 생물체가, 환경으로부터의 자극에 의하여 감각 및 반응을 유발할 수 있는 성질. 수용성(受容性). 감성(感性).

감:수성 훈:련【感受性訓鍊】[—썽훌—] 명 〔sensitivity training〕 ①〖심〗 정신 의학에서, 소집단(小集團)을 만들어 참가자 사이의 접촉이나 자유스러운 발언을 통하여 자기 자신 또는 다른 사람의 감정에 대하여 이전보다 인간 관계를 깊이 이해시키기 위하여 행하는 훈련. ②〖경〗 조직 개발에서, 조직의 문제 해결 능력을 높이기 위하여 소집단을 만들고 행하는 교육 훈련.

감수-인【監守人】 명 감수하는 사람.

감수-자【監修者】 명 책의 저술이나 편찬을 감수하는 사람.

감:수 추정【減收推定】 명 농작물이 재해(災害)로 인하여 피해를 입은 경우에, 평년작(平年作)에 비하여 어느 정도 감수했는가를 추정하는 일.

감수 펌프【淦水—】〔pump〕 명 감수를 배 밖으로 배출(排出)하는 데 쓰는 펌프.

감숙 분지【甘肅盆地】 명 〖지〗 간쑤 분지.

감숙-성【甘肅省】 명 〖지〗 간쑤 성.

감숭-감숭 부 드물게 난 짧은 털 같은 것이 모두 가무스름한 모양. <검숭검숭. ——-하다 형여불

감숭-하다 형여불 드물게 난 짧은 털 같은 것이 가무스름하다. ¶그리고 거기 감숭한 젊은 여자의 얼굴이 나타나 밖을 내다보는 것이었다 《黃順元 : 인간 접목》. <검숭하다.

감승【勘勝】 명 능히 견디어 냄. ——-하다 타여불

감시[1]【甘柿】 명 단감.

감시[2]【監視】 명 경계하기 위하여 미리 감독하고 살펴봄. 주의하여 지킴. 독시(督視). 인스펙트(inspect). ——-하다 타여불

감시[3]【監試】 명 〖역〗 ①↗국자감시(國子監試). ②조선 시대에 생원(生員)과 진사(進士)를 뽑던 과거. 사마시(司馬試). 소과(小科). 소과 초시(小科初試).

감시[4]【瞰視】 명 높은 데서 내려다봄. 부감(俯瞰). ——-하다 타여불

감시-계【監視界】 명 감시할 수 있는 한계·시계(視界). 감시를 하고 있는 구역.

감시-관【監試官】 명 〖역〗 과장(科場)을 감독하던 벼슬.

감시-대【監視臺】 명 감시자가 그 위에 올라서 감시하도록 만들어 놓은 망대(望臺) 따위 높은 대.

감시 레이더【監視—】〔radar〕 명 〖전〗 진입·착륙 구역의 교통 관제 등의 목적으로 사용되는 지상(地上) 레이더. 불규칙하게 도착하는 항공기를 정확하게 착륙시키기 위한 것임.

감시-망【監視網】 명 감시를 하기 위한 조직망.

감시-병【監視兵】 명 감시하는 임무(任務)를 맡은 병사.

감시-선【監視船】 명 해상(海上)에서 감시하는 배.

감시-소【監視所】 명 감시하는 곳.

감시-원【監視員】 명 감시하는 책임을 가진 임원(任員).

감시 위성【監視衛星】 명 군사 정보 수집 및 기타 목적을 위하여, 보통, 사진 촬영으로 지구의 계통적인 관찰을 하는 인공 위성.

감시-인【監視人】 명 감시하는 사람.

감시-자【監視者】 명 감시하는 사람.

감시 제:어【監視制御】 명 〖공〗 주요한 지침(指針) 또는 온도·압력·유량(流量) 등의 표시기(表示器)가, 공정(工程)의 전역(全域)에서 한 군데로 집중되어, 감시와 제어를 할 수 있게 된 제어반(盤) 또는 그것이 있는 방.

감시-창【監視窓】 명 감시를 하기 위해 낸 창. 시창(視窓).

감시-초【監視哨】 명 ①↗감시 초소. ②감시 초소의 초병(哨兵).

감시 초소【監視哨所】 명 일정한 장소에서 적의 동정을 망보는 곳. 준 감시초.

감식[1]【甘食】 명 맛있게 먹음. 달게 먹음. ——-하다 타여불

감:식[2]【減食】 명 식사의 양이나 횟수(回數)를 줄임. 음식의 분량을 줄이어 먹음. ——-하다 자타여불

감식[3]【鑑識】 명 ①감정(鑑定)하여 식별(識別)함. ②감정하는 식견(識見). ③범죄 수사상의 감정. 필적(筆跡)이나 지문(指紋) 또는 혈흔(血痕) 등에 관한 감정과 식별. ¶지문 ~. ④미술 공예품의 종류·진가(眞假)·제작 연대 등을 판별하는 일. 식감(識鑑). ——-하다 타여불

감식-력【鑑識力】[—녁] 명 감정하여 식별하는 능력(能力).

감식-안【鑑識眼】 명 사물의 선악·미추(美醜) 등을 감정 식별할 수 있는 안력(眼力).

감:식 요법【減食療法】[—뇨뻡] 명 〖의〗 식이(食餌) 요법의 한 가지. 음식의 섭취량을 소요량(所要量) 이하로 줄이는 요법. 소화 불량증·지방 과다증 등에 응용됨.

감식의 날【鑑識—】[—/—에—] 명 1964년 우리 나라가 국제 감식 협회에 가입한 뒤, 1911년 11월 11일에 우리 나라에서 최초로 지문(指紋)이 채취된 일을 기념하여 경찰(警察)이 해마다 11월 11일로 설정한 날.

감:식-주의【減食主義】[—/—이] 명 〔Fletcherism〕〖생〗 음식의 양을 알맞게 줄이자는 주의. 미국 사람 플레처(Fletcher, H.)가 주창(主唱)하였음. 플레처리즘.

감신【監臣】 명 〖역〗 신라(新羅) 때, 육부 소감전(六部少監典)의 모량부(牟梁部)·한기부(漢祇部)·습비부(習比部)의 각 으뜸 벼슬.

감:신-총【龕神塚】 명 〖역〗 평안 남도 용강군(龍岡郡) 신령면(新寧面) 화상리(花上里)에 있는 고구려 시대의 고분(古墳)의 하나. 현실(玄室)과 전실(前室)로 이루어져, 전실의 벽에 신상(神像)을 모신 감실(龕室)이 있음. 감실 양쪽 벽에 인물 벽화가 있고 천장에는 봉황·연화·수미산(須彌山)·구름 등이 그려져 있음.

감:실[1]【†芡實】 명 〔←검실〕〖한의〗 가시연밥의 약명(藥名). 껍질 벗긴 알갱이를 '감인(芡仁)'이라 하여 약으로 씀. 계두실(鷄頭實).

감실[2]【監室】 명 〖군〗 참모 총장(參謀總長)의 지휘를 받는 특별 참모(特別參謀) 부서. ¶정훈(政訓) ~/병참 ~.

감:실[3]【龕室】 명 ①사당 안에 신주를 모셔 두는 장(欌). 감(龕). ②〖불교〗 닫집. ③〖천주교〗 제대(祭臺) 위에 성체(聖體)를 모시는 작은 궤.

감실-감실[1] 부 검은 털이 처음 조금씩 난 모양. <검실검실. ——-하다 형여불

감실-거리다 자 먼 곳에 있는 물건이 자꾸 아렴풋이 움직이다. ¶먼 갈림길에서 감실거리는 임의 모습. <검실거리다. **감실-감실**[2] 부. ¶저 자거리가 ~ 보인다. ——-하다 자여불

감실-대다 자 감실거리다.

감:실-보【龕室褓】[—뽀] 명 〖천주교〗 감실을 둘러싸는 보. 그날그날의 제복(祭服)의 빛깔에 따라, 백·홍·녹·황·자·흑색을 사용함.

감:실-장【龕室欌】[—짱] 명 감실로 쓰는 장(欌).

감심[1]【甘心】 명 괴로움이나 책망을 달게 여김. 또, 그 마음. ¶거짓 심복을 허하는 체하며 ~으로 도적의 병구원을 하며…《경제당 : 洞庭秋月》. ——-하다 자여불

감:심[2]【感心】 명 깊이 마음에 느낌. 감동되어 마음이 움직임. ——-하다 자타여불

감심[3]【勘審】 명 생각하여 자세히 조사함. ——-하다 타여불

감:싸고 돌:다 타 불리한 입장을 벗어나도록 돕다.

감:-싸다 타 ①휘감아 싸다. ¶상처를 ~. ②흉이나 약점(弱點)을 덮어 주다. ¶허물을 ~.

감:싸 주다 타 허물을 두둔하여 도와 주다. ¶실수를 ~.

감아-들다 자 어떤 물건의 둘레에 실이나 헝겊 같은 것이 감기어 들다.

감아-쥐다 타 휘감아 쥐다. 준 감쥐다. ＊거머쥐다.

감악-산【紺岳山】 명 〖지〗 경기도 양주군(楊州郡) 남면(南面)과 파주군(坡州郡) 적성면(積城面), 연천군(漣川郡) 전곡읍(全谷邑) 경계에 있는 산. 예로부터 군사적(軍事的) 요지(要地)로 역사상 여러 사건이 일어났음. 산정에 신라 고비(新羅古碑)가 있음. [675 m]

감악산 신라 고:비【紺岳山新羅古碑】[—실—] 명 〖역〗 감악산의 정상(頂上)인 경기도 양주군 남면(南面) 황방리(篁芳里)에 있는 신라 양식의 고비. 오래 되어 비명(碑銘)이 없어져 고증하기 어려우나 진흥왕 순수비(眞興王巡狩碑)의 하나로 추측됨. 속칭은 설인귀 사적비(薛仁貴事蹟碑)·빗돌 대왕비.

감안[1]【疳眼】 명 헐어서 진무른 눈.

감안[2]【勘案】 명 참고하여 생각함. ¶사정을 ~하다. ——-하다 타여불

감암【嵁岩】 명 ①높고 험한 바위. ②높고 험함. ——-하다 형여불

감:압【減壓】 명 압력(壓力)을 감함. 압력이 줄어 내림. ↔가압(加壓). ——-하다 자타여불

감:압 건조법【減壓乾燥法】[—뻡] 명 식품 저장법의 하나. 저압(低壓)과 저온(低溫)에서 건조시키는 방법. 식품의 성분 변화가 적어, 건조 채소·건조 달걀·분유(粉乳)의 제조에 이용됨.

감:압 반:사【減壓反射】 명 〖생〗 신체내 각 부분의 자극에 의하여 반사적으로 혈압(血壓)이 강하(降下)하는 일.

감:압 밸브【減壓—】〔valve〕 명 〖기〗 고압 용기(高壓容器) 따위의 가스 압력이나 보일러의 고압 증기를 일정한 압력까지 내려서 사용할 경우에 쓰이는 조절(調節) 밸브.

감:압성 수지【感壓性樹脂】 명 〔contact resin〕 액상(液狀) 수지의 하나. 적층판(積層板)을 만들 때, 접착을 위한 가압(加壓)을 하지 않아도 됨.

감:압 신경【減壓神經】 명 〖생〗 심장 특히 대동맥 개구부(大動脈開口部) 및 대동맥궁(弓)에 분포하여 혈압이 병적으로 상승(上昇)한 경우에 이를 감소 조화시키기 위하여 활동하는 구심성(求心性) 신경. 대동맥(大動脈) 신경.

감:압 증류【減壓蒸溜】[—뉴] 명 진공(眞空) 증류.

감:압-지【感壓紙】 명 필기·인자(印字) 등의 압력을 이용하여 문자 등을 복사하는 용지. 한 장의 종이 뒷면에 무색(無色) 색소 용액인 캡슐을, 밑의 종이의 앞면에 페놀 수지(樹脂)·산성 백토(酸性白土) 등을 발라서 만듦. 압력으로 캡슐이 찌부러지어 양쪽이 접촉·반응하여 발색함. 전표(傳票) 등에 쓰이며, 카본지와 구별하여 지칭함.

감:압 터:빈【減壓—】〔turbine〕 명 〖기〗 증기 터빈의 일종. 내부를 몇 개의 칸으로 구획하여 증기가 순차적으로 이 칸을 지날 때마다 증기를 팽창시키어 압력을 낮춤으로써 동력을 얻음.

감:압 폭탄【減壓爆彈】 명 〖군〗 질식성(窒息性) 신형 폭탄의 하나. 반경 2.5 km의 모든 산소(酸素)를 흡수, 사람과 가축을 질식하게 함. 1975년 4월에 월남전(越南戰)에 미군이 처음 사용함.

감:액【減額】 명 액수(額數)를 줄임. 또, 그 액수. ↔증액(增額). ——-하다 타여불

감야-관【監冶官】 명 〖역〗 조선 초기에, 공철(貢鐵)을 채납(採納)하던 철장(鐵場)의 임시 감독관.

감언【甘言】 명 달콤한 말. 남의 비위에 들도록 듣기 좋게 하는 말. 감사(甘辭). 미언(美言). ¶~에 속다.

감언 이:설【甘言利說】[—니—] 명 남의 비위에 들도록 꾸민 달콤한 말과 이로운 조건을 내세워 꾀는 말. ¶~로 꾀다.

감:언-지지【敢言之地】 명 거리낌없이 말할 만한 처지.

감에【憾恚】 명 성을 냄. ——-하다 자여불

감여【堪輿】 명 〔堪은 물건을 넣는 것, 輿는 물건을 싣는 것의 뜻〕 ①하늘과 땅. 천지(天地). 건곤(乾坤). ②감여가.

감여-가【堪輿家】 명 풍수 지리에 관한 학문을 공부한 사람. 감여.

감역【監役】명 ①역사(役事)를 감독함. ②《역》↗감역관(監役官). ——-하다 자여불

감역-관【監役官】명《역》①조선 중기 이후, 선공감(繕工監)에 둔 종9품 관직. 준감역(監役). ②조선 초기에, 궁궐·관청 등의 건축 공사에 임시로 차출(差出)되어 감독 책임을 맡은 관원. 의정·판서(判書) 등이 임명됨. 「[欲然—] 부

감연-하다[1]【欲然—】형여불 마음에 부족하여 좀 서운하다. 감연-히

감:연-하다[2]【敢然—】형여불 과감한 데가 있다. 감:연-히【敢然—】부

감:열【感悅】명 감격하여 기뻐함. ——-하다 타여불 └→감히.

감:열-성【感熱性】[—썽] 명〔thermonasty〕《식》식물의 감성(感性)의 하나. 온도의 변화가 자극원(刺戟源)이 되어 일어남. 튤립·크로커스꽃 등이, 온도가 높으면 피고 낮으면 닫히는 것과 같은 성질. 경열성(傾熱性).

감:열-지【感熱紙】[—찌] 명 열에 의하여 인자(印字)되는 용지. 표면에 바른 결합제(結合劑) 중에 무색(無色) 색소와 페놀 화합물 등을 미세(微細)하게 분산시킨 것. 열을 가하면 그 부분만 융해되어 양쪽이 섞이어 발색(發色)함. 소형 출력용(出力用) 프린터 등에 쓰임.

감:염【感染】명 ①다른 풍습이 옮아서 물이 듦. 다른 사람의 생각 따위에 영향을 받아 거기 물이 듦. ②《의》병원체(病原體)가 몸 안에 들어오는 일. 발병하지 아니하는 수도 있음. 감염의 경로에 따라 공기 감염(결핵·폐렴 등)·구강(口腔) 감염(티푸스·이질 등)·접촉 감염(피부병) 등이 있음. ——-하다 자여불 「염되는 경로.

감:염 경로【感染經路】[—노] 명《의》병원체가 생물체에 침입하여 감

감:염 면:역【感染免疫】명《의》동물이 그 체내에 병원체를 보유하고 있는 동안 병원체의 침입에 대하여 면역력을 가지는 일.

감:염-식【減塩食】명《의》식염(食塩)을 적게 한 치료용 음식물. 신장(腎臟)을 튼튼히 하는 데 사용되며, 골결핵(骨結核)·피부 결핵·고혈압·심장성 부종(心臟性浮腫) 등에도 응용됨. *무염식(無塩食).

감:염식 요법【減塩食療法】[—뇨뻡] 명《의》무염식(無塩食) 요법.

감:염-원【感染源】명《의》전염병의 병원체나 또는 기생충의 유충·알 따위를 지니고 있는, 감염의 원천.

감:염-증【感染症】[—쯩] 명《의》병원 미생물(病原微生物)이 생체, 곧 사람·동물·식물의 체내나 표면에 정착하여 증식함으로써 일어나는 병의 총칭. 전염병은 이의 일부를 가리킴.

감-영[1]【甘英】명《사람》중국 후한(後漢)의 서역 도호(西域都護) 반초(班超)의 부장(副將). 화제(和帝)의 영원(永元) 9년(97), 반초의 견대진사(遣大秦使)로서 서역(西域)을 거쳐 시리아에 도착하였음. 생몰 연대 미상. 「영문(營門).

감영[2]【監營】명《역》감사가 직무를 보는 관아. 상영(上營). 순영(巡營).

감영-도【監營道】[—또] 명《역》감영(監營)이 있던 곳.

감:오[1]【感悟】명 마음에 깊이 느끼어 깨달음. ——-하다 타여불

감오[2]【勘誤】명 문장의 잘못을 바로잡음. ——-하다 타여불

감오[3]【酣娛】명 술에 취하여 즐거이 놂. ——-하다 자여불

감옥【監獄】명 ①《역》감옥서(監獄署)를 고친 이름으로, 융희(隆熙) 원년(1907)부터 3년까지 있었음. ②'형무소(刑務所)'의 전 이름. 옥(獄). 함창(檻倉). 형옥(刑獄). *영어(囹圄)·교도소(矯導所)·하대(下臺)·음방(陰房).

감옥-살이【監獄—】명 ①감옥에 갇히어 지내는 생활. 죄수 생활. 철창(鐵窓) 생활. ②행동의 자유가 몹시 억제된 생활의 비유. 1)·2) 준옥살이. ——-하다 자여불

감옥-서【監獄署】명《역》조선 시대에 형벌의 집행에 관한 사무를 맡아 보던 관아(官衙). 고종(高宗) 31년(1894)에 전옥서(典獄署)를 고친 이름인데, 융희(隆熙) 원년(1907)에 감옥으로 고치었음.

감옥서-장【監獄署長】명《역》감옥서의 우두머리.

감옥-소【監獄所】명〈속〉감옥(監獄)❷. 「의사.

감옥-의【監獄醫】[—/—이] 명 감옥에 딸리어 죄수의 병을 맡아 보던

감:온-기【感溫期】명《생》감온상(感溫相).

감:온-상【感溫相】명《생》생물의 발육(發育) 과정에서, 일정한 고온(高溫) 또는 저온(低溫)을 필요로 하는 시기. 예컨대, 누에의 생육(生育)에서 저온을 필요로 하는 시기 따위. 식물에서는 작물(作物)의 춘화 처리(春化處理)에 이용됨. 감온기. *감광상(感光相).

감:온-성【感溫性】[—썽] 명〔thermosensitivity〕《농》농작물의 출수(出穗)·개화가 온도의 영향을 받는 성질. 벼의 경우는 일반적으로 온도가 높아짐에 따라 영양 성장 기간이 짧아지는 성질이 있음.

감와【酣臥】명 깊이 잠듦. 또, 달게 잠. 감면(酣眠). 숙수(熟睡). ——-하다 자여불

감:용【敢勇】명 과감하고 용맹함. ——-하다 형여불. ——-히 부

감우[1]【甘雨】명 ①알맞은 때에 알맞게 내리는 비. 단비. ②가물 끝에 오는 반가운 비. *자우(慈雨). 「집.

감우[2]【紺宇】명 ①불사(佛舍). 감원(紺園). ②귀인(貴人)의

감우-기【甘雨旗】명《역》의장기(儀仗旗)의 하나.

〈감우기〉

감:원[1]【減員】명 인원수를 줄임. ↔증원(增員). ——-하다 타여불

감:원[2]【減援】명 원조하는 금액이나 수량을 줄임. ↔증원(增援). ——-하다 타여불

감원[3]【監院】명《불교》암자나 교당(敎堂)을 감찰하는 승려(僧侶).

감원[4]【憾怨】명 원망함. 원한을 품음. ——-하다 타여불

감원[5]【紺園】명 절[1].

감:위【敢爲】명 과감하게 함. 감행(敢行). ——-하다 타여불

감유[1]【甘乳】명《의》우두약.

감유[2]【甘誘】명 달콤한 말로 꾐. ——-하다 타여불

감:은【感恩】명 은혜에 감동됨. 은혜를 감사함. ——-하다 자여불

감:은다-령【感恩多令】명《악》산화자(山花子).

감:은 부:복【感恩俯伏】명 은혜에 감복하여 머리 숙여 엎드림. ——-하다 자여불

감:은-사【感恩寺】명《불교》경상 북도 경주시(慶州市) 양북면(陽北面) 용당리(龍堂里)에 있던 절. 지금은 폐사. 신라 통일 직후인 신문왕(神文王) 때, 통일의 영주(英主)인 30대 문무왕(文武王)의 명복을 빌기 위하여 지은 것. 「관아(官衙).

감:은사 성전【感恩寺成典】명《역》신라 때, 감은사의 일을 맡아 보던

감:은사지 삼층 석탑【感恩寺址三層石塔】명《불교》경상 북도 경주시 양북면 용당리, 감은사 터에 있는 7세기 후반 통일 신라 시대의 석탑. 동·서 2기(二基) 임. 기하학적(幾何學的)으로 계산된 비율에 의하여 짜여진 조형 수법(造形手法)을 보이며, 규모가 거대한 점에서 귀중한 유례(遺例)임. 높이는 동·서 각 13.4 m. 국보 제112호.

감은-약【—藥】[—냑] 명 '아편'의 변말.

감은-엿 명〈방〉검은엿.

감:음[1]【減音】명〔sound attenuation〕매질(媒質) 속을 통과하는 음(音) 에너지의 세기가 감소하는 일. 흡수(吸收)·확대(擴大)·산란(散亂)에 기인(起因)함.

감음[2]【酣飮】명 흥겹게 술을 마심. ——-하다 자타여불

감:음[3]【感吟】명 ①무엇에 감동하여 시가(詩歌)를 지음. ②감탄하며 시가를 읊음. ——-하다 타여불

감:-음정【減音程】명〔diminished interval〕《악》완전 음정(音程) 또는 단음정(短音程)을 반음 낮춘 음정.

감:읍【感泣】명 감격하여 욺. 감체(感涕). ——-하다 자여불

감:응【感應】명 ①무엇에 감촉되어 그에 따르는 어떤 반응이 생김. 마음에 느끼어 반응함. ¶외계(外界)에 ~하기 쉬운 마음. ②신심(信心)이 부처나 신의 영(靈)에 통함. ③〔induction〕《물·전》유도(誘導)[7]❷. ——-하다 자여불

감:응 계:수【感應係數】명〔coefficient of induction〕《전》유도 계수(誘導係數). 인덕턴스(inductance).

감:응-기【感應機】명《물》유도기(誘導機).

감:응 기뢰【感應機雷】명《군》기뢰의 한 가지. 자기(磁氣)·음향·수압 등을 이용해서 함선(艦船)의 접근을 물리적으로 감응하여, 접촉하지 아니하고도 폭발하게 만든 기뢰. *조류(潮流) 기뢰·시발(視發) 수뢰.

감:응 기전기【感應起電機】명《물》유도(誘導) 기전기.

감:응 기전력【感應起電力】[—녁] 명《물》유도(誘導) 기전력.

감:응 납수【感應納受】명《불교》사람이 불심(佛心)을 느끼고 부처가 이에 응(應)함으로써 부처와 중생(衆生) 사이에 긴밀한 연결이 맺어지는 일.

감:응 도:교【感應道交】명《불교》부처와 사람과의 융화(融和). 중생(衆生)의 소감과 부처의 응능(應能)이 서로 통하여 합쳐지는 일.

감:응 도:체【感應導體】명 감응 전류가 통하는 물체.

감:응 반:응【感應反應】명《화》어떤 화학 반응이 단독으로는 진행(進行)하지 아니하고, 다른 화학 반응이 동일 상(相) 안에서 일어남으로써 비로소 진행되는 반응.

감:응 불사의【感應不思議】[—싸—/—싸이] 명《불교》부처와 중생과의 감응은, 범인(凡人)의 생각으로써는 측량할 수 없다는 말.

감:응 신:호기【感應信號機】명 전자 두뇌를 사용하여, 교통량에 따라 푸른 빛과 붉은 빛의 신호를 자동적으로 조절하는 신호기. 도로에 자동차가 지나가면 바로 감응하는 설비(設備)를 해서, 자동차가 지나간 횟수(回數)를 전자 두뇌로 보내 교통량을 측정하고 자동적으로 시그널의 시간을 조절하게 되어 있음.

감:응 유전【感應遺傳】[—뉴—] 명〔telegony〕《생》어떤 동물의 암컷이 다른 계통의 수컷과 교미하여 수태하면, 그 후에 자기와 같은 계통의 수컷과 교미하여도, 전번의 수컷의 특징이 새끼에게 유전한다는 설. 옛날에, 축산가(畜産家)들이 그렇게 믿었으며, 사람에 있어서 전남편의 영향이 존재한다고 믿었던 것도 이에 연유(緣由)함.

감:응 전:기【感應電氣】명《물》유도 전기(誘導電氣).

감:응 전:동기【感應電動機】명《전》유도 전동기(誘導電動機).

감:응 전:동력【感應電動力】[—녁] 명《물》유도(誘導) 전동력.

감:응 전:류【感應電流】[—절—] 명《물》유도 전류(誘導電流).

감:응 정신병【感應精神病】[—뼝] 명《의》심인성 반응(心因性反應)의 하나. 딴 정신 이상자(精神異常者)의 정신적 영향에 의해서 따라 일어나는 정신 장애. 정신 분열 병자의 환각(幻覺)이나 망상·종교적 환각·황홀 상태·경련(痙攣) 등이 그것을 믿는 미신적이고 지능이 낮거나 암시성(暗示性)이 강한 사람에게 전해져서 똑같은 증상을 나타냄. 영향을 준 정신 이상자로부터 떼어놓고 적당한 환경에 두면 단시일내에 그 증상이 없어짐. *정신적 유행병.

감:응-초【感應草】명《식》미모사(mimosa).

감:응 코일【感應—】〔coil〕명《전》유도(誘導) 코일(coil).

감:응 통전법【感應通電法】[—뻡] 명《의》감응 전류를 사용하여, 근육이나 신경을 자극하는 방법.

감:응 폭발【感應爆發】명《화》폭약(爆藥)이 폭발할 때 가까이에 있는 폭약도 따라서 폭발하는 일. 순폭(殉爆).

감이[1] 명〈방〉개미[1]. 「——-하다 자여불

감이[2]【戡夷】명 적을 물리치고 난리를 평정함. 감란(戡亂). 감정(戡定).

감이-상투 명 머리를 아랫벌부터 감아 그 끝을 고의 속으로 넣어서 아래로 빼내게 짜는 상투. 「일이 통하게 됨. ——-하다 자여불

감:이-수통【感而遂通】명 점괘(占卦)에 신(神)이 감응(感應)되어, 모든

감:익【減益】명 이익이 줄어듦. ↔증익(增益). ——-하다 자여불

감:인[1]【†芡仁】명〔←검인〕〖한의〗가시연밥의 알갱이. 정력을 돕고 또 요통(腰痛)·유정(遺精)·대하(帶下) 및 소변 불금(小便不禁) 같은 데에 씀. *감실(芡實).

감인[2]【堪忍】명 참고 견딤. 인내(忍耐). ——-하다 타여불

감:인 다식【†芡仁茶食】명〔←검인 다식〕가시연밥의 가루를 꿀에 반죽하여 박은 다식.

감인 세:계【堪忍世界】명〖불교〗〔중생을 교화하기 위해 속세의 괴로움을 부처가 대신 참고 견디는 세계의 뜻〕사바❶. 사바 세계.

감:인-죽【†芡仁粥】명〔←검인죽〕감인 가루 세 홉에 멥쌀 한 홉의 비율로 섞어 넣어 쑨 죽.

감인-지【堪忍地】명〖불교〗'환희지(歡喜地)'의 딴 이름. 보살이 이 위(位)에서 심신의 괴로움을 능히 참고 견딜 수 있다는 데서 일컫는 말.

감입【嵌入】명 ①박아 넣음. ②장식(裝飾) 따위를 박아 넣음. ——-하다 타여불

감입 곡류【嵌入曲流】[—뉴] 명〔incised meander〕〖지〗곡류(曲流)에 의하여 팬 구불구불한 깊은 골짜기. 천입 사행(穿入蛇行). ↔자유 곡류.

감:잎-전【—煎】[—닙—] 명 연한 감잎에 찹쌀 가루를 입혀 기름에 지진 음식.

감자[1] 명〔←감저(甘藷)〕〖식〗①[*Solanum tuberosum*] 가짓과에 속하는 다년초. 높이 60cm 가량이며 잎은 우상 복엽(羽狀複葉)으로 호생함. 5-6월에 자주빛이나 흰 빛의 합판화(合瓣花)가 취산(聚繖) 화서로 핌. 과실은 많이 결실(結實)하지는 아니하나 구형(球形)의 액과(液果)로 익으면 황록색(黃綠色)으로 향기가 있음. 괴상(塊狀)의 지하경(地下莖)을 '감자'라 하는데, 녹말이 많아 식용(食用) 및 가공용으로 널리 쓰임. 비교적 찬 기후에서도 잘 자라고 성장 기간이 짧음. 남미 칠레 원산(原産)으로 세계 각지의 온대 및 한대에 널리 분포함. 중요한 농작물임. 마령서(馬鈴薯). 번서(蕃薯). ②〈방〉고구마(전라).

〈감자[1]〉

【감자 밭에서 바늘을 찾는다】'잔디밭에 바늘 찾기'와 같은 뜻.

감자[2] 명〖책〗김동인(金東仁)의 단편 소설. 1925년에 발표됨. 우리 나라 초기 자연주의 소설의 대표작으로 일컬어짐.

감자[3]【甘孜】명〖지〗'간쯔'를 우리 음으로 읽은 이름.

감자[4]【甘蔗】명〖식〗사탕수수.

감자[5]【柑子】명〖한의〗감자나무의 열매. 성질이 좀 찬데, 갈증·주독(酒毒)을 풀고, 위병(胃病)을 다스리며 대변을 부드럽게 하는 데 씀.

감:자[6]【減資】명〖경〗회사 기업에 있어서 공칭(公稱) 자본금의 액수를 감소하는 일. 결손을 정리하고 재생산(再生産)하기 위한 실질적 감자와, 자본의 과잉(過剩)을 조정하기 위한 형식적 감자의 두 가지가 있음. ↔증자(增資). *실질적 감자(實質的減資). ——-하다 자타여불

감:자[7]【減磁】명 소자(消磁). ——-하다 타여불

감자-개발나무 [—라—] 명〖식〗[*Sium ninsi*] 미나릿과에 속하는 다년초. 줄기 높이 60-90cm이고 잎은 호생하며 우상 복엽인데, 소엽(小葉)은 1-3쌍으로 달걀꼴 또는 피침형임. 8월에 흰 꽃이 복산형(複繖形) 화서로 줄기 끝과 가지 끝에 정생(頂生)하고, 과실은 편난원형(扁卵圓形)임. 연못이나 습지에 나는데, 제주·충북·강원·경기·평북·함북 등지에 분포함.

〈감자개발나무〉

감자 경:자【—梗子】명 찹쌀 가루를 물에 반죽한 데다 껍질을 벗긴 감자를 매에 갈아서 넣고 주사위처럼 썰어 바싹 말린 후, 흰엿과 참깨를 넣어서 볶은 음식.

감자 국수 명 감잣가루에 메밀 가루를 섞어서 뺀 국수.

감자-나무【柑子—】명〖식〗홍귤(紅橘)나무. 감자수(柑子樹).

감자 녹말【—綠末】명 감자의 앙금을 말린 가루. 감잣가루.

감자 다식【—茶食】명 감자 녹말을 꿀에 반죽하여 판에 박은 다식.

감자-당【甘蔗糖】명 사탕수수로 만든 설탕.

감자 된:장【—醬】명 찐 감자와 누룩을 버무리어 만든 된장. 감저시(甘藷豉).

감자-떡 명 감자를 재료로 한 떡의 총칭.

감자 만두【—饅頭】명 멥쌀 가루에 감자 녹말과 설탕을 넣어 반죽한 뒤, 볶은 팥소를 넣어 빚어서 찐 만두.

감자-바위 명〈속〉강원도(江原道)에 감자가 많이 난다 하여 강원도 사람을 홀하게 일컫는 별명.

감자-밥 명 껍질을 벗긴 감자를 썰어 넣고 지은 밥. 감저반(甘藷飯).

감자 버무리 명 팥과 감자를 삶아서, 한데 절구에 찧어 뭉친 음식.

감자 볶음 명 감자를 볶아 만든 음식.

감:자성 다이오드【感磁性—】〔diode〕명〖물〗마그네토다이오드.

감자-수【柑子樹】명〖식〗감자나무.

감자-엿 명 감잣가루로 만든 엿.

감자-장【—醬】명 감자로 담근 장.

감자 장아찌 명 감자를 썰어 장에 끓이어 고명을 한 장아찌.

감자-전【—煎】명 감자를 얇게 썰어서 기름에 지진 음식.

감자 정:과【柑子正果】명 ①감자(柑子)를 통째로, 두어 푼 두께로 썰어서 꿀에 잰 정과. ②감자의 속 쪽을 곱게 다듬어서 꿀에 잰 정과. ③감자의 껍질을 잘게 썰어 꿀에 담갔다가 살짝 볶은 정과.

감자 조림 명 감자를 간장에 조려 만든 반찬.

감:자 차손【減資差損】명〖경〗주식 회사가 주식의 소각(消却)이나 자본의 감소를 위하여 지급한 금액이 그 주식의 취득 가액(價額)을 초과하였을 때의 초과 금액. ↔감자 차익.

감:자 차익【減資差益】명〖경〗주식 회사가 자본을 감소하여 결손금을 보전(補塡)하거나 주식의 매입 소각(買入消却) 또는 주금(株金)의 환급(還給)을 한 경우, 그에 소요된 금액 이상으로 자본금을 감소시켰을 때에 생기는 차액. ↔감자 차손(差損).

감자-채【—菜】명 감자를 채쳐서 볶은 나물.

감자 튀김 명 감자를 썰어서 기름에 튀긴 음식.

감:작[1]【減作】명 작물의 수확이 감소하는 일. ——-하다 자여불

감:작[2]【感作】명〖의〗①어떤 항원(抗原)에 대하여 이것을 예민한 상태로 만드는 일. 예컨대, 말의 혈청(血淸)을 모르모트에 주사하여 과민증(過敏症)의 상태로 하는 일. ↔제감작(除感作). ②항원과 항체(抗體)가 특이적으로 결합하는 일. *감작 백신. ——-하다 자타여불

감작[3]【監作】명〖역〗고려 때, 선공시(繕工寺)·도교서(都校署)·액정국(掖庭局)의 이속(吏屬).

감작-감작 부 감은 점이 잘게 여기저기 박히어 있는 모양. ㅆ깜작깜작. <검적검적. ——-하다 형여불

감:작 백신【感作—】〔vaccine〕명〖의〗백신의 한 가지. 배양한 세균을 죽이거나 독력(毒力)을 약하게 한 것에 면역 혈청(免疫血淸)을 가하여 만듦. 보통 백신보다 반응이 가볍고 빠르며, 치료 예방 효과도 훨씬 큼. 장티푸스·홍역에 쓰임. *감작(感作).

감:-잡이 명 ①대문 장부에 감아 박은 쇠. ②기둥과 들보를 겹쳐 못을 박는 쇳조각. ③〖악〗해금(奚琴)의 맨 아래 원산(遠山) 밑에 'ㄴ'자로 구부려 붙인 쇠붙이. ④〈심마니〉낫[1]. ⑤잠자리할 때 쓰는 수건. 방사(房事) 후 씻는 수건. 1)·2):취음:감좌배(甘佐排).

〈감잡이❷〉

감:잡이-쇠 명 감잡이❶❷❸.

감:잡이-쪽 명〖건〗감잡이의 낱개.

감:-잡히다 자 남과 시비(是非)를 겨룰 때, 조리(條理)가 감기어 약점을 잡히다.

감잣-가루 명 감자 녹말.

감잣-국 명 감자를 넣고 끓인 국. 감저탕(甘藷湯).

감장[1] 명 가만 물감이나 빛. ㅆ깜장. <검정.

【감장 강아지로 돼지 만든다】비슷한 것을 가지고 남을 유혹하고 속이려 한다는 말.

감장[2] 명 남의 도움을 받지 아니하고 제힘으로 혼자서 꾸리어 감. ——-하다 타여불

감장[3]【甘醬】명 단 간장. 곧, 진간장.

감장[4]【勘葬】명 장사(葬事) 치르기를 끝냄. ——-하다 자타여불

감장[5]【監葬】명 장사(葬事)를 보살핌. ——-하다 자타여불

감장-이 명 가만 빛의 물건. ㅆ깜장이. <검정이.

감장 콩알 명〈속〉총알. <검정 콩알.

감재 명〈방〉〖식〗①감자[1](경북·전남·강원·평북·함경). ②고구마(전남).

감재 보살【監齋菩薩】명〖불교〗선종(禪宗)에서, 대중의 음식을 감독하는 신(神). 감재 사자(使者).

감재비[1] 명〈심마니〉낫.

감:-재비[2] 명 ☞감잡이.

감저【甘藷】명〖식〗① →감자[1]❶. ②고구마.

감저-반【甘藷飯】명 감자밥.

감저-보【甘藷譜】명〖책〗조선 영조 2년(1766)에 강필리(姜必履)가 저작한, 고구마의 재배·이용법에 관한 우리 나라 최초의 책.

감저-시【甘藷豉】명 감자 된장.

감저 신보【甘藷新譜】명〖책〗조선 순조 13년(1813)에 김장순(金長淳)이 편찬한, 고구마의 재배·이용법에 관한 책. 1책.

감저-탕【甘藷湯】명 감잣국.

감적[1]【疳積】명〖한의〗영양 불량이나 기생충으로 인하여 생기는 어린아이의 빈혈증. 소화가 잘 아니 되고 얼굴이 희백색으로 됨.

감적[2]【監的】명 화살·총알이 표적에 맞고 아니 맞음을 살핌. ——-하다 자여불

감적-관【監的官】명〖역〗무과(武科)의 활 쏘는 시취(試取)에서, 과녁에 화살이 맞고 아니 맞음을 검사하던 관원.

감적-수【監的手】명〖군〗사격장에서, 표적을 조정하고 통제하는 사람.

감적-호【監的壕】명〖군〗사격장에서, 표적의 아래나 그 근처에 파 놓은 참호(塹壕). 감적수가 들어가 감적(監的)함.

감전[1]【紺殿】명〔감색의 궁전이란 뜻〕절[1].

감:전[2]【敢戰】명 감투(敢鬪). ——-하다 자여불

감전[3]【酣戰】명 한창 격렬히 벌어진 싸움. ——-하다 자여불

감:전[4]【感電】명〖물〗전기가 통하고 있는 도체(導體)에 신체의 일부가 닿아서 충격을 느끼는 일. 전기의 양이 많을 때에는 화상을 입거나 또는 심장의 충격으로 죽는 수가 있음. ——-하다 자여불

감:전[5]【感傳】명 감응하여 전파(傳播)함. 느끼어 전함. ——-하다 자타여불

감전[6]【監典】명〖역〗신라 때의 관아 이름.

감:전-사【感電死】명 감전으로 죽음. 전격사(電擊死). ——-하다 자여불

감:전 전:기기【感傳電氣器】명〖의〗의료 기계의 한 가지. 감응 전류를 발생시켜 그것을 인체에 통하게 하여 지각(知覺) 및 근육 운동에 자극을 주는 기계.

감:전 전:류【感傳電流】[—절—] 명〖물〗유도 전류(誘導電流).

감:점【減點】[—쩜] 명 점수를 줄임. 또, 그 점수. ——-하다 타여불

감:-접【—椄】명 감나무 가지로 다른 나무 그루에 붙이는 접.

감:접-갈다 [—쩝—] 형〈방〉감쪽같다(전라).

감:-접이 명 피륙을 짤 때, 처음과 끝에 실이 풀리지 아니하도록 휘갑친 부분.

감정[1] 명〈방〉감장[1].

감정[2]【甘井】명 물맛이 좋은 우물. *감정 선갈(先竭).

감정[3]【甘精】명〖화〗사카린(saccharine).

감정[4]【勘定】명 헤아려 정함.

감정[5]【戡定】명 감란(戡亂). 감이(戡夷). ——-하다 타여불

감:정[6]【感情】명 ①사물에 느끼어 일어나는 심정(心情). 마음. 기분.

생각. ¶ ~에 호소하다. *감정(憾情). ②〖심〗 쾌(快)·불쾌를 중심으로 하는 의식(意識)의 주관적 측면(主觀的側面). 감각이나 관념(觀念)에 따라 일어나는 주관적 정신 활동으로, 이에는 흔히 생리적 변화가 수반함. 그 중 본능적이며 신체적 표출(表出)이 특히 심한 것을 정서(情緖), 한층 복잡하고 고등한 것을 정조(情操)라고 하여 구별함. *정서(情緖)·정조(情操).

감:정을 해:치다 구 남을 불쾌한 기분이 되게 만들다.

감정[7]【監丁】 명 이전에, 교도소에서 '사환'을 이르던 말.

감:정[8]【憾情】 명 마음에 언짢게 여기어 원망하거나 성내는 마음.

감:정(이) 나다 구 마음에 언짢게 여기어 성이 나다. 「하다.

감:정(을) 내:다 구 ㉠마음에 언짢게 여기어 성을 내다. ㉡감정이 나게

감:정(을) 사다 구 제 탓으로 상대방의 감정을 얻다. ¶그의 감정을 살 언동을 삼갈 것.

감:정(이) 오르다 구 감정이 생기다.

감:정(이) 있다 구 언짢은 마음이 있다.

감:정(이) 풀리다 구 일어났던 감정이 가라앉다.

감정[9]【鑑定】 명 ①서화·골동품, 혹은 어떤 자료(資料) 등에 대해서 그 진위(眞僞)나 선악 혹은 가치를 보아 감별(鑑別)하고 결정함. ②〖법〗 법원(法院)의 명령에 따라, 특별한 전문가가 자기의 학술·지능·경험에 의해서 구체적 사실에 응용한 판단을 진술하거나 보고하는 일. ③〖법〗 동산·부동산·재산권(財産權) 등의 가치를 금전적(金錢的)으로 평가(評價)하는 일. ¶ ~ 가격. ——-하다 타여불

감:정-가[1]【感情家】 명 감정적인 사람. 다정 다감한 사람. 희로 애락의 정(情)에 움직이기 쉬운 사람.

감정-가[2]【鑑定家】 명 감정을 하는 사람. 또, 감정(鑑定)에 뛰어난 사람.

감정-가[3]【鑑定價】 [--까] 명 ↗감정 가격(價格).

감:정 가격[1]【感情價格】 [—까—] 명 〖법〗 어떤 재산에 관하여 특정인이 특수한 사정 때문에 교환 가치에 의하지 아니하고 주관적 감정에 의하여 평가하는 가격. 부친의 유물에 대하여 어떤 금액으로도 바꿀 수 없는 가치를 인정하는 것 따위. 손해 배상으로서 청구하는 이 가격은 위자료로 인정되는 범위에 한함.

감정 가격[2]【鑑定價格】 [—까—] 명 은행이나 보험 회사 등에서 자금을 대여(貸與)할 때에 담보가 될 물건을 평가하여 매기는 가격. ㊟감정가(鑑定價).

감:정 감:각【感情感覺】 명 〔feeling sensation〕〖심〗 신체적인 쾌·불쾌 등 감각에 수반하여 일어나는 정조(情調).

감정-관【鑑定官】 명 감정하는 일에 종사하는 관리.

감정-관자【一貫子】 명 〈방〉〖역〗 까막관자.

감:정 교:육[1]【感情敎育】 명 〖교〗 감정의 순화(純化)와 융화를 꾀하며, 심미적·도덕적 정조(情操)를 함양함을 목적으로 하는 교육.

감:정 교:육[2]【感情敎育】 명 〔프 L'Education Sentimentale〕〖문〗 프랑스의 플로베르(Flaubert, G.)의 사실주의 소설. 1869년 작. 불타는 정열을 지녔지만 행동으로 옮기지 못하는 평범한 지방 청년 프레데릭의 사랑과, 인생에서의 실패와, 꿈과 현실과의 파탄을 2월 혁명 전후의 어수선한 파리 사회를 배경으로 하여 간결·정치(精緻)하게 묘사한 것으로, 후세 자연주의 문학에 큰 영향을 주었음.

감:정 논리【感情論理】 [—놀—] 명 논리적인 것처럼 보이지만, 실세로는 감정적 요인(要因)에 의한 관념이 연결되어, 사고(思考)가 진행되고 판단이 내려지는 일.

감:정 능력【感情能力】 [—녁] 명 〖심〗 쾌·불쾌 등을 느끼는 정신 능력. ↔인식(認識) 능력·욕구(欲求) 능력.

감:정 도:덕설【感情道德說】 명 〔도 Gefühlsmoraltheorie〕〖윤〗 도덕적 행위의 동기(動機)를 감정에 두는 윤리설(倫理說). 영국 계몽기(啓蒙期)의 도덕 철학자에 의하여 주장되었는데, 그 대표자 샤프츠버리(Shaftesbury, A.A.C.)에 의하면, 사람의 생활은 자아(自我)의 감정과 자연적·사회적 감정의 조화 위에 성립되며, 이 조화를 밑받침하는 것을 '도덕관(道德官)'이라고 함.

감:정 도:착【感情倒錯】 명 〔perversion of feeling〕〖심〗 감정이 평상시나 또는 보통 사람과 다른 상태에 있는 일. 예를 들면, 불쾌를 느껴야 할 경우에 쾌감을 느끼는 일 등.

감:정-론【感情論】 [—논] 명 이성(理性)에 따라 하지 아니하고, 감정에 치우친 언론(言論). 또, 감정적인 의론.

감정-료【鑑定料】 [—뇨] 명 감정하여 준 일에 대하여 지급하는 수수료(手數料).

감:정 미학【感情美學】 명 〖철〗 미의식(美意識) 활동의 근원이 감정에 있다고 하는 설.

감:정 법학【感情法學】 명 〖법〗 법규의 개념 구성을 경시하고 법관의 무제한한 자유 재량(自由裁量)을 인정하려고 한 자유 법론. 법의 운영을 주관적 감정에 맡겨서 법적 안정성을 소란시키고, 나아가서는 법학의 논리적 과학성까지도 부인하는 경향으로 흐르는 것을 경계하여 경구적(警句的)으로 사용되는 말.

감정-사【鑑定士】 명 '공인 감정사'의 통칭.

감:정 사회학【感情社會學】 명 〖사〗 특수 사회학의 한 분야. 사람의 감정 생활의 사회학적 고찰을 목적으로 하는 학문.

감:정 삼방향설【感情三方向說】 명 〔tridimensional theory of feelings〕〖심〗 감정의 성질은 무수한데, 쾌(快)와 불쾌, 흥분과 침체(沈滯), 긴장과 이완(弛緩)의 대립적(對立的) 계열에 속하는 주요한 세 방향으로 분류된다는 설.

감정-서【鑑定書】 명 ①〖법〗 감정인이 보고하기 위하여 감정의 경과 및 결과를 적은 문서. ②미술 작품의 진위 여부(眞僞與否), 제작자·제작 연대·산지(産地) 등을 판단하여 보증하는 문서.

감정 선갈【甘井先竭】 명 맛이 좋은 우물은 길어 가는 이가 많으므로 빨리 마른다는 뜻으로, 재능 있는 사람이 일찍 쇠폐(衰廢)함을 이르는 말.

감:정 수입【感情收入】 명 〖심〗 감정 이입(感情移入).

감:정 실금【感情失禁】 명 〖의〗 감정의 조절 장애(調節障礙)의 하나. 사소한 자극에도 곧잘 울고 웃고 하여, 본인 자신도 너무 지나친 줄 알면서도 억제하지 못하는 상태. 어린 아이나 정신 박약자에게는 흔히 있는 경향이나, 병적으로는 뇌혈관계(腦血管系)의 장애 때에 나타남.

감정-아이 명 월경을 하지 아니하고 밴 아이. 곧, 첫번 배란시(排卵時)에 수정이 되어 잉태(孕胎)된 아이. ㊟감정애.

감정-애 명 ↗감정아이.

감정-업【鑑定業】 명 '감정 평가업'의 구칭.

감정업-자【鑑定業者】 명 '감정 평가업자'의 구칭.

감정 유치【鑑定留置】 [—뉴—] 명 〖법〗 피고인의 정신 또는 신체에 관한 감정이 필요한 경우에 법원이 기간을 정하여 병원이나 적당한 장소에 피고인을 유치하는 일.

감:정 이입【感情移入】 명 〖철〗 예술 작품 또는 자연 대상의 요소 속에 자기 자신의 상상이나 정신을 투사(投射)하여 자기와 대상과의 융합을 의식하는 심적 작용. 19세기말에, 립스(Lipps, T.) 등이 미학(美學)의 근본 원리로 삼았으나, 현재에는 미적 향수(美的享受)의 특징의 일면(一面)으로서 이해되고 있음. 감정 수입(感情收入). ——-하다 자여불

감정-인【鑑定人】 명 ①감정하는 사람. 감정을 의뢰받은 사람. ②〖법〗 법원(法院)이 명령(命令)한 일에 관하여, 특별한 학식이나 경험에 의하여 의견을 보고하는 소송 당사자 외의 제삼자(第三者). 감정자(鑑定者).

감정-자【鑑定者】 명 감정하는 사람. 감정인(鑑定人).

감:정-적[1]【感情的】 명관 이성(理性)을 잃고 감정에 치우치는 모양. 감정에 호소(呼訴)하는 모양. 쉽게 흥분하는 모양. ¶ ~으로 말하다.

감:정-적[2]【憾情的】 명관 자제(自制)하지 못하고 감정(憾情)에 치우치는 모양. ¶ ~인 처사(處事).

감:정 전:가【感情轉嫁】 명 〖심〗 A에 대하여 품은 감정을, A와 약간의 관련성을 지닌 B에게로 옮겨 놓는 현상. '중이 미우면 가사(袈裟)까지 밉다'는 현상과 같은 따위.

감:정 전:이【感情轉移】 명 〖심〗 A에 대하여 품은 감정을, A와는 전혀 관계 없는 B에게로 옮겨 놓는 현상(現象).

감정 증인【鑑定證人】 명 〖법〗 소송에 있어서, 특별한 지식·경험에 의하여 알고 있는 과거의 사실을 법원 또는 재판관으로부터 신문을 받는 사람. 자기의 경험 사실을 진술하는 점에서 증인으로 취급되며, 판단·의견을 말하는 데 그치는 감정인과 구별됨.

감:정지-와【埳井之蛙】 명 〔'埳'은 구덩이의 뜻〕 우물 안의 개구리. 식견(識見)이 좁은 사람의 비유. 정저지와(井底之蛙).

감:정 철학【感情哲學】 명 〖철〗 ①18 세기 후반에서 19 세기에 걸쳐 유럽의 계몽 사조(啓蒙思潮)와 독일 본래의 신비주의적 비합리주의와의 대결 속에서 생긴 철학. 칸트 철학에 반대의 태도를 취하여, 인식(認識)하는 인간을 배척하며 내면적 감정으로서의 인간을 중시(重視)하는 철학 사상. 헤르더(Herder, J.G.von)·야코비(Jacobi, F.H.) 등이 이에 속함. ②프랑스의 루소(Rousseau, J.J.)의 철학을 이르는 말. *신앙(信仰) 철학.

감정 평:가【鑑定評價】 [—까] 명 건설 교통부 장관의 인가를 받은 감정 평가 업자가 동산·부동산 기타 재산의 경제적 가치를 판단하여 그 결과를 가격으로 표시하는 일.

감정 평:가 법인【鑑定評價法人】 [—까—] 명 〖법〗 30 명 이상의 감정 평가사들이 토지 등의 감정 평가 업무를 조직적으로 수행하기 위하여 건설 교통부 장관의 인가를 받고 설립한 법인.

감정 평:가사【鑑定評價士】 [—까—] 명 〖법〗 지가 공시(地價公示) 및 토지 등의 평가에 관한 법률의 규정에 의한 소정의 자격을 가지고, 타인의 의뢰에 의하여 토지 등을 감정 평가함을 업으로 하는 사람.

감정 평:가업【鑑定評價業】 [—까—] 명 건설 교통부 장관의 인가를 받아, 타인(他人)의 의뢰에 의하여 일정한 보수를 받고 토지 등의 감정 평가를 하는 영업.

감정 평:가업자【鑑定評價業者】 [—까—] 명 토지 등의 감정 평가를 업(業)으로 하는 감정 평가사 및 감정 평가 법인의 총칭.

감:정-풀이【憾情—】 명 감정에 겨워 함부로 하는 언행(言行). ——-하다 자여불

감정 회:사【鑑定會社】 명 '감정 평가 법인'의 구칭.

감제[1]【柑製】 명 〖역〗 황감제(黃柑製).

감제[2]【監製】 명 감독(監督)하여 제조(製造)함. ——-하다 타여불

감제 고지【瞰制高地】 명 〖군〗 관측 등으로 적의 활동을 방해할 수 있는 높은 지대.

감:조【減租】 명 감세(減稅). ——-하다 자여불

감:조 하천【感潮河川】 명 〖지〗 조석(潮汐)의 영향을 받는 하천 및 그 부근. 강의 어귀는 물론, 어느 정도의 상류에까지 영향이 미치며, 강물의 염분(塩分)·수위(水位)·유속(流速)에 현저한 주기적 변화가 나타남.

감종【疳腫】 명 〖한의〗 어린아이의 감병(疳病)의 하나. 얼굴이 붓고 몸이 허약하여지며 배가 불러짐.

감-종실【監宗室】 명 〖역〗 종친부감(宗親府監)이 될 자격이 있는 임금의 친족.

감좌배【甘佐排】 명 〖건〗 '감잡이❶❷'의 취음(取音).

감죄[1]【勘罪】 명 죄인을 신문(訊問)하여 처분함. ——-하다 타여불

감:죄[2]【減罪】 명 죄를 가볍게 덜어 줌. ——-하다 타여불

감주[1]【甘州】 명 〖지〗 '간저우'를 우리 음으로 읽은 이름.

감주[2]【甘酒】 명 단술.

감주 먹은 괴상 구 감주를 몰래 훔쳐 먹다 들킨 고양이처럼, 겸연쩍고 불안해 하는 표정. ¶등잔불을 켜 놓고 보니 남녀가 다 감주 먹은 괴상을 하고 고개를 들지 못하는데《洪命憙 : 林巨正》.

감주[3]【勘注】명 조사하여 기록함. 또, 그 문서. ──-하다 타여불

감주[4]【監主】명〖불교〗감사(監寺).

감:주[5]【贛州】명〖지〗'간저우'를 우리 음으로 읽은 이름.

감죽【甘竹】명〖식〗솜대[1].

감:-중련【坎中連】[—년] 명〖민〗팔괘(八卦)의 하나인 감괘(坎卦)의 상형(象形) '☵'의 일컬음.

감-쥐다 타 ↗감아쥐다.

감지[1] 명〈방〉〖식〗①감자[1](황해·함남·평남). ②고구마(전남·평남).

감지[2]【甘旨】명 ①감미(甘味). ②맛이 좋은 음식. 흔히, 효자(孝子)가 부모에게 올리는 음식을 일컬음. 「다 타여불

감:지[3]【坎止】명 일이 험난한 지경에 이르러 중도에서 그만둠. ──-하

감지[4]【紺紙】명 감색으로 물들인 종이. ¶~ 은니 묘법 연화경(銀泥妙法蓮華經). 「하다. ──-하다 타여불

감:지[5]【感知】명 직감적(直感的)으로 느끼어 앎. ¶상대방의 계획을 ~

감지 공:친【甘旨供親】명 맛 좋은 음식으로 부모를 공양(供養)함.

감:지-기【感知器】명 온도·압력·유량(流量)·빛·자기(磁氣) 등의 물리량(物理量)이나 그 변화량을 검출하는 소자(素子) 또는 장치. 또한 검출량을 적절한 신호로 변환하여 계측계(計測系)에 입력하는 장치를 가리키기도 함. 센서(sensor).

감:지-덕지【感之德之】부 대단히 고맙게 여기어. ¶밥 한 그릇에 ~ 눈물을 글썽인다. ──-하다 타여불

감:지-우:감【減之又減】명 감한 데서 또 감함. ──-하다 타여불

감:직【敢直】명 용감하고 정직함. ──-하다 형여불

감:진【減盡】명 줄어들어 없어짐. ──-하다 자여불

감:진-기【感震器】명 지진의 유무 및 진동(震動)의 도수(度數) 따위를 검사하는 기계.

감진-사【監賑使·監賑史】명〖역〗감진 어사.

감진 어:사【監賑御使·監賑御史】명〖역〗진휼(賑恤)을 감독하는 어사. 흉년에 굶주리는 백성을 구제하는 일을 감독하기 위하여 파견함. 감진사(監賑使).

감질【疳疾】명 ①〖한의〗감병(疳病). ②먹고 싶거나 가지고 싶어 애타는 마음. 「질나서 못 견디다.

감질(이) 나다 구 먹고 싶거나 가지고 싶어 애타는 마음이 생기다. ¶감

감질(을) 내:다 구 ㉠먹고 싶거나 가지고 싶어 애타는 마음을 품다. ㉡감질이 나게 하다.

감:집【減執】명〖불교〗〔손감(損減)의 고집(固執)이란 뜻〕일체 만유는 공(空)이라고 고집하는 것과 같이 공무(空無)에 치우친 견해. ↔증집(增執).

감즈 명〈옛〉감자(柑子). ¶감즈 감(柑)≪字會 上 11≫.

감짝-같다 형〈방〉감쪽같다.

감쩍-같다 형〈방〉감쪽같다.

감-쪼으다【鑑—】타 감(鑑)하게 하다. 웃어른에게 물건을 살펴보게 하다. ¶그 글발을 감쪼으시게 하옵기가 황송하온데 어찌하오리까≪洪命憙 : 林巨正≫.

감쪽-같다 형 꾸민 일이나 고친 물건이 조금도 흠집이 없다. ¶이렇게 맵질해 놓으니 감쪽같구나.

감쪽-같이 [—가치] 부 감쪽같게. ¶~ 속다.

감차[1]【甘茶】명〖불교〗단술.

감:차[2]【減車】명 차량의 수나 차량의 운전 횟수를 줄임. 차량수가 줆. ↔증차(增車). ──-하다 자여불 「자여불

감:차[3]【減差】명 병세가 조금씩 덜하여 차도(差度)가 있음. ──-하다

감찰[1] 명〈옛〉다갈색(茶褐色). ¶감찰 아롱뎌 일빅 오리(茶褐欒帶百條)≪老乞 下 62≫.

감찰[2]【監察】명 ①감시하여 살핌. 감독하고 단속함. ②행정 기관이 그 직무의 집행 상황에 대하여 조사나 검사 따위를 하는 일. 또, 그 직임(職任). ③〖역〗조선 시대에 사헌부(司憲府)의 정육품(正六品) 벼슬. ④단체나 모임의 한 직임(職任). 단체의 규율과 구성원의 행동을 감독하여 살피는 것을 임무로 함. ¶~부장/~ 위원회. ──-하다 타여불

감찰[3]【鑑札】명 어떤 영업이나 행위를 공인(公認)한 표로 관청 등 공적(公的) 기관이나 동업 조합(同業組合) 같은 데서 내주는 증표(證票). ¶영업 ~.

감찰[4]【鑑察】명 보아 살핌. 흔히, 편지에 쓰는 말. ──-하다 타여불

감찰가【勘察加】명〖지〗'캄차카(Kamchatka)'의 취음(取音).

감찰-감【監察監】명〖군〗감찰감실의 장(長).

감찰감-실【監察監室】명〖군〗군사 검열(軍事檢閱)과 특명 사항의 조사에 관한 사항을 분장하는 특별 참모 부서의 하나. 삼군 본부에 각각

감찰 검:열【監察檢閱】명〖군〗감찰 장교가 시행하는 검열. 「둠.

감찰-관【監察官】명 감찰의 직책을 맡은 관원.

감찰 규:정【監察糾正】명〖역〗고려 감찰사(監察司)의 종육품 벼슬. 충렬왕 3년(1277)에 감찰 어사를 고친 이름.

감찰 내:사【監察內史】[—래—] 명〖역〗고려 감찰사(監察司)의 종육품 벼슬. 충렬왕(忠烈王) 24년(1298)에 감찰사(監察史)를 고친 이름.

감찰 대:부【監察大夫】명〖역〗고려 감찰사(監察司)의 으뜸 벼슬. 품질(品秩)은 정삼품. 충렬왕(忠烈王) 원년(1275)에 제헌(提憲)으로 이름을 고치고, 동 34년(1308)에 대사헌(大司憲)으로 다시 고쳐 품질을 정이품으로 올린 일이 있음.

감찰-료【鑑札料】명 관청에서 내주는 감찰(鑑札)에 대한 수수료.

감찰-부【監察部】명〖군〗↗감찰 참모부.

감찰빗 명〈옛〉고동색(古銅色). ¶감찰빗체 스믠 문혼 비단(茶褐暗花)≪老乞 上 22≫.

감찰-사[1]【監察史】[—싸] 명〖역〗고려 감찰사(監察司)의 종육품 벼슬. 충렬왕(忠烈王) 원년(1275)에 감찰 어사를 고친 이름.

감찰-사[2]【監察司】[—싸] 명〖역〗고려 사헌대(司憲臺)의 뒷 이름. 충렬왕(忠烈王) 원년(1275)- 23년(1297)까지와, 24년(1298)- 33년(1307)까지와, 충선왕(忠宣王) 때와 공민왕(恭愍王) 11년(1362)- 17년까지의 일컬음. *사헌대(司憲臺). 「슬.

감찰 사헌【監察司憲】명〖역〗고려 현종(顯宗) 때, 사헌대(司憲臺)의 벼

감찰 시:사【監察侍史】명〖역〗고려 감찰사(監察司)의 종오품 벼슬. 충렬왕(忠烈王) 원년(1275)에 시어사(侍御史)를 고친 이름. ㊄시사(侍史).

감찰 시:승【監察侍丞】명〖역〗고려 감찰사(監察司)의 종사품 벼슬. 충렬왕(忠烈王) 원년(1275)에 중승(中丞)을 고친 이름. ㊄시승(侍丞).

감찰 어:사【監察御史】명〖역〗고려 어사대(御史臺)와 충렬왕(忠烈王) 24년(1298)에 고친 감찰사(監察司)의 종육품 벼슬. 그 후에 감찰 사헌(監察司憲)·감찰사(監察史)·감찰 내사(監察內史)·감찰 규정(監察糾正)·사헌 규정(司憲糾正)으로 여러 번 고침.

감찰-원【監察院】명 ①〖법〗공무원의 직무상 비위(非違)를 감찰(監察)하기 위하여 1955년에 감찰 위원회 대신 대통령 소속하에 두기로 하였던 기관(機關). 실지로는 존재하지 않았음. ②〖불교〗대한 불교 조계종(曹溪宗)에서 총무원(總務院)·사찰 등 각 종단(宗團) 기관의 사무 및 회계(會計)를 감사하며, 사찰의 풍기(風紀)와 승니(僧尼)의 기강(紀綱)을 감찰하고 포상(褒賞)·징계 사무를 관찰하는 기관. 감찰원장을 장으로 하여 감찰 위원회 위원으로 구성함.

감찰원-장【監察院長】명〖불교〗대한 불교 조계종(曹溪宗)의 감찰원의 우두머리. 중앙 종회(中央宗會)의 선출에 의하여, 종정(宗正)이 임명하며, 임기는 4 년임.

감찰 위원회【監察委員會】명 공무원의 직무상 비위(非違)를 감찰하기 위하여 국무 총리 소속 아래 둔 기관. 대한 민국 정부 수립과 동시에 대통령 직속으로 설치되어 1955년 2월에 폐지, 1960년 7월에 다시 부활되었다가, 1963년에 감사원(監査院)으로 바뀜. *사정 위원회(司正委員會).

감찰 장:교【監察將校】명〖군〗각급 부대의 운영에 관한 능률성과 경제성에 영향을 미치는 모든 사항을 검열·보고하는 장교.

감찰 장:령【監察掌令】[—녕] 명〖역〗고려 감찰사(監察司)의 종사품 벼슬. 충렬왕(忠烈王) 34년(1308)에 시어사(侍御史)를 고쳐, 전의 종오품을 종사품으로 올림. ㊄장령(掌令).

감찰 제:도【監察制度】명 관리(官吏)의 직무상의 부정(不正)을 지적·비판하여 행정 운영의 합리성을 도모하는 제도.

감찰 제헌【監察提憲】명〖역〗고려 감찰사(監察司)의 으뜸 벼슬로, 품질(品秩)은 정삼품. 충렬왕(忠烈王) 원년(1275)에 대부(大夫)를 고친 이름. ㊄제헌(提憲).

감찰 지평【監察持平】명〖역〗고려 감찰사(監察司)의 정오품 벼슬. 충렬왕(忠烈王) 34년(1308)에, 전중 시어사(殿中侍御史)를 고쳐 전의 정육품을 정오품으로 올렸다가 뒤에 다시 종오품으로 내림. ㊄지평(持平).

감찰 집의【監察執義】[—/—이] 명〖역〗고려 감찰사(監察司)의 정삼품 벼슬. 충렬왕(忠烈王) 34(1308)년에 중승(中丞)을 고쳐, 전의 종삼품을 정삼품으로 올렸다가 뒤에 다시 종삼품으로 내림.

감찰 참모【監察參謀】명〖군〗감찰 참모부의 장(長).

감찰 참모부【監察參謀部】명〖군〗군대의 각급(各級) 사령부의 특별 참모 부서의 하나. 감찰에 관한 사항을 분장함. ㊄감찰부.

감참[1]【嵌巉】명 산이 깎아지른 듯이 가파름. ──-하다 형여불 「여불

감참[2]【監斬】명〖역〗죄인의 참형(斬刑)을 감검(監檢)함. ──-하다 타

감참-관【監斬官】명〖역〗감참(監斬)하는 관원.

감:-참외 명〖식〗[*Cucumis microsperma*] 박과에 속하는 참외의 한 종류. 속의 살이 잘 익은 감빛과 같고 맛이 좋음.

감창[1]【疳瘡】명〖한의〗①매독(梅毒)으로 음부에 헌데가 생기는 병. ②어린 아이의 감병(疳病)의 한 가지. 피부에 결핵성 또는 피부 영양(營養)의 장애로 헌데가 생기는 병.

감:창[2]【感愴】명 감모(感慕)하는 마음이 움직이어 슬픔. ¶그렇게 고생을 하다 못하여 아씨를 찾아왔삽더니, 아씨가 돌아가셨다니 이같이 ~ 할 데가 없습니다≪崔瓚植 : 春夢≫. ──-하다 형여불

감창-사【監倉使】명〖역〗고려 때, 동북면(東北面)과 서북면(西北面)에 둔 외직(外職)으로, 창고(倉庫)를 감찰하던 벼슬.

감채[1]【甘菜】명〖식〗사탕무.

감:채[2]【減債】명 부채를 조금씩 상환하여서 줄임. ──-하다 자여불

감:채 기금【減債基金】명〖경〗공채(公債)·사채(社債)를 상환(償還)하기 위하여 적립(積立)하는 기금(基金). 「조금씩 적립하는 돈.

감:채 적립금【減債積立金】[—닙—] 명〖경〗감채(減債)의 목적으로

감처【勘處】명〖역〗감단(勘斷)──-하다 타여불

감천[1]【甘泉】명 물맛이 좋은 샘. 「자여불

감:천[2]【感天】명 하늘이 느끼어 감동함. ¶지성이면 ~이라. ──-하다

감천-궁【甘泉宮】명〖역〗진시황(秦始皇)이 함양(咸陽), 곧 지금의 산시성(陝西省) 춘화 현(淳化縣)의 감천산(甘泉山)에 만든 이궁(離宮). 한(漢) 무제(武帝)가 기원전 138년에 증축(增築)함.

감:천 지동 두아원【感天地動竇娥冤】명〖악〗두아원(竇娥冤).

감청[1]【紺青】명 짙고 산뜻한 남빛. 또, 그 물감. 프러시언 블루(Prussian blue). 「다 타여불

감:청[2]【敢請】명 스스러움이나 어려움을 무릅쓰고 감히 청함. ──-하

감청[3]【監聽】명〖군〗보안 조처의 하나로, 유선 통신·무선 통신을 감독하기 위하여 통화 내용을 엿듣는 일. ──-하다 자타여불

감청-색【紺青色】명 감청(紺青)의 빛깔.

감:체[1]【感涕】명 깊이 감격하여 눈물을 흘림. 감읍(感泣). ──-하다 자

감:체[2]【感滯】명〖한의〗감기와 겹쳐서 든 체증. 「여불

감쳐-물다 [자] 아래위 두 입술을 서로 약간 겹치도록 마주 붙이면서 입을 꾹 다물다. ¶보기 싫게 눈살을 찌푸리며 입술을 감쳐물고 한두 걸음 가까이 나오고자 하더라≪鮮于日 : 杜鵑聲≫.

감:-초¹【―醋】[명] 감을 넣고 담근 식초.

감초²【甘草】[명] ①〔식〕[*Glycyrrhiza uralensis*] 콩과에 속하는 다년생 약용 식물. 높이 1-1.5m 정도로 잎은 우상 복엽(羽狀複葉)으로 대생하며 등(藤)잎 같음. 여름에서 가을에 걸쳐 나비 모양의 노란 꽃이 수상(穗狀)으로 핌. 지하의 포복경(匍匐莖)에 의하여 번식하며, 뿌리는 적갈색인데 맛이 달아 감미제(甘味劑)·약용으로 많이 쓰임. 중국 둥베이(東北) 지방·몽고 원산종. 세계 각지에서 약초로 재배하는데, 이 밖에 시베리아 원산의 *G. glabra* var. *glandulifera*, 스페인 원산의 *G. glabra* 등이 있음. ②〔한의〕감초의 뿌리. 비위(脾胃)를 돕고, 다른 약의 작용을 부드럽게 하므로 모든 처방(處方)에 널리 쓰임. 국로(國老). ③〔감초가 모든 약첩에 끼인다는 뜻에서〕'어떤 일에나 빠지지 않고 한몫 끼는 사람이나 사물을 얕잡아 이르는 말. ¶약방에 ~.

〈감초²〉

감초³【甘蕉】[명]〔식〕①파초(芭蕉). ②바나나.

감초 나물【甘草―】[명] 감초 순을 데쳐 무친 나물. 감초아채(甘草芽菜).

감초 석정【甘硝石精】[명]〔화〕아질산 에틸(亞窒酸 ethyle).

감초아-채【甘草芽菜】[명] 감초 나물.

감초 진:액【甘草津液】[명]〔약〕감초의 단맛을 화학적으로 뽑아 내어 졸여서 만든 약제. 감초 익스트랙트.

감:촉【感觸】[명] ①감응하여 접촉함. ②손으로 만질 때의 느낌. 촉감(觸感). ¶~이 좋다. ――-하다 [자타][여불]

감:촉 기관【感觸器官】[명]〔생〕감각기(感覺器).

감:촉-성【感觸性】[명] [thigmanasty]〔식〕물체의 접촉에 의하여 일어나는 감성(感性). 끈끈이주걱 따위의 식충(食蟲) 식물의 포충엽(捕蟲葉)의 촉사(觸糸)에서 볼 수 있음. 촉사의 끝이 다른 것에 닿으면 촉사가 잎의 중심부를 향하여 굴곡을 일으킴. *감성(感性)❸.

감추다 [타] ①숨기다. 가리거나 넣어, 보지 못하게 하다. 가무리다. ¶서랍에 ~. ②남에게 알리지 아니하다. 비밀로 하다. ¶사실을 ~.
【감출 줄은 모르고 훔칠 줄만 안다】하나는 알고 둘은 모른다는 말.

감:축¹【減縮】[명] 덜리고 줄어서 적어짐. 또, 덜고 줄여서 적게 함. ¶예산의 ~. ――-하다 [자타][여불]

감:축²【感祝】[명] ①감사하여 축하함. ②경사를 축하함. ――-하다 [타][여불]

감춘【酣春】[명] 한창 무르익은 봄.

감-춘추관사【監春秋館事】[명]〔역〕①고려 때, 춘추관의 한 벼슬. 품질(品秩)은 종일품(從一品)으로 수상(首相)이 겸임함. ②조선 시대에 좌우 의정(左右議政)이 겸무하던 춘추관의 벼슬. 품질은 정일품(正一品) [준]감관사(監館事).

감:출【減黜】[명] 벼슬을 떨어뜨려 물리침. 폄출(貶黜). ――-하다 [타][여불]

감취【酣醉】[명] 술이 한창 취함. ――-하다 [자][여불]

감치【監置】[명]〔법〕감치장(監置場)에 유치(留置)하는 일. 법원(法院)이 법정(法廷)의 질서를 어지럽힌 자에 대하여 질서벌(秩序罰)로서 과하는 제재(制裁)의 하나. ――-하다 [타][여불]

감:치다¹ [자] 잊혀지지 아니하고 늘 마음에 감돌다.

감:치다² [타] ①홑것의 바느질감의 맨 가장자리를 실올이 풀리지 아니하게 안으로 두 번 접어, 그 첫번 접은 끝과 바닥의 올과를 얕게 뜨면서 용수철 모양으로 감아 꿰매 나아가다. ¶옷단을 ~. ②두 헝겊의 가장 자리를 마주 대고 실로 감아 꿰매다.

감치-장【監置場】[명]〔법〕감치에 처해진 자를 유치(留置)하는 장소.

감:칠-맛 [명] ①음식이 입에 당기는 맛. ¶~이 나는 술. ②사물이 사람의 마음을 당기는 힘. ¶~이 나는 이야기/~이 있는 문장.

감:-칠화음【減七和音】[명]〔음〕화성 단음계(和聲短音階)의 제 7 도, 즉 음계의 제 7 음을 밑음으로 한 7 의 화음. 이 화음은 밑음과 7 음과의 음정 관계가 감 7 도 음정이 됨.

감:침-실 [명] 감침질에 쓰이는 실.

감:침-질 [명] 바늘로 감치는 일. ――-하다 [타][여불]

감:탄【感歎】[명] 감동하여 찬탄(讚歎)함. 영탄(詠嘆). ――-하다 [자][여불]

감탄 고토【甘呑苦吐】[명]〔달면 삼키고 쓰면 뱉는다는 뜻〕사리의 옳고 그름을 돌보지 아니하고, 자기 비위에 맞으면 좋아하고, 맞지 아니하면 싫어한다는 말. ――-하다 [자][여불]

감:탄 기원설【感歎起原說】[명]〔언〕언어의 기원이 감탄사에 있다고 하는 설.

감:탄-문【感歎文】[명]〔언〕말하는 이가 듣는 이를 그다지 의식하지 않거나 전혀 고려하지 않아 독백(獨白)하는 상태에서 자신의 느낌을 표현하는 문장. 감탄형 종결 어미로 문장이 종결됨.

감:탄-법【感歎法】[―뻡] [명]〔언〕종결 어미에 나타나는 서법(敍法)의 하나. 어떠한 사실에 대하여 말하는 사람이 마음속에 크게 느낀 바를 표현하는 법.

감:탄-부【感歎符】[명]〔언〕느낌표.

감:탄 부호【感歎符號】[명]〔언〕느낌표.

감:탄-사【感歎詞】[명]〔언〕①품사(品詞)의 하나. 감정의 발로(發露)나 의지(意志)의 발동(發動)을 간단히 나타내는 말. '아이구'·'야'·'자'·'허허' 등. 느낌씨. 감동사(感動詞). 간투사(間投詞). ②감탄한 나머지 발(發)하는 말. ¶~의 연발(連發).

감:탄-형【感歎形】[명]〔언〕용언(用言)과 서술격 조사 '이다'의 활용형의 하나. 감탄의 뜻을 나타내는 종결 어미 '-구나·-도다·-어라' 따위가 붙는 형임. 느낌꼴.

감탕¹ [명] ①갖풀과 송진을 끓여서 만든 풀. 새를 잡거나 나무를 붙이는 데 쓰임. ②아주 곤죽같이 된 진흙. ¶눈이 녹더니 길이 아주 ~이 되었군.

감탕²【甘湯】[명] ①엿을 고아 낸 솥을 가셔 낸 단물. ②메주를 쑤어 낸 솥에 남은 진한 물.

감탕-나무 [명]〔식〕[*Ilex integra*] 감탕나뭇과에 속하는 상록 활엽 교목. 높이 10m 가량이며 잎은 거꿀달걀꼴 또는 피침형인데 혁질(革質)이고 엽맥(葉脈)이 분명하지 아니함. 4-5월에 황록색의 꽃이 취산(聚繖) 화서로 액생(腋生)하는데 화관(花冠)은 네 갈래로 깊이 째졌음. 과실은 핵과(核果)이고 다음해 정월에 붉게 익음. 산지에 나는데, 전남·경남·경북·제주·울릉도 및 일본·대만·중국에 분포함. 정원수로 재배하며, 재목은 단단하여 도장·조각 및 세공재(細工材)로 쓰임.

〈감탕나무〉

감탕나뭇-과【―科】[명]〔식〕[Aquifoliaceae] 이판화류(離瓣花類)에 속하는 한 과. 전세계에 300여 종이 있는데, 한국에는 감탕나무·꽝꽝나무·대팻집나무·먼나무 등의 5종이 분포함.

감탕-밭 [명] 곤죽 같은 진흙 땅.

감탕-질 [명] 잠자리할 때에, 여자가 울부짖으며 몸을 음탕하게 놀리는 짓. ――-하다 [자][여불]

감태¹ [명]〔식〕[*Ecklonia cava*] 갈조류 미역과에 속하는 해조(海藻). 줄기는 원기둥 모양이며, 충분히 자란 것은 1m이상인 것도 있음. 중앙부가 좀 굵은데, 빛은 갈색이고 두꺼움. 깊은 바다에 나는데, 전복의 먹이로 중요함. 한국 남해안·제주도 및 일본에 분포함.

감태²【甘苔】[명]〔식〕김¹❶.

감태³【憨態】[명] 요염하고 어수룩한 태도.

감태-같다 [형] 머리가 까맣고 윤기가 나다.

감태기¹ [명]〈속〉감투¹.

감태기² [명]〈속〉감탕¹❷.

감태 자:반【甘苔佐飯】[명] 김자반.

감토¹ [명]〈옛〉감투¹. ¶감토(小帽)≪字會 中 22≫.

감:토²【―土】[명] ☞ 감흙.

감토-봉【甘吐峰】[명]〔지〕함경 북도 경성군(鏡城郡) 주남면(朱南面)과 명천군(明川郡) 상우북면(上雩北面) 사이에 있는 산봉우리. [1,584m]

감:통【感通】[명] 자기 생각이 상대방에게 통함. 또, 생각이나 정기(精氣) 따위가 다른 것에 통함. ¶신명(神明)에 ~하다. ――-하다 [자][여불]

감:퇴【減退】[명] 기세·체력(體力) 따위가 쇠퇴함. 줄어듦. ¶식욕 ~. ↔증진(增進). ――-하다 [자][여불]

감투¹ [명] [만주 kamtu] ①머리에 쓰는 의관의 하나. 챗불처럼 결은 말총이나 혹은 가죽·헝겊 등으로 탕건 비슷하되 턱이 없이 민틋하게 만든 것. 벼슬 아니한 평민이나 중들이 씀. 소모자(小帽子). ②↗복주감투. ③〈속〉탕건. ④〈속〉벼슬. ¶~ 싸움. ⑤〔건〕난간 기둥·대문 기둥 등의 꼭대기에 갓 모양으로 만들어 씌운 것. ⑥〔건〕간단히 만든 보주(寶珠). [주의] '甔頭'로 씀은 취음(取音).
【감투가 커도 귀가 짐작이라】헐렁헐렁한 큰 감투도 귓바퀴에서 멈출 수 있듯이, 어떤 사물의 내용을 어느 정도 자신 있게 짐작할 수 있다는 말.
감투(를) 쓰다 [구] '벼슬을 하다'를 놀림조로 이르는 말.

감:투²【敢鬪】[명] 과감하게 싸움. 감전(敢戰). ――-하다 [자][여불]

감투-거리 [명] 남자(男子)가 아래 있고 여자(女子)가 위에 엎치어 하는 성교(性交). ――-하다 [자][여불]

감투-밥 [명] 그릇 위까지 수북하게 높이 담은 밥. 고봉밥.

감투-싸움 [명] 벼슬 자리를 놓고 벌이는 다툼.

감투-장이【―匠―】[명] 감투를 만들어 파는 사람.

감투-쟁이 [명] 감투를 쓴 사람.

감투-해파리 [명]〔동〕[*Bolinopsis bolina mikado*] 감투해파릿과(科)에 속하는 강장(腔腸) 동물. 몸길이 10cm 내외이고, 몸의 밑에는 날개 모양의 돌기가 있고 몸은 감투 모양이며, 돌기의 기부에 귀 모양의 작은 돌기가 한 개씩 있음. 8개의 촉수(觸手) 중에 네 개는 길고 네 개는 짧음. 몸 겉의 섬모(纖毛)로 연안(沿岸)에서 부유(浮遊)·고착 생활을 함. *해파리.

감:-파랗다 [―라타] [형][ㅎ불] 감은 빛을 띠면서 파랗다. <검퍼렇다.

감:-파래지다 [자] 감파랗게 되다. <검퍼레지다.

감:-파르다 [형][러불] 감은 듯 파랗다. <검푸르다.

감:파르잡잡-하다 [형][여불] 파란 듯 가무잡잡하다. <검푸르접접하다.

감:파르족족-하다 [형][여불] 파란 듯 가무족족하다. <검푸르죽죽하다.

감:파-제【減波堤】[명] 파랑(波浪) 작용을 감쇠하기 위하여 설치한 둑.

감판【勘判】[명] 생각하여 판단함. ――-하다 [타][여불]

감패¹【甘霈】[명] 흡족하게 오는 감우(甘雨).

감:패²【感佩】[명] 감사하여 잊어버리지 아니함. ――-하다 [타][여불]

감:-편¹ [명] 감을 껍질을 벗기어 잘게 채쳐서 짜낸 즙(汁)에 녹말과 꿀을 치고 조리어 굳힌 떡. 시병(柿餠).

감편²【甘片】[명]〔약〕회충약의 한 가지. 흰 마늘 쪽 비슷하고 맛이 닮.

감:편³【減便】[명] 항공기·자동차 따위의 정기편(定期便)의 횟수를 줄임. ↔증편(增便). ――-하다 [타][여불]

감-편도【甘扁桃】[명]〔식〕편도(扁桃)❶.

감포【甘浦】[명]〔지〕경상 북도 경주시(慶州市)의 한 읍. 동해안에 연하여 있으며 어업과 농업이 주인데, 정어리·꽁치·멸치 등의 어획고가 높음. [9,499명(1996)]

감:-표¹【減標】[명]〔수〕뺄셈표. ↔가표(加標).

감표²【監票】[명] 투표 및 개표(開票)를 감시 감독함. ――-하다 [자][여불]

감표³【鑑票】[명] 어떤 표의 진위(眞僞)를 감정(鑑定)함. ――-하다 [타][여불]

감표 위원【監票委員】[명] 국회 등에서 의원이 행하는 투표를 감시(監視)하며 그 투표의 개표(開票) 상황을 감독하는 위원. 보통, 의장이 임명함.

감표-인【監票人】[명] 감표의 책임을 진 사람.

감풀 [명] 썰물 때에는 보이고 밀물 때에는 아니 보이는 비교적 넓고 평탄한 모래톱.

감피【柑皮】[명]〖한의〗밀감이나 감자(柑子)의 말린 껍질. 진피(陳皮)의 대용으로 쓰이며, 완하(緩下)·거담(去痰)·진해제(鎭咳劑)로 사용함.

감피-증【柑皮症】[—쯩] [명]〖의〗감귤류·호박·토마토 등 카로틴(carotin)을 다량으로 함유한 음식을 많이 먹었을 때, 피부에 카로틴이 침착하며 손바닥·발바닥이 노랗게 되는 증상. 자각증(自覺症)이나 특별한 장애는 없음.

감:필【減筆】[명] ①자획(字畫)을 생략하여 문자를 쓰는 일. ②〖미술〗형식적인 면을 극도로 생략하는 동양화의 화법의 하나. 수묵화(水墨畫)에서 발달하였으며, 남송(南宋)의 양해(梁楷)가 그 전형임.

감ᄑᆞ르다 [형]〈옛〉감파랗다. 감파르다. ¶ 눉ᄌᆞᅀᅵ 감ᄑᆞᄅᆞ며 힌ᄃᆡ 블근ᄃᆡ 조히 分明ᄒᆞ시며 ≪月釋 Ⅱ:41≫.

감:하¹【減下】[명] ①내리깎음. 줄이어 버림. ②〖역〗감원(減員). ——-하다 [타][여불]

감:하²【感荷】[명] 입은 은혜를 느끼어 감사히 여김. ——-하다 [타][여불]

감하³【瞰下】[명] 내려다봄. ——-하다 [타][여불]

감-하다¹【勘—】[타][여불] 죄 있는 사람을 처벌하여 다스리다.

감:-하다²【減—】[一][자][여불] 적어지다. 줄다. [二][타][여불] ①줄이다. 덜다. ¶ 1할을 ～. ②〖수〗↗감산하다.

감-하다³【鑑—】[타][여불] '보다'의 공대말. 웃사람께서 살펴보시다.

감:한【憾恨】[명] 원망함. ——-하다 [타][여불]

감합¹【勘合】[명]〖역〗①조선 시대에 발송할 공문서의 한 끝을 원부(原簿)에 대고 그 위에 얼러 찍은 도장. 보통, 연월일과 호수(號數)를 새김. ②조선 시대에, 외교·무역(貿易)을 목적으로 온 왜인(倭人)들의 입국(入國) 확인서. 일본의 쓰시마(對島) 도주(島主) 등 조선 조정으로부터 특허(特許)를 받은 영주(領主)가 조선이 내려준 도장(圖章)을 찍어 발급한 것. 또, 그것을 확인하는 일. ——-하다 [타][여불]

감합²【嵌合】[명]〖기〗축(軸)과 베어링의 경우처럼, 기계의 여러 부분이 서로 맞물리는 일. ——-하다 [자][여불]

감합 무:역【勘合貿易】[명]〖역〗조선 시대에, 일본·여진(女眞) 등과 벌인 무역의 한 형태. 조선 정부가 미리 발급한 입국 확인 표찰(表札) 곧 감합(勘合)을 지참시켜서 왜구(倭寇)나 사인(私人)의 사무역(私貿易)을 막음.

감합-부【勘合符】[명]〖역〗조선 시대에, 일본 사신(使臣)에게 지참시킨 입국 확인 표찰(表札). 구리나 상아제(象牙製)의 표찰에 '통신부(通信符)' 또는 '조선 통신(朝鮮通信)' 등의 문자를 새긴 다음, 중앙을 쪼개어 좌측은 조선에서 보관하고 우측은 일본에 발급함.

감합-선【勘合船】[명]〖역〗조선 시대에, 조선 정부에서 인정하는 감합(勘合)을 가지고 온 일본인들의 공식 무역선(貿易船).

감항 능력【堪航能力】[—녁] [명]〖해〗선박이 안전한 방법으로 항해하기 위하여 필요한 인적·물적 준비를 정비하고 있는 능력.

감:해-국【感奚國】[명]〖역〗삼한(三韓) 때, 전라 북도 익산군(益山郡) 함열읍(咸悅邑)에 있었던 작은 나라. 마한(馬韓)에 속하였음.

감:해비리-국【感奚卑離國】[명]〖역〗삼한(三韓) 때, 충청 남도 홍성군(洪城郡) 금마천(金馬川) 유역에 있었던 작은 나라. 마한(馬韓)에 속하였음.

감:행【敢行】[명] 과감하게 행함. 용감하게 행함. 감위(敢爲). ——-하다 [타][여불]

감향-주【甘香酒】[명] 감미와 향기가 있는 재료를 넣어서 만든 술.

감:형【減刑】[명] ①형벌을 가볍게 함. ②〖법〗대통령의 사면권(赦免權)에 의거해서 일정한 범죄인의 확정된 형의 일부를 감함. ——-하다 [자][타][여불]

감:호¹【減號】[명]〖수〗뺄셈표. ↔가호(加號).

감호²【監護】[명] 감독하여 보호함. ——-하다 [타][여불]

감-호³【鑑湖】[명]〖지〗강원도 고성군(高城郡)에 있는 호수. 소규모의 석호(潟湖)임. [0.304 km²]

감호 영장【監護令狀】[—짱] [명]〖법〗사회 보호법 상의 보호 대상자에 대하여 감호 처분을 할 필요가 있다고 인정될 때 발부되는 영장.

감호-자【監護者】[명] 감시하고 보호하는 사람.

감호 조치【監護措置】[명]〖법〗소년 사건을 조사·심판할 때까지 그 소년을 보호자·학교장·병원·소년 감별소 등에 위탁·보호하는 일.

감홍【甘汞】[명]〖약〗'염화 제일 수은(鹽化第一水銀)'의 약학상(藥學上)의 속칭. 백색의 가루로 물에 잘 녹지 아니함. 하제(下劑)·이뇨제(利尿劑) 또는 피부병 약으로 씀. 칼로멜(calomel). *경분(輕粉).

감홍 난자【酣紅爛紫】[명] 울긋불긋 가을 단풍이 한창인 모양.

감홍-로【甘紅露】[—노] [명] ①지치 뿌리를 꽂고 꿀을 넣어서 받은, 빛이 붉고 맛이 단 평양 특산의 소주. ②소주에 누룩·계피(桂皮)·용안(龍眼)의 열매·진피(陳皮)·방풍(防風)·정향(丁香) 등을 넣어서 우린 술.

감홍 전:극【甘汞電極】[명]〖전〗칼로멜(calomel) 전극.

감홍-주【甘紅酒】[명] 감홍로(甘紅露).

감:화¹【感化】[명] ①강제(強制)하지 아니하고 자연스럽게 영향을 주어 마음이 변하게 함. ②다른 사물의 영향을 받아 마음이 변함. ——-하다 [자][타][여불]

감:화²【鹼化】[명]〖화〗'비누화(化)'의 구용어.

감:화-가【鹼化價】[—까] [명]〖화〗'비누화값'의 구용어.

감:화 교:육【感化教育】[명]〖교〗불량 행위를 하였거나 또는 그럴 우려가 있는 소년 소녀를 특별한 시설에 수용하여 감화시키는 보호 교육.

감화 능력【堪貨能力】[—녁] [명]〖법〗선창(船倉)·냉장실, 기타 운송물을 적재한 선박의 부분이 운송물의 수령·운송·보존을 적합하게 수행할 수 있는 능력.

감:화 당량【鹼化當量】[—냥] [명]〖화〗'비누화 당량'의 구용어.

감:화-력【感化力】[명] 감화시키는 힘.

감화문-기【嵌花文器】[명]〖공〗그림을 파고 새겨 만든 도자기.

감화-보금 [명] 농어나 숭어 같은 생선의 살을 난도하여 펴서 그 위에 양념한 채소를 놓고 말아 쪄서 가로 토막토막 썰어 놓은 음식. 취음: 감화부(甘花富). *가보.

감화부【甘花富】[명] '감화보금'의 취음.

감화 분청【嵌花粉靑】[명]〖공〗조선 시대의 분청 자기(磁器)의 하나. 태토(胎土)가 마르기 전에 무늬를 조각하여 백토를 메워서 구워냄.

감:화 사:업【感化事業】[명] 사회 사업의 하나. 범죄 행위나 불량 행위를 했거나 그럴 우려가 있는 소년 소녀를, 그 환경을 바꿔 주고 보호 교육하여 감화에 의해서 착한 사람이 되도록 하는 교도(敎導) 사업.

감:화-원【感化院】[명]〖법〗보호 처분을 받은 비행(非行) 소년이나 비행 소녀를 수용하여, 감화·선도(善導)하기 위한 시설(施設). 우리 나라는 소년원(少年院)·교호 시설(敎護施設) 등이 이에 해당됨.

감:환【感患】[명] '감기'를 높이어 이르는 말.

감:회¹【感懷】[명] ①마음에 느낀 생각과 회포(懷抱). 감상(感想)과 회포. ¶ ～가 깊다. ②↗감구지회(感舊之懷).

감:회²【憾悔】[명] 한하고 뉘우침. ——-하다 [타][여불]

감:회-가【感懷歌】[명]〖문〗작자·제작 연대 미상의 규방(閨房) 가사의 하나. 남편이 죽어 혼자 몸으로 회갑을 당하매, 죽은 남편 생각이 더욱 간절하나 모든 것을 잊고 여생을 보내겠다는 심회를 읊음.

감:획【減畫】[명] 글씨의 획수를 줄임. ——-하다 [타][여불]

감후【監候】[명]〖역〗고려 초기에 태사국(太史局)의 종구품 벼슬로, 기후(氣候)에 관한 사무를 맡음. 그 후 서운관(書雲觀)에 속하여 정구품이 됨.

감:-흙 [—흑] [명]〖광〗사금광(砂金鑛)에서 파낸, 사금이 섞인 흙. [준]감.

감흥¹【酣興】[명] ①주흥(酒興). ②매우 즐김. 절정에 이른 감흥(感興).

감:흥²【感興】[명] 마음에 깊이 감동되어 일어나는 흥취. ¶ ～이 일다/～을 자아내다. ——-하다 [형][자][여불]

감:희【感喜】[—히] [명] ①고맙고 기쁨. ②고맙게 생각하여 기뻐함. ——-하다

감:-히【敢—】[부] 〔←감연(敢然)히〕①죄송함을 무릅쓰고. 주제넘게. ¶ ～ 부탁 드리는 바. ②두려움을 무릅쓰고. 두려움 없이. ¶ ～ 누구의 말을 거역하느냐.

값돌다 [자]〈옛〉감돌다. =감똘다. ¶ 奇特히 너기ᅀᆞᄫᅡ 무수믈 니르와다 百千 디위 값도ᅀᆞᆸ고 ≪月釋 Ⅹ:45≫.

갑¹【甲】[명] ①차례·등급의 첫째. ②〖민〗천간(天干)의 첫째. ③〖민〗↗갑방(甲方). ④〖민〗↗갑시(甲時). ⑤두 개 이상의 사물(事物)이 있을 때 그 하나의 이름 대신에 쓰는 말. ¶ ～이라는 사람이 있다면. *을(乙)·병(丙). ⑥〖동〗갑각(甲殼). 패갑(貝甲). ⑦검도에서, 호구(護具)의 하나. 동체를 보호하기 위하여 갑옷처럼 씀. ⑧〈옛〉갑옷. ¶ 갑 갑(甲), 갑개(鎧) ≪字會 中 28≫. ⑨〈이두〉겹.

갑²【匣】[一][명] ①작은 상자. ¶ 담뱃～. ②〖공〗주배(做坏)된 도자기를 구울 때 담는 큰 그릇. [二][의명] 작은 상자를 세는 단위. ¶ 양초 세 ～.

갑³【岬】[명]〖지〗바다 또는 호수로 뾰족하게 내민 육지(陸地)의 끝. 반도(半島)의 작은 것. 갑각(岬角). 지각(地角). 지취(地嘴). *-곶.

갑가【甲家】[명] 문벌이 높은 집안.

갑각¹【甲殼】[명]〖동〗게·새우 등 갑각류(甲殼類)의 몸의 표면을 싸고 있는 딱딱한 딱지. 키틴질(chitin質)의 두꺼운 각피(角皮)에 다량의 석회분(石灰分)이 포함되어 단단하게 된 것으로, 내부를 보호함. 갑(甲).

갑각²【岬角】[명]〖지〗갑(岬).

갑각-류【甲殼類】[—뉴] [명]〖동〗[Crustacea] 절지(節肢) 동물에 속하는 한 강(綱). 대개는 물 속에서 살며, 딱딱한 석회질(石灰質)의 딱지로 덮였음. 머리와 흉부(胸部)가 아물어 붙어서 한 개의 두흉부(頭胸部)를 이루고, 두 개의 촉각(觸角)과 복안을 가졌음. 유생(幼生)은 '노플리우스(nauplius)'라고 함. 물고기진드기·조개삿갓·갯강구·거북다리·굴등·쥐며느리·게·가재·새우 등이 이에 속하는데, 절갑류(切甲類)·연갑류(軟甲類)의 두 아강(亞綱)으로 구분함. 요각목(橈脚目)·만각목(蔓脚目)은 전자(前者), 십각목(十脚目)·등각목(等脚目)·열각목(裂脚目) 등이 후자(後者)에 속함. 개갑류(介甲類).

갑각-소【甲殼素】[명]〖생〗키틴(chitin).

갑각-질【甲殼質】[명]〖생〗키틴질(chitin質)

갑갑궁금-하다 [형][여불] 매우 갑갑하고 궁금하다.

갑갑-증【—症】[명] 갑갑한 증세. 갑갑히 여기는 마음.

갑갑-하다 [형][여불] 〔근대: 갑갑ᄒᆞ다〕①훤히 트이거나 너르게 퍼지지 않아 옹색하고 답답하다. ¶ 이 집은 앞이 막혀 ～. ②너무 더디거나 지루하여 견디기에 지겹다. ③가슴이나 배가 괴어서 무지근한 느낌이 있다. ¶ 먹은 게 체했는지 속이 ～. ④너무 어리석어서 납득(納得)시키는 데 질력이 나다. ¶ 말귀를 못 알아듣다니 참으로 갑갑한 친구로군. 갑갑-히 [부]

【갑갑한 놈이 송사(訟事)한다】제게 필요해야 움직인다는 말.

갑-계【甲契】[명] ①↗동갑계(同甲契). ②사찰에 거주하는 동갑 또는 비슷한 나이의 승려들이 친목과 사원 보수 등을 목적으로 조직하던 계. 조선 중엽부터 성행하다가 1940 년대까지 존속되었음. [주의] ❷는 '甲稧'로도 씀.

갑골【胛骨】[명]〖생〗↗견갑골(肩胛骨).

갑골-문【甲骨文】[명] 갑골 문자.

갑골 문자【甲骨文字】[—짜] [명]〖문〗귀갑(龜甲)과 짐승의 뼈에 새긴, 중국 고대의 상형 문자. 중국 문자의 시초이며, 점복(占卜)의 기록을 새긴 것으로, 허난성(河南省) 은허(殷墟)에서 많이 발견되었음. 은허(殷墟) 문자. 갑골문(甲骨文).

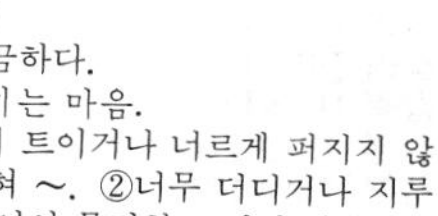

〈갑골 문자〉

갑골-학【甲骨學】[명] 중국 은(殷)나라 때에, 복사(卜辭)로 사용하던 귀갑 우골(龜甲牛骨)에 새겨진 문자, 곧 갑골 문자를 연구하는 학문.

갑-곶 【甲串】 명 〖지〗 인천 광역시 강화군 강화읍 갑곶리에 있는 어촌. 이 곳에서 김포로 들어가는 갑곶 나루에는 1679년 외침 방어용으로 축조된 돈대(墩臺)인 갑곶돈(墩)과 1875년에 축조된 갑곶 포대(砲臺)가 있었음.

갑과 【甲科】 명 〖역〗 조선 시대의 과거(科擧)에서 제일등급의 성적 차례. 첫째의 장원(壯元), 둘째의 방안(榜眼), 셋째의 탐화(探花)의 세 사람이 이에 속함. ＊을과(乙科)·병과(丙科).

갑관 【甲觀】 명 〖역〗 '세자 시강원(世子侍講院)'의 별칭.

갑근-세 【甲勤稅】 명 ↗갑종 근로 소득세.

갑-기금 【甲基金】 명 (Capital A) 〖경〗 외국 은행 국내 지점이 본점으로부터 자본금 성격으로 들여오는 영업 기금.

갑기 야:반 생갑자 【甲己夜半生甲子】 명 〖민〗 일진(日辰)의 천간(天干)이 갑(甲)이나 기(己)인 날의 첫 시(時)는 갑자시(甲子時)로 시작된다는 말.

갑기지년 병:인두 【甲己之年丙寅頭】 명 〖민〗 태세(太歲)의 천간(天干)이 갑(甲)이나 기(己)인 해는 정월의 월건(月建)이 병인(丙寅)이라는 말.

갑남 을녀 【甲男乙女】 [—려] 명 갑이란 남자와 을이란 여자의 뜻으로, 신분도 없고 이름도 알려지지 아니한 평범한 사람들.

갑년 【甲年】 명 예순한 살 되는 해. 환갑(還甲)의 해.

갑노다 형 〈옛〉 값이 비싸다. ¶ 갑노다(價貴)《同文 下 27》. ＊노다.

갑다 타 〈옛〉 갚다.¶ 하늘히 나를 브려 빋 갑게 ᄒᆞ시니라《三綱 孝子 11》/ 이러케 귀흔 ᄉ랑을 견신으로 갑하보세《찬양가 : 제 32》.

-갑다 미 〈옛〉 형용사를 만드는 접미사. ¶ 東山이 甚히 맛갑다《釋譜 Ⅵ:24》.

갑대기 명 〈방〉 대님(경북).

갑댕이 명 〈방〉 대님(경남).

갑두-어 【甲頭魚】 명 〖어〗 성대.

갑등기 명 〈방〉 대님(경북).

갑론 을박 【甲論乙駁】 [—논—] 명 서로 논박(論駁)함. ——-하다 자 여불

갑류 농지세 【甲類農地稅】 [—뉴—] 명 〖법〗 농지세의 하나. 보통 작물을 재배 생산하는 농지에 대하여, 그 농지의 기준 수확을 과세 표준으로 하여 부과함. ＊을류(乙類) 농지세.

갑리 【甲利】 [—니] 명 갑변(甲邊).

갑문 【閘門】 명 〖토〗 ①운하·방수로(放水路) 등에서 수면을 일정하게 하기 위한 수량(水量) 조절용의 물문. ②선박을 고저(高低)의 차가 큰 수면으로 오르내리게 하는 장치. 배를 들이는 갑실(閘室)이 있고 그 전후에는 여닫을 수 있는 문이 있어, 한쪽을 열고 물과 함께 배를 갑실 안으로 들인 다음, 문을 닫아 배를 다른쪽의 수위와 같게 만들어 놓고 운항(運航)하게 함. 물문. 수갑(水閘).

갑문-비 【閘門扉】 명 갑문의 갑실(閘室)의 전후에 설치하는 물문.

갑문식 독 【閘門式—】 (dock) 명 만조(滿潮)를 이용하여 선박을 출입·정박시키기 위해서 독의 입구에 갑문(閘門)을 설치하여 선거 안의 수면을 항상 일정한 수위로 유지하는 계선(繫船) 독. 갑선거(閘船渠).

갑문식 운하 【閘門式運河】 명 운하로 연결하는 두 수면에 고저의 차가 있거나 도중에 고지(高地)가 있어 수평 운하를 파기 어려울 때 건설되는 운하. 수위(水位)를 조절하는 갑문(閘門)을 설치하여 운하를 많은 갑실(閘室)로 구분, 이웃한 갑실을 같은 수위로 조절하여 배를 운항하게 함. 파나마 운하 따위. 유문식(有門式) 운하.

갑문-항 【閘門港】 명 갑문 시설이 되어 있는 항구.

갑반[1] 【甲班】 명 일류의 양반. 으뜸가는 가문(家門). 갑족(甲族).

갑반[2] 【甲盤】 명 품질(品質)이 썩 좋은 소반(小盤).

갑방[1] 【甲方】 명 〖민〗 이십사 방위(二十四方位)의 하나. 정동(正東)에서 북쪽으로 15° 되는 방위를 중심으로 한 15° 각도 안의 방위. 준 갑(甲).

갑방[2] 【甲坊】 명 〖역〗 고려 때 동경(東京), 곧 지금의 경주(慶州)에 능라(綾羅)를 저장하던 창고(倉庫).

갑배 【褙褙】 명 배접(褙接)한 종이로 바름. ——-하다 타 여불

갑번[1] 【甲番】 명 〖역〗 두 편이 번갈아 하는 일의 먼저 맡은 번. ↔을번(乙番).

갑번[2] 【甲燔】 명 옛날에 왕실(王室)에 바치려고 구운 도자기(陶瓷器). 품질이 특제(特製) 다음감.

갑변 【甲邊】 명 곱쳐서 받는 이자. 갑리(甲利).

갑병 【甲兵】 명 갑옷 입은 병사(兵士). 갑졸(甲卒). 갑사(甲士).

갑봉 【甲俸】 명 변리를 갑변(甲邊)으로 쳐서 받는 일.

갑부[1] 【甲部】 명 경부(經部).

갑부[2] 【甲富】 명 첫째 가는 부자. 일부(一富). 수부(首富). ¶장안의 ～.

갑부[3] 【閘夫】 명 수문(水門)의 개폐(開閉)를 맡아 보는 사람.

갑쇠오다 자 타 〈옛〉 값하다. 값을 다투다. ¶ 네 간대로 값쇠오디 말라(你休胡討價錢)《老乞 下 54》.

갑사[1] 【甲士】 명 ①갑병(甲兵). ②〖역〗 조선 시대에 각 고을에서 서울에 올라와 숙위(宿衛)하던 군사.

갑-사[2] 【甲寺】 명 〖불교〗 충청 남도 공주시(公州市) 계룡산(鷄龍山)에 있는 마곡사(麻谷寺)의 말사(末寺). 백제 구이신왕(久爾辛王) 원년(420)에 고구려의 아도 화상(阿道和尙)이 창건하여, 신라 진흥왕(眞興王) 17년(556)에 혜명 대사(惠明大師)가 중건(重建), 그 후 의상(義湘)이 도량(道場)을 설치하여 법당(法堂)을 증수(增修)하여 규모가 커졌음. 경내(境內)에는 부도(浮屠)·철당간 지주(鐵幢竿支柱) 등의 국보와 군자대(君子臺)·용문폭(龍門瀑) 등의 명승이 있고, 가을 단풍의 관광지임. 사보(寺寶)로는 천근 범종(千斤梵鐘)과 《월인 천강지곡(月印千江之曲)》 목각판(木刻板) 등이 있음.

갑사[3] 【甲紗】 명 품질이 좋은 사(紗).

갑사 댕기 【甲紗—】 명 갑사로 만든 댕기.

갑삭:-하다 형 〈방〉 갭직하다(평안).

갑산 【甲山】 명 〖지〗 함경 남도 갑산군(甲山郡)의 군청 소재지. 개마 고원(蓋馬高原)의 중심부로 교통이 불편하며, 바다에서 멀리 떨어져 있어서 이 지방 특유의 풍토병(風土病)이 있음.

갑산-군 【甲山郡】 명 〖지〗 함경 남도의 한 군. 관내 5면(面). 북은 혜산군(惠山郡), 남은 풍산군(豐山郡), 서는 삼수군(三水郡) 동은 단천군(端川郡)과 함경 북도의 길주군(吉州郡)에 각각 접했음. 농산·수산·공산·축산·임산이 있으며, 동인보(同仁堡)·운총보(雲寵堡)·진동보(鎭東堡)·간의대(諫義臺)·여진성(女眞城) 등의 명승 고적이 있음. 군청(郡廳) 소재지는 갑산(甲山). [3,755 km²]

갑산 돈피 【甲山敦皮】 명 갑산군(甲山郡)에서 나는 돈피.

갑산 장진 고원 【甲山長津高原】 명 〖지〗 함경 남도의 갑산·삼수(三水)·풍산(豐山)·장진군과 신흥군(新興郡)의 북부 지방을 포함한 지역. 지질은 동부의 현무암 지층을 제외하면 대체로 화강 편마암으로 구성되어 있음. 고원 자체는 경사가 완만한 구릉 지대이나 산림으로 덮여 있어 예로부터 화전(火田) 경작지를 이루고 있음. 평균 고도는 1,200 m.

갑산-제비꽃 【甲山—】 명 〖식〗 [*Viola kapsanensis*] 제비꽃과에 속하는 다년초. 무경성(無莖性)으로 높이 60 cm 내외이며, 잎은 뿌리에서 총생(叢生)하는데 심장 모양의 달걀꼴임. 5월에 잎사귀에 여러 줄기의 가는 화경(花梗)이 나와 그 끝에 백색 대형의 좌우 상칭화(左右相稱花)가 피고, 과실은 삭과(蒴果)임. 산지에 나는데, 경기 및 함남의 갑산 등지에 분포함.

갑-삼팔 【甲三八】 명 품질이 썩 좋은 삼팔주(三八紬).

갑상[1] 【甲狀】 명 갑옷과 같은 형상.

갑상[2] 【甲裳】 명 검도에서 허리와 복부를 보호하는 호구(護具). 드림.

갑상-선 【甲狀腺】 명 (thyroid gland) 〖생〗 척추(脊椎) 동물의 후두(喉頭)의 앞에서 아래쪽으로 뻗치어 기관(氣管)의 위쪽까지 닿은 내분비선(內分泌腺). 황적색을 띠고 모양은 말굽처럼 생겼음. 티록신(thyroxine)이란 갑상선 호르몬을 분비하여 체내의 물질 대사(物質代謝)를 높이며, 그 결과 신체의 성숙(成熟)을 촉진함. 목밑샘.

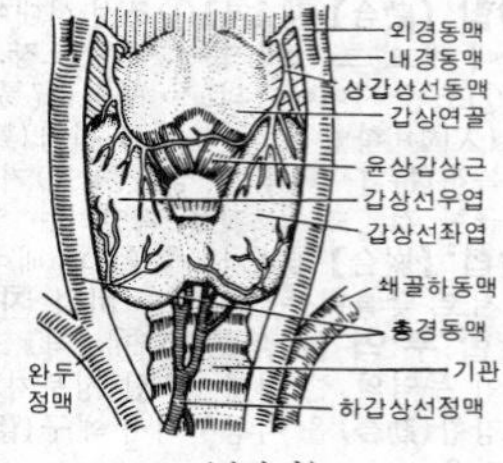

〈갑상선〉

갑상선 기능 부전 【甲狀腺機能不全】 명 〖의〗 갑상선 기능 저하증.

갑상선 기능 저:하증 【甲狀腺機能低下症】 [—쯩] 명 〖의〗 갑상선 호르몬의 과소증(過少症). 신체 발육이나 정신 발달이 유아(幼兒) 상태에 머무르며 특유한 얼굴 표정을 함. 선천성(先天性) 또는 어려서 증세가 나타나면 크레틴(cretin)병, 어른이 되어 증세가 나타나면 점액 수종(粘液水腫)이 됨. 갑상선 기능 부전.

갑상선 기능 항:진증 【甲狀腺機能亢進症】 [—쯩] 명 〖의〗 갑상선 호르몬의 분비 과잉(分泌過剩)에 의한 병. 동계(動悸)가 심하고, 손가락 끝이 떨리며, 땀이 많이 나고, 여위며 눈알이 튀어나오고 갑상선이 붓는 등의 증상을 나타냄. 바제도병(Basedow病)이 대표적.

갑상선성 정신 이:상 【甲狀腺性精神異常】 [—썽—] 명 〖의〗 갑상선의 기능(機能) 이상으로 말미암아 발생하는 정신 이상의 총칭. 바제도병·점액 수종(粘液水腫) 따위에서 볼 수 있음.

갑상선-암 【甲狀腺癌】 명 〖의〗 50대의 여성에게 흔히 나타나는 갑상선의 암종(癌腫). 폐·뼈·간(肝) 등에 전이(轉移)하기 쉬움.

갑상선-염 【甲狀腺炎】 [—념] 명 〖의〗 후두(喉頭)·상부 기도(上部氣道)의 감염에 의하여 발생하는 갑상선의 염증.

갑상선 자:극 호르몬 【甲狀腺刺戟—】 명 (thyrotropic hormone) 〖생〗 뇌하수체 전엽(前葉)에서 분비되는 호르몬의 하나. 갑상선의 성숙(成熟)과 그 호르몬의 분비를 촉진함.

갑상선-종 【甲狀腺腫】 명 〖의〗 갑상선이 붓는 병의 일반적인 호칭.

갑상선 중독증 【甲狀腺中毒症】 명 〖의〗 갑상선 내분비(內分泌)의 항진(亢進)에 의하여 생기는 중독 상태. 원인은 대개 불명인데 임신(姙娠)·폐경(閉經)·정신 감동(感動)·갑상선 종양 초기 등이 유인(誘因)이 될 수 있으며, 갑상선종(腫)·안구 돌출(眼球突出)·심계 항진(心悸亢進)·신진대사의 항진·수전증·월경 이상·성욕 감퇴 등의 증상을 나타냄.

갑상선 호르몬 【甲狀腺—】 명 (thyroid hormone) 〖의〗 갑상선에서 분비되는 호르몬. 요오드(Jod)를 포함하는 아미노산의 일종으로, 본체(本體)는 티록신(thyroxin)이라 불림. 갑상선 내에서는 거대(巨大) 단백질 분자로서 존재하며, 혈액 속으로 방출될 때 요오드 아미노산에 가수(加水) 분해됨. 갑상선 자극 호르몬에 의하여 기능이 촉진되고, 단백질·물의 대사(代謝)를 비롯하여 신체의 기초 대사를 조절하여 발육을 촉진시킴. 결핍되면 크레틴병(cretin病)·점액 수종이 되고, 과잉하면 바제도병이 됨.

갑상 설골막 【甲狀舌骨膜】 명 〖생〗 갑상 연골(甲狀軟骨)의 위쪽과 설골(舌骨)에 연결된 막(膜).

갑상 연:골 【甲狀軟骨】 [—년—] 명 〖생〗 후두(喉頭)의 앞면과 좌우를 둘러싼 넓적하고 모진 연골. 후두 연골 가운데 가장 크며, 아래 끝에서 환상(環狀) 연골과 관절(關節)을 이룸.

갑상 파:열 인대 【甲狀破裂靭帶】 명 〖생〗 갑상 연골(甲狀軟骨)과 환상 연골(環狀軟骨)과의 사이에 있는 힘줄. 소리를 내는 기관의 하나.

갑-생초 【甲生綃】 명 곡생초(曲生綃).

갑석 【—石】 명 돌 위에 다시 포개어 얹는 납작한 돌.

갑술 【甲戌】 명 〖민〗 육십 갑자(六十甲子)의 열한째.

【갑술 병정(甲戌丙丁) 흉년인가】 병자 호란(丙子胡亂)을 전후해서 갑술년과 병자년, 정축년에 매우 심한 흉년이 들었으므로, 전해 내려오는 말.

갑술 옥사 【甲戌獄事】 명 〖역〗 갑술 환국.

갑술 환:국【甲戌換局】명〖역〗 조선 19대 숙종 20년(1694)에, 기사환국(己巳換局) 후 실각하였던 소론(少論)의 김춘택(金春澤)·한중혁(韓重爀) 등이 중심이 되어 폐비 복위(廢妃復位) 운동을 일으켰을 때, 이를 계기로 남인(南人)인 민암(閔黯) 등이 소론을 제거하려다 실패하여 화를 당한 사건. 민암은 사사(賜死)되고 기타 남인들이 유배되었으며, 소론이 대거 기용되고, 왕비 장씨(張氏)가 다시 희빈(禧嬪)으로 격하된 반면, 인현 왕후가 복위되었음. 이 사건을 계기로 소론이 집권하여 노소(老少)의 쟁론(爭論)이 시작되었음. 갑술 옥사. *기사 환국(己巳換局).

갑-시【甲時】명〖민〗이십사시(二十四時)의 여섯째 시. 곧, 오전 4시 반부터 5시 반까지의 동안. 준갑(甲).

갑시다 자 물이나 바람 등이 갑자기 목구멍으로 들어갈 때 숨이 막히다.

갑신【甲申】명〖민〗육십 갑자(六十甲子)의 스물 한째.

갑신 시월지변【甲申十月之變】명〖역〗갑신 정변.

갑신 정변【甲申政變】명〖역〗 조선 고종(高宗) 21년(1884) 음력 시월에 김옥균(金玉均)·박영효(朴泳孝)·홍영식(洪英植) 등의 개화당(開化黨)이 사대당(事大黨)인 민씨(閔氏) 일파를 물리치고 혁신 정부를 세우기 위하여 일으킨 정변. 거사(擧事) 이틀 후에, 사대당과 청병(淸兵)의 반격(反擊)을 받아 실패로 돌아감. 이 뒤에, 청·일(淸日) 양국 사이의 톈진 조약(天津條約)으로 청·일 양군(兩軍)의 철병(撤兵)과 이후의 출병(出兵)에는 통고(通告)할 것이 규정되었음. 갑신 시월지변.

갑야【甲夜】명 '초경(初更)'을 오야(五夜)의 하나로 일컫는 말. 오후 7시부터 9시까지.

갑연【甲宴】명 ↗회갑연(回甲宴).

갑엽【甲葉】명 갑옷 미늘.

갑오【甲午】명〖민〗육십 갑자(六十甲子)의 서른한째.

갑오 개:혁【甲午改革】명〖역〗 조선 고종(高宗) 31년(1894 갑오년(甲午年)에, 그때까지의 옛날식인 정치 제도를 서양의 법식을 본받아 고친 일. 개화파(開化派)의 김홍집(金弘集) 등이 민씨(閔氏) 일파의 사대(事大) 세력을 물리치고 대원군을 불러들여 어전 회의를 열고 신정(新政)의 유서(諭書)를 발포하였음. 갑오 혁신. 갑오 경장.

갑오 경:장【甲午更張】명〖역〗 갑오 개혁.

갑오 망조【甲午亡兆】[—쪼] 명 일본의 무력에 의존하여 추진된 '갑오 경장'을 장차 나라가 망하게 될 징조라는 뜻으로 쓰던 말.

갑-오징어【甲—】명〖동〗[*Sepia esculenta*] 오징어과의 연체(軟體) 동물의 하나. 넓은 타원형의 동부(胴部)의 길이는 18cm, 다리는 9cm 가량이고, 몸빛은 아름다우며, 몸통 배면(背面)은 밤색의 가로 줄무늬가 많고, 지느러미 사이에 은색 줄이 있으며, 다리는 담적색과 담녹색임. 특히 동부(胴部) 속에 뼈처럼 된 석회질(石灰質)의 물질이 들어 있는데, 주형(舟形)이고, 후단(後端)에 작은 가시가 한 개 있음. 4-7월에 바다 속의 해조(海藻) 등에 알을 낳음. 도망칠 때는 먹물을 뿜음. 한국·일본·오스트레일리아 북부까지 널리 분포함. 식용하고 석회질 뼈는 약재로 씀. 뼈오징어.

〈갑오징어〉

갑오 혁신【甲午革新】명〖역〗갑오 개혁(甲午改革).

갑옷【甲—】명 싸움할 때 입던 옷. 화살이나 창검(槍劍)을 막기 위하여, 쇠나 가죽의 미늘을 붙이었음. 원시 시대부터 있었으나 주(周)나라 때는 가죽으로, 한(漢) 이후는 쇠로 만들었음. 우리 나라의 조선 시대에는 경번갑(鏡幡甲)·쇄자갑(鎖子甲)·수은갑(水銀甲)·유엽갑(柳葉甲)·지갑(紙甲)·피갑(皮甲) 등의 여러 가지가 있었는데, 머리에 쓰는 투구 '발(鉢)'과 목과 등의 위쪽을 엄호하는 '아(錏)'의 두 부분이 주요부임. 여러 가지 무늬를 새기며 비단으로 겉을 장식함. 갑의(甲衣). 개갑(介甲). *투구·주·혁갑(革甲).

〈갑옷〉

갑옷린을 명〈옛〉갑옷 미늘. ¶ 갑옷린을 (甲葉) ≪漢清文鑑 V:3≫.

갑옷 미늘【甲—】명 갑옷에 단 비늘잎 모양의 가죽 조각이나 쇳조각. 갑엽(甲葉). 찰(札). 준미늘.

갑옷 투구【甲—】명 갑옷과 투구. 갑주(甲冑). 갑주(甲冑) 투구.

갑옷-해면【甲—海綿】명〖동〗[*Discodermia calyx*] 테트라클라디과(科)에 속하는 해면(海綿) 동물. 몸은 높이 88mm, 직경 69mm 가량의 관상(管狀)이고, 하부(下部)의 자루는 짧고 그 끝이 암초(岩礁)에 부착함. 아카스타(Acasta)의 기생에 의하여 외면에 기형적 돌기(突起)가 있음. 연안(沿岸) 55-110m의 깊이에 서식하는데, 한국에도 분포함.

〈갑옷해면〉

갑-을【甲乙】명 ①십간(十干)의 갑과 을. ②사물의 순서를 일컫는말. 곧, 첫째와 둘째. ③뛰어난 것과 뒤진 것. ④이름을 들 필요가 없거나 또는 이름이 확실하지 아니한 사물을 열거(列擧)할 때에 쓰는 말. ¶ ～ 두 사람. ⑤〖책〗↗갑을경(甲乙經).

갑을-경【甲乙經】명〖책〗중국 진(晉)나라 황보밀(皇甫謐)이 지은 의서(醫書). 침구(鍼灸)의 법을 상론(詳論)함. 8권 180편. 준갑을.

갑을-록【甲乙錄】명〖책〗 조선 숙종 10년(1684) 갑자년(甲子年)부터 11년 을축년(乙丑年) 사이에 일어난 당쟁(黨爭)에 관하여 쓴 책. 작자 미상이며, 모두 5권 5책의 사본(寫本)임.

갑을-번【甲乙番】명〖역〗갑번(甲番)과 을번(乙番).

갑의【甲衣】[—/—이] 명 갑옷.

갑-이별【—離別】[—니—] 명 서로 사랑하다가 갑자기 하는 이별(離別). ——하다 자타여불

갑인【甲寅】명〖민〗육십 갑자(六十甲子)의 쉰한째.

【갑인년 흉년에도 먹다 남은 것이 물이다】㉠아무리 흉년이라도 물마저 말라 버리는 일은 없다는 말. ㉡물 한 모금도 얻어먹기 어려운 경우에 쓰는 말.

갑인-자【甲寅字】명 조선 세종(世宗) 16년(1434) 갑인년에 왕명(王命)을 받들어 만든 구리 활자. 경자년에 만들었던 것보다 더 훌륭하며, 명(明)나라 초기 판본(板本)인 ≪위선음즐(爲善陰騭)≫의 글자를 모방했다 함. 자체(字體)의 크기는 대자(大字)가 약 1.4cm^2. 위부인자(衛夫人字).

갑일【甲日】명 환갑날.

갑자【甲子】명〖민〗육십 갑자(六十甲子)의 첫째.

갑자기 부 별안간. 생각할 사이도 없이 급히. ¶ 손님이 ～ 들이닥치다. <급자기.

갑자-꼬리 명〈방〉갑잡골.

갑자 사:화【甲子士禍】명〖역〗 조선 연산군 10년(1504) 갑자년에, 폐위(廢位)된 연산군의 어머니 윤씨(尹氏)의 복위(復位) 문제를 둘러싸고 일어난 사화. 생모 윤씨(尹氏)가 폐위 사사(廢位賜死)된 사실을 알고 격노(激怒)한 연산군이 성종(成宗)의 후궁들과 왕자를 죽이고, 윤씨의 복위에 반대한 권달수(權達守) 등을 죽이는 한편, 윤씨 폐위에 찬성했던 윤필상(尹弼商)·이극균(李克均)·김굉필(金宏弼) 등 십여 명의 제신(諸臣)들을 유배(流配) 사사하였으며, 이미 죽은 한명회(韓明澮)·정창손(鄭昌孫)·정여창(鄭汝昌)·남효온(南孝溫) 등은 부관 참시(剖棺斬屍)를 하였음. 이로 인하여, 성종 때 양성된 많은 학자들이 화를 입었으며, 학계(學界)는 침체(沈滯) 상태에 놓이게 됨.

갑자-생【甲子生】명 간지(干支)가 갑자인 해에 난 사람.

【갑자생이 무엇 적은고】나이 먹었다고 자처하면서도 어리석은 짓을 함을 나무라는 말.

갑작【匣作】명 독 굽는 데 쓰이는 갑(匣)을 만드는 공장. 모기작(冒器作).

갑작 사랑 영:이별【—永離別】[—니—] 구 갑작스럽게 사랑에 빠지면, 오래지 않아 아주 헤어져 버리기 쉽다는 말.

갑작-스럽다 형ㅂ불 [근대 : 갑작되다] 뜻밖이 되어 급하다. ¶ 갑작스러운 죽음. <급작스럽다. 갑작-스레 부

갑작시리 부〈방〉갑작스레(평안).

갑잡-골 명 가보잡기하는 골패 노름.

갑장¹【甲仗】명 갑옷과 창검(槍劍) 등의 병기. 병갑(兵甲).

갑장²【甲匠】명〖역〗조선 시대의 공장(工匠)의 하나. 갑옷을 만들던 공장.

갑장³【甲長】명 동갑(同甲).

갑-장지문【甲障—門】명〖건〗장지문의 덧문으로, 안팎에 종이를 아무렇게나 바른 장지.

갑재기 부〈방〉갑자기(평안).

갑저-창【甲疽瘡】명〖한의〗손톱이나 발톱의 눈이 상하여 곪는 부스럼. 감갑창(嵌甲瘡). 조갑창(爪甲瘡).

갑절¹ ㊀명 어떠한 수량을 두 번 합침. 또, 그 수량. 배(倍). 2배. ¶ 크기가 꼭 ～이다. *곱절. ——하다 타여불 ㊁부 어떠한 수량을 두 번 합친 만큼. ¶ 남보다 ～ 노력하다.

갑절²【甲折】명〈이두〉갑절. 배(倍).

갑제【甲第】명 크고 너르게 아주 잘 지은 집.

갑족【甲族】명 가계(家系)가 아주 훌륭한 집안. 갑반(甲班).

갑졸【甲卒】명 갑옷 입은 병졸. 갑병(甲兵).

갑종【甲種】명 ①제일 좋은 종류. 으뜸가는 종류. ¶ ～ 합격. ②몇 개의 종류로 나눈 가운데 첫째에 속하는 종류. 제1종.

갑종 근로 소:득【甲種勤勞所得】[—글—] 명〖법〗근로의 제공(提供)으로 인하여 받는 봉급·보수·수당·상여·연금(年金)·퇴직금 등의 소득 가운데 을종(乙種)에 속하지 아니하는 근로 소득. 근로소득세를 원천 징수함. *을종 근로 소득.

갑종 근로 소:득세【甲種勤勞所得稅】[—글—] 명〖법〗갑종 근로 소득에 대하여 원천 징수하는 소득세의 하나. 준갑근세(甲勤稅). *원천과세.

갑종 합격【甲種合格】명 징병 검사에서, 제일급으로 합격하는 일을 일컫던 말.

갑좌【甲坐】명〖민〗집터나 묏자리 등의, 갑방(甲方)을 등진 좌(坐).

갑좌 경향【甲坐庚向】명〖민〗갑방(甲方)을 등지고 경방(庚方)을 향한 좌향.

갑주¹【甲冑】명 갑옷과 투구. 갑옷 투구.

갑주²【甲紬】명 품질이 썩 좋은 명주(明紬).

갑주-어【甲冑魚】명 [Ostracoderms]〖동〗원시적인 물고기 모양의 화석(化石) 동물의 한 무리. 몸에 뼈가 없고 머리와 몸통 앞이 딱딱한 골질판(骨質板)으로 덮였음. 고생대(古生代) 오르도비스기(紀)에 바다에 나타나, 데본기(紀)에 번성하였다가, 그 종말기(終末期)에 절멸(絶滅)하였음.

〈갑주어〉

갑주 투구【甲冑—】명 갑옷 투구.

갑중【匣中】명 갑(匣)의 속.

갑증【甲繒】명 품질이 좋은 왜증(倭繒).

갑진【甲辰】명〖민〗육십 갑자(六十甲子)의 마흔한째.

갑진 개화 운:동【甲辰開化運動】명〖역〗갑진 혁신 운동.

갑진-자【甲辰字】명〖역〗 조선 성종(成宗) 15년(1484) 갑진년(甲辰年)에 만든 구리 활자(活字). 왕명(王命)에 의해, 명판본(明版本)인 ≪구양공집(歐陽公集)≫ 등을 자본(字本)으로 하여 만들었는데, 크기는 경자자(庚子字)보다 약간 작으나 정교하고 우아(優雅)함. 활자는 전하지 아니하고, 이 활자의 인쇄본으로 ≪자경편(自警篇)≫ 한 권이 전해질 뿐임.

갑진 혁신 운:동【甲辰革新運動】 명 〖역〗 광무 8 년(1904) 갑진년에 동학 신도(東學信徒)에 의하여 전국적으로 추진된 근대화 운동. 일본에 망명 중인 손병희(孫秉熙)가 동학도의 집회인 민회(民會)의 이름을 진보회(進步會)라 짓고 이 해 10 월 8 일 전국에서 일제히 창립 대회를 열었음. 회원들은 생활 개선의 의지 표명으로 머리를 깎고 검은 옷을 입었는데 하루에 머리 깎은 사람이 16 만 명이 넘었다고 하며, 각지에 진보회 지부가 생겼음. 갑진 개화 운동.

갑찰【甲刹】 명 〖불교〗 일류(一流)의 큰 절.

갑창【甲窓】 명 〖건〗 추위나 밝은 빛을 막기 위하여, 미닫이 안 쪽에 덧끼우는 미닫이. 이중창(二重窓).

갑철【甲鐵】 명 병갑(兵甲).

갑철-판【甲鐵板】 명 '장갑판'의 구칭.

갑철-함【甲鐵艦】 명 '장갑함'의 구칭.

갑충【甲蟲】 명 〖충〗 딱정벌레목(目)에 속하는 곤충의 총칭. 시초(翅鞘)가 혁질(革質)로 된 개똥벌레·가뢰·딱정벌레·풍뎅이 등. 개충(介蟲). 딱정벌레.

갑충-류【甲蟲類】 [—뉴] 명 〖충〗 딱정벌레목(目).

갑탁【甲坼】 명 싹이 틈. 움이 돋음. ——-하다 자 여불

갑태【甲笞】 명 〖역〗 태형(笞刑)에 쓰던 굵은 매.

갑판【甲板】 명 큰 배나 군함 위에 철판(鐵板)이나 나무 등으로 깐 넓고 평평한 바닥. 데크(deck).

갑판 기계【甲板機械】 명 갑판 위에 있는 하역 기계·계선기(繫船機)·구명정 등과 같이 직접 추진력을 갖지 아니한 보조 기계.

갑판 사:관【甲板士官】 명 〖군〗 함정에서, 기계 장치·포(砲)를 제외한 청소·정비에 대해 일반적인 책임을 가진 사관.

갑판-실【甲板室】 명 갑판 위에 있는 모든 방의 총칭.

갑판 여객【甲板旅客】 명 싼 뱃삯을 내고 갑판 위의 한데에 앉아 가는 여객.

갑판-원【甲板員】 명 갑판에 속한 일을 하는 선원.

갑판-장【甲板長】 명 〖해〗 일등 항해사(航海士)의 지시에 따라 갑판부원을 지휘하며, 선내(船內)의 정비, 선체(船體)의 보존·손질, 하역 작업(荷役作業)의 준비 같은 선내 작업을 직접 행하는 선원.

갑피【甲皮】 명 구두에 아직 창을 대지 아니한 울.

갑피-병【甲皮餠】 명 '개피떡'의 취음(取音).

갑호-증【甲號證】 [—쯩] 명 〖법〗 민사 소송에서, 원고가 제출한 서증(書證). 법원의 관례로서, 당사자가 제출한 서증에 관하여 그 제출자를 명백히 하기 위해 사용하는 부호. *을호증(乙號證).

갑화【一火】 명 도깨비불.

갑회【甲膾】 명 소의 내포(內包)로 만든 회. 서울의 향토 음식이며 궁중 요리의 하나임.

값 [갑] 명 ①사람이나 사물의 자체(自體) 안에 지니고 있는 중요성(重要性). 가치(價値). ¶사람 ～도 못 하다. ②매매(賣買)를 목적으로 주고받는 돈. 대금(代金). 대가(代價). 가전(價錢). ¶외상～. ③사고 팔기 위하여 정한 액수. 가문(價文). 가액(價額). 가격(價格). ¶부르는 ～으로 사다. ④어떠한 사물에 대하여 그와 교환(交換)될 만한 정도의 사물. 대가(代價). ¶공부를 게을리 한 ～을 톡톡히 치르다. ⑤금[1]. ⑥〖경〗 가치(價値)❶. ⑦〖경〗 가격(價格)❶. ⑧〖수〗 어떤 수학 기호(數學記號)가 나타내는 구체적(具體的)인 수 또는 어떤 조건 아래서 나타나는 구체적인 수. 가령 A가 6을 대표할 때에는 6은 A의 값임. 수값. 수치(數値). ¶x의 ～. ——-하다 자 여불

【값도 모르고 싸다 한다】 내용·사정도 모르면서 가부(可否)를 말하다. 【값도 모르고 쌀 자루 내민다】 일의 사정도 잘 모르면서 무턱대고 덤빈다는 뜻.

값-가다 [갑—] 자 ↗값나가다.

값-나가다 [갑—] 자 ①값이 많은 액수에 이르다. 값이 꽤 비싸게 나가다. ②귀하다. 준값가다. *값지다.

값-나다 [갑—] 자 금나다[1].

값-높다 [갑—] 형 ☞값비싸다.

값-놓다 [갑노타] 자타 값을 정하다. 값을 지정하여 말하다. ¶값놓기만 하고 사지는 않다.

값-닿다 [갑다타] 자 마음먹었던 값에 이르다. 값이 상당하다. ¶값닿기 전에는 팔 수 없다.

값-매다 [갑—] 자타 값을 매기다.

값-보다 [갑—] 자타 값을 어림하여 보다.

값-부르다 [갑—] 자타 르불 살 값 혹은 팔 값을 말하다. 호가(呼價)하다.

값-비싸다 [갑—] 형 값이 비싸다. ↔값싸다.

값-싸다 [갑—] 형 값이 싸다. 별로 값어치가 없다. ¶값싼 동정. ↔값비싸다.

【값싼 갈치 자반】 값이 싸서 만만할 뿐더러 쓰기에도 무던한 물건이라는 말. 【값싼 갈치 자반 맛만 좋다】 값 싼 것이 제법 맛이 좋을 때 하는 말. 【값싼 비지 떡】 값이 싼 물건치고 좋은 것이 없다는 말. *싼 것이 비지 떡.

값-어치 [갑—] 명 값에 해당한 분량이나 정도. 가치(價値). ¶공부한 ～를 하다.

값-없다 [갑업—] 형 ①물건이 너무 귀하여 값을 칠 수 없다. ②물건이 너무 흔하여 값이 나가지 아니하다. 무가치하다.

값-없이 [갑업씨] 부 값없게.

값-있다 [갑—] 형 많은 가치를 지니고 있다. ¶값있는 물건.

값-지다 [갑—] 형 값이 많이 나갈 만하다. ¶값진 보석. *값나가다.

값-치다 [갑—] 자타 값을 지정하다. 값을 매기다. ¶통틀어 만원으로 ～.

값-치르다 [갑—] 자 대금이나 대가(代價)를 치르다.

값-하다 [갑—] 자 여불 그 값에 맞는 일을 하다. ¶생긴 ～.

갓[1] 명 ①옛날에 어른이 된 남자가 머리에 쓰던 의관(衣冠)의 하나. 가는 대오리로 갓양태와 갓모자를 만들어 붙인 위에 갓싸개를 바르고 먹칠과 옻칠을 한 것인데, 갓끈을 달아서 씀. 갓모자는 말총으로 만들기도 함. 입자(笠子). ②갓 모양을 한 물건의 총칭. 전등의 갓 따위. ③〖식〗 버섯의, 관(冠)처럼 된 부분. 균산(菌傘).

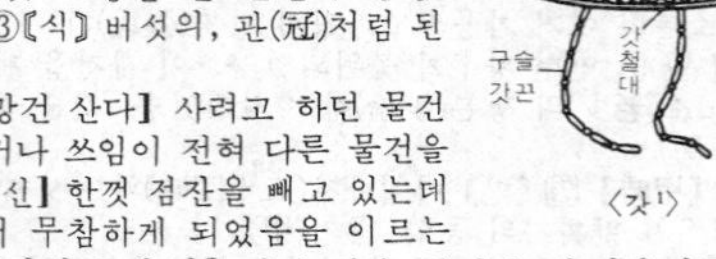

〈갓[1]〉

【갓 사러 갔다가 망건 산다】 사려고 하던 물건이 없어서 비슷하거나 쓰임이 전혀 다른 물건을 산다. 【갓 쓰고 망신】 한껏 점잔을 빼고 있는데 망신을 당하여 더 무참하게 되었음을 이르는 말. 【갓 쓰고 박치기해도 제 멋】 어떤 짓을 하거나 제 마음대로 하라고 내버려 둔다는 말. 【갓 쓰고 자전거 탄다】 격에 맞지 아니한다는 말. 【갓 쓰고 물에 빠져 두 손 허위적거린다】 '심(深)'자(字)의 파자(破字).

갓[2] 명 ↗말림갓.

갓[3] 명 〖식〗 [*Brassica juncea*] 겨잣과에 속하는 이년초. 겨자의 한 변종으로, 가지와 잎이 더 무성하며 높이 1m 내외이고, 잎은 20cm 정도로 길고 크며 주름이 많음. 줄기와 잎은 먹으며, 씨는 겨자씨와 같이 쓰나 매운 맛이 적고 향기가 있음. 식용으로 널리 재배함. 개채(芥菜).

〈갓[3]〉

갓[4] 명 〈방〉 두름(충남·전북·경남).

갓[5] 명 〈옛〉 밭. ¶田方言呼밧, 而今轉爲갓, 又呼앗≪頤齋≫.

갓[6] 명 〈옛〉 가시[9]. 아내. ¶臣下익 갓돌히 다 모다≪月釋 Ⅱ:28≫.

갓[7] 명 〈옛〉 물건. ¶갓 물(物)≪字會 下 2≫.

갓[8] 명 〈옛〉 가죽. ¶갓 피(皮), 갓 혁(革)≪字會 下 9≫.

갓:[9] 명 〈방〉 가[2](경상·전라·충청).

갓:[10] 명 〈방〉 가웃(전라·경북).

갓[11]【佳叱】 의명 〈이두〉 뿐[1].

갓[12] 의명 말린 식료품 등의 열 모숨을 한 줄로 엮은 단위(單位). ¶조기 두 ～/고사리 한 ～.

갓[13] 부 금방. 이제 막. ¶기차에서 ～ 내렸다/～ 나다.

갓- 두 스무 살 이상의 십의 배수(倍數)되는 나이를 나타내는 수사(數詞) 머리에 붙어서 이제 막의 뜻으로 쓰는 말. ¶～마흔.

【갓마흔에 첫 버선】 오래 기다리던 일이 뒤늦게 이루어졌다는 말. 【갓마흔에 첫 보살】 오래간만에 기다리던 일을 당했다는 말.

갓가봄 형 〈옛〉 가까움. '갓갑다'의 활용형. ¶멀며 갓가보몰 자바 니르시니라≪月釋 XVII:32≫.

갓가비 부 〈옛〉 가까이. =가까빙. ¶王이 맛드러 갓가비 ᄒ거시놀≪月釋Ⅱ:5≫.

갓가ᄫ니라 형 〈옛〉 가까우니라. '갓갑다'의 활용형. ¶蜀애셔 邛이 갓가ᄫ니라≪月釋 Ⅱ:50≫.

갓가ᄫ리니 형 〈옛〉 가까우리니. '갓갑다'의 활용형. ¶키아로미 갓가ᄫ리니(大悟近矣)≪蒙法 28≫.

갓가ᄫ리라 형 〈옛〉 가까우리라. '갓갑다'의 활용형. ¶키아로미 갓가ᄫ리라(大悟近矣)≪蒙法 4≫.

갓가ᄫ면 형 〈옛〉 가까우면. '갓갑다'의 활용형. ¶하 갓가ᄫ면 조티 몯ᄒ리니≪釋譜 Ⅵ:23≫.

갓가ᄫᆫ 형 〈옛〉 가까운. '갓갑다'의 활용형. ¶近은 갓가ᄫᆫ 씨라≪釋譜 XIII:15. 月序 14≫.

갓가ᄉ로 부 〈옛〉 가까스로. ¶셟고 애왇븐 ᄠ들 머거 갓가ᄉ로 사니노니≪釋譜 Ⅵ:5≫.

갓-감지 명 〈방〉 소꿉질. ——-하다 자

갓갑다 형 〈옛〉 가깝다. ¶갓갑거나 멀거나≪月釋 XVII:64≫.

갓갛다 형 〈옛〉 가깝다. ¶近은 갓가ᄫᆫ 씨라≪月序 14≫.

갓갓[1] 명관 〈옛〉 가지가지. 여러 가지. ¶샹녜 갓갓 奇妙ᄒᆫ 雜色鳥ㅣ≪月釋 Ⅶ:66≫.

갓갓[2]【物物】 명관 〈이두〉 가지가지. 여러 가지.

갓갓-다짐【這這侤音】 명 〈이두〉 낱낱이 자백(自白)함.

갓갓-발괄【物物白活】 명 〈이두〉 낱낱이 고소(告訴)함.

갓갓-으로【物物以】 부 〈이두〉 갖가지로. 가지각색으로. 낱낱이.

갓-걸이 명 ①갓을 걸어 두는 물건. ②〖동〗 [*Astropecten scoparius*] 불가사릿과에 속하는 극피(棘皮) 동물의 하나. 팔은 5개인데 팔의 길이가 큰 것은 8.5cm 가량됨. 몸은 정상적인 성상(星狀)으로 생시는 회청색 또는 담갈색이며, 6월경에 산란(產卵)함. 간조선(干潮線)에서 100m 쯤 되는 모래·진흙에 서식하는데, 한국·일본·태평양 연안에 분포함. 가시가 없으며 비료(肥料)로 쓰임.

〈갓걸이❷〉

갓겨 피동 〈옛〉 깎이어. '갓기다'의 활용형. ¶王室은 갓겨 보ᄃ롭디 아니ᄒ리라(王室無削弱)≪杜諺 Ⅲ:66≫.

갓고니 자 〈옛〉 거꾸러지니. '갓골다'의 활용형. ¶어딘 사ᄅᆷ 福 주는 理 갓고니 볼기 徵驗컨댄 하ᄂᆯ도 아ᄋ라ᄒ도다(福善理顚倒 明徵天莽茫)≪杜諺 Ⅰ:53≫.

갓고다 타 〈옛〉 가꾸다. ¶대 심거 울흘 삼고 솔 갓고니 亭子ㅣ로다≪古時調≫.

갓고려 타 〈옛〉 깎으려. '갓다'의 활용형. ¶迦毗羅國 사ᄅᄆᆞᆯ 네 이제 다 갓고려 ᄒᄂᆞᆫ다≪月釋 Ⅶ:8≫.

갓고로 부 〈옛〉 거꾸로. =갓ᄀ로. ¶邪曲ᄋᆞᆯ 信ᄒ야 갓고로 볼씨≪月釋 Ⅸ:123≫.

갓고로디다 자 〈옛〉 거꾸러지다. =갓ᄀ라디다·갓ᄀ로디다. ¶서리옌 半모샛 蓮이 갓고로뗏도다(霜倒半池蓮)≪杜諺 Ⅸ:24≫.

갓고로와티다 타 〈옛〉 거꾸러뜨리게 하다. ¶分別ᄒ야 시소미 어렵다 호ᄆᆞᆯ 維摩ᄋᆡ 갓고로와툐ᄆᆞᆯ 어루 分別ᄒ야 븟그러움 시소미 어려울시라≪南明 上 44≫.

갓고로왇다 타 〈옛〉 거꾸러뜨리다. ¶文殊ㅣ 老維摩ᄅᆞᆯ 다딜어 갓고로

와ᄃᆞ시니 (文殊撞倒老維摩)≪南明 上 43≫.

갓고이다 타 〈옛〉 깎으옵니다. 깎읍니다. ¶부텨 조쯔와 머릴 갓고이다(從佛剃落)≪楞嚴 I:42≫.

갓곤 형 〈옛〉 거꾸로 된. '갓골다'의 활용형. ¶다 갓곤 미ᄂᆞ롤 써 그 그틔 스이라≪武藝諸譜 21≫.

갓-골 명 갓을 만드는 데 쓰는 골.

갓골다 자 〈옛〉 거꾸러지다. ¶어즈러이 볘는 긴 소리 갓골고(紛披長松倒)≪杜諺 Ⅵ:2≫.

갓괴 명 〈옛〉 까뀌. ¶갓괴(和鎊)≪朴解 中 12≫.

갓기다 피동 〈옛〉 깎이다. ¶머리 갓기시니≪釋譜 Ⅵ:10≫.

갓:-길 명 도로의 유효폭(有効幅)의 양바깥쪽 노면. 도로의 가장자리. ¶～ 주행 금지.

갓-김치 명 갓으로 담근 김치. 개저(芥葅).

갓마니 타 〈옛〉 깎으니. '갓다'의 활용형. ¶불휘롤 버혀 거프를 갓마니 블근 玉이 ᄀᆞᆮᄒᆞ니 (斬根削皮如紫玉)≪初杜諺 XⅥ:57≫.

갓마니라 타 〈옛〉 깎으니라. '갓다'의 활용형. ¶難陁ㅣ 구쳐 갓마니라≪月釋 Ⅶ:9≫.

갓마도다 자 〈옛〉 거꾸러지도다. '갓골다'의 활용형. ¶다 갓마도다 (皆倒矣)≪楞嚴 X:17≫.

갓마라디다 자 〈옛〉 거꾸러지다. ＝갓고로디다·갓마로디다. ¶곧 갓마라듀 보리라(便見倒斷也)≪龜鑑 上 16≫.

갓마로 부 〈옛〉 거꾸로. ＝갓고로. ¶이 ᄆᆞᅀᆞ멘 오히려 오ᄉᆞᆯ 갓마로 닙놋다(此心猶倒衣)≪杜諺 XXⅣ:48≫.

갓마로디다 자 〈옛〉 거꾸러지다. ＝갓고로디다·갓마라디다. ¶업더디며 갓마로디여 뎌른 오새 누비엿도다(顚倒在短褐)≪杜諺 I:6≫.

갓마로왇다 타 〈옛〉 거꾸러뜨리다. ¶믄득 須彌山올 딜어 갓마로와다ᄡᅡ(驀撞撞倒須彌山)≪南明 下 15≫.

갓마롬 자 〈옛〉 거꾸로 됨. '갓골다'의 명사형. ¶갓마롬 업수믄(無倒者)≪圓覺 下 一之二 46≫.

갓마리 부 〈옛〉 거꾸로. ¶더욱 갓마리 거츨에 보ᄂᆞ니(轉見倒妄)≪妙蓮 Ⅱ:111≫.

갓ᄀᆞᆫ[1] 자 〈옛〉 거꾸러진. '갓골다'의 활용형. ¶갓ᄀᆞᆫ 法을 좃디 아니호미오(不隨倒法)≪圓覺 二之二 46≫.

갓ᄀᆞᆫ[2] 타 〈옛〉 깎은. '갓다'의 활용형. ¶하ᄂᆞᆯ히 조ᄇᆞ니 石壁ㅅ面ㅣ 갓ᄀᆞᆫ ᄃᆞᆺ ᄒᆞ도다(天窄壁面削) ≪杜諺 I:20≫.

갓골 타 〈옛〉 깎을. 깎는. '갓다'의 활용형. ¶집 ᄇᆞ리고 나가 머리 갓골 씨라≪月釋 I:17≫. 「3≫.

갓골다 자 〈옛〉 거꾸러지다. ＝갓골다. ¶갓ᄀᆞᆫ 거츤 이를(倒妄)≪楞嚴 I:

갓골에ᄒᆞ다 타 〈옛〉 거꾸러지게 하다. ¶化롤 갓골에 혼 種애 나리라(生顚化種)≪楞嚴 X:57≫.

갓-끈 명 갓에 다는 끈. 헝겊을 접거나, 나무·대·금패(錦貝)·대모(玳瑁) 등을 꿰어 만듦. 입영(笠纓).

갓-나다 자 방금 나다. 이제 막 나다. ¶갓난 아이.

갓-나무 명 의자의 뒷다리 맨 위에 가로질러 댄 나무.

갓-나물 명 갓잎을 무친 나물.

갓-나오다 자 이제 방금 나오다.

갓나히 명 〈옛〉 계집아이. 처자(處子). ¶今俗呼丫頭 갓나히≪四聲 下 31≫.

갓난-것 명 〈속〉 갓난 아이.

갓난-아기 명 갓난 아이를 귀엽게 일컫는 말.

갓난 아이 명 낳은 지 얼마 아니 되는 아이. 갓난아기. 신생아(新生兒). ⓒ갓난애·갓난이.

갓난-애 명 ↗갓난 아이.

갓난 어린애 명 갓난 아이.

갓난 어린이 명 갓난 아이.

갓난-이 명 ↗갓난 아이.

갓ᄂᆞᄆᆞᆺ 명 〈옛〉 가죽 주머니. ¶갓ᄂᆞᄆᆞ채(革囊)≪永嘉 上 35≫.

갓다 타 〈옛〉 깎다. ¶손소 머리 갓고 뵛고래 이셔≪釋譜 Ⅵ:12≫.

갓-대[1] 명 〔식〕 [*Sasamorpha chiisanensis*] 볏과에 속하는 다년생 목본(木本). 줄기 높이 1-2 m이고 잎은 피침형(披針形)이며 표면은 광택이 있고, 이면(裏面)은 백색을 띰. 꽃은 원추 화총(圓錐花叢)으로 외영(外穎)은 수염이 있고, 과실은 아직 보지 못함. 산(山)중턱 이하의 숲 속에 나는데, 전남과 지리산에 분포하는 특산종(特產種)임. 죽세공(竹細工), 특히 조리를 만듦.

갓:-대[2] 명 절부채의 양쪽 가에 댄 두꺼운 대쪽.

갓-대우 명 〈방〉 갓모자.

갓-도래 명 갓양태의 테두리.

갓-돌 명 〔건〕 성벽(城壁)이나 돌담 위에 비가 맞지 아니하도록 지붕같이 덮은 돌.

갓-돌이 명 〈방〉 갓도래.

갓-두루마기 명 ①갓과 두루마기. ②갓을 쓰고 두루마기를 입은 사람. ——-하다 자여불 갓을 쓰고 두루마기를 입다.

갓드르 명 〈옛〉 갓양태. ¶갓드르(帽簷兒)≪譯語 上 43≫.

갓-망건 【—網巾】 명 갓과 망건. ——-하다 자여불 갓과 망건을 쓰다.

갓-머리 명 한자 부수(部首)의 하나. '安'이나 '宿' 등의 '宀'의 이름.

갓모 명 〔공〕 사기 만드는 물레 밑구멍에 끼우는 자기질(磁器質)의 고리.

갓모양 꼭지 【—模樣—】 명 〔고고학〕 갓이나 연꽃 봉오리 모양으로 생긴 그릇 뚜껑의 꼭지.

갓-모자 【—帽子】 명 갓의 양태 위의 우뚝 솟은 부분. ⓒ모자.

갓모자-갈이 【—帽子—】 명 갓모자를 갊. ——-하다 자여불

갓모-테 명 →갈모테.

갓-무 명 〔식〕 무의 한 가지. 잎은 갓잎 비슷하며, 뿌리는 배추 꼬랑이 비슷함.

갓-바위 명 〔지〕 팔공산(八公山) 남동에 있는 관봉(冠峰)의 속칭.

갓바위 부처 명 〔불교〕 대구 팔공산(八公山) 관봉(冠峰)에 있는 마애(磨崖) 약사 여래(藥師如來) 좌상(坐像)의 속칭. 자연석(自然石)을 갓 모양으로 머리에 이고 있음. 원광(圓光)의 제자 의현(義玄)이 돌아가신 어머니를 위하여 신라 선덕 여왕 7년(638)에 조성하였다고 하는데 지성껏 빌면 한 가지 소원은 꼭 이루어진다고 하여, 특히 음력 그믐날부터 새달 초이레까지는 참배객이 끊이지 않음. 관봉 석조 여래 좌상(冠峰石造如來坐像).

갓-밝이 [—발기] 명 막 밝을 무렵. 여명(黎明).

갓-방 【—房】 명 갓을 만들어 파는 집. 입방(笠房).
【갓방 인두 달듯】 갓 만드는 작업장의 인두가 언제나 뜨겁게 달아 있듯이, 저 혼자 애달아 어쩔 줄 모르는 모양.

갓-버섯 명 〔식〕 [*Macrolepiota procera*] 송이과에 속하는 식용 버섯의 한 가지. 늦여름부터 가을에 걸쳐 산과 들에 야생하는데, 균산(菌傘)이 갈색이고, 줄기는 가느스름하며 속이 빔. 식용함.

갓-벙거지 명 갓모자 위가 벙거지 모양으로 둥글게 된 갓. 융복(戎服)을 입을 때에 씀.

갓-봉 명 삿갓 모양의 원뿔대(臺)꼴의 낚싯봉.

갓-붑 명 〈옛〉 가죽으로 멘 북. ¶갓붑 고(鼓)≪類合 上 29≫.

갓블 명 〈옛〉 갖풀. ¶膠는 갓브리라≪月釋 XXI:85≫.

갓쁠 명 〈옛〉 갖풀. ¶갓쁠 교(膠)≪字會 中 12≫.

갓-상자 【—箱子】 명 갓을 넣는 상자. 갓집.

갓-싸개 명 갓의 겉을 바르는 얇은 모시베. ⓒ싸개. ——-하다 자여불 얇은 모시베로 갓의 겉을 바르다.

갓-애비 명 〈방〉 장인(丈人)(함북).

갓-양 [—냥] 명 ↗갓양태.

갓-양태 [—냥—] 명 갓의 밑둘레 밖으로 넓게 바닥이 된 부분. 입첨(笠簷). ⓒ갓양·양·양태.

갓어리 명 〈옛〉 계집질. ¶남진 子息은 나가 ᄃᆞᆫ니다가 사오나온 벋 부처 도ᄌᆞᆨ도 빈호며 갓어리도 빈호며≪七大 21≫.

갓-어미 명 〈방〉 장모(丈母)(경남).

갓어치 명 〈옛〉 가죽 언치. ¶갓어치(皮替)≪老乞 下 27≫.

갓-에미 명 〈방〉 장모(丈母)(함경).

갓옷 명 〈옛〉 갖옷. ¶주근ᄃᆞ시 자다가 헌 갓옷 두퍼셔 놀라오라(尸寢驚弊裘)≪杜諺 XXⅡ:1≫/갓옷 구(裘)≪字會 中 22≫.

갓-일 [—닐] 명 갓을 만드는 일.

갓-잎 [—닙] 명 갓의 잎.

갓잡다 명 〈방〉 가깝다(함남·평북).

갓-장이 【—匠—】 명 갓을 만드는 것을 업으로 하는 사람.
【갓장이 헌 갓 쓰고, 무당 남 빌려 굿하고】 제가 제 일을 처리하지 못하는 경우에 이르는 말.

갓-쟁이 명 갓 쓴 사람.

〈갓집〉

갓-전 【—廛】 명 갓을 파는 가게.

갓-집 명 갓을 넣어 두는 상자. 갓상자(箱子).

갓-창옷 【—氅—】 명 갓과 소창옷. ——-하다 자여불 갓을 쓰고 소창옷을 입다.

갓-철대 [—때] 명 갓양태의 테두리에 두른 테. ⓒ철대.

갓-털 명 〔pappus〕 〔식〕 꽃받침의 변형(變形)으로서 자방(子房)의 맨 끝에 붙은 솜털 같은 것. 민들레·버들개지 같은 견과(堅果)에 붙었음. 관모(冠毛).

갓티다 피동 〈옛〉 갇히다. ¶벼 시믄 뎌놈은 므스 일을 인ᄒᆞ여 갓텬ᄂᆞ뇨(種稻子那廝因何監着)≪朴解 下 16≫.

갓-판 명 갓을 만들 때에 쓰이는 판자(板子).

갓플 명 〈옛〉 갖풀. ¶ᄆᆞᆯᄀᆞᆫ 갓플(透明阿膠)≪救簡 Ⅲ:73≫.

갓해파리-목 【—目】 명 〔동〕 [*Coronatae*] 해파리강(綱)에 속하는 한 목(目). 두부(頭部)는 삿갓 모양이고, 그 바깥쪽에 촉수(觸手)가 있으며, 체형(體型)은 수모형(水母型)임. 고깔해파리 등이 이에 속함.

갓훠 명 〈옛〉 가죽신. ¶되아비ᄂᆞᆫ 굴근 도틔 갓훼오(羌父豪豬靴)≪杜諺 XXⅡ:38≫.

갔다 타 〈옛〉 깎다. ¶집 ᄇᆞ리고 나가 머리 갓골씨라≪月釋 I:17≫.

강[1] 【江】 명 넓고 길게 흐르는 내.
강 건너 불 구경 구 제게 관계 없는 일이라 하여 무시하고 방관하는 모양.
강 건너 불 보듯 구 제게 관계가 없으므로 초연히 관망하는 모양.

강[2] 【江】 명 성(姓)의 하나. 우리 나라에는 현존(現存)하지 아니함.

강[3] 【羌】 명 〔역〕 고대의 새외(塞外) 민족. 중국 북서부 칭하이 성(青海省)을 중심으로 한 티베트계(Tibet系)의 유목 민족. 전국 시대부터 중국의 서변(西邊), 지금의 간쑤(甘肅)·시짱(西藏)·칭하이(青海) 방면에 웅거하고, 한(漢) 초에 흉노(匈奴)와 연합하여 서경(西境)을 침범하였으며, 후한(後漢)의 중기부터 세력이 강대하여짐. 오호(五胡) 시대에 후진(後秦)·후량(後梁) 등을 건설하였음.

강[4] 【姜】 명 성(姓)의 하나. 현재 우리 나라에는 진주(晋州)·금천(衿川) 등 7개의 본관이 있음.

강[5] 【剛】 명 〔악〕 서양 음악의 올림표, 곧 샤프(sharp)를 조선 말기에 한자로 번역한 말.

강[6] 【剛】 명 성(姓)의 하나. '강씨(強氏)'의 분적종(分籍宗).

강[7] 【康】 명 성(姓)의 하나. 현재 우리 나라에는 신천(信川)·곡산(谷山) 등 10개의 본관이 있음.

강[8] 【強】 명 성(姓)의 하나. 현재 우리 나라에는 본관이 충주(忠州) 하나뿐임.

강[9] 【控】 명 〔악〕 등가악(登歌樂)에 쓰일 때의 '축(柷)'의 딴이름.

강[10] 【腔】 명 ①〔생〕 몸 안에서 비어 있는 곳. ¶구(口)～/복(腹)～. ②〔악〕 국악 형식에서, 곡 또는 곡의 마디를 가리키는 말.

강[11] 【甕·瓨】 명 〔공〕 오지로 만든 큰 독.

강[12] 【綱】 명 ①〔class〕 〔생〕 문(門)의 아래이며 목(目)의 위가 되는 생물 분류학상(分類學上)의 단위. ¶포유(哺乳)～/갑각～. ②〔악〕 십육 정간보(井間譜)에서 한 줄을 다시 나누기 위해서 쓰인 여섯 개의 굵은 가로

줄. 또, 여섯 개로 나눈 각 부분의 일컬음. *육대강(六大綱). 「뿐임.

강[13]【彊】[명] 성(姓)의 하나. 현재 우리 나라에는 본관이 진주(晉州) 하나

강:[14]【講】[명] ①배운 글을 선생 앞에서 외는 일. ②↗강의(講義). ——

강[15]【鋼】[명] 강철(鋼鐵). └하다 [타][여불]

강[16]〔Gand〕[명]〖지〗'겐트(Gent)'의 프랑스어명.

강-[1] [투] ①아주 호되거나, 억척스러움을 나타내는 말. ¶ ~추위/~다짐. ②일부 명사 앞에 붙어서, '그것으로만 이루어진'의 뜻을 나타내는 말. ¶ ~굴/~조밥/~담.

강-[2]【江】[투] 일부 명사 앞에 붙어, 강에서 나는 것이나 강과 관계되는 것임을 뜻하는 말. ¶ ~나루 / ~바람. 「군.

강-[3]【強】[투] '매우 세거나 매우 됨'을 뜻하는 말. ¶~솟/~펀치/~행

-강【強】[미]〖수〗어떤 수량에 벗어나는 우수리가 있을 때, 그 수량에 붙이는 말. ¶ 50 m~. ↔-약(弱).

강-가[1]【江一】[一까] [명] 강의 가장자리에 닿은 땅. 강변(江邊). 하반(河畔). ¶~에 노닐다.

강:가[2]【降嫁】[명] 지체가 자기 집보다 낮은 집안으로 시집감. *강혼(降婚). ——-하다 [자][여불] 「을 신격화(神格化)한 것임.

강가[3]〔Gangā〕[명] 힌두교의, 하천(河川)의 신(神). 갠지스 강(Ganges 江)

강:간[1]【降諫】[명] 겸손한 말로 간함. ——-하다 [타][여불]

강:간[2]【強姦】[명] 폭행·협박의 수단을 쓰거나, 심신 상실(心神喪失)·항거 불능(抗拒不能)을 이용하여 부녀자를 간음(姦淫)하는 일. 겁간(劫姦). 강음(強淫). ↔화간(和姦). ——-하다 [타][여불]

강:간[3]【強諫】[명] 강력히 간함. ——-하다 [타][여불]

강간-제【強肝劑】[명] 간장의 기능을 높이기 위한 약제. 「범죄.

강:간-죄【強姦罪】[一쬐] [명]〖법〗부녀자를 강간함으로써 성립되는

강:간 치:사상죄【強姦致死傷罪】[一쬐] [명]〖법〗강간·준(準)강간 등을 범(犯)하여 사람을 사상(死傷)에 이르게 한 죄.

강-갈래【江一】[一깔一] [명] 강(江)의 본류와 지류로 갈라진 갈래.

강감【江監】[명]〖역〗조선 시대에 용산강(龍山江) 곧 한강(漢江)의 용산(龍山) 지역 가까이에 있던 군자감(軍資監)의 창고(倉庫).

강-감찬【姜邯贊】[명]〖사람〗고려의 문신(文臣)·장군. 초명(初名)은 은천(殷川). 금주(衿州) 사람. 현종(顯宗) 9년(1018)에 거란(契丹)의 장수 소배압(蕭排押)이 쳐들어왔을 때, 서북면 행영 도통사(西北面行營都統使)로서 상원수(上元帥)가 되어, 흥화진(興化鎭)에 이르러 성동(城東)의 대하(大河)를 막고 대기하였다가, 적군을 대패(大敗)시키고, 다시 이듬해 돌아가는 거란군을 귀주(龜州)에서 대파(大破)하여, 추충 협모 안국 공신(推忠協謀安國功臣)의 호를 받았음. 시호(諡號)는 인헌(仁憲). [948-1031] *낙성대(落星垈).

강감찬-전【姜邯贊傳】[명]〖책〗작자·제작 연대 미상의 고전 소설. 강 감찬 장군의 전기를 소설화한 것으로, 초인간적인 능력을 보여 줌. 국문본(國文本).

강강-수월래 [명]〖민〗'강강술래'의 딴 이름. [주의] '強羌水越來'로 씀은 취음(取音).

강강-술래 [명]〖민〗전라 남도 해안과 섬 지방에 전승되어 오는 부녀자들의 민속놀이의 하나. 주로 추석날 밤 또는 대보름날 밤에 부녀자들이 손과 손을 잡고 '강강술래'라는 후렴이 있는 노래를 부르면서 원무(圓舞)를 추는데, 이 춤과 노래를 가리키기도 함. 임진 왜란 때부터 유래되었다고 함. 중요 무형 문화재 제 8호.

강강지 [명]〈방〉강다짐. ——-하다 [타]

강강-하다【剛剛一】[형][여불] ①기운이 단단하다. ②마음이 굳세다. ¶그 다음 나약한 선비들은 그래도 조금 강강한 맛은 있으나 문생(門生)이니 좌주(座主)니 동년(同年)이니 하고…《朴鍾和 : 多情佛心》. ③풀이 세어 빳빳하다. ④겨울 날씨가 쌀쌀하다. **강강-히**【剛剛一】[부]

강:개【慷慨】[명] 의롭지 못한 것을 보고, 의분(義憤)을 느껴 슬퍼하고 한탄함. ¶ 비분(悲憤) ~하다. *의분(義憤). ——-하다 [타][여불]

강:개 무량【慷慨無量】[명] 강개가 한이 없음. ——-하다 [형][여불]

강:개지-사【慷慨之士】[명] 세상의 문란(紊亂)과 불의(不義)에 대해서 분을 품고 탄식하는 사람.

강거【康居】[명]〖역〗중국의 한(漢)·위(魏) 시대에 중앙 아시아에 있었던 투르크 계 유목 민족. 또, 그들이 세운 서역(西域)의 나라. 그 본거지는 시르 다리야 강(Syr Dar'ya 江)의 하류 지역에서 키르기스 평야에 이르렀음. 「(明白)히 됨.

강거 목장【綱擧目張】[명] 대강(大綱)을 들면 세목(細目)도 자연히 명백

강건[1]【剛健】[명] ①마음이 곧고 뜻이 굳세며 건전함. ②필력(筆力)이나 문세(文勢)가 강하고 씩씩함. ——-하다 [형][여불]. ——-히 [부]

강건[2]【剛蹇】[명] 강직하여 굽히지 아니함. ——-하다 [형][여불]. ——-히 [부]

강건[3]【剛謇】[명] 강직하여 바른 말을 하는 데 거리낌이 없음. ——-하다 [형][여불]. ——-히 [부] 「다 [형][여불]. ——-히 [부]

강건[4]【康健】[명] 기력이 튼튼하고 건강함을 높이어 일컫는 말. ——-하

강건[5]【強健】[명] 몸이 튼튼하고 건강함. ↔병약(病弱). ——-하다 [형][여불]. ——-히 [부]

강건-체【剛健體】[명]〖문〗딱딱하고 힘찬 문체(文體). 말이나 글귀의 음조(音調)가 강하고 웅건(雄健)한 것으로, 한문이나 한문 직역(直譯) 투의 글에 많음. ↔우유체(優柔體).

강:겁【強劫】[명] 억지로 빼앗음. 강탈. 강취(強取). ——-하다 [타][여불]

강격【強擊】[명] 세게 침. ——-하다 [타][여불]

강견[1]【強肩】[명] 어깨의 힘이 셈. 멀리까지 공을 던질 수 있음을 일컬음. ¶ ~의 외야수(外野手).

강견[2]【強堅·剛堅】[명] 세고 단단함. ——-하다 [형][여불]. ——-히 [부]

강경[1]【江景】[명]〖지〗충청 남도 논산시(論山市)에 있는 읍(邑). 금강(錦江)의 하류(下流), 호남 평야 북쪽에 있는데, 호남선(湖南線)의 요역(要驛)으로, 농산물의 집산지(集散地)이며, 상공업·어업(漁業)이 번성함. 한때는 한국 3대 시장의 하나로 유명하였음. [15,924 명(1996)]

강경[2]【剛勁·剛梗】[명] 성품이 강직함. ——-하다 [형][여불]. ——-히 [부]

강경[3]【剛耿】[명] 굳세고 큼. 웅경(雄耿). ——-하다 [형][여불]

강경[4]【強硬·強勁·強梗·強骾·強鯁】[명] 굳세게 버티어 굽히지 아니함. ¶ 태도가 ~하다. ——-하다 [형][여불]. ——-히 [부]

강경[5]【疆境】[명] 강계(疆界).

강:경[6]【講經】[명] ①〖역〗과거의 강경과(講經科)를 보기 위하여 경서(經書) 중의 몇 가지를 특히 강송(講誦)함. 명경(明經). 치경(治經). ②〖불교〗불경을 강독(講讀)함. ——-하다 [자][여불]

강:경 공부【講經工夫】[一꽁一] [명]〖역〗강경(講經)하는 공부.

강:경-과【講經科】[명]〖역〗조선 시대에 경서(經書)에 정통한 사람을 뽑던 과거. [준]강과(講科). 「[여불]

강:경 급제【講經及第】[명]〖역〗강경과(講經科)에 급제함. ——-하다 [자]

강:경-꾼【講經一】[명]〖역〗'강경생(講經生)'의 낮춤말. 치경(治經)꾼.

강:경 문관【講經文官】[명]〖역〗강경과에 급제하여 된 문관.

강:경-생【講經生】[명]〖역〗강경과를 보는 유생. [준]강생(講生).

강경-선【江景線】[명]〖지〗호남선 채운역(彩雲驛)에서 분기, 남동쪽으로 향하여 연무대(鍊武臺)에 이르는 철도선. 1958년 5월 15일 개통(開通)됨. [5.8 km]

강-경(:)애【姜敬愛】[명]〖사람〗여류 소설가. 황해도 장연(長淵) 출생. 1931년 장편 소설 《어머니와 딸》로 문단에 등장, 1932년 간도(間島)로 이사하여 그 곳에서 반생을 마침. 단편 소설 《부자(父子)》·《채전(菜田)》·《해고(解雇)》·《산남(山男)》·《어둠》 등이 있고, 장편 소설 《인간 문제》 등이 있음. [1907-43]

강경-증【強硬症】[一쯩] [명]〖의〗긴장병(緊張病)의 한 증세. 주어진 수동적 자세에 머물러, 스스로의 의지(意志)로 본디 자세로 되돌아가려 하지 아니하는 상태로서, 혼미(昏迷)·히스테리·최면 상태 등에서 나타남. 카탈렙시(catalepsy).

강경-책【強硬策】[명] 강경한 방책이나 대책. ¶ ~을 쓰다.

강경-파【強硬派】[명] 강경한 의견을 주장하는 파. 경파(硬派).

강계[1]【江界】[명]〖지〗평안 북도 강계군(郡)에 있는 읍으로, 군청 소재지. 관서 팔경(關西八景)의 하나인 인풍루(仁風樓)와 망미정(望美亭)·북천루(北川樓) 등의 명승 고적이 있음. 만포선(滿浦線)의 요역(要驛)

강계[2]【江雞】[명]〖충〗잠자리의 암컷. └으로 농산지임.

강:계[3]【降階】[명]〖역〗관계(官階)를 낮춤. ——-하다 [타][여불]

강계[4]【疆界】[명] 강토(疆土)의 경계(境界). 강경(疆境).

강계-고【疆界考】[명]〖책〗조선 영조 때 신경준(申景濬)이 저술한 한국의 역사 지리서. 상고(上古)에서 조선 중기에 이르기까지 시대별로 고증학적 입장에서 서술하였음. 3권 3책.

강계-군【江界郡】[명]〖지〗평안 북도의 한 군(郡). 관내 2읍 13면. 북은 압록강과 자성군(慈城郡), 동은 후창군(厚昌郡)과 함경 남도의 장진군(長津郡), 남은 희천군(熙川郡), 서는 압록강과 위원군(渭原郡)에 닿음. 축산·임산·수산·광산 등이 성행함. 군청 소재지는 강계. [5,404 km^2]

강계-권【疆界權】[一꿘] [명]〖법〗토지의 소유자가 그 옆의 소유자와 공동의 비용으로, 강계의 표시물을 설치할 수 있는 권리.

강계-버들【江界一】[명]〖식〗[*Salix kangensis*] 버들과에 속하는 작은 낙엽 활엽 교목. 잎은 긴 타원형 또는 피침형임. 자웅 이가(雌雄異家)로 4월에 꽃이 유제(葇荑) 화서로 피며, 삭과(蒴果)는 5월에 익음. 개울가에 나는데, 평북·함북 등지에 분포하는 한국 특산종임. 방수림용(防水林用)임.

강계 분지【江界盆地】[명]〖지〗평안 북도의 동북부, 압록강의 지류인 독로강(禿魯江) 유역에 있는 강계를 중심으로 한 분지. 부근에서 목재·흑연 등이 산출됨.

강계-산【疆界山】[명]〖지〗함경 남도 고원군(高原郡)에 있는 산. 낭림 산맥(狼林山脈)의 남단을 구성하는 산의 하나. 이 일대는 동해안으로 흐르는 용흥강(龍興江)의 수원을 이루고 있음. [1,238 m]

강계-선【江界線】[명]〖지〗평안 북도 강계(江界)에서 함경 남도 장진군(長津郡) 낭림(狼林)까지의 협궤(狹軌) 철도. [57 km]

강계-장【江界醬】[명] 평안 북도 강계(江界) 지방에서 담근 간장. 장맛이 싱겁지만 날씨가 차서 변질되지 않는 것이 특색임.

강계-지【疆界誌】[명]〖책〗조선 시대의 실학자 신경준(申景濬)이 지은 역사 지리책. 상고(上古)에서 조선 중기까지 시대별로 국토의 강계(疆界)·위치·산천(山川)·교린(交隣)·외침(外侵) 등을 열거함. 7권 4책. 필사본. 「[부]

강고[1]【強固】[명] 굳세고 튼튼함. 견뢰(堅牢). ——-하다 [형][여불]. ——-히

강고[2]【搁鼓】[명]〖악〗고려 때 노부(鹵簿)에 좌우로 늘어서서 치던 북의

강-고누【江一】[명]〈방〉우물 고누. └한 가지.

강-고도리 [명] 물치의 살을 오이 모양으로 뭉치어서 말린 식료품.

강-골[1]【江一】[一꼴] [명] 강물이 흘러 지나가는 골.

강골[2]【強骨】[명] 단단한 기질(氣質). 굽히지 아니하는 성품.

강골-한【強骨漢】[명] 잘 굽히지 아니하는 기질을 가진 사람.

강공【強攻】[명] 강렬하게 공격함. ——-하다 [타][여불]

강공-제【姜公堤】[명]〖역〗조선 선조 때, 강인(姜絪)이 선천 군수(宣川郡守) 재임시 언덕을 깎아 만든 30 여 리의 관개 수로. 백성들이 군수의 성자(姓字)를 따서 부른 이름임. 「~을 쓰다.

강공-책【強攻策】[명] 적극적인 공격으로 나가는 방책. ¶ 무사 만루에서

강과[1]【剛果】[명] 굳세고 과감(果敢)함. ——-하다 [형][여불]. ——-히 [부]

강:-과[2]【講科】[명]〖역〗↗강경과(講經科).

강관[1]【鋼管】[명] 강철로 만든 관. 액체의 수송·가열(加熱)·냉각 등에 쓰이며, 높은 압력에 견딤. 강철관(鋼鐵管).

강:관2【講官】명〔역〕강연(講筵) 때에 진강(進講)하던 관원.

강:관3【講貫】명 서적(書籍)을 강독(講讀)하여 관습(慣習)되게 함. ——-하다 타여불

강괴1【剛塊】명〔craton〕〔지〕대륙의 중핵부(中核部)를 이루고 있는, 극히 안정된 땅덩이. 선캄브리아대(代) 말기(末期)부터 현재에 이르기까지 지각 변동이 거의 일어나지 않았고, 또 깊은 바다에 덮인 적이 없는 곳. 안정 지괴(安定地塊).

강괴2【鋼塊】명〔광〕용광로로 정련한 용강(鎔鋼)을 거푸집에 부어 식힌 강철 덩어리. *강재 반제품(鋼材半製品).

강교1【江郊】명 강(江)이 있는 교외(郊外).

강교2【江橋】명 강다리.

강교3【鋼橋】명 강철을 주로 하여 만든 교량.

강:-교점【降交點】[—쩜] 명〔천〕행성(行星)이나 위성(衛星) 또는 혜성(彗星)이 북쪽에서 남쪽을 향하여 황도(黃道)의 면을 통과하는 점. 중교점(中交點). ↔승교점(昇交點).

강구1 명〈방〉말감고(監考).

강:구2 명〈방〉〔충〕바퀴2❷(경상).

강구3【江口】명 ①강물이 바다로 흘러 들어가는 어귀. 강어귀. ②나루1

강구4【江鷗】명 강가에 노는 갈매기. └❶.

강구5【強仇】명 강한 적. 강적(強敵).

강:구6【強求】명 억지로 구함. ——-하다 타여불

강구7【康衢】명 사통 오달(四通五達)한 큰 길거리.

강구8【鋼球】명 강철로 된 알. 강철알.

강:구9【講求】명 조사하여 구함. ——-하다 타여불 「여불

강:구10【講究】명 좋은 도리를 연구함. ¶ 방법을 ~하다. ——-하다 타

강구 연월【康衢煙月】명 ①강구(康衢)에 은은한 달빛. 태평(泰平)스러운 기상. ②태평한 세월.

강구-요【康衢謠】명〔악〕천하가 태평함을 구가하는 동요.

강-구조【剛構造】명〔건〕건조물(建造物)의 골조(骨組)의 모든 접합부를 강접합(剛接合)으로 한 구조. 라멘(Rahmen) 구조는 그 한 예임. 그다지 높지 아니한 건물에서는 내진성(耐震性)이 비교적 양호함. ↔유(柔)구조. *강접합(剛接合).

강:구-책【講究策】명 깊이 궁리하여 세운 대책.

강국1【康國】명〔역〕중국 남북조 및 수당(隋唐)의 사서(史書)에 나오는 서역(西域)의 한 나라. 지금의 사마르칸트(Samarkand) 지방.

강국2【強國】명 강한 나라. 센 나라. 강방(強邦). 강대국(強大國).

강군1【強軍】명 ①강한 군대. ②강팀(強 team).

강군2【強群】명 ①강한 무리. ② 군세(群勢)가 강한 벌떼. 양봉에서 쓰는

강-굴 명 물을 타지 아니한 굴. └말임.

강-굽이【江—】[—꾸비] 명 강의 굽이쳐 흐르는 곳.

강궁【強弓】명 ①탄력이 매우 세고 큰 활. ↔연궁(軟弓). ②활의 등급에서, 탄력이 가장 센 등급의 활. 아래로 실궁(實弓)·실중힘·중힘이 있음.

강:권1【強勸】명 억지로 권함. ¶ ~에 못 이겨. ——-하다 타여불

강권2【強權】[—꿘] 명 ①강한 권력. ②국가가 사법적·행정적으로 갖는 강력한 권력. ¶ ~ 발동. 「을 실제로 행사함.

강권 발동【強權發動】[—꿘—똥] 명 강권을 행사함. 경찰력 등 강제력

강권-자【強權者】[—꿘—] 명 ①강권(強權)의 소유자(所有者). ②강제로 권리를 행사(行使)하는 사람.

강권-주의【強權主義】[—꿘—/—꿘—이] 명 강권 발동에 의하여 일을

강귀 명〈방〉〔충〕바퀴2❷(경상). └처리하려는 입장.

강귤-차【薑橘茶】명 생강과 말린 귤껍질을 섞어서 끓인 차(茶).

강그리 부〈방〉깡그리.

강:근【強近】명 친척과의 촌수가 아주 가까움. ¶ ~한 친척. ——-하다

강근지-족【強近之族】명 강근지친. └형여불

강근지-친【強近之親】명 아주 가까운 일가. ¶ 세상에 못견딜 것은 누대 독자로 ~이 없는 것이다《李海朝 : 彈琴臺》. *기공친(期功親).

강글리오시드〔ganglioside〕명〔생〕시알산을 함유하는 복합 당지질(糖脂質)의 총칭. 고등 동물의 세포막과 신경 조직(神經組織) 등에 분

강금【鋼琴】명〔악〕'피아노'의 역어(譯語). └포함.

강:급 법계【降級法階】명〔불교〕범죄(犯罪)의 경중(輕重)에 따라 법계(法階)의 계급을 낮춤. ——-하다 자여불

강:기1 명 ☞감기(感氣).

강-기2【姜夔】명〔사람〕중국 남송(南宋) 때의 시인. 자는 요장(堯章), 호는 백석 도인(白石道人). 포양(鄱陽) 사람. 벼슬을 하지 아니하고 강남(江南) 일대를 방랑하였음. 작품은 전부가 각고 탁마(刻苦琢磨)된 것으로 청아한 것을 주로 하였으며, 악률(樂律)에도 정통함. [1155-1230]

강기3【剛氣】명 굳센 기상(氣象).

강기4【強記】명 오래도록 잘 기억함. ¶ 박람(博覽) ~. ——-하다 타여불

강기5【強起】명〔악〕'센내기'의 한자 이름.

강기6【綱紀】명 ①법강(法綱)과 풍기(風紀). ②강상(綱常)과 기율(紀律). 도기(道紀). ——-하다 타여불 강기를 세워 나라를 다스리다.

강기 숙정【綱紀肅正】명 법강과 풍기를 엄숙하고 바르게 함. ——-하다 자여불

강-기슭【江—】[—끼슥] 명 강물에 잇닿은 가장자리 땅. 강안(江岸).

강기 퇴이【綱紀頹弛】명 정도(政道)의 기강이 무너지고 해이함.

강-나루【江—】명 강을 건너는 목.

강나미 명〈방〉〔식〕옥수수(황해).

강나새끼 명〈방〉〔식〕옥수수(경남).

강날도랫-과【江—科】명〔충〕[*Stenopsychidae*] 날도래목(目)에 속하는 한 과. 뒷날개는 넓으며 큰 입술은 굵고 작은 입술 수염의 제2절이 짧음. 유충은 급류(急流) 속에 서식함.

강남【江南】명 ①중국 양쯔 강(揚子江) 이남의 땅. ¶ ~ 갔던 제비. ↔강북(江北). ②'중국'의 딴 이름. ③서울에서, 한강 이남 지역을 이름. ¶ ~ 지역 개발. ↔강북(江北).

【강남 장사】㉠이득(利得)이 많은 장사. ㉡오직 제 이익만을 생각할 뿐 그 태도가 오만한 사람을 이르는 말.

강남-구【江南區】명〔지〕서울 특별시의 한 구(區). 북쪽은 한강을 건너서 성동구, 서쪽은 서초구, 남쪽은 서초구와 경기도 성남시(城南市), 동쪽은 송파구에 접하였음. 상업 지역·주택가·아파트 단지가 많음. 봉은사(奉恩寺)·선릉(宣陵)·도산(島山) 공원·국기원(國技院)·한국 종합 전시장 등이 있음. [$39.55\,km^2$: 553,913 명(1996)]

강남귤 화:위지【江南橘化爲枳】구 양쯔 강 남쪽 땅의 귤을 강북에 이식(移植)하면 탱자로 변한다는 뜻으로, 사람도 장소나 환경을 따라 성품(性品)이 변함을 일컫는 말.

강남-도【江南道】명〔역〕고려 십도(十道)의 하나. 성종(成宗) 14년(995)에 전주(全州)·영주(瀛州)·순주(淳州)·마주(馬州) 등의 주현(州縣)을 관할하게 하였다가, 현종(顯宗) 때에 해양도(海陽道)와 합하여 전라도가 됨.

강남-두【江南豆】명〔식〕강낭콩.

강남 문학【江南文學】명〔문〕중국 양쯔 강 이남에서 번성한 문학. 《시경(詩經)》으로 대표되는 북방 황하 유역의 문학이 질박(質朴)한데 비하여, 진(秦)나라 말기의 굴원(屈原)·송옥(宋玉) 등의 운문(韻文)과 같이 우아(優雅)·신비하고 공상적·개방적(開放的)인 것이 특색임.

강남 산맥【江南山脈】명〔지〕낭림 산맥(狼林山脈)에서 분기하여 평안북도의 북쪽, 압록강의 남안을 서남 방향으로 뻗은 산맥. 연덕산(淵德山)·백암산(白岩山)·덕산(德山) 등 1,700 m 이상 되는 고봉이 많이 솟아 있음.

강남-상어【江南—】명〔어〕[*Carcharias kamoharai*] 강남상어과에 속하는 바닷물고기. 몸은 길고 크며, 몸무게 75 kg 이상임. 배지느러미는 제2 등지느러미나 뒷지느러미보다 훨씬 크고, 제2 등지느러미는 제1 등지느러미보다 아주 짧음. 지느러미는 고등 요리의 재료로 쓰임. 일본에 분포하고 한국에서는 부산에서 잡힌 일이 있음.

강남상어-과【江南—科】[—꽈] 명〔어〕[Carchariidae] 악상어목(目)에 속하는 한 과. 한국에는 강남상어뿐임.

강남 악부【江南樂府】명〔책〕조선 정조(正祖) 때에 조현범(趙顯範)이 지은 책. 고려 때부터 영조(英祖) 때까지의 전라도 순천(順天) 땅의 인물·풍토·기사(奇事)·이적(異蹟) 등을 읊은 악부.

강남-조 명 개맨드라미의 씨. 한방(韓方)에서 '청상자(靑葙子)'라 함.

강남-죽【江南竹】명〔식〕죽순(竹筍)대.

강남-콩【江南—】명〔식〕☞강낭콩.

강남홍-전【江南紅傳】명〔문〕옥련몽(玉蓮夢).

강낭 명〈방〉〔식〕옥수수(경상).

강낭대죽 명〈방〉〔식〕옥수수(제주).

강낭대축 명〈방〉〔식〕옥수수(제주).

강낭숙구 명〈방〉〔식〕옥수수(경북).

강낭이 명〈방〉〔식〕옥수수(경북·황해).

강낭-콩 명〔식〕[*Phaseolus vulgaris*] 콩과(科)에 속하는 일년생 만초(蔓草). 잎은 삼출 복엽(三出複葉)으로 호생하며 좁은 달걀꼴의 탁엽(托葉)이 밑바닥에 착생(着生)함. 여름에 엽액(葉腋)에서 흰 빛 또는 연한 자주빛 꽃이 총상(總狀) 화서로 핌. 열매는 가늘고 긴 깍지로 그 속에 백색·황갈색 또는 흑색의 종자가 10개 가량 들어 있으며, 종자는 먹음. 남미(南美) 원산으로 한랭(寒冷)한 기후에도 잘 자라, 세계 각지에서 재배하는데, 천여 종이 분포함.

〈강낭콩〉

강낭콩 저:냐 명 강낭콩의 풋열매로 만든 저냐.

강내 명〈방〉〔식〕옥수수(함남).

강내미 명〈방〉〔식〕옥수수(황해).

강내숙기 명〈방〉〔식〕옥수수(함북).

강내이 명〈방〉〔식〕옥수수(경남·황해).

강냉이 명〔식〕옥수수❷.

강냥 명〈방〉처마끝(함경).

강냥숙기 명〈방〉〔식〕옥수수(함북).

강냬 명〈방〉〔식〕옥수수(함북).

강네이 명〈방〉〔식〕옥수수(경남).

강넹이 명〈방〉〔식〕옥수수(경남).

강년【康年】명 곡식이 잘된 해. 풍년(豐年).

강:년-채【降年債】명〔역〕조선 철종(哲宗) 때, 불법적으로 백성들에게서 징수하던 군포(軍布). 관(官)이 문서상(文書上)의 나이를 고의적으로 내려 역(役)을 필한 60세 이상의 남자에게서도 계속해서 군포(軍布)를 징수하였음.

강녕1【江寧】명〔지〕중국 남당(南唐)·청(淸)나라 때에, 지금의 난징(南京)에 둔 부(府)의 이름. *건업(建業)·응천부(應天府).

강녕2【康寧】명 몸이 건강하며 마음이 편안함. 오복(五福)의 하나임. ——-하다 형여불. ——-히 부 「창덕궁(昌德宮)으로 옮겼음.

강녕-전【康寧殿】명〔역〕경복궁(景福宮) 안에 있던 침전(寢殿). 후에

강노1【剛弩】명〔역〕고려 별무반(別武班)의 센 쇠뇌를 쓰던 군대.

강노2【強弩】명 센 쇠뇌.

강-놈【江—】명 전날 서울 강대에 살던 사람의 천칭(賤稱).

강:님 도:령 명〔민〕무당이 위하는 신(神)의 하나. 서울 남대문(南大門)

을 지은 총각 도편수의 이름이라 하는데, 선혜청(宣惠廳) 부군당(府君堂)에 모시었음.

강다리[1] ⊟ 명 ①물건을 버티는 데 어긋맞게 괴는 나무. ②〖건〗 도리 바깥쪽으로 내민 추녀 끝의 처짐을 막기 위하여, 추녀의 안 쪽 위 끝에 구멍을 뚫고 나무를 내리 꿰어 오량까지 닿게 하고, 다시 그 끝에 비녀장을 꽂는 괴목(槐木) 따위의 단단한 나무. ⊟의명 쪼갠 장작을 셀 때 백 개비를 이르는 말.

강-다리[2]【江—】[—따—] 명 강(江)에 놓은 다리. 강교(江橋).

강-다짐 명 ①밥을 국이나 물에 말지 아니하고 그냥 먹음. ②까닭 없이 억눌러 꾸짖음. ¶ 누굴 도륙내며 누굴 징치하겠다고 이런 ~인고≪金周榮 : 客主≫. ③보수(報酬)를 주지 아니하고 억지로 남을 부림. ——하다 타여불

강:단[1]【降壇】명 단(壇) 위에서 내려옴. 하단(下壇). ——하다 자여불

강단[2]【剛斷】명 ①강기(剛氣) 있게 결단하는 힘. ②질기고 끈덕지게 어려움이나 괴로움에 버티어 가는 힘. ¶ ~성(性).

강:단[3]【講壇】명 강의(講義)나 강연·설교 등을 하기 위해 올라서게 만든 자리. 강:단에 서다 구 교단(敎壇)에 서다.

강:단 문학【講壇文學】명〖문〗예술적이기보다는 이론적 또는 학구적인 문학.

강:단 사회주의【講壇社會主義】[—/—이] 명 〔도 Kathedersozialismus〕〖사〗자본주의 제도를 변혁하지 아니하고, 사회 정책·사회 입법에 의하여 여러 가지 사회 문제와 노동 문제를 해결하면서 서서히 사회 개혁을 하자는 이론. 1870년대에서 20세기 초두(初頭)에 걸쳐 독일에서 바그너(Wagner, A.H.G.)·슈몰러(Schmoller, G.von) 등 대학 강단에선 신역사학파(新歷史學派)의 경제학자들이 제창한 사회 개량주의를 당시의 마르크스주의자가 비꼬아 한 말임.

강:단 사회주의파【講壇社會主義派】[—/—이—] 명〖경〗사회 정책파.

강단-성【剛斷性】[—썽] 명 강단이 있는 성질.

강단-지다【剛斷—】형 강단성이 있다.

강달-어【江達魚】명〖어〗강달이.

강달-이【江達—】명〖어〗[*Collichthys niveatus*] 민어과에 속하는 바닷물고기. 길이 9cm 가량으로 몸빛과 모양이 황강달이와 비슷하나, 눈이 비교적 크고 등 쪽이 밋밋함. 서해안 일대에 분포하고, 특히 진남포 부근에서 참조기의 치어(稚魚)와 함께 많이 잡힘. 산란기에는 강을 거슬러 올라오는데, 이때 살이 찌며 맛도 한창임. 이 물고기의 어유(魚油)는 눈병 치료에 특효가 있다고 함. 강달어(江達魚).

강-담[1] 명 흙을 쓰지 아니하고 돌로만 쌓은 담.

강담[2]【剛膽】명 담력이 강함. ——하다 형여불

강:담[3]【講談】명 강연이나 강의하는 말투로 하는 담화(談話). ——하다 자여불

강담-돔 명〖어〗[*Oplegnathus punctatus*] 돌돔과에 속하는 바닷물고기. 길이 40cm 내외로 갈색 바탕에 검은 무늬가 몸 전체에 밀포(密布)되어 있는데, 비늘 수가 많은 것이 돌돔과 다름. 한국 중남부, 특히 울산만에 흔하고, 일본 중남부·동남 지나해에 분포함. 돌돔과 같이 맛이 여름철에 좋으나 흔하지 아니함.

강:당【講堂】명 ①학교·회사 등에서 많은 사람을 모아, 강의나 강연·의식(儀式)을 하는 데 쓰이는 건물 또는 방. ②〖불교〗강경(講經)하는 방. ③교회(敎會)의 사무를 보는 집.

강-대[1]【江—】명 전날, 서울 주변에 있던 강가의 마을들.

강대[2]【強大】명 ①동물의 사지(四肢) 따위가 크고 튼튼함. ②나라의 병력이 강하고 강토(疆土)가 넓음. ¶ ~한 나라. ↔약소(弱小). ——하다 형여불. ——히 부

강대[3]【堈碓】명〖역〗진흙으로 구워 만든 절구. 중국 주(周)나라 때의 유물(遺物)임.

강대[4]【鋼帶】명 띠 모양으로 만든 강철판.

강:대[5]【講臺】명 경문(經文) 같은 것을 강의하는 대.

강대-국【強大國】명 병력이 강하고 강토가 넓은 나라. 강국(強國). ↔약소국(弱小國).

강대 무비【強大無比】명 어떠한 것에도 비교할 수 없을 만큼 강대함. ——하다 형여불

강:대-상【講臺床】[—쌍] 명 교회에서 설교하는 자리에 놓는 탁자.

강:대 수참【講對隨參】명〖역〗조선 시대에, 왕세자나 왕세손을 위하여 경서(經書)를 강의하고, 질의 응답에 참가하던 일.

강-더위 명 오랫동안 가물고 찌는 더위.

강도[1]【江都】명〖역〗①사도(四都)의 하나. 지금의 강화(江華). ②'강화(江華)'의 별칭. 고려 고종 때, 몽골의 침입을 피하여 강화에 서울을 옮긴 일이 있은 뒤부터 이 이름이 생김.

강도[2]【江都】명〖지〗'장두'를 우리 음으로 읽은 이름.

강도[3]【羌桃】명 호두.

강도[4]【剛刀】명 단단한 쇠로 만든 칼.

강도[5]【剛度】명〖물〗금속성(金屬性)의 물질이 끊어지지 아니하려고 저항(抵抗)하는 힘의 정도.

강도[6]【強度】명 ①강렬한 정도. ②〖광〗굳기. ③도가 강함. ¶ ~의 근시(近視). ④〖물〗전기장(電氣場)·전류(電流)·자기화(磁氣化)·전자 방사(電磁放射)·방사능(放射能) 따위의 양(量)의 세기 또는 크기.

강:도[7]【強盜】명 폭행·협박 등의 수단을 써서 남의 재물을 빼앗는 도둑. 또, 그러한 행위. ¶ ~범/~질.

강:도[8]【講道】명 ①도(道)를 강설(講說)함. ②〖종〗교리(敎理)를 강설함. 설교함. ——하다 타여불

강:도 강:간죄【強盜強姦罪】[—쬐] 명〖법〗강도가 부녀자를 강간함으로써 성립하는 죄.

강-도끼장이【江—匠—】명 강대에서, 불이 좁고 채가 썩긴 도끼로 뗏목이나 장작을 패는 일을 업으로 하던 사람.

강-도다리【江—】명〖어〗[*Platichthys stellatus*] 붕넙칫과에 속하는 바닷물고기. 길이 35 cm 내외로 눈이 왼 쪽에 있는 것이 보통이나, 오른 쪽에 있는 것도 있음. 옆줄은 거의 직선이고 가슴지느러미 위에서 조금 굽어 있으며, 몸 양쪽에 껄쭉껄쭉한 작은 골판(骨板)이 산재함. 몸빛은 유안측(有眼側)이 황록색이고 각 지느러미는 황갈색 바탕인데 등지느러미·뒷지느러미·꼬리지느러미 등에는 흑색 무늬가 있고, 눈이 없는 쪽의 무늬가 더 뚜뚜함. 2-3월경에 강어귀에 산란하는데, 때때로 강을 거슬러 올라오기도 함. 한국 북부 연안, 특히 원산·청진에서 많이 나고, 일본·캄차카·북미에 분포함. 식용함.

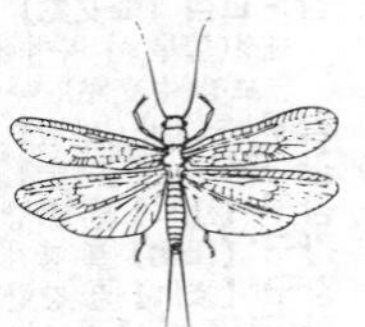
〈강도다리〉

강:도-단【強盜團】명 강도의 무리.

강-도래【江—】명〖충〗①메추리강도래·민강도래 등의 총칭. ②[*Kamimuria tibialis*] 강도랫과에 속하는 곤충. 몸길이 14-18mm이고 몸빛은 흑갈색이며 두부(頭部)에 황갈색의 무늬가 2개 있음. 촉각의 후반부는 황색이고 전반부는 흑갈색이며 날개는 담황갈색임. 늦은 봄에서 초여름까지 계류(溪流)의 근처에서 볼 수 있음. 유충은 시냇물의 돌 사이에 서식하는데, 한국·일본에 분포함. 물도래. ＊민강도래.

〈강도래〉

강도래-목【江—目】명〖충〗[Plecoptera] 곤충강 유시 아강(有翅亞綱)에 속하는 한 목(目). 몸은 편평하고 연약하며 암색임. 불완전 변태이고 날개는 등 위에 접히고 퇴화한 종류도 많음. 수생(水生)이며 유충은 낚싯밥에 씀. 강도래과·그물강도래과·메추리강도래과·민강도래과 등이 이에 속함. 적시류(積翅類).

강도랫-과【江—科】명〖충〗[Perlidae] 강도래목(目)에 속하는 한 과(科). 몸은 납작하고 연약하며 녹색 또는 대황색(帶黃色)·담황색 등 어두운 빛을 가짐. 흐르는 물·호수·못에 사는데, 어떤 종류에는 날개가 전혀 없어 땅 위를 기어다니기만 하는 것도 있음. 유충은 담수어의 낚싯밥으로 중요시되며 작은 동물을 먹음. 성충은 주로 봄·여름에 나타나 딴 작은 곤충이나 식물의 꽃잎 등을 먹음. 전세계에 널리 분포함. ＊메추리강도래과.

강:도 미:수죄【強盜未遂罪】[—쬐] 명〖법〗강도의 실행에 착수는 했으나, 목적을 이루지 못한 경우에 성립하는 죄.

강:도-범【強盜犯】명〖법〗강도질을 한 범인. 또, 그 범죄(犯罪).

강:도-사【講道師】명〖기독교〗치리권(治理權)은 없고 전도(傳道)에만 종사하는 교직(敎職).

강:도 살상【強盜殺傷】[—쌍] 명〖법〗강도가 강도 현장에서 사람을 다치게 하거나 죽이는 일.

강:도 살인죄【強盜殺人罪】[—쬐] 명〖법〗강도가 강도 현장에서 사람을 죽임으로써 성립하는 죄.

강:도-상【講道床】[—쌍] 명 강도할 때, 강설자(講說者) 앞에 놓는 상. 강상(講床).

강:도 상해죄【強盜傷害罪】[—쬐] 명〖법〗강도가 강도 현장에서 사람을 상해함으로써 성립하는 죄.

강도 순절인【江都殉節人】명〖역〗병자 호란 때, 강화도(江華島)에서 순국(殉國)한 사람들. 조선 인조 14년(1636), 중국 청(淸)나라의 침입으로 강화도에 피란, 끝까지 싸우다 전사했거나 자결(自決)한 김상용(金尙容)·권순장(權順長)·김익겸(金益謙)·황선신(黃善身) 등을 일컬음.

강:도 예:비 음모죄【強盜豫備陰謀罪】[—쬐] 명〖법〗강도의 목적을 가지고 기구의 준비, 침입 장소의 탐색, 재산 소재의 정찰·의논 등을 함으로써 성립하는 죄.

강도 일기【江都日記】명〖책〗조선 인조 때, 어한명(魚漢明)이 쓴 일기. 당시 경기 좌도 수운 판관(京畿左道水運判官)이던 필자가 봉림(鳳林) 대군과 인평(麟坪) 대군을 보호하여 강화까지 건네 준 일을 기록함.

강:도-죄【強盜罪】[—쬐] 명〖법〗강도 행위로 성립하는 죄.

강:도-질【強盜—】명 강도의 행위를 하는 짓. ——하다 자여불

강:도 치:사죄【強盜致死罪】[—쬐] 명 강도가 사람을 죽게 함으로써 성립하는 죄.

강:도 치:상죄【強盜致傷罪】[—쬐] 명 강도가 사람을 다치게 함으로써 성립하는 죄.

강:독【講讀】명 글을 강의(講義)·토론(討論)하며 읽음. 책을 읽고 그 뜻을 밝힘. ¶ 영어 ~. ——하다 타여불

강동[1]【江東】명〖지〗①평안 남도 강동군(江東郡)의 군청 소재지. 대동강(大同江)의 중류 평야에 임하여 있으며, 농산물의 집산지임. ②중국 양쯔 강 하류 남안(南岸), 곧 동쪽의 땅. 상하이·난징·우후(蕪湖) 지방 일대(一帶). 춘추 전국 시대 오(吳)·월(越) 지방의 고칭(古稱).

강동[2] 부 채신없이 가볍게 뛰는 모양. ㅆ깡똥. <경동.

강동-거리다 자 채신없이 자꾸 가볍게 뛰다. ㅆ깡똥거리다. <경둥거리다. 강동-강동 부. ¶ ~ 뛰어다니다. ——하다 자여불

강동-구【江東區】명〖지〗서울 특별시의 한 구(區). 동쪽은 경기도 하남시(河南市), 서쪽은 광진구(廣津區), 남쪽은 송파구(松坡區), 북쪽은 경기도 구리시(九里市)와 접함. 암사동 선사 주거지(岩寺洞先史住居址)와 광나루 유원지·보훈 병원 등이 있음. [24.58 km² : 505,341 명(1996)]

강동-군【江東郡】명〖지〗평안 남도의 한 군. 북쪽은 순천군(順川郡), 동쪽은 성천군(成川郡), 남쪽은 중화군(中和郡)과 황해도 수안군(遂安郡), 서는 대동군(大同郡)에 접하였음. 특산물로 고치·밤·무연탄이 유명하며, 단군묘(檀君墓)·청계 동굴(淸溪洞窟)·삼등굴(三登窟)·황학루

(黃鶴樓)·가산사(架山寺) 등의 명승 고적이 있음. 군청 소재지는 강동 ㄴ(江東). [669.7km²]
강동-대다 자 강동거리다.
강동 산지【江東山地】명〖지〗장등 산지.
강동-성【江東城】명〖역〗고려 때 평양(平壤) 동쪽에 있던 성(城). 고종(高宗) 6년(1219)에 고려·몽고·동진(東眞)이 연합하여 이곳에 입구(入寇)하였던 거란인(契丹人)을 쳐부순 일은 유명함.
강동성 싸움【江東城—】명〖역〗고려 고종 5년(1218)부터 이듬해에 걸쳐 고려·몽고·동진(東眞)의 연합군이 강동성에 침입한 거란적(契丹賊)을 섬멸한 싸움. 강동성 전투.
강동 육성【江東六城】[—뉵—] 명〖역〗고려 성종(成宗) 13년(994)에 평안 북도의 서북 지방에 구축한 고려 국경의 여섯 성. 여진족의 침입을 막고 북방 진출의 장애를 없애기 위하여 장흥(長興 : 泰川), 홍화(興化 : 義州 동쪽), 곽주(郭州 : 定州郡郭山面), 구주(龜州 : 龜城), 안의(安義 : 定州), 선주(宣州 : 宣川) 등지에 쌓은 성보(城堡)임. 강동 육진(江東六鎭). *강동 육주(江東六州).
강동 육주【江東六州】[—뉵—] 명〖역〗고려 성종(成宗) 때 평안 북도 서북 해안 지대에 설치된 행정 구역. 곧, 흥화(興化 : 義州 동쪽), 용주(龍州 : 龍川), 통주(通州 : 宣川 서북), 철주(鐵州 : 鐵山), 구주(龜州 : 龜城), 곽주(郭州 : 定州郡郭山面)의 여섯 주. 거란의 1차 고려 침입 때 서희(徐熙)가 거란군과의 강화를 맺고 나서 성종 13년(994) 압록강 동쪽의 여진 부락을 소탕하고 점진적으로 강동 육성(江東六城)을 구축하였는데, 이 지역을 통치하기 위하여 설치한 것임. 그 후 현종(顯宗) 원년(1010) 거란군이 쳐들어와 이 육주의 반환을 요구하였으나 응하지 아 ㄴ니하였음.
강동 육진【江東六鎭】[—뉵—] 명〖역〗강동 육성.
강동-하다 형여불 아랫도리가 너무 드러날 정도로 겉에 입은 옷이 짧다. ¶ 강동하게 짧은 치마/강동한 당꼬 즈봉에 코르덴 잠바를 입고 머리에는 빵모자를 쓰고 있었다≪吳有權 : 방앗골 혁명≫. ㅆ깡똥하다. <경둥하다.
강동-호【江洞湖】명〖지〗강원도 통천군(通川郡) 학일면(鶴一面)에 있는 못. 태백 산맥 동쪽에 전개된 좁고 긴 해안 지대에 있는 석호(潟湖)의 하나. [2.86km²]
강-된장【—醬】명 건더기를 조금 넣고 된장을 진하게 넣어서 끓인 음식.
강두¹【江頭】명 강가의 나룻배 타는 곳.
강두²【豇豆】명〖식〗광저기.
강두-홍【豇豆紅】명〖공〗강희 낭요(康熙郎窯)의 동홍유(銅紅釉)가 담갈홍(淡褐紅)으로 나타난 빛. 「防).
강-둑【江—】[—뚝] 명 강물이 넘치지 아니하게 쌓아 놓은 둑. 제방(堤
강:등【降等】명 등급(等級)이나 계급이 내림. 또, 그것을 내림. ¶일 계급 ~. ——-하다 자타여불
강:등-전【降等田】명〖역〗조선 시대에 토질이 나빠져서 본래의 전등(田等)을 유지할 수 없을 경우에, 세율(稅率)을 감해 준 토지. *강속전 ㄴ(降續田).
강-똥 명 단단한 된똥.
강똥-하다 형여불 ☞ 깡똥하다.
강락【康樂】[—낙] 명 육신이 편안하고 마음이 즐거움. 안락(安樂). ㄴ——-하다 형여불
강랑【蜣蜋】[—낭] 명〖충〗쇠똥구리.
강려【剛戾】[—녀] 명 성미가 깔깔하고 비꼬임. ——-하다 형여불
강력¹【強力】[—녁] 명 ①힘이나 작용이 셈. 또, 그 힘. 대력(大力). ¶ ~한 군비. ②폭력(暴力). ¶ ~범(犯). ——-하다 형여불. ——-히 부
강력²【強力】[—녁] 명〖물〗핵력(核力)을 종래의 중력(重力)이나 전자기력(電磁氣力)보다 훨씬 강한 힘이라 하여 일컫는 이름. 그 힘의 크기는 전자기력의 100배. *약력(弱力)·강(強)한 상호 작용(相互作用).
강력 밀가루【強力—】[—녁—까—] 명 강력분(強力粉).
강력-범【強力犯】[—녁—] 명 ①흉기나 폭력을 쓰는 범행. 또, 그 범인. ②살인·강도·강간·상해·공무 집행 방해죄 등과 같이 폭행·협박 즉, 물리적(物理的)·심리적(心理的) 강제를 수단으로 하여 행하는 범죄. 실력범(實力犯). 폭력범(暴力犯).
강력-부【強力部】[—녁—] 명 강력범 단속을 담당하는 검찰청의 한 부.
강력-분【強力粉】[—녁—] 명 강화 식품의 하나로, 밀가루에 비타민 B_1·B_2·칼슘 따위를 인공적으로 첨가한 식품(食品). 강력 밀가루. ↔박력분(薄力粉).
강력 인견【強力人絹】[—녁—] 명〖공〗비스코스(viscose) 인견의 제조법과 거의 같되 강력성을 주기 위하여 섬유소의 함유량이 많은 고급 펄프를 사용한, 그다지 정련하지 아니한 화학 섬유의 하나. 내열성(耐熱性)·피로 저항성(疲勞抵抗性)이 커서 타이어 코드용(用)으로 사용되나 옷감으로는 부적당함.
강력 지배【強力支配】[—녁—] 명〖사〗뭇 사람이 욕망 또는 행위의 충돌(衝突)에 대하여 강력으로써 되고 아니됨을 판단하여 이에 복종(服從)시키는 일. ——-하다 자타여불
강렬¹【剛烈】[—녈] 명 강직하고 격렬함. ——-하다 형여불
강렬²【強烈】[—녈] 명 세차고 맹렬함. ¶ ~한 펀치. ——-하다 형여불. ——-히 부
강렬 비:료【強烈肥料】[—녈—] 명〖농〗효력이 강하여 잘못 사용하면 농작물에 해를 끼치는 비료. 황산 암모늄 같은 것.
강:령¹【降靈】[—녕] 명〖천도교〗한울님의 영(靈)이 몸에 강림(降臨)함. 천도교를 믿음으로써 천심(天心)을 깨닫고 천령(天靈)을 회복하는 상태를 이름. ——-하다 자여불
강령²【綱領】[—녕] 명 ①일을 하여 나아가는 데의 으뜸되는 큰 줄거리. 그물의 벼릿줄과 옷의 깃고대로 비유한 말. ②[program] 정당·노동 조합 등 단체의 입장·목적·계획·방침 또는 운동의 순서·규범(規範) 등을 요약하여 열거한 것. ¶ 정당(政黨)의 ~.
강령 탈:춤【康翎—】[—녕—] 명〖민〗황해도 해주(海州)의 서남쪽에 있는 강령(康翎) 지방에 전해지던 탈춤. 단오(端午) 놀이로, 모두 8 과장(科場)임.
강:론【講論】[—논] 명 ①학술이나 도의(道義)의 뜻을 강석(講釋)하고 토론함. ②〖천주교〗교리를 설명하여 신자를 훈계함. 설교(說敎).
강:론-회【講論會】[—논—] 명 강론하는 모임. ㄴ——-하다 타여불
강류¹【江流】[—뉴] 명 강의 흐름. 하류(河流).
강류²【糠類】[—뉴] 명 곡식의 기울이나 겨 따위. 겨붙이.
강류 석부전【江流石不轉】[—뉴—] 구 강의 물은 흘러도 돌은 구르지 않는다는 뜻으로, 양반(兩班)은 함부로 동(動)하지 아니한다는 말. *양반은 얼어 죽어도 짚불은 안 쬔다.
강:류-어【降流魚】[—뉴—] 명〖어〗강하어(降河魚).
강릉¹【江陵】[—능] 명〖지〗강원도의 한 시(市). 1읍(邑) 7면(面) 20동(洞). 동쪽은 동해(東海), 서쪽은 태백 산맥(太白山脈)의 능선(稜線)을 경계로 평창군(平昌郡)·정선군(旌善郡), 남쪽은 동해시(東海市)와 삼척시(三陟市), 북쪽은 양양군(襄陽郡)에 각각 접함. 남한 제일의 목재 산지이고, 쌀·잡곡·오징어·고등어 등의 농수산물과 대단위(大單位) 목장이 곳곳에 있으며, 무연탄(無煙炭)·흑연(黑鉛)·철광(鐵鑛)·금(金)·아연(亞鉛) 등의 광산물이 많음. 경포대(鏡浦臺)와 오죽헌(烏竹軒)·객사문(客舍門)·해운정(海雲亭)·예국 고성(穢國古城)·보현사(普賢寺)·대관령(大關嶺)·청학동 소금강(靑鶴洞小金剛)·굴산사지(掘山寺趾) 등의 명승 고적이 있음. 1995년 1월 명주군을 통합, 개편됨. [1,040km² : 223,451명(1996)]
강릉²【岡陵】[—능] 명 언덕이나 작은 산.
강-릉³【康陵】[—능] 명〖지〗①고려 성종(成宗)의 능. 경기도(京畿道) 개풍군(開豐郡) 청교면(靑郊面) 배야리(俳也里) 강릉동(康陵洞)에 있음. ②조선 명종(明宗)과 인순 왕후(仁順王后) 심씨(沈氏)의 능. 서울특별시 도봉구(道峰區) 공릉동(孔陵洞)에 있음.
강릉 객사문【江陵客舍門】[—능—] 명〖지〗강릉시 용강동(龍岡洞)에 있는 객사 대문. 단층 맞배지붕의 주심포(柱心包) 집으로, 전면(前面) 3간, 측면 2간의 장중한 형태를 갖추었음. 수법으로 보아 조선 초기의 건립(建立)이라는 설이 있으나, 건물의 세부(細部)로 보아 고려 말기의 건립으로 추정됨. 국보 제51호.
강릉 단오제【江陵端午祭】[—능—] 명〖민〗강릉 지방에서 단오날을 전후하여 거행하는 향토신제(鄕土神祭). 대관령 서낭을 제사하며, 산로 안전(山路安全)과 풍작·풍어, 집안의 태평 등을 기원하는 제의(祭儀)와 축제임. 단오굿·단양제(端陽祭)라고도 함.
강릉 매화타:령【江陵梅花打令】[—능—] 명〖악〗판소리 열두마당의 하나. 현재까지 사설의 창본(唱本)이 발견되지 아니함.
강릉 오죽헌【江陵烏竹軒】[—능—] 명〖지〗오죽헌.
강릉 추월【江陵秋月】[—능—] 명〖문〗소운전(蘇雲傳).
강리¹【江籬】[—니] 명〖식〗꼬시래기.
강리²【康里】[—니] 명〖역〗'캉글리(Kangli)'의 취음(取音).
강:리-장【降釐章】[—니짱] 명〖악〗관왕묘 제악(關王廟祭樂)에 쓰이 ㄴ던 악장의 하나.
강린【強隣】[—닌] 명 강한 이웃 나라.
강:림【降臨】[—님] 명 신불(神佛)이나 그 덕이 지상에 내림(來臨)하는 일. 신불이 하늘에서 내려오는 일. 하림(下臨). ——-하다 자여불
강:림-절【降臨節】[—님—] 명〖기독교〗기독교에서 지키는 축제의 하나. 그리스도의 탄생을 기념하기 위한 준비 행사 기간으로 크리스마스 전 4주간을 이름.
강립¹【強立】[—닙] 명 굳세게 세움. ——-하다 타여불
강립²【僵立】[—닙] 명 굳세게 섬. 꿋꿋하게 섬. ——-하다 자여불
강:마【講磨·講劘】명 학문이나 기술을 강구(講究)하고 연마(研磨)함.
강마기 명〈방〉껍데기(제주). ㄴ——-하다 타여불
강-마르다 형르불 딱딱하게 마르다. ¶ 강마른 논바닥. *깡마르다.
강만¹【江灣】명 강(江)과 만(灣).
강만²【岡巒】명 언덕과 산. 구산(丘山).
강:매¹【強買】명 강제(強制)로 삼. 늑매(勒買). ——-하다 타여불
강:매²【強賣】명 강제로 팖. ¶ 불량품을 ~하다. ——-하다 타여불
강맹【強猛】명 매우 굳세고 사나움. ——-하다 형여불
강:멱【降冪】명〖수〗'내림차'의 구용어. ↔승멱(昇冪).
강:멱-순【降冪順】명〖수〗'내림차순'의 구용어.
강-면약【強綿藥】명〖화〗셀룰로오스의 니트로화도(化度)가 크며, 질소 함유량이 13% 이상인 니트로셀룰로오스. 폭발력이 커서 아세톤을 용제(溶劑)로 하여 무연 화약(無煙火藥)의 제조에 쓰임. 「——-히 부
강명¹【剛明】명 성질이 강직하고 두뇌가 명석함. ——-하다 형여불.
강:명²【講明】명 강구(講究)하여 밝힘. ——-하다 타여불
강-명(:)길【康命吉】명〖사람〗조선 정조(正祖) 때의 전의(典醫). 승평(昇平) 사람. 초명(初名)은 명미(命徵). 자는 군석(君錫). 당대 의학계의 제일인자로 저서에 ≪제중 신편(濟衆新編)≫이 있음. [1737-1801]
강-명(:)준【姜命俊】명〖사람〗조선 고종(高宗) 때의 군인·포수(砲手). 임오 군란 때 김영춘(金永春) 등과 같이 주동이 되어, 선혜청(宣惠廳)을 습격, 이를 파괴하다가 체포되어 참형(斬刑)을 당하였음. [?-1882]
강-모¹ 명〖농〗가물 때 마른 논에 억지로 호미나 꼬챙이로 땅을 파면서 심는 모. 호미모·꼬창모 등.
강모²【剛毛】명 ①딱딱한 털. 뻣뻣한 털. 거센 털. ↔연모(軟毛). ②딱딱하고 억센 포유(哺乳) 동물의 털. 돼지털 따위. 거센 털. ③〖동〗절지동물(節肢動物)·환형 동물(環形動物)의 몸에 생기는, 세포막에 규산(硅酸)을 함유하고 있어 딱딱하게 된 털. ④〖공〗섬유의 길이가 13cm 되는 양털을 이름. *섬모(纖毛).
강-모래【江—】명 강에서 나는 모래. 강가나 강바닥에 깔린 모래. 강사(江沙). ↔산모래. *강자갈.

강모-상 【剛毛狀】 명 딱딱하고 빳빳한 털의 모양.
강-모음 【強母音】 명 『언』 양성 모음(陽性母音). ↔약(弱)모음.
강목[1] 명 『광』 채광(採鑛)할 때 소득이 없는 작업.
 강목(을) 치다 구 ㉠채광(採鑛)에서 감돌의 소득이 없이 허탕만 치다. ㉡아무런 소득 없이 허탕만 치다.
강목[2] 【綱目】 명 대강(大綱)과 세목(細目).
강목[3] 【綱目】 명 『책』 ↗통감 강목(通鑑綱目).
강:목[4] 【講目】 명 『불교』 강독(講讀)하는 경전(經典)의 명목(名目).
강목 수생 【剛木水生】 명 간목 수생(乾木水生).
강목 집요 【綱目輯要】 명 『책』 흥선 대원군(興宣大院君) 이하응(李昰應)이 ≪통감 강목(通鑑綱目)≫과 ≪속강목(續綱目)≫의 대요를 요약해서 엮은 책. 7권 3책으로 인본(印本)임.
강:무 【講武】 명 ①무도를 강습함. ②『역』 조선 시대에 지정(指定)한 곳에 장수와 군사와 백성들을 모아 임금이 주장(主掌)하여 사냥을 하며, 겸하여 무예(武藝)를 연습하던 일. ——-하다 자 여불
강:무-관 【講武館】 명 강무하는 집.
강:무-소 【講武所】 명 『역』 강무장.
강:무-장 【講武場】 명 『역』 조선 시대에 임금이 강무를 행하던 곳. 강원도의 횡성(橫城)·회양(淮陽)·평강(平康)·김화(金化) 등지와 경기도 광주(廣州), 황해도의 해주(海州) 등지에 있었음. 강무소(講武所).
강문 【江門】 명 『지』 '장먼'을 우리 음으로 읽은 이름.
강문 진또베기 【江門—】 명 『민』 〔진또베기는 세 가닥이 진 나뭇가지 위에 나무 오리 세 마리를 얹은 높이 5m의 수살(水殺)〕 강원도 강릉시 강문동(江陵市江門洞)의 부락제(部落祭)에 유래된 민속 놀이. 두 곳의 서낭당에 진또베기를 베풀고, 무당굿·살풀이·지신(地神)밟기·춤으로 이루어진 놀이를 연희(演戲)함.
강문 팔학사 【江門八學士】 명 『역』 조선 숙종 때, 황강(黃江) 권상하(權尙夏)의 문하(門下)인 여덟 사람의 유학자. 곧, 한원진(韓元震)·이간(李柬)·윤봉구(尹鳳九)·채지홍(蔡之洪)·이이근(李頤根)·현상벽(玄尙璧)·최징후(崔徵厚)·성만징(成晩徵) 등을 일컬음.
강-물 【江—】 명 강에 흐르는 물. 강수(江水).
 【강물도 쓰면 준다】 무진장한 강물도 쓰면 준다는 뜻으로, 많다고 해서 마구 쓰지 말라는 말. 【강물이 돌을 굴리지 못한다】 좀처럼 움직이지 않는다는 말.
강미[1] 【強蛘】 명 『충』 바구미[2].
강:미[2] 【講米】 명 『역』 글방 선생에게 보수로 바치던 곡식. 학세(學稅). 학채(學債). 공량(貢糧). *강전(講錢).
강미[3] 【糠糜】 명 겨로 쑨 죽. 겨죽.
강-민첨 【姜民瞻】 명 『사람』 고려 현종(顯宗) 때의 장군. 진주(晋州) 사람. 현종 때 동여진(東女眞)을 무찌르고 강감찬(姜邯贊)의 부장(副將)으로서 흥화진(興化鎭)에서 거란군(契丹軍)을 격파하여 추성 치리 익대 공신(推誠致理翊戴功臣)이 되었음. [963-1021]
강:밋-돈 【講米—】 명 『역』 강미 대신으로 바치던 돈.
강-바닥 【江—】 [—빠—] 명 강의 밑바닥.
강-바람[1] 명 비는 아니 오고 몹시 부는 바람.
강-바람[2] 【江—】 [—빠—] 명 강에서 부는 바람. 강풍(江風).
강:-바치다 【講—】 자 배운 글을 스승이나 시관 앞에서 외어 바치다.
강박[1] 【強拍】 명 『악』 '센박'의 한자 이름. ↔약박(弱拍).
강:박[2] 【強迫】 명 ①강제로 핍박(逼迫)함. ¶ ~ 관념(觀念). ②협박하여 강제로 자기의 의사를 좇게 함. 겁박(劫迫). ③『법』 민법상, 해를 끼칠 것 같은 언동(言動)을 나타내어 상대방의 공포심을 일으키게 하고, 억지로 의사 결정을 시키는 일. ¶ ~ 행위. ——-하다 타 여불
강박[3] 【強薄】 명 강포하고 야박함. ——-하다 형 여불. ——-히 부
강박[4] 【糠粕】 명 쌀겨와 지게미.
강:박 관념 【強迫觀念】 명 〔imperative idea〕 『심』 ①의식(意識) 속에 떠오른 어떤 관념(觀念)을 없애려야 없앨 수 없고 누르려야 누를 수 없는 정신 상태. 여러 번 손을 씻고도 더럽다고 느끼며 자꾸만 손을 씻는 등의 것. ②사유(思惟) 가운데에 돌연히 그 의사(意思)에 반하여 마음 속에 침입해 들어오는 병적 관념.
강:박 반:응 【強迫反應】 명 『심』 적응(適應)이 곤란한 상황(狀況)에 있어서 강박 상태에 빠지는 적응 장애(適應障礙).
강:박 사고 【強迫思考】 명 사고 장애의 한 가지. 자기 스스로가 생각하는 것이 아니고, 억눌러도 자꾸 하게 되는 사고. 작위(作爲) 사고에까지 미치게 됨.
강:박 상태 【強迫狀態】 명 『심』 어떤 불쾌한 생각이 의사에 반하여 의식(意識)에 강하게 고착되어, 이것을 버리려고 하면 할수록 자기 의식에 육박해 오는 상태.
강:박 신경증 【強迫神經症】 [—쯩] 명 『심』 강박 상태를 중핵(中核)으로 하는 정신 이상증.
강:박-적 【強迫的】 명 관 강박하는 모양.
강:박 충동 【強迫衝動】 명 『심』 어리석다고 판단하면서도, 의지에 반하여 생기는 하고 싶다는 충동. 보통, 강박 관념에서 유발됨.
강:박 행위 【強迫行爲】 명 〔도 Zwangshandlung〕 ①『법』 남을 강박하는 행위. ②『심』 강박 관념에 좇기어 하는 행위.
강반 【江畔】 명 강가의 판판한 땅. 또, 강가.
강:-받다 【講—】 자 듣는 앞에서 글을 외게 하다.
강발 【僵拔】 명 나무가 쓰러져 뿌리가 뽑힘. ——-하다 자 여불
강-밥 명 ①강다짐으로 먹는 밥. ②☞눌은밥.
강방 【強邦】 명 국력(國力)이 강대한 나라. 강국(強國).
강-밭다 형 몹시 야박하고 인색하다. *밭다.
강-배 【江—】 [—빼] 명 강에서 쓰는 배. 뱃바닥을 평평하게 만듦.
강:백 【講伯】 명 『불교』 '강사(講師)'의 존칭.
강-백년 【姜栢年】 명 『사람』 조선 숙종 때의 상신(相臣). 진주 사람. 자는 숙구(叔久). 호는 설봉(雪峰)·한계(閑溪). 문명(文名)이 높고, 생활이 청백하여 청백리(淸白吏)에 녹선(錄選)되었고 그 벼슬이 영의정에 올랐음. 저서에 ≪한계 만록(閑溪漫錄)≫ 등이 있음. [1603-81]
강-버짐 명 〈방〉 버짐(전남).
강-벌 【江—】 [—뻘] 명 ☞강펄.
강베타 〔Gambetta, Léon Michel〕 명 『사람』 프랑스의 정치가·법률가. 반(反)나폴레옹 3세파(派)의 지도자. 보불(普佛) 전쟁 때 강경한 항쟁론(抗爭論)을 주장하고 공화 정부의 내상(內相)으로 독재권을 장악하였음. 강화 조약 성립 후 공화파(共和派)의 수령으로 1881년 수상(首相)에 취임, 1882년에 사직하였음. [1838-82]
강벽 【強癖】 명 남을 이기려고 하는 습성(習性).
강변[1] 【江邊】 명 강가. 물가. 하반(河畔).
강변[2] 【剛辯】 명 변론에 능함. ——-하다 형 여불
강:변[3] 【強辯】 명 이유를 붙여서 굳이 변명함. ——-하다 타 여불
강변-길앞잡이 【江邊—】 명 『충』 〔*Cicindela laetescripta*〕 길앞잡잇과에 속하는 곤충. 몸길이 16mm 내외이고 몸빛은 암녹색에 청동색 광택이 나며 몸의 하면(下面)은 자색 광택이 남. 시초(翅鞘)의 무늬는 회백색 또는 황색이고, 몸의 측방(側方)에는 백색의 긴 털이 있음. 강변의 모래땅에 서식하는데, 한국·중국·일본·시베리아·유럽 등지에 분포함. 흰가뢰.
강변 도:로 【江邊道路】 명 강변을 따라서 낸 도로. 준강변로.

〈강변길앞잡이〉

강변-로 【江邊路】 [—노] 명 ↗강변 도로.
강변-먼지벌레 【江邊—】 명 『충』 〔*Omophron limbatus*〕 딱정벌렛과에 속하는 곤충. 몸길이 7mm 내외로 원형(圓形)이며 몸빛은 황갈색에 전배판(前背板) 전연(前緣) 부근은 백색을 띠고 몸의 하면은 적갈색임. 강변 모래땅에 사는데, 한국·일본·중국·시베리아 등지에 분포함.
강변-메뚜기 【江邊—】 명 『충』 〔*Sphingonotus japonicus*〕 메뚜깃과에 속하는 곤충. 날개 끝까지의 몸길이 25-43mm, 몸빛은 회색 또는 회흑색, 앞날개는 암흑색에 다소 남색을 띠며 두 개의 큰 회색 가로띠가 있음. 뒷날개 기부는 담남색이고, 중앙에 흑색 가로띠가 있음. 강변의 자갈밭·모래밭에 많은데, 자갈·모래빛과 흡사한 보호색임. 한국·일본·중국에 분포함. 모래메뚜기.

〈강변메뚜기〉

강변 칠우 【江邊七友】 명 『역』 조선 광해군(光海君) 때, 벼슬길이 막혔음을 불평하며 소양강(昭陽江) 가에 모여서, 죽림 칠현(竹林七賢)을 본뜬다 자처하며 시(詩)와 술로 세월을 보낸 박응서(朴應犀), 서양갑(徐羊甲), 심우영(沈友英), 이준경(李俊耕), 박치인(朴致仁), 박치의(朴致毅), 김평손(金平孫) 등 7명의 서자(庶子)의 무리. 광해군(光海君) 4년(1612) 조령(鳥嶺)에서 은상인(銀商人)을 죽인 일이 탄로나서 심문을 받던 중, 대북(大北)의 사주(使嗾)를 받아 허위 진술을 함으로써 계축 화옥(癸丑禍獄)을 일으키게 하였음.
강-병[1] 【—病】 명 꾀병.
강병[2] 【剛兵】 명 굳세고 강한 병정. 강병(強兵).
강병[3] 【強兵】 명 ①강한 군사. 강병(剛兵). 경병(勁兵). 부병(富兵). ②군비·병력 등을 강화함. ¶ 부국(富國) ~.
강병[4] 【薑餠】 명 생강편.
강병 부:국 【強兵富國】 명 군대의 힘이 강하고 경제적으로 부강한 나라.
강:병 수지 【講兵須知】 명 『책』 조선 시대 후기의 군사 용어 주석서(註釋書). 명나라의 ≪병학 지남(兵學指南)≫을 중심으로 하여 90여 항목에 걸쳐, 우리 나라와 중국의 병서(兵書)를 인용하여 근거를 밝히면서 주석을 달았음. 저자·저술 연대는 미상. 1책.
강:보[1] 【降寶】 명 『악』 제악곡(祭樂曲)의 하나. 발상악(發祥樂) 열 한 곡 중의 여덟째 곡조. 이태조(李太祖)가 잠저(潛邸) 시절에 보록(寶籙)을 받은 사실을 그린 악장임.
강보[2] 【康保】 명 평안하게 보존함. ——-하다 타 여불
강보[3] 【襁褓】 명 ①포대기. ②포대기에 안길 때. 어릴 때.
강-보리밥 명 〈방〉 꽁보리밥(평안).
강보 소:아 【襁褓小兒】 명 강보(襁褓) 유아.
강보 유아 【襁褓幼兒】 명 아직 걷지 못하여 포대기에 싸서 기르는 아이. 「강보 소아.
강-보합 【強保合】 명 『경』 주가(株價) 등 거래소의 시세가 상승한 채로 반락(反落)하지 않고 일정한 수준을 유지하면서 견조(堅調)한 상태를 지속하는 일. ↔약(弱)보합.
강:복[1] 【降服】 명 오복(五服)의 복제(服制)에 따라 복(服) 입는 등급이 내림. 양자(養子)간 아들이나 시집간 딸의 생가 부모에 대한 복제가 이에 해당함. ——-하다 자 여불
강:복[2] 【降福】 명 『천주교』 ①천주가 인간에게 복을 내림. ②하느님의 이름으로 성직자가 신자에게 축복함. ——-하다 자 여불
강복[3] 【康福】 명 건강하고 행복함. ——-하다 형 여불
강북 【江北】 명 ①강의 북쪽. ②중국 양쯔 강의 북쪽. 특히, 장쑤 성(江蘇省)의 양쯔 강 북쪽. ③서울에서, 한강 이북 지역을 이름. 1)-3):↔강남.
강북-구 【江北區】 명 『지』 서울 특별시의 한 구(區). 동쪽은 도봉구(道峰區), 남쪽은 성북구(城北區), 북쪽과 서쪽은 북한산(北漢山)에 접함. 도선사(道詵寺)·화계사(華溪寺)·서울 드림랜드 등이 있음. 1995년 3월 도봉구에서 분리되었음. [23.61 km^2 : 394,264 명(1996)]
강분 【薑粉】 명 강즙(薑汁)을 가라앉히어 말린 가루. 조미료로 쓰임.
강분 다식 【薑粉茶食】 명 강분(薑粉)에 녹말을 섞고 꿀물로 반죽하여 만든 다식.
강분-죽 【薑粉粥】 명 강분(薑粉)을 넣고 쑨 죽.
강분-환 【薑粉丸】 명 강분을 녹말과 꿀에 반죽하여 만든 환(丸). 여름에 소주 안주로 먹음.

강비【糠粃】명〔겨와 쭉정이의 뜻〕거친 식사.

강비에 제도【―諸島】[Gambier] 명〚지〛남태평양 중앙부에서 동쪽에 치우친 쪽에 있는 5개의 작은 섬으로 된 제도. 프랑스령 폴리네시아에 속함. 주산물은 코프라·진주조개. 주도(主島)는 망가레바(Mangareva) 섬. 1881년 프랑스령이 됨. [30 km^2]

강-비탈【江―】[―삐―] 명 강가의 비탈.

강빈 불압주【強賓不壓主】구 아무리 위력이 강한 손님이라도 주인을 강압하지 아니한다는 뜻.

강빈 옥사【姜嬪獄事】명〚역〛조선 시대에 소현 세자빈(昭顯世子嬪) 강씨(姜氏)에 대한 사사(賜死) 사건. 인조 24년(1646)에 소용(昭容) 조씨(趙氏)를 저주하고 어선(御膳)에 독약을 넣었다는 무고를 당하여 사사됨.

강사¹【江沙】명 강모래.

강사²【強仕】명〔예기(禮記) 곡례편(曲禮篇)의 '四十曰強而仕(強을 마흔 살이라고 하고 이 나이에 비로소 사환(仕宦)한다는 뜻)'에서 유래〕마흔 살을 일컫는 말.

강:사³【講士】명 강연회에서 강연을 하는 사람. 연사(演士).

강:사⁴【講師】명 ①학원·학교 등에서 강의를 하는 사람. ②강연회나 강습회(講習會) 등에서 강연하는 사람. ③〚교〛대학이나 전문 대학 또는 중·고등 학교에서, 촉탁을 받아 강의(講義)를 하는 교사. 전임 강사와 시간 강사가 있음. ¶ 대학 ～. ④〚불교〛불법을 강설하는 스승. 경스승.

강:사-포【絳紗袍】명〚역〛조선 시대에 조하(朝賀) 때 임금이 입던 예복. 빛은 붉고 모양은 관복(官服)과 같음. 홍포(紅袍). (준)강포(絳袍).

강삭【鋼索】명 열로 처리된 강철 철사 여러 개를 꼰 것을 다시 여러 개 꼬아서 만든 줄. 주로 삭도(索道)나 엘리베이터·기중기(起重機)·하역기(荷役機) 등에 쓰임. 와이어 로프.

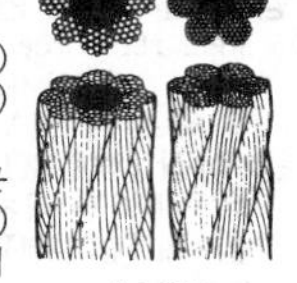

〈강삭〉

강삭 철도【鋼索鐵道】[―또] 명 등산이나 광차(鑛車) 운반용으로 쓰이는 철도. 레일이 급사면(急斜面)에 부설(敷設)되므로 차량에 강삭을 연결하여, 그 강삭을 산 위의 윈치(winch)로 감고 풀어서 차량을 운전함.

강산¹【江山】명 ①강과 산. ②〈아〉나라의 강토. ¶ 금수 ～.

강산²【強酸】명〚화〛강한 산. ↔약산(弱酸).

강산 무진도【江山無盡圖】명〚미술〛계산 무진도(溪山無盡圖).

강산 일변【江山一變】명 강산이 한 번 변했다는 뜻으로, 세월이 많이 흘렀음을 이르는 말.

강산-제¹【江山制】명〚악〛〔판소리 명창 박유전(朴裕全)이 '제일 강산(第一江山)'이라는 칭찬을 받은 데서〕'강산제(岡山制)'의 다른 표기(表記).

강산-제²【岡山制】명〚악〛판소리 명창(名唱) 박유전(朴裕全)의 고향인 전라 남도 보성군(寶城郡) 강산리(岡山里)에 연유하여, 그의 법제(法制)를 따르는 유파(流派)인 서편제(西便制)를 일컫는 딴이름.

강산지-조【江山之助】명 산수(山水)의 아름다운 풍경이 사람의 시정(詩情)을 도와, 가작(佳作)을 낳게 함.

강산 풍월【江山風月】명 강산과 풍월. 곧, 자연의 아름다운 풍경.

강삼【江蔘】명 강원도에서 나는 약효가 좋은 인삼(人蔘).

강상¹【江上】명 ①강물의 위. ②강가의 언덕 위. ③양쯔 강의 위. 또, 그 강가. ④〚역〛평안 북도 의주(義州)의 옛 별칭.

강상²【江商】명〚역〛↗경강 상인(京江商人).

강:상³【降霜】명 서리가 내림. 또, 내린 서리. ――하다 자여불

강상⁴【綱常】명 삼강(三綱)과 오상(五常). 곧, 사람이 지켜야 할 도리. 삼강 오상(三綱五常).

강:상⁵【講床】[―쌍] 명〚불교〛강경(講經)하는 책상. 강도상(講道床).

강상-미【江上米】명〚역〛조선 시대에 경강 상인(京江商人)이 구입하여 서울로 올려 온 쌀.

강상 부:민【江商富民】명〚역〛경강 상인(京江商人).

강상 죄:인【綱常罪人】명 강상(綱常)에 어긋나는 행위를 한 사람. 조선 시대에는 부모나 남편을 죽인 자, 주인을 죽인 노비(奴婢), 관노(官奴)로서 관장(官長)을 죽인 자를 일컬음.

강상지-변【綱常之變】명 강상(綱常)에 어그러진 변고(變故).

강상 풍월【江上風月】명〚악〛판소리를 부르기 전에 목을 풀기 위하여 부르는 단가(短歌)의 하나. 중머리 장단에 맞추어 부르는데, 노랫말은 배를 타고 유람하는 내용으로 시작되는 첫 단락을 비롯하여 모두 네 단락으로 되어 있음.

강-새암 명 ☞강샘.

강새이 명〈방〉강아지(경상).

강색【鋼色】명 ↗강청색(鋼青色).

강-샘 명〔↗강새암〕상대되는 이성(異性)이 다른 이성을 좋아함을 미워하는 샘. 질투(嫉妬). 투기(妬忌). *강짜. ――하다 자여불

강:생¹【降生】명 신(神)이 인간으로 태어남. 강세(降世). 강탄(降誕). ――하다 자여불

강-생²【康生】명〚사람〛'캉 성'을 우리 음으로 읽은 이름.

강:생³【講生】명〚역〛↗강경생(講經生).

강:생 구속【降生救贖】명〚천주교〛성자(聖子)인 그리스도가 인류 사회에 강생하여 죄악으로부터 인류를 건져 낸 일. ――하다 자여불

강생이 명〈방〉강아지(경상·제주).

강서¹【江西】명 ①강의 서쪽. ②서울에서, 한강의 서쪽 지역.

강:서²【講書】명 ①옛 글의 뜻을 강론(講論)함. ②〚역〛조선 시대에 과거(科擧)의 한 과제(課題). 대과 복시(大科覆試) 초장에서, 사서 삼경(四書三經) 중의 한 장(章)을, 무과(武科) 복시에서, 사서 오경(四書五經) 중의 하나와 무서 칠경(武書七經) 중의 하나 또는 통감(通鑑)·장감(將鑑)·소학(小學) 등 육서(六書) 중의 하나를 가려 그 한 장(章)을 음독 및 훈독(訓讀)으로 암송(暗誦)하고 뜻을 문답함. ――하다 자여불

강서 고:분【江西古墳】명〚역〛평안 남도 강서군(江西郡) 강서면 삼묘리(三墓里)에서 발견된 고구려 시대의 무덤. 대묘(大墓)·중묘·소묘의 세 무덤이 있는데, 그중 대묘의 사신도(四神圖)가 유명함.

강서-구【江西區】명〚지〛서울 특별시의 한 구(區). 북쪽은 한강을 사이에 두고 마포구 및 경기도 고양시(高陽市)와 마주하며, 동쪽은 양천구(陽川區), 서쪽은 경기도 김포군(金浦郡), 남쪽은 양천구 및 경기도 부천시(富川市)에 인접해 있음. 1977년 9월 1일에 영등포구에서 분리, 신설되었으며, 김포 국제 공항이 있음. [41.41 km^2 : 522,088 명(1996)]

강서-군【江西郡】명〚지〛평안 남도의 한 군. 관내 14면. 북은 평원군(平原郡), 동은 대동군(大同郡)과 대동강, 남은 용강군(龍岡郡), 서는 황해에 접함. 주요 산물은 쌀·콩·면화 등의 농산물과 수산·축산물이 있음. 명승 고적은 무학산(舞鶴山)·고구려 고분(古墳)·강서 약수(江西藥水)·봉학제(鳳鶴堤) 등임. [768.8 km^2]

강서-성【江西省】명〚지〛장시 성.

강서 시파【江西詩派】명〚문〛중국 송(宋)나라의 소식(蘇軾)의 제자인 장시(江西) 출신의 황정견(黃庭堅)을 원조로 하는 시파. 자구(字句)의 단련(鍛鍊)을 존중하고 어려운 전거(典據)를 써서 고상한 경지를 노렸음. 강서 종파(宗派). 강서파(派).

강:서-원【講書院】명〚역〛↗세손 강서원(世孫講書院).

강서 종파【江西宗派】명〚문〛강서 시파(詩派).

강서-파【江西派】명 ①〚문〛강서 시파(詩派). ②〚미술〛명말 청초(明末清初)의 화가 나목(羅牧)을 시조로 한 중국 남화(南畫)의 한 파.

강:석¹【講席】명 강의나 강연 또는 설교를 하는 자리. 강좌(講座). 강연(講筵).

강:석²【講釋】명 강의(講義)하여 해석함. 강의(講義). 강해(講解). ――하다 타여불

강-석기【姜碩基】명〚사람〛조선 인조(仁祖) 때의 상신(相臣). 자는 부이(復而), 호는 월당(月塘). 진주 사람. 인조 18년(1640)에 우의정이 되었는데 죽은 후 딸인 소현 세자빈(昭顯世子嬪) 강씨(姜氏)의 사사(賜死) 사건에 관련되어 관직을 추탈(追奪)당하였다가 숙종(肅宗) 때에 복관(復官)되었음. 시호는 문정(文貞). [1580-1643]

강선¹【腔綫·腔線】명 탄환이 회전하면서 나가게 하기 위하여 총포의 구멍 안에 장치한 나선상의 홈.

강선²【鋼船】명 강철로 만든 배.

강선³【鋼線】명 강철로 만든 줄.

강:선-루【降仙樓】[―설―] 명〚지〛관서 팔경(關西八景)의 하나. 평안 남도 성천읍(成川邑) 비류강반(沸流江畔)에 있는 누각. 조선 광해군(光海君)이 창건하였음. 310여 간(間)으로 국내에서 으뜸가는 누각임.

강:선-봉【降仙峰】명〚지〛평안 남도 덕천군(德川郡)과 평안 북도 영변군(寧邊郡) 사이에 있는 산봉우리. [1,631 m]

강선-삭【鋼線索】명 여러 가닥의 강선을 꼬아서 만든 밧줄. 주로, 삭도(索道)·기중기·엘리베이터 등의 줄로 쓰임.

강선-포【鋼線砲】명〚군〛강철선(鋼鐵線)으로 포신(砲身)을 감아서, 포탄 발사 때 포강(砲腔) 안에서 발생하는 가스의 압력(壓力)에 충분히 저항(抵抗)하도록 만든 대포. 1855년 영국의 롱리지가 창안(創案)함.

강:설¹【降雪】명 눈이 내림. 또, 그 눈. *강우(降雨). ――하다 자여불

강설²【強雪】명 세차게 오는 눈.

강:설³【講說】명 강의(講義)❶. ――하다 타여불

강:설-량【降雪量】명 일정한 기간에 일정한 곳에 내린 눈의 분량. *강우량(降雨量).

강-섬【江―】명 강 가운데 있는 섬.

강성¹【剛性】명〔rigidity〕〚물〛어떤 물체에 압력(壓力)을 가하여도 모양 및 부피를 변하지 아니하는 물질의 단단한 성질. 특히 비틀림·층밀리기에 대한 탄성(彈性)을 가리킴. 고성(固性).

강성²【強性】명 물질(物質)의 강렬한 성질.

강성³【強盛】명 강하고 성함. 성강(盛彊·盛強). ――하다 형여불

강:성⁴【講聲】명 글을 외는 소리.

강성-률【剛性率】[―뉼] 명〚물〛층밀리기 탄성률.

강성-살이 명〈방〉고생살이.

강성 헌:법【剛性憲法】[―뻡] 명〚법〛경성 헌법(硬性憲法).

강:세¹【降世】명 강생(降生). ――하다 자여불

강세²【強勢】명 ①세력이 강함. ②〚경〛물가나 주가(株價)가 올라가는 기세. ¶ ～를 유지하다. ↔약세(弱勢). ③〚언〛힘을 줌. ¶ ～ 대명사. ④〚악〛'악센트(accent)'의 한자 이름. *보합세. ――하다 형여불

강세 대:명사【強勢代名詞】명〚언〛문장에 강세를 둔 의문 대명사나 지시 대명사 등. 힘준대이름씨.

강-세(:)황【姜世晃】명〚사람〛조선 정조(正祖) 때의 문신(文臣). 서화가(書畫家). 자는 광지(光之), 호는 표암(豹菴). 본관(本貫)은 진주(晉州). 늙어서 벼슬길에 올라, 정조 2년(1778)에 문신 정시(文臣庭試)에 장원, 병조 참판(兵曹參判)에 이름. 전서(篆書)·예서(隸書)를 비롯하여 각 서체에 능하고, 산수(山水)·사군자(四君子)에 뛰어났음. 시호는 헌정(憲靖). [1712-91]

강셍이 명〈방〉강아지(경남).

강셩황 명〈옛〉감국(甘菊). ¶ 강셩황(甘菊花)《湯液 卷二 草部》.

강:소【強訴】명 무리를 지어 호소함. 오소(嗷訴). ――하다 타여불

강소-성【江蘇省】명〚지〛장쑤 성.

강-소주【―燒酒】명 안주 없이 마시는 소주.

강-소(:)천【姜小泉】명〚사람〛아동 문학가. 함경 남도 고원(高原) 태생. 본명 용률(龍律). 동요 《민들레와 울아기》(1930)가 조선 일보 신춘 문예에 당선된 이후, 《닭》·《길가에 얼음판》·《봄비》·《꿈을 찍는 사진관》 등 수많은 동시·동요·동화를 발표, 아동 문학의 보급 육성을 위하여 열성과 정열을 기울임. [1915-63]

강-소풍【強素風】명 강쇠바람.

강-속【江一】[一쏙] 명 강 가운데. 강중(江中).

강-속구【強速球】명 야구에서, 투수가 던지는 강하고 빠른 공.

강속 부절【綴屬不絕】명 여러 것이 한 줄로 서로 길게 붙어 끊이지 아니함. *연속 부절(連續不絕). ――하다 자여불

강:속-전【降續田】명〖역〗조선 시대에 강등전(降等田) 가운데, 경작하는 해에만 과세하던 땅. *가경전(加耕田)·강등전(降等田).

강:송[1]【強送】명 강제(強制)로 보냄. ――하다 타여불

강:송[2]【講誦】명 글을 강독(講讀)하여 욈. ――하다 타여불

강-송어【江松魚】명〖어〗[*Salvelinus fontinalis*] 송어과에 속하는 민물고기. 등은 암황색, 옆구리는 빛깔이 연하고 배는 적황색, 등의 암색부에는 지렁이가 기어간 자리 같은 구불구불한 담황갈색의 긴 얼룩이 있음. 옆구리에는 적색 얼룩점이 있고 가슴과 배·뒷지느러미는 등적색임. 북미(北美)의 계류(溪流)에 서식하였으나, 지금은 세계 각지에 번식됨. 알은 11-3월에 낳으며, 맛이 좋음.

강:쇄【降殺】명 등급(等級)을 따라 내리 깎음. ――하다 타여불

강:쇠【降衰】명 사회 도덕이나 문화 또는 국력(國力) 같은 것이 차차 쇠약하여짐. ――하다 자여불

강쇠-바람 명 첫가을에 부는 동풍(東風). 강소풍(強素風).

강수[1]【江水】명 강물.

강수[2]【江樹】명 강가에 서 있는 나무.

강:수[3]【降水】명 비·눈·우박 등으로 지상에 내린 물.

강수[4]【強手】명 바둑·장기에서, 격렬한 싸움을 거는 수. ¶ ~로 버티다.

강수[5]【強首】명〖사람〗신라 시대의 유학자·문장가. 중원경(中原京: 忠州) 사량(沙梁) 출신으로 초명(初名)은 우두(牛頭). 무열(武烈)·문무(文武)·신문(神文) 삼대를 섬긴 문신으로, 특히 외교 문서에 능하여 당시 복잡한 국제 관계에 있어서 문장으로써 크게 공헌하였음. [? -692]

강:수[6]【講修】명 연구하여 닦음. ――하다 타여불

강:수[7]【講授】명 강의하여 가르침. ――하다 타여불

강:수-계【降水計】명 강수량을 측정하는 장치. 우량계(雨量計)·설량계(雪量計)를 가리킴.

강:수 공전【降水空電】명〖전〗비·눈·진눈깨비·대전(帶電)한 구름 등 때문에 항공기 등 물체 위에 생긴 대량의 전하(電荷)가 방전(放電)함으로써 일어나는 공전 방해(空電妨害).

강:수 구름【降水―】명 〔praecipitatio〕〖기상〗비·눈·우박 등 구름으로부터 낙하하여 지면에 도달하고 있는 강수의 줄거리. ↔꼬리 구름.

강:수-량【降水量】명 비·눈·우박 등으로 지상에 내린 물의 총량. 모두 지표(地表)에 괴었다고 가정했을 때의 물의 깊이로 나타내는데, 단위는 보통 밀리미터임.

강:수-일【降水日】명〖기상〗하루의 강수량이 0.1mm를 넘은 날.

강:수 확률 예:보【降水確率豫報】[―뉼례―] 명〖기상〗일기 예보의 하나. 1mm 이상의 강수가 발생하는 가능성의 대소(大小)를 백분율로 나타내는 방식. *확률 예보.

강-순【康純】명〖사람〗조선 초기의 무장. 자는 태초(太初), 신천(信川) 사람. 음보(蔭補)로 무관에 등용되어, 진북 장군(鎭北將軍)으로 이시애(李施愛)의 난을 평정하고 영의정에 올랐으나, 예종(睿宗) 원년(1469) 유자광(柳子光)의 모함으로 남이(南怡) 장군과 함께 화를 입었음. [1390-1468]

강-순【薑筍】명 새앙순.

강-순의【康純義】[―/―이] 명〖사람〗고려 신종(神宗) 때의 무장. 어사 중승(御史中丞)으로 김준거(金俊琚)·이적중(李勣中)의 반란을 진압, 장군이 되고 또 패좌(孛佐) 등의 경주(慶州) 반란을 토벌하였음. 생몰 연대는 미상.

강순 정:과【薑筍正果】명 새앙 싹으로 만든 정과. 새앙순 정과. 생강순 정과.

강-술[1] 명 안주 없이 먹는 술. ¶ ~은 몸에 해롭다. *깡술.

강:술[2]【講述】명 학술(學術)을 강의하여 설명함. ――하다 타여불

강스〔Gance, Abel〕명〖사람〗프랑스의 영화 감독. 문학·철학을 전공한 후 영화계에 나서서 ≪전쟁과 평화≫로 제1류의 지위를 확보하였는데, ≪철로(鐵路)의 백장미≫·≪나폴레옹≫은 무성 영화 작품 중의 최고 걸작으로 평가됨. 토키 이후는 ≪악성(樂聖) 베토벤≫·≪루이즈≫ 등이 대표작임. [1889-1981]

강습[1]【強襲】명 ①적의 방어선을 돌파, 적화(敵火)를 무릅쓰고 습격을 강행함. ②야구에서, 되게 엄습함. ¶ ~ 안타. ――하다 자타여불

강:습[2]【講習】명 ①여럿이 모여서 학문이나 기예(技藝) 등을 배우고 익힘. ②옛글을 강론(講論)하고 연습(演習)함. ――하다 타여불

강:습-반【講習班】명 강습을 받는 반.

강:습-생【講習生】명 강습을 받는 사람.

강:습-소【講習所】명 학술이나 기예(技藝)의 어떤 특정한 과목을 강습하는 곳. ¶ 영어 ~.

강:습-회 【講習會】명 어떠한 학술이나 기예를 강습하기 위하여 단기간 설치하는 모임. ¶ 요리 ~.

강:시[1]【僵屍·殭屍】명 얼어 죽은 송장. 동시(凍屍).

강:시(가) 나다 구 날이 추워서 강시가 생기다.

강시[2]【糠豉】명 겨된장.

강:식[1]【強食】명 억지로 먹음. ――하다 자여불

강식[2]【強識】명 기억력이 강하고 박식함. ――하다 형여불

강:식[3]【講式】명〖불교〗①신앙을 같이하는 동지가 모여 정신 수양을 하는 불교의 의식. ②법회의 의식에 사용하는, 불보살을 찬송하는 글.

강-식염천【強食塩泉】명 광천(鑛泉) 1kg 속에 식염 15g 이상을 함유하는 식염천. 주로 욕요법(浴療法)에 응용되는데, 만성 관절 류머티즘(慢性關節 rheumatism)·근육(筋肉) 류머티즘·신경통·신경염 등에 효험이 있음. ↔약식염천.

강:신[1]【降神】명 ①제사(祭祀)지낼 때, 초헌(初獻)하기 전에 먼저 신(神)이 내리게 하는 뜻으로 향(香)을 피우고 술을 잔에 따라 모사(茅沙) 위에 붓는 일. ②〖민〗주문(呪文)이나 또는 다른 술법(術法)으로 신(神)을 내리게 함. ――하다 자타여불

강신[2]【強臣】명 권력이 강한 신하.

강:신[3]【講信】명〖역〗향약(鄕約) 때, 여러 사람이 모여 술을 마시며 약법(約法)이나 계(契)를 맺음. ――하다 자여불

강:신-론【降神論】[―논] 명 육체가 멸망한 뒤에도 죽은 사람의 영혼이 존재하며, 여러 가지 방법으로 그 존재를 알린다고 하는 이론. 심령론(心靈論).

강-신(:)명【姜信明】명〖사람〗목사·교육가. 호는 소죽(小竹). 경상북도 영풍(榮豐) 출생. 평양 숭실(崇實) 전문 학교와 장로회 신학교를 졸업하고 1953년 미국 프린스턴 신학교를 수료함. 영락(永樂) 교회와 새문안 교회에서 목회(牧會)를 담당하였으며, 연세(延世) 대학교 재단 이사장·숭전(崇田) 대학교 재단 이사장·총장 등을 역임하였음. [1909-85]

강:신-무【降神巫】명〖민〗신이 내려서 된 무당. *세습무(世襲巫).

강:신-술【降神術】명〖민〗기도를 하거나 주문(呪文)을 외어서 몸에 신(神)이 내려와 붙게 하는 술법.

강심[1]【江心】명 강류(江流)의 중심. 강의 한복판. 하심(河心).

강심[2]【強心】명 강한 마음.

강심-수【江心水】명 ①강심에 흐르는 물. ②〖역〗서울 앞의 한강(漢江) 강심에서 길어다가 임금의 소용(所用)으로 올리던 물.

강심 알루미늄 연선【鋼心―撚線】[―년―] 명 〔aluminium cable steel reinforced〕〖전〗고압용(高壓用) 나전선(裸電線)의 하나. 중심에는 강철 철사, 겉에는 알루미늄을 써서 꼬아 만든 전선. 약칭: 에이시 에스 아르(A.C.S.R.).

강-심장【強心臟】명 극히 대담하거나 뱃심 좋아 웬만한 일에는 놀라거나 겁을 내지 아니하는 성격. 또, 그런 사람. *철면피(鐵面皮).

강심-제【強心劑】명〖약〗병으로 쇠약(衰弱)한 심장(心臟)의 작용을 강하게 하는 데 쓰는 약물(藥物). 디기탈리스·캄프르·아드레날린 따위.

강아 명〈방〉가위[1](평북).

강아지 명〔중세: 강아지〕①개의 새끼. 개새끼. ②〈속〉죄수(罪囚)들의 은어(隱語)로, 담배를 일컫는 말.

【강아지 깎아 먹던 송곳 자루 같다】들쭉날쭉한 자국이 보기 흉하게 드러나 있다는 말. 【강아지 똥은 똥이 아닌가】㉠다소(多少)의 차이는 있을지라도 그 본질에 있어서는 다 같다는 말. ㉡나쁜 일을 조금 하였다 하여 발을 뺄 수 없다는 말. 【강아지 메주 멍석 말긴 것 같다】사물(事物)이 믿지 못할 사람에게 넘어갔을 때에 마음이 놓이지 아니하여 서 하는 말.

강아지 왈츠〔waltz〕명〖악〗쇼팽 작곡의 피아노곡. 애인인 조르주 상드(George Sand)의 개가 제 꼬리를 쫓아 뱅글뱅글 도는 모습을 그린 것이라 함. 짧아서 1분밖에 걸리지 않으므로 '1분간 왈츠'라고도 함.

강아지-풀 명〖식〗[*Setaria viridis*] 볏과에 속(屬)하는 일년초. 줄기는 총생(叢生)하고 높이 30-70cm이며 잎은 선형(線形) 또는 피침형 선상(線狀)이고 호생함. 7-10월에 강아지 꼬리 모양의 초록색 꽃이 원추형 수상(穗狀) 화서로 정생(頂生)하여 피고, 영과(穎果)는 타원형임. 들·밭·길가에 나는데, 한국 각지·일본·중국 및 열대를 제외한 전세계에 분포함. 구황 식물(救荒植物)로 종자는 식용함. 구미초(狗尾草). 낭미초(狼尾草). 낭유(稂莠).

〈강아지풀〉

강아치 명〈방〉강아지(충청).

강악【強惡】명 억세고 악함. ――하다 형여불

강안[1]【江岸】명 강기슭.

강안[2]【強顏】명 ①낯가죽이 두꺼움. ②뻔뻔스러움. 후안(厚顏). ――하다 형여불

강-알칼리【強―】〔alkali〕명〖화〗강(強)한 염기(塩基).

강알트멍 명〈방〉샅(제주).

강:압[1]【降壓】명 압력을 낮춤. 또, 압력이 내림. ――하다 자타여불

강:압[2]【強壓】명 ①강(強)한 힘으로 내려누름. 센 힘으로 압박함. ②강제적으로 억압함. ¶~적인 태도. ――하다 타여불

강:압-기【降壓器】명 강압 변압기.

강:압 변:압기【降壓變壓器】명 스텝 다운 트랜스.

강:압-설【強壓說】명〖사〗강자(強者)가 약자(弱者)를 압제(壓制)하여 추종(追從)하게 하는 것이 사회의 한 법칙이라는 학설. 프랑스의 뒤르켐(Durkheim, E.)이 주창하였음.

강:압-적【強壓的】명관 남을 강압하는 모양. ¶ ~ 수단.

강:압 정책【強壓政策】명 강제로 내려누르는 정책.

강:압 정치【強壓政治】명 압제(壓制) 정치.

강:압-제【降壓劑】명〖약〗주로, 혈관(血管)을 확장(擴張)시킴으로써 병적(病的)인 고혈압을 낮추는 데 쓰이는 혈압(血壓) 강하제.

강애[1] 명〈방〉가위[1](평안).

강애[2]【江艾】명〖한의〗강화도(江華島)에서 나는 약쑥. 타지방에서 나는 약쑥보다 약효(藥效)가 큼.

강약【強弱】명 ①강함과 약함. ②강자와 약자.

강약 기호【強弱記號】명〖악〗'셈여림표'의 한자 이름.

강약 부동【強弱不同】명 한편은 강하고 한편은 약하여 도저히 상대가 되지 아니함. ¶ ~이라 어찌할 수 없다. ――하다 형여불

강약 부호【強弱符號】명〖악〗'셈여림표'의 한자 이름.

강어[1]【江魚】명 강에 있는 고기.

강어[2]【強圉·彊圉】명〖민〗천간(天干) '정(丁)'의 고갑자(古甲子)의 이름. 강오(彊梧). ――하다 타여불

강어[3]【強禦·彊禦】명 억세어 남의 충고를 듣지 아니함. 또, 그런 사람.

강-어귀【江—】명 강구(江口)❶.

강-엄【江淹】명〘사람〙중국 남조 시대(南朝時代)의 문인(文人). 자는 문통(文通). 제양 고성(濟陽考城) 사람. 13세에 부친을 여의고 그 몸을 팔아 모친을 봉양하였다 함. 젊어서 문장으로 이름을 날리고, 유학(儒學)·도학·불경에 고루 통하였다 함. [444-505]

강에 명〈방〉가위¹(평안).

강:여【強亦】〈이두〉강잉(強仍)하여.

강역¹【江域】명 강 근처 지역.

강역²【疆域】명 ①강토(疆土)의 구역. ¶ 대한(大韓) ~고(考). ②국경(國境).

강역³【疆場】명 ①논밭의 경계. ②국경(國境).

강역 다사【疆場多事】명 딴 나라와의 국경에 전쟁이 일어나서 바쁨. ——-하다 형여불

강:연¹【講筵】명 ①강의나 강연을 하는 자리. 또, 그 강의. 강석(講席). ②〘역〙임금 앞에서 경서(經書)를 진강(進講)하는 일. 조강(朝講)·주강(晝講)·석강(夕講)의 구별이 있음.

강:연²【講演】명 ①강의함. ②공중에게 어떤 제목에 대하여 얘기를 함. ¶ ~회. ——-하다 타여불

강:연-료【講演料】[—뇨] 명 강연한 강사(講師)에 대한 사례금(謝禮金).

강연-사【強撚絲】명 1 m 안에서 800회 이상 꼰 실. 주로, 포라 같은 것의 날실·씨실로 씀.

강:연 설화【講筵說話】명〘책〙조선 순조(純祖) 6년(1806) 9월부터 동 20년 정월까지의 강연을 시강원(侍講院)에서 엮은 기록(記錄). 강신(講臣) 이문회(李文會)·임경진(林景鎭)·이지연(李志淵)·박종기(朴宗琦) 외 여러 사람이 강의한 것으로, 중요 강서(講書)는 《정관 정요(貞觀政要)》·《맹자(孟子)》·《국조 보감(國朝寶鑑)》 등임. 22책.

강:연-장【講演場】명 강연을 하는 곳.

강:연-회【講演會】명 강연을 하기 위한 모임.

강열【強熱】[—녈] 명 강하게 가열함. 또, 강한 열. ——-하다 타여불

강열 감:량【強熱減量】[—녈—냥] 명〔ignition loss〕〘화〙시료(試料)를 강열하였을 때 생기는 질량의 감소. 광물이나 무기 화합물의 경우, 시료를 1,000-1,200℃로 정량(定量)이 될 때까지 가열하였을 때의 감량을, 원래의 시료에 대한 백분율로 나타냄.

강열 시험【強熱試驗】[—녈—] 명〘화〙건식법(乾式法)에서 정성 분석(定性分析)의 한 방법. 경질(硬質) 유리 세관(細管)에 시료(試料)를 넣어 순차적으로 가열하고, 그 간의 변화를 관찰하는 방법과, 목탄(木炭)에 작은 구멍을 뚫어, 이곳에 시료를 넣어 취관염(吹管焰)으로 가열하고 변화를 보는 따위의 방법이 있음. 용구 시험(熔球試驗)·불꽃 반응 등을 포함하는 수도 있음.

강염¹【羌塩】명〘화〙청염(青塩).

강염²【薑塩】명〘한의〙강즙(薑汁)에 버무리어 볶은 소금. 곽란(霍亂)의 약으로 쓰임.

강-염기【強塩基】명〘화〙강한 염기. ↔약염기(弱塩基).

강-엿 [—녓] 명 ☞검은엿.

강엿-노린재 [—녓—] 명〘충〙[*Macroscytus japonensis*] 흙노린잿과에 속하는 곤충. 몸길이 10mm, 빛은 칠흑색 또는 다소 갈색을 띰. 촉각은 5절인데, 말단의 2절에 갈색 털이 밀생하고 반시초(半翅鞘)에 수개의 봉추(縫皺)가 있음. 몸의 하면은 광택 있는 흑색임. 땅 속에 서식하는데 한국·일본에 분포함.

강:예-재【講藝齋】명〘역〙고려 예종(睿宗) 4년(1109)에 국학(國學)에 베푼 칠재(七齋)의 하나. 무학(武學)을 전공하던 곳. 무학재(武學齋).

강오【彊梧】명〘민〙강어(強圉).

강옥【鋼玉】명〘광〙↗강옥석(鋼玉石).

강옥-석【鋼玉石】명〘광〙육방 정계(六方晶系)의 광물로 천연(天然)의 산화 알루미늄(酸化 aluminium) 광물. 덩이 또는 알 모양으로 페그머타이트 광상(pegmatite 鑛床) 속에서 산출(産出)됨. 경도(硬度)는 금강석에 버금감. 보석(寶石)·연마제(研磨材) 등으로 쓰이는데, 홍색(紅色)의 것을 루비(ruby),청색(青色)의 것을 사파이어(sapphire), 녹색·황색·흑색의 것을 에머리(emery)라고 함. 커런덤(corundum). ㉾강옥(鋼玉).

강-왕¹【康王】명〘사람〙발해(渤海)의 제6대 왕. 휘(諱)는 대숭린(大崇璘). 문왕(文王)의 아들. 연호는 정력(正曆). 당(唐)과 일본에 사신을 보냈으며, 양국과의 문물 교환을 활발히 하였음. [재위 795-809]

강왕²【康旺】명 몸이 건강하고 기력이 왕성함. ——-하다 형여불. ——-히 부

강요¹【江瑤·江珧】명 ①〘조개〙꼬막. ②강요주(江瑤柱).

강:요²【強要】명 강제로 요구함. 억지로 시킴. ¶ 기부를 ~하다. ——-하다 타여불

강요³【綱要】명 강령(綱領)이 될 만한 요점(要點). 제일 중요한 부분. 골자(骨子). ¶ 정치학 ~.

강요자 명〈방〉〘조개〙살조개.

강:요-죄【強要罪】[—쬐] 명〘법〙피해자 또는 그 친척의 생명·신체·자유·명예·재산에 대하여 해를 끼칠 것을 예고하여 협박하거나 또는 폭행을 가해서 피해자에게 의무 없는 일을 행하게 하거나, 혹은 폭행을 가해서 피해자가 행사할 권리를 방해함으로써 성립되는 죄. 강제죄(強制罪).

강요-주【江瑤柱·江珧柱】명 ①↗건강요주(乾江瑤柱). ②가리비·국자가리비 따위 조개의 조개관자.

강-용¹【江茸】명〘한의〙강원도에서 나는 녹용(鹿茸). 약효(藥効)가 다른 데서 나는 것보다 좋음.

강용²【剛勇】명 굳세고 용맹함. ——-하다 형여불

강용³【強勇】명 강하고 용맹스러움. ——-하다 형여불

강:용⁴【強慂】명 무리하게 권함. ——-하다 타여불

강-용흘【姜鏞訖】명〘사람〙재미 교포(在美僑胞) 작가. 함경 남도 홍원(洪原) 출생. 18세 때 미국으로 건너가 영미(英美) 문학을 전공(專攻)하였는데, 3·1 운동을 배경으로 한 자서전적(自敍傳的)인 영문(英文) 소설 《초당(草堂)》으로 문명(文名)을 올림. 해방 후 한때 귀국(歸國)하여 미 군정청 출판부장과 서울 대학교 문리과 대학 교수를 역임. 소설 《행복한 숲》·《동양인이 본 서양》, 희곡 《왕실(王室)에서의 살인》, 역시집 《동양의 시(詩)》 등이 있음. [1898-1972]

강우¹ 명〈방〉가위¹(평남).

강:우²【降雨】명 비가 내림. 또, 내린 비. ¶ 인공(人工) ~/~량(量). *강설(降雪). ——-하다 자여불

강우³【強雨】명 세차게 내리는 비.

강:우 강도계【降雨強度計】명〔rain-intensity gage〕〘공〙일정한 표면에 내리는 비의 순간적인 비율을 측정하는 장치.

강:우-계【降雨季】명 강우기.

강-우(:)규【姜宇奎】명〘사람〙일제 때의 독립 운동가. 자(字)는 찬구(燦九), 호는 일우(日愚). 평안 남도 덕천(德川) 출생으로, 1911년 만주로 건너가 길림(吉林)에 동광(東光) 학교를 세워 인재를 양성함. 1920년 조선 총독으로 부임(赴任)하는 사이토 마코토(斎藤実)를 서울역에서 죽이려고 폭탄을 던졌으나 실패하고, 잡혀서 순국함. [1855-1920]

강:우-기【降雨期】명 비가 많이 내리는 계절(季節). 강우계(降雨季).

강:우-대【降雨帶】명〔rain belt〕〘기상〙기상도(氣象圖)에 나타나는 띠 모양의 강우(降雨)의 구역.

강:우-량【降雨量】명 일정한 기간에 일정한 곳에 내린 비의 분량. 우량(雨量). *강설량(降雪量).

강:우-림【降雨林】명〘지〙1년 중 비가 많이 내리는 기후에서 형성되는 삼림(森林). 열대 강우림·아열대 강우림·조엽수림(照葉樹林) 등이 있음. 다우림(多雨林).

강-우(:)성【康遇聖】명〘사람〙조선 선조(宣祖) 때의 역관(譯官). 진주(晋州) 사람. 임진 왜란 때 왜병에 끌려가 선조 34년(1601) 10년 만에 귀국하여 일본말에 능하였으며, 현종(顯宗) 11년(1670)에 간행된 그의 저서 《첩해 신어(捷解新語)》는 숙종 4년(1678) 이후부터 역과(譯科) 중 왜학(倭學)의 시험 과목으로 사용되었음. [1581-?]

강:우-진【降雨塵】명〔rainout〕빗방울에 섞이어 떨어지는 대기 중의 방사능 물질.

강운【江韻】명〔'강(江)'자에 딸린 운으로 한시를 짓기가 대단히 힘든 것에서 온 말〕하기 어려운 일을 비유하여 일컫는 말.

강-울음 명 억지로 우는 울음.

강:원【講院】명〘불교〙사찰에 설치되어 있는 경학(經學) 연구의 전문 교육 기관. 사미과(沙彌科)·사집과(四集科)·사교과(四教科)·대교과(大教科)의 4단계와 따로 수의과(隨意科)가 설정되어 있으며, 수업 연한은 4년임.

강원 대학교【江原大學校】명 국립 대학교의 하나. 1947년에 도립(道立)으로 설립된 춘천 농과 대학의 후신으로, 1979년 종합 대학교로 승격함. 소재지는 춘천시.

강원-도【江原道】명〘지〙한국 14도(道)의 하나. 휴전선 이남(休戰線以南)만 7시 15군. 중동부의 산악 지대에 자리잡고 있어 태백 산맥(太白山脈)이 동해안에 치우쳐 남북으로 달리며, 한서(寒暑)의 차가 심함. 동쪽은 침강 해안(沈降海岸)으로, 작은 하천의 퇴적 평야(堆積平野)가 있으며, 서쪽은 완경사(緩傾斜)의 용암 대지(熔岩臺地)에 한강(漢江)·소양강(昭陽江)·홍천강(洪川江) 등이 서쪽으로 흘러 각지에 분지(盆地)를 이루고, 북쪽은 경지(耕地)가 적음. 특산물로는 꿀·녹용·인삼·잣이 있으며 특히, 감자와 옥수수가 유명함. 동해안에서는 오징어·명태 등의 수산물도 많이 나며, 대관령(大關嶺) 일대에는 대단위 목장이 있으며 고랭지 농업도 행하여짐. 영월 상동 광산(寧越上東鑛山)의 중석(重石), 삼척(三陟)·철암(鐵岩) 등지의 무연탄(無煙炭) 등으로 남부 지방은 광업(鑛業)이 성함. 명승 고적으로는 금강산(金剛山)·오대산(五臺山)·설악산(雪岳山)·관동 팔경(關東八景)·장릉(莊陵)·월정사(月精寺)·고씨 동굴(高氏洞窟)·소양 댐(昭陽 dam)·대관령(大關嶺) 스키장 등이 있음. 도청 소재지는 춘천시(春川市). [16,896.55 km²: 1,592,512 명(1990); 해방 전 26,262 km²]

【강원도 삼척이다; 강원도 안 가도 삼척】방바닥이 몹시 참을 이르는 말. 참고 '삼척'은 '삼청'의 잘못으로, 옛날 금군 삼청(禁軍三廳)의 방에는 불을 때지 아니하여 매우 찼다 함. 【강원도 참사(參事)】공직에 있는 사람이 좌천됨을 이르는 말. 【강원도 포수】일이 있어 밖에 나갔다가 오래도록 돌아오지 아니하는 사람을 이르는 말.

강원도 아리랑【江原道—】명〘악〙강원도 민요의 하나. 순진한 시골 처녀의 사랑의 하소연이 내용임.

강-원보【姜元甫】명〘사람〙조선 철종 때의 동학당의 접주(接主). 경주 접소(慶州接所)의 접주로 최제우(崔濟愚)의 신임을 받아 포교(布教)하던 중 잡히어, 유배됨.

강원 일보【江原日報】명 1945년에 '팽오 통신(膨吳通信)'이란 이름으로 창간한, 강원도의 지방 신문. 본사(本社)는 춘천시에 있음.

강월【江月】명 강물에 비친 달.

강월 서왕가【江月西往歌】명〘문〙서왕가(西往歌).

강-위【姜瑋】명〘사람〙조선 말기의 한문학자·개화 사상가(開化思想家). 자는 중무(仲武)·위옥(韋玉), 호는 추금(秋琴)·고환자(古歡子). 어려서 민노행(閔魯行)에게 배워 시(詩)에 뛰어난 재주를 보였음. 제주로 귀양가 있는 김정희(金正喜)를 찾아 많은 감화를 받았으며, '한성 순보(漢城旬報)'의 창간에 관여하였음. 저서에 《동문 자모 분해(東文字母分解)》·《용학해(庸學解)》 등이 있음. [1820-84]

강-유【姜瑜】명〘사람〙조선 시대의 문신. 자는 공헌(公獻), 호는 상곡(商谷). 진주(晋州) 사람. 정묘 호란 때 후금(後金)과 화의를 반대, 항전을 주장하고, 함경 남도 병마 절도사(兵馬節度使)가 되어 성을 쌓아 국방을 튼튼히 하였으며 호조 참의(戶曹參議)를 지냈음. 저서에 《상곡집(商谷集)》이 있음. [1597-1668]

강유【剛柔】명 굳셈과 부드러움.

강유 겸전【剛柔兼全】명 강유를 모두 갖춤. 성품이 부드러우면서도 단

단함. *외유 내강(外柔內剛). ——-하다 형여불

강-유(:)위【康有爲】명〖사람〗'캉 유웨이'를 우리 음으로 읽은 이름.

강유-일【剛柔日】명〖민〗강일(剛日)과 유일(柔日).

강-유전체【強誘電體】명〖물〗전기장(電氣場)을 가하지 아니하여도 자연의 상태로 이미 분극(分極)을 일으키고 표면상의 전하(電荷)가 나타나는 물질. 인산 칼륨·로셸염(rochelle 塩) 등이 있음.

강-윤【姜潤】명〖사람〗조선 영조(英祖) 때의 주자학자(朱子學者). 자는 덕이(德以), 진주(晋州) 사람. 영조 23년(1747) 명경과(明經科)에 급제한 후 예조 좌랑(禮曹佐郞)·승지(承旨)에까지 올랐으나, 벼슬 자리를 모두 사양하고 주자학 연구에 몰두하였음. [1701-82]

강음[1]【江陰】명〖지〗'장인'을 우리 음으로 읽은 이름.

강음[2]【強音】명〖악〗세게 내는 음(音). 세게 나오는 음.

강:음[3]【強淫】명〖법〗강간(強姦). ——-하다 타여불

강:음[4]【強飮】명 싫은 술을 억지로 마심. ——-하다 타여불

강음화 현:상【強音化現象】명〖언〗경음화 현상과 격음화 현상을 아울러 이르는 말.

강의[1]【剛毅】[—/—이] 명 강직(剛直)하고 씩씩함. 의지가 강하여 권력이나 금력에 굴(屈)하지 아니함. ——-하다 형여불

강:의[2]【講義】[—/—이] 명 ①글이나 학설의 뜻을 설명하여 가르침. 강석(講釋). 강설(講說). 강해(講解). ㊝강(講). ②교수(敎授)하는 이의 설명에 의해서 이루어지는 수업(授業). ③대학에서의 수업(授業). ¶ 역사 ~. ——-하다 타여불

강:의-록【講義錄】[—/—이—] 명 ①강의의 내용을 기록 발행한 책. ②통신 교육용 등으로, 교실에서 청강(聽講)하는 것과 같은 체재로 편집한 인쇄물.

강:의-소【講義所】[—/—이—] 명 ①강의를 하는 장소. ②〖기독교〗교회를 세우지 아니하고 신자가 모여서 성서의 강의를 듣는 곳.

강:의-식【講義式】[—/—이—] 명 수업(授業) 방법의 하나. 가르치는 이의 강의에 의해 진행되는 수업의 방법.

강:의-실【講義室】[—/—이—] 명 강의를 하는 데 쓰이는 방.

강-이오【姜彝五】명〖사람〗조선 정조(正祖) 때의 화가. 호(號)는 약산(若山). 진주(晋州) 사람. 벼슬은 군수(郡守)를 지냈으며, 산수화(山水畫)를 잘 그렸음. [1788-?]

강:인[1]【強忍】명 억지로 참음. ——-하다 타여불

강인[2]【強靭】명 억세고 질김. ¶ ~한 몸. ——-하다 형여불. ——-히 부

강인-강【強靭鋼】명〖공〗많이 달구어 강력성(強力性)과 인성(靭性)을 가진 강철의 총칭. 탄소량(炭素量) 0.25-0.5%의 강철에 하나 또는 몇 개의 특수 원소(元素)를 소량(少量) 첨가한 저합금강(低合金鋼)으로, 크롬강(鋼)·크롬 몰리브덴 강철·니켈 크롬 강철 등이 대표적임. 기계·구조물(構造物) 등에 쓰임.

강:인-번【絳引旛】명〖역〗의장기(儀仗旗)의 하나. 고려·조선 시대의 것으로, 노부(鹵簿)에 사용하였음.

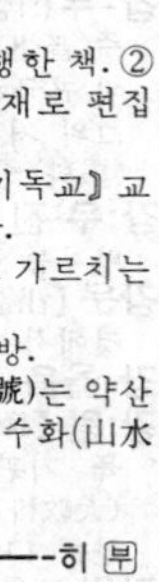
〈강인번〉

강인-성【強靭性】[—썽] 명 강인한 성질.

강인 주:철【強靭鑄鐵】명 기계적 강도가 높은 주철의 총칭. 보통 인장 강도(引張強度) 30kg/mm² 이상의 것을 이름. 구상 흑연 주철(球狀黑鉛鑄鐵)이나 소량의 칼슘·규소(珪素) 따위를 용탕(溶湯) 내에 첨가하여 조직을 개선한 미하나이트(Meechanite) 주철 따위가 대표적임.

강일【剛日】명〖민〗일진(日辰)의 천간(天干)이 갑(甲)·병(丙)·무(戊)·경(庚)·임(壬)인 날. 양(陽)에 해당하는 날이므로 바깥 일은 이 날에 하는 것이 좋다고 함. 척일(隻日). ↔유일(柔日).

강:임【降任】명 ①지위를 내리어 하급(下級)의 임무에 앉히는 일. ②〖법〗국가 공무원법에서, 동일한 직렬(職列) 내에서의 하위(下位)의 직급에 임명하거나 하위 직급이 없어 다른 직렬의 하위 직급으로 임명하는 일. ——-하다 타여불

강-입자【強粒子】명〖물〗중입자(重粒子)와 중간자(中間子) 등 강한 상호 작용(相互作用)을 하는 소립자(素粒子)의 총칭. 곧 파이 중간자(π中間子)·케이(K) 중간자 및 에타(η) 중간자 등 중간자와 양성자(陽性子)·중성자(中性子)·람다(Λ) 입자·시그마(Σ) 입자·크사이(Ξ) 입자·오메가(Ω) 입자 등의 중입자 등이 있음. 하드론(hadron). *경입자(輕粒子).

강:잉[1]【降孕】명〖천주교〗성자(聖子)가 마리아 뱃속에 태어서 뱀. ——하다 자여불

강:잉[2]【強仍】명 부득이 그대로 함. ¶ 초봉이는 ~해서 웃으려고 하는 모양이나, 웃는다는 게 웃는 것 같지도 않다《蔡萬植: 濁流》. ——-하다 자여불

강:잉-히【強仍—】부 마지못하여 그대로. ¶ 한번은 치마폭에 갓을 숨겨 가지고 나갈라는 것을 ~ 말고하고 말았다《金周榮: 客主》.

강자[1]【江孜】명〖지〗'장쯔'를 우리 음으로 읽은 이름.

강:자[2]【降資】명〖역〗품계(品階)를 낮춤. ——-하다 타여불

강자[3]【強者】명 힘이나 세력이 강한 사람이나 생물(生物). ↔약자(弱者).

강-자갈【江—】명 하천(河川)에서 채취(採取)한 자갈. *강모래.

강자-리【腔子裏】명 뱃속.

강-자성【強磁性】명 〔ferromagnetism〕〖물〗물체가 외부 자기장에 의하여 강하게 자기화(磁氣化)되어, 자기장 밖에서도 자기화가 남아 있는 성질. 철·니켈·코발트 등이 이런 성질을 갖고 있음. 센자성.

강자성 공:명【強磁性共鳴】명 〖물〗강자성체의 전자 스핀(電子 spin) 공명.

강자성-체【強磁性體】명 〔ferromagnetic substance〕〖물〗강자성을 갖는 물체. 철·니켈·코발트 및 이것들을 함유하는 합금이나 산화물 따위. 영구 자석이나 변압기·전동기의 철심(鐵心), 컴퓨터의 기억 소자 등에 쓰임.

강:작【強作】명 ①억지로 힘을 냄. ②억지로 행함. ¶ 초운이를 촛불 아래 앉히고 다시 보니 … 더욱 어여쁘나 웃음에는 ~이 많고 미간에는 주름이 절로 잡히는 것이 속에 무슨 수심이 있는 게집 같았다《洪命憙: 林巨正》. ——-하다 자여불

강장[1]【強壯】명 뼈대가 강하고 혈기(血氣)가 왕성함. ——-하다 형여불

강장[2]【強將】명 강한 장수. 맹장(猛將).

강장[3]【腔腸】명〖생〗강장 동물의 체강(體腔). 두 층의 세포층(細胞層)으로 둘러싸인 주머니 모양의 강소(腔所)로, 입으로 외계와 통해 있으며, 고등 동물의 체강과 소화기(消化器)를 겸함.

강:장[4]【絳帳】명 ①붉은 빛깔의 발. ②스승의 자리. ③학자의 서재.

강:장[5]【講章】명〖역〗전강(殿講)할 때, 시관(試官)이 지정한 경서(經書) 속의 한 장(章). 또, 이 장(章)의 전편(全篇)을 욈. ——-하다 타여불

강장[6] 부 짧은 다리로 가볍게 뛰는 모양. ㅆ깡짱. ㅆ깡창. <경정.

강장-거리다 자 짧은 다리로 자꾸 가볍게 뛰면서 걷다. ㅆ깡짱거리다. ㅆ깡창거리다. <경정거리다. 강장-강장 부. ——-하다 자여불

강장-대다 자 강장거리다.

강장 동:물【腔腸動物】명〖동〗[Coelenterata] 동물학 분류상의 한 문(門). 해면(海綿) 동물 다음가는 원시적인 다세포(多細胞) 동물로서, 몸의 형상은 대개 종형(鐘形) 또는 원통형이고 강장(腔腸)을 갖추며, 입의 주위에 촉수(觸手)가 있고 여기에 자세포(刺細胞)라는 특수한 세포가 있어 먹이를 쏘아잡는 일을 함. 히드라(hydra)와 같은 고착형과 해파리와 같은 유영형(遊泳型)이 있으며 이들로써 세대 교번을 하기도 함. 히드라충류·해파리류·산호충류 등이 있으며 약 9,000 종이 알려짐. 자포(刺胞) 동물. *편형(扁形) 동물.

강장 음:료【強壯飮料】[—뇨] 명 강장제(強壯劑)로 쓰이는 음료(飮料).

강장-제【強壯劑】명〖약〗온몸의 신진 대사(新陳代謝)를 촉진하고 영양을 도와 체력을 증진시키기 위한 약. 소화약·보혈약(補血藥)·자양제(滋養劑) 등. 보재(補材).

강장지-년【強壯之年】명 〔'強'은 40 대, '壯'은 30 대의 뜻〕 원기가 왕성한 나이. 즉, 삼사십대(代)를 이름.

강장하 무약병【強將下無弱兵】구 강한 대장 밑에 약한 졸병이 없다는 말.

강재[1]【江材】명〖한의〗강원도에서 나는 약재(藥材).

강재[2]【鋼材】명〖공〗공업용으로 사용되는 강철(鋼鐵). 주로, 강재 반성품(半成品)을 압연기(壓延機)로 압연한 것을 가리키는데, 조강(條鋼)·강판(鋼板)·강관(鋼管)의 세 종류로 대별(大別)됨.

강재[3]【鋼滓】명 제강(製鋼)할 때 생기는 광재(鑛滓).

강재 반:성품【鋼材半成品】명〖공〗강재 반제품.

강재 반:제품【鋼材半製品】명〖공〗강괴(鋼塊)를 압연(壓延)하여 적당한 크기로 쪼개 놓은 강철편(鋼鐵片). 강재 반성품. *강괴(鋼塊).

강재 이:차 제:품【鋼材二次製品】명〖공〗강재를 재차 가공한 제품. 철선(鐵線)·못·아연·철판·드럼통·망치 같은 것.

강적[1]【強賊】명 ①강한 도적. ②〈방〉강도(強盜)(함경).

강적[2]【強敵】명 강한 적수(敵手). 만만하지 아니한 적. 경적(勁敵). 강구(強仇). 극적(劇賊). 대적(大敵). ¶ ~과 싸우다.

강전[1]【強電】명〖물〗①산업용으로 쓰이는 대전력(大電力)·고전압(高電壓)·대전류(大電流)의 일컬음. ②전기 에너지의 전송 및 기계적 에너지·열(熱)에너지 등의 다른 에너지로의 변환(變換)을 다루는 전기 공학의 부문. 1)·2): ↔약전(弱電).

강:전[2]【講錢】명 글방 선생에게 수업료로 바치는 돈. *강미(講米).

강-전해질【強電解質】명〖화〗강한 전해질. ↔약(弱)전해질.

강:-절도【強竊盜】[—또] 명 강도와 절도(竊盜).

강:점[1]【強占】명 강제로 남의 물건을 차지함. 강제로 점령함. ¶ 남의 점포를 ~하다. ——-하다 타여불

강점[2]【強點】[—쩜] 명 남보다 우세(優勢)한 점. 유리(有利)한 점. ↔약점(弱點).

강-점결탄【強粘結炭】명 경도(硬度)가 높고 황·인·회분이 적은 석탄. 제철 원료로 사용함.

강점-기【強占期】명 영토나 물건 따위를 강제로 차지한 기간. ¶ 일제(日帝) ~.

강-접합【剛接合】명〖건〗강구조(剛構造) 건조물의 골조(骨組) 접합 방식. 모든 접합점에서 각재(各材)의 교차 각도가 변형력을 받아도 변화하지 않도록 하는 방식임. *강구조.

강정[1] 명 ①쌀가루로 만든 과자의 한 가지. 물에 4-5일 불린 찹쌀을 빻아 고운 가루를 만들고 청주·설탕·물을 넣어 반죽하여 찐 후, 방망이로 꽈리가 일도록 저은 다음 도마에 그 반죽을 펴서 적당한 크기로 썰어 더운 방바닥에서 말린 후 끓는 기름에 튀기어 꿀 또는 조청을 발라 깨·잣가루·콩가루·송홧가루 등을 따로따로 묻혀 만듦. ②깨·콩·잣 등을 엿으로 뭉친 재래식 과자의 하나. *잣강정. 주의 '江丁·羌飣·強精'으로 씀은 취음(取音).

강정[2]【江亭】명 강가에 있는 정자.

강정[3]【剛正】명 강하고 바름. ——-하다 형여불

강:정[4]【降定】명〖역〗무관(武官)에 대한 징벌(懲罰)의 한 가지. 벼슬을 낮추어 군역(軍役)을 시킴. ——-하다 타여불

강정[5]【康定】명〖지〗'캉딩'을 우리 음으로 읽은 이름.

강:정[6]【講定】명 강론(講論)하여 결정(決定)함. ——-하다 타여불

강정-밥 명 강정을 만들기 위하여 찹쌀을 찐 지에밥.

강정-속 [—쏙] 명 '강정'의 아직 가루를 묻히기 전의 이름.

강정-제【強精劑】명〖약〗정력(精力)을 강하게 하는 약제(藥劑).

강-정화【康靖和】명〖사람〗고려 중엽(中葉)의 술사(術士). 도선(道詵)의 참위설(讖緯說)을 배워 묘청(妙淸)과 백수한(白壽翰)에게 전하였다 함. 묘청 자신이 도선의 정통적인 후계자임을 과시하려고 중간 계승자로 내

세운 가공 인물로 추측됨.

강:제[1] 【強制】 명 그 사람의 마음에 없는 일을 억지로 시키는 일. 어거지로 복종시키는 일. ¶ ~로 일을 시키다. ──-하다 타여불

강제[2] 【鋼製】 명 강철로 만든 제품.

강:제 가격 【強制價格】 [─까─] 명 〖경〗 수요자(需要者)나 공급자(供給者)의 어느 한쪽의 의사로써 강제적으로 정한 가격. 국가나 공공 단체가 공정(公定)하는 가격 같은 것.

강:제 격리 【強制隔離】 [─니] 명 경찰권에 의하여 전염병의 예방을 목적으로 거소(居所)의 자유를 제한하는 일. 콜레라·발진 티푸스·페스트 등의 환자를 전염 병원·격리소 등에 수용하고, 환자의 집에 거주하는 사람들을 일정 기간 격리소에 격리시키는 일. *강제 수용(收容). ──-하다 타여불

강:제 경:매 【強制競賣】 명 〖법〗 ①소유자의 의사에 의하지 아니하고 법률의 규정에 따라 국가 기관에 의하여 강제적으로 행하여지는 경매. ↔임의 경매. ②민사 소송법상, 부동산에 대한 강제 집행의 한 가지. 채권자 등이 법원에 신청하여 채무자 소유의 부동산을 압류하여 경매하는 일. ──-하다 타여불

강:제 경제 【強制經濟】 명 법적 강제력에 의하여 조세(租稅)를 징수해서 경비 지출에 충당하는 경제. 곧, 국가·지방 자치 단체 등 공법인(公法人)이 영위(營爲)하는 경제.

강:제 공랭 【強制空冷】 [─냉] 명 〖물〗 자연 공랭(空冷)으로는 부족을 느끼고 그렇다고 수냉(水冷)을 이용할 정도도 아닌 경우에 쓰이는 것으로, 선풍기로 송풍(送風)을 하거나 송풍기(送風機)를 이용하여 기기(機器)의 기동(起動)과 동시에 자동적으로 송풍을 해서 냉각시키는 일. ↔자연 공랭.

강:제 공채 【強制公債】 명 〖경〗 국가가 전쟁, 기타 비상시(非常時) 또는 재정상의 편의(便宜)를 위해 기채(起債)하여, 강제적으로 국민에게 인수시키는 공채. 직접 강제 공채와 간접 강제 공채가 있는데, 앞엣것은 개인의 재력에 따라 강제적으로 공채를 인수하게 하는 것이고, 뒤엣것은 정부가 사설 철도(私設鐵道) 등을 매수한 때에 그 대금으로 교부하는 공채 같은 것을 이름. ↔임의(任意) 공채.

강:제 관리 【強制管理】 [─괄─] 명 〖법〗 부동산에 대한 강제 집행의 한 가지. 법원이 임명한 관리인에게 채무자 소유의 부동산을 관리시켜서 그 수익(收益)을 가지고 채권자(債權者)에 대한 판제(辦濟)에 충당하게 하는 방법.

강:제 교:육 【強制教育】 명 〖교〗 의무 교육.

강:제-권 【強制權】 [─꿘] 명 〖법〗 강제 수단(強制手段)을 쓰는 행정상의 권리.

강:제 규범 【強制規範】 명 범죄나 의무 위반 같은 불법 요건에 대하여 형벌·강제 집행 등의 강제 효과를 귀속시키는 규범. ↔사회(社會) 규범.

강:제 노동 【強制勞動】 명 정신적·신체적 자유를 위협하여, 노동할 의사가 없는 사람에게 노동을 강요하는 일.

강:제 대:류 【強制對流】 명 〖물〗 통풍, 그 밖의 힘을 인공적으로 가한 대류. ↔자연(自然) 대류.

강:제-력 【強制力】 명 ①강제하는 힘. ②〖법〗 국가가 국민에게 명령하여 그 명령에 따를 것을 강제하는 권력(權力).

강제리 명 〈방〉 광주리(경남).

강:제 매매 【強制賣買】 명 법률의 규정 또는 행정 처분에 의하여 강제적으로 행하여지는 매매. 강제 집행·공용 징수 등에서 행하여지는 매매 따위.

강:제-벌 【強制罰】 명 〖법〗 집행벌(執行罰).

강:제 변:호 【強制辯護】 명 〖법〗 형사 사건(刑事事件)에 있어서 피고인(被告人)의 의사 여하(意思如何)를 불문하고, 법원이 국선 변호인(國選辯護人)을 정하여 시키는 변호. 필요적(必要的) 변호. ↔자유 변호.

강:제 보:험 【強制保險】 명 〖경〗 국가가 강제적으로 어떤 범위의 사람들에게 가입시키는 보험. 자동차 손해 배상 책임 보험, 실업(失業) 보험 따위. ↔임의 보험(任意保險)·자유 보험.

강:제 분가 【強制分家】 명 〖법〗 호주가 가족을 일방적으로 분가시키는 분가 제도. 호적 상의 가구(家口)와 실제 생활 공동체를 일치시키고, 부부와 부모 자식 중심의 소가족(小家族) 제도를 호적상에 반영시키려는 것임. ↔임의(任意) 분가.

강:제 상각 【強制償却】 명 강제 소각(消却).

강:제 상속 【強制相續】 명 〖법〗 상속인에 대하여 상속권의 포기를 인정하지 않음으로써 상속을 강제로 맡게 하는 일. 우리 나라 법에서는 호주 상속의 포기를 인정하지 않음.

강:제 선:거 【強制選擧】 명 〖법〗 선거인(選擧人)에게 강제로 투표(投票)의 의무를 지워 행하는 선거.

강:제 소각 【強制消却】 명 주주(株主)의 의사를 불문하고, 추첨·비례 배분 등의 방법에 의하여, 회사가 일방적으로 특정한 발행필(發行畢) 주식을 소멸시키는 일. 강제 상각(償却). ↔임의 소각(任意消却).

강:제 소개 【強制疏開】 명 공습(空襲)·화재(火災) 등의 피해를 적게 하기 위하여, 건물이나 사람 등을 소유자나 본인의 의사와 관계없이 분산(分散)시키는 일. 제 2 차 세계 대전 말기에 일본이 시행하였음.

강:제 송:풍 【強制送風】 명 〔forced blow〕 ①인공(人工) 송풍의 한 가지. 선풍기 또는 송풍기로 고압(高壓) 공기를 난방로(暖房爐)에 보내어 연소를 증가시키는 장치. ②실내(室內)의 환기(換氣)를 인공적으로 행하기 위하여 선풍기 또는 송풍기로 고압 공기를 실내에 보내는 장치. 강제 통풍(通風).

강:제 송:환 【強制送還】 명 밀입국(密入國)한 자 또는 폭력 행위 등을 한 외국인을 국가 권력으로 강제적으로 본국 또는 입국전의 거주국(居住國)·출생국(出生國) 등지로 송환하는 일.

강:제 수단 【強制手段】 명 강제하기 위하여 쓰는 수단.

강:제 수사 【強制搜査】 명 〖법〗 법관(法官)의 영장(令狀)에 의한 강제 처분으로 행하여지는 수사. ↔임의(任意) 수사.

강:제 수용[1] 【強制收用】 명 공권에 의해서 강제적으로 이루어진다는 뜻에서 '공용 징수'를 일컫는 속칭.

강:제 수용[2] 【強制收容】 명 〖법〗 사회 질서 유지나 환자 치료를 위하여 환자·광인·중독자 등을 강제적으로 일정한 장소에 격리 수용시키는 일. 행정상의 즉시 강제(卽時強制)의 한 수단임. *강제 격리.

강:제 수용소 【強制收容所】 명 정치적 반대파를 대량으로 수용하기 위하여, 또는 전시 중 외국인의 구금·수용을 목적으로 차려 놓은 수용소. 특히, 나치스 독일이나 스탈린 시대의 소련에서 유명하였음.

강:제 순환 【強制循環】 명 〖기〗 펌프 등을 유체 처리 장치(流體處理裝置)에 접속하고, 관(管)·용기를 통하여 유체를 이송(移送)하는 일. 중력(重力)이나 열에 의한 순환과 구별됨.

강:제 순환 보일러 【強制循環─】 〔boiler〕 명 내부의 물을 펌프로 순환시키는 형식의 보일러. 물의 순환이 확실하여 수관(水管)을 자유로 배치할 수 있으며, 또 수관을 가늘게 할 수 있기 때문에 고압용으로 사용하기에도 용이함.

강:제 예:산 【強制豫算】 명 〖법〗 ①감독 관청(監督官廳)이 지방 자치체에 대하여, 강제로 편성시키는 예산. ②국회의 의결(議決)을 무시하고 결정하는 예산.

강:제 이민 【強制移民】 명 노예·죄수 등을 강제적으로 식민지 등으로 이주시켜 개척(開拓) 그 밖의 노동에 종사하게 하는 이민. ↔자유 이민.

강:제 이:행 【強制履行】 명 채무자(債務者)가 채무를 이행하지 않는 경우에 채권자가 고소하여 국가의 권력으로 이행시키는 일.

강:제 인지 【強制認知】 명 부(父) 또는 모(母)가 인지를 거부할 때, 인지 청구(請求)의 소송을 제기하여 판결로써 인지시키는 일. *임의(任意) 인지.

강:제 작업 【強制作業】 명 본인의 의사와는 관계없이 강제로 종사시키는 작업.

강:제 재:배 제:도 【強制栽培制度】 명 〖경〗 19세기에 네덜란드가 자바(Java)에서 행한 경제 정책. 자바 토민의 경작지(耕作地) 일부에 대하여 유럽 시장으로 보내는 생산물의 재배를 강제하고, 그 생산물을 일정한 평가액으로 식민지 정부에 인도하게 하였음.

강:제 저:금 【強制貯金】 명 고용주가 노동자의 임금의 일부를 강제적으로 떼어서 저금시키어 그 관리(管理)·반환까지 지배하는 제도. 우리 나라에서는 근로 기준법에 의해서 금지되고 있음.

강:제 저:축 【強制貯蓄】 명 〖경〗 물가의 등귀는 화폐 소득이 비례적으로 증가하지 않는 사람에게 있어서는 실질 소득의 감소를 초래하게 되므로, 그들에게 소비의 절약을 강요하게 함으로써 성립되는 저축.

강:제-적 【強制的】 명관 본인의 의사를 무시하고 강제로 시키는 모양. ↔자발적.

강:제 절차 【強制節次】 명 〖법〗 사람에 대한 구인(拘引)·구류(拘留) 및 물건에 대하여 행하는 압수·수색 등 강제 수사의 절차.

강:제 정찰 【強制偵察】 명 〖군〗 위력(威力) 정찰.

강:제 조정 【強制調停】 명 〖법〗 분쟁 당사자(紛爭當事者)에게 조정에 응할 의무를 지우거나 또는 조정 기관이 작성한 조정안(案)을 수락(受諾)할 의무를 지워서 강제적으로 성립시키는 조정. 노동 쟁의 조정법 등에 의한 조정은 이에 속함. ↔임의(任意) 조정.

강:제 조차 【強制租借】 명 〖법〗 다른 나라의 땅에 대하여 강제적으로 얻는 조차(租借).

강:제 조합 【強制組合】 명 〖법〗 공공 조합(公共組合)의 하나. 국가가 일정한 국민에 대하여, 강제적으로 설립(設立) 또는 가입하게 하는 조합. 토지 구획 정리 사업 조합(土地區劃整理事業組合) 같은 것.

강:제-죄 【強制罪】 [─쬐] 명 〖법〗 강요죄(強要罪).

강:제 중재 【強制仲裁】 명 〖법〗 한쪽 또는 쌍방의 동의를 얻지 않고 행하는 중재. ↔임의 중재.

강:제 지출 【強制支出】 명 〖법〗 감독 관청의 직권(職權)으로써 지방 자치체로 하여금 필요에 따라 강제적으로 시키는 지출.

강:제 진단 【強制診斷】 명 〖법〗 전염병의 예방을 위하여 전염병에 감염되었으리라고 의심되는 충분한 이유가 있는 사람이나 또는 전염병 감염이 쉬운 환경에 사는 사람에 대하여 강제적으로 건강 진단을 실시하는 일. 행정상의 즉시 강제의 한 수단임.

강:제 진:동 【強制振動】 명 〔forced vibration〕 〖물〗 진동계(振動系)에 주기적인 외력(外力)이 작용할 때 나타나는 진동. 보통, 저항이나 감쇠력(減衰力)도 포함됨.

강:제 집행 【強制執行】 명 〔도 Exekution〕 〖법〗 사법상(私法上)의 청구권(請求權)을 국가 권력에 의해서 강제적으로 실현(實現)하는 절차(節次). 금전 집행(金錢執行)에서는 압류(押留)·경매·강제 관리 등의 방법이 취해지며, 또 동산이나 부동산의 인도(引渡)·명도(明渡)를 목적으로 하는 집행은, 건물을 철거하거나 하여 집행관(執行官)이 직접 채권(債權)의 내용을 실현함. ㊅집행(執行).

강:제 징병 【強制徵兵】 명 국가의 권력으로써 강제적으로 병역(兵役)의 의무를 지우는 제도.

강:제 징수 【強制徵收】 명 〖법〗 공법상(公法上)의 금전 지급 의무(金錢支給義務)가 이행되지 않을 경우에 이것을 강제로 징수하는 행정상(行政上)의 집행 방법.

강:제 착륙 【強制着陸】 [─뉵] 명 남의 나라 영공(領空)이나 중립 지대 상공을 침범하든지 또는 불법 비행 중인 항공기 등을 강제로 착륙시키는 일. 평시에도 강제 착륙을 거부하는 항공기에 대하여는 이를 격추하여도 무방하다는 것이 국제적 관행(慣行)으로 되어 있음.

강:제 처:분 【強制處分】 명 〖법〗 형사 소송법상 증거 또는 형의 집행을 보전(保全)하기 위하여 사람 또는 물건에 대하여 강제적으로 할 수 있는 처분(處分). 사람에 대한 체포·구류, 물건에 대한 압수·수색 따위.

강:제 철거【強制撤去】명 자진 철거 기간이 지나고 계고(戒告)에 응하지 않았을 때에 강제로 행하는 건축물 따위의 철거. ↔자진 철거.

강:제 추행죄【強制醜行罪】[—쬐] 명〖법〗폭행·협박으로 남에게 추행을 하여 성립하는 죄.

강:제 카르텔【強制—】〔도 Kartell〕명〖경〗법률에 의하여 그 성립을 강제하는 카르텔. 통제 경제, 산업의 육성, 공황(恐慌) 대책 등을 추진하기 위하여 실시함.

강:제 통용력【強制通用力】[—녁] 명〖경〗통화가 금(金)과의 태환(兌換)에 의해서가 아니라, 법률에 의하여 지급 수단으로서 유통될 수 있는 힘. 우리 나라에서는 한국 은행권은 무제한의 통용력을 가짐.

강:제 통풍【強制通風】명 강제 송풍.

강:제 통화【強制通貨】명〖경〗금(金)의 태환(兌換) 준비 없이 또는 태환을 정지하고 국가가 강제 통용력을 부여하는 통화.

강:제 화의【強制和議】[—/—이] 명 파산(破産) 절차에서, 배당(配當)에 대신하여 서로 화해하여 파산 절차를 종결시키는 일. 파산자에게 재기(再起)의 기회를 주며, 채권자(債權者)에게도 배당보다 유리한 이익을 주려는 제도임.

강-조[1]【康兆】명〖사람〗고려의 무신(武臣). 목종(穆宗) 12년(1009) 김치양(金致陽)의 난(亂) 때, 서북면(西北面) 도순검사(都巡檢使)로 난군을 침. 목종을 죽이고 현종(顯宗)을 임금으로 내세워 세력을 떨치더니 요(遼)의 성종(聖宗)이 이신 벌군(以臣伐君)을 구실로 쳐들어오매, 통주(通州)에서 맞아 항사(抗死)하였음. [?-1010]

강조[2]【強調】명 ①역설함. 강력히 주장함. ¶ 일의 중요성을 ~하다. ②회화(繪畫)·음악 따위의 표현에서, 어떤 한 부분을 특히 두드러지게 함. ——-하다 타여불

강조[3]【鋼爪】명 강철같이 단단한 손톱.

강조롱이 부〈방〉가지런히(충남·전북).

강-조밥 명 좁쌀로만 지은 밥. 순속반(純粟飯).

강:조-법【強調法】[—뻡] 명〖언〗수사법의 한 가지. 표현하려는 내용을 강하고 뚜렷하게 나타내어 읽는 사람에게 뚜렷한 인상이 느껴지게 하는 표현 방법. 과장법(誇張法)·반복법(反復法)·영탄법(詠嘆法) 등이 있음.

강조 유전자【強調遺傳子】명〔intensifier〕〖생〗변경 유전자의 하나. 비대립 유전자(非對立遺傳子)의 작용을 세게 함.

강조의 허위【強調—虛僞】[—/—에—] 명〔fallacy of accent〕〖논〗글 중의 어떤 말 또는 어떤 구절을 강조함으로써 생기는 허위. 이를테면, '이웃 사람과 사이 좋게 지내라'의 '이웃 사람'을 강조하면 이웃 사람 이외의 사람과는 사이 좋게 지내지 않아도 좋다는 곡해(曲解)가 생기는 따위.

강조 주간【強調週間】명 어떤 운동(運動)에 관해서 그 정신과 의의를 강조하기 위하여 정한 한 주일(週日) 동안. ¶ 교통 안전 ~/청소 ~.

강-조팝 명〈방〉강조밥(황해).

강조-화【強調化】명〖심〗어떤 대상을 인지(認知)할 경우에 그 대상의 개성적 특징을 강조하여 파악하고, 구조 상의 불균형·왜곡(歪曲) 등을 원대상보다 한층 더 깊이 생각하는 일. ——-하다 타여불

강졸【強卒】명 강한 졸병. ↔약졸(弱卒).

강종[1]【康宗】명〖사람〗고려의 제22대 왕. 휘(諱)는 오(祦). 자는 대수(大華). 명종(明宗)의 장자. 명종 27년(1197)에 최충헌(崔忠獻)에게 부왕과 함께 쫓기어 강화도에 갔다가 희종(熙宗)이 쫓긴 후 임금이 되었음. [1152-1213; 재위 1211-13]

강:종[2]【強從】명 억지로 복종함. 마지못하여 따름. ——-하다 자여불

강:종(을) 받다 구 남을 억지로 복종시키다.

강:종[3]【講鐘】명〖불교〗강경(講經)할 때 치는 종(鐘).

강종[4] 부 짧은 다리로 힘있게 높이 솟구어 뛰는 모양. ㅆ깡쫑. ㅆ깡충. <경중.

강-종개【江—】명〖어〗[*Misgurnus* sp.] 잉어과 기름종개 아과(亞科)에 속하는 미꾸라지 종류의 민물고기. 길이 13-20cm로 몸빛은 전신이 오람색(汚藍色)이고 흑갈색 반점이 있음. 몸 중앙에 좁은 담색 가로띠가 있고, 등에도 넓은 암색 세로띠가 있으며, 각 지느러미에도(배지느러미 제외) 작은 무늬가 산재함. 입가에 다섯 쌍의 수염이 있고 비늘은 대부분 피부에 파묻혀 있음. 두만강 수계 및 그 수계에 속한 못과 늪에만 분포함.

강종-거리다 자 짧은 다리로 자꾸 솟구어 뛰면서 걷다. ㅆ깡쫑거리다. ㅆ깡충거리다. <경중거리다. 강종-강종 부. ——-하다 자여불

강-종경【姜宗慶】명〖사람〗조선 선조(宣祖) 때의 문신. 자는 중업(仲業), 호는 매야(梅野). 진주(晋州) 사람. 국자 학유(國子學諭)로 있으면서 성혼(成渾) 등 유학자들과 친교를 가졌으며 역학(易學)·서화(書畫)에 능하였음. [1543-80]

강종-대다 자 강종거리다.

강좌[1]【江左】명〖지〗'장쭤'를 우리 음으로 읽은 이름.

강:좌[2]【講座】명 ①강석(講席). ¶ ~를 만들다. ②〖불교〗절에서 불경(佛經)을 강담(講談)하는 좌석. ③〖교〗대학에서 강의하는 학과에 관한 교수 사항의 담임(擔任). ¶ 형법 ~. ④대학의 강좌의 형식을 따라 어떤 주제(主題)의 체계적 지식을 주기 위하여 편성된 강습회·출판물·방송 프로그램 따위. ¶ 음악 ~.

강좌 문학【江左文學】명〖문〗중국 육조(六朝) 때, 장쑤(江蘇)·저장(浙江) 지방에 번영하던 문학. 남방 귀족(貴族)을 중심으로 발달한 화려한 문학으로, 육조 문학의 주류(主流)를 이루었으며, 사영운(謝靈運)·심약(沈約)·도연명(陶淵明) 등이 그 대표자임.

강좌 칠현【江左七賢】명 고려 후기 정중부(鄭仲夫)의 난 이후 문인들이 박해를 받던 시절에 이인로(李仁老)·오세재(吳世才)·임춘(林椿)·조통(趙通)·황보항(皇甫抗)·함순(咸淳)·이담지(李湛之) 등의 일곱 선비의 모임인 청담풍(淸談風)의 시회(詩會). 해좌(海左) 칠현. 죽림 고회(竹林高會).

강주[1]【江珠】명〖광〗'호박(琥珀)'의 별칭.

강주[2]【杠轎】명〖역〗조선 시대에 운반 용구(運搬用具)의 하나. 가맛바탕 비슷한데, 중앙의 대(臺) 위에 짐을 얹고 두 사람이 앞뒤에서 멤. 주로 귀중품을 나르는 데 쓰이었음.

강주[3]【康州】명〖역〗신라 9주(州)의 하나. 신문왕(神文王)이 거타주(居陁州)를 나누어 청주(菁州)를 두고, 경덕왕(景德王)이 본이름으로 고치었음. 11군(郡)과 27현(縣)을 관할하였음. 지금의 진주(晋州).

강주[4]【強奏】명〖악〗포르테(forte).

강주[5]【強酒】명 독한 술. 알코올 성분이 많은 술. 소주·위스키 따위.

강주[6]【薑酒】명 술의 한 가지. 빚을 때 새앙을 넣거나 술이 된 뒤에 새앙을 우린 것. 편두풍(偏頭風)·중악(中惡)·주오(注忤)·심랭통(心冷痛)을 낫게 함.

강:주[7]【講主】명〖불교〗경(經)스승.

강주렁이 부〈방〉가지런히(충남).

강주리 명〈방〉광주리(경북).

강-주물【鋼鑄物】명 주강(鑄鋼)의 주조품(鑄造品). 선철(銑鐵) 주물에 비하여 특히 강인성(強靭性)이 우수하여 충격에 강하며, 용접성도 양호함. 각종 기계 구조재(構造材)로서 널리 이용됨. 주강품(鑄鋼品).

강-주정【—酒酊】명 일부러 취한 체하는 주정. ——-하다 자여불

강죽【糠粥】명 겨죽.

강-준치【江—】명〖어〗[*Culter erythropterus*] 잉어과에 속하는 민물고기. 준치와 비슷한데 몸길이 40-100cm이며 입이 수직에 가까울 만큼 위 쪽을 향해 있고 배지느러미 기저(基底) 밑에서 항문(肛門) 앞까지 용골상(龍骨狀)의 융기선이 있는 것이 특징임. 몸빛은 은백색이고, 등 쪽과 주둥이 및 아래턱 부분은 푸른 갈색, 등지느러미는 황색, 뒷지느러미와 꼬리지느러미는 붉은색을 띠고 있음. 갑각류·곤충류·작은 물고기 등을 잡아먹는데, 한국 서해에 주입하는 하천 및 만주·중국의 큰 강에 분포함. 식용 어종임.

〈강준치〉

강-줄기【江—】[—쭐—] 명 강물이 뻗어 나간 줄기.

강중【江中】명 ①강 가운데. ②강 속.

강중-증【強中症】[—쯩] 명〖한의〗방사 과도(房事過度) 또는 광물성 약제(藥劑)의 중독으로 일어나는 병. 몸이 야위고 가끔 유정(遺精)이 되고 오줌이 기름과 같아짐. 소갈병(消渴病)의 중증(重症).

강즙【薑汁】명 생강을 짓찧거나 갈아서 짜낸 물. 생강즙.

강즙 소주【薑汁燒酒】명 강즙을 탄 소주. 소주 한 사발에, 강즙 두 종지쯤을 타서 꼭 덮어, 더운 데에 하룻 밤쯤 두었다가 냄.

강:지[1]【降旨】명〖역〗교령(敎令)을 내림. ——-하다 자여불

강지[2]【剛志】명 굳세어 굽히지 아니하는 의지.

강지리 명〈방〉광주리(경남).

강지-장【江之章】[—짱] 명 용비어천가 제34장(章)의 이름.

강직[1]【江直】명 강원도에서 나는 직삼(直蔘).

강:직[2]【降職】명 직위(職位)가 낮아짐. 좌천(左遷)당함. ↔승직(昇職). ——-하다 자여불

강직[3]【剛直】명 마음이 굳세고 곧음. 항직(伉直). ¶ ~한 성질. ——-하다 형여불 ——-히 부

강직[4]【強直】명 ①마음이 강하고 정직함. ¶ ~한 사람. ②〖의〗근육을 어떤 빈도(頻度) 이상으로 연속적으로 자극할 때에, 이것이 지속적으로 크게 수축(收縮)되는 상태. 근육은 저장 물질을 소비하여 곧 피로하게 됨. 강축(強縮). ③〖의〗도려 낸 근육이 움츠러지고 단단하게 굳어져 탄력을 잃게 되는 현상. 이것은 근육의 죽음을 의미하는 것으로서, 특히 시체의 근육이 강직하는 것을 사후(死後) 강직이라고 함. ——-하다 형여불

강직-성【強直性】명〖의〗근육이 수축(收縮)하여 단단해지는 성질(性質).

강직성 경련【強直性痙攣】[—년] 명〔tonic convulsion〕〖의〗근육이 한번에 수축하여, 특히 신근(伸筋)의 장력(張力)이 더 커서 사지를 죽 뻗고 목과 등을 뒤로 젖히는 경련. 간질(癎疾)·파상풍(破傷風) 따위에서 볼 수 있음. 긴장성(緊張性) 경련. 강축성(強縮性) 경련.

강직성 근위축증【強直性筋萎縮症】명〔myotonic atrophia〕〖의〗근강직(筋強直)과 근위축의 증세와 함께 신체적·정신적 변성(變性) 증세를 나타내는 유전성 질환. 근강직은 대체로 사지·얼굴·혀 등에 생기며, 근위축은 표정근·소수근(小手筋)·비골근군(非骨筋群) 등에 나타남.

강진[1]【江津】명〖지〗'장진'을 우리 음으로 읽은 이름.

강:진[2]【降眞】명 ↗강진향(降眞香).

강진[3]【康津】명〖지〗전라 남도 강진군의 군청 소재지로 읍(邑). 장흥(長興)과 더불어 비옥한 해안 평야에 임하여 있는 농산물의 집산지로, 쌀·목화의 산출이 많고, 해안에서는 수산물이 산출됨. [18,296명(1996)]

강진[4]【強陣】명 강고(強固)한 진지.

강진[5]【強震】명 ①강한 지진(地震). ②〖지〗지진의 강도(強度)를 나타내는 등급의 하나. 벽이 갈라지며 묘석(墓石) 같은 것이 쓰러지고 굴뚝 등이 부서질 정도의 지진으로, 진도(震度)는 5임. *미진(微震).

강진-계[1]【強振計】명 강렬하고 진폭이 큰 진동을 측정하는 진동계. ↔미동계(微動計).

강진-계[2]【強震計】명〖지〗특히 강진을 기록하기 위하여 만든 진배율(震倍率)이 작은 지진계. 상하동(上下動) 지진계 및 수평 진자(水平振子)로 된 두 개의 수평동(水平動) 지진계를 한데 어울러 꾸민 것.

용수철

용수철

〈강진계[2]〉

강진-군【康津郡】명〖지〗전라 남도의 한 군. 관내 1읍 10면. 북은 영암군(靈岩郡)과 장흥군(長興郡), 동은 장흥군, 남은 바다와 완도군(莞島郡), 서는 해남군(海南郡)과 영암군에 접함. 주요 산물은 쌀·보리·면화 등의 농산(農産)과 수산(水産)·축산(畜産)·임산(林産)·광산(鑛産) 등임. 천연 기념물로 대구면(大口面)의 개

팽나무, 병영면(兵營面)의 개비자나무가 있음. 군청 소재지는 강진읍(康津邑). [492.67 km^2 : 55,039 명(1996)]

강:진-향【降眞香】[명] 피우는 향(香)의 한 가지. 류큐(琉球)·타이·중국 등지에서 나는 향나무로 만듦. 자등향(紫藤香). [준]강진(降眞).

강집【薑—】[명] '강즙'의 변한 말.

강짜 [명]〈속〉강샘. ¶ ~를 부리다.

강짜(가) 나다 [구] 강샘을 하는 마음이 일다.

강짜(를) 부리다 [구] 강샘을 언동으로 나타내다.

강짜-샘 [명]〈속〉강샘.

강:차【降車】[명] 하차(下車). ——-하다 [자][여불]

강:차-구【降車口】[명] 하차구(下車口).

강:착【降着】[명] 항공기가 착륙(着陸)함. ——-하다 [자][여불]

강:착 장치【降着裝置】[명]〖항공〗항공기가 이륙·착륙할 때의 장치. 곧, 바퀴·부주(浮舟)·완충(緩衝) 장치 등.

강-참숯 [명] 다른 나무의 숯이 섞이지 아니한 참숯.

강창【江倉】[명]〖역〗각 지방에서 거둔 조세의 강상(江上) 운송을 맡았던 조창(漕倉).

강-창원【姜菖園】[명]〖사람〗한국 현대의 공예가(工藝家). 일본 도쿄(東京) 미술 학교에서 칠공예(漆工藝)를 전공, 1935년 일본의 제전(帝展)과 선전(鮮展)에서 특선(特選)으로 데뷔, 해방 후에는 작품 활동을 중단했으나, 1973년에 재기(再起)하여 건칠(乾漆) 공예의 제일인자로 꼽혔음. [1905-77]

강천【江天】[명] 멀리 보이는 강 위의 하늘.

강:천성-곡【降天聲曲】[명]〖악〗통일 신라 시대에 옥보고(玉寶高)가 지은 30곡의 거문고 곡 중의 하나.

강천 일색【江天一色】[—쌕] [명] 강물 빛과 하늘빛이 동일함.

강철【鋼鐵】[명]〖화〗0.035-1.70%의 탄소를 함유하고 있는 철. 가단성(可鍛性)이 있으며, 열처리로 강도(強度)나 인성(靭性)이 높아짐. 함선·철도·차량을 위시하여 각종 기계·기구 등을 만드는 데에 다량으로 쓰임. 강(鋼). 스틸(steel). ↔연철(軟鐵). *특수강(特殊鋼).

【강철이 달면 더욱 뜨겁다】웬만해서는 화를 낼 것 같지 않은 사람이 한 번 성나면 무섭다는 말.

강철(과) 같다 [구] 강철과 같이 단단하고 굳세다.

강철-관【鋼鐵管】[명] 강관(鋼管).

강철-봉【鋼鐵棒】[명] 강철로 된 막대기.

강철-사【鋼鐵絲】[—싸] [명] 강철선(鋼鐵線).

강철-선【鋼鐵線】[—썬] [명] 강철로 만든 가는 줄. 강철사(絲).

강철-이【強鐵—】[명] 지나가기만 하면 초목이나 곡초(穀草)가 다 말라 죽는다는 악독(惡毒)한 용(龍)의 이름.

【강철이 간 데는 가을도 봄이다】강철이 지나간 곳에는 결실(結實)이 다 된 초목이나 곡초가 말라 죽는다는 뜻으로, 운수가 기박(奇薄)한 사람은 팔자가 사나워서 가는 곳마다 불행한 사고가 연발함을 비유한 말. 강철지추(強鐵之秋).

강철지-추【強鐵之秋】[명] '강철이 간 데는 가을도 봄이다'와 같은 뜻.

강철-차【鋼鐵車】[명] 차체(車體)를 강철로 만든 철도 차량.

강철-판【鋼鐵板】[명] 강철로 만든 판. 강판(鋼板).

강철-함【鋼鐵艦】[명]〖군〗강철로 주요 부분을 장비(裝備)한 군함.

강:첨【講籤】[명]〖역〗조선 시대에 과거(科擧) 볼 때 시관(試官)이 강경(講經)의 성적의 정도를 표시하는 데 쓰던 작고 둥근 말패. 말패의 표면에는 통(通)·약(略)·조(粗)·불(不)의 글자를 새겨 넣었음.

강-청¹【江靑】[명]〖사람〗'장 칭'을 우리 음으로 읽은 이름.

강:청²【講—】[명] 글 따위를 강하는 목청.

강:청³【強請】[명] 억지로 짓궂게 청함. ——-하다 [타][여불]

강-청동【鋼靑銅】[명]〔steel bronze〕구리 92%, 주석 8%의 청동을 담금질한 금속. 강철의 대용(代用)으로 총기(銃器) 제작에 쓰임.

강청-색【鋼靑色】[명] 강철과 같이 검푸른 빛. [준]강색(鋼色).

강체【剛體】[명]〔rigid body〕〖물〗어떠한 힘을 받아도 체적(體積)과 모양이 변하지 않는다고 가상(假想)한 물체. 보통 고체를 강체로 취급해도 무방한 경우가 많음.

강체 동:역학【剛體動力學】[—녁—] [명]〔rigid-body dynamics〕〖물〗강체 역학.

강체 역학【剛體力學】[명]〖물〗역학의 한 부문. 강체에 작용하는 힘과 그 운동과의 관계를 연구하는 학문. 강체 동역학.

강체 진:자【剛體振子】[명] 복진자(複振子).

강:촉【絳燭】[명] 붉은 등불.

강촌【江村】[명] 강가의 마을.

강촌 별곡【江村別曲】[명]〖문〗조선 시대 후기의 가사의 하나. 퇴관(退官) 후에 전원에서 한가한 생활을 하며 자연을 노래한 내용. 《청구 영언(靑丘永言)》·《고금 가곡(古今歌曲)》 등에 전하며 차천로(車天輅)가 지은 것으로 추측됨.

강:추【絳綃】[명]〖충〗고추잠자리.

강-추위 [명] 눈이 아니 오고 몹시 추운 추위.

강축【強縮】[명]〖의〗강직(強直)❷. ——-하다 [자][여불]

강축성 경련【強縮性痙攣】[—년] [명]〖의〗강직성(強直性) 경련.

강:출【降黜】[명] 관등(官等)을 내려 물리침. ——-하다 [타][여불]

강충이 [명]〖충〗금강산떨구.

강:취【強取】[명] 강탈(強奪). ——-하다 [타][여불]

강치 [명]〖동〗[*Zalophus gillespii*] 강칫과에 속하는 바다 짐승. 몸길이 수컷은 2.5 m, 암컷은 1.8 m가량. 몸빛은 흑갈색이고, 물개·바다표범과 비슷하되 좀 작으며, 귓바퀴는 작고 다섯 발가락이 있는데 솜털이 없음. 일웅 다자(一雄多雌)이고 5-6월에 한두 마리의 새끼를 낳음. 큰소리로 울며, 잘 때에는 반드시 한 마리가 망을 봄. 낙지·오징어·물고기 등을 포식하는데, 태평양의 여러 섬 근처에 분포함. 털가죽은 쓸모가 없음. 길들이기 쉬우므로 곡마단 등에서 기름. 가제. 해려(海驢). 해룡(海龍).

〈강치〉

강타【強打】[명] ①강하게 때림. 세게 침. ②치명적인 타격을 가함. ¶ 폭풍이 서해안을 ~하다. ③야구에서, 배트로 공을 세게 쳐서 멀리 날림. 통타(痛打). ——-하다 [타][여불]

강-타기 [명]〈방〉얼음지치기.

강-타자【強打者】[명] ① 야구에서, 공을 세게 잘 치는 선수. 슬러거(slugger). ② 야구에서, 타율이 높은 선수.

강:탄【降誕】[명] 존귀(尊貴)한 사람이나 비범(非凡)한 사람이 태어남. 강생(降生). ——-하다 [자][여불]

강:탄-일【降誕日】[명] 강탄한 날.

강:탄-절【降誕節】[명]〖불교〗석가 모니(釋迦牟尼)의 탄일(誕日)을 축하하는 경절(慶節). 곧, 음력 4월 8일. *성도절(成道節).

강:탄-제【降誕祭】[명] ①위인이나 존귀한 사람의 생일을 기념하는 잔치. ②〖기독교〗크리스마스.

강:탄-회【降誕會】[명]〖불교〗석가 탄신일인 사월 초파일을 축하하는 법회.

강:탈【強奪】[명] 억지로 빼앗음. 강취(強取). 강겁(強劫). ¶ ~자(者) / 돈을 ~당하다. ——-하다 [타][여불]

강태¹ [명]〈방〉〖식〗까마종이.

강태²【江太】[명] 강원도에서 나는 명태. *명태(明太).

강태³【江苔】[명]〈방〉〖식〗이끼¹(함경).

강-태공【姜太公】[명] ①〖사람〗〔강(姜)은 그의 본성(本姓)〕태공망(太公望) '여상(呂尙)'의 속칭. ②〈속〉〔강태공의 낚시질에 관한 고사(故事)에서〕낚시꾼.

【강태공 위수변에 주문왕 기다리 듯】때를 기다리는 모양. 【강태공의 곧은 낚시질】강태공이 곧은 낚시로 낚시질하며 때가 오기를 기다렸다는 고사(故事)에서, 큰 포부를 안고 때를 기다린다는 말. 【강태공이 세월 낚듯 한다】무슨 일을 하되 더디고 느리게 한다는 뜻.

강-택민【江澤民】[명]〖사람〗'장 쩌민'을 우리 음으로 읽은 이름.

강탱이 [명]〈방〉〖식〗이끼¹(평안).

강토【疆土】[명] 나라의 국경(國境) 안에 있는 땅. 경토(境土). 양지(壤地). 양토(壤土).

강토크〔Gangtok〕[명]〖지〗인도 시킴 주(Sikkim 州)의 주도. 히말라야 산중에 있는데 네팔인과 티베트인이 많고, 쌀·차 등 농산물의 집산지임.

강:-통【講桶】[명]〖불교〗여러 개의 산가지를 넣은 큰 대통. 아침에 학인(學人)들이 모여서 경전(經典)을 해석하여, 낭독할 사람과 뜻풀이할 사람을 선발(選拔)하는 데 씀.

강 팀:【強—】〔team〕[명] 주로 운동 경기의 기술면에서, 매우 강한 팀. 센 팀.

강파【江波】[명] 강의 물결.

강파르다 [형][르불] 몸이 파리하고 성질이 깔깔하고 고집이 세다. *가파르다.

강파리-하다 [형][여불] 생김새가 강파른 듯하다.

강:판¹【降板】[명] 야구에서, 투수가 자꾸 안타(安打)를 맞거나 하여 마운드에서 물러남. ↔등판(登板). ——-하다 [자][여불]

강:판²【降版】[명]〖인쇄〗하판(下版)❷.

강판³【鋼版】[명]〖인쇄〗강철판에 조각한 요판(凹版).

강판⁴【鋼板】[명] 판상(板狀)의 강철. 강철판.

강판⁵【薑板】[명] 강즙이나 과일즙 같은 것을 낼 때에 생강·과일 등을 가는 기구. 넓적한 쇠붙이의 한쪽 면에 톱니 같은 것이 많이 있음.

〈강판⁵〉

강팔지다 [형] 성미가 까다롭고 너그럽지 못하다.

강퍅【剛愎】[명] 성미가 까다롭고 고집이 셈. ——-하다 [형][여불]. ——-히 [부]

강펄【江—】[명] 강가의 개흙 땅.

강편【鋼片】[명] 강괴(鋼塊)를 분괴 압연(分塊壓延)한 반제품(半製品).

강:평【講評】[명] ①강론(講論)하여 비평(批評)함. ¶~회(會). ②지도적인 입장에서, 작품이나 연기(演技) 등의 성과를 비평하고, 그 이유 등을 설명하는 일. 또, 그 비평. ¶선후(選後) ~. ——-하다 [타][여불]

강:평-회【講評會】[명] 강평하는 모임.

강포¹【江布】[명] 강원도 각지에서 나는 베. 바탕이 거칢. *영포(嶺布).

강포²【強暴】[명] 완강하고 포악함. 우악스럽고 사나움. ——-하다 [형][여불]

강:포³【絳袍】[명]↗강사포(絳紗袍).

강폭【江幅】[명] 강의 너비.

강-풀¹ [명] 물에 개지 아니한 된풀.

강풀(을) 치다 [구] 풀을 먹인 위에 또 된풀을 칠하다.

강-풀²【江—】[명] 강가에 자라는 풀.

강풍¹【江風】[명] 강바람.

강풍²【剛風】[명] 경풍(勁風).

강풍³【強風】[명] ①센바람. 심풍(甚風). ②〖기상〗'센바람'의 구용어.

강-피 [명]〖식〗피의 한 종류. 까끄라기가 없고 빛이 붉음.

강-피밥¹ [명] 피로만 지은 밥. 순(純)피밥.

강피-밥² [명] 강피의 쌀로 지은 밥. 흉년에 먹음.

강피-죽【—粥】[명] 강피의 쌀로 쑨 죽. 흉년에 먹음.

강피-증【強皮症】[—쯩] [명]〖의〗공피병(鞏皮病).

강필【鋼筆】[명] 가막부리.

강-필리【姜必履】[명]〖사람〗조선 영조 때의 문신. 자는 석여(錫汝), 진주(晋州) 사람. 일본에 통신사로 간 조엄(趙曮)이 가져온 고구마 종자를, 동래 부사로 있으면서 재배를 장려하고 《감저보(甘藷譜)》의 저술을 통하여 그 재배법을 보급하였으며, 승지·대사헌을 역임하였음. [1713- ?]

강하¹【江河】[명] ①강(江)과 하천. ②〖지〗중국의 양쯔 강과 황허.

강:하²【降下】[명] 아래로 내림. 또, 높은 곳에서 내려옴. 하강(下降). ——-하다 [자][타][여불]

강하[3]【糠蝦·糠鰕】명〖동〗보리새우.
강-하다[1]【剛―】형여불 딱딱하고 단단하다. ↔유하다.
강-하다[2]【強―】형여불 세다. 힘이 있다. ↔약하다.
【강한 말은 매 놓은 기둥에 상한다】너무 구속하면 좋지 않은 결과를 가져온다는 말. 「하다.
강:-하다[3]【講―】타여불 ①배운 글을 선생 앞에서 외다. ②강의(講義)
강:하-어【降河魚】명〖어〗담수(淡水)에 살다가 생식기(生殖期)가 되면 산란(產卵)하기 위하여 바다로 가는 물고기. 뱀장어와 숭어가 이에 해당함. 강류어(降流魚). ↔소하어(遡河魚).
강-하-천【江河川】명 강과 시내와 개울을 아울러 일컫는 말.
강:하 회유【降河回游】명 담수로부터 대양(大洋)으로 향하는 회유 현상. 뱀장어의 산란 회유 같은것. ↔소하(遡河) 회유.
강:학【講學】명 학문을 연구함. 여럿이 모여 공통된 주제를 놓고 질문·대답하며 토의하는 일. ――하다 자여불
강:학-청【講學廳】명〖역〗조선 후기에, 원자(元子)·원손(元孫)이 세자(世子)·세손(世孫)으로 책봉되기 전, 글을 배우기 시작할 무렵의 교육을 위해 설치한 임시 기관.
강학-회【強學會】명〖역〗청일 전쟁(淸日戰爭) 직후 베이징에 조직된 정치 결사. 개혁파 관료가 주동이 되어 영국과 미국 사람들의 협력을 얻어 일간 신문 '중외 기문(中外紀聞)'을 발간하며 청조(淸朝) 정치의 개혁을 주창하였으나, 보수파 관료의 책동으로 말미암아 4개월 만에 해산당하였음.
강한[1]【江漢】명 ①〖지〗양쯔 강에 한수이(漢水) 강이 합치는 곳. 곧, 우창(武昌)·한커우(漢口)·한양(漢陽) 지방. ②양쯔 강과 한수이 강.
강한[2]【剛悍·強悍】명 마음이 굳세고 사나움. ――하다 형여불
강한 산【強一酸】명 산(酸) 중에서 그 수용액(水溶液)의 해리도(解離度)가 커서 산의 특성인 수소 이온(水素 ion)을 많이 발생시키는 산. 염산·질산·황산 등. 강산(強酸). ↔약한 산.
강한 상호 작용【強一相互作用】명〔strong interaction〕〖물〗매우 짧은 거리(약 10^{-15}m)에 있는 소립자(素粒子)인 기본 입자 사이에 작용하는 상호 작용. 현재 이 작용을 설명하는 이론으로서는 양자 색역학(量子色力學)이 유력시되고 있음. *약한 상호 작용·양자 색역학.
강한 염기【強一塩基】명〔strong base〕〖화〗수용액(水溶液) 중에서 대부분이 전리(電離)되며, 수산화물 이온(水酸化物 ion)을 다량으로 방출하는 염기. 수산화 나트륨·수산화 칼륨 등. 강염기(強塩基). 강알칼리(強 alkali). ↔약한 염기.
강한 전:해질【強一電解質】명〖화〗소금 또는 염산 등과 같이 현저하게 전리되는 전해질. 전리도(電離度)가 1에 가까운 전해질. 강(強)전해질. ↔약한 전해질.
강항[1]【江港】명 강을 끼고 있는 항구. 강가의 항구.
강-항[2]【姜沆】명〖사람〗조선 선조(宣祖) 때의 문인(文人). 호는 수은(睡隱). 정유 왜란(丁酉倭亂) 때 전남(全南)의 해변에서 그 일족(一族)과 함께 왜군에게 잡히어 일본 교토(京都)로 갔다가 억류 4년 만에 귀국하였음. 억류 중 일본의 거유(巨儒)들과 경학(經學)을 토론한 일도 있었고, 귀국하여 《간양록(看羊錄)》을 저술하여 억류 중의 견문(見聞)을 적었음. [1567-1618] 「여불
강항[3]【強項】명 목이 곧아 여간하여서는 굽히지 아니함. ――하다 형
강항-령【強項令】[―녕] 명〔강직(剛直)하여 굴하지 않는 현령(縣令)의 뜻〕강직하고 목곧은 사람의 별명.
강해[1]【江海】명 강과 바다. 하해(河海).
강:해[2]【講解】명 ①문장 또는 학설을 강론하여 해석함. 강의(講義). 강석(講釋). ②전쟁을 끝내고 화해(和解)함. ――하다 타여불
강:행【強行】명 ①억지로 행함. 어려운 것을 무릅쓰고 행함. ②강제로 시행함. ¶ 단발령(斷髮令)의 ~. ――하다 타여불
강:행 공사【強行工事】명 돌관 공사(突貫工事).
강:-행군【強行軍】명〖군〗①무리함을 무릅쓰고 먼 거리를 급히 가는 행군. ②짧은 시간 안에 끝내려고 무리하게 일을 함. ――하다 자여불
강:행 규정【強行規定】명〖법〗당사자(當事者)의 의사(意思) 여하(如何)를 불문하고 강제적으로 시행할 수 있는 법의 규정.
강:행-법【強行法】[―뻡] 명〖법〗공익상(公益上)의 이유로 소정(所定)의 사항(事項)에 관하여 그 적용 여부(適用與否)를 각 개인의 자유 의사에 맡기지 않는 법규. 헌법(憲法)·형법(刑法) 등의 공법(公法)은 대체로 이에 속함. ↔청용법(聽容法)·임의법.
강:행 송:전【強行送電】명〖전〗송전선에 고장이 생긴 후 다시 송전을 개시할 때, 낮은 전압으로 시험적으로 송전하지 않고 직접 처음부터 운전 전압(運轉電壓)으로 송전(送電)하는 일.
강혈【腔血】명〖생〗몸 안에 담긴 피.
강호[1]【江戶】명〖역〗'에도(江戶)'를 우리 음(音)으로 읽은 이름.
강호[2]【江湖】명 ①강과 호수. ②양쯔 강과 퉁팅 호(洞庭湖). ③세상(世上). ¶ ~의 제현(諸賢). ④서울에서 멀리 떨어진 곳. 속세를 떠난 선비가 사는 곳. ¶ ~에 묻혀 살다.
강호[3]【江湖】명〖사람〗최만리(崔萬理)의 호(號).
강호[4]【強虎】명 사나운 범. 맹호(猛虎).
강호[5]【康瓠】명〖공〗큰 항아리.
강호[6]【強豪】명 ①세력이 강하여 대적(對敵)하기 힘든 사람. ②운동 경기에서, 아주 강한 팀.
강호-가【江湖歌】명〖문〗①속세를 떠나 강호에 묻혀 살면서 자연을 예찬한 가사(歌辭)나 시조. ②강호 사시가(江湖四時歌).
강호 가도【江湖歌道】명〖문〗조선 시대에 시가(詩歌) 문학에 나타난 자연 예찬의 문학 사조(思潮). 《강호 사시가(江湖四時歌)》·《어부사시사(漁夫四時詞)》·《창랑곡(滄浪曲)》등에 이 경향이 보임.
강호-객【江湖客】명 속세를 떠나서 대자연을 벗삼아 각처를 방랑하는 사람.
강-호령【一號令】명 까닭없이 꾸짖는 호령. ¶ 그의 ~이 또 내렸다. ――하다 자여불
강호-료【江湖寮】명〖불교〗강호회(江湖會)를 하는 집.
강호리 명〈방〉〖식〗강활(羌活)❶.
강호 별곡【江湖別曲】명〖문〗조선 고종(高宗) 때의 작품으로 추정되는 작자 미상의 가사(歌辭). 은사(隱士)의 생활 감정을 아름다운 자연에 부쳐 읊은 것. 모두 50구로 됨.
강호 사:시가【江湖四時歌】명〖문〗조선 세종 때의 상신(相臣) 맹사성(孟思誠)이 지은 4장으로 된 연시조(聯時調). 만년에 벼슬을 내놓고 강호에 묻힌 자신의 한가로운 심정을 춘하추동의 사철로 나누어, 각 1수씩 자연의 아름다움을 노래했음. 강호가(江湖歌).
강호 산:인【江湖散人】명 ①시골에 살며 세상을 멀리한 사람. ②신상(身上)에 걸리는 것이 없어 마음내키는 대로 행하는 사람.
강호 소:집【江湖小集】명〖책〗중국 남송(南宋) 시대의 시문 총서(詩文叢書). 임안(臨安)의 책방 주인이었던 진기(陳起)가 당시의 문학자의 시집(詩集)을 수시(隨時) 출판하였던 것을 뒤에 모아 출판한 책.
강호-승【江湖僧】명〖불교〗선종, 특히 조동종(曹洞宗)에서 수학·참선(參禪)을 행하는 중. *강호회.
강호 연:군가【江湖戀君歌】명〖문〗조선 선조 시대의 학자 장경세(張經世)가 퇴계(退溪)의 《도산 십이곡(陶山十二曲)》의 영향을 받아 지은 연시조(聯時調). 모두 12곡으로, 시골에서 임금을 그리워하고 나라를 걱정하는 정을 읊은 전육곡(前六曲)과, 학문과 선현(先賢)을 사모하는 정을 노래한 후육곡(後六曲)으로 되어 있음.
강호 연파【江湖煙波】명 ①강이나 호수 위에 안개처럼 보얗게 이는 잔 물결. ②대자연의 풍경.
강호 제군자【江湖諸君子】명 '강호(江湖)의 여러 군자들'이라는 뜻으로 호칭(呼稱)할 때 쓰는 말. ¶ ~의 기탄(忌憚)없는 평언(評言)을 바
강호지-락【江湖之樂】명 자연을 벗삼아 누리는 즐거움. 「랍니다.
강호지-인【江湖之人】명 강호에 있는 사람. 곧, 벼슬하지 아니하는 사
강호-파【江湖派】명〖역〗산림 학파. 「람.
강호-회【江湖會】명〖불교〗〔옛날 중국에서 마조(馬祖)는 강서(江西)에 살고 석두(石頭)는 호남(湖南)에 살아 참선(參禪)하는 중들이 그 사이를 왕래하며 단련을 받은 고사(故事)에 유래〕선종(禪宗) 특히 조동종(曹洞宗)에서 승려를 모아 안거(安居)를 행하는 모임. *강호승.
강-혼[1]【姜渾】명〖사람〗조선 중종(中宗) 때의 정국 공신(靖國功臣). 자는 사호(士浩). 호는 목계(木溪). 진주(晋州) 사람. 연산군(燕山君) 4년(1498)에 김종직(金宗直)의 제자로서 사화를 입었으나 부인의 힘으로 방면(放免)되었고, 다시 연산군의 총애를 받았음. 특히 문장이 화려하였으며, 관직은 판중추부사(判中樞府事)에까지 오름. 시호는 문간(文簡). [1464-1519]
강:혼[2]【降婚】명 지체가 높은 집에서 낮은 집과 혼인(婚姻)함. 낙혼(落婚). ↔앙혼(仰婚). *강가(降嫁). ――하다 자여불
강:홍【絳紅】명〖공〗동유(銅釉)가 환원(還元)된 빛.
강-홍립【姜弘立】[―닙] 명〖사람〗조선 광해군 때의 무신(武臣). 자는 군신(君信), 호는 내촌(耐村). 진주인(晋州人). 광해군 11년(1619)에 명군(明軍)과 함께 심천(深川) 싸움에 오도 도원수(五道都元帥)로 출정(出征)하였다가 후금국(後金國)의 포로가 되어 10년간 그곳에 머묾. 인조(仁祖) 5년(1627) 정묘 호란(丁卯胡亂) 때 청나라 군사와 같이 들어와 강화(講和)를 주선하고 평화가 회복되자 본국에 처져 있다가 병사하였음. [1560-1627]
강화[1]【江華】명〖지〗인천 광역시 강화군의 군청 소재지로 읍. 강화도(島)의 동북부에 위치한 섬의 주읍(主邑)으로, 고려·조선 시대의 피난지였음. 인삼의 산출이 많고 직물(織物) 공업이 성함. 명승 고적으로 갑곶 돈대(甲串墩臺)·고려궁지(高麗宮址)·용흥궁(龍興宮)·강화 산성(山城) 등 유적이 많음. [23,468명(1996)]
【강화 도령인가 우두커니 앉았다】하는 일 없이 우두커니 앉아서 날을 보내는 사람을 이르는 말.
강:화[2]【降火】명〖한의〗①몸에 있는 화기(火氣)를 약을 써서 내림. ②피가 머리에 모임으로써 얼굴이 붉어지고 두통(頭痛)이 일어나는 증상(症狀)을 풀어 내림. ――하다 자여불
강:화[3]【降話】명〖천도교〗한울님이 세상 사람들에게 내리는 말씀. 마음을 죄에서 회개하고 도(道)를 닦으면 일동 일정(一動一靜)에 한울님의 말씀을 들을 수 있다 함.
강화[4]【強化】명 ①강하게 함. ¶ ~ 훈련. ↔약화(弱化). ②강하게 됨. ③〖심〗조건 반사가 보수(報酬)를 줌으로써 강해지는 일. 3) : ↔소거(消去)❷. ――하다 자타여불
강화[5]【強火】명 불길이 강하게 일어나는 불.
강:화[6]【講和】명 전쟁을 종료시키고 평화를 회복하기 위한 교전국 사이의 합의. 구화(媾和). ¶ ~ 조약. ――하다 자여불
강:화[7]【講話】명 어떤 제목에 대하여, 모인 많은 사람에게 강의하듯이 쉽게 이야기하는 일. 또, 그 이야기나 문장. ¶ 문장(文章) ~. ――하다 자여불
강화-군【江華郡】명〖지〗인천 광역시의 서북부에 있는 군. 관내 1읍 12면. 강화도(江華島) 및 그 부근의 섬들로 이루어졌음. 주산물(主產物)은 쌀·보리·콩·면화·인삼·감·새우젓·인조견·면직물·화문석(花紋席) 등이고, 명승 고적으로 참성대(塹城臺)·전등사(傳燈寺)·연미정(燕尾亭)·충렬사(忠烈祠)·보문사(普門寺)·표충단(表忠壇)·고려산(高麗山)·남장 포대(南障砲臺) 등과 삼암 돈대(三巖墩臺) 등 53개소의 돈대가 있음. 군청 소재지는 강화읍(江華邑). [410.31 km² : 70,603 명

(1996)]

강:화 담판【講和談判】명 강화하기 위하여 서로 싸우던 나라가 만나 이야기함. ——-하다 자여불

강화-도【江華島】명〖지〗인천 광역시 강화만에 있는 강화군(江華郡)의 주요부를 이루는 섬. 한강(漢江) 어귀에 위치하는 유적도(遺跡島). 산악이 중첩하고 평야는 적으나 농산물의 산출이 많고 제염업도 성함. 섬의 중심지는 강화읍이며, 마니산(摩尼山) 산정에는 단군 성지(檀君城址)가 있음. 지금은 화문석(花紋席)의 가내 공업과 인삼 재배가 성하고 감의 명산지로 알려져 있고 많은 유적과 유물이 남아 있어 관광지로 각광을 받고 있음. [294.36 km²]

강화도 사:건【江華島事件】[—껀] 명〖역〗운요호(雲揚號) 사건.

강화도 조약【江華島條約】명〖역〗조선 말 고종(高宗) 13년 (1876)인 병자년 2월 27일에 일본 대표 구로다 기요타카(黒田清隆)와 체결한 12개조의 조약. 운요호(雲揚號) 사건을 계기로 하여 우리 나라가 처음으로 외국과 맺은 근대적 조약으로, 한일(韓日) 간의 수호(修好), 사신(使臣) 교환, 부산·인천·원산의 개항(開港) 등을 내용으로 함. 병자 수호 조약. 병자 수호 조규.

강화-만【江華灣】명〖지〗인천 광역시 북서쪽 한강(漢江) 강어귀의 강화도 주변의 만. 경기만(京畿灣)의 일부로서, 개풍군(開豐郡)·김포시(金浦市)·인천(仁川) 광역시·시흥시(始興市)·옹진군(甕津郡) 등의 해안에 접하며, 강화도를 비롯한 크고 작은 섬들이 산재함. 간만(干滿)의 차가 크며, 조기·새우·삼치 등의 어획(魚獲)이 많음.

강화-목【強化木】명〖공〗베니어 합판(合板)에 베이클라이트액(bakelite液)을 침투(浸透)·가열(加熱)하고, 수천 톤의 압력을 가하여 만든 나무. 경도(硬度)가 높고 두랄루민(duralumin)보다 가벼우며, 또 형체를 마음대로 만들 수 있으므로 정밀 기계, 특히 항공 기재의 원료로 중요시됨.

강화-미【強化米】명 〔enriched rice〕 인조미(人造米)의 한 가지. 벼를 쪄서 등겨 속에 포함되어 있는 비타민 B가 스며들게 하거나, 포도당(葡萄糖) 등의 진한 비타민 용액(溶液)에 백미를 담가서 영양가(營養價)를 높인 쌀.

강화-부【江華府】명〖역〗조선 시대에 경기도 강화군에 두었던 도호부(都護府). 태종 13년(1413)에 설치하여 고종 광무(光武) 10년(1906)에 없앰.

강화-산닥나무【江華山—】명〖식〗[*Diplomorpha insularis*] 팥꽃나뭇과에 속하는 낙엽 활엽 관목. 잎은 대생하고 달걀꼴 또는 달걀꼴 모양의 타원형임. 7월에 노란 꽃이 총상(總狀) 화서로 가지 끝에 정생함. 과실은 대란상의 긴 타원형이고 10-11월에 익음. 산록(山麓)에 나는데, 인천 광역시 강화군의 특산종임. 수피(樹皮)는 제지용(製紙用) 및 새끼의 대용으로 씀.

강화-식【強化食】명 강화 식품.

강화 식품【強化食品】명 칼슘·비타민 등의 영양소를 인공적으로 첨가한 식품(食品). 강화식(強化食). *가공유(加工乳).

강:화 예:비 조약【講和豫備條約】명〖법〗전쟁 종결을 위한 교전국(交戰國) 간의 합의가 용이하지 않을 때, 강화 조약이 체결되기 전에 주요한 강화 조건을 약정하는 조약.

강화 원자 폭탄【強化原子爆彈】명〖군〗보통의 원자 폭탄의 위력을 증대시키기 위하여, 중수소(重水素)·삼중수소(三重水素)·리튬 등의 열핵(熱核) 재료를 함유(含有)시킨 원자 폭탄.

강화 유리【強化琉璃】명〖공〗유리판 또는 유리제 물품을 연화 온도(軟化溫度)(500-600°C)로 가열한 다음, 찬 공기로 급랭(急冷)한 유리. 강도(強度)가 보통 유리의 약 7배 가량 됨. 깨뜨리면 동글동글한 알갱이 모양으로 부서지므로 위험이 적으나, 절단(切斷) 등의 가공을 할 수 없음. 선박·차 등의 창(窓), 계기(計器)·브라운관 등에 쓰임.

강:화 조건【講和條件】[—껀] 명 강화를 하기 위한 조건.

강:화 조약【講和條約】명〖법〗서로 싸우던 나라끼리 강화(講和)할 때에 체결하는 조약. 그 내용은 전쟁의 종결과 평화 회복을 선언하고 강화의 조건을 정하고 그 이행을 확보하는 수단을 정하는 것이 보통임.

강화 천:도【江華遷都】명〖역〗고려 고종(高宗) 19년(1232) 6월 몽고와 대항하기 위하여 강화도로 서울을 옮긴 일. 고종 18년의 제1차 몽고 침입을 당한 후, 최우(崔瑀) 등이 수전(水戰)에 경험이 없는 몽고군과 장기 항전(長期抗戰)을 하기 위하여 단행함. 그 후 38년간 이곳을 중심으로 하여 몽고군과 싸웠음.

강:화-체【講話體】명 강화식의 문체(文體).

강화 플라스틱【強化—】〔plastics〕명 유리 섬유, 드물게는 나일론·비닐론 섬유 등을 보강재(補強材)로 가하여 성형(成形)한 플라스틱 제품. 내충격성(耐衝擊性)이 뛰어남. 불포화(不飽和) 폴리에스테르 수지(樹脂), 에폭시(epoxy) 수지가 주로 사용되며, 보트·자동차 차체·건축 자재·헬멧 등에 널리 이용됨.

강화-학【江華學】명〖역〗18세기 초 정제두(鄭齊斗)가 강화도에 옮겨 살면서 싹튼 양명학(陽明學). 엄격한 가치 판단과 지행 일치(知行一致)를 추구함. 그의 자손과 이광사(李匡師)·윤순(尹淳)·이긍익(李肯翊)·이건창(李建昌) 등을 거쳐 김택영(金澤榮)·박은식(朴殷植)·정인보(鄭寅普) 등으로 학맥이 이어짐.

강:화 회:의【講和會議】[—/—이] 명 강화 조약을 협의하고 맺기 위하여 당사국의 전권(全權)이 모여서 여는 회의.

강화 훈:련【強化訓練】[—훌—] 명 힘·실력을 강화하기 위하여 하는 훈련. 준강훈(強訓).

강활【羌活】명 ①〖식〗[*Ostericum koreanum*] 미나릿과에 속하는 일년생 또는 이년생 초본. 줄기 높이 2m 이상으로 곧으며, 위쪽에서 가지가 갈림. 잎은 장병(長柄)이고 이회 삼출(二回三出)하는데, 우상(羽狀)으로 째지고 열편(裂片)은 달걀꼴 또는 달걀꼴의 타원형임. 8-9월에 흰꽃이 복산형(複繖形) 화서로 피고, 과실은 편평한 타원형을 이룸. 산지에 나는데, 경북·강원·경기·평북·함남·함북 등지에 분포함. 뿌리는 약용으로 쓰임. ②〖한의〗강활의 뿌리. 한약 전재(乾材)의 한 가지로 해열(解熱) 및 진통제(鎭痛劑)로 쓰임.

강활-채【羌活菜】명 강활의 순을 데치어 소금과 기름에 무치어 먹는 나물.

강황【薑黃】명 ①〖식〗[*Curcuma aromatica*] 생강과에 속하는 다년초. 높이 1m 이상이며 4-5월에 싹이 트고 긴 꽃줄기가 나오는데, 기부(基部)에 두 개의 소엽(小葉)이 싸고 있음. 전체로 바늘 형상의 포(苞)가 호생(互生)하되 기부엣 것은 담녹색, 위엣 것은 담홍색이며, 포(苞)마다 두 개의 나팔 모양의 꽃이 핌. 근경(根莖)은 살찌고 타원형이며, 속은 노랗고 막질의 인편(鱗片)이 덮임. 열대(熱帶) 아시아 원산(原産)으로 습지에 남. 근경은 약재와 물감으로 쓰임. ②〖한의〗강황의 근경(根莖). 기혈약(氣血藥)으로 쓰임.

〈강황❶〉

강황-지【薑黃紙】명〖화〗강황의 근경(根莖)을 말려서 만든 종이. 알칼리(alkali)를 만나면 적갈색(赤褐色)으로 변화하므로 화학상(化學上)의 시험지(試驗紙)로 쓰임.

강-회¹【—蛔】명 똥눌 때 섞이어 나오지 않고 따로 나오는 회충.

강-회²【—膾】명 미나리나 파를 끓는 물에 데쳐서 상투 모양으로 또르르 감아 초고추장에 찍어 먹는 회. 술안주로 먹음.

강-회³【剛灰】명〖화〗생석회(生石灰).

강:회⁴【講會】명〖불교〗신자가 모여 행하는 법회(法會).

강-회백【姜淮伯】명〖사람〗고려 말기의 명신. 자는 백보(伯父). 호는 통정(通亭). 진주(晋州) 사람. 공양왕 때 세자사(世子師)에 임명되고 이조 판서를 지냈으며, 당시 한양(漢陽) 천도를 반대하고 이성계 일파와 반목하여 정몽주가 살해된 후 진양(晋陽)에 유배되었음. [1357-1402]

강후이-도【江厚耳島】명〖지〗함경 북도 동해상, 명천군(明川郡)에 위치한 섬. [0.26 km²]

강훈【強訓】명 ↗강화 훈련(強化訓練).

강흐리 명〈방〉〖식〗강활(羌活)❶.

강희【康熙】[—히] 명〖역〗중국 청(清)나라 성조(聖祖) 시대의 연호(年號). [1662-1722]

강-희맹【姜希孟】[—히—] 명〖사람〗조선 세종 때의 명신. 자는 경순(景醇), 호는 사숙재(私淑齋). 진주(晋州) 사람. 경사(經史)에 밝고 문장에 뛰어나 신숙주(申叔舟) 등과 《세조 실록》을 편찬하였으며, 이조 판서·좌찬성(左贊成)을 역임하였음. 저서 《사숙재집(私淑齋集)》 등. 시호는 문량(文良). [1424-83]

강-희안【姜希顔】[—히—] 명〖사람〗조선 세조 때의 서화가·문신. 자는 경우(景遇), 호는 인재(仁齋). 진주 사람. 직제학(直提學)·인수 부윤(仁壽府尹)을 지냄. 당시의 시·서·화 삼절(三絶)로 이름이 높았음. 화풍은 선의 약동과 변화가 많은 송대(宋代)의 북송(北宋) 화풍임. 사육신(死六臣)과 관련해서 혐의를 받았으나 성삼문(成三問)의 덕으로 화를 면하였음. [1419-64]

강희 자전【康熙字典】[—히—] 명〖책〗중국 최대의 자전. 청(清)나라 성조(聖祖)가 장옥서(張玉書)·진정경(陳廷敬) 등 30인의 학자에게 명하여 편찬하게 하였음. 총자수 4만 7천여자. 42권 12집 214부. 강희 55년(1716)에 간행됨.

강희-제【康熙帝】[—히—] 명〖사람〗청나라 제4대 황제 성조(聖祖)의 칭호. 세조(世祖)의 셋째 아들로, 이름은 현엽(玄燁). 8세에 즉위. 영매(英邁)하여 밖으로는 삼번(三藩)의 난을 평정하여 대만·몽고·티베트를 정복하고 러시아를 구축하여 네르친스크 조약(Nerchinsk 條約)을 체결하였고, 안으로는 문무(文武)를 장려하여 학술을 진흥하고 운하를 정비하였으며, 조세(租稅)를 경감하고, 제국의 기초를 확립하였음. 《강희 자전》·《패문 운부(佩文韻府)》는 당대의 찬서(撰書)임. [1654-1722; 재위 1661-1722]

걍 명〈옛〉강(江). ¶ 江海 江西人呼 걍 《四聲 下 40》.

갖 명〈옛〉가지²❶. ¶ 즐겟 가재 연즈니(實樹之揚) 《龍歌 7章》.

갖- 투 '가죽'의 뜻. ¶ ~두루마기/~옷/~저고리.

갖-가지 명관 ↗가지가지. ¶ ~ 병/~를 갖추다.

갖가지-로 부 ↗가지가지로. ¶ 과자를 ~ 한 근만 달아 주시오.

갖갖 명관 ↗ 가지가지.

갖게 부 고루고루 있게. 갖추.

갖구다 타〈방〉갖추다.

갖다¹ ㊀ 타 ↗가지다. ¶ 가정을 ~. ㊁ 준 가지어다가. ¶ 그 책을 ~ 다오.

갖다² 형 빠짐없이 고루 갖추어 있다. 구비(具備)하다.

갖다 주다 타 ↗가져다 주다.

갖-대 명〈방〉개잘량.

갖-두루마기 명 모피(毛皮)로 안을 댄 두루마기.

갖-등거리 명〈방〉털배자(평안).

갖-바치 명 가죽신 만드는 것을 업으로 하는 사람. 주피장(周皮匠).
【갖바치 내일 모레】약속(約束)한 날짜를 차일 피일 자꾸 미룬다는 말.
【갖바치에 풀무는 있으나 마나】남에게는 요긴한 것이라도 제게는 아무 소용이 없다는 말.

갖-벙거지 명 벙거지. 전립(戰笠).

갖-신 명 가죽신.

갖-옷 [갇—] 명 모피(毛皮)로 안을 댄 옷. 모의(毛衣). 피구(皮裘).

갖은 관 골고루 갖춘. 가지가지의. ¶ ~ 고생/~ 양념.
【갖은 놈의 겹철릭】충분히 가지고 있는 사람이 필요 이상으로 겹쳐서 가진다는 말. 【갖은 황아다】황아 장수가 여러 가지를 다 갖추어 가지고 다니듯이, 여러 가지 것이 골고루 많이 갖추어져 있다는 말.

갖은-것 명 빠짐없이 골고루 갖춘 것. 온갖 것.
갖은 고생【一苦生】명 온갖 고생. 여러 가지 고생.
갖은-그림씨 명〖언〗'완전 형용사'의 풀어 쓴 이름. ↔안갖은그림씨.
갖은-금단청【一錦丹靑】명〖건〗가지각색의 무늬를 갖게 꾸민 금단청(錦丹靑).
갖은-남움직씨 명〖언〗'완전 타동사'의 풀어 쓴 이름. ↔안갖은남움직씨.
갖은-돼지시변【一豸邊】명 한자 부수(部首)의 하나. '豹'나 '貓' 등의 '豸'의 이름.
갖은-등걸문【一文】명↗갖은등글월문.
갖은-등글월문【一文】명 한자 부수(部首)의 하나. '殺'이나 '殿' 등의 몸이 되는 '殳'의 이름. 준갖은등걸문.
갖은-떡 명 ①여러 가지 모양으로 만든 떡. ②격식과 모양이 갖게 잘 만든 산병(散餠).
갖은-방물【一方物】명〈방〉갖은색떡.
갖은-삼거리【一三一】명 말의 안장에 장식한 가슴걸이와 그에 딸린 여러 가지 부속품. 삼거리.
갖은-삼포【一三包】명〖건〗대접받침과 장여 사이에 삼층(三層) 포살미를 앉힌 삼포.
갖은-색떡【一色一】명 갖가지 물건의 모양을 만들어 붙인 색떡. 밥소라에 담아 상에 놓는데, 가장자리에 갖가지 모양을 꽂아 놓음.
갖은 소리 명 ①온갖 소리. 쓸데없는 여러 가지 말. ¶ ~를 해 가며 사정하다. ②고루고루 갖추고 있는 체하는 말. ¶ 없는 처지에 주제넘게 무슨 ~를 하느냐.
갖은-시루떡 명 갖가지 고물을 얹어 만든 시루떡.
갖은 양념 [ㅡ냥ㅡ] 명 여러 가지 양념. 온갖 양념.
갖은-움직씨 명〖언〗'완전 동사'의 풀어 쓴 이름. ↔안갖은움직씨.
갖은-자【一字】명 같은 글자로서 획을 많게 쓰는 한문 글자. '一', '二', '三'에 대한 '壹', '貳', '參' 따위.
갖은-제움직씨 명〖언〗'완전 자동사'의 풀어 쓴 이름. ↔안갖은제움직씨.
갖은-책받침 명 쉬어 갈 착(辵)자의 받침으로 쓰일 때의 이름. '辶'으로 변형하여 쓰임. *책받침.
갖은-폿집【一包一】명〖건〗공포(貢包)를 여러 개로 받친 집.
갖은-회상【一會相】명〖악〗현악 영산 회상(絃樂靈山會相)에 이어 천년 만세(千年萬歲)의 세 곡을 연주하는 형식. ↔민회상(會相).
갖-저고리 명 모피(毛皮)로 안을 댄 저고리.
갖초다 타〈방〉갖추다.
갖추 부 갖게. 고루 갖추어. ¶ 신입생은 학용품을 ~ 가져야 한다.
갖추 쓰다 구 ㉠글자, 특히 한자(漢字)의 획을 빼지 않고 바르게 갖추어 쓰다. ㉡여러 가지를 빼지 않고 쓰다.
갖추-갖추 부 골고루 갖게. 골고루 갖추어. ¶ ~ 버릇없는 소리하다.
갖추다 타 쓰임에 따라 여러 가지를 미리 골고루 준비하다.
갖춘-꽃 명〖식〗꽃받침·꽃잎·암수의 꽃술을 완전히 갖춘 꽃. 벚꽃·무궁화꽃 등. 양성화(兩性花)와 같은 뜻으로 쓰는 경우도 있음. 완전화(完全花). 완비화(完備花). 전비화(全備花). 구비화(具備花). ↔안갖춘꽃. *양성화(兩性花).
갖춘-꽃부리 명〖식〗정제 화관(整齊花冠). ↔안갖춘꽃부리.
갖춘-마디 명 [complete bar]〖악〗정규의 박자를 갖추고 있는 마디. 완전 소절(完全小節). ↔못갖춘마디.
갖춘-마침 명 [perfect cadence]〖악〗악곡이 완전히 끝났음을 느끼게 하는 형태. 마지막 으뜸화음은, 밑자리이어야 하며, 소프라노에 으뜸음이 있어야 하고, 센박에 놓여야 함. 완전 종지(完全終止). ↔못갖춘마침.
갖춘-잎 [ㅡ닙] 명〖식〗잎새·잎자루·턱잎의 세 가지를 완전히 구비한 잎. 벚꽃·제비꽃 따위. 완전엽(完全葉). ↔안갖춘잎.
갖춘-탈바꿈 명〖충〗완전 변태(完全變態). ↔안갖춘탈바꿈.
갖-풀 명 짐승의 가죽·뼈·창자·힘줄 등을 고아 그 액체를 말린 황갈색의 딱딱한 물질. 투명 또는 반투명(半透明)으로 탄성(彈性)이 풍부함. 주로, 물건을 접착(粘着)시키는 데 씀. 정제(精製)한 백색의 것을 젤라틴이라 함. 아교(阿膠). 아교풀.
갖풀-관자【一貫子】명 갖풀로 만든 관자.
갗 명〈옛〉가죽[1]. ¶ 거믄 가초로 밍ᄀᆞ론 几 이실서(烏皮几在)《杜諺 XXI:5》. *갓[8].
같다 형 ①서로 다르지 아니하다. 한가지다. ¶ 같은 말/수입과 지출이 ~. ②서로 딴 것이 아니다. 1)·2): ↔다르다. ③'-ㄴ 것·-는 것·-ㄹ 것·-을 것' 등 뒤에 붙어, 추측이나 불확실한 단정을 나타내는 말. ¶ 비가 올 것 ~. ④('같으면'의 꼴로) '…라면'의 뜻으로 가정하여 비교함을 나타내는 말. ¶ 나 같으면/옛날 같으면. ⑤닮아서 비슷하다. 또, …답다. ¶ 샛별 같은 눈/사람 같은 사람.
[같은 깃의 새는 같이 모인다] 동류(同類)끼리는 서로 모이는 법이라는 말. [같은 떡도 맏며느리 주는 것이 더 크다] 맏며느리는 집안의 중요한 사람이라는 말.
같아-지다 자 같게 되다. 닮게 되다. 동화(同和)하다.
같으니 구↗같으니라고. ¶ 나쁜 놈 ~.
같으니-라고 구 호령을 하거나 혼잣말로 남을 욕해서 이를 때 쓰는 말. ¶ 이 못된 놈 ~. 준같으니.
같은 값에 [ㅡ갑쎄] 구 이렇게 하나 저렇게 하나 마찬가지인데. ¶ ~ 왜 어려운 한자 말을 쓸까.
[같은 값에 다홍치마] '같은 값이면 다홍치마'와 같은 뜻.
같은 값이면 [ㅡ갑씨ㅡ] 구 이리 하든지 저리 하든지 마찬가지일 것 같으면.
[같은 값이면 과붓집 머슴살이] 같은 값이면 자기에게 좀더 이(利)롭고 편한 것을 택한다는 말. [같은 값이면 껌정소 잡아 먹는다] ㉠누런 암소보다 껌정 암소 고기 맛이 더 좋다는 뜻. ㉡같은 값이면 물건이 좋은 쪽으로 택한다는 뜻. [같은 값이면 다홍치마] ㉠같은 값이면 품질이 좋은 것을 가진다는 말. ㉡조금이라도 관계가 있는 사람의 물건을 산다는 말. 동가 홍상(同價紅裳). [같은 값이면 은(銀)가락지 낀 손에 맞으랬다] 꾸지람을 듣거나 벌을 받을 경우라도 이왕이면 덕(德)있고 이름있는 사람에게 당하는 것이 좋다는 뜻. [같은 값이면 처녀] 같은 값이면 품질이 신선하고 좋은 것을 택한다는 말.
같은꼴-가기 명 [sequence]〖악〗같은 음형(音型)의 곡이 되풀이되는 일. 반복 진행(反復進行).
같은-꽃덮이꽃 명〖식〗'동피화(等被花)'의 풀어 쓴 말.
같은 또래 명 어떤 정도나 나이가 거의 같은 무리. ¶ ~끼리 어울리다.
같은-말 명 동의어(同義語).
같은-비【一比】명〖수〗'정비례(正比例)'의 풀어 쓴 말.
같은-으뜸음조【一音調】명〖악〗관계조의 하나. 같은 음을 으뜸음으로 한 장조와 단조와의 관계조. 동주조(同主調). 동명조(同名調).
같은-음【一音】명〖악〗화음의 진행에서, 완전히 같은 높이의 음. 공통음(共通音).
같은-자리 명〖언〗'동격(同格)'의 풀어 쓴 말.
같음-표【一標】명〖수〗'등호(等號)'의 풀어 쓴 말.
같이 [가치] ㊀ 부 ①같게. ¶ 이것과 ~ 했다. ②서로 함께. ¶ 나와 ~ 가자. ㊁ 조 명사나 대명사 밑에 붙어서 그 정도로 어떠하거나 어찌함을 나타내는 부사격 조사. ¶ 기차~ 빠르다/눈~ 희다/매일~ 간다.
[같이 우물 파고 혼자 먹는다] 욕심이 많은 사람을 이르는 말.
같이-가기 [가치ㅡ] 명 [parallel motion]〖악〗두 성부(聲部)가 같은 방향으로 가는 꼴. 병진행(並進行).
같이-하다 [가치ㅡ] 타 여불 같은 사정에 처(處)하다. 같은 목적이나 조건으로 삼다. ¶ 배와 운명을 같이한 선장(船長)/때를 ~. ↔달리하다.
같-잖다 [ㅡ잔타] 형 ①↗같지 않다. ②격에 맞지 않아 눈꼴사납다. 그럴싸하나 실상은 그렇지 못하다. ¶ 같잖은 사람일수록 되지 못하게 군다. ③초들어 말해야 할 만큼 대단치 않다. ¶ 같잖은 일을 가지고 뭘 그러나.
[같잖은 투전에 돈만 잃었다] ㉠기를 쓰고 덤빈 투전(鬪牋)도 아닌데, 돈은 적지 않게 잃었다는 말. ㉡전심 전력을 기울여서 한 일도 아닌데, 손해만 보았다는 말.
같-지다 자 [근대 : 孨지다] 씨름에서 두 사람이 같이 넘어지다.
갚다 타 ①꾸거나, 빌리거나, 받은 것을 도로 돌려 주다. ¶ 꾼 물건을 ~/빚을 ~. ②은혜·원한(怨恨) 등에 대하여 그에 상당하게 보답하다. ¶ 은혜를 ~/원수를 ~.
갚음 명 대갚음. ——하다 타 여불
개[1] 명 강이나 내에 조수(潮水)가 드나드는 곳.
개[2] 명 윷놀이에서, 윷짝이 두 개는 엎어지고 두 개는 잦혀진 때의 이름. 「두 끗임.
개:[3] 명 ①〖동〗[*Canis familiaris*] 갯과에 속하는 동물의 하나. 이리·늑대와 비슷한데, 오래 전부터 사육(飼育)하여 성질이 온순하고 영리함. 냄새를 잘 맡고 귀와 눈이 밝아 도둑을 잘 지키며, 사냥과 군사상(軍事上)에도 씀. 전세계에 걸쳐 품종이 많음. ②남의 앞잡이가 되어 끄나풀 노릇을 하는 사람. 주구(走狗). ③교도소에서 '담배'의 은어(隱語).
[개가 개를 낳지] 못난 그 아비에게서 못난 그 자식이 나지 별수 있느냐는 말. [개가 겨를 먹다가 말경 쌀을 먹는다] 처음에 조금 나쁘던 것이 차차 크게 악화된다는 말. [개가 똥을 마다 한다] 틀림없이 좋아해야 할 것을 싫다고 할 때 이르는 말. [개가 벼룩 씹듯] 잔소리를 자꾸 되풀이하는 모양. [개가 약과(藥果) 먹은 것 같다] 개가 약과를 먹어도 그 맛을 모르듯, 다만 입에 넣어 먹기는 하지만, 그 진미(眞味)를 모른다는 말. [개가 콩엿 사 먹고 버드나무에 올라간다] 우매(愚昧)한 사람이 도저히 불가능한 일을 능(能)히 하겠다고 장담(壯談)함을 비유하는 말. [개같이 벌어서 정승같이 먹는다; 개같이 벌어서 정승같이 산다; 개같이 벌어서 정승같이 쓴다] 미천(微賤)하게 벌어서라도 떳떳이, 가장 생광(生光)되게 쓴다는 말. [개 귀에 방울] 격(格)에 어울리지 않는 치장을 이르는 말. [개 귀의 비루를 털어 먹어라] 하는 짓이 다랍고 치사스러운 사람을 두고 이르는 말. [개 그림 떡 바라듯] 행여나 하는 기대를 가지고 지켜 보고 있으나, 소용없는 짓이라는 말. [개 꼬락서니 미워서 낙지 산다] 개가 즐기어 먹는 뼈다귀가 들어 있지 아니한 낙지를 산다 함이니, 곧 자기가 증오(憎惡)하는 사람에 대하여 그 사람이 좋아하는 일을 일부러 시키지 아니한다는 말. [개 꼬리를 삼 년 땅에 묻어 두어도 황모(黃毛)가 되지 아니한다; 개 꼬리 삼 년 두어도 황모 꼬리는 되지 않는다; 개 꼬리 삼 년 두어도 황모 못 된다] 원래부터 기질(氣質)이 나쁜 것은 아무리 가도 그 본질(本質)을 바꾸지 못함을 이르는 말. ¶ 개 꼬리를 삼 년 땅에 묻어 두어도 황모가 되지 아니한다고, 학교에 입학은 하였으나 공부에는 정신 없고《崔瓚植:秋月色》. [개 꼬리 잡고 선소리하겠군] 가죽을 벗겨 소구를 메울 동안을 못 참고, 개 꼬리를 들고 선소리를 한다는 뜻이니, 참을성 없는 사람을 빗대는 말. [개 눈에는 똥만 보인다] 어떠한 물건을 지극히 좋아하게 되면, 모든 것이 다 그 물건으로만 보인다는 말. [개 대가리에 관] '개 귀에 방울'과 같은 뜻. [개도 나갈 구멍을 보고 쫓아라] ㉠개를 쫓되, 살 길은 터주어야 피해를 입지 않게 된다는 말. ㉡사람을 궁지에 몰아넣더라도, 너무 독하게 할 것이 아니라, 여유를 주어야 한다는 말. [개도 닷새가 되면 주인을 안다] 아주 우둔(愚鈍)하여 사리(事理)를 전혀 분별하지 못하는 사람의 우매함을 개의 영리함에 비유하여 이르는 말. [개도 무는 개를 돌아본다] '개도 사나운 개를 돌아본다'와 같은 뜻. [개도 부지런해야 더운 똥을 얻어먹는다] 부지런해야 된다는 말. [개도 사나운 개를 돌아본다] 같은 개끼리도 사나운 개를 두려워하듯 사람도 악한 사람을 대할 때는 해를 입을까 두려워하여 조심한다는 말. [개도 손들 날이 있다] ㉠개에게도 손님이 올 날이 있으니, 하물며 사람에게야 어찌 없겠느냐는 말. ㉡나들이할 때, 옷가지 등의 준비가 없는 것을 스스로 한탄하는 말. [개도 제 털을 아낀다] 제 몸을 돌보지 않고 아끼지 않는 사람에게 충고하는 말. [개도 텃세한다] 먼저 자리잡은 사람이 나중 온 사람에게 자리를 내주지 못하겠다는 말. [개도 하루에 겨 세 홉 녹(祿)은 있다] 사람은 어떻게 해서든 세끼 밥은 먹게 된다는 말. [개 등의 등겨를 털어 먹는다] 저보다 못 사는 사람을 벗겨 빼앗아 먹는

다는 말. [개 떼 모이듯] 권세 있는 데로 붙좇아 모여드는 모양. [개를 기르다 다리를 물렸다] '기르던 개에게 다리를 물렸다'와 같은 뜻. [개를 따라가면 칙간으로 간다] 못된 자와 어울려 다니면, 좋지 못한 곳으로 가게 된다는 말. [개를 친하면 옷에 흙칠을 한다] 좋지 못한 사람과 사귀면 해(害)를 입는다는 말. [개 머루 먹듯] 개가 머루를 먹기는 하나 겉만 핥는 것이라, 내용을 잘 모르고 건성 아는 체하거나 일을 건성건성 날려서 함을 이르는 말. ¶ 장사가 왔다 갔어도 개 머루 먹듯 겉으로만 다녀왔지 실속은 알지도 못하고 왔지. ≪李海朝:雨中行人≫. [개 목에 방울이라] '개 귀에 방울'과 같은 뜻. [개 못된 것은 들에 가서 짖는다] 집을 지켜야 할 개가 집을 지키지 아니하고 들에 나가 짖듯이, 사람도 못된 사람은 쓸데없는 짓을 잘한다는 말. [개 바위 지나가는 격] 지나간 자국을 남기지 않아, 찾을 길이 없음을 이르는 말. [개 방귀 같다] 지극히 적고 시시하여 있는지 없는지를 잘 알지 못함을 이르는 말. [개 보름 쇠듯] 즐거이 지내야 할 명절 따위에 먹지도 못하고 무미하게 지내게 됨을 이르는 말. [개 복에도 먹고 산다] 개 같은 하잘것없는 것이 복을 받을 경우도 있다는 말. [개 뼈다귀 은(銀) 올린다] 아무 쓸데없는 데에 비용을 들이어 장식(裝飾)함을 이름. [개 쇠 발괄 누가 알꼬] 개와 소의 발괄을 누가 아느냐 함이니, 조리(條理) 없이 하는 말은 아무도 이해할 수 없다는 말. [개 씹에 덧게비] 관계 없는 일에 덩달아 덤비고 나섬을 이르는 말. [개 씹에 보리알 끼이듯] 좁디좁은 곳에 무엇이 많이 끼여 있음을 비유한 말. [개에게 된장 덩어리 지키게 하는 격] 개는 된장 덩어리가 고깃덩인 줄 알고 덤벼들 것이니 믿지 못할 사람에게 맡기어 일을 망침을 이르는 말. [개에게 메스껌] 아무리 더러워도 개는 메스껌을 느끼지 못하니, 남의 시비 곡절을 분간하지도 못하고 함부로 판단을 내림을 비유하는 말. [개에 호패(號牌)] 격에 맞지 아니하고 지나침을 이르는 말. [개 잡아먹고 동네 인심 잃고, 닭 잡아먹고 이웃 인심 잃는다] 개를 잡아 온 동네에 나누어 주고, 닭을 잡아 이웃간에 나누어 먹더라도, 많다 적다 또는 주었다 안 주었다 하고 구설을 듣게 되기 쉬우니, 색다른 음식을 하여 나누어 먹기 어려움을 이르는 말. [개 장수도 올가미가 있어야 한다] 거기에 필요한 준비와 도구가 있어야 한다는 말. [개 창자에 보위(補胃)시킨다] 하찮은 것에 돈을 많이 들임을 이르는 말. [개처럼 벌어서 정승같이 산다] '개같이 벌어서 정승같이 먹는다'와 같은 뜻. [개 팔아 두 냥 반] 못난 양반(兩班)을 놀리는 말. [개 팔자가 상팔자라] ㉠놀고 있는 개가 부럽다는 뜻으로, 분주하고 고생스러울 때 이르는 말. ㉡제 팔자가 하도 나빠, 차라리 개 팔자가 더 좋겠다는 말. [개 풀 무거리 먹듯 한다] 음식을 가리지 아니하고 되는 대로 먹음을 이르는 말. [개하고 똥 다투랴] 본성이 포악(暴惡)한 사람은 더불어 교계(較計)할 수 없음을 이르는 말. [개 핥은 죽 사발 같다] ㉠싹싹 쓸어 남긴 것이 없이 깨끗하다는 말. ㉡매우 인색하고 각박하여 다른 사람이 조금도 얻어 갈 것이 없다는 말. [개 호랑이가 물어 간 것만큼 시원하다] 미운 개를 버리지도 못하고 속을 썩이던 중, 호랑이가 물어가서 시원하다는 뜻으로, 꺼림칙한 것이 없어져 개운하고 시원할 때 이르는 말.

개:발싸개 같다 구 〈속〉 보잘것없이 허름하고 빈약하다.

개:콧구멍으로 알다 구 시시한 것으로 알아 대수롭지 않게 여기다. ≪朴鍾和:黃眞伊의 逆天≫

개:⁴ 명 〈방〉 ①궤(櫃)(경남). ②개울(경기·강원).

개⁵【介】 명 성(姓)의 하나. 본관은 여주(驪州) 하나뿐임.

개⁶【個·介·箇】 의명 ①낱으로 된 물건의 수효를 세는 말. ¶ 사탕 한 ~/밤 두 ~. ②〚광〛 지금(地金) 열 냥쭝을 단위로 일컫는 말. ¶ 한 ~의 지금.

개⁷【蓋】 명 ①음식 그릇의 뚜껑. ②〚역〛 조선 시대에, 왕·왕비·왕세자 등의 행차 때 사용된 의장(儀仗)의 하나. 모양이 양산(陽繖)과 같고, 사(紗)로 꾸미었는데 빛깔에 따라서 청개(靑蓋)·홍개(紅蓋)·황개(黃蓋)·흑개(黑蓋)의 여러 가지가 있음. ③〚불교〛 수행자(修行者)의 바른 마음을 가린다는 뜻으로 번뇌를 일컫는 말. 개전(蓋纏). *오개(五蓋). ④〚불교〛 불좌(佛座)나 좌대를 덮는 목제(木製) 또는 금속제의 불구(佛具). 법회 때 법사(法師) 위를 덮기도 함. 천개(天蓋)·보개(寶蓋) 등. 대산(大傘). 주산(朱傘). ⑤〚불교〛 본디 인도에서 햇볕이나 비를 가리기 위하여 쓰던 일산(日傘). 대·나뭇잎 등으로 만듦. 행도(行道) 때 도사(導師)를 가리었음. 산개(傘蓋). 입개(笠蓋).

〈개⁷❷〉

개:- 접 참 것이 아니거나 좋은 것이 아니라는 뜻, 또는 경멸할 것이라는 뜻으로 명사 앞에 붙여 쓰이는 말. ¶ ~꿈/~떡/~머루/~죽음.

-개¹ 미 어떤 말에 붙어 도구나 물건의 뜻을 나타내는 말. ¶ 가리~/덮~/부침~. *-게².

-개² 미 〈옛〉 용언의 어간에 붙어 명사를 만드는 접미사. ¶ 두 놀개 쓰시 三百三十六萬里오 ≪月釋 I:14≫.

개:가¹【改嫁】 명 시집갔던 여자가 다시 다른 남자에게 시집감. *재가(再嫁). ──-하다 자여불

개가²【開架】 명 도서관에서 열람자(閱覽者)에게 서가(書架)를 공개하여 자유로이 열람하게 함. ──-하다 타여불

개:가³【凱歌】 명 ①↗개선가(凱旋歌). ②환성(歡聲). ¶ ~를 올리다.

개:가(를) 부르다 구 개선가(凱旋歌)를 부르다.

개:가(를) 올리다 구 환성을 지르다. 싸움에 이기다.

개:-가다 타 〈방〉 가져가다(평안).

개가-식【開架式】 명 개가제(開架制).

개가-제【開架制】 명 열람자에게 서가(書架)를 개방하여 자유롭게 빼내어 볼 수 있게 하는 도서관 제도. 자유 접가제(自由接架制). 개가식(開架式).

개:-가죽 명 ①개의 가죽. ②〈속〉 낯가죽.

개:-가죽나무 명〚식〛 ☞가죽나무².

개:각¹【介殼】 명〚조개〛 연체(軟體) 동물의 외투막(外套膜)에서 분비(分泌)한 석회질(石灰質)이, 단단하게 굳어서 된 겉껍데기. 조개 껍데기 같은 것. *패각(貝殼).

개:각²【改刻】 명 고치어 새김. ──-하다 타여불

개:각³【改閣】 명 내각을 개편함. ──-하다 자여불

개각 등행【開脚登行】 명 스키에서, 제한된 좁은 곳을 똑바로 오르지 않을 수 없을 때, 산을 향해 스키의 앞을 벌려 내각(內角)을 크게 하면서 번갈아 옮겨 오르는 일. 어골형 등행(魚骨形登行).

개각-류【皆脚類】【─뉴】 명〚동〛[Pantopoda] 무각류(無角類)에 속하는 절지 동물의 한 아강(亞綱). 거미와 비슷하나 두흉부(頭胸部)는 네 마디로, 한 쌍의 집게 형상으로 된 턱과 네 쌍 또는 일곱 쌍의 긴 발이 있음. 복부(腹部)는 발달하지 못하여 작은 돌기상(突起狀)을 이루고 호흡기는 없으나 심장(心臟)이 있음. 모두 바다에서 삶.

개:각-충【介殼蟲】 명〚충〛 깍지벌레.

개:간¹【改刊】 명 고치어 간행함. 개판(改版). ──-하다 타여불

개간²【開刊】 명 처음으로 간행(刊行)함. ↔중간(重刊). ──-하다 타여불

개간³【開墾】 명 산림(山林)이나 원야(原野)를 개척하여 경작지(耕作地)로 만드는 일. 개작(開作). 개척(開拓). 기간(起墾). ──-하다 타여불

개간-답【開墾畓】 명 신(新)풀이.

개간-자【開墾者】 명 개간하는 사람. 또, 개간한 사람.

개간-지【開墾地】 명 개간한 땅. 또, 개간할 땅. ↔미개간지(未開墾地).

개갈-스럽다 형 〈방〉 개감스럽다.

개감 명 〈방〉 개암❶(경기·충청).

개:-감수【─甘遂】 명〚식〛 감수(甘遂)❶.

개감-스럽다 형ㅂ불 단작스럽게 욕심껏 먹어대는 태도가 있다. <게검스럽다. 개감-스레 부

개:갑¹【介甲】 명 ①게·거북 등의 거죽을 싼 단단한 껍데기. ②갑옷.

개:갑²【鎧甲】 명 쇠미늘을 달아 만든 갑옷.

개갑다 형 〈방〉 가볍다(경상·함경).

개:갑-류【介甲類】【─뉴】 명〚동〛 갑각류(甲殼類).

개:-갓 명〚식〛 개갓냉이.

개:갓-냉이 명〚식〛[*Rorippa indica*] 겨잣과(科)에 속하는 다년초. 줄기 높이 50cm 가량이고, 근생엽(根生葉)은 총생(叢生)하며 유병(有柄)이고, 호생(互生)하는 경엽(莖葉)은 무병(無柄)으로 긴 타원형을 이룸. 5-6월에 노란 꽃이 총상(總狀) 화서로 줄기 끝과 가지 끝에 정생(頂生)하여 피고, 장각(長角)의 과실을 맺음. 들·논·밭 등에 나는데, 거의 한국 각지에 분포함. 어린 잎은 식용함. 개갓.

〈개갓냉이〉

개강【開講】 명 ①강좌(講座)나 강습회를 시작함. ¶ ~ 일자. ②〚불교〛 강경(講經)을 시작함. ──-하다 타여불

개:-강활【─羌活】 명〚식〛[*Angelica fallax*] 미나릿과에 속하는 다년초. 뿌리는 비후 장대(肥厚長大)하고 줄기 높이 1.2m 정도임. 잎은 3회 우상 복엽(羽狀複葉)인데 깃 모양으로 째지고 열편(裂片)은 타원형을 이룸. 엽초(葉鞘)는 포경(抱莖)으로 썩 넓음. 6월에 백색 꽃이 복산형(複繖形) 화서로 피고, 장각(長角)의 편평한 타원형 과실을 맺음. 산이나 들에 나는데, 제주도에 분포함.

개:개【箇箇】 명 낱낱. ¶ ~를 살피다.

개:개 고찰【箇箇考察】 명 ①낱낱이 살핌. ②〚역〛 태형(笞刑)을 행할 때, 형리(刑吏)를 계칙(戒飭)하여 낱낱이 살피어 몹시 치게 함. ──-하다 타여불

개개다 ㊀ 자 ①성가시게 달라붙어 손해되다. ②서로 닿아서 닳거나 해지다. ㊁ 타 성가시게 달라붙어 손해나게 하다.

개:개 명창【箇箇名唱】 명 ①노래를 하는 사람마다 명창임. ②노래하는 사람마다 노래를 잘 못 부를 때 비꼬아 이르는 말.

〈개개비〉

개개비 명〚조〛[*Acrocephalus arundinaceus orientalis*] 휘파람샛과에 속하는 작은 새. 날개 길이 75-90mm, 윗부리의 기부(基部)에는 강모(剛毛)가 줄지어 나 있음. 몸빛은 배면(背面)이 담갈색(淡褐色)에 옅은 미반(眉斑)이 있고, 하면(下面)은 회백색, 날개와 꽁지는 갈색, 꽁지 끝은 회백색임. 초여름의 번식기에 갈대밭 등에서 '개개개'하고 시끄럽게 욺. 둥지에 4-6개의 알을 낳고 곤충·개구리 등을 먹음. 동부 시베리아·한국·일본·중국에서 번식, 동남아·오스트레일리아 등지에서 월동함. 부위(剖葦).

개개비-사촌【─四寸】 명〚조〛[*Cisticola juncidis*] 휘파람샛과에 속하는 작은 새. 개개비와 비슷한데 작으며 날개 길이 45-57mm, 꽁지 55mm, 부리 10mm 가량임. 흔히 강가의 풀숲에 살며, 둥지를 교묘하게 지음. 빛은 위가 담갈색, 아래 쪽은 황백색임. 꽁지 끝은 희며, 여름에는 머리가 검게 변함. 윗부리는 약간 아래로 굽었음. 아시아의 중남부·유럽·아프리카·오스트레일리아 등 온난한 지방에 분포함.

〈개개비사촌〉

개개-빌다 자 잘못을 용서하여 달라고 간절히 빌다.

개:개 승복【箇箇承服】 명 지은 죄를 낱낱이 자백함. ──-하다 타여불

개:개-이【箇箇─】 부 ☞낱낱이.

개:개-인【箇箇人】 명 한 사람 한 사람. 개개의 사람. 낱낱의 사람.

개:개-풀리다 자 개개풀어지다.
개:개-풀어지다 자 ①끈끈한 기가 있던 것이 녹아서 다 풀어지다. ②졸리거나 술에 취하여 눈에 정기가 없어지다.
개갭다 형 〈방〉 가볍다(함남).
개갱【開坑】명 〖광〗 광산에서 광물(鑛物)을 파기 위하여 굴을 뚫음. ——-하다 자여불
개갱 방식【開坑方式】명 개갱하는 방식. 수갱(竪坑)·사갱(斜坑)·횡갱(橫坑)의 세 가지 방식이 있음.
개거【開渠】명 〖토〗 ①개수로(開水路). ②〔open ditch〕 철도나 궤도(軌道) 밑을 가로 뚫어 도로나 운하(運河)를 통하기 위하여 만든 작은 도랑으로 위를 아주 터놓은 것. ↔암거(暗渠).
개거 도감【開渠都監】명 〖역〗 조선 태종 11년(1411)에, 서울의 청계천(淸溪川)을 치기 위하여 임시로 둔 관청.
개:건【改建】명 다시 고쳐 지음. 개량하여 건설함. ——-하다 타여불
개:걸【丐乞】명 ①빌어먹음. 거지질함. ②거지. 비렁뱅이. ——-하다 자여불
개겁다 형 〈방〉 가볍다(경상·강원).
개:격-법【改格法】명 〖논〗 환원법(還元法).
개견[1]【開繭】명 견사 방적 공정(絹絲紡績工程)의 하나. 부잠사(副蠶絲)의 덩이로 되어 있는 원료를 풀어서 섬유(纖維) 꼴로 늘이고, 또 섬유를 평행하게 추리는 일. ——-하다 타여불
개:견[2]【槪見】명 개괄(槪括)하여 봄. 대개 쭉 살펴봄. 개관(槪觀). ——-하다 타여불
개:견-부【一犬部】명 한자 부수(部首)의 하나. '狀'이나 '獻'·'奬' 등의 '犬'의 이름.
개:결[1]【介潔】명 성질이 단단하고 깨끗함. ¶ 마침 자기가 가장 유력한 물망에 오르고 있으니만큼 수양 대군을 반대하는 것은 곧 자기를 보내달라는 말 같아서 ~한 그로는 입을 뗄 수가 없는 것이다《張德祚 : 狂風》. ——-하다 형여불. ——-히 부
개결[2]【開缺】명 관원이 그 직에서 물러남. 퇴직(退職). ——-하다 자타여불
개결[3]【開結】명 ↗개결 이경(開結二經).
개결 이:경【開結二經】명 〖불교〗 본경(本經)으로 들어가기 전에 서설(序說)로서 설술(說述)한 개경(開經)과 본경이 끝난 후, 다시 그 요지(要旨)를 서술한 결경(結經)과를 아울러 일컫는 말. 준개결(開結).
개:결 정:직【介潔正直】명 개결하고 정직함. ——-하다 형여불
개겹다 형 〈방〉 가볍다(경북).
개경[1]【開京】명 〖역〗 개성(開城)의 고려 때 이름. 고려 태조 왕건(王建)이 왕위에 오른 이듬해(919)에 이곳에 궁궐(宮闕)을 개설(開設)하여 신도(新都)를 경영(經營)하였음.
개경[2]【開經】명 〖불교〗 ①불경의 본경설(本經說)의 예비로서, 그 앞에 설술(說述)한 서설(序說)로서의 경문. 석가의 법화경(法華經)의 서설인 무량의경(無量義經)은 개경의 한 가지임. ↔결경(結經). ②경전(經典)을 펼침. ¶ ~게(偈). ——-하다 자여불
개경-게【開經偈】명 〖불교〗 경문을 외기 전에 외는 게.
개경 십사【開京十寺】명 〖역〗 고려 태조 왕건(王建)이 개경에 지은 열 개의 절. 법왕사(法王寺)·왕륜사(王輪寺)·자운사(慈雲寺)·내제석사(內帝釋寺)·사나사(舍那寺)·천선사(天禪寺)·신흥사(新興寺)·문수사(文殊寺)·원통사(圓通寺)·지장사(地藏寺).
개계[1]【開啓】명 〖불교〗 ①법회(法會)를 엶. ②법회를 여는 날. ③재(齋)를 올릴 때 그 장소의 부정(不淨)을 가시는 게송(偈頌). ——-하다 타여불
개:계[2]【槪計】명 개략적인 계산. 개산(槪算).
개:고【改稿】명 원고를 고치어 씀. 또, 그 원고. ——-하다 자여불
개:-고기 명 ①개의 고기. 구육(狗肉). ②성질이 검질겨서 질깃질깃하고 체면도 없이 막된 사람.
[개고기는 언제나 제 맛이다] 타고난 성미는 속이기 어렵다는 말.
개고락지 명 〈방〉 〖동〗 개구리(강원).
개-고랑[1] 명 〈방〉 개[1].
개고랑[2] 명 〈방〉 개울(경상).
개고리 명 〈방〉 〖동〗 개구리(경기·강원·전북·경남).
개고마리 명 〖조〗 때까치.
개:-고사리 명 〖식〗 [*Athyrium niponicum*] 꼬리고사릿과에 속하는 다년초. 줄기 높이 30-50 cm이고, 근경(根莖)에 적갈색의 피침형 인편(鱗片)이 있음. 긴 타원형의 잎은 이회 우상 복엽(二回羽狀複葉)이고, 중맥(中脈)·측맥(側脈)은 붉음. 측맥에 따라 자낭군(子囊群)이 밀생하고 갈색으로 익음. 산야(山野)의 습지에 나는데, 함남·함북을 제외한 한국 전역에 분포함.

〈개고사리〉

개고태기 명 〈방〉 〖동〗 개구리(전라).
개골[1] 명 〈방〉 개울(전북·경북).
개:-골[2] 명 〈속〉 남이 내는 골을 욕하는 말. ¶ 싱겁게 무슨 ~이야.
개:골(을) 내다 구 〈속〉 골을 내다.
개골-개골 부 개구리가 연해 우는 소리. <개굴개굴. ——-하다 자여불
개골-산【皆骨山】[—싼] 명 〖지〗 겨울 금강산(金剛山)의 별칭. *금강산·봉래산(蓬萊山)·풍악산(楓嶽山).
개-골창 명 ①수챗물이 흐르는 작은 도랑. 구거(溝渠). ②〈방〉 개울(전라·경북).
개곱다 형 〈방〉 가볍다(경상).
개공 고:사【開工告祀】명 〖민〗 집을 짓는 일을 시작할 때 지내는 고사.
개:과[1]【改過】명 잘못을 고침. 허물을 고침. ——-하다 자여불
개:과[2]【蓋果】명 〖식〗 삭과(蒴果)의 하나. 과피(果皮)가 가로 벌어져서, 위쪽이 뚜껑같이 되는 열매. 쇠비름·채송화 등의 열매. *열과(裂果).

〈개과[2]〉

개:과 자신【改過自新】명 잘못을 고치어 새로워짐. ——-하다 자여불
개:과 천:선【改過遷善】명 지나간 허물을 고치고 착하게 됨. ——-하다 자여불
개:-곽향【一藿香】명 〖식〗 [*Teucrium japonicum*] 꿀풀과에 속하는 다년초. 줄기는 방형(方形)이고 높이 60 cm 정도임. 잎은 대생하고 유병(有柄)으로 달걀꼴의 긴 타원형을 이루며, 톱니가 있음. 7-8월에 담홍색 꽃이 윤산(輪繖) 화서로 가지 끝에 정생 또는 액생(腋生)하여 피고, 거꿀달걀꼴의 수과(瘦果)를 맺음. 산야의 습지에 나는데, 우리 나라·일본·류큐 등지에 분포함.

〈개곽향〉

개:관[1]【改棺】명 이장(移葬)할 때, 관을 새로 장만함. ——-하다 자타여불
개관[2]【開棺】명 시체를 옮기어 내려할 때 관의 뚜껑을 엶. ——-하다 자타여불
개관[3]【開管】명 양쪽 끝의 마구리가 뚫리고 속이 빈 관(管). 그 한 끝에 진동(振動)하는 음차(音叉)를 가까이 대거나 또는 한 끝에서 공기를 불어 넣으면, 속의 공기(空氣) 기둥의 진동으로 소리가 남. 피리 같은 것은 개관의 한 가지임.
개관[4]【開館】명 ①도서관·박물관·회관(會館)·영화관·여관 등의 '관(館)'의 설비를 차려 놓고 처음으로 여는 일. ¶ ~식. ②관을 열어 그날의 업무를 시작함. 또, 그 관이 문을 열고 있는 일. ¶ ~ 시간. 1)·2) : ↔폐관(閉館). ——-하다 자타여불
개관[5]【開關】명 성문(城門)·관문(關門)·세관(稅關) 등을 엶. ——-하다 자여불
개:관[6]【蓋棺】명 관(棺)의 뚜껑을 덮음. 곧 사람이 죽음을 이름. ——-하다 자타여불
개:관[7]【漑灌】명 관개(灌漑). ——-하다 자여불
개:관[8]【槪觀】명 ①대충대충 살펴봄. ②〖미술〗 윤곽(輪廓)·명암(明暗)·색채·구도(構圖) 등의 대체의 모양. ——-하다 타여불
개관 분석【開管分析】명 〖광〗 광물의 감정 분석법의 한 가지. 양쪽 마구리가 뚫린 유리관 속의 시료(試料)를 가열하여 빛깔의 변화·승화물(昇華物)·냄새 따위를 분간, 시료를 감정하는 일.
개:관 사:정【蓋棺事定】명 시체를 관에 넣고 뚜껑을 덮은 후에야 비로소 그 사람의 살아 있을 때의 가치를 알 수 있다는 말.
개관-식【開館式】명 개관하는 의식(儀式).
개:괄【槪括】명 ①대충대충 추리어 한데 뭉뚱그림. ¶ 요령(要領)을 따서 ~하여 말하라. ②〔generalization〕 어떤 개념의 외연(外延)을 확대하여, 보다 많은 사물을 포괄(包括)하는 개념을 만드는 일. 일반화(一般化). 추상(抽象). ↔한정(限定). ——-하다 타여불
개:괄-력【槪括力】명 개괄하는 능력.
개:괄-적【槪括的】[—쩍] 명관 대충 추리어 한데 뭉뚱그린 모양.
개광[1]【開光】명 〖공〗 화형(花形)·각형(角形)·원형(圓形) 같은 여러 가지 모양의 윤곽(輪廓)을 본뜬 무늬.
개광[2]【開廣】명 ①땅을 개간하여 경지(耕地)를 넓힘. ②사업을 새로 영위하거나 확충함.
개광[3]【開鑛】명 〖광〗 광산에서 광물의 채굴을 시작함. ——-하다 자타여불
개:교[1]【改敎】명 〖종〗 개종(改宗). ——하다 자여불
개교[2]【開校】명 학교를 새로 세워 수업을 시작함. ↔폐교(閉校). ——-하다 자여불
개교 기념일【開校紀念日】명 학교에서 개교를 기념하는 날.
개교-사【開敎使】명 〖불교〗 아직 불교 교법(敎法)이 행하여지고 있지 않은 해외 지역에 교법 선포(宣布)의 사명을 띠고 가는 사람.
개교-식【開校式】명 개교할 때에 행하는 의식.
개구[1]【開口】명 ①입을 벌림. ②입을 열어 말함. ↔함구(緘口). ——-하다 자여불
개구[2]【箇舊】명 〖지〗 '거주'를 우리 음으로 읽은 이름.
개-구간【開區間】명 〖수〗 집합론(集合論)에서, 구간(區間)의 양끝을 그 집합(集合)에 넣지 않을 때의 구간. 곧, $a<x<b$를 만족시키는 실수 x의 집합. 보통, (a,b)로 표시함. ↔폐구간(閉區間).
개구-기[1]【開口器】명 〖의〗 동물의 구강(口腔) 내의 검사나 수술에 사용하는 기구. 입 안에 집어 넣고 나사를 돌리면 위턱과 아래턱이 차차 벌어지게 되어 있음.
개구-기[2]【開口期】명 〖의〗 출산할 때, 태아가 무리없이 통과하도록 자궁이 열리는 동안.
개구-도【開口度】명 ①소리를 낼 때에, 입을 벌리는 정도. ②말을 하는 도수.
개구락지 명 〈방〉 〖동〗 개구리(함경·전라·충청).
개구랑 명 〈방〉 개울(강원).
개구래기 명 〈방〉 〖동〗 개구리(강원).
개구리 명 〖동〗 ①개구릿과(科)·청개구릿과·맹꽁잇과·무당개구릿과에 속하는 동물의 총칭. '올챙이'가 자란 것인데, 네 발에 각각 물갈퀴가 있고, 성낭(聲囊)을 부풀리어 소리를 냄. ②↗참개구리. ③↗청개구리. ④↗송장개구리. ⑤〈속〉 죄수(罪囚)들의 은어(隱語)로 술을 일컫는 말.
[개구리 낯짝에 물 붓기] 어떤 처사를 당하여도 태연함을 이르는 말. [개구리도 옴쳐야 뛴다] 뛰기를 잘하는 개구리도 뛰기 전에 옴츠려야 한다는 뜻으로, 매사에 아무리 급할지라도 준비하고 주선할 동안이 있어야 한다는 말. [개구리 삼킨 뱀의 배] 보기와는 다르게 고집이 강한 사람을 이르는 말. [개구리 올챙이 적 생각을 못한다] 가난한 사람이 부자가 되어서 또는 하위(下位)에 있던 사람이 고귀(高貴)한 신분이 되어서 곤궁하던 옛날을 생각하지 못하고 잘난 듯이 구는 일. 또, 그런 사람을 비웃는 말. [개구리 주저앉는 뜻은 멀리 뛰자는 뜻이다] 어떤 행동이 어떤 결과를 얻고자 하는 준비 운동이라는 말.
개구리-갓 명 〖식〗 [*Ranunculus zuccarini*] 미나리아재빗과에 속하는 다년초. 줄기는 높이가 15 cm 내외, 근생엽(根生葉)은 여러 개가 총생(叢生)하며, 경엽(莖葉)은 호생하고 소수이며 무병(無柄)인데 열편(裂片)

은 선형(線形)을 이룸. 4-5월에 노란 꽃이 줄기 끝에 피고, 길이 6mm 정도의 타원형 수과(瘦果)를 맺음. 들의 습지에 나는데, 제주도에 분포함.

〈개구리갓〉

개구리-강【一綱】[명]〖동〗[Amphibia] 척추 동물에 속하는 한 강(綱). 어류와 파충류(爬蟲類)의 중간으로, 육생(陸生)·수생(水生)하는데, 어류의 가슴지느러미와 배지느러미는 네 발로 변하고, 부레는 폐로 발달되었는데, 비강(鼻腔)은 구강(口腔)과 통함. 비늘·털 등은 거의 없고, 심장은 2심방(心房), 1심실(心室), 늑골은 흉골(胸骨)과 연락되지 아니함. 난생 또는 난태생이고 냉혈성(冷血性)이며 변태 발생을 함. 개구리·영원(蠑蚖) 등이 이에 속함. 양서류(兩棲類).

개:-구리때 [명]〖식〗[*Angelica anomala*] 미나릿과에 속하는 다년초. 줄기 높이 2m 이상이고 잎은 삼출(三出) 우상 전열(羽狀全裂)하고, 열편(裂片)은 넓은 피침형임. 8월에 흰 꽃이 복산형(複繖形) 화서로 피고 과실은 타원형인데, 길이 7mm 정도로 뒷면에 네 줄기의 유선(油腺)이 있고 익으면 분리됨. 산골짜기에 나는데, 경남·경북·강원·경기·황해·평북·함남 등지에 분포함.

개구리-뜀 [명] 개구리가 뛰듯이 펄떡펄떡 뛰는 뜀.

개구리-망 [명]〖식〗개구리발톱.

개구리-매 [명]〖조〗[*Circus aeruginosus spilonotus*] 맷과에 속하는 새. 날개 길이 410mm, 꽁지 255mm, 부리 35mm 가량임. 머리와 목은 황백색에 흑갈색 종반(縱斑)이 있고 배면(背面)은 깃의 가장자리가 적갈색이고, 그 외는 흑갈색임. 가슴은 황백색에 적갈색의 반점이 섞이고, 그 이하는 흑갈색을 띰. 유럽·아프리카 및 한국·대만·만주 북부·중국에 분포함. 길들이어 꿩 사냥 등에 씀. 궐매.

〈개구리매〉

개구리-목【一目】[명]〖동〗[Salientia] 개구리강에 속하는 한 목(目). 어릴 때에는 물 속에 살며 꼬리가 있으나, 자라면서 없어짐. 네 발이 발달하여 뒷다리는 길고 물갈퀴가 있으며, 7-9개의 등뼈로 이루어진 척추(脊椎)가 있음. 물 속·나무 위·습지(濕地)·풀밭에 사는데, 500여 종이 있음. 개구리 따위. 무미류(無尾類).

개구리-미나리 [명]〖식〗[*Ranunculus tachiroei*] 미나리아재빗과에 속하는 월년초. 줄기 높이 80cm 내외인데, 근생엽(根生葉)은 장병(長柄)이고 열편(裂片)은 피침형, 경엽(莖葉)은 단병(短柄)에 열편은 설형(楔形)을 이룸. 정생엽(頂生葉)은 무병(無柄)이고 열편은 선형(線形)임. 6-7월에 가지 끝에서 꽃줄기가 나와 노란 꽃이 취산(聚繖) 화서로 정생하고, 수과(瘦果)를 맺음. 산이나 들의 습지에 나는데, 거의 한국 각지에 분포함. 유독(有毒)함.

〈개구리미나리〉

개구리-발톱 [명]〖식〗[*Semiaquilegia adoxoides*] 성탄꽃과에 속하는 다년초. 괴경(塊莖)은 암색(暗色) 줄기 높이 15-30cm 가량이며, 잎은 거의 상록(常綠)이고 잎 뒤가 분처럼 희며 왕왕 자색을 띰. 근생엽(根生葉)은 괴경에서 총생(叢生)하며 삼출 복엽(三出複葉)으로 장병(長柄)이고, 열편(裂片)은 넓적한 끌 모양을 이룸. 경엽(莖葉)은 단병(短柄) 혹은 무병(無柄)임. 4-5월에 담홍백색 꽃이 줄기 끝에 한 송이씩 달리며 골돌과(蓇葖果)를 맺음. 산록에 나는데, 제주·전남의 완도·전북 및 일본 등지에 분포함. 개구리망.

〈개구리발톱〉

개구리-밥 [명]〖식〗[*Spirodela polyrhiza*] 개구리밥과에 속하는 다년생 수초(水草). 수면에 뜨며 늦가을에 타원형의 동아(冬芽)가 모체에서 떨어져 나와 물 밑에서 월동하고, 이듬해 봄에 수면에 떠서 번식함. 편평한 엽상체(葉狀體)는 길이 5-8mm의 거꿀달걀꼴 또는 원형을 이루는데, 서너 개씩 집합하여 수면에 뜨고 중앙에서 다수의 가는 수근(鬚根)이 늘어짐. 7-8월에 담녹색의 잔꽃이 피는데 화피(花被)를 갖지 않음. 논이나 연못에 나는데, 제주·충청·경기·함남 등지에 분포함. 전초(全草)는 약용함. 부평(浮萍). 부평초(浮萍草). 평초(萍草). 수렴(水簾).

〈개구리밥〉

개구리밥-과【一科】[명]〖식〗[Lemnaceae] 단자엽(單子葉) 식물에 속하는 한 과. 현화(顯花) 식물 중에서 가장 작고, 물 위에 떠서 사는데, 전세계에 25종, 한국에는 개구리밥·좀개구리밥의 2종이 분포함.

개구리-복【一服】[명]〈속〉청개구리의 등판처럼 얼룩덜룩한 미채(迷彩)가 베풀어진 군복의 하나.

개구리-볶음 [명] 청개구리를 짠 소금물에 담가 두었다가, 물기를 없이 한 다음에 기름에 바싹 볶아 번즉시, 진간장에 넣어 두었다가 먹는 음식. 와초(蛙炒).

개구리-사과【一沙瓜】[명]〈방〉〖식〗개구리참외.

개구리-자리 [명]〖식〗[*Ranunculus sceleratus*] 미나리아재빗과에 속하는 월년초(越年草). 줄기 높이 50cm 가량이며, 근생엽(根生葉)은 총생(叢生)하고 장병(長柄)이며, 경엽(莖葉)은 호생하고 단병(短柄)인데, 세 갈래로 깊이 째졌으며 열편(裂片)은 선형(線形)임. 6월에 노란 오판화가 줄기 끝과 가지 끝에 하나씩 피고, 수과(瘦果)는 길이 10mm임. 논밭이나 고랑 속에 나는데, 한국의 중부 이남 및 일본에 분포함. 매운 맛이 있고 유독(有毒)함. 석용예(石龍芮).

〈개구리자리〉

개구리-젓 [명] 개구리의 다리에 붙은 살로 담근 젓. 와해(蛙醢).

개구리-참외 [명]〖식〗[*Cucumis koreana*] 박과에 속하는 일년초. 참외와 비슷한데, 줄기에 털이 있음. 장과(漿果)도 '개구리참외'라고 하며 살이 감참외같이 붉고 맛이 좋음. 껍질 겨죽은 푸른 바탕에 개구리의 등과 같이 얼룩얼룩한 점이 많음.

개구리-첩지 [명]〖역〗개구리 모양으로 만든 첩지. 내명부(內命婦)나 왕실의 친척 부인이 사용함.

개구리-타:령【一打令】[명]〖악〗전라도 민요의 하나. 춘향가·심청가·흥부가 등에서 조금씩 따다가 엮은 것.

개구리-트리파노소마 [명]〖동〗[*Trypanosoma rotatorium*] 트리파노소마과에 속하는 원생 동물(原生動物)의 하나. 몸길이 40-80μ의 편평한 방추형(紡錘形)인데, 한쪽은 침형(針形)이며, 다른 쪽은 원형임. 원형질(原形質) 속에는 대소 과립(顆粒)과 몇 개의 종선(縱線)이 있으며, 핵(核)은 중앙에 위치하고 운동핵에서 편모가 나와 있음. 개구리의 피에 기생함. 트리파노소마 로타토륨. *트리파노소마.

개구리-팥 [명]〈방〉〖식〗거피팥.

개구리-헤엄 [명] ①머리를 물 속에 박고 치는 헤엄. ②평영(平泳).

개구릿-과【一科】[명]〖동〗[Ranidae] 개구리강(綱) 개구리목(目)에 속하는 한 과. 금개구리·북도송장개구리·산청개구리·송장개구리·참개구리 등이 이에 속함.

개:-구멍 [명] 울타리 밑이나 대문짝 밑에 터놓고 개가 드나들게 한 구멍. 【개구멍에 망건 치기】남이 빼앗을까 봐 겁을 먹고 막고 있다가 막던 그 물건까지 잃음을 이르는 말. 【개구멍으로 통량(統涼)갓을 굴려 낼 놈】교묘하게 사기(詐欺) 수단을 쓰는 사람을 이르는 말.

개:구멍-바지 [명] 밑을 터서 오줌똥을 누기에 편하게 만든 어린 사내 아이의 바지.

개:구멍-받이 [一바지] [명] 남이 개구멍으로 들이밀어 버리고 간 것을 「받아서 기른 아이.

개:구멍 서방【一書房】[명] 떳떳한 예식을 치르지 않고 남몰래 드나들면서 계집을 보는 짓. 또, 그런 서방. 「의 총칭.

개구-부【開口部】[명] 가옥(家屋)에서, 창문·출입구·환기구(換氣口) 등

개구-비【開口比】[명]〖건〗가옥에서, 개구부(部)의 유효 면적과 거실(居室) 바닥 면적과의 비. 채광(採光)의 경우에는 유효 채광 면적과 거실 바닥 면적과의 비로 나타내고, 환기(換氣)의 경우에는 환기 구멍의 면적과 바닥 면적의 비로 나타냄.

개구-수【開口數】[명]〖물〗현미경의 밝은 정도나 해상력(解像力)을 나타내는 수. 분해능(分解能)에 반비례하는데, 집광기(集光器)는 개구수를 크게 하기 위하여 사용함. *분해능(分解能).

개구-음【開口音】[명]〖언〗중국 음운학(音韻學)의 용어. 모음을 발음할 때 입술이 작용하지 않고 그냥 입을 벌리고 내는 음. 곧, 자음과 모음 사이에 'W'의 중개음(仲介音)이 들어가지 아니하는 음. [준]개음(開音). ↔합구음(合口音).

개구 잠함【開口潛函】[명] 개방(開放) 잠함.

개구장 [명]〈방〉시내. 개골창(평안). 「울 하다.

개구쟁이 [명] 지나치게 짓궂은 장난을 하는 아이를 가리키는 말. ¶ ～짓

개구 진통【開口陣痛】[명]〖의〗분만(分娩) 제1기의 진통. 경관(頸管) 및 자궁구(子宮口)가 크게 열리며, 전진통(前陣痛)에 비하여 세고 오래 지속되어 태아를 낳을 때까지 그치지 않음. 최대 진통수는 초산부(初産婦)에 있어서는 100-150회, 경산부(經産婦)는 50-100회임. 준비(準

개구창 [명]〈방〉개울(평북). ⌊備) 진통.

개구-항【開口港】[명] 항구 안팎의 조수(潮水)의 간만(干滿)의 차가 크지 않아, 항구의 어귀가 항구 밖의 수역(水域)을 향해 자연 그대로 열려 있는 항구. 개항(開港).

개국¹【開局】[명] ①우체국·방송국 등의 사무소가 설치되어, 그 업무를 시작함. ②바둑의 대국(對局)을 시작함. ——하다 [자][여불]

개국²【開國】[명] ①새로 나라를 세움. 건국(建國). 개원(開元). ②외국과의 교제를 처음으로 시작함. 또, 외국과의 교류(交流)를 함. ↔쇄국(鎖國). ③〖역〗신라의 다년호(大年號). 진흥왕(眞興王) 12년(551)부터 28년(567)까지. ——하다 [자][여불]

개국 공신【開國功臣】[명] ①새로 나라를 세울 때에 공훈이 많은 신하. ②〖역〗고려 태조를 도와 건국에 이바지한 홍유(洪儒)·배현경(裵玄慶)·신숭겸(申崇謙)·복지겸(卜智謙) 등. ③〖역〗이 태조(李太祖)를 도와 개국에 공로가 큰 배극렴(裵克廉)·조준(趙浚) 등 마흔 네 사람에게 내린 훈(勳)의 이름. 또, 그것을 받은 사람들.

개국 공신전【開國功臣田】[명]〖역〗이 태조(李太祖)가 배극렴(裵克廉)·조준(趙浚) 등 마흔 네 사람의 개국 공신에게 나누어 준 논밭. 일등·이등·삼등의 세 등급이 있어 최고는 220결(結), 최하는 70결을 받았음.

개국 기년【開國紀年】[명]〖역〗1894년 갑오 경장(甲午更張) 때, 청(淸)나라의 광서(光緖) 연호(年號)를 버리고 이성계(李成桂)가 조선을 개국한 해를 원년(元年)으로 하여 연대(年代)를 계산하여 쓴 일. 이듬해 건양(建陽) 연호 사용을 기하여 이 제도는 폐지됨.

개국 기원절【開國紀元節】[명]〖역〗조선 태조(太祖)의 개국한 기념일. 음력 7월 16일.

개:-국수나무 [명]〖식〗[*Stephanandra quadrifissa*] 조팝나뭇과에 속하는 낙엽 활엽 관목. 잎은 거의 원형이고 네 갈래로 깊이 째졌음. 꽃과 과실은 아직 보지 못함. 산록 양지에 나는데, 경기도의 수락산(水落山) 및 제주도에 분포함. 관상용임.

개국 시:조【開國始祖】[명] 나라를 처음으로 세운 시조.

개국 원종 공신 녹권【開國原從功臣錄券】[명] 조선 태조 6년(1397)

10월에 공신 도감(功臣都監)에서 개국 원종 공신 사재 부령(司宰副令) 심지백(沈之伯)에게 내린 포상(褒賞)의 증서. 두루마리로 되어 있음. 조선 시대 초기의 고문서(古文書)로서 이두(吏讀)가 많이 사용되어 그 문체(文體)와 내용이 귀중한 사료(史料)가 되며, 더욱이 목활자(木活字)를 사용하여 인출(印出)해 낸 점에서 우리 나라 활자사상(活字史上) 귀중한 자료(資料)임. 국보 제69호.

개국-자【開國子】명〖역〗고려 오등작(五等爵)의 넷째. 정오품(正五品)으로 식읍(食邑) 오백호(五百戶)를 줌. 문종(文宗) 때 정하였는데, 그 뒤 폐용(廢用)을 거듭하다가 공민왕(恭愍王) 21년(1372)에 아주 폐하였음. 한편, 이 작위(爵位)는 5등작의 다섯째인 현자(縣子)의 잘못으로 추정되기도 함.

개국-주의【開國主義】[－/－이] 명 나라의 문호(門戶)를 열고 다른 나라와 통상(通商)을 하며, 문화의 상호 교류(交流)를 주장하는 주의. ↔쇄국주의(鎖國主義).

개:-굴[1] 명〖조개〗[*Anomia lischkei*] 부족류(斧足類) 사새목(絲鰓目)에 속하는 조개의 하나. 불규칙한 원형인데, 패각(貝殼)의 길이·높이는 40-50 mm, 상각편(上殼片)에는 윤맥(輪脈)과 방사상(放射狀)의 벽맥(襞脈)이 있으며 담황색 또는 등갈색을 띰. 아래 각편의 달걀꼴의 구멍에서 족사(足絲)가 나와, 얕은 해안의 암초·조약돌·굴 등에 반(半)고착 생활을 함. 가랑잎조개.

개굴[2] 명〈방〉개울(경기·강원·황해).

개굴[3]【開掘】명 파서 헤치어 냄. ──-하다 타여불

개굴-개굴 부 개구리가 연해 우는 소리. >개골개골. ──-하다 자여불

개굴때기 명〈방〉〖동〗개구리.

개굴래비 명〈방〉〖동〗개구리(제주).

개굴창 명〈방〉개울(경기·황해·강원·평안·충청·전라).

개굴태기 명〈방〉〖동〗개구리(전라).

개굽다 형〈방〉가볍다(전라·경상·충청·강원).

개:궁로-조【蓋弓撩爪】[－노－] 명 일산(日傘) 갈고리.

개:궁-모【蓋弓帽】명〖고고학〗일산(日傘)살대 투겁.

개권【開卷】명 ①폄과 맒. ②책을 폄. ③권두(卷頭). ──-하다 자여불

개:귀 쌈지 명 아가리를 접은 위로, 개의 귀처럼 생긴 조각이 앞으로 넘기어 덮이게 된 쌈지.

개그〔gag〕명 연극이나 영화 같은 데서, 본줄거리 사이에 임기 응변(臨機應變)으로 넣는 대사(臺詞)나 우스갯짓.

개그-맨〔gagman〕명 영화·연예 등의 개그(gag)의 작자(作者). 또, 그 개그를 하는 사람. *코미디언(comedian).

개그미 명〈방〉개암❶(함남).

개근【皆勤】명 일정한 기간 동안에 휴일 외에는 하루도 빠짐없이 출석 또는 출근함. *무결근(無缺勤). ──-하다 자여불

개근-상【皆勤賞】명 개근한 사람에게 주는 상.

개근 상장【皆勤賞狀】[－짱] 명 개근한 사람에게 주는 상장.

개근-자【皆勤者】명 개근한 사람.

개근-장【皆勤狀】[－짱] 명 개근한 사람에게 주는 표창장.

개금[1] 명〈방〉개암❶(경기·강원·충청·전북·경북·함남).

개:금[2]【改金】명〖불교〗불상(佛像)에 금칠을 다시 함. ──-하다 타여불

개금[3]【開金】명 열쇠❶.

개금[4]【開襟】명 ①가슴을 헤쳐 놓음. ②돕지. ──-하다 자여불

개:금[5]【蓋金】명〖사람〗'연개소문(淵蓋蘇文)'의 딴이름.

개:금 불사【改金佛事】[－싸] 명〖불교〗불상에 금칠을 다시 할 때에 행하는 의식.

개금 셔츠【開襟─】〔shirt〕명 노타이(no tie) 셔츠. 노넥타이(no necktie) 셔츠.

개-금정【開金井】명 금정(金井)틀을 놓고 광중(壙中)을 파냄. ──-하다 자여불

개금-질 명〈방〉앙감질. ──-하다 자

개급다 형〈방〉가볍다(전라·경남).

개기[1] 명〈방〉①고기(전남·경상). ②물고기(경상).

개:-기[2]【改琦】명〖사람〗중국 청나라 후기의 인물화가. 자는 백온(伯蘊), 호는 칠향(七薌) 또는 향백(香白), 만년에는 옥호 외사(玉壺外史). 인물·불상(佛像) 및 미녀를 그리는 데 그 솜씨가 뛰어났음. 선묘(線描) 본위의 화풍이 특색임. [1774-1829]

개기[3]【開基】명 ①공사(工事)하려고 터를 닦기 시작함. ②〖불교〗개산(開山)❶. ──-하다 타여불

개기[4]【皆既】명 ↗개기식(皆既蝕).

개:-기름 명 얼굴에 끼는 번질번질한 기름.

개기-식[1]【皆既蝕】명〔total eclipse〕〖천〗'개기 월식(皆既月蝕)'과 '개기 일식(皆既日蝕)'의 통칭. 식기(蝕既). 준개기(皆既). ↔부분식(部分蝕). *금환식(金環蝕).

개기-식[2]【開基式】명 개기(開基)할 때의 의식(儀式).

개기 월식【皆既月蝕】[－씩] 명〖천〗월식에 있어서, 달 전체가 지구의 본(本)그림자 속에 들어가 달이 해의 빛을 완전히 받지 못하게 되는 현상. 월식 개기(月蝕皆既). ↔부분(部分) 월식. *월식.

개기 일식【皆既日蝕】[－씩] 명〖천〗일식에 있어서, 해와 지구 사이에 달이 끼어 해가 완전히 보이지 아니하게 되는 현상. 발생 기회가 적으며, 7분 이내 밖에 지속되지 아니함. ↔부분(部分) 일식. *일식[5].

개기-제【開基祭】명 개기(開基)할 때에 지내는 제사(祭祀).

개:-꼬리 명 ①개의 꼬리. ¶～ 삼년 묵어도 황모 못 된다. ②죄수(罪囚)의 은어(隱語)로, 담배 꽁초를 이르는 말.

개:꼬리 상모【─象毛】명〖민〗농악에서 상모에 달린 부포를 뒤로 넘겨 뒤에서 좌우로만 흔드는 동작.

개:-꼴 명 체면이 아주 엉망이 된 꼬락서니.

개:-꽃 명〖식〗①[*Matricaria inodora*] 국화과에 속하는 일년초. 줄기 높이는 30-60cm로 잎은 2회 또는 3회의 우상 전열(羽狀全裂)임. 7-8월에 흰 두화(頭花)가 줄기 끝과 가지 끝에 정생(頂生)함. 과실은 수과(瘦果). 유럽 원산으로 산지에 야생하는데, 경기·평북·함남 등지에 분포함. 관상용(觀賞用)임. ②먹지 못하는 철쭉꽃을 일컫는 말. ↔참꽃.

개:-꿀 명 벌통에서 갓 떠내어 벌집에 들어 있는 채로의 꿀. 소밀(巢蜜).

개:-꿈 명 대중없이 헛되게 꾸는 꿈을 조롱하는 말.

개꼽다 형〈방〉가깝다(경북).

개:-꿩 명〖조〗[*Squatarola squatarola*] 물떼샛과에 속하는 새. 날개 길이 20cm 내외이고, 배면(背面)은 흑갈색이며 각 깃의 가장자리는 회백색, 몸 아래쪽은 백색인데, 여름에는 아래쪽 가장자리만 희고 전부 흑색으로 변함. 동부 시베리아에서 번식하고, 인도·오스트레일리아 등지에서 월동함.

〈개꿩〉

개끔 명〈방〉거품(제주).

개나른-하다 형여불 ☞께나른하다.

개:나리[1] 명〖식〗[*Forsythia koreana*] 물푸레나뭇과에 속하는 낙엽 활엽 관목. 줄기 높이 2m 내외, 잎은 호생하며 피침형 또는 긴 타원형을 이루며, 톱니가 있음. 이른 봄에 자웅 이가(雌雄二家)의 노란 사판화(四瓣花)가 1-3개씩 총생 화서로 피고, 삭과(蒴果)는 10월에 익음. 인가 부근에 심는데, 함남·함북을 제외한 한국 각지에 야생하는 특산종임. 중국·일본에도 다른 변종이 분포함. 관상용·산울타리용으로 심고 과실은 약용함. 연교(連翹).

〈개나리[1]〉

개:-나리[2] 명 야생(野生)하는 '나리'의 총칭. 망춘(望春).

개:나리-꽃 명 개나리의 꽃. 연교화(連翹花).

개:나리-봇짐 명 ☞괴나리봇짐.

개:-나무좀 명〖충〗[*Sinoxylon japonicum*] 개나무좀과에 속하는 곤충. 몸길이 5.0-6.0 mm이고 원통형(圓筒形)이며, 몸빛은 검은데 촉각·수염·시초(翅鞘)·부절(跗節) 등은 암적갈색 또는 흑갈색, 촉각의 말단 3절은 나뭇잎 모양임. 몸의 윗면은 회갈색, 아랫면엔 회황색의 털이 있음. 한국·일본에 분포함.

〈개나무좀〉

개:나무좀-과【─科】[─꽈] 명〖충〗[Bostrychidae] 딱정벌레목에 속하는 한 과. 몸은 대체로 길고 원통상이며 칙칙한 암색 띠가 있는 적갈색 또는 흑색임. 촉각은 10-11절, 부절(跗節)은 5절, 복판(腹板)도 5개임. 유충은 가구·건축재의 해충이며, 성충은 나무 가지의 해충임. 전세계에 400여 종이 분포함.

개:-나발【─喇叭】명〈속〉사리에 전혀 맞지도 않는 가당찮은 소리. **개나발(을) 불다** 구〈속〉사리에 전혀 맞지도 않는 가당찮은 소리를 하다.

개나이 명〈방〉〖동〗고양이.

개:-난리【─亂離】[─날─] 명 집 없는 개, 임자 없는 개를 개백장이 마구 잡아 들이는 소동. ¶～가 나다.

개:-난초【─蘭草】명〈방〉〖식〗상사화(相思花).

개:-날 명〖민〗'술일(戌日)'의 속칭.

개납【皆納】명 조세 같은 것을 남김없이 모두 바침. ──-하다 타여불

개내기 명〈방〉〖동〗고양이(경남).

개내이 명〈방〉〖동〗고양이(경남).

개냉이 명〈방〉〖동〗고양이(경상).

개:년[1]【改年】명 신년(新年).

개년[2]【個年】의명 숫자 다음에 쓰이어 연수(年數)를 나타내는 말. ¶십～/오～ 계획.

개:념【概念】명 ①〔conception〕〖철〗낱낱의 사물로부터 공통의 성질이나 일반적 성질을 추출(抽出)하여 된 표상(表象). 판단의 결과로 얻어지는 것인데, 그 판단을 성립시키는 것으로 인간의 사고는 개념에 의해서 됨. 외연(外延)과 내포(內包)로 이루어지고, 명사(名辭)라 불리어지는 언어(言語)로 나타내어짐. *명사(名辭). ②어떤 사물의 개괄적(槪括的)인 의미와 내용.

개:념 구성【概念構成】명〖심〗많은 사물이나 사상(事象) 속에서 어떤 공통의 내용이 추상(抽象)되어서 일반 표상(一般表象)인 개념을 성립하는 심리학적 과정. 가령 맑은 물에 손을 잠근 경험, 얼음을 만진 경험, 쇠붙이의 촉각(觸覺) 등에서 공통의 감성적(感性的) 인상이 총괄되어 '차다' 또는 '차가움'과 같은 개념이 구성되는 일.

개:념 기구설【概念機具說】명〖철〗개념 도구설(概念道具說).

개:념 도:구설【概念道具說】명〖철〗듀이(Dewey, J.)의 인식 이론(認識理論)을 특징짓는 말로서, 프래그머티즘 수칙(pragmatism守則)의 요점을 자연주의적인 실험적 경험론의 입장에서 살린 학설. 그 특징은, 개념은 환경에의 적응(適應) 수단으로서 도구와도 같은 역할을 하며, 따라서 개념은 플라톤의 이데아(idea), 칸트의 카테고리(Kategorie)와 같은 불변적(不變的)·선천적(先天的)인 것이 아니고, 인류의 생활 경험의 발전에 따라 변화한다는 점에 있음. 개념 기구설(機具說). 기구주의(器具主義).

개:념-력【概念力】[─녁] 명〖철〗여러 관념 속에서 공통된 요소(要素)를 추상(抽象)하여 종합할 수 있는 능력.

개:념-론【概念論】[─논] 명〖철〗스콜라 철학에서의 실념론(實念論)과 유명론(唯名論)의 대립을 조정하기 위하여, 개체(個體)를 떠나 존재(存在)하는 개념도 또한 심중(心中)에 있는 보편적(普遍的) 관념이라고 주장(主張)한 학설. 영국 철학자 로크(Locke, J.)가 주장하였으며,

아벨라르(Abélard, P.)가 대표자임.

개:념 법학【概念法學】명〖법〗법률의 해석·적용에 있어서 그 법률이 논리적으로 완전하게 결함이 없음을 믿고, 법률의 목적이나 현실의 사정을 고려하지 아니하고 형식 이론만으로 법률 개념을 규정하려는 입장. 독일의 법학자 예링(Jhering, R.)이 처음으로 사용한 법률 용어.

개:념-시【概念詩】명〖철〗랑게(Lange, F.A.)가 형이상학(形而上學)에 붙인 이름. 인간적 생의 근원에서 발현하는 보편적·필요적인 이념의 산출과 동시에 순수 이론적 실증으로는 그 진리성이 보증되지 않고 시적 표현의 성격을 가지는 점에 착안한 개념임.

개:념 실재론【概念實在論】[—째—] 명〖철〗보편적 개념을 실체적(實體的)인 것으로 보고, 그것을 객관적 실재(實在)라고 생각하는 학설. 실념론(實念論)은 그 일례임. ＊실념론.

개:념-어【概念語】명〖언〗실사(實辭).

개:념 예:술【概念藝術】[—녜—] 명 〔conceptual art〕 특정된 완성 상태를 의도(意圖)하지 않고, 제작 상의 이념과 과정을 중시하는 예술.

개:념 인식【概念認識】명〖철〗개념에 의해서 얻은 인식.

개:념-적【概念的】명관〖철〗개념에 의거(依據)하고 있는 모양. 실재(實在)가 아니고 순이론적임. 통속적으로는, 현실에서 동떨어져 있거나 구체적이 아니라는 비난의 뜻이 내포됨. 비량적(比量的). ¶ ～ 파악(把握). ↔직관적·감각적.

개:념적 판단【概念的判斷】명〖철〗①개념과 개념 사이의 관계에 관한 판단. ②개념을 주사(主辭)로 하는 판단.

개노필라이트〔ganophyllite〕명〖광〗갈색의 주상 결정(柱狀結晶) 또는 인편상(鱗片狀)의 광물. 망간 및 알루미늄의 함수 규산염(含水珪酸塩)으로 되어 있음. 광엽석(光葉石).

개:-느삼 명〖식〗[*Echinosophora koreensis*] 콩과에 속하는 낙엽 활엽 관목. 잎은 우상 복생(羽狀複生)하고 소엽(小葉)은 긴 타원형을 이루는데 톱니가 없음. 5월에 노란 꽃이 총상(總狀) 화서로 피고, 9월에 염주상(念珠狀) 협과(莢果)를 맺음. 언덕이나 길가에 나는데, 강원도 양구(楊口) 및 평남 맹산(孟山)·함남 북청(北靑) 등지에 분포하는 한국 특산종(特產種)임. 관상용.

개:다[1] 자 비나 눈이 그치고, 구름이나 안개가 흩어져서 날이 맑아지다. ¶ 날이 ～.

개:다[2] 타 가루나 덩이진 것에 물을 치면서 으깨어 풀어지게 하다.

개:다[3] 타 ①이부자리 같은 것을 개켜서 포개어 쌓다. ¶ 담요를 ～. ②↗개키다.

개:-다래 명 개다래나무의 열매. 먹기도 하고 약(藥)으로도 씀.

개:다래-나무 명〖식〗[*Actinidia polygama*] 다랫과에 속하는 낙엽 활엽 만목(蔓木). 잎은 넓은 달걀꼴인데 톱니가 있고 6-7월에 흰 오판화(五瓣花)가 1-3개 액생(腋生)하며, 긴 타원형의 장과(漿果)는 8-9월에 적황색으로 익음. 깊은 산의 숲 밑에 나는데, 충북을 제외한 한국 각지 및 일본·사할린·만주 등지에 분포함. 과실은 '개다래'라고 하며 약용 및 식용, 나무는 관상용인데 고양이가 이 나무의 잎·줄기·과실을 좋아함. 목료(木蓼). 목천료(木天蓼). 천료(天蓼).

〈개다래나무〉

개:-다리 명 ①개의 다리. ②〈속〉'권총'의 은어(隱語).

개:다리-밥상【—床】명 ☞개다리소반.

개:다리-상제【—喪制】명 상제가 예절(禮節)에 틀리는 행동을 할 때, '되지 못한 상제'라는 뜻으로 욕하는 말.

개:다리-소반【—小盤】명 네모 반듯하고 다리가 민틋한 막치로 만든 소반. 또, 상다리가 개다리처럼 구부러진 소반. 구족반(狗足盤). 개상반.

개:다리-질 명〈속〉①주책없이 얄밉게 하는 발질. ②방정맞고 치신없는 얄미운 짓. ——-하다 자여불

개:다리-참봉【—參奉】명〈속〉돈으로 참봉 벼슬을 사서 되지 못하게 거드름피우는 사람을 꼬집어 이르는 말.

개:다리-출신【—出身】[—씬] 명 총 놓는 기술로 무과(武科)에 과거(科擧)한 사람을 경멸하여 일컫는 말.

개:다리-헌함【—軒檻】명〖건〗난간(欄干)의 한 가지. 살을 곧게 하지 아니하고 구부정한 초엽(草葉)을 대어 난간의 상부(上部)가 기둥의 밖으로 벋어 나가게 한 것.

개단【開壇】명〖불교〗밀교(密敎)에서, 전법 관정(傳法灌頂)을 행하는 단(壇)을 베풀어 여는 일. 또, 전법 관정을 행하는 일. ——-하다 타여불

개단 혈관계【開端血管系】명〖생〗개방 혈관계(開放血管系).

개:-담배 명〖식〗[*Cyathocephalum schmidtii*] 국화과에 속하는 다년초. 줄기 높이 1m 내외이고 털이 없으며, 근생엽(根生葉)은 장병(長柄)에 달걀꼴을 이루는데, 타원형의 경엽(莖葉)은 무병(無柄)임. 8월에 노란 꽃이 길고 큰 총상(總狀) 화서로 핌. 산지에 나는데, 함북의 백두산에 분포함.

개답【開畓】명 논을 새로 만듦. 논을 새로 풂. 신(新)풀이. ——-하다 자타여불

개당[1] 명〈방〉개천(황해).

개당[2]【個當】명부 낱낱마다. 하나에. ¶ ～ 20원.

개당[3]【開堂】명〖불교〗①역경원(譯經院)에서 해마다 임금의 생일에 새 경전(經典)을 번역하여 성수(聖壽)를 축하하는 의식을 베풀기 전에, 신하들이 번역한 새 경전을 보는 일. ②선종(禪宗)에서, 새로운 주지(住持)가 절로 들어올 때, 법당(法堂)을 열어 설법(說法)함. ——-하다 자여불

개:-대황【—大黃】명〖식〗[*Rumex domesticus*] 마디풀과에 속하는 다년초. 줄기 높이 1m 가량, 근생엽(根生葉)은 총생(叢生)하고 장병(長柄)이며, 단병(短柄)의 경엽(莖葉)은 긴 타원상 피침형을 이룸. 6-7월에 엷은 홍록색 꽃이 이삭 모양으로 달리며 수과(瘦果)를 맺음. 산이나 들의 습지에 나는데, 거의 한국 전역에 분포함. 어린 잎은 식용함.

〈개대황〉

개더〔gather〕명 천을 꿰매어 그 실을 잡아 당겨 줄여서 낸 잔주름. 스커트나 요크 달린 곳 등에 쓰임.

개더 스커:트 명〔gathered skirt〕허리 치수에 맞게 허리 둘레 부분에 개더를 잡은 스커트.

개-데가리 명〈방〉감기(感氣)(경북).

개:-도[1]【介島】명〖지〗전라 남도의 서해상, 신안군(新安郡) 하의면(荷衣面) 후리(後里)에 위치한 섬. 다도해(多島海)의 나주 군도(羅州群島)에 속함. [1.11 km²]

개도[2]【開道】명 개로(開路)❶. ——-하다 자여불

개도[3]【開導】명 깨우치어 인도함. ——-하다 타여불

개:-도[4]【蓋島】명〖지〗전라 남도의 남해안, 여수시(麗水市) 화정면(華井面) 개도리(蓋島里)에 위치한 섬. [9.94 km²]

개도-국【開途國】명 ↗개발 도상국.

개:-도박 명〖식〗[*Pachymeniopsis lanceolata*] 홍조류(紅藻類)에 속한 수초(水草)의 하나. 높이는 30-60cm, 폭 7-15cm로, 긴 타원형 또는 원형(圓形)이며, 짙은 암백색(暗白色)인데 녹색 또는 황록색을 띠기도 함. 큰 것은 열편(裂片)으로 되며, 연한 혁질(革質)로, 점질(粘質)이 많음. 한국·일본에 분포함. 풀 제조에 쓰임.

개-도토리 명〈방〉도토리(경기).

개독【開櫝】명 제사 때에 신주의 독을 여는 일. 계독(啓櫝). ——-하다 타여불

개동[1]【開冬】명 ①초겨울. ②음력 '시월'의 이칭.

개동[2]【開東】명 ①먼동이 틈. ¶ ～시에 사람들과 그 나귀를 보내리라 《구약 창세기 XLIV : 3》. ②밝을녘. 새벽녘. ——-하다 자여불

개동 군령【開東軍令】[—굴—] 명 ①옛날 군대에서 이른 새벽에 내리던 행동 명령. ②새벽 일찍부터 하는 출동(出動)을 비유하는 말.

개:-동백나무【—冬柏—】명〈방〉〖식〗생강나무.

개:-돼지 명 ①개와 돼지. 또는 개나 돼지. ②'미련하고 못난 사람'의 비유. ¶ ～ 같은 놈.

개:두【蓋頭】명 ①가첨석(加檐石). ②너울[1]❶. ③〖역〗조선 때의 상복(喪服)의 한 가지. 국상(國喪) 때에 왕비(王妃) 이하 나인이 머리에 씀. 모양은 위는 뾰족하고 아래는 넓게 푸른 대로 둥근 테를 만들어 흰 명주로 안을 바르고, 테 위에 베를 씌우고, 꼭대기에 베로 만든 꽃 세 개를 포개어 붙임. 여립모(女笠帽). ④다리를 많이 넣어서 틀어 얹은 부인의 머리. 「여불

개:-두량【改斗量】명 한번 한 마되질을 다시 고치어 함. ——-하다 타

개:-두릅 명 엄나무 가지에서 새로 나온 순. 나물을 만들어 먹음.

개:두릅-나무 명〈방〉〖식〗엄나무. 「어 먹음.

개:두릅 나물 명 개두릅으로 만든 나물. 삶아서 쓴맛을 우려내고 무치

개:두-채【芥頭菜】명 겨자의 뿌리를 잘라 배추와 함께 절이어 무친 나물.

개:두-포【蓋頭布·蓋頭袍】명〖천주교〗사제(司祭)가 미사(彌撒) 때에 제의(祭衣) 밑에 목이나 어깨에 걸치는 긴 네모꼴의 흰 아마포(亞麻布). 처음에는 머리에 썼음.

개:두 환:면【改頭換面】명 일의 근본을 고치지 아니하고 사람만 갈아서 그대로 시킴. ——-하다 타여불

개듁나모 명〈옛〉가죽나무[2]. ¶ 개듁나모(臭椿樹)《譯語 下 42》.

개듕나모 명〈옛〉가죽나무[2]. ¶ 개듕나모 뎌(樗)《字會 上 10》.

개드랑 명〈방〉겨드랑이(전남).

개:-들쭉 명〖식〗[*Lonicera caerulea* var. *emphyllocalyx*] 인동과에 속하는 낙엽 활엽 관목. 줄기 높이 1m 가량이고, 잎은 달걀꼴 또는 긴 타원형을 이루며, 짧은 잎꼭지가 달림. 봄과 초여름에 흰빛을 띤 꽃이 쌍으로 피고, 장과(漿果)는 8월에 파랗게 익으나 맛이 들쭉만 못함. 고산(高山) 및 고원(高原) 지대에 나는데, 강원·함남·함북 등지에 야생하고 일본에도 분포함. 과실은 식용함.

〈개들쭉〉

개-때가리 명〈방〉감기(感氣)(경남).

개:-떡 명 노깨나 메밀 속나깨 또는 거친 보리 싸라기 등을 반죽하여 납작납작한 반대기를 지어 밥 위에다 얹어 찐 떡.

개:떡-같다 형 ①쉽다. 보잘것없다. ②하잘것 없다. 신통하지 아니하다. ¶ 개떡같은 자식.

개:떡-같이 [—가치] 부 개떡같게. ¶ 씨름에 ～ 지다/ ～ 여기다.

개:떡-수제비 명 노깨로 만든 수제비.

개:-똥 명 ①개의 똥. 견분(犬糞). ②〈비〉보잘것없고 천(賤)한 것.

【개똥도 약에 쓰려면 없다】아무리 흔한 것일지라도 정작 소용이 있어서 찾으면 없다는 말. 【개똥이 무서워 피하나, 더러워 피하지】'똥이 무서워 피하나, 더러워 피하지'와 같은 뜻.

개:똥도 모른다 구 개똥같이 천하고 흔한 것도 모른다. 아무것도 모른다.

개:똥-갈이 명〖농〗개똥 거름을 주어 밭을 가는 일. ——-하다 타여불

개:똥-나무 명〈방〉〖식〗누리장나무.

개똥-바리 명〈방〉〖충〗개똥벌레(경기).

개:똥-밭 명 ①땅이 건 밭. ②개똥이 많이 있는 더러운 곳.

【개똥밭에 굴러도 이승이 좋다】고생스럽고 천하게 살더라도 죽는 것보다는 사는 것이 낫다는 말. 【개똥밭에 이슬 내릴 때가 있다】아무리 천하고 가난한 사람일지라도 행운을 만날 날이 있다는 말. 【개똥밭에 인물(人物) 난다】지체가 낮고 빈한(貧寒)한 집안에서 호걸(豪傑)이 난다는 말. 개천에서 용(龍) 난다.

개:똥-버러지 명 〈방〉 〖충〗 개똥벌레(충북).

개:똥-번역【一飜譯】명 〈비〉 ①중역(重譯). ②신통하지 않은 번역.

개:똥-벌 명 〈방〉 〖충〗 개똥벌레(강원·전북).

개:똥-벌가지 명 〈방〉 〖충〗 개똥벌레(전남).

개:똥-벌갱이 명 〈방〉 〖충〗 개똥벌레(경남).

개:똥-벌거지 명 〈방〉 〖충〗 개똥벌레(충청·전라·경상·함남).

개:똥-벌게 명 〈방〉 〖충〗 개똥벌레(경북).

개:똥-벌게이 명 〈방〉 〖충〗 개똥벌레(경북).

개:똥-벌겡이 명 〈방〉 〖충〗 개똥벌레(경상).

개:똥-벌기 명 〈방〉 〖충〗 개똥벌레(강원·경북).

개:똥-벌레 명 〖충〗 반딧불이.

개:똥벌렛-과【一科】명 〖충〗 반딧불잇과(科).

개:똥-불 명 〈방〉 반딧불(전라·함남).

개:똥 불상놈【一常一】명 '불상놈'을 더욱 더럽게 이르는 말.

개:똥-상놈【一常一】명 〈비〉 ①말이나 행동이 아주 버릇없고 더러운 상놈. 행실이 고약한 상놈. ②지극히 지체가 낮은 상놈.

개:똥-쑥 명 〖식〗 [*Artemisia annua*] 국화과에 속하는 일년초. 특이한 냄새가 있는데 줄기는 높이 60-90cm, 잎은 호생하며 2-3회 우상(羽狀)으로 깊이 째지고 열편(裂片)은 피침형을 이룸. 6-8월에 녹황색 꽃이 원추(圓錐) 화서로 핌. 길가·들·냇가에 나는데, 제주·경기·평북 및 아시아·유럽에 널리 분포함.

〈개똥쑥〉

개:똥-지빠귀 명 〖조〗 [*Turdus naumanni eunomus*] 지빠귓과에 속하는 새. 날개 길이 12-14cm, 꽁지 길이는 8-10cm 가량임. 배면(背面)은 흑갈색이고 복면(腹面)은 백색, 옆구리에는 흑갈색의 삼각형 반점(斑點)이 많으며 얼굴에는 황백색의 미반(眉斑)이 있는데, 암컷은 수컷보다 검음. 약간 긴 부리는 끝이 굽었으며 작은 각치(刻齒)가 있음. 다리가 길어 부척(跗蹠)은 2.9-3.4cm나 됨. 10-11월에 떼를 지어 도래(渡來)하여 겨울에는 낮은 산·평지·밭·풀밭 등에서 살며 다른 새의 울음 소리를 흉내냄. 곤충·식물의 씨 등을 먹음. 가을에 그물로 잡는데 맛이 좋음. 동부 시베리아·사할린에서 번식하고, 한국·일본·중국·몽고 등지에서 월동함. 개똥티티. 티티새. 백설조(百舌鳥). ㊤지빠귀.

〈개똥지빠귀〉

개:똥-참외 명 길가에나 들 같은 데 저절로 자라서 열린 참외. 흔히, 거름에 섞인 참외 씨가 저절로 난 것인데, 보통 참외보다 작고 맛이 없음. 【개똥참외는 먼저 맡는 이가 임자라】 임자 없는 물건은 먼저 발견하는 사람의 것이라는 말.

개:똥-티티 명 〖조〗 개똥지빠귀.

개:똥-파:리 명 〈방〉 〖충〗 개똥벌레(황해).

개-뚝 명 〈방〉 둑²❶(경기).

개:뚱-벌거지 명 〈방〉 〖충〗 개똥벌레(경상).

개-뚱천 명 〈방〉 둑²❶(경남).

개:-띠 명 〖민〗 '술생(戌生)'을 개의 속성(屬性)의 상징으로 일컫는 말.

개:라【疥癩】명 〖의〗 나병(癩病).

개락【開落】명 꽃이 피고 떨어짐. 개사(開謝). ――-하다 자여불

개란 명 〈방〉 계란(전남·경남).

개란 탄:전【開灤炭田】명 〖지〗 카이롼 탄전.

개랄 명 〈방〉 계란(경상).

개랍다 형 〈방〉 가렵다(전라·경북).

개:략【槪略】명 대강 추려 줄임. 또, 그 추려 줄인 것. 개요(槪要). 대요(大要). ¶ ～을 말하다. ――-하다 타여불

개:략 순:서도【槪略順序圖】명 [general flowchart] 〖컴퓨터〗 프로그램이나 시스템의 주된 기능 또는 구성 등을 개략적으로 나타낸 순서도.

개:략-적【槪略的】명관 대충 추려 간략하게 개괄한 모양. ¶ ～ 설명.

개:량¹【改良】명 나쁜 점을 고치어 좋게 함. 개선(改善). ¶ 품종 ～/～종(種). ――-하다 타여불

개:량²【改量】명 다시 고치어 측량(測量)함. ――-하다 타여불

개:량 간장【改良一醬】명 재래식의 간장에 대하여, 된장과 연관없이 만든 진간장을 일컫는 말.

개량개량-하다 형 〈방〉 가량가량하다.

개:량 된:장【改良一醬】명 간장과 겸두된 재래식의 된장에 대하여, 콩·밀을 쪄 곰팡이를 피운 다음, 3개월 가량 발효시켜서 만든 된장.

개량-맞다 형 〈방〉 가량스럽다.

개:량 목로【改良木壚】[一노] 명 재래(在來)의 식(式)을 개량한 선술집.

개:량 목재【改良木材】명 천연(天然)의 목재에 어떤 기계적·화학적 처리를 한 목재 재료의 총칭. 합판·방부(防腐) 목재·방화(防火) 목재·섬유판(纖維板) 등이 있음.

개:량 변소【改良便所】명 위생상 여러 가지로 개량된, 재래식 변소. 분뇨통(糞尿桶)에 칸막이를 하여 공기의 유통을 막고, 썩어서 액화된 것을 퍼내도록 함으로써, 세균·기생충의 사멸(死滅)을 꾀함. ↔재거식 변소·수세식 변소. 「옷.

개:량-복【改良服】명 재래(在來)의 모양을 개량하여 지은 신형(新型)의

개:량-비【改良費】명 일이나 물건을 개량하는 데 드는 비용.

개:량 삼포식【改良三圃式】명 〖농〗 지력(地力)의 저하를 막고 합리적인 영농을 기하기 위하여, 재래의 삼포식에서는 휴한지(休閑地)로 두던 땅에 녹비(綠肥) 식물을 심는 농법(農法).

개:량 서당【改良書堂】명 20세기 초부터 일제 중반경까지에, 재래(在來)의 서당을 시대에 맞게 개조한 서당. 50-60명의 학생을 수용할 수 있도록 하고, 신구(新舊) 학문을 겸하여 아는 사람으로 교사를 삼으며, 한문 교육 위주에서 벗어나 국어·산술·지리·역사 등도 가르침.

개:량-섶【改良一】명 〖농〗 누에를 올리는 섶의 하나. 싸릿대·볏짚 등을 재료로 하여 병풍처럼 접을 수 있게 만듦. 개량족(改良簇).

개:량-식【改良式】명 개량된 방식. ↔재래식.

개:량 아궁이【改良一】명 ①쇠붙이로 만든 문을 달아 여닫게 한 아궁이. ②재래식을 개량한 아궁이.

개:량-저【改良苧】명 무명실로 모시처럼 짠 여름 옷감.

개량-조개 명 〖조개〗 [*Mactra chinensis*] 개량조갯과에 속하는 조개. 겉모양은 대합과 비슷한데, 길이 약 80mm, 높이 60mm, 폭 40mm 내외임. 겉에는 굵은 윤맥(輪脈)이 있고 또 몇 개의 황갈색의 방사대(放射帶)가 있으며, 안쪽은 흼. 발은 길고 주홍색이며 구부러졌는데 지면을 차고 뜀. 4-5월에 알을 낳는데 비교적 염도(塩度)가 높은 10-20m 깊이의 바다 속 모래펄 진흙에 삶. 태평양 연해 및 우리 나라·일본 등지에 분포함. 명주조개.

〈개량조개〉

개량조갯-과【一科】명 〖조개〗 [Mactridae] 진정 판새류(眞正瓣鰓類)에 속하는 조개의 한 과.

개:량-족【改良簇】명 〖농〗 개량섶.

개:량-종【改良種】명 품질 개량에 의하여 육성된 가축·작물 등의 신품종. 육성종(育成種). ↔재래종.

개:량 종자【改良種子】명 재래종과 달리 품질이 고르고 수확량이 많으며, 그런 성질이 1,2년에 쉽사리 변하지 않도록 품종 개량을 한 종자.

개:량-주의【改良主義】[一/一이] 명 ①〖사〗 자본주의 사회의 폐해를 국가의 힘으로써 조정(調整)하려는 주의. ②〖경〗 현재의 자본주의 사회를 기초로 하되, 그 제도의 범위 안에서 점진적·부분적으로 자본주의의 폐해를 제거하여 노동자 계급의 생활 상태를 개선하고 여러 가지 사회 문제를 해결하려는 주의. 점진적 사회주의.

개:량-책【改良策】명 나쁜 점을 고치어 좋게 하려는 방안(方案).

개:량-품【改良品】명 재래(在來)의 품질·성능 등을 개량한 물품.

개:량 행위【改良行爲】명 법률 상의 관리(管理) 행위의 한 가지. 물건 또는 권리의 성질을 변경하지 않는 범위 안에서 그 가치를 증가시키는 행위. 황무지를 비옥한 땅으로 만드는 것이 그 일례임.

개:량형 가스 냉:각로【改良型一冷却爐】[一노] 명 [advanced gas-cooled reactor; A.G.R.] 이산화 탄소 냉각형의 발전용 원자로를 개량, 연료로 농축(濃縮) 우라늄을 사용하고 열효율을 높인 원자로의 하나. 1기(基)로써 60만kW 정도까지 낼 수 있음.

개런드 소:총【一小銃】명 [Garand rifle: 1939년에 설계한 미국의 발명가 John C. Garand의 이름에 유래] 〖군〗 M1 소총의 딴이름.

개런티: [guarantee] 명 ①보증(保證). 보증인. ②출연 사례금(出演謝禮金). 예능 관계자의, 미리 계약된 출연료(出演料).

개럽다 형 〈방〉 가렵다(강원·전남).

개:력【改曆】명 ①역법(曆法)을 고침. ②묵은 해를 보내고 새해를 맞이함. 환세(換歲). ――-하다¹ 자여불

개력-하다² 자여불 산천이 무너지고 변하여 옛 모양이 없어지다. 가력되다.

개:-련【一蓮】명 〖식〗 →개연¹.

개렬【開裂】명 →개열.

개:렴【改殮】명 다시 고쳐 염을 함. ――-하다 타여불

개렵다 형 〈방〉 가렵다(경기·강원·충북·전라·경북).

개:령【改令】명 한 번 내린 명령을 다시 고치어 내림. ――-하다 타여불

개령 민란【開寧民亂】[一밀一] 명 〖역〗 조선 철종(哲宗) 13년(1862)에 경상도 개령(開寧)에서 현감(縣監) 김후근(金厚根)의 탐학(貪虐)에 항거하여 일어난 농민 봉기(農民烽起).

개로¹【皆勞】명 모든 사람이 일함. ――-하다 자여불

개로²【開路】명 ①길을 틈. 개도(開道). ②무슨 일을 새로 하기 시작함. ――-하다 자여불

개로³【開爐】명 〖불교〗 선종(禪宗)의 절에서, 매년 음력 10월 1일부터 실내의 난로를 열어 놓는 일. ――-하다 자여불

개:로-왕【蓋鹵王】명 〖사람〗 백제 제21대 왕. 일명 근개루(近蓋婁). 휘(諱)는 경사(慶司). 비유왕(毗有王)의 맏아들. 472년 위(魏)나라에 고구려 토벌의 원군(援軍)을 청하였으나 실패하고, 고구려의 간첩인 중 도림(道琳)의 계책에 빠져 토목 공사로 국고를 탕진하고, 동왕 21년(475) 고구려 장수왕(長壽王)의 공격을 받아 왕도(王都) 한성(漢城)이 함락하자 적군에게 잡혀 죽음. 근개루왕(近蓋婁王). [?-475; 재위 455-475]

개:론【槪論】명 전체의 내용을 추려서 대강 논술(論述)함. 요약하여 논술함. 또, 그와 같이 개괄(槪括)·논술한 것. 주로, 어떤 학문의 대요(大要)를 개설한 것을 일컬음. ¶ 국문학 ～. ――-하다 타여불

개롭다 형 〈방〉 가렵다(강원·전남).

개:루-왕【蓋婁王】명 〖사람〗 백제의 제4대 왕. 기루왕(己婁王)의 아들. 132년에 북한산성(北漢山城)을 쌓았음. 165년 신라의 모반자 아찬(阿飡) 길선(吉宣)의 망명을 받아들인 뒤로 신라와의 사이가 나빠짐. [재위 128-166]

개룹다 형 〈방〉 가렵다(강원·경북).

개:르다 형르불 ↗개으르다. <게르다.

개:름 명 ↗개으름. <게름.

개:름-뱅이 명 ↗개으름뱅이. <게름뱅이.

개:름-쟁이 명 ↗개으름쟁이. <게름쟁이.

개릅다 형 〈방〉 가렵다(강원·경북).

개리 명〖조〗[*Anser cygnoid*] 오릿과에 속하는 새. 기러기만한데, 편 날개 길이 140cm 가량이고, 안면의 상반부와 머리에서 목뒤까지는 적갈색이며 그 아래는 백색임. 등은 갈색, 가슴은 황회색, 부리는 검고, 다리는 황색임. 동부 시베리아·사할린 등지에서 번식하고 만주·몽고·중국·일본에서 월동함. 개펄이나 논밭에 살며, 풀·조개 등을 먹음. 중국산 거위의 원조(元祖)임.

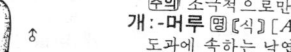

〈개리〉

개리다[1] 타〈방〉고르다(경북).

개리다[2] 타〈방〉가르다(전남).

개리-새 명〈방〉〖조〗저어새.

개리 위치【開離位置】명〖악〗'벌린자리'의 한자 이름.

개리치다 타〈방〉가르치다(경남).

개리 화성【開離和聲】명〖악〗'벌린화성'의 한자 이름.

개릭〔Garrick, David〕명〖사람〗영국의 배우(俳優)·극작가. 어려서부터 존슨(Johnson, J.)에게 배워 연극 혁신에 뜻을 두었음. 특히, 셰익스피어(Shakespeare, W.)의 비극에 능하고, 연기에 성격적 해석을 역점을 두어 최초의 성격 배우로 일컬어짐. 극작가로서는 반대로 희극이 많음. [1719-79]

개:린【介鱗】명 ①갑각(甲殼)과 비늘. ②조개와 물고기.

개:립[1]【介立】명 ①혼자의 힘으로 일을 함. ②두 사물의 사이에 끼어 섬. ——하다 자여불

개립[2]【開立】명 ①〖수〗↗개입방(開立方). ②열어서 세움. 창립(創立)함. ——하다 타여불

개:립[3]【蓋笠】명 머리에 쓰는 삿갓.

개립-법【開立法】명〖수〗↗개입방법(開立方法).

개:마【介馬·鎧馬】명 갑옷을 입힌 말. 무장한 말.

개:마 고원【蓋馬高原】명〖지〗한국의 북부 백두산(白頭山)의 남서쪽, 함경 남북도와 평안 남북도 일대에 걸쳐 전개되는 고원. 북쪽에 완경사(緩傾斜), 남쪽에는 급경사면(急傾斜面)을 가진 한 개의 경동 지괴(傾動地塊)로서, 제4기에 분출된 현무암(玄武岩)으로 이루어진 약 4만km² 의 용암 대지(熔岩臺地)임. 개마 대지(臺地).

개:마 대지【蓋馬臺地】명〖지〗개마 고원.

개:-마디풀 명〖식〗[*Polygonum equisetiforme*] 마디풀과에 속하는 일년초. 줄기 높이 45cm 내외이며, 잎은 호생하고 무병(無柄)인데, 선형(線形) 또는 선상 피침형을 이룸. 꽃은 총상(總狀) 화서로 피고 수과(瘦果)를 맺음. 시베리아 원산의 귀화 식물(歸化植物)로 해변에 나는데, 인천시 주안(朱安)에 분포함.

개마리 명〈방〉〖광〗엄마리.

개:마-총【鎧馬塚】명〖역〗평안 남도 대동군(大同郡) 시족면(柴足面) 노산리(魯山里) 대성산(大城山) 기슭에 있는 고구려 때의 고분(古墳). 사신도(四神圖)와 행렬도(行列圖) 등의 그림이 있는데 행렬도에는 총주착개마지상(冢主着鎧馬之像)이라는 글씨가 있음.

개막【開幕】명 ①연극·음악회 같은 것을 시작할 때 무대의 막을 올리거나 엶. 연기(演技)·연주(演奏)가 시작됨. 연기·연주를 시작함. ②무슨 일을 시작함. 무슨 일이 시작됨. ¶ 체육 대회 ～. 1)·2):↔폐막(閉幕). ——하다 자타여불

개막-극【開幕劇】명 본극(本劇)이 시작되기 전에 하는 짧은 극. 커튼 레이저(curtain raiser).

개막-식【開幕式】명 행사를 시작하는 의식. ↔폐막식.

개만【箇滿】명〈이두〉임기가 만료됨. 고만(考滿).

개:-맛 명〖조개〗①[*Lingula unguis*] 완족강(腕足綱) 개맛과에 속하는 촉수(觸手) 동물의 하나. 2개의 긴 사각형 각피(殼皮)에 싸인 부분과 좁고 길게 내민 육질(肉質)의 발로 됨. 껍데기는 암녹색, 몸길이는 10cm 정도임. 발 부분을 내만(內灣) 등 얕은 바다의 사니질(砂泥質) 바닥에 잠입시켜 삶. 고생대(古生代) 이래 모양이 거의 같아서 살아 있는 화석(化石)의 한 예임. ②〈방〉긴맛.

개:-망나니 명 하는 짓이나 성질이 못된 사람을 욕으로 이르는 말.

개:-망신【一亡身】명 아주 심한 망신을 이르는 말. ——하다 자여불

개:-망초 명〖식〗[*Erigeron annuus*] 국화과에 속하는 월년초. 줄기 높이 30-60cm이고, 잎은 호생하며 피침형 내지 타원형인데 톱니가 있음. 6-7월에 백색 혹은 담자색의 두화(頭花)가 산방(繖房) 화서로 핌. 북미 원산(原産)의 귀화(歸化) 식물로 밭이나 길가에 나는데, 한국 각지 및 일본에 분포함. 어린 잎은 식용함. *망초.

〈개망초〉

개:-맥문동【一麥門冬】명〖식〗[*Liriope spicata*] 맥문아재빗과에 속하는 다년초. 줄기는 가늘고 높이 10-25cm 가량이며, 잎은 심녹색(深綠色)으로 총생(叢生)함. 5-7월에 담자색의 작은 꽃이 3-5개 총상(總狀) 화서로 피고, 직경 7mm정도의 장과(漿果)는 둥글고 검푸른 빛임. 산이나 들의 나무 그늘에 나는데, 거의 한국 각지에 분포함.

개:-맨드라미 명〖식〗[*Celosia argentea*] 비름과에 속하는 일년초. 줄기는 원주형이고 높이 80cm 가량임. 잎은 호생하며 달걀꼴 또는 피침형임. 8월에 엷은 홍색 꽃이 수상(穗狀) 화서로 정생(頂生) 또는 액출(腋出)함. 과실은 개과(蓋果)인데, 씨는 '강남조' 또는 '청상자(靑葙子)'라 하여 약용으로 쓰임. 제주·전남·전북·경남 및 일본에 분포함. 관상용임. 야계관(野鷄冠). 청상(靑葙).

〈개맨드라미〉

개맹이 명 똘똘한 기운. ¶～가 풀어지다/～가 없다.

주의 소극적으로만 씀.

개:-머루 명〖식〗[*Ampelopsis brevipedunculata*] 포도과에 속하는 낙엽 활엽 만목(蔓木). 잎은 원심형(圓心形)인데, 장병(長柄)이고 3-5갈래로 째지며 열편(裂片)은 달걀꼴임. 여름에 녹색의 꽃이 산방(繖房) 화서로 잎에 대생하여 피고, 장과(漿果)는 가을에 익음. 골짜기 및 개울가에 나는데, 충남북과 평남을 제외한 한국 각지 및 일본·사할린·대만·중국 등지에 분포함.

〈개머루〉

개:-머리 명 ①개의 머리. ②〖군〗총(銃)의 밑동을 이룬 넓적한 나무 부분. 총개머리.

개:머리-판【一板】명〖군〗총의 개머리 밑바닥에 붙은 쇠판.

개:-머위 명〖식〗[*Petasites saxatile*] 국화과에 속하는 다년초. 줄기 높이 20cm 가량임. 장병(長柄)의 원신형(圓腎形) 잎이 근생(根生)함. 5-7월에 황백색의 두화(頭花)가 달리어 산방상(繖房狀) 화서로 피고, 수과(瘦果)를 맺음. 산지에 나는데, 강원·평남·함남·함북 등지에 분포함.

개:-먹 명 품질이 나쁜 먹. ↔참먹.

개-먹다 자 개개어서 닳아 끊어지게 되다. ¶끈이 ～.

개:멀 명〈방〉개암❶(함남).

개:면[1]【改免】명 고치어 면제(免除)함. ——하다 타여불

개면[2]【開綿】명 면사 방적(綿絲紡績)에 있어서 해면(解綿)·혼면(混綿) 다음에 면화(綿花)의 섬유를 펴서 짧은 섬유와 티끌을 제거(除去)해 냄. 또, 그 작업 과정. ——하다 자여불

개면-기【開綿機】명〖기〗방적 기계의 하나. 개면하는 데 쓰는 기계.

개:-면마【一綿馬】명〖식〗[*Matteuccia orientalis*] 고사릿과에 속하는 다년초. 높이 60-90cm이고, 잎은 총생(叢生)하며 일회 우상(一回羽狀)으로 째지고 열편(裂片)에는 톱니가 있음. 깃 모양의 자낭군(子囊群)은 익으면 흑갈색이 되며 안으로 말린 엽연(葉緣) 속에 덮임. 산이나 숲 속의 응달에 나는데, 한국 각지 및 일본 등지에 분포함.

〈개면마〉

개:명[1]【改名】명 이름을 고침. 또, 그 고친 이름. ¶～ 신고. ——하다 자여불

개명[2]【開明】명 ①사람의 지혜가 열리고 문화가 발달됨. *개화(開化). ②지식이 열리어 사물을 잘 이해함. ③지식 따위를 개발하여, 불분명한 점을 밝힘. ④해가 뜨는 곳. ——하다 자여불

개명-꾼【開明一】명 개명한 사람. 새 문명을 받아들인 사람.

개명-먹【開明一】명 향료(香料)를 섞어 먹통이나 병에 넣어 파는 먹물. 개명묵(開明墨).

개명-묵【開明墨】명 개명먹.

개명 세:대【開明世代】명 개명한 세상.

개명지-인【開明之人】명 개명한 사람.

개:모[1]【介母】명〖언〗개음(介音).

개모[2]【開毛】명 모사 방적(毛絲紡績)에 있어서, 세모 공정(洗毛工程) 다음에, 짐승의 털에서 불순물을 제거하고 각 섬유를 한 가닥씩 전개(展開)함. 또, 그 공정. ——하다 자여불

개:모[3]【概貌】명 대강의 겉모양.

개모-기【開毛機】명 소모(梳毛) 방적 공정에서, 엉킨 원모(原毛)를 풀고 흙이나 불순물을 제거하는 기계. 원통에 바늘이 돋아나게 만들었음.

개-모음【開母音】명〖언〗저모음(低母音).

개:-모시풀 명〖식〗[*Duretia platanifolia*] 쐐기풀과에 속하는 다년초. 줄기는 총생(叢生)하고 가운데가 비었으며 높이는 1m 이상임. 잎은 호생하며 장병(長柄)의 원형 또는 난원형임. 7-8월에 엷은 녹색의 자웅일가(雌雄一家)의 꽃이 수상(穗狀) 화서로 피고, 과실은 수과(瘦果)임. 산록이나 고랑에 나는데, 경기 및 황해도 장산곶 등지에 분포함.

개목【開目】명 눈이 열림. 눈이 떠 있음. 눈이 보이게 됨. ——하다 자여불

개목-사【開目寺】명〖불교〗경상 북도 안동시(安東市) 서후면(西後面) 대장리(臺庄里) 천등산(天燈山)에 있는 절. 고운사(孤雲寺)의 말사(末寺). 조선 초기의 건립으로 추정됨.

개무【皆無】명 전혀 없음. 조금도 없음. 전무(全無). 절무(絕無). ——하다 형여불

개-무치 명〈방〉호주머니(경남).

개문[1]【開門】명 ①〖민〗팔문(八門) 중의 길(吉)한 문의 하나. 구궁(九宮)의 육백(六白)이 본자리가 됨. ②문을 엶. ↔폐문(閉門). ¶～ 발차(發車). ——하다 자여불

개:문[2]【概聞】명 대강을 들음. ——하다 타여불

개문 납적【開門納賊】명 문을 열어 도둑이 들어오게 한다는 뜻으로, 제 스스로 화를 만드는 것을 비유하는 말. ——하다 자여불

개문 발차【開門發車】명 버스 등이 출입문을 연 채로 떠남.

개문-방【開門方】명〖민〗개문(開門)의 방위.

개문 영입【開門迎入】명 문을 열어 반가이 맞아들임. ——하다 자여불

개문 좌:부【開門左符】명〖역〗닫힌 도성(都城)의 성문(城門)을 긴급한 일로 열고자 할 때 쓰는 부험(符驗)의 왼쪽 반. 궁중(宮中)에 비치해 두었다가 비상시에 수문장(守門將)이 가진 우부(右符)와 맞춰 보고 문을 열게 됨.

개:물【個物】명〖철〗개체(個體)❷. ↔보편(普遍)❸.

개물 성무【開物成務】명 만물(萬物)의 뜻을 개통(開通)하여 천하의 사무(事務)를 성취함. ——하다 자여불

개:-물통이 명〖식〗[*Parietaria micrantha*] 쐐기풀과에 속하는 일년초. 줄기는 총생(叢生)하고 길이 40cm에 달함. 잎은 호생하며, 8월에 넓은 달걀꼴 또는 심장형(心臟形)의 녹색 꽃이 취산(聚繖) 화서로 액출

(腋出)함. 과실은 수과(瘦果). 산지의 음습지(陰濕地)에 나는데, 부전 고원(赴戰高原) 및 함북 등지에 분포함.

개:-물푸레나무 명 〖식〗 [*Maackia amurensis* var. *buergeri*] 콩과에 속하는 낙엽 활엽 교목. 잎은 기수 우상 복엽(奇數羽狀複葉)으로 난상(卵狀) 타원형임. 8월경에 황백색(黃白色)의 꽃이 총상(總狀) 화서로 피고, 10월경에 길이 10 cm쯤의 긴 타원형의 협과(莢果)가 익음. 경기도 및 일본에 분포함. 기구재(器具材)·농구용재(農具用材)·신탄재(薪炭材)로 쓰임.

〈개물푸레나무〉

개미[1] 명 연줄을 억세게 하기 위하여 먹이는 사기나 유리의 고운 가루를 부레풀에 탄 물질.

개미(를) 먹이다 구 연줄을 억세게 하기 위하여 개미를 연줄에 먹이다.

개:미[2] 명 〖충〗 개밋과에 속하는 곤충의 총칭. 종류가 많은데, 몸길이는 대개 5-15 mm 가량이고 몸빛은 흑색 또는 적갈색임. 허리가 몹시 가늘고 잘록하며, 실 같은 촉각(觸角)은 좀 구부정하고, 발은 세 쌍임. 대부분의 종류는 독침(毒針)이 없으며, 포름산(酸)을 방출함. 암컷을 '여왕(女王)개미'로 삼고, '수개미', '일개미'(불완전한 암컷임) 또는 '병정개미'로 구분되어 땅 속이나 썩은 나무 속에 집을 짓고 질서 있는 집단적 사회 생활을 함. 새로 우화(羽化)한 것에는 날개가 있는데, 이것을 '날개개미'라고 하며, 공중에 날아 올라가 교미 후에는 날개가 떨어져 나감. 대형(大形)의 여왕개미는 산란하고 체내의 지방질을 유충에 주어 포육(哺育)함. 이것이 자라서 몸이 작은 일개미가 되어 영소(營巢)·보육(保育)·먹이 채집·방위를 맡아 봄. 수개미는 촉각이 길고 복안(複眼)이 크며 생식(生殖)을 맡아 봄. 수정란(受精卵)은 암컷이 되는데 영양 급식(給食)이 좋으면 여왕개미가 되고 급식이 나쁘면 일개미가 됨. 또, 미(未)수정란은 수개미가 됨. *흰개미.

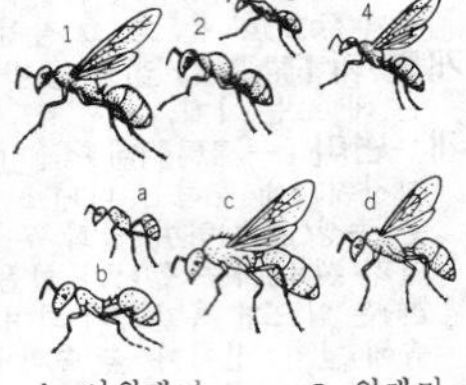

1. 여왕개미	a. 일개미
2. 큰일개미	b. 병정개미
3. 작은일개미	c. 여왕개미
4. 수개미	d. 수개미

〈개미²〉

[개미가 거둥하면 비가 온다] 개미 떼가 많이 길가에 쏟아져 나오면, 비가 온다는 말. [개미가 절구통 물고 나간다] 약하고 작은 사람이 힘이 겨운 큰 일을 하거나 무거운 것을 가지고 간다는 말. [개미가 정자나무 건드린다] 미약한 자가 큰 세력에 맞서서 덤빔을 이르는 말. [개미 금탑(金塔) 모으듯 한다] 부지런히 재물 같은 것을 조금씩 조금씩 모음을 이르는 말. [개미는 작아도 탑을 쌓는다] 보잘 것없고 힘없는 자라도 꾸준히 노력하고 정성을 들여 애쓰면 훌륭한 일을 이룰 수 있다는 말. [개미 메 나르듯] 극히 적게 운반하나 나중에는 많이 쌓인다는 말. [개미 쳇바퀴 돌듯 한다] 뱅뱅 돌아서 항상 제자리로 돌아온다는 뜻으로, 아무 진보가 없다는 말. 또, 끝간데를 모름을 가리키는 말. [개미 한 잔등이만큼 걸린다] 개미의 잔등이 하나만큼이니 극히 적게 걸린다는 뜻.

개:미 새끼 하나 볼 수 없:다 구 사람은커녕 개미 새끼도 찾아볼 수 없다. ¶읍내는 빈터에 찬 재뿐이요, 촌가는 강계대 병정이 와서 폭민(暴民) 수색하는 통에 다 달아나고 개미 새끼 하나 볼 수 없으니 군수의 거취를 물어 볼 곳도 없는지라≪崔瓚植:秋月色≫.

개:미 새끼 한 마리 얼씬도 못:한다 구 개미 새끼조차 얼씬 못 할 정도로, 경계가 삼엄하거나, 출입·접근이 엄격히 금지되어 있다.

개:미[3] 명 〈방〉 개암❶(경북·황해·함남).

개미[4] 【開眉】 명 근심을 푸는 일. 안심을 하는 일.

개:미 구멍 명 ①개미가 뚫은 구멍. 의공(蟻孔). ②개미집.

[개미 구멍으로 공든 탑 무너진다] 조그마한 실수나 방심으로 큰 일이 깨짐을 이르는 말.

개:미 군단 【—軍團】 명 증권 시장에서, 수많은 영세 투자가(零細投資家)의 무리. *큰손.

개:미-굴 【—窟】 명 개미집에 뚫린 굴. 의혈(蟻穴).

개:미-귀신 【—鬼神】 명 〖충〗 명주잠자리의 유충. 몸길이 1cm 가량이며, 몸빛은 회갈색으로 보통 진흙을 뒤집어 쓰고 있음. '개미 지옥'을 파고 그 밑에 숨어 있다가 미끄러져 떨어지는 개미나 다른 곤충을 집게 모양으로 생긴 턱으로 잡아먹음.

〈개미귀신〉

개:-미나리 명 〖식〗 [*Oenanthe javanica* var. *japonica*] 미나릿과에 속하는 다년초. 미나리와 비슷한데, 꼭대기의 작은 잎이 잘게 갈라진 것이 특징임. 제주도에 분포함.

개:미-누에 명 알에서 갓 깨어난 누에. 의잠(蟻蠶). 털누에.

개:미 동:물 【—動物】 명 〖동〗 개미집의 안 또는 밖에 살며, 개미와 밀접한 관계를 가지는 동물. 곤충을 비롯하여, 거미류·진드기류·갑각류 등 2,000여 종 이상이 있는데, 개미를 잡아먹는 동물, 공생(共生) 관계를 가지는 기식(寄食) 동물, 기생(寄生) 동물 등으로 나뉨. 부전나비의 유충·반날개·진딧물·깍지벌레 따위가 이에 속함. *개미식물.

개:미-떼 명 개미들의 떼. 의군(蟻軍).

개:미떼-같다 형 수없이 많은 사람이 모여 있다.

개:미떼-같이 [—가치] 부 개미떼처럼.

개:미-반날개 【—半—】 명 〖충〗 [*Paederus parallelus*] 반날갯과에 속하는 곤충. 몸길이 8 mm 가량이고 두부(頭部)는 흑색, 전흉(前胸)은 황갈색, 중흉(中胸)과 후흉(後胸)은 흑갈색임. 시초(翅鞘)는 암청색, 복부는 황갈색이며 미단(尾端)의 두 마디는 흑갈색이고, 온몸에 광택이 남. 한국·일본·사할린 등지에 분포함.

〈개미반날개〉

개:미벌-과 【—科】 [—꽈] 명 〖충〗 [Mutillidae] 벌목에 속하는 한 과. 소형 또는 대형이 있고 몸길이 3-30 mm임. 몸에는 백색·황색·황금색·등황색·선적색의 털이 밀생하는데 털이 없는 종류도 있음. 수컷은 날개가 있으나 암컷은 없음. 모양이 개미와 비슷하나 벌처럼 산란관(産卵管)으로 쏨. 암컷의 다리는 굵고, 땅을 파기에 적합함. 유충은 다른 벌·파리류의 유충에 기생함. 무더운 황무지에 많음. 미카도개미벌 등이 이에 속하는데, 전세계에 3,000여 종이 분포함.

개:미-붙이 [—부치] 명 〖충〗 [*Thanasimus nigricollis*] 개미붙잇과에 속하는 곤충. 몸은 검고, 앞 등과 날개 밑은 붉으며, 겉날개에 흰 털이 나고, 배는 적갈색임. 나무굼벵이 등을 잡아먹으므로 임업 상(林業上) 익충(益蟲)임. 유충은 다른 곤충의 알을 먹음. 한국·일본·중국 등지에 분포함. 팍공충(郭公蟲).

〈개미붙이〉

개:미붙잇-과 【—科】 [—부칟—] 명 〖충〗 [Cleridae] 딱정벌레목(目)에 속하는 한 과. 몸은 개미 비슷하여 미소(微小)하고 머리가 아래에 붙고 몸에 가는 털이 많이 있는 것이 특징임. 주로 열대(熱帶)에 2,500여 종이 분포함.

개:미사돈-과 【—査頓科】 [—꽈] 명 〖충〗 [Pselaphidae] 딱정벌레목(目)에 속하는 한 과. 몸은 미소(微小)하고, 촉각이 곤봉상(棍棒狀)임. 대부분이 수피(樹皮) 밑이나 이끼류 속에 서식함. 전세계에 3,000여 종이 분포함.

개:미-산 【—酸】 명 〖화〗 포름산. 의산(蟻酸).

개:미살이-좀벌 명 〖충〗 [*Stilbula cynipiformis*] 개미살이좀벌과에 속하는 곤충. 암컷의 몸길이 5-6 mm이고, 두부·흉부는 청람색을 띤 자색 광택이 남. 복병(腹柄)은 황갈색, 제1 복절은 흑색, 그 밖의 마디는 황갈색이며, 각 마디 후연은 흑갈색임. 불개미류의 유충에 기생하는데, 한국·일본에 분포함.

개:미살이좀벌-과 【—科】 [—꽈] 명 〖충〗 [Eucharitidae] 벌목(目)에 속하는 한 과. 중흉(中胸)이 등의 위쪽으로 융기(隆起)하고, 앞다리 경절(脛節)에 거극(距棘)이 있고, 후퇴절(後腿節)은 굵지 않음. 개미류에 기생하는데, 열대 지방에 많이 분포함.

개:미-손님 명 개미집에서 개미의 어린 벌레를 잡아먹거나 개미가 흘리는 분비물을 핥아먹거나 하며 사는 곤충의 총칭.

개:미 식물 【—植物】 명 〖식〗 개미와 공생(共生) 관계를 가지는 식물. 식물은 먹이나 살 데를 주고, 개미는 그 식물의 해충을 막아 줌. 열대 지방에 많음. *개미 동물.

〈개미자리〉

개:미-자리 명 〖식〗 [*Sagina japonica*] 너도개미자릿과에 속하는 월년초(越年草). 줄기 높이 10 cm로 잎은 대생하고 무병(無柄)이며 선형(線形)임. 6-8월에 백색의 꽃이 줄기 끝에 한 송이씩 피며, 과실은 넓은 달걀꼴의 삭과(蒴果)임. 밭이나 길가에 나는데, 한국 각지에 분포함.

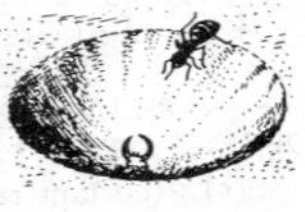

〈개미 지옥〉

개:미 지옥 【—地獄】 명 개미귀신이 마루 밑이나 양지바른 마른 모래땅에 파놓고 그 안에 숨어 있는 접시·깔때기 모양의 구멍. *명주잠자리.

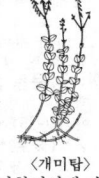

개:미-집 명 개미가 사는 굴. 포육실(哺育室)과 통로(通路)와 먹이를 저장하는 창고(倉庫)로 되어 있음. 의양(蟻壤). 개미 구멍.

개:미-취 명 〖식〗 [*Aster tataricus*] 국화과에 속하는 다년초. 줄기 높이 1.5-2 m로 근엽(根葉)은 총생(叢生)하며 긴 타원형임. 관모(冠毛)는 백색이고 7-10월에 가에는 벽자색(碧紫色), 가운데는 황색의 두화(頭花)가 산방상(繖房狀) 화서로 아름답게 핌. 산에 나는데, 한국 각지 및 일본에 분포함. 관상용이며, 뿌리는 약용, 어린 잎은 식용함. 반혼초(返魂草). 자완(紫菀). 탱알.

〈개미취〉

개:미-탑 【—塔】 명 〖식〗 [*Haloragis micrantha*] 개미탑과에 속하는 다년초. 줄기는 총생(叢生)하며 높이 10-25 cm이고 적갈색임. 잎은 대생하고 무병(無柄)이며 달걀꼴임. 7-8월에 황갈색 꽃이 원추상 수상(穗狀) 화서로 피고, 과실은 반들반들함. 산이나 들에 나는데, 한국 남부 및 일본·중국·오스트레일리아에 분포함.

〈개미탑〉

개:미탑-과 【—塔科】 명 〖식〗 [Haloragaceae] 이판화류(離瓣花類)에 속하는 한 과. 전세계에 120여 종이 분포하는데, 한국에는 개미탑·물수세미·선물수세미·이삭물수세미 등의 4종이 있음.

개:미-핥기 [—할끼] 명 〖동〗 [*Myrmecophaga jubata*] 개미핥깃과에 속하는 포유 동물의 하나. 몸길이는 긴 꼬리를 빼고 1.5 m 가량이며 머리는 길고 뾰족함. 이가 없고, 온몸이 회흑색(灰黑色)의 거친 털로 덮여 있으며, 목덜미에 검은 띠가 둘려 있고 어깨에는 흰 줄이 있음. 깊은 숲 속에 살면서 날카롭고 센 갈고리 모양의 앞발톱으로 개미집을 파 헤치고 기다란 혀를 날름거려 개미를 잡아먹음. 중부 및 남아메리카에 분포함. 앤티터(anteater).

〈개미핥기〉

개:미핥깃-과 【—科】 [—할낃—] 명 〖동〗 [Myrmecophagidae] 빈치류

개:별 신:문【個別訊問】명〖법〗증인이 여러 사람 있을 경우에, 저마다 개별적으로 떼어서 행하는 신문 방식.

개:별 심사【個別審査】명 개별적으로 하는 심사.

개:별 원가 계:산【個別原價計算】[—까—] 명〖경〗원가 요소를 종류·규격이 다른 특정한 제품마다 개별적으로 집계(集計)하기 위한 원가 계산 방식. 조선업(造船業)·건설업(建設業)·인쇄업·기계 공업 등에서 사용됨. ↔종합 원가 계산.

개:별 원가법【個別原價法】[—까뻡] 명〖경〗개별법(個別法).

개:별-적【個別的】[—쩍] 명관 다른 것과 관계없이 따로따로인 모양. ¶ ~인 지도/~ 구체적인 신문.

개:별 조사【個別調査】명 개별적으로 하는 조사.

개:별 조약【個別條約】명〖정〗특수(特殊) 조약.

개:별 중재 재판소【個別仲裁裁判所】명 국제 중재 재판소의 한 가지. 상설(常設) 기관이 아니고, 분쟁(紛爭)이 일어날 때마다 당사국간의 협의하에 설치되며 재판이 끝나면 곧 소멸(消滅)함. *국제 중재 재판소.

개:별 지도【個別指導】명〖교〗①피교육자의 개인적인 소질·성격·능력·환경에 따라 개별적으로 행하는 교육 지도. ②교육자와 피교육자가 1대 1의 관계에서 이루어지는 개인 지도.

개:별 지수【個別指數】명 한 종류의 수량의 변화를 나타내는 지수. 쌀 수확량(收穫量) 지수 따위. ↔종합(綜合) 지수.

개:별 진:급법【個別進級法】명〖교〗개인의 능력에 따라 개별적으로 진급시키는 방법.

개:별 화:물【個別貨物】명 1-5톤의 화물 자동차 1대를 가진 개인이 개별적으로 면허를 받아 일정 구역 안에서 영업 행위를 하는 운수업 형태.

개볍다 형〈방〉가볍다(경기·강원·충청·전북·경북).

개병【皆兵】명 전국민이 병역(兵役)의 의무를 갖는 일. ¶ 국민 ~.

개병-주의【皆兵主義】[—/—이] 명 모병(募兵) 방법에 있어서 개병을 취하는 주의.

개:-병풍【—屛風】명〖식〗[*Rodgersia tabularis*] 범의귓과에 속하는 다년초. 줄기 높이 1m 이상이고 짧은 극모(棘毛)가 있으며, 근생엽(根生葉)은 장병(長柄), 경엽(莖葉)은 단병(短柄), 탁엽(托葉)은 막질(膜質)임. 6-7월에 백색의 꽃이 원추(圓錐) 화서로 정생(頂生)하고, 삭과(蒴果)를 맺음. 깊은 산골짜기의 나무 그늘에 나는데, 한국 중부 이북 및 만주 등지에 분포함. 어린 잎은 식용하며, 관상용으로 재배함.

개:-보 명〈방〉〖건〗툇보.

개:보름-쇠기 명〖민〗정월 대보름날 개에게 먹을 것을 주면 파리가 많이 꾀며 개가 쇠약해진다는 속설로써 개를 굶기는 일. *개.

개:-보리뺑이 명〖식〗[*Lapsana apogonoides*] 꽃상춧과에 속하는 월년초(越年草). 줄기는 총생(叢生)하고 높이 약 10cm임. 근생엽(根生葉)은 총생하고, 경엽(莖葉)은 호생하는데 타원형이며 깃 모양으로 깊이 째져 머리 쪽이 큼. 두화(頭花)는 소원추 화수(疎圓錐花穗)로 모두 설상화(舌狀花)이며 황색으로 5-8월에 핌. 과실은 수과(瘦果)임. 논밭에 나는데, 제주·전남북 등지에 분포함.

〈개보리뺑이〉

개:-복[1]【—福】명〈비〉남의 식복(食福)을 욕으로 이르는 말.

개:복[2]【改服】명 ①〖역〗의식(儀式) 때에 관복(官服)을 바꾸어 입음. ②변복(變服). ——-하다 자 여불

개복[3]【開腹】명〖의〗수술을 하려고 배를 쨈. ——-하다 자 여불

개:복[4]【蓋覆】명 덮개를 덮음. 덮개로 덮음. ——-하다 자 여불

개복 수술【開腹手術】명〖의〗복강내(腹腔內)에 있는 기관(器官)의 수술 또는 복강내의 이물 제거(異物除去)를 위하여 복벽(腹壁)을 갈라 내는 수술. 개복술.

개복-술【開腹術】명〖의〗개복 수술.

개:복-실【改服室】명 옷을 갈아입는 방.

개:복-청【改服廳】명〖역〗의정(議政)의 집이나 감영도(監營道) 또는 각 고을에서, 의정이나 감사나 원을 만나려 하는 사람이 옷을 바꾸어 입는 곳. 헐소청(歇所廳).

개:-복치 명〖어〗[*Mola mola*] 개복칫과에 속하는 바닷물고기. 몸길이 180-400cm에 이르는 대어(大魚)로 몸은 난방형(卵方形)이고 납작한데, 눈과 꼬리는 그 모서리에 붙어 있음. 온 몸이 두꺼운 피부로 싸여 있고, 가시가 없으며 등지느러미·뒷지느러미·꼬리지느러미 등이 특이하므로 머리 없는 물고기처럼 보임. 몸빛은 등 쪽이 청색, 배 쪽이 회백색이며, 살은 희고 뼈는 단단함. 한국 동남해(포항·구룡포)·태평양 및 지중해에 널리 분포함. 대양(大洋)의 표층을 헤엄쳐 다님. 식용하나 맛이 좋지 아니함.

〈개복치〉

개:복칫-과【—科】명〖어〗[Molidae] 복어목(目)에 속하는 어류의 한 과. 물개복치와 개복치 등이 이 과에 속함.

개:-볼락 명〖어〗[*Sebastes pachycephalus*] 양볼락과에 속하는 바닷물고기. 몸길이 25-35cm이며, 몸빛은 암갈색 바탕에 배 쪽은 담색임. 배와 각 지느러미에 분명한 소흑점이 밀포되어 있는 것과, 등지느러미 기저(基底)와 체측에 모양이 일정하지 아니한 황금색 또는 적황색 반문을 갖춘 두 가지 종류가 있음. 배가 불룩하고 눈이 작으며 아래턱이 위턱보다 짧은 것이 특징임. 한국 중남부 및 일본 전연해에 분포하는데, 부산 근해에서는 1-2월경에 태생함. 식용함.

개봅다 형〈방〉가볍다(전남).

개:봉[1]【改封】명 ①봉한 것을 다시 고치어 봉함. ②제후(諸侯)의 영지(領地)를 바꾸어 봉함. ——-하다 타 여불

개봉[2]【開封】명 ①봉투 같은 것의 봉한 것을 떼어 엶. ¶ 서찰을 ~하다. *개서(開書). ②새로 만든 또는 새로 수입한 영화를 처음으로 상영함. ¶ ~ 박두(迫頭). ——-하다 타 여불

개봉[3]【開封】명〖지〗'카이펑'을 우리 음으로 읽은 이름.

개봉-관【開封館】명 개봉 영화만을 상영하는 일류 영화관.

개:-봉축【改封築】명 무덤의 봉분(封墳)을 고치어 쌓음. ——-하다 타 여불

개부【開府】명〖역〗관부(官府)를 열어 속관(屬官)을 둠. 한(漢)나라 때, 삼공(三公)에게 허용되었던 제도. ——-하다 자 여불

개-부심 명 장마에 큰물이 난 뒤, 한동안 쉬었다가 몰아서 한바탕 내리는 비가 명개를 부시어 냄. 또, 그 비. ——-하다 자 여불

개부 의동삼사【開府儀同三司】명〖역〗①중국 한(漢)나라 말기의 종일품(從一品)의 관명. 개부(開府)의 제도가 시작된 뒤, 삼공(三公) 곧 삼사(三司)와 같은 의제(儀制)를 인정받은 사람의 일컬음. ②고려 때의 문산계(文散階)의 하나로, 문관의 가장 높은 관계(官階). 성종(成宗) 14년(995)에 정한 것인데, 문종(文宗) 때 종일품으로 함. 그 뒤 이름이 여러 번 바뀌었는데, 충렬왕(忠烈王) 24년(1298)에는 숭록 대부(崇祿大夫)로, 34년(1308)에는 삼중 대광(三重大匡)으로 정일품, 공민왕(恭愍王) 5년(1356)에는 본이름으로 하여 정일품으로 올리고, 11년(1362)에는 벽상 삼한 삼중 대광(壁上三韓三重大匡)으로, 18년(1369)에는 특진보국 삼중 대광(特進輔國三重大匡)으로 고침.

개:-부표【改付標】명〖역〗한번 임금의 재가(裁可)를 받은 문서(文書)에 일부분을 고쳐야 할 점이 있을 때, 다시 재가를 받기 위하여 문서의 틀린 곳에 붙이는 누런 부전. ——-하다 자 여불

개:부-호【蓋付壺】명〖고고학〗뚜껑항아리.

개:분【慨憤】명 적에 대하여 분개함. ——-하다 자 여불

개분-하다 형〈방〉개운하다(전남·경남).

개:-불 명〖동〗[*Urechis unicinctus*] 개불과에 속하는 환형동물(環形動物). 몸길이는 10-30cm이고, 몸은 원통상(圓筒狀)이며 황갈색을 띰. 몸의 거죽에는 많은 유두상(乳頭狀)의 작은 돌기(突起)가 있음. 다모 환충(多毛環蟲)의 하나로, 구부(口部) 후방에 한 쌍의 강모(剛毛)와, 항문(肛門) 둘레에 9-13개의 강모가 있고 내장은 관상(管狀)임. 바다 밑의 모래 속에 'U'자 모양의 관(管)을 파고 삶. 일본의 태평양 연안에 분포함. 낚시의 미끼로 많이 씀.

〈개불〉

개:불-강【—綱】명〖동〗[Echiuroidea] 환형 동물(環形動物)에 속하는 한 강(綱). 몸은 원통상인데 체절(體節)은 분명하지 아니하고, 강모(剛毛)는 없으며, 환절기(環節器)는 생식 수관(生殖輸管)의 역할을 함. 자웅 이체(雌雄異體)인데, 바다 밑 모래 속이나 진흙 속에서 삶. 의충류(螠蟲類).

개:-불상놈【—常—】[—쌍—] 명〈비〉언행이 아주 고약하고 더러운 상놈. *불상놈.

개:불알-꽃 명〖식〗[*Cypripedium macranthum*] 난초과에 속하는 다년초. 줄기 30-50cm 가량이고, 잎은 끝이 반타원형이며 3-4개가 줄기를 싸고 호생함. 5-6월에 줄기 끝에 개의 불알 모양의 홍자색(紅紫色) 꽃이 한 개씩 늘어져서 피며, 주머니 모양의 순판(脣瓣)이 있음. 산이나 들에 나는데, 경남·경북·경기·황해·평북·함북·함남 및 일본 등지에 분포함. 관상용으로 심음.

〈개불알꽃〉

개:불알-풀 명〖식〗[*Veronica agrestis*] 현삼과에 속하는 일년초. 줄기 높이 25cm 내외이며 잎은 단병(短柄)으로 호생하고 둥근 달걀꼴임. 5-6월에 담홍자색 꽃이 하나씩 액출(腋出)하며, 삭과(蒴果)는 도심형(倒心形)임. 들이나 논밭에 나는데, 제주·전남·전북·경남 및 경북의 울릉도 등지에 분포함.

개:불탕 명〖불교〗←괘불탱(掛佛幀).

개붑다 형〈방〉가볍다. (경기·강원·충북·전라).

〈개불알풀〉

개비[1] ㊀명 가늘게 쪼갠 나무 토막의 조각. ¶ 장작~/~가 굵다. ㊁의명 쪼갠 나무 토막의 조각을 세는 단위. ¶ 한 ~ 두 ~.

개비[2] 명〖공〗[←개피(蓋皮)] 질그릇을 구울 때, 가마 문 앞에 놓아 그릇을 덮는 물건.

개비[3] 명〈방〉호주머니(전남).

개:비[4]【改備】명 갈아 내고 다시 장만하여 갖춤. ¶ 운동구를 ~하다. ——-하다 타 여불

개비[5]【開扉】명 ①사립짝을 엶. ②〖불교〗개장(開帳)[5] ❶. ——-하다 자 여불

개:-비름 명〖식〗[*Euxolus blitum*] 비름과에 속하는 일년초. 줄기는 연질(軟質)이고 높이 30cm 가량임. 잎은 호생하고 장병(長柄)이며, 능상(菱狀)의 달걀꼴임. 6-7월에 녹색의 잔 꽃이 수상(穗狀) 화서로 정생(頂生) 또는 액출하며, 포과(胞果)를 맺음. 논밭이나 길가에 나는데, 제주·전남·경북·강원·경기·함남 등지에 분포함. 어린 잎은 식용함.

개비-성【開鼻聲】명〖의〗날숨이 코로 빠져서 나는 「크흐 크흐」하는 소리.

개:-비자나무【—榧子—】명〖식〗[*Cephalotaxus koreana*] 개비자나뭇과에 속하는 상록 침엽 관목. 잎은 선형(線形)이고 양측이 백색이며 호생함. 4월에 둥근 꽃이 자웅 이가(雌雄二家)로 핌. 과실은 타원형인데 겉껍질은 육질(肉質)이며 10월에 붉게 익음. 나무 밑의 습지에 나는데, 경기·충북 이남에 분포함. 정원수로 심고 과실은 식용 또는 착유용(搾油用)임.

〈개비자나무〉

개:비자나뭇-과【一榧子一科】 명 〖식〗 [Cephalotaxaceae] 나자(裸子) 식물에 속하는 한 과. 개비자나무·눈개비자나무 등이 있음.

개빕다 형 〈방〉 가볍다(제주).

개빙【開氷】 명 빙고(氷庫)를 처음 엶. ——-하다 자 여불

개빙 사한제【開氷司寒祭】 명 〖역〗 개빙제.

개빙-제【開氷祭】 명 〖역〗 음력 2월에 빙고(氷庫)를 처음 열 때, 지내던 사한제(司寒祭). 개빙 사한제.

개빠닥 명 〈방〉 개¹(충남).

개뻘 명 〈방〉 개¹(충남·전북·경북).

개:-뿔 명 〈속〉 있으나 마나 한 것의 비유. ¶ ~도 없다. *쥐뿔.
개:뿔도 아니다 구 아무것도 아니다.

개뿔-딱지 명 〈방〉 감기(感氣)(충북).

개뿟-하다 형 여불 ☞ 가뿟하다.

개:사¹【介士】 명 ①갑옷을 입은 무사(武士). ②절개(節槪)가 굳은 사람. 기개(氣槪)가 있는 사람.

개사²【開士】 명 〖불교〗 〔법을 개시(開示)하여 중생(衆生)을 인도하는 이의 뜻〕 보살(菩薩).

개사³【開社】 명 ①회사(會社)를 처음으로 설립하고 엶. ②회사를 열어 그 날부터 업무(業務)를 개시(開始)함. ——-하다 자타 여불

개사⁴【開肆】 명 가게를 엶. ——-하다 자 여불

개사⁵【開謝】 명 꽃의 핌과 짐. 개락(開落). ——-하다 자 여불

개:사망-하다 자 여불 남이 뜻밖에 재수가 생기었을 때 욕하는 말.

개:-사상자【一蛇床子】 명 〖식〗 [*Caucalis scabra*] 미나릿과에 속하는 월년초(越年草). 줄기 높이 60cm 가량, 잎은 호생하며 막질(膜質)이고 재우상 세열(再羽狀細裂)로 앞뒤가 백색을 띰. 5-6월에 백색 또는 자색 꽃이 복산형(複繖形) 화서로 줄기 끝과 가지 끝에 정생(頂生)하며, 과실은 달걀꼴의 긴 타원형임. 들에 나는데, 제주·전남의 진도(珍島)·경남·경북 등지에 분포함.

개:사슴록-변【一鹿邊】 [一녹一] 명 한자(漢字) 부수(部首)의 하나. '狂'이나 '狩' 등의 '犭'의 이름.

〈개사철쑥〉

개:-사철쑥 명 〖식〗 [*Artemisia apiacea*] 국화과(科)에 속하는 월년초(越年草). 줄기 높이 1m 내외로 일종의 취기(臭氣)가 있음. 근생엽(根生葉)은 총생(叢生)하고 가늘게 째졌으며 열편(裂片)은 선형(線形)인데 경엽(莖葉)은 호생함. 8-9월에 줄기 끝·가지 끝에 황색 두화(頭花)가 원추상(圓錐狀)으로 배열하며, 편측생 총상 화서(偏側生總狀花序)로 핌. 들이나 개울가의 모래땅에 나는데, 제주·강원·경기·황해 등지에 분포함. 어린 잎은 식용함.

개:-사초【改莎草】 명 무덤의 떼를 갈아입힘. ——-하다 타 여불

개:삭【改槊】 명 〖역〗 나무못을 새것으로 갈아 박아서 목선(木船)을 수리함. ——-하다 타 여불

개:산¹【改刪】 명 잘못된 것을 고침. ——-하다 타 여불

개산²【開山】 명 〖불교〗 ①산을 열어 절을 처음으로 세움. 개기(開基). ②↗개산 조사(開山祖師). ——-하다 자타 여불

개:산³【概算】 명 ①〖수〗 '어림셈'의 구용어. 개계(概計). ②겉가량으로 어림쳐 잡은 수. 개수(概數). ——-하다 타 여불

개:산-급【概算給】 명 ①지급(支給) 금액이 결정되지 않았을 때, 나중에 정산(精算)하기로 하고, 대충 어림 액수를 지급하는 일. ②특히, 국가 또는 지방 자치 단체가 지출(支出) 금액이 미확정인 채무(債務)에 대하여 지급 의무가 확정되기 전에 어림셈으로 지급하는 일.

개산-기【開山忌】 명 〖불교〗 개산 조사(開山祖師)의 기일. 또, 그 날에 행하는 법회(法會).

개산-날【開山一】 명 〖불교〗 절을 처음으로 세운 날. 개산일.

개산-당【開山堂】 명 〖불교〗 개산 조사(開山祖師)의 초상(肖像)이나 위패(位牌)를 모신 당(堂).

개산 법회【開山法會】 명 〖불교〗 개산한 날을 기념하는 법회.

개산 시간【開傘時間】 명 항공기에서 이탈한 순간부터 낙하산이 완전히 펴질 때까지 걸리는 시간.

개산 시:조【開山始祖】 명 〖불교〗 개산 조사(開山祖師).

개산-일【開山日】 명 〖불교〗 개산날.

개산-제【開山祭】 명 〖불교〗 개산날에 지내는 제사.

개산-조【開山祖】 명 〖불교〗 ↗개산 조사(開山祖師).

개산 조사【開山祖師】 명 〖불교〗 사원(寺院)이나 종파(宗派)를 새로 세워 기업(基業)을 창시한 사람. 개산 시조(開山始祖). 준 개산(開山)·개산조(開山祖)·개조(開祖).

개:-산초【一山椒】 명 〖식〗 ①↗개산초나무. ②개산초나무의 열매.

개:-산초나무【一山椒一】 명 〖식〗 [*Zanthoxylum planispinum*] 운향과에 속하는 상록 활엽 관목. 가시가 돋고 잎은 우상 복생(羽狀複生)하며 소엽(小葉)은 피침형 또는 긴 타원형으로 엽병(葉柄)에 날개가 있음. 5월에 엷은 황색 꽃이 잎 사이에 총생(叢生)하고, 삭과(蒴果)는 8월에 익음. 산복 및 골짜기에 나는데, 전남·경남·경북 및 일본·중국 등지에 분포함. 관상용임. 준 개산초.

개산 충격【開傘衝擊】 명 항공기에서 이탈하여 낙하산이 완전히 펴질 때 낙하 속도가 갑자기 줄면서 생기는 충격.

개산-탑【開山塔】 명 〖불교〗 개산 조사(開山祖師)의 사리(舍利)나 뼈를 넣어 둔 탑.

개산-포【開山砲】 명 〖역〗 대포(大砲)의 한 가지.

개살 명 〈방〉 새암¹(강원).

개:-살구 명 개살구나무의 열매. 맛이 시고 떫음.
[개살구도 맛들일 탓] 떫은 개살구도 맛을 붙이면 기호(嗜好)하게 된다는 뜻으로, 사람의 취미가 제각기 달라 그 성질 나름임을 비유하는 말. [개살구 지레 터진다] 맛없는 개살구가 살구보다 먼저 익어 터진다는 뜻으로, 되지 못한 사람이 오히려 덤비고 날뛰을 비웃는 말.
개:살구 먹은 뒷맛 구 씁쓸하고 떠름한 뒷맛.

개:살구-나무 명 〖식〗 [*Prunus mandshurica*] 장미과에 속하는 낙엽 활엽 교목. 높이 5-7m이고 잎은 넓은 달걀꼴임. 꽃은 하나둘씩 엷은 도색(桃色)으로 4월에 잎에 앞서 피고, 핵과(核果)는 구형(球形)이며 6월에 황색으로 익음. 살구나무에 비하여 수피(樹皮)는 코르크층(cork層)이 발달하고 내피(內皮)는 자홍색임. 산록의 양지 및 촌락 부근에 나는데, 한국 중부 이북 및 만주에 분포함. 정원수 및 도구재(道具材)로 쓰이며 과실은 시고 떫은데, 더러 식용하고 종자는 약용(藥用)함.

개:-살이【改一】 명 〈속〉 개가(改嫁). ——-하다 자 여불

개삼 현:일【開三顯一】 명 〖불교〗 삼승(三乘)을 열어 방편(方便)임을 명백히 하고, 따라서 일승(一乘)은 참다운 오도(悟道)임을 나타내는 일. 법화경(法華經) 전반(前半)의 설.

개:-삽사리 명 〖충〗 삽사리❷.

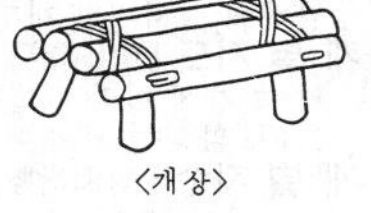
〈개상〉

개:-상【一床】 명 〖농〗 타작하는 데 쓰이는 농구의 한 가지. 굵은 서까래 같은 통나무 네댓 개를 가로 대어 엮고 다리 넷을 박은 것인데, 그 위에 볏단·보릿단을 쳐서 곡식을 떨어뜨림.

개:상-반【一床盤】 명 개다리 소반.

개:-상사화【一相思花】 명 〖식〗 [*Lycoris aurea*] 수선화과에 속하는 다년초. 인경(鱗莖)은 직경 약 6cm의 구형(球形)으로, 외피(外皮)는 흑갈색. 잎은 길이 6cm, 폭 2cm 가량으로, 황록색의 광택이 있으며, 새 잎은 4-5월에 나는데, 꽃이 피기 전에 잎이 시듦. 10월에 직경 20-60cm의 꽃이 선황색(鮮黃色) 또는 등황색(橙黃色)으로 줄기 끝에 5-10송이씩 윤생(輪生)함. 따뜻한 곳에 나며, 제주·전남 백양산(白羊山) 및 일본·대만·오키나와 등지에 분포함. 꽃이 꽤 아름다워 화단용 외에 꽃꽂이용으로도 널리 쓰임.

개:-상어 명 〖어〗 [*Mustelus griseus*] 참상어과에 속하는 바닷물고기. 참상어와 흡사하나 제1 등지느러미 기부(基部)가 제2 등지느러미 기부와 주둥이 끝 사이의 정중앙(正中央)에 위치하고 몸에 흰 점이 없는 것 등으로 구별됨. 습성(習性) 및 이용(利用)은 별상어와 비슷함. 인천·부산 근해 등에 많이 남.

개:상-질【一床一】 명 개상에 볏단이나 밀단 등을 태질쳐서 이삭을 떠는 일. ——-하다 자 여불

개:-새끼 명 ①개의 새끼. 강아지. ②〈비〉 개와 같다는 뜻으로, 사람을 욕할 때 쓰는 말. 개자식.
[개새끼는 도둑 지키고 닭새끼는 홰를 친다] 사람은 저마다 분수와 소임이 따로 있다는 말. [개새끼도 주인을 보면 꼬리를 친다] 사람이 개만 못하여 주인을 몰라보느냐고 나무라는 말.

개:색【改色】 명 ①같은 종류의 물건 중에서 마음에 드는 것으로 바꿈. ②마음에 드는 빛깔로 바꿈. 또, 바꿔 칠함. ——-하다 타 여불

개:서¹【改書】 명 새로 고쳐 씀. ¶주식 명의(株式名義)를 ~하다. ——-하다 타 여불

개서²【開書】 명 서장(書狀)의 내용을 읽기 위하여 뜯음. *개봉(開封). ——-하다 타 여불

개서³〔Gasser, Herbert〕 명 〖사람〗 미국의 생리학자. 위스콘신 대학에서 수학한 뒤, 1935년에 뉴욕의 록펠러 의학 연구소 소장을 지냄. 음극선 오실로그래프(oscillograph)를 신경 생리의 연구에 도입(導入)하여 신경 섬유의 기능을 연구한 공적으로, 스승인 얼랭어(Erlanger, J.) 교수와 함께 1944년 노벨 생리 의학상을 수상함. [1883-1963]

개:-서나무 명 〖식〗 [*Carpinus tschonoskii*] 자작나뭇과에 속하는 낙엽 활엽 교목. 줄기는 직립(直立)하여 높이 14m에까지 이름. 잎은 타원형 또는 달걀꼴의 긴 타원형인데, 날카로운 이중(二重) 톱니가 있으며 엽병(葉柄)에 잔털이 났음. 자웅 일가(雌雄一家)인데, 5월에 단성화(單性花)가 수상(穗狀) 화서로 피며, 황갈색의 수꽃송이는 아래로 처짐. 과실은 견과(堅果)로 10월에 익음. 골짜기나 산록에 나는데, 전남북·경남 및 일본·중국에 분포함. 표고의 원목(原木)이 되며 건축 기구(器具) 및 신탄재로 쓰임.

〈개서나무〉

개:-서대 명 〖어〗 [*Cyroglossus robustus*] 참서댓과에 속하는 바닷물고기. 몸길이 38cm 남짓한데, 두 눈은 몸의 왼쪽에 있고 윗눈은 아랫눈보다 조금 앞쪽에 있음. 옆줄은 몸의 왼쪽에 두 줄 있고 바른쪽에는 없으며, 유안측(有眼側)의 비늘은 빗비늘이고, 무안측은 둥근 비늘임. 몸빛은 유안측이 적갈색이고 무안측은 백색이며 등지느러미 및 뒷지느러미 후부와 꼬리지느러미는 흑색을 띰. 한국 남부와 제주도 연해·일본 중부 이남·중국 남부 연해에 분포함.

개:서어-나무 명 〖식〗 '개서나무'의 한국 학명.

개석¹【開析】 명 〔dissection〕 〖지〗 지표(地表)가 풍화 작용이나 하천(河川)의 침식 작용으로 그 일부분이 깎이어 여러 가지 딴 지형을 나타내는 일. 흔히, 골짜기가 생기는 수가 많음. *개석곡.

개:석²【蓋石】 명 ①〖고고학〗 뚜껑돌. ②가첨석(加檐石).

개석-곡【開析谷】 명 〖지〗 하천의 침식 작용에 의하여 생긴 깊은 골짜기. *개석(開析).

개석 대지【開析臺地】 명 〖지〗 하천의 침식에 의해서 골짜기가 많이 생긴 대지. 대지의 지층(地層)이 골짜기에 노출되는 경우가 많음.

개석 델타【開析一】 〔delta〕 명 〖지〗 개석 삼각주(三角洲).

개석 분지【開析盆地】 명 〖지〗 분지 형성의 지반(地盤) 운동이 중지되어 분지 안의 퇴적이 종지되었을 때에, 분지의 기반(基盤) 지형이 침식을 받아서 이루어지는 분지.

개석 삼각주【開析三角洲】 명 〖지〗 하천의 침식으로 절부채의 살 모양

〈개싸리²〉

개:-싸리² 명〖식〗[*Lespedeza tomentosa*] 콩과에 속하는 다년초. 줄기 높이 60-90cm이고 잎은 호생하며 단병(短柄)이고 삼출 복엽(三出複葉)인데 소엽(小葉)은 타원형 또는 긴 타원형임. 8월에 흰 꽃이 총상(總狀) 화서로 줄기 끝과 가지 끝에 정생(頂生)하고, 협과(莢果)를 맺음. 들에 나는데, 거의 한국 각지에 분포함.

개:-싸움 명 ①개끼리의 싸움. ②추잡한 싸움을 일컫는 말.

【개싸움에는 모래가 제일이라】 맞붙어 싸우는 사람을 말려도 듣지 않을 때, 흙을 끼얹으면서 하는 말.

【개싸움에 물 끼얹는다】 시끄러운 개 싸움에 물을 끼얹어 더욱 시끄럽듯이, 사람이나 주위가 매우 소란할 때를 비유하는 말.

개:-싹눈바꽃 명〖식〗[*Aconitum pseudoproliferum*] 성탄꽃과에 속하는 다년초. 뿌리는 비후(肥厚)하고 줄기는 가늘고 긴데 길이 1-2m 이상임. 장병(長柄)의 잎은 호생하고 3-5갈래로 깊게 째지며 톱니가 있음. 9-10월에 청자색 꽃이 총상(總狀) 화서로 줄기의 중간쯤 되는 잎 사이에서 액생(腋生)하여 피고, 과실은 골돌(蓇葖)임. 산지의 숲 속에 나는데, 경기도 광능(光陵)에 분포하는 특산종임.

개:-쑥갓 명〖식〗[*Senecio vulgaris*] 국화과에 속하는 일년초. 줄기 높이는 약 30cm로 잎은 호생하고, 밑의 잎은 도피침형(倒披針形) 또는 거꿀달걀꼴인데 꼭대기 잎은 긴 타원형임. 5-8월에 비교적 많은 두화(頭花)가 달리는데 모두 황색의 관상화(管狀花)이며, 총상(總狀) 화서로 핌. 과실은 수과(瘦果)임. 들이나 논밭에 나는데, 한국 각지에 분포함. 유럽 원산의 귀화(歸化) 식물임.

〈개쑥갓〉

개:-쑥부쟁이¹ 명〖식〗[*Aster hispidus*] 국화과에 속하는 다년초. 줄기 높이 약 30-60cm이고 밑은 긴 타원형, 위는 피침형의 잎이 호생함. 8-11월에 가운데는 황색, 가장자리는 자색의 두상화(頭狀花)가 핌. 바닷가나 산지에 나는데, 한국 각지에 분포함. 어린 잎은 식용함.

개:-쑥부쟁이² 명〖식〗[*Aster hayatae*] 국화과에 속하는 다년초. 줄기 높이는 40-50cm이고 잎은 호생하며 선형(線形) 혹은 피침형임. 7-10월에 남자색 두화(頭花)가 거의 총상(總狀) 화서로 피고, 과실은 수과(瘦果)임. 산이나 들에 나는데, 한국 각지에 분포함. 어린 잎은 식용함.

개:-쓴풀 명〖식〗[*Swertia tosaensis*] 용담과에 속하는 월년초(越年草). 줄기는 엷은 황색을 띠며 높이 30cm 가량임. 잎은 대생하는데, 근생엽(根生葉)은 설형(楔形), 경엽(莖葉)은 피침형임. 9월에 흰 꽃이 취산(聚繖)화서로 피고, 과실은 삭과(蒴果)임. 자주쓴풀과 비슷하나 쓴맛은 없음. 들의 습지에 나는데, 한국 중부 및 일본에 분포함.

〈개쓴풀〉

개-씀바귀 명〖식〗[*Ixeris repens*] 꽃상춧과에 속하는 다년생 포복초(匍匐草). 지하경(地下莖)은 백색인데 모래 속에 길게 가로 벋음. 잎은 호생하고 장병(長柄)임. 화경(花莖)은 높이 약 10cm 내외이며, 6-7월에 직경 2cm의 황색 두화(頭花)가 핌. 바닷가 모래땅에 나는데, 제주·경기·함남·함북 및 일본 등지에 분포함.

〈개씀바귀〉

개:-씀배 명〖식〗[*Prenanthes tatarinowii*] 국화과에 속하는 다년초. 줄기 높이는 1.7m 가량, 근생엽(根生葉)은 크고 장병(長柄)이며 날개가 있는 삼각상 심장형(心臟形)을 이룸. 경엽(莖葉)은 심형 혹은 달걀꼴이거나 긴 타원형임. 8-9월에 황백색의 관상화(管狀花)가 줄기와 가지 끝에 원추(圓錐) 화서로 피고 과실은 수과(瘦果)임. 산지에 나는데, 한국 북부에 분포함.

개:-씨바리 명 [←개씹앓이]〈속〉 눈이 벌겋게 핏발이 서고 눈곱이 끼며 몹시 부시어하는 눈병. *트라코마(trachoma).

개-씹 명〈방〉 다래끼²(제주).

개:씹-단추 명 단추의 한 가지. 헝겊 오리를 좁게 접어 감친 뒤에 여자의 쪽찐 머리 모양과 비슷하게 만든 것. 옷 솔기를 터놓은 아귀에 얼러대어 더 갈라지지 못하게 함.

개:씹-머리 명 양즙(䑋汁)에 쓰는, 양에 붙은 고기의 한 가지.

개:씹-옹두리 명 소의 옹두리뼈의 한 가지.

개:아【個我】명 개인으로서의 자아(自我).

개:-아그배나무 명〖식〗[*Malus micromalus*] 능금나뭇과에 속하는 낙엽 활엽의 작은 교목. 잎은 긴 타원형이고, 9월에 엷은 황색 꽃이 산방(繖房) 화서로 짧은 가지 끝에 정생하며, 이과(梨果)는 9월에 홍색 또는 황색으로 익음. 산과 들에 나는데, 제주도·일본·중국 등지에 분포함. 정원수나 기구재로 쓰임.

〈개아그배나무〉

개:-아까시아나무 명〖식〗 아까시나무.

개:-아마【一亞麻】명〖식〗[*Linum stelleroides*] 아마과에 속하는 일년초. 줄기 높이 80cm 가량이고, 잎은 호생 밀착(密着)하며 무병(無柄)이고, 피침형 또는 선상(線狀) 피침형임. 6월에 담자색 꽃이 총상(總狀)의 원추(圓錐) 화서로 가지 끝에 정생(頂生)하며, 과실은 삭과(蒴果)임. 들에 나는데, 한국 각지에 분포함. 껍질은 섬유용(纖維用)으로 유명함.

〈개아마〉

개아-말 명〈방〉 개암❶(함남).

개아미 명〈방〉〖충〗 개미.

개:-아재비 명〖충〗 물장군.

개아-주머니 명〈방〉 호주머니(경북).

개-아지 명〈방〉 강아지.

개아-찜 명〈방〉 호주머니(전남).

개:악¹【改惡】명 고치어 도리어 나빠지게 함. ↔개선(改善). ──하다 타여불

개:악²【凱樂】명 개선가(凱旋歌).

개:안¹【個眼】명〖동〗 낱눈. ↔복안(複眼).

개:안²【凱安】명〖악〗 정대업지악(定大業之樂)의 일곱번째 곡. 노래말은 4언(言) 18구(句)의 한시(漢詩)로, 태조(太祖)가 사방을 정벌(征伐)하여 다스리니 나라가 평안하게 되었다는 무공(武功)을 노래한 것임.

개안³【開眼】명 ①〖불교〗 불상(佛像)을 만든 뒤에 처음으로 불공을 드리는 의식. *점불정(點佛睛). ②〖불교〗 불도의 진리를 깨달음. ③눈을 뜨게 함. 보이지 아니하는 눈이 보이게 됨. ──하다¹ 자여불

개안⁴【開顔】명 환히 웃음. 파안(破顔). ──하다² 자여불

개안-산【開安山】명〖지〗 강원도 인제군(麟蹄郡)에 있는 산. 태백 산맥의 중앙부로 소양강(昭陽江)·인북천(麟北川)의 발원지임. [1,344m]

개안 수술【開眼手術】명〖의〗 각막 이식(角膜移植)에 의하여 눈먼 사람의 눈을 보이게 하는 수술.

개안-처【開眼處】명 반가워서 눈이 번쩍 뜨일 지경(地境).

개안:-하다³ 형〈방〉 개운하다(전라·경남).

개암 명 ①개암나무의 열매. 도토리 비슷한데, 껍데기는 노르스름한 젖빛이며 속살도 젖빛으로 맛은 고소하고 밤 맛 비슷함. 진자(榛子). ②매의 먹이 속에 넣는 솜뭉치. 순 고기로 먹이면 매가 속살이 쪄서 사람을 잘 따르지 아니하고 달아나므로, 고기를 물에 우려 기름기를 빼고 솜을 조금씩 뭉쳐 먹이 속에 싸서 먹임.

개암(을) 도르다 구 매가 먹었던 개암에서 고기는 삭이고 솜뭉치만을 토해 내다.

개암(을) 지르다 구 매의 먹이에 솜을 넣어 주다. 티지르다.

개암-가【皆岩歌】명〖문〗 조선 시대의 가사의 하나. 순조(純祖) 때의 학자 조성신(趙星臣)이, 36세 때(1801) 경상 북도 영양군(英陽郡) 입암면(立岩面)에 있는 개암정(皆岩亭)을 배경으로 하여 그 정자의 모양과 부근 산수의 뛰어난 경치를 즐기며, 청춘에 병든 자신의 회포를 토로한 가사(歌辭). 순 국문으로 됨.

〈개암나무〉

개암-나무 명〖식〗[*Corylus heterophylla* var. *thunbergii*] 개암나뭇과에 속하는 낙엽 활엽 관목. 높이 2-3m이고 잎은 타원형인데 고르지 아니하게 톱니가 있고, 엽병(葉柄)에는 선모(腺毛)가 나 있음. 자웅 일가(雌雄一家)로 3월에 수꽃이삭은 늘어지고, 암꽃이삭은 달걀꼴로 피며 견과(堅果)는 구형(球形)으로 10월에 익음. 산록의 양지에 드물게 나는데, 한국 각지 및 일본 등지에 분포함. 과실은 '개암'이라고 하는데 식용 및 약용하며, 나무는 땔감으로 쓰임.

개암-들다 자 해산(解産) 뒤에 후더침이 나다.

개암-사【開巖寺】명〖불교〗 전라 북도 부안군(扶安郡) 상서면(上西面) 감교리(甘橋里) 변산(邊山) 기슭에 있는 절. 선운사(禪雲寺)의 말사(末寺)임.

개암 사탕【一砂糖】명 개암 알을 속에 넣고 밀가루와 설탕을 겉에 발라 만든 사탕. 진자당(榛子糖).

개암-장【一醬】명 개암 알을 넣고 담가서 오래 묵혔다 먹는 간장. 진자장(榛子醬).

개암-죽【一粥】명 개암 즙에 쌀을 갈아 넣고 쑨 죽. 진자죽(榛子粥).

개앤 명〈방〉 내³(함남).

개앤-물 명〈방〉 냇물(함경).

개야내다 타〈방〉 게우다(경남).

개야-도【開也島】명〖지〗 전라 북도 서해상, 군산시(群山市) 옥도면(沃島面) 개야도리(開也島里)에 위치하는 섬. [1.47km²]

개야미 명〈옛〉 개미². =가야미. ¶개야미 뽀 수른 臘月엣 마시 仍ㅎ야 잇고(蟻浮仍臘味)《杜諺 X:2》.

개야-주무이 명〈방〉 호주머니(경남).

개야-줌치 명〈방〉 호주머니(경남).

개얀:-하다 형〈방〉 개운하다(전라).

개얌 명〈옛·방〉 개암. 개암나무의 열매. ¶개얌과 잣과 모른 포도와(榛子松子乾葡萄)《朴解 中 4》.

개얌나모 명〈옛〉 개암나무. =개얌낡·개욤나모.

개얌낡 명〈옛〉 개암나무. =개얌나모·개욤나모. ¶개얌남기며 플드리 ㄴ마장기엇 써늘(榛莽四塞)《三綱 義婦》.

개양¹ 명〈방〉 개암.

개양²【開陽】명〖천〗 북두 칠성의 여섯째 별. 큰곰자리의 제타성(ζ星). 실제로는 미자르(Mizar) A·B의 두 분광 쌍성(分光雙星)임. *알코어(Alcor).

개양³ 부〈방〉 그냥(전라).

〈개양귀비〉

개:-양귀비【一楊貴妃】명〖식〗[*Papaver rhoeas*] 양귀비꽃과에 속하는 월년초(越年草). 줄기 높이 50-60cm, 잎은 호생하며 우상 분열(羽狀分裂)하고 열편(裂片)은 선상 피침형임. 5월에 홍색·자색(紫色)·백색 꽃이 가지 끝에 핌. 과실은 삭과(蒴果)임. 유럽 원산(原産)인데 관상용으로 심음. 서양에서는 보리밭에 많이 나므로 풍작의 여신(女神) 케레스(Ceres)에 비유하고, 중국에서는 항우(項羽)의 애인 우미인

(虞美人)의 무덤에 피었다고 '우미인초(虞美人草)'라고도 함. *양귀비.

개-어귀 명 강물이나 냇물이 바다로 들어가는 어귀.

개:언【槪言】명 개요(槪要)를 말함. 대강을 추려 말함. ——-하다¹ 타여불

개언로-장【開言路章】[—얼—짱] 명〖악〗악장(樂章)의 이름. 문덕곡(文德曲)의 첫째번 장(章). 군신(君臣)이 연향(宴享)할 때에 씀. 정도전(鄭道傳)의 작(作)이라고 함.

개언-하다² 형〈방〉개운하다(전남).

개업【開業】명 ①영업을 시작함. ¶ 매일 8시 ~. *개점(開店). ②영업을 하고 있음. ¶ ~의(醫). ③어떤 사업을 새로 시작함. ¶ ~을 축하하네. ↔폐업(閉業). ——-하다 타여불

개업 광:고【開業廣告】명 개업을 널리 알리는 광고.

개업 면:허장【開業免許狀】[—짱] 명〖법〗관청이 특정한 사람에게 특정한 조건 밑에 일반인에게 허가되지 아니하는 영업을 허가하는 증서. 고물상(古物商)의 허가증(許可證)이나 자동차 운송 사업에 대한 면허증 따위. 「창업비(創業費).

개업-비【開業費】명 회사 등의 설립 후, 개업할 때까지에 드는 준비비.

개업-술【開業—】명 개업하면서 대접하는 술. 개업주(開業酒).

개업-식【開業式】명 개업할 때 행하는 의식.

개업-의【開業醫】[—/—이] 명 개인으로서 의원(醫院)을 경영하고 있는 의사.

개업-주【開業酒】명 개업술.

개:-여뀌 명〖식〗[*Persicaria blumei*] 마디풀과에 속하는 일년초. 줄기 높이 60cm 가량이고, 보통 홍자색(紅紫色)을 띰. 잎은 호생하고 피침형(披針形)을 이루며 초상 탁엽(鞘狀托葉)은 관상(管狀)에 길이가 1cm 가량임. 6-9월에 홍자색 꽃이 수상(穗狀) 화서로 줄기 끝과 가지 끝에 정생(頂生)하며, 수과(瘦果)를 맺음. 들에 나는데, 한국 각지에 분포함. 마료(馬蓼). 말여뀌.

〈개여뀌〉

개:역¹【改易】명 고치어 딴 것으로 바꿈. ——-하다 타여불

개:역²【改譯】명 먼저 번역한 것의 잘못을 고치기 위하여 다시 번역함. 또, 그 번역책. ——-하다 타여불

개:-연¹【—蓮】명 [←개련(蓮)]〖식〗↗개연꽃.

개:연²【介然】명 ①고립(孤立)한 모양. ②굳게 지켜 변하지 아니하는 모양. ③잠시(暫時). ——-하다 형여불. ——-히 부

개연³【開宴】명 주연(酒宴)을 엶. ——-하다 자여불

개연⁴【開筵】명 연석(宴席)을 마련함. ——-하다 자여불

개연⁵【開演】명 연설(演說)·연주(演奏)·연극(演劇)·연예(演藝) 등을 개시함. ——-하다 타여불

개:연⁶【蓋然】명 확실하지 못하나 그럴 것 같은 모양. 혹은 그러하리라고 생각되는 모양. ↔필연(必然). ——-하다 형여불

개:연⁷【慨然】명 분개하는 모양. ——-하다 형여불. ——-히 부

개:-연꽃【—蓮—】명〖식〗[*Nymphozanthus japonicus*] 개연꽃과에 속하는 다년생의 수초(水草). 잎은 긴 엽병(葉柄)이 물 위에 나와 근생(根生)하는데, 긴 달걀꼴 또는 긴 타원형이며 길이 20cm 정도임. 8-9월에 뿌리에서 나온 긴 꽃줄기 끝에 황색 꽃이 하나씩 달리며 삭과(蒴果)는 녹색임. 시냇물이나 연못에 나는데, 한국 중부 이남에 분포함. 뿌리는 약용함. 준개연.

개:연-량【蓋然量】[—냥] 명 확률(確率).

개:연-론【蓋然論】[—논] 명 ①〖철〗철학 문제의 완전한 해결을 단념하고 개연적인 해결에 그치고자 하는 회의론(懷疑論)의 일종. 고대의 신(新) 아카데미파(派), 근대의 프래그머티즘이 이에 속함. ②〖윤〗어떤 행위가 개연적으로 옳다고 생각하는 경우에는 그것을 실행하여도 무방하다는 도덕설(道德說).

개:연-성【蓋然性】[—썽] 명 [probability] 현상(現象)의 발생이나 지식에 관한 확실성의 정도. 또, 판단(判斷) 등이, '아마 그럴 것이다' 하는 가능성의 정도. ↔필연성(必然性). *확률(確率).

개:연-율【蓋然率】[—뉼] 명 확률(確率).

개:연-적【蓋然的】명관 그 일이 일어날 가능성이, 꽤 큰 성질인 모양. 어느 정도 확실한 모양. ↔필연적(必然的).

개:연적 판단【蓋然的判斷】명〖논〗주개념(主槪念)과 빈개념(賓槪念)과의 관계가 단지 가능하다고 함을 나타내는 판단. 즉 '갑(甲)은 을(乙)일 수 있다' 따위. ↔실연적(實然的) 판단·필연적(必然的) 판단.

개열【開裂】명 [←개렬] ①터지어 열림. 째지어 열림. ②터뜨리어 엶. 째어서 엶. ——-하다 자타여불

개열-과【開裂果】명〖식〗열과(裂果).

개염¹ 명 부러운 마음으로 새워서 탐내는 욕심(慾心). ¶ 너도 먹으면서 또 무슨 ~을 내느냐. <게염.

개염(이) 나다 구 개염이 생기다. <게염(이) 나다.

개염(을) 내:다 구 개염을 드러내다. <게염(을) 내다.

개염(을) 부리다 구 개염스러운 짓을 하다. <게염(을) 부리다.

개염² 명〈방〉개암❶(경기).

개염-스럽다 형ㅂ불 개염 있어 보이다. <게염스럽다. **개염-스레** 부

개염이 명〈옛〉개미. =가야미. ¶ 願혼둔 대 여름과 개염이를 논화 줄디니(願分竹實及螻蟻)《重杜諺 XVII:3》.

개:-염주나무【—念珠—】명〖식〗[*Tilia semicostata*] 피나뭇과에 속하는 낙엽 활엽 교목. 잎은 넓은 달걀꼴인데 잎 뒷면은 백색의 성상모(星狀毛)가 밀생(密生)함. 6월에 꽃이 방상(房狀) 화서로 액생(腋生)하여 두세 개씩 피고 과실은 거꿀달걀꼴이며 10월에 익음. 산과 들에 나는데, 경북·평남의 남포(南浦)·함북 등지에 분포함. 방풍림(防風林)으로 심음.

개-영역【開塋域】명 뫼자리를 만들기 위하여 산을 파헤침. ——-하다 타여불

개:오¹【改悟】명 전비(前非)를 뉘우쳐 깨달음. ——-하다 자여불

개오²【開悟】명〖불교〗개심(開心)하여 진리를 깨달음. 미몽(迷蒙)을 열어 깨달음. ——-하다 자여불

개오다¹ 타〈옛〉게우다. ¶ 개울 구(嘔), 개울 역(噦)《字會 中 32》.

개:-오다² 타〈방〉가져오다(경남·경기·황해·함경·평안).

개:-오동【—梧桐】명〖식〗↗개오동나무.

개:-오동나무【—梧桐—】명〖식〗[*Catalpa ovata*] 능소화과에 속하는 낙엽 활엽 교목. 높이 6-9m이고 잎은 넓은 달걀꼴임. 7월에 담황색 꽃이 원추(圓錐) 화서로 정생(頂生)하며, 삭과(蒴果)는 길이 30cm 내외이고 가을에 늘어져 익음. 중국 원산(原產)으로 강원·경기·평남·평북 및 일본·중국에 분포함. 정원수로 심고 나무는 나막신 재료, 과실은 심장병에 쓰인다고 하며 수피(樹皮)는 약용함. 가(檟)나무. 가목(檟木). 노나무. 목왕(木王). 준개오동.

〈개오동나무〉

개오리 명〈방〉〖어〗가오리(전남).

개:-오미자【—五味子】명〖식〗[*Maximowiczia chinensis* var. *glabrata*] 오미자과에 속하는 낙엽 활엽 만목(蔓木). 잎은 타원형 또는 넓은 거꿀달걀꼴임. 자웅 이가(雌雄二家)로 6-7월에 홍백색 꽃이 액생(腋生)하며, 8월에 구형(球形)의 장과(漿果)가 빨갛게 익음. 산록이나 언덕에 나는데, 충남·충북·경기·황해도를 제외한 한국 각지에 분포함. 과실은 약용함.

개오지 명〈방〉개호주(경상).

개:-옥잠화【—玉簪花】명〖식〗[*Hosta undulata*] 백합과에 속하는 다년초. 잎은 총생(叢生)하고 넓으며 끝이 좀 빨고 긴 엽병(葉柄)이 있음. 5월경에 담자색의 관상화(管狀花)가 60-90cm의 꽃줄기 끝에 총상(總狀) 화서로 핌. 산이나 들에 야생하는데, 한국·중국·일본에 분포함. 관상용으로 재배함. *옥잠화.

〈개옥잠화〉

개온-하다 형〈방〉개운하다(전북).

개옴 명〈옛〉개암. ¶ 개옴 진(榛)《字會 上 11》.

개:-옻나무 명〖식〗[*Rhus trichocarpa*] 옻나뭇과에 속하는 낙엽 활엽의 작은 교목. 잎은 우상 복생(羽狀複生)하는데 소엽(小葉)은 달걀꼴 타원형을 이루고 톱니가 없으며, 양면에 잔 털이 나 있음. 6-7월에 황록색 꽃이 원추 화서(圓錐花序)로 액생하며, 가시털이 밀생(密生)한 핵과(核果)가 10월에 익음. 산록(山麓) 및 산복(山腹)에 나는데, 한국 각지 및 일본·중국 등지에 분포함. 즙액(汁液)은 약용(藥用)함.

〈개옻나무〉

개와¹ 명〈방〉호주머니(전남·경북).

개:와²【蓋瓦】명 ①지붕에 기와를 임. *개초(蓋草). ②☞기와. ——-하다 자타여불

개와-개주멍이 명〈방〉호주머니(경북).

개:와-장【蓋瓦匠】명 ☞기와장이.

개와-주머니 명〈방〉호주머니(강원·황해).

개와-주뭉이 명〈방〉호주머니(경북).

개와-주밍이 명〈방〉호주머니(경남).

개:와-집【蓋瓦—】명 ☞기와집.

개:-완두【—豌豆】명〖식〗갯완두.

개완-하다 형〈방〉개운하다(전남).

개왈【皆曰】불자 '모든 사람이 말하기를'의 뜻.

개:요【槪要】명 대강의 요점(要點). 개략의 요지(要旨). ¶ 경제학 ~.

개:요-도【槪要圖】명 구조의 개요를 표시한 도면. *구조선도(構造線圖).

개욕【開浴】명〖불교〗선사(禪寺)에서 목욕실을 열어 중들에게 목욕을 하게 함. ——-하다 자여불

개욕-패【開浴牌】명〖불교〗선사(禪寺)에서 중들에게 목욕을 허락한다는 뜻을 알리기 위하여 목욕실 앞에 걸어 놓는 패.

개욤나모 명〈옛〉개암나무. =개얌나모·개얌낡. ¶ 개욤나모 헤오 효즈 막애 오니(披榛到孝子廬)《三綱 婁伯》.

개:용【改容】명 얼굴빛을 엄숙하게 고침. ——-하다 자여불

개우¹ 명〈방〉〖조〗거위(전남).

개우² 부〈방〉겨우(경상·충청).

개:-우무 명〖식〗[*Pterocladia tenuis*] 홍조류(紅藻類) 우뭇가사릿과에 속하는 해조(海藻)의 하나. 높이 10-20cm 가량으로, 간조선(干潮線) 부근의 바위 위 따위에 남. 한천(寒天)의 원료로 쓰이며, 우뭇가사리와 비슷한데, 질이 낮음. 한국·일본·대만 등지에 분포함.

개운【開運】명 좋은 운수(運數)가 열림. 운수가 트임. ——-하다¹ 자여불

개운-사【開運寺】명〖불교〗서울 성북구 안암동(安岩洞)에 있는 절. 봉은사(奉恩寺)의 말사(末寺)의 하나. 조선 태조 5년(1396)에, 무학(無學)이 창건하여 영도사(永導寺)라 한 것을, 정조(正祖) 3년(1779)에 동쪽으로 옮겨 지으면서 이 이름으로 고쳤음.

개운-산 명〈방〉〖광〗개원산.

개운-하다² 형여불 ①산뜻하고 시원하다. 상쾌하고 가볍다. ¶ 목욕을 하고 나니 몸이 ~. ②입에 상쾌하도록 산뜻하다. ¶ 개운한 맛. **개운-히** 부

개울¹ 명 골짜기에서 흘러내리는 작은 물줄기.

개울² 명〈방〉거울(전남).

개울-물 명 개울에 흐르는 물.

개울창 명 〈방〉 개울(충청·황해).

개웃드름-하다 형여불 ☞갸웃드름하다. ¶ 까만 머리를 자주 댕기로 핵핵 감아 자그마한 금비녀로 개웃드름하게 쪽지인 머리 쪽《羅稻香：幻戱》.

개:원¹【改元】명 ①연호(年號)를 고침. 개호(改號). ②왕조(王朝) 또는 임금이 바뀜. ——-하다¹ 자여불

개원²【開元】명 ①근본을 엶. ②나라의 터전을 엶. 개국(開國). ③〖역〗 중국 당나라 현종(玄宗) 때의 연호. [713-741]

개원³【開原】명〖지〗'카이위안¹'을 우리 음으로 읽은 이름.

개원⁴【開院】명 ①학원이나 병원 등을 처음으로 엶. ②국회 등에서 회기(會期)를 맞아 회의를 엶. 1)·2):↔폐원(閉院). ——-하다² 자타여불

개원⁵【開園】명 ①동물원·식물원·유치원 따위를 엶. ②동물원·식물원 등이 문을 열어 그날 업무를 시작함. 1)·2):↔폐원(閉園). ——-하다³ 자타여불

개원⁶【開遠】명〖지〗'카이위안²'을 우리 음으로 읽은 이름.

개원-로【開元路】[—노] 명〖역〗중국 원(元)나라 때, 카이위안(開原)을 중심으로 하여 만주 서남부 지역에 설치한 행정 구획의 하나.

개원-사【開元寺】명〖불교〗중국 당(唐)나라 현종(玄宗)이 개원(開元) 26년(738)에 각 주(州)에 세우게 한 관립(官立)의 절들. 국민에 대한 불교 사상의 침투를 꾀한 것으로, 특히 안후이 성(安徽省) 쉬안청(宣城)의 개원사, 푸젠 성(福建省) 취안저우 현(泉州縣) 원링(溫陵)의 개원사가 유명함.

개원-산 명〖광〗광맥(鑛脈)의 면에서 아래 되는 편짝. ↔상원산.

개원 석교록【開元釋敎錄】명〖책〗대장경 목록(大藏經目錄)의 하나. 당(唐)나라의 고승(高僧) 지승(智昇)이 개원(開元) 18년(730)에 찬(撰)한 것임. 전반에서는 한역(漢譯) 불전(佛典)을 편년사적(編年史的)으로 시대별·역자별(譯者別)로 정리하고, 후반에서는 불전의 내용에 따라 종별(種別)하고 있음. 대장경의 목록으로서는 가장 정비(整備)된 것임.

개원-식【開院式】명 ①학원이나 병원의 개원하는 날 행하는 의식. ②국회가 개원하는 날, 의원이 모여서 행하는 의식. 1)·2):↔폐원식(閉院式).

개원의 치【開元—治】[—/—에—] 명〖역〗〔개원(開元)은 당 현종(唐玄宗) 때의 연호〕중국 당나라 현종(玄宗) 초기의 치세(治世). 현종이 즉위한 후 현상(賢相)을 써서 내치(內治)에 힘쓰고, 변경에 절도사(節度使)를 설치하여 국위(國威)를 펴, 학예가 발달하고 국력이 부강하고 천하가 태평했던 시대. *정관(貞觀)의 치.

개원 통보【開元通寶】명〖역〗중국 당나라 최초의 청동화(青銅貨). 고조(高祖) 무덕(武德) 4년(621)부터 주조되어 당대(唐代) 290년에 걸쳐 통용되었음. 상하 좌우에 '開元通寶'의 네 글자를 배치하였음.

〈개원 통보〉

개원-하다⁴ 형〈방〉개운하다.

개월¹【開月】명 다음달.

개월²【個月】의명 월수(月數)를 세는 단위. ¶ 2년 3~.

개월-법【箇月法】[—뻡] 명〖역〗고려·조선 시대에 벼슬아치들의 전임(轉任)·승진의 기준이 되는 근무 기간을 산정하는 데 달을 기준으로 계산하는 법. *도숙법(到宿法).

개위【開胃】명〖한의〗음식을 먹을 때, 위(胃)의 활동을 도와서 식욕(食慾)이 나게 함. ——-하다 자여불

개유¹【開諭】명 사리(事理)를 알아듣도록 잘 타이름. ——-하다 타여불

개:유²【覬覦】명 몰래 틈을 엿봄. 분수에 넘치는 욕망을 품고 은근히 기회를 노림. 희개(晞覬). 희관(晞觀). ——-하다 타여불

개으르다 형르불 일하기를 싫어하는 성미와 버릇이 있다. <게으르다. 준개르다.

개으름 명 개으른 버릇이나 태도. 준개름. <게으름.

개으름(을) 부리다 구 개으른 행동을 짐짓 하다. <게으름(을) 부리다.

개으름(을) 피우다 구 개으른 습성이나 태도를 짐짓 나타내다. <게으름(을) 피우다.

개으름-뱅이 명〈속〉개으름쟁이. 준개름뱅이. <게으름뱅이.

개으름-쟁이 명 개으른 사람. 준개름쟁이. <게으름쟁이.

개을러-빠지다 형 몹시 개으르다. 준갤러빠지다. <게을러빠지다.

개을러-터지다 형 개을러빠지다. 준갤러터지다. <게을러터지다.

개을리 부 개으르게. 준갤리. <게을리. ——-하다 타여불

개을밧다 명〈방〉게으르다(경남).

개:음¹【介音】명〖언〗중국 음운학(音韻學)에서, 운모(韻母) 중 주(主)된 모음(母音) 앞에서 나는 모음. '天(tiān)'의 'i', '多(duo)'의 'u', '略(lüè)'의 'ü' 따위. 개모(介母). 운두(韻頭). *운모.

개음²【開音】명〖언〗①↗개구음(開口音). ②↗개음절(開音節).

개-음절【開音節】명〖언〗모음 또는 이중 모음으로 끝나는 음절. 가·과·무·패·웨 따위의 받침 없는 음절. 준개음(開音). ↔폐음절(閉音節).

개:의¹【介意】[—/—이] 명 마음에 두고 생각함. 현념(懸念). ——-하다 타여불

개:의²【改議】[—/—이] 명 ①고치어 의논(議論)함. ②회의에서, 다른 사람의 동의(動議)의 일부를 고쳐 제의함. 또, 그 의제(議題). ——-하다 타여불

개의³【開議】[—/—이] 명 ①사건의 토의(討議)를 시작함. ②회의를 열기 시작함. ¶ 본회의는 오전 10시에 ~한다. ——-하다 자여불

개:-이¹ 명〖충〗①개에 기생하는 이의 총칭. ②[*Linognathus piliferus*] 짐승닛과에 속하는 이의 하나. 몸은 길이 1.5-2.0mm, 전두부(前頭部)는 둥글며 양측에 네 개의 미모(微毛)가 있음. 복부는 긴 타원형이며 복측(腹側)은 단단하고 제2-8복절(腹節)에 두 줄의 가는 털이 열생(列生)함. 개에 기생하는 공통종임.

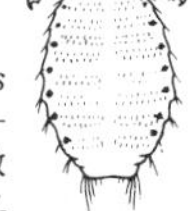
〈개이¹❷〉

개:이² 명〈방〉〖동〗고양이(경남).

개이다 자 '개다¹'를 잘못 쓰는 말.

개:-이파리 명〖충〗[*Hippobosca capensis*] 이파릿과에 속하는 곤충. 몸이 단단하며 납작스름한데, 몸빛은 다갈색(茶褐色), 날개는 짙은 갈색(褐色)을 띠어 알롱알롱함. 주로 개의 피를 빨아먹고 삶. 구승(狗蠅).

개:인¹【改印】명 ①도장의 모양을 다르게 고침. ②도장을 다시 새김. ③신고된 인감(印鑑)을 변경하는 일. ——-하다 자여불

개:인²【個人】명 ①국가나 사회에 대하여 이를 구성하는 낱낱의 사람. ②어떤 단체의 제약에서 벗어난 것으로서의 한 사람의 인간. ↔단체.

개인³【開印】명〖역〗관아(官衙)의 인궤(印櫃)를 엶. ——-하다 타여불

개:인⁴【蓋印】명 답인(踏印). ——-하다 자여불

개:인 감:정【個人感情】명 개인들 서로간의 감정.

개:인 거:리【個人距離】명 제식 훈련에서, 앞사람의 등에서부터 뒷사람의 가슴까지의 거리.

개:인 경:기【個人競技】명 단체가 아니고 개인의 기량(技倆)이나 힘으로 겨루는 경기. ↔단체(團體) 경기.

개:인 경제【個人經濟】명〖경〗개인을 주체로 한 사경제(私經濟). ↔국가(國家) 경제.

개:인 교:수【個人敎授】명〖교〗①개인별로 또는 개인 상대로 교수함. ↔일제(一齊) 교수. ②가정 교사에 의한 학습 지도. ——-하다 타여불

개:인-기【個人技】명 개인의 기술. 특히, 운동 경기에서의 개인의 기량.

개:인 기업【個人企業】명〖경〗일개인이 경제상·법률상 일체의 책임을 지고 경영하는 기업. 단독(單獨) 기업. ↔회사(會社) 기업.

개:인 능률급【個人能率給】[—뉼—] 명 노동자 개인을 단위로 하여, 개인별로 적용하는 능률급. ↔집단(集團) 능률급.

개:인 단위설【個人單位說】명〖사〗사회를 이루는 데 개인이 단위가 됨을 주장하는 학설.

개:인 도:덕【個人道德】명 개인으로서 지키고 실천해야 할 도덕.

개:인 메들리【個人—】명〔individual medley〕개인 혼영(混泳).

개:인-별【個人別】명 개인마다 따로따로.

개:인-상【個人賞】명 ①개인에게 주는 상. ②개인전(個人戰)에 우승한 자에게 주는 상. ↔단체상(團體賞).

개:인-성【個人性】[—썽] 명 개인이 지니고 있는 특유한 성질. 준개성(個性).

개:인-세【個人稅】명〖법〗소득세와 개인에 대한 부가 가치세의 통칭.

개:인 소:득【個人所得】명〖경〗임금(賃金)·이윤(利潤)·이자(利子)·지대(地代)·연금(年金) 등으로 개인이 얻는 소득.

개:인 숭배【個人崇拜】명 독재자를 우상화하고 숭배하는 일.

개:인-시【個人時】명〖심〗일정한 자극에 대하여 반응이 생길 때까지에 걸리는, 각 개인의 각각 다른 시간.

개:인 식별【個人識別】명 생체(生體)나 시체(屍體) 또는 머리·손·발 등과 그 일부, 타액(唾液)·정액(精液)·분뇨(糞尿) 등의 분비 배설물(分泌排泄物) 및 지문(指紋)·혈액형·발자국·필적(筆跡) 등을 대상으로 하여 개인의 같고 다름을 식별하는 일. 과학 수사에 응용됨.

개:인 신고【改印申告】명 이미 신고된 인감을 잃어버렸거나 또는 그 밖의 사정으로 인감을 고칠 때에, 거주하는 동·면사무소에 내는 신고.

개:인 신:용【個人信用】명〖경〗개인으로서의 채무상(債務上)의 신용.

개:인 심리학【個人心理學】[—니—] 명〖심〗정신 현상의 일반적 법칙을 연구하는 일반 심리학. 생리학적(生理學的) 심리학. 실험적(實驗的) 심리학. *민족(民族) 심리학·성격(性格) 심리학·개성(個性) 심리학.

개:인-어【個人語】명〔idiolect〕〖언〗한 개인의 한 시기(時期)에 있어서 발화(發話)의 총체(總體). 언어의 개인적인 특성의 총칭. 가장 구체적이고 등질적(等質的)인 자료로 간주됨. 미국의 언어학자 블로크(Bloch, B.)의 용어임. 개인 언어.

개:인 어음【個人—】명〖경〗①개인이 지급인(支給人)으로 되어 있는 어음. ↔은행 어음. ②외국환(外國換) 거래에서는, 신용장(信用狀)을 개설(開設)하지 아니하고 발행한 어음.

개:인 업주【個人業主】명 개인 기업을 영위(營爲)하는 사람.

개:인 연금【個人年金】[—년—] 명〖경〗생명 보험 회사·투자 신탁 회사·은행 등이 개인을 대상으로 하는 연금 지급형의 보험이나 신탁.

개:인 영업【個人營業】[—녕—] 명 한 사람의 기업자가 단독으로 경영하고 있는 영업.

개:인 예:금【個人預金】[—네—] 명〖경〗개인이 가지고 있는 예금. ↔법인(法人) 예금.

개:인용 컴퓨:터【個人用—】〔computer〕[—뇽—] 명 개인이나 가정에서의 이용을 목적으로 한 소형 컴퓨터. 처리 능력에 따라 8·16·32·64비트 등으로 나뉨. 퍼스널 컴퓨터. 피시(PC).

개:인 위생【個人衛生】명 개인을 대상(對象)으로 하는 위생. 구강 위생(口腔衛生)·영양상(營養上)의 위생 및 의복과 주택에 관한 위생이 이에 속함. ↔공중 위생(公衆衛生).

개:인 윤리【個人倫理】[—뉼—] 명 ①도덕 원리(原理)가 개인적 생활에 적용되었을 때의 윤리. ↔사회(社會) 윤리. ②개인주의의 윤리학설.

개:인 은행【個人銀行】명〖경〗주식 회사의 조직이 아니고, 개인 또는 개인을 중심으로 하는 몇 명의 조합원(組合員)으로 이루어지는 은행. 우리 나라의 은행법에서는 이를 인정하지 아니함.

개:인 의:사 자치의 원칙【個人意思自治—原則】[—/—치에—] 명〖법〗사적(私的) 자치의 원칙.

개:인 의:식【個人意識】명〖철〗개인 표상(個人表象).

개:인 의학【個人醫學】명〖의〗생물적인 인간만을 직접 대상으로 하여 치료에 중점을 두는 보통의 의학. ↔사회(社會) 의학.

개:인 장비【個人裝備】명 구성원(構成員) 각자가 반드시 갖추어야 할 장비.

개:인 저:축【個人貯蓄】명 개인 소득 중에서 개인 소비 지출·개인세(稅)·세외 부담(稅外負擔) 등을 뺀 나머지 금액. 금융 기관에 대한 예

금·저금뿐 아니라, 주식 투자(株式投資)·개인 업주의 설비 등에 대한 순투자액(純投資額)도 포함됨.

개:인-적【個人的】명관 개인을 본위(本位)·주체(主體)로 하는 상태. 특정한 개인에 관계되는 모양. 공적(公的)이 아니고 사적(私的)인 사항에 관계되는 모양. ¶ ~인 행동.

개:인적 공권【個人的公權】[—꿘] 명〘법〙국민이 국가에 대하여 가지는 공권. 참정권(參政權)·수익권(受益權)·자유권(自由權)이 있음.

개:인적 쾌락설【個人的快樂說】명〘윤〙사람의 행위(行爲)의 목적은 개인의 쾌락을 느끼는 데 있고, 개인의 보존(保存)·이익·쾌락이 모든 행위의 표준이라고 주장하는 학설.

개:인-전[1]【個人展】명 화가나 조각가 등의 한 사람의 작품만을 모아서 전시하는 전람회. ¶김 화백의 서양화 ~. ↔단체전.

개:인-전[2]【個人戰】명 개인 대 개인으로서 하는 운동 경기. ¶~에서 우승하다. ↔단체전(團體戰).

개:인 정보【個人情報】명〘법〙살아 있는 개인에 관한 정보. 곧, 성명·주민 등록 번호 등으로 개인을 식별할 수 있는 정보. 이 정보를 갖고 있는 중앙 행정 기관이나 지방 자치 단체 등은 본래의 목적 이외에 이 정보를 이용하거나 제공하는 것이 법률로 금지되어 있음.

개:인 제:도【個人制度】명〘법〙개인을 사회 구성의 단위로 하여, 개인을 법률상의 권리와 의무의 주체(主體)로 하는 제도.

개:인-주의【個人主義】[—/—이] 명〔individualism〕①〘윤〙개인의 권위와 자유를 중히 여기어, 개인을 기초로 하고 모든 행동을 규정하려는 윤리주의. ↔전체(全體)주의·보편(普遍)주의 ②〘교〙개성(個性)의 발달 및 개인의 완성을 궁극 목적으로 하는 교육상의 주의. ③〘경〙경제 활동에 있어서 자유 방임(自由放任)을 주장하고, 국가의 간섭이나 통제 따위를 부인하는 주의. ④〘사〙개인의 자유 활동의 영역(領域)이 개인 사이에 침범되지 아니함을 이상으로 삼는 주의. ↔전체주의. ⑤〘법〙개인의 존재(存在)의 유지(維持) 및 충실을 위한 모든 제도를 이상으로 삼는 주의. ⑥이기(利己)주의❷.

개:인 주주【個人株主】명〘경〙개인 명의(名義)로 주식을 보유하고 있는 주주. 일반 투자자를 가리키는 말.

개:인-차【個人差】명 ①개인의 버릇으로 인하여, 관측(觀測)의 결과에 나타나는 오차(誤差). ②각 개인의 신체적·정신적 특질·능력의 차이.

개:인 참모【個人參謀】명〘군〙지휘관이 필요에 따라 직접 지시·보고받기 위하여 통솔하는 참모. 전속 부관·보좌관 등이 있음.

개:인 택시【個人—】〔taxi〕명 회사 조직이 아닌 개인이 직접 운전하면서 영업 행위를 하는 택시업 형태.

개:인 투자가【個人投資家】명〘경〙개인 명의(名義)로 주식이나 증권 등 유가 증권(有價證券)에 투자한 사람. 개인 투자자. ↔기관 투자가.

개:인 표상【個人表象】명〘철〙개인이 가지는 심리적·생리적 표상. 뒤르켐(Durkheim, E.) 일파의 용어. 개인 의식(意識). ↔집합(集合) 표상.

개:인 플레이【個人—】〔play〕명 개인이 각자 행동을 하는 일.

개:인-호【個人壕】명〘군〙개인용으로 만든 참호.

개:인 혼:영【個人混泳】명 경영(競泳) 종목의 하나. 한 선수가 접영(蝶泳)·배영(背泳)·평영(平泳)·자유형(自由型)의 차례로 헤엄침. 거리는 200 m·400 m가 있음. 개인 메들리. ＊혼합 계영(混合繼泳).

개:인 화:기【個人火器】명〘군〙병사(兵士) 개개인이 가지고 사용하는 화기. 소총·비에이아르(BAR) 자동 소총·권총 따위. ＊공용 화기.

개:인 회:사【個人會社】명〘경〙회사의 자본이나 주식의 대다수를 한 개인이 소유하는 회사.

개:인 휴대 통신【個人携帶通信】명 피시에스(PCS).

개:입【介入】명 사이에 끼어 들어감.

개:입-권【介入權】명〘법〙①지배인·대리상·회사 이사(理事) 등이 경업 피지(競業避止)의 의무에 반하여 행한 거래 행위를 그 영업주·본인·회사 등이 일방적 의사 표시에 의하여 자기를 위하여 행한 것으로 간주할 수 있는 권리. ②위탁을 받은 위탁 매매인이 위탁 사무의 한 처리 방법으로서 자기가 그 거래의 상대방이 될 수 있는 권리.

개-입방【開立方】명〘수〙'세제곱근풀이'의 구용어. ㊟개립(開立).

개입방-법【開立方法】[—뻡] 명〘수〙개입방(開立方)하는 산법(算法). ㊟개립법(開立法).

개:입 의:무【介入義務】명〘법〙중개인이 당사자의 일방(一方)의 성명·상호를 상대방에게 표시하지 아니하고 상행위의 매개(媒介)를 하였을 때, 상대방에 대하여 스스로 그 이행을 하지 않으면 아니되는 의무.

개자[1]【芥子】명 겨자씨와 갓씨의 통칭.

개:자[2]【蓋子】명 뚜껑.

개-자리[1] 명〘식〙①[*Medicago minima*] 콩과에 속하는 일년초 또는 월년초(越年草). 거여목과 비슷하나 좀 작음. 높이 30cm 가량이고, 잎은 호생하고, 거꿀달걀꼴의 소엽(小葉) 세 개로 된 우상 복엽(羽狀複葉)이며, 탁엽(托葉)이 째져 있지 않음. 봄에 황색의 작은 꽃이 엽액(葉腋)에서 나온 긴 꽃줄기 끝에 몇 개가 피고, 과실은 용수철 모양의 협과(莢果)임. 유럽 원산의 귀화(歸化) 식물임. 녹비(綠肥)·목초(牧草)로 씀. 광풍채(光風菜). 금지초(金枝草). ②거여목.

〈개자리[1]〉

개:-자리[2] 명 ①〘건〙불기운을 빨아들이고 연기를 머무르게 하기 위하여, 방구들 윗목 밑으로 깊게 파 놓은 고랑. ②강물이나 냇물 바닥에 갑자기 푹 들어가 깊어진 곳. ③과녁 앞에 웅덩이를 파 놓고, 사람이 들어 앉아서 화살의 맞고 아니 맞음을 살피는 자리.

개:자리(가) 지다 구 모를 낼 때, 모포기가 한 부분만 성기게 심어져서, 층이 지다.

개:-자식【—子息】명〈비〉개새끼❷.

개자원 화:전【芥子園畫傳】명〘책〙〔개자원(芥子園)은 이 책 초집(初集)의 서문(序文)을 쓴 청대(淸代) 강희(康熙) 연간(年間)의 문인 이어(李漁)가 만년에 살던 난징(南京)의 별장 이름. 일설에는 편자(編者) 왕개(王槪)의 화실(畫室) 이름〕중국의 화보(畫譜). 초집(初集)은 명말(明末)의 화가 이유방(李流芳)이 역대의 명화를 모은 ≪산수 화보(山水畫譜)≫를 청(淸)나라의 문인 화가 왕개가 증보 편집하여 1679년에 간행. 2집과 3집은 왕개·왕시(王蓍)·왕얼(王臬)의 삼형제가 편집하여, 2집에 사군자(四君子), 3집에 화훼(花卉)·초충(草蟲) 등을 집록하여 1701년에 발간했음. 습화장(習畫帳)으로 또 복제화집(複製畫集)으로 크게 호평을 받았음. 3집 17권.

개자-유【芥子油】명 겨자씨나 갓씨로 짠 휘발성(揮發性)의 기름. 조미료나, 신경통·류머티즘 등의 약용(藥用)으로 쓰임. 겨자 기름.

개자-정【芥子精】명〘약〙개자유(芥子油)를 알코올에 1:9의 비율로 혼합한 약제. 피부의 자극제로 쓰임.

개:-자추【介子推】명〘사람〙중국 춘추(春秋) 시대의 은사(隱士). 진(晉)나라 문공(文公)이 공자(公子)로서 망명할 때 함께 19년을 모시었는데, 문공이 귀국 후에 봉록(封祿)을 주지 아니하였으므로 면산(緜山)에 숨으니, 문공이 잘못을 뉘우치고 자추가 나오도록 그 산(山)에 불을 질렀는데, 자추는 나오지 아니하고 타죽었다고 함. '한식(寒食)'은 자추가 타죽은 날이라고 함. 개지추(介之推).

개:자-하다 형여불 ←개제(愷悌)하다.

개자 홍저【芥子紅菹】명 겨자 깍두기.

개:작[1]【改作】명 ①고치어 다시 지음. 또, 그 작품(作品). ②원저작물에 대하여 신저작물로 인정될 만큼 크게 고치는 일. 어레인지(arrange). ——-하다 타여불

개작[2]【開作】명 개간(開墾). ——-하다 타여불

개작다 형〈방〉가깝다(경상).

개:-잘량 명 방석처럼 깔고 앉기 위하여 털이 붙어 있는 채로 제피(製皮)한 개가죽. ¶주인이 어한 제구를 입고 가라고 주던 ~ 덧저고리를 벗어 동이를 둘러싸 입히어 가뜬하게 업고…≪李海朝: 巢鶴嶺≫. ㊟잘량.

개:-잠[1] 명 개처럼 머리와 팔다리를 오그리고 자는 잠.

개:잠(을) 자다 구 개 모양으로 머리와 팔다리를 오그리고 자다.

개:-잠[2]【改—】명 아침에 깨었다가 도로 드는 잠.

개:잠(이) 들다 구 아침에 깨었다가 다시 잠이 들다.

개:잠(을) 자다 구 아침에 깨었다가 다시 자다.

개:-잡년【—雜—】명 행실이 아주 더럽고 못된 잡년.

개:-잡놈【—雜—】명 행실이 아주 더럽고 못된 잡놈.

개:-장[1]【—醬】명 ↗개장국.

개:장[2]【改葬】명 ①고치어 다시 장사지냄. ②이장(移葬). ——-하다 타여불

개:장[3]【改裝】명 ①고치어 장식(裝飾)함. 다시 새롭게 꾸밈. ¶~ 공사. ②군함 등의 장비(裝備)를 뜯어고침. ③포장(包裝)을 고치어 다시 함. ——-하다 타여불

개장[4]【開仗】명 양군(兩軍)의 병장기(兵仗器)의 교전(交戰)이 개시됨. 곧, 개전(開戰)함 ——-하다 자여불

개장[5]【開帳】명 ①〘불교〙불감(佛龕)을 열어 공중(公衆)으로 하여금 비불(祕佛)에게 배례(拜禮)시킴. 개비(開扉). ②구(舊)형법 상의 용어. 노름판을 엶. ——-하다 자타여불

개장[6]【開張】명 전개(展開)하여 넓게 벌여 놓음. ——-하다 타여불

개장[7]【開場】명 ①일정한 장소를 공개(公開)함. ②어떠한 장소를 열어 입장(入場)을 하게 함. ③증권 거래소·시장 등을 엶. ¶ ~ 시세. 1)-3) : ↔폐장(閉場). ④〘역〙과장(科場)을 열어 놓음. ⑤노름판을 엶. ——-하다 타여불

개:장[8]【蓋匠】명〘역〙조선 시대의 공장(工匠)의 하나. 집에 기와를 이는 공장. 기와장이.

개:장[9]【鎧仗】명 갑옷과 병장기.

개:-장국【—醬—】[—꾹] 명 개고기를 고아 끓인 국. 구장(狗醬). 지양탕(地羊湯). ㊟개장. ＊보신탕.

개장-마니 명〈심마니〉계집.

개장-성【開張性】[—썽] 명 물건이 넓게 퍼지는 성질.

개:-장수 명 ☞개백장.

개장-식【開場式】명 개장(開場)할 때의 의식(儀式).

개:재[1]【介在】명 사이에 끼여 있음. ——-하다 자여불

개재[2]【開齋】명〘천주교〙대재(大齋)와 소재(小齋)의 기간이 끝남. ——-하다 자여불

개:재 배:열【介在配列】명〔intervening sequence〕〘생〙인트론.

개저【芥菹】명 갓김치.

개저-선【開底船】명〔hopper barge〕〘토〙준설선(浚渫船)이 채취한 토사(土砂)를 버리는 장소까지 운반하는 배. 토사를 실는 선창(船倉)의 밑바닥에 문 같은 장치가 있어, 그 부분을 열면 실은 토사가 선저(船底)로부터 쏟아져 나가게 되어 있음.

개:적【改籍】명〘역〙조선 시대 때 식년(式年)마다 한성부(漢城府)와 팔도(八道) 각 읍(各邑)의 호적(戶籍)을 고치던 일. ——-하다 타여불

개적다 형〈방〉가깝다(경상).

개적-찮다 형〈방〉깨끔찮다.

개:전[1]【改悛】명 행실이나 태도의 잘못을 뉘우치어 개심(改心)함. 전심(悛心). ¶~의 정(情). ——-하다 자여불

개전[2]【開展】명 ①전개(展開). ②진보하고 발전함. ——-하다 자타여불

개전[3]【開戰】명 ①전쟁(戰爭)을 개시함. ↔종전(終戰). ②〘기독교〙구세군에서, 전도(傳道)와 사업을 시작함을 일컫는 말. ——-하다 자여불

개:전[4]【蓋纏】명〘불교〙〔'蓋'는 바른 마음을 덮는다는 뜻, '纏'은 속박한다는 뜻〕개(蓋)❸.

개전로-식【開電路式】[―절―] [명]〖전〗보통 때는 전류가 안 통해 있고, 송신(送信)할 때만 전류가 통하게 되어 있는 통신 방식. 각 접속국(接續局)마다 송신 전지(電池)를 장치하여야 함.

개전-법【開展法】[―뻡] [명]〖수〗원통 도법(圓筒圖法).

개:-전복【―全鰒】[명]〖조개〗[*Tugali gigas*] 고둥과에 속하는 연체(軟體) 동물. 패각(貝殼) 길이 90mm, 폭 50mm, 높이 12mm 내외의 긴 타원형이며, 각정(殼頂)은 중앙에서 다소 후방에 위치하고 각표(殼表)는 백색인데, 내면도 백색임. 한해산(寒海産)으로, 3m 내외의 바닷속의 암석에 착생(着生)함.

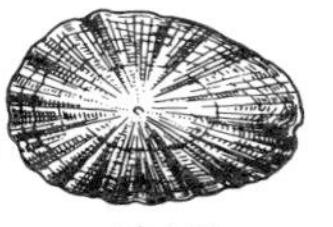
〈개전복〉

개전에 관한 조약【開戰―關―條約】[명] 전쟁을 하려면 선전(宣戰) 및 조건부 개전 선언(開戰宣言)을 포함하는 최후 통첩에 의한 뚜렷한 통고가 있어야 한다는 내용의 조약. 1907년 헤이그 평화 회의에서 조인된 후 30개국에 의해서 비준되었음. 1910년 발효. 전쟁의 개시에 관한 조약.

개:절¹【介節】[명] 굳은 절개(節概).

개:절²【剴切】[명] 아주 적절(適切)함. 꼭 알맞음. ――-하다 [형][여불]

개점【開店】[명] ①처음으로 가게를 내어 영업을 시작함. 개업(開業). ②가게 문을 열고 그날의 장사를 시작함. 개시(開市). 1)·2):↔폐점(閉店). ③가게를 내어 영업을 하고 있음. ¶～ 성업중(盛業中). *개업(開業). ――-하다 [자][타][여불]

개점 휴업【開店休業】[명] 개점은 하고 있으나, 세월이 없거나 기타의 사유로 휴업한 것이나 다름이 없는 상태.

개접-례【開接禮】[―녜] [명]〖역〗조선 시대에, 거접(居接)을 시작할 때 베풀던 잔치. ↔파접례(罷接禮).

개:정¹【介淨】[명] 산뜻하고 깨끗함. ――-하다 [형][여불]

개:정²【改正】[명] 고치어 바르게 함. 틀린 데를 고침. ¶헌법 ～. ――-하다 [타][여불]

개:정³【改定】[명] 고치어 다시 정함. ¶～ 요금. ――-하다 [타][여불]

개:정⁴【改訂】[명] 고치어 정정(訂正)함. ――-하다 [타][여불]

개정⁵【開廷】[명] 법정(法廷)을 엶. 재판(裁判)을 시작함. ↔폐정(閉廷). ――-하다 [자][여불]

개:정-건【改正件】[―껀] [명] 개정한 일. 또, 개정할 일.

개:정-안【改正案】[명] 개정한 안건(案件). 또, 개정할 안건.

개:정 전:보【改正電報】[명] 발신인이 낸 전문(電文)을 개정하기 위하여 다시 치는 전보.

개정-찮다 [형]〈방〉깨끔찮다.

개:정-판【改訂版】[명] 전에 출판한 책의 내용을 개정하여 출판한 책.

개:정-표【改正表】[명] 내용이 바뀌었거나 또는 틀린 곳을 바르게 고친 표(表).

개:-정향풀【―丁香―】[명]〖식〗[*Apocynum lancifolium*] 협죽도과에 속하는 다년초. 잎은 단병(短柄)에 타원형이며 톱니가 있는 것도 있음. 7월에 자색 꽃이 취산(聚繖) 화서로 피는데, 다소 방상(房狀)을 이루며 정생(頂生) 혹은 액출(腋出)함. 과실은 골돌(蓇葖)임. 산이나 들에 나는데, 한국 중부에 분포함.

개:제¹【介弟】[명] 남의 아우를 높이어 일컫는 말.

개:제²【改題】[명] 제목을 다르게 고침. 또, 고친 제목. ↔본제(本題)❷. ――-하다 [타][여불]

개제³【皆濟】[명] ①빚이나 빌렸던 것을 남김없이 다 갚음. ②모든 일이 다 정리되고 끝남. ――-하다 [자][타][여불]

개:제⁴【愷悌·愷弟·豈弟】[명] 용모와 기상(氣象)이 화락(和樂)하고 단아(端雅)함. ――-하다 [형][여불] →개자하다.

개제⁵【開除】[명] ①널리 열어서 헤침. ②헤치어서 없애 버림. ――-하다 [타][여불]

개제⁶【開題】[명]〖불교〗경론(經論)의 제목을 설명하고 일부의 대강을 제시함. ――-하다 [타][여불]

개제⁷【開霽】[명] 하늘이 갬. ――-하다 [자][여불]

개:-제비쑥 [명]〖식〗맑은대쑥.

개:-제주【改題主】[명] 신주(神主)의 글자를 고치어 씀. ――-하다 [타][여불]

개:조¹【改造】[명] 고치어 다시 만듦. 개변(改變). ――-하다 [타][여불]

개:조²【改組】[명] 조직을 개편함. ――-하다 [타][여불]

개조³【開祖】[명] ①무슨 일을 처음으로 시작하여, 그 일파(一派)의 원조(元祖)가 되는 사람. ②↗개종조(開宗祖). ③↗개산 조사(開山祖師).

개:조⁴【個條·箇條】[一] [명] 낱낱의 조목(條目). [二][의명] 조목이나 조항(條項)을 세는 말. ¶전문(全文) 20～의 법령.

개:-족두리풀 [명]〖식〗[*Asiasarum maculatum*] 세신과에 속하는 다년초. 근경(根莖)은 땅 위로 벋고 마디가 있으며 수근(鬚根)이 많음. 줄기는 단형(短形)이고 잎은 줄기 끝에 1-3개씩 달리는데, 장병(長柄)이고 심장형(心臟形) 또는 달걀꼴의 삼각형을 이루며, 엽면(葉面)에는 백색의 반문(斑紋)이 있음. 5-6월에 줄기 끝과 엽병(葉柄) 사이에 짧은 꽃줄기가 나와 그 끝에 암자색 꽃이 하나씩 핌. 산지(山地)의 나무 그늘에 나는데, 제주·전남·경남 등지에 분포함.

개:종¹【改宗】[명]〖종〗전에 믿던 종교를 바꾸어 다른 종교를 믿음. 개교(改敎). 전종(轉宗). ――-하다 [자][여불]

개종²【開宗】[명]〖불교〗한 교파(敎派)를 개창(開創)함. ――-하다 [자][여불]

개:-종용【―蓯蓉】[명]〖식〗[*Lathraea japonica*] 열당과에 속하는 다년생의 기생초(寄生草). 땅 속의 근경(根莖)은 다육질(多肉質)이고 인편(鱗片)이 호생하여 밀착함. 줄기 높이 20-30cm 가량인데 줄기 위에 인편이 산재(散在)하나 밑에는 밀착함. 5-6월에 흰 꽃이 총상(總狀) 화서로 정생하고, 과실은 삭과(蒴果)임. 산지의 나무 그늘에 나는데, 울릉도 및 일본에 분포함.

개:종-자【改宗者】[명]〖종〗개종한 사람.

개종-조【開宗祖】[명]〖불교〗한 종파를 처음으로 연 사람. [준]개조(開祖).

개:좆-같다 [형]〈비〉사물을 같잖게 깔보아 욕으로 하는 말. 개코같다. ¶개좆같은 놈.

개:좆-같이 [―가치] [부]〈비〉개좆같게.

개:좆-대가리 [명] ☞개좆부리.

개:좆-맛 [명]〈방〉〖조개〗긴맛.

개:좆-머리 [명]〈방〉개좆부리.

개:좆-부리 [명]〈비〉감기(感氣). [준]개좆불.

개:좆-불 [명]〈비〉↗개좆부리.

개좌【開座·開坐】[명] ①〖역〗관원이 모여 사무를 봄. ②〈이두〉자세하게 낱낱이 한 조목 한 조목씩 열기(列記)함. ――-하다 [자][여불]

개:주¹【介胄·鎧胄】[명] 갑옷과 투구. 갑주(甲胄).

개:주²【改鑄】[명] 고치어 다시 주조(鑄造)함. ――-하다 [타][여불]

개: 주다 [구] ①개먹으라고 주다. ¶죽 쑤어 개 주었네. ②못된 버릇 같은 것을 버림에 비유. ¶그 버릇 개 주었구나. ③무슨 물건 따위가 마음에 들지 않을 때 투정으로 하는 말. ¶그 따위 개나 주어라.

개:-주머니 [명]〈방〉호주머니(경상).

개-주멍이 [명]〈방〉호주머니(경남).

개-주무이 [명]〈방〉호주머니(경남).

개:주 익금【改鑄益金】[명] 금화(金貨)·은화(銀貨) 등을 고쳐 주조하여 금은의 함유량 또는 분량을 줄여서 품질을 저하시키고, 신화폐를 만듦으로써 구화폐와의 사이에 얻어지는 차익금(差益金).

개:주 정:리자【改鑄整理字】[―니―] [명]〖역〗조선 철종(哲宗) 9년(1858)에 만든 구리 활자. 정리자(整理字)를 고쳐 만든 것.

개:주지-사【介胄之士】[명] 갑옷과 투구를 갖춘 무사(武士).

개주 학화편【芥舟學畫編】[명]〖책〗〔개주는 저자의 호(號)〕중국 청(淸)나라 때의 서화가(書畫家) 심종건(沈宗騫)이 지은 화론(畫論). 산수화(山水畫)·초상화에 관하여 그림 그릴 때의 마음의 준비로부터 기법(技法)·재료에 이르기까지 옛날 사람의 설(說)과 자기의 의견을 상세히 논술하였음. 4권.

개:주 한구자【改鑄韓構字】[명]〖역〗조선 철종(哲宗) 9년(1858)에 만든 구리 활자. 한구자(韓構字)를 다시 고쳐 만든 것.

개:-죽【―粥】[명] 죽같이 만들어 개에 주는 먹이.

개:-죽-나무 [명]〈방〉〖식〗가죽나무.

개죽다 [형]〈방〉가깝다(경상·전남·함경·평안).

개:-죽음 [명] 무익한 죽음. 낭사(浪死). 도사(徒死). ¶～을 당하다. ――-하다 [자][여불]

개:준【改悛】[명] '개전(改悛)'의 잘못 이르는 말.

개-줌치 [명]〈방〉호주머니(경남).

개:중【個中·箇中】[명] ①여럿이 있는 그 가운데. 그 중. ②〖불교〗선도(禪道)의 범위(範圍) 안.

개:지¹ [명] ①↗버들개지. ②☞강아지.

개:지² [명]〖불교〗파일등(八日燈)에 모양을 내기 위하여 모서리나 밑에 듬성듬성 달아 늘어뜨리는 색종이 조각. 각각 빛깔이 다른 것을 세 오리씩 겹침.

개:지³【改紙】[명] 잘못 쓴 것이 있어 새 종이에 다시 씀. ――-하다 [자][여불]

개지⁴【開地】[명] 개간한 땅.

개지 극당【皆知戟幢】[명]〖역〗신라 때의 군대의 이름. 신문왕(神文王) 10년(690)에 둠.

개:-지네 [명]〖동〗[*Otocryptops rubiginosus*] 지넷과에 속하는 다족류(多足類)의 하나. 몸길이 4cm 가량이고, 몸빛은 황갈색임. 몸은 23절(節)이고 각 마디에 한 쌍의 발이 있고, 맨 뒤의 두 발에는 세 개의 돌기(突起)가 있음. 17절로 된 촉각이 있으며 눈이는 없음. 인가(人家) 근처나 음지 등에 서식하며, 작은 곤충을 잡아먹음. 석오공(石蜈蚣).

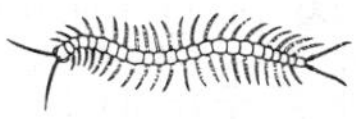
〈개지네〉

개지다 [타]〈방〉가지다(평안).

개:-지랄 [명]〈비〉남의 하는 짓을 밉게 보아, 미친개가 지랄하는 데 비유하여 욕하는 말. ――-하다 [자][여불]

개지배 [명]〈방〉계집아이(전라·경상).

개지-변【皆地邊】[명]〖역〗'울산 광역시(蔚山廣域市)'의 옛이름.

개:-지추【介之推】[명]〖사람〗개자추(介子推).

개:-지치 [명]〖식〗[*Lithospermum arvense*] 지칫과에 속하는 1-2년초. 줄기 높이 30cm 내외이고, 잎은 호생하며 무병(無柄)이고 선형(線形) 또는 선상 타원형임. 5-6월에 흰빛의 작은 오판화(五瓣花)가 이삭 모양의 총상(總狀) 화서로 정생하고, 과실은 작은 견과(堅果)임. 산이나 들에 나는데, 거의 한국 각지 및 일본에 분포함. 어린 잎은 식용함.

〈개지치〉

개:진¹【改進】[명] ①사물이 개혁되고 진보함. ②구폐(舊弊)를 개혁하여 진보를 도모함. ――-하다 [자][타][여불]

개진²【芥塵】[명] 먼지. 티끌.

개진³【開陳】[명] 의견을 진술함. ――-하다 [타][여불]

개진⁴【開進】[명] 개화(開化)하여 진보함. 문물(文物)이 발달하고 인지(人智)가 열림. ――-하다 [자][여불]

개진⁵【開賑】[명]〖역〗흉년이 들었을 때 굶주린 백성에게 진휼(賑恤)을 시작함. ――-하다 [자][여불]

개:진⁶【凱陣】[명] 싸움에 이기어 진영으로 돌아옴. *개선(凱旋). ――-하다 [자][여불]

개진-당【開進黨】[명]〖역〗개화당(開化黨).

개:질【改質】[명]〖화〗리포밍(reforming).

개:-질경이 [명]〖식〗[*Plantago camtschatica*] 질경잇과에 속하는 다년초. 잎은 뿌리에서 총생(叢生)하고 단병(短柄) 또는 무병(無柄)으로 긴 타원형인데 길이 15cm, 폭 3cm 가량임. 화경(花莖)은 높이 27cm로 잎보다 길며, 5-6월에 흰 꽃이 둥그스름하게 긴 수상(穗狀) 화서로 핌. 삭과(蒴果)는 방추형(紡錘形)의 개과(蓋果)로 종자는 네 알이며 바닷

가나 들에 나는데, 한국 각지에 분포함. 잎과 종자는 약용이고 어린 잎은 식용함.

개질지【皆叱知】명〖역〗신라 때에 노비(奴婢)를 가리키던 말.

개짐 명 여자가 월경(月經)을 할 때, 샅에 차는 헝겊. 월경대(月經帶). 서답.

개집¹ 명〈방〉기와집(충청·평안).

개:-집² 명 개가 사는 작은 집.

개-집합【開集合】명〖수〗위상 공간(位相空間)의 위상에 속하는 집합. 보집합(補集合)이 폐집합(閉集合)인 경우의 집합을 말함. 열린 집합. ＊폐집합.

개짓-대가리 명〈방〉감기(感氣)(경남).

개짓-머리 명〈방〉개좆부리(전남·경남).

개-쭈머니 명〈방〉호주머니(강원·경북).

개-쭈멍이 명〈방〉호주머니(경상).

개-쭈멩이 명〈방〉호주머니(경북).

개-쭈무니 명〈방〉호주머니(경북).

개-쭈무이 명〈방〉호주머니(경상).

개-쭘치 명〈방〉호주머니(경남).

개찌버리-사초【—莎草】명〖식〗[*Carex japonica*] 방동사닛과에 속하는 다년초. 줄기는 편삼릉주(扁三稜柱)로 총생(叢生)하고 높이 30cm 이상이며, 잎은 호생하고 선형임. 5-6월에 담녹색 꽃이 소수(小穗)로 서너 개가 정생하며, 과낭(果囊)은 삼릉상(三稜狀)의 달걀꼴임. 산이나 들에 나는데, 한국 각지 및 일본에 분포함.

개찌-벌기 명〈방〉〖충〗개똥벌레(함경).

개찌-불 명〈방〉반딧불(함경).

개:-찜 명 개고기의 찜. 구증(狗蒸).

개:차¹【改差】명〖역〗벼슬아치를 갊. ——-하다 타 여불

개차²【開遮】명〖불교〗계율(戒律)에서, 어떤 행위를 경우에 따라 허락하거나 막음. 개제(開制). ——-하다 타 여불

개:차³【蓋車】명 위에 뚜껑을 덮은 차. 유개차(有蓋車). ↔무개차(無蓋車).

개:-차반 명〈비〉개가 먹는 차반, 즉 '똥'이란 뜻으로, 행세를 더럽게 하는 사람을 욕으로 하는 말.

개:-차조기 명〖식〗[*Amethystea caerulea*] 꿀풀과에 속하는 일년초. 줄기는 사각형인데 대개 자색(紫色)을 띠며, 높이가 70cm 정도임. 잎은 대생하며 유병(有柄)임. 8-9월에 흰 꽃이 가지 끝에 산형상 원추(繖形狀圓錐) 화서로 피고, 수과(瘦果)를 맺음. 산이나 들에 나는데, 한국 각지에 분포함.

〈개차조기〉

개:착¹【改着】명 옷을 갈아입음. ——-하다 타 여불

개착²【開鑿】명 산을 뚫거나 땅을 파서 도로·터널·운하 등을 개통(開通)함. ——-하다 타 여불

개:찬¹【改撰】명 책을 다시 지음. ——-하다 타 여불

개:찬²【改竄】명 글의 글자·구절 등을 고침. ¶ 증서의 ～. ——-하다 타 여불

개:찰¹【改札】명 개표(改票). ——-하다 타 여불

개찰²【開札】명 입찰(入札)의 결과를 조사함. ——-하다 타 여불

개:찰-계【改札係】명 개표계(改票係).

개:찰-구【改札口】명 개표구(改票口).

개:찰-기【改札機】명 개표기(改票機).

개:-참꽃 명〈방〉〖식〗진달래(경북).

개찹다 형〈방〉가깝다(경북).

개창¹ 명〈방〉개천(평안).

개:창²【疥瘡】명〖한의〗옴¹.

개창³【開倉】명〖역〗관아의 창고를 열고 공곡(公穀)을 냄. ——-하다 타 여불

개창⁴【開創·開刱】명 처음으로 창설(創設)함. ——-하다 타 여불

개창⁵【開敞】명 ①앞이 널리 트이어 있음. ②항만(港灣)이 외해(外海)에 면하여 풍파를 마주 받는 일. ——-하다 형 여불

개창-지¹【開創地】명 처음으로 개척된 땅.

개창-지²【開敞地】명 앞이 널리 터져 전망(展望)하기 좋은 땅.

개:채¹【改彩】명〖불교〗불상(佛像)에 채색(彩色)을 다시 함. ——-하다 타 여불

개채²【芥菜】명 겨자와 갓의 총칭.

개채-없다 형〈방〉채신없다(함경).

개:책【介幘】명〖역〗중국 전국 시대(戰國時代)에, 헝겊으로 만든 문관(文官)의 관(冠)의 하나. 우리 나라에서는 조선 왕조 때, 악공(樂工)이 썼음.

〈개책〉

개척【開拓】명 ①산야(山野)·황무지를 일구어 논밭을 만듦. 개간. ②영토(領土) 따위를 확장함. ¶ 외국에 시장을 ～하다. ③새로운 분야(分野)에 처음으로 손을 대어 발전시킴. ¶ 신문학의 ～. ④막힌 운수(運數)나 진로(進路)를 틈. ¶ 운명을 ～하다. ——-하다 타 여불

개척-단【開拓團】명 개척민들이 모여 이룬 단체.

개척-민【開拓民】명 개척하는 이민(移民).

개척-사【開拓史】명 개척하여 온 과정. 또, 그것을 엮은 기록.

개척-자【開拓者】명 ①미개지(未開地)를 개척하는 사람. ②새 분야를 개척하는 사람.

개척 전선【開拓前線】명 미개지를 개척해 나아갈 때 최전선에 있는 개척자의 거주 지대.

개척-지【開拓地】명 개척한 땅.

개:천¹【价川】명〖지〗평안 남도 개천군의 군청 소재지로 읍(邑). 산간 분지(山間盆地)에 위치하고 있으나, 개천선(价川線)의 요역(要驛)으로 농산물의 집산지인 동시에 탄광·철광으로 유명함.

개천²【開川】명 ①개골창 물이 흘러 나가도록 판 긴 내. 굴강(掘江). ② ☞내. 【개천아 네 그르냐, 눈먼 봉사 내 그르냐】제가 실수한 것은 제 잘못이지 남을 원망하거나 탓하여도 소용 없다는 말. 【개천에 나도 제 날 탓이라】아무리 미천(微賤)한 집안에서라도 저만 잘 나면 얼마든지 훌륭하게 될 수 있다는 말. 【개천에 내다 버릴 종 없다】㉠아무리 못생기고 미련한 종도 다 부릴 데가 있다는 말. ㉡아무리 못생기고 미련한 사람도 다 쓰일 데가 있다는 말. 【개천에 든 소】개천 속에서는 소가 양쪽 언덕의 풀을 뜯어먹을 수 있다는 데서, 먹을 것이 많아 유복한 처지에 있음을 이르는 말. 도랑에 든 소. 【개천에서 용(龍) 난다】미천(微賤)한 집안에서 훌륭한 사람이 나는 경우에 쓰는 말.

개:천³【蓋天】명 하늘을 덮어 가림. ——-하다 자 여불

개천-가【開川—】[—까] 명 개천의 가의 땅. 개천의 변두리. 천변(川邊).

개:천 개:지【蓋天蓋地】명 하늘을 덮어 가리고 땅을 덮어 가림. 중생(衆生)에게 본래 갖추어져 있는 마음의 빛이 천지에 가득 참을 말함.

개:천-군【价川郡】명〖지〗평안 남도의 한 군. 관내 1읍 5면. 북은 평안 북도의 영변군(寧邊郡), 동은 덕천군(德川郡), 남은 순천군(順川郡), 서는 안주군(安州郡)에 접함. 사금(砂金)·철광·석탄·흑연 등이 나며, 초연대(超然臺)·무진대(無盡臺)·수선정(壽善亭)·부파정(浮波亭)·정통산(正通山) 등의 명승 고적이 있음. 군청 소재지는 개천읍(价川邑). [679 km²]

개:천-선【价川線】명〖지〗평안 남도 신안주(新安州)와 개천(价川) 사이의 철도 선로(線路). 개천에서 만포선(滿浦線)과, 신안주에서 경의선(京義線)과 연락됨. [29.5 km]

개:천-설【蓋天說】명 고대 중국의 우주관(宇宙觀)의 하나. 하늘은 삿갓 모양으로 되어 있어 지상(地上) 800,000리(里)의 위에서 덮고 있으며, 북극(北極) 부분이 갓의 중심이 된다고 하는 설. 하늘에 있는 태양이나 그 밖의 천체(天體)는 북극을 중심으로 하여 원(圓) 위로 움직인다고 생각하고, 밤낮이 생기는 원인은 태양까지의 거리의 멀고 가까움에 있다고 설명하였음. ＊선야설(宣夜說).

개천-일【開天日】명 개천절❷.

개천-절【開天節】명 ①우리 나라 건국(建國)을 기념하는 국경일(國慶日)로, 10월 3일. 기원 전 2333년에 단군(檀君)이 즉위한 날이라 함. ＊단군 기원. ②〖종〗대종교(大倧敎)에서 단군(檀君)의 탄생일을 건국 기원 전 125년 음력 10월 3일이라 하여 기념하는 날. 개천일(開天日).

개천-제비 명〖조〗개천 가의 흙벽에 구멍을 파고 알을 낳는다는 뜻으로 일컫는 갈색제비의 딴이름.

개:천 철산【价川鐵山】[—싼] 명〖지〗평안 남도 개천군 중서면(中西面), 개천선(价川線)에 연하여 있는 철산. 광석은 갈철광(褐鐵鑛)을 주로 하여 적철광·능철광(菱鐵鑛) 등이 산출됨. 매장량은 약 250만 t.

개:첨-도【介添島】명〖지〗강원도 동북 해상, 통천군(通川郡)에 속하는 섬. 간도(間島)·남송도(南松島)와 함께 흔히 삼도(三島)라 함. [0.12 km²]

개청【開廳】명 ①관청이 집무(執務)를 개시함. 또, 관청이 집무중임. ②관청(官廳)을 신설함. ——-하다 자 타 여불

개:체¹【改替】명 고치어 바꿈. ——-하다 타 여불

개:체²【個體·箇體】명 ①〔라·ㄱ individum〕〖철〗독립하여 존재하는 낱낱의 물체. 감성적 인식(感性的認識)의 대상이 되는 물체. ②〖철〗분할되면 그 특유의 존재와 성격을 질적(質的)으로 상실하는 통일체. 그것만으로써 하나의 유기적(有機的) 전체로서 독특한 기능을 보유함. 개물(個物). ③〖생〗한 개의 생물로서 생존하는 데 필요한 기능과 구조를 갖춘 최소의 단위(單位). 고등 생물에서는 각 생물이 이에 해당하나, 원시적인 생물은 명확하지 않음. 낱몸. ↔군체(群體).

개체³【開剃】명〖역〗머리의 가장자리를 깎고 정수리 부분의 머리털만 남기어 땋아 늘임. 몽골에서 들어온 풍속으로 고려 말에 성행하였음. ——-하다 타 여불

개:체 개:념【個體概念】명〖논〗단독 개념(單獨概念).

개:체-군【個體群】명〔population〕〖생〗동일한 장소에서 동시에 생활하는 생물 개체의 집단.

개:체군 돌연 변:이【個體群突然變異】명〖생〗생물의 어떤 개체군의 대부분에, 일제히 나타나는 돌연 변이. 집단(集團) 돌연 변이.

개:체군 밀도【個體群密度】[—또] 명〖생〗어떤 개체군의 단위 공간에 대한 개체수. 개체 밀도. 서식(棲息) 밀도.

개:체군 분포【個體群分布】명〖생〗특정 기간에서의 식물·동물 개체군의 공간적인 분포.

개:체군 생태학【個體群生態學】명〔population ecology〕〖생〗개체군을 연구 대상으로 하는 생태학. 역사적으로는 개체수(數)의 변동 기구(機構)를 대상으로 하였으나 개체 간의 관계, 곧 사회(社會) 관계도 포함하여 그 동태(動態)도 연구함.

개:체 명사【個體名辭】명〖논〗개체 개념.

개:체 발생【個體發生】[—쌩] 명〔ontogeny〕〖생〗개체가 수정란에서 발생하여 차차 발육하여 완전한 개체로 되기까지의 과정(過程). 무성생식(無性生殖)에서는, 무성적(無性的)으로 생긴 눈이나 포자(胞子)를 출발점으로 함. 발생(發生). ↔계통(系統) 발생.

개:체 변:이【個體變異】명〔individual variation〕〖생〗같은 종류의 생물의 각 개체 사이에 일어나는 유전하지 않는 변이. 환경·연령·성(性) 등이 다름으로 생김. 방황(彷徨) 변이.

개:체 사유제【個體私有制】명 토지·농구·목축 등 생산 수단을 개인이 소유하는 제도. ↔집단 소유제(集團所有制).

개:체 생태학【個體生態學】명〔autecology〕〖생〗생태학의 한 분과(分科). 생물 개체와 환경과의 관계를 연구 대상으로 하며, 생리학적 방법에 의한 실험적 연구가 주체가 됨. ＊식물 생태 지리학.

개:체 선:발【個體選拔】명〖농〗작물(作物)의 품종 개량의 한 조작(操作). 특성이 다른 개체를 가지는 작물의 집단으로부터 희망하는 특성

개체수 피라미드

는 일. 외관(外觀) 또는 여러 가지 측정·조사 을 가지는 개체를 전적(遺傳的)인 것에만 한하지 아니하므로 후 에 의하여 행하 할 필요가 있음.

대 검정(後代 體數—】명〔pyramid of numbers〕〖생〗먹이 개체수를 하위(下位), 곧 먹히는 쪽부터 가로 피라미드 모양의 도형. '엘턴(Elton)의 피라미

개:체수 피

연쇄(連鎖

명〔hologamy〕〖생〗단세포 생물에 있어서 보 식 세포가 되어 서로 접합하는 일. ↔배우자(配

개:체

】[—/—이] 명〔도 Individualismus〕일반적으 體的)인 것으로서 제일의적(第一義的)으로 생각 는 전체를 비본질적(非本質的)·제이의적(第二義 입장. 실천(實踐)의 영역(領域)에서는 개인주의(個 체주의(全體主義)·보편(普遍)주의. 「여불

|영. ②이영으로 지붕을 임. *개와. ——-하다 타

房都家】명〖역〗개초장이들이 조직한 도가(都家).

리아재비. ¶ 개초약(毛茛)《才物譜 卷 8》.

—】명 개초하는 것을 업으로 하는 사람.

명〖동〗[*Taenia pisiformis*] 촌충과에 속하는 환형 이 0.5-2mm, 폭 6mm임. 충체(蟲體)의 가장자리는 공 모양이고 강대한 이마에는 38-48개의 작은 갈고 같아 환생함. 개에 기생하는데 중간 숙주(中間宿主)는 . *갈고리촌충.

회·회의 따위를 차리어 엶. 또, 전람회·박람회·운동회 -하다 타여불

者】명 개최하는 사람.

催地】명 개최하는 곳.

築】명 집이나 담이 허물어졌거나 낡은 것을 다시 고쳐 짓거나 ~ 공사. ——-하다 타여불

-비【改築費】명 개축에 드는 비용(費用).

춘¹【改春】명 ①돌아온 봄. ②새해.

춘²【開春】명 봄철이 시작됨. 봄이 됨. ——-하다 자여불

개:-춤 명〈방〉가래침.

개-춤치 명〈방〉호주머니(경남).

개:충¹【介蟲】명〖충〗갑충(甲蟲).

개:충²【個蟲】명〔zooid〕〖동〗이끼벌레나 강장 동물(腔腸動物)과 같이, 군체(群體)를 구성하는 동물의 한 개체.

개:충-류【介蟲類】[—뉴] 명〖동〗개형목(介形目).

개-충이 명〈방〉호주머니(경남).

개-취 명〖식〗[*Ligularia taquetii*] 국화과에 속하는 다년초. 줄기 높이는 50cm이고 근생엽(根生葉)은 장병(長柄)인데 넓은 타원형 또는 도란상(倒卵狀) 타원형임. 5-6월에 황색의 두화(頭花)가 총상 화수(總狀花穗)로 핌. 제주 및 거제도의 바닷가에 남.

개치¹ 명〈방〉까투리(전북).

개:치²【改置】명 대치(代置). ——-하다 타여불

개치기 명〈방〉재채기(경북).

개치네-쒜: 감 재채기를 한 뒤에 외치는 소리. 이 소리를 외치면 감기가 달아난다는 미신이 있음.

개:칙【概則】명 개략의 규칙. 대략의 칙조(則條).

개:칠【改漆】명 ①다시 칠함. 한 번 칠한 것을 다시 고치어 칠함. 가칠(加漆). ②글씨를 쓸 때, 한번 그은 획에 다시 붓을 대어 고치어 칠함. *개획(改畫). ——-하다 자타여불

개침【開枕】명 선종(禪宗)에서, 자리에 누워 잠을 이르는 말. ——-하다 자여불

개:칭【改稱】명 칭호(稱號)를 고침. 고치어 일컬음. ——-하다 타여불

개컬-간【—間】명 윷놀이에서, 개나 걸 둘 중의 하나.

개컬-뜨기 명 윷놀이에서, 개나 걸로 상대편의 말을 잡을 수 있는 기회.

개:코-같다 형〈비〉개좆같다.

개:코-같이 [—가치] 부〈비〉개코같게.

개:코-망신【—亡身】명 아주 큰 망신. ——-하다 자여불 「다.

개키다 타 이부자리나 옷 같은 것을 잘 포개어 접다. ¶ 이불을 ~. 준개

개:-키버들 명〖식〗[*Salix integra*] 버드나뭇과에 속하는 낙엽 활엽 관목. 잎은 대생하고 긴 타원형이며, 어린 잎은 안으로 말림. 꽃은 자웅 이가(雌雄二家)로 3월에 유제(葇荑) 화서로 피는데, 화수(花穗)는 원주형, 수술은 두 개이며 삭과(蒴果)는 4-5월에 익음. 산이나 냇가에 나는데, 함북 및 일본에 분포함. 버들고리 및 세공용으로 씀.

개:-타령【—打令】명〖악〗①경상 남도 민요의 하나. 중중모리 장단에 맞추어 부르는 익살스러운 사설임. ②사설 난봉가.

개탁【開坼】명 봉한 편지나 서류를 뜯어봄. ——-하다 타여불

개:탄【慨歎·慨嘆】명 개연(慨然)히 탄식함. ——-하다 자여불

개탕¹ 명〈방〉개천(강원).

개탕²【開鐋】명〖건〗①장지나 빈지·판자 등을 끼우기 위하여 파낸 홈. ②↗개탕(開鐋) 대패.

개탕(을) 치다 구〖건〗개탕을 만들다.

개탕(을) 파다 구〖건〗☞개탕(을) 치다.

개탕 대:패【開鐋—】명〖공〗개탕을 치는 대패. 대팻집의 바닥이 대팻날의 넓이와 같음. 홈대패. 준개탕(開鐋).

〈개탕 대패〉

개탕 붙임【開鐋—】[—부침] 명〖건〗은촉 붙임.

개탕-홈【開鐋—】명〖건〗개탕 대패로 판 홈.

개태-사【開泰寺】명〖불교〗고려 태조(太祖)가 지은 절. 충청 남도 논산군(論山郡) 연산면(連山面) 천호리(天護里) 천호산(天護山)에 있음. 태조 19년(936)에 후백제(後百濟)를 황산(黃山)에서 쳐부수어 삼국을 통일한 후, 이 곳에 절을 짓고 태조가 친히 글을 지어 백제의 대적을 물리친 것은 부처의 힘과 또 황산의 산신령의 은혜라 하여 감사하였음. 오랫동안 폐허로 있다가 1930년 중건되어 도광사(道光寺)라 하였다가 그 뒤 다시 개태사라 하여 현재에 이름.

개:-택란【—澤蘭】[—난] 명〖식〗개쉽싸리.

개:-털 명 ①개의 털. ②〈속〉죄수(罪囚)들의 은어(隱語). 돈 없는 사람.

개:털에 벼룩 끼듯 구 좁은 바닥에 많은 것이 득시글득시글 몰려 있는 모양.

개:털-니 [—리] 명〖충〗[*Trichodectes canis*] 짐승털닛과에 속하는 기생 곤충. 몸길이 1.4-1.5mm, 폭 0.75-0.85mm임. 두부는 육각형이며 두부의 한 변(邊)이 다소 오목하고 그 가장자리에 10개의 미모(微毛)가 있음. 개에 기생하는데, 전세계에 분포함.

개토【開土】명 집터를 닦거나 뫼를 쓰려고 땅을 파기 시작함. ——-하다 자여불

개토 귀류【開土歸流】명〖역〗〔토사(土司)를 고치어 유관(流官)의 관할(管轄)에 돌아가게 한다는 뜻〕중국의 서남(西南) 지방에 사는 원주민(原住民)을 중국화(中國化)하기 위하여 취해졌던 정책. 명(明)나라 이전부터 행하여졌으나, 청(淸)나라 때에 가장 번창하여 많은 발전을 이루었음. *토사(土司).

개토-제【開土祭】명 집터를 닦거나 뫼를 쓸 때, 흙을 파기 전에 토신(土神)에게 올리는 제사.

개:통¹【改痛】명〖의〗염병·이질(痢疾) 같은 병이 나았다가 다시 더침. ——-하다 자여불

개통²【開通】명 도로·철도·교량(橋梁)·전화 등이 새로이 완성되어 통함. ¶ 지하철이 ~되다. ——-하다 자여불

〈개통발〉

개:-통발 명〖식〗[*Utricularia intermedia*] 통발과에 속하는 수초(水草). 줄기는 실과 같이 가늘고 잎은 호생하여 여러 갈래로 가늘게 갈리는데, 그 수가 통발의 잎보다 적고, 모양도 그보다 작으며 일부의 잎이 변한 포충낭(捕蟲囊)이 있음. 여름에 엽액(葉腋)에서 10-15cm의 꽃꼭지가 나와 나비 형상의 누른 꽃이 핌. 연못이나 늪 같은 괴어 있는 물속에 나는데, 제주·경남·황해도 등지에 분포함.

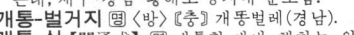

개통-벌거지 명〈방〉〖충〗개똥벌레(경남).

개통-식【開通式】명 개통할 때에 행하는 의식.

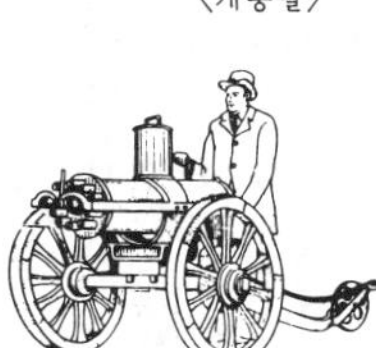

〈개틀링포〉

개틀링-포【—砲】〔Gatling〕명〖군〗1861년 미국의 개틀링(Gatling, Richard Jordan; 1818-1903)이 발명한 기관포(機關砲). 포신(砲身)이 중축(中軸)의 주위를 돌면서 장전 발사(裝塡發射)되며 1분간에 600발을 발사 「함.

개파랍다 형〈방〉강파르다.

개:-판¹ 명〈속〉무질서하고 난잡(亂雜)한 상태.

개:판²【改—】명 씨름 등에서, 승부가 나지 않을 때에 판을 다시 함. 또, 그 다시 하는 판. ——-하다 자여불

개:판³【改版】명 ①인쇄에서 원판을 고치어 다시 판을 짬. ②출판물의 내용에 손을 보아서, 판을 새로이 하여 펴냄. 또, 그 출판물. 개간(改刊). *개정판. ——-하다 타여불 「타여불

개판⁴【開版】명 출판(出版). 목판(木版) 인쇄 시대에 쓰던 말. ——-하다

개:판⁵【蓋板】명 ①〖건〗서까래·부연(附椽)·목반자 등의 위에 까는 널빤지. 선자 개판(扇子蓋板). ②〖공〗농장(籠欌) 등의 맨 위, 모양내기 위해 벤 나무판.

개:판⁶【鎧板】명 탄알의 관통을 막기 위하여 물건의 표면에 붙인 철판이 「나 강철판.

개:판-널【蓋板—】명〖공〗개판(蓋板)에 쓰이는 널빤지.

개:판-농【蓋板籠】명 개판이 붙은 농장(籠欌).

개:판-초【蓋板—】명〖건〗부연(附椽)의 개판에 그린 단청(丹靑).

개-패랭이꽃 명〖식〗[*Dianthus japonicus*] 너도개미자릿과에 속하는 다년초. 줄기 높이 50cm 가량이고, 달걀꼴 또는 타원형의 잎이 대생(對生)하는데 단병(短柄)임. 7-8월에 백색의 꽃이 취산(聚繖) 화서로 밀집하여 정생하고, 과실은 삭과(蒴果)임. 바닷가에 나는데, 경남에 분포함. 관상용임.

〈개패랭이꽃〉

개펄 명 물가의 개흙 땅. 준펄.

개:편¹【改編】명 ①책 따위를 다시 고치어 편집함. ②조직 따위를 고치어 편성(編成)함. ——-하다 타여불

개편²【開片】명〖공〗↗개편열(開片裂). 「片).

개편-열【開片裂】명〖공〗도자기 거죽의 잿물에 잘게 난 금. 준개편(開

개:-편육【—片肉】명 개고기의 편육.

개평¹ 명 남이 소유(所有)한 것 가운데서 조금 얻어 가지는 공것.

개평(을) 떼:다 구 개평을 떼어 얻다.

개평(을) 뜯다 구 억지로 개평을 떼어 가지다.

개평²【開平】명〖수〗↗개평방(開平方).

개평³【開平】명〖지〗'카이핑(開平)'을 우리 음으로 읽은 이름.

개:평⁴【蓋平】명〖지〗'가이핑(蓋平)'을 우리 음으로 읽은 이름.

개:평⁵【概評】명 대충대충 비평을 함. 또, 그렇게 한 비평. ——-하다 「타여불

개평-근【開平根】명〖수〗제곱근.

개평-꾼 명 개평을 떼는 사람.
개-평방【開平方】명〖수〗'제곱근풀이'의 구용어. 준개평(開平). ——-하다 타여불
개평방-법【開平方法】[—뻡] 명〖수〗개평방(開平方)하는 셈법. 준개평법.
개평-법【開平法】[—뻡] 명〖수〗↗개평방법(開平方法).
개:폐[1]【改廢】명 고침과 폐지함. ¶ 법률의 ~. ——-하다 타여불
개폐[2]【開閉】명 열고 닫음. 개합(開闔). 계폐(啓閉). ——-하다 타여불
개폐-교【開閉橋】명〖토〗가동교(可動橋).
개폐-기【開閉器】명〖물〗①통로나 회로(回路) 따위를 열었다 닫았다 하는 기구·장치. ②특히, 전기 회로를 접속(接續) 또는 차단하는 전기 기구. 스위치(switch).
개폐-문【開閉門】명〖역〗조선 시대 때, 감영(監營)과 각 고을의 삼문(三門)을 날마다 열고 닫는 일. 여닫을 때에 문루(門樓)에서 큰 북을 치고 소라와 날라리를 불어 사람들에게 알림. ——-하다 자여불
개폐 세:포【開閉細胞】명〖식〗공변(孔邊) 세포.
개폐-소【開閉所】명〖전〗송전 선로의 도중 또는 송전선의 분기점(分岐點)에서 개폐를 하기 위해 마련된 시설. 주요 설비로는 차단기(遮斷器)와 단로기(斷路器)가 있음.
개폐-식【開閉式】명 여닫게 된 방식. ¶ ~ 갑문(閘門).
개폐 운:동【開閉運動】명〖식〗공변 세포(孔邊細胞)의 내압의 변화에 의해서 일어나는 기공(氣孔)의 여닫는 운동. 여닫이 운동.
개:표[1]【改票】명 역(驛)에서, 차표를 입구에서 조사하는 일. 개찰(改札). ¶ ~ 가위. *검표(檢票). ——-하다 자여불
개:표[2]【改標】명〖역〗표지(標紙)를 고치어 씀. ——-하다 자여불
개표[3]【開票】명 투표함을 열고 투표의 결과를 조사함. ——-하다 자여불
개:표-계【改票係】명 승객을 객차에 승차시킬 때 승차권에 개표하는 계(係). 또, 그 계원.
개:표-구[1]【改票口】명 역(驛)에서 개표하는 출입구(出入口). 개찰구(開札口).
개표-구[2]【開票區】명 개표를 관리하기 위하여 베푼 구역.
개:표-기【改票機】명 개표 계원을 대신하여 승차권이나 정기 승차권을 개표하는 무인(無人) 개표 장치. 개찰기(改札機).
개표-록【開票錄】명 개표구 선거 관리 위원회가 개표 사무 및 그 결과를 상급 선거 관리 위원회에 보고하기 위하여 작성하는 기록.
개표 사:무 종사원【開票事務從事員】명 개표구 선거 관리 위원회에서 선거 관리 위원을 보조하여 개표 사무에 종사하는 사람. 당해 구역 안의 행정 기관의 공무원이나 법원 또는 교육 공무원 가운데에서 개표구 선거 관리 위원회가 위촉함.
개표-소【開票所】명 ↗개표 장소.
개표 장소【開票場所】명 개표를 행하는 장소. 각 개표구 선거 관리 위원회가 그 구청·시청·군청 소재지 등에 설치함. 준개표소.
개표 참관인【開票參觀人】명 개표하는 데에 입회(立會)하여 감시하는 사람. 그때그때 개표구 선거 관리 위원회에서 선임(選任)함.
개-풀 명 갯가에 난 풀.
개:풍【凱風】명 ①온화한 바람. ②남풍(南風).
개풍-군【開豐郡】명〖지〗경기도의 한 군. 관내 13면. 동은 장단군(長湍郡), 남은 한강(漢江) 건너 김포시(金浦市)와 인천 광역시, 서쪽은 예성강(禮成江) 건너 황해도 연백군(延白郡), 북은 금천군(金川郡)에 접함. 중요한 농산물은 쌀·보리·콩·조·고치·인삼 등임. 명승 고적은 관음사(觀音寺)·대흥사(大興寺)·영통사(靈通寺)·서사정(逝斯亭)·박연폭포(朴淵瀑布)·도선암(道詵庵)·현능(顯陵)·덕물산(德物山)·대정(大井) 등이 있음. [744 km^2]
개피[1] 명 의명 ☞개비[1].
개:-피[2] 명〖식〗[*Beckmannia erucaeformis*] 볏과(科)에 속하는 이년초. 포기가 총생(叢生)하며 높이 30-60cm이고, 잎은 넓은 선형(線形)으로 길이 6-20cm, 폭은 0.5-1cm에 이르고 끝이 뾰족함. 4-5월에 잎 사이에서 이삭이 길게 나와 복수상(複穗狀) 화서로 피고, 긴 타원형의 영과(穎果)를 맺음. 논이나 밭두둑에 나는데, 제주도 및 경기도 이북에 널리 분포함. 식용 또는 풀을 쑤기도 함.

〈개피[2]〉

개피[3]【蓋皮】명〖공〗→개비[3].
개피-떡 명 흰떡이나 쑥을 넣은 떡을 얇게 밀어, 팥이나 콩 소를 넣고, 반달같이 만들어서 두세 개를 붙인 떡. 취음: 갑피병(甲皮餠).
개학【開學】명 학교에서 한동안 쉬었다가 다시 수업을 시작함. ¶ 방학과 ~. ——-하다 자여불
개함【開函】명 함이나 상자를 엶. ¶ 투표함의 ~. ——-하다 자여불
개합[1]【開合】명〖언〗①개음(開音)과 합음(合音). ②모든 발음.
개합[2]【開闔】명 개폐(開閉). ——-하다 타여불
개항【開港】명 ①항구를 개방(開放)하여 통상(通商)을 허락함. ②↗개항장(開港場). ③개구항(開口港). ④공항(空港)을 열어 업무를 개시함. ——-하다 타여불
개항-장【開港場】명 다른 나라와 통상 무역(通商貿易)을 하도록 개항한 항구 및 공항(空港). 조선 말 고종(高宗) 20년(1883)에 인천(仁川)·부산(釜山)·원산(元山)에 열고, 그 후에, 웅기(雄基)·진남포(鎭南浦)·목포(木浦)·군산(群山)·마산(馬山)·성진(城津)·용암포(龍巖浦)·신의주(新義州)를 각각 열었음. 지금은 인천·부산·마산·여수·목포·군산·제주(濟州)·동해·울산·통영·사천·거제·포항·서천·광양·평택·대산·삼척·진해·완도 등의 항구와 김포(金浦)·김해(金海)·제주(濟州) 등의 국제 공항이 지정되어 있음. 개항지. 준개항.
개항장 재판소【開港場裁判所】명〖역〗조선 고종(高宗) 32년(1895)에, 인천·부산·원산·경흥(慶興)·무안(務安)·삼화(三和)·창원(昌原)·성진(城津)·옥구(沃溝) 등 개항장에 베푼, 근대적인 일체의 민사·형사 사건 및 외국인과 우리 나라 … 을 관할하였음.
개항-지【開港地】명 개항장(開港場).
개항 질서법【開港秩序法】[—써뻡] 명〖법〗개항의 … 의 선박 교통의 안전과 질서를 유지하기 위하여, 출 … (碇泊)·항법(航法) 등에 관하여 규정한 법. 1961년에 …
개:항-포【蓋項布】명〖천주교〗신부(神父)의 목에 두 … 四角形)의 헝겊.
개:-해[1] 명〖민〗'술년(戌年)'을 달리 이르는 말.
개해[2]【開解】명〖불교〗도리를 깨달아 알아냄. ——-하다 …
개-해금【開海禁】명〖역〗중국에서, 해금(海禁)을 해제하 … 하다 자여불
개:헌【改憲】명 헌법 개정. ——-하다 자여불
개:헌-안【改憲案】명 헌법 개정안.
개:-헤엄 명 개처럼 손바닥을 아래로 엎어, 팔을 물 속 앞쪽으 … 물을 끌어당기면서 치는 헤엄.
개:혁【改革】명 ①새롭게 뜯어고침. 혁개(革改). ②〔reform〕〖정 … 적 절차를 밟아 정치상(政治上)·사회상의 묵은 체제(體制)를 고치 … 체제로 바꿈. ¶ 농지 ~. ——-하다 타여불
개:혁-가【改革家】명 개혁 운동을 하는 사람. 또, 개혁한 사람. 국가 … 회·종교 등 비교적 넓은 지역·범위의 개혁에 쓰여짐.
개:혁-자【改革者】명 개혁을 하는 사람.
개:혁-파【改革派】명 개혁을 주장하는 파.
개:혁파 교:회【改革派敎會】명〔Reformed Church〕〖기독교〗프로테스탄트(Protestant) 교회의 한 종파. 루터(Luther, M.) 교회에 대하여 칼뱅주의(Calvin 主義)의 신앙에 입각하는 교파(敎派). 교회 조직은 장로주의(長老主義)를 채택하고 있음. 주로, 스위스·네덜란드·스코틀랜드·미국에 지반을 가지고 있음.
개현【開顯】명 열어서 나타냄. ——-하다 타여불
개:-현삼【—玄參】명〖식〗[*Scrophularia grayana*] 현삼과에 속하는 다년초. 줄기는 네모가 지고 높이 1m 내외이며 잎은 대생(對生), 달걀꼴을 이루며 끝이 뾰족함. 6-7월에 암자색의 꽃이 줄기 위에 취산(聚繖) 화서로 피고, 달걀꼴의 삭과(蒴果)를 맺음. 산지(山地)에 나는데, 경남·경북·강원·함북 등지에 분포함.
개:혈【改血】명〖동〗가축 개량을 목적으로 그 체질(體質)이 점차 허약해지는 것을 방지하기 위하여 혈연(血緣)이 먼 것과 교배(交配)하게 하여 체질을 향상시킴. ——-하다 타여불
개형[1]【開形】명〔open form〕〖광〗결정형이 그에 딸린 면에 의해서 결정 내부의 공간이 완전히 둘러 막힌 때를 이름. 여러 개 합쳐서 적당한 취형(聚形)을 만듦에 따라서 공간을 포위할 수 있음. ↔폐형(閉形).
개:형[2]【槪形】명 대체로 본 형상.
개:형-목【介形目】명〖동〗[Ostracoda] 갑각류(甲殼類)에 속하는 한 목(目). 민물이나 바닷물에서 사는데, 몸이 퇴화(退化)하여 체절(體節)이 뚜렷하지 못하고 조개 모양으로 두 개의 껍데기가 있고 머리에는 두 쌍의 촉각(觸角), 한 쌍의 상악(上顎), 두 쌍의 하악(下顎), 한 쌍의 복안(複眼) 혹은 단안(單眼)이 있음. 자웅 이체(雌雄異體)인데, 변태 발육을 하는 것과, 직접 발육을 하는 것의 두 가지가 있음. 개충류(介蟲類).
개:호[1]【介護】명 곁에서 돌봐 줌. ——-하다 타여불
개:호[2]【改號】명 ①시호(詩號)나 당호(堂號) 등을 고침. ②개원(改元)❶. ——-하다 자여불
개호[3]【開戶】명 지게문을 엶. ——-하다 타여불
개호주 명 범의 새끼. ¶ 인제 알구 보니 자네가 사람이 아니라 개호줄세그려《洪命憙 : 林巨正》.
개호지 명 〈방〉 개호주(경상).
개혼【開婚】명 여러 자녀 중에서 처음으로 혼인을 치름. 초혼(初婚). ↔필혼(畢婚). ——-하다 자여불
개:화[1]【改火】명〖역〗불을 새롭게 하는 뜻으로, 대궐 안에서 나무를 서로 비비어 신화(新火)를 내고 구화(舊火)를 끄던 의식(儀式). 병조(兵曹)에서 입춘(立春)·입하(立夏)·입추(立秋)·입동(立冬)의 사철의 입절일(立節日)과 늦여름의 토왕일(土旺日) 등 일년에 다섯 번 불을 새로 만들어 각 전궁(殿宮)에 진상(進上)하고 다음에 모든 관아(官衙)에 나눔. 입춘에는 버드나무 판에 느릅나무로, 입하에는 살구나무 판에 대추나무로, 토왕에는 산뽕나무 판에 뽕나무로, 입추에는 참나무 판에 가락나무로, 입동에는 박달나무 판에 홰나무로 판의 구멍을 비비어 불을 냄. 각 고을에서도 이와 같이 함. ——-하다 자여불
개:화[2]【改化】명 악(惡)을 고치고 선(善)을 좇음. ——-하다 자여불
개화[3]【開化】명 ①사람의 지혜가 열리고, 사상(思想)과 풍속(風俗)이 진보함. *개명(開明). ②〖역〗갑오 개혁(甲午改革), 곧 조선 고종(高宗) 31년(1894) 갑오년에 정치 제도가 근대적으로 개혁된 일. ¶ ~기(期). ③〈방〉호주머니. ——-하다 자여불
개화[4]【開花】명 꽃이 핌. ——-하다 자여불
개화-경【開化鏡】명 〈폐어〉 안경을 개화기 때 일컫던 말.
개화-기[1]【開化期】명〖역〗1876년의 강화도 조약 체결 이후 국권 피탈에 이르기까지, 종래의 봉건적인 사회 질서를 타파하고 근대적 사회로 개화하여 가던 시기.
개화-기[2]【開花期】명 ①식물의 꽃이 피는 시기. 식물의 종류에 따라 대체로 일정함. ②문화·예술 등이 한창 번영하는 시기의 비유.
개화-꾼【開化—】명 〈폐어〉 개화한 사람을 놀림조로 일컫던 말.
개화-당【開化黨】명〖역〗근대 조선 고종(高宗) 때 김옥균(金玉均)·박영효(朴泳孝)·홍영식(洪英植) 등이 중심이 되어 청국(淸國)에 의뢰하여 구제도를 고수하려는 사대당(事大黨)을 물리치고 일본의 힘을 빌려

개화모

양의 문물 제도를 수입하여 개화한 국가를 만들
구제도를 혁신하 정변(甲申政變)에 실패하여 세가 꺾임. 독립당(獨
려고 하던 당파). 신론당(新論黨). ↔사대당·수구당(守舊黨).
立黨). 개진당 〈폐어〉 서양식 모자를 개화기 때 일컫던 말.
명 〈폐어〉 양복을 개화기 때 일컫던 말.
개화-모【開 명〖역〗문명이 개화되어 온 과정이나 사실의 기록.
개화-복【). 「을 타파하고 근대화를 지향하려던 사상.
개화-사思想】명〖역〗조선 시대 말에, 봉건적인 사상·풍속 등
*무【開化史的段階】[—쩍—] 명〖교〗개인의 발달과 인류
개 과는 서로 병행한다는 원리에 따라, 이것을 교재의 선택
개 기본 원칙으로 삼아, 아동 발달의 각 단계에 있어서 이와 병
상응하는 인류 발달의 역사적 자료를 과해야 한다는 설(說).
단계.
.【開化思潮】명〖역〗조선 시대 말에, 서양의 신문명을 받아들
하려던 사상의 흐름.
.【開花山】명〖지〗함경 남도 단천군(端川郡)에 있는 산.[1,310m]
-쪽【開化—】[—쏙] 명〖역〗정치적인 개혁을 이룰 목적으로 외
맺던 비밀 협약(協約).
예:상【開花豫想】명〖기상〗기온·고도·위도 등을 참작하여 식물
개화일을 수일 또는 수십 일 전에 예상하는 일.
화 운:동【開化運動】명〖역〗조선 시대 말에, 개화당이 주동이 되어 새로운 문명을 받아들이기 위하여 벌인 사회적 운동.
개화-인【開化人】명 개화한 사람. 머리가 깬 사람.
개화-일【開花日】명〖기상〗개화 예상(豫想)에서, 식물이 꽃 피기 시작하는 첫날.
개화-장【開化杖】명〈폐어〉단장(短杖)❷.
개화-주머니【開化—】[—쭈—] 명〈방〉호주머니(경기·강원·경북·황해).
개화-주머이【開化—】[—쭈—] 명〈방〉호주머니(경북).
개화-주멍이【開化—】[—쭈—] 명〈방〉호주머니(경기·강원).
개화-주멩이【開化—】[—쭈—] 명〈방〉호주머니(경북).
개화 주화책【開化主和策】명〖역〗조선 시대 말기에, 나라를 열어 외국과 화친(和親)하고 서양 문물을 수입할 것을 주장한 민비(閔妃) 일파의 대외 정책. 대원군(大院君)을 제거하고 청(淸)나라 세력을 끌어들이기 위한 계책이었음.
개화-지팡이【開化—】[—찌—] 명〈폐어〉단장(短杖)❷.
개화 촉진법【開花促進法】[—뻡] 명 꽃봉오리를 인공적으로 빨리 개화시키기 위한 방법. 온실 안에 항온조(恒溫槽) 등을 마련하여 30-35°C의 더운물에 일정 시간 동안 담가 두거나 또는 황산으로 직접 씻는 방법 등이 있음.
개화-포【開花砲】명 예전에 쓰던 대포의 한 가지. 파열탄을 발사하였음.
개화 호르몬【開花—】〔hormone〕명〖식〗식물의 화아(花芽)의 형성(形成)을 촉진하는 것으로 추정되는 물질. 잎에서 만들어지며, 줄기의 생장점(生長點)에 이동하여 작용한다고 하나, 아직 추출(抽出)되어 있지 않음. 화성(花成) 호르몬. 플로리겐(florigen).
개환【開環】명〖화〗고리 열림. ↔폐환(閉環). ——-하다 자여불
개활【開豁】명 막힘이 없이 앞이 너르게 트이어 열림. ——-하다 형여불
개활-지【開豁地】[—찌] 명 앞이 너르게 트인 땅.
개황[1]【開荒】명 황무지를 개척함. ——-하다 타여불
개:황[2]【概況】명 대개의 상황. 대강의 형편과 모양. ¶기상 ~.
개:-황기【—黃耆】명〖식〗[*Astragalus uliginosus*] 콩과에 속하는 다년초. 줄기 높이 1m 가량, 잎은 호생(互生)하며, 단병(短柄)이고, 소엽(小葉)은 8-13쌍인데 긴 타원형 또는 긴 타원상 피침형임. 5-8월에 자색꽃이 총상(總狀) 화서로 액생(腋生)하며, 협과(莢果)를 맺음. 고원(高原)에 나는데, 함남북에 분포함.
개:회[1]【改悔】명 회개(悔改)❶. ——-하다 타여불
개회[2]【開會】명 회의 또는 회합 따위를 시작함. 또, 전람회·박람회·의회 등을 엶. ¶~를 선언하다. ↔폐회(閉會). ——-하다 자타여불
개:-회나무 명〖식〗①[*Euonymus pauciflorus*] 노박덩굴과에 속하는 낙엽 활엽 관목. 잔가지에 혹 모양의 돌기(突起)가 있으며, 잎은 달걀꼴 또는 타원형임. 6월에 한두 송이의 흰 꽃이 액생(腋生)하며, 삭과(蒴果)는 9월에 익음. 깊은 산의 숲 속에 나는데, 한국 각지 및 만주·우수리 등지에 분포함. 관상용임. ②[*Ligustrina reticulata* var. *mandshurica*] 목서과에 속하는 낙엽 활엽 교목. 잎은 넓은 달걀꼴 또는 넓은 타원형임. 7월에 흰 꽃이 원추(圓錐) 화서로 가지 끝에 액생(腋生)하며 삭과(蒴果)는 10월에 익음. 거의 한국 전역 및 일본·사할린·만주·중국·아무르 등지에 분포함. 정원수로 심음.
개-회로【開回路】명〖전자〗열린 회로.
개회-사【開會辭】명 개회할 때에, 그 회의 취지·성격·목적(目的) 등을 덧붙이어 하는 인사말. ↔폐회사(閉會辭).
개회-식【開會式】명 ①회의나 집회를 시작할 때의 의식. ②국회에서 정기회(定期會)·임시회(臨時會)의 집회일(集會日)에 행하는 식전(式典). 1)·2):↔폐회식(閉會式).
개:-회향【—茴香】명〖식〗[*Cnidium tachiroei*] 미나릿과에 속하는 다년초. 줄기 높이 25cm 가량이고, 잎은 호생하며, 근생엽(根生葉)은 장병(長柄), 경엽(莖葉)은 엽초(葉鞘)가 뚜렷하며, 3-4회 우상 전열(羽狀全裂)하고 열편(裂片)은 선형(線形)임. 7-8월에 흰 꽃이 복산형(複繖形) 화서로 줄기 끝과 가지 끝에 정생(頂生)하며 타원형의 과실을 맺음. 산지(山地)의 바위 틈에 나는데, 제주·전남·경남·평북·함남·함북 등지에 분포함.
개:획【改畫】명 그림이나 글씨에 획을 개칠함. *개칠(改漆). ——-하다 자여불
개후-음【開喉音】명 판소리에서, 목 푸는 소리. 단가(短歌)가 있음.
개훈【開葷】명〖불교〗병을 고치기 위하여 술·고기·오훈채(五葷菜) 먹는 것을 허락함. ——-하다 타여불
개훼【開喙】명 입을 놀림. 말참견을 함. 용훼(容喙). ——-하다 자여불
개흉【開胸】명〖의〗흉곽 외과 등에서 흉강 안의 기관을 수술하기 위하여 흉강을 열어 놓는 일. ——-하다 자여불
개흉-술【開胸術】명〖의〗흉강(胸腔)을 절개(切開)하는 수술. 농흉(膿胸)·폐(肺) 수술·식도(食道) 수술 또는 흉강 안에 조작(操作)을 가할 때에 행하는데, 보통은 늑골(肋骨)을 베어 버린 후에 흉강을 열지만, 다만 늑골과 늑골 사이의 근육을 절개하는 경우도 있음.
개:-흘레 명〖건〗집의 벽 밖으로 새로 물리어서 칸을 늘이든지 벽장을 만들든지 하여 조그맣게 달아 낸 칸살.
개-흙[—흑] 명 강가나 개천가에 있는 거무스름하고 미끈미끈한 흙.
객[1]【客】명 찾아온 사람. 손. 손님.
객[2]【客】관 쓸데없는. 객쩍은. ¶~소리/~식구(客食口).
-객【客】미 '어떤 사람'의 뜻을 나타내는 말. ¶관광~/입장~/불평~.
객가【客家】명〔객가는, 토착민에 대하여 외래인이라는 뜻의 멸칭(蔑稱)〕중국 광동 성(廣東省) 동북부·푸젠 성(福建省)·장시 성(江西省) 및 광시 좡족 자치구(廣西壯族自治區)의 구릉 지대에 사는 종족. 몇 시기에 걸쳐 북쪽의 한족(漢族)이 남쪽으로 이동한 것으로 추정되며, 타이완(臺灣)·하이난(海南) 섬에 강제 이주당한 자도 많음. 언어는 객가어(客家語)를 쓰며, 여자는 옥외 노동을 하고, 남자는 옥내 노동 또는 화교(華僑)로서 해외에 나감. 주로 농업에 종사함. 하카(Hakka).
객가-어【客家語】명 중국 객가(客家)의 언어. 중국어 중요 방언의 하나로 광동 성 동북부 메이 현(梅縣) 지방의 방언을 표준으로 삼는데, 베이징어(北京語)·광동어(廣東語)의 중간적 특징을 가짐.
객거【客居】명 객지에서 거주함. 여우(旅寓). ——-하다 자여불
객격【客格】명〖언〗목적격(目的格).
객경【客卿】명 다른 나라에 와서 공경(公卿)의 지위에 있는 사람.
객고【客苦】명 객지(客地)에서의 고생. 나그네로서의 고생. ¶~가 심하다. ——-하다 자여불
객고 막심【客苦莫甚】명 객지에서 겪는 고생이 대단함.
객공【客工】명 ①임시로 고용한 직공. ②〖공〗↗객공잡이.
객공-잡이【客工—】명〖공〗일하는 시간이나 능률(能率) 등에 의하여 삯을 받으며 일하는 사람. 준객공(客工).
객관[1]【客官】명〖역〗①관아(官衙)의 사무에 직접 책임이 없는 벼슬아치. ②임시로 와서 일을 보는 다른 관아의 벼슬아치.
객관[2]【客館】명 객사(客舍)❶.
객관[3]【客觀】명〔object〕〖철〗①주관 작용의 객체(客體)가 되는 것으로 정신적·육체적 자아(自我)에 대한 공간적 외계(空間的外界) 또는 인식(認識) 주관에 대한 의식(意識) 내용. ②주관의 작용과는 독립하여 존재한다고 생각되는 것. 세계(世界)·자연(自然) 등 객체(客體). ③자기 혼자만의 생각을 떠나, 제삼자의 입장에서 사물을 보거나 생각하는 일. 1)-3):↔주관(主觀).
객관 가치설【客觀價値說】명〖경〗객관적 가치의 본질 및 그 결정을 설명하는 가치 학설. 상품의 가치는, 상품을 생산하는 데 쓰인 사회적으로 필요한 노동량(勞動量) 또는 노동 시간에 의해서 결정된다고 하는 가치 이론. ↔주관 가치설.
객관 묘:사【客觀描寫】명〖문〗대상(對象)에 대하여 자기의 주관을 가하지 않고, 객관적으로 있는 그대로 관찰하고 충실히 묘사하는 수법(手法). 자연주의 문학에서 많이 시도(試圖)되었음.
객관-법【客觀法】[—뻡] 명〖심〗유의적(有意的) 또는 무의적(無意的)인 신체적 활동의 변화 및 결과를 관찰 또는 실험하여 정신 작용을 유추(類推)하는 방법.
객관 비:평【客觀批評】명〖문〗객관적 비평. ↔주관(主觀) 비평.
객관-설【客觀說】명〖철〗①인간 정신은 진정한 진리에 이를 수 있다는 인식론상의 설. ②정신면을 무시하고 물질만이 실재(實在)한다는 실재론상의 설.
객관-성【客觀性】[—썽] 명〔objectivity〕〖철〗주관의 영향을 받지 아니한 객관적인 성질. 보편 타당성. ↔주관성.
객관-세【客觀稅】명〖경〗과세(課稅) 물건의 존재에 따라 과세 주체가 결정되는 조세. 재산세·수익세 따위. *물세(物稅).
객관-식【客觀式】명 ①주관을 배제하고 제삼자적 입장을 바탕으로 하는 형식·방식·양식. ¶~ 시험 문제. ②↗객관식 고사법.
객관식 고사법【客觀式考査法】[—뻡] 명〖교〗주관에 따라 평가의 차이가 없도록 하는 고사법. 문제의 틀리고 맞음을 가리는 진위법(眞僞法), 관련 있는 것끼리 맺는 결합법(結合法), 맞는 답을 고르는 선다법(選多法) 등이 있음. 기계적 채점(採點)이 가능하고 양적(量的) 처리가 가능한 것이 장점이나, 본인의 독자적인 생각은 판단하기 어렵고 짐작에 의한 정답(正答)이 나올 수 있는 등의 단점이 있음. 객관적 테스트(客觀的 test).
객관-적【客觀的】명관 객관을 기초로 한 모양. 주관(主觀)의 작용과는 독립된 모양. 제 삼자의 입장에서 사물을 보고 생각하는 모양. ↔주관적.
객관적 가치【客觀的價値】명〖경〗사람의 주관적 의사와는 관계없이 객관적으로 결정되는 재화(財貨)의 가치. ↔주관적 가치.
객관적 관념론【客觀的觀念論】[—논] 명〔도 objektiver Idealismus〕〖철〗세계의 본질(本質)을 주관적 의식과는 독립하여 존재하는 어떤 정신적·관념적인 것으로 보고, 일체의 현상계(現象界)를 이것의 현현(顯現)으로 보는 형이상학적 학설. 그 대표자는 플라톤·헤겔 등임. 객관적 유심론(唯心論). ↔주관적 관념론.
객관적 도:덕【客觀的道德】명〔objective morality〕〖윤〗①개인의 도덕적 자각(自覺)과 대비(對比)하여 기성(旣成) 도덕을 가리키는 말. ②주관적 도덕에 대하여 행위의 객관적·외적(外的) 방면, 즉 그 결과에

가치를 두는 도덕. 1)·2):↔주관적 도덕.
객관적 미학【客觀的美學】명〔도 objektive Ästhetik〕〖철〗 주관적 미학이 심리학적으로 미를 경험의 주체(主體)인 인간의 의식(意識)의 방면으로부터 연구하는 데 대하여, 미적 경험을 대상(對象)의 측면(側面)에서 객관적으로 연구하는 미학.
객관적 불능【客觀的不能】[—릉] 명〖법〗 급부(給付)가 당해 채무자에게만 불능한 것이 아니라 누구에게 있어서도 불능한 상태.
객관적 비:평【客觀的批評】명 예술 작품에 대하여 일정한 표준을 정하고, 그 표준에 따라 하는 비평. 객관 비평. ↔주관적 비평.
객관적 사회학【客觀的社會學】명〔objective sociology〕〖사〗 도덕·종교·관습과 같은 사회적 사실을 개인 의식(意識)의 표현인 것으로부터 떠나 객관적인 사물과 같이 연구하는 사회학.
객관적 상관물【客觀的相關物】명〖문〗 독자(讀者)에게 어떤 특정의 감정을 일으키게 하는 힘을 지닌 상황이나 일련의 사건·사물(事物). 엘리엇(Eliot, T. S.)이 사용한 용어임.
객관적 상행위【客觀的商行爲】명〖법〗 절대적 상행위. ↔상대적 상행위.
객관적 실재【客觀的實在】[—째] 명〖철〗 주관(主觀)과 관계없이 의식에서 독립된 실재.
객관적 심리학【客觀的心理學】[—니—] 명〔objective psychology〕〖철〗 심리(心理)를 다른 자연 과학과 같이 순객관적으로 연구하는 심리학. 정신 생활을 의식(意識)되는 현상(現象)에 한정하는 주관적 심리학에 대하여, 정신 생활을 외부로부터 관찰하는 점에 있어서 실험(實驗) 심리학과 같음.
객관적 유심론【客觀的唯心論】[—논] 명〖철〗 객관적 관념론.
객관적 쟁송【客觀的爭訟】명〖법〗 당사자의 권리·이익의 침해를 요건(要件)으로 하지 않고, 법규의 정당한 적용이라는 공익(公益) 상의 요청만으로 그 제기(提起)가 인정되는 쟁송. 민중(民衆) 쟁송·기관 쟁의(機關爭議) 등이 있음.
객관적 정신【客觀的精神】명 ①〔도 objektiver Geist〕〖철〗 헤겔 철학의 용어. 의식(意識)을 초월한 객관에 자신(自身)을 표현하여 객관 중에 살고 있는 정신. 헤겔은 법·도덕·가족·사회·국가 등을 객관적 정신이라 하였음. ↔주관적 정신(主觀的精神). ②주관적인 편견이나 오류(誤謬)를 피하여 보편적으로 통용된다고 생각할 수 있는 태도를 취하는 일.
객관적 진리【客觀的眞理】[—질—] 명 객관적 실재(實在)를 많건 적건 의식(意識)에 바르게 반영(反映)하고 있는 지식(知識).
객관적 타:당성【客觀的妥當性】[—썽] 명〖논〗 어떤 판단이 한 개인의 주관을 초월하여 보편적 가치를 갖는 일.
객관적 테스트【客觀的—】〔test〕명〖교〗 객관식 고사법(考査法).
객관적 확실성【客觀的確實性】[—썽] 명 관찰(觀察)하는 주관(主觀)과는 관계없이 논리적 근거에 입각하여 진리를 의심할 수 없는 일.
객관-주의【客觀主義】[—/—이] 명〔objectivism〕①〖철〗 실재(實在)나 진리는 주관적 인식 또는 인간적 실천(實踐)의 매개(媒介)에 의하지 아니하고 주관과는 독립하여 존립한다고 보는 주의. 윤리학에서는, 만인에게 한결같이 타당하는 올바른 규범(規範)이 있다고 보는 입장. ②〖법〗 형법 이론에서, 외부에 나타난 행위로써 형법의 기준으로 하자는 주의. 고전학파(古典學派)의 사상. 1)·2):↔주관주의.
객관-화【客觀化】명 ①〔도 Objektivation〕〖철〗 광의로는 주관적인 것을 객관계(界)에 편입하는 과정이고, 협의로는 경험을 조직 통일하여 보편 타당성을 가진 지식을 만드는 과정을 말함. ②자기에게 직접 관련되는 사항을 제삼자적인 입장에서 보도록 하는 일. ——-하다 타 여불
객광-스럽다 형〈방〉 객스럽다.
객군【客軍】명 다른 곳에서 임시로 와 있는 군대.
객귀【客鬼】명 ①객사(客死)한 사람의 혼령. ②잡귀(雜鬼).
객금【客衾】명 손님용으로 갖추어 둔 이부자리. *객침(客枕).
객기【客氣】명 객쩍게 부리는 혈기(血氣).
객기(를) 부리다 구 행동으로 객기를 나타내다.
객-꾼【客—】명 예정 밖에 참예한 사람. ¶~이 많아서 비용이 많이 들었다.
객년【客年】명 지난해.
객-님【客—】명〖불교〗 절에서 '객승(客僧)'을 높이어 일컫는 말.
객담[1]【客談】명 객설(客說). ——-하다 자 여불
객담[2]【喀痰】명 담(痰)을 뱉음. 각담(喀痰). ——-하다 자 여불
객담 검:사【喀痰檢査】명〖의〗 객담의 성분을 검사하여 병균의 유무를 알아 내는 진단의 한 방법.
객당【客堂】명 사랑[2].
객대【客待】명 대객(待客). ——-하다 자 여불
객-도【客島】명〖지〗 전라 남도의 서해상(西海上), 신안군(新安郡) 암태면(岩泰面) 신석리(新石里)에 위치한 섬. [0.05km^2]
객동【客冬】명 지난 겨울.
객랍【客臘】[—납] 명 지난해의 섣달. 구랍(舊臘).
객려[1]【客旅】[—녀] 명 ①여행. ②나그네❷.
객려[2]【客慮】[—녀] 명 쓸데없는 생각. 잡념(雜念).
객례【客禮】[—녜] 명 손을 대하는 예의.
객로【客路】[—노] 명 여로(旅路).
객론【客論】[—논] 명 객설(客說). ——-하다 자 여불
객리【客裏】[—니] 명 객중(客中).
객몽【客夢】명 객지에서 꾸는 꿈.
객미【客味】명 *객지(客地)에서 겪는 쓰라린 맛.*
객-반위주【客反爲主】명 손이 도리어 주인 노릇을 함. 주객 전도(主客顚倒). ——-하다 자 여불
객방【客房】명 손이 유숙하는 방.
객병【客兵】명 ①다른 나라에서 온 병정. 교군(僑軍). ②다른 나라에서 임시로 고용(雇用)한 병정.
객부【客部】명〖역〗 백제 시대의 외관(外官) 10부의 하나. 외교 관계 업무를 담당하였음.
객비【客費】명 ①객지(客地)에서 드는 비용. ②객
객사[1]【客死】명 객지(客地)에서 죽음. ——-하다 자
객사[2]【客使】명 ①다른 나라에서 온 사신(使臣). ② 동지(冬至)에 백관(百官)이 조하(朝賀)할 때에 반열(班 하는 일본(日本)·류큐(琉球)의 사신들과 모든 야인(野人 正朝)나 輿)
객사[3]【客舍】명 ①객지의 숙소. 객관(客館). 노실(路室). ② 선 시대 때, 궐패(闕牌)를 모시어 두고, 왕명을 받들고 내려 아치를 묵게 하던 집. 고을마다 둠.
객사[4]【客思】명 객중(客中)의 생각.
객사[5]【客辭】명〖언〗 목적어(目的語).
객사-사【客舍史】명〖역〗 고려 때, 지방 각 고을 아전 구실의 하나 직(鄕職) 구등급(九等級) 중 구등에 해당함.
객사-정【客舍正】명〖역〗 고려 때, 지방 각 고을 아전 구실의 하나. 급은 향직(鄕職)의 구등급(九等級) 중 오등(五等)의 부호정(副戶正)과 같음.
객상[1]【客床】명 원식구 밖에 따로 차린 밥상.
객상[2]【客狀】명 객지에서 지내는 상황. *객황(客況)·여황(旅況).
객상[3]【客商】명 객중(客中)의 장사치.
객석【客席】명 손님의 자리. ¶~을 꾸미다.
객선【客船】명 ①손님을 태우는 배. ②다른 곳에서 온 배. *하선(荷船).
객설【客說】명 쓸데없는 객쩍은 말. 객담(客談). 객론(客論). 객소리. 군말. 군소리. ——-하다 자 여불
객설-스럽다【客說—】형 ㅂ불 객쩍은 말이다. 객설과 마찬가지다. ¶늘 속에만 품고 궁리에만 잠겼었지 이렇게 객설스럽게 지껄인 적은 없다《李孝石:皇帝》. **객설-스레**【客說—】부
객성[1]【客省】명〖역〗 고려 성종(成宗) 14년(995)에 '예빈성(禮賓省)'의 이름을 잠시 고친 이름.
객성[2]【客星】명〖천〗 항성(恒星)이 아닌 별로, 일정한 곳에 늘 있는 것이 아니라 일시적으로 나타나는 별. 혜성(彗星)·신성(新星) 등.
객세【客歲】명 지난해.
객-소리【客—】명 객설(客說). ——-하다 자 여불
객수[1]【客水】명 ①쓸데없는 비. ②다른 데서 들어온 겉물. ③끼니때 밖에 객쩍게 쓰는 물.
객수[2]【客愁】명 객지(客地)에서 느끼는 수심(愁心). 여수(旅愁). 객한(客恨). 기수(羈愁). ¶~를 달래다.
객-숟가락【客—】명 ①손님 대접하는 데 쓰이는 숟가락. 준 객술. ②식사(食事) 때, 밥을 빼앗아 먹으러 오는 남의 숟가락.
객-술【客—】명 ↗객숟가락.
객-스럽다【客—】형 ㅂ불 객쩍게 보이다. ¶공연히 객스럽게 수선을 떨다가 여러 입에서 말말 끝에 우리 영감 모양 사나운 말이나 나오기 쉽겠네《李海朝:紅桃花》. **객-스레**【客—】부
객-승【客僧】명〖불교〗 객중(客中)의 중. *객님.
객-식구【客食口】명 본식구 이외에 집에서 숙식(宿食)하는 딴 식구. 군식구.
객신[1]【客臣】명 외국의 사신(使臣).
객신[2]【客神】명 잡귀(雜鬼).
객실【客室】명 ①집에서, 손님을 거처하게 하거나, 응접(應接)하는 방. 빈실(賓室). ↔주실(主室)❷. ②여관·열차·배 따위에서, 객이 드는 방.
객심【客心】명 ①객중(客中)의 마음. ②딴마음.
객심(을) 먹다 구 딴마음을 먹다.
객심-스럽다【客甚—】형 ㅂ불 몹시 객쩍다. **객심-스레**【客甚—】부
객십【喀什】명〖지〗 '카스'를 우리 음으로 읽은 이름.
객아【客我】명〖철〗 의식(意識)하는 자아(自我)의 대상(對象)이 되는 객관적인 자기. ↔자아(自我).
객악-보【客樂譜】명〖책〗 조선 시대 말기에 된 가집(歌集). 노랫수는 480수이며, 이 중에는 후일에 추가된 10수가 포함되어 있음. 편자·편찬 연대 미상.
객어【客語】명 ①〖언〗 목적어(目的語). ②〖논〗 빈사(賓辭).
객-없다 형〈방〉 객쩍다.
객연【客演】명 전속(專屬) 아닌 배우가 임시로 출연함. ——-하다 자 여불
객열【客熱】명 객증(客症)으로 나는 신열(身熱).
객오【客忤】명〖한의〗 갑자기 복통(腹痛)이 나는 어린 아이의 병.
객요【客擾】명 손님이 많아 법석하여 마음이 수선함.
객용【客用】명 손님용(用).
객우[1]【客寓】명 ①손이 되어 몸을 의탁함. ②손이 되어 거처하는 임시의 집. ——-하다 자 여불
객우[2]【客遇】명 손으로서 대우함. ——-하다 타 여불
객원【客員】명 ①보통 회원과는 달리 빈객(賓客)으로 우대하는 사람. ②회사·단체 등에서 정규(正規)의 사람이 아니면서 빈객의 대우를 받으며 그 사무(事務) 등에 참여(參與)하는 사람. ¶~ 지휘자.
객원 교:수【客員敎授】명 초빙 교수(招聘敎授).
객월【客月】명 지난달.
객위【客位】명 손님의 좌석.
객유【客遊】명 손이 되어 타향에 가 놂. ——-하다 자 여불
객의[1]【客衣】[—/—이] 명 여행 중에 입는 의복.
객의[2]【客意】[—/—이] 명 객정(客情).
객인【客人】명 ①손님❶. ②객쩍은 사람. ③〖역〗 조선 시대 때, 일본(日本)에서 무역(貿易)하러 오면, 특수한 대우를 받던 사람.
객인 환:대【客人歡待】명 손님을 맞아 즐겁게 대접하는 일.
객자【客子】명 손님❶.
객작【客作】명 임금(賃金)을 받고 노작(勞作)함. ——-하다 자 여불
객잔【客棧】명 중국의 여관·하숙집. 주로, 상품을 거래하거나 상담(商

談)을 하는 지방 상인의 숙소. *객점(客店).

객장[1]【客將】명 손님 대우를 받는 장수(將帥).

객장[2]【客場】명 은행이나 증권 회사 등의 점포에서, 고객이 거래 업무를 보는 장소. ¶ ~이 붐비다.

객장[3]【客裝】명 여행하기 위한 몸차림.

객전【客戰】명 다른 나라 영토에서 하는 싸움. ──-하다 자여불

객점【客店】명 길손이 주식(酒食)을 사 먹기도 하고 묵기도 하는 집. 여점(旅店). *객잔(客棧).

객정[1]【客亭】명 여관(旅館).

객정[2]【客情】명 객중(客中)의 심정(心情). 객의(客意). 여사(旅思).

객정[3]【客程】명 여행하는 길. 나그네 길. 여정(旅程).

객좌【客座】명 객의 좌석.

객주[1]【客主】명〔객상 주인(客商主人)의 뜻〕상인(商人)의 물건을 위탁(委託)받아 팔거나 매매를 거간하고 또는 그 상인을 치르는 영업. 조선 시대에, 객주의 대상이 되는 위탁 판매 상품은 곡류(穀類)·담배·우피(牛皮)·어류 등이었음. *여각(旅閣).
【객주가 망하려니 짚단만 들어온다】일이 안 되려면 해롭고 귀찮은 일만 생긴다는 말. *여각(旅閣)이 망하려면 나귀만 든다.

객주[2]【客酒】명 손님에게 대접하려고 마련한 술.

객주리 명〖어〗[*Alutera monoceros*] 쥐치복과에 속하는 바닷물고기. 몸은 긴 타원형으로 몹시 납작한데, 몸빛은 회색 바탕에 농회색의 점이 산재함. 이는 폭이 넓고 가장자리는 우묵하게 들어가고, 아래턱의 가운데에 있는 한 쌍은 뾰쪽함. 열대성 어류로 한국 남해·일본·오키나와·동중국해·동인도 제도·뉴기니·하와이·멕시코·인도양 등에 널리 분포함. 식용함.

객주제 가내 공업【客主制家內工業】명〔factor system〕〖경〗상인이, 부업으로 가내 공업을 하는 농민이나 길드(guild) 수공업자에게 생산에 필요한 원료·도구 등을 미리 빌려 주어 생산하게 한 뒤, 일정한 삯을 치르고 그 제품의 공급을 독점하는 공업.

객죽【客竹】명 손님을 위하여 장만한 담뱃대. 공죽(空竹).

객줏-집【客主—】명 객주 영업을 하는 집.
【객줏집 칼도마 같다】이마와 턱이 나오고 눈이 움푹 들어간 사람을 놀리는 말.

객중[1]【客中】명 객지에 있는 동안. 객리(客裏). 교중(僑中). 여중(旅中).

객중[2]【客衆】명 많은 손님. 손님을 높이어 일컫는 말.

객중 보:체【客中寶體】명 객지에 있는 보배로운 몸이라는 뜻으로, 편지에서 객지에 있는 상대자를 높여 쓰는 말.

객증【客症】명〖한의〗어떤 병을 앓는 도중에 병발(併發)하는 딴 병. 여증(餘症). 여병(餘病). 합병증(合併症).

객지【客地】명 객거(客居)하는 곳. 자기 집을 멀리 떠나 있는 곳. *객향(客鄕).
【객지 생활 삼년에 골이 빈다】객지에서, 남이 아무리 잘해 준다 해도 고생이 되므로 허울만 남게 됨을 이르는 말.

객지-살이【客地—】명 객지에서 사는 일. ──-하다 자여불

객진【客塵】명 ①객지에서 맞는 풍진(風塵). ②〖불교〗〔'客'은 본래 사람의 마음에 있는 것이 아니라 밖에서 왔다는 뜻, '塵'은 허공에 떠도는 수많은 티끌의 뜻〕번뇌(煩惱)를 가리키는 말.

객-쩍다【客—】형 적당한 범위 밖이 되어 요긴하지 않다.

객차【客車】명 ①↗여객차(旅客車). ②↗여객 열차. 1)·2):↔화차(貨車).

객차-편【客車便】명 여객 열차(旅客列車)를 이용하는 방편.

객창【客窓】명 여창(旅窓).

객창 한등【客窓寒燈】명 객창에 비치는 쓸쓸한 등불. 「나 방(房).

객청【客廳】명 제사(祭祀) 때, 손님이 거처하도록 마련해 놓은 대청이

객체【客體】명 ①객지(客地)에 있는 몸. 흔히, 편지에 많이 씀. 교체(僑體). 여체(旅體). ②〖법〗의사(意思)나 행위(行爲)가 미치는 목적물(目的物). 예를 들면, 영토나 국민은 국가의 객체이고, 피해자는 범죄의 객체임. 물격(物格). ③〖철〗작용을 하는 쪽을 주체(主體)라고 하는 데 대하여, 작용의 대상이 되는 쪽. 인식론(認識論)에서는 주관(主觀)에 대립하는 객관(客觀). 2)·3):↔주체(主體).

객체 경:어법【客體敬語法】〔—뻡〕명〖언〗겸양법(謙讓法).

객체-계【客體界】명〖철〗현상계(現象界).

객체 높임법【客體—法】〔—뻡〕명〖언〗겸양법(謙讓法).

객체-성【客體性】〔—썽〕명〖철〗객체의 확실성(確實性).

객체-세【客體稅】명〖법〗물세(物稅). ↔주체세(主體稅).

객체 존대법【客體尊待法】〔—뻡〕명〖언〗겸양법(謙讓法).

객초【客草】명 손님을 대접하기 위한 담배.

객추【客秋】명 지난 가을.

객춘【客春】명 지난 봄.

객출【喀出】명 뱉어 냄. ──-하다 타여불

객침【客枕】명 ①손님용의 베개. *객금(客衾). ②객회(客懷)를 품고 누운 베개.

객탑【客榻】명 손님을 위한 자리.

객토【客土】명 ①딴 곳에서 가져오는 흙. ②〖농〗토질을 개량하기 위하여 논밭에 넣음. 또, 그 흙. *흙들이다. ──-하다 자여불

객하【客夏】명 지난 여름.

객한[1]【客恨】명 객수(客愁).

객한[2]【客寒】명〖한의〗객증(客症)으로 나는 오한(惡寒).

객향【客鄕】명 객거(客居)하는 타향(他鄕). *객지(客地).

객혈【喀血·略血·咯血】명〖의〗폐·기관지 점막(氣管支粘膜) 등에서 피를 토함. 주로, 폐결핵(肺結核)을 앓아 기침이 심할 때 나옴. 각혈(咯血). 폐출혈. *토혈(吐血). ──-하다 자여불

객혈-사【喀血死】명〖의〗객혈한 피로 인하여 후두(喉頭)·기관(氣管)이 막혀, 질식하여 죽는 일.

객호[1]【客戶】명 다른 지방에서 떠들어와서 사는 사람의 집.

객호[2]【客虎】명 다른 데서 온 범.

객화[1]【客火】명 병중(病中)에 나는 울화(鬱火).

객화[2]【客貨】명 외국 물품(物品).

객-화차【客貨車】명 객차와 화차.

객화차 사:무소【客貨車事務所】명〖교통〗객차·화차 및 그 전기 장치의 검사·수선, 객화차 사고의 보수에 관한 업무를 분장하는, 지방 철도청 소속의 현업(現業) 기관.

객황【客況】명 객지에서 지내는 상황(狀況). 객상(客狀). 여황(旅況).

객회【客懷】명 객중(客中)에서의 회포(懷抱). 여정(旅情). 여회(旅懷). 여혼(旅魂).

갠: 명〈방〉①내[3]. ②강[1](江)(함남).

갠-물 명〈방〉바닷물(충남·전북·경남).

갠:-언덕 명〈방〉냇둑(함경).

갠지스 강【—江】〔Ganges〕명〖지〗인도에 있는 큰 강. 히말라야 산맥 남쪽 기슭에서 발원하여 남동으로 흘러 벵골 만(Bengal灣)으로 들어감. 힌두스탄 평원(Hindustan平原)을 형성하는데, 하류의 삼각주도 썩 넓음. 힌두교도의 숭배의 대상이며, 연안(沿岸)에 성지(聖地)가 많음. 항하(恒河). [약 2,500km]

갠찮다 형〈방〉괜찮다.

갠트리〔gantry〕명〖공〗어떤 구역을 사이에 두고, 그 양쪽의 기초 위에 조립(組立)된 다리 모양의 구조물(構造物). 그 어떤 구역을 뛰어 넘어 기계 또는 무거운 재료를 끌어 올리거나 지탱하기 위한 것임.

갠트리 크레인〔gantry crane〕명〖기〗크레인의 하나. 지대(支臺) 밑을 화차(貨車)가 지날 수 있도록 문 모양을 하고 있으며, 긴 양각(兩脚) 밑에 달린 바퀴로 지상(地上)의 궤도(軌道) 위를 이동할 수 있는 기중기. 지대 위를 트롤리 또는 지브 크레인(jib crane)이 주행(走行)하는데, 트롤리 대신에 전동 호이스트(電動 hoist)를 붙인 소형(小形)의 것도 있으며, 주로 선박과 철도 사이의 하역(荷役)에 쓰임. 문형 기중기.

갠트 차:트〔Gantt chart〕명〖경〗미국의 과학적(科學的) 관리론자(管理論者) 갠트(Gantt, H.L.; 1861-1919)가 고안한 계획 통제(計劃統制) 도표. 시간적 간격(間隔)이 있는 그래프에 막대 모양의 선으로 계획을 나타내고, 계획 진행에 따른 실적(實績)을 차례로 기입하여 어느 시점(時點)에서의 계획과 실적을 한눈으로 대조할 수 있음.

갤러리〔gallery〕명 ①회랑(廻廊). ②화랑(畫廊). ③〖지〗수평 또는 수평에 가까운, 지하 통로. ④골프 경기의 관람자.

갤:러 빠지다 형 ↗개울러 빠지다. <겔러 빠지다.

갤:러 터지다 형 ☞↗개울러 터지다. <겔러 터지다.

갤러핑 스텝〔galloping step〕명 오른발을 옆으로 내딛고 왼발이 오른발을 차듯이 내는 동시에 오른발을 오른쪽으로 내딛는 스텝.

갤러핑 인플레이션〔galloping inflation〕명〖경〗물가가 급속적으로 등귀하는 악성 인플레이션. 폭주(暴走) 인플레. ↔크리핑 인플레이션.

갤런〔gallon〕의명 야드 파운드법에 있어서의 액체 용적(容積) 단위. 영국 갤런은 4.54099리터, 2.5173승(升)이고, 미국 갤런은 3.78521리터, 2.0983승에 해당함.

갤런트리〔gallantry〕명 중세 기사도(騎士道)의 덕행의 하나. 여성에 대한 친절·정중(鄭重)을 다하는 일.

갤런틴〔galantine〕명 닭·송아지 등의 뼈를 발라낸 고기로 만든 냉육(冷肉) 요리.

갤럽[1]〔gallop〕명 말이 한 발짝마다 네 발을 모두 땅에서 떼고 뛰는 일.

갤럽[2]〔Gallup, George Horace〕명〖사람〗미국의 통계학자. 드레이크 대학·노드 웨스턴 대학·콜럼비아 대학 등의 교수를 역임(歷任)하고 1935년에 여론 조사소를 창설하여 소장(所長)이 됨. 1939년에 시청자(視聽者) 조사 연구소를 설립하여 라디오 프로의 청취율, 영화에 대한 대중의 반응을 측정하였음. [1901-84]

갤럽[3]〔galop〕명〖악〗19세기 중엽에 유행한, 2박자의 급속히 뛰는 듯한 리듬을 가진 선회 무용곡. 또, 그 무용.

갤럽 여:론 조사소【—輿論調査所】〔Gallup〕명〔American Institute of Public Opinion〕1935년에 갤럽 박사가 프린스턴(Princeton) 대학 안에 설치한 상업적 여론 조사 기관. 여론 조사에 표본 조사법(標本調査法)을 최초로 적용하였음. 국내 각 신문과 해외 여러 나라에 조사 자료를 보내고 있음.

갤:르다 형르불 ☞개으르다. <겔르다.

갤리[1]〔galley〕명 갤리선(galley船).

갤:리[2] 부 ↗개울리. <겔리.

갤리-선【—船】〔galley〕명 고대(古代)·중세(中世)에 지중해에서 쓰인 배의 하나. 양쪽 뱃전에 아래위 두 줄로 노가 많이 달렸는데, 주로 노예나 죄인에게 노를 젓게 했음. 전쟁터에서는 무장하여 병선(兵船)으로 사용했음. 갤리(galley).

갤:밧다 형〈방〉게으르다(경남).

갤버스턴〔Galveston〕명〖지〗미국 텍사스 주 멕시코 만의 연안 사주(沙洲)의 하나인 갤버스턴 섬의 북동단에 있는 항구 도시. 전에는 휴스턴의 외항(外港)으로서 면화의 대수출항(大輸出港)이었으나 현재는 면화 수출의 중심이 휴스턴으로 옮겨져, 황(黃)의 수출항으로서 중요해졌음. [62,000명(1980)]

갤브레이스〔Galbraith, Kenneth John〕명〖사람〗미국의 경제학자. 런던 대학을 나와, 1943-48년 포춘 지(誌) 편집 위원, 49년부터 현재까지 하버드 대학 교수를 지냄. 제2차 세계 대전 중 물가국(物價局) 차장, 61년에 인도 대사를 역임하였으며, 케네디 대통령의 진보파(進步派) 브레인으로서 활약했음. 저서에 《미국 자본주의》·《풍요한 사회》·《불확실성의 시대》 등이 있음. [1908-2006]

갤쭉-하다 형〈방〉걀쭉하다(평안). **갤쭉-히** 부

갤추다 타〈방〉가르치다(경남).

갤치다 타 〈방〉 가르치다(전남·경남).
갬[1] 명 〈방〉 감[2]❷(경남).
갬:[2] 명 〈방〉 개암❶(강원·황해).
갬:다리 명 〈방〉 개암❶(황해).
갬:-대 [—때] 명 나물 따위를 캐는 데 쓰이는 칼처럼 만든 나뭇 조각.
갬부:지 [gamboge] 명 자황(雌黃)❷.
갬블 [gamble] 명 노름. 도박. 투기(投機).
갬블 스포:츠 [gamble sports] 명 경마(競馬)·경륜(競輪)·경조(競漕) 따위와 같은 도박 경기.
갬비어 제도 【—諸島】 명 [Gambier Islands] 〖지〗 '강비에 제도'의 영어명.
갬-상추 명 잎이 다 자라서 싸 먹을 만큼 큰 상추 잎.
갬치 명 〈방〉 호주머니(경남).
갭 [gap] 명 ①갈라진 금. ②물건과 물건 사이의 틈. ③척릉(脊稜)이 깊이 잘라져 들어간 곳. ④감정·의견·능력 따위의 차이·격차.
갭직-갭직 부 ①여럿이 다 갭직한 모양. ②몹시 갭직한 모양. ——-하다 형 여불
갭직-하다 형 여불 조금 가볍다.
갯-가 명 ①조수(潮水)가 드나드는 개의 가. 포변(浦邊). ②물이 흐르는 가장자리.
갯-가재 명 〖동〗 [*Squilla oratoria*] 갯가잿과에 속하는 절지(節肢) 동물. 새우와 비슷한데, 몸길이 15 cm이고 납작하며 복부의 각 체절에 아가미를 갖춤. 머리 위에는 두 쌍의 크고 작은 촉각(觸角)과 한 쌍의 낫 모양의 날카로운 다리가 있음. 연안의 진흙 속에 서식함. 식용 또는 낚싯밥으로 쓰이는데, 익혀도 새우처럼 빨갛게 되지 아니함. 하고(蝦蛄).
〈갯가재〉
갯가잿-과 【—科】 명 〖동〗 [Squillidae] 갑각류에 속하는 구각목(口脚目)의 한 과.
갯-갈조개 명 〖조개〗 [*Sanquinolaria olivacea*] 갈조갯과에 속하는 조개. 달걀꼴이며, 길이 50 mm, 높이 40 mm, 직경 15 mm 내외임. 패각(貝殼)은 짙은 자색에 황색의 두꺼운 각피(殼皮)로 덮여 있으나, 각정부(殼頂部)에는 각피가 벗겨져 방사상의 흰구름 무늬가 있음. 내만(內灣)의 모래 진흙에 서식하는데, 한국·일본에 분포함. 식용함.
〈갯갈조개〉
갯:-값 [—갑] 명 〈비〉 형편없이 헐한 값. 똥값.
갯:값으로 팔다 구 아주 헐값으로 팔다. 똥값으로 팔다.
갯-강구 명 〖동〗 [*Megaligia exotica*] 갯강굿과에 속하는 절지(節肢) 동물. 몸길이 30–45 mm 내외의 긴 달걀꼴로 흉절(胸節)은 7개, 복절(腹節)은 6개인데 제2 촉각이 특히 길고 채찍 모양이며, 등은 황갈색 또는 암갈색임. 가슴 쪽의 다리가 잘 발달하여 바위나 선박(船舶)의 안을 30–100 마리씩 떼를 지어 돌아다님. 한국·일본·중국의 해안에 분포함. 선충(船蟲).
〈갯강구〉
갯-강활 【—羌活】 명 〖식〗 [*Angelica japonica*] 미나릿과에 속하는 다년초. 줄기 높이 1 m 이상이고 황백색의 유즙(乳汁)을 함유함. 잎은 장병(長柄)이며 삼각형으로 삼출(三出)하고 열편(裂片)은 긴 타원형임. 7–8월에 흰 꽃이 복산형(複繖形) 화서로 피고, 과실은 넓은 타원형임. 바닷가에 나는데, 거문도(巨文島)에 분포함.
갯-개미취 명 〖식〗 [*Aster tripolium*] 국화과에 속하는 이년초. 줄기는 굵으며 높이 약 1 m임. 잎은 선상(線狀) 피침형으로 후육질(厚肉質)이며 호생함. 꽃은 9–10월에 산방상(繖房狀) 화서로 가지 끝에 피는데, 주변(周邊)은 자색의 설상화(舌狀花), 중심부는 황색의 관상화(管狀花)이고, 과실은 수과(瘦果)임. 바닷가의 습지에 나는데, 제주·전북·경기·평남 등지에 분포함.
갯:-고 명 〈방〉 가얏고.
갯-고둥 명 〖조개〗 [*Batillaria multiformis*] 갯다슬깃과에 속하는 고둥. 큰 것의 길이는 33 mm, 작은 것은 20 mm 이하이고 몸빛은 회색임. 염분의 농도가 높지 아니한 자갈밭 또는 진흙 땅 속에서 많이 서식하는데, 한국·일본에 분포함. 살은 먹기도 하고 으깨어서 닭의 모이나 비료로 씀. 갯다슬기.
〈갯고둥〉
갯-고랑 명 조수(潮水)가 드나드는 갯가의 고랑. ㊥갯골.
[갯고랑을 베게 되었다] 갯고랑을 베개 삼아, 비참하게 한데에서 죽을 지경에 이르렀다는 뜻으로, 욕으로 쓰는 말.
갯-고사리 명 〖동〗 [*Comanthus japonicus*] 바다나리류 코마스텔과에 속하는 극피(棘皮) 동물의 하나. 몸이 고사리와 비슷한데 몸빛은 흑색이고 끝은 황색임. 잎 모양의 부분이 팔인데 길이는 20–30 cm로 40개 가량 있으며, 중앙의 반구상(半球狀)의 지상부(枝狀部)는 전지(前肢)인데 50개 있음. 만지면, 끈적끈적한 감이 있으며, 팔은 절단되기 쉬움. 보통 얕은 해안에 있음. ＊바다나리.
〈갯고사리〉
갯-골 명 ↗갯고랑.
갯:-과 【—科】 명 〖동〗 [Canidae] 식육목(食肉目)에 속하는 포유류의 한 과. 개·늑대·여우·너구리·이리·승냥이 등이 이에 속함.
갯-괴불주머니 명 〖식〗 [*Corydalis platycarpa*] 양귀비과 [양꽃주머닛과]에 속하는 월년초(越年草). 백색을 띠며 악취(惡臭)가 남. 줄기 높이 50cm 가량. 잎은 호생하고 장병(長柄)이며 3–4회 우상 분열(羽狀分裂)하고 열편(裂片)은 난상 설형(卵狀楔形)임. 4–5월에 노란 꽃이 총상(總狀) 화서로 줄기 끝과 가지 끝에 정생(頂生)하고, 과실은 삭과(蒴果)임. 바닷가에 나는데 울릉도에 분포함.

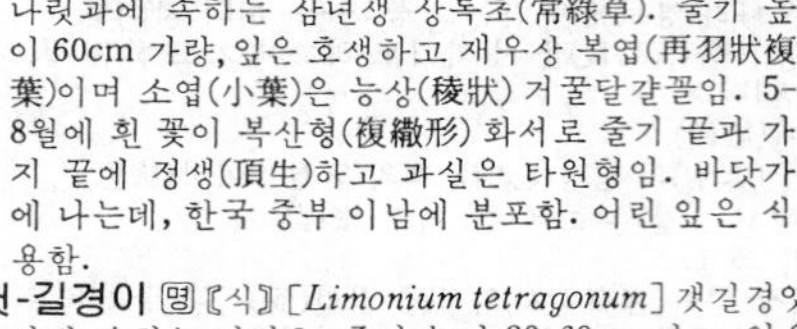

〈갯기름나물〉

갯-기름나물 명 〖식〗 [*Peucedanum japonicum*] 미나릿과에 속하는 삼년생 상록초(常綠草). 줄기 높이 60cm 가량, 잎은 호생하고 재우상 복엽(再羽狀複葉)이며 소엽(小葉)은 능상(稜狀) 거꿀달걀꼴임. 5–8월에 흰 꽃이 복산형(複繖形) 화서로 줄기 끝과 가지 끝에 정생(頂生)하고 과실은 타원형임. 바닷가에 나는데, 한국 중부 이남에 분포함. 어린 잎은 식용함.

〈갯길경이〉

갯-길경이 명 〖식〗 [*Limonium tetragonum*] 갯길경잇과에 속하는 이년초. 줄기 높이 30–60 cm이고, 잎은 뿌리에서 총생(叢生)하며 달걀꼴의 긴 타원형임. 9–10월에 상부는 황색, 하부는 백색의 원추상(圓錐狀)의 꽃이 수상(穗狀) 화서로 핌. 바닷가의 모래땅에 나는데, 제주·경기·황해·함북 등지에 분포함.
갯길경잇-과 【—科】 명 〖식〗 [Plumbaginaceae] 합판화류(合瓣花類)에 속하는 한 과.
갯-까치수염 【—鬚髥】 명 〖식〗 [*Lysimachia mauritiana*] 앵초과에 속하는 이년 또는 다년초. 줄기 높이 약 30 cm이고, 잎은 호생하며 무병(無柄)이고 도피침형임. 5–6월에 흰 꽃이 총상(總狀) 화서로 정생(頂生)하며, 과실은 삭과(蒴果)임. 바닷가에 나는데, 제주·전남·울릉도 및 일본 등지에 분포함.
〈갯까치수염〉
갯-꽃 명 〈방〉 개나리꽃(경남).
갯-논 명 바닷가의 개펄에 둑을 쌓고 만든 논.
갯-는쟁이 명 〖식〗 [*Atriplex tatarica*] 명아줏과에 속하는 일년초. 줄기 높이 60 cm로 난상(卵狀) 피침형의 잎이 호생함. 7–8월에 엷은 녹색의 꽃이 수상(穗狀) 화서로 정생(頂生) 또는 액생(腋生)하고 과실은 길이 6–10 mm의 포과(胞果)임. 바닷가에 나는데, 거의 한국 각지 및 일본·사할린 등지에 분포함. 어린 잎은 식용함. ＊가는갯는쟁이.

〈갯는쟁이〉

갯다 자 〈옛〉 가 있다. 갔다. 돌아가 있다. 돌아갔다. 「흔번 주거 하놀해 갯다가 또 人間애 누려오면≪月釋 Ⅱ : 19≫.
갯-다슬기 명 〖조개〗 갯고둥.
갯-대 명 저인망(底引網)을 끌 때 벼리와 활개 끝점이 엉키지 아니하도록 대는 나무.
갯-대추나무 명 〖식〗 [*Paliurus ramosissimus*] 갈매나뭇과에 속하는 낙엽 활엽 관목. 높이 2–2.5 m이고 잎은 달걀꼴 또는 긴 타원형으로 뒷면에 세 개의 엽맥(葉脈)이 있고 톱니가 있으며 탁엽(托葉)은 가시로 변했음. 자웅 일가(雌雄一家)로 여름에 담황록색의 꽃이 취산(聚繖) 화서로 액생(腋生)하고, 핵과(核果)는 가을에 붉게 익음. 해변에 나는데, 제주도 및 일본·대만·중국 등지에 분포함. 관상용임.
갯-댑싸리 명 〖식〗 [*Kochia sieversiana*] 명아줏과에 속하는 일년초. 줄기는 곧고 피침형의 잎이 호생하며 왕왕 가지 끝에 총생(叢生)함. 7–8월에 엷은 녹색의 꽃이 액출(腋出)함. 과실은 포과(胞果)임. 바닷가에 나며 함남 지방에 야생함.
갯-돌 명 ①재래종의 벌통의 밑을 받치는 돌. ②개천에서 나는 큼직한 둥근 돌.
갯-따가리 명 〈방〉 감기(感氣)(경남).
갯-마을 명 갯가에 자리잡고 있는 마을. 포촌(浦村).
갯-메꽃 명 〖식〗 [*Calystegia soldanella*] 메꽃과에 속하는 다년생 만초(蔓草). 지하경은 모래 속에 길게 뻗고 지상경은 땅 위에 가로눕거나 다른 물건에 감겨서 벋음. 두껍고 광택 있는 신장형(腎臟形)의 잎이 호생함. 5–6월에 담홍색 깔때기 모양의 꽃이 잎과 거의 같은 길이의 화경(花莖) 끝에 피고, 과실은 구형의 삭과(蒴果)임. 해안의 모래땅에 나는데, 한국 각지에 분포함. 해안메꽃.

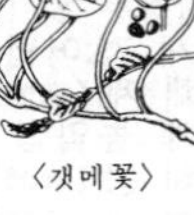
〈갯메꽃〉

갯-물 명 개에 흐르는 물.
갯-바닥 명 개천이나 개의 바닥.
갯-바람 명 바다에서 육지로 향해 불어 오는 바람.
갯-바위 명 갯가에 있는 바위.
갯바위 낚시 명 갯가의 바위에서 하는 바다 낚시.
갯-반디 명 〖동〗 [*Cypridina hilgendorfii*] 갯반딧과에 속하는 갑각류(甲殼類)의 하나. 개갑(介甲)은 키틴질(chitin 質)로 되어 있고 측면에서 보면 조개류(類)와 비슷한 달걀꼴이고 전연(前緣)과 복연(腹緣)에는 강모(剛毛)가 있음. 몸빛은 회백색이고 길이는 3 mm 내외로 12개의 가시가 있음. 갑각 안에 새우 비슷한 본체(本體)가 있어, 촉각(觸角)이나 다리를 갑각 밖으로 내밀어 헤엄침. 발광 물질(發光物質)을 내는데, 해수와 합하여 반딧불과 같은 청백색 빛을 냄. 낮에는 모래 속에 숨었다가 밤이면 죽은 오징어나 물고기에 모이는데, 태평양 연안에 많고 한국에도 분포함.
〈갯반디〉
갯-방풍 【—防風】 명 〖식〗 [*Phellopterus littoralis*] 미나릿과(科)에 속하는 다년초. 줄기 높이 20 cm 가량이고 잎은 장병(長柄)인데 재우상 복엽(再羽狀複葉)임. 6–7월에 흰 꽃이 복산형(複繖形) 화서로 줄기

끝에 정생(頂生)하는데 과실은 달걀꼴임. 바닷가 모래땅에 나는데, 제주·강원·경기·함남·함북 등지에 분포함. 모래 속에 직하(直下)한 뿌리는 약용함.

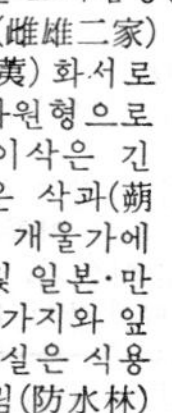
〈갯방풍〉

갯-밭¹ 명 윷판의 도발 다음인 둘째 밭.

갯-밭² 명 갯가의 개흙밭.

【갯밭 무같이 굵는다】 갯밭에는 무가 잘 되니, 아이들이 건강하게 무럭무럭 자람을 이르는 말.

갯-버들 명 ①〖식〗[*Salix gracilistyla*] 버드나뭇과에 속한 낙엽 활엽 관목. 잎은 도피침형(倒披針形) 또는 긴 타원형임. 자웅 이가(雌雄二家)인데 꽃은 3월에 유제(葇荑) 화서로 피며 수꽃이삭은 넓은 타원형으로 수술이 두 개이고, 암꽃이삭은 긴 원주형(圓柱形)임. 과실은 삭과(蒴果)이고, 4-5월에 익음. 개울가에 많이 나는데, 한국 각지 및 일본·만주·중국 등지에 분포함. 가지와 잎은 녹비(綠肥)로 쓰고 과실은 식용함. 하천(河川)의 방수림(防水林)으로도 적당함. 땅버들. 등류(藤柳). 수양(水楊). 포류(蒲柳). ②〖동〗[*Virgularia gustaviana*] 바다조름과에 속하는 강장(腔腸) 동물의 하나. 버드나무 가지 모양으로 긴 부분이 군체(群體)의 중축(中軸)이고 그 좌우에 깃 모양으로 개충(個蟲)이 다수 붙어 있음. 중축의 길이는 40cm 가량이고 황갈색이며 사각주(四角柱)이고 선단에 골축(骨軸)이 있기도 함. 개충은 자갈색 또는 담갈색이고 관상(管狀)의 개충이 나출(裸出)하여 끼여 있음. 깊이 10m 가량의 바다 밑에 서식함. 이용 가치는 없음. 해류(海柳).

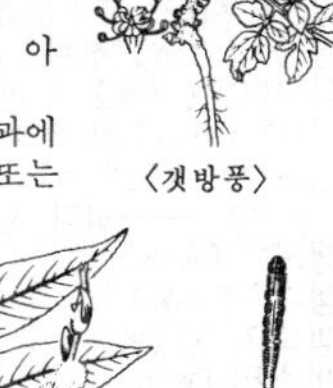
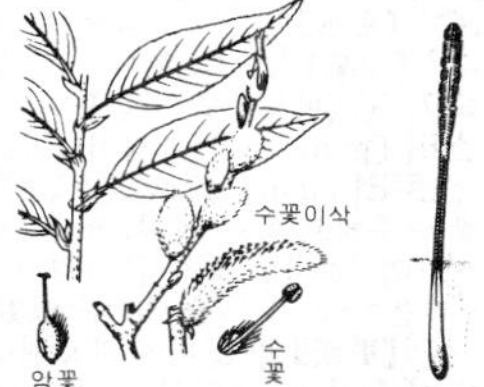

〈갯버들❶〉 〈갯버들❷〉

갯-벌 명 바닷물이 드나드는 모래톱. 개의 넓은 땅. ¶ ~에서 소라를 줍다. *개펄.

갯벌-배 명 갯벌에서 고막 등 조개를 채취할 때 밀고 다니는 나무 판자. 한 쪽 무릎을 대고 다른 발로 갯벌을 차며 미끄러져 나감. 뻘배.

갯-보리 명〖식〗[*Elymus dahuricus*] 볏과(科)에 속하는 다년초. 줄기 높이 90cm 가량으로 곧게 총생(叢生)하며, 잎은 길이 30cm, 폭 1cm 내외의 선상(線狀) 피침형임. 6-8월에 화경(花莖)이 나와 15cm 가량의 화수(花穗)가 피는데, 긴 수염이 있고 열매는 긴 타원형임. 바닷가에 나는데, 평안·경상·충청도를 제외한 한국 각지에 분포함.

갯-사상자【—蛇床子】명〖식〗[*Cnidium japonicum*] 미나릿과에 속하는 이년초. 줄기 높이 60cm, 잎은 기수 우상 복엽(奇數羽狀複葉)으로 호생하는데, 근생엽(根生葉)은 장병(長柄)이며 경엽(莖葉)은 엽초(葉鞘)가 있고 우상 전열(羽狀全裂)하며 열편(裂片)은 3-4쌍임. 8월에 흰 꽃이 복산형(複繖形) 화서로 줄기 끝과 가지 끝에 정생(頂生)하여 피고, 과실은 넓은 타원형임. 강장제로서 달여서 먹음. 바닷가에 나는데, 한국 각지에 분포함.

〈갯사상자〉

갯-산호【—珊瑚】명〖동〗[*Melithoea flabellifera*] 산호류에 속하는 강장(腔腸) 동물의 하나. 몸빛은 홍색 또는 황색의 아름다운 종류로, 골축(骨軸)은 각질(殼質)로 된 절부(節部)와 그 사이의 석회질이 많은 절간부(節桿部)로 되어 수지상(樹枝狀)을 이룸. 공육부(共肉部)는 침상(針狀)·방추상 등의 골편(骨片)이 있음. 난류(暖流)의 영향을 받으며, 보통 바위가 많은 해안에 부착해 있음. 건조하여도 빛깔이 변하지 아니함. 관상용임.

〈갯산호〉

갯-솜 명〖동〗해면(海綿).

갯솜 동:물【—動物】명〖동〗해면 동물(海綿動物).

갯솜 조직【—組織】명〖생〗해면상 조직(海綿狀組織).

갯솜-질【—質】명〖생〗해면질(海綿質).

갯솜-체【—體】명〖동〗해면체(海綿體).

갯-쇠보리 명〖식〗[*Ischaemum anthephoroides*] 볏과(科)에 속하는 다년초. 높이 80cm 가량으로 땅바닥에 기어 벋어 나가며, 마디마디 수근(鬚根)이 나고 줄기나 잎에는 흰 털이 남. 잎은 길이 6-12cm, 폭 3-5cm 되는 선상(線狀) 피침형으로 호생함. 7월에 길고 흰 털이 있는 수상 화수(穗狀花穗)가 두 갈래로 정생(頂生)하여 원주체(圓柱體)를 이룸. 바닷가 모래밭에 나는데, 제주·경북·경기·황해 등지에 분포함. 뿌리는 수세미나 솔을 만드는 데 쓰임.

〈갯쇠보리〉

갯-어귀 [갠—] 명 '개어귀'의 잘못.

갯-완두【—豌豆】[갠—] 명〖식〗[*Lathyrus maritimus*] 콩과에 속하는 다년초. 줄기 길이 약 60cm 이고 우상 복엽(羽狀複葉)의 잎이 호생(互生)하는데, 넓은 타원형 또는 다소 거꿀달걀꼴의 소엽(小葉)이 3-6쌍 있음. 5-6월에 적자색의 꽃이 총상(總狀) 화서로 액출(腋出)하고 과실은 협과(莢果)임. 바닷가 모래땅에 나는데, 거의 한국 각지에 분포함. 어린 싹은 약용함. 개완두.

〈갯완두〉

갯-장어【—長魚】명〖어〗[*Muraenesox cinereus*] 갯장어과에 속하는 바닷물고기. 뱀장어 모양으로 몸이 길어 120-200cm에 달하는데, 주둥이는 길고 입은 몹시 크며 앞쪽에 날카로운 송곳니가 있음. 배지느러미는 없으며 아가미 구멍은 등 위에서 시작하고 비늘은 없음. 몸빛은 등 쪽이 회갈색, 배 쪽은 은백색인데, 등지느러미와 뒷지느러미의 끝은 검음. 한국 서남부 연해, 일본 중부 이남, 동인도 제도, 홍해에 이르는 온대 및 열대에 널리 분포함. 우리 나라 중요 어종의 하나로서 일본에 수출함. 허리 아픈 데 약으로 쓰고 식용으로서 맛이 좋음. 해만(海鰻).

〈갯장어〉

갯장어-과【—長魚科】[—꽈] 명〖어〗[Muraenesocidae] 뱀장어목에 속하는 어류의 한 과. 갯장어·물붕장어가 있음.

갯-지네 명〖동〗갯지렁이.

갯-지렁이 명〖동〗[*Nereis japonica*] 갯지렁잇과에 속하는 환형(環形) 동물. 몸은 지네 비슷한데 편평하고 길이 50-120mm, 폭 4mm, 환절(環節) 수는 70-130개임. 몸빛은 황홍색을 띠거나 담홍색이고 몸의 전단부와 배면(背面)은 흑갈색이며, 각환절에는 한 쌍의 기관이 있음. 번식기인 겨울철에는 강모(剛毛)가 길게 자라 물 위를 떠다니며 생식 군영(群泳)함. 담수(淡水)가 흘러들어오는 해변에 서식하는데, 낚싯밥으로 많이 쓰임. 갯지네. 사잠(沙蠶).

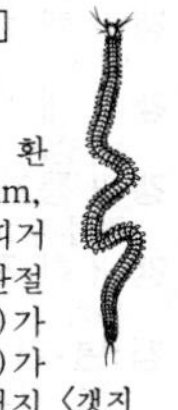
〈갯지렁이〉

갯지렁이-강【—綱】명〖동〗[Polychaeta] 환형 동물(環形動物)에 속하는 한 강(綱). 몸은 머리·몸뚱이·꼬리의 세 부분으로 나뉘는데, 머리는 감각 기관으로서의 눈과 촉수를 갖추고, 체절(體節)마다 한 쌍의 발이 있으며, 그 발마다 한 묶음의 강모(剛毛)와 침이 있으나, 꼬리에는 없음. 자웅 이체(雌雄異體)임. 유행목(游行目)·관주목(管住目)의 두 목(目)으로 구분됨. 다모류(多毛類). *지렁이강(綱).

갯지렁잇-과【—科】명〖동〗[Nereida] 갯지렁이강 유행목(游行目)에 속하는 한 과.

갯지-벌기 명〈방〉〖충〗개똥벌레(함남).

갯지-불 명〈방〉반딧불(함남).

갯-지치 명〖식〗[*Mertensia asiatica*] 지칫과에 속하는 이년 혹은 다년초. 전체가 백록색(白綠色)이고 줄기 높이 70cm 내외임. 육질(肉質)로 된 거꿀달걀꼴의 잎이 호생하며, 7-8월에 남자색 또는 백색을 띤 꽃이 총상(總狀) 화서로 정생(頂生)함. 소견과(小堅果)는 긴 달걀꼴임. 바닷가의 모래땅에 나는데, 전남·강원·함북 등지에 분포함.

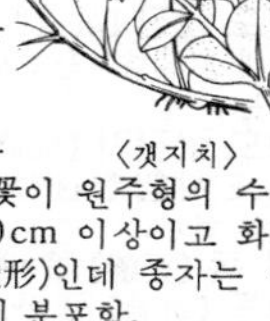
〈갯지치〉

갯-질경이 명〖식〗[*Plantago yezomaritima*] 질경잇과에 속하는 다년초. 잎은 길이 30cm, 폭 8cm 가량이고 뿌리에서 총생(叢生)함. 8월에 백색의 잔꽃이 원주형의 수상(穗狀) 화서로 밀착(密着)하는데, 화경(花莖)은 30cm 이상이고 화관(花冠)은 막질(膜質)임. 삭과(蒴果)는 방추형(紡錘形)인데 종자는 두 알임. 바닷가에 나는데, 전남의 흑산도 및 거문도에 분포함.

갯-춤 명〈방〉가래².

갱¹ 명〈방〉바다(전남).

갱:² 명〈방〉개암❶(충남).

갱³【坑】명〖광〗①구덩이❷. ②↗갱도(坑道). ③사금광(砂金鑛)에서, 퍼낸 물을 빼기 위하여 만든 도랑.

갱⁴【更】명〖역〗조선 시대 때, 시문(詩文)을 끊는 등급의 하나. 차하(次下)의 아래요, 외(外)의 위. 다시, 유권갱(有圈更)과 무권갱(無圈更)으로 가르기도 함.

갱:⁵【羹】명 무와 다시마 등을 넣어 끓인 제사에 쓰는 국. 메탕.

갱⁶ [gang] 명 강도. 또, 강도의 한 도당. ¶ 은행 ~/~ 영화.

갱가【賡歌】명 남이 부르는 노래에 곧 화답하는 노래. ——-하다 자여불

갱:-감 명〈방〉고욤(전남).

갱개¹ 명〈방〉〖식〗감자¹(함경).

갱:개²【更改】명 '경개'의 잘못.

갱-고랑 명〈방〉개울(충청).

갱골 명〈방〉개울(황해).

갱구【坑口】명〖광〗갱도의 들머리. 굿문.

갱구리 명〈방〉개울(충청).

갱굴 명〈방〉개울(충남·황해).

갱-굴창 명〈방〉개골창(평안).

갱기¹ 명 ↗신갱기.

갱기² 명〈방〉감자(함경).

갱:기³【更起】명 ①다시 일어남. 재기(再起). ¶ 오늘 길을 걸어서 피곤한데다가 배고픈 끝에 밥 한 그릇을 먹었더니 온 몸이 나른해서 갱길 할 수가 없습디다《洪命憙: 林巨正》. ②다시 일으킴. ——-하다 자타여불

갱:기⁴【羹器】명 갱지미.

갱:기미 명〈방〉갱지미

갱:기 불능【更起不能】[—룽] 명 재기 불능(再起不能).

갱-까먹기 명 물건이 오래 견디지 못하고 쉬 없어짐을 가리키는 말.

갱내¹ 명〈방〉옥수수(함경).

갱내²【坑內】명〖광〗탄광·광산 등의 구덩이의 안. ¶ ~ 사고(事故). ↔갱외(坑外).

갱내 가스【坑內—】[gas] 명〖광〗광산의 갱내(坑內)에 생기는 가스. 탄층(炭層)·지층(地層)에 흡장(吸藏)되어 있던 메탄 가스·질소(窒素) 따위. 그 밖에, 화약류(火藥類)의 폭발로 산화 질소(酸化窒素) 등도 발생함. 특히, 탄갱에서 대량으로 발생하는 메탄은 가스 폭발의 원인이 됨.

갱내 노동【坑內勞動】명〖광〗갱내에서 하는 노동.

갱내 방수 댐【坑內防水—】[dam] 명〖광〗갱내의 샘, 지표(地表)에서 들어온 빗물 따위를 배제(排除)하기 위하여 또는 출수(出水)에 대비하여 갱도 내부에 마련한 둑.

갱내 배수【坑內排水】명〖광〗갱내에 있어서의 용천(湧泉)을 방지하며 그 물을 처치하는 일.

갱내-부【坑內夫】명〖광〗광산 노동자 중 갱내에서 작업하는 인부. ↔갱외부(坑外夫).

갱내 분진【坑內粉塵】명〖광〗갱내에서 발생하는 분진의 총칭.

갱내 운반【坑內運搬】명〖광〗탄광이나 광산의 갱내에 있어서의 각종 운반 작업.

갱내 지주【坑內支柱】명〖광〗광산에서 갱의 붕괴를 막기 위하여 갱내의 천장을 받치는 기둥. 쇠·나무 등으로 함.

갱내 채:굴【坑內採掘】명〖광〗갱도나 수갱(竪坑)으로 지하의 광상(鑛床)에 도달, 유용(有用) 광물을 채굴하는 작업. ↔노천 채굴(露天採掘).

갱내 채:탄【坑內採炭】명〖광〗갱도를 파고 그 안에 들어가서 채탄하는 일.

갱내 통기【坑內通氣】명〖광〗광산이나 탄광의 갱내에 신선한 공기를 주입하고, 혼탁한 공기를 밖으로 배출하는 일.

갱내 화:재【坑內火災】명〖광〗석탄의 자연 발화·가스 폭발·등화(燈火) 등의 원인으로 탄광·광산 등의 갱내에서 발생하는 화재.

갱:년-기【更年期】명 성숙기(成熟期)에서 노년기(老年期)로 접어들어 가는 시기. 여성은 난소 기능(卵巢機能)의 쇠퇴로 내분비계(內分泌系)의 평형 상태를 유지하지 못하여, 혈관 지배 신경(血管支配神經)의 변조가 생겨, 이른바 갱년기 장애 증상이 일어남. 기간은 월경 폐쇄기(月經閉鎖期), 곧 42-50 세경에 이르러 수년 또는 수개월 계속함. 남자에게도 있으나 현저하지 아니함.

갱:년기 울병【更年期鬱病】[-뼝] 명〖의〗퇴행기(退行期) 울병.

갱:년기 장애【更年期障礙】명〖생〗갱년기의 여성에게 일어나는 장애. 난소 기능(卵巢機能)의 감퇴, 뇌하수체·부신(副腎) 등의 기능 장애, 자율 신경 계통의 실조(失調) 따위가 원인임. 귀울음·발한·두통·수족 냉감·어깨 허리 통증·어질증·불면(不眠)·기억력 감퇴·신경통·피로감 등 여러 가지 증상이 있음.

갱-달다【坑-】자 ①광맥을 향하여 갱도(坑道)를 뚫다. ②사금광(砂金鑛)에 도랑을 내다.

갱도[1]【坑道】명 ① 땅속으로 뚫은 길. ②〖광〗탄광·광산 등에서, 사람이 드나들며 광석 등을 운반하거나 통풍·통수(通水) 등의 목적으로 갱내에 뚫은 길. 갱로(坑路). 길갈래. ㊈갱(坑).

갱도[2]【秔稻·粳稻】명 메벼. ↔나도(糯稻).

갱도 굴진【坑道掘進】[-찐] 명〖광〗광산이나 탄광에서 탐광(探鑛)·개갱(開坑)·운반·배수(排水)·통기(通氣) 등의 목적으로 갱도를 굴진하는 작업.

갱도 굴진기【坑道掘進機】[-찐-] 명〖광〗터널 굴착기(掘鑿機).

갱도 시험【坑道試驗】명〖광〗갱도 벽면을 이용하여 하는 폭약 시험의 하나.

갱:독【更讀】명 다시 읽음. ——-하다 타여불

갱동【坑洞】명 방고래.

갱로【坑路】[-노] 명 갱도(坑道).

갱면 명〈방〉개천(함경).

갱목【坑木】명〖광〗갱내(坑內)나 갱도(坑道)에 버티어 대는 데 쓰이는 통나무.

갱:-무꼼짝【更無-】명 다시 조금도 꼼짝할 수가 없음. 갱무도리.

갱:-무도:리【更無道理】명 다시 어찌할 도리가 없음. 갱무꼼짝.

갱:무-하다【更無-】형여불 그 이상 더는 없다.

갱:문[1]【更問】명 다시 물음. ——-하다 타여불

갱:문[2]【更聞】명 다시 들음. ——-하다 타여불

갱문[3]【坑門】명〖광〗갱도의 출입구에 설치해 놓은 문. 굿문

갱-물 명〈방〉①장국(함경). ②바닷물(전남·경남).

갱:미[1]【-米】명〈방〉강미(講米).

갱미[2]【秔米·粳米】명 멥쌀.

갱:발【更發】명 다시 발생함. ——-하다 자여불

갱-백미【秔白米】명 멥쌀.

갱:봉【更逢】명 다시 만남. ——-하다 타여불

갱부【坑夫】명 광산이나 탄갱(炭坑)에서 채굴 작업에 종사하는 인부. *광부(鑛夫).

갱사【坑舍】명〖광〗굿막.

갱:사아【更良】부〈이두〉다시. 더. *갱세아.

갱살【坑殺】명 구덩이에 잡아 넣고 묻어 죽임. ——-하다 타여불

갱:생【更生】명 ①거의 죽을 지경에서 다시 살아남. 다시 소생함. 갱소(更蘇). 재생(再生). ¶ ~ 불능. ②신앙 등에 의하여 마음씨가 근본적으로 변화함. ③피폐하여진 생활 환경을 이기어 회복함. ¶자력(自力) ~. ④못쓰게 된 물건이나 불용품에 손을 대어 다시 쓰이도록 함. 재생(再生). ——-하다 자타여불

갱:생 고무【更生-】[프 gomme] 명 재생(再生) 고무.

갱:생 보:호【更生保護】명〖법〗징역 또는 금고의 형(刑) 집행을 마친 사람 등 전과자(前科者)에 대하여 숙식 제공, 여비 지급, 생업 도구·생업 조성(造成) 금품의 지급 또는 대여, 직업 훈련 및 취업 알선 등의 보호를 베푸는 일.

갱:생 보:호 사:업자【更生保護事業者】명 법무부 장관의 허가를 받고, 갱생 보호 사업을 하는 사람. 경제적 능력과 사회적 신망이 있어야 함.

갱:생 보:호회【更生保護會】명〖법〗갱생 보호 사업을 담당하는 법무부 장관 감독하의 법인 기관.

갱:생 사위【更生-】[-싸-] 명 죽을 고비를 벗어나서 다시 살아날 운명(運命)의 기회(機會).

갱:생 시:설【更生施設】명〖사〗신체상·정신상의 이유로 양호(養護) 및 보도(補導)를 필요로 하는 요보호자(要保護者)를 수용하여 생활 부조를 행하는 사회 사업 시설.

갱:생-원[1]【更生院】명〖법〗출소자(出所者)에 대한 재범 방지(再犯防止)와 자활(自活) 기반을 마련해 주기 위해 베푼 갱생 보호(更生保護) 시설. 각 교도소 소재지에 있음.

갱:생-원[2]【更生園】명 나병 요양소.

갱생이 명〈방〉강아지(전라).

갱:생 지도【更生指導】명〖사〗재활 지도.

갱:선【更選】명 다시 선출하거나 선거함. ——-하다 타여불

갱:세아【更良】부〈이두〉다시 더. *갱사아.

갱:소【更蘇】명 갱생(更生)❶. ——-하다 자여불

갱:-소년【更少年】명 늙은이의 몸과 마음이 다시 젊어짐. 개소년(改少年). ——-하다 자여불

갱:수[1]【更水】명〈궁〉숙랭(熟冷). 「——-하다 자여불

갱수[2]【賡酬】명 시(詩)나 노래를 지어 서로 주고받음. *갱운(賡韻).

갱숙기 명〈방〉옥수수(함북).

갱스터〔gangster〕명 악한(惡漢). 폭력 단원.

갱 스토리〔gang story〕명〖연〗흔히 암흑가(暗黑街)를 배경으로 하고 갱을 주제로 하는 영화. 또, 그런 이야기.

갱신[1] 명 '없다', '못하다' 따위와 함께 쓰이어 몸을 가까스로 움직이는 일. ¶기운이 없어 ~을 할 수 없었다. ——-하다 자타여불

갱:신[2]【更新】명 ①다시 새로워짐. 다시 새롭게 함. ②〖법〗계약의 존속 중 현존(現存) 계약이 그 유효(有效) 기간이 지난 후에도 존속되도록 하기 위하여 새 계약을 체결함. ③〔update〕〖컴퓨터〗기본 파일(file) 안의 정보를 변동 파일에 의하여 추가·삭제·교환하여 새로운 내용의 기본 파일을 작성하는 일. *경신(更新). ——-하다 자타여불

갱:신-세【更新世】명〖지〗'홍적세(洪積世)'의 구칭.

갱:신 전:지【更新剪枝】명 과수(果樹)의 쇠약 상태를 개선하기 위하여 행하는 전지(剪枝).

갱:신 청구권【更新請求權】[-꿘] 명〖법〗일정한 요건(要件) 아래, 지상권자(地上權者)와 토지 임차인(賃借人)이 일방적으로 지상권 또는 임대차의 존속 기간의 갱신을 청구할 수 있는 권리.

갱아지 명〈방〉강아지(전남).

갱 에이지〔gang age〕명 아이들의 성장 과정에서, 동성(同性)끼리 집단을 이루어 장난치거나 난폭한 짓을 하는 10대 전반기의 연령층.

갱연-하다【鏗然-】형여불 쇠붙이나 돌 따위의 부딪치는 소리나, 거문고를 타는 소리가 곱다. 갱연-히【鏗然-】부

갱-엿 [-녓] 명 검은엿.

갱 영화【-映畫】〔gang〕[-녕-] 명 갱을 주제로 한 영화.

갱외【坑外】명〖광〗광산이나 탄광의 갱(坑)의 밖. ↔갱내(坑內).

갱외-부【坑外夫】명〖광〗광산 노동자 중 갱외의 작업에 종사하는 인부. ↔갱내부(坑內夫).

갱운【賡韻】명 남의 시(詩)에 차운(次韻)하여 화답(和答)함. *갱수(賡酬). ——-하다 자여불

갱울 명〈방〉개울(황해).

갱:위【更位】명 물러났던 왕위에 다시 오름. ——-하다 자여불

갱유【坑儒】명〖역〗중국 진시황(秦始皇)이 수많은 유생(儒生)을 구덩이에 묻어 죽인 일. *분서 갱유(焚書坑儒). ——-하다 자여불

갱유-곡【坑儒谷】명〖지〗중국 산시 성(陝西省) 린퉁 현(臨潼縣)의 남서에 있는 고적(古蹟). 진시황(秦始皇) 35년에 유생(儒生) 460여 명을 산 채로 매장한 곳이라 함.

갱유 분서【坑儒焚書】명〖역〗분서 갱유. ——-하다 자여불

갱이[1] 명〈방〉탕기(湯器).

갱:이[2] 명〈방〉고양이(경상).

갱장【坑長】명 탄광이나 광산에서 한 갱(坑)을 감독하는 지위에 있는 책임자.

갱:장-록【羹墻錄】[-녹] 명〖책〗조선 정조(正祖)의 명을 받아 이복원(李福源) 등이 편찬한 책. 조선 역대의 성덕 대업(盛德大業)을 서술하였음. 1786년 간행(刊行). 8권 4 책. 열조(列朝) 갱장록. 어정(御定) 갱장록.

갱재【賡載】명 임금이 지은 시가(詩歌)에 화답하여 시가를 지음. ——-하다 자여불

갱재-첩【賡載帖】명 갱재한 작품을 모은 시첩(詩帖).

갱정[1]【坑井】명〖광〗수평(水平)으로 판 갱도(坑道)를 연결하며, 광석을 올리고 통풍(通風)을 하기 위하여 파 놓은 세로로 된 작은 구덩이.

갱:정[2]【更正】명 '경정(更正)'의 잘못.

갱:정[3]【更定】명 다시 정(定)함. ——-하다 타여불

갱:정[4]【更訂】명 '경정(更訂)'의 잘못.

갱:-조개 명 ☞ 가막조개.

갱:죽【羹粥】명 시래기 따위 채소류를 넣고 멀겋게 끓인 죽.

갱:즙【羹汁】명 국의 국물.

갱지[1]【坑地】명 굴 속으로 뚫린 길.

갱:지[2]【更紙】명 좀 거친 양지(洋紙)의 한 가지. 신문 인쇄 등에 쓰임. 속칭 : 백로지(白露紙).

갱:-지미【羹-】명 놋쇠로 만든 국그릇의 한 가지. 모양이 반병두리 같으나 그보다 조금 작음. 갱기(羹器).

갱:진[1]【更進】명 ①다시 앞으로 나아감. ②다시 진정(進呈)함. ——-하다 자타여불

갱진[2]【賡進】명 임금께 갱재(賡載)하여 올림. ——-하다 타여불

갱:짜【更-】명 ①한 노는 계집을 두 번째 상관하는 일. *도지기. ②두 번째. 거듭.

갱참【坑塹】명 깊고 길게 파 놓은 구덩이.

갱충-맞다 형 갱충쩍다.

갱충-쩍다 형 조심성이 없고 아둔하다. 갱충맞다.

갱치이 명〈방〉호주머니(경남).

갱:탕【羹湯】명 국[1]❶.

갱판【坑-】명 광산에서 배수(排水)하기 위하여 파 놓은 수로(水路).

갱함【坑陷】명 땅이 꺼져서 생긴 구덩이.

갱:헌【羹獻】[명] 벽고(齷羹)나 향음(鄕飮)이나 향사(鄕射)에 쓰기 위하여 삶은 개.
갱:환【更換】[명] '경환(更換)'의 잘못.
갱:히【更—】[부] ☞다시.
갸¹ [명] 〈방〉 기와(황해).
갸² [준] 〈방〉 개(평안).
갸기 [명] 몹시 얄밉게 보이는 교만한 태도. < 교기(驕氣).
갸기(를) 부리다 [구] 갸기를 행동에 나타내다.
갸닥-질 [명] 〈방〉 가댁질. ——-하다 [자]
갸둥-질 [명] ☞가동질. ¶ 아이놈을 ~쳐 주는 광경까지 보인다《玄鎭健 : 無影塔》.
갸드락 [명] 〈방〉 자드락.
갸:록-하다 [형] 〈방〉 갸륵하다.
갸:륵-하다 [형][여불] 하는 일이 착하고 장하다. ¶ 갸륵한 마음씨. 갸:륵-히 [부]
갸름갸름-하다 [형][여불] 낱낱이 다 갸름하다. <기름기름하다.
갸름-하다 [형][여불] 좀 가늘고 긴 듯하다. ¶ 갸름하게 생긴 얼굴. <기름하다. *갸쭉하다·걀찍하다.
갸륵ᄒ다 [명] 〈옛〉 교만하다. ¶ 갸륵 교(驕)《類合 下 3》.
갸수 [명] 〈방〉 개수.
갸우듬-하다 [형][여불] 조금 갸웃하다. ㅆ꺄우듬하다. <기우듬하다. 갸우듬-히 [부]
갸우뚱 [부] 물체가 한쪽으로 갸우듬하게 기울어진 모양. ㅆ꺄우뚱. <기우뚱. ——-하다 [자][타][형][여불]
갸우뚱-거리다 [자][타] 몸이나 물체가 이쪽저쪽으로 기울어지게 흔들리다. 몸이나 물체를 이쪽저쪽으로 기울어지게 흔들다. ㅆ꺄우뚱거리다. <기우뚱거리다. 갸우뚱-갸우뚱 [부]. ——-하다 [자][타][형][여불]
갸우뚱-대다 [자][타] 갸우뚱거리다.
갸우스름-하다 [형][여불] 갸웃한 듯하다. ㅆ꺄우스름하다. <끼우스름하다. 갸우스름-히 [부]
갸운:-하다 〈방〉 개운하다. ¶ 마음이 갸운할 리는 만무할 거 아녜요《鄭飛石 : 靑春의 倫理》.
갸울다 [자][형] 수평(水平)이 아니되고 한 편이 조금 낮아지다. ㅆ꺄울다. <기울다.
갸울어-뜨리다 [타] 힘있게 갸울이다. ㅆ꺄울어뜨리다. <기울어뜨리다.
갸울어-지다 [자] 한쪽으로 조금 갸울게 되다. ㅆ꺄울어지다. <기울어지다.
갸울어-트리다 [타] 갸울어뜨리다.
갸울-이다 [타] 갸울게 하다. ㅆ꺄울이다. <기울이다.
갸웃 [부] 조금 갸운 모양. 또, 조금 갸울인 모양. ㅆ꺄웃. <기웃. ——-하다¹ [자][타][여불]
갸웃-거리다 [타] 무엇을 보려고 자꾸 고개를 갸울이다. ㅆ꺄웃거리다. <기웃거리다. 갸웃-갸웃 [부]. ——-하다 [타][여불]
갸웃-대다 [자][타] 갸웃거리다.
갸웃드름-하다 [형][여불] ☞갸우스름하다.
갸웃-이 [부] 갸웃하게. ㅆ꺄웃이. <기웃이.
갸웃-하다² [一] [형][여불] 조금 갸울어져 있다. ㅆ꺄웃하다². <기웃하다². [二] [타][여불] 조금 갸울이다. ¶ 고개를 ~. ㅆ꺄웃하다². <기웃하다².
갸:으르다 [형] 〈방〉 개으르다.
갸자 [명] 음식을 나르는 들것. 두 사람이 교군(轎軍) 메듯이 하여 나름. 가자(架子). ¶ 대궐 안에서는 ~에 실려 음식이 쏟아져 나왔다《朴鍾和 : 錦衫의 피》.
〈갸자〉
갸:-집 [명] 〈방〉 기와집(경기).
갸품 [명] 〈옛〉 옷이나 신의 혼솔에 끼우는 다른 떠오리 따위. ¶ 금ᄉ로 갸품 회욘 안좌ᄉ오(金絲夾縫的鞍座兒)《朴解 上 28》.
갸품삐다 [자] 〈옛〉 옷이나 신의 혼솔에 다른 떠오리를 끼우다. =갸품써다. ¶ 금션람 비단 갸품 삐고(嵌金線藍條子)《朴解 上 26》.
갸품ᄡ다 [자] 〈옛〉 옷이나 신의 혼솔에 다른 떠오리를 끼우다. =갸품삐다. ¶ 그 션조차 남비단 갸품씬 흰 기ᄌ피 훠(嵌金線藍條子白麂皮靴)《老乞 下 47》.
각금【醵金】[명] 여러 사람이 각기 돈을 얼마씩 냄. 또, 여러 사람에게서 돈을 얼마씩 거두어 냄. 거금(醵金). ¶ 사원 일동의 ~. *추렴.
각음【醵飮】[명] 술추렴❶. ——-하다 [자][여불]
각출【醵出】[명] 한 가지 일을 목적하여 여러 사람이 제각기 돈이나 물건을 냄. 거출(醵出). ¶ 돈을 ~하다. ——-하다 [타][여불]
각출제 연금【醵出制年金】[—쩨—] [명] 연금액 지급에 요(要)하는 비용을 피보험자(被保險者)가 부담하는 연금. 보험료는 보험 수학(數學)에 의거해서 산출(算出)되고, 이를 일정 기간 각출함. ↔무각출제 연금.
간진자리 [명] 〈방〉 〖충〗 잠자리² (전북).
갈갈 [부] 암탉의 알겯는 소리나 갈매기 같은 것이 우는 소리.
갈:갈-거리다 [자] 암탉이 알겯는 소리나 갈매기 따위가 우는 소리가 자꾸 나다. ㅆ꺌꺌거리다.
걀룩 [부] 〈방〉 꺄룩. ——-하다 [타]
걀쑥 [부] 〈방〉 꺄룩. ——-하다 [타]
걀쭉-걀쭉 [부] 여러 개가 모두 걀쭉한 모양. <길쭉길쭉. ——-하다 [형][여불]
걀쭉-스레 [부] 걀쭉스름하게. <길쭉스레. ——-하다 [형][여불]
걀쭉스름-하다 [형][여불] 조금 걀쭉하다. <길쭉스름하다.
걀쭉-이 [부] 걀쭉하게. <길쭉이.
걀쭉-하다 [형][여불] 폭보다 길이가 좀 길다. <길쭉하다. *갸름하다·걀찍하다·걀쯤하다.
걀쯔막-하다 [형][여불] 좀 넉넉히 걀쯤하다. <길쯔막하다.
걀쯤-걀쯤 [부] 여러 개가 모두 걀쯤한 모양. <길쯤길쯤. ——-하다 [형][여불]
걀쯤-이 [부] 걀쯤하게. <길쯤이.
걀쯤-하다 [형][여불] 꽤 갸름하다. <길쯤하다. *갸름하다·걀쭉하다·걀찍하다.
걀찍-걀찍 [부] 여러 개가 모두 걀찍한 모양. <길찍길찍. ——-하다 [형][여불]
걀찍-이 [부] 걀찍하게. <길찍이.
걀찍-하다 [형][여불] 꽤 길다. <길찍하다. *갸름하다·걀쭉하다·걀쯤하다.

걔: [준] 그 아이. ¶ ~가 온다. *재·얘.
걔:-집 [명] 〈방〉 기와집(함경).
걘: [준] 그 아이는. ¶ ~ 예쁘다. *잰·얜.
걜: [준] 그 아이를. ¶ ~ 데려 가라/~ 잡아라. *잴·얠.
거¹【巨】[명] 성(姓)의 하나. 우리 나라에는 현존하지 않음.
거:²【距】[명] ①〖식〗 봉숭아꽃·제비꽃 등의 꽃잎 뒤에 며느리발톱과 비슷하게 된 물건. 그 속에는 흔히 단맛의 액(液)이 있음. 꿀주머니. ②〖동〗 며느리발톱❷.
거³【筥】[명] 운두가 높은, 광우리처럼 대로 결어 만든 쌀을 담는 그릇.
거⁴【簴】[명] 〖악〗 편종(編鐘)·편경(編磬) 등의 가자(架子)의 기둥 나무.
거⁵ [一] [의명] ↗것. ¶ 먹을 ~와 입을 ~. [二] [지대] ↗그것. ¶ ~ 뭣이더라. [三] [감] '그것'의 뜻. ¶ ~ 참 훌륭하다.
거⁶ [준] ①'긋다²'의 불규칙 활용된 '그어'의 준말. ¶ 비를 ~가시오. ②'긋다³'의 불규칙 활용된 '그어'의 준말. ¶ 금을 ~라.
거⁷ [준] 거기. ¶ ~ 누구시요/~ 누구냐.
-거- [선어미] 〈옛〉 주로 일인칭이 아닌 문장에서, 자동사나 형용사 등의 어간에 붙어 확인·강조의 뜻을 나타내는 선어말 어미. 선어말 어미 '우-'와 결합하면 '-가-'로 되고, 동사 '오다'에서는 '-나-'로, 타동사에 붙으면 '-어-'가 됨. ¶ 普光佛이 世界예 나거시늘《月釋 Ⅰ : 8》.
거:가¹【巨家】[명] ①문벌이 높은 집안. ②거가 대족(巨家大族).
거가²【車駕】[명] ①임금이 타는 수레. 성가(聖駕). ②임금의 행차. 왕가(王駕).
거가³【居家】[명] 자기 집에 있음. ——-하다 [자][여불]
거:가⁴【擧家】[명] 온 집안. 전가(全家). 합문(闔門).
거:가 대:족【巨家大族】[명] 지체가 좋고 번창한 집안. 대가(大家). 거실(巨室). 거실 세족(巨室世族). 거가(巨家). ㊀거족(巨族).
거가 잡복고【居家雜服攷】[명] 〖책〗 조선 헌종 7년(1841)에 박규수(朴珪壽)가 지은 복식 연구서. 3권 2책. 필사본.
거가지-락【居家之樂】[명] 속세의 영화에 마음을 두지 아니하고 집에서 시서(詩書) 등으로 세월을 보내는 즐거움.
거:각¹【去殼】[명] 껍데기를 벗기어 버림. ——-하다 [타][여불]
거:각²【巨閣】[명] 크고 높은 집.
거:각³【拒却】[명] 거절하여 물리침. ——-하다 [타][여불]
거:각 소권【拒却訴權】[—꿘] [명] 〖법〗 남이 요구하여 온 어떤 일을 거절하여 법원에 소송(訴訟)을 제기(提起)할 수 있는 권리.
거:간¹【巨姦】[명] 큰 죄악을 저지른 간악(姦惡)한 사람.
거간²【居間】[명] ①사이에 들어 흥정을 붙임. 거매(居媒). ②↗거간꾼. ——-하다 [타][여불]
거:간³【拒諫】[명] 간언(諫言)을 거절함. ——-하다 [타][여불]
거간-꾼【居間—】[명] 사이에 들어 흥정을 붙이는 일을 업으로 삼는 사람. 중매인(仲買人). ㊀거간(居間).
거갑【居甲】[명] 으뜸가는 자리를 차지함. 거괴(居魁). 거수(居首). ——-하다 [자][여불]
거갑-탕【居甲湯】[명] 장국에 녹말을 풀고, 조갯살·송이(松栮)·은행 등을 넣고 휘저어 가며 익힌 음식.
거:개【擧皆】[명][부] 거의 모두. 대부분(大部分). ¶ 이 전람회의 그림은 ~가 동양화다.
거거【車渠·硨磲】[명] 〖조개〗 [*Tridacna gigas*] 진정 판새류(眞正瓣鰓類) 거거과(車渠科)에 속하는 조개의 하나. 이패류(二貝類) 중 최대종(最大種)으로 조개껍데기의 길이 1m, 높이 65cm, 폭 50cm 가량이고 무게는 200kg에 달하는 것도 있음. 껍데기는 두껍고 깊숙깊숙한 다섯 고랑이 져서, 가장자리는 물결 모양으로 요철(凹凸)을 이룸. 각표(殼表)는 회백색, 안은 젖빛이며 광택이 나는데, 수반(水盤)·어항(魚缸)·그릇으로 쓰이거나 바둑돌, 기타 여러 가지 장식품으로 쓰이며 예로부터 칠보(七寶) 중의 하나로 침. 살은 빛깔이 녹색·갈색 등이고 맛이 좋음. 깊은 산호초 위에 붙어서 생활하는데, 오키나와·대만·남양 군도·인도양·태평양의 난해(暖海)에 분포함.

〈거거〉

거:-거년【去去年】[명] 지지난해. 재작년.
거:-거번【去去番】[명] 전전번. 지지난번.
거:-거월【去去月】[명] 전전달. 지지난달.
거:거 익심【去去益甚】[명] 갈수록 더욱 심함. 익심(益甚). 거익 심언(去益甚焉). 유왕 유심(愈往愈甚). 유왕 유독(愈往愈篤). ¶ 일이 ~하다. ——-하다 [형][여불]
거:-거일【去去日】[명] 그저께.
거겁다 [형] 〈방〉 거볍다.
거게 [지대][부] 〈방〉 거기.
거:견【擧肩】[명] 법무(法舞) 용어. 외거(外擧) 동작에서 팔을 들어 뒤로 젖히되 어깨와 수평을 만드는 동작.
거:경¹【巨鯨】[명] 큰 고래.
거경²【居敬】[명] ①평소의 생활에 있어서, 경건(敬虔)한 태도를 가지는 일. ②정주학(程朱學)의 학문 수양의 방법의 하나. 항상 한 가지를 주로 하고 딴것으로 옮기지 아니하면서 경(敬), 곧 심신이 긴장되고 순수한 상태를 유지함으로써 덕성(德性)을 함양(涵養)하는 일. *궁리(窮理). ——-하다 [자][여불]
거경 궁리【居敬窮理】[—니] [명] 정주학(程朱學)의 학문 수양의 두 가지 과제(課題). 마음을 근신(謹愼)의 상태로 유지하고, 사물의 이치를 궁리하여 아는 일.
-거고 [어미] 〈옛〉 -었어. -었구나. 감탄을 나타내는 서술격 종결 어미. =-거고나. ¶ ᄋ자 내 黃毛試筆 墨을 뭇쳐 窓밧긔 디거고《古時調》.
-거고나 [어미] 〈옛〉 -었구나. =-거고. ¶ 白龍의 구븨 갓치 굼틀 뒤를 뒤틀어져 굴음 속에 들거고나《古時調》.
거:골【距骨】[명] 복사뼈.
거:골-장【去骨匠】[명] 〖역〗 조선 시대 초기에, 도살(屠殺)을 업으로 한

장색(匠色)의 하나.

거:공[1]【巨熕】명 대포(大砲).

거:공[2]【鉅公】명 ①천자(天子)를 일컫는 말. ②어떤 한 방면에 뛰어난 사람. 큰 인물. 거장(巨匠). 「여불

거:공[3]【擧公】명 공적(公的) 규칙대로 드러내어 처리함. ——-하다 타

거:관[1]【去官】명〖역〗조선 시대 때, 당하관(堂下官)이 일정한 벼슬 기한이 차서 실직(實職)으로부터 산직(散職)으로 옮겨 감. ——-하다 자 여불

거:관[2]【巨款】명 많은 돈. 거액(巨額).

거:관[3]【巨觀】명 큰 구경거리. 또, 볼 만한 큰 경치.

거관[4]【居官】명 관직에 있음. 벼슬살이를 하고 있음. ——-하다 자 여불

거관[5]【居館】명 ①주택(住宅). ②〖역〗성균관(成均館)의 재방(齋房)에 들어가 있음. ——-하다 자 여불 「하다 자 여불

거:관[6]【擧棺】명 출구(出柩) 또는 하관(下棺)하기 위하여 관을 듦.——

거:관-포【擧棺布】명 거관할 때에 관을 걸어서 드는 베.

거:괴[1]【巨魁】명 거물(巨物)인 괴수. 도둑·악당의 두목.

거괴[2]【居魁】명 거갑(居甲). ——-하다 자 여불

-거괴야 어미〈옛〉-었구나. ¶어듸셔 急훈 비 훈줄기에 出塵行裝을 씻 ㄴ거괴야《永言》.

거:굉【巨觥】명 커다란 술잔.

거:교【鉅狡】명 세력이 있고 간교(奸巧)한 사람.

거:구[1]【巨口】명 큰 입. 거대한 입.

거:구[2]【巨軀】명 거대한 몸뚱이. 거체(巨體). ¶～의 사나이.

거:구 세:린【巨口細鱗】명 '농어'의 딴이름.

거:국【擧國】명 온 나라. 전국(全國). 국민 전부. 온 나라가 모두 일체(一體)가 되어 일에 당하는 경우에 쓰임. *거조(擧朝).

거:국 일치【擧國一致】명 온 국민이 모두 한마음 한뜻으로 뭉치어 하나로 됨. ——-하다 자 여불

거:국 일치 내:각【擧國一致內閣】명〖정〗전쟁이나 대규모의 경제 불황(經濟不況) 등에 임하였을 경우에 그 위기를 극복하기 위하여 당파를 초월하여 조직한 내각. 1930년에 성립한 영국의 맥도널드(MacDonald, J.R.) 내각은 그 일례임.

거:국-적【擧國的】명 관 온 나라, 온 국민이 일어서서 하나가 되어 동일한 태도를 취하는 모양. ¶～ 행사.

거궤【車軌】명 수레가 지나간 자국. 거철(車轍).

거:근[1]【去根】명 ①뿌리를 없애 버림. ②병 등의 근원(根源)을 없애 버림. ——-하다 타 여불 「(下掣筋).

거:근[2]【擧筋】명〖생〗무엇을 들어올리는 작용을 하는 근육. ↔하철근

거:금[1]【巨金】명 거액의 돈. 많은 돈. 큰돈. ¶～을 희사하다.

거:금[2]【醵金】명 갹금(醵金). ——-하다 자 여불

거:금[3]【去今】관 '거금(距今)'의 취음(取音).

거:금[4]【距今】관 지금으로부터 지나간 어느 때까지의 상거(相距)를 나타내는 말. 숫자의 앞에 붙여서 씀. ¶～ 백 년 전.

거금-도【居金島】명〖지〗전라 남도 남해상에 돌출된 고흥 반도(高興半島) 서남쪽, 고흥군(高興郡) 금산면(錦山面)의 주요 부분을 이루는 섬. [62.08 km² : 16,069 명 (1984)] 「26》.

거긔[1] 지대 부〈옛·방〉거[7]. 거기. ¶거긔셔 숣피거놀(那裏巡警)《老乞 上

거긔[2] 조〈옛〉게. 에게. ¶迦尸王이 네거긔 感호게 호라호고《月釋 Ⅶ:15》/추믄 麗혼 거슬 化호야 ᄆᆞᆫ거긔 드릴싸라《月釋 XⅦ:19》.

거:기[1]【倨氣】명 거만한 기색(氣色). ¶～가 대단하다.

거:기[2]【擧旗】명 ①기(旗)를 높이 쳐듦. ②〖민〗거기 한량(擧旗閑良)이 무겁에서 기를 가지고 화살의 맞고 안 맞음을 신호함. ——-하다 자 여불

거기[3] ㊀지대 그 곳. ㊁부 그 곳에. 준게. >고기. *여기[8]·저기[3]. ㊂인대 '당신'이나 '그대'의 뜻으로, 호칭(呼稱)하기가 거북한 사이나 내외간(內外間)에 쓰는 대칭(對稱) 대명사. ¶～만 좋다면야 딴 말이 있겠수. 「음. 어상반(於相半)함. ——-하다 형 여불

거-기중【居其中】명 어느 한쪽에 치우치지 아니하고 중간쯤 되어 있

거:기 한량【擧旗閑良】[-할-] 명 화살이 맞는 대로 살받이 있는 곳에서 기를 흔들어 알리는 한량.

거꾸러-뜨리다 타 거꾸로 넘어지거나 엎어지게 하다. >가꾸러뜨리다.

거꾸러-지다 자 ①머리를 앞으로 숙이고 엎어지다. 거꾸로 넘어지거나 엎어지다. ②싸움에 지다. ③죽다. 1)-3):>가꾸러지다.

거꾸러-트리다 타 거꾸러뜨리다.

거꾸로 부 차례나 방향이 반대로 바꾸이게. ¶옷을 ～ 입다. >가꾸로.
【거꾸로 매달아도 사는 세상이 낫다】어렵고 고생스럽더라도 죽는 것보다는 사는 편이 낫다는 말.
거꾸로 박히다 구 머리를 아래로 향하고 떨어지다. 거꾸로 떨어지다.

거꾸로-여덟팔【一八】[-덜-] 명〖충〗거꾸로여덟팔나비.

거꾸로여덟팔-나비【一八一】[-덜-라-] 명〖충〗[*Araschnia burejana*] 네발나빗과에 속하는 곤충. 편 날개의 길이 40 mm 내외로, 한 해에 봄·여름 두 번 나타남. 날개 앞면은, 봄형(型)은 흑갈색 바탕에 적황색 반점이 있고, 여름형은 검은 바탕에 굵은 백색 띠가 있으며, 펼치면 거꾸로 된 '八'자 무늬가 되는데, 뒷면은 흑갈색임. 한국·일본·중국 등지에 분포함. 거꾸로여덟팔.

〈거꾸로여덟팔 나비〉

거꾸루 부 ☞거꾸로.

거꿀-가랑이표【一標】명〖인쇄〗'>'의 인쇄상의 이름. 문장(文章)에서는 '작은말표'로, 수식(數式)에서는 '부등호(不等號)'로 쓰이는 부호. *가랑이표.

거꿀-달걀꼴 명 달걀을 거꾸로 세운 형상. 도란형(倒卵形). 거꿀알꼴.

거꿀-삼발점【一三一點】[-쩜] 명〖인쇄〗이유표(理由標)로 쓰이는 '∵'의 이름. 이유부(理由符).

거꿀-알꼴 명 거꿀달걀꼴.

거끔 명〈방〉거품(충청).

거나 조 받침 없는 체언에 붙어 사람·시간·장소·사물 등을 가리지 않고 나열함을 나타내는 접속 조사. ¶우유～ 홍차～ 다 괜찮다. 준건[11]. *이거나[1].

〈거꿀달걀꼴〉

-거나 어미 ①용언의 어간에 붙어서 가리지 아니하는 뜻을 나타내는 연결 어미. ¶오～ 말～ 내가 알 바 아니다/먹을 것은 무엇이～ 잘 씹어 먹어야 한다. ②용언의 어간에 붙어서 나란히 벌여 놓음을 나타내는 연결 어미. ¶실내에서는 모자를 쓰～ 신을 신～ 하면 안 된다/연필이～ 볼펜이～ 아무것이든 하나만 다오. 준-건.

거나【去乃】어미 조〈이두〉-거나.

거나려【率良】〈이두〉거느리어.

거나리다 타〈방〉거느리다.

거나리며【率良旀】〈이두〉거느리며. 「하다.

거나-하다 형 여불 술이 얼근하게 취하다. ¶거나하게 취한 얼굴. 준건

거:납【拒納】명 납세 또는 납부하기를 거절함. ——-하다 타 여불

거:낭【巨囊】명 큰 주머니.

거:냉【去冷】명〔←거랭〕약간 데워서 찬 기운만이 없어지게 함. ¶아차 거 너무 찹겠구려, 이리 주, 잠깐 ～해 올께《金東里 : 玩味說》. ——-하다 타 여불

거넌-방【一房】명 ↗건넌방. 「調》.

-거냐 어미〈옛〉-ㅆ느냐. ¶青石嶺 지나거냐 草河溝ㅣ 어드ᄆᆡ오《古時

거녀내다 타〈옛〉건져 내다. ¶제오라비 거녀내니라(其兄援出)《東國 ㄴ新續三綱 烈女圖》.

거:년【去年】명 지난해. 작년.

거년-스럽다 형 ㅂ불 궁상(窮狀)이 흘러 보이다. >가년스럽다. 거년-스 ㄴ레 부

거녕-스럽다 형〈방〉거년스럽다.

-거뇨 어미〈옛〉-으냐. -느냐. -하느냐. ¶어듸ᅀᅡ 됴혼 ᄯᅡ리 양ᄌᆞ ᄀᆞᄌᆞ니 잇거뇨《釋譜 Ⅵ:13》.

거누다 타 몸이나 정신을 겨우 이기어 지탱하다. >가누다. 「32》.

거느니다 타〈옛〉거느리다. ¶거느닐 통(統), 거느닐 어(御)《字會 下

거느리다[1] 타 손아랫 사람들을 데리고 있다. ¶처자(妻子)를 ～/대군을 ～. 「《字會 下 32》.

거느리다[2] 타〈옛〉건지다. =거느리치다. ¶거느릴 제 又 건널 졔(濟)

거느리츌 타〈옛〉건질. 구제할. '거느리치다'의 활용형. ¶엇데 時節 거느리츌 謀策이 업스리오(豈無濟時策)《杜諺 Ⅲ:58》.

거느리츔 타〈옛〉건짐. 구제함. '거느리치다'의 명사형. ¶乾坤을 고텨 時世ㅣ 거느리츔을 뭇도다(整頓乾坤濟時了)《杜諺 Ⅳ:17》.

거느리치다 타〈옛〉건져 내다. 구제하다. =거느리다[2]. ¶世롤 거느리츄멘 그듸내 맛당호니(濟世宜公等)《杜諺 XXX:38》.

거느림-채 명〖건〗원채나 사랑채에 딸리어 있는 작은 채.

거늑-하다 형 여불 넉넉하여 마음이 아주 흐뭇하다.

거는-방【一房】명〈방〉건넌방.

거늘[1] 명〈방〉그네(평북).

거늘[2]【去乙】조 어미〈이두〉-거늘.

-거늘 어미 ①'이다' 또는 용언의 어간에 붙어 '이미 사실이 이러이러하기에 그에 응하여'의 뜻을 나타내는 연결 어미. ¶오늘이 장날이～, 한밑천 잡아야겠다/시비(柴扉)에 개 짓～ 임만 여겨 나가보니《永言》/큰 비가 왔～ 물소리가 세차다. ②'이다' 또는 용언의 어간에 붙어 '이미 사실이 이러이러한데 그와는 딴판으로'의 뜻을 나타내는 연결 어미. ¶오늘이 개학식이～ 숙제를 전혀 아니 했으니 야단이다/더우면 곳치 피고 추우면 잎 지～ 솔아 너는 어이 눈서리를 모르는다《古時調》/그리 일렀～ 이 무슨 꼴이냐.

-거니 어미 ①'이다' 또는 용언의 어간에 붙어 '이미 이러이러한데'의 뜻을 나타내는 연결 어미. 아래는 의문이 딸림. ¶나는 젊었～ 돌인들 무거우랴/돈을 가진 사람이～ 무슨 짓인들 못하랴. ②'이다' 또는 용언의 어간에 붙어 혼자 속으로 '이러이러하리라'고 여기는 뜻을 나타내는 연결 어미. ¶지금도 살았～ 싶다/사람이 아닌 동물이～ 생각하면 된다. ③여러 동작이 잇따라 되풀이될 때 각 동사 어간에 붙이는 연결 어미. ¶권커니 작～/잡～ 밀～ 높은 메에 올라가니《松江》.

거니다 타〈옛〉건지다. ¶스스로 심 가온대 ᄢᅢ대더니 거녀셔 이튼날 다시 사라셔(自投井中拯出翌日乃甦)《東國新續三綱 烈女圖 Ⅰ:68》.

-거니오 어미〈옛〉-있겠는고. -겠는고. ¶곧 바ᄅᆞ롤 기우리 혀리라 너기거니오(輒擬偃溟渤)《杜諺 Ⅱ:33》.

-거니와 어미 ①'이다' 또는 용언의 어간에 붙어 사리가 상반되는 구절을 잇는 연결 어미. ¶나는 그러하～ 너는 왜 그러냐. ②'이다' 또는 용언의 어간에 붙어 이미 있는 사실을 인정하고, 그보다 더한 사실을 말할 때 쓰는 연결 어미. ¶얼굴도 곱～ 마음씨는 더욱 곱다. *커니와.

거니-채다 자 낌새를 알아채다. 기미를 짐작하다.

거:닐다 자 타 이리저리 한가히 걷다. ¶공원을 ～.

거ᄂᆞ리다 타〈옛〉거느리다. ¶뼤구름 거ᄂᆞ리고 눈조차 모라오니《松江》/예수가 거ᄂᆞ리시니 즐겁고 태평ᄒᆞ고나《찬양가 : 88》. 「Ⅱ:2》.

-거놀 어미〈옛〉-매. -으매. =-거늘. ¶니ᄅᆞ 거놀 듣노니(聞道)《杜諺

-거다 어미〈옛〉-었다. -도다. ¶마자 분별 업거다(適然無慮)《永嘉 下 107》/四曲은 어드ᄆᆡ고 松崖에 ᄒᆡ 넘거다《海謠 高山九曲歌》. *-나

거닫다 타 거들다. ¶…하는 양만 보고 있던 태수가, 저도 어디 말을 시켜 본다는 듯이 얼른 거닫고 나서던 것이다《蔡萬植 : 濁流》.

거:달[1]【巨達】명〖역〗'거덜'의 취음(取音).

거:달[2]【擧達】명 천거되어 영달(榮達)함. ——-하다 자 여불

거:담【祛痰·去痰】명 담(痰)을 없어지게 함. ——-하다 자여불

거:담-약【祛痰藥·去痰藥】[—냑] 명〖약〗담을 없어지게 하는 약. 토근(吐根)·세네가근(senega根) 등이 있음. 거담제.

거:담-제【祛痰劑·去痰劑】명〖약〗거담약.

거:담-환【祛痰丸】명〖한의〗해수(咳嗽)를 다스리는 데 쓰는 알약.

거:당【擧黨】명 정당 따위, 당(黨)의 전체. 온 당(黨). 전당(全黨). 당의 모든 사람이 일체가 되어 일에 당하는 경우에 쓰임. ¶ ~적인 반대.

거:대【巨大】명 엄청나게 큼. ¶ ~한 조직망. ——-하다 형여불

거:대 과학【巨大科學】명〔big science〕많은 과학자·기술자·연구 기관을 동원하여 행하는 대규모의 연구. 우주 개발·원자력 개발 등에 이용되는데, 1960년대의 달 착륙을 위한 '아폴로 계획(Apollo 計劃)' 등은 그 좋은 예임.

거:대 규모 집적 회로【巨大規模集積回路】명〖물〗〔giant scale integration: GSI〕초대규모 집적 회로.

거:대 도시[1]【巨大都市】명〔metropolis〕인구 백 만 이상이 되는 큰 도시.

거:대 도시[2]【巨帶都市】명 '메갈로폴리스'의 역어(譯語).

거:대 발육【巨大發育】명〖의〗온몸 또는 몸의 일부가 정상치(正常値)보다 훨씬 크게 자라는 일.

거:대 분자【巨大分子】명〔giant molecule〕〖화〗화학 결합에 의하여 거의 무한 개수(個數)의 원자가 집합하여 있는 분자. 이온(ion) 결합에 의한 소금, 공유(共有) 결합에 의한 다이아몬드, 수소(水素) 결합에 의한 얼음·얼음 사탕 따위.

거:대 생물【巨大生物】명〔giant organism〕 2억 년 전의 중생대(中生代)부터 2만 년 전의 신생대(新生代) 사이에 지구상에 번성했던 거대한 파충류(爬蟲類)·포유류(哺乳類) 및 원시 식물의 일컬음. 공룡(恐龍)·매머드·메타세쿼이아 따위로서, 오늘날 단편적으로 화석(化石)으로서 발굴(發掘)되어, 고고학(考古學) 상의 귀중한 자료가 됨.

거:대-성【巨大性】[—썽] 명 거대한 특성.

거:대 세:포【巨大細胞】명 ①〔giant cell〕〖생〗원형질(原形質)이 풍부하고, 흔히 많은 핵(核)을 포함하는 거대한 세포. 생리적으로도 존재하는 외에, 갖가지 병에서 조직 속에 나타나며, 또 조직 배양(組織培養)에서도 종종 볼 수 있음. ②〖식〗이형(異形) 세포.

거:대 신경 섬유【巨大神經纖維】명〔giant nerve fiber〕〖생〗무척추동물 중 일부분의 동물이 지닌 극단적으로 굵은 신경 섬유. 무수(無髓) 신경 섬유에 속하며, 두족류(頭足類)의 외투막(外套膜) 신경, 지렁이·갑각류(甲殼類)나 바퀴 따위 곤충류의 복수(腹髓) 중에 있음. 신속한 전달 능력이 있으므로 도피(逃避) 반응에 도움이 됨. 거대 축색(巨大軸索).

거:대-아【巨大兒】명 과숙아(過熟兒)❶.

거:대 염:색체【巨大染色體】명〔giant chromosome〕〖생〗파리목(目)의 타액선(唾液腺), 식도(食道)·소장(小腸)의 표피(表皮), 말피기관·신경 세포 등에 있는 다계(多系) 염색체나 초파리류(類)의 정모(精母) 세포 등에 있는 거대한 염색체. 유전 정보(遺傳情報)의 발현(發現) 조절 기구(機構)를 해명하는 가장 알맞은 재료로 쓰임.

거:대 적아구【巨大赤芽球】명〖의〗거대 적아 세포.

거:대 적아 세:포【巨大赤芽細胞】명〔megaloblast〕〖의〗비타민 B_{12} 또는 폴산(酸) 결핍시 골수(骨髓) 속에 나타나는 거대한 유핵(有核) 적아 세포. 거대 적아구.

거:대-증【巨大症】[—쯩] 명〖의〗온몸 또는 몸의 일부가 거대 발육(巨大發育)하는 병. 발육기의 성장 촉진은 거인증(巨人症)이 되고, 발육기를 지난 뒤의 성장 촉진은 말단 비대증(末端肥大症)이 됨. 또, 내장(內臟)이 이상 발육하는 장기 거대증(臟器巨大症)도 있음.

거:대 지진【巨大地震】명〖지〗진도(震度) 8 정도 이상의 지진.

거:대 행동【巨大行動】명〖심〗거시적 행동(巨視的行動). ↔미소 행동.

거:더〔girder〕명 구조물의 수평 부재(部材). 들보.

거더ᄇᆞ리다 타〈옛〉걷어 버리다. ¶ 금빈혀로 눈ᄌᆞᄉᆞ애 ᄀᆞ리왼 거슬 거더ᄇᆞ리면(金篦刮眼膜)《初杜諺 Ⅸ:19》.

거덕-거덕 부 물기가 약간 마른 모양. ¶ 젖은 옷이 ~ 말랐다. ㅆ꺼덕꺼덕. >가닥가닥[2]. *구덕구덕. ——-하다 형여불

거덕-치다 형 모양이 상스럽거나 거칠어 어울리지 아니하다. ㅆ꺼덕치다.

거덜 명〖역〗조선 시대 때, 사복시(司僕寺)에서 말을 거두어 주던 하례(下隷). 취음: 거달(巨達).

거덜거덜-하다 형여불 살림이나 무슨 일이 결딴나려고 흔들리어 위태하다.

거덜-나다 [—라—] 자 살림이나 무슨 일이 흔들리어 결딴나다.

거덜-마【—馬】명 ①〖역〗거덜이 탄 말. ②걸을 적에 몹시 몸을 흔드는 말.

거:-도[1]【巨島】명〖지〗전라 남도의 서남해상(西南海上), 진도군(珍島郡) 지산면(智山面) 거제리(巨濟里)에 위치한 섬. [0.04km²]

거:도[2]【巨盜】명 큰 도둑. 거적(巨賊).

거:도[3]【巨濤】명 큰 파도. 도란(濤瀾).

거도[4]【居道】명〖사람〗신라 탈해왕(脫解王) 때의 지방관(地方官). 마숙(馬叔)이라는 말 타는 유희에 능함. 동왕 23년(79)에 이웃의 작은 나라 우시산국(于尸山國:지금의 울산(蔚山))과 거칠산국(居柒山國:지금의 동래(東萊))을 멸하여 국토를 넓혔음.

거:도[5]【鋸刀】명 톱의 한 가지. 자루를 한쪽에만 박아 혼자 당기어 켜는 톱. 톱칼.

거:도[6]【擧道】명 온 도(道). 전도(全道). ¶ ~적(的).

거도다 타〈옛〉거두다. ¶ 婢 時急히 거도더니(婢遽收之)《內訓 Ⅰ:18》.

거도불다 타〈옛〉거두어 불다. =거두 불다. ¶ 노폰 ᄇᆞᄅᆞᄆᆞᆫ 旆旌을 거도부놋다(高風卷旆旌)《杜諺 ⅩⅩⅢ:1》.

거도-선【居刀船·鋸刀船·鋸舠船】명〖역〗〔↗비거도선(鼻居刀船)〕거룻배와 같게 만든 작고 빠른 병선(兵船). 조선 세조(世祖) 5년(1459)에, 병조(兵曹)의 발의(發議)로 만들어, 주로 해적(海賊) 구축(驅逐)에 썼음. 비거도선(鼻居刀船).

거:도-적【擧道的】명관 온 도(道)를 들어 하는 모양. ¶ ~인 행사.

거:독【去毒】명〖한의〗약재(藥材)의 독기를 빼어 없애 버림. ——-하다 타여불

거:동[1]【去冬】명 지난 겨울.

거:동[2]【拒冬】명〖식〗속수자(續隨子).

거:동[3]【擧動】명 ①일에 나서서 움직이는 태도. 행동 거지. 몸가짐. 동작(動作). 동지(動止). ¶ ~이 수상하다. ②→거둥. ——-하다 자여불

거-동궤【車同軌】명 ↗거동궤 서동문(車同軌書同文).

거동궤 서동문【車同軌書同文】명 각 지방의 수레는 넓이를 같이 하고, 글은 글자를 같이 쓴다는 뜻으로, 천하가 통일(統一)됨을 이르는 말. 준거동궤·동문 동궤(同文同軌)·서동문(書同文).

거:동-범【擧動犯】명〖법〗주거 침입죄(住居侵入罪)와 같이 외부적 결과가 없어도 단지 외부적 거동만으로도 성립하는 범죄. 형식범(形式犯). ↔결과범(結果犯).

거:두[1]【巨頭】명 유력(有力)한 우두머리 되는 사람. ¶ ~ 회담.

거:두[2]【去頭】명 머리를 잘라 버림. ——-하다 타여불

거:두[3]【擧頭】명 머리를 번듯이 들어 남을 대함. 굽죄임이 없이 태연히 남을 대함. 거두 대면. 교수(翹首). ¶ 저는 도적놈에게 잡혀가서 그 욕을 당하였으니 다시는 ~를 못할 사람이오. ——-하다 자여불

거두[4] 타〈옛〉걷어. 거두어. ¶ 朔風이 거두부러《松江 星山別曲》.

거두다 타 ①널려 있는 것이나 흩어진 것을 한데 모아 들이다. ¶ 벼를 거두어 들이다. 준걷다. ②어떤 결과·성과를 올리거나 얻다. ¶ 승리를 ~. ③세금·돈 따위를 징수(徵收)하다. ¶ 돈을 ~. ④뒷일을 보살펴 주다. ¶ 아이를 ~. ⑤모양을 내다. ¶ 몸을 ~. ⑥멈추어 끝을 내다. ¶ 숨을 ~.

거:두 대:면【擧頭對面】명 거두(擧頭).

거두들다 타〈옛〉걷어 들다. ¶ 거두들 구(摳), 거두들 건(攓)《字會 下19》.

거:두리 명 돼지나 멧돼지 등의 코끝의 땅을 파는 군살 부위(部位).

거:두미 머리【巨頭味—】명 큰머리의 군두목.

거:두-봉【擧頭峰】명〖지〗함경 남도 홍원군(洪原郡) 용포면(龍浦面)과 북청군(北青郡) 가회면(佳會面) 사이에 있는 산봉우리. 부전령 산맥을 구성하는 산봉의 하나. 이 일대는 남대천(南大川) 및 그 지류인 거서천(車書川)의 수원(水源)을 이루고 있음. [1,304 m]

거두불다 타〈옛〉거두어 불다. =거도불다. ¶ 朔風이 거두부러《松江 星山別曲》.

거두-이다 피동 ☞걷히다.

거두잡다 타〈옛〉걷어 잡다. 거두어 잡다. ¶ 衆生ᄋᆞᆯ 다 비취샤 거두자바 ᄇᆞ리디 아니ᄒᆞ시ᄂᆞ니《月釋 Ⅷ:27》.

거:두 절미【去頭截尾】명 ①머리와 꼬리를 잘라 버림. ②앞뒤의 잔 사설은 빼놓고 요점만 말함. ¶ ~하고 요점만 말하겠소. ——-하다 타여불 「拘攣」《救簡 Ⅰ:38》.

거두주이다 타〈옛〉걷어 쥐다. =거두쥐다. ¶ 손바리 거두주여(手足

거두쥐다 타〈옛〉걷어 쥐다. =거두주이다. ¶ 입시우리 아래로 드리디 아니ᄒᆞ며 또 우흐로 거두쥐디 아니ᄒᆞ며《月釋 ⅩⅦ:52》.

거두티다 타〈옛〉거두어 치다. 걷어 치우다. ¶ 믄득 거른 놓이 두어 길이나 ᄒᆞ야 ᄇᆞᄅᆞᆷ과 번개를 내고 남글 것ᄭᅥ며 집을 거두티더니《太平廣記 Ⅰ:57》.

거두혀다 타〈옛〉걷어 당기다. ¶ 헌디로 ᄇᆞᄅᆞᆷ드러 거두혀며 뷔트리 혀미 이시락 업스락ᄒᆞ거든(破損傷風搐搦潮作)《救簡 Ⅰ:7》.

거:두 회:담【巨頭會談】명 큰 나라의 수뇌(首腦)들 사이에 이루어지는 회담. *정상(頂上) 회담.

거둠-질 명 ①거두어 들이는 일. ¶ 가을이라 ~이 한창이다. ②물건을 욕심껏 탐(貪)내어 가지는 짓. ——-하다 자타여불

거:둥 명〔←거동(擧動)〕임금의 나들이. *동가(動駕). ——-하다 자여불

【거둥에 망아지 새끼 따라다니듯】긴요(緊要)하지 아니한 사람이 쓸데없이 이곳 저곳 따라다님을 비유한 말.

거둥-그리다 타 ☞거든그리다.

거:둥-길 [—낄] 명 임금의 거둥하는 길. 어로(御路).

【거둥길 닦아 놓으니까 깍정이가 먼저 지나간다】대사(大事)를 경영하는데 소마(小魔)가 그르친다는 뜻.

거둬-들이다 타 ↗거두어 들이다. ¶ 벼를 ~.

-거드란 어미〈옛〉-거들랑. -거들랑은. ¶ 草堂에 곳지 픠거드란 나도 자네를 請ᄒᆞ옵세《永言》.

거드럭-거리다 자 버릇 없이 경망(輕妄)하고 도도하게 굴다. ¶ 거드럭거리는 걸음걸이. 준거들거리다. ㅆ꺼드럭거리다. >가드락거리다. 거드럭-거드럭 부. ——-하다 자여불

거드럭-대다 자 거드럭거리다.

거:-드렁이 명 장기(將棊) 둘 때에, 한 번 만진 장기짝은 도로 놓지 못하고 반드시 써야 되는 규정(規定). 들어니쓰기. ——-하다 타여불

거:드름 명 거만한 태도(態度).

거:드름(을) 부리다 구 거만한 행동을 짐짓 하다.

거:드름(을) 빼:다 구 거만한 태도를 얄밉게 나타내다.

거:드름(을) 피우다 구 거만스러운 태도를 나타내다.

거:드름-스럽다 형ㅂ불 거만한 태도로 보이다. 거:드름-스레 부

거:드름-쟁이 명 '거드름 피우는 사람'을 얕잡아 이르는 말.

거:드름-춤 명 경기도 지방의 산대계(山臺系)의 춤사위의 하나. 6 박(拍)의 긴 염불 장단에 맞춰 거드름 피우듯 느리게 추는 춤.

-거드면 어미 '-거든'과 '-으면'의 합쳐 된 연결 어미. ¶ 그자가 안 가거드면 ~ 어쩌느냐.

-거드면-은 어미 '-거드면'을 더 힘있게 하는 연결 어미.

거드-모리 명 ☞건몰이. ¶ 재빨리 전대를 낚아챈 꿜놈이 ~로 사공을 넘어뜨리니…《金周榮 : 客主》.

거드비-치다 자〈방〉거리끼다(함경).

거득-거득 부 ☞거덕거덕. ——-하다 형여불

-거든[1] 어미 ①가정(假定)으로 조건(條件)삼아 말할 때 쓰이는 연결 어미. ¶좋~ 가져라 / 그를 만나~ 전하라 / 너도 사람이~ 부모님 말씀을 들어라. 준-건. ②'하물며'의 뜻으로 말할 때 앞의 구절에 쓰는 연결 어미. ¶개도 주인의 공을 알~, 하물며 사람이랴 / 낙제생이 합격이~ 우등생이야 더 말할 나위 없다. ③'까닭이 이러이러한데 어찌 경과가 그러하지 아니하랴'의 뜻으로 말할 때에, 까닭을 이르는 구절에 쓰이는 연결 어미. ¶아, 그 수선쟁이가 왔~, 방안이 조용할 리가 있겠나 / 그가 호걸이~ 어찌 겁내랴. ④이상함을 나타내는 느낌으로 쓰이는 종결 어미. ¶도무지 까닭을 모르겠~ / 참 알 수 없는 일이~.

-거든[2] 어미 〈옛〉 ①-매. -므로. -지라. -는데. ¶商德이 衰ᄒᆞ거든 天下ᄅᆞᆯ 맛ᄃᆞ시릴 씨≪龍歌 6章≫.②-에도 불구하고. ¶佛子ㅣ 忍辱力에 住ᄒᆞ야 增上慢ᄒᆞᆫ 사ᄅᆞ미 구지즈며 티거든 다 ᄎᆞ마 佛道 求ᄒᆞ논 양도 보며 ≪釋譜 XIII:22≫.

거든【去等】 어미 〈이두〉 -거든.

거든-거든 부 각각 거든한 모양. ㅆ거뜬거뜬. >가든가든. ——-하다 형여불. ——-히 부

거든그-뜨리다 타 '거든그리다'의 힘줌말. >가든그뜨리다.

거든-그리다 타 거든하게 거두어 싸다. >가든그리다.

거든그-트리다 타 거든그뜨리다. >가든그트리다.

거든-하다 형여불 생각보다 가볍고 단출한 느낌이 있다. ㅆ거뜬하다. >가든하다. 거든-히 부

거:들〔girdle〕 명 양말 대님이 붙은 짧은 여자용 아랫도리 속옷. 팬티형(型)과 원통형이 있는데, 허리의 선(線)을 바로잡기 위한 것임.

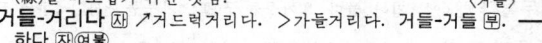

〈거들〉

거들-거리다 자 ↗거드럭거리다. >가들거리다. 거들-거들 부. ——-하다 자여불

거:들다 타 남이 하는 일을 도와 주다. ¶일을 ~/곁에서 한마디 ~.

거들-대다 자 거들거리다.

거들떠-보다 타 내리깔았던 윗눈시울을 들어서 알은 체하는 뜻으로 건너다보다.

거들-뜨다 자 눈을 위로 치켜뜨다. ¶거들떠도 안 본다.

-거들랑 어미 '-거든'과 '-을랑'이 합치어 된 연결 어미. 가정·조건삼음을 강조하는 뜻으로 쓰임. ¶시험에 붙~ 한턱 내게 / 얌전한 학생이~ 집에 데려오려무나 / 상대가 여럿이~ 피하도록 하라. 준-걸랑.

-거들랑-은 어미 '-거들랑'의 힘줌말.

거들먹-거리다 자 신이 나서 도도하게 굴다. ¶돈푼이나 있다고 ~. ㅆ꺼들먹거리다. >가들막거리다. 거들먹-거들먹 부. ——-하다 자여불

거들먹-대다 자 거들먹거리다.

거들지 명 ①당의(唐衣)·장옷 등의 소맷부리에 덧다는 너비 6-8 cm의 흰 헝겊. 원래, 웃어른 앞에서 손을 가리기 위한 것이었으나, 소맷부리의 더러움을 막아 주기도 함. ②〈방〉 한삼(汗衫).

거듬-거듬 부 대강대강 거둬 나가는 모양. ¶방안에 지저분하게 벌여 놓인 것을 ~하여 치우다 / 흐트러진 머리를 ~ 거둬서 모양없이 틀어얹으며…≪洪命憙 : 林巨正≫.

거듭 부 한 일이나 물건이 있는 그 위에 다시 포개어지는 모양. ¶~ 사과하다. ——-하다 타여불 일 따위를 되풀이하다. ¶실패를 ~/해를 ~.

거듭-거듭 부 여러 번 거듭. ¶~ 당부하다.

거듭-나다 자거라불 〖기독교〗 영적(靈的)으로 다시 새 사람이 되다. 중생(重生)하다.

거듭-남 명 〖기독교〗 중생(重生).

거듭-닿소리 [—다쏘—] 명 〖언〗 '복자음(複子音)'의 풀어 쓴 이름.

거듭-되다 자 되풀이해서 되다. 되풀이되다. ¶거듭되는 실패.

거듭떠-보다 타 ☞ 거들떠보다.

거듭-셈 명 〖언〗 '복수(複數)'의 풀어 쓴 이름.

거듭-소리 명 〖언〗 '복음(複音)'의 풀어 쓴 이름.

거듭-씨 명 〖언〗 '복합어(複合語)'의 풀어 쓴 이름.

거듭-월 명 〖언〗 '중문(重文)'의 풀어 쓴 이름.

거듭-이름씨 명 〖언〗 '복합 명사(複合名詞)'의 풀어 쓴 이름.

거듭-제곱 명 〖수〗 같은 수·식(式)을 거듭 곱함. 또, 그 값. 두제곱·세제곱 따위. 누승(累乘). 멱(冪). ——-하다 타여불

거듭제곱-근 【—根】 명 〖수〗 제곱근·세제곱근·네제곱근 따위의 총칭. 누승근(累乘根). 승근(乘根). 멱근(冪根).

거듭제곱 함:수 【—函數】 [—쑤] 명 〖수〗 어떤 변수(變數)의 거듭제곱으로 정하여지는 함수. 이를테면, x^n을 변수로 하고 $y=ax^n$의 꼴로 표시되는 함수 y를 변수 x의 거듭제곱 함수라 함.

거듭-홀소리 [—쏘—] 명 〖언〗 '복모음(複母音)'의 풀어 쓴 이름.

거:듯-말 명 〈방〉 거짓말.

거:듯-부리 명 〈방〉 거짓부리.

거:등-권 【距等圈】 [—꿘] 명 〖지〗 적도면(赤道面)에 평행이 되는 평면에 의하여 지구 표면상에 생기는 소권(小圈).

거등그-뜨리다 타 ☞거든그뜨리다.

거등-그리다 타 ☞거든그리다.

거ᄃᆞᆲ 부 〈옛〉 거듭. ¶거ᄃᆞᆲ살게나시니≪찬양가 : 18≫.

거뜬-거뜬 부 각각 다 거뜬한 모양. ㅅ거든거든. >가뜬가뜬. ——-하다 형여불. ——-히 부

거뜬-하다 형여불 ①생각보다 썩 가볍고 단출한 느낌이 있다. ②근심·아픔 따위가 없어져서 기분이 후련하고 개운하다. 1)·2):ㅅ거든하다. >가뜬하다. 거뜬-히 부 ¶일을 ~ 해치우다.

-거라 어미 '-어라'나 '-아라'의 특별히 변하여 된 종결 어미. ¶가~/일어나~/자~. *-너라.

거라 벗어난 끝바꿈 명 〖언〗 '거라 불규칙 활용'의 풀어 쓴 이름.

거라 변:칙 【—變則】 명 〖언〗 거라 불규칙 활용.

거라 불규칙 용:언 【—不規則用言】 [—뇽—] 명 〖언〗 거라 불규칙 활용을 하는 용언.

거라 불규칙 활용 【—不規則活用】 명 〖언〗 동사의 직접 명령하는 말의 끝이 '-아라'나 '-어라'로 아니 되고 '-거라'로 변하는 형식. '가거라'·'일어나거라'·'자거라'·'자라거라' 따위. 거라 벗어난 끝바꿈. 거라 변칙. 참고 '앉다'·'있다' 등도 '-거라'를 쓰지만 정칙으로도 활용하므로, '거라 불규칙 활용'으로 치지 않음.

거라이 명 〈방〉 거지[1](전라).

거라지 명 〈방〉 거지[1](전북).

거란 【契丹】 명 〖역〗 4세기 이래 내몽고의 시라무렌 강 유역에 유목(遊牧)하고 있었던 부족(部族). 당대(唐代)에는 유력한 8 부족의 연합체를 조직하여 큰 세력이 되었으며, 10세기초에 추장 야율아보기(耶律阿保機)가 내외 몽고 및 만주의 여러 부족을 통일하고, 그 아들 태종(太宗) 때 국호(國號)를 요(遼)라 하였음. 계단(契丹). 글단. 글안. 키타이.

거란국-지 【契丹國志】 명 〖책〗 중국의 별사(別史). 거란, 곧 요(遼)나라 일대(一代)의 역사를 기전체(紀傳體)로 서술한 것. 1180년에 남송(南宋)의 섭융례(葉隆禮)가 칙령(勅令)을 받들어 엮음. 27권

거란 문자 【契丹文字】 [—짜] 명 〖언〗 거란 태조 신책(神册) 5년(922)에 제정된 문자. 두 종이 있으니, 큰 글자는 한자에서, 작은 글자는 위구르(Uighur) 문자로부터 궁리하여 만들었음.

거란-장 【契丹場】 명 〖역〗 고려 때, 거란인(人) 부로(俘虜)들의 집단 수용지. 23대 고종(高宗) 6년(1219)에 장군 김취려(金就礪)가 거란족의 강동성(江東城)을 함락하고, 항졸(降卒) 5만여 명을 거두어 국내 여러 주군(州郡)에 나누어 살게 하던 곳. 계단장(契丹場).

거:란지 명 ↗거란지뼈.

거:란지-뼈 명 소의 꽁무니 뼈. 준거란지.

거랑[1] 명 〈방〉 내[3](경상).

거:랑[2] 명 〖광〗 〔←걸량(乞糧)〕 일정한 광구나 구덩이를 갖지 못하고 남의 광구나 구덩이의 버력탕 같은 데서 감돌을 고르거나 사금을 채취하여 조금씩 버는 일. ——-하다 자여불

거:랑-금 【—金】 [—끔] 명 거랑하여 모은 황금.

거:랑 금점 【—金店】 [—끔—] 명 거랑꾼들이 모여들어 채광하는 금점.

거랑-꾼 명 거랑 작업을 하는 사람.

거:래 【去來】 명 ①상인과 상인 또는 상인과 고객(顧客) 사이에 서로 금전을 대차(貸借)하거나 물건을 매매하는 일. ②영리를 목적으로 하는 경제 행위. ③서로 자기에게 이익이 된다고 생각되는 것을 교환(交換)함. ④〖역〗 사건이 생기는 대로 하속(下屬)이 웃사람 또는 관아(官衙)에 가서 알리는 일. ¶나리가 곧 오셨다구 ~할 테니 잠깐만 기다리시오 ≪洪命憙 : 林巨正≫. ⑤〖불교〗 과거와 미래. ——-하다 타여불

거:-래-금 【去來今】 명 〖불교〗 과거·미래·현금(現今)의 삼세(三世).

거:래-량 【去來量】 명 ①거래되는 수량. ②증권 거래에서, 시장에서 거래된 주수(株數) 또는 채권의 액면 가액(額面價額).

거:래량 이동 평균선 【去來量移動平均線】 명 〖경〗 이동 평균선의 하나. 연속되는 과거 일정 일수(日數) 동안의 주식 거래량 합계를 일수로 나눈 값을 도표로 나타낸 것. 거래량이 주가(株價)에 선행한다는 일반적인 원리에서, 거래량의 동향을 분석하여 주가를 예측하고자 하는 투자 지표임. 산출 일수는 주로 6일·25일·75일 등임.

거:래-법 【去來法】 [—뻡] 명 〖법〗 경제 거래에 관한 법의 총칭.

거:래-선 【去來先】 명 '거래처'의 구용어.

거:래-세 【去來稅】 명 〖법〗 유통세의 한 가지. 자본의 전환·재산의 이전을 초래하는 거래에 대하여 매기는 조세.

거:래-소 【去來所】 명 〖경〗 상품·유가 증권(有價證券) 등의 대량 거래를 행하는 조직화된 시장(市場). 비영리(非營利) 법인으로 회원(會員) 또는 거래원에 한해서 매매가 거래되며 일반인은 이에 위탁하여 거래함. 주식·공사채 등 유가 증권을 다루는 증권(證券) 거래소와 생사·고무 등 상품을 취급하는 상품(商品) 거래소로 구분됨.

거:래소 공:황 【去來所恐慌】 명 〖경〗 증권 시장 공황(證券市場恐慌).

거:래소-법 【去來所法】 [—뻡] 명 〖법〗 거래소의 개설(開設)에 관하여 규정한 법.

거:래소 증권 【去來所證券】 [—꿘] 명 〖경〗 거래소에서 매매되는 유가 증권(有價證券).

거:래 시간 【去來時間】 명 거래를 할 수 있는 시간. 법령 또는 관습에 의해서 정해짐. 은행의 영업 시간, 증권 거래소의 입회(立會) 시간 따위.

거:래-원 【去來員】 명 〖경〗 증권 거래법상, 증권 회사로서, 증권 거래소에 등록을 하고 그 거래소가 개설한 유가 증권 시장에서 상시로 유가 증권의 거래 매매에 종사할 수 있는 사람.

거:래원 수수료 【去來員手數料】 명 〖경〗 구전(口錢)의 하나. 증권 거래소의 거래원이 매매 위탁자로부터 받은 위탁 수수료 중에서 거래소에 납부하여야 할 매매 수수료를 제외한 잔액.

거:래 유예금 【去來猶豫金】 명 〖경〗 청산(淸算) 거래에서 현물(現物)의 수수(授受) 기일이 닥쳤을 때, 산 사람이 그 수도(受渡)를 연기하기 위하여 판 사람에게 날로 쳐서 주는 돈.

거:래-일 【去來日】 명 〖경〗 국경일·공휴일·일요일 그 밖의 일반 휴일을 제외한, 상거래를 하는 날. 어음법·수표법상 특히 문제가 됨.

거:래-자 【去來者】 명 거래(去來)하는 사람.

거:래 정지 처:분 【去來停止處分】 명 〖경〗 어음 교환소에 제출된 수표·어음이 부도(不渡)가 되었을 때에, 발행인의 가맹 은행과의 거래를 일정 기간 정지하는 처분.

거:래 증빙서 【去來證憑書】 명 〖경〗 거래의 발생 및 이행(履行)에 있어서 당사자간에 주고받는 서류. 거래 발생의 증거가 되며, 또 장부 기장(記帳)의 자료(資料)가 됨.

거:래-처 【去來處】 명 돈이나 물건을 계속적으로 거래하는 곳.

거:랭 【去冷】 명 →거냉(去冷). ——-하다 타여불

거:랭이 명 〈방〉 거지[1](강원·경남).

거:략【蝶螺】명〔충〕하루살이❶.
거:량¹【巨量】명 ①매우 큰 분량(分量). ②매우 큰 식량(食量).
거량²【車輛】명 차량(車輛).
거:량³【擧量·去量】명〔불교〕스승과 제자 또는 도반(道伴)끼리 깨달음의 정도를 견주어 보는 문답(問答). 배를 타고 가면서, '지금 배가 가는 거냐, 바다가 지나가는 거냐'라는 물음에 '마음이 가는 거다'라고 답하는 따위.
거러지 명〈방〉거지¹(경상·강원).
거러치 명〈옛〉가라치❷. ¶ 거러치 예(隷俗呼皁隷又曰牢子)《字會 中 1》.
거럭 명〈방〉그릇(경상).
거렁 명〈방〉내³(경북).
거렁-뱅이 명〈방〉비렁뱅이(경상).
거렁-이 명〈방〉비렁뱅이(경상).
거:레 명 까닭 없이 어정거려 몹시 느리게 움직이는 짓. ¶ 하기 싫으면 말지 무슨 ~냐. ——-하다 자여불
거렝이¹ 명〈방〉〔건〕그레.
거:렝이² 명〈방〉거지¹(전라·경남).
거려【居廬】명 상제 된 사람이 여막(廬幕)에 거처함. ——-하다 자여불
거려내다 타〈옛〉건져내다. ¶ 拯은 거려낼 씨오《月序 9》.
거:령【巨靈】명 크나큰 힘을 가지고 있다는 신령.
거령-맞다 형 조촐하지 못하여 어울리지 아니하다. >가량맞다.
거령-스럽다 형ㅂ불 산뜻하고 단정하지 못하여 격에 맞지 아니하다. >가량스럽다. 거령-스레 부
거:례【擧例】명 실례를 듦. 또, 그 예. ——-하다 자여불
거:례-법【擧例法】[—뻡] 명 앞서 말한 이론을 증명하기 위하여 예를 들어 설명하는 수사법(修辭法).
거:로【去路】명 떠나가는 길. 「날 때 지은 노래.
거:로-가【去魯歌】명〔문〕공자(孔子)가 그의 조국인 노(魯)나라를 떠
거:록【鉅鹿】명〔지〕중국 진(秦)나라 때에, 지금의 허베이 성(河北省) 핑샹 현(平鄕縣)에 두었던 군(郡) 및 현(縣)의 이름. 전국 시대 조(趙)나라의 도읍으로, 항우(項羽)가 진(秦)나라 장수 장한(章邯)을 대패시킨 곳. 12세기 초 황하의 범람으로 매몰되었는데, 1918년경부터 발굴되어 두 개의 주거지와 송대(宋代)의 도자기가 출토됨.
거:록-하다 형〈방〉거룩하다.
거:론【擧論】명 어떤 사항(事項)을 초들어서 논제(論題)로 삼음. ——-하다 타여불
거루 명 ↗거룻배.
거루다 타 배를 강가나 냇가로 대다.
거:룩거룩-하다 형여불 거룩하고 거룩하다. 「룩하다.
거:룩-하다 형여불 성(聖)스럽고 위대(偉大)하다. ¶ 거룩한 마음. *가
거룻-배 명 돛 없는 작은 배. 소선(小船). 부선(艀船). ¶ ~로 화물을 실어 나르다. 준거루.
거:류¹【去留】명 ①떠남과 머무름. ②죽음과 삶. ③일이 되고 아니 됨.
거:류²【巨流】명 ①굉장히 큰 흐름. ②어떤 분야에서의 '거창한 움직임'의 비유.
거류³【居留】명 ①임시로 머물러 삶. ②외국의 거류지에 삶. ——-하다 자여불
거류-민【居留民】명 거류지에 사는 사람.
거류민-단【居留民團】명 남의 나라에 거류하고 있는 자기 나라 국민들이 조직한 자치 단체(自治團體). 준민단(民團).

〈거룻배〉

거류-지【居留地】명〔법〕조약(條約)에 의하여 한 나라가 그 영토의 일부를 한정(限定)하여 외국인의 거주와 영업을 허가한 지역. 전관(專管) 거류지·공동(共同) 거류지·잡거지(雜居地) 등의 구별이 있음. 1차 대전 이전에는 치외 법권(治外法權)을 가진 나라가 있었으나 지금은 없어졌음. 중국에서는 조계(租界)라 함.
거륜【車輪】명 수레바퀴.
거륜-도【車輪島】명〔지〕전라 북도의 서해상(西海上) 부안군(扶安郡) 위도면(蝟島面) 거륜리(車輪里)에 위치한 섬. [0.13km²]
거르개 명〔화〕여과기(濾過器).
거르기¹ 명〔물〕여과(濾過). ——-하다 타여불
거르기² 부〈옛〉매우. 거창하게. 대단히. 뜻밖에. =거륵이. ¶ 믄득 거르기 열ᄒᆞ니과(卒暴壯熱)《痘瘡集要 上 11》.
거르다¹ 타르불 체 같은 데 밭쳐 국물을 짜 내다. ¶술을 ~. 「¶ 점심 식사를 ~.
거르다² 타르불 차례대로 하여 가다가 중간에 어느 자리를 빼고 넘기다.
거르렁-거리다 자 ☞그르렁거리다.
거르마니 명〈방〉호주머니(함북).
거르마우 명〈방〉호주머니(함경).
거르만 명〈방〉호주머니(함경).
거르망 명〈방〉호주머니(함남).
거르망이 명〈방〉호주머니(함남).
거르뛰다 타〈옛〉걸러뛰다. ¶ ᄆᆞᄅᆞ치샤미 ᄆᆞ디ᄅᆞᆯ 넘디 아니ᄒᆞᆯ ᄲᅮᆫ 아니라 또 비호미 等을 거르뛰디 아니콰뎌 ᄒᆞ시논 젼ᄎᆞ라《月釋 XIV:41》.
거륵이 부〈옛〉매우. 거창하게. 대단히. =거르기². ¶ ᄒᆞᆫ 큰 모시 이스니 프른 믈이 거륵이 흐르더니《太平廣記 Ⅰ:4》.
거:륵-하다 형〈방〉거룩하다(평안).
거른〈옛〉개울은. '걸'의 절대격형(絶對格形). ¶ ᄆᆞᆯᄀᆞᆫ 거른 ᄒᆞᆫ ᄀᆞ올해 傳流ᄒᆞ놋다(淸渠一邑傳)《杜諺 Ⅸ:40》.
거른-물 명〔광〕여액(濾液).
거른-액【—液】명〔광〕여액(濾液).

거를〈옛〉개울을. '걸'의 목적격형(目的格形). ¶ ᄀᆞᄂᆞᆫ 돌ᄒᆞ로 거를 ᄆᆡᆼᄀᆞᄂᆞ니(渠細石)《杜諺 Ⅶ:17》.
거름¹ 명〔농〕땅을 걸게 하여 식물을 잘 자라게 할 목적으로 흙에 주는 물질. 똥·오줌과 썩은 동식물 또는 식물에 양분이 될 광물질(鑛物質) 등. 비료(肥料). ——-하다 자여불 논밭에 거름을 주다.
거름(을) 주다 구 식물이 잘 자라도록 비료를 주다.
거름² 명〈옛〉걸음. ¶ 거름 거르며 불쁘듸요ᄆᆞᆯ 모로매 ᄌᆞ녹ᄌᆞ느기 ᄒᆞ며(步履必安詳)《內訓 Ⅰ:26》.
거름-기【—氣】[—끼] 명〔농〕거름 기운. 거름발. 비료분. ¶ ~ 있는 땅.
거름 기운 명〔농〕①거름의 힘. ②식물에 나타난 거름의 효과(効果). 거름기. 거름발.
거름 나무 명〔농〕거름을 주는 대신 심는 나무.
거름-더미 [—떠—] 명 거름을 많이 쌓아 놓은 더미.
거름-발 [—빨] 명 거름 기운. 거름기.
거름발 나다 구 거름 기운이 나다.
거름-뱅이 명〈방〉거지(강원).
거름자 명〈방〉그림자(충남).
거름-장 명〈방〉집장.
거름-종이 명 [filter paper]〔화〕찌꺼기나 건더기가 있는 액체를 거르는 데 쓰는 부드러운 다공질(多孔質)의 종이. 여과지(濾過紙).
거름-주기 명〔농〕거름을 주는 일. 시비(施肥).
거름 지게 [—찌—] 명〔농〕거름을 퍼 나르는 데 사용하는 지게.
거름-집 [—찝] 명 퇴비를 넣어 두는 헛간.
거름-통【—桶】명 ①거름을 퍼 나르는 데 쓰는 통. ②여과통(濾過桶).
거름-풀 명〔농〕거름하려고 벤 풀이나 나뭇잎.
거름-흙 [—흑] 명〔농〕①기름진 흙. 비토(肥土). 옥토(沃土). ②거름 더미 밑이나 혹은 거름을 놓았던 자리에서 그러모은 흙.
거릉뱅이 명〈방〉거지¹(경북). 「음~/일~.
거리¹ 명 ①무엇을 만드는 재료. ¶국~/찬~. ②무엇을 하는 재료. ¶웃
거리² 명 ↗길거리. ¶~에 넘치는 인파.
거:리³【巨利】명 거액(巨額)의 이익.
거:리⁴【巨履】명 큰 신.
【거리 소리(小履) 동가(同價)라】옛날엔 신의 크기에 관계없이 한값이었던 데서, 물건의 크고 작음에 관계없이 값음을 이르는 말.
거:리⁵【距離】명 ①두 곳 사이의 떨어진 정도. ¶ ~가 멀다. ②〔수〕두 점 사이의 간격의 크기. 그 두 점을 연결하는 직선의 길이로 나타냄. ③(비유적으로) 사람과 사귀는 데에 있어서의 간격.
거리⁶ 의명 ①〔민〕춤이나 굿 따위의 단락(段落)·과장(科場)·마당·제차(祭次) 따위의 뜻. ¶ 산신(山神) ~/ 춤 한 ~/ 열두 ~. ②〔연〕연극의 한 장(場) 또는 한 경(景). 「두 ~.
거리⁷ 의명 오이·가지 등의 수효를 셀 때, 50개를 일컫는 말. ¶ 한 ~/
-거리 미 ①날수, 달, 해를 나타내는 말에 붙어, 어떤 현상이 주기적으로 나타나는 그 동안을 뜻하는 말. ¶ 하루~/ 이틀~/ 달~/ 해~. ②어떤 말을 조금 속되게 표현하는 말. ¶ 떼~/ 짓~/ 패~.
-거리- 미 의태어·의성어의 어근(語根)에 붙어 그 동작이나 소리가 잇따라 계속됨을 나타내는 말. -대-. ¶ 방실~다 / 윙윙~고.
거:리-감【距離感】명 사이가 뜬 느낌.
거리-거리 ㊀명 여러 길거리. ㊁부 거리마다. ¶ ~ 사람의 물결이다.
거:리 경:주【距離競走】명 스키(ski)에서, 노르딕 경기 종목의 하나. 10km, 15km의 장거리 경주, 30km, 50km의 내구(耐久) 경주, 40km의 릴레이 경주 및 5km, 10km, 15km 릴레이의 여자 경기 등 비교적 먼 거리의 경주의 총칭. 「거의(測距儀).
거:리-계【距離計】명 사진 촬영 같은 데서, 거리를 측량하는 기계. 측
거:리 계:산기【距離計算機】명 [air log] 항속 거리를 제어하기 위하여, 특히 유도 미사일에 사용하는 거리 측정 장치.
거:리 공간【距離空間】명〔수〕거리가 정의(定義)된 집합(集合). 집합 A의 임의의 원소 a, b에 대해서도, 하나의 실수(實數) $d(a, b)$가 대응(對應)하고, 다음의 네 조건이 충족될 때의 A를 말함. $d(a, b) \geq 0$, $d(a, b)=0$라 함과, $a=b$라 함은 같은 값임. $d(a, b)=d(b, a)$, $d(a, c) \leq d(a, b)+d(b, c)$.
거리-굿 명 길놀이.
거리끼다 자 ①어떤 사물이 딴 사물에 방해가 되다. ②어떤 일이 마음에 걸리어 꺼림하다. ¶ 거리끼는 바가 있다.
거리낌 명 ①어떤 사물이 딴 사물에 방해가 됨. ②어떤 일이 마음에 걸리어 꺼림함. ¶ ~도 없이 말하다.
거리낌-없이 [—업씨] 부 마음에 언짢게 생각하거나 무슨 일에 구애(拘碍)됨이 없이. ¶ ~ 행동하다. 「《楞嚴 Ⅸ:24》.
거리다¹ 자〈옛〉갈리다. ¶ 또 두가짓 거린 길히 잇ᄂᆞ니(復有二種岐路)
거리다² 타〈옛〉건지다. ¶ 撈ᄂᆞᆫ 므레 거릴 씨오《月序 8》.
-거리다 미 접미사 '-거리-'에 어미 형성 접미사 '-다'가 합친 말. -대다. ¶ 넘실~ / 앙앙~.
거리마니 명〈방〉호주머니(함경). 「礙)《楞嚴 Ⅷ:39》.
거리씨다 자〈옛〉거리끼다. ¶ 거리쪄 ᄀᆞ료미 업디 아니ᄒᆞ리니(不無滯
거리살 명〈옛〉화살의 일종. ¶ 거리살(虎爪)《老乞 下 29》.
거리-제【—祭】명〔민〕①정월에 길거리에 있는 장승에게 지내는 제사. ②운상(運喪)하는 도중에서 친척이나 친지가 상여 옆에 제물을 차려 놓고 지내는 제사. ③운수업자의 부인네들이 밤중에 무당을 데려다가 한길 가에서 무사고(無事故)를 비는 제사.
거:리 지수【距離指數】명〔천〕실시 등급(實視等級)에서 절대 등급을 뺀 차이. 천체의 거리와 일정한 관계가 있으므로 천체 거리를 나타내는 수치로 쓰임.
거:리 책지【據理責之】명 사리(事理)에 비추어 꾸짖음. ——-하다 타여불

거리춤 타〈옛〉구제(救濟)함. 건짐. '거리치다'의 명사형. ¶時節 거리추믈 일즉 ᄆᆞ다ᄃᆞ마 잇도다(濟時曾琢磨)《杜諺 XXIII:18》.

거리츠다 타〈옛〉건지다. 구제하다. =거리치다. ¶屯難ᄒᆞᆫ 時節을 거리츠리ᄊᆞᆯ라《月釋 XVI:18》.

거:리 측정 장치【距離測定裝置】명〔distance measuring equipment; DME〕〖물〗항행 원조 시설(航行援助施設)의 하나. 항공기로부터 발하는 질문 펄스(質問 pulse) 전파를 지상국(地上局)이 받아 응답(應答) 펄스 전파를 송신하면 양(兩) 전파의 시간차로써 항공기로부터 지상국까지의 거리가 측정되어 기상(機上)의 거리 지시 계기(距離指示計器)에 표시되는 장치. 960-1,215 메가헤르츠의 극초단파(極超短波)를 사용함.

거리치 명〖역〗①가라치. ②군뢰(軍牢).

거리치다 타〈옛〉건지다. 구제하다. =거리츠다. ¶時世 거리칠 ᄠᅳ들 베프고져 ᄒᆞᄂᆞ니(欲陳濟世策)《杜諺 VII:15》.

거:리-표【距離標】명①↗철도 거리표. ②이정표(里程標).

거린길 명〈옛〉갈림길. ¶또 두가짓 거린 길히 잇ᄂᆞ니(復有二重岐路)《楞嚴 IX:24》.

거:림[1] 명〈방〉그림[1](경상).

거:림[2] 명〈방〉그을음.

거림ᄭᅵᆯ 명〈옛〉갈림길. ¶거림ᄭᅵᆯ(岔路)《譯語 上 6》.

거림자 명〈방〉그림자(충북·전라).

거림재 명〈방〉그림자(강원·충북·전라).

거림ᄒᆞ다 형〈옛〉꺼림하다. ¶ᄆᆞᄋᆞᆷ에 거림ᄒᆞ다(過不去)《譯語補 59》.

거릿-대 명〖농〗두엄·낙엽 등을 밀어 쳐내는 데 쓰는 농기구의 하나. 끝이 세 갈래로 벌어진 물푸레나무 가지를 이용해서 만듦.

거릿-송장 명 길거리에서 죽은 송장.

거ᄅᆞ기 부〈옛〉매우. 거창하게. ¶신우 시졀의 예 도적기 거ᄅᆞ기 드러와 놀 안시 뒤동산 디고 가온대 수멋거놀(辛禑時倭賊闌入安匿後園窖中)《東國新續三綱 烈女圖 Ⅰ:10》.

거름 명〈옛〉걸음. ¶그저 ᄒᆞᆫ 거름에 ᄒᆞᆫ 거름식 놉하 除ᄒᆞ여 가거니와(只是一步 高如一步將去)《朴解 中 46》/이 물도 거름이 됴코나《老乞 上 11》.

거마【車馬】명 수레와 말. 차마(車馬).

거마리 명〈방〉〖동〗거머리(경기·강원·경상·전라·황해·함경·평안).

거마-비【車馬費】명 탈 것을 타고 다니는 데 드는 비용. 또, 그 명목으로 주는 돈. 교통비(交通費). 차비(車費).

거마재비 명〈방〉〖충〗버마재비(전남).

거:막【巨瘼】명 고치기 어려운 큰 병.

거:만[1]【巨萬·鉅萬】명〔만의 만 갑절의 뜻〕재산이나 금액이 막대함을 이름. ¶~의 부(富)/~ 대금(大金).

거:만[2]【倨慢】명 겸손하지 아니하고 뽐냄. 잘난 체하고 남을 업신여김. 교만(驕慢). 오만(傲慢). ¶~하게 굴다 / ~을 부리다. ——-하다 형 여불. ——-히 부

거만[3] 부〈방〉그만.

거:만 대:금【巨萬大金】명 거액의 돈. ¶~을 준다 해도 싫다.

거:만-스럽다【倨慢一】형 ㅂ불 거만한 태도가 있어 보이다. 거:만-스레【倨慢一】부

거말 명〈방〉〖동〗거머리(제주).

거매[1]【居媒】명 거간(居間)❶. ——-하다 타 여불

거매[2]【蘧蕒】명〖식〗사라부루.

거:맥【去脈】명〖한의〗복령(茯苓) 등의 살 속에 박힌 누르스름한 줄기를 긁어 냄. ——-하다 타 여불

거망 명 ①↗거망빛. ②〈방〉검댕.

거망-멸구 명〖충〗[*Liburnia oryzae*] 멸굿과에 속하는 곤충. 금강산멸구와 비슷한데 몸은 길이 4-5mm이며, 몸빛은 거망빛임. 앞날개는 투명한데 빛이 어둡고, 뒷날개는 회백색임. 일년에 5회 이상 번식하며, 벼의 진을 빨아먹어 수확을 격감시키는 무서운 해충임. 한국에도 분포함.

〈거망멸구〉

거망-빛 [—삗] 명 썩 짙은 검붉은 색. 약간 짙은 적갈색. 준 거망.

거망-옻나무 명〖식〗[*Rhus succedanea*] 옻나뭇과에 속하는 낙엽 활엽 교목. 잎은 우상 복생(羽狀複生)하고 긴 타원형 또는 피침상 타원형임. 자웅 잡가(雌雄雜家)로 5-6월에 황록색 꽃이 원추(圓錐) 화서로 액생(腋生)하고 흰 핵과(核果)가 10월에 익음. 따뜻한 지방의 저지(低地)에 나는데, 제주도·전남의 완도 및 일본·대만·중국·히말라야 등지에 분포함. 과실은 채랍용(採蠟用)임. 황로(黃櫨).

암꽃 수꽃 〈거망옻나무〉

거머누르께-하다 형 여불 검은 빛을 띠면서 누르스름하다. >가마노르께하다.

거머-당기다 타 탐스럽게 휘감아 당기다. ¶머리채를 ~.

거머-들이다 타 탐스럽게 휘몰아 들이다. ¶흩어진 지폐를 ~.

거:머리 명 ①〖동〗환형 동물(環形動物) 턱거머리목(目)에 속하는 동물의 총칭. 몸은 여러 환절(環節)로 되어 길고 납작하며 원통상(圓筒狀)으로 양끝이 빨며, 주둥이와 뱃바닥 끝에 각각 흡반(吸盤)이 있음. 자웅 동체(雌雄同體)로 물 속에 살면서 다른 동물을 만나면 흡반으로 그 살에 달라붙어 피를 빨아먹음. ②〖동〗[*Hirudo nipponica*] 거머릿과에 속하는 환형(環形) 동물. 몸은 다소 편평한 원기둥꼴로 길이 30-40mm이며, 등은 녹회색(綠灰色)의 종선(縱線)이 몇 줄 있고, 배는 암회색(暗灰色)임. 눈은 다섯 쌍이고 몸의 환절(環節)은 34마디로 구성되어 있음. 논이나 못에 서식하는데, 다른 동물에 붙어서 피를 잘 빨아먹고 삶. 흡혈성(吸血性)을 이용하여 의료용(醫療用)으로 씀. 수질(水蛭). ③남에게 달라붙어 괴롭게 구는 사람의 비유. ④아이의 양미간의 살 속의 파랗게 비치는 심줄. *찰거머리.

〈거머리❷〉

거:머리-강【—綱】명〖동〗[Hirudinea] 환형 동물(環形動物)에 속하는 한 강(綱). 거머리 종류가 모두 이에 속하는데, 몸의 앞뒤 끝에 흡반(吸盤)을 갖추고 있어서 다른 물건에 들러 붙기가 쉽고, 몸 겉에는 고리 모양의 고랑이 패어 있으며, 촉수(觸手)·수염·발·강모(剛毛) 등이 없음. 자웅 동체(雌雄同體)로 대개 담수(淡水)에 살면서 동물의 피를 빨아먹음. 우리 나라에는 거머리·말거머리 등이 있음. 질류(蛭類).

거:머리-말 명〖식〗[*Zostera marina*] 거머리말과에 속하는 다년생 해초(海草). 근경(根莖)은 비후(肥厚)하고 백색인데, 마디에서 수근(鬚根)이 나고 줄기는 길게 가지가 갈라졌음. 잎은 호생(互生)하고 긴 선형(線形)이며, 길이 50-100cm임. 5-6월에 노란 꽃이 나생(裸生)하여 육수 화축(肉穗花軸)의 중륵(中肋)에 따라 암꽃 수꽃이 번갈아 두 줄로 피고, 포과(胞果)는 원주형임. 바닷물 속에 나는데, 제주·경남·강원·함남 및 일본 등지에 분포함. 근경과 어린 잎은 단맛이 있어 식용함.

〈거머리말〉

거:머리말-과【—科】[—꽈] 명〖식〗[Zosteraceae] 현화(顯花) 식물에 속하는 한 과. 거머리말·애기거머리말·왕거머리말 등이 있음.

거:머릿-과【—科】명〖동〗[Hirudinidae] 턱거머리목(目)에 속하는 환형 동물의 한 과. 거머리·말거머리 등이 있음.

거머-먹다 타 탐스럽게 휘몰아 먹다.

거머멀쑥-하다 형 여불 거멓고 멀쑥하다. ㅆ꺼머멀쑥하다. >가마말쑥하다.

거머무트룩-하다 형〈방〉거머무트름하다.

거머무트름-하다 형 여불 얼굴이 거무스름하고 투실투실하다. ㅆ꺼머무트름하다. >가마무트름하다.

거머번드르-하다 형 여불 거무스름하고 번드르르하다. ㅆ꺼머번드르하다. >가마반드르하다.

거머번지르-하다 형 여불 거무스름하고 번지르르하다. ㅆ꺼머번지르하다. >가마반지르하다.

거머-삼키다 타 탐스럽게 휘몰아 급히 삼키다. ¶아이가 과자를 ~.

거머-안다 [—따] 타 탐스럽게 휘몰아 안다.

거머-잡다 타 탐스럽게 휘몰아 잡다. ¶목덜미를 ~. 준 검잡다.

거머-쥐다 타 탐스럽게 휘감아 쥐다. ¶머리채를 ~. 준 검쥐다.

거머-채다 타 탐스럽게 휘몰아 채다.

거먹- 두〈방〉가막-.

거:멀 명↗거멀장[1]. ——-하다 자 타 여불

거:멀-맞춤 명〖건〗나비장·주먹장·산지 등으로 거멀하여 단단히 물려지게 하는 맞춤.

거:멀-못 명 나무 그릇 등의 금간 데나 벌어질 염려가 있는 곳에 거멀장처럼 걸치어 박는 못. 양각정(兩脚釘).

거:멀-쇠 명〖건〗목재를 한데 대어 붙일 때, 더 단단히 맺기 위하는 데 쓰이는 쇠.

〈거멀쇠〉

거:멀-장[1] 명 ①나무 그릇 등의 맞추어 짠 모퉁이에 걸치어 대는 쇳조각. ¶~을 대다. ②물건 사이를 연결시켜 벌어지지 아니하게 하는 일. 준 거멀. ——-하다 자 타 여불

거:멀-장[2] 명〈방〉거머리(제주).

거:멀-장부 명〖건〗거멀맞춤에서, 거멀하기 위하여 따로 댄 나비장 같은 장부.

거:멀-장식【—裝飾】명 나무 그릇 등의 이어 댄 자리나 맞춘 자리에 걸치어 대는 쇠 장식.

거:멀-접이 명 찰수숫가루를 물에 반죽하여 둥글넓적하게 반대기를 지어 끓는 물에 삶아 내어 팥고물을 묻힌 떡. 촉서 경단(蜀黍瓊團).

거:멀-쪽 명〖건〗함석·동판 지붕의 옆이나 모서리를 보호하기 위하여 대는 함석 또는 동판쪽.

거멈 명〈방〉그믐(경상).

거멍 명〈방〉검정.

거멍-씬벵이 명〖어〗[*Pterophryne ranina*] 씬벵잇과에 속하는 바닷물고기. 몸은 짧아 20cm 내외인데 측편하여 배가 부르고 체표(體表)에는 가시가 없고 밋밋하며 몸 전면에 피질 돌기(皮質突起)가 불규칙적으로 산재하여 있음. 몸빛은 회갈색으로 체측에 큰 부정형의 백색 무늬가 있으며 등지느러미·꼬리지느러미·뒷지느러미는 흑색인데 곳곳에 담갈색의 물결 무늬가 있음. 입은 작음. 주로 유조(流藻)에 붙어서 사는데 한국 남해 및 일본·중국 연해에 분포함.

거멍-이 명〈방〉검정이.

거:멓다 [—머타] 형 ㅎ불 매우 검다. ㅆ꺼멓다. >가맣다.

거:메-지다 자 빛이 거멓게 되다. ¶얼굴이 ~. ㅆ꺼메지다. >가매지다.

거:멱【擧—】명 멱살을 움키어 잡음. ——-하다 자 여불

거:명【擧名】명 이름을 들어 말함. ——-하다 자 타 여불

거모【倨侮】명 거만하여 남을 업신여김. ——-하다 자 여불

거:목[1]【巨木】명 거대한 나무. 큰 나무. 또, 위대한 인물(人物)의 비유로도 쓰임. ¶~이 쓰러지다.

거:목[2]【去目】명〖한의〗약재(藥材)로 쓰이는 열매의 알맹이를 발라 버림. ——-하다 타 여불

거무 명〈방〉〖동〗거미(강원·충북·전라·경상).

거무끄름-하다 형 여불 좀 짙게 거무스름하다. ㅆ꺼무끄름하다. >가무끄름하다.

거무데데-하다 형 여불 격이 천하게 거무스름하다. ㅆ꺼무데데하다. >가무대대하다.

거무뎅뎅-하다 형 여불 격에 맞지 아니하게 거무스름하다. ㅆ꺼무뎅뎅하다. >가무댕댕하다.

거무락지 명〈방〉〖동〗거머리(전북).

거무래 명〈방〉고무래(경기).

거무레-하다 형 여불 엷게 거무스름하다. ㅆ꺼무레하다.>가무레하다.

거무리 명〈방〉〖동〗거머리(경기·경상).

거무숙숙-하다 [형][여불] 수수하게 검다. >가무숙숙하다.

거무스레-하다 [형][여불] 거무스름하다.

거무스름-하다 [형][여불] 조금 검다. [준]거뭇하다. ㅆ꺼무스름하다. >가무스름하다.

거무접접-하다 [형][여불] 넓적한 얼굴이 칙칙하게 거무스름하다. ㅆ꺼무접접하다. >가무잡잡하다.

거무죽죽-하다 [형][여불] 고르지 못하고 우중충하게 거무스름하다. ㅆ꺼무죽죽하다. >가무족족하다.

거무축축-하다 [형][여불] 축축하고 거무스름하다. ㅆ꺼무축축하다.

거무충충-하다 [형][여불] 검고 충충하다. ㅆ꺼무충충하다.

거무칙칙-하다 [형][여불] 검고 칙칙하다. ㅆ꺼무칙칙하다. >가무칙칙하다.

거무튀튀-하다 [형][여불] 흐리터분하게 거무스름하다. ㅆ꺼무튀튀하다. >가무퇴퇴하다.

거무하-에【居無何—】[부] 있은 지 얼마 안 되어서. ¶ 판사가 사령에게 엄밀히 분부하여 양사동으로 보내더니, ~ 연놈을 항쇄족쇄하여 잡아들였는데…≪李海朝：驅魔劍≫.

거:문【去文】[명]〖역〗돈 거래에 있어서 남에게 준 돈.

거문-고 [명]〖악〗한국의 아악(雅樂) 및 속악(俗樂)에 쓰이는 현악기(絃樂器)의 하나. 앞면은 오동나무의 긴 널로, 뒷면은 단단한 나무로, 몸통의 길이 150cm, 폭 20cm, 두께 8cm 가량의 상자 모양으로 속이 비게 짜고, 그 위에 여섯 개의 줄을 걸어 놓고, 왼손으로 줄을 짚으면서 오른손의 술대로 튀겨서 소리를 냄. 앞쪽에서 2·3·4현에는 얇은 나무쪽으로 괘(棵)를 세우고, 나머지 3현에는 기러기발을 굄. 고구려 때, 왕산악(王山岳)이 중국의 칠현금(七絃琴)을 고치어 만들었음. 사동(絲桐). 현학금(玄鶴琴). 현금(玄琴). *가얏고.
【거문고 인 놈이 춤을 추면 칼 쓴 놈도 춤을 춘다】남의 결점을 장점인 줄 알고 함부로 본뜬다는 뜻.

〈거문고〉

거문고 산:조【—散調】[명]〖악〗거문고로 산조(散調) 가락을 연주하는 독주(獨奏) 음악. 조선 고종(高宗) 때의 악사(樂師) 백낙준(白樂俊)이 1896년경에 처음 일으켰음.

거문고-자리 [명]〔라 Lyra〕〖천〗북천(北天)에 있는 성좌의 하나. 백조자리의 서쪽에 있음. 늦여름 저녁에 천정(天頂)에 옴. 수성(首星)은 직녀성(織女星)임.

거문고자리 유성군【—流星群】[명]〖천〗4월 하순에 거문고자리를 방사점(放射點)으로 하여 출현하는 유성군.

거문고 회:상【—會相】[명]〖악〗현악 영산 회상(絃樂靈山會相)의 우리말 이름.

거:문-도【巨文島】[명]〖지〗①전라 남도 남해상 여천군(麗川郡) 삼산면(三山面)에 위치하는 섬. 제주도 동북쪽 고흥·여수(麗水)의 서남방 114km 지점에 있으며, 서도(西島)·고도(古島)·동도(東島)의 세 섬으로 이루어졌음. 제주도에 이르는 항로의 기항지(寄港地)로 수운(水運)의 요지이며, 세 개의 섬이 내해(內海)를 안고 있는데 물이 깊어 좋은 항구를 이룸. 조선 시대 말에는 일시 영국과 청국의 조차지(租借地)가 되었었고, 또 영국과 러시아의 분쟁 때에는 영국 군함이 잠시 와 있었음. 구칭：삼도(三島)·삼산도(三山島)·거마도(巨磨島). ②특히, 거문도를 이루는 세 섬 가운데 고도(古島)의 일컬음.

거:문도-벚나무【巨文島—】[명]〖식〗[*Prunus robusta*] 장미과(薔薇科)에 속하는 낙엽 활엽 교목. 잎은 달걀꼴 타원형임. 꽃은 총생(叢生)하고 엷은 도색(桃色)으로 4월에 피며, 핵과(核果)는 구형이고 6월에 까맣게 익음. 산록에 나는데 거문도에 분포함. 정원수로 심고 과실은 식용함.

거:문도 사:건【巨文島事件】[—껀] [명]〖역〗1885-87년에 걸쳐 영국 함대가 거문도를 점령한 사건. 1884년 한로 통상 조약(韓露通商條約)의 결과 원산항(元山港)의 사용권을 얻은 러시아가 남진(南進) 태세를 보이자, 영국의 동양 함대(東洋艦隊)가 그 이듬해 거문도를 점령하여 포대(砲臺)를 구축하기에 이르렀다가, 청나라의 이홍장(李鴻章)의 조정(調整)에 의하여 1887년 2월에 철수하였음.

거:문도-청개구리【巨文島青—】[명]〖동〗[*Hyla selpheni*] 청개구릿과에 속하는 동물. 청개구리와 비슷한데 좀 작고 지반(指盤)이 지두주(指頭珠)보다 작음.

거:문도-허리노린재【巨文島—】[명]〖충〗[*Anacanthocoris concoloratus*] 허리노린잿과에 속하는 곤충. 몸길이 15mm 내외이고, 몸빛은 담황갈색에 촉각은 적갈색이고, 각 결합판(結合板)에는 두 개의 흑점이 있으며 몸의 하면과 다리는 담갈색임. 콩과(科) 식물의 해충으로 한국·일본·중국 등지에 분포함.

거:문 불납【拒門不納】[—랍] [명] 문을 닫고 들이지 아니함. ——-하다 [타][여불]

거:문-산¹【巨文山】[명]〖지〗①강원도 평창군(平昌郡) 대화면(大和面)에 있는 산. 태백 산맥의 중앙부를 이루며 또 한강의 지류인 평창강(平昌江)의 수원을 이룸. [1,171m] ②경상 남도 양산군(梁山郡)에 있는 산. [550m]

거:문-산²【巨門山】[명]〖지〗①평안 북도 희천군(熙川郡)에 있는 산. [1,175m] ②평안 북도 삭주군(朔州郡)에 있는 산. [1,049m]

거:문-성¹【巨文星】[명]〖천〗큰곰자리에 있는 별의 이름.

거:문-성²【巨門星】[명]〖민〗구성(九星)의 둘째 별. 탐랑성(貪狼星)의 다음이고, 녹존성(祿存星)의 위에 있음.

거물¹ [명]〈방〉그물(경상).

거:물²【巨物】[명] ①학문이나 경력이나 세력이 크게 뛰어난 인물. ¶~급. ②거창한 물건.

거물-거리다 [자] ①약한 불빛 같은 것이 어슴푸레하게 사라질락말락하다. ②멀리 있는 물건이 희미하게 보일 듯 말 듯하다. ③정신이 희미하여 의식(意識)이 있는 듯 만 듯하다. 1)-3)：ㅆ꺼물거리다. >가물거리다. 거물-거물 [부]. ——-하다 [자][여불]

거물게 [명]〈방〉고무래(경기·충북).

거:물-급【巨物級】[—끕] [명] 거물의 부류(部類). 또, 그 부류에 속하는 사람. ¶~이 출마(出馬)하다.

거물-대다 [자] 거물거리다.

거뭇-거뭇 [부] 점점이 검은 모양. ㅆ꺼뭇꺼뭇. >가뭇가뭇. ——-하다 [형][여불]

거뭇-하다 [형][여불] ↗거무스름하다. ㅆ꺼뭇하다. >가뭇하다.

거믄고 [명]〈옛〉거문고. =검은고. ¶홀길 므러 거믄고와 書册 안해 더러 이고(啣泥點汚琴書內)≪杜諺 XII:10≫.

거믜 [명]〈옛〉거미. ¶거믜 줄이 얼것고(封蛛網)≪杜諺 XXI:4≫.

거믜영 [명]〈옛〉검댕. ¶가마 미틧 거믜영(釜底墨)≪救簡 I:48≫.

거미¹ [명]〖동〗거미목(目)에 속하는 절지(節肢) 동물의 총칭. 몸의 모양은 가슴과 배 사이가 우묵하게 들어가서 주머니 같고, 몸은 두흉부(頭胸部)와 복부(腹部)로 구분되며 분절(分節)이 없음. 촉각은 없으며, 머리에 여덟 개의 단안(單眼), 두흉부에 네 쌍의 긴 다리가 있음. 복부에 2-4쌍의 혹과 같은 방적 돌기(紡績突起)가 있어 여기서 거미줄을 내어 그물 같은 집을 쳐 놓고 벌레가 걸리면 잡아 양분을 빨아먹고 삶. 물 때 턱에서 독액(毒液)을 분비(分泌)하는데, 사람의 경우는 아픔을 느낄 뿐 해는 없음. 집거미·납거미·왕거미·땅거미 등이 있음.
【거미는 작아도 줄만 잘 친다】생김새는 작더라도 저 할 일은 다 한다는 말. 【거미도 줄을 쳐야 벌레를 잡는다】무슨 일이든지 준비가 있어야 성과(成果)를 얻을 수 있음을 이르는 말. 【거미 새끼 풍기듯】좁은 곳에 많은 것이 득시글거리는 모양. 【거미 알 까듯】좁은 곳에 많은 수가 밀집하여 있음을 이르는 말. 【거미 알 슬듯】㉠거미가 알을 많이 슬듯 동식물이 많이 번식함을 이르는 말. ㉡거미가 여기저기 알을 많이 슬어 놓듯이 어수선하고 산란하게 흩어져 있음을 이르는 말. 【거미 줄 따르듯】밀접한 관계가 있어서 서로 떨어지지 아니하고 따라다님을 이르는 말.

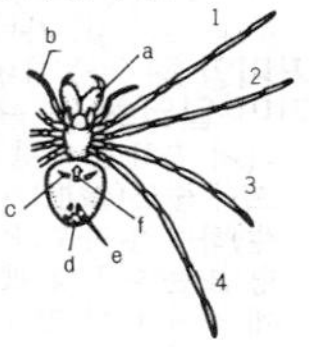

a 협각 b 촉지
c 기문 d 항문
e 방적돌기 f 생식문
1-4. 보각(步脚)
〈거미¹의 복면도〉

거미² [명]〈방〉〖동〗거머리(함경).

거미-강【—綱】[명]〖동〗[Arachnoidea] 절지(節肢) 동물 가운데, 4쌍의 다리를 가지며, 주로 육상 생활을 하는 동물의 무리. 전갈·거미·진드기·게벌레 등, 곤충(昆蟲)에 속하지 아니하는 벌레의 대부분이 이 강(綱)에 속함. 촉각(觸角)·날개·복안(複眼)이 없고, 입에는 협각(鋏角)이 있음.

거미-고둥 [명]〖조개〗[*Lambis lambis*] 수정고둥과에 속하는 고둥. 일곱 개의 강하고 긴 돌기가 있는 고둥으로서, 높이 175mm, 직경 90mm 내외이며 달걀꼴임. 나층(螺層)은 10층 내외이며 각표에는 나맥(螺脈)이 파상(波狀)으로 나열함. 황갈색에 구름 모양의 반문이 있음. 대만·류큐(琉球) 등의 난해(暖海)에 남. 장식품으로 이용함.

〈거미고둥〉

거미-고사리 [명]〖식〗거미일엽초(一葉草).

거:미구-에【去未久—】[부] 오래지 않아. ¶편지 한 장을 써서 옥랑이를 주어 보내니, ~ 강릉집이 빙그레 웃으며 들어오더니…≪作者未詳：산천초목≫.

거미땅개 [명]〈방〉〖충〗버마재비(충남).

거미-막【—膜】[명]〔arachnoid〕〖의〗포유 동물의 뇌와 척수를 싸고 있는 세 층의 수막(髓膜) 가운데 중간의 막. 가는 혈관이 거미줄처럼 번어 있음. 지주막(蜘蛛膜). 지망막(蜘網膜).

거미막하 출혈【—膜下出血】[명]〔subarachnoid hemorrhage〕〖의〗지주막과 연막(軟膜) 사이의 지주막 하강(下腔)에 일어나는 출혈. 심하고 갑작스런 두통과 구토가 일어나고 의식 불명이 됨. 건강 회복이 가능함. 지주막하(蜘蛛膜下) 출혈. 지망막하 출혈(蜘網膜下出血).

거미-목【—目】[명]〖동〗[Araneina] 거미강(綱)에 속하는 한 목(目). 몸은 두흉부(頭胸部)와 복부(腹部)로 구분함. 머리의 한 쌍의 촉수(觸鬚)는 성체(成體)가 되면 없어지고, 두흉부의 6쌍의 발은 첫째 쌍은 집게발, 둘째 쌍은 촉각(觸脚), 그 외에는 보각(步脚)인데 집게 발 끝에서 독액(毒液)을 분비하여 곤충을 죽임. 복부 끝은 방적 돌기(紡績突起)가 있으며, 대개 난생(卵生)에 변태(變態)는 없고 자웅이 떨어져 살다가 교미 때에만 서로 만나며 보호색(保護色)이 발달되었음. 진정 지주류(眞正蜘蛛類).

거미-발 [명] 노리개·반지·연봉잠 등에 보석·진주(眞珠) 등의 난(卵)을 물리고 겹쳐 오그리게 된 삐죽삐죽한 부분. 거미의 발처럼 생김.

거미-불가사리 [명]〖동〗①거미불가사리강(綱)에 속하는 거미불가사리·비단애거미불가사리·조선애거미불가사리의 총칭. ②[*Ophioplocus japonicus*] 거미불가사리강(綱) 거미불가사릿과(科)에 속하는 극피(棘皮) 동물의 하나. 지름 2cm 가량의 원반상(圓盤狀)의 불가사리로, 동체에 길이 6cm 가량의 가느다란 다섯 개의 팔이 방사상(放射狀)으로 뻗음. 배의 한복판에 입이 있고 등 쪽에 항문(肛門)이 있음. 팔의 하면에 있는 관족(管足)과 측면에 있는 바늘 모양의 가시로 기어다니는데 그 모양이 거미 비슷함. 자웅 이체(雌雄異體)로 알을 낳아 번식함. 얕은 바닷가의 모래밭에 삶. 말려서 비료로 씀.

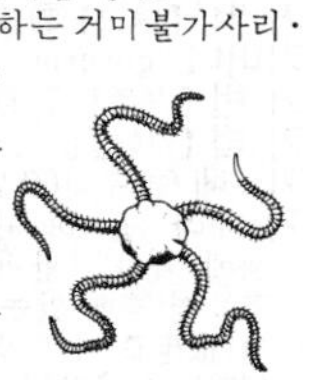
〈거미불가사리❷〉

거미불가사리-강【—綱】[명]〖동〗[Ophiuroidea] 극피 동물(棘皮動物) 유재 아문(遊在亞門)에 속하는 한 강(綱). 몸은 불가사리무리와 비슷하나, 중앙의 반(盤)과 여기서 방사상(放射狀)으로 나온 5개의 팔과의 사이에 명백한 구별이 있음. 반(盤)은 5각형 또는 원형이며, 비늘 모양의 골판(骨板)으로 덮이어 있음. 팔은 가늘고 긴 원주상(圓柱狀)이며, 바늘 모양의 골판(骨板)이 덮여 뱀의 꼬리 같음. 관족(管足)의 끝이 흡반(吸盤)의 구실을 하지 못하므로, 몸의 이동은 팔의 굴신(屈伸)에 의함. 대체로 자웅 이체(雌雄異體)임. 전세계에 1,900 종이 알려져 있으며, 모두 바다에 삶. 사미류(蛇尾類). *불가사리 강.

거미앙 명 〈방〉 검댕.

거미-일엽초【—一葉草】명 〖식〗 [*Camptosorus sibiricus*] 꼬리고사릿과에 속하는 다년생 상록초(常綠草). 근경(根莖)은 작으나 수근(鬚根)이 있고, 잎은 단엽(單葉)으로 총생(叢生)하며 잎자루가 있는데 길이 5-20 cm 정도의 타원형 또는 피침형(披針形)임. 잎 끝이 실 모양으로 길게 뻗어 나가 땅에 붙어서 뿌리를 내리고 새 싹을 내는 특성이 있음. 선형(線形)의 자낭군(子囊群)이 잎의 뒷면 중맥(中脈)의 양쪽에 대생(對生)하고 포막(包膜)이 있음. 깊은 산이나 석회암 토질(土質)에 많이 나는데, 전북과 충청 및 제주도를 제외한 한국 각지 및 일본에 분포함. 거미고사리.

〈거미일엽초〉

거미-줄 명 ①거미가 항문 밑 방적 돌기(紡績突起)에서 뽑아 내는 가는 줄. 또, 그 줄로 친 그물. 주사(蛛絲). 지망(蜘網). 주망(蛛網). 지주망(蜘蛛網). ②〖건〗 방구들을 놓을 때 구들장과 구들장 사이를 진흙으로 바른 줄. ③죄인(罪人)을 잡기 위하여 널리 늘이어 놓은 수사망. 【거미줄로 방귀 동이듯】 지극히 약한 거미줄로 형체가 없는 방귀를 동여 맨다는 뜻으로, 무슨 일에나 그 형용만 건성으로 하는 체함을 이르는 말. 【거미줄에 목을 맨다】 '송편으로 목을 따 죽지'와 같은 뜻. *송편.

거미줄 같다 구 이리 저리 배치하거나 늘어놓은 것이 마치 거미줄을 쳐 놓은 것 같다. ¶ 거미줄 같은 도로망(道路網).

거미줄 누르다 구 방을 놓을 때 구들장과 구들장 사이에 진흙을 바르다.

거미줄(을) 늘이다 구 죄인을 잡기 위하여 여러 방면에 수사망을 널리 늘이어 놓다.

거미줄(을) 치다 구 ㉠거미가 실을 뽑아 집을 짓다. ㉡죄인을 잡기 위하여 어느 구역에 비상선(非常線)을 거미줄처럼 치다.

거미-집 명 거미가 벌레를 잡기 위하여 거미줄을 치어서 얽은 그물. 주망(蛛網).

거미집 이:론【—理論】[—니—] 명 〔cobweb theorem〕〖경〗 가격(價格)의 변동에 대한 수요 공급(需要供給)의 적응(適應)이, 일정한 시간을 거쳐 생긴다고 할 경우의, 양자(兩者)의 관계를 밝히는 경제 이론. 양자의 대응 관계를 도표(圖表)로 표시하면 거미집 모양의 경로(經路)를 나타내므로 이 이름이 있음.

거미-치밀다 자 게염스럽게 욕심이 치밀어 오르다.

거미-파리 명 〖충〗 [*Penicillidia jenynsi*] 거미파릿과에 속하는 곤충. 몸길이 2.5 mm, 몸빛은 담황갈색(淡黃褐色)이며, 머리는 작고 흉부 등쪽에 젖혀져 있음. 복안(複眼)과 날개는 퇴화하여 흔적만 남아 있음. 계발박쥐에 기생하는데, 한국·일본·대만·중국·인도 등지에 분포함.

거미파릿-과【—科】명 〖충〗 [Nycteribiidae] 파리목(目)에 속하는 한 과. 몸은 미소(微小)하고, 날개는 없으며, 모양이 거미 종류 비슷함. 촉각은 2절이며, 그 끝은 타원형이고 극모(棘毛)가 있음. 복안(複眼)·단안(單眼)은 흔적적(痕迹的)이고, 복부는 달걀꼴이며, 보통 박쥐류(類)의 외부에 기생하는 성질이 있음.

거미-허리노린재 명 〖충〗 [*Leptocorixa varicornis*] 허리노린잿과에 속하는 곤충. 몸길이 16 mm 내외로 가늘며, 몸빛은 황록색이고, 촉각(觸角)은 황색에 제1절 말단과 제2·3절의 선단 및 제4절은 흑갈색이며, 막질부(膜質部)는 투명하고 담갈색(淡褐色)인데, 몸의 하면은 담황색임. 벼의 해충으로, 한국·일본·대만 등지에 분포함.

거민【居民】명 그 땅에 거주하는 백성. 주민(住民).

거:반¹【去般】명 지난번. 거번(去番).

거반²【居半】부 ↗거지반(居之半). ¶ ~ 끝날 무렵에 / ~ 네시나 되어 어미는 집으로 돌아오고《李無影 : 사랑의 화첩》.

거:방-지다 형 몸집이 거대(巨大)하고 동작이 드레지다.

거:배¹【巨杯】명 큰 술잔. 커다란 술잔.

거:배²【擧杯】명 술잔을 높이 들어 마심. ——-하다 자여불

거:배³【渠輩】인대 저희❷.

거:백¹【去白】명 〖한의〗 귤 껍질 같은 것의 안 쪽의 흰 부분을 긁어버림. ——-하다 타여불

거:백²【擧白】명 술잔을 듦. 또, 술을 권함. ——-하다 자여불

거버너 〔governor〕명 조속기(調速機).

거:번【去番】명 ①지난번. 거반(去般). ②저번(這番).

거:범【擧帆】명 〖악〗 정재(呈才) 때 선유락(船遊樂)에 돛을 잡는 여기(女妓).

거:-베 명 부대(負袋) 같은 것을 만드는 아주 굵은 베.

거:베라 〔gerbera〕명 〖식〗 [*Gerbera jamesoni*] 국화과에 속하는 반내한성(半耐寒性)의 다년생 숙근초(宿根草). 땅 속에 있는 단축된 줄기로부터 짙은 녹색의 근생엽(根生葉)이 밀생하는데 뒷면에는 긴 털이 있음. 화병(花柄)은 직립(直立)하고, 그 끝에 한 겹 또는 천엽(千葉)이 빨강·노랑·하양·분홍빛 등의 고운 두상화(頭狀花)가 5-9월에 핌. 원종(原種)은 남아프리카 원산(原産)으로 온대 및 열대에 걸쳐 약 32 종이 분포함. 꽃꽂이용으로 널리 재배함.

〈거베라〉

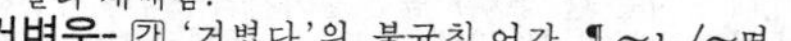

거벼우- 간 '거볍다'의 불규칙 어간. ¶ ~ㄴ/~면.

거벼이 부 거볍게. ¶ ~ 보다.

거:벽¹【巨擘】명 학식(學識)이 뛰어난 사람.

거벽²【渠壁】명 ①지하실에 광선을 인도하기 위하여 만든 공거(空渠) 주위의 흙의 압력을 받아 버티게 하는 벽. ②선거(船渠)의 높은 벽면(壁面).

거:벽-스럽다【巨擘—】형 ㅂ불 드레지고 기승스럽다. ¶ 몸집은 뚱뚱하고 낯판은 둥그런데 거벽스럽고 심술스럽고 억척 있고. 거:벽-스레【巨擘—】부

거볍다 형 ㅂ불 ①무게가 적다. ②대단하지 아니하다. ¶ 거벼운 죄(罪)/거볍게 보다. ③침착하지 아니하고 경솔하다. ¶ 언행(言行)이 ~. ④홀가분하다. 1)-4):>가볍다.

거볍디-거볍다 형 ㅂ불 아주 거볍다. >가볍디가볍다.

거:병【擧兵】명 군사를 일으킴. ——-하다 자여불

거:병 범:궐【擧兵犯闕】명 역적이 거병(擧兵)하여 대궐을 침범함. ——-하다 자여불

거:보【巨步】명 ①크게 내디디는 걸음. 힘차게 걸음. ¶ ~를 내디디다. ②큰 공적이나 훌륭한 업적.

거보기 명 〈방〉〖동〗 거북(전남).

거-보시오 감 〔←그것 보시오〕 일이 자기 말과 같이 되었을 때 하는 소리. ¶ ~ 내 말이 맞지요.

거복 명 〈방〉〖동〗 거북(전라).

거:봉【巨峰】명 ①두드러지게 크고 높은 봉우리. ②뛰어난 인물. ¶ 학계(學界)의 ~.

거-봐 감 〔←그것 보아〕 일이 자기 말과 같이 되었을 때 아랫 사람에게 하는 소리. ¶ ~ 내 말이 맞지.

거-봐라 감 〔←그것 보아라〕 일이 자기 말과 같이 되었을 때, 아랫 사람에게 하는 소리.

거:부¹【巨富】명 거대한 부(富). 또, 썩 큰 부자. 장자(長者). ¶ ~를 쌓다/~가 되다.

거:부²【拒否】명 승낙하지 아니하고 물리침. 거절(拒絶)함. ——-하다 타여불

거:부³【拒斧】명 〖충〗 버마재비❶.

거:부-권【拒否權】[—꿘] 명 ①남의 의견이나 요구·결정·결의 따위를 거부하고, 그것을 무효(無効)로 할 수 있는 권한. ②〔veto〕〖정〗 입법부를 통과한 의안에 대하여 행정부가 동의를 거절하는 권한. ③〖정〗 국제 연합 안전 보장 이사회의 표결 절차에 있어서 상임 이사국(常任理事國)에 부여된, 결의 성립을 방해하는 특권적(特權的)인 권능. 비토. ¶ ~을 행사하다. *대통령 거부권.

거부기 명 〈방〉〖동〗 거북(경기·강원·충청·전라·경북·황해·함남·평안).

거:부 반:응【拒否反應】명 ①〔rejection〕〖의〗 생체(生體)에 다른 종류 또는 다른 개체(個體)의 조직이나 장기(臟器)를 이식(移植)하였을 때, 면역 반응에 의하여 그 정착(定着)에 장애가 생기어 배제되는 현상. ②어떤 사물이나 사람에 대하여 기피(忌避)하는 감정이나 태도를 나타내는 일. 거절(拒絶) 반응.

거부지 명 〈방〉 거웃¹❶.

거부지기 명 〈방〉 검불(경남).

거:-부형【擧父兄】명 남의 부형을 들추어 말함. ¶ 무슨 욕을 못해서 남도 아닌 터에 하필 ~할 것이 무엇이오?《崔瓚植 : 金剛門》. ——-하다 자여불

거북 명 〖동〗 거북목(目), 특히 바다거북과·장수거북과에 속하는 파충류의 총칭. 몸은 거의 타원형으로 납작하고 입은 각질(角質)의 두겁으로 싸이어 부리를 이루고, 이는 없고 발은 지느러미 모양으로 되었으며, 등과 배에 단단한 딱지가 있는데 바다거북을 제외하고는 머리와 꼬리 및 짧은 네 발을 딱지 안으로 움츠리어 들일 수 있게 되었음. 물 속이나 뭍에 살며 식물 또는 어패(魚貝)를 먹음. 성질이 둔하며 기아(饑餓)에 오래 견딤. 물가의 모래땅에 구멍을 파고 산란(産卵)함. 해귀(海龜). 휴귀(蠵龜). *신귀(神龜).

【거북의 잔등이에 털을 긁는다】 털이 없는 거북의 잔등이에서 털을 긁어도 털을 얻을 수 없듯이, 구(求)하여도 얻지 못할 곳에서 구함을 이르는 말. *연목 구어(緣木求魚).

거북의 털 구 도저히 얻을 수 없는 물건.

거북귀-부【—龜部】명 한자 부수(部首)의 하나. '龝'나 '龞' 등의 '龜'의 이름.

거북-꼬리 명 〖식〗 [*Duretia tricuspis*] 쐐기풀과에 속하는 다년초. 줄기는 총생(叢生)하고 높이 1 m에 달하며, 보통 홍색(紅色)을 띰. 잎은 대생(對生)하고 유병(有柄)이며 달걀꼴임. 자웅 일가(雌雄一家)인데, 7-8월에 엷은 녹색의 꽃이 수상(穗狀) 화서로 액출(腋出)하고 과실은 수과(瘦果)임. 산지에 나는데 거의 한국 각지에 분포함. 줄기는 섬유용(纖維用)이고 어린 잎은 식용함.

〈거북꼬리〉

거북-놀이 명 〖민〗 추석날 밤에 하는 민속 놀이의 하나. 마을 청소년들이 모여 옥수숫대를 벗기어 거북 모양을 만들고 두어 명이 그 속에 들어가 마을의 집집마다 찾아다니면서 송편·과일 등을 얻어먹고 놂. 이렇게 함으로써 집집마다 장수·무병하게 되고 또 동네의 잡귀와 잡신을 쫓는다고 함. 경기도와 충청 남북도에 분포되어 있으며, 광주(廣州)와 예산(禮山) 지방에서는 음력 정월 대보름날에도 행함.

거북-다리 명 〖동〗 거북손.

거북등-무늬 [—늬] 명 거북의 등 모양과 비슷한 육각형의 무늬. 귀갑문(龜甲紋).

거북 딱지 명 거북의 등과 배에 붙어 있는 딱지.

거북-목【—目】명 〖동〗 [Testudinata] 파충류(爬蟲類)에 속하는 한 목(目). 합(盒) 모양의 딱딱한 딱지로 둘러싸이고, 네 다리는 납작한 노 모양임. 육지·담수(淡水)·해수에 살며 식물이나 물고기·조개 등을 포식함. 해산(海産)의 것에는 발톱이 없음. 화석(化石)으로 발견된 것도 있으며, 장수거북과(科)·바다거북과·남생잇과·자랏과 등이 이에 속함.

거북-복 명 〔어〕 [*Ostracion tuberculatus*] 거북복과에 속하는 바닷물고기. 몸의 길이는 약 11cm 내외로 체형은 사각형인데 겉몸에 갑상(甲狀)의 뜬 무늬가 있음. 머리는 아주 작으며, 주둥이는 돌출하고 입은 아래에 위치함. 몸빛은 황갈색인데 비늘마다 눈구멍 만한 크기의 점이 있고 또 적갈색의 작은 점이 산재함. 수족관의 관상용 어종으로 적합하며 보통 식용하지 아니하는데 독은 없음. 한국 남해 및 일본 중부 이남·대만 등지에 서식함.

〈거북복〉

거북복-과【一科】 명 〔어〕 [Ostracidae] 복어목(目)에 속하는 한 과. 우리 나라에는 거북복과 뿔복이 남.

거:북살-스럽다 형 ㅂ불 몹시 거북스럽다. 거:북살-스레 부

거북-선【一船】 명 〔역〕 조선 선조(宣祖) 때인 1592년경, 이순신(李舜臣)이 창조한, 세계 최초의 철갑선(鐵甲船). 그 모양이 거북과 비슷함. 1972년에 그 평면도(平面圖)가 발견되었음. 귀선(龜船).

〈거북선〉

거:북설-스럽다 형 〈방〉 거북살스럽다.

거북-손 명 〔동〕 [*Mitella mitella*] 갑각류(甲殼類)의 만각목(蔓脚目)에 속하는 절지(節肢) 동물. 몸길이 40mm, 폭 50mm 가량이며 두부(頭部)는 거북의 다리와 같이 생기었는데 황회색이며, 삼각형 또는 사각형으로 된 32-34개의 석회판(石灰板)으로 덮이고 그 사이에 여섯 개의 돌기(突起)가 나와 호흡과 운동을 맡음. 자루 부분은 석회질의 잔 비늘로 덮이고 암자갈색을 띰. 자루 부분으로 바닷가의 바위에 붙어 살므로 절지 동물의 특징은 거의 없음. 식용(食用)도 하고 석회질의 비료로도 씀. 거북다리. 귀각(龜脚). 석겁(石蜐).

〈거북손〉

거:북-스럽다 형 ㅂ불 거북한 듯하다. 거:북-스레 부

거북-이 명 거북을 의인화(擬人化)하여 일컫는 말. ¶ 여보, 여보 ~, 내 말 들어 보오.

거북이-걸음 명 거북처럼 느리고 굼뜬 걸음.

거북이-백 명 (sack bag) 〈속〉 거북이 모양으로 생긴 주머니 같은 헝겊 또는 가죽 가방. 멜빵으로 등에 멤. 빛깔은 보통 검은색.

거북이-자물쇠 [一쐬] 명 자물쇠통이 거북이 모양으로 된 ㄷ자형 자물쇠의 하나.

거북-점【一占】 명 ①거북의 등 딱지를 불에 태워서 그 갈라지는 금을 보고 길흉(吉凶)을 판단하는 점. 귀점(龜占). ②골패(骨牌)로 거북패를 지어 길흉을 판단하는 점. 귀복(龜卜). ——-하다 자 여불 거북의 등 딱지를 태워서 길흉을 판단하다.

거북-패【一牌】 명 골패(骨牌) 서른두 짝을 다 엎어 거북의 형상으로 벌리어 놓고 혼자 젖히어 보는 유희. 먼저 스무 짝으로 가로 다섯 짝, 세로 네 짝씩 붙이어 네모지게 거북의 몸을 만들고, 다음에 두 짝으로 머리, 두 짝으로 꼬리를 각각 붙이고 끝으로 몸의 네 귀퉁이에 각각 두 짝씩 엇비슷하게 붙이어 네 발이 되게 한 다음에, 머리와 꼬리와 네 발의 바깥 짝들과 맨 앞 줄의 둘째 짝·넷째 짝과 맨 뒷줄의 둘째 짝·넷째 짝을 젖히어 맞는 짝끼리 떼어 내고, 다시 그 다음 짝들을 그와 같이 자꾸 하여 끝까지 다 떨어지면 재수가 있다는 것임.

거:북-하다 형 여불 ①몸이 편하지 아니하다. ¶ 몸이 거북해서 가지 못하다. ②마음이 편하지 아니하다. ¶ 어른과 한 방에 거처하기 ~. ③말하거나 행하기 어렵다. 난처하다. ¶ 거절하기 ~.

거분-거분 부 여럿의 무게가 다 거분한 모양. ㅆ거뿐거뿐. >가분가분. ——-하다 형 여불. ——-히 부 「분-히 부

거분-하다 형 여불 들기 좋을 만큼 거볍다. ㅆ거뿐하다. >가분하다. 거

거불¹ 명 〈방〉 검불(경북).

거:불²【擧佛】 명 〔불교〕 불전(佛前)에 기도나 재를 올릴 때, 맨 처음에 절하며 삼불(三佛)을 청하는 절차. '나무불타부중(南無佛陀部衆)·나무달마부중(南無達摩部衆)·나무승가부중(南無僧伽部衆)'이라고 부름.

거불-거리다 자 타 자꾸 거령스럽게 까불다. ㅆ꺼불거리다. >가불거리다. 거불-거불 부. ——-하다 자 타 여불

거불-대다 자 타 거불거리다.

거붑 명 〈옛〉 거북. ¶ 거부븨 터리와 톳긔 쁠 ᄀᆞᆮ거니(同於龜毛兎角)《楞嚴 I:74》/거붑 귀(龜)《字會 上 20》. 「여불

거붓-거붓 부 다 거붓한 모양. ㅆ거뿟거뿟. >가붓가붓. ——-하다 형

거붓거붓-이 부 거붓거붓하게. ㅆ거뿟거뿟이. >가붓가붓이.

거붓-이 부 거붓하게. ㅆ거뿟이. >가붓이.

거붓-하다 형 여불 거분한 듯하다. ㅆ거뿟하다. >가붓하다.

거:비【巨費】 명 거액(巨額)의 비용(費用).

거비기 명 〈방〉 〔동〕 거북(충북). 「여불. ——-히 부

거뿐-거뿐 부 다 거뿐한 모양. ㅅ거분거분. >가뿐가뿐. ——-하다 형

거뿐-하다 형 여불 꽤 거분하다. ㅅ거분하다. >가뿐하다. 거뿐-히 부

거뿟-거뿟 부 다 거뿟한 모양. ㅅ거붓거붓. >가뿟가뿟. ——-하다 형

거뿟거뿟-이 부 거뿟거뿟하게. ㅅ거붓거붓이. >가뿟가뿟이. ㄴ여불

거뿟-이 부 거뿟하게. ㅅ거붓이. >가뿟이.

거뿟-하다 형 여불 거뿐한 듯하다. ㅅ거붓하다. >가뿟하다.

거:사¹ 명 〔←걸사(乞士)〕 노는 계집을 데리고 돌아다니며 노래와 춤과 재주를 팔아 돈을 버는 사람.

거:사²【巨事】 명 매우 거창한 일. 큰 일.

거:사³【居士】 ㊀명 ①〔범 grhapati〕 〔불교〕 출가(出家)하지 않고 속가(俗家)에서 불도(佛道)를 닦는 남자. 곧 우바새(優婆塞)의 높임말. 근세(近世)에는 속인(俗人)으로서 불교를 믿고 법명(法名)을 가진 남자를 일컬음. 처사(處士). 청신사(淸信士). ②〔유교〕 도덕(道德)과 학예(學藝)가 깊으면서도 숨어 살며 벼슬을 하지 아니하는 선비. 처사(處士). ③〈속〉 아무 일도 아니 하고 놀고 지내는 사람. ㊁의명 당호(堂號) 같은 데에 붙이어 처사(處士)의 뜻을 나타내는 칭호(稱號). 「여불

거:사⁴【擧沙】 명 논이나 밭에 있는 복사(覆沙)를 들어냄. ——-하다 타

거:사⁵【擧事】 명 큰 일을 일으킴. ¶ ~ 전야(前夜). ——-하다 자 여불

거사⁶【去沙】 어미 〈이두〉 -어야.

거사-가【居士歌】 명 〔문〕 조선 후기의 가사(歌辭). 작자·연대 모두 미상(未詳). 산중(山中)의 거사(居士)가 미인을 만나 파계(破戒)하는 것을 읊은 것으로, 3·4조 또는 4·4조의 114구(句).

거:사-도【擧沙島】 명 〔지〕 전라 남도의 서해상, 신안군(新安郡) 팔금면(八禽面) 당고리(唐古里)에 위치한 섬. [0.93km²]

거사-련【居士戀】 명 〔문〕 고려 가사(歌詞)의 하나. 작자·연대 미상(未詳). 《고려사 악지(樂志)》에는 이름만 전하고, 《익재 난고》 중의 소악부(小樂府)에는 한역(漢譯)된 시(詩)가 전함. 내용은 행역(行役)에 나간 사람의 아내가 까치와 거미에 의탁(依託)하여 남편이 빨리 ㄴ돌아오기를 바라는 노래임.

거사리다 타 〈방〉 거스르다.

거사물-정【居斯勿停】 명 〔역〕 신라의 군영(軍營). 십정(十停)의 하나로 신라 통일 뒤에 지금의 전주(全州)에 두었다가 경덕왕 때는 지금의 임실군(任實郡) 청웅면(靑雄面)에 두었음.

거:사-비【去思碑】 명 〔역〕 전임(前任)의 감사(監司)나 수령(守令)의 선정(善政)을 추모(追慕)하여 백성들이 세운 비.

거:산¹【巨山】 명 크고 높직한 산.

거:산²【巨産】 명 거재(巨財).

거산³【居山】 명 산 속에 삶. ——-하다 자 여불

거:산⁴【鋸山】 명 암산¹(岩山).

거:산⁵【擧散】 명 온 집안 사람들이 모두 흩어짐. ¶ 애들이 그나마 내가 없으면 ~을 하고 다녀요《鄭然喜 : 일요일의 손님들》. ——-하다 자 ㄴ여불

거:상¹ 명 ☞ 큰톱.

거:상²【巨商】 명 장사를 크게 하는 사람. 호상(豪商).

거상³【居常】 명 사생활에 있어서의 평상시(平常時).

거상⁴【居喪】 명 ①상중(喪中)에 있음. ②〈속〉 상복(喪服). ¶ ~을 입다. ㊌상(喪). ——-하다 자 여불

거:상⁵【拒霜】 명 〔식〕 목부용(木芙蓉).

거:상⁶【踞床】 명 ①걸상. ②승창.

거:상⁷【擧床】 명 잔치나 큰 손님의 접대에 큰상을 받을 때, 먼저 풍류와 가무(歌舞)를 아룀. ——-하다 자 여불

거:상(을) 치다 구 거상(擧床)하는 풍악을 치다.

거:상-악【擧床樂】 명 〔악〕 잔치나 큰 손님의 접대에, 큰 상을 받기 전에 연주하던 고대 음악. 피리·저·해금(奚琴)·장구·북으로 연주함.

거상이 명 〈방〉 〔조〕 거위¹(강원).

거:상-질 명 〈방〉 큰 톱질. ——-하다 자

거생【居生】 명 일정한 곳에 머물러 살아 감. ——-하다 자 여불

거생이¹ 명 〈방〉 지렁이(경남).

거:생이² 명 〈방〉 거위(강원·충북·전남·경상).

거:서【秬黍】 명 ①알이 검은 기장. ②〔악〕 황해도 해주(海州)에서 산출되는 큰 기장. 이 기장 알로 율관(律管)의 길이와 부피를 계산하여 12율(律)을 측정하였다고 함.

거서가니 인대 지대 〈방〉 거시키(평안).

거서간【居西干】 명 신라 시조 박혁거세(朴赫居世)의 왕호(王號). 거슬ㄴ한(居瑟邯).

거:석¹【巨石】 명 큰 돌. *거암(巨岩).

거:석²【擧石】 명 돌을 듦. ——-하다 자 여불

거석³ 인대 지대 〈방〉 거시기(경상).

거:석 기념물【巨石記念物】 명 〔역〕 거석으로 구축(構築)된 제(祭)터나, 무덤 등의 유적(遺跡). 돌멘(dolmen)·멘히르(menhir)·거석열(巨石列)·스톤 서클(stone circle)의 네 종류로 구분됨. 유럽에서는 기원전 3,000년 후반부터 기원전 1,400년경까지 서지중해의 여러 섬, 이베리아 반도·프랑스·영국에서 북유럽에 걸쳐 분포되어 있음.

거:석-렬【巨石列】 [一녈] 명 〔역〕 멘히르(menhir) 등이 같은 간격으로 길게 몇 줄 병렬된 거석 기념물(巨石紀念物). 프랑스 카르나크(Carnac) 열석(列石)이 유명함. *카르나크 열석.

거:석 문화【巨石文化】 명 〔역〕 돌멘(dolmen)·멘히르(menhir)·스톤 서클(stone circle) 등, 큰 바위를 사용한 구축물(構築物)을 특징으로 하는 신석기 시대의 문화.

거:석이-홍안【擧石而紅顔】 명 '드는 돌에 낯 붉는다'와 같은 뜻. *들다⁵.

거석-하다 형 자 타 〈방〉 거식하다.

거:선【巨船】 명 썩 큰 배.

거:설【鋸屑】 명 톱밥.

거섭【居攝】 명 천자를 대신하여 정무(政務)를 봄. ——-하다 자 여불

거성¹ 명 〈방〉 거상(居喪)❷. ——-하다 자

거:성²【巨姓】 명 대성(大姓).

거:성³【去姓】 명 대역죄(大逆罪)를 범한 사람을 일컬을 때, 그 성(姓)은 빼고 이름만을 일컬음. *박성(剝姓). ——-하다 타 여불

거:성⁴【巨星】 명 ①〔천〕 항성(恒星) 중에서 반지름이 태양의 수십 배 이상으로 크고 절대 광도(絶對光度)도 큰 별. 알데바란(Aldebaran)·폴룩스(Pollux)·아크투루스(Arcturus) 따위. *주계열성(主系列星)·왜성(矮星)·초거성(超巨星). ②어떤 방면에서 눈부신 업적을 남긴 위대한 인물. 큰 인물. ¶ 문단의 ~.

거:성⁵【去聲】 명 〔언〕 ①사성(四聲)의 하나로 가장 높은 소리. 글자에

표할 때는 왼편에 점 하나를 찍음. ②한자(漢字) 음의 사성(四聲)의 하나로 슬픈 듯이 멀리 굽이치는 소리. 送·宋·絳·寘·未·御·遇·霽·泰·卦·隊·震·問·願·翰·諫·霰·嘯·效·號·箇·禡·漾·敬·徑·宥·沁·勘·豔·陷의 30운(韻)으로, 이에 딸린 한자들은 모두 측자(仄字)임. 제삼성(第三聲).
거:성[6]【拒性】명〘물〙불가입성(不可入性).
거성[7]【居城】명 거처하는 성.
거:성[8]【距星】명〘천〙이십팔 수(二十八宿)의 각 수(宿)의 가장 서쪽에 있고 가장 밝은 별. 수거성(宿距星).
거:성 계:열【巨星系列】명〔giant sequence〕〘천〙헤르츠스프룽 러셀도(Hertzsprung-Russell 圖)에서, 주계열(主系列)의 별과는 달리 우측(右側) 상반부에 무리를 이루고 있는 거성의 계열. 거성열.
거:-성명【擧姓名】명 성명을 초들어서 말함. ——-하다 자여불
거:-성수【擧成數】[—쑤] 명 성수로 말함. ——-하다 자여불
거:성-열【巨星列】[—녈] 명〘천〙거성 계열.
거:섶 명 ①물이 둑에 바로 스쳐서 개개지 못하게 둑의 가에 말뚝을 늘여 박고 가로 결은 나뭇 가지. ②삼굿 등의 위에 덮는 풀. ③비빔밥에 섞는 나물.
거:세[1]【巨細】명 거대(巨大)함과 세소(細小) 함. 크고 작음. 홍세(洪細).
거:세[2]【巨勢】명 매우 큰 세력(勢力).
거:세[3]【去勢】명 ①동물의 수컷의 불알을 까 버리거나, 암컷의 난소(卵巢)를 없애버림으로써, 또는 방사선을 쬠으로써 동물의 생식 기능을 불능하게 함. ②사납게 되는 것을 막고 또 질이 좋은 고기를 얻을 수 있도록 가축의 수컷의 정소(精巢)를 제거함. ③저항하거나 반대하지 못하도록 세력을 꺾어 버림. ¶ 반대 세력을 ~하다. ——-하다 타여불
거:세[4]【去歲】명 지난해. 상년(上年). 거년(去年).
거:세[5]【擧世】명 온 세상. 세상 사람 전체. ¶ ~ 개탁(皆濁).
거:세 가축【去勢家畜】명 생식 기능을 잃게 거세한 가축.
거:세-계【去勢鷄】명 불깐 닭.
거세다 형 ①거칠고 세다. ¶ 거센 바람/거센 여자. ②목소리·말소리가 높고 거친 듯하면서 힘차다. ¶ 거센 목소리.
거:세-돈【去勢豚】명 불깐 돼지.
거:세-마【去勢馬】명 악대말.
거:세-사【巨細事】명 큰 일과 작은 일.
거:세-술【去勢術】명 거세(去勢)하는 기술이나 방법.
거:세-우【去勢牛】명 악대소.
거센-말 명〘언〙뜻은 같으나 어감(語感)을 거세게 하기 위하여 거센소리를 쓰는 말. 예를 들면 '감감하다'·'자란자란'에 대하여 '캄캄하다'·'차란차란' 같은 말. *센말.
거센 소리 명〘언〙ㅊ·ㅋ·ㅌ·ㅍ·ㅎ 등과 같은 파열음. 곧, 거센 숨을 따라서 나는 소리. 격음(激音). 유기음(有氣音). *된소리.
거센소리-되기 명〘언〙예사소리 'ㄱ·ㄷ·ㅂ·ㅈ'이 거센소리 'ㅋ·ㅌ·ㅍ·ㅊ'으로 바뀌는 현상. 곧, '녁'이 '녘'으로, '곶'이 '꽃'으로 되는 따위. 기음화(氣音化). 격음화(激音化).
거센-털 명 ①강모(剛毛)❶. ②조모(粗毛).
거센털-개지치 명〘식〙[*Trigonotis nakaii*] 지칫과에 속하는 다년초. 줄기는 높이 15-30cm 내외로, 잎은 호생하고 도피침형(倒披針形)임. 4-5월에 남색 꽃이 총상(總狀) 화서로 정생(頂生)하며, 과실은 작은 견과(堅果)임. 산이나 들에 나는데, 경기·황해 등지에 분포함.
거셩 명〈옛〉거성(去聲). ¶ 去聲 淸而遠 곧고 바ᄅᆞ 노픈 소리 옛 字ᄂᆞᆫ 去聲이니 點이 ᄒᆞ나히오≪字會 凡例≫.
거소【居所】명 ①거주하는 장소. 거처(居處). ¶ ~를 옮기다. ②〘법〙생활의 본거지(本據地)는 아니지만 얼마 동안 계속 거접(居接)하는 장소.
거소지-법【居所地法】[—뻡] 명〘법〙사람이 거소를 가지고 있는 국가의 법. 국제 사법상 준거법(準據法) 중의 하나임.
거소 지정권【居所指定權】[—꿘] 명〘법〙타인의 거소를 지정하는 권한. 호주(戶主)는 가족의 거소를 지정할 수 있으며, 원칙적으로 남편은 처에 대한 거소 지정권을 가짐. 또, 친권자(親權者)는 자식에 대해 거소를 지정하여야 함.
거:송【巨松】명 큰 소나무.
거수[1] 명〈방〉〘동〙거위[2](경기·강원).
거:수[2]【巨帥】명 대장(大將)❶.
거:수[3]【巨樹】명 썩 큰 나무. 거대한 수목.
거수[4]【居首】명 거갑(居甲). ——-하다 자여불
거:수[5]【拒守】명 막아서 지킴. ——-하다 타여불
거수[6]【渠帥】명 악당의 우두머리. 거수(渠首). 괴수(魁首).
거수[7]【渠首·渠率】명 거수(渠帥).
거:수[8]【據守】명 웅거(雄據)하여 지킴. ——-하다 타여불
거:수[9]【擧手】명 손을 위로 들어 올림. 특히, 찬부(贊否)·경례 등의 의사(意思)를 나타내는 경우에 쓰임. 양수(揚手). ¶ ~로 채결(採決)하다. ——-하다 자여불
거:수 가:결【擧手可決】명 회의에서 투표 대신 손을 들어 가부(可否)를 결정함. ——-하다 자타여불
거:수 경:례【擧手敬禮】[—네] 명 오른손을 모자 챙 옆, 탈모시는 눈썹 언저리까지 올리고 상대방을 주목(注目)하는 경례. 준거수례. ——-하다 자여불
거:수-기【擧手機】명 거수 가결을 할 때 주견(主見) 없이 남이 시키는 대로 손을 드는 사람을 거수하는 기계와 같다고 비웃는 말. ¶ ~ 노릇.
거:수-례【擧手禮】명 ↗거수 경례(擧手敬禮).
거슈윈〔Gershwin, George〕명〘사람〙미국의 작곡가. 정규의 음악 교육을 받지 못하여 처음에는 대중적 경음악 작곡가로 출발하였으나, 1931년에 피아노 협주곡 ≪랩소디 인 블루(Rhapsody in Blue)≫를 작곡함으로써 재즈와 클래식(classic)을 결부한 교향악적 재즈의 창시자가 됨. ≪피아노 협주곡 바 장조(長調)≫, 관현악곡 ≪파리의 아메리카인≫, 가극 ≪포기(Porgy)와 베스(Bess)≫ 등의 작품이 있음. [1898-1937]
거스다 타〈옛〉거스르다. =거슬다. ¶ 아니 거스니(不自抗衛) ≪龍歌 75章≫.
-거스라 어미〈옛〉-거라. -자꾸나. ¶ 새벽 비 일갠 날에 닐거스라 아ᄒᆡ들아≪古時調≫.
거스러기 명〈방〉거스러미.
거스러미 명 ①손거스러미. ②나뭇결 등이 얇게 터져 가시처럼 일어나는 부분.
거스러-지다 자 ①성질(性質)이 거칠어지다. ②잔털 따위가 거칠게 일어나다. 1)·2):>가스러지다.
거스렁이 명〈방〉거스러미.
거스르다[1] 타르불 ①순종하지 아니하고 거역(拒逆)하다. ¶ 어른의 명을 ~. ②순리를 벗어나다. ¶ 도리(道理)를 ~. ③세를 따르지 아니하고 반대되는 길을 잡다. ¶ 강을 거슬러 올라가다/대세를 ~.
거스르다[2] 타르불 큰 돈에서 받을 것을 제하고 남은 것을 잔돈으로 내어 주다. ¶ 잔액을 거슬러 받다.
거스름 명 ↗거스름돈.
거스름-돈 [—똔] 명 거슬러 주는 돈. 준거스름.
거스리 부〈옛〉거스르게. 거슬러. =거ᄉᆞ리. ¶ ᄇᆞᄅᆞ미 거스리 부니 짓과 터리왜 ᄒᆞ야디놋다(風逆羽毛傷)≪杜諺 Ⅶ:15≫.
거스리다 타〈방〉거스르다(평안).
거스리왇다 타〈옛〉거스르다. ¶ 捍은 거스리와돌 씨라≪妙蓮 Ⅴ:13≫.
거슬-거슬 부 ①성질이 거친 모양. ¶ ~한 사람. ②살결이 기름기가 없이 거친 모양. ¶ ~한 손바닥. ③어떤 물건의 거죽이 매끄럽지 아니하고 거친 모양. ¶ ~한 종이. 1)-3):ㅆ꺼슬꺼슬. >가슬가슬. ——-하다 형여불
거슬다 타〈옛〉거스르다. =거스다. ¶ 天意를 小人이 거스러(小人逆天)≪龍歌 74章≫/朝臣을 거스르샤(載拒朝臣)≪龍歌 99章≫.
거슬러 올라가다 구 ①강 따위를 흐름의 방향과 반대로 올라가다. ¶ 배를 타고 강을 ~. ②현재에서 과거로 되돌아가서 생각하다. ¶ 옛날로 ~. ③사물의 계통을 더듬어 근본으로 되돌아가다. ¶ 그 일의 시초로 거슬러 올라가서 생각하자.
거슬러-태우기 명〘경〙증권 거래에서, 인기가 없을 때에 매입하고 좋을 때에 매도하는 일. ——-하다 자여불
거슬리다[1] 자〈방〉그슬리다.
거슬리다[2] 자 순순히 받아들여지지 않고 언짢게 느껴지다. ¶ 귀에 ~/비위에 ~/눈에 거슬리는 간판.
거슬뼈 타〈옛〉거슬러. '거슬ᄧᅳ다'의 활용형. =거슯저. ¶ 시름ᄒᆞᄂᆞᆫ 사ᄅᆞᄆᆞᆯ 다딜어 거슬뼈 술ᄆᆞᅀᅵ 오놋다(觸忤愁人到酒邊) ≪初杜諺 XXIII:23≫.
거슬쁨 타〈옛〉거스름. '거슬ᄧᅳ다'의 명사형. =거슯줌 ¶ 서르 거슬뿌미 이 ᄀᆞᆮᄒᆞ몰(相戾如此)≪妙蓮 Ⅱ:244≫.
거슬ᄧᅳ다 타〈옛〉거스르다. =거슯즈다·거슯ᄧᅳ다. ¶ ᄌᆞ갸 나라 해셔 거슬ᄧᅳᆫ 양ᄒᆞᄂᆞᆫ 難이어나≪月釋 Ⅸ:54≫/逆은 거슬ᄧᅳᆯ씨라≪妙蓮 Ⅱ:168≫.
거슬ᄢᅵ 타〈옛〉거스르지. ¶ 오직 順從ᄒᆞ몰 알오 감간도 거슬ᄢᅵ 마롤디니(唯知順從 不敢違背)≪內訓 Ⅱ上 2≫.
거슬한【居瑟邯】명〘역〙거서간(居西干).
거슯저 타〈옛〉거슬러. '거슯즈다'의 활용형. =거슬뼈. ¶ 考功의 等第예 거슬저 디여(忤下考功第)≪杜諺 Ⅱ:40≫.
거슯줌 타〈옛〉거스름. '거슯즈다'의 명사형. =거슬쁨. ¶ 龍이 거슯주미 몱ᄀᆞᆫ 므레 나ᄂᆞ니(蛟之橫出淸泚)≪杜諺 Ⅷ:18≫.
거슯즈다 타〈옛〉거스르다. =거슶즈다. 거슯ᄧᅳ다·거슬ᄧᅳ다. ¶ 거슯즌 氣運이 두어ᄒᆡ롤 길흘부러 그쳇더니(逆氣數年 吹路斷)≪杜諺 Ⅴ:20≫.
거슯지ᄒᆞ다 타〈옛〉거스르다. 어기다. ¶ 내 實로 미혹ᄒᆞ야 어딘 사ᄅᆞᄆᆞᆯ 몰라보아 夫人을 거슯지호이다 ᄒᆞ시고≪釋譜 Ⅺ:33≫.
거슶즈다 형〈옛〉거스르다. =거슯즈다. ¶ 蛟龍돌ᄒᆞᆫ 기퍼셔 거슶주믈 짓고(蛟龍深作橫)≪杜諺 Ⅲ:8≫.
거슯도ᄌᆞᆨ 명〈옛〉거스르는 도둑. ¶ 날 거슯도ᄌᆞᄀᆞᆯ 好生之德이실ᄊᆡ(拒我慓悍賊我自好生德)≪龍歌 115章≫.
거슯ᄧᅳ다 타〈옛〉거스르다. =거슯즈다·거슬ᄧᅳ다. ¶ 거슯ᄧᅳᆫ 일 맛나도 怒티 아니ᄒᆞ야≪月釋 Ⅸ:24≫.
거슴츠레 부 졸리거나 병이 나서 눈에 정기가 없고 감길 듯한 모양. 게슴츠레. ¶ ~한 눈 / 김영서의 ~한 시선이 유보화에게 와 꽂혔다≪崔貞熙 : 속·녹색의 문≫. >가슴츠레. ——-하다 형여불
거슴푸레 부 ☞거슴츠레.
거:승[1]【巨僧】명 이름난 높은 중.
거:승[2]【苣勝】명 검은 깨. 흑임자(黑荏子).
거:승이 명〈방〉〘동〙①거위[2]. ②지렁이.
거:승-주【苣勝酒】명 참깨를 약간 볶은 것에 새앙과 생용뇌(生龍腦)를 섞어서 다시 볶아 찧어서 가루로 만들어 술에 담가 우린 술. 호마주(胡麻酒).
거싀년 명〈옛〉가시연. ¶ 거싀년밤(芡仁)≪湯液 卷二≫.
거싀년밤 명〈옛〉가시연밥. ¶ 거싀년밤(芡仁)≪湯液 卷二≫.
거싀련밤 명〈옛〉가시연밥. ¶ 거싀련밤(芡實)≪方藥 43≫.
거시[1] 명〈방〉〘동〙지렁이(전남·경상).
거:시[2] 명〈방〉〘동〙①거위[2](경기·강원·충청·전라·경상). ②지렁이(전라).
거:시[3]【踞侍】명 웅크리고 옆에서 기다림. ——-하다 자여불
거:시[4]【擧示】명 구체적으로 예를 들어 보임. ——-하다 타여불
거시가니 인대지대감〈방〉거시기(평안).
거시거리 명〈방〉〘동〙지렁이(경남).
거:시 경제학【巨視經濟學】명〔macroeconomics〕〘경〙국민 소득·투자·소비·물가 수준 등, 국민 경제 전반에 걸친 통계량(統計量)을 토대로 하여 경기 변동이나 경제 성장 등 사회 전체의 집단적인 경제 활동의 법칙성을 구명(究明)하려는 연구 분야. 매크로 경제학. ↔미시(微視) 경제학.

거시기

거시기 ㊀ 인대 오지 아니할 르겠다. 이라고 -거시늘

…이 물건이나 일의 이름이 얼른 입에서 나
…대신으로 하는 군말. ¶ ~가 어디 있는지 모
…이 막힐 때에 나오는 소리. ¶ ~, 지금 무엇

… =-거시늘. ¶ 太子ㅿ位 다르거시늘(諸位則

… ¶ 아래 가신 婇女도 니거시니 므스기 쎨ㅂ
…-어시니.
…니와. ¶ 부텨는 煩惱를 뻐러 ᄇ리실씨 ᄌ샤리
…月釋 Ⅰ:12≫.
… =-거시늘. ¶ 그 저긔 夫人이 나모 아래 잇
…月釋 Ⅱ:42≫.
…상). 「歌 38章≫.
… =-거시든. ¶ 東이 니거시든(我東曰徂)≪龍
…든. =-거시든. ¶ 病이 잇거시든(有疾)≪內訓
…ㅏ). ⌊Ⅰ:47≫.
…위²(전남).
…렁이(전남).
…지렁이(전라·경남).
…미.
…미.
…
…르다(강원).
…이 맑지 아니하고 침침하다.
…-시어야. -어야. '시'는 존칭의 '시'이나 예전에는
…우에도 쓴 예가 있음. ¶ 삭삭기 셰몰애 별헤 나는 구은
…고이다. 그 바미 우미 도다 삭 나거시아 有德ᄒ신 님믈 여
…이다≪樂詞 鄭石歌≫.

…적¹【巨視的】명관 〔macroscopic〕 ①육안(肉眼)이나 감각으로 직접 식별(識別)할 수 있는 정도의 크기의 대상(對象)에 관하여 이르는 말. ②사물에 대하여 전체적으로 파악·이해하는 모양. 대국적인 관점(觀點)에서 파악하는 모양. ¶ ~ 안목으로 앞날을 내다보다. ↔미시적(微視的).

거:시-적²【擧市的】관명 시(市) 전체가 힘을 합하여 하는 (모양). ¶ ~ 축하 행사.

거:시적 동:태 이:론【巨視的動態理論】명 〔macro-dynamic theory〕〖경〗국민 소득 또는 저축·투자 등과 같은 경제 전체의 집계량에 관한 개념을 사용하여 수학적인 경제 모형(模型)을 만들고 이에 의하여 경기 순환이라든가 경제의 성장과 같은 경제 변동의 전 과정을 분석하는 동학적(動學的)인 이론.

거:시적 분석【巨視的分析】명 〔macro-analysis〕〖경〗경제 연구의 분석 방법의 하나. 총체적 개념 특히 국민 소득의 변동을 중심으로, 이들 집계치(集計値) 개념을 구사하여 각각의 상호 의존적인 변동을 분석함으로써 사회 전체의 경제 현상을 거시적으로 파악하는 방법. 케인스 경제학이 대표적임. 매크로스코픽 분석. ↔미시적 분석.

거:시적 세:계【巨視的世界】명 육안(肉眼)으로도 볼 수 있는 물질의 세계. 감각으로 직접 식별할 수 있는 세계. ↔미시적(微視的) 세계.

거:시적 행동【巨視的行動】명〖심〗생활체(生活體)의 행동을 연구할 때에, 행동을 국부적(局部的) 단위 과정으로 환원시키지 않고 통일적인 전체 과정(過程)을 다룰 때의 그 전체적인 행동. 게슈탈트(Gestalt) 심리학파가 쓰기 시작한 용어(用語)임. 거대 행동(巨大行動). ↔미시적(微視的) 행동.

거시-춤 명〈방〉거위침.

거시키 인대지대감 ☞거시기.

거:식【擧式】명 식을 올림. 의식을 거행함. ——-하다 자여불

거:식-증【拒食症】명〖의〗식사에 나타나는 거절증(拒絶症)의 증세. *함묵증(緘默症)·거절증(拒絶症).

거식-하다 형자타여불 말하는 중에 형용사나 동사가 얼른 입에서 나오지 아니할 때, 그 형용사나 동사의 대신으로 하는 말. ¶ 그 옷의 빛깔이 거식하지 않니.

-거신 어미〈옛〉-으신. -신. ¶ 人讚福盛ᄒ샤 미나거신 톱애 七寶 계우샤 숙거신 엇게예, 아으 壽命願ᄒ샤 넙거신 니마해≪樂範 處容歌≫.

-거신디 어미〈옛〉-신지. -으신지. ¶ 聖人 업거신디 오라면≪月釋 Ⅸ:7≫.

-거신마른 어미〈옛〉-시건마는. -으시건마는. =-어신마른. ¶ 微妙ㅅ 웃드미 ᄒ마 ᄀ거신마ᄅ≪釋譜 ⅩⅢ:63≫.

거:실¹【巨室】명 ①큰 방. ②거가 대족(巨家大族). ③천지(天地).

거실²【居室】명 ①거처하는 방. 거처방(居處房). ②가족이 일상 모여서 생활하는 양식(洋式) 방. 리빙 룸. ¶ 넓은 ~.

거:실³【據室】명〖불교〗주지(住持)가 있는 방.

거:실⁴【據實】명 사실에 의거(依據)함. ——-하다 자여불

거:실 세:족【巨室世族】명 거가 대족(巨家大族).

거:심【去心】명〖한의〗약재로 쓰기 위해 약초의 줄기나 뿌리의 심을 발라 버림. ——-하다 타여불

거:심-재【去心材】명〖건〗수심(樹心)이 들어 있지 않은 제재목(製材木).

거:심-초【一草】명〈방〉〖식〗이질풀.

거:싱이 명〈방〉〖동〗①거위²(경상). ②지렁이(경상).

거ᅀᆞ 명〈옛〉사당(寺黨). =회ᄉᆞ. ¶ 홀거ᅀᆞ의 홀노 자시는 房 안에 무스것 ᄒ려 와 계오신고 홀거ᅀᆞ님의 노감탁이 버셔 거는 말겻테 너 굿갈 버셔 걸나 왓슴네≪古時調≫.

거ᅀᆞ리 부〈옛〉거스르게. 거슬러. =거스리. ¶ 萬古人物을 거ᅀᆞ리 혜여ᄒ니≪松江 星山別曲≫.

거ᅀᆞ리다 타〈옛〉거스르다. 거역(拒逆)하다. ¶ 옥녜 소리 딜러 거ᅀᆞ러 주그늘 긔약ᄒ더니 긔력이 곤ᄒ야 뭇춤내 거ᅀᆞ디 못ᄒ니≪太平廣記 Ⅰ:50≫.

-거ᅀᅡ 어미〈옛〉-어야. -어서야. =-거야. ¶ 나거ᅀᅡ ᄌᆞᄆᆞ니이다(迨其出 「矣江沙酒沒)≪龍歌 67章≫.

거쉬 명〈옛〉지렁이. =거위³·걸위. ¶ 거위 구(蚯), 거위 신(蚓), 거위 곡(蛐), 거위 선(蟮)≪字會 上 21≫. 「≪杜諺 ⅩⅪ:10≫.

거싀 부〈옛〉거의. ¶ 家門옛 소리옷 거싀 ᄒ마 이시리로다(家聲庶已存)

거싀다 자〈옛〉거의 되다. =거의다. ¶ 夫人이 나ᄒ싫 둘 거싀어늘 王의 솔ᄫᆞ샤ᄃᆡ 東山구경ᄒ야지이다≪月釋 Ⅱ:27≫. *거의.

거아-도【居兒島】명〖지〗충청 남도 서해상, 태안군(泰安郡) 남면(南面) 거아도리(居兒島里)에 위치한 섬. [0.74km²]

거:아-장【拒我章】[—짱] 명 용비어천가 115장의 이름.

거:악【巨岳】명 매우 큰 산.

거:악 생신【去惡生新】명 고약(膏藥) 등의 효력이 종처(腫處)의 궂은 살을 없애고 새 살이 나오게 함. ——-하다 자타여불

거:안¹【巨眼】명 커다란 눈. 또, 거시적인 안목.

거:안²【炬眼】명 사물을 잘 분별하는 안식.

거:안³【擧案】명 ①〖역〗공회(公會)에 참여하는 벼슬아치가 임금이나 상관에게 명함(名銜)을 올리던 일. 또, 그 명함. ②밥상을 듦. ¶ ~ 제미. ——-하다 자여불

거:안 제미【擧案齊眉】명〔후한서(後漢書) 양홍전(梁鴻傳)에 나오는 말〕밥상을 눈썹과 가지런하도록 공손히 들어 남편 앞에 가지고 간다는 뜻으로, 남편을 깍듯이 공경함을 이름. ——-하다 자여불

거:암【巨岩】명 썩 큰 바위. *거석(巨石).

거:애【擧哀】명 ①사람이 죽었을 때 가족이나 친척이 통곡함. ②발상(發喪). ——-하다 자여불

거:액【巨額】명 많은 액수의 금액. 거관(巨款). ¶ ~을 투자하다.

거:야【去夜】명 지난밤.

-거야 어미〈옛〉-어야. -어서야. =-거ᅀᅡ. ¶ 엇디 쟝춧 늙거야 ᄇ리리오(豈將老而遺之哉)≪內訓 Ⅲ:56≫.

거:약【距躍】명 뛰어오르거나 뛰어 넘음. ——-하다 자여불

거:양【擧揚】명 ①높이 들어 올림. ②칭찬하여 높임. ——-하다 타여불

거:양 성:체【擧揚聖體】명〖천주교〗미사에서, 사제(司祭)가 성변화(聖變化)한 성체(聖體)와 성혈(聖血)을 높이 쳐들어 모든 신자가 흠숭(欽崇)하게 하는 일. 전에는 성체의 경우만을 일컬었음. ——-하다 자여불

거:어【鉅魚】명 큰 물고기. 「Ⅰ:30≫.

거엄 명〈옛〉악골(顎骨). =거훔. ¶ 上腭은 입 웃거엄이라 ≪無冤錄

거:업【擧業】명〖역〗과거(科擧)에 응시(應試)하는 일.

거여-구【車輿具】명〖고고학〗수레갖춤.

거여목 명〖식〗[*Medicago denticulata*] 콩과에 속하는 월년초(越年草). 줄기는 땅으로 뻗거나 위로 비스듬히 뻗음. 잎은 호생하고 유병(有柄)이며 삼출(三出)하고, 소엽(小葉)은 거꿀달걀꼴 또는 도심형(倒心形)이며 탁엽(托葉)이 가늘게 찢어졌음. 5월에 노란 두화(頭花)가 액출(腋出)하며, 과실은 협과(莢果)임. 유럽 원산으로 길가에 나는데, 제주·전남·경남·황해·평북 및 일본 등지에 분포함. 녹비(綠肥)나 사료용(飼料用)으로 재배하고 나물을 무쳐 먹기도 함. 목숙(苜蓿). 개자리. ㊂게목.

〈거여목〉

거:역¹【巨役】명 거창한 역사(役事). 큰 공사.

거:역²【拒逆】명 윗사람의 뜻이나 명령 따위를 항거하여 거스름. ¶ 부모를 ~하다. ——-하다 타여불

거:연¹【巨然】명〖사람〗중국의 남당(南唐) 송초(宋初)의 화승(畫僧). 지금의 난징(南京)인 강닝(江寧) 사람. 강남(江南)의 자연을 소재로 산수화를 그리고, 스승인 동원(董源)과 함께 남종화(南宗畫)에의 길을 엶.

거연²【居延】명〖지〗'쥐옌'을 우리 음으로 읽은 이름.

거연-하다【居然—】형여불 하는 일 없이 가만히 있어 무료하다. 거연-히¹【居然—】부 모르는 사이에 슬그머니. 별로 변동 없이. ¶ ~ 떠나다/ 우리가 하도 ~ 이별을 하와 그날로 이내 병이 든 몸이 하루도 깨끗할 날은 없삽고 눈물로 세월을 보내옵다가…≪趙重桓：長恨夢≫.

거연 한:간【居延漢簡】명〖역〗쥐옌 한간. 「¶ ~ 생각나다.

거연-히²【遽然—】부 깊이 생각할 사이도 없이. 갑자기. 별안간. 문득.

거열¹【居烈】명 ①〖역〗↗거열군(郡)·거열성(城). ②〖악〗신라 때, 우륵(于勒)이 지은 가야금 열두 곡 가운데의 하나.

거열²【車裂】명〖역〗형벌의 한 가지. 죄인의 지체(肢體)를 네 대나 다섯 대의 수레에 매단 후에 각 방향으로 달리게 하여서, 지체(肢體)를 찢어 죽임. 본래, 중국 진(秦)나라 상앙(商鞅)이 창안한 것으로, 우리 나라에서도 시행되다가 갑오 경장 때 폐지됨.

거열-군【居列郡·居烈郡】명〖역〗경상 남도 거창군(居昌郡)에 있었던 백제의 군. 신라 문무왕 2년(662)에 신라가 점령하여 거타주(居陁州)로 고침. ㊂거열(居烈). *거타주.

거열-성【居列城·居烈城】[—썽] 명〖역〗경상 남도 거창군(居昌郡)에 있었던 백제의 성. 신라 문무왕 2년(662)에 신라의 흠순(欽純)·천존(天存) 등의 공략으로 성안의 백성 7백여 명이 죽고서 함락됨.

거염 명〈방〉게염. ¶ 작은 아들이 대학곤가 졸업허구 꺼떡대는 걸 보군, 버쩍 더 ~을 내니 어쩌면 좋냐≪沈熏：常綠樹≫.

〈거염벌레〉

거염-벌레 명 밤나방의 유충. 야도충(夜盜蟲).

거염-스럽다 형ㅂ불 ☞개염스럽다. ¶ …행동거지가 준준 무식한 중, 거염스럽고 심술스러운 제반 악징을 모두 겸하여…≪作者未詳：홍도

화≫.
거엽다 형 〈옛〉 큼직하고 너그러우며 꿋꿋하다. =거엳다. ¶ 光中에 金剛ㅅ 거여운 양즈를 마ᄃ기 現ᄒ샤믄(光中徧金剛威武之狀者)≪楞嚴 Ⅶ:29≫.
거엳다 형 〈옛〉 큼직하고 너그럽고 꿋꿋하다. =거엽다. ¶ 가ᄉ이며 허리우히 거여버 獅子 ᄀᆞᄐ시며≪月釋 Ⅱ:41≫.
거:오【倨傲】 명 거만스럽고 오만(傲慢)함. ——-하다 형 여불
거오다 타 〈옛〉 겨루다. 대적하다. =거우다². ¶ 公瑾이 힘혀 드르면 반ᄃ시 諸葛亮을 거오리라≪三譯 Ⅳ:4≫. 「오-스레【倨傲—】 부
거:오-스럽다【倨傲—】 형 ㅂ불 거오하게 보이다. 보기에 거오하다. 거:
거온【去乎】 어미 〈이두〉 -는 것이니. -ㄴ 것이니.
거와【苣萵】 명 〖식〗 상추¹.
거왜 명 〈방〉 솜(평안·함경).
거:용¹【巨用】 명 썩 많은 씀씀이.
거:용²【擧用】 명 등용(登用). ——-하다 타 여불
거용-관【居庸關】 명 〖지〗 '쥐융관'을 우리 음으로 읽은 이름.
거우¹ 명 〈방〉 〖조〗 거위¹(경기·강원·전남·경상).
거우² 명 〈방〉 〖동〗 거위²(경기·강원).
거우³【居憂】 명 상중(喪中)에 있음. 거중(居中).
거:우⁴【擧隅】 명 공자(孔子)의 교육법. 한 구석을 들어 나머지 세 구석을 알게 한다는 뜻으로, 일부를 들어서 전체를 이해시키는 일.
거우⁵ 부 〈방〉 거의³(경기·강원).
거우기 명 〈방〉 〖조〗 거위¹(경기).
거우다¹ 타 건드리어 성나게 하다.
거우다² 타 〈옛〉 겨루다. 대적하다. =거오다. ¶ 앗가 일을 세치지 못ᄒ으로 그롯ᄒ여 놉흔 얼굴을 거위시니≪三譯 Ⅵ:16≫.
거우듬-하다 형 여불 조금 기울어진 듯하다. 준거운하다. 거우듬-히 부
거우로 명 〈옛〉 거울. =거우루. ¶ 늘거 ᄇ료ᄆ란 ᄇᆞᆯᄀᆞᆫ 거우로에 아노니(老罷知明鏡)≪杜諺 ⅩⅪ:41≫. 「≪永言≫.
거우로다 타 〈옛〉 기울이다. ¶ 金樽에 가득ᄒᆞᆫ 술을 슬커시 거우로고
거우루 명 〈옛〉 거울. =거우로·거우룰. ¶ 現은 나톨씨니 ᄇᆞᆯᄀᆞᆫ 거우루 ᄀᆞᄐᆞᆫ여러 가짓 양즈를 잘 나톨씨라≪月釋 Ⅰ:34≫.
거우룰 명 〈옛〉 거울. =거우루. ¶ ᄇᆞᆯᄀᆞᆫ 거우루레 내의 愚直호ᄆᆞᆯ 다마 뒷ᄂ니(朗鑑存愚直)≪杜諺 :Ⅲ18≫.
거우룻-집 명 〈옛〉 경대(鏡臺). ¶ 今俗 呼鏡奩 거우룻집≪四聲 下 86≫.
거우르다 타 르불 기울이어 쏟다. 쏟아지도록 기울어지게 하다.
거:우-법【擧隅法】[—뻡] 명 〖문〗 수사법(修辭法)의 하나. 일부를 제시(提示)하여 전체를 알리는 일.
거운 부 〈방〉 거의³.
거운-거운 부 〈방〉 거의거의.
거운-하다 형 여불 ↗거우듬하다.
거울 명 ①빛의 반사(反射)를 이용하여 물체의 형상을 비추어 보는 물건. 지금은 보통 유리 뒤에 수은을 발라서 만드는데, 그 용도에 따라 크기와 모양이 여러 가지 있음. *석경(石鏡)·체경(體鏡). ②비추어 보아서 모범이나 경계가 될 만한 사실. 경감(鏡鑑). ¶ 여성의 ~.
거울(로) 삼:다 [—따] 구 지난 일이나 남의 일의 잘잘못에 비추어 스스로 모범 삼거나 경계하다. ¶ 실패를 거울삼아 더욱 분발하자.
거울 반:사【—反射】 명 '경면 반사(鏡面反射)'의 풀어 쓴 말.
거울 자기장【—磁氣場】 명 [mirror field] 〖물〗 자기 거울.
거울 전:류계【—電流計】[—절—] 명 〖물〗 거울이 달린 전류계. 거울이 돌아서 빛을 반사(反射)하는 각도로 기울어짐에 따라서 전류(電流)의 강약을 재는데, 비교적 약한 전류를 재는 데 쓰임.
거울-집 [—찝] 명 ①거울의 뒤와 둘레를 막은 틀. ②거울을 넣어 두는 물건.
거울-통【—筒】 명 〖물〗 경동(鏡胴).
거웃¹ 명 ①생식기의 주위에 난 털. 음모(陰毛). ②〈옛〉 수염. =거웆. ¶ 입거웃 슈(鬚), 거웃 셤(髥)≪字會 上 28≫. *입거웃·입거웆.
거웃² 명 〖농〗 논밭을 갈아 넘긴 골. 물갈이에는 두 거웃이 한 두둑이고, 마른갈이나 밭에는 네 거웃이 한 두둑임. 자락.
거웆 명 〈옛〉 수염. =거웃¹❷. ¶ 입거우즐 잡ᄂ니(挽鬚)≪杜諺 Ⅰ:7≫.
거:월【去月】 명 지난달.
거위¹ 명 〖조〗 [*Anser domesticus*] 오릿과에 속하는 새. 기러기의 변종(變種)으로서 몸빛은 희고 목이 길며 부리는 황색임. 헤엄은 잘 치나 날지 못함. 12-1월에 걸치어 10-20개의 알을 낳음. 고기는 식용하며, 밤눈이 밝아서 개 대신으로 사육함. 가안(家雁). 당안(唐雁). 백아(白鵝). 서안(舒雁). 아조(鵞鳥).
〈거위¹〉
거위² 명 〖동〗 회충(蛔蟲).
거위³ 명 〈옛〉 지렁이. =거쉬·거의. ¶ 거위 인(蚓)≪類合 81≫.
거위⁴ 부 〈방〉 거의³.
거위⁵ 부 〈옛〉 겨루게. 거우게. ¶ 各各 제 ᄀᆞ초아 護持호ᄆᆞᆯ 怒ᄒᆞᆫ 毒을 뫼화 거위 몯호ᄆᆞᆯ 가줄비시고(各自藏護護譬言積忿毒不可凌犯)≪妙蓮 Ⅱ:117≫.
거위-거위 부 〈방〉 거의거의.
거위-걸음 명 거위가 걷는 것처럼 어기적어기적 걷는 걸음.
거위-배 명 〖한의〗 거위로 말미암아 일어나는 배앓이. 충복통(蟲腹痛). 회복통(蛔腹痛). 회충증. 횟배.
거위-벌레 명 〖충〗 [*Apoderus jekeli*] 바구밋과에 속하는 곤충. 몸길이 6-10mm이고, 몸빛은 광택 있는 흑색에 앞가슴은 원추형이고, 목은 가늘고 길며, 촉각은 곤봉상(棍棒狀)임. 경시(硬翅)는 적갈색, 시초(翅鞘)는 적색에 작은 점이 줄바르게 있고, 유충(幼蟲)은 마른 밤을 파먹음. 암컷은 나뭇잎을 말아서 요람(搖籃)을 만들어 집을 짓고, 그 안에 알을 낳음. 한국·일본·시베리

〈거위벌레〉

거위-약【—藥】 명 회충약.
거위 영장 명 〈속〉 몸이 야위고 키가 크며 목이 긴
거위-오줌 명 〈방〉 거위침.
거위-젓 명 거위의 고기를 썰어 술과 소금을 쳐서 ... 양념을 하고 다시 술에 버무려 삭힌 음식. 아초(鵝醋)
거위-침 명 가슴 속이 느긋거리면서 목구멍에서 나오는
거위-포【—脯】 명 거위의 고기를 소금에 절여 말린 포.
거유¹ 명 〈옛〉 거위¹. ¶ 거유 아(鵝)≪字會 上 16≫.
거:유²【去油】 명 〖한의〗 약제의 기름기를 빼내 버림. ——
거:유³【巨儒】 명 ①학식이 많은 선비. ②이름난 유학자(儒... (大儒). 홍유(鴻儒). 석유(碩儒).
거:유⁴【據有】 명 웅거(雄據)하여 자기의 것으로 만듦. ——-하
거유목 명 〈옛〉 거여목. ¶ 거유목(苜蓿)≪譯語 下 12≫.
거을【去乙】 어미 〈이두〉 -거늘.
거:음【醵飮】 명 술추렴❶. ——-하다 자 여불 「鑑 Ⅹ
거음한 명 〈옛〉 이를 굵게 낸 환. =거흠한. ¶ 거음한(馬牙磋)≪漢
거의¹ 명 〈옛〉 지렁이. =거쉬·거위³. ¶ 거의 인(蚓)≪類合 上 15≫.
거:의²【擧義】[—/—이] 명 의병(義兵)을 일으킴. ——-하다 자 여불
거:의³ [—/—이] 부 어느 한도(限度)에 매우 가까운 정도로. 거반(... 半). 거지반(居之半). ¶ ~ 틀림 없다.
거:의-거의 [—/—이—이] 부 '거의'보다 그 뜻을 강하게 이르는 말. ¶ ~ 다 되었다.
거의다 타 〈옛〉 거의 되다. =거의다. ¶ 皇城이 거의낭하야 佳氣葱葱ᄒ 나라≪古時調 鄭澈≫.
거이¹ 명 〈방〉 〖조〗 거위¹(전남·경북).
거이² 명 〈방〉 〖동〗 게(경기·강원·황해·함남·평안·충청·경북).
거:이³ 부 〈방〉 거의³(강원·충북).
-거이고 어미 〈옛〉 -것이냐. -것일가. ¶ 汲長孺 風采를 고텨 아니 볼거이고, 어와 뎌 디위를 어이ᄒ면 알거이고≪松江 關東別曲≫.
거이시늘【去有乙】 어미 〈이두〉 -었거늘.
거이신들로【去有等以】 어미 〈이두〉 -었으므로. -ㄴ 것이므로.
거:익¹【巨益】 명 아주 큰 이익.
거:익²【去益】 부 갈수록 더욱. ¶ ~ 낭비가 심하다.
거:익 심:언【去益甚焉】 명 거거 익심(去去益甚). ——-하다 형 여불
거:인¹【巨人】 명 ①몸이 유난히 큰 사람. 대인(大人). ↔왜인(矮人). ②품성(品性)·재학(才學) 등이 비범(非凡)한 사람. ¶ 학계(學界)의 ~. ③위인(偉人). ④각국의 신화·전설·동화 등에 전하여 내려오는 초인간적 거대한 인물. 자이언트(giant).
거:인²【擧人】 명 〖역〗 중국에서 관리 등용 시험에 응시하던 사람. 또, 그 합격자. 한(漢)나라 때에, 지방관(地方官)에 의하여 조정(朝廷)에 관리로 추천된 사람, 당(唐)·송(宋) 때에는 진사(進士) 시험을 치르는 자, 명(明)·청(淸) 때에는 지방 시험인 향시(鄕試)에 합격한 사람에게 주어지는 칭호였음.
거:인 설화【巨人說話】 명 이상하게 큰 몸집을 가진 초인간적(超人間的)·초자연적(超自然的) 존재의 출생이나 생활 및 행동 등에 관한 설화.
거:인-증【巨人症】[—쯩] 명 〖의〗 전신(全身)이 정상치(正常値)보다 훨씬 크게 되는 병. 일반적으로 신장(身長)이 2m 이상으로 발육하는 상태를 말하며, 뇌하수체(腦下垂體) 전엽(前葉)의 성장 촉진 호르몬 분비 과잉이 원인이라 생각되고 있음. ↔선단 비대증(先端肥大症).
거:일¹【去日】 명 지난날. 왕일(往日). 「여불
거:일²【擧逸】 명 초야(草野)에 숨어 사는 사람을 기용함. ——-하다 자
거ᄋ지 명 〈옛〉 거지¹. ¶ 거ᄋ지(乞丐)≪漢淸文鑑 Ⅹ:35≫.
거:자¹【去者】 명 떠나가는 사람. 또, 떠나가 버린 사람. *내자(來者).
거:자²【巨貲】 명 거액의 자본. 대(大)자본. ¶ ~를 투입하다.
거:자³【擧子】 명 〖역〗 과거(科擧) 고시(考試)에 응하는 선비.
거자-나무 명 〈방〉 〖식〗 자작나무.
거:자 막추【去者莫追】 명 가는 사람은 붙잡지 말고 가는 대로 내버려 두라는 뜻. *내자 물거(來者勿拒).
거자-수【—水】 명 곡우(穀雨) 때, 자작나무를 찍어서 받은 부유스름하고 달콤한 물. 민간(民間)에서 이뇨(利尿)와 골절(骨節)의 약으로 씀.
거:자-시【擧子試】 명 〖역〗 국자감시(國子監試).
거:자 일소【去者日疎】[—쏘] 명 죽은 사람에 대해서는 날이 갈수록 점점 잊어버리게 된다는 뜻으로, 서로 멀리 떨어져 있으면 점점 사이가 멀어짐을 이름.
거:작【巨作】 명 규모가 웅대(雄大)한 예술 작품.
거:장¹【巨匠】 명 그 방면의 기능(技能)에 특히 뛰어난 사람. 주로, 예술가에 쓰임. 대가(大家). 거공(鉅公). ¶ 영화계의 ~.
거:장²【巨場】 명 엄청나게 큰 시장.
거:장³【擧狀】 명 관직을 바라는 자를 적당한 개인이나 기관에 추천하는 서장(書狀).
거:장⁴【擧場】 명 과거(科擧)보는 장소. 과장(科場).
거:재¹【巨材】 명 썩 큰 재목.
거:재²【巨財】 명 거대한 재산. 큰 재물. 거산(巨産).
거:재³【去滓】 명 물건의 찌끼를 추려 버림. ——-하다 자 타 여불
거재⁴【車載】 명 수레에 실음.
거재⁵【居齋】 명 〖역〗 성균관(成均館)이나 사학(四學)이나 향교(鄕校)에서 숙식(宿食)하면서 학업을 닦는 일. ——-하다 자 여불
거재-나무 명 〈방〉 〖식〗 자작나무.
거재 두량【車載斗量】 명 물건을 수레에 싣고 말로 된다는 뜻으로, 아주 흔함을 이르는 말. ¶ 이놈! 어미는 ~으로 알고 집안 망할 계집만 제일로 알아?≪作者未詳 : 홍도화≫ / 양반이니 신사니 하고 떠들고 다니는 것들 중에도 강도보다 더 비루한 마음을 가지고 있는 것이 ~이니…≪李相協 : 再逢春≫.

유생(居齋儒生).

거재생

거재-생【居齋生】명 재(居齋)하여 학업(學業)을 닦던 선비.

거재-수【一水】명 재생(齋生).

거재 유생(居齋 …月諸).

㊀거재생(居 …이 그냥. 무료(無料)로. ¶ ~ 가져라. ②

거저¹【居諸】… 드는 일 없이. ¶ ~먹기. *공으로.

거저² 명 ①… 속하는 갑충(甲蟲)의 총칭. 거저리붙이.

동작이 … 과에 속하는 곤충의 하나. 먼

거저리 …mm 내외이고, 몸빛은 광택

…각 및 다리는 다소 적갈색을

… 황갈색의 털이 있음. 유충은

②… 버섯 등에 서식하며 곡물(穀

…함. 고목(枯木)·돌 밑에 많이

…중국·인도·시베리아·유럽 등

〈거저리❷〉

…】거저리❶.

Tenebrionidae] 딱정벌레목(目)에 속하는

…이며, 대부분이 흑색 또는 대적갈색(帶赤

…곤봉상 또는 연주상(連珠狀)임. 복판(腹板)

…이며 초식성(草食性)임. 전 세계에 13,000

…). …여 종이 분포함.

… 성과(成果)를 얻는 일. ¶ 이런 일은 ~다.

… 어떤 것을 차지하거나 일을 하여 놓다.

…려거나, 또는 새끼로 날을 하여 짚으로 쳐서

…데로 자리 대신에 쓰며, 한데에 쌓은 물건을

…를 만드는 데에도 씀. ②↗섬거적.

…려서 눈꺼풀이 내려감긴다는 말.

… 대한 업적의 발자취.

…적. 거도(巨盜).

…】좁쌀무늬고둥.

…울이 축 처진 눈.

…거적의 날개. 또, 그 조각.

…거적모판에서 가꾸어 기른 모.

…【一板】명 거적으로 덮개를 한 모판.

…【一門】명 거적을 쳐 만든 문.

…적문에 돌쩌귀】제 격에 맞지 않아 어울리지 아니함을 이르는 말. *개 발에 주석 편자. 【거적문에 드나들던 버릇】문을 드나들 때 문을 닫지 않고 다니는 버릇을 이르는 말. 【거적문이 문이러냐, 의붓아비 아비러냐】의붓아버지는 아버지로 여길 것이 못 된다는 말.

거적 송:장 명 거적으로 싼 송장. 거적 주검. 거적 시체(屍體).

거적 시:체【一屍體】명 거적 송장.

거적-쌈 명〈방〉〖농〗바닥걸기질. ——-하다 자

거적 자리 명 거적을 깔아 놓은 자리. 또, 자리로 쓰는 거적.

거적 주검 명 거적 송장.

거전¹【一田】명〈방〉걸밭.

거:전²【拒戰】명 적(敵)을 막아서 싸움. ——-하다 자여불

거:전-인【擧錢人】명〖역〗중국 고대의 출거(出擧)에 있어서, 이식(利息)을 붙여 돈을 꾸어 쓰는 사람.

거:절¹【拒絶】명 응낙하지 않고 물리침. 거부하여 끊어 버림. ¶ 부탁을 ~하다. ↔승낙(承諾). ——-하다 타여불

거:절²【據竊】명 근거지를 정해 놓고 도둑질함. ——-하다 자여불

거:절 반:응【拒絶反應】명〖의〗거부(拒否) 반응.

거:절-증【拒絶症】[-쯩] 명〖의〗정신 분열증에서 흔히 볼 수 있는 정신 운동 장애의 하나. 외부로부터의 자극에 대하여 반응하지 않고 도리어 남의 명령이나 요구에 반항하며 역행하려고 함. ↔종명 자동증(從命自動症). *거식증(拒食症)·함묵증(緘默症).

거:절 증서【拒絶證書】명〖법〗어음이나 수표를 가진 사람이 지급(支給) 또는 인수(引受)를 거절당하는 경우에, 그 사실을 증명하여 어음에 관한 권리를 행사 및 보전(保全)하기 위하여 공증인 또는 집행관(執行官)에 청구하여 작성시키는 공정(公正) 증서. 그 작성을 면제하고 있는 경우 외에는, 이 증서가 없으면 배서인(背書人) 그 밖의 사람에게 어음 금액 등을 청구할 수 없음.

거:점【據點】[-쩜] 명 전투(戰鬪)나 그 밖의 어떤 활동의 근거가 되는 지점. ¶ 적의 ~을 분쇄하다/~ 방어(防禦)/서울을 ~으로 압약하다.

거:접¹【巨接】명〖역〗①과장(科場)에 모인 선비들의 떼. ②과거(科擧)를 보려고 글방이나 절에서 글공부하는 선비의 무리.

거접²【居接】명 ①잠시 몸을 의탁하여 거주(居住)함. 주접(住接). ¶ 임시로 ~하고 있는 곳/그 혼은 ~할 데를 잃고 천지간에 표탕하니 맺힌 한 끝이 없을 따름이다≪張德祚 : 狂風≫. ②〖역〗조선 시대 때, 여름철 음력 6월경에 비롯하여 7월 칠석날까지 정사(亭榭) 누대(樓臺)나 절에 글방 학생들이 모여, 시부(詩賦) 등의 제작을 겨루던 일. 관학(官學)에서의 거접은 과거 제도의 일부이기도 하여, 사학(四學)에서는 10명, 향교(鄕校)에서는 각 도에 3-5명씩 우수한 자를 뽑아 생진 복시(生進覆試)에 직부(直赴)하게 하였음. ㊀접(接). *하과(夏課). ——-하다 자여불

거접³【据椄·据接】명〖농〗접붙이기에서, 대목(臺木)이 밭에 심어져 있는 채 접을 붙이는 방법. 접이 붙기 어려운 밤나무와 감나무 등에 실시함. 제자리접. *양접(陽椄).

거접-부리 명〈방〉거짓부리(황해·함경).

거젓-부레이 명〈방〉거짓부리(황해).

거젓-부리 명〈방〉거짓말(황해).

거:정¹【巨晶】명〖광〗화성암이나 변성암에서, 주위의 기질(基質)보다 훨씬 큰 결정이나 입자.

거정²【居貞】명 바른 일을 지킴. ——-하다 자여불

거정³【居停】명 귀양간 사람이 머물러 있는 곳. 「(女妓).

거:정⁴【擧碇】명〖악〗정재(呈才) 때, 선유락(船遊樂)에 닻을 잡는 여기

거:정이 명〈방〉거지¹❶.

거:정 화강암【巨晶花崗岩】명〖광〗페그마타이트(pegmatite).

거:제【巨濟】명〖지〗경상 남도의 한 시(市). 1읍(邑) 9면(面) 6동(洞). 거제도와 그 주변의 섬들로 이루어짐. 동쪽과 남쪽은 바다, 서쪽은 거제 해협을 건너 통영시(統營市), 북쪽은 바다 건너 창원시(昌原市)와 마산시(馬山市)·진해시(鎭海市)와 인접함. 감자류의 농산물과 갈치·멸치·고등어·대구·우뭇가사리·미역·김 등 수산물이 많으며 특히 거제도 연안 해역에서는 굴의 양식이 발달되었음. 또한 옥포만(玉浦灣)의 옥포와 고현만(古縣灣)의 죽도(竹島) 등 두 곳에 대단위 조선소가 있음. 명승 고적으로는 옥포 대첩 때의 망루였던 당등산성(堂登山城)과 옥포정(玉浦亭)·표덕사(表德祠)·거제 향교(鄕校)·거제 동헌(東軒)·갈도(葛島)·고현성(古縣城)·옥포만(玉浦灣) 등이 있음. 1995년 1월, 장승포시(長承浦市)와 거제군(郡)이 통합, 개편됨. [399.30 km²: 155,019 명(1996)]

거제²【居第】명 거처하는 집. 주택(住宅).

거:제³【擧祭】명 제사(祭祀)를 올림. ——-하다 자여불

거:제-군【巨濟郡】명〖지〗경상 남도에 속했던 군. 1995년 1월 장승포시와 통합하여 거제시(市)로 개편됨.

거:제 대:교【巨濟大橋】명〖지〗경상 남도 거제시 사등면(沙等面) 덕호리(德湖里)와 통영시(統營市) 용남면(龍南面) 장평리(長坪里) 사이의 섬과 육지를 연결한 다리. 1971년 개통. [740 m]

거:제-도【巨濟島】명〖지〗경상 남도 거제시(巨濟市)의 주도(主島). 한국 제2의 큰 섬으로 육지와의 사이에 진해만·거제 해협이 있음. 근해에는 수산업이 발달하고 주민은 반농 반어(半農半漁) 생활을 함. 6·25 전쟁 때 포로 수용소가 있었음. [383.44 km²]

거:제-딸기【巨濟—】명〖식〗[*Rubus tozawai*] 장미과에 속하는 낙엽 활엽 관목. 잎은 달걀꼴 또는 거의 원형으로 세 갈래 또는 간혹 다섯 갈래로 얕게 째지고 톱니가 있으며 장병(長柄)임. 4월에 흰 꽃이 하나씩 액생(腋生)하며, 과실은 구형(球形)의 작은 견과(堅果)로 6월에 익음. 바닷가에 나는데, 거문도 및 거제도 등지에 분포함. 과실은 식용함.

거:제수-나무【巨濟樹—】명〖식〗[*Betula costata*] 자작나뭇과에 속하는 낙엽 활엽 교목. 잎은 긴 달걀꼴이고 겹톱니가 있음. 자웅 일가(雌雄一家)로 5월에 꽃이 피고, 작은 견과(堅果)는 날개가 있으며 10월에 익음. 산복(山腹) 이상의 숲 속에 나는데, 경남북·강원·평남북 및 만주·아무르 등지에 분포함. 건축·도구·파이프 및 신탄재로 쓰고 수액(樹液)은 약용함.

거:조¹【距跳】명 뛰어 오름. ——-하다 자여불

거:조²【擧條】명〖역〗임금께 아뢰는 조항(條項).

거:조³【擧措】명 행동 거지(行動擧止). ¶ ~가 문란하다.

거:조⁴【擧朝】명 온 조정(朝廷). 조정 관원(官員)의 전체. *거국(擧國).

거:조 해망【擧措駭妄】명 행동 거지(行動擧止)가 해괴 망측함. ——-하다 형여불

거족¹ 명〈옛·방〉거죽¹. ¶ 니불 거족과(被面)≪朴新解 Ⅱ:14≫.

거:족²【巨足】명 큰 발의 뜻으로, 진보나 발전의 속도·정도가 뚜렷하게 빠름을 일컫는 말. ¶ ~의 진보를 이루다.

거:족³【巨族】명 ↗거가 대족(巨家大族).

거:족⁴【擧族】명 온 겨레. 전민족.

거:족-적【擧族的】명관 온 겨레에 관한 모양. 민족 전체에 관한 모양. ¶ ~인 행사.

거:족적 거:사【擧族的擧事】명 온 겨레가 들고 일어나서 하는 일.

거:족적 운:동【擧族的運動】명 한 민족이 다 같이 궐기하여 하는 운동. ¶ ~이던 삼일 운동.

거:족적 행사【擧族的行事】명 온 겨레가 참여하는 행사.

거:종¹【巨鍾】명 아주 큰 종.

거:종²【擧踵】명 발 뒤꿈치를 세움. 발돋움을 하고 몹시 기다림. ——-하다 자여불

거:종 직립【擧踵直立】[—닙] 명 체조에서, 기본 자세 중 직립 자세의 하나. 발돋움을 하고 곧게 섬.

거:좌【踞坐】명 걸터앉음. ——-하다 자여불

거:죄【巨罪】명 큰 죄. 대죄(大罪).

거:주¹【去週】명 지난 주(週).

거주²【居住】명 일정한 곳에 자리를 잡고 머물러 삶. 또, 그 곳. ——-하다 자여불

거:주³【擧主】명 남을 천거(薦擧)한 사람.

거:주⁴【擧酒】명 술잔을 듦.

거주⁵〔箇舊〕명〖지〗중국 윈난 성(雲南省) 남부의 성 직할시. 중국 최대의 주석광(朱錫鑛) 산지임. 개구. [214,294 명(1990)]

거주-권【居住權】[-꿘] 명 사람이 주택(住宅)에 거주할 권리를 생존에 필요한 것으로서 보호하기 위하여 사용되는 개념. 보통은, 임차권(賃借權)을 가리키나, 주택에 거주하고 있는 자체(自體)를 권리로서 주장할 때에도 쓰임.

거:-주다 타 ↗그어주다.

거주-말 명〈방〉거짓말(경남).

거주 면:적【居住面積】명 주택의 거주 부분의 바닥 면적.

거주-민【居住民】명 어느 곳에 거주하는 국민.

거주 부분【居住部分】명 주택에서, 침실·거실(居室)·응접실·식당 등, 주로 거주용으로 쓰이는 방 또는 그 부분.

거주-성【居住性】[-썽] 명 주택의 구조·설비·디자인·주위 환경 및 사회적 조건에 이르기까지, 특히 경제성을 초월한 모든 점에 있어서의 편리하거나 쾌적(快適)한 성질.

거주 성:명【居住姓名】명 거주소(居住所)와 성명(姓名). 주소 성명.

거주-소【居住所】명 ①거주하는 처소(處所). ㈜주소(住所). ②거소(居所)와 주소의 병칭.

「일. ——-하다 자여불

거주 신고【居住申告】명 거주지의 시·읍·면에 거주 사실을 신고하는

거주 이전의 자유【居住移轉—自由】[—/—에—] 명〖법〗헌법상의 기본 인권의 하나. 공공(公共)의 복지(福祉)에 위반되지 않는 한, 마음대로 거주를 결정·이전할 수 있는 자유.

거주-자【居住者】명 그 곳에 거주(居住)하는 사람. 「일.

거주 제:한【居住制限】명 일정한 지역 외에 임의로 거주함을 제한하는

거주-지【居住地】명 ①거소(居所) 및 주소(住所)의 병칭. ②현재 거주하고 있는 장소. 주거지(住居地).

거주지 수검【居住地受檢】명〖군〗전에, 징병 의무자의 원(願)에 따라 본적지가 아닌 거주지의 구(區)·시·군(郡)에서 신체 검사를 받던 일.

거주 지역【居住地域】명〖지〗외쿠메네(Ökumene). ↔비거주 지역.

거주지-주의【居住地主義】[—/—이] 명〖법〗조세(租稅)의 세원(稅源)에 귀속하는 자가 반드시 과제(課稅) 권능을 가진 해당 단체의 주민임을 요하는 주의.

거죽¹ 명 물체(物體)의 겉 부분. 겉. ↔안·속.

거죽² 명〈방〉가죽¹(경북).

거죽-감 명 옷 따위의 거죽으로 쓰이는 감. ↔안집.

거중【居中】명 ①두 편의 중간에 들어 있음. ②〖역〗벼슬아치가 도목 정사(都目政事)에 중등(中等) 맞음. ——-하다 자여불

거:중-기【擧重機】명 무거운 물건을 들어 올리는 데 쓰는 재래식 기계. 지금의 기중기와 같은 것으로, 큰 건축 공사에 씀. *기중기(起重機).

〈거중기〉

거:중-성【擧中聲】명〖악〗①국악 가곡에서, 중간을 들어서 내는 소리. ②중거(中擧).

거중 조정【居中調停】명 ①사이에 들어 조정함. ②〖법〗제삼국(第三國)이 분쟁 당사국 사이에 들어 분쟁을 원만히 해결하도록 알선하는 일. ——-하다 자타여불

거:즈〔gauze〕명 가제(Gaze). 「無當)《永嘉 下 128》.

거즈말 명〈옛〉거짓말. ¶내 반ᄃᆞ시 거즈마리 마즌티 업스니(予必誑言

거즌-말 명〈방〉거짓말(경기).

거즘-말 명〈방〉거짓말(경기).

거:즛 명부〈옛·방〉거짓. ¶거즛 안(贗)《字會 下 21》/거즛 무(誣)《字會 下 29》. 「釋 Ⅸ:7》.

거:즛-말 명〈옛·방〉거짓말. ¶모딘 말 아니ᄒᆞ며 거즛말 아니ᄒᆞ며《月

거:증【擧證】명 ①증거를 듦. 사실의 유무를 증명함. 입증(立證). ②〖법〗증거 방법에 의하여 사실을 인정(認定)시키는 것을 목적으로 하는 소송 행위. ——-하다 자여불

거:증 책임【擧證責任】명〖법〗소송에서, 자기에게 유리한 사실을 주장하기 위하여 증거를 들어 법원으로 하여금 심증(心證)을 얻게 하는 책임. 입증 책임(立證責任).

거:지¹ 명 ①남에게 빌어서 얻어먹고 사는 사람. 걸개(乞丐). 걸인(乞人). 비렁뱅이. 유개(流丐). 유걸(流乞). 화자(花子). ②남을 천대하고 멸시하는 뜻으로 욕하는 말. >가지⁵.

[거지가 도승지(都承旨)를 불상타 한다] 자기가 불행한 처지에 있음에도 불구하고 도리어 그렇지 아니한 사람을 동정함을 가리키는 말. [거지가 말 얻은 것] 자기 한 몸도 주체하기 곤란하거든 하물며 이에 말까지 얻었다 함이니, 괴로운 중에 더욱 괴로운 일이 생겼음을 이르는 말. [거지가 밥술이나 먹게 되면 거지 밥 한술 안 준다] 가난하게 살던 자가 좀 형편이 펴이면, 도무지 어려운 사람을 생각할 줄 모른다는 말. [거지 꿀 얻어 먹기] 매우 있기 어려운 일. [거지끼리 자루 찢는다] 서로 동정하고 도와야 할 처지에, 제가 더 가지겠다고 싸운다는 말. [거지는 논두렁 밑에 있어도 웃음이 있다] 비록 가난하더라도 마음 먹기에 따라 정신적 행복은 얼마든지 있을 수 있다는 말. [거지는 모닥불에 살찐다] 아무리 어려운 사람이라도 무엇이나 하나는 사는 재미가 있다는 말. [거지도 부지런하면 더운 밥을 얻어 먹는다] 사람은 어떻든지 부지런하여야 복 받고 살 수 있다는 말. [거지도 손 볼 날이 있다] 아무리 가난한 집이라도 손님을 맞을 때가 있으니 깨끗한 옷쯤은 마련하여 간직해 두어야 한다는 뜻. [거지 베 두루마기 해 입힌 셈만 친다] '거지 옷 해 입힌 셈이다'와 같은 뜻. [거지 술안주 같다] 시시하고 보잘것 없는 음식을 이르는 말. [거지 옷 해 입힌 셈이다] 대가(代價)나 보답을 바라지 않고 자비(慈悲)로 은혜를 베풀어 줌을 가리키는 말. [거지 자루 기울 새 없다] 가난한 살림이라도 생활해 나가려면 바쁘고 짬이 없다는 말. [거지 자루 찢는다] 변변하지 못한 사물을 가지고 서로 다툼을 이르는 말. [거지 자루 크면 자루대로 다 줄까] 그릇이 크니 많이 달라고 해서 그대로 다 줄 수 없다는 말. [거지 제 쪽박 깨기] 도리어 자기 손해만 자초하는 짓. [거지 턱을 쳐 먹어라] 지나치게 인색하고 하는 짓이 다라워 남의 것만 얻어 먹으려고 하는 사람을 욕하는 말.

거:지 밥주머니 구 이것저것 너절한 것을 되는 대로 섞어서 넣어둔 것을 이르는 말.

거지² 명〈방〉호주머니(황해).

거:지³【巨指】명 엄지가락.

거:지⁴【拒止】명 항거하여 막음. ——-하다 타여불

거지⁵【居地】명 살고 있는 땅.

거:지⁶【擧止】명↗행동 거지(行動擧止).

-거지 미〖건〗☞-걷이❷.

거:지-같다 형〈속〉어떤 일이 마음에 들지 않거나, 물건이나 사람이 좋게 여겨지지 아니하다. ¶거지같은 일만

거:지-같이 [—가치] 부〈속〉①거지같게. 다. ②어떤 일이 마음에 들지 않거나 언짢게 때 투덜거리는 소리. ¶~, 요게 뭐람.

거:-지게 명 길마 양편에 하나씩 덧얹고 짐을 지게. 길이가 두 자쯤 되고 동발이 썩 짧으며, 장이 위 아래로 둘만 있음.

거지-깔 명〈방〉거짓말(전남).

거:지-꼴 명 거지와 같은 초라한 모양. ¶~이 되다.

거:지-덩굴 명〖식〗[*Cissus japonica*] 포도과에 속하는 다년생 만초(蔓草). 지하경(地下莖)은 땅 속에 가로 뻗으며 줄기는 모가 나고 녹자색(綠紫色)으로 다른 것에 감기어 올라감. 잎은 호생하는데 권수(卷鬚)가 대생(對生)하고 장병(長柄)에 복엽(複葉)이며, 다섯 잎의 소엽(小葉)은 단병(短柄)이고 달걀꼴 또는 긴 달걀꼴임. 7-8월에 황록색 꽃이 산방상(繖房狀) 취산 화서로 피며 장과(漿果)를 맺음. 산이나 들에 나는데, 제주도에 분포함. 오렴매(烏蘞苺). 오룡초(五龍草). 오엽매(五葉苺). 오조룡(五爪龍). 발룡갈(拔龍葛).

〈거지

거:지-딸기 명〖식〗[*Rubus asper*] 장미과에 속하는 낙엽 활엽 시 및 선자모(腺刺毛)가 있고 잎은 우상 복생(羽狀複生)함. 4월 꽃이 원추 화서(圓錐花序)로 정생(頂生)하며, 수과(瘦果)를 맺는 실군은 타원형이고 6월에 누렇게 익음. 산지에 나는데, 제주도·(莞島) 및 일본·중국·히말라야 등지에 분포함. 과실은 식용함.

거:지-말 명〈방〉거짓말(경북).

거지-반【居之半】부 절반 이상. 거의. ¶일이 ~ 끝났다. ㈜거반(居半).

거:지 발싸개 명〈비〉몹시 더럽고 추저분하여 보기에 흉한 사람이나 물건을 욕하여 이르는 말. ¶~ 같은 놈.

거지-뿌랭 명〈방〉거짓말(경북).

거지-뿌랭이 명〈방〉거짓말(경기·강원).

-거지이다 어미〈옛〉-(어)지고자 하나이다. ¶내니거지이다 가샤(請而自往)《龍歌 58章》/모든 놀람과 저흠 업거지이다《永嘉 下 140》.

거:지 주머니 명 기형적(畸形的)으로 자라서 주머니처럼 생긴 과실(果實)을 이르는 말.

거지-중천【居之中天】명 허공(虛空)❶.

거:지-풍【一風】명 그 몰골이 거지와 같음.

거:진¹【巨津】명〖지〗강원도 고성군(高城郡) 동부에 위치하는 한 읍(邑). 동해에 임(臨)한 어항으로, 명태·오징어·꽁치 등의 어획물이 많음. [12,782 명(1990)]

거:진²【巨鎭】명〖역〗조선 시대 때, 절제사(節制使)·첨절제사(僉節制使)의 진영(鎭營). *주진(主鎭)·진(鎭).

거진³【車塵】명 수레가 지날 때 나는 먼지.

거진⁴ 부〈방〉거의³(경기·강원·경북·제주).

거:진-말 명〈방〉거짓말(경기·강원·충북·경북).

거질미-왕【居叱彌王】명〖사람〗가락국(駕洛國)의 제4대 왕. 마품왕(麻品王)의 아들. 금물(今勿)이라고도 함. [재위 291-346]

거짐-말¹ 명〈방〉거짓말(경기·충북·전라·경상).

거:짐-말² 명〈방〉거짓말(경기·강원·충북·경북).

거:집【據執】명〖역〗거짓 꾸민 문서(文書)를 빙자하여 남의 것을 차지하여 가지고 돌려 보내지 아니함. ——-하다 자타여불

거집-소리 명〈방〉거짓말(평북).

거:짓 ㊀명 ①사실과 어긋남. 또, 사실 아닌 것을 사실같이 꾸밈. 기휼(奇譎). 허위(虛僞). ②〔false〕〖수·컴퓨터〗어떤 조건 하에서 그 명제(命題)가 옳지 않은 것. 1)·2): ↔참¹. ㊁부 사실 아닌 것을 사실같이. ¶~ 꾸미다.

거:짓-갈 명〈방〉①거짓꼴. ②거짓말(전라).

거:짓-꼴 명 거짓 모양.

거:짓-마침 명〔deceptive cadence〕〖악〗화성법의 하나. 딸린화음에서 으뜸화음의 화음으로 진행하여 일단 정지, 불안정감을 나타내는 방식. 쇼팽·브람스·바그너 등 낭만파 작곡가가 즐겨 썼음. 위종지(僞終止).

거:짓-말 명 실상이 없는 말. 남을 속이는 말. 허설(虛說). 허언(虛言). 귀화(鬼話). 망어(妄語). >가짓말. ↔참말. ——-하다 자여불

[거짓말도 잘 하면 오려논 닷마지기보다 낫다] 거짓말도 잘 하면 처세에 이로울 수도 있으니, 아무쪼록 말을 잘 해야 한다는 뜻. [거짓말은 도둑놈 될 장본] 거짓말을 하는 버릇이 도둑질의 시초라는 말. [거짓말이 외삼촌보다 낫다] 거짓말도 경우에 따라서는 큰 도움이 된다는 말. [거짓말하고 뺨 맞는 것보다 낫다] 거짓말을 하면 아니 된다는 말.

거:짓말(을) 보태다 구 사실보다 과장하여 말하다. ¶거짓말 보태서 천 명은 되겠더라.

거:짓말-쟁이 명 거짓말을 잘 하는 사람. >가짓말쟁이.

거:짓말 탐지기【一探知器】명 거짓말 여부를 탐지하는 기계. 호흡의 완급, 혈압의 고저, 피부 전기 반사의 강약 등이 평상시와 거짓말을 하였을 때와 차이가 나는 것을 이용한 것임. 「의 말은 ~다.

거:짓말-투성이 명 참말은 별로 없고 전부가 거짓말뿐일 정도임. ¶그

거짓-부때기 명〈방〉거짓말(함경).

거:짓-부렁 명↗거짓부렁이. >가짓부렁.

거:짓-부렁이 명〈속〉거짓부리. ㈜거짓부렁. >가짓부렁이.

거짓-부레 명〈방〉거짓말(함북).

거짓-부레기 명〈방〉거짓말(평북).

거:짓-부리 명 거짓말. ㈜거짓불. >가짓부리.

거짓불

거:짓-불
거:짓-상
거:짓-소리
거:짓-없

ㅏ(虛像). 「聲). 가성(假聲).
성구(聲區)에서 가장 높은 음넓이. 이성(裏
틀림 없다. 어김 없다. 숨김 없다. 솔직하다.
고백.
거짓없게. ¶ ~ 말하게.
〖지〗 서해 남부 전라 남도 진도(珍島)의 남서
차도(東居次島)·서(西)거차도를 비롯하여 윗
(上松島)·송도(松島)·항도(項島)·북도(北島)
마늘 등의 특수 작물이 재배되고, 각종 난류 어
回游) 지역임.
〖지〗 평안 남도 양덕군(陽德郡)과 함경 남도 영흥
는 고개. 낭림 산맥(狼林山脈)의 허리 부분으로서
ㅕ간의 주요 통로로 이용되었음. [537 m]
교〗 큰 절. 대찰(大刹).
에서, 정거장.
참〗 어이없을 때 나오는 소리. ¶ ~ 안 됐다.
명 사물이 엄청나게 큼. ¶ ~한 사업/~한 토목 공
여불
지〗 경상 남도 거창군(居昌郡)의 한 읍으로 군청 소재
다와 가장 멀리 떨어진 곳이지만, 대구·김천·전주 등
교통의 요지임. 농산물·목재의 집산지임. [39,177 명

【居昌郡】 명 〖지〗 경상 남도의 한 군. 관내 1읍 11면. 북은 경
북도 김천시(金泉市)와 전라 북도 무주군(茂朱郡), 동은 합천군(陜川郡), 남은 산청군(山淸郡)과 함양군(咸陽郡), 서는 함양군에 인접함. 산물로는 콩·삼·사과·담배·목화·닥나무 등이 있고 공예품으로는 창호지(窓戶紙)와 도자기의 제조가 유명하며 명주도 생산함. 명승 고적으로는 수승대(搜勝臺)·건계정(建溪亭) 등이 있음. 군청 소재지는 거창읍(邑). [804.30 km²: 73,799 명(1996)]

거창 민란【居昌民亂】[—밀—] 명 〖역〗 조선 철종 13년(1862) 5월에 진주(晋州) 민란의 영향을 받아 경상도 거창에서 일어난 농민 봉기. 관아(官衙)를 습격하고, 아전·포교의 집 등 민가(民家) 40호를 불태움.

거창 분지【居昌盆地】 명 〖지〗 경상 남도 북서부 낙동강(洛東江)의 지류인 황강(黃江) 상류에 의하여 개석(開析)된 한국의 대표적인 산간 분지의 하나. 중심지는 거창(居昌).

거창 사:건【居昌事件】[—껀] 명 〖역〗 6·25 전쟁 중인 1951년 2월, 경상 남도 거창군 신원면(神院面)에서 있었던 양민(良民) 대량 학살 사건. 지리산(智異山) 공비(共匪) 소탕을 위하여 주둔했던 육군 제11사단 제9연대 제3 대대가 수차에 걸친 소개(疏開) 지시에 불응한 주민 700여 명을 무차별 학살함. 이 사건이 그 해 3월에 공개되자, 국방·내무·법무의 3부 장관이 사임하고, 직접 관계된 자들은 군법 회의에 회부되어 처벌되었으나, 얼마 지나지 않아 특사로 모두 석방됨.

거:창-스럽다【巨創—】 형 ㅂ불 거창한 느낌이 있다. 거:창-스레【巨創—】 부

거:처¹【去處】 명 간 곳. 또, 갈 곳. ¶ ~를 분명히 하라.

거처²【居處】 명 ①거소(居所)❶. ¶ ~를 정하다. ②한 군데 정하여 두고 일상(日常) 기거(起居)함. 또, 그 곳이나 그 방. ¶ 시골집에서 ~하다. ——-하다 자여불

거처-방【居處房】[—빵] 명 일상 거처하는 방. 거실(居室).

거:처 불명【去處不明】 명 거처가 불명함. 간 곳을 모름.

거:천【擧薦】 명 ①천거(薦擧). ②어떤 일이나 사람에 대하여 관계하기를 시작함. ——-하다 자타여불

거철【車轍】 명 거궤(車軌).

거철 마:적【車轍馬跡】 명 수레바퀴 자국과 말 발자국. 곧, 거마(車馬)로 천하를 순유(巡遊)한 자취.

거:첨【去尖】 명 〖한의〗 약에 쓸 행인(杏仁)·도인(桃仁) 등의 뾰족한 끝을 떼어 버림. ——-하다 타여불

거청-숫돌 명 거센 숫돌.

거:체【巨體】 명 큰 체격(體格). 거대한 몸뚱이. 거구(巨軀).

거쳐-가다 타거라불 중간에 어떤 곳을 지나거나 들러 가다.

거쳐-오다 타너라불 중간에 어떤 곳을 지나거나 들러 오다.

거초【裾礁】 명 [fringing reef] 〖지〗 해양도(海洋島)나 대륙의 둘레에, 육지 가까이 육지를 둘러싸듯 발달하는 산호초(珊瑚礁).

c 중앙섬, r 강
〈거초〉

거:촉¹【巨燭】 명 매우 큰 초.

거:촉²【炬燭】 명 횃불과 촛불.

거:촉³【擧燭】 명 ①초에 불을 켜서 듦. ②현인(賢人)을 등용(登用)함. ——-하다 자여불

거촌【居村】 명 머물러 사는 마을.

거총【据銃】 명 〖군〗 사격할 때, 목표를 겨누기 위하여 개머리판을 어깨에 댐. ——-하다 자여불

거:추¹【去秋】 명 지난 가을.

거:추²【巨酋】 명 거두(巨頭) 되는 추장(酋長).

거추-꾼 명 일을 거추하여 주는 사람.

거추-없다[—업—] 형 하는 것이 싱거워 어울리지 아니하다.

거추-없이[—업씨] 부 거추없게.

거:추장-스럽다 형 ㅂ불 ①아주 크거나 무거워서 주체하기 곤란하다. ¶ 거추장스러운 짐. ②옷이 길어서 몸 놀리기가 거북하다. ¶ 거추장스러운 옷. ③사단(事端)이 많아서 좀처럼 끝이 아니 나다. ¶ 거추장스러운 일. 거:추장-스레 부

거추-하다 타여불 보살피어 거두다. 뒤보아 주어 주선하다.

거축-두【車軸頭】 명 〖고고학〗 굴대투겁.

거:춘【去春】 명 지난봄.

거:출【醵出】 명 갹출(醵出). ——-하다 타여불

거춤-거춤 부 일을 대강대강 하는 모양. 대강대강 거쳐 가는 모양. ¶ 지저분한 것을 ~ 치우다.

거충 명 〈방〉 거죽¹(함경).

거충-거충 부 정밀하지는 못하여도 쉽고 빨리. ¶ 설거지를 ~ 해 치우다.

거:취¹【去取】 명 버리기와 취하기.

거:취²【去就】 명 일신(一身)의 진퇴(進退). 또, 자기의 입장을 밝혀 취하는 태도. ¶ ~를 분명히 하라.

거:취-조【巨嘴鳥】 명 〖천〗 큰부리새자리.

거츠깽이 명 〈방〉 겉(충남).

거츠디 형 〈옛〉 거칠지. '거츨다'의 활용형. ¶ 誠實은 거츠디 아니ᄒᆞ야 實ᄒᆞᆯ 씨라《阿彌 19》.

거츠렁이 명 ☞거치렁이.

거츠리 부 〈옛〉 거칠게. 허망하게. ¶ 거츠리 골히야 正히 아디 몯ᄒᆞ야《月釋 Ⅸ:8》/ 所明을 거츠리 보아(妄見所明)《楞嚴 Ⅸ:27》.

거츨다 형 〈옛〉 거칠다. 허황하다. =거츨다. ¶ 거츤 뜰헷 봆 플 비츨 지즐 안조ᄆᆞᆯ 肯許ᄒᆞ시면(肯藉荒庭春草色)《杜諺 XXI:4》.

거치¹ 명 〈방〉 거적.

거치²【据置】 명 ①변경하지 않고 그대로 둠. ②〖경〗 회사의 이익 배당(利益配當) 및 조업 단축(操業短縮) 등의 율(率)을 종전대로 하며 변경하지 아니함. ③〖경〗 공채(公債)·사채(社債)·예금(預金) 등을 일정한 기간, 상환(償還) 또는 지급(支給)하지 아니함. ¶ 5년 ~ 10년 분할 상환의 차관. ——-하다 타여불

거:치³【鋸齒】 명 톱니.

거치- 간 '거칠다'의 어간. ¶ ~ㄴ/~ㅂ니다/~오.

거치다¹ ㊀ 자 무엇에 걸려서 스치다. ¶ 가로~. *거치적거리다. ㊁ 타 ①지나는 길에 잠깐 들르다. ¶ 유럽을 거치어 가다. ②과정을 밟다. 경유하다. ¶ 심사를 ~/초등 학교를 거치어 중학에 입학하다/우리들의 조상이 거친 고난의 역사.

거치다² 자타 〈방〉 그치다(경북).

거치-떼미 명 〈방〉 바닥걸기질. ——-하다 자

거치렁이 명 거친 벼. ¶ 의복·패물을 모두 팔아 ~ 밭날갈이 논마지기나 장만하여 살으십시다《李海朝: 彈琴臺》.

거:치-룡【鋸齒龍】 명 〖동〗 [*Pareiasaurus*] 협룡류(頰龍類)에 속하는 화석(化石) 동물. 고생대 페름기(紀)에서 중생대 트라이아스기에 번성했는데 몸길이 2.5 m 이상이며 천골(薦骨)은 약 18개, 천추골(薦椎骨)은 약 30개이며 견갑골(肩胛骨)은 공룡(恐龍)과 비슷하여 매우 길. 뒷다리는 앞다리보다 조금 짧고 다섯 개의 지골(趾骨)에는 각각 발톱이 있음.

거:치-문【鋸齒文】 명 '톱니무늬'의 구용어.

거치 배:당금【据置配當金】 명 일정한 기간 중 회사가 거치해 두고 지급하지 않는 이익 배당금.

거치 보:험【据置保險】 명 〖경〗 보험 계약 후 일정 기간 동안은 비록 사고가 발생하더라도 계약의 효력을 발생시키지 않는 보험.

거:치-상【鋸齒狀】 명 톱니 모양의 가나 끝의 형태.

거:치상-엽【鋸齒狀葉】 명 〖식〗 톱니잎.

거:치상-파【鋸齒狀波】 명 〖물〗 톱니파.

거:치-연【鋸齒緣】 명 〖식〗 잎의 가장자리가 톱니처럼 된 것. ↔전연(全緣). *결각연(缺刻緣).

〈거치연〉

거치 예:금【据置預金】 명 〖경〗 일정한 기간 상환(償還) 또는 지급하지 않는 예금.

거치장-스럽다 형 ㅂ불 ☞거추장스럽다.

거치적-거리다 자 움직이는 곳에 방해되게 자꾸 여기저기 걸리고 닿치다. ㅆ꺼치적거리다. >가치작거리다. *거치다. 거치적-거치적 부. ——-하다 자여불

거치적-대다 자 거치적거리다.

거치 주권【据置株券】[—꿘] 명 〖경〗 이익 배당(利益配當)을 받는 권리를 어떠한 기간 동안 정지하거나 또는 보통 주권 소지자에게 소액(少額)의 배당을 주는 주권.

거:치 촌:충【鋸齒寸蟲】 명 〖동〗 개촌충.

거치 할인 제:도【据置割引制度】 명 〖경〗 기업 연합이 그 독점을 확보하기 위하여 일정한 기간 중, 반 년 또는 1년간 상인의 기업 연합 이외의 상품을 취급하지 않는다는 조건하에 그 상인에 대하여 일정률의 금액을 지급하기로 계약하는 제도.

거친 구리 명 [coarse copper] 〖광〗 구리의 원광(原鑛)을 용광로(鎔鑛爐)로 녹여 찌꺼기를 만들고 이것을 반사로(反射爐)나 전로(轉爐)에 옮기어 산화(酸化)·정련(精鍊)한 물질. 99.1% 이상의 구리를 포함하고 있음. 조동(粗銅).

거친 널:판 명 〖건〗 대패질하지 않은 채로의 널빤지.

거친-돌 명 〖건〗 채석장(採石場)에서 채취(採取)한 채 다듬지 아니한 돌.

거친-먹이 명 조잡(粗雜)한 사료(飼料). 조사료(粗飼料).

거친무늬 거울[—니—] 명 〖고고학〗 뒷면의 장식이 세모꼴의 톱니무늬 등 굵은 선으로 된 거울. 잔무늬 거울보다 약간 이른 시기에 나타난 것으로 여겨짐. 조문경(粗文鏡). *잔무늬 거울.

거칠-거칠 부 반드럽지 않은 모양. ¶ ~한 촉감. ㅆ꺼칠꺼칠. >가칠가칠. ——-하다 형여불

거칠다 형 ①가루나 모래알 따위가 곱지 않고 굵다. ¶ 거친 떡가루. ②천 따위의 올이 사이가 성기고 굵다. ¶ 거친 삼베/거칠게 짜다. ③나무나 피부의 결이 곱지 않다. 반드럽지 않다. ¶ 나뭇결이 ~/살결이 ~. ④정(精)하지 않다. 찬찬하지 않다. 막되다. ¶ 일이 ~/문장이 ~/말이 ~/행동이 ~. ⑤논밭이나 무덤 따위가 손질·정리되어 있지 않아 잡풀이 많이 나고 스산하다. ¶ 밭이 ~/거친 산천(山川). ⑥성질이 온순하지 않다. 난폭하다. ¶ 성질이 ~. ⑦격렬하다. 세다. 고르지 않다. ¶ 거친 물결/바람이 거칠게 불다/숨소리가 ~. ⑧음식이 입에 맞지 않

고 꺽꺽하다. ¶ 거친 음식. ⑨손버릇이 나쁘다. ¶ 그 애는 손이 ~.

거칠-봉【居七峰】명〖지〗전라 북도 무주군(茂朱郡) 설천면(雪川面)에 있는 산. 소백(小白) 산맥 중에 솟아 있는 고봉(高峰)의 하나. 금강(錦江)의 지류인 남대천(南大川)의 수원(水源)을 이룸. [1,182m]

거칠부【居柒夫·居漆夫】명〖사람〗6세기 신라의 상대등(上大等)으로 국사(國史)를 편찬한 사람. 성은 김씨(金氏). 내물왕(奈勿王)의 5대손. 진흥왕(眞興王) 6년(545)에 국사를 편찬하고, 동 12년에는 장군으로 죽령(竹嶺) 이북 지방을 점령하였음. 황종(荒宗). [?-579]

거칠산-군【居漆山郡】명〖역〗신라 때의 한 고을. 경상 남도 동래군(東萊郡)의 옛이름. 「부가 ~. ㅆ꺼칠하다. >가칠하다.

거:칠-하다 형여불 살이 빠져서 피부나 털이 거칠어 윤기가 없다. ¶ 피

거침¹ 명 가는 중간에 무엇에 거치적거리는 일.

거:침²【巨浸】명 ①큰물. 홍수. ②큰 오미. 큰 못.

거침-새 명 가는 중간에 거치적거리는 물건. 또, 거치적거리는 상태.

거침-없다 [-업-] 형 ①중간에 아무 거침이 없다. 앞에 막히는 것이 없다. ②거리낌없다.

거침-없이 [-업씨] 부 거침없게. ¶ ~ 진행되다/~ 말하다.

거칫-거리다 자 살갗에 조금씩 거칠게 걸리다. ㅆ꺼칫거리다. >가칫거리다. 거칫-거칫 부. ——-하다 자여불

거칫-대다 자 거칫거리다.

거:칫-하다 형여불 여위고 윤기(潤氣)가 없어 앙그러지지 못하다. 반드럽지 않다. 조금 껄껄하다. ㅆ꺼칫하다. >가칫하다.

거출다 형〈옛〉거칠다. =거츨다. ¶ 그 거츨고 기우러딘 이를 가지며(取其荒頓者)≪小諺 Ⅵ:20≫.

-거커를 어미〈방〉-게시리.

거쿨-스럽다 형ㅂ불 보기에 거쿨지다. 거쿨-스레 부

거쿨-지다 형 언행(言行)이 시원시원하다. ¶ 그 녀석 참 ~.

거큼 명〈방〉거품(충남).

거타-주【居陁州】명〖역〗경상 남도 거창군(居昌郡)·진주시(晋州市)·진양군(晋陽郡) 지역에 있었던 신라 시대의 행정 구역. 문무왕(文武王) 2년(685)에 백제의 거열성(居烈城)을 빼앗아서 둔 고을임. 그 뒤 신문왕(神文王) 5년(685)에 청주(菁州)로 나뉘어 나간 나머지를 경덕왕(景德王)이 거창군(居昌郡)으로 고치어 지금에 이르렀음. *거열군(居烈郡).

거타-지【居陁知】명〖사람〗신라 진성 여왕(眞聖女王) 때의 활 잘 쏘던 군사(軍士). 중국 당(唐)나라에 사신으로 갈 때 궁사(弓士)로서 따라가던 도중 곡도(鵠島)에서 홀로 남아 서해 해신(海神)을 위하여 악사미(惡沙彌)를 활로 쏘아 죽였다 함.

거:탄【巨彈】명 ①큰 탄환이나 폭탄. ②커다란 문제 거리. 주로 중요한 성명·선언 따위를 이름.

거탈 명 실속이 아닌 다만 겉. ¶ ~만 보고 사람을 평가하지 말아라.

거탈 수작【-酬酌】명 실속 없이 겉으로만 주고받는 말이나 짓.

거택【居宅】명 주택(住宅).

거터 [gutter] 명 볼링에서, 앨리(alley)의 양쪽 가에 나 있는 홈. 핀에 다다르기 전에 이 홈에 공이 빠지면 채점이 되지 않음.

거터디다 자〈옛〉거꾸러지다. =거티다❶. ¶ 거텨딜 딜(跌)≪字會 27≫.

거:통¹ 명 ①의젓하고 당당한 체모(體貌). ②지위는 높되 아무 실권(實權)이 없는 처지.

거:통²【巨桶】명 크게 만든 통.

거트 [gut] 명 ①창자. ②장선(腸線).

거트-현【-絃】[gut] 명〖악〗현의 한 가지. 바이올린 계통의 현악기나 하프 등에 사용되는 양(羊)의 소장(小腸)을 정제해서 만든 현(絃). 양장현(羊腸絃).

거티다 자〈옛〉①거꾸러지다. =거텨디다. ¶ 오직 앏 거티더라(只是前失)≪朴解 上 63≫/거틸 궐(蹶)≪字會 下 27≫. ②거리끼다. ¶ 손애 거티디 아니ᄂᆞ니ᄂᆞᆫ ᄡᅳ리과 ᄯᅩ도역이라(不礙指者痲疹痈瘡也)≪痘瘡集要 上 15≫/거티다(礙)≪語錄 5≫.

거:판【擧板】명 판들어 버림. 가산(家産)을 탕진함. ——-하다 자여불

거:판-지다 형〈방〉거방지다.

거:패【去貝】명〖식〗목면(木綿)❸.

거퍼 부 ☞ 거푸.

거:편【巨篇】명 크고 무게 있는 내용의 저술.

거:폐¹【巨弊】명 큰 폐단(弊端).

거:폐²【去弊】명 폐단(弊端)을 없애 버림. ——-하다 자여불

거:폐 생폐【去弊生弊】명 폐단을 없애려다가 도리어 딴 폐단이 생김. ——-하다 자여불

거:폐-스럽다【巨弊-】형ㅂ불 다루기가 어려워서 큰 폐단(弊端)이 될 직하다. 거:폐-스레【巨弊-】부

거:포¹【巨砲】명 큰 대포(大砲).

거:포²【巨逋】명〖역〗관원(官員)이 거액(巨額)의 공금(公金)을 사사로이 소비함. *포흠(逋欠). ——-하다 타여불

거:포³【拒捕】명 체포(逮捕)당하기를 거절함. ——-하다 자여불

거푸 부 잇따라 거듭. ¶ 물을 ~ 마시다.

거푸-거푸 부 여러 번 거푸. ¶ 이상태는 …현장사무소의 부감독 책상앞에 앉아 ~ 한숨을 쉬고 있었다≪尹正奎 : 오욕의 강물≫.

거푸-돌 명〈방〉속돌.

거푸-뛰기 명 무용에서, 한 발을 들고 한 발로만 거푸 뛰는 동작.

거푸수수:-하다 형〈방〉에푸수수하다.

거푸-지다 형〈방〉거쿨지다.

거푸-집 명 ①도배 또는 배접(褙接)을 할 때, 잘 붙지 아니하고 들뜬 틈. ②몸의 외양(外樣). ③쇠붙이를 녹여서 부어 만드는 물건의 본이 되는 틀. 그 재료에 따라 금형(金型)·사형(砂型) 등이 있음. 주형(鑄型). 용범(鎔范). 형(型). ④〈방〉〖건〗두껍닫이.

거푸집-널 명〖토〗콘크리트를 부어 넣고, 단단... 워서, 흘러나오지 않게 하는 널빤지. 구용...

거푼-거리다 자 물체의 한 부분이 바람에 날리... *거풀거리다. 거푼-거푼 부. ——-하다 자여불

거푼-대다 자 거푼거리다.

거풀 명 ☞ 꺼풀.

거풀-거리다 자 물체의 한 부분이 바람에 날려 무겁게 가라앉았다가 하다. *거푼거리다. 거풀-거풀 부. ——-...

거풀-대다 자 거풀거리다.

거품 명 ①액체가 기체를 머금어서 속이 비어 둥글게 부푼 방... ~/물 위에 ~이 뜨다. ②기포(氣泡). ③입가에 내뿜어진 속이... 울들. ¶ 입에 ~을 물다.

거품(을) 치다 구 찬 공기(空氣) 등을 쐬어 거품을 없이 하다.

거품 경제【-經濟】명〖경〗투기 행위 따위로 일시적으로 호경기... 상 시세를 보이는 경제. *버블 현상.

거품-벌레 명〖충〗[*Aphrophora costalis*] 거품벌렛과에 속하는 곤충. 몸길이는 11-12 mm이고, 몸과 날개가 모두 황갈색에 두흉부(頭胸部)의 반문(斑紋)은 황백색임. 전흉부(前胸部)에는 검은 점각(點刻)이 있으며, 정중선(正中線)은 융기(隆起)하였음. 버드나무의 해충(害蟲)으로, 한국·일본 등지에 분포함. 좀매미.

〈거품벌레〉

거품벌렛-과【-科】명〖충〗[Cercopidae] 매미목(目)에 속하는 한 과. 단안(單眼)은 두 개 있거나 없는 것도 있음. 촉각의 편상부(鞭狀部)는 굵은 기부(基部)와 극모상(棘毛狀)의 부분으로 되고, 뒷다리의 기절(基節)은 짧고 원추형(圓錐形)을 이루며, 복부 제 7·8 절에 측선(側腺)이 있음. 여러 식물의 해충으로, 전세계 특히 열대 지방에 많이 분포함. 좀매밋과.

거품-상자【-箱子】명 기포 상자(氣泡箱子).

거품-유리【-琉璃】[-뉴-] 명 [foam glass] 유리의 일종. 유리 가루에 탄산 칼슘 같은 거품제(劑)를 넣고 고열(高熱)을 가하여 부풀어오르게 한 것. 방음·방열 등에 이용됨. 기포 유리.

거품-제【-劑】명 거품을 일게 하는 약제.

거품-해파리 명〖동〗[*Hormiphora palmata*] 풍선해파리목 거품해파릿과에 속하는 강장(腔腸) 동물. 몸길이 1.5-4.5 cm의 풍선 모양이고, 무색 투명함. 촉수는 한 쌍이며, 촉수에는 가지가 규칙적으로 나열하여 있어 이것으로 먹이를 잡음. 촉수가 수축(收縮)하면 촉수초(觸手鞘) 안으로 오므라듦. 5-9월에 출현하여 부유(浮游) 생활을 하는데, 한국 남해 연안·일본 등지에 분포함.

〈거품해파리〉

거품-흰자 [-힌-] 명 거품을 일으킨 달걀의 흰자. 달걀의 흰자만을 조금 큰 그릇에 담고, 거품기나 나무젓가락으로 빨리 저어 거품을 일게 함. 카스텔라·요리 등에 씀.

거풋-거리다 자 놓인 물체의 한 부분이 가볍고 빠르게 거풀거리다. 거풋-거풋 부. ——-하다 자여불

거풋-대다 자 거풋거리다.

거:풍【擧風】명 쌓아 두었던 물건을 바람에 쐼. *포쇄(曝曬). ——-하다 타여불

거플¹ 명〈옛〉꺼풀. 껍질. ¶ 거플 부(稃)≪字會 下 6≫.

거플² 명〈옛〉거푸집❸. ¶ 模ᄂᆞᆫ 鑄物ᄒᆞᄂᆞᆫ 거플이오≪龜鑑 上 30≫.

거피¹ 명〈옛〉꺼풀. ¶ 巴豆 닐굽 나ᄎᆞ로 세흔 生이오 네흔 니겨 生으란 거피 밧겨 ᄒᆞᆯ오 니그니란 거피 밧기고 등잔브레 ᄉᆞ로ᄃᆡ 性이 잇게 ᄒᆞ라(七粒三生四熟生者去殼生研熟者去殼燈上燒存性)≪救方 上 41≫.

거:피²【去皮】명 ①껍질을 벗기어 버림. 박피(剝皮). ②거피고물. ——-하다 타여불

거피³ [guppy] 명〖어〗[*Lebistes reticulatus*] 송사릿과에 속하는 열대 담수어(熱帶淡水魚). 수컷은 몸길이가 3 cm, 암컷은 4 cm 가량이며 송사리와 비슷하나 몸이 더 가늘고 길며, 빨강·노랑·파랑·검정 등의 여러 빛깔의 무늬가 뒤섞여 있음. 난태생(卵胎生)임. 관상용(觀賞用)이고, 원산지는 서인도.

거:피-고물【去皮-】명 거피한 팥이나 녹두로 만든 고물. 거피.

거:피녹두-떡【去皮綠豆-】명 거피한 녹두로 고물을 한 떡.

거:피두-병【去皮豆餠】명 거피팥떡.

거:피-떡【去皮-】명 ↗거피팥떡.

거:피 입본【去皮立本】명 병든 소를 잡아 그 가죽을 팔아서 송아지를 삼. ——-하다 자여불

거:피-팥【去皮-】명 ①〖식〗팥의 한 품종. 껍질의 빛깔이 검푸르고 아롱진 점이 있으며 얇아서 벗기기 쉬운 까닭에 떡고물로 많이 쓰임. ②거피(去皮)한 팥.

거:피팥-떡【去皮-】명 껍질을 벗긴 팥으로 고물을 한 시루떡. 거피두병(去皮豆餠). 준거피떡.

거:하【去夏】명 지난 여름.

거-하다¹【居-】자여불 살고 있다. 머물러 있다.

거:-하다² 형여불 ①산이 크고 웅장하다. ¶ 거한 태백산 줄기. ②나무나 풀 등이 매우 무성하다. ¶ 거한 수풀을 헤치고 전진하였다. ③땅의 생긴 형세가 깊고 으슥하다.

거:학【巨壑】명 대학(大壑).

거:한【巨漢】명 몸집이 큰 사나이.

거:할-마【巨割馬】명 입 부리가 흰 말.

거:함【巨艦】명 매우 큰 군함(軍艦).

거:해¹【巨海】명 큰 바다. 대해(大海).

거:해²【去核】명 ←거핵(去核)❷. ——-하다 타여불

거:해-궁【巨蟹宮】명〖천〗황도 십이궁(十二宮) 중의 네번째. 황경(黃經) 90도부터 120도까지를 차지하고 있음. 육안으로 보이는 별은 약 50개 가량. 하지(夏至) 무렵부터 한 달 가까이 태양은 이 궁에 있음.

거:핵¹【去核】명 …를 뽑아 버림. ②씨가 든 면화(棉花)에 상
대되는 말로, …이 된 솜. →거해(去核). ——-하다 타여불
거:핵²【擧劾】… 들어 탄핵함. ——-하다 타여불
거:행【擧行】… 시행함. ¶ 분부대로 ~하다. ②식이나 행사
따위를 … 졸업식을 ~하다. ——-하다 타여불
… 명령을 시행함이 민첩하지 못함. ——-하다 「일.
… 명령대로 시행하는 일. ②의식(儀式)을 치르는
거:행… [—뻡] 명〖법〗혼인 거행지의 법률. 국제 사
… 형식적 성립 요건의 준거법(準據法)으로서 인정 ㄴ됨.
… 살고 있음. ——-하다 자여불
… 새.
… 마(巨割馬). ¶ 거헐 뭃(粉嘴馬)≪譯語 下 28≫.
… 器】명〖고고학〗'수레토기'의 구용어.
… 우르다. 기울이다. =거후로다. ¶ 禮에 酒祭호믈 져
… 食을 변豆 ᄉᆞ이에 祭ᄒᆞ나 ᄒᆞ니≪家禮解 X:17≫.
… 홰불. 작화(爝火).
… ①홰불을 켬. ②〖역〗조선 시대 때, 임금에게 직소(直
… 서울 남산(南山) 위에 홰불을 켜서 그 뜻을 나타내던
… 자여불
… 戰】명〖민〗'홰불 싸움'의 한자말.
… 火戲】[—히] 명〖민〗'홰불 싸움'의 한자말.
… 〈옛〉기울이다. 거우르다. =거호로다. ¶ 잡거니 밀거니 슬
… 거후로니≪松江 星山別曲≫.
…훔 명〈옛〉악골(顎骨). =거흠·거엄. ¶ 거훔 악(腭)≪字會 上 26≫.
거훔한 명〈옛〉이를 굵게 낸 환. =거음한. ¶ 거훔한 산(鏟)≪字會 中 16≫.
거:휘【擧揮】명 법무(法舞)의 춤 동작의 하나. 두 손을 모아 밖으로 둘러 왼편에서 비롯하면 오른편으로, 오른편에서 비롯하면 왼편으로 하여 위를 가리키는 동작.
거흠 명〈옛〉악골(顎骨). =거훔. ¶ 아히 웃거흠의도 ᄇᆞᄅᆞ며(抹兒上腭間)≪痘方 4≫.
걱더듬다 [—따] 타 ☞걸터듬다.
걱드기 명〈방〉나막신(경기·함남).
걱실-거리다 자 성질이 너그러워 언행을 활발하게 하다. 걱실-걱실 부. ¶ 말도 ~ 잘 받는 것이 분녀에게는 알 수 없이 반갑다≪李孝石: 粉女≫. ——-하다 자형여불
걱실-대다 자 걱실거리다.
걱정 명 ①무슨 일에 염려가 되어 속을 태우는 일. 근심. ¶ 실수나 하지 않을까 ~이 된다 / 나라의 앞날을 ~하다. ②아랫사람의 잘못을 꾸짖는 말. ¶ ~을 듣다. ——-하다 자타여불
【걱정도 팔자】하지 않아도 될 걱정을 자꾸 하거나 자기에게는 아무 관계도 없는 남의 일에 참견하는 일을 조롱하거나 비웃어 이르는 말.
【걱정이 반찬이면 상발이 무너진다】쓸데없이 걱정만 하고 식사도 제대로 하지 아니하는 사람을 두고 이르는 말.
걱정이 태산이다 구 극복해야 할 걱정이 태산처럼 험하고 크다. ¶ 그러나저러나 나는 걱정이 태산이다≪崔瓚植: 雁의 聲≫.
걱정-가마리 [—까—] 명 늘 꾸중을 들어 마땅한 사람.
걱정-거리 [—꺼—] 명 걱정이 되는 조건이나 일. 근심거리.
걱정걱정-하다 자타여불 몹시 걱정하다. 「는 사람.
걱정-꾸러기 명 ①늘 뭐이든 걱정하는 사람. ②늘 남에게 걱정을 끼치
걱정-덩어리 명 큰 걱정거리. ¶ ~가 생기다.
걱정-스럽다 형ㅂ불 ①마음이 안 놓이어 걱정이 됨직하다. ¶ 병세가 ~. ②걱정거리가 있어 보이다. ¶ 걱정스러운 얼굴. 걱정-스레 부
걱터듬다 [—따] 타 ☞걸터듬다. 「(頭巾).
건¹【巾】명 ①헝겊 등으로 만들어 머리에 쓰는 물건의 총칭. ②↗두건
건²【件】㊀명 사건(事件). 문제로 제기되고 있는 어떤 특정한 일. ¶ 그 ~에 대한 조사. ㊁[—껀] 의명 숫자 밑에 붙어서 몇'벌'이나 몇 '가지'의 뜻을 나타내는 말. ¶ 이혼 소송 2 ~/서류 3 ~/교통 사고 10 ~.
건³【乾】명 ①↗건괘(乾卦). ②↗건방(乾方). ③↗건시(乾時). 1)-3):↔곤
건⁴【乾】명 성(姓)의 하나. 우리 나라에는 현존하지 아니함. ㄴ(坤).
건:⁵【腱】명〖생〗힘줄❶.
건:⁶【鍵】명 ①열쇠. 키(key). ②풍금(風琴)·피아노·타이프라이터 따위의 면(面)에 붙어 있어 손가락으로 치도록 되어 있는 물건. 키(key). *건반(鍵盤). ③〖악〗목관(木管) 악기나 금관(金管) 악기에서 손가락 끝으로 여닫아 변음(變音)시키는 장치.
건⁷【蹇】명 ↗건괘(蹇卦).
건⁸【騫】명 성(姓)의 하나. 우리 나라에는 현존하지 아니함.
건⁹ (gun) 명 총기(銃器). 총포. 포(砲).
건:¹⁰ 부〈방〉거의(평안).
건¹¹ 조 ↗거나. ¶ 승자(勝者)~ 패자(敗者)~ 모두 훌륭하였다. *이건³.
건¹² 준 ①것은. ¶ 내 ~ 이쁜이다 / 이런 ~ 내버려라. ②그것은. ¶ ~ 큰 일인데.
건-【乾】두 [←간] ①마른. 말린. ¶ ~대구/~포도. ②액체를 쓰지 않은. ¶ ~전지/~빨래. ③이유없는. 알맹이가 없는. 건성의. ¶ ~강짜/~주정.
-건¹ 어미 ①어간에 붙어 '-거든'의 뜻을 나타내는 연결 어미. ¶ 좋~ 사라. ②↗-거나. ¶ 오~ 말~/좋~ 나쁘~.
-건² 어미〈옛〉-ㄴ. -은. ¶ 地藏菩薩이 오라건 劫으로셔 ᄒᆞ마 濟渡ᄒᆞ니며≪釋譜 XI:5≫. *-언.

건:가¹【建價】[—까] 명〖경〗거래소에서, 매매의 약정 가격.
건가²【乾價】[—까] 명 일을 시키면서 일꾼에게 술을 먹일 때, 술을 먹지 못하는 사람에게 대신 주는 돈.
건-가자미【乾—】명 배를 갈라 창자를 빼 내고 말린 가자미.
건:각¹【健脚】명 ①튼튼한 다리. 잘 걷는 다리. ¶ ~을 자랑하다. ②다리가 튼튼하여 잘 걷거나 잘 뛰는 사람.
건:각²【蹇脚】명 절뚝발이. 절름발이.
건:간-망【建干網】명 해변에 말뚝을 박고 둘러치는 그물. 밀물 때 물고기가 그 속으로 들어갔다가 썰물에 걸림. 개막이.
건갈【乾葛】명〖한의〗갈근(葛根).
건-갈이【乾—】명〖농〗☞마른갈이.
건:강¹【建康】명〖역〗중국 난징(南京)의 옛이름. 동진(東晉) 및 남조(南朝)의 송(宋)·제(齊)·양(梁)·진(陳)의 서울이었음.
건:강²【健剛】명 건전하고 의지가 강함. ——-하다 형여불
건:강³【健康】명 ①정신적·육체적인 이상(異常)의 유무(有無)를 주안(主眼)으로 본 몸의 상태. ¶ ~ 진단. ②몸에 탈이 없고 튼튼함. ¶ 아침마다 가벼운 운동으로 ~을 유지하다. ——-하다 형여불. ——-히 부
건강⁴【乾綱】명 ①하늘의 법칙. ②제왕의 시정(施政)의 대강(大綱). ③군주의 대권(大權).
건강⁵【乾薑】명〖한의〗새앙을 말려서 만든 약재. 성질이 퍽 온(溫)하며 위한(胃寒)과 곽란·복통·설사에 씀.
건:강 관리【健康管理】[—괄—] 명 의사 등의 지도 관리 밑에, 건강의 유지·증진을 꾀하는 일.
건:강 교:육【健康敎育】명〖교〗육체적인 건강을 비롯하여 정신적인 건강에 관한 지식·습관·태도 등을 기르고 높이기 위한 교육. 보건(保健) 교육.
건:강 교:육과【健康敎育科】명〖교〗대학에서, 건강 교육에 관한 학문을 전공하는 학과. *체육(體育) 교육과.
건강-말【乾薑末】명 건강(乾薑)의 가루.
건:강-미【健康美】명 발랄하고 건강한 육체의 아름다움. *육체미.
건:강-법【健康法】[—뻡] 명 건강을 유지하는 방법.
건:강 보:험【健康保險】명〖경〗상해(傷害)·질병·임신·해산·사망 등, 사람에게 생물학적 사고가 생겼을 때, 그 의료(醫療)를 위한 비용이나 수입 감퇴를 보상함을 목적으로 하는 보험의 총칭. 사영(私營) 보험으로서 상해·질병 보험, 사회 보험으로서의 의료 보험 등을 포함함.
건:강 산:업【健康産業】명 건강의 유지·증진에 관련된 산업. 넓은 뜻으로는 병원, 의료 기기, 의약품, 건강 식품을 다루는 업종까지 포함되고, 좁은 뜻으로는 헬스 클럽이나 체육관 등을 총칭함.
건:강 상담【健康相談】명 의사가 심신(心身)의 건강 문제에 관하여 여러 개인의 상담에 응(應)하고, 병의 예방이나 치료 등에 적절한 지도를 하는 일.
건:강 상담소【健康相談所】명 성인·임산부·소아의 건강 유지와 증진에 관하여 서로 상의하고 지도를 받을 수 있도록 설치한 사회 복지 시설의 하나.
건:강-식【健康食】명 건강을 유지하기 위해서 특히 고안된 식사.
건:강 식품【健康食品】명 건강 증진에 유효한 식품의 총칭. 자연 식품, 순정(純正) 식품, 강화 식품 외에 로열 젤리, 영양 드링크 등도 포함됨.
건:강 심리학【健康心理學】[—니—] 명 심리학의 연구 성과를 행동 과학에 결부시켜, 종합적으로 건강 증진의 문제를 연구하는 응용 과학.
건-강요주【乾江瑤柱】명 [←간강요주] 꼬막의 살을 꼬챙이에 꿰어 말린 식품. ㊜강요주(江瑤柱). 「린이. ㊜우량아.
건:강 우량아【健康優良兒】명 신체상의 결함이 없고, 몸이 튼튼한 어
건:강-인【健康人】명 몸에 아무 탈이 없고 튼튼한 사람.
건:강-제【健康劑】명〖약〗보약(補藥).
건:강 증명【健康證明】명〖의〗①건강 진단서에 의하여 아무 병이 없이 건강체임을 증명하는 일. ②↗건강 증명서.
건:강 증명서【健康證明書】명〖의〗건강체임을 증명하는 증서(證書). ㊜건강 증명. 건강 증서.
건:강 증서【健康證書】명〖의〗↗건강 증명서.
건:강 진:단【健康診斷】명〖의〗의사가 체격(體格)·체력(體力)·발육(發育)·영양(營養)·질병(疾病) 등의 건강 상태에 대하여 자세하게 실시하는 검사. 병의 조기 발견이나 예방, 건강의 유지 증진을 꾀할 목적으로
건-강짜【乾—】명 이유 없이 부리는 강짜. ㄴ행함.
건:강-체【健康體】명 병이 없고 튼튼한 몸. 건강한 몸.
건개¹ 명〈방〉반찬.
건개²【乾疥】명〖의〗마른옴.
건거【巾車】명 베나 비단으로 막(幕)을 쳐서 꾸민 수레.
건거이 부〈방〉겨우(경남).
건건¹【虔虔】부 항상 조심하고 삼가는 모양. 「여불
건:건²【蹇蹇】명 ①괴로워하는 모양. ②충성스러운 모양. ——-하다 형
건:건 비:궁【蹇蹇匪躬】명 [≪주역(周易)≫의 건괘(蹇卦)편의 '王臣蹇蹇匪躬之故'에서 유래] 충성심으로써 임금을 섬기고 자기의 이해(利害)를 돌아보지 않음. ——-하다 자여불
건건 사:사【件件事事】[—껀—] 명부 모든 일. 온갖 일마다. 사사 건건(事事件件). ¶ ~ 방해만 놓다.
건건-이¹ 명 간략한 반찬. 변변치 않은 반찬.
건건-이²【件件—】[—껀—] 부 건마다. 일마다.
건건이-발 명〈방〉맨발(충남).
건건찝질-하다 형여불 ①감칠 맛이 없이 조금 짜기만 하다. >간간짭잘하다. ②촌수가 멀거나 또는 친분(親分)은 있으나 가깝지는 아니한 것을 놓으로 이르는 말. ¶ 그저 건건찝질한 사이야.

건건-하다 형여불 감칠맛이 없이 좀 짜다. ＞간간하다. 건건-히 부
건길-들리다 자〈방〉결신들리다.
건견【乾繭】명 보존하기 좋게 건조시켜 번데기를 죽인 고치. 또, 그렇게 하는 조작(操作). ↔생견(生繭). ——-하다 자여불
건견 거:래【乾繭去來】명 건견 장치를 공동으로 설비하여 건견을 저장하고 적당한 시기에 팔 수 있도록 마련한 고치의 거래.
건견-기【乾繭器】명 누에 고치를 말리는 기계.
건견-실【乾繭室】명 누에 고치를 말리는 시설을 갖춘 방.
건견 장치【乾繭裝置】명 고치를 한 방에 밀폐(密閉)하고 가열된 공기 또는 증기열을 사용하여 건조시키는 장치.
건:경【健勁】명 힘차고 씩씩함. ——-하다 형여불
건계【乾季】명〖지〗우량의 연변화(年變化)에 의하여 나눈 계절의 하나. 일년 중 특히 강수량이 적은 계절로 그 시기는 지역에 따라 다르며 지중해성 기후 지역에서는 여름, 계절풍 지역에서는 겨울임. 건조기(乾燥期). ↔우계(雨季).
건:고[1]【建鼓】명〖악〗아악기(雅樂器)에 속하는 타악기의 하나. 호랑이 모양의 네 발이 달리고 긴 대가 있는 받침 위에, 북면의 지름 석 자 다섯 치, 북통의 길이 넉 자 아홉치 닷 푼의 크고 긴 북을 가로 올려 놓고, 그 위에 나무로 네모지게 이 층으로 꾸미고, 꼭대기에 날아가는 백로(白鷺)를 세웠으며 아래층 네 귀에 꽂힌 용간(龍竿)에는 상모(象毛)와 유소(流蘇)를 달았음. 옛날에, 조회(朝會)와 연회(宴會)의 헌가악(軒架樂)에서 합주(合奏)의 시작과 끝에 침.

〈건고[1]〉

건고[2]【乾固】명 말라서 굳어짐. ——-하다 자여불
건고[3]【乾枯】명 물기가 마름. 물기를 말림. ——-하다 자타여불
건곡[1]【乾谷】명 물이 마른 골짜기. 물이 없는 골짜기.
건곡[2]【乾穀】명 제철에 거두어 말린 곡식.
건곤【乾坤】명 ①하늘과 땅을 상징적(象徵的)으로 일컫는 말. 천지(天地). 감여(堪輿). ②음양(陰陽). ③건(乾)과 곤(坤). ④해와 달. ⑤두 권으로 되어 있는 서적의 순서를 매기는 말. 상하(上下).
건곤-가【乾坤歌】명〖문〗죽지사(竹枝詞)❷.
건곤 일색【乾坤一色】[—쌕] 명 하늘과 땅이 한 빛깔임.
건곤 일척【乾坤一擲】명 운명과 흥망(興亡)을 걸고 단판걸이로 승부나 성패(成敗)를 겨룸. ¶ ～의 싸움. ——-하다 자여불
건골【乾—】명〖식〗방동사니.
건-골독어【乾骨獨魚】[—뚝—] 명 말린 꼴뚜기.
건:공[1]【建功】명 나라를 위하여 공을 세움. ——-하다 자여불
건공[2]【虔恭】명 삼가서 경솔하게 행동하지 않는 모양. 공건(恭虔). ——하다 형여불
건공[3]【乾空】명 건공중(乾空中).
건공 대:매【乾空—】명 ①실속 없이 건으로 승부를 겨룸. ②결과가 무승부로 끝난 대매. ——-하다 자여불
건공 대:매로【乾空—】부 아무런 조건도 근거도 없이 무턱대고. ¶ 내가 그런 작심없이 ～ 동무들과 동사하겠다고 나섰겠소《金周榮:客主》.
건공-잡이【乾空—】명 허세를 부리는 사람. 허랑(虛浪)한 사람.
건:공 장군【建功將軍】명 ①나라에 공이 많은 장군. ②〖역〗조선 시대 때, 종삼품 무관의 품계. 보공 장군(保功將軍)의 위, 어모 장군(禦侮將軍)의 아래임.
건공-중【乾空中】명 반공중(半空中).
건:공지-신【建功之臣】명 나라에 공을 세운 신하(臣下).
건과[1]【乾果】명〖식〗↗건조과(乾燥果).
건과[2]【愆過】명 허물. 과실(過失). 건우(愆尤).
건-과자【乾菓子】명 마른 과자.
건-곽란【乾霍亂】[—난] 명〖한의〗토사(吐瀉)를 아니하는 곽란.
건-괘[1]【乾卦】명 ①〖민〗팔괘(八卦)의 하나. 상형(象形)은 '☰'인데, 하늘을 상징(象徵)함. *건삼련(乾三連). ②육십사괘의 하나. '☰'둘을 포갠 것인데, 하늘이 거듭됨을 상징함. ㊥건(乾). ↔곤괘(坤卦).
건:-괘[2]【蹇卦】명〖민〗육십사괘의 하나. 감괘(坎卦)와 간괘(艮卦)가 거듭된 것인데, 산(山) 위에 물이 있음을 상징(象徵)함. ㊥건(蹇).
건괵【巾幗】명 →건국(巾幗).
건:교-부【建交部】명 ↗건설 교통부.
건-교자【乾交子】명 안주로만 차린 교자. *식교자(食交子)·얼교자.
건:구[1]【建具】명〖건〗건물에 달린 문이나 창 따위, 방을 칸막이하기 위하여 다는 가동성(可動性)의 물건의 통칭.
건:구[2]【建甌】명〖지〗'젠어우'를 우리 음으로 읽은 이름.
건구[3]【乾球】명〖물〗건습구 습도계(乾濕球濕度計)의 두 개의 수은 온도계 가운데 물 축인 헝겊으로 싸지 않은 건구 온도계의 구부(球部). ↔습구(濕球).
건:구-상【建具商】명 건구를 만들어 파는 가게. 창호(窓戶) 가게.
건-구역【乾嘔逆】명 헛구역.
건구 온도계【乾球溫度計】명〔dry bulb thermometer〕〖물〗건습구 습도계(乾濕球濕度計)의 두 개의 수은 온도계 가운데 구부(球部)를 물 축인 헝겊으로 싸지 않은 보통의 온도계. ↔습구 온도계.
건국[1]【巾幗】명〔←건괵(巾幗)〕①옛날에 중국에서 여자들이 상중(喪中)에 머리에 쓰던 두건(頭巾). ②여자용 머리 쓰개의 하나. 머리 수건. ③여자의 의관(衣冠). ④부인(婦人). 여인.
건:국[2]【建國】명 새로 나라를 세움. 개국(開國). 입국(立國). ¶ ～ 기념일. ——-하다 자여불
건국[3]【乾局】명〖민〗풍수설에, 물의 근원이 없는 땅의 판국(版局).
건:국 공로 훈장【建國功勞勳章】[—노—] 명 '건국 훈장'의 이전 이름. 대한 민국 건국에 공로가 뚜렷한 사람에게 수여하던 훈장. 중장(重章)·복장(複章)·단장(單章)의 3 등급이 있었음.

〈건국 공로 훈장〉

건:국 대학교【建國大學校】명 서울 특별시 성동구 모진동(毛陳 있는 사립 대학교의 하나. 1946년에 설립된 조선 정치 학관을 모 하여 1949년에 정치 대학으로 승격된 뒤, 1959년 종합 대학이 되면 건국 대학교로 개칭(改稱)됨.
건:국 동맹【建國同盟】명〖역〗1944년 8월 10일, 여운형(呂運亨)이 조직한 비밀 결사. 일본의 패전을 예견하고, 독립 운동을 전개하기 위해 조직 활약하다가, 다음해 8월 일본 경찰에 간부들이 체포되었음. 그 후 해방과 함께 출옥, 기구를 확대하여 '건국 준비 위원회'에 편입되었음.
건:국 방략【建國方略】[—냑] 명〖책〗반식민지(半植民地) 중국에 있어서의 건국의 방법을 풀이한 쑨 원(孫文)의 저서. 국민 심리의 변혁을 의도한 제1부 '심리 건설(心理建設)', 외국 자본의 도입에 의한 산업 개발의 방대한 설계도를 묘사한 제2부 '물질 건설', 집회(集會)·토론·선거 등 민주 정치의 구체책(具體策)을 논한 제3부 '사회 건설' 등 3부로 되어 있음. 1917-1921년에 걸쳐 발표되었음.
건:국 사:업【建國事業】명 나라를 세워 일으키는 사업.
건:국 시:조【建國始祖】명 나라를 세운 시조.
건:국 신화【建國神話】명 나라를 세우게 된 내력에 관한 신화.
건:국 이:념【建國理念】명 나라를 세우는 데 있어서, 최고 이상으로 삼는 근본 정신.
건:국 준:비 위원회【建國準備委員會】명 ↗조선 건국 준비 위원회.
건:국 치안대【建國治安隊】명 해방 직후의 치안을 확보하기 위하여, 1945년 8월에 여운형(呂運亨)을 중심으로 체육계 대표, 각 중학교의 체육 교사, 전문 학교 이상의 학생 등으로 조직된 단체. 연합군이 진주(進駐)할 때까지 서울의 치안을 담당하다가, 건국 준비 위원회에 흡수됨.
건:국 포장【建國褒章】명 대한 민국의 건국과 국기(國基)를 공고히 하는 데 헌신 진력하여 그 공적이 뚜렷한 사람에게 수여하는 포장. 수(綬)는 소수(小綬)이며, 적색 바탕 중앙에 황색 줄이 한 줄 있음.

〈건국 포장〉

건:국 훈장【建國勳章】명 대한 민국 건국에 공로가 뚜렷하거나 국기(國基)를 공고히 함에 기여한 공적이 뚜렷한 사람에게 수여하는 훈장. 대한 민국장·대통령장·독립장·애국장·애족장의 5등급(等級)이 있음.
건:군【建軍】명 군대를 창건(創建)함. ¶ ～ 멤버. ——-하다 자여불
건궁 성주 명〖민〗신(神)의 형태없이 그냥 모시는 성주.
건궁-업 명〖민〗신(神)의 형태없이 그냥 모시는 업.
건궁 조왕【—竈王】명〖민〗신(神)의 형태없이 그냥 모시는 조왕.
건:극【建極】명 임금이 천하의 근본 법칙을 세우고 다스림. ——-하다 자여불
건급【巾笈】명 비단을 바른 상자. 건사(巾笥). 건상(巾箱).
건기[1]【件記】[—끼] 명 발기[2].
건기[2]【乾期】명 ↗건조기(乾燥期). ↔우기(雨期).
건기[3]【愆期】명 기일을 어김. 위기(違期). ——-하다 자타여불
건-기침【乾—】명 마른 기침. ——-하다 자여불
건-깡깡이 명 ①일을 하는 데에 밑천이나 기술·기구(器具) 따위가 없이 매나니로 함. 또, 그러한 사람. ¶ 밑천도 없이 ～로 날뛰다. ②아무러한 뜻도 재주도 없이 살아가는 사람.
건나다 타〈옛〉건너다. ¶ 마장 울오믈 건나 가것만 주거디 옛다니《月釋 X:24》.
건-낙지【乾—】명 말린 낙지.
건납【愆納】명 조세를 기한 안에 바치지 못함. 체납(滯納). ——-하다 타여불
건내-가다 타〈방〉건너가다(전남·경북·함남).
건내뛰다 타〈옛〉건너뛰다. ¶ 生死重罪를 건내뛰리니《月釋 XXI:31》.
건:너 명 맞은편 쪽의 방향. ¶ ～ 마을/강 ～로 소리치다.
건:너-가다 타거라불 건너서 저쪽으로 가다. ↔건너오다.
건:너그- 간 '건너긋다'의 불규칙 어간. ¶ ～으니/～어서.
건:너-긋다 타ㅅ불 이쪽과 저쪽을 죽 건너서 한일자로 긋다.
건:너다 자타 ①어떤 것을 사이에 두고 한편에서 맞은편으로 가다. ¶ 바다를 ～/차도를 함부로 건너서는 안 된다. ②말이 입에서 입으로 전해지다. ¶ 한 입 건너고 두 입 건너서 소문이 퍼져 나갔다. ③일정한 동안이나 차례를 거르다. ¶ 하루 건너 한 번씩 목욕을 하다. ④바둑에서, 제 3 선(線) 이하의 낮은 위치에 있는 돌과 돌을 잇기 위하여, 상대방 돌의 아래에 돌을 놓다.
건:너다-보다 타 ①떨어져 있는 곳을 바라보다. 건너편에 있는 것을 살피다. ②남의 이익이나 물건을 부러워하거나 탐내다. ¶ 남의 재산을 ～. ㊥건너보다.
[건너다보니 절터라] ㉠남의 것을 자기가 얻고자 하나 뜻대로 할 수 없음을 이름. ㉡내용을 다 보지 않고 겉으로만 보아도 거의 틀림없을 만한 짐작이 든다는 말. ¶ 참는 것도 나중을 바라고 하는 일인데 건너다보니 절터라고 무엇을 바라고 참고 있니?《趙重桓:菊의 香》. 【건

ㅏ니 입맛】 아이들이 먹을 것을 주지 않나

서쪽 언덕에 대다.
건너편까지 사이를 밟지 아니하고 단번에
거르다. 걸러 뛰다.
방.

) 건너서 맞은편에 옮아 서다.
서 이쪽 편으로 오다. ↔건너가다.
다. ¶ 구버 것거가는 티롤 뵈야흐로 ᄌ조 건
諺 IX:13≫.
물건의 양쪽 끝을 두 곳에 가로 대어 놓다.
양쪽 끝까지 꽉 얼어 붙다. 합빙(合氷)하다. 건

너지름을 당하다. ㊁ 자 건너지피다.
길어 멀리 짚다. ②짐작으로 속을 떠보아서 알

대하고 있는 저쪽 편. 월편(越便). ¶ 길 ~에서

을 건너 안방의 맞은편에 있는 방. 월방(越房).

](평안).
로가 엇걸린 곳. ¶ ~지기. ②강·길·내 따위에서
목. ¶ 차도는 꼭 ~으로 건너라.
편에 있는 마을.
명 건너편에 있는 방. *건넌방.
山】 명 건너편에 있는 산.
보고 꾸짖기】 남을 헐거나 욕할 때 그 사람 앞에서 말하지 않
고 입으로 들으라는 듯이 하는 말. ¶ 건넛산 꾸짖기로 비꺼대고 흥
보아≪金敎濟:牡丹花≫.

넛-집 명 건너편에 있는 집.

건:네 명 〈방〉 그네(황해·평남).

건네-가다 타 〈방〉 건너가다(강원·전라·경상).

건:네다 ㊀ 타 ①남에게 말을 붙이다. ②자기가 가진 돈이나 물건·일 따위를 남에게 옮기어 주다. ¶ 중도금을 ~. ㊁ 사동 건너가게 하다.

건:네 주다 타 ①건너게 하여 주다. ¶ 나룻배로 ~. ②돈이나 물건 따위를 남에게 옮기어 주다. ¶ 아내에게 월급 봉투를 ~.

건네티다 자타 〈옛〉 지나치다. ¶ 됴흔 시경을 건네텨 ᄇ리디 말거시라(休蹉過了好時光)≪朴解上 I≫.

건:느다 자타 ☞ 건너다.

건늘-가다 타 〈방〉 건너가다(함남).

건:늬다 [-니-] 타 ☞ 건네다■.

건니-가다 타 〈방〉 건너가다(경남).

건닉 부 〈옛〉 끝내. 늘. 사철. ¶ 또 건닉 ᄀ나희 집의 가(又常到婊子家裏去)≪老乞 下 46≫.

건다라-수【乾陀羅樹】 명 〖식〗 건다수(乾陀樹).

건다-색【乾陀色】 명 〖불교〗 건다수(乾陀樹)에서 빼낸 물감에 의한 불그스름한 누른 빛. 중의 가사(袈裟)를 물들이는 데 씀.

건다-수【乾陀樹】 명 〖식〗 〔건다(乾陀)는 범어(梵語) gantha의 취음(取音)으로 향(香)의 뜻〕 인도에서 나는 향료(香料) 식물의 한 가지. 코르크질(質)의 나무 껍질을 쪄 낸 엷은 적갈색의 즙(汁)으로, 중의 가사(袈裟)를 물들임. 건다라수(乾陀羅樹).

건달【乾達】 명 〔←건달바(乾闥婆)〕 ①일정한 주소나 직업도 없이 관계없는 일에 잘 덤비고 풍을 치며 돌아다니는 사람. ¶ 반(半)~. ②아무 가진 것도 없이 난봉을 부리고 돌아다니는 사람. 건설방. 놈팡이.

건달-꾼【乾達—】 명 건달을 얕잡아 이르는 말.

건달-떡【乾達—】 명 ☞ 오입쟁이떡.

건달바【乾闥婆】 명 〔범 gandharva〕 ①〖불교〗 팔부중(八部衆)의 하나. 수미산(須彌山) 남쪽의 금강굴(金剛窟)에 살며, 제석천(帝釋天)의 아악(雅樂)을 맡아 보는 신(神). 술과 고기를 먹지 않고 향(香)만 먹으며 공중으로 날아다닌다고 함. 건달바왕(王). ②〖불교〗 태아(胎兒)·어린이들의 수호신(守護神). ③〖불교〗 중유(中有)의 오온(五蘊). 사람이 죽어서 차생(次生)으로 태어날 때까지의 중간의 몸은 향(香)만을 먹으므로 일컫는 말. ④서역(西域)에서, 배우(俳優)를 일컫는 말.

〈건달바❶〉

건달바-성【乾闥婆城】 명 〖불교〗 〔건달바가 만든 성이란 뜻〕 ①아침에 바닷가에 나타나 가까이 가면 사라지는 물상(物象). 신기루(蜃氣樓)를 일컬음. ②곡두와 같이 실체가 없는 것의 비유.

건달바-왕【乾闥婆王】 명 〖불교〗 건달바❶.

건달-병【乾達餠】 명 오입쟁이떡.

건달-패【乾達牌】 명 건달들의 패. 난봉꾼의 무리.

건:담【健啖】 명 뭣이나 잘 먹음. 많이 먹음. 대식(大食). 건식(健食). ——하다 자여불

건:담-가【健啖家】 명 식욕이 왕성하여 무엇이나 많이 먹는 사람. 잘 먹는 사람. 대식가(大食家). 건식가(健食家).

건답【乾畓】 명 조금만 가물어도 곧 마르는 논. 마른논. ↔골답. *천둥지기.

건답 직파【乾畓直播】 명 모내기를 하지 않고, 물을 대지 않은 마른 논에 씨를 바로 뿌림.

건:당【建幢】 명 〖불교〗 승려(僧侶)의 수행 구도(修行求道)가 원만(圓滿)하여 당(幢)을 세우고 법호(法號)를 받는 일.

건:당-식【建幢式】 명 〖불교〗 건당의 의식.

건대¹【一袋】 명 〖불교〗 중이 동냥하는 데 쓰는 종이로 만든 주머니.

건대²【巾帶】 명 상복(喪服)에 쓰는 삼베 건(巾)과 삼 띠.

건대³【巾臺】 명 〖지〗 경상 남도 합천군(陜川郡) 쌍책면(雙册面)에 속하는 한 이(里).

【건대 놈 풋농사 짓기】 ㉠힘들여 한 일이 공없게 됨을 이르는 말. ㉡시작은 남보다 잘 되고 빠르더라도, 결국에 가서는 패퇴(敗退)하고 마는 경우를 이르는 말. 참고 건대는 낙동강(洛東江)의 한 지류(支流)의 유역인데, 지대가 낮아서 침수가 잦아, 다 된 농사도 허사가 되는 수가 잦았던 데서 생긴 말.

건대⁴ 조 〈방〉 관데.

-건대 어미 ①동사 어간에 붙어, 말하는 이가 앞으로 취하려는 태도나 행동을 미리 밝힐 때 쓰는 연결 어미. ¶ 내가 생각하~ 그것은 옳지 않은 것 같소/살펴보~ 이렇다 할 인물이 없다. ②〈방〉 -관데.

건-대구【乾大口】 명 배를 갈라 창자를 빼내고 말린 대구.

-건대-는 어미 '-건대'의 힘줌말. 준-건댄.

-건댄¹ 어미 ↗-건대는.

-건댄² 어미 〈옛〉 -ㄹ진대. ¶ 울워러 ᄎ追롤 ᄉ랑ᄒ건댄(仰思ᄎ追)≪月釋序 17≫.

건더기 명 ①국이나 찌개 따위 국물이 있는 음식 속에 섞인 고기·채소 등의 총칭. ②액체에 섞이어 있는 고체(固體)의 물건. ③〈속〉 일의 내용. 속내. ¶ 말할 ~가 있어야지. *건지.

【건더기 먹은 놈이나 국물 먹은 놈이나】 ㉠잘 먹으나 못 먹으나 결과적으로 배고파지기는 매일반이라는 말. ㉡잘 사는 사람이나 못 사는 사람이나 결국은 마찬가지라는 말.

건:덕¹【建德】 명 〖지〗 '젠더'를 우리 음으로 읽은 이름.

건덕²【乾德】 명 천자의 덕. 성덕(聖德). ↔곤덕(坤德).

건:덕³【健德】 명 건전한 덕.

건덕지 명 ☞ 건더기.

건던지 명 〈방〉 건더기.

건덩-거리다 자 조금 헐거워서 가볍고 순하게 흔들거리다. 건덩대다. > 간당거리다. 건덩-건덩 부. ——하다 자여불

건덩-대다 자 건덩거리다.

건덩-이다 자 조금 헐거워서 가볍고 순하게 흔들리다. >간당이다.

건데 부 ↗그런데. ¶ ~ 말이야.

건데기 명 ☞ 건더기.

건데리다 타 〈방〉 건드리다.

건데-요 부 ↗그런데요.

-건뎌 어미 〈옛〉 -었구나. ¶ 늙거야 맛난 님을 덧업시도 여희건뎌≪古時調≫.

건:도¹【建都】 명 ①국도(國都)를 이룩함. ②국도를 정함. 정도(定都). ——하다 자여불

건도²【乾道】 명 〖철〗 지극히 강건(剛健)한 하늘의 길. ↔곤도(坤道)

건도³【乾稻】 명 〖농〗 건답 직파(乾畓直播)의 방법으로 재배한 벼.

건도 성남【乾道成男】 명 〖철〗 양성(陽性)이고 건전한 건도를 얻은 자가 남성이 된다는 말. ↔곤도 성녀(坤道成女).

건-독【乾—】〔dock〕 명 〖토〗 건식 선거(乾式船渠). ↔습독(濕dock).

건:둔【蹇屯】 명 운수가 비색(否塞)함. ——하다 형여불

건둥-거리다 자 ☞ 건들거리다. ¶ 남의 가족 속에 혼자 끼어서 건둥거릴 수도 없어서…≪李孝石:花粉≫.

건둥-건둥 부 건둥하게 수습하는 모양. 건둥그리는 모양. ㅆ껀둥껀둥. >간동간동.

건둥-그리다 타 하나도 흩어지지 않게 말끔히 가다듬어 수습하다. ㅆ껀둥그리다. >간동그리다.

건둥-반둥 부 반둥건둥. ¶ 부지런히 들에 풀고 신발 벗고 방안에 들어와서 인사들도 ~하고 주저앉았다≪洪命憙:林巨正≫.

건둥-하다 형여불 하나도 흩어지지 않게 정돈(整頓)되어 헌칠하다. ㅆ껀둥하다. > 간동하다.

건드러-지다 형 멋있게 가늘고 아름답고 부드럽다. ¶ 건드러지게 한 곡조 뽑다. > 간드러지다.

건드렁-타:령【—打鈴】 명 ①술에 만취되어 건들거리는 동작. ¶ 또 ~이군. ②〖악〗 서울 민요의 하나. 처녀들이 장사 나가는 풍경을 해학적으로 묘사한 노래. 후렴 노래말에 '건드렁'이라는 말이 있음.

건드레-하다 형여불 술이 얼근하게 취하여 정신이 흐릿하다.

건:드리다 타 ①손이나 물건을 대어 조금 움직이게 하다. ¶ 기계를 건드리지 마라. ②남의 마음을 움직이게 하거나 노하게 하다. ¶ 비위를 ~. ③부녀자를 꾀어 관계하다. ¶ 여자를 ~. ④어떤 일에 손을 대다. ¶ 실속 없이 이 일 저 일을 건드려 보기만 했다.

건들-거리다 자 ①건드러지게 자꾸 움직이다. ②바람이 시원스럽게 약간 높이 불다. ③건드러진 태도로 멋없이 굴다. 1)-3):> 간들거리다. ④일없이 빈둥거리다. 건들-건들 부. ——하다 자여불

건들-대다 자 건들거리다.

건들-마 명 남쪽에서 불어오는 초가을의 시원한 건들바람.

건들-바람 명 ①초가을 생량(生凉) 머리에 선들선들 부는 바람. ②〖기상〗 풍력 계급의 하나. 초속 5.5-7.9 m로 부는 바람. 화풍(和風). *풍력 계급(風力階級).

건들-장마 명 초가을에 비가 쏟아지다가 번쩍 개고 또 비가 내리다가 다시 개고 하는 장마.

건들-팔월【一八月】 명 건들건들 부는 바람처럼 덧없이 지나가는 음력 팔월.

건듯 부 ①정성을 들이지 않고 대강대강 빠르게. ㅆ건뜻. ②〈옛〉 문득. 잠깐. ¶ 건듯 불고 간 듸 업다≪永言≫.

건듯-건듯 부 일을 정성 들여하지 않고 빠르게 대강대강 해 치우는 모

양. ¶남의 일이라고 ～ 해치우지 말게. ㅆ건뜻건뜻.
건듯-팔월【一八月】[명] ☞ 건들팔월.
건등¹ [명]〖광〗광맥(鑛脈)의 지상 표면 가까이 있는 부분.
건등²【乾等】[명] 통계(筒契)에서, 본래의 등수의 알을 빼고 덤으로 또 뽑는 알. 얼마의 곗돈을 태워 줌. 「XXI:27》.
-건디 [어미]〈옛〉-ㄴ 지. -은 지. ¶내 어미 죽건디 아니 오라니 《月釋
건디다 [타]〈옛〉건지다. ¶건딜 노(撈), 건딜 록(漉)《字會 下 23》.
건디쥐다 [타]〈옛〉찌어 내다. 유괴(誘拐)하다. ¶건디될 괘(拐)《字會 下
건:-땅 [명] 토질(土質)이 비옥한 땅. ㄴ20》.
건뜻 [부] 정성을 들이지 않고 대강대강 빠르게. ㅅ건듯.
건뜻-건뜻 [부] 일을 가볍고 빠르게 대강대강 하는 모양. ㅅ건듯건듯.
건뜻-하면 [부]〈방〉걸핏하면(황해).
건락【乾酪】[걸―] [명] 치즈(cheese).
건락 변:성【乾酪變性】[걸―] [명]〖의〗결핵·매독(梅毒) 고무종(腫) 같은 병으로 인하여 병든 조직(組織)이 죽어서 말라 찌든 치즈같이 변화하는 병변(病變). 건락화(乾酪化).
건락성 폐:렴【乾酪性肺炎】[걸―] [명]〖의〗폐의 현저한 건락 변성을 수반하는 결핵성(結核性) 폐렴. 이 병의 발현(發現)은 알레르기가 관여한다고 생각되고 있음.
건락-소【乾酪素】[걸―] [명]〖화〗카세인(casein). 「기생충.
건락-충【乾酪蟲】[걸―] [명]〖동〗[*Acarus siro*] 오래된 치즈에 생기는
건락-화【乾酪化】[걸―] [명] 건락 변성(乾酪變性). ――-하다 [자][여불]
건:란【建蘭】[걸―] [명]〖식〗[*Cymbidium ensifolium*] 난과(蘭科)의 상록 다년초. 높이 30-60cm, 잎은 넓은 선형(線形)으로 무더기로 뿌리에서 남. 여름 가을에, 꽃줄기에 담홍록색 또는 갈색 반점이 있는 황록색 꽃이 십여 개 핌. 중국 푸젠 성(福建省) 원산으로 화분에 심어 관상함.
건량¹【乾兩】[걸―] [명]〖역〗→걸량.
  건량 짚다 [구] →걸량 짚다.
건량²【乾量】[걸―] [명] 곡물·과일 같은 마른 물건의 양을 되는 단위. 부셸(bushel) 따위. ↔액량(液量).
건량³【乾糧】[걸―] [명] ①먼 길 가는 데 지니고 다니기 쉬운 양식. 구비(糗糒). ②진휼(賑恤)할 때에 죽을 쑤어 주지 아니하고 대신 주는 곡식. ③옛날, 중국에 가는 사신이 가지고 가던 양식(糧食).
건려¹【愆戾】[걸―] [명] 허물. 과실(過失).
건:려²【蹇驢】[걸―] [명] 다리를 저는 나귀. 전(轉)하여, 쓸모없는 사람의 비유.
건:령¹【建瓴】[걸―] [명] ①높은 곳의 병에서 쏟아지는 물. ②전(轉)하여, 세력이 매우 셈.
건령²【乾靈】[걸―] [명] ①양(陽)의 정기(精氣). ②하늘의 신.
건:령-수【建瓴水】[걸―] [명] 병의 물이 쏟아지듯 높은 곳에서 쏟아져 세차게 흐르는 물. ¶광풍이 일어나고 댓줄기 같은 비가 ～ 기울듯하는 망상무인지경에 섰는 혜경은…《鮮于日 : 杜鵑聲》.
건:령지-세【建瓴之勢】[걸―] [명] [높은 곳에서 병의 물이 쏟아지듯 하는 기세란 뜻으로] 세찬 기세의 비유.
건루【巾淚】[걸―] [명] 손수건을 적시는 눈물.
건류【乾溜】[걸―] [명]〖화〗공기를 차단하여 유기(有機) 고체를 분해 온도 또는 그 이상으로 가열(加熱)하여 휘발성 화합물과 고체 잔류물(固體殘留物)을 분리(分離)·회수(回收)하는 일. 재목에서 목타르(木 tar)를, 석탄에서 코크스·콜타르·석탄 가스를 얻는 따위. ↔증류(蒸溜). ――-하다 [타][여불]
건륭【乾隆】[걸―] [명]〖역〗청(淸)나라 고종의 연호(年號). [1735-95]
건륭-제【乾隆帝】[걸―] [명]〖사람〗중국 청(淸)나라 제 6 대 황제 고종의 칭호. 휘(諱)는 홍력(弘曆). 세종(世宗)의 넷째 아들. 10회의 외정(外征)에 성공하여 인도차이나·대만·티베트 등의 지역을 평정(平定), 당시 세계에서 가장 강한 국가를 형성하였으며, 안으로는 널리 인재를 등용하고 호학(好學)과 권학(勸學)으로 문화를 발전시켰음. 《사고 전서(四庫全書)》·《대청 일통지(大淸一統志)》 등 책을 칙편(勅編)함. 조부인 강희제(康熙帝)와 더불어 '강희 건륭 시대'로 일컬어지는 청조(淸朝)의 최융성기(最隆盛期)를 현출시켰으나, 만년에는 정치의 부패를 초래하였음. 고종(高宗). [1711-99; 재위 1735-95]
건-릉¹【乾陵】[걸―] [명]〖지〗고려 태조의 아들이며 현종(顯宗)의 부친인 욱(郁)의 능. 경기도 개풍군(開豐郡) 영남면(嶺南面) 현화리(玄化里)에 있음. 후에 무릉(武陵)으로 개칭함.
건:-릉²【健陵】[걸―] [명]〖지〗조선 정조(正祖) 및 정조비 효의 왕후(孝懿王后) 김씨(金氏)의 능. 경기도 화성군(華城郡) 현륭원(顯隆園)의 서쪽 언덕에 있음. *화산²(華山)❶.
건림【乾臨】[걸―] [명] 임금의 처치(處置). 「[여불]
건:립【建立】[걸―] [명] 이룩하여 세움. ¶동상(銅像) ～. ――-하다 [타]
건:립-자【建立者】[걸―] [명] 건립한 사람.
건:마【健馬】[명] 건장한 말. 잘 달리는 말.
건마-국【乾馬國】[명]〖역〗삼한(三韓) 시대에, 지금의 전라 북도 익산군(益山郡) 부근에 있던 마한(馬韓) 54개 부족 국가의 하나.
-건마는 [어미] 이미 말한 사실과 그에 대립되는 사실을 말하려 할 때 붙이는 연결 어미. ¶나이는 먹었～ 철이 없다 / 그들은 형제이～ 사이가 나쁘다. [준] -건만.
-건마는 [어미]〈옛〉-건마는. =-건마른·-언마는·-언마른. ¶내 본디 밧괴일 쌀이 업건마는(我本沒糶的米)《老乞 上 48》.
-건마른 [어미]〈옛〉-건마는. =-건마는·-언마는·-언마른. ¶믈 깊고 비 업건마른(江之深矣雖無舟矣)《龍歌 34章》. *-컨마른.
건:막【腱膜】[명] [aponeurosis]〖생〗막(膜)처럼 얇고 넓은, 판상(板狀) 근육의 힘줄.
-건만 [어미] ↗-건마는. ¶학자이 ～ 아는 게 없다
건:망¹【健忘】[명] ①사물을 잘 잊어버림. ②〖의〗
건망²【乾網】[명] 바빠서 낯도 씻지 못하고 망건을
건:망-가【健忘家】[명] 건망증이 심한 사람.
건:망-성【健忘性】[―썽] [명] 건망증의 성질.
건:망성 증:후군【健忘性症候群】[―썽―] [명]〖의〗
kov) 증후군.
건:망 실어증【健忘失語症】[―쯩] [명] [anomia]〖의
가지. 모방(模倣) 언어는 완전히 보존되어 있고 말하려
나 형태는 알고 있는 경우가 많으나, 그 이름이 갑자기
는 실어증. 따라서 환자는 군말이 섞인 지루한 표현을 함.
건:망-증【健忘症】[―쯩] [명] [amnesia]〖의〗기억력이
를 받아 일어나는 증상(症狀). 보고 들은 것을 금방 잊어버
문드문 기억하거나 또는 어떤 일정한 시기 이전의 일을 기억하
는 등 여러 증상이 있음.
건-머루【乾―】[명] 말린 머루.
건면¹【乾眠】[명]〖지〗사바나(savanna) 지역에서 우계(雨季)에는 초
무성하게 자라나 건계(乾季)에 이르러 초목의 잎이 수분 부족으로
하여 황색으로 변하여 온대 지방의 가을에 단풍지듯 하는 현상. ――
하다 [자][여불]
건면²【乾麪】[명] 마른 국수.
건명¹【件名】[명] ①일이나 물건 따위의 이름. ¶～ 목록. ②서류의 제목.
건명²【乾命】[명] ①〖불교〗축원문(祝願文)에 쓰는 남자의 일컬음. ②〖민〗점치거나 신령에게 빌 때의, 남자의 태어난 해. 1)·2) : ↔곤명(坤命). *천명(天命).
건명-부【件名簿】[명] 일이나 물건의 이름들을 조목조목 적은 장부.
건-명태【乾明太】[명] 말린 명태. 북어(北魚).
건-모【乾―】[명] ①물이 없는 논에 못자리를 하였다가 물을 대거나 비가 온 뒤에 뽑아서 내는 모. ②마른 논에 내는 모.
건:모라【健牟羅】[명] [큰 마을의 뜻] 신라 때, 성(城)·도성(都城)을 이
건-모판【乾―板】[명] 건모를 기르는 모판. ㄴ르던 말.
건목¹ [명] 정하게 다듬지 않고 대강만 거칠게 만드는 일. 또, 그런 물건. ¶솜씨가 없어 ～이 되었다.
  건목(을) 치다 [구] ㉠정하게 만들지 않고 건목으로 대강 만들다. ㉡얼추
건목²【乾木】[명] 베어서 바짝 마른 재목. 마른 나무. ㄴ잡다.
건목 생수【乾木生水】[명] 건목 수생.
건목 수생【乾木水生】[명] [마른 나무에서 물이 난다는 뜻] 없는 것을 무리하게 강요함을 비유하는 말. 건목 생수. 「(材木).
건목-재【―材】[명]〖건〗산에서 도끼나 톱으로 대강 다듬은 거친 재목
건몰【乾沒】[명] ①빼앗음. ②범과(犯科)한 물건을 관아(官衙)에서 거저 빼앗음. ③매점(買占)한 물건을 관문(官門)에서 빼앗음. ――-하다 [타][여불]
건몰다 [타] 일을 정성들이지 않고 건성건성 빨리 해 나가다. ¶일을 건몰아서 한 달 안에 역사가 얼추 다 끝이 났다《洪命憙 : 林巨正》.
건몰 작전【乾沒作錢】[명] ①몰수(沒收)하여 팖. ②건몰한 물건을 팔아 돈을 만듦. ――-하다 [타][여불]
건몸-달다 [자] 공연히 저 혼자서만 몸이 달아서 헛되게 애를 쓰다.
건-못자리【乾―】[명] 건모를 기르는 못자리. 마른 못자리.
건:묘【健苗】[명] 튼튼한 모.
건무【巾舞】[명]〖악〗후대(後代)에 와서 칼 대신 건(巾)을 들고 추게 되었으므로 일컫는 공막무(公莫舞)의 딴이름.
건-문어【乾文魚】[명] 말린 문어.
건-물¹ [명] 건으로 나오는 정수(精水). 유정(遺精) 또는 병으로 인함.
건:물²【建物】[명] 땅 위에 세워 지은, 집 같은 물건. 건축물(建築物).
건물³【乾―】[명] 까닭도 모르고 들떠서 행함을 이르는 말.
건물⁴【乾物】[명] 마른 식품. ¶～상(商).
건:물 등기【建物登記】[명]〖법〗건물을 토지와는 따로 독립된 부동산으로 다루는 등기. *토지(土地) 등기.
건:물 등기부【建物登記簿】[명]〖법〗등기소에 비치(備置)하는 부동산 등기부 가운데, 건물의 표시와 그 건물에 관한 권리 관계를 기재한 공부(公簿). *토지(土地) 등기부.
건물-로【乾―】[부] ①쓸데없이. ¶～ 애를 태우고 있다. ②까닭도 모르고 건으로. ¶～ 따라다닌다. ③힘 안 들이고. ¶～ 생긴 돈.
건:물 매:수 청구권【建物買受請求權】[―꿘] [명]〖법〗차지권(借地權)이 소멸하고 계약의 갱신이 안 될 경우에 지상권자(地上權者)가 지주에 대하여 지상의 지상권자 소유의 건물을 시가(時價)로 사게 하거나, 또는 지상권자가 제삼자에게 차지상(借地上)의 건물을 양도하였을 때, 지주가 차지권의 양도를 승인하지 않을 경우에 건물 양수인(讓受人)이 지주에게 건물을 시가로 사도록 청구하는 권리.
건:물 보:험【建物保險】[명] 건물을 보험의 목적물로 하는 손해 보험의 하나. 주로, 화재 보험에서 이용됨.
건믈게 [명]〈심마니〉바람.
건:민【健民】[명] 건전한 국민. 건강한 국민.
건-바닥【乾―】[명] 마른 바닥.
건반¹【乾飯】[명] 마른밥. ↔수반(水飯).
건:반²【鍵盤】[명] 피아노·풍금·타자기 등에 건(鍵)이 늘어놓인 면. 키(key). 키보드(keyboard). *건(鍵).
건:-반사【腱反射】[명]〖생〗힘줄의 기계적 자극(刺戟)에 따라 반사적(反射的)으로 일어나는 근육의 연축(攣縮). 그 중추(中樞)는 척수(脊髓)에 있는데 각종 신경 질환(神經疾患)의 진단에 쓰임. 무릎 반사·아킬레

표적 예임. 힘줄 반사.
건반 악기 피아노나 오르간같이 건반이 있는 악기의 총칭.
건밤 명 잠을 자지 않고 뜬눈으로 새운 밤.
건밤 밤을 새다. ¶노름판에서 건밤을 새우다.
건방 태도.
행동을 하다.
행동을 건방지게 하다.
진 태도를 나타내다.
사 방위(二十四方位)의 하나. 정서(正西)와 중심으로 한 15° 각도 안의 방위. ②팔방(八 의 한가운데를 중심으로 한 45° 각도 안의 방

지나치게 주제넘다. 언행이 보기에 아니

』힘줄의 내부에 있어서 힘줄의 수축 따위를 섬유(纖維)의 방추상(紡錘狀)의 다발에 감각 며, 구조(構造)는 근방추(筋紡錘)와 비슷함.
뜬하게 키가 크고 곧은 것을 이르는 말.
복 따위를 축복하며 서로 술잔을 높이 들어 마시 들다. ——-하다 자여불
이나 관청에 대하여 의견을 진술(陳述)함. 건언 ——-하다 타여불
명 건백(建白)의 사유를 적은 서류. 건언서(建言書).
—뻡] 명 〖화〗 ↗건식 분석법(乾式分析法).
】 명 〖한의〗 '전하(乾芐)'의 잘못된 말.
【健步】 명 잘 걷는 걸음. 보행(步行)을 잘함.
보²【蹇步】 명 절름거리는 걸음.
건-복¹【—福】 명 거저 얻은 복(福).
건:복²【建福】 명 〖역〗 신라 진평왕(眞平王)의 연호. 즉위(即位) 6년에 비롯하여 선덕왕(善德王) 2년까지에 이르는 50년 동안. [584-633]
건복³【乾鰒】 명 ↗건전복(乾全鰒).
건봉-사【乾鳳寺】 명 〖불교〗 강원도 고성군(高城郡) 거진읍(巨津邑) 냉천리(冷泉里)에 있는 25교구 본사(敎區本寺)의 하나. 신라 법흥왕(法興王) 7년(520)에 아도(阿道)가 창건해서 원각사(圓覺寺)라 한 것을 고려 공민왕(恭愍王) 7년(1358)에 나옹(懶翁)이 중수(重修)하여 이 이름으로 고침. 건물은 대부분 6·25 전쟁 때 불타 없어진 것을 다시 지었음. 종전에 31본산(本山)의 하나였음.
건:부【健婦】 명 기력이 강한 부인.
건부-병【乾腐病】[—뼝] 명 〖식〗 조직이 말라 죽자 이내 건조·수축하는 부패병의 하나. 감자 등에 많음. ↔연부병(軟腐病).
건-부자【乾附子】 명 〖한의〗 말리어 정제(精製)한 부자.
건-부종【乾付種】 명 〖농〗 건파(乾播). ——-하다 타여불
건불 명 〈방〉 검불(경남).
건:비【建碑】 명 비를 세움. ——-하다 자여불
건-비목어【乾比目魚】 명 통째로 말린 가자미.
건비-사【褰鼻蛇】 명 〖동〗 산무애뱀.
건:비-환【健脾丸】 명 〖한의〗 위(胃)와 지라를 튼튼하게 하는 환약.
건-빨래【乾—】 명 ☞ 마른빨래.
건-빵【乾—】 명 보존·휴대에 편리하도록 수분과 당분을 적게 하여 딱딱하게 만든 비스킷. 흔히, 군대의 야전 식량으로 쓰임. *가다방.
건사¹ 명 ①일을 시키는 데 그 거리를 모아 만들어 줌. ②제게 딸린 일을 잘 수습하여 감. ¶집안일을 잘 ~해라. ③잘 간수하여 지킴. ¶썩지 않게 ~를 잘 해라. ——-하다 타여불
건사²【巾笥】 명 건급(巾笈).
건:삭【腱索】 명 〖생〗 심장의 방실(房室) 입구의 판막(瓣膜)에 붙어 있는 좁다란 힘줄. 우심실에는 세 개, 좌심실에는 두 개 있는데, 판의 폐쇄를 제한하고 판이 젖혀짐을 막는 작용을 함.
건-살포 명 쓰지도 않으면서 건으로 살포만 짚고 다니는 사람.
건-삶이【乾—】[—살미] 명 〖농〗 마른논을 삶는 일. 마른논을 써레로 썰고 나래로 골라, 노글노글하게 만드는 일. ↔무삶이. ——-하다 타여불
건삼【乾蔘】 명 〖식〗 잔뿌리와 줄기를 자르고 겉껍질을 벗기고 말린 인삼. ↔수삼(水蔘).
건-삼련【乾三連】[—년] 명 〖민〗 건괘(乾卦)의 상형(象形)인 '☰'의 이름. *건괘(乾卦).
건삽【乾澁】 명 말라서 윤택이 없음. ——-하다 형여불
건상【巾箱】 명 건급(巾笈).
건:상¹【健爽】 명 굳세고 원기가 왕성함. ——-하다 형여불
건상²【乾象】 명 천체(天體)의 현상. 일월 성신(日月星辰)이 돌아가는 이치. 천기(天機).
건상-본【巾箱本】 명 중국에서, 소형(小形)의 책의 일컬음. 중국 남제(南齊)의 형양왕(衡陽王)이 잔 글씨로 베낀 오경(五經)을 작은 두건(頭巾) 상자 안에 넣어 둔 고사(故事)에서 나온 말.
건-상어【乾—】 명 배를 갈라 소금을 뿌려 말린 상어.
건색¹【乾色】 명 가공하거나 손질을 하지 아니한 본디대로의 재료. 흔히, 조사 '으로'를 붙이어 씀. 건재(乾材).
건생【乾生】 명 생물이 바위 위·나무 위·모래밭 따위의 마른 곳에 남. ——-하다 자여불
건생 동:물【乾生動物】 명 [xeric animals] 〖동〗 사막과 같은 건조한 지역에 적응하여 생활하는 동물. 거미류(類)·조류(鳥類)·뱀류(類) 등이 있는데, 폐(肺)나 기문(氣門)으로 호흡하고 체내 수분(體內水分)의 증발(蒸發)을 막는 두꺼운 외피(外皮) 등을 갖추고 있음.
건생 식물【乾生植物】 명 [xerophytes] 〖식〗 사막이나 황야(荒野)의 바위·나무 위·모래밭 같은 수분이 적은 곳에서 생육하는 식물의 총칭. 줄기나 잎이 살이 많고 두꺼워 평소에 수분이 저장되어 있는 것(선인장 등), 뿌리가 몹시 길어서 수분의 흡수를 널리 도모하는 것(보리사초 등)과, 잎이 퇴화하거나(석곡 등) 바늘 형상이어서(선인장 등) 수분의 증산(蒸散)을 억제하는 것 등이 있음. 건성(乾性) 식물.
건서 [Gunther, John] 명 〖사람〗 미국의 저널리스트·평론가. 1924년 이후 여러 신문의 특파원으로 세계 각지를 돌아 활약하였음. 세계 정치에 관한 일련(一連)의 내막물(內幕物) 저서로 유명함. [1901-70]
건-석어【乾石魚】 명 ①가조기. ②굴비.
건:선¹【健羨】 명 몹시 부러워함. ——-하다 타여불
건선²【乾癬】 명 〖한의〗 마른버짐.
건-선거【乾船渠】 명 건식 선거(乾式船渠).
건-선명【乾仙命】 명 〖민〗 (술가(術家)의 말로) 죽은 남자의 생년(生年). ↔곤선명(坤仙命).
건:설【建設】 명 ①건물이나 설비(設備) 따위를 만들어 세움. ¶~ 사업. ↔파괴(破壞)❶. ②조직·단체 등을 새로이 이룩함. ¶복지 사회 ~에 이바지하다. ——-하다 타여불
건:설 가:계정【建設假計定】 명 〖경〗 영업에 사용하는 고정 자산(固定資產)을 건설할 목적으로 지출한 금액을 기입하는 일시적 통과적(通過的)인 계정. 공사가 완성되면 곧 건물·기계 장치 등의 본계정(本計定)으로 대체(對替)됨.
건:설 공병단【建設工兵團】 명 〖군〗 ↗육군 건설 공병단.
건:설 공사【建設工事】 명 〖건〗 토목 건축에 관한 공사.
건:설 공:제 조합【建設共濟組合】 명 〖법〗 건설 공제 조합법에 따라 건설업자를 조합원(組合員)으로 하고 각 조합원이 출자(出資)하여 설립한 법인. 건설업자가 국가 또는 공공 단체로부터 도급(都給) 맡은 건설 공사의 보증 및 공사 자금의 융자 등의 업무를 담당함.
건:설 공채【建設公債】 명 〖경〗 ①철도·도로의 건설이나 전원(電源) 개발 사업 같은 건설 사업의 경비를 조달하기 위하여 발행되는 공채. ②생산 공채(生產公債).
건:설 공학【建設工學】 명 [construction engineering] 토목 공학의 전문 분야로, 도로·댐·철도·건물 건설 따위 사업을 계획·시공·관리하는 일에 관하여 연구하는 학문 분야.
건:설 공해【建設公害】 명 건설 공사에서 생기는 소음, 진동, 폐기물 등의 공해.
건:설 교통부【建設交通部】 명 행정 각부의 하나. 국토 종합 개발 계획의 수립·조정, 국토 및 수자원의 보전·이용·개발, 도시·도로·주택의 건설, 해안·하천 및 간척과 육운(陸運)·항공에 관한 사무를 맡아봄. 관하에 철도청(鐵道廳)을 둠. 준건교부.
건:설 교통부 장:관【建設交通部長官】 명 건설 교통부의 장(長)인 국무 위원.
건:설 교통 위원회【建設交通委員會】 명 국회 상임 위원회의 하나. 건설 교통부 소관 사항을 심의함.
건:설 기계【建設機械】 명 〖토〗 토목 건축 작업에 사용하는 기계의 총칭. 땅을 파는 동력(動力)삽·불도저, 도로 공사나 땅 고르는 데 쓰는 로드 롤러, 콘크리트용의 믹서 펌프 등. *산업 기계(產業機械).
건:설 기능공【建設技能工】 명 건설업법(建設業法)에 따라, 건설 협회가 실시하는 건설 기능공 검정 시험에 합격하여 건설부 장관의 인정을 받은 기능공으로서, 건설 공사의 시공(施工)에 직접 종사하는 사람. 각 기능 종별마다 실기 능력의 숙련도에 따라 1·2급의 등급으로 나뉨.
건:설 기술 관리법【建設技術管理法】[—괄—뻡] 명 〖법〗 건설 기술의 연구·개발을 촉진하고 이를 효율적으로 이용·관리하게 함으로써 건설 기술 수준을 향상시키고 건설 공사 시공(施工)의 적정을 기할 목적으로 제정된 법률.
건:설 기술자【建設技術者】[—짜] 명 〖법〗 국가 기술 자격법에 의한 토목·건축 등 건설 분야의 기술사·기사 1급 및 2급의 기술계 기술 자격을 취득한 사람을 일컬음.
건:설-력【建設力】 명 건설해 나아가는 능력(能力)이나 힘.
건:설-물【建設物】 명 건설을 해 놓은 건축물·구조물·시설 따위를 통틀어 일컫는 말. 건조물(建造物).
건-설방 명 아무 가진 것 없이 오입판 등에 쫓아다니면서 추잡한 짓을 하는 사람. 건달.
건:설-보【建設譜】 명 건설이 제대로 척척 이루어져 가는 모습을 계통적으로 표현한 것.
건:설-부【建設部】 명 전에, 행정 각부의 하나. 1994년 교통부와 통합하여 건설 교통부로 바뀜.
건:설-비【建設費】 명 〖건〗 건설에 소요(所要)되는 경비.
건:설 사:무소【建設事務所】 명 〖법〗 지방 국토 관리청(地方國土管理廳) 소속의 지방 관서(地方官署). 수도(水道) 건설, 공업 지구 건설, 국도 유지(國道維持) 사업, 하천 유역 개발 사업 등에 관한 업무를 분장함. 수도권 수도 건설 사무소·낙동강 개발 건설 사무소·논산 국도 유지 건설 사무소·군장(群長) 공업 지구 건설 사무소 등이 이에 속함.
건:설-업【建設業】 명 〖건〗 토목(土木)·건축에 관한 공사의 도급(都給)을 받는 영업. 토건업. 일반·특수·전문 건설업의 구분이 있음.
건:설업-법【建設業法】 명 〖법〗 건설업의 면허, 건설 공사의 도급, 시공, 기술 관리 등에 관한 사항을 규정한 법률. 건설 공사의 적정한 시공과 건설업의 건전한 발전을 도모함을 목적으로 함.
건:설업-자【建設業者】 명 〖법〗 건설부 장관의 면허(免許)를 받아 건설업을 영위(營爲)하는 업자.
건:설 이:자【建設利子】[—리—] 명 〖경〗 주식 회사가 완전히 개업할 때까지 2년 이상이 걸릴 때, 정관(定款)의 규정에 의하여 영업에 의한

이익이 없어도 특히 주주에게 배당하는 이자. 공사 이자(工事利子).

건:설-자【建設者】[-짜] [명]〖건〗건설(建設)하는 사람. ↔파괴자(破壞者).

건:설-적【建設的】[-쩍] [명][관] 사물을 만들어 내고 또 보다 낫게 해나가려는 적극적인 자세인 모양. 생산적(生産的). ¶ ~인 제안. ↔파괴적(破壞的).

건:설 통:계【建設統計】[명] 건설 활동에 관해서 그 동태(動態)를 파악하기 위하여 작성한 통계.

건:설 투자【建設投資】[명]〖경〗공장이나 댐, 혹은 개인 주택 따위의 건설을 위한 투자. *설비(設備) 투자.

건:설 협회【建設協會】[명]〖법〗건설업법(建設業法)에 따라, 건설업자들을 회원(會員)으로 하는 법인(法人). 건설 공사의 시공 방법의 개량 등 건설업의 발전을 기하는 사항을 업무로 삼음.

건성¹ [一][명] 속뜻은 없이 겉으로만 함을 이르는 말. 흔히 '으로'가 붙어서 쓰임. ¶ 남의 말을 ~으로 듣다. [二][부] 속뜻이 없이 겉으로만. 건성으로. ¶ ~ 까분다.

건성²【虔誠】[명] 경건(敬虔)한 정성(精誠). 지성(至誠).

건성³【乾性】[명] ①건조한 성질. 또, 쉽게 마르는 성질. ¶ ~ 피부. ↔습성(濕性). ②수분을 그다지 필요로 하지 않는 성질. ¶ ~ 식물.

건성 가스【乾性一】[명] 〔dry gas〕〖화〗천연 가스 중 메탄(methan)을 주성분으로 하며, 비교적 무거운 탄화 수소(炭化水素) 가스 또는 휘발 성분(揮發成分)이 없거나 소량만을 함유하고 있는 가스. 공업적으로 가솔린을 채취할 수 없음. ↔습성 가스(濕性 gas).

건성-건성 [부] 힘쓰지 아니하고 겉날리어 대강대강 진행(進行)하는 모양. ¶ 무슨 일을 그렇게 ~ 해치우느냐.

건성-구리 [명]〈방〉건설방.

건성-꾼 [명] 건성으로 덤벙이는 사람.

건성 늑막염【乾性肋膜炎】[-념] [명]〖의〗늑막염의 한 가지. 늑막 사이에 섬유소(纖維素)가 스며나오는 것으로, 섬유소는 하얀 혼탁(混濁)을 남기고 늑막에 흡수되거나 늑막의 유착(癒着)을 초래함. 이 병의 주요 증상은 가슴에 동통(疼痛)을 느끼는데, 심호흡할 때 특히 심함. ↔습성 늑막염(濕性肋膜炎).

건성 동:물【乾性動物】[명] 건생 동물(乾生動物).

건성드뭇-이 [부] 건성드뭇하게.

건성드뭇-하다 [형][여불] ①드문드문 흩어져 있다. ¶ 흰수염이 건성드뭇하게 자란 노인. ②이따금씩 있다. ¶ 군대에 간 아들한테서 안부 편지를 건성드뭇하게 받는다.

건성 식물【乾性植物】[명]〖식〗건생 식물(乾生植物).

건성-울음 [명] 정말 우는 것이 아니라 건성으로 우는 울음. 건울음.

건성-유【乾性油】[-뉴] [명]〖화〗공기 중에 두면 공기 중의 산소를 흡수(吸收)하여 말라서 굳어 버리는 식물성(植物性)의 기름. 동유(桐油)·아마인유(亞麻仁油)·들기름 따위로, 페인트·인쇄 잉크·서양화의 채료 등의 원료로 씀. 건조유(乾燥油). [준]건유(乾油). ↔불건성유(不乾性油).

건성-지【乾性脂】[명] 동물 유지(油脂) 중에서 불포화도(不飽和度)가 높은 지방산(脂肪酸)을 함유하는 유지. 공기 중에 놓아 두면 산소를 흡수하여 건조(乾燥)됨.

건성 지루【乾性脂漏】[명]〖의〗머리나 눈썹 부분의 피부가 불그스름해지고 비듬이 떨어지는 지루(脂漏)의 한 형태. 피부의 분비가 건조한 상태로, 가렵고 탈모(脫毛)의 원인이 됨. ↔유성(油性) 지루.

건성 찜질【乾性一】[명] 더운 찜질의 하나. 회로(懷爐)·구운 돌·탕파(湯婆) 따위를 헝겊으로 싸서 찜질하는 건성 고체 찜질과, 증기 또는 뜨거운 공기를 몸에 쐬는 건성 기체 찜질의 총칭. 피부 및 내장에 충혈(充血)을 일으키어, 진정(鎭靜) 및 염성 산물(炎性產物)의 흡수를 꾀함.

건성 천:이【乾性遷移】[명] 〔xerarch succession〕〖생〗노출한 암석·사지(砂地) 등 대단히 건조한 곳에서 볼 수 있는 식물 군락(群落)의 천이(遷移). 그 모식적(模式的) 변화는, 우산 모양 이끼 시대→가지 모양 이끼 시대→선태류(蘚苔類) 시대→초원(草原) 시대→관목(灌木) 시대→삼림(森林)으로 나타남. 토양(土壤)의 보수력(保水力)·영양 염류(營養塩類)의 증가 등이 천이 진행의 원인이 됨. ↔습성(濕性) 천이.

건성 해수【乾性咳嗽】[명]〖의〗인두염·늑막염·폐결핵 등의 초기에 하는 기침. 담이 나오지 아니함.

건성회-화【乾性灰化】[명] 〔dry ashing〕〖화〗버너 또는 머플로(muffle 爐)를 써서, 유기 화합물을 재로 전화(轉化)시키는 일.

건:송【健訟】[명] 하치 않은 일에도 소송(訴訟)하기를 즐김. ——-하다 [타][여불]

건-수¹【件數】[-쑤] [명] 사건이나 사물의 가짓수.

건수²【乾水】[명] 늘 솟는 샘이 아니고 장마 때에 잠시 솟아나서 괴는 물.

건수³【乾嗽】[명]〖한의〗마른 기침.

건수-교【乾水橋】[명] 평시에는 물이 흐르지 않는 곳에 놓인 다리.

건숙【虔肅】[명] 경건하고 엄숙함. ——-하다 [형][여불]. ——-히 [부]

건순【乾脣】[명] 위로 들린 입술.

건순 노:치【乾脣露齒】[명] 윗입술이 위로 치들려서 이가 드러나 보임. ——-하다 [형][여불]

건 스프레이 〔gun spray〕[명] 소총 모양의 분무기.

건-습【乾濕】[명] 건조와 습기. 마름과 습함.

건습-계【乾濕計】[명]〖물〗↗건습구 습도계(乾濕球濕度計).

건습구 습도계【乾濕球濕度計】[명] 〔wet and dry-bulb hygrometer ; psychrometer〕〖물〗물의 증발하는 정도를 재어서 공기 중의 습도를 측정하는 장치. 똑같은 모양의 수은(水銀) 온도계를 나란히 놓고, 한쪽 온도계의 구부(球部)를 늘 물에 적신 헝겊으로 싸 두어, 두 온도계의 시도(示度)의 차를 읽어 계산표(計算表)에 의해서 습도를 앎. [준] 건습계.

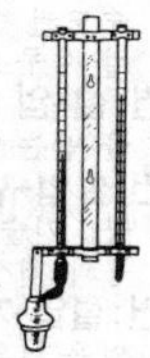

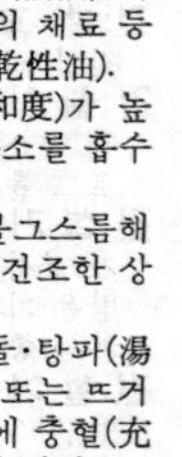
〈건습구 습도계〉

건습 운동【乾濕運動】[명] 〔hygroscopic mo… 세포의 세포막(細胞膜)이 외기(外氣)의 습도의 … 축했다 하는 물리적 운동. 콩의 깍지가 성숙(成… 면 깍지가 벌어져 종자를 내는 운동 따위.

건:승【健勝】[명] 건강함. ¶ ~을 빌다. ——-하다 [형]

건시¹【乾柿】[명] 곶감.

건시나 감이나 [구] 대동 소이(大同小異)하다는 말.

건시²【乾時】[명]〖민〗이십사시(二十四時)의 스물두째 … 반부터 아홉시 반까지의 동안. [준]건(乾).

건식¹【乾式】[명] 액체나 용제(溶劑)를 쓰지 않는 방식. ↔습…

건식²【乾食】[명] ①음식물을 말려서 먹음. ②물이나 국이 없… 찬으로 밥을 먹음. ③노름판 따위에서, 거저먹음. ¶ 따라지로… ——-하다 [자][여불]

건식³【乾蝕】[명] ①목재·의류 등을 공기의 유통이 나쁜 곳에 저… 로써 생기는 부식(腐蝕). ②〖광〗금속이나 합금이 공기 중에 있는… 점(點) 이상의 가스에 침식되어 부식하는 일. ——-하다 [자][여불]

건:식⁴【健食】[명] 음식을 가리지 않고 많이 잘 먹음. 건담(健啖). ——-하다 [타][여불]

건:식-가【健食家】[명] 건담가(健啖家).

건식 가압 성형법【乾式加壓成形法】[-뻡] [명] 〔dry pressing〕〖공〗금속 거푸집에 젖은 점토(粘土) 가루를 압축하여, 점토 세공품을 성형하는 법.

건식 구조【乾式構造】[명]〖건〗프리패브 건축·철골 조립 건축 등과 같이, 물을 쓰지 아니하고 시공(施工)하는 건축상의 구조(構造). 각 부분의 규격(規格)이 일정하여 짜맞추기만 하면 되므로 공사 기간(工事期間)이 짧고 옮기기가 쉬우며 겨울에도 시공(施工)할 수 있음.

건식 방사【乾式紡絲】[명]〖화〗건식 방사법. ↔습식(濕式) 방사.

건식 방사법【乾式紡絲法】[-뻡] [명]〖화〗화학 섬유의 방사법(紡絲法)의 하나. 고분자 물질(高分子物質)을 증발하기 쉬운 용매(溶媒)에 녹여, 방사액(紡絲液)을 압축하여 뜨거운 공기 속으로 실모양으로 내뿜게 하고, 아세톤 따위의 용매는 증발시켜 섬유를 얻음. 건식 방사.

건식-법【乾式法】[명] ①〖광〗건식 제련법(製鍊法). ②〖화〗주된 화학 반응을 용액(溶液)을 쓰지 않고 하는 화학 조작. 또, 원자로(原子爐) 관계에서, 용매 추출(溶媒抽出)에 의하지 않고 핵연료 재처리(核燃料再處理)를 하는 방법.

건식 변:압기【乾式變壓器】[명]〖전〗절연유(絕緣油)에 담그지 않고, 냉각 매체(冷却媒體)로서 공기 또는 가스를 사용한 변압기. 일반용의 소용량(小容量)의 것에서부터 실리콘 절연물(絕緣物)을 사용한 대용량(大容量)의 것까지 개발되어 빌딩·탄광(炭鑛) 등에 쓰이고 있음.

건식 분석법【乾式分析法】[명]〖화〗용액을 쓰지 않고 유리관(管) 내에서의 타는 모양·불꽃 반응·용구(熔球) 시험 등을 수단으로 하는 정성(定性) 분석. [준]건법(乾法). ↔습식(濕式) 분석법.

건식 분쇄【乾式粉碎】[명] 〔dry grinding〕〖공〗물을 사용하지 않고, 누스러뜨리는 일.

건식 선거【乾式船渠】[명] 선거(船渠) 형식의 하나. 선체(船體)를 수리하거나 청소할 때, 배를 넣을 수 있도록 땅을 파서 콘크리트 따위로 안벽을 두른 시설. 물로 향한 쪽에 수문(水門)을 설치하고 펌프로 바닷물을 넣거나 뺄 수 있게 됨. 드라이 독. 건(乾)선거. 건(乾)독. *부양식(浮揚式) 독·계선(繫船) 독(dock).

건식 세:탁【乾式洗濯】[명] 드라이 클리닝. 마른빨래.

건식 수소 폭탄【乾式水素爆彈】[명] 습식(濕式) 수소 폭탄보다도 착화 온도(着火溫度)를 낮추기 위하여 수소화 리튬(水素化Lithium)에 열핵 반응(熱核反應)을 일으키게 한 수소 폭탄.

건식 시금【乾式試金】[명]〖광〗수분을 쓰지 아니하고 하는 금(金)·은(銀)의 정량(定量) 분석. ↔습식(濕式) 시금.

건식 연삭 절단【乾式研削切斷】[-딴] [명] 〔dry abrasive cutting〕〖기〗냉각용 액체를 사용하지 않고 그라인더의 마찰로 절단하는 일.

건식 정:류기【乾式整流器】[-뉴-] [명]〖전〗액체를 사용하지 않는 정류기. 곧, 금속 정류기. ↔전해(電解) 정류기.

건식 제:련법【乾式製鍊法】[-뻡] [명]〖광〗광석을 용광로(鎔鑛爐)에 넣어 화열(火熱)을 가하여 이물(異物)을 분리하고 목적하는 금속 또는 금속 화합물을 뽑아 내는 제련법. 건식법(法). ↔습식(濕式) 제련법.

건식 테이프 연료 전:지【乾式一燃料電池】[-열-] [명] 〔dry-tape fuel cell〕〖전〗건식 테이프 모양의 연료를 사용하는 전지. 건식 테이프에는 연료·산화물·전해액 등이 발라져 있으며, 전기 에너지의 수요량에 따라 전지에 연료 테이프를 보냄.

건:신 대:위【建信隊尉】[명]〖역〗조선 시대 때, 토관직(土官職)의 정육품 서반(西班) 품계. *여신(勵信) 대위.

건:실【健實】[명] 건전하고 착실함. ——-하다 [형][여불]. ——-히 [부]

건:실-미【健實味】[명] 건실한 맛.

건:실-성【健實性】[-썽] [명] 건실한 특성.

건:아¹【建牙】[명] 기(旗)를 세움. 전(轉)하여, 출진(出陣)함. ——-하다 [자][여불]

건:아²【健兒】[명] 건장(健壯)한 남아. 씩씩한 사나이. ¶ 대한의 ~.

건:악【謇諤】[명] 거리낌 없이 곧은 말을 함. ——-하다 [자][여불]

건:-악기【鍵樂器】[명]〖악〗건반 악기(鍵盤樂器).

건:안【建安】[명]〖역〗중국 후한(後漢)의 헌제(獻帝) 시대의 연호. [196-220]

건:안 사인【建安詞人】[명] 중국 후한(後漢) 건안 연간의 문학자들의 총칭. 특히, 건안 칠자(建安七子)를 이름.

건:안-체【建安體】[명]〖문〗한시의 시체(詩體)의 한 가지. 중국의 후한 말 건안 칠자의 시풍(詩風)으로서, 대체로 오언(五言)의 시체(詩體)를 사용했으며, 품격이 높음.

건:안 칠자【建安七子】[-짜] [명] 중국의 후한 및 건안 연간에 배출(輩

出)한 일곱 사람의 시문가(詩文家). 곧, 공융(孔融)·진림(陳琳)·왕찬(王粲)·서간(徐幹)·완우(阮瑀)·응창(應瑒)·유정(劉楨).

건:양【建陽】명〔역〕조선 고종(高宗)의 연호. 조선 시대 최초의 연호로서, 개국 505년 즉위(即位) 33년부터 다음해 7월까지의 기간. ⌊[1896-97]

건어【乾魚】명 ↗건어물(乾魚物).

건-어물【乾魚物】명 말린 물고기. ㊟건어(乾魚).

건:언【建言】명 건백(建白). ——-하다 타여불

건:언-서【建言書】명 건백서(建白書).

건:업¹【建業】명 사업의 토대를 세움. ——-하다 자여불

건:업²【建業】명〔역〕중국 난징(南京)의 구명. 삼국 시대 오(吳)나라의 서울. *강녕(江寧).

건열【乾裂】명 ①말라서 갈라짐. ②진흙의 얇은 층(層)이 말라서 갈라진 다각형의 균열(龜裂). ——-하다 자여불

건열 살균법【乾熱殺菌法】[—뻡] 명 살균법의 하나. 살균할 기구를 건조시킨 후 건열 살균기에 넣어 150°-160°C 정도의 고열 건조 공기 속에 30-60분간 놓아 두면 완전히 살균됨. 병·시험관 등 유리 기구나 도기(陶器)의 살균에 쓰임.

건:염 물감【建染—】[—깜] 명 배트(vat) 물감.

건염-법【乾塩法】[—뻡] 명 마른간법.

건:염 이:래 계:년 요:록【建炎以來繫年要錄】[—뇨—] 명〔책〕중국 남송(南宋) 때에 나온 편년체(編年體)의 사서(史書). 이심전(李心傳)의 찬술(撰述)로, 고종(高宗) 건염 원년(1127)부터 소흥(紹興) 32년(1162)까지의 사적(事跡)이 기록되어 있음. 1210년에 간행됨. 200권.

건염-피【乾塩皮】명 소금을 뿌리어 말린 짐승의 가죽.

건:영-청【建營廳】명〔역〕조선 광해군(光海君)이, 임진 왜란 때 불탄 서울의 관아를 재건하려고 광해군 2년(1610)에 설치한 관청.

건-오적어【乾烏賊魚】명 말린 오징어.

건-오징어【乾—】명 말린 오징어.

건:옥【建玉】명〔경〕거래소에서, 매매 약정이 된 증권이나 상품으로서 아직 결제(決濟)되지 않은 물건. 세운알.

건:옥 정:리【建玉整理】[—니] 명〔경〕신용 거래에서, 체결된 건옥을 전매(轉賣) 또는 환매(還買)하여 결제함으로써 매매 관계를 정리하는 일.

건:완【健腕】명 ①튼튼하고 힘이 센 팔. ②글을 빠르고 많이 잘 쓸 수 있는 능력. 또, 그런 능력이 있는 사람.

건:요【建窯】명 '젠야오'를 우리 음으로 읽은 이름.

건:용【健勇】명 건장(健壯)하고 용맹(勇猛)함. ——-하다 형여불

건우¹【愆尤】명 잘못. 허물. 건과(愆過).

건우²【犍牛】명 거세(去勢)한 소.

건-울음 명 건성으로 우는 울음. 건성 울음. ⌈타여불

건:원¹【建元】명 나라를 이룩한 임금이 연호(年號)를 세움. ——-하다

건:원²【建元】명〔역〕신라 때의 다년호(大年號). 법흥왕(法興王) 23년부터 진흥왕(眞興王) 11년까지의 15년 동안. [536-550]

건원³【乾圓】명 하늘이 둥근 것을 일컫는 말.

건:원-릉【健元陵】[—월—] 명〔지〕경기도 구리시(九里市)에 있는 능. 동구릉(東九陵)의 하나. 조선 태조 이성계(李成桂)의 능.

건원-절【乾元節】명〔역〕대한 제국 융희(隆熙) 때 황제의 탄일(誕日).

건원 중:보【乾元重寶】명〔역〕고려 성종(成宗) 15년(996)에 만든 철전(鐵錢). 우리 나라 최초의 철전이라 함.

건위¹【乾位】명 남자의 신주(神主)나 무덤. ↔곤위(坤位)❶.

건:위²【健胃】명 위를 튼튼하게 함. 또, 튼튼한 위. ——-하다 자여불

건:위-약【健胃藥】명〔약〕건위제(健胃劑).

건:위-제【健胃劑】명〔약〕소화액(消化液)의 분비를 왕성히 하고 위장의 운동을 도와 소화(消化)와 흡수(吸收)를 촉진하는 약제. 건위약.

건유【乾油】명〔화〕↗건성유(乾性油).

건육【乾肉】명 말린 고기.

건-으로【乾—】부 ①턱없이. 건물로. ¶ ~ 비싸게 달란다. ②실상이 없이. 공연히. ¶ ~ 역정을 내신다. ③매나니로. ¶ ~ 되는 일인 줄 아느냐.

건:의¹【建議】[—/—이] 명 ①의견이나 희망을 상신함. 또, 그 의견. 건백(建白). ②개인 또는 단체가 관청에 희망을 개진(開陳)함. ③어떤 국가나 단체가 동등 또는 상급의 국가 단체에 희망을 개진함. ——-하다 타여불

건의²【愆義】[—/—이] 명 정도(正道)를 어김. ——-하다 자여불

건:의-권【建議權】[—꿘/—이꿘] 명〔법〕의회(議會)가 정부(政府)에 대하여 어떠한 희망이나 의견을 건의할 수 있는 권리.

건:의-문【建議文】[—/—이—] 명 건의하는 취지를 적은 글.

건:의-서【建議書】[—/—이—] 명 건의의 취지나 조항을 적은 문서. 건백서(建白書). 건언서(建言書).

건:의-안【建議案】[—/—이—] 명〔법〕건의의 초안 또는 의안(議案).

건:의-자【建議者】[—/—이—] 명 건의(建議)하는 사람.

건:의-장【建義章】[—짱/—이짱] 명 용비어천가(龍飛御天歌) 제104장의 이름.

-건이 어미〈옛〉-았느냐. -었느냐. ¶ 千里馬絕大佳人을 눈을 주고 니건이《海謠 浮虛코》.

건자 부〈방〉거의(경기).

건:-자재【建資材】명 건축 공사에 쓰이는 온갖 재료.

건잠 명〔충〕곡식의 뿌리를 해치는 벌레의 한 가지.

건잠-머리 명 일을 시킬 때에 대강의 방법을 일러 주고, 이에 필요한 제구(諸具)를 차리어 주는 일. ——-하다 자여불

건:장¹【健壯】명 몸이 크고 힘이 굳셈. ¶ ~한 청년. ——-하다 형여불

건장²【乾醬】명 마른장.

건:장-궁【建章宮】명〔역〕중국 한(漢)나라의 궁전 이름. 무제(武帝) 태초 원년(太初元年)에 장안성(長安城) 밖, 미앙궁(未央宮) 서쪽에 조영(造營)함.

건:재¹【建材】명 건축 재료. 건축용재(建築用材).

건재²【乾才】명 임무를 감당하며 처리하는 재주.

건재³【乾材】명 ①〔한의〕첩약(貼藥)이나 환약(丸藥)을 짓지 아니한 그대로의 약재(藥材). ②법제(法製)하지 않은 원료로서의 약재. ③건색(乾色). ⌈자여불

건:재⁴【健在】명 아무 탈 없이 잘 있음. ¶ 그는 아직 ~하다. ——-하다

건재-국【乾材局】명 ↗건재 약국(乾材藥局).

건:재-상【建材商】명 건축 재료를 파는 상점.

건재 약국【乾材藥局】명 주로 건재(乾材)를 파는 약국. ㊟건재국.

[건재 약국에 백복령(白茯苓)] 반드시 빠지지 아니하고 있는 사물. 또, 쓰이는 곳이 많은 사물의 비유.

건:저¹【建儲】명〔역〕왕위 계승자인 왕세자나 황태자를 세우는 일.

건저² 부〈방〉거의.

건저-건저 부〈방〉거의거의.

건:저 문:제【建儲問題】명〔역〕조선 선조(宣祖) 24년(1591)에 왕세자 책봉 문제로 벌어진 동인(東人)과 서인(西人)의 분쟁. 서인 정철(鄭澈)이 세자 책봉을 주장하자, 동인 이산해(李山海) 등이 당시 왕의 총애를 받고 있던 인빈(仁嬪) 김씨의 소생 신성군(信城君)을 해치려는 음모라고 참소(讒訴), 서인들을 내쫓음.

건전¹【乾田】명 ①수확 후의 마른논. ②배수(排水)가 잘 되어 관개(灌漑)를 중지하였을 때 흙이 건조하여 쉽게 밭을 만들 수 있는 논. ↔습전(濕田).

건:전²【健全】명 ①건실(健實)하고 완전(完全)함. ②건강하고 병이 없음. ③의지가 확고하고 중용(中庸)을 잃지 않는 상태. 감정에 치우치지 않고 분별이 있음. ——-하다 형여불. ——-히 부

건:전한 정신은 건:전한 신체에 깃들인다 구심신(心身)은 밀접한 관계가 있어 신체가 건강하면 자연히 정신도 건전하다는 말.

건-전복【乾全鰒】명 말린 전복. 마른 전복. ㊟건복(乾鰒).

건:전 재정【健全財政】명 경상(經常) 세출입(歲出入)으로 운용되어 나가는 재정. 경비의 절약과 비모채주의(非募債主義)가 그 특징임. 넓은 뜻으로는 균형 재정과 같은 뜻으로 쓰임. ↔적자(赤字) 재정.

건-전지【乾電池】명 [dry cell]〔물〕1차 전지의 전해액(電解液)을 적당한 흡수체(吸收體)에 흡수시켜, 취급이나 휴대에 편리하게 만든 전지. 용도는 라디오·녹음기·플래시라이트·전지 시계 등에 쓰임. 가장 널리 이용되는 것이 르클랑셰 전지를 변형(變形)한 망간 건전지로, 양극(陽極)을 탄소(炭素) 막대로, 음극을 아연(亞鉛)으로 만들어 그 사이에 염화 암모늄을 흡수시킨 종이·솜 등과 이산화 망간(二酸化mangan)·탄소 가루를 풀로 섞어서 메워 만듦. 그 밖에 공기(空氣) 건전지·수은(水銀) 전지·적층(積層) 건전지 등이 있음. ↔습전지(濕電池).

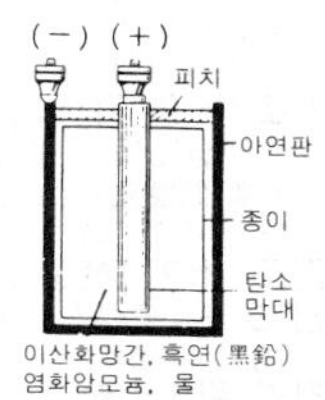

〈건전지〉

건전지 충전기【乾電池充電器】명 소형의 트랜스(trans)와 정류기(整流器)를 사용하여, 보통의 교류 전류(交流電流)를 미약한 직류 전류(直流電流)로 변환시켜서 이것을 건전지에 유입하여 충전을 행하는 장치.

건:절【建節】명〔역〕감사(監司) 또는 관찰사(觀察使)로 등용(登庸)됨. ——-하다 자여불

건정¹【乾淨】명 ①정결(精潔). ②일 처리(處理)를 잘 하여 후환(後患)이 없음. 뒤끝이 깨끗함. ——-하다 형여불

건정² 부 대강. ¶ ~ 해치우다.

건정-건정 부 대강대강 빠르게 해 나가는 모양. ¶ ~ 제안 대군의 말을 대답한 연산은 취안을 들어 시비들의 곱고 추한 얼굴을 점고하신다《朴鍾和 : 錦衫의 피》.

건:제¹【建制】명 ①설치하고 제정함. ②군대에서 편제표(編制表)에 정해진 조직을 유지(維持)함. ——-하다 타여불

건:제²【建除】명〔민〕옛 중국에서, 북두 칠성(北斗七星)이 가리키는 방향을 월별(月別)로 표시한 열 두 말. 곧, 건(建)·제(除)·만(滿)·평(平)·정(定)·집(執)·파(破)·위(危)·성(成)·수(收)·개(開)·폐(閉). *건제 십이신(建除十二神).

건제³【乾劑】명〔화〕건조제(乾燥劑).

건제⁴【乾製】명 물기 없이 제조함. ——-하다 타여불

건:제 부대【建制部隊】명〔군〕전술상(戰術上)의 목적에 의하여 평시(平時)부터 인원과 장비를 갖추고 있는 편제(編制) 상의 부대. 곧 사단·여단·연대·대대·중대 등.

건제 비:료【乾製肥料】명 건조(乾燥) 비료.

건:제-순【建制順】명 건제된 순서. 곧, 먼저 설치된 것으로부터 뒤에 설치된 것으로 이르는 차례.

건:제 십이신【建除十二神】명〔민〕길흉일(吉凶日)을 맡은 열두 신(神). 건제(建除)가 12일마다 순환한다고 생각하여, 그 날의 간지(干支)와 합하여 그 날의 길흉을 운위(云謂)하게 되었음. 곧, 건(建)·제(除)·만(滿)·평(平)·정(定)·집(執)·파(破)·위(危)·성(成)·수(收)·개(開)·폐(閉) 중, 제·위·정·집·성·개의 여섯이 길(吉)이고 그 나머지가 흉(凶)임. *건제(建除).

건제-품【乾製品】명 식료품 따위를 오래 둘 수 있도록 말린 제품. 건조품(乾燥品).

건져-내다 타 '건지다'에서 꺼낸다는 뜻을 강조한 말. 건져 꺼내다.

건:조¹【建造】명 ①건설하여 영조(營造)함. 배·건물 따위를 만듦. ¶ 유조선(油槽船) ~. ②건축물을 세움. ——-하다 타여불

건조²【乾造】명 성명가(星命家)의 용어로서, 남자의 운명을 일컫는 말.

건조³【乾燥】명 ①습기나 물기가 증발하여 없어짐. 마름. 고조(枯燥). ¶ 공기가 ~하다. ②↗건조 무미(乾燥無味). ③[drying]〔화〕물질에

서 완전히 액체, 보통 수분을 제거시키는 조작. ④〔drying〕〖화〗 산화 반응(酸化反應)에 의하여, 면실유(棉實油) 따위의 액체가 필름상의 고체로 되는 일. ——하다 자타 형 여불

건조'【乾棗】 명 말린 대추. ↔풋대추❶.

건조 강도【乾燥強度】 명 〔dry strength〕〖공〗 접착 접합부를 특별한 조건 하에서 건조한 직후 또는 표준적인 실험실에서 조절한 후의 강도.

건조-겔【乾燥─】 명 〔xerogel〕〖화〗 수분(水分)이 적고 틈새가 있는 망상 조직(網狀組織)의 겔. 젤라틴, 한천(寒天), 실리카겔 따위.

건조 경:보【乾燥警報】 명 실효 습도가 40% 이하이고, 당일의 최고 습도가 30% 이하이며, 최대 풍속이 10 m/sec 이상인 상태가 2일 이상 계속될 것이 예상될 때 발표하는 기상 경보. ＊건조 주의보.

건조 공기【乾燥空氣】 명 습기를 전혀 포함하지 않은 공기. 건조 대기.

건조-과【乾燥果】 명 ①〖식〗 단화과(單花果)의 하나로서, 익으면 껍질이 마르는 과실(果實)의 총칭. 열과(裂果)와 폐과(閉果) 두 가지로 대별됨. ＊장과(漿果). ②과실을 볕에 말리거나 화력(火力)으로 건조시킨 것. 곶감·건포도 따위. 준건과(乾果).

건조-관【乾燥管】 명 ①물건을 건조시키는 데 사용하는 관(管). ②건조기에 말려 있는 관.

건조-기[1]【乾燥期】 명 〖지〗 우량의 연변화(年變化)에 따라 나눈 계절의 하나. 일년 중 가장 강수량이 적은 계절로 그 시기는 지역에 따라 다르며 지중해성 기후 지역에서는 여름, 계절풍 지역에서는 겨울임. 건계(乾季). 준건기(乾期).

건조-기[2]【乾燥器·乾燥機】 명 〖기〗 물체 속에 포함되어 있는 수분(水分)을 제거하여 말리는 장치. 가열(加熱)하는 방법, 뜨거운 바람을 보내는 방법, 흡습성(吸濕性)의 약제를 쓰는 방법 등 여러 가지가 있음. 드라이어(dryer). ＊데시케이터.

건조 기간【乾燥期間】 명 〔dry spell〕〖천〗 이상(異常) 건조 날씨가 계속되는 기간. 한발(旱魃)보다는 범위가 좁음. 미국에서는 무강수(無降水) 기간이 약 2주간 계속될 때를 말함.

건조 기후【乾燥氣候】 명 〖천〗 강수량(降水量)이 증발량(蒸發量)보다 적어 매우 건조한 기후. 중위도 고압대(中緯度高壓帶)의 대륙 중앙부에서 볼 수 있음. 스텝(steppe) 기후·사막 기후로 나뉨. ↔습윤 기후(濕潤氣候).

건조 농법【乾燥農法】[─뻡] 명 〖농〗 강수량(降水量)이 적은 건조 지대에서 활용되는 농사법. 작물의 선택, 지표면(地表面)으로부터의 물의 증발의 방지 또는 소량의 비의 효과적인 이용 등이 그 주요한 방법임. 우리 나라의 서북부 지방에서 많이 발달되었음.

건조 단:열 감:률【乾燥斷熱減率】[─뉼] 명 기상학(氣象學)에서, 수증기가 없는 공기덩이를 외부의 공기와 관계없이 상승시켰을 때, 단열 팽창(斷熱膨脹)으로 그 공기 덩이의 온도가 내려가는 비율. 100 미터마다 약 섭씨 1도의 비율로 내려감. ＊습윤(濕潤) 단열 감률.

건조 대:기【乾燥大氣】 명 건조 공기.

건조-도【乾燥度】 명 기후적으로 보아, 생명 유지에 필요한 유효 수분(有效水分)의 부족 정도. 「건조시켜서 가루로 만든 물건.

건조-란【乾燥卵】 명 달걀을 저장하거나 휴대(携帶)하기에 편리하도록

건조-로【乾燥爐】 명 주물 공업(鑄物工業)에서, 거푸집이나 주물(鑄物)의 건조에 쓰이는 노(爐). 구조법의 진보에 따라, 지금은 거의 쓰이지 않음. 「─」 부

건조-롭다【乾燥─】 형 ㅂ불 건조 무미한 느낌이 있다. 건조-로이【乾燥

건조-림【乾燥林】 명 기후나 토질이 건조한 지방에 발달하는 산림(山林). 회양나무 등의 건조 관목림(灌木林)과 야자·목마황(木麻黃) 등의 건조 교목림(喬木林)의 두 가지가 있음. 잎이 단단하고 두터우므로 경엽수림(硬葉樹林)이라고도 함.

건조 마찰【乾燥摩擦】 명 〔dry friction〕〖물〗 윤활제(潤滑劑) 등을 바르지 않은 깨끗한 고체 표면에서의 마찰. 정지(靜止) 마찰과 운동(運動) 마찰로 구분 됨. ↔경계(境界) 마찰.

건조 맥아【乾燥麥芽】 명 건조시켜 효소(酵素)의 작용을 막고, 부패균(腐敗菌)의 번식을 억제한 엿기름. 여기에 물을 부으면 재차 효소 작용이 일어남.

건조 모래 거푸집【乾燥─】 명 〔dry sand mold〕 강도(強度)를 높이기 위하여 노(爐)에서 건조시킨 거푸집.

건조 목재【乾燥木材】 명 〔seasoned lumber〕 수분을 균일하게 하기 위하여, 건조 방식으로 양생(養生)한 나무.

건조 무미【乾燥無味】 명 시문(詩文) 따위가, 딱딱하고 운치가 없음. 무미 건조. 준건조(乾燥). ——하다 형 여불

건:조-물【建造物】 명 건축하여 영조(營造)한 가옥·창고·탑 같은 건물. 영조물(營造物). 건설물(建設物). 건축물. ¶～에 불법 침입하다.

건조-법【乾燥法】[─뻡] 명 식품을 저장할 때, 말려서 되도록 수분을 없애어 부패균(腐敗菌)의 번식을 억제하는 방법.

건:조 보:험【建造保險】 명 〖경〗 선박 건조 중의 여러 가지 위험을 담보하는 보험. 보통, 킬(keel) 설치(設置) 후에 부보(附保)함.

건조 부패【乾燥腐敗】 명 균류(菌類)에 의하여 마른 목재의 목질(木質)이 건조하고 무른 구조로 되어, 신속히 부패하는 일.

건조 비:료【乾燥肥料】 명 멸치 따위 생선이나 모자반 같은 바닷말 또는 닭똥 등을 말려서 만든 비료. 건제(乾製) 비료.

건조-성【乾燥性】[─썽] 명 ①건조한 성질. ②건조해지기 쉬운 성질.

건조 세:탁【乾燥洗濯】 명 드라이 클리닝. 마른빨래.

건조 속도【乾燥速度】 명 〖물〗 물체 표면의 단위 면적의 수분이 단위 시간에 휘발하는 정도.

건조 식품【乾燥食品】 명 〔dry provisions〕 신선한 상태의 식품을 자연적 또는 인공적으로 건조시킨 식품. 영양가(營養價)를 손상시키지 않고, 장기간 보존이 가능하며, 저장·운반이 용이하고 특별한 풍미(風味)도 살릴 수 있는 장점이 있음. 곡류(穀類)·야채류·과일·육류(肉類)·생선·우유·달걀·차(茶) 등 종류가 많음.

건조-실【乾燥室】 명 열풍(熱風)을 통한다든가, 열선(熱線)을 쬐거나 하여 물건을 건조시키기 위한 방.

건조 야:채【乾燥野菜】 명 저장·수송에 편리하도록 뜨거운 물을 통하거나 그 밖에 살균(殺菌)을 하여 날짜로 말린 야채. 건조 채소.

건조 열과【乾燥裂果】 명 〖식〗 열과(裂果). ＊건조과(乾燥果).

건조-유【乾燥油】 명 건성유(乾性油).

건조 윤회【乾燥輪廻】 명 〖지〗 건조성 기후가 지배(支配)하고 있는 지방에 일어나는 지형의 윤회적 변화. 온도 급변과 풍력 작용에 의함.

건조-장[1]【乾燥場】 명 물건을 말리기 위하여 특별한 장치(裝置)를 한 곳.

건조-장[2]【乾燥葬】 명 시체를 건조시켜서 처리하는 장법(葬法)의 하나. 화장(火葬)·미라장 따위. ↔습장(濕葬).

건조-제【乾燥劑】 명 〔drying agent〕〖화〗 ①다른 물질로부터 수분을 빨아내는 데 쓰는 흡습성(吸濕性)이 센 물질. 짙은 황산이나 염화 칼슘·실리카겔·액체 공기 따위. 방습제(防濕劑). ②납·망간·코발트 등의 화합물처럼 건성유(乾性油) 또는 반(半)건성유의 건조성을 증가시키는 데 사용하는 물질. 건제(乾劑). 드라이어(dryer).

건조 주:의보【乾燥注意報】[─ / ─이─] 명 실효 습도가 50% 이하이고, 그 날의 최소 습도가 30% 이하이고, 최대 풍속이 7 m/sec 이상의 상태가 2일 이상 계속되리라고 예상될 때 발표하는 기상 주의보.

건조-증【乾燥症】[─쯩] 명 〖한의〗 땀·침·대소변 같은 것이 잘 안 나오는 병 증세.

건조-지[1]【乾燥地】 명 토질이 건조한 땅.

건조-지[2]【乾燥紙】 명 채집(採集)한 식물(植物)을 표본(標本)으로 하거나 보존하거나 하기 위하여, 끼워서 건조시키는 종이.

건조 지수【乾燥指數】 명 〖기상〗 어느 지방에 있어서의 기후상(氣候上)으로 본 건조 상태를 연평균 기온과 강수량(降水量)의 총합(總合)으로 나타낸 지수. 1926년에 프랑스의 지리학자 마르톤(Martonne, E. de ; 1873-1955)이 고안해 내었음. I를 건조 지수, T를 연평균 기온, P를 연강수량으로 보면 다음의 공식으로 나타남. $I = P/(T+10)$. 5 이하는 무강 유역(無江流域), 10 이상이면 건지 경작(乾地耕作) 가능, 20까지는 관개(灌漑)가 필요하며, 30 이상에서 숲이 나타남.

건조 지역【乾燥地域】 명 〖지〗 증발량이 강수량보다 많아 수목이 잘 자라지 않는 지역.

건조 지형【乾燥地形】 명 〖지〗 건조한 기후로 인하여 내륙 지역에 생기는 지형. 수분이 적으므로 암석의 화학적 분해 작용이 작고, 물리적 분해 작용이 왕성하며, 식물의 피복(被覆)이 적기 때문에 강우(降雨)에 의한 포상 침식(布狀浸蝕) 작용이 성하여, 풍화 작용과 침식 작용이 현저함.

건조 진:액【乾燥津液】 명 동물성·식물성 진액을 건조시켜 굳힌 약제.

건조 채:소【乾燥菜蔬】 명 건조 야채(野菜).

건조-체【乾燥體】 명 문체(文體)의 한 가지. 학술문·기사(記事)·규칙 등과 같이 꾸미는 말이 적고 이해하기 쉬우며 실용적인 문체. 평명체(平明體).

건조-탑【乾燥塔】 명 탑 모양으로 된 건조용의 시설(施設).

건조 폐:과【乾燥閉果】 명 〖식〗 폐과(閉果). ＊건조과(乾燥果).

건조-품【乾燥品】 명 건제품(乾製品).

건조 한:계【乾燥限界】 명 〖지〗 건조 기후와 습윤(濕潤) 기후의 한계선.

건조 혈장【乾燥血漿】[─짱] 명 〔normal human plasma dried〕〖의〗 사람의 혈액을 침전(沈澱)시켜서, 위에 뜬 혈장(血漿)을 냉동(冷凍), 건조시킨 후 가루로 만든 물질. 증류수에 풀면 원래의 혈장으로 환원되므로 수혈(輸血)의 대용(代用)으로 사용이 간편하며, 보존(保存)·저장이 용이함. 「久花).

건조-화【乾燥花】 명 〖식〗 ①드라이 플라워(dry flower). ②영구화(永

건조 효모【乾燥酵母】 명 효모를 건조시킨 것. 담황색(淡黃色) 내지 담갈색(淡褐色)으로 상쾌한 방향(芳香)이 있음. 비타민 B 약제(藥劑)의 원료, 단백질 식품·비료·가축 사료로 쓰임.

건:졸【健卒】 명 건장(健壯)한 병졸. 「진 좌(坐).

건좌【乾坐】 명 〖민〗 묏자리·집터 같은 것의 건방(乾方), 곧 서북방을 등

건좌 손:향【乾坐巽向】 명 〖민〗 건방(乾方)을 등지고 손방(巽方)을 바라보는 좌향(坐向). 곧, 서북 향방(西北向方)에서 동남 향방(東南向方)을 바라보는 좌향(坐向).

건:주[1]【建州】 명 〖역〗 중국 만주(滿洲)의 지린(吉林) 지방의 옛이름.

건:주[2]【建奏】 명 임금에게 의견을 아뢲. ——하다 타 여불

건:주 야:인【建州野人】 명 만주에 있는 여진족(女眞族)을 일컫는 말. ＊야인(野人).

건:주 여진【建州女眞】 명 〖역〗 중국, 명대(明代)에 랴오둥(遼東) 지방과 압록강·두만강 유역 등 남만주(南滿洲)에 흩어져 살던 여진족. 건주위(建州衛)의 지배를 받고 있었는데, 1616년 건주 좌위(建州左衛)의 청 태조(淸太祖) 누르하치가 나타나 후금(後金)을 세웠음. ＊여진.

건:주-위【建州衛】 명 〖역〗 중국 명(明)나라의 성조(成祖) 영락제(永樂帝) 3년(1403)에, 남만주(南滿洲)에 사는 여진족(女眞族)을 누르기 위하여 건주(建州), 곧 지금의 지린(吉林)의 부근에 둔 위(衛). 뒤이어 건주 좌위(左衛)와 건주 우위(右衛) 및 모련위(毛憐衛)가 증설(增設)되었음.

건-주정【乾酒酊】 명 취하지도 않았으면서 공연히 취한 체하는 주정. ¶실컷 얻어먹구 나선 '…' 허구 ～을 한바탕씩 하니, …. ≪沈熏 : 常綠樹≫. ——하다 자 여불

건:주 정벌【建州征伐】 명 〖역〗 조선 시대 초기에 중국 명(明)나라의 요청에 따라 명군(明軍)과 협력하여 건주 여진(建州女眞)을 정벌한 일. 세조 13년(1467) 길주(吉州)에서 이시애(李施愛)의 난(亂)이 일어나 그 토벌군이 북상(北上)했을 때, 명나라에서는 건주위(建州衛)의 이만

주(李滿住)를 치고자 조선과 더불어 협격(挾擊)할 것을 요청해 오매, 세조가 강순(康純)·남이(南怡) 등을 시켜서 압록강을 건너 건주위의 본거(本據)를 치게 하니, 강순 등은 1만여로써 건주위의 여러 성(城)을 쳐서, 이만주와 그 아들들을 죽이고 돌아왔음. 그 뒤 1479년 성종(成宗) 10년에도 명(明)나라의 요청으로 좌의정(左議政) 윤필상(尹弼商)을 도원수(都元帥)로 하여, 4천 군사를 보냈으나 큰 성과를 거두지 못했음.

건:준【建準】명 ↗조선 건국 준비 위원회.

건중-건중 부 연해 건중그리는 모양. >간종간종.

건중-그리다 타 일이나 물건이 흐트러진 것을 대강대강 가리고 골라서 간단하게 하다. 건중이다. >간종그리다.

건중-이다 타 건중그리다. >간종이다.

건즐【巾櫛】명 ①수건과 빗. ②낯 씻고 머리를 빗음. ——-하다 자여불

건즐(을) 받들다 구 여자가 아내나 첩으로서 남편을 받들어 모시다. ¶ 시년이 십오세에 위인이 과히 용속지 아니하여 영랑의 건즐을 견디어 받듬즉하오니…《李海朝 : 昭陽亭》.

건즛 부 〈방〉 거의.

건지¹ 명 물의 깊이를 재는 데 쓰는, 돌을 매단 줄.

건지² 명 '건더기'가 줄어 변한 말.

건지다 타 ①물 속에 있는 것을 집어 내다. ②곤경(困境)에서 구(救)해 내다. ¶ 목숨만 겨우 ~. ③실패한 속에서 얼마큼 실패가 덜 되도록 하다. ¶ 본전(本錢)의 일부만 ~.

건:지 섬 〔Guernsey〕 명 『지』 영국 해협에 있는 영국령의 섬. 경치가 좋아 유람지로 알려짐. 화강암·젖소를 산출함. 주도는 세인트피터포트(St. Peter Port). [62 km²]

건:지-종【—種】〔Guernsey〕 명 젖소의 한 품종. 건지 섬 원산. 저지종(Jersey種)과 같은 계통으로, 체형(體型)이 비슷하나 약간 큼.

건-지황【乾地黃】명 『한의』 ↗생건지황(生乾地黃).

건-직파【乾直播】명 건파(乾播). ——-하다 타여불

건진 부 〈방〉 거의.

건진:-하다 형 〈방〉 거나하다.

건질【巾—】명 ☞건즐. ¶ 부대 유순한 부덕을 지키어 군자의 ~을 잘 받들지어다《李海朝 : 昭陽亭》.

건집 부 〈방〉 거의.

건짓 부 〈방〉 거의.

건짓-건짓 부 〈방〉 거의거의.

건짜-로【乾—】부 〈방〉 건으로. ¶ 심심해 어떻게 하우. 그대로 ~ 술만 마시나《朴鍾和 : 錦衫의 피》.

건짬 명 〈방〉『충』 건잠.

건착-망【巾着網】명 고기잡이 그물의 하나. 양조망(揚繰網)을 개량한 것인데, 띠 모양의 큰 그물로 어군(魚群)을 둘러싸고, 두루주머니의 아가리를 졸라매듯이 하여 고기를 잡음. 다랑어·고등어·가다랑어·정어리 등의 회유어(回遊魚)를 잡는 데 쓰임.

건착-선【巾着船】명 건착망을 갖춘 어선(漁船).

건채【乾菜】명 마른 나물·채소.

건:책【建策】명 ①방책(方策)을 세움. ②헌책(獻策). ——-하다 자타여불

건천¹ 명 〈방〉『광』 건등.

건천²【乾川】명 조금만 가물어도 물이 곧 마르는 내. 마른내.

건천³【乾川】명 『지』 경상 북도 경주시(慶州市)의 한 읍(邑). 경주시(慶州市)의 서쪽에 위치함. 읍 남쪽 단석산(斷石山)을 중심으로 경주 국립공원(國立公園)이 있으며, 이 구역 내에는 국보 제199호인 신선사 마애 불상군(神仙寺磨崖佛像群)이 있음. 그 밖에 금척리(金尺里)에 고분군(古墳群)과 주사산(朱砂山)의 부산성(富山城) 등의 사적(史蹟)이 있음. [92.45 km² : 13,863명(1996)]

건:첩【健捷】명 굳세고 재빠름. ——-하다 형여불

건-청어【乾靑魚】명 말린 청어. 관목(貫目).

건체¹【愆滯】명 돈 갚을 기한을 넘김. 연체. ¶ 밥값을 잘 주다가 차차 ~ 되어 셈을 내지 못하여 도망하여…《具然學 : 雪中梅》. ——-하다 자여불

건:체²【蹇滯】명 ①괴로워하면서 머뭇거림. ②뜻대로 되지 않음. ——-하다 자여불

건초¹【乾草】명 베어서 말린 풀. 마른풀. ㊂초(草). ↔생초(生草).

건:초²【腱鞘】명 『생』 점액낭(粘液囊)의 한 가지. 칼집 모양으로 손발의 힘줄을 싸고 있으며 안팎 두 층으로 되어 있는데 안쪽 것을 활막층(滑膜層), 바깥쪽 것을 섬유층(纖維層)이라고 하며, 두 층 사이의 점액에 의해서 힘줄의 운동이 원활하게 됨. 활액초(滑液鞘).

건:초-류【腱鞘瘤】명 『의』 건초가 국부적으로 혹처럼 솟은 상태. 만성 염증이나 만성 기계적 자극으로 인해서 일어나며, 피하(皮下)에 굳은 살이 있어 손에 만져짐.

건초-열【乾草熱】명 『의』 고초열(枯草熱).

건:초-염【腱鞘炎】명 『의』 힘줄과 건초(腱鞘) 사이에 마찰이 생겨, 거기에 염증이 일어나는 병. 붓고 동통(疼痛)이 있으며, 힘줄의 기능이 마비되는데, 나은 뒤에도 기능 장애를 일으키는 수가 왕왕 있음. 키펀처나 피아니스트 등에 많음.

건-초원【乾草原】명 건조한 초원.

건:축¹【建築】명 집이나 성(城) 또는 다리 등 건조물을 세워 지음. 조영(造營). ——-하다 자여불

건축²【乾縮】명 저장한 곡식이 말라서 두량(斗量)이 줄어짐. ——-하다

건:축-가【建築家】명 건축에 대한 전문 지식과 기술을 지닌 사람.

건:축 경영【建築經營】명 건축에 관한 경제 활동의 전역(全域)에 관하여, 투자(投資)와 수익(收益)간에 존재하는 일관(一貫)한 합리성을 추구(追求)하는 일.

건:축 경제【建築經濟】명 건축물의 생성(生成)으로부터 소멸(消滅)까지를 하나의 재(財)라고 하는 관점에서 인식하는 체계.

건:축 계:약【建築契約】명 건축 공사를 시공(施工)하기 전에 건축주와 시공자(施工者) 간에 맺어지는 계약.

건:축 계:획 원론【建築計劃原論】〔—웍—〕명 『건』 건축 계획의 기초 이론을 연구하는 학문 분야. 일조 조정(日照調整)·채광(採光)·조명(照明)·실내 기후·건축 음향(音響)·색채(色彩) 등의 각 분야로 나뉨.

건:축 공사【建築工事】명 건축에 관한 공사.

건:축 공학【建築工學】명 건축학(建築學)의 한 부분으로, 계획·구조·재료·시공법(施工法) 등에 대한 학문.

건:축 공학과【建築工學科】명 『교』 대학에서, 건축 공학을 전공하는 학과. *토목 공학과.

건:축-과【建築科】명 『교』 건축학에 관한 이론과 응용을 연구하는 과목.

건:축 구조【建築構造】명 『건』 각종의 건축 재료를 사용하여 목적하는 바 건축물을 형성하는 일. 또, 그 구조물. 형식적 분류로는 조적조(組積造)·가구조(架構造) 등이 있고, 재료에 따라, 목(木)구조·석조(石造)·철근 콘크리트(鐵筋 concrete) 구조·철골(鐵骨) 구조 등이 있음.

건:축 구조 역학【建築構造力學】명 건축물의 뼈대에 생기는 응력(應力)이나 변형(變形)을 연구하는 학문.

건:축 금융【建築金融】〔—/—늉〕명 건축에 필요한 자금을 대출(貸出)하는 일.

건:축 디자인【建築—】〔design〕명 건축 의장(意匠).

건:축 면:적【建築面積】명 『건』 건평(建坪).

건:축 문화【建築文化】명 건축면(面)으로 이룩된 문화.

건:축-물【建築物】명 건축한 물건. 지붕과 기둥 또는 벽(壁)이 있는 것과 그 부수되는 시설물. 가옥·창고·점포(店鋪)·사무소 따위. 건물. 건조물(建造物). *영조물(營造物).

건:축-미【建築美】명 건축물이 가지는 아름다움.

건:축-법【建築法】명 『법』 건축물의 대지(垈地)·구조·설비의 기준 및 용도에 관하여 규정한 법률.

건:축-비【建築費】명 건축에 소요되는 경비. 보통, 설계 감리비(設計監理費)와 공사비가 포함됨.

건:축-사¹【建築士】명 건축사법(法)이 정한 국가 시험에 합격하고 건설부 장관의 면허를 받아 건축물의 설계나 공사 감리(監理) 등의 업무를 행하는 기술자.

건:축-사²【建築史】명 건축의 기술·양식 등의 변천(變遷)의 역사.

건:축 사:무관【建築事務官】명 시설직(施設職) 국가 공무원 직급 명칭의 하나. 건축 직렬(職列)에 속하며, 건축 주사(主事)의 위, 시설 서기관(書記官)의 아래로 5급 공무원임.

건:축사-법【建築士法】〔—뻡〕명 『법』 건축사의 자격과 그 업무에 관한 사항을 규정한 법.

건:축사 사:무소【建築士事務所】명 건축사가 남의 요청에 따라, 건축물의 설계, 공사 감리(監理), 공사 계약, 조사, 감정(鑑定) 등 절차(節次)의 대행 따위를 업으로 할 때의 사무소.

건:축사 협회【建築士協會】명 건축사 사무소를 차린 건축사를 회원으로 하는 사단 법인(社團法人).

건:축 서기【建築書記】명 시설직(施設職) 국가 공무원 직급 명칭의 하나. 건축 직렬(職列)에 속하며, 건축 서기보의 위, 건축 주사보(主事補)의 아래로 8급 공무원임.

건:축 서기보【建築書記補】명 시설직(施設職) 국가 공무원 직급 명칭의 하나. 건축 직렬(職列)에 속하며, 건축 서기의 아래로 9급 공무원임.

건:축-선【建築線】명 공원(公園)·도로(道路)·광장(廣場) 등을 침범하지 못하도록 제정한 건축물의 경계선.

건:축 설계【建築設計】명 건축에 관한 설계. 건축물의 용도에 따라 그 형태·구조·재료·설비·공사 방법·비용 등을 종합적으로 결정하고, 공사 실시를 위해 필요한 도면과 시방서(示方書)를 작성하는 일.

건:축 설비【建築設備】명 건축물과 일체화(一體化)하여 그 건축물의 효용(効用)을 완전하게 하는 공작물(工作物). 전기·전화·가스·환기(換氣)·소화(消火)·조명(照明)·난방(暖房)·급수(給水)·배수(排水)·위생(衛生) 등의 설비. ↔건축 주체(主體).

건:축-술【建築術】명 건축에 관한 기술.

건:축 시:공【建築施工】명 『건』 건축의 설계가 끝나고 건축물이 완성되는 동안 시공자의 기술적·경제적·경영 관리적 활동의 종합적인 체계를 이름.

건:축식 정원【建築式庭園】명 형식 정원(形式庭園).

건:축 양식【建築樣式】〔—냥—〕명 낱낱의 건축물에 공통되는 조형적(造形的) 양식.

건:축-업【建築業】명 건축 공사를 담당하여 소득(所得)을 얻는 직업.

건:축용-재【建築用材】명 ①건축에 소용되는 여러 가지 재료. 철재(鐵材)·목재(木材)·석재(石材) 등을 비롯하여 광범한 물질이 포함됨. 건재. 건축재. 건축 재료. ②건축에 소요되는 재목.

건:축-원【建築員】명 토건직(土建職) 기능 공무원 직급 명칭의 하나. 건축장(建築長)의 아래. 8급·9급·10급의 세 급이 있음.

건:축 위생【建築衛生】명 건축물의 채광(採光)·조명·환기·난방(暖房)·냉방(冷房)·음향 등이 인체에 미치는 영향을 고려하여, 건축 설계의 기술을 연구하는 학문 분야.

건:축 음향학【建築音響學】명 〔architectural acoustics〕 건축물 안에서 가장 좋은 소리를 듣게 하기 위한 음향 환경과 청취(聽取) 조건을 갖춘 건축물을 건축하기 위한 계획·시공 등을 연구하는 학문.

건:축 의례【建築儀禮】명 건축의 과정에 있어서, 대지(垈地)의 선정(選定)·달구질·상량(上樑)·이사(移徙) 때 등에 행하는 주술적(呪術的)·종교적 행사의 총칭.

건:축 의:장【建築意匠】명 건물의 외관(外觀)·내용의 형태를 설계하는 일. 의장. 건축 디자인.

건:축-자【建築者】명 건축물을 설계하거나 짓거나 하는 사람.

건:축-장【建築長】명 토건직(土建職) 기능 공무원 직급 명칭의 하나. 건축원(建築員)의 위. 6급·7급의 두 급이 있음.

건:축-재【建築材】명 건축용재❶.

건:축 제:도【建築製圖】명 건물이나 그 밖의 건조물을 세우기 위한 제도. 평면도·입면도·단면도 따위가 있음.

건:축 제:한【建築制限】명 법령에 의하여 건축물의 대지·구조 기타 건축 설비에 관하여 금지 또는 제한하는 사항. 도로 안의 건축 금지, 높이·용적률(容積率)에 의한 제한, 전용 주거 지역·자연 녹지 지역 등 각 용도 지역(用途地域)에 따른 각종 제한 등이 있음.

건:축 조각【建築彫刻】명 건축물로서의 기능(機能)을 가지면서 예술 작품으로서의 독자적인 효과를 나타내는 조각. 그리스 신전(神殿)의 박공(膊栱)·남상주(男像柱)·여상주(女像柱) 같은 것.

건:축-주【建築主】명 건축의 기획·시공(施工)·수선 등, 건축에 관한 공사의 도급 계약의 주문자 또는 도급 계약에 의하지 아니하고 스스로 그 공사를 하는 사람.

건:축 주사【建築主事】명 시설직(施設職) 국가 공무원 직급 명칭의 하나. 건축 직렬(職列)에 속하며, 건축 주사보의 위, 건축 사무관(事務官)의 아래로 6급 공무원임.

건:축 주사보【建築主事補】명 시설직(施設職) 국가 공무원 직급 명칭의 하나. 건축 직렬(職列)에 속하며, 건축 서기(書記)의 위, 건축 주사의 아래로 7급 공무원임. 「등. ↔건축 설비.

건:축 주체【建築主體】명〖건〗건축물이 성립되는 주체. 온돌·벽·기둥

건:축-지【建築地】명〖건〗건축에 사용되는 대지(垈地).

건:축 철물【建築鐵物】명〖건〗건축에 쓰이는 금속 제품. 못·거멀못·볼트·손잡이·돌쩌귀 등. 「問). 조영학(造營學).

건:축-학【建築學】명 건축에 관한 전반적인 사항을 연구하는 학문(學

건:축 한:계【建築限界】명 도로·궤도(軌道)·철도(鐵道) 등에서, 교통의 안전을 꾀하기 위하여, 장애(障礙)가 되는 구축물(構築物)이나 공작물의 설치가 허용되지 아니하는 공간(空間).

건:축 협정【建築協定】명〖건〗주택지의 환경이나 상점가(商店街)의 편리를 고도로 유지(維持)·증진(增進)시키기 위하여, 일정 구역 내의 토지 및 건축물의 소유권자와 사용권자간에 건축물의 대지·위치·구조·용도·형태·의장(意匠)·건축 설비에 관한 기준을 정하는 협정.

건:축화 조:명【建築化照明】명〖건〗광원(光源)을 실내(室內)의 천장·벽·기둥·대들보 등에 붙박아 놓는 조명 방식.

건:춘-문【建春門】명〖역〗서울에 있는 경복궁의 동문(東門). 문 안에 왕세자가 거처하던 춘궁(春宮)이 있었으며, 왕족·척신(戚臣)·상궁(尙宮) 들만이 드나들었음.

건:충 대:위【建忠隊尉】명〖역〗조선 시대 때, 토관직(土官職)의 정오품(正五品) 서반(西班)의 품계(品階). *여충(勵忠) 대위.

건:층【鍵層】명〖지〗키 베드(key bed). 「는 폐백의 한 가지.

건치【乾雉】명 말린 꿩의 고기. 신부가 처음으로 시부모를 뵐 때 올리

건칠【乾漆】명〖한의〗옻나무의 즙(汁)을 말리어 만든 덩어리약. 살충(殺蟲)·파적(破積)·통경제(通經劑)로 씀.

건칠-상【乾漆像】[一쌍] 명〖미술〗일본 나라(奈良) 시대의 소상(塑像)의 하나. 질흙으로 골을 만들어 삼베를 감고, 그 위에 질흙 가루를 바른 다음에 숫돌 가루를 섞은 칠을 바르고, 속에 든 골을 빼어 버린, 속이 빈 소상(塑像). 원래 중국에서 전래한 수법(手法)임.

건침【乾浸】명 어류에 소금을 뿌려서 간함. 또, 그 간.

건-카리【乾一】명〈방〉마른갈이. ——-하다 타

건클럽 체크〔gunclub check〕명 격자(格子) 무늬 사이에 엷은 빛깔의 격자 무늬가 배열된 옷감의 무늬. 영국의 엽총 클럽의 유니폼으로 사용된 무늬로, 갈색의 농담(濃淡)으로 된 것이 정통(正統)임.

건-탕【巾宕】명 망건과 탕건.

건태[1]【乾太】명 북어.

건태[2]【乾苔】명 김[1]❷.

건택 명〈방〉거탈.

건터〔Gunter, Edmund〕명〖사람〗영국의 수학자. 1619년 그레셤 칼리지의 천문학 교수가 됨. 수학상 유용한 발명·발견을 많이 하였는데, 건터 측쇄(測鎖)와, 넓이·부피·높이·거리의 산출(算出)에 쓰이는 로그자 등은 그가 고안(考案)해 낸 것임. [1581-1626]

건터 측쇄【一測鎖】명〔Gunter's chain〕〖지〗영국의 건터가 발명한 측쇄. 영국에서 주로 육지 측량에 이용함. 길이가 66피트인데 100 ㄴ마디로 되어 있음.

건턱 명〈방〉언덕.

건토 효:과【乾土效果】명〖농〗토양(土壤)을 건조시킴으로써 건조시키지 아니한 경우에 비하여 식물의 생육(生育)이 좋아지고 수확량이 증가하는 현상.

건:투[1]【健投】명 투수가 공격에 굴하지 않고 힘껏 투구함. ¶김 군의 ～가 승인(勝因)이었다. ——-하다 타여불 「빌다. ——-하다 자여불

건:투[2]【健鬪】명 씩씩하게 잘 싸움. 굴(屈)하지 아니하고 노력함. ¶～를

건파[1]【乾播】명〖농〗직파(直播)의 한 가지. 물 없는 논에 그대로 씨를 뿌림. 건직파(乾直播). 건부종(乾付種). *수파(水播). ——-하다 타여불

건:파[2]【蹇跛】명 절뚝발이. 절름발이.

건판【乾板】명 ①〔dry plate〕〖물〗유리판 또는 합성 수지 등의 투명한 판(板)에 사진 유제(乳劑)를 발라 건조(乾燥)시킨 감광(感光) 재료. 어둠상자 카메라에 의한 촬영 따위에 쓰였음. 사진 건판(乾板). 종판(種板). ↔습판(濕板). ②〖인쇄〗활판 지형(活版紙型)을 눌러 말리는 기계.

건:평【建坪】명 ①건물이 차지한 밑바닥의 평수. 건축 면적. ②넓은 뜻으로는, 2층 이상도 포함한 건물 바닥 면적의 합계 평수. *지평(地坪).

건:평-성【建平省】명〖역〗신라 경덕왕(景德王) 18년(759) 내사 정전(內司正典)을 고친 이름. 뒤에 다시 내사 정전으로 고쳐짐.

건:폐-율【建蔽率】명〖건〗대지(垈地) 면적에 대한 건평의 비율. *용

건포[1]【巾布】명 두건(頭巾)을 만드는 베. ㄴ적률(容積率).

건포[2]【乾布】명 마른 수건. 마른 헝겊.

건포[3]【乾脯】명 쇠고기나 생선을 저미어 말린 포. ↔장포(醬脯).

건-포도【乾葡萄】명 포도의 열매를 말린 식품. 포도를 그냥 말린 것과 알칼리액(液)에 담갔다가 말린 것이 있음. 말린 포도. 레이즌(raisin).

건포 마찰【乾布摩擦】명 피부의 건강을 위하여 또는 혈행(血行)을 좋게 하기 위하여, 마른 수건으로 온몸을 마찰하는 일. *냉수 마찰.

건폭【巾幅】명 글씨를 쓰거나 그림을 그린 종이·비단 따위의 폭.

건품【乾品】명〖사람〗신라 26대 진평왕(眞平王) 때의 장군. 진평왕 24년(602)에 백제의 좌평(佐平) 해수(解讐)가 4만 군사를 이끌고 신라의 아막성(阿莫城)을 공격하자, 파진찬(波珍飡)으로서 무은(武殷) 등과 함께 출전하여 이를 격퇴하였음.

건풍【乾風】명 ①건조한 바람. 마른 바람. ②북서풍.

건피【乾皮】명 말린 짐승의 가죽.

건피-증【乾皮症】[一쯩] 명〔xeroderma〕〖의〗피지(皮脂)나 땀의 분비가 감소되어 피부가 꺼칠꺼칠해지고 빛깔이 변하는 병. 색소성(色素性) 건피증 등이 있음. 「또, 그런 사람. 건호(健毫).

건:필【健筆】명 ①힘 있게 글씨를 잘 씀. 또, 그런 사람. ②글을 잘 지음.

건하【乾苄】명〖한의〗생건지황(生乾地黃). 주의 '건변(乾苄)'으로 읽음은 잘못.

건:-하다[1] 형여불 ①아주 넉넉하다. ②↗흥건하다. ③↗거나하다.

건-하다[2]【乾一】형여불 ↗한건(旱乾)하다.

건하-장【乾蝦場】명 새우를 말리는 곳.

건학【乾涸】명 내나 못의 물이 졸아 마름. ——-하다 자여불

건:함【建艦】명 군함을 건조(建造)함. ¶～ 경쟁. ——-하다 자여불

건-합육【乾蛤肉】명 말린 조개의 살.

건-해삼【乾海蔘】명 말린 해삼. 「곧, 북서풍이나 북북서풍.

건해-풍【乾亥風】명 건방(乾方)이나 해방(亥方)에서 불어오는 바람.

건현【乾舷】명 군함에서는 흘수선(吃水線), 상선(商船)에서는 만재 흘수선(滿載吃水線)에서부터 갑판까지의 뱃전.

건현 갑판【乾舷甲板】명 배가 제 한도에 차게 짐을 가득 실을 수 있는 한계를 규정하는 데 기초로 삼는 갑판. 보통, 상(上)갑판을 가리킴.

건현-표【乾舷標】명 선박의 화물 만재(貨物滿載)를 나타내는 표지. 재해 예방을 위하여 법률로 제한하고 있음.

건혈【乾血】명 도살장(屠殺場)에서 짐승의 피를 가열하여 혈병(血餠)을 분리시키고, 압축기로 수분(水分)을 제거하여 말린 흑갈색의 가루. 흙 속에서 분해하여 암모니아를 생기게 하므로 속효성(速效性)의 질소 비

건혈 비:료【乾血肥料】명 비료로 쓰는 건혈(乾血). ㄴ료가 됨.

건-협통【乾脇痛】명〖한의〗흉통(胸痛)의 한 가지. 갈빗대 사이의 신경통(神經痛)·늑막염성(肋膜炎性)으로 아픈 증세.

건혜【乾鞋】명 마른 신.

건:호【健毫】명 건필(健筆).

건-호궤【乾犒饋】명〖역〗군사를 호궤(犒饋)하는 데 음식 대신으로 돈

건-혼나다 자 괜히 놀라서 혼이 나다. ㄴ을 줌. ——-하다 타여불

건-홍합【乾紅蛤】명 말린 홍합.

건화-장【乾火匠】명 구워 놓은 도자기(陶瓷器)를 말리는 사람.

건황【虔晃】명〖사람〗발해(渤海) 12대 임금. [재위 858-870]

건-황원【乾荒原】명〔siccideserta〕〖지〗열대(熱帶)에서 온대(溫帶)에 걸쳐, 대륙 내부의 건조 지방에 발달한 황원. 보통 사막(砂漠)이라 함은 이것임. 일반적으로 일교차(日較差)·연교차(年較差)가 매우 크며, 식물(植物)은 내건성(耐乾性)이 강하고 기이한 형태의 것이 자람.

건회【愆悔】명 허물. 잘못. 회건(悔愆).

건효【乾肴】명 마른 안주.

건 효:과【一效果】〔Gunn〕명〖물〗반도체(半導體)에 임계 전압(臨界電壓)을 가하면 극초단파(極超短波)를 발생하는 일. 1963년 영국 태생의 물리학자 건(Gunn, J. B.: 1928-)이 발견함.

건:흥【建興】명〖역〗①고구려의 다년호(大年號). 안원왕(安原王) 또는 영양왕(嬰陽王) 혹은 장수왕(長壽王) 때로 추정(推定)함. ②발해(渤海)의 다년호. 선왕(宣王) 때로 818년에서 830년까지. 「컬음.

건흥-절【乾興節】명〖역〗고려 명종(明宗) 때, 임금의 탄일(誕日)의 일

걷곳다 타〈옛〉걷어올려 꽂다. ¶머리 걷곳고(挑起來)≪朴解 上 44≫.

걷:기 명 걷는 일. ¶만보(萬步) ～ 운동. 「≪釋譜 XIII:4≫.

걷나가다 타〈옛〉건너가다. ¶더북 ᄀ애 걷나가샤 일후미 너비 들여

걷나다 자타〈옛〉건너다. ¶濟는 걷날 씨라≪月序 9≫.

걷내뛰다 타〈옛〉건너뛰다. ¶아홉 큰 劫을 걷내뛰여 成佛ᄒ시니라≪月釋 I:52≫. 「≪三綱 忠臣 11≫.

걷너다 자타〈옛〉건너다. ¶橫江으로셔 걷너니 臺兵이 ᄌ조 敗ᄒ거늘

걷놈 자〈옛〉걸어다님. 걸음. '걷니다'의 명사형. ¶안좀 걷뇨매 어마님 모ᄅ시니≪月釋 II:24≫. 「釋 II:24≫.

걷니다 자〈옛〉걸어다니다. 거닐다. ¶안좀 걷뇨매 어마님 모ᄅ시니≪月

걷다[1] 자 끼었던 것이 흩어져서 벗다. ¶구름이 ～.

걷:다[2] 자타ㄷ불 ①두 다리를 번갈아 앞으로 떼어 옮기어 가다. ¶역까지는 걸어서 10분 걸린다 / 둘이서 밭길을 ～. ②일정한 방향으로 나아가다. ¶한국 경제가 걸어야 할 길.

【걷기도 전에 뛰려고 한다】쉬운 것도 못하는 주제에 순서도 밟지 아니하고 어려운 것을 하려고 덤벙인다는 말. 【걷는 참새를 보면 그 해에 대과(大科)를 한다】참새가 걷는 것을 보면 등과(登科)를 한다는 말이니, 희귀(稀貴)한 일을 보면 좋은 운수를 만난다는 말.

걷다[3] 타 ①덮은 것이나 가린 것을 집어 치우다. ¶상보(床褓)를 ～. ②늘

어진 것이나 펴진 것을 말아 올리거나 추키다. ¶ 커튼을 ~/소매를 ~. ③널려 있는 것을 치우다. ¶ 빨래를 ~/그물을 ~. ④ ↗거두다. ¶ 외상값을 ~/빨래를 ~.

걷-몰다 타 거듬거듬 몰아치다. ¶ 양떼를 ~.

걷-몰이 명 거듬거듬 빨리 몰아치는 짓. ——하다 타 여불

걷어-들다 타 늘어진 옷자락 같은 것을 걷어서 추켜 잡다.

걷어-들이다 타 ☞거둬들이다.

걷어-붙이다 [—부치—] 타 소매나 바짓가랑이 같은 것을 말아 올리다. ¶ 소매를 걷어붙이고 일하다.

걷어-잡다 타 걷어 올려서 잡다.

걷어-쥐다 타 걷어잡아 쥐다.

걷어-지르다 타 르불 옷자락이나 휘장 같이 길게 드리워진 것을 걷어서 내려오지 못하게 꽂아 놓다.

걷어-질리다 자 눈이 껄떡해지다.

걷어-차다 타 ①발로 몹시 세게 차다. ¶ 힘껏 ~. ②배격하여 물리치다. ¶ 출세를 위하여 애인을 ~.

걷어-채다 피동 남에게 걷어참을 당하다.

걷어-채이다 피동 ☞걷어채다.

걷어-치우다 타 ①흩어진 것을 거두어 치우다. ¶ 이불을 ~. ②하던 일을 중도에서 그만두다. ¶ 사업을 ~.

-걷이 [거지] 미 ①곡식을 거두는 일. ¶ 가을~/밭~. ②걷어치우는 일. ¶ 넉~/골~. ③〔건〕 보가 기둥에 얹히는 곳의 안팎을 깎는 일. ¶ 도래~/소마~/민~.

걷-잡다 타 ①쓰러지는 것을 거두어 붙잡다. ¶ 걷잡을 수 없이 패해 달아나다/불길이 걷잡을 수 없이 번지다. ②마음을 진정하거나 억제하다.

걷잡을 수 없다 구 기우는 형세를 어떻게 거두어 잡을 도리가 없다.

걷잡을 수 없이 구 걷잡을 수 없게. ¶ 불길이 ~ 번지다.

걷히다 [거치—] 피동 ①구름이나 안개 같은 것이 거두어 버린 듯이 없어지다. ¶ 안개가 ~. ②돈이나 곡식 같은 것이 거두어지다. ¶ 외상값이 잘 걷히지 않는다.

걸¹ 명〔민〕윷놀이에서, 세 짝은 잦혀지고 한 짝은 엎어진 때의 이름. 끗수는 세 끗임.

걸² 명〈옛·방〉개울. 도랑(경상). ¶ 渠流는 거리라《妙蓮 Ⅲ:194》.

걸³【桀】명〔사람〕중국 하(夏)나라 최후의 왕. 이름은 이계(履癸). 유시씨(有施氏)의 딸 말희(末喜)에 혹닉(惑溺)하여 포악 무도하매, 은(殷)나라 탕왕(湯王)에게 쫓겨 지금의 산시 성 안이(安邑) 북쪽에서 죽었음. 실재 불명(實在不明)으로 전설적 요소가 많은데, 주왕(紂王)과 병칭되는 폭군(暴君)으로서 요(堯)·순(舜)과 좋은 대조가 됨. *걸주(桀紂).

걸:⁴ [girl] 명 소녀(少女). ↔보이(boy).

걸⁵ 준 것을. ¶ 그 ~/준 ~ 도로 뺏다.

걸: 가이드 [Girl Guides, the] 명 베이든파월(Baden-Powell, R.S.S.)이 1910년 런던에서 창시 조직한 소녀들의 수양·사회 봉사 단체. 미국 및 전세계로 퍼져서 '걸 스카우트'로 발전함.

걸각【傑閣】명 굉장히 큰 누각(樓閣). 걸관(傑觀).

걸개【乞丐】명 거지. 비렁뱅이.

걸:개-그림 명 벽 따위에 걸 수 있도록 괘도(掛圖) 비슷하게 꾸며 만든 그림.

걸객【乞客】명 의관(衣冠)을 갖추고 다니며 얻어먹는 사람.

걸갱이 명〈방〉〔동〕지렁이(경북).

걸-거치다 자〈방〉거치적거리다.

걸걸¹【桀桀】명 ①잡초(雜草) 따위가 만연(蔓延)한 모양. ②교만한 모양. ——하다 형 여불

걸:걸² 부 염치 없이 몹시 걸근거리는 모양. 걸근걸근. >갈갈. ——하다 자 여불

걸:걸-거리다 자 염치없이 몹시 걸근거리다. >갈갈거리다.

걸:걸-대다 자 걸걸거리다.

걸걸:-하다¹ 형 여불 목소리가 좀 쉰 듯하면서 우렁우렁하고 힘차다. ¶ 영채 도는 두 눈과 호방하고 걸걸한 웃음 소리는 만좌를 누르고도 남음이 있다《朴鍾和 : 錦衫의 피》.

걸걸-하다²【傑傑—】형 여불 외양이 헌칠하고 성질이 쾌활하다. ↔옹졸하다.

걸경쇠 명〈옛〉수갑. 형구(刑具)의 하나. ¶ 枷와 막대와 걸경쇠와 솨줄와(枷杖鉤鎖)《永嘉 下 139》.

걸게-장이 명〈방〉큰톱장이.

걸견 폐:요【桀犬吠堯】명 중국 하(夏)나라의 걸주(桀主) 같은 포학한 사람이 기르는 개는 주인의 명(命)에 따라 요(堯)와 같은 성군(聖君)을 보고도 짖는다는 뜻으로, 사람은 선악(善惡)을 불문하고 각기 그 주인에게 충성을 다한다는 말.

걸과【乞科】명〔역〕소과(小科)에 낙방(落榜)한 늙은 선비가 자기의 실력(實力)을 믿고, 시관(試官)의 면전(面前)에서 시재(試才)를 청하던 일. ——하다 자 여불

걸관【傑觀】명 걸각(傑閣).

걸교【乞巧】명〔민〕칠석날 저녁에 계집아이들이 견우(牽牛)와 직녀(織女)의 두 별을 향하여 길쌈과 바느질을 잘하게 하여 달라고 재주를 비는 일. ——하다 자 여불

걸구¹ 명〈방〉걸귀❷.

걸구²【乞求】명 구걸(求乞). ——하다 타 여불

걸구³【傑句】[—꾸] 명 뛰어나게 잘 지은 시구(詩句).

걸군【乞郡】명〔역〕조선 시대 때 문과(文科) 급제자로서, 부모는 늙고 집안은 가난한 시신(侍臣)이 부모를 봉양하기 위하여, 고향의 수령(守令) 자리를 주청(奏請)하던 일. ——하다 자 여불

걸궁 명〈방〉〔민〕걸립(乞粒)❷.

걸궁-패【—牌】명〈방〉〔민〕걸립패.

걸귀【乞鬼】명 ①새끼를 낳은 뒤의 암퇘지. ②〈속〉음식을 지나치게 탐하는 사람.

걸귀 같다 구 '게걸스럽게 음식을 탐하다'를 비유하여 이르는 말. ¶ 걸귀 같이 먹다.

걸귀(가) 들린 듯이 구 음식을 지나치게 탐하는 모양.

걸그렁-거리다 자〈방〉글그렁거리다. 걸그렁-걸그렁 부. ——하다 자

걸:-그물 명 물고기가 지나다니는 바닷속에 띠처럼 길게 쳐서, 그물코에 걸리거나 말려들도록 장치한 그물. 자망(刺網).

걸근-거리다¹ 자 음식이나 재물에 대하여 체면 없이 함부로 욕심을 부리다. ¶ 볼썽사납게 ~. >갈근거리다¹. 걸근-걸근¹ 부. ——하다¹ 자 여불

걸근-거리다² 자 목구멍에 가래가 붙어 근지러운 느낌을 주다. >갈근거리다². 걸근-걸근² 부. ——하다² 자 여불

걸근-대다 자 걸근거리다¹·².

걸금 명〈방〉거름(경상·강원·함경·평안).

걸:기¹ 명 유도·씨름 따위에서 상대의 발이나 팔을 걸어서 넘어뜨리는 기술.

걸기²【傑氣】명 호걸스러운 기상. 뛰어난 기상.

걸-기대【乞期待】명 기대하기 바람.

걸:기-질 명〔농〕논바닥을 평평하게 고르는 일. ——하다 자 여불

걸까리-지다 형 걸때가 크다. 크고 실팍하다. ¶ 초등 학교 아이치고는 무척 ~.

걸껑-쇠 명 보습의 쇠코 위로 둘러서 대어, 두 끝이 앞 면에 겹쳐진 좁고 긴 쇠.

걸껑이 명〈방〉〔동〕지렁이(경상).

걸:-낭【—囊】[—랑] 명 ①차지 아니하고 걸어 두는 큰 주머니나 큰 담배 쌈지. ②〔불교〕걸망. ③〔불교〕바랑.

걸노【乞奴】[—로] 명〔사람〕거란(契丹) 유민(遺民)의 추장. 고려 고종(高宗) 3년(1216)에 야사불(耶斯不)을 황제로 추대, 랴오둥 반도(遼東半島)에 대요수국(大遼收國)을 세우고 승상(丞相)으로서 국사를 주재(主宰)하다가, 몽고에 투항(投降)한 요왕(遼王) 야율 유가(耶律留哥)가 몽고군(軍)을 이끌고 반격해 오자, 유민(遺民) 9만을 거느리어 압록강을 건너 파주(坡州)·원주(原州)·제천(堤川) 등지까지 쳐들어왔으나, 고려의 후군 병마사(後軍兵馬使) 김취려(金就礪)에게 대패하여, 묘향산(妙香山)으로 도주, 화살에 맞아 죽음.

걸다¹ 자〈옛〉걸리다. 얽매다. ¶ 文字애 거디 아니 홀 씨오(不拘文字也)《金剛 38》.

걸:다² 자〈방〉그을다(평안).

걸:다³ 타 ①물건을 달려 있게 하거나 드리워지게 하다. ¶ 벽에 액자를 ~. ②가장자리를 기대어 걸쳐 놓다. ¶ 아궁이에 솥을 ~. ③회의 같은 데에 올리어 맡기다. ¶ 안건을 회의에 ~. ④약조금(約條金)을 치르다. ¶ 계약금을 ~. ⑤말이나 시비·싸움·수작 따위를 붙이다. ¶ 말을 ~/재판을 ~/연애를 ~. ⑥전화기를 돌려서 통화(通話)가 되게 하다. 전화를 통하여 사람과 얘기하다. ¶ 전화를 ~. ⑦문을 닫은 뒤에 빗장을 지르고 고리를 배목에 꿰우다. 문을 잠그다. ¶ 빗장을 ~/대문을 ~. ⑧진 사람이 이긴 사람에게 돈이나 물건을 치를 것을 미리 약속하고 내기를 하다. 노름판에서 돈을 태우다. ¶ 판돈 10만 원을 ~. ⑨상금 같은 것을 내놓다. ¶ 현상금(懸賞金)을 ~. ⑩실패했을 때 그것을 희생할 각오로 일을 단행하다. ¶ 목숨을 걸고 덤비다. ⑪희망·기대 따위를 의탁(依託)하여 갖다. ¶ 희망을 ~. ⑫기계 따위에 그 작용을 하게 하다. ¶ 국어 사전을 인쇄에 ~/시동을 ~. ⑬기구·기계 따위를 이용할 수 있도록 한 곳에 차려 놓다. ¶ 베틀을 걸어 놓다. ⑭대상이나 목적으로 삼다. ¶ 이번 협상에서는 어떤 조건을 걸고 나올까. ⑮다리 등을 휘감다. ¶ 다리를 걸어 넘어뜨리다. ⑯↗내걸다. ¶ 국기를 ~.

걸:고 넘어지다 구 상관없는 사람에게 자기 책임이나 죄를 같이 지게 하기 위하여 끌어들이다. ¶ 잘못없는 나를 왜 걸고 넘어지려는 거야.

걸:다⁴ 형 ①흙이나 거름이 식물(植物)의 양분이 될 만한 성분(成分)을 많이 지니고 있다. 토질이 기름지다. ¶ 밭이 ~. ↔메마르다. ②손으로 하는 일이 잘 되어 가다. ¶ 손이 ~. ③액체(液體)가 묽지 않고 톡톡하다. ¶ 풀을 걸게 쑤다. ④음식의 가짓수가 많다. ¶ 잔치가 ~. ⑤음식을 닥치는 대로 가리지 않고 먹거나 말을 거리낌없이 함부로 하다. ¶ 입이 ~.

걸:-다랗다 [—따라타] 형 ㅎ불 액체가 묽지 않고 매우 걸다. *되다랗다.

걸:-대 [—때] 명 물건을 높은 곳에 걸 적에 쓰는 기름한 대 장대. 대가리를 조금 에어 내어, 물건에 달린 고를 꿰게 되어 있음.

걸:-동 [—똥] 명〔광〕두 군데의 광구멍이 서로 거의 통하게 되고도 아직 다 통하지 않고 남아 있는 부분.

걸때 명 사람의 몸피의 크기. ¶ ~가 큼직하여 장부답다.

걸떡-거리다 자〈방〉걸근거리다(평북).

걸떡-대다 자〈방〉걸떡거리다.

걸:-뚝 명〈방〉둑²❶(경남).

걸:-뜨다 자 물 위에 뜨지 아니하고 중간에 뜨다. ¶ 가라앉지도 않고 ~.

걸:랑 명 소의 갈비를 싸고 있는 고기.

-걸랑 어미 ↗-거들랑. ¶ 일이 끝나~ 쉬게.

걸래 명〈방〉기저귀(강원·충남·전라·경북).

걸량¹【—兩】명〔역〕〔←건량〕꿰미에 백 문(文)마다 짚으로 매듭을 지어 놓은 표.

걸량 짚다 구〔← 건량 짚다〕㉠꿰미에 백 문마다 표시한 매듭의 수를 헤아리다. ㉡돈의 액수를 알아내다.

걸량²【乞糧】명〔광〕→거량². ——하다 자 여불

걸량-걸다 타 ☞걸량짚다.

걸량-금【乞糧金】[—끔] 명〔광〕→거량금.

걸량 금점【乞糧金店】[—끔—] 명〔광〕→거량 금점.

걸량-꾼【乞糧—】명〔광〕→거량꾼.

걸러 부 사이나 동안을 건너뛰어서. ¶ 하루 ~.

걸러가다 타〈방〉건너가다(함남).

걸러-내기 명〔생〕'배설¹(排泄)'의 풀어쓴 말.

걸러 뛰다 타 차례를 걸러서 건너뛰다. ¶ 4학년에서 6학년으로 ~.

걸러콤 부〈방〉걸러.

걸럭지 명〈방〉걸레. 기저귀(전남).

걸레 [명] ①방·마루·세간을 훔치는 데 쓰는 헝겊. 마른 걸레와 진걸레의 구별이 있음. ②걸레부정. ¶ ~ 같은 자식.
[걸레를 씹어 먹었나] 잔소리가 아주 심하다는 말.
걸레-치다 [구] ↗걸레질치다.
걸레-받이 [―바지] [명] 장판방에 걸레질할 때 벽의 굽도리가 상하거나 더러워지지 않게 하기 위하여, 굽도리 밑으로 돌아가며 좁게 오려붙인 장판지.
걸레-부정 [명] 걸레같이 너절하고 허름한 물건. 또, 그런 사람. 걸레.
걸레-질 [명] 걸레로 더러운 것을 훔치는 일. ――-하다 [타][여불]
걸레질-치다 [구] 걸레로 더러운 것을 훔쳐 내다. [준]걸레치다.
걸레-쪽 [명] 걸레의 찢어진 쪼가리.
걸레-통 【―桶】 [명] 걸레를 빠는 데 쓰는 통.
걸려-들다 [자] ①삐쭉 내민 것에 걸려 거기에 멈춰져 있게 되다. ②방해되어 붙들리다. ¶ 일제 검거에 ~. ③얽어 놓은 계략 등에 빠지어 얽히다. ¶ 사기에 ~.
걸력가 【乞力枷】 [명] ①삽주. ②〖한의〗 백출(白朮).
걸로 [준] 것으로. ¶ 이왕이면 큰 ~ 골라라.
걸릉-고 [명] 〈방〉 지남철(指南鐵).
걸리다[1] [一] [자] ①어떤 물건이나 장소에 멈추어 있다. ¶ 달이 중천에 ~/가시가 목에 ~. ②물건에 매달려 있다. ¶ 못에 ~/연이 전깃줄에 ~. ③그물·낚시 등에 잡히다. ¶ 그물에 ~/법망에 ~. ④꾸며 놓은 구렁에 빠지다. ¶ 덫에 ~/계략에 ~. ⑤관련이 되다. 관계가 맺어지다. ¶ 된서방 ~/쌈패에 걸리면 달아나는 것이 수다. ⑥단속이나 심문을 받을 처지에 얽히게 되다. ¶ 통금에 ~. ⑦마음에서 떠나지 않고 거리끼다. ¶ 집안 일이 마음에 ~. ⑧무슨 일이 그것에 의해 결정되다. ¶ 우승이 걸린 경기/생사가 ~. ⑨바라던 것이 손에 들어오다. ¶ 좋은 일거리라도 걸렸으면 좋겠다/공술이라도 걸릴까 하고 기웃거리다. ⑩병이 나다. ¶ 폐병에 ~. ⑪전화나 목소리가 이쪽으로 오다. ¶ 집에서 전화가 걸리어 오다. ⑫상금·상품·보험금 등이 주어지기로 약속되다. ¶ 현상금이 ~. ⑬날짜나 시간이 소요되다. ¶ 부산까지 사흘 걸리다/2년 걸려서 완성한 그림. ⑭기계·장치 따위가 움직이기 시작하다. ¶ 시동이 ~/제동이 ~. [二][피동] 걺을 당하다. ¶ 벽에 걸린 그림.
걸리다[2] [타] 야구에서, 투수가 강타자를 경원(敬遠)하여 볼 넷으로 1루에 나아가게 하다.
걸리다[3] [사동] ①걸음을 걷게 하다. ¶ 어린아이를 ~. ②윷놀이에서, 돗밭이나 갯밭의 말을 걸밭으로 올리다.
걸리다[4] [사동] 〈방〉 그을리다.
걸리버 여행기 【―旅行記】 [명] 〔Gulliver's Travels〕 〖책〗 영국의 작가 스위프트가 지은 풍자 소설. 영국의 여행가 걸리버가 인도로 항해하는 도중, 난쟁이 나라 릴리펏(Lilliput)에 표착(漂着)하여 국왕에게 중용되고, 다시 또 인도로 가는 길에 키다리 나라 브로브딩내그(Brobdingnag)로 표착하여 구경거리가 되고, 왕비의 총애를 받으며 다시 공중에 뜬 섬 러퓨터(Laputa), 말의 나라 후인넘(Houyhnhnms) 등지를 거쳐 여러 가지 기담(奇談)을 갖고 고향으로 돌아온다는 줄거리인데, 당시의 사회·정치를 풍자한 것임. 1726년 출판.
걸리씨다 [자] 〈옛〉 거리끼다. ¶ 므스 일 걸리씨리오(碍甚麼事)≪老乞 上 24≫.
걸리적-거리다 [자] 거치적거리다.
걸린-곡 【―谷】 [명] 〖지〗 하천(河川)의 합류점(合流點)에 있어서, 지류(支流)가 그 본류(本流)에 대하여 폭포(瀑布)나 급류(急流)로써 합치는 경우의 지류의 골짜기. 현곡(懸谷).
걸림-대:이름씨 【―代―】 [명] 〖언〗 '관계 대명사(關係代名詞)'의 풀어 쓴 말.
걸림-돌 [―똘] [명] 일의 장애가 되는 요소를 비유하는 말.
걸림-씨 [명] 〖언〗 '관계사(關係詞)'의 풀어 쓴 말.
걸림-어찌씨 [명] 〖언〗 '관계 부사(關係副詞)'의 풀어 쓴 말.
걸림-음 【―音】 [명] 〔suspension〕 〖악〗 화성(和聲)의 진행에서, 앞의 화음의 하나 혹은 여러 음이 다른 음보다 뒤늦게 다음의 새 화음으로 나아갈 경우의 그 음. 계류음(繫留音).
걸림-조 【―調】 [명] 〖악〗 관계조(關係調).
걸:립[1] 【乞粒】 [명] 〖민〗 ①절에 특별히 경비를 쓸 일이 있을 때, 중들이 패를 짜 각처로 돌아다니면서, 집집의 문전에서 꽹과리를 치며 축복하는 염불을 하고 돈이나 쌀을 구걸하는 일. 또, 그 중의 패들. *굿중·시주 걸립(施主乞粒). ②동네에 특별히 경비를 쓸 일이 있을 때, 여러 사람이 패를 짜 각처로 다니면서 풍악을 치고 재주를 부리어 전곡(錢穀)을 얻는 일. 또, 그 일행. ③무당이 굿할 때 위하는, 급이 낮은 신(神)의 하나. 전에는 집집마다 대청 도리 위 한 구석에 조그마한 널빤지로 선반을 매고 그 곳에 위하였음. *화주 걸립(貨主乞粒). ――-하다 [자][여불]
걸:립(을) 놀:다 [구] ㉠무당이 굿하는 열두 거리의 한 거리로 걸립을 위하는 거리를 놀다. ㉡걸립을 치다.
걸:립(을) 치다 [구] 각 가정을 방문하여 걸립(乞粒)굿을 벌이다.
걸립[2] 【傑立】 [명] 뛰어나게 우뚝 솟음. ――-하다 [자][여불]
걸:립-굿 【乞粒―】 [명] 〖민〗 정월 대보름 전후 또는 추석 전후에 각 가정을 방문하여 쳐 주는 집안 고사(告祀)굿.
걸:립-꾼 【乞粒―】 [명] 〖민〗 걸립패의 한 사람으로 노는 사람.
걸:립-상 【乞粒床】 [명] 〖민〗 무당이 굿할 때 걸립이라는 신(神)을 위하여 차려 놓는 허름한 전물상(奠物床).
걸:립 짚신 【乞粒―】 [명] 〖민〗 무당이 굿할 때 걸립 앞에 내어 놓는 짚신.
걸:립-패 【乞粒牌】 [명] 〖민〗 걸립을 조직한 무리.
걸말 [명] 〈옛〉 횃대. ¶ 걸말 휘(楎)≪字會 中 14≫.
걸:-망 【―網】 [명] 〖불교〗 걸머지고 다니기 위하여, 망태기 모양으로 얽어 만든 바랑. 걸낭.
걸-맞다 [형] ①서로 견주어 볼 때, 두 편의 정도가 어금지금하다. ¶ 걸맞은 부부. ②격에 맞게 어울리다. ¶ 걸맞지 않은 모자.
걸맹 【乞盟】 [명] ①적에게 강화(講和)하기를 청함. ②천지 신명(天地神明)에 고(告)하여 맹세함. ――-하다 [자][여불]
걸머-맡다 [자] 남의 일이나 채무 따위를 안아 맡다.
걸머-메다 [타] 걸머지어 어깨에 메다. 걸메다.
걸머-메이다 [사동] 걸머메게 하다. 걸메이다.
걸머-잡다 [타] 이것저것을 한데 걸치어 잡다.
걸머-지다 [타] ①짐바에 걸어서 등에 지다. ¶ 짐을 ~. ②빚을 잔뜩 지다. ¶ 빚을 걸머지고는 못 살겠다. ③책임을 지다. ¶ 나라의 장래를 걸머진 젊은이들.
걸머-지우다 [사동] 걸머지게 하다.
걸-먹다 [자] ↗언걸(을) 먹다. *언걸.
걸-메다 [타] 짐바로 걸어 한쪽 어깨에 메다. 걸머메다.
걸-메이다 [사동] 걸메게 하다. 걸머메이다.
걸목 [명] ①의지할 만한 데. ②합당한 밑천이나 거리. ¶ 한 가지 실수만으로도 떨거지들에게 사매질을 당할 ~은 충분하였다≪金周榮 : 客主≫.
걸물 【傑物】 [명] ①걸출(傑出)한 인물. ②뛰어난 물건.
걸바생이 [명] 〈방〉 거지[1](경상).
걸바시 [명] 〈방〉 거지[1](제주).
걸:방-석 【―石】 [명] 무덤의 상석(床石) 뒤를 괴어 놓는 긴 돌.
걸방이 [명] 〈방〉 거지[1](충청).
걸-밭 [―빹] [명] 윷판의 돗밭으로부터 세어서 셋째의 말밭.
걸뱅이 [명] 〈방〉 거지[1](경상·충북·강원).
걸버시 [명] 〈방〉 거지[1](경북).
걸벵이 [명] 〈방〉 거지[1](경남·제주).
걸복 【乞卜】 [명] 〖역〗 결부(結負)의 이동과 변경의 상황을 조사함. 고복(考卜). ――-하다 [타][여불]
걸부생이 [명] 〈방〉 거지[1](강원).
걸-불병:행 【乞不並行】 [명] 한꺼번에 요구하는 사람이 많으면 아무도 언기가 어려움.
걸빙이 [명] 〈방〉 거지[1](경북).
걸:빵 [명] 〈방〉 ①멜빵. ②질빵.
걸씨다 [자] 〈옛〉 거리끼다. ¶ ᄒᆞ마 볼기 보샤 걸쉰디 업스실씨(旣明見無滯)≪妙蓮 V:144≫.
걸사[1] 【乞士】 [―싸] [명] ①〖불교〗 중을 일컫는 말. 위로는 제불(諸佛)에게 법을 구걸하고, 아래로는 시주에게 밥을 구걸한다고 하는 데서 나옴. 오덕(五德)의 하나. ② →거사[1].
걸사[2] 【傑士】 [―싸] [명] 뛰어난 인사.
걸사[3] 【傑舍】 [―싸] [명] 굉장히 큰 집.
걸:사-표 【乞師表】 [―싸―] [명] 〖역〗 신라 진평왕(眞平王) 30년(608)에 신라의 고승 원광(圓光)이 왕명(王命)으로 고구려를 칠 수(隋)나라의 군사를 청하기 위해 썼다는 글.
걸:상 【―床】 [―쌍] [명] ①가로로 길게 생겨서 여러 사람이 늘어앉을 수 있게 된 의자(椅子). 거상(踞床). ② ☞의자(椅子).
걸:상-장 【―床匠】 [―쌍―] [명] ☞의자장이.
걸솨 [명] 〈옛〉 걸쇠. ¶ 이페 들제 보롤 모로매 ᄂᆞᄌᆞ기ᄒᆞ며 이페 들제 걸솨롤 바ᄃᆞ며(將入戶視必下 入戶奉扃)≪內訓 I:6≫.
걸:쇠[1] [―쐬] [명] ①문을 잠그고 빗장으로 쓰는 'ㄱ'자(字) 모양으로 생긴 쇠. ②〈방〉 들쇠. ③〈방〉 다리쇠.
걸:쇠[2] [―쐬] [명] 〖건〗 병머리초에 그리는 무늬의 일부(一部).
걸: 스카우트 〔Girl Scouts, the〕 [명] 미국에서 1912년에 로(Low Juliette; 1860-1927) 부인(夫人)이 걸 가이드(Girl Guide)를 조직하여 1913년에 고친 이름. 1920년에 세계 연맹이 결성됨. 소녀단. [준]스카우트. *보이스카우트.
걸승 【傑僧】 [―씅] [명] 걸출한 중.
걸식 【乞食】 [―씩] [명] 음식을 남에게 구걸함. 빌어서 얻어먹음. 이걸(餌乞). ――-하다 [자][타][여불]
걸식-자 【乞食者】 [―씩―] [명] 걸식하는 사람.
걸신[1] 【乞身】 [―씬] [명] 〖역〗 걸해(乞骸). ――-하다 [자][여불]
걸신[2] 【乞神】 [―씬] [명] 〔빌어먹는 귀신의 뜻〕 굶주리어 염치를 돌보지 아니하고 음식을 구하는 욕심.
걸신[3] [―씬] [부] 〈방〉 빨리. 눈 깜짝할 새에.
걸신-들리다 【乞神―】 [―씬―] [자] 배고파 음식에 대한 욕심이 몹시 나다. ¶ 걸신들린 것처럼 처먹다. >갈신들리다.
걸신-쟁이 【乞神―】 [―씬―] [명] 걸신들린 사람. >갈신쟁이.
걸-싸다 [형] 일이나 동작이 매우 날쌔다.
걸쌈-스럽다 [형][ㅂ불] ①남에게 지고자 아니하고 억척스럽다. ② ☞걸쌍스럽다. ¶ 주인은 저녁 좁쌀을 쓸어넣다가 방앗다리에 깝신대는 나그네를 걸쌈스럽게 쳐다본다≪金裕貞 : 산골 나그네≫. 걸쌈-스레 [부]
걸쌍-스럽다 [형][ㅂ불] 일을 하거나 음식을 먹는 것이 남보다 나아서 보기에 탐스럽다. ¶ 흘지도 않고 먹는 것이 ~. 걸쌍-스레 [부]
걸씨 [부] 〈방〉 어서. 빨리(평안).
걸씬-거리다 [자] 근근히 닿을락말락하다. >갈씬거리다. 걸씬-걸씬 [부]. ――-하다 [자][여불]
걸씬-대다 [자] 걸씬거라다.
걸씬-하다 [자][여불] 간신히 조금 닿고 말다. >갈씬하다.
걸아 【乞兒】 [명] 걸식하는 아이.
걸-앉다[1] [―안따] [자] ↗걸어앉다.
걸앉다[2] [자] 〈옛〉 걸터앉다. ¶ 師子床에 걸안조믄 저품 업스신 德을 表ᄒᆞ고(踞師子床者 表無畏之德也)≪妙蓮 II:196≫.
걸어-가다 [자][타][거라불] 탈것에 타지 않고 도보(徒步)로 가다. ¶ 역까지 함께 걸어갔다/황톳길을 ~.
걸어-앉다 [―안따] [자] 높은 곳에 궁둥이를 붙이고 두 다리를 늘어뜨리고 앉다. [준]걸앉다. *걸터앉다.
걸어-앉히다 [―안치―] [사동] 걸어앉게 하다.
걸어-오다[1] [자][타][너라불] 탈것에 타지 않고 도보(徒步)로 오다. ¶ 빨리 걸오느라 수고가 많았다. 「을 ~.
작 따위를 상대방에서 먼저 붙여 오다. ¶싸움
서랍 등을 닫고, 빗장을 지르거나 자물쇠를 잠
게 하다.
서, 발로 상대방의 발을 걸어 넘어뜨리는 수.
군〕 소총 석 자루를 총 윗부분의 총걸이에서 짜
으로 세워 놓는 일. 또, 그렇게 시킬 때의 구령(口
하다 자여불
게 좋은 말을 하여 달라고 청함. ──-하다 자여불
모양. ──-하다 형여불 「≪熱河日記≫.
¶중 걸오와 낙 걸오며 ≪漢陽歌≫/我國小船曰傑傲
운 말이 아직 길들어 있지 아니함. ②성정(性情)
에 대한 뱀뱀이가 없어서 거만하고 무례함. ──-
땅을 걸게 하다. └하다 형여불
영위(靈位). 흔히, 부녀자(婦女子)가 이 영위에
모심.
기다. ¶解脫은 버슬씨니 아무 ᄃᆡ도 마ᄀᆞᆫ ᄃᆡ 업서
씨라 ≪月序 8≫.
어 당기다. ¶그르메ᄂᆞᆫ 프른 ᄆᆞᄅᆡ ᄆᆞ마니 걸위혀 몰
潛勾引)≪初杜諺 XVIII:3≫.
번갈아 옮겨 놓는 동작. 행보(行步). ¶느린 ~/~
명 두 발을 번갈아 옮겨 놓는 동작을 세는 말. ¶한
*발[10]·보(步)·발짝.
구 어서 빨리 도망가야 되겠다는 말. 종짓굽아 날 살
치려 할 제, 의주집이 걸음아 날 살려라 하고 방문
거늘≪金敎濟:牡丹花≫.
음걸음이.
음을 걸을 적마다. 걸음마다. 준걸음걸음.
음을 걷는 본새. 보법(步法). 걸음새. ¶~가 얌전하다.
걸음의 발자국과 발자국 사이의 거리. 보폭(步幅).
어린애가 걸음을 배울 때의 걸음걸이. 二 감 어린애에게
히게 할 때 발을 떼어 놓으라고 시키는 소리. *걸음마찍찍.
찍 감 어린애에게 걸음마를 익히게 할 때 발을 떼어 놓으라고
명 〈방〉 걸음마(경상). └재촉하는 소리. * 걸음마.
-발 명 ①걸음을 걷는 발. ②걸음걸이.
음발(을) 타다 구 어린애가 처음으로 비틀거리며 걷기 시작하다.
음-새 명 걷는 본새. 걸음걸이.
걸음-쇠 명 컴퍼스(compass)❶.
걸음-장 명〖건〗 동자 기둥을 들보 허리에 세울 때 아래쪽을 대각(對角)의 두 가랑이로 만드는 방식. 왼걸음·오른걸음의 구별이 있음.
걸음-짐작 명 걸음으로 거리를 헤아림. 보측(步測).
걸이 명 씨름에서, 다리로 상대방의 오금을 걸어서 내미는 재주.
-걸이 미 어떤 물건 이름 밑에 붙어서, 그 물건을 걸어 두는 기구임을 나타내는 말. ¶양복~/의~.
걸이다 자 〈옛〉 걸리다. ¶설킷 옷둘히 화예나아 걸이며 ≪月釋 II:33≫.
걸이-형【一型】명 씨름의 기본형의 하나. 다리를 걸어 밀거나 당겨서 넘어뜨리는 방법. 안걸이·밭걸이 등이 있음.
걸인[1]【乞人】명 거지.
걸인[2]【傑人】명 걸출(傑出)한 사람.
걸인 연천【乞人憐天】명〔거지가 하늘을 불쌍히 여긴다는 뜻으로〕'엉뚱한 일을 걱정함'을 이르는 말.
걸:-입다〔一립一〕자 ↗언걸(을) 입다. *언걸.
걸작【傑作】〔一짝〕명 ①아주 잘 된 훌륭한 작품. 명작(名作). 달작(達作). ¶해외 ~ 단편집. ↔졸작(拙作). ②행동이나 말이 유별나게 우습고 남의 눈에 띔. 또, 그러한 사람. ¶~으로 놀다.
걸작-품【傑作品】〔一짝一〕명 걸작(傑作)❶.
걸-주【桀紂】〔一쭈〕명 중국 하(夏)나라의 걸(桀)과 은(殷)나라의 주(紂). 고금의 포악한 임금의 대표자로 일컬어짐.
걸짜[1] 명〔걸자(傑字)〕①〈방〉 걸구(傑句). ②〈속〉 걸작으로 노는 사람.
걸짜[2] 명 〈방〉 걸귀❷. └¶그 친구 참 ~인걸.
걸쩍-거리다 자 성질이 호협하고 쾌활하여 무슨 일에나 시원스럽게 덤벼들다. 걸쩍-걸쩍 부. ──-하다 자여불
걸쩍-대다 자 걸쩍거리다.
걸쩍지근-하다 형여불 ①음식을 가리지 않고 닥치는 대로 먹어서 입이 매우 걸다. ②욕을 함부로 하여 입이 매우 걸다.
걸쭉-하다 형여불 액체 속에 섞인 것이 많아서 묽거나 맑지 아니하고 매우 걸다. ¶걸쭉한 국물. >갈쭉하다. 걸쭉-히 부
걸찍-하다 형 ①〈방〉 걸쭉하다(평안). ②땅·입·성질·짓 따위가 상당히 걸다.
걸:-차다 형 땅이 매우 기름지다.
걸:채 명 소의 길마 위에 덧얹고 곡식단 등을 싣는 기구. *발채.
걸:챗-불 명〖농〗 걸채에 달린 옹구처럼 생긴 물건. 걸채의 앞뒤 마구리와 벼릿줄과 세장의 사방으로 대여섯 가닥씩 줄을 매고, 그 늘어진 끝을 서로 엇걸어 짜서 방석같이 바닥이 되게 한 것. 「다.

뒷마구리 벼릿줄
앞마구리 걸챗불
〈걸채〉

걸:쳐 두다 타 무슨 일에 관계(關係)를 걸어만 두고 결말을 내지 아니하
걸:쳐-막기 명 태권도에서, 공격해 오는 상대편의 손을 걸치면서 막는
걸출【傑出】명 남보다 훨씬 뛰어남. ──-하다 형여불 └수.
걸:치다 一 자 ①두 끝이 맞닿아서 걸치다. ②긴 물건의 가운데 쪽이 무엇에 얹히고 두 끝이 두 쪽으로 늘어지다. ¶줄에 빨래가 걸쳐 있다. ③시간적·공간적으로 계속되다. 미치다. ¶여러 방면에 걸친 방대한 연구/교섭이 이틀에 ~. 二 타 ①둘이 서로 맞닿아서 이어지게 하다. 사이에 걸어 놓아 이어지게 하다. ¶판자를 걸쳐 놓다/사다리를 ~. ②긴 물건을 무엇에 얹어서 두 끝이 늘어지게 하다. 또, 끝 부분을 다른 물건의 끝에 올려 놓다. ¶엉덩이를 ~/다리를 철봉에 ~. ③옷이나 이불 같은 것을 아무렇게 입거나 뒤집어 쓰다. ¶누더기를 ~. ④일 따위를 벌이어 놓다. 손을 대다. ¶사업을 여기저기 걸쳐 놓아 바쁘기 짝이 없다. ⑤바둑에서, 귀에 둔 상대방의 돌을 공격하다. ⑥'술을 마시다'의 낮은 말. ¶소주 한잔 걸치고 집에 가다.
걸:침 명 바둑의 포석(布石)에서, 귀에 놓은 상대방의 돌에 대한 공격.
걸태-질 명 염치(廉恥)나 체면(體面)도 없이 재물(財物)을 마구 긁어 들이는 짓. ──-하다 타여불 「들이다.
걸터-들이다 타 이것저것 가리지 않고 걸터듬어 닥치는 대로 휘몰아
걸-터듬다〔一따〕타 이것저것 닥치는 대로 더듬어 찾다.
걸터-먹다 타 이것저것 닥치는 대로 휘몰아 먹다.
걸:터-앉다〔一안따〕자 ①의자(椅子)나 걸상 같은 데에 온몸의 무게를 실리고 걸어앉다. *걸어앉다. ②살을 벌리고 앉아 타다.
걸:터-앉히다〔一안치一〕사동 걸터앉게 하다.
걸:터-타다 자 소나 말 같은 것의 등에 모로 앉아 타다. ¶소 등에 걸터 타고 피리 부는 목동(牧童).
걸티다 자타 〈옛〉 걸치다. ¶걸틸 탑(搭)≪字會 下 20≫.
걸판-지다 형 푸짐하고 억세다 ¶어따, 그렇게 분하거든 벌린 김에 한 번 걸판지게 해보지그려. 난 구경이라도 하게≪金周榮:客主≫.
걸: 프렌드〔girl friend〕명 남자의 여자 친구. ↔보이 프렌드.
걸프 석유 회:사【一石油會社】명〔Gulf Oil Corp.〕 멜런(Mellon) 재벌(財閥)이 지배하던 미국의 석유 기업(企業). 7 대 국제 석유 자본의 하나였으나 1984 년 스탠더드·캘리포니아사(社)에 흡수 합병됨.
걸프 스트림:〔Gulf Stream〕명〖지〗 멕시코 만류(Mexico 灣流).
걸프 전:쟁【一戰爭】명〔Gulf war〕 1990 년 8 월의, 이라크군의 쿠웨이트 침공을 응징하기 위해 유엔의 결의를 거쳐 1991 년 1 월 미국·영국·사우디아라비아·이집트·시리아·프랑스 등의 다국적군이 이라크에 공격을 개시하여 6 주 후에 쿠웨이트를 해방시킨 전쟁. 함선과 비전투 요원의 파견까지 합쳐 모두 31 개국이 참가하였음.
걸핏-하면 부 조금이라도 일이 있기만 하면 곧. 툭하면. ¶~ 울고불고 야단이다.
걸해【乞骸】명〖역〗 늙은 재신(宰臣)이 사직(辭職)을 임금에게 주청(奏請)함. 걸해골(乞骸骨). 걸신(乞身). ──-하다 자여불
걸-해골【乞骸骨】명〖역〗 걸해(乞骸).
걸행【傑行】명 걸출한 행위. 남보다 뛰어난 행실.
검:[1] 명 귀신.
검:[2] 명 〈방〉 흑(黑)지.
검:[3]【劍】명 크고 긴 칼.
검[4]【黔】명 성(姓)의 하나. 우리 나라에는 현존(現存)하지 않음.
검:- 두 용언 위에 붙어서 '지나칠 정도로'·'몹시'·'매우'의 뜻을 나타내는 말. ¶~질기다/~푸른 하늘.
검:가[1]【劍家】명 검술을 닦는 사람.
검:가[2]【劍歌】명〖문〗 천도교(天道敎) 제1세 교주 최제우(崔濟愚)가 지은 가사의 하나. ≪용담 유사(龍潭遺詞)≫에 수록된 것으로, 조선 철종 12년(1861)에 지은 것임. 검결(劍訣).
검:각【劍閣】명〖지〗 중국 쓰촨 성(四川省) 젠거 현(劍閣縣) 북쪽에 있는 산 이름. 장안(長安) 방면에서 촉(蜀)으로 들어가는 통로(通路)로, 예로부터 요해(要害)로서 유명함. 검문(劍門).
검:갑【劍匣】명 칼을 넣어 두는 상자.
검:객【劍客】명 검술(劍術)에 능한 사람. 검사(劍士). 검술사(劍術師).
검:-갯지렁이 명〖동〗 해안갯지네.
검:거[1]【劍車】명〖역〗 고려 때, 군사가 싸움에 사용하던 수레. 말이 끄는 데, 군사가 타고 달리면서 싸움.
검:거[2]【檢擧】명〖법〗 ①범죄의 증거를 걷어 모음. ②검사(檢事)·사법 경찰 관리(司法警察官吏)의 수사 절차(搜査節次)의 하나. 일반적으로는, 수사에 착수하여 용의자(容疑者)를 찾아 관서(官署)에 인치(引致)하는 일. 넓은 뜻으로는, 수사에서 기소(起訴)까지를 포함하는 절차. ──-하다 타여불 「¶~이 붙다.
검:거 선풍【檢擧旋風】명 한꺼번에 여러 사람을 휩쓸어서 검거하는 일.
검:거 제:조【檢擧提調】명〖역〗 조선 시대 때, 사옹원(司饔院)에서 국빈(國賓)을 대접하는 잔치가 있을 때 임시로 임명하던 벼슬.
검:견【檢見】명 간평(看坪). ──-하다 타여불
검:결【劍訣】명〖문〗 검가(劍歌).
검:-경[1]【檢警】명 검찰(檢察)과 경찰(警察). ¶~ 신문/~ 합동 수사.
검:경[2]【檢鏡】명 특히, 세균 따위를 현미경(顯微鏡)으로 검사함. ──-하다 타여불
검:경 분석【檢鏡分析】명 경검 분석(鏡檢分析).
검:계-관【檢計官】명〖역〗 고려 때, 어서원(御書院)의 한 벼슬. 임금에게 보고하는 글을 검토함.
검:공【劍工】명 도검(刀劍)을 단련 제조하는 사람. 검장(劍匠).
검:관【檢官】명〖역〗 조선 시대 때, 시체를 검사하던 임시 벼슬.
검:광【劍光】명 칼날의 번쩍거리는 빛.
검:광-자【檢光子】명〔analyser〕〖물〗 편광(偏光)을 검출하기 위한 니콜프리즘(Nicol-prism) 또는 그 밖의 장치. 아날라이저.
검:교【檢校】명〖역〗 ①고려 말과 조선 시대 초에, 정원 이외에 임시로 증원(增員)한 때나, 실지 사무는 보지 않고 이름만 가지고 있게 할 때에, 그 벼슬 이름 앞에 붙이는 말. ¶~ 문하 시중(門下侍中). ②규장각(奎章閣) 제학(提學)이나 직각(直閣)의 시임(時任)이 사고가 있을 때에,

원임(原任)의 성명을 써서 임금의 낙점(落點)을 받아 임시로 그 사무를 맡게 하는 경우, 그 벼슬 이름 앞에 붙이는 말. 조선 영조(英祖)·정조(正祖) 때에 행하여짐. *동정(同正)·훈관(勳官).

검:교 각신【檢校閣臣】명〖역〗조선 시대 때 검교로서 일을 보게 된 관원.

검:교 대학【劍橋大學】명 '케임브리지(Cambridge) 대학'의 한역(漢譯).

검:교-사【檢校使】명〖역〗신라 때, 봉성사 성전(奉聖寺成典)·감은사 성전(感恩寺成典)·봉덕사 성전(奉德寺成典)의 으뜸 벼슬. 경덕왕(景德王)이 금하신(衿荷臣)을 고친 이름.

검:군【劍君】명〖사람〗7세기경 신라의 화랑(花郞). 진평왕(眞平王) 때의 사인(舍人)으로, 동왕 49년(627)에 큰 기근이 들어 동료들이 양곡(糧穀)을 도둑질하는 것을 유사(有司)에게 고하지 않고, 오히려 사실이 탄로날 것을 두려워하는 동료들 앞에서 자진하여 죽음으로써 모든 화랑들을 뉘우치게 했음.

검:극¹【劍戟】명 칼과 창.

검:극²【劍劇】명〖연〗칼 싸움을 내용으로 하는 영화나 연극.

검금 명 →정금.

검:-금치레벌【一金一】명〖충〗봄굼벵이벌.

검:기¹【劍氣】명 날카로운 칼날에서 풍기는 기운. 검(劍)의 살기(殺氣).

검:기²【劍器】명〖악〗향악(鄕樂)의 칼춤에 쓰는 칼.

검기다¹ 타 검게 더럽히다.

검기다² 타〖미술〗조각이나 그림에서, 윤곽에서부터 안쪽으로 짙게 칠하여 들어오다.

검:기-무【劍器舞】명 칼춤❶.

〈검기²〉

검:-기울다 자 검은 구름이 차차 퍼져서 날이 껌껌해지다.

검나게 부〈방〉매우(경남).

검나기 부〈방〉매우(전남·경남).

검나무-싸리 명〖식〗쇠싸리.

검:난【劍難】명 도검(刀劍)으로 인한 재난.

검:-남무【劍男舞】명 남색(藍色) 창의(氅衣)를 입은 기생이 검기(劍器)를 들고 추는 남무(男舞).

검:납【檢納】명 검사하여 납입함. ——-하다 타여불

검:년【儉年】명 곡식이 잘 여물지 않은 해. 소출이 적은 해. 흉년.

검:년-기【檢撚器】명 섬유 시험기의 하나. 포목의 짜여진 실의 수를 측정하는 기계.

검:노랑-베짱이 명〖충〗갈색여치.

검:-노린재 명〖충〗[*Microporus nigritus*] 흙노린잿과에 속하는 곤충. 몸길이 4.5-5mm이며 몸빛은 검음. 머리 주위에는 20여 개의 가시와 8개 내외의 긴 강모(剛毛)가 있음. 흑갈색의 촉각은 5절이며 제3-5절에 금색(金色) 털이 밀생함. 땅 위에 서식하는데, 한국·일본·중국·유럽에 분포함.

검:노린재-나무 명〖식〗[*Palura tanakana*] 노린재나뭇과(科)에 속하는 낙엽 활엽 관목. 잎은 타원형이고, 5월에 초록색 꽃이 원추(圓錐) 화서로 짧은 가지 끝에 정생(頂生)하며, 과실은 장과(漿果)로 가을에 까맣게 익음. 산지에 나는데, 전남·경남 등지에 야생하고 일본에도 분포함. 조각재(彫刻材)로 쓰임.

검:뇨【檢尿】명〖의〗오줌의 빛이나 탁한 정도 및 단백질·당(糖)·세균·혈구(血球) 등의 유무를 검사함. 오줌 검사. ——-하다 자여불

검:뇨-기【檢尿器】명〖의〗검뇨하는 기계.

검:-누러니 부 검누렇게. >감노라니.

검:-누렇다 [—러타] 형 ㅎ불 검은 빛을 띠면서 누렇다. >감노랗다.

검:-누레지다 자 검누렇게 되다. >감노래지다.

검:-누르다 형 러불 검은 빛을 띠면서 누르다. >감노르다.

검:-니 명〈방〉어금니(함경).

검:-님 명〖민〗신령(神靈)님.

검:다¹ [—따] 타 흩어진 물건을 갈퀴 같은 것으로 긁어 모으다.

검:다² [—따] 형 ①빛깔이 먹빛 같다. 광선이 다 빨리어 드러나지 않고 어둡다. ㅆ껌다. >감다. ↔희다. ②마음이 정직하지 아니하고 못된 욕심이 있다. ¶뱃속이 ~.

[검기는 왜장 청정(淸正)이라] 왜간장이 검은 데서, 빛이 검은 것을 보고 이르는 말 [검다 희다 말이 없다] '쓰다 달다 말이 없다'와 같은 뜻. [검은 강아지로 돼지 만든다] 잘 넘어가지 않을 얕은 수로 남을 속이려 한다는 말. [검은 고기 맛 좋다 한다] 피부가 검은 사람을 조롱하는 말. [검은 고양이 눈 감은 듯] 검은 고양이가 눈을 뜨나 감으나 얼른 알아볼 수 없는 데서, 무엇이나 경계(境界)가 명확히 지어지지 아니하여 분간하기 어렵다는 말. [검은 구름에 백로(白鷺) 지나가기] 정처없이 돌아다녀 종적을 알 수 없음을 이르는 말. [검은 구름에 흰 망아지 지나듯] 얼핏 스쳐 지나감의 비유. ¶하물며 수삭 전 검은 구름에 흰 망아지 지나듯한 필공이를 누가 역력히 기억하였다가 일러주리요? ≪李海朝: 花世界≫. [검은 머리 짐승은 구제(救濟) 말란다] 사람을 도와 주지 말라는 뜻으로 은혜를 갚지 아니한다고 핀잔 주는 말.

검은 머리 파 뿌리 되도록 구 검던 머리가 파 뿌리처럼 허옇게 세어, 아주 늙도록까지.

검:단【檢斷】명 비행(非行)을 검사하여 죄를 단정함. ——-하다 타여불

검:담【檢痰】명 가래를 검사하여 병균(病菌)의 유무를 조사하는 일. 가래 검사. ——-하다 자여불

검:당-계【檢糖計】명 (saccharimeter)〖화〗편광계(偏光計)의 한 가지. 용액 중의 당의 농도를 분석하는 기계. 사카리미터(saccharimeter).

검:대【劍帶】명 패검(佩劍)과 혁대(革帶).

검댕 명 그을음이나 연기가 맺혀서 된 검은 빛깔의 물건. 굴뚝이나 아궁이 속 같은 데에 많이 앉음. *철매.

검댕-불나방 [—라—] 명〖충〗민들레불나방.

검:덕【儉德】명 검소(儉素)한 덕.

검:덕 광:산【劍德鑛山】명〖지〗함경 남도 단천군(斗日面)에 있는 한국 최대의 납 및 아연 광산.

검:덕 귀:신【一鬼神】명〈속〉몸이나 얼굴이 몹시

검:덕-산¹【劍德山】명〖지〗①함경 남도 풍산군(豐 面)과 북청군(北靑郡) 이곡면(泥谷面) 사이에 있는 산 경 북도 무산군(茂山郡) 연상면(延上面)과 어하면(漁 는 산. [1,901m] ③함경 남도 단천군(端川郡) 북두일 풍산군(豐山郡) 천남면(天南面) 사이에 위치하는 산. 부 함. 부근에 검덕 광산이 있음. [2,150m]

검덩 명〈방〉검정(평안).

검도¹【鈐韜】명 ①세모창의 자루와 칼·활 등의 주머니. ② 무술(武術)·병법(兵法)을 이름.

검:도²【劍道】명 ①검술(劍術)을 닦는 무도(武道)의 한 부문. ②특히, 호구(護具)를 몸에 착용하고 죽도(竹刀)를 가지고 경기로서의 검술(劍術). 검술(劍術).

검:도-장【劍道場】명 검도(劍道)를 수련하는 도장.

검:도-형【劍道型】명 검도의 기술 가운데 기본 되는 몇 가지 정형

검:독【檢督】명 검사하고 독려(督勵)함. ——-하다 타여불

검:-독수리 명〖조〗[*Aquila chrysaëtos japonica*] 독수릿과에 속하는 수리의 하나. 날개 길이 60cm가량, 머리와 목의 깃은 버들잎 모양이며 등은 짙은 갈색(褐色)에 자색 광택이 나는데, 하면과 날개 및 꽁지는 흑갈색임. 꽁지의 중앙에는 회색 띠가 있음. 깊은 산에 사는데 낮에 떠돌아다니며 들쥐·토끼 등을 잡아먹음. 아프리카·아시아에 분포함. 검둥수리.

〈검독수리〉

검돌【黔突】명 검은 굴뚝. 꺼매진 연돌.

검:두【劍頭】명 칼끝. 검첨(劍尖).

검둥- 두 '빛이 검은'의 뜻. ¶~개. ㅆ껌둥. >감둥.

검둥-개 명 털빛이 검은 개. ㅆ껌둥개.

[검둥개 돼지 편이다] 외모의 빛이 비슷하므로, 인연 있는 데로 따른다는 뜻. 가재도 게편이라. [검둥개 멱감듯] ㉠워낙 검어 아무래도 희어질 수 없다는 말. 전(轉)하여, 보람없음의 이름. ¶무엇이 그리 급하던지 검둥개 목욕감듯 코만 겨우 훔척훔척 씻고 갈라붙인 머리를 빗질도 아니하고 손으로 두어 번 쓰다덤드니 ≪李海朝: 鬢上雪≫. ㉡악인(惡人)이 끝내 제 잘못을 뉘우치지 못한다는 말.

검둥-수리 명〖조〗검독수리.

검둥-오리 명〖조〗[*Melanitta nigra americana*] 오릿과에 속하는 바다 물새. 날개 길이 220mm 가량이며, 수컷은 온 몸빛이 검고 황색 윗부리는 기부가 융기(隆起)하였음. 암컷의 부리는 융기하지 않았고 검푸른 빛인데, 중앙에 황색 반문이 있고, 몸빛은 갈색을 이룸. 잠수(潛水)하여 조개 따위를 잡아먹음. 알래스카·시베리아의 북부에서 번식하고, 한국·중국·일본 등 온대 지방의 연안에서 월동함.

♀ ♂

〈검둥오리〉

검둥오리-사촌【一四寸】명〖조〗[*Melanitta fusca stejnegeri*] 오릿과에 속하는 바다 물새. 수컷은 온 몸이 검으며, 날개는 희고, 암컷은 암갈색임. 부리는 납짝하고, 콧구멍 위에 혹 모양의 융기(隆起)가 있음. 가을에 북쪽에서 날아 옴. 조개 무리를 좋아함.

검-둥이 명 ①검둥개를 귀엽게 일컫는 말. ②살빛이 검은 사람. ③〈속〉흑인. 흑노(黑奴). 니그로(negro). 1)-3): ㅆ껌둥이. ↔흰둥이.

검등-황줄잎벌【一黃一】[—쭐립—] 명〖충〗[*Tenthredo nigropicta*] 잎벌과에 속하는 곤충. 암컷의 몸길이 13mm 가량이고 몸빛은 녹황색이며 두정부(頭頂部)·후두·전흉배(前胸背)·중흉배·후흉배의 대부분과 산란초(鞘) 및 촉각은 흑색임. 한국·일본·중국에 분포함. 검정등누런잎벌.

검듸영 명〈옛〉검댕. =검듸영. ¶가마 미틧 검듸영(釜底墨)≪救方 上 40≫.

검:디-검다 [—띠—따] 형 몹시 검다.

검디앙 명〈방〉검댕.

검듸영 명〈옛〉검댕. =검듸영. ¶오란 브억 어귀엣 검듸영(百草霜)≪湯液 卷一≫.

검:-뜯다 타 검쳐 잡고 쥐어 뜯듯이 바득바득 조르다.

검:란【檢卵】[—난] 명 부화에 적합한지 어떤지 햇빛이나 불빛으로 알을 비춰 보며, 부화중(孵化中)의 배(胚)의 발육 상태를 검사하는 일. ——-하다 자여불

검:량【檢量】[—냥] 명 적하(積荷)의 양, 혹은 무게를 검사함. *검수(檢數). ——-하다 타여불

검:량-인【檢量人】[—냥—] 명 특히 선적(船積)·양륙(揚陸)에서, 화물을 인수·인도할 때 그 화물의 중량·용량의 계산 및 증명을 맡은 사람. *검수인(檢數人).

검려¹【黔黎】[—녀] 명 검수(黔首).

검려²【黔驢】[—녀] 명 중국의 검주(黔州), 곧 지금의 구이저우 성(貴州省)에는 본래 나귀가 없었으므로, 어떤 사람이 나귀를 타고 그 곳을 지나는 것을 범이 보고 처음에는 대단히 무서워했으나, 그 후 쉬사귀어 범이 나귀를 지분거려도 나귀가 범을 발길로 찰 뿐이므로, 범은 나귀에게 그 밖의 기능(技能)이 없음을 알고 나귀를 물어 죽였다는 우화(寓話). *검려지기(黔驢之技).

검려지-기【黔驢之技】[—녀—] 명 사람의 기술·기능이 졸렬함의 비유. 또, 자신의 재주 없음을 모르고 덤비다가 화를 자초(自招)함의 비유. *검려².

검:력-계【檢力計】[—녁—] 명 ①〖공〗생사(生絲)·견사(繭絲)의 강도(强度)·신장도(伸長度)를 재는 계기(計器). ②악력계(握力計).

검:룡【劍龍】[ㅡ뇽] 명〖동〗공룡목(恐龍目)에 속하는 화석 동물의 하나. 중생대(中生代) 쥐라기(紀) 초기부터 백악기(白堊紀)의 말기까지 번성하였음. 몸길이가 4-10m 정도이고 등에 큰 삼각형 모양의 골판(骨板)과 꼬리에 가시가 있음. 머리가 작으며, 네 다리로 걷는데 앞다리는 짧음. 초식성(草食性)임. 스테고사우루스(stegosaurus). *금룡(禽龍).

〈검룡〉

검:루-기【檢漏器】[ㅡ누ㅡ] 명〖전〗송배전선과 발전소·변전소의 모선(母線) 등의 대지에 대한 누전(漏電)의 정도를 측정하는 계기(計器). 누전에 의해서 선로(線路)의 대지 전위(對地電位)가 불평형(不平衡)이 되어 사고가 속발(續發)함을 방지하기 위한 것으로, 누전을 표시하고 경보(警報)를 발함. 검지기(檢地器).

검:류【檢流】[ㅡ뉴] 명〖물〗전류·조류(潮流) 등의 속도·세기 따위를 측정하고 검사함. ──-하다 타여불

검:류-계【檢流計】[ㅡ뉴ㅡ] 명〖물〗물리학·전기학의 실험·측량 때에 미소(微小)한 전류(電流)·전압(電壓)·전기량(電氣量) 등을 검출(檢出)·측정하는 계기(計器). 갈바노미터(galvanometer).

검:류-의【檢流儀】[ㅡ뉴ㅡ/ㅡ뉴이] 명〖지〗조수(潮水)의 흐르는 속도를 재는 기계. 방향을 아울러 지시(指示)하는 장치가 있는 것도 있음.

검:률【檢律】[ㅡ뉼] 명〖역〗조선 시대 때, 형조(刑曹)와 지방 관아에서 형률(刑律)을 맡아 보던 종구품 벼슬. 「출하는 보고서.

검:률-단【檢律單】[ㅡ뉼딴] 명〖역〗검률이 취급한 사건에 관하여 제

검:린【儉吝】[ㅡ닌] 명 ①인색함. ②검약(儉約)과 인색(吝嗇). ──-하다 형여불

검:림 지옥【劍林地獄】[ㅡ님ㅡ] 명〖불교〗십육 소지옥의 하나. 시뻘겋게 단 쇠뭉치의 과실이 달려 있는 검수(劍樹)의 숲속에서 죄 많은 망자(亡者)가 온 몸을 상괴(傷壞)하는 단련을 받는다는 지옥. 불효·불경(不敬)·무자비한 자가 떨어지는 곳. 검수(劍樹) 지옥.

검:맥【檢脈】명 맥을 짚어 검사함. 진맥(診脈). ──-하다 자여불

검:모잠【劍牟岑】명〖사람〗고구려의 대형(大兄). 보장왕(寶藏王) 27년(668)에 나라가 망하자, 다음다음해인 신라 문무왕(文武王) 10년(670)에, 유민(遺民)을 규합(糾合)하여 당병(唐兵)을 물리치고 신라로 향하는 도중 보장왕의 외손(外孫) 안승(安勝)을 만나 그를 왕으로 세우고 한성(漢城), 곧 지금의 재령(載寧)을 근거지로 하여 부흥을 꾀하였으나, 당의 공격을 받았을 때 안승(安勝)에게 피살(被殺)됨.

검:무【劍舞】명 칼춤❷.

검:문[1]【劍門】명〖지〗검각(劍閣). 「~. ──-하다 타여불

검:문[2]【檢問】명 검사하고 물음. 문초하고 조사함. 신검(訊檢). ¶ 불심

검:문-소【檢問所】명 범죄 수사 또는 치안 유지를 위하여, 통행인과 그 소지품 및 차량 등을 점검(點檢)할 목적으로 교통의 요소(要所)에 만든 경찰관·헌병 등의 임시 파출소(派出所).

검:-물잠자리 명〖충〗검은물잠자리.

검:미-류【劍尾類】명〖동〗[Xiphosura] 절지(節肢) 동물 퇴구류(腿口類)에 속하는 한 목(目). 두 갈래진 발과 내부 구조가 갑각류(甲殼類)와 비슷하나 촉각(觸角)이 없고 오히려 거미류에 가까운데, 마디를 가진 6쌍의 발이 있고, 복부의 체절(體節)은 유합(癒合)되어 있음. 삼엽충(三葉蟲)을 조상으로 하여 중생대(中生代)의 페름기(紀)에서 백악기(白堊紀)에 걸쳐 번성했던 동물로, 투구게 외에 4종만이 현존(現存)함. *광익류(廣翼類).

검:박[1]【儉朴】명 검소(儉素)하고 질박(質朴)함. ──-하다 형여불

검:박[2]【儉薄】명 검소하고 넉넉하지 못함. ──-하다 형여불

검:-버섯 명〔←검-(검다의 어간)+버섯〕노인의 피부에 생기는 거무스름한 얼룩점. 오지(汚池). 지루 각화증.

검버섯(이) 피다 구 노인의 피부에 거무스름한 얼룩점이 생겨 나다.

검:번【檢番】명 권번(券番).

검:법【劍法】[ㅡ뻡] 명 검도(劍道)에서 칼을 쓰는 법식.

검:변【檢便】명〖의〗병원균(病原菌)·기생충의 알·혈액 등의 유무를 알아보기 위하여, 대변을 화학적 혹은 현미경적으로 검사함. ──-하다 └자여불

검:-보라색【ㅡ色】명 흑자색(黑紫色).

검:-복[1] 명〖어〗[*Sphoeroides porphyreus*] 참복과(科)에 속하는 바닷물고기. 몸의 길이는 약 40cm인데 등지느러미와 뒷지느러미가 좀 길며, 등과 배에 가시가 전혀 없고 밋밋함. 가슴지느러미 위쪽에 흰 빛으로 둘러싸인 큰 흑점이 있고, 몸에는 농황색의 세로띠가 한 줄 있음. 난소(卵巢)·간장·장·피부에 맹독(猛毒)이 있으며 성이 나면 공기를 들이마셔 배를 팽창시키고 이를 가는 소리를 냄. 복 가운데 가장 맛이 있어 식용하나, 중독될 위험이 큼. 한국 중남부 및 일본 중남부 이남에 분포함.

〈검복[1]〉

검:복[2]【檢覆】명 ①되풀이하여 조사함. ②〖역〗복검(覆檢). ──-하다

검:봉[1]【劍鋒】명 칼의 뾰족한 끝. 칼날의 끝. └타여불

검:봉[2]【檢封】명 ①검사하여 봉함. 또, 봉인(封印)을 검사함. ②편지를 봉함. ──-하다 타여불

검:봉-금【劍鋒金】명〖민〗육십 화갑자(六十花甲子)에서, 임신(壬申)·계유(癸酉)에 붙이는 납음(納音). 강물로 칼을 갈고 또 가니 칼 끝이 날

검부-나무 명〔←검불+나무〕검불로 된 땔나무. └카롭다는 말.

검부데기 명〈방〉검불(충남).

검부라지 명〈방〉검불(전남).

검부락 명〈방〉검불(경기).

검부락지 명〈방〉검불(충남·전라).

검부래기 명〈방〉검불(경기·충북·전남).

검부러기 명〔←검불+-어기〕검불의 부스러기. 섬개(纖芥). *검불.

검부럭 명〈방〉검불(경기).

검부재기 명〈방〉검불(강원·충북·전남).

검부-잿불 명 검불을 때서 만든 잿불.

검부저기 명 먼지나 잡물(雜物)이 뒤섞인 검부러기. *검불.

검부정이 명〈방〉검부저기.

검:분【檢分】명 입회(立會)하여 검사(檢査)함. ──-하다 타여불

검불 명 마른 풀이나 낙엽(落葉). *검부러기·검부저기. 「모양.

검불-덤불 부 서로 얼크러지고 뒤섞이어 갈피를 잡을 수 없이 어수선한

검불-돈 명 부정하게 얻은 돈이거나, 애써 번 돈이 아니어서 쉬 날아 가는 돈. ¶ 노름판에서 챙긴 ~.

검불-밭 명 검불이 마구 쌓인 곳.

[검불밭에서 수은(水銀) 찾기] '잔디밭에서 바늘 찾기'와 같은 뜻.

검:-붉다 [ㅡ북ㅡ] 형 검은 빛을 띠면서 붉다. ¶ 검붉은 얼굴.

검:-붕장어【ㅡ長魚】명〖어〗[*Conger japonicus*] 먹붕장어과에 속하는 바닷물고기. 몸길이 1m 이상, 입이 커서 눈 뒤끝 아래까지 달함. 몸빛은 다른 붕장어보다 검은 빛이 짙고, 등지느러미와 가슴지느러미 후면은 흑색임. 한국 남부 특히 부산 및 일본 남부에 └분포함.

〈검붕장어〉

검:비【劍鼻】명 칼코등이.

검:-뿌옇다 [ㅡ여타] 형ㅎ불 검은빛을 띠면서 뿌옇다.

검:뿌예-지다 자 검뿌옇게 되다.

검:사[1]【劍士】명 검객(劍客).

검:사[2]【檢事】명 특정직 공무원의 하나. 범죄를 수사하여 공소를 제기하고, 재판의 집행을 지휘·감독하며 공익의 대표자로서 법령에 의하여 주어진 권한을 행사함. 직급은 검찰 총장·고등 검사장·검사장 및 검사로 구분함. 검찰관.

검:사[3]【檢査】명 사실을 조사하여 옳고 그름과 낫고 못함을 판단함. 사검(査檢). 인스펙트. ──-하다 타여불 「tor).

검:사-관【檢査官】명 검사하는 관리. 사검관(査檢官). 인스펙터(inspec-

검:사-국[1]【檢事局】명〖일제〗검사(檢事)가 일을 보던 곳. 보통, 재판소(裁判所)에 부속 설치(附屬設置)되어 있었음. *검찰청.

검:사-국[2]【檢査局】명〖역〗①조선 말기 법부(法部)에 딸린 한 국(局). 고종 32년(1895)에 설치했다가 광무(光武) 3년(1899)에 폐지하였음. ②원수부(元帥府)의 한 국(局). 광무(光武) 3년(1899)에 설치했다가 동 8년에 폐지하였음. ③탁지부(度支部)의 한 국(局). 광무 10년(1906)에 설치했다가 이듬해인 융희(隆熙) 원년에 폐지함.

검:사-기【檢絲器】명〖공〗생사(生絲)를 검사하는 기계의 총칭. 검력기(檢力器)·검척기(檢尺器) 등이 있음.

검:사-대【檢査臺】명 검사할 물건을 올려 놓는 대. 「線圖).

검:사-도【檢査圖】명 검사상의 요점(要點)을 표시한 도면. *결선도(結

검:사 동일체의 원칙【檢事同一體一原則】[ㅡ/ㅡ에ㅡ] 명〖법〗검사는 각자가 국가를 대표하여 검찰권을 행사하는 것이나, 한편 검사는 법관과는 달리 검찰 총장을 정점(頂點)으로 하여 전국적으로 상명 하복(上命下服)의 관계에 서서 일체 불가분의 유기적 조직체로서 활동한다는 원칙.

검:사-소【檢査所】명 검사(檢査)를 주관(主管)하는 곳. 사검소(査檢所).

검:사-역【檢査役】명 ①검사의 임무를 맡은 직(職). 또, 그 사람. ②〖법〗'검사인(檢査人)'의 구칭(舊稱).

검:사-원【檢査員】명 검사(檢査)하는 일을 맡은 사람.

검:사-인【檢査人】명 ①검사하는 사람. ②〖법〗주식 회사나 유한 회사의 영업이나 재산 등의 상황 조사를 하기 위해 임시로 두는 감독 기관. 법원(法院)에 의해 선임(選任)됨.

검:사-장【檢事長】명 ①〖법〗고등 검찰청과 지방 검찰청의 장(長). ②〖법〗검사의 셋째 직급(職級). 지방 검찰청 검사장·고등 검찰청 차장(次長)·대검찰청 부장 검사 및 법무부의 실장·국장이 이에 속함. 고등 검사장의 아래, 고등 검찰관의 위. ③〖일제〗공소원(控訴院)의 검사국의 우두머리.

검:사-제【檢査制】명 검사하는 제도.

검:사-증【檢査證】[ㅡ쯩] 명 검사를 필했음을 인정하는 증서. 검사

검:사 증서【檢査證書】명 검사증. └증서.

검:사 직무 대:리【檢事職務代理】명〖법〗사법 연수생(司法研修生) 또는 지방 검찰청 또는 지청(支廳)의 검찰 서기관·검찰 사무관으로서, 지방 검찰청 또는 지청의 검사의 직무를 대리하는 사람. 합의부(合議部)의 심판 사건은 처리하지 못함.

검:사-총【檢査銃】명감〖군〗검사를 받기 위하여 총의 약실(藥室)을 열어 놓은 채 총을 앞에 들고 서 있는 자세. 또, 그 동작을 시키는 구령.

검:사-필【檢査畢】명 검사가 이미 끝났음. ¶ ~증(證).

검:사 항:소【檢事抗訴】명〖법〗검사가 제기(提起)하는 항소. 이것이 없이는 원판결(原判決)보다 무거운 형(刑)을 선고하지 못함.

검:산[1]【劍山】명 암산[1](岩山).

검:산[2]【劍山】명〖불교〗지옥에 있다는, 칼을 수없이 세워 만든 산.

검:산[3]【檢算】명 ①계산(計算)의 맞고 아니 맞음을 검사함. ②어떤 계산이 맞나 확인해 보기 위하여 따로 하는 계산. 험산(驗算). ¶ 장부 ~. ──-하다 자타여불

검:산-령【劍山嶺】[ㅡ살ㅡ] 명〖지〗①함경 남도 정평군(定平郡) 고산면(高山面)과 평안 남도 영원군(寧遠郡) 신성면(新城面) 사이에 있는 고개. [1,214m] ②함경 남도 정평군 고산면과 평안 남도 영원군 대흥면(大興面) 사이에 있는 고개. [1,131m]

검:산-초롱꽃【劍山一】명〖식〗[*Hanabusaya latisepala*] 초롱꽃과에 속하는 다년초. 줄기는 높이 약 70cm, 잎은 줄기 중간에서 여러 잎이 상

접(相接)하여 달리고 장병(長柄)이며, 달걀꼴의 넓은 타원형을 이룸. 8-9월에 담자색의 종상화(鐘狀花)가 가지 끝에 원추(圓錐) 화서로 핌. 깊은 산에 나는데, 함남·평북 등지에 분포함.

검:상【檢詳】명〖역〗조선 시대 때의 의정부의 낭관(郎官). 정오품(正五品) 벼슬.

검:상 돌기【劍狀突起】명〖생〗흉골(胸骨)의 하단에 돌출한 돌기. 연골성(軟骨性)이며 중년을 지나면 점차 골화(骨化)함. 정중선상(正中線上)의 좌우 늑골궁(肋骨弓)이 만나는 곳의 피하를 만져 감촉할 수 있음.

검:상 조례사【檢詳條例司】명〖역〗조선 시대 초에 법률의 제정을 맡아 보던 관아. 태조 원년(1392)에 베풀어, 동 6년(1397)《경제 육전(經濟六典)》을 편찬하였으며, 9대 성종 때 제도가 완비됨에 따라 폐지된 듯함.

검새[1]【鈐璽】명 옥새(玉璽)를 찍음. ——-하다 자여불

검:새[2]【劍璽】명 ①천자(天子)의 상징(象徵)으로서의 검(劍)과 옥새(玉璽). ②전(轉)하여, 제위(帝位). 황위(皇位).

검:색【檢索】명 ①검사(檢査)하여 찾아봄. 특히, 책에서 어떤 기술(記述)을 찾아 냄. ②〖법〗수상한 자가 들었다고 생각될 때 가택 수색을 하는 일. ③〖컴퓨터〗데이터 중에서 지정하는 특성이나 미리 규정된 조건에 맞는 항목을 찾아내는 일. ——-하다 타여불

검:색의 이:익【檢索—利益】[—/—에—] 명〖법〗검색의 항변을 주장(主張)할 수 있는 보증인의 이익.

검:색의 항:변【檢索—抗辯】[—/—에—] 명〖법〗채권자로부터 채무 이행의 청구를 받은 보증인이 자기보다도 먼저 주된 채무자(債務者)의 재산에 대하여 강제 집행할 것을 주장하여 그 청구를 거절하는 일.

검:생【儉省】명 절약(節約)해서 비용을 줄임. 낭비(浪費)하지 않음. ——-하다 자여불

검:서-관【檢書官】명〖역〗조선 시대 때, 서자(庶子) 출신의 학자를 대우하기 위하여 규장각(奎章閣)에 둔 벼슬. 각신(閣臣)을 도와 서적의 교정과 서사(書寫)를 맡음.

검:선[1]【劍仙】명 검술에 능한 사람.

검:선[2]【劍船】명〖역〗고려 말 및 조선 초의 군선(軍船)으로, 접전시(接戰時)에 적이 배에 뛰어들지 못하도록 뱃전에 짧은 창검(槍劍)을 빽빽하게 꽂아 놓은 배. 창검선(槍劍船).

검-성【黔省】명〖지〗'구이저우 성(貴州省)'의 옛이름.

검:-세다 형 성질(性質)이 검질기고 억세다.

검:소【儉素】명 검박(儉朴)하고 질소(質素)함. 사치(奢侈)하지 아니하고 수수함. ——-하다 형여불. ——-히 부

검:속【檢束】명 ①자유 행동을 못 하도록 단속함. 억제하고 구속(拘束)함. ②공중(公衆)을 해롭게 하거나 또는 불상사(不祥事)를 일으킬 염려가 있는 사람을 경찰에서 잠시 신체의 자유를 속박하여 경찰서 등 일정한 장소에 구금(拘禁)하는 일. 우리 나라 현행법(現行法) 아래서는 이 제도는 폐지되고 보호 조치(保護措置)로 바뀜. ——-하다 타여불

검:수[1]【劍樹】명〖불교〗①가지·잎·꽃·과실이 모두 칼로 되어 있다는 지옥의 나무. ②↗검수 지옥(劍樹地獄).

검수[2]【黔首】명〔옛날 중국에서, 서민은 머리에 아무 것도 쓰지 않고 검은 맨머리로 있었던 데서 유래〕백성. 서민. 여민(黎民). 검려(黔黎). 여수(黎首).

검:수[3]【檢水】명 수질(水質)의 좋고 나쁨을 검사함. ——-하다 자여불

검:수[4]【檢收·檢受】명 물건의 규격·수량 따위를 검사하여 받음. ¶~조서(調書). ——-하다 타여불

검:수[5]【檢數】명 물건의 개수를 검사하고 헤아림. *검량(檢量). ——-하다 타여불

검:수-기【檢水器】명〖기〗수질(水質)을 검사(檢査)하는 기계.

검:수-원【檢數員】명 수량을 검사하고 확인하는 사람.

검:수-인【檢數人】명 특히 선적(船積)·양륙(揚陸)에서, 화물(貨物)을 인수·인도할 때 화물의 개수의 계산이나 수수(授受)의 증명을 맡아 보는 사람. *검량인(檢量人).

검:수 지옥【劍樹地獄】명〖불교〗검림 지옥(劍林地獄). 준검수(劍樹).

검:순【劍楯】명 검과 방패.

검:술【劍術】명 검(劍)을 가지고 싸우는 무술(武術).

검:술-사【劍術師】[—싸] 명 검술에 능한 사람. 검객(劍客).

검숭-검숭 부 군데군데 검은 빛이 있는 모양. 드물게 난 짧은 털이 모두 거무스름한 모양. >감숭감숭. ——-하다 형여불

검숭-하다 형여불 드물게 난 짧은 털이 모두 거무스름하다. 조금 거무스름한 듯하다. >감숭하다.

검:습-기【檢濕器】명 습도계(濕度計).

검:시[1]【檢屍】명 변사자(變死者)의 시체를 검사함. 검시(檢視). ——-하다 타여불

검:시[2]【檢視】명 ①사실을 조사하여 봄. ②시력(視力)을 검사함. 검안(檢眼). ③〖법〗변사자(變死者) 또는 변사(變死)의 의심이 있는 시체에 대하여 그 사망이 범죄에 의한 것인가의 여부를 관할 지방 검찰청 검사 등이 조사하는 일. 검시(檢屍). ——-하다 자타여불

검:시-관[1]【檢屍官】명〖역〗조선 시대에 변사자의 시체를 검사하던 관원(官員). 검시 절차에 따라 초검관(初檢官)·복검관(復檢官)·삼검관(三檢官) 등으로 불리었음.

검:시-관[2]【檢視官】명〖법〗시체의 검시를 하는 관원.

검:시-도【檢屍圖】명〖역〗조선 시대 때 검시관이 시체를 검시할 때의 순서와 법식 등을 그림으로 그리고 설명을 붙인 책.

검:시-장[1]【檢屍狀】[—짱] 명〖역〗조선 시대 때 검시관이 검시한 결과를 상사(上司)에게 보고하던 문서.

검:시-장[2]【檢視場】명 검시관(檢視官)이 시체를 검시(檢視)하는 장소.

검:시 조서【檢視調書】명 검시관(檢視官)이 그 전말(顚末)을 기록한 문서.

검실[1]【芡實】명〖한의〗→감실(芡實).

검:실[2]【劍室】명 칼집.

검실-거리다 자 무슨 물건이 먼 곳에서 자꾸 어렴풋이 움직이다. >감실거리다. 검실-검실[1] 부. ——-하다 자여불

검실-검실[2] 부 검은 털이 처음으로 나서 거뭇거뭇한 모양. >감실감실. ——-하다 형여불

검실-대다 자 검실거리다.

검:심【劍鐔】명 칼코.

검:썩은-병【一病】명 탄저병(炭疽病)❷.

검:-쓰다 형 ①맛이 비위에 거슬리도록 몹시 거세고 쓰다. ②마음에 언짢고 섭섭하다.

검:안[1]【檢案】명 ①형적(形跡)이나 상황을 조사하고 따짐. ②↗검안서(檢案書). ③〖법〗형사 소송의 수사(搜査)나 검증(檢證)에 관하여, 검찰관·사법 경찰관의 의뢰에 의해서 특별한 지식·경험을 가진 자가 행하는 감정. ④의사가 사망 사실을 의학적으로 확인함. ——-하다 자타여불

검:안[2]【檢眼】명〖의〗시력을 검사함. 검시(檢視). ——-하다 자여불

검:안-경【檢眼鏡】명〖의〗안저(眼底) 특히 망막(網膜)의 상태와 근시·원시 등의 시력(視力) 및 굴절(屈折)의 상황 등을 검사하는 안경. 암실(暗室) 속에서 일정한 광선을 안저(眼底)로 보내어 렌즈에 비춰서 검사함. 〈검안경〉

검:안-기【檢眼器】명 시력을 검사하는 기계.

검:안-서【檢案書】명 ①〖법〗의사의 치료를 받지 않고 죽은 자의 사망(死亡)을 확인하는 의사의 증명서. 시체(屍體) 검안서. ②검시(檢屍)한 기록. 준검안(檢案).

검:압【檢壓】명 압력을 검사함. ——-하다 자여불

검:압-기【檢壓器】명 ①압력계(壓力計). ②기압계(氣壓計). ③전기 계기(計器)의 한 가지. 송전선(送電線)의 전압의 유무 또는 고장으로 인한 전압의 저하(低下) 등을 검사하는 기계.

검:약[1]【儉約】명 사물을 절약하여 낭비하지 아니함. 비용을 적게 함. ——-하다 타여불

검:약[2]【檢藥】명〖역〗고려 사의서(司醫署)의 정구품(正九品) 벼슬. 충렬왕(忠烈王) 34년(1308)에 두었는데, 공민왕(恭愍王) 5년(1356)에 없앴다가 뒤에 다시 둠.

검:약-가【儉約家】명 물건이나 돈을 절약하는 사람.

검양【黔陽】명〖지〗'첸양'을 우리 음으로 읽은 이름.

검:역【檢疫】명〖법〗전염병을 예방하기 위하여, 특히 차량·선박·비행기 및 그 승객·승무원·짐·동식물 등에 대하여 전염병의 유무를 진단·검사하며, 전염병인 경우에는 소독과 격리(隔離)를 행하여 개인의 자유를 제한하는 행정 처분. ——-하다 타여불

검:역-계【檢疫係】명 검역 사무를 담당하는 계. 또, 그 계원.

검:역-관【檢疫官】명〖법〗검역 사무에 종사하는 관원.

검:역-권【檢疫圈】명〖법〗검역을 실시하는 지역의 범위.

검:역-기【檢疫旗】명 검역 사무에 종사하기 위하여 검역관이 탄 검역선·검역차에 내거는 황색기. *검역 신호(信號).

검:역-료【檢疫料】[—뇨] 명 검역에 대한 수수료.

검:역-반【檢疫班】명 검역 사무를 담당하는 사람들로 조직된 반.

검:역-법【檢疫法】명〖법〗국내 또는 국외로 전염병이 전염되는 것을 막기 위하여, 해외로부터 내항(來港) 또는 해외로 출항(出港)하는 선박·항공기, 그 승객 및 승무원 또는 화물에 대한 검역 절차와 예방 조치에 관한 사항을 규정한 법률.

검:역-선【檢疫船】명〖법〗검역항(檢疫港)에서 검역에 종사하는 선박.

검:역-소【檢疫所】명〖법〗검역 사무를 처리하기 위하여 주요한 해항(海港)·공항(空港)에 설치한 보건 사회부의 부속 기관.

검:역 신:호【檢疫信號】명 검역을 필요로 하는 배가 검역항에 들어왔을 때, 검역증을 받을 때까지 그 배의 앞 마스트에 내어 거는 신호. 낮에는 황색기를 걸고, 밤에는 홍백 두 개의 등을 닮. *검역기(檢疫旗).

검:역-원【檢疫員】명 검역에 종사하는 사람.

검:역 위원【檢疫委員】명〖법〗제1종 전염병의 검역 및 예방에 관한 사무를 담당하는 위원.

검:역-의【檢疫醫】[—/—이] 명〖법〗검역에 종사하는 의사.

검:역 전염병【檢疫傳染病】[—뼝] 명〖법〗세계 보건 기구가 지정하여 검역의 대상이 되는 전염병. 콜레라·페스트 따위.

검:역-증【檢疫證】명 선박·항공기·승무원·승객·화물에 대하여 검역 조사를 한 결과 이상이 없음을 증명하는 서장(書狀). 검역소장이 그 선박·항공기의 장(長)에게 교부함. ¶가(假)~.

검:역-항【檢疫港】명〖법〗전염병이 국내 또는 국외로 전염하는 것을 막기 위하여 해외로부터 오거나 국외로 출항하는 선박·항공기에 대하여, 승객과 승무원의 검역·소독을 실시하는 특별한 설비를 갖춘 항구 또는 공항.

검:열【檢閱】[—/—녈] 명 ①검사하여 열람함. 조사하여 봄. ②〖법〗국가 기관(國家機關)이 개인의 신서(信書)·출판물·공연물(公演物)의 내용에 대하여 조사하는 일. 부적당하다고 인정될 때에는 발표를 금지시킬 수도 있으나, 법률로써 인정된 때 이외에는 금지되어 있음. ③〖심〗정신 분석에서, 인간의 마음 속에 있는 위험한 욕망을 도덕적 의지로써 억압하여, 그대로 겉으로 나타나지 않게 하는 심적 기능. ④〖군〗군기(軍紀)·교육(教育)·작전 준비 또는 그 밖의 군사 사항을 검사하고 열람함. 인스펙트(inspect). ⑤〖역〗고려 때 예문관(藝文館)·춘추관(春秋館) 또는 예문 춘추관의 정구품 벼슬. 충렬왕(忠烈王) 34년(1308)에 처음으로 둠. ⑥〖역〗조선 시대 때 예문관의 정구품 벼슬. 사초(史草)를 꾸미는 직분을 맡음. 품질(品秩)은 비록 낮았으나 예문관은 홍문관(弘文館)과 아울러 출세가 결정되던 곳이므로, 그 임명 절차가 복잡하였음. *사신(史臣). ——-하다 타여불

검:열-계【檢閱係】[—/—녈—] 명 검열 사무를 맡아 보는 계. 또, 그 계원.

검:열-관【檢閱官】[—/—녈—] 명 검열 업무에 종사하는 사람. 특히 관원(官員).

검:열-자【檢閱者】[—짜/—녈짜] 명 검열하는 사람.

검:열 점호【檢閱點呼】[—/—녈—] 명 예비역 장병을 교도(敎導)·사열·점검하기 위하여 1년에 한 번 소집하여 실시하는 점호.

검:열-제【檢閱制】[—쩨/—녈쩨] 명 검열하는 제도.

검:염-기【檢塩器】명 물 속의 염분(塩分)의 함유량을 검사하는 기계.

검:영-법【檢影法】[—뻡] 명 〖의〗 검안(檢眼)의 한 가지. 암실 안에서 광선을 눈에 인도하여 검안경(檢眼鏡)으로 안구의 내부 상황(狀況)을 시진(視診)함.

검:온【檢溫】명 ①온도를 잼. ②체온(體溫)을 재어 봄. ——하다 자 여불

검:온-기【檢溫器】명 〖의〗 체온을 재는 데 사용되는 온도계. 체온기(體溫器).

검:유-기【檢乳器】명 모유(母乳)나 우유 등의 젖의 좋고 나쁨과 비중 같은 것을 측정하고 검사하는 기계.

검은가-노랑명충나방【—螟蟲—】명 〖충〗 연노랑들명나방.

검은-가뢰 명 〖충〗 먹가뢰.

검은가슴-물떼새 명 〖조〗 [*Charadrius dominicus fulvus*] 물떼샛과에 속하는 새. 날개 길이 15-19cm, 꽁지 5-6cm, 부리는 2.5cm 가량, 몸빛은 상면(上面)이 흑색에 황금색과 백색의 점이 있고, 얼굴·가슴·몸의 하면은 흑색이며, 이마·윗가슴의 양측은 백색인데, 겨울에는 하면이 암갈색으로 변함. 논밭에 떼지어 곤충·풀씨를 먹음. 북동 아시아에서 번식하고, 한국·일본·중국·오스트레일리아·인도 등지에서 월동함.

〈검은가슴물떼새〉

검은 간:토기【—土器】명 〖고고학〗 그릇 표면이 검은 빛을 띠고 있고, 반들반들하게 간 토기. 청동기 시대부터 초기 철기(鐵器) 시대에 걸쳐 사용된 민무늬 토기의 하나. 흑색 마연 토기(黑色磨硏土器).

검은-개수염【—鬚髥】명 〖식〗 [*Eriocaulon parvum*] 곡정초과에 속하는 일년초. 꽃줄기는 총생(叢生)하고 높이 10cm 내외로 잎보다 길게 나왔음. 잎은 총생하고 선형(線形)인데 8월에 검은 감람색(橄欖色) 두상화(頭狀花)가 정생(頂生)하여 구형(球形)으로 핌. 밭이나 늪가에 나는데, 제주·경기·평북 등지에 분포함.

검은-건【—鍵】명 (black key) 〖악〗 피아노·오르간 등의 흰 건반 사이에 배열된 검은색의 건반. 한 옥타브 12건반 중 다섯 개를 차지하며, 반음(半音)의 음정을 구성함. 흑건(黑鍵).

검은-고니 명 〖조〗 흑조.

검은-곰팡이 명 (black mold) 〖식〗 [*Aspergillus niger*] 누룩곰팡잇과(科)에 속하는 자낭균(子囊菌)의 하나. 떡·빵 따위 식품에 생기며, 포자체(胞子體)는 농갈색 또는 검은색임. 균사(菌絲)의 꼭대기는 구상(球狀)으로 부풀어 있고 그 끝에 염주 모양으로 연결된 검은색의 포자가 남. 아밀라아제·펙틴(pectin) 등의 효소를 분비하여 당(糖)으로 글루콘산(酸)·옥살산·시트르산 등을 만드는 능력이 있음.

검은 구월단【—九月團】[—딴] 명 (Black September) 팔레스타인 해방 기구 중 가장 극렬한 게릴라 집단의 하나. 1970년 요르단 내전 후, 1971년에 조직됨.

검은-그루 명 〖농〗 지난 겨울에 아무 농작물도 안 심은 땅.

검은-깨 명 ①빛깔이 검은 참깨. 흑유마(黑油麻). 흑임자(黑荏子). 흑지마(黑芝麻·黑脂麻). 흑호마(黑胡麻). ↔흰깨. ② ☞ 주근깨.

검은 꼬리 돈피【—獤皮】명 날담비의 모피(毛皮). 무늬가 특이하고 빛깔이 짙어 매우 아름다우나 털이 그다지 부드럽지 아니함.

검은꽃-낭아초【—狼牙草】명 〖식〗 검은낭아초.

검은끝-짤름나방 명 〖충〗 [*Pangrapta obscurata*] 밤나방과에 속하는 곤충. 편 날개의 길이 26-29mm이며 몸빛은 암자갈색임. 앞날개의 아기선(亞基線)과 내외 횡선(內外橫線)은 흑자갈색이고, 뒷날개에는 흑갈색의 세 횡선이 있음. 유충은 녹색임. 사과·배·벚나무 등의 잎의 해충임. 한국에도 분포함.

검은날개-물잠자리 명 〖충〗 검은물잠자리.

검은-낭아초【—狼牙草】명 〖식〗 [*Comarum palustre*] 장미과(薔薇科)에 속하는 다년초. 줄기는 높이 1m에 달함. 잎은 장병(長柄)이고 소엽(小葉)은 우상 복생(羽狀複生)하며 긴 타원형이고, 탁엽(托葉)은 막질(膜質)을 이룸. 6-7월에 흑자색 꽃이 취산(聚繖) 화서로 액출(腋出) 또는 정생(頂生)하며 삭과(蒴果)를 맺음. 산이나 들에 나는데, 경기·함남 등지에 분포함. 검은꽃낭아초.

검은-녹병【—病】명 (stem rust) 〖식〗 녹병의 하나. 특히, 벼속(屬) 식물의 줄기에 침입하여, 흑갈색의 병반(病斑)을 나타냄.

검은-단 명 학창의(鶴氅衣)처럼 검은 빛으로 하는 단.

검은-담비 명 〖동〗 [*Martes zibellina*] 족제빗과에 속하는 산짐승. 족제비와 비슷하나 좀 커서 몸길이 수컷은 50cm, 암컷은 40cm, 꼬리 12cm 가량임. 다리가 짧고 몸빛은 대개 자흑색(紫黑色)인데 양쪽 옆갈비 쪽은 비교적 엷은 빛이며 배 아래는 회백색, 턱에서 가슴까지는 담황갈색의 얼룩 무늬가 있음. 4-5월에 2-4마리의 새끼를 낳음. 시베리아·홋카이도·만주·몽고 지방의 밀림 속에서 잣·포도 등을 따먹고, 들쥐·새들을 잡아먹으며 삶. 그 모피(毛皮)를 '잘'이라 하는데 산달의 털보다 더 보드랍고 값이 비쌈. 자초(紫貂). 초웅(貂熊). 흑초(黑貂). *산달(山獺).

〈검은담비〉

검은-데기 명 〖식〗 조의 한 가지. 수염이 짧고 줄기가 붉으며, 알이 검음.

검은-도요 명 〖조〗 검은머리물떼새.

검은-돈피【—獤皮】명 ☞ 잘1.

검은-돌비늘 명 〖광〗 흑운모(黑雲母).

검은등-할미새 명 〖조〗 [*Motacilla grandis*] 할미샛과에 속하는 새. 크기가 참새만한데 날개 길이는 100mm 가량이며 꽁지가 길고 등·꽁지·머리의 대부분이 검으며, 이마와 가슴 아래의 배 쪽은 흼. 겨울에는 등이 잿빛이 됨. 물가에 사는데, 한국·일본에 분포함. 검정등할미새.

〈검은등할미새〉

검은-딱새 명 〖조〗 [*Saxicola torquatus stejnegeri*] 딱샛과에 속하는 새. 날개 길이는 70mm 가량인데, 여름 털은 머리·얼굴 및 등 쪽이 흑색이며 복부는 백색임. 가슴은 담갈색이고, 날개의 중앙에 백색의 띠가 한 개 있음. 겨울 털은 등 쪽이 금적색이며, 복면은 전부 담황갈색임. 아시아 동북부에서 번식하고 일본 남부(南部)·인도에서 월동(越冬)함. *쇠솔딱새.

〈검은딱새〉

검은-딸기 명 〖식〗 [*Rubus croceacanthus*] 장미과에 속하는 낙엽 활엽 관목. 잎은 우상 복생(羽狀複生)하고 여름에 흰 오판화가 가지 끝에 하나씩 핌. 과실군(群)은 구형(球形)이며 가을에 익음. 산록에 나는데, 제주도에 분포함. 과실은 식용함. 목매자(木莓子).

검은띠-꼬마잎벌레 명 〖충〗 [*Cyaniris japonica*] 잎벌렛과에 속하는 곤충. 몸길이 5-7mm이고 몸빛은 흑색에 시초(翅鞘)는 황갈색이며, 각 시초의 기부와 중앙의 뒤쪽에 흑색 무늬가 있는데, 전배판에는 흑색의 두 가로줄이 있음. 한국·중국·일본 등지(等地)에 분포함. 꼬마잎벌레.

검은띠-나무눈나방 명 〖충〗 검은띠나무눈하늘나방.

검은띠-나무눈하늘나방 [—라—] 명 〖충〗 [*Dicranura lanigera*] 하늘나방과에 속하는 곤충. 편 날개의 길이 38mm 내외, 몸빛은 회색을 띤 백색인데 흉배(胸背) 중앙은 황색에 4개의 남흑색 가로줄이 있음. 앞날개의 중앙 안 쪽에 넓은 흑색 횡대(橫帶)가 있고 각 날개의 외연(外緣)에는 흑색 점렬(點列)이 있음. 유충은 버들·포플라 등의 잎의 해충임. 한국에도 분포함. 검은띠나무눈나방.

검은머리-노랑배멧새 명 〖조〗 검은머리촉새.

검은머리-물떼새 명 〖조〗 [*Haematopus ostralegus*] 물떼샛과에 속하는 새. 날개 길이 23-28cm, 꽁지 10-12cm, 부리 9cm 가량임. 몸빛은 머리·목·배면(背面)은 흑색, 날개의 일부와 배·허리·꽁지의 기부는 백색임. 부리는 등황색, 다리는 붉으며 뒷발가락이 없음. 한국에서는 나그네새로서 10-11월에서 4월경까지 바닷가에 4-5마리씩 떼지어 작은 물고기·게·지렁이·곤충 등을 잡아먹는 것을 볼 수 있음. 시베리아·중국 북부·한국·일본·사할린에서 번식하고 오키나와·미얀마·인도·대만에서 월동함. 금렵조(禁獵鳥)임. 검은도요. 타국조(打蟈鳥).

〈검은머리물떼새〉

검은머리-촉새 명 〖조〗 [*Emberiza aureola ornata*] 참샛과에 속하는 새의 한 종류. 참새와 비슷한데 날개 길이가 7cm 가량이고, 수컷의 배면(背面)은 아름다운 밤색을 이루며 얼굴·머리가 검고 배는 노란 빛인데 암컷에는 황색 미반(眉斑)이 있음. 시베리아에서 번식하고, 한국·인도에서 월동(越冬)함. 익조(益鳥)임. 검은머리노랑배멧새.

〈검은머리촉새〉

검은머리-흰죽지 [—힌—] 명 〖조〗 [*Aythya marila mariloides*] 오릿과에 속하는 새. 중형(中形)의 아름다운 바다새로서, 수컷의 등에는 흑백색의 가는 무늬가 있고, 날개는 희며, 머리·꽁지는 검음. 머리와 목은 녹색의 광택이 있음. 암컷은 광택이 없고, 등은 갈색이며 부리의 끝과 배 쪽은 흼. 동부 시베리아·캄차카 등지에서 번식함.

검은목-두루미 명 〖조〗 [*Grus grus lilfordi*] 두루밋과에 속하는 새. 날개 길이 55cm, 꽁지 20cm 가량임. 몸빛은 담백색에 날개 끝에는 검은 부분이 있음. 머리와 목은 흑색, 얼굴과 목의 측면은 백색이고 머리에는 검은 강모(剛毛)가 있음. 동부 시베리아·만주·한국·중국·일본에서 번식하고 인도·인도차이나에서 월동함. 검정두루미. 흑학(黑鶴).

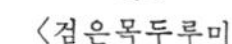

〈검은목두루미〉

검은-무소 명 〖동〗 아프리카검은코뿔소.

검은-물잠자리 명 〖충〗 [*Calopteryx atrata*] 물잠자릿과에 속하는 곤충. 복부의 길이는 수컷이 50mm, 암컷이 47mm, 뒷날개는 수컷이 40mm, 암컷이 42mm 내외임. 몸은 보통 잠자리와 비슷하나 좀 연약하고 빛은 대체로 금속 광택이 도는 녹색이며, 암컷의 복부는 흑갈색임. 날개·시맥(翅脈)은 까맣고, 앉을 때 곧추세움. 한국에도 분포함. 검은날개물잠자리. 검물잠자리.

검은-반날개여치【—半—】명 〖충〗 [*Atlanticus sinensis*] 여칫과에 속하는 곤충. 몸빛은 암갈색인데 전흉부(前胸部)의 등은 회색, 옆은 위가 흑갈색, 아래가 황백색으로 한계가 뚜렷함. 산란관(産卵管)이 위로 굽었음. 만주 서북부에 분포함.

검은-방울새 [―쌔] [명]〖조〗[*Carduelis spinus*] 참샛과에 속하는 작은 방울새. 되새와 비슷한데 날개 길이 7cm, 꽁지 4.5cm 가량이고, 배면(背面)은 황록색에 흑갈색 줄무늬가 있음. 눈가와 꽁지 끝은 검고 하면은 산뜻한 노랑이며, 수컷은 머리가 검음. 유럽·아시아 북부에 번식하고 온대 지방에서 월동하는데 한국에는 가을에 떼지어 날아옴. 우는 소리가 아름다워 애완용(愛玩用)으로 기르며, 고기 맛이 좋아 식용함. 익조(益鳥)임. 금시작(金翅雀).

〈검은방울새〉

검은-뱀 [명]〖동〗☞ 누룩뱀.
검은별무늬-병 [―病] [―니뼝] [명]〖농〗사과·감·오이·매화·고구마·배·목화 등에 발생하는 과수병(果樹病)의 한 가지. 잎이나 가지·과실 등이 어릴 때에 담흑색의 반점이 생겨서, 성장이 방해되고 심하면 썩거나 잎이 짐. 흑성병(黑星病). 흑반병(黑斑病). 검정별병.
검은-빛 [명] 검은 빛깔. 흑색(黑色). ↔흰빛.
검은-뿌리썩음병 [―病] [―뼝] [명] [black root rot]〖식〗식물(植物)의 균류병(菌類病)으로, 뿌리가 검게 되고 썩는 병. 흑색 근부병(黑色根腐病).
검은-손 [명] 음험(陰險)한 손길. 마수(魔手).
검은-송장벌레 [명]〖충〗검정송장벌레.
검은-수시렁이 [명]〖충〗검정수시렁이.
검은-썩음 [명] [black rot]〖식〗식물체의 일부가 병 때문에 암갈색 내지 흑색으로 되어 부패하는 일.
검은 아프리카 [명] [Black Africa] 사하라 사막 이남의 아프리카의 일컬음. 아프리카 대륙 가운데 가장 뒤진 지역으로, 반투어족(Bantu 語族), 수단어족, 코이산(Khoisan) 어족에 속하는 수백의 종족(種族) 약 3억이 살고 있음.
검은-약 [―藥] [―냑] [명] ① '아편'의 변말. ②고약(膏藥).
검은-엿 [―녇] [명] 검은 빛의 엿. 이것을 늘이어 여러 번 켜면 '흰엿'이 됨. 흑당(黑糖). ↔흰엿.
검은-자 [명]〖생〗↗검은자위.
검은-자위 [명]〖생〗눈알의 검은 부분. 흑정(黑睛). [준]검은자. ↔흰자위.
검은-재나무 [명]〖식〗[*Dicalyx prunifolia*] 노린재나뭇과(科)에 속하는 상록 활엽 관목. 잎은 피침형 또는 타원형임. 초여름에 녹황색 꽃이 총상(總狀) 화서로 액생(腋生)하여 피고, 과실은 달걀꼴 타원형인데 가을에 익음. 산지에 나는데, 제주도 및 일본·중국·인도 등지에 분포함. 관상용임.
검은점-가뢰 [―點―] [명]〖충〗열점박이가뢰.
검은점-꼬마불나방 [―點―] [―라―] [명]〖충〗앞날개분홍불나방.
검은점-병 [―點病] [―뼝] [명]〖식〗①카네이션에 생기는 균류병(菌類病). 잎에 동심원(同心圓) 모양의 검은 반점이 생김. ②귤류에 생기는 균류병. 과실의 외피·가지·잎에 단단하고 검은 약간 볼록한 작은 반점이 생김. 흑점병(黑點病).
검은-종덩굴 [―鐘―] [명]〖식〗검종덩굴.
검은-지빠귀 [명]〖조〗[*Turdus cardis*] 지빠귓과에 속하는 새. 날개 길이 10-12cm, 꽁지 7cm 가량이고, 몸빛은 수컷의 배면(背面)은 흑색이고 복면(腹面)은 백색에 3각형 검은 반문(斑紋)이 있으며 암컷은 배면이 감람색이고 목과 가슴은 적갈색에 검은 반문이 있음. 4-5월에 도래(渡來)하여 숲에 살고, 5-6월경에는 아침 저녁 소리를 내어 울며 3-4개의 알을 낳음. 곤충·지렁이·버찌·포도 등을 잡식함. 일본 특산으로 한국·중국의 산지(山地)에서 번식하고 8-10월에 중국의 중서부·대만·인도 지방에서 월동함. 검은티티.

〈검은지빠귀〉

검은-촉새 [명]〖조〗[*Emberiza variabilis*] 참샛과에 속하는 멧새의 하나. 촉새와 비슷한데, 날개 길이 7.5-9.2cm, 수컷은 온 몸이 어두운 석판색(石板色)이며 배면(背面)에 검은 반문이 있는데 암컷은 갈색임. 땅 위에 걸어다니며 잡초의 씨·해충(害蟲)을 잡아먹는 익조(益鳥)임. 캄차카·우수리·홋카이도·일본·한국 등지에서 번식하고 남방에서 월동함.

〈검은촉새〉

검은-콩 [명] 빛깔이 검은 콩. 검정콩. 흑대두(黑大豆). 흑태(黑太).
검은턱-백할미새 [―白―] [명]〖조〗검은털할미새.
검은털-할미새 [명]〖조〗[*Motacilla alba ocularis*] 할미샛과에 속하는 새. 백할미새와 비슷한데, 날개 길이 95cm 가량, 몸빛은 배면(背面)이 석판 회색(石板灰色), 하면(下面)은 백색, 턱은 흑색임. 동북 시베리아에서 번식하고 한국·중국·대만 등지에서 월동함. 검은턱백할미새. 대만알락할미새.

〈검은털할미새〉

검은토끼-박쥐 [명]〖동〗귀박쥐.
검은-티티 [명]〖조〗검은지빠귀.
검은-팥 [명]〖식〗알갱이의 껍질 빛깔이 검은 팥. 흑두(黑豆). 흑소두(黑小豆).
검은-호랑나비 [명]〖충〗제비나비.
검을현-부 [―玄部] [명] 한자 부수(部首)의 하나. '玆'나 '率' 등의 '玄'의 이름.
검을흑-부 [―黑部] [명] 한자 부수(部首)의 하나. '黜'이나 '黨' 등의 '黑'의 이름.
검-이 [―니] [명]〈방〉어금니(함경).
검인¹ [芡仁] [명]〖한의〗→감인.
검인² [鈐印] [명] 관인(官印)을 찍음. ――하다 [자][여불]
검:인³ [檢印] [명] ①서류(書類)나 물건을 검사한 표로 찍는 인장(印章). ②저자(著者)가 그 저서의 발행을 승인했음을 나타내기 위하여 판권장(版權張)에 찍는 도장. 검인의 수에 따라 인세(印稅)가 지급됨.
검:인⁴ [檢認] [명] ①검사하여 인정함. ②〖법〗가정 법원이 공정 증서(公正證書)에 의하지 않은 유언서·유언 녹음에 관하여, 변조(變造) 등을 막기 위해 그 존재(存在)와 형식을 조사·확인하는 일. ――하다 [타][여불]
검인-관 [鈐印官] [명]〖역〗과거(科擧)의 시권(試券)에 도장을 찍던 관원. 타인관(打印官).
검인 다식 [芡仁茶食] [명] →감인 다식.
검:-인정 [檢認定] [명] ①검사(檢査)하여 인정(認定)함. ②검정과 인정. ――하다 [타][여불]
검:인정 교:과서 [檢認定教科書] [명] 전에 검정 교과서와 인정 교과용 도서를 아울러 통속적으로 일컫던 말.
검:인정-필 [檢認定畢] [명] 검인정을 마쳤음.
검:인 조서 [檢認調書] [명]〖법〗유언서(遺言書)의 검인에 관하여 가정 법원의 서기관이 작성하는 조서.
검인-죽 [芡仁粥] [명] →감인죽.
검:인-증 [檢印證] [―쯩] [명] 검사하였다는 표시로 표에 도장을 찍어 주는 증명.
검일 [黔日] [명]〖사람〗신라 때의 역적. 대야성(大耶城) 도독(都督) 김품석(金品釋)의 막객(幕客)으로 있다가 아내를 김품석에게 빼앗겨 불만을 품고 있던 중, 선덕 여왕 11년(642)에 백제(百濟)가 침입하였을 때 백제군과 내통하여 성을 함락케 하였음. 백제가 망하던 날 무열왕(武烈王)에게 잡히어 죽음. [?-660] ＊대야성.
검:임 배:심 [檢姙陪審] [명]〖법〗영미법(英美法)에서, 사형 선고를 받은 자가 임신(姙娠)을 이유로 집행의 정지를 청구할 경우, 그 임신 여부를 판단하는 배심.
검:자 [檢字] [명] 한자 자전(字典)에 부수(部首)가 불분명한 글자를 그 총획(總畫)으로 찾아보게 배열한 색인(索引).
검:자리 [명]〈방〉〖동〗거머리(전남·경북).
검:자 마:크 [―字―] [mark] [―짜―] [명] 검자 표시.
검:자 표시 [―字表示] [―짜―] [명] 인명 피해나 화재 발생 등 안전성에 문제가 있는 부동액(不凍液)·유모차·버너·유아용 삼륜차·압력솥 등의 공업 제품에 대하여 출고 전에 중소 기업청(中小企業廳)의 품질 검사를 받고 합격했다는 뜻으로 붙이는 표시. 오른쪽 가운데가 터진 동그라미 속에 한글로 '검'자를 씀. 검자 마크.
검:-잡다 [타] ↗거머잡다.
검장¹ [명]〈방〉검댕.
검:장² [劍匠] [명] 도검(刀劍)을 만드는 장인.
검:장³ [儉葬] [명] 검소하게 장사(葬事)를 지냄. 박장(薄葬). ――하다 [자][여불]
검적-검적 [부] 검은 점이 굵게 여기저기 박이어 있는 모양. ㅆ껌적껌적. >감작감작. ――하다 [형][여불]
검:전-기 [檢電器] [명] [electroscope]〖전〗①정전 유도(靜電誘導)를 이용하여 물체의 대전(帶電)의 유무와 그 정도를 조사하는 장치. 금박(金箔) 검전기·전기 진자(電氣振子) 따위가 있음. 험전기(驗電器). ②옥내 배선(屋內配線) 등의 회로의 전압의 유무를 조사하는 휴대용 기구. 네온 램프가 깜박이도록 만든 만년필 모양의 간단한 기구. 디텍터(detector).
검:점 [檢點] [명] 점검(點檢)❶. ――하다 [타][여불]
검:점-군 [檢點軍] [명]〖역〗고려 시대에, 경군(京軍)에 딸려 개경(開京)과 교외(郊外)의 요소(要所)를 순검(巡檢)하던 군대. 야별초(夜別抄)가 생기면서 소멸된 듯함.
검:접-하다 [자][여불] 검질기게 붙잡고 놓지 않다. 꼭 달라붙다.
검정¹ [명] 거먼 빛이나 물감. ㅆ껌정. >감장.
검:정² [檢正] [명] 결말을 단속하여 바르게 함. 조사하여 바르게 함. ――하다 [타][여불]
검:정³ [檢定] [명] ①가치·자격·품격 등을 검사하여 결정함. ②↗검정 고시(考試). ③모집단(母集團)에 관한 가설(假說)의 정부(正否)를 임의 표본(任意標本)에 의하여 확인하는 일. 가설 검정(假設檢定). 통계적(統計的) 검정. ――하다 [타][여불]
검정가슴모자무늬주홍-하늘소 [―帽子―朱紅―] [―니―쏘] [명]〖충〗[*Purpuricenus lituratus*] 하늘솟과에 속하는 곤충. 몸길이 20-22mm 이고 전흉(前胸)과 시초(翅鞘)는 주홍색이며, 전흉에는 다섯 개의 검은 무늬가 있음. 시초의 각 기부에 한 개의 흑문(黑紋)이 있고 중앙 이후에 커다란 흑색 무늬가 한 개 있음. 유충은 사과나무·대나무 등의 해충으로 한국·일본·만주·중국 등지에 분포함.
검정가슴-쌍꼬리하루살이 [―雙―] [명]〖충〗[*Ameletus costalis*] 쌍꼬리하루살잇과에 속하는 곤충. 몸길이 13mm, 앞날개 13mm 가량이고 몸빛은 대체로 담갈색인데 날개는 무색 투명하고 일부 짙은 갈색을 이룸. 시맥(翅脈)은 고동색이며, 복부는 황갈색에 제 1-6절은 반투명하고 제 7-10절은 짙은 갈색, 각 절의 후연(後緣)은 암색(暗色)임. 한국·일본에 분포함.

〈검정가슴쌍꼬리하루살이〉

검정 고:동색 [―古銅色] [명] 검정 빛이 섞인 고동색. 흑갈색(黑褐色).
검:정 고시 [檢定考試] [명] 특정한 자격에 필요한 지식·학력·기술의 유무를 검정하기 위하여 실시하는 고시. 검정 시험(檢定試驗). ¶ 고등 학교 입학 자격 ~. [준]검정(檢定).
검정-고양이 [명] 털빛이 검은 고양이.
검:정 교:과서 [檢定教科書] [명] '이종 교과서'의 구칭.
검:정 교배 [檢定交配] [명]〖생〗제1대(代)의 잡종(雜種)과, 문제의 유전자(遺傳子)에 관하여 모두 열성(劣性) 호모로 되어 있는 개체(個體), 곧 검정 계통(檢定系統)인 개체와의 교잡(交雜). 이 교잡에 의해서 생기는 자손의 표현형(表現型)은 제1대 잡종에 생기는 배우자의 유전자형(型)의 종류와 그 비율을 직접 나타냄.

검정-귀뚜라미 명〖충〗 애귀뚜라미.

검정-꽃등에 명〖충〗 [*Volucella nigricans*] 꽃등엣과에 속하는 곤충. 몸길이 19-21mm이며, 몸빛은 광택 있는 흑색임. 복부 제2절의 기부는 담황색이고, 촉각과 어깨는 등황색, 날개의 중앙에 흑갈색의 큰 방형문이 있고, 말단 전연(前緣)에는 짙은 띠무늬가 있음. 한국·일본·대만에 분포함. 검정대모꽃등에.

검정-꽃무지 명〖충〗 [*Glycyphana fulvistemma*] 풍뎅잇과에 속하는 갑충(甲蟲). 몸길이 15mm 가량. 몸 전체가 검고 딱지·날개에 백황색의 얼룩무늬가 있음. 성충(成蟲)은 4-5월에 나타나서 꽃가루·나뭇진 등을 먹는데, 유충(幼蟲)은 땅 속에 살며, 부식토(腐植土)·부식 식물·나무 뿌리를 먹는 해충임. 한국·일본·대만 등지에 분포함.

검정-나무벌 명〖충〗 [*Cephus nigripennis*] 나무벌과에 속하는 벌의 하나. 몸길이는 9mm 내외이며, 몸빛은 검고 광택이 있음. 복부 제1절의 나출부(裸出部)와 앞다리 퇴절(腿節)의 끝 및 경절(脛節) 등은 황색이며 앞다리의 부절(跗節)은 암갈색, 더듬이는 검음. 한국·일본·시베리아에 분포함.

검정날개-재니등에 명〖충〗 [*Exoprosopa tantalus*] 재니등엣과에 속하는 곤충. 몸길이 11-16mm, 몸빛은 흑색임. 흉배 측연(側緣)에 짧은 등황색 털이, 전연(前緣)은 긴 황갈색 털, 복부 제3절은 노란 털, 말단절은 흰 털, 기절(基節) 양측은 긴 등색 털로 각각 덮이고 날개는 흑갈색을 이룸. 한국·일본·대만·등지에 분포함.

검정-넓적꽃등에 [—넙—] 명〖충〗 [*Syrphus serarius*] 꽃등엣과에 속하는 곤충. 몸길이 10-12mm이며, 몸빛은 검음. 촉각은 흑갈색이고 다리는 적갈색 또는 황갈색이며, 그 기부는 흑갈색을 이룸. 복부 제1절은 청흑색, 제2-4절에는 황적색의 가는 가로띠가 있음. 동양 일대에 분포함.

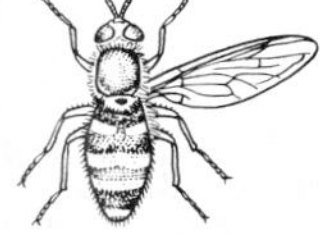
〈검정넓적꽃등에〉

검정-대모꽃등에 【—玳瑁—】 명〖충〗 검정꽃등에.

검정-대모벌 【—玳瑁—】 명〖충〗 먹띠대모벌.

검정-두루미 명〖조〗 검은목두루미.

검정등-꽃파리 명〖충〗 [*Graphomyia maculata*] 집파릿과에 속하는 곤충. 몸길이 7-10mm이고, 흉부는 회백색이며, 흉배에는 네 개의 흑색 세로줄이 있고 수컷은 중앙의 두 개가 하나로 합침. 복부에는 각 마디 중앙에 한 개, 그 양측에 한두 개의 흑색 반문이 있음. 구북구(舊北區) 및 북미에 분포함. 알락파리.

〈검정등꽃파리〉

검정등-누런잎벌 명〖충〗 검등황줄잎벌.

검정등-푸른잎벌 명〖충〗 청잎벌.

검정등-할미새 명〖조〗 검은등할미새.

검:정-료 【檢定料】 [—뇨] 명 검정을 받는 데 대하여 내는 수수료(手數料).

검정마디-꼬리맵시벌 명〖충〗 [*Pimpla plato*] 맵시벌과에 속하는 곤충. 암컷은 몸길이 14mm 가량이고 온몸이 검음. 제1-5 복절 후연(後緣) 밖에는 점각(點刻)이 있으며, 제비나비류의 유충에 기생함. 한국·일본·사할린에 분포함.

검정-마름 명〖식〗 검정 말².

검정-말¹ 명 털빛이 검은 말. 흑마(黑馬). >감장말.

검정-말² 명〖식〗 [*Hydrilla verticillata*] 자라풀과에 속하는 다년생 수초(水草). 줄기는 가는 원기둥형으로 총생(叢生)하며 수근(鬚根)을 내림. 높이 약 60cm, 다수의 마디가 있음. 선형(線形)의 잎은 4-8조각이 윤생(輪生)하며 무병(無柄)이고 길이 10-15mm, 폭 1-2mm 내외임. 자웅 이가(雌雄異家)인데, 수꽃은 다소 둥글고 무병(無柄)이며, 암꽃은 액생(腋生)하는데 9월에 담자색으로 피고 송곳 모양의 과실을 맺음. 연못이나 개울에 나며, 전북·경남·강원·경기·황해·평남 등지에 분포함. 검정마름.

〈검정말²〉

검정-말벌 명〖충〗 [*Vespa dybouskii*] 말벌과에 속하는 곤충. 몸길이 약 15mm, 편 날개의 길이 33mm 가량임. 몸빛은 검은데, 회색의 짧은 털이 많고, 복안(複眼) 사이의 세 무늬와 전흉배(前胸背) 뒤의 줄무늬, 옆구리의 한 무늬, 복절의 뒷금과 다리는 모두 누른 빛임. 날개는 투명함. 한국에도 분포함.

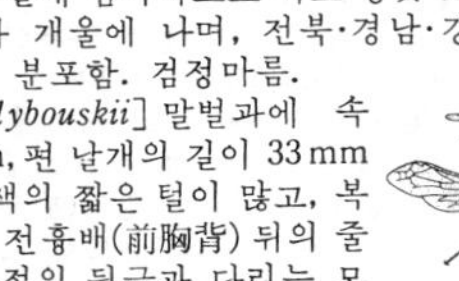
〈검정말벌〉

검정-망둑 명〖어〗 [*Tridentiger obscurus*] 망둑어과에 속하는 물고기. 몸길이 8-12cm의 작은 물고기로 몸빛은 흑색 또는 엷은 흑색인데 가슴지느러미 기저(基底)에는 담황색 줄이 있음. 좌우 배지느러미는 유합(癒合)하여 흡반을 형성하며 가슴지느러미는 나비가 넓고 그 끝이 둥긂. 민물과 기수(汽水)에 사는데 두만강 이남·동해안·서남 해안·한강·금강·낙동강 및 제주도·일본에 분포함. 겨울철 것이 맛이 좋음.

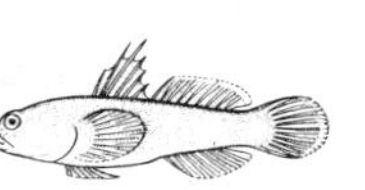
〈검정망둑〉

검정-맵시벌 명〖충〗 [*Hadrojoppa cognatoria*] 맵시벌과에 속하는 곤충. 암컷의 몸길이 24mm 가량이고 몸빛은 흑색임. 촉각은 흑갈색이고 중앙에 황백색 반문(斑紋)이 있으며, 두부·흉부·복부에는 흑점(黑點)이 있음. 한국·일본에 분포함.

검정머리-기생파리 【—寄生—】 명〖충〗 [*Gonia fuscipes*] 기생파릿과에 속하는 곤충. 몸길이 1-1.3cm이며, 몸빛은 회황색(灰黃色)인데, 흉배(胸背)에 4개의 흑색 종선(縱線)이 있고, 복배(腹背)의 중앙에 흑색 종대(縱帶)가 있으며, 그 양측은 적갈색의 반투명체임. 한국·일본·대만 등지에 분포함. 침(針)파리 ❷.

검정머리-땅콩물방개 명〖충〗 [*Agabus conspicuus*] 물방갯과에 속하는 곤충. 몸길이 11mm 내외이며, 몸빛은 흑색이고 등에는 그물 눈 모양의 무늬가 있음. 시초(翅鞘)는 흑갈색이고, 두정(頭頂)에는 두 개의 암적색 무늬가 있음. 촉각·수염은 황갈색이고 다리는 적갈색이며, 퇴절(腿節) 뒷다리의 대부분은 흑갈색임. 한국·일본에 분포함. *땅콩물방개.

검정무늬-지주맵시벌 【—蜘蛛—】 [—니—] 명〖충〗 [*Dictamptus nigropictus*] 맵시벌과에 속하는 곤충. 암컷의 몸길이 21mm 가량. 몸빛은 대체로 회황색, 촉각은 적황색임. 한국·일본·대만에 분포함.

검정별-병 【—病】 [—뼝] 명〖식〗 검은별무늬병.

검정-보라색 【—色】 명 검은 빛에 보랏빛이 도는 색. 흑자색(黑紫色).

검정-빛 [—삗] 명 검정 빛깔. 흑색(黑色).

검정-송장벌레 명〖충〗 [*Necrophorus concolor*] 송장벌렛과에 속하는 곤충. 대형의 송장벌레로, 몸길이 30-40mm 가량이고, 몸빛은 흑색이며 촉각의 끝은 황색임. 밤에 나와 동물의 썩은 송장에 달라붙어 파먹음. 한국·일본·중국 등지에 분포함. 검은송장벌레.

〈검정송장벌레〉

검정-수시렁이 명〖충〗 [*Dermestes tessellatocollis*] 수시렁잇과에 속하는 곤충. 몸길이 8mm 가량이고 몸빛은 검은데, 머리와 촉각(觸角)은 황갈색이며 배와 다리에 흰 털이 밀생함. 시초(翅鞘)에는 점각(點刻)이 밀포하고, 복절(腹節)에는 검은 무늬가 한 개씩 있음. 한국·일본 등지에 분포함.

검정수염-꽃파리 【—鬚髥—】 명〖충〗 [*Hermyia beelzebul*] 뚱보꽃파릿과에 속하는 곤충. 몸길이 14-15mm, 몸은 흑색, 날개와 다리는 흑갈색임. 흉배는 회흑색에 네 개의 검은 세로줄이 있고 복배 정중선(正中線)과 양측에는 흰 가루가 덮여 있는데, 은백색의 반사 광택이 남. 한국·일본·중국에 분포함. 검정침파리.

검:정 시험 【檢定試驗】 명 검정 고시(考試).

검정-오이잎벌레 명〖충〗 [*Ceratia nirripennis*] 잎벌렛과에 속하는 곤충. 몸길이 약 7mm이며, 복안(複眼)이 두드러지게 검음. 머리와 전흉부(前胸部)는 암황색이고, 가슴은 검으며 촉각(觸角)은 짙은 갈색임. 등에는 깊은 가로홈이 지고 시초(翅鞘)는 검은 남빛으로 윤기가 도는데, 발은 검음. 오이의 해충(害蟲)임.

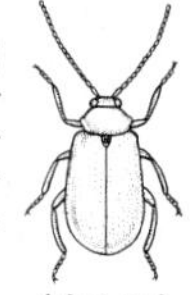
〈검정오이잎벌레〉

검정-이 명 검정빛의 물건. ㅆ껌정이. >감장이.

검정-조롱박벌 명〖충〗 먹조롱박벌.

검정-좀잠자리 명〖충〗 [*Sympetrum danae*] 잠자릿과에 속하는 곤충. 복부의 길이 20-23mm이고, 어려서는 황갈색에 검은 반점이 있지만 완전히 성숙한 것은 온몸이 검게 변하며 날개는 투명함. 한국에도 분포함.

검:정-증 【檢定證】 [—쯩] 명 검정을 필했다는 표로 주는 증서나 증표(證票).

검정-측범잠자리 [—칙—] 명〖충〗 [*Gomphus nigripes*] 부채장수잠자릿과에 속하는 곤충. 후두부(後頭部)와 흉부에는 소수의 까만 털이 나고, 후두부는 전부 검은데, 흉부 앞쪽에 노란 털이 두 줄 있음. 한국 특산종임.

검정-침파리 【—針—】 명〖충〗 검정수염꽃파리.

검정-콩 명 검은콩.

검정 콩알 명〈속〉 '총알'의 엇먹는 말. >감장 콩알.

검정-파리 명〖충〗 [*Calliphora vomitoria*] 검정파릿과에 속하는 곤충. 몸길이 10mm 내외이고, 빛은 남색을 띤 회흑색임. 다리는 검으며, 날개는 투명하고 시맥(翅脈)은 갈색임. 전세계에 분포함.

검정-파리매 명〖충〗 [*Machimus scutellaris*] 파리맷과에 속하는 곤충. 몸길이 22-25mm이고 몸빛은 검음. 흉배는 다갈색을 띠고 두 세로띠가 있으며, 얼굴과 복부는 황색 가루, 이마는 황회색 가루로 덮임. 한국·일본에 분포함.

검:정 폭약 【檢定爆藥】 명 안전(安全) 폭약.

검정-풍뎅이 명〖충〗 [*Holotrichia kiotoensis*] 풍뎅잇과에 속하는 곤충. 몸길이 19-19.5mm로 긴 달걀꼴인데 몸빛은 밤색 또는 흑갈색이고 더듬이는 황갈색임. 성충은 벚나무·사과나무·배나무의 잎을 먹고, 유충은 묘목(苗木)의 뿌리를 먹음.

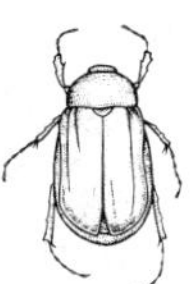
〈검정풍뎅이〉

검:정-필 【檢定畢】 명 검정을 마쳤음. 검정을 받아, 그에 합격했음.

검정-하늘소 [—쏘] 명〖충〗 [*Spondylis buprestoides*] 하늘솟과에 속하는 곤충. 몸길이 12-23mm이고 몸빛은 까만데 지방성 광택이 나며, 몸의 하면은 황갈색의 털이 밀생함. 유충은 소나무·편백나무 등의 해충임. 한국에도 분포함.

검정-학 【—鶴】 명 ☞검정두루미.

검:조-소 【檢潮所】 명〖지〗 자기 검조의(自記檢潮儀)를 설치하여, 조위(潮位)의 변화를 측정하는 곳.

검:조-의 【檢潮儀】 [—/—이] 명〖지〗 조석(潮汐)에 의한 해면(海面)의 높낮이를 측정하는 기계.

검-종덩굴 【—鐘—】 명〖식〗 [*Clematis fusca* var. *mandshuricum*] 미나리아재빗과에 속하는 다년초. 종덩굴과 비슷한데, 줄기에는 우상 복엽(羽狀複葉)이 많이 나서 각각 두세 개씩의 단엽(單葉)을 갖추고 엽축(葉軸)의 끝은 간혹 덩굴손을 이룸. 잎은 달걀꼴 또는 달걀꼴의 피침형(披針形)임. 여름에 잔털이 많이 덮인 꽃줄기가 나와 암자색 꽃이 피는데, 열매는 타원형이며 끝에는 긴 털이 있음. 산과 들에 남. 한국 및 일본에 분포함. 검은종덩굴.

〈검종덩굴〉

검:-줄¹ 명〈방〉 인줄.

검줄[2] 명〈옛〉 검불. ¶ 뒷간 앏핏 검주를(厠前草) ≪瘟疫方 Ⅵ≫.

검중[1]【黔中】명〖지〗①중국 전국 시대, 초(楚)나라의 땅으로 지금의 후난 성(湖南省) 위안링 현(沅陵縣)의 서쪽. 진대(秦代)에 군(郡)을 둠. ②중국 당대(唐代)에 설치된 군 및 도명(道名). 현재의 쓰촨 성(四川省) 남동부(南東部) 펑수이 현(彭水縣)을 중심으로 하는 지역. ③'첸중'을 우리 음으로 읽은 이름.

검:중[2]【檢重】명 대형(大型)의 저울로 부피가 큰 물건의 무게를 닮. ——-하다 자타여불

검:-쥐다 타 ↗거머쥐다.

검:증【檢證】명 ①검사하여 증명함. 사물을 자세히 조사하여 정확하게 함. ②〖법〗법관이 자기의 오관(五官)의 작용으로, 물체의 성상(性狀)이나 사물의 현상을 실험함으로써, 증거 자료를 얻는 증거 조사. 검증을 어느 장소에 임하여 하는 것을 임검(臨檢)이라 하고, 공판정에서 하는 것은 증거물의 조사라 함. 민사 소송법상의 검증은 대체로 서증(書證)에 준하여 행해지며, 형사 소송법상의 검증은 법원이 행하는 검증과 수사 기관이 행하는 검증으로 나뉨. ¶ 현장 ~. ③〖철〗어떤 문장 또는 명제(命題)가 참인가 거짓인가를 사실에 비추어 검사하는 일. 실증(實證). ——-하다 타여불

검:증-물【檢證物】명〖법〗검증의 대상물이 되는 사람이나 물건.

검:증 조서【檢證調書】명〖법〗검증의 결과를 기록한 조서.

검:증 처:분【檢證處分】명 검증하는 데 따르는 법규상의 처분.

검:지[1] 명〈방〉흑(黑)지.

검:지[2]【一指】명〈방〉집게손가락.

검:지[3]【檢地】명〖전〗전선(電線)과 토지와의 절연(絶緣) 상태를 검사함. ——-하다 타여불

검:지[4]【檢知】명 검사(檢查)하여 알아냄. ¶ ~ 장치. ——-하다 타여불

검:지-기【檢地器】명〖전〗검루기(檢漏器).

검지레이 명〈방〉〖동〗거머리❷(전남).

검:지-손가락【一指一】[一까一] 명〈방〉집게손가락.

검:진[1]【檢眞】명〖법〗민사 소송에 있어서, 사문서(私文書)의 필적·인발 같은 것을 검사하여 진부(眞否)를 확정함. ——-하다 타여불

검:진[2]【檢診】명〖의〗병에 걸렸나 검사하기 위하여 하는 진찰. ¶ 집단 ~. ——-하다 타여불

검:진-기【檢震器】명〖기〗지진계(地震計).

검질 명〈방〉검불(제주).

검:-질기다 형 성질이 아귀세게 질기다.

검질-매다 자〈방〉김매다(제주).

검:차【檢車】명 차량(車輛)의 고장의 유무를 검사함. ¶ ~장(場). ——-하다 타여불

검:-차다 형 성질이 검질기고 세차다.

검:차-원【檢車員】명 차량의 고장의 유무를 검사하는 사람.

검:찰[1]【檢札】명 검표(檢票). ——-하다 자여불

검:찰[2]【檢察】명 ①검사하여 고찰(考察)함. ②〖법〗범죄를 수사하여 증거를 수집함. ——-하다 자타여불

검:찰 공:조 협정【檢察共助協定】명〖법〗피의자의 수사 진행을 위한 공동 협조를 협약하는 국가간의 협정. *사법 공조 협정.

검:찰-관[1]【檢察官】명 ①검찰의 직무를 행사하는 검사(檢事)의 속칭. ②〖군〗군사 법원에서, 범죄 수사와 공소 제기 및 재판 집행의 지휘와 감독 등을 하는 법무 장교.

검:찰-관[2]【檢察官】명〔러 Revizor〕〖문〗고골리(Gogol', N. V.)의 희곡. 5막. 1836년 발표. 검찰관으로 오인된 주인공이 관리들에게서 뇌물을 받아먹고 도망간다는 줄거리로 당시 제정 러시아의 사회 제도의 결함을 통렬히 풍자한 희극.

검:찰 부:이사관【檢察副理事官】명 공안직 국가 공무원 직급 명칭의 하나. 검찰 사무 직렬(職列)에 속하며, 검찰 서기관의 위, 검찰 이사관의 아래로 3급 공무원임.

검:찰 사:무【檢察事務】명〖법〗검사의 직무인 범죄의 수사(搜査) 및 공소권(公訴權)의 행사에 관한 사무. 검찰 행정과 구별됨. 검사는 형사(刑事)에 관하여 공익의 대표자로서 범죄 수사·공소 제기, 사법 경찰 관리의 지휘 감독·법원에 대한 법(法)의 적용(適用)의 청구, 재판의 집행(執行)의 감독 등의 직무와 권한을 가짐.

검:찰 사:무관【檢察事務官】명 공안직(公安職) 국가 공무원 직급 명칭의 하나. 검찰 사무 직렬(職列)에 속하며, 검찰 서기관의 아래, 검찰 주사의 위로 5급 공무원임.

검:찰 서기【檢察書記】명 공안직 국가 공무원 직급 명칭의 하나. 검찰 사무 직렬(職列)에 속하며, 검찰 서기보의 위, 검찰 주사보의 아래로 8급 공무원임.

검:찰 서기관【檢察書記官】명 공안직(公安職) 국가 공무원 직급 명칭의 하나. 검찰 사무 직렬(職列)에 속하며, 검찰 부이사관의 아래, 검찰 사무관의 위로 4급 공무원임.

검:찰 서기보【檢察書記補】명 공안직 국가 공무원 직급 명칭의 하나. 검찰 사무 직렬(職列)에 속하며, 검찰 서기의 아래로 9급 공무원임.

검:찰 연:구관【檢察研究官】[一련一] 명 검찰 총장을 보좌하고 검찰 사무에 관한 기획·조사 및 연구에 종사하는 검사. 대검찰청에 둠.

검:찰 이:사관【檢察理事官】[一리一] 명 공안직 국가 공무원 직급 명칭의 하나. 검찰 사무 직렬(職列)에 속하며, 관리관의 아래, 검찰 부이사관의 위로 2급 공무원임.

검:찰 주사【檢察主事】명 공안직 국가 공무원 직급 명칭의 하나. 검찰 사무 직렬(職列)에 속하며, 검찰 주사보의 위, 검찰 사무관의 아래로 6급 공무원임.

검:찰 주사보【檢察主事補】명 공안직 국가 공무원 직급 명칭의 하나. 검찰 사무 직렬(職列)에 속하며, 검찰 서기의 위, 검찰 주사의 아래로 7급 공무원임.

검:찰-청【檢察廳】명〖법〗법무부 장관에 속하여 검찰 사무를 통할(統轄)하는 관청. 대검찰청(大檢察廳)·고등(高等) 검찰청·지방(地方) 검찰청의 세 가지가 있으며, 대법원(大法院)·고등 법원·지방 법원에 각각 대응(對應)하여 있음. 관할 구역은 각각 대응하는 법원(法院)과 같음.

검:찰 총:장【檢察總長】명 대검찰청(大檢察廳)의 장(長). 또, 그 직급(職級). 대검찰청의 사무를 지휘 감독하고, 고등 검찰청·지방 검찰청 등 그 하급 검찰청을 감독함. 검사의 직급으로서는 고등 검사장의 위로 최상위임. 임기는 2년임.

검처리 명〈방〉〖동〗거머리❷(경북).

검:척[1]【劍尺】명 곱자 한 자 두 치를 8등분하여 나타낸 자. 불상(佛像)·도검(刀劍) 등을 잴 때 씀.

검:척[2]【檢尺·撿尺】명 자로 통나무의 직경(直徑)을 잼. ——-하다 타여불

검:척-기【檢尺器】명 검사기(檢絲器)의 하나. 일정한 무게에 대한 실의 길이를 재어, 실, 특히 생사(生絲)의 굵기를 산출해 내는 기계.

검:첨【劍尖】명 칼 끝. 검두(劍頭).

검:체【檢體】명 시료(試料)로 쓰이는 생물.

검:초【劍鞘】명〖고고학〗칼집.

검:초 부:속구【劍鞘附屬具】명〖고고학〗칼집붙이.

검추-하다 형〈방〉①검승하다. ②검측하다.

검:출【檢出】명 검사하여 냄. 검색하여 적출(摘出)함. ¶ 철분을 ~하다. ——-하다 타여불

검:출-기【檢出器】명 물체·방사선·화학 물질 등의 존재를 검출하는 데 쓰이는 장치.

검:측【儉側】명〖역〗삼한(三韓) 시대에 신지(臣智) 다음 격(格)인 군장(君長)을 일컫는 말. 「검측-스레 부

검측-스럽다 형ㅂ불 검측하게 보이다. 검측한 태도가 있다. 검침하다.

검측측-하다 형여불 ①빛깔이 거칠게 검다. ②마음이 음침하고 흉칙하다.

검측-하다 형여불 음침하고 욕심이 많다.

검:층-기【檢層器】명〔bed detector〕〖공〗유가스층(油 gas 層)의 가능성이 있는 지층 범위를 검지(檢知)·측정하는 장치. 유도 검층·감마선 검층·음파(音波) 검층 등을 포함함.

검치 명〈방〉욕심(慾心).

검:치다 타 모서리를 중심으로 하여, 좌우 양쪽으로 걸쳐서 접어 붙이다.

검:치-호【劍齒虎】명〖동〗제삼기(第三紀) 말에서 홍적세(洪積世)에 걸쳐 번창하였다가 멸종된, 고양잇과의 육식 동물. 사베르형(saber型)의 견치(犬齒)가 특징이며, 그 발달은 홍적세의 스밀로돈(smilodon)에서 정점을 이루었음. 스밀로돈은 크기가 사자만하고, 남북 아메리카에 살았음.

검칙-하다 형여불 ①빛깔이 검어, 산뜻하지 않고 칙칙하다. ②속마음이, 욕심이 많아 컴컴하다.

검:침【檢針】명 전기·수도·가스 따위의 사용량을 알기 위하여 계량기의 눈금을 검사함. ——-하다 타여불

검:침-기【檢針器】명 (전력·가스·수도 따위의) 사용량을 재는 기계.

검:침-원【檢針員】명 검침하는 사람.

검침-하다【黔沈一】형여불 마음이 검고 음침하다. 음흉하다. 검측스럽다.

검탄【黔炭】명 품질이 나쁘고 화력이 약한 참숯. ↔백탄(白炭).

검:토【檢討】명 내용을 검사(檢查)하여 가면서 따짐. ¶ 내용을 ~하다. ——-하다 타여불

검:토-관【檢討官】명〖역〗조선 시대 때 경연청(經筵廳)의 정육품(正六品) 벼슬. 강독(講讀)·논사(論思)에 관한 일을 맡아보는 관직으로, 타관(他官)이 겸임함.

검특-하다【黔慝一】형여불 마음이 검고 음특(陰慝)하다.

검:파[1]【劍把】명 칼자루. 도파(刀把).

검:파[2]【檢波】명〔wave detection〕〖물〗①전파의 존재를 검출(檢出)함. ②다이오드·트랜지스터 등을 사용하여 고주파 전류(高周波電流)를 정류(整流)하여, 변조파(變調波)에서 신호를 끌어내는 조작. 복조(復調)❷. *변조(變調)❸. ——-하다 타여불

검:파-기【檢波器】명〔wave detector〕〖물〗무선 수신 장치 안에 있어, 고주파 전류를 정류(整流)하여 검파(檢波)하는 장치. 광석(鑛石) 검파기·진공(眞空) 검파기·다이오드·트랜지스터 등이 있음. 라디오디텍터(radiodetector). 디텍터(detector). 무선 검파기.

검:파두-식【劍把頭飾】명〖고고학〗'칼자루끝 장식'의 구용어.

검:파형 동기【劍把形銅器】명〖고고학〗'대쪽모양 동기'의 구용어.

검-팽나무 명〖식〗[*Celtis choseniana*] 느릅나뭇과에 속하는 낙엽 활엽 교목. 잎은 달걀꼴 또는 달걀꼴의 긴 타원형임. 5월에 1-3개의 꽃이 액생(腋生)하고, 10월에 둥근 핵과(核果)가 까맣게 익음. 산록에 나는데, 경북·충남·경기·황해 등지에 분포하는 한국 특산종임. 과실은 식용함.

검-퍼렇다[一러타] 형ㅎ불 검은 빛깔을 조금 띠면서 퍼렇다. >감파랗다.

검:-퍼레지다 자 검퍼렇게 되다. >감파래지다.

검:표【檢票】명 객차 안에서 담당 승무원이 승객의 승차권을 다시 조사하는 일. 검찰(檢札). ——-하다 자여불

검:-푸르다 형러불 검은빛이 나면서 푸르다. ¶ 검푸른 바다. >감파르다.

검:푸르접접-하다 형여불 푸른빛을 띠면서 거무접접하다. >감파르잡잡하다.

검:푸르죽죽-하다 형여불 푸른빛이 나면서 거무죽죽하다. >감파르족족하다.

검풀 명〈방〉검불(전남).

검:품【檢品】명 상품·제품을 검사함. ——-하다 타여불

검프르다 형〈옛〉검푸르다. ¶ 大便이 通티 아니ᄒᆞ야 ᄆᆞ장 브어 검프르러 알파(大便不通 洪腫暗青疼痛)≪救方 下 32≫.

검:핵【檢覈】명 고핵(考覈). ——-하다 타여불

검:험【檢驗】명 ①검사하여 증험(證驗)함. ②〖역〗조선 시대 때, 인명(人命)에 관한 범죄가 일어났을 때에 법관이 현장에 나아가서 피해자

의 시상(屍傷)을 검열하는 일. ——-하다 타여불

검:협【劍俠】명 검술(劍術)에 능한 협객(俠客).

검:호【劍豪】명 검도(劍道)에 통달한 호걸.

검:화 명〖식〗백선(白鮮).

검:화 뿌리 명〖한의〗검화의 뿌리. 약재로 씀. *백선피(白鮮皮).

검:환【劍環】명 칼코등이.

검:-흐르다 자르불 그릇의 전을 넘어 흐르다.

겁¹【劫】명〖불교〗〔←겁파(劫簸)〕한없이 길고 긴 시간. 일반적으로, 천인(天人)이 사방 40리(里)의 큰 돌을 얇은 옷으로 백 년에 한 번 스쳐, 돌이 마멸(磨滅)되어 다 없어질 때까지의 기간을 말하며, 또 사방 40리의 성(城)에 겨자를 채워 백 년에 한 번 한 알씩 집어 내어 겨자씨가 다 없어져도 그치지 아니하는 긴 시간이라 함. 또 8만 살에서 백 년마다 한 살을 감하여 마침내 열 살이 되는 동안과, 또 백 년을 지날 적마다 한 살을 더해 가서 8만 살에 이르기까지를 소겁(小劫)이라 함. 이러한 증감(增減)을 한 번 하는 동안 또는 20소겁을 중겁(中劫)이라 하며 이 중겁을 20번 되풀이하는 동안 이 세계가 존속(存續)하는 사이라 하여 주겁(住劫), 이 주겁 뒤에 세계가 파괴되어 가는 사이가 괴겁(壞劫), 마침내 공무(空無)로 돌아가는 사이가 공겁(空劫), 그 후 다시 세계가 이룩되는 동안을 성겁(成劫)이라 함. 이 사겁(四劫)의 80 중겁(中劫)을 일대겁(一大劫)이라 함. ↔찰나(刹那).

겁²【怯】명 무서워하거나 주저하는 증(症). ¶ ~이 많다/~을 집어먹다.

겁간【劫姦】명 힘으로 억눌러 간음(姦淫)함. 강간(强姦). 겁탈(劫奪). ——-하다 타여불

겁겁-증 명 ☞갑갑증.

겁겁-하다【劫劫—】형여불 ①성미가 급하고 참을성이 없다. ¶ 성미가 꽤 겁겁하시군. ②급급(汲汲)하다.

겁-결【怯—】명 겁이 나서 어쩔 줄 모르는 설레. ¶ ~에 악 소리를 지르다.

겁기【劫氣】명 ①궁한 사람의 얼굴에 나타난 언짢은 기색. ②험한 산의 트이지 못하고 무시무시한 궂은 기운.

겁-꾸러기【怯—】명 몹시 심한 겁쟁이. *겁쟁이.

겁나【怯懦】명 겁이 많고 나약한. 겁약(怯弱). ——-하다 형여불

겁-나게【怯—】부〈방〉엄청나게(경남·전남).

겁-나다【怯—】자 무섭거나 두려워서 주저하는 마음이 생기다.

겁나-심【怯懦心】명 겁이 많고 나약한 마음.

겁나ᄒᆞ다 타〈옛〉겁내다. ¶ 겁나홀 나(懦)《字會 下 30》.

겁-내다【怯—】타 무섭고 망서리는 생각을 내다. ¶ 정의를 위해서는 총칼을 겁낼 그가 아니다.

겁년【劫年】명〖민〗겁운(劫運)이 닥친 해. 액년(厄年).

-겁다 미〈옛〉어간이나 어근에 붙어 형용사를 만드는 접미어. ¶ 人生 즐거븐 ᄠᅳ디 업고《釋譜 Ⅵ:5》.

겁대기 명〈방〉껍대기(경북).

겁도【劫盜】명 협박하여 빼앗음. 또, 그러한 도둑. ——-하다 타여불

겁때기 명〈방〉가죽¹(전남·경북).

겁략【劫掠·劫略】[—냑]명 위협이나 폭력으로 남의 것을 빼앗음. 약탈(掠奪). 겁탈(劫奪). ——-하다 타여불

겁렬【怯劣】[—녈]명 비겁하고 용렬함.

겁령구【怯怜口】[—녕—]명〖역〗〔'집안 아이'란 뜻의 몽고어 ke-ling-k'ou의 한어(漢語) 표기〕고려 때 원(元)나라 공주를 따라온, 공주의 사사로운 종자(從者).

겁말【劫末】명〖불교〗이 세상의 종말(終末). 공겁(空劫)을 거쳐 다시 세상이 이룩된다 함. ↔겁초(劫初).

겁맹【劫盟】명 위협하여 맹세하게 함. ——-하다 자여불

겁-먹다【怯—】자 무섭거나 두려워하는 마음을 가지다.

겁박¹【劫迫】명 강박(强迫). ——-하다 타여불

겁박²【劫縛】명 협박하여 포박(捕縛)함. ——-하다 타여불

겁-보【怯—】명 겁이 많은 사람.

겁부【怯夫】명 겁이 많은 사내. 나부(懦夫).

겁살【劫煞】명〖민〗술가(術家)의 말로 삼살(三煞)의 하나. 독한 음기(陰氣)의 살(煞)이 있는 방위를 범하면 살해가 있다 함.

겁설【怯薛】명〖역〗고려 때, 궁중에 번을 갈마들어 숙위(宿衛)에 당하던 집사(執事). 몽고에서 온 이름.

겁성【怯聲】명 겁결에 지르는 소리.

겁-소리 명〈방〉거짓말.

겁수¹【劫水】명〖불교〗대삼재(大三災)의 하나. 괴겁(壞劫)의 마지막 시기에, 세계가 파멸될 때에 일어난다는 큰 물. 겁화(劫火) 다음에 일어난다 함. *겁풍(劫風)·겁화(劫火).

겁수²【劫囚】명 겁옥(劫獄). ——-하다 타여불

겁심【怯心】명 겁나는 마음.

겁약【怯弱】명 겁이 많고 마음이 약함. 겁나(怯懦). ——-하다 형여불. ——-히 부

겁여【劫餘】명 겁략(劫掠)을 당한 뒤. 전하여, 전후(戰後).

겁옥【劫獄】명 옥중(獄中)의 죄인(罪人)을 폭력(暴力)으로 빼앗아 냄. 겁수(劫囚). ——-하다 타여불

겁운【劫運】명 액(厄)이 낀 운수. 큰 액운. 겁회(劫會). ¶ 서로 그 ~ 지내던 사실을 소상하게 알았더라《崔瓚植 : 春夢》.

겁의【怯疑】[—/—이]명 겁내어 망설임. ——-하다 자여불

겁-쟁이【怯—】명 겁이 많은 사람.

겁-주다【怯—】자 상대방으로 하여금 겁을 먹도록 만들다. ¶ 겁주지 말고 말로 하라구. *으르다.

겁지운 명〈옛〉등 가죽. ¶ 겁지운(背皮)《老乞 下 35》.

겁질 명〈옛·방〉껍질(제주). ¶ 겁질이 열워(皮薄)《痘方》.

겁-집어먹다【怯—】자 '겁먹다'를 똑똑하게 이르는 말.

겁초【劫初】명〖불교〗성겁(成劫)의 시초. 세상의 시초. 천지 개벽의 시초.

겁축-하다【劫—】타〈방〉겁간(劫姦)하다.

겁침【怯鍼】명 침맞기를 겁냄. ——-하다 자여불

겁타【怯惰】명 겁이 많고 게으름. ——-하다 형여불

겁탁【劫濁】명〔범 kalpa-kaṣāya〕〖불교〗오탁(五濁)의 하나. 기근(饑饉)과 질역(疾疫)과 전쟁이 연달아 일어나는 일.

겁탈【劫奪】명 ①남의 것을 폭력으로 억지로 빼앗음. 겁략(劫略). 협탈(脅奪). ②겁간(劫姦). ——-하다 타여불

겁파【劫簸·劫波】명〔범 kalpa〕〖불교〗→겁(劫).

겁패【劫貝】명〖식〗목화(木花).

겁포【怯怖】명 겁이 나서 두려워함.

겁풍【劫風】명〖불교〗대삼재(大三災)의 하나. 괴겁(壞劫)의 마지막 시기에, 세계가 파멸(破滅)될 때에 일어난다는 큰 바람. *겁수(劫水)·겁화(劫火).

겁ᄒᆞ다 타〈옛〉겁내다. 겁이 있다. ¶ 본ᄃᆡ 겁ᄒᆞ고 잔약ᄒᆞᆫ 사ᄅᆞᄆᆞᆫ(素怯懦者)《飜小 Ⅷ:28》.

겁화【劫火】명〖불교〗대삼재(大三災)의 하나. 괴겁(壞劫)의 마지막 시기에, 세계가 파멸(破滅)될 때에 먼저 일어난다는 큰 불. 세계를 다 태워버린다고 함. ¶ 성희의 마음 속에서는 이글이글 무슨 ~와도 같은 것이 타올랐다《安壽吉 : 제 2 의 청춘》. *겁수(劫水).

겁회¹【劫灰】명〖불교〗세계가 파멸될 때에 일어난다는 큰 불의 재. *겁화(劫火).

겁회²【劫會】명 큰 액운. 겁운(劫運).

것¹ 명〈방〉겉(충남·전북).

것² 명〈옛〉까풀. ¶ 것과 빗보ᄅᆞᆯ 앗고(去皮臍)《救方 上 38》.

것³ 의명 ①소유격 조사 '의' 또는 관형사(冠形詞)·관형어 아래에 붙어, 그 물건·사실·현상·성질 등을 나타내는 말. ¶ 형의 ~/새 ~과 헌 ~/아름다운 ~. ②사람·동물을 얕잡아 가리키는 말. ¶ 네까짓 ~쯤은/되지 못한 ~들. ③앞엣말에 대한 확신·추측을 나타내는 말. ¶ 내일은 비가 올 ~이다/일한 만큼 대가를 받을 ~이다. ④'-ㄹ' 뒤에 붙어 명령하는 글을 끝맺는 말. ¶ 잔디밭에 들어가지 말 ~. 준거.

-것- 선어미 ①인정된 동작이나 상태를 다지어 말할 때 쓰는 선어말 어미. ¶ 네 마음대로 하였~다. ②원인이나 조건 등이 충분함을 들 때에 쓰는 선어말 어미. ¶ 실력 있~다, 열심히 공부했~다, 시험에 떨어질 리 있나/학벌 좋~다, 미남이~다, 나무랄 데야 없지. ③경험으로나 이치로 미루어 보아 사실이 으레 그러한 것이거나 그러할 것임을 인정하는 선어말 어미. ¶ 꽃도 한창이라, 창경원은 사람으로 메여지~다. 주의 '-것다'의 꼴로만 쓰임.

것가 구〈옛〉것인가. ¶ 山林에 뭇쳐 이셔 至樂을 모ᄅᆞᆯ 것가《丁克仁 賞春曲》.

것거디다 자〈옛〉꺾어지다. '것다¹'의 활용형. ¶ 내 ᄐᆞᆫ ᄆᆞᄅᆡ ᄲᅧ 正히 것거디ᄂᆞ다(我馬骨正折)《杜諺 Ⅰ:17》.

것고로 부〈옛〉거꾸로. ¶ 빅셩이 것고로 ᄃᆞᆯ닌ᄃᆞᆺ ᄒᆞ니《警民音 Ⅰ》.

것고지 명〈옛〉뿔로 만든 머리 빗는 제구. ¶ 뎌 것고지 가져다가 것곳고(將那挑針挑起來)《朴解 上 40》.

것곳다 타〈옛〉꺾꽂이하다. ¶ 또 것고지 가져다가 것곳고(再把挑針挑起來)《朴解 Ⅰ:43》.

것곶다 타〈옛〉꺾꽂이하다. ¶ 것고즐 쳔(櫏截取樹條揷地培養爲生)《字會 下 5》.

것구러디다 자〈옛〉거꾸러지다. ¶ 상 우희 것구러뎌 코고오고 자거늘(倒在床上打鼾睡)《朴解 中 42》.

것구리티다 타〈옛〉거꾸러뜨리다. ¶ 엇디ᄒᆞ여 것구리티리오(怎生得倒)《老乞 上 32》.

것그니 자타〈옛〉꺾으니. 꺾어지니. '것다¹'의 활용형. ¶ 두 갈히 것그니(兩刀皆缺)《龍歌 36章》.

것그시며 타〈옛〉꺾으시며. '것다¹'의 활용형. ¶ 能히 樹下魔軍을 것그시며(能摧樹下魔軍)《圓覺 序 Ⅳ》.

것깽이 명〈방〉〖동〗지렁이(경상).

것다¹ 자타〈옛〉꺾다. 꺾어지다. ¶ 내 ᄐᆞᆫ ᄆᆞᄅᆡ ᄲᅧ 正히 것거디ᄂᆞ다(我馬骨正折)《杜諺 Ⅰ:17》.

-것다 어미 선어말 어미 '-것'과, 어미를 이루는 접미사 '-다'가 합친 말.

것다가 부〈방〉게다가(평안).

것드러 자〈옛〉꺾이어. 꺾어져. '것듣다'의 활용형. ¶ 것드러 뎌른 술윗 ᄂᆞᆯ 곧도다(摧折如短轅)《杜諺 Ⅰ:27》.

것듣다 자〈옛〉꺾이다. 꺾어지다. =것듯다. ¶ 새 즘싱이 주그며 플와 나모왜 것듣더니(禽獸暴死草木摧折)《三綱 王崇》.

것듯다 자〈옛〉꺾이다. 꺾어지다. =것듣다. ¶ ᄀᆞᄅᆞᇝ 돌히 ᄢᅥ디고 프른 싣나모 것듯 놋다(江石缺裂靑楓摧)《重杜諺 Ⅻ:22》.

것ᄆᆞᄅᆞ 부〈옛〉까무러져.

것ᄆᆞᄅᆞ죽다 자〈옛〉까무러치다. 기절(氣絶)하다. ¶ 太子ㅣ 듣고 것ᄆᆞᄅᆞ주거 ᄯᅡ해 디옛더라《月釋 ⅩⅪ:215》.

것비치다 자〈옛〉꺾이어 떨어지다. ¶ 舍利弗이 神力으로 旋嵐風을 내니 그 나못 불휘를 ᄲᅢ혀 그우리 부러 가지 것비처 드트리 ᄃᆞ외야 ᄇᆞᆺ아디거늘《釋譜 Ⅵ:31》.

것위〔거위〕명〈옛〉지렁이. ¶ 것위ᄂᆞᆫ 기픈 지븨 오ᄅᆞᄂᆞ다(蚯蚓上深堂)《杜諺 ⅩⅢ:42》.

것-지르다 타르불 거슬러 지르다.

걹다¹ 자〈옛〉꺾어지다. 꺾이다. ¶ 두 갈히 것그니(兩刀皆缺)《龍歌 36章》/ᄆᆞ리 놀라 왼 ᄇᆞᆯ히 것그니(馬驚折左臂)《重杜諺 ⅪⅩ:48》.

걹다² 타〈옛〉꺾다. ¶ 곳 것고려 ᄒᆞ신대《月釋 Ⅱ:36》.

-겄- 선어미〈방〉-겠-. ¶ 너는 알~다.

겅와싀 명〈옛〉탕자(蕩子). ¶ 蕩子ᄂᆞᆫ 겅와싀라《金三 Ⅳ:22》.

겅워싀 명〈옛〉개의 한 종류. 요동개. ¶ 獨獠ᄂᆞᆫ 겅워싀라《六祖 上 7》.

겅위 명〈옛〉지렁이. =거위. ¶ 겅위 믈이니(蚯蚓咬)《救簡 目錄 6》.

겅개 명〈방〉반찬(전라).

겅거니 명〈방〉반찬(충남·전라).

겅거이 명〈방〉반찬(경북).

겅게 명〈방〉반찬(전북·경남)

겅그럽다 형〈방〉가렵다(경남).

겅그레 명 솥에 무엇을 찔 때에, 그 물건이 바닥의 물에 잠기지 않도록 물 위에 놓는 물건. 흔히 댓조각으로 얽어서 만든 것인데, 혹 임시로

나뭇개비로 너스레처럼 늘어놓은 것도 있음.
겅그레(를) 놓다 구 겅그레를 솥 안에 놓다.

겅금 명 〔←검금〕 '황산 제일철(黃酸第一鐵)'을 물감으로 일컫는 말. 검정 물감의 매염제(媒染劑)로 씀.

겅더리-되다 자 오랫동안 병을 앓거나 또는 심한 고생을 겪고 난 뒤에, 몹시 파리하여 뼈가 엉성하게 되다. 쓰껑더리되다.

겅둥 부 긴 다리로 치신없이 가볍게 뛰는 모양. 쓰껑뚱. >강동.

겅둥-거리다 자 긴 다리로 치신없이 자꾸 가볍게 뛰다. 쓰껑뚱거리다. >강동거리다. **겅둥-겅둥** 부. ——-하다 자여불

겅둥-대다 자 겅둥거리다.

겅둥-하다 형여불 아랫도리가 너무 드러날 정도로 입은 옷이 짧다. 쓰껑 「뚱하다. >강동하다.

겅 뱌오 〔耿飈〕 명 『사람』 중국의 정치가. 1947년 화베이(華北) 야전군 참모장을 지내고, 50년부터 스웨덴·파키스탄·미얀마·알바니아 대사를 역임, 71년 대외 연락부장(對外連絡部長), 77년 정치국 위원(政治局委員), 78년 부수상, 81년 국방부장이 됨. 경표. [1909-]

겅성드뭇-이 부 겅성드뭇하게.

겅성드뭇-하다 형여불 많은 수효가 듬성듬성 흩어져 있다. ¶ 저기 우리 나라 초가집이 겅성드뭇한 것을 보니까 우리 나라 같기도 하고…《李海朝 : 鬢上雪》.

겅정 부 긴 다리로 가볍게 내어 뛰는 모양. 쓰껑쩡. 쓰껑청. >강장.

겅정-거리다 자 긴 다리로 자꾸 내어뛰면서 걷다. 쓰껑쩡거리다. 쓰껑청거리다. >강장거리다. **겅정-겅정** 부. ¶ 털이는 정작 제가 좋은 듯이 ~ 뛴다《玄鎭健 : 無影塔》. ——-하다 자여불

겅정-대다 자 겅정거리다.

겅중 부 긴 다리로 힘있게 높이 솟구어 뛰는 모양. 쓰껑쭝. 쓰껑충. >강 「종.

겅중-거리다 자 긴 다리로 자꾸 위로 솟구어 뛰면서 걷다. 쓰껑쭝거리다. 쓰껑충거리다. >강종거리다. **겅중-겅중** 부. ——-하다 자여불

겅중-대다 자 겅중거리다.

겇 명 〈옛·방〉 겉. 거죽. ¶ 열본 셔마른 꺗 거치 나니《月釋 I :43》.

겉 명 ①밖으로 드러난 쪽이나 면. 거죽. 표면. ¶ ~이 거칠다. ②밖으로 드러난 모습. ¶ ~은 멀쩡하지만 속은 안 그렇다. *속·안.
[겉 가마도 안 끓는데 속 가마부터 끓는다] 제 순서를 기다리지 못하고 덤벙인다는 말. [겉 다르고 속 다르다] 말이나 행동이 표리(表裏)가 일치하지 않음을 이르는 말. *표리 부동(表裏不同).

겉- 투 ①어떤 명사나 동사 위에 붙어서 겉만 보고 대략 어림잡는다는 뜻을 나타내는 말. ¶ ~짐작/~잡다. ②어떤 명사나 동사 위에 붙어서 실속보다는 겉으로만 그렇다는 뜻을 나타내는 말. ¶ ~치레/~익다/~늙다. ③어떤 동사 위에 붙어서 겉으로만 어름어름 적당히 한다는, 대강의 뜻을 나타내는 말. ¶ ~마르다/~날리다. ④어떤 명사 위에 붙어서 껍질을 벗기지 아니한 채로 그냥의 뜻을 나타내는 말. ¶ ~보리/~수수. ⑤어떤 동사 위에 붙어서, 한데 어울리거나 섞이지 않고 따로 한다는 뜻을 나타내는 말. ¶ ~돌다 / ~놀다.

겉-가량 【一假量】 명 겉으로 보고 대강 치는 셈. ¶ 강연회에 모인 사람은 ~으로 약 만 명. ↔속가량. ——-하다 타여불

겉-가루 명 무엇을 빻을 때 먼저 되는 가루. 쌀 같은 것은 겉 부분이 먼저 가루가 되는데 차지고 맛이 좋으며, 고추 같은 것은 속살이 먼저 가루가 되는데 맵기만 하고 맛이 좋지 못함. ↔속가루.

겉-가죽 명 겉을 싸고 있는 가죽. 표피(表皮). 외피(外皮). ↔속가죽.

겉-갈이 명 (잡초·해충 따위를 없애려고) 추수가 끝난 뒤에 논이나 밭을 갈아 엎는 일. ——-하다 자타여불

겉-감 명 물건의 겉에 대는 감. ↔안감.

겉-겨 명 곡식의 겉에서 벗기어진 굵은 겨. ↔속겨. *왕겨.

겉-고름 명 ↗겉옷고름.

겉-고삿 명 지붕을 일 때 이엉 위에 걸쳐 매는 새끼. ↔속고삿.

겉-고춧가루 명 ①고추를 빻을 때 먼저 되는 고추 속살의 가루. ②처음 대강 빻은 고춧가루. 애벌로 빻은 고춧가루.

겉-곡 【一穀】 명 ↗겉곡식. 「㊟겉곡.

겉-곡식 【一穀一】 명 겉껍질을 벗기어 내지 아니한 곡식. 피곡(皮穀).

겉-궁합 【一宮合】 명 십이지(十二支)로 맞춰 보는 궁합. ↔속궁합.

겉-귀 명 『생』 외이(外耳). ↔안귀.

겉-깃 명 겉으로 나타난 옷깃. ↔안깃.

겉-꺼풀 명 겉으로 드러난 꺼풀. ↔속꺼풀.

겉-껍데기 명 겉으로 드러난 껍데기. 외각(外殼). ↔속껍데기.

겉-껍질 명 겉으로 드러난 껍질. ↔속껍질.

겉껍질 세:포 【一細胞】 명 『생』 표피 세포(表皮細胞).

겉-꼴 명 외형(外形).

겉-꽃뚜껑 명 『식』 꽃뚜껑에서 꽃받침에 해당하는 부분. 외화개(外花蓋). ↔안꽃뚜껑.

겉-꾸리다 자 속에 있는 언짢은 점이 드러나지 아니하도록 겉만을 잘 꾸 「미다.

겉-꾸림 명 속에 있는 언짢은 점이 드러나지 아니하도록 겉만을 잘 꾸리는 짓. ——-하다 자여불

겉-꾸미다 자 겉만을 발라 꾸미다. 겉치레하다. 외식(外飾)하다.

겉-나깨 명 메밀의 겉껍데기 속에 있는 거친 나깨. ↔속나깨.

겉-날리다 타 겉으로만 어름어름하여 되는 대로 일을 날려서 하다.

겉-낯 명 마음에 없이 겉으로 나타내는 낯빛. ¶ ~으로 반가워하다.

겉-넓이 [一널비] 명 『수』 물체의 겉면의 넓이. 겉면적(面積). 표면적(表面積).

겉-놀다 자 ①서로 잘 어울리지 않고 따로따로 놀다. ②못·나사 같은 것이 잘 맞지 않고 흔들리고 움직이다.

겉-눈 명 곱자를 반듯하게 'ㄱ'자 형으로 놓은 때, 위에서 보이는 쪽에 새기어 있는 자눈. ↔속눈.

겉눈-감다 [一따] 자 눈을 속으로는 조금 뜨고 무엇을 보고 있으면서, 겉으로 남 보기에는 감은 듯이 하다. *속눈뜨다.

겉-눈썹 명 두 눈두덩 위에 가로줄로 모이어 난 눈썹. ↔속눈썹.

겉-늙다 [一늑一] 자 ①마음은 늙지 않고 거죽으로만 늙다. ②나이에 비하여 너무 늙어 보이다.

겉-대[1] 명 푸성귀의 거죽에 붙어 있는 줄기나 잎. ↔속대[1].

겉-대[2] 명 댓개비의 거죽을 이룬 단단한 부분. ↔속대[2].

겉-대중 명 겉으로만 보아서 어림친 대중. ↔속대중. ——-하다 타여불

겉-더껑이 명 걸쭉한 액체(液體)의 거죽에 엉기어 굳은 꺼풀.

겉-더께 명 덖어 찌든 물체에 앉은 겉의 때. ↔속더께.

겉-도랑 명 땅 위로 시설한 배수용(排水用)의 도랑. 명거(明渠). 개거(開渠). ↔암거(暗渠).

겉도랑 배수 【一排水】 명 배수용(排水用)의 도랑을 땅 속에 묻지 않는 토지 개량의 한 방식. 명거 배수(明渠排水). 개수로(開水路) 배수. ↔암거(暗渠) 배수.

겉-돌다 자 ①두 물체가 서로 섞이지 아니하고 따로따로 돌다. ¶ 물과 기름이 ~. ②서로 어울리지 않고 따로 배돌다. ¶ 겉도는 사람.

겉-똑똑이 명 실상은 보잘것없는데 겉으로만 똑똑한 체하는 사람.

겉-뜨기 명 대바늘뜨기의 기본적인 뜨기 방법의 하나. 메리야스의 겉과 같은 코눈이 나옴. 메리야스뜨기. ↔안뜨기.

겉-뜨물 명 곡식을 첫 번에 대강 씻어 낸 뜨물. ↔속뜨물.

겉-마르다 자르불 속은 덜 말라 물기가 있고 겉만 마르다.

겉-막 【一膜】 명 겉을 싸고 있는 막. 표막(表膜).

겉-말 명 겉으로 꾸미는 말. ↔속말.

겉-맞추다 타 속마음으로는 꺼리면서도 겉으로만 슬슬 발라 맞추다.

겉-멋 명 실속은 없이 겉으로만 멋을 부리는 태도나 모습. ¶ 공연히 ~만 들어서.

겉-면 【一面】 명 겉으로 드러나 보이는 면. 외면(外面). 표면(表面).

겉-면적 【一面積】 명 겉넓이. 표면적(表面積).

겉-모골 【一毛骨】 명 겉으로 드러나 보이는 모골. 외양(外樣).

겉-모습 【一貌襲】 명 겉으로 나타나 보이는 모습. 외모(外貌).

겉-모양 【一模樣·一貌樣】 명 겉으로 보이는 모양. 외모(外貌). 외양(外 ㄴ樣).
겉모양(을) 내:다 구 겉모양이 나게 하다.
겉모양(을) 보다 구 겉모양에 관심을 돌리다.

겉-묻다 자 남이 무슨 일을 하는 운김에 덩달아 건성으로 따르다. ¶ 겉 「묻어 날뛰는 사람.

겉-물 명 액체가 잘 섞이지 못하고 위로 떠서 따로 겉도는 물. 웃물.
겉물(이) 돌:다 구 액체의 위에 겉물이 떠서 돌다.

겉-바르다 타르불 속의 언짢은 것을 그대로 두고 겉만 흠없이 하다.

겉-발림 명 겉만 그럴 듯하게 발라 맞춤. ——-하다 자여불

겉-밤 명 껍데기를 벗기지 아니한 밤. 피밤. 피율(皮栗). ↔속밤.

겉-버선 명 솜버선 겉에 신는 홑버선. ↔속버선.

겉-벌 명 겉에 입는 웃옷의 각 벌. ↔속벌.

겉-벽 【一壁】 명 겉으로 드러나 보이는 벽. 겉에 있는 벽. ↔안벽.

겉-보기 명 겉으로 보이는 모양새. 외양(外樣). 외관(外觀). ¶ ~와는 달리 마음이 옹졸하다.

겉보기 등:급 【一等級】 명 『천』 실시(實視) 등급.

겉보기 성:질 【一性質】 명 『화』 물질이 겉으로 나타내는 독특한 성질. 곧, 색깔·냄새·맛·결정 모양·굳기 따위.

겉보기 팽창 【一膨脹】 명 〔apparent expansion〕 『물』 그릇에 담긴 액체를 가열할 때, 온도의 상승에 따라 그 그릇도 팽창하므로 그 차만큼 액체가 팽창한 것처럼 보이는 현상.

겉-보리 명 ①『식』 보리를 쌀보리에 상대하여 일컫는 이름. 까락이 길고 껍질이 알과 매우 밀착되어 있어서 찧어도 껍질이 잘 벗겨지지 아니함. ②껍질을 벗기지 아니한 보리. 피맥(皮麥). ↔쌀보리.
[겉보리 돈 사기가 수양딸로 며느리 삼기보다 쉽다] 아주 하기 쉬운 일을 이르는 말. [겉보리를 껍질 채 먹은들 시앗이야 한 집에 살랴] 아무리 고생을 하고 살망정, 남편의 첩과 함께 살 질투 없는 아내는 없다는 말. [겉보리 서 말만 있으면 처가살이하랴] ㉠여북해야 처가살이를 하겠느냐는 말. ㉡누구나 처가살이할 것은 아니라는 말. [겉보리 술 막지 사람 속인다] 겉보리 술지게미도 많이 먹으면 취하듯, 겉보기와는 달리 맹랑한 자를 두고 이르는 말.

겉보릿-단 명 겉보리를 묶어서 만든 단.
[겉보릿단 꺼꾸로 묶은 것 같다] 보릿단을 이삭 쪽에서 묶어 놓은 것 같이 모양이 없음을 이르는 말.

겉볼-안 명 겉을 보면 속까지도 가히 짐작해서 알 수 있다는 말.

겉-봉 【一封】 명 ①편지를 봉투에 넣고 다시 싸서 봉한 종이. 외봉(外封). 피봉(皮封). ②편지를 싸서 봉하는 종이. 봉투. ③봉투의 거죽. ¶ ~에 주소 성명을 쓰다.

겉-봉투 【一封套】 명 이중 봉투에서 겉쪽 봉투. ↔안봉투.

겉-불꽃 명 〔surface flame〕 『화』 불꽃의 가장 바깥 부분. 연소(燃燒)가 가장 완전하며 온도가 제일 높은 곳임. 외염(外焰). 산화성(酸化性) 불 ㄴ꽃. ↔속불꽃. *불꽃.

겉-뼈대 명 『생』 외골격(外骨格).

겉-사주 【一四柱】 명 통혼(通婚)할 때에 종잇조각에 임시로 적어 보이는 신랑의 사주. ↔속사주.

겉-살[1] 명 『생』 얼굴·손같이 항상 옷에 싸이지 아니하고 겉으로 드러나 있는 부분의 살. ↔속살[1]❶.

겉-살[2] 명 쥘부채의 양쪽 가에 든든하게 댄 살. ↔속살[2].

겉-섶 명 (두루마기나 저고리의) 겉자락에 붙인 섶.

겉-속것 명 ☞단속곳.

겉-수수 명 겉껍질을 벗기지 아니한 수수. 찧지 아니한 수수.

겉-수작 【一酬酌】 명 겉만을 꾸며 그럴 듯이 발라 맞추는 수작.

겉-싸개 [명] 여러 겹으로 싼 물건의 겉을 싼 싸개. ↔속싸개.

겉-씨껍질 [명] 〖식〗 '외종피(外種皮)'의 풀어 쓴 말. ↔속씨껍질.

겉씨 식물 【一植物】 [명] 〖식〗 [Gymnospermae] 종자(種子) 식물을 둘로 대별(大別)하는 한 아문(亞門). 꽃잎이 없고 밑씨가 씨방 안에 있지 않고 밖으로 노출되어 있음. 모두 목본(木本)이며, 수분(受粉)할 때는 화분이 곧장 밑씨 위에 붙음. 소나무·전나무·잣나무·은행나무·소철 등으로 나뉘며 약 700여 종이 분포함. 나자(裸子) 식물. ↔속씨 식물.

겉씨 식물 시대 【一植物時代】 [명] 〖지〗 지구사상(地球史上), 겉씨 식물이 가장 번성하였던 시대. 고생대(古生代) 페름기(紀) 후기에서 중생대(中生代) 백악기(白堊紀)까지를 이름. 양치(羊齒)식물 시대에 이어 속씨 식물 시대로 넘어감.

〈겉아가미〉

겉-아가미 [걷—] [명] 〖어〗 겉에 있는 아가미. 올챙이 따위는 어릴 때 머리 양쪽에 있으며, 호흡을 하다가 차차 자라면 속아가미로 변태(變態)함. 외새(外鰓). ↔속아가미.

겉-약다 [—냑—] [형] 실상은 약지 못하면서 겉으로 남 보기에만 약다.

겉-어림 [걷—] [명] 겉으로만 보아서 잡는 어림. ↔속어림.

겉-언치 [걷—] [명] 길마의 양쪽에 붙인 짚 방석.

겉-여물다 [—녀—] ㊀[자] 곡식이 속은 여물지 못하고 겉으로 보기에만 여물다. ㊁[형] 사람이 겉보기로는 올차고 여무진 것 같으나 실상은 무르다.

겉열매-껍질 [—녈—] [명] 〖식〗 '외과피(外果皮)'의 풀어 쓴 말. ↔속열매껍질.

겉-옷 [걷—] [명] 겉에 입는 옷. ↔속옷.

겉-옷고름 [걷—] [명] 겉깃을 여미어 매는 옷고름. [준]겉고름. ↔안옷고름.

겉-웃음 [걷—] [명] 속마음은 다르면서 겉으로만 웃는 웃음. 마음에도 없이 웃는 웃음.

겉이 [거치] [부][조] 〈방〉 같이.

겉-인사성 【一人事性】 [걷—썽] [명] 겉치레로만 하는 인사성.

겉-잎 [—닙] [명] 풀이나 나무의 우듬지의 속잎 겉에 붙은 잎. ↔속잎.

겉-자락 [명] ①저고리나 치마 따위를 여몄을 때, 맨 겉으로 나오는 옷자락. ↔안자락. ②〖건〗 주의(柱衣) 등에 그리는 무늬의 하나. ↔속자락.

겉-잠 [명] ①겉눈 감고 자는 체하는 일. ②깊이 들지 않은 잠. 선잠. 수잠.
겉잠(이) 들다 [구] 깊지 않은 잠이 들다. 선잠이 들다.

겉-잡다 [타] ①겉으로 보고 대강 셈쳐서 어림잡다. 겉가량으로 어림치다. ¶ 겉잡아서 이틀이면 족하다. ②겉으로 대강 짐작하여 헤아리다. ¶ 네 말은 통 겉잡을 수 없다.

겉-잣 [명] 껍데기를 까지 아니한 잣. ↔실백(實柏)잣.

겉-장 [명] ①여러 장 가운데 맨 겉에 있는 종이. 맨 위에 있는 종이 표지(表紙). ②신문의 한 부(部)가 여러 장일 때 맨 겉의 지면(紙面)의 종이. 1)·2):↔속장.

겉-재목 【一材木】 [명] 통나무의 겉쪽. 변재(邊材).

겉-저고리 [명] 여자의 여러 겹으로 껴입은 저고리 중에 맨 겉에 입은 저고리. ↔속저고리.

겉-절이 [명] 열무·배추를 절이어서 곧 무치어 먹는 반찬. 엄저(醃葅).

겉-절이다 [타] ①김장할 때 배추의 억센 잎을 부드럽게 하기 위하여 우선 소금을 뿌려서 절이다. ②겉절이를 하다.

겉-조 [명] 겉껍데기를 쓿지 아니한 좁쌀.

겉-족건 【一足件】 [명] 〈궁중〉 겉버선.

겉-주머니 [명] 겉옷의 바깥쪽에 단 주머니. ↔속주머니.

겉-짐작 【一斟酌】 [명] 겉으로만 보아 어림치는 짐작. ↔속짐작.

겉-쪽 [명] 표면(表面).

겉-창 【一窓】 [명] 영창(映窓)의 겉에 튼튼하고 썩 촘촘하게 창살을 만들어 덧단 창문짝. 덧문. 덧창.

겉-치레 [명] 겉만 보기 좋게 꾸민 치레. 눈치레. ↔속치레. *허식(虛飾). ——-하다 [자][타][여불]

겉-치마 [명] 여러 겹의 치마를 입을 때 맨 위에 입는 치마. ↔속치마.

겉-치장 【一治粧】 [명] 겉 부분을 보기 좋게 꾸밈. ↔속치장. ——-하다 [자][여불]

겉-칠 【一漆】 [명] 겉에 칠한 칠. 또, 겉에 칠하는 일. ——-하다 [타][여불]

겉-켜 [명] 여러 층으로 된 것의 겉을 이루고 있는 층. 표층(表層).

겉-포장 【一包裝】 [명] 맨 겉을 싸고 있는 포장. 겉으로 드러난 포장.

겉-피 [명] 찧어 겉껍질을 벗기지 아니한 피.

겉-핥다 [—할따] [타] 내용은 제대로 파악하지 않고 겉만 대강 보다. ¶ 수박 겉핥듯이/겉핥기식 공부.

겉-허울 [명] 겉으로 드러나 보이는 허울.

겉-흙 [—흑] [명] 〖농〗 ①맨 위에 깔린 흙. ②표토(表土). 갈이흙.

게:¹ [명] 〖동〗 갑각류(甲殼類) 십각목(十脚目)의 단미류(短尾類)에 속하는 절지(節肢) 동물의 총칭. 몸이 납작하고, 두흉부(頭胸部)가 크고 복부(腹部)는 하면(下面)에 굽어 붙었으며, 등과 배는 단단한 딱지에 싸였음. 다섯 쌍의 발 중 첫째 한 쌍은 집게발로 되었는데, 옆으로 기어다니기를 잘하고, 거품을 내뱉음. 짧은 촉각(觸角)이 두 쌍 있으며, 복안(複眼)은 딱지의 작은 구멍으로 옴츠러 들어갈 수 있음. 꽃게·꽃발게·농게·도적게·칠게·달랑게·바다참게 등의 해산(海産)과 담수산(淡水産) 종류가 많은데 식용이 됨. 방해(螃蟹).

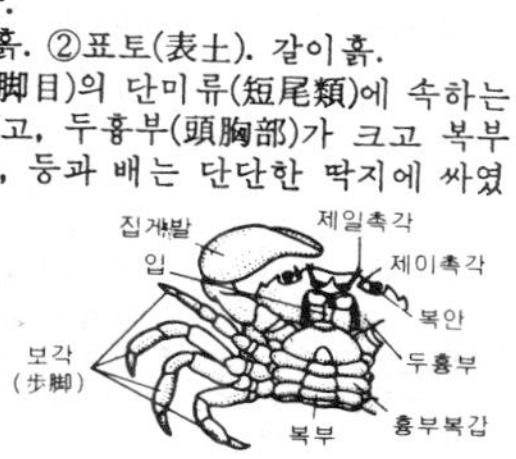

〈게²〉

[게도 구럭도 다 잃었다] 게 잡으러 갔다가 구럭까지 잃었다는 뜻이니, 아무 소득 없이 도리어 손해를 봄을 이르는 말. [게도 제 구멍이 아니면 들어가지 아니한다] 남의 영역을 함부로 침범하지 아니한다. ¶ "게도 제 구멍이 아니면 들어가지 아니한다"는 속담이 있소≪安國善 禽獸會議錄≫. [게를 똑바로 기어가게 할 수는 없다] 본래의 성질을 아주 뜯어 고치지는 못한다는 말. [게 먹지 못할 풀이 오월에야 겨우 나온다] 되지 못한 것이 공연히 어정거려 몹시 느리게 행동한다는 말. [게 발 물어 던지듯] 매우 외로운 처지에 놓여 있는 모양. ¶ 화순집 건넌방에 게 발 물어 던진듯이 누웠으니≪李海朝 鬢上雪≫. [게 새끼는 나니금 집는다] ㉠타고난 천성과 본성은 어쩔 수 없다는 말. ㉡본성이 흉악한 사람은 어려서부터도 나쁜 짓만 한다는 말. [게 새끼는 집고 고양이 새끼는 할퀸다] 유전적인 본능은 속일 수 없음을 가리키는 말. [게 잡아 물에 넣다] 애써 잡은 게를 도로 놓아 준다는 뜻이니, 아무 소득 없이 수고만 함을 이르는 말.

게² 【偈】 [명] 〖불교〗 가타(伽陀).

게³ 〔도 G〕 [명] ①독일어 자모의 일곱째 글자. ②〖악〗 음이름의 하나. 우리 나라 음이름 '사'와 같음.

게⁴ 〔그 Gē〕 [명] 〖신〗 가이아(Gaia).

게⁵ [의명] '우리, 자네, 너희' 등에 붙어서 살고 있는 곳을 뜻하는 말. ¶ 우리 ~ 사람들/자네 ~는 아무 일 없나.

게⁶ ㊀[지대][부] ↗거기. ¶ ~ 좀 앉아라. ㊁[인대] 상대자(相對者)를 좀 얕잡아 일컫는 말. ¶ ~ 누군고.

게⁷ [조] ↗에게❶. 내·네·제 등 말 아래에 쓰임. ¶ 내~ 돈이 있다면.

게⁸ [조] 〈옛〉에서. ¶ 살로 ᄡᅩ아 ᄆᆞᆯ게 ᄂᆞ려디니(放箭射下馬來)≪老乞 上 27≫.

게⁹ [준] 것이. ¶ 그 ~ 뭐 ~냐.

게¹⁰ [준] 〈옛〉 것에. ¶ 조ᄒᆞᆫ게 아로ᄆᆞᆯ 니르와ᄃᆞᆯ시 일후미 조ᄒᆞᆫ 아로미니(於淨起解爲名淨解)≪圓覺 下 一之二 23≫.

-게¹ [미] 어떤 말에 붙어 도구나 연장의 뜻을 나타내는 말. ¶ 지~/집~. *-개¹.

-게² [어미] ①'하게'할 자리에서 동사 및 '있다'의 어간에 붙어, 무슨 동작을 시키는 종결(終結) 어미. ¶ 많이 먹~/자네가 하~. ②용언의 어간에 붙어서 그 아래에 오는 동사나 형용사의 내용이나 정도를 제한하는 전성(轉成) 어미. ¶ 아름답~ 꾸미다/지나치~ 술을 마시다. ③'만일 그리하면 이렇게 되지 않겠느냐'의 뜻을 나타내는 종결 어미. ¶ 숙제를 안 해 가면 큰일 나~/그렇게 되면 좋~. ④동사 어간에 붙어, 어떤 목표나 행동이 미침을 나타내는 연결 어미. ¶ 편히 자~ 놔두다/도서관에 가~ 하다. *-도록. ⑤용언의 어간에 붙어, 물음을 나타내는 종결 어미. ¶ 그러다가 언제 가~/얼마나 크~.

게:-감정 [명] 게의 등딱지를 떼고 소를 넣어서 만든 음식.

게:거밋-과 【一科】 [명] 〖동〗 [Thomisidae] 절지(節肢) 동물 거미목에 속하는 한 과. 우리 나라에는 꽃게거미·흰살받이게거미·콩팥게거미·신록게거미 등이 있음.

게:-거품 [명] ①게가 토하는 거품 같은 침. ②사람이나 동물이 몹시 괴로울 때 부걱부걱 나오는 거품 같은 침. ¶ ~을 뿜다.
게거품 뿜:듯 [구] 보기에 흉하게 질질 흘리는 모양.

게걸 [명] 마구 먹으려고 하는 탐심(貪心).
게걸(이) 들다 [구] 먹고 싶은 욕심이 뿌리 깊이 들어 있다.
게걸(이) 들리다 [구] 먹고 싶은 욕심이 생기다.
게걸(을) 떼:다 [구] 마음껏 가지거나 먹어서 탐심(貪心)이 떨어지다.

게걸-거리다 [자] 천한 말로 불평을 자꾸 떠들다. 게걸대다. 게걸-게걸 [부]. ——-하다 [자][여불]

게걸-대다 [자] 게걸거리다.

게걸-스럽다 [형][ㅂ불] ①게걸들린 태도(態度)가 있다. ¶ 게걸스럽게 먹다. ②☞게검스럽다. 게걸-스레 [부]

게:-걸음 [명] 게 모양으로 옆으로 걷는 걸음.
게:걸음(을) 치다 [구] ㉠옆으로 걸어 나가다. ㉡머뭇거리고 뒤로 물러서다.

게걸-쟁이 [명] 불평을 품고 게걸거리기를 잘하는 사람.

게검-스럽다 [형][ㅂ불] 욕심껏 마구 먹어대는 태도가 있다. >개감스럽다.
게검-스레 [부]

게게: [부] 침을 보기 흉하게 흘리는 모양. ¶ 침을 ~ 흘리다.

게겐바우어 〔Gegenbaur, Karl〕 [명] 〖사람〗 독일의 비교 해부학자. 예나 대학·하이델베르크 대학 교수를 역임. 처음에는 무척추 동물, 나중에는 척추 동물의 비교 해부학적 연구를 하여, 진화론의 강력한 지지자의 한 사람이 됨. 동물의 알이 하나의 세포임을 밝혔음. [1826-1903]

게:-고둥 [명] 〖동〗 소라게·속살이게·집게 등 게 종류가 그 패각(貝殼) 속에 들어가 사는 고둥의 통칭(通稱). *소라게.

게:고둥-말미잘 [명] 〖동〗 [*Paracalliactis japonica*] 말미잘목(目)에 속하는 강장(腔腸) 동물의 하나. 몸의 모양은 수축(收縮)에 따라 원통상 또는 산(山) 모양이 되며, 몸 높이 90mm, 구반(口盤) 지름 60mm, 족반(足盤) 70mm 가량임. 몸빛은 패각(貝殼)에 부착한 부분은 담황색이고 체벽(體壁)은 담황색에 적갈색의 반점이 있음. 족반에 게고둥이 붙어 있음. 100m 깊이의 바다에서 게고둥에 들어 사는 집게의 이동력(移動力)과 게고둥말미잘의 창사(槍絲)에 의한 방어력(防禦力)으로 공생(共生)을 함. 태평양 해안에 분포함.

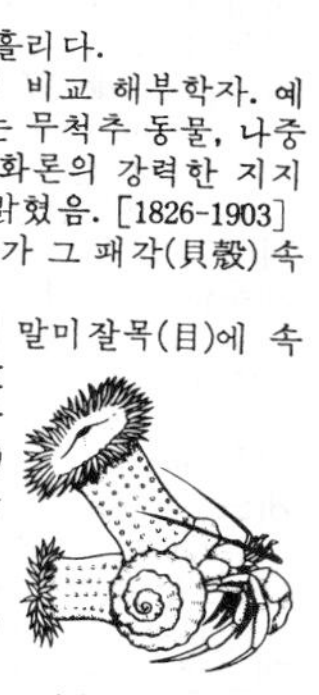
〈게고둥말미잘〉

게곤노-타키 〔華厳滝:けごんのたき〕 [명] 〖지〗 일본 닛코 국립 공원(日光國立公園) 안 주젠지 호(中禪寺湖)에서 흘러나오는 물로 이루어진 폭포. 용암(熔岩)에 걸쳐 있어 높이 100m, 폭이 10m나 됨.

게:구 【偈句】 [명] 〖불교〗 가타(伽陀)의 글귀. 보통 네 구(句)를 한 게(偈)로 하는데 다섯이나 일곱 글자를 한 구로 함.

게:-구이 [명] 게딱지 속의 장과 짓이긴 발을 한데 버무리어 양념한 것을 그릇에 담아 중탕(重湯)하여 쪄 낸 음식.

게그르다 [형] 〈방〉 게으르다(경북).

게그받다 [형] 〈방〉 게으르다(경북).

게긏다 [형] 〈방〉 긏다(경상).

게기¹ [명] 〈방〉 고기(충남·전라·경남·황해).

게:기²【揭記】 명 기록하여 높직하게 붙임. ——하다 자타 여불

게:-꼬리 명 ☞ 게꽁지.

게:-꽁지 명 지식이나 재주 등이 극히 적거나 짧음. 또, 그런 사람.

게:꽁지만-하다 형 여불 지식이나 재주 등이 극히 얕고 짧다.

-게끔 어미 '-게'보다 더 센 뜻으로 쓰는 전성 어미. ¶ 추워서 떨지 않~ 옷을 많이 입혀라.

-게나 어미 '-게³❶'를 좀 더 친밀하게 쓰는 종결 어미. ¶ 내일 놀러 오~/많이 먹~. *-구려.

게:나리-봇짐 명 〈방〉 괴나리봇짐.

게나-예나 부 ↗거기나 여기나.

게냥-하다 타 〈방〉 겨냥하다(충남).

게네 인대 제삼자의 무리를 좀 낮잡아서 이르는 3인칭 복수 대명사. ¶ ~가 책임을 져야지.

게네랄-파우제 〔도 Generalpause〕 명 〖악〗 합주곡(合奏曲)이나 합창곡에 있어서 모든 악기 또는 각 성부(聲部)가 일제히 쉬는 일. 한 소절(小節) 전체의 휴지. 보통 온쉼표 위에 'G.P.'라고 씀. 총휴부(總休符).

게네랄-프로베 〔도 Generalprobe〕 명 〖악〗 합주 단체(合奏團體)의 공연(公演) 전에 행하여지는 최후의 총연습.

게네사렛 호【—湖】〔Gennesaret〕 명 〖성〗 갈릴리 호(Galilee 湖).

게:노 〔Guéhenno, Jean〕 명 〖사람〗 프랑스의 작가·비평가. 특히, 1930년대의 대전 전야(前夜)에 활약하였는데, 사회주의적 인도주의를 제창함. 저서로 에세이 《프랑스의 청춘》·《인간적인 것에의 회심(回心)》, 일기 《마흔 먹은 사나이의 일기》 등이 있음. 아카데미 프랑세즈 회원. [1890-1978]

게노센샤프트 〔도 Genossenschaft〕 명 ①협동 조합(協同組合). ②협동 사회(社會). 특히, 게르만적(的)인 촌락 협동체(村落協同體)를 이름.

게노스 〔그 genos〕 명 〖역〗 고대 그리스의 씨족의 단위. 프라트리아(phratria)라는 씨족의 단위보다는 작음. 아테네에서는 정통(正統)의 남자는 게노스의 성원(成員)이 됨. 현재, 각 게노스는 귀족의 가계(家系)로 보는 설(說)이 유력함.

게놈 〔genome〕 명 〖생〗 생물이 생존에 필요한 최소한의 유전 정보를 가진 염색체의 한 조(組). 밀은 7개의 염색체가 한 게놈을 구성하는 등, 생물의 종류에 따라 게놈을 구성하는 염색체 수가 다름. 보통 한 개체는 2게놈으로 이루어지며, 3이상인 경우는 그 수에 따라 삼배체(三倍體)·사배체라고 부름. * 배수체(倍數體)·인간 게놈.

게놈 분석【—分析】 명 〔genome-analysis〕 〖생〗 비슷한 점이 많은 생물 사이에 게놈의 같고 다름을 조사하여, 계통과 유연(類緣)을 명백하게 밝히는 조작(操作).

게놈-설【—說】 명 〔genome theory〕 〖생〗 게놈의 개념(概念)을 기초로 하여 유전(遺傳)의 여러 현상을 해석(解析)·설명하려는 입장의 학설.

게누다 타 〈방〉 겨누다(충남·전남·경남).

게:-눈 명 ①〖동〗 게의 눈. 자유 자재로 게딱지의 작은 눈구멍 속으로 움츠러 들어갔다 나왔다 함. ②〖건〗 박공(膊栱) 널이나 추녀 끝에 장식으로 새기는 소용돌이 모양의 무늬.

[게눈 감추듯 한다] 음식을 빨리 먹어 버림을 비유하는 말.

게다¹ 〔일 げた〕 명 일본 사람들이 신는 나막신의 하나. 울이 없고 엄지발가락과 둘째 발가락 사이의 발샅에 나막신 끈을 끼고 신음. 왜나막신.

게:다² 타 ↗게우다.

게:다³ 타 〈방〉 괴다³(충남·전남).

게:다⁴ 타 〈방〉 깁다(강원).

게다⁵ 부 ↗게다가.

게다가 부 ①'거기에다가'의 뜻. ¶ ~ 쓰레기를 버리지 마라. ②그러한 데다가 또, 그 위에. ¶ 키가 크고 ~ 미남이다. 준게다.

게다-짝 〔일 げた〕 명 '게다'의 한 짝. '게다'를 홀하게 이르는 말.

게대기 명 〈방〉 〖동〗 고양이(전남).

게더리 명 〈방〉 〖충〗 구더기(경남).

게:데 〔Gaede, Wolfgang〕 명 〖사람〗 독일의 실험 물리학자. 프라이부르크(Freiburg) 대학·카를스루에(Karlsruhe) 공과 대학 교수를 거쳐 1934년 카이저 빌헬름 협회의 물리학 연구소장이 됨. 회전 펌프·분자(分子) 펌프·확산(擴散) 펌프 등을 발명, 진공 기술(眞空技術)에 공헌함. [1878-1945]

게데기 명 〈방〉 〖동〗 고양이(전남).

게두덜-거리다 자 게걸거리며 두덜거리다. ¶ 오빠는 웅얼웅얼하는 갈라진 목소리로 게두덜거리며 입가에 희게 눌어붙은 침자국을 닦고 싱겁게 또 한번 웃는다《玄鎭健: 無影塔》. 게두덜-게두덜 부. ——하다 자 여불

게두덜-대다 자 게두덜거리다.

게둥:-대둥 부 〈방〉 귀둥대둥.

게드 〔Guesde, Jules〕 명 〖사람〗 프랑스의 사회주의자. 본명은 Mathieu Bazile. 마르크스주의의 보급에 힘쓰고, 1882년 프랑스 노동당 창립을 주도(主導)했으며, 1차 세계 대전 때에는 참전론을 주장하고 거국 일치 내각에 참여하였음. [1845-1922]

게드랭-이 명 〈방〉 겨드랑이(전북·경북)

게드리 명 〈방〉 〖충〗 구더기(경남).

게:-딱지 명 ①게의 등딱지. 갑각(甲殼). * 배갑(背甲). ②집이 작고 허술함을 비유하는 말. ¶ ~만한 초가집.

게:딱지-같다 형 게딱지만하다. ¶ 게딱지같은 판잣집들.

게뚜더기 명 눈두덩 위의 헌데나 상처 자국 때문에 살이 찍어맨 것처럼 된 눈. 또, 그런 사람.

게뚜시 명 〈방〉 게뚜더기.

게뚝 명 〈방〉 굴뚝(경상).

게라¹ 명 〔galley〕 〖인쇄〗 ①활판 인쇄소에서 조판(組版)해 놓은 활자판을 담아 두는 춤이 낮고 모가 진 목판. ②↗게라쇄(刷).

게라² 〔Gera〕 명 〖지〗 독일 중동부(中東部)에 있는 도시. 중세기 이래의 전통적인 직물업 외에 기계 금속 공업이 행하여짐. 10세기 말부터 알려진 옛 도시로서, 16세기의 시청사(市廳舍), 13-16세기의 교회가 있음. [126,000명(1981)]

게라니올 〔geraniol〕 명 테르펜(terpene)에 속하는 알코올의 한 가지. 장미와 같은 향기가 나는 액체. 시트로넬라유(citronella 油)·레몬그라스유(油) 등 각종 정유(精油)에 함유되어 있음. 장미 계통 향료(香料)의 중요한 원료가 됨. [$C_{10}H_{18}O$]

게라-쇄【—刷】 명 〖인쇄〗 교정쇄(校正刷). 준게라.

게라시모프 〔Gerasimov, Aleksandr Mikhajlovich〕 명 〖사람〗 소련의 화가. 초상화를 잘 그림. 소련 화단(畫壇)의 지도적 지위에서 활약, 제2차 대전 후, 소련 예술 아카데미 총재, 소련 미술가 동맹 의장이 됨. 레닌·스탈린 등의 초상화가 유명한데, 제20차 당대회 후에는 개인 숭배를 조장하는 그림이라고 비판을 받음. [1881-1963]

게란 명 〈방〉 계란(강원·충북·경북).

게랄 명 〈방〉 계란(경상).

게랍다 형 〈방〉 ①가렵다(전남·경북). ②괴롭다(경남).

게랭¹ 〔Guérin, Camille〕 명 〖사람〗 프랑스의 세균학자. 1922년 칼메트(Calmette)와 함께 비시지법(B.C.G.法)을 창시함. [1872-1961]

게랭² 〔Guérin〕 명 〖사람〗 ①〔Eugénie de G.〕 프랑스의 여류 문인. 남동생 모리스(Maurice) 앞으로 부친 일기 형태의 편지 《일기》는 내성적(內省的)인 아름다움이 넘쳐 뛰어난 가톨릭 문학으로 평가됨. [1805-48]. ②〔Maurice de G.〕 프랑스의 가톨릭 시인. 범신론적(汎神論的) 자연관·기독교적 신비주의가 특색임. 사후에 발표된 미완성의 산문시 《르 상토르(Le Centaure)》·《라 바캉트(La Bacchante)》 등이 있음. 폐병으로 일찍 죽음. [1810-39]

게랭³ 〔Guérin, Pierre Narcisse〕 명 〖사람〗 프랑스의 화가. 주로 고대 역사에서 제재(題材)를 얻어 극적 작품을 그렸음. 제리코(Géricault, T.)·들라크루아(Delacroix, F.V.E.)의 스승. [1774-1833]

게량-맞다 형 〈방〉 거령스럽다.

게레-치 명 〖어〗 [*Gerres oyena*] 주둥칫과에 속하는 바닷물고기. 몸은 길이 15cm 내외인데, 타원형이며 납작하고 입은 작음. 몸빛은 담회청색이고 배 쪽은 담색인데 몸 전체에 은백색 광택이 강하고 등지느러미 가시부(部) 전반에 흑색 무늬가 있음. 난해성(暖海性) 어종으로, 한국 남해·일본 중부 이남에 분포함.

게-로 조 ↗에게로. ¶ 가고 싶거든 내~ 와서 같이 가자.

게로기 명 〖식〗 모싯대.

게롭다 형 〈방〉 괴롭다(충남·전라·경상·황해).

게루빔 〔라 Cherubim〕 명 〖천주교〗 지품 천사(智品天使).

게르니카 〔Guernica〕 명 ①〖지〗 스페인 북부, 비스케이 만(Biscay 灣) 연안에 가까운 바스크 지방에 있는 도시. 1937년 스페인 내란 때에 독일 공군의 무차별 폭격으로 파괴됨. ②〖미술〗 1937년의 히틀러의 공군(空軍)에 의한 게르니카 폭격의 참상(慘狀)을 그린, 피카소의 일련(一連)의 그림 작품의 총칭. 모두 63점.

게:르다 형 르불 ↗게으르다. >개르다.

게르마늄 〔germanium〕 명 〖화〗 희유(稀有)한 금속 원소의 하나. 1885년 독일의 화학자 빙클러(Winkler)가 독일에서 나는 은(銀)의 광석인 아지로다이트(argyrodite)에서 발견하여, 독일의 라틴 이름 게르마니아(Germania)를 본떠서 명명(命名)한 주석 모양의 회백색의 푸른 결정. 반도체(半導體)로서 결정 정류기(結晶整流器)·트랜지스터·다이오드의 주요 재료로 사용됨. [32번: Ge: 72.59]

게르마늄 정:류기【—整流器】〔—뉴—〕 명 〔germanium rectifier〕 〖전〗 반도체 정류기의 하나. 게르마늄의 PN 접합부의 정류 작용을 이용한 것으로, 저전압(低電壓) 대(大) 전류용임.

게르마니스트 〔도 Germanist〕 명 ①게르만 민족의 언어·역사·법·문학 따위를 연구하는 학자. ②〖법〗 18-19세기, 독일의 역사법학파(歷史法學派)에 속하는 학자 가운데, 게르만법·독일 고유법(固有法)의 연구를 중요시하고 이에 전념한 한 파. 대표적 학자로는, 아이히호른(Eichhorn)·야코프 그림·베젤러(Beseler) 등을 들 수 있음. ↔로마니스트❷.

게르마니아 〔Germania〕 명 ①〖지〗 고대 유럽의 지명. 동쪽은 비스와 강(Wisła 江), 서쪽은 라인 강, 북쪽은 발트 해, 남쪽은 다뉴브 강에 걸치는 지방. 게르만 족이 이곳에 살며 로마를 침범했음. 로마 황제가 자주 이곳을 정복하고 라인 강가에 요새를 만들었으며, 또 장성(長城)을 라인·다뉴브 두 강의 유역에 구축하였음. ②〖책〗 고대 로마의 역사가 타키투스(Tacitus)의 사서(史書). 고대 독일의 지형·습속 및 게르만 여러 민족에 관해 기술하였음. 46(章)으로 이루어지며 98년경에 완성됨.

게르마니쿠스 〔Germanicus, Julius Caesar〕 명 〖사람〗 로마의 장군·정치가. 드루수스(Drusus)의 아들이고, 아그리피나(Agrippina, Vipsania)의 남편. 서기 4년에 백부(伯父)인 제2대 황제 티베리우스(Tiberius)의 양자가 되어 게르마니아 등지에 종군(從軍), 공을 세우고 17년에 개선, 18년 콘술로서 아시아에, 19년에는 이집트로 향했으나, 황제의 질시(嫉視)를 사서 안티오키아에서 독살당했다 함. 공화주의자로 자처(自處)하여, 인자하고 정열적이어서 인망이 높았음. 제3대 황제 칼리굴라(Caligula) 등 9명의 자식이 있음. [15 B.C.-A.D.19]

게르만¹ 〔도 German〕 명 ①아리안(Aryan) 인종(人種)의 한 지족(支族). 원주지(原住地)는 스칸디나비아 반도 남부에서 발트 해(海) 연안 지방이었는데, 기원전 8세기경부터 남하(南下)하여, 유럽 중부의 라인 강과 다뉴브 강에 둘러싸인 삼림 지대(森林地帶)에 살던 미개 민족으로, 수렵(狩獵)과 목축(牧畜)에 종사하고, 극히 호전적(好戰的)이었음. 4세기 후반(後半)에 대이동(大移動)(민족 대이동)을 일으켜 동부·서부·북부의 세 갈래로 갈라져 현대에 이르렀는데, 북부 게르만은 지금의 스칸디나비아 반도의 민족들이고, 서부는 앵글로 색슨 민족·프랑크 민족, 동부는 반달족(Vandal族)·고트족(Goths族) 들임. 키가 크고, 금발(金髮), 파란 눈, 흰 살갗 등을 특징으로 함. ②독일 민족.

게르만² 〔germane, 도 German〕 명 〖화〗 Ge_nH_{2n+2}의 일반식을 갖는 게르마늄의 수소화물의 총칭. n=1-5의 것이 있음. 수소화 게르마늄. ① 일(一)게르만. 모노게르만 또는 일을 생략하여 게르만이라고도 함. 사염화(四塩化) 게르마늄을 테트라히드로알루민산(酸) 리튬($LiAlH_4$)으로 환원시켜 얻는 무색의 기체. 게르마늄 화합물, 특히 유기 유도체(有機誘導體)의 원료가 됨. [GeH_4] ②이(二)게르만(Ge_2H_6)·삼(三)게르만(Ge_3H_8)은 무색의 액체로 열분해(熱分解)되기 쉬우며, 녹는점은 각각 −109℃·−105.6℃, 끓는점은 각각 29℃·110.5℃임.

게르만 민족의 대:이동【一民族一大移動】〔도 German〕〔−/−에−〕 명 민족 대이동.

게르만-법【一法】〔−뻡〕 명 〔도 germanisches Recht〕〖법〗원시(原始) 게르만 민족의 법. 후세에 로마법과 더불어 여러 국가의 법의 중심이 되었음. 동·서·북의 세 계통이 있는데, 북게르만법은 로마법이나 기독교 등 고전 문화의 영향이 적으며, 동게르만법에는 그와 반대로 일찍부터 고전 문화의 영향이 침투되어 있었고, 서게르만법은 둘의 중간에 위치하였음. 관습주의(慣習主義), 상징(象徵)주의, 공법(公法)과 사법(私法)의 미분리(未分離), 단체(團體)주의 등을 특색으로 함.

게르만-어【一語】〔도 German〕 명 〖언〗게르만 사람에 의해서 사용되어 온 언어(言語). *게르만 어파(語派).

게르만 어:파【一語派】 명 〔도 germanische Sprachen〕〖언〗인도 유럽어에서 파생(派生)한 공통(共通) 게르만어에서 다시 분파(分派)하여 발전됐다고 생각되는 언어의 총칭. 동·서·북의 삼대 방언(三大方言)으로 대별되는데, 동게르만어에는 고트어(사어(死語)가 되었음), 북게르만어에는 고대 노르드어(사어가 되었음)를 비롯하여 스웨덴 말·덴마크 말·노르웨이 말·아이슬란드 말 등이 있고, 서게르만어에는 독일어·네덜란드어(語)·영어 등이 있음. 이 어파(語派)의 특징으로서는 그림(Grimm)의 법칙으로 불리는 자음 전이(子音轉移)의 현상이 있음. *게르만어.

게르만적 생산 양식【一的生産樣式】〔도 German〕〔−냥−〕 명 독립된 농민 가족이 세습(世襲)의 집·텃밭 외에, 촌락 공동체의 규제(規制) 밑에 있는 일정한 경지(耕地)를 점유(占有)하고, 다시 촌락의 공유(共有)에 속하는 공동지(共同地)까지도 개별적으로 사용하여 농업을 영위하는 생산 양식. 중세 게르만의 여러 부족(部族)에서 전형적으로 볼 수 있는 것으로, 로마 사회의 유제(遺制)와 더불어 유럽 봉건(封建) 사회를 형성하기에 이름.

게르버 다리 명 〔Gerber bridge〕〖토〗연속교(連續橋)로서 양끝의 지점(支點) 사이에 경첩 구실을 하는 힌지(hinge)가 있는 구조(構造)의 다리. 독일의 토목 기술자 게르버(Gerber, J. G. Heinrich.;1832-1912)의 고안임. 양끝의 지점 부분으로부터 까치발을 내뻗치고, 그 사이에 다른 형구(桁構)를 걸친 것으로, 지반(地盤)이 약하고 교대(橋臺)나 교각(橋脚)이 내려앉을 우려가 있는 경우에 알맞아 강철 다리·철근 콘크리트 다리에 널리 이용됨.

게르비누스 〔Gervinus, George Gottfried〕 명 〖사람〗독일의 역사가. 그의 역사 서술은 당시 독일의 자유주의를 전형적으로 나타내고 있음. 또, 문학을 그 시대의 소산으로서 정치와의 관련에 두고 파악하였음. 주저(主著)는 《19세기사》·《독일 국민 문학사》 등. [1805-71]

게르첸 〔Gertsen, Aleksandr Ivanovich〕 명 〖사람〗러시아의 작가·사상가. 혁명적 민주주의를 제창, 유물론적(唯物論的)인 사상을 바탕으로 문학·철학·사회 과학 등 다방면의 활동을 하였으며, 1848년 이후 파리·런던 등지로 망명하여 활동을 계속하였음. 대표작은 소설 《누구의 죄냐》, 자전(自傳) 《과거(過去)와 사색(思索)》 등. [1812-70]

게르치 명 〖어〗 [*Scombrops boops*] 게르칫과에 속하는 바닷물고기. 몸길이 50cm 가량이고 아래턱이 위턱보다 길고 눈과 입이 크며, 유어(幼魚)에서 성어가 됨에 따라 몸빛이 달라짐. 어릴 때 내만(內灣)이나 얕은 곳에서 서식하고 성어(成魚)는 늘 300-500m 깊이의 심해에 서식하며 산란기에만 얕은 곳으로 이동함. 한국 및 일본 중남부 연해에 분포함. 지방(脂肪)이 풍부하며, 겨울철에는 맛이 좋음. 상피리.

〈게르치〉

게르치다 타 〈방〉 가르치다(경남).

게르칫-과【一科】 명 〖어〗 [Scombropidae] 농어목에 속하는 어류의 한 과. 우리 나라에는 게르치 1종(種)뿐임.

게르트너¹ 〔Gärtner, August〕 명 〖사람〗독일의 위생학자·세균학자. 식중독의 원인이 되는 게르트너균을 발견하였음. [1848-1934]

게르트너² 〔Gärtner, Friedrich von〕 명 〖사람〗독일의 건축가. 19세기 로마네스크 건축의 주창자였음. [1792-1847]

게르트너-균【一菌】〔도 Gärtner〕 명 〖생〗 [*Salmonella enteritidis*] 살모넬라속(屬)의 대표적인 세균인 간균(桿菌). 왕왕 집단적 식중독 발생의 원인이 되며, 격렬한 장염(腸炎)을 일으킴. 1888년에 독일의 세균학자 게르트너(Gärtner, A.)가 발견함. 가축이나 야생 동물에 옮아 널리 퍼짐. 장염균(腸炎菌). * 살모넬라균(菌).

게르하르센 〔Gerhardsen, Einar〕 명 〖사람〗노르웨이의 정치가. 도로 인부 출신으로, 1925년 노동당 서기, 1940년 오슬로(Oslo) 시장이 되었으나 독일군에게 쫓겨 지하 운동 중에 잡혀 독일로 연행됨. 종전 후 오슬로 시장·당 서기장·수상 등을 역임함. 스톡홀름 어필(Stockholm appeal)의 제창자의 한 사람임. [1897-]

게르하르트 〔Gerhardt, Elena〕 명 〖사람〗독일의 여류 가수(歌手). 오라토리오와 리트에 능하였고, 특히 리트는 세계적인 권위로 인정받았음. [1883-1961]

게를라흐 〔Gerlach, Walther〕 명 〖사람〗독일의 물리학자. 뮌헨 대학 교수. 근대 양자론(量子論)의 실험적 연구에 종사하여, 1922년 슈테른(Stern)과 함께 '슈테른 게를라흐 효과(效果)'를 증명했음. [1889-1979]

게:름 명 ↗게으름. >개름.
게:름(을) 부리다 구 ↗게으름(을) 부리다.
게:름(을) 피우다 구 ↗게으름(을) 피우다.

게:름-뱅이 명 ↗게으름뱅이. >개름뱅이.

게:름-쟁이 명 ↗게으름쟁이. >개름쟁이.

게리¹ 〔Gary〕 명 〖지〗미국 북동부 인디아나 주 북서쪽의 철강업 도시. 미시간 호 남안(南岸)에 위치하여, 시카고 대도시권(大都市圈)에 포함됨. 1906년 이래 유 에스(US) 스틸 회사의 주력 공장의 소재지(所在地)로 발전, 이름도 당시의 그 회사 사장 게리(Gary, E.H.)에 연유(緣由)함. [116,646명(1990)]

게리² 〔Gary, Elbert Henry〕 명 〖사람〗미국의 법률가·실업가. 유 에스 스틸 회사의 창립에 관여하고 뒤에 그 사장이 됨. [1846-1927]

게리다 타 〈방〉 고르다(경남).

게리맨더링 〔gerrymandering〕 명 〔1812년에 게리(Gerry, E.)가 매사추세츠 주지사로 있을 때 무리하게 고친 선거구의 모양이 salamander 곧 도롱뇽과 비슷하였던 데서 유래〕 정당(政黨)이 자당(自黨)에 유리하도록 선거구(選擧區)를 개정하는 일.

게리 시스템 〔Gary system〕 명 〖교〗게리식(式) 학교 운영 방식. 1908년 경부터 미국의 게리 시(市)에 실시된, 초대 교육장(敎育長) 워트(Wirt, W.:1874-1938) 박사의 교육관(觀)에 의거하는 학교 운영 방식으로, 취학 아동의 급증(急增)에 대처하기 위하여 작업·체육·유희 등의 특별 과목을 중시하고 학교의 전체 시설을 유효하게 이용함을 노렸음. 교육 사상의 한 실험으로 끝났지만, 새 교육 운동의 선구가 된 점에서 인정을 받을 만함.

게리케 〔Guericke, Otto von〕 명 〖사람〗독일의 정치가·물리학자. 1646년부터 1681년까지 고향인 마그데부르크 시(市)의 시장을 지냄. 1654년에는 진공 펌프를 만들어 마그데부르크 반구(半球)의 실험을 공개하였음. 또, 기압의 높낮이가 날씨에 관계함을 알아 내어 종종 폭풍우를 예언하였으며, 회전하는 황(黃)공을 마찰하여 정전기(靜電氣)를 발생시키는 기전기(起電機)를 처음으로 만들었음. [1602-86]

게릴라 〔스 guerilla〕 명 〔원뜻은 소규모의 전쟁이라는 뜻으로 나폴레옹 1세의 스페인 정복 당시 스페인군이 흔히 사용한 전법(戰法)에서 유래〕 ①정규군(正規軍)이 아니고 유격전(遊擊戰)에 종사하는 소부대 또는 전투원(戰鬪員). 유격대(遊擊隊). ②일정한 진지 없이 불규칙적으로 하는 유격전. 또, 그 전법(戰法).

게릴라-전【一戰】〔guerilla〕 명 〖군〗유격전(遊擊戰).

게릴라 전:술【一戰術】〔guerilla〕 명 〖군〗유격전(遊擊戰)으로 싸우는 술법.

게마인-샤프트 〔도 Gemeinschaft〕 명 공동 사회. ↔게젤샤프트.

게:맛-살 명 '맛살'을 게의 맛이 나게 만들었다 하여 일컫는 딴이름.

게:목¹ 명 듣기 싫은 목소리. ¶형보는 그새 아픔이 신간했던지, 떠나가게 ~을 지른다《蔡萬植 : 濁流》.

게:목² 명 〖식〗↗거여목.

게:목-나물 명 거여목의 줄기를 살풋 쪄서 무친 나물. 목숙채(苜蓿菜).

게바라 〔Guevara, Ernesto Che〕 명 〖사람〗아르헨티나 태생의 쿠바 정치가. 1953년 부에노스아이레스 의과 대학을 졸업한 후, 라틴 아메리카 여러 나라의 혁명 운동에 참가하였음. 1954년 멕시코로 망명, 카스트로(Castro)와 알게 되어, 카스트로 정권의 공업상(相)으로 있다가 1967년 볼리비아군의 게릴라 소탕전에서 사망하였음. [1928-67]

게:박【憩泊】 명 쉬어 머무름. 머물러 휴식함. ──-하다 자 여불

게:-박쥐나물 명 〖식〗 [*Cacalia adenostyloides*] 국화과에 속하는 다년초. 줄기 높이 60cm 내외이고, 잎은 호생하며 유병(有柄)이고, 막질(膜質)의 신장형(腎臟形)임. 6-9월에 흰 관상화(管狀花)로 된 두화(頭花)가 원추 화수(圓錐花穗)로 피고, 과실은 수과(瘦果)임. 깊은 산의 나무 그늘에 나는데 백두산에 분포함. 어린 잎은 식용함.

〈게박쥐나물〉

게:발비듯-하다 자 여불 게가 발놀림하듯 하다. ¶들병장수 3년에 벗겨둔 아낙 앞에서 게발비듯하는 사내는 처음 보았고, 그 체통이 또한 가소롭기 그지없었다《金周榮 : 客主》.

게:발-선인장【一仙人掌】 명 〖식〗 [*Zygocactus truncactus*] 선인장과에 속하는 다년초. 브라질 원산의 관상 원예 식물. 높이는 30-50cm, 줄기의 마디가 사방으로 벋은 모양이 게발과 비슷함. 2-3월에 마디 끝에 길이 5cm, 직경 3-4cm의 선명한 자홍색 관상화(管狀花)가 피는데 꽃의 수명은 3-5일간임. 꽃잎은 20개이며 3층을 이룸.

게:발톱-표【一標】 명 큰따옴표. *새발톱표.

게:방【揭榜】 명 방문을 내어 붙임. ──-하다 타 여불

게법다 형 〈방〉 가볍다(전북).

게:부 입연【揭斧入淵】 명 도끼를 들고 물에 들어간다는 뜻으로, 쓸데없는 짓을 함을 비유하여 이르는 말.

게:-불 명 게살을 치고 밤에 게를 꾀어 들이기 위해 켜는 횃불.

게브 〔Gev〕 명 〖전〗기가(giga) 전자(電子) 볼트, 곧 10억 전자 볼트의 일컬음. 제브. 베브(Bev).

게비 명 〈방〉 호주머니(경남).

게:사니 명 〈방〉 〖조〗거위¹(경기·강원·황해·함경·평안).

게:-살¹ 명 게의 살. 또, 게의 살을 말린 식품.

게:-살² 명 게를 잡기 위하여 치는 어살.

게상이 명 〈방〉 〖조〗거위¹(함남).

게생이 명 〈방〉 〖동〗고양이(경상).

게서[1] 조 ↗에게서. 받침 없는 말의 밑에 쓰임. ¶ 내～ 가져 간 책이다.

게서[2] 준 거기에서. ¶ ～ 놀아라.

게:-성운【一星雲】명〔Crab Nebula〕〖천〗1054년에 폭발한 초신성(超新星)의 잔해(殘骸)로 여겨지는 은하계(銀河系) 안의 성운. 황소자리에 있는데, 모양이 게딱지 비슷함. 현재 초신성(超新星)의 잔해로 생각되고 있는 세 개의 성운 중 가장 유명함. 행성상 성운(行星狀星雲)과 흡사하나 팽창 속도가 매초 1,300km로 극히 큰 점, 전자 온도(電子溫度)가 50,000°C로 높은 점, 전질량이 태양의 15배나 되는 점 등이 다름. 매우 강력한 전파원(電波源)임이 밝혀져 주목되고 있음. 거리 7,200광년. 기호 M 1.

게:송【偈頌】명〖불교〗외기 쉽게 게구(偈句)로 지어 부처의 공덕(功德)을 찬미(讚美)하는 노래. ＊가타(伽陀)·범패(梵唄).

게:수 명〈방〉못. 연못(평안).

게슈빈트〔도 geschwind〕명〖악〗'급하고 빠르게'의 뜻.

게슈타포〔도 Gestapo〕명〔Geheime Staatspolizei의 약칭〕반(反)나치스 운동 단속의 목적으로 설치한 나치스 독일의 비밀 국가 경찰. 1933년 창설되어, 독재 체제 강화를 위하여 맹위(猛威)를 떨쳤음.

게슈탈트〔도 Gestalt〕명〖심〗형태(形態)❸.

게슈탈트 심리학【一心理學】〔도 Gestalt〕〔一니一〕명〖심〗형태(形態)「심리학.

게스너〔Gesner, Konrad von〕명〖사람〗스위스의 박물학자·의사. 취리히·파리 등에서 배움. 박물학·의학 외에 고전어(古典語)에도 조예가 깊으며, 당시까지의 지식을 집대성(集大成)한 《동물사(動物史)》5권을 지음. 또, 처음으로 식물 분류에서 잎보다도 생식 기관을 중시함. 페스트가 유행했을 때 의사로서 활약하다가, 그 병으로 죽음. [1516-65]

게스트〔guest〕명 손님. 객(客).

게스트 멤버〔guest member〕명 객원(客員). 임시 출석자. ↔레귤러 멤버(regular member).

게슴츠레 부 거슴츠레. ——-하다 형여불

게:시【揭示】명 공중(公衆)이나 관계자에게 알리기 위하여 내어 걸거나 붙이어 보게 함. 또, 그 글. ——-하다 타여불

게시랑 명〈방〉〖동〗지렁이(전북).

-게시리 어미 ☞-게끔.

게:시-문【揭示文】명 게시한 글.

게:시-물【揭示物】명 게시한 물건.

게:시-장【揭示場】명 게시하는 곳.

게:시-판【揭示板】명 게시(揭示)를 붙이게 만든 판대기. 게시 사항을 쓰는 판. 게판(揭板).

게:식【憩息】명 잠깐 쉬어 숨을 돌림. 휴식(休息). ——-하다 자여불

게:실【憩室】명〖의〗식도(食道)·위·장 등 소화기의 벽면 일부에 오목꼴로 팬 비정상적인 곳. 음식의 소화물(消化物)이 이곳에 괴는 수가 있음.

-게사 어미〈옛〉-게 되어서야. ＝-게아. ¶ 히디나게사 지비 오니(經年至茅屋)《初杜諺 I:5》. ＊-사.

-게아 어미〈옛〉-게 되어서야. ＝-게사. ¶ 히디나게아 지비 오니(經年至茅屋)《重杜諺 I:5》.

게:-아재비 명〖충〗〔*Ranatra chinensis*〕장구애빗과에 속하는 곤충. 몸길이 43mm 내외이고, 몸은 가늘고 길며, 회갈색 또는 황갈색임. 앞다리는 포획각(捕獲脚)이고 배의 끝에는 몸길이와 거의 같은 길이의 한 쌍의 긴 호흡기(呼吸器)가 있음. 반시초(半翅鞘)는 가늘고 복단에까지 달하지 아니함. 못·늪에서 어린 물고기·곤충의 유충 따위를 잡아먹음. 밝은 날에는 날기도 함. 한국·일본·중국에 분포함.

〈게아재비〉

게알밧다 형〈방〉게으르다(경북).

게:알-젓 명 게의 알로 담근 젓.

게:알 탕:건【一宕巾】명 썩 곱게 떠서 만든 탕건.

게암: 명〈방〉개암❶(경남).

게:양【揭揚】명 높이 걺. ¶ 국기 ～. ——-하다 타여불

게:양-대【揭揚臺】명 기(旗) 같은 것을 게양하기 위하여 높이 만들어 놓은 대. ¶ 국기 ～.

게어내다 타〈방〉게우다(경남).

게엄ᄆᆞᆷ 명〈옛〉시기심(猜忌心). 검은 마음. ¶ 믄득 게엄ᄆᆞᆷ을 브려(便使黑心)《朴解 下 18》.

게여목 명〈옛〉겨여목. ¶ 볽게여목 먹고 술지니(肥春苜)《杜諺 XXI:24》.

게여붐 형〈옛〉큼직하고 너그럽고 꿋꿋함. '게엽다'의 명사형. ¶ 聰明ᄒᆞ며 智慧ᄅᆞ 빌며 勇猛코 게여부미 큰 力士 ᄀᆞᄐᆞ니도 이시며《釋譜 IX:38》.

게여본 형〈옛〉큼직하고 너그럽고 꿋꿋한. '게엽다'의 활용형. ¶ 丈夫는 게여본 남지니니《釋譜 IX:3》.

게염 명 부러워하고 샘내서 탐내는 욕심. ＞개염.

게염(이) 나다 구 게염이 마음에 생기다. ＞개염(이) 나다.

게염(을) 내:다 구 게염의 마음을 가지다. ＞개염(을) 내다.

게염(을) 부리다 구 게염을 행동으로 나타내다. ＞개염(을) 부리다.

게염-스럽다 형ㅂ불 게염 내는 마음이 있어 보이다. ＞개염스럽다. 게염-스레 부

게엽다 형〈옛〉크고 너그럽고 꿋꿋하다. ＝게엻다. ¶ 勇猛코 게여보미 큰 力士 ᄀᆞᄐᆞ니도 이시며《月釋 IX:20》/雄毅ᄂᆞᆫ 게엽고 놀날씨라《楞嚴 VIII:70》.

게엻다 형〈옛〉크고 너그럽고 꿋꿋하다. ＝게엽다. ¶ 丈夫는 게여본 남지니니《釋譜 IX:3》.

게오 명〈옛·방〉거위[1](충남). ¶ 구은 게오와 ᄢᅵᆫ 기름에 지진 ᄃᆞᆰ과(燒鵝白煠鷄)《朴解 上 5》.

게오르게〔George, Stefan〕명〖사람〗독일의 서정(抒情) 시인. 프랑스 상징주의의 영향 하에 당시의 자연주의적 경향을 반대하고 예술 지상주의(至上主義)를 주장하여 새로이 '게오르게파'를 형성하였음. 작품에 시집《영혼의 한 해》·《맹약(盟約)의 별》·《생(生)의 융단(絨緞)》·《새로운 나라》등이 있음. [1868-1933]

게오르규〔Gheorghiu, Constantin Virgil〕명〖사람〗루마니아의 소설가. 《이십오시(二十五時)》로 현대 서구 사회의 국면을 상징적으로 표현하였음. 프랑스에 살면서, 《제2의 찬스(chance)》등을 내었음. 획일주의와 기계 문명을 비판하고, 인간의 위기를 주장함. 한국에도 다녀간 바 있음. [1916-92]

게오르기우-데지〔Gheorghiu-Dej, Gheorghe〕명〖사람〗루마니아의 정치가. 일찍부터 노동 운동에 참가, 제2차 대전 때에는 반독(反獨) 투쟁을 지도했으며 1945년에 공산당 서기장, 1948년 사회당·공산당 합동 후에 노동자당 서기장이 되고 1952년 이후 수상·국가 평의회 의장을 지냄. [1901-65]

게오르기우스〔Georgius〕명〖사람〗로마의 군인·순교자·성인(聖人). 디오클레티아누스(Diocletianus) 황제의 박해로 참수(斬首)됨. 카파도키아(Cappadocia)의 솔비오스(Solbios) 왕의 서울 라시아에서 못된 용(龍)을 무찌르고 공주를 구해 내어, 그 나라를 기독교로 개종(改宗)시켰다는 전설은 유명함. 영국인·제노바인의 수호 성인(守護聖人)이며, 러시아인의 군대의 수호자로 되어 있음. [270?-303]

게오르크 이:세【一二世】〔Georg II〕명〖사람〗독일의 작센 마이닝겐 공(Sachsen Meiningen 公). 마이닝겐 궁정(宮廷) 극장의 전속 극단으로 '마이닝겐 극단'을 창설하여 주재(主宰)하고, 스스로 연출·장치를 맡았는데, 그 극단으로 국내외를 순회 공연하여 유럽 연극계에 커다란 발자취를 남기고, 근대극 운동에 큰 영향을 끼쳤음. 게오르크 태공(太公). [1826-1914; 재위 1866-1914]

게오르크 태공【一太公】〔Georg〕명〖사람〗게오르크 이세.

게오리 명〈옛〉거위와 오리. ¶ 萬頃蒼波之水에 둥둥 ᄯᅥᆺᄂᆞᆫ 부략금이 게오리들아《古時調》.

게오폴리티:크〔도 Geopolitik〕명〖지〗지정학(地政學).

게옹〔Ghéon, Henri〕명〖사람〗프랑스의 극작가. 본명 Henri Léon Vaugeon. 종교극(宗教劇)에서, 중세(中世)의 민중의 소박한 신앙을 현대에 재생(再生)하는 데 노력하였음. 대표작《계단 밑의 가난뱅이》. [1875-1944]

게와[1] 명〈방〉기와[1](경북·평안).

게와[2] 명〈방〉호주머니(제주).

게우[1] 명〈방〉거위[1](경기·강원·충청·전북·경상).

게우[2] 명〈방〉겨우(강원·전남·경상).

게우기 명〈방〉거위[1](강원).

게우다 타 ①먹었던 것을 삭이지 못하고 도로 입 밖으로 내어 보내다. 토하다. ②이유(理由)에 닿지 아니하게 차지하였던 남의 재물을 도로 내어 놓다. 토하다. 준게다.

게우랑[1] 명〈방〉개울(전남).

게우랑[2] 명〈방〉호주머니(제주).

게우루다 형〈방〉게으르다(충북·전남).

게우르다 형〈방〉게으르다.

게우리 명〈방〉거위[2](제주).

게우-배 명〈방〉거위배(평안).

게우-벌레 명〈방〉밤바구미.

게울[1] 명〈방〉거울(전남·함남)

게울[2] 명〈방〉개울(충남).

게울루다 형〈방〉게으르다(충남·전라).

게울릅다 형〈방〉게으르다(전북).

게움 명〈옛〉게염. ¶ 게움 싀(猜)《類合 下 31》.

게위 명〈방〉거위[1](충북·제주).

게유 명〈옛〉거위[1]. ＝겨유. ¶ 게유 구으니와(燒鵝)《朴解 上 5》.

게유목 명〈옛〉겨여목. ¶ 게유목 목(苜), 게유목 슉(蓿)《字會 上 14》.

게으르다 형르불 행동이 느리고 움직이기를 싫어하는 성미와 버릇이 있다. 준게르다. ＞개으르다. ↔부지런하다.

【게으른 년이 삼가래 세고, 게으른 놈이 책장 센다】'삼가래 세고'는 '대마(大麻) 곧 삼을 찢어 베를 놓다가 헤아려 보고'의 뜻으로, 일에는 마음에 없고 빨리 그만두고 싶은 생각만 함을 이름. 【게으른 놈 짐 많이 진다】'게으른 말 짐 탐한다'와 같은 뜻. 【게으른 말 짐 탐한다】게으른 사람이 일하기 싫어 한번에 많이 해치우려고 하거나 능력도 없으면서 지나치게 탐함을 빈정대서 이르는 말. 게으른 놈 짐 많이 진다. 【게으른 선비 설날에 다락에 올라가서 글 읽는다】게으른 자가 분주한 지경에 이르러 부지런한 체한다는 말. 【게으른 선비 책장 넘기기】글 읽는 데는 마음이 없이, 얼마나 읽었나, 얼마나 남았나 하고 책장만 뒤지고 있듯이, 그 일에서 벗어날 궁리만 함을 이르는 말. 【게으른 여편네 아이 핑계하듯】꾀를 부리고 핑계하며 일을 하지 아니하는 모양.

게으름 명 게으른 습성(習性)이나 태도. 태타(怠惰). 준게름. ＞개으름.

게으름(을) 부리다 구 게으른 행동을 하다. 준게름(을) 부리다.

게으름(을) 피우다 구 게으른 습성(習性)이나 태도를 나타내다. 준게름(을) 피우다.

게으름-뱅이 명〈속〉게으름쟁이. 준게름뱅이. ＞개으름뱅이.

게으름-쟁이 명 습성(習性)과 태도가 게으른 사람. 완낭(緩囊). 준게름쟁이. ＞개으름쟁이.

게으리 부〈옛〉게을리. ¶ 봆 굴며기ᄂᆞᆫ ᄇᆡ 避ᄒᆞ몰 게으리ᄒᆞ나다(春鷗懶避船)《重杜諺 II:15》.

게으스리넝쿨 명〈옛〉겨우살이덩굴. ¶ 게으스리넝쿨(忍冬)《鄕藥》.

게으쭈루 감〖역〗조선 시대 때, 병조 판서(兵曹判書)·각 영문(營門)의 대장·각 관찰사(觀察使)·병마 절도사(兵馬節度使)·수군(水軍) 절도사, 그 밖에 병권(兵權)을 가진 고관의 행차에 호위하는 순령수(巡令手)가

벽제(辟除)하던 소리. *에우쭈루.
게을러-빠지다 [형] 몹시 게으르다. [준]겔러빠지다. >개을러빠지다.
게을러-터지다 [형] 게을러빠지다. [준]겔러터지다. >개을러터지다.
게을르다 [형] 〈방〉 게으르다(경기·강원·충청·전남·제주).
게을리 [부] 게으르게. [준]겔리. >개을리.
게을밧다 [형] 〈방〉 게으르다(경남).
게을오다 [형] 〈옛〉 게으르다. ¶興이 오매 게을올 餘暇ㅣ 업서(興來不暇懶)《杜諺 XXII:1》.
게을움 [명] 〈옛〉 게으름. ¶내의 게을우미 이 眞性인디 아ᄂᆞ니라(知余懶是眞)《杜諺 X:5》.
게을이 [부] 〈옛〉 게을리. 게으르게. ¶두 하ᄂᆞᆯ 너무 게을이 便安ᄒᆞ고《釋譜 VI:36》/옷 ᄀᆞ외 니브믈 게을이 ᄒᆞ노라(懶衣裳)《杜諺 VII:5》.
게을타 [형] 〈방〉 게으르다(경남).
게이[1] 〔Gay, Edwin Francis〕 [명] 〖사람〗 미국의 경제사학자. 미시간 대학에서 수학한 후 1890-1902년 유럽에 유학. 영국에서 제1차 인클로저(enclosure)에 관한 연구를 발표하여, 오늘날의 통설(通說)의 기초를 닦았음. 1902년 베를린에서 학위를 얻고 귀국, 하버드 대학 교수를 지냄. 신중한 성격 때문에 업적(業績)은 적었으나, 미국 경제사학계의 아버지로 추앙됨. [1867-1946]
게이[2] 〔Gay, John〕 [명] 〖사람〗 영국의 시인·극작가. 양복점의 점원으로 있으면서 시를 쓰고, 또 사회의 부패 모순을 풍자한 경묘한 3막(幕)의 발라드오페라(ballad-opera) 《거지 오페라》를 내어 명성을 얻고, 이후 많은 희극을 써서 영국 오페라 희극(opera喜劇)의 선구를 이루었음. [1685-1732]
게이-뤼삭 〔Gay-Lussac, Joseph Louis〕 [명] 〖사람〗 프랑스의 화학자·물리학자. 소르본(Sorbonne) 대학 교수. '게이뤼삭의 제1법칙'인 '샤를의 법칙'을 발견하고, 1804년에는 기구(氣球)로 7,000 m 상공까지 올라가 자기(磁氣)·공기 성분(成分)의 연구를 하였으며, 1809년에는 게이뤼삭의 제2법칙으로 불리는 '기체 반응의 법칙'을 확인하였음. 또, 연실법(鉛室法)에 의한 황산 제조에 있어서 '게이뤼삭탑(塔)'을 고안하였음. [1778-1850]
게이뤼삭-산 【一酸】 [명] 〔Gay-Lussac acid〕 〖화〗 황산 제조를 목적으로 하는 연실법(鉛室法)에서의 게이뤼삭탑의 생성물. 황산과 질소 산화물의 혼합물임.
게이뤼삭의 법칙 【一法則】 〔—/—에—〕 [명] 〔Gay-Lussac law〕 〖물〗 게이뤼삭이 세운 두 가지의 법칙. 기체의 온도와 부피 및 압력과의 관계를 나타내는 것으로, 제1법칙은 '샤를의 법칙', 제2법칙은 '기체 반응의 법칙'이라고 함.
게이뤼삭-탑 【一塔】 [명] 〔Gay-Lussac tower〕 〖화〗 연실(鉛室) 황산(黃酸) 제조법에서, 마지막 연실로부터의 가스 속의 질소 산화물(酸化物)을 회수하기 위하여 마련한 납을 입힌 탑. 1827년에 게이뤼삭이 고안해 냄.
게이르다 [형] 〈옛〉 게으르다. =게이ᄅᆞ다. ¶ᄆᆞᅀᆞᆷ노하 게이르며(放逸懈怠)《龜鑑 下 35》.
게이ᄅᆞ다 [형] 〈옛〉 게으르다. =게이르다. ¶道애 게이른 사ᄅᆞᄆᆞᆫ(於道懈怠者)《龜鑑 下 41》.
게이블 〔Gable, Clark〕 [명] 〖사람〗 미국의 영화 배우. 야성적인 연기가 특색임. 1934년에 《어느 날 밤에 생긴 일》로 아카데미 주연상을 받았음. [1901-60]
게이서 〔Geysir〕 [명] 〖지〗 '가이저[2](Geysir)'의 영어식 이름.
게이세리쿠스 〔Geisericus〕 [명] 〖사람〗 반달(Vandal)의 왕. 민족 대이동 때 반달족을 인솔하여 이베리아 반도에서 북아프리카에 침입, 카르타고를 약취(掠取)하여 439년 반달 왕국을 건설하였음. 다시 시칠리아·코르시카 등 동지중해(東地中海)의 섬들을 정복하고, 로마 시를 약탈함. 그리스 방면을 침략하여 비잔틴 제국을 압박하였음. [390?-477; 재위 428-477]
게이시르 〔Geysir〕 [명] 〖지〗 북대서양 아이슬란드의 수도 레이캬비크(Reykjavik)의 동북에 있는 유명한 간헐 온천(間歇溫泉). 열탕(熱湯)의 분출 주기(噴出週期)는 해에 따라 다름.
게이지 〔gauge〕 [명] ① 〖공〗 표준 치수. 표준 규격(規格). 또, 그 검사에 쓰이는 계기(計器)의 총칭. ②철도의 궤간(軌間). ¶표준 ~는 1435mm, 그 이상을 광궤(廣軌), 그 이하를 협궤(狹軌)라 일컫는다. ③풍속계(風速計)·압력계(壓力計), 그 밖에 치수·용적(容積)·수량(數量) 등을 헤아리는 기계. ④〖인쇄〗 조판(組版)의 넓이와 길이의 치수를 정하는 일. ⑤편물에서, 일정한 치수 중의 코의 수. 또, 편물 기계의 바늘의 밀도(密度)를 나타내는 단위 구간(單位區間)의 바늘의 수. 보통, 1인치 반폭(幅)에 있는 코수를 가리킴.
게이지 글라스 〔gauge glass〕 [명] 〖기〗 용기(容器) 안에 들어 있는 액체, 특히 기차·기선 등의 보일러 속에 있는 물의 수위(水位)를 알기 위하여 장치하는 수면계(水面計)로 쓰는 유리관(管).
게이지 변:환 【一變換】 [명] 〔gauge transformation〕 〖물〗 전자기학(電磁氣學)에서, 전자기 퍼텐셜(potential)에 대한 게이지 부여 방법을 변환하는 일. 일반적으로 힘의 장(場)의 퍼텐셜에 있어서 게이지 변환과 동시에, 장(場)과 상호 작용을 하는 입자(粒子)의 파동 함수(波動函數)의 위상(位相)도 변함.
게이지 보손 〔gauge boson〕 [명] 〖화〗 게이지 입자(粒子).
게이지 불변성 【一不變性】 〔—썽〕 [명] 〔gauge-invariance〕 〖물〗 게이지 변환에 관하여, 이론 형식이 불변인 성질. 양자 전자기학(量子電磁氣學)에서는 게이지 불변성으로부터 전하(電荷)의 보존 법칙이 도출(導出)되며, 일반적으로는 게이지 불변성으로 상호 작용에 대한 세기의 보존 법칙을 이끌어 낼 수 있음.
게이지 압력 【一壓力】 〔—녁〕 [명] 〔gauge pressure〕 〖물〗 대기압을 표준으로 하여 잰 압력. 실용(實用)에 쓰이는 것으로, 보통, 압력 게이지에 표시되는 압력이 이것임. 절대 압력으로 환산하려면 그 때의 대기압을 가산(加算)하면 됨. ↔절대 압력(絕對壓力).
게이지 이:론 【一理論】 [명] 〔gauge theory〕 〖화〗 소립자의 상호 작용에 관한 기본적인 이론. 어떤 종류의 대칭성(對稱性) 및 보존성을 유도하는 절차가 시공(時空)의 각점(各點)에서 독립적으로 행하여진다는 기본적인 요청(要請)으로서 확장된 이론.
게이지 입자 【一粒子】 [명] 〔gauge particle〕 〖물〗 소립자 간에 작용하는 힘을 매개(媒介)하는 스핀(spin) 1의 보손(boson)을, 게이지 이론의 입장에서 일컫는 말. '전자기(電磁氣) 상호 작용'·'약(弱)한 상호 작용'·'강(強)한 상호 작용'을 하는 광자(光子)·위크 보손(weak boson)·글루온(gluon)이 게이지 입자임. 게이지 보손.
게이징 〔gauging〕 [명] 〖물〗 물질이 흡수하는 방사선량에 의해, 두께·밀도·양 등을 측정하는 일.
게이츠헤드 〔Gateshead〕 [명] 〖지〗 영국 잉글랜드 북동부, 타인 강(Tyne江)의 남안, 뉴캐슬(Newcastle) 대안의 공업(工業) 도시. 노섬벌랜드(Northumberland)·더럼(Durham)의 탄전(炭田)을 끼고, 석탄 외에 조선(造船)·기관차·유리·화학 공업 등과 제분업이 성함. [212,000명(1981 추계)]
게이터 〔gaiter〕 [명] '게트르'의 영어 이름.
게이트 〔gate〕 [명] ①여닫는 문. ②댐·수로(水路)의 수문(水門). ③굴로 된 문. ④비행장에서, 승객이 오르내리는 데. ⑤경마장에서, 출발 순간까지 말을 가둬 두는 칸. 출발 신호와 함께 일제히 열림. ⑥유료(有料) 도로의 요금 징수소(徵收所)의 차량 도로. ⑦〖전〗 게이트 회로. ⑧〖전〗 사이리스터(thyristor)·전기장 효과(電氣場效果) 트랜지스터 등의 제어 전극(制御電極).
게이트-볼: 〔gate+ball〕 [명] 3인 또는 5인 편성의 2팀이 나무공을 T자 모양의 스틱으로 때려 3개의 문을 차례로 통과시켜 골대에 맞히는 경기. 일본에서 고안된 고령자용 스포츠임.
게이트스컬 〔Gaitskell, Hugh Todd Naylor〕 [명] 〖사람〗 영국의 정치가·경제학자. 대학 교수로 정계에 투신, 1945년 노동당 하원 의원으로 당선, 당내 우파(右派)에 속하여 애틀리 노동당 내각에서 석유 동력상(石油動力相)·경제상·재무상을 역임하고, 1955년 이래 애틀리의 뒤를 이어 노동당(勞動黨) 당수를 지냄. [1906-63]
게이트-키:퍼 〔gatekeeper〕 [명] 〔문지기라는 뜻〕 ①신문·잡지·방송 등에서, 뉴스나 기사를 취사 선택하는 부서(部署)의 담당자. ②특정 지역이나 집단 안에서 상품 구입을 비롯한 생활 습관 등에 대하여 의견을 조성(造成)하는 과정에서 결정적인 영향력을 갖는 사람.
게이트 회로 【一回路】 [명] 〔gate circuit〕 〖전〗 입력 신호의 절단·접속을 행하는 회로. 컴퓨터에서 이론(理論) 계산을 하기 위한 회로로 이용됨. 게이트.
게인즈버러 〔Gainsborough, Thomas〕 [명] 〖사람〗 영국의 화가. 아카데미(Academy) 회원. 솔직하고 기품이 있으며 독특한 색채의 솜씨는 당대 굴지의 풍경 및 초상화가로 꼽힘. 《푸른 옷의 소년》·《조지 3세 일가의 초상》 등이 유명함. [1727-88]
게인풀 〔Gainful〕 [명] 〖군〗 소련의 지대공 미사일. 고체 연료를 사용하며, 궤도 차량에 3연장(連裝)함. 길이 5.8m, 지름 34cm, 고도는 100-18,000 m, 사정 거리는 29km임. 미국의 호크(Hawk)와 같은 수준의 것임.
게일[1] 〔Gale, James Scarth〕 [명] 〖사람〗 캐나다의 선교사. 1888년 내한(來韓)하여 선교하는 한편, 아펜젤러·언더우드 등과 협력하여 성경의 한역(韓譯)에 종사하고, 1898년에 최초의 《한영 사전》을 편찬·출판하였음. 그 밖에 《춘향전》·《구운몽》·《심청전》·《홍부전》을 영역하였음. 한국명은 기일(奇一). [1863-1937]
게일[2] 〔Gale, Zona〕 [명] 〖사람〗 미국의 여류 소설가·극작가. 농촌의 봉건성(封建性)에 저항하는 새로운 여성을 묘사한 장편 소설 《미스 룰루 베트(Miss Lulu Bett)》의 극화(劇化)로 1921년 퓰리처 상(Pulitzer賞)을 받음. [1874-1938]
게임 〔game〕 [명] ①유희(遊戲). ②경기(競技). 시합(試合). ③한 경기 중의 한 판의 승부(勝負). ④테니스에서, 상대자가 3점을 얻기 전에 4점을 얻은 경우 또는 듀스 후에 상대자보다 2점을 더 얻었을 경우를 이르는 말.
게임-기 【一機】 〔game〕 [명] 소형 컴퓨터를 이용하여 게임을 즐길 수 있도록 만든 전자 장치.
게임 메이커 〔game maker〕 [명] 놀이·경기에서, 실마리를 풀어 가는 중심적인 선수.
게임 세트 〔game set〕 [명] ①테니스에서, 게임과 동시에 세트가 끝남. ②야구나 배구 또는 연식(軟式) 정구에서, 승부가 끝남. 시합 종료.
게임스 올: 〔games all〕 [명] 테니스에서, 경기 진행 중의 양팀이 다 같이 다섯 판씩 이긴 경우를 일컫는 말.
게임의 이:론 【一理論】 〔—/—에—〕 [명] 〔theory of game〕 어느 환경에 있어서 인간의 행동의 합리성에 관하여 게임을 모델로 하여 추구하는 수학적 이론. 수학자 폰 노이만(Von Neumann, L.L.)과 경제학자 모르겐슈테른(Morgenstern, C.)에 의해 경제 이론에 도입되었으며, 오늘날에는 정치·경제·군사(軍事)·심리학(心理學) 등 분야에까지 응용되고 있으며, 특히 경제학 분야에서는 1994년, 이 이론에 대한 연구로 하사니(Harsanyi, J.) 등 3명이 노벨상을 수상하였음.
게임-차 【一差】 [명] 〔game behind〕 프로 야구에서 각 팀의 순위의 차를 시합의 수로 표시한 승차(勝差).
게임 카운트 〔game count〕 [명] 테니스·탁구·배구에서, 한번의 승부가 난 점수.
게임 포인트 〔game point〕 [명] 탁구·배드민턴 따위 경기에서, 그 게임의 승패가 결정되는 중대한 득점(得點).
게:-자리 [명] 〔라 Cancer〕 〖천〗 황도상(黃道上)의 제5성좌. 쌍둥이자리

와 사자자리와의 사이에 있음. 3월 하순의 초저녁에 남중(南中)함. 약자 : Cnc.

게:-장【一醬】명 ①게젓. 해황(蟹黃). 해서(蟹胥). ②게젓을 담근 간장.

게:재【揭載】명 글이나 그림 같은 것을 신문·잡지 등에 올리어 실음. ¶논문을 ~하다. ——-하다 타여불

게:재비-구멍 명〖농〗가래·보습 등의 날개 위쪽으로 벌어진 틈. 홈처럼 되어 있어 나무 바탕을 끼워 맞추는 자리임.

게:-저냐 명 게를 슬쩍 삶아 발 끝만 잘라 버리고, 온통으로 밀가루와 달걀을 씌워 지진 저냐.

게저리 명〈방〉〖충〗거저리.

게:저리 게: 감 게장수가 게를 팔러 다닐 때에 외치는 소리.

게저분-하다 형여불 무엇이 더덕더덕 붙어서 지저분하다. 쓰께저분하다.

게적지근-하다 형여불 마음에 깨끗하지 못함을 느끼다. 쓰께적지근하다.

게접-스럽다 형ㅂ불 조금 너절하고 더럽다. 약간 구접스럽다. 게접-스레 부

게:-젓 명 끓이어 식힌 간장에 산 게를 담가 삭인 음식. 게장. 장해(醬蟹). 해해(蟹醢). 해서(蟹胥).

게정 명 ①불평스럽게 떠드는 말과 행동. ②심술❶.

게정(을) 내:다 구 불평의 말이나 행동을 나타내다.

게정(을) 먹다 구〈방〉게정(을) 내다.

게정(을) 부리다 구 ㉠불평스러운 말과 짓을 일부러 하다. ㉡심술부리다.

게정(을) 피우다 구 불평스러운 태도나 언동을 겉으로 나타내다.

게정-거리다 자 게정을 자꾸 부리다. ¶분녀는 세부득 쓰러지면서 게정거리나, 어기찬 얼굴이 입을 덮는다《李孝石 : 粉女》. 게정-게정 부. ——-하다 자여불

게정-꾼 명 게정부리는 버릇이 있는 사람. 게정부리는 사람.

게정-대다 자 게정거리다.

게정-스럽다 형ㅂ불 불평스러운 말과 짓을 드러내는 태도가 있다. 게정-스레 부

게:제【偈諦】명〖불교〗〔←게체〕게구(偈句)의 진제(眞諦). 불교의 오묘한 진리.

게젤〔Gesell, Arnold〕명〖사람〗미국의 심리학자. 1911년에 예일(Yale) 대학에 아동 발달 임상 연구소를 창설, 심리학과 의학을 합한 정신 발달의 실증적 연구에 전념하고, 영화에 의한 행동 분석 등 현대 젖먹이에 대한 연구에 신국면을 보였음. 1950년에 정년 퇴직한 뒤는, 뉴헤븐에 아동 발달 연구소를 창설·주관하였음. [1880-1961]

게젤레〔Gezelle, Guido〕명〖사람〗플랑드르의 시인. 목사(牧師)의 조용한 생활 속에서, 플랑드르의 자연을 그 고장 방언을 써서 독창적으로 표현하였음. 대표작에 《무덤의 꽃》·《시와 노래와 기도》가 있음. [1830-99]

게젤-샤프트〔도 Gesellschaft〕명 이익 사회. ↔게마인샤프트.

게:조【憩潮】명〖해〗만조와 간조가 바뀔 때에 일어나는 조류의 정지 상태. 휴조(休潮).

게-죽 명〈방〉겨죽(평안).

게:-줄 명 줄다리기할 때, 여러 사람이 쥐고 당기도록 몸피가 썩 큰 줄의 양쪽에 맨 여러 가닥의 작은 줄.

게:줄-다리기 명 게줄을 가지고 하는 줄다리기.

게:즈-어【一語】〔Geez〕명〖언〗에티오피아어.

게:지【憩止】명 일을 하다가 잠깐 쉼. ——-하다 자여불

게지개 명〈방〉기지개.

게지배 명〈방〉계집아이(경기·충북).

게:-지짐 명 고추장·간장·밀가루를 탄 물에 게를 잘라 넣고 새앙과 두부를 넣어 익힌 음식.

게:-집[1] 명 게가 사는 구멍.

게:집[2] 명〈방〉계집(경기·전라·경남·함경·평안).

게:-찜 명 게의 속을 긁어 내어 양념에 버무려서 도로 게의 딱지 속에 넣은 다음 밀가루와 달걀을 씌워 장국에 익힌 음식.

게:첩【揭帖】명 내걸어 붙임. 또, 그 문서.

게: 카: 베:〔러 GKB〕명〔Gosudarstvenny Komitet Bezopasnosti의 약칭〕소련의 국가 보안 위원회. 정치·경찰·국가 보안 사무를 통할하는 기관. 1954년 4월에 설치. 게 페 우(G.P.U.)·내무 인민 위원회의 후신임.

-게코름 어미〈방〉-게끔.

-게콰라 어미〈옛〉-게 하였노라. ¶내 前生에 여러 가짓 罪 이실써 아ᄃᆞ리 이런 受苦를 ᄒᆞ게콰라 내 모ᄆᆞᆯ 엇데 드틀 ᄀᆞ티 ᄇᆞᅀᆞ디 몬ᄒᆞᆫ다 아ᄃᆞ리 목수믈 일케 ᄒᆞ야뇨《月釋 XXI:219》. *-과라.

-게큼 어미〈방〉-게끔.

게타:르〔Guettard, Jacques Etienne〕명〖사람〗프랑스의 지질학자. 암석 광물 분포의 규칙성에 주목하여 오늘날의 지질도의 선구 《광물 지도》를 제작하였음. [1715-86]

게터〔getter〕명〖물〗탈륨(thallium)처럼 표면에 기체를 흡착(吸着)시키는 물질. 진공관(眞空管) 중에서 고진공(高眞空)을 유지하는 데 쓰임.

게토〔이 ghetto〕명 ①유대인(Judea 人)이 사는 지구. 유대인 거리. ②제 2차 세계 대전 때, 나치스가 베푼 유대인의 강제 수용소. ③미국에서, 흑인 등이 사는 빈민 지구.

게:트르〔프 guêtre〕명 각반(脚絆).

게:-트림 명 거만스럽게 거드름을 피우며 하는 트림. ——-하다 자여불

게티즈버:그 연:설【一演說】명〔Gettysburg Address〕1863년 11월 19일에 남북 전쟁의 격전지였던 미국 펜실베이니아 주(州) 남쪽의 게티즈버그 마을에서 열린, 전몰 용사 위령 식전(慰靈式典)에서 행한 링컨 대통령의 연설. 이 연설 끝 부분의 '인민의, 인민에 의한, 인민을 위한 정부는 영원히 지구상에서 멸망하지 아니할 것이다'라고 한 말은 미국의 이상인 데모크라시를 재확인한 것으로 유명함.

게:판【揭板】명 ①시문(詩文)을 새기어 누각(樓閣)에 거는 나무판. ②게시판(揭示板).

게: 페: 우:〔러 G.P.U.〕명〔Gosudarstvennoe Politicheskoe Upravlenie의 약칭〕소련의 국가 정치 보위부(國家政治保衛部)의 일컬음. 1922년 체카(Cheka)가 개편(改編)된 후, 1935년 내무 인민 위원회가 생길 때까지 있었던 비밀 경찰. 반혁명 분자의 적발·처벌을 임무로 하였음. 오그푸(Ogpu).

게:-포【一脯】명 물맞이게 등의 다리의 살을 말린 포. 해포(蟹脯).

게:포 무침【一脯一】명 게포를 두드리어서 부풀려 기름·간장에 무친 반찬.

게:피-털파리 명〖충〗[*Penthetria japonica*] 털파릿과에 속하는 곤충. 몸길이 9-10mm이며, 몸의 대부분이 흑색에, 중흉배(中胸背) 후반은 암수 모두 암적색임. 날개는 흑색이며 반투명이고 복부는 가늘고 잔 강모(剛毛)가 많음. 한국·일본에 분포함.

게:피팔-떡 명〈방〉거피팥떡.

게:-회【一膾】명 허물 벗을 때에 잡은 게의 말랑말랑한 살을 소금에 찍어 먹는 회.

게:휴【憩休】명 휴게(休憩). ——-하다 자여불

겐[1]〔도 Gen〕명〖생〗유전자(遺傳子).

겐[2] 준 ①거기는. ¶~ 조용해서 좋더라. ②격조사 '게'와 보조사 '는'이 합하여 준 말. 에게는. ¶우리~ 사과보다 배를 주오/네~ 없다.

-겐 준 ①사는 곳을 나타내는 접미어 '-게'와 보조사 '는'이 합하여 준 말. ¶우리~ 풍년이다. ②정도를 제한하는 어미 '-게'와 보조사 '는'이 합하여 준 말. ¶전기가 눈이 부시~ 밝지 않다.

겐디다 타〈방〉견디다(경남).

겐카이-나다〔玄海灘:げんかいなだ〕명〖지〗대한 해협 남쪽, 일본 후쿠오카 현(福岡縣) 서북쪽에 위치하는 바다. 해상 교통의 요로(要路)이나 대부분이 50-60m의 얕은 바다로 계절풍 때문에 풍파가 심함. 쓰시마(対馬) 해류가 동북으로 흐르고 동해(東海) 해류가 남쪽으로 흐르는데, 방어·대구·정어리 등 난류성 어류가 많이 잡힘. 현해탄.

겐타마이신〔gentamycin〕명 ☞젠타마이신.

겐트〔Gent〕명〖지〗벨기에 북서부, 플랑드르오리앙탈 주(Flandre Orientale 州)의 주도. 스헬데 강(Schelde 江)과 리스 강(Lys 江)의 합류점에 있으며, 섬유·전기(電機) 공업이 행하여짐. 1817년에 창립된 대학이 있으며, 14세기말까지는 모직물의 생산·거래 중심지였음. 영어명 겐트(Ghent), 프랑스어명은 강(Gand). [229,828명(1993)]

겐티아나〔라 gentiana〕명〖식〗[*Gentiana lutea*]〔용담(龍膽)의 성능(性能)을 발견했다는 일리리아(Illyria)의 왕 겐티우스(Gentius)의 이름에서 유래〕용담과(龍膽科)에 속하는 다년생의 풀. 남유럽 원산으로 키는 1m 가량이며 잎은 타원형임. 여름·가을에 황색의 꽃이 핌. 뿌리는 건위제로 씀.

겔〔gel, 도 Gel〕명〖화〗콜로이드(colloid) 용액이 유동성(流動性)을 잃고 다소의 탄성과 견고성을 가져 고화(固化)된 물질. 한천(寒天)·젤라틴(gelatine)·두부 등 외에, 생물체의 원형질(原形質) 안에서 볼 수 있음. *졸[5](Sol).

겔:다 형〈방〉게으르다(경남).

겔:러-빠지다 형 ↗게을러빠지다. >갤러빠지다.

겔:러-터지다 형 ☞↗게을러터지다. >갤러터지다.

겔렌데〔도 Gelände〕명 ①스키 연습장(練習場). 스키를 할 수 있는 산이나 들. ②바위타기 기술(技術)의 연습장.

겔렌데-슈프링겐〔도 Geländespringen〕명(스키에서) 장애물(障碍物)을 뛰어넘는 도약 기술(跳躍技術). 또, 그 경기.

겔렌데-스키〔도 Geländeski〕명 ①본디, 산악(山岳) 스키. ②연습장에서 하는 스키.

겔렌데 스키어〔도 Gelände + skier〕명 ①비교적 평탄한 산이나 들에서 스키를 타는 사람. ②겔렌데스키의 선수. 곧, 장거리 또는 점프 선수의 일컬음.

겔:르다 형르불 ↗게으르다. >갤르다.

겔:리 부 ↗게을리. >갤리.

겔리우스〔Gellius, Aulus〕명〖사람〗로마의 문법학자·저술가. 그의 유일한 저작 《아티카(Attica)의 밤》 20권은 어학·문학·역사·고고학(考古學)·자연 과학에 관한 것으로, 당시의 사료(史料)가 드문 현재로서는 귀중한 문헌임. [123-165]

겔-만〔Gell-Mann, Murray〕명〖사람〗미국의 물리학자. 소립자론을 연구하고 대칭성(對稱性) 원리에 입각하여 소립자를 분류하였으며, 크사이 입자(Ξ 粒子) 발견의 바탕을 만듦. 또, 소립자를 설명하는 팔도설(八道說)과 기본 입자인 쿼크(quark) 이론을 제창함. 1969년 노벨 물리학상 수상. [1929-]

겔:밧다 형〈방〉게으르다(경북).

겔추다 타〈방〉가르치다(경남).

겔치다 타〈방〉가르치다(전남).

겔트〔도 Geld〕명 돈. 금전(金錢).

겔프 당【一黨】〔Guelf〕명〖역〗중세 말(中世末)의 교황(敎皇)과 신성 로마 황제(皇帝)와의 다툼에 있어서 교황파를 일컫는 말. 이탈리아에서는 주로 여러 도시의 신흥(新興) 시민이 이 파에 속하여, 황제를 지지하는 상류층 시민과 대립하였음. *기벨린 당(Ghibelline 黨).

겔-화【一化】〔gel〕명〔gelation〕〖화〗①액체 속의 콜로이드 입자(粒子)가 유동성을 가진 상태에서 점도(粘度)가 늘어나 유동성이 없어지고 교화(膠化)되어 가는 일. 교화(膠化). ②졸(Sol)이 겔(gel)로 되는 현상. ——-하다 자여불

gel point]〖물〗 액체가 탄성을 나타내고,
하는 단계.

어서 속을 긁어내어 양념을 섞은 뒤에 도로
거기에 넣어 끓인 국. ②게포를 두드려서
껄에 버무리어 쇠고기와 함께 끓인 국. 해
인 국.

〖성〗 예루살렘(Jerusalem) 동쪽 근교, 감람
산. 예수가 처형당하기 전날 최후로 기도를
곳임.

競走)에서, 스타트의 준비 구령.
북).
(野球)에서, 단번에 주자(走者) 두 사람을 잡
플레이. ――-하다 [자][여불]

간에 덧붙어 미래를 나타내는 선어말 어미. ¶
다 개다 하~다. ②추측(推測)의 뜻을 나타내는
참 좋~네. ③동사의 어간에 붙어 가능성을 나
그만한 것이라면 아이들도 들~다.
주).

).

전남). 「총칭.
는 포아풀과에 속하는 곡식에서 벗기어 낸 껍질의
는 개를 나무란다】 결점이 있기는 마찬가지인데
한 사람을 흉볼 때, 제삼자가 둘 다 변변치 못하
겨 주고 겨 바꾼다】 소용 없는 짓을 한다는 말.
착(壓搾) 또는 침출(浸出)하여 채취한 기름. 식용·
임. 미강유(米糠油).
번갈아 하기. ¶ 한 사람씩 ~로 망을 보다.
물을 겨눔. ¶ ~이 빗나가다/그 녀석의 말은 나를 ~하
리다. ②겨누어 정한 치수와 양식(樣式). 견양(見樣). ¶ 새
――-하다 [타][여불]
(을) 내:다 [구] 실물(實物)에 겨누어 치수와 양식(樣式)을 정하다.
물체의 길이나 넓이 같은 것을 헤아릴 표준을 만들다.
:냥(을) 대:다 [구] ㉠목적물을 겨누어 보다. ㉡활이나 총 같은 것을
놓을 때에 목표에 맞도록 어름을 잡다.
겨:냥(을) 보다 [구] ㉠목적물을 겨냥하여 보다. ㉡실물(實物)에 맞는지
안 맞는지 겨누어 맞춰 보다.

겨:냥-대 [―때] [명] 겨냥 내는 데 쓰기 위한 막대기.
겨:냥-도【―圖】[명] 건물 따위의 모양·배치를 알기 쉽게 그린 그림.
겨:냥-떼기 [명]〖고고학〗 석기(石器)를 만들 때, 몸돌에서 격지를 한 번 뗀 면(面)을 다시 다듬어서 떼내는 수법(手法). 거의 일정한 방향으로 떼기가 실시됨. 조절 박리(調節剝離). 조절떼기.
겨누다[1] [타] ①목적물 있는 곳의 방향과 거리(距離)를 똑바로 잡다. ¶ 총을 ~. ②한 물체의 길이나 넓이 등을 알기 위하여 다른 물체로써 마주 대어 헤아리다. 겨눠 보다.
겨누다[2] [타] 〈방〉 겨냥하다(전남).
겨눔 [명] 〈방〉 겨냥(평안). ――-하다 [타]
겨눔-대 [―때] [명] 〈방〉 겨냥대.
겨눠 보다 [타] ①시선(視線)을 한 줄로 겨누어서 보다. ②겨냥(을) 보다❷.
겨ᄂᆡ다 [타] 〈옛〉 견디다. ¶ 사ᄅᆞ미 그 시르믈 겨ᄂᆡ디 몯거ᄂᆞᆯ(人不堪其憂)《內訓 Ⅲ:54》.
겨-된장【―醬】[명] 쌀겨로 만든 된장. 강시(糠豉).
겨드랑 [명] ↗겨드랑이.
겨드랑-눈 [명]〖식〗 제눈 중에서 잎의 밑동 부분에 생기는 눈. 보통 잎의 기부(基部) 위쪽에 생기는데 잎꼭지 안쪽에 생기는 일도 있음. 액아(腋芽). ＊곁눈. ↔꼭 눈.
겨드랑-이 [명] ①양편 팔 밑의 오목한 곳. 액와(腋窩). ②옷의 겨드랑이에 닿는 자리. ¶ ~가 터졌구나. ㊟겨드랑.
겨드랭-이 [명] 〈방〉 겨드랑이(경기·강원·경북).
겨들막 [명] 〈방〉 자드락.
겨란 [명] 〈방〉 계란(경기·충남).
겨레 [명] 한 조상에서 태어난 자손들의 무리.
겨레-말 [명] 한 겨레가 공통으로 쓰는 말.
겨레-붙이 [―부치] [명] 같은 겨레를 이룬 사람.
겨레-사랑 [명] 동포애❶.
겨루기 [명] ①태권도에서 기본 기술과 품세를 조화 있게 활용하여 실전에 응용할 수 있도록 두 사람이 맞서 기량을 겨루는 일. 맞추어 겨루기와 자유(自由) 겨루기가 있음. 대련(對鍊). ②자유 겨루기.
겨루다[1] [타] 서로 버티고 힘을 견주다. ¶ 자웅을 ~.
겨루다[2] [타] 〈방〉 겨누다(경기).
겨룸 [명] 겨루는 일. ――-하다 [타][여불]
겨류기 [명] 〈옛〉 게로기. ¶ 겨류기(薺苨)《譯語 下 12》.
겨르 [명] 〈옛〉 겨를. ¶ 箕潁과 ᄀᆞᆯ와 이슬 겨릐 업더라《初杜諺 XXIV:40》.
겨르다 [타] 〈방〉 겨루다.
겨르로비 [부] 〈옛〉 한가로이. 겨를 있게. =겨르ᄅᆞ이. ¶ ᄒᆞ오사 겨르로비 이셔 經을 즐겨 외오리도 보며《釋譜 XIII:20》.
겨르로이 [부] 〈옛〉 한가로이. 겨를 있게. ¶ 괴외히 겨르로이 사라(寂然閑居)《妙蓮 Ⅱ:143》.
겨르ᄅᆞ윈 [형] 〈옛〉 한가로운. 겨를이 있는. ¶ 朝와 野왜 겨르ᄅᆞ윈 나리 져도라(朝野少暇日)《杜諺 Ⅰ:1》/뷘 겨르ᄅᆞ윈 ᄯᅡ해 샹녜 이셔(常處空閑)《妙蓮 Ⅰ:77》.
겨르ᄅᆞ이 [부] 〈옛〉 한가로이. =겨르로비·겨르ᄅᆞ이. ¶ 香 퓌우며 겨르ᄅᆞ이 이셔(燃香閑居)《楞嚴 Ⅶ:6》.
겨르ᄅᆞᆸ다 [형] 〈옛〉 한가롭다. ¶ 阿蘭若ᄂᆞᆫ 겨르ᄅᆞᆸ고 寂靜ᄒᆞᆫ 處所ㅣ라 혼 ᄠᅳ디라《月釋 Ⅶ:6》.
겨를 [명] 일을 하다가 쉬게 되는 틈. 한가한 때. 여가(餘暇). 틈. 한극(閒隙).
겨를(이) 없:다 [구] 틈이 없다. 무엇을 할 여가가 없다.
겨를타 [형] 〈옛〉 한가하다. =겨를ᄒᆞ다. ¶ 日昃호ᄃᆡ 겨를티 몯 ᄒᆞ싱은(日昃弗遑)《常訓 34》.
겨를ᄒᆞ다 [형] 〈옛〉 한가하다. =겨를타. ¶ 겨를ᄒᆞ다(迭當)《漢清文鑑 Ⅰ:20》.
겨릅 [명] [근대 : 겨릅] ↗겨릅대.
겨릅-단 [명] 겨릅대를 묶은 단.
겨릅-대 [명] 껍질을 벗긴 삼대. 마골(麻骨). 마개(麻稭). ㊟겨릅.
겨릅-문【―門】[명] 겨릅발로나 또는 겨릅을 결어 엮어 만든 사립문.
겨릅-발 [명] 겨릅대로 엮어 만든 발.
겨릅 이엉 [―니―] [명] 겨릅대를 여러 개씩 모숨 잡아 엮은 이엉. 지붕을 이는 데 거꾸로 촘촘하게 박아서 임.
겨릅 호두【―胡―】[명] 껍풀이 얇은 호두.
겨리 [명]〖농〗 소 두 마리가 끄는 쟁기. ↔호리.

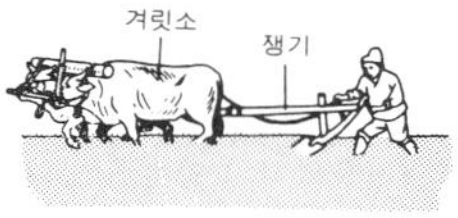

〈겨리〉

겨리반-나다 [자] ←결판나다.
겨리-질 [명]〖농〗 겨리를 부리는 일. ――-하다 [자][여불]
겨린【―隣】[명]〖역〗 [←절린(切隣)] 살인 사건이 났을 때에, 그 살인자의 집 이웃에 사는 사람.
겨린(을) 잡다 [구]〖역〗 [←절린잡다] 살인 사건이 났을 때에, 그 범인(犯人)의 집 이웃에 사는 사람이나 또는 범죄의 현장 근처로 통행하는 사람까지라도 증거인(證據人)으로 잡아 가다.
겨린 잡히다 [구]〖역〗 [←절린잡히다] 겨린잡음을 당하다.
겨릿-소 [명] 겨리를 끄는 소.
겨ᄅᆞᄅᆞ외다 [형] 〈옛〉 한가하다. 한가롭다. ¶ 貔虎ᄂᆞᆫ 鉀이 겨ᄅᆞᄅᆞ외오(貔虎閑鉀)《初杜諺 XX:16》.
겨ᄅᆞᄅᆞ윈 [형] 〈옛〉 한가로운. '겨ᄅᆞᄅᆞ외다'의 활용형. ¶ 고온 노ᄂᆞᆫ 나비ᄂᆞᆫ 겨ᄅᆞᄅᆞ윈 帳ᄋᆞ로 디나가고(娟娟戲蝶過閑幔)《杜諺 XI:11》.
겨ᄅᆞᄅᆞ이 [부] 〈옛〉 한가로이. =겨르ᄅᆞ이. ¶ 헌 돗ᄀᆞᆯ 겨ᄅᆞᄅᆞ이 ᄀᆞᅀᅥ(破席閑拖)《南明 上 18》.
겨ᄅᆞᆯ [명] 〈옛〉 겨를. ¶ 쳔장은 나라 이리 하여 옵ᄉᆞ니 이제 어ᄂᆞ 겨ᄅᆞᆯ레 ᄒᆞ며《諺簡集 10 宣祖諺簡》.
겨릐 [명] 〈옛〉 겨레. ¶ 겨릐 족(族), 겨릐 척(戚)《倭解 上 13》.
겨-반지기 [명] 겨가 많이 섞인 쌀.
겨-범벅 [명] 쌀겨에 호박을 썰어 넣고 찐 음식.
겨-붙이 [―부치] [명] 강류(糠類).
겨샤 [형] 〈옛〉 계시어. '겨시다'의 활용형. ¶ 五百弟子 ᄃᆞ려 겨샤《月釋 Ⅷ:89》.
겨슬 [명] 〈옛〉 겨울. =겨슬. ¶ 보미 다 내야 너르메 길어 ᄀᆞᅀᆞᆯ히 다 結實히와 겨스레 다 곱초와《七大 17》.
겨시다 [형] 〈옛〉 계시다. ¶ 四祖ㅣ 便安히 몯 겨샤(四祖莫寧息)《龍歌 110章》/가샴 겨샤매(載去載留)《龍歌 62章》.
겨실 [명] 〈방〉 겨울[1](경상).
겨ᄉᆞ사리 [명] 〈옛〉 겨우살이[2]. ¶ 蔦寄生草 겨ᄉᆞ사리《四聲 下 13》.
겨슬 [명] 〈옛〉 겨울. =겨ᅀᆞᆯ. ¶ 모미 겨스렌 덥고 녀르멘 ᄎᆞ고《月釋 Ⅰ:26》.
겨슬헤 [명] 〈옛〉 겨울에. '겨슬'의 처격형(處格形). ¶ 겨슬헤 업고 보ᄆᆡ 피뉴믈 보며(觀冬索而春敷)《永嘉 下 44》.
겨슷석ᄃᆞᆯ [명] 〈옛〉 삼동(三冬). ¶ 녯사ᄅᆞ미 ᄒᆞ마 겨슷석ᄃᆞ래 足호ᄆᆞᆯ ᄡᅳ니(古人已用三冬足)《初杜諺 Ⅶ:31》.
겨ᅀᅵ다 [형] 〈옛〉 계시다. ¶ 生死애 아니 겨ᅀᅵ니라《月釋 Ⅰ:16》.
겨ᅀᆞᆯ [명] 〈옛〉 겨울. =겨슬. ¶ 고ᇝ 病으로 겨ᅀᆞᆯ와 보ᄆᆞᆯ ᄆᆞ초라(瘧癘終冬春)《初杜諺 XIX:31》.
겨양-하다 [타] 〈방〉 겨냥하다(경북).
겨어사리 [명] 〈옛〉 겨우살이풀. ¶ 겨어사리 블휘(麥門冬)《方藥 25》.
겨염 [명] 〈방〉 개암❶(경남).
겨오셔 [조] 〈옛〉 께서. ¶ 아ᄌᆞ마님겨오셔 여러ᄃᆞᆯ 쵸젼ᄒᆞᄋᆞᆸ시던 긋ᄐᆡ 이런 「참척을 만나ᄋᆞᆸ셔《諺簡 43》.
겨올 [명] 〈옛〉 겨울. ¶ 아히들 헌옷 ᄎᆞᄌᆞ면 겨올인가 ᄒᆞ노라《古時調》.
겨요 [부] 〈옛〉 겨우. ¶ 나히 겨요 십ᄉᆞ세라《五倫 Ⅰ:30》.
겨우[1] [명] 〈방〉 거위[1](경남).
겨우[2] [명] 〈방〉 거위[2](경남).
겨우[3] [부] 어렵게 힘들이어. 가까스로. 근근(僅僅). 근근이.
겨우- [간] '겹다'의 변칙 어간. ¶ ~니/~ㄴ.
겨우-겨우 [부] 가까스로 겨우.
겨우-내 [부] [←겨울내] 한 겨울 동안 죽. ¶ ~ 시골에 있었다.
겨우-살이[1] [명] ①겨울철에 입는 옷. 동복(冬服). ②과동(過冬).
겨우-살이[2] [명]〖식〗 ①겨우살잇과에 속하는 식물의 총칭. 기생목(寄生木). ②[*Viscum album* var. *coloratum*] 겨우살잇과에 속하는 상록 기생 관목(寄生灌木). 잎은 혁질(革質)인데 긴 타원형이고 톱니가 없으며, 'Y'자형으로 대생함. 자웅이가(雌雄二家)인데 이른 봄에 한두 개의 담황색 꽃이 정생(頂生)하고, 반투명한 구형(球形)의 과실은 녹황색으로 가을에 익음. 참나무·오리나무·버들·팽나무 등에 기생하는데, 한국·일본·대만·중국·만주·유럽·아프리카 등지에 분포함. 줄기와 잎은 약재로 씀. 조라(蔦蘿).

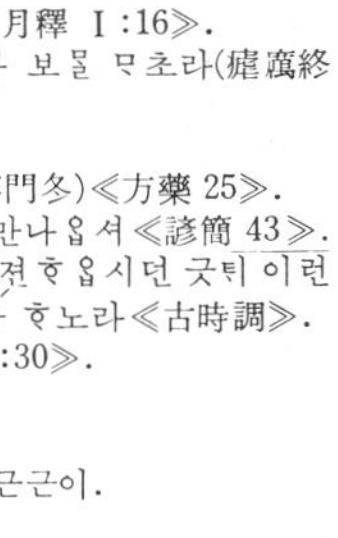

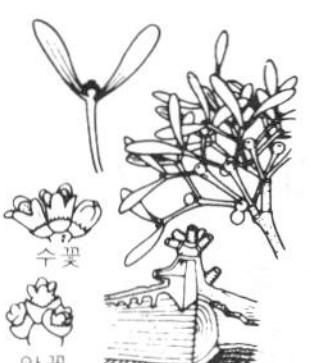

〈겨우살이〉

겨우살이-덩굴 [명]〖식〗인동덩굴.
겨우살이-풀 [명]〖식〗맥문동(麥門冬)❶.
겨우살잇-과 [一科] [명]〖식〗[Viscaceae] 쌍자엽 식물의 한 과.
겨울[1] [명] 사철 중에 가장 추운 계절. 봄과 가을 사이인데 일반적으로 12·1·2월의 3개월을 말함. 음력(陰曆)으로는 입동(立冬)으로부터 입춘(立春)까지, 천문학상(天文學上)으로는 동지(冬至)로부터 춘분(春分)까지 곧, 12월 22일경부터 3월 21일경까지를 말함. 세한(歲寒). 동삼(冬三). 현동(玄冬). [준]결.
【겨울이 다 되어야 솔이 푸른 줄 안다】 푸른 것이 다 없어진 한겨울에야 솔이 푸른 줄 알듯이, 난세(亂世)가 되어야 훌륭한 사람이 뚜렷이 돋보인다는 말. 【겨울이 지나지 않고 봄이 오랴】 세상 일에는 다 일정(一定)한 순서가 있는 것이니, 급하다고 억지로 할 수 없다는 말. 【겨울 화롯불은 어머니보다 낫다】 추운 겨울에는 더운 것이 제일 좋다는 말.
겨울[2] [명]〈방〉거울(전라).
겨울게 [명]〈방〉겨울[1](경기·강원).
겨울-깃 [명]〔winter plumage〕 새가 가을부터 겨울철에 걸쳐 지니고 있는 깃털. 동우(冬羽). ↔여름깃.
겨울 나그네 [一라一] [명]〖악〗슈베르트가 1827년에 작곡한 24곡의 연가곡집(連歌曲集). 실연한 청년의 방랑을 그린 빌헬름 뮐러(Wilhelm Müller)의 연작시(連作詩)에 곡을 붙인 것으로, 낭만파(派) 가곡집의 정점으로 일컬어짐. 《보리수》·《우편 마차》 등은 특히 유명함.
겨울-날 [一랄] [명] 겨울철의 날씨. 동일(冬日).
【겨울날하고 양반은 한갓 고달이 있다】양반이 성질을 내면 매서운 바가 있고, 겨울날도 따스하다가 갑자기 추워져서 매운 날씨가 됨을 이르는 말.
겨울-내 [一래] [부] →겨우내.
겨울 냉:면 【一冷麪】[一랭一] [명] 겨울에 동치미 국물에 말아 먹는 냉면.
겨울-눈 [一룬] [명]〖식〗여름·가을에 생겨서 겨울을 넘기고 그 이듬해 봄에 자라는 싹. 대부분은 인편(鱗片)에 싸인 인아(鱗芽)인데, 그러하지 아니한 것은 나아(裸芽)라고 함. 동아(冬芽). 저항아(抵抗芽). ↔여름눈.
겨울-딸기 [명]〖식〗[*Robus buergeri*] 장미과에 속하는 낙엽 활엽 관목. 포복생(匍匐生)이며 전체에 융모(絨毛)가 남. 잎은 거의 원형이고 3-5갈래로 얕게 째지며 뒷 면에만 융모(絨毛)가 남. 6-7월에 흰 꽃이 총상(總狀) 화서로 액생(腋生)하고, 수과(瘦果)의 과실군(群)은 구형(球形)이고 겨울에 빨갛게 익음. 나무 그늘에 나는데, 제주도·일본·대만·중국 등지에 분포함. 과실은 식용함.

〈겨울딸기〉

겨울-맞이 [명] 닥쳐올 겨울철을 맞는 일.
겨울 바람 [一빠一] [명] 겨울에 부는 찬 바람.
【겨울 바람이 봄바람 보고 춥다 한다】 못된 자가 저보다 나은 이를 도리어 트집 잡고 나무란다는 말.
겨울 방학 【一放學】[一빵一] [명]〖교〗학교에서, 몹시 추운 때를 피하기 위하여 베푸는 방학. 보통 12월 하순에서 이듬해 1월 하순까지임. 동기 방학(冬期放學). *방학.
겨울-살이 [명] ☞ 겨우살이[1].
겨울-새 [一쌔] [명] 가을에서 겨울에 걸쳐 북쪽으로부터 날아와서 월동하고, 봄철에 다시 북쪽으로 가서 번식하며 여름을 나는 철새. 우리 나라에서는 기러기·물오리·백조 따위. 동조(冬鳥). 한금(寒禽). ↔여름새. *후조(候鳥).
겨울 작물 【一作物】 [명] 가을에 파종(播種) 또는 이식(移植)을 하여 이듬해의 늦봄·초여름에 수확하는, 생육기가 주로 겨울인 작물. 보리·평지·완두 등. ↔여름 작물.
겨울-잠 [一짬] [명]〖동〗동면(冬眠). ↔여름잠.
겨울-철 [명] 겨울의 절기. 동절(冬節).
겨울 콩강정 [명] 콩볶은이의 특별한 한 가지. 겨울에 물에 흠씬 불린 콩을 한데에서 얼린 후, 잘게 썬 볏짚과 함께 뭉긋한 불로 볶아 내어 까불어 콩만 골라서 꿀에 버무리어, 계피 가루 또는 볶은 콩가루나 깨·잣가루에 묻힌 것.
겨울-털 [명]〖동〗온대 지방에 사는 포유류(哺乳類)가 가을에서 초겨울에 걸쳐 털갈이를 하고, 이듬해 봄까지 존속하는 털. 길고 촘촘하며 질이 좋음. 동모(冬毛). ↔여름털.
겨울-포자 【一胞子】 [명]〔teliospore〕〖식〗담자균(擔子菌) 식물의 녹병균의 생활사 중에 나타나는 무성 포자(無性胞子)의 일종. 두꺼운 막(膜)의 이실(二室)로 되었으며 월동성(越冬性)의 것이 많음. 동포자(冬胞子).
겨울형 기압 배:치 【一型氣壓配置】 [명]〖기상〗겨울철의 전형적인 기압 배치. 우리 나라 부근은 서쪽에 시베리아 고기압, 동해상에 발달한 저기압이 있는 서고 동저형(西高東低型)으로, 북서 계절풍이 강해짐. ↔여름형 기압 배치. *서고 동저.
겨웂 [명]〈방〉겨울!
겨읏 석둘 [명]〈옛〉삼동(三冬). =겨웃석돌. ¶네 사름이 ᄒᆞ마 겨웃 석ᄃᆞ래 足호ᄆᆞᆯ 쓰니(古人已用三冬足)《重杜諺 Ⅶ:31》.
겨워 [부]〈방〉겨우(강원).
겨워-하다 [타][여불] 힘에 겹게 여기다.
겨월 [명]〈옛〉겨울[1]. ¶江湖에 겨월이 드니 눈 기픠 자히 남다《永言》.
겨유 [명]〈옛〉거위[1]. =계유. ¶닐온밧 겨유를 사기다가(所謂刻鵠)《內訓 Ⅰ:34》.
겨으사리 [명]〈옛〉①겨우살이[2]. ¶뽕나무 우희 겨으사리(桑上寄生)《湯液 卷3》. ②겨우살이풀. ¶겨으사리 불휘(麥門冬)《湯液 卷2》.
겨으-살이 [명]〈방〉①겨우살이[1]. ②〖식〗겨우
겨을 [명]〈방·옛〉겨울[1](전라·충청·강원). ¶겨
會 上 1》.
겨-이삭 [명]〖식〗[*Agrostis matsumurae*] 벼과
는 일년 또는 이년초. 줄기는 가늘고 곧으며 높
되는데 뿌리에서 총생(叢生)함. 잎은 가는 실처
빳한데 근생엽(根生葉)은 총생(叢生), 경엽(莖葉)은
生)함. 5월에 10 cm 가량의 가는 이삭이 나와서 여
로 가지가 잘게 거듭 대생(對生)하며, 담자색 혹은
잔 꽃이 원추(圓錐) 화서로 피어, 모양이 겨를 뿌린
음. 들이나 길가에 나는데, 제주·전남·경남·강원·경
북 등지에 분포함.

겨이삭-여뀌 [명]〖식〗[*Persicaria foliosa*] 마디풀과에
줄기 높이 30 cm 가량이고 잎은 단병(短柄)으로 호생하
形) 또는 피침형임. 8-9월에 담홍색 꽃이 수상(穗狀) 화
실은 수과(瘦果)임. 깊은 산의 습지에 나는데, 함남(咸南)에
겨ᄋᆞ사리너출 [명]〈옛〉겨우살이덩굴. 인동덩굴. ¶겨ᄋᆞ사리
《方藥 25》.
겨ᄋᆞ사리곶 [명]〈옛〉겨우살이덩굴의 꽃. 금은화(金銀花). ¶겨
(金銀花)《方藥 25》.
겨ᅀᅳᆯ [명]〈옛〉겨울[1]. ¶겨ᅀᅳᆯ 동(冬)《石千 2》/ᄒᆞᆫ 겨ᅀᅳᆯ은 더기 ᄎᆞ
(一冬裏踢建子)《朴解 上 17》.
겨ᅀᅳᆳ디히 [명]〈옛〉김치. ¶長安앳 겨ᅀᅳᆳ디히는 싀오 ᄯᅩ 프ᄅᆞ고(長安
酸具綠)《重杜諺 Ⅲ:50》.
겨자[1] [명] ①〖식〗[*Brassica cernua*] 겨잣과에 속하는 일년 또는 이년
높이 1 m 가량이고 잎은 호생하며, 무 잎 비슷하나 쭈글쭈글하며 가장자리가 톱니 같음. 4월경에 누런 빛의 작은 사판화(四瓣花)가 총상(總狀) 화서로 피고, 길이 5 cm 가량의 원기둥꼴 열매를 맺음. 씨는 몹시 작은데, 황갈색으로 맵고 향기로운 맛이 있어서 양념과 약재(藥材)로 쓰며, 잎과 줄기는 먹는데, 맛이 씀. 아시아 원산(原産)으로 밭에 재배함. 품종이 많음. *갓·개자(芥子)·개채(芥菜). ②겨자씨로 만든 양념. 겨자씨를 물에 불리어 매에 갈아서 꿀이나 설탕과 소금과 초를 쳐서, 더운 김을 들이면서 자꾸 저어 만듦.

〈겨자[1]❶〉

겨자[2] [명]〈방〉저자[1].
겨자[3] [명]〈방〉갸자.
겨자-기름 [명] 개자유(芥子油).
겨자 깍두기 [명] 겨자 양념과 소금과 실고추와 설탕으로 담근 깍두기. 개자 홍저(芥子紅菹).
겨자-선 [명] 술안주의 한 가지. 배추·무·움파·도라지·편육(片肉)·돼지고기·전복·해삼·배·밤 등을 잘게 썰어 섞은 뒤에 초·꿀·소금·깨소금 등의 양념을 하고 겨자와 버무리어 만듦.
겨자-씨 [명] ①겨자의 씨. 양념·약재로 쓰고 기름을 짬. 개자(芥子). ②몹시 작은 것의 비유. ¶~만한 믿음.
겨자-즙 【一汁】 [명] 겨자에서 짜 낸 즙.
겨자-찜질 [명] 겨잣가루를 끓는 물에 풀어 개어서 환부(患部)에 붙이는 더운 찜질. 국소(局所)에 충혈(充血)을 촉진하는데, 폐렴(肺炎)·기관지염(氣管支炎)·늑막염 등에 이용함.
겨자-채 【一菜】 [명] 겨자즙(汁)으로 버무린 냉채(冷菜).
겨잣-가루 [명] 겨자씨를 빻은 가루.
겨잣-과 【一科】 [명]〖식〗[Brassicaceae] 쌍자엽 식물 이판화류(離瓣花類)에 속하는 한 과. 전세계에 1,900여 종이 있는데, 한국에는 갓·겨자·무·배추·냉이·꽃다지 등의 60여 종이 있음.
겨저 【在置】 [명]〈이두〉유치(留置) 또는 보유(保有)의 뜻.
겨-죽 【一粥】 [명] 쌀 속겨로 쑨 죽. 강죽(糠粥).
겨:지배 [명]〈방〉계집아이(경기).
겨집 [명]〈옛〉①계집. 여자. ¶女子는 겨지비라《月釋 Ⅰ:8》. ②아내. ¶겨집 쳐(妻)《字會 上 31, 類合 上 19》.
겨집동셰 [명]〈옛〉동서(同婿). ¶겨집동셰 튝(妯), 겨집동셰 리(娌), 겨집동셰 ᄉᆞ(姒)《字會 上 31》.
겨집어리 [명]〈옛〉계집질. ¶간ᄃᆡ마다 겨집어리ᄒᆞᄂᆞ니(到處養老婆)《朴解 上 36》.
겨집얼이다 [자][타]〈옛〉장가들다. 장가들이다. ¶겨집 남진 얼이며 남진 겨집 얼이노라(嫁女婚男)《佛頂 上 3》.
겨집종 [명]〈옛〉계집종. ¶겨집종 비(婢)《字會 上 33, 類合 上 20》.
겨집ᄒᆞ다 [자]〈옛〉①장가들다. ¶각각 겨집ᄒᆞ야도 서르 ᄉᆞ랑ᄒᆞ야(各取妻兄弟相戀)《二倫 9》. ②계집질하다. ¶형 언운이 겨집ᄒᆞ기ᄒᆞ며(兄彥雲惟聲色)《二倫 21》.
겨트랑 [명]〈방〉겨드랑이(경상).
겨피다 [자][타]〈옛〉겹치다. ¶빗난 돗ᄀᆞᆯ 겨펴 설오(重敷婉綖)《妙蓮 Ⅱ:73》.
격[1] 【鬲】 [명] 발이 바깥 쪽으로 굽어서 벌어진 옛날 솥.
격[2] 【格】 [一][명] ①환경(環境)과 사정(事情)에 자연스럽게 어울리는 체재(體裁)와 품위. ¶~에 맞다. ②〖언〗명사·대명사 같은 실질 개념(實質槪念)을 나타내는 말의 문장 중에서 다른 말에 대한 관계. 주격(主格)·목적격(目的格)·소유격(所有格) 등. ③〔figure of syllogism〕〖논〗삼단 논법(三段論法)의 대소(大小) 두 전제(前提)에 공통(共通)하는 매개념(媒槪念)의 위치에 따라 생기는 추론식(推論式)의 형식. [二][의명] ①어미 '-(으)ㄴ', '-는' 아래나 명사 아래에 쓰이어, '셈', '식', '꼴'의 뜻을 나타내는 말. ¶고래 싸움에 새우 등 터지는 ~이군/그는 이 회사의 부사장 ~이다. ②화투나 윷놀이 등에서 끗수를 세는 말.

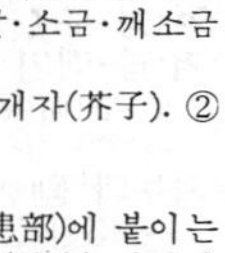
〈격[1]〉

¶ 다섯 ~을 이겼다.

격[3]【隔】명 사이를 가로막는 간격. ——-하다 타여불

격[4]【膈】명 ①가슴과 비장(脾臟)과의 사이의 장격(障膈). ②가슴속. 흉중(胸中). ③종을 다는 나무틀.

격[5]【檄】명 ①격문(檄文)❶. ②한문 체제의 한 가지. 옛날 중국에서 행하던 소집 또는 설유(說諭)의 문서. 길이 36cm의 목간(木簡)에 썼다고 함. *우격(羽檄).

격[6]【鴃·鵙】명〖조〗개고마리.

격간-살이【隔間—】명 →결방살이. ——-하다 자여불

격감【激減】명 급격하게 줆. 또, 줄임. 많이 줆. 또, 많이 줄임. ↔격증(激增). ——-하다 자타여불

격강【隔江】명 강을 사이에 두고 서로 떨어져 있음. ——-하다 자여불

격강 천리【隔江千里】[—철—] 명 강을 사이에 두고 서로 떨어져 있어서 왕래가 불편함이 천리 길이나 서로 떨어져 있음과 다름없음.

격검【擊劍】명 ①적과 싸우기 위하여 장검(長劍)을 쓰는 법을 익힘. ②검도(劍道)❶. ——-하다 자여불

격검-대【擊劍帶】명 격검할 때 띠는 띠.

격검 도:장【擊劍道場】명 격검을 배우는 도장.

격검 사범【擊劍師範】명 격검을 가르치는 사범(師範).

격고【擊鼓】명 ①북을 침. ②〖역〗거둥 때에 원통한 일을 임금에게 상소하기 위하여 북을 쳐서 하문(下問)을 기다림. ——-하다 자여불

격고 명금【擊鼓鳴金】명 북을 치고 징을 울림. 옛날 전쟁에서 북을 치면 진격하고 징을 치면 퇴각하였음.

격구[1]【隔句】명 ①낙구(落句). ②십구체(十句體) 향가의 마지막 두 구(句).

격구[2]【擊毬】명〖역〗①옛날에 젊은 무관(武官)들과 민간(民間)의 유력한 젊은이들이 연마하던 무예(武藝) 또는 운동의 한 가지. 구장(毬場)에서 말을 타고 달리면서 장(杖)으로 공을 침. 처음에 출마표(出馬標)에서 경기자들이 말을 타고 구장(毬杖)을 짚고 있다가 공을 치구표(置毬標)에 내어 던지면 쌍방이 모두 달려 들어 공을 치는 것인데, 배지(排至)로써 공을 움직이고 도돌방울로써 돌리되 이 때에 반드시 할흉(割胷)을 하여, 이리 하기를 세 번 한 뒤에 말을 달리어서 행구(行毬)를 함. 행구를 시작할 때에 바로 공을 치지 아니하고 두세 번 귀견줌을 하고 여러 번 수양수(垂揚手)를 하고 또는 치니매기를 하여 공을 구문(毬門) 밖에 내어보냄. 신라 때에 중국으로부터 들어왔는데 고려 때에 성행하였으며, 조선 시대 중엽까지는 무과 시취(武科試取)의 한 과목이었으며, 정조(正祖) 때에 이십 사반(二十四般) 무예의 하나로 지정됨. 격방(擊棒). 농장(弄杖). 농장희(弄杖戲). *모구(毛毬). ②타구(打毬).

〈격구❶〉

격구-대【隔句對】명 한시문(漢詩文)에서 한 구(句) 걸러 대구(對句)가 되어 있는 일. 제1구와 제3구, 제2구와 제4구가 대(對)가 되는 따위.

격구-장【擊毬場】명〖역〗격구하는 넓은 마당.

격군【格軍】명 ①'결꾼'의 취음(取音). ②〖역〗조선 시대의 수부(水夫)의 하나로 사공(沙工)의 일을 돕는 사람. 선격(船格).

격권【激勸】명 격려(激勵)하여 권함. ——-하다 타여불

격근【隔近】명 사이가 가까움. ——-하다 자여불

격금【擊琴】명 거문고를 탐. 탄금(彈琴). ——-하다 자여불

격기[1]【役目】명〈이두〉겪이.

격기[2]【隔期】명 기일(期日)까지의 사이가 가까움. ——-하다 형여불

격-나다【隔—】자 서로 의사가 맞지 아니하여 사이가 멀어지다. 불화하여지다.

격납【格納】명 집어 넣어 둠. ——-하다 타여불

격납-고【格納庫】명 비행기 같은 것을 넣어 두거나 정비하는 건물.

격년【隔年】명 ①한 해 이상을 격함. 일 년 이상 지남. ②일 년씩을 사이에 둠. 해를 거름. 해거리. ¶ ~ 결과(結果)/대회를 ~으로 개최하다. ——-하다 자여불

격년 결과【隔年結果】명 해거리.

격년 결실【隔年結實】[—씰] 명 격년 결과(結果).

격노【激怒】명 격렬(激烈)하게 노함. 대단히 성냄. 격분(激忿). ——-하다 자여불

격단[1]【隔斷】명 사이를 막음. ——-하다 타여불

격단[2]【激湍】명 격류(激流)로 흐르는 여울.

격단[3]【擊斷】명 ①쳐서 끊음. ②함부로 형벌을 줌. ——-하다 타여불

격단-수【格段數】[—쑤] 명〖수〗대수(代數)에서 어떤 글자가 어떤 한 가지 값만을 대표하게 된 수 또는 숫자로 표시된 수. 이를테면, $x+4=7$에서 x는 3만을 대표하는 것이므로, x나 4나 7은 다 격단수임. ↔일반수(一般數).

격담[1]【格談】명 격에 맞는 말.

격담[2]【膈痰】명 가슴에 막힌 가래.

격도【格度】명 품격(品格)과 도량(度量).

격돌【激突】명 격렬하게 부딪침. ——-하다 자여불

격동【激動】명 ①급격(急激)하게 움직임. 심하게 진동함. ¶ ~기(期)/~하는 세계. ②몹시 감동(感動)함. ——-하다 자타여불

격동-적【激動的】관명 매우 격렬하게 움직이고 변화하는 모양. ¶ ~인 리듬.

격동 현:상【隔動現象】명 염동(念動).

격-두다【隔—】자 사람과 사람 사이에 일정한 간격을 두다.

격-뜨기 명 골패나 화투 같은 노름의 한 가지. ——-하다 자여불

격락【激落】[—낙] 명 급격하게 뚝 떨어짐. ——-하다 자여불

격랑【激浪】[—낭] 명 센 물결. 거센 파도. 격파(激波). ¶ ~에 씻긴 바위.

격려【激勵】[—녀] 명 격동(激動)하여 장려함. 마음이나 기운을 북돋우어 힘쓰도록 함. 분기(奮起)시킴. 고취(鼓吹). ——-하다 타여불

격려-문【激勵文】[—녀—] 명 격려하는 글월.

격려-사【激勵辭】[—녀—] 명 격려하는 식사(式辭).

격력[1]【隔歷】[—녁] 명〖불교〗사람들이 사후(死後)의 세계에서, 생전의 행위(行爲)에 따라, 각각 다른 장소(場所)나 상태(狀態)로 나누어져 있는 일. ↔원융(圓融).

격력[2]【擊力】[—녁] 명 [impulsive force]〖물〗타격(打擊)·충돌(衝突) 등을 일으킬 때 물체간(物體間)에 나타나는 접촉력(接觸力). 그 효과(效果)는 힘의 크기와 그것이 작용하는 시간의 곱, 즉 충격량(衝擊量)으로 표시되며, 물체의 운동량은 충격량만큼 변화함. 충격력(衝擊力). 순간력(瞬間力).

격렬【激烈】[—녈] 명 몹시 맹렬함. ——-하다 형여불. ——-히 부

격렬비-도【格列飛島】[—녈—] 명〖지〗충청 남도 태안군(泰安郡) 서부, 근흥면(近興面) 가의도리(賈誼島里)에 속하는 섬. 북(北)격렬비도라고도 함. [0.03 km²]

격렬비 열도【格列飛列島】[—녈—또] 명〖지〗충청 남도 태안(泰安)반도 서쪽 해상에 위치하는 열도. 북격렬비도(北格列飛島)·동(東)격렬비도·서(西)격렬비도로 이루어짐. 가파른 사면(斜面)으로 되어 있어 평지는 거의 없음.

격렬-성【激烈性】[—녈썽] 명 격렬한 성질.

격령【格令】[—녕] 명 율령(律令).

격례【格例】[—녜] 명 격식(格式)이 되어 있는 관례(慣例). 일정한 전례(前例).

격로모【格魯母】[—노—] 명〖화〗'크롬(chrome)'의 취음(取音).

격론【激論】[—논] 명 격렬한 언론(言論) 또는 논쟁(論爭). ——-하다 자여불

격류【激流】[—뉴] 명 몹시 세차게 흐르는 물.

격률【格率】[—뉼] 명 [maxim]〖철〗①준칙(準則). ②이론상 최대 권위(最大權威)를 갖는 명제(命題) 또는 공리(公理).

격리【隔離】[—니] 명 ①사이가 막히어 서로 떨어짐. ②다른 것과 서로 통하지 못하도록 사이를 막거나 또는 떼어 놓음. ③전염병 환자 등을 일정한 장소에 옮겨서 떼어 놓음. ¶ ~ 병사(病舍). ④[isolation]〖생〗어떤 한 집단 안에서는 교배(交配)가 이루어지지만, 다른 집단과는 교배가 이루어지지 아니하게 되는 현상. 바다·산맥·호수·사막 등에 의한 지리적(地理的) 격리와 성숙기의 차이 등에 의한 생리적(生理的) 격리 및 인종·언어·풍속의 차이 등으로 말미암은 사회적 격리 등으로 대별됨. ——-하다 자타여불

격리 병:동【隔離病棟】[—니—] 명〖의〗전염병 환자를 격리하여 치료하는 병동.

격리 병:사【隔離病舍】[—니—] 명〖의〗전염병 환자를 따로 격리해서 치료하기 위하여 설치한 병사.

격리 병:실【隔離病室】[—니—] 명〖의〗전염병 환자를 격리하여 치료하는 병실.

격리 병:원【隔離病院】[—니—] 명〖의〗전염병 환자를 격리하여 치료하는 병원.

격리 분포【隔離分布】[—니—] 명 자연 현상(自然現象)이나 문화 현상(文化現象)이 띄엄띄엄 떨어져 분포(分布)되어 있는 현상.

격리-설【隔離說】[—니—] 명〖생〗생물 진화(生物進化)를 설명하는 데 격리의 중요성을 강조하는 학설. 19세기에 독일의 자연 연구가인 바그너(Wagner, Moritz; 1813-87) 등이 제창함. 지리적 격리에 의해, 종(種)의 분화(分化) 및 신종(新種)의 형성이 이루어진다고 설명함.

격리-실【隔離室】[—니—] 명〖의〗정신병 또는 전염병 환자를 따로 격리하여 수용하는 방.

격리 육종법【隔離育種法】[—니—뻡] 명〖식〗타가 수분(他家受粉)을 하는 작물에서 행하는 선발(選拔) 육종법의 한 방법. 부근에 다른 품종이 재배되어 선발의 효과를 올리기 어려울 때, 구하는 형질(形質)을 가진 한 개체(個體) 또는 몇 개의 개체를 격리시키어, 다른 작물이 전혀 재배되고 있지 아니한 해중(海中)의 섬이나 산중(山中)의 처녀 지대에서 육종하는 방법.

격리 처:분【隔離處分】[—니—] 명〖법〗전염병 환자나 또는 그런 의심을 받는 환자를 따로 격리시키는 행정(行政) 처분. ——-하다 타여불

격리 환:자【隔離患者】[—니—] 명〖의〗따로 격리하여 치료하는 전염병·정신병 등의 환자.

격린【隔隣】[—닌] 명 가까이 이웃함. ——-하다 자여불

격막[1]【隔膜】명 격벽(隔壁) 구실을 하는 막.

격막[2]【膈膜】명〖생〗①↗횡격막(橫膈膜). ②동물의 몸의 강소(腔所)의 격벽(隔壁)을 이루는 막.

격막-법【隔膜法】명 수은법(水銀法)·성층법(成層法)과 더불어, 수산화 나트륨 제조(製造)의 전해법(電解法)의 한 가지. 식염수(食鹽水)를 전해할 때, 양극(兩極) 사이에 석면(石綿) 등의 격막을 두고, 양극(陽極) 쪽의 생성물(生成物)인 염소(塩素)와 음극(陰極) 쪽의 생성물인 수산화 나트륨과 수소(水素)가 서로 혼합되는 것을 방지하려고 한 점이 그 특색임. 격막을 두는 방식에 따라 수평식(水平式)과 직립식(直立式)이 있음.

격막 신경【膈膜神經】명 [phrenic nerve] 척수(脊髓) 신경의 제3·제4·제5경(經)신경에서 나온 신경. 횡격막(橫膈膜)을 지배함.

격막 펌프【隔膜—】[pump] 명 다이어프램 펌프.

격면【隔面】명 절교(絕交). ¶ 이직각의 딸을 개가하여 왔다고…말한 마디라도 상서롭지 아니케 하시려거던 종금 이후로 상호와는 영영 ~을 하실 것이요…《作者未詳 : 홍도화》. ——-하다 자여불

격멸【擊滅】명 쳐서 멸망시킴. ——-하다 타여불

격멸-전【擊滅戰】[—쩐] 명 적을 격멸하는 맹렬한 싸움.

격몽【擊蒙】명 지혜가 몽매(蒙昧)한 어린아이들을 일깨워 준다는 뜻.

격몽 요결【擊蒙要訣】[—뇨—] 명〖책〗이이(李珥)가 한문으로 아이들에게 읽히기 위하여 지은 책. 독서 궁리(窮理)와 입신 칙궁(立身飭躬)과 봉친 접물(奉親接物) 등에 관하여 씀. 조선 선조(宣祖) 10년(1577)에 간행. 조선 중기 이후에 교과서로 널리 쓰임. 2권 1책.

격무【激務】명 몹시 고되고 바쁜 직무. 극무(劇務). ¶ ~에 시달리다.
격문【檄文】명 ①특별한 경우에 군병을 모집하거나, 세상 사람들의 흥분을 일으키거나 또는 적군을 효유(曉諭)·힐책하기 위하여 발표하는 글. 격(檄). ②급히 여러 사람들에게 알리는 글.
격물【格物】명 궁극의 목적인 '평천하(平天下)'에 이르기까지의 '격물(格物)·치지(致知)·성의(誠意)·정심(正心)·수신(修身)·제가(齊家)·치국(治國)·평천하'의 8단계 중의 첫 단계. ①주자학(朱子學)의 용어. 사물의 이치(理致)를 연구하여 궁극(窮極)에 도달함. ②양명학(陽明學)의 용어. 사물에 의지(意志)가 있다고 보아 그에 의해서 마음을 바로잡음. ──-하다 자여불
격물 치:지【格物致知】명 ①〔《대학(大學)》의 '致知在格物'에서 유래〕 대학의 교과(敎科)인 예악사어서수(禮樂射御書數)의 육예(六藝)를 수득하는 것이 지식을 명확히 하는 소이(所以)임. ②주자학의 용어. 사물의 이치를 연구하여 후천적인 지식을 명확히 함. ③양명학(陽明學)의 용어. 의지가 존재하는 바 사물에 의해서 부정(不正)을 바로잡고 선천적인 양지(良知)를 닦음. 준격치(格致). ──-하다 자여불
격발[1]【激發】명 ①격동(激動)하여 일어남. ②격동하여 일으킴. ──-하다 자타여불
격발[2]【擊發】명 탄환을 발사하기 위하여 방아쇠를 당겨, 장약(裝藥)에 점화하는 일. ──-하다 자타여불
격발 장치【擊發裝置】명 총포를 격발시키기 위한 장치. '공이' 같은 것.
격방【擊棒】명〖역〗격구(擊毬)❶.
격벽【隔壁】명 ①벽 하나를 사이에 둠. ②칸을 막은 벽. ③특히, 배의 내부의 칸막이 벽. ──-하다 자여불
격벽 갑판【隔壁甲板】명〖해〗수밀 구획(水密區劃)의 위쪽을 덮은 배의 갑판(甲板). 수밀(水密) 구조로 되어 있어, 충돌·좌초 등에 처했을 때, 침수나 화재 따위의 손해를 일부분에 그치게 하는 구실을 함. *수밀 격벽(水密隔壁).
격변【激變】명 급격하게 변함. ¶ ~기(期)/기후(氣候)의 ~/정세의 ~. ──-하다 자여불
격-변화【格變化】명〖언〗주로 인도 유럽 어족(語族)의 언어에서, 어미(語尾)에 의한 격의 변화. 곡용(曲用).
격별【格別】명 각별(各別). ──-하다 형여불. ──-히 부
격부-증【擊仆症】[-쯩] 명〖한의〗졸중풍(卒中風).
격분[1]【激忿】명 격노(激怒). ──-하다 자여불
격분[2]【激憤】명 몹시 분개(憤慨)함. 분격(憤激). ──-하다 자타여불
격분[3]【激奮】명 몹시 흥분함. ──-하다 자여불
격비【格非】명 그릇된 마음을 바로잡음. ──-하다 자여불
격살【擊殺】명 쳐서 죽임. ──-하다 타여불
격상[1]【格上】명 자격·등급·지위 등의 격을 올림. ↔격하(格下). ──-하다 타여불
격상[2]【格尙】명 품격(品格)이 높음. 고상(高尙). ──-하다 형여불
격상[3]【激賞】명 몹시 찬상(讚賞)함. 격찬(激讚). ──-하다 타여불
격상[4]【擊賞】명 ↗격절 탄상(擊節嘆賞). ──-하다 타여불
격새-류【隔鰓類】명〖동〗[Septibranchia] 부족류(斧足類)에 속하는 한 목(目). 호흡기의 조름이 퇴화(退化)하고, 외투막(外套膜)은 위아래 두 부분으로 나누인 근육질막(筋肉質膜)이고, 외투강(外套腔)은 그 격막(膈膜)에 있는 구멍으로 서로 통함. 족사(足絲)가 없고, 자웅 동체(雌雄同體)임. 막새류(膜鰓類). *원새류(原鰓類).
격색【隔塞】명 멀리 떨어져 막힘. ──-하다 자여불
격서【檄書】명 격문(檄文)을 적은 글.
격설【鴃舌】명 야만인이 지껄이는, 알아들을 수 없는 말. 외국 사람의 말을 낮추어 일컫는 말.
격성[1]【激成】명 격심한 정도로 생성(生成) 또는 조성(助成)함. ¶ 불안의 ~. ──-하다 자타여불
격성[2]【激聲】명 격앙(激昂)한 언성.
격세[1]【隔世】명 ①세대(世代)를 거름. ¶ ~ 유전. ②심한 변천(變遷)을 지낸 딴 세대(世代). ¶ ~지감(之感). ──-하다 자여불
격세[2]【隔歲】명 한 해를 격함. 해가 바뀜. ──-하다 자여불
격세 안:면【隔歲顔面】명 해가 바뀌도록 오래 만나지 못한 얼굴.
격세 유전【隔世遺傳】명〔reversion〕〖생〗①생물의 성질이나 체질(體質) 같은 것의 열성 형질(劣性形質)이 일대(一代)나 또는 수대(數代)를 걸러서 나타나는 유전(遺傳). 간헐 유전(間歇遺傳). ↔직접(直接) 유전. ②한 생물의 진화 과정에서, 한번 나타났던 형질이 별안간 후대(後代)에 가서 나타나는 현상. *귀선(歸先) 유전. ──-하다 자여불
격세즉-망【隔世卽忘】명 사람이 이 세상에 새로 태어날 때에는 전세(前世)의 일을 모두 잊는다는 말.
격세지-감【隔世之感】명 딴 세대(世代)와도 같이 몹시 달라진 느낌.
격소【檄召】명 격문(檄文)을 띄워 불러 모음. ──-하다 타여불
격쇄【擊碎】명 때려 부숨. ──-하다 타여불
격수 명〈방〉적수(敵手).
격수-벽【隔水壁】명 선박의 좌초(坐礁)·충돌에 의한 침수(浸水)를 일부분에만 그치게 하기 위하여, 배의 내부에 간격을 두고 설치한 벽. *수밀 격벽(水密隔壁).
격수 삼알【擊首三戛】명〖악〗국악기 어(敔)를 치는 법. 채로써 먼저 머리 부분을 친 다음 톱날 부분을 드르륵 하고 긋기를 세 번 반복하는 연주법.
격시 등반【隔時登攀】명〔interrupted climbing〕〖등산〗암벽(岩壁)이나 빙벽(氷壁) 등의 어려운 장소를 등반할 때에, 자일로 연결된 한 대(隊) 가운데에서 1명은 행동하고, 정지(靜止)하고 있는 나머지 사람들은 등반자의 행동을 확보(確保)하면서, 번갈아 올라가는 방법. ↔연속(連續) 등반.
격식【格式】명 격에 맞는 법식(法式). 예수(禮數). 형식(形式). ¶ ~을 차리다.
격식-화【格式化】명 격식에 맞게 되거나 또는 맞게 함. ──-하다 자타여불
격실[1] 명〈방〉적실(的實).
격실[2]【隔室】명 옆에 격(隔)해 있는 방.
격심[1]【格心】명 ①바른 마음. ②마음을 바로잡음. ──-하다 자여불
격심[2]【隔心】명 격의(隔意).
격심[3]【激甚】명 과격(過激)하게 심함. 몹시 심함. ¶ ~한 타격을 입다. ──-하다 형여불. ──-히 부
격안【隔岸】명 언덕으로 사이가 막힘. ──-하다 자여불
격안지-곡【格安之曲】명〖악〗고려 시대 제례악(祭禮樂)의 하나. 왕이 친히 참석하여 누에가 잘 되도록 비는 선잠제(先蠶祭) 때 연주하는 음악임.
격암【格菴】명〖사람〗남사고(南師古)의 호(號).
격앙【激昂】명 감정이나 기운이 격발(激發)하여 높아짐. 몹시 흥분함. ──-하다 자여불
격야【隔夜】명 하룻밤을 격(隔)함. 하룻밤을 지남. 하룻밤 걸림. ──-하다 자여불
격양[1]【激揚】명 감정이나 기운이 격발(激發)하여 들날림. 감격하여 분기(奮起)함. ──-하다 자여불
격양[2]【擊攘】명 격퇴(擊退). ──-하다 타여불
격양[3]【擊壤】명 중국 상고(上古) 때, 민간(民間)에서 행해지던 유희(遊戲)의 한 가지. 길이가 약 한 자 세 치의, 앞이 넓고 뒤는 빨아 신짝 비슷하게 생긴 두 개의 나무로, 한 개를 맞은편 땅에 놓고 삼사십 보 앞에서 다른 한 개를 던져서 맞히는 유희. 일설(一說)에는 흙으로 만든, 양(壤)이라는 일종의 악기를 치는 일이라고도 하고 혹은 땅을 치며 노래를 부르는 일이라고도 함. ──-하다 자여불

〈격양[3]〉

격양-가【擊壤歌】명 풍년(豐年)이 들어서 농부가 태평(太平)한 세월을 부르는 노래. 중국 당요(唐堯) 때, 늙은 농부가 태평한 생활을 즐거워하여 격양(擊壤)하면서 부른 노래라고 함. 그 내용은 '日出而作 日入而息 鑿井而飮 耕田而食 帝力於我何有哉'임.
격어【激語】명 과격(過激)한 말. 흥분하여 격한 말투로 하는 말.
격언【格言】명 속담(俗談) 등과 같이 사리(事理)에 꼭 들어맞아 교훈이 될 만한 짧은 말 토막. '진보(進步)는 노력에 의해 얻어진다' 또는 '말하기는 쉽고 행하기는 어렵다' 등. *금언(金言).
격연【闃然】명 썩 고요하고 쓸쓸한 모양. ──-하다 형여불
격외【格外】명 격례(格例)나 규격(規格)에 벗어나 있음. 또, 그 사물. 예외(例外).
격외-선【格外禪】명〖불교〗말이나 문자로는 논할 수 없는, 격식을 초월한 불교의 선법(禪法).
격외 성:총【格外聖寵】명〖천주교〗성총 중의 하나. 행선 피악(行善避惡)함을 돕는 은혜. 조력(助力) 성총.
격외-품【格外品】명 상품 거래에서, 규격(規格)에 벗어난 열등한 물품.
격원【隔遠】명 동떨어지게 멂. 절원(絶遠). ──-하다 형여불
격월[1]【隔月】명 한 달씩 거름. 달을 거름. ──-하다 자여불
격월[2]【隔越】명 멀리 떨어짐. ──-하다 자여불
격월[3]【激越】명 (목소리 따위가) 격(激)하고 높음. 감정이 격하여 거셈. ──-하다 형여불. ──-히 부
격월-간【隔月刊】명 한 달 걸러 발간함. *월간·계간(季刊).
격음【激音】명〖언〗기음(氣音). 거센소리.
격음화 현:상【激音化現象】명〖언〗거센소리되기.
격의【隔意】[-/-이] 명 서로 터놓지 아니하는 속마음. 격심(隔心). 소의(疏意). ¶ ~ 없이 이야기하다.
격일【隔日】명 하루씩 거름. 간일(間日). ¶ ~제(制). ──-하다 자여불
격일 교대【隔日交代】명 하루씩 걸러 교대함. ¶~로 근무하다. ──-하다 자타여불
격자[1]【格子】명 ①대갓끈의 대통들 사이에 꿴 둥근 구슬. ②쇠오리·대오리·나무오리 같은 것으로 정간(井間)을 맞추어 짠 물건. ③[lattice] 평면(平面) 또는 입체에 있어서 같은 간격으로 규칙 있게 반복된 구조(構造). ④〖물〗결정(結晶) 격자. ⑤〖물〗회절(回折) 발. ⑥〖수〗기본이 되는 벡터를 단위(單位)로 하여, 원점(原點)에서 규칙적으로 배열된 점(點), 및 그 점들을 이은 선(線)과, 그 선들로 둘러싸인 면(面)의 총체(總體). 하나의 벡터로 규정되는 평면 격자 곧 2차원 격자와 3개의 벡터로 규정되는 공간 격자, 곧 3차원 격자가 있음. ⑦〖전〗전자관(電子管)의 전극(電極)의 하나인 그리드(grid)의 일컬음.
격자[2]【擊刺】명 치고 찌름. ──-하다 타여불
격자 결함【格子缺陷】명〖화〗결정(結晶) 안에 있는 원자(原子)의 배열이 규칙적이 아니고 문란한 현상. 원자가 빠진 공공(空孔), 배열이 이지러진 전위(轉位), 가외로 더 끼인 삽입 원자(挿入原子) 등이 있는데, 투명 결정(透明結晶)의 유색화(有色化) 또는 소성 변형(塑性變形) 등의 원인이 됨.
격자 무늬【格子—】[-니] 명 바둑판처럼 가로세로 줄이 진 무늬. 문살무늬. 석쇠 무늬.
격자-문【格子門】명 문살을 격자로 짠 문.
격자 산:란【格子散亂】[-살-] 명〔lattice scattering〕〖물〗전자(電子)가 결정 격자상에서 진동하고 있는 원자와 충돌하여 산란되는 일. 결정 중의 전하 담체(電荷擔體)이동도(移動度)를 저하시키며, 전도도(傳導度)에도 영향을 미침.
격자 상수【格子常數】명〔lattice constant〕①〖수〗격자(格子)를 결정하는 상수(常數). 1차원 격차에서는 하나의 벡터의 길이의 1개, 평면 격자에서는 두 벡터의 길이와, 그것이 이루는 각(角)의 3개, 공간 격자에서는 세 벡터의 길이와, 그들이 이루는 3개의 각(角)의 6개. ②〖물〗

회절 격자(回折格子)에서, 하나의 슬리트(slit) 중앙에서 이웃하는 슬리트의 중앙까지의 길이. ③〖물〗결정 격자(結晶格子)에서, 단위 격자의 크기와 모양을 결정하는 상수. 공간 격자의 6개의 상수와 같음. 또, 결정내의 평행한 격자면(格子面)의 상호 간의 간격.

격자-점【格子點】명〖수〗①x좌표, y좌표가 모두 정수(整數)인 평면상의 점. ②격자(格子)를 구성하는 점(點).

격자 진:동【格子振動】명〔lattice vibration〕〖물〗결정 격자 중의 원자가 평형 위치(平衡位置) 주위에서 주기적으로 진동하는 일.

격자-창【格子窓】명 창살을 격자로 짠 창.

격장¹【隔牆·隔墻】명 담 하나를 사이에 두고 이웃함. ——-하다 자여불

격장²【激奬】명 격려하고 장려함. 크게 장려함. ——-하다 타여불

격장-가【隔牆家】명 담 하나를 사이에 둔 이웃집.

격장-법【隔帳法】[—뻡] 명〖역〗과거(科擧)의 강경(講經) 때에, 시관(試官)과 거자(擧子) 사이에 협장(夾帳)으로 가로막고, 강(講)하게 하던 일. 대간(臺諫)의 관원이 협장 밖에 앉아, 이를 감시함. 조선 숙종(肅宗) 31년(1703)부터 시행됨.

격장지-린【隔牆之隣】명 담을 격한 가까운 이웃.

격쟁【擊錚】명 ①꽹과리를 침. ②〖역〗원통한 일이 있는 사람이 임금에게 하소연하려 할 때, 도성(都城) 밖에서 임금이 거동하는 길가에서 꽹과리를 쳐서 하문(下問)을 기다리던 일. 신문고(申聞鼓)를 폐지한 후, 꽹과리를 쳐서 재판의 불복을 호소하게 하였는데, 명종 15년(1560)에는 함부로 궁전에 들어와 격쟁하는 사람이 많아서 이를 금하고, 정조(正祖) 때 신문고로 복귀했다가, 철종(哲宗) 9년(1858)에 위와 같이 정함. ——-하다 자여불

격적【闃寂】명 아무 것도 없이 텅 비어 쓸쓸함. ——-하다 형여불

격전【激戰】명 격렬(激烈)한 전투. 격렬하게 싸움. 극전(劇戰). 맹전(猛戰). ¶ ~을 벌이다. ——-하다 자여불

격전-장【激戰場】명 격전지. 「순례(巡禮) 행군.

격전-지【激戰地】명 격렬한 전투를 하는 싸움터. 격전장(激戰場). ¶ ~

격절¹【隔絕】명 사이가 동떨어져 연락이 아니 됨. ——-하다 자여불

격절²【激切】명 말이 격렬(激烈)하고 절실(切實)함. ——-하다 형여불 ——-히 부 「歎)함. ——-하다 자여불

격절³【擊節】명 ①두들겨서 박자(拍子)를 맞춤. ②전(轉)하여, 감탄(感

격절 칭상【擊節稱賞】명 격절 탄상(擊節嘆賞). ——-하다 타여불

격절 탄:상【擊節嘆賞】명 무릎을 손으로 치면서 탄복(嘆服)하여 칭찬함. 격절 칭상(擊節稱賞). 준격상(擊賞). ——-하다 타여불

격정【激情】명 ①격렬한 감정. ②강렬하고 갑작스러우며 누르기 힘든 정서(情緖). ③강한 욕망.

격정-적【激情的】명관 감정이 격렬하게 격앙(激昂)하는 모양.

격조¹【格調】명 ①시가·문장 등 예술 작품에서 체재(體裁)에 맞는 격(格)과 운치(韻致)에 어울리는 조(調). ¶ ~ 높은 시(詩). ②사람의 품격과 지취(志趣). ③사물이 지니는, 그 자체에 걸맞은 전체의 구성이나 태(態).

격조²【隔阻】명 ①멀리 떨어져 있어 서로 오고 가지 못함. ②오랫동안 서로 소식이 막힘. 적조(積阻). ——-하다 자여불

격-조사【格助詞】명〖언〗문장 속에서 체언 아래에 붙어, 그 체언으로 하여금 문장의 구성으로서의 일정한 자리를 가지게 하는 조사. 주격 조사·목적격 조사·관형격 조사·보격 조사·부사격 조사·호격 조사·서술격 조사 등이 있음. 자리토씨.

격조-파【格調派】명〖문〗한시에서, 품격(品格)이 웅대(雄大)하고 성조(聲調)가 원숙한 문자를 즐겨 사용하는 유파(流派). 청(淸)나라의 심덕잠(沈德潛)이 제창한 이론에 입각함.

격주【隔週】명 일주일씩 거름. ——-하다 자여불

격증【激增】명 급격하게 늘거나 붊. ↔격감(激減). ——-하다 자여불

격지¹ 명 여러 겹으로 쌓이어 붙은 켜.

격지² 명〖고고학〗몸돌에서 떼어낸 돌조각. 박편(剝片). 석편(石片).

격지³ 명〈옛〉나막신. ¶ 楚ㅅ 두들게 ㄱ죮 격지 시너 ㅅ모차 오나놀(楚 岸通秋屐)《杜諺 XXII:20》.

격지⁴【隔地】명 멀리 떨어진 지방.

격지⁵【隔紙】명 켜와 켜 사이에 끼운 종이.

격지-격지 부 ①여러 격지로. ②각 격지마다.

격지-급【隔地給】명 멀리 떨어진 지방의 수취인에 대한 국고금의 지급. 한국 은행이나 체신 관서를 통하여 지급할 수 있음.

격-지다【隔—】자 격나서 서로 사이가 멀어지다.

격지-떼기 명〖고고학〗자갈 따위의 몸돌에서 격지를 얻기 위한 방법. 직접 떼기와 간접 떼기가 있음. 석편떼기. 박편떼기.

격지-자【隔地者】명 ①격지에 있는 사람. ②〖법〗의사 표시와 그 요지(了知)와의 사이에 시간을 요하는 관계에 있는 사람. ↔대화자(對話者).

격진【激震】명〖지〗격렬한 지진(地震). 가옥이 30% 이상 쓰러지고 산이 무너지며 땅이 심하게 갈라질 정도의 것. 진도(震度)는 7. 극진(劇震).

격질【膈疾】명〖한의〗식관(食管)이 협착(狹窄)하여져서 음식물이 내려감을 방해하여, 구토(嘔吐)가 자꾸 나는 병. 오늘날의 위암(胃癌)·식도암(食道癌)에 상당한다 함. 「격의 차.

격차¹【格差】명 ①품등·품위나 자격 등의 차. ¶ 인품에 ~가 나다. ②가

격차²【隔差】명 빈부(貧富)·임금·기술 수준 따위의 동떨어진 차이. ¶ 생활 수준의 ~가 좁혀져 가고 있다.

격찬【激讚】명 대단히 칭찬함. 격상(激賞). ——-하다 타여불

격-천장【格天—】명〖건〗소란반자.

격철【擊鐵】명 공이치기.

격추¹【擊追】명 적을 쫓아가서 침. ——-하다 타여불

격추²【擊墜】명 비행기를 쏘아 떨어뜨림. ——-하다 타여불

격추-파【擊墜破】명 격추함과 격파함. ——-하다 타여불

격치【格致】명 ①↗격물 치지(格物致知). ②품격과 운치(韻致).

격-치다 자 윷놀이에서, 우회하지 아니하고 방을 통과할 수 있도록 앞밭이나 뒷밭으로 말이 들어서게 윷가락의 끗수를 내다.

격침¹【擊沈】명 배를 폭격·포격·뇌격(雷擊) 등에 의해서 침몰(沈沒)시

격침²【擊針】명 공이¹❷. 「킴. ——-하다 타여불

격타【擊打】명 침. 때림. ——-하다 타여불

격탁【擊柝】명 ①딱딱이를 침. ②거래 시장에서, 입회(立會)의 시작과 마지막을 알리고 또는 매매 가격의 일치(一致)한 순간에 딱딱이를 치는 일. ——-하다 자여불

격탁 매매【擊柝賣買】명 거래소에서, 딱딱이를 쳐서 약정(約定) 가격을 성립시키는 매매. 지금은 없어짐.

격탕【激盪】명 심하게 뒤흔들림. 심하게 뒤흔듦. ——-하다 자타여불

격통【激痛】명 격심한 아픔. ¶ ~을 느끼다.

격퇴【擊退】명 적을 쳐서 물리침. 격양(擊攘). ——-하다 타여불

격투¹【格鬪】명 서로 맞붙어 치고받고 하며 싸움. 박전(搏戰). *드잡이. ——-하다 자여불

격투²【激鬪】명 격렬하게 싸움. 격렬한 싸움. ——-하다 자여불

격투-기【格鬪技】명 격투의 우열을 겨루는 경기. 권투·유도·레슬링·

격파¹【激波】명 센 물결. 거센 파도. 격랑(激浪). 「태권도 따위.

격파²【擊破】명 ①쳐부숨. ②태권도 등에서, 벽돌·기왓장 따위를 머리나 맨발·맨손으로 쳐서 깨뜨리는 일. ——-하다 타여불

격판【隔板】명 배 안에 실은 짐이 노는 것을 방지하기 위하여 선창 안에 만든 칸막이 판자.

격폭【激爆】명 격렬하게 폭발함. ——-하다 자여불 「다 자타여불

격하【格下】명 자격·등급·지위 등의 격을 낮춤. ↔격상(格上). ——-하

격-하다¹【隔—】타여불 시간이나 공간에 사이를 두다. ¶ 하루를 ~.

격-하다²【激—】㊀자여불 격노(激怒)하다. 흥분하다. ¶ 감정이 ~. ㊁형여불 기세나 감정 등이 급하고 거세다. ¶ 성질이 ~. 「다.

격-하다³【檄—】자여불 격문(檄文)을 보내어 떨쳐 일어날 것을 호소하

격호【格護】명 포섭하여 보호함. ——-하다 타여불

격-호월【隔胡越】명 호(胡)는 중국의 북방에 있고, 월(越)은 중국의 남방에 있다는 뜻으로, 서로 멀리 떨어져 있음을 가리키는 말.

격화【激化】명 격렬하게 됨. 또, 격렬하게 함. ——-하다 자타여불

격화 소양【隔靴搔癢】명 신을 신고 발바닥을 긁는다는 뜻으로, 성에 차지 아니함. 또는 사물이 철저하지 않음을 가리키는 말. 격화 파양(隔靴爬癢). ¶ 아무리 책으로 읽어 봐도 ~이던, 그 정치적 낭만주의의 세계에 지금 오토메나크 자신이 등장하고 있었다《崔仁勳 : 태풍》.

격화 일로【激化一路】명 오직 자꾸만 격화하여 갈 뿐임.

격화 파양【隔靴爬癢】명 격화 소양(隔靴搔癢).

격회【隔灰】명 관(棺)을 묻을 때, 먼저 관의 바깥 주위(周圍)에 석회(石灰)를 메우는 일. ——-하다 자여불

겪다 타 ①어려운 일이나 경험될 만한 일을 당하여 치르다. ¶ 갖은 고초를 ~. ②손님이나 또는 여러 사람을 청해 음식을 갖추어 대접하다.

겪이 의명 음식을 차리어 남을 대접하는 일. ¶ 손~/머슴~.

견¹【見】명 성(姓)의 하나. 본관 미상(本貫未詳).

견²【堅】명 성(姓)의 하나. 현재 우리 나라에는 본관(本貫)은 천령(川寧)·사량(沙梁)·김포(金浦)·충주(忠州)가 있음.

견³【絹】명 ①매우 얇고 성기고 엉성엉성하게, 무늬 없이 희게 짠 깁. 그대로는 너무 얇아 반드시 밑에 종이를 받치어 붙여서, 서화(書畫)의 족자·병풍·부채 같은 것을 꾸미는 데 씀. ②〖미술〗↗견본(絹本). ③비단.

견⁴【甄】명 성(姓)의 하나. 현재 우리 나라에는 본관(本貫)은 황간(黃磵)·상주(尙州)가 있음. 진(甄).

견⁵【籈】명〖악〗어(敔)를 긁어 소리를 내게 하는, 대나무로 만든 채. 끝이 아홉 갈래로 갈라져 있음. 견죽(籈竹).

견⁶【在】조〈이두〉인.

견가¹【肩價】명 가마를 메는 교군꾼의 삯.

견가²【繭價】[—까] 명 고치의 값.

견가³【譴呵】명 꾸짖음. 나무람. ——-하다 타여불 「여불

견:각【見却】명 남에게 거절(拒絕)을 당함. 견퇴(見退). ——-하다 자

견감【蠲減】명 조세(租稅) 등의 일부를 감(減)하여 줌. ——-하다 타여불

견갑¹【肩胛】명〖생〗어깨뼈가 있는 자리.

견갑²【堅甲】명 ①튼튼하게 만든 갑옷. ②단단한 갑각(甲殼).

견갑-골【肩胛骨】명〖생〗포유 동물·새 따위의 상지골(上肢骨)과 몸통과를 연결하는 등의 위쪽의 한 쌍의 뼈. 새의 것은 가늘고 납작하며, 포유 동물의 것은 대개 납작한 삼각형임. 어깨뼈. 견지뼈. 준견골(肩骨)·갑골(胛骨).

견갑골 점법【肩胛骨占法】[—뻡] 명〔scapulimancy〕〖민〗동물의 어깨뼈나 거북의 등딱지를 불에 구워서, 그 갈라지는 금을 보아 길흉(吉凶)을 점치던 고대의 점법의 하나. 부여(扶餘)의 우제 점법(牛蹄占法)이나 중국의 갑골(甲骨) 점법은 이에 속함. *장복(臟卜).

견갑 관절【肩胛關節】명〖생〗견관절(肩關節).

견갑-근【肩胛筋】명〖생〗견갑에 붙어 있는 근육(筋肉).

견갑 이:병【堅甲利兵】[—니—] 명 ①튼튼한 갑옷과 정예(精銳)한 병기(兵器). ②정병(精兵).

견강¹【堅剛】명 성질이 매우 굳세고 단단함. ——-하다 형여불

견강²【堅強】명 매우 굳세고 강함. ——-하다 형여불

견강³【牽強】명 억지로 끌어감. ——-하다 자타여불

견강 부:회【牽強附會】명 말을 억지로 끌어다 붙이어서 조건(條件)이나 이치(理致)에 맞도록 함. ——-하다 자여불

견개【狷介】명 ①고집이 매우 세어서 남의 주장을 용납(容納)하지 아니함. ②절개가 매우 굳음. ——-하다 형여불

견결【堅決】명 ①굳게 결심함. ②단단히 결정함. ——-하다 타여불

견:경[1]【見輕】명 남에게 경시(輕視)를 당함. ——-하다 자여불

견경[2]【堅勁】명 단단하고 강함. ——-하다 형여불

견경[3]【堅硬】명 굳고 단단함. ——-하다 형여불

견고[1]【堅固】명 ①굳고 단단함. 튼튼함. ¶ ~한 요새(要塞). ②확실(確實)함. ——-하다 형여불. ——-히 부

견고[2]【譴告】명 ①꾸짖는 뜻을 알림. ②귀신이 천변 지이(天變地異)를 내려 인간을 꾸짖음. ——-하다 타여불

견고 기지【堅固基地】명〔hard base〕〖군〗 핵공격(核攻擊)에 대하여, 튼튼하게 보호된 미사일 발사(發射) 기지. 보통, 지하호(地下壕)를 이용함.

견고-성【堅固性】[—썽] 명 견고한 성질.

견고-화【堅固化】명〔hardening〕〖군〗 무기 체계(武器體系)가 적의 공격에 의한 파괴 또는 손해를 입지 않도록 하는 일. ——-하다 타여불

견:곤[1]【見困】명 곤란(困難)을 당함. ——-하다 자여불

견곤[2]【堅昆】명〖역〗 중국 한대(漢代) 사서(史書)에 나오는 부족(部族)의 이름. '키르기스(Khirghiz)'의 전신(前身)임.

견골【肩骨】명〖생〗↗견갑골(肩胛骨).

견공【犬公】명 개를 의인화(擬人化)하여 일컫는 말.

견과-류【堅果類】명〔nut〕〖식〗 각과류(殼果類).

견-관절【肩關節】명〖생〗 견갑골과 상완골의 사이에 있는 전형적인 구(球)관절. 그 운동은 다축성(多軸性)이고, 또 가장 운동이 자유로운 관절로서 탈구(脫臼)하기 쉬움. 견갑(肩胛) 관절.

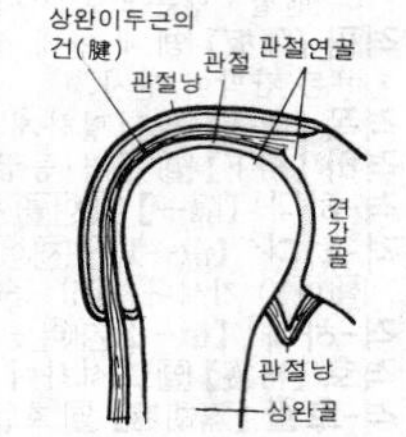

〈견관절〉

견광【狷狂】명 ①식견이 좁아서 고집을 지나치게 부리는 이와, 뜻만 커서 과장이 심한 사람. ②성질이 치우쳐 상궤를 벗어남.

견구【牽鉤】명 줄다리기.

견:굴【見屈】명 남에게 굽힘을 당함. ——-하다 자여불

견-권[1]【堅權】명〖사람〗 고려 태조(太祖) 때의 장군. 개국 공신 2등. 태조 4년(921) 말갈(靺鞨)의 달고적(達姑狄)이 고려 땅을 침범하자 태조의 명으로 삭주(朔州)에 나가 이를 물리침. 936년 태조가 직접 후백제(後百濟)의 신검(神劍)을 칠 때, 대상(大相)으로 있으면서 견훤 등과 함께 보병·기병 2만을 거느리고 참전, 후백제를 멸망시킴. 생몰년 미상.

견권[2]【繾綣】명 마음에 깊이 서리어 생각하는 정이 못내 잊히지 아니함. ——-하다 형여불

견권지-정【繾綣之情】명 마음속에 굳게 맺혀 잊을 수가 없는 정. 견권한 정. ¶ 홀로 후정에 나와 배회하다가 뜻밖에 군자의 초월한 풍채를 보고 우부의 일시 ~을 이기지 못하여 감히 일폭 서찰로 몸을 굽히고자 하오니…《作者未詳 : 恨月》.

견귀【遣歸】명 돌려보냄. ——-하다 타여불

견근해파리 아:목【堅筋—亞目】명〖충〗[Narcomedusae] 히드로충류(Hydro 蟲類) 굳해파리목(目)에 속하는 한 아목(亞目). 굳해파리 아목(亞目)에 가까우나 몸이 좀 단단하고, 산연(傘緣)에 고랑이 있어 두쪽이 되며, 촉수(觸手)는 산연에서 나지 아니하고 삿갓의 위쪽에서 남. 생식기는 대개 윤형(輪形)으로 배열되어 몇 개로 나누어짐.

견급【狷急】명 성미가 좁고 급함. 성급(性急)함. ——-하다 형여불

견:기[1]【見棄】명 남에게 버림을 받음. ——-하다 자여불

견:기[2]【見機】명 ①낌새를 알아챔. ②기회를 봄. ——-하다 자여불

견:기-이작【見機而作】명 기미를 알아채고 미리 조처(措處)함. ——-하다 타여불

견:기지-재【見機之才】명 견기하는 재주. 또, 그런 재주가 있는 사람.

견노【譴怒】명 성내어 꾸짖음. ——-하다 타여불

견다해【在如中】〈이두〉 이었던 때에. 인 때에.

견-달다 자〈방〉 보증서다.

견당【遣唐】명 당(唐)나라에 파견함. ——-하다 타여불

견당 매:물사【遣唐買物使】[—싸] 명〖역〗 신라 말기에 장보고(張保皐)가 당(唐)나라에 보낸 무역 사절.

견당-사【遣唐使】명〖역〗 630-894년에 걸쳐 전후 15차례, 일본에서 당(唐)나라에 보낸 사절. 당제(唐帝)를 알현(謁見)하고, 국서(國書)·공물(貢物)을 바치는 것이 그 임무였음. 또, 당나라의 문물 수입의 구실도 하였음.

견당-선【遣唐船】명〖역〗 견당사(遣唐使)가 타고 가던 배.

견대【肩帶】명 ①전대(纏帶). ②〖생〗 상지 대(上肢帶).

견대미 명 실꾸리를 결을 때에 실가락을 가로 걸치는 작은 틀.

견대-팔【肩帶—】명 어깻죽지와 팔꿈치 사이의 부분.

견:덕【見德】명〖불교〗 조계종(曹溪宗)에서, 비구(比丘) 법계(法階)의 5급. 중덕(中德)의 아래로, 최하위(最下位). 나이 25세, 승랍(僧臘) 5년 이상 된 자에 줌.

견:도【見道】명〖불교〗 삼도(三道)의 하나. 수행(修行)을 함에 있어서, 비로소 무루지(無漏智)가 생겨 불교의 진리인 사제(四諦)를 밝혀 보는 지위. 견제도(見諦道). *수도(修道)·무학도(無學道).

견독【身毒】명〖역〗[산스크리트의 'Sindhu'의 음역] 중국에서, 한대(漢代) 이래의 '인도'의 호칭.

견돈【犬豚】명 ①개와 돼지. ②매우 범용(凡庸)한 사람을 일컫는 말.

견두【肩頭】명 어깨. 어깨 끝.

견두-류【堅頭類】명〖동〗[Stegocephalia] 양서류(兩棲類)에 속하는 한 목(目). 고생대 데본기에 발생하여 중생대 트라이아스기(紀)에 절멸(絕滅)한 화석종(化石種)으로 이루어짐. 영원(蠑螈)과 비슷한 모양인데, 머리가 크고 머리뼈가 딱딱한 골판(骨板)으로 둘러싸임. 파충류로 갈라지는 근원이 된 종류라고 함.

견들로【在等以】〈이두〉 -ㄴ 줄로. *하견들로(爲在等以).

견등【肩等】명〖민〗 산통계(算筒契)에서 계(契) 알을 뽑는 데, 그 빠진 호수(號數)의 바로 위아래 되는 호수. 얼마씩의 돈을 태워 줌.

견듸다 자타〈옛〉 견디다. =견디다. ¶ 이는 十年을 견듸여도 믈허디디 아니ᄒᆞ리로다(這的推十年也壞不得)《老乞 上 35》.

견디다 ㊀ 자 ①살림살이에 곤란없이, 유지하여 지내다. ¶ 그러저럭 견뎌 나가다. ②쓰는 물건이 쉽게 해어지거나 닳지 아니하고 얼마 동안을 부지하다. ¶ 구두가 오래 ~. ㊁ 타 곤란과 괴로움을 잘 참고 배겨내다. ¶ 더위를 참고 ~.

견딜-성【—性】[—썽] 명 참아서 견디어 내는 성질. 인내성(忍耐性).

견딜-힘 명 참고 견디어 내는 힘. 인내력(忍耐力).

견ᄃᆡ다 자타〈옛〉 견디다. =견듸다. ¶ ᄒᆞ마 伶俜 열히옛 이ᄅᆞᆯ 견뎌옛노니(已忍伶俜十年事)《初杜諺 Ⅵ:16》.

견련【牽連·牽聯】[견—] 명 ①서로 관련됨. ②서로 켕기어 관련시킴. *결련(結連). ——-하다 자타여불

견련(을) 보다 구 ㉠양편이 서로 엇걸리어 켕김을 받고 있다. ㉡서로 엇걸리어 원수같이 미워하다.

견련 관할【牽聯管轄】[견—] 명〖법〗 어떤 사건에 관하여, 본래 인정되는 독립의 재판적(裁判籍)에 대하여, 다른 사건과 일정한 관련을 갖는 데서 이와 관계있는 법원(法院)에 인정되는 관할. 관련 관할(關聯管轄). 관련 재판적(關聯裁判籍).

견련-범【牽連犯】[견—] 명〖법〗 범죄(犯罪)의 수단이나 또는 결과가 되는 행위가 다른 죄명에도 걸리는 행위. 곧, 주거 침입과 절도 또는 문서의 위조와 그 행사 따위에 있어서 각각 한 개의 죄로 잡아 그 중 무거운 형(刑)으로 처단함. 다만, 우리 나라의 현행 형법에서는 이 개념을 인정하지 않으므로, 그대로 몇 개의 죄로 다룸.

견련 사:건【牽聯事件】[견—껀] 명〖법〗 관련(關聯) 사건.

견련 파:산【牽聯破産】[견—] 명〖법〗 화의(和議)·강제 화의(強制和議)·회사 정리(會社整理)가 일단 개시된 뒤에 이와 견련하여 인정되는 파산.

견련 화의【牽聯和議】[견— / 견—이] 명〖법〗 회사 정리(會社整理)의 개시 후에 이와 견련하여 인정되는 화의.

견뢰【堅牢】[견—] 명 단단하여 쉽게 부서지지 아니함. 강고(強固). 견고(堅固). ——-하다 형여불

견뢰 지신【堅牢地神】[견—] 명〖민〗 대지를 받들고 이것을 견고하게 한다는 지신. 그 상(相)은 붉은 살빛으로 왼손에 아름다운 꽃을 심은 화분을 받들고 있다 함.

견룡【牽龍】[견—] 명〖역〗 고려 때의 위사(衛士)의 한 종류.

견루【堅壘】[견—] 명 방비나 구조가 견고하여 쳐서 두려빼기가 어려운 보루(堡壘).

견:리[1]【見利】[견—] 명 이익을 봄. ——-하다 자여불

견리[2]【堅利】[견—] 명 견고하고 날카로움. ——-하다 형여불

견:리 망의【見利忘義】[견— / 견—이] 명 이익(利益)을 보면 의리를 돌아보지 아니함. ——-하다 자여불

견:리 사의【見利思義】[견— / 견—이] 명 눈앞에 이익이 보일 때, 의리에 맞는가 안 맞는가의 여부를 잘 생각함. ——-하다 자여불

견마[1]【犬馬】명 ①개와 말. ②자기 몸에 관한 것을, 개나 말같이 천(賤)하다는 뜻으로 극히 낮추어 겸손하게 일컫는 말. ¶ ~의 충성/~의 나이.

견마[2]【絹麻】명 명주 같은 광택을 내기 위하여, 특수하게 가공한 삼의 원사(原絲).

견마[3]【肩摩】명 교통이 번잡하여 길가는 사람의 어깨와 어깨가 서로 스치어 쓸림.

견마[4]【牽馬】명 '경마[1]'의 취음(取音).

견마 곡격【肩摩轂擊】명 길가는 사람의 어깨와 어깨가 스치고 수레의 바퀴통이 서로 닿음. 곧, 교통이 분잡(紛雜)한 모양.

견마-배【牽馬陪】명〖역〗 견마부(牽馬夫).

견마-부【牽馬夫】명〖역〗 조선 시대 때, 사복시(司僕寺)의 하례(下隷)로, 긴경마 또는 경마를 잡는 거덜. 견마배(牽馬陪).

견마지-년【犬馬之年】명 견마지치(犬馬之齒).

견마지-로【犬馬之勞】명 ①임금이나 나라에 충성을 다하는 노력. ②자기의 노력을 겸손하게 일컫는 말. 견마지역(犬馬之役).

견마지-류【犬馬之類】명 ①개와 말 같은 것들. ②개나 말처럼 낮고 천한 사람들.

견마지-성【犬馬之誠】명 ①임금이나 나라에 바치는 충성. ②자기의 정성을 겸손하게 일컫는 말.

견마지-심【犬馬之心】명 임금이나 나라에 충성을 다하는 자기의 마음.

견마지-역【犬馬之役】명 견마지로(犬馬之勞).

견마지-충【犬馬之忠】명 개와 말처럼 제 몸을 아끼지 아니하고 바치는 자기의 충성(忠誠).

견마지-치【犬馬之齒】명 개나 말처럼 보람없이 헛되게 먹은 나이라는 뜻으로, 자기의 나이를 낮추어 일컫는 말. 견마지년(犬馬之年).

견만【牽挽】명 손을 잡아 이끎. ——-하다 타여불

견:맥【見脈】명〖의〗 ①맥을 진찰함. ②보기만 하고 맥의 상태를 앎. ——-하다 자여불

견-면[1]【絹綿】명 비단과 무명. 또, 견사와 면사.

견면[2]【繭綿】명 누에가 고치를 만들 때에, 몸을 얹을 발판과 고치를 만드는 준비로서 토사(吐絲)해 놓는 물질. 고치솜.

견면 교직물【絹綿交織物】명 견사(絹絲)와 면사(綿絲)를 섞어서 짠 직물.

견명[1]【遣明】명 명(明)나라에 사람을 파견함. ——-하다 타여불

견명[2]【絹鳴】명 명주붙이가 스치어 쓸리는 소리.

견:모[1]【見侮】명 업신여김을 당함. ——-하다 자여불

견-모²【絹毛】명 ①견사(絹絲)와 모사(毛絲). ②견직물(絹織物)과 모직물(毛織物).
견목【樫木】명〖식〗떡갈나무.
견-묘¹【犬猫】명 개와 고양이.
견묘²【畎畝】명 밭의 고랑과 이랑.
견:문【見聞】명 ①보고 들음. 이목지관(耳目之官). ②보고 들어서 얻은 지식. 문견(聞見). ¶ ～을 넓히다. ——-하다 타여불
견:-문-각-지【見聞覺知】명〖불교〗보고 듣고 깨닫고 앎. 곧, 경험(經驗).
견:문 고검【見聞考檢】명 보고 들은 바를 헤아려 보고 검사함.
견:문-록【見聞錄】[—녹] 명 보고 들은 지식을 적은 글.
견:문 발검【見蚊拔劍】명 모기를 보고 칼을 뺀다는 뜻으로, 하찮은 일에 너무 크게 허둥지둥 덤빔. *노승발검(怒蠅拔劍). ——-하다 자여불
견:문 일치【見聞一致】명 보고 들은 바가 꼭 같음. ——-하다 자여불
견물【絹物】명 ↗견직물(絹織物).
견:물 생심【見物生心】명 실물(實物)을 보고서 욕심이 생김.
견민【遣悶】명 답답한 속을 풂. 심심 파적(破寂). 소민(消悶). ——-하다 자여불
견박¹【肩膊】명〖생〗어깨의 바깥쪽 상박(上膊)의 웃머리. 곧, 견갑 관절(肩胛關節)의 어름.
견박²【繭箔】명 누에고치를 담는 상자.
견박-골【肩膊骨】명〖생〗견박(肩膊)의 뼈.
견:반¹【見盤】명 옛적에 갱(坑) 속에서 사용하던 나침반.
견반²【堅盤】명 견고(堅固)한 암석.
견발【甄拔】명 재능이 있고 없고를 잘 밝혀 등용함. ——-하다 타여불
견방【絹紡】명 ↗견사 방적(絹絲紡績).
견방-사【絹紡絲】명 지스러기 고치를 원료로 하여 방적 공정(紡績工程)을 거쳐 자은 실. 방적 견사(紡績絹絲).
견-방적【絹紡績】명 견사 방적(絹絲紡績).
견:배【見背】명 가까운 사람과 사별함. 특히, 어버이를 여읨. ——-하다 자여불
견백 동이【堅白同異】명 ①중국 전국 시대의 문인(文人) 공손용(公孫龍)이 내어 건 일종의 궤변(詭辯). 예를 들면, 단단하고 흰 돌은 눈으로 보았을 때 그것이 흰 것을 알 수 있으나 단단한지는 모르며, 손으로 만져 보았을 때는 그것이 단단한 것인 줄 알 수 있을 뿐 빛은 흰지 모르므로, 단단한 돌과 흰 돌과는 동일한 물건이 아니라고 설명하는 것 따위. 견석 백마(堅石白馬). ②궤변(詭辯). 견백론(堅白論).
견백-론【堅白論】[—논] 명 견백 동이(堅白同異).
견벌【譴罰】명 꾸짖어 벌함. ——-하다 타여불
견벽 불출【堅壁不出】명 굳건한 벽으로 둘러싸인 속에서 나오지 아니함. 곧, 안전한 곳에 들어앉아서 남의 침범으로부터 몸을 막음. ——-하다 자여불
견별【甄別】명 뚜렷하게 나눔. ——-하다 타여불
견병【繭甁】명 와견(臥繭)의 무늬를 놓아 만든 병.
견복【甄復】명〖역〗조선 시대 때, 견차(甄差)에 응하여 다시 벼슬길에 나아감. 늙어서 벼슬을 내놓았던 사람이 다시 벼슬을 함. ——-하다 자여불
견:본¹【見本】명 전체 상품·제작품의 품질·미장(美匠)·효용 등을 알리기 위해서 제시하는 소량(少量)의 본보기 물건. 견품(見品). 겨냥.
견본²【絹本】명 서화(書畫)에 쓰기 위하여 재단(裁斷)한 깁 바탕. 또, 깁 바탕에 묘사한 서화. ㊥견(絹).
견:본 매매【見本賣買】명〖경〗견본에 의하여 목적물을 정하는 매매.
견:본-쇄【見本刷】명〖인쇄〗견본으로 하기 위한 인쇄. 또, 그 인쇄물(印刷物).
견:본-시【見本市】명〖경〗견본 시장.
견:본 시:장【見本市場】명〖경〗상품의 견본을 진열하여 선전과 소개(紹介)를 하고, 대량 거래를 도모하는 시장. 외국에 판로(販路)를 개척하려는 국제 견본시와 국내를 대상으로 하는 국내 견본시가 있음. 견본시.
견:본-품【見本品】명 견본으로 쓰이는 상품.
견:부¹【見孚】명 남에게 신용을 받음. ——-하다 자여불
견부²【肩部】명 어깨의 부분(部分).
견부³【牽夫】명 말구종.
견분【犬糞】명 개똥❶.
견:불【見佛】명〖불교〗수행(修行)이나 신앙(信仰)의 힘에 의지하여 불신(佛身)을 얻어 봄. 곧, 자기의 불성(佛性)을 깨달음. ——-하다 자여불
견:불 문:법【見佛聞法】명〖불교〗눈으로 대자 대비(大慈大悲)한 부처를 보고, 귀로 오묘(奧妙)한 교법(敎法)을 들음. ——-하다 자여불
견-비【肩臂】명 어깨와 팔.
견비-통【肩臂痛】명〖한의〗어깨 부분이나 어깨에서 팔까지의 부분이 저리고 아파서 팔을 잘 놀리지 못하는 신경통.
견빙【堅氷】명 단단하게 굳은 얼음.
견사¹【犬使】명〖역〗부여(扶餘) 관명(官名)의 하나. '犬'자는 '大'자를 잘못 쓴 것이 아닌가 생각됨. 견사자(犬使者).
견-사²【絹紗】명 견(絹)과 사(紗).
견사³【絹絲】명 깁이나 비단을 짜는 명주실. 비단실. ¶ 인조 ～.
견사⁴【絹篩】명 깁체.
견사⁵【繭絲】명 ①누에고치와 실. ②고치의 실. 생명주(生明紬) 실.
견사 광택【絹絲光澤】명 견사에서 볼 수 있는 것과 같은 광택. 섬유상 방해석(方解石) 등 섬유 구조를 가지는 광석에서 흔히 볼 수 있음.
견사 방적【絹絲紡績】명〖공〗지스러기 고치나 제사(製絲) 때에 생기는 찌끼 견섬유(絹纖維)를 원료로 하여 실을 제조하는 일. 견방적(絹紡績). ㊥견방(絹紡).
견:사 생풍【見事生風】명 일을 당하면 빨리 처리하는 손바람이 난다는 뜻으로, 일을 빨리 처리함의 비유. ——-하다 자여불
견사상 파:면【絹絲狀破面】명〔silky fracture〕〖광〗가늘고, 무딘 외관(外觀)을 나타내고 있는 금속의 절단면(切斷面) 조직. 강인한 금속의 특징적 현상임.
견사-선【絹絲腺】명〖충〗나비목(目)·날도래목(目)의 곤충의 유충에 잘 발달되어 있는 한 쌍의 분비선(分泌腺). 고치나 집을 만들기 위하여 실을 분비함. 타액선(唾液腺)이 변화한 것으로, 가는 대롱 모양임. 특히, 누에나방에서 잘 발달함. 실샘. 명주(明紬)실샘.
견사-자【犬使者】명〖역〗견사(犬使).
견삭【羂索】명 ①새나 짐승을 잡는 올무. ②〖불교〗불보살(佛菩薩)의 중생을 구제하는 구실을 상징하는 것으로서, 색실을 꼰 줄. 한끝에 고리, 또 한끝에는 독고(獨鈷) 반쪽을 붙였음. 부동명왕(不動明王)·불공 견삭 관음(不空羂索觀音)·천수 관음(千手觀音) 등이 이것을 가짐.

〈견삭❷〉

견삷이시거든【在白敎是去等】〈이두〉-ㄴ것이었사옵거든. 라고 말씀하시거든.
견삷이실지리두【在白敎是良置】〈이두〉이었사와도. 라고 말씀하시었어도.
견새【堅塞】명 방비가 튼튼한 요새.
견석【堅石】명 단단한 돌.
견석 백마【堅石白馬】명 견백 동이(堅白同異).
견설 고골【犬齧枯骨】명 개가 말라빠진 뼈를 핥는다는 뜻으로, 아무 맛도 없음을 가리키는 말.
견성¹【犬星】명〖천〗남쪽 하늘에 있는 큰개자리와 작은개자리의 두 별자리.
견:성²【見成】명〖불교〗현성(現成).
견:성³【見性】명〖불교〗모든 망혹(妄惑)을 버리고 자기 본연의 천성을 깨달음. 대오 철저(大悟徹底)함. ——-하다 자여불
견성⁴【堅城】명 ①방비가 견고한 성. ②튼튼하게 쌓은 성.
견:성 성공【見性成功】명〖불교〗자기 본연의 천성(天性)을 깨달아 불과(佛果)를 얻음. ——-하다 자여불
견:성 성불【見性成佛】명〖불교〗자기 본성을 깨달으면 부처가 됨. ——-하다 자여불
견속【牽束】명 행동의 자유를 속박함. ——-하다 타여불
견수¹【肩隨】명 웃사람과 함께 걸어갈 때에, 예(禮)로서 약간 뒤에 떨어져서 따라감. ——-하다 타여불
견수²【堅守】명 튼튼하게 지킴. 고수(固守). ——-하다 타여불
견수³【筧水】명 대 홈통으로 끌어 온 물. 대 홈통의 물.
견순【繭脣】명〖한의〗입술이 오그라져서 마음대로 입을 벌리지 못하는 급성병(急性病). 긴순(緊脣). 심순(瀋脣).
견순-증【繭脣症】[—쯩] 명〖한의〗견순(繭脣)의 증세(症勢).
견:습【見習】명 남의 하는 일을 보고 배워서 실지로 연습함. 또, 그러한 과정에 있는 사람. ¶ ～ 기간. *수습(修習). ——-하다 타여불
견:습-공【見習工】명 '수습공(修習工)'의 구용어.
견:습 기자【見習記者】명 '수습(修習) 기자'의 구용어.
견:습 사원【見習社員】명 '수습(修習) 사원'의 구용어.
견:습-생【見習生】명 '수습생(修習生)'의 구용어.
견:습 수병【見習水兵】명〖군〗전의 해군의 한 계급. 최하 계급으로, 지금의 이등병에 해당함.
견:식【見識】명 ①견문(見聞)과 학식(學識). ②사물을 올바로 보고, 본질을 분별하는 뛰어난 판단력이나 견실한 생각. 식견(識見).
견:신¹【見神】명 신의 시현(示現)을 마음속에 감지(感知)하는 일. 신의 본체를 감지하는 일. ——-하다 자여불
견신²【堅信】명〖천주교〗견진(堅振).
견신-례【堅信禮】[—네] 명〖기독교〗신교에서 세례를 받은 후, 신앙 고백(信仰告白)을 하고 교회의 정회원(正會員)이 되는 의식.
견:실¹【見失】명 분실이나 유실(遺失)을 당함. 잃어 버림. ——-하다 타여불
견실²【堅實】명 튼튼하고 충실함. 굳고 착실함. ¶ 영업 방침이 ～하다. ——-하다 형여불. ——-히 부
견실-성【堅實性】[—썽] 명 견실한 성질.
견실-주의【堅實主義】[—/—이] 명 모든 일을 견고히 하고 충실히 하려는 주의.
견아【犬牙】명 ①〖한의〗아자(牙子)❶. ②개의 이빨과 같이 사물이 서로 어긋나서 맞지 아니함.
견아 방해석【犬牙方解石】명〖광〗개의 이빨처럼 뾰족한 결정을 가진 방해석. 견아석(犬牙石).
견아 상입지【犬牙相入地】명〖역〗고려 시대 및 조선 시대에, 개의 이가 위아래로 서로 엇물려 있듯이, 군현(郡縣) 경계선의 굴곡(屈曲)이 심한 지역. 두입지(斗入地).
견아 상제【犬牙相制】명 땅의 경계(境界)가 개의 위아래 이빨이 서로 어긋맞음과 같이, 어긋나고 뒤섞이어 일직선(一直線)이 되지 아니함. 견아 상착(犬牙相錯). ——-하다 자여불
견아 상착【犬牙相錯】명 견아 상제(犬牙相制). ——-하다 자여불
견아-석【犬牙石】명〖광〗견아 방해석(犬牙方解石).
견아 차호【犬牙差互】명 사물이 개의 이빨처럼 서로 어긋남. ——-하다 자여불
견암【堅岩】명 ①단단한 암석. ②〖광〗접촉 변질(接觸變質)을 받아 경화(硬化)한 점판암(粘板岩)의 일종.
견약【堅約】명 굳게 약속함. 또, 그 약속. ——-하다 타여불
견-양¹【犬羊】명 ①개와 양. ②악한 사람과 착한 사람.
견:양²【見樣】명 겨냥❷.
견:양-지【見樣紙】명 창호지(窓戶紙)로 쓰이는 종이의 한 가지.
견양지-질【犬羊之質】명 재능이 없이 태어난 바탕.
견여【肩輿】명 대방상(大方牀)을 쓰는 행상(行喪)에서, 좁은 길을 지날 때에 임시로 쓰는 간단한 상여(喪輿).
견-여금석【堅如金石】명 서로 맺은 맹세가 금석과 같이 굳음. ——-하다 형여불
견-여반석【堅如盤石】명 반석과 같이 튼튼함. 완여반석(完如盤石).

——-하다 형 여불
견염【堅塩】명 고염(固塩).
견예【牽曳】명 끌어당김. 견인(牽引). ——-하다 타 여불
견:오【見忤】명 남에게 미움을 받음. 견증(見憎). ——-하다 자 여불
견온-병【犬瘟病】[-뼝] 명 디스템퍼(distemper)❶.
견외【遣外】명 외국에 파견함. ——-하다 타 여불
견:욕【見辱】명 남에게 욕을 봄. 봉욕(逢辱). ——-하다 자 여불
견용 동:물【牽用動物】명 소·말처럼 농구(農具)나 수레 같은 것을 끌리는 동물.
견우【牽牛】명 ①〖천〗↗견우성(牽牛星). ②〖식〗나팔꽃.
견우-성【牽牛星】명〖천〗①은하수 동쪽 가에 있는 독수리자리의 수성(首星) 알타이르(Altair)의 속칭. 칠석(七夕)에 은하수를 건너 직녀성(織女星)을 만나러 간다는 전설이 있음. 하고(河鼓). 황고(黃姑). 준견우(牽牛). ②중국 천문학에서 이십 팔 수(宿) 가운데의 우수(牛宿).
견우-자【牽牛子】명〖한의〗나팔꽃의 씨. 푸르거나 붉은 꽃의 씨는 흑축(黑丑), 흰 꽃의 씨는 백축(白丑)이라고 하는데, 모두 성질이 차며, 대소변을 통하게 함. 부종(浮腫)·적취(積聚)·요통(腰痛)에 진효(珍効)함. 초금령(草金鈴).
견우 직녀【牽牛織女】명 견우성(牽牛星)과 직녀성(織女星).
견우-화【牽牛花】명〖식〗나팔꽃.
견-운모【絹雲母】명〔sericite〕〖광〗백운모(白雲母)의 변종(變種)의 한 가지. 칼륨·알루미늄의 함수 규산염으로 되어 있으며 단결정계(單結晶系)에 속함. 보통, 장석(長石)·홍주석(紅柱石) 등의 이차적 변질물로서 이루어짐. 백색의 견사 광택(絹絲光澤) 또는 진주(眞珠) 광택을 지님. 흑광 광상(黑鑛鑛床)의 변질체(變質體), 화성암의 열수 변질(熱水變質)에 의한 점토 광상(粘土鑛床) 등지에서 남. 제지(製紙)·도자기·농약(農藥) 등에 널리 이용됨.
견운모 편암【絹雲母片岩】명〖광〗결정 편암의 하나. 견운모와 석영(石英)·장석(長石) 및 소량의 녹니석(綠泥石)으로 이루어지고, 견사(絹絲) 광택이 나는 변성암(變性岩).
견원【犬猿】명 ①개와 원숭이. ②서로 사이가 나쁜 두 사람. 「관계.
견원지-간【犬猿之間】명 개와 원숭이의 사이처럼 대단히 사이가 나쁜
견:위 치:명【見危致命】명〖철〗〔≪논어(論語)≫의 '子張曰 士見危致命 見得思義'에서〕나라가 위급해지면 제 몸을 나라에 바친다는 뜻.
견유【犬儒】명〖철〗①견유 학파(犬儒學派)에 속하는 사람. ②사회의 모든 기성 사실(旣成事實)을 멸시하고 세상을 비꼬며, 비뚤어진 눈으로 보는 학자.
견유-적【犬儒的】명관 시닉(cynic)❶.
견유-주의【犬儒主義】[-/-이] 명〖철〗시니시즘(cynicism)❶.
견유 학파【犬儒學派】명〖철〗키니코스(Kynikos) 학파.
견융【犬戎】명 중국의 은(殷)나라·주(周)나라 시대 및 춘추 시대(春秋時代)에 지금의 산시 성(陝西省) 부근에 살던 서융(西戎)의 일족(一族). 전국 시대에 와서 진(秦)나라의 압박을 받아 쇠퇴(衰退)하였음.
견으로【在以】조〈이두〉이므로.
견을【在乙】〈이두〉인 것을. 이었거늘.
견을안【在隱乙良·在乙良】〈이두〉것을랑.
견이며【在旀】〈이두〉인 것이며.
견:-이불식【見而不食】[-씩] 명 보고도 먹지 못함. ——-하다 타 여불
견이여【在亦】〈이두〉인 것이니. 것인데.
견:-이지지【見而知之】명 실지로 보고 앎. 보아서 깨달음. ——-하다 타 여불
견인¹【堅忍】명 굳게 참고 견딤. ——-하다 타 여불
견인²【堅靭】명 단단하고 질김. ——-하다 형 여불
견인³【牽引】명 끌어당김. 견예(牽曳). ——-하다 타 여불
견인 기관차【牽引機關車】명 열차를 끄는 기관차.
견인-력【牽引力】[-녁] 명 ①물건을 끌어당기는 힘. ②차량(車輛)을 움직이는 원동력(原動力)이 되는 끄는 힘. ③비유적으로, 마음을 끌어당기는 힘. 끄는 힘. 「——-하다 자 여불
견인 불발【堅忍不拔】명 굳게 참고 버티어 마음을 빼앗기지 아니함.
견인-성【堅忍性】[-썽] 명 굳게 참고 견디는 성질. 참을성.
견인 시험기【牽引試驗機】명〖물〗공작(工作) 재료의 항장력(抗張力)을 측정하는 기계. 시료(試料)의 양끝을 잡아 유압(油壓)을 이용하여 장력의 강도(強度)를 측정함.
견인 요법【牽引療法】[-뇨뻡] 명〖의〗구축(拘縮)이나 변형(變形)을 일으킨 관절을 되도록 정상 상태로 만들기 위해, 기계(器械)를 써서 잡아당기는 요법.
견인 자동차【牽引自動車】명 다른 차량을 끄는 원동력을 갖추고 있는 자동차. 트랙터(tractor)나 레커차(wrecker 車) 따위. 견인차.
견인 전:동기【牽引電動機】명 어떤 물체를 끌어당기는 데 사용하는 전동기.
견인 정:수【牽引定數】명 일정한 운전 속도로 기관차가 끌 수 있는 최대 차량수.
견인-주의【堅忍主義】[-/-이] 명 욕정 같은 것을 의지(意志)의 힘으로 억제하려는 도덕적·종교적인 주의·주장. 금욕(禁慾)주의.
견인-증【牽引症】[-쯩] 명〖한의〗견인통이 나는 증세. 「여불
견인 지구【堅忍持久】명 굳게 참고 견디어 오래 버팀. ——-하다 타
견인 지종【堅忍至終】명 끝까지 굳게 참고 견딤. ——-하다 타 여불
견인-차【牽引車】명 ①짐을 실은 차량을 끄는 기관차. ②견인 자동차. ③농경(農耕) 기계나 건설(建設) 장비를 끄는 차량.
견인-통【牽引痛】명〖한의〗근육이 땅기거나 켕기어 쑤시고 아픈 병.
견:자【見者】명 보는 사람.
견잠【繭蠶】명 고치가 된 누에.
견장¹【肩章】명 군인·경찰관 등의 제복(制服)의 어깨에 붙이는 표장(標章). 관직의 종류와 등급에 따라 각각 구별이 있음.
견장²【肩牆·肩墻】명〖군〗야전(野戰)에서 포차(砲車)와 포수(砲手)를 가리기 위하여 흙으로 쌓은 담.
견:적【見積】명 어떤 일에 소요되는 비용 같은 것을 미리 대강 계산함. ¶ ~을 내다. ——-하다 타 여불 「*계획도(計劃圖)·설명도(說明圖).
견:적-도【見積圖】명 견적서에 붙여서 조회자(照會者)에게 주는 도면.
견:적-서【見積書】명 견적(見積)한 것을 적어 넣은 서류.
견:적 원가【見積原價】[-까] 명〖경〗예상되는 실제 원가(實際原價)를 과거의 실적치(實績値)에다 장래의 변동 사정을 가미하여 사전에 견적하는 원가. 매출 가격의 결정, 손익 예산의 책정, 원가 관리 등에 이용됨. *표준(標準) 원가.
견전【遣奠】명 ↗견전제(遣奠祭).
견전-제【遣奠祭】명 발인(發靷)할 때, 문 앞에서 지내는 제식(祭式). 노전(路奠). 노제(路祭). 준견전(遣奠).
견절-기【牽切機】명〖기〗화학 섬유 방적기(紡績機)의 일종. 원료가 되는 연속(連續) 섬유 다발을 롤러로 잡아 늘이어, 평행도(平行度)를 유지하면서 적당한 길이로 절단하는 기계.
견정【堅貞】명 꿋꿋하고 바름. 견고 정결(堅固貞潔). ——-하다 형 여불
견정-산【牽正散】명〖한의〗풍(風)과 담(痰)을 제거하는 데 쓰는 가루약.
견제【牽制】명 ①끌어당기어 자유로운 행동을 하지 못하게 함. ②〖군〗적을 자기 쪽에 유리한 지점으로 이끌어서 억누르고 자유 행동을 못하게 방해함. 견철(牽掣). ——-하다 타 여불
견제 공:격【牽制攻擊】명〖군〗①적병력(敵兵力)의 방어 중점을 전환시킬 목적으로 목표물 이외의 딴 목표물을 공격하는 일. ②적의 전술 활동을 막기 위해 자기편에 유리한 지점으로 적을 끌어들이기 위한 공격.
견제-구【牽制球】명 야구에서, 주자(走者)가 도루(盜壘)하는 것을 막기 위해 또는 베이스에서 떨어져 있는 주자를 아웃시키기 위하여 투수나 포수가 내야수에게 던지는 공.
견제 균형의 원리【牽制均衡―原理】[-월-/-에월-] 명〖정〗국가 권력의 남용과 전제(專制)를 방지하기 위한 '권력에 의한 권력의 억제'를 꾀하여 권력 상호간에 균형을 갖게 하는 일. 몽테스키외(Montesquieu)가 주장한 삼권 분립이 그 예임. *삼권 분립·세력 균형.
견:제-도【見諦道】명〖불교〗견도(見道).
견제 상:륙【牽制上陸】[-뉵] 명〖군〗적의 방어 중심을 주(主)된 상륙 지점으로부터 다른 지점으로 전환시키기 위하여, 다른 지점에 실제로 부대를 상륙시키는 작전.
견제 운:동【牽制運動】명 남의 행동을 방해하는 운동.
견조【堅調】명 ①견실한 상태. ②〖경〗시세가 오를 기세에 있음. ③〖경〗주가(株價)가 내리지 아니하고, 오히려 올라갈 것 같은 낌새의 상태. 1)-3):↔연조(軟調). 「乞上 35≫.
견조다 타〈옛〉견주다. ¶ 아리과 견조면 너모 굿다(比在前忞牢壯)≪老
견조쁘다 타〈옛〉견주다. ¶ 호다가 名字相과 言說相과 心緣相을 가져 이베 견조쁘며 모수매 혜아리면≪龜鑑 上 4≫.
견족【繭足】명〖한의〗손·발의 바닥에 심한 마찰(摩擦)을 받아 꽈리처럼 부풀은 수포(水疱).
견졸되 명〈옛〉견줄 데. 비유할 데. ¶ 나 ᄒᆞ나 졈어잇고 님 ᄒᆞ나 날 괴시니 이 ᄆᆞᄋᆞᆷ 이 ᄉᆞ랑 견졸되 노여 업다≪松江 思美人曲≫.
견종-법【畎種法】[-뻡] 명〖농〗이랑과 이랑 사이의 골에 씨를 뿌리는 법. 겨울 작물(作物)인 맥류(麥類)에 이용됨. *농종법(壟種法).
견주【繭紬】명 산동주(山東紬).
견주다 타 ①둘 이상의 사물(事物)을 어느 편이 더 좋고 나쁜가 또는 많고 적은가를 알려고 마주 대어 보다. 비교하다. 겨누다. ¶ 키를 견주어 보다. ②힘을 비교하여 우열(優劣)·승부(勝負)를 가리다. 경쟁하다. ¶ 실력을 ~. ③〈방〉겨냥하다(경북).
견죽【籈竹】명〖악〗견(籈).
견줍쁘다 타〈옛〉대조하다. 견주다. ¶ 믈러와 날마다 ᄒᆞᄂᆞᆫ 일와 믈읫 니르논 말와를 견줍써 고티 힐훠 보니 븓들여 서르 어귄 이리 하더니(及退而自驟 括日之所行 與凡所信 自相掣肘矛盾者多矣)≪飜小 X:25≫.
견:중【見重】명 남에게 소중히 여김을 받음. ——-하다 자 여불
견:증【見憎】명 남에게 미움을 받음. 견오(見忤). ——-하다 자 여불
견지¹ 명 낚싯줄을 감았다 풀었다 하는 데 쓰는 대로 만든 납작한 외짝 얼레.

낚싯줄
봉돌
낚시
〈견지¹〉

견지² 명〔←일 けんちいし〕☞간지석(間知石).
견:지³【見地】명 사물을 관찰하거나 판단하는 입장. 관점(觀點). ¶ 대국적인 ~/교육적 ~.
견지⁴【堅持】명 굳게 지님. 굳게 지킴. ¶ 전통을 ~하다. ——-하다 타 여불
견지⁵【遣支】명〖역〗삼한(三韓) 시대, 마한(馬韓)에서 부족장(部族長)이나 왕읍(王邑)의 우두머리를 부르던 칭호. 신지(臣智).
견지⁶【繭紙】명 ①고려 때의 품질(品質)이 매우 질긴 종이의 한 가지. ②누에가 알을 슬어 놓은 종이.
견지-낚시 명 여울 등에서 견지의 낚싯줄을 풀었다 감았다 하며 물고기를 낚는 낚시. 우리 고유의 낚시 방법임.
견지-낚싯대 명 견지 모양의 짤막한 낚싯대. 준견짓대.
견지다 타〈옛〉견주다. 건드리다. ¶ 舍利弗이 金剛力士를 지어내야 金剛杵로 머리셔 견지니 그 뫼히 ᄒᆞᆫ 것도 업시 믈어디거늘≪釋譜 Ⅵ:32≫.
견지-뼈 명〖생〗견갑골(肩胛骨).
견지-질 명 견지로 물고기를 낚는 일. ——-하다 자 여불
견직【絹織】명 ↗견직물.
견-직물【絹織物】명 명주실로 짠 피륙. 준견직(絹織).
견:진¹【見眞】명〖불교〗공리(空理)를 관찰하는 지혜를 가지고 진제(眞

는 일.

諦)의 이치를 깨세 치고 있는 진(陣). 수비(守備)가 견고(堅固)한

견진²【堅陣】명】↗견진 성사(堅振聖事). └진.

견진³【堅振】명〖천주교〗칠성사(七聖事)의 하나. 영세(領洗)

견진 성:사 寵)을 더하기 위하여 주교(主敎)가 신자의 이마에 성신(聖神)과 그 칠은(七恩)을 받도록 하는 성사.

한 신자에힘. ——-하다 자여불 └준견진.

성유(聖고 있음. ——-하다 타여불

견:집 ㅏ싯대.

견집 드랑이에 붙어 있는 흰 살.

견지 개 차례.

견 】조선 시대 때, 늙어서 벼슬을 사양하고 물러간 사 벼슬을 맡김. *견복(甄復). ——-하다 타여불

책망을 당함. ——-하다 자여불

①잘못을 꾸짖고 나무람. 감발(勘發). ②〖법〗공무원(公 잘못을 꾸짖고 앞으로 그런 일이 없도록 하기 위한 경 한 가지. ¶ ~ 처분. ——-하다 타여불

】배척(排斥)을 당함. ——-하다 자여불

견제(牽制)❷. ——-하다 타여불

〉견주다. =견조다. ¶ 그 저훈쏨 기릐롤 견초와 쓴처(比 豆鼓了)《朴解 上 35》.

명 축출(逐出)을 당함. ——-하다 자여불

명 내쫓김. ——-하다 자여불

見出紙】[—찌] 명 책이나 서류 따위에서 가장자리에 밖으로 붙여 분류의 표지로 삼는 작은 종이쪽. 찾아보기 표.

명〔일 見取図: みとりず〕①약도(略圖). 겨냥도. ②제도(製圖) 케치.

【繭層量】[—냥] 명 고치에서 번데기와 그것이 탈피(脫皮)한 허물을 빼낸 고치만의 무게. 곧, 누에가 내놓은 실의 총량(總量).

시【犬齒】명〖생〗송곳니.

견치【堅緻】명 견고하고 치밀함. ——-하다 형여불

견치-석【一石】명〖건〗견칫돌. 주의 '犬齒石'으로 씀은 취음(取音).

견칫-돌 명〖토〗현대식 석축(石築)을 쌓는 데 쓰이는 앞면이 판판한 방추형(方錐形)의 돌. 간지석(間知石). 사각석(四角石). 견치석.

견:탁【見濁】명〖불교〗오탁(五濁)의 하나. 보는 것으로 말미암아 생기는 더러움. 곧 정도(正道)를 바로 보지 못하여 사법(邪法)이 전생(轉生) └하는 일.

견탄【堅炭】명 단단한 숯.

견:탈【見奪】명 빼앗김. ——-하다 타여불

견탕【蠲蕩】명 미납된 조세 등을 탕감(蕩減)함. ——-하다 타여불

견:태【見汰】명 관직에서 면직(免職)을 당함. ——-하다 자여불

견토지-쟁【犬兎之爭】명〔옛날에 준견(駿犬)이 교토(狡兎)를 쫓아 다섯 번이나 산을 오르고 세 번 돌다가 마침내 둘이 다 죽어 농부가 이것을 얻었다는 고사(古事)에서 나온 말〕양자의 싸움에 제삼자가 이익을 봄을 이르는 말. 방휼지쟁(蚌鷸之爭). *어부지리(漁父之利).

견:퇴【見退】명 거절을 당함. 견각(見却). ——-하다 자여불

견파¹【肩把】명 법무(法舞) 술어. 두 팔을 점차로 모아들이되 반달 모양으로 만드는 동작. 「하다 타여불

견파²【譴罷】명〖역〗관원을 징벌(懲罰)의 목적으로 파면(罷免)함. ——-

견:패【見敗】명 ①남에게 패배함. ②실패를 봄. ——-하다 자여불

견폐¹【犬吠】명 개가 짖음. ——-하다 자여불

견폐²【蠲弊】명 폐해(弊害)를 없앰. ——-하다 타여불

견폐성 해수【犬吠性咳嗽】[—썽—] 명〖의〗개가 먼 산을 바라보고 짖는 것처럼, 목을 길게 빼고 목젖 안에서부터 나오는 듯한 기침. 후두염

견포【絹布】명 비단으로 짠 베. └에서 많이 볼 수 있음.

견표【甄表】명 뚜렷이 밝히어 나타냄. 기특한 행동을 밝혀 드러냄.

견:품【見品】명 견본(見本). └——-하다 타여불

견피【犬皮】명 개의 가죽. 「——-하다 타여불

견:학【見學】명 실제로 보고 학식(學識)을 넓힘. ¶ 인쇄소 ~/~단(團).

견합【牽合】명 서로 끌어서 합침. 결합(結合). ——-하다 자타여불

견:해¹【見害】명 해(害)를 봄. ——-하다 자여불

견:해²【見解】명 ①보고서 깨달아 앎. ②자기 의견으로 한 해석(解釋). 보는 바. ¶ 피상적인 ~/~가 다르다. ——-하다 타여불

견호다 타〈옛〉①견주다. 비교하다. ¶ 幽閑景致ᄂᆞᆫ 견홀듸 뇌야 업ᄂᆡ《蘆溪》. ②재다. 겨누다. ¶ 五色線 플텨 내여 금자히 견화이셔《松江 思美人曲》.

견:혹【見惑】명〖불교〗견도(見道), 즉, 사제(四諦)의 이치를 깨달음으로써, 없어지는 번뇌. 곧, 그릇된 가르침을 받아 일어나는 후천적인 번뇌. ↔수혹(修惑).

견혼-식【絹婚式】명 결혼 기념식의 하나. 결혼 45주년이 되는 날을 축하하여, 부부가 비단 선물을 주고 받아 기념함. *금혼식.

견확【堅確】명 견고(堅固)하고 확실함. ——-하다 형여불

견회-요【遣懷謠】명〖문〗조선 광해군 10년(1618)에, 윤선도(尹善道)가 함경도 경원(慶源)에서 귀양살이하면서 지은 다섯 수의 시조.

견-훤【甄萱】명〖사람〗후(後)백제의 시조. 성은 이(李). 후에 견(甄)이라 하였음. 신라의 비장(裨將)으로 있다가 진성 여왕 6년(892)에 오천명의 군사를 거느리고 무진주(武珍州)로 내려가 자리잡고, 전라·경상의 일부를 병합하여 즉위하고 완산(完山), 곧 지금의 전주(全州)에 도읍하여 국호를 '후백제'라 하였음. 넷째 아들 금강(金剛)에게 왕위를 전하려 하자 맏아들 신검(神劍)의 반대에 부닥쳐 금산사(金山寺)에 갇히매, 도망하여 932년 고려에 항복함. 진훤(甄萱). [?-936; 재위 892-935].

겯 명〈옛〉곁. ¶ 누는 앏과 겨과 보고(以眼見前傍)《妙蓮 Ⅵ:26》.

겯:거니-틀거니 부 서로 버티고 마주 대항하는 모양. ——-하다 타여불

겯:고-틀다 타 시비나 승부를 다툴 때, 서로 지지 아니하고 이리 겯고 저리 틀어 짖궂게 버티다.

겯:다¹ ㊀ 자ㄷ불 ①기름기가 흐뭇이 묻어 배다. ¶ 때에 겯고 기름에 결은 옷. ②한 가지 일을 오래 하여 손에 익고 몸에 배다. ㊁ 타ㄷ불 물건을 기름에 담그거나 기름을 발라서 흐뭇이 묻어 배게 하다. ¶ 장판지를 ~.

겯:다² 타ㄷ불 ①대·갈대·싸리 같은 빳빳한 물건의 여러 오리로 씨와 날이 서로 어긋매끼게 엮어 짜다. ¶ 돗자리를 ~. ②여러 개의 긴 물체가 자빠지지 않도록 어긋매끼게 걸어 세우다. ¶ 비계를 ~. ③서로 어긋매끼도록 짜거나 걸치다. ¶ 어깨를 ~. ④실꾸리를 만들기 위해서 실을 어긋맞게 감다. ¶ 실꾸리를 ~.

겯다³ 타ㄷ불 암탉이 알을 낳을 무렵에 소리를 골골 내다. *알겯다.

겯아래 명〈옛〉겨드랑이. ¶ 겯아래 뚬나며 뎡바기옛 光明이 업스며《月釋 Ⅱ:13》.

겯-지르다 타르불 ①서로 엇결리게 걸다. ②엇결어 딴 쪽으로 지르다.

겯-질리다 ㊀ 피동 겯지름을 당하다. ㊁ 자 ①겯지른 상태로 되다. ②일이 이리저리 엇결리어 서로 거리끼다. ③일이 힘에 넘치어 기운이 결리고 질리다.

결¹ ㊀ 명 ①나뭇결·돌결·살결 들처럼 조직이 굳고 무른 부분이 모이어 이룬 바탕의 태세. ¶ 곧은 ~ / ~이 세다. ②↗성결. ③↗결기. ¶ …우선 삭신을 일으켜 세울 ~이 솟지 않았다《金周榮：客主》. ㊁ 의명 '겨를'·'때'·'김'·'사이' 등의 뜻. ¶ 어느 ~에 다 해치웠나 / 지나는 ~에 들렀다.

결² 명〈옛〉①물결. ¶ 므리 겨를 因ᄒᆞ야 닐며(水因波起)《永嘉 下 73》/ 한 事識의 믌겨를 니르왇ᄂᆞ니라(起諸事識之浪)《圓覺 上 二之一 28》. ②'잠결'·'얼결'의 결. ¶ 결의 니러 안자 窓을 열고 ᄇᆞ라 보니《松江 └續美人曲》.

결:³ 명 ↗겨울!

결⁴【玦】명 옥(玉)으로 만든 패물(佩物). 남자가 허리에 차는데, 모양이 고리 같으나 한 쪽이 터졌음.

결⁵【缺】명 빠져서 부족됨. ¶ 20에 둘 ~. ——-하다 형자타여불

결⁶【結】㊀ 명〖역〗↗결전(結錢). ㊁ 의명〖역〗조세(租稅)를 계산하기 위한 논밭의 면적 단위. 약 1만 파(把). 목.

-결 미 ①'얼핏 스쳐가는 짧은 동안'을 뜻하는 말. ¶ 꿈~ / 잠~ / 얼떨~. ②'물'·'바람' 따위의 높낮은 층이 섞여 이룬 상태를 뜻하는 말. ¶ 물~ / 바람~ / 숨~.

결가¹【決價】[—까] 명 값을 결정함. 절가(折價). ——-하다 타여불

결가²【結價】[—까] 명〖역〗결(結)금.

결-가부좌【結跏趺坐】명〖불교〗완전히 책상다리를 하고 앉는 가부좌(跏趺坐). 두 가지가 있는데 오른발을 왼쪽 넓적다리 위에 얹어 놓은 다음에 왼발을 오른쪽 넓적다리 위에 놓는 것을 '항마좌(降魔坐)'라 하고, 그 반대를 '길상좌(吉相坐)'라 함. 전가부좌(全跏趺坐). 준결가(結跏)·가좌(跏坐). ↔반가부좌(半跏趺坐). ——-하다 자여불

〈결가부좌〉

결각【缺刻】명〖식〗무·가새뽕 등의 잎같이 잎의 가장자리가 깊이 후미지게 패어 듦. 또, 그 형상. ——-하다 자여불

결각-연【缺刻緣】명〖식〗결각으로 된 잎의 가장자리. *거치연(鋸齒緣).

결각-엽【缺刻葉】[—녑] 명〖식〗가장자리가 톱니보다 더 심하게 패어 들어간 잎. 국화·뽕나무·민들레의 잎 등. 새긴잎.

결갑-류【缺甲類】[—뉴] 명〖동〗[Anapsida] 어류에 속하는 한 아강(亞綱). 현재는 멸종(滅種)되어 화석(化石)으로 발견됨.

〈결각〉

결강¹【缺講】명 강의(講義)를 결함. ——-하다 자여불

결강²【結講】명〖불교〗강회(講會)의 최종일(最終日).

결-거취【決去就】명 일신상의 진퇴를 결정함. ——-하다 자여불

결격【缺格】[—껵] 명 필요한 자격이 결여함. ¶ ~자. ↔적격(適格). ——-하다 자여불

결격 사:유【缺格事由】[—껵—] 명〖법〗공직(公職)·자격 등을 얻는 데 해당되어서는 아니 되는 소극적 요건.

결견【結繭】명 고치틀기.

결결【缺缺】명〖법〗어떤 요건(要件)이 결여됨. 「②때때로.

결결-이 부 ①그때그때마다. ¶ 고향을 생각하는 ~ 부모 생각이 난다.

결경【結經】명〖불교〗본경(本經)을 설법(說法)한 뒤에 결론으로서 그 요지(要旨)를 총괄(總括)한 경(經). 본경인 법화경(法華經)에 대한 보현관경(普賢觀經) 따위. ↔개경(開經).

결계【結界】명〖불교〗①중의 불도(佛道) 수행(修行)에 장애가 없도록 일정한 지역을 정하여 의식주에 제한을 가함. 또, 그 정한 지역. ②계율(戒律)에서 중의 과실을 적게 하기 위하여 일정한 구역을 제한함. 또, 그 구역. ③절 안에 중과 속인(俗人)과의 자리를 목책(木柵)을 둘러 가름. 또, 그 목책. ④내외를 구획하고 출입을 금함. 금제(禁制). ——-

결계-지【結界地】명〖불교〗결계가 있는 땅. └하다 자여불

결곡-하다 형여불 생김새나 마음씨가 깨끗하고 여무져서 빈틈이 없다. ¶ 젊었을 때는 대꼬챙이처럼 엄격하고 결곡해서 헤벌어지게 우쭐대는 일이 없이 억제하면서 늙어온 것이다《李浩哲：深淺圖》/옥을 깎아 붙인 듯한 결곡한 코 언저리엔 송글송글한 땀방울이 엉기었다《朴鍾和：多情佛心》. 「——-하다 타여불

결곤【決棍】명〖역〗곤형(棍刑)을 집행함. 곤장(棍杖)을 침. 치곤(治棍).

결과¹【缺課】명 ①과업을 쉼. ②학생이 수업이나 강의 시간에 출석하지 않고 빠짐. ——-하다 자여불

결과²【結果】명 ①열매를 맺음. 결실(結實). ②어떤 원인으로 말미암아

생긴 결말(結末)의 상태(狀態). ↔원인(原因). ③〖윤〗 내부적인 의지(意志)·동작(動作)의 표현이 되는 외부적 의지·동작 및 그로 인하여 생기는 영향이나 변화. ↔동기(動機).

결과[3]【結裹】[명] ①물건을 싼 것을 동이어 맴. ②줄기직 같은 것으로 관(棺)을 싼 위에 숙마(熟麻)로 밤얽이를 쳐서 동임. 결관(結棺). ——하다 [타][여불]

결과-기【結果期】[명]〖식〗 열매를 맺는 시기. 결실기(結實期).

결과-론【結果論】[명] ①원인이나 경과를 생각하지 아니하고 오직 결과만을 놓고 하는 논의. ②〖윤〗 행위를 도덕적으로 평가(評價)하는 데 있어서, 어떠한 행위에 예상(豫想) 또는 동기(動機)가 있고 없음을 관계하지 아니하고, 그 결과의 선악(善惡) 여하에 따라서 그 행위의 옳고 그름과 착하고 악함을 판단하고자 하는 도덕론(道德論). 쾌락주의·공리주의 등이 그 대표임. 결과설(結果說). 결과 윤리(結果倫理). ↔동기론(動機論).

결과-범【結果犯】[명]〖법〗 살인죄와 같이 범죄의 구성 요건(要件)이 단지 외부적 동작뿐만 아니라 일정한 결과를 필요로 하는 범죄. 실질범(實質犯). ↔거동범(擧動犯).

결과-설【結果說】[명]〖윤〗 결과론(結果論). ↔동기설(動機說).

결과 습성【結果習性】[명]〖식〗 과수나 채소류에서, 가지나 줄기에 열매 맺는 습성. 일년생 새 순에 직접 열매를 맺는 것, 또 이년생 새 가지에 열매를 맺는 것 등이 있음. 열매 맺는 버릇. 「하는 연령.

결과 연령【結果年齡】[—열—] [명]〖식〗 과실나무가 열매를 맺기 시작

결과 윤리【結果倫理】[—율—] [명]〔도 Erfolgsethik〕〖윤〗 결과론(論).

결과-적【結果的】[명][관] ①결과에 관계가 있음. ②결과로 본 모양. ¶～으론 네 잘못이다.

결과적 가중범【結果的加重犯】[명]〖법〗 일정한 고의범(故意犯)에 있어서, 행위자(行爲者)가 예기하지 않았던 중(重)한 결과를 야기(惹起)시킴으로써 형이 가중되는 범죄. 예컨대, 상해죄를 범한 경우에, 상대가 죽음으로써 성립된 상해 치사죄(傷害致死罪) 따위.

결과-주의【結果主義】[—/—이] [명] 행위의 동기(動機)를 불문하고, 그 결과의 가치를 기준으로 하여 행위의 옳고 그름, 착하고 악함을 판정하는 관점(觀點). 「結實)하는 가지. 발육지(發育枝).

결과-지【結果枝】[명]〖식〗 화아(花芽)가 붙어, 이듬해에 개화 결실(開花

결과 책임【結果責任】[명]〖법〗 ①민사상(民事上), 고의(故意)나 과실(過失)의 있고 없음에 불구하고, 손해의 발생에 대하여 배상 책임을 지는 일. 무과실 책임. ②형사상(刑事上), 결과적 가중범(結果的加重犯)으로서, 예기하지 않은 무거운 결과의 발생에 대해서도 형벌을 받아야 하

결과-표【結果標】[명] 귀결부. ㄴ는 일.

결관【結棺】[명] 결과(結裹)❷. ——하다 [타][여불]

결관-바【結棺—】[—빠] [명] 관(棺)을 결과(結裹)할 때 쓰는 바. 숙마(熟

결관-삭【結棺索】[명] 결관바. ㄴ麻)로 굵게 꼼. 결관삭(結棺索).

결관-포【結棺布】[명] 결관(結棺)바가 없을 때 대용하는 외올베.

결괴[1]【決壞】[명] 결궤(決潰). ——하다 [자][여불]

결괴[2]【缺壞】[명] 결(缺)하여 파괴됨. 결하여 파괴함. ——하다 [자][타][여불]

결교【結交】[명] 교분(交分)을 맺음. 서로 교제함. ——하다 [자][여불]

결교지-인【結交之人】[명] 서로 교분을 맺어 교제하는 사람.

결구[1]【缺口】[명] 언청이.

결구[2]【結句】[—꾸] [명] ①문장, 특히 편지의 끝을 맺는 어구. ②〖문〗 한시(漢詩) 같은 시가(詩歌)의 끝의 구절.

결구[3]【結球】[명]〖식〗 양배추·배추 같은 채소의 잎이 여러 겹으로 겹쳐져서 구상(球狀)을 이룸. ——하다 [자][여불]

결구[4]【結構】[명] ①얽거나 짜서 만듦. ②짜서 이루어진 얽이의 모양새. 얽은 짜임새. ——하다 [타][여불]

결구 배:추【結球—】[명]〖식〗 배추 품종의 하나. 북유럽 또는 동남 아시아 지방의 원산으로 중국 북부 지방에서 개량되어 널리 전세계에 재배되는 품질이 좋은 엽채류(葉菜類)임. 쉽게 자라며 포탄형(砲彈型)으로 결구(結球)를 이루는데 저장하거나 다루기에 좋고 수확이 많음. 특히, 지부(芝罘) 배추와 포두련(包頭連) 배추 등이 유명함.

결국【結局】[一] [명] ①일이 귀결(歸結)되는 마당. 일의 끝장. ¶～은 같은 것이다. ②형국(形局)을 완전히 갖춤. ——하다 [자][여불] [二] [부] 끝장에 이르러. 드디어. 마침내. ¶～ 성공했다.

결국(을) 짓:다 [구] ☞ 결말(結末)(을) 짓다.

결국 원인【結局原因】[명] 판국을 결정하는 데 가장 가까운 원인. 사물의 성패(成敗)에 최후로 작용한 원인.

결권【結卷】[명] ①〖불교〗 경전(經典)의 마지막 권. ②책의 마지막 권.

결궤【決潰】[명] 물결이 세어 방축 같은 것이 터져 무너짐. 물결이 방축 같은 것을 터뜨려 무너뜨림. 결괴(決壞). ——하다 [자][타][여불]

결귀[1]【決歸】[명] 마음을 결정하고 돌아감. ——하다 [자][여불]

결귀[2]【結句】[—뀌] [명] ☞결구(結句).

결극【決隙·缺隙】[명] 갈라진 틈. 「하다 [자][여불]

결근【缺勤】[명] 마땅히 나가야 될 날에 출근하지 아니함. ↔출근. ——

결-금【結—】[—끔] [명]〖역〗 토지의 한 결(結)에 대한 조세(租稅)의 액

결급【折給】[명]〈이두〉 토지·조세 들을 베어 줌. ㄴ수. 결가(結價).

결기[1]【—氣】[—끼] [명] ①몹시 급한 성질. ②성이 나서 과단성(果斷性) 있게 내어 지르는 기상(氣象). ¶한 치의 벌레에도 오 푼의 ～가 있다 하지 않았던가《金周榮 : 客主》. [준]결.

결기[2]【決起】[명] 결단하여 일어섬. ——하다 [자][여불]

결-나다 [—라—] [자] 결기가 일어나다.

결납【結納】[—랍] [명] 결탁(結託). ——하다 [자][여불]

결-내다 [—래—] [자] 성미를 부리다. 결기를 내다. 「《字恤 3》.

결네 [명]〈옛〉 겨레. =결레. ¶결네 잇고 님자 잇는 쟈란(有親戚有主家者)

결뉴【結紐】[—류] [명] ①끈을 맴. 얽어맴. ②서의 [자][타][여불]

결닉 [명]〈옛〉 겨레. =결레. ¶결닉를 알소ᄒ며(攻訐

결:다 [자][타] ☞결다[1·2].

결단[1]【決斷】[—딴] [명] ①결정적으로 단정함. 마음을 함. 단결(斷決). ¶～이 서지 않다. ②옳고 그름과 착하 (裁決). ——하다 [타][여불] 「—

결단[2]【結團】[—딴] [명] 단체를 결성함. ¶선수단 ～식.

결단-력【決斷力】[—딴녁] [명] 결단하는 의지 또는 능력.

결단-성【決斷性】[—딴썽] [명] 결단력이 있는 성질.

결단-주의【決斷主義】[—딴— / —딴—이] [명]〔도 Dezisionis 적 결단 의사(主權的決斷意思)가 규범(規範)과 질서에 있어서 및 혼돈(混沌)으로부터 일체의 규범·질서를 만들어 내는 절대 이며, 이를 구속하는 것은 아무 것도 존재치 않는다는 법학 의. 독일의 공법학자 슈미트(Schmitt, Karl)가 전개한 사상으로 시의 지도자의 정치적 결단을 강조한 것임.

결단-코【決斷—】[—딴—] [부] ①딱 잘라서 말해서. 절대로. 분명히 말의 아래에는 대개 부정(否定)의 말이 옴. ¶～ 위선자가 아니다. 반드시. 꼭. ¶～ 해내고야 말겠다. [준]결코.

결답【決答】[—땁] [명] 결단하여서 대답함. ——하다 [자][여불]

결당【結黨】[—땅] [명] ①도당(徒黨)을 맺음. ②정당(政黨)을 결성함. ¶～식. ——하다 [타][여불]

결-대전【結代錢】[—때—] [명]〖역〗 조선 시대 때, 논밭의 조세(租稅)로 곡식 대신 내는 돈. 결전(結錢). 대납전(代納錢).

결동【結冬】[명]〖불교〗 동안거(冬安居)의 시작. ↔해동(解冬).

결두-전【結頭錢】[—뚜—] [명]〖역〗 논밭의 조세(租稅)에 덧붙이어 징수하는 돈. 부가세(附加稅)와 같은 것. 조선 고종 4년(1867)에 경복궁(景福宮) 중수비(重修費)의 부족을 메우고자, 대원군(大院君)이 전(田) 1결(結)에 전 일백 문(錢一百文)을 징수하였음. *결렴(結斂).

결따-마【—馬】[명] 붉은 빛에 가까운 누른 빛깔의 말.

결-딱지 [명]〈속〉 결증. 결머리. ¶～가 나서 못 참겠다.

결딴 [명] 일이나 물건이 아주 망그러져서 도무지 손을 쓸 수 없게 된 상태. ¶～이 난 집안.

결딴(이) 나다 [구] 일이나 물건이 망그러져서 도무지 손을 쓸 수 없는 상태가 되다. ¶시계가 떨어져 ～.

결딴(을) 내:다 [구] 결딴나게 하다. 망치다.

결락【缺落】[명] 결여(缺如)하여 떨어짐. ——하다 [자][여불]

결락 증:상【缺落症狀】[명]〖의〗 내장 기관의 적출(摘出)·제거·기능의 감퇴·소실 등에 의하여 일어나는 국소(局所) 또는 전신적인 증상.

결람【結攬】[명] 동지(同志)를 끌어들이어 모음. ——하다 [타][여불]

결략【缺略】[명] 빼고 생략함. 궐략(闕略). ——하다 [타][여불] 「42》.

결레 [명]〈옛·방〉 겨레. =결닉. ¶ᄒ물며 결레ᄯ녀(況親屬乎)《內訓Ⅱ:

결려【結廬】[명] ①농막(農幕)을 꾸밈. ②집을 지음. ——하다 [자][여불]

결련【結連】[명] ①서로 맺어 한데 연속함. ②연결(連結). ③〖문〗 율시(律詩)의 제7·제8의 두 구(句). *견련(牽聯). ——하다 [자][타][여불]

결련-태【結連—】[명]↗결련 태껸. 「결련태.

결련 태껸【結連—】[명] 여러 사람이 편을 갈라 승부를 결하는 태껸. [준]

결렬【決裂】[명] ①갈가리 찢어짐. ②회의·교섭 등을 할 때, 의견이 서로 맞지 않아 각각 헤어져 떨어짐. ¶회담의 ～. ——하다 [자][여불]

결렴[1]【結斂】[명]〖역〗 결세에 부가(附加)하여 돈이나 곡식을 징수하는 일. *결두전(結頭錢). ——하다 [타][여불]

결렴[2]【潔廉】[명] 결백(潔白)하고 청렴(淸廉)함. ——하다 [형][여불]

결례【缺禮】[명] ①예의 범절(禮儀凡節)에 벗어나는 짓을 함. 실례(失禮). ②인사나 경례(敬禮)를 하지 않음. ¶～자 단속. ——하다 [자][여불]

결로【結露】[명] 이슬이 맺힘. 물건의 표면에 작은 물방울이 서려 붙음. ¶～ 현상. ——하다 [자][여불] 「정된 의론. ——하다 [타][여불]

결론[1]【決論】[명] 의론(議論)의 가부와 시비를 따지어 결정함. 또, 그 결

결론[2]【結論】[명] ①말이나 글의 끝맺는 부분. 맺음말. ②〔conclusion〕〖논〗 추리(推理)에 있어서 기득(旣得)의 지식(知識) 또는 가정(假定)된 지식을 전제로 하여 그로부터 도출(導出)한 판단. 단안(斷案).

결론(을) 짓:다 [구] 결론(結論)을 내리다. 말이나 글을 끝맺다.

결료【結了】[명] 완전히 끝을 맺음. 종결(終結). ——하다 [타][여불]

결루【缺漏】[명] ①들어가야 할 것이 빠짐. 또, 그 빠진 것. 부족한 점. 탈락(脫落). 궐루(闕漏). ②〖불교〗 계(戒)를 지키지 아니함으로써, 과실(過失)을 밖에 새게 함. ——하다 [자][여불]

결루-처【缺漏處】[명] 결루(缺漏)된 곳. 새어서 없어져 나간 곳.

결리【缺籬】[명] 한 귀퉁이가 부서진 울타리.

결리다[1] [자] ①몸의 한 부분이 숨을 쉬거나 움직일 때, 당기어서 딱딱 마치는 것처럼 아프다. ¶옆구리가 ～. ②남에게 눌리어 기를 펴지 못하

결리다[2] [사동] 겯게 하다. ¶대소쿠리를 ～/장판을 ～. ㄴ다.

결린【—隣】[명]〖역〗 ☞겨린.

결린 잡다 [구]〖역〗 ☞겨린 잡다.

결린 잡히다 [구]〖역〗 ☞겨린 잡히다.

결릐 [명]〈옛〉 겨레. ¶너의 결릐예 방시란 셩을 네브터 듣디 몯ᄒ엿노라《太平廣記 Ⅰ:7》.

결막【結膜】[명]〔conjunctiva〕〖생〗 눈꺼풀의 안과 눈알의 겉을 이어서 싼 무색 투명의 얇은 껍질.

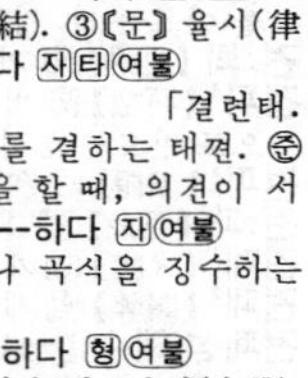

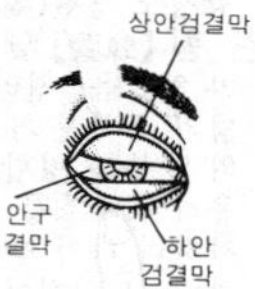

〈결막〉

결막 반:사【結膜反射】[명] 결막에 자극을 주면 눈꺼풀이 닫히는 반사.

결막 여포증【結膜濾胞症】[—녀—쯩] [명]〔라 Fol-

결막 여포증
——하다

liculosis conjunctivae]〖의〗아래 눈꺼풀의 안쪽 결막에 작은 쌀알만 한 정도의 거의 투명한 수포상(水泡狀)의 여포(濾胞)가 여러 개 반구상(半球狀)으로 돌출하는 병. 자각 증상·타각 증상은 없으며 원인은 트라코마가 나은 뒤의 후유증(後遺症)이라고도 하나 불명(不明)함. 학교 아동에 많이 나타남. 여포성 결막염(濾胞性結膜炎).

결막-염【結膜炎】[―념] 명 [conjunctivitis]〖의〗결막에 생긴 염증. 결막이 발갛게 붓고 눈곱이 자꾸 낌.

결막 충혈【結膜充血】명〖의〗결막에 있는 혈관에 피가 몰리는 병증. 밤중에 심하며, 화끈거려 무엇이 들어간 것 같은 느낌을 주는 삼눈의 한 가지. 결막염 등의 급성병에서 볼 수 있음.

결막하 출혈【結膜下出血】명〖의〗안구 결막의 작은 혈관으로부터의 출혈. 결막 밑에 퍼져 선홍색의 반점이 됨. 사소한 외상(外傷)으로 인한 것이 많은데, 안저(眼底) 출혈과 달라 위험하지는 않음.

결말【結末】명 일을 마무르는 끝. 끝장. 결초(結梢). ¶ ~을 내다.
결말(이) 나다 구 결착이 나다. 끝장이 나다.
결말(을) 내:다 구 결말이 나게 하다. 끝장을 내다.
결말(을) 짓:다 구 결말이 되도록 만들다. 끝장짓다.

결말 판결【結末判決】명〖법〗잔부 판결(殘部判決).

결망【缺望】명 바라던 것이 실패로 돌아감. 부족하게 여겨 원망함. ――-하다 자타여불

결맹【結盟】명 ①맹약(盟約)을 맺음. 체맹(締盟). ②연맹(聯盟)이나 동맹(同盟)을 결성(結成)함. ――-하다 자여불

결-머리 명〈속〉결증. 결딱지.

결명【決明】명〖식〗결명차(決明茶).

결명-자【決明子】명〖한의〗결명차의 씨. 간열(肝熱)·안질(眼疾)·비출혈(鼻出血)의 치료재로 씀. 환동자(還瞳子).

결명-차【決明茶】명〖식〗[*Cassia tora*] 콩과에 속하는 일년초. 줄기 높이 1.5m 정도로, 잎은 우수 우상 복엽(偶數羽狀複葉)이며 2-4쌍, 소엽(小葉)은 거꿀달걀꼴을 이룸. 6-8월에 잎 사이에서 한두 개의 꽃줄기가 나와 그 끝에 노란 꽃이 핌. 삭과(蒴果)는 '결명자(決明子)'라 하여 약용함. 북미 원산(原產)인데 각지에서 재배함. 마제결명(馬蹄決明). 초결명(草決明). 결명(決明).

〈결명차〉

결목【結木】명〖역〗결세(結稅)로 바치는 무명.

결묵【結墨】명〖건〗목재를 다듬을 때 먹으로 치수를 매김. ――-하다 타여불

결문[1]【缺文】명 탈락(脫落)된 문구가 있는 문장.

결문[2]【結文】명 문장의 결말. 또, 그 문구. 말문(末文).

결미[1]【結米】명〖역〗논밭의 조세(租稅)로 바치는 쌀. 결역가(結役價).

결미[2]【結尾】명 ①글의 끝장. ②일의 끝. 결말(結末).

결미-구【結尾句】명〖악〗코다. ――-하다 타여불

결박【結縛】명 두 손을 앞으로나 혹은 뒤로 하여 묶음. 계박(繫縛).
결박(을) 짓:다 구 결박을 단단히 하다.

결발【結髮】명 머리를 맺음. 상투를 틀거나 쪽을 찌거나 머리를 얹음. 옛날 중국에서는 남자 20세, 여자 15세가 되면 결발(結髮)하여 성인(成人)이 되었음. ――-하다 자여불

결발 부부【結髮夫婦】명 총각과 처녀끼리 혼인한 부부.

결배기 명〈방〉게으름쟁이.

결배 조당【結配阻擋】명〖천주교〗이미 합법적으로 결혼한 사람이 배우자가 살아 있는 동안에는 다른 결혼을 유효하게 할 수 없는 교회 혼인법상의 혼인 무효 요인.

결백【潔白】명 ①깨끗하고 흼. ②지조(志操)를 더럽힘 없이 깨끗함. ¶ 청렴 ~/~함을 밝히다. ――-하다 형여불

결백-성【潔白性】명 결백한 성질.

결백 청정【潔白淸淨】명 깨끗하고 맑음.

결번【缺番】명 ①당번을 거르는 일. 또, 그 거른 번(番). ②그 번호가 있어야 할 자리에 번호가 없음. 또, 그 번호. ――-하다 자여불

결벌【決罰】명〖역〗죄인의 형벌(刑罰)을 결정함. ――-하다 타여불

결벽【潔癖】명 ①남달리 깨끗함을 좋아하는 성벽(性癖). ②부정이나 악을 극단적으로 미워하는 성질. 또, 그 모양. 결질(潔疾). ――-하다 형여불

결벽-성【潔癖性】명 결벽(潔癖)한 성질.

결별【訣別】명 ①기약없는 작별. *이별. ②관계나 교제를 끊음. ¶ 나쁜 친구와 ~하다. ――-하다 자여불

결별-사【訣別辭】[―싸] 명 결별의 인사말.

결복[1]【結卜】명〖역〗[←결부(結負)] 조선 시대 때, 세법(稅法)의 기본이 되는 것의 하나로, 토지에 매기는 목·짐·뭇의 통칭(通稱).

결복[2]【潔服】명 깨끗한 옷.

결복[3]【闋服】명 삼년상을 마침. 해상(解喪). 결제(闋制). ――-하다 자여불

결본【缺本】명 낙길이 된 책 중의 빠져 나간 책. 궐본(闕本).

결부[1]【結付】명 연결(連結)시키어 붙임. ――-하다 타여불

결부[2]【結負】명〖역〗☞ 결복(結卜).

결부[3]【結簿】명〖역〗결세(結稅)를 징수하는 장부.

결부-법【結負法】[―뻡] 명〖역〗고려 때부터 조선 시대 말엽까지 시행했던 토지 제도. 수확량 기준으로 논밭의 면적을 목·점·뭇의 단위로 정하고, 이를 바탕으로 과세하던 법.

결빙【結氷】명 물이 얼어서 얼음이 됨. 동빙(凍氷). ↔해빙(解氷). ――-하다 자여불

결빙-구【結氷球】명〖물〗물의 결빙 현상을 실험하는 도구. 두 개의 유리구(球)를 유리관(管)으로 연결시킨 것인데, 한 쪽 구에만 물을 넣고, 다른 구를 0°C 이하로 냉각시키면, 증발(蒸發) 작용의 결과로 물이 얾.

결빙-기【結氷期】명 물이 어는 시기. ↔해빙기(解氷期).

결빙-점【結氷點】[―쩜] 명〖물〗어는점(點).

결사[1]【決死】[―싸] 명 죽음을 각오(覺悟)하고 결심함. 한사(限死). ¶ ~보국(報國). ――-하다 자여불

결사[2]【訣辭】[―싸] 명 결별(訣別)의 말.

결사[3]【結社】[―싸] 명〖법〗많은 사람이 공동의 목적을 이루기 위하여 상설 단체를 결성함. 또, 그 단체. ¶ 비밀 ~. ――-하다 자여불

결사[4]【結辭】[―싸] 명 끝맺는 말.

결사-대【決死隊】[―싸―] 명 죽기를 각오하고 결심한 자로 편성한 부대.

결사 반:대【決死反對】[―싸―] 명 목숨을 내어 걸고 반대함. 한사코 반대함. ――-하다 자타여불

결사 보:국【決死報國】[―싸―] 명 죽을 각오를 하고 나라의 은혜에 보답함. ――-하다 자여불

결사-비【決事比】[―싸―] 명〖역〗중국 한(漢)나라 때, 법관이 판결을 내림에 있어서, 원용(援用)할 구례(舊例)가 없을 경우, 다른 유례(類例)를 참고하여 판결하던 일.

결사의 자유【結社―自由】[―싸―/―싸에―] 명〖법〗헌법에 보장되어 있는 기본 자유의 하나. 다수인이 일정한 목적을 위하여 계속적인 결합 관계를 형성할 수 있는 자유.

결사-적【決死的】[―싸―] 명관 일을 행함에 있어 죽음을 각오하는 모양. ¶ ~으로 덤비다.

결사-전【決死戰】[―싸―] 명 죽음을 각오하고 있는 힘을 다하여 싸우는 치열한 싸움. ¶ ~을 벌이다.

결사-죄【結社罪】[―쬐] 명〖법〗정부를 참칭(僭稱)하거나 국체(國體)를 변혁할 목적으로 하는 결사의 조직·가입 또는 그 목적 수행을 위하여 벌이는 행위 따위로 성립되는 죄.

결-삭다 자 거센 기운이 풀어져서 부드럽게 되다. ¶김치가 결삭아 맛이 나다.

결산【決算】[―싼] 명 ①계산을 마감함. ②〖경〗일정한 기간내의 수입과 지출을 마감한 계산. 장부 폐쇄. ③〖법〗매(每)회계 연도(會計年度)의 세출(歲出)에 관하여 당해 연도의 출납(出納) 완결 후에 있어서 예산과 실적(實績)과를 대비(對比) 검토한 결과 작성되는 확정적 계수(計數). 국가의 결산을 재무부 장관이 이를 작성하여 국무 회의의 심의를 거쳐 감사원(監査院)에 제출하며, 감사원에서는 이를 검사하여 대통령과 다음 연도(年度) 국회에 그 결과를 보고함. ④비유적으로, 일정한 동안의 활동이나 업적들을 종합하여 정리하거나 마무리함. 또, 그 활동이나 업적. ¶ 금년도 문화계를 ~해 보았다. ――-하다 타여불

결산-기【決算期】[―싼―] 명 상인이나 회사가 영업상의 결산을 마감하는 시기.

결산 보:고【決算報告】[―싼―] 명〖경〗결산에 의하여 밝혀진 그 영업기(營業期)에 있어서의 영업의 개황(槪況)·재정 상태 등을 주주(株主)·채권자(債權者) 및 일반 사회에 보고하는 일. 또, 그 보고서.

결산-서【決算書】[―싼―] 명 영업 기간에 있어서의 영업의 개황과 재정 상태를 기록한 문서.

결산 시세【決算時勢】[―싼―] 명〖경〗결산기 주식(株式)의 시세.

결산-일【決算日】[―싼―] 명 ①일정한 기간내의 수입·지출의 총계산을 마감하는 날. ②〖경〗정기 거래(定期去來)의 수도일(受渡日).

결산 잉:여금【決算剩餘金】[―싼―] 명〖경〗전(前)회계 연도의 수입액을 뺀 잔액. *전년도 잉여금.

결산 잔액 계:정【決算殘額計定】[―싼―] 명〖경〗결산일에 있어서 여러 가지 계정을 마감한 경우, 그 잔액을 요약하여 기입한 계정. 잔액 계정.

결산-표【決算表】[―싼―] 명 결산을 기술(記述)한 표.

결상【結像】[―쌍] 명〖물〗어떤 물체에서 나온 광선 따위가 반사 굴절해서 다시 모여 물체와 닮은꼴의 상을 만듦. ――-하다 자여불

결석[1]【缺席】[―썩] 명 출석해야 할 경우에 출석하지 아니함. 궐석(闕席). ↔출석(出席). ――-하다 자여불

결석[2]【結石】[―썩] 명〖의〗관상(管狀) 또는 낭상(囊狀)의 내장(內臟) 안에 생기는 돌 모양의 고형물(固形物). 담석(膽石)·요석(尿石) 등이 그것임. ¶ 신장(腎臟) ~.

결석-률【缺席率】[―썩뉼] 명 ①총원(總員)에 대한 결석 인원의 비율. ②출석해야 할 날수에 대한 결석일의 비율.

결석-생【缺席生】[―썩―] 명 결석한 학생.

결석 소질【結石素質】[―썩―] 명〖의〗담석이나 신석(腎石)·방광(膀胱) 결석 등이 생기기 쉬운 체질. *관절성(關節性) 소질·출혈 소질.

결석 신고【缺席申告】[―썩―] 명 결석을 했을 때에나 하려 할 때에, 그 사유를 신고하는 일. 또, 그 서류.

결석-자【缺席者】[―썩―] 명 결석한 사람.

결석 재판【缺席裁判】[―썩―] 명〖법〗결석 판결을 행하는 재판. 궐석 재판(闕席裁判). ――-하다 타여불

결석 판결【缺席判決】[―썩―] 명〖법〗①민사 소송에 있어서 원고나 피고가 구두 변론(口頭辯論)할 기일에 법정에 출두하지 않았을 때 출두한 상대방의 신청(申請)에 의하여 행하는 판결. ②형사 소송에서 호출(呼出)을 받은 피고인이 법정에 출두하지 않았을 때, 검사(檢事)의 청구(請求)에 의하여 내리는 판결. 궐석 판결(闕席判決). 1)·2):↔대석 판결(對席判決). ――-하다 타여불

결선[1]【決選】[―썬] 명 ①결선 투표(決選投票)로 당선자를 결정함. ②마지막 당선자나 입선자를 결정하기 위한 절차. ↔예선(豫選). ――-하다 타여불

결선[2]【結船】[―썬] 명 여러 배를 한데 연결(連結)시킴. ――-하다 자타여불

결선-도【結線圖】[―썬―] 명 주로 전기 기기(機器)의 내부 및 전기 기기 상호간의 전기적 접속 상태·기능을 표시한 도면. *배선도(配線圖)·검사도(檢査圖).

결선 투표【決選投票】[―썬―] 명 당선에 필요한 일정한 표수(票數)를 얻은 자가 없거나 또는 어느 쪽도 당선으로 인정하기 어려운 표수를 얻은 자가 둘 이상 있을 때, 그 중의 고점자(高點者) 둘 이상을 뽑아서

당선자를 결정하기 위하여 행하는 투표. ——-하다 자여불

결성【結成】[—썽] 명 단체의 조직을 형성함. ¶ ~식. ——-하다 타여불

결성 개:념【缺性槪念】[—썽—] 명 〖논〗 장님·벙어리 들처럼 본래 갖추고 있어야 할 것을 갖추지 못한 사물을 나타내는 개념. 결여 개념(缺如槪念).

결세【結稅】[—쎄] 명 〖역〗 토지(土地)의 결복(結卜)에 의하여 매긴 조세(租稅).

결속【結束】[—쏙] 명 ①한 덩이가 되게 묶음. ②여행(旅行)이나 출진(出陣)하기 위한 몸 단속(團束). ③뜻이 같은 사람들끼리 서로 결합함. 결집(結集). ¶ 당원들의 ~을 공고히 하다. ④〖농〗 과수(果樹)·채소(菜蔬)의 줄기나 가지를 풍해(風害)로부터 보호하기 위하여 짚이나 새끼로 묶음. ——-하다 자타여불

결속-빗【結束—】[—쏙—] 명 〖역〗 결속색(結束色).

결속-색【結束色】[—쏙—] 명 〖역〗 조선 시대의 병조(兵曹)의 한 분장(分掌). 대궐 안에서나 또는 거둥할 때에 일반인이 떠들고 질서를 어지럽게 하는 것을 단속하던 곳. 결속빗.

결손【缺損】[—쏜] 명 ①축이 남. ¶ ~을 보충하다. ②계산상(計算上)의 손실(損失). 수입보다 지출이 많아지는 일. ¶ ~액(額).

결손(이) 나다 구 결손이 생기다. 손해가 나다. 축나다.

결손(을) 내:다 구 결손을 내게 하다.

결손 가족【缺損家族】[—쏜—] 명 〔broken family〕 〖사〗 병리(病理) 가족의 하나. 정상적인 가족 구성원 가운데서 결원이 생긴 가족으로, 무배우(無配偶)·고령자(高齡者)·모자(母子) 가족·부자(父子) 가족·무부모(無父母) 가족 등이 있음.

결손 계:산서【缺損計算書】[—쏜—] 명 〖경〗 결손금의 발생 내용을 기록한 계산서.

결손-금【缺損金】[—쏜—] 명 〖경〗 어떤 기간의 지출이 그 기간의 수익을 초과한 경우에 있어서의 초과액.

결손금 처:리 계:산서【缺損金處理計算書】[—쏜—] 명 〖경〗 전기(前期)의 결손금이 차기(次期)의 주주(株主) 총회에서 처리되는 경우, 주주 총회에서 의결한 대로 처리한 내용을 밝히기 위하여 작성하는 계산서.

결손-액【缺損額】[—쏜—] 명 계산상으로 손실을 본 액수.

결손 처:분【缺損處分】[—쏜—] 명 ①〖경〗 결손으로 간주하여 장부상에 처리함. ②〖법〗 일정한 사유의 발생으로 인하여, 납세 의무자로부터 부과한 조세를 징수할 수 없다고 인정될 경우에, 그 납세 의무를 소멸시키는 세무서장 또는 지방 자치 단체의 행정 처분.

결송【決訟】[—쏭] 명 〖역〗 민간인 사이에 일어난 송사(訟事)를 처결(處決)함. ——-하다 타여불

결송 유:취【決訟類聚】[—쏭뉴—] 명 〖책〗 재판에 관한 편람(便覽)으로, 조선 명종(明宗) 때 김백간(金伯幹)이 편집한 책. 선조(宣祖) 18년(1585), 그의 아들 김태정(金泰廷)이 출판함. 사송 유취(詞訟類聚). 청송지남(聽訟指南).

결송 유:취보【決訟類聚補】[—쏭뉴—] 명 〖책〗 조선 시대 때, 지방 수령(守令)이 민사 소송을 심리하는 데에 필요한 사항을 실은 책. 구본(舊本) 《사송 유취(詞訟類聚)》 및 《결송 유취》 등을 대본으로 하여 보충한 것임. 숙종 33년(1707)에 의령현(宜寧縣)에서 목판본으로 간행하였음.

결송 해용지【決訟該用紙】[—쏭—] 명 〖역〗 조선 시대 때 소송의 비용으로 내던 종이. 고종 때 없앴음.

결수¹【決水】[—쑤] 명 ①제방(堤防)·수문(水門) 따위를 무너뜨려 물을 흘러나오게 함. 제방·수문 따위가 무너져 물이 범람(氾濫)함. 또, 그 물. 결하(決河). ——-하다 자타여불 ②〖지〗 '궤수이'를 우리 음으로 읽은 이름.

결수²【結手】[—쑤] 명 〖불교〗 결인(結印). ——-하다 자여불

결수³【結數】[—쑤] 명 〖역〗 결복(結卜)의 많고 적은 수(數).

결순【缺脣】[—쑨] 명 언청이.

결승¹【決勝】[—쑹] 명 ①최후의 승패를 결정함. ②운동 경기에서, 최종의 승패를 결정함. 또, 그 경기. ——-하다 자여불

결승²【結繩】[—쑹] 명 태고의 문자가 없었던 시대에, 새끼의 매듭 모양과 수로서로 의사를 소통하고 사물의 기억(記憶)의 방편으로 삼았던 풍습. 이집트·중국·티베트 지방에서 행하여졌었음.

1 2 3 4 5 6 7 8 9

그림 위는 아메리카 인디언의 알파벳을 나타내는 결승

〈결승²〉

결승-대【決勝—】[—쑹—] 명 육상 경기에서, 결승선 양쪽에 세운 기둥.

결승 문자【結繩文字】[—쑹—짜] 명 새끼에 매듭을 맺어 기호로 삼은 문자. 남아메리카 페루(Peru)의 고대의 것이 가장 유명함.

결승-선【決勝線】[—쑹—] 명 경주 등의 결승을 판가름하는 지점(地點)에 그은 선(線). 골 라인(goal line).

결승-전【決勝戰】[—쑹—] 명 운동 경기 등에서, 최종적인 승부를 결정하는 싸움.

결승-점【決勝點】[—쑹쩜] 명 ①경주·경영(競泳) 등에서, 마지막 승부가 결정되는 지점. ②승부를 결정하는 득점.

결승지-정【結繩之政】[—쑹—] 명 〔문자가 없었던 때이므로, 새끼로 매듭을 맺어 일의 대소(大小)를 표하였던 일에서 온 말〕 중국, 유사 이전(有史以前)의 간이(簡易)한 정치(政治).

결승 천리【決勝千里】[—쑹철—] 명 교묘(巧妙)한 꾀를 써서 먼 곳의 싸움의 승리(勝利)를 결정함. ——-하다 자여불

결승-타【決勝打】[—쑹—] 명 야구에서, 그 하나로 승패를 결정짓는 안타.

결시【缺試】[—씨] 명 시험에 빠짐. ¶ ~율 / ~생(生).

결식【缺食】[—씩] 명 끼니를 거름. 궐식(闕食). ——-하다 자여불

결식 아동【缺食兒童】[—씩—] 명 집안이 가난하거나 식량 부족 같은 이유로 끼니를 거르는 아동.

결신¹【缺神】[—씬] 명 〖의〗 전간 소발작(癲癎小發作)의 하나. 환자가 극히 짧은 시간 의식을 상실하는 정도이고, 넘어지거나 경련을 일으키지 않음. 일이나 말을 하는 도중에 갑자기 수초간(數秒間) 움직이지 않고 있다가 발작이 끝나면 무슨 일이 있었더냐는 듯이 일을 계속하는데, 얼굴이 창백해지거나 붉어지고 안구(眼球)와 입술에 가벼운 틱병(tic病)을 나타냄.

결신²【潔身】[—씬] 명 몸을 더럽히지 않고 깨끗하게 가짐. ——-하다 자여불

결실¹【缺失】[—씰] 명 ①빠져 없어짐. ②없어서는 안 될 필요한 사물을 빠뜨림. ③〔deficiency〕 〖생〗 염색체(染色體) 돌연 변이의 하나. 염색체의 일부가 끊어져 없어지는 경우를 말함. ——-하다 자타여불

결실²【結實】[—씰] 명 ①열매가 맺힘. ②일의 결과(結果)가 잘 맺어짐. 결과(結果). ¶ 오랜 동안의 노력(努力)의 ~. ——-하다 자여불

결실-기【結實期】[—씰—] 명 열매를 맺는 시기. 결과기(結果期).

결실-량【結實量】[—씰—] 명 열매를 맺은 수량.

결실-력【結實力】[—씰—] 명 〖식〗 결실하는 능력.

결실-성【結實性】[—씰썽] 명 열매를 맺는 성질(性質).

결실-수【結實樹】[—씰—] 명 열매를 맺는 나무. 감나무·밤나무 따위. 유실수(有實樹).

결심¹【決心】[—씸] 명 ①마음을 굳게 정함. 단단히 마음먹음. 또, 그 마음. 결의(決意). 마음가짐. ②〖심〗 의지 행위(意志行爲)의 동기(動機)의 결정. ——-하다 자타여불

결심²【結審】[—씸] 명 〖법〗 재판의 심리를 끝내고 결말을 지음. 또 심리가 끝남. ¶ ~ 공판. ↔예심(豫審). ——-하다 자타여불

결심 육력【結心戮力】[—씸뉴력] 명 마음으로 서로 돕고 힘을 합함.

결안¹【決案】명 〖역〗 결정(決定)된 문서(文書).

결안²【結案】명 〖역〗 ①사법(司法) 사건의 처리가 끝난 문서. ②사형(死刑)을 결정한 문서.

결약【結約】명 약속을 맺음. ——-하다 자여불

결약-서【結約書】명 〖법〗 중개인의 중개에 따라 당사자 사이에 거래가 성립되었을 때, 당사자의 성명이나 상호(商號)·계약 연월일과 그 요령을 기재, 기명 날인한 뒤에 당사자 사이에 증거를 보전하기 위하여 교부하는 서면.

결약의 궤:【結約—櫃】[— / —에—] 명 〖천주교〗 계약의 궤.

결양-증【結陽症】[—쯩] 명 〖한의〗 기(氣)·온(溫)·열(熱)이 서로 싸움으로 일어나는 증세(症勢)라는 뜻으로, 팔다리가 붓고 쑤시고 아픈 병(病). 신장병(腎臟病)·심장병(心臟病) 등의 부종(浮腫)을 이름.

결어【結語】명 끝맺는 말.

결언【缺焉】명 결여(缺如). ——-하다 자여불

결여¹【缺如】명 빠져서 없음. 부족함. 결언(缺焉). 궐언(闕焉). 궐여(闕如). ¶ 박력의 ~. ——-하다 자여불

결여²【觖如】명 서운함. 만족하지 아니함. ——-하다 형여불

결여 개:념【缺如槪念】명 〖논〗 결성 개념(缺性槪念).

결역【結役】명 〖역〗 결세(結稅) 속에서 경저리(京邸吏)·영저리(營邸吏)들에게 주던 급료(給料).

결역-가【結役價】명 〖역〗 조선 시대 때, 결역(結役)을 마련하기 위해 백성들로부터 받아들이던 지방세의 하나. 처음에는 땔나무·숯·꿩·닭·마초 따위의 현물로 받았으나 대동법(大同法)의 실시 후에는 쌀로 징수하였음. 잡역미(雜役米). 결미(結米).

결연¹【缺然】명 모자라 서운함. ——-하다 형여불

결연²【訣宴】명 결별(訣別)을 아끼어 베푸는 연회.

결연³【結緣】명 ①인연을 맺음. ¶ 자매(姉妹) ~. ↔이연(離緣). ②〖불교〗 불문(佛門)에 들어가는 인연을 맺음. ——-하다 자여불

결연-경【結緣經】명 〖불교〗 결연하기 위하여 주로 법화경(法華經)의 경문을 베끼어 공양하는 일. 또, 그 경문.

결연 관:정【結緣灌頂】명 〖불교〗 세 가지 관정 중의 하나. 꽃을 여러 부처에게 던져서 맞은 불상을 숙연(宿緣)이 있는 것으로 불연을 맺고 결연의 비법을 수여하는 관정. ↔전교 관정(傳敎灌頂)·자증(自證) 관정.

결연 팔강【結緣八講】명 〖불교〗 결연하고자 중을 청하여 행하는 법화(法華) 팔강.

결연-하다【決然—】형여불 태도가 매우 굳세고 결정적(決定的)이다.

결연-히【決然—】부. ¶ ~ 일어서다.

결옥【決獄】명 〖역〗 범죄인에 대한 형사(刑事) 판결. ——-하다 타여불

결옥 일한【決獄日限】명 〖역〗 조선 시대 때, 피검(被檢)된 범죄인에 대해서 판결을 내려야 할 법정 기한. 죄의 경중(輕重)에 따라 사죄(死罪)는 30일, 징역·유배는 20일, 태(笞)·장(杖)은 10일로 한정되었음.

결요【訣要】명 종요로운 비결(秘訣). 요긴한 뜻. 요결(要訣).

결원¹【缺員】명 정원(定員)에서 사람이 빠져 모자람. 또, 그 모자라는 인원수. 궐(闕). 궐원(闕員). 흠원(欠員). 공석(空席). ¶ ~을 보충하다. ——-하다 자여불

결원²【缺圓】명 〖수〗 활꼴.

결원³【結怨】명 원수나 원한을 맺음. ¶ 그와는 ~지간(之間)이다. ——-하다 자여불

결원⁴【結援】명 ①서로 도울 것을 약속함. ②〖역〗 국가·민족간에 서로 도와 적국의 침입(侵入)을 막을 것을 약속하던 일. ——-하다 자여불

결원⁵【結願】명 〖불교〗 날수를 정하여 부처에게 기원(祈願)한 것이 끝남. 또, 그 날. 만원(滿願).

결월【缺月】명 이지러진 달.

결은-신 명 물이 새지 못하게 기름을 발라서 결은 가죽신. 잘 결은 것을 '진신', 대강 결은 것을 '반결음'이라고 함.

결음【訣飮】명 이별의 술을 마심. ——-하다 자여불

결응【決凝】명〖사람〗고려 정종 때의 고승(高僧). 자(字)는 혜일(慧日), 속성은 김(金), 본관은 명주(溟州)임. 12살 때에 용흥사(龍興寺)에서 중이 되고 복흥사(福興寺)에서 구족계(具足戒)를 받음. 6대 성종 10년(991)에 승과(僧科)에 급제, 이어 대덕(大德)이 됨. 현종 초에 수좌(首座)에 승진, 강원도 묘지사(妙智寺)에 머물다가 정종 초에 승통(僧統), 동 7년(1041)에 왕사(王師), 문종 때에 국사(國師)가 됨. 만년(晩年)에 부석사(浮石寺)에 들어가 입적(入寂)함. 왕명으로 세운 비가 부석사에 현존함. 시호는 원융(圓融). [964-1053]

결의[1]【決意】[—/—이] 명 뜻을 굳게 정하여 먹음. 또, 그 뜻. 결심(決心). 결지(決志). ¶~를 굳게 하다. ——-하다 자타여불

결의[2]【決疑】[—/—이] 명 의혹을 해결함. ——-하다 자여불

결의[3]【決議】[—/—이] 명 회의에서 의안(議案)이나 제의 등의 가부를 결정함. 또, 그 결정한 사항. 의결(議決). ¶만장 일치로 ~하다. ——-하다 타여불

결의[4]【結義】[—/—이] 명 남남끼리 부자·형제·자매와 같은 친족(親族)의 의리(義理)를 맺음. ¶~ 형제(兄弟). ——-하다 자여불

결의-권【決議權】[—뀐/—이뀐] 명 의결권(議決權).

결의 기관【決議機關】[—/—이—] 명 의안을 결정할 권능을 가진 기관. 의결 기관(議決機關). ＊자문 기관(諮問機關).

결의-록【決議錄】[—/—이—] 명 결의 사항을 기록한 문서.

결의-론【決疑論】[—/—이—] 명 사회적 관습이나 교회·성경의 율법(律法)에 비추어서 도덕 문제를 해결하려는 학문.

결의-문【決議文】[—/—이—] 명 결의한 사항을 적은 글. ¶~ 낭독(朗讀).

결의-법【決疑法】[—뻡/—이뻡] 명〖법〗보편적인 도덕 법칙을 개개의 행위와 양심 문제에 적용하는 법.

결의-안【決議案】[—/—이—] 명 결의에 붙일 의안(議案).

결의 형제【結義兄弟】[—/—이—] 명 결의하여 형제의 의(義)를 맺음. 또, 그 형제. 맹형제. ¶~를 맺다. ＊의형제(義兄弟). ——-하다 자여불

결인[1]【結印】명〖불교〗인계(印契)를 맺는 일. 불보살(佛菩薩)의 서원(誓願)을 나타내는 것인데, 손가락 끝을 이리저리 맞붙이는 형식. 엄지손가락 끝과 가운뎃손가락 끝이 서로 닿을 만큼 오그린 주먹을 중심으로 하여 손가락을 한 개·두 개·세 개·네 개씩 펴고 오그리고 하는 여러 가지 구분(區分)이 있어, 각 불상(佛像)의 구별은 이것을 보고 알 수가 있는데 항마 촉지인(降魔觸地印)·여원인(與願印)·시무외인(施無畏印)·지권인(智拳印) 등이 있음. 결수(結手). 준인(印). ＊인상(印相).

결인[2]【結姻】명 혼인으로 인척 관계를 맺음. ——-하다 자여불

결자【缺字】[—짜] 명〖인쇄〗인쇄물 같은 데의 빠진 글자.

결-자반【結佐飯】명 매듭자반.

결-자웅【決雌雄】명 자웅을 결함. 승부(勝負)를 결정함. ——-하다 자여불

결자 해:지【結者解之】[—짜—] 명 맺은 사람이 풀어야 한다는 뜻으로, 자기가 저지른 일에 대하여서는 자기가 해결을 하여야 한다는 말.

결작【結作】[—짝] 명〖역〗조선 영조 26년(1750)에, 균역법(均役法)의 실시로 인한 재정상의 부족액을 보충하기 위하여 부과한 전세(田稅)의 부가세.

결작-미【結作米】[—짝—] 명〖역〗조선 헌종 10년(1844)에, 결작전(結作錢)의 일부를 쌀로 받아들이던 부가세(附加稅)의 일종.

결작-전【結作錢】[—짝—] 명〖역〗조선 영조 27년(1751)에, 결작(結作)으로서 받아들이던 돈. 1결(結)마다 5전씩이었음. 준결전(結錢).

결장[1]【決杖】[—짱] 명〖역〗장형(杖刑)을 집행함. ——-하다 타여불

결장[2]【缺場】[—짱] 명 출전(出戰)해야 할 운동 경기 따위에 출전하지 않음. ——-하다 자여불

결장[3]【結腸】[—짱] 명〖생〗대장(大腸)의 맹장(盲腸)과 직장(直腸)을 제외한 가운데 부분. 대장의 대부분을 점함. 내부에 많은 주름벽이 있어 음식물(飮食物)의 운행(運行)을 도우며, 소장(小腸)으로부터 온 음식물 찌꺼기에서 수분을 흡수함. 맹장과 잇닿은 부분을 상행(上行) 결장, 중간의 위부(胃部)의 밑을 가로 건너지른 부분을 횡행(橫行) 결장, 왼쪽 아래로 내려간 부분을 하행(下行) 결장, 직장과 잇닿은 부분을 에스상(S狀) 결장이라 함. 잘룩 창자.

결장-암【結腸癌】[—짱—] 명〔colonic cancer〕결장에 생기는 암. 소화 기관의 암 중에서는 위암(胃癌)·직장암(直腸癌) 다음으로 많음.

결장-염【結腸炎】[—짱념] 명〖의〗결장에 일어나는 염증(炎症).

결재[1]【決裁】[—째] 명 상관이 부하가 제출한 안건(案件)을 재량(裁量)하여 승인함. 재결(裁決). ¶~ 서류/~를 미루다. ——-하다 타여불

결재[2]【結齋】[—째] 명 목욕을 하며 더러운 언행을 피하여 몸과 마음을 깨끗이 하는 일. ——-하다 자여불

결재-권【決裁權】[—째꿘] 명 결재할 수 있는 권한.

결적【抉摘】[—쩍] 명 숨은 것을 들추어 냄. 정의(精義)를 캐냄. ——-하다 타여불

결전[1]【決戰】[—쩐] 명 ①승부(勝負)를 일거(一擧)에 가리는 싸움. ②공방(攻防) 어느 편 할 것 없이 결판 날 때까지 승패를 결하려고 하는 전투. ¶~ 단계/~장(場)에 나가다. ——-하다 자여불

결전[2]【缺典】[—쩐] 명 결여된 의식. 불충분한 전장(典章). 궐전(闕典).

결전[3]【結錢】[—쩐] 명〖역〗①결세(結稅)로 정한 돈. ②결작전(結作錢). 결대전(結代錢). 준결(結).

결전 투표【決戰投票】[—쩐—] 명 결정 투표(決定投票).

결절【結節】[—쩔] 명 ①맺혀서 마디가 됨. 또, 그 마디. ②〖의〗강낭콩 알만한 크기로 단단하게 맺혀진 피부 위의 융기물(隆起物). ③매어서 합침.

결절-라【結節癩】[—쩔—] 명〖의〗나병의 병형(病型)의 하나. 크고 작은 결절이나 침윤(浸潤)이 피부면에 반구상(半球狀)으로 융기(隆起)하거나 편평한 융기성 침윤이 전신에 넓게 퍼져서 남. 다른 나병(癩病)보다 중증(重症)이며, 피부와 같이 간장·고환·난소·뼈 등도 침범됨.

결절성 브롬진【結節性—疹】[—쩔썽—] 명〔라 Bromoderma tuberosum〕〖의〗브롬제(劑)의 약(藥)을 장기간 내복(內服)하였을 때, 얼굴·다리 등에 강낭콩 또는 그 이상의 크기의 암갈색 결절이 생기는 약진(藥疹). 가렵고 동통(疼痛)을 느낌.

결절성 성대염【結節性聲帶炎】[—쩔썽—] 명〔라 Chorditis nodosa〕〖의〗성대 결절(聲帶結節).

결절성 홍반【結節性紅斑】[—쩔썽—] 명〖의〗넓적다리의 바깥쪽, 팔의 피부내 또는 피하에 강낭콩 또는 새알만한 크기의 담홍색 혹은 선홍색의 결절이 생기는 피부병. 발열(發熱)·관절통(關節痛) 등의 전구증(前驅症)이 있음. 류머티즘성·결핵성의 것이 많음.

결절-종【結節腫】[—쩔—] 명〖의〗관절낭(關節囊) 또는 건초(腱鞘)로부터 생기는 일종의 낭종(囊腫). 원인은 불명(不明)이나 10-25세의 여자에게 많은데, 흔히 손의 관절(關節) 주위에 강낭콩 또는 복숭아 씨만한 크기의 둥근 종기가 생김.

결점【缺點】[—쩜] 명 ①완전하지 못한 점. 단점. 결함(缺陷). 약점(弱點). ②흠절(欠節).

결정[1]【決定】[—쩡] 명 ①결단하여 정(定)함. ②〔도 Beschluss〕〖법〗법원이 행하는 판결 및 명령 이외의 재판. 원칙적으로 민사 소송에서는 임의적 구두 변론에 의거하여 행하여지는 재판. 형사 소송에서는 구두 변론에 의거함을 요하지 않는 종국전(終局前)의 재판. 이에 대한 상소(上訴) 방법으로 항고(抗告)가 있음. ——-하다 타여불

결정(을) 짓:다 구 결정되도록 만들다. 결정을 내리다.

결정[2]【結晶】[—쩡] 명 ①〔crystal〕〖광·화〗일정한 법칙에 따라 기하학적인 관계를 갖는 몇 개의 평면(平面)으로 둘러싸인 형체를 이루며, 또한 내부의 원자(原子) 배열이 규칙적인 균질(均質)의 고체. 또, 그런 고체로 응결(凝結)함. ¶육방 정계(六方晶系)의 ~. ②고심(苦心)·노력 따위가 축적된 결과 훌륭한 형태로 나타난 것. ¶노력의 ~. ——-하다 자여불

결정[3]【潔淨】[—쩡] 명 깨끗하고 더러움이 없음. 정결(淨潔). ——-하다 형여불

결정 격자【結晶格子】[—쩡—] 명〔crystal lattice〕〖화〗같은 종류의 원자 또는 분자가 결정 구조를 형성할 때 공간적·주기적(週期的)으로 규칙적인 배열을 이루어, 이들을 맺는 선이 삼차원적(三次元的)인 격자 모양이 되는 원자 또는 분자의 구조. 격자(格子).

결정 결함【結晶缺陷】[—쩡—] 명 결정 대칭(對稱)의 흐트러짐. 자유 표면·무질서·불순물·결손 등으로 말미암아 일어남.

결정 경향【決定傾向】[—쩡—] 명〖심〗우리의 일상 행동을 합목적적(合目的的)인 일정한 방향으로 향하도록 지배하고 있는 무의식적인 경향. 독일의 심리학자 아흐(Ach)가 주장한 것인데, 꿈이나 정신병의 경우에는 보통 이것이 상실(喪失)됨.

결정-계【結晶系】[—쩡—] 명〖광〗결정체(結晶體)를 결정축의 수와 위치 및 길이에 따라 유별(類別)한 것. 보통 등축(等軸)·정방(正方)·사방(斜方)·단사(單斜)·삼사(三斜)·삼방(三方)·육방(六方) 등의 여섯 정계(晶系)로 나뉨. 준정계(晶系).

결정 광학【結晶光學】[—쩡—] 명〖물〗광학의 한 분과. 결정내의 빛의 전파(傳播) 방식을 연구하는 학문. 복굴절(複屈折)·편광·선광성(旋光性) 등의 현상을 대상으로 함.

결정 구조【結晶構造】[—쩡—] 명〖광〗결정에서의 원자·분자·이온의 배열 상태.

결정 구조 해:석【結晶構造解析】[—쩡—] 명〖광〗결정의 내부 구조를 연구하는 학문. X선 등을 조사(照射)하면 결정 격자에 의해서 회절(回折)이 일어나는데, 이것을 측정하여 원자의 배열을 연구함.

결정-권【決定權】[—쩡꿘] 명〖법〗합의체의 의결에 있어서 가부(可否)가 동수(同數)인 경우, 이를 결정하는 권한.

결정 기호【結晶記號】[—쩡—] 명〖광〗결정학에서, 결정면(結晶面)을 표시하는 기호.

결정-도【結晶度】[—쩡—] 명〖광〗화성암(火成岩)이 암장(岩漿)으로 이루어질 때 냉각에 따라 결정되는 정도. 곧, 화성암 중의 결정질(結晶質) 광물과 유리질(琉璃質) 물질과의 비율.

결정-력【決定力】[—쩡녁] 명 결정하는 능력.

결정-론【決定論】[—쩡논] 명〔determinism〕〖철〗자연적 여러 현상이나 역사적 사건 들 특히 사람의 의지(意志)는 여러 가지 원인에 의하여 전적으로 규정되는 것이며, 선택의 자유에 의한 것이 아니라는 이론. 규정론(規定論). 필연론(必然論). 디터미니즘. ↔자유 의지론·비결정론(非決定論)·운명론(運命論).

결정-립【結晶粒】[—쩡닙] 명 금속 재료에 있어서, 현미경적인 크기의 불규칙한 형상의 집합으로 되어 있는 결정 입자(粒子).

결정립 경계【結晶粒境界】[—쩡닙—] 명 결정립과 결정립과의 경계.

결정-면【結晶面】[—쩡—] 명〖광〗결정의 표면을 이룬 평활(平滑)한 면. 결정축(結晶軸)에 대한 방향에 의해서 추면(錐面)·주면(柱面)·탁면(卓面)의 세 가지로 대별함.

결정면-각【結晶面角】[—쩡—] 명〖광〗두 결정면 사이의 각. 같은 종류의 결정에서는 상온(常溫)에서 항상 일정함.

결정 모형【結晶模型】[—쩡—] 명 결정형을 보이는 데에 결정의 꼴을 이상화해서, 이것을 모진 석고판 따위로 만든 것. 교육 재료로 쓰임.

결정 물리학【結晶物理學】[—쩡—] 명〔cristal physics〕〖물〗물리학의 한 분야. 좁은 뜻에서는 결정의 대칭성(對稱性), 결정의 결함(缺陷), 결정 성장(成長) 등을 연구하는 물리학. 고체(固體)의 대부분은, 원자 또는 분자가 규칙적으로 배열된 결정 구조를 가지고 있으며, 흔히 볼 수 있는 철 따위 금속도 작은 결정이 모여 된 것임. 결정은 그 대칭성에 의하여 정밀한 이론적 취급이 가능하고, 실험적으로는 X선·전자선·중성자선 회절(中性子線回折) 등에 의하여 정밀하게 구조를 결정할 수가 있음.

결정 박테리아【結晶—】〔bacteria〕[—쩡—] 명 〖생〗 간균류(桿菌類)의 일종 및 그 근연(近緣)의 균종. 포자(胞子) 형성시, 포자낭에 단백질의 결정을 생성함.

결정-법【結晶法】[—쩡뻡] 명 〖화〗 불순한 고형(固形)의 물질 또는 혼합물을 순수하게 하거나 분리하는 방법의 하나. 불순물 또는 혼합물을 증류수에 완전히 용해하고 그 물질이 결정하기에 적당한 농도가 되게 증발시켜 방치하여 결정을 얻음.

결정 분화 작용【結晶分化作用】[—쩡—] 명 〖광〗 암장(岩漿)이 식어서 광물 결정을 이룰 때 결정하는 부분이 나머지 부분과 분리하여 굳어지는 일. 중력 같은 것의 작용을 받아 결정 부분이 침강(沈降)하거나 떠올라서 복잡한 성분을 가지는 화성암(火成岩)을 만드는 원인이 된다고 함.

결정 삼극관【結晶三極管】[—쩡—] 명 〖물〗 트랜지스터.

결정-서【決定書】[—쩡—] 명 관공서 또는 공공 단체가, 관계 법령에 의하여 의견을 달리하는 당사자에게 권리 의무의 상태를 명시하거나 분쟁의 해결을 결정한 내용을 적은 문서.

결정 서리【結晶—】[—쩡—] 명 〔crystalline frost〕〖천〗 현미경으로 겨우 보일 정도이나, 비교적 단순한 결정 구조를 나타내는 서리.

결정-성【結晶性】[—쩡썽] 명 고(高)분자 화합물·암석 등에서, 결정을 형성하는 성질. 또, 그 물질의 결정 부분.

결정-수【結晶水】[—쩡—] 명 〖화〗 결정 안에 일정한 비율로 결합되어 있는 물. ①결정 안의 일정 위치에 고정되어 있는 물. ②제올라이트(zeolite)에 포함되어, H_2O 분자로서 결정 격자내의 공간을 채우고 있는 물. 가열 탈수(加熱脫水)에 의하여 결정 구조는 변화하지 않음. 제올라이트물.

결정-시【決定視】[—쩡—] 명 결정적인 것으로 봄. ——-하다 자여불

결정 역학【結晶力學】[—쩡녁—] 명 〔crystal dynamics〕 결정 격자의 열진동(熱振動)에 관한 연구 분야.

결정-열【結晶熱】[—쩡녈] 명 〖화〗 포화(飽和) 용액으로부터 일정 온도에서 결정이 석출(析出)될 때 흡수 또는 발생하는 열.

결정 응:회암【結晶凝灰岩】[—쩡—] 명 〖지〗 결정이나 결정편(結晶片)이 압도적으로 많은, 고결(固結)한 화산회(火山灰).

결정-적【決定的】[—쩡—] 명관 사물이 그렇게 될 것이 거의 확실하여 움직일 수 없거나 또는 이에 가까운 모양. ¶ ~ 사실.

결정적 순간【決定的瞬間】[—쩡—] 명 ①어떤 일이 결정되려는 찰나. ②〔앙리 카르티에 브레송(Henri Cartier Bresson)이 1952년 출판한 사진집(寫眞集)의 이름에서〕 빛과 구도(構圖)와 감정이 완전히 일치했을 때의 셔터 찬스.

결정적 실험【決定的實驗】[—쩡—] 명 〖논〗 대립(對立)하는 두 개의 가설(假說) 또는 일반적인 가설의 진위(眞僞)를 결정하기에 충분한 실험.

결정 정:류기【結晶整流器】[—쩡정뉴—] 명 〔crystal rectifier〕〖전〗 「금속 정류기.

결정-질【結晶質】[—쩡—] 명 〖화〗 결정(結晶)하여 있는 물질. 외형은 특정한 다면체(多面體)가 아니더라도, 원자·이온·분자가 주기적으로 배열되어 있어서, X선 회절(回折) 현상이 인정되는 것. *정질(晶質).

결정질 석회암【結晶質石灰岩】[—쩡—] 명 〖광〗 방해석(方解石)의 입상(粒狀) 결정의 집합체로 된 암석. 석회암이 변성(變成)을 받아 생긴 변성암으로, 대리석과 같은 뜻으로 쓸 때도 있음. 정질(晶質)석회암.

결정질-암【結晶質岩】[—쩡—] 명 〖지〗 ①결정 상태의 광물로 된 암석. ②퇴적암에 대하여, 화성암이나 변성암의 일컬음.

결정-체【結晶體】[—쩡—] 명 〖광〗 결정하여 일정한 형체를 이룬 물체.

결정-축【結晶軸】[—쩡—] 명 〖광〗 이상적(理想的) 결정체의 중심을 지나는 가상선(假想線). 결정 형태의 연구에 매우 중요함.

결정-타【決定打】[—쩡—] 명 ①야구·권투 따위에서, 시합의 승리를 판가름하는 결정적인 한 번의 타격. ¶ 마지막 라운드에서 ~를 날리다. ②비유적으로, 어떤 일에 결정적 영향을 끼치는 하나의 행동.

결정 투영【結晶投影】[—쩡—] 명 〖광〗 결정형(結晶形)을 이루는 결정면(面)의 배치를 스테레오(stereo) 투영이나 그노몽(gnomon) 투영을 사용하여 일정한 도형으로 나타내는 방법.

결정 투표【決定投票】[—쩡—] 명 양편의 득표수가 같을 때, 의장(議長)이나 또는 제삼자(第三者)가 가첨(加添)하여 가부(可否)를 결정짓는 투표. 결재(決裁) 투표. 캐스팅 보트(casting vote).

결정-판【決定版】[—쩡—] 명 더 이상 수정 증보(修正增補)할 여지가 없도록 완벽한 것으로 내는 출판. 또, 그런 출판물.

결정 편:암【結晶片岩】[—쩡—] 명 〖광〗 인편상(鱗片狀) 또는 장주상(長柱狀)의 광물이 평행하게 발달하여 켜가 벗기어져 떨어지기 쉬운 성질을 갖는 변성암(變成岩). 운모(雲母) 편암·각섬암(角閃岩) 따위. *편암.

결정-학【結晶學】[—쩡—] 명 〖광〗 결정의 형태·성질·구조를 연구하는 학문. 대칭 관계(對稱關係)를 수학적으로 연구하는 수학적 결정학, 화학 조성(組成)과 결정 형태를 연구하는 화학 결정학 따위.

결정-핵【結晶核】[—쩡—] 명 〖화〗 과포화 용액(過飽和溶液)이나 과냉각(過冷却) 용액 등으로부터 결정이 만들어질 때, 그 핵이 되는 미립자(微粒子)로, 이것이 바탕이 되어 결정(結晶)이 성장(成長)함.

결정-형【結晶形】[—쩡—] 명 결정이 나타내는 외형(外形). 정형(晶形).

결정-화【結晶化】[—쩡—] 명 〖물〗 용액·용해물(融解物) 등으로부터 결정성 물질을 형성하거나 형성하게 함. ——-하다 자타여불

결정 화학【結晶化學】[—쩡—] 명 〖화〗 결정을 연구 대상으로 하는 화학의 한 부문(部門). 결정의 화학적 조성(組成)과 결정 형태와의 관계를 연구하는 과학으로 출발하여, 오늘날에는 그 결정 구조의 분자적·원자적 연구를 주제(主題)로 함.

결제[1]【決濟】[—쩨] 명 ①처결하여 끝을 냄. ②〖경〗 증권(證券) 또는 대금(代金)의 수수(授受)에 의해서 매매 당사자(賣買當事者)간의 거래 관계를 끝맺음. ——-하다 타여불

결제[2]【結制】[—쩨] 명 〖불교〗 하안거(夏安居)의 처음인 음력 사월 보름날과 동안거(冬安居)의 처음인 시월 보름날에 행하는 의식. ¶ ~ 기간. ——-하다 자여불

결제[3]【駃騠】[—쩨] 명 〖동〗 ①버새❶. ②걸음 잘 걷는 잡종 말의 하나.

결제[4]【闋制】[—쩨] 명 삼년상을 마침. 결복(闋服). 해상(解喪). ——-하다 자여불

결제-금【決濟金】[—쩨—] 명 결제하는 데 쓰이는 돈.

결제-방【結制榜】[—쩨—] 명 〖불교〗 사찰(寺刹)에서 결제(結制) 때에 각자가 맡아야 할 소임을 정한 방(榜).

결제 통화【決濟通貨】[—쩨—] 명 〖경〗 국제 간의 거래의 결제를 위하여 실제로 이용되는 통화. 보통, 국제 통화가 사용됨.

결-조직【結組織】[—쪼—] 명 〖생〗 결합 조직(結合組織).

결-증【—症】[—쯩] 명 결기로 말미암아 일어난 화증.

결지【決志】[—찌] 명 결의(決意). ——-하다 자타여불

결진【結陣】[—찐] 명 ①많은 사람이 모여서 기세(氣勢)를 합함. ②진(陣)을 침. ——-하다 자여불

결질【潔疾】[—찔] 명 결벽(潔癖).

결집【結集】[—찝] 명 ①한데 모여 뭉침. 결속(結束). ②한데 모아 뭉침. ③〖불교〗 석가가 돌아간 뒤에, 제자들이 모여 석가의 언행을 결합(結合)·집성(集成)하여 경전을 만든 일. ——-하다 자타여불

결집 삼인【結集三人】[—찝—] 명 〖불교〗 불교 경전을 첫 번으로 결집한 아난(阿難)과 우바리(優波離)와 가섭(迦葉)의 세 사람.

결찌 명 ① ☞결붙이. ¶ 외딴집일 뿐 아니라 가근방에 사는 ~가 많지 못하던 까닭에…《洪命憙 : 林巨正》. ②붕당들의 패거리. ¶ 그렇다마다요. 동사하는 ~들이 또한 십수명이어서 …장돌림들의 황아짐을 빼앗는 건 예사랍니다《金周榮 : 客主》.

결착【決着·結着】명 결말이 나서 낙착(落着)됨. ——-하다 자여불

결창 명 〈속〉 내장(內臟).

결창(을) 내:다 구 배를 가른다는 뜻으로, 욕하는 말.

결창(이) 터:지다 구 ㉠내장이 터진다는 뜻으로, 욕하는 말. ¶ 결창(이) 터지고 싶으냐. ㉡몹시 분하여 속이 터지다.

결채【結綵】명 〖역〗 색실·색종이·색헝겊 등을 문이나 다리나 길에 내걸어 장식하는 일. 임금이 지날 때나 중국 칙사(勅使)가 올 때에 함. 채붕(綵棚). ——-하다 자여불

결채 가요【結綵歌謠】명 〖역〗 조선 시대에, 죽은 임금이나 왕비(王妃)의 신주(神主)를 종묘(宗廟)에 모실 때, 돌아간 임금이나 왕비의 덕을 칭송하던 행사. 성균관의 유생(儒生)·노인·기생(妓生) 등이 각각 색종이를 길 좌우에 화려하게 장식 채붕(綵棚)하고 가요를 올림.

결책【決策】명 책략(策略)을 결정함. ——-하다 자여불

결챙이 명 〈방〉 결창.

결처【決處】명 ①결정하여 조처함. ¶ 감사에게 잘 ~하여 달라고 청하다. ②〖역〗 형벌을 집행함. ——-하다 타여불

결체[1]【結滯】명 〖의〗 맥박(脈搏)이 심장(心臟)의 고장이나 쇠약으로 말미암아 불규칙하게 되거나 가끔 박동(搏動)이 끊어지는 증세.

결체[2]【結締】명 맺어서 졸라맴. ——-하다 타여불

결체[3]【結體】명 결합한 형체. 형체를 결합함. ——-하다 자여불

결체-맥【結滯脈】명 〖의〗 부정맥(不整脈)의 한 가지. 이따금 맥박의 탈락이 일어나는 맥. 결체성 맥박.

결체-법【結體法】[—뻡] 명 서도(書道)에서, 글자의 모양을 아름답게 꾸미기 위한 점(點)·획(畫)의 조립법. 70여 종의 법식이 있음.

결체성 맥박【結滯性脈搏】[—썽—] 명 〖의〗 결체맥(結滯脈).

결체 조직【結締組織】명 〖생〗 결합 조직(結合組織).

결체-질【結締質】명 〖생〗 내장(內臟)의 각 기관에 분포되어 그 기초가 되거나, 간질(間質) 또는 지주(支柱)가 되는 조직. 결체(結締) 조직·탄력(彈力) 조직·지방(脂肪) 조직·연골(軟骨) 조직·골조직(骨組織) 등으로 나뉨.

결초【結梢】명 결말(結末).

결초 보:은【結草報恩】명 〔중국 춘추 시대에, 진(晉)나라 위무자(魏武子)의 아들 과(顆)가 아버지 죽은 후에 서모(庶母)를 개가(改嫁)시켜 순사(殉死)하지 않게 하였더니, 후에 위과가 전쟁에 나가 싸울 때에 그 서모의 아버지의 혼이 적군의 앞길에 풀을 잡아 맺어 적을 넘어뜨려 위과에게 붙잡히게 하였다는 고사(故事)에서 온 말〕 죽어 혼령이 되어도 은혜를 잊지 않고 갚음. ——-하다 자여불

결초-심【結草心】명 결초 보은하는 마음.

결총【結總】명 〖역〗 결복(結卜)의 총수(總數).

결출【抉出】명 〖의〗 외과적 조작(操作)으로, 손상된 부분을 제거하는 일. ——-하다 타여불

결친【結親】명 친분(親分)을 맺음. 서로 사귐. ——-하다 자여불

결-코【決—】부 ↗결단코. ¶ 그는 ~ 그런 사람이 아니다. /우리 규중 녀자도 결코 모를 일이 아니올시다《李海朝: 自由鍾》

결탁【結託】명 ①마음을 결합하여 서로 의탁(依託)함. ②배가 맞아 한통이 됨. 결납(結納). ¶ 모리배가 탐관 오리와 ~하다. ——-하다 자여불

결탁 소송【結託訴訟】명 〖법〗 제3자의 권리를 침해할 목적으로 원고와 피고가 결탁하여 제기하는 소송. 예를 들면, 채무자가 재산 은닉을 위하여 허위 권리자에 대하여 제기시키는 것과 같음. 사해(詐害) 소송.

결태【決笞】명 〖역〗 태형(笞刑)을 집행함. ——-하다 타여불

결투【決鬪】명 두 사람 사이에 원한(怨恨) 또는 풀기 어려운 말다툼이 있을 때 쌍방이 합의하여 한자리에 모여 힘으로 싸워 승부(勝負)를 결정하는 일. ——-하다 자여불

결투-장【決鬪狀】[—짱] 명 결투를 신청하는 도전장(挑戰狀).

결판【決判】명 옳고 그름을 가리어 판정함. ——-하다 자여불

결판(이) 나다 구 시비(是非)의 결정이 끝나다. →겨리반나다.

결판(을) 내:다 구 시비(是非)의 판결을 끝내다.

결포【結布】명〖역〗조선 시대 때의 세법(稅法)의 하나. 양역법(良役法)의 하나로 1결(結)에 대하여 포(布) 2필을 받았는데 폐해가 많아 균역법의 실시와 함께 폐지됨.

결핍【缺乏】명 ①축나서 모자람. ②다 써서 없어짐. 절핍(絶乏). ③있어야 할 것이 없음. ¶ 비타민 C의 ~. ——-하다 자여불

결하[1]【決下】명〈이두〉결재(決裁). 「(決水).

결하[2]【決河】명 홍수가 져서 강물이 제방을 파괴하고 넘쳐 흐름. 결수

결하[3]【結夏】명〖불교〗하안거(夏安居)의 첫날인 음력 4월 15일.

결-하다[1]【決一】타여불 ①결정하다. ②승부(勝負)를 정하다.

결-하다[2]【缺一】형자타여불 부족하다. 빠지다. 결여(缺如)하다.

결하지-세【決河之勢】명〔큰물이 둑을 파괴하고 넘쳐흐르는 기세라는 뜻〕걷잡을 수 없는 세찬 기세.

결함【缺陷】명 ①부족하고 불완전하여 흠이 되는 구석. ②결점(缺點)❶. ¶ 성격 상의 ~. ③〖공〗약점이나 파손에 의해, 물품이나 원료의 외관을 손상시켜, 유용성(有用性)·유효성(有效性)을 감소시키는 이상(異常).

결함 격자【缺陷格子】명〖광〗불완전한 결정 격자(結晶格子).

결함성 기형【缺陷性畸形】[—썽—] 명〖생〗어디에 결함이 있거나 무엇이 부족한 기형. 이를테면 머리만 있는 태아(胎兒)라든지 허리 아래만 있는 태아 또는 언청이 같은 기형.

결합【結合】명 ①맺어서 합함. 서로 관계를 맺고 합쳐서 하나가 됨. ②〔coupling〕〖전〗전선(電線)·저항기·변압기·콘덴서 등을 통하여 에너지를 전달하는 두 개의 회로 사이의 상호 관계. 또, 두 개의 회로를 맺는 일. ——-하다 자타여불 「핵 사이의 거리.

결합 거:리【結合距離】명〖물〗분자 속의 서로 결합한 두 원자의 원자

결합-국【結合國】명 둘 이상의 국가가 한 최고 권력 아래에 결합하여 성립한 나라. 연방국(聯邦國)·군합국(君合國)·정합국(政合國)·합중국(合衆國) 등의 구별이 있음. 「옮기는 장치.

결합-기【結合器】명〖전〗한 회로(回路)의 전기 에너지를 다른 회로로

결합-력【結合力】[—녁] 명 ①서로 결합하는 힘. ②〖물〗원자핵(原子核)의 중성자(中性子)와 양성자(陽性子)를 결합시키는 에너지.

결합-범【結合犯】명〖법〗각각 독립하여 범죄가 될, 둘 이상의 행위를 결합하여 법률상 한 죄로 몰아서 다루는 범죄. 예를 들면 폭행 또는 협박과 도취(盜取)를 결합하여 강도죄로 하는 따위. 결합죄(結合罪).

결합 법칙【結合法則】명〖수〗a, b, c를 세 개의 실수(實數) 또는 복소수(複素數)로 할 때 성립하는 법칙의 하나. 예컨대 (a+b)+c=a+(b+c) 또는 (ab)c=a(bc) 등. 결합률(結合律). 결합칙(結合則).

결합 생산【結合生産】명〖경〗한 근원 또는 한 생산 과정(過程)에서 두 가지 이상의 물품이 생산되는 일. 목화와 목화씨, 석탄 가스(石炭 gas)와 코크스(cokes) 등.

결합-선【結合線】명〖악〗붙임줄. 타이(tie)❸. *슬러(slur).

결합-손【結合—】명〖화〗분자를 구성하는 원자와 원자 사이의 결합 상태를 나타내는 선. 이것을 써서 구조식(構造式)을 만듦.

결합-수【結合水】명 ①〖생〗생체(生體) 내의 구성 분자 속에 채워진 물. 생명 유지상 최소 한도 필요하다고 인정되는 물. ②〔combined moisture〕암석 입자들의 분자력에 따라 암석 안에 들어 있는 물.

결합 에너지【結合—】명〔binding energy〕〖화〗원자핵·분자·결정(結晶) 등을 각각의 구성 입자(粒子)로 분리하는 데 요하는 에너지. 원자핵의 경우는 핵을 구성하고 있는 양성자와 중성자의 질량의 합(合)과 실제의 핵 질량과의 차(差), 곧 질량 결손(質量缺損)을 말하며, 분자의 경우에는 개개의 화학 결합을 절단하는 데 요하는 에너지를 말함.

결합 염산【結合鹽酸】명〖의〗위액 중의 염산(鹽酸) 가운데 단백질 점액 등과 결합되어 있는 염산. ↔유리 염산.

결합 원리【結合原理】[—월—] 명〖물〗두 개의 스펙트럼선(線)의 파수(波數)의 합(合)은 다른 스펙트럼선의 파수를 나타낸다는 원리.

결합-음【結合音】명〔combination tone〕〖물〗진동수(振動數)의 차가 맥놀이가 되지 않을 정도로 크게 다른 두 개의 악음(樂音)이 동시에 울릴 때, 이 두 음의 진동수의 차 또는 합(合)에 상당하는 진동수를 가지는 두 음, 곧 차음(差音)과 가음(加音)이 귀에 들릴 경우의 양자의 병칭.

결합의 허위【結合—虛僞】[—/—에—] 명〖논〗합성의 허위. ⌊합음.

결합 재무 제표【結合財務諸表】명〖경〗대기업 집단의 실질적인 경영상태를 한눈에 볼 수 있도록 계열사 간 거래를 모두 상계(相計) 처리하고 남은 잔액으로 만든 재무 제표.

결합 점토【結合粘土】명 가소성(可塑性)이 높고, 건조시의 강도가 큰 점토의 일종. 내화 물질 등 비가소성 물질을 결합하는 데 씀.

결합-제【結合劑】명〔binder〕〖공〗수지(樹脂)·시멘트와 같은 물질의 일종. 입자와 같이 보지(保持)되어, 기계적 강도·균질 접합성·고화성(固化性)·표면 피복(被覆)시의 점착성(粘着性)을 향상시킴. 대표적인 것으로 수지·시멘트·고무·아교·카세인 등이 있음.

결합 조직【結合組織】명〖생〗동물체의 기관 및 조직 사이를 메우고 또 이들을 지지하는 조직. 결조직(結組織). 결체 조직(結締組織).

결합 조직성 골화【結合組織性骨化】명〖생〗결합 조직이 직접 뼈로 변하는, 뼈의 발생 양식의 하나. 결합 조직 세포 곧 섬유(纖維) 세포가 분화(分化)하여 골아(骨芽) 세포가 되고, 이것이 주위에 석회 염류(石灰塩類)를 침착(沈着)시켜 스스로 골세포가 됨. 사람이나 포유 동물에서 안면(顔面)의 여러 뼈, 두개골의 편평골(扁平骨)·쇄골(鎖骨) 등이 이 양식으로 만들어짐. ↔연골성(軟骨性) 골화.

결합 조:침【結合釣針】명〖고고학〗이음낚시.

결합 종양【結合腫瘍】명〖의〗두 개의 전혀 다른 종양이 외견상(外見上) 하나로 보이며 서로 침윤 증식(浸潤增殖)한 종양.

결합-죄【結合罪】명〖법〗결합범(結合犯).

결합-체【結合體】명 두 개 이상의 서로 다른 개체(個體)가 결합하여서

결합-칙【結合則】명〖수〗결합 법칙. ⌊이룬 한 조직체.

결합 탄:소【結合炭素】명〖화〗화합물 속에서 화학적으로 결합하고 있는 탄소. ↔유리 탄소(遊離炭素).

결합 회로【結合回路】명〔coupled circuits〕〖전〗전기적·자기적(磁氣的)으로 서로 에너지를 전송(傳送)할 수 있는 두 개 이상의 전기 회로.

결항[1]【缺航】명 폭풍우 등의 사고로 인하여, 정기적으로 운항하는 배나 항공기가 운항을 거르고 나가지 않음. ——-하다 자여불

결항[2]【結項】명 목숨을 끊으려고 목을 매어 닮. ——-하다 자여불

결해【結解】명 ①사물을 헤아려 계산함. ②〖불교〗번뇌의 사슬에 묶이는 일과 그 사슬에서 벗어나는 일. ——-하다 타여불

결핵【結核】명 ①〔tubercle〕〖의〗결핵균(結核菌)의 기생(寄生)에 의해서 국부(局部)에 맺히는 작은 결절상(結節狀)의 망울. 그 부분의 조직이 건조한 흰 빛으로 변하면서 염증(炎症)이 일어나고 고름이 생김. ②〖의〗↗결핵병(結核病). ③〔concretion〕〖광〗수성암(水成岩) 또는 응회암(凝灰岩)의 용액(溶液)이 핵(核)의 주위에 침전(沈澱)하여 된 혹 모양 또는 불규칙한 덩이.

결핵-균【結核菌】명〖의〗결핵병의 병원균(病原菌). 독일의 코흐(Koch)가 1882년에 발견하였는데, 길이 1-4μ, 폭 0.3-0.5μ의 썩 가늘고 길며 약간 고붓한 간균(桿菌)임. 아포(芽胞)를 형성하지 않으며 건조(乾燥)·열(熱)·광선 등에 약하나 저항력(抵抗力)과 번식력(繁殖力)이 셈. 사람·조류(鳥類)·소·냉혈 동물(冷血動物)의 네 가지 형(型)의 결핵균이 발견되어 있음.

결핵-병【結核病】명〖의〗결핵균에 의하여 일어나는 만성(慢性) 전염병. 폐·신장(腎臟)·장(腸) 그 밖의 여러 내장이나 뼈·관절·피부·후두(喉頭) 등을 침범하며, 또한 결핵성의 뇌막염(腦膜炎)·늑막염·복막염 등을 일으키고 때로는 전신에 퍼지는 수도 있음. 진단(診斷)에는 투베르쿨린 반응·X선 검사·객담(喀痰) 검사 등의 방법이 있으며, 치료에는 대기 안정(大氣安靜) 요법·외과 요법·화학 요법 등이 있고, 예방에 비 시 지(B.C.G.) 접종이 유력함. 티 비(T.B.). 준결핵.

결핵-성【結核性】명〖의〗①결핵의 성질. ②결핵균의 감응을 표시하는 성질. ③〖광〗서로 결합하여 결핵을 만드는 성질.

결핵성 경부 림프선염【結核性頸部—腺炎】〔lymph〕[—념] 명〖의〗나

결핵성 관절염【結核性關節炎】[—렴] 명〖의〗관절 결핵. ⌊력(瘰癧).

결핵성 농흉【結核性膿胸】명〖의〗결핵균에 의하여 일어나는 농흉. 흔히 폐결핵 중에 병발(倂發)함.

결핵성 뇌막염【結核性腦膜炎】[—념] 명〖의〗결핵성 수막염.

결핵성 복막염【結核性腹膜炎】[—념] 명〖의〗결핵균의 감염(感染)에 의하여 일어나는 복막염.

결핵성 수막염【結核性髓膜炎】[—념] 명〖의〗결핵균(結核菌)으로 인하여 수막에 일어나는 염증(炎症). 대개는 유유아(乳幼兒)에게 많으며, 구토(嘔吐)·고열·잠을 깊이 이루지 못하는 것이 그 주증상임. 결핵성 뇌막염(結核性腦膜炎).

결핵 요양소【結核療養所】[—뇨—] 명 '국립 결핵 병원'의 구칭.

결핵-종【結核腫】명〖의〗흉부(胸部)엑스선(X線) 사진 상에서, 고립(孤立)한 윤곽이 명확한 음영(陰影)의 이름. 건락성 기관지 폐렴소(乾酪性氣管支肺炎巢)의 국한화(局限化) 또는 공동(空洞)의 농축화(濃縮化)로 이루어지는 것으로, 크기는 엄지손가락 정도로부터 달걀만한 것까지 있으며, 질병의 경과 중에 자연히 축소되는 경우와 연속적으로 확대되는 경우가 있음.

결핵-증【結核症】명 ①〖한의〗피하(皮下) 림프선이 부어 오르는 병. 특히 부인네의 유방암(乳房癌) 시초의 딴딴한 망울이나 유선염(乳腺炎)의 망울 같은 것들. ②〖의〗결핵병의 증세. 투베르쿨로제. 티 비(T.B.).

결핵-질【結核質】명〖의〗결핵병에 걸리기 쉬운 체질.

결행【決行】명 결단하여 실행함. ¶ 금연을 ~하다. ——-하다 타여불

결호【結好】명 좋은 의(誼)를 맺음. ——-하다 자여불

결혼【結婚】명 ①남녀가 부부 관계를 맺음. 가취(嫁娶). 정정(定情). ②〖법〗혼인(婚姻). 1)·2):↔이혼(離婚). ——-하다 자여불

결혼-관【結婚觀】명 결혼에 관한 견해나 주장.

결혼 기념식【結婚紀念式】명 결혼 생활을 기념하는 의식. 결혼한 후의 햇수에 따라 지혼식(紙婚式)(1년)·목혼식(木婚式)(5년)·석혼식(錫婚式)(10년)·은혼식(銀婚式)(25년)·진주혼식(眞珠婚式)(30년)·녹옥혼식(綠玉婚式)(40년)·금혼식(金婚式)(50년)·다이아몬드혼식(diamond 婚式)(75년) 등의 구별이 있음.

결혼 도감【結婚都監】명〖역〗고려 원종 15년(1274)에, 원(元)나라에 여자들을 뽑아 보내기 위하여 베푼 관청.

결혼 반지【結婚斑指】명 결혼할 때, 그 결혼의 표상(表象)으로서 신랑 신부가 교환하는 반지. 금가락지·다이아몬드 반지가 일반적으로 사용되며, 왼손의 무명지에 끼는 것이 보통임.

결혼 비행【結婚飛行】명〖충〗어떤 일정한 기상(氣象) 조건 아래에서, 꿀벌·개미·흰개미의 수컷과 여왕(女王)이 각각 집에서 일제히 날아 올라서 교미(交尾)하는 일. 개미는 흔히 비 온 뒤의 갠 날을 택함.

결혼 사진【結婚寫眞】명 결혼식이 끝난 뒤에 신랑·신부와 그 가족 친지들이 찍는 기념 사진.

결혼 상담소【結婚相談所】명 결혼에 대한 문제의 상의에 응하는 곳. 결혼 중매(仲媒)를 하기도 함.

결혼 선:물【結婚膳物】명 결혼을 축하하는 뜻에서 신랑·신부에게 주는 선물. 「식(婚姻式). 혼례식(婚禮式).

결혼-식【結婚式】명 남녀가 부부 관계를 맺는 서약을 하는 의식. 혼인

결혼-애【結婚愛】명 결혼한 부부 사이에 생기는 각별한 사랑.

결혼 연령【結婚年齡】[—널—] 명 ①〖법〗결혼할 자격이 있는 연령. 우

리 나라 민법상 남자는 18세, 여자는 16세임. ②결혼하는 때의 연령.
결혼 적령기【結婚適齡期】[—녕—] 명 결혼하기에 적합한 연령.
결혼-전【結婚前】명 결혼하기 전. ㊀혼전(婚前).
결혼 정략【結婚政略】[—냑] 명 두 집안이나 두 나라 사이에 결혼 관계를 맺음으로써 친밀을 도모하려는 정략(政略).
결혼 정책【結婚政策】명 다른 계급이나 족속과의 감정·사상을 융화시키기 위하여 또는 혈통을 개량하기 위하여 결혼을 장려하는 정책.
결혼 피로【結婚披露】명 ①친족·친구·지인(知人) 등을 초대하여 결혼한 것을 널리 알림. ②↗결혼 피로연(結婚披露宴).
결혼 피로연【結婚披露宴】명 결혼을 피로하는 뜻으로 신랑·신부측에서 베푸는 향연(饗宴). ㊀결혼 피로(結婚披露).
결혼-학【結婚學】명 결혼 문제를 우생학(優生學)·인구 문제·법률 제도 등과 관련시켜 과학적으로 연구하는 학문.
결혼 행진곡【結婚行進曲】명〖악〗결혼식에서, 신랑·신부 입퇴장(入退場) 때에 연주하는 행진곡. 멘델스존(Mendelssohn)이 작곡한 것과 바그너(Wagner)가 작곡한 곡이 유명함. 웨딩 마치.
결활【契活·契闊】명 ①생활을 위하여 부지런히 일하고 고생함. ②멀어서 소식이 서로 끊어짐. 계활(契活). ——-하다 자여불
결획【缺畫】명 ①한자의 획을 빠뜨림. ②천자나 귀인의 이름을 한자로 쓸 때, 공구하여 그 한자의 획을 빠뜨리는 일. '玄'을 '玄'으로 쓰는 등. 궐획(闕畫). ——-하다 자여불
결효 미:수【缺效未遂】명〖법〗결효 미수범. ↔착수(着手) 미수.
결효 미:수범【缺效未遂犯】명〖법〗무엇을 목적하고 범죄의 실행(實行)은 끝났으나 아무 결과가 일어나지 않은 행위. 결효범(缺效犯). 종료 미수범(終了未遂犯). 실행 미수범(實行未遂犯). 결효 미수(缺效未遂). ↔착수 미수범(着手未遂犯).
결효-범【缺效犯】명〖법〗결효 미수범.
결후【結喉】명〖생〗성년(成年) 남자의 턱 아래, 목의 중간쯤에 후두의 연골이 조금 돌출하여 나온 부분. 여자에게는 흔하지 않음.
결흉-증【結胸症】[—쯩] 명〖한의〗가슴과 배가 당기는 것처럼 몹시 아픈 급한 열병(熱病).
겸: 명〈방〉결¹.
겸¹【謙】명〖민〗↗겸괘(謙卦).
겸²【兼】의명 명사나 어미 '-ㄹ' 아래에 붙어서 한 가지 일 외에 또 다른 일을 아울러 함을 나타내는 말. ¶국무 총리 ~ 국방 장관/뽕도 딸 ~ 임도 볼 ~. *겸하다.
겸가【蒹葭】명〖식〗갈대. ¶이때 ~는 창창하고 백로는 횡강한데, 적적한 강촌에 다만 월색만 교결할 뿐이라《崔瓚植: 雁의 聲》.
겸각【鉗脚】명〖동〗집게발.
겸-감목【兼監牧】명〖역〗↗겸감목관.
겸-감목관【兼監牧官】명〖역〗조선 시대 때, 첨사(僉使)·수령(守令) 등을 겸임한 감목관(監牧官)의 일컬음. ㊀겸감목(兼監牧).
겸-검서【兼檢書】명〖역〗↗겸검서관(兼檢書官).
겸-검서관【兼檢書官】명〖역〗조선 시대 후기에 규장각(奎章閣)에 정원(定員) 외로 둔 관직. 30개월의 임기를 채운 검서관 중 2인을 임명하여 서반 체아직(西班遞兒職)을 줌. ㊀겸검서(兼檢書).
겸겸¹【嗛嗛】부 ①적은 모양. ②겸손한 모양.
겸겸²【謙謙】부 겸손하고 공경하는 모양.
겸곡【謙谷】명〖사람〗박은식(朴殷植)의 호(號).
겸공【謙恭】명 자기를 낮추고 남을 높임. 겸손(謙遜). ——-하다 형여불
겸관¹【兼官】명 ①겸직(兼職). ②〖역〗수령(守令)의 자리가 비었을 때 이웃 고을의 수령이 임시로 맡아 봄. ——-하다 자타여불
겸관²【兼管】명 다른 관직을 겸하여 주관함. 관섭(管攝). ——-하다 타여불
겸-괘【謙卦】명〖민〗64괘의 하나. 곤괘(坤卦)와 간괘(艮卦)가 거듭된 것으로 땅 밑에 산(山)이 있음을 상징함. ㊀겸(謙).
겸-교련관【兼敎練官】명〖역〗조선 시대 후기에, 용호영(龍虎營)에 소속된 무관직. 14인의 교련관(敎練官) 가운데 금군(禁軍) 출신의 교련관 2인의 일컬음.
겸-교리【兼校理】명〖역〗교서관(校書館)이 규장각(奎章閣)에 예속됨에 따라 규장각은 내각(內閣), 교서관은 외각(外閣)이라 부르게 된 후에, 규장각의 직각(直閣)이 겸하던 교서관의 교리.
겸-교수【兼敎授】명〖역〗①조선 시대 때, 산학청(算學廳)·율학청(律學廳)·도화서(圖畫署)의 한 벼슬. ②조선 시대 후기에, 서울의 사학(四學)에 둔 종6품 관직. 시종(侍從)으로 겸직(兼職)하는 교수(敎授) 1인의 일컬음.
겸구【箝口】명 입을 다묾. 함구(緘口). ——-하다 자여불
겸구 고장【箝口枯腸】명 궁지에 빠져 말을 못함.
겸구-령【箝口令】명 발언(發言)을 금(禁)하는 명령. 함구령(緘口令).
겸구 물설【箝口勿說】[—썰] 명 입을 다물고 말하지 않음. 함구 물설(緘口勿說). ——-하다 자타여불
겸근¹【兼勤】명 본래의 근무 이외의 근무를 겸함. 겸무(兼務). ——-하다 타여불
겸근²【兼謹】명 겸손하고 삼감. ——-하다 자여불
겸금【兼金】명 보통 금(金)보다 값이 배(倍)되는 좋은 황금(黃金).
겸기【鉗忌】명 남을 미워하여 해를 입히려 함.
겸-낭청【兼郎廳】명〖역〗조선 시대 때, 다른 관아(官衙)의 낭청(郎廳)으로 종친부(宗親府)의 낭청을 겸했던 벼슬아치.
겸-내취【兼內吹】명〖역〗궁중에서 군악(軍樂)을 아뢰던 악대(樂隊)의 이름. 선전 관청(宣傳官廳)에 속하며 원(元)·겸(兼) 둘로 나뉨. 속칭은 조라치(詔羅赤). ㊀내취(內吹).
겸년【歉年】명 흉년(凶年).
겸노【鉗奴】명 겸도(鉗徒).
겸노 상:전【兼奴上典】명〖역〗종이 해야 할 일까지 손수 하는 가난한 양반.
겸달【兼達】명 어느 것에나 숙달함. ——-하다 형여불

겸대¹【兼帶】명 두 가지 이상의 일을 겸하여 봄. 겸임(兼任). ——-하다 타여불
겸대²【兼臺】명〖역〗조선 시대 때, 청환직(淸宦職)에 있던 사람이 대관(臺官)을 겸임하던 일. 또, 그 대관직(臺官職).
겸덕【謙德】명 겸손한 덕성.
겸도【鉗徒】명 목에 칼을 쓴 죄인. 겸노(鉗奴). 겸자(鉗子).
겸-도사【兼都事】명〖역〗조선 시대 때, 충훈부(忠勳府)에 속한 종오품(從五品)의 벼슬. 공신(功臣)의 적자(嫡子) 또는 자손 중에 육품(六品) 이상의 관직에 있는 자를 단독 추천에 의해 임명하였음.
겸-도승지【兼都承旨】명〖역〗조선 시대 때의 관직(官職)의 하나. 승정원(承政院)의 정삼품(正三品) 도승지가 정이품(正二品)의 자헌 대부(資憲大夫)로 품계가 올라서도 계속 도승지 직을 담당할 때의 이름.
겸-도평의사사사【兼都評議使司事】[—/—이—] 명〖역〗고려 때에 도평의사사(都評議使司)가 겸직했던 벼슬. *도평의사사.
겸두-겸두 부 ☞겸사겸사. ¶여러가지 볼일이 있으니까 ~ 가볼까.
겸디-겸디 부〈방〉겸사겸사.
겸렴【謙廉】[—념] 명 겸손하고 청렴함. ——-하다 형여불
겸령【兼領】[—녕] 명 한데 아울러 영유(領有)함. ——-하다 타여불
겸록 부장【兼祿部長】[—녹—] 명〖역〗조선 시대 때 포도청의 한 벼슬. 금군(禁軍) 군관(軍官) 가운데서 차출된 12인의 일컬음. 겸포도(兼捕盜).
겸료【兼料】[—뇨] 명〖역〗조선 시대 후기에, 특수 임무를 겸한 직업 군인들에게 본봉(本俸) 외에 더해 준 급료(給料). 가료(加料).
겸마【拑馬·箝馬】명 말의 입에 나무를 물림.
겸명【兼名】명 둘 이상의 개념을 포함하는 명사(名詞). 곧, 복합 명사(複合名辭). 중국 전국 시대의 사상가인 순자(荀子)의 저서《순자(荀子)》정명편(正名篇)에 있는 논리적 개념. '백마(白馬)'·'견백석(堅白石)' 같은 것이 그 예임. *단명(單名)·단순 명사.
겸무【兼務】명 한 사람이 한꺼번에 둘 이상의 일을 겸하여 봄. 또, 겸하여 보는 사무. 겸근(兼勤). ——-하다 타여불
겸묵【謙默】명 겸손하고 과묵(寡默)함. ——-하다 형여불
겸-문학【兼文學】명〖역〗조선 시대 때, 세자 시강원(世子侍講院)의 정오품(正五品) 벼슬. 홍문관(弘文館) 등 다른 관서의 문관으로써 겸하게 함. 정원 1명.
겸-방어사【兼防禦使】명 ①〖역〗수령(守令)이 방어사의 직무를 겸하여 봄. ②한 사람이 두 가지 일을 하는 것을 비유하여 일컫는 말.
겸-별장【兼別將】[—짱] 명〖역〗①조선 시대 후기에 여주 목사(驪州牧使) 및 이천 부사(利川府使)로써 겸직하게 한 수어청(守禦廳)의 정3품 무관직(武官職). ②조선 시대 때, 만호(萬戶)나 첨사(僉使)가 겸하여 보던 사복시(司僕寺)의 한 벼슬.
겸병【兼倂】명 ①한데 합치어 하나로 함. ②한데 합치어 소유(所有)함. ——-하다 타여불
겸보【兼補】명 본직 이외에 다른 직책을 겸하여 보임함. ——-하다 타
겸-보덕【兼輔德】명〖역〗조선 시대 때 세자 시강원(世子侍講院)의 정삼품 벼슬.
겸복【兼覆】명 겹쳐서 덮음. 포개어 덮음. ——-하다 타여불
겸비¹【兼備】명 여러 가지가 갖추어져 있음. 여러 가지를 겸하여 갖춤. ¶지덕(知德)을 ~하다. ——-하다 자타여불
겸비²【謙卑】명 자기의 몸을 겸손하게 낮춤. 겸하(謙下). ——-하다 자여불
겸사¹【兼史】명〖역〗①조선 시대 때 다른 관서(官署)의 관원으로서 춘추관(春秋館)의 사관(史官)을 겸임한 관리. 겸춘추(兼春秋). ②특히, 조선 시대 중기(中期) 이후 각 도(道) 수령 중에서 1인씩 임명한 춘추관 기사관(記事官). 지방의 선악(善惡)에 대한 상벌(賞罰)과 재난(災難)의 기록 등을 작성, 실록 편찬 때 사료(史料)로 쓰게 하기 위한 것임.
겸사²【兼事】명 두 가지 이상의 것을 아울러 섬김.
겸사³【謙辭】명 ①겸손의 말. ②겸손하게 사양함. ——-하다 자여불
겸사-겸사 부 한꺼번에 여러 일을 겸하여 하는 모양.
겸사-말【謙辭—】명〖언〗경어(敬語)의 한 가지로 겸손의 뜻을 나타내는 말. 겸양어(謙讓語). 겸양사(謙讓詞). ↔예사말. *겸손법(謙遜法).
겸사-법【謙辭法】[—뻡] 명〖언〗겸양법(謙讓法).
겸-사복【兼司僕】명〖역〗조선 시대 때 금군(禁軍)의 한 부대. 임금을 모시고 왕궁 호위를 주임무로 삼음. 기사(騎士) 700명 가운데 100명씩의 두 부대가 여기에 속함. 효종(孝宗) 3년에 내금위(內禁衛)·우림위(羽林衛)·겸사복의 세 부대를 합하여 금군청(禁軍廳)을 베풂.
겸사복-장【兼司僕將】명〖역〗조선 시대 때 겸사복의 으뜸 벼슬. 처음에는 종이품(從二品)이었는데 효종(孝宗) 때 금군청(禁軍廳)에 편입되면서 정삼품(正三品)으로 떨어짐. 정원은 3인. 내장(內將).
겸-사서【兼司書】명〖역〗조선 시대 때 세자 시강원(世子侍講院)의 정육품(正六品) 벼슬.
겸삼-겸삼 부〈방〉겸사겸사.
겸상【兼床】명 두 사람이 한 상에 마주 앉게 차린 상. 또, 마주 앉아 식사하는 일. ↔각상(各床)·독상(獨床). ——-하다 자타여불
겸선【兼善】명 스스로만이 아니라 남도 감화시켜 착하게 하는 일. ——-하다 자여불
겸-설서【兼說書】[—써] 명〖역〗조선 시대에, 세자 시강원(世子侍講院)의 정7품 벼슬. 홍문관(弘文館)의 박사(博士) 이하의 관원 및 예문관(藝文館)의 봉교(奉敎) 이하의 관원으로서 겸직하게 함.
겸섬【嗛閃】명 하찮은 일에 구애되어 겁냄.
겸섭【兼攝】명 맡은 직무 외에 다른 직무를 겸하여 봄. ——-하다 타여불
겸세【歉歲】명 흉년. 흉년든 해. 겸년(歉年).
겸손【謙遜·謙巽】명 남을 높이고 스스로를 낮추는 태도가 있음. 겸공(謙恭). ↔교만(驕慢). ——-하다 형여불. ——-히 부

겸손-법【謙遜法】[―뻡] 명 〖언〗 공대법의 하나. 자기를 낮추어서 웃어른에 대한 존경을 나타내는 어법. ＊존경법(尊敬法).
겸수【兼修】명 겸하여 닦음. 겸하여 수행함. ――하다 타여불
겸-수익【謙受益】명 겸손하면 이익을 본다는 뜻.
겸순【兼旬】명 열흘 이상 걸림. ――하다 자여불
겸-습독관【兼習讀官】명 〖역〗 조선 시대 훈련원(訓鍊院)의 종 9품 무관직. 겸사복(兼司僕)의 임무를 다 겸함. 정원 10명.
겸승【兼勝】명 싸워서 두 적을 다 이김. ――하다 자여불
겸신【謙愼】명 겸손하고 조신함. ――하다 자여불
겸:심 명 〈방〉 점심(點心)(경북·함북).
겸애【兼愛】명 자타(自他)나 친소(親疎)를 가리지 않고 모든 사람을 똑같이 사랑함. ――하다 자여불
겸애 교리설【兼愛交利說】명 〖윤〗 하느님이 만백성(萬百姓)을 똑같이 사랑하고 이롭게 하는 것처럼 사람들도 서로서로 똑같이 사랑하고 이롭게 하자는 학설. 중국 춘추 시대의 노(魯)나라 철학자 묵자(墨子)가 주장하였음. 겸애 사상.
겸애 사:상【兼愛思想】명 〖윤〗 겸애 교리설.
겸애-설【兼愛說】명 〖윤〗 겸애 교리설.
겸양【謙讓】명 겸손하게 사양함. 겸억(謙抑). ――하다 자타여불
겸양-법【謙讓法】[―뻡] 명 〖언〗 높임말 법(法)에서 겸양 선어말 어미 '-잡-·-삽-·-옵-' 등을 써서 겸사를 나타내는 말투. '받잡고', '가옵고' 따위. 겸사법(謙辭法). 객체(客體) 높임법. 객체 존대법. 객체 겸어법.
겸양-사【謙讓辭】명 겸사말.
겸양 선어말 어미【謙讓先語末語尾】명 〖언〗 용언의 어간과 어미 사이에 붙어서 겸사의 뜻을 나타내는 겸사법에 쓰이는 선어말 어미. 주로 문어체의 글과 옛글에 쓰임. '-잡-·-삽-·-옵-·-사옵-' 따위.
겸양-어【謙讓語】명 겸사말.
겸양지-덕【謙讓之德】명 겸손하게 사양하는 미덕(美德).
겸어[1]【箝語】명 입을 막고 말을 못하게 함. ――하다 타여불
겸어[2]【謙語】명 겸손한 말.
겸억【謙抑】명 겸양(謙讓). ――하다 자타여불
겸업【兼業】명 본업(本業) 외에 다른 업무를 겸하여 봄. 또, 그 업무. ――하다 자타여불
겸업 농가【兼業農家】명 농업 이외에 다른 직업(職業)을 겸하여 가진 농가. ↔전업(專業) 농가.
겸업-주의【兼業主義】[―/―이] 명 〖경〗 금융 기관 간의 업무 영역 규제를 풀어 금융 기관이면 모든 금융 업무를 취급케 하자는 주의. ＊분업주의.
겸연【慊然·歉然】명 미안하여 면목(面目)이 없는 모양. ――하다 형여불.
겸연-스럽다【慊然―】형ㅂ불 겸연한 생각이 들다. 겸연-스레【慊然―】부 →계면하다.
겸연-쩍다【慊然―】형 너무 미안하여 낯이 화끈거리는 느낌이 있다. →계면쩍다.
겸영【兼營】명 본업(本業) 외에 어떤 영업을 겸하여 경영함. ――하다 타여불
겸-영장【兼營將】명 〖역〗 수령(守令)이 겸하여 보던 영장(營將).
겸-예문【兼藝文】명 〖역〗 조선 세조(世祖) 때 경사(經史)·치도(治道)를 강론(講論)케 한 예문관(藝文館)의 임시직. 다른 관서(官署)의 명망 있는 젊은 문관으로 임명함.
겸용[1]【兼用】명 하나를 가지고 여러 가지로 겸하여 씀. ――하다 타여불
겸용[2]【兼容】명 도량(度量)이 넓음. ――하다 형여불
겸용-종【兼用種】명 가축·가금(家禽)으로서 용도를 겸용할 수 있는 품종. 소의 브라운 스위스는 젖소와 육우(肉牛)를 겸하며, 닭의 플리머스 록은 난용종(卵用種) 및 육용종(肉用種)의 겸용종임.
겸유[1]【兼有】명 겸하여 가짐. 가진 위에 딴 것을 더 가짐. ――하다 타여불
겸유[2]【謙柔】명 마음씨가 겸손하고 부드러움. ――하다 형여불
겸의【縑衣】[―/―이] 명 합사 비단으로 지은 옷.
겸이-포【兼二浦】명 〖지〗 황해도 '송림(松林)'의 일제 강점기 때 이름.
겸이포-선【兼二浦線】명 〖지〗 송림선(松林線).
겸익【謙益】명 〖사람〗 백제의 명승. 백제 율종(律宗)의 개조(開祖). 일찌기 당(唐)과 인도에서 불경과 율(律)을 연구, 성왕(聖王) 4년(526) 범승(梵僧) 배달다 삼장(倍達多三藏)과 함께 오부율(五部律)의 범본(梵本)을 가지고 귀국하여 왕명으로 흥륜사(興輪寺)에서 율부(律部) 72권을 번역함. 생몰 연대 미상.
겸인【傔人】명 청지기.
겸-인의【兼引儀】[―/―이] 명 〖역〗 조선 시대 때 통례원(通禮院)의 종구품(從九品) 벼슬.
겸인지-력【兼人之力】명 능히 몇 사람을 당해낼 만한 힘.
겸인지-용【兼人之勇】명 능히 몇 사람을 당해 낼 만한 용기.
겸임【兼任】명 여러 가지 직무를 겸하여 봄. 겸대(兼帶). ――하다 타여불
겸임-국【兼任國】명 외교관들이 겸임으로 된 나라.
겸임-지【兼任地】명 관리가 다른 지방의 직무를 겸임할 때의 그 지방을 일컬음.
겸자【鉗子】명 ①〖의〗 금속제 외과 수술 용구(手術用具)의 하나. 가위 같은 형상을 하였으나 날이 없고, 기관·조직·기물 등을 고정시키거나 압박하는 데 쓰임. 산과(産科) 겸자·지혈(止血) 겸자 등이 있음. ②겸도(鉗徒).

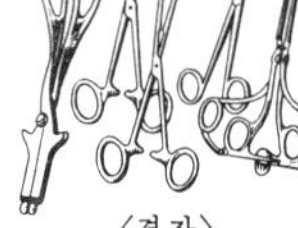
〈겸자〉

겸자-군【鎌子軍】명 〖역〗 〔겸자(鎌子)는 낫〕 임진 왜란 때 군마(軍馬)에 줄 꼴을 베기 위해서 설치한 군대. 선조 30년(1597) 명나라의 군마에 꼴을 대기 위해서 강원도 지방의 농민 1천여 명을 동원, 마초를 베게 하였음.
겸자 분만【鉗子分娩】명 〖의〗 자연 분만(自然分娩)이 안 될 때 겸자를 사용하여 태아(胎兒)의 머리를 밖으로 끌어내어 인공적(人工的)으로 분만시키는 일.
겸장[1]【兼將】명 ↗겸장군(兼將軍). ¶ 양수(兩手) ～.
겸장[2]【兼掌】명 두 가지 이상의 일을 겸하여 맡아 봄. ――하다 타여불
겸-장군【兼將軍】명 장기 둘 때에, 한번에 두 군데로 되는 장군. 겹장군. ㊍겸장.
겸-장례【兼掌禮】[―네] 명 〖역〗 대한 제국 때 장례원(掌禮院)의 한 벼슬.
겸재【謙齋】명 〖사람〗 ①임제(林悌)의 호. ②정선(鄭敾)의 호.
겸저【縑楮】명 합사로 짠 비단과 종이. 서화의 재료로 쓰임.
겸전【兼全】명 여럿이 다 같이 완전함. ¶ 재덕이 ～하다. ――하다 자형여불
겸-전의【兼典醫】[―/―이] 명 〖역〗 대한 제국 때 태의원(太醫院)의 한 벼슬.
겸제【箝制】명 눌러 억제함. 자유를 속박함. ――하다 타여불
겸종【傔從】명 〖역〗 청지기.
겸지-겸지【兼之兼之】부 겸사겸사.
겸지-왕【鉗知王】명 〖사람〗 가야국(伽倻國)의 제9대 왕. 질지왕(銍知王)의 아들. [재위 492-521]
겸지-우겸【兼之又兼】명 여러 가지를 겸한 위에 또 더 겸함. ――하다 타여불
겸직【兼職】명 ①직무를 겸함. 또, 그 직무. 섭직(攝職). ②겸임한 관직. 겸관(兼官). ↔실직(實職). ――하다 타여불
겸직 금:지【兼職禁止】명 둘 이상의 직을 겸함을 금하는 일. 국무 위원, 그 밖의 법률로 허용된 직을 제외한 국가 및 지방 자치 단체의 공무원·법관 등은 겸직할 수 없음.
겸-직중대【兼直中臺】명 〖역〗 고려 현종(顯宗) 때 중추원(中樞院)을 고친 중대성(中臺省)에 둔 벼슬.
겸찰【兼察】명 ①여러 가지 일을 겸하여 보살핌. ②〖역〗 현임 대장(大將)이 임시로 다른 직무를 맡아 봄. ――하다 타여불
겸-찰방【兼察訪】명 〖역〗 조선 중기 이후, 종 7품 이하의 시종(侍從) 문신으로서 겸임케 한 찰방. 찰방을 감독·규찰하고 민정(民情)을 살펴 왕에게 직접 상주함.
겸-참군【兼參軍】명 〖역〗 조선 시대에, 한성부(漢城府)에 둔 정 9품의 벼슬아치. 통례원(通禮院)의 인의(引儀) 가운데 1명이 겸임하게 함.
겸창【赚瘡】명 〖한의〗 종아리에 나는 고치기 어려운 부스럼.
겸-춘추【兼春秋】명 〖역〗 겸사(兼史).
겸치【兼治】명 겸하여 통치함. ――하다 타여불
겸-치다【兼―】㊀타 두 가지 이상을 겸하여 하거나 겸하여 합치다. ㊁자 두 가지 이상이 함께 겹쳐 일어나다.
겸칭【謙稱】명 ①겸손히 일컬음. ②겸사하여 부르는 칭호. ――하다 타여불
겸탄【謙憚】명 겸손한 태도로 어려워함. ――하다 타여불
겸-토포사【兼討捕使】명 〖역〗 조선 시대 때 범인의 체포를 맡아 보던 벼슬의 하나. 처음에는 수령(守令)이, 후에는 진영장(鎭營將)이 겸직하였음.
겸퇴【謙退】명 겸손히 사양하고 물러남. ――하다 자여불
겸-파총【兼把摠】명 〖역〗 조선 후기에, 어영청(御營廳)·금위영(禁衛營)의 종4품 벼슬. 하번 향군(下番鄕軍)의 훈련과 상격(賞格) 등을 담당함. 문관(文官) 수령(守令)으로 겸직케 함.
겸-편수관【兼編修官】명 〖역〗 고려 충숙왕(忠肅王) 때 춘추관(春秋館)에 둔 벼슬. 삼품 이하의 관원이 이를 겸함.
겸폐【歉敝·歉弊】명 흉년이 들어 농사가 잘 되지 않아 식량이 부족함. ――하다 형여불
겸-포도【兼捕盜】명 〖역〗 좌우(左右) 포도청의 겸록 부장(兼祿部長)의 딴이름.
겸-필선【兼弼善】명 〖역〗 조선 시대 때, 세자 시강원(世子侍講院)의 정사품(正四品) 벼슬. 집의(執義)나 사간(司諫)으로 겸직케 함.
겸하【謙下】명 겸비(謙卑). ――하다 자여불
겸-하다【兼―】타여불 ①본무(本務) 외에 다른 직무를 더 맡아 하다. 겸임(兼任)하다. ¶ 수상이 국방상을 ～. ②두 개 이상을 아울러 가지다. 가진 위에 더 가지다. ¶ 문무를 ～.
겸학【兼學】명 여러 가지 학문을 겸하여 배움. ――하다 타여불
겸함【兼銜】명 〖역〗 일정한 실직(實職)이 있는 관리(官吏)에게, 그 격식을 높이기 위하여 따로 관명(官名)을 붙이는 일.
겸행【兼行】명 ①여러 가지 일을 겸하여 함. ②쉴 시간이나 일하지 아니할 시간에도 일함. ¶ 주야 ～. ――하다 자여불
겸허【謙虛】명 ①겸손(謙遜)하게 자신을 낮추어 교기(驕氣)가 없음. ②〔humility〕〖종〗 자기의 무력(無力)과 죄업(罪業)에 대한 심각한 자각에서 우러나와, 신(神)의 의사에 어디까지나 순종(順從)하려는 마음. ――하다 형여불
겸화【謙和】명 겸손하고 온화함. ――하다 형여불
겸황【歉荒】명 흉년이 들어 민생이 황폐함. ――하다 형여불
겸황지-년【歉荒之年】명 흉년이 든 해.
겹[1] 명 ①넓고 얇은 물건이 포개어진 것. 또, 그 켜. ¶ ～저고리. ②사물(事物)이 거듭됨. ¶ ～집/～사돈. 1)·2):↔홑.
겹[2]【袷】명 성(姓)의 하나. 우리 나라에는 현존하지 아니함.
겹-간통【―間通】명 〖건〗 겹으로 지은 집의 앞칸과 뒤칸이 서로 통하게 된 것.
겹-거미 명 〖동〗 [*Selenops bursarius*] 겹거밋과에 속하는 절지 동물. 거미의 하나로 몸길이는 20mm 내외이며, 배갑(背甲)·흉판(胸板)·입·부속지(附屬肢)는 담황갈색의 잡반(雜斑)이 있음. 복부는 타원형이고, 상면은 담황갈색에 변화가 심한 반문이 있음. 한국·일본에 분포함.

〈겹거미〉

겹-것 명 ①겹으로 된 물건의 총칭. ②겹옷.
겹-겹 명 여러 겹.
겹겹-이 부 여러 겹으로 거듭된 모양.
겹-고깔 명 농악대원들이 쓰는, 창호지를 겹으로 접어 만든 고깔. ↔홑고깔.

고깔.
겹고리-무늬 [─니] 명 〖고고학〗 하나의 중심점을 갖고 있는 둘 이상의 동그라미가 겹쳐진 무늬. 동심원문(同心圓文).
겹-고팽이 명 〖건〗 겹으로 된 고팽이 무늬.
겹-글자 [─짜] 명 같은 자가 겹쳐져서 된 글자. '比·磊·姦' 등.
겹-꽃 명 ①〖식〗 중판(重瓣)의 꽃. 천엽화(千葉花). 중판화. ↔홑꽃. ②〖건〗 겹으로 된 꽃무늬.
겹-꽃받침 명 〖식〗 한 개의 꽃에 두 개 이상으로 된 꽃받침. 복악(複萼).
겹-꽃잎 [─닙] 명 〖식〗 여러 겹으로 된 꽃잎. 중판(重瓣). ↔홑꽃잎.
겹-나이테 명 〖식〗 1년에 한 개씩 있어야 할 성장륜(成長輪)이, 둘 또는 그 이상 형성된 나이테. 중연륜(重年輪). 「낚기에 쓰임. ↔홑낚시.
겹-낚시 명 한 낚시채에 여러 개의 낚싯바늘이 달린 낚시. 주로 오징어
겹낫-표 【─標】 명 세로 쓰기에서, 대화(對話)·인용(引用)·특별한 어구(語句) 따위를 나타내는 따옴표(『 』)의 이름. ＊큰따옴표·낫표.
겹-내림표 【─標】 명 〔double flat〕〖악〗 반음(半音)을 내리고 또다시 반음을 내리는 기호(♭♭). 내림표 둘로 나타냄. 중변 기호(重變記號). 더블 플랫.
겹-녹화 【─綠花】 명 〖건〗 겹으로 된 녹화 머리초.
겹-눈 명 〖동〗 곤충·새우·게 따위와 같은 절지 동물(節肢動物)에 있는 눈으로서 작은 눈이 여러 개 모여서 된 눈. 표면은 아름다운 6각형을 이룬 가는 망목(網目)인데, 30-40개, 많은 것은 수천 개 이상의 작은 눈들로 이루어졌으며 흑색 색소층으로 서로 구분되어 서 집합하였음. 홑눈이 명암(明暗)을 판별하는 데 대해서, 물건의 모양·운동 등을 판별함. 사람의 눈과 다른 점은 비치는 모양이 똑바로 곧게만 보이는 것이 다름. 매미·잠자리 등에는 한 쌍씩 있음. 복안(複眼). ↔홑눈.

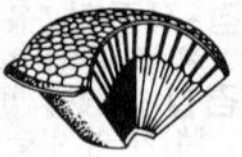
〈겹눈〉

겹:다 형 ㅂ불 ①감정이 동하여 억제할 수 없다. ¶흥에 겨워 야단들이다. ②정도나 양에 지나쳐서 힘이 부치다. ¶힘에 겨운 일. ③때가 기울다. ¶한낮이 겨워서 돌아왔다/오후, 한나절이 겨웠건만 햇볕은 늦지 않을 듯이 유장하다≪蔡萬植 : 濁流≫.
겹-다드라기 명 〖악〗 경남 삼천포 농악의 쇠가락 가운데, 홑다드라기 두 장단을 변주하여 치는 가락. 징은 두 점을 침. ＊다드라기. ↔홑다드라기.
겹-닿소리 [─다쏘─] 명 〖언〗 '복자음(複子音)'의 풀어 쓴 말. ↔홑닿소리.
겹-대패 명 날 위에 쇳조각을 덧끼워서 나무가 썩 곱게 깎여지는 대패. ↔홑대패.
겹-도르래 명 〖물〗 몇 개의 고정도르래와 움직도르래를 결합시킨 도르래 장치. 복활차(複滑車). 「'竹)' 등.
겹-말 명 같은 뜻의 말이 겹쳐서 된 말. '짜른 대 곰방대' '긴 장죽(長竹)' 등.
겹-문자 【─文字】 [─짜] 명 한 가지 뜻의 말과 문자를 겹쳐서 쓰는 말. '푸르 청청(青青)'·'보름밤 십오야(十五夜)' 등.
겹-문장 【─文章】 명 〖언〗 홑문장이 한 성분으로 안기어 들어가 있거나 서로 이어져서 여러 겹으로 된 문장. 안은 문장과 이어진 문장으로 나뉨. ↔홑문장.
겹-바지 명 솜을 두지 않고 겹으로 지은 바지. ↔홑바지. ＊핫바지.
겹-박자 【─拍子】 명 〖악〗 홑박자를 복합하여서 성립시킨 박자. 4박자·6박자·7박자·8박자·9박자·12박자 등을 말함. 복합 박자. ↔홑박자.
겹-받침 명 〖언〗 다른 두 개의 자음으로 된 받침(ㄳ·ㄵ·ㄺ·ㅄ 따위). ＊쌍받침.
겹-발굽 [─꿉] 명 〖동〗 포유 동물의 퇴화하여 흔적만 남아 있는 발굽.
겹-방 【─房】 명 ☞겹방.
겹-버선 명 솜을 두지 아니하고 겹으로 지은 버선.
겹-벚꽃 명 꽃잎이 여러 겹으로 피는 벚꽃.
겹-보 명 안을 대어 겹으로 만든 보자기.
겹-뿔 명 〖역〗 〈속〉 조선 시대 때, 당상관 삼품(堂上官三品) 이상의 관원이 쓴, 사모의 두 겹으로 된 사모뿔. 문채가 남. ＊홑뿔.
겹-사돈 【─査頓】 명 겹혼인을 하여 맺어진 사돈. 「름에 결은 것.
겹-사라지 명 담배 쌈지의 한 가지. 헝겊이나 종이를 겹쳐 만들어서 기름에 결은 것.
겹-사위 명 〖민〗 탈춤에서, 외사위와 같은 동작에 한삼을 한 번 더 올려서 뿌리는 사위. 곱사위.
겹-산철쭉 【─山─】 명 〖식〗 [*Rhododendron yedoense*] 철쭉과에 속하는 낙엽 활엽 관목. 잎은 피침형 또는 타원상 피침형인데 양면에 갈색의 털이 났음. 4월에 홍자색(紅紫色)의 꽃이 두세씩 정생(頂生)함. 과실은 삭과(蒴果)로 10월에 익음. 산지에 드물게 나는데, 인가 부근에 심음. 경기·황해·평남북 및 일본에 분포함. 겹철쭉. 천엽(千葉)철쭉.
겹산형-꽃 【─繖形─】 명 〖식〗 겹산형꽃차례로 피는 꽃을 통틀어 일컫는 말. 복산형화(複繖形花).
겹산형 꽃차례 【─繖形─次例】 명 〖식〗 산형꽃차례의 꽃대 끝에 다시 산형(繖形)으로 갈라져 피는 꽃차례. 당근·인삼·미나리·뱀도랏 같은 것의 꽃차례. 복산형(複繖形) 화서. 복합(複合) 산형 화서.

〈겹산형 꽃차례〉

겹-살림 명 ①한 가족이 나뉘어 따로 살림을 차려서 이중으로 하는 살림. ¶직장 관계로 시골과 서울에서 ~을 한다. ②첩을 얻어 따로 살림을 차려 이중으로 하는 생활. ──하다 자여불
겹-새김 명 나무·돌·쇠붙이에 깊고 얕게 여러 겹으로 새긴 새김.
겹-새끼 명 겹으로 꼰 새끼.
겹세도막 형식 【─形式】 명 〖악〗 응용 형식의 하나로 세 도막 형식이 복식화(複式化)된 것. 3부분으로 되어 각 부분은 한 개가 아닌 몇 개의 큰 악절로 되어 있지만 가장 소규모의 것은 어느 하나의 부분이 두 개로 그 밖은 한 개의 큰 악절로 성립함. 복합 삼부 형식(複合三部形式).
겹-세로줄 명 〖악〗 오선(五線) 위에 수직으로 그은 두 개의 세로줄. 굵기가 같은 두 개의 세로줄은 박자나 리듬 등이 바뀌는 곳을 표시하며, 한쪽을 굵게 한 세로줄은 마침을 표시함. 구용어 : 복종선(複縱線). ↔세로줄.
겹-소리 명 〖언〗 복음(複音). ↔홑소리❶.
겹-손톱묶음표 【─標】 명 〖언〗 이중 괄호(二重括弧) '〔 〕'의 이름.
겹-실 명 두 올 이상으로 드린 실. 복사(複絲). ↔홑실.
겹-씨 명 〖언〗 '복합어(複合語)'의 풀어 쓴 말.
겹-씨방 【─房】 명 〖식〗 두 개 이상의 심피(心皮)가, 그 가에서 서로 결합하여 된 씨방. 난초·참나리 등의 씨방. 복자방(複子房). ↔홑씨방.
겹-아가리 명 〖고고학〗 토기의 입술을 뒤집어 겹으로 만든 것. ＊이중구연(二重口緣).
겹-암꽃술 명 〖식〗 겹암술. 복자예(複雌蕊). ↔홑암꽃술.
겹-암술 명 〖식〗 둘 이상의 심피(心皮)로 된 암술. 합성(合成) 암술과 이생(異生) 암술로 나뉨. 겹암꽃술. 복자예(複雌蕊). ↔홑암술.
겹앞꾸밈-음 【─音】 명 〖악〗 선율을 구성하는 음 앞에 붙여진 두 음 이상의 꾸밈음. 악센트는 주요음(主要音)에 있음. 복전타음(複前打音).
겹-염 【─塩】 명 〔double salt〕〖화〗 ①가수 분해로 두 개의 다른 음(陰)이온과 양(陽)이온을 생성하는 염(塩). ②두 가지 염(塩)이 분자 결합하여 있는 염.
겹-엽 【─葉】 명 〖건〗 잎사귀가 겹쳐진 무늬.
겹-올림표 【─標】 명 〔double sharp〕〖악〗 반음(半音) 올리고 다시 반음 올리는 기호. 평균율(平均律)에서는 온음을 올리는 것과 같으나 실제는 다름. 악보에서는 보통 음표 머리의 왼쪽에 𝄪로 표시함. 중영기호(重嬰記號). 더블 샤프.
겹-옷 명 거죽과 안을 맞추어서 지은 옷. 겹것. ↔홑옷.
겹-월 명 〖언〗 '복문(複文)'의 풀어쓴 말.
겹-음정 【─音程】 명 〖악〗 옥타브(octave) 이상에 걸치는 각 음(各音) 사이의 음정. 보통 한 옥타브 좁혀진 음정으로 고쳐서 9도는 2도, 10도는 3도와 같이 부름. 벌린 음정. 복음정(複音程).
겹-이불 [─니─] 명 솜을 두지 않고 거죽과 안을 맞추어 만든 이불.
겹이삭 꽃차례 【─次例】 [─니─] 명 〖식〗 이삭꽃차례의 하나. 여러 갈래로 갈라진 꽃대에 다시 이삭 모양으로 피는 꽃차례. 보리류(類) 같은 것. 복수상 화서(複穗狀花序).

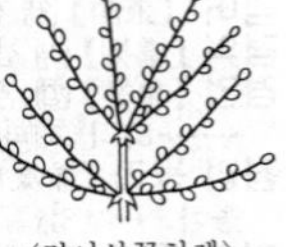
〈겹이삭꽃차례〉

겹-잎 [─닙] 명 한 개의 엽신(葉身)이 여러 개의 소엽(小葉)으로 이루어진 잎. 우상(羽狀) 겹잎·장상(掌狀) 겹잎의 두 가지가 있음. 남천촉(南天燭)·두여머조자기 같은 식물의 잎. 복엽(複葉). 천엽(千葉). ↔단엽. 홑잎.
겹-자락 명 더블 브레스트(double breast). ↔홑자락.
겹-장 【─帳】 명 겹으로 만든 휘장(揮帳).
겹장구 머리초 【─草】 명 〖건〗 장구 모양이 겹쳐진 머리초.
겹-장군 【─將軍】 명 겸장군(兼將軍).
겹-저고리 명 솜을 두지 않고 겹으로 지은 저고리.
겹-점음표 【─點音標】 명 〖악〗 점음표에 또 하나의 점이 붙은 음표. 복부점 음표(複附點音標).
겹-제자리표 【─標】 명 〔double natural〕〖악〗 겹내림표나 겹올림표가 붙은 음(音)을 원음으로 되돌릴 때 쓰는 표. ♮♮로 표시함. 구용어 : 중본위 기호.
겹-주름위 【─胃】 명 〖동〗 중판위(重瓣胃).
겹-줄 명 복선(複線)❶.
겹-질리다 자 몸의 근육과 관절이 생긴 방향대로 움직이지 않거나 너무 빨리 움직여 다치다.
겹-집 명 〖건〗 ①여러 채가 겹으로 된 집. ↔홑집. ②한 개의 종마루 밑에 두 줄로 칸이 겹쳐진 집.
겹-집다 타 여러 개를 겹쳐서 집다.
겹-창 【─窓】 명 〖건〗 겹으로 짜 단 창문. 이중창(二重窓). ↔홑창.
겹-처마 명 〖건〗 처마 끝의 서까래 위에 짧은 서까래를 다시 잇대어 달아낸 처마. ↔홑처마.
겹-철쭉 명 〖식〗 겹산철쭉.
겹첩 명 → 경첩.
겹-체 명 겹으로 짠 쳇불로 메운 체. ↔홑체.
겹쳐-지다 자 여럿이 서로 포개어 덧놓이다.
겹총상 꽃차례 【─總狀─次例】 명 〖식〗 무한(無限) 꽃차례의 한 가지. 꽃대가 둘 이상으로 갈라지고 마지막 분지(分枝)에서 각각 총상(總狀) 꽃차례를 이룸. 복총상 화서(複總狀花序).

〈겹총상 꽃차례〉

겹-치기 명 두 가지 이상의 일을 겹쳐서 맡아 하는 일. ¶~로 출연하다.
겹-치다 자타 ①여럿을 서로 포개어 덧놓다. ¶요를 겹쳐 깔다. ②일이 중첩되다. 사물이 포개지다. ¶학교 일과 회사 일이 ~.
겹-치마 명 겹으로 된 치마. ↔홑치마❶.
겹친-점 【─點】 명 〖수〗 특이점(特異點)의 하나. 한 곡선의 두 개 또는 그 이상의 분기(分岐)가 같은 점을 통과할 때의 그 점. 통과하는 분기의 수에 따라 이중점·삼중점 따위로 부름. 중복점(重複點).
겹-톱니 명 〖식〗 식물의 잎의 가가 이중(二重)으로 파열된 형태의 한 가지. 복거치(複鋸齒). 중거치(重鋸齒).
겹-판스프링 【─板─】 명 〔laminated spring〕 길이가 조금씩 다른 몇 장의 얇은 강철판을 포개어 만든 판스프링. 차대(車臺)와 바퀴 사이에 흔히 쓰임.
겹-해당화 【─海棠花】 명 〖식〗 [*Rosa rugosa* var. *plena*] 해당화의 겹꽃인 품종. 드물게 식재(植栽)함. 천엽(千葉) 해당화.
겹-혀 명 〖악〗 당피리, 향피리, 세피리 등의 피리나 태평소의 것처럼 두 겹으로 된 혀. 피리는 대 껍질을 깎아 구리철사로 감고, 태평소는 갈대

를 잘라 한 쪽을 실로 잘록하게 감아 씀. 복황(複簧). ↔홑혀.

겹-혼인【一婚姻】명 사돈의 관계가 있는 사람끼리 다시 맺는 혼인(婚姻).

겹-홀소리 [一쏘一] 명〘언〙 '복모음(複母音)'의 풀어쓴 말. ↔홑홀소리.

겻고다 타 〈옛〉 겨루다. =겻구다·겻그다. ¶ 므슷 이룰 겻고오려 ᄒᆞᄂᆞ고《釋譜 Ⅵ:27》.

겻고아 타 〈옛〉 겨루어. '겻고다'의 활용형. ¶ 우리 모다 지조롤 겻고아 뎌옷 이긔면 짓게 ᄒᆞ고《釋譜 Ⅵ:26》

겻구다 타 〈옛〉 겨루다. =겻고다. ¶ 그듸 沙門弟子 ᄃᆞ려 어루 겻굴따무러 보라《釋譜 Ⅵ:27》

겻그다 타 〈옛〉 겨루다. =겻구다. ¶ 부텨 神力 내샤 無量衆을 ᄌᆞ래 겻그니《月釋 Ⅶ:26》

겻기 명 〈옛〉 겪이. 손님을 겪는 일. ¶ 겻기호ᄆᆞᆯ 엇데 시름 아니 ᄒᆞ리오(供給豈不憂)《杜諺 XXV·36》/겻기 공(供)《石千》.

겻니다 타 〈옛〉 겪어 가다. ¶ 내모미 自然히 솟ᄃᆞ라 하ᄂᆞᆳ 光明中에 드러 아랫 果報 겻니단 주를 ᄉᆞᆯ보니《月釋 Ⅱ:63》.

겻ᄂᆞ다 타 〈옛〉 겪는다. '겻다'의 활용형. ¶ 娑婆ᄂᆞᆫ 受苦ᄅᆞᆯ 겻ᄂᆞ다 ᄒᆞᄂᆞᆫ ᄠᅳ디니《月釋 Ⅰ:21》.

겻다 타 〈옛〉 겪다. ¶ 娑婆ᄂᆞᆫ 受苦ᄅᆞᆯ 겻ᄂᆞ다 ᄒᆞᄂᆞᆫ ᄠᅳ디라《佛頂 28》.

겻-불 명 겨를 태운 불.

겻불-내 [一래] 명 겨가 탈 때 나는 매캐한 냄새.

겻-섬 명 겨를 담은 섬.

【겻섬 털듯】㉠청(請)이 있어 하는 말에 그것을 들어 주기는 커녕, 그 이상 말을 못 하게 하느라고, 가까이 오지도 못하게 겻섬을 턴다는 말. ㉡무슨 일을 함부로 마구 하는 모양.

겻-집 명 〈방〉 호주머니(평북).

겻칼 명 〈옛〉 장도(粧刀). ¶ 大緞 치마 蜜花珠 겻칼《古時調 高臺廣室》.

경[1] 명 ①〘역〙 도둑을 잡아다 다스리는 형벌의 한 가지. ¶ ~치다. ②호된 고통. ¶ ~ 좀 쳐 보아라.

【경을 팥 다발같이 치다】 호되게 고통을 겪음을 두고 이르는 말. 【경쳐 포도청(捕盜廳)이라】 경을 치는 포도청이라는 뜻으로, 심한 고통을 받거나 어려운 일을 당할 때에 쓰는 말.

경[2]【更】㊀ 명 일몰(日沒)로부터 일출(日出)까지를 5 등분(等分)하여 일컫는 시간의 이름. 곧, 초경(初更)은 오후 8-10시, 이경은 10-12시, 삼경은 12시부터 그 이튿날 오전 2시, 사경은 2-4시, 오경은 4시부터 밝을 때까지를 말함. ㊁ 의명 중국의 항해(航海)의 이정(里程). 60리임.

경[3]【京】명 성(姓)의 하나. 우리 나라에는 현존하지 아니함.

경[4]【庚】명〘민〙 ①십간(十干)의 일곱째. ②↗경방(庚方). ③↗경시(庚時).

경[5]【庚】명 성(姓)의 하나. 우리 나라에는 현존하지 아니함.

경[6]【耿】명 성(姓)의 하나. 우리 나라에는 현존하지 아니함.

경[7]【徑】명〘수〙 한 물체나 도형의 중심을 지나, 두 끝이 그 물체의 표면이나 도형의 가장자리에서 끝나는 선분(線分).

경[8]【卿】㊀ 명 ①〘역〙 신라 때, 조부(調府)·경성 주작전(京城周作典)·창부(倉部)·예부(禮部)·승부(乘部)·사정부(司正部)·예작부(例作部)·선부(船部)·영객부(領客部)·위화부(位和部)·좌이방부(左理方部)·우이방부(右理方部)·내성(內省)·사천왕사 성전(四天王寺成典)·감은사 성전(感恩寺成典)·봉덕사 성전(奉德寺成典)·어룡성(御龍省)의 버금 벼슬. 위계(位階)는 아찬(阿飡)으로부터 나마(奈麻)까지임. ②〘역〙 신라 때 전읍서(典邑署)·영창궁 성전(永昌宮成典)·국학(國學)·음성서(音聲署)의 각 으뜸 벼슬. 위계는 아찬 혹은 사찬(沙飡)으로부터 나마까지, 또는 아찬으로부터 급찬(級飡)까지임. ③〘역〙 고려 태조 때 병부(兵部)·물장성(物藏省)의 각 버금 벼슬. ④〘역〙 고려 때, 대상시(大常寺)·위위시(衛尉寺)·대복시(大僕寺)·예빈성(禮賓省)·사농시(司農寺)·대부시(大府寺)·사재시(司宰寺)의 종삼품(從三品) 벼슬. ⑤〘역〙 고려 충렬왕(忠烈王) 때, 전중성(殿中省)·대상시를 고친 종정시(宗正寺)·봉상시(奉常寺)에 둔 벼슬. ⑥〘역〙 고려 태조 때, 서경 분사(西京分司)의 아관(衙官)·병부·납화부(納貨府)·진각성(珍閣省)·내천부(內泉部)·국천부(國泉部)·관택사(官宅司)·도항사(都航司)·대어부(大馭府)에 둔 벼슬. ⑦〘역〙 고려 태조 때의 이직(吏職)으로, 병부·창부(倉部)의 으뜸 벼슬. ⑧〘역〙 조선 시대말, 시종원(侍從院)·장례원(掌禮院)·내장원(內藏院)·회계원(會計院)·주전원(主殿院)·비서원(祕書院)·태의원(太醫院)·어공원(御供院)·제실 회계 감사원(帝室會計監査院)의 각 으뜸 벼슬. ⑨〔Sir〕 영국에서 나이트 작(knight 爵)을 받은 이에 대한 경칭(敬稱). 서(Sir). ¶ 처칠 ~. ⑩로드(Lord). ㊁ 인대 〘역〙 임금이 이품(二品) 이상의 관원에게 대하여 일컫는 말.

경[9]【卿】명 성(姓)의 하나. 우리 나라에는 현존하지 아니함.

경[10]【景】명 ① ↗경치(景致). ②↗경황(景況). ③〘연〙 무대(舞臺)의 동일(同一)한 장(場)에서, 등장 인물의 교체(交替) 따위에 의해서 변화가 나타난 장면. ¶ 제1 ~.

경[11]【景】명 성(姓)의 하나. 현재 우리 나라에는 본관이 태인(泰仁) 하나뿐임.

경:[12]【敬】명 성(姓)의 하나. 우리 나라에는 현존하지 아니함.

경[13]【經】명 ①↗경서(經書). ②↗불경(佛經). ③〘천주교〙 기도문(祈禱文). ④〘민〙 판수가 외는 기도문과 주문(呪文). ⑤직물(織物)의 날. ↔위(緯). *날[3] ⑥〘지〙 ↗경도(經度). ⑦〘지〙 ↗경선(經線).

【경 다 읽고 떼어 버려야겠다】 이번 일이나 마치고, 앞으로는 아주 인연을 끊어야겠다고 할 때 이르는 말.

경[14]【境】명 ①지경. ②일정한 장소나 지역. ¶ 무인지~을 달리는 듯하다. ③마음이 놓여 있는 상태. ¶ 무아(無我)지~.

경:[15]【慶】명 성(姓)의 하나. 현재 우리 나라에는 본관이 청주(清州) 하나뿐임.

경:[16]【磬】명〘악〙 경(磬)쇠❶.

경[17]【京】수 ①조(兆)의 억 배(億倍), 해(陔)의 억분(億分)의 일의 수. 곧, 10^{24}. ②조(兆)의 만 배, 해(陔)의 만분의 일의 수. 곧, 10^{16}.

경[18]【頃】의명 중국의 지적(地積) 단위로 100 묘(畝). 1만 평방 미터. 100 아르에 상당함. ¶ 만~ 창파.

경-[1]【硬】두 '굳은'·'단단한' 등의 뜻을 나타내는 말. ¶ ~뇌막/~구개.

경-[2]【輕】두 ①'가벼운'·'비중이 비교적 가벼운'·'육중하지 아니한'의 뜻을 나타내는 말. ¶ ~공업/~금속/~노동/~기관총. ②'경쾌한'·'간편한'의 뜻을 나타내는 말. ¶ ~장비/~음악. 1)·2):↔중(重)-.

-경[1]【頃】미 어떤 시간의 전후(前後)를 어림잡아 막연히 일컫는 말. ¶ 다섯 시~. *전후(前後).

-경[2]【鏡】미 ①렌즈 또는 렌즈계(系)를 통해서 보는 기구를 나타내는 말. ¶ 망원~/현미~. ②거울을 나타내는 말. ¶ 반사~/삼면(三面)~.

경가[1]【耕稼】명 경작(耕作). ——-하다 타 여불

경가[2]【輕舸】명 비교적 작고 가벼운 배.

경:가[3]【鏡架】명 ①문갑이나 책상 따위의 위에 올려 놓고 쓰는 거울틀. ②경대(鏡臺).

경-가극【輕歌劇】명〘연〙 오페레타(operetta).

경가 파:산【傾家破產】명 집안 재산을 모두 없앰. ——-하다 자 여불

경각[1]【頃刻】명 극히 짧은 시간. 눈 깜박하는 사이. 경각간(頃刻間). 삽시간(霎時間). ¶ 목숨이 ~에 달려 있다.

경각[2]【傾角】명 ①〘수〙 일정한 기준 방향(基準方向), 특히 좌표(座標)의 축(軸) 같은 것의 방향으로부터 어떤 방향에 기운 정도를 나타내는 각도. 방향각(方向角). 편각(偏角). ②〘물〙 기준으로 하는 평면 또는 직선에 대하여 다른 평면 또는 직선이 이루는 각도. ③〘지〙 자침(磁針)의 방향이 수평면과 이루는 각도. ④〘천〙 행성(行星)의 궤도면(軌道面)과 황도면(黃道面)이 이루는 각도.

경각[3]【經閣】명〘대종교〙 대종교의 도사교(都司教)가 있는 집.

경:각[4]【警覺】명 경계(警戒)하여 각성(覺醒)시킴. 타일러 깨닫도록 함. ——-하다 타 여불

경각-간【頃刻間】명 경각(頃刻).

경-각부【京各部】명〘역〙 서울에 있던 관아(官衙)의 각부. 조선 고종(高宗) 32년(1895)에 '아문(衙門)'을 고쳐 부른 말.

경-각사[1]【京各司】명〘역〙 서울에 있던 관아(官衙)의 총칭. 준각사(各司)·경사(京司).

경-각사[2]【京各寺】명 서울 가까이 있는 모든 절.

경:각-심【警覺心】명 경각성이 있는 마음. 정신을 가다듬어 조심하는 마음. ¶ ~을 불러일으키다.

경간[1]【徑間】명〘토〙 교대(橋臺)나 교각(橋脚)의 서로 마주보는 지주(支柱)와 지주 사이의 거리(距離).

경간[2]【耕墾】명 논밭을 개간하여 갊. ——-하다 타 여불

경간[3]【驚癇】명〘한의〙 놀라면 발작(發作)하는 간질(癎疾). 어린 아이에게 많음.

경간-기【耕墾機】명〘농〙 땅을 갈아 엎는 농구. 쟁기·따비·가래 등.

경:갈【罄竭】명 재정이 다 없어짐. 경진(罄盡). 경핍(罄乏). ——-하다 자 여불

경감[1]【京監】명〘역〙 강감(江監).

경감[2]【卿監】명〘역〙 고려 때, 오품관(五品官)인 성부(省部)의 관원(官員)과, 위위시(衛尉寺)·태복시(太僕寺)·사농시(司農寺)·대부시(大府寺)·사재시(司宰寺)·사수시(司水寺)의 경이(卿貳) 및 국자감(國子監)의 유관(儒官)과 비서성(秘書省)의 전직(典職) 등의 일컬음. *조관(朝官).

경감[3]【輕勘】명 죄인을 가볍게 처분함. 박감(薄勘). ——-하다 타 여불

경감[4]【輕減】명 감(減)하여 가볍게 함. 덜어 적게 함. 감경(減輕) ¶ 도조(賭租)를 ~하다. ——-하다 타 여불

경:감[5]【警監】명 경찰 공무원 계급의 하나. 경위(警衛)의 위, 경정(警正)의 아래.

경:감[6]【鏡鑑】명 ①거울. ②본보기.

경감[7]【驚疳】명〘한의〙 심감(心疳).

경갑[1]【脛甲】명〘고고학〙 '정강이 가리개'의 구용어.

경갑[2]【頸甲】명 ①목과 가슴을 보호하기 위하여 착용하는 갑옷의 하나. 금갑(襟甲)과 쇄골갑(鎖骨甲)으로 이루어짐. ②〘고고학〙 '목가리개'의 구용어.

경강[1]【京江】명 ①뚝섬으로부터 양화도(楊花渡)에 이르는 한강(漢江)의 일대(一帶). ②경기도와 강원도.

경강[2]【硬鋼】명 탄소를 0.36-0.70% 포함하는 강철. 축(軸)·공구(工具)·레일 등의 재료가 됨. *연강(軟鋼).

경강-상【京江商】명〘역〙 경강 상인.

경강 상인【京江商人】명〘역〙 조선 시대 때, 한강을 무대로 선운(船運)의 요로를 장악하여, 특히 미곡의 도고(都賈) 활동에 종사하던 상인. 경강상(京江商). 강상 부민(江商富民). 준강상(江商).

경강-선【京江船】명〘역〙 조선 시대 때, 주교사(舟橋司)에 속한 사선(私船). 수원(水原) 능행(陵幸) 때에 노들나루에 배다리를 놓는 데 썼고, 남도에서 오는 세곡(稅穀)을 실어 나를 때에 썼음.

경개[1]【更改】명〘법〙 일정한 채무를 소멸시키고 다른 채무를 성립시키는 계약. 목적의 변경, 채권자·채무자의 교대 등 세 가지가 있음.

경:개[2]【耿介】명 절조(節操)를 굳게 지키어 세속(世俗)과 구차스럽게 화합(和合)하지 아니함. ——-하다 자 여불

경개[3]【梗概】명 전체의 내용을 대강 알 수 있도록, 간단하게 추려 내어 설명한 줄거리.

경개[4]【景概】명 경치(景致).

경개[5]【傾蓋】명〔길에서 우연히 만나, 수레를 멈추고 깁양산을 기울여 잠시 이야기한다는 뜻으로〕 한 번 보고 서로 친해짐의 비유. ——-하다 자 여불

경개 여구【傾蓋如舊】명 잠깐 만나도 구면과 같이 친함. ——-하다 형 여불

경거[1]【輕遽】명 경솔(輕率). ——-하다 형 여불. ——-히 부

경거[2]【輕擧】명 경솔(輕率)하게 행동함. ——-하다 자 여불

경거 망:동【輕擧妄動】명 경솔하고 망녕되게 행동함. ——-하다 자 여불

경거-인【京居人】명 서울에 사는 사람.

경건[1]【勁健】명 ①굳세고 건장(健壯)함. ②〘미술〙 화필(畫筆)의 필세(筆勢)가 대단히 굳세고 건장함. ——-하다 형 여불

경:건[2]【敬虔】명 공경하는 마음으로 깊이 삼가고 조심함. ——-하다 형

여불. ——-히 부

경:건-주의【敬虔主義】[—/—이] 명 〔도 Pietismus〕〖종〗 17세기에 독일의 신교(新敎)가 교의(敎義)와 형식만을 위주로 하는 데 반감을 품은 슈페너(Spener, P.J.; 1635-1705)가 창시한 운동으로, 성서(聖書)를 중심으로 한 체험과 실천에 치중하여 경건한 생활을 하자는 주의. 파이어티즘(Pietism).

경:검 분석【鏡檢分析】명〖광〗광물의 미량 정성(定性) 분석의 한 방법. 광물을 녹인 약을 유리판 위에 놓고, 편광 현미경으로 관찰하면서 시약을 가하여 반응시켜 이루어지는 결정의 광학적 성질로부터 그 원소를 분석해 내는 일. 검경 분석(檢鏡分析).

경겁[1]【經劫】명 액운(厄運)이 지남. ——-하다 자여불

경겁[2]【驚怯】명 놀라서 겁을 냄. ——-하다 자여불

경:견【競犬】명 개를 경주시키어 승부를 가리는 일. ¶ ~ 대회.

경:결[1]【耿潔】명 밝고 깨끗함. ——-하다 형여불

경결[2]【哽結】명 슬픔이 복받쳐서 목이 멤. ——-하다 자여불

경결[3]【硬結】명 ①단단하게 굳음. 또, 단단하게 굳힘. ②〖의〗 결절상(結節狀)의 단단한, 한국성(限局性)의 병소(病巢). 또, 연한 조직이 병적으로 딱딱해짐. ——-하다 자타여불

경:경[1]【耿耿】명 ①불빛이 깜박깜박함. ②마음에 잊혀지지 아니하고 염려가 됨. ——-하다 자여불

경경[2]【哽哽】명 슬픔에 목이 메어 말이 잘 나오지 아니함. ——-하다 자여불

경경[3]【耕境】명〖농〗농산물의 생산 가격이 그 생산비와 동등하여, 경제적 견지에서 경작을 할 수 있느냐 없느냐의 한계에 서 있는 토지. 또, 그 한계. 경작 한계(耕作限界).

경경[4]【梗梗】명 옳고 용감함. 정직(正直). ——-하다 형여불

경:경[5]【煢煢】명 외롭고 걱정스러움. ——-하다 형여불

경경[6]【輕輕】명 신중하게 생각하지 아니하고 말이나 행동이 가벼움. ——-하다 형여불. ——-히 부

경:경 고침【耿耿孤枕】명 근심에 싸여 있는 외로운 잠자리.

경:경 불매【耿耿不寐】명 마음에 염려되고 잊히지 아니하여 잠을 못 이룸.

경경-선【京慶線】명〖지〗'중앙선(中央線)'의 구칭.

경경 열열【哽哽咽咽】명 슬픔으로 목메어 욺. ——-하다 자여불

경계[1]【經界】명 ①시비(是非)·선악(善惡)이 분간되는 한계(限界). 계경(界境). 계경(蹊徑). ②경계(境界)❶.

경:계[2]【敬啓】명 삼가 사뢴다는 뜻으로, 주로 한문투의 편지 첫머리에 쓰는 말. 경계자(敬啓者).

경계[3]【境界】명 ①일이나 물건이 어떤 표준 밑에 서로 이어 맞닿는 자리. 경계(經界). 계경(界境). 계역(界域). ②〖불교〗 인과(因果)의 이치(理致)에 따라서 제가 스스로 받는 경우(境遇).

경계[4]【輕繫】명〖역〗옥(獄)에 갇힌, 가벼운 죄를 지은 범인(犯人).

경:계[5]【鏡戒·鏡誡】명 분명히 타일러 조심하게 함. 경계(警戒). ——-하다 자타여불

경:계[6]【警戒】명 ①잘못되는 일이 생기지 아니하도록 미리 마음을 가다듬어 조심함. ②타일러 주의시킴. 경계(鏡戒). ③〖군〗 적의 첩보 활동·감시·모략 선전·파괴·혼란 또는 기습으로부터 부대를 보호하기 위하여 취하는 수단. ——-하다 자타여불

경계[7]【驚悸】명〖한의〗①잘 놀라는 증세. ②놀란 것처럼 가슴이 두근거리는 증세.

경계-값【境界—】[—깝] 명 〔boundary value〕〖수〗 미분 방정식의 해(解)의 존재 영역(存在領域)의 경계상(境界上)의 값.

경계값 문:제【境界—問題】[—깝—] 명〖수〗미분 방정식에서, 주어진 경계 조건을 충족시키는 해(解)의 존재를 확인하거나, 존재할 때에 그것을 구(求)하는 문제.

경:계 경:보【警戒警報】명 경계하라는 경보. 특히, 적의 항공기나 유도탄의 공격이 예상될 때 발령하는 경보. 황색 경보(黃色警報).

경:계 관제【警戒管制】명 등화(燈火) 관제의 한 가지. 적의 공습의 염려가 있을 경우에, 불의 직사광(直射光)이 바깥에 비치지 아니하도록 하거나 또는 광도(光度)를 낮추는 관제. ↔공습(空襲) 관제.

경계-등【境界燈】명 일정한 지역이나 지대의 한계선을 표시하는 등. 특히, 비행장에서 착륙장의 한계선을 표하는 데 쓰임.

경계 마찰【境界摩擦】명〖물〗고체 표면에 극히 얇은 액막(液膜)이나 증기(蒸氣) 같은 것이 붙어 있을 때의 마찰. 완전 윤활(完全潤滑)과 건조(乾燥) 마찰과의 중간 상태. 경계 윤활(境界潤滑). ↔건조(乾燥)마찰.

경:계-망【警戒網】명 이리저리 그물처럼 여러 겹으로 늘어놓은 경계선(警戒線).

경계 변:경【境界變更】명〖법〗지방 자치 단체의 신설(新設) 또는 폐지가 아닌 단순한 구역의 변경.

경계 사정【境界查定】명〖법〗공물(公物)인 토지에 관하여 관리청이 그 지경(地境) 범위를 정하는 행위.

경:계-색【警戒色】명 ①경계하는 듯한 기색. ②〔warning coloration〕〖동〗어떤 동물이 다른 동물의 먹이로 적당하지 아니함을 경계시키기 위하여, 뚜렷이 드러나게 가지고 있는 몸빛. 이런 동물은 나쁜 냄새나 독기를 피우거나 찌르는 바늘을 가지고 있어, 적이 되는 다른 동물이 덤비지 못하게 함. 예컨대, 벌이 갈색과 검은 빛을 띠고 있어, 언뜻 보아도 벌임을 뚜렷이 나타내고 있는 따위. 그러나 실제의 효과는 분명하지 않음. *보호색(保護色).

경계-석【境界石】명 경계(境界)임을 나타내기 위하여 표지(標識)로 세운 돌.

경계-선[1]【境界線】명 경계(境界)가 되는 선. ㊟선(線).

경:계-선[2]【警戒線】명 적의 침입(侵入)이나, 죄인의 도망 또는 불상사(不祥事)의 발생을 막기 위하여 경계하는 지대(地帶). 주의선(注意線).

경계선적 사:례【境界線的事例】명 보더라인 케이스(borderline case).

경:계 수위【警戒水位】명 홍수가 되기 이전에 적절한 예방책을 강구하여야 할 양수표(量水標) 상의 수위. *위험 수위.

경:계 신:호【警戒信號】명 다음 신호가 정지 신호임을 알리는 철도 신호의 하나. 이에 의하여 열차는 25km 이하의 시속(時速)으로 운행하게 됨. *주의(注意) 신호.

경:계-심【警戒心】명 경계하는 마음.

경계 윤활【境界潤滑】명〖물〗경계 마찰(摩擦).

경계의 난:【庚癸—亂】[—/—에—] 명〖역〗고려 18대 의종(毅宗) 24년(1170) 경인(庚寅)과 19대 명종(明宗) 3년(1173) 계사(癸巳)에, 장군 정중부(鄭仲夫) 등 무신(武臣)이 문신(文臣)을 대량 숙청한 정변.

경계-인【境界人】명〖심〗한계인(限界人).

경계 인수【境界因數】[—쑤] 명 어느 한 나라의 경계선의 길이를, 그 영토의 면적과 같은 정사각형의 둘레의 길이로 나눈 몫.

경:계-자【敬啓者】명 경계(敬啓).

경계-점【境界點】[—쩜] 명〖수〗위상 공간(位相空間)에 있어서, 부분 집합(部分集合) M의 내점(內點)도 외점(外點)도 아닌 점의 M에 대한 이름. 이 경계점의 임의의 근방(近傍)은 M의 점(點)도 M에 속하지 아니하는 점도 포함됨.

경계-증【驚悸症】[—쯩] 명〖한의〗경계(驚悸)의 증세.

경계 측량【境界測量】[—냥] 명〖공〗①토지 경계선을 확인·확립·재확립하기 위하여 하는 측량. ②경계선을 나타내기 위한 지도(地圖)를 만들 때 행하는 측량.

경계-층【境界層】명〖물〗공기나 물 따위 점성(粘性)이 작은 유체와, 그 속에 놓여 있는 물체와의 사이에 생기는, 점성이 매우 크고 얇은 층. 이 층의 외측(外側)을 근사적(近似的)으로 완전 유체(完全流體)로 보고, 내측(內側)을 점성 유체(粘性流體)로 생각한 것으로 항공 역학(航空力學)의 천음속 영역(遷音速領域)의 중요한 문제로 되어 있음. 한계층.

경계층 제:어【境界層制御】명 항공기의 기체(機體)의 공기 역학적 성능을 향상시키기 위한 방법의 하나. 비행 중인 항공기의 표면에 생기는 경계층은 마찰 저항의 원인이 되고, 또 날개면의 경계층은 영각(迎角)이 커지면 에너지를 잃어 쉽게 떨어져 나가서 실속(失速)을 일으킴. 기체 표면에 슬리트(slit)를 설치하여 경계층을 흡입시키기도 하고, 슬리트로부터 고압 공기를 배출시켜 경계층에 에너지를 주어 경계층이 떨어져 나감을 지연시키는 따위의 방법을 말함.

경계 침:범죄【境界侵犯罪】[—쬐] 명〖법〗계표(界標)를 파괴·이동·제거하거나 또는 기타의 방법으로 토지의 경계를 인식할 수 없게 한 죄.

경계-표【境界標】명 경계(境界)임을 나타내는 표지(標識).

경:계-표지【警戒標識】명 경계하라는 뜻을 나타낸 표지《교차점·굴곡로·횡단로 등에 경계하라고 설치한 도로 표지 등》. ㊟경표(警標).

경고[1]【更鼓】명〖역〗초경(初更)·이경·삼경·사경·오경으로 나눈 밤의 시간을 알리기 위하여 치던 북.

경고[2]【硬膏】명〖약〗굳어서 상온(常溫)에서는 녹지 아니하나 체온에 접하면 녹아서 점착(粘着)하게 되는 고약. 수지(樹脂)·납(蠟)·고무·경성(硬性) 지방 등을 섞어서 만듦. ↔연고(軟膏).

경고[3]【傾庫】명 창고 속에 있는 물건을 모두 들어 냄. ——-하다 타여불

경:고[4]【警告】명 ①주의하라고 경계하여 알림. ②유도(柔道) 용어. 금지 사항에 저촉되어 반칙패의 염려가 있을 때 또는 두 번째의 '주의'로서 선언되는 계고(戒告). '절반'과 같은 효과가 있음.——-하다 타여불

경:고[5]【警固】명 경계하여 굳게 지킴. ——-하다 타여불

경:고 공역【警告空域】명〖항공〗국가 영역 밖의, 비행기에 현실적으로 또는 잠재적으로 위험성이 따르는 공간.

경:고-문【警告文】명 경고하는 글.

경:고 반:응【警告反應】명〖생〗생체(生體)의 태반이 양적·질적으로 적응할 수 없는 돌연한 자극을 받을 때에 일어나는 비(非)특이적 반응. 부신 피질(副腎皮質) 호르몬의 분비가 증가되고 부신 피질은 비대(肥大)하며, 림프(lymph)선은 축소됨.

경-고사포【輕高射砲】명〖군〗구경 90mm 이하의 고사포. 견인식(牽引式)과 자주식(自走式)이 있음.

경:고 신:호【警告信號】명〖군〗적의 접근이나 소재를 알리는, 경고로서 보내는 신호.

경:고-장【警告狀】[—짱] 명 경고하는 내용을 적은 서류.

경:고 표지【警告標識】명 경고하는 내용을 적은 표지. ¶ 입산(入山) 금지의 ~. ㊟경표(警標).

경골[1]【脛骨】명〖생〗정강이뼈.

경골[2]【硬骨】명 ①〖생〗척추 동물에서 볼 수 있는 결합 조직(結合組織)의 하나. 칼슘이 잘 침착(沈着)되어 질이 견고(堅固)함. 굳뼈. ↔연골(軟骨)❷. ②강직(剛直)하여 남에게 쉬이 굽히지 아니하는 기골(氣骨). 골경(骨鯁). ¶ ~한(漢).

경골[3]【頸骨】명〖생〗목의 가운데 부분에 세로로 이어져 있는 뼈. 목뼈.

경골[4]【鯁骨】명 물고기의 뼈.

경골[5]【鯨骨】명 고래의 뼈.

경골-류【硬骨類】명〖동〗경골어류(魚類).

경골 신경【脛骨神經】명〖생〗좌골 신경(坐骨神經)의 한 가지. 오금의 안으로부터 다리와 안쪽 복사뼈를 지나서 발바닥까지 이르는 신경.

경골 신경 마비【脛骨神經痲痺】명〖의〗경골 신경 지배 하의 여러 근육이 마비되는 병. 발바닥이 안쪽으로 오그라지고 발가락의 굴신(屈伸)이 잘 되지 아니함.

경골어-류【硬骨魚類】명〖동〗[Osteichthyes] 척추 동물에 속하는 한 강(綱). 골격이 주로 경골(硬骨)로 된 어류. 기조(鰭條)가 견고하고 가시 모양을 이루는데, 대부분의 물고기는 모두 이에 속함. 진구류(眞口類). 경골류(硬骨類). 굳뼈물고기무리. ↔연골어류(軟骨魚類).

경골-한【硬骨漢】명 의지가 강하고 권력·금력 따위에 굴하지 아니하는 남자. 자기 주장을 쉬 굽히지 아니하는 사람. ↔연골한(軟骨漢).

경공【經工】명 경서의 공부.

경-공양【經供養】명〔불교〕경문을 써서 부처님 앞에 공양하며, 법회를 자주 열어서 공덕을 쌓음. ——-하다 자여불

경-공업【輕工業】명 ①〔공〕부피에 비하여 무게가 가벼운 물자를 생산하는 공업. 섬유(纖維) 공업·화학(化學) 공업·식료품 공업·제지(製紙) 및 인쇄업(印刷業)·고무 공업·피혁업(皮革業) 등. ②소비재의 생산에 종사하는 공업 부문. 1)·2):↔중공업(重工業). *소비재 공업(消費財工業).

경-공인【京貢人】명〔역〕〈속〉경주인(京主人).

경-공장【京工匠】명〔역〕서울의 중앙 관부(官府)에 소속된 장색(匠色). 관영(官營)의 수공업장(手工業場)에서 왕실과 귀족 및 중앙 관아의 수요에 의하여 제작 활동을 했음. ↔외공장(外工匠).

경과¹【京果】명 중국 요리에서, 제일 먼저 상에 나오는 호박씨·수박씨·땅콩·호두 등의 일컬음.

경과²【京科】명〔역〕서울에서 보이는 과거(科擧). 곧, 회시(會試)·전시(殿試) 등을 이름.

경과³【經科】명〔역〕↗강경과(講經科).

경과⁴【輕科】명 가벼운 죄과(罪科).

경과⁵【經過】명 ①때의 지나감. ¶사흘이 ~하다. ②때를 지남. ¶어려운 고비를 ~하다. ③일을 겪음. 또, 일을 겪어 온 과정(過程). ¶~ 보고/~한 이야기를 하다. ④사물(事物)의 변천하는 상태. ¶병세(病勢)의 ~가 양호하다. ⑤〔천〕태양면(太陽面)을 내행성(內行星)·혜성(彗星) 등의 천체(天體)가 통과하는 현상. 또, 행성면(行星面)을 그 위성(衛星)이 통과하는 일. ⑥〔passage〕〔악〕경과구(經過句). ——-하다 자타여불

경:과⁶【慶科】명〔역〕나라에 경사가 있을 때 보이는 과거.

경:과⁷【警科】[—꽈] 명 경위 이하의 경찰관을 그 직무에 따라 구분한 종류. 일반 경과·전투 경과와 특수 경과인 해양 경과·항공 경과·통신 경과·운전 경과 등이 있음.

경과 계:정【經過計定】명〔경〕결산기 말(決算期末)에 일시적으로 설정하여, 그 사명을 다하면 그대로 소멸(消滅)되는 계정. 곧, 이연 계정(移延計定)과 예상(豫想) 계정의 통칭.

경과-구【經過句】명〔passage〕〔악〕독주 기악곡(獨奏器樂曲)에서, 선율음(旋律音)의 사이를 급하게 낮은 방향이나 높은 방향으로 진행하는 경과적인 부분. 패시지(passage). 경과(經過).

경과 규정【經過規定】명〔법〕경과법(經過法).

경과-법【經過法】[—뻡] 명〔법〕법령(法令)의 제정(制定)·개폐(改廢)가 있을 때, 구법(舊法)과 신법(新法)의 적용 관계 등, 구법으로부터 신법에 이행(移行)함에 필요한 과도적 조치를 정한 법률 또는 규정. 시제법(時際法). 경과 규정(經過規定). 경과 조치(經過措置).

경과 보:고【經過報告】명 겪어 온 과정(過程)의 보고.

경-과실【輕過失】명 어떤 직업·직위에 있는 사람이 으레 주의하여야 할 일을 다소나마 소홀히 함으로써 이루어지는 가벼운 과실.

경과-음【經過音】명〔악〕'지남음'의 구용어.

경과 이:자【經過利子】명〔경〕채권을 매매할 때, 전회(前回)의 이자 지급일로부터 수도(受渡) 당일까지의 일수(日數)에 따라서, 사는 이가 파는 이에게 지급하는 이자.

경과 조치【經過措置】명〔법〕경과법(法).

경관¹【京官】명〔역〕서울 안 각 관아의 관원 및 개성(開城)·강화(江華)·수원(水原)·광주(廣州) 등의 유수(留守). ↔외관(外官).

경관²【京觀】명 ①굉장한 구경거리. ②〔역〕고대 중국에서, 전공(戰功)을 후대(後代)까지 전하기 위하여 적의 시체(屍體)를 한데 쌓아 묻어서 높게 만든 무덤.

경관³【扃關】명 문빗장.

경관⁴【景觀】명 ①경치(景致). ②특색 있는 풍경 형태(形態)를 가진 일정한 지역(地域). ③〔지〕눈에 보이는 경색(景色). 풍경(風景)의 지리학적 특성(地理學的特性). 자연 경관(自然景觀)과 문화(文化) 경관으로 구분됨.

경관⁵【頸管】명 ↗자궁(子宮) 경관.

경:관⁶【警官】명 ↗경찰관(警察官).

경관 식이법【經管食餌法】[—뻡] 명〔의〕경관 영양법(營養法).

경관 열상【頸管裂傷】[—녈쌍] 명〔의〕자궁 질부(子宮膣部) 또는 질상부(膣上部), 즉 경관의 하반부(下半部)에 국한(局限)하여 일어나는 열상. 분만시 겸자(鉗子) 수술 등을 강행함으로써 발생함.

경관-염【頸管炎】[—념] 명〔의〕자궁 경관염.

경관 영양법【經管營養法】[—뻡] 명〔의〕가느다란 관을 환자의 입 또는 콧구멍으로 넣어 위장 이하의 부위까지 삽입하여, 미음·우유·노른자위·과즙(果汁) 등의 유동식(流動食)을 한 번에 50–100cc씩, 하루에 여러 번 주입하여 영양을 보급하는 방법. 경관 식이법(經管食餌法). *피장(避腸) 영양법.

경관 점액법【頸管粘液法】명〔의〕피임법의 하나. 자궁의 출구(出口) 쪽 경관에 있는 경관 점액이 월경 주기에 따라 변화하는 상태를 이용하여 배란기(排卵期)를 추정함. 1950년대에 오스트레일리아의 의사 존 빌링스가 제창하였음. 신리듬법(新 rhythm 法).

경관 지리【景觀地理】명〔지〕경관 지리학(景觀地理學).

경관 지리학【景觀地理學】명〔지〕지리학의 한 분과. 지표(地表) 전반의 지리적 경관을 통하여, 지역 일반의 구조와 그 생성 변화의 이치를 연구하는 학문. 경관 지리.

경관-직【京官職】명〔역〕서울에 있는 각 관아의 벼슬. ㊄경직(京職). ↔외관직(外官職).

경관 폴립【頸管—】〔polyp〕명〔의〕↗자궁 경관 폴립(子宮頸管 polyp).

경:광¹【耿光】명 ①밝은 빛. ②덕(德)이 높음을 이르는 말.

경광²【頃筐】명 한쪽 운두는 높고 다른 쪽 운두는 낮은 광주리.

경광³【景光】명 ①경치(景致). ②효상(爻象)❶.

경-광물【輕鑛物】명〔light mineral〕〔광〕비중(比重) 2.85 이하의 광물.

경광-성【傾光性】[—썽] 명〔식〕감광성(感光性)❷.

경광 철도【京廣鐵道】[—또] 명〔지〕징광 철도.

경괴【驚怪】명 놀랍고 괴이함. ——-하다 형여불

경교¹【京校】명〔역〕↗경포교(京捕校).

경:교²【景敎】명〔종〕중국 당(唐)나라 태종 9년(635) 페르시아인에 의해서 중국에 전래(傳來)한 기독교의 네스토리우스파(Nestorius派). 당나라 왕실의 보호로 교세(敎勢)가 성했으나 당말(唐末)에 이르러 거의 쇠퇴하였으며, 후에 또 몽고 민족의 흥륭(興隆)과 더불어 흥했으나 원(元)나라가 멸망하면서 쇠멸(衰滅)하였음.

경교³【經敎】명〔불교〕경문(經文)의 가르침.

경-교육【硬敎育】명〔교〕흥미를 배제(排除)하고 노력에만 호소하는 교육. 스파르타 교육이 전형적 예이며, 영국의 로크(Locke)는 이 교육 방법의 대표적인 인물임. ↔연교육(軟敎育).

경구¹【耕具】명 토지를 경작하는 데 쓰는 기구.

경구²【硬球】명 야구나 테니스에서 쓰는 단단하고 무겁게 만든 공. ↔연구(軟球).

경:구³【敬具】명 '공경하여 말씀드립니다'의 뜻으로, 편지 맨 끝에 쓰는 말. 경백(敬白).

경:구⁴【敬懼】명 경외(敬畏). ——-하다 타여불

경구⁵【經口】명 약·영양제 등을 입을 통하여 먹는 일. ¶~ 투약.

경구⁶【輕裘】명 가벼운 갖옷.

경:구⁷【警句】명〔문〕기발한 감상(感想)을 간결하게 표현한 구(句). 도덕 상·예술 상의 진리를 신랄(辛辣)하게 표현한 구. 에피그램(epigram). 캐치 프레이즈(catch phrase).

경:구⁸【競驅】명 앞을 다투어 말을 몲. ——-하다 자여불

경구⁹【驚句】[—꾸] 명 ↗경인구(驚人句).

경구 감:염【經口感染】명〔의〕음식물·손가락·파리·식기 등에 의하여 입으로부터 소화기로 병원체가 감염되는 일. 적리(赤痢)·장티푸스·콜레라 따위. 경구 전염(傳染). *기도(氣道) 감염.

경-구개【硬口蓋】명〔생〕입천장의 앞쪽의 단단한 부분. 두꺼운 점막(粘膜)이 붙어 있음. 굳은입천장. 센입천장. ↔연구개(軟口蓋).

경구개-음【硬口蓋音】명〔palatal〕〔언〕경구개(硬口蓋)와 전설면(前舌面)과의 사이에서 조음(調音)되는 음. 국어의 파찰음(破擦音) 'ㅈ' 'ㅊ' 'ㅉ', 그 밖에 무성 파열음(無聲破裂音) [C], 비음(鼻音) [ɲ], 무성 마찰음(摩擦音) [ç] [j] 등. 상악음(上顎音). ↔연(軟) 구개음.

경구 면:역【經口免疫】명〔의〕보통의 백신 대신 내복(內服) 백신을 복용함으로써 직접 장벽(腸壁)에서 면역을 얻는 일. 소아 마비 등의 예방에 응용됨.

경구 백신【經口—】〔vaccine〕명〔약〕내복용(內服用)의 백신.

경:구-법【警句法】[—뻡] 명〔문〕수사학상(修辭學上), 경구를 사용하는 표현 수법.

경구 비:마【輕裘肥馬】명〔가벼운 갖옷과 살진 말의 뜻〕귀인(貴人)이 출입할 때의 차림새를 이름. ㊄경비(輕肥).

경구 완:대【輕裘緩帶】명 가벼운 갖옷과 느슨한 띠. 곧, 경쾌한 몸차림.

경구 전염【經口傳染】명〔의〕경구 감염(感染).

경구-죄【輕垢罪】명〔불교〕허물이 비교적 가벼운 죄.

경구-충【硬口蟲】명〔동〕원충(圓蟲).

경구 투약【經口投藥】명 약을 입을 통하여 투여(投與)함.

경구 피:임약【經口避妊藥】[—냑] 명〔약〕피임약의 하나. 정자(精子)에 대한 것이 아니고, 난자(卵子)의 배출을 억지(抑止)하기 위하여 내복(內服)하는 약제. 주제(主劑)는 난소(卵巢) 호르몬상(hormone狀) 물질로서 대개 합성약을 정제(錠劑)로 한 것임. 먹는 피임약. 필(pill).

경국¹【傾國】명 ①나라의 힘을 기울임. ②나라를 위태롭게 함. ③↗경국지색(傾國之色). ——-하다 자여불

경국²【經國】명 나라를 다스림. ——-하다 자여불

경국 대:전【經國大典】명〔책〕조선 세조(世祖)가 종래의 법전(法典)을 정리하여 만세(萬世)의 법을 만들 생각으로, 최항(崔恒) 등에게 명하여 지은 육전(六典)의 체제(體制)를 갖춘 법전. 세조 때에 호전(戶典)·형전(刑典)은 먼저 반포(頒布) 실시하고, 나머지 사전(四典)도 거의 완성하였으나, 미처 반포하지 못하고 성종(成宗) 2년(1471)에 이르러 전부를 완성 반포함. 그 뒤도 다소 수정을 가하여 성종 16년(1485)에 6권 4책으로 발간(發刊)하였음.

경국 대:전 속록【經國大典續錄】[—녹] 명〔책〕대전 속록(大典續錄).

경국 대:전 주:해【經國大典註解】명〔책〕《경국 대전》중에서 어려운 조항을 골라 풀이한 책. 조선 명종(明宗)의 명으로 동왕 5년(1550)에 특별히 국(局)을 두어 편찬하여 동 10년(1555)에 완성함. 통례원 좌통례(通禮院左通禮) 안위(安瑋)와 봉상시정(奉常寺正) 민전(閔荃)이 편찬. 1책. 인본.

경국 육전【經國六典】[—뉵—] 명〔책〕조선 시대 때, 정도전(鄭道傳)이 지은 법률서. 태조(太祖) 3년(1394)에 간행된 《경국전(經國典)》중에서 골라 베끼어 세목(細目)을 달고 저자의 경륜을 피력, 경사(經史)의 고사(故事)에 대한 고증(考證)을 하였음. 1책. 사본.

경국 제:세【經國濟世】명 나라를 잘 다스리어서 도탄(塗炭)에 빠진 백성을 구제함. ——-하다 자여불

경국지-대:업【經國之大業】명 ①국가를 경륜(經綸)하는 대사업. ②전(轉)하여, 문장(文章)의 과칭(誇稱).

경국지-사【經國之士】명 나라 일을 경륜할 만한 사람.

경국지-색【傾國之色】명〔임금이 혹하여 나라가 뒤집히어도 모를 만하게 뛰어난 미인(美人)이라는 뜻〕나라 안의 으뜸가는 미인(美人). 경성지색(傾城之色). ㊄경국(傾國).

경국지-재【經國之才】명 나라 일을 경륜할 만한 재주. 또, 그런 재주를 가진 사람.

경군【京軍】명〔역〕①고려 때 이군(二軍)·육위(六衛)의 통칭. ②서울의 각 영문(營門)에 속하여 있는 군사.

경:굴【敬屈·警屈·磬屈】명 ①머리를 숙여 공경함. ②경절(磬折). ——-하다 자여불

경궁¹【勁弓】명 센 활.

경궁²【梗弓】명〖역〗고려 때, 별무반(別武班)에 속한 군대의 이름. 말 없는 사람 중에서 센 화살을 쏠 수 있는 사람으로 조직함.

경궁지-조【驚弓之鳥】명〔화살에 놀란 새의 뜻〕놀라서 겁을 먹음의 비유. 상궁지조(傷弓之鳥).

경권¹【經卷】명 ①경전(經典). ②경문을 적은 두루마리. 용장(龍章).

경-권²【經權】명 경법(經法)과 권도(權道). 일정 불변한 법칙과 임시 응변하는 처리.

경궐【京闕】명 ①서울의 왕궁(王宮). ②서울.

경궤【經軌】명〖불교〗경전과 의식의 법궤(法軌).

경균 도:름【傾囷倒廩】명 ①온 재산을 내어 놓음. ②마음 속에 품은 생각을 숨김없이 드러내어 말함. 준경도(傾倒). ——하다 자 여불

경극【京劇】명 ①경사(京師)의 번화한 곳. 연극(輦劇). ②〖연〗〔북경(北京)의 극이란 뜻〕청(淸)나라 때에 시작된 중국의 구극(舊劇). 희문(戲文)을 개편(改編)·각색(脚色)한 것을 각본으로 삼는 가극 같은 연극. 가창(歌唱)을 주로 하는 문희(文戲), 몸짓을 주로 하는 무희(武戲), 양자(兩者)를 합친 문무희(文武戲) 등이 있음. 본래는 장치 없는 무대에서 하였음. 경희(京戲).

경:근¹【敬謹】명 공경하고 삼감. ——하다 타 여불

경근²【頸筋】명〖생〗목에 있는 모든 근육의 총칭. 깊고 얕은 두 가지 층(層)으로 구별함. 전자(前者)는 윤경근(潤頸筋)·갑상 설골근(甲狀舌骨筋)과 그 밖에 일곱 개의 근육으로 되고, 후자(後者)는 전사각근(前斜角筋)·중사각근(中斜角筋)과 그 밖의 네 개의 근육으로 됨.

경근-거【耕根車】명〖역〗임금이 친경(親耕)할 때에 어뢰사(御耒耜)와 그 밖의 여러 가지 기구를 싣는 수레. 푸른 옷을 입고 푸른 건을 쓴 스무 사람이 대가(大駕)의 앞에서 끌고 감.

〈경근거〉

경:근지-곡【敬勤之曲】명〖악〗조선 세조 때 지은 제례악(祭禮樂)의 하나. 조선조의 왕업(王業)을 찬양한 것으로, 모두 9장(章). ≪세조(世祖) 실록≫에 악보와 가사가 전하나, 지금은 연주되지 않음.

경-금속【輕金屬】명〖화〗비중(比重)이 대개 4-5 이하의 금속의 총칭. 알루미늄·마그네슘·알칼리 금속 및 이들을 주체로 하는 합금(合金) 등. ↔중금속(重金屬).

경금속 공업【輕金屬工業】명 경금속 재료를 주재료로 하여 경합금(輕合金)을 만들거나, 그를 재료로 한 일용품을 만드는 공업.

경:급【警急】명 경계하여야 할 급한 변(變).

경:급 수신기【警急受信機】명 자동(自動) 경급 수신기.

경:급 신:호【警急信號】명 선박이 긴급할 때 발신(發信)하는 신호.

경기¹【京畿】명〖지〗①서울을 중심으로 한 가까운 주위의 땅. 방기(邦畿). ②↗경기도(京畿道).

【경기 밥 먹고 청홍도 구실 한다】'고양 밥 먹고 양주 구실 한다'와 같은 뜻.

경기²【勁騎】명 강한 기병(騎兵).

경기³【耕起】명 곡식을 심기 위하여 땅을 파 일으킴. ——하다 자 여불

경기⁴【景氣】명〖경〗기업(企業)을 중심으로 한, 여러 가지 경제 사상(事象)의 상태. 호경기(好景氣)·과잉 생산·공황(恐慌)·불경기 등의 국면(局面)이 있음. ¶ ～ 부양책(浮揚策).

경기⁵【經紀】명 ①경륜하여 처리함. ②경영(經營)❷. ③법칙❷. ——하다 타 여불

경기⁶【輕機】명〖군〗↗경기관총(輕機關銃).

경기⁷【輕騎】명〖군〗경기병(兵).

경:기⁸【競技】명 ①서로 재주를 비교하여 낫고 못함을 경쟁함. ②↗경기 운동(競技運動). ③↗육상(陸上) 경기. ——하다 자 여불

경:기⁹【競起】명 서로 앞을 다투어 일어남. ——하다 자 여불

경기¹⁰【驚起】명 ①놀라서 일어남. ②놀래어 일으킴. ——하다 자타 여불

경기¹¹【驚氣】[—끼] 명〖한의〗경풍(驚風). 간병(癎病).

경기 과:열【景氣過熱】명〖경〗호경기(好景氣)의 말기적(末期的) 상태에서, 경기가 경제의 실력과 동떨어져서 상승하는 일. 또, 그 상태.

경-기관총【輕機關銃】명〖군〗무게 10kg 정도의 비교적 가벼운 기관총. 엘 엠 지(L.M.G.). 준경기(輕機).

경-기구【輕氣球】명 공기보다 가벼운 가스를 채웠다는 뜻에서의 기구(氣球)의 일컬음으로 일컫는 말.

경기 까투리【京畿—】명〈속〉경기(京畿) 사람을 지나치게 약다는 뜻으로 일컫는 말.

경기-대【輕騎隊】명〖군〗경기(輕騎)로 편성한 부대(部隊).

경기 대:책【景氣對策】명〖경〗경기 변동에서 일어나는 피해를 방지·극복하고, 경제 안정을 유지·확보하려는 재정·금융상의 정책. 공황(恐慌)을 사전에 방지하고 불경기를 극복하려는 것임.

경기 대학교【京畿大學校】명 사립 대학교의 하나. 1947년 경기 초급 대학으로 발족, 1985년 종합 대학으로 개편됨. 경기도 수원시(水原市) 장안구 이의동(二儀洞)과 서울 서대문구 충정로에 있음.

경:기 대:회【競技大會】명 운동이나 그 밖의 기량이나 기술을 겨루고, 우열을 가르기 위하여 개최하는 대회. ¶ 육상 ～/주산(珠算) ～.

경기-도【京畿道】명〖지〗한국 14도의 하나. 휴전선 이남만 21시 10군. 한국 중앙부에 있는 도(道)로서 동쪽은 강원도, 남쪽은 충청 남북도, 북쪽은 황해도, 서쪽은 황해(黃海)에 닿음. 마한(馬韓) 수백 년의 도읍지로, 고구려와 백제가 패(霸)를 다투던 곳으로, 뒤에 신라의 땅이 되고, 고려 현종(顯宗) 때에 처음으로 경기도라 일컫다가 공양왕(恭讓王) 때 경기 좌도(京畿左道)와 경기 우도(京畿右道)로 분할하였으나 조선 태종 13년(1413)에 이 이름을 그대로 정함. 지세는 비교적 평탄하여 한강을 비롯한 하천이 많이 있으므로, 전야(田野)가 열리고 농산물이 풍부하여 쌀·보리 등의 곡물과 배·포도·복숭아 등의 과실을 산출함. 공업은 경인 지구(京仁地區)를 비롯하여 안양(安養)·안산(安山)·의정부(議政府) 등에 공업 단지가 있어 수도권 공업 지역을 이루고 있음. 도청 소재지는 수원(水原). 준경기(京畿). [10,163.2 km²; 7,783,287 명(1996): 해방 전 13,296 km²]

경기 동:향 조사【景氣動向調査】명〔business survey〕〖경〗여러 경영자로부터 경기 동향이나 경영 상황에 대한 회답을 받아, 그것을 집계하여 전반적인 경기 동향·전망 등을 조사하는 일.

경기 동:향 지수【景氣動向指數】명〔diffusion index: DI〕〖경〗경기 지수(景氣指數). 디퓨전 인덱스(diffusion index).

경기-만【京畿灣】명〖지〗경기도 서쪽 한강(漢江)의 강구(江口)를 중심으로 하여 북쪽은 황해도(黃海道)의 장산곶(長山串)과 남쪽은 충청 남도(忠淸南道)의 태안 반도(泰安半島)와의 사이에 있는 바다. 만 내에는 강화도(江華島)를 비롯하여 여러 섬과 강화만(江華灣)을 비롯한 여러 작은 만 들이 있음. 연안에서는 도미·조기·삼치 등이 많이 잡힘.

경:기 몰수【競技沒收】[—쑤] 명 몰수 경기.

경기 민요【京畿民謠】명〖악〗주로 서울에서 불리어지는 민요. 노랫가락·방아 타령·양산도·도라지 타령·매화 타령·아리랑·사발가·태평가·오독도기·개성 난봉가·늴리리야 등이 있음. 노동요(勞動謠)가 적고, 창(唱)으로 부르기 위한 것이 많으며, 사설이 정돈되고, 기교적임.

경기 변:동【景氣變動】명〖경〗자본주의 경제가 호경기·과잉 생산·공황·불경기의 네 국면(局面)을 주기적(週期的)으로 반복하는 현상. 자유 경쟁에 따르는 각 생산 부문 사이의 불균등한 발전에 기인(基因)하는 바, 특히 주식 시세에 뚜렷하게 반영(反映)됨. 경기 순환(循環).

경기 변:동의 주기【景氣變動—週期】[—/—에—] 명〖경〗호경기(好景氣)에서부터 다음 호경기까지, 불경기(不景氣)에서부터 다음 불경기까지처럼 같은 국면(局面) 사이의 기간을 말함. 19세기초부터 경기 변동은 약 10년의 주기로 일어나고 있다고 함.

경-기병【輕騎兵】명 가볍게 장비한 날쌘 기병. 경기(輕騎).

경기 상:승【景氣上昇】명〖경〗투자·생산이 확대되고, 고용(雇傭)이 증대되는 등, 경제 활동이 활발해지는 일.

경기 수영 별무사【京畿水營別武士】명〖역〗조선 시대 때, 경기도 수영(水營)에 소속했던 별무사(別武士). 8명으로 구성됨.

경기 순환【景氣循環】명〖경〗경기 변동(景氣變動).

경기 예:고 지표【景氣豫告指標】명〖경〗약 3개월 후의 경기 변동을 미리 예측하는 지표(指標). 투자(投資)·소비(消費)·수출입(輸出入)·통화(通貨) 등의 움직임을 종합적으로 분석하여 작성함.

경기 예:측【景氣豫測】명〖경〗경기 변동에 관한 객관적인 자료를 기초로 하여, 경기의 과거와 현재의 추이(推移)를 파악함으로써 장래의 변동을 예측하는 일.

경기 우:도【京畿右道】명〖역〗①고려 때의 개성(開城)·강음(江陰)·해풍(海豐)·덕수(德水)·우봉(牛峰)의 다섯 고을로 이룬 도. ②조선 시대 때, 갑오 개혁(甲午改革) 전의 개성(開城)·파주(坡州)·양주(楊州)·장단(長湍)·풍덕(豐德)·교동(喬桐)·삭녕(朔寧)·마전(麻田)·고양(高陽)·교하(交河)·가평(加平)·영평(永平)·포천(抱川)·적성(積城)·연천(漣川)의 고을들로 이룬 도. *경기 좌도(左道).

경:기 운:동【競技運動】명 달리기·뛰기·던지기 같은 운동에 엄격한 규칙을 세운 뒤에, 기량(技倆)·속도·내구력(耐久力) 등을 충분히 발휘하여 우열을 다투는 운동. 준경기(競技).

경기 유발 효:과【景氣誘發效果】명 공공(公共) 투자를 증대(增大)시킴으로써 궁극적으로는 사회 전체의 소득 증가를 가져오게 하는 효과.

경기 입창【京畿立唱】명〖악〗서울 중심의 선소리. 놀량·앞산 타령·뒷산 타령·잦은 산타령·도라지 타령의 차례로 부름. ↔경기 좌창(坐唱).

경:기-자【競技者】명 경기(競技)를 하는 사람.

경기 잡가【京畿雜歌】명〖악〗조선 시대 말엽부터 창녀들 사이에 많이 불려 온 잡가 가운데, 서울을 중심으로 한 경기도 지방의 소리. 경기 좌창(坐唱)과 경기 입창(立唱)으로 나뉨. 맑고 깨끗한 것이 특징임.

경:기-장【競技場】명〔stadium〕운동 경기를 하는 종합적 시설로서, 육상 경기를 하는 트랙·필드 및 관람석을 갖춘 곳.

경기적 실업【景氣的失業】명〖경〗경기 변동에 따라, 그 불황기(不況期)에 생기는 가장 전형적인 실업 형태.

경:기-전【慶基殿】명〖지〗전라 북도 전주(全州)에 있는 누전(樓殿). 이 태조의 영정(影幀)을 안치한 곳.

경:기 정지구【競技停止球】명 야구에서, 심판의 타임을 기다리지 않고 경기가 정지 상태로 되는 일. 파울 볼이 직접 포구(捕球)되지 않을 때, 사구(死球)일 때, 부정 타구일 때, 투구가 보크를 선고받았을 때, 야수(野手)의 투구가 벤치나 스탠드에 들어갔을 때 등. 시합 정지구.

경기 정책【景氣政策】명 경제 생활에 큰 혼란을 가져오는 경기 변동을 인위적으로 조정하고, 그의 여러 원인을 제거하기 위한 시책.

경기 조정【景氣調整】명 경기의 과열이나 공황에 의한 국민 경제의 파국(破局)을 피하기 위해, 경기 변동의 진폭(振幅)이 작아지도록 조절하는 일.

경:기 종목【競技種目】명 경기 종류의 명목.

경기 종합 지수【景氣綜合指數】명〔composite index: C.I.〕〖경〗장기적인 추세 변동, 주기적인 계절 변동, 돌발적인 불규칙 변동 등을 감안하고, 개별 지표(個別指標)에 가중치(加重値)를 두어, 경기의 과거·현재·미래를 따로따로 나타내게 만든 경기 동향 지수의 하나. 미국의 국가 경제 조사 위원회가 개발한 것임. *경기 예고 지표.

경기 좌:도【京畿左道】명〖역〗①고려 때의 장단(長湍)·임강(臨江)·토산(兎山)·임진(臨津)·송림(松林)·마전(麻田)·적성(積城)·파평(坡平)의 일곱 고을로 이룬 도. ②조선 시대 때, 갑오 개혁(甲午改革) 전의 강화(江華)·광주(廣州)·수원(水原)·여주(驪州)·부평(富平)·남양(南陽)·이천(利川)·인천(仁川)·통진(通津)·죽산(竹山)·양근(楊根)·안산(安山)·안성(安城)·김포(金浦)·용인(龍仁)·진위(振威)·양천(陽川)·지평(砥平)·과천(果川)·시흥(始興)·음죽(陰竹)·양성(陽城)의 여러 고을들로 이룬 도. *경기 우도(右道).

경기 좌:우도【京畿左右道】명〖역〗경기 좌도와 경기 우도.

경기 좌:창【京畿坐唱】명〖악〗서울을 중심으로 한 경기 잡가 가운데, 앉아서 부르는 소리. 십이 잡가(十二雜歌)와 휘몰이 잡가가 있음. ↔경기 입창(立唱).

경기 지괴【京畿地塊】명〖지〗원산(元山)·황주(黃州)와 강릉(江陵)·장항(長項)을 잇는 선 사이의 지괴(地塊). 남쪽에 옥천대(沃川帶), 북쪽에는 평남 분지(平南盆地)가 위치함.

경기 지수【景氣指數】명〖경〗경기 변동을 민감하게 반영하는 자료(資料)에 의하여 작성된 지수. 주로, 경기 예측에 쓰임. 경기 동향 지수.

경기-청【京畿廳】명〖역〗조선 선조 41년(1608)에 경기도에 대동법(大同法)을 실시할 때 그 일을 관장하게 하기 위하여 설치한 관청. 그 해에 상평청(常平廳)과 병합하여 선혜청(宣惠廳)이 됨. *선혜청.

경기체-가【景幾體歌】명〖문〗고려 시대의 장가(長歌)의 한 형식. 속요에 대하여 학자들 사이에 불리어진 노래로서 한문을 많이 사용하였는데, 수장(數章)으로 나뉘고 3·3·4조의 운(韻)으로 되었으며 끝에는 으레 '景幾 엇더ᄒᆞ니잇고'라는 후렴구가 붙음. 대표 작품으로 ≪한림 별곡(翰林別曲)≫·≪죽계(竹溪) 별곡≫, 조선 시대의 ≪상대(霜臺) 별곡≫ 등이 있는데, ≪악학 궤범≫ 등에 국어 또는 이두(吏讀)로 실려 있음. 경기하여가(景幾何如歌).

경기 통:계【景氣統計】명〖경〗시장 경제의 변동, 곧 물가 변동·투기(投機)·생산·소비·외국 무역·노동 시장에 관한 것을 종합적으로 파악하는 통계.

경기 평야【京畿平野】명〖지〗한강 하류 및 임진강 하류 지방 일대에 걸쳐 널리 전개된 평야. 파주·김포를 중심으로 전개된 김포 평야와 시흥·부천을 중심으로 하는 부평 평야로 나뉨. 쌀·보리·조 등의 농작물이 생산되며, 수도 서울도 이 곳에 위치하고 있음.

경기 하:강【景氣下降】명〖경〗투자나 생산이 감퇴하고, 경제 활동이 활발하지 않게 되는 일.

경기하여-가【景幾何如歌】명〖문〗경기체가(景幾體歌).

경:기형 댄스【競技型一】〔dance〕명 경기회나 시범 무도회 등에서 추는, 규격이 엄격한 사교 댄스의 형. ↔리듬 댄스(rhythm dance).

경기 회복【景氣回復】명 불경기에서 호(好)경기로 바뀌는 경기 변동의 국면(局面).

경기 후:퇴【景氣後退】명 호황(好況)에서 불황(不況)으로 바뀌는 경기 변동의 국면(局面).

경낙【輕諾】명 가볍게 승낙함. 쾌히 승낙함. ──-하다 타여불

경낙 과:신【輕諾寡信】명 가볍게 승낙은 하고 실행은 잘 하지 아니함.

경난¹【經難】명 어려운 일을 겪음. 어려운 고비를 넘김. ¶아무 ~ 못하고 자라난 우리 채란의 고생하는 양을 어찌 차마 보오며…≪李海朝: 昭陽亭≫. ──-하다 타여불

경난²【輕煖】명 옷이 가볍고 따뜻함. ──-하다 형여불

경난-꾼【經難一】명 여러 가지 경난을 한 사람.

경:남【慶南】명〖지〗↗경상 남도(慶尙南道).

경:남 대학교【慶南大學校】명 사립 대학교의 하나. 1947년 서울에서 국민 대학관(國民大學館)으로 발족, 이듬해 국민 대학(國民大學)으로 인가받고, 1952년 합천(陜川) 해인사(海印寺)로 교사를 옮겨 해인 대학(海印大學)으로 이름을 바꾸었으며, 1956년 마산(馬山)으로 옮겨 1961년 마산 대학, 1971년 경남 대학으로 교명을 변경, 1982년 종합 대학으로 승격함. 경상 남도 마산시 월영동(月影洞)에 위치함.

경:남 일보【慶南日報】명 경상 남도 진주시의 지방 일간지. 1909년 장지연(張志淵)이 지방 유지와 함께 창간, 1914년 일제 탄압으로 폐간되었다가 1946년 3월 속간(續刊), 1980년 11월 26일 다시 폐간됨.

경:남 평야【慶南平野】명〖지〗낙동강 하류 및 그 지류 연안에 전개되어 있는 충적(沖積) 평야. 낙동강 연안의 김해 일대, 남강(南江) 유역의 진주 일대와 밀양강(密陽江) 유역의 밀양 일대로 크게 구분됨. 쌀·면화·보리 등의 농작물이 생산됨.

경낭【傾囊】명 주머니를 기울임. 주머니 돈을 있는 대로 톡톡 털. ──「하다 자여불

경내【境內】명 지경의 안. 지역(地域)의 안. ¶사찰의 ~. ↔경외(境外).

경년¹【頃年】명 근년(近年).

경년²【經年】명 해를 지냄. ──-하다 자여불

경년 변:동【經年變動】명〖지〗대개, 10여 년 이상에 걸쳐 비교적 단조로운 상승 혹은 하강(下降)을 나타내는 따위의 자연 현상의 변화.

경년 열세【經年閱歲】[─년쎄] 명 여러 해를 지냄. ──-하다 자여불

경노¹【京奴】명〖역〗조선 시대 때, 서울 관부(官府)에 딸린 관노비(官奴婢). ↔외노(外奴).

경노²【勁弩】명 굳세고 튼튼한 활.

경-노동【輕勞動】명 탄광 노동 등의 중노동에 대하여 방적업같이, 육체적으로 심한 노력(勞力)을 필요로 하지 아니하는 노동. ↔중노동(重勞動)❶.

경농¹【耕農】명 논밭을 갈아 농사를 지음. ──-하다 자여불

경농²【經農】명 농업(農業)을 경영함. ──-하다 자여불

경:농-재【慶農齋】명〖역〗경복궁(景福宮) 후원에 있어, 각도(各道)의 연사(年事)의 풍흉(豐凶)을 보는 집. 집 앞에 논을 풀어서 여덟 구역으로 나누고, 한 구역으로 한 도(道)를 대표하며, 그 구역의 농사가 잘되면 그 도의 연사가 잘된다 하였음.

경-뇌막【硬腦膜】명〖생〗두개골의 안쪽에 붙어서 뇌 전체를 싸고 있는 두껍고 튼튼한 섬유질(纖維質)의 막. 준경막(硬膜).

경뇌막 혈종【硬腦膜血腫】[─쫑] 명〖의〗내두 혈종(內頭血腫)의 하나. 경뇌막 아래에서 뇌정맥동(腦靜脈洞)이나 이에 속하는 정맥의 파열로 일어나는 출혈. 분만(分娩) 때의 장애, 두부의 외상(外傷)과 만성 알코올 중독·고혈압 등으로 일어남.

경뇌-유【鯨腦油】명 고래의 머리의 지방을 압축·냉각시켜 뽑아 낸 기름. 기계유로 쓰임.

경누【耕耨】명 경운(耕耘).

경:닐【敬昵】명 공경하고 친애함. ──-하다 타여불

경단¹【輕單】명 홑몸.

경:단²【瓊團】명 찹쌀 가루나 수수 가루를 반죽하여 밤톨만한 크기로 둥글둥글하게 빚어서, 끓는 물에 삶아 건져 낸 뒤에 고물을 묻힌 떡.

경:단-고둥【瓊團一】명〖조개〗총알고둥.

경-단백질【硬蛋白質】명〖화〗물·중성 염류 용액(中性塩類溶液)·유기 용매(有機溶媒)의 그 어느 것에나 녹지 아니하는 단백질 중, 동물의 피부·손발톱·뼈의 성분을 이루는 단백질. 알부미노이드(albuminoid).

경달【驚怛】명 당상(當喪)을 하거나, 손위의 중복(重服)을 당한 부고를 받고서 깜짝 놀람. ──-하다 자여불

경담【驚痰】명〖한의〗놀란 담(痰)이 가슴 속에 뭉쳐서 펄떡펄떡 뛰면서 몹시 아픈 때에, 간질과 같은 증세를 일으키는 병증. 히스테리(hystery)의 한 가지로서 여자들에게 많음.

경-답【京畓】명 ↗경인답(京人畓).

경당¹【扃堂】명〖역〗고구려가 평양에 천도한 뒤 각 지방에 생긴 사숙(私塾). 경학(經學)·문학·무예(武藝) 등을 가르치며 문무(文武) 일치의 교육을 시행하였음.

경당²【經堂】명 ①〖불교〗경전(經典)을 간직하여 두는 집. ②〖천주교〗〔↗염경당(念經堂)〕교인들이 기도하는 방이나 집.

경당³【經幢】명〖불교〗여러 모로 깎은 다음에 경문(經文)을 새긴 돌.

경-당문노【耕當問奴】명 농사짓는 일은 머슴에게 물어야 한다는 뜻으로, 모르는 일은 잘 아는 사람에게 물어야 한다는 말.

경-대¹[─때] 명〈방〉주릿대❶.

경:대²【敬待】명 공경하여 접대함. ──-하다 타여불

경:대³【鏡臺】명 거울을 짜넣어 세우고 그 아래에 화장품 같은 것을 넣도록 서랍을 만들어 꾸민 가구. 장경(粧鏡). 장렴(粧奩). 경가(鏡架).

경대-면【經帶麪】명 밀가루를 반죽하여 얇게 밀어 가늘게 썰어서, 끓는 물에 넣어 익힌 다음 찬물에 헹구어 먹는 국수.

경:대-보【鏡臺褓】[─뽀] 명 경대에 먼지가 앉지 아니하게 덮어 씌우는 보.

경-대부【卿大夫】명〖역〗경(卿)과 대부(大夫). 곧, 집정자(執政者).

경:-대(:)승【慶大升】명〖사람〗고려 명종(明宗) 때 장군. 청주(淸州) 사람. 15세 때 교위(校尉)가 된 후 장군이 되어, 당시 정중부(鄭仲夫) 등 무신의 발호(跋扈)에 분개하여 금군(禁軍)을 발하고, 정중부·송유인(宋有仁) 등을 죽였으나, 30세로 급사하였음. [1154-83]

경대-시【經帶時】명〔zone time〕〖천〗경도가 15°의 정수배(整數倍)의 자오선을 기준으로 하여 정한 표준시. 세계시(世界時)와 정수 시간의 차가 있음. 항행하는 선박이나, 항공기가 공해(公海) 상에서 씀.

경대-지【經戴紙】명〖불교〗전경(轉經)할 때 경책(經冊)을 싸는 종이.

경:덕-궁【敬德宮】명〖지〗조선 태조가 임금이 되기 전에 살던 사저(私邸). 경기도 개성(開城)에 있음. 태조가 왕위에 오른 뒤에 궁이라 칭하고, 궁직(宮直)을 두어 보존하였음.

경:덕-왕【景德王】명〖사람〗신라(新羅) 제35대 임금. 여러 제도를 당나라식으로 고쳤으며, 국내의 지명(地名)을 한자식(漢字式)으로 고치는 등, 여러 모로 당나라의 문물을 섭취하였음. [?-765; 재위 742-765]

경:덕왕-릉【景德王陵】[─능] 명〖지〗신라 경덕왕의 능. 경상 북도 경주시(慶州市) 내남면(內南面) 덕천리(德泉里)에 있음.

경덕-재【經德齋】명〖역〗고려 예종(睿宗) 4년(1109)에 국학(國學)에 베푼 칠재(七齋)의 하나. 모시(毛詩)를 전공하던 곳.

경:덕 전등록【景德傳燈錄】[─녹] 명〖책〗'전등록(傳燈錄)'의 딴이름.

경:덕-진【景德鎭】명〖지〗'징더전'을 우리 음으로 읽은 이름.

경:덕진 도록【景德鎭陶錄】명〖책〗중국의 징더전 요(窯)의 역사적인 연혁(沿革)과 고요(古窯)에 관하여 상술(詳述)한 책. 청대(淸代) 19세기 초의 창난(昌南) 사람인 남포(藍浦)·빈남(濱南) 두 사람의 원저(原著)로, 후에 제자인 정정주(鄭廷柱)와 문곡(門谷)이 증보(增補)하였음.

경:덕진-요【景德鎭窯】[─뇨] 명 징더전 요.

경도¹【京都】명 서울¹.

경도²【京都】명〖지〗'교토'를 우리 음으로 읽은 이름.

경도³【徑道】명 경로(徑路).

경도⁴【硬度】명 ①물체의 단단함과 무른 정도. ②〖광〗굳기. ③〖물〗X광선의 파장(波長)의 대소에 의한 물질 투과도(透過度)의 크기. ④〖화〗물 100 cc 중에 녹아 있는 석회(石灰)·마그네슘의 양을 밀리그램으로 나타낸 값. 경도 20이상의 물을 경수(硬水), 10이하의 것을 연수(軟水)라고 함.

경도⁵【經度】명 ①〖의〗월경(月經). ②〔longitude〕〖지〗지구상(地球上)의 위치를 표시하는 좌표(座標)의 하나. 한 지경을 통과하는 자오선(子午線). 곧, 경선(經線)과 본초 자오선(本初子午線)이 각각 적도(赤道)와 교차하는 두 점을 지구의 중심에 맺어 얻은 각(角)으로써 표시함. 본초 자오선을 기점(基點)으로 하여 그 동쪽으로 세는 것을 동경(東經), 서쪽으로 세는 것을 서경(西經)이라 함. 날도. 준경(經). ↔위도(緯度). *경선(經線).

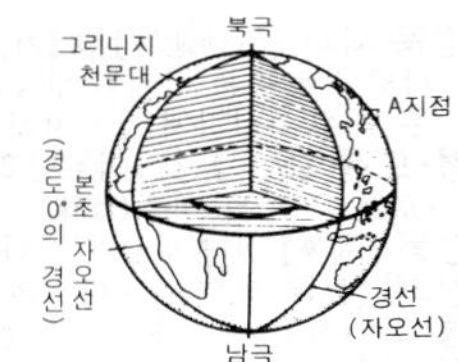

〈경도⁵❷〉

경도⁶【傾度】명 경사(傾斜)의 도수(度數). 기울어진 정도. 경사도(傾斜度).

경도⁷【傾倒】명 ①넘어져 엎드러짐. ②기울이어 쏟음. ③깊이 존경하고 사모함. 또, 흥미를 갖고 열중함. ¶칸트에 ~하다. ④↗경균 도름(傾

困倒廩)❷.——-하다 자타 여불
경:도[8]【敬禱】명 경건하게 기도함. ——-하다 자 여불
경도[9]【鯨濤】명 큰 물결.
경:도[10]【競渡】명 옛날에, 작은 배를 저어 빨리 건너기를 겨루던 물위의 놀이. 지금의 경조(競漕) 같은 것.
경도[11]【驚倒】명 놀라 거꾸러짐. ——-하다 자 여불
경도[12]【驚濤】명 경란(驚瀾).
경도-계【硬度計】명〔durometer〕〖광〗광물의 굳기를 재는 기구. 보통, 압력을 가할 수 있는 작은 송곳 또는 둔각(鈍角)의 원뿔로 됨. 굳기계.
경도 변:화【經度變化】명〖지〗지구의 자전축(自轉軸)의 이동에 따른 극변화(極變化)로, 천문 경도(天文經度)가 주기적으로 변화하는 현상.
경도-선【經度線】명〖지〗경선(經線).
경도-시【經度時】명〖지〗본초 자오선(本初子午線)과 다른 지점과의 사이의 경도의 차를 시(時)·분(分)·초(秒)로 환산(換算)한 시간(時間).
경도 시험【硬度試驗】명 ①금속·광물 등의 비교 경도를 결정하는 시험. ②〖공〗물의 칼슘·마그네슘 함유량을 정량(定量) 시험하는 일.
경도-역【京都驛】명〖역〗신라 때의 한 마을. 경덕왕(景德王) 때에 도정역(都亭驛)이라 하였다가 다시 본이름으로 고쳤음.
경도 잡지【京都雜志】명〖책〗조선 영조(英祖)·정조(正祖) 때의 한학자(漢學者) 유득공(柳得恭)이 지은 책. 한양(漢陽), 즉 지금의 서울의 풍속과 세시(歲時)를 기록하였음. 2권 1책.
경도-풍【傾度風】명〔gradient wind〕〖기상〗공기의 운동에 대한 저항이 없을 때 기압 경도(氣壓傾度)와 직각 방향으로, 곧 등압선(等壓線)에 평행되게 부는 바람.

〈경도풍〉

경독[1]【耕讀】명 농사짓기와 글읽기. 농사를 지으며 책을 봄. ——-하다 자 여불
경:독[2]【煢獨·惸獨】명 외로워서 아무도 의지할 곳이 없음. 또, 그런 사람. ——-하다 형 여불
경독[3]【經讀】명〖불교〗경문을 읽음. ——-하다 자 여불
경:-돌【磬—】[—똘] 명 경쇠를 만드는 돌. 경석(磬石).
경동[1]【傾動】명〔tilting〕〖지〗단층(斷層)으로 인하여 지괴(地塊)가 경사(傾斜)하여 움직이는 운동.
경동[2]【輕動】명 경솔하게 행동함. ——-하다 자 여불
경:동[3]【鏡胴】명 망원경이나 사진기 등에서, 렌즈를 고정(固定)하고 외부로부터의 광선을 막는 통 모양의 물건. 거울통.
경:동[4]【鏡銅】명 청동(靑銅)의 한 가지. 구리가 67%, 주석이 33%의 조성(組成)을 갖는 선백색(鮮白色)의 합금. 극히 단단하며 녹이 잘 슬지 않음. 닦으면 광택이 나며 옛날에 동경(銅鏡)의 재료로 쓰였음.
경:동[5]【警動】명 경계하고 격려(激勵)함. 깨우쳐 장려함. ——-하다 타 여불
경동[6]【驚動】명 놀라서 움직임. ——-하다 자 여불
경-동맥【頸動脈】명〖생〗대동맥(大動脈)의 분맥. 후두의 바깥쪽을 올라가 갑상선(甲狀腺) 근처에서 내외 경동맥으로 갈라짐. 외경동맥은 두부 안면(顔面)에, 내경동맥은 뇌수 각부에 동맥혈(動脈血)을 보냄.
경동맥-구【頸動脈球】명〖생〗경동맥체.
경동맥-선【頸動脈腺】명〖생〗경동맥체.
경동맥-체【頸動脈體】명〖생〗총(總)경동맥이 내외(內外)의 경동맥으로 갈라진 곳에서 내경동맥과 외경동맥 사이에 결체 조직으로 싸여 있는, 쌀알의 반만한 크기의 조직. 빛깔은 다소 황색을 띠거나 또는 담갈색임. 어릴 적에는 비교적 크나 20세 이후에는 다소 작아짐. 기능에 대해서는 내분비선(內分泌腺)이라는 설과 감각 장치라는 설이 있어 일치하지 않음. 경동맥구(球). 경동맥선(腺).
경동-성[1]【傾動性】[—썽] 명〖식〗접촉·빛·열·화학 물질 등의 양적(量的)인 차(差)로 자극을 받아 움직이는 현상. 예를 들면 민들레의 꽃이나 잎이 밤에는 오므렸다가 낮에는 피며, 강낭콩·오이의 덩굴이 에테르나 클로로포름의 가스로 자극하면 말리기 시작하는 것 따위.
경동-성[2]【驚動性】[—썽] 명〔phobotaxis〕〖생〗쿤(Kuhn)의 용어. 외력이 현재와 다른 강도(強度)로 작용하고 있는 장소를 만나면 그것이 자극이 되어 급히 방향을 바꾸는 주성(走性). 클리노키네시스.
경동 시:장【京東市場】명〖지〗서울의 동부, 서울 특별시 동대문구(東大門區) 제기동(祭基洞)과 청량리(淸凉里) 사이의 고산자로(古山子路)에 있는 상설(常設)시장. 서울 동쪽 경기도(京畿道)와 강원도에서 나는 밭작물·산채류(山菜類)·건과류(乾果類) 등의 농산물 및 제수용품(祭需用品)·한약재 등의 전문 시장임.
경동 지괴【傾動地塊】명〖지〗경동(傾動)으로 말미암아 한쪽은 급격한 단층(斷層)이 생기고, 다른 쪽은 완만하게 경사지게 된 땅덩어리.

〈경동 지괴〉

경-드름【京—】명〖악〗민요·판소리·산조(散調)에서의 독특한 경기(京畿) 지방의 선율(旋律). 경조(京調). 경제(京制). 경토리.
경등【卿等】인대 임금이 신하들을 부르는 말.
경라[1]【輕羅·經羅】[—나] 명 얇은 비단.
경:라[2]【警邏】[—나] 명 순찰하며 경계함. ——-하다 타 여불
경락[1]【京洛】[—낙] 명 서울[1].
경락[2]【經絡】[—낙] 명〖한의〗오장 육부(五臟六腑)에 생긴 병이 몸 거죽에 나타나는 자리. 이 자리에 침이나 뜸으로 자극하면 관계된 장부(臟腑)의 병이 낫게 됨. 그 병이 자극하는 부위를 경혈(經穴) 또는 혈(穴)이라고 하며, 경락에는 정경(正經) 열둘이 있고 기경(奇經) 팔맥(八脈)이 있음.
경:락[3]【競落】[—낙] 명〖법〗경매(競賣)에 의하여 목적물의 소유권(所有權)을 취득함. ——-하다 타 여불
경:락 결정【競落決定】[—낙—쩡] 명〖법〗경락 허가 결정.
경:락 기일【競落期日】[—낙—] 명〖법〗부동산의 경락에 대하여 법원이 허부(許否)를 결정하는 기일.
경:락 대:가【競落代價】[—낙—까] 명〖법〗경매(競賣)에서 낙찰된 물건의 값.
경:락-물【競落物】[—낙—] 명〖법〗경락이 결정된 물건.
경락-이【京洛—】[—낙—] 명 서울내기.
경:락-인【競落人】[—낙—] 명〖법〗경락으로 소유권을 취득한 사람.
경락-진【經絡診】[—낙—] 명〖한의〗인체의 경락(經絡)을 손끝으로 짚어 그 상태를 살피는 진단법(診斷法).
경:락 허가 결정【競落許可決定】[—낙—쩡] 명〖법〗부동산 경매 절차(節次)에서 집행 법원이 최고가(最高價) 경매인에 대하여 경매 부동산의 소유권을 취득하게 하는 집행 처분. 경락 결정.
경:락 허가에 대:한 이:의【競落許可—對—異議】[—낙—/—낙—이이] 구〖법〗경락을 허가할 수 없다고 하는 소송상(訴訟上)의 진술(陳述). 이 사유는 법정 사유에 의하여야 하며, 이의를 신청할 수 있는 자는 경매(競賣) 절차의 이해(利害) 관계인이고, 또 이의는 경락 기일의 종료일까지 하여야 함.
경란【驚瀾】[—난] 명 무섭게 밀려오는 큰 물결. 경도(驚濤). 노도(怒濤).
경랍[1]【硬鑞】[—납] 명 구리·은·금·황동(黃銅) 등을 주성분으로 한 높은 녹는점의 땜용(用) 합금의 총칭. 주성분에 따라 은랍(銀鑞)·금랍(金鑞)·양은랍(洋銀鑞) 따위로 불리며 땜납보다 강도(強度)·굳기·내열성(耐熱性)이 강함.
경랍[2]【鯨蠟】[—납] 명〔spermaceti〕〖화〗향유고래의 머리나 지육(脂肉)의 기름을 냉각·압착하여 액체분(液體分)을 제거한 결정성(結晶性) 물질. 초·화장품 등의 원료가 됨. 고래밀. *동물납.
경랑【鯨浪】[—낭] 명 큰 파도.
경략【經略】[—냑] 명 ①국가를 경영(經營)·통치함. ②천하를 경영하며 사방(四方)을 공략(攻略)함. ——-하다 타 여불
경략-사【經略使】[—냑—] 명〖역〗①중국 당·송 시대의 관명. 변경(邊境)에 둔 군사 상의 장관으로 당 때는 절도사(節度使)가 겸하고, 송 때는 늘 두지는 아니하였음. ②조선 시대에 함경 북도와 평안 북도의 도경 지방의 정치에 관한 사건을 처리하던 임시 벼슬.
경량[1]【輕量】[—냥] 명 가벼운 무게. ↔중량(重量)❸.
경량[2]【經粮】[—냥] 명〖불교〗절에서 불경을 공부하는 사람의 양식.
경량 골재【輕量骨材】[—냥—째] 명〖토〗콘크리트의 골재를 비중(比重)에 따라 분류한 것의 하나. 비중이 작은 경량 콘크리트용의 골재. 경석(輕石)·화산사(火山砂)·탄신(炭燼) 따위.
경량-급【輕量級】[—냥끕] 명 경량의 등급(等級). 가벼운 편에 드는 급. 라이트급(級). ↔중량급.
경량 기포 콘크리트【輕量氣泡—】[—냥—] 명〔autoclaved lightweight concrete〕규석·생석회·시멘트를 고온·고압으로 증기 양생시켜 생산하는 차세대 건축용 내·외장재. 경량이며 단열 효과가 크고 강도도 비교적 높음. 시공이 간편하고 많은 인력이 필요치 않으며 공사 기간이 단축되는 점 등으로 많이 사용되고 있음. 에이엘시(ALC).
경-량부【經量部】[—냥—] 명〖불교〗인도 불교의 소승(小乘)의 한 파. 3세기 말경 '설일체유부(說一體有部)'에서 분파된 파로, 비판적·진보적 학설을 전개, '설일체유부'가 '논(論)'에 의거한 것에 맞서 '경(經)'을 판단의 기준으로 하였음. 사대(四大)와 심(心)만을 실재(實在)로 보는 인식 위에서 유식(唯識)·중관파(中觀派) 따위의 대승 불교에 영향을 주었음.
경량 블록【輕量—】[—냥—]〔block〕명〖토〗경량 콘크리트로 만든 콘크리트 벽돌. 일반적으로는 경량 골재를 쓴 것을 말함.
경량 콘크리:트【輕量—】[—냥—]〔concrete〕명〖토〗경석(輕石)·화산사(火山砂)·탄신(炭燼) 등을 골재로 한 콘크리트. 지붕 슬래브·벽 등에 씀.
경량-품【輕量品】[—냥—] 명 운임을 계산할 때, 용적을 표준으로 하여 계산되는, 부피에 비하여 중량이 적은 물품. 솜 같은 것.
경량 형강【輕量形鋼】[—냥—] 명 대강(帶鋼)을 냉간 성형(冷間成形)한 형강. 상온(常溫)에서 단면(斷面)이 ㄴ자꼴 또는 ㄷ자꼴 등이 되게 구부린 얇은 강판(鋼板). 치수가 정확하고 가벼우므로 목재 대신 건축·차량 등의 구조재(構造材)로 쓰이며 주택용으로도 진출하고 있음.
경려【輕慮】[—녀] 명 얕은 생각. 단려(短慮).
경력[1]【經力】[—녁] 명 경문의 공력(功力). 독경(讀經)의 공력.
경력[2]【經歷】[—녁] 명 ①겪어 지내 온 일들. 여러 가지 일을 겪어 지내옴. 열력(閱歷). ②이력(履歷). 월력(越歷). ③〖역〗고려 문하부(門下府)의 벼슬. 충선왕(王) 때에 두었다가 곧 폐지하였음. ④〖역〗고려 공양왕 때, 경력사(經歷司)의 으뜸 벼슬. 삼·사품이 될 수 있었음. ⑤〖역〗조선 때, 충훈부(忠勳府)·의빈부(儀賓府)·의금부(義禁府)·개성부(開城府)·중추부(中樞府)·도총부(都摠府)에 둔 종사품 벼슬. ——-하다 타 여불
경력-담【經歷談】[—녁—] 명 겪어 지내 온 여러 가지 이야기.
경력-사【經歷司】[—녁—] 명〖역〗고려 공양왕 2년(1390)에 도평의사사(都評議使司)의 부속 기관으로 설치한 관아. 으뜸 벼슬은 경력(經歷)으로 육방(六房)을 통할(統轄)하였는데, 특히 금곡(金穀)의 출납에 엄정(嚴正)을 기하기 위하여 둔 것임.
경력-자【經歷者】[—녁—] 명 어떤 경력을 가진 사람.
경력직 공무원【經歷職公務員】[—녁—] 명〖법〗공무원을 크게 나눈 것의 하나. 실적(實績)과 자격에 의하여 임용되고, 신분이 보장되는 보

통의 공무원. 일반직(一般職) 공무원·특정직(特定職) 공무원·기능직(技能職) 공무원으로 다시 나뉨. ↔특수(特殊) 경력직 공무원.
*일반직 공무원.

경력 평:정【經歷評定】[—녁—] 명 공무원의 경력을 평정하여 공정한 인사 관리에 이바지하기 위하여 마련한 제도. 평정 대상인 경력은 기본 경력·초과 경력·부가(附加) 경력의 세 가지로 나뉨.

경련[1]【京輦】[—년] 명 경사[2].

경련[2]【痙攣】[—년] 명〖의〗근육이 자기 의사에 반하여 병적으로 수축하는 현상. 전신성(全身性)의 것과 국소성(局所性)의 것이 있음. 뇌출혈·뇌매독·뇌수종·파상풍 등으로 인한 운동성 경로(徑路)의 이상(異常) 자극에 의함.

경련[3]【頸聯】[—년] 명 한시(漢詩)의 율(律)·배율(排律)에서 제 5·6의 두 구. *기련(起聯).

경련성 마비【痙攣性痲痺】[—년썽—] 명〖의〗경련을 수반하는 마비. 건반사(腱反射)·골막(骨膜) 반사 등의 심부(深部) 반사의 항진(亢進)과 병적(病的) 반사가 나타남.

경련성 소질【痙攣性素質】[—년썽—] 명〖의〗말초 신경의 전기적·기계적인 자극에 대한 흥분성이 높아져서 경련을 일으키기 쉬운 소질. 유아(乳兒)에게 많으며 비타민 D로 치료할 수 있다고 함.

경련 중추【痙攣中樞】[—년—] 명〖의〗경련을 일으키게 하는 신경계(神經系)의 중추(中樞). 연수(延髓)와 뇌수(腦髓)의 잇닿은 곳에 있어서, 이것이 흥분되는 때에는 전신 경련을 일으킴.

경련-증【痙攣症】[—년쯩] 명〖의〗경련을 일으키는 증세(症勢).

경련 진통【痙攣陣痛】[—년—] 명〖의〗진통이 전혀 완해(緩解)되지 아니하고, 거의 같은 강도(強度)로 지속되는 자궁 수축(子宮收縮).

경련-파【痙攣派】[—년—] 명〖문〗19세기 중엽의 영국의 시인 베일리(Bailey, P.J. ;1816–1906) 등의 일파. 경련적인 과장된 표현을 풍자하여 스코틀랜드의 시인 에이툰(Aytoun, W.E.; 1813–65)이 부른 말.

경렵【鯨獵】[—녑] 명 고래잡이. 포경(捕鯨).

경령【頸領】[—녕] 명 목. 어깨. 경부(頸部).

경:례【敬禮】[—녜] 명 경의를 표하기 위하여 인사하는 일. 또, 그 동작. 허리를 굽히거나, 머리를 숙이거나 또는 오른손을 이마 오른쪽 옆에 붙이거나 함. ㊂예(禮). *절. ——-하다 자 여불

경로[1]【徑路】[—노] 명 ①소로(小路). ②지름길. 경도(徑道).

경:로[2]【敬老】[—노] 명 노인(老人)을 공경함. 상치(尙齒). ——-하다 자 여불

경로[3]【經路】[—노] 명 ①지나는 길. ②일이 되어가는 형편이나 순서.

경:로-당【敬老堂】[—노—] 명 노인을 공경하고 위로하는 뜻에서, 노인들이 모여 놀 수 있게 지은 집.

경:로 사:상【敬老思想】[—노—] 명 노인을 공경하는 마음.

경:로 잔치【敬老—】[—노—] 명 노인을 공경하고 위로하기 위해 베푸는 잔치.

경:로 헌:장【敬老憲章】[—노—] 명〖사〗나라의 어른으로서의 노인의 위치와 책임을 명시하여 노인 문제에 대한 범국민적인 관심을 고취시키기 위하여 정부에서 제정한 헌장. 1982년 5월 8일 경노(敬老) 주간에 선포함.

경:로-회【敬老會】[—노—] 명 노인을 공경하고 위로하는 모임.

경론[1]【硬論】[—논] 명 강경한 의견 또는 논의(論議).

경론[2]【經論】[—논] 명〖불교〗부처의 설법(說法)을 집성한 경(經)과 이를 해석한 논(論).

경론[3]【輕論】[—논] 명 경솔하게 거론함. 또, 그런 거론. ——-하다 타 여불

경뢰【驚雷】[—뇌] 명 격심한 천둥.

경료【經料】[—뇨] 명〖불교〗독경(讀經)한 삯으로 중에게 주는 돈.

경:룡-절【慶龍節】[—뇽—] 명〖역〗고려 인종의 탄생일의 일컬음.

경루[1]【更漏】[—누] 명 경(更), 곧 밤 동안의 시간을 알리는 누수(漏水).

경루[2]【經漏】[—누] 명〖의〗월경(月經)의 피가 그치지 아니하는 병.

경:루[3]【瓊樓】[—누] 명 '궁전(宮殿)'의 미칭(美稱).

경류[1]【經流】[—뉴] 명〖불교〗죽은 이의 혼백이나 어류(魚類)의 고난을 구하기 위하여 베끼어 쓴 경문을 바다나 강에 띄우는 일. ——-하다 자 여불

경-류[2]【鯨類】[—뉴] 명〖동〗고래목(目).

경륜[1]【徑輪】[—뉸] 명 토지의 직경과 주위. 또, 토지의 면적.

경륜[2]【經綸】[—뉸] 명 ①일을 조직적으로 잘 계획함. ②천하(天下)를 다스림. ¶ ~지사(之士). ——-하다 타 여불

경:륜[3]【競輪】[—뉸] 명 자전거 경주. ¶ ~ 대회. ——-하다 자 여불

경륜-가【經綸家】[—뉸—] 명 정치적 수완이나 조직적 수완이 있는 유능한 사람. 경륜지사.

경륜지-사【經綸之士】[—뉸—] 명 경륜가.

경-률-론【經律論】[—뉼—] 명〖불교〗삼장(三藏)[b]❶.

경:-릉[1]【景陵】[—능] 명〖지〗①고려 문종(文宗)의 능. 경기도 장단군(長湍郡) 진서면(津西面)에 있음. ②동구릉(東九陵)의 하나. 조선 헌종(憲宗)과 헌종비 효현 왕후(孝顯王后) 및 계비(繼妃) 효정(孝定) 왕후의 능. 경기도 구리시(九里市) 인창동(仁倉洞)에 있음.

경:-릉[2]【敬陵】[—능] 명〖지〗서오릉(西五陵)의 하나. 조선 덕종(德宗)과 덕종비(妃) 소혜 왕후(昭惠王后)의 능. 경기도 고양시(高陽市) 용두동(龍頭洞)에 있음.

경:-릉[3]【慶陵】[—능] 명〖지〗①고려 충렬왕의 능. 장소는 미상. ②'칭링'을 우리 음으로 읽은 이름.

경:릉-파【竟陵派】[—능—] 명〖역〗중국의 명대(明代) 말기에 일어난 문학의 한 유파. 중심 인물은 종성(鍾惺;1574–1624)과 담원춘(譚元春; ?–1631)인 데, 모두 후베이 성(湖北省) 경릉 출신임. 당시의 비뚤어진 의고주의(擬古主義)를 비판, 참된 고전의 정신으로 돌아가도록 외쳤음.

경리[1]【經理】[—니] 명 ①일을 경영하여 처리함. ②회계 및 급여에 관한 사무를 처리함. 또, 그 부서·사람. ——-하다 타 여불

경:리[2]【警吏】[—니] 명 경찰 행정에 종사하는 관리(官吏).

경리-감【經理監】[—니—] 명〖군〗육군 본부 경리감실의 장(長).

경리감-실【經理監室】[—니—] 명〖군〗육군 본부의 한 감실. 자금 회계(資金會計)·회계 심사 및 급여 기타 경리에 관한 사항을 분장함.

경리 당상【經理堂上】[—니—] 명〖역〗경리 통리 기무 아문사(經理統理機務衙門事).

경리-부【經理部】[—니—] 명 ①기업체 같은 데서 회계 및 급여 지급 등에 관한 사항을 전담하는 부서. ②〖군〗경리 참모부.

경리-비【經理費】[—니—] 명〖경〗어떤 기관을 경영하거나 회계 사무를 보는 데 드는 비용.

경리-사【經理使】[—니—] 명〖역〗경리청(經理廳)의 장(長).

경리 사:무【經理事務】[—니—] 명 경리에 관계되는 사무.

경리-원【經理院】[—니—] 명〖역〗조선 광무(光武) 9년(1905)에서 융희(隆熙) 1년(1907) 사이의 '내장원(內藏院)'의 고친 이름.

경리 참모부【經理參謀部】[—니—] 명〖군〗각급 사령부의 특별 참모 부서(參謀部署)의 하나. 경리에 관한 사항을 분장함. 경리부(經理部).

경리-청【經理廳】[—니—] 명〖역〗북한산성(北漢山城)을 관리하던 관청. 조선 숙종(肅宗) 38년(1712)에 설치하였으며, 영조(英祖) 23년(1747)에 총융청(摠戎廳)에 합치었다가 다시 고종 28년(1891)에 설치하여 31년에 폐합.

경리 통리 기무 아:문사【經理統理機務衙門事】[—니통니—] 명〖역〗조선 고종 17년(1880)에 설치된 통리 기무 아문의 각 사(司)의 사무를 관장하던 관직. 다른 관직에 있는 당상관으로 겸직케 함.

경리 학교【經理學校】[—니—] 명〖군〗↗육군 경리 학교.

경린【硬鱗】[—닌] 명〖어〗경린류(硬鱗類)에 속하는 물고기의 비늘. 겉이 단단하고 광택이 있으며 사방형(斜方形)의 판자같이 생기었음. 굳비늘.

경린-류【硬鱗類】[—닌뉴] 명〖어〗[Ganoidei] 경골어류(硬骨魚類)를 분류한 한 목(目). 이에 속하는 물고기는 경린(硬鱗)과 아가미가 있으며, 꼬리의 지느러미는 부정형(不定形)임. 철갑상어가 이에 속함.

경립 배:사【傾立背斜】[—닙—] 명〖지〗비대칭(非對稱) 배사.

경마[1] 명 사람이 탄 말을 몰기 위하여 잡는 고삐. 취음(取音):견마(牽馬).
경마(를) 들다 구〈방〉경마잡다.
경마(를) 잡다 구 남이 탄 말의 고삐를 잡아 몰고 가다.
경마(를) 잡히다 구 경마를 잡게 하다.

경:마[2]【苘麻】명〖식〗어저귀.

경마[3]【剄馬】명 말의 목을 벰. ——-하다 자 여불

경마[4]【耕馬】명 논·밭을 가는 데 부리는 말.

경:마[5]【競馬】명 일정한 거리를 두 사람 이상이 각각 말을 타고 경주(競走)하는 일. 오늘날은 경마장에서 마권(馬券)을 발행하여 돈을 걸고 내기를 하는 것이 공인(公認)되고 있음. ——-하다 자 여불

경:마[6]【鼈蟆】명〖동〗청개구리.

경마-잡이 명 경마를 잡는 사람.

경:마-장【競馬場】명 경마하는 장소. 말이 달리는 둥그런 길과 관람석 등이 있음. 마장(馬場).

경:마-회【競馬會】명 경마를 하기 위한 모임.

경막【硬膜】명〖생〗①↗경뇌막(硬腦膜). ②척수를 감싸고 있는 섬유질의 막.

경막-액【硬膜液】명〖화〗필름이나 건판을 현상하는 과정에서 일어나는 장애, 곧 감광막 중의 젤라틴(gelatin)이 현상·밀착 등의 처리 과정에서 수분을 흡수함으로써 팽창·연화되어, 필름 면에 흠 따위가 생기는 것을 막기 위하여 쓰는 약품.

경막외 마취【硬膜外痲醉】명〖의〗국소 마취제를 경막 밖에 놓아서 척수(脊髓)로부터 나오는 전근(前根)·후근(後根)을 마비시키는 국소 마취. *방척추(傍脊椎) 마취.

경:망[1]【敬望】명 '삼가 바란다'는 뜻으로 한문투의 편지에서 쓰는 말.

경망[2]【輕妄】명 하는 짓이나 말이 경솔(輕率)하고 방정맞음. ¶ ~한 짓. ——-하다 형 여불. ——-히 부

경:망[3]【競望】명 다투어 바라봄. 다투어 희망함. ——-하다 타 여불

경-망간광【硬—鑛】[mangan] 명〖광〗망간의 원광(原鑛)의 하나. 이산화 망간을 주성분으로 하며, 포도 모양·종유(鍾乳) 모양 등을 하고 있고, 빛깔은 철회색이거나 흑색임.

경망-스럽다【輕妄—】형 ㅂ불 경망한 태도가 있다. 경망-스레【輕妄—】부

경매[1]【硬煤】명 무연탄.

경:매[2]【競買】명 같은 종류의 물건을 파는 사람이 많을 때, 가장 싸게 팔겠다고 하는 사람에게서 물건을 사들이는 일. ——-하다 타 여불

경:매[3]【競賣】명 ①사겠다는 사람이 여럿 있을 때, 값을 제일 많이 부르는 사람에게 파는 일. 박매(拍賣). 조매(糶賣). *공박(公拍). ②〖법〗경매 처분의 권리자의 신청에 의하여 법원 또는 집달리가 동산이나 부동산을 공매(公賣) 방법으로 파는 일. ——-하다 타 여불

경:매 가격 신고【競買價格申告】[—까—] 명〖법〗경매인(競買人)으로서의 의무를 지고자 하는 단독 의사 표시. 이 신청에 의하여 경매인은 일정한 구속을 받음.

경:매 기간【競賣期間】명〖법〗강제 집행상 경매할 날까지의 기간. 동산(動產)은 압류일(押留日)로부터 적어도 1주일을, 부동산(不動產)은 경매 공고일(競賣公告日)로부터 적어도 2주일을 경과하여야 함.

경:매 기일【競賣期日】명〖법〗경매를 실시하려고 정한 날.

경:-매매【競賣買】명〖법〗'경쟁 매매'의 종전의 용어(用語). ——-하다 자 여불

경:매-물【競賣物】명〖법〗경매(競賣)에 부친 물건.

경:매 부족액 청구권【競賣不足額請求權】[―꿘] 명 〖법〗 재경매의 경우에 재차의 경락(競落) 대가가 최초의 경락 대가보다 저액(低額)일 때, 부족된 금액과 비용을 전의 경락인에게 청구하는 권리.

경:매 신청【競買申請】명 〖법〗 경매에서 매수(買受) 신청을 하는 일. ――-하다 자여변

경:매 위임자【競賣委任者】명 〖법〗 경매법 상의 경매를 집달리에게 위임, 곧 신청한 사람.

경:매-인[1]【競買人】명 경매(競買)를 하는 사람.

경:매-인[2]【競賣人】명 〖법〗 경매(競賣)를 실시할 때에 경매를 신청하는

경:매-일【競賣日】명 〖법〗 경매(競賣)를 하는 날. ㄴ사람.

경:매 입찰 방해죄【競賣入札妨害罪】[―쬐] 명 〖법〗 위계(僞計) 또는 위력을 쓰거나 기타의 방법으로 경매(競賣) 또는 입찰의 공정을 해하

경:매-장【競賣場】명 〖법〗 경매(競賣)를 하는 곳. ㄴ는 죄.

경:매 조건【競賣條件】[―껀] 명 〖법〗 경락인(競落人)으로 하여금 압류(押留)의 목적물의 소유권(所有權)을 취득(取得)시키는 조건.

경:매 조서【競賣調書】명 〖법〗 동산이나 부동산 경매(競賣)의 위임을 받은 집달리가 경매 절차의 경과를 기재하고 서명 날인한 서류.

경:매 취:소권【競買取消權】[―꿘] 명 〖법〗 천재(天災) 등에 의하여 부동산이 훼손되었을 때, 최고가(最高價) 경매인(競買人)으로 호창(呼唱)을 받은 자가 경매를 취소할 수 있는 권리. 「軟脈).

경맥【硬脈】명 〖의〗 혈압이 높아서 긴장(緊張) 정도가 센 맥박. ↔연맥

경:면[1]【鏡面】명 거울의 표면(表面). 거울의 비치는 쪽.

경면[2]【黥面】명 형벌로 얼굴에 입묵(入墨)함. 또, 그러한 얼굴을 한 죄인.

경:면 반:사【鏡面反射】명 [specular reflection] 〖물〗 전자기파(電磁氣波)·음파·수면파(水面波)등의 반사에서, 반사파가 정해진 방향으로 진행하는 일. 입사파와 반사파의 방향은 반사면에 대한 수선(垂線)과 같은 각(角)을 이루며, 또 동일 평면 상에 있음. 거울 반사.

경:면 주사【鏡面朱砂】명 〖약〗 결정(結晶)된 주사(朱砂).

경:면-지【鏡面紙】명 반들반들하고 광택이 있는 종이의 한 가지.

경멸【輕蔑】명 업신여김. ――-하다 타여불

경멸-감【輕蔑感】명 업신여기는 마음. 업신여김을 당하는 느낌.

경:명[1]【景命】명 크나큰 명령. 대명(大命).

경:명[2]【敬命】명 삼가 공경함. ――-하다 자여불

경명[3]【傾命】명 늙어서 여년(餘年)이 적음. ――-하다 형여불

경:명-왕【景明王】명 〖사람〗 신라 제54대 왕. 휘는 승영(昇英). 신덕왕(神德王)의 태자. [재위 917-924]

경:명-풍【景明風】명 동남풍(東南風).

경명 행수【經明行修】명 경학(經學)에 밝고 행실이 착함. 준경행(經行).

경모[1]【京耗】명 서울 소식. 경신(京信).

경:모[2]【景慕】명 우러러 사모함. ――-하다 타여불

경모[3]【傾慕】명 마음을 기울여 사모함. ――-하다 타여불

경:모[4]【敬慕】명 존경하고 사모함. ――-하다 타여불

경모[5]【輕侮】명 업신여겨 모욕함. ――-하다 타여불

경:모-궁【景慕宮】명 〖지〗 조선 시대 고종(高宗)이 장조(莊祖)로 추숭(追崇)하기 전에, 사도 세자(思悼世子)의 신위(神位)를 모셨던 사당. 서울 종로구 연건동(蓮建洞)에 있었음.

경:모궁 제:례악【景慕宮祭禮樂】명 〖악〗 조선 시대의 제악(祭樂)의 하나. 정조(正祖)가 경모궁에 아뢰기 위하여 제정한 것으로, 희운지악(熙運之樂)·융안지악(隆安之樂)·숙안지악(肅安之樂)의 셋이 있음. 고종(高宗) 3년(1866)에 신위(神位)를 태묘(太廟)로 옮긴 뒤부터 폐지됨.

경:모-심【敬慕心】명 경모하는 마음. ㄴ*문묘(文廟) 제례악.

경목[1]【耕牧】명 경작과 목축. 「일본 이름.

경목[2]【經木】명 〔예전에 여기다 경문(經文)을 쓴 데서 유래〕 무늬목의

경:몽-가【警蒙歌】명 〖문〗 작자·제작 연대 미상의 가사의 하나. 천도지대(天道之大)·인사지본(人事之本)·도통지서(道統之序)·위학지방(爲學之方)·행기지도(行己之道)·주색지계(酒色之誡)의 여섯 가지 유교 윤리를 가르쳐 읊음.

경묘【輕妙】명 경쾌하고 교묘함. ――-하다 형여불 ――-히 부

경묘-법【頃畝法】[―뻡] 명 〖역〗 중국의 토지 면적 단위법(單位法). 6자 평방을 1보(步), 100보를 1묘(畝), 100묘를 1경(頃), 혹은 주척(周尺) 5자 평방을 1보, 240보를 1묘, 100묘를 1경으로 쓰기도 했음. 경묘법은 고구려의 토지 계산에 쓰였으나 이후 실제적 사용은 없었음.

경:무【警務】명 경찰에 관한 사무.

경:무-관【警務官】명 ①〖역〗 조선 시대말, 한성부(漢城府) 이외의 이십이부(二十二府)와 각 도(道) 경무청(警務廳)·경위원(警衛院)·주전원(主殿院)의 한 벼슬. ②〖법〗 경찰 공무원 계급의 하나. 치안감의 아래, 총경의 위.

경:무-국【警務局】명 ①〖역〗 대한 제국 때의 경부(警部)의 한 국(局). ②〖역〗 대한 제국 때의 내부(內部)의 한 국. ③〖일제〗 조선 총독부의 한 국. 경찰에 관한 사무를 취급하였음.

경:무-대【景武臺】명 〖지〗 서울 경복궁(景福宮) 뒤 북악산 기슭에 있는 넓은 터. 또, 그 터에 있는 대통령 관저의 구칭. 조선 때에는 경복궁의 일부로 연무장(鍊武場)·과거장(科擧場)이었음. 1960년에 '청와대(青瓦臺)'로 고쳤음. 「슬.

경:무 부:관【警務副官】명 〖역〗 대한 제국 때의 경무청(警務廳)의 한 벼

경:무 부:사【警務副使】명 〖역〗 대한 제국 때의 경무청의 한 벼슬.

경:무-사【警務使】명 〖역〗 경무청(警務廳)의 장(長).

경:무-서【警務署】명 〖역〗 대한 제국 때, 각 지방의 경찰 사무를 맡던 관청. 광무(光武) 10년(1906)에 베풀어 융희(隆熙) 원년(1907)에 경찰서로 이름을 고침.

경-무세【京巫稅】명 〖역〗 서울에 사는 무당으로부터 받던 무세(巫稅)의 한 가지. ↔외방(外方) 무세.

경-무장【輕武裝】명 〖군〗 권총·소총 등 주로 개인 화기(火器)로 무장함. ↔중무장(重武裝). ――-하다 자여불

경:무-청【警務廳】명 〖역〗 한성부(漢城府) 안에서 경찰과 감옥의 일을 맡아 보던 관청. 고종(高宗) 31년(1894)에 포도청(捕盜廳)을 폐(廢)하고 이것을 창설하여, 내무 아문(內務衙門)의 관할에 두었는데, 광무(光武) 4년(1900)에 경부(警部)라고 고치어서 독립시키었다가 이듬해에 폐하고, 다시 본이름으로 하여 내부(內部) 소관으로 하였으며, 그 해에 경시청(警視廳)이라 개칭(改稱)하였음.

경:무-호【警霧號】명 〖해〗 항로 표지의 하나. 바다 위에 짙은 안개가 낄 때, 그 위치를 선박에 알리는 음향 신호.

경:문[1]【景門】명 〖민〗 팔문(八門) 중의 길(吉)한 문의 하나. 구궁(九宮)의 구자(九紫)가 본자리가 됨. *경문(驚門).

경문[2]【經文】명 ①〖불교〗 불경(佛經)에 있는 글. ②〖천주교〗 '기도문'의 구용어. ③〖종〗 도교(道敎)의 서적.

경문[3]【驚門】명 〖민〗 팔문(八門) 중의 흉(凶)한 문의 하나. 구궁(九宮)의 칠적(七赤)이 본자리가 됨. *경문(景門).

경문-가【經文歌】명 〖악〗 모텟(Motet).

경:문-방[1]【景門方】명 〖민〗 경문(景門)의 방위(方位).

경문-방[2]【驚門方】명 〖민〗 경문(驚門)의 방위(方位).

경:문-왕【景文王】명 〖사람〗 신라 제48대 왕. 휘는 응렴(膺廉). 희강왕(僖康王)의 손자. 아찬(阿飡) 계명(啓明)의 아들. [재위 861-875]

경-문학[1]【硬文學】명 〖문〗 소설같이 유(柔)한 맛이 있게 쓴 문학이 아니고, 학문으로서의 문학을 평론처럼 딱딱하게 쓴 문학. ↔연문학.

경-문학[2]【輕文學】명 〖문〗 경쾌하게 읽을 수 있는 문예 작품.

경물[1]【景物】명 사철을 따라 달라지는 풍물(風物).

경:물[2]【敬物】명 〖천도교〗 삼경(三敬)의 하나.

경물-시【景物詩】명 〖문〗 사철의 풍물을 엮어서 읊은 시.

경:미[1]【敬米】명 쌀을 존경하여 중히 여김. ――-하다 자여불

경미[2]【粳米】명 멥쌀.

경미[3]【輕微】명 가볍고도 극히 적음. ¶ ～한 부상. ――-하다 형여불

경미 미음【粳米米飮】명 멥쌀 미음.

경미-반【粳米飯】명 멥쌀밥.

경미-토【粳米土】명 모래흙.

경:민-가【警民歌】명 ①백성들을 경계하고 훈계하는 내용의 노래. ②〖문〗 송강(松江)이 강원도 관찰사로 있을 때에 백성을 훈계하기 위해 지은 16수의 단가(短歌). 훈민가(訓民歌).

경:민-편【警民編】명 〖책〗 백성을 계몽하여 범죄를 경계한 책. 조선 중종(中宗) 14년(1519)에, 김정국(金正國)이 엮은 것으로, 효종(孝宗) 9년(1658)에 간행됨. 인륜과 법제(法制)에 관한 지식을 백성들에게 널리 보급시키고자 부모·부부·형제·자매·족친(族親)·노주(奴主)·인리(隣里)·투구(鬪毆)·권업(勸業)·저적(儲積)·사위(詐僞)·범간(犯奸)·도둑과 살인 등 13 항목을 실어 경계하였음. 1책.

경:민편 언:해【警民編諺解】명 〖책〗 조선 효종(孝宗) 7년(1656)에, 이후원(李厚源)이 ≪경민편≫을 한글로 옮겨 간행한 책. 따로 고령 진선생 선거 권유문(古靈陳先生仙居勸誘文)·서산 진선생 담주 유속문(西山眞先生潭州諭俗文)·천주 권유문(泉州勸諭文)·천주 권효문(泉州勸孝文)과 정철(鄭澈)의 훈민가(訓民歌) 16 수도 곁들였음. 1책, 목판본.

경박【輕薄】명 ↗경조 부박(輕佻浮薄). ――-하다 형여불 ――-히 부

경-박-단-소【輕薄短小】명 형태적으로나 내용적으로나 가볍고 얇고 짧고 작은 상품이 일반적으로 애호를 받는다는 말.

경박 부허【輕薄浮虛】명 경조 부박(輕佻浮薄). ――-하다 형여불

경박 소:년【輕薄少年】명 언어 행동이 방정맞고 독실(篤實)하지 못한 소년. 까불까불하는 아이. 「망동하는 자.

경박-자【輕薄子】명 언어·행동이 방정맞고 독실하지 못한 사람. 경거

경박 재자【輕薄才子】명 재주는 있으나 경박한 사람.

경:박-호【鏡泊湖】명 〖지〗 징보 호.

경반【徑畔】명 소로(小路)의 가.

경:발【警拔】명 착상(着想) 등이 기발함. ――-하다 형여불

경-발림【景―】명 〖악〗 서도 선소리의 하나. 관서 팔경(關西八景)의 경

경방[1]【京坊】명 〖역〗 서울의 동(洞). ㄴ치를 노래함.

경방[2]【庚方】명 〖민〗 이십사 방위(二十四方位)의 하나. 정서(正西)로부터 남쪽으로 15도 되는 방위를 중심으로 한 15도 각도 안. 준경(庚).

경:방[3]【警防】명 경계하여 지킴. ――-하다 타여불

경:방-단【警防團】명 〖일제〗 일제 강점기 말기에 소방대와 방호단(防護團)을 통합한 단체.

경-방자【京房子】명 〖역〗 경저리(京邸吏)나 계수 주인(界首主人)이 관할 읍내에 발송하는 공문·통신 등을 전달하던 하례(下隷).

경:배[1]【敬拜】명 존경하여 공손히 절함. ――-하다 자여불

경배[2]【卿輩】명 경(卿)들. 경등(卿等). 경조(卿曹).

경배[3]【傾杯】명 술잔을 기울임. 술을 마심. ――-하다 자여불

경:배[4]【瓊杯】명 옥(玉)으로 만든 술잔. 옥배(玉杯).

경:백【敬白】명 '공경하여 사뢴다'는 뜻으로, 주로 한문투의 편지 끝에 쓰는 말. 경구(敬具).

경:번【景樊】명 〖사람〗 허난설헌(許蘭雪軒)의 호(號).

경:-번갑【鏡幡甲】명 〖역〗 약 두 치 평방(平方)의 돼지의 날가죽으로 된 미늘을 사이사이 쇠고리로 얽어서 만든 갑옷.

경벌【輕罰】명 가벼운 벌.

경범[1]【輕犯】명 ↗경범죄.

경범[2]【輕帆】명 가벼운 범선(帆船).

경-범죄【輕犯罪】명 〖법〗 가벼운 범죄. 경범죄 처벌법에 규정된 범죄.

즉결 심판에서 처벌하나, 특례를 두어 경찰서장이 범칙자에게 범칙금을 통고, 국고에 납부하게 하는 경우도 있음. ㊂경범.

경범죄 처:벌법【輕犯罪處罰法】[─뻡] 명〖법〗구류·과료(科料)에 해당하는 경미한 질서 위반 행위, 이를테면 음주 소란 행위·광고물을 무단으로 붙이는 일·길이나 공원에서 침을 뱉거나 대소변을 보는 일 따위를 범죄로서 벌하는 법률.

경법【經法】명 ①↗대경 대법(大經大法). ②〖불교〗석존의 경문(經文)의 교의(敎義).

경변[1]【硬便】명 되게 나오는 대변. 된똥.

경변[2]【輕邊】명 싼 이자(利子). 헐한 변리. 저리(低利).

경변-증【硬變症】[─쯩] 명 [cirrhosis]〖의〗일정한 선성 장기(腺性臟器)에 만성의 자극이 가하여져, 그 간질(間質)의 결합(結合) 조직이 증식, 반흔화(瘢痕化)하여 세포가 위축하고 장기가 딱딱하게 축소되는 병증. *간경변증.

경병[1]【勁兵】명 굳센 군병(軍兵). 강한 군사. 강병(強兵).

경병[2]【經餠】명 경편.

경병[3]【粳餠】명 메떡.

경보[1]【京報】명〖역〗중국 청(淸)나라 때에 발행한 관보(官報)의 하나. 병부 제당관(兵部提塘官)이 관할하여 국가에서 발표한 상유(上諭)·상주(上奏) 등을 초록(抄錄), 인쇄하여 각 관청에 보내었음.

경보[2]【頃步】명 반(半)걸음. 반보(半步).

경보[3]【經寶】명〖역〗↗불명경보(佛名經寶).

경보[4]【輕寶】명 몸에 지니고 다니기에 편한 보배. 가볍고도 값이 많이 나가는 재물.

경:보[5]【慶甫】명〖사람〗신라 말의 고승(高僧). 자는 광종(光宗), 속성(俗姓)은 김(金). 구림(鳩林) 사람. 진성왕(眞聖王) 때에 입당(入唐)하여 광인 화상(匡人和尙)에게 배운 후, 30년간 불교를 연구하고 귀국하여 견훤(甄萱)·고려의 태조·혜종(惠宗)·정종(定宗)의 스승이 되었음. 동진 대사(洞眞大師). [868-947]

경:보[6]【競步】명 ['워킹 레이스(walking race)'의 역어] 육상 경기(陸上競技)의 하나. 한쪽 발이 땅에서 떨어지기 전에 다른 발이 땅에 닿게 하여 빨리 걷는 경기. 워킹.

경:보[7]【警報】명 위험의 임박(臨迫)에 대하여 경계하라고 알리는 보도. 특히, 폭풍·화재 또는 적기(敵機)의 내습(來襲) 등을 미리 알리는 일. ¶ 폭풍 ~/공습 ~. *주의보(注意報).

경:보-기【警報器】명 특이한 음향이나 광선을 발함으로써 긴박한 위험이나 고장(故障)의 발생 등을 알리는 기기(機器)의 총칭. ¶ 화재 ~.

경:보-망【警報網】명 위험의 임박(臨迫)에 대한 경보를 전파할 목적으로 설정된 통신망. ¶ 공습 ~.

경:보 설비【警報設備】명 소방 시설의 하나. 화재 발생을 통보하는 기계·기구 등의 설비. 자동 화재 탐지 설비·화재 경보기 따위.

경복[1]【庚伏】명 삼복(三伏)을 이름. 하지(夏至) 후의 셋째 경일(庚日)에 시작하기 때문임.

경:복[2]【景福】명 크나큰 복. 경조(景祚). 홍희(鴻禧).

경:복[3]【敬服】명 존경하여 복종함. ──-하다 자여불

경:복[4]【敬復·敬复·敬覆】명 '공경하여 삼가 답장한다'는 뜻으로, 주로 한문투의 편지 첫머리에 쓰는 말. 경복자(敬復者).

경복[5]【傾覆】명 ①뒤집어 엎어서 망하게 함. ②기울어져 엎어짐. ③패망(敗亡). ──-하다 자타여불

경복[6]【輕服】명 소공(小功)·시마(緦麻)와 같은 비교적 짧은 기간에 입는 가벼운 상복(喪服). ↔중복(重服).

경:복[7]【慶福】명 경사스럽고 복됨.

경복[8]【驚服】명 경탄하여 복종함. ──-하다 자여불

경:복-궁【景福宮】명〖지〗조선 시대의 궁궐. 서울 북악산(北岳山) 남쪽에 위치함. 태조(太祖) 3년(1394)에 준공. 선조(宣祖) 25년(1592) 임진 왜란 때 소실, 고종(高宗) 9년(1872) 대원군이 재건하였으나, 국권 피탈 후 정면에 총독부 청사를 세울 때 대부분 철거당하고, 근정전(勤政殿)·경회루(慶會樓)·향원정(香遠亭)·집옥재(集玉齋) 등만이 잔존함. 사적 제 117 호.

경:복궁 제:거사【景福宮提擧司】명〖역〗조선 시대 초기에 경복궁을 관리하던 관아(官衙). 태조(太祖) 3년(1394)에 베풀었다가 세조(世祖) 12년(1466)에 전연사(典涓司)라 고침.

경:복궁-타:령【景福宮打令】명〖악〗경기 민요의 하나. 조선 시대 말기에 대원군의 경복궁 재건에 따른 불만을 풍자한 것.

경:복-사【景福寺】명 전라 북도 완주군(完州郡)에 있던 절. 백제 의자왕(義慈王) 10년(650)에 보덕(普德)이 고구려 반룡산 연복사(延福寺)에서 날려 보냈다는 비래 방장(飛來方丈)이 있었음.

경:복-자【敬復者】명 경복(敬復).

경:-복흥【慶復興】명〖사람〗고려 공민왕(恭愍王) 때의 공신. 초명(初名)은 천흥(千興). 청주(淸州) 사람. 반신(叛臣) 기철(奇轍)을 죽인 공과 홍건적(紅巾賊)을 친 공으로 일등 공신이 되었음. [?-1380]

경본[1]【京本】명〖역〗서울에서 유행(流行)되는 본. 흔히, 복식(服飾)에 대하여 씀.

경본[2]【經本】명〖천주교〗미사 성제(聖祭)와 성직자(聖職者)의 경문을 기재한 책.

경본 통속 소:설【京本通俗小說】명〖문〗주로, 중국 송대(宋代)의 항저우(杭州) 지방에서 유행한 소설. 현재 ≪연옥 관음(碾玉觀音)≫·≪보살만(菩薩蠻)≫·≪서산 일굴귀(西山一窟鬼)≫ 등이 전해지고 있음.

경:봉【鏡峰】명〖사람〗현대의 승려(僧侶). 속성(俗姓)은 김씨(金氏). 전라 북도 익산(益山) 태생. 을사 조약이 체결되자 무주 덕유산(德裕山) 등지에서 의병 대장으로 항일 투쟁, 27 세 때 건봉사(乾鳳寺)에서 사미계(沙彌戒)를 받은 후, 유점사(楡岾寺) 등지에서 경법을 공부하여 대강백(大講伯)이 됨. 1939 년에 건봉사 주지가 되었으며, 광복 후 동학사(東鶴寺)에 비구니 강원(講院)을 설립, 많은 인재를 배출함. [1885-1969]

경-봉수【京烽燧】명〖역〗조선 시대 때, 전국의 모든 봉수(烽燧)가 집결(集結)하는 서울 목멱산(木覓山), 곧 지금의 남산에 있는 봉홧둑.

경부[1]【京府】명 서울. 경도(京都).

경부[2]【耕夫】명 농부(農夫)❶.

경-부[3]【經部】명 옛날 서적을 경(經)·사(史)·자(子)·집(集)의 사부(四部)로 분류한 것 중에서 경(經)에 속하는 부류. 사서 오경(四書五經)의 경서(經書)와 소학(小學)이 이에 속함. 갑부(甲部). *집부.

경부[4]【輕浮】명 ↗경조 부박(輕佻浮薄). ──-하다 형여불 ──-히 부

경부[5]【頸部】명〖생〗①목이 있는 부분. 목. ②목처럼 가늘게 되어 있는 부분. ¶ 자궁(子宮) ~.

경:부[6]【警部】명 ①〖역〗광무(光武) 4년(1900)경, 경무청(警務廳)을 독립시키어 개칭(改稱)한 이름. 경찰 사무를 담당한 마을. ②〖일제〗판임관(判任官)인 경찰관. 경시(警視)의 아래, 경부보(警部補)의 위임.

경:부-가【警婦歌】명〖문〗작자·제작 연대 미상의 부녀의 교훈을 목적으로 한 규방(閨房) 가사의 하나.

경부 고속 도:로【京釜高速道路】명〖지〗서울과 부산 간을 잇는 고속 도로. 1970년 7월 7일 개통됨. 이 도로의 개통으로 서울과 부산이 1일 생활권으로 압축됨. 서울 부산 간 고속 도로. [428km]

경부 림프절 결핵【頸部─節結核】[lymph] 명〖의〗경부 림프절에 결핵균이 침입하여 생기는 질병. 일반적으로 연주창(連珠瘡)이라 일컬음. 악화되면 잔 구멍이 생기고 곪아 터짐.

경:부-보【警部補】명〖일제〗경부(警部)의 아래, 순사 부장의 위이던 판임관(判任官)의 경찰관.

경부-선【京釜線】명〖지〗서울과 부산 사이의 복선 철도(複線鐵道). 우리 나라 철도의 대표적 간선(幹線)으로, 경의선(京義線)과 더불어 아시아·유럽 횡단의 국제 간선(國際幹線)임. 1905년 1월 1일에 단선(單線)으로 개통되고, 복선은 1939년 6월부터 일부 운전을 개시, 일제(日帝) 강점기 말에 완성됨. [445.6km]

경:북【慶北】명〖지〗↗경상 북도.

경:북 대학교【慶北大學校】명 국립 대학의 하나. 1951년에 발족, 공과·농과·문리과·경상·법정·사범·의과의 13개 단과 대학 및 6개 대학원이 있음. 대구 광역시 산격동(山格洞)에 위치함.

경:북-선【慶北線】명〖지〗경상 북도 김천(金泉)을 기점으로, 상주(尙州)·점촌(店村)·예천(醴泉)을 지나 영주(榮州)에 이르는 철도(鐵道). 점촌까지는 1931년 10월 15일, 점촌에서 영주까지는 1966년 10월 16일 개통함. [116.9km]

경분[1]【輕粉】명〖한의〗염화 제일 수은(塩化第一水銀)의 한방(漢方) 약명. 매독·매독성 피부병의 약 및 하제(下劑)로 쓰며, 외과의 살충제로도 씀. 수은분(水銀粉). 이분(膩粉). 홍분(汞粉). *감홍(甘汞).

경:분[2]【瓊粉】명 ①옥(玉)같이 아름다운 분. ②옥(玉)의 가루.

경:분[3]【競奔】명 앞을 다투어 뛰어감. ──-하다 자여불

경분[4]【驚奔】명 놀라서 달아남. ──-하다 자여불

경비[1]【扃扉】명 문짝. 사립짝.

경비[2]【經費】명 ①사업을 경영하는 데 필요한 비용. 일을 하는 데 드는 돈. ¶ ~ 절감(節減). ②국가나 지방 자치 단체가 여러 가지 행정 활동을 하는 데 필요한 화폐 비용(貨幣費用). 보통경상비(經常費)와 임시비(臨時費)로 분류되나 물건비(物件費)와 지방비(地方費), 확정비(確定費)와 자유비(自由費)로 각각 나눌 수도 있음.

경비[3]【輕肥】명 ①↗경장 비마(輕裝肥馬). ②↗경구 비마(輕裘肥馬).

경:비[4]【警備】명 만일을 염려하여 미리 경계하고 방비함. ¶~가 삼엄(森嚴)하다. ──-하다 타여불

경비강 영양【經鼻腔營養】명〖의〗파상풍(破傷風) 같은 병으로 인하여 입으로 영양 또는 약물을 공급할 수가 없을 때, 비강(鼻腔)을 통하여 위(胃)까지 고무줄을 넣어 영양을 공급하는 일.

경:비 계:엄【警備戒嚴】명〖법〗계엄령의 한 가지. 전시(戰時)·사변(事變) 또는 이에 준하는 비상 사태로 인하여 질서가 교란된 지역에 선포함. *비상 계엄(非常戒嚴).

경:비 기지【警備基地】명〖군〗연합 함대와의 연락·보급과 담당 구역의 해상 경비의 임무를 수행하는 해군의 전진(前進) 기지.

경:비-대【警備隊】명〖군〗①경비의 책임을 맡은 부대. ②↗국방 경비대.

경:비-망【警備網】명 경비하기 위하여 여러 곳에 늘어놓은, 연결된 조직. 경비선(警備線). ¶ ~을 치다.

경:비-병【警備兵】명 경비의 임무를 띤 병사.

경:비-부【警備府】명〖군〗해군에 둔 한 기관. 경비 기지 구역 및 담당 경비 구역의 방어와 경비에 관한 사항을 관장(管掌)함.

경:비부 사령관【警備府司令官】명〖군〗해군 경비부의 장(長). 부무(府務)를 통리하며, 소속 함선 부대(艦船部隊)를 통솔함.

경비-사【經費司】명〖역〗조선 시대 때, 서울 안 각 관아(官衙)의 경비 지출과 부산(釜山)에 사는 일본 사람들에게 주던 양식 같은 것을 관리하였던 호조(戶曹)의 한 분장(分掌).

경:비-선[1]【警備線】명 ①길게 늘어놓은 경비하는 지대. ②경비망.

경:비-선[2]【警備船】명 해상 보안 경찰의 임무를 띠고 해상을 순시하는 경찰 선박. 주로 해난 구조·밀수 방지·간첩 검거·해양선(海洋線) 순시(巡視)·부정 어로(不正漁撈) 방지 등을 그 임무로 함. *경비정.

경:비-원【警備員】명 경비의 책임을 맡은 사람. 「*경비선(船).

경:비-정【警備艇】명 바다와 강을 경비하기 위하여 쓰이는 작은 함정.

경비 팽창의 원칙【經費膨脹─原則】[─/─에─] 명〖경〗자본주의의 제국주의 단계로의 이행(移行)에 따라, 국가의 제활동이 내연적(內延的)·외연적(外延的)으로 확대하기 때문에, 화폐 가치의 변동을 수정하여 인구·국민 소득의 증가율과 대비(對比)하여도 경비는 팽창 경향에 있다는 원칙.

경:비-함【警備艦】명 해상(海上)을 경비하는 군함.

경-비행기【輕飛行機】명 연습·스포츠 등에 사용하는 소형 비행기. 라

이트 플레인.
경사[1]【京司】명 〖역〗↗경각사(京各司).
경사[2]【京師】명 서울. 경련(京輦).
경사[3]【勁士】명 ①굳센 병사. 경졸(勁卒). ②굳세고 바른 사람.
경사[4]【剄死】명 스스로 목을 찔러 죽음. 문사(刎死). ──하다 자 여불
경:사[5]【敬事】명 ①공경하여 섬김. ②삼가 일을 함. ──하다 자 여불
경사[6]【經史】명 경서(經書)와 사기(史記).
경사[7]【經師】명 ①〖불교〗경스승. ②〖역〗중국 한대(漢代)에 경서를 가르치던 교사.
경사[8]【傾斜】명 ①비스듬히 한쪽으로 기울어짐. 또, 그 정도. ②〔dip〕〖지〗지층면(地層面)과 수평면(水平面)과의 각도. 경사각.
경사[9]【經絲】명 직물(織物)의 날을 이룬 실. 날실. 종사(縱絲).
경사[10]【傾瀉】명 〖화〗액체와 침전(沈澱)을 분리하는 방법. 침전시킨 다음, 웃물을 옆으로 기울여 쏟아 버림. ──하다 타 여불
경:사[11]【慶事】명 치하할 만한 기쁜 일. 가사(嘉事). 휴가(休嘉). 휴경(休慶). ¶~가 나다. ↔흉사(凶事).
경:사[12]【警査】명 〖법〗경찰 공무원 계급의 하나. 경위의 아래, 경장의 위.
경:사[13]【競射】명 활쏘기 또는 사격의 실력을 겨룸. ──하다 자 여불
경사-각【傾斜角】명 ①경사진 각도. ②〖지〗경사(傾斜)❷. ＊빗각(角).
경사-계【傾斜計】명 ①〔inclinometer〕〖항공〗항공 계기(航空計器)의 하나. 비행기에 작용하는 가속도의 방향에 대한 경사나 지면(地面)에 대한 경사를 지시하는 장치. ②〖물〗클리노미터.
경사관 압력계【傾斜管壓力計】[─녁─] 명 미차(微差) 압력계의 하나. 액주형(液柱型) 압력계의 연통관(連通管)을 기울여서, 액면(液面)의 높이에 대한 눈금의 길이를 확대하여 읽게 된 압력계.

〈경사관 압력계〉

경사 교:수【經史敎授】명 〖역〗고려 때 국자감(國子監)의 벼슬. 경사(經史)를 전문으로 가르치던 교수. 충렬왕(忠烈王) 6년(1280)에 둠.
경사 교:수 도감【經史敎授都監】명 〖역〗고려 때 칠품 이하의 벼슬아치에게 경사(經史)를 가르치던 관청. 충렬왕 22년(1296)에 둠.
경사 굴지성【傾斜屈地性】[─찌썽] 명 〖식〗굴지성 중에 자극이 되는 중력 방향에 대하여 비낀 방향으로 굴곡 운동을 일으키는 굴성. 식물의 가지·잎·뿌리 등에서 볼 수 있음. ＊횡지성(橫地性).
경사 궤:도【傾斜軌道】명 〔inclined orbit〕〖항공〗지구 적도(赤道)에 대하여 기운 위성(衛星)의 궤도.
경사 단:층【傾斜斷層】명 〖지〗단층면(斷層面)의 주향(走向)이 지층(地層) 또는 광맥의 주향과 직각을 이룬 단층.
경-사대부【卿士大夫】명 〖역〗영의정·좌의정·우의정 이외의 벼슬아치의 총칭.
경사-도【傾斜度】명 경사진 각도(角度). 경도(傾度).
경사-로【傾斜路】명 계단이 아닌 경사진 통로. 물매는 8분의 1 이하로, 표면은 미끄럽지 않은 재료를 씀. 극장·병원·전시장·차고 따위에 쓰임.
경:사-롭다【慶事─】형 ㅂ불 경사가 될 만하다. **경:사-로이**【慶事─】부
경사-류【傾斜流】명 〖지〗바람·기압·유입수(流入水) 등으로 말미암아 해면(海面)이 경사되었을 때, 도로 수평이 되려고 지구 자전(自轉) 방향으로 경사의 방향과 직각으로 일어나는 바닷물의 흐름. ＊밀도류.
경사-면【傾斜面】명 경사진 면.
경-사부【京士夫】명 〖역〗서울에 사는 사대부(士大夫).
경사 부정합【傾斜不整合】명 〖지〗상부 지층과 하부 지층과의 경사각이 각각 다른 부정합. 상부 지층이 퇴적하기 전에, 하부 지층에 습곡이나 단층 따위의 지각 변동이 있었을 때 형성됨. 사교(斜交) 부정합.
경사 생산【傾斜生産】명 〖경〗원자재·노동력이 부족할 때, 기초 자재·자금·노동력 등을 중점적으로 석탄·철강 등의 기초 물자의 생산에 돌려, 순차로 각 산업 부문의 생산을 회복하는 방식. ＊집중 생산.
경:사-스럽다【慶事─】형 ㅂ불 경사로 여겨지다. 경사로 기뻐할 만하다. **경:사-스레**【慶事─】부
경사 습곡【傾斜褶曲】명 〖지〗습곡축면(褶曲軸面)이 경사지고 습곡축의 양측의 지층의 경사도와 다른 각도를 이룬 습곡. ＊등사(等斜) 습곡·정습곡(正褶曲)·횡와(橫臥) 습곡.
경사 시험【傾斜試驗】명 배의 중심(重心)을 측정하는 시험. 배를 정수(靜水) 위에 띄우고, 갑판 위의 물건의 중량을 한쪽 뱃전으로 몰아, 배의 기운 각도를 재어, 이것에 의하여 중심의 용골(龍骨)면으로부터의 높이를 계산함. 중심 사정(査定) 시험.
경-사암【硬砂岩】명 〖광〗석영(石英)·장석(長石) 외에 다량의 극히 작은 암석의 조각을 포함하는 경질(硬質)의 사암. 회색이며 고생대(古生代)의 지층(地層)에 많음.
경사 육학【京師六學】명 〖역〗고려 때, 국자감(國子監)에 속했던 여섯 학과. 곧, 국자학(國子學)·태학(大學)·사문학(四門學)·율학(律學)·서학(書學)·산학(算學)의 육학(六學).
경사-의【傾斜儀】[─/─이] 명 〖물〗클리노미터.
경사-자【傾斜─】명 주로 토목 건축 관계에서 경사각의 측정에 사용하는 자.
경사 자재 제:도판【傾斜自在製圖板】명 제도판의 높이나 경사를 자유롭게 변경할 수 있게 된 제도판. ＊제도판.
경-사-자-집【經史子集】명 중국 서적 중에서 경서(經書)·사서(史書)·제자(諸子)·문집(文集)의 네 가지 부류의 총칭. ＊사부(四部).

〈경사 자재 제도판〉

경사-지【傾斜地】명 경사진 땅.
경사 지괴【傾斜地塊】명 〖지〗단층(斷層)에 따른 회전 운동에 의하여 기울어진 지괴(地塊).
경사지 농업【傾斜地農業】명 〖농〗산이 많고 경지(耕地)가 적은 지대에서 산비탈을 농지로 이용하는 농업. 함경·평안·강원도에서 많이 볼 수 있음.
경사-지다【傾斜─】자 한쪽으로 기울어지다.
경사지 주:택【傾斜地住宅】명 구릉(丘陵)이나 대지(臺地)의 사면(斜面)에, 계단식(階段式)으로 평탄면(平坦面)을 만들지 아니하고 경사지 그대로 지은 주택. 자연을 손상하지 아니하려는 것이 그 목적임.
경사-칭【傾斜秤】명 비뚠 지레의 원리를 이용한 저울. 갈고리에 물건을 걸면 일정한 각도로 기울어지면서 중량을 표시함.

〈경사칭〉

경산[1]【京山】명 서울 근처의 산.
경-산[2]【俓山】명 〖지〗'징산'을 우리 음으로 읽은 이름.
경:-산[3]【景山】명 〖지〗'징산'을 우리 음으로 읽은 이름.
경:산[4]【慶山】명 〖지〗경상 북도의 한 시(市). 1읍(邑) 7면(面) 6동(洞). 도의 남부 중앙에 위치하며 북동쪽은 영천시(永川市) 남쪽은 청도군(淸道郡), 서쪽과 북서쪽은 대구 광역시에 접함. 사과의 산출로 유명하고, 쌀·보리 등의 농업과 축산업·광산업 등이 성하며 구연정(龜淵亭)·선본사(禪本寺)·구룡산(九龍山)·오목천(五木川) 등 고적지와 임당동(林堂洞)에 고분군(古墳群)이 있음. 영남 대학·대구 대학·효성 여자 대학 등 대학이 많아 교육 도시로 발달하고 있음. 1989년 1월 시(市)로 승격하고, 1995년 1월 경산군을 통합. 개편됨. [411.34 km^2 : 164,494 명(1996)]
경:산[5]【瓊山】명 〖지〗'충산'을 우리 음으로 읽은 이름.
경:산-군【慶山郡】명 〖지〗경상 북도에 속했던 군. 1995년 1월 경산시에 통합됨.
경산-목【京山木】명 서울 부근의 산에서 나는 재목.
경산-부【經產婦】명 아이를 낳은 적이 있는 산부. ＊초산부(初產婦).
경산-절【京山─】[─쩔] 명 〖불교〗서울 부근의 산에 있는 절.
경산-중【京山─】[─쭝] 명 〖불교〗서울 부근의 절의 중.
경산 철도【京山鐵道】[─또] 명 〖지〗징산 철도.
경살【剄殺】명 칼로 목을 쳐서 죽임. ──하다 타 여불
경삼[1]【輕衫】명 여름철의 얇은 옷. ¶숙수~.
경:삼[2]【慶蔘】명 경상도에서 나는 인삼.
경삼[3]【驚蔘】명 옮기어 심어서 자란 산삼.
경삽[1]【梗澁】명 막혀 통하지 아니함. ──하다 자 여불
경삽[2]【硬澁】명 문장 같은 것이 딱딱하고 알삽(戞澁)함. ──하다 형 여불
경:삿-날【慶事─】명 경사가 있는 날. ¶~에 모두 모였다.
경:상[1]【景狀】명 효상(爻象). ¶원자전하께옵서 환후 우중하와 부모 되신 이로 하여금 목불 인견의 ~에 빠지셨으며…《朴鍾和 : 錦衫의 피》.
경상[2]【景象】명 경치(景致). 경색(景色).
경상[3]【卿相】명 〖역〗①육경(六卿)과 삼상(三相). ②재상(宰相).
경상[4]【經床】명 〖불교〗불경을 얹어 놓는 상.
경상[5]【經常】명 계속하여 변하지 아니함. 항상 일정하여 변하지 아니함. ¶~ 비용. ↔임시.
경상[6]【境上】명 국경 또는 경계의 근처.
경상[7]【輕傷】명 조금 다침. 또, 그 상처. ¶~자. ↔중상(重傷). ──하다 자 여불
경:상[8]【慶尙】명 〔경주(慶州)와 상주(尙州)의 머리 글자를 합친 말〕↗경상도.
【경상 감사도 나 싫으면 만다】아무리 좋은 일이라도 제 마음에 들지 아니하면 억지로 시키기 힘들다는 말. ¶경상 감사도 나 싫으면 말래 《崔瓚植 : 金剛門》.
경:상[9]【慶祥】명 경사스러운 징조.
경:상[10]【慶賞】명 상(賞). 상사(賞賜).
경:상[11]【鏡像】명 ①〖물〗평면경의 반사에 의하여 만들어진 물체의 상. ②〖수〗어떤 도형을 반전(反轉)에 의하여 옮긴 상.
경:상[12]【競爽】명 세력이 성하여 두각을 나타냄. ──하다 자 여불
경상 가격【經常價格】[─까─] 명 〖경〗각종 경제 통계에서, 물가(物價)의 상승(上昇)을 무시하고 기준으로 삼은 가격. ＊불변 가격.
경상 거:래【經常去來】명 〖경〗국제 간의 거래에서, 자본 거래 이외의 부분. 곧, 상품 매매·서비스의 수수(授受)·물물 교환·증여 따위.
경상 계:정【經常計定】명 〖경〗경제 단위(經濟單位)가 행하는 거래 중에 규칙적으로 또한 계속적으로 반복하여 행하여지는 거래의 수지(收支)를 기록하는 계정.
경:상 남도【慶尙南道】명 〖지〗한국 14도의 하나. 북쪽은 경상 북도, 서는 전라 남북도, 남은 남해에 면함. 삼한(三韓) 때에는 진한(辰韓)에 속하였고, 삼국 시대에는 신라(新羅)에 속해 600년간 그 중심 영역을 이루었는데, 경덕왕 때 상주(尙州)·양주(良州)·강주(康州)의 세 도독부(都督府)가 설치되었고, 고려 때부터 경상 북도와 함께 경상주(慶尙州) 또는 경상도(慶尙道)라 부르다가 조선 말기 고종(高宗) 건양(建陽) 원년(1896)에 남·북으로 나뉘었음. 낙동강 유역에 비옥한 평야가 있고, 남부 해안은 출입이 심한 리아스식 해안을 이루어 부산·마산·충무 등 항구가 많음. 기후는 온난 다우(多雨)하며, 쌀·보리·콩 등이 산출됨. 마산·창원 일대와 울산을 중심으로 한 일대에 공업 단지가 조성되어 중화학 공업이 발달되어가고 있으며 어업과 대외 무역(對外貿易)이 성함. 도청 소재지는 창원시(昌原市). 관내 11 시 10 군. 준경남(慶南). [11,561.21 km^2 : 3,679,396 명(1990)]
경상 대학교【慶尙大學校】명 국립 대학교의 하나. 1948년 경상 대학으로 설립되어 1953년 종합 대학교로 승격됨. 소재지는 경상 남도 진주시(晋州市).
경:상-도【慶尙道】명 ①〖역〗고려 시대 때부터 조선 고종(高宗) 건양(建陽) 원년(1896)까지 경상 남도와 경상 북도를 아울러 일컫던 이름.

②〖지〗 경상 남도·경상 북도의 통칭. [준]경상(慶尙).
[경상도서 죽 쑤는 놈 전라도 가도 죽 쑨다] 못나고 가난한 자가 거처를 옮겨 봤자 그 타령이 그 타령이라는 말.

경:상도 반:닫이【慶尙道半—】[—다지] [명] 경상도 지방에서 나는 반닫이. 대체로, 크기가 작으며, 쇠 장식을 되도록 적게 대고, 나무의 면을 그대로 드러내는 것이 특색임. *전주(全州) 반닫이.

경:상도 지리지【慶尙道地理誌】[명]〖책〗조선 왕조 세종(世宗) 6-7년(1424-25)에 경상 감사 하연(河演)이 편찬한 경상도의 지리지. 도내 각 읍(各邑)의 연혁, 부(府)·주(州)·군(郡)·향소(鄕所) 등의 이합(離合), 산천(山川)·계역(堺域)의 험조(險阻), 기타 기후(氣候)·소산물(所産物)·풍속(風俗) 등을 조사하여 엮은 것으로 활자본으로 출판되었음. *신증 동국 여지 승람(新增東國輿地勝覽).

경:상 북도【慶尙北道】[명]〖지〗한국 14도의 하나. 북서는 충청 북도, 북은 강원도, 남은 경상 남도, 서는 전라 북도와 접함. 삼한(三韓) 때에는 진한(辰韓)의 땅으로 신라 천 년의 도읍지가 되고, 고려 예종(睿宗) 원년(1106)에 경상(慶尙)·진주(晋州)·두 도(道)로 나누었다가 명종(明宗) 16년(1186)에 합치어 경상도라 하고, 신종(神宗)때 진안도(晋安道)라 했다가 충숙왕(忠肅王) 때부터 다시 경상도라 했는데, 조선 고종(高宗) 건양(建陽)원년(1896)에 경상 북도로 고침. 지세는 삼면이 산으로 둘린 분지(盆地)이고, 기후는 온난하나 강우량이 적음. 쌀·보리·담배·콩·목화·사과 등의 농산이 주산업이며 동해에서 어업이 성함. 도청 소재지는 대구(大邱) 광역시. 관내 10 시 13 군. [준]경북(慶北). [19,021.85 km²: 2,769,307명(1996)]

경:상 분지【慶尙盆地】[명]〖지〗경상 남북도에 넓게 분포된 퇴적 분지(堆積盆地).

경상-비【經常費】[명] 해마다 규칙적으로 계속하여 지출되는 경비. ↔임시비(臨時費).

경상-세【經常稅】[—쎄] [명]〖법〗해마다 규칙적으로 계속하여 받는 세금. 상시세(常時稅). ↔임시세(臨時稅).

경상 수입【經常收入】[명]〖경〗각 회계 연도마다 규칙적으로 되풀이하여 계속적으로 들어오는 수입. 보통 조세·수수료·관업 수입(官業收入) 따위. ↔임시 수입.

경상 수지【經常收支】[명]〖경〗경상 거래에 의한 국제 수지. 즉, 수출·수입의 밸런스를 나타내는 무역 수지가 중심이 되며, 기업에 있어서는 통상의 영업 활동의 과정에 있어서 계속적으로 생기는 수입과 지출의 차액을 말함. ↔자본 수지.

경상 수지율【經常收支率】[명]〖경〗경상 수입을 경상 지출로 나눈 값을 백분율로 나타낸 것. 기업·금융 기관 등의 수익 사항을 표시하는 중요한 경영 지표의 하나.

경상 예:산【經常豫算】[—네—] [명]〖경〗경상 세출입을 계상(計上)한 예산. 매회계(每會計) 기간 안에 있어서 규칙적으로 계속되며, 변동이 있더라도 일반적 경향이 있어 그 변동이 예견 가능한 경상적 세출입측, 조세 수입·일반 행정비를 계상함. ↔임시 예산.

경상완 증후군【頸上腕症候群】[명]〖의〗경완(頸腕) 증후군.

경:상 우:도【慶尙右道】[명]〖역〗조선 시대에, 왕성(王城)에서 보아 경상도의 우측, 곧 낙동강(洛東江) 서쪽, 경상도 서부 지역의 행정 구역. 감영(監營)은 성주(星州) 팔거(八莒)에 두었었음. *경상 좌도.

경:상 이:성 현:상【鏡像異性現象】[명] [enantimorphism]〖화〗경상의 관계를 갖는 현상. 좌정(左晶)과 우정(右晶) 또는 두 종의 입체 이성 분자 구조(立體異性分子構造)로 나타남.

경상 이:익【經常利益】[—니—] [명]〖경〗회계상의 이익 개념의 하나. 기업의 통상적인 경영 활동에서, 매기마다 경상적·반복적으로 발생하는 이익. 영업 이익과 영업 외 이익이 있음.

경상-자【輕傷者】[명] 경상을 입은 사람.

경상 재산세【經常財産稅】[—쎄] [명]〖법〗소득세의 보완세(補完稅)의 한 가지. 무수익 재산에도 과세하여 소득세에서 충분히 포착하지 못하였거나 누락된 세원(稅源)을 잡아 부과함. *보완세.

경상-적【經常的】[명][관] 임시적인 변동이 없이 항상 정상적으로 계속하는 모양. ¶ ~ 비용.

경:상 좌:도【慶尙左道】[명]〖역〗조선 시대에, 왕성(王城)에서 보아 경상도의 좌측, 곧 낙동강 동쪽, 경상도 동부 지역의 행정 구역. 감영(監營)은 경주(慶州)에 두었었음. *경상 우도.

경상-참【境上斬】[명] 두 나라에 관련이 있는 죄인을 국경에서 목을 벰. ——-하다 [타][여불]

경-새【更—】[명] 밤마다 일정한 때에 우는 새의 일컬음.

경색[1]【哽塞】[명] 지나치게 울어 목이 멤. ——-하다 [자][여불]

경색[2]【梗塞】[명] ①막힘. 특히, 돈의 융통이 잘 되지 아니하고 막힘. ¶ 금융 ~. ②[infarct]〖의〗혈액 중의 유리물(遊離物)이 모세 혈관의 내강(內腔)을 막아 그 곳에서의 혈액 순환이 잘 되지 아니하여 그 부분 이하의 조직이 영양을 받지 못하여 사멸하는 일. ¶ 심근(心筋) ~. ——하다 [자][여불]

경색[3]【景色】[명] 경치(景致). 경상(景象).

경서[1]【經書】[명]〖책〗유교(儒敎)의 경전(經典). 역경(易經)·서경(書經)·시경(詩經)·예기(禮記)·춘추(春秋)·대학(大學)·논어(論語)·맹자(孟子)·중용(中庸) 등. 경적(經籍). [준]경(經).

경서[2]【經署】[명]〖역〗임금에게 올리는 서류가 어느 관사(官司)를 경유할 것인가에 관하여 동의(同意)하는 서명(署名). ——-하다 [자][여불]

경:서[3]【慶瑞】[명] 경사스러운 조짐. 상서(祥瑞). 경조(慶兆).

경서 교:정청【經書校正廳】[명]〖역〗조선 현종(顯宗) 9년(1668)에 성균관(成均館) 안에 설치한 관아. 경서(經書)의 출판을 맡았음.

경서 정:음【經書正音】[명]〖책〗조선 영조(英祖) 10년(1734)에 간행된 책. 사경(四經)과 사서(四書)의 정문(正文)에 한글로 중국음의 정속 이음(正俗二音)을 달았고 본문에 대한 언해는 없음. 총 30권 16책, 인본임.

경석[1]【輕石】[명]〖광〗속돌.

경:석[2]【磬石】[명]〖광〗안산암(安山岩)의 한 가지. 짙은 검정색이 나며, 단단하여 정으로 치면 맑은 음향을 냄. 경돌.

경-석고【硬石膏】[명]〖광〗결정수(結晶水)가 없는 황산 칼슘. 석고보다 훨씬 단단하고 빛은 무색·백색·회색 등이며 물을 흡수하여 석고가 됨. 석회암·혈암 중에서 천연 석고와 함께 산출됨. [$CaSO_4$]

경선[1]【徑先·輕先】[명] 경솔하게 앞질러 하는 성질이 있음. ¶ 아무리 아는 일이라도 어른에게 물어보아 ~한 태도가 없도록 하였다《李海朝 : 牧丹屛》. ——-하다 [형][여불]. ——-히 [부]

경선[2]【經線】[명] [meridian]〖지〗지구를 그 양극을 통과하는 평면으로 잘랐을 때 그 평면과 지구 표면이 만나는 가상적인 곡선. 또, 그 곡선을 지도에 투영(投影)한 선. 날금. 날줄. 경도선(經度線). 자오선(子午線). [준]경(經). ↔위선(緯線). *경도(經度).

경선[3]【輕儇】[명] 경박하고 간녕(奸佞)함. ¶ 이미 통혼하였으니 ~히 타처로 언약을 옮기지 말라 하셨을 뿐더러…《具然學 : 雪中梅》. ——-하다 [형][여불]. ——-히 [부]

경선[4]【頸腺】[명]〖생〗목에 있는 림프선(lymph 腺).

경선[5]【鯨船】[명] 포경선(捕鯨船).

경:선[6]【競選】[명] 여러 사람을 경쟁시켜 그 중에서 가장 합당한 사람을 뽑음. 또, 그 선거. ¶ 대선(大選) 후보를 위한 ~. ——-하다 [타][여불]

경선 결핵【頸腺結核】[명]〖의〗나력(瘰癧).

경선 벡터【徑線—】[명] [radius vector]〖물〗점(點)의 위치를 표시함에 있어, 기준이 되는 점으로부터 그 점까지 그은 직선을 벡터로 사용한 것. 동경(動徑).

경선-의【經線儀】[—/—이] [명] 크로노미터(chronometer).

경선 종:창【頸腺腫脹】[명]〖의〗각종 병독(病毒)으로 말미암아 목에 있는 림프(lymph)선이 붓는 나력(瘰癧)의 한 가지. *연주창(連珠瘡).

경:-선(:)징【慶善徵】[명]〖사람〗조선 인조(仁祖) 때의 중인(中人) 출신의 산학자(算學者). 자(字)는 여휴(汝休), 벼슬은 교수 활인 별제(敎授活人別提)를 지냄. 산서(算書)《묵사집(嘿思集)》이 전함. [1614-?]

경선-차【傾船差】[명] 배가 기울어져서 배 안의 나침의(羅針儀)에 생기는 오차(誤差).

경설【經說】[명] 경학(經學)의 학설(學說).

경섬【鯨銛】[명] 고래작살.

경-섬유종【硬纖維腫】[명]〖의〗결합직(結合織) 섬유가 많고 단단한 섬유종의 하나. ↔연(軟)섬유종.

경섭【經涉】[명] 산을 넘고 물을 건넘. 곧, 여러 곳을 두루 유력(遊歷)함. ——-하다 [자][여불]

경성[1]【京城】[명] ①도읍(都邑)의 성. 서울. ②〖지〗'서울[2]'의 구명.

경성[2]【硬性】[명] 단단한 성질. ↔연성(軟性).

경:성[3]【景星】[명] 서성(瑞星).

경성[4]【傾性】[—썽] [명] 감성(感性)❸.

경성[5]【傾城】[명] ①성(城)의 수비를 위태롭게 함. ②↗경성지색(傾城之色).

경성[6]【經星】[명]〖천〗①고대 중국에서 항성(恒星)을 이르는 말. 금(金)·목(木)·수(水)·화(火)·토(土)의 다섯 행성(行星)을 위성(緯星)이라고 부르는 데 대해서 씀. ②이십팔수(二十八宿).

경성[7]【經聲】[명] 경문을 읽는 소리.

경:성[8]【磬聲】[명] 경쇠를 치는 소리.

경:성[9]【鏡城】[명]〖지〗함경 북도 경성군의 군청 소재지. 나남(羅南)의 남쪽 경성만(鏡城灣)에 임하여 수륙 교통이 발달되었음. 구 도청 소재지이며 채소·과일 등 특산품이 나고, 관해사(觀海寺)·원수대(元帥臺) 등의 고적이 있음.

경:성[10]【警省】[명] ①깨쳐 살펴봄. ②깨달음. 각성함. ——-하다 [자][여불]

경:성[11]【警醒】[명] ①타일러 깨우침. ②미혹(迷惑)을 깨닫게 함. ——-하다 [타][여불]

경:성-군【鏡城郡】[명]〖지〗함경 북도의 한 군. 관내 2읍 4면. 북은 부령군(富寧郡), 동은 동해, 남은 명천군(明川郡)과 길주군(吉州郡), 서는 무산군(茂山郡)에 닿음. 주요 산물은 쌀·보리·콩·삼 등의 농산과 수산·임산·광산·공산 등이며, 명승지로 주을 온천(朱乙溫泉)·승암산(勝巖山) 등이 있음. [3,060 km²]

경:성 대학교【慶星大學校】[명] 지방 사립 종합 대학교의 하나. 1955년 5월 설립됨. 소재지는 부산 광역시 남구 대연동.

경성-부【京城府】[명]〖일제〗'서울 특별시'의 구칭.

경성부-사【京城府史】[명]〖책〗고대로부터 1919년까지의 서울의 연혁(沿革)을 기록한 책. 1934년에 제1권이 발간됨. 총 3권.

경-성분【硬成分】[명]〖물〗방사선이나 우주선의 방사 손실(放射損失)이 적어 물질을 투과하는 힘이 강한 성분. ↔연성분(軟成分).

경성 신문【京城新聞】[명] 광무(光武) 2년(1898)에 정해원(鄭海源)·윤치소(尹致昭)·윤치호(尹致昊) 등이 중심이 되어 창간(創刊)한 순 한글로 된 상업 신문. 소형(小型) 2 면으로 주(週) 2 회, 제10호까지 발행하고, 제11호부터 '대한 황성 신문(大韓皇城新聞)'으로 개제(改題)됨.

경:성 온:천【鏡城溫泉】[명]〖지〗함경 북도 경성군(鏡城郡) 하온포리에 있는 온천. 라돈천(泉)으로, 수온은 53.5℃임.

경성 전:기 주식 회:사【京城電氣株式會社】[명] '한국 전력 주식 회사'의 전신(前身). [준]경전(京電).

경성 제:국 대학【京城帝國大學】[명]〖일제〗1923년에 일제(日帝)가 서울, 당시의 경성(京城)에 세운 관립 종합 대학. 광복 후에 경성 대학으로 개칭(改稱), 이어 서울 대학교로 됨.

경성 주작전【京城周作典】[명]〖역〗신라의 관아(官衙) 이름. 도성(都城)을 수축(修築)하는 일을 맡음. 설치 연대는 확실하지 않고 경덕왕(景德王) 때 수성부(修城府)로 개칭했다가 혜공왕(惠恭王) 때 다시 환원함.

경성지-색【傾城之色】[명] 경국지색(傾國之色). [준]경성(傾城).

경성 하:감【硬性下疳】[명]〖의〗매독 스피로헤타의 전염으로 음부(陰部)

에 생기는 피부 궤양(潰瘍). 불결한 교접(交接)으로 말미암아 아주 작은 흠집으로부터 병독이 옮는데, 보통은 붉고 둥근 딴딴한 몽치가 생기어 차차로 껍질이 벗어지며 헐게 됨. ↔연성 하감. *혼합 하감.

경성 헌:법【硬性憲法】[一뻡] [명] 〔법〕 개정(改正) 절차가 보통의 법률보다 까다롭게 규정되어 있는 헌법. 경질(硬質) 헌법. 경헌법(硬憲法). 고정(固定) 헌법. ↔연성(軟性) 헌법.

경세[1]【頃歲】[명] 근년(近年).

경세[2]【經世】[명] 세상을 다스림. ——-하다 [자][여불]

경세[3]【輕細】[명] 가볍고 자질구레함. ——-하다 [형][여변]

경세[4]【輕稅】[명] 가벼운 조세·세금. ↔중세(重稅)

경:세[5]【警世】[명] 세상을 깨우침. ——-하다 [자][여불]

경세-가[1]【經世家】[명] 세상 다스리기를 경륜(經綸)하는 사람.

경:세-가[2]【警世歌】[명] 조선 시대 때의 구전(口傳) 민요의 하나. 인생 도처에 함정(陷井)이 있고, 출세도 불우함도 모두 다 자기 몸에서 우러난 결과이므로 부러워할 것도 탄식할 것도 없다는 내용임.

경세 대:전【經世大典】[명] 〔책〕 중국 원나라의 전고(典故)·제도 등을 기록한 책. 원나라 문종의 칙령으로 1331년 간행. 지금은 전하지 않음.

경세 도:량【經世度量】[명] 세상을 잘 다스릴 수 있는 품성(品性).

경:세-설【警世說】[명] 〔문〕 작자·연대 미상의 조선 시대 때의 가사(歌辭). 경세(警世)와 훈민(訓民)을 위해 엮은 것으로, 오륜(五倫)·백발(白髮)·사군(事君)·부부(夫婦)·가족·장유(長幼)·붕우(朋友)·개몽(開蒙)·우부(愚夫)·용부(庸夫)·경신(敬愼)·치산(治産)·낙지(樂只)의 13 편으로 됨. 숙종과 영조 사이의 것으로 추측됨. 초당 문답가(草堂問答歌).

경세 유표【經世遺表】[명] 〔책〕 조선 순조(純祖) 시대 때에 정약용(丁若鏞)이 전라도 강진(康津)에 유배된 동안에 지은 책. 관제(官制)에 관한 고금(古今)의 실례와 또, 자기의 의견을 진술하였음. 32권 16책, 사본. 방례 초본(邦禮草本).

경세 제:민【經世濟民】[명] 세상을 다스리고 백성을 구제함. [준]경제(經濟).

경세지-재【經世之才】[명] 세상을 다스릴 만한 재주. 또, 그러한 사람.

경세지-책【經世之策】[명] 경세(經世)의 방책(方策).

경세 치:용【經世致用】[명] 학문은 실제 사회에 이바지되는 것이 아니면 안 된다는 유교 상의 한 주장.

경:세-편【警世編】[명] 〔책〕 어제 경세편(御製警世編).

경소[1]【京所】[명] 〔역〕 각 지방에서 덕망이 높은 사람을 서울에 불러서 같은 고을 사람끼리 묶게 하여, 그 지방의 일을 주선시키고 의논하게 하던 회소(會所).

경소[2]【輕小】[명] 가볍고 작음. ——-하다 [형][여불]

경소[3]【輕笑】[명] ①가볍게 웃음. ②가벼이 생각하여 웃음. ——-하다 [자][타][여불]

경소[4]【驚騷】[명] 놀라 떠듦. 경조(驚譟). ——-하다 [자][여불]

경-소리【經一】[一쏘一] [명] 〔불교〕 불경(佛經)을 읽거나 또는 외는 소리.

경속【粳粟】[명] 메조[1].

경솔【輕率】[명] 언행(言行)이 진중하지 아니하고 가벼움. 경거(輕遽). 경조(輕佻). ¶ ~한 처사. ——-하다 [형][여불]. ——-히 [부]

경송[1]【勁松】[명] 풍상(風霜)을 맞아도 죽지 아니하는 강한 소나무.

경송 창어세:한(勁松彰於歲寒) [구] 굳센 소나무의 절개는 추운 때에 비로소 나타난다는 말.

경송[2]【輕鬆】[명] 가볍고 질이 거칢. ——-하다 [형][여불]

경:송[3]【競訟】[명] 앞을 다투어 소송함. ——-하다 [자][타][여불]

경송-토【輕鬆土】[명] 흙 알갱이가 매우 작은 화산 회토(灰土). 또, 부식질(腐植質)이 풍부한 토양.

경:-쇠【磬一】[명] ①〔악〕 옛 중국의 타악기(打樂器). 틀에 옥(玉)돌을 달아 뿔망치로 치는 것으로, 은(殷)나라 때의 대표적인 악기가 되고, 주(周)나라 이래 아악기(雅樂器)가 됨. 우리 나라에는 고려 때에 송(宋)나라에서 전해 들어옴. 특경(特磬)과 편경(編磬)이 있음. 경(磬). 석경(石磬). ②〔민〕 판수가 경을 읽을 때에 흔드는 작은 방울. 놋종지 비슷하며, 안에는 치는 추가 달리고 위에는 노끈을 꿰어 손잡이를 만들었음. ③〔불교〕 부처 앞에 절할 때에 흔드는 작은 종. 갸름하고 끝이 벌어졌으며 안에는 치는 추가 달리고 위에는 나무 자루가 있음.

경-수[1]【一數】[一쑤] [명] 경칠 운수(運數).

경수[2]【徑數】[명] 〔수〕 몇 개의 변수(變數)간의 관계를 간접으로 나타내는데 쓰이는 변수. 매개(媒介) 변수. 변조수(變助數).

경수[3]【硬水】[명] 센물. ↔연수(軟水).

경수[4]【經水】[명] 월경(月經).

경수[5]【輕水】[명] 중수(重水)에 대하여, 보통의 물을 이르는 말.

경수[6]【輕囚】[명] 죄가 가벼운 죄수(罪囚).

경:수[7]【慶壽】[명] ①생일 잔치. 특히, 예순살·일흔살·여든살의 생일 잔치. ②천자의 생일.

경수[8]【頸髓】[명] 척수(脊髓)의 경부(頸部). 위쪽은 연수(延髓)에 이어지며 아래쪽은 흉수(胸髓)에 이어짐.

경수[9]【擎手】[명] 경건하게 두 손으로 떠받듦. ——-하다 [타][여불]

경수[10]【鯨鬚】[명] 고래 수염.

경수[11]【黥首】[명] 이마에 새기는 문신(文身). 또, 그 형벌.

경:수[12]【警守】[명] 경계하여 수비함. ——-하다 [타][여불]

경수-로【輕水爐】[명] 〔light-water reactor〕 〔물〕 원자로(原子爐) 내에서 핵분열로 발생하는 중성자(中性子)를 냉각·감속하기 위해 천연수(天然水)를 사용하는 원자로. 중수형로(重水型爐)에 비해 중성자의 흡수가 많고, 핵연료로는 농축 우라늄 이외는 못 씀. 동력로(動力爐)로서 미국에서 개발(開發)되었는데, 냉각 방식에 따라, 비등수형(沸騰水型)과 가압수형(加壓水型)이 있음. 경수형로(輕水型爐).

경수모-류【硬水母類】[명] 〔동〕 군해파리목.

경-수소[1]【輕水素】[명] 〔화〕 수소의 동위 원소(同位元素) 중에서 질량수(質量數)가 2 또는 3인 중수소(重水素)에 대하여, 질량수 1인 보통의 수소를 말함.

경:수-소[2]【警守所】[명] 〔역〕 순라군(巡邏軍)이 밤에 거처하는 곳. 한 칸 남짓한 옮겨 갈 수 있도록 된 건물임. *복처(伏處).

경-수필【輕隨筆】[명] 〔문〕 수필 중에서 논리성보다는 주관적·감성적인 상념을 중점적으로 표현한 수필. 수상록(隨想錄)·잡문(雜文) 따위. 미셀러니(miscellany). *연수필(軟隨筆).

경숙【經宿】[명] 임금이 대궐을 떠나 다른 곳에서 밤을 지냄. ——-하다 [자][여불]

경:순[1]【敬順】[명] 삼가 순종함. ——-하다 [자][여불]

경순[2]【輕巡】[명] 〔군〕 ↗경순양함.

경:순[3]【警巡】[명] 경계하여 순찰함. ——-하다 [타][여불]

경-순양함【輕巡洋艦】[명] 〔군〕 소형의 순양함. [준]경순(輕巡).

경:순-왕【敬順王】[명] 〔사람〕 신라 제 56 대 마지막 왕. 성은 김(金). 휘는 부(傅). 경애왕(景哀王)이 죽은 후 견훤에 의하여 등극하였는데, 935년에 고려 왕건(王建)에게 나라를 바쳤음. 그 후 왕건의 딸 낙랑 공주에게 장가들어 경주(慶州)에서 여생을 보내다가 고려 경종(景宗) 3년(978)에 죽음. [재위 927-935]

경:순왕-신【敬順王神】[명] 〔민〕 무속(巫俗)에서 받드는 왕신(王神)의 하나. 신라의 마지막 왕인 경순왕의 신령.

경술[1]【庚戌】[명] 〔민〕 육십 갑자(六十甲子)의 마흔일곱째.

경술[2]【經術】[명] 유가(儒家)의 경서(經書)에 관한 학문. 경학(經學).

경:술 국치【庚戌國恥】[명] 〔역〕 1910년 8월 29일 한국이 통치권을 일본에 빼앗긴 국치(國恥)의 사실(史實). 1910년이 경술년(年)이어서 이 이름이 붙었으며, 국권 피탈(國權被奪)·일제 강점(日帝強占)·일제 병탄(併呑) 등으로 일컬음.

경-스승【經一】[一쓰一] [명] 〔불교〕 경문의 뜻을 풀어 가르치는 법사(法師). 강사(講師). 경사(經師). 강주(講主).

경:습【瓊什】[명] 경장(瓊章).

경승[1]【景勝】[명] 경치가 좋음. 또, 그러한 곳. 경승지지. *승지(勝地).

경:승[2]【敬承】[명] ①삼가 계승(繼承)함. ②삼가 받음. ——-하다 [타][여불]

경-승용차【輕乘用車】[명] 배기량 1,000 cc 이하의, 소형 자동차보다 작은 자동차. [준]경차.

경승-지【景勝地】[명] ↗경승지지(景勝之地).

경승지-지【景勝之地】[명] 경치가 좋은 곳. 승지(勝地). 보승지(保勝地). [준]경승지.

경시[1]【更始】[명] 고치어 시작함. ——-하다 [타][여불]

경시[2]【庚時】[명] 〔민〕 이십사시(二十四時)의 열여덟째 시. 곧, 오후 4 시 반부터 5시 반까지의 동안. [준]경(庚).

경시[3]【京試】[명] 〔역〕 3 년마다 서울에서 보던 소과(小科)의 초시(初試).

경시[4]【勁矢】[명] 센 화살. 경전(勁箭).

경시[5]【卿寺】[명] 〔역〕 구경(九卿)이 있는 관서(官署).

경시[6]【經始】[명] ①집을 짓기 시작함. ②경영에 착수함. ——-하다 [타][여불]

경시[7]【輕視】[명] 가볍게 봄. 깔봄. ¶ 인명을 ~하다. ↔중시(重視). ——-하다 [타][여불]

경:시[8]【警視】[명] ①〔역〕 대한 제국(大韓帝國)의 관직. 광무(光武) 11년(1907)에 경무청을 경시청(警視廳)으로 고치면서 경시청과 각도(各道)의 관찰부(觀察府)에 두었던 경찰관의 고등관. ②〔일제〕 경찰관의 한 계급. 지금의 총경(總警)에 해당함.

경시-감【京市監】[명] 〔역〕 조선 시대 초엽에, 경시서(京市署)·평시서(平市署)의 딴이름.

경시-관【京試官】[명] 〔역〕 3 년마다 각 도(各道)에서 과거(科擧)를 보일 때에 서울에서 파견하던 시험관.

경시-서【京市署】[명] 〔역〕 ①고려 때, 서울의 시전(市廛)을 관리·감독하던 관아(官衙). ②조선 시대 때, 서울의 시전을 관리·감독하고 물가 조절에 관한 일을 맡아 보던 호조(戶曹) 소속의 관아. 세조(世祖) 12년(1466)에 평시서(平市署)로 고침. *경시감(京市監).

경:시-종【警時鐘】[명] 지정한 시각(時刻)에 종을 쳐서 소리를 내어 잠을 깨워 주는 시계. 성종(醒鐘). 파면종(破眠鐘).

경:시-청【警視廳】[명] ① 〔역〕 광무(光武) 11년(1907)에 경무청을 고친 이름. 같은 해인 융희(隆熙) 원년에 감옥(監獄) 사무는 법부(法部)로 넘기고, 융희 4년까지 있었음. ②일본 도쿄 도(東京都) 경찰의 본부.

경식[1]【京式】[명] 서울식(式). 북경식(北京式).

경식[2]【耕食】[명] 농사를 지어 살아 나감. ——-하다 [자][여불]

경식[3]【耕植】[명] 토지를 경작하여 농작물을 재배함. ——-하다 [타][여불]

경식[4]【硬式】[명] 야구·정구에서 단단한 공을 사용하는 방식. ¶ ~ 야구. ↔연식(軟式).

경식[5]【頸飾】[명] 목의 장식. 목걸이.

경식 비행선【硬式飛行船】[명] 골격은 금속으로 되고, 그 속에 몇 개의 기낭(氣囊)이 있으며 겉은 도료(塗料)를 칠한 질긴 천으로 씌운 비행선. ↔연식(軟式) 비행선.

경식 야:구【硬式野球】[一냐一] [명] 경구(硬球)를 사용하는 야구. ↔연식(軟式) 야구.

경신[1]【更新】[명] 먼저 것을 고치어 새롭게 함. ¶ 기록 ~. *갱신(更新). ——-하다 [타][여불]

경신[2]【庚申】[명] 〔민〕 육십 갑자(六十甲子)의 쉰일곱째.

〔경신년(庚申年) 글 강 외듯 한다〕 ㉠한 가지 일을 신신부탁하는 것을 일컬음. ㉡하지 않아도 좋은 말을 거듭 되풀이하는 모양. ¶ 정길이를 속여 오늘 밤 일이 소원 성취가 되겠다고 경신년 글강 외우듯 연해 되풀이로 하며 《李海朝:鬢上雪》.

경신(을) 새:다 [구] 〔민〕 경신일(庚申日)에 밤을 새다. *경신 수야(庚申守夜).

경신[3]【京信】[명] ①서울에서 온 편지. ②서울 소식. 경모(京耗).

경:신[4]【敬信】[명] 존경하며 믿음. ——-하다 [타][여불]

경:신[5]【敬神】[명] 신(神)을 공경함. ——-하다 [자][여불]

경:신[6]【敬愼】[명] 삼감. 조심함. 근신함. ——-하다 [타][여불]

경신[7]【輕信】[명] 경솔하게 믿음. 깊이 생각하지도 않고 믿음. ——-하다 [타][여불]

경-신경절【頸神經節】[명] 〔생〕 교감 신경(交感神經)에 속하는 신경절. 경추(頸椎)의 횡돌기(橫突起) 앞에 있음. 상(上)경신경절·중(中)경신경절·하(下)경신경절의 셋이 있음.

경:신-덕【敬神德】[명] 〔천주교〕 최고의 윤리덕. 천주에게 합당한 흠숭지례(欽崇之禮)를 다하는 덕.

경:신록 언:해【敬信錄諺解】[—녹—] 명 〖책〗조선 고종 17년(1880)에 간행된 책. 태상 감응편(太上感應篇)·문창 제군 음즐문(文昌帝君陰騭文)·문창 제군 권효문(勸孝文) 등, 여러 도교(道敎)에 관한 설교를 순 한글로 풀이한 것. 1권. 인본(印本)임.

경신 박해【庚申迫害】명〖역〗조선 철종 11년(1860) 경신년(庚申年)에 일어난 천주교 박해 사건. 좌포도장(左捕盜將) 임태영(任泰瑛)과 우포도장(右捕盜將) 신명순(申命淳)이 천주교에 대한 개인적인 반감으로 조정의 허락 없이 서울과 지방의 교인촌을 급습, 30여 인의 신자들을 체포하여 서울로 압송하였으나, 당시의 세도가 김병기(金炳冀) 등의 반대로 두 포도대장은 파면되고 교인들은 석방됨.

경신 사:화【庚申士禍】명〖역〗이 사건의 관계자가 뒤에 신원(伸寃)되었으므로, 남인(南人) 사회에서 '경신 출척(庚申黜陟)'을 일컫는 말.

경신 수야【庚申守夜】명〖민〗섣달 중의 경신일(庚申日)에는 자지 않고 밤을 지켜야 복을 얻는다는 도교(道敎)에서 나온 풍습. *경신(을) 새다.

경:신 숭조【敬神崇祖】명 신(神)을 공경하고 조상을 존중함.

경신 전:정【更新剪定】명 쇠약한 과수(果樹)를 개선하기 위한 전정.

경신 정변【庚申政變】명〖역〗경신 출척(庚申黜陟).

경신 출척【庚申黜陟】명〖역〗조선 숙종(肅宗) 6년(1680)에 남인(南人)이 쫓겨나고 서인(西人)이 득세한 사건. 당시의 영상(領相)인 허적(許積)의 서자(庶子) 허견(許堅)이 복선군(福善君)을 끼고 역모한다고 서인 김석주(金錫胄)·김만기(金萬基) 등이 고발하여 남인 일파를 몰아 내었음. 경신 정변(政變).

경신 환:국【庚申換局】명〖역〗이 사건으로 정국(政局)이 일시에 바뀌었다 하여 '경신 출척(庚申黜陟)'을 일컫는 말.

경실¹【京室】명 왕실(王室).

경:실²【苘實】명〖한의〗어저귀의 씨. 강장제(強壯劑)로 씀.

경실³【硬實】명 충분히 여물었으면서 수확 후, 곧 채종(採種)하여 두어도 오랜 동안 싹트지 않는 씨껍질이 단단한 종자. 콩·붉은토끼풀 같은 종자.

경심¹ 명〈방〉점심(點心)❶(함북).

경심²【徑深】명〖물〗수류(水流) 방향에 직각인 흐름의 단면적(斷面積)을, 이 단면이 외주(外周)와 접하는 길이로 나눈 값. 유량(流量)의 계산에 쓰임.

경심³【傾心】명 [metacenter]〖물〗부체(浮體)에 있어서의 기울기의 중심. 부체(浮體)를 그 평형(平衡)한 위치에서 조금 기울였을 때 부력(浮力)의 작용선(作用線)이, 본디의 평형 위치에서의 부력의 작용선과 교차하는 점. 기울기의 각도에 따라 그 점이 달라짐. 메타센터. 의중심(擬中心). 외심점(外心點).

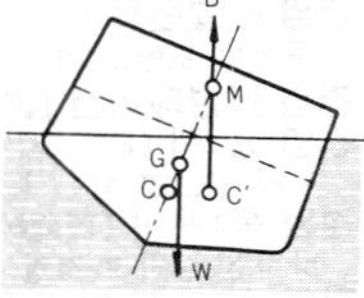

G 중심(重心)
M 경심(傾心)
C 평형 상태의 부심(浮心)
C' 기울었을 때의 부심(浮心)

〈경심³〉

경심 동:백【驚心動魄】명 더없이 놀라고 두려워함을 일컫는 말.

경아【驚訝】명 놀라고 의아하게 여김. ——-하다 자 여불

경아 가루 명 붉은 팥을 삶은 앙금을 참기름에 비벼서 햇볕에 말린 가루. 개성(開城) 경단의 고물로 쓰임.

경-아리【京—】명 간사한 서울 사람을 가리키는 말.

경-아문【京衙門】명〖역〗서울의 각 관아.

경-아전【京衙前】명〖역〗중앙 관아의 이속(吏屬).

경악¹【經幄】명〖역〗경연(經筵)❶.

경악²【驚愕】명 깜짝 놀람. ——-하다 자 여불

경악 교향곡【驚愕交響曲】명〖악〗하이든 작곡의 교향곡 제94번 G 장조(長調)의 속칭. 1792년 초연(初演). 제2악장의 팀파니를 동반하는 강주(強奏)를 갑자기 나타내어 놀라게 했다는 데서 이 명칭이 붙었음.

경악 반:응【驚愕反應】명〖의〗심인성(心因性) 반응의 하나로, 갑자기 엄습한 위험에 대하여 나타내는 반응. 안면이 창백해지고 식은 땀이 나며, 가슴이 울렁거리고 소름이 돋음. 또, 수의근(隨意筋)의 긴장 변화로 말미암아 몸이 강직(強直)해지고, 정신적으로도 의식 상실이나 혼탁·몽롱 상태 등이 나타남. 경악 신경증.

경악 신경증【驚愕神經症】[—쯩] 명〖의〗경악 반응.

경안¹【京案】명〖역〗조선 시대 때, 서울의 각 관부(官府)의 노안(奴案).

경안²【經眼】명〖불교〗불경을 보고 이해할 만한 안식(眼識).

경:안-악【景安樂】명〖악〗악장의 이름. 선농(先農)·선잠(先蠶)·우사(雩祠)의 제향(祭享) 때에 신(神)을 맞거나 보내는 악(樂).

경:안-천【慶安川】명〖지〗경기도 용인군(龍仁郡)에서 시작하여, 광주(廣州) 등지를 거쳐 한강으로 들어가는 내. 일제 강점 때에는 김량천(金良川)이라 불렀음. [49.5km]

경알【鯁訐】명 남의 잘못을 직언(直言)하여 들춰냄. ——-하다 타 여불

경압【傾壓】명 [baroclinity]〖물〗등압면(等壓面)과 등밀도면(等密度面)이 교차하고 있는 유체(流體)의 상태.

경:앙¹【敬仰】명 공경하고 우러러봄. ——-하다 타 여불

경:앙²【景仰】명 덕(德)을 사모하여 우러러봄. ——-하다 타 여불

경:애¹【敬愛】명 공경하고 사랑함. 애경(愛敬). ——-하다 타 여불

경애²【境涯】명 환경과 생애(生涯).

경:애-왕【景哀王】명〖사람〗신라의 제55대 왕. 성은 박(朴). 경명왕(景明王)의 동모제(同母弟). 왕건(王建)과 합작하여 견훤(甄萱)을 치고자 하던 중 포석정(鮑石亭) 놀이에서 견훤에게 잡히어 자진(自盡)을 강요당하여 자살하였음. [재위 924-927]

경:야¹【竟夜】명 달야(達夜). ——-하다 자 여불

경야²【經夜】명 ①밤을 지냄. ②죽은 사람을 장사 지내기 전에 근친 지기(近親知己)들이 그 관(棺) 곁에서 밤새도록 지키는 일. ——-하다 타 여불

경양【京樣】명 서울의 풍속.

경:양²【敬讓】명 상대를 존경하여 삼가 사양함. ——-하다 자 여불

경-양식【輕洋食】명 간단한 양식(洋食). 간단한 서양식 일품 요리. 오므라이스·카레 라이스·토스트 등.

경어¹【京魚】명 ①경어(鯨魚). ②큰 어류(魚類).

경:어²【敬語】명 공경(恭敬)하는 뜻을 나타내는 말. 높임말. 공대말. 존경어. 존칭어.

경어³【鯨魚】명〖동〗고래. 경어(京魚).

경-어리【京御吏】명〖역〗지방관(地方官) 이하의 이속(吏屬) 등이 서울에 출장할 때의 제반 사무 및 숙박을 주선하고, 비용이나 금전의 대차(貸借) 등을 알선하던 아전(衙前).

경:어-법【敬語法】[—뻡] 명〖언〗공손법(恭遜法).

경언¹【京言】명 서울 사람이 쓰는 말. 서울말.

경언²【傾偃】명 기울어져 쓰러짐. 또, 기울이어 쓰러뜨림. ——-하다 자 타 여불

경언³【鯁言】명 강직하여서 기탄없이 바르게 하는 말.

경업¹【耕業】명 농업(農業).

경:업²【競業】명 영업 상의 경쟁. ——-하다 자 여불

경:업 금:지【競業禁止】[—끔—] 명〖법〗특정의 지위에 있는 사람 또는 특정의 지위를 양도 받은 사람이 그 지위를 획득시킨 사람과 경업함을 금지하는 일. 지배인·대리상·이사(理事) 및 합명 회사 사원·합자 회사의 무한 책임 사원이 이 의무를 가지며, 또 영업 양도인에 대해서도 일정한 지역·연한 내에 양수인과의 경업함이 금지되어 있음. 경업 피지.

경:업 피:지【競業避止】명〖법〗경업 금지.

경-없다【景—】[—업—] 형 ☞ 경황없다.

경-없이【景—】[—업씨] 부 ☞ 경황없이.

경-여갑당【京餘甲幢】명〖역〗신라 군영(軍營)의 이름. 삼십구 여갑당(三十九餘甲幢)의 하나.

경여갑당-주【京餘甲幢主】명〖역〗신라 경여 갑당의 으뜸 벼슬. 15명 두었는데, 위계(位階)는 급찬(級飡)에서 사지(舍知)까지였음.

경역¹【境域】명 경계(境界)의 지역(地域). 경계 안의 땅. 계역(界域).

경역²【輕役】명 힘이 덜 드는 쉬운 일.

경-역리【京役吏】[—니] 명〖역〗경저리(京邸吏).

경-연¹【硬軟】명 딱딱함과 부드러움. 굳음과 무름.

경연²【硬鉛】명〖화〗5-10%의 안티몬을 함유한 납의 합금. 납축전지용의 극판(極板)·내산 기기(耐酸機器)의 부분 등에서 주물(鑄物)로서 쓰임.

경연³【輕軟】명 가볍고 부드러움. ——-하다 형 여불

경연⁴【經筵】명〖역〗①임금 앞에서 경서를 강론하는 자리. 경악(經幄). 경유(經帷). ②↗경연청(經筵廳).

경:연⁵【慶宴】명 경사스러운 잔치.

경:연⁶【慶筵】명 경사스러운 잔치를 벌인 자리.

경:연⁷【競演】명 연극이나 가극·시문(詩文) 등의 재주를 비교하기 위하여 실연(實演)함. ¶ ~ 대회(大會). ——-하다 타 여불

경연-관【經筵官】명〖역〗경연(經筵)에 참예하는 관원.

경-연극【輕演劇】[—년—] 명 오락을 본위로 하는 가벼운 연극.

경연-원【經筵院】명〖역〗경적(經籍)과 문한(文翰)을 보관하고 시강(侍講)과 대찬(代撰)에 관한 사무를 맡은 관아. 조선 고종(高宗) 32년(1895)에 경연청(經筵廳)을 폐하고 베푼 것인데, 건양(建陽) 원년(1896)에 홍문관(弘文館)으로 개칭(改稱)하였음.

경연일 강:관【經筵日講官】명〖역〗조선 때, 경연을 하는 날에 임금에게 경서(經書)를 강독(講讀)하던 벼슬. 제학(提學) 또는 부제학의 천거를 받은 사람을 임금에게 청하여 임명했음.

경연 일기【經筵日記】[—닐—] 명〖책〗경연 시강관(經筵侍講官)의 진강(進講)을 적은 책. 조선 영조(英祖) 19년(1743)부터 정조(正祖) 5년(1781)에 이르는 38년 간의 것을 기록하였음. 1권. 사본.

경연-청【經筵廳】명〖역〗임금 앞에서 경적(經籍)의 강론(講論)을 맡은 관청. 조선 태조(太祖) 원년(1392)에 두었음. 고종 31년(1894)에 여기에 홍문관(弘文館)과 예문관(藝文館)을 합하였다가, 다음해에 폐하고 경연원(經筵院)을 두었음. 분사(分司). ㈜경연(經筵).

경연 특진관【經筵特進官】명〖역〗조선 성종 2년(1471)에 둔 특설 경연관. 현직 문과 삼품 이상이나 문무 음관(陰官) 이품 이상으로서, 의정부(議政府)·육조(六曹)·한성부(漢城府) 관리를 역임한 자 중에서 홍문관(弘文館)의 추천에 의하여 임명함.

경:연-회【競演會】명 연극·가극·시문 등의 경연을 하는 모임.

경열¹【庚熱】[—녈] 명 삼복(三伏) 더위. 복열(伏熱).

경열²【哽咽】명 몹시 슬퍼서 목이 메어 흑흑 느끼어 욺. ——-하다 자 여불

경열³【輕熱】명〖의〗체온이 38.1°C-38.5°C 되는 열.

경열-성【傾熱性】[—썽] 명〖식〗감열성(感熱性).

경염¹【庚炎】[—념] 명 삼복중(三伏中)의 불꽃과 같은 더위. 복염(伏炎).

경염²【硬塩】명〖광〗암염(岩塩).

경:염³【競艶】명 여자의 아리따움을 겨룸. ¶ ~ 대회. ——-하다 자 여불

경-염불【經念佛】[—념—] 명〖불교〗경문을 읽으며 부처님을 생각함. ——-하다 자 여불

경-염전【莖捻轉】[—념—] 명〖의〗줄기를 갖고 있는 가동성(可動性)이 큰 장기(臟器)나 종양(腫瘍)이 그 줄기의 주위로 염전하여 여러 가지 증상을 나타내는 현상. 난소(卵巢) 종양에 흔히 발생함. 그 부위의 혈관이 눌려서 순환 장애가 일어나고 괴사(壞死)하며 심한 압통(壓痛)을 느낌.

경엽【莖葉】명 ①줄기와 잎. ②〖식〗식물, 특히 초본(草本) 식물에서, 뿌리 쪽에 모여서 나는 잎과 이것보다 위쪽에 나는 잎이 다른 형태를 갖는 경우 후자(後者)를 일컫는 말. ↔근엽(根葉).

경엽 식물【莖葉植物】명〖식〗[Cormophyte] 생활사(生活史) 중에 경엽체(莖葉體)를 갖는 식물의 총칭. 보통 선태(蘚苔) 식물·양치(羊齒) 식물·종자(種子) 식물을 아울러 말하는데, 학자에 따라서는 선태 식물을 제외하기도 함. ↔엽상(葉狀) 식물. *관다발 식물.

경엽-체【莖葉體】명〔cormus〕〖식〗관다발의 분화(分化)가 인정되는 식물체. 조직학적으로 뿌리·줄기·잎의 구별이 확실함. ↔엽상체(葉狀體).

경영[1]【京營】명〖역〗조선 시대 때, 서울에 있던 훈련 도감(訓鍊都監)·금위영(禁衛營)·어영청(御營廳)·수어청(守禦廳)·총융청(摠戎廳)·용호영(龍虎營)의 총칭. 훈련 도감·금위영·어영청을 삼영(三營)이라 하고, 총융청까지를 오영(五營)이라 함. 각기 방색(方色)을 따라서 기치(旗幟)의 빛이 다름. 수어청이 남한(南漢)에 출진(出鎭)한 뒤 용호영이 오영의 수(數)채움이 됨.

경영[2]【經營】명 ①규모(規模)를 정하고 기초를 닦아 집 따위를 지음. ②계획·연구하며 일을 해 나감. 경기(經紀). ¶천하를 ～하다/학교 ～의 난점. ③계속적·계획적으로 사업을 해 나감. 또, 그 조직. ¶～난(難). ——-하다 타여불

경:영[3]【鏡映】명〖수〗①평면 도형(圖形)을 뒤집는 일. 또, 두 개의 평면 도형이 서로 뒤집힌 상태로 되어 있을 때의 한쪽의 다른쪽에 대한 말. ②공간 도형을 어떤 평면에 대하여 면대칭(面對稱)인 것에 옮기는 일. 또, 두 개의 공간 도형이 면대칭일 때의 한쪽의 다른쪽에 대한 일컬음.

경:영[4]【競泳】명 수영 경기의 하나. 일정한 거리를 각종의 헤엄 방법으로 속도를 다투어 경기함. 또, 그 경기. ——-하다 자여불

경:영[5]【競映】명 영화를 경쟁하여 상영함. ——-하다 자여불

경영 가족주의【經營家族主義】[—/—이] 명 기업 경영에서, 경영자와 종업원을 한 가족으로 보고 가부장적(家父長的) 온정주의(溫情主義)를 경영의 기본 이념으로 하는 방식.

경영 감사【經營監査】명 업무 감사(業務監査).

경영 경제학【經營經濟學】명〖경〗경영학(經營學).

경영 계:열화【經營系列化】명〖경〗중소 경영을 합리화(合理化)하기 위하여, 다수의 중소 경영을 생산 기술적 견지(生産技術的見地)에서 조직화하여 대경영(大經營)에 대응하게 하는 일.

경영 계:획【經營計劃】명 기업 목적을 실현하기 위하여, 그 방침·절차·조직·활동량 등에 관하여 대체(代替) 가능한 안(案) 중에서 선택하는 경영 관리 과정.

경영 공학【經營工學】명〔management engineering〕〖경〗기업의 경영 관리에 분석·실험·설계 등 일련의 공학적 방법을 응용하는 학문 분야. 인물·물자·자금의 종합체를 대상으로 하며, 생산 관리 공학·시스템 공학에 밀접하게 관련되는데, 기업 계획·엠 아이 에스(M.I.S.) 등의 현대적 수법이 원용(援用)됨. *경영 정보 시스템.

경영 관리【經營管理】[—괄—] 명〖경〗①최대 이윤을 획득하기 위하여 기업 경영의 활동 전반을 합리적·과학적으로 운영하는 일. 또, 그를 위한 여러 기술의 체계. *테일러 시스템(Taylor system). ②노동조합이 쟁의(爭議) 수단의 하나로써 공장을 점거하고 생산을 계속하면서 업무를 관리하는 일.

경영-권【經營權】[—꿘] 명〖경〗기업자가 자기 기업체를 관리 경영하는 권리. 법률로써 규정된 권리는 아니지만 재산권(財産權)의 일종으로 기업자가 가지는 기본적인 권리로서 때로는 노동자측의 단결권 등 노동 기본권에 대응하는 말이 되기도 함.

경영-난【經營難】명 경영해 나가기가 어려움. 사업 경영이 시원치 않음. ¶～에 허덕이다.

경영 농용지【經營農用地】명〖농〗농업 경영에 사용되는 토지. 경지(耕地) 이외에 채초지(採草地)·방목지(放牧地)와 농경용(農耕用)의 수로(水路), 수확물의 건조·탈곡(脫穀)에 사용되는 지대(地垈) 등 농업 경영에 직접 필요한 모든 토지를 포함함.

경영 다각화【經營多角化】명〔diversification〕〖경〗기업이 몇 종류의 업종을 동시에 경영하는 방향을 취하는 일. 위험 분산(分散)·부산물 이용·시장(市場) 지배력 강화 등을 목적으로 함.

경-영문【京營門】명〖역〗서울에 있던 각 영문.

경영 분석【經營分析】명〖경〗경영자·투자가(投資家)·여신자(與信者)·정부 그 밖의 각종 이해 관계자가 기업 내용의 좋고 나쁨을 판단하기 위하여 계수적(計數的)으로 파악된 기업의 경제 활동의 여러 양상(樣相)을 일정한 방법으로 분석하는 일.

경영-비【經營費】명 기업체나 사업을 경영하는 데 드는 비용.

경영 비:교【經營比較】명〖경〗특정 시점(時點)·기간의 기업(企業)의 재정 상태·경영 활동을 다른 시점·기간의 그것과 비교하거나, 다른 기업체의 경영과 비교 분석하여 기업 내용의 잘잘못을 판단하는 일.

경영-사【經營士】명 경영 컨설턴트(經營 consultant).

경영 사회학【經營社會學】명〖경〗경영의 사회학적 연구를 하는 학문. 곧, 기업 내부의 인간 관계를 연구하는 학문. 제1차 대전 이후 발생하여 제2차 대전 이후 미국에서 급격히 발전한 신흥 과학임.

경영 위치【經營位置】명〖미술〗동양화에서 쓰는 말로, 화면을 살리기 위한 배치법. 중국 남제(南齊) 사람 사혁(謝赫)의 《고화 품록(古畫品錄)》이란 책에서 말한 화육법(畫六法) 중의 한 조목. *구도(構圖).

경영-자【經營者】명〖경〗기업(企業)을 경영하는 사람. 고용 관계(雇傭關係)에서는 고용주를 말함. 소유와 자본이 분리되지 않은 기업에서는 자본가(資本家)·기업가(企業家) 등과 같은 의미임. 주식 회사에서는 이사회(理事會) 및 대표 이사.

경영자 교:육【經營者敎育】명 기업이 복잡화·대규모화해짐에 따라 그 경영자에게 요구되는 고도의 경영 능력을 육성하기 위한 교육.

경영 자금【經營資金】명〖경〗사업의 나날의 경영에 필요한 자금. 원료의 구입 자금 등과 같이 연달아 운전되는 자금. 운영 자금. *설비 자금(設備資金).

경영자 단체【經營者團體】명〖경〗특정한 목적 밑에 결성된 경영자의 조직. 특히, 노동 운동의 대두(擡頭)에 대응(對應)하여 노사(勞使) 문제의 해결을 위해서 산업별·지역별로 결성된 조직이 많음.

경영 자본【經營資本】명〖경〗사업의 경영에 직접적으로 충당되는 자본. *설비 자본(設備資本).

경영 자:원【經營資源】명 기술, 연구 개발, 판매 활동, 자금 조달 능력 등, 기업으로서의 종합적인 경영 능력.

경영자 혁명【經營者革命】명〖경〗자본주의가 고도로 발달하고 기업 경영이 특수화하여 감에 따라 자본가 대신에 경영자가 보다 유리한 입장에서 이익 분배에 참여하게 되고 사회의 지배자가 되는 현상.

경영 재단【經營財團】명 영단(營團).

경영 전:략【經營戰略】[—절—] 명〔business strategy〕〖경〗장기 경영 계획을 기본 플랜으로 하고 앞으로 닥쳐올 기업의 구조 변혁을 전망하면서 이에 맞추어서 기업을 경영해 나가는 체제. 대표적인 예로, 기업의 다각화·집단화·합판(合辦)·해외 진출 따위가 있음.

경영 정보 시스템【經營情報—】명〔management information system: M.I.S.〕〖경〗경영체(經營體)의 여러 계층의 관리자에 대하여, 그 경영 관리에 필요한 정보를 재빨리 제공하는 시스템.

경영 조직【經營組織】명〖사〗생산 활동을 협동(協同) 활동의 목적으로 하는 조직.

경영-주【經營主】명 기업을 경영하는 주인.

경:영-지【競泳池】명 수영을 연습하기 위하여 설비한 못. 풀(pool).

경영 지표【經營指標】명〖경〗기업의 재무 상태, 수익성, 생산성을 나타내는 지표를 총칭하는 것으로, 기업의 경영 상태를 판단하는 중요한 자료. 자본 회전율, 매출액 대 영업 이익률, 종업원 1인당의 생산량 따위가 주요 항목임.

경영 진:단【經營診斷】명〖경〗기업 경영에서 자체적으로 해결하기 어려운 문제가 생기거나 앞으로의 기업 발전 방향 등의 확인이 필요할 때, 이를 위해 기업 외부의 전문 조직 또는 개인에게 의뢰하여 실시하는 진단.

경영 참가【經營參加】명〖사〗기업 경영의 민주화 방식(方式)으로서, 근로자가 기업 경영에 참가하는 일.

경영 컨설턴트【經營—】〔consultant〕명〖경〗경영 문제에 관하여, 전문적인 조언(助言)·권고를 하는 것을 직업으로 하는 사람. 경영사.

경영 컨설테이션【經營—】〔consultation〕명 기업 진단.

경영 통:계【經營統計】명〖경〗한 기업의 입장에서 볼 때, 그 경영 활동상 필요로 하는 통계 자료의 총칭.

경영 통:계학【經營統計學】명〖경〗경영 통계 자료에 입각하여 기업 방침을 정하고 경영 관리를 행하는 수법을 연구하는 학문.

경영 평가 심:의 위원회【經營評價審議委員會】[—까—/—까—이—] 명〖법〗국영 기업체의 경영을 평가하기 위하여 경제 기획원에 둔 심의 기관. 경제 기획원 장관을 위원장으로 하고 주무부(主務部) 장관·재무부 장관과 관계 전문가를 위원으로 구성함. 기업으로부터 1년에 한 번 경영 실적 보고서를 제출받아, 성과 요인(成果要因)을 분석하고, 손익·투자 활동·품질 향상·경영 전략 등을 종합 평가함.

경영-학【經營學】명〖경〗기업 경영을 경제적·기술적·인간적 여러 측면에서 연구 대상으로 하며, 기업 활동의 실천 원리를 밝히는 사회 과학. 경영 경제학.

경영학-과【經營學科】명〖교〗대학에서, 경영학을 전공하는 학과. *경제학과.

경영 합리화【經營合理化】[—니—] 명〖경〗기업 경영에 있어서, 업무 조직·생산 계획·생산 방법·노무 관리(勞務管理)의 방법 등을 개선함으로써 비용을 최소 한도로 줄이기 위하여 노력하는 일.

경영 협의회【經營協議會】[—/—이—] 명〖사〗노동자가 경영에 참가하기 위하여 사용자(使用者)측과 협의하는 협약적(協約的)인 기관.

경영 형태【經營形態】명〖경〗개개의 기업의 조직 형태. 곧, 개인 상점·합자 회사·합명 회사·유한 회사·주식 회사 등의 구별과 그 내부 구조를 말함.

경:영 환:각【鏡映幻覺】명 자체 환각(自體幻覺).

경예[1]【經藝】명 경서(經書)에 관한 학예.

경예[2]【輕銳】명 ①날래고 예리함. ②날랜 정예 군사. ——-하다 형여불

경예[3]【鯨鯢】명 ①고래의 수컷과 암컷. ②고래[1]❶.

경오[1] 명 ←경위(涇渭). ¶～가 밝은 사람.

경오[2]【庚午】명〖민〗육십 갑자(六十甲子)의 일곱 번째.

경:오[3]【警悟】명 영특하여 빨리 깨달음. ——-하다 타여불

경오 왜변【庚午倭變】명〖역〗조선 중종(中宗) 5년(1510) 경오년(庚午年)에 일어난 삼포 왜란(三浦倭亂)의 딴이름. 경오의 난.

경오의 난:【庚午—亂】[—/—에—] 명〖역〗경오 왜변(庚午倭變).

경오-자【庚午字】명〖역〗조선 문종(文宗) 즉위년(1450)에 만든 구리 활자. 안평 대군(安平大君)의 글씨를 자본(字本)으로 하여 만들었으나, 활자는 전해지지 않음. 간행본은 《고문 진보(古文眞寶)》 1권이 전함.

경-오종당【京五種幢】명〖역〗신라 군영(軍營)의 이름.

경옥[1]【硬玉】명〖광〗알칼리 휘석(輝石)의 한 가지. 규산(珪酸)·산화 알루미늄·나트륨으로 된 단사 정계(單斜晶系)의 광물. 치밀한 덩어리로 빛은 녹색·청록(青綠)·녹백(綠白)이며 투명하거나 반투명함. 경도(硬度)는 수정과 같음. 보통 옥(玉)이라 하는 것은 대개 이것이며, 짙은 푸른 빛의 것을 비취옥(翡翠玉)이라 함.

경:옥[2]【鏡玉】명 사진기의 어둠 상자의 안쪽이나 안경 또는 망원경 등에 장치하는 렌즈.

경:옥[3]【瓊玉】명 아름다운 옥.

경:옥-고【瓊玉膏】명〖한의〗정혈(精血)을 돕는 보약의 한 가지.

경와【經瓦】명〖불교〗경문을 새기어 땅 속에 묻는 기와.

경완【驚惋】명 놀라 탄식함. ——-하다 자여불

경완 증후군【頸腕症候群】명〔cervicobrachial syndrome〕〖의〗목덜미에서 어깨·상완(上腕)에 걸쳐 동통(疼痛)을 일으키는 병의 총칭. 혈관·완신경총(腕神經叢)이 여러 가지 원인으로 압박·자극을 받거나 운동 과다로 인한 건초염(腱鞘炎)·근염(筋炎) 등에 의해 일어남. 경상완(頸上腕) 증후군.

경:-왕[1]【景王】명〖사람〗발해의 제13대 왕. 휘는 대현석(大玄錫). 당(唐) 및 일본과 통호(通好)하여 서로 사신이 왕래하였음. [재위 870-901]
경왕[2]【經王】명〖불교〗경문 중에서 가장 뛰어난 경문. 곧, 법화경(法華經) 또는 대반야경(大般若經)을 일컫는 말.
경외[1]【京外】명 ①서울과 외방. 서울과 지방. 경향(京鄕). ②서울 밖. 서울 밖의 지방.
경:외[2]【敬畏】명 공경하고 두려워함. 경구(敬懼). 존외(尊畏). ——-하다 타여불
경외[3]【境外】명 지경 밖. ↔경내(境內).
경외 관리【京外官吏】[—괄—] 명 서울과 외방(外方)의 관리(官吏).
경외 복음서【經外福音書】명〖종〗신약 외전(新約外典) 중에서, 그리스도의 복음을 취급하고 있는 것을 통틀어 일컫는 말. 그 수는 아홉 개 이상임.
경외-서【經外書】명〖성〗↗경외 성서(經外聖書).
경외 성:서【經外聖書】명〖성〗전거(典據)를 믿을 수 없다 하여 성서에 수록되지 아니한 30여 편의 문헌(文獻). 구약 외전(外典)과 신약 외전으로 구분됨. 외전(外典). 차경 전서(次經全書). 경외전(經外傳). 위경(僞經). 아포크리파(Apocrypha). 준경외서(經外書).
경외-장【京外匠】명 서울과 외방의 사기(砂器) 만드는 장색.
경외-전【經外傳】명〖성〗경외 성서(經外聖書). 차경(次經).
경용【經用】명 경상적(經常的)으로 쓰는 비용. 날마다 계속하여 쓰는 비용.
경우[1] 명 ☞경위(涇渭).
경우[2]【耕牛】명 논밭을 경작할 때 사용하는 역우(役牛).
경우[3]【輕雨】명 조금 내리는 비.
경우[4]【輕愚】명〖심〗보통 사람과 치우(痴愚) 사이의 저능(低能)의 단계. 성인에서의 지능이 보통 14-18세 정도인 것.
경우[5]【境遇】명 부닥친 형편이나 사정. 데. ¶만일의 ~.
경:우-궁【景祐宮】명〖역〗칠궁(七宮)의 하나. 조선 정조(正祖)의 후궁(後宮)이며 순조(純祖)의 생모(生母)인 수빈 박씨(綏嬪朴氏)의 사당(祠堂). 서울 종로구 계동(桂洞) 휘문(徽文) 고등 학교의 옛터에 세웠다가 종로구 옥인동(玉仁洞) 시립 중부 병원 자리로 옮기고, 고종 21년(1884)에 육상궁(毓祥宮)에 합사(合祀)함. 고종 21년(1884) 갑신 정변 때 고종이 계동의 경우궁에 잠시 난을 피한 일이 있음.
경우의 수:【境遇—數】[—/—에—] 명〖수〗①합(合)의 원칙. 두 가지 사건 A·B가 있어 이들이 동시에는 일어날 수 없을 때, A의 일어나는 방법이 m가지, B의 일어나는 방법이 n가지라 할 경우, A·B 중의 어느 것이 일어나는 방법은 $m+n$가지임. ②곱의 원칙. 두 가지 사건 A·B가 있어 이들의 일어나는 방법이 서로 관계 없고 A의 일어나는 방법이 m가지, B의 일어나는 방법이 n가지이면 A와 B가 같이 일어나는 것은 $m \times n$ 가지임.
경:우-회【警友會】명 ↗대한 민국 재향 경우회.
경운[1]【耕耘】명 논이나 밭을 갈고 김을 맴. 경누(耕耨). ——-하다 타여불
경운[2]【景雲】명 서운(瑞雲).
경운[3]【輕雲】명 얇게 낀 구름. 경음(輕陰).
경:운[4]【瓊韻】명 경장(瓊章).
경:운-궁【慶運宮】명〖지〗'덕수궁(德壽宮)'의 옛이름.
경운-기【耕耘機】명〖기〗동력(動力)으로 주요부를 움직여 기계적으로 논밭을 갈거나 김을 매는 데 쓰는 농업 기계. 여러 가지가 있음. 동력(動力) 경운기. 자동(自動) 경운기.

〈경운기〉

경운-선【耕耘船】명 유기물의 부패가 심한 내만(內灣)을 논밭을 갈듯이 갈아서 조개·해조(海藻)를 잘 자라게 하는 여러 기계를 설비한 배.
경:운-절【慶雲節】명〖역〗고려 고종(高宗)의 탄일(誕日)의 일컬음.
경원[1]【耕園】명〖농〗경작(耕作)하는 원포(園圃).
경원[2]【經援】명〖경〗↗경제 원조(經濟援助).
경:원[3]【敬遠】명 ①↗경이원지(敬而遠之). ②겉으로는 존경하는 체하면서 실제로는 가까이 하지 아니함. ——-하다 타여불
경:원[4]【慶源】명〖지〗함경 북도 경원군(慶源郡)의 군청 소재지. 옛날의 육진(六鎭)의 하나임. 함경선(咸鏡線)의 요역이며, 면양(緬羊) 목축이 성하고 목재와 갈탄(褐炭)의 산지로 유명함.
경:원 개시【慶源開市】명〖역〗조선 인조(仁祖) 23년(1645)부터 경원(慶源)에서 만주와 통상(通商)하던 시장. 을(乙)·정(丁)·기(己)·신(辛)·계(癸)의 해에, 격년(隔年)마다 열어, 소·보습·솥 등을 주고 녹비를 교역하였음. *북관(北關) 개시.
경:원-군【慶源郡】명〖지〗함경 북도의 한 군. 관내 5면(面). 북은 온성군(穩城郡), 동은 두만강, 남은 경흥군(慶興郡), 서는 종성군(鍾城郡)과 접함. 주요 산물은 콩·조·피·삼·밀 등의 농산과 임산·축산·광산 등임. 명승 고적으로 용당(龍堂)·여진 문자비(女眞文字碑)·관방(關防) 등이 있음. 군청 소재지는 경원. [857 km²]
경원 대학교【暻園大學校】명 사립 대학교의 하나. 1982년 경원 대학(暻園大學)으로 개교, 1987년 종합 대학교로 개편됨. 경기도 성남시 수정구(壽井區) 복정동(福井洞)에 있음.
경:원 사:구【敬遠四球】명 야구에서, 고의(故意)의 사구. 강타자에 대하여 투수가 대결을 피하기 위하여 사구(四球)로 1루(壘)에 보내는 일.
경원-선【京元線】명〖지〗서울과 원산(元山)간의 기차 선로. 서울 용산역(龍山驛)에서 시작하여 의정부(議政府)·철원(鐵原)을 거쳐 동해안의 원산에 이르는 단선 철도. 1914년 8월 14일 개통. [222.7 km]
경원 조직【耕園組織】명〖농〗뽕나무밭·과일밭·차밭 등의 원포(園圃)에 곡식과 채소와의 농사를 겸한 농업 경영의 방식.
경위[1]【涇渭】명〔중국의 경수(涇水)의 강물은 흐리고 위수(渭水)의 강물은 맑아서 청탁(淸濁)의 구별이 분명하다는 데서 나온 말〕사리(事理)의 옳고 그름이나 이러하고 저러함의 분간. ¶~가 밝다/~가 바른 사람. →경오.
경위[2]【經緯】명 ①직물(織物)의 날과 씨. ②↗경위도(經緯度). ③↗경위선(經緯線). ④일이 되어 온 경로나 과정. ¶사건의 ~를 알아보다/일이 이렇게 된 ~를 이야기하다.
경위[3]【傾危】명 ①기울어져 위태로움. ②바르지 못하여 안심할 수 없음. ——-하다 형여불
경위[4]【頸圍】명 목둘레.
경:위[5]【警衛】명 ①경계하고 호위(護衛)함. 또, 그 사람. ②〖법〗경찰 공무원 계급의 하나. 경감(警監)의 아래, 경사(警査)의 위. ——-하다 타여불
경위 경계선【經緯境界線】명〖지〗경선(經線)이나 위선(緯線)에 의하여 경계를 나눈 선.
경위-도【經緯度】명〖천〗경도(經度)와 위도(緯度). 준경위(經緯).
경위도 원점【經緯度原點】[—쩜] 명 측지 원점(測地原點).
경:위-병【警衛兵】명〖역〗임금을 경위하는 군사.
경위-선【經緯線】명 경선(經線)과 위선(緯線). 준경위(經緯).
경:위-원【警衛院】명〖역〗대궐의 안팎을 경계하고 지키는 일을 맡아보던 궁내부(宮內府)의 한 관아(官衙). 광무(光武) 5년(1901)에 베풀었다가 9년(1905)에 폐하고 황궁 경위국(皇宮警衛局)을 둠.
경위-의【經緯儀】[—/—이] 명〖기〗천체(天體)나 다른 물체의 방위각(方位角)과 앙각(仰角)을 재는 기계. 망원경을 수평과 연직 방향으로 자유로이 회전할 수 있도록 하였음. 육지(陸地) 측량용과 천체 측량용이 있음. 세오돌라이트(theodolite).
경유[1]【京儒】명 서울에 사는 선비. 서울 유생(儒生). ↔향유(鄕儒).
경유[2]【經由】명 거치어 지나감. ¶런던 ~ 파리행(行). ——-하다 타여불

〈경위의〉

경유[3]【經帷】명〖역〗경연(經筵)❶.
경유[4]【經遊】명 여기저기로 돌아다니면서 놂. ——-하다 자여불
경유[5]【輕油】명〔light-oil〕〖화〗①중유(重油)보다 가볍고 등유(燈油)보다 무거운 석유 유분. 디젤 엔진용 연료·기계 세척용으로 쓰임. ②콜타르의 분류(分溜)로 얻어지는 가장 가벼운 유분. 방향족 탄화수소의 혼합물로 벤젠·톨루엔 따위의 원료로 쓰임. *가스 경유·석유 경유.
경:유[6]【慶猷】명〖사람〗신라의 고승(高僧). 속성(俗姓)은 장씨(張氏). 남양(南陽) 사람. 15세 때 훈종 장로(訓宗長老)에게 낙발(落髮)한 후 입당(入唐)하여 운거 도응 화상(雲居道膺和尙)에게 배우고 효공왕(孝恭王) 12년(908)에 돌아 왔음. 뒤에 왕건(王建)의 왕사(王師)가 됨. 시호(諡號)는 법경(法鏡). [871-921]
경유[7]【鯨油】명 고래의 진피(眞皮)·뼈·내장 등을 끓이거나 압축하여 채취한 기름. 경화유(硬化油)의 원료로서 우수하며, 마가린·비누 원료·윤활유·제혁유(製革油)·화장품·등유(燈油) 등으로 사용됨. 고래 기름.
경유 기관【輕油機關】명 경유 또는 등유를 연료로 하는 왕복 피스톤형의 내연 기관의 총칭. 단, 압축 착화 방식(着火方式)인 디젤 기관은 포함하지 않음. *디젤 기관.
경유-지【經由地】명 거치는 곳. 들르는 곳.
경육【鯨肉】명 고래 고기.
경윤[1]【京尹】명〖역〗경조윤(京兆尹).
경윤[2]【卿尹】명 재상(宰相)❶.
경은【輕銀】명 '알루미늄'의 별칭.
경음[1]【硬音】명〖언〗된소리.
경음[2]【輕陰】명 ①약간 흐림. ②엷은 그림자. ③얇은 구름. 경운(輕雲).
경음[3]【鯨音】명 종소리.
경음[4]【鯨飮】명 고래가 물을 마시듯 술 따위를 많이 마심. ¶~ 마식(馬食). ——-하다 자여불
경음[5]【瓊音】명 옥(玉) 소리. 맑고 고운 소리. 옥음(玉音).
경:음[6]【競飮】명 술을 많이 마시기를 겨룸. ——-하다 자여불
경음 마:식【鯨飮馬食】명 고래가 물을 마시듯 술을 많이 마시고, 말이 먹이를 먹듯 음식물을 먹음. 단시간 내에 많이 마시고 먹는 것의 비유.
경-음악【輕音樂】명〖악〗고전 음악에 대하여, 가벼운 통속적(通俗的)인 대중 음악. 포퓰러 뮤직·재즈(jazz)·탱고(tango)·샹송 등.
경음악-단【輕音樂團】명 주로 경음악을 연주하기 위하여 조직된 악단.
경음-화【硬音化】명〖언〗①어떤 음을 조음(調音)할 때, 동시 조음(同時調音)으로 후두(喉頭) 긴장이나 성문 폐쇄가 수반되는 현상. '옷장'이 '옷짱'으로, '앞산'이 '앞싼'으로 되는 것 등. 농음화(濃音化). 된소리화(化). ②선대(先代)에 연음(軟音)이던 것이 후대에 경음으로 변하는 일. '곶'이 '꽃'으로, '가마귀'가 '까마귀'로 되는 것 등.
경:음-회【競飮會】명 술을 많이 마시기를 내기하는 모임.
경읍【京邑】명 서울.
경의[1]【更衣】[—/—이] 명 ①옷을 갈아입음. ②뒷간에 감. ——-하다 자여불
경의[2]【脛衣】[—/—이] 명 각반(脚絆).
경의[3]【景衣】[—/—이] 명〖역〗궁중 복식의 하나. 먼지 등으로 옷이 더럽혀지지 않게 덧입는 여성의 덧옷. 넓은 소매에 품이 넓으며, 앞자락을 여미는 고름이 없음.
경:의[4]【敬意】[—/—이] 명 존경하는 뜻. ¶~를 표하다.
경의[5]【經義】[—/—이] 명 경서(經書)의 뜻.
경의[6]【輕衣】[—/—이] 명 ①간단히 차린 옷차림. ②가벼운 비단옷.
경의-고【經義考】[—/—이—] 명〖책〗중국의 경서(經書)를 역(易)·서(書)·시(詩) 등 29항목으로 분류하고, 목록을 작성한 책. 청(淸)나라의 주이존(朱彝尊)이 편찬. 초명(初名)은 ≪경의 존망고(存亡考)≫. 300권. 목록 2권.
경의 비:마【輕衣肥馬】[—/—이—] 명 ①가벼운 비단 옷과 살찐 말이라는 뜻으로, 호사스러운 차림새를 이름. ②경장 비마(輕裝肥馬).
경의-선【京義線】[—/—이—] 명〖지〗서울과 신의주(新義州) 사이의

기차 선로. 경부선(京釜線)과 더불어 유럽·아시아 횡단의 국제 간선으로 압록강 철교로 만주 단둥(丹東)과 연락됨. 1906년 3월 25일 개통. [499.3 km]

경의-실【更衣室】[—/—이—] 명 작업장 등에서 옷을 갈아입는 방.

경:의 왕후【敬懿王后】[—/—이—] 명『사람』 혜경궁 홍씨(惠慶宮洪氏)의 추존(追尊)된 호(號).

경이¹【徑易】명 쉬움. ——-하다 형여불

경이²【傾耳】명 귀를 기울임. 주의하여 들음. 경청(傾聽). ——-하다 타

경이³【輕易】명 가볍고 쉬움. ——-하다 형여불 └여불

경이⁴【驚異】명 놀라서 이상히 여김. ——-하다 자여불

경이-감【驚異感】명 놀라서 이상히 여기는 느낌. 「부

경이-롭다【驚異—】형ㅂ불 놀랍고도 이상스럽다. 경이-로이【驚異—】

경:-이원:지【敬而遠之】명 존경하기는 하되 가까이하지는 아니함. 준 경원(敬遠). ——-하다 타여불

경이-적【驚異的】명관 놀라서 이상히 여길 만한 모양. 놀랄 만한 상태.

경인¹【京人】명 서울 사람.

경인²【京仁】명 서울과 인천. ¶ ~ 지방.

경인³【庚寅】명『민』 육십 갑자(六十甲子)의 스물일곱째.

경:인⁴【敬人】명『천도교』 삼경(三敬)의 하나.

경인 고속 도:로【京仁高速道路】명『지』 서울과 인천 간을 잇는 고속 도로. 1968년말 한국에서 최초로 개통된 고속 도로임. [29.5 km]

경인-구【驚人句】[—꾸] 명 사람을 놀라게 할 만큼 뛰어나게 잘 지은 시구(詩句). 준 경구(驚句). *경구(警句).

경인-답【京人畓】명 서울 사람이 가진 시골에 있는 논. 준 경답(京畓).

경인-본【景印本】명『인쇄』 영인본(影印本).

경인-선【京仁線】명『지』 서울과 인천 사이의 기차 선로. 1899년 9월 18일에 한국에서 최초로 개통된 철도임. 1974년 8월 서울 시내 지하철의 개통에 따라 연결되어 전철화(電鐵化)함. [31 km]

경인의 난:【庚寅—亂】[—/—에—] 명『역』 고려 의종(毅宗) 24년(1170) 경인년(庚寅年)에 일어난 정중부(鄭仲夫)의 난의 딴이름.

경인-전【京人田】명 서울 사람이 소유하는 시골에 있는 밭. 준 경전(京田).

경일¹【頃日】명 지난번.

경:일²【敬日】명『대종교』 단군(檀君)에게 경배(敬拜)드리는 날로, 일요일을 일컫는 말.

경:일³【慶日】명 경사가 있는 날.

경일⁴【驚逸】명 말 따위 짐승이 놀라서 뛰어 달아남. ——-하다 자여불

경임【更任】명 ①고치어 다시 임명함. ②직에 있는 사람을 해임하고 그 자리에 다른 사람을 임명하는 일. ——-하다 타여불

경-입자【輕粒子】명 3종의 뉴트리노(neutrino), 곧, 일렉트론 뉴트리노·뮤온 뉴트리노·타우 뉴트리노와 일렉트론·뮤온·타우 입자와 같이 질량이 적은 6종의 소립자(素粒子)의 총칭. 렙톤(lepton). *쿼크·소립자.

경자¹ 명〈방〉 정자(亭子)(충청).

경자²【庚子】명『민』 육십 갑자(六十甲子)의 서른일곱째.

[경자년(庚子年) 가을보리 되듯 하였다] 경자년에 가을보리가 아니되어 보리로서의 모양을 이루지 못하였다는 말에서, 사람이 그 모양을 제대로 이루지 못한 데 쓰는 말.

경자³【莖刺】명『식』 줄기에서 돋는 가시.

경자⁴【頃者】명 지난번.

경:자⁵【瓊姿】명 옥 같은 아름다운 자태.

경자⁶【卿子】인대 남을 높여 부르는 대칭(對稱) 대명사.

경자 관군【卿子冠軍】명〔경자(卿子)는 공자(公子), 관군(冠軍)은 상장(上將)의 뜻〕 중국 초(楚)나라 회왕(懷王)이 신하인 무장 송의(宋義)를 높여 부르던 이름.

경자-마지 명『식』 조의 한 가지. 줄기는 푸르며 이삭은 짧고 까끄라기가 없음.

경자-자【庚子字】명『역』 조선 세종(世宗) 2년인 경자년(庚子年)(1420)에 계미자(癸未字)의 다음으로 만든 구리 활자(活字). 자체(字體)의 크기는 약 1 cm².

경-자제【京子弟】명『역』 서울 선비의 자제.

경:자-탑【敬字塔】명 석자탑(惜字塔).

경작【耕作】명 땅을 갈아 농사를 지음. 경가(耕稼). ——-하다 타여불

경작 공:동체【耕作共同體】명〔도 Feldgemeinschaft〕『농』 토지의 공동적 이용을 목적으로 하는 토지 제도. 그 사회의 성원(成員) 사이에 토지의 정기적 교체(交替)로서 경작 강제(耕作强制)에 의하여 토지를 이용하는 제도를 이름. 노르웨이의 교체 경지(交替耕地)나 고대 중국의 전제(田制) 따위.

경작-권【耕作權】명『법』 소작인(小作人)이 지주로부터 빌려 받은 경작지를 지주의 소유권에 의하여 위협받음이 없이 경작할 수 있는 권리.

경작-기【耕作機】명 경운기(耕耘機). 「경작에 종사하는 농민.

경작 농민【耕作農民】명『농』 소작인이나 자작 겸 소작인과 같이 직접

경작 면:적【耕作面積】명 실제로 경작하는 땅의 면적.

경작-물【耕作物】명 경작하는 곡물이나 임산물. ¶ ~의 감수(減收).

경작-자【耕作者】명 실제로 땅을 갈아 짓는 사람. ¶ ~ 명단/~ 조사.

경작 제:도【耕作制度】명『농』 경작지에 대하여 농작물의 선택·경작의 순서·경작 면적(面積) 등의 비례를 정하는 제도. 수원제(樹園制)·대전제(代田制) 등이 있음. 「면적. 준 경지(耕地).

경작-지【耕作地】명 경작하는 토지. 농경지(農耕地). 농지(農地). ¶ ~

경작 지주【耕作地主】명 지주로서 직접 경작에 종사하는 사람. 곧, 지주 자작농.

경작 한:계【耕作限界】명『농』 경경(耕境). └주경 자작농.

경작 한:계지【耕作限界地】명『농』 가장 생산력이 적은 열등(劣等)한 토지. 경작하여도 그 생산액이 생산비와 같고 이익이 없는 땅.

경잠-과【耕蠶科】명『역』 조선 영조(英祖) 43년(1767)에 왕과 왕비가 친경 친잠례(親耕親蠶禮)를 마친 뒤에 숭정전(崇政殿) 뜰에서 베푼 과시(科試).

경장¹【更張】명 ①거문고의 줄을 고치어 맴. ②전(轉)하여, 해이(解弛)한 사물을 고치어 긴장하게 함. ③『정』 사회적·정치적으로 부패한 모든 제도를 개혁함. ¶ 갑오(甲午) ~. ——-하다 타여불

경장²【京庄】명 서울 사람이 소유하는 시골의 농장(農庄).

경:장³【敬長】명 웃어른을 공경함. ¶ ~ 사상. ——-하다 자여불

경장⁴【經藏】명『불교』 ①삼장(三藏)의 하나인 불경. 불경 속에는 사물의 도리·진리가 포함되어 있으므로 '장(藏)'이라 함. ②절에서 대장경(大藏經)을 넣어 두는 집.

경장⁵【境場】명 국경(國境).

경장⁶【輕裝】명 ①홀가분하게 차린 복장(服裝). ②군대 등에서, 행동을 신속히 하기 위해 장비를 간단히 하는 일. ——-하다 자여불 「(瓊韻).

경:장⁷【瓊章】명 남이 지은 글을 높이어 일컫는 말. 경습(瓊什). 경운

경:장⁸【警長】명 경찰 공무원 계급의 하나. 경사의 아래, 순경의 위.

경장-급【輕壯級】[—끕] 명 아마추어 씨름의, 체급의 하나. 가장 가벼운 체급으로 초등 학교부 40 kg 이하, 중학교부 55 kg 이하, 고등학교부 65 kg 이하, 대학 및 일반부 70 kg인 체급.

경장 비:마【輕裝肥馬】명 홀가분한 행장으로 살찐 말을 탄 차림. 경의비마(輕衣肥馬). 준 경비(輕肥).

경장 영양제【經腸營養劑】[—녕—] 명〔enteral hyperalimentation〕『의』 보통의 경로로 영양 섭취를 할 수 없는 환자에게 튜브를 사용하여 장관(腸管) 안에 주입(注入)하는 영양제. 아미노산(amino酸)을 비롯하여 당분(糖分)·지방질·미네랄·비타민 등을 함유(含有)하는 특수 식이(特殊食餌)임.

경-장이¹【經—】명『민』 ☞경쟁이.

경장이² 부〈방〉 매우(전북).

경장 행군【輕裝行軍】명 가벼운 무장(武裝)으로 하는 행군.

경재¹【硬材】명 활엽수(闊葉樹)에서 얻은 목재(木材).

경재²【卿宰】명 재상(宰相)❶.

경:재³【敬齋】명『사람』 이기(李芑)의 호(號).

경-재소【京在所】명『역』 서울에 둔 각 고을의 출장소. 고려 말부터 있었는데, 연락 사무를 맡았음.

경:쟁【競爭】명 ①동일(同一)한 목적에 관하여 서로 남보다 우월한 자리를 차지하려고 다툼. 경합(競合). 추축(追逐). ¶ 자유 ~/치열한 ~. ②『법』 경매(競賣)·입찰(入札)처럼 여러 사람 중에서 가장 나은 조건을 제시(提示)하는 사람과 계약하는 방법. ③〔competition〕『생』 여러 개체(個體)가 환경을 공유(共有)하기 위하여 벌이는 종간(種間) 또는 종 안에서의 상호 작용. ——-하다 자여불

경:쟁 가격【競爭價格】[—까—] 명『경』 ①완전 경쟁이 행하여지는 시장에 있어서, 수요자(需要者)와 공급자가 서로 경쟁함으로써 이루어지는 값. ↔독점 가격. ②경쟁 입찰(競爭入札)에 있어서의 가격(價格).

경:쟁 계:약【競爭契約】명『법』 입찰·경매 등 경쟁의 방법에 의하여 맺는 계약.

경:쟁-국【競爭國】명 국제적으로 서로 유리한 입장을 차지하려고 다투는 상대국. ¶ 강력한 ~.

경:쟁-률【競爭率】[—뉼] 명 경쟁의 비율. ¶ ~이 높다.

경:쟁-리【競爭裡】[—니] 부 경쟁하는 가운데.

경:쟁 매매【競爭賣買】명『경』 경쟁 계약에 의하여 하는 매매.

경:쟁 시험【競爭試驗】명 채용(採用)이나 입학에서, 정원수보다 많은 지원자가 있을 때, 그 실력에 따라 일정한 인원수를 뽑으려고 보이는 시험. 「경쟁 의식. ¶ ~이 강한 사람.

경:쟁-심【競爭心】명 경쟁하려는 마음. 남에게 지기 싫어하는 마음.

경:쟁 의:식【競爭意識】명 경쟁심.

경-쟁이【經—】명『민』 재앙을 없게 하기 위하여 경을 읽는 사람.

경:쟁 입찰【競爭入札】명 ①팔 물건을 여러 사람에게 입찰(入札)시키어, 그 중에서 예정 가격(豫定價格)에 달한 사람이나 가장 값을 많이 놓은 사람을 낙찰자(落札者)로 정하는 입찰. ¶ ~에 부치다. ②살 물건이나 청부(請負)로 줄 공사(工事)를 여러 사람에게 입찰(入札)시켜서, 그 중에서 예정 가격에 달한 사람이나 가장 값을 적게 부른 사람을 낙찰자(落札者)로 정하는 입찰. ¶ ~에 참가하다. 「리치다.

경:쟁-자【競爭者】명 경쟁(競爭)을 하는 사람. 라이벌(rival). ¶ ~를 물

경:쟁적 공:존【競爭的共存】명 둘 이상의 세력이 서로 뒤떨어지지 않으려고 경쟁을 하며 공존(共存)함. *평화적 공존.

경:쟁적 사회주의【競爭的社會主義】[—/—이] 명〔competitive socialism〕 생산 수단의 공유(共有) 내지 국유 및 중앙 집권적 계획 경제의 수행을 목적하는 사회주의적 원칙 밑에 소비 선택(消費選擇)의 자유와 직업 선택의 자유를 인정하는 경제 체제로 지향하는 주의. 폴란드의 랑게(Lange, O.R.) 등의 이론. 자유 사회주의.

경:쟁-질【競爭—】명 경쟁하는 행위(行爲). ——-하다 자여불

경저【京邸】명『역』 경저리(京邸吏)가 서울에서 일을 보던 처소.

경저-리【京邸吏】명『역』 이서(吏胥) 또는 서민(庶民)으로 서울에 머물러 있으면서 지방 관청의 사무를 연락하고, 대행(代行)하여 보던 사람. 고려 때부터 있었음. 저인(邸人). 경저인(京邸人). 경역리(京役吏). *경주인(京主人)·영저리(營邸吏).

경저-인【京邸人】명『역』 경저리. 준 저인.

경적¹【勁敵·勍敵】명 강적(強敵). 「다 자여불

경적²【耕籍】명『역』 임금이 신하를 거느리고 적전(籍田)을 갊. ——-하

경적³【經籍】명 경서(經書).

경적⁴【輕敵】명 ①무서울 것 없는 적. ②적을 업신여김. ¶ 무예를 믿고 ~하지 말라는 경계와 도처에 민심을 안돈시키도록 힘쓰라는 부탁이 있고…《洪命憙 : 林巨正》. ——-하다 자여불

경:적⁵【警笛】명 ①경계를 위해 또는 주의를 촉구하기 위하여 울리는

고동. ¶ 요란한 ~. ②(경찰에서) 호각(號角).
경-적다【景―】형〈방〉경황(이) 없다.
경적 필패【輕敵必敗】명 적을 업신여기면 반드시 패함.
경전¹【京田】명 ↗경인전(京人田).
경전²【京電】명 ↗경성 전기 주식 회사(京城電氣株式會社).
경전³【京錢】명〖역〗대한 제국 말 전후에 민간에서 일컫던 서울의 돈풀이. 곧, 한때 서울에서 당오평(當五坪)의 습관으로 일 전(一錢)을 닷 돈, 이 전(二錢)을 한 냥(兩)으로 치던 셈.
경전⁴【勁箭】명 강한 화살. 경시(勁矢).
경전⁵【耕田】명 논밭을 갊. 또, 그 논밭. ――-하다 자여불
경전⁶【經典】명 ①일정 불변의 법식(法式)과 도리(道理). ②성인(聖人)이 지은 글. ③성인의 말이나 행실을 적은 글. 사서 오경(四書五經)·십삼경(十三經) 등. ¶ 유교의 ~. ④〖불교〗불교의 교리(敎理)를 적은 책. ⑤〖종교〗교리(敎理)를 기록한 책.
경전⁷【經傳】명 ①↗성경 현전(聖經賢傳). ②경서(經書)와 그 해설 책.
경전⁸【輕電】명 ↗경전기.
경전⁹【輕箭】명 가벼운 화살.
경:전¹⁰【慶典】명 경사를 축하하는 식전. 축전(祝典).
경:전¹¹【競田】명 소속이 불명하거나 경계가 교착(交錯)되어 있으므로 소송에 이른 사유(私有)의 전지.
경:전¹²【警專】명 ↗경찰 전문 학교(警察專門學校).
경:전¹³【競傳】명 다투어 전함. ――-하다 타여불
경-전기【輕電機】명 전기 기계 기구 가운데, 무게가 가벼운 것의 통칭. 내구(耐久) 소비재를 주로 하여, 가정용 전기 기구·전구·전지 등을 총칭함. ㊀경전(輕電). ↔중전기(重電機).
경:전 남부선【慶全南部線】명〖지〗'진주선(晋州線)'의 구칭.
경:전 북부선【慶全北部線】명〖지〗'전라선(全羅線)'의 구칭.
경:전 서부선【慶全西部線】명〖지〗'광주선(光州線)'의 구칭.
경전 석문【經典釋文】명〖책〗중국 당(唐)나라의 육덕명(陸德明)이 찬(撰)한 문자 음의서(文字音義書). ≪논어(論語)≫·≪노자(老子)≫·≪장자(莊子)≫ 등의 경서의 훈고(訓詁)와 반절(反切)에 대하여, 한(漢)·위(魏)와 육조의 학자 230명의 해석의 차이나 여러 책의 이동(異同)을 기록한 것. 30권.
경:전-선【慶全線】명〖지〗경상 남도 삼랑진(三浪津)에서 광주 광역시 송정동(松汀洞)에 이르는 우리 나라 남부 지방을 동·서로 횡단하는 철도. 진주선(晋州線)과 광주선(光州線)을 통합하여 1968년 2월 7일 개통. [315 km] 「정찰 임무에 쓰임. *중전차(重戰車).
경-전차【輕戰車】명〖군〗무게 10t 이하의 비교적 가벼운 전차. 주로,
경전 착정【耕田鑿井】명〔밭을 갈고 우물을 판다는 뜻〕국민들이 생업을 즐기며 평화로이 지냄.
경-전철【輕電鐵】명〔light railway〕종전의 전철보다 작고 가벼운 전동차(電動車)를 운행하는 철도.
경절¹【勁節】명 굳은 절개.
경절²【脛節】명〖충〗곤충(昆蟲) 다리의 제사 지절(第四肢節)에서 퇴절(腿節)에 이어지는 가늘고 긴 부분. 종아리마디.
경절³【硬節】명〖동〗척추 동물의 체절(體節)의 분절(分節) 구분의 하나. 중배엽(中胚葉)으로부터 분화(分化)하여 뼈와 그 밖에 결합(結合) 조직을 만드는 부분을 말함.
경:절⁴【慶節】명 제왕(帝王)·후비(后妃)·태자(太子) 등의 탄신날 및 온 나라가 경축할 만한 날. *국경일(國慶日). 「자여불
경:절⁵【磬折】명 몸을 경(磬)쇠처럼 구부리어 하는 절. 경굴――-하다
경-점【更點】[―쩜] 명 ①〖역〗조선 시대 때, 북과 징을 쳐서 알리던 경(更)과 점(點). 하룻밤의 시간을 다섯 경으로 나누고, 다시 한 경을 다섯 점으로 나누어서, 경을 알릴 때에는 북을 치고, 점을 알릴 때에는 징을 쳤음. ②〖불교〗절에서 초경(初更)·이경(二更)·삼경(三更)·사경(四更)·오경(五更)을 맞추어 치는 종(鐘).
[경점(更點) 치고 문지른다] 경점 군사(更點軍士)가 경점을 정확한 시간에 치지 못하고 오보(誤報)한 다음에 북이나 징을 문지르며 자기의 잘못이 탄로되지 아니하기를 바란다는 뜻으로, 일을 그르친 다음에 무사하기를 바람을 이름.
경점 군사【更點軍士】[―쩜―] 명〖역〗경(更)과 점(點)을 알리기 위하여 북이나 징을 치던 군사. 전루군(傳漏軍).
경정¹【更正】명 ①바르게 고침. ②〖법〗신고 과세 제도에서, 납세 의무자의 신고가 없거나 과소 또는 과대일 때, 정부가 조사한 바에 의하여 과세 표준과 과세액을 변경하는 일. ――-하다 타여불
경정²【更定】명 다시 고치어 작정함. ――-하다 타여불
경정³【更訂】명 고치어 정정(訂正)함. ――-하다 타여불
경정⁴【徑情】명 마음 내키는 대로 행하여 절제(節制)가 없음. *경정 직행(徑情直行). 직정 경행(直情徑行). ――-하다 형여불
경정⁵【梗正】명 강하고 바름. ――-하다 형여불
경정⁶【逕庭·徑庭】명 현격(懸隔)한 차이(差異).
경:정⁷【敬呈】명 경건(敬虔)히 드림. ――-하다 타여불
경정⁸【輕艇】명 경쾌(輕快)한 배. 가볍고 속력이 빠른 배.
경:정⁹【警正】명 경찰 공무원 계급의 하나. 총경의 아래, 경감의 위.
경:정¹⁰【警政】명〖법〗↗경찰 행정(警察行政).
경:정¹¹【競艇】명 모터보트 레이스(motorboat race)의 역어(譯語). ――-하다 자여불
경정 결정【更正決定】[―쩡] 명〖법〗①신고 과세 제도에서, 신고 의무자의 무신고(無申告), 허위 신고, 부당한 신고에 대하여 정부가 조사한 자료에 입각하여 과세 표준과 세액을 정정·결정하는 일. ②소송(訴訟)·판결에 있어서 오산(誤算)·오기(誤記) 등의 오류(誤謬)가 명백할 때 경정할 것을 결정하는 일.
경정 등기【更正登記】명〖법〗등기에 착오(錯誤) 또는 유루(遺漏)가 있음을 발견했을 때, 이것을 정정(訂正)하는 등기.
경-정맥【頸靜脈】명〖생〗목에 있는 정맥. 내경 정맥과 외경 정맥이 있는데, 내경 정맥은 두개강(頭蓋腔)·안면·경부에서 온 정맥을 이어 받고, 외경 정맥은 후두부에서 온 후두 정맥과 귀의 뒤쪽에서 온 후이(後耳) 정맥이 합류하여 이루어짐.
경:정산 가단【敬亭山歌壇】명〖문〗〔경정산은 중국 안후이 성(安徽省) 쉬안청 현(宣城縣) 북쪽의 명산으로, 이백(李白)의 '독좌 경전산시(獨坐敬亭山詩)'의 '중조 고비진 고운 독거한 상간 양불염 지유 경정산(衆鳥高飛盡 孤雲獨居閑 相看兩不厭 只有敬亭山)'에서 유래하여, 김천택·김수장을 이에 비유한 것〕조선 영조(英祖) 때, 시조(時調) 문장가인 김천택(金天澤)과 김수장(金壽長)을 중심으로 한 시단(詩壇).
경정 예:산【更正豫算】[―녜―] 명 어떤 연도의 예산안이 국회를 통과된 다음, 필요에 따라 경정된 예산. ¶ 추가 ~. 「여불
경정 직행【徑情直行】명 곧이곧대로 행함. *경정(徑情). ――-하다 타
경제¹【京制】명〖악〗경조(京調)❷.
경제²【經濟】명 ①〔economy〕〖경〗인간의 생활을 유지(維持)하고 발전시키는 데 필요로 하는 모든 재화(財貨)를 획득하고 이용하는 과정(過程)에 있어서의 일체의 활동. 재화의 생산·교환(交換)·분배·소비(消費)는 모두 이 경제의 일면(一面)임. 경제의 형태(形態)를 사람의 수효에 따라서는 단일(單一) 경제 또는 사경제(私經濟)·공동 경제·국민 경제로, 교환면(交換面)에서는 자급 자족 경제·화폐(貨幣) 경제·신용(信用) 경제로 분류하며, 생산면으로 보아서는 태고적에는 원시 공산(共産) 경제가 행하여졌고 노예(奴隷) 경제·장원(莊園) 경제·도시 경제를 거쳐 오늘날의 자본주의 경제로 발전하였음. ②돈이나 재물을 절약함. ③↗경세 제민(經世濟民). ――-하다 타여불
경제³【經題】명〖불교〗↗경제목(經題目).
경제-가【經濟家】명 ①경제에 관한 학식이나 지식이 많고 밝은 사람. 이재가(理財家). ②돈이나 재물을 낭비하지 아니하고 규모 있게 쓰는 사람. 「어치.
경제 가치【經濟價值】명 경제 활동에 의해서 형성되는 재화(財貨)의 값
경제 개발【經濟開發】명〖정〗한 국가의 국민 경제 전체를 대상으로 하여, 국가 경제를 개척하고 발전시키는 일. *경제 계획.
경제 개발 오:개년 계:획【經濟開發五個年計劃】명〖정〗국민 경제의 개발을 목표로 하는 5년 단위의 사업 계획. *경제 계획·제일차 경제 개발 오개년 계획·제이차 경제 개발 오개년 계획·제삼차 경제 개발 오개년 계획.
경제 개발 특별 회:계법【經濟開發特別會計法】[―뻡] 명〖법〗경제 개발을 위한 투자 및 융자 사업을 원활히 처리하기 위하여 경제 개발 특별 회계를 설치하는 데 관한 법.
경제 객체【經濟客體】명〖경〗경제 활동의 대상(對象)이 되는 모든 경제 재화(財貨). 곧, 경제 주체의 경제 활동에 의해 생산·소비되는 모든 재화 및 용역(用役). ↔경제 주체(主體). 「단속하는 경찰.
경제 경:찰【經濟警察】명 경제에 관한 법률·명령 등을 위반한 행위를
경제-계【經濟界】명〔economic circles〕〖경〗①사회 중에서 경제적 활동이 활발히 행하여지고 있는 분야. 곧, 재화(財貨)의 생산·교환·분배가 행하여지는 사회. ②실업가들의 세계. 재계(財界).
경제 계:산론【經濟計算論】[―논] 명〖경〗어떤 경제 형태의 변경이 요구될 때, 변경되어야 할 경제 상태에 있어서, 생산과 소비가 어떻게 될 것인가에 대한 문제를 기능적으로 분석하는 학문.
경제 계:획【經濟計劃】명 국민 경제의 여러 가지 활동 수준을 일정한 목표에 접근시키려는 지속적·종합적인 경제 정책. 정부가 특정한 산업이나 기업(企業)에 대하여 일정한 생산 목표를 지시하거나, 일국(一國) 전체의 경제에 대하여 어느 기간에 걸쳐 생산의 목표, 수출입의 수량과 종류, 자본의 축적(蓄積) 등 경제상의 제 목표를 지시하거나 그를 실현하기 위한 수단을 고려하는 경우 등. *계획 경제·경제 개발.
경제 계:획관【經濟計劃官】명〖법〗전에, 경제 기획원 차관의 보조 기관. 경제 기획 및 국민 경제 운용에 관한 홍보 업무에 대하여 차관을 보좌함. 2급 상당 별정직 국가 공무원으로 보(補)함. 1981년에 폐지됨.
경제 계:획 심:의회【經濟計劃審議會】[―/―이―] 명 국무 총리에 소속하여, 국민 경제의 안정적 성장과 지속적(持續的) 발전을 위한 경제 개발 계획의 입안(立案)에 있어서 계획의 기본 방향 및 목표와 중요한 정책에 관한 사항을 심의하는 기관. 위원장은 국무 총리가 됨.
경제 공:황【經濟恐慌】명〔economic panic〕〖경〗경제계(經濟界)가 급격한 혼란 상태에 빠져서, 산업(產業)이 침체(沈滯)하고 금융(金融)이 핍박(逼迫)하여 파산자(破產者)가 속출(續出)함으로써 인심(人心)이 안정되지 못한 현상. 대개, 천변 지이(天變地異) 등의 자연사(自然事)로 말미암아 일어나거나 또는 생산이나 공급의 과잉, 혹은 부족 등으로 일어남. ㊀공황(恐慌).
경제-과【經濟科】[―꽈] 명 ↗경제학과.
경제 과학 심:의 회:의【經濟科學審議會議】[―/―이―이] 명 국민 경제의 발전과 이를 위한 과학 진흥에 관련되는 중요한 정책 수립에 관하여 국무 회의의 심의에 앞서 대통령의 자문에 응하기 위한 기관.
경제 과학 위원회【經濟科學委員會】명 국회 상임 위원회(常任委員會)의 하나. 재정 경제부·과학 기술부에 속하는 사항을 심의함.
경제-관【經濟觀】명 경제에 관한 견해나 입장.
경제 관계 장:관【經濟關係長官】명 경제에 관련되는 행정을 맡은 장관. 현재의 정치 기구로는 재정 경제부·농림부·해양 수산부·산업 자원부·건설 교통부·노동부 등의 각 장관. ㊀경제 장관(經濟長官).
경제 관념【經濟觀念】명 ①물질·재화를 손에 넣고 소비하는 일에 대한

생각. ②돈의 구별이나 절약에 관한 생각.

경제 광:물【經濟鑛物】명 상업적으로 가치가 있는 광물.

경제 광:물학【經濟鑛物學】명 〔economic mineralogy〕〖광〗 광물을 경제에 결부(結付)시키어 생산(生産)·소비(消費) 등 여러 가지 견지에서 연구하는 광물학.

경제 교:서【經濟敎書】명 〖정〗 경제 부문에 관한 연차(年次) 교서의 하나. 경제 보고. 「의 총체.

경제 구조【經濟構造】명 〖경〗 사회의 토대가 되는 생산 제관계(諸關係)

경제 국가설【經濟國家說】명 〖경〗 정치의 목적은 사회인의 경제 생활을 완성함에 있다고 하는 학설. 「는 일정한 지역. ¶ 아시아 ∼.

경제-권¹【經濟圈】[—꿘] 명 국제적·국내적으로 밀접한 경제 관계가 있

경제-권²【經濟權】[—꿘] 명 경제 행위를 주장(主掌)하는 권리.

경제 기구【經濟機構】명 〖경〗 경제에 관한 문제를 전문으로 맡아 행하는 정치적 또는 사회적 기구.

경제 기획원【經濟企劃院】명 국가의 경제 사회 발전을 위한 종합 계획의 수립·운용과 투자 계획의 조정, 예산의 편성과 그 집행의 관리, 중앙 행정 기관의 기획의 조정과 집행의 심사 분석, 물가 안정 시책 및 대외 경제 정책의 조정에 관한 사무를 관장하던 중앙 행정 기관. 1995년 재무부와 통합, 재정 경제원이 되었다가 1998년 재정 경제부로 됨.

경제 기획원 장:관【經濟企劃院長官】명 〖법〗 경제 기획원의 장(長)인 국무 위원. 부총리를 겸함.

경제-난【經濟難】명 경제상의 곤란.

경제 단위【經濟單位】명 〖경〗 경제 생활의 단위. 곧, 사회 전체의 경제 활동을 구성하는 개개의 경제 주체(經濟主體)를 이름.

경제 단체【經濟團體】명 상공업자 등이 공동으로 사업을 하기 위하여 조직하는 단체. 상공 회의소·은행 집회소 따위.

경제 단체 연합회【經濟團體聯合會】명 재계(財界)를 지도하는 대표적인 경영자 단체의 연합체.

경제 대:국【經濟大國】명 경제력이나 경제 규모가 큰 나라. 또, 세계 경제에 미치는 영향력이 큰 나라.

경제 도시【經濟都市】명 도시를 그 기원상(起源上)으로 보아 분류할 때, 경제를 중심으로 하여 시작되고 발전한 도시.

경제 동맹【經濟同盟】명 〖정〗 경제적으로 공통된 이해 관계가 있는 나라 사이에 경제 협력을 목적으로 체결된 국제 동맹.

경제 동:물【經濟動物】명 〔economic animal〕 경제적인 실리(實利)만을 추구한다는 뜻으로, 주로, 일본(日本) 및 일본 사람을 가리키는 말.

경제 동:학【經濟動學】명 〖경〗 시점(時點)을 달리하는 각 경제 수량(數量) 간의 변동 상황을 분석하기 위하여, 시간의 요소를 고려하여 경제 현상을 계기적(繼起的)으로 파악하는 학문. ＊경제 정학(靜學).

경제-란【經濟欄】명 신문에서, 재정·금융·경제에 관한 기사를 싣는 난. ＊경제면(經濟面).

경제-력【經濟力】명 〖경〗 경제 행위를 해 나가는 힘. 개인에 있어서는 보통 그가 갖는 자력(資力)을 말하며, 국가에 있어서는 생산력의 수준이나 축적된 자본의 크기에 입각한 종합적인 힘을 가리킴.

경제-림【經濟林】명 공용림(供用林)❷.

경제-면【經濟面】명 ①재정·금융(金融)·경제에 관한 기사를 싣는 신문의 지면(紙面). 4면으로 된 신문은 보통 2면이 경제면임. ＊경제란. ②경제에 관한 방면. 「(概念圖式).

경제 모형【經濟模型】명 현실의 경제 기구에 관한 추상적인 개념 도식

경-제목【經題目】명 〖불교〗 경문(經文)의 제목. ㈜경제(經題).

경제 문감【經濟文鑑】명 〖책〗 조선 건국 초엽에 정도전(鄭道傳)이 지은 것으로, 조선 시대 정치 조직의 초안(草案). 태조 초에 지은 ≪경국전(經國典)≫·≪경제 육전(經濟六典)≫과 아울러 일련의 경국 제세(經國濟世)를 논한 것으로 ≪삼봉집(三峰集)≫에 들어 있음. 1책.

경제 민주주의【經濟民主主義】[—/—이] 명 〖정〗 경제 생활에 있어서의 민주주의적인 요구·정책·제도를 실현하려는 경제 사상의 하나. 시민(市民) 혁명으로 일단 달성된 정치상의 형식적 민주주의를 실현하려는 시도의 하나. 근로자의 생활 보장과 경제 활동의 여러 분야에 관한 결정과 운영에의 참가 등을 요구함. 경제적 민주주의.

경제 민주화【經濟民主化】명 봉건적인 여러 속박을 타파하여 자유 경쟁을 확립하며, 한편, 자유 경쟁의 결과로 발생한 재벌(財閥)을 해체하고, 자유 경쟁의 장점을 유지하면서 가난한 노동 계급을 보호하여 그들의 기본적인 인권을 옹호하려는 일.

경제 발전 단계설【經濟發展段階說】[—쩐—] 명 〖경〗 경제 발전의 단계를 나누어 경제 생활의 발달은 그 단계의 차례를 따라서 행하여졌다고 하는 학설. 단계의 구별은 학자에 따라 실물(實物) 경제·화폐 경제·신용 경제 또는 촌락 경제·영역(領域) 경제·국민(國民) 경제·세계 경제 및 자족 가내(自足家內) 경제·도시 경제·농촌 경제 등으로 분류함.

경제 백서【經濟白書】명 국민 경제의 1년간의 움직임을 종합적으로 분석하고, 앞으로의 경제 동향과 경제 정책의 방향을 시사(示唆)하여 경제 기획원이 공표(公表)하는 연차(年次) 보고서.

경제-범【經濟犯】명 〖법〗 경제 사범.

경제-법【經濟法】[—뻡] 명 〖법〗 ①경제에 관한 모든 법. ②사(私)경제적 활동에 대한 국가의 의식적·계획적 통제를 규정하는 법체계(法體系). 국민 경제에 있어서 수급(需給)의 지속적 조정(調整)이 목적임. ③통제 경제·구속 경제에서의 고유한 법.

경제 법칙【經濟法則】명 〖경〗 일정한 경제적 원인이 있을 때에 일정한 경제적 결과가 나타나는 법칙. 또, 두 가지 이상의 경제 현상(現象) 사이에 보편적으로 타당(妥當)한 법칙.

경제 변:동【經濟變動】명 경제를 변동시키는 요인의 변화에 의하여 경제 활동의 상태가 변하는 일.

경제 보:고【經濟報告】명 ①〖정〗 경제 교서. ②경제 문제에 관한 보고.

경제 봉쇄【經濟封鎖】명 〖정〗 한 나라 또는 몇 나라가 연합하여 적대적인 외국과의 무역·금융 그밖의 경제상 교류(交流)를 제한하거나 금지함으로써 상대국(相對國)의 대외(對外) 경제 활동을 전면적(全面的) 내지는 부분적으로 봉쇄하는 일.

경제 블록【經濟—】〔bloc〕명 〖경〗 경제면으로 특히 관계가 깊은 나라나 단체 사이에 구성된 배타적 경제권(圈).

경제-사【經濟史】명 〖경〗 ①경제 활동의 연혁사(沿革史). ②경제학의 한 부문. 경제 활동의 발전·경제와 사회·법제·민족·지리 등과의 관련을 역사적으로 연구함.

경제 사:관【經濟史觀】명 〖경〗 ①경제 관계만이 역사의 발전을 결정한다고 생각하고 이것에 의해서 역사의 발전을 설명하려고 하는 사관. 유물 사관과는 다름. ②유물 사관(唯物史觀).

경제 사:범【經濟事犯】명 〖법〗 ①개인·공공 단체 또는 국가의 경제적 법익(法益)을 침해(侵害)하였거나 그 법익을 침해하려는 범죄. 또, 그러한 죄를 범한 사람. ②경제 질서를 침해한 죄. 경제 형법에 저촉된 죄. 경제범.

경제 사:상【經濟思想】명 〖경〗 ①인류가 재화(財貨)를 획득(獲得) 사용하여 생활을 유지하고 향상시키려는 사상. ②검약(儉約)을 중히 여기는 사상. 「여 파견하는 사절.

경제 사:절【經濟使節】명 〖정〗 국제적으로 경제 문제를 해결하기 위하

경제 사:학【經濟史學】명 경제 생활을 역사 관조(歷史觀照)의 대상으로서 취급하여, 경제 생활과 비경제적인 현상과의 내적(內的) 관련을 역사적인 인과 관계(因果關係)에 결부시켜 발생사적(發生史的)으로 해명(解明)하는 역사학의 한 분과.

경제 사회【經濟社會】명 각자가 경제 활동을 영위함으로써 상호간에 생긴 관계를 주축으로 하는 사회.

경제 사회 이:사회【經濟社會理事會】명 〔Economic and Social Council〕〖정〗 국제 연합의 주요 기관의 하나. 국제 연합 총회에서 선출하는 54개국의 이사국으로 구성함. 국제적인 경제·사회·교육·위생 문제 등에 관한 연구·보고·제안·권고 및 인권과 기본적 자유의 수호 업무를 행함. 국제 연합 경제 사회 이사회. 「하는 학문.

경제 사회학【經濟社會學】명 경제 현상과 사회 현상과의 관계를 연구

경제 생활【經濟生活】명 ①인간이 살아가는 데 필요한 재화(財貨)를 생산·교환·분배·소비하는 생활의 전과정. ②일상 생활에서, 특히 경제적인 측면이나 부분.

경제-성【經濟性】[—썽] 명 〖경〗 경제 행위 또는 경제상의 합리성(合理性). 곧, 경제주의(經濟主義)의 실현 정도를 이름.

경제 성장【經濟成長】명 국민 소득·국민 총생산과 같은 국민 경제의 기본적 지표가 시간적 경과와 더불어 상승하는 일.

경제 성장률【經濟成長率】[—뉼] 명 〖경〗 일국의 일정한 기간(보통, 1년)에 있어서의 국민 총생산 또는 1인당 실질 국민 소득의 증가율. 측정의 척도(尺度)로서 국민 총생산이 쓰임. ㈜성장률. ＊국민 총생산(國民總生産).

경제 속도【經濟速度】명 경제 속력.

경제 속력【經濟速力】[—녁] 명 선박(船舶)·항공기 등이 최소의 연료 소비량을 가지고 최대 거리의 항행(航行)을 할 수 있는 속력. 경제 속도. ＊항해(航海) 속력·시운전 속력.

경제 속육전【經濟續六典】[—뉵—] 명 〖책〗 조선 태종 13년(1413)에 하윤(河崙) 등이, 경제 육전 편찬 뒤에 나온 교지(敎旨)·조례(條例)를 모아 만든 법전(法典). 오늘날은 전하지 아니함. ㈜속육전(續六典).

경제 수역【經濟水域】명 연안국(沿岸國)이 어업과 자원의 관할권을 지배할 수 있는 해역. 보통, 연안에서 200 해리(海里)까지를 이름.

경제 순환【經濟循環】명 〖경〗 자원과 노동에 의하여 각종의 물재(物財)와 용역(用役)을 생산하고 이를 교환·소비하여 인간의 욕망을 만족시키고, 이에 의하여 새로운 에너지를 획득하여 다시 노동하는, 인간의 경제 활동의 전체적 순환 운동.

경제 신찬 육전【經濟新撰六典】[—뉵—] 명 〖책〗 조선 세종 8년(1426)에 이직(李稷) 등이 속육전(續六典)의 뒤를 이어 편찬한 법전(法典). 오늘날은 전하지 아니함. ㈜신찬 육전.

경제 심리학【經濟心理學】[—니—] 명 〔도 Wirtschaftspsychologie〕〖심〗 응용 심리학의 한 분과. 경제 생활을 중심으로 인간의 생활 형태나 태도를 연구하는 능률 심리학의 일면과 기타 모든 경제적 활동자의 심리적 요인(要因)으로서, 소질이나 경제적·사회적·문화적 환경을 대상으로 하여 정신 생활을 이해하며, 또한 정신 생활이 경제 생활에 미치는 영향을 고찰하는 학문. 「데이터에 따라 예상하는 일.

경제 예:측【經濟豫測】명 〖경〗 앞날의 경제의 움직임을 과거·현재의

경제 외:교【經濟外交】명 ①국민 경제의 발전을 목적으로 하는 외교. ②경제 원조 등을 수단으로 하여 대외 관계의 원만화를 꾀하는 외교.

경제 외:적 강:제【經濟外的強制】[—쩍—] 명 〔도 ausserökonomischer Zwang〕〖사〗 봉건 시대에 있어서 조세(租稅) 등을 징수하는 데 경제적 거래 관계를 기조(基調)로 한 것이 아니라, 단순히 영주(領主)의 외부적 권력으로 강제함을 이름.

경제 원론【經濟原論】[—월—] 명 〖경〗 경제학의 한 분야. 자본주의 사회에 있어서의 경제의 기본적인 법칙성을 규명함. 이론 경제학.

경제 원:조【經濟援助】명 〖경〗 약소국이나 개발 도상국에 대한 강대국의 경제적 원조. ㈜경원(經援). 「을 얻으려는 경제상의 원칙.

경제 원칙【經濟原則】명 〖경〗 가장 적은 비용을 들이어서 가장 큰 수익

경제 위범【經濟違犯】명 경제의 통제하에서, 이를 위하여 정해진 법률·명령, 즉 가격 통제나 배급 통제 규칙 등을 범하는 일.

경제 육전【經濟六典】명 〖책〗 조선 태조 6년(1397)에 정도전(鄭道傳)·조준(趙浚) 등이 육전(六典)의 형식을 갖추어 만든 법전(法典). ≪경국

대전(經國大典)≫이 나오기까지 조종 성헌(祖宗成憲)으로 존중되었음. 오늘날은 전하지 아니함. 원육전(原六典). 원전(原典).

경제 의회【經濟議會】명 각종 직능 단체(職能團體)가 선출하는 이익 대표에 의하여 구성되는 의회. 노사(勞使)의 대립과 여러 직능 단체 간에 존재하는 이해의 대립을 조정할 목적으로 주장되었으나 실현되지 않았음. *직능 대표제(職能代表制).

경제-인【經濟人】명〖경〗①〔라 homo economicus〕경제적 합리성·경제적 타산으로 시종 관철하여 무한한 영리 추구를 행동 준칙(準則)으로 하는 사람. 고전파(派) 경제학의 이론 구성의 전제(前提)가 됨. ②자기 이익의 극대화(極大化)만을 목적으로 하여 행동하는 사람. ③경제계에서 활약하는 사람. ¶ ~ 연합회.

경제 인류학【經濟人類學】[—일—] 명 여러 가지 사회에서의 생산·분배·소비 등 사람의 경제 생활을 연구함으로써, 인류의 경제 체계의 통칙성(通則性)을 파악하려는 문화 인류학의 한 분야.

경제 잠재력【經濟潛在力】명〖경〗물자 및 용역을 생산할 수 있는 국가의 총역량.

경제 장:관【經濟長官】명 ↗경제 관계 장관.

경제 장:관 회:의【經濟長官會議】[—/—이] 명〖법〗경제 관련 부처(部處) 장관의 회의. 국민 경제의 종합 운용 계획과 산업 경제에 관한 시책을 심의함.

경제-재【經濟財】명〖경〗경제적 가치를 가지며 경제 행위, 곧 점유(占有)·매매 등의 대상이 되는 재화(財貨). ↔자유재(自由財).

경제-적【經濟的】명관 ①경제에 관계가 있는 모양. ②비용이 절약되는 모양. ¶ ~인 물건/~인 사람.

경제적 국민주의【經濟的國民主義】[—/—이] 명〖경〗한 국민을 단위(單位)로 하여 경제적 자급 자족(自給自足)을 도모하는 한 국가의 경제 정책. 1930 년대의 세계 대공황(大恐慌)에서 자본주의 각국에 종래의 국제 경제 관계에 변경(變更)을 가(加)하여 '블록' 경제화(經濟化)의 경향을 강화하고 타국을 희생(犧牲)시킴으로써 공황을 타개하려는 데서 온 것임.

경제적 민주주의【經濟的民主主義】[—/—이] 명〖경〗경제 민주주의.

경제적 유물론【經濟的唯物論】명〖경〗경제적 요소만이, 사회 발전의 원인이라 생각하고, 정치·법률·도덕·과학·철학 등 모든 현상은, 경제 관계의 수동적(受動的) 결과에 지나지 아니하다고 보는 역사관(歷史觀).

경제적 자유【經濟的自由】명 경제 생활 중에 각 개인이 자신의 의사로 자신의 행위를 정할 수 있는 자유. 소비자의 자유와 생산자의 자유가 있음.

경제적 조치【經濟的措置】명 타국의 정책이나 활동에 영향을 끼치기 위하여 계획된 경제적 수단.

경제적 집단【經濟的集團】명 의·식·주를 같이하고 재물을 공유하며 경제 그 밖의 이해 관계를 같이하는 경제 공동체적 집단.

경제-전【經濟戰】명 나라끼리 서로 경제상으로 하는 다툼.

경제 정책【經濟政策】명〖경〗국가가 국민의 경제상의 이익을 보호하며 증진시키기 위하여 취하는 방책. 또, 그것을 연구하는 학문. 그 목적에 의하여 교통 정책·금융 정책·농업 정책·공업 정책·상업 정책으로 구분함. 또, 경제 과정(過程)상으로는 생산·유통(流通)·분배(分配) 등에 관한 여러 정책, 생산력 발전상으로는 산업 합리화 정책·관세(關稅) 정책·통제 경제 등으로 분류함.

경제 정책학【經濟政策學】명〖경〗①경제 정책에 관한 일을 연구하는 학문. 교통 정책학·금융 정책학·사회 정책학 등 종류가 많음. ②응용 경제학.

경제 정:학【經濟靜學】명〖경〗시간적 요소를 포함하지 아니하고 수급·가격 등 경제 제량(諸量)의 상호 관계를 분석하는 경제 이론. *경제 동학.

경제 제:재【經濟制裁】명〖경〗적대(敵對)하고 있는 외국에 대하여 가하는 경제적인 압박 수단. 재외 자산(在外資産)의 동결이나 경제 봉쇄 등이 있음.

경제 조정관【經濟調整官】명 ①한미 합동 경제 위원회의 유엔군측과 한국측을 대표하여, 경제 원조 물자의 적정(適正)한 처리와 경제 부흥(復興)에 관한 사무를 관장하던 직위. ②오이시(OEC), 곧 미국의 대한 경제 조정관실(對韓經濟調整官室)의 사무를 관장(管掌)하던 책임자. *한미 합동 경제 위원회.

경제 조정관실【經濟調整官室】명 '오이시(OEC)'의 역어(譯語).

경제 조직【經濟組織】명〖경〗경제 생활에 있어서 인간은 자연에 대하여 활동할 뿐만 아니라, 서로 경제적 대인 관계를 맺게 되는데 이 관계가 상시적(常時的)으로 결합되어 있는 현상. 보통, 재화(財貨)와 서비스의 조달에 관한 사회 조직을 말함.

경제 조항【經濟條項】명 헌법의 경제에 관한 여러 규정을 일컫는 말.

경제-주의【經濟主義】[—/—이] 명 ①〖경〗경제 원칙을 합리적으로 실현하려는 주의. 경제적 이익을 모든 것에 우선시키는 입장. ②〖사〗노동 조합 운동에서 정치적 문제보다 경제적 문제를 중시하는 주의.

경제 주체【經濟主體】명 가계·기업·정부 따위처럼 자기의 의사와 판단으로 경제 활동을 행하는 자. ↔경제 객체(客體).

경제 지리학【經濟地理學】명〔economic geography〕〖지〗인문 지리학의 한 분과(分科). 경제 현상을 지리학적으로 연구하는 학문.

경제 지질학【經濟地質學】명〔economic geology〕〖지〗①유용 물질이나 공학 기술에 지질학의 지식을 응용하는 학문 분야. ②금속 광상(金屬鑛床)에 대한 연구 분야.

경제 지표【經濟指標】명 경제 활동의 상태를 알아내는 실마리가 될 통계적 계수. 생산 지수·은행권 발행고·금(金) 또는 외화(外貨)의 보유고·물가 지수·주가(株價) 지수 등.

경제 차:관【經濟借款】명 경제상의 일을 처리하는 데 쓰려고 낸 차관(借款).

경제 차관 회:의【經濟次官會議】[—/—이] 명〖법〗경제 관계 각 부처 차관의 회의. 경제 장관 회의에 제출된 의안과 경제 장관 회의로부터 지시받은 사항을 심의함.

경제 철학【經濟哲學】명 경제에 관한 구체적·현실적인 문제를 확실하고 엄밀한 사회적 비판에 의하여 근본적으로 해결하는 학문. 넓은 뜻의 경제학에 속함.

경제 체제【經濟體制】명 한 나라 또는 한 지역을 하나의 사회 유기체로 보았을 때, 그 경제 조직 및 경제 제도의 양식.

경제 침:투【經濟浸透】명 타국을 정치적으로 지배할 목적으로 다액의 경제 투자, 산업의 매수, 도로·철도·대외 무역 등을 장악하려는 공작이나 행위.

경제 통:계【經濟統計】명 경제 현상에 관한 통계. 또, 이것을 연구하는 학문. 국민 소득 통계·공업 통계·물가 지수 통계 등.

경제 통신【經濟通信】명 서울에 본사를 둔 일간 경제 통신사(通信社)의 하나. 1946년 8월 15일 창설되어, 1980년 문을 닫음.

경제 통:제【經濟統制】명〖경〗국가나 또는 다른 단체가 국가의 목적 또는 국리 민복(民福)을 증대하기 위하여 공정 가격 또는 배급제 등을 실시하여 개인의 자유로운 경제 활동을 통제·간섭하며 그 이익 추구를 억제하는 일.

경제 투쟁【經濟鬪爭】명〖사〗노동자가 임금의 인상, 노동 시간의 단축, 소작료 감면(減免) 등 노동 조건이나 생활 조건을 유지(維持)·개선(改善)하여 경제적 이익을 획득하기 위하여 하는 투쟁. ↔정치 투쟁.

경제 특구【經濟特區】명〖경〗외국의 자본이나 기술을 집중적으로 도입하기 위하여 설치되는 경제 특별 지구. 참여하는 외국 기업에 대해서는 경제면에서의 여러 가지 혜택이 주어짐. 1980 년 중국의 광둥 성(廣東省)과 푸젠 성(福建省)에 설치된 것이 그 시초임.

경제 평화【經濟平和】명 선진국과 발전 도상국 사이의 격차를 줄이고 자원의 공정한 배분을 실시하는 등, 국제 경제 질서를 실현함으로써 이룩되는 세계 평화.

경제-표【經濟表】명〔프 tableau économique〕〖경〗중농주의(重農主義)의 창시자 케네(Quesnay)가 1758년에 발표한 경제 순환(經濟循環)에 관한 도표. 국민을 소유(所有)의 종류와 직업에 따라서, 생산 계급·지주 계급 및 불생산(不生産) 계급의 셋으로 하고, 이들 사이의 관계를 나타낸 것으로, 프랑스 혁명 직전의 경제적 곤경과 인구(人口) 문제의 해결을 시도(試圖)한 것임.

경제-학【經濟學】명 ①나라를 다스리고, 백성을 지키는 방도를 연구하는 학문. ②〖경〗사회 과학의 한 부문. 경제 현상을 대상으로 하여 생산·교환·분배의 통일적 제 관계(諸關係)를 연구하여 생산력에 대응(對應)한 생산 관계의 발전 법칙을 구하는 학문. 이론 경제학과 경제 사학(史學)·경제 정책학 등의 응용 경제학으로 나눔.

경제학-과【經濟學科】명〖교〗경제학을 강술(講述)하고 연구하는 대학 교육상의 한 분과(分科). ㊀경제과. *통계학과.

경제학 박사【經濟學博士】명 박사 학위의 하나. 경제학을 전공하여 소정(所定)의 연구 과정을 거쳐서 박사 학위 논문이 통과된 사람에게 수여하는 학위. 또, 그 학위를 받은 사람.

경제학-사[1]【經濟學士】명 학사 학위의 하나. 경제학을 전공한 대학 경제학과 졸업생에 수여함. 또, 그 학위를 받은 사람.

경제학-사[2]【經濟學史】명〖경〗경제 이론의 발생과 그 발전 과정을 기술한 역사. 경제 학설사.

경제학 사전【經濟學辭典】명 경제학에 관한 용어 및 사항을 모아 해설한 전문 사전의 하나.

경제학 석사【經濟學碩士】명 석사 학위의 하나. 경제학을 전공하여 대학원의 소정(所定) 연구 과정을 필한 후 석사 학위 논문이 통과된 사람에게 수여함. 또, 그 학위를 받은 사람.

경제학설-사【經濟學說史】명〖경〗경제학사(經濟學史).

경제학-자【經濟學者】명 경제학을 연구하는 학자.

경제학-파【經濟學派】명 경제학의 학파. 고전 학파·마르크스 학파·한계 효용(限界效用) 학파·케인즈 학파 등.

경제 해:부학【經濟解剖學】명〖경〗국민 소득·국민 소비·투자·저축 등의 경제 사회를 해부학적으로 분해하여, 주로 현상면만을 연구하는 학문.

경제 행위【經濟行爲】명〖경〗인류가 경제적 욕망을 채우기 위하여 재화를 획득·사용하는 행위. 생산·교환·분배·소비 등.

경제 협력【經濟協力】[—녁] 명 국제간의 경제적인 협력. 보통, 선진국이 개발 도상국에 장기 연불(延拂)수출, 차관 공여, 기술 원조(技術援助) 등을 함을 일컬음. ㊀경협(經協).

경제 협력 개발 기구【經濟協力開發機構】[—녁—] 명〔Organization for Economic Cooperation and Development〕선진국의 경제 협력 기구. 세계 경제의 안정과 무역 확대, 저개발국 원조를 목적으로 1961 년에 발족하여 세계 선진국의 대부분이 가입되어 있음. 선진국 클럽. 오이 시 디(OECD).

경제 협조처【經濟協助處】명 마샬 플랜을 실시하기 위한 기관으로 1948년 설립된 미국 대통령의 직속 기관. 유럽 여러 나라뿐만 아니라, 한국을 비롯하여 아시아 각국도 그 대상에 포함되었음. 1951년 상호 안전 보장법의 설립으로 상호 안전 보장 본부로 바뀌고, 1953년 다시 에프 오 에이(F.O.A.)로 대체됨. 약칭:이 시 에이(E.C.A.).

경제-화【經濟靴】명 마른신의 한 가지. 앞 부리는 뾰족하고 울이 썩 깊은데, 앞에 솔기가 없이 한 조각의 가죽 또는 헝겊으로 만듦. 오른짝과 왼짝과의 구별이 없음.

경제 활동【經濟活動】[—똥] 명〖경〗기업이나 가계(家計) 등의 경제

주체에 의하여 영위되는 재화(財貨)와 서비스의 생산·소비, 부(富)나 소득의 분배 등의 개별적인 행동.

경제 활동 인구【經濟活動人口】[—똥—] 명 만 15세 이상의 인구 중, 노동 능력과 노동할 의사가 있는 인구를 일컬음.

경조[1]【更造】명 고치어 다시 만듦. ——-하다 타 여불

경조[2]【京兆】명 ①서울. ②〖지〗 중국 산시 성(陝西省) 장안(長安) 일대를 차지하는 행정 구역.

경조[3]【京造】명 ↗경조치.

경조[4]【京調】[—쪼] 명 ①서울의 풍속과 습관. ②〖악〗 서울에서 특별히 부르는 시조의 창법(唱法). 박절이 엄정하고 속 목을 쓰는 것이 특징임. 경제(京制). *영조(嶺調)·완조(完調). ③〖악〗 경(京)드름.

경조[5]【硬調】[—쪼] 명 ①〖경〗 거래 시장에서 살 사람이 많아 가격이 등귀하는 형세. ②사진의 원판(原板) 인화에 있어서 감광된 곳과 감광되지 아니한 곳의 차가 현저하게 나타나는 일.

경:조[6]【敬弔】명 삼가 조상함. ——-하다 타 여불

경:조[7]【景祚】명 큰 복조(福祚). 경복(景福).

경조[8]【輕佻】명 경솔(輕率). ——-하다 형 여불. ——-히 부

경조[9]【輕燥】명 가볍고 건조함. ——-하다 형 여불

경조[10]【輕躁】명 방정맞고 성미가 급하여 말이 많음. ——-하다 형 여불

경:조[11]【慶弔】명 ①경사스러운 일과 궂은 일. ②경사를 축하하고 흉사를 조문함. 조하(弔賀). ¶ ~ 전보/~비.

경:조[12]【慶兆】명 경사의 징조. 길조(吉兆). 경서(慶瑞).

경조[13]【卿曹】명 경배(卿輩).

경:조[14]【警曹】명 해무청 해양 경비대에 속하던 사법 경찰리(警察吏)의 하나. 경조장(警曹長)의 아래, 경수(警守)의 위임. 일등·이등·삼등의 세 급이 있었음.

경:조[15]【競漕】명 조정(漕艇).

경조[16]【驚譟】명 놀라 떠듦. 경소(驚騷). ——-하다 자 여불

경:조-로【競漕路】명 조정 경기에서, 선수가 보트를 저어 나아가도록 정해진 수로(水路).

경조 부박【輕佻浮薄】명 언어 행동이 경솔하고 진중하지 못함. 경박 부허(輕薄浮虛). ¶ ~한 도시 청년. 준 경박(輕薄)·경부(輕浮). ——-하다 형 여불

「——-하다 자 여불

경:조 상문【慶弔相問】명 경사에 서로 축하하고 흉사에 서로 위문함.

경조-윤【京兆尹】명 ①〖역〗 중국 한(漢)나라 때 서울을 지키며 다스리던 으뜸 벼슬. *좌풍익(左馮翊). ②〖역〗 '한성 판윤(漢城判尹)'의 별칭. 경윤(京尹).

경:조-장【警曹長】명 해무청 해양 경비대에 속하던 사법 경찰리(警察吏)의 하나. 경위(警衛)의 아래, 경조(警曹)의 위임.

경:조 전:보【慶弔電報】명 특별 전보의 하나. 경축·조위·성탄절 또는 연하(年賀)에 관한 통신문의 전보.

경:조 전:신환【慶弔電信換】명 경조 축의(祝儀)나 조위금(弔慰金) 따위를 직접 보낼 수 없는 사람을 위하여, 전보를 곁들여서 송달하는 우편 전신환(電信換).

「경조(京造).

경조-치【京造—】명 지방의 특산물을 서울에서 모방하여 만든 물건. 준

경조-토【輕燥土】명〖농〗 갈기에 힘이 안 드는 푸석푸석한 흙.

경졸[1]【勁卒】명 굳센 병졸. 경사(勁士).

경졸[2]【輕卒】명 ①가벼이 차린 병졸. ②신분이 낮은 병졸.

경종[1]【京種】명 ①서울에서 생산되는 채소 종자. ②서울내기.

경종[2]【耕種】명 논밭을 갈고 씨를 뿌리어 가꿈. ——-하다 타 여불

경:종[3]【景宗】명〖사람〗 고려의 제 5 대 왕. 휘는 주(伷). 광종(光宗)의 맏아들. 이 임금 때 발해(渤海) 사람 수만 명이 귀화함. [재위 976-981]

경:종[4]【景宗】명〖사람〗 조선 시대의 제 20 대 왕. 휘는 균(昀). 자는 휘서(輝瑞). 숙종(肅宗)의 맏아들. 능(陵)은 경기도 양주군(楊州郡)에 있는 의릉(懿陵)임. [1688-1724; 재위 1720-24].

경종[5]【經宗】명〖불교〗 경전(經典)으로 종지(宗旨)를 세운 종파(宗派). 화엄종(華嚴宗)·천태종(天台宗)·법화종(法華宗) 등이 이에 속함.

경:종[6]【警鐘】명 다급한 일이나 위험을 경계하기 위하여 치는 종.

경:종(을) 울리다 구 다급한 일이나 위험한 일에 대한 사전 경계를 위하여 주의를 환기시키다.

경종 방식【耕種方式】명〖농〗 경작을 하는데 작물의 선택·배치, 재배의 순서 등을 자연적 또는 경제적 사정에 맞추어 정하는 방법. 화전식(火田式)·혼작식(混作式)·체대식(遞代式) 등이 있음.

경:종 수정 실록【景宗修正實錄】명〖책〗 조선 정조(正祖) 5년(1781)에 《경종 실록》을 정존겸(鄭存謙) 등이 수정하고 실록청(實錄廳)에서 간행한 실록. 5권 3책.

경:종 실록【景宗實錄】명〖책〗 조선 경종 재위(在位) 4 년간의 실록. 영조(英祖) 8년(1732)에 실록청(實錄廳)에서 편찬함. 경종 덕문 익무 순인 선효 대왕 실록(景宗德文翼武純仁宣孝大王實錄). 15 권 7 책, 인본.

경:종 춘방 일기【景宗春坊日記】명〖책〗 조선 경종이 동궁으로 있을 때의 시강원(侍講院)의 일기(日記). 숙종 16년(1690) 5월부터 숙종 46년(1720) 6월에 걸쳐서 풍우 음청(風雨陰晴)·책례(册禮)·사부 상견례(師傅相見禮)·가례(嘉禮)·강연(講筵)·서연(書筵)·춘방관(春坊官)의 임면(任免) 등을 기재하였음. 16 책, 사본.

경좌【庚坐】명〖민〗 집터·묏자리 같은 것이 경방(庚方)을 등진 좌(坐).

경좌 갑향【庚坐甲向】[—가퍙] 명〖민〗 경방(庚方)을 등지고 갑방(甲方)을 바라보는 좌향(坐向).

경죄【輕罪】명 가벼운 죄. ↔중죄(重罪).

경주[1]【傾注】명 ①기울여 쏟음. ②강물이 쏜살같이 바다로 흘러 들어감. ③비가 퍼붓듯 쏟아짐. ④마음을 한곳에 쏠리게 함. ¶ 전력을 ~하다. ——-하다 자타 여불

경주[2]【輕舟】명 가볍고 빠르게 가는 작은 배.

경:주[3]【慶州】〖지〗 경상 북도의 한 시(市). 신라 천년의 고도(古都). 4 읍(邑) 8 면(面) 17 동(洞). 도의 남동부(南東部)에 위치하여 동쪽은 동해(東海), 북동쪽은 포항시(浦項市), 북쪽은 영천시(永川市), 서쪽은 영천시·청도군(淸道郡), 남쪽은 울산 광역시(蔚山廣域市)에 접함. 농업이 주이며, 동해에 면한 연안 지역에서는 고등어·오징어·멸치 등을 산출함. 명승 고적으로는 불국사(佛國寺)·첨성대(瞻星臺)·안압지(雁鴨池)와 임해전지(臨海殿址)·반월성·계림(鷄林)·석굴암(石窟庵)·황룡사지(皇龍寺址)·석빙고·분황사(芬皇寺)·백률사(柏栗寺)·옥산 서원(玉山書院)·서악 서원(西岳書院)·무열왕릉·천마총(天馬塚)·오릉(五陵)·김유신 장군묘·포석정(鮑石亭)·영지(影池)·경덕왕릉(景德王陵)·흥덕왕릉(興德王陵)·괘릉(掛陵)·서출지(書出池)·박물관·황성(皇城) 공원·보문 관광 단지 등이 있음. 국립 공원으로 지정되었으며, 유네스코에서 1979 년 세계 10 대 유적지로 선정하였음. 1995년 1월, 경주군과 통합, 개편됨. [1,324.82 km²: 283,622 명(1996)]

【경주 돌이면 다 옥석(玉石)인가】 ㉠좋은 일 가운데도 궂은 일이 섞여 있다는 말. ㉡물건을 평가할 때, 그 물건이 나는 곳이나 그 이름만을 가지고 논단(論斷)할 수 없다는 말.

경:주[4]【瓊州】명〖지〗 '충저우'를 우리 음으로 읽은 이름.

경:주[5]【競舟】명 경조(競漕). ——-하다 자 여불

경:주[6]【競走】명 일정한 거리를 정하고 동시에 달리어 빠름을 다툼. 러닝. ¶ 토끼와 거북의 ~. ——-하다 자 여불

경:주 경:기【競走競技】명〖체〗 육상 경기 가운데서, 트랙 경기·마라톤·크로스컨트리 레이스의 총칭.

경:주 구황리 금제 여래 입상【慶州九黃里金製如來立像】[—니—] 명〖불교〗 통일 신라 시대 초기에 제작된 황금으로 된 불상(佛像). 1934 년 경주 구황리 삼층 석탑에서 금제 여래 좌상(金製如來坐像)과 함께 발견됨. 높이 14 cm. 국립 중앙 박물관 소장. 국보 제 80 호.

경:주 구황리 금제 여래 좌:상【慶州九黃里金製如來坐像】[—니—] 명〖불교〗 통일 신라 초기에 제작된 황금으로 된 석가 좌상. 1934 년 경주 구황리 삼층 석탑에서 금제 여래 입상(立像)과 함께 발견됨. 높이 12.2 cm. 국립 중앙 박물관 소장. 국보 제 79 호.

경:주 구황리 삼층 석탑【慶州九黃里三層石塔】[—니—] 명〖불교〗 경상 북도 경주시 구황동에 있는, 통일 신라 시대에 건립된 화강석탑(花崗石塔). 2 층 기단(基壇) 위에 세웠음. 1942 년 황복사탑(皇福寺塔)을 보수(補修)할 때, 2 층 옥개석(屋蓋石)에서 사리(舍利)와 금불상 2 구 등이 발견됨. 높이 7.3 m, 기단폭(基壇幅) 4.2 m. 국보 제 37 호.

경:주 국립 공원【慶州國立公園】[—님—] 명〖지〗 경상 북도 경주시(慶州市) 일원(一圓)에 걸쳐 있는 공원. 1968 년 지정됨. 토함산(吐含山)·금오산(金鰲山)·선도산(仙桃山)·단석산(斷石山)·옥녀봉(玉女峰) 등과 무열왕릉·문무 대왕 수중 왕릉 등이 있고, 국보 제 20 호인 불국사 다보탑, 국보 제 21 호인 3 층 석탑, 국보 제 24 호인 석굴암, 국보 제 112 호인 감은사지(感恩寺址) 3 층 석탑 등 이외에 많은 문화재가 있음. [138.16 km²]

경주-군【慶州郡】명〖지〗 경상 북도에 속했던 군. 1995년 1월, 경주시에 통합됨.

경:주-로【競走路】명 코스(course)❷.

경:주-마【競走馬】명 경주용의 말.

경:주 마:권세【競走馬券稅】[—꿘—] 명 지방세의 하나. 과세 표준은 승자·승마 투표권의 발매금(發賣金) 총액에 대하여 경주 사업자와 한국 마사회에 부과함.

경:주 박물관【慶州博物館】명 국립 중앙 박물관장 소속하에 둔 지방 박물관의 하나. 1926년에 총독부 박물관 경주 분관으로 설립, 해방과 함께 국립 박물관 경주 분관으로, 1975년 경주 박물관으로 명칭이 바뀌었음. 소장 유물은 총 6,992 점으로 경주 일원을 중심으로 하는 삼국 시대, 통일 신라 시대의 유물이 중심이 되어 있으며, 일부 도자기와 낙랑 유물 등이 있음.

경:주 분지【慶州盆地】명〖지〗 대구(大邱) 동방 69 km 지점인 형산강(兄山江) 상류의 명활산(明活山)·선도봉(仙桃峰)·금오산(金鰲山) 등 낮은 산으로 둘러싸인 분지. 중심지는 경주.

경:주용 자동차【競走用自動車】명 속도 성능(速度性能)에 중점을 두어 고속도 주행(走行)에 알맞도록 설계·제작한 특수한 경주용의 자동차.

경:주 유적【慶州遺跡】명 경주에 있는 유적. 특히, 불교 유적으로 유명하며 일본에 대한 영향도 컸음.

경-주인【京主人】명 〈속〉〖역〗 경저리(京邸吏). *경공인(京貢人).

경주인 문기【京主人文記】명〖역〗 경주인의 권리를 사고 팔 때 주고받는 문서.

경:주 평야【慶州平野】명〖지〗 형산강(兄山江) 상류 지역에 전개된 평야. 형산강 평야와 함께 경상 북도 지방의 중요 농업 지대로 쌀·보리를 산출함. 특히 경주미(慶州米)는 품질이 우수한 것으로 유명함. 또, 감 등도 생산되며 축우업(畜牛業)이 성함. 평야의 중심지는 경주임.

경중[1]【京中】명 서울의 안.

경:중[2]【敬重】명 공경하고 중히 여김. ——-하다 타 여불

경중[3]【輕重】명 ①가벼움과 무거움. ¶ 구정(九鼎)의 ~을 묻다(남을 얕보고서 그 지위를 빼앗으려 하다). ②무게. ③큰 일과 작은 일. 또, 중요함과 중요하지 않음. ¶ 일의 ~을 가리다.

경:중[4]【鏡中】명 거울 속.

경:중[5]【警衆】명 뭇 사람을 경계함. 뭇 사람을 깨우침. ——-하다 자 여불

경:중 미인【鏡中美人】명 ①거울에 비친 미인. 곧, 실속이 없는 일. ②경오 바르고 얌전하다 하여, 서울·경기도 사람의 성격(性格)을 평(評)한 말. *청풍 명월(淸風明月).

경중 왜관【京中倭館】[명]〖역〗조선 시대 때, 서울에 있던 왜관(倭館). 서울에 올라온 일본 사신(使臣)이 묵던 곳인데, 동평관(東平館)이라 하여, 지금의 서울 중구(中區) 인현동(仁峴洞)에 있었음.
경증¹【輕症】[—쯩] [명] 가벼운 병의 증세. ¶ ~ 환자. ↔중증(重症).
경증²【驚症】[—쯩] [명] 나귀나 말이 잘 놀라는 성질.
경지¹【京址】[명] 서울이었던 터. 서울의 옛터.
경지²【耕地】[명]〖농〗↗경작지(耕作地). ¶ ~ 면적.
경:지³【敬止】[명] ①공경함. 근신함. 지(止)는 조사(助辭). ②삼가서 범추어야 할 곳에서 멈춤. ——-하다 [타][여불]
경지⁴【經紙】[명] 경문을 베끼는 종이.
경지⁵【境地】[명] ①경계(境界)가 되는 땅. ②한 지경(地境)의 풍치(風致). ③환경과 처지(處地). ④독자적인 세계관·학문관 등에 입각한 방식. 분야(分野). ¶ 새로운 ~를 개척하다. ⑤경험한 결과 도달한 지경·상태. ¶ 성인의 ~에 이르다.
경:지⁶【瓊脂】[명] 심태(心太).
경지 면:적【耕地面積】[명] 경작지의 면적.
경지 반:환【耕地返還】[명]〖농〗소작 쟁의(小作爭議)의 한 수단으로 소작인이 지주에게 땅을 돌려주는 일.
경지 백당【耕地白糖】[명] 제당 원료(製糖原料)의 경작지에 공장이 있어, 그 곳에서 일관 작업(一貫作業)으로 직접 제조된 백당.
경지-산【硬脂酸】[명]〖화〗'스테아르산(酸)'의 통속명.
경:지 옥엽【瓊枝玉葉】[명] 금지 옥엽(金枝玉葉).
경:지 전:단【瓊枝旃檀】[명] 재덕(才德)이 겸비한 사람. 또, 썩 잘 된 시문(詩文)의 비유.
경지 정:리【耕地整理】[—니] [명]〖농〗토지의 이용을 증진하며 수확을 증가하기 위하여 일정한 구역의 경지 소유자가 공동하여 토지의 교환, 형상의 변화, 개간·배수·관개 등 모든 설비의 개량을 행하는 일. 농지 정리.
경지 지역【耕地地域】[명] 국토 이용 관리법에 따라, 국토 이용 계획 심의회의 심의를 거쳐 건설부 장관이 결정 고시하는 용도(用途) 지역의 하나. 주로 논농사·밭농사·과수원·뽕밭·원예 또는 축산업 등에 이용되거나 이용될 지역. *산림 보전 지역.
경직¹【京職】[명]〖역〗↗경관직(京官職).
경직²【勁直·梗直·骾直】[명] 뜻이 굳고 곧음. ——-하다 [형][여불]
경직³【耕織】[명] 농사짓는 일과 길쌈하는 일. ——-하다 [자][여불]
경직⁴【硬直】[명] 굳어서 꼿꼿하게 됨. ¶ 사후(死後) ~. ——-하다 [자][여불]
경직⁵【鯁直】[명] 권세를 두려워하지 아니하고 강직함. ——-하다 [형][여불]
경직-도【耕織圖】[명] 농사짓는 것과 길쌈하는 것을 그린 그림.
경진¹【庚辰】[명]〖민〗육십 갑자(六十甲子) 중의 열일곱째.
경진²【輕震】[명]〖지〗창문이 약간 흔들릴 정도의 가벼운 지진. 진도(震度)는 2.
경:진³【罄盡】[명] 경갈(罄竭). ——-하다 [자][여불]
경:진⁴【競進】[명] ①서로 다투어 앞으로 나아감. ②우열을 겨룸. ¶ ~ 대회. ——-하다 [자][여불]
경진 북정【庚辰北征】[명]〖역〗조선 세조(世祖) 때 북변의 야인(野人), 곧 여진족(女眞族)을 정벌한 일. 세조는 즉위하자 평안도(平安道)의 사군(四郡)을 철폐하고 여진족에 대하여 유화 정책을 썼으나, 함경도 회령(會寧) 방면에 있던 모련위(毛憐衛) 야인들이 서로 분쟁을 일으키고 또 북변 지방을 침범 약탈하므로 세조 6년(1460) 신숙주(申叔舟)를 도체찰사(都體察使)로 삼고 야인을 정벌하게 하여 두만강을 건너서 그들의 소굴까지 완전히 소탕해서 북변을 크게 개척하였음.
경진-성【傾震性】[—썽] [명] (seismonasty)〖생〗진동 자극(震動刺戟)에 의하여 일어나는 경성 운동(傾性運動). 접촉 자극, 기타 가벼운 진동을 수반하는 모든 기계적 자극이나 전기적 자극 등도 같은 운동을 유발함.
경진-자【庚辰字】[명]〖역〗재주 갑인자(再鑄甲寅字)❷.
경:진-회【競進會】[명] 공진회(共進會)❶.
경질¹【更迭·更佚】[명] 어떤 직위(職位)에 있는 사람을 갈고, 딴 사람을 그 자리에 임용함. ¶ 장관을 ~하다/임원 ~. ——-하다 [타][여불]
경질²【勁疾】[명] 굳세고 날램. 경첩(勁捷). ——-하다 [형][여불]
경질³【硬質】[명] 단단한 품질(品質). ↔연질(軟質).
경질⁴【經帙】[명] 경권(經卷)을 싸서 간수하는 덮개. 경전(經典)을 보호하고 산일(散逸)을 막기 위한 것임.
경질 고무【硬質—】[명] (hard rubber)〖화〗생고무에 30-50 %의 황을 넣어 가열한 신축성이 적은 고무. 에보나이트(ebonite).
경질 도기【硬質陶器】[명]〖공〗1,200°C 정도의 열로 굽고 약한 유약(釉藥)을 칠하여 다시 1,000°C 정도의 열로 구워 만든 도기의 하나. 자기와 도기의 중간이며 빛깔은 희고 자기에 가까우나 투명하지 아니함. 식기·변기(便器)·욕조(浴槽)·타일(tile) 등에 쓰임. 장석질(長石質) 도기.
경질-미【硬質米】[명] 수분이 적고 단단하여 잘 변하지 아니하는 현미. ↔연질미(軟質米).
경질 비닐【硬質—】(vinyl) [명] 연화 온도(軟化溫度) 70-80°C의 염화 비닐을 고도로 함유한 수지(樹脂). 잡화·완구(玩具)·LP 및 EP 레코드, 그 밖에 공업 용품 등에 응용됨.
경질 섬유【硬質纖維】[명] 새끼·끈·직물을 만드는 데 쓰이는, 극도로 목질화(木質化)된 잎의 섬유.
경질 수지【硬質樹脂】[명] 10,000 프사이(psi) 이상의 탄성률(彈性率)을 갖는 수지.
경질 원리【更迭原理】[—월—] [명]〖수〗경질의 이(理).
경질-유【輕質油】[—류] [명] 비중(比重)이 가벼운 품질 좋은 원유(原油). 비중 측정 단위 34도 이상의 것. *중질유(中質油).
경질 유리【硬質琉璃】[—류—] [명]〖화〗마그네슘·알루미늄 외에 칼륨을 많이 함유하고 있어서 녹는점이 높고, 화학 약품에 강하며 팽창계수(膨脹係數)가 작은 유리의 통칭. 화학 실험용으로 쓰임. *칼리(kali) 유리. ↔연질(軟質) 유리.
경질의 이:【更迭—理】[—/—에—] [명]〖수〗같은 네 양(量)이 비례를 이룰 때, 첫째·셋째의 비(比)와 둘째·넷째의 비도 서로 같다는 이치. 경질 원리.
경질 자기【硬質磁器】[명] 900°C 정도의 강한 열로 구운 다음 강한 유약(釉藥)을 칠하고 다시 1,400°C 정도의 열로 구워 만든 자기. 빛깔은 희고 약간 투명하며 질이 매우 치밀(緻密)함. 식기·전기용 기구·화학용 기구 등에 쓰임. 장석질 자기(長石質磁器).
경질 합금【硬質合金】[명] 탄화(炭化) 텅스텐 등의 분말로 만들어 낸, 다이아몬드 다음가는 경질의 합금. 절삭 공구(切削工具)의 바이트(bite)·드릴(drill)·프라이스(fraise)와 착암기의 드릴촉·다이스(dies) 등에 쓰임.
경질 헌:법【硬質憲法】[—뻡] [명]〖법〗경성 헌법.
경질 화:합물【硬質化合物】[명]〖화〗경도(硬度)가 대단히 큰 탄소화물(炭素化物)·질소화물(窒素化物)·붕소화물(硼素化物) 등의 화합물. 다이아몬드·탄화규소(炭化硅素) 등이 있음.
경-징계【輕懲戒】[명]〖법〗징계 처분 종류의 하나. 감봉(減俸) 또는 견책(譴責) 처분을 말함. *중징계(重懲戒). ——-하다 [타][여불]
경ᄌᆞ [명] 〈옛〉 경쇠❶. ¶ 경ᄌᆞᆺ 경(磬)《字會 中 32》.
경차¹【經差】[명]〖지〗두 지점 사이의 경도(經度)의 차이.
경차²【傾差】[명]〖지〗자침(磁針)이 수평보다 경하(傾下)하는 각도.
경차³【輕車】[명] ①병거(兵車). ②가볍고 빠른 수레. ③↗경승용차.
경:차-관【敬差官】[명]〖역〗조선 시대 때, 지방에 임시로 보내던 벼슬. 주로 전곡(田穀)의 손실을 조사하고 민정을 살피는 일을 맡음.
경차 숙로【輕車熟路】[—노] [명] 경쾌한 수레로 익숙한 길을 간다는 뜻으로, 사물에 익숙함을 비유하는 말.
경찬¹【經讚】[명]〖불교〗경전(經典)의 본지(本旨)를 높이 찬탄한 글.
경:찬²【慶讚】[명]〖불교〗①불타(佛陀)·보살(菩薩)·조사(祖師)의 불덕(佛德)을 드높이 찬탄함. 경참(慶懺). ②불상·경전(經典)·탑(塔) 같은 것을 새로 만들어 완성할 때에 행하는 법사(法事). ——-하다 [타][여불]
경:찬-글【慶讚—】[—끌] [명]〖불교〗경찬의 뜻을 나타내는 글. 경찬문(慶讚文).
경:찬-문【慶讚文】[명]〖불교〗경찬글.
경:찬-회【慶讚會】[명]〖불교〗불상을 새로 만들었거나 법당을 새로 낙성하였을 때에 그 기념으로 여는 법회(法會).
경찰¹【京察】[명]〖역〗도목 정사(都目政事).
경:찰²【鏡察】[명]〖역〗경성(鏡城)에 있던 함경 북도 관찰사(觀察使)의 약칭.
경:찰³【警札】[명] 경찰에서 써 붙인 표찰(標札).
경:찰⁴【警察】[명] ①사회 공공의 안전·질서에 대한 장애를 제거하기 위하여, 국가 권력을 가지고 국민에게 명령하고 강제하는 작용. 또, 그 행정 기관. ②(경찰법에서는) 국민의 생명·신체 및 재산의 보호와 범죄의 예방·진압 및 수사, 치안 정보의 수집, 교통의 단속, 기타 공공의 안녕과 질서 유지를 임무로 하는 공적(公的)인 조직. 행정 경찰 작용뿐 아니라 사법 경찰 작용도 맡아봄. *행정 경찰·사법 경찰. ③↗경찰서·경찰관.
경:찰 강:제【警察強制】[명]〖법〗경찰의 목적을 달성하기 위하여 신체 또는 재산에 대하여 실력을 가함으로써 경찰상 필요한 상태를 실현하는 작용.
경:찰-견【警察犬】[명] 경찰이 범인(犯人)의 수색·추적(追跡)·체포 등에 쓰는 개.
경:찰 공무원【警察公務員】[명] 국민의 자유와 권리의 보호를 위하여, 범죄의 예방·진압 및 수사, 치안 정보의 수집, 교통의 단속과 위해의 방지, 공공의 안녕과 질서 유지 등을 직무로 하는 공무원. 계급은 치안 총감(治安總監)·치안 정감(正監)·치안감(治安監)·경무관(警務官)·총경(總警)·경정(警正)·경감(警監)·경위·경사·경장·순경의 11 계급으로 구분됨.
경:찰 공무원법【警察公務員法】[—뻡] [명]〖법〗경찰 공무원의 책임 및 직무의 중요성과 신분 및 근로 조건의 특수성에 비추어 그 임용·교육훈련·복무·신분 보장 등에 관한 사항을 규정한 법률. 국가 공무원법에 대한 특례 규정임. 1982년에 제정됨.
경:찰 공무원 인사 위원회【警察公務員人事委員會】[명]〖법〗경찰 공무원의 인사에 관한 중요 사항에 관하여 경찰청장의 자문에 응하게 하기 위하여 경찰청에 둔 자문 기관.
경:찰-관【警察官】[명] '경찰 공무원'의 통칭. [준]경관(警官).
경:찰 관서【警察官署】[명] 경찰 행정을 담당하는 관청과 그 보조 기관. 경찰청, 각 시도의 지방 경찰청, 경찰서 등. *경찰 관청(官廳).
경:찰관 유족 기장【警察官遺族記章】[명]〖법〗전사·전병사(戰病死) 또는 직무 수행중 순직한 경찰관의 유족에게 수여하는 기장.
경:찰관 직무 집행법【警察官職務執行法】[—뻡] [명] 국민의 자유와 권리 보호 및 사회 공공의 질서 유지를 위한 경찰관의 직무 수행에 필요한 사항을 규정한 법률.
경:찰 관청【警察官廳】[명]〖법〗경찰에 관하여 국가의 의사를 결정·표시하는 권한을 가진 행정 관청. *경찰 관서(官署).
경:찰관 출장소【警察官出張所】[—짱—] [명] 경찰서가 없는 지역에 임시로 설치하여, 출장 경찰관으로 하여금 경찰서장의 소관 사무를 분장(分掌)하게 하는 곳.
경:찰관 파출소【警察官派出所】[—쏘] [명] 경찰서 소재지 안의 적당한 장소에 경찰관을 파견하여 경찰서장의 소관 사무를 분장(分掌)하게 하는 곳. [준]파출소.
경:찰-국【警察局】[명]〖법〗'지방 경찰청'의 구칭.
경:찰 국가【警察國家】[명] (도 Polizeistaat)〖정〗절대주의 시대의 유럽에서, 군주(君主)의 대권(大權)이 내정(內政) 전반에 걸쳐, 자의적인 경찰권의 행사에 의해 통치되었던 나라. 전하여, 경찰력을 제멋대로 행사하여 국민 생활을 감시·통제하는 국가. ↔법치 국가(法治國家).
경:찰-권【警察權】[—꿘] [명]〖법〗공공(公共)의 질서 유지를 위하여 경찰 기관을 통해 국민에게 명령·강제하는 국가 권력.

경:찰 기관【警察機關】명 경찰권을 행사하는 기관. 중앙 경찰 기관으로서의 경찰청, 지방 경찰 기관으로서의 특별시·직할시 및 각 도의 지방 경찰청을 이르나, 해양 경찰청·경찰 대학·경찰 기동대·경찰서 등 경찰 기구 전반을 포함하여 이르기도 함.

경:찰 기동대【警察機動隊】명 집단적 시위 행동을 규제하거나 대규모 행사 등 때의 경비 및 군중 정리, 일제 단속 등을 실시하는 경찰관 부대. 구미(歐美)에서는 '폭동 경찰'이라고도 함. 기동대.

경:찰-대【警察隊】[—때] 명 경찰로 조직된 부대.

경:찰 대학【警察大學】명 경찰청장 소속하에 둔 4년제 대학. 국가 치안 부문에 종사할 경찰 간부가 될 사람에게 학술을 연마하고, 심신을 단련시킴. 졸업자에게는 경위로 임명하고, 법학사 또는 행정학사의 학위를 수여함.

경:찰 면:제【警察免除】명〖법〗법이 일반적으로 명령하는 일정한 작위(作爲) 또는 재물의 급부(給付) 또는 수인(受忍)의 경찰 의무를 특정한 경우에 면제하는 경찰 처분.

경:찰 명:령【警察命令】[—녕] 명〖법〗경찰 법규를 내용으로 하는 행정 명령.

경:찰-벌【警察罰】명〖법〗경찰법에 대한 형벌.

경:찰-범【警察犯】명〖법〗경찰 법규·경찰 명령을 어기는 행위.

경:찰-법【警察法】[—뻡] 명〖법〗경찰의 민주적인 관리·운영과 효율적 임무 수행을 위하여 경찰의 기본 조직 및 직무 범위 등을 규정한 법률. 1991년에 제정됨.

경:찰 법규【警察法規】명〖법〗경찰의 목적을 위하여 제정된 법규.

경:찰 병:원【警察病院】명 경찰 공무원 및 그 가족과, 경찰 교육 기관에서 교육을 받는 자와 전투 경찰 순경의 질병 진료에 관한 사항을 장리(掌理)하기 위하여 경찰청장 소속하에 둔 병원.

경:찰-봉【警察棒】명 경찰관이 총 대신에 휴대하는 곤봉(棍棒).

경:찰-비【警察費】명 경찰 제도를 유지 운영하는 데 소요되는 경비.

경:찰-서【警察署】[—써] 명 지방 경찰청장에 속하여, 특별시의 각 구(區) 및 시·군에서 그 관할 구역 안의 경찰 사무를 맡아 보는 관서. ㊇경찰·서(署).

경찰서-원【警察署員】[—써—] 명 경찰서에 근무하는 경찰관이나 그 밖의 요원(要員). ㊇서원(署員).

경:찰서-장【警察署長】[—써—] 명 경찰서의 장(長). 총경(總警)으로 보임(補任)함. ㊇서장(署長).

경:찰 소추【警察訴追】명〖법〗영법(英法)에 있어서 경찰에 의한 소추.

경:찰 수첩【警察手帖】명 경찰관이 근무상의 사항을 기재하기 위하여 소지(所持)하는 수첩.

경:찰 위원회【警察委員會】명〖법〗1991년 제정된 경찰법에 의거, 인사·예산·장비·통신 등에 관한 주요 정책 및 경찰 업무 발전에 관한 사항, 인권 옹호와 관련되는 경찰의 운영·개선에 관한 사항 등을 심의·의결하기 위하여 행정 자치부에 둔 기관. 위원장을 포함한 7명의 위원으로 구성됨.

경:찰-의【警察醫】[—/—이] 명 경찰에 속하여 위생 사무와 검시(檢屍) 등을 맡은 의사. *공의(公醫).

경:찰의 날【警察—】[—/—에—] 명 행정 자치부 주관으로, 모든 경찰 공무원 및 관계관이 참석하여 민주 경찰의 사명감 고취에 관련된 행사를 하는 날. 10월 21일.

경:찰 의:무【警察義務】명〖법〗경찰 하명에 의하여 발생하는 의무.

경:찰 전문 학교【警察專門學校】명 '경찰 대학'의 전신(前身). ㊇경전(警專).

경:찰 종합 학교【警察綜合學校】명 경찰청장 소속하에 둔 경찰 교육 훈련 기관. 경찰 공무원 및 경찰 간부 후보생에 대한 교육 훈련을 관장함.

경:찰 중립화【警察中立化】[—닙—] 명 경찰을 행정 자치부로부터 분리시키거나, 공안 위원회를 창설하여 이에 속하게 하거나 하여, 정치로부터 완전 중립을 유지하게 하는 일.

경:찰 지서【警察支署】명 경찰서가 없는 지역에 설치하여, 경찰서장의 소관 사무를 분장(分掌)하게 하는 곳. ㊇지서(支署).

경:찰 처:분【警察處分】명〖법〗경찰의 목적을 달성하기 위하여 행하는 행정 처분. 교통 차단·집회 해산 등.

경:찰-청【警察廳】명 행정 자치부 장관에 속하여 치안에 관한 사무를 관장하는 기관. 사무를 지역적으로 분담 수행하기 위해 서울 특별시장·광역시장 및 도지사 소속하에 지방 경찰청을 둠. 1991년에 제정된 경찰법에 의거 '치안 본부'가 바뀐 이름임.

경:찰청-장【警察廳長】명 경찰청의 장(長). 치안총감(治安總監)으로 보(補)함. 「통신.

경:찰 통신【警察通信】명 경찰 활동에 관련하여 사용되는 유선·무선의

경:찰 포상【警察褒賞】명〖법〗경찰 또는 소방(消防)에 공헌한 공적이 현저한 자에게 행하는 포상.

경:찰 하:명【警察下命】명〖법〗경찰상의 목적을 달성하기 위하여 국가의 통치권에 의해서 국민에게 특정한 의무를 명(命)하는 행위.

경:찰-학【警察學】명 경찰 행정의 조직과 작용에 관한 학문.

경:찰 행위【警察行爲】명 경찰의 목적을 위하여 국가가 행하는 행위. 경찰 명령을 내리거나 경찰 처분을 하는 따위.

경:찰 행정【警察行政】명〖법〗경찰의 목적을 달성하기 위하여 행하여지는 국가의 행정. ㊇경정(警政).

경:찰 행정 자문 위원회【警察行政諮問委員會】명 행정 자치부 장관의 자문에 응하여 경찰 행정의 민주적이고 효율적인 수행에 필요한 사항을 심의하기 위하여 내무부에 두었던 자문 기관.

경:찰 허가【警察許可】명〖법〗경찰상의 목적 달성을 위하여 어떤 행위를 일반적으로 금지하고 있을 때, 특정한 경우에만 그 금지를 해제하고, 적법하게 그 행위를 할 수 있도록 허가하는 행위.

경:참【慶懺】명〖불교〗경찬(慶讚)❶. ——하다 타여불

경창[1]【京倉】명〖역〗①고려의 서울인 개경(開京)에 있었던 나라의 창고. ②서울 한강 가에 있던 각종 창고(倉庫).

경창[2]【京唱】명 서울에서 부르는 노래.

경:창[3]【競唱】명 노래 솜씨를 겨룸. ——하다 타여불

경채[1]【京菜】명 베이징 요리(北京料理).

경채[2]【京債】명 시골 사람이 서울에서 진 빚.

경채[3]【硬彩】명 짙어서 선명하게 보이는, 도자기에 그린 그림의 빛깔. 청(淸)나라 강희(康熙) 연간에 발달되었음. 오채(五彩). ↔연채(軟彩).

경채-류【莖菜類】명 줄기를 주로 먹는 야채류의 총칭. 양배추·죽순·아스파라거스 등. 줄기채소류. *근채류(根菜類).

경책[1]【輕責】명 가볍게 꾸짖음. 조금 나무람. ——하다 타여불

경:책[2]【警責】명 정신을 차리도록 꾸짖음. ——하다 타여불

경:책[3]【警策】명〖불교〗좌선(坐禪)할 때에 조는 자를 경성(警醒)하기 위하여 쓰는 길이 1.3 m 가량의 넓적한 막대기.

경처【景處】명 경치가 뛰어나게 아름다운 곳.

경척【鯨尺】명 피륙을 재는 자의 한 가지. 그 길이는 곡척(曲尺)의 한 자 두 치 닷 푼이 됨. 원래는 고래 뼈로 만들었으므로 이 이름이 있음.

경천[1]【景天】명〖식〗①꿩의비름. ②바위솔❷.

경:천[2]【敬天】명 ①하느님을 공경함. ②〖천도교〗삼경(三敬)의 하나. ——하다 자여불

경:천 근:민【敬天勤民】명 하느님을 공경하고, 백성을 다스리기에 부지런함. ——하다 자여불

경천 동:지【驚天動地】명 하늘을 놀라게 하고 땅을 뒤흔든다는 뜻으로, 세상을 몹시 놀라게 함을 이름. ¶ ~의 대사건. ——하다 자여불

경:천-사【敬天寺】명〖불교〗경기도 개풍군(開豐郡) 광덕면(廣德面) 부소산(扶蘇山)에 있었던 절. 고려 예종(睿宗) 12년(1117)에 창건된 것으로 전함. 현재 본건물은 없어지고 십층 석탑이 경복궁에 옮겨져 있음.

경:천사 십층 석탑【敬天寺十層石塔】명 고려 29대 충목왕(忠穆王) 4년(1348)에 강융(姜融)이 고려와 원나라 국왕의 만수 무강과 국태 민안(國泰民安)을 위해 경천사에 세운 석탑. 대한 제국 말기에 일본인이 가져 갔던 것을 되돌려 받아, 서울 경복궁 안에 다시 건립하였음. 높이 약 13 m. 국보 제86호. 「자여불

경:천 애:인【敬天愛人】명 하늘을 공경하고 사람을 사랑함. ——하다

경천 위지【經天緯地】명 온 천하를 경륜하여 다스림. ——하다 자여불

경천 위지지재【經天緯地之才】명 경천 위지할 만한 재주. 또, 그러한 재주를 가진 사람.

경철[1]【輕鐵】명 ↗경편 철도(輕便鐵道).

경:철[2]【鏡鐵】명〖화〗15-30%의 망간을 함유하고 있는 선철(銑鐵). 절단면(截斷面)이 거울처럼 빛남.

경:-철광【鏡鐵鑛】명〖광〗휘철광(輝鐵鑛).

경첨【更籤】명〖역〗조선 시대 때, 야경 군사가 휴대하던 목패(木牌). 표면에 '경수첨(警守籤)'이라고 씀. 도성(都城) 안에서 부득이한 사정으로 야간 통행을 하여야 할 사람을, 이 패를 가지고 목적지까지 호송함.

경첩[1]명〔←겹첩〕돌쩌귀처럼 쓰는 장식의 이름. 모양이 같은 쇳조각 두 개를 맞물리어서 만들며, 창문이나 세간의 문짝을 다는 데 씀. 합엽(合葉).

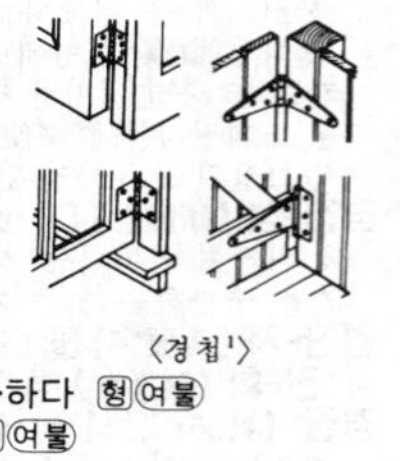

〈경첩[1]〉

경첩[2]【勁捷】명 굳세고 날램. 경질(勁疾). ——하다 형여불

경첩[3]【輕捷】명 가뿐하고 민첩함. ——하다 형여불

경:청[1]【敬請】명 삼가 청함. ——하다 타여불

경:청[2]【敬聽】명 공경하여 들음. ——하다 타여불 「타여불

경청[3]【傾聽】명 귀를 기울이고 주의하여 들음. 경이(傾耳). ——하다

경청-하다【輕淸—】형여불 길지 아니하고 맑다. 「자여불

경체【徑遞】명 벼슬이 만기되기 전에 다른 벼슬로 갈려 감. ——하다

경-체조【輕體操】명 맨손이나 또는 가볍고 다루기 쉬운 기구를 사용하여 하는 체조.

경초【勁草】명 억센 풀.

경-초전도체【硬超傳導體】명〔hard superconductor〕〖물〗초전도성을 없애는데 1,000 에르스텟(oersted) 이상의 강한 자기장(磁氣場)을 필요로 하는 초전도체. 니오브(Niob)나 바나듐(Vanadium) 같은 것들.

경촉-성【傾觸性】명〖식〗감촉성.

경촌-주【徑寸珠】명 직경이 한 치 되는 구슬.

경총【經塚】명〖불교〗경전을 넣거나 경문을 새기거나 또는 쓴 경통(經筒)·경석(經石)·경와(經瓦) 등을 땅 속에 묻고 만든 무덤. 무덤 위에 오륜탑(五輪塔) 등을 세우기도 함.

경추[1]【傾墜】명 기울어져 떨어짐. ——하다 자여불

경추[2]【頸椎】명〖생〗포유류(哺乳類)에 있어서 척주(脊柱)의 윗부분. 경부(頸部)에 있는 일곱 개의 경추골(頸椎骨)로 됨. 목등뼈.

경추 신경【頸椎神經】명〖생〗경추의 양쪽 곁을 통한 여덟 쌍의 신경. 목등뼈 신경. 「이 지연되는 일.

경축[1]【痙縮】명〖생〗내부적·외부적인 자극에 의해 근육의 이완(弛緩)

경:축[2]【慶祝】명 경사를 축하함. ¶ ~ 행사. ——하다 타여불

경축[3]【驚搐】명〖한의〗어린애가 고열(高熱)·회충병(蛔蟲病)·뇌척수 질환(腦脊髓疾患) 등으로 말미암아 온몸에 경련이 생기는 병. 축닉(搐搦).

경:축 대:회【慶祝大會】명 경사스러운 큰일이 있을 때에 이를 경축하기 위하여 많은 사람이 모이는 대회.

경:축-연【慶祝宴】명 경축하기 위하여 베푸는 연회. ¶ ~을 베풀다.
경:축-일【慶祝日】명 경축하는 날.
경춘-선【京春線】명〖지〗서울에서 춘천에 이르는 철도. 가평(加平)을 지나 한강 상류를 따라 춘천(春川)에 이름. [87.3 km]
경출【徑出】명 숙직(宿直)할 때에 교대할 사람이 오기 전에 물러 나감. ──-하다 자여불
경:충【敬忠】명 공경하며 충실함. 공경하여 충성을 다함. ──-하다 형 자여불
경취【景趣】명 경치(景致).
경측[1]【傾仄】명 물건이 한쪽으로 기울어짐. ──-하다 자여불
경측[2]【頸側】명 목의 옆쪽.
경치[1]【京峙】명 높이 치솟은 언덕.
경치[2]【景致】명 산수(山水) 등 자연계(自然界)의 아름다운 현상. 경개(景槪). 경관(景觀). 경광(景光). 경물(景物). 경색(景色). 풍경(風景). 경상(景象). 경취(景趣). 산수(山水). 풍광(風光). 풍물(風物). 준경(景).
경-치게 부 ☞매우.
경-치다 자 ①혹독한 형벌을 받다. ¶ 경칠 녀석. ②호된 고통을 받다.
경치-도【驚雉島】명〖지〗전라 남도의 서해상(西海上), 신안군(新安郡) 도초면(都草面) 우이도리(牛耳島里)에 위치한 섬. [0.18 km²]
경-치양토【輕埴壤土】명 치양토에 속하는 것 중에서 화산회토(火山灰土)처럼 경송(輕鬆)한 토양.
경:-친왕【慶親王】명〖사람〗중국 청나라의 황족. 이름은 혁광(奕劻). 건륭제(乾隆帝)의 아들. 의화단(義和團) 사건 때 각국과의 절충을 맡았으며, 선통(宣統) 3년에 총리 대신을 지냄. [?-1917]
경칠-놈 명〈속〉경칠 짓을 한 놈. 심한 고통을 당하여야 할 놈.
경칠-수【一數】[一쑤] 명 경칠 운수.
경칩【驚蟄】명 24 절기의 셋째. 우수(雨水)와 춘분(春分) 사이에 드는데 황경(黃經)이 345°인 때로, 양력 3월 6일경임. 동면(冬眠)하던 벌레들이 깨어 꿈틀거리기 시작하는 시기라는 뜻. 계칩(啓蟄).
【경칩 지난 게로군】벌레가 경칩이 되면 입을 떼고 울기 시작하듯, 입 다물고 있던 자가 말문을 열을 보고 이르는 말.
경:칭【敬稱】명 ①사람을 공경(恭敬)하여 부르는 이름. 폐하(陛下)·각하(閣下) 따위. ②존대(尊待)의 일컬음. ¶ ~을 쓰다. ──-하다 타여불
경쾌【輕快】명 마음이 홀가분하고 상쾌함. ¶ ~한 복장. ──-하다 형여불 ──-히 부
경쾌-감【輕快感】명 경쾌한 느낌.
경:탁【警柝】명 경계하기 위하여 치는 딱딱이.
경탄[1]【硬炭】명 ①잘 연소되지 아니하는 물질이 섞이어 있는 조악한 석탄. ②질이 단단한 석탄, 특히 무연탄.
경:탄[2]【敬歎】명 존경하여 감탄함. ──-하다 타여불
경:탄[3]【敬憚】명 공경하고 어려워함. ──-하다 타여불
경탄[4]【鯨呑】명 고래가 물고기를 삼키듯이 세력이 강성하여 약자를 병탄(倂呑)함.
경탄[5]【驚歎】명 ①몹시 감탄함. ¶ ~해 마지않다. ②몹시 놀라 탄식함. ──-하다 타여불
경:탄-성[1]【敬歎聲】명 존경하여 감탄하는 소리.
경탄-성[2]【驚歎聲】명 몹시 감탄하거나 탄식하는 소리.
경탈[1]【傾奪】명 서로 다투어 빼앗음. ──-하다 타여불
경탈[2]【輕脫】명 가볍고 경솔함. 경홀(輕忽). ──-하다 형여불
경탐-기【鯨探機】명 고래 탐지기.
경-탑【經塔】명〖불교〗①불경을 속에 넣고 쌓은 탑. ②여러 층의 탑 모양으로 경문(經文)을 써서 걸게 만든 물건.
경:태-람【景泰藍】명 중국 명(明)나라 경태제(景泰帝) 때에 만들어 낸 에나멜 같은 푸른 물감.
경텃절 몽구리 아들 명〔'경텃절'은 '정토(淨土)의 절'의 변한 말〕머리를 빡빡 깎은 사람.
경토[1]【耕土】명〖농〗①경작하기에 적당한 땅. 갈이흙. ②땅의 위층의 토질(土質)이 부드러워, 갈고 맬 수 있는 부분의 흙. 표토(表土).
경토[2]【輕土】명〖농〗사토(砂土)나 양토(壤土)같이 흙이 부드러워 갈기 쉬운 땅.
경:토[3]【境土】명 강토(疆土).
경-토리【京一】명〖악〗경드름.
경통[1]【經筒】명〖불교〗경전을 넣거나 경문을 새기어 경총(經塚)에 묻는 통. 흔히 원통형·육각형·팔각형이며, 청동(靑銅)·금동(金銅)·철·사기·돌 등으로 만듦.
경:통[2]【鏡筒】명(현미경 따위에서) 대안(對眼)렌즈와 대물(對物) 렌즈를 연결하는 부분. 빛의 통로가 됨.
경-통사【京通事】명〖역〗서울에 둔 통사(通事). ↔향통사(鄕通事).
경통-증【經痛症】[一쯩] 명〖한의〗월경 때에 허리나 배가 아프고 몸이 고달픈 증세.
경퇴【傾頹】명 기울어져 무너짐. 경패(傾敗). ──-하다 자여불
경파[1]【硬派】명 ①강경한 의견을 주장하여 타협하지 않는 파. 강경파. *매파(派). ②↗경파 기자(記者). ③완력(腕力)을 잘 휘두르는 불량 청소년(靑少年). ④남녀간의 교제에서, 고지식한 사람. ⑤거래소(去來所)에서, 시세가 더 오를 것으로 예상하는 사람들. 1)-5):↔연파(軟派).
경파[2]【鯨波】명 큰 물결.
경파 기자【硬派記者】명 신문사나 잡지사에서, 정치·경제 기사(記事) 등, 딱딱한 기사를 담당하는 기자. 준경파(硬派). ↔연파(軟派) 기자.
경판[1]【京一】명〈방〉경조(京調)❷.
경판[2]【京板】명 서울에서 판각(板刻)함. 또, 그 각판(刻板).
경판[3]【經板】명 경서(經書)의 각판(刻板).
경판[4]【鏡板】명〖고고학〗'재갈멈치'의 구용어.
경판-각【經板閣】명〖역〗조선 시대 때 경서(經書)의 각판(刻板)을 보관하던 집. 교서관(校書館) 안에 있었음.
경판-본【京板本】명 서울에서 판각(板刻)한 책. *완판본(完板本).
경패【傾敗】명 형세가 기울어져 패함. 경퇴(傾頹). ──-하다 자여불
경편[1]【經一】명〖민〗판수가 경(經)을 읽을 때에 차려 놓는 떡. 흰떡을 팥뭇만큼씩 비벼서 대여섯 치쯤 되게 잘라 쌀가루를 묻힘. 경병(經餠).
경편[2]【輕便】명 ①손쉽고 편리함. 간이(簡易). ②날래고 재빠름. ③↗경편 철도. ──-하다 형여불. ──-히 부
경편 궤:조【輕便軌條】명 경편 철도에 쓰는 궤조.
경편 요리【輕便料理】[一뇨一] 명 간단히 손쉽게 만든 요리.
경편 위주【輕便爲主】명 경편(輕便)한 것을 주장 삼음.
경편 철도【輕便鐵道】[一또] 명 기관차와 차량이 작으며 궤도(軌道)도 좁은, 규모가 간단한 철도. 준경철(輕鐵)·경편(輕便).
경폐-기【經閉期】명 ↗월경 폐쇄기(月經閉鎖期).
경포[1]【京捕】명〖역〗↗경포교(京捕校).
경포[2]【輕砲】명 육군에서는 구경(口徑) 105 mm 이하, 해군에서는 구경 12 cm 이하의 대포. ↔중포(重砲).
경:-포[3]【鏡浦】명〖지〗강원도 강릉시(江陵市)에 있는 호수. 호수물이 거울처럼 맑은 석호(潟湖)임. 경호(鏡湖). [1.8 km²]
경:포[4]【警砲】명 경보(警報)를 알리기 위하여 쏘는 대포.
경포[5]【驚怖】명 놀라고 두려워함. ──-하다 자여불
경-포교【京捕校】명〖역〗좌우 포도청(左右捕盜廳)의 포교(捕校). 준경교(京校)·경포(京捕).
경:포-대【鏡浦臺】명〖지〗관동 팔경(關東八景)의 하나. 강원도 강릉시(江陵市)에서 동북으로 7 km 되는 언덕 위에 있는 누대(樓臺). 고려 때에 지은 것으로 경포 호수와 솔밭, 동해의 창파에 떠도는 백조, 추석달맞이 등의 가경(佳境)이 널리 알려짐.
경-포수【京砲手】명〖역〗서울 각 군영(軍營)의 포수로서 시골에 있던 사람.
경-폭【輕爆】명 ↗경폭격기(輕爆擊機).
경-폭격기【輕爆擊機】명 경량의 폭탄 적재량을 가진, 기체(機體)가 작고 빠른 폭격기. 준경폭·경폭기. ↔중폭격기.
경폭-기【輕爆機】명 ↗경폭격기(輕爆擊機).
경:표[1]【耿鑣】명〖사람〗'경 바오'를 우리 음으로 읽은 이름.
경표[2]【輕剽】명 ①가볍고 거침. ②일정한 생업(生業)·직업이 없이 남을 겁박하는 일. ──-하다 자여불
경:표[3]【警標】명 ①경계 표지(警戒標識). ②↗경고(警告) 표지.
경표 향부【京表鄕賦】명〖역〗서울에서 보이는 과거에서, 서울 선비에게는 표(表)를, 시골 선비에게는 부(賦)를 짓게 하던 일.
경품【景品】명 상품을 사는 손님에게 감사의 뜻으로 상품에 붙여 주거나 또는 경품권을 주어 제비를 뽑아 타게 하는 물품. ¶ ~부(付).
경품-권【景品券】[一꿘] 명 경품을 탈 제비를 뽑는 표. 복권(福券).
경품-부【景品付】명 경품(景品)이나 경품권이 붙어 있음. ¶ ~ 대매출.
경풍[1]【京風】명 서울 풍속(風俗).
경풍[2]【勁風】명 센바람. 강풍(剛風).
경풍[3]【景風】명 마파람.
경풍[4]【輕風】명 ①가볍게 솔솔 부는 바람. ②〖기상〗'남실 바람'의 구용어.
경풍[5]【驚風】명〖한의〗어린아이가 경련(痙攣)을 일으키는 병의 총칭. 뇌척수 질환(腦脊髓疾患)·회충병(蛔蟲病)·발열병(發熱病) 등으로 깜짝깜짝 놀라는 병. 급경풍(急驚風)·만경풍(慢驚風)·만비풍(慢脾風) 등의 구별이 있음. 경기(驚氣). ¶ ~증.
경:풍-도【慶豐圖】명〖악〗①정재(呈才)에 경풍도무(慶豐圖舞)를 출 때 쓰는 그림. 풍년의 경사(慶事)를 그리었음. 돌돌 말아서 보(褓)에 싸서 두 끝을 매어 드림. ②정재 때에 추는 춤의 이름. 조선 순조(純祖) 28년(1828) 무자(戊子)의 예제(睿製)로서, 당악(唐樂)과 남녀악(男女樂)이 있음. 헌도탁(獻圖卓)을 놓고, 한 사람이 보(褓)에 싼 그림을 받들고 다섯 사람이 뒤에 따라 주악에 맞추어 사(詞)를 부르며 춤.
경:풍도-무【慶豐圖舞】명 경풍도의 춤.
경풍-증【驚風症】[一쯩] 명〖한의〗경풍의 병증.
경피【硬皮】명〖동〗①절지 동물에서 체표(體表)의 키틴판(citin板)이 발달되어 있는 판상(板狀)의 부위. ②석산호류(石珊瑚類)의 육경벽(肉隔壁) 앞에 있는 칼슘성의 골판(骨板).
경피-약【經皮藥】명 피부를 통해서 서서히 조직에 흡수되는 붙이는 약. 붙이는 멀미약 따위.
경피 전염병【經皮傳染病】[一뼝] 명〖의〗피부를 통해 병원체가 들어가는 전염병.
경피-증【硬皮症】[一쯩] 명〖의〗공피병(鞏皮病).
경필[1]【勁筆】명 강한 필력(筆力). ──-하다 타여불
경필[2]【硬筆】명 펜(pen).
경:필[3]【警蹕】명 임금이 거둥할 때에, 경계하여 통행(通行)을 금하는 일.
경:핍【罄乏】명 재정이 말라 없어짐. 경갈(罄竭). ──-하다 자여불
경-하[1]【涇河】명〖지〗'징허'를 우리 음으로 읽은 이름.
경:하[2]【敬賀】명 공경하여 축하함. ──-하다 타여불
경하[3]【傾河】명 비스듬히 뻗어 있는 은하(銀河).
경하[4]【輕霞】명 엷은 놀.
경:하[5]【慶賀】명 경사스러운 일을 치하(致賀)함. 축하(祝賀). 하경(賀慶). ──-하다 타여불
경-하다【輕一】형여불 ①무게가 가볍다. ②사태가 중대하지 않고 경이(輕易)하다. ③언행(言行)이 경솔하다. ¶ 경한 짓. ④병 증세가 대수롭지 않다. ¶ 병세(病勢)가 ~. ↔중(重)하다. **경-히**【輕一】부
경하 흘수【輕荷吃水】[一쑤] 명 선박이 짐·승무원·연료·음료수 등을 싣지 않은 경하(輕荷) 상태에서 물에 뜬 경우의 흘수.
경학【經學】명 공자(孔子)를 창시자로 한 유교의 정통파(正統派)의 학문. 사서 오경(四書五經)을 연구하는 학문. 경술(經術).
경학-과【經學科】명〖역〗조선 고종 32년(1895)에 성균관에 둔 교육 전담 기관. 역사·지리·수학 등 근대 교육을 베풂.
경학 박사【經學博士】명〖역〗고려 때, 지방 관민의 자제를 교육하기 위

해 둔 교수직(敎授職). 성종(成宗) 6년(987), 경학 박사를 12 목(牧)에 파견하여 관민의 자제들 중에서 우수한 사람을 가르치게 했는데, 특히 좋은 성적을 올린 자에게는 후상(厚賞)하고, 그 제자 중에서 년에 오르는 자가 없으면 만기가 되어도 유임시켜 성과를 올리도록 하였음.

경학-원【經學院】명〔역〕성균관(成均館)의 이칭(異稱). 조선 고종 24년(1887)에 성균관을 경학원으로 고치고 대제학(大提學) 등의 직을 두 └었음.

경학-자【經學者】명 경학을 연구하는 학자.

경한[1]【勁悍】명 사납고 거칢. ——-하다 형여불

경한[2]【輕汗】명 조금 나는 땀. 미한(微汗). 박한(薄汗).

경한[3]【輕寒】명 가벼운 추위.

경한 철도【京漢鐵道】[—또] 명〔지〕징한 철도.

경할【經割】명〔meridional cleavage〕〔동〕수정란(受精卵)이 분열할 때 알의 주축(主軸)에 대하여 평행으로 분할하는 일. ↔위할(緯割).

경함[1]【經函】명〔불교〕경문(經文)을 넣어 두는 함.

경함[2]【傾陷】명 계략을 꾸며 남을 함정에 빠뜨림. ——-하다 타여불

경:합【競合】명 ①서로 다툼. 경쟁(競爭). ②〔법〕단일한 사실 및 요건(要件)에 대하여 평가 또는 평가의 효력이 중복되는 일. 특히, 형법에 있어서 동일 행위가 몇 개의 죄명에 해당하는 일. ——-하다 자여불

경-합금【輕合金】명〔화〕비중(比重)이 2.5-3.5 되는 합금. 잘 부식(腐蝕)하지 아니하고 강하여, 기계(機械)의 용재(用材)로 쓰임. 알루미늄 또는 마그네슘 등을 주성분으로 함.

경:합-범【競合犯】명〔법〕한 사람이 범한 수개의 죄 또는 판결이 확정된 죄와 그 판결 확정 전에 범한 죄. 구형법상의 병합죄(併合罪)의 고친 이름임.

경:합적 병:합【競合的併合】명〔법〕민사 소송(民事訴訟)에 있어서, 경합하는 몇 개의 권리를 하나의 소송 절차로 병합 주장하는 일.

경해[1]【傾駭】명 몹시 놀람. 몹시 놀라게 함. ——-하다 자타여불

경:해[2]【謦欬】명 웃사람에게 뵙기를 청할 때, 자기가 있음을 알리기 위하여 하는 기침. 인기척을 내는 헛기침. ——-하다 자여불

경해[3]【驚駭】명 몹시 놀람. ——-하다 자여불

경행[1]【更行】명〔식〕식물 군락(植物群落)이 자연적으로 변천하여 가는 └상태.

경행[2]【京行】명 서울로 감. ——-하다 자여불

경행[3]【徑行】명 지름길로 감. ——-하다 자여불

경:행[4]【景行】명 ①대로(大路). 큰길. ②훌륭한 행실.

경행[5]【經行】명 ①↗경명 행수(經明行修). ②〔불교〕도(道)를 닦음. 행도(行道). ③〔불교〕↗가구 경행(街衢經行). ④〔역〕조선 왕조 초에, 민간에서 질병과 재액을 치료 또는 예방하기 위하여 행한 행사의 한 가지. 매년 2월과 8월에 황옥여(黃屋輿)에 부처를 모시고 앞에 번(幡)과 개(蓋)를 늘여 세우고 풍류를 하며, 좌우에 여러 백 명의 중들이 향불을 들고 불경을 외며, 소승(小僧)은 수레를 타고 북을 치는데, 북소리가 그치면 불경을 외고, 불경이 그치면 북을 치면서 종일 성내(城內)의 큰 거리를 돌아다녔음. 각 마을의 관원들이 따라다님. 전경법 └(轉經法).

경:행[6]【慶幸】명 ①기쁨. 행복. ②행복을 기뻐함.

경향[1]【京鄕】명 서울과 시골. 경외(京外). 도비(都鄙). ¶~ 각지.

경향[2]【傾向】명 ①성격이나 상태 등이 한쪽으로 쏠림. 또, 그런 방향. ¶일반적인 ~. ②사상적으로, 어느 특정의 사상에 쏠림. 좁은 뜻으로는, 사회주의적 사상에 대하여 이르는 경우가 많음. ③〔tendency〕〔심〕일정한 자극에 대해 일정하게 반응하는 유기체(有機體)의 소질(素質)을 이름. 또, 학습에 의해 습득한 태도. ④〔trend〕〔수〕통계적 계수가 나타내는 시간, 기타 변량(變量)에 대한 증감 등 변화의 추세·형.

경향-극【傾向劇】명〔연〕작자가 자기의 주의나 사상을 주장하려고 지은 극. 또, 그 시대의 사상이나 풍조 등을 주제(主題)로 한 극.

경향 문학【傾向文學】명〔문〕어떤 주의나 사상을 선전하려는 태도가 현저한 문학. 주로, 사회주의 문학을 말함.

경향-범【傾向犯】명〔법〕어떤 행위가 행위자의 일정한 주관적 경향의 표출(表出)이라고 인정되는 경우에 성립되는 범죄. 이를테면, 성욕의 흥분 또는 만족을 얻을 동기로 여성의 허리에 손을 댐으로써 성립되는 강제 추행죄 같은 것.

경향-성【傾向性】[—썽] 명 ①사상·행동 등의 현상이 일정한 방향으로 기울어지거나 쏠리는 통성. 성향(性向). ②〔도 Neigung〕〔윤〕특정의 감정이나 욕망을 불러일으키게 하는 성향(性向). 칸트의 윤리학에서는 습관적·감정적 욕망을 이르며, 이에 의거한 행위는, 도덕 법칙에 합치하더라도 도덕성은 없다고 했음.

경향 소:설【傾向小說】명〔문〕작자가 자기의 주의나 사상을 작중 인물(作中人物)의 언동이나 사건의 전개에 의해 표현한 소설.

경향 신문【京鄕新聞】명 서울에서 발간되는 일간 신문의 하나. 1946년 10월 창간.

경향 출몰【京鄕出沒】명 서울과 시골로 오르내리며 출몰함. ——-하다 「자여불

경허【鏡虛】명〔사람〕조선 말기의 대선승(大禪僧). 법명은 성우(醒牛), 속성(俗姓)은 박씨(朴氏). 전라도 전주(全州) 출신. 어려서 입산(入山)하였고, 동학사(東鶴寺)에서 수도하여 31세 때 득도(得道)함. 그 후 호서(湖西)와 영남(嶺南) 지방을 오가며 크게 선풍(禪風)을 일으켰음. 제자에 만공(滿空)·혜월(慧月)·수월(水月)·한암(漢岩) 등의 고승이 있으며, 저서 ≪선문촬요(禪門撮要)≫와 많은 시(詩)·법어(法語)·휘호(揮毫) 등을 남김. [1849-1912]

경:헌【敬軒】명〔사람〕조선 시대 중엽의 중. 호는 제월(霽月), 속성(俗姓)은 조씨(曺氏). 전라도 장흥(長興) 출신. 휴정(休靜) 서산 대사(西山大師) 밑에서 수도하여 선(禪)의 심법(心法)을 깨달았으며, 선조(宣祖) 25년(1592) 임진 왜란 때, 휴정이 승병(僧兵)을 일으키자 좌영장(左營將)으로 크게 활약하였음. 저서 ≪제월집(霽月集)≫. [1542-1632]

경-헌법【硬憲法】[—뻡] 명〔법〕경성 헌법(硬性憲法).

경험【經驗】명 ①실지로 견문을 하거나 행하는 일. ¶~담/첫 ~. ②어떤 일에 직접 부닥쳐서 얻은 지식이나 기능(技能). ¶~을 쌓다. ③어떤 일에 직접 부닥쳤을 때, 그것이 어떤 의미에서 우리들의 생활을 향상시킨다는 뜻을 포함시켜서 쓰는 말. ¶좋은 ~. ④〔철〕어떠한 원인에 의해서 감각(感覺)에 일어난 주관적 상태나 의식(意識). 프래그머티즘(pragmatism)에서는, 자기와 환경의 교호 작용(交互作用)을 통하여 발전하여 가는 지성(知性)의 과정 전체. ——-하다 타여불

경험-가【經驗家】명 경험이 있는 사람.

경험 과학【經驗科學】명 경험적 사실을 대상(對象)으로 하는 학문. 자연 과학·사회 과학 등 실증적(實證的)인 모든 과학을 이름. ↔형식 과학(形式科學). *실험(實驗) 과학.

경험 단원【經驗單元】명〔교〕학생의 경험으로서의 통일성에 주안을 └두는 단원.

경험-담【經驗談】명 몸소 경험한 이야기.

경험-론【經驗論】[—논] 명 ①〔empiricism〕〔철〕모든 인식은 감성적(感性的) 경험에 의한다고 생각하며, 인식에 있어서의 초(超)경험적 또는 이성적(理性的) 계기(契機)를 인정하지 아니하는 인식론적 입장. 경험주의. ②경험을 중시(重視)한 입장에서 행하는 의론(議論)·견해(見解). *실증론(實證論).

경험-방【經驗方】명〔한의〕실지로 많이 써서 경험하여 본 약방(藥方).

경험 비:판론【經驗批判論】[—논] 명〔철〕경험적 비판론.

경험 생명표【經驗生命表】명〔경〕경험표(經驗表).

경험 심리학【經驗心理學】[—니—] 명〔심〕형이상학(形而上學)이나 인식론 같은 문제를 피하고, 정신 현상을 귀납적(歸納的)·실험적으로 연구하려는 심리학.

경험 일원론【經驗一元論】[—논] 명〔철〕러시아의 보그다노프(Bogdanov, A. A.; 1873-1928)의 철학상의 입장. 마하주의(Mach主義)의 영향을 강하게 받아, 심리적 경험의 요소와 물리적 경험의 요소는 동일하다는 입장에서, 자연 과학 상의 시간·공간·인과성(因果性) 등도 실재적(實在的)인 외계에 객관적으로 존재하는 것이 아니라, 단순한 사유(思惟)의 소산(所産)에 지나지 않는다고 주장함.

경험-자【經驗者】명 경험한 사람.

경험-적【經驗的】명관 논리적 사고(思考)보다도, 경험해서 얻어진 지 「식·인상을 중시하는 모양.

경험적 개:념【經驗的槪念】명〔empirical concept〕〔철〕순수(純粹) 개념에 대하여 '사람'·'동물' 등과 같이 경험의 추상(抽象)에 의하여 얻어지는 개념.

경험적 법칙【經驗的法則】명 ①경험적 사실에 의하여 얻은 법칙. ②〔철〕인과(因果)의 필연적(必然的) 관계가 확실하지 아니한, 단지 경험상 그렇다고만 하는 법칙.

경험적 비:판론【經驗的批判論】[—논] 명〔도 Empiriokritizismus〕〔철〕독일의 아베나리우스(Abenarius, Richard)와 마하(Mach, Ernst) 등의 인식설(認識說). 경험에서 개인적 요소(要素)를 제거한 순수 경험에 의하여 세계(世界)를 설명하려고 한 것. 이 순수 경험에는 주객(主客)의 대립(對立)은 없으므로, 유물론(唯物論)·관념론(觀念論)과 대립하는 것이라고 주장하였으나, 순수 경험이란 감각적(感覺的) 소여(所與)이며, 그것으로부터 독립적인 대상(對象)을 인정하지 않는 점에서 일종의 주관적(主觀的) 관념임. 경험 비판론.

경험적 성:격【經驗的性格】[—껵] 명〔철〕육체적(肉體的)인 자기로서 감성적(感性的) 경험 세계에 속하는 인격(人格).

경험적 실제론【經驗的實際論】[—쩨—] 명〔empirical realism〕〔철〕우리가 인식할 수 있는 현상은 선험적 자아(先驗的自我)의 통일에서 성립하므로 보편 타당성(普遍妥當性)을 가지고 있다는 학설. 칸트가 그 선험적 관념론(觀念論)을 일컫는 말.

경험적 의:식【經驗的意識】명〔empirical consciousness〕〔철〕시간·공간에 제약되어 시공(時空)에 있어서의 경험과 함께 경과하는 의식의 흐름. ↔선험적(先驗的) 의식.

경험적 확률【經驗的確率】[—뉼] 명〔수〕어떤 사상(事象)이 일어난 횟수와 실행된 전체 시행수(試行數)와의 비율.

경험-주의【經驗主義】[—/—이] 명〔철〕경험론(經驗論)❶.

경험주의 법학【經驗主義法學】[—/—이—] 명〔법〕경험주의적 방법에 의해 경험 과학으로서의 법의 연구를 목표로 하는 법학. 분석(分析) 철학의 영향을 받아 행동 과학과 기호(記號) 논리학을 응용하여, 재판 과정의 분석, 법적 언어·문장의 의미론적(意味論的) 연구 등을 행함. 종래의 교의학적(敎義學的)인 법해석학을 비판하고, 법을 사회 통제의 기술(技術)로서 파악하려고 함.

경험 착오【經驗錯誤】명〔철〕경험에 있었던 사실의 관계·정도(程度)가 그대로 자극 조건(刺戟條件)으로서도 존재한다는 착오. 이를테면, 경험상 A가 B보다 크게 보인 때에 반드시 자극 조건에도 A가 B보다 큰 관계가 존재한다는 것 등임. ↔자극(刺戟) 착오.

경험 철학【經驗哲學】명〔empirical philosophy〕〔철〕사변 철학(思辨哲學)이 이성(理性)을 근거로 하는 데 대하여 경험을 지식의 기초 및 유일한 근원이라고 하는 철학. ↔사변 철학.

경험-칙【經驗則】명〔empirical rule〕〔공〕이론이 아니고, 측정과 관찰 「에서 얻은 법칙.

경험 커리큘럼【經驗—】〔curriculum〕명〔교〕피교육자의 생활 경험을 중요시하고, 경험의 발전을 중심으로 하여 구성하는 커리큘럼. ↔교과(敎科) 커리큘럼.

경험 판단【經驗判斷】명〔논〕주사(主辭)와 빈사(賓辭)와의 종합이 경험에 의하여 비로소 성립하는 판단. ↔지각 판단(知覺判斷).

경험-표【經驗表】명〔경〕생명 보험 회사에서 경험을 기초로 하여 만든 사망표(死亡表). 경험 생명표(經驗生命表).

경험 학습【經驗學習】명〔교〕피교육자의 생활 경험을 중요시하고 이를 토대로 행하는 학습. 생활(生活) 학습.

경혁【更革】명 고쳐서 새롭고 좋게 함. ——-하다 타여불

경-현【頸峴】명〖지〗경상 북도 영주시(榮州市)에 있는 재. 소백 산맥 중에 있으며, 중부 지방과의 중요 통로를 이룸. [223 m]

경:현-사【磬懸絲】명〖악〗목사(木絲)로 꼬아서 특경(特磬)·편경(編磬)을 달아매는 끈. 「적당한 자리. ㊟혈(穴).

경혈[1]【經穴】명〖한의〗경락(經絡)에 있어서, 침을 놓거나 뜸을 뜨기에

경혈[2]【經血】명 월경(月經) 때 나오는 피.

경혈[3]【頸血】명 목에서 흐르는 피.

경혈[4]【驚血】명 놀란 피. 멍든 피. 곧, 피하 출혈(皮下出血)을 이름.

경협[1]【經協】명 ↗경제 협력(經濟協力).

경협[2]【輕俠】명 경박한 협기(俠氣). 「——-하다 자여불

경형[1]【輕刑】명 가벼운 형벌. 또 죄·형벌을 가볍게 함. ↔중형(重刑).

경형[2]【黥刑·鯨刑】명〖역〗옛날, 죄인의 살에 먹실로 죄명(罪名)을 써 넣던 형벌. 양반은 이 형을 받아도 특별한 경우 이외에는 면해 주었음. 도묵(刀墨). 「병칭.

경호[1]【京湖】명 ①경기도와 충청도의 병칭. ②경기도·충청도·전라도의

경호[2]【擎壺】명 도기(陶器)의 호(壺). 이것을 쳐서 시각을 알렸음.

경:-호[3]【鏡湖】명〖지〗경포(鏡浦).

경:호[4]【警號】명 경계의 신호.

경:호[5]【警護】명 경계하고 보호함. ——-하다 타여불

경:호-원【警護員】명 ①경호인. ②대통령 경호실장의 지휘·감독을 받는 별정직 국가 공무원.

경:호-인【警護人】명 경호하는 사람. 경호원.

경혹【驚惑】명 놀라며 의심함. 경아(驚訝). ——-하다 타여불

경홀【輕忽】명 경박(輕薄)하고 소홀함. 경탈(輕脫). ——-하다 형여불.

경화[1]【京華】명 ①서울의 번화함. ②번화한 서울. ㄴ——-히 부

경화[2]【京話】명 중국 북경(北京) 지방의 말.

경화[3]【硬化】명 ①물건이 단단하게 굳어짐. ¶동맥 ~. ②온건했던 의견·태도 따위가 강경(強硬)해짐. ¶야당의 태도가 ~하다. ③석탄·석고·시멘트 등이 물을 흡수하여 단단하게 됨. ④금속을 급랭(急冷) 등의 처리를 하여 경도(硬度)를 높임. ⑤플라스틱이 고화(固化)함. 1)·2):↔연화(軟化). ——-하다 자여불

경화[4]【硬貨】명〖경〗①금속으로 주조(鑄造)한 화폐. ②모든 통화와 항시 바꿀 수 있는 화폐. 미국의 달러는 이에 속함. 1)·2):↔연화(軟貨).

경화-강【硬化鋼】명〖공〗고온에서 급랭시켜, 경화된 강.

경화 거:족【京華巨族】명 번화한 서울에 사는 거족.

경화 고무【硬化—】〔프 gomme〕명〖공〗에보나이트(ebonite).

경화 귀:객【京華貴客】명 번화한 서울에서 온 귀한 손님.

경-화기【輕火器】명 소총 등과 같이 비교적 중량이 가벼운 화기. ↔중

경-화물【輕貨物】명 무게가 가벼운 화물. ㄴ화기(重火器).

경화-병【硬化病】[—뼝] 명 곤충이나 거미류 등의 병의 하나. 균이 기생함으로써 생기는데 시체가 경화함. 굳음병.

경:화 수월【鏡花水月】명 거울에 비치는 꽃과 물에 비치는 달. 눈에는 보이나 손으로 잡을 수 없으므로 언어로 표현할 수 없는 묘취(妙趣)를 비유하여 이름.

경:화 수월법【鏡花水月法】[—뻡] 명〖문〗명백히 설명하지 아니하고 그 모양을 머리 속에 그리게 하는 한문의 수사법 또는 문체.

경화 시간【硬化時間】명〖공〗수지(樹脂)·접착제·콘크리트 등이 경화·고화(固化)할 때까지의 시간. 또, 경화·고화시키기 위한 가열(加熱)·가압(加壓) 시간.

경:화-연【鏡花緣】명〖책〗중국 청대(清代)의 이여진(李汝珍)이 1828년에 간행한 100회의 회장(回章) 장편 소설. 풍자·유머가 풍부하며 남녀 평등론이나 사회 개혁론 등 당시로서는 진보적인 의견이 기술되어 있음. 「온도.

경화 온도【硬化溫度】명〖화〗수지(樹脂)나 접착제가 경화를 일으키는

경화 운:동【傾化運動】명〔chemonastic〕〖식〗화학 물질의 자극으로 일어나는 식물의 운동. 예를 들면, 끈끈이주걱 잎의 표면에 있는 털은 소량의 단백질이나 인산염(燐酸塩)에 닿으면 쓰러지고, 강낭콩이나 오이의 권수(卷鬚)는 에테르나 클로로포름에 의하여 잘 말림.

경화-유【硬化油】명〔hardened oil〕〖화〗지방유(脂肪油) 중에 함유되어 있는 액체의 불포화 지방산(不飽和脂肪酸)에 수소를 첨가하여 포화 지방산으로 만들어 고형 지방으로 한 기름. 어유(魚油)의 불쾌한 냄새를 없애고 비누·초·글리세롤 등의 원료로 씀.

경화 자제【京華子弟】명 번화한 서울에서 곱게 자란 젊은이.

경화-제【硬化劑】명 수지 중합제(樹脂重合劑)와 반응하여 이를 경화시키는 화합물. 즉, 아민이나 산무수물(酸無水物)이 에폭시드(epoxide)와 반응하여 이를 경화시켜 플라스틱을 만드는 따위.

경화-증【硬化症】[—쯩] 명〖의〗조직이 경화하는 증. 특히, 섬유성의 결합 조직의 증식(增殖)에 의하여 생김. ¶간(肝)~/동맥 ~.

경확【耕穫】명 경작과 수확(收穫).

경환[1]【更換】명 ①바꿈. ②바꿈. ——-하다 자타여불

경환[2]【京換】명 서울서 시골로 부치는 환전(換錢).

경환[3]【輕患】명 가벼운 질환. ↔중환(重患).

경-환자【輕患者】명 가벼운 질환에 걸린 사람. ↔중환자(重患者).

경황[1]【景況】명 흥미 있는 상황. 흥황(興況). ㊟경(景).

경황[2]【驚惶】명 놀라서 당황함. ——-하다 자여불 「자여불

경황 망조【驚惶罔措】명 놀라서 당황하여 어찌할 줄 모름. ——-하다

경황-없다【景況—】[—업—] 형 분주하거나 마음이 상하여 흥미가 없다. 마음이 상하여 여유가 없다. ¶그런 데 신경을 쓸 경황이 없다.

경황-없이【景況—】[—업씨] 부 경황없게.

경-황화【京荒貨】명 서울에서 나는 황화(荒貨).

경회[1]【輕灰】명〖화〗소다회(soda 灰)의 한 가지. 암모니아 소다법에 의하여 소다회를 제조할 때, 조잡(粗雜)한 소다를 회전로에 170-400°C로 가열·분해하여 얻은 물질. 물에 잘 녹으므로 무기 약품의 제조에 쓰임.

경회[2]【鯨膾】명 고래회.

경:회-루【慶會樓】명〖지〗경복궁(景福宮) 안, 서쪽 강녕전(康寧殿) 연못 복판에 있는 규모가 큰 누각. 임금과 신하가 모여 잔치하던 곳으로, 조선 태종(太宗) 12년(1412)에 건립하였는데, 현재의 건물은 고종 3년(1865)에 재건하여, 6·25 전쟁 후 다시 수축한 것임.

경:효-전【景孝殿】명〖지〗명성 황후(明成皇后)의 신위(神位)를 모시던 혼전(魂殿). 덕수궁(德壽宮) 안에 있었음.

경:효전 일기【景孝殿日記】명 조선 고종(高宗) 왕비 명성 황후(明成皇后)의 혼전 일기(魂殿日記). 고종 32년(1895) 8월부터 광무(光武) 2년(1898) 8월의 삼년상(三年喪)이 끝날 때까지의 사실을 기록한 책으로 국장(國葬)의 의식, 향사(享祀)의 절차, 도감(都監)의 별단(別單) 등이

경훈【經訓】명 경서의 훈해(訓解). 경서의 해석. ㄴ써 있음. 1책, 사본.

경-흘수【輕吃水】[—쑤] 명〖항해〗선박이 화물을 적재하지 아니하고 항해에 필요한 물건만을 적재하였을 때의 흘수.

경:흥[1]【憬興】명〖사람〗신라 제13대 신문왕(神文王) 때의 승려. 속성은 수씨(水氏). 저술 활동에 전념하여 신라 3대 저술가 중 한 사람으로 불림. 현존하는 것은 《무량수경 연의술문찬(無量壽經連義述文贊)》 3권 등 3 종이 있음. 뒤에 국로(國老)로서 왕의 고문이 되었음. 경흥 국사(憬興國師). 경흥 법사(法師). 생몰년 미상.

경:흥[2]【慶興】명〖지〗함경 북도 경흥군의 군청 소재지. 두만강(豆滿江)에 연한 국경 도시로 석탄과 목재의 산출이 많음. 옛날부터 여진(女眞)에 대한 방위 등으로 국방상 요지로 되어 왔음.

경:흥-군【慶興郡】명〖지〗함경 북도의 한 군(郡). 관내 2읍 3면. 동쪽은 두만강을 건너 소련령의 연해주(沿海州)에 대하고, 북쪽은 경원군(慶源郡)과 종성군(鍾城郡), 서쪽은 부령군(富寧郡)에 인접하고 남쪽은 바다에 면한 한반도의 최북단임. 주요 산물은 쌀·보리·콩·조·피·담배 등이고 임산(林產)·수산·공산(工產)·축산(畜產)이 발달하였으며, 명승 고적으로는 조산만(造山灣)·사룡구(射龍溝)가 있음. 군청 소재지는 웅

경희[1]【京戱】[—히] 명〖연〗경극(京劇)❷. ㄴ기읍(雄基邑). [1,139 km²]

경:희[2]【慶喜】[—히] 명 경사를 기뻐함. ——-하다 자여불 「다 자여불

경희[3]【驚喜】[—히] 명 뜻밖의 좋은 일에 몹시 놀라고 기뻐함. ——-하

경:희-궁【慶熙宮】[—히—] 명 서울 종로구 신문로에 있는 조선 시대의 별궁. 광해군(光海君) 9년(1617)에 지었음. 국권 피탈 후 철거되거나 일부 건물이 다른 곳으로 이전되었다가 1986년 복원되어 지금은 공원으로 개방되고 있음. 이전의 서울 고등 학교 자리. 서궐(西闕).

경:희 대학교【慶熙大學校】[—히—] 명 사립 대학교의 하나. 1948년 초급 대학인 신흥 대학(新興大學)으로 발족, 1952년 4년제 대학으로 개편, 1955년 종합 대학교로 승격되고, 1960년 '경희 대학교'로 개칭. 서울 동대문구 회기동(回基洞) 소재.

경희 작약【驚喜雀躍】[—히—] 명 하도 기뻐서 뜀. ——-하다 자여불

경-힘【經—】명〖불교〗경문(經文)의 공덕(功德). 독경의 힘.

곁 명〈옛〉곁. ¶夫는 말쏨 始作ᄒᆞᆫ 겨체 쓰는 字ㅣ라《月序 1》.

곁 명 사물의 주장되는 부분에 딸린 한쪽. 근방(近傍). ¶꽃나무 ~에 서다/내 ~에 앉아라. *옆. ——-하다 자형여불

곁- 부 어떤 물건의 곁에 달렸거나, 거기서 갈려 나왔음을 나타내는 접두어. ¶~방살이/~가지.

【곁가마가 먼저 끓는다】상관없는 사람이 더 조급해하며 안타까워 한다. 곁에 사람이 먼저 덤빙인다.

곁-가닥 명 원가닥에서 곁으로 갈라져 나간 가닥.

곁-가리 명 갈빗대 아래쪽에 붙어 있는 짧고 가는 뼈.

곁-가지 명 가지에서 다시 곁으로 돋은 작은 가지. ¶~를 치다.

곁-간[1]【—肝】명 소의 간 곁에 붙어 있는 연하고 작은 간 조각. 회로 씀.

곁-간[2]【—間】명 ①집의 주체(主體)가 되는 칸에 붙은 칸살. ②곁방❷.

곁-공【—工】명 배에서 곁노를 젓는 사람.

곁-길 명 큰길에서 곁으로 갈라진 길. ¶~로 빠지다.

곁-꾼 명 곁에서 남의 일을 거들어 도와주는 사람. 취음(取音): 격군(格

곁-노【—櫓】명 배의 옆쪽에 붙은 노. ㄴ軍).

곁노-질【—櫓—】명 배의 옆에 곁노를 걸고 젓는 일. ——-하다 자여불

곁-눈[1] 명 얼굴은 돌리지 않고 눈알만 돌려서 곁을 보는 눈.

곁눈(을) 주다 구 ㉠곁눈으로 눈짓을 하여 상대자에게 뜻을 알리다. ㉡곁눈으로 은근히 정을 나타내다.

곁눈(을) 팔다 구 주의를 집중시켜 한 곳을 보지 않고 다른 데를 보다. 또, 관심이 딴 데로 쏠리다. ¶곁눈 팔지 말고 부지런히 일해요.

곁-눈[2] 명〔lateral bud〕〖식〗줄기 측방(側方)에 생기는 눈의 한 가지. 보통 한 개이나 한 개 이상일 때도 있는데, 이것을 부아(副芽)라고 함. 겨드랑눈보다 범위가 넓음. 측아(側芽). *겨드랑눈. ↔꼭지눈.

꼭지눈 꽃눈 꼭지눈의 제1인편 곁눈

〈곁눈²〉

곁눈-질 명 곁눈으로 보는 짓. ——-하다 자여불

곁-다리 명 부수적인 것. 당사자가 아닌 곁에 있는 사람. ¶신랑 가는 데 ~로 따라가다/…택시로 와 본 일이 있었다. 그때도 그 동기생 덕에 ~ 비슷이 탔던 것이지만,…《李浩哲: 越南한 사람들》.

곁다리(로) 끼:다 구 곁에 있는 사람이 끼어 들다.

곁다리(를) 들다 구 곁에 있는 사람이 끼어 들어 참견하여 말하다.

곁다리 붙다 구 제삼자가 끼어 들어서 참여하다.

곁-달다 타 덧붙이어 달다.

곁-동 명 겨드랑이. 활 쏘는 사장(射場)에서 쓰는 말.

결-동 명 겨드랑이. 활 쏘는 사장(射場)에서 쓰는 말.

결-두리 명 농부나 일꾼들이 끼니 밖에 참참이 먹는 음식. 샛밥. 새참.

결-들다 타 ①곁에서 붙잡아 부축하여 들다. ②곁에서 남이 하는 일을 거들어 도와 주다.

결-들이다 타 ①그릇 하나에 두 가지 이상의 음식을 어울리게 담다. ¶고기에 야채를 ~. ②한 사람이 한꺼번에 여러 가지 일을 겸하여 하다.

「는 병. 액한(腋汗).

결-땀 명 ①겨드랑이에서 나는 땀. ②겨드랑이에서 유난히 땀이 많이 나

결땀-내 명 ☞암내.

결-마【一馬】명 ①곁에 따라 가는 말. 비마(騑馬). ②장기에서, 궁밭 안의 궁의 자리 좌우 양쪽에 놓인 말.

결-마기 명 여자가 입던 예복(禮服)의 한 가지. 연두 바탕에 자주 빛으로

결-마누라 명 〈방〉 첩(妾). └겨드랑이·깃·고름·끝동을 단 저고리.

결-마름 명 많은 논밭을 혼자서 관리하기 어려운 경우에, 마름을 돕는 사람.

「↔원마부.

결-마부【一馬夫】명 마부를 따라 다니며 곁에서 거들어 주는 사람.

결-말 명 사물을 일컬을 때에 직접으로 말하지 않고 다른 말로 빗대어 하는 말. '싱겁다'고 하는 말을 '고드름 장아찌 같다'고 하는 따위.

결-매 명 두 사람이 싸울 때, 갑자기 곁에서 한쪽을 편들어 치는 매. ¶이 말은 아주머니 같으신 이가 ~로 말씀을 해서 제 마음을 아조 돌려놓은 뒤에는 내가 직접으로 어떻게 말을 하던지 할 것이니…≪作者未詳:

결매-질 명 결매로 치는 것. ——-하다 타여불 └산천초목≫.

결-목밀샘 명 〖생〗 부갑상선(副甲狀腺). 「헝겊 조각.

결-바대 명 홑으로 된 옷의 겨드랑이 안 쪽에 덧붙여 대는 'ㄱ'자 모양의

결-반【一盤】명 결상(床).

결-방【一房】명 ①안방에 딸려 붙은 방. 협실(夾室). 협방(夾房). ②남의 집의 한 부분을 빌어 든 방. 곁간. ¶~살이. *협호(夾戶).

【곁방 년이 코곤다】제 분수도 모르고 버릇없이 군다는 말. 「여불

결방-살이【一房一】명 남의 집의 결방에서 사는 살림. ——-하다 자

【결방살이 코곤다】제 분수를 모르고 함부로 버릇없이 굴거나, 나그네가 오히려 주인 행세를 함을 이르는 말.

결-방석【一方席】명 주인의 곁에 앉는 자리라는 뜻으로, 세도(勢道)하는 사람을 가까이하는 이를 이르는 말.

결-부축 명 ①겨드랑이를 붙들어 걸음을 돕는 것. 부액(扶腋). 준부축. ②남이 하는 일이나 말을 곁에서 도와주는 것. ——-하다 타여불

결-불 명 어떤 일에 관계하지도 않고서 가까이에 있다가 당하는 재앙. ¶~을 맞다.

결-붙이 [一부치] 명 한 조상의 자손이긴 하나 촌수가 먼 일가붙이.

결-비다 ㊀자 ↗결비우다. ㊁형 보호 또는 보관하여 줄 사람이 곁에

결-비우다 자 보호할 사람이 없어서 곁을 비우다. 준결비다. └없다.

결-뿌리 명 〖식〗 양치(羊齒) 식물보다 고등한 식물의 주근(主根)에서 생기는 지근(枝根). 측근(側根). 옆뿌리. 부근(副根).

결-사돈【一査頓】명 직접 사돈간이 아니고, 같은 항렬의 방계간의 사돈. ↔친사돈.

결-사슬 명 〔side chain〕〖화〗 가지가 없는 분자 또는 고리 모양 분자에서 탄소 원자로 이어져 가지가 갈라진 원자의 그룹. 이를테면 에틸기(基) C_2H_5- 따위. 측쇄(側鎖). 「작은 상.

결-상【一床】명 한 상에 다 차리지 못할 때에 나머지를 덧붙여 차리는

결-쇠 명 제짝이 아니면서 자물쇠에 맞는 열쇠. 마스터 키(master key).

결쇠-질 명 제짝이 아닌 열쇠로 자물쇠를 여는 것. ——-하다 타여불

결-수 명 →계시[1].

결-순【一筍】명 초목의 원줄기 곁에서 돋아나는 순.

결순-치기【一筍一】명 〖농〗 적아(摘芽). ——-하다 자여불

결-쐐기 명 쐐기 하나로 모자라서 곁에 덧박는 작은 쐐기. 비유적으로도 쓰임. ¶내가 먼저 수작을 걸테니 ~나 박아 주게.

결-자리 명 좌우 두 편의 곁으로 앉는 자리.

결-줄기 명 〖식〗 덩굴 식물의 원줄기 곁에서 벋어 나온 가는 줄기.

결-집 명 곁으로 붙어 있는 집.

【결집 잔치에 낯을 낸다】자기 물건은 아니 쓰고 남의 물건을 가지고

결-쪽 명 가까운 일가붙이. └생색을 냄을 이르는 말.

결-채 명 몸채 곁에 딸린 딴 집채. 낭무(廊廡).

결-콩팥 명 〖생〗 부신(副腎).

결-피【一皮】명 활의 줌을 싼 벗껍질.

결-하다 ㊀자여불 가까이하다. ㊁형여불 가까이 있다.

계[1] 명 〈방〉 겨(경기·강원·함북).

계:[2]【系】명 〖수〗 ①어떤 정리(定理)로부터 쉽게 추정(推定)하여 낼 수 있는 명제(命題). ②〖물〗 하나 또는 여러 개의 상(相)으로 나누어진, 하나 또는 여러 개의 물질로 된 공간의 한 영역(領域), 또는 물질의 일부. ③〖지〗 절리(節理)와 같이 관련하는 구조의 일군(一群).

계:[3]【戒·誡】명 ①죄악을 범하지 못하게 하는 규정. 신라 화랑(花郞)의 오계(五戒) 등. ②〖불교〗 중이 지키는 행검(行檢). 오계(五戒)·십계(十戒)·이백 오십계(二百五十戒)·오백계(五百戒)·사미계(沙彌戒)·보살계(菩薩戒)·비구계(比丘戒) 등이 있음. ③〖문〗 한문의 문체(文體)의 하나. 훈계를 목적으로 지은 글.

계:[4]【季】명 성(姓)의 하나. 우리 나라에는 현존(現存)하지 않음.

계:[5]【計】명 합계(合計). 총계(總計). ¶~를 내다.

계:[6]【係】명 사무 담당의 작은 갈래. 또, 그 담당자. ¶서무~.

계:[7]【癸】명 〖민〗 ①천간(天干)의 열째. ②↗계방(癸方). ③↗계시(癸時).

계:[8]【界】명 〔라 regnum〕〖생〗 생물 분류상의 최고 계급. 보통, 동물계와 식물계로 구분하지만, 원생 동물·식물·동물의 셋 또는, 동물·식물·균·원생 생물(原生生物)·모네라(Monera)의 다섯으로 분류하기도 함.

계:[9]【契·禊】명 〖사〗 ①옛날부터 내려오는 한국의 독특한 협동 자치 기관(協同自治機關)의 한 가지. 같은 곳에 사는 사람이나 서로 관련 있는 사람들이 일정한 목적 아래 모이어 일정한 액수의 돈이나 곡식·피륙 같은 것을 추렴하여서 그것을 운영(運營)하고 불리어 서로 이용하기도 하고 가르기도 하는데, 그 종류가 많음. 보통 길흉계(吉凶契)·위친계(爲親契)·사촌계(四寸契)·상포계(喪布契)·상여계(喪輿契)·신종계(愼終契)·혼인계(婚姻契)·영효계(永孝契)·상조계(相助契)·이중계(里中契)·면계(面契)·동계(洞契)·화수계(花樹契)·시계(詩契)·과계(科契)·학계(學契)·재계(齋契)·종계(宗契)·산통계(算筒契)·호포계(戶布契)·동갑계(同甲契)·동년계(同年契)·금란계(金蘭契)·화류계(花柳契)·입춘계(立春契)·권업계(勸業契)·흥업계(興業契)·상업계(商業契) 등이 있음. ②금전의 융통(融通)을 목적으로 하는 일종의 조합(組合)과 같은 조직. 일정한 기일(期日)에 계원(契員)이 일정한 곗돈을 내놓고, 예정한 순서나 제비를 뽑아서 소정 금액을 융통하며, 계원 전부에 융통이 돌아간 후에 해산함. ¶곗돈/~를 조직하다. *계하다.

계:[10]【奚】명 〖역〗 동부 몽고에 4세기경부터 유목하고 있었던 선비(鮮卑)의 한 부족(部族). 8세기 후반부터 세력을 증가했으나 10세기에 거란(契丹)에게 정복되어 흡수됨. 「나뿐임.

계:[11]【桂】명 성(姓)의 하나. 우리 나라에는 본관(本貫)이 수안(遂安) 하

계:[12]【啓】명 〖천주교〗 공식적인 기도문이나 성가(聖歌)를 두 사람 이상이 서로 교송(交誦) 또는 교창(交唱)할 때 그 첫 부분. ↔응(應).

계:[13]【啓】명 성(姓)의 하나. 우리 나라에는 현존(現存)하지 않음.

계[14]【階】명 ①벼슬의 등급(等級). ②↗품계(品階).

계[15]【溪】명 성(姓)의 하나. 우리 나라에는 현존(現存)하지 아니함.

-계[1]【系】미 ①그런 계통(系統)에 속함을 나타내는 접미어. ¶독일~의 미국인/기독교~의 학교. ②〖지〗 지질 시대의 기(紀)에 대응(對應)하는 지층임을 나타내는 말. ¶석탄(石炭)~. *-대층(代層).

-계[2]【屆】미 어떤 사실을 신고하는 서면임을 나타내는 접미어. ¶결석~/사망~. 주의 지금은 '신고(申告)'라 이름.

-계[3]【界】미 ①그러한 사회(社會)나 동아리를 가리키는 접미어. ¶실업~/정치~. ②〖지〗 ☞-대층(代層).

-계[4]【計】미 어떤 명사 앞에 붙어서 그것을 계량(計量) 혹은 측정(測定)하는 계기(計器)임을 나타내는 접미어. ¶우량~/지진~/온도~.

계:가[1]【計家】명 바둑을 다 둔 뒤에, 승부(勝負)를 판단하기 위하여 집의 수를 헤아림. 집내기. ¶~ 바둑. ——-하다 자여불

계가[2]【鷄瘕】명 〖한의〗 약을 먹으면 산 닭을 토한다는 적병(積病)의 한

계각-산【鷄脚山】명 〖지〗 계족산(鷄足山). └증세.

계:간[1]【季刊】명 ①춘하추동(春夏秋冬)으로 나누어 1년에 네 번 발간(發刊)하는 일. ②↗계간지(季刊誌). *격월간(隔月刊).

계간[2]【溪澗】명 시내가 흐르는 골짜기.

계간[3]【鷄姦】명 비역. 남색(男色). ——-하다 자여불

계간 공사【溪澗工事】명 침식 작용으로 산에 생긴 사태 자리에 시설물을 만들어 흙·모래·돌 등의 이동을 방지하는 작업. ——-하다 타여불

계:간-지【季刊誌】명 〖문〗 봄·여름·가을·겨울로 한 해에 네 번씩 내는 잡지. 계보(季報). 준계간(季刊).

계:감[1]【契勘】명 다른 물건과 맞대어서 살피어 봄. ——-하다 타여불

계:감[2]【計減】명 셈을 따져서 덜어 낼 것을 덜어냄. 계제(計除). ——-하다 타여불

계:-강【桂江】명 〖지〗 '구이장'을 우리 음으로 읽은 이름. 「운 술.

계:강-주【桂薑酒】명 계피(桂皮)와 새앙을 넣어 맛과 향취(香臭)를 돋

계:강-환【桂薑丸】명 〖한의〗 계피와 새앙을 갈아서 빚어 만든 환약.

계:개【啓開】명 엶. ——-하다 타여불

계:개 작업【啓開作業】명 수로(水路)의 장애(障碍)나 기뢰(機雷) 같은

계거【鷄距】명 닭의 며느리발톱. └것을 치워 길을 트는 작업.

계:거-기【計距器】명 바퀴가 돌아가는 대로 운행 거리(運行距離)가 나타나게 된 기계. 오도미터(odometer).

계거-자【鷄距子】명 〖한의〗 약제로 쓰는 호깨나무의 열매. 기구(枳椇).

계거-초【鷄距草】명 〖식〗 닭의장풀.

계-견【鷄犬】명 닭과 개.

계견 상문【鷄犬相聞】명 닭이 울고 개 짖는 소리가 여기저기 들린다는 뜻으로, 인가(人家)나 촌락이 잇대어 있음을 가리키는 말. 계명 구폐(鷄鳴狗吠). ——-하다 자여불

계견-성【鷄犬聲】명 닭과 개의 소리.

계견성 부도:처【鷄犬聲不到處】명 인가와 멀리 떨어져 닭이나 개의 울음 소리가 미치지 못하는 곳. 사람이 살지 않는 외진 곳.

계:경[1]【契經】명 〖불교〗 ①경(經)의 뜻이 마음에 들고 법리(法理)에 맞음. ②부처가 말한 법을 결집(結集)한 전적(典籍).

계:경[2]【界境】명 ①경계(境界)❶. ②경계(經界)❶.

계경[3]【溪徑】명 산골짜기의 좁은 길.

계경[4]【蹊徑】명 ①작은 길. 계로(蹊路). ②경계(經界)❶. 「여불

계:계 승승【繼繼承承】명 자손이 대대로 대를 이어 감. ——-하다 자

계:고[1]【戒告】명 〖법〗 ①행정상의 의무 이행(義務履行)을 최고(催告)하는 행정 주체의 통지(通知) 행위. 주로 문서로써 행해짐. ¶~장(狀). *행정 대집행법. ②공무원의 의무 위반 등 경미한 비위(非違)에 대하여, 장래를 경고하는 뜻으로 내리는 비법정(非法定) 징계 처분. ——-하다 타여불

「천함. ——-하다 타여불

계:고[2]【計考】명 ①잘 미루어 생각함. ②인물을 잘 생각하여 벼슬에 추

계:고[3]【啓告】명 상신(上申). ——-하다 타여불

계고[4]【階古】명 〖사람〗 신라 때의 악사. 진흥왕(眞興王) 13년(552) 왕명으로 법지(法知)·만덕(萬德)과 함께, 가야국(伽倻國)에서 온 우륵(于勒)

에게서 음악을 배울 때, 가야금도 배워 어전(御前)에서 연주하였음.

계고[5]【階高】명 ①층계의 높이. ②품계가 높음. ③건물의 마룻바닥에서 그 바로 위층의 마룻바닥까지의 높이.

계고[6]【稽古】명 옛일을 공부하여 고찰(考察)함. ——-하다 타 여불

계고[7]【稽考】명 지나간 일을 상고함. ——-하다 타 여불

계고[8]【鷄膏】명 몸을 보하려고 먹는 닭고기를 삶은 곰국. 닭곰.

계고-략【稽古略】명 ↗석씨 계고략(釋氏稽古略).

계:고-장【戒告狀】[—짱] 명〖법〗(행정상의) 의무 이행을 최고(催告)하는 글이나 문건.

계고지-력【稽古之力】명 옛일을 고구(考究)하는 힘.

계고 직비【階高職卑】명 품계는 높고 벼슬은 낮음. ↔계비 직고(階卑職高). ——-하다 형 여불

계곡[1]【溪谷·谿谷】명 두 산 사이에 물이 흐르는 골짜기. 산골짜기.

계곡[2]【谿谷】명〖사람〗장유(張維)의 호(號).

계곡 만:필【谿谷漫筆】명〖책〗조선 인조(仁祖) 때의 상신(相臣) 계곡 장유(張維)가 지은 잡기(雜記). 경(經)·사(史)·자(子)·집(集)에 걸쳐 학습상 사소한 문제를 위시하여 조야(朝野)의 고사(故事)에 관한 견문 및 자신의 학문과 문학에 관한 술회 등을 기술함. 2권 208편.

계곡-집【谿谷集】명〖책〗조선 인조(仁祖) 때의 상신(相臣) 계곡 장유(張維)의 시문집. 그가 자편(自編)한 것을 그의 아들 선징(善徵)이 보편(補編)하여 인출(印出)함. 18책 36권.

계:공【戒功】명〖불교〗지계(持戒)에 의하여 생기는 공덕(功德).

계:공-랑【啓功郞】[—낭] 명〖역〗조선 시대 종칠품(從七品)의 문관(文官)의 품계.

계:과【啓課】명〈이두〉어른에게 아뢰.

계:관[1]【係關】명 관계(關係)❶. ¶ 우리야 이 석수쟁이를 뜯어 먹든지 삶아 먹든지 너의 놈에게 무슨 ~이 있단 말이냐≪玄鎭健 : 無影塔≫. ——-하다 자 여불

계:관[2]【桂冠】명 ↗월계관(月桂冠).

계관[3]【鷄冠】명 ①닭의 볏. 계두(鷄頭). 볏. ②〖식〗맨드라미.

계관 나자【鷄冠羅子】명〖지〗함경 남도 나난보(羅暖堡)의 상류에 있는 기암(奇岩). 강류(江流)의 굴곡부(屈曲部)가 강에서 절단된 곳으로 기암 뒤에는 반환상(半環狀)의 평지가 있음.

계관-석【鷄冠石】명〖광〗비소(砒素)와 황(黃)의 화합물로 된 광석(鑛石). 단사 정계(單斜晶系)의 주상(柱狀) 결정으로, 빛은 고운 등황색인데 대기(大氣) 가운데 두면 웅황색(雄黃色)이 됨. 웅황(雄黃)과 함께 은연광맥(銀鉛鑛脈) 속 또는 승화물(昇華物)로서 화산(火山) 지방에, 그리고 온천(溫泉)의 침전물(沈澱物)로서 산출됨. 그림의 채료로나 폭죽(爆竹)의 재료로 씀.

계:관 시인【桂冠詩人】명〖문〗〔고대 그리스에서, 영웅이나 시인의 명예를 표창할 때 월계관을 주었던 습관에서 유래〕영국 왕실(王室)에서 시인으로서 최고의 지위에 있는 사람에게 내리는 명예로운 칭호. 전승(戰勝)·대례(大禮) 때에 하송(賀頌)을 올림을 직장(職掌)으로 하는데, 1670년 드라이든(Dreiden) 이후 관직화(官職化)하였음. 계관 시종(桂冠詩宗). 흠정 시종(欽定詩宗).

계:관 시종【桂冠詩宗】명〖문〗계관 시인(桂冠詩人). 월계(月桂) 시종.

계:관-없다【係關—】[—업—] 형 ①아무 관계없어 거리낄 것이 없다. ②상관없다.

계:관-없이【係關—】[—업씨] 부 계관없게.

계관-초【鷄冠草】명〖식〗맨드라미.

계관 현예【鷄冠蜆瞖】명〖한의〗결막(結膜)에 생긴 궂은 살.

계관-화【鷄冠花】명 ①맨드라미꽃. ②〖식〗맨드라미.

계:교[1]【計巧】명 요리조리 생각하여 낸 꾀. 공교한 꾀. ¶ ~를 부리다/~를 꾸미다.

계:교[2]【計較】명 비교하여 서로 대어 봄. 교계(較計). ——-하다 타 여불

계:구[1]【戒具】명 피고인·죄인의 폭행·도주를 방지하기 위하여 신체를 구속하는 기구. 수갑(手匣)·포승(捕繩) 등.

계:구[2]【戒懼】명 삼가고 두려워함. ——-하다 타 여불

계구[3]【溪口】명 계곡(溪谷)의 어귀. 또, 계곡의 물이 딴 강으로 흘러 들어가는 곳.

계구[4]【鷄口】명 ①닭의 주둥이. ②작은 단체의 장(長).

계구[5]【鷄灸】명 닭을 구워서 만든 음식. 닭구이.

계구마지-혈【鷄狗馬之血】명 닭과 개와 말의 피. 옛날 중국에서, 맹세를 할 때에 신분에 따라 천자(天子)는 소와 말, 제후(諸侯)는 개와 돼지, 대부(大夫) 이하는 닭의 피를 마셨음.

계구 우후【鷄口牛後】명 큰 단체의 꼴찌가 되어 붙좇는 것보다는 작은 단체의 우두머리가 되라는 뜻.

계군【鷄群】명 ①닭의 무리. ②범인(凡人)의 무리.

계군 고학【鷄群孤鶴】명 계군 일학(鷄群一鶴).

계군 일학【鷄群一鶴】명〔진서(晉書) 혜소전(嵇紹傳)의 '昂昂然如野鶴之在鷄群'에서 유래〕닭 무리 속에 끼어 있는 한 마리의 학이란 뜻으로, 평범한 사람 가운데의 뛰어난 사람을 이르는 말. 계군 고학(鷄群孤鶴). 군계 일학(群鷄一鶴).

계:궁[1]【計窮】명 계책이 다함. ——-하다 자 여불

계궁[2]【階窮】명〖역〗당하관(堂下官)의 품계가 다시 더 올라갈 자리가 없게 되었다는 뜻으로 당하 정삼품(正三品)이 됨을 이름. 자궁(資窮). ——-하다 형 여불

계:궁 역진【計窮力盡】[—녁—] 명 꾀와 힘이 다하여 어찌할 수 없게 됨. ——-하다 자 여불

계궁-자【階窮者】명 계궁한 자. 당하관(堂下官) 정삼품인 사람.

계:권【契券】[—꿘] 명 계약서(契約書).

계:귀【繼晷】명 낮에 하던 일을 밤에 계속해서 함. 밤새움함. ——-하다 자 여불

계귀-충【溪鬼蟲】명〖충〗물여우.

계:-그릇【戒—】명〖불교〗계명(戒命)을 능히 감당하여 받을 수 있는 사람. 계기(戒器).

계:근-유【桂根油】[—뉴] 명 계수나무의 뿌리 또는 잎에서 짜내는 기름. 성분은 계피유(桂皮油)와 비슷하나 품질이 낮음. 비누·향료(香料)의 원료로 씀.

계:금【戒禁】명 ①타일러 금지함. ②〖불교〗모든 불선(不善)을 금지함. ——-하다 자타 여불

계:금-당【罽衿幢】명〖역〗신라 군영(軍營)의 이름. 태종 무열왕(太宗武烈王) 원년(654)에 베풀었음.

계:급[1]【戒急】명〖불교〗계(戒) 가지기를 힘쓰고, 지혜(智慧) 닦기를 힘쓰지 아니함.

계급[2]【階級】명 ①지위·관직(官職) 등의 등급. 지위의 고하(高下). ¶ 일~ 특진. ②〖사〗일정한 사회에서 신분(身分)이나 재산(財産) 같은 것이 비슷한 사람들로 형성되는 집단(集團). ¶ 신사 ~/유한 ~. ③〖경〗일정한 사회 경제 체제에서 생산 수단에 대한 관계 및 사회적 노동 조직에 있어서의 부(富)의 분배 방식과 수량이 서로 다름으로써 생기는 인간의 집단. ¶ 농민 ~/무산 ~. ④〖수〗조사한 통계 자료(統計資料)가 많을 때에 변량(變量)을 몇 개의 구간(區間)으로 나누어 분류 정리하기 위하여 분할한 구간을 일컫는 말.

계급-값【階級—】[—갑] 명〖수〗통계에서, 도수 분포표(度數分布表)에 있어서의 각 계급의 중앙값. 계급치.

계급 관념【階級觀念】명 계급 의식❷.

계급 국가【階級國家】명〖사〗국가를 계급 억압 또는 착취의 기구(機構) 및 기관으로 보는 생각에 의한 국가상(國家像). 마르크스주의에 의하여 체계화(體系化)되었음.

계급 귀속 의:식【階級歸屬意識】명 자기가 어떤 특정한 계급에 딸리어 있다고 하는 의식. 이데올로기를 내포한 계급 의식에 대하여, 이데올로기를 내포하지 않은 사회 심리적 용어임.

계급 도:덕【階級道德】명 사회의 각 계급에 고유한 도덕. 도덕을 보편적인 것으로 생각하는 입장을 부정하는 주장에서 나온 말.

계급 독재【階級獨裁】명 어떤 계급이 그 사회에서 가장 유리한 조건이나 자리에 있어서 특권을 가지고 그 사회를 지배함.

계급 동정【階級同情】명 같은 계급에 있는 사람끼리 서로가 처하여 있는 환경이나 사정 등에 대하여 가지는 동정.

계급 문학【階級文學】명〖문〗계급 의식을 가지고 쓰는 문학.

계급 사회【階級社會】명〖사〗계급의 구별과 대립이 있는 사회. 고대의 노예제 사회, 중세의 봉건 사회, 근대의 자본제 사회를 이름.

계급 예:술【階級藝術】[—네—] 명〖예〗계급 사회에서는 모든 예술이 당연히 계급적이 된다고 주장하는 마르크스주의의 예술관.

계급 의:식【階級意識】명 ①일정한 계급이 가지는 심리·사고 방식의 경향 및 관념 형태. ②자기가 처하고 있는 계급의 지위·성격·사명 등을 자각하고, 또 이것을 실현하려는 의식. 계급 관념.

계급-장【階級章】명 계급을 표시하기 위하여 다는 표장(標章).

계급 정당【階級政黨】명〖정〗노동자(勞動者)·농민 등의 노동 계급의 계급적 이익(利益)을 위주로 하는 정당.

계급 제:도【階級制度】명 ①관위(官位)·신분·지위의 엄중한 구별에 의하여 조직이 운영되는 제도. ②〖사〗서로 대립하는 계급이 존립(存立)하여 지배와 피지배(被支配), 착취(搾取)와 피착취 등의 관계에 서는 사회 제도.

계급-주의【階級主義】[—/—이] 명 ①역사 발전의 원동력은 계급의 투쟁에 있다고 보는 입장. ②자기가 속하는 계급의 이념에만 충실하고 타계급에는 배타적 태도를 취하는 주의.

계급 촌:수제【階級寸數制】[—쑤—] 명〖법〗혈연(血緣) 관계의 멀고 가까움뿐만 아니라, 지위(地位)의 존비(尊卑), 정의(情誼)의 후박(厚薄) 등을 참작해서 촌수를 결정하는 촌수 계산법의 하나. 예컨대, 아내에게 있어서 남편은 1촌이나, 남편에게 있어서 아내는 2촌, 아내에게 있어서 시부모는 2촌이나, 남편에게 있어서 장인·장모는 5촌이 되는 따위. 중국의 옛 제도로서, 현재 이 제도를 쓰는 나라는 없음. *세대수(世代數) 촌수제.

계급-층【階級層】명 재산·직업·지위 등에 의해서 나누어진 계급의 층계(層階). 이를테면 지식층·중간층·샐러리맨 층 같은 것.

계급-치【階級値】명〖수〗'계급값'의 구용어.

계급 타:파【階級打破】명 사회적인 계급을 부인(否認)하고 깨뜨림. ——-하다 자 여불

계급 투쟁【階級鬪爭】명 경제적·정치적인 우열이나 지배·피지배를 에워싸고, 상이한 계급 사이에서 행하여지는 투쟁. 중세기의 귀족 계급과 농노(農奴), 근대의 부르주아 계급과 프롤레타리아 사이의 항쟁 따위. ——-하다 자 여불

계급 협조 이:론【階級協調理論】명〖사〗부르주아지와 프롤레타리아트의 계급적 대립을 인정하면서도 양자 간의 조정(調整)이 필요하며, 또 가능하다는 이론.

계기[1] 명〈방〉고기[1](경남).

계:기[2]【戒器】명〖불교〗계그릇.

계기[3]【屆期】명 정한 시기에 이름. 정한 기한이 됨. ——-하다 자 여불

계:기[4]【計器】명 ①계량 기계(計量器械). 미터. 계량기. ②관측량을 측정·기록·제어하는 장치.

계:기[5]【契機】명 ①〖철〗사물의 운동·변화·발전의 과정(過程)을 결정하는 본질적인 사정. 능동적 근거(能動的根據). ②본질적인 사태나 요소(要素). ③동인(動因)❶. ¶ 전쟁을 ~로 해서 치부(致富)하다.

계:기[6]【繫羈】명 계미(繫縻). ——-하다 타 여불

계:기[7]【繼起】명 잇따라 일어남. 시간적으로 전후해서 나타남. ——-하다 자 여불

계:기 감:도【計器感度】명 계기로 전압·전류·저항 등의 양을 측정하는 경우의 측정 가능한 정도(精度).

계:-기구【繫氣球】명 ↗계류 기구(繫留氣球).

계:기-등【計器燈】명 계기반을 비춰주는 등. 전구는 3촉광 정도임.

계:기-반【計器盤】명〖기〗계량기(計量器)에 장치되어 있는 문자나 숫자가 적힌 반. 문자반(文字盤). 다이얼.

계:기 비행【計器飛行】명〖항공〗나침반(羅針盤)·수평의(水平儀)·방향

탐지기·라디오 비콘·레이더 등의 계기에만 의존하여 하는 비행. 방식. ↔시계(視界) 비행.

계:기 속도【計器速度】 명 〖항공〗 비행기의 속도계(速度計)에 나타난 속도.

계:기용 변:성기【計器用變成器】 명 〖전〗 고전압 회로의 전압 전류 또는 일반적으로 대전류(大電流)를 측정할 때에 회로와 계기와의 사이에 넣는 변성기.

계:기용 변:압기【計器用變壓器】 명 일차 코일이, 전압을 측정·제어하는 회로와 병렬 접속된 계기용 변성기.

계:기 착륙 방식【計器着陸方式】 [—뉵—] 명 〔Instrument Landing System〕〖항공〗 악천우 때에 공항으로의 비행기 착륙을 안전하게 하기 위하여, 지상에서 활주로의 방향과 진입각(進入角)을 나타내는 두 전파를 보내어 기상(機上)의 계기로 이것을 포착(捕捉)하여 착륙하는 방식. 약칭 : 아이 엘 에스(ILS).

계:기-화【計器化】 명 〖공〗 검출(檢出)·관측·측정·자동 제어·자동 연산(演算)·전송(傳送)·데이터 처리 등을 위해 물리적(物理的) 계기 또는 계기 기구(機構)를 설계·제조·이용하는 일. ——하다 타여불

계내-금【鷄內金】 명 〖한의〗 닭의 소화기 속에 있는 빛이 누른 얇은 막. 대하(帶下)·설사·오줌 소태·유정(遺精)·혈뇨(血尿)·편도선염(扁桃腺炎)·구내염(口內炎)·하감(下疳)·어린아이의 학질(瘧疾) 등의 약제로 쓺.

계:녀【季女】 명 막내딸.

계:녀-가【戒女歌·誡女歌】 명 〖문〗 영남 지방(嶺南地方)에 전하는 내방 가사(內房歌辭)의 하나. 어머니가 시집가는 그의 딸에게 주는 훈계를 내용으로 함.

계년【笄年】 명 옛날에 여자가 처음 비녀를 꽂는 나이. 보통, 15세임.

계:년 무량겁【繫年無量劫】 명 〖불교〗 일념(一念) 무량겁.

계농【鷄農】 명 닭을 침. ＊양계(養鷄). ——하다 자여불

〈계뇨등〉

계뇨-등【鷄尿藤】 명 〖식〗 [*Paederia scandens*] 꼭두서닛과에 속하는 다년생(多年生)의 풀 모양 덩굴성 식물. 줄기와 잎에서 냄새가 나며, 잎은 달걀꼴 또는 피침형임. 6-7월에 꽃이 기산(岐繖) 화서로 액생(腋生) 또는 정생(頂生)하는데, 꽃부리의 바깥은 백색이고 안은 자색(紫色)임. 과실은 황갈색으로 9월에 익음. 산록(山麓) 양지 및 골짜기에 나는데, 한국 중부 이남·일본·만주·중국·인도 등지에 분포함. 뿌리는 약재로 쓺. 우피동(牛皮凍).

계뇨-초【鷄尿草】 명 〖식〗 조팝나무❷.

계다 형 〈옛〉 겹다. 지나다. ¶ 홀론 뼈 계두록 아니 받즈바놀 ≪釋譜 XI: 40≫.

계:단¹【戒旦】 명 새벽을 경고함. 새벽의 준비를 하라고 알림.

계:-단²【戒壇】 명 〖불교〗 중이 계(戒)를 받는 단(壇). 보통, 흙과 돌로 만들며, 대승(大乘) 계단과 소승(小乘) 계단의 두 가지가 있음.

계:단³【契丹】 명 〖역〗 거란(契丹).

계단⁴【階段】 명 ①층층대. ¶ 나선식(螺旋式) ～. ② 일을 이루는 데 밟아야 할 순서. 단계(段階).

계단⁵【鷄蛋】 명 중국 요리에서, 달걀.

계단-갈이【階段—】 명 〖농〗 계단 경작.

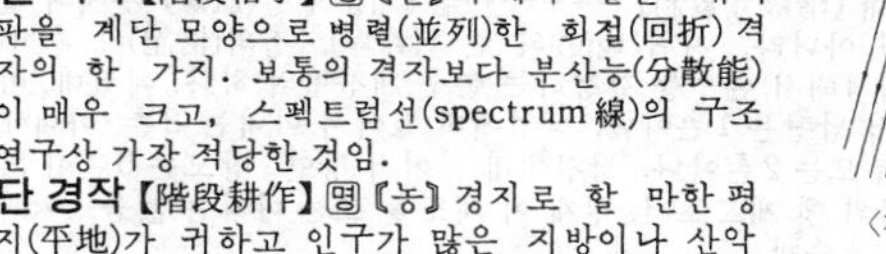

계단 격자【階段格子】 명 〖물〗 두께가 같은 유리판을 계단 모양으로 병렬(並列)한 회절(回折) 격자의 한 가지. 보통의 격자보다 분산능(分散能)이 매우 크고, 스펙트럼선(spectrum線)의 구조 연구상 가장 적당한 것임.

〈계단 격자〉

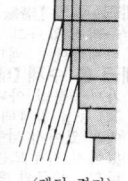

계단 경작【階段耕作】 명 〖농〗 경지로 할 만한 평지(平地)가 귀하고 인구가 많은 지방이나 산악 지대에서 비탈진 땅을 계단 모양으로 층지게 만들어 하는 경작. 계단갈이. ＊계단밭.

계단 교:실【階段教室】 명 〖교〗 계단석(階段席)을 만들어 놓은 교실.

계단 굴진【階段掘進】 [—찐] 명 〖광〗 광산에서 갱내를 계단형으로 파 들어가 채광하는 방식. ＊계단 채굴.

계단 농업【階段農業】 명 〖농〗 계단 경작으로 짓는 농업.

계단 단:층【階段斷層】 명 〖지〗 같은 종류의 많은 단층이 평행으로 발달하여 계단 모양으로 된 지반(地盤).

계:단-당【戒壇堂】 명 〖불교〗 계단을 설치한 당.

계단 등행【階段登行】 명 스키 등행법(登行法)의 하나. 스키를 사면(斜面)에 대하여 수평으로 놓고 한쪽에 체중을 실은 다음 발을 높이 내딛고, 아래쪽 스키를 그 밑에 끌어당겨 붙이고 올라가는 일. 사이드 스텝.

계단-만【階段彎】 명 〖지〗 함몰(陷沒)과 침강(沈降)의 두 작용으로 말미암아 해저(海底)가 계단 모양으로 된 만. 알래스카 만 같은 것. ↔함몰만·범람(氾濫)만.

계단-밭【階段—】 명 〖농〗 계단식으로 만든 밭. ＊계단 경작.

계단백-탕【鷄蛋白湯】 명 더울 때에 먹는 음식의 한 가지. 달걀의 흰자를 골라 내서 오랫동안 저어, 된 거품이 일게 된 뒤에 노른자를 섞고 설탕과 우유와 과실즙(果實汁)을 타서 먹음.

계단-상【階段狀】 명 층층대 모양.

계:단-석¹【戒壇石】 명 〖불교〗 선종(禪宗)이나 율종(律宗)의 절 앞에 세운 돌 기둥. 곁에 '파, 마늘이나 술을 먹고는 들어오지 못한다'는 뜻으로 '不許葷酒入山門'의 글을 새김. 온 절의 경내(境內)를 계단으로 보고 그 앞에 세운 돌이므로 이렇게 부름.

계단-석²【階段席】 명 계단 모양으로 뒤로 갈수록 높아지게 만든 좌석.

계단-식【階段式】 명 계단을 본뜬 방식.

계단식-떼:기【階段式—】 명 〔step flaking〕〖고고학〗 석기(石器)를 만들 때, 몸돌에서 직접떼기로 수직으로 내려가다가 중간에서 멈추는 수법. 계단식으로 격지가 떼어지며, 잡이 쪽을 만들 때에 많이 쓰임.

계단식 발굴구【階段式發掘溝】 명 〔step trench〕 고고학(考古學)에서, 발굴 조사의 한 과정으로서 유적의 지층(地層)마다 계단 모양으로 파 내려 간 발굴구(發掘溝).

계단-실【階段室】 명 집안에 계단을 설치하기 위하여 만든 방. 또, 계단으로 들어가는 입구의 부분.

계:단-원【戒壇院】 명 〖불교〗 수계(授戒)를 행하는 도량(道場).

계:단-장【契丹場】 명 〖역〗 거란장(契丹場).

계단-참【階段站】 명 층계참.

계단 채:굴【階段採掘】 명 〖광〗 산에서 광상(鑛床) 안을 계단형으로 파 들어가 채광하는 일. ＊계단 굴진.

계:달【啓達】 명 임금에게 의견을 아룀. 계품(啓稟). ——하다 타여불

계:달 사후자【契達奢候者】 명 〖역〗 상위 사자(上位使者)❷.

계:당-주¹【桂當酒】 명 계피(桂皮)와 당귀(當歸)를 넣어 만든 소주.

계:당-주²【桂糖酒】 명 계피와 꿀을 넣어 만든 소주.

계:대¹【繼代】 명 대(代)를 이음. ——하다 타여불

계:대²【繼隊】 명 〖민〗 큰 굿을 할 때에 풍악을 하는 공인(工人)들.

계:덕¹【戒德】 명 〖불교〗 대한 불교 조계종에서, 비구니(比丘尼) 법계(法階)의 5 급. 정덕(定德)의 아래로, 최하위(最下位)임. 「등급.

계:덕²【季德】 명 〖역〗 백제 때의 벼슬 이름. 십육품(十六品) 중의 열째

계:도¹【戒刀】 명 〖불교〗 중의, 삼의(三衣)를 끊고 악마를 방비한다는 칼.

계:도²【系圖】 명 대대의 계통을 표시한 표. 성계(姓系).

계:도³【契刀】 명 중국 한(漢)나라의 왕망(王莽)이 만들게 한 화폐. 둥근 돈에 길이 두 치의 칼 모양의 것이 붙어 있음.

계:-도⁴【契島】 명 〖지〗 전라 남도의 서해상(西海上), 신안군(新安郡) 압해면(押海面) 매화도리(梅花島里)에 위치한 섬. [0.02 km²]

계:도⁵【界盜】 명 국경의 도둑.

계:도⁶【計都】 명 〖천〗 계도성(計都星).

계:도⁷【計圖】 명 기도(企圖). ——하다 타여불

계:도⁸【桂櫂】 명 계수나무로 만든 노(櫓).

계:도⁹【啓導】 명 계발(啓發)하고 지도함. ——하다 타여불

계-도¹⁰【鷄島】 명 〖지〗 ①전라 남도의 서남해상(西南海上), 진도군(珍島郡) 조도면(鳥島面)에 위치한 섬. [0.024 km²] ②전라 남도의 신안군(新安郡) 안좌면(安佐面)에 위치한 섬. [0.023 km²] ③경상 남도의 남해상(南海上), 마산시(馬山市) 구산면(龜山面)에 위치한 섬. 닭섬. [0.08 km²]

계:-도가【契都家】 [—또—] 명 계(契)의 일을 도맡아서 처리하는 집.

계:도 난장【桂棹蘭槳】 명 계수나무로 만든 노와 목련나무 삿대. 노와 삿대를 아름답게 이르는 말.

계:도-성【計都星】 명 〖민〗 중국의 구요성(九曜星)의 하나. 해와 달을 두 손으로 떠받들어 청룡(青龍)을 타고, 분노의 상을 한 신상(神像)으로 나타냄. 계도(計都).

계:도 소:설【系圖小說】 명 〖문〗 한 가문(家門) 또는 한 사회를 전기적(傳記的) 혹은 역사적으로 서술한 장편 소설. 골즈워디(Galsworthy, J.)의 ≪포사이트가(家) 이야기(The Forsyte Saga)≫ 같은 소설. 사거(saga). ＊대하 소설(大河小說).

계:도 직성【計都直星】 명 〖민〗 아홉 직성의 하나. 흉한 직성으로 아홉 해에 한 번씩 돌아오는데, 사내는 열여섯 살에 여자는 열일곱 살에 처음 든다 함.

계:독【啓櫝】 명 개독(開櫝). ——하다 자여불

계돈【鷄豚】 명 ①닭과 돼지. ②가축의 총칭.

계돈 동사【鷄豚同社】 명 같은 고향 사람끼리 친목을 도모함.

계:동【季冬】 명 ①음력 섣달. ②늦겨울.

계두【鷄頭】 명 ①닭의 볏. 계관(鷄冠). ②〖식〗 맨드라미.

계두-병【鷄頭甁】 명 위가 닭의 대가리 모양으로 가늘고 긴 병.

계두-실【鷄頭實】 명 〖한의〗 가시연밥. 감실(芡實).

계두-육【鷄頭肉】 명 미인(美人)의 젖을 일컫는 말.

계:라【啓螺】 명 임금의 거둥 때에 취타(吹打)를 아룀.

계:라 차지【啓螺差知】 명 〖역〗 임금의 거둥 때에 겸내취(兼內吹)를 영솔(領率)하는 선전관(宣傳官).

계:락【界樂】 명 〖악〗 계면조(界面調)에 속하는 가곡(歌曲) 곡조의 이름. 남창(男唱)과 여창이 따로 있음.

계란【鷄卵】 명 달걀.

[계란에도 뼈가 있다] '계란 유골(鷄卵有骨)'과 같은 말.

계란이나 달걀이나 구 다 마찬가지라는 말.

계란-골【鷄卵骨】 명 달걀처럼 이마와 뒤통수가 쑥 내민 두개골(頭蓋骨).

계란-구【鷄卵灸】 명 계란구이.

계란-구이【鷄卵—】 명 달걀 여러 개를 풀어서 양념하여 대롱 속에 부어서 삶은 뒤 대롱을 벗기고 썰어 기름 간장을 발라 구운 술안주. 계란구(鷄卵灸). 달걀구이.

계란-덮밥【鷄卵—】 명 파·양파 등을 섞어서 지진 달걀을 밥 위에 씌운 덮밥의 한 가지. 달걀 덮밥.

계란-반【鷄卵飯】 명 계란밥. 달걀밥.

계란-밥【鷄卵—】 명 밥이 끓을 때 계란을 깨뜨려 넣고 익힌 밥. 계란반(鷄卵飯).

계란-빵【鷄卵—】 명 밀가루에 설탕·달걀·이스트 또는 소다 등을 섞어 반죽하여 둥글넓적하게 찌거나 구운 빵.

계란-선【鷄卵膳】 명 난도(亂刀)질한 쇠고기를 양념하여 볶아서 설탕과 장·후춧가루를 고루 쳐서 뒤섞은 뒤에, 양푼이나 반병두리에 기름을 두르고 거기에다가 달걀 푼 것에 쇠고기 삶은 물을 친 것을 한 켜 깔고, 그 위에 잘 섞여진 고기를 놓아, 이렇게 여러 켜 얹어 중탕(重湯)하여 익혀서 썬 술안주.

계란-소【鷄卵素】명〖생〗단백질(蛋白質). *달걀흰자.

계란 송병【鷄卵松餠】명 알송편.

계란 유:골【鷄卵有骨】명 달걀에도 뼈가 있다는 뜻으로, 공교롭게 일이 방해됨을 이르는 말. '안 되는 놈은 두부에도 뼈라'와 같은 뜻.

계란-장【鷄卵醬】명 달걀이나 오리알을 넣어 삭힌 간장.

계란 장아찌【鷄卵—】명 달걀을 삶아 썰어서 진장 속에 넣은 반찬.

계란-주【鷄卵酒】명 술에다 휘저은 계란을 섞고 설탕을 적당히 넣어, 달걀이 완전히 익지 않도록 불에 데운 술. 몸이 허할 때 마심.

계란-죽【鷄卵粥】명 쌀알이 퍼질 만한 때에 달걀을 깨뜨려 넣고 휘저어 익힌 죽. 달걀죽.

계란-지【鷄卵紙】명〖화〗사진술(寫眞術) 초기에 흔히 사용하던 인화지(印畫紙)의 한 종류. 달걀의 흰자위와 염화 암모늄의 혼합물을 바르고, 질산은(窒酸銀) 용액에 띄워서 도은(塗銀)한 양지(洋紙). 흰빛·보랏빛·도홍색 등이 있음. 단백지(蛋白紙).

계란-채【鷄卵菜】명 달걀을 풀어서 번철(燔鐵)에 부어 얇고 크게 익힌 다음에 가늘게 썰어 놓은 채. 고명으로 쓰임.

계란-탕【鷄卵湯】명 ①맑은 장국이 끓을 때에 달걀을 풀어서 넣거나 그냥 넣어 익힌 국. ②돼지고기·해삼·목이버섯·시금치 등을 썰어서 끓인 데다, 풀어서 갠 달걀과 묽게 갠 녹말을 서서히 부어 걸쭉하게 끓인 중국 음식.

계란-포【鷄卵包】명 알쌈❶.

계란-현【鷄卵峴】명〖지〗①경상 북도 의성군(義城郡)에 있는 고개. [194m] ②충청 북도 제천시(堤川市)와 단양군(丹陽郡) 사이에 있는 고개. [230m]

계란-형【鷄卵形】명 달걀 모양.

계랄 명〈방〉계란(경상).

계람[1]【溪嵐】명 산골짜기에서 떠오르는 남기(嵐氣).

계:람[2]【繫纜】명 닻줄을 맴. 배를 맴. ↔해람(解纜).

계:략【計略】명 계책(計策)과 모략(謀略). 계모(計謀). 계의(計議).

계:량[1]【計量】명 물건의 양의 크기를 잼. 계측(計測). ——-하다 타여불

계:량[2]【繼糧】명 한 해에 농사지은 곡식으로 다음해 추수할 때까지의 양식을 이어감. ——-하다 자여불

계:량 검:사【計量檢査】명 발취(拔取) 검사에 있어서 길이·중량 따위의 계량 수치(數値)에 의하여 제품의 품질의 합격 여부를 판정하는 방법. 또, 그것을 사용한 발취 검사. *계수(計數) 검사.

계:량 경제 모델【計量經濟—】〔model〕명〖경〗소득·소비·저축 따위 경제 변수 간의 함수(函數) 관계를 수식으로 나타낸 것. 경제 예측·경제 계획 등에 응용함.

계:량 경제학【計量經濟學】명〔econometrics〕〖경〗경제학 연구 상의 한 분야(分野). 일반 경제 이론의 형성과 그 수학적 정식화(定式化) 및 그 결과의 통계적 검증의 종합을 목적으로 하는 학문. 주로 수학적 방법에 의하여 세워진 경제 이론을 통계 자료에 비추어 검증하면서 전개함. ↔수리 경제학(數理經濟學).

계:량-기【計量器】명〖물〗계량하는 데 사용하는 기구 또는 기계. 계기(計器). 미터.

계:량 단위【計量單位】명 계량의 기준이 되는 단위.

계:량-법【計量法】[—뻡] 명〖법〗계량의 기준을 정하고 적정한 계량의 실시를 확보함을 목적으로 하는 법.

계:량-봉【計量棒】명 액체의 깊이를 재는 눈금이 있는 막대기.

계:량 사회학【計量社會學】명〔sociometry〕〖사〗인간 관계나 집단의 구조 및 동태를 경험적으로 측정·기술하는 사회학의 한 분야.

계:량 스푼:【計量—】〔spoon〕명 조리(調理)에서, 가루나 조미료·액체 따위의 용량을 헤아리는 숟가락. 큰 것은 15mL, 작은 것은 5mL짜리가 있음. *계량컵.

계:량 진:단【計量診斷】명〖의〗추계학(推計學) 이론과 컴퓨터를 이용한 진단법. 진찰 데이터를 바탕으로 하여 의사가 머리속에서 진단을 내릴 때의 사고(思考) 과정을 컴퓨터로써 수치화(數値化)하여 처리하고, 자동적으로 진단 결과를 내는 방법임.

계:량-컵【計量—】〔cup〕명 조리(調理)에서, 가루나 조미료·액체 따위의 용량을 재는, 눈금이 표시된 컵. 보통, 200mL, 180mL, 500mL, 1L, 2L 짜리가 있음. *계량 스푼.

계:량-화【計量化】명 어떤 현상의 성격·경향 등을 수량으로 나타냄. ——-하다 타여변

계:려【計慮】명 헤아려 생각함. ——-하다 타여불

계:력【戒力】명〖불교〗계를 지킨 공력(功力).

계:련【係戀】명 사랑에 끌리어 잊지 못함. ——-하다 타여불

계:령【戒令】명〖역〗조선 시대에, 병졸(兵卒)의 품행과 복무(服務)를 규정한 여덟 가지 조항의 명령. 훈련 도감(訓練都監)·금위영(禁衛營)·어영청(御營廳)의 조문(條文)이 각각 약간 다름.

계례【笄禮】명 옛날에 15세가 된 여자 또는 약혼한 여자가 올리는 성인례(成人禮). 땋았던 머리를 풀어 비녀를 지름. ↔관례(冠禮). ——-하다 자여불

계:로[1]【季路】명〖사람〗공자의 제자인 '자로(子路)'를 달리 이르는 말.

계로[2]【蹊路】명 좁은 길.

계로기 명〈옛〉게로기. ¶ 계로기(薺苨)《字會 Ⅶ:31》.

계로기 명〈옛〉게로기. ¶ 俗呼薺菜又薺苨계로기《字會 上 14》.

계:뢰【界雷】명〖기상〗전선 뇌우(前線雷雨).

계:료【計料】명 헤아림. ——-하다 타여불

계룡【鷄龍】명〖지〗'기룽(基隆)'의 옛이름.

계룡-기【鷄龍器】명 흑화 자기(黑花瓷器)의 일종. 계룡산 부근에서 고려 말부터 조선 시대 초기에 걸쳐 제조되었는데, 외국의 영향을 받지 않은 순전한 한국 고유의 것임.

계룡-대【鷄龍臺】명 충남 논산시(論山市) 두마면(豆磨面) 계룡산(鷄龍山) 남쪽 기슭의 육해공(陸海空) 3군 본부가 있는 지역(地域)의 이름.

계룡-산【鷄龍山】명〖지〗충청 남도 공주시(公州市) 계룡면(鷄龍面)과 반포면(反浦面) 사이에 있는 산. 산중에는 갑사(甲寺)·신원사(新元寺)·동학사(東鶴寺) 같은 옛 절이 있고, 산기슭 일대는 예로부터 요업(窯業)이 성하였는데, 지금도 그 유적이 많음. 조선 시대 초의 도읍 예정지로서 또는 정감록(鄭鑑錄)의 전설지로서 유명함. 국립 공원의 하나. [828m]

계룡산 구릉【鷄龍山丘陵】명〖지〗차령 산맥(車嶺山脈)의 남쪽 대전(大田)과 공주(公州) 사이에 계룡산을 중심으로 비스듬히 뻗은 산지.

계룡산 국립 공원【鷄龍山國立公園】[—닙—] 명〖지〗충청 남도 공주·논산·대전 일대의 계룡산을 중심으로 한 공원. 1968년 12월 31일에 지정됨. 천황봉(845m)·쌍개봉·연천봉·관음봉과 동학사 계곡·갑사 계곡·용화사 계곡·백암동 계곡 외에 갑사·동학사·오뉘탑 등이 있음. [61.12km^2]

계:루[1]【係累·繫累】명 ①이어서 얽어맴. ②다른 사물에 끌리고 얽매이어 누(累)가 됨. ③몸에 얽매인 누. 처자(妻子)·권속(眷屬) 들의 누. ——-하다 자여불

계:루[2]【桂樓】명 ①계수(桂樹)나무로 지은 다락집. ②높고 훌륭하게 지은 요릿집.

계루-고【鷄婁鼓·奚婁鼓】명 중국 고대의 북의 한 가지. 둥근 통의 양쪽에 가죽을 댄 양면고(兩面鼓)로서 지름이 20cm, 높이 18cm 정도인데, 왼쪽 겨드랑이에 끼고 오른손의 채로 침.

〈계루고〉

계:루-부【桂婁部】명〖역〗고구려 오부(五部)의 하나. 소노부(消奴部)를 대신하여 가장 세력이 있었는데 주로 왕족(王族) 계급에 속하였음. 내부(內部). 황부(黃部).

계류[1]【溪流·谿流】명 산골짜기를 흐르는 시냇물.

계류[2]【稽留】명 ①머무름. 체류(滯留). ②머무르게 함. ——-하다 자타여불

계:류[3]【繫留】명 ①밧줄 같은 것으로 붙잡아 매어 놓음. ②선박이 안벽(岸壁) 같은 데에 정박(碇泊)함. ——-하다 자타여불

계:류 기구【繫留氣球】명 강철 줄로 매어 놓아 임의의 높이에 띄워 두는 경기구(輕氣球). 군사상의 관측·신호, 기상상의 기류(氣流)의 조사, 광고 등에 사용함. ㊌계기구(繫氣球). ↔자유(自由) 기구.

계:류 기뢰【繫留機雷】명〖군〗강철 줄로 매어 두는 기뢰. ↔부유(浮遊) 기뢰.

계류 낚시【溪流—】명 산골짜기의 계류에서 물고기를 낚는 일.

계:류 부표【繫留浮標】명〖군·물〗물 속의 상태를 조사하거나 위치를 표(表)하려 할 때 또는 물 속에 어떤 물건을 매어 달아 놓을 때에 그 물건에 매어서 띄워 두는 부표.

계:류-선【繫留船】명 부둣가나 바닷가에 매어 놓는 배.

계류-열【稽留熱】명〖의〗신열이 날 때 하루의 체온의 고저의 차가 섭씨 1도 이하를 유지하며 계속되는 고열(高熱)의 일종.

계:류-음【繫留音】명〖악〗'걸림음'의 한자 이름.

계:류-장【繫留場】명 ①〖해〗선박을 대고 매어 놓는 장소. ②가축 등을 매어두는 곳.

계:류-탑【繫留塔】명 비행선이나 기구(氣球)를 계류(繫留)하기 위하여 세워놓은 높은 탑.

계:륜【桂輪】명 '달'의 이칭(異稱).

계륵【鷄肋】명 ①닭의 갈비는 먹을 만한 살도 붙어 있지 않지만 버리기가 아깝다는 뜻으로, 그다지 가치는 없으나 버리기도 아까운 사물을 일컫는 말. ②닭의 갈비처럼 몸이 몹시 연약함의 비유.

계:리[1]【計利】명 이익의 정도를 잼. 또, 이익을 얻으려고 힘씀. ——-하다 자여불

계:리[2]【計理】명 계산하여 정리함. ——-하다 타여불

계:리-사【計理士】명 '공인 회계사(公認會計士)'의 구칭(舊稱).

계:리-학【計理學】명 회계학(會計學).

계:림[1]【桂林】명 ①계수나무의 숲. ②〈아〉아름다운 숲. 미림(美林). ③〈아〉문인(文人)들의 사회.

계:림[2]【桂林】명〖지〗'구이린'을 우리 음으로 읽은 이름.

계림[3]【鷄林】명〖지〗①신라 탈해왕(脫解王) 때부터 한때 부르던 그 나라 이름. 동왕 9년(65)에 시림(始林)에서 이상한 닭의 울음 소리가 들려 사람을 보내어 보니 나뭇가지에 금빛의 궤가 있고 그 속에 아기가 들어 있었는데 이 아기가 김알지(金閼智)로서 뒤에 신라의 임금이 되었다고 함. 구림(鳩林). 시림(始林). ②경주(慶州)의 옛 이름. ③우리 나라의 딴 이름. 계림 팔도. *한국(韓國).

계림 대:도독부【鷄林大都督府】명〖역〗당(唐)나라가 신라를 영토화하기 위하여 설치한 통치 기관. 나당(羅唐) 연합군이 백제를 멸망시킨 후, 당은 신라를 지배할 목적으로 문무왕(文武王) 3년(663) 계림 대도독부를 설치하고 신라왕을 계림주 대도독(鷄林州大都督)에 임명하였으나, 신라는 고구려·백제의 유민과 힘을 합하여 당의 세력을 몰아내고 반도를 통일하였음.

계림 유:사【鷄林類事】[—뉴—] 명〖책〗중국 송(宋)나라의 손목(孫穆)이 고려 시대의 우리말 356 단어를 추려서 한자로 적어 놓은 책.

계:림 일지【桂林一枝】[—찌] 명〔중국 진(晉)나라 극선(郤詵)이 현량제일(賢良第一)로 천거되었을 때, 겨우 계림에서 한 가지를 얻었을 뿐이라고 말한 고사에서 유래〕①대수롭지 않은 출세. ②청귀(淸貴)하고 출중(出衆)한 인품의 비유. *극선(郤詵) 일지.

계림 잡전【鷄林雜傳】명〖책〗신라 성덕왕(聖德王) 때 김대문(金大問)이 지은, 신라·백제·고구려의 설화(說話)를 모은 책. 지금은 전하지 않음. 김부식(金富軾)이 《삼국 사기》를 편찬하는 데 중요한 자료가 되었다고 함.

계림 팔도【鷄林八道】[—또] 명 한국의 별칭. 계림(鷄林).

계립-령【鷄立嶺】[—녕] 명〖지〗충청 북도 괴산군(槐山郡) 연풍(延豐)의 동북부 16km 지점에 있는 재. 신라 아달라왕(阿達羅王) 때 이 재를 통해 도로를 만들어 충주(忠州)에 이르게 하였음. 마골참(麻骨站).

계:마【桂馬】명 바둑에서, 옆 줄에서 한 칸 또는 두 칸을 대각선 방향으로 건너 돌을 놓는 일. 날일(日)자로 놓는 것을 소계마(小桂馬), 눈목

(目)자로 놓는 것을 대계마(大桂馬)라 함. *마늘모.

계:마²【繫馬】명 ①말을 맴. ②마구간에 매놓은 말. ——-하다 자여불

계:말¹【季末】명 계세(季世). 후세(後世).

계:말²【桂末】명 계핏가루.

계:망¹【計網】명 적(敵)이 속아 걸려들게 하는 꾀.

계:망²【繼望】명 희망을 겸. ——-하다 자여불

계:맥¹【系脈】명 계통. 줄기.

계:맥²【戒脈】명〖불교〗계(戒)의 혈맥. 곧, 불조(佛祖) 석가모니 이후 계법을 이은 사람의 계보(系譜).

계:면¹【界面】명 ①〖악〗↗계면조(界面調). ②경계를 이루는 면. ③〔phase boundary〕〖물〗둘 이상의 상(相)의 접촉면. 액체와 기체, 액체와 고체,기체와 고체, 고체와 고체, 혼합되지 않은 액체와 액체 등의 접촉면.

계:면²【誡勉】명 경계하고 격려함. ——-하다 타여불

계:면-놀이 명〖민〗무당이 단골집이나 일반 가정을 상대로 계면 돌며 하는 굿.

계:면 돌:다 자〖민〗무당이 쌀 혹은 돈을 구걸하며 집집마다 돌아다니다.

계:면-떡 명〖민〗무당이 굿을 끝내고, 구경꾼에게 돌라 주는 떡.

계:면 반:응【界面反應】명〖화〗두 상(相)의 계면에서 일어나는 화학 반응.

계:면 불활성【界面不活性】[—썽] 명〖화〗액체의 표면 장력(張力)을 변화시키지 않거나 다소 많게 하는 물질의 성질. 물에 대하여 무기염류(無機塩類)·설탕·글리세롤 등. 표면 불활성. ↔계면 활성.

계:면 장력【界面張力】[—녁] 명〖물〗표면 장력(表面張力).

계:면 전:기 현:상【界面電氣現象】명〖전〗고체와 액체 또는 혼합하지 않은 두 가지 액체 등의 경계의 면에서 나타나는 전기 현상의 총칭.

계:면-조【界面調】[—쪼] 명〖악〗노래와 풍악에서 슬프고 처절한 조(調). 양악의 단조(短調)와 비슷함. 준계면(界面).

계면-쩍다 형 ←겸연(慊然)쩍다.

계면-하다 형여불 ←겸연(慊然)하다.

계:면 화학【界面化學】명〔surface chemistry〕〖화〗계면에 관한 현상·성질을 연구하는 화학의 한 분과. 표면 장력·흡착(吸着)·박막(薄膜) 등을 대상으로 함.

계:면 활성【界面活性】[—썽] 명〔suface active〕〖화〗액체의 표면 장력(張力)을 현저하게 저하시키는 것과 같은 물질의 성질. 물에 대한 알코올·비누 등. 표면 활성. ↔계면 불활성.

계:면 활성제【界面活性劑】[—썽—] 명〖화〗용액 표면에서 높은 계면 활성을 가진 물질. 비누·합성 세제(洗劑)·알코올 등. 표면 활성제.

계:명¹【戒名】명〖불교〗①승려나 속가(俗家)의 신자가 수계(受戒)할 때 받는 이름이라는 뜻으로, 법명(法名)을 일컬음. ↔속명(俗名)❸. ②중이 죽은 사람에게 지어 주는 법명(法名).

계:명²【啓明】명 ①〖천〗↗계명성(啓明星). ②계몽(啓蒙)❶❷. ——-하다 타여불

계명³【階名】명 ①계급이나 품계의 이름. ②〖악〗'계이름'의 한자 이름.

계:명⁴【戒命·誡命】명〖종〗종교·도덕상으로 반드시 지켜야 할 조건. 기독교의 십계명 등.

계:명⁵【繼明】명 ①명덕(明德)의 뒤를 이음. ②성천자(聖天子)의 사업을 이음. ——-하다 자여불

계명⁶【鷄鳴】명 ①닭의 울음. ②↗계명 축시(鷄鳴丑時).

계명 구도【鷄鳴狗盜】명〔중국 제(齊)나라의 맹상군(孟嘗君)이 진(秦)나라 소왕(昭王)에게 갇혔을 때, 개 흉내와 닭 흉내를 잘 내는 식객(食客)들의 활약으로 풀려 났다는 고사에서 유래〕행세(行世)하는 사람이 배워서는 아니 될, 천한 기능(技能)을 가진 사람. *계명지객(鷄鳴之客).

계명 구도지웅【鷄鳴狗盜之雄】명 '맹상군(孟嘗君)'을 일컫는 말.

계:명 구락부【啓明俱樂部】명〖역〗1931년에 발족된 민족 계몽 단체. 최남선(崔南善)·박승빈(朴勝彬)·오세창(吳世昌)·이능화(李能和) 등이 주동이 되어 잡지 '계명(啓明)'·'낙원(樂園)'·'신천지' 등을 발간하고 《삼국 유사》·《금오 신화》 등의 고전(古典)을 간행하여 민중 교화에 진력하였음.

계명 구폐【鷄鳴狗吠】명 닭의 울음소리와 개 짖는 소리가 여기저기서 들린다는 뜻으로, 인가(人家)가 많이 상접(相接)하여 있음을 일컫는 말. 계견 상문(鷄犬相聞). ——-하다 자여불

계명 구폐 상문【鷄鳴狗吠相聞】명 계견 상문(鷄犬相聞). ——-하다 자여불

계:명 대학교【啓明大學校】명 지방 사립 종합 대학교의 하나. 1954년 3월 20일, 미국 북장로회 주한 선교부에서 단과 대학으로 설립, 1978년 종합 대학교로 승격함. 대구 광역시 남구(南區) 대명동(大明洞) 소재.

계명-도【鷄鳴圖】명 민화(民畫)의 화제(畫題)의 하나. 새벽에 우는 수탉을 그린 그림. 새벽 닭 우는 소리에 귀신이 도망친다 하여 벽사(辟邪)를 상징.

계:명-성¹【啓明星】명〖천〗샛별¹. 준계명(啓明).

계명-성²【鷄鳴聲】명 닭이 우는 소리.

계명워리 명 행실이 얌전하지 못한 계집.

계명 점년【鷄鳴占年】명〖민〗닭울음점.

계명-주【鷄鳴酒】명 차좁쌀로 담근 술. 담근 다음날 닭이 우는 새벽녘에 먹게 됨.

계명지-객【鷄鳴之客】명〔맹상군(孟嘗君)의 고사(古事)에서 나온 말〕닭우는 소리를 묘하게 잘 흉내내는 식객(食客). *계명 구도(狗盜).

계명지-조【鷄鳴之助】명 현숙한 왕비의 내조.

계명 창:법【階名唱法】[—뻡] 명〖악〗'계이름 부르기'의 한자 이름. 토닉 솔파(tonic sol-fa). 솔페주. *이동 도(doh)창법.

계명 축시【鷄鳴丑時】명 첫닭이 울 무렵인 축시(丑時). 새벽 한시에서 세시까지 사이. 준계명(鷄鳴).

계:모¹【季母】명 계부(季父)의 아내.

계:모²【計謀】명 계략(計略).

계:모³【繼母】명 아버지의 후취(後娶). 의붓어머니. 후모(後母). ↔계자(繼子). *서모(庶母).

계:-모자【繼母子】명〖법〗법정 혈족 관계의 하나. 전처의 출생자와 그 부(父)의 후처와의 관계. 법률상으로는 친생(親生) 모자 관계와 동일하지만 계모가 친권을 행사하는 경우 후견인에 관한 규정이 적용된다는 제한이 있음. *친생모자(親生母子).

계:목¹【啓目】명〖역〗계본(啓本)에 붙이는 목록(目錄).

계:목²【繫牧】명 가축의 사육 방법의 하나. 가축의 목에 적당한 길이의 끈을 매어 그 범위 안에서 자유로이 채식(採食)·운동하게 함. 매어기르기. ——-하다 타여불

계:몽【啓蒙】명 ①어린아이나 무식한 사람을 깨우쳐 줌. ¶농촌 여성을 ~하다. ②정신의 몽매한 상태를 계발(啓發)하여 개화(開化)로 인도함. 계명(啓明). 발몽(發蒙). ③〖사〗사람의 마음을 인습적인 기성 관념에서 탈각시켜 사태에 즉응(卽應)한 자주적이고 합리적인 인식을 갖게 계발하는 일. 특히, 근세 유럽 사상사(思想史) 상의 계몽주의에 입각한 합리주의적 개화 운동. ——-하다 타여불

계:몽-대【啓蒙隊】명 계몽하기 위하여 나선 사람들로 조직된 모임. ¶농촌 ~.

계:몽 도설【啓蒙圖說】명〖책〗조선 영조(英祖) 48년(1772) 서명응(徐明膺)이 주자(朱子)의 《역학 계몽(易學啓蒙)》을 부연(敷衍)·도해(圖解)한 책. 6권 3책.

계:몽 문학【啓蒙文學】명〖문〗①전통적인 인습에서 벗어나도록 계발하며, 새로운 지식과 비평 정신을 무식한 사람들에게 길러 주는 문학. ②18세기에 유럽에서 유행하던 문학으로 이지(理智)를 중히 여긴 합리주의 문학.

계:몽 사:상【啓蒙思想】명〖철〗계몽주의(啓蒙主義).

계:몽 운:동【啓蒙運動】명〖사〗①무식하고 몽매한 사람에게 글을 가르치고 지식을 넣어 주어 계몽시키는 운동. ②전통적·인습적 편견에서 벗어나 자율적이고 합리적인 판단력을 갖게 하는 운동. 특히 17-18세기 유럽의 합리주의적 개화 운동.

계:몽 전의【啓蒙傳疑】[—/—이] 명〖책〗조선 명종(明宗) 때, 이황(李滉)이 지은 책. 여러 선비의 역학 계몽(易學啓蒙)을 변석(辨釋)한 것으로, 주해(註解)를 붙이고 여기에 명(明)나라 한방기(韓方奇)의 《계몽의견(啓蒙意見)》 중, 요긴한 곳 약간을 채택하여 편입하였음. 1권 1책.

계:몽 전제 군주【啓蒙專制君主】명〖역〗계몽주의 영향을 받아 인민의 이익을 고려하여 선정을 베풀려고 한 절대 전제 군주. 프러시아의 프리드리히 대왕, 오스트리아의 요셉(Joseph) 2세, 러시아의 예카테리나(Ekaterina) 2세 등이 그 대표적인 인물임. 계몽 절대 군주.

계:몽 전제주의【啓蒙專制主義】[—/—이] 명〖역〗18세기 유럽에서, 절대 권력을 가진 군주들이 계몽주의 사상을 받아들이고, 이를 정책에 반영시켜 백성들을 계몽시키고 산업을 발달시키면서 절대주의의 유지와 강화를 꾀한 전제주의.

계:몽 절대 군주【啓蒙絶對君主】[—때—] 명〖역〗계몽 전제 군주.

계:몽-주의【啓蒙主義】[—/—이] 명〖철〗16세기 말에서 18세기 후반에 걸쳐 유럽 전역에 일어난 구시대의 묵은 사상을 타파하려던 혁신적 사상 운동의 입장. 인간의 이성을 존중하며, 교회가 대표하는 구사상(舊思想)의 권위와 특권에 반대하여 인간적·합리적 사유(思惟)의 자율을 제창(提唱)하고, 이성의 계몽을 통하여 인간 생활의 진보·개선·행복의 증진이 가능하다고 믿어 사회 전반에 걸쳐 새로운 질서를 건설하려는 주의로서, 프랑스 혁명의 준비적 역할을 하였음. 계몽 사상.

계:몽 철학【啓蒙哲學】명〖철〗17-18세기에 영국·독일·프랑스 등 여러 나라의 사상계(思想界)를 휩쓴 철학. 높고 어려운 철리(哲理)를 간단하고 쉽게 풀어, 대중적인 보급과 교화에 힘쓴 철학. *통속 철학.

계:몽편 언:해【啓蒙篇諺解】명〖책〗간단한 한문 장구(章句)에 한글로 토를 달고 새긴 책. 저자·제작 연대 미상. 조선 고종 때의 것으로 추측됨. 목판본, 1권.

계:묘【癸卯】명〖민〗육십 갑자(六十甲子)의 마흔째.

계:-무소출【計無所出】명 백계 무책(百計無策).

계:문¹【戒文】명〖불교〗계율(戒律)의 조문(條文).

계:문²【契文】명 계약의 문서.

계:문³【啓門】명 제사 지낼 때에, 유식(侑食) 뒤에 합문(闔門)을 엶. ——-하다 타여불

계:문⁴【啓聞】명〖역〗관찰사(觀察使)·어사(御史)·절도사(節度使) 등이 글로 써서 상주(上奏)함. ——-하다 타여불

계:문⁵【薊門】명〖지〗중국 베이징 시(北京市) 덕승문(德勝門) 밖의 서쪽에 있는 토성관(土城關)의 옛이름. 전국시대 연(燕)나라 도읍이 있던 곳.

계:문 왕:생【戒門往生】명〖불교〗계행(戒行)의 공덕으로 정토(淨土)에서 남.

계:미¹【癸未】명〖민〗육십 갑자(六十甲子)의 스무째.

계:미²【繫縻】명 얽어 맴. 계기(繫羈). ——-하다 타여불

계:미-자【癸未字】명 조선 태종(太宗) 3년(1403) 계미년(癸未年)에 주자소(鑄字所)를 두고 만든 활자. 동(銅)으로 만든 활자인데, 오늘날 우리 나라에서 그 모양을 알 수 있는 활자 중에서 가장 오래된 것으로 유명함. 고주(古註)·시(詩)·서(書)·좌전(左傳)을 표본으로 10만 자를 만들었다 함. 자체(字體)의 크기 1.4cm².

계:-바라밀【戒波羅蜜】명 ↗지계 바라밀(持戒波羅蜜).

계:박¹【繫泊】명 타는 배를 매어 둠. ——-하다 타여불

계:박²【繫縛】명 얽어 맴. 결박(結縛). ——-하다 타여불

계반【溪畔】명 시냇가의 두둑한 곳. 냇가.

계:반-령【界畔嶺】[—발—] 명〖지〗평안 북도 삭주군(朔州郡) 삭주면(朔州面)과 남서면(南西面) 사이에 있는 재. 만주 방면의 오랑캐가 자주 들어 오는 재가 되어 삭주 부사(朔州府使) 서간세(徐幹世)가 이 곳에 성(城)을 쌓았음. [577m]

계:발【啓發】명 슬기와 재능을 널리 열어 줌. 개발(開發). ——-하다 타여불
계:발 교:육【啓發敎育】명〖교〗개발 교육(開發敎育).
계:방¹【季方】명 사내 아우.
계:방²【癸方】명〖민〗이십 사 방위(二十四方位)의 하나. 정북(正北)에서 동으로 15°째 되는 쪽을 중심 삼은 15°의 방위. 준계(癸).
계:방³【契房】명〖역〗①공역(公役)의 면제나 다른 도움을 받으려고, 아전(衙前)에게 돈이나 곡식을 줌. ②나루 근처에 사는 이들이 선가(船價)로 사공에게 여름에는 보리, 가을에는 벼를 주는 일. ——-하다 타여불
계:방⁴【桂坊】명〖역〗①동궁(東宮)이 있던 곳. ②세자 익위사(世子翊衛司)의 별칭.
계:방-산【桂芳山】명〖지〗강원도 평창군(平昌郡) 진부면(珍富面)과 홍천군(洪川郡) 내면(內面) 사이에 있는 산. 태백 산맥을 이루는 고산의 하나. [1,577 m]
계:방-형【季方兄】명 남의 사내 아우의 존칭.
계:배¹【計杯】술집에서 먹은 술의 순배(巡杯)나 또는 잔의 수효를 세어 값을 계산함. ——-하다 타여불
계:배²【啓培】명 지식을 계발(啓發)하여 배양함. ——-하다 타여불
계:배³【繼配】명 죽은 후실(後室)의 존칭.
계:백¹【桂柏】명 계피와 실백.
계:백²【桂魄】명 계월(桂月)❶.
계백³【階伯】명〖사람〗백제의 장군. 처음에는 달솔(達率)로 있다가 의자왕(義慈王) 20년(660)에 나당(羅唐) 연합군이 백제로 쳐들어 올 때, 장군이 되어 결사대(決死隊) 5천 명을 거느리고 황산(黃山)벌(지금의 연산(連山))에서 신라 장수 김유신(金庾信)과 네 번이나 싸워 힘이 다하여 전사하였음. 그는 백제의 국운이 다했음을 알고 출전 직전에 처자를 죽이고 나갔다 함. [? -660]
계:백료-서【誡百僚書】[—뇨—] 명〖책〗고려 태조(太祖) 왕건(王建)이 태조 19년(936)에, 신하로서 지켜야 할 규범(規範)에 관해서 지은 책. 8편. 오늘날 전해지지 않음. *정계(政誡).
계:-백서【繫帛書】명 비단에 써서 기러기의 발에 맨 편지. *안서(雁書).
계:-법【戒法】명〖불교〗계율(戒律)의 법칙.
계:-법당【戒法堂】명〖불교〗계단(戒壇)을 설치한 법당.
계:변¹【計邊】명 변리(邊利)를 계산함. ——-하다 타여불
계변²【溪邊】명 시냇가.
계:병¹【契屛】명〖역〗나라에 경사가 있을 때에 그 일을 맡아 보던 도감(都監)들이 그 일을 기념하기 위하여 그 때의 모양을 그리어 만든 병풍. 흔히 임금에게 바치기 위하여 그림.
계:병²【悸病】명 가슴이 두근거리는 병.
계:보¹【系譜】명 ①조상 때부터 내려오는 혈통과 집안 역사를 적은 책. ②사람의 혈연(血緣) 관계 및 학문·사상 등의 계통·순서의 내용을 나타낸 기록. ¶ 자연주의 문학의 ~.
계:보²【季報】명 ①1년에 네 번씩 내는 보고. ②춘하 추동의 계절에 따라 1년에 네 번씩 내는 잡지. 계간지(季刊誌).
계:보-기【計步器】명 걸음을 걸을 때 보수(步數)를 재는 계기(計器). 걸음을 옮길 때마다 지침(指針)이 회전하는 것을 시계형 계보기라 함. 기보기(記步器). 측보기(測步器). 보수계(步數計). 보도계(步度計).
계:보-학【系譜學】명〖역〗사학(史學)의 보조학(補助學)의 하나. 계보를 사료(史料)로서 사용하는 방법을 과학적으로 연구하는 학문.
계:복¹【計福】명 행복을 얻으려고 꾀함. 행복을 추구함. ——-하다 자여불
계:복²【啓服】명 네 발이 다 흰 말.
계:복³【啓覆】명〖역〗임금에게 상주(上奏)하여 사형수(死刑囚)를 재심(再審)함. ——-하다 타여불
계복⁴【鷄卜】명 닭을 죽여, 그 뼈나 눈을 보고 일의 선악·길흉을 알아보는 점.
계:본【啓本】명〖역〗임금에게 보이던 서류. 상주(上奏)하는 글월.
계봉¹【稽封】명〖역〗진상물(進上物)의 봉진(封進)이 늦어짐.
계-봉²【鷄峰】명〖지〗강원도 정선군(旌善郡)에 있는 산. 태백 산맥 중에 솟아 한강 지류인 송천(松川)의 수원을 이룸. [1,023 m]
계:부¹【季父】명 아버지의 막내 아우. 막냇삼촌. ↔백부(伯父).
계:부²【繼父】명 어머니의 후부(後夫). 아부(亞父). ↔계자(繼子). *실부(實父).
계부-고【鷄附膏】명〖한의〗묵은 닭의 내장을 빼어 버리고 그 속에 부자(附子)를 넣어 고아 짜서 먹는 보약.
계:부-모【繼父母】명 계친자(繼親子)의 관계에 있는 아비나 어미.
계:분¹【契分】명 친한 벗 사이의 두터운 정분(情分). 친분(親分).
계분²【鷄糞】명 닭의 똥. 질소와 인산(燐酸)이 많아 거름으로 씀.
계분-백【鷄糞白】명〖한의〗닭똥의 흰 부분. 한방(漢方)에서 임질·경련·중풍 등에 효험이 있다 함. 계시백(鷄屎白).
계:-불입량【計不入量】[—냥] 명 계책이 들어맞지 아니함. ——-하다 형여불
계비¹【鷄肥】명 비료로서 사용하는 닭의 똥.
계:비²【繼妃】명 임금의 후취인 비(妃).
계비기 명〈방〉〖동〗거북(경상).
계:비지-총【繫臂之寵】명 군주의 특별한 총애. *전방지총(專房之寵).
계비 직고【階卑職高】명 품계(品階)는 낮고 벼슬은 높음. ↔계고 직비(階高職卑). ——-하다 형여불
계:빈【啓殯】명 발인할 때 출관(出棺)하기 위하여 빈소를 엶. 파빈(破殯). ——-하다 자여불
계:-빠지다【契—】자 ①계알을 뽑을 때 곗돈을 탈 수 있는 알이 나오다. ②뜻하지 않은 횡재를 하다.
계:사¹【戒師】명〖불교〗①계법(戒法)을 일러 주는 스님. ②계법을 받은 스님. ③계법을 지키는 스님.
계:사²【癸巳】명 육십 갑자(六十甲子)의 서른째.
계:사³【計士】명〖역〗조선 시대에 호조(戶曹)의 종팔품 벼슬. 계산(計算)을 맡음.
계:사⁴【計史】명〖역〗고려 때, 삼사(三司)·호부(戶部)·형부(刑部)·도관(都官)·공부(工部)·어사대(御史臺)·내부시(內府寺)·춘방원(春坊院)에 둔 이속(吏屬).
계:사⁵【計仕】명〖역〗관원(官員)의 출근한 날의 수를 계산함. ——-하다 타여불
계:사⁶【啓事】명 임금에게 사실을 적어 올리는 서면.
계:사⁷【啓辭】명 논죄(論罪)에 관하여 임금에게 올리는 상주(上奏) 문서.
계사⁸【稽査】명 잘 생각해서 조사함. ——-하다 타여불
계사⁹【稽謝】명〖역〗조선 시대에 지방관(地方官)으로 임관된 자가 숙배(肅拜)를 늦추는 일. ——-하다 자여불
계:사¹⁰【繫辭】명 ①본문(本文)에 딸려 그 말을 설명하는 말. ②〔copula〕〖논〗명제의 주사(主辭)와 빈사(賓辭)를 연결하여 긍정 또는 부정의 뜻을 나타내는 말. '나는 사람이다'의 '이다' 같은 것인데, 우리 말에는 빈사 속에 계사가 들어 있음. 연사(連辭). 연어(連語). ③문왕(文王)과 주공(周公)이 역(易)의 괘(卦)와 효(爻)의 아래에 그 길흉(吉凶)을 밝히기 위하여 써 넣은 설명의 말. *괘사(卦辭).
계:사¹¹【繼祀】명 제사를 이음. ——-하다 자여불
계:사¹²【繼嗣】명 양자를 들여 집안의 계통을 이음. 또, 그 양자. 후사(後嗣). 계후(繼後). ——-하다 타여불
계사¹³【鷄舍】명 닭을 치는 작은 집. 닭장.
계:사니 명〈방〉〖조〗거위¹(황해).
계:사-랑【啓仕郞】명〖역〗조선 시대에 동반(東班) 토관직(土官職)의 정구품의 품계(品階).
계:사의 난:【癸巳—亂】[—/—에—] 명〖역〗고려 명종 3년(1173) 8월에 동북면 병마사(東北面兵馬使)·간의 대부(諫議大夫)로 있던 김보당(金甫當)이 일으킨 반란. 이경직(李敬直)·장순석(張純錫) 등과 모의하여, 앞서 군사를 일으켜 정권을 잡은 정중부(鄭仲夫)·이의방(李義方) 등을 몰아내고 전왕(前王) 의종(毅宗)을 다시 세우고자 동계(東界)에서 군사를 일으켰으나 실패, 모두 잡혀 죽고, 다른 많은 문신(文臣)들도 살륙당함.
계:사-전【繫辭傳】명 역경 십익(易經十翼)의 하나. 문왕(文王)의 계사(繫辭)를 연결하여 상세하게 풀어 놓은 주석(註釋). 공자(孔子)의 작이라고 하나, 송(宋)나라 구양수(歐陽脩)에 의해 부정되고 있음.
계:삭¹【計朔】명 달수를 셈. 계월(計月). ——-하다 타여불
계:삭²【繫索】명 ①물건을 매어 놓는 밧줄. ②붙들어 맴.
계:산¹【計算】명 ①셈을 헤아림. ②〖수〗식의 운산(運算)을 하여 수치(數値)를 구해 내는 일. ——-하다 타여불
계:산²【桂酸】명〖화〗계피산(桂皮酸).
계:산 경:주【計算競走】명 경주 유희(競走遊戲)의 한 종류. 여러 사람이 동시에 일정한 자리를 떠나 달음질하여 가는 도중에 계산 문제를 풀어 결승점(決勝點)에 이르는 경주.
계:산-광【計算狂】명〖의〗운산증(運算症).
계:산 구역【計算區域】명〖경〗거래소에 있어서의 매매의 계산 기간. 전날의 후장(後場)과 당일의 전장(前場)의 단기 거래의 계산 기간.
계:산-기【計算器·計算機】명 계산을 빠르고 정확하게 하기 위하여 사용하는 기기(機器). 주판·계산자·수동식 계산기(手動式計算器)·전동 계산기(電動計算機)·전자 계산기 등이 있음.
계:산기 제:어【計算機制御】명 전자 계산기에 의하여 작업의 진행을 가장 적절한 상태에서 제어하는 일.
계:산-대【計算臺】명 은행·상점 같은 데서, 계산하기 위해 마련한 대.
계:산 도표【計算圖表】명〖수〗'노모그램'의 구용어. 계산표.
계산 무진도【溪山無盡圖】명〖미술〗①동양화에서 그리는 산수화(山水畫)의 하나. ②조선 영조(英祖) 때의 화가 이인문(李寅文)의 대표작. 높이 1.5척(尺), 길이 28척의 비단에다 담채(淡彩)로 그린 대형의 작품으로, 착색(着色)이 창윤(蒼潤)하고 필치가 섬세함. 덕수궁 미술관에 보관되어 있음. 강산 무진도(江山無盡圖).
계:산-법【計算法】[—뻡] 명 계산하는 방법.
계:산-부【計算簿】명 계산을 하여 적어 놓은 장부.
계:산-서【計算書】명 ①계산에 관한 것을 명기한 서류. ¶ 세금 ~ / 지급 내용을 ~에 적다. ②물건값의 청구서.
계:산 서류【計算書類】명〖경〗주식 회사에 있어서, 그 영업 및 수익(受益)의 상태와 재산의 내용 등을 명백히 하기 위한 서류. 재산 목록(目錄)·대차 대조표(貸借對照表)·영업 보고서(營業報告書)·손익 계산서(損益計算書) 등. *고과장(考課狀)·재무 제표(財務諸表).
계:산-속【計算—】[—쏙] 명 어떤 일이 자기에게 이해 득실이 있는지 속으로 따지는 일. ¶ ~으로만 일을 하다.
계:산-일【計算日】명 계산을 하는 날짜. 계산된 날짜.
계:산-자【計算—】명〖수〗로그(log)의 원리를 이용하여 곱하기·나누기·세제곱근풀이·제곱근풀이 같은 복잡한 계산을 간단한 기계적 조작(操作)에 의해서 할 수 있는 자 모양의 기구. 움직이지 아니하는 두 개의 눈자 사이에 움직이는 눈자가 하나 있어 여러 가지 계산을 함. 셈자. 계산척(計算尺).

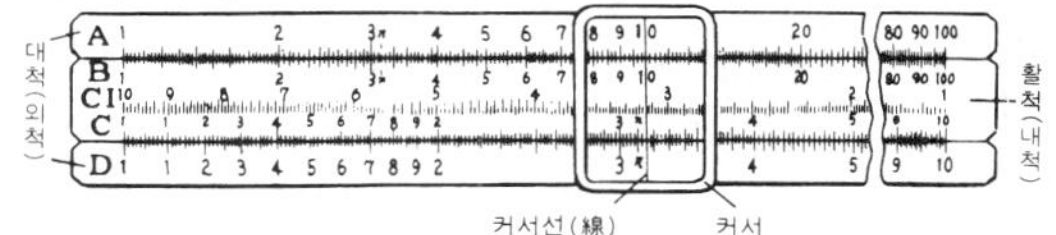

〈계산자〉

계:산-적【計算的】명관 ①수를 헤아리는 일에 관한 모양. ¶ ~인 착오. ②어떤 일에 대하여 이해 득실을 따지는 모양. ¶ 만사에 ~인 사람.
계:산-척【計算尺】명〖수〗'계산자'의 구용어.
계:산 카르텔【計算—】〔도 Kartell〕명〖경〗가격 협정 카르텔의 한 가지. 가맹(加盟)한 기업의 원가 계산 방식을 통일하고, 그것을 기준으로

해서 산출해 낸 원가를 최저 판매 가격으로 하는 카르텔.
계:산-표【計算表】명〔수〕계산 도표(計算圖表).
계:산 화:폐【計算貨幣】명〔경〕상품의 교환 가치를 나타내는 기준이 되며, 원·달러·파운드 등의 가격의 척도가 되는 화폐.
계삼-탕【鷄蔘湯】명〔한의〕어린 햇닭의 내장을 빼 버리고 인삼을 넣어 곤 보약. *삼계탕(蔘鷄湯).
계:상[1]【季商】명〔상(商)은 가을의 뜻〕음력 9월의 별칭.
계:상[2]【計上】명 ①셈을 하여 써 넣음. ②예산·비용 등을 계산하여 전체의 수치에 넣음. ¶예산에 여비를 ～하다. ——-하다 타여불
계:상[3]【計相】명〔역〕중국 한대(漢代)에, 국가 재정을 주관하던 벼슬.
계:상[4]【啓上】명 윗사람에게 말씀을 올림. ——-하다 자여불
계상[5]【階上】명 계단 위. ↔계하.
계상[6]【稽顙】명 ①이마가 땅에 닿도록 몸을 굽혀 절함. 계수(稽首). 돈수(頓首). ②↗계상 재배(稽顙再拜). ——-하다 자여불
계:상-금【計上金】명 계상해 넣은 금액.
계상 배:언【稽顙拜言】명 머리를 조아리며 사뢴다는 뜻으로, 상제(喪制)가 한문투의 편지 첫머리에 쓰는 말. ——-하다 자여불
계:상 산지【桂湘山地】명〔지〕구이샹 산지.
계상 재:배【稽顙再拜】명 머리를 조아리어 두 번 절함. 상제(喪制)가 한문투의 편지 첫머리에 쓰는 말. 계수 재배(稽首再拜). 준계상(稽顙). *돈수 재배(頓首再拜). ——-하다 자여불
계:색【戒色】명 여색(女色)을 경계함. 색욕(色慾)을 삼감. ——-하다 자 ⌊여불
계:서[1]【計書】명 보고서(報告書).
계:서[2]【啓書】명〔역〕조선 시대에 지방의 관아에서 임금에게 상주(上 ⌊奏)하는 글.
계서[3]【階序】명 층계. 계단(階段).
계:서[4]【繼序】명 뒤를 이음. ——-하다 자여불
계서[5]【鷄西】명〔지〕'지시'를 우리 음으로 읽은 이름.
계서[6]【鷄黍】명 닭을 잡아 국을 끓이고 기장을 안쳐서 밥을 짓는다는 뜻으로, 남을 관대(款待)하고 향응(饗應)함을 이름.
계서 봉:황식【鷄栖鳳凰食】명〔봉황이 닭의 홰에서 살며 함께 식사를 함의 뜻〕군자(君子)가 소인(小人)과 함께 있음의 비유.
계서 야:담【溪西野談】명〔책〕〔계서(溪西)는 저자의 호〕조선 순조(純祖) 때에 이희준(李羲準)이 우리 나라 고금의 기사(奇事)·이문(異聞)·잡설(雜說) 등을 보고 들은 대로 기록한 책. 6권 6책.
계:서 영리【啓書營吏】[—니] 명〔역〕지방의 관아(官衙)에서 임금에게 상주(上奏)하는 계서를 쓰던 영리(營吏).
계:석[1]【界石】명 경계를 표시하기 위하여 세워 놓은 돌.
계:석[2]【計石】명 곡식의 섬 수를 계산함. ——-하다 자타여불
계:선[1]【乩仙】명〔민〕점(占)을 쳐서 점사(占辭)를 적을 때에 붓끝에 내린다는 귀신. ⌈자여불
계:선[2]【戒善】명〔불교〕계(戒)를 지키어 선근(善根)을 심음. ——-하다
계:선[3]【界線】명〔미술〕투영화(投影畫)에서, 정면(正面)과 평면(平面)과의 경계를 나타내는 횡선.
계:선[4]【繫船】명〔해〕①선박을 매어 둠. ②해운업(海運業)이 불경기가 되어 수지가 안 맞을 때, 운송용의 배를 임시로 내해(內海)나 항구 안에 매어 둠. 또, 그 배. ——-하다 자여불
계:선-거【繫船渠】명〔해〕계선(繫船) 독.
계:선-기【繫船機】명〔해〕배의 갑판(甲板) 위 또는 독(dock)의 안벽(岸壁) 위에 설비하여 배를 매어 두는 데 사용하는 기계.
계:선 독【繫船—】명〔wet dock〕간만(干滿)의 차(差)가 큰 곳에 수문(水門)을 설치하고 칸막이하여, 그 안에 배를 계류, 화객(貨客)의 상륙(上陸)·승선(乘船)이 편리하도록 설비한 시설. 습선거(濕船渠). 습(濕)독. *건식(乾式) 선거·부양식(浮揚式) 선거.
계:선 동맹【繫船同盟】명〔해〕해운 시황(海運市況)이 악화되었을 때, 선박의 과잉 운항을 중지하고 항구에 계선(繫船)하여 운항 선박의 수(數)를 조정해서 해운 시황의 회복을 꾀하는 것을 목적으로 하는 해운업자의 동맹.
계:선-료【繫船料】[—뇨] 명〔해〕부두 혹은 선창(船艙)에 선박을 대어 놓았을 경우에 지불하는 대가(代價).
계:선 말뚝【繫船—】명〔해〕항구내에 배를 매어 두기 위하여 박아 놓은 말뚝. 흔히 세 개 이상 있음. ⌈두.
계:선 부두【繫船埠頭】명〔해〕항구 안의 배를 매어 두게 되어 있는 부
계:선 부표【繫船浮標】명〔해〕배가 항만(港灣) 안에 정박할 때 닻 대신에 닻의 사슬을 매어 두어 계류(繫留)하는 부표. 부이(buoy).
계:선-안【繫船岸】명〔해〕배를 매어 두는 안벽(岸壁).
계:선 잔교【繫船棧橋】명〔해〕선박을 매어 두기 위해 만들어진 잔교.
계:선-장【繫船場】명〔해〕부두·잔교 등 선박을 매어 두는 곳.
계:선-주【繫船柱】명〔해〕배를 매어 두기 위하여 계선안(繫船岸)·부두(埠頭)·선창(船艙) 등에 세워 놓는 기둥. 준계주(繫柱).
계:선-환【繫船環】명〔해〕배를 매어 두기 위하여 안벽(岸壁)의 전면(前面)에 설비하여 놓는 쇠고리.
계:설【界說】명 용어(用語)의 뜻을 분명히 정함. 정의(定義). ——-하다 타여불
계설-향【鷄舌香】명〔한의〕정향나무의 꽃봉오리를 말린 약재. 악취·체기(滯氣)·치통·호기(呼氣)를 다스리는 데 씀.

〈계선환〉

계:성[1]【桂省】명〔지〕옛날에 계림군(桂林郡)으로 불렸던 중국 광시 성(廣西省)의 딴이름.
계성[2]【溪聲】명 골짜기의 시냇물 소리.
계성[3]【鷄聲】명 닭의 울음 소리.
계:성-사【啓聖祠】명 공자(孔子)·안자(顏子)·자사(子思)·증자(曾子)·맹자(孟子)의 아버지를 제사하는 사당(祠堂). 서울 문묘(文廟) 안에 있음.
계:세[1]【戒世】명 세상 사람들에게 경계(警戒)하도록 함. ——-하다 자 ⌊여불
계:세[2]【季世】명 말세(末世)❶.
계:세[3]【契稅】명〔역〕중국에서 행하여진 매매세(賣買稅). 중국에서는 옛날부터 매매 증서를 계(契) 또는 권(券)이라 하여, 토지·가옥·가축 등을 매매할 때에는 계약이 성립된 후, 관청에 등록하고 세금을 물었음.
계:소【繼紹】명 받아 계승함. ——-하다 타여불 ⌈다 타여불
계:속[1]【繫束】명 ①매어 묶음. ②매어서 자유를 주지 아니함. ——-하
계:속[2]【繫屬·係屬】명 ①매이어 딸림. 연결되어 붙음. ②〔법〕소송 계속. ——-하다 자여불
계:속[3]【繼續】명 ①앞엣 사물이 끊이지 아니하고 늘 잇대어 나아감. 연속(連續). ¶앞 페이지의 ～. ②끊였던 일을 다시 이어서 하여 감. ¶실습을 ～하다. ③전부터 내려오는 일을 계승함. ¶아버지의 사업을 ～하다. ——-하다 자타여불
계:속 계:산【繼續計算】명 상인이 단골에게 물건을 외상으로 주고 장부에만 적어 두었다가 일정한 기간이 지난 뒤에 한꺼번에 계산하는 일.
계:속 급부【繼續給付】명〔법〕계속적으로 일정한 작위(作爲) 또는 부작위(不作爲)를 할 것을 내용으로 하는 급부.
계:속-범【繼續犯】명〔법〕①범죄 행위가 기수 상태(旣遂狀態)에 이른 뒤에도 그 상태가 계속되는 범죄. 불법 체포 감금죄(不法逮捕監禁罪)·복식 참용죄(服飾僭用罪) 등이 이에 속함. ②위와 같은 범죄를 범한 범인. 1)·2): ↔ 즉시범(卽時犯).
계:속 변:이【繼續變異】명〔생〕영속 변이(永續變異).
계:속 보:험 증권【繼續保險證券】[—꿘] 명〔경〕일정한 기간에 한 계약서(契約書)로 같은 종류의 보험을 계속하여 몇 번이라도 배서(背書) 형식에 의해서 계약하는 증권. 해상 보험(海上保險)에서 한 번 항해할 때마다 배의 보험 계약을 하는 것 등에서 쓰임.
계:속 부절【繼續不絕】명 연속(連續) 부절. ——-하다 자여불
계:속-비【繼續費】명〔법〕일정한 경비의 총액을 여러 회계 연도에 나누어 계속하여 지출하는 경비. 여러 해에 걸치는 사업의 경우, 그 경비에 대한 국회의 의결을 일괄하여 얻고, 이를 변경할 경우 이외에는 다시 그 의결을 얻지 않아도 되는 경비를 말하는데, 연속 기간은 해당 연도를 포함하여 5년 이내임.
계:속 비행【繼續飛行】명 비행 도중 공항(空港)에 착륙하여 연료의 보급을 받음이 없이 계속하여 비행함. 무착륙 비행. ——-하다 자여불
계:속 사원【繼續社員】명〔법〕합명 회사나 합자 회사가 해산된 뒤에, 합명 회사는 사원의 전부 또는 일부, 합자 회사는 무한 책임 사원의 동의(同意)로써 그 회사를 계속하는 사원.
계:속-성【繼續性】명 계속해 나가는 성질이나 습관.
계:속 심:리주의【繼續審理主義】[—니—/—니—이] 명〔법〕소송의 심리를 1회 또는 가능한 한 짧은 수회(數回)의 기일에 계속적으로 집중해서 행하는 주의.
계:속 심:사【繼續審査】명〔법〕계속 심의(審議).
계:속 심:의【繼續審議】[—/—이] 명〔법〕국회의 의안 심의 방법의 하나. 회기 중에 의결되지 아니한 의안은 다음 회기(會期)에는 심사되지 아니하는 것이 보통이나, 국회법의 정하는 바에 따라 예외로서 위원회에 회부되어 있는 의안을 폐회 중에 그 위원회에서 심의하여 다음 회기에 그대로 이어 넘기는 일. 계속 심사(審査).
계:속-음【桂粟飮】명 물에 담갔다가 볶은 좁쌀에 계피를 섞어서 가루를 만든 뒤에, 더운 꿀물에 탄 음식. ⌈가는 모양.
계:속-적【繼續的】명관 이전으로부터의 상태·활동이 잇대어져 나아
계:속적 불법 행위【繼續的不法行爲】명〔법〕가해 행위(加害行爲)가 계속적으로 행해지고, 따라서 손해도 또한 연속적으로 발생하는 불법 행위. 토지의 불법 점거(占據)나 부당한 체포·감금이 전형적(典型的)인 사례(事例)임. ⌈관계를 발생시키는 계약.
계:속적 채:권 계:약【繼續的債權契約】[—꿘—] 명〔법〕계속적 채권
계:속적 채:권 관계【繼續的債權關係】[—꿘—] 명〔법〕계속 급부 또는 회귀(回歸) 급부를 목적으로 하는 채권 관계.
계:속 지역권【繼續地役權】명〔법〕항상 계속하여 행사되는 지역권. 특설 통로(特設通路)에 대한 통행 지역권, 수도(水道)에 의한 용수(用水) 지역권 따위.
계:속-치【繼續齒】명 의치(義齒)의 한 가지. 천연 치근(天然齒根)을 기초로 하여 거기에 인공 치관(人工齒冠)을 씌워 만든 이.
계:속 항:해【繼續航海】명〔법〕해상 전시 공법상(海上戰時公法上)의 한 원칙. 전시 금제품(禁制品)을 수송하거나, 봉쇄(封鎖)를 깨뜨릴 계획을 가진 중립국의 선박이 한 중립항(中立港)으로부터 다른 중립항으로 가다가 적항(敵港) 또는 봉쇄지(封鎖地)에 이르는 경우, 그 전후의 항해를 단일 항해로 간주하는 일. 이런 경우에 전쟁 당사국이 그 배의 국적을 가리지 아니하고 발포 또는 나포(拿捕)할 수 있음.
계:속 항:해범【繼續航海犯】명〔법〕계속 항해를 범한 행위.
계:속-회【繼續會】명〔법〕주주 총회에서 의사(議事)를 중지하고 후일에 속행할 것을 결의한 경우, 그 다음에 계속할 총회.
계:손[1]【系孫】명 촌수(寸數)가 먼 자손. 원손(遠孫). 말손(末孫).
계손[2]【溪蓀】명〔식〕붓꽃.
계:쇄【繫鎖】명 쇠사슬로 매어 둠. ——-하다 타여불
계수[1] 명〈궁중〉이불.
계:수[2]【季嫂】명 아우의 아내. 친동생의 아내가 아닐 경우에도, 촌수를 따져 부르지 않고, 두루 쓰임. 제수(弟嫂). *형수(兄嫂)
계:수[3]【界首】명〔지〕'제서우'를 우리 음으로 읽은 이름.
계:수[4]【係數】명 ①〔물〕하나의 수량을 다른 여러 양의 함수(函數)로서 나타내는 관계식에서, 물질의 종류에 따라 달라지는 비례 상수(常數)·

팽창 계수·점성(粘性) 계수 같은 것. ②〖수〗 기호 문자와 숫자로써 된 곱에서, 숫자를 기호 문자에 대해 일컫는 말.

계:수⁵【計數】명 수효를 계산함. 또, 그 결과의 수값. ¶ ～에 밝은 사람. ──-하다 타여불

계:수⁶【癸水】명 월경(月經).

계:수⁷【桂樹】명〖식〗계수나무❶.

계수⁸【溪水】명 시냇물.

계수⁹【稽首】명 계상(稽顙)❶. ──-하다 자여불

계:수¹⁰【繫囚】명 옥에 갇힌 죄수.

계:수¹¹【繼受】명 이어받음. ──-하다 타여불

계:수 검:사【計數檢査】명 발취(拔取) 검사에서, 제품(製品)의 결점수(缺點數) 따위에 의하여 그 품질의 합격 여부를 판정하는 방법 및 그것을 쓴 발취 검사. *계량(計量) 검사.

계:수-관¹【界首官】명〖역〗①고려 초기에, 주현(州縣)을 통제하는 상급 기구인 주목(主牧) 곧 경(京)·도호(都護)·목(牧)의 수령관(首領官). ②서울에서 각 도에 이르는 본가도(本街道)의 연변(沿邊)이나 도계(道界)에 있는 고을의 수령(守令). 관찰사(觀察使)가 부임할 때에 으레 마중을 나옴.

계:수-관²【計數管】명 〔counter tube〕〖물〗방사선의 입자(粒子) 및 광양자(光量子)의 도달을 검출하는 장치. β선(線)·α선·양성자선(陽性子線)·중성자 등의 하전 입자(荷電粒子)가 일으키는 기체 방전(放電)을 이용하여, 입자의 하나하나를 헤아리는 물체의 방전관(放電管). 가이거-뮐러 계수관·비례 계수관 등이 있음.

계:수 관리【計數管理】[—괄—] 명 경영 관리 방식의 하나. 회계·원가 계산·통계 수학 등을 이용하여 경영 활동을 계수적으로 파악하고 합리적으로 경영 관리를 행하는 일.

계:수-기【計數器】명 ①〖교〗초등 학교 어린이에게 수의 기본 관념을 넣어 주기 위한 학습 용구(用具). 여러 개의 작은 알들을 몇 개의 쇠줄에 꿰어 놓은 것. ②수효를 측정하는 기계(器械). 버스의 승객 계수기 따위. ③〖공〗연속된 사상(事象)을 검출(檢出)하고, 그 양이나 크기를 총계(總計)하여 나타낼 수 있는 장치.

계:수-나무【桂樹—】명 ①〖식〗[*Cinnamomum cassia*] 녹나뭇과에 속하는 상록 교목. 높이 8-15m이고, 잎은 넓은 피침형 또는 긴 타원형인데 두껍고, 세 줄의 엽맥(葉脈)과 굵은 털이 있음. 5-6월에 황색을 띤 백색의 작은 꽃이 원추(圓錐) 화서로 피고 과실은 흑색 타원형으로 한 개의 씨가 있음. 중국의 남방과 동인도(東印度)에 분포함. 특이한 방향(芳香)이 있어, 가지는 '계지(桂枝)', 껍질은 '계피(桂皮)'라 하여 건위 약재(藥材)·과자·요리 및 향료(香料)의 원료로 씀. ②옛날 사람들이 달 속에 있다고 상상하던 나무.

〈계수나무〉

계:수-번【界首番】명〖역〗계수 주인(界首主人).

【계수번을 다녔나 말도 잘 만든다】 말만 번지르하게 잘 꾸며서 하는 사람을 이르는 말.

계:수-법【繼受法】[—뻡] 명〖법〗다른 나라의 법률을 채용하거나 또는 그것에 의지하여 제정한 법률. ↔고유법(固有法).

계수-변【溪水邊】명 시냇가.

계:수-씨【季嫂氏】명 '계수'를 높이거나 대접하여 이르거나 부르는 말. 제수씨(弟嫂氏).

계:수 장치【計數裝置】명〖물〗전압(電壓)·펄스(pulse)의 수를 측정하는 장치. 스케일러(scaler).

계수 재:배【稽首再拜】명 머리를 조아리어 두 번 절함. 흔히 한문투의 편지 첫머리에 씀. 계상(稽顙) 재배. ──-하다 자여불

계:수 주인【界首主人】명〖역〗서울에 있어서 각 도(道) 감영(監營)에 관한 사무를 맡아 보던 사람. 계수번(界首番).

계:수 취:득【繼受取得】명〖법〗'승계 취득(承繼取得)'의 구용어.

계:수 측시기【計數測時器】명〖물〗크로노그래프의 일종. 일정한 주기의 시간 신호를 기준으로 임의의 시간 간격을 측정함.

계:수 화:폐【計數貨幣】명〖경〗일정한 순도(純度)·분량·형상으로 주조(鑄造)하여 표면에 가격을 표시한 화폐. 단지 그 수를 헤아리기만 해도 곧 그 전가격을 알 수 있음. ↔칭량(稱量) 화폐. *개수(個數) 화폐.

계:수 회로【計數回路】명〖전〗펄스 전류(pulse 電流)의 수를 계수(計數)하는 전자 회로. 컴퓨터·자동 제어 장치(自動制御裝置) 따위에 널리 쓰임. 계수 방법에 따라 2진(進)·10진·n진·가역(可逆) 2진·환상 계수 회로(環狀計數回路) 따위가 있음.

계:술【繼述】명 조상의 뜻과 사업을 이음. 선인의 업(業)을 계승하여 조술(祖述)함. ──-하다 타여불

계숫-잇[—닏] 명〈궁중〉이불에 덧시치는 잇.

계:습【繼襲】명 조상이나 선인의 뜻·사업을 받아 이음. ──-하다 타여불

계승¹【階乘】명 〔factorial〕〖수〗n이 하나의 자연수(自然數)일 때, 1에서 n까지의 모든 자연수의 곱을 n에 대해서 일컫는 말. $n!$으로 표시함.

계:승²【繼承】명 조상이나 선임자(先任者)의 뒤를 이어받음. 승계(承繼). 수계(受繼). 승사(承嗣). ¶ 왕위 ～/～자. ──-하다 타여불

계:승-자【繼承者】명 계승한 사람.

계시¹ 명〔←결수〕장색(匠色)의 제자.

계:시²【癸時】명〖민〗이십사시(二十四時)의 둘째 시. 곧, 오전 0시 반부터 1시 반까지의 동안. 준계(癸).

계:시³【計時】명 경기·바둑 따위에서, 스톱 워치를 써서 경과한 시간을 잼. 또, 그 시간.

계:시⁴【啓示】명 ①가르치어 보임. ②〔revelation〕〖종〗사람의 지혜로 알지 못하는 신비로운 일을 신이 가르쳐 알게 함. 현시(現示). 묵시(默示). ¶ 신의 ～. ──-하다 타여불

계:시다 ㊀자 '웃사람이 있다'는 뜻의 공대말. ¶어머니는 방에 계신다. ㊁보동 ①'-고' 뒤에 쓰여, 웃사람이 무엇을 진행하고 있음의 공대말. ¶ 바느질을 하고 ～. ②'-아'·'-어' 뒤에 쓰여, 웃사람의 지속적인 상태를 나타내는 공대말. ¶ 의자에 앉아 ～.

계:시 대:비【繼時對比】명〖심〗두 개의 대립되는 감각 또는 감정 그 밖의 심적 활동이, 시간적으로 전후해서 일어날 때의 대비. 그 대립된 특성이 서로 강조되어서 그 차이가 현저하게 느껴짐. 예를 들면 찬물에 넣었던 손을 미지근한 물에 넣어도 따뜻한 감각이 생기는 것 같은 것. ↔동시 대비(同時對比).

계:시-록【啓示錄】명〖성〗↗요한 계시록.

계:시 문학【啓示文學】명〖문〗후기 유태교 및 초기 그리스도교 시대에 있었던 특수한 종교적 저작으로, 신(神)이 감추고 드러내지 아니한 신비를 계시한 문학. 구약(舊約)의 다니엘서(書)나 신약(新約)의 요한 계시록 같은 것.

계시-백【鷄屎白】명〖한의〗닭똥의 흰 부분. 금속 중독·임질·중풍·경련·충교상(蟲咬傷)·고창(鼓脹)·위병(胃病)·연주창(連珠瘡) 등의 약재로 쓰임.

계:시-원【計時員】명 타임 키퍼.

계:-시자【戒侍者】명〖불교〗계사(戒師)를 받들어서 모시는 사람.

계:시 종교【啓示宗敎】명〖종〗신의 은총을 기초로 하는 종교. ↔자연종교.

계:신¹【戒身】명 몸을 삼가며 조심함. ──-하다 자여불

계:신²【戒愼】명 경계하여 삼감. ──-하다 자여불

계:신³【計臣】명 국사(國事)를 도모하는 신하. 모신(謀臣).

계:신⁴【桂薪】명 계수나무 장작.

계신⁵【鷄晨】명 닭이 새벽을 알림.

계:실【繼室】명 후실(後室).

계:심¹【戒心】명 마음을 놓지 아니하고 경계함. ──-하다 자여불

계:심²【桂心】명〖한의〗계피(桂皮)의 겉껍질 속의 얇고 노란 부분. 약재(藥材)로 쓰임.

계:심-통【悸心痛】명〖한의〗신경성(神經性)으로 심장이 울렁거리고 가슴이 답답하며 동통(疼痛)을 일으키는 병.

계:씨【季氏】명 성년(成年)한 남의 사내 아우를 존대하여 일컫는 말. 제씨(弟氏).

계:아-가【戒兒歌】명〖문〗규방 가사(閨房歌辭)의 하나. 작자·제작 연대 미상. 어린 딸을 품에 안고 어르면서 시집살이할 때 지켜야 할 범절을 측흥적으로 읊음. ≪조선 민요 집성≫에 전함.

계아-장【雞兒腸】명〖식〗가는쑥부쟁이.

계:악【界樂】명〖악〗'계락(界樂)'의 잘못된 일컬음.

계안【鷄眼】명〖한의〗↗계안창(鷄眼瘡).

계안-창【鷄眼瘡】명〖한의〗티눈. 준계안(鷄眼).

계안-초【鷄眼草】명〖식〗매듭풀.

계:-알【契—】명 통계(筒契)나 자빡계에서 쓰는 둥글게 깎은 나무 알. 모양이 구슬 같고 그 위에는 계에 든 사람의 번호와 이름을 씀.

계압【鷄鴨】명〖조〗비오리.

계:약【契約】명 ①사람과 사람 사이의 약속. 약정(約定). ②〖법〗일정한 법률적 효과를 발생시킬 목적으로 하는, 두 개 이상의 의사 표시가 합치(合致)하여 성립하는 법률 행위. 광의로는, 물권(物權) 계약·준물권(準物權) 계약·신분 행위(身分行爲)로서의 계약까지도 포함하나, 협의로는, 매매·증여(贈與)·교환·임대차·고용·위임(委任)·도급(都給)·임치(任置) 등의 채권 관계에 적용됨. ¶ ～자(者). ③〖성〗하느님이 구령(救靈)의 업(業)을 이루기 위하여 인간에게 표시한 특별한 의사. 이스라엘 민족에게 모세를 통하여 세운 언약이 구약(舊約)이고, 뒤에 예수를 통해서 세운 것이 신약(新約)임. 언약(言約). ──-하다 타여불

계:약 가격【契約價格】명 계약에 의하여 결정된 가격.

계:약 관계【契約關係】명 계약에 의하여 당사자 사이에 성립된 권리 의무의 관계.

계:약-금【契約金】명〖법〗↗계약 보증금.

계:약 농업【契約農業】명〖농〗상사(商社) 또는 농업 단체 등과 농민 사이에 생산 판매 계약을 맺고, 이에 의거해서 농가가 생산하는 방식. 미국에서 발달함. 청부 농업. 콘트랙트 농업. *계약 재배(栽培).

계:약-법【契約法】명 ①계약에 관한 법률. ②계약하는 방법.

계:약 보증금【契約保證金】명〖법〗계약 이행의 담보로 당사자의 한쪽이 상대방에게 제공하는 보증금. 약조금. 준계약금.

계:약상 의:무【契約上義務】명〖법〗계약을 체결할 때, 당사자의 한쪽이 상대방에게 승낙한 바 있는, 이행해야 할 의무.

계:약-서【契約書】명 계약의 성립을 증명하는 서면. 계권(契券).

계:약-설【契約說】명〖정〗↗사회 계약설(社會契約說).

계:약 소:득【契約所得】명 임금·이자·지대 따위, 계약에 의하여 성립되는 확정된 소득.

계:약 심:의 위원회【契約審議委員會】[—/—이—] 명〖법〗조달청 소속 기관의 하나. 정부의 시설 공사 계약에 관한 사항을 심의함. 위원장은 조달청 차장, 위원은 중앙 설계 심사 위원회 위원장·재정 경제부 국고국장·건설 교통부 관리국장·조달청 시설 계약국장 등이 됨.

계:약 운임제【契約運賃制】명 운임 동맹(運賃同盟)이 동맹선(船) 이외에는 적하(積荷) 아니하기로 하주와 계약하고, 그 대신 보통보다 할인한 운임률을 적용하는 제도.

계:약 위반【契約違反】명 계약한 조항을 배반하고 지키지 아니함.

계:약의 궤:【契約—櫃】[—/—에—] 명〖성〗이스라엘 민족이 지성소(至聖所)에 모시어 하느님의 임재(臨在)를 상징하던 궤. 자귀나무로 만든 직사각형의 궤로, 그 속에 십계명(十誡命)을 새긴 석판(石板)이 들어 있었음. 결약(結約)의 궤. 법궤(法櫃). 언약(言約)의 궤.

계:약 이민【契約移民】명〖정〗정부나 회사가 외국 정부 또는 고용주(雇傭主)와 계약을 맺고 모집하여 도항(渡航)하게 하는 이민. 보통, 계약 기간이 차면 귀국함. 계약 이주(契約移住). ↔자유(自由) 이민.

계:약 이주【契約移住】명〖정〗계약 이민.

계:약-자【契約者】[명] 계약을 맺은 당사자.

계:약자 배:당【契約者配當】[명]〖경〗생명 보험 회사의 실제 경영의 결과 사차익(死差益)·이차익(利差益)·비차익(費差益) 등의 이원(利源)으로 생기는 이익금을 보험 가입자에게 나누어 주는 배당. 이원식 배당·누가(累加) 배당 등의 구별이 있음.

계:약 자유의 원칙【契約自由一原則】[—/—에—] [명]〖경〗사회 생활에 있어서 개인은 자기 의사에 따라 자유로이 계약을 맺을 수 있으며, 국가는 원칙적으로 공법에 의한 제한을 만들지 아니하고 사법상(私法上)으로 그 효력을 인정하고 그 내용의 실현에 노력해야 한다는 근대법(近代法)의 한 원칙.

계:약 재:배【契約栽培】[명]〖농〗생산물을 일정한 조건으로 인수하는 계약을 맺고 행하는 농산물 재배. 제사업자(製絲業者)와의 계약에 의한 양잠(養蠶), 한국 담배 인삼 공사의 위탁을 받고 짓는 담배 재배, 토마토 케첩을 만드는 식품 회사의 위탁을 받고 행하는 토마토 생산, 단지나 소비자 단체와 제휴하여 행하는 야채 재배 등. ＊계약 농업.

계:약직 공무원【契約職公務員】[명]〖법〗특수 경력직(特殊經歷職) 공무원의 한 갈래. 국가와의 채용(採用) 계약에 의해 일정 기간 연구 또는 기술 업무에 종사하는 과학자·기술자 및 특수 분야의 전문가. '전문직(專門職) 공무원'이 바뀐 이름임. ＊고용직(雇傭職) 공무원.

계:약 직원【契約職員】[명]〖법〗각 행정 기관의 장(長)이 일반적인 공무원 채용 방법으로는, 확보하기 곤란한 전문적인 기술과 지식을 요하는 업무를 수행하게 하기 위하여 계약에 의하여 고용(雇用)하는 직원. 전임(專任) 직원과 비전임 직원으로 구분하고, 계약 기간은 3년 이내임.

계:약 집행【契約執行】[명] 계약한 대로 실제로 일을 실행함. ——-하다 [자][여불]

계:약 해:제【契約解除】[명]〖법〗발생하고 있는 법률 관계인 계약을 소멸시키는 행위. 상대방에 대한 의사 표시로써 행하며, 취소하지 못함. ——-하다 [자][여불]

계:약형 투자 신:탁【契約型投資信託】[명]〖경〗증권 투자 신탁의 한 형태로 신탁 계약에 따라 관리·운용하는 투자 신탁.

계:양【繼養】[명] 효양(孝養)을 이음. ——-하다 [자][여불]

계:엄[2]【戒嚴】[명] ①경계를 엄중히 함. 또, 그러한 경계. ②〖법〗전시(戰時)나 사변 또는 국가 비상 사태를 당하여 군사상으로나 공공(公共)의 안녕 질서를 유지할 목적으로 일정한 지역을 병력(兵力)으로써 경계함. 계엄이 선포되면 그 지역 내의 행정 및 사법권의 일부 또는 전부를 계엄 사령관이 관할하게 됨. 경비 계엄과 비상 계엄의 두 가지가 있음. ——-하다 [타][여불]

계:엄-령【戒嚴令】[—녕] [명]〖법〗국가 원수가 계엄 실시를 선포하는 명령.

계:엄-법【戒嚴法】[—뻡] [명]〖법〗계엄의 선포와 그 시행 및 해제(解除) 등에 관한 사항을 정한 법률.

계:엄-사【戒嚴司】[명] ↗계엄 사령부.

계:엄 사령관【戒嚴司令官】[명]〖법〗계엄령의 선포에 의하여 계엄 지역 내의 계엄에 관한 임무를 수행하는 사령관.

계:엄 사령부【戒嚴司令部】[명]〖법〗계엄 사령관의 계엄 시행을 보좌하기 위하여 계엄 사령관 소속하에 두는 관청. [준]계엄사.

계:엄 지경【戒嚴地境】[명]〖법〗계엄의 선포에 의하여 경계(警戒)하는 곳의 경계(境界).

계:엄 지구【戒嚴地區】[명]〖법〗계엄령에 의하여 계엄을 시행하는 지구. 계엄 지역(戒嚴地域).

계:엄 지역【戒嚴地域】[명]〖법〗계엄 지구.

계:업【繼業】[명] 선인(先人)의 업을 이음. ——-하다 [자][여불]

계엇다 [형]〈옛〉겨웠다. 지났다. '계다'의 활용형. ¶ 날이 낫 계엇다(日頭後晌也)《老乞 上 59》.

계:역[1]【界域】[명] 경계(境界). 경역(境域).

계역[2]【鷄疫】[명] 닭의 돌림병.

계:열【系列】[명] ①조직적으로 지어진 순서. ②같은 계통에 따른 배열(配列). ③〖경〗기업의 결합 형태(結合形態)의 하나. 생산·판매·자본·기술·중역 파견 등으로 대기업 상호간 또는 대기업과 중소 기업이 장기간 지속적으로 거래하는 기업 결합. ——-하다 [타][여불]

계:열 금융【系列金融】[—/—늉] [명]〖경〗은행이 자기 은행과 관계가 깊은 기업에 대하여 행하는 금융.

계:열 기업【系列企業】[명]〖경〗동일 계열에 있는 기업의 집단(集團). 또, 어떤 기업의 계열 하에 있는 기업.

계:열 융자【系列融資】[—륭—] [명]〖경〗은행이 자기 은행과 유대가 깊은 기업에 해 주는 융자.

계:열 학습【系列學習】[명]〖교〗계열을 짓고 있는 기억 재료를 그 순서에 의하여 읽거나, 선택점이 있는 미로(迷路)에서 점차로 바른 선택을 하여 배우는 계열적인 학습.

계:열-화【系列化】[명] 생산·유통(流通)면에서 밀접한 상호 의존 관계에 놓여 있는 기업 사이나 또는 자본과 연결되어 있는 기업 사이에서 각기 결합적·종속적(從屬的)인 연관(聯關)을 짓는 일. 대기업 상호간에 횡적(橫的)으로 맺어지는 경우와, 대기업이 중소 기업을 계통적·항례적으로 지배하여 종속(從屬) 관계로 두는 종적(縱的)인 경우가 있음. 그 전형적인 것은 모(母)회사와 자(子)회사의 관계에서 볼 수 있음. ——-하다 [자][타][여불].

계:열 회:사【系列會社】[명]〖경〗동일 계열에 있는 회사의 그룹. 또, 어떤 회사의 계열하에 있는 회사.

계:엽-수【桂葉水】[명]〖약〗월계수(月桂樹)의 잎을 증류(蒸溜)하여 채취하는 액체. 진통제(鎭痛劑)로 쓰임.

계:영【繼泳】[명] 4명이 한 조가 되어 일정한 거리를 차례로 헤엄치는 경기. ——-하다 [자][여불]

계:영-배【戒盈杯】[명] 과음(過飮)을 경계하기 위하여 만든 잔. 술이 어느 한도에 미치면 새어 나가도록 옆에 구멍이 나 있음. 절주배(節酒杯).

계오 [부]〈옛〉겨우. =계요. ¶ 醉ᄒᆞ야 계오 든 잠을《永言》.

계오다 [자][타]〈옛〉못 이기다. 지다. =계우다. ¶ 어와 아비 즈이여 處容아비 즈이여 滿頭揷花 계오샤 기울어신 머리예《樂範 處容歌》.

계:옥[1]【桂玉】[명] 땔나무는 계수나무와 같고 쌀은 옥(玉)과 같다는 뜻으로, 시량(柴糧)이 아주 귀하고 비쌈을 이르는 말.

계:옥[2]【啓沃】[명] ①충성(忠誠)된 마음으로 임금에게 사뢺. ②흉금을 털어놓고 일러 줌. ——-하다 [타][여불]

계:옥[3]【繫獄】[명] 옥(獄)에 매어 가두어 둠. ——-하다 [타][여불]

계:옥지-간【桂玉之艱】[명] 남의 나라에 있어 계수나무보다도 비싼 장작과 옥보다도 귀한 밥으로 생활하여 가는 괴로움. 계옥지수.

계옹【鷄癰】[명]〖한의〗가시연밥.

계완【稽緩】[명] 지완(遲緩). ——-하다 [형][여불]

계:-왕【契王】[명]〖사람〗백제의 제12대 왕. 분서왕(汾西王)의 장자. 성질이 날래며 기사(騎射)를 잘하였음. [재위 344-346]

계:왕 개래【繼往開來】[명] ↗계왕성 개래학. ——-하다 [자][여불]

계:왕성 개래학【繼往聖開來學】[명] 성현(聖賢)의 가르침을 계승하여 후손에게 가르치어 전함. [준]계왕 개래. ——-하다 [자][여불]

계:-외가【繼外家】[명] 계모(繼母)의 친정(親庭).

계요 [부]〈옛〉겨우. =계오. ¶ ᄒᆞᆫ 간 방에 다ᄉᆞᆺ 사ᄅᆞᆷ이 계요 안는 거시여(一間房子裏五箇人剛坐的)《朴解 上 37》.

계:용【計用】[명] 계략이 채택되어 쓰임.

계:-용묵【桂鎔默】[명]〖사람〗소설가. 평북 선천(宣川) 출생. 1924년에 단편《상환(相換)》으로 데뷔. 대표작으로 단편《백치(白痴) 아다다》·《마부(馬夫)》·《유앵기(流鶯記)》, 장편《별을 헨다》, 수필집《상아탑(象牙塔)》등이 있음. [1904-61]

계우[1] [명]〈방〉〖조〗거위[1](경기·전남·경남).

계우[2]【溪友】[명] 속세를 떠나 산골짜기에서 은거하는 벗.

계우[3]【溪雨】[명] 산골짜기에 내리는 비.

계우[4]【鷄羽】[명] 닭의 깃.

계:우[5] [부]〈옛·방〉겨우(경기·경북). =계유[5]. ¶ 剛今俗語 계우《四聲 下 34》.

계우다 [자][타]〈옛〉이기지 못하다. 지다. =계오다. ¶ 藥이 하ᄂᆞᆯ 계우니(藥不勝天), ᄇᆞᄅᆞ미 하ᄂᆞᆯ 계우니(風靡勝天)《龍歌 90章》.

계:우-락【啓宇樂】[명]〖악〗풍류의 이름.

계운【溪雲】[명] 산골짜기의 구름.

계울 [명]〈방〉겨울[1](경기·경북).

계움 [자][타]〈옛〉짐(負). '계우다'의 명사형. ¶ 이긔유믈 獻ᄒᆞᅀᆞᆸ고 계우므란 니르디 아니ᄒᆞ더라(獻捷不云輸)《杜諺 Ⅱ:47》.

계:원[1]【係員】[명] 사무를 갈라 맡은 한 계에서 일보는 사람. ¶ 담당 ~/출납 ~.

계:원[2]【契員】[명] 계에 든 사람. ↔계주(契主).

계:원[3]【桂園】[명]〖사람〗노백린(盧伯麟)의 호(號).

계원-사【鷄園寺】[명]〖불교〗계작사(鷄雀寺).

계:원-주【桂圓酒】[명] 같은 양의 용안육(龍眼肉)과 계피(桂皮)를 주머니에 넣어서 대엿새 동안 담가 두었다가 꺼낸 술.

계:원 필경집【桂苑筆耕集】[명]〖책〗신라의 최치원(崔致遠)이 당나라에 있을 때에 지은 여러 가지 글을 모은 한시문집(漢詩文集). 20권 4책.

계:월[1]【季月】[명] 1년 중의 맨 마지막 달. 곧, 음력 12월.

계:월[2]【計月】[명] 달수를 계산함. 계삭(計朔). ——-하다 [타][여불]

계:월[3]【桂月】[명]〈아〉①계수나무가 들어 있는 달. 계백(桂魄). ②음력 팔월.

계:위【繼位】[명] 왕위를 계승함. ——-하다 [자][여불]

계유[1] [명]〈방〉거위[1].

계:유[2]【癸酉】[명]〖민〗육십 갑자(六十甲子)의 열째.

계:유[3]【啓喩】[명] 경계하여 타이름. ——-하다 [타][여불]

계유[4]【鷄油】[명] 닭에서 짜 낸 기름.

계유[5] [부]〈옛〉겨우. =계우[5]. ¶ 계유(剛剛)《譯語 下 46》.

계:유명 삼존 천불 비상【癸酉銘三尊千佛碑像】[명]〖불교〗통일 신라 초기의 백제 유민의 작품으로 추측되는 비상. 높이 91cm의 흑회색 납석제(蠟石製)로서, 앞면 아랫 부분에 삼존상(三尊像)을 새기고 그 좌우에는 각각 넉 줄씩 비문(碑文)이 있음. 비문에 있는 계유(癸酉)의 간지(干支)와 조각 양식 등으로 미루어, 신라 문무왕 13년(673)에 만들어진 것으로 추측됨. 1961년 충남 연기군(燕岐郡) 조치원읍(鳥致院邑) 서광암(瑞光庵)에서 발견됨. 국립 공주 박물관 소장. 국보 제108호.

계:유명 전씨 아미타불 삼존 석상【癸酉銘全氏阿彌陀佛三尊石像】[명]〖불교〗통일 신라 시대 초기의 아미타불 삼존 석상. 암적갈색 연질 납석(軟質蠟石)으로 만들어짐. 높이 43cm, 폭 26.7cm, 측면(側面) 17cm 크기로서 1960년 9월 충청 남도 연기군 전동면(全東面) 다방리(多方里) 비암사(碑岩寺)에서 발견됨. 석상의 조각(彫刻) 등의 양식이 계유명 삼존 천불 비상과 비슷한 점과 명문(銘文)에 의하여 조성(造成) 연대는 문무왕 13년(673)으로 추정됨. 국립 박물관 소장. 국보 제106호.

계:유 정:난【癸酉靖難】[명]〖역〗조선 단종(端宗) 1년(1453), 곧 계유년에 수양 대군(首陽大君)이 김종서(金宗瑞) 등의 여러 고명(顧命) 대신을 살해 또는 제거하고 정권을 잡은 사건.

계육【鷄肉】[명] 닭고기.

계:율[1]【戒律】[명]〖불교〗계(戒)와 율(律). 마음·말·행동으로 인하여 생기는 악(惡)을 방지하기 위하여 승려와 불교 신자가 지켜야 하는 율법. 위의(威儀). 율법(律法). ¶ ~을 범하다.

계:율[2]【悸慄】[명] 두려워하며 떪. 전율(戰慄). ——-하다 [자][여불]

계:율-장【戒律藏】[명]〖불교〗삼장(三藏)의 하나인 율장(律藏).

계:율-종【戒律宗】[명]〖불교〗부처의 계율을 실천함을 주안(主眼)으로 삼는 종파. 율종(律宗). 남산종.

계을 [명]〈방〉겨울[1](경남).

계:음【戒飮】[명] 술 마시기를 삼가서 경계함. 계주(戒酒). ——-하다 [자][여불]

계:의[1]【計義】[—/—이] [명] 의(義)인가 아닌가를 생각함. ——-하다 [자][여불]

계:의[2]【計議】[—/—이] [명] ①꾀. 계략(計略). ②서로 모의(謀議)함. ——-하다 [타][여불]

계:의-관【計議官】[—/—이—] 명〖역〗고려 때, 광정원(光政院)·자정원(資政院)에 딸린 정칠품 벼슬.

계:-의병【繼義兵】명〖역〗임진 왜란 때의 의병(義兵)의 하나. 선조(宣祖) 26년(1594)에 전라도 지방에서 의병 중 자기의 부형이 전사한 사람만을 따로 뽑아 조직하였음. 최경장(崔慶長)이 대장이 되어 많은 공을 세웠음.

계:의 참군【計議參軍】[—/—이—] 명〖역〗고려 때, 광정원(光政院)·자정원(資政院)의 정팔품 벼슬.

계이【雞彝·鷄彝】명〖역〗종묘(宗廟) 제향(祭享)에 쓰는 제기(祭器)의 하나. 봄에는 명수(明水)를, 여름에는 울창(鬱鬯)을 담음.

〈계이〉

계-이름【階—】명〖악〗음(音)을 그 절대 고도(絶對高度)를 고려하지 아니하고 음계 중의 상대적인 위치 관계(位置關係)에서 규정한 이름. 양악(洋樂)의 '도레미파솔라시', 아악(雅樂)의 '궁상각치우(宮商角徵羽)'. 계명(階名). ＊음이름.

계이름 부르기【階—】명〖악〗계이름에 의하여 소리의 높이나 선율(旋律)을 나타내는 방법. 주로 선율을 독보(讀譜)하거나 기억하는 연습에 쓰임. 토닉 솔파(tonic sol-fa). 계명 창법(階名唱法).

계:인【契印】명 ①두 장의 지면(紙面)에 걸치어 찍어, 그 관련(關聯)을 증명하는 '계(契)'자를 새긴 인(印). ②〖불교〗수인(手印). 인계(印契). ——-하다 자여불 계인(契印)을 찍다.

계:일【計日】명 날수를 계산함. ——-하다 자여불

계:일-왕【戒日王】명 '하르샤 왕(Harsha王)'의 한자 이름.

계:임¹【桂荏】명〖식〗차조기.

계:임²【繼任】명 임무를 계승함. ——-하다 자여불

계:자¹【系子·契子】명 양아들. 양자(養子).

계:자²【季子】명 막내 아들.

계:자³【界磁】명〖물〗장자석(場磁石).

계:-자⁴【啓字】명〖역〗①'啓'라는 글자를 새긴 나무 도장. 임금의 재가(裁可)를 맡은 서류에 찍음. ②승정원(承政院)의 계판(啓板)에 새긴 글자.

〈계자⁴❶〉

계:자⁵【繼子】명 ①양자(養子). ②배우자(配偶者)의 자식으로서 자기의 친자식이 아닌 자. 의붓자식. ＊계부(繼父)·계모(繼母).

계자⁶【鷄子·雞子】명 달걀.

계자-각【鷄子脚】명〖건〗누마루나 대청의 난간에 세운 풀무늬를 새긴 가느스름한 기둥.

계:-자극【界磁極】명〖물〗장자극(場磁極).

계자 난간【鷄子欄干】명〖건〗계자각(鷄子脚)을 세운 난간.

계자-백【鷄子白】명 달걀의 흰자. 계자청(鷄子清).

계자-청【鷄子清】명 달걀의 흰자. 계자백(鷄子白).

계자-황【鷄子黃】명 달걀의 노른자. 달걀 노른자.

계작-사【鷄雀寺】명〔범 Kukkutārāma〕〖불교〗고대 인도 마가다 왕국의 파탈리푸트라 부근에 있던 절. 아소카 왕(王)이 창건하여 불교의 중심이 됨. 제3 결집(結集)을 행한 곳으로 유명함. 계사(鷄寺). 계원사(鷄園寺). 계두 말사(鷄頭末寺).

계:장¹【戒場】명〖불교〗계를 수수(授受)하는 도량(道場).

계:장²【計帳】명〖역〗중국 고대의 징세 대장(徵稅臺帳). 남북조 시대에 비로소 호적에서 분리하였으나 기재 내용은 호적과 유사하여 호적 작성의 기초가 되기도 하였음. 수(隋)·당(唐) 시대에는 각 집의 신고서를 기초로 해마다 연말에 작성하고, 3년마다 호적의 자료로 하였음.

계:장³【計裝】명 공업 계측(計測)에 필요한 공업 계기(計器)·제어 장치(制御裝置) 등을 종합적인 계획 아래 선정하여 설치하는 일.

계:장⁴【計贓】명 장물(贓物)의 수를 계산함. ——-하다 자여불

계:장⁵【係長】명 한 계(係)의 책임자.

계:장⁶【契長】명 계의 도유사(都有司).

계:장⁷【契狀】[—짱] 명 계약한 취지를 적은 서장.

계:장⁸【桂欌】명 계수나무로 만든 상앗대.

계:장⁹【桂漿】명〖미술〗복색 조칠(複色彫漆)의 한 가지. 바탕의 빛은 검고 부조(浮彫)한 자국에 빨간 줄이 하나둘 드러나게 하는 공예 미술의 수법. ——-하다 타여불

계:장¹⁰【繼葬】명 조상의 무덤 아래에 자손의 무덤을 잇대어 장사지냄.

계장-초【鷄腸草】명〖식〗닭의장풀.

계장초-채【鷄腸草菜】명 닭의장풀을 데치어 짜서 고추장에 무친 나물.

계:쟁【係爭·繫爭】명〖법〗어떤 목적물(目的物)의 권리를 얻기 위한 당사자 사이의 싸움. ——-하다 자여불

계:쟁 권리【係爭權利】[—꿜—] 명〖법〗소송 당사자 사이에 계쟁의 목적이 되는 권리.

계:쟁-물【係爭物】명〖법〗소송 당사자 사이의 계쟁의 목적물.

계:쟁 사:실【係爭事實】명〖법〗소송 당사자 사이에 계쟁이 되는 사실.

계:쟁-점【係爭點】[—쩜] 명〖법〗계쟁의 중심이 되는 문제점.

계저【鷄菹】명 닭김치.

계-저-주-면【鷄豬酒麵】명〖한의〗한의학상(漢醫學上), 신경의 탈로 일어나는 병에 금(禁)하는 닭고기·돼지고기·술·메밀 국수의 네 가지 음식물.

계:적¹【桂籍】명〖역〗고려 시대에 과거 급제자의 명부. ＊방목(榜目).

계:적²【啓迪】명 가르쳐 인도함. 열어 인도함. 교도(教導). ——-하다 타여불

계:적³【繼蹟】명 조상의 훌륭한 업적이나 행적(行蹟)을 본받아 이음. ¶ 우리 동방의 예문을 저술한 대선생이 되시는 자기 선조의 심법을 ~하여 불초의 자손을 면하자는 바도 아니라≪作者未詳 : 산천초목≫. ——-하다 자여불

계적⁴【鷄炙】명 닭산적.

계:적-기【計積器】명 면적계(面積計).

계:전¹【契錢】명 곗돈.

계전²【階前】명 계단의 앞.

계전³【鷄臇】명 닭지짐이.

계:전⁴【繼傳】명 이어 전함. ——-하다 타여불

계:전-기【繼電器】명〖전〗어떤 회로(回路)의 전류의 단속(斷續)에 따라 딴 회로를 여닫는 장치. 유선 통신에서 전류의 변화를 중계하는 데 사용함. 릴레이.

계:전기 계:산기【繼電器計算機】명 계전기를 써서 조립한 계산기. 릴레이식(式) 계산기.

계:전 능력【繼戰能力】[—녁] 명 전쟁·전투를 계속할 수 있는 능력.

계전 만:리【階前萬里】[—말—] 명 만리나 되는 먼 곳도 계단 앞과 같다는 말로, 임금이 지방 정치의 좋고 나쁨을 통효(通曉)하고 있음의 비유.

계전 영척지지【階前盈尺之地】명 섬돌 앞의 한 자 사방의 공지. 곧, 대관·귀인 앞에 있는 조그마한 좌석. 전(轉)하여, 존귀한 사람의 면전에 나아감.

계-전유화【鷄煎油花】명 닭저냐.

계전-초【階前草】명〖식〗겨우살이풀.

계:절¹【季節】명 매년 규칙적으로 되풀이되는 자연 현상에 의해서 일 년을 구분한 것. 일반적으로는 기온의 차를 기준으로 하여 춘·하·추·동의 네 계절로 나누며, 천문학상으로는 춘분·하지·추분·동지로 나눔. 열대 지방과 계절풍대에서는 우량(雨量)에 의해서 우계(雨季)와 건계(乾季)로 나눔. 철. ¶ 신록의 ~.

계절²【階節】명 무덤 앞에 평평하게 만들어 놓은 땅. 배계절(拜階節)보다 한 층이 높음. →제절(除節).

계:절³【繼絶】명 끊어진 것을 이음. ——-하다 자여불

계:절-감【季節感】명 계절 따라 일어나는 느낌.

계:절 관세【季節關稅】명 1년 중 어느 계절에 한하여 부과하는 관세. 영국이나 독일에서 어떤 종류의 농산물의 수확기에 가격이 폭락됨을 방지하고 생산자를 보호하며 동시에 그 밖의 계절에 면세함으로써 가격의 등귀를 방지하기 위하여 행하여졌음.

계:절 노동【季節勞動】[—로—] 명 계절에 따라 그 업무에 바쁘고 한가한 것이 현저하게 좌우되는 사업의 노동. 농업·임업·어업·토목 건축업·청량 음료업 등에서 흔히 볼 수 있음.

계:절 노동자【季節勞動者】[—로—] 명 계절 노동에 종사하는 노동자 또는 연중 일이 있는 산업이나 업무에, 계절적인 여가를 이용하여 임시로 취로(就勞)하는 노동자.

계:절 변:동【季節變動】명〖경〗계절적 원인에 의해서 매년 거의 규칙적으로 일어나는 물가 지수의 변동.

계:절-병【季節病】[—뼝] 명〖의〗계절의 변화와 더불어 현저히 유행하는 병. 여름의 소화기 병, 겨울의 호흡기 병 등.

계:절병 캘린더【季節病—】〔calendar〕[—뼝—] 명 여러 가지 병에 의한 사망률의 계절 변화를 표시한 도표. 지역별·연령별로 만들면 계절병의 지리적·시대적인 변천을 알 수 있음.

계:절 예:보【季節豫報】[—례—] 명〖기상〗당일부터 1개월간~3개월간, 난후기(暖候期)·한후기(寒候期)·장마기 등의 일기·기온·강수량·일조(日照) 시간 등의 개괄적 예보. 농업·항공 등 기타 여러 방면에 요구됨.

계:절 이동【季節移動】명〖동〗동물이 새로운 지역 또는 서식지로 계절을 따라 이동하는 일.

계:절 이:형【季節二型】명〖충〗1년에 두 세대(世代) 이상을 경과하는 곤충류 중에서, 그것이 발생하는 계절에 따라 각각 다른 두 개의 형을 나타내는 개체(個體)가 출현(出現)하는 일. 노랑나비가 여름의 것과 가을의 것이 그 형이 각각 다른 것 따위.

계:절-적【季節的】[—쩍] 명관 계절에 따라 영향을 받거나 변화를 가져 오는 모양. ¶ ~인 제약.

계:절적 실업【季節的失業】[—쩍—] 명〖사〗자연적 원인 또는 특정 상품에 대한 수요(需要)의 계절적 변동으로 생기는 실업.

계:절적 자:금 수요【季節的資金需要】[—쩍—] 명 해마다 일정한 계절에 증대하는 자금 수요.

계:절적 천:이【季節的遷移】[—쩍—] 명〖생〗식물 군락(植物群落)의 외관이나 구성이 계절적으로 변화하는 일.

계:절적 취:락【季節的聚落】[—쩍—] 명 매년 어떠한 계절에 한하여 이루어졌다가 그 계절이 지나면 없어지는 마을. 흔히 계절을 따라 하는 산업(產業)으로 인해서 생김.

계:절 존망【繼絶存亡】명 자식이 없어 대(代)가 끊어지게 된 집안에 양자를 하여 대를 이음. ——-하다 자여불

계:절 지수【季節指數】명〖경〗어느 계절에 있어서의 전형적 물가와 계절적 변동이 없을 때의 물가의 백분비(百分比).

계:절-품【季節品】명 1년 중에 어떤 계절 동안에만 시장에 나오고 다른 계절에는 자취를 감추는 물건.

계:절-풍【季節風】명〖지〗지구 위의 일정한 지역에서, 대륙과 해양의 온도의 차로 계절에 따라 여름에는 해양에서 대륙으로, 겨울에는 대륙에서 해양으로 방향을 바꾸어 부는 바람. 동부 아시아와 인도 지방에 현저함. 철바람. 계후풍(季候風). 몬순. 기후풍(氣候風). 신풍(信風).

계:절풍 기후【季節風氣候】명 계절풍의 지배를 받는 지방의 기후. 여름에는 비가 많고 겨울에는 건조하며 몹시 추운 것이 특징임. 이러한 지방에서는 풍화 작용이 왕성하기 때문에 바위가 노출하여 뾰족한 연봉(連峰)이 발달된 지형을 형성함.

계:절풍-대【季節風帶】명〖지〗계절풍의 지배를 받는 지역. 계절풍 지대.

계:절풍 저:기압【季節風低氣壓】명 여름에는 대륙에서, 겨울에는 인접한 해상에서 볼 수 있는, 계절적인 저기압.

계:절풍 지대【季節風地帶】명〖지〗계절풍대(季節風帶).

계:절-학【季節學】명 기상·기후 조건과 생물 현상과의 관계를 취급하는 학문. 곧, 작물(作物)의 성장 과정, 수목의 발아(發芽)·개화·낙엽·결실(結實)이나 철새의 내왕, 강물의 초결빙일(初結氷日)·해빙일(解氷日)

또는 첫눈·첫서리·마지막 눈·마지막 서리 등을 대상으로 함.

계:절-형 【季節型】 명 〔seasonal form〕〖동〗 동물이 계절의 변화에 따라 그 크기·모양·빛깔 등에 나타내는 변형. 이를테면 배추흰나비의 날개 크기나 무늬는 봄과 여름이 다르며, 따라서 각기 봄형·여름형으로 부르는 따위.

계:절 회유 【季節回游】 명 〖어〗 계절에 따라 수온(水溫)의 변화가 일어날 때, 생활하기에 적당한 온도의 물을 좇아서 이동하는 어류의 회유. 북반구(北半球)에서는 봄·여름에는 북방으로, 가을·겨울에는 남방으로 향함. ＊산란(産卵) 회유.

계:정[1] 【計定】 명 〖경〗 부기(簿記)의 원장(元帳)에서 같은 종류 또는 동일 명칭의 자산(資産)·부채(負債)·자본·수익(收益)·비용·손실 등에 대하여 증감(增減)을 계산 기록하기 위한 특수 형식.

계:정[2] 【桂庭】 명 〖사람〗 민영환(閔泳煥)의 호(號).

계:정[3] 【啓程】 명 길을 떠남. 발정(發程). ——-하다 자 여불

계정[4] 【階庭】 명 계단 앞의 뜰.

계:정 계:좌 【計定計座】 명 부기에서, 계정마다 금액의 증감을 차변·대변으로 나누어 기록 계산하는 장소. ㊣계좌(計座).

계:정 과목 【計定科目】 명 〖경〗 부기의 계산 정리의 편의상 여러 가지 계정을 유별(類別)한 과목. 곧 원장(元帳)의 계좌(計座)의 과목으로, 회계에서 계산의 단위가 되는 각 계정의 이름.

계:정 구:좌 【計定口座】 명 〖경〗 '계정 계좌(計座)'의 구칭.

계:정-란 【計定欄】 [―난] 명 〖경〗 계정 과목을 기입하는 난.

계:-정식 【桂貞植】 명 〖사람〗 바이올리니스트. 평양(平壤) 출신. 일본 도쿄(東京)의 동양 음악 학교와 독일의 뷔르츠부르크 음악 대학에서 수업, 이화 여대(梨花女大)에서 교편을 잡으며, 실내악 운동·교향악단 지휘 등으로 활약함. [1904-74]

계:정 조직 【計定組織】 명 〖경〗 부기(簿記)에서, 회계를 정리하는 데에 필요한 일체의 계정 과목을 선정하여 분류·조직하는 일.

계:정 학설 【計定學說】 명 〖경〗 복식 부기에 있어서 계정의 의의(意義), 기장(記帳)의 법칙 등에 관한 이론.

계:-정:-혜: 【戒定慧】 명 〖불교〗 불도(佛道)에 들어가는 세 가지 요체(要諦). 계는 선을 행하고 악을 행하지 말라 함이요, 정은 몸과 마음의 흔들림을 억제하여 안정하게 함이요, 혜는 미혹(迷惑)을 깨뜨리어 이치를 증명하는 일임.

계:제[1] 【計除】 명 계산하여 제할 것을 제함. 계감(計減). ——-하다 타 여불

계제[2] 【階除】 명 층계. 계단(階段).

계제[3] 【階梯】 명 ①계단과 사닥다리. ②일이 사닥다리 밟듯이 차차 진행되는 순서. ③벼슬이 차차 올라가는 순서. ④일이 잘 되어 가거나, 어떤 일을 행할 수 있게 된 알맞은 형편이나 좋은 기회. ¶이 ~에 서로 친해 집시다/~가 좋다. ⑤기계 체조에서, 옆으로 비스듬히 세운 사닥다리.

계:제-사 【稽制司】 명 〖역〗 조선 시대 때, 예조(禮曹)의 한 분장(分掌). 의식·제도·조회(朝會)·경연(經筵)·사관(史官)·학교·과거(科擧)·인신(印信)·표전(表箋)·책명(冊命)·천문(天文)·누각(漏刻)·국기(國忌)·묘휘(廟諱)·상장(喪葬) 등에 관한 일을 맡았음.

계제-직 【階梯職】 명 이력(履歷)을 따라 차차 올라가는 벼슬.

계조 【階調】 명 〔gradation〕 사진이나 텔리비전 화상 등의 농담(濃淡)의 정도. 곧, 밝은 부분에서 어두운 부분까지의 밝기의 단계. 빛깔에서는 바림이라고도 함.

계:조-암 【繼祖庵】 명 〖불교〗 강원도 양양군(襄陽郡) 설악산에 있는, 신흥사(新興寺)에 속하는 암자(庵子). 신라 진덕 여왕(眞德女王) 6년(652)에 자장 율사(慈藏律師)에 의하여 창건됨. 암자 앞면 바위 위에 유명한 '흔들바위'가 있음.

계:족[1] 【系族】 명 혈족(血族).

계:족[2] 【戒足】 명 〖불교〗 불도(佛道)에 나아가는 요구(要具)인 계(戒)를 인체(人體)의 요구인 발에 비유하여 이르는 말.

계족-산 【鷄足山】 명 〔범 Kukkuṭapāda-giri〕〖지〗 인도 중부의 마가타국 가야성(伽耶城) 동남쪽에 있는 산. 대가섭(大迦葉)이 이 곳에서 입적(入寂)하였는데, 장래 미륵(彌勒)이 세상에 나와서 용화 삼회(龍華三會)의 설법을 한 뒤에 이 산에 오르면 가섭이 나타나서 법의(法衣)를 전수(傳授)하리라는 전설이 있음. 계각산(鷄脚山). 존족산(尊足山). 낭족산(狼足山).

계:종[1] 【瘈瘲】 명 〖한의〗 경축(警搐)의 가벼운 증세.

계:종[2] 【蟿螽】 명 〖충〗 방아깨비.

계종[3] 【鷄蹤】 명 〖식〗 버섯의 한 종류. 균산(菌傘)과 균병(菌柄)의 빛이 잿빛임.

계:종[4] 【繼蹤】 명 뒤를 이음. ——-하다 자 여불

계:좌[1] 【癸坐】 명 〖민〗 묏자리나 집터 등의 계방(癸方)을 등진 좌.

계:좌[2] 【計座】 명 ↗계정 계좌(計定計座).

계:좌 소:관청 【計座所管廳】 명 우편 대체(郵便對替)의 계좌 원부를 기록·관리하는 저금 보험 관리국과 저금 관리국의 일컬음. ＊대체 저금.

계:좌 원부 【計座原簿】 명 우편 대체 계좌(郵便對替計座)에의 금액의 납입·지급·대체에 관한 사항을 기록하는 계좌의 원장. 계좌 소관청(所管廳)에서 기록·관리함.

계:좌 정향 【癸坐丁向】 명 〖민〗 묏자리나 집터가 계방(癸方)을 등지고 정방(丁方)을 바라보는 좌향(坐向).

계:좌 추적권 【計座追跡權】 명 〖법〗 금융 기관으로부터 개인이나 법인의 입출금 자료 등을 넘겨받아 자금이 누구에게서 누구에게로 흘러갔는지를 조사할 수 있는 권리.

계:주[1] 【戒酒】 명 술을 삼감. 계음(戒飮). ——-하다 자 여불

계:주[2] 【季主】 명 〖민〗 무당이 단골집의 주부(主婦)를 일컫는 말. ↔대주(大主).

계:주[3] 【契主】 명 계를 조직하고 주관하는 사람. ↔계원(契員).

계:주[4] 【契酒】 명 계(契)의 모임에서 먹는 술. 곗술.

계:주[5] 【桂酒】 명 계향(桂香)을 넣은 술.

계:주[6] 【啓奏】 명 임금에게 아룀. 계품(啓稟). ——-하다 타 여불

계:주[7] 【繫柱】 명 〖해〗 ↗계선주(繫船柱).

계:주[8] 【繼走】 명 ↗계주 경기(繼走競技).

계:주 경:기 【繼走競技】 명 릴레이 경주. 이어달리기. ㊣계주(繼走).

계:주 생면 【契酒生面】 명 여러 사람의 것을 가지고 제 생색을 낸다는 말. 곗술에 낯내기. ——-하다 자 여불

계:주연-회 【戒酒烟會】 명 음주와 흡연을 삼가기로 한 사람들의 모임.

계:주 윤음 【戒酒綸音】 명 〖책〗 조선 영조 33년(1757)에 대신(大臣)·재상(宰相) 이하 문무 백관에게 금주(禁酒)를 명령한 유시문(諭示文). 한글로 음(音)과 뜻을 풀이하여 널리 일반 백성에게도 공포하였음. 인본(印本) 1책.

계:주-자 【繼走者】 명 계주하는 사람. 릴레이 선수(選手).

계:주-준 【桂酒樽】 명 중국 주(周)나라 때에, 제례(祭禮)에 쓰는 술을 담던 큰 술그릇.

계-죽 【鷄粥】 명 닭죽.

계:중 【契中】 명 계원(契員) 전체.

계:중-대 【計重臺】 명 ↗궤도 계중대(軌道計重臺).

계:지[1] 【季指】 명 〖생〗 ①새끼손가락. ②새끼발가락.

계:지[2] 【桂枝】 명 ①〖한의〗 계수나무의 잔 가지. 감기(感氣)에 해열제(解熱劑)로 쓰이며, 지절통(肢節痛)과 복통(腹痛)에도 쓰임. ②달에 있다고 생각한 계수나무의 가지.

계지[3] 【稽知】 명 〖역〗 ①신라 때 십 칠 관등(十七官等) 중의 열 넷째 등급. ＊길사(吉士)·길차(吉次). ②신라 때 고관 가전(古官家典)의 으뜸 벼슬.

계지[4] 【稽遲】 명 계체(稽滯). 지체(遲滯). ——-하다 자 타 여불

계:지[5] 【繫止】 명 ①붙들어 매어 놓음. ②기구(氣球)를 지상(地上)에 매어 놓음. ——-하다 타 여불

계:지[6] 【繼志】 명 앞 사람의 뜻을 이음. ——-하다 자 여불

계:지바 명 〈방〉 계집아이 (경남).

계:지-탕 【桂枝湯】 명 〖한의〗 계지를 주성분으로 하는 한약 처방의 하나. 혈액 순환을 왕성하게 하며 몸을 덥게 하여 여러 장기(臟器)의 기능을 돕는 작용을 함. 상풍 감기(傷風感氣)·신경통·두통·복통·신경 쇠약 등에 유효함.

계:진 【繼進】 명 뒤이어 나아감. ——-하다 자 여불

계:진-기 【計塵器】 명 〔dust counter〕 대기 중의 진애(塵埃)의 양을 재는 기계. 공기를 일정한 속도로 일정한 시간 동안 여과(濾過)해서 처진 먼지의 양을 재는 방식(方式)과, 공기를 유리판(板)에 불어 붙이어 그 곳에 붙은 먼지를 재는 방식 등이 있음.

계:집 명 〈속〉 ①여자. ②여편네. ③낮은 사람의 아내. 1)-3):↔사내. 【계집 둘 가진 놈의 창자는 호랑이도 안 먹는다】 처첩(妻妾)을 여럿 거느리고 살자면 마음이 편할 날이 없고 푹푹 썩는다는 말. 【계집 때린 날 장모 온다】 일이 공교롭게도 잘 안 되어서 낭패를 본다는 말. 【계집 바뀐 건 모르며 젓가락 짝 바뀐 건 아나】 큰 변화는 모르고 지내면서, 작은 변경을 가지고 들고 떠들 때 이르는 말. 【계집은 상을 들고 문지방을 넘으며 열 두 가지 생각을 한다】 ㉠아내는 남편에게 할 이야기가 많으나 이야기할 기회가 없어 못 하고 있다가, 밥상을 들고 들어가면서는 여러 가지 말할 것을 생각한다는 말. ㉡여자는 언제나 복잡한 딴 생각을 하고 있다는 말. 【계집의 곡한 마음 오뉴월에 서리친다】 여자의 마음이 한 번 비뚤어져 저주하고 원한을 품게 되면, 여름에도 서릿발이 칠 만큼 매섭고 독하다는 말. 【계집의 말은 오뉴월 서리가 싸다】 여자의 독한 마음에서 하는 말은 오뉴월에도 서릿발이 칠 만큼 매섭고 독하다는 말. 【계집의 매도 너무 맞으면 아프다】 비록 친한 사이라도 예의(禮儀)를 잃지 말라는 말. 【계집이 늙으면 여우가 된다】 여자들이 요망스럽다 하여 이르는 말. 【계집 입 싼 것】 입이 가벼운 여자는 화를 일으키는 일이 많다 하여, 아무 짝에도 쓸데없는 해로운 것의 보기로 이르는 말.

계:집을 보다 구 여자를 사귀어 관계를 가지다.

계:집녀-변 【―女邊】 명 한자 부수(部首)의 하나. '妹'나 '姬' 등의 '女'의 이름.

계:집-년 명 〈비〉 계집을 낮추어 일컫거나 욕으로 이르는 말.

계:집-붙이 [―부치] 명 〈속〉 각 계급의 여자들.

계:집-아이 명 계집으로의 아이. 여아(女兒). 유녀(幼女). ㊣계집애. ↔사내아이.

계:집-애 명 ↗계집아이. 【계집애가 오랍아 하니 사내도 오랍아 한다】 멋도 모르고 덩달아 따라 한다는 말.

계:집애-종 명 어린 여자 종.

계:집 자식 【―子息】 명 〈속〉 ①처자(妻子). ②딸자식.

계:집-종 명 계집으로 남의 종이 된 사람. 여자 종. 비녀(婢女). 비자(婢子). 여종. ↔사내종.

계:집-질 명 남자가 자기의 아내 이외의 부녀와 색심(色心)을 채우는 짓. ——-하다 자 여불

계집ᄒᆞ다 자 〈옛〉 ①장가들다. ¶아ᄋᆞ 광안이 몬져 계집ᄒᆞ야ᄂᆞᆯ(弟光顏先娶) 《二倫 18 光進反籍)》. ②계집질하다. ¶형 언운이 계집ᄒᆞ기 ᄒᆞ며(兄彥雲惟聲色) 《二倫 21 彥霄析籍》.

계ᄌᆞ 명 〈옛〉 겨자[1]. ¶계ᄌᆞ 개(芥) 《字會 上 14》.

계:차[1] 【啓差】 명 〖역〗 임금에게 아뢰어 일을 맡김. ——-하다 타 여불

계차[2] 【階次】 명 계급(階級)의 차례.

계:착 【係着】 명 ①마음에 늘 꺼림하게 걸리어 있음. ②마음에 두고 잊지 아니함. ——-하다 타 여불

계:-찬궁 【啓欑宮】 명 발인(發靷)할 때에 빈전(殯殿)을 엶. ——-하다 자 여불

계창[1] 【鷄唱】 명 새벽에 우는 닭의 울음.

계창[2] 【鷄窓】 명 〔중국 송(宋)나라 처종(處宗)의 서재의 창 밑에서 기른 닭이 사람의 말을 이해하고, 처종과 이야기하여 그의 학식을 도왔다는 고사(故事)에서 유래〕 독서하는 방. 서재(書齋).

계:책[1] 【戒責】 명 ①경고하고 꾸짖음. ②견책함. ③잘못하는 일이 다시 생기지 아니하도록 경계하여 마음에 각성이 일게 함. ——-하다 타 여불

계:책[2] 【計策】 명 용한 꾀와 거기에 따른 방책. 계협(計筴). 꾀.

계:처【繼妻】명 본처가 죽거나 혹은 이혼하고 다시 얻은 처. 후처(後妻).

계천¹【溪川】명 시내. 시내와 내.

계천²【溪泉】명 골짜기에서 솟는 샘.

계:천 기원절【繼天紀元節】명〖역〗조선 시대의 고종이 황제의 위에 오른 날. 음력 9월 17일. 광무(光武) 원년(1897)에 정함.

계:철【繼鐵】명 ①〖전〗주철(鑄鐵)·주강(鑄鋼)으로 만든 전동기·발전기의 기체를 형성하는 부분. 계자 극편(界磁極片)을 여기에 붙여 자기로(磁氣路)의 일부로 함. ②〔yoke〕〖전〗코일을 갖지 않은 강자성체(強磁性體)의 철편(鐵片). 두 개 이상의 자기 중심(磁氣中心)을 항상 접속시키기 위한 것임.

계:첩【戒牒】명〖불교〗계를 받았다는 증명서.

계:청【啓請】명〖역〗임금에게 아뢰어서 청함. *주청(奏請). ——-하다 타여불

계:체¹【戒體】명〖불교〗계(戒)를 체득(體得)하여 공덕(功德)의 힘을 나타냄.

계체²【堦砌】명 계체석.

계:체³【稽滯】명 일이 밀리어 늦어짐. 또, 늦어지게 함. 지체(遲滯). 계지(稽遲). ——-하다 자타여불

계:체⁴【繼體】명 임금의 뒤를 이음. ——-하다 자여불

계체-석【堦砌石】명 무덤 앞 계절(階節)에 놓는 장대석(長臺石). 계체(堦砌).

계:체지-군【繼體之君】명 임금의 뒤를 이을 황태자 또는 왕세자.

계:초¹【啓礎】명〖사람〗방응모(方應模)의 호(號).

계초²【階礎】명 계단의 초석.

계초³【鷄炒】명 닭볶음.

계:초-정【桂椒錠】명 귤피(橘皮)·천문동(天門冬)·계피(桂皮)·건강(乾薑)·후추·정향(丁香) 등의 가루와 꿀감을 짓찧어서 납작납작하게 만든 별식(別食).

계:촌【計寸】명 일가의 촌수를 따짐. ——-하다 타여불

계:추¹【季秋】명 ①음력 구월. ②늦은 가을.

계:추²【桂秋】명〈아〉①음력 팔월. ②가을.

계추³【鷄雛】명 병아리❶.

계:추리 명 경상 북도에서 나는 삼베의 한 가지. 삼의 겉껍질을 긁어 버리고 만든 실로 짬. 황저포(黃紵布).

계:축¹【癸丑】명〖민〗육십 갑자(六十甲子)의 쉰째.

계:축²【契軸】명 어느 사람의 환갑 같은 기념할 일이 있을 때, 유지(有志)들이 추렴하여 잔치를 베풀어 주고 시부(詩賦)를 지어 권축(卷軸)으로 표장(表裝)해서 본인에게 선사하는 축.

계:축 사:화【癸丑士禍】명〖역〗계축 옥사(獄事).

계:축 옥사【癸丑獄事】명〖역〗조선 광해군 5년(1613), 대북파(大北派)에서 일으킨 옥사. 1608년, 광해군이 즉위하자 대북의 정인홍(鄭仁弘)·이이첨(李爾瞻) 등은 소북(小北)이 선조의 친아들인 영창 대군(永昌大君)을 옹립하려 하였다는 구실로 소북의 영수(領袖)인 영의정 유영경(柳永慶)을 사사(賜死)케 한 후, 소북을 축출(逐出)하였음. 계축 사화(士禍).

계:축 일기【癸丑日記】명〖책〗조선 광해군(光海君) 4년 계축(1613)에 광해군이 어린 아우 영창 대군(永昌大君)을 죽일 때, 대군의 어머니 인목 대비(仁穆大妃)의 원통한 정경을 어떤 궁녀가 기록한 글. 서궁록(西宮錄).

계:축-자【癸丑字】명 조선 성종 24년(1493)에 중국에서 들어온 신판 ≪자치 통감 강목(綱目)≫ 자체(字體)를 모방하여 만든 구리 활자.

계:춘【季春】명 ①음력 삼월. ②늦봄.

계:출【屆出】명 '신고(申告)함'의 뜻의 종전 용어(用語). ——-하다 타여불

계:취¹【契聚】명 계원(契員)들의 모임.

계:취²【繼娶】명 재취(再娶). ——-하다 타여불

계:측【計測】명 물건의 길이나 넓이를 재어 계산함. 계량(計量). 측도(測度). ——-하다 타여불

계층【階層】명 ①층계(層階). ②사회를 형성하는 여러 가지 층. ¶ 지식~. ③한 계급 안의 층별(層別).

계층 구조【階層構造】명〖컴퓨터〗①각 항목이 계층적인 관련성을 갖는 데이터를 표시하는 구조. ②컴퓨터 통신에서, 다중 통신로를 구성할 때, 다중화 단계를 일컫는 말.

계층 소유권【階層所有權】[—꿘] 명〔도 Stockwerkeigentum〕〖법〗빌딩 등의 고층 건축물을 각 층별로 나누어서, 그 각각의 것을 독립의 목적물(目的物)로 하는 소유권.

계층-화【階層化】명〖사〗사회 집단의 성원(成員)을 여러 계층으로 식별(識別)하는 일. 계층화의 방법으로는 객관적 지표(指標)에 의하는 것과 대상자 자신의 주관적 판정(判定)에 의하는 것이 있음. ——-하다 타여불

계:칙¹【戒飭】명 경계하여 타이름. ——-하다 타여불

계칙²【鸂鶒】명〖조〗①비오리. ②'뜸부기'의 오칭(誤稱).

계칙 동환수【鸂鶒銅環綬】명〖역〗조선 시대에, 칠품(七品) 이하의 관원이 착용한 후수(後綬). 비오리를 수놓고, 위에 구리 고리를 두 개 닮.

계:친【繼親】명 계부(繼父) 또는 계모(繼母).

계:-친자【繼親子】명 자식과 아버지의 후처 또는 자식과 어머니의 후부(後夫)가 같은 적(籍)에 있을 때의 친자 관계.

계:칩¹【啓蟄】명 ①봄철을 당하여 동면(冬眠)하던 벌레가 움직이게 됨. ②경칩(驚蟄). ——-하다 자여불

계:칩²【繫蟄】명 자유를 구속 당하여 집 안에 들어앉아 있음. ——-하다 자여불

계:-칼【戒—】명〖불교〗계(戒)를 가지면 번뇌(煩惱)가 저절로 끊어지는 것을 이르는 말. 계도(戒刀).

계:-타다【契—】자 통계(筒契)에서 계알이 빠져서 그 안에 적힌 호수(號數)와 이름을 가진 사람이 곗돈을 받게 되다. 차례나 심지를 뽑아 곗돈을 타다.

【계타고 집 판다】처음에 이(利)를 보았다가, 그 통에 나중에 이르러서 도리어 손해를 봄을 이르는 말.

계탕【鷄湯】명 닭국.

계-택-상-월【谿澤象月】명 상월계택.

계:토【啓土】명 ①토지를 개척(開拓)함. ②영토를 확대함. ——-하다 타여불

계:통¹【系統】명 ①순서를 따라 차례로 잇대어 연결되어 통일됨. 통계(統系). ¶ 사무 ~. ②한 원리나 법칙에 따라, 개개의 사물 사이에 있는 일반(一般) 관계를 순서적으로 벌인 것.

계:통²【繼痛】명 병을 잇따라 앓음. ——-하다 타여불

계:통³【繼統】명 왕통(王統)을 이음. ——-하다 자여불

계:통-도【系統圖】명 사물의 접속 및 작용 계통을 표시한 도면.

계:통 발생【系統發生】[—쌩] 명〔phylogeny〕〖생〗어떤 생물이 원시 상태로부터 현재까지 거쳐 온 진화의 과정. 생물 상호간의 유연(類緣) 관계를 밝히는 데 중요함. ↔개체 발생(個體發生).

계:통 번식【系統繁殖】명〖동〗근친(近親) 번식의 폐해를 예방하기 위하여 어떤 규칙적인 교배 순서에 따라서 번식시키는 일.

계:통-보【系統譜】명 계통을 밝혀 적은 책.

계:통 분류【系統分類】[—불—] 명〖생〗생물의 진화의 계통에 일치(一致)하며 또, 이를 반영(反映)하도록 한 생물의 분류법.

계:통 분류학【系統分類學】[—불—] 명〖생〗동식물의 계통 발생을 고려(考慮)하는 분류학의 한 분과. 고생물학(古生物學)·발생학(發生學) 등을 연구 수단으로 병용(倂用)함.

계:통 분리【系統分離】[—불—] 명〖식〗작물 선발(選拔) 육종법(育種法)의 하나. 타가 수분 작물(他家受粉作物)의 집단은 유전적으로 서로 다른 개체로써 구성되어 있는데, 이와 같은 집단으로부터 목적하는 형질을 가진 개체를 많이 가려 내어 다음 대의 계통으로 삼은 다음에 다시 그 계통 속에서 희망하는 개체만을 골라 내기를 거듭함.

계:통 선:발【系統選拔】명〖식〗자가 수분(自家受粉)을 하는 작물의 품종 개량을 할 때의 조작. 순계 분리 육종법(純系分離育種法) 또는 교배(交配) 육종법을 할 때에 유망한 개체를 골라 개체별로 씨를 받아 심어서 여러 계통을 이루되, 유망한 특성과 개체(個體)를 많이 포함하는 계통을 가려 나가는 일.

계:통-수【系統樹】명〔genealogical tree〕〖생〗생물이 과거의 조상으로부터 진화하여 온 유연(類緣) 관계를, 많은 가지를 가진 한 개의 나무로 계통적으로 나타낸 그림. 하부의 가지에는 원시적 동물, 상부에 갈수록 고등 동물을 나타냄.

계:통 육종법【系統育種法】[—뉵—뻡] 명〖식〗자가 수분(自家受粉)을 하는 농작물에서, 교배 잡종(交配雜種)의 자손으로부터 새 품종을 육성하는 방법의 하나. 멘델의 유전 원리를 품종 개량에 응용한 교배 육종법의 전형적인 것으로, 계통 선발(選拔)을 거듭하여 우량종을 만듦.

계:통 재:배【系統栽培】명〖생〗품종 개량법의 한 가지. 생물의 유전적 조성(遺傳的組成)을 순수하게 하기 위해서 교배(交配)를 관리하여, 딴 계통의 생물과 교배하지 아니하도록 주의하여 재배하는 일. 이 방법으로 순수히 보지(保持)된 계통이 순계(純系)임.

계:통-적【系統的】명관 순서를 따라 연결되어 통일된 모양. 계통이 서는 모양.

계:통 진:화【系統進化】명〖생〗종(種) 이상의 분류군(分類群)으로서의 계통에서의 진화.

계:통 출하【系統出荷】명 농어민이 협동 조합 따위의 조직을 통해 생산물을 출하·판매하는 일.

계:통-학【系統學】명 생물의 계통 발생을 연구하는 생물학의 한 분과. 그 결과를 정리하는 분야를 계통 분류학이라고 함.

계투¹【械鬪】명〖역〗중국 사회에서 집단 상호간에 무기를 가지고 행하는 투쟁. 수리(水利)·경계(境界)·분묘(墳墓) 등의 다툼 및 그 밖의 사소한 일도 흔히 이 계투의 원인이 되었음.

계:투²【繼投】명 야구에서, 이제까지의 투수와 교체하여 새 투수가 투구(投球)하는 일. ——-하다 자여불

계:파【系派】명 정당이나 기타 집단의 내부에 있어서 출신·연고, 특수한 이권 등에 의해 결합된 배타적 모임.

계:판【啓版】명〖역〗'계(啓)'라는 글자를 새긴 널판. 승정원(承政院)에 걸어 두고 일의 주의건(注意件)을 써 놓고 그 앞에서 어람(御覽)의 서류(書類)를 처리하였음.

계:패【計牌】명 통계 자료를 정리할 때, 분류·계산을 하기 위하여 만들어지는 카드.

계:패-법【計牌法】[—뻡] 명 계패를 적당히 배열하여 그 결과를 표식(表式)으로 기입하는 방법. 통계 자료 등을 정리할 때 쓰임.

계:평【桂平】명〖지〗'구이핑'을 우리 음으로 읽은 이름.

계:폐【啓閉】명 엶과 닫음. 개폐(開閉). ——-하다 타여불

계:포【繫匏】명 ①벽에 걸려 있는 바가지. ②하는 일 없이 날을 보냄.

계:포 일낙【季布一諾】[—락] 명 중국 초(楚)나라 무장(武將)으로서 신의를 중히 여겼던 계포의 승낙을 한번 얻기만 하면 백금(百金)을 얻기보다 더 소중했다는 고사(故事)에서, 절대로 틀림없는 승낙.

계:표¹【計票】명 ①표의 수를 계산함. ②투표가 끝난 후 투표함을 열고 각 입후보자의 득표수를 셈. ——-하다 자여불

계:표²【界標】명 토지 또는 수면 등의 경계에 세우는 표지.

계:품【啓稟】명 임금에게 아룀. 계달(啓達). 계주(啓奏). ——-하다 타여불

계:품 환:방【啓稟換房】명〖역〗승정원(承政院)에 있는 육명(六名)의 승지(承旨)가 사무를 분장(分掌)하여 임금에게 아뢰던 일. 도승지(都承旨)가 이방(吏房), 좌승지(左承旨)가 호방(戶房), 좌부승지(左副承旨)가 병방(兵房), 우승지(右承旨)가 예방(禮房), 우부승지(右副承旨)가 형방(刑房), 동부승지(同副承旨)가 공방(工房)을 맡음. 또는 육방(六房)의 이름만 써서 단자(單子)를 올리면 임금이 그 아래에 각 승지(各承旨)의 이름을 분할 기재(分割記載)하여 재가(裁可)하는 특례도 있음.

계:피¹【桂皮】명〖약〗계수(桂樹)나무의 얇은 껍질. 겉은 회갈색(灰褐色)으로 방향(芳香)과 약간의 감미(甘味)가 있음. 주성분은 알데히드(aldehyde)인데 계피유·전분·점액·수지 등을 함유하며, 향수·향료의

원료 및 교미(矯味)·교취제(矯臭劑)·건위제로 사용하고 한방에서는 허한(虛汗)을 거두는 데도 씀. 「이르는 말.
계피²【鷄皮】명 살갗이 닭의 살갗처럼 거칠다는 뜻에서, 노인의 살갗을
계:피 강정【桂皮羌飣】명 계핏가루를 묻힌 강정.
계:피-말【桂皮末】명 계핏가루. 계말(桂末).
계피-문【鷄皮紋】명 귤피문(橘皮紋).
계:피-산【桂皮酸】명〖화〗신남산(酸). 「(塗布藥)으로 쓰임.
계:피-수【桂皮水】명〖약〗증류수에 계피유를 섞은 맑은 액체. 도포약
계:피 알데히드【桂皮—】〔aldehyde〕명〖화〗계피류의 주성분인 특유한 방향(芳香)이 있는 무색의 액체. 향료로 쓰임.
계:피 알코올【桂皮—】〔alcohol〕명〖화〗백색 침상(針狀) 결정의 향기가 있는 물질. 소합향(蘇合香) 안에 계피산의 에스테르로 존재하며, 향료(香料)로 쓰임.
계:피-유【桂皮油】명 계피에 물을 붓고 증류(蒸溜)하여 낸 무거운 휘발성(揮發性) 기름으로, 빛이 누렇고 맑은 액체. 독특한 방향(芳香)과 매운 맛이 있는데, 건위제(健胃劑)·감기약으로 사용되는 외에 여러 가지 향료(香料)의 원료로도 쓰임. 육계유(肉桂油).
계:피-정【桂皮精】명 계피유와 알코올을 혼합한 액체. 건위제·교미제(矯味劑)·교취제(矯臭劑)로 사용됨.
계:피-주【桂皮酒】명 계피정(桂皮精)과 시럽과 물을 한데 섞어 익힌 술.
계:피-차【桂皮茶】명 계피를 물에 넣어 끓인 차.
계피 학발【鷄皮鶴髮】명 살갗이 닭의 살갗같이 거칠고 머리털이 학의 날개처럼 희다는 뜻으로, 노인을 가리키는 말.
계:필 하력【契苾何力】명〖사람〗중국 당(唐)나라 장군. 돌궐가한(突厥可汗)의 손자. 고구려 보장왕(寶藏王) 3년(644) 당나라 태종이 고구려를 칠 때 참전하여 백암성(白巖城)을 공격한 바 있고, 동왕 20년(661) 당나라 고종의 명으로 평양성(平壤城)을 공격할 때 육로군(陸路軍)을 담당하여, 고구려의 연개소문(淵蓋蘇文)의 군사와 싸워 크게 패하고, 이듬해 퇴각함.
계:핏-가루【桂皮—】명 계피를 연(碾)에 간 고운 가루. 음식의 양념으로 씀. 계피말(桂皮末).
계:하¹【季夏】명 ①음력 6월. ②늦여름.
계:하²【啓下】명〖역〗임금의 재가(裁可)를 받음. ——-하다 타여불
계하³【階下】명 섬돌의 아래. 층계 아래. ↔계상(階上).
계:하 공사【啓下公事】명〖역〗임금의 재가를 받은 공문서.
계:-하다【契—】자여불 계를 조직 운용하다. 계원이 되어 계에 참여하
계:하 죄:인【啓下罪人】명〖역〗임금의 재가를 받은 죄인. ㄴ다.
계학【溪壑】명 골짜기.
계학지-욕【溪壑之慾】명 한(限)없이 큰 욕심. 「漢)'의 딴이름.
계:한¹【季漢】명〖역〗후한(後漢) 말년에 유비(劉備)가 세운 '촉한(蜀
계:한²【計限】명 한계를 헤아려 봄. ——-하다 자여불
계:한³【界限】명 ①땅의 경계(境界). ②한계(限界). ㊊한(限).
계:합【契合】명 부합(符合). ——-하다 자여불
계:해【癸亥】명〖민〗육십 갑자(六十甲子)의 예순째.
계:해 반:정【癸亥反正】명〖역〗조선 광해군 15년(1623) 계해년(癸亥年)에 일어난 인조(仁祖) 반정의 딴이름.
계:해 반:정록【癸亥反正錄】[—녹] 명〖책〗조선 시대 때의 기록 문학 작품. 인목(仁穆) 대비가 광해군에 의해 유폐되었다가 인조 반정으로 복위되는 한편 광해군이 제주도로 귀양가서 비극적 종말을 마치는 내용을 담음. 1972년 10월에 필사본(筆寫本)으로 발견됨.
계:해 정사 공신【亥癸靖社功臣】명〖역〗인조 반정(仁祖反正)의 공신. 도합 53명으로, 김류(金瑬)·이귀(李貴)·김자점(金自點) 등 10명은 1등, 이괄(李适)·김경징(金慶徵) 등 15명은 2등, 박유명(朴維明)·한교(韓嶠) 등 28명은 3등 공신임.
계:해 조약【癸亥條約】명〖역〗조선 세종 25년(1443)에 대마도(對馬島)의 도주(島主) 소 사다모리(宗貞盛)와 맺은 조약. 왜인의 왕래를 제한하기 위한 것으로 세견선(歲遣船) 50척, 세사 미두(歲賜米豆) 200석으로 제한하는 조목이 있음.
계:행¹【戒行】명〖불교〗계율을 잘 지키어 닦는 행위. ——-하다 자여불
계:행²【啓行】명 ①앞서서 인도함. ②여행길을 출발함. ——-하다 자여불 「다 자여불
계:행³【繼行】명 ①계속해서 감. ②계속해서 행함. ¶주야 ~. ——-하
계:향¹【戒香】명〖불교〗계(戒)를 잘 지키어 여러 가지 공덕(功德)이 쌓이고 또 쌓여서 타인(他人)이 공경(恭敬)하는 마음을 일으키게 됨. 향(香) 냄새를 널리 피우는 데 비유(比喩)한 말.
계:향²【桂香】명 계수나무의 향기.
계혈-석【鷄血石】[—썩] 명〖광〗주자석(朱子石).
계:협【計筴】명 계책(計策). 「——-하다 타여불
계:호【戒護】명 ①경계하여 지킴. ②교도소 안의 보안(保安)을 유지함.
계호-도【鷄虎圖】명〖민〗음력 정월 초하룻날에 여염집에서 벽에다 그려 붙이는 그림. 닭과 호랑이를 그리는데, 닭은 초하룻날이 계일(鷄日), 호랑이는 정월이 인월(寅月)임을 뜻함. 「종팔품으로 정함.
계:호-정【挈壺正】명〖역〗고려초 태사국(太史局)의 한 벼슬. 문종 때
계:화¹【界畫】명〖미술〗①기화(起畫). ②자를 대고 직선을 그어 궁궐·사찰·누각(樓閣) 등의 복잡한 건물을 정밀하게 그리는 동양화의 기법.
계:화²【桂花】명 계수나무의 꽃. ㄴ또, 그 그림.
계:화-다【桂花茶】명 계화(桂花)를 따서 말린 것. 또, 그것을 물에 넣어 끓인 차. 계화차. 「찧어서 만든 떡.
계:화-병【桂花餠】명 계화(桂花)를 감초(甘草)물에 씻어 멥쌀과 함께
계:-화상【戒和尙】명〖불교〗삼사(三師)의 하나. 구족계(具足戒)를 줄 때의 으뜸 스님. 우리 나라에서는 특히, 사미(沙彌)의 계사(戒師)의 일컬음. *갈마사(羯磨師).
계:-화왕【戒花王】명 설총(薛聰)이 지었다는 설화의 하나. 꽃의 왕인 모란이 요염하고 간사한 장미에 반해, 강직하고 결백한 할미꽃을 멀리하여 정사(政事)를 그르쳤다는 내용으로, 임금이 간신(奸臣)을 가까이하고 충신을 멀리하는 것을 풍자한 우화(寓話)임.
계:화-유【桂花油】명 계화(桂花)·계지(桂枝) 등에서 짜낸 기름. 특이한
계:화-주【桂花酒】명 계화(桂花)를 넣고 담근 술. ㄴ향내가 남.
계:화-차【桂花茶】명 계화다(桂花茶).
계:활【契活·契闊】명 '결활(契活·契闊)'의 잘못.
계:회【契會】명 계(契)의 모임. ——-하다 자여불
계:획¹【計劃·計畫】명 계교(計較)하여 일의 얽이를 잡음. 또, 그 세운 내용이나 꾀. ¶~서(書)/~성(性). ——-하다 타여불
계:획²【計畫】명〖역〗관학 유생(館學儒生)의 평소 성적을 따져서 시험의 등급을 정함. ——-하다 타여불
계:획 경제【計劃經濟】명〖경〗①사회주의 사회에서 모든 생산과 소비를 의식적·계획적·통일적으로 하기 위하여 정부 자체에서 관리 감독하는 경제. ↔자유(自由) 경제. *통제(統制) 경제. ②자본주의 사회에서의 통제 경제 중의 비교적 고도(高度)의 것.
계:획-도【計劃圖】명 설계 계획에 사용하는 도면의 하나. 제작도(製作圖) 작성의 기초가 됨. *제작도·견적도(見積圖).
계:획 도:산【計劃倒産】명〖경〗도산이 가까운 것을 예측하고, 지급 의사 없이 다액의 상품을 사들인 후 되팔아 대금을 갚지 않는 사기 또는 회사 임원이 회사의 돈이나 회사 예금을 횡령하는 범죄 따위로 회사를 도산에 이르게 하는 일.
계:획 도시【計劃都市】명 도시 계획에 따라 건설된 도시.
계:획-량【計劃量】[—냥] 명 계획한 분량.
계:획 범:죄【計劃犯罪】명 미리 방법·내용 따위를 치밀하게 계획하고 저지른 범죄.
계:획-서【計劃書】명 계획을 적어 놓은 서류. ¶~를 제출하다.
계:획-성【計劃性】명 모든 일을 계획하여 처리하려고 하는 성질.
계:획-안【計劃案】명 계획에 대한 구상. 계획을 적어 놓은 서류.
계:획 원가【計劃原價】[—까] 명〖경〗계획 경제에서, 국가나 계획 당국이 결정하는 생산품의 원가.
계:획 인구【計劃人口】명 대개 20-30년 후의 장래의 인구를 과거의 인구 증가의 경향, 전국 인구와의 관련 및 장래 증가 가능성을 기초로 하여 추정한 한 도시의 인구.
계:획-자【計劃者】명 계획을 세우는 사람. 「필요로 하는 자본.
계:획 자본【計劃資本】명〖경〗기업가가 사업을 계획하고 실행할 때
계:획-적【計劃的】명관 어떤 일을 계획을 세워서 하는 모양. 계획이 서 있는 모양. ¶~인 범행. 「박을 건조(建造)하는 일.
계:획 조:선【計劃造船】명 국가의 자금을 기초로 하여 계획적으로 선
계:획 초시【計畫初試】명〖역〗유생(儒生)에게 열두 번 보이고 연말에 그 점수를 계산하여 소과(小科)의 복시(覆試)를 보게 하던 시험.
계:획-표【計劃表】명 계획을 적은 표.
계:획 홍수위【計劃洪水位】명 계획 홍수량(洪水量)의 댐의 홍수를 유하(流下)하는 경우의 댐의 직상류(直上流)의 수위(水位).
계:획 홍수 유량【計劃洪水流量】명 콘크리트 중력 댐 및 아치 댐에 있어서는 100년에 1회 발생한다고 상정(想定)되는 댐의 직상류(直上流)에서의 최대의 유량(流量) 또는 미리 관측된 우량(雨量)·수위(水位)·유량을 기초로 하여 산출된 댐의 직상류에 있어서의 최대의 유량 중 큰
계효【鷄鴞】명〖조〗올빼미. ㄴ것. *이상(異常) 홍수 유량.
계:후¹【季候】명 계절과 기후. 「——-하다 타여불
계:후²【繼後】명 생전이나 사후에 계통을 잇게 하는 양자. 계사(繼嗣).
계:후 문서【繼後文書】명〖역〗조선 시대 때, 생가(生家)와 소후가(所後家)의 문장(門長)이 입후(立後)하는 사유를 예조(禮曹)에 낸 문서, 또는 예조에서 거기에 의견을 첨부하여 계문(啓聞)한 문서.
계흉【鷄胸】명 새가슴.
계:흥【季興】명 말대(末代)에 흥(興)함.
계:-힘【戒—】명〖불교〗계율(戒律)에 공(功)을 들인 힘.
곕:시다 형 보형보동〔근대 : 겨오시다〕'계시다'보다 더 높이는 말.
곗:-날【契—】명 계원들이 일정한 기간마다 한 번씩 모이어서 결산(決算)을 하는 날.
곗:-돈【契—】명 ①계에 들어서 내는 돈. ②계를 타서 찾는 목돈. ③계에서 소유하고 있는 돈. 계전(契錢).
곗:-술【契—】명 계회(契會)에서 먹는 술. 계주(契酒).
[곗술에 낯내기] '계주생면(契酒生面)'과 같은 뜻.
고¹ 명 ①옷고름이나 노끈 등을 잡아맬 때에 풀리지 아니하게, 한 가닥을 조금 빼어 고리처럼 맨 것. ②〖민〗고싸움에 쓰이는 제구. 줄달이기의 줄과 같되 훨씬 굵고, 줄머리에 긴쪽의 지름 2-3m 가량의 타원형의 굵은 새끼줄 고리를 달고, 꼬리는 두 가닥으로 가늘게 갈라짐.
고² 명〈옛〉코. ¶고히 平코 엷디 아니 ᄒᆞ며 《月釋 XV:53》.
고³ 명〈옛〉금(琴). ¶고 금(琴) 《字會 中 32》.
고⁴ 명〈옛〉공이¹. ¶고 져(杵) 《字會 中 11》.
고⁵ 명〈옛〉휘³. ¶고 곡(斛) 《字會 中 11》.
고⁶ 명〈옛〉곳간. 곳집. 창고(倉庫). ¶다 ᄒᆞᆫ 고애 뫼화 사르믈 혀여(皆聚之一草計口)《飜小 IX:108》.
고⁷【考】명 죽은 아버지의 일컬음. *현고(顯考).
고⁸【固】명 성(姓)의 하나. 우리 나라에는 현존하지 아니함.
고⁹【股】명 ①〖경〗↗고본(股本). ②〖수〗직각 삼각형의 직각을 낀 긴 변(邊). *구(勾)·현(弦).
고¹⁰【苦】명 ①괴로움. ②〖종·철〗지식욕이나 전세(前世)의 악업(惡業)에

의하여 받는 고통. 1)·2):↔낙.

고[11]【高】명〖수〗'높이❷'의 구용어.

고[12]【高】명 성(姓)의 하나. 현재 우리 나라에는 제주(濟州)·장흥(長興) 등 15개의 본관이 있음.

고[13]【庫】명 곳간.

고[14]【鼓】명〖악〗북².

고[15]【膏】명 조리어 고아 엉기게 한 즙(汁).

고[16]【稿】명 초고(草稿). 원고(原稿).

고[17]【顧】명 성(姓)의 하나. 본관 미상.

고[18]【蠱】명〖민〗↗고괘(蠱卦).

고[19]【孤】명 인대 ①왕후(王侯)의 겸칭. ②〖역〗고려 충렬왕 2년(1276) 이후 '짐(朕)'의 고친 이름.

고:[20]〔go〕㊀ 명 가는 일. ↔스톱(stop). ㊁ 감 가라.

고[21] 관 이미 말한 것이나 또는 말 받는 이가 이미 짐작하고 있는 것을 얕잡아서 가리키는 말. ¶ ~ 자식/~ 새끼. <그. ↔요.

고:[22]【故】관 이미 세상을 떠난 사람이 된. ¶ ~ 안중근 의사.

고[23]【遣】어미 〈이두〉 -고¹. *코(遣).

고[24] 조 ①두 가지 이상의 사물이나 사실을 아울러 설명할 때, 받침 없는 체언 밑에 쓰이는 접속 조사. ¶ 개~ 돼지~ 다 가축 동물이다 / 여기에서~ 저기에서~ 떠들기만 한다. *이고·며. ②종결 어미 '-다'·'-라'·'-자'·'-냐' 및 조사 '라'의 아래에 붙어서 '말하다'·'생각하다' 등의 말로 연결하여 직접·간접 인용(引用)을 나타내는 부사격 조사. ¶ 가자~ 약속하다 / '좋다'~ 말했다 / 가지 않겠느냐~ 물어 보았다 / 이런 남자를 대장부라~ 하오. *다고·라고.

고[25] 조 〈옛〉인고. ¶ 이 엇뎐 光明고 《月釋 X:7》.

고:-¹【古】두 '오랜·오래 된'의 뜻. ¶ ~서적. ↔금(今)-.

고-²【高】두 '높은·훌륭한'의 뜻. ¶ ~소득/~속도/~성능. ↔저(低)-.

-고¹ 어미 ①두 가지 이상의 동작·성질·사실 등을 대등하게 또는 대조적으로 잇따라 나타내는 연결 어미. ¶ 이것은 개~ 저것은 여우다 / 밥을 먹~ 떡을 먹자 / 배는 달~ 시원하다 / 예술은 길~ 인생은 짧다 / 가깝~도 먼 나라. ②두 동작을 말할 때, 앞의 동사 어간에 붙는 연결 어미. ㉠뒤 동작에 선행(先行)됨을 나타냄. ¶ 문을 열~ 들어오다 / 손을 씻~ 밥을 먹다. ㉡뒤 동작의 수단이나 방법을 나타냄. ¶ 자동차를 몰~ 오다 / 밥만 먹~ 살 수는 없다. ㉢뒤 동작의 근거·이유·조건 등을 나타냄. ¶ 너를 믿~ 왔다 / 독약을 먹~ 죽었다 / 신문 기사를 읽~ 놀랐다. ③동사 어간에 붙어서 '있다' 앞에서 동작의 진행, '나다' 앞에서 동작의 끝남, '싶다' 앞에서 동작의 욕망을 각각 나타내는 연결 어미. ¶ 지금 글을 쓰~ 있다 / 시험을 치~나니 마음이 홀가분하다 / 학교에 더 가~ 싶다. ④동작이나 상태 등을 강조하기 위하여 어간을 겹쳐 쓸 때, 앞 어간에 붙는 연결 어미. ¶ 쌓이~ 쌓인 시름 / 높~ 높은 가을 하늘. *-디. ⑤물음이나 항변 따위의 뜻을 나타내는 종결 어미. 손아랫사람에게 쓰임. ¶ 남은 일은 누가 하~ / 매는 누가 맞~. *-느냐·-냐.

-고²【高】미 어떤 일을 한 결과 얻어진 물질의 양이나 돈의 액수를 나타내는 접미사. ¶ 생산~/판매~.

-고³【膏】미 '고약'·'고약처럼 붙이는 물건'·'진하게 고아서 만든 물건' 따위의 뜻. ¶ 반창~/경옥~.

고:가¹【古加·古柯】명〖식〗'코카(coca)'의 취음.

고:가²【古家】명 지은 지 퍽 오래 된 집.

고:가³【古歌】명 옛 노래.

고:가⁴【估價】명 가격.

고:가⁵【告暇】명 ①휴가를 얻음. ②관직을 사퇴함. ③휴가. ——-하다 자여불

고가⁶【孤歌】명 고음(孤吟). ——-하다 자여불

고:가⁷【故家】명 여러 대 동안 벼슬이 떨어지지 아니하고 잘 지내 온 집안.

고가⁸【高架】명 높이 건너지름. ¶ ~ 철도.

고가⁹【高歌】명 큰 소리로 노래함. 고창(高唱). ——-하다 타여불

고가¹⁰【高價】[—까] 명 ①비싼 가격(價格). ¶ ~품(品). ↔저가. ②좋은 평판. 귀가(貴價).

고가¹¹【高駕】명 훌륭한 탈것.

고가¹²【雇價】명 품삯. 모군삯.

고가¹³【鼓歌】명 북을 치고 노래를 함. 사람을 종용(慫慂)하여 분기(奮起)케 함을 이르는 말.

고가-교【高架橋】명〖토〗지상(地上)으로 높다랗게 놓은 다리.

고:가 대:족【故家大族】명 여러 대(代)를 두고 현달(顯達)하고 번창하는 집안. 고가 세족(故家世族).

고가 도:로【高架道路】명 주로 대도시에서, 땅 위에 높이 지대(支臺)를 건설하고 그 위에 가설한 도로.

고가르텐〔Gogarten, Friedrich〕명〖사람〗독일의 프로테스탄트 신학자(神學者). 바르트(Barth, Karl)와 함께 변증법적(辨證法的) 신학(神學)의 입장을 취함. 신앙의 입장에서 역사를 관찰하여 특수한 견해를 주장함. 나치스 정권에 대해서는, 독일 국가와 운명을 함께 하려는 태도를 취하여, 나치스 정권에 반항한 바르트와 대립함. 저서에 《나는 삼위 일체의 신을 믿는다》가 있음. [1887-1967]

고가 사다리차【高架—車】명 빌딩 등 높은 곳의 화재시 진화·인명 구조 등에 쓰이는 굴신(屈伸)이 자유로운 사다리를 장비한 소방 자동차.

고가삭【高加索】명〖지〗'코카서스(Caucasus)'의 취음(取音).

고가 삭도【高架索道】명〖토〗가공 삭도(架空索道).

고가-선【高架線】명〖토〗고가 철도.

고:가 세:족【故家世族】명 고가 대족(故家大族).

고가 수조【高架水槽】명 비교적 높은 곳이나 건물에 급수하기 위하여, 옥상 따위 높은 곳에 양수(揚水)하여 두는 수조 설비.

고가-주【高價株】[—까—] 명〖경〗주가 수준이 비교적 높은 주식. 고가주에는 자본금이 적고 영업 실적이 좋으며 성장성이 있는 종목이 많음. ↔저가주(低價株).

고가 철도【高架鐵道】[—또] 명〖토〗대도시 등에서, 지상에 높이 받침대를 건설하고 그 위에 가설한 고속(高速) 철도. 구조는 아치형(型)과 철교형(鐵橋型)의 두 가지가 있음. 가공(架空) 철도. 고기선.

고가-품【高價品】[—까—] 명 값 비싼 물건. 값진 물품.

고각¹【高角】명 ① 지평면과 이루는 각(角)이 큼. 앙각(仰角)이 큼. ②〔elevation〕〖군〗포와 목표를 잇는 포목선(砲目線)과 사격 자세에 있는 포신(砲身)이 이루는 각. ¶ ~포(砲).

고각²【高閣】명 ①높다랗게 지은 집. ②〖천〗별의 이름.

고각³【鼓角】명 군중(軍中)에서 호령할 때에 쓰는 북과 나팔.

고각 단:층【高角斷層】명〖지〗경사가 45°보다 큰 단층.

고각 대:루【高閣大樓】명 높고 큰 집.

고각-포【高角砲】명〖군〗고사포(高射砲).

고각 함:성【鼓角喊聲】명 고각(鼓角)의 소리와 아우성 소리. 적군과 한창 어우러져 싸우다가 돌격(突擊)으로 들어갈 때에, 사기(士氣)를 돋우려고 북을 치고 나팔을 불며 아우성을 침.

고간¹【股間】명 샅❶.

고간²【固諫】명 굳이 간함. ——-하다 타여불

고간³【苦諫】명 고충(苦衷)을 다하여 간절히 간함. 통간(痛諫). ——-하다 타여불

고간⁴【苦艱】명 간고(艱苦). ——-하다 형여불

고간⁵【苦懇】명 몹시 간절히 청구함. ——-하다 타여불

고간⁶【高干】명〖역〗신라 때 외위(外位) 십등급(十等級) 중의 셋째 등급. 경위(京位)의 급찬(級飡)에 해당함.

고간-낙화조개 명〖조개〗[*Loripes pissidium*] 낙화조갯과에 속하는 연체 동물. 몸은 구형(球形)으로 길이 7 mm, 높이 6.5 mm, 폭 4 mm 가량이고 각정(殼頂)을 중심으로 많은 윤맥(輪脈)이 있음. 각표(殼表)는 황갈색, 내면은 황백색이고 복연(腹緣)에는 톱니가 있음. 한국·일본·중국 등지에 분포함. 패각(貝殼)이 매화꽃 같아서 조가비 세공(細工)에 사용함.

고:-간독【古簡牘】명 ①옛날 명현(名賢)들의 편지를 실어 놓은 책. ②옛날의 편지틀.

고:-간본【古刊本】명 오래된 간행본. 송원(宋元) 이전의 간행본.

고갈¹【苦渴】명 몹시 물이 말라 고생함. ——-하다 자여불

고갈²【枯渴】명 ①물이 말라서 없어짐. ②돈이나 물건 같은 것이 매우 귀하여짐. ¶ 자원의 ~. ——-하다 자여불

고갈 현:상【枯渴現象】명〖지〗우량(雨量) 감소, 관개(灌漑)의 실패, 산림 벌채(山林伐採), 작물 다작(作物多作) 등의 원인으로, 한 지역에서 영구히 물이 감소되거나 없어지는 일.

고감【庫監】명〖역〗조선 후기에, 유향소(留鄕所)의 향임(鄕任)의 하나.

고:-갑자【古甲子】명〖민〗옛적 간지(干支)의 이름. 갑(甲)은 알봉(閼逢), 을(乙)은 전몽(旃蒙), 병(丙)은 유조(柔兆), 정(丁)은 강어(強圉), 무(戊)는 저옹(著雍), 기(己)는 도유(屠維), 경(庚)은 상장(上章), 신(辛)은 중광(重光), 임(壬)은 현익(玄黓), 계(癸)는 소양(昭陽), 자(子)는 곤돈(困敦), 축(丑)은 적분약(赤奮若), 인(寅)은 섭제격(攝提格), 묘(卯)는 단알(單閼), 진(辰)은 집서(執徐), 사(巳)는 대황락(大荒落), 오(午)는 돈장(敦牂), 미(未)는 협흡(協洽), 신(申)은 군탄(涒灘), 유(酉)는 작악(作噩), 술(戌)은 엄무(閹茂), 해(亥)는 대연헌(大淵獻)이라 부름. 육갑이 생겼던 초기에 중국에서 사용되었음.

고강¹【考講】명〖역〗강경(講經)을 고시(考試)함. ——-하다 타여불

고-강²【高崗】명〖사람〗'가오 강(高崗)'을 우리 음으로 읽은 이름.

고개¹ 명 ①목의 뒷등. ②머리. ¶ ~를 돌리다. ③산이나 언덕을 넘어 다니게 된 비탈진 곳.

고개가 수그러지다 구 존경하는 마음이 일어나다. ¶ 선생 앞에서 고개가 수그러지지 않을 수가 없었던 것이다.

고개(를) 들다 구 ㉠숙였던 머리를 쳐들다. ㉡눌렸던 또는 숨겨져 있던 생각이나 의심이 머리에 떠오르다. 또, 차츰차츰 세력을 얻어 알려지게 되다. 대두(擡頭)하다.

고개(를) 숙이다 구 ㉠머리를 숙이다. 절을 하다. ㉡상대방의 힘에 굴복하다. ¶ 일본놈들한테 고개를 숙이고 살려니 앞이 캄캄하기만 했소.

고개(를) 젓:다 구 고개를 옆으로 흔들어 부정(否定)·거절 등의 뜻을 나타내다.

고개 하나 까딱 않다 구 꼼짝도 하지 않다.

고개² 명〈방〉〖동〗①고양이. ②달팽이(함경).

고개³【孤介】명 절개가 굳어 시속(時俗)에 물들지 아니함. ——-하다 형여불

고개⁴【高概】명 뛰어난 절개(節槪). 고절(高節).

고개 너머 명 고개 저쪽에 있는 곳.

고개-도【高介島】명〖지〗경상 남도의 남해상(南海上), 거제시(巨濟市) 사등면(沙等面) 오량리(烏良里)에 위치한 섬. [0.06 km²]

고개-빤드기 명〈방〉개똥벌레(황해).

고:개-산【古介山】명〖지〗평안 북도 강계군(江界郡) 종남면(從南面)에 있는 산. 적유(狄踰) 산맥의 일부를 이루고 압록강의 지류인 독로강(禿魯江)의 수원지를 이루고 있음. [1,183 m]

고개-잡이 명 봉산 탈춤 등에서, 고개를 끄덕여 탈을 부르르 떠는 춤사위.

고-개지【顧愷之】명〖사람〗중국 동진(東晉)의 화가(畫家). 자는 장강(長康). 장쑤 성(江蘇省) 우시(無錫) 사람. 박학 다재하며 특히 화(畫)·재(才)·치(癡)의 삼절(三絶)이라 부르며, 인물·산수화에 뛰어남. 동양 화론의 비조(鼻祖). 대영(大英) 박물관 소장(所藏)의 《전여사잠도권(傳女史箴圖卷)》은 모본(模本)임. 생몰년 미상.

고개-치 명 ☞고개티. ¶ …해가 기우는 먼 ~를 바라보며 체부 오기를 기다린다《金裕貞 : 산골》.

고개-턱 명 고개의 마루터기.

고개-티 명 고개를 넘는 가파른 비탈길.

고:객¹【估客】명 상인(商人)❶.

고객²【苦客】명 귀찮은 손. 성가신 나그네.

고객[3]【孤客】명 외로운 나그네. 「줄다.
고객[4]【顧客】명 단골 손님. 상객(常客). 주고(主顧). 화주(華主). ¶ ~이
고객 예:탁금【顧客預託金】[―녜―] 명〖경〗증권 회사가 유가 증권의 매매 거래 등과 관련하여 고객으로부터 예탁받아 일시 보관 중인 예수금(豫受金).
고객 지주 제:도【顧客持株制度】명〖경〗회사가 주식을 발행함에 있어서 그 회사의 거래인에게 주식을 인수시키는 제도. 일정율의 배당을 붙여 주는 우선주(優先株)로서 고객에게 매출하며, 1920년대에 미국에서 채용되어 큰 실효를 거두었음.
고객 지향【顧客志向】명〖경〗생산·판매 활동의 모든 것을 고객 위주
고갯-길 명 고개를 넘는 길. ㄴ로 하는 일.
고갯-놀이 명 농악무(農樂舞)에서, 벙거지에 달린 상모를 돌리는 연기의 하나.
고갯 마루 명 산이나 언덕의 등성이가 되는 꼭대기.
고갯-심 명 고개의 힘.
고갯 장단【―長短】명 고갯짓으로 맞추는 장단.
고갯-짓 명 고개를 흔들거나 끄덕이는 짓. ――-하다 자여불
고갱〔Gauguin, Paul〕명〖사람〗프랑스의 후기 인상파 화가(畫家). 처음 인상파(印象派)에서 출발하였으나 차츰 이에 염증을 느끼어, 명확한 선(線)과 특이한 색조로 장식적인 그림을 그렸으며, 세속을 피하여 멀리 타이티(Tahiti) 섬에 건너가 원시적 생활 속에서 풍경과 원주민의 생활을 많이 그렸음. 색채의 면에서 후세 화가에게 많은 영향을 끼침. 작품에 《황색의 그리스도》·《부채를 든 여인》 등이 있음. [1848-1903]
고갱이 명 ①〖식〗초목(草木)의 줄기 한가운데의 연한 심. 연륜(年輪)의 심. 수(髓). 목수(木髓). ②사물의 핵심(核心).
고거[1]【考據】명 상고(詳考)하여 증거로 삼음. ――-하다 타여불
고거[2]【苦苣】명〖식〗시화[1].
고:거[3]【故居】명 이전에 살던 집.
고거[4]【高車】명〖역〗4-5세기경에 몽고에서 활약하던 투르크계의 유목
고-거[5] 인대 지대 ↗고것. <그거. ㄴ종족(遊牧種族).
고거리 명 소의 앞다리에 붙은 살.
고거리-사태 명〈방〉사태.
고:건[1]【櫜鞬】명 ①동개. ②활집과 전동.
고-건[2] 준 ↗고것은. <그건.
고:-건:물【古建物】명 옛날의 건물.
고-걸 준 ↗고것을. <그걸.
고걸-로 준 ↗고것으로. <그걸로.
고:검[1]【古劍】명 옛 칼. 오래 된 칼.
고검[2]【考檢】명 상고(詳考)하여 자세히 조사함. ――-하다 타여불
고검[3]【孤劍】명 한 자루의 칼.
고검[4]【高檢】명 ↗고등 검찰청(高等檢察廳).
고-것 인대 지대 '그것'을 얕잡아 일컫는 말. 준고거. <그것.
고-게 준 ↗고것이. <그게.
고:격[1]【古格】명 ①옛 격식(格式).
고격[2]【敲擊】명 치고 때림. ――-하다 타여불
고격 악기【敲擊樂器】명〖악〗타악기(打樂器).
고견[1]【高見】명 ①탁월한 의견. ②남의 의견의 존칭. ¶ ~을 듣고 싶다.
고견[2]【顧見】명 ①뒤를 돌아봄. ②고호(顧護). ――-하다 타여불
고결[1]【固結】명 뭉치어 굳어짐. *응결(凝結). ――-하다 자여불
고결[2]【高潔】명 성품이 고상하고 순결함. 지조(志操)가 높고 깨끗함. ¶ ~한 인품. ――-하다 형여불
고:경[1]【古經】명 ①〖천주교〗구약 성서. ②옛 경전.
고:경[2]【古鏡】명 옛적 거울. 고대의 금속제 거울.
고:경[3]【告更】명〖역〗누수기(漏水器)를 보고 밤중에 시간을 대궐 안에 알림. ――-하다 자여불
고:경[4]【告警】명 알리어 경계함. ――-하다 자타여불
고:경[5]【告罄】명 ①제사(祭祀)가 끝남. ②사물(事物)이 다하여 없어짐. ――-하다 자여불
고경[6]【苦境】명 괴로운 지경. 불행한 처지. ¶ ~에 처하다. ↔낙경(樂境).
고-경(:)명【高敬命】명〖사람〗조선 중기 때의 유학자·의병장(義兵將). 자는 이순(而順), 호는 제봉(霽峰). 장흥(長興) 사람. 명종(明宗) 13년(1558)에 문과에 급제한 후, 교리(校理)·동래부사(東萊府使) 등을 역임하고 퇴관, 향리에서 지방 자제를 가르쳤음. 임진 왜란이 일어나자, 7천여 명의 의병(義兵)을 거느리고 북상(北上)하던 중 관병(官兵)과 합세하여 금산(錦山)을 공격하다가, 아들 인후(仁厚)와 유팽로(柳彭老)·안영(安瑛) 들과 같이 전사하였음. [1533-92]
고:경-불【古卿佛】명〖사람〗맹사성(孟思誠)의 호(號).
고:계[1]【古戒】명 옛 사람이 남긴 경계.
고:계[2]【估計】명 물건 값을 계산함. ――-하다 타여불
고:계[3]【告戒·告誡】명 타일러 훈계함. ――-하다 타여불
고계[4]【苦界】명〖불교〗고생스러운 세계. 곧 인간계(人間界).
고-계[5]【高啓】명〖사람〗중국 명초(明初)의 시인. 자는 계적(季迪), 호는 청구자(青丘子). 홍무 연간(洪武年間)에 한림원(翰林院) 국사 편수관으로서 《원사(元史)》를 편수하고, 벼슬은 예부 시랑(禮部侍郎)에 이름. 시인으로는 '명대 사절(四絕)'·'북곽 십자(北郭十子)' 중에 들며, 청신한 시체(詩體)를 가졌음. [1336-74]
고계 도:함수【高階導函數】[―쑤] 명〔higher order derivatives〕〖수〗함수를 두 번 이상 미분(微分)하여 얻어지는 함수의 본디 함수에 대한 총칭. 고차(高次) 도함수.
고계 언어【高階言語】명〖논〗고차(高次) 언어.
고고[1]【考古】명 옛 유물(遺物)·유적(遺跡)으로 고대(古代)의 사실을 연구 고찰함. ――-하다 타여불 「聲).
고고[2]【呱呱】명 아이가 세상에 처음 나오면서 우는 소리. ¶ ~지성(之
고고[3]【孤苦】명 외롭고 가난함. ――-하다 형여불
고고[4]【孤高】명 혼자 세속(世俗)에 초연(超然)하여 고상함. 남보다 뛰어나게 고상함. ――-하다 형여불
고고[5]【苦苦】명〖불교〗삼고(三苦)의 하나. 고(苦)의 인연(因緣)에서 받는 괴로움. *괴고(壞苦)·행고(行苦). 「――-하다 자여불
고고[6]【枯槁】명 ①초목이 말라 죽음. ②영락(零落)함. ③파리하여짐.
고:-고[7]〔gogo〕명 로큰롤(rock-and-roll)에 맞추어 몸을 격렬하게 흔드는 야성적인 춤. 또, 그 음악. 1965년경부터 미국에서 시작됨. ¶ ~ 댄스/~족(族). 「의 높이.
고-고도【高高度】명 지상 7,000-10,000미터 정도의 높이. 아(亞)성층권
고고리[1] 명〈방〉이삭[1](제주). 「蔕甜)《金三 Ⅱ:50》.
고고리[2] 명〈옛〉꼭지. =고그리. ¶ 둔 果ㄴ 고고리예 스믓 돌오(甜果徹
고고-리[3]【姑姑里】명〖역〗중국 원(元)나라의 부인(婦人)이 나들이할 때 쓰던 관(冠)의 하나. 고려 때, 우리 나라에 전해져, 족두리의 원형(原型)이 되었다고 함.
고고마 명〈방〉고구마(경남).
고:-고미【古古米】명 새 쌀보다 2년 전에 수확한 쌀. 「일.
고고 영정【孤苦零丁·孤苦伶丁】명 영락(零落)하여 도움 없이 고생하는
고고이 부〈옛〉굽이굽이. (그물 따위의) 코마다. ¶ 수랑 수랑 고고이 미친 수랑 《古時調》. 「여불
고고 자허【孤高自許】명 자기만이 고결하다고 자부함. ――-하다 자
고:고-주【―株】〔gogo〕명〖경〗〈속〉증권 시장에서, 투기를 유발하며 시세 변동이 심한 주(株)의 일컬음.
고고지-성【呱呱之聲】명 고고(呱呱)의 소리. 산성(產聲). ¶ ~을 울리다.
고고 천변【皐皐天邊】명〖악〗중중모리 장단으로 부르는 단가(短歌)의 하나. 본디는 판소리 수궁가(水宮歌)의 한 대목이던 것을 따로 떼어서 부름.
고고-학【考古學】명〔archaeology〕옛날의 물질적 유물(遺物)이나 고대(古代) 인류 생활 전체를 대상으로 하여 과학적으로 연구하는 학문. 넓은 의미의 고대학(古代學)이라 할 수 있는 것으로, 선사(先史) 고고학·원사(原史) 고고학·유사(有史) 고고학의 구분이 있음. ↔고현학(考現學). 「류학과.
고고학-과【考古學科】명〖교〗대학에서, 고고학을 전공하는 학과. *인
고고학-자【考古學者】명 고고학을 연구하는 사람.
고고 화학【考古化學】명〔archeological chemistry〕고고학상의 문제 해결을 위하여 화학 이론이나 실험 방법, 특히 분석 화학을 응용하는 학문.
고:곡[1]【古曲】명 옛 가곡(歌曲). 「이 흐르는 골짜기.
고곡[2]【涸谷】명 평소에는 물이 흐르지 아니하고 비가 많이 내릴 때만 물
고곤【苦困】명 고통스럽고 곤란함. 곤고(困苦). ――-하다 형여불
고골[1]【枯骨】명 죽은 뒤에 살이 썩어 없어진 뼈.
고:골[2]〔Gogol', Nikolai Vasilievich〕명〖사람〗러시아의 소설가·극작가. 주로 하급 관리의 비참한 생활이나 몰락 지주 계급을 현실적으로 그렸는데, 특히 희곡 《검찰관(檢察官)》·《죽음의 농노》 등은 일세의 비난을 받았으나, 통렬한 풍자와 견실한 수법이 러시아 리얼리즘의 창시자의 하나로 꼽히게 하였음. [1809-52] 「34》.
고곰 명〈옛〉고금. 학질. =고콤. ¶ 고곰 히(痎), 고곰 학(瘧) 《字會 中
고공[1]【考功】명 ①부조(父祖)의 공업(功業). ②고과(考課)❶. ――-하다 타여불 「가 없음.
고공[2]【苦空】명〖불교〗①이 세상은 괴롭고 텅 빈 것임. ②고(苦)는 뿌리
고공[3]【姑公】명 ①시아버지와 시어머니. ②왕고모부(王姑母夫). 할아버지의 자형이나 매제.
고공[4]【高工】명 ↗고등 공업 학교. 「↔저공(低空).
고공[5]【高空】명 높은 공중. 상공(上空). 고궁(高穹). ¶ ~에서 낙하하다.
고공[6]【高拱】명 ①아무 일도 하지 않고 팔짱을 높이 낌. 전하여, 관계하지 아니하고 방관함. ②도가(道家)에서, '대법사(大法師)'를 이르는 말.
고공[7]【雇工】명 ①머슴. ②품팔이. ③고용하는 직공. ㄴ――-하다 타여불
고공[8]【篙工】명 뱃사공. 고사(篙師).
고공-가【雇工歌】명〖문〗조선 시대 때의 가사. 머슴의 노래로서 당시 만조 백관의 부패상을 은유적(隱喩的) 수법으로 읊은 가사. 작자는 중종 때의 허전(許㙉)이라고도 하며, 이원익(李元翼)이라는 설도 있음. 《고공답주인가(雇工答主人歌)》는 이 노래에 대한 화답가(和答歌)임.
고공-기【考工記】명〖책〗중국의 고전(古典) 《주례(周禮)》 중의 한 편(編). 궁실 조영(宮室造營)·수레·악기·병기(兵器) 등에 관한 기술이 실려 있어, 중국 최고(最古)의 기술서(技術書)로서 고대의 물질 문명을 연구하는 데 필요한 문헌임.
고공 낭중【考功郎中】명〖역〗고려 때 상서 고공(尚書考功)·고공사(考功司)의 각 정오품 벼슬. *고공 정랑(考功正郎)·고공 직랑(考功直郎).
고공-답가【雇工答歌】명〖문〗↗고공답주인가(雇工答主人歌).
고공-답주인가【雇工答主人歌】명〖문〗조선 시대 때의 가사(歌辭). 선조(宣祖) 때 이원익(李元翼)이 지은 것으로, 허전(許㙉)의 고공가(雇工歌)에 답하여 지은 반가(返歌)로서, 일국(一國)을 다스리는 도리를 전민(田民)과 주인과의 관계에 비기어 노래하였음. 고공답가.
고공 무상 무아【苦空無常無我】명〖불교〗일체의 법은 항상 고통스럽고 환상(幻像)과 같이 공허하고, 시시각각으로 변천하여 무상하며, 주체성(主體性)이 없고 무아하다는 말. 이 네 가지를 유루(有漏)의 사종(四種)의 상(相)이라 함.
고공-병【高空病】[―뼝] 명〖의〗고공에 있어서 기상의 변화·산소의

결핍 등으로 인하여 일어나는 병. 고도병(高度病). *고산병·항공병.

고공 비행【高空飛行】[명]〖항공〗15,000-20,000미터 이상의 상공을 비행하는 일. ↔저공 비행(低空飛行). ——-하다 [자][여불]

고공-사【考功司】[명]〖역〗①고려 공민왕(恭愍王) 5년(1356)에 세운 이부(吏部)의 마을의 하나. 관리의 공과(功過)를 조사 처리하는 일을 맡아 봄. 전 이름은 사적사(司績司) 또는 상서 고공사(尙書考功司). ②조선 시대 때 이조(吏曹)의 한 분장(分掌). 문관의 공과·근만(勤慢)·휴가(休暇), 아전(衙前)의 근무 일수(日數), 향리(鄕吏) 자손을 다스리는 일 등에 관한 일을 맡아 봄.

고공 산:랑【考功散郞】[—살—] [명]〖역〗고려 때, 고공 원외랑(考功員外郞)의 한때 고친 이름.

고공-살이【雇工—】[명] 남의 집에서 고공 노릇하는 생활. 머슴살이. ——-하다 [자][여불]

고공 심리【高空心理】[—니] [명] 비행기가 비행하는 동안에 일어나는 평상시와 다른 특수한 심리 상태.

고공 원외랑【考功員外郞】[명]〖역〗고려 때 상서 고공(尙書考功)·고공사(考功司)의 각 정육품 벼슬. *고공 좌랑(考功佐郞)·고공 산랑(考功散郞).

고공 정:랑【考功正郞】[—낭] [명]〖역〗고려 충렬왕(忠烈王) 원년(1275)에 고공 낭중(考功郞中)의 고친 이름.

고공 좌:랑【考功佐郞】[명]〖역〗고려 충렬왕(忠烈王) 원년(1275)에 고공 원외랑(考功員外郞)의 고친 이름.

고공 직랑【考功直郞】[—낭] [명]〖역〗고려 때 고공 낭중(考功郞中)의 한때 고친 이름.

고공-품【藁工品】[명] 짚·풀줄기 등으로 만든 공작품(工作品).

고과¹【考課】[—꽈] [명] ①〖역〗관리의 근무 성적을 평정하던 일. 관리 개개인의 공과(功過)·근태(勤怠)·공죄(公罪)·휴가 등을 심사하여 인사 이동에 참고 자료로 하였음. 고공(考功). ②군인·공무원·학생·회사원 등의 근태(勤怠)와 집무 성적·재능 등을 조사하여 보고하는 일. ¶인사(人事) ~. ③학생들의 성적을 고사함. 고시(考試). ——-하다 [타][여불]

고:과²【告課】[명]〖역〗하례(下隷)가 상사(上司)에게 신고함. ——-하다 [타][여불]

고과³【孤寡】[명] ①고아와 과부. ②왕후가 자신을 겸손하게 이르는 말.

고과⁴【苦瓜】[명]〖식〗여주.

고과⁵【苦果】[명]〖불교〗고뇌(苦惱)를 받는 과보. 악업의 과보로서 받는 고뇌.

고과⁶【高科】[명]〖역〗과거(科擧)의 성적이 우등임. 고제(高第).

고과-장【考課狀】[—꽈짱] [명] ①관리의 고과에 관한 보고서. ②〖경〗은행·회사의 대차 대조표·손익 계산서·재산 목록을 포함한 영업 보고서. *계산 서류(計算書類).

고과-표【考課表】[—꽈—] [명] 고과를 기록한 표(表).

고관¹【考官】[명]〖역〗무과(武科)와 강경과(講經科)를 주장(主掌)하는 시관(試官). 임시 벼슬임.

고:관²【告官】[명]〖역〗관아(官衙)에 고함. ——-하다 [타][여불]

고관³【苦觀】[명]〖불교〗①이 세상을 고(苦)의 세계로 봄. ②염세관(厭世觀)을 가짐. ——-하다 [타][여불]

고관⁴【高官】[명] 지위 높은 벼슬. 또, 그런 관직에 있는 사람. 달관(達官). 대리(大吏). 존관(尊官).

고:관 가전【古官家典】[명]〖역〗신라의 마을 이름. 고관가(古官家)의 관리를 맡음.

고관 대:작【高官大爵】[명] 지위가 높고 훌륭한 벼슬.

고:관-자【古懽子】[명]〖사람〗강위(姜瑋)의 호(號).

고-관절【股關節·胯關節】[명]〖생〗비구 관절(髀臼關節).

고관절 결핵【股關節結核】[명]〖의〗결핵성으로 일어나는 관절염. 만성병으로, 어린이에게 흔하고 처음에는 다리를 절다가 심해지면 다리가 휘어지고, 종양(腫瘍)이 고관절에 나타남.

고관절-염【股關節炎】[—렴] [명]〖의〗각가지 병원균으로 인하여 고관절에 생기는 염증. 결핵균(結核菌)으로 인한 고관절 결핵은 그 대표적인 것임.

〈고광나무❷〉

고광¹【孤光】[명] 멀리 보이는 외로운 빛.

고광²【高曠】[명] 높고 광활함. 마음이 넓고 고상함. ——-하다 [형][여불]

고광-나무 [명]〖식〗①범의귓과에 속하는 각시고광나무·섬고광나무·왕고광나무 등의 총칭. ②[*Philadelphus schrenckii*] 범의귓과에 속하는 낙엽 활엽 관목. 높이 3-4m이고 잎은 달걀꼴 또는 타원형임. 4-5월에 백색의 꽃이 총상(總狀) 화서로 피고, 삭과(蒴果)는 9월에 익음. 이년생 가지의 껍질은 벗겨지며 산골짜기에 나는데, 거의 한국 각지 및 일본·만주와 우수리 등지에 분포함. 관상용 및 신탄재로 쓰고 어린 잎은 식용함.

고-괘【蠱卦】[명]〖민〗육십사 괘의 하나. 간괘(艮卦)와 손괘(巽卦)가 거듭된 것인데, 산 아래에 바람이 있음을 상징(象徵)함. [준]고(蠱).

고:괴【古怪】[명] 예스럽고 괴상함. ——-하다 [형][여불]

고굉【股肱】[명] ①다리와 팔. ②↗고굉지신(股肱之臣).

고굉지-력【股肱之力】[명] 다리와 팔의 힘. 곧, 온몸의 힘.

고굉지-신【股肱之臣】[명] 임금이 가장 믿고 중하게 여기는 신하. 고장지신(股掌之臣). [준]고굉. *주석지신.

고:교¹【古敎】[명]〖천주교〗예수가 나기 전에 하느님을 숭배하던 종교. 모세교. 구교(舊敎). *성교(性敎).

고교²【考校】[명] ①상고하고 조사함. ②성적 같은 것을 꼲음. ——-하다 [타][여불]

고:교³【故交】[명] ①오래 전부터의 사귐. ②고구(故舊).

고교⁴【高校】[명] ↗고등 학교(高等學校).

고교⁵【高敎】[명] 남의 가르침을 높이어 일컫는 말.

고교-생【高校生】[명] ↗고등 학교 학생(高等學校學生).

고:교 시대【古敎時代】[명]〖천주교〗고교(古敎)를 믿던 시대.

고교회-도【高敎會徒】[명] 고교회파의 사람.

고교회-파【高敎會派】[명]〖종〗교회의 권위와 의식을 중히 여기는 영국 교회 중의 한 파. ↔저교회파(低敎會派).

고:구¹【古丘】[명] ①옛날부터 있는 언덕. ②오래된 분묘(墳墓).

고:구²【古句】[명] 옛 구(句). 고인(古人)의 글귀. 옛 글귀.

고구³【考究】[명] 상고(詳考)하여 연구함. 연고(硏考). ——-하다 [타][여불]

고구⁴【固舊】[명]〖지〗'구주'를 우리 음으로 읽은 이름.

고구⁵【姑舅】[명] 남편의 어머니와 아버지. 시부모(媤父母).

고:구⁶【故丘】[명] 고향(故鄕).

고:구⁷【故舊】[명] 사귄 지 오래된 친구. 고인(故人). 고교(故交).

고구⁸【羔裘】[명] 대부(大夫)의 예복(禮服)의 하나. 새끼양의 가죽으로 만듦.

고구⁹【高丘】[명] 높은 언덕. 고릉(高陵).

고구려【高句麗·高句驪】[명]〖역〗고대 삼국 시대의 한 나라. 기원전 37년 갑신(甲申)에 북부여(北扶餘)의 주몽(朱蒙) 동명왕(東明王)이 세워, 28대 보장왕(寶藏王) 27년(668)에 이르러 나당(羅唐) 연합군에게 망함. 700여 년 동안 만주 일대와 한반도(韓半島)의 넓은 국토를 통치하였으며, 우리 민족사상 한인(漢人)에 대한 반발력과 자각(自覺) 및 단결력이 가장 왕성했던 나라였음. 졸본 부여. [준]고려. [37 B.C.-A.D. 668]

고구려 가요【高句麗歌謠】[명] 고구려 시대의 가요. '황조가(黃鳥歌)'·'내원성가(來遠城歌)'·'명주가(溟州歌)' 등.

고구려-무【高句麗舞】[명] 고구려 때에 궁중에서 행하던 것을 고려를 거쳐 조선 순조(純祖) 때 개작한 궁중무. 무동(舞童) 여섯이 세 편으로 나뉘어 마주 보고 춤.

고구려 불교【高句麗佛敎】[명]〖불교〗고구려 소수림왕(小獸林王) 2년(372)에 중국의 진(秦)나라로부터 중 순도(順道)가 불상(佛像)·불문(佛文)을 가져와서 전파되어 성행(盛行)하던 불교.

고구려 오:부【高句麗五部】[명]〖역〗①고구려에 있던 다섯 부족(部族). 계루부(桂婁部)·순노부(順奴部)·소노부(消奴部)·관노부(灌奴部)·절노부(絶奴部)의 일컬음. ②〖역〗고구려 때 서울을 다섯 부(部)로 나눈 행정 구역. 초기의 오족 사회(五族社會)가 뒤에 서울 안의 행정 구역으로 변화한 것인데, 계루부(桂婁部)를 내부(內部) 혹은 황부(黃部), 소노부(消奴部)를 서부(西部) 혹은 우부(右部), 절노부(絶奴部)를 북부(北部) 혹은 후부(後部), 순노부(順奴部)를 동부(東部) 혹은 좌부(左部), 관노부(灌奴部)를 남부(南部) 혹은 전부(前部)라 하였음. 오부.

고구려 오:족【高句麗五族】[명]〖역〗고구려 오부(五部)❶.

〈고구마〉

고:구마 [명]〖식〗[*Ipomoea batatas* var. *edulis*] 메꽃과에 속하는 다년초. 줄기는 지상으로 길게 뻗어 나가며, 잎은 심장형(心臟形)임. 꽃은 보통 피지 않으나 때로 담홍색의 나팔 모양으로 피기도 함. 근경(根莖)은 괴경(塊莖)인데 다육근(多肉根)으로, 전분(澱粉)이 많아 먹거나 공업용으로 쓰며 잎과 줄기도 나물로 식용함. 북아메리카 중부 원산(原産)으로, 세계 각지의 난대(暖帶)에서 재배함. 감서(甘薯). 감저(甘藷). 남감저(南甘藷). 저우(藷芋).

고:구마 덩굴 [명]〖식〗고구마의 지상경(地上莖)인 덩굴.

고:구마-볶음 [명] 납작하고 네모나게 썬 고구마 조각들을 기름에 볶아, 양념장과 물을 조금 부어 익힌 반찬의 이름.

고:구마-술 [명] 고구마를 고아서 만든 소주.

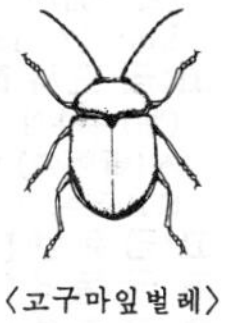
〈고구마잎벌레〉

고:구마-엿 [명] 고구마를 고아서 만든 엿. 남감저당(南甘藷糖).

고:구마-잎벌레 [명]〖충〗[*Colasposoma dauricum*] 잎벌렛과에 속하는 곤충. 몸길이는 6mm 내외이고 몸빛은 흑동색·청람색 또는 금속 녹색에 광택이 남. 배면(背面)에는 대체로 점각(點刻)이 있음. 고구마의 해충으로, 한국·일본·중국·시베리아 등지에 분포함.

고구매 [명]〈방〉〖식〗고구마(전남·경남·함북).

고:국¹【古國】[명] ①역사가 오랜 나라. ②일찍이 존재했던 나라.

고:국²【故國】[명] ①조상이 살던, 고향인 나라. 본국(本國). ¶~의 땅을 밟다. ②역사가 오랜 옛 나라.

고:국 산천【故國山川】[명] 고국 땅. 본국의 산과 물.

고:국양-왕【故國壤王】[명]〖사람〗고구려 제18대 왕. 휘는 이련(伊連). 소수림왕(小獸林王)의 아우. 동왕 2년(385)에 요동(遼東)을 습격하여 모용씨(慕容氏)를 격파하고, 요동과 현토군(玄菟郡)을 점령하였음. [재위 384-391]

고:국원-왕【故國原王】[명]〖사람〗고구려 제16대 왕. 휘(諱)는 사유(斯由) 또는 쇠(釗). 미천왕(美川王)의 태자. 동왕 12년(342)에 환도성(丸都城)으로 천도, 13년(343)에는 평양의 동황성(東黃城)으로 다시 천도하였음. 41년(371)에 백제의 근초고왕(近肖古王)과 평양에서 싸우다가 전사하였음. 국강상왕(國罡上王). [재위 331-371]

고:국천-왕【故國川王】[명]〖역〗고구려 제9대 왕. 휘는 남무(男武). 신대왕(新大王)의 둘째 아들. 진대법(賑貸法)을 실시함. 국양왕(國壤王). [재위 179-197]

고군¹【孤軍】[명] 후원이 없는 외로운 군사. 단병(單兵).

고:군²【故君】[명] ①돌아간 군주. ②돌아간 남편.

고군³【雇軍】[명] ①삯군. ②〖역〗임시로 고용한 군병(軍兵).

고군 분:투【孤軍奮鬪】[명] ①외로운 군력으로 대적(大敵)과 싸움. ②홀로 여럿을 상대로 하여 싸움. ——-하다 [자][여불]

고군 약졸【孤軍弱卒】[—냑—] [명] 후원이 없고 힘이 약한 군사. 힘이 없는 약한 자의 비유.

고:궁¹【古宮】[명] 옛 궁전. 옛 대궐.

고궁²【固窮】[명] 곤궁한 것을 당연한 것으로 여기고 잘 견딤. ——-하다 [자][여불]

고궁³【孤窮】[명] 외롭고 곤궁함. ——-하다 [형][여불]

고:궁⁴【故宮】명 옛 궁전.
고궁⁵【高穹】명 높은 하늘. 고공(高空).
고궁 독서【固窮讀書】명 가난한 것을 달게 여기고 글 읽기를 좋아함.
고권¹【沽券】명 매도(賣渡) 증서. ㄴ——-하다 자여불
고:권²【故券】명 낡은 편지 또는 증서. 「여불
고:귀¹【告歸】명 작별하고 돌아감. 돌아갈 때에 작별함. ——-하다 자
고귀²【高貴】명 ①지위가 높고 귀함. ¶ ~한 분. ②훌륭하고 귀중함. ¶ ~한 생명/~한 희생. ③물건 값이 비쌈. ——-하다 형여불
고귀-성【高貴性】[—썽] 명 고귀한 특성.
고귀성의 도:덕【高貴性—道德】[—썽— / —썽에—] 명〖철〗고귀성을 선(善)으로 바꾸어 도덕 가치로 하는 니체(Nietzsche)의 실존주의적 도덕.
고귀-직【高貴織】명 능사직(綾絲織)의 하나. 날은 여러 겹으로 꼬고, 씨는 하나로 꼰 것을 사용함.
고:규¹【古規】명 옛날의 법칙 또는 규칙. 「¶ ~를 지키다.
고규²【孤閨】명 여성, 특히 과부가 홀로 자는 방. 외로이 자는 잠자리.
고규소-철【高珪素鐵】명〖화〗화학 공업용의 펄프(pulp)·파이프(pipe)·용기(容器) 등에 쓰이는, 규소 13-15%를 포함한 주조용 철합금(鑄造用鐵合金).
고:균【古筠】명〖사람〗김옥균(金玉均)의 호(號).
고그리 명〈옛〉꼭지❶. =고고리. ¶ 고그리 톄(蔕) ≪字會 下 4≫.
고극¹【苦劇】명 너무 심함. 지독함. ——-하다 형여불
고극²【高極】명〖기상〗기온(氣溫)이나 그 밖의 기상 요소가 장기간 중에 나타낸 최고치(最高値).
고-극공【高克恭】명〖사람〗중국 원(元)대의 화가. 자는 언경(彥敬), 호는 방산(房山). 형부 상서(刑部尙書)를 지냈으며 화풍은 충만한 의취(意趣)와, 높은 기풍을 특색으로 함. 묵죽(墨竹)은 당대의 제일인자로 칭. [1248-1310]
고근【菰根】명〖한의〗줄의 뿌리. 위장병·소갈(消渴)·이뇨(利尿)에 쓰고 외용(外用)으로는 재 또는 달걀의 흰자에 섞어서 불에 덴 데를 고치는 데 씀.
고근 약식【孤根弱植】[—냑—] 명 친척이나 돌보는 사람이 적은 사람을 비유하는 말. ——-하다 형여불
고글〔goggles〕명 오토바이를 타거나 또는 겨울에 스키나 등산 따위를 할 때 쓰는, 바람·먼지 등을 막는 보안용(保眼用) 안경.
고금¹ 명〖한의〗〈속〉학질(瘧疾).
고:금²【古今】명 옛적과 지금. 고왕 금래(古往今來). ¶ ~의 명작/~에 통하다.
고:금으로 구 예로부터 이제에 이르기까지. 예나 이제나 다름 없이.
고금³【孤衾】명 홀로 자는 이불. 전(轉)하여, 혼자 쓸쓸히 자는 일.
고금⁴【庫金】명 옛날 중국에서 통용한 화폐.
고금⁵【雇金】명 삯돈.
고:금 가곡【古今歌曲】명〖책〗편찬 연대 미상의 시조·가사집. 송계연월옹(松桂烟月翁) 편(編). 이현보(李賢輔)의 ≪어부사(漁夫詞)≫, 정철(鄭澈)의 ≪관동 별곡(關東別曲)≫·≪사미인곡(思美人曲)≫·≪장진주사(將進酒辭)≫, 차천로(車天輅)의 ≪강촌 별곡(江村別曲)≫, 허난설헌(許蘭雪軒)의 ≪규원가(閨怨歌)≫, 작자 미상의 ≪춘면곡(春眠曲)≫ 등의 가사와 294수(首)의 시조(時調)가 실려 있음.
고:금-도【古今島】명〖지〗전라 남도 남해상, 완도군(莞島郡) 고금면(古今面)에 위치한 섬. 완도(莞島)와 조약도(助藥島) 사이에 있음. [43.2 km²: 12,013 명(1984)]
고:금 도서 집성【古今圖書集成】명〖책〗유서(類書)의 하나. 중국 명(明)나라의 영락 대전(永樂大典)에 준거하며 18세기초의 청나라 강희제(康熙帝) 만년에 편집을 시작하여, 옹정제(雍正帝) 때에 완성되었음. 6,109부, 전 1만 권.
고:금 독보【古今獨步】명 고금을 통하여 그와 비교할 사람이 없음.
고:금 동서【古今東西】명 동서 고금. ¶ ~를 막론하고.
고:금 동연【古今同然】명 사물이 변하지 아니하여 예나 지금이나 같음. ↔고금 부동(古今不同). ——-하다 형여불
고-금리【高金利】[—니] 명 높은 금리. 비싼 이자. 고리(高利).
고:금 무쌍【古今無雙】명 고금을 통하여 서로 견줄 만한 짝이 없을 정도로 뛰어남. ——-하다 형여불
고:금 부동【古今不同】명 사물이 변하여 예와 지금이 같지 아니함. ↔고금 동연(古今同然). ——-하다 형여불
고:금 상정 예:문【古今詳定禮文】[—네—] 명〖책〗고려 인종(仁宗) 때, 최윤의(崔允儀)가 고금(古今)의 예문(禮文)을 모아 편찬한 책. 오늘날에는 전하지 아니하나, 이규보(李奎報)의 ≪동국 이상국집(東國李相國集)≫에 이 책을 고종(高宗) 21년(1234)에 활자로 찍어 냈다는 기록이 적혀 있어 유명해짐. 준상정 예문(詳定禮文).
고:금 석림【古今釋林】[—님] 명〖책〗조선 정조(正祖) 13년(1789)에 이의봉(李義鳳)이 편찬한 사서(辭書). 1,500종의 문헌에서 뽑아, 중국·안남(安南)·일본·섬라(暹羅)·여진(女眞)·거란·돌궐(突厥) 등 각국 말에 주석을 붙이고, 이두(吏讀)에 대하여도 주석을 닮. 모두 11항목, 40권의 큰 책인데, 사본으로 전함.
고:금 소:총【古今笑叢】명〖책〗편자·연대 미상의 조선 시대의 골계(滑稽)·소화(笑話)를 모은 책. 강희맹(姜希孟)의 ≪촌담 해이(村談解頤)≫, 송세림(宋世琳)의 ≪어면순(禦眠楯)≫, 성여학(成汝學)의 ≪속(續)어면순≫ 등을 모아 엮었음. 사본(寫本).
고:금 시산【古今詩刪】명〖책〗〔고금의 잘못된 시를 깎아 다듬어서 올바른 시로 한 것이라는 뜻〕중국 명(明)나라 때의 이반룡(李攀龍)이 편찬한 시선집(詩選集). 고일시(古逸詩)를 비롯하여 한위 육조(漢魏六朝)의 시 및 당시(唐詩)·명시(明詩) 등을 많이 수록하였는데, 송·원대(宋元代)의 시는 아주 깎아 다듬어 버렸음. 12책본·8책본·6책본 등 여러 가지가 있음.
「문(詩文)의 성조(聲調)가 후퉁함을 이르는 말.
고금 알석【敲金戛石】[—썩] 명 쇠를 두드리고 돌을 친다는 뜻으로, 시
고:금 역대 법첩【古今歷代法帖】명〖책〗중국과 우리 나라의 서도가(書道家)의 필적을 모은 책. 중국 하우(夏禹)로부터 명(明)나라까지 100여 명의 필적과, 우리 나라 신라 때의 김생(金生)으로부터 조선 경종(景宗) 때까지의 80여 명의 필적을 수록함. 탑본(榻本) 1책.
고:금 운:회 거:요【古今韻會擧要】명〖책〗중국 원초(元初)의 황공소(黃公紹)가 지은 ≪고금 운회≫가 너무 분량이 많아서, 웅충(熊忠)이 이를 간략화한 책. 송(宋)나라 이후의 중국 음운(音韻) 변화를 잘 반영하고 있음. 30권.
「(名物)을 고증한 책.
고:금-주【古今注】명〖책〗중국 진(晉)나라의 최표(崔豹)가 엮은 명물
고:급¹【告急】명 급함을 알림. ——-하다 자여불 「급(初級).
고급²【高級】명 높은 계급이나 등급. ¶ ~ 관리/~품. ↔저급(低級)·초
고급³【高給】명 많은 급료나 봉급. ↔저급(低給).
고급 개:념【高級槪念】명〖논〗한 개념(槪念)이 다른 개념보다 그 외연(外延)이 넓어, 그것을 그 개념내에 포괄(包括)할 때, 전자(前者)를 후자(後者)의 고급 개념이라 함. 이를테면 생물은 식물에 대하여 고급 개념임. 상위 개념(上位槪念). ↔저급 개념(低級槪念).
고급-봉【高級俸】명 높은 봉급. 많은 월급.
고급 부:관【高級副官】명〖군〗'부관감(副官監)'의 구칭.
고급 부:관실【高級副官室】명〖군〗'부관감실(副官監室)'의 구칭.
고급 상징【高級象徵】명〖문〗기분이나 감정을 상징하는 것이 아니고, 작자의 높은 사상이나 깊은 괴로움의 상징, 곧 괴테(Goethe)의 ≪파우스트≫와 같이, 인생 문제에 관한 진리를 보이는 자극적 성질을 가진 것.
고급 생활【高級生活】명 정도가 높은 부유(富裕)한 생활.
고급 알코올【高級—】명〔higher alcohol〕〖화〗탄소 수가 많은 알코올. 특히 탄소 수가 6 이상의 지방족 알코올을 가리킴. 탄소 수 6인 헥실알코올, 8인 옥틸알코올, 16인 세틸알코올, 18인 스테아릴알코올, 26인 세릴알코올, 30인 미리실알코올 등이 있음. 지방산과 결합하여 납(蠟)의 성분으로 됨. 용제(溶劑)·가소제(可塑劑)·중성 세제 등 각종 계면 활성제(界面活性劑)로 쓰임.
고급 언어【高級言語】명〖컴퓨터〗일상 용어에 가까워 사용자가 쓰기에 편리한 프로그래밍 언어《베이식·포트란·코볼·시(C) 언어 따위》.
고급 장:교【高級將校】명〖군〗영관(領官) 이상의 장교의 총칭.
고급 지방산【高級脂肪酸】명〖화〗탄소수(炭素數)가 많은 지방산의 총칭. 팔미트산(酸)·스테아르산(酸)·올레산(酸) 등, 유지나 납(蠟) 등의 형태로 동식물계에 널리 존재함. 비누·계면 활성제(界面活性劑) 등의 원료로서 중요함.
고급-품【高級品】명 ①값이 비싼 물건. ②품질이 좋은 물건.
고기¹ 명 ①온갖 동물의 살. ¶ 쇠~/돼지 ~. ②↗물고기.
[고기 값이나 하지] 사세(事勢)가 이미 살아나기 어려운 경우에 자기 육체의 값이나 하고 죽어라 함이니, 곧 개죽음을 하지 말라는 뜻. [고기 나 되었으면 남이나 먹지] 됨됨이가 못난 자를 욕하는 말. [고기는 먹은 놈이 먹고 밥은 굶은 놈이 먹는다] 고기맛은 먹어 버릇한 사람이 알고, 굶어 본 사람이 밥 귀한 줄 안다는 말. [고기는 씹어야 맛을 안다] ㉠겉으로만 핥아서는 진미(眞味)를 모른다는 말. ㉡바로 알려면 실제로 겪어 보아야 한다는 말. [고기는 씹어야 맛이요 말은 해야 맛이라] 속 깊이 있는 참맛을 알려면 겉으로만 핥을 것이 아니며, 말도 할 말이면 시원히 다 해 버려야 좋다는 말. [고기는 안 익고 꼬챙이만 탄다] 경영하는 일은 잘 안되고 낭패만 본다는 말. [고기는 안 잡히고 송사리만 잡힌다] 목적하던 바는 놓치고 쓸데없는 것만 얻게 됨을 이르는 말. [고기도 먹어 본 사람이 많이 먹는다] 무슨 일이든지 늘 하던 사람이 더 잘한다는 말. [고기도 저 놀던 물이 좋다고] 평소(平素)에 낯 익은 곳이 더 좋다는 뜻으로, 고향이나 고국(故國)이 좋음을 이름. [고기 만진 손 국솥에 씻으랴] 다랍고 인색한 사람을 빗대는 말. [고기 보고 기뻐하지 말고 가서 그물을 떠라] 먼저 그 준비를 하라는 말. [고기 새끼 하나 보고 가마솥 부신다] 성급하여 지레 짐작으로 서둘러댄다는 말.
고기맛 본 중 구 금지된 쾌락을 뒤늦게 맛보고 재미를 붙인 사람의 비유.
고:기²【古奇】명 예스럽고 기이함. ——-하다 형여불
고:기³【古記】명 옛적 기록.
고:기⁴【古氣】명 예스럽고 아담한 기운(氣韻). 고아(古雅)한 운치.
고:기⁵【古基】명 옛터.
고:기⁶【古器】명 옛적 그릇.
고:기⁷【故基】명 자기가 살던 터.
고기⁸【枯棋】명 나무로 만든 바둑돌.
고기⁹【拷器】명 죄인을 고문할 때 사용하는 기구.
고기¹⁰【高氣】명 고상한 기상(氣象)·지기(志氣).
고기¹¹【顧忌】명 뒷일을 염려하고 꺼림. 고망(顧望). ¶ 자기 형의 넋이나 씌운 듯이 일호 ~없이 하고 싶은 말을 다하였더라≪李海朝: 花의 血≫. ——-하다 타여불
고기¹² ㊀지대 그 곳. <거기. ㊁부 그 곳에. ¶ ~ 있다. <거기. *요기·조기.
고기 구이 명 쇠고기나 돼지 고기 등을 석쇠 같은 데에 구운 음식.
고기-깃 명 물고기를 모아 들이기 위하여, 물 속에 넣어 두는 많은 나뭇가지나 풀포기.
고기 꾸미 명 꾸미를 똑똑히 일컫는 말.
고기다 ㊀타 헝겊이나 종이를 몹시 비비어 금이 나게 하다. ㅆ꼬기다. <구기다³. ㊁자 고깃살이 생기다. ㅆ꼬기다. <구기다³.
고기 만두【—饅頭】명 고기소를 넣고 빚은 만두.
고기-밥 명 ①물고기에게 주는 밥. ②미끼. ¶ ~을 주다.
고기밥이 되다 구 물에 빠져 죽다.
고기 볶음 명 고기를 잘게 썰어서 양념을 하여 볶은 음식.

고기-붙이 〔—부치〕 명 식용(食用)하는 각종 동물의 고기. 육미(肉味)붙이.
고기-비늘 명 물고기의 비늘.
고기비늘-연【—鳶】명 한국 지연(紙鳶)의 하나. 연의 전면(全面)에 고기비늘 모양을 먹으로 그리거나 또는 색종이로 오려서 붙인 연.
고기 서리목 명 쇠고기를 넓게 조각을 내어, 이기어서 꼬챙이에 꿰고, 소금·파·후춧가루·기름을 한데 갠 것에 고기를 꾹꾹 눌러, 간이 든 뒤에 만화(漫火)로 굽다가 냉수에 담가 내어, 다시 이와 같이 세 번을 구운 뒤에, 또 다시 기름·깨소금·후춧가루·장·소금을 섞은 것을 발라 가며 구운 반찬.
고기-소 명 고기를 많이 넣어 만든 소.
고기-쌈 명 얇게 저민 쇠고기와 처녑을 넓게 썰어서, 간장·기름·파 이긴 것·후춧가루·잣가루를 한데 치고 주물러, 고기와 처녑을 겹지겹지 담아 놓고, 밥을 떠서 고기와 처녑을 곁들이어 먹는 쌈. 육포(肉包).
고-기압【高氣壓】명 ①기체의 압력이 높은 현상. ②〖기상〗기압이 높은 곳. 등압선(等壓線)의 모양이 환상(環狀)을 이루고 있어 그 중심의 기압이 높은 곳. ¶이동성 ~. 1)·2):↔저기압(低氣壓).
고기압-권【高氣壓圈】명〖기상〗고기압의 영향이 미치는 범위.
고기양 명〈방〉고갱이.
고기어-변【—魚邊】명 한자 부수(部首)의 하나. '鯉'·'鰥' 등의 '魚'의 이름.
고기작-거리다 타 고김살이 나게 자꾸 고기다. ¶종이를 ~. ㅆ꼬기작거리다. <구기적거리다. **고기작-고기작** 부. **——하다** 타여불
고기작-대다 타 고기작거리다.
고기-잡이 명 ①낚시나 그물 등으로 물고기를 잡음. 어채(漁採). 어렵(漁獵). ②고기 잡는 일을 직업으로 하는 사람. 어부(漁夫). **——하다** 자여불
고기잡이-배 명 어선(漁船).
고기잡이-철 명 어로기(漁撈期).
고기 저:냐 명 쇠고기로 만든 저냐.
고기 전:골 명 고기와 채소를 끓여서 만든 음식.
고기-젓 명 쇠고기로 담근 젓.
고기 조림 명〈방〉장조림.
고-기패【高其佩】명〖사람〗중국 청(淸)나라 초기의 화가. 자는 위지(韋之), 호는 차원(且園) 또는 남촌(南村). 특히, 지두화(指頭畫)에 뛰어남. [?-1734]
고:-기후학【古氣候學】명〖기상〗옛날의 기후 형태 및 기후 변화를 연구하는 학문. 역사 시대와 지질 시대의 두 분야로 크게 나누며, 빙하 퇴적물·화석·고지리(古地理) 자료·동위체(同位體)에 관한 자료·퇴적학적 자료의 해명(解明)이 포함됨.
고김-살 〔—쌀〕 명 고기어서 생긴 금. ㅆ꼬김살. <구김살.
고깃-가루 명 ①어분(魚粉). ②육분(肉粉).
고깃-간 명 푸줏간.
고깃-거리다 타 고김살이 많이 나게 자꾸 고기다. ㅆ꼬깃거리다. <구깃거리다. **고깃-고깃**[1] 부. **——하다** 타여불
고깃-고깃[2] 부 고기어서 금이 많이 난 모양. ㅆ꼬깃꼬깃[2]. <구깃구깃[2]. **——하다** 형여불
고깃-관【—館】명 ☞고깃간.
고깃-국 명 고기를 넣어서 끓인 국. 육탕(肉湯).
고깃-대다 타 고깃거리다.
고깃-덩어리 명 ①짐승 고기의 덩어리. ②살이 쪄서 뚱뚱한 사람을 비유하여 이르는 말. ③가난하여 옷이 없는 사람을 이르는 말. 준고깃덩이.
고깃-덩이 명 ↗고깃 덩어리.
고깃-배 명 어선(漁船).
고깃-점【—點】명 고기의 작은 조각.
고깃-집 명〈방〉고깃관(館).
고긔〈옛〉①고기의. '고기'의 소유격형(所有格形). ¶龍은 고기 中에 위두ᄒᆞᆫ 거시니《月釋 I:14》. ②고기에. ¶늘그니 머굴 盤앳 바볼 ᄂᆞᆫ화 더러 시내햇 고긔게 밋게 ᄒᆞ노라(盤飱老夫食分減及溪魚)《初杜諺 X:31》.
고기부레 명〈옛〉고기의 부레. 고기부레. ¶고기부레를 하나 져그나(鰾不以多少)《救簡 VI:79》.
고기양 명〈옛〉고갱이. ¶팟 누른 고기양이어나 염굣 누른 고기양이어나(葱黃心或韭黃)《救簡 I:42》.
고:까 명 때때. 꼬까.
고:까-신 명 때때신. 꼬까신.
고:까-옷 명 때때옷. 꼬까옷.
고까우- 간 '고깝다'의 변칙 어간. ¶~ㄴ/~ㄹ/~며.
고까움-타다 자 툭하면 고깝게 여기곤 하다.
고까이 부 고깝게. ¶~ 생각 말게.
고-까지로 부 겨우 고만한 정도로. ¶학교에서 ~ 배웠느냐. <그까지로. *요까지로.
고-까짓 관 겨우 고만한 정도의. ¶~ 자식이 무얼 하랴. <그까짓.
고깔 명 중들이 머리에 쓰는 건(巾)의 한 가지. 흔히 중의 상좌(上佐)들이 쓰는데, 배접한 베 조각으로 접어 맞추어 세모지게 만듦.

〈고 깔〉

고깔-동기【—銅器】명〖고고학〗고깔 또는 버섯 모양의 머리밑에 원통형 몸체가 달려 있고, 한두 개의 도드라진 띠가 돌려 있는 쇠 기구. 수레의 굴대 위에 설치된 앉는 자리 둘레에 세운 기둥 장식으로 추측됨. 입형 동기(笠形銅器).
고깔-제비꽃 명〖식〗[*Viola pachyrhiza*] 제비꽃과에 속하는 다년초. 무경성(無莖性)이고 높이 10cm 내외인데, 근경(根莖)은 다소 비후(肥厚)하고 마디가 많음. 잎은 뿌리로부터 2-5 잎이 총생(叢生)하며, 난상 심형(卵狀心形)임. 4-5월에 잎 사이로부터 가는 화경(花莖)이 나와 줄기 끝에 좌우 상칭(左右相稱)의 큰 홍자색(紅紫色) 꽃이 한 개씩 피고, 삭과(蒴果)를 맺음. 산지에 나며, 거의 한국 각지에 분포함.

〈고깔제비꽃〉

고깔-해파리 명〖동〗[*Physalia physalis utriculus*] 고깔해파릿과에 속하는 강장(腔腸) 동물. 끈 모양의 많은 줄기가 한 개의 기포체(氣胞體) 밑에 달려 있음. 기포의 강경(腔徑)은 10cm 가량이고, 전체가 청람색임. 간군(幹群)에는 영양체(營養體)·생식체(生殖體)·감촉체(感觸體)의 개충(個蟲)이 모여 본체(本體)를 이루고 그 기부(基部)에 긴 촉수가 있음. 주(主)촉수의 자포(刺胞)에 사람의 피부가 닿으면 화상(火傷)과 같은 상처를 입음. 열대·온대의 난해(暖海)에 떠 있음. 범거지해파리.

〈고깔해파리〉

고깝다 형ㅂ불 야속한 느낌이 있다. 야속하고 서운하다. 곡하다. ¶고깝게 생각지 마시오.
고:깨 명〈방〉때때(경상).
고깨끼다 피동〈방〉곱꺾이다.
고꾸라-뜨리다 타 고꾸라져 쓰러지게 하다. ¶앞으로 밀어 ~. ㅆ꼬꾸라뜨리다.
고꾸라-지다 자 고부라져 쓰러지다. ¶앞으로 ~. ㅆ꼬꾸라지다.
고꾸라-트리다 타 고꾸라뜨리다.
고꿀-불 명〈방〉고콜불.
-고나 어미〈옛〉-구나. ¶이 ᄆᆞᆯ이 본ᄃᆡ 병이 잇고나(這箇馬元來有病)《老解 下 17》.
고나도트로핀 〔gonadotropin〕 명〖생화학〗뇌하수체 전엽(腦下垂體前葉)의 생식선 자극(生殖腺刺戟) 호르몬의 총칭(總稱).
고-나마 부 고것이나마. <그나마. *조나마·요나마.
고나이브 〔Gonaïves〕 명〖지〗서인도 제도 아이티(Haïti)의 상업 도시. 포르토프랭스(Port-au-Prince)의 북북서 110km에 자리잡은 아름다운 항구 도시로 커피·면화·가구 용재 등을 수출함. [107,000 명(1982)]
고낙 명〈방〉고락❶.
고난【苦難】명 괴로움과 어려움. 고초(苦楚). ¶온갖 ~을 겪다.
고난-스럽다【苦難—】형ㅂ불 고난하게 보이다. ¶고난스러웠던 그의 생애. **고난-스레**【苦難—】부
고내[1] 명〈방〉〖동〗고양이(함북).
고내[2]【庫內】명 창고나 냉장고 등의 내부.
고내기[1] 명 자배기보다 운두가 높고 아가리가 넓은 오지 그릇.
고내기[2] 명〈방〉〖동〗고양이(경상).
고내이 명〈방〉〖동〗고양이(경북).
고냉이 명〈방〉〖동〗고양이(강원·충북·경북·제주·함경·평북).
고냉지 농업【高冷地農業】명 ☞고랭지 농업.
고냥[1] 명〈방〉구멍(제주).
고냥[2] 부 ①고 모양 고대로. ②고대로 줄곧. 1)·2): <그냥.
고냥이 명〈방〉〖동〗고양이(강원·충남).
고녜 명〈방〉〖동〗고양이(함북).
고너리 명〖어〗[*Thrissa koreana*] 멸칫과에 속하는 바닷물고기. 길이 20cm 가량인데, 모양과 빛이 정어리와 비슷하나 주둥이가 둥글지 아니함. 뒷지느러미는 등지느러미 기저의 후단, 수직 밑보다 좀 뒤에 위치함. 한국 서남 연해에 분포함. 특히 남부 다도해에서 다산함. 정어리·멸치 다음으로 많이 잡히는 중요 어종으로, 기름이 많고 맛이 좋음. 기름빤지.
고네-고네 감명 어른의 손바닥 위에 갓난아기를 세워놓고, 얼마 동안 서 있게 하는 말. 또, 그렇게 하는 아기의 재롱.
고녀[1]【孤女】명 아버지가 없는 여자.
고녀[2]【高女】명 ↗고등 여학교.
고녀[3]【雇女】명 고용살이하는 여자.
고녀[4]【鼓女】명 생식기가 완전하지 못한 여자.
고녀[5]【睾女】명 어지자지❶.
고녀[6]【瞽女】명 소경 여자.
-고녀 어미〈옛〉-는구나. ¶落葉이 말발에 차이니 닙닙히 秋聲이로다. 風伯이 비 되어 다 쓰러버리고녀《古時調 類聚》.
고년[1]【高年】명 고령(高齡).
고-년[2] 인대 자기로부터 조금 떨어진 곳에 있는 '여자'를 얕잡아 욕되게 이르는 말. <그년. ↔고놈. *요년·조년.
고념【顧念】명 돌보아 줌. 뒷일을 염려함. →고렴. **——하다** 타여불
고노[1] 명〈방〉고누.
고노[2]【雇奴】명 →고로(雇奴).
고노다 타〈옛〉꼬느다. 誇다. ¶試 글지여 고노단 말이라《小諺 VI:16》.
고노코켄 〔도 Gonokokken〕 명〖의〗임균(淋菌).
고논 명 수근(水根)이 좋은 진흙 논.
고-놈 인대지대 자기로부터 조금 떨어져 있는 사내나 어떤 작은 것을 얕잡아 욕되게 이르거나 귀엽게 이르는 말. ¶~ 참 못되게 구는군/~ 참, 잘 생겼다. <그놈. ↔고년. *요놈·조놈.
고농[1]【高農】명 ①고려 때의 윷놀이하는 방법의 하나. ②↗고등 농림 학교(高等農林學校).
고농[2]【雇農】명 고용살이하는 농민.
고농축 우라늄【高濃縮—】〔uranium〕 명 농축 우라늄 가운데, 우라늄 235가 90% 이상의 것. 97%를 넘으면 원자 폭탄의 재료가 됨.
고뇌【苦惱】명 괴로워하고 번뇌함. 고민. 고환(苦患). ¶~에 찬 모습.

——-하다 타여불

고누 명 간단한 놀이의 한 가지. 땅·종이 같은 데에 말밭을 그리고, 검은 돌·흰 돌 또는 나무·종이 같은 것으로 자기 말을 삼아, 하나씩 하나씩 놓는 도중에 상대방(相對方)의 말을 더 많이 따먹음으로써 승부를 다툼. 우물 고누·네밭 고누·육밭 고누·열두밭 고누 등 여러 가지 노는 방법이 있음.

고누다 타 〈방〉 ①꼬느다❷. ②꾾다. ③겨누다❶(전라).

고누-판【一板】명 고누를 하는 말밭을 그린 판.

-고는 어미 '-고'의 힘줌말. ¶ 일을 하~ 있지만. 준-곤.

고니¹ 명 〖조〗 ①오릿과(科) 고니속(屬)에 속하는 물새의 총칭. 큰고니·고니·혹고니 등이 있음. 천아(天鵝). 황곡(黃鵠). 천아조(天鵝鳥). 천아아(天鵝鵶). ＊백조. ② [*Cygnus bewicki*] 기러기목(目) 오릿과에 속하는 물새의 하나. 날개 길이 50-55 cm이고, 몸빛은 순백색임. 부리는 흑색이고 눈앞은 나출(裸出)하였으며, 부척(跗蹠)은 셋째 발가락보다 짧음. 떼를 지어 해만(海灣)·연못에서 수초(水草)·조개·물고기 등을 포식함. 아시아 북부·유럽 북부에 번식함. 드물게 한국에서 월동(越冬)함. 흔히 동물원에서 사육함. 백조(白鳥).

〈고니¹❷〉

고니² 명 〈방〉 〖조〗 거위¹(경상).

고니시 유키나가〔小西行長:こにしゆきなが〕명 〖사람〗 일본의 무장(武將). 도요토미 히데요시(豊臣秀吉)의 가신으로, 임진 왜란 때에 선봉을 섰음. 히데요시가 죽은 후 이시다 미쓰나리(石田三成)와 한 패가 되어 도쿠가와 이에야스(德川家康)와 싸워 패하고 피살(被殺)되었음. 천주교 신자. [?-1600]

고니오-미터〔goniometer〕명 측각기(測角器).

고니오-포토미터〔goniophotometer〕명 〖물〗 표면에서 반사해 오는 빛의 강도(強度)를 여러 각도에서 측정하는 광도계(光度計).

고닝이 명 〈방〉 〖동〗 고양이(전북).

고:다¹ 자 〈방〉 떠들다(평북). ＊과티다.

고:다² 타 ①단단한 것을 뭉그러지도록 삶다. ¶ 고기를 ~. ②진액만 남도록 끓이다. ¶ 쇠머리를 ~/엿을 ~. ③소주를 만들다. ¶ 술을 ~.

고:다³ 타 〈방〉 괴다³(경상).

고다래미 명 〈방〉 고드름(경북).

고다:르〔Godard, Jean-Luc〕명 〖사람〗 프랑스의 영화 감독. 영화 비평가. 1960년작 ≪마음대로 해라≫의 자유스러운 수법으로 누벨 바그(nouvelles vagues)의 선두에 섬. 사상적으로는 무정부주의적임. 이 밖에 ≪여자와 남자가 있는 포도(鋪道)(1962)≫·≪미친 피에로≫ 등이 있음. [1930-]

고다리 명 지게 다리 위에 뻗친 가지.

고다바리 강【一江】〔Godavari〕명 〖지〗 인도 반도부의 큰 강. 서(西)고츠 산맥의 동쪽에서 발원하여 하류에서는 대(大)삼각주를 이루고, 삼대 분류가 되어 벵골 만에 들어감. [1,450 km]

고다쓰〔일 こたつ〕명 각로(脚爐).

고다이버〔Godiva〕명 〖사람〗 전설적인 영국의 백작 부인. 11 세기 중엽 코번트리(Coventry)의 영주였던 남편이 영민(領民)에게 중세(重稅)를 과하려 하자 감세(減稅)를 호소하였는데, 나체(裸體)로 말을 타고 거리를 돌면 그렇게 해주겠노라는 언질을 받고, 그대로 실행하여 감세되게 하였다 함. 그 때 동네 사람들이 나체의 부인을 보지 않으려고 집안에 들어 박혀 있었으나, 단 한 사람만이 창문으로 내다보다가 장님이 되었다고 하며, 그 사나이는 피핑 톰이라 불리었으며, 몰래 엿보기를 잘하는 사람의 대명사가 되었음. [1040-80]

고-다지 부 고러하게까지. 고러하도록. 고러한 정도로까지. ¶ ~ 가고 싶으냐. <그다지.

고-닥지 부 〈방〉 고다지.

고단¹【孤單】명 외로움. 고혈(孤孑). ——-하다 형여불

고단²【高段】명 무술·바둑·장기 등에서, 단위(段位)가 높음. 특히, 5단 이상을 가리킴. ¶ ~자.

고단³【高壇】명 높은 단. 높은 제단(祭壇).

고단⁴【庫緞】명 중국 비단의 한 가지. 가는 실로 촘촘히 짠 것인데 윤이 나고 두꺼움. 무늬가 있는 것과 없는 것이 있음.

고단-하다 형여불 과로(過勞)하여 몸이 느른하다. 피곤하다.

고달¹ 명 ①칼·창·송곳 등의 몸뚱이가 자루에 박힌 부분. ②쇠붙이 등의 대롱으로 된 물건의 부리. 물부리나 담배통(桶) 등의 설대가 들어가는 부분. ＊괴통.

고달² 명 ①점잔을 빼고 거만을 부리는 짓. ¶ 되지 못한 놈이 ~을 부린다/한번 작정해버린 일이라면 ~을 빼고 앉아 있을 까닭이 없었다≪金周榮：客主≫. ②말 못하는 어린 아이가 성을 내고 몸부림을 하는 짓.

고달³ 명 〈방〉 볏¹(제주).

고달⁴【高達】명 ①재주가 높고 사리에 통달함. ②세속을 떠나, 뜻을 높이하여 빼어남. ③높이 이름. ——-하다 자여불

고달-사【高達寺】[—싸] 명 〖불교〗 고달원(高達院).

고달사지 부도【高達寺址浮屠】[—싸—] 명 고달사 터에 있는 부도. 신라 말엽에서 고려 초엽의 제작으로 추측됨. 나말(羅末)의 고승(高僧) 원감 대사(圓鑑大師)의 묘탑(墓塔)이라 하나 확실하지 아니함. 높이 3.4 m. 국보 제4호.

고달-원【高達院】명 〖불교〗 경기도 여주군(驪州郡) 북내면(北內面) 상교리(上橋里)에 있었던 신라 시대의 절. 고려 때에는 도봉원(道峰院)·희양원(曦陽院)과 함께 삼원(三院)의 하나로 매우 큰 절이었음. 고달사(高達寺).

고-달이 명 물건을 들거나 걸어 놓기 위하여, 노끈 같은 것으로 고리처럼 만들어 달아 놓은 것. ¶ ~가 빠지다.

고달프다 형 대단히 고단하다. 몹시 피곤하다. ¶ 고달픈 인생/마음이 고달프니 몸도 피곤하다.

고달피 부 고달프게.

고:담¹【古談】명 옛날 이야기❶.

고담²【枯淡】명 서화(書畫)·문장·인품 등이 속되지 아니하고 아취(雅趣)가 있음. ——-하다 형여불

고담³【高談】명 ①큰 소리로 하는 말. ¶ ~ 대소(大笑)하다. ②남의 담화를 높이어 일컫는 말.

고담 방:언【高談放言】명 남을 꺼리거나 두려워하지 않고 저 하고 싶은 대로 소리를 높이어서 말을 함. ——-하다 자여불

고담 웅변【高談雄辯】명 도도(滔滔)하게 의론함. ——-하다 자여불

고담 준:론【高談峻論】[—줄—] 명 ①고상하고 준엄(峻嚴)한 언론. ＊준론(峻論). ②자만(自慢)하고 과장(誇張)하며 하는 언론. ——-하다 자여불

고담 활론【高談闊論】명 유쾌하게 이야기함. ——-하다 자여불

고답【高踏】명 지위나 명리(名利)를 바라지 아니하고 속세(俗世)에 초연(超然)함. ——-하다 형여불

고답-적【高踏的】명관 ①속세에 초연(超然)하여 처신(處身)하는 모양. ②형식을 귀하게 여기고 귀족적인 사상을 존중하는 모양.

고답-주의【高踏主義】[—/—이] 명 세상의 범속(凡俗)과 접촉을 피하려는 주의(主義).

고답-파【高踏派】명 〖문〗 1860년대에 낭만파(浪漫派)와 상징파(象徵派)의 중간에 있어, 공허한 장담이나 평범한 근대 취미, 혹은 낭만파의 정서 해방(情緖解放)을 배척하고 엄격 치밀한 시형(詩形)에다 색채와 형상(形象)의 재현(再現)에 힘쓴 프랑스 시인의 한 파. 파르나시앵(Parnassien).

고당¹ 명 〈방〉 고장(평안).

고:당²【古堂】명 낡은 당(堂).

고:당³【古堂】명 〖사람〗 조만식(曺晩植)의 호(號).

고당⁴【高堂】명 ①높은 집. ②아버지와 어머니. ③남의 집의 높임말.

고당⁵【高塘】명 높은 둑.

고당 명기【高唐名妓】명 이름난 기생(妓生).

고당 화:각【高堂畫閣】명 높다랗게 지어 화려하게 꾸며 놓은 집.

고대¹ 명 ↗깃고대.

고대² 명 〈방〉 〖어〗 고등어(경북).

고:대³【古代】명 ①옛날. 옛적. 상세(上世). 상대(上代). 고세(古世). ↔현대(現代). ②〖역〗 시대를 고대(古代)·중세(中世)·근대(近代)·현대(現代)의 넷으로 구분한 하나로, 가장 오래된 시대. 우리 나라는 단군 설화 시대로부터 삼한 시대를 거치어 신라가 망하던 때까지, 중국은 태초(太初)로부터 진(秦)나라 때까지, 서양은 태고(太古)로부터 게르만족의 대이동(大移動) 시대까지를 이름.

고대⁴【苦待】명 애를 태우며 기다림. 몹시 기다림. ¶ 학수 ~. ——-하다 타여불

고대⁵【高大】명 ①높고 큼. ②↗고려 대학교. ——-하다 형여불

고대⁶【高臺】명 ①높은 지대(地臺). ②높이 쌓은 대(臺).

고대⁷ 부 지금 막. 이제 막. ¶ ~ 있었던 물건이 없어졌다/새끼 난 돼지는 먹기만 했다. ~ 주고 돌아서도 또 먹자고 했다≪崔貞熙：속(續)녹색의 문≫.

고대-고대【苦待苦待】부 몹시 기다리는 모양.

고-대:고모【高大姑母】명 증조부의 고모.

고대 광:실【高臺廣室】명 굉장히 크고 좋은 집. ＊문전 옥답.

고:대 국가【古代國家】명 〖역〗 원시 공산(共產) 사회와 중세 봉건 사회의 중간에 해당되는 것으로, 씨족제가 무너지면서 노예 소유자의 권력을 유지하기 위한 기구로서 이루어진 국가.

고:대-극【古代劇】명 〖연〗 ①고대 사회에 있었던 고전극. ②고대 시대의 인물·사건 등을 제재로 하여 만든 극. ↔근대극.

고:대-도【古代島】명 〖지〗 충남 보령군(保寧郡) 오천면(鰲川面) 삽시리(揷矢里)에 있는 섬. 조선 23대 순조(純祖) 32년(1832)에 영국의 로드 애머스트 호(Lord Amherst 號)가 이 섬에 와서 조선과의 통상을 요구하였음. [0.87 km² : 456 명(1984)]

고대-도록 부 〈방〉 고다지.

고-대로 부 아무 변함없이 고 모양으로. <그대로.

고:대 말기【古代末期】명 〖역〗 서양사상(西洋史上)에 있어서, 고전 고대(古典古代) 세계의 해체(解體)로부터 중세(中世) 세계의 성립에 이르는 사이의 한 시기. 고대와 중세의 양면(兩面) 요소가 섞여 있음과 동시에 단순한 과도기(過渡期)로서가 아니라, 고대 지중해(地中海) 세계의 해체와 유럽의 성립을 보는 시기로, 세계사적인 면에서 대단히 중요한 전환기(轉換期)를 구성함.

고:대 모방주의【古代模倣主義】[—/—이] 명 아르카이슴.

고:대 문화 몰락설【古代文化沒落說】명 로마 제국(帝國)이 무지 미개(無知未開)한 게르만 민족에게 파괴되어, 고대 문화는 거의 쇠망하고 암흑 시대가 되었다는 설.

고:대-법【古代法】[—뻡] 명 고대 사회에 존립하고 있었던 법률.

고:대-사【古代史】명 고대의 역사.

고:대 사회【古代社會】명 〖사〗 원시 사회와 봉건제 사회와의 중간 단계에 있는 사회. 정착(定着) 농업의 발전, 농업으로부터의 수공업(手工業)의 분화(分化), 금속기(金屬器)의 사용 등 생산력의 발전에 의하여 형성되었으며, 노동의 생산성이 향상된 결과로 잉여(剩餘) 생산물이 나타나고, 씨족(氏族)이 가족(家族)으로 분해되어 가장(家長)에 의한 생산 수단의 사유(私有)가 발생하여, 인간이 인간을 수탈(收奪)하는 가능성이 생기고, 계급 관계의 발생과 더불어 노예제(奴隸制)를 가져오고, 노예 소유자 집단의 자기 방어의 수단으로서 국가의 형성을 가져오게 한 사회임.

고대-산【高大山】명 〖지〗 함경 남도 신흥군(新興郡)과 장진군(長津郡) 사이에 있는 산. [1,768 m]

고:대 소:설【古代小說】명 옛날 사람이 쓴 소설. 고전(古典) 소설.

고:대 영어【古代英語】명 〖언〗 8-12 세기까지의 영어. 4대 방언으로 나

뉘어지며, 남·여·중성(中性)의 성별, 격변화, 어법 등이 현대 독일어와 비슷함.

고:대 오리엔트【古代―】〔Orient〕 명 이집트·메소포타미아·페르시아 등 고대 문명 발상 지역의 총칭.

고:대 올림픽【古代―】〔Olympic〕 명 고대 그리스의 올림피아(Olympia)에서, 주신(主神) 제우스(Zeus)를 위해 4년마다 한 번씩 개최된 제전(祭典) 경기. 기원전 776년부터 기원 393년까지 293회에 걸쳐 열렸으나, 로마가 그리스도교를 국교(國教)로 정한 뒤부터 중지되었음. 5일 동안 26종의 경기가 전나체(全裸體)로 행하여졌으며, 우승자에게는 월계관이 씌워졌음.

고:대-인【古代人】 명 고대의 사람. 옛날 사람.

고:대적 생산 양식【古代的生産樣式】〔―냥―〕 명 토지 소유자는 모여서 도시를 형성하여 시민이 되었고, 토지가 없는 자나 전쟁에 의한 피정복자는 노예로서 시민에 예속되어, 농경이나 수공업에 종사하던 사회의 생산 양식. 고대 그리스·로마에서 그 전형(典型)을 볼 수 있음.

고-대지 부 〈방〉 고다지. ⌊고전 고대적 생산 양식.

고대 현무암【高臺玄武岩】 명 〖지〗 고원 현무암.

고더:드〔Goddard, Robert Hutchings〕 명 〖사람〗 미국의 물리학자. 로켓의 개발자. 매사추세츠 태생. 우스터(Wooster) 공업 대학 졸업 후, 클라크(Clarke) 대학 교수. 고체 추진식 로켓 연구를 거쳐, 1926년 세계 최초로 액체 추진 로켓을 비행시키는 데 성공. 이후 로켓의 안정(安定) 연구에 힘을 기울였음. [1882-1945]

고더럼 명 〈방〉 고드름(충남·경상).

고:덕[1]【古德】 명 〖불교〗 옛날의 덕(德)이 높은 중. 옛 고승(高僧).

고덕[2]【固德】 명 〖역〗 백제 때의 벼슬 이름. 십육품(十六品) 중의 아홉째.

고덕[3]【高德】 명 덕이 높음. ――-하다 형 여불 ⌈[1,553 m]

고덕-봉【高德峰】 명 〖지〗 함경 남도 갑산군(甲山郡)에 있는 산봉우리.

고덕-산【高德山】 명 〖지〗 ①평안 북도 후창군(厚昌郡) 남신면(南新面)에 있는 산. [1,147 m] ②전라 북도 전주시(全州市)에 있는 산. [603 m]

고데〔일 鏝:こて〕 명 ①머리털을 지져서 다듬을 때 쓰는 가위 모양의 쇠붙이로 된 기구. 헤어 아이론. ②고데를 사용하여 머리털을 곱게 다듬는 일. ――-하다 자타 여불

고데스베르크 강령【―綱領】〔Godesberg〕〔―녕〕 명 1959년 11월 고데스베르크에서 열린 독일 사회 민주당 특별 대회에서 채택된 강령. 그때까지의 당의 기본 원리였던 마르크스주의와의 분리를 명확히 하여, 기업의 일정 한도내에서의 자유 경쟁의 승인과 정치적 민주주의의 옹호를 내걸었음.

고도[1] 명 〈궁중〉 흰 겹저고리. ⌊호를 내걸었음.

고:도[2]【古刀】 명 ①헌 칼. ②옛날에 만든 칼.

고:-도[3]【古島】 명 〖지〗 전라 남도 여수시(麗水市) 삼산면(三山面) 거문리(巨文里)에 있는 섬. 동도(東島)·서도(西島)와 합쳐 거문도(巨文島)를 이루며, 또한 이 섬만을 거문도라고도 함. *거문도(巨文島). [0.6 km²]

고:도[4]【古都】 명 옛 도읍(都邑). ¶ ~의 자취.

고:도[5]【古道】 명 ①옛날에 다니던 길. ②옛날의 도의(道義).

고도[6]【孤島】 명 육지나 다른 섬에서 멀리 떨어진 작은 외딴 섬. ¶ 절해(絶海)의 ~.

고도[7]【苦道】 명 〖불교〗 삼도(三道)의 하나. 업(業)으로 인하여 삼계(三界) 육도(六道)의 고과(苦果)를 받는 일. ⌈界) 육도(六道)의 고과(苦果)를 받는 일.

고도[8]【高度】 명 ①높은 정도. ↔저도(低度). ¶ ~ 1만 m. ②정도가 높음. ¶ ~의 기술. ③〖천〗 지평(地平)에서 천체(天體)까지의 각거리(角距離). ④〖공〗 평균 해면(平均海面)과 같은 기준면으로부터 지구 반지름의 연장 거리로서 측정한 높이. ⌈灣)에 있는 섬. [0.42 km²]

고도[9]【高島】 명 〖지〗 함경 남도 덕원군(德源郡) 현면(縣面) 영흥만(永興灣)에 있는 섬. [0.42 km²]

고도[10]【高跳】 명 높이 뜀. 높이뛰기. ↔광도(廣跳). ――-하다 자 여불

고도[11]【高蹈】 명 ①멀리 감. ②은거(隱居)함. ――-하다 자 여불

-고도 어미 ①두 가지 이상의 동작·성질·상태 등이 서로 반대되는 경우를 말할 때, 앞말의 줄기에 붙여 쓰는 연결 어미. ¶ 좋~ 나쁜 것/먹~ 안 먹은 체. ②두 가지 이상의 성질·상태 등을 말할 때, 형용사의 어간에 붙여, '그리고, 아주'의 뜻을 나타내는 연결 어미. ¶ 예쁘~ 예쁜 소녀/무섭~ 사나운 짐승.

고도 경제 성장【高度經濟成長】 명 국민 경제가 대단히 빠른 속도로 성장하는 일.

고도-계【高度計】 명 〖기〗 높낮이를 측정하는 기계. 일반적으로 쓰이는 것은 기압(氣壓)의 변화를 측정해서 높이를 산정(算定)하는 것으로서, 아네로이드 기압계(氣壓計)에 기압의 눈금 대신 높이의 눈금을 달아서 사용함.

고도 국방 국가【高度國防國家】 명 국방 목적의 달성을 제일로 하는 국가. 나치스 독일의 국방 국가의 관념을 강조한 용어임.

〈고도계〉

고도롬 명 〈방〉 고드름(경기·전북·경상).

고도리[1] 명 고등어의 새끼.

고도리[2] 명 〈옛〉 고두리뼈. ¶ 고도리 박(髆) ≪字會 中 29≫.

고도리[3] 명 〖역〗 포도청(捕盜廳)에서 자리개미를 맡아 하던 사람.

고도리[4] 명 〈옛〉 고두리살. ¶ 見遮陽三鼠綠楣而走 太祖呼童取弓及高刀里三候之≪太祖實錄 Ⅰ:14≫.

고도리젼 명 〈옛〉 고두리살. ¶ 以高刀里箭射中數十≪太祖實錄 Ⅰ:10≫.

고도-밥 명 〈방〉 고두밥.

고도-병【高度病】〔―뼝〕 명 〖의〗 고공병(高空病).

고도 불포화산【高度不飽和酸】 명 〖화〗 한 분자(分子) 중에 이중(二重) 결합을 넷 이상 포함하는 지방산(脂肪酸).

고도 선:택 사회【高度選擇社會】 명 소비재의 선택에서 여가의 이용에 이르는 모든 인간의 행동에 있어서, 사람이 각자(各者)의 생각과 능력 및 취미·기호에 따라서 다양하고 자유로운 선택을 누릴 수 있는 미래(未來) 사회.

고도 성장【高度成長】 명 높은 정도로 자라남. ⌊래(未來) 사회.

고도 순:응【高度順應】 명 고도 순화(馴化).

고도 순화【高度馴化】 명 〔acclimatization〕 고지(高地)에서의 기후·풍토에 순화되는 과정(過程). 특히, 등산할 때, 차차 캠프를 높은 곳으로 옮겨감으로써, 신체 기능(機能)의 저하(低下)에 대비하고, 높은 곳의 낮은 기압(氣壓)에 순응하게 하는 방법. 고도 순응(順應).

고도 안전 병:동【高度安全病棟】 명 〖의〗 완전 무균실(完全無菌室)에서 치료를 행할 수 있는 시설이 된 병동.

고도-어[1]【高刀魚·高道魚】 명 '고등어'의 취음(取音).

고:도-어[2]【古刀魚】 명 고도어[1].

고도에 명 〈방〉 〖어〗 고등어(함남).

고도 자본주의【高度資本主義】〔―/―이〕 명 개개의 자본을 합동함으로써 생기는 자본의 새로운 조직 형태.

고도 조립 산:업【高度組立産業】 명 복잡한 기능의 제품을 조립·생산하는 산업. 항공기·미사일·컴퓨터 등을 생산하는 산업과 같이, 부품의 수가 많고, 조립 공정(工程)에 높은 정도(精度)가 요구됨.

고도 지구【高度地區】 명 〖법〗 시가지(市街地)에 있어서, 건축물 높이의 최고 또는 최저 한도를 환경(環境) 및 토지의 고도(高度) 이용을 위하여 도시 계획법에 따라 규정(規定)한 지역.

고도-차【高度差】 명 계산한 고도와 관측한 고도의 차 또는 계산한 고도와 육분의(六分儀)에 의한 고도와의 차.

고도 표백분【高度漂白粉】 명 〖화〗 보통의 표백분의 유효 염소량(有效塩素量)을 늘리고, 다시 보존성(保存性)을 높이도록 만들어진 표백분.

고도프스키〔Godowsky, Leopold〕 명 〖사람〗 폴란드 출생의 미국의 피아니스트·작곡가. 생상스에 사사(師事)함. 음색의 아름다움으로 유명함. [1870-1938]

고도-화【高度化】 명 속력·능률(能率)이나 생활·문명의 정도 같은 것이 높아짐. 또, 그것을 높아지게 함. ――-하다 자타 여불

고독[1]【孤獨】 명 ①어린아이가 부모가 없거나, 늙은이가 자식이 없거나, 남녀가 짝이 없음. ¶ ~한 노인. ②외로움. ¶ ~감(感). ――-하다 형 여불. ――-히 부

고독[2]【苦毒】 명 신고(辛苦). ⌊여불. ――-히 부

고독[3]【蠱毒】 명 ①뱀·지네·두꺼비 따위의 독(毒). ②뱀·지네·두꺼비 들의 독기(毒氣)가 있는 음식을 먹어서, 복통(腹痛)·가슴앓이·토혈(吐血)·하혈(下血) 및 얼굴이 푸르락누르락하는 증세(症勢)를 일으키는 일.

고독-감【孤獨感】 명 외로움을 느끼는 마음. ⌊일.

고독-경【孤獨境】 명 고독한 경지.

고독-고독 부 〈방〉 보독보독.

고독 단신【孤獨單身】 명 도와 주는 사람이 없는 외로운 몸. 고종(孤蹤).

고독-도【孤獨島】 명 외딴 섬.

고독성 농약【高毒性農藥】 명 유독성(有毒性) 농약의 독성(毒性)의 정도에 따른 분류의 하나. 맹독성(猛毒性) 농약보다 독성이 강함.

고독 지옥【孤獨地獄】 명 너무도 외로워서 지옥과 같이 느껴지는 심경.

고돌개 명 〈방〉 고들개.

고돌-뼈 명 〈방〉 복사뼈(경상).

고동[1] 명 ①기계를 움직여 활동시키는 장치. ¶ 수도의 ~을 틀다. ②틀어서 나는 기적(汽笛) 등의 소리. ¶ 뱃~ 소리가 울리다. ③사물의 제일 중요한 데. ¶ 지금 바쁘니 ~만 말하여라. ④물레 가락에 끼워 놓은, 두 개의 고정시킨 방울 같은 물건. 물레 줄이 두 고동 사이에 걸치어서 돌게 됨.

고동(을) 틀다 구 기계를 활동시키는 고동을 돌리다. ⌊게 됨.

고동[2] 명 〈방〉 〖조개〗 고둥(강원·충남·전라·경상).

고:동[3]【古董】 명 골동(骨董).

고:동[4]【古銅】 명 헌 구리쇠.

고동[5]【鼓動】 명 ①민심(民心)을 격동시킴. 고무(鼓舞). ②피가 도는 데 따라 심장이 벌떡벌떡 뜀. ¶ 심장의 ~ 소리. ――-하다 자타 여불

고동(이) 치다 구 ㉠심장이 벌떡벌떡 뛰다. ㉡약동하다.

고동-각씨 명 〈방〉 〖동〗 노래기(경상).

고:-동기【古銅器】 명 ①구리쇠로 만든 옛날의 그릇. ②중국의 은(殷)·주(周) 시대에 청동(靑銅)으로 주조한 이(彝)·준(尊)·작(爵) 등의 기물(器物).

고:-동로【古銅爐】〔―노〕 명 구리쇠로 만든 옛날 화로. ⌊(器物).

고-동맥【股動脈】 명 〖의〗 대퇴(大腿) 안쪽에 있는 동맥. 대퇴 동맥. ↔고정맥(股靜脈).

고동-무치 명 〖어〗 홍어(洪魚). ⌊고정맥(股靜脈).

고:동물-학【古動物學】 명 고생물학(古生物學)의 한 분과. 고생물 중 동물을 연구의 대상으로 함.

고:동-빛【古銅―】〔―삗〕 명 고동색(古銅色).

고:동-색【古銅色】 명 ①검누른 빛. 고동빛. ②〖미술〗 적갈색(赤褐色).

고동애 명 〈방〉 〖어〗 고등어(경남). ⌊고동빛.

고동어 명 〈방〉 〖어〗 고등어(경남).

고동에 명 〈방〉 〖어〗 고등어(함남).

고동이 명 〈방〉 〖어〗 고등어(함남).

고:동 휘석【古銅輝石】 명 〖광〗 휘석의 일종. 규산 마그네슘(珪酸 magnesium)·규산철(珪酸鐵)이 주성분이며, 빛은 담갈색이고 고동(古銅) 광택이 남.

고되다 형 하는 일이 힘에 겨워 고단하다. ¶ 고된 직업. ⌈자 여불

고두[1]【叩頭】 명 머리를 조아리어 경의를 나타냄. 고수(叩首). ――-하다 자 여불

고두[2]【高斗】 명 ①하늘 높이 걸려 빛나는 북두 칠성(北斗七星). ②곡식을 될 때 말의 운두보다 높게 올려 되는 일. 또, 그 양.

고두[3]【庫頭】 명 〖불교〗 지고(知庫).

고두[4]【櫃斗】 명 쥐덫.

고두래미 명 〈방〉 고드름(강원·충북).

고두래-살 명〈방〉고두리살.
고두럼 명〈방〉고드름(경상).
고두레미 명〈방〉고드름(함경·전라·충청·경상).
고두룸 명〈방〉고드름(전역).
고두리 명〔몽 ɣodoli(고두리살)〕①물건 끝이 뭉뚝한 자리. ②↗고두리살. ③고두리살을 갖춘 활.
고두리에 놀란 새 구 고두리살을 맞아 놀란 새와 같이, 어찌할 바를 모르고 두려워만 하고 있음을 이르는 말. ¶몸은 고두리에 놀란 새 같고 마음은 갈구리 맞은 고기 같으니《彰善感義錄》.
고두리-뼈 명 넓적다리뼈의 머리빼기.
고두리-살 명 작은 새를 잡는 데 쓰는 화살. 철사나 대로 테를 만들어, 촉(鏃) 대신으로 끝에 가로 끼운 것. 준고두리.
고두-머리[1] 명 도리깻열을 끼고 도는 짧은 나무. 도리깨 머리에 비녀장처럼 가로 지름.
고두-머리[2] 명〈방〉고수머리.
고두-밥 명 ①아주 된 밥. 꼬들꼬들한 밥. ② ☞ 지에밥.
고두 백배【叩頭百拜】명 머리를 조아리어 여러 번 절함. ——-하다 자 여불
고두 사:죄【叩頭謝罪】명 머리를 조아리어 사죄(謝罪)함. *고사(叩謝). ——-하다 자 여불
고두-산【高頭山】명〖지〗함경 북도 무산군(茂山郡)과 길주군(吉州郡) 사이에 있는 산. 함경 산맥에 속함. [1,988 m]
고두-쇠 명 ①협도(鋏刀)나 작도(斫刀) 같은 것의 머리에 꽂는, 끝이 굽은 쇠. ②장 문짝 같은 것에 꽂는, 두 쪽으로 된 장식을 맞추어 끼는 쇠. ③어린 아이의 주머니 끈에 치레로 다는, 은으로 만든 장식품. 이것을 차면 명(命)이 길다고 함.
고두 재:배【叩頭再拜】명 머리를 조아리며 재배함. ——-하다 자 여불
고두-저고리 명 여자가 제사 지낼 때 입는 저고리. 회장 저고리와 같으나 회장을 달지 아니함.
고두-충【叩頭蟲】명〖충〗방아벌레.
고둥 명〖조개〗복족류(腹足類)에 속하는 권패(卷貝)의 총칭. 우렁이·소라·참고둥·경단고둥·거적고둥 등이 있음.
고둥아 명〈방〉〖어〗고등어(충북).
고둥애 명〈방〉〖어〗고등어(강원).
고둥어 명〈방〉〖어〗고등어(충북).
고둥에 명〈방〉〖어〗고등어(함경).
고둥이 명〈방〉〖어〗고등어(함남).
고드래[1] 명 ↗고드랫돌.
고드래[2] 명〈방〉고드름(황해).
고드래미 명〈방〉고드름(경기·강원·충북·경북).
고드래-뽕 명 ①술래잡기의 술래를 정할 때 세는 말의 끝의 말. ¶하날때, 두알때, 사마중, 날때, 육낭거지, 팔때, 장군, ~. ②하던 일이 끝났을 때 쓰는 말. ¶그 일도 마침내 ~이다.
고드램 명〈방〉고드름(경기·경북).
고드랫-돌 명 발이나 돗자리 등을 엮을 때에 날을 감아서 매는 돌. 준고드래.
고드러-지다 자 물기가 말라서 빳빳하게 되다. 쓰꼬드러지다. <구드러지다.
고드럼 명〈방〉고드름(충남·경상).
고드름 명 낙숫물이 흘러내리다가 길게 얼어 붙은 얼음. 빙주(氷柱).
【고드름 초장 같다】겉으로 보기에는 훌륭하나 실속은 무미(無味)함을 이르는 말.
고드름-똥 명 ①고드름 모양으로 눈 똥. ②방이 매우 추움의 비유.
고드름-장아찌 명 말이나 하는 짓이 싱거운 사람을 농조로 이르는 말.
고드애 명〈방〉〖어〗고등어(경남).
고드어 명〈방〉〖어〗고등어(경남).
고드윈〔Godwin〕명〖사람〗①〔Mary Wollstonecraft G.〕영국의 여권론자(女權論者). ❷의 아내. 여성 해방 운동의 선구자로서 활약. 저서에《여권론》등. [1759-97] ②〔William G.〕영국의 철학자·정치 평론가. 한때 칼뱅파(Calvin派)의 목사였으나, 프랑스의 백과 전서파(百科全書派)를 영국에 소개하여 무정부주의(無政府主義)의 선구가 됨. 경험론의 입장에서 사회 정의를 원리로 사유 재산을 비판하였음. 저서에《정치적 정의론》등이 있음. [1756-1830]
고드윈 오스턴〔Godwin Austen〕명〖지〗영국의 탐험가 고드윈 오스턴(1834-1923)을 기념하여 부르는 '케이 투(K_2)'의 딴이름.
고드프루아 드 부용〔Godefroy de Bouillon〕명〖사람〗제1회 십자군 사령관의 한 사람. 프랑스의 하(下)로렌(Basse-Lorraine)공(公). 1099년 예루살렘을 점령한 뒤, 제후(諸侯)의 추대로 예루살렘 왕국 초대 통치자가 되었으나 왕의 칭호를 취하지 아니하고 '성묘 수호자(聖墓守護者)'라 칭하였고, 거기서 죽었음. [1061?-1100]
고:든〔Gordon, Charles George〕명〖사람〗영국의 군인. 1860년 중국에 출정하여 영불(英佛) 연합군의 베이징(北京) 공략에 참가, 태평 천국군(太平天國軍) 진압에 활약함. 후에 이집트의 수단 총독을 역임, 1884년 재차 수단 총독으로 부임하여 반란 진압에 출전했다가 전사함. 중국 이름은 과등(戈登). [1833-85]
고든-썸 명〖광〗☞ 썸.
고들개[1] 명 ①안장의 가슴걸이에 다는 방울. ②말의 굴레의 턱 밑으로 돌아가는 가죽. ③가슴걸이.
고들개[2] 명 소의 처녑에 붙은 너털너털한 고기. 회에 씀.
고들개[3] 명 채찍의 열의 끝에 굵은 매듭이나 추(錘)같이 달린 물건.
고들개 머리 명 처녑의 고들개가 붙은 두툼한 부분.
고들개 채찍 명 고들개를 단 채찍.
고들개 철편【—鐵鞭】명〖역〗포교(捕校)가 가지던 고들개가 달린 철편. 자루와 고들개가 모두 쇠로 되었음. 준철편(鐵鞭).

〈고들개 철편〉

고들-고들 부 밥이 물기가 적어서 된 모양. ¶밥이 ~하다. 쓰꼬들꼬들. <구들구들. ——-하다 형 여불
고들바기 명〈옛〉고들빼기. ¶草삽쥬 고ㅅ리 들밧트로 ㄴ리다라 곰달닉 물숙 계우목 숫다지 잔다괴 씀바괴 고들바기 두룹 킈야《古時調》.
고들비 명〈방〉〖식〗고들빼기.
고들-빼기 명〖식〗〔*Youngia sonchifolia*〕국화과에 속하는 2년초. 높이 12-80 cm로 줄기는 자적색(紫赤色)을 띠고 잎은 긴 타원형이거나 주걱 모양임. 꽃은 두화(頭花)가 다수이고 방상(房狀) 화서이며, 모두 설상화(舌狀花)인데 황색으로 5-9월에 피고, 과실은 수과(瘦果)임. 산과 들이나 논밭에 나며, 한국 각지에 분포함. 어린 잎은 식용함. 고채(苦菜).
고들빼기 김치 명 고들빼기로 담근 김치.
고들빼기 나물 명 고들빼기 뿌리를 무친 나물.
고듭-싸리 명〖식〗싸리의 한 종류. 몸이 단단하고, 결이 비비 틀리어 무척 질긴데 마디가 많고 잎이 잘며, 껍질의 빛깔은 엷은 갈색임.
고등[1]【孤燈】명 단지 하나만이 외따로 있는 등불.
고등[2]【高等】명 ①정도가 높음. ②등급(等級)이 높음. ↔하등(下等). ③품위가 높음. ——-하다 형 여불
고등[3]【高騰】명 물건 값이 뛰어 오름. ——-하다 자 여불
고등-각씨 명〈방〉〖동〗노래기(경북).
고등 감:각【高等感覺】명〖심〗시각(視覺)과 청각(聽覺)의 두 감각. 이 두 감각은 지각(知覺)의 범위가 넓고 감각의 성질의 분화(分化)가 다양(多樣)하며 또한 질서 정연할 뿐더러 대상(對象) 감정의 소재(素材)를 공급하여 쾌(快)·불쾌 이외에 미추(美醜)의 감(感)을 줌. 예술은 태반이 이 양자(兩者)를 매개로 함. 고등 감관(高等感官). ↔하등(下等) 감각.
고등 감:관【高等感官】명〖심〗고등 감각(高等感覺).
고등 감:정【高等感情】명〖심〗정조(情操).
고등 검:사장【高等檢事長】명〖법〗검사의 직급(職級)의 하나. 검찰 총장의 아래, 검사장(檢事長)의 위. 고등 검찰청의 검사장, 대검찰청 차장 등이 이에 속함.
고등 검:찰관【高等檢察官】명〖법〗검사의 직급(職級)의 하나. 검사장(檢事長)의 아래, 검찰관(檢察官)의 위. 지방 검찰청 차장·부장 검사 등이 이에 속함.
고등 검:찰청【高等檢察廳】명〖법〗고등 법원에 대응(對應)하여 설치되는 검찰청. 지방 검찰청의 위이고 대검찰청의 아래임. 서울·대구·대전·광주·부산에 있음. 준고검(高檢).
고등 경:찰【高等警察】명〔프 haute police〕특별히 고도(高度)의 가치가 있는 국가 사회의 이익을 보호하는 경찰. 곧, 정치상의 비밀 결사·정치 집회(集會)·선거 운동 등의 단속, 위험 사상의 선전 또는 정치 범죄의 음모(陰謀)에 대한 감시(監視) 등을 맡음.
고등-계【高等係】명〖일제〗일제 강점기에, 한국민의 정치적·사상적 활동을 억압·감시하고 탄압하던 경찰의 한 부서. ¶~ 형사.
고등 고시【高等考試】명 행정 고급 공무원·외교관 및 사법관 시보(試補)의 임용(任用) 자격에 관한 고시. 1963년 폐지됨. 현재는 사법 시험과 행정 고등 고시·외무 고등 고시·기술 고등 고시로 구분하여 실시되고 있음. 준고시(高試).
고등 공민 학교【高等公民學校】명〖교〗초등 학교 또는 공민 학교를 졸업한 사람에게, 국민 생활에 필요한 공민적 사회 교육·직업 교육을 실시함을 목적으로 하는 학교. 수업 연한은 1-3년임. *공민 학교.
고등 공업 학교【高等工業學校】명〖일제〗공업에 관한 학문·기술의 전문 교육을 실시하던 실업 전문 학교. 준고공(高工).
고등-과【高等科】[—꽈] 명 정도가 높은 과정(課程). ↔초등과(初等科).
고등-관【高等官】명〖일제〗관리 등급의 하나. 판임관(判任官)의 위로서 9등급(等級)으로 되어 있었는데, 1,2등을 칙임관(勅任官), 3등 이하를 주임관(奏任官)이라고 했음.
고등 교:육【高等敎育】명〖교〗초등·중등 교육의 윗단계의 교육. 초급 대학 이상의 교육.
고등 군법 회:의【高等軍法會議】[—뻡—/—뻡—이] 명〖군〗'고등 군사 법원'의 구칭.
고등 군사 법원【高等軍事法院】명〖군〗군사 법원의 하나. 국방부 본부 및 각군(各軍) 본부에 설치되어 있으며, 관하(管下) 각 부대 보통 군사 법원의 재판에 대한 항소(抗訴)·항고(抗告) 사건 등을 심판함. 재판관은 군판사 3명과 심판관 2명의 5명으로 구성됨. 구칭: 고등 군법 회의.
고등 기술 학교【高等技術學校】명〖교〗국민 생활에 직접 필요한 직업의 지식과 기술을 연마하는 학교. 3년제 기술 학교, 3년제 고등 공민 학교, 중학교를 졸업한 자가 입학하며, 수업 연한은 1-3년임.
고등 농림 학교【高等農林學校】[—님—] 명〖일제〗농업 및 임업에 관한 학문·기술의 전문 교육을 실시하던 실업 전문 학교. 준고농(高農).
고등 동:물【高等動物】명〖생〗복잡한 체제(體制)를 갖추고 소화·순환(循環)·호흡·비뇨(泌尿)·생식·신경·운동 등의 기관(器官)을 가진 동물. 무척추(無脊椎) 동물에 대하여 척추 동물을 가리키는 수도 있음. ↔하등 동물(下等動物).
고등 룸펜【高等—】〔도 Lumpen〕명 지식층이나 부유층의 실직한 사람. 고등 유민(遊民).
고등 마:술【高等馬術】명 승마에서, 고도의 기술을 필요로 하는 마술. 장애물 넘기, 멀리 타기, 물에서 헤엄치기 따위.
고등 무:관【高等武官】명 육·해·공군의 영관급 이상의 무관.
고등 문관【高等文官】명〖일제〗고등관인 문관.
고등 문관 시험【高等文官試驗】명〖일제〗고등관인 문관이 되기 위한 자격 시험. 행정과 및 판검사·변호사 자격 시험인 사법과로 나뉘었었음. 준고문(高文).
고등 법원【高等法院】명 ①〖법〗지방 법원의 위이고 대법원의 아래인 중급 법원. 지방 법원의 심판에 대한 항소(抗訴)·항고(抗告)에 대하여

심판을 행함. 서울·대구·광주·부산의 네 곳에 설치되어 있음. 준고법(高法). ②〖일제〗 조선 총독부(總督府) 관하(管下)에 두었던 최고 재판소. ③〖역〗 1791년 이전에 있었던 프랑스의 최고 법원.

고등 보:통 학교【高等普通學校】명〖일제〗한국인에게 중등 교육을 가르치던 5년제의 남자 중등 학교. 1940년에 명칭을 중학교로 고침. 준고보(高普).

고등 비:평【高等批評】명 ①근본적으로 소급(遡及)하여서 연구적으로 행하는 비평. ②〖성〗성서(聖書)에 관한 비판적 연구의 한 입장. 성서의 각 문서의 자료·연대(年代)·저자(著者) 및 역사적·사상적 배경 등을 학문적으로 연구하는 일. ↔저급(低級) 비평.

고등 비행【高等飛行】명 특수한 비행 기술로써 하는 비행. 공중제비·스핀(spin) 등 특수 비행.

고등 빈민【高等貧民】명 적은 수입으로 생활하여 가는, 자산(資産)이 없는 지식 계급의 사람.

고등 사범 학교【高等師範學校】명〖일제〗사범 학교·중학교·고등 여학교의 교원을 양성하던 학교. 준고사(高師).

고등 상업 학교【高等商業學校】명〖일제〗상업(商業)에 관한 학술의 전문 교육을 실시하던 실업 전문 학교. 준고상(高商).

고등 선원【高等船員】명〖법〗선박 직원 중, 선장·항해사·기관장·기관사·선박 통신사의 일컬음.

고등 소:학교【高等小學校】명〖일제〗심상 소학교(尋常小學校)를 졸업한 아동에게 다시 2개년의 보통 교육을 실시하던 학교.

고등 수:학【高等數學】명〖수〗초등 수학 정도 이상의 수학. 고등 대수학·미적분(微積分)·함수론(函數論)·해석 기하학(解析幾何學)·추상 대수학(抽象代數學) 등의 총칭. ↔초등 수학.

고등 식물【高等植物】명〖식〗뿌리·잎·줄기의 삼부(三部)를 갖추고 체제(體制)가 복잡하게 발달한 식물. 현화(顯花) 식물·양치(羊齒) 식물 따위. ↔하등(下等) 식물.

고등-신【高登神】명〖민〗고구려의 시조를 위하여 모신 신묘(神廟)의 신. 《북사(北史)》에 의하면 시조 부여신(扶餘神)의 아들로서 관사를 두고 수호하였다 함.

고등아 명〈방〉〖어〗고등어(경기·충북·황해).

고등애 명〈방〉〖어〗고등어(충북·전라·경상).

고등어 명〖어〗[*Scomber japonicus*] 고등엇과에 속하는 바닷물고기. 몸은 방추형으로 길이 40-50cm 내외인데 횡단면은 타원형임. 몸빛은 등 쪽이 녹색으로 굴곡된 흑색 파상의 특이한 유문(流紋)이 옆줄 아래까지 분포되어 있고, 배 쪽은 은백색임. 내만에 떼를 지어 내유(來遊)하는데, 한국 전연해·사할린·일본·대만·중국에 널리 분포함. 한국 중요 식용 어종임. 취음: 고도어(古刀魚·高刀魚·高道魚).

〈고등어〉

고등어 구이 명 고등어를 토막쳐서 양념하여 구운 반찬.

고등어-저냐 명 고등어로 만든 저냐.

고등어-조림 명 고등어를 토막쳐서 양념하여 조린 반찬.

고등어-찌개 명 고등어를 토막쳐서 넣고 끓인 찌개.

고등어-회【一膾】명 고등어의 살을 얇게 썰어서 만든 회.

고등엇-과【一科】[一꽈] 명〖어〗[Scombridae] 농어목(目)에 속하는 어류의 한 과. 종류가 많아, 다랑어·날개다랑어·눈다랑어·황다랑어·백다랑어·점다랑어·가다랑어·물치다래·고등어·검고등어 등이 이에 속함.

고등에 명〈방〉〖어〗고등어(강원·경남·제주·평북).

고등 여학교【高等女學校】[一녀一] 명〖일제〗중등 교육을 가르치던 4-5년제의 여자 중학교. 준고녀(高女).

고등 유민【高等遊民】[一뉴一] 명 고등 교육을 받고 일정한 직업이 없이 노는 사람. 고등 룸펜.

고등 은화 식물【高等隱花植物】명〖식〗'무관 유배(無管有胚) 식물'의 구칭. 선태류(蘚苔類)·양치류(羊齒類) 등의 일컬음. *은화 식물.

고등이 명〈방〉①〖어〗고등어(경북). ②〖조개〗고둥(경남).

고등 재:배【高等栽培】명〖농〗온도·습도 등의 관계로 보통의 재배 방법으로는 할 수 없는 시기(時期) 또는 장소에서, 온실(溫室)·온상(溫床) 등의 특별 설비를 사용하여 집약적(集約的)으로 채소·과수 등을 재배하는 방법.

고등 재판소【高等裁判所】명〖역〗조선 후기의 최상위(最上位)의 재판소. 고종(高宗) 32년(1895)에 설치하여 광무(光武) 3년(1898)에 폐함.

고등 정책【高等政策】명〖정〗정치 문제의 근본에 관한 정책.

고등 판무관【高等辦務官】명〖정〗피보호국(被保護國)·종속국(從屬國)·피점령국 등에 파견되어 특별 임무를 맡고 있는 관리. 나라의 제도에 따라 다른데, 특히 외교 사절(外交使節)의 직무와 같은 일을 임무로 하는 이를 이름.

고등 포:획 심:판소【高等捕獲審判所】명 포획 심판소의 심판에 대한 항의(抗議) 사건을 심판하는 법무부 장관 소속하의 기관. 서류 심리만으로 심판함. 서울에 있음.

고등-학교【高等學校】명〖교〗중학교 교육의 기초 위에 고등 보통 교육과 전문 교육을 실시하는 학교. 인문·실업·예능·체육계 고등학교 등이 있고 수업 연한은 모두 3년임. 준고교(高校).

고등 행정【高等行政】명〖정〗국가와 사회의 안녕 질서에 관한 행정.

고디 명〈방〉〖조개〗고둥(경상).

고디듣다 타〈옛〉곧이듣다. ¶ 舍利弗아 너희 부텻 마룰 고디드르라 거츠디 아니ᄒᆞ니라《月釋 XIII:47》.

고디시기 부〈옛〉고지식하게. ¶ 내 고디시기 너ᄃᆞ려 닐오마(我老實對你說)《老乞 下 24》.

고디식다 형〈옛〉고지식하다. ¶ 衆生이 ᄒᆞ마 信伏ᄒᆞ야 고디시그며 ᄣᅳ디 보ᄃᆞ라와 一心으로 부텨를 보ᅀᆞᆸ고져 호ᄃᆡ(衆生 旣信伏 質直意柔軟 一心欲見佛)《妙蓮 V:161》.

고디식ᄒᆞ다 형〈옛〉고지식하다. 거짓이 아니다. ¶ 이제 고디식ᄒᆞᆫ 갑슬 네ᄃᆞ려 니ᄅᆞ리 거시니(如今老實的價錢說與你)《老乞 下 10》.

고디이 명〈방〉〖조개〗고둥(경남).

고디-앞시금 명〖민〗살판뛰에서, 앞으로 떨어지다가 몸을 홱 돌려 떨어지는 동작.

고딕〔Gothic〕명 ①〖건〗↗고딕식(式). ②〖인쇄〗활자의 획이 굵은 글자의 체(體). 고딕체. 흑자체(黑字體) 활자. ③고트족(Goth族)의 언어.

고딕 건:축【一建築】〔Gothic〕명〖건〗고딕식으로 된 건축. 성당(聖堂) 건축의 전형적인 것으로, 교차 늑골(交差肋骨)로 받쳐진 아치와 하늘 높이 치솟은 뾰족탑(塔) 등 수직(垂直) 효과를 강조한 것이 특색임.

〈고딕 건축〉

고딕 미술【一美術】〔Gothic〕명〖미술〗고딕 양식으로 된 건축·조각·회화(繪畫).

고딕-식【一式】〔Gothic〕명〖건〗〔이탈리아인이 고트족의 예술을 폄(貶)하여 부른 데서 유래된 말〕13-15세기 말엽에 걸쳐 서유럽에서 유행하던 건축 양식. 준고딕.

고딕 음악【一音樂】〔Gothic〕명〖악〗서유럽 중세의 음악 양식. 로마네스크와 르네상스와의 중간기의 음악으로서, 노트르담 악파(樂派)·아르스 안티콰(ars antiqua) 등으로 대표되는 다성(多聲) 음악을 일컬음.

고딕-체【一體】〔Gothic〕명〖인쇄〗고딕(Gothic)❷.

고 딘 디엠〔Ngo Dinh Diem〕명〖사람〗월남(越南)의 정치가. 1955년 국민 투표로 월남 공화국 대통령에 취임하여 수상을 겸했음. 1957년에 내한(來韓)함. 1963년 군부(軍部) 쿠데타로 살해됨. [1901-63]

고딩 명〈방〉〖조개〗고둥(경북).

고딩이 명〈방〉①〖어〗고등어(경북). ②〖조개〗고둥(경상).

고ᄃᆞᆯ개 명〈옛〉고들개❸. ¶ 고ᄃᆞᆯ개 추(鞧)《字會 中 27》.

고ᄃᆞᆯ파 부〈옛〉억지로. ¶ 안잿ᄂᆞᆫ 소ᄂᆡ게 盤飧ᄋᆞᆯ 고ᄃᆞᆯ파 ᄒᆞᄂᆞ다(坐客強盤飧)《杜諺 XXI:33》.

고ᄃᆞᆯᄑᆞ다 형〈옛〉고달프다. ¶ 衰殘ᄒᆞᆫ 나해 이 모ᄆᆞᆯ 고ᄃᆞᆯ파 ᄃᆞᆫ니노라(衰年強此身)《杜諺 VII:18》「不知)《重杜諺 II:59》.

고ᄃᆞᆷ 형〈옛〉곧음. '곧다'의 명사형. ¶ 고ᄇᆞ며 고ᄃᆞᄆᆞᆯ 내 모ᄅᆞ고(曲直吾

고ᄃᆡ머리 명〈옛〉대머리. ¶ 고ᄃᆡ머리(癩頭·禿頭)《譯語 上 61》.

고라[1] 명〔몽 qula(누렁말)〕↗고라말.

고라[2] 명〈옛〉소라. ¶ 고라 불고 바라 티고(吹螺打鈸)《朴解 下 42》.

-고라 어미〈옛〉-고자 하노라. -고 싶어라. ¶ 내 願을 일티 아니케 ᄒᆞ고라《月釋 I:13》/金과 玉과란 ᄇᆞ리고라(棄金玉)《杜諺 IV:27》.

고라니 명〖동〗[*Hydropotes inermis argyropus*] 사슴과에 속하는 동물. 노루의 일종으로, 몸길이 약 90cm, 어깨 높이 약 50cm로 작음. 등은 담적갈색, 배·턱밑은 흼. 위쪽 송곳니가 날카롭고 긴데, 그 굽은 끝이 입 밖으로 나와 있음. 꼬리는 짧아 혹 모양이며, 뿔은 없음. 높은 산에 이어진 산기슭이나 강가의 갈대밭에, 홀로 또는 짝을 이루어 삶. 낮에 활동하여, 갈잎 등 식물을 주식(主食)으로 함. 번식 시기는 늦가을에서 초겨울인데, 피는 녹혈(鹿血) 대용으로 쓰임. 한국, 중국의 양자강 유역 등지에 분포함. 마록(馬鹿). 만주사슴. 보노루. *순록(馴鹿).

〈고라니〉

고라댕이 명〈방〉골짜기❶.

고라리 명 ↗시골고라리.

고라-말 명 등에 검은 털이 난, 누른 말. 준고라. 「《老乞 下 8》.

고라ᄆᆞᆯ 명〈옛〉고라말. ¶ 고라ᄆᆞᆯ(黃馬)《譯語 下 28》/고라ᄆᆞᆯ(土黃馬)

-고라쟈 어미〈옛〉-게 하고 싶은 것이여. -게 하고 싶구나. ¶ 뎌긔 셧ᄂᆞᆫ 뎌 소나모 길ᄀᆞ에 셜줄엇더 져근덧 드리혀 뎌 굴형에 서고라쟈《古時調 松江》/酒泉 바다헤 풍들 웟쳐 두고라쟈《海謠》.

고라지 명〈방〉골마지.

-고라지고 어미〈옛〉-고 싶구나. ¶ 님 ᄉᆞ랑 삼고라지고《永言》.

고락[1] 명 ①낙지 배때기. ②〖동〗낙지 배때기 속에 든 검은 물. 묵즙(墨汁). ③〖동〗낙지 배때기 속의 검은 물이 담긴 주머니. 묵즙낭(墨汁囊).

고락[2]【苦樂】명 괴로움과 즐거움. 고생과 안락. 감고(甘苦). ¶ ~을 같이

고락[3]【高落】명 높이 오르고 떨어짐. 고등(高騰)과 저락(低落). ⌊하다.

고락간-에【苦樂間一】부 괴롭거나 즐겁거나.

고락 병:행【苦樂並行】명 괴로움에는 즐거움이 따르고 즐거움에는 괴

고락-젓 명〈방〉꼴뚜기젓. ⌊로움이 따름. ──하다 자여불

고락 찌개 명 고락에다 고추장을 풀어서 끓인 찌개.

고란【高欄】명 고루(高樓)의 난간. 높은 난간.

고란-사【皐蘭寺】명〖지〗충청 남도 부여(扶餘), 백마강(白馬江) 좌안(左岸) 절벽 위에 있는 조그마한 암자. 경치가 매우 좋고, 부근에 야생하는 고란초(皐蘭草)로 인하여 더욱 이름이 있음. 450년경, 백제 때 창건된 것임.

고란-초【皐蘭草】명〖식〗[*Crypsinus hastatus*] 고사릿과의 다년생 상록(常綠) 고등 은화 식물(高等隱花植物). 높이 10-30cm에 자갈색 선상(線狀)의 인모(鱗毛)가 많음. 잎은 총생(叢生)하는데 그 수가 적고, 엽신(葉身)은 단엽(單葉) 또는 삼심열(三深裂)인데 열편(裂片)은 피침형이고, 잎꼭지는 가는 선형(線形)이며 단단함. 잎은 폭 2-3cm인데 광택이 있고 상면(上面)은 녹색, 이면(裏面)은 거의 희고 황

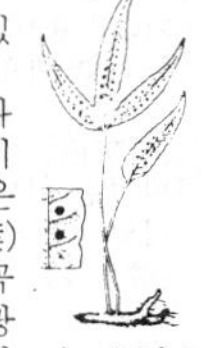
〈고란초〉

갈색의 동그란 낭퇴(囊堆)가 각 지맥(支脈) 사이에 점점(點點)이 두 줄로 착생(着生)함. 산지의 벼랑에 나는데, 제주·경기, 경북의 울릉도, 전남의 목포, 충남의 부여 및 일본·인도 등지에 분포함.

고란 층제【高欄層梯】명〖건〗교란(交欄)을 붙인 층제(層梯).

고:람[1]【古藍】명〖사람〗전기(田琦)의 호(號).

고람[2]【高覽】명 남이 보는 것을 높이는 말. 존람(尊覽). ¶부디 오시어 폐사 주최의 전람회를 ~하여 주시기 바랍니다. ——-하다 타여불

고랑[1] 명 두둑의 사이. 또, 두두룩한 두 땅의 사이. 묘구(畝溝). ¶ 밭~. ㄴ준골.

고랑[2] 명 ↗쇠고랑.

고랑[3] 명 〈궁중〉 툇마루.

고랑[4] 명 〈방〉 골짜기❶(충남·전북).

고랑[5] 명 〈방〉 도랑[1](경상).

고랑닥-새 명 〈방〉〖조〗 뱁새(제주).

고랑데기 명 〈방〉 꼬리(경남).

고랑 못자리 명〖농〗볍모를 육성하는 못자리의 하나. 물못자리와 밭못자리의 좋은 점을 딴 것으로, 처음에는 물을 대고 나중에는 모판의 고랑에만 물을 대어 모를 키움.

고랑-배미 [一배一] 의명 밭고랑이나 논배미를 세는 단위.

고랑-뱅이 명 〈방〉 고랑배미.

고랑-비 명 〈방〉 가랑비(제주).

고랑-쇠 명 ☞ 쇠고랑.

고랑이 명 〈방〉〖동〗 고라니(경상).

고랑-창 명 좁고 깊은 고랑. 준골창.

고랑-채【姑娘菜】명〖식〗꽈리.

고랑-틀 명〖역〗차꼬.

고랑-포【高浪浦】명〖지〗경기도 장단군(長湍郡)에 있는 마을. 6·25 전쟁 전에는 임진강(臨津江)에 임하여 주운(舟運)이 편리하며 관개(灌漑)의 이용이 커서 농산물의 산출이 많았음.

고래[1] 명〖동〗①고래류에 속하는 포유(哺乳) 동물의 총칭. 경어(鯨魚). 경예(鯨鯢). ②[*Balaenoptera acutorostrata*] 큰고랫과에 속하는 동물의 하나. 몸길이는 10 m 가량이고, 등지느러미가 크며, 가슴지느러미의 바깥쪽에 흰 가로무늬가 있는 것이 특징임. 황백색의 작은 경수(鯨鬚)는 한쪽에 200-330개씩 있음. 작은 고기·조개·새우 등을 먹음. 고기는 냄새가 안 나므로 식용에 적당함. 전세계에 분포하는데, 경남 울산 앞바다에도 있음. ③〈속〉 술을 몹시 많이 먹는 사람을 이르는 말.

〈고래[1]❷〉

【고래 그물에 새우가 걸린다】목적한 큰 것은 놓치고, 쓸데없는 조무라기만 잡았다는 말. 【고래 싸움에 새우 등 터진다】남의 싸움에 아무 관계가 없는 사람이 공연히 해를 입게 됨을 이르는 말.

고래[2] 명 ↗방고래.

고래[3] 명 〈방〉 아우성.

고래[4] 명 〈방〉〖동〗 달팽이(경기). 「來).

고:래[5]【古來】명 ①예로부터 지금에 이르기까지. ②↗자고 이래(自古以

고래[6] 一부 '고리하여'의 뜻의 접속 부사. ¶~ 그러면 앞으로 어떻게 할 거냐. <그래. 二준 고러하여. ¶주제가 ~ 가지고서 되겠느냐. <그래.

고래 고기 명 고래의 고기.

고래-고래 부 성이 나서 남을 꾸짖거나 욕을 할 때에 몹시 목소리를 높이어 부르짖는 모양. ¶~ 고함을 지르다.

고래기 명 〈방〉 ①아우성. ②골마지.

고래 기름 명 고래의 지방(脂肪). 고래의 살·뼈에서 채취(採取)한 기름. 공업용으로 많이 쓰임. 경유(鯨油).

고래당 같다 형 〈방〉 고래등 같다(강원).

고래도 一부 '고리할지라도'의 뜻의 접속 부사. <그래도. 二준 고리하여도·고러하여도. ¶아무리 ~ 소용없다. <그래도.

고래등 같다 형 집이 굉장하게 크고 드높아 웅장(雄壯)하다. ¶고래등 같은 기와집.

고:래-로【古來一】부 ↗자고 이래(自古以來)로.

고래-목【一目】명〖동〗[Cetacea] 포유류(哺乳類)에 속하는 한 목(目). 평생을 물 속에서 지내는 유일한 포유 동물로서, 몸은 방추형(紡錘形)이고 목이 없으며 피하(皮下)에는 두꺼운 지방층(脂肪層)이 있음. 꼬리는 수평(水平)으로 지느러미가 되고 머리는 크며 눈은 작음. 좌우(左右)의 콧구멍은 머리 위에 뚫리고 가끔 수면(水面)에 떠서 공기를 호흡함. 동물 중의 최대형(最大形)으로 상온(常溫)이고 바다에 사는데, 어류(魚類)와 비슷하나 전지(前肢)가 가슴지느러미로 되고 후지는 퇴화, 비늘이 없고 털이 있으며 폐(肺) 호흡·포육(哺育)함. 큰고래·참고래·멸치고래·왕고래·혹고래 등 여러 종류가 있는데, 화석(化石)으로만 볼 수 있는 고경 아목(古鯨亞目)과 수염이 있는 수경 아목(鬚鯨亞目)과 이가 있는 치경 아목(齒鯨亞目)의 셋으로 크게 나눔. 경류(鯨類).

고래-밀 명 경랍(鯨蠟).

고래 봬:도 준 고러하게 보이어도. <그래 봬도. *요래 봬도.

고래-상어 명〖어〗[*Rhincodon typus*] 수염상엇과에 속하는 바닷물고기. 몸길이 10-20 m, 체중 4-12 톤에 달하는 거대한 상어로, 현존하는 어류 중 최대의 것임. 몸빛은 녹갈색 또는 암회색(暗灰色) 바탕에 흰 점이 전신에 산재함. 머리는 편평하고 폭이 넓으며, 선단은 방형임. 눈에는 순막(瞬膜)이 없고 분수공(噴水孔)도 없으며 꼬리자루의 양쪽 가운데 융기선이 있음. 성질이 온순함. 한국 남해 및 제주도와 전세계의 온대와 열대에 분포함.

〈고래상어〉

고래서 一부 '그렇게 하여서'의 뜻의 접속 부사. ¶~ 네가 이겼냐. <그래서. 二준 고리하여서·고러하여서. ¶말을 ~는 안 된다. <그래서.

고래서-야 준 고리하여서야. 고러하여서야. <그래서야. *요래서야.

고래 수염【一鬚髯】명 고래의 구개(口蓋)의 양쪽에 빗살같이 나란히 있는 섬유성의 각질판(角質板). 공예용으로 쓰임. 경수(鯨鬚).

고래-실 명〖농〗바닥이 깊고 관개(灌漑)에 편리한 기름진 논.

고래야 준 고렇게 하여야. 고러하여야. <그래야.

고래이 명 〈방〉 고리[1](경북).

고래-자리 명〔라 Cetus〕〖천〗양(羊)자리와 물고기자리의 남쪽 춘분점(春分點) 가까이에 있는 별자리. 12월 중순경 저녁때 남쪽 중천(中天)에 보임. 눈으로 볼 수 있는 별이 190개 가량이며, 그 중에 미라(Mira)라고 하는 이름난 장주기 변광성(長週期變光星)이 있음. 경좌(鯨座). 약자 : Cet.

고래-작살 명 고래를 잡는 작살. 창(槍)과 같이 던지어서 맞히는 것과 대포로 쏘아서 맞히는 것이 있음. 작살 끝에는 꼬부장한 날카로운 쇠붙이가 붙어 있어서 한번 꽂히면 빠지지 아니함. 대포로 쏘는 작살은 밧줄이 달려 있음. 경섬(鯨銛).

1. 손으로 던지는 작살 2. 대포로 쏘는 작살 〈고래작살〉

고래-잡이 명 고래를 잡는 일. 포경(捕鯨). 경렵(鯨獵). ——-하다 자여불

고래잡이-배 명 포경선(捕鯨船).

고:래지-풍【古來之風】명 옛날부터 전하여 내려오는 풍속(風俗).

고래 탐지기【一探知機】명 바닷속에 있는 고래의 위치를 탐지하기 위한 수중 어군(水中魚群) 탐지기의 일종. 경탐기(鯨探機).

고래-회【一膾】명 고래 고기를 저미어서 만든 회. 경회(鯨膾).

고:래-희【古來稀】[一히] 명 옛날부터 매우 드물다는 뜻. ¶인생 칠십 ~.

고랫 당그래 명 방고래의 재를 그러내는 작은 고무래.

고랫-등 명〖건〗구들장을 올려 놓는 방고래와 방고래 사이의 두렁.

고랫-재 명 방고래에 모여 있는 재.

고랭-증【痼冷症】[一쯩] 명〖한의〗①배 속에 뭉치가 있어서 늘 싸늘하고 아픔을 느끼는 위장병의 증세. ②만성 복막염(慢性腹膜炎)·장결핵(腸結核)·만성 장카타르(腸 catarrh) 등의 총칭.

고랭지 농업【高冷地農業】명 해발 약 1,000 m 이상의 고원 지대에서 행하여지는 농업. 주로 야채류를 생산함. *한랭지 농업.

고략【拷掠】명 고타(拷打). ——-하다 타여불

고량[1] 명 〈궁중〉 툇마루.

고량[2]【考量】명 생각하여 헤아림. ——-하다 타여불

고량[3]【高粱】명〖식〗수수.

고량[4]【膏粱】명 ↗고량 진미(膏粱珍味).

고량-강【高良薑】명〖식〗새앙의 한 종류. 중국의 광둥(廣東)·광시(廣西)·구이저우(貴州)·쓰촨(四川)에서 나는 다년생 약초. 키가 90-110 cm 가량 되며 줄기는 두화(杜花) 같고 잎은 긴 타원형임. 봄에 흰 꽃이 피는데 붉은 점과 누른 테가 있음. 씨를 홍두구(紅荳蔻)라 하여 뿌리와 같이 한약재로 씀. 준양강(良薑).

고량-목 명〖광〗광석 찧는 방아에, 방앗공이의 사이에 있어서 서로 부딪치지 않게 하기 위하여 가로나 세로로 질러 놓은 나무.

고량-미【高粱米】명 수수쌀.

고:량부리-정【古良夫里停·古粱夫里停】명〖역〗신라의 군영(軍營). 십정(十停)의 하나. 신라 삼국 통일 후, 지금의 충남 청양(靑陽)에 둠.

고량 소주【高粱燒酒】명 수수 소주. 준고량주(高粱酒).

고량 자제【膏粱子弟】명 고량 진미만 먹고 귀엽게 자라나서 고생을 모르는 부귀한 집안의 젊은이.

고량-주【高粱酒】명 ↗고량 소주.

고량 진미【膏粱珍味】명 살찐 고기와 좋은 곡식으로 만든 맛있는 음식.

고량-토【高粱土】명〖공〗고령토(高嶺土). ㄴ준고량(膏粱).

고러- 간 '고렇다'의 변칙 어간. ¶~ㄴ/~ㄹ/~니/~면. <그러-.

고러고 부 ↗고러하고. <그러고. *조러고.

고러고러-하다 형여불 여럿이 모두 고러루하다. <그러그러하다. *요러요러하다.

고러다 준 고렇게 하다. ¶~ 큰일 나지. <그러다. *요러다.

고러다가 준 고렇게 하다가. ¶~ 다치지. <그러다가. *조러다가.

고러루-하다 형여불 여럿이 모두 비슷비슷하다. <그러루하다.

고러면 준 고러하면. ¶자꾸 ~ 못 쓴다. <그러면. *요러면·저러면.

고러므로 준 고러하므로. <그러므로. ↔요러므로·저러므로.

고러-하다 형여불 고와 같다. 고것과 다름없다. <그러하다. 준고렇다.

고런[1] 관 ↗고러한. <그런[1]. *요런[1]. 「*요런[2]·조런.

고런[2] 감 놀라거나 딱한 일을 보거나 듣거나 했을 때 내는 소리. <그런[2].

고런-대로 준 고러한 대로. <그런대로. *요런대로.

고럼 명 〈방〉 고름[1](경상).

고렇게 [一러케] 부 ↗고러하게. <그렇게. *요렇게.

고렇다 [一러타] 형ㅎ불 ↗고러하다. <그렇다. *조렇다.

고렇-듯 [一러틋] 부 ①↗고러하듯. ②고렇게도 몹시. ¶~ 부지런히 일을 하니 성공하지. 1)·2) : <그렇듯. *요렇듯·조렇듯.

고렇-듯이 [一러트시] 부 ↗고러하듯이. <그렇듯이. ↔요렇듯이.

고렇지 [一러치] 감 고와 같이 틀림없다는 뜻으로 내는 소리. <그렇지. ↔요렇지.

고레스[1] [Gores] 명 동양에서 15-16세기경에 남해 무역에 활약한 인종(人種). 류큐인(琉球人)·조선인·일본인 등의 설이 있음.

고레스[2] 〔Cyrus〕명〖성〗키루스(Cyrus)❶.

고려[1]【考慮】명 생각하여 봄. 고사(考思). 생각. ——-하다 타여불

고려[2]【苦慮】명 애써 생각함. 고심(苦心). ——-하다 타여불

고려[3]【高慮】명 타인의 사려를 높이어 일컫는 말.

고려[4]【高麗·高驪】명〖역〗①한국 고대 왕조(王朝)의 하나. 태봉(泰封) 나라의 장수 왕건(王建)이 임금 궁예(弓裔)를 내어쫓고 개성(開城)에 도읍(都邑)하여 세운 나라. 후백제(後百濟)를 없애고 신라를 항복(降伏) 시켜, 935년에 한반도를 통일함. 이 시대에는 불교가 전성하여 건축·미술이 한창이었음. 이성계(李成桂)에게 망하여 조선이 세워질 때까지 34대 475년을 누렸음. [918-1392] ②↗고구려(高句麗). ③태봉 나라의 처음 이름.

고려[5]【顧慮】명 ①다시 돌이켜 생각함. ②앞일을 걱정함. ——-하다 타 여불

-고려 미〈옛〉-구려. ¶됴흔 은을 날 주고려(好銀子與我些)《老乞 下 12》/아히야 碧蹄에 손이라커든 날 나가다 ᄒᆞ고려《松江 短歌》.

고려 가사【高麗歌詞】명〖문〗고려 가요.

고려 가요【高麗歌謠】명〖문〗고려 시대의 속요(俗謠). 고려 속요(高麗俗謠). 고려 가사. 준여요(麗謠). *장가(長歌).

고려 고종 제:서【高麗高宗制書】명 고려 고종 3년(1216)에, 고종이 조계산(曹溪山) 2세 진각 국사(眞覺國師) 혜심(惠諶)에게 대선사(大禪師)의 호를 내린, 두루마리로 되어 있는 사령장. 송광사(松廣寺)에 소장되어 있음. 국보 제43호.

고려 공사 삼일【高麗公事三日】명 우리 나라 사람이 오래 참고 견디는 성질이 부족하여 정령(政令)을 조령 모개(朝令暮改)하는 것을 비꼰 말.

고려 권지국사【高麗權知國事】명〖역〗이태조(李太祖)가 즉위한 후부터 명나라의 책봉을 받기 전에 사용한 관명(官名). 개국 8년 후인 3대 태종(太宗) 1년(1401)에 비로소 조선 국왕이란 고명(誥名)과 인장(印章)을 받았음.

고려-기【高麗技】명 예전에 중국에서, 씨름을 우리 나라에서 비롯된 운동이라는 뜻으로 일컫던 이름.

고려당 같다 형〈방〉고래등 같다(강원).

고려 대:장경【高麗大藏經】명 고려 때 2차에 걸쳐 간행된 불경(佛經). 여러 차례 외적의 침입을 받게 되자 부처의 힘으로 이를 물리쳐 나라의 안전을 꾀하고자 간행한 대장경. 제1차의, 두 차례에 걸쳐 새겨 만든 판(板)은 몽고군의 침입 때 없어지고, 제2차의 것은 현재 남아 있는 해인 장경(海印藏經)임. 조각된 판목수(板木數)가 8만여 장이나 되어 팔만 대장경이라고도 함. *해인 장경(海印藏經).

고려 대학교【高麗大學校】명 사립 대학교의 하나. 1905년에 서울 수송동에 한국 내장원경(內藏院卿) 이용익(李容翊)이 설립한 보성 전문 학교(普成專門學校)의 후신. 한때 왜정의 압박으로 척식 경제 전문 학교(拓殖經濟專門學校)로 개편되었다가, 광복과 더불어 고려 대학교로 개칭함. 준고대(高大).

고려 도경【高麗圖經】명〖책〗고려 인종(仁宗) 원년(1123)에, 중국 송나라 사신 서긍(徐兢)이 고려에 와서 보고 들은 바를 그림과 글로 적어 놓은 책. 그림은 없어지고 글만 전함. 40권.

고려-땃쥐【高麗一】명〖동〗[*Crocidura coreae*] 땃쥣과에 속하는 동물. 사향뒤쥐보다 몸은 훨씬 작아 그 절반 가량 되는데 꼬리가 짧고 아랫배가 흼. 한국과 대마도(對馬島)에 분포함.

고려 명신전【高麗名臣傳】명〖책〗남공철(南公轍)이 고려의 충신·효자·열녀·일민(逸民) 등 약 300여 명에 관한 사적(事蹟)을 기록한 책. 12권 6책.

고려-박쥐【高麗一】명〖동〗[*Eptesicus serotinus pallens*] 박쥐목 애기박쥣과에 속하는 동물. 몸의 길이 7cm, 꼬리 5cm, 귀의 길이 2cm, 전박(前膊)의 길이 4.5cm에 이르는 큰 박쥐. 털은 몸에만 있음. 몸의 상면은 연갈색이며 하면은 잿빛 연갈색임. 주둥이·볼기·귀·비막(飛膜)은 흑색을 띠고 비막은 반투명이며 저녁 늦게부터 활동함. 한국 북부·남만주·중국 북부에 분포함.

〈고려박쥐〉

고려 밤:떡【高麗一】명 황밤가루와 쌀가루를 함께 섞어 반죽하여 찐 떡. 고려 율병(高麗栗餠).

고려 불교【高麗佛敎】명〖불교〗고려 시대의 불교. 고려 태조는 불교를 국교(國敎)로 삼아, 여러 곳에 많은 절과 탑을 세우고 또 명승(名僧)을 높이어, 왕사(王師) 또는 국사(國師)로 삼았으므로 불교가 매우 발전하였음.

고려-사【高麗史】명〖책〗기전체(紀傳體)로 된 고려 시대의 정사(正史). 조선 세종(世宗)의 명으로 정인지(鄭麟趾)·김종서(金宗瑞) 등이 지어, 문종(文宗) 원년(1451)에 완성하여 올림. 139권.

고려사 악지【高麗史樂志】명〖책〗고려사 가운데 70권과 71권의 악지(樂志). 삼국 시대와 고려 시대의 음악에 관계되는 기록이 실려 있음.

고려사 절요【高麗史節要】명〖책〗춘추관(春秋館) 편찬으로, 조선 문종(文宗) 2년(1452)에 완성한 고려의 편년사(編年史). 《고려사》만큼 상밀(詳密)하지는 못하나, 거기에 없는 자료가 많이 들어 있음. 35권, 활자본.

고려 삼경【高麗三京】명〖역〗삼경(三京).

고려 삼은【高麗三隱】명〖사람〗고려 말년의, 은(隱)자가 붙은 목은(牧隱) 이색(李穡), 포은(圃隱) 정몽주(鄭夢周), 도은(陶隱) 이숭인(李崇仁)의 세 학자. 또는 목은·포은·야은(冶隱) 길재(吉再)라고도 함. 삼은(三隱).

고려-석【高麗石】명 전체가 벌레가 파먹은 것같이 자디잔 구멍이 많은 괴석(怪石)의 한 가지.

고려 속요【高麗俗謠】명〖문〗고려 가사(高麗歌詞).

고려 수절신【高麗守節臣】[一씬] 명 고려 왕씨와 이성계(李成桂) 사이에 왕조가 바뀔 때, 성리학(性理學)의 대의 명분을 지킨 학자들. 이성계의 득국(得國)을 반대하고 고려가 멸망하매 은둔하였음.

고려 십이도【高麗十二徒】명〖역〗고려 개경(開京) 안에 있던 열두 개의 유력한 사숙(私塾). 곧, 최충(崔冲)의 문헌공도(文憲公徒)를 비롯하여 정배걸(鄭倍傑)의 홍문공도(弘文公徒), 노단(盧旦)의 광헌공도(匡憲公徒), 김상빈(金尙賓)의 남산도(南山徒), 김무체(金無滯)의 서원도(西園徒), 은정(殷鼎)의 문충공도(文忠公徒), 김의진(金義珍)의 양신공도(良愼公徒), 황영(黃瑩)의 정경공도(貞敬公徒), 유감(柳監)의 충평공도(忠平公徒), 문정(文正)의 정헌공도(貞憲公徒), 서석(徐碩)의 서시랑도(徐侍郞徒) 및 구산도(龜山徒)를 이름.

고려-악【高麗樂】명〖악〗고구려 때의 음악.

고려-양【高麗樣】명〖역〗고려가 원(元)나라의 지배를 받고 있을 때 고려 사람이 원나라에 많이 가 살게 되고, 또 왕래가 잦아져서 고려의 의복·음식·풍속 등이 원나라에 많이 유행하게 되었는데 이를 원나라에서 일컬은 말.

고려-엉겅퀴【高麗一】명〖식〗[*Cirsium setidens*] 국화과에 속하는 다년초. 줄기 높이 약 1.2m로 잎은 피침형 또는 난상(卵狀) 타원형 혹은 달걀꼴인데, 밑의 잎은 장병(長柄), 윗잎은 유병(有柄) 또는 무병(無柄)임. 7-10월에 홍자색 꽃이 가지 끝에 하나씩 피고, 과실은 수과(瘦果)임. 산지에 나는데, 한국 각지에 분포함. 어린 잎은 식용함.

고려 오:교 양:종【高麗五敎兩宗】명〖불교〗신라 시대부터의 오교 구산(五敎九山)과 고려 시대에 와서 대각 국사(大覺國師)가 새로 세운 천태종(天台宗), 보조 국사(普照國師)가 세운 조계종(曹溪宗)의 병칭(倂稱).

고려 오:부【高麗五部】명〖역〗오부(五部)❸.

고려 왕조【高麗王朝】명 고려조(高麗朝).

고려-율【高麗律】명〖역〗고려 시대의 율, 곧, 형사 법규. 당률(唐律)을 본뜨되, 번거로움을 버리고 가혹함을 피하여 정한 것으로, 옥관령(獄官令) 2조(條), 명례(名例) 12조, 위금(衛禁) 4조, 직제(職制) 14조, 호혼(戶婚) 4조, 구고(廐庫) 3조, 천흥(擅興) 3조, 도적(盜賊) 6조, 투송(鬪訟) 7조, 사위(詐僞) 2조, 잡률(雜律) 2조, 포망(捕亡) 8조, 단옥(斷獄) 4조 등, 모두 71조로 되어 있음.

고려 율병【高麗栗餠】명 고려 밤떡.

고려 인삼【高麗人參】명 우리 나라에서 나는 인삼의 통칭.

고려 자기【高麗磁器·高麗瓷器】명 고려 시대에 만든 자기. 푸른 빛·흰빛·잿빛 등의 여러 가지가 있는데 그 중에서도 청자(靑磁)가 가장 유명함. 청자 중에서도 우리 나라 독창(獨創)의 비색(祕色)은 파르스름한 진한 옥색을 은은하게 나타내어, 그 정답고 부드러운 맛이 뚝뚝 지는 것 같은 것임. 또, 비색 자기에다 새·벌레·과일·꽃 등의 무늬를 새기어서 만든 청자를 상감(象嵌) 자기라고 하며, 그 정치(精緻)하고 우아한 맛으로 특별히 보배로이 여겨짐.

고려-장【高麗葬】명 ①고구려 때에 늙고 병든 사람을 산 채로 광중(壙中)에 두었다가 죽으면 그 곳에 매장하였다는 일. ②〈속〉고분(古墳).

고려 장경【高麗藏經】명〖불교〗해인 장경(海印藏經).

고려-조【高麗朝】명〖역〗고려 나라의 조정. 고려 나라의 왕실.

고려-조릿대【高麗一】명〖식〗[*Sasa coreana*] 볏과에 속하는 목본(木本). 높이 25-82cm이고, 잎은 대란상(帶卵狀)의 긴 타원형으로, 폭 7-48mm, 길이 27-194mm 가량인데, 연변(緣邊)에 가시 모양의 털이 났음. 영과(穎果)가 연다 하나 아직 보지 못함. 산록(山麓) 지대에 나는데, 함북의 명천군(明川郡) 운만대(雲滿臺)의 특산종임. 관상용이며, 잎은 약용함.

고려 청자【高麗靑瓷·高麗靑磁】명 고려 때에 만들어진 청자의 총칭. 상감(象嵌) 청자가 유명함.

고려-칡범잠자리【高麗一】[一칙一] 명〖충〗[*Nihonogomphus bifurcatus*] 부채장수잠자릿과에 속하는 곤충. 복부의 길이 30-35mm, 뒷날개 길이 29-31mm임. 복부는 흑색인데, 제 1-2 절의 배면(背面)에 큰 황색 반문이 있고, 제 3-7 절의 배변에는 가늘고 긴 황색 반문이 정중선(正中線)에 병행하여 있음. 또, 제 8-9 절은 양측면에 황색 반문이 있으며, 제 10 절은 대부분이 황색임. 한국의 특산종임.

고려 태조 십훈요【高麗太祖十訓要】명〖역〗고려 태조가 자손에게 훈계(訓戒)한 10개의 조항. 내용은 불교 신앙과 풍수 지리 사상이 대부분임. 역대의 왕이 이에 의하여 정치를 하였다 함.

고려-판【高麗版】명 한국 서적 중에서 특히 연대(年代)가 오랜 고려 시대에 출판된 것을 이름.

고려 혁명군【高麗革命軍】명〖역〗1923년에 만주 옌지 현(延吉縣)에서 김규식(金奎植)을 총사령(總司令)으로 하여, 참모장에 고평(高平), 부관에 최해(崔海) 등으로 조직된 독립 혁명군. 일반 교포의 교육과 계몽에 힘쓰는 한편, 둔전제(屯田制)를 써 가며 항일(抗日) 투쟁을 하였음.

고려 혁명 군관 학교【高麗革命軍官學校】명〖역〗러시아의 이르쿠츠크(Irkutsk) 시(市)에 세워진 한국인 군관 학교. 1921년 청산리 작전(靑山里作戰) 뒤에 설립되었으며 초대 교장은 지청천(池靑天).

고려 혁명당【高麗革命黨】명〖역〗독립 운동 단체. 1926년 중국 지린 성성(吉林省城)에서 양기탁(梁起鐸)을 위원장으로 하여 1,500명의 당원으로 조직되었으나 양기탁이 일경에게 체포되자 기능을 잃었음.

고려 혁명 위원회【高麗革命委員會】명〖역〗1922년 서울에서 천도교도를 중심으로 손병희(孫秉熙)의 유업을 계승하기 위하여 조직된 독립 운동 단체. 1926년 만주에 분산되어 있던 독립 운동 단체들과 통합, 고려 혁명당이 됨.

고:력[1]【古曆】명 옛적 달력.

고력[2]【苦力】명 '쿨리(cooly)'의 한자 표기.

고력[3]【羖攊】명〖동〗염소.

고력 자기【高力磁器】명 유약(釉藥)을 바르지 아니하고 약간 구운 도기에 합성 수지를 침투시키어 고도의 열과 압력을 가하여 만든 경질(硬質)의 도기. 철관·연관(鉛管) 등에 대용함.

고력 티탄 합금【高力一合金】(titanium) 명 강도가 강하고 가벼우며 인성(靭性)·내식성도 뛰어난 티탄 합금. 제트기 부품 등에 쓰임.

고련[1]【苦楝】명〖식〗소태나무.

고련[2]【顧戀】명 마음에 걸리어 잊지 못함. ——-하다 타 여불

고련-근【苦楝根】명〖한의〗소태나무의 뿌리. 구충제(驅蟲劑)·지혈제(止血劑) 및 위병(胃病) 등의 약으로 쓰임.

고련-봉【高連峰】명〖지〗함경 남도 삼수군(三水郡)에 있는 산봉우리. 「[1,263 m]

고련-실【苦楝實】명〖한의〗소태나무의 열매. 성질은 차며 급성(急性) 열성(熱性)의 질병(疾病)과 방광(膀胱)의 병 및 산기(疝氣)·수습(水濕)의 약재(藥材)로 쓰임. 금령자(金鈴子). 천련자(川楝子).

고렴 명 ←고념(顧念). ——-하다 타여불

고-령¹【孤嶺】명〖지〗①평안 북도 희천(熙川)의 서쪽 12 km 지점에 있는 재. 이 재를 넘으면 운산(雲山)에 달함. ②경상 북도 영덕(盈德)의 서남쪽에 있는 재.

고령²【高嶺】명 높은 재. 높은 고개.

고령³【高齡】명 ①썩 많은 나이. 고년(高年). 고수(高壽). 퇴령(頹齡). 장령(長齡). ②↗고령자(高齡者).

고령⁴【高靈】명〖지〗경상 북도 고령군(高靈郡)의 군청 소재지로 읍(邑). 소백산록에 위치하는 농산물의 집산지로 담배·양잠이 유명함. 대가야(大伽倻)의 옛 도읍터로, 주산성(主山城), 고아동 고분 벽화(古衙洞古墳壁畫), 지산동(池山洞)의 당간 지주(幢竿支柱) 등 사적(史蹟)이 많음. [47.35 km²: 10,986 명(1996)]

고:령 가야【古寧伽倻】명〖역〗육가야(六伽倻)의 하나. 위치는 확실하지 않으나, 지금의 경상 북도 상주시(尙州市) 함창(咸昌) 지역으로 여겨지고 있음.

고령-군【高靈郡】명〖지〗경상 북도의 한 군. 관내 1읍(邑) 7면. 북은 성주군(星州郡), 동쪽은 대구 광역시, 남쪽과 서쪽은 경상 남도 합천군(陜川郡)에 접함. 쌀·보리·밀·콩·팥·감·담배·면화·모시·왕골·약초(藥草) 등을 산출함. 명승 고적으로는 고령읍 지산동(池山洞)의 고적군(古蹟群)과 당간 지주(幢竿支柱)·반룡사(盤龍寺)·주산성(主山城)·사부동의 도요지(陶窯址) 등이 있음. 군청 소재지(所在地)는 고령(高靈). [384.01 km²: 36,202 명(1996)]

고령-도【高嶺陶】명 고령토로 만든 도자기.

고령 사회【高齡社會】명 고령화(高齡化)가 진행하여 노령 인구의 비율이 현저하게 높아진 사회.

고령-석【高靈石】명〖민〗신령(神靈)이 내린 바위. 토템(totem) 사상에서 유래한 원시적 신앙의 대상의 한 가지.

고령-자【高齡者】명 나이가 썩 많은 사람. 준고령(高齡).

고령지 시험장【高嶺地試驗場】명〖법〗농촌 진흥청장 소속하에 있는 시험장의 하나. 고령 지역(高嶺地域)의 농업·축산의 시험·연구에 관한 사무를 관장함.

고령 진민 선:정가【高嶺鎭民善政歌】명〖문〗조선 정조(正祖) 때의 무인(武人) 강응환(姜膺煥)의 문집 《물기재집(勿欺齋集)》 부록에 실려 있는 국한문 혼용 가사. 작자·제작 연대 미상. 강응환이 고령진 첨사(高嶺鎭僉使)로 가서 선정(善政)을 베풀었으므로 진민(鎭民)들이 그의 공적을 찬양하여 부른 노래라 함.

고령-토【高嶺土】명〖공〗[중국 징더전(景德鎭) 부근의 가오링 산(高嶺山)에서 나는 진흙의 뜻] 알루미나와 무수 규산(無水珪酸)과의 함수 화합물. 흔히 진흙의 형태로 산출됨. 바위 속의 장석(長石)의 풍화에 의해서 생기는데 빛은 백색·회색 두 가지가 있음. 도자기·시멘트의 원료로 쓰임. 고량토(高粱土). 고릉토(高陵土). 카올린(kaolin).

고령화 사회【高齡化社會】명 노령 인구의 비율이 점점 높아져 가고 있는 사회. 우리 나라 사회도 고령 인구가 늘어 65세 이상의 인구가 1995년 현재 264만 명으로 연금이나 복지 제도에 큰 영향을 미치고 있음.

고:례¹【古例】명 예로부터 내려오는 관례(慣例). ↔신례(新例).

고:례²【古隷】명 '팔분(八分)'에 대하여, 보통 예서(隸書). ↔금례(今隸).

고:례³【古禮】명 옛날의 예절(禮節).

고례⁴【†高麗】명〖역〗고구려(高句麗).

고례 시:상【考例施賞】명 전례를 참고하여 상을 줌. ——-하다 타여불

고로¹ 명〈옛〉능(綾). 비단의 한 가지. ¶고로 릉(綾)《字會 中 30》.

고:로²【古老】명 경험이 많고 옛일을 잘 아는 늙은이.

고:로³【告老】명 연로(年老)한 것을 이유로 벼슬을 그만두기를 청함. ——-하다 자여불

고로⁴【孤老】명 외로운 늙은이. 의지할 데가 없는 늙은이.

고:로⁵【故老】명 노인. 특히, 고실(故實)에 밝은 노인. ¶~ 상전(相傳).

고로⁶【栲栳】명 ①고리²❷. ②대고리.

고로⁷【高爐】명 [shaft furnace]〖공〗제철 공장에서 철광석으로부터 선철(銑鐵)을 만들 때 사용하는 노. 보통 10-25 m에 이르는 높은 원통형으로 꼭대기에서 광석을 넣고 맨 아래쪽에는 녹은 선철을 모아 둠.

고로⁸【雇奴】명 [←고노] 머슴.

고로⁹【苦勞】명 노고(勞苦). 신로(辛勞).

고로¹⁰【公反】부〈이두〉공평하게. 공변되게.

고-로¹¹【故—】부 '그러므로'·'그런 까닭으로'의 뜻의 접속 부사.

고로 가스【高爐—】[gas] 명 제철(製鐵) 고로에서 뿜어내는 가스. 주성분은 질소·이산화 탄소·일산화 탄소. 공장용의 연료로 이용되며 발열량은 800-1,000 kcal/m³.

고로다 형타〈방〉고르다².

고로래 명〈옛〉소라. =골오래. ¶고로래 라(螺)《類合 上 14》.

고로롱-거리다 자 오래 병을 앓아 몸이 약하여져서 늘 골골거리다. 고로롱-고로롱 부 준고롱고롱. ——-하다 자여불

고로롱-대다 자 고로롱거리다.

고로롱 팔십【—八十】[—씹] 명 병으로 고로롱고로롱하면서 여든까지 삶을 이름.

고로리 부〈방〉골고루(함경).

고:로 상전【故老相傳】명 노인들의 말로 전해 내려옴. ——-하다 타여불

고로쇠-나무 명〖식〗[*Acer mono*] 단풍나뭇과에 속하는 낙엽 활엽 교목. 높이 10-15 m이고 잎은 원형인데 대부분 다섯 갈래로 얕게 째짐. 자웅 일가(雌雄一家)인데 4-5월에 담황색(淡黃色) 꽃이 산방상 원추 화총(繖房狀圓錐花叢)으로 잎보다 앞서 피고, 시과(翅果)는 9월에 익음. 산지의 숲속에 나며, 충북을 제외한 한국 각지·일본·사할린·중국·만주 등지에 분포함. 재목은 장식(裝飾) 및 가구재(家具材)로 쓰이며, 수액(樹液)은 약용함.

〈고로쇠나무〉

고로 슬래그【高爐—】[slag] 명 고로(高爐)로 제련을 할 때, 철광석에서 분리되는 불순물(不純物). 철재(鐵滓). 슬래그(slag). 고로재(高爐滓).

고로 시멘트【高爐—】[cement] 명 고로(高爐)에서 나는 알칼리성의 슬래그를 포틀랜드 시멘트에 혼합하여 만든 시멘트. 수중(水中)·해중(海中) 공사에 적합함. 슬래그 시멘트.

고로 여생【孤露餘生】명 어려서 부모를 잃은 사람.

고로옴 명〈옛〉괴로움. ¶아비 그 淸렴ᄒᆞᆫ 고로옴을 긔특히 너긴 고로(父奇其淸苦故)《內訓 Ⅱ:109》/ 샹ᄒᆞᆫ령혼ᄋᆞᆫ젼ᄒᆞ게 고로옴이업시《찬양가 : 45》.

고로-재【高爐滓】명 고로 슬래그(slag).

고:로-치【古老峙】명〖지〗전라 북도 무주군(茂朱郡)에 있는 고개. 영남 지방과 호남 지방과의 통로의 몫을 이룸. [469 m]

고로-표【故—標】명 귀결부(歸結符). 결과표(結果標).

고록¹ 명〈방〉〖동〗꼴뚜기(전북).

고록²【高祿】명 다액의 봉록. 대록(大祿).

고:론¹【古論】명〖책〗중국 한(漢)나라 초기에, 노(魯)나라 공왕(恭王)이 공자(孔子)의 구택(舊宅)의 벽 속에서 얻은, 고문(古文)으로 쓰인 논어(論語). 21편으로, 자장편(子張篇)이 2편 있음. *노론(魯論)·제론(齊論)·공벽(孔壁).

고론²【高論】명 ①고상한 언론(言論). 견식(見識)이 높은 언론. ¶~ 탁설(卓說). ②남의 언론을 높이는 말. 고의(高議).

고롬 명〈옛·방〉고름¹(충북·전라·경상·제주). ¶俗稱膿水 고롬《字會 上 30》.

고-롭다【苦—】형ㅂ불 ①괴롭다. ②고생스럽다. 고-로이【苦—】부 고롭게.

고롱-고롱 부 ↗고로롱고로롱. ——-하다¹ 자여불

고롱고롱-하다² 형〈방〉고만고만하다.

고료【稿料】명 ↗원고료(原稿料).

고루¹ 명〈방〉고리¹(전북).

고:루²【古壘】명 낡은 보루(堡壘). 옛 보루.

고루³【固陋】명 견문이 좁고 고집이 셈. ¶~한 사람. ——-하다 형여불

고루⁴【固壘】명 견고한 보루(堡壘).

고루⁵【孤陋】명 외롭게 자라서 견문(見聞)이 좁음. ——-하다 형여불

고루⁶【孤壘】명 고립된 보루. ¶~를 지키다.

고루⁷【高樓】명 높은 다락집. 층루(層樓).

고루⁸【高壘】명 높은 보루(堡壘). 준루(峻壘).

고루⁹【鼓樓】명 북을 단 다락집.

고루¹⁰ 부 고르게. 균일하게. 더하고 덜하거나, 많고 적음이 없이. ¶각자에게 ~ 나누어 주다.

고루 거:각【高樓巨閣】명 높고 큰 다락집.

고루-고루 부 모두 고르게. 준골고루.

고루 과:문【孤陋寡聞】명 세상에서 동떨어져 견문이 좁음.

고루다 타〈방〉고르다(강원·전남·경상).

고루루 부〈방〉골고루(함경).

고루포기-산【—山】명〖지〗강원도 평창군(平昌郡) 도암면(道岩面)과 강릉시 왕산면(旺山面) 고루포기 마을과의 사이에 있는 산. 태백 산맥의 해안 산맥에 속함. [1,123 m]

고룸 명〈방〉고름¹(경기·강원·충북·전남·경상).

고륜¹【苦輪】명〖불교〗고뇌(苦惱)가 수레바퀴처럼 굴러서 쉴 새가 없음.

고륜²【庫倫】명〖지〗'울란바토르(Ulan Bator)'의 옛 이름.

고륜지-해【苦輪之海】명〖불교〗고뇌가 끊임없이 윤전하는 인간 세계.

고륜-차【孤輪車】명 일륜차(一輪車).

고르-개 명〖물〗정류자(整流子).

고르고[ㄱ Gorgo] 명〖신〗그리스 신화에 나오는 세 자매의 마녀(魔女), 스테노(Stheno)·에우리알레(Euryale)·메두사(Medousa)를 이름. 얼굴은 추괴(醜怪)하며 머리털은 뱀, 이는 멧돼지의 이와 같으며 커다란 황금의 날개를 가진데다가 그 눈은 사람을 돌로 만드는 힘을 가졌다고 전함. 고르고네스(Gorgones). 고르곤(Gorgon).

고르고네스[Gorgones] 명〖신〗고르고(Gorgo).

고르고니-류【—類】명〖동〗[Gorgonacea] 강장(腔腸) 동물 산호강(珊瑚綱) 팔방류(八放類)에 속하는 한 목(目). 군체(群體)가 나뭇가지와 같이 여러 가닥으로 갈라지고 공동(共同)의 살 속에 골축(骨軸)과 골편(骨片)이 있으며 아래가 반상(盤狀)을 이루어 고착(固着)함. 유축류(有軸類).

고르곤[Gorgon] 명〖신〗고르고(Gorgo).

고르기아스[Gorgias] 명〖사람〗고대(古代) 그리스의 소피스트(Sophist)·변론가. 시칠리아(Sicilia) 섬 태생. 변사학(辯辭學)의 교사로서 각지를 편력, 명성을 얻음. 저서에 《비유론(非有論)》·《헬레네송(頌)》 등이 있음. [483?-376? B.C]

고르다¹ 타르불 여럿 중에서 쓸 것이나 좋은 것을 가려 내다. ¶며느리감을 ~. *가리다².

고르면 찌 고른다 구 너무 고르면 쭉정이를 고르는 결과가 된다.

고르다² 一형르불 높고 낮거나, 크고 작거나, 더하거나 덜함의 차이 없이

똑같다. ¶ 성적이 고르지 못하다. 二 타 르불 높낮이가 없도록 평평하게 만들다. ¶ 땅을 ~.

고르바초프 [Gorbachev, Mikhail S.] 명 〖사람〗 소련의 정치가. 1971년 공산당 중앙 위원, 80년 정치국원, 85년 공산당 서기장에 취임, 90년 소비에트 연방 공화국 대통령이 됨. 글라스노스트, 페레스트로이카 등 개혁 정책을 밀고 나아가, 동구(東歐)의 민주화, 독일 통일, 동서 냉전의 종결을 이끌어 내는 결정적 역할을 함. 91년 독립 국가 연합의 창설로 대통령직을 사임함. 1990년 노벨 평화상 수상. [1931—]

고르반 [그 corban] 명 〖성〗 [제물(祭物)의 뜻] ①기원(祈願)한 것이 성취된 예(禮)로 신(神)에게 드리는 공물(供物). ②유대 사람들이 하느님께 헌납하는 물건.

고른-값 [—갑] 명 〖수〗 평균치(平均値).

고른-돌 명 〖건〗 담이나 성벽을 쌓을 때에 맨 위에 고르게 놓은 돌.

고른-쌀 명 돌·뉘·지푸라기 같은 것을 골라 낸 쌀. 석발미(石拔米).

고른-음 【—音】 명 〖악〗 발음체(發音體)가 규칙적인 진동을 계속하거나 일정한 고저를 가지고 소리가 변하여, 유쾌한 느낌을 주는 소리. 곧, 악기 같은 것을 연주할 때의 소리 등임. 악음(樂音). 「일.

고른층 쌓기 【—層—】 [—싸키] 명 〖토〗 돌의 층(層)을 가지런하게 쌓는

고를비-부 【—比部】 명 한자 부수(部首)의 하나. '昆'나 '毖' 등의 '比'의 이름.

고름¹ 명 종기가 덧나서 피부와 근육이 썩어 생긴 희고 누런 큇물 같은 액체. 농(膿). 농액(膿液). 농즙(膿汁).

【고름이 살 되랴】 이왕 그릇된 일이 다시 잘 되지는 아니할 것이라는 말.

고름² 명 ↗옷고름.

고름-병 【—病】 [—뼝] 명 농병(膿病).

고름-소리 [—쏘—] 명 〖언〗 '조음소(調音素)'의 풀어쓴 말.

고름-집 [—찝] 명 고름이 누렇게 맺힌 곳.

고름-하다 형 〈방〉 골막하다.

고릉¹ 【高陵】 명 고구(高丘). 「장소는 미상.

고-릉² 【高陵】 명 〖지〗 고려 충렬왕의 왕후 제국 공주(齊國公主)의 능.

고릉-석 【高陵石】 명 〖광〗 카올리나이트(Kaolinite).

고릉-토 【高陵土】 명 〖공〗 고령토(高嶺土).

고리¹ 명 ①긴 물건을 구부리어 맞붙이어 만든 물건. 주로 쇠붙이 같은 것으로 둥글게 만듦. ②↗문고리.

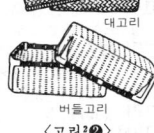

고리² 명 ①껍질을 벗기어 버린 고리버들의 가지. 옷 담는 고리나 키를 만드는 데 쓰임. ②고리나 대오리로 엮어서 상자같이 만든 물건. 옷을 담는 데 쓰임. 고리짝. 고로(栲栳). 유기(柳器). ¶ 반짓~. ③↗소주고리. ④소주 열 사발.

대고리

버들고리

〈고리²❷〉

고:리³ 【故吏】 명 이전에 일보던 아전.

고:리⁴ 【故里】 명 고향(故鄕). 「많은 이익.

고리⁵ 【高利】 명 ①비싼 이자. 고금리(高金利). ↔저리(低利). ②큰 이익.

고리⁶ 【槀離·槀離】 명 〖역〗 '고구려(高句麗)'의 별칭.

고리⁷ 부 고 곳으로. 고 쪽으로. ¶ ~ 가시오. <그리¹. *고리로.

고리⁸ 부 고러하게. ¶ 돈이 많다고 ~ 말라. <그리².

고리-개 명 눈이 고리눈으로 된 개.

고리-고리 부 〈방〉 고루고루.

고리-눈 명 눈동자의 둘레에 흰 테가 둘린 눈. 환안(環眼).

고리눈-말 명 눈이 고리눈으로 된 말. 환안마(環眼馬).

고리눈-이 명 눈이 고리눈으로 된 사람이나 동물.

고리다¹ 형 ①곯아 썩은 풀이나 달걀 냄새 같다. 발가락 사이의 때 냄새 같다. ¶ 발에서 고린 냄새가 나다. ②마음쓰는 것이나 하는 짓이 잘고 다랍다. 1)·2): 쓰코리다. *구리다.

【고린 장이 더디 없어진다】 나쁜 것이 빨리 없어지지 아니하고 도리어 오래 간다는 말.

고리다² 타 〈방〉 고르다(경상).

고리-닫힘 [—다침] 명 [ring closure] 〖화〗 유기 화학에서, 사슬 모양 화합물 또는 고리의 결사슬로부터 고리가 형성되는 반응. 폐환(閉環). ↔고리열림.

고리-대 【高利貸】 명 ↗고리 대금. 「이. 준고리대.

고리 대:금 【高利貸金】 명 ①이자가 비싼 돈. ②비싼 이자를 받는 돈놀

고리 대:금업 【高利貸金業】 명 고리 대금을 업으로 삼는 일.

고리 대:금업자 【高利貸金業者】 명 고리 대금업을 하는 자.

고리대 자본 【高利貸資本】 명 〖경〗 고리 대금에 의하여 이득을 얻는 자본. *상인 자본(商人資本).

고리-로 부 '고리⁷'의 힘줌말. 준골로.

고리-마디 명 〖동〗 환절(環節).

고리 모양 아미드 【—模樣—】 명 [cyclic amide] 〖생〗 탄소 원자의 고리 안에 배열된 아미드 락탐(lactam) 등. 환상(環狀) 아미드.

고리 모양 화합물 【—模樣化合物】 명 [cyclic compound] 〖화〗 분자 안의 원자(原子)가 고리 모양으로 결합한 구조를 가지는 화합물의 총칭. 단소(單素) 고리 모양 화합물과 복소(複素) 고리 모양 화합물의 두 가지가 있으며, 단일 결합인 포화(飽和) 고리 모양 화합물과 다중(多重) 결합인 불포화(不飽和) 고리 모양 화합물이 있음. 시클로알칸·벤젠 따위. 환식(環式) 화합물. 환상(環狀) 화합물. 고리 화합물. ↔사슬 모양 화합물. *환(環)·방향족(芳香族) 화합물·시클로(cyclo) 화합물.

고리-못 명 고리같이 생긴 못.

고리-바지 명 바지의 단에 발바닥을 걸치는 벨트가 붙은 홀태바지. 본래는 스키용의 바지였음.

고리-받이 [—바지] 명 〖건〗 기둥과 문설주의 사이 문고리를 달 만한 벽의 중턱에 가로 건너지른 나무.

고리 백장 명 ①'고리장이'의 낮춤말. ②시기를 따라 할 것을 때가 지난 뒤까지 하고 있는 사람을 조롱하는 말. 특히 정월 보름 뒤에, 연 날리는 사람을 욕하는 말. 고리 백정.

고리 백정 【—白丁】 명 고리 백장.

【고리 백정 낼 모레】 옛날에 고리장이는 늘 기한을 어겨 약속한 날을 지키지 않았으므로 약속한 기한을 어길 때에 욕하는 말.

고리-버들 명 〖식〗 [*Salix purpurea* var. *japonica*] 버드나뭇과에 속하는 낙엽 활엽 관목. 잎은 대생하며 선상 피침형임. 자웅이가인데, 3월에 유제(葇荑) 화서의 꽃이삭이 원주형으로 피고, 삭과(蒴果)는 4-5월에 익음. 냇가나 들에 나는데, 거의 한국 각지 및 일본·우수리·만주·중국 등지에 분포함. 가지는 껍질을 벗기어 버들고리·키 같은 것을 만듦. 기류(杞柳).

〈고리버들〉

고리-병 【—甁】 명 〖고고학〗 고리 모양으로 된 몸통에, 짧은 목을 가진 아가리가 수직으로 달려 있는 병. 환상병(環狀甁).

고리-봉 명 낚싯줄을 꿸 고리가 달린 낚싯봉.

고리 분석 【—分析】 명 〖화〗 환분석(環分析).

고리-삭다 형 젊은 사람의 성미나 언행이 풀이 없어 늙은이 같다. ¶ 그 사람 성미가 아주 고리삭아 버렸는데/자네는 천생 고리삭은 샌님이여.

고리-쇠 명 쇠로 만든 고리.

고리-열림 명 [ring opening] 〖화〗 고리 모양 화합물이 시약(試藥)·열 기타 반응 조건으로 인하여 고리가 끊어져 열리고 사슬 모양 화합물로 되는 일. 개환(開環). ↔고리 닫힘.

고:리 원자력 발전소 【古里原子力發電所】 [—쩐—] 명 경상 남도 양산군(梁山郡) 장안면(長安面) 고리(古里)에 있는 원자력 발전소. 1978년 가동시킨 한국 최초의 원전 1호기를 비롯하여 2·5·6호기가 가동중임. 1호기를 1971년 착공한 후 16년 걸려 1986년에 4기(基) 모두 준공되었음.

고리 일식 【—日蝕】 [—씩] 명 〖천〗 금환식(金環蝕).

고리-잠 【—簪】 명 여인네들 머리에 꽂는 장식품의 한 가지. 이쑤시개와 귀이개가 고리에 한데 달렸음.

고리-잡이 명 〖고고학〗 그릇에 붙어 있는 고리 모양의 손잡이. 환상 파수(環狀把手).

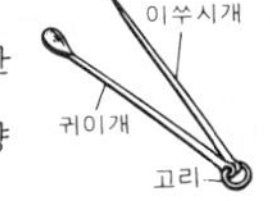

〈고리잠〉

고리-장이 【—匠—】 명 고리버들로 키나 고리짝을 만드는 것을 업으로 삼는 사람. 유기장(柳器匠). *고리 백장.

【고리장이가 죽어도 버들 가지를 물고 죽는다】 사람의 출신과 버릇은 어찔 수 없다는 말. ¶ 에에 고놈에 영감(令監), 고리쟁이가 죽어도 버들 가지를 물고 죽는다드니 상개 망을 쪼러 다녀《봉산 탈춤》.

고리-점 【—點】 명 〖인쇄〗 종서(縱書)의 문장에서 종지부로 쓰이는 부호 '。'의 이름.

고리점 무늬 【—點—】 [—니] 명 〖고고학〗 동그라미 중앙에 점이 찍혀 있는 무늬. 원권문(圓圈文). 점원문(點圓文).

고리-짝 명 ①옷을 담는 고리의 낱개. ②고리²❷.

고리-채 【高利債】 명 고리로 얻은 빚. ↔저리채(低利債).

고리-칼 명 〖고고학〗 자루 끝이 고리 모양을 이룬 칼. 환두도(鐶頭刀).

고리키¹ [Gor'kii] 명 〖지〗 러시아 연방 모스크바의 동쪽 볼가 강(Volga江)과 오카 강(Oka江)의 합류점에 있는 고리키 주(州)의 주도. 대공업 도시임. 1221년에 건설된 상업 도시 니주니노브고로트를 그 곳에서 태어난 문호 고리키를 기념하여 1932년에 개칭한 것임. [1,438,000명 (1989)]

고리키² [Gor'kii, Maxim] 명 〖사람〗 러시아의 작가. 본명은 Aleksei Maksimovich Peshkov. 어려서부터 갖은 고초를 겪으며 여러 직업에 종사하는 가운데 생활과 근로 대중에 대한 애정을 체험하고 간직하여 하층 계급의 신산(辛酸)을 그린 희곡 《밑바닥》·《밤주막》 등으로 세계적 명성을 얻었음. 혁명 운동에 참가하여 피체·투옥·망명을 거듭하는 사이에 걸작 《어머니》를 발표하고, 혁명 후는 러시아 문학의 재건을 위해 진력하였음. [1868-1936]

고리타분-하다 형 여불 ①냄새가 고리고도 타분하다. ②사람의 성미나 하는 짓이 고리삭고 흐리터분하다. 준고타분하다·골타분하다. 1)·2): 쓰코리타분하다. <구리터분하다.

고리탑탑-하다 형 여불 매우 고리타분하다. 준고탑탑하다·골탑탑하다. 쓰코리탑탑하다. <구리텁텁하다.

고리-하다 자 여불 고와 같이 하다. <그리하다.

고리 화합물 【—化合物】 명 〖화〗 고리 모양 화합물.

고린-내 명 고린 냄새. 하취(夏臭). 쓰코린내.

고린도 [Corinth] 명 〖성〗 로마의 아카야 현(Achaia縣)의 주도. 그리스의 남부, 펠로폰네소스 반도(半島) 북동단(北東端) 지협부(地峽部)에 있는 지중해 동서 양부(東西兩部)를 결합하는 해항(海港)으로, 각 민족이 이주하여 함께 거주(居住)한 국제 도시였음. 바울의 전도지로 유명함. 코린토스(Korinthos).

고린도 전서 【—前書】 [Corinth] 명 〖성〗 신약 성서의 한 편. 바울이 고린도 교회에 보낸 16장(章)의 편지. 53년경에 에베소(Ephesus)에서 쓴 것으로 고린도 교회의 분쟁에 대하여 지령하고 또 질문에 대답하였음. 고린토인들에게 보낸 첫째 편지.

고린도 후:서 【—後書】 [Corinth] 명 〖성〗 신약 성서의 한 편. 고린도 전서를 쓴 1년 반 후에 바울이 고린도 교회에 보낸 편지. 바울이 자기 변명을 주로 하여 율법적(律法的) 유태주의자를 비난함. 고린토인들에게 보낸 둘째 편지.

고린-동전【―銅錢】명 ☞고린전.
고린-전【―錢】명 보잘 것 없는 푼돈. ¶～ 한 푼 없다.
고린토인들에게 보낸 둘:째 편:지【―人―片紙】〔Corinth〕명〖성〗 고린도 후서(後書).
고린토인들에게 보낸 첫째 편:지【―人―片紙】〔Corinth〕명〖성〗 고린도 전서(前書).
고릴라〔gorilla〕명〖동〗[*Gorilla gorilla*] 포유류 영장목 유인원과(類人猿科)에 속하는 큰 짐승. 뒷다리로 서면 키가 2 m, 몸무게 280 kg에 달하는 것도 있음. 팔은 길고 다리는 짧으며 입은 크고 눈썹이 없음. 털빛은 보통 흑색이나 회색·적갈색이고, 얼굴은 흑색, 허리와 뒷다리는 회백색임. 수컷의 송곳니는 크고 강하며 성질이 온순한 편이나 힘이 강함. 소가족(小家族)으로 나무숲 속에 살며 나무 위에 집을 지음. 주로 과실·나무뿌리 등을 먹으며 수명은 30년 가량임. 아프리카 적도 부근 숲에만 분포함. 대성성(大猩猩). 큰성성이.
〈고릴라〉
고림【膏淋】명〖한의〗 임질(淋疾)의 한 가지. 이 병자의 오줌을 그릇에 담아 두면 위가 기름덩이같이 엉김.
고림-보 명 ①몸이 약하여 늘 골골거리며 앓는 사람. ②마음이 옹졸하고 하는 짓이 고린 사람.
고림-장이 명 ☞고림보.
고립¹【孤立】명 ①외롭게 섬. 외따로 있음. ¶～ 정책(政策). ②원조를 받지 못하고 외톨이 됨. ¶～ 무원(無援). ③대립(對立)하는 것이 없음. ¶～ 의무(義務). ――-하다 자여불 타여불
고립²【雇立】명 남을 대신 보내어 공역(公役)을 치르게 함. ――-하다 타여불
고립 경제【孤立經濟】명〖경〗 자급 자족(自給自足)함으로써, 사회에서의 재화(財貨)의 수요 공급 또는 국제간의 통상 무역이 없는 경제. ↔사회 경제(社會經濟)❶.
고립-꾼【雇立―】명 남을 대신하여 공역(公役)을 치르는 사람.
고립 무원【孤立無援】명 고립되어 구원 받을 데가 없음. ――-하다 형여불
고립 무의【孤立無依】[―/―이] 명 외롭고 의지할 데 없음. 외톨임. ――-하다 형여불
고립-어【孤立語】명〖언〗 언어(言語)의 형태적 분류의 하나. 어미의 변화나 접사(接辭) 따위는 없이 단지 관념만을 나타내며 문장 중의 위치에 따라 문법적 기능을 가지는 언어. 중국어·타이어 등이 이에 속함.
고립 의:무【孤立義務】명〖법〗 병역(兵役)·납세(納稅) 등과 같이 권리와 대립하지 않는 절대 의무(絶對義務). ↔대립(對立) 의무.
고립 장택【孤立莊宅】명 고립 산재(散在)해 있는 농가(農家). 산촌(散村)의 구성 요소가 됨.
고립-적【孤立的】명관 고립하거나 또는 고립하는 것과 같은 모양.
고립-점【孤立點】명〖수〗 어떤 점(點)의 좌표(座標)가 곡선의 방정식을 만족시키지만, 그 점의 부근에 이를 만족할 만한 점이 없을 때의 점. 가령 $x^2+y^2-x^3=0$의 방정식으로 나타나는 곡선에 있어서, 원점(原點)은 방정식을 만족시키지만, 원점을 제외한 다른 평면상의 $x<1$이 되는 부분에는 방정식을 만족시키는 점이 없으므로 원점은 이 곡선의 고립점임.
고립 정책【孤立政策】명 고립주의를 쓰는 정책.
고립-주의【孤立主義】[―/―이] 명 국가가 다른 나라와 동맹을 맺지 않고, 고립을 지키는 입장. 미국의 전통적인 외교 정책인 먼로주의의 원칙이었음. *명예 고립(名譽孤立)·먼로주의(Monroe 主義).
고립주의-자【孤立主義者】[―/―이―] 명〖정〗 고립주의를 주장하거나 찬성하는 사람.
고립지-세【孤立之勢】명 ①고립한 형세. ②외부와 격리되어 불리한 형세.
고립-파【孤立波】명〖물〗 앞뒤로 다른 교란(攪亂)이 연속됨이 없이 하나의 교란만이 전하여 가는 파(波). 충격파와 같이 비정상적으로 큰 진폭(振幅)을 갖거나 급속한 변화를 수반하는 것을 비롯함.
고립-화【孤立化】명 고립적인 처지로 됨. ――-하다 자타여불
고릿-적 명〔←고려(高麗) 적〕 옛날의 때. ¶～ 이야기는 집어치워.
고ᄅᆞ다 형〈옛〉 고르다². ¶고ᄅᆞᆯ 균(均)《類合 下 70》.
고ᄅᆞ외다 형〈옛〉 괴롭다. ¶겨지비 우르믄 ᄒᆞᆫ갈ᄋᆞ티 ᄌᆞ모 苦ᄅᆞ외도다(婦啼一何苦)《杜諺 Ⅳ:8》.
고ᄅᆞ윈 형〈옛〉 괴로운. '고ᄅᆞ외다'의 활용형. ¶苦ᄅᆞ윈 말ᄊᆞᄆᆞᆯ 베프노라(陳苦詞)《重杜諺 Ⅱ:55》. *-ᄅᆞ윈.
고마:¹ 명〈방〉〖어〗 고등어(함남).
고:마² 명〈방〉〖식〗 고구마(경북).
고마³ 명〈옛〉[여진 goimga? *만주 goiman(부랑인). qoma(첩)] 첩(妾). ¶고마 첩(妾)《字會 上 31》.
고마⁴【雇馬】명〖역〗 시골 관아에서 백성으로부터 징발(徵發)하는 말.
고:마-도【古馬島】명〖지〗 ①전라 남도 완도군(莞島郡) 군외면(郡外面) 불목리(佛目里)에 위치한 섬. [2.90 km²: 548명(1984)] ②전라 남도의 서해안(西海岸), 영암군(靈岩郡) 삼호면(三湖面) 난전리(蘭田里)에 위치한 섬. [0.105 km²: 3명(1984)]
고마리 명〖식〗[*Persicaria thunbergii* var. *coreana*] 마디풀과에 속하는 일년초. 줄기 높이 70 cm에 달하고 가시가 났음. 잎은 호생(互生)하고 엽병(葉柄)이 있으며 극형(戟形)이고 초상 탁엽(鞘狀托葉)은 단형(短形)임. 8-9월에 엷은 홍색 두화(頭花)가 가지 끝에 정생(頂生) 또는 액생(腋生)하며 과실은 수과(瘦果)임. 들이나 골짜기에 나는데, 거의 한국 각지에 분포(分布)함.
〈고마리〉
고마 문:령【瞽馬聞鈴】[―물―] 명 '밤눈 어두운 말이 워낭 소리 듣고 따라간다'와 같은 뜻으로, 맹목적(盲目的)으로 남이 하는 대로 따라 함을 이르는 말.
고마-법【雇馬法】[―뻡] 명〖역〗 역마(驛馬) 외에 민간의 말을 징발하여 쓰는 법. 조선 현종(顯宗) 때에, 경기 감영(京畿監營)의 관할하에 시행하였음.
고:마우- 간 '고맙다'의 변칙 어간. ¶～니/～ㄴ 사람.
고:마움 명 고마운 마음. 고마운 일.
고마이¹ 명〈방〉〖어〗 고등어(함남).
고:마이² 부 고맙게. 감사(感謝)하게. ¶～ 여기다.
고마-청【雇馬廳】명〖역〗 관원에게 고마를 내주는 일을 맡은 곳.
고-마큼 부 ↗고만큼. <그마큼. *조마큼.
고마ᄒᆞ다 타〈옛〉 높이다. 공경하다. ¶부톄 마조 나아 마ᄌᆞ샤 서르 고마ᄒᆞ야 드르샤《月釋 Ⅶ:12》.
고막¹ 명〖조개〗 안다미조개.
고막²【鼓膜】명〔tympanic membrane〕〖생〗 ①귓속의 외청도(外聽道)와 고실(鼓室) 사이에 있는 갓 모양의 둥글고 얇은 막(膜). 사람에 있어서는 지름 1 cm, 두께는 0.1 mm 가량임. 공기의 진동에 따라 이 막이 흔들리어 소리가 내이(內耳)에 전달됨. 귀청. ②곤충류의 고막기(鼓膜器)에 있어, 소리의 진동을 전하는 막.
고막³【痼瘼】명 바로잡기 어려운 폐단(弊端). 고폐(痼弊).
고막-기【鼓膜器】명〖동〗 메뚜기목(目)·매미목(目)·나비목(目) 등의 곤충에 존재하는 청각 기관. 그 구조나 존재 부위는 종류에 따라 다른데, 체표면(體表面)의 유리막(膜)이 극히 얇아져서 일종의 고막이 되고 그 밑에 기관(氣管)이 확장된 기실(氣室)이 형성되어, 고막의 진동이 고막이나 기실의 벽에 분포되어 있는 신경 말단에 전해지는 것임. *현음기(弦音器).
고막-염【鼓膜炎】[―념] 명〖의〗 한랭(寒冷)·약물 자극·인플루엔자 따위가 원인으로 일어나는 고막의 염증. 급성 외이염(急性外耳炎)이나 급성 중이염(中耳炎)에는 반드시 따름. 수포(水疱)가 생기고 귀가 막힌 것 같은 이물감(異物感)이 있음. 청력(聽力)에는 그다지 지장이 없음.
고-막이 명〖건〗 ①↗고막이돌. ②마루 아래의 터진 곳을 돌이나 흙 같은 것으로 쌓은 것.
고막이-돌 명〖건〗 ①화방(火防) 밑에 놓는 돌. 준고막이. ②중방(中枋) 밑이나 마루 밑의 터진 곳을 막는 돌.
고막 천:공【鼓膜穿孔】명〖의〗 염증이나 외상(外傷)으로 고막에 구멍이 뚫리는 일. 피가 나며 잘 들리지 아니하고 귀가 울림.
고막 파:열【鼓膜破裂】명〖의〗 고막 천공의 원인이나 외상(外傷)이 직접 또는 간접으로 고막에 영향을 미쳐 고막이 파열되는 일.
고막 혈포【鼓膜血疱】명〖의〗 급성 중이염(急性中耳炎)이나 고막염 등으로 인하여 고막에 혈포가 생기는 일.
고만¹【考滿】명〈이두〉 임기(任期)가 다 됨. 개만(箇滿).
고만²【高慢】명 뽐내어 건방짐. ――-하다 형여불. ――-히 부
고만³ 관 ↗고만한. ¶～ 일에 울어서야 되나. <그만¹.
고만⁴ ㊀부 ①고 정도까지만. ¶공부는 ～ 하고 자라. ②고대로 곧. 고냥 바로. ¶기차 시간이 늦겠으니 ～ 가야겠소. 1)·2): <그만². ㊁명 으뜸. 최고(最高). ¶뭐니뭐니 해도 이것이 ～이다.
고만고만-하다 형여불 서로 비슷비슷하다. ¶고만고만한 또래의 아이들. <그만그만하다.
고만-두다 타 ①그 정도에서 두다. ②하던 일을 그치다. 1)·2): 준관두다. <그만두다.
고만-스럽다【高慢―】형ㅂ불 교만(驕慢)스럽다. 고만-스레【高慢―】부
고만-이 명〖민〗 재물이 늘거나 벼슬이 오르는 것을 막는다고 하는 귀신. ¶～가 붙어 다녀서 재산이 더는 늘지 않는다 / 딸 ～.
고-만치 부 고만큼. <그만치. *요만치.
고-만큼 부 고 정도로. <그만큼. 준고마큼. *조만큼.
고만-하다 형여불 고만한 정도이다. 서로 비슷하다. ¶병이 그저 ～. <그만하다.
-고-말고 어미 상대방의 물음에 대하여 긍정(肯定)의 뜻을 강조하여 나타낼 때 쓰는 종결 어미. -다마다. ¶춥～/좋～/물론 부자～.
고:말-령【古末嶺】명〖지〗 강원도 평강군(平康郡) 유진면(楡津面)과 이천군(伊川郡) 웅탄면(熊灘面) 사이에 있는 고개. 고말봉(古末峰). [1,048 m]
고맘-때 명 꼭 고만큼 된 때. 고 때쯤. ¶어제 ～. <그맘때. *조맘때.
고맙다¹ 형〈옛〉 존귀(尊貴)하다. ¶禮記에 ᄀᆞᆯ오ᄃᆡ 君子의 모양은 ᄌᆞᄂᆞᆨᄌᆞᄂᆞᆨᄒᆞ니 고마온 바를 보고 공경ᄒᆞ야 조심ᄒᆞᄂᆞ니라(禮記曰君子之容舒遲見所尊者 齊遬)《明宗版 小諺 Ⅲ:10》.
고:맙다² 형ㅂ불 은혜나 신세를 입어 마음이 뜨겁고 즐겁다. 감사하다.
고망¹ 명〈방〉 구멍(제주).
고망²【顧望】명 ①고기(顧忌). ②형세를 관망하고 거취를 결정짓지 아니함. ③둘러보거나 뒤돌아다 봄. ――-하다 자타여불
고망아 명〈방〉〖어〗 고등어(황해).
고망애 명〈방〉〖어〗 고등어(경기·황해).
고망에 명〈방〉〖어〗 고등어(함경).
고망이 명〈방〉〖어〗 고등어(함남).
고:매¹ 명〈방〉〖식〗 고구마(경남).
고:매²【故買】명 장물(贓物)인 줄을 알면서 짐짓 삼. 구(舊)형법상의 용어임.
고매³【苦賣】명〖식〗 시화¹. ――-하다 타여불
고매⁴【高邁】명 인격·학식(學識)이 높고 빼어남. ¶～한 인격의 소유자. ――-하다 형여불
고맥【高脈】명〖의〗 대맥(大脈).
고-맷기 명〈방〉 대님(황해).
고머근놈 명〈옛〉 코머거리. ¶고머근놈(齆鼻子)《四聲 上 5 齆字註》.
고먹다 자〈옛〉 코먹다. 코가 막히다. ¶고머글 옹(齆)《字會 上 30》.
고메래 명〈방〉 고무래(경기).
고메스 데 라 세르나〔Gómez de la Serna, Ramón〕명〖사람〗 스페인의 작가. 소설·전기·수필 등 다방면에서 활약함. 대표작은 수필 《그

레게리아(Gregería)≫, 소설 ≪백과 흑의 미망인≫, 전기로는 ≪고야전(傳)≫ 등이 있음. [1888-1963]
고면[1]【高免】[명] 타인의 용서를 높이어 일컫는 말.
고면[2]【高眠】[명] 베개를 높이 하여 잠. 마음 편히 잠. ——-하다 [자][여불]
고면[3]【鼓面】[명]〖악〗북편.
고면[4]【顧眄】[명] 돌이켜 봄. *좌고 우면(左顧右眄). ——-하다 [타][여불]
고명[1] [명] 음식의 양념이 되는 한편 음식의 겉 모양을 좋게 하기 위하여 음식 위에 뿌리거나 덧붙이는 대추·배·밤·호두·잣가루·미나리·버섯·지단·실고추·표고·실백 등의 통칭. *양념. ——-하다 [자][타][여불]
고:명[2]【古名】[명] 옛 이름.
고:명[3]【告明】[명]〖천주교〗고해 성사에서, 사죄권(赦罪權)을 가진 신부에게 죄를 사실대로 고백하는 일. ——-하다 [타][여불]
고:명[4]【告命】[명] 사령장(辭令狀).
고명[5]【沽名】[명] 명예(名譽)를 구함. ——-하다 [자][여불]
고명[6]【高名】[명] ①높이 알려진 이름. 이름이 높이 남. 대명(大名). ¶~한 학자. ②남의 이름의 공대말. ——-하다 [형][여불]
고명[7]【高明】[명] ①고상(高尙)하고 현명(賢明)함. ②식견(識見)이 높고 누뇌가 명석(明晳)함. 또, 어떤 전공(專攻)한 학문이나 기술에 아주 밝음. ③그저 남을 높이어 일컫는 말. ¶~하신 선생님의 처분만 바랍니다. ——-하다 [형][여불]
고-명[8]【高明】[명]〖사람〗중국 원(元)나라 말기에서 명(明)나라 초기의 극작가. 저장 성(浙江省) 출생. 관리 생활도 하였으며, 나이 70여세에 죽었으나, 생몰 연대는 미상(未詳). ≪비파기(琵琶記)≫를 씀.
고명[9]【顧命】[명] 임금이 유언으로 뒷일을 부탁함. ——-하다 [타][여불]
고명 대:신【顧命大臣】[명] 고명(顧命)을 받은 대신.
고명-딸 [명] 아들 많은 사람의 외딸. 「——-하다 [자][여불]
고명 사의【顧名思義】[—/—이] [명] 명예를 돌아다 보고 의(義)를 생각함.
고명-장【—醬】[명] ①양념으로 쓰는 장. ②고명을 친 장.
고명지-신【顧命之臣】[명] 고명(顧命)을 받은 신하.
고:명 책인【誥命冊印】[명]〖역〗중국이 이웃 여러 나라 왕의 즉위를 승인(承認)하여, 왕위를 승인하는 문서인 고명과 금인(金印)을 보내던 일.
고명-파 [명] 고명으로 음식 위에 얹는 잘게 썬 파.
고모[1] [명]〈옛〉괴로움. ¶오 니 사름이 주거 영혼니 극낙셰계예 나면 틸보 모새 년화 고초로 사름이 되여 나셔 졋도 먹지 아니ᄒᆞ고 절노 크고 한 고모 업고 즐거오믄 만만ᄒᆞ고≪普勸文 海印板 4≫.
고모[2]【姑母】[명] 아버지의 누이. 고자매(姑姉妹).
고모[3]【高謀·高謨】[명] 뛰어난 계책.
고모도적 [명]〈옛〉좀도둑. ¶이놈들은 그저 이 고모도적이니(這廝們只是小毛賊)≪朴解 Ⅱ:40≫/고모도적(竊盜)≪同文 下 30≫.
고모라〔Gomorrah〕[명]〖성〗요단의 한 고을. 사해(死海) 남안으로 추정되는데, 도덕적 문란 때문에 하느님의 저주를 받아 불로 멸망했음. *소돔(Sodom).
고모-부【姑母夫】[명] 고모의 남편. 고숙(姑叔). 인숙(姻叔). [준]고부(姑夫).
고모-산【顧母山】[명]〖지〗경상 북도 청송군(靑松郡)에 있는 산. 태백 산맥(太白山脈) 남단에 솟아 있음. [767m]
고-모음【高母音】[명]〖언〗혀가 가장 높은 위치에서 조음(調音)되는 모음. 한국어의 'ㅣ·ㅟ·ㅡ·ㅜ' 따위. 폐모음(閉母音).
고모-할머니【姑母—】[명] '대고모(大姑母)'를 친근하게 일컫는 말.
고모-할아버지【姑母—】[명] '대고모부(大姑母父)'를 친근하게 일컫는 말.
고:목[1]【古木】[명] 오래 묵은 나무. 고목나무. 노목(老木). 「말.
【고목낡에 갈고랑낫】약한 자가 턱없이 강한 자에게 덤빔을 이르는
고:목[2]【告目】[명]〖역〗조선 시대에 서리(胥吏)나 향리(鄕吏)가 상관에게 공적(公的)인 일이나 문안할 때 올리는 간단한 문서.
고목[3]【苦木】[명]〖식〗소태나무.
고목[4]【枯木】[명] 말라 죽은 나무.
고목[5]【高木】[명] 높은 나무. ↔저목(低木).
고목[6]【高目】[명] 바둑에서, 귀를 먼저 차지하는 수의 하나. 각 귀의 4선(線)과 5선의 교점(交點). *소목(小目)·외목(外目).
고목[7]【槁木】[명] 마른 나무.
고:목-나무【古木—】[명] 고목(古木).
고목 발영【枯木發榮】[명] 고목 생화(枯木生花).
고목 사:회【槁木死灰】[명] 외형은 마른 나무고 마음은 죽은 재와 같이 생기 없고 의욕이 없는 사람을 이르는 말.
고목 생화【枯木生花】[명] 말라 죽은 나무에서 꽃이 피듯이 곤궁한 사람이 행운을 만나서 잘 된 것을 신기하게 여기어 이르는 말. 고목 발영.
고몰-거리다 [자] ☞고물거리다.
고:묘[1]【古墓】[명] 옛날 무덤.
고:묘[2]【古廟】[명] 오래 된 사당. 옛 사당 집.
고:묘[3]【告廟】[명] 나라나 왕실(王室)에 큰일이 있을 때에 그 일을 종묘(宗廟)에 여쭘. *고사당(告祠堂). ——-하다 [타][여불]
고묘[4]【高妙】[명] 고상하고 묘(妙)함. ——-하다 [형][여불]
고무[1]【鼓舞】[명] ①북을 치며 춤을 춤. ②격려하여 기세(氣勢)를 북돋움. 남의 마음을 분기시킴. 고동(鼓動). 고취(鼓吹). 인스피릿(inspirit). ¶~적인 사실. ——-하다 [타][여불]
고무[2]〔프 gomme〕[명] ①열대 지방에서 나는 고무나무의 껍질에서 분비하는 액체를 응고시켜 만든 생(生)고무를 주(主)원료로 하여, 이것에 산화 아연(酸化亞鉛)·탄산(炭酸) 마그네슘·카본 블랙(carbon black) 등을 넣고 황(黃)을 작용시켜 만든 물건. 탄력성(彈力性)이 강하고, 신축(伸縮)이 자유로우며, 전기(電氣)의 부도체(不導體)이므로 공업용으로나 생활 필수품으로 널리 쓰임. 탄성(彈性) 고무. 호모(護謨). ②식물의 분비물에서 얻어지는 점착성(粘着性)의 고분자 다당류(高分子多糖類). 아라비아 고무·트래거캔스(tragacanth) 고무 따위. ③탄성을 갖는 고분자 화합물로 합성한 고무. 인공적으로 중합시킨 합성 고무로서 이소프렌 고무·부타디엔 고무·니트릴 고무 등이 있음. ④↗고무 지우개.
고무-공〔프 gomme〕[명] 고무로 만든 공.
고무 공업【—工業】〔프 gomme〕[명] 천연 고무·합성 고무를 원료로 각종 고무 제품을 제조하는 공업.
고무-관【—管】〔프 gomme〕[명] 고무로 만든 관. 고무 파이프(pipe).
고무-꺽정이 [명]〖어〗[*Dasycottus japonicus*] 둑중갯과에 속하는 바닷물고기. 몸길이 25cm 내외, 납작하고 배는 편평한데 입이 크고 머리 위에는 많은 혹 모양의 돌기를 가짐. 몸빛은 담회갈색으로 온몸에 점액(粘液)이 많음. 비늘이 없으며 유연하고 몸 전체에 작은 촉수(觸鬚)가 산재함. 한국 동북해·연해주 연해 및 일본 북부에 분포함. 맛이 좋아 산모(産母)에게 좋다고 함.
고무-나무〔프 gomme〕[명]〖식〗고무를 채취하는 열대 식물의 총칭. 파라고무나무·인도고무나무·멕시코고무나무 등 종류가 많은데, 특히 파라고무나무를 일컬음. 고무 식물(植物). 호모수(護謨樹).
고무 다리〔프 gomme〕[명] 고무로 만든 의족(義足).
고무 도장【—圖章】〔프 gomme〕[명] 고무로 만든 도장. 스탬프 잉크로 찍음. 고무인(印). 호모인(護謨印).
고무-딸기 [명]〖식〗복분자(覆盆子)딸기.
고무-뜨기 [명] 뜨개질에서, 겉뜨기와 안뜨기를 번갈아 규칙적으로 뜨는 법. 잘 늘어났다 줄어들어 소맷부리 부분 등을 뜨는 데 이용됨.
고무라기 [명] 떡의 부스러기.
고무라 주타로:〔小村壽太郞：こむらじゅたろう〕[명]〖사람〗일본의 정치가·외교관. 1901년 가쓰라 다로(桂太郞) 내각(內閣)의 외무 대신이 되어 영일 동맹(英日同盟)을 맺고 러·일 전쟁 후 1905년 강화위원(講和委員)으로서 포츠머스(Portsmouth) 조약에 이어서 한국과 을사 조약(乙巳條約)을 체결하였으며, 국권 피탈에도 큰 구실을 담당함.
고무락 [명]〈방〉고무래(강원). 「[1855-1911]
고무락-거리다 [자][타] 몸을 조금씩 느리게 자꾸 움직이다. ㅆ꼬무락거리다. <구무럭거리다. 고무락-고무락 [부]. ——-하다 [자][타][여불]
고무락-대다 [자][타] 고무락거리다.
고무래 [명] 곡식을 그러모으거나 펴거나 밭의 흙을 고르거나, 아궁이의 재를 긁어내는 데 쓰는 물건. 직사각형의 나뭇조각에 자루를 박아 T자 형으로 되었음.

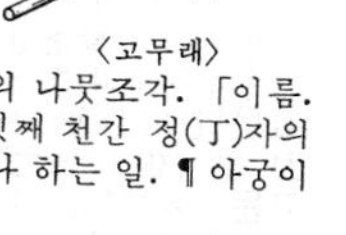

〈고무래〉

고무래 바탕 [명] 고무래의 자루를 박게 된 직사각형의 나뭇조각. 「이름.
고무래 정【—丁】[명]〈속〉글자 생김새로 일컫는 넷째 천간 정(丁)자의
고무래-질 [명] 고무래로 무엇을 펴거나 그러모으거나 하는 일. ¶아궁이 속을 ~하다. ——-하다 [타][여불]
고무 마개〔프 gomme〕[명] 고무로 만든 마개.
고무 바닥〔프 gomme〕[명] 고무창을 댄 바닥. 「바퀴.
고무 바퀴〔프 gomme〕[명] 수레바퀴 등의 거죽에 덧입히는 고무로 만든
고무 반창고【—絆瘡膏】〔프 gomme〕[명] 정제(精製) 파라고무에 여러 가지 약제를 반죽하여 헝겊에 바른 반창고. 상처의 보호·가제의 고정(固定)에 쓰임.
고무-배〔프 gomme〕[명] 고무 보트(boat).
고무 밴드〔프 gomme + band〕[명] 실 모양 또는 띠 모양의 동그란 고무줄. 물건을 묶는 데 씀.
고무-베개〔프 gomme〕[명] 고무로 주머니처럼 만든 베개의 하나. 환자의 체온 조절을 위해 더운물·찬물·얼음물 등을 넣어 쓰게 되어 있음.
고무 보:트〔프 gomme+boat〕[명] 고무로 만들어서, 공기를 넣어 물 위에 뜨도록 한 배. 고무배.
고무-빗〔프 gomme〕[명] 고무에 황을 흡수시킨 에보나이트(ebonite)나 셀룰로이드로 만든 빗.
고무상 황【—狀黃】[명]〔gummy sulfur〕〖화〗약 350°C로 가열(加熱)하여 녹인 황을 급히 찬물 속에 넣어 만든 탄성(彈性)이 강한 농갈색의 고무상 물질. [준]고무황.
고무새 [명]〈방〉〖건〗고미혀.
고무 색〔프 gomme+sac〕[명] ①손가락의 상처를 보호하기 위해 끼는 고무로 만든 색(sac). ②'콘돔'의 속칭.
고무 수지【—樹脂】[명]〔gum resin〕식물에서 얻어지는 함유 수지상 물질(含有樹脂狀物質). 알코올에 잘 녹지 않는 수지와 고무질(質)을 혼합한 것임.
고무 수채화【—水彩畫】〔프 gomme〕[명]〖미술〗물·꿀·고무를 섞어서 불투명한 빛깔로 그린 그림. 구아슈(gouache).
고무 식물【—植物】〔프 gomme〕[명] 수피(樹皮)·잎·뿌리에서 분비(分泌)되는 물질에 고무질을 함유하는 식물의 총칭. 그 분비물을 채취하여 탄성(彈性) 고무의 원료로 함. 파라고무나무·인도고무나무 따위. 고무나무.
고무-신〔프 gomme〕[명] 고무로 만든 신. 호모화(護謨靴).
고무 용제【—溶劑】〔프 gomme〕[명]〔rubber solvent〕적층재(積層材) 제조 공정에서 고무의 접착성을 증가시키기 위하여 쓰는, 증발하기 쉬운 석유 잔재(殘滓)로 만든 용제. 고무풀에도 쓰임.
고무우카〔Gomułka, Władysław〕[명]〖사람〗폴란드의 정치가. 1926년 폴란드 공산당에 입당, 이후 노동 운동을 지도함. 제2차 세계 대전 후 노동자당 서기장·부수상을 거쳐 1956년에 통일 노동자당 제1서기가 되었다가 1970년 사임함. [1905-82]
고무-인【—印】〔프 gomme〕[명] 고무 도장.
고무-장【—漿】〔프 gomme〕[명] 아라비아고무의 용액(溶液). 고무 제품의 제조 또는 약용으로 사용함.
고무 장:갑【—掌匣】〔프 gomme〕[명] 고무로 만든 장갑. 의료(醫療)·취사용(炊事用)·전기 절연용(絶緣用) 따위로 사용함. 「상.
고무-적【鼓舞的】[명][관] 고무하는 모양. 기운을 돋우는 모양. ¶~인 현
고무 젖꼭지〔프 gomme〕[명] 탄성 고무로 만든 젖꼭지. 젖먹이에게 우

유를 먹일 때 젖병 아가리에 끼워서 빨림.

고무-종【一腫】〔프 gomme〕 명 《의》 매독성 종양(腫瘍)의 한 가지. 제3기 매독에 나타나는 변화로, 탄탄하고 탄력(彈力)이 있는 결정성(結晶性) 종양인데 여러 장기(臟器)에 발생함. 매독종. 호모종(護謨腫).

고무-줄〔프 gomme〕 명 고무로 만든 줄. 신축성이 있어 이용하는 곳이 많음. 「의 놀이.

고무줄-넘기〔프 gomme〕〔一끼〕 명 고무줄로 줄넘기하는 여자 아이들

고무 지우개〔프 gomme〕 명 연필 같은 것으로 쓴 것을 지우는 데 쓰는 고무로 만든 지우개. ㊤고무·지우개.

고무-창〔프 gomme〕 명 고무로 만든 구두의 창.

고무-천〔프 gomme〕 명 고무포(布).

고무-총【一銃】〔프 gomme〕 명 탄성이 강한 고무줄로 만든 장난감총.

고무 타이어 전:차【一電車】〔프 gomme+tire〕 명 철도 차량의 소음을 경감하기 위해, 바퀴에 고무 타이어를 쓴 전차. 1930년대에 프랑스에서 시작(試作), 2차 대전 후 파리 지하철 일부에서 실용화 보급됨.

고무 테이프〔프 gomme+tape〕 명 ①고무 혼화물(混和物)로 리본 모양으로 만든 테이프. 배선 공사(配線工事) 때 절연(絶緣) 따위에 사용함. ②끝에 고무를 넣고, 면사(綿絲)·레이온사(絲)·스프사(絲) 기타의 원사(原絲)를 사용하여 기계로 짠 납작한 끈. 옷가지·장난감 따위에 ⌊사용함.

고무 파이프〔프 gomme+pipe〕 명 고무관.

고무-포【一布】〔프 gomme〕 명 탄성 고무를 윗면에 입힌 헝겊. 방수용(防水用)의 모든 제구 제조에 쓰임. 고무천. 「데 씀. 호모호(護謨糊).

고무-풀〔프 gomme〕 명 아라비아 고무를 녹여 만든 풀. 물건을 붙이는

고무 풍선【一風船】〔프 gomme〕 명 얇은 고무 주머니 속에 공기나 수소 가스를 넣어 그것을 손바닥으로 쳐 올리거나 공중에 날리는 장난감.

고무-혀 명 《건》 〈방〉 고미혀. ⌊㊤풍선.

고무 호:스〔프 gomme+hose〕 명 직포(織布) 또는 편사(編絲)의 사이 및 내외면(內外面)에 고무층을 넣어 가압·가열·황화(黃化)한 관(管).

고무-황【一黃】〔프 gomme〕 명 《화》 ↗고무상 황.

고:묵【古墨】 명 오래 된 먹. 옛 먹.

고:문[1]【古文】 명 ①옛 글. ②중국에서, 전자(篆字)가 생기기 이전의 과두 문자(蝌蚪文字). 황제(黃帝) 때 창힐(蒼頡)이 창시한 것이라 함. ③한(漢)나라의 예서(隷書)에 대한 과두 문자의 일컬음. ↔금문(今文). ④중국에서, 후세의 사륙 병려체(四六騈儷體)의 글에 대하여 진한(秦漢) 이전의 달의(達意)·명쾌(明快)를 주로 한 고래의 산문(散文). ↔시문(時文). ⑤옛 서적. 특히, 중국 경서(經書)의 일종으로, 공자(孔子)의 옛집 벽 속에서 발견된 선진(先秦)의 과두 문자로 된 상서. 또, 이것을 중히 여기는 학파(學派). ↔금문(今文). *고론(古論). ⑥작자문(作者文).

고문[2]【叩門】 명 사람을 찾아와 문을 두드림. ——-하다 자여불

고:문[3]【告文·誥文】 명 임금이 신하에게 고유(告諭)하는 글.

고문[4]【拷問】 명 죄를 진 혐의(嫌疑)가 있는 사람에게 자백(自白)을 강요하기 위하여 견디기 어려운 육체적 고통을 주며 신문(訊問)함. 고신(拷訊). ¶전기(電氣) ~. ——-하다 타여불

고문[5]【高文】 명 ①식견(識見)이 높은 글. 고상한 글. ②웅장한 글. ③남의 문장의 공대말. ④《일제》 ↗고등 문관 시험.

고문[6]【高門】 명 ①높은 문. ②부귀한 집.

고문[7]【高聞】 명 타인의 들음을 높이어 일컫는 말.

고문[8]【顧問】 명 ①의견을 물음. ¶~에 응하다. ②자문(諮問)에 응하여 의견을 말하는 직무. 또, 그 직책(職責)에 있는 사람. ¶~단/법률 ~/~변호사. ③《역》고종(高宗) 때 갑오 개혁 뒤 외국 사람을 고빙(雇聘)하여 설치한 고문관. ——-하다 자타여불

고:문-가【古文家】 명 ①고문학(古文學)을 전승(傳承)한 사람. ↔금문가(今文家). ②고문사(古文辭)를 연구하는 사람.

고문-관【顧問官】 명 ①정부에서 고문으로 초빙한 사람. ¶군사 담당 ~. ②주로 군대에서, 어리숙한 사람을 농조로 이르는 말.

고문 금:지 선언【拷問禁止宣言】 명 〔Declaration against Torture〕 《정》 1975년 12월 9일 유엔 총회에서 채택된 고문 금지에 관한 선언. 12개 조항(條項)으로 되어 있으며, 어떤 나라나 권력 주체(權力主體)도 평시는 물론 전시나 비상 사태(非常事態) 아래에서도 정보(情報)나 자백(自白)의 입수(入手), 처벌·협박 등을 위한 목적으로 육체적·정신적인 해악(害惡)을 고의로 가함을 허용하지 말도록 규정하고 있음.

고문-단【顧問團】 명 여러 고문들로 이루어진 단체. ¶군사 ~.

고문 대:책【高文大冊·高文大策】 명 ①문장이 웅대한 글. ②고문 전책.

고:-문사【古文辭】 명 《문》 옛날의 문사(文辭). 특히, 진(秦)·한(漢) 및 그 이전의 문장과 성당(盛唐) 이전의 시를 가리킴.

고:문사-파【古文辭派】 명 《역》 중국, 명(明)나라 중기의 고전(古典)주의 문학 운동의 일파. 문학을 창작(創作)함에 있어 고문사의 전형(典型)을 모방(模倣)할 것을 제창(提唱)하고 그 외의 고전을 배격(排擊)함. 이몽양(李夢陽)·하경명(何景明) 등이 주창(主唱)하고, 뒤에 이반룡(李攀龍)·왕세정(王世貞)이 확립(確立)함.

고:문 상서【古文尙書】 명 과두 문자(蝌蚪文字)로 쓰여진 서경(書經). 전한(前漢)의 경제(景帝) 때, 노(魯)나라 공왕(恭王)이 공자(孔子)의 구택(舊宅)을 허물었을 때 그 벽 속에서 나온 서경. 무제(武帝) 때, 공안국(孔安國)이 이것을 번역하였다고 전함. 58편. ↔금문(今文) 상서. *공벽(孔壁)·서경(書經).

고:-문서【古文書】 명 옛날의 문서.

고:문서-학【古文書學】 명 고문서의 양식(樣式)·재료·서풍(書風)·먹빛·도장(塗裝)·용어·문체 따위를 과학적으로 분석(分析)하고 해명하는 학문. 역사학의 기초학이라 일컬음.

고:-문장【古文章】 명 고문(古文)❶.

고문 전:책【高文典册】 명 임금의 명으로 지은 국가의 귀중한 저술. 고문 대책(高文大册·高文大策).

고문 정치【顧問政治】 명 《역》 조선 광무(光武) 8년(1904)에 제1차 한일 의정서(議定書)에 의해, 일본이 한국에 고문을 파견, 내정(內政)을 장악한 일. 재정 고문에 메가타 슈타로(目賀田種太郞), 외교 고문에 미국인 스티븐스(Stevens D.W.) 등이 옴.

고:-문진【高文進】 명 《사람》 중국 북송(北宋)의 화원(畫院)의 도석화가(道釋畫家). 당시의 도석화의 이대 양식(樣式)인 북제(北齊)의 조중달(曹仲達), 당(唐)의 오도현(吳道玄)의 두 양식을 종합하고 독자적 양식을 시작하여 도석화의 표준이 되었음. 사원·도관(道觀)을 위한 종교화(宗敎畫), 유교주의의 권계화(勸戒畫)를 제작하였음. 생몰 연대 미상.

고:문 진보【古文眞寶】 명 《책》 중국 선진(先秦) 이후 송(宋)까지의 시문을 모은 책. 편자는 미상(未詳). 20권. 「하다 타여불

고문 치:사【拷問致死】 명 고문을 지나치게 하여 사람을 죽게 함. ——-

고:문-파【古文派】 명 중국의 문장을 숭상해온 재래(在來)의 한문학파. 순정(醇正) 문학파.

고:문-학【古文學】 명 《문》 공벽(孔壁)에서 발견된 경서 또는 한(漢) 무제 때에 하간(河間)의 헌왕(獻王)이 수집한 고문헌을 중심으로 연구하는 학문. ↔금문학(今文學).

고:-문헌【古文獻】 명 고대(古代)의 문헌.

고물[1] 명 인절미나 경단 등의 겉에 묻히거나, 시루떡의 켜와 켜 사이에 뿌리는, 팥·녹두·콩·참깨 등의 가루. ¶떡~. 「말.

[고물 모자라는 떡 없다] 일이란 어떻게 해서든 꾸려 나가게 된다는

고물[2] 명 《건》 ① ☞ 고미[1]. ②우물마루를 놓는 데 귀틀 두 개 사이의 구역(區域). ¶한 ~/두 ~.

고물(을) 누르다 구 《건》 〈방〉 고미(를) 누르다. 「이물.

고물[3] 명 배의 뒤쪽. 밑뒤. 뱃고물. 선로(船艫). 선미(船尾). 꽁지부리. ↔

고:물[4]【古物】 명 ①옛적 물건. ②헐거나 낡은 물건. 고물(故物). ¶~차.

고:물[5]【故物】 명 ①고물(古物)❶❷. ②오래 된 물건이나 사람.

고:물가【高物價】〔一까〕 명 비싼 물건 값. ↔저물가(低物價).

고물-간【一間】〔一깐〕 명 배의 고물 쪽의 칸. 허릿칸. ↔이물간.

고물개 명 〈방〉 고무래.

고물-거리다 자타 몸을 느리게 자꾸 움직이다. ㅆ꼬물거리다. <구물거리다. 고물-고물 부. ——-하다 자타여불 「람·기물의 비유.

고:물-단지【古物一】〔一딴一〕 명 시대에 뒤떨어지거나 쓸모 없이 된 사

고물-대〔一때〕 명 두대박이 배의 고물 쪽의 돛대. ↔이물대.

고물-대다 자타 고물거리다.

고:물-딱지【古物一】 명 〈속〉 고물(古物).

고물-머리 명 배의 뒤 끝의 부분.

고:물-상【古物商】〔一쌍〕 명 고물을 파는 장사. 또, 그 장수.

고물-자리 명 〔라 Puppis〕 《천》 남천(南天)에 있는 별자리의 하나. 큰개자리의 남동쪽에 있고, 3월 중순의 초저녁에 남중(南中)함. 약자(略字):

고:물-전【古物廛】 명 고물을 매매(賣買)하는 가게. ⌊Pup.

고물카〔Gomułka, Władysław〕 명 《사람》 ☞ 고무우카.

고물-혀 명 《건》 〈방〉 고미혀.

고미[1] 명 《건》 반자의 한 가지. 방이나 마루의 양편 도리 사이에 같은 거리(距離)로 사이를 떼어 고미혀를 건너지르거나, 도리와 도리 사이의 한가운데에 병행(並行)하여 고미받이를 걸고 양편으로 그 사이에 고미혀를 건너지르고, 그 위에 산자를 엮고 진흙을 이겨 두껍게 펴서 눌러 방바닥같이 반듯하게 하고, 아래쪽의 바닥에는 새벽질을 한 반자.

고미(를) 누르다 구 고미를 만들다.

고:미[2]【古米】 명 묵은 쌀. ↔신미(新米).

고:미[3]【古味】 명 예스러운 정취(情趣).

고미[4]【苦味】 명 쓴맛. ↔감미(甘味).

고미[5]【高美】 명 아름답고 고상함. ——-하다 형여불

고미가 정책【高米價政策】〔一까一〕 명 양곡의 수매 가격(收買價格)을 올려, 농민의 생산 의욕을 돋우고 양곡의 자급 자족 시책을 이루려는 정부의 정책. 「과 같음.

고미-다락 명 《건》 고미와 보꾹 사이의 빈 곳. 양옥(洋屋)의 애틱(attic)

고미래 명 〈방〉 고무래. 「놓는 장여 같은 나무.

고미-받이〔一바지〕 명 《건》 고미를 누르기 위하여 천장 한복판에 세로

고미-산【苦味酸】 명 《화》 타르타르산(酸)에 진한 질산(窒酸)과 진한 황산(黃酸)의 혼합물을 작용시켜 얻는 황색의 결정(結晶). 폭약(爆藥)·염색제·의약 등에 쓰임. 「瓷器) 등 미술품의 총칭. ¶~품.

고:-미술【古美術】 명 고대(古代)의 서화(書畫)·조각(彫刻)·도자기(陶

고미-약【苦味藥】 명 《약》 고미제(苦味劑).

고미-장지【一障一】 명 《건》 고미다락의 맹(盲)장지.

고미 정기【苦味丁幾】 명 《약》 '고미팅크'의 한자 말.

고미-제【苦味劑】 명 《약》 쓴맛을 갖고 있는 약물의 총칭. 이 약물이 입 안에 들어가면 반사적으로 위액(胃液)의 분비가 많아지므로 식욕 부진

고미-집 명 《건》 고미다락이 있는 집. ⌊등에 쓰임. 고미약(苦味藥).

고미-천【苦味泉】 명 《지》 광천(鑛泉)의 하나. 물 1kg 중에 고형 성분(固形成分) 1,000mg 이상을 함유하고, 음이온(陰 ion)으로서 황산(黃酸) 이온이 그 주성분을 이루는 광천. 하제(下劑)·담즙 분비 촉진제·이뇨제(利尿劑)로서 위장·간장 질환에 음용(飮用)되며, 욕용(浴用)으로는 상처나 류머티즘에 효과가 있음.

고:미탄-천【古味呑川】 명 《지》 강원도 이천군(伊川郡) 웅탄면(熊灘面)에서 시작하여 평강(平康) 땅을 지나서 임진강(臨津江)으로 흘러 들어가는 강. [113.65km]

고미-팅크【苦味一】 명 〔bitter tincture〕 《약》 용담(龍膽)·등피(橙皮) 등을 에탄올로 삼출하여 만든, 맛이 쓴 맑은 황갈색의 액체. 건위제(健胃劑)로 씀. 고미 정기(丁幾).

고미-혀 명 『건』 고미받이와 월간(越間)보나 도리 사이에 걸쳐 놓는 평고대나 서까래.

고민【苦悶】명 괴로워하고 번민함. 고뇌(苦惱). ――하다 자 여불

고밀[1]【苦蜜】명 꿀의 일종. 벌이 황련(黃蓮)을 채취(採取)해서 이를 만듦.

고밀[2]【高密】명 『지』 '가오미'를 우리 음으로 읽은 이름.

고밀개 명 〈방〉 고무래.

고밀도 집적 회로【高密度集積回路】[-또-] 명 대규모 집적 회로, 곧 엘 에스 아이(LSI)의 딴이름.

고몰 명 〈옛〉 고몰. 뱃고몰. ¶ 빗고몰 초(艄), 빗고몰 뉵(舳)《字會 中 26》.

고믜열 명 〈옛〉 웅담(熊膽). ¶ 고믜열(熊膽)《救簡 Ⅲ:38》.

고바〔Gobat, Charles Albert〕명 『사람』 스위스의 법률가·정치가. 베른 시(Bern市)의 교육국장·국회 의원 등을 역임함. 국제 평화 운동을 추진하고 이에 헌신하였으며, 1902년 뒤코멍(Ducommun)과 함께 노벨 평화상을 수상하였음. [1843-1914]

고바야카와 다카카게〔小早川隆景: こばやかわたかかげ〕명 『사람』 일본의 무장(武將). 임진 왜란 때 왜군의 제6진(陣)으로 모리 히데모토(毛利秀元) 등과 1만 5천의 병력으로 추풍령(秋風嶺)을 넘어 서울에 입성(入城), 전라도 지방을 담당하였는데, 금산(錦山)에서 조선 의병(義兵)의 저항을 받아, 그 의기에 감동하여 금산 칠백 의총(錦山七百義塚)을 세움. 정유 재란 때에도 내침, 철수할 때 많은 서적을 반출(搬出)해 가, 일본에 조선 주자학(朱子學)의 영향을 끼치게 함. [1533-97]

고:박[1]【古朴·古樸】명 새로운 맛이 없고 옛 풍미가 있어 질박(質朴)함. ――하다 형 여불. ――히 부

고박[2]【賈舶】명 상선(商船)❶.

고:반【古班】명 여러 대를 내려온 양반.

고반 여사【考槃餘事】명 『책』 문방 청완(文房淸玩)의 취미를 개설한 책. 중국 명(明)나라 도륭(屠隆)의 편찬으로 되어 있으나, 고염(高濂)의 《준생 팔전(遵生八牋)》을 기본 삼아 조소(曹昭)의 《격고 요론(格古要論)》을 참고하여 만든 것으로, 상인(商人)이 당시의 명인(名人)이었던 도융의 이름을 빈 듯함. 내용은 서(書)·첩(帖)·화(畫)·지(紙)·묵(墨)·필(筆)·연(硯)·향(香)·다(茶)·금(琴)·분완(盆玩)·어학(魚鶴)·산재(山齋)·기거 기복(起居器服)·문방 기구(文房器具)·유구(遊具)의 열 여섯 가지에 대한 감상(鑑賞)·수장(收藏)의 법이 자세히 설명되어 있음.

고발[1]【扣撥】명 계산하여 내어줌. ――하다 타 여불

고:발[2]【告發】명 『법』 피해자가 아닌 사람이 범죄(犯罪) 사실을 경찰서 또는 검찰청에 신고하여 수사 및 범인의 기소(起訴)를 요구하는 일. *고소(告訴). ――하다 타 여불

고:발-도【古發島】[-또] 명 『지』 전라 남도의 남해안(南海岸), 고흥군(高興郡) 도양읍(道陽邑) 오마동(五馬洞)에 위치했던 섬. 1975년 이웃의 오마도(五馬島) 간척 사업 때 바다에 잠김. [0.37km²]

고:발 문학【告發文學】명 『문』 고발 정신(告發精神)으로 쓰는 문학.

고:발-인【告發人】명 고발을 하는 사람. 고발자.

고:발-자【告發者】[-짜] 명 고발인.

고:발-장【告發狀】[-짱] 명 『법』 범죄를 고발하기 위하여 수사 기관에 내어 놓는 서장(書狀).

고:발 정신【告發精神】명 ①범죄를 미워하여 적극적으로 고발하려는 태도. ②사회의 역사적 죄악을 들추어내어서 비판하는 문학의 태도.

고:방[1]【古方】명 ①『한의』 옛날 권위 있는 의학자(醫學者)가 만든 좋은 약방문(藥方文). *고의방(古醫方). ②옛날에 행하던 방법.

고방[2]【孤芳】명 ①홀로 뛰어나게 향기로움. 또, 그러한 꽃. ②인격이 썩 고결함. 또, 그 인격. ③재능이 있으나 알아주는 이가 없음을 이름. ――하다 형 여불

고방[3]【庫房】명 세간이나 그 밖의 온갖 물건을 넣어 두는 방.

고:방-가【古方家】명 『한의』 고방파(派)에 속하는 사람.

고방사선 취:급 실험실【高放射線取扱實驗室】명 『물』 핫 래버러토리.

고방-오리 명 『조』 [*Anas acuta acuta*] 오릿과에 속하는 새. 날개 길이는 암컷이 23cm, 수컷이 28cm 가량임. 수컷은 머리와 윗목이 암갈색이고 복부는 온통 희며 어깨와 옆구리에는 흰 바탕에 검은 얼룩점이 있음. 꽁지는 회색과 연갈색(軟褐色)으로 되어 있는데, 한가운데 두 개의 깃은 검고 길이 20cm쯤 되므로 '긴꼬리오리'라고도 함. 암컷은 정수리에 검정 점이 있고 머리와 목에 종반(縱斑)이 있음. 연못가에서 수서 동물·수초 등을 포식하는 엽조(獵鳥)인데, 유럽·아시아·북아프리카·중국·사할린·일본·한국 등지에 분포함. 미장부(尾長鳧).

〈고방오리〉

고:방-파【古方派】명 『한의』 주로 중국 후한(後漢) 때의 의서(醫書)인 《상한론(傷寒論)》·《금궤 요략(金匱要略)》을 치료의 법통으로 삼는 한의학파.

고배[1]【苦杯】명 ①쓴 술잔. ②쓰라린 경험의 비유.
　고배를 들다 구 고배를 마시다.
　고배를 마시다 구 괴롭고 쓰라린 경험을 하다. 고배를 들다.

고배[2]【高杯】명 『고고학』 '굽다리접시'의 구용어.

고배[3]【高配】명 타인의 배려(配慮)를 높이어 일컫는 말.

고배[4]【高排】명 실과나 음식 같은 것을 그릇에 높이 굄. ――하다 타 여불

고-배당【高配當】명 주식에서, 분배 이익금이 많음. 준고배(高配).

고:백【告白】명 ①숨김없이 사실대로 말함. ¶ 사랑의 ~. ②『기독교』 자기의 신앙을 공개적으로 표명하는 일. ――하다 타 여불

고:백 교:회【告白敎會】명 『종』 1933년 히틀러가 정권을 장악하고 국가주의적 정책을 강행하기 위하여 독일 교회의 동조를 요구하자 이에 대항하여 독일 복음주의(福音主義) 교회 안에 이룩된 교회. 니묄러(Niemöller, M.) 등을 지도자로 하여 권력의 박해에 굴하지 아니하고 바른 신앙을 대담하게 고백하는 데에 깊은 의의를 찾았음.

고:백-록【告白錄】[-녹] 명 과거의 생활 또는 죄업, 마음 속의 번민(煩悶) 같은 것을 신 앞에나 만인 앞에 고백하는 형식을 취한 자서전(自叙傳)의 한 가지. 아우구스티누스(Augustinus)의 것과 루소(Rousseau)의 것이 특히 유명함.

고:백 문학【告白文學】명 자기의 내적(內的)·외적 생활의 과실이나 약점을 기탄없이 폭로한 문학.

고-백반【枯白礬】명 『약』 불에 태워서 결정수(結晶水)를 없앤 백반. 건조제(乾燥劑)로 씀.

고:백-서【告白書】명 고백한 내용을 적은 글.

고:백 성:사【告白聖事】명 『천주교』 일곱 가지 성사의 하나. 세례를 받은 신자가 범한 죄를 뉘우치고 천주님에게 직접 또는 천주님의 대리자인 사제(司祭)에게 고백하여 용서를 받는 일. '고해(告解) 성사'의 고친 이름. 콘페시오(confessio).

고:백의 기도【告白一祈禱】[-/-에-] 명 『천주교』 주요 기도문(主要祈禱文)의 하나. 고백 성사 때에 외는 기도문. '고죄경(告罪經)'의 고친 이름.

고뱅이 명 〈방〉 고개[1]❷(제주).

고버히다 자 〈옛〉 (형벌의 한 가지로) 코를 베다. ¶ 고버힐 의(劓)《字會 下 29》.

고번【苦煩】명 고심(苦心)하고 번민(煩悶)함. ――하다 자 여불

고범[1]【孤帆】명 외롭게 떠 있는 배. 고주(孤舟).

고:범[2]【故犯】명 일부러 범한 죄.

고:법[1]【古法】명 옛날의 법칙.

고법[2]【高法】명 ↗고등 법원(高等法院).

고:베〔神戸: こうべ〕명 『지』 일본 효고 현(兵庫縣)의 남동부, 오사카 만(大阪灣)에 면하는 항구 도시. 현청 소재지. 일본 굴지(屈指)의 무역항이며 대공업 도시임. 조선(造船)·차량(車輛)·철강·고무·전기(電機) 등의 대규모 공업이 발달하고, 청주(淸酒) 양조는 특산품 공업으로 유명함. 사적(史蹟)과 관광 시설이 많아 국제적인 관광 도시로도 발달함. [1,473,051명(1990)]

고:벽[1]【古癖】명 옛날의 서화·그릇 등을 즐기는 버릇.

고벽[2]【痼癖】명 아주 인이 박이어 고치기 어려운 버릇.

고:변【告變】명 ①변을 알림. ②반역(反逆)을 고발(告發)함. ――하다 자 여불

고:별【告別】명 작별(作別)을 고(告)함. ――하다 자 여불

고:별 교향곡【告別交響曲】명 『악』 하이든(Haydn)이 1772년에 작곡한 교향곡 제45번 올림바단조(短調)의 일컬음. 이 곡의 종악장(終樂章)에서, 끝에 가까워지면 연주자(演奏者)가 한 사람씩 등불이나 촛불을 끄고 일어나 가버리고, 최후에는 단 두 사람의 바이올린 주자(奏者)만이 남아서 연주하도록 만든 데서 '고별'이란 곡 이름이 붙었다 함.

고:별-사【告別辭】[-싸] 명 ①전임·퇴직할 때 이별을 고하는 말. ②장례 때 죽은 사람에게 이별을 고하는 말.

고:별-식【告別式】[-씩] 명 작별을 고하는 의식. 송별식(送別式).

고:별-연【告別宴】명 작별을 고하는 연회(宴會).

고:별-회【告別會】명 작별을 고하는 모임.

고:병[1]【古兵】명 ①경험과 무공(武功)이 많은 병사. 고참병(古參兵). 고참 병사. ¶ ~은 죽지 않고 다만 사라질 뿐이다. ↔신병(新兵). ②경험이 많은 사람.

고병[2]【烤餠】명 호떡.

고병[3]【雇兵】명 용병(傭兵).

고보[1]【姑保】명 아직 그대로 부지함. ――하다 자타 여불

고보[2]【高報】명 시세의 앙등을 알리는 보도.

고보[3]【高普】명 『일제』 ↗고등 보통 학교(高等普通學校).

고:복[1]【古服】명 ①낡은 의복. ②옛적의 옷.

고복[2]【考卜】명 『역』 결부(結負)에 이동(移動)과 변경이 있을 때에 실지로 이것을 조사함. 걸복(乞卜). ――하다 타 여불

고복[3]【考覆】명 『역』 사죄(死罪)에 해당하는 죄인의 옥안(獄案)을 재심함. 재복(再覆). *삼복계(三覆啓). ――하다 타 여불

고복[4]【皐復】명 초혼(招魂)하고 발상(發喪)을 하는 의식(儀式). 사람이 죽은 지 대여섯 시간 뒤, 그가 입던 웃옷을 가지고 지붕에 올라가서 왼손으로 깃을 잡고 오른손으로 허리를 잡아 북면(北面)하여 '하모(何某) 하월 하시 별세'를 세 번 외친 다음 그 옷은 시체 위에 덮음.

고복[5]【鼓腹】명 배를 두드림. 곧, 세상이 태평하고 의식(衣食)이 풍부하며 안락한 일. ――하다 자 여불

고복[6]【顧復】명 어버이가 자식을 양육함. ――하다 타 여불

고복 격양【鼓腹擊壤】명 [중국의 요(堯)임금 때, 한 노인이 배를 두드리고 땅을 치면서 요임금의 덕을 찬양하고 태평을 즐긴 고사에서 유래한 말] 태평 무사를 즐김. ――하다 자 여불

고-복수【高福壽】명 『사람』 대중 가요 가수. 동래(東萊) 출생. 1932년 전국 남녀 가수 신인 선발 대회에서 입상하여 가요계에 발을 들여놓은 뒤, 《타향살이》·《짝사랑》·《풍년송(豐年頌)》 등을 불러 인기를 누림. 1957년에 은퇴 공연을 가짐. [1911-72]

고복-채【考卜債】명 『역』 고복(考卜)의 비용에 보태 쓰려고 면서원(面書員)이 결세(結稅) 이외에 거둔 돈.

고:본[1]【古本】명 ①헌 책. ②오래된 책.

고본[2]【股本】명 『경』 여러 사람이 공동하여 사업을 경영할 때에 각각 내는 밑천. 준고(股). *주식(株式).

고본[3]【稿本】명 원고(原稿)를 맨 책. ↔간행본(刊行本).

고본[4]【藁本】명 ①『식』 [*Angelica tenuissima*] 백합과에 속하는 다년초. 향기가 강한데 줄기 높이 60cm 가량임. 잎은 호생(互生)하는데, 근생엽(根生葉)은 장병(長柄), 경엽(莖葉)은 엽초(葉鞘)가 있고 3회 우상전열(羽狀全裂)이며 열편(裂片)은 선형(線形)임. 8-9월에 백색의 꽃이 복산형(複繖形) 화서로 피는데 총산경(總繖梗)은 10개 가량이고, 소산경(小繖梗)은 다수이며, 과실은 타원형임. 깊은 산의 산록에 나며, 한국 각지에 분포함. ②『한의』 고본의 뿌리. 진통(鎭

〈고본[4]❶〉

痛)·진경제(鎭痙劑)로서 외감(外感)으로 인한 두통·요통(腰痛) 및 외과 약으로 씀.

고본-계【股本契】명【경】여러 사람이 정한 기간에 각각 정한 금액(金額)을 나누어 내고, 이를 식리(殖利)한 뒤 미리 작정한 날짜에 서로 나누어 가지는 것을 목적으로 하는 저축계의 한 가지.

고본-금【股本金】명【경】고본(股本)의 금액. 고본전(股本錢).

고:본 수이전【古本殊異傳】명【책】수이전.

고본-전【股本錢】명【경】고본금(股本金).

고본-주【股本主】명【경】고본(股本)의 소유권(所有權)을 가진 사람.

고본-표【股本票】명【경】고본의 소유를 증명하는 표. *주권(株券).

고봄 명〈옛〉고금. 학질(瘧疾). ¶나를 隔호 고봄 ᄀᆞᆮ도 소이다(猶隔日瘧) L《楞嚴 V:2》.

고봉[1]【孤峰】명 외따로 떨어져 있는 산봉우리.

고봉[2]【庫封】명 물건을 곳집에 넣은 뒤에 문을 잠그고, 열쇠 구멍을 종이로 봉하여 도장을 찍음. ——-하다 자타여불

고봉[3]【高峰】명 높은 산봉우리. ¶알프스의 ~.

고-봉[4]【高峰】명【지】함경 남도 장진군(長津郡)에 있는 산. 낭림 산맥과 부전령 산맥이 잇닿는 곳에 솟아 있음. [1,473m]

고봉[5]【高峰】명【사람】기대승(奇大升)의 호(號).

고봉[6]【高俸】명 높은 봉급.

고봉[7]【高捧】명 되질이나 말질할 때에 전 위로 수북하게 담음. ¶깎아서 열두 되, ~으로 열 되. ——-하다 타여불

고봉[8]【鼓棒】명 북채.

고봉-밥【高捧―】명 수북하게 담은 밥.

고봉사-산【高峰寺山】명【지】평안 북도 위원군(渭原郡) 숭정면(崇正面)에 있는 산. 강남 산맥(江南山脈) 중에 솟아 있음. [1,066m]

고봉 절정【高峰絕頂】[―쩡] 명 높은 산봉우리의 맨 꼭대기. 고봉 정상

고봉 정상【高峰頂上】명 고봉 절정. L(高峰頂上).

고봉 준:령【高峰峻嶺】[―줄―] 명 높이 솟은 산봉우리와 험준한 산마루.

고-봉(:)한【高鳳翰】명【사람】중국 청(淸)나라의 화가. 자는 서원(西園), 호는 남촌(南村). 말년에는 남부 노인(南阜老人)이라 하였음. 산둥성 자오 현(膠縣) 출생. 병으로 오른손을 쓰지 못하고 왼손으로 그림을 그렸음. 산수화 특히 화초에 능함. [1683-1743]

고부[1] 명〈방〉고비[1].

고부[2] 명〈방〉【식】우엉(충북).

고:부[3]【古阜】명【지】전라 북도 정읍시(井邑市)의 한 면(面). 동학 농민 운동이 일어난 원천지(源泉地)임.

고:부[4]【告訃】명 사람의 죽음을 통고함. 통부(通訃). 부고(訃告). 흉보(凶報). *흉문(凶聞). ——-하다 자여불

고부[5]【孤負·辜負】명 배반(背反)함. ——-하다 타여불

고부[6]【姑夫】명 ①↗고모부(姑母夫). ②남편의 자매(姉妹)의 남편.

고부[7]【姑婦】명 시어머니와 며느리. 어이며느리. 고식(姑媳).

고부[8]【高阜】명 높은 언덕.

고부[9]【鼓桴】명 북채.

고부가 가치 식품【高附加價値食品】명 보통의 식품에 특별한 유용성을 부가한 식품. 보통의 전기 밥솥으로 밥을 지을 수 있는 현미나, 냉장고에 넣어 두어도 굳지 않는 소프트 버터 따위.

고부-간【姑婦間】명 시어머니와 며느리의 사이. ¶~에 싸움이 잦다.

고:부 단사【告訃單使】명【역】나라에 초상(初喪)이 났을 때, 고부(告訃)하기 위하여 중국에 보내는 사신. 상사(上使)·부사(副使)의 구별이 없으므로 단사라 함. ㊀고부사(告訃使).

고부라-들다 자 안쪽으로 고부라져 들어오거나 들어가다. ㅆㄲ부라들다. <구부러들다. 「부라뜨리다. <구부러뜨리다.

고부라-뜨리다 타 세게 고부라지게 하다. '고부리다'의 힘줌말. ㅆㄲ

고부라-지다 자 한쪽으로 옥아들다. ㅆㄲ부라지다[1]. <구부러지다.

고부라-트리다 타 고부라뜨리다. 「렁구부렁. ——-하다 형여불

고부랑-고부랑 부 여럿이 모두 고부랑한 모양. ㅆㄲ부랑ㄲ부랑. <구부

고부랑-길 [―낄] 명 고부라진 길. ㅆㄲ부랑길. <구부렁길.

고부랑-이 명 고부라진 물건. ㅆㄲ부랑이. <구부렁이. 「부렁하다.

고부랑-하다 형여불 한쪽으로 조금 옥아들어 곱다. ㅆㄲ부랑하다. <구

고부량 삼성【高夫梁三姓】명【역】제주도의 석혈(石穴)에서 나와서 처음으로 그 섬에 문물(文物)을 폈다고 하는 세 사람의 성.

고부리다 타 한쪽으로 고붓하게 굽히다. ㅆㄲ부리다. <구부리다.

고:부-사【告訃使】명 ↗고부 단사(告訃單使).

고:부-서【告訃書】명 사람의 죽음을 통고하는 글장.

고부스름-하다 형여불 조금 곱은 듯하다. ㊀고부슴하다. ㅆㄲ부스름하다. <구부스름하다. **고부스름-히** 부

고부슴-하다 형여불 ↗고부스름하다. ㅆㄲ부슴하다. <구부슴하다. 고부슴-히 부

고부장-고부장 부 여럿이 모두 고부장한 모양. ㅆㄲ부장ㄲ부장. <구부

고부장-이 명〈방〉고부랑이. L정구부정. ——-하다 형여불

고부장-하다 형여불 ①조금 휘움하게 곱다. ②마음이 조금 틀어지다. ¶마음이 고부장하여져서 말도 하지 않다. 1)·2): ㅆㄲ부장하다. <구부정하다. 고부장-히 부

고-부조【高浮彫】명【미술】부조(浮彫)한 살이 매우 두껍게 드러나게 한 조각. 고조(高彫). 고육조(高肉彫). 하이 릴리프(high relief).

고부-지【鼓桴指】명【의】기관지 확장증(氣管支擴張症)이 치유(治癒)되지 아니하고 오래 끌어 나중에는 손가락 끝이 둥그렇게 굵어져서 마치 북채와 같이 되는 증상(症狀). 북채 손가락.

고부지-례【姑婦之禮】명 시어머니와 며느리 사이에 지킬 예절.

고부탕이 명 ①필목(疋木)의 필(疋)을 지을 때에 꺾이어 겹쳐 넘어간 곳. ㊀고붙. ②☞ 고비[1].

고:분[1]【古墳】명 고대의 무덤. 시체를 석관(石棺)이나 도관(陶棺)에 담아서 석곽(石槨) 가운데에 놓고, 큰 돌로 뚜껑을 덮거나, 나무나 전(甎)으로 곽(槨)을 쌓고 그 위에 흙을 높이 쌓았음. ¶~을 발굴하다. 「여불

고분[2]【孤憤】명 홀로 분격함. 세상에 대하여 홀로 격분함. ——-하다 자

고분[3]【高粉】명 단청(丹靑)할 때, 화면이 두드러지게 보이도록 그리는 L일.

고분[4]【鼓盆·叩盆】명 아내의 죽음.

고분-고분 부 말이나 행동이 공손하고 부드러운 모양. ¶말을 ~ 잘 듣다. ——-하다 형여불. ——-히 부

고분성 명〈심마니〉높은 산(山).

고-분자【高分子】명 [macromolecule]【화】유기 화합물(有機化合物) 가운데, 약 1만 이상 수백만 정도의 분자량을 가지는 분자. 섬유(纖維)·단백질·수지(樹脂)·고무 따위는 그 집합체(集合體)임.

고분자 물질【高分子物質】[―찔] 명【화】고분자 화합물.

고분자 반:도체【高分子半導體】명【물】어느 정도의 전기 전도성(電氣傳導性)을 나타내는 고분자 화합물의 총칭. 다만, 고분자 재료에다 동·흑연 따위 도체(導體)를 분산(分散)시킨 것은 포함되지 아니함. 전자 사진 따위에 응용함.

고분자 재료【高分子材料】명 고분자 화합물을 사용한 재료.

고분자 전:해질【高分子電解質】명 [polyelectrolyte]【화】용매(溶媒) 중에서 해리기(解離基)를 가지는 고분자 화합물. 알긴산(酸)·폴리메타크릴산(酸) 따위.

고분자 화학【高分子化學】명 [polymer chemistry]【화】고분자 화합물의 합성·구조·물성(物性)의 해석 등을 행하는 화학의 한 분야.

고분자 화합물【高分子化合物】명 [macromolecular compound]【화】분자량(分子量)이 10,000 이상 수백만 정도의 고분자로 이루어진 화합물. 녹말·셀룰로오스(cellulose)·단백질(蛋白質)·고무·석면(石綿)·운모(雲母)·효소(酵素)·핵산(核酸) 등의 천연 물질과, 합성(合成) 고무·합성 섬유·합성 수지(樹脂) 등의 합성 물질이 이에 속하며, 용매(溶媒)에 녹기 어렵고 증류도 하지 못하며, 또 고무와 같은 탄성(彈性)·열가소성(熱可塑性) 따위 성질이 있음. 고분자 물질.

고분지-탄【叩盆之嘆】명 [《장자(莊子)》의 '莊子妻死…鼓盆而歌'에서 유래] 아내가 죽은 한탄(恨嘆).

고분지-통【叩盆之痛】명 아내가 죽은 설움.

고분-화【高粉畫】명 단청(丹靑)을 할 때 화면이 두드러지게 보이도록 그린 그림. 「나이 많은 늙은이.

고:불【古佛】명 ①오래된 부처. ②【역】↗명사 고불(名士古佛). ③극히

고불-거리다 자 이리저리 고부라지다. ㅆㄲ불거리다. <구불거리다. 고불-고불 부. ——-하다[1] 자여불

고불-대다 자 고불거리다. 「다[2]. <구불구불하다[2].

고불고불-하다[2] 형여불 이리저리 고부라진 상태에 있다. ㅆㄲ불ㄲ불하

고:불-문【告佛文】명【불교】예식 때, 부처님에게 아뢰는 글.

고:불-심【古佛心】[―씸] 명【불교】옛 부처의 마음. 천진(天眞)한 어린아이 같은 마음을 가진 사람의 도심(道心).

고불탕-고불탕 부 여럿이 모두 고불탕한 모양. ㅆㄲ불탕ㄲ불탕. <구불텅구불텅. ——-하다 형여불

고불탕-하다 형여불 굽이가 나슨하게 고부라지다. ㅆㄲ불탕하다. <구 L불텅하다.

고불-통 명 흙을 구워서 만든 담배통.

고불통-하다 형여불 ☞ 고불탕하다.

고붓-고붓 부 여러 곳이 모두 고붓한 모양. ㅆㄲ붓ㄲ붓. <구붓구붓.

고붓-이 부 고붓하게. ㅆㄲ붓이. <구붓이. L——-하다 형여불

고붓-하다 형여불 조금 고부라지다. ㅆㄲ붓하다. <구붓하다.

고붙 명 ↗고부탕이.

고불-치다 타 고부탕이가 지게 꺾어 넘기어 겹치다.

고블랭【프 Gobelins】명 파리의 국립 고블랭 공장에서 제조하는, 벽에 거는 장식용 융단. 15세기에 프랑스 고블랭 집안의 창제로, 루이 14세가 그 공장을 사서 경영하여 지금까지 유명함.

고비[1] 명 사물(事物)의 가장 긴요(緊要)한 기회나 또는 막다른 절정(絕頂). ¶죽을 ~를 넘기다.

고비[2] 명 [중세:고비] 편지 같은 것을 꽂아 두는 물건. 종이를 주머니 혹은 상자 모양으로 만들거나 또는 종이를 ×자형으로 오리어 벽에 붙임.

고비[3] 명 투전·화투 등의 노름에서, 일곱 끗을 이르는 말. *덜머리.

고비[4] 명【식】[*Osmunda japonica*] 고빗과에 속하는 다년생의 고등 은화 식물(高等隱花植物). 높이 1m 가량이며 근경(根莖)은 괴상(塊狀)임. 잎은 우상(羽狀)으로 째지고 소엽(小葉)은 긴 타원형이며 가에 약간의 톱니가 있음. 실엽(實葉)은 나엽(裸葉)보다 가늘고, 자낭군(子囊群)은 족생(族生)함. 어린 잎과 줄기는 식용, 뿌리는 약용함. 산이나 들에 나는데, 평안도와 함경도를 제외한 한국 각지 및 일본·중국에 분포함. 구척(狗脊).
[고비에 인삼(人蔘)] ㉠일이 매우 공교롭게 되었음을 이르는 말. ㉡일마다 공교롭게도 방해가 끼어들어 틀어짐을 이르는 말.

〈고비[4]〉

고비[5]【叩扉】명 문을 두드림. 방문함. ——-하다 타여불

고:비[6]【古碑】명 옛날의 비석(碑石).

고비[7]【考妣】명 돌아간 아버지와 어머니.

고비[8]【高批】명 남의 비평을 높이어 일컫는 말.

고비[9]【高庇】명 타인의 비호(庇護)를 높이어 일컫는 말.

고비[10]【高卑】명 고귀함과 비천함.

고비[11]【高飛】명 높이 낢. ——-하다 자여불

고비[12]【高鼻】명 높은 코. 우뚝 솟은 코. 융준(隆準).

고비-고사리 명 《식》 [*Coniogramme intermedia*] 고사릿과에 속하는 다년생 양치류(羊齒類). 높이 30 cm 가량이고 근경(根莖)은 검은 갈색(褐色)이며 옆으로 누워서 뻗음. 잎은 근경에서 총생(叢生)하는데 엽병(葉柄)은 윤택이 나고 담녹색이며, 엽신(葉身)은 긴 타원형으로 끝이 갑자기 가늘게 되고, 가에 톱니가 있음. 엽맥(葉脈)은 평행으로 갈라져 있고 자낭군(子囊群)은 뒤쪽의 측맥에 따라 배열(配列)되어 착생하고 피막(被膜)이 없음. 산지의 나무 그늘에 나는데, 한국 및 일본 등지에 분포함.

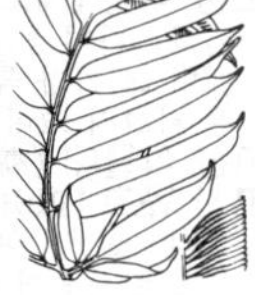
〈고비고사리〉

고비 나물 명 ①갓 캔 고비를 잠깐 데쳐서 우려내어 고기·장·기름 등을 치고 주물러서 볶은 나물. ②마른 고비를 삶아 불려서 고명하여 볶아 만든 나물. 미채(薇菜).

고비-늙다 [一늑一] 자 한도(限度)가 지나도록 늙다.

고비덕-산 【高飛德山】 명 《지》 강원도 강릉시(江陵市) 왕산면(旺山面)과 정선군(旌善郡) 북면(北面) 사이에 있는 산. [1,020 m]

고비 사막 【一沙漠】 [Gobi] 명 《지》 [고비는 몽고말로 황무지의 뜻] 몽고 고원의 중부에 있는 사막. 서는 타림 분지, 동은 싱안링(興安嶺)에 접하여 내외 몽고를 나누는 경계를 이룸. 대부분이 암석(岩石) 사막으로 모래 사막의 지역은 좁음. 유목(遊牧)이 영위되고 유전(油田)·탄전(炭田)이 개발됨. [1,300,000 km²]

고비 원:주 【高飛遠走】 명 멀리 달아나 종적(蹤跡)을 감춤. ──-하다 「자여불」

고비 찌개 명 잘게 썬 고비에 기름·깨소금·파·고기 등을 썰어 넣고 주물러서 장물이나 고추장을 풀고 밥에 쪄 다시 끓인 찌개.

고비-판 명 가장 긴요한 고비의 아슬아슬한 판. 「한 자세.

고: 비하인드 [go behind] 명 레슬링에서, 상대편의 등 뒤로 도는 유리

고빗-과 【一科】 명 《식》 [Osmundaceae] 양치류에 속하는 한 과. 다년초로서 열대와 온대에 13종 있는데, 한국에는 고비·꿩고비·가는고비 등이 남.

고빗-국 명 맑은 장국에 밀가루를 풀어서 고기와 두부 같은 것을 넣고 양념하여 끓이다가 고비를 넣은 국. 미탕(薇湯).

고빗-사위 명 가장 긴요한 고비의 아슬아슬한 순간. ¶ 한창 재미나는 영화의 ~에 불이 꺼져 버렸다.

고빙¹ 【叩氷】 명 ①중국 진(晉)나라의 왕연(王延)이 계모의 요구대로 겨울에 얼음을 두들겨 깨고 물고기를 얻었다는 고사(故事)의 일컬음. ②얼음을 두들겨 깨어 목욕 재계하고 수도(修道)함. ──-하다 자여불

고빙² 【雇聘】 명 학식(學識)이나 기술이 높은 사람을 쓰기 위하여 예로써 데려옴. ──-하다 타여불

고불 명 〈옛〉 고리짝. =골⁸. ¶ 匱-枏孛《鷄類》. 「杜諺 Ⅵ:25》.

고빈¹ 명 〈옛〉 골짜기. ¶ 陵寢은 뷘 고비예 서리여시니(陵寢盤空谷)《重

고빈² 명 〈옛〉 굽이. ¶ 몱곤 ᄀᆞᄅᆞᆷ 한 고비 ᄆᆞᄋᆞᆯ홀 아나 흐르ᄂᆞ니(清江一 ⌊曲抱村流)《杜諺 Ⅶ:3》.

고빼 명 〈방〉 고삐(경북).

고뺑이¹ 명 〈방〉 고삐(경기·강원·충청·전북).

고뺑이² 명 〈방〉 무릎(강원).

고뿔 명 《한의》 감기(感氣).

고뿜 명 〈방〉 감기(感氣)(경북).

고삐 명 한 끝을 말이나 소의 재갈에 잡아매어 몰거나 부릴 때에 끄는 줄.

[고삐가 길면 밟힌다] 옳지 못한 일을 오래 계속하면, 결국은 남에게 들키게 된다는 말. '꼬리가 길면 밟힌다'와 같은 뜻.

고삐 놓은 말 구 굴레 벗은 말.

고삐를 늦추다 구 감시나 주의를 누그러뜨려 관대하게 대하다.

고삐(를) 풀다 구 고삐를 느슨히 풀어 주어 멋대로 행동하게 내버려 두다. 곧, 항복하다. ¶그 사람 말이 옳다. 내가 고삐를 풀어야겠군.

고삐-고리 명 《고고학》 수레의 멍에 양 끝에 한 개씩 끼워 재갈에 연결된 고삐를 끼울 수 있게 한 권총 모양의 구리쇠 고리. 차형두(車衡頭). 권총형 동기(拳銃形銅器).

고삐 이음쇠 명 재갈과 고삐를 잇기 위한 긴 쇠꼬치.

고봄 형 〈옛〉 고움. '곱다⁶'의 명사형. ¶ 내 겨지븨 고보미 사ᄅᆞᆷ 中에도 딱 업스니《月釋 Ⅶ:11》. 「釋 Ⅶ:18》.

고비 부 〈옛〉 고이. 곱게. ¶ 고비 너기면 당다이 제 모미 더러보며《月

고본 형 〈옛〉 고운. '곱다⁶'의 활용형. ¶ 婆羅門이 그 말 듣고 고본 쏠 얻니노라ᄒᆞ야《釋譜 Ⅵ:14》.

고:사¹ 명 《미술》 석간주(石間硃)에 먹을 섞은 빛. 담채(淡彩)에 속함.

고:사² 【古史】 명 옛날 역사(歷史).

고:사³ 【古寺】 명 오랜 역사를 가진 옛 절. 고찰(古刹). ↔신사(新寺).

고:사⁴ 【古事·故事】 명 ①옛적의 일. ②옛적부터 내려오는 유서(由緖) 깊은 일. 또, 그것을 표현한 어구. ③이전부터 전하여 오는 규칙과 정례 ⌊(定例).

고:사⁵ 【古祠】 명 옛 사당(祠堂). 오래된 사당.

고:사⁶ 【古楂】 명 묵은 등걸. 「罪). ──-하다 자여불

고사⁷ 【叩謝】 명 머리를 조아려 사례하거나 사죄함. *고두 사죄(叩頭謝

고사⁸ 【考思】 명 고려(考慮). ──-하다 타여불

고사⁹ 【考査】 명 ①자세히 생각하고 조사함. 고험(考驗). ②학교에서, 학생의 학력을 시험함. 또, 그 시험. ¶ 기말(期末) ~. ──-하다 타여불

고:사¹⁰ 【告祀】 명 《민》 한 몸이나 집안에 액운(厄運)이 없어지고 행운이 오도록 신령(神靈)에게 비는 제사(祭祀). ¶ ~떡. ──-하다 자여불 고사 지내다.

고:사(를) 지:내다 구 《민》 떡과 술과 북어 등을 차려 놓고 고사를 하다.

고:사¹¹ 【告詞·告辭】 명 의식(儀式) 때에 글로 써서 읽어 권고하고 훈유(訓諭)하는 말.

고사¹² 【固辭】 명 굳이 사양함. ──-하다 타여불

고사¹³ 【孤寺】 명 사람이 사는 마을에서 멀리 외따로 떨어져 있는 절.

고사¹⁴ 【枯死】 명 나무나 풀이 말라 죽음. ──-하다 자여불

고사¹⁵ 【苦思】 명 ①고통(苦痛)스러운 생각. ②마음을 썩히어 생각함. ──-하다 타여불

고사¹⁶ 【苦使】 명 매우 혹독하게 부림. 혹사(酷使). ──-하다 타여불

고사¹⁷ 【苦詞】 명 괴로움을 늘어 놓는 말. ──-하다 타여불

고사¹⁸ 【苦辭】 명 간절히 사양함. ──-하다 타여불

고사¹⁹ 【庫舍】 명 곳집❶. 「한 가지.

고사²⁰ 【庫紗】 명 감이 두껍고 깔깔하고 윤태(潤態)가 나는 좋은 사(紗)의

고사²¹ 【高士】 명 인격이 고결(高潔)한 선비. 특히 산림(山林) 속에 숨어 있어 세속(世俗)에 물들지 아니한, 뜻이 높고 덕(德)이 있는 사람.

고사²² 【高砂】 명 《지》 '가오사'를 우리 음으로 읽은 이름.

고사²³ 【高射】 명 높이 쏨. ──-하다 타여불

고사²⁴ 【高師】 명 《일제》 ↗고등 사범 학교(高等師範學校).

고사²⁵ 【鼓詞】 명 산문(散文)의 말과 운문(韻文)의 창(唱)을 번갈아 쓰면서 조직한 중국의 창극(唱劇)의 총칭. 반주(伴奏) 악기로 북을 사용하므로 고사라 일컫는데, 북송(北宋)의 조덕린(趙德麟) 작인 《상조 접련화사(商調蝶戀花詞)》가 고사의 시초임. 베이징(北京)·톈진(天津)을 중심으로 한 북방에서 유행하였으며, 남방에서 성행된 탄사(彈詞)와 더불어 대중의 환영을 받았음. 고자사(鼓子詞).

고사²⁶ 【篙師】 명 뱃사공. 고공(篙工).

고사²⁷ 【遺沙】 어미 〈이두〉 [↗하고사(爲遺沙)] -고야.

-고사 어미 〈옛〉 -고야. ¶ 네 키 능히 肴를 羞ᄒᆞ고사(爾大克羞耇惟君)《書諺 酒誥》.

고사계 사격 【高射界射擊】 명 《군》 최대 사거리(最大射距離)의 사각(射角)보다 큰 사각으로 사격하는 일. 사각이 증가하면 사정(射程)은 짧아짐. 높은 장애물 뒤를 사격할 때 등에 이용함.

고사 관폭도 【高士觀瀑圖】 명 《미술》 관폭도(觀瀑圖).

고:사-굿 【告祠一】 명 《민》 강원도에서, 음력 정월 보름부터 4-5일 동안 마을의 집집을 돌면서 한 해의 복을 빌어 주는 농악놀이. 경상도의 지신밟기, 전라도의 마당밟이굿과 같은 것임.

고:사-기 【古事記】 명 《책》 '고지키'를 우리 음으로 읽은 말.

고사 기관총 【高射機關銃】 명 《군》 항공기를 사격하는 데 쓰는 앙각(仰角)이 큰 기관총. 「함. *고묘(告廟). ──-하다 타여불

고:-사당 【告祠堂】 명 집안에 큰일이 있을 때에 그 일을 사당에 고(告)

고사-도 【高沙島】 명 《지》 전라 남도의 서남해상(西南海上), 신안군(新安郡) 신의면(新衣面) 고평사도리(高平沙島里)에 위치한 섬. [0.45 ⌊km²]

고사-때기 명 〈방〉 고사새끼.

고:사-떡 【告祀一】 명 고사를 지내려고 만든 떡.

고사리 명 《식》 [*Pteridium aquilinum* var. *japonicum*] 참고사릿과에 속하는 다년생의 양치류(羊齒類). 근경(根莖)은 연필(鉛筆) 대만큼 크고 굳으며 땅 속에서 가로 누워 있음. 이른봄에 싹이 근경에서 돋아나 꼭대기가 꼬불꼬불하게 말리고 흰 솜 같은 털로 온통 덮이어 있음. 다 자란 잎은 세모꼴로 우상 복엽(羽狀複葉)이며 가장자리는 이면(裏面)에 접히고 갈색의 자낭군(子囊群)이 붙어 있음. 산이나 들에 나는데, 한국 각지 및 일본·중국 등지에 분포함. 어린 잎은 나물을 하여 먹으며 근경에서는 전분(澱粉)을 빼냄. 궐채(蕨菜).

〈고사리〉

[고사리도 꺾을 때 꺾는다] ㉠무슨 일이나 다 해야 할 시기가 있다는 말. ㉡무슨 일이고 시작하면 그 기회를 놓치지 말고 해 치우라는 말.

고사리 같은 손 구 '어린아이의 작고 포동포동한 손'을 일컫는 말.

고사리 나물 명 말리어 두었다가 데친 고사리에 고기를 난도하여 넣고, 장을 치고 양념하여 주물러서 볶은 나물. 궐채(蕨菜).

고사리-류 【一類】 명 《식》 [Filicineae] 양치 식물에 속하는 한 강(綱). 줄기는 대개 지하경(地下莖)이고, 잎은 우상 복엽(羽狀複葉)인데, 잎 뒤에는 자낭체(子囊體)가 있고, 그 속에 포자(胞子)가 있음. 고빗과(科)·고사릿과·고사리삼과·실고사릿과·참고사릿과·처녀이낏과·우드풀과 등으로 분류함. 양치류(羊齒類).

고사리 산:적 【一散炙】 명 다소 길게 썬 쇠고기와 데친 고사리를 양념해서 꼬챙이에 꿰어 재었다가 구운 음식물.

고사리-삼 명 《식》 [*Botrychium ternatum*] 고사리삼과에 속하는 다년생의 양치류(羊齒類). 근경(根莖)은 짧고 크며 실 같은 뿌리가 나옴. 엽병(葉柄)은 기부(基部)에서 갈라져서 하나는 나엽(裸葉), 하나는 포자엽(胞子葉)을 이루는데 나엽의 엽병(葉柄)은 5-10 cm이고 삼각형 혹은 오각형의 깃 모양으로 갈라졌으며 황록색이고, 포자엽의 엽병은 15-20 cm로 각상(角狀) 원추형이며 자낭군(子囊群)은 수수 이삭 형상을 이룸. 산이나 들의 나무 그늘 기름진 땅에 나는데, 거의 한국 각지에 분포함. 잎은 식용함.

고사리삼-과 【一科】 [一꽈] 명 《식》 [Botrychiaceae] 고사리류에 속하는 한 과. 열대·온대에 50여 종이 있는데, 한국에는 고사리삼·늦고사리삼 등 7-8 종이 분포함.

〈고사리삼〉

고사릿-과 【一科】 명 《식》 [Pteridaceae] 고사리류(類)에 속하는 한 과. 축축한 땅에서 나는 다년초로서 열대·온대에 2,800 종 가량 있는데, 고비고사리·고란초(皐蘭草)·다시마일엽초(一葉草)·석위(石葦) 등이 이에 속함.

고사릿-국 명 맑은 장국에 밀가루를 풀어서 양념한 고기와 두부를 넣고 끓이다가 고사리를 넣어 만든 국. 궐탕(蕨湯).

고사-목 【枯死木】 명 고목.

고사-문【一門】명〈옛〉대궐의 문. ¶今俗稱闕門曰 고사문≪才物譜 1≫.

고:사-반【告祀盤】명〖민〗걸립패(乞粒牌)에게 보시(布施)하는 물건을 차리어 놓은 소반. 소반에 쌀을 담고, 그 위에 발원(發願)하는 사람의 나전을 놓고, 또 밥 그릇에 쌀을 담아 숟가락을 꽂고, 무명실을 틀어 꼬아서 얹어 놓음.

고:사-변【古史辯】명〖책〗중국의 고대사(古代史)·고전(古典)의 비판서. 꾸 제깡(顧頡剛)·뤄 건쩌(羅根澤)·첸 쉬안퉁(錢玄同) 등이 편찬하여, 1926-41년에 간행함. 청(淸)나라의 최술(崔述)이나 금문파(今文派)의 흐름을 잇고 있음. 전 7책.

고:-사본【古寫本】명 옛 사람의 손으로 된 사본(寫本).

고사-산【姑射山】명〖지〗평안 남도 개천군(价川郡)에 있는 산. 묘향 산맥 중에 솟아 있음. [1,011 m]

고:사 산수화【故事山水畫】명〖미술〗고사 인물화 가운데 산수 배경(山水背景)에 특히 비중을 둔 그림.

고사-새끼 명 초가집의 지붕을 일 때 먼저 지붕 위에 잡는 벌이줄.

고:사-성【古沙城】명〖역〗백제(百濟)의 오방(五方)의 하나. 중방(中方)에 해당하며, 충청도 지방에 있었으나 지금의 위치는 확실하지 아니함.

고:사 소리【告祀—】명〖악〗고사를 지내며 부르는 소리. 성주풀이·액풀이·삼재(三災)풀이·살풀이 등이 있음.

고-사이 명부 고 동안. ㊅고새. <그사이.

고:사 인물화【故事人物畫】명〖미술〗신화(神話)나 역사상 인물들에 얽힌 일화를 주제로 하여 그린 인물화. ≪삼고 초려도(三顧草廬圖)≫·≪미불배석도(米芾拜石圖)≫·≪호계 삼소도(虎溪三笑圖)≫ 등등.

고사인탄 산【一山】〔Gosainthan〕명〖지〗티베트 남단(南端), 카트만두 북동쪽 약 90 km 떨어진 곳에 있는 네팔 히말라야의 고봉(高峰). 힌두교(敎)의 성산(聖山). 1964년 5월 중국의 등반대가 처음으로 등정(登頂)했음. [8,013 m]

고사-제【考査制】명〖법〗행형(行刑)의 누진제(累進制)에 있어서의 진급 방법. 일정 기간을 경과한 때에 행형(行刑) 성적을 심사하여 진급을 결정하는 방법. ↔점수제(點數制).

고사-족【高砂族】명 고산족(高山族).

고사-지【一紙】명 굽도리를 바르는 종이.

고:사 촬요【故事撮要】명〖책〗조선 명종(明宗) 9년 (1554)에 어숙권(魚叔權)이 편찬한 유서(類書). 사대 교린(事大交隣)을 비롯하여 일상 생활에 필요한 상식 따위를 뽑아 엮은 것. 3권 3책. 인본(印本).

고:사-통【故事通】명〖책〗최남선(崔南善)이 지은 우리 나라 역사 개설서(槪說書). 1943년 간행됨. 활자본.

고사-포【高射砲】명〖군〗항공기를 쏘는 앙각(仰角)이 큰 대포(大砲). ㄴ고각포(高角砲).

고사-풍 명 말의 병의 한 가지.

고사-하고【姑捨—】부 그만두고. ¶재산은 ~ 목숨까지 잃다.

고사-호【高士湖】명〖지〗가오시 호(高士湖).

고삭 명 세간 등을 짜 맞출 때에 사개를 짠 구석을 더욱 튼튼하게 덧붙이는 나무.

고삭-부리 명 ①음식을 많이 먹지 못하는 사람. ②기력이나 체질이 약해 늘 병치레를 하는 사람.

고산[1]【孤山】명 외따로 있는 산. 이산(離山). *독산[3](獨山).

고산[2]【孤山】명〖사람〗윤선도(尹善道)의 호(號).

고:산[3]【故山】명 고향(故鄕)❶.

고산[4]【高山】명 높은 산. 교악(喬嶽).

【고산 강아지 감 꼬챙이 물고 나서듯 한다】강아지가 뼈다귀 비슷한 감 꼬챙이만 보고도 물고 나오듯, 궁한 사람이 평소에 먹고 싶던 것과 비슷한 것만 보아도 좋아함을 이르는 말.

고산 관측【高山觀測】명〖기상〗높은 산에 관측소를 설치하여 기상을 관측하는 일.

고산 구곡가【高山九曲歌】명〖문〗조선 선조(宣祖) 16년(1577)에 율곡(栗谷) 이이(李珥)가 지은 연시조(聯時調). 중국 송(宋)나라 주자(朱子)의 무이 구곡(武夷九曲)을 본뜬 것임. 서곡(序曲)까지 모두 10수.

고산 기후【高山氣候】명〖기상〗해발(海拔) 2,000 m 이상에 있어서의 산악(山岳) 기후. 기온은 100 m 씩 오를 때마다 0.6°C가 낮아지며, 일교차(日較差)·연교차는 작음. 풍속(風速)·일사(日射)가 강하며, 구름·안개가 잘 생김. *산악 기후.

고산 꽃밭【高山—】명〖지〗높은 산 위에 여러 가지 풀·나무가 많이 나서 여름에 꽃이 한목 핀 꽃밭.

고산 나비【高山—】명〖충〗고산 지대에서만 사는 나비류의 총칭. 원래 한랭한 곳을 즐기는 종류인데, 빙하 시대에 대륙 빙하의 주변을 따라 남하하여 온 것이 기후의 회복에 따라 북상하다가 고산에 일부분이 머물러 잔존하게 된 것으로, 한국에는 많지 아니함.

고산-대【高山帶】명〔alpine belt〕〖식〗식물의 수직 분포대(垂直分布帶)의 하나. 삼림 한계선(森林限界線)에서 항설대 하한(恒雪帶下限)의 설선(雪線)까지의 지대. 높은 산의 꼭대기 부근은 습기가 적고, 공기가 희박하기 때문에 초원(草原) 또는 사막상(沙漠狀)을 이루며 동물의 종류도 국한되어 있음. 고산 식물대(高山植物帶).

고산-리【高山梨】[—살—] 명 '고살래'의 음역(音譯).

고산-병【高山病】[—뼝] 명〖의〗높은 산에 올라갔을 때, 기압(氣壓)의 저하·산소(酸素)의 결핍으로 말미암아 일어나는 병. 심계 항진(心悸亢進)·안면 조홍(顏面潮紅)·코피·오심(惡心)·구토(嘔吐)·이명(耳鳴)·난청(難聽) 등의 증세가 나타남. 산악병(山岳病). *고공병(高空病).

고산-성【高山性】[—썽] 명 높은 산의 기후나 환경 등에 알맞은 성질.

고산성 산지【高山性山地】[—썽—] 명〖지〗중산성(中山性) 산지보다 높은 산지. 기후가 냉하며 고산 식물이 자람.

고산 습초지토【高山濕草地土】명〖지〗고산 지대(高山地帶)의 삼림(森林) 한계 이상의 고산 초원대(高山草原帶) 사면(斜面)의 하부(下部)나 움푹 팬 땅 등에서 다소 배수(排水)가 불량(不良)한 습지(濕地)에 분포(分布)하는 토양형(土壤型).

고산 식물【高山植物】명〔alpine plant〕〖식〗높은 산에 저절로 나는 식물. 다년생 풀과 키가 작은 관목(灌木)이 많음. 기후가 차고 바람이 세며 또 기타 특수한 환경 때문에 뿌리가 발달하였으며, 잎은 작고 꽃은 비교적 크며 아름다움. 월귤나무·진달래·동백나무 등.

고산 식물대【高山植物帶】명〖식〗고산대(高山帶).

고산 유고【孤山遺稿】[—뉴—] 명〖책〗조선 인조(仁祖) 때의 윤선도의 문집. 시(詩)·가(歌)·부(賦)·사(辭)·서(書)·소(疏)·서(序)·기(記) 등으로 분류되어 있고 시조 작품은 별집(別集)에 수록되었음. 정조(正祖) 15년(1791)에 전라 감사 서유린(徐有隣)이 왕명을 받들고 간행, 다시 동 22년에 전라 감사 서정수(徐鼎修)가 6권 6책으로 개편 간행함.

고산 유수【高山流水】[—뉴—] 명 ①높은 산에서 흘러내리는 물. ②극히 미묘한 음악. 특히, 거문고 소리의 비유. ③지기(知己)의 비유.

고:산-자【古山子】명〖사람〗김정호(金正浩)의 호(號).

고산-족【高山族】명 대만의 원주민. 인도네시아계(系)에 속한다고 함. 중국인 및 네덜란드인(人)에 정복 감화된 숙번(熟蕃)과 고유의 체질 문화를 보존하고 산지에 사는 생번(生蕃)으로 분류함. 고사족(高砂族). 대만 번족(臺灣蕃族).

고:살【故殺】명 ①고의(故意)로 사람을 죽임. ② 격노(激怒)한 끝에 심사(深思)와 숙려(熟慮)를 하지 않고 사람을 죽임. 구형법상의 말. ——하다 타여불

고살기 명〈방〉고살래.

고살라〔Gosāla〕명〖사람〗석가(釋迦) 시대의 인도의 자유 사상가. 육사 외도(六師外道)의 한 사람. 아지비카교(Ājīvika敎)의 개조(開祖). 윤회(輪廻) 중에서의 생존에는 인과(因果) 관계가 없으므로 여기에서 해탈(解脫)하는 것도 불가능하다는 결정론을 주장했음. [?-392 B.C.]

고살래 명〖식〗배의 한 품종(品種). 모양이 기름하고 꼭지 달린 데가 뾰족함. 고산리(高山梨).

고삼【苦蔘】명 ①〖식〗[*Sophora angustifolia*] 콩과에 속하는 다년초. 뿌리는 비후(肥厚)하고 줄기는 원주형이며, 높이 90 cm 정도임. 잎은 호생하며 기수 우상 복엽(奇數羽狀複葉)이고, 소엽(小葉)은 10여 쌍이며 긴 달걀꼴 또는 긴 타원형임. 6-8월에 엷은 황색의 꽃이 총상(總狀) 화서로 줄기 위와 가지 끝에 정생(頂生)하고, 과실은 협과(莢果)임. 산이나 들에 나는데, 한국 각지에 분포함. 뿌리는 약용함. 쓴너삼. ②〖한의〗고삼의 뿌리. 성질이 차고 맛이 쓴 약. 열(熱)로 인한 외과병(外科病)에 많이 쓰이며, 황달·학질·혈변·미탈모증(眉脫毛症)에도 씀. 고식(苦蘵). 능랑(陵郞). 수괴(水槐). 잠경(岑莖). 지괴(地槐). 호마(虎麻).

〈고삼❶〉

고삼-자【苦蔘子】명 고삼(苦蔘)의 씨.

고삽【苦澁】명 맛이 씁쓸하고 떫음. ——하다 형여불. ——히 부

고삿 명 고사새끼.

고:삿-고기【告祀—】명 여러 사람이 저지른 허물을 혼자 뒤집어 쓰고 희생되는 사람.

고상[1] 명〈방〉고생(苦生). ——하다 자

고:상[2]【古象】명〖동〗매머드(mammoth)❶.

고상[3]【固相】명〖화〗고체상(固體相).

고상[4]【孤孀】명 고아와 과부.

고:상[5]【故上】명 죽은 귀족의 부인.

고상[6]【枯傷】명 마르고 상함. ——하다 형여불

고상[7]【苦狀】명 고생스러운 정상(情狀).

고상[8]【苦像】명〖천주교〗↗십자 고상(十字苦像).

고상[9]【高尙】명 ①지조(志操)가 높고 깨끗하며 몸가짐이 점잖고 밝아, 속된 것에 굽히거나 휩쓸리지 아니함. ②학문이나 예술 같은 것이 정도가 높고 깊어 저속(低俗)하지 아니함. 격상(格尙). ——하다 형여불. ——히 부

고상[10]【高相】명 고귀한 인상.

고상[11]【高商】명 ①가을을 이르는 말. 상(商)은 오음(五音)의 하나로 가을에 해당함. ②〖일제〗↗고등 상업 학교(高等商業學校).

고상[12]【高翔】명 높이 날아오름. ——하다 자여불

고상[13]【翱翔】명 ①새가 하늘 높이 빙빙 날아다님. ②하는 일 없이 놀며 돌아다님. ——하다 자여불

고상-고상 부 잠이 도무지 오지 아니하여 누워서 이 생각 저 생각하는 모양. ——하다 자여불

고상 기지【高尙其志】명 마음을 고상하게 가짐. ——하다 자여불

고상-선【固相線】명〔solidus〕〖물·화〗상태도(狀態圖)·평형도(平衡圖)에서 각종 고화(固化) 물질이 가열되어 융해하기 시작하는 온도를 나타내는 점의 궤적(軌跡).

고-상(:)안【高尙顏】명〖사람〗조선 시대 중기(中期)의 사람. 자는 사물(思勿), 호는 태촌(泰村). 선조 9년(1576)에 문과 급제. 광해군(光海君) 때 울산 판관(蔚山判官)이 되었다가, 벼슬을 버리고 농사 계몽으로 낙을 삼았음. ≪농가 월령가(農家月令歌)≫·≪효빈록(效嚬錄)≫ 등을 지었음. [1553-1623]

고상 용접【固狀鎔接】명〔solid-phase welding〕〖공〗접합(接合)된 곳을 용해(熔解)시키지 않고, 압력 또는 압력과 열로 용접하는 법.

고상 인화 수소【固狀燐化水素】명〖화〗이포스핀(P_2H_4)을 햇볕에 쬐거나 끓는점 이상으로 가열할 때, 포스핀과 함께 생기는 황색의 분말(粉末). [$(P_2H)_n$] *포스핀.

고상-체【睾上體】명〖생〗부고환(副睾丸).

고-상투 명〈방〉감이상투.

고살 명〔←골(고을)+삿. 삿(살)〕①촌락(村落)의 좁은 골목길. 고샅길. ②좁은 골짜기의 사이.

고샅-고샅 부 고샅마다.

고샅-길 명 고샅❶. ¶아는 사람을 혹시 만날는지 몰라서 될 수 있는 대로 ~을 걸어왔네≪洪命憙 : 林巨正≫.

고-새[1] 명부 ↗고사이. ¶ ~ 가 버렸다. <그새.

고새[2] 명 〈방〉 썩은새.

고:색[1]【古色】명 ①낡은 빛. ②옛날의 풍치나 모양.

고색[2]【枯色】명 초목이 마른 빛깔.

고색[3]【苦色】명 ①싫어하는 기색. ②달갑지 아니하여 꺼리는 눈치.

고:색 창연【古色蒼然】명 퍽 오래되어 옛날의 풍치(風致)가 저절로 드러나 보이는 모양. ——-하다 형여불

고생【苦生】명 ①어렵고 괴로운 가난한 생활. ②힘이 들어 괴롭게 수고함. 애씀. 간고(艱苦). ——-하다 자여불
[고생 끝에 낙(樂)이 있다] '고진 감래(苦盡甘來)'와 같은 뜻. [고생은 주야 고생이요 호강은 주야 호강이라] 고생하는 자는 일마다 고생스럽고, 호강하는 자는 일마다 호강스럽다는 말.

고:생-계【古生界】명〖지〗고생대층(代層).

고생-고생【苦生苦生】부 여러 가지로 고생을 겪으면서.

고생-길【苦生—】[—낄] 명 고생을 면할 수 없는 방면(方面)의 길. 고생을 하게 되는 길.

고생-놀래기 명〖어〗[*Thalassoma cupido*] 양놀래깃과에 속하는 바닷물고기. 몸은 작고 길어 길이 20cm 남짓한데, 꼬리자루가 높고 주둥이가 뭉뚝함. 몸빛은 등과 체측이 녹색, 배는 청색, 머리에는 주둥이 위쪽에서 눈을 지나 사개골 후연(後緣)에 이르기까지 암적색의 가로띠가 있고 그 위아래에 같은 빛깔의 부정형 무늬가 있음. 밤에 30분간 수면하며 동면(冬眠)하는 습성이 있고 극히 탐식성임. 난해성(暖海性)·연안성 어종으로, 한국 남부·일본 중부 이남·오키나와 연해에 분포함.

고생-담【苦生談】명 고생한 이야기.

고:생-대【古生代】명 [Palaeozoic era]〖지〗지질 시대(地質時代) 중의 선캄브리아대(先 Cambria代)의 다음, 중생대의 앞의 시대. 현대에 가까운 순으로 페름기(紀)·석탄기(石炭紀)·데본기(Devon紀)·실루리아기(Siluria紀)·오르도비스기(Ordovice紀)·캄브리아기(Cambria紀) 등으로 대별함. 이 시대에는 식물은 주로 은화(隱花) 식물, 즉 해초(海草)·양치류(羊齒類) 등이고, 동물은 주로 바다에 사는 무척추 동물(無脊椎動物)이 번성하였음. 이 시대부터 다량의 화석(化石)이 남기 시작함.

고:생대-층【古生代層】명 [Palaeozoic erathem]〖지〗고생대(古生代)의 지층(地層). 현대에 가까운 순으로 페름계(系)·석탄계(系)·데본계(系)·실루리아계(系)·오르도비스계(系)·캄브리아계(系) 등으로 대별됨. 주로 규석(珪石)·석회암(石灰岩)·경사암(硬砂岩)·점판암(粘板岩)·역암(礫岩) 등으로 되어, 화강암(花崗岩)·섬록암(閃綠岩) 등이 끼어 있는 곳이 많음. 밑층에는 해산 생물의 화석, 위층에는 육지 생물의 화석이 있음. 고생계(古生界).

고생-문【苦生門】명 고생을 당할 운명. ¶ ~이 훤하다.

고:-생물【古生物】명〖생〗지질 시대에 살던 생물. 지각(地殼)의 성층암(成層岩) 중에서 화석(化石)이 되어 나타남. 노목(蘆木)·봉인목(封印木)·매머드(mammoth)·마스토돈(mastodon) 등.

고:생물-학【古生物學】명 [palaeontology]〖생〗지질 시대의 화석이 된 생물들의 형태·생태·분류·분포·진화 등을 연구하는 학문. 고동물학(古動物學)·고식물학(古植物學)·미고생물학(微古生物學) 등으로 나뉨. 화석학(化石學).

고생-바가지【苦生—】[—빠—] 명 늘 고생만 하는 사람을 이르는말.

고생-살이【苦生—】명 고생을 하면서 겨우 살아가는 살림살이. ——-하다 자여불

고생-스럽다【苦生—】형ㅂ불 고생이 됨직하다. **고생-스레**【苦生—】부

고:생 식물【古生植物】명 현재의 식물에 대하여, 과거에 존재했던 식물. 대개 화석(化石)에 의해서 알 수 있을 뿐임.

고:생 식물학【古生植物學】명 화석 식물학(植物化石學). 고(古)식물학.

고:생 인류【古生人類】[—일—] 명 화석 인류.

고생 주머니【苦生—】[—쭈—] 명 ①늘 고생만 하는 사람을 이르는 말. ②하는 일마다 힘이 들어 고생하는 사람을 이르는 말.

고생-줄【苦生—】[—쭐] 명 ☞고생길.

고:생태-학【古生態學】명 [palaeoecology] 지질 시대 생물의 생태를 연구하는 학문 분야.

고생-티【苦生—】명 겉으로 드러나 보이는 고생한 흔적.

고:-생화학【古生化學】명 [palaeobiochemistry] 고생물학(古生物學)을 생화학적으로 연구하는 학문 분야.

-고샤 어미 〈옛〉 -게 하시어. ¶ 大業을 누리오리라 筋骨을 몬져 굿고샤(天欲降大業迺先勞筋骨) ≪龍歌 114章≫.

고:서[1]【古書】명 ①옛날의 책. 고서적. 진편(陳編). ↔신서(新書)❶. ②헌 책. 고본(古本). ③옛날의 글씨.

고서[2]【高書】명 남의 편지나 저서의 공대말.

-고서 어미 '-고❷'의 뜻을 더 세게 나타내는 연결 어미. ¶ 밥을 먹~ 대답하겠다.

고:-서적【古書籍】명 고서(古書)❶. ↔신서적.

고:서-점【古書店】명 고서를 취급하는 책방.

고:-서화【古書畫】명 옛날의 책과 그림.

고:석[1]【古石】명 ①이끼가 낀 오래된 돌. ②괴석(怪石).

고:석[2]【古昔】명 옛날. 옛적.

고석[3]【鼓石】명 북석(石).

고석[4]【敲石】명 공이[1]❶.

고석[5]【槖石】명〖광〗속돌.

고:석곡-산【古石谷山】명〖지〗함경 남도 장진군(長津郡)과 평안 북도 강계군(江界郡) 사이에 있는 산. 낭림(狼林) 산맥에 속함. [1,871m]

고:석기 시대【古石器時代】명 구석기(舊石器) 시대.

고석-매【槖石—】명 속돌로 만든 맷돌.

고석-박이【槖石—】명 얼굴이 속돌 모양으로 얽은 사람을 농으로 이르는 말.

고선[1]【考選】명 고사(考査)하여 뽑음. ——-하다 타여불

고선[2]【姑洗】명〖악〗십이율(十二律)의 한 가지인 양률(陽律). 방위(方位)는 진(辰)이며, 절후(節候)로는 음력 삼월에 속함.

고선[3]【賈船】명 장삿배. 상선(商船).

고선-사【高仙寺】명〖불교〗신라 신문왕(神文王) 때, 원효 대사(元曉大師)가 있던 절. 경주(慶州)에 있었음.

고선사지 삼층 석탑【高仙寺址三層石塔】명〖불교〗경상 북도 경주시(慶州市)의 고선사 터에 있는 삼층으로 된 석탑. 7세기 후반 통일 신라 시대에 세워진 것으로, 높이 약 9m의 위풍 당당한 걸작임. 현재는 국립 경주 박물관 뜰에 옮겨져 있음. 국보 제38호.

고-선지【高仙芝】명〖사람〗고구려 출신의 중국 당나라 장군. 고구려 멸망 후, 당나라로 가 발탁되어 안서 부도호(安西副都護), 안서 사진 도지병마사(安西四鎭都知兵馬使)가 되어, 747년 당시 토번(吐蕃)과 통하고 있던 소발률국(小勃律國)을 평정(平定)하여 서역(西域) 여러 나라를 조공(朝貢)하게 하였으며, 750년 지금의 타슈켄트(Tashkent) 지방인 석국(石國)을 쳐서 공이 컸음. 751년 사라센 제국의 군대와 탈라스(Talas)에서 싸워 패함. 755년 안사지란(安史之亂) 때, 토적 부원수(討賊副元帥)로 출전하여, 참소(讒訴)를 당해 동관(潼關)에서 참형당하였음. [?-755]

고:설[1]【古說】명 ①옛날 이야기. ②옛적의 학설(學說).

고설[2]【高說】명 ①견식(見識)이 높은 학설. ②남의 학설의 공대말.

고설 삼문【高設三門】명〖건〗궁궐(宮闕)이나 공해(公廨) 등의 앞에 있는 문. 정문(正門) 양쪽으로 동협문(東夾門)과 서협문(西夾門)이 있는데, 이 두 문은 정문보다 낮게 지어졌음.

고:설스 [Goethals, George Washington] 명〖사람〗미국의 군인·토목 기술자. 육사(陸士)를 졸업한 후 공병 장교로 근무. 육군 소장. 1907년 파나마 운하 건설 공사의 주임 기사로 취임, 난행(難行)의 공사에 미(美)육군 공병대를 투입하여 1914년 이를 완성함. [1858-1928]

고설 온상【高設溫床】명 열을 발생하는 장치가 지상에 있게 만든 온상.

고:성[1]【古城】명 옛 성.

고:성[2]【古聖】명 옛날의 성인(聖人). ¶ ~의 말씀.

고:성[3]【告成】명 일이 이루어짐을 알림. ——-하다 자여불

고성[4]【固性】명〖물〗강성(剛性).

고성[5]【固城】명〖지〗경상 남도 고성군(固城郡)의 군청 소재지인 읍(邑). 남해안에 면하여 삼천포시(三千浦市)·통영시(統營市)와는 정기 항로가 있으나 육상 교통이 불편하여 개발이 늦음. [26,329명(1996)]

고성[6]【孤城】명 ①외따로 떨어져 있는 성. ②아무런 도움이 없이 고립(孤立)한 성. ¶ ~을 사수(死守)하다.

고성[7]【孤聖】명 외로운 성인. 세상에 받아들여지지 않은 성인.

고성[8]【高姓】명 고귀한 집안.

고성[9]【高城】명〖지〗광복 전 강원도 고성군(高城郡)의 군청 소재지인 읍(邑). 동해안의 요지이며 해금강의 명승지가 있어 유람객이 많았음.

고성[10]【高聲】명 높은 목소리. ¶ ~ 방가(放歌). ↔저성(低聲).

고성[11]【鼓聲】명 북 소리. 북을 치는 소리.

고성 광:산【固城鑛山】명〖지〗경상 남도 고성군(固城郡)에 있는 구리 광산(鑛山).

고성-군[1]【固城郡】명〖지〗경상 남도의 한 군. 관내 1읍 13면. 북은 진양군(晉陽郡), 북동은 마산시(馬山市), 남은 통영시(統營市)와 바다, 서는 사천군(泗川郡)에 인접함. 특산으로는 인삼(人蔘)이 있음. 명승 고적(名勝古蹟)으로는 옥천사(玉泉寺)·운흥사(雲興寺)·문수암(文殊庵)·쌍족암(雙足岩)·한려 수도(閑麗水道) 등이 있음. 군청 소재지는 고성(固城). [516.27km²: 69,636명(1996)]

고성-군[2]【高城郡】명 ①강원도의 한 군. 관내 4읍 5면. 북서는 회양군(淮陽郡)과 통천군(通川郡), 북동은 동해, 남은 양양군(襄陽郡), 서남은 인제군(麟蹄郡)에 인접함. 군청 소재지는 고성(高城). ②강원도의 한 군. 관내 2읍 4면. 1954년 '수복 지구 임시 행정 조치법' 시행에 따라 휴전선 이남 지구를 중심으로 이루어졌음. 북은 휴전선, 동은 동해, 남은 속초시(束草市), 서는 인제군(麟蹄郡)에 접함. 쌀·감자 등 농산(農産)과 명태·문어·전복·해삼 등 수산(水產)이 있으며, 수산물 가공업이 활발함. 명승 고적으로는 청간정(淸澗亭)·건봉사(乾鳳寺)·화진포(花津浦)·진부령(陳富嶺) 스키장·죽도(竹島) 해수욕장 등이 있음. 군청 소재지는 간성(杆城). [광복전 1273.5km²; 663.90km²: 38,985명(1996)]

고성-기【高聲器】명 확성기(擴聲器).

고성 낙일【孤城落日】명 해질 무렵의 먼 서쪽 지평선에 외딴 성이 보인다는 뜻으로, 여명(餘命)이 얼마 안 남아 대단히 외로운 정상을 비유한 말.

고-성능【高性能】명 높은 성능. ¶ ~ 폭탄.

고성능 비:료【高性能肥料】명〖화〗메타 인산 칼슘(meta 燐酸 calcium)과 인산 이암모늄(燐酸二ammonium)의 순도(純度)가 60-70%나 되는 화성 비료(化成肥料). 부피가 작고 효과(效果)가 길며 황산(黃酸)을 사용하지 않음이 특징임.

고성능 연료【高性能燃料】[—넌—] 명 [high-energy fuel] 연소할 때 다른 탄소질 연료보다 큰 에너지를 발생시키는 연료. 특히, 붕화 수소(硼化水素)를 말함.

고성능 통화【高性能通貨】명 [high powered money]〖경〗본원 통화(本源通貨).

고성 대:규【高聲大叫】명 높은 목소리로 크게 부르짖음. ——-하다 자여불

고성 대:독【高聲大讀】명 크고 높은 목소리로 글을 읽음. ——-하다 타여불

고성 대:명【高姓大名】명 상대방의 성명을 높이어 이르는 말.

고성 대:질【高聲大叱】명 목청을 높여 큰 소리로 꾸짖음. ——-하다 타

고성-만【固城灣】명〖지〗경상 남도 고성군(固城郡)에 있는 만.

고성 반:도【固城半島】명〖지〗경상 남도 고성군(固城郡) 고성읍(固城邑)에서 남쪽으로 돌출한 반도.

고성-산[1]【姑城山】명〖지〗①평안 남도 양덕군(陽德郡) 화촌면(化村面)

에 있는 산. [1,017m] ②평안 남도 영원군(寧遠郡)과 덕천군(德川郡) 사이에 있는 산. [1,145m] 「사이에 있는 산. [1,736m]
고성-산²【高城山】명〖지〗함경 북도 부령군(富寧郡)과 경성군(鏡城郡)
고:-성소【古聖所】명〖천주교〗'저승'의 구칭.
고성 염:불【高聲念佛】[ㅡ념ㅡ] 명〖불교〗높은 소리로 하는 염불. ――-하다 자여불
고성 오:광대【固城五廣大】명〖민〗경상 남도 고성군(固城郡) 고성읍에 전승되고 있는 탈놀이. 중요 무형 문화재 제 7 호.
고성자【庫城子】명〖역〗조선 시대 수라간(水剌間) 하례(下隷)의 하나.
고성 전:화【高聲電話】명〖물〗라디오 수신기(受信機)와 같은 원리에 의하여 높은 소리가 나게 장치(裝置)를 한 전화. 「집성제(集聖諦).
고-성제【苦聖諦】명〖불교〗사성제(四聖諦)의 하나인 고제(苦諦). *
고성-죄【沽聖罪】명〖천주교〗성물(聖物)·성사(聖事)의 대가로 돈이나 물건을 받는 죄. 「카롭게 말함.
고성 준:론【高聲峻論】[ㅡ준ㅡ] 명 목소리를 높이어 엄숙하면서도 날
고섶 명 물건을 넣어 두는 그릇 같은 데의 가장 손쉽게 찾을 수 있는 곳.
고:세¹【古世】명 고대(古代)❶. ㄴ¶ 바로 ~에 있다.
고:세²【故歲】명 지난 해. 구년(舊年).
고세³【庫稅】명 창고를 빌려 쓴 세.
고-세공【藁細工】명 짚으로 하는 세공.
고세지-덕【高世之德】명 일세에 뛰어난 덕.
고세지-도【高世之度】명 일세에 뛰어난 도량.
고세지-주【高世之主】명 일세에 뛰어난 덕이 있는 임금.
고세지-지【高世之智】명 세상에 뛰어난 지혜.
고세지-행【高世之行】명 일세에 뛰어난 행실.
고세크〔Gossec, François Joseph〕명〖사람〗벨기에 출생의 프랑스 작곡가. 프랑스 혁명기의 파리에서 활약. 오페라·관현악·실내악·종교 음악 등 수많은 작품이 있으며, 또 프랑스 최초의 교향곡 작가로서 프랑스 기악 음악의 발전에 공헌함. 1795년 파리 음악원을 개설하여 교수로서 봉직함. [1734-1829]
고센〔Gossen, Hermann Heinrich〕명〖사람〗독일의 경제학자. 한계 효용 학파(限界効用學派)의 선구자. 만년에는 ≪인류 교역의 제 법칙의 발달≫의 집필에 몰두함. 그 책에서 그가 주장한 고센의 제1 법칙과 제 2 법칙은 후에 한계 효용 학파의 근본 개념이 되었음. [1810-58]
고셋〔Gosset, William Sealy〕명〖사람〗영국의 화학 기사·수리 통계학자(數理統計學者). 필명은 스튜던트(Student). 양조(釀造) 기술 연구의 필요성에서 통계학을 연구하고 소표본 이론(小標本理論)을 도입하여 통계학에의 길을 엶. [1876-1937]
-고셔 어미 〈옛〉 -고서. ¶ 이는 오직 心意識中엣 本元由處를 得고셔 그 本性이 恒常홈씨 ≪楞嚴 X:14≫.
고:셰-병【ㅡ病】명〔Gaucher's disease; 1882년 이 병에 특별한 위치를 부여한 프랑스의 의사 P.C.E. Gaucher(1854-1918)의 이름에서 유래〕유전병으로 생되는 특이한 만성 질환. 세레브로시드(cerebroside)를 갖는 세포가 세망내(細網內)의 피조직(皮組織)에 국부적으로 존재함으로써, 마지막에는 조직이 파괴되며, 지라 및 간의 비대(肥大), 피부의 청동색화(青銅色化), 빈혈 증상을 나타내게 됨.
고:소¹【告訴】명〖법〗피해자(被害者)나 다른 고소권(告訴權)이 있는 사람이 그 범죄지(犯罪地) 또는 범인이 있는 곳의 검사나 사법 경찰관에게, 구두(口頭)나 서면(書面)으로 해를 입은 사실을 신고하여 범인의 소추(訴追)를 구함. ――-하다 타여불
고:소²【告愬】명 고하여 하소연함. ――-하다 타여불
고소³【姑蘇】명〖지〗중국, 장쑤 성(江蘇省) 쑤저우(蘇州) 근교에 있는 우현(吳縣)의 옛 이름. 서남에 고소산(姑蘇山)이 있고, 그 산정(山頂)에 고소대(姑蘇臺)가 있음.
고소⁴【苦笑】명 어이없거나 시뻐서 웃는 웃음. 쓴웃음. ¶ ~를 금할 수
고소⁵【高所】명 높은 곳. ㄴ없다. ――-하다 자여불
고소 공:포증【高所恐怖症】[ㅡ쯩] 명〖의〗높은 곳에 올라가면 꼭 떨어질 것만 같은 불안에 사로잡히게 되거나 현기증을 느끼는 병. 고처(高處) 공포증.
고:소권-자【告訴權者】[ㅡ꿘ㅡ] 명〖법〗고소권을 가진 사람. 곧, 그 범죄로 인한 피해자나 피해자의 법정 대리인을 말하며, 이 밖에 일정한 관계자에게 인정될 때도 있음. 친고죄(親告罪)에 있어서는 고소권자가 없을 때에, 검사는 이해 관계인의 신청에 따라 이를 지정해야 함.
고소-대【姑蘇臺】명 중국, 춘추 시대의 오왕(吳王) 부차(夫差)가 고소산상(姑蘇山上)에 쌓은 대(臺)의 이름. 월(越)을 쳐서 얻은 미인 서시(西施) 등 천 명의 미녀를 살게 하여 영화를 한껏 누렸다 함. *고소(姑蘇).
고-소득【高所得】명 많은 소득. 벌이가 많음. 다소득. ¶ ~층(層). ↔저
고소란-히 부〈방〉고스란히. ㄴ소득(低所得).
고소롬-하다 형〈방〉고소하다(전북).
고:-소설【古小說】명〖문〗고전 소설. 「다.
고-소원【固所願】명 본디 바라던 바임. ¶ 불감청(不敢請)이언정 ~이
고:소의 취:소【告訴一取消】[ㅡ/ㅡ에ㅡ] 명〖법〗고소인의 고소의 효력을 소멸시키기 위하여하는 의사 표시. 친고죄(親告罪)의 경우 제1심 판결 선고 전까지 할 수 있으며, 취소된 고소는 또다시 제기될 수 없음. 취소 절차는 고소 절차와 같으며, 대리인으로 하여금 할 수 있음.
고:소-인【告訴人】명〖법〗고소를 한 사람.
고:소-장【告訴狀】[ㅡ짱] 명〖법〗고소인이 제출하는 고소의 서류.
고소-하다 형여불 ①볶은 참깨 또는 참기름 같은 맛이나 냄새가 나다. ¶ 고소한 냄새. ②미운 사람이 잘못되는 것을 마음 속에 재미있게 여김을 비유하는 말. ¶ 얼어 맞았다니 ~.
고:속¹【古俗】명 옛 풍속.
고속²【高速】명 ↗고속도(高速度). ¶ ~ 버스. ↔저속(低速).
고-속가【高俗歌】명〖문〗고려 때의 민간 속가.
고속-강【高速鋼】명〖광〗↗고속도강(高速度鋼).
고속 교통 구역【高速交通區域】명 도로의 관리청이 교통의 안전과 차량의 능률적인 운행을 위하여 필요한 구간(區間)을 고속 교통용으로 지정·고시(告示)한 구역. *접도 구역(接道區域)·연도(沿道) 구역.
고속 국도【高速國道】명 도로 종별(種別)의 하나. 자동차 교통망의 중추 부분을 이루는 중요한 도시를 연락하는 자동차 전용의 고속 교통용 국도. 관리청은 건설 교통부 장관이 되고, 한국 도로 공사가 그 업무를 대행(代行)함. 통칭 : 고속 도로(高速道路).
고속 기관【高速機關】명〖기〗↗고속도 기관(高速度機關).
고속 기류【高速氣流】명〖물〗↗고속도 기류(高速度氣流).
고-속도【高速度】명 썩 빠른 속도. ↔저속도(低速度). 준고속.
고속도-강【高速度鋼】명〖공〗금속을 고속도로 자르거나 깎아도 연화(軟化)하지 아니하는 강철. 보통의 강철보다 내열성(耐熱性)이 강함. 주요한 성분(成分)은 철(鐵)·텅스텐·크롬·탄소(炭素) 등임. 준고속강.
고속도 기관【高速度機關】명〖기〗매분(每分) 1,000-3,000회 회전하는 속도를 가진 기관. 자동차 기관·항공기의 발동기(發動機) 등. 왕복(往復) 기관에서는 피스톤(piston)의 속도가 빠른 것. 준고속 기관.
고속도 기류【高速度氣流】명 음속(音速)에 가깝거나 그보다 빠른 속도로 흐르는 기류. 준고속 기류.
고속 도:로【高速道路】명 고속도로 달리는 자동차의 전용 도로. 교차(交叉)는 입체 교차이고, 인터체인지 이외의 장소에서는 드나들 수 없게 되었음. 하이웨이. ¶ 경부 ~. *고가 도로·고속 국도.
고속도-별【高速度ㅡ】명〔high-velocity star〕〖천〗은하 회전(銀河回轉)을 하고 있는 별들의 궤도를 가로질러 움직이고 있는 별. 태양에 대해서는 고속도이며, 은하 중심에 대해서는 저속도임.
고속도 영화【高速度映畫】명 고속도로 촬영한 영화. 이 영화를 표준 속도로 영사(映寫)하면 아주 급속한 동작·운동도 완만하게 보여, 시각적(視覺的)으로 포착하기 어려운 것의 변화도 분석적(分析的)으로 볼 수 있음. *고속도 촬영.
고속도 윤전기【高速度輪轉機】명〖인쇄〗가장 근대적인 대규모의 인쇄기. 고속도로 동시에 양면 또는 두 빛깔 이상의 인쇄를 할 수 있음.
고속도 차:단기【高速度遮斷機】명〖전〗전력 회로(電力回路)에서 고장이 생겼을 때에, 고장 전류(故障電流)를 자동적으로 극히 빠르게 차단하는 차단기.
고속도 촬영【高速度撮影】명 영화에서 표준 속도보다 빨리 필름을 회전시켜 촬영하는 일. 급속히 변화하는 현상을 촬영할 때에 사용함. ↔미속도(微速度) 촬영·저속도 촬영. *고속도 영화.
고속-로【高速爐】[ㅡ노] 명 ↗고속 중성자 원자로.
고속 버스【高速ㅡ】〔bus〕명 고속 도로에서 고속으로 운행하는 버스.
고속 사진【高速寫眞】명 고속도의 운동 물체를 찍은 사진. 최근에는 1/10,000-1/100,000초의 단시간에 다량의 빛을 내는 가스 방전관(放電管)을 이용한 스트로보 플래시(strobo flash)에 의하여 촬영이 쉽게 됨.
고속 상각【高速償却】명〖경〗가속 상각(加速償却).
고:-속요【古俗謠】명 옛적 민간에서 부르던 노래. 옛날 속요.
고속 중성자【高速中性子】명〔fast neutron〕〖물〗빠른 중성자. ↔저속(低速) 중성자.
고속 중성자로【高速中性子爐】명 ↗고속 중성자 원자로.
고속 중성자 원자로【高速中性子原子爐】명〔fast neutron reactor〕〖물〗핵분열에 의해 생긴 빠른 중성자에 의하여 다음 핵분열이 일어나는 원자로. 중성자를 감속(減速)시키는 감속재를 쓰지 않음. 준고속 중성자로·고속로.
고속 증식로【高速增殖爐】[ㅡ노] 명〔fast breeder reactor : F.B.R.〕〖물〗증식로의 한 가지. 노 안에서 소비되는 핵연료 물질 우라늄 238 의 양보다, 빠른 중성자 흡수로 새로이 생긴 핵연료 물질 플루토늄(plutonium) 239 의 양이 많게 설계된 원자로.
고속 진:화【高速進化】명〔tachytely〕〖생〗여러 가지 도태와 새로운 형(型)의 고정(固定)을 이루는 빠른 진화.
고속 철도【高速鐵道】[ㅡ또] 명 열차(列車)가 고속 전용 궤도(高速專用軌道)로 도시 사이를 운행할 때, 그 주요 구간을 시속 200 km 이상으로 주행(走行)하는 철도. 건설 교통부 장관이 그 노선(路線)을 지정·고시함.
고속 화학 반:응【高速化學反應】명〖물·화〗반감기(半減期)가 10^{-3} 초 이하의 반응.
고솜도티 〈옛〉고슴도치가. '고솜돋'의 주격형(主格形). ¶ 고솜도티 쥐 궁긔 드로미니라(蝟入鼠宮) ≪修行 19≫.
고솜돋 명〈옛〉고슴도치. ¶ 고솜돋 위(蝟)≪字會 上 19≫.
고솜-하다 형〈방〉고소하다(전북).
고송¹ 명 약을 써서 제독(除毒)하여 다시 전염할 염려가 없는 매독(梅毒).
고:송²【古松】명 오래된 소나무. 노송(老松).
고송³【孤松】명 외따로 서 있는 소나무.
고송⁴【孤松】명〖사람〗임경업(林慶業)의 호(號).
고송⁵【枯松】명 말라 죽은 소나무.
고수¹ 명〖식〗[*Coriandrum sativum*] 미나릿과에 속하는 일년초. 줄기는 속이 비었고, 길이 30-60cm 이며 잎은 호생하고 빈대 냄새와 비슷한 일종의 냄새가 남. 6-7월에 백색 꽃이 복산형(複繖形) 화서로 피고, 과실은 구형(球形)이며 향기가 있음. 동부 유럽 원산으로, 특히 사원(寺院)에 재배함. 과실은 향료(香料) 및 약용함. 고수풀. 향유(香荽). 호유(胡荽).

〈고수¹〉

고수[2]【叩首】명 머리를 조아리어 경의(敬意)를 표함. 고두(叩頭). ——하다 자여불

고수[3]【孤愁】명 홀로 시름에 잠김. ——하다 자여불

고수[4]【固守】명 굳게 지킴. 견수(堅守). 묵수(墨守). ——하다 타여불

고수[5]【苦受】명 『불교』 삼수(三受)의 하나. 심신(心身)을 압박하고 괴롭히는 고통의 감각(感覺). *낙수(樂受).

고수[6]【苦愁】명 시름하며 고생함. ——하다 자여불

고수[7]【高手】명 수가 높음. 또, 수가 높은 사람. 상수(上手). ¶ ~들의 바둑.

고수[8]【高愁】명 큰 시름. 대단한 시름.

고수[9]【高壽】명 고령(高齡)[3]❶.

고수[10]【鼓手】명 북을 치는 사람.

고수[11]【賈豎】명 천한 상인. 장사아치.

고수[12]【瞽瞍】명 ①눈먼 노인. ②순(舜)임금의 아버지의 별명. 어리석고 사리에 어두웠던 데서 붙여진 이름이라 함.

고수 강회【—膾】명 고수풀을 날로 똘똘 말아서 초고추장에 찍어 먹는 회. 호유 강회(胡荽江膾).

고수 공사【高水工事】명 『토』 홍수(洪水)를 방지하기 위하여, 최고 수위(水位)의 유량(流量)을 산출(算出)하여 행하는 하천 제방 공사(堤防工事). 계획 고수위(計劃高水位)에 일정한 여유를 갖게 하여, 제방의 높이가 정해짐.

고-수관【高守寬】명 『사람』 조선 말기 헌종(憲宗) 때의 광대. 충남 해미(海美) 출신으로 공주(公州)에 거주. '춘향가(春香歌)' 중의 '사랑가'를 잘 불렀다 함. 생몰년 미상.
【고수관(高守寬)의 딴전이라】 안색도 변하지 아니하고 시치미 떼며 딴전을 부린다는 말. 【고수관이 하문(下門) 속 알듯 한다】 매사에 모르는 것이 없는 사람을 일컫는 말. *세물전 영감인가·순라꼴 까마종이라.

고수 김치 명 고수풀로 담근 김치. 호유저(胡荽菹).

고:수 동:굴【古藪洞窟】명 『지』 충청 북도 단양군 대강면 고수리(大崗面古藪里)에 있는 천연 동굴. 길이 1,300 m, 높이 1-50 m로 동굴 안에는 100여 종의 절묘한 석순·종유석이 가득함. 1976년 천연 기념물로 지정됨.

고수레[1] 명 〔근대 : 고스레. 단군 시대에 백성에게 농사짓기를 가르쳤다는 고시(高矢)라는 사람에서 유래?〕 무당이 굿을 할 때나, 들에서 음식을 먹을 때나, 남의 집에서 음식을 가져왔을 때에 그 속에서 조금씩 떼어 던지면서 부르는 소리. 또, 그렇게 하는 일. ——하다 자여불

고수레[2] 명 흰떡 같은 것을 반죽할 때에 끓는 물을 가루에 훌훌 뿌려 섞어서 물이 골고루 퍼지게 하는 일. ——하다 자여불

고수레-떡 명 고수레하여 반죽한 덩이를 쪄낸 흰떡. 섭떡.

고수련 명 ①오래 앓는 사람의 병구완을 함. ②함부로 다루지 아니함. ——하다 타여불

고-수로【高水路】명 『토』 하천(河川) 바닥의, 큰물이 날 때에만 물이 흐르는 높은 부분.

고수-머리 명 털이 곱슬곱슬한 머리. 또, 그런 사람.

고수 부지【高水敷地】명 둔치[1]❷.

고-수위【高水位】명 하천(河川) 수위의 하나. 1년을 통하여 1-2회 볼 수 있는 최고의 수위. 또, 수년(數年) 혹은 수십 년에 한 번 볼 수 있는 최고의 수위. 홍수위(洪水位)를 가리킬 때도 있음.

고수-증【高水症】[—쯩] 명 『한의』 아랫배로부터 부종(浮腫)이 시작되는 신장염(腎臟炎)의 한 종류.

고수-풀 명 『식』 고수[1].

고수-하다 형 〈방〉 고소하다.

고숙[1]【姑叔】명 고모부.

고숙[2]【枯熟】명 『식』 종자(種子)의 성숙 정도 중에서 가장 성숙한 단계. 종자의 내용이 과도(過度)의 건조(乾燥)로 말미암아 힘이 없어져서 이삭으로부터 알갱이가 떨어질 지경으로 성숙한 단계를 말함. 과숙(過熟). ——하다 자여불

고순도치 명 〈방〉『동』 고슴도치(함경).

고-순위【高順位】명 순위가 높음. ¶ ~자(者).

고스〔Gosse, Edmund William〕명 『사람』 영국의 문예 비평가·시인. 스티븐슨(Stevenson) 등과 친교, 북유럽 시인의 소개자로서 유명하며, 넓은 지식과 함축성 있는 문체로 ≪입센론(Ibsen論)≫ 등을 썼음. [1849-1928]

고스락 명 ①꼭대기. ②매우 위급한 때. ③극도(極度). 최고(最高).

고스락-고스락 부 〈방〉 곱슬곱슬. ——하다 형

고스락이 명 〈방〉 고수머리.

고스란-하다 형여불 조금도 축나거나 변함이 없이 그대로 다 있다. 고스란-히 부. ¶ ~ 남아 있다.

고스러-지다 자 벼·보리 등의 곡식이 벨 때가 지나서 이삭이 꼬부라져 앙상하게 되다.

고:-스럽다【古—】형 〈방〉 예스럽다.

고스름-하다 형 〈방〉 고소하다(전북).

고스방크〔러 Gosbank〕명 〔러 Gosudarstvennyi Bank의 약칭〕 소련의 국립 은행. 네프기(NEP 期)인 1921년에 설립된 소련 유일의 중앙 은행. 각료 회의(閣僚會議)에 직속되어, 계획 경제의 금융 계획과 통제 실시를 감독하며, 통화 발행과 일반 은행 업무를 함께 함. 국영 기업체·정부 기관은 모두 이 은행과 거래를 함. 현재는 러시아 연방의 중앙 은행으로서 기능하고 있음. 본점은 모스크바에 있음.

고: 스턴:〔go stern〕명 배의 후진(後進).

고:-스톱〔go+stop〕명 〔'가라, 서라'의 뜻〕 ①교통 정리 신호. ②〈속〉 화투 놀이의 한 가지.

고:스트〔ghost〕명 ①유령(幽靈). 망령(亡靈). 환상(幻像). 허깨비. 혼. 영혼. ②↗고스트 라이터. ③↗고스트 이미지.

고:스트 라이터〔ghost writer〕명 문학 작품 따위의 대작자(代作者). 유령 필자(幽靈筆者). 준고스트.

고:스트 이미지〔ghost image〕명 ①『전』 텔레비전의 브라운관(管)에 나타나는 다중상(多重像). 수상지(受像地) 부근의 큰 건물이나 산에 반사된 전파가 직접파(直接波)보다 늦게 안테나에 이르기 때문에 몇 겹으로 비치는 영상. ②『사진』 렌즈의 표면 반사에 의하여 필름면에 생기는 피사체(被寫體)의 이차상(二次像). 준고스트.

고:스트 펄스〔ghost pulse〕명 『전』 레이더 표시기의 스크린 위에 나타나는 필요없는 신호. 소정의 신호와는 다른 기본 반복 주파수를 갖는 에코(echo)에 의하여 생김.

고스펠 명 『기독교』 ①〔gospel〕 복음(福音). ②〔Gospel〕 복음서(福音書).

고스펠 송〔gospel song〕명 『악』 미국 흑인들 사이에서 불리어지는 종교적인 노래. 흑인 영가(靈歌)와 재즈를 기반으로 하여 1930년대에 발생함. 비트(beat)가 강렬한데, 신약 성서의 복음(福音)을 주제로 신작(新作)된 것이 많음. 넓은 뜻으로는, 집회에 적합한 대중적인 정감(情感)을 지니는 찬송가의 일종.

고스펠 싱어〔gospel singer〕명 고스펠 송(gospel song)을 부르는 가수(歌手).

고스플란〔러 Gosplan〕명 〔Gosudarstvennyi planovyi komitet Soveta Ministrov; SSSR〕 소련 국가 계획 위원회(國家計劃委員會). 소련의 경제 계획을 수립하던 중앙 기관으로 1921년에 창설(創設).

고슬-고슬 부 밥이 되지도 아니하고 질지도 아니하여 꼭 알맞은 모양. <구슬구슬. ——하다 형여불

고슴도치 명 『동』 [*Erinaceus europaeus koreensis*] 고슴도칫과에 속하는 동물. 두동(頭胴)의 길이 27-34 cm, 꼬리는 3-4 cm이고 몸빛은 암갈색인데 머리가 뚜렷한 암색인 것이 특징임. 주둥이는 뾰족하고, 귀는 몹시 작으며, 두정(頭頂)과 배면(背面)에는 2-3 cm의 암갈색 가시와 백색 가시가 섞여 밀생하고 하면은 담갈색임. 지상 생활을 하며 해질 무렵부터 활동하여 벌레·과실·새알 등을 먹음. 적을 만나면 밤송이 같이 몸을 둥글게 하여 적을 막음. 한 해에 두 번, 5-7 마리의 새끼를 낳음. 한국의 특산종인데, 우수리(Ussuri)·아무르(Amur)·중국 동북부에도 분포함. 자위(刺蝟). 준고슴돛.

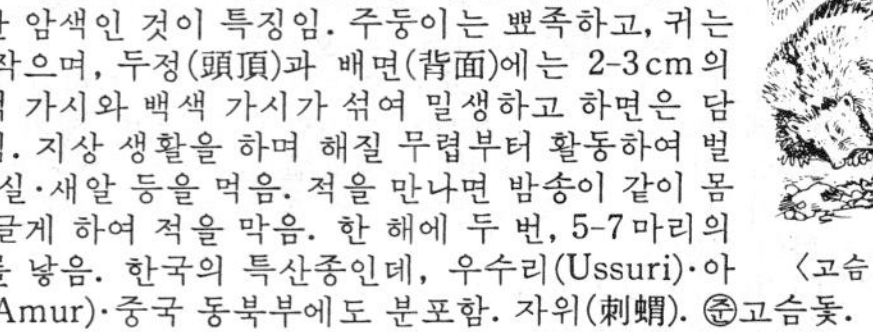
〈고슴도치〉

【고슴도치도 제 새끼가 함함하다면 좋아한다】 ㉠칭찬을 받지 못할 것도 칭찬만 하여 주면 좋아한다는 뜻. ㉡자식이 못났더라도 칭찬을 받으면 기뻐한다는 말. 【고슴도치도 제 새끼는 함함하다고 한다】 ㉠털이 바늘같이 꼿꼿한 고슴도치도 제 새끼의 털이 부드럽다고 옹호한다는 말이니, 자기 자식의 나쁜 점을 모르고 도리어 자랑삼는다는 말. ¶ 아비가 그 자식의 악은 알지 못한다 하여 고슴도치도 제 새끼는 함함하다고 한다 하나, 하나님께서는 외모를 보시지 아니하시나이다 ≪김필수:警世鐘≫. ㉡어버이의 눈에는 제 자식은 다 잘나 보인다는 뜻. 【고슴도치 외 따 지듯】 ㉠빚을 많이 걸머진 것을 비유하여 이르는 말. ¶ 우리가 외밭에 가면 입으로 외 꼭지를 베어 놓고 한 번 뒹굴면 외가 몸에 꿰어 오는 고로 저 빚진 자들이 비유하는 말이 고슴도치 외 따 지듯 한다 하나 ≪김필수:警世鐘≫. ㉡맏아들이 부모 형제들 때문에 짐이 무겁다는 말.

고슴도치-선인장【—仙人掌】명 『식』 [*Echinopsis tubiflora*] 남(南)브라질·아르헨티나 원산으로, 처음에는 공 모양이나 나중에는 기둥 모양으로 변함. 높이 50-70 cm, 직경 12-15 cm, 모는 12 개인데 날카로움. 꽃은 측생(側生)으로 나팔 모양이며 길이 20-40 cm, 직경 10-12 cm로 아름답고 향기가 있으나 오래 가지 못하는 것이 흠임. 개화기는 6-9월.

고슴도치-풀 명 『식』 [*Triumfetta japonica*] 피나뭇과에 속하는 일년초. 줄기는 원주형(圓柱形)이고, 높이 1 m 내외이며 껍질은 섬유질(纖維質)임. 잎은 호생하고 장병(長柄)이며, 달걀꼴 또는 긴 타원형임. 8-9월에 황색 꽃이 취산(聚繖) 화서로 엽액(葉腋)에 달리며, 과실은 삭과(蒴果)이며 구형(球形)인데, 열개(裂開)하지 않고 갈고리 모양의 자모(刺毛)가 겉을 둘러싸고 있어, 이것으로 다른 물건에 붙어서 분포함. 들이나 황무지(荒蕪地)에 나는 데, 제주·경남·경기 등지에 분포함. 나전초(羅氈草).

〈고슴도치풀〉

고슴도치-하늘소【—䖳】명 『충』 [*Rhopaloscelis unifasciatus*] 하늘솟과에 속하는 곤충. 몸길이 7-10 mm 가량이고, 몸빛은 흑색이며, 시초(翅鞘)에는 회백색의 털이 밀생하였고, 중앙 후부에 한 줄의 흑색 띠가 있으며, 또 작은 흑색 무늬가 있음. 몸의 하면에도 회백색의 털이 밀생하며, 촉각에는 연모(緣毛)가 있음. 한국에도 분포함.

고슴도칫-과【—科】명 『동』 [Erinaceidae] 식충목(食蟲目)에 속하는 한 과. 몸체는 짧고 똥똥하며, 눈·귀가 발달함. 주둥이는 뾰족하고 몸의 배면에 가시가 밀생한 종류가 많음. 단 한 종을 제외하고는 모두 다섯 발가락이 있음. 잡식성(雜食性)으로 지상 생활을 하며 몸의 가시는 보호용(保護用)임. 아프리카의 열대 및 온대·유럽주·아시아 대륙에 30여 종이 분포함.

〈고슴도치하늘소〉

고슴도티 명 〈방〉『동』 고슴도치(평안).

고슴-돛 명 『동』 ↗고슴도치.

고:습[1]【故習】명 옛적부터의 습관. 오랜 습관.

고습[2]【高濕】명 습기가 많음. 축축한 기운이 많음. 다습(多濕). ——하다 형여불

고습[3]【袴褶】명 사마치.

고습다 형 〈방〉 고소하다(전북).

고:승[1]【高勝】명 『사람』 고구려의 장군. 영양왕(嬰陽王) 14년(603) 북한

산성(北漢山城)을 공략하다가 신라 진평왕(眞平王)이 친히 이끈 군대에 격퇴당하였음. 「덕(大德). ②지위가 높은 중.

고승[2] 【高僧】 명 〖불교〗 ①학식이 많고 행실이 훌륭한 중. 성승(聖僧). 대

고승[3] 【菰繩】 명 골풀을 비비어 꼰 줄.

고싀 명 〈옛〉 고수[1]. =고식. ¶ 고싀(芫荽)《朴解 中 33》.

고:시[1] 【古時】 명 옛적. 옛날.

고:시[2] 【古詩】 명 ①고대의 시. 한시(漢詩)에서는 대개 후한(後漢) 이전의 시. 《시경(詩經)》이나 《문선(文選)》에 있는 시 같은 것을 이름. ②↗고체시(古體詩).

고시[3] 【考試】 명 ①학생·지원자 등의 학력이나 자격을 시험하여 급락(及落)과 채용 여부(與否)를 결정함. 고과(考課). ②〖역〗 과거(科擧)의 성적을 等아서 등수(等數)를 정하는 일. ③〖법〗 공무원(公務員)의 임용(任用) 자격을 결정하는 시험. ——-하다 타 여불

고:시[4] 【告示】 명 관청에서 여러 사람에게 알릴 것을 글로 써서 게시함. ¶ ~문(文). ——-하다 타 여불

고시[5] 【姑簁·蛄簁】 명 〖충〗 바구미[2].

고시[6] 【高試】 명 〖법〗 ↗고등 고시(高等考試). ¶ ~ 합격. *보시(普試).

고시[7] 【顧視】 명 돌아다봄. 고첨(顧瞻). ——-하다 타 여불

고:시 가격 【告示價格】 [—까—] 명 〖경〗 정부에서 정하여, 그 금액으로 매매하도록 공고한 가격.

고시-관 【考試官】 명 〖역〗 고려 충숙왕(忠肅王) 2년(1315)에 '지공거(知貢擧)'의 고친 이름. 17년에 다시 전 이름으로 함.

고:-시기 【古詩紀】 명 〖책〗 시기(詩紀).

-고시라 미 〈옛〉 -시라. -시오. ¶ 紅실로 紅글위 미요이다 혀고시라 밀오시라 鄭少年하《樂詞 翰林別曲》. *-오시라.

고시랑-거리다 자 ①잔소리를 듣기 싫도록 자꾸 하다. ¶ 밑천까지 털리는 손은 어떻게 하느냐고 부인 유씨가 고시랑거릴라치면 잃지 않을 테니 걱정 말라고 만날 희떠운 소리다《蔡萬植: 濁流》. <구시렁거리다. ②여러 사람이 작은 소리로 조용히 자꾸 말을 하다. 고시랑-고시랑 부. ——-하다 자 여불

고시랑-대다 자 고시랑거리다.

고시래 명 〈방〉 고수레[1](경상).

고:시 십구수 【古詩十九首】 명 〖문〗 중국의 고전인 《문선(文選)》 속에 실려 있는 작가 불명의 고시 19수. 대체로 모두 후한(後漢) 때의 무명(無名) 시인들의 작품으로 기교(技巧)를 부리지 않은 표현으로 만인(萬人)의 공통한 정(情)을 읊은 것이 그 특색임. 내용은 대개 이별의 비수(悲愁), 이별한 남녀의 정, 직녀(織女)의 슬픔, 불우(不遇)의 강개(慷慨), 덧없는 생명에 대한 비탄(悲嘆) 등인데, 위(魏)·진(晉) 이후에 이 시의 내용이나 형식을 본뜬 작품이 많으며, 후세의 시에 많은 영향을 끼침.

고-시언 【高時彦】 명 〖사람〗 조선 중기의 학자. 자는 국미(國美), 호는 성재(省齋). 본관은 개성(開城). 역관(譯官)으로서 관계(官階)가 이품(二品)까지 오름. 경사(經史)에 통하고 한시에 뛰어났음. 만년에 세조 때부터 영조 때까지의 서민시(庶民詩)를 모아 《소대 풍요(昭代風謠)》를 편찬함. [1671-1734]

고시 위원 【考試委員】 명 〖법〗 고시에 있어서, 응시자(應試者)의 학력·자격 등을 검토하여 그의 급락(及落)이나 채부(採否)를 판정하는 위원.

고시 위원회 【考試委員會】 명 공무원 자격의 고시와 전형(銓衡) 등을 맡아 보던 기관.

고시 임:용 【考試任用】 명 공무원의 임용에 있어 일정한 시험에 합격하는 것을 임용 자격의 요건으로 하는 임용 제도.

고:-시조 【古時調】 명 옛 시조.

고시풀 명 〖식〗 〈방〉 고수풀.

고시-하다 형 〈방〉 고소하다(경북).

고시 활보 【高視闊步】 명 높은 곳을 바라보며 활달하게 걷는다는 뜻에서, 기개(氣槪)가 매우 뛰어남을 비유하여 이르는 말. ——-하다 형 여불

고:식[1] 【古式】 명 옛날의 법식. ¶ ~에 따르다.

고식[2] 【姑息】 명 ①우선 당장에 탈없이 편안함. ¶ ~적. ②부녀자와 어린아이.

고식[3] 【姑媳】 명 고부(姑婦). 어이며느리.

고식[4] 【苦識】 명 〖한의〗 고삼(苦蔘)❷.

고:식물-학 【古植物學】 명 〖생〗 식물 화석(化石)을 통하여 식물의 계통·진화·분포 등을 연구하는 생물학의 한 분과. 고생(古生) 식물학.

고식-적 【姑息的】 명 관 임시 변통이나 한때의 미봉으로 하는 모양. ¶ ~ 수단.

고식적 수술 【姑息的手術】 명 〖의〗 병의 본태(本態)가 확실하지 않아 근치적(根治的) 방법이 발견되지 않거나, 기술적으로 근치적 수술을 행할 수 없는 경우에, 병의 경과에 좋은 영향을 주어, 치유(治癒)를 촉진시키거나, 병이 낫지 않아도 환자의 고통을 덜어 줄 수 있는 수술. 예컨대 식도암(食道癌)의 경우, 식도 절제(食道切除)가 행하여지지 않을 때, 위루(胃瘻)를 만들어 이것으로 음식물을 직접 위에 넣어 주는 일 따위.

고식지-계 【姑息之計】 명 당장에 편한 것만 취하는 계책. 일시 미봉(彌縫)하는 계책. 고식책(姑息策).

고식-책 【姑息策】 명 고식지계(姑息之計).

고:신[1] 【告身】 명 〖역〗 '직첩(職牒)'의 별칭.

고신[2] 【孤身】 명 외로운 몸. ¶ ~ 척영(隻影).

고신[3] 【孤辰】 명 〖민〗 구성(九星)에서, 크게 꺼리는 날.

고신[4] 【孤臣】 명 ①고립 무원(孤立無援)한 신하. 임금의 뜻과 사랑을 얻지 못한 신하. ¶ ~ 원루(寃淚). ②신하가 자기를 낮추어 이르는 말.

고신[5] 【苦辛】 명 고통스럽고 신산(辛酸)함. ¶ 온갖 ~을 겪다. ——-하다 형 여불

고신[6] 【高紳】 명 지위가 높은 사람. 귀인(貴人).

고신[7] 【拷訊】 명 고문(拷問). ——-하다 타 여불

-고신뎌 어미 〈옛〉 -시온저. -고 계신 것이여. -시온가. -고 계신가. ¶ 므슴다 錄事니믄 녯나를 닛고신뎌 《樂範 動動》. 「雙花店》.

-고신된 어미 〈옛〉 -건대. -니까. ¶ 雙花店에 雙花사라 가고신딘《樂詞

고신-록 【考信錄】 [—녹] 명 〖책〗 중국 청(淸)나라의 최술(崔述)이 지은 중국의 역사 평론서. 유교의 역사를 중심으로, 고대의 사실(史實)이나 전설을 문헌의 비판에 의하여 고증한 것임. 그의 사후(死後) 1824년 간행. 전 36 권.

고:신 서:경 【告身署經】 명 〖역〗 관리 등용에 고신(告身)을 대간(臺諫)이 서경하는 일. ↔의첩(依牒) 서경.

고신 얼자 【孤臣孼子】 [—짜] 명 고립 무원(孤立無援)한 신하와 사랑을 얻지 못한 서자(庶子). 준고얼(孤孼).

고신 원:루 【孤臣寃淚】 [—월—] 명 임금의 사랑을 잃게 된 외로운 신하의 원통한 눈물. ¶ ~를 비 삼아 실어다가.

고신 척영 【孤身隻影】 명 붙일 곳 없이 떠도는 외로운 홀몸.

고:실[1] 【故實】 명 전고(典故)❷.

고실[2] 【鼓室】 명 〖생〗 육상(陸上) 척추(脊椎) 동물의 중이(中耳)의 한 부분. 외벽(外壁)이 고막(鼓膜)인데, 고막의 내외의 압력(壓力)을 항상 똑같이 하는 작용을 함. 외이(外耳)가 받은 음향의 진동을 조화시켜서 내이(內耳)로 전하는 기관을 갖춤.

고:실-가 【故實家】 명 고실에 통효(通曉)한 사람. 고실자(故實者).

고실-고실 부 〈방〉 고슬고슬. ——-하다 형

고실 소:골 【鼓室小骨】 명 〖생〗 고실에 있는 팥알만한 세 개의 작은 뼈. 곧, 추골(槌骨)·침골(砧骨)·등골(鐙骨)의 셋임. 청골(聽骨).

고:실-자 【故實者】 [—짜] 명 고실가(故實家).

고실-창 【鼓室窓】 명 〖생〗 고실의 내벽(內壁)에 있는 두 개의 창. 곧, 원창(圓窓)과 타원창(楕圓窓).

고:심[1] 【古心】 명 옛 사람의 마음. 순박한 마음.

고심[2] 【苦心】 명 마음과 힘을 다하여 애씀. 고려(苦慮). ——-하다 자 여불

고심-담 【苦心談】 명 애쓴 이야기. ¶ ~을 늘어놓다.

고:심 사:단 【故尋事端】 명 고의(故意)로 사단을 일으킴. ——-하다 자

고심 참담 【苦心慘憺】 명 몹시 애를 쓰며 근심 걱정을 많이 함. ——-하다 자 여불

고심 혈성 【苦心血誠】 [—썽] 명 마음과 힘을 다하는 지극(至極)한 정성(精誠). ¶ ~의 충효(忠孝).

고ᄉᆞ다 형 〈옛〉 고소하다. 향기롭다. ¶ 고ᄉᆞᆫ수리 뿔마티 ᄃᆞ닐 노티 아니호리라(不放香醪如蜜甛) 《杜諺 X:9》.

고싀 명 〈옛〉 고수풀. =고싀. ¶ 고싀 원(芫), 고싀 유(荽)《字會 上 13》.

고싸움-놀이 명 〖민〗 주로 전라 남도 지방에서 행하여지는 민속 놀이의 하나. 양편으로 패를 갈라, 줄다리기의 줄 머리에 타원형의 고가 달린 굵은 줄을 여러 사람이 메고, 먼저 상대방의 고를 짓눌러 땅바닥에 닿게 한 편이 이김. 음력 정월 보름날의 줄다리기의 전초전(前哨戰)으로서 행하기도 하고, 전라 남도 광산군(光山郡) 대촌면(大村面) 칠석리(漆石里)에서처럼 독립된 놀이로서 벌이기도 함.

고씨 동:굴 【高氏洞窟】 명 〖지〗 강원도 영월군 하동면(下東面) 진별리(津別里)에 있는 석회 동굴. 길이 3 km. 천연 기념물 제 219 호.

-고사 어미 〈옛〉 -고야. ¶ 몬져 됴ᄒᆞᆫ 飮食ᄋᆞ로 빈브르긔 ᄒᆞ고사 《月釋 IX:25》.

고:아[1] 【古雅】 명 예스럽고 아담하며 멋이 있음. 고태(古態)를 띠어 아치(雅致)가 있음. ¶ ~한 기와집. ——-하다 형 여불

고아[2] 【孤兒】 명 부모를 여의어 몸 붙일 곳이 없는 아이.

고아[3] 【高雅】 명 고상하고 우아(優雅)함. ¶ ~한 미인(美人). ——-하다 형 여불

고아[4] [Goa] 명 〖지〗 인도 공화국 서안(西岸)의 중앙 정부 직할(直轄地). 1510년 이래 포르투갈의 식민지가 되어 동양 무역의 근거지로서 번영하였는데, 1961년 인도에 접수(接收)됨. 예수회(Jesus會)의 아시아 전도(傳道)의 중심지로 자비에르(Xavier)의 묘(墓)가 있음. 토지가 비옥하여 쌀·향료·고무라 등을 산출함. 주도(主都)는 판짐(Panjim). [3,636 km² : 1,086,730 명(1981)]

고아-사 【鼓兒詞】 명 '고사(鼓詞)'의 고칭.

고:아-스럽다 【古雅—】 형 ㅂ불 예스럽고 아담하여 멋이 있어 보이다. 고:아-스레 【古雅—】 부

고:아시아-인 【古—人】 [Asia] 명 [Paleo-Asiatic] 〖고고학〗 신석기 시대에 시베리아에 널리 퍼져 있던 주민. 「속의 총칭.

고:아시아-족 【古—族】 [Asia] 명 구(舊)시베리아어(語)를 사용하는 족

고아-원 【孤兒院】 명 고아(孤兒)를 수용하여 기르는 곳. *육아원.

고:악[1] 【古樂】 명 고대의 음악.

고악[2] 【高嶽】 명 높은 산. 높은 뫼.

고:-악기 【古樂器】 명 옛 악기.

고악성-산 【高嶽城山】 명 〖지〗 함경 남도 장진군(長津郡) 하동면(下東面)에 있는 산. [1,766 m]

고안[1] 【考案】 명 어떠한 안(案)을 생각하여 냄. 또, 그 안. ——-하다 타 여불

고안[2] 【孤雁】 명 짝이 없는 외기러기. 고홍(孤鴻).

고안[3] 【孤鞍】 명 홀로 타고 가는 말. 단기(單騎).

고안[4] 【苦顔】 명 괴로운 얼굴빛. 불쾌한 안색.

고안[5] 【高岸】 명 깎아지른 듯이 높은 낭떠러지.

고안[6] 【羔雁】 명 ①염소와 기러기. ②경대부(卿大夫)의 폐백(幣帛). 경(卿)은 염소, 대부(大夫)는 기러기를 폐백으로 하였음.

고-안무 【高安茂】 명 〖사람〗 백제 무령왕(武寧王) 16년(516), 일본에 미물러 있던 단양이(段楊爾)와 교대하기 위하여 일본에 파송된 오경박사(五經博士).

고안-물 【考案物】 명 고안해 낸 물건.

고안 심곡 【高岸深谷】 명 높은 언덕도 함몰(陷沒)하여서는 골짜기가 된다는 뜻으로, 세상의 변천을 비유하여 이르는 말.

고안-자【考案者】명 사물을 고안하는 사람.

고:알【告訐】명 남의 나쁜 일을 들추어 관(官)에 고발함. ——-하다 타여불

고알-띠 명〈방〉허리띠.

고알루미나질 벽돌【高—質甓—】〔alumina〕명 보크사이트(bauxite)·다이어스포어(diaspore)·실리마나이트(sillimanite)·내화 점토(耐火粘土) 등을 원료로 해서 만들어지는 알루미나가 풍부한 내화 벽돌. 내화도 SK 35 이상임. 기계적 강도·내식성(耐蝕性)이 우수하여 각종 요로(窯爐)에 사용함.

고알-치【高謁峙】명〖지〗전라 남도 강진군(康津郡) 암천면(庵川面)에 있는 고개. [200 m]

고:암[1]【古岩】명 이끼가 덮인 오래된 바위.

고-암[2]【姑岩】명〖지〗함경 남도 장진군(長津郡) 북면(北面)에 있는 산. 낭림 산맥(狼林山脈)에 속함. [2,049 m]

고암-산【高岩山】명〖지〗①평안 북도 강계군(江界郡)에 있는 산. 강남(江南) 산맥의 첫머리 부분을 이룸. [1,239 m] ②강원도 철원군(鐵原郡) 북면(北面)에 있는 산. 내지(內地) 산맥에 속함. [780 m]

고:암 심신환【古庵心腎丸】명〖한의〗도한(盜汗)·정충(怔忡)·유정(遺精) 등에 쓰는 환약. 준심신환(心腎丸).

고압【高壓】명 ①높은 압력(壓力). ②〖전〗높은 전압(電壓). 직류식(直流式)에서는 750볼트 이상, 교류식(交流式)에서는 400볼트 이상이며, 3,500볼트를 초과(超過)하지 아니하는 전압. ¶ ~ 전류/~선. 1)·2): ↔저압(低壓). ③마구 억누름. ¶ ~ 수단. ——-하다 타여불

고압 가스【高壓—】〔gas〕명 압축(壓縮) 또는 액화(液化)된 고압하(高壓下)에 있는 가스.

고압 가스 안전 관리법【高壓—安全管理法】〔gas〕[—괄—뻡] 명〖법〗고압 가스로 인한 위해(危害)를 방지할 목적으로, 고압 가스의 제조·저장·판매·운반·사용과, 고압 가스의 용기·냉동기·특정 설비 등의 제조 및 검사 등에 관한 사항을 규정한 법률.

고압-계【高壓計】명 기체나 액체의 큰 압력을 측정하는 장치.

고압 관:장【高壓灌腸】명〖의〗장(腸)이 폐색(閉塞)한 경우에 행하는 치료법. 항문(肛門)에서부터 20-30 cm의 깊이까지 고무관을 넣고, 약 70-100 cm의 높이에서 액압(液壓)을 가하여 장 내용물(腸內容物)을 배제(排除)하는 방법.

고압 기관【高壓汽罐】명〖기〗고압 증기(蒸氣)를 발생하는 기관의 총칭.

고압 물리학【高壓物理學】명〔high-pressure physics〕물질의 성질에 대한 고압력의 영향을 연구하는 물리학의 한 분야.

고압 산소 치료【高壓酸素治療】명〖의〗주로 급성 일산화 탄소 중독에 사용하는 산소 치료. 특수한 탱크 또는 가압실내(加壓室內)에서 약 3기압의 고압하에 환자에게 산소를 흡입시킴.

고압 산소 탱크【高壓酸素—】〔tank〕명〖의〗3-5기압의 산소 속에 환자를 넣고 산소의 농도를 높여 수술 후 회복을 빠르게 하거나 중증(重症) 환자의 치료 촉진을 꾀하는 치료 탱크.

고압-선【高壓線】명〖전〗↗고압 전선(高壓電線). ↔저압선(低壓線).

고압 수단【高壓手段】명 위력으로 자기 의사에 따르게 하는 수단.

고압 수은등【高壓水銀燈】명〖전〗비활성 기체(非活性氣體)와 소량의 액상(液狀) 수은이 관 안에 들어 있는 방전관(放電管).

고압-적【高壓的】명관 당연히 이쪽 말에 순종해야 한다는 태도로 상대방을 굴복시키려는 모양. ¶ ~인 태도.

고압 전:기【高壓電氣】명〖전〗전압이 높은 전기.

고압 전:선【高壓電線】명〖전〗고압 전기를 보내는 전선. 준고압선.

고압 주:사기【高壓注射器】명〖의〗바늘이 필요 없는 피스톨형(pistol型)의 고압 분사식(噴射式)의 주사기. 피부에 놓으면 약액(藥液)이 피하(皮下)에 침투됨. 소독 불완전으로 인한 화농(化膿)을 예방하고 바늘의 교환이 필요하지 않으므로 집단 예방 접종에 편리함.

고압 증류【高壓蒸溜】[—뉴] 명 높은 압력 아래서 조작(操作)하는 증류. 끓는점이 낮은 용액의 증류에 이용함. *상압(常壓) 증류.

고-압축【高壓縮】명 고도(高度)로 압축함. ——-하다 타여불

고압축 발동기【高壓縮發動機】[—똥—] 명〖기〗항공기의 발동기에서 출력(出力)을 높이기 위하여 압축비(壓縮比)를 높인 발동기.

고압 펌프 소방차【高壓—消防車】〔pump〕명 고압·대량 또는 분무상(噴霧狀)의 살수(撒水)를 할 수 있는 펌프 소방차. 40-70 kg/cm² 정도의 펌프가 장비되어 있어 전기 화재·유류(油類) 화재에도 유효(有効)함. *구조(救助) 소방차.

고압 화학【高壓化學】명 물리 화학의 일부문. 고압하(高壓下)에서 나타나는 물질의 화학 변화를 연구하는 학문. 또, 그것을 응용한 공업.

고앙[1] 명〈방〉광[1](경상).

고앙[2]【高仰】명 ①높이 우러러봄. 대단히 경앙(景仰)함. ②얼굴을 쳐들고 뽐내는 모양. ——-하다 자여불

고애 명〈방〉〖동〗고양이(함남).

고애【高崖】명 높은 벼랑.

고애-자【孤哀子】인대 부모를 모두 여읜 사람이, 상중(喪中)에 자기 스스로를 가리키어 하는 말. *고자(孤子)·애자(哀子).

고액[1]【苦厄】명 고난과 재액. ¶ ~이 겹치다.

고액[2]【高額】명 많은 금액. ¶ ~ 소득자. ↔저액(低額).

고액-권【高額券】명 5천 원권·1만 원권 등 고액 가치의 지폐.

고액 납세자【高額納稅者】명 많은 액수의 세금을 내는 사람.

고앵이 명〈방〉〖동〗고양이(경기·경북).

고야〔Goya y Lucientes, Francisco José de〕명〖사람〗스페인의 화가. 렘브란트(Rembrandt) 등의 영향을 받음. 1799년 이래 스페인 궁정(宮廷) 화가가 되고, 1822년 파리에 이주함. '악마적(惡魔的)'이라 할 정도로 투철한 리얼리즘으로 날카로운 풍자에 찬 작품을 발표하였는데 초상화·풍속화·종교화에 능하고 동판 화가(銅版畫家)로서도 뛰어났음. [1746-1828]

-고야 어미 ①어미 '-고'에 조사 '야'가 합치어 뜻을 힘 있게 하는 연결 어미. ¶ 꼭 이기~ 말겠다/품행이 그러하~ 남을 가르칠 수 있나. ②〈옛〉-구나. ¶ 白玉樓 남은 기동 다만 네히 셔 잇고야《松江》.

고야 왕【顧野王】명〖사람〗중국 남북조(南北朝) 시대의 학자. 장쑤(江蘇) 사람. 자는 희빙(希憑). 양(梁)나라에 벼슬하다가 양나라가 망한 후, 진(陳)나라를 섬겨 벼슬이 광록경(光祿卿)에 이름. 천문·복서(卜筮)·기자(奇字)에 능통하였으며, 《옥편(玉篇)》은 그의 저서임. [519-581]

고약[1]【孤弱】명 나이 어린 고아.

고약[2]【膏藥】명〖약〗종기나 상처에 붙이는 약. 단단한 것과 묽은 것의 두 가지가 있는데, 단단한 것은 눅여서 기름종이나 헝겊에 대어 붙이고 묽은 것은 붓에 묻히어 바름. 검은약. 유고(油膏).

고약-나무 명〈방〉〖식〗자두나무.

고약-병【膏藥病】명〖식〗어떤 균이 매화나무·복숭아나무·귤나무·뽕나무·오동나무·배나무 등에 붙어, 개각충(介殼蟲)과 공생(共生)한 결과로 식물에 탈이 나는 병. 나뭇가지나 줄기에 회색 또는 암갈색의 마른 고약 같은 나사(羅紗) 또는 솜털 모양의 균체(菌體)가 1 mm의 두께로 3층으로 널리 밀착(密着)함. 균체는 개각충 속에 코일(coil) 모양의 기관을 꽂아서 양분을 섭취하고 그 대신 개각충에게 외적(外敵)이나 부적당한 환경에서 보호하는 주거를 제공하는 것인데, 이 경우 식물은 개각충에게 수액(樹液)을 빨려서 해를 입음.

고:약-스럽다 형ㅂ불〔←괴악(怪惡)스럽다〕고약한 듯하다. 고:약-스레 부

고:약-타 형 ↗고약하다. ¶ 하는 짓이 ~.

고:약-하다 형여불〔←괴악(怪惡)하다〕얼굴이나 성질·날씨·냄새 따위가 괴팍하거나 흉하거나 나쁘다. ¶ 날씨가 ~/고약한 냄새.

고:얀 관 '괴이(怪異)한'의 준말. ¶ ~ 놈/~ 짓.

고얌[1] 명〈방〉개암❶(강원).

고얌[2] 명〈방〉고욤(경기·강원).

고양[1] 명〈방〉〖동〗고양이(함남).

고양[2] 명〈방〉고욤(경북).

고양[3]【苦讓】명 간곡히 사양함. ——-하다 타여불

고양[4]【羔羊】명〖천주교〗①아직 교미하지 않은 한 살짜리 어린 숫양. 구약 시대의 희생(犧牲)의 하나. ②인류의 속죄(贖罪)를 위한 희생의 상징으로서의 그리스도. 어린양. ¶ 천주(天主)의 ~.

고양[5]【高揚】명 ①높이 게양(揭揚)함. ②높이 선양(宣揚)함. ——-하다 타여불

고양[6]【高陽】명〖지〗경기도의 한 시(市). 1992년 2월 1일에 고양군에서 시로 승격함. 북은 파주군(坡州郡)과 양주군(楊州郡), 동은 양주군, 남은 서울 특별시, 서는 김포시(金浦市)에 닿음. 대규모의 일산 아파트 단지가 조성되었고, 통일 전망대·자유로가 있음. 명승 고적으로는 벽제관(碧蹄館)·행주 산성(幸州山城)·서오릉(西五陵)·서삼릉(西三陵)·고봉산성(高峰山城) 등이 있음. [266.47 km²: 562,894명(1996)]

【고양 밥 먹고 양주 구실】자기에게 당한 일은 못 하고 남의 일을 하는 것을 이르는 말. *경기 밥 먹고 청홍도 구실한다.

고양[7]【膏壤】명 기름진 땅.

고양-나무 명〈방〉〖식〗회양목.

고양력 장치【高揚力裝置】[—녁—] 명〖물〗일시적으로 양력(揚力)을 높여 주는 장치. 최근의 고속 비행기의 날개는 최대 양력 계수(揚力係數)가 작고, 날개의 하중(荷重)은 점점 증가하는 경향에 있기 때문에 이착륙(離着陸)을 용이하게 하기 위하여 필요함.

고양-미【—養米】명〖불교〗←공양미(供養米).

고양-산【高陽山】명〖지〗①강원도 정선군(旌善郡) 임계면(臨溪面)에 있는 산. [1,161 m] ②강원도 회양군(淮陽郡)에 있는 산. [782 m]

고양-싸리【高陽—】명〖식〗[*Lespedeza robusta*] 콩과에 속하는 낙엽 활엽 관목. 잎은 거의 원형 또는 넓은 타원형이고, 톱니가 없음. 7-8월에 홍자색 꽃이 총상(總狀) 화서로 액생(腋生)하며, 과실은 협과(莢果)이고 10월에 익음. 산기슭에 나며 전남의 무등산(無等山) 등지에 야생함. 전에는 서울 청량리(淸凉里)에도 많이 야생했음. 신탄재(薪炭材)와 비 및 세공용(細工用)으로 쓰이고, 수피(樹皮)는 섬유용(纖維用)임.

고양이 명〖동〗[*Felis catus domestica*] 고양잇과에 속하는 짐승. 원래 살쾡이를 길들인 것으로, 교근(咬筋)과 송곳니가 특히 발달하여 육식성(肉食性)이며, 발톱은 은현(隱顯)이 자유롭고, 발바닥에 살이 많아서 다닐 때 소리가 안 나므로 다른 동물에게 가까이 가기에 좋음. 눈동자는 낮에는 좁게, 밤에는 둥글고 크게 되어서 어두운 데서도 잘 보여 쥐 같은 동물을 잡아먹기에 편리함. 전세계에 품종이 많은데, 몸빛이 백색·흑색 또는 황색·흑색·백색의 3색의 얼룩도 있음. 가정에서 애완용 또는 쥐잡이로 많이 기름. 준괭이.

【고양이가 닭의 알 어르듯】일을 교묘하고 재치 있게 해 나가는 모양. ¶ 고양이가 닭의 알 어르듯, 이무기가 여의주 어르듯《李海朝:牡丹屛》. 【고양이가 알 낳을 노릇이다】도무지 이해할 수 없는 이상한 일이라는 말. 【고양이가 쥐를 마다 한다】으레 좋아 해야 할 것을 싫다고 할 때 이르는 말. 【고양이 개 보듯】사이가 매우 나빠서 서로 으르렁거리며 해칠 기회만 찾는 모양. 【고양이 기름 종지 노리듯】눈독을 들여 탐내는 모양. 【고양이 낙태한 상】잔뜩 찌푸린 추하게 생긴 얼굴. 【고양이는 발톱을 감춘다】재주 있는 자는 깊이 감추고 드러내지 않는다는 말. 【고양이 달걀 굴리듯】재주가 있어 보이게 굴림을 이르는 말. 【고양이 덕(德)과 며느리 덕은 알지 못한다】비록 현저한 공은 없을지라도 알지 못하는 가운데 자연히 그의 힘을 입게 됨을 이르는 말. 【고양이 덕은 알고 며느리 덕은 모른다】고양이가 쥐를 잡아서 이익을 끼쳐 주는 것은 알면서도, 며느리가 자식을 낳고 집안 일을 하는 것은 조금도 고맙

게 여기지 아니한다는 말. [고양이 도장에 든 것 같다] 덜거덕덜거덕하며 부스럭거리는 모양을 이르는 말. [고양이 만난 쥐] 기겁을 하여 꼼짝을 못 한다는 말. [고양이 목에 방울 단다] 실행하기 어려운 공론(空論)을 이름. [고양이 버릇이 괘씸하다] 평소에 하는 짓이 못마땅하다는 말. ¶ 찬밥 한술이 아까운 것이 아니라 고양이 버릇이 괘씸하다는 말과 같이《李人稙:銀世界》. [고양이 보고 반찬 가게 지키라는 격이다] 수직(守直)을 청했다가 도리어 도둑맞을 때에 이르는 말. [고양이 세수하듯] ㉠흉내만 내고 그침을 이르는 말. ㉡세수를 하되 콧등에 물만 묻히는 정도밖에는 아니 한다는 말. [고양이 앞에 고기 반찬] 제가 좋아하는 것이라 남이 손댈 겨를도 없이 처치해 버린다는 말. [고양이 앞에 쥐] 꼼짝을 못 한다는 말. [고양이 앞에 쥐 걸음] 무서운 사람 앞에서 설설 김을 이르는 말. [고양이 죽는 데 쥐 눈물만큼] 고양이가 죽었다고 쥐가 눈물을 흘릴 리 없으니, 아주 없거나 있어도 매우 적을 때 이르는 말. [고양이 쥐 노리듯] 무섭게 노리며 덮치려는 모양. ¶ 한씨 부인은 자기 며누리 건너옴을 보고 고양이 쥐 노리듯이 눈을 노리면서 야단을 한바탕 친다《金宇鎭:榴花雨》. [고양이 쥐 사정 보듯] 속으로는 해칠 마음을 품고 있으면서, 겉으로는 친한 체하는 모양. [고양이 쥐 어르듯] ㉠상대방을 가지고 노는 모양. ㉡당장에라도 잡아먹을 듯이 덤비는 모양. ¶ 고양이 쥐 어르듯 죽을 둥 살 둥 모르고 날뛰며 그 자리에서 죽이려 하는지라……《金敎濟:牡丹花》. [고양이 쫓던 개] 애쓰던 일이 실패로 돌아가거나, 같이 애쓰다가 남에게 뒤져, 어쩔 도리 없이 민망하게 됨을 이르는 말. [고양이 털 낸다] 아무리 모양을 내더라도 제 본색이야 감추지 못한다는 말.

고양이 낯짝만 하다 [구] 매우 좁음의 비유.

고양이 소리 [구] 살살 발라 맞추는 말의 비유.

고양이와 개 [구] 서로 앙숙인 관계를 이르는 말.

고양이 이마빼기만 하다 [구] 매우 좁음의 비유.

고양이-고기 [명]『어』[*Agonomalus jordani*] 날개줄고깃과에 속하는 바닷물고기. 몸길이는 약 15cm 가량인데, 몸은 측편(側扁)하며 아래위의 길이가 같고 주둥이 끝에 긴 촉수(觸鬚)가 하나 있음. 몸빛은 암갈색, 옆줄은 흑색이며, 체측(體側)에 불분명한 너댓 줄의 흑갈색 가로띠가 있음. 한대성(寒帶性) 어종으로 한국 동해안 및 일본 동북 이북 오호츠크 해(Okhotsk 海)에 분포함. 식용 가치는 없고, 말려서 장식용에 쓰임.

고양이-소【一素】[명] 욕심 많은 사람이 짐짓 청백한 체하는 것이나, 마음이 흉악한 사람이 짐짓 착한 체하는 것을 비유하는 말.

고양잇-과【一科】[명]『동』[Felidae] 식육목(食肉目)에 속하는 한 과. 몸은 대체로 길고도 크며, 이는 28-30 개이고 앞다리에는 다섯 개, 뒷다리에는 네 개의 발톱이 있으며 포식(捕食)·공격시에는 자유로이 신축함. 고양이·사자·살쾡이·표범·호랑이 등이 이에 속하는데, 전 세계에 50여 종이 분포함.

고양-주【一養主】[명]『불교』←공양주(供養主).

고얘 [명]〈방〉『동』고양이(함경).

고얭이 [명]〈방〉『동』고양이(경기·강원·충청·경북).

고:어¹【古語】[명] ①고대(古代)의 언어. ②고대에 사용했으나 현재는 쓰이지 않는 말. ③옛 사람들이 한 말. 옛말. 고언(古言).

고어²【姑魚】[명] 건어(乾魚).

고어³【苦語】[명] 듣기는 싫으나 자기에게는 유익한 말. 고언(苦言).

고어⁴〔Gore, Charles〕[명]『사람』영국 국교회(國敎會)의 신학자. 옥스퍼드 교구(敎區)의 주교(主敎). 고교회주의(高敎會主義)에 입각, 1889년 인카네이션(Incarnation)에 관한 일련(一連)의 연구서《룩스 문디(Lux Mundi)》를 편집·간행함. 전통적 신학(神學)을 새로운 시대의 학문과 융화(融和)시키려고 하여, 영국 국교회의 신학에 신시대(新時代)를 열었음. [1853-1932]

고:어 사전【古語辭典】[명] 옛말을 모아 어의(語義)·용법·어형(語形)의 변화 등을 설명한 전문 사전의 하나. 옛말 사전.

고:언¹【古言】[명] 고어(古語). 옛말.

고:언²【古諺】[명] 예로부터 전하여 내려오는 속담. '오는 말이 고와야 가는 말이 곱다'·'시장이 반찬이라' 따위.

고언³【苦言】[명] 듣기는 싫으나 유익한 말. 충고(忠告)하는 말. 고어(苦語).

고언⁴【高言】[명] 큰소리 ❸.

고얼【孤孽】[명] ↗고신 얼자(孤臣孽子).

고업【苦業】[명]『불교』번거롭고 귀찮은 인연(因緣).

고에너지 결합【高一結合】[명]〔high-energy bond〕『화』적어도 1 몰(mol)당 5 킬로칼로리의 자유 에너지 감소를 나타내는 화학 결합.

고에너지 물리학【高一物理學】[명]〔high energy physics〕10^{10} eV-10^{16} eV의 극히 높은 에너지의 대가속기(大加速器)를 사용하여 연구하는 소립자 물리학(素粒子物理學)의 딴이름.

고에너지 산:란【高一散亂】[一살一] [명]〔high-energy scattering〕『화』수백 메가 전자 볼트(MeV) 이상의 에너지를 가진 입자끼리의 충돌. 이 산란은 새로운 입자를 생성하는 데 충분함.

고에너지 인산 결합【高一燐酸結合】[명]〔high-energy phosphate bond〕『화』가수 분해(加水分解)에 의하여 대량의 자유 에너지(1몰(mol)당 6킬로칼로리 이상)를 유리(遊離)하는 인산 결합. 생체내(生體內)의 에너지 대사(代謝)·저장에 중요한 역할을 함.

고에너지 입자【高一粒子】[명]〔high-energy particle〕『물』수백 메가 전자 볼트(MeV) 이상의 에너지를 가진 소립자(素粒子).

고에너지 천체 물리학【高一天體物理學】[명]〔high-energy astrophysics〕우주 공간에서의 하전 입자(荷電粒子)의 가속(加速)·우주선(宇宙線)·전파 은하(電波銀河)·준성 전파원(準星電波源)·전파 천체 등을 연구하는 학문.

고:-여금【古如今】[명] 예나 지금이나 같다는 뜻으로, 사물이 조금도 변하지 아니함을 이르는 말. 고여시 금여시(古如是今如是).

고:여시 금여시【古如是今如是】[명] 고여금(古如今).

고여이 [부]〈방〉공연히(함경).

고역¹【苦役】[명] 몹시 힘들고 괴로운 일. 가역(苛役). ¶ ～을 치르다.

고역²【雇役】[명] ①고용하여 사역(使役)함. ②부역을 가지 아니하는 자에게 금전을 상납시키고 다른 사람을 대신 보내는 일.

고-역전【尻驛典】[명]『역』신라 때, 우역(郵驛)에 관한 일을 맡아 보던 관아.

고연¹【固然】[명] 본디부터 그러함. 원래 그러함. ¶ 효도라 하는 것은 자식된 자가 ～한 직분으로 당연히 행할 일이 올시다《安國善:禽獸會議錄》. ——하다 [형][여불]

고:연²【故緣】[명] 옛 인연. 구연(舊緣).

고연³【高煙】[명] 높이 떠오르는 연기.

고-연무【高延武】[명]『사람』고구려 말기의 장군. 태대형(太大兄)으로 있다가 나라가 망하자 부흥 운동에 투신, 압록강(鴨綠江) 건너 말갈족(靺鞨族)을 격파하고 계속 당나라에 항쟁(抗爭)하였음. 생몰년 미상.

고-연수【高延壽】[명]『사람』고구려의 장수. 보장왕(寶藏王) 4년(645)에 당태종(唐太宗) 이세민(李世民)이 안시성(安市城)을 칠 때, 고혜진(高惠眞)과 더불어 말갈(靺鞨)의 무리를 합하여 안시성을 구원하다가 패하여 적에게 항복함. 생몰년 미상.

고연-히 [부] ←공연히.

고열¹【考閱】[명] 상고(詳考)하여 열람함. ——하다 [타][여불]

고열²【苦熱】[명] 견디기 어렵도록 심한 더위. 고염(苦炎).

고열³【高熱】[명] ①높은 열도(熱度). ↔저열(低熱). ②『의』높은 신열(身熱). 39.6-40.5°C 사이의 열. 대열(大熱). ¶ ～로 신음하다.

고열 반:응【高熱反應】[명]〔pyrogenetic reaction〕『화』어떤 물질을 높은 온도로 가열(加熱)만 하여서 다른 물질로 변화시키는 반응. 예를 들면 탄소(炭素)와 수소(水素)를 1,200°C로 가열하여 메탄(methan)을 만드는 반응 따위.

고열 시멘트【高熱一】[명]〔high-heat cement〕굳을 때 다량의 열을 내는 시멘트의 총칭.

고염¹ [명]〈방〉고욤(충남·전북).

고염²【固塩】[명] 굳어 덩어리진 소금. 견염(堅塩).

고염³【苦炎】[명] 고열(苦熱).

고-염무【顧炎武】[명]『사람』중국 청초(淸初)의 고증학자. 처음 이름은 강(絳), 자는 영인(寧人). 장쑤(江蘇) 쿤산(崑山) 사람. 음운(音韻)·금석(金石)·사학(史學)·지지(地誌) 등의 새로운 학술을 개척하였음. 저서는 《음학 오서(音學五書)》·《운보정(韻補正)》·《천하 군국 이병서(天下郡國利病書)》·《일지록(日知錄)》·《산동 고고록(山東考古錄)》·《금석 문자기(金石文字記)》 등임. [1613-82]

고엽【枯葉】[명] 마른 잎.

고엽고-병【枯葉枯病】[명] 풀이나 나뭇잎이 말라 죽는 병.

고엽-제【枯葉劑】[명] ①식물의 잎을 인위적으로 말려 떨어뜨리는 약제의 총칭. ②월남전(越南戰)에서 나뭇잎을 제거하기 위하여 사용한 다이옥신이 함유된 제초제(除草劑)의 통칭.

고영¹【孤詠】[명] 고음(孤吟). ——하다 [타][여불]

고영²【孤影】[명] ①홀로 외로이 있는 것의 그림자. 혼자 쓸쓸하게 보이는 그림자. ②고독한 모습.

고영³【庫英】[명] 중국에서 나는 비단의 한 가지. 영초(英綃)의 상등품. 고영초(庫英綃).

고영⁴【高詠】[명] ①높은 소리로 읊음. ②매우 뛰어난 시가(詩歌). ③남의 시가를 높이어 일컫는 말. ——하다 [타][여불]

고:-영어【古英語】[명]『언』앵글로색슨어(語).

고영-초【庫英綃】[명] 고영(庫英).

고-영희【高永喜】[一히] [명]『사람』조선 말기, 국권 피탈에 찬동한 친일파. 제주 사람. 신사 유람단(紳士遊覽團)의 일원으로 일본에 다녀왔으며, 주일(駐日) 특명 전권 공사를 거쳐 탁지 대신(度支大臣) 등을 역임하고, 국권 피탈 후 일본의 자작(子爵)이 되었음. [1849- ?]

고오【高傲】[명] 교만함. 세속을 떠나 초연함. ——하다 [형][여불]

고:옥¹【古屋】[명] 지은 지 퍽 오래된 집. 낡은 집. 구옥(舊屋). 옛집.

고옥²【孤屋】[명] 인가(人家)에서 멀리 떨어져 있는 외딴 집.

고옥³【高屋】[명] ①높고 훌륭한 집. ②남의 집의 높임말.

고옥⁴【膏沃】[명] 고유(膏腴).

고:-옥경【古玉磬】[명] 옥으로 만든 오래된 경쇠.

고온¹【高溫】[명] 고온도(高溫度). ¶ ～ 다습(多濕). ↔저온(低溫).

고온² [형]〈옛〉고운. '곱다⁶'의 활용형. =고ᄋᆞᆫ. ¶ 고온 곳부리ᄂᆞᆫ 붉도다(娟娟花蕊紅)《杜諺 XXI:15》.

고온 건류【高溫乾溜】[一걸一] [명] 1,000°C 내외에서 행하여지는 석탄 건류. 제철용 코크스나 도시 가스용 석탄 가스를 얻고자 하는 데서 행하여지는 것으로, 단지 석탄 건류라고 하면 이를 가리킴. ↔저온 건류.

고온 건조법【高溫乾燥法】[一뻡] [명] 식품(食品) 저장법의 하나. 식품을 90°C 이상의 고온에서 건조시키는 방법.

고온-계【高溫計】[명]『물』고온도계(高溫度計).

고온 교대 광:상【高溫交代鑛床】[명]『광』마그마의 잔액(殘液)에서 분리된 가스체가 주위의 암석, 특히 석회암질 암석에 작용하여 이와 교대해서 된 광상. 철·구리·납·아연의 광상이 많음. 접촉(接觸) 교대 광상.

고온-균【高溫菌】[명] 높은 온도 속에서 살고 있는 세균. 호열성 세균(好熱性細菌). ↔저온균. *사멸 온도(死滅溫度).

고-온도【高溫度】[명] 높은 온도. 고온(高溫). ↔저온도(低溫度).

고온도-계【高溫度計】[명]〔pyrometer〕『물』보통의 수은 온도계의 측정 한도인 약 500°C 이상의 고온(高溫)을 측정하는 기구. 약 1,000°C까지의 온도를 측정할 수 있음. 저항(抵抗) 온도계·열전쌍(熱電雙) 온

광(光)고온계·색(色)고온계 등이 있음. 고온

고온 살균 …균 방법의 하나. 고온(高溫)으로써 가열 살균하는 일. …살균 처리에 쓰임.

고온성 생물 …[—썽—] 명 고온에서 증식(增殖)을 잘하는 생물.

고온 압축 …〖공〗동시에 고압·고온 상태를 만들어 금속 분말을 … 세라믹의 성형물(成形物)을 만드는 일.

고온 연료 전지 [高溫燃料電池] [—널—] 명 〔high-temperature fuel cell〕 … 수소 연료를 사용하며 전해질(電解質)로 용해 … 650°C 이상에서 작동하는 연료 전지.

… [—념—] 명 〖화〗염색법의 하나. 염료의 염색 …하여 120-130°C의 가열된 가압 용기 속에서 …

… 명 고온에 견딜 수 있는 재료. 초합금(超合金)·내… ics) 등을 말하며 우주선과 같은 극단적인 온도 …체의 구조재(構造材)로 쓰임.

…【高溫電氣化學工業】명 〖공〗전기로(電氣爐)에 …이용하여 화학 반응을 일으켜, 목적하는 화학 제… 공업. 전기 제철·전기 제강·합금철의 제조·탄화 …업. *전해(電解) 공업.

… 명 〖공〗고온에서 사용할 수 있는 합금.

…微鏡】명 가열 상태에 있는 금속·합금·광물 등의 …사하는 현미경. 고온에서의 상(相)의 변화나 표면 …

…】명 〔high-temperature chemistry〕 고온에서 일… 연구하는 화학의 한 분야.

…ㅁ을. ¶ 두어 고올히 다 니르니(數郡畢至)《小諺 …을회 웃듬이니(令是邑之長)《小諺 Ⅴ:58》.

…곱다⁶'의 활용형. ¶ 艶은 고올씨라《楞嚴 Ⅴ:57》.

…기와. 와당(瓦當)에 당초문(唐草紋)·연화(蓮花)·비… 귀면(鬼面)·문자(文字) 등의 여러 가지 무늬가 있…한 곳과 그 무늬의 모양을 보아서, 시대(時代) 구분을

… 명 베개를 높이하고 누워서 편안하게 지낸다는 뜻으로, 속… 은거(隱居)하여 마음 편히 삶을 이름. ——하다 자여불

…【古往今來】[—내] 명 예로부터 이제까지의 동안. 고금(古今).

…【孤往獨驀】명 외로이 가고 홀로 달림. ——하다 자여불

… 명 〈옛〉 아랫도리 옷. 고의. ¶ 내 眞實로 옷고외 ㅎ오치로다(我實衣…)《杜諺 Ⅰ:19》.

고:요¹ 명 ①〈시〉 고요함. 정적(靜寂). *고요하다. ②〖기상〗 풍력 계급의 하나. 초속 0.0-0.2 m로 부는 바람. *풍력 계급.

고:요²【古謠】명 고대의 가요.

-고요 어미 〈옛〉 -나요. -가요. ¶ 져재 녀러신고요《樂範 井邑詞》.

고요의 바다 [—/—에—] 명 〔Mare Tranquillitatis〕〖천〗달 표면상의 명칭의 하나. 지구에서 보면 달 표면의 중앙 동쪽에 치우친 평탄한 부분. 1969년 미국의 아폴로 11호가 착륙하여, 인류 최초로 달의 표면을 보행한 곳임.

고요-하다 형여불 ①조용하다. 시끄럽지 않다. ②적막(寂寞)하다. 한적(閑寂)하다. 고요-히 부

고욕【苦辱】명 견디기 어려운 불명예스러운 일. ¶ ~을 치르다.

고욤 명 고욤나무의 열매. 달면서도 떫음. 군천자(桾櫏子). 소시(小柿). 우내시(牛嬭柿). 홍영조(紅梬棗).

[고욤 일흔이 감 하나만 못하다] 자질구레한 것이 많아도 큰 것 하나를 못 당한다는 말. '천 마리 참새가 한 마리 봉(鳳)만 못하다'와 같음.

고욤-나무 명 〖식〗[*Diospyros lotus* var. *typica*] 감나뭇과에 속하는 낙엽 활엽 교목. 감나무와 비슷한데 작고 잎은 호생하며 긴 타원형임. 자웅 일가(雌雄一家)로 5월에 꽃이 취산 화서로 피고, 장과(漿果)는 '고욤'이라고 하며 작은 타원형인데, 10월에 암자색으로 익음. 촌락 부근에 심는데, 중국 원산(原産)으로 한국 중부 이남·일본·중국 등지에 분포함. 기구재(器具材)로 쓰고, 과실은 식용 및 약용함. 군천(桾櫏).

〈고욤나무〉

고용¹【高聳】명 높이 솟음. ——하다 자여불

고용²【雇用】명 삯을 주고 사람을 부림. ——하다 타여불

고용³【雇傭】명 삯을 받고 남의 일을 하여 줌. ¶ ~인. ——하다 자여불

고용 계:약【雇傭契約】명 〖법〗노무자(勞務者)가 사용자(使用者)에 대하여 노무를 제공하고 사용자가 그에 대하여 보수(報酬)를 주기를 약정(約定)하는 계약.

고용 노동【雇傭勞動】명 고용 계약에 의한 임금(賃金) 노동. 자본주의 사회의 일반적인 형태의 노동임.

고용 보:험【雇傭保險】〔employment insurance〕명 근로자가 실업하였을 때 일정 기간 실업 급여(給與)를 함으로써 생활 안정과 재취업을 촉진하는 외에, 직업 안정으로 인한 실업의 회피, 고용 기회의 증대, 고용 구조의 개선, 노동자의 능력 개발·향상 및 복지 증진 등을 꾀하는 종합적인 보험 제도.

고용-살이【雇傭—】명 고용(雇傭)하는 생활. ——하다 자여불

고용살이-꾼【雇傭—】명 고용살이하는 사람.

고용-세【雇傭稅】명 〔employment tax〕〖경〗고용 안정을 위한 목적세. 실업(失業) 보험 제도의 일환(一環)으로서, 각 기업으로부터 징수하여, 특정 산업에 대한 조성(助成)이나 고용 안정을 위한 환경 정비 등에 사용함. 우리 나라에서는 아직 실시되고 있지 않음.

고용 승계【雇傭承繼】명 〖경〗기업의 인수·합병 등에서 근로자들의 고용 상태가 한 회사에서 다른 회사로 그대로 옮겨지는 일. 기업 합병이나 기업 분할의 경우는 고용이 자동으로 보장됨.

고용 승수【雇傭乘數】[—쑤] 명 〖경〗정부의 공공 사업 투자에 의하여 흡수되는 고용과, 다시 이것에 관련하여 나타나는 총고용량과의 사이에 존재하는 비율의 배수 관계(倍數關係).

고용-원【雇傭員】명 〖법〗①민법상, 노무 공급 계약에 의하여 상대편에게 노무를 제공하는 사람. ②국가 공무원법상, 단순한 노무에 종사하는 공무원. 또, 공무원을 보조하는 단순 노무자. 고원(雇員).

고용 이:자 및 화:폐의 일반 이:론【雇用利子—貨幣——般理論】[—/—에—] 명 〔The General Theory of Employment, Interest and Money〕〖책〗영국의 경제학자 케인스(Keynes J.M.)의 주저(主著). 불완전 고용하에서도 균형이 성립하는 것을 논증하여 불황(不況)에 허덕이는 자본주의 사회에서 완전 고용을 이룩하는 이론을 전개하여, 근대 경제학에 새로운 면을 개척함. 고전학파 이래의 세이(Say)의 판로(販路) 법칙을 부정하고, 저축·투자의 소득 결정 이론과 이자에 대한 유동성 선호설(流動性選好說)을 기초로 함. 1936년 간(刊).

고용-인【雇傭人】명 고용(雇傭)하는 사람. 품팔이꾼. 고용자. ㊁용인(傭人).

고용-자【雇傭者】명 고용인(雇傭人).

고용 조건【雇傭條件】[—껀] 명 고용 계약에 규정된 노무(勞務)의 종류, 취업 방법·보수 기타 당사자들의 권리 의무의 구체적 표시.

고용 조정【雇傭調整】명 〖경〗기업이 노동 수요의 변화에 따라 고용 인원의 수를 삭감하거나 조정하는 일. 퇴직 권고, 신규 채용 억제, 배치 이동 등의 방법을 씀.

고용-주【雇用主】명 품삯을 주고 사람을 부리는 주인(主人).

고용 지수【雇傭指數】명 〖경〗넓은 뜻으로는 취업자수(就業者數)를 지수화(化)한 수치. 보통은 남에게 고용되어 있는 노동자의 수를 지수화하여서 고용의 변동을 간결하게 나타낸 수치.

고용직 공무원【雇傭職公務員】명 〖법〗특수 경력직(特殊經歷職) 공무원의 한 분류. 단순한 노무(勞務)에 종사하는 공무원.

고용-체【固溶體】명 〔solid solution〕〖화〗하나의 결정체가 다른 결정체에 녹아 들어가서 완전히 하나로 되어 있는 물체. 혼정(混晶).

고용해성 나프타【高溶解性—】[—썽—] 명 〔high-solvency naphtha〕〖공〗나프타와 같은 끓는점 범위(範圍) 35-343°C를 가진 석유 계통 용제의 총칭. 방향족 화합물을 다량으로 함유하고 있으며, 니트로셀룰로오스·건성 도료(乾性塗料)와 일부 수지에 대해 강한 용해력을 가짐.

고외마른 타 〈옛〉 사랑하오이다마는. ¶ 西京이 셔울히마르는 닷곤더 쇼경셩 고외마른《樂詞 西京別曲》.

고우¹ 명 〈심마니〉 고의(袴衣).

고:우²【故友】명 ①사귄 지 오래된 벗. 구우(舊友). ¶ 죽마 ~. ②작고한 벗.

고우³【苦雨】명 때아닌 궂은비. 수림(愁霖).

고우⁴【高郵】명 〖지〗'가오유'를 우리 음으로 읽은 이름.

고우⁵【膏雨】명 농작물이 살찌게 내리는 비. 경작기(耕作期)에 알맞게 내리는 비.

고우- 간 '곱다⁶'의 불규칙 어간. ¶ ~ㄴ/~면.

고우다 타 〈방〉 괴다³(경상).

고:운¹【古韻】명 ①중국, 주(周)나라 때부터 한(漢)·위(魏)나라 때까지 쓰였던 한자(漢字)의 운. ②예술 등의 예스러운 풍격.

고운²【孤雲】명 ①외따로 떠도는 구름. ②〖사람〗최치원(崔致遠)의 호.

고-운³【高雲】명 〖사람〗조선 중종(中宗) 때의 화가. 자(字)는 언룡(彥龍), 호는 하천(霞川). 중종 14년(1519) 문과(文科)에 급제, 문장과 도의(道義)로써 이름이 높았으며, 필치가 건삽(乾澁)하고 숙달한 남화풍(南畫風)이었음. 범을 특히 잘 그렸는데, 작품으로 《맹호도(猛虎圖)》가 전함. [1495-?]

고운⁴【高運】명 썩 좋은 운.

고운⁵【高韻】명 고상한 운치.

고:운-당【古芸堂】명 〖사람〗유득공(柳得恭)의 호(號).

고:운-대 명 토란의 줄거리. 국거리로 씀. 곤대.

고:운댓-국 명 고운대로 끓인 국. 곤댓국.

고:운-때 명 보기에 그리 흉하지 않게 조금 묻은 때. ¶ ~가 묻다.

고:운-명주우렁이【—明紬—】명 〖동〗[*Lymnaea pervia*] 명주우렁잇과에 속하는 연체(軟體) 동물. 명주우렁이와 비슷하나 소형이며, 높이 10 mm, 폭 7 mm 내외임. 패각(貝殼)은 반투명으로 살빛이 비치어서 암색(暗色)을 띰. 늪이나 도랑에 흔한데 보통 군서(群棲)함. 여러 가지 흡충(吸蟲)의 유생(幼生), 특히 간충(肝蟲)의 중간 숙주(宿主)임. *명주우렁이.

〈고운명주우렁이〉

고:운-물결나방【—결라—】명 〖충〗[*Microloba bella*] 자나방과(科)에 속하는 곤충. 편 날개의 길이는 22-33 mm이고, 앞날개의 전연(前緣)에 암회색 또는 갈색 반문이 있고, 기부(基部) 부근의 후연에는 한 개의 갈색 무늬가 있으며, 외횡선(外橫線)은 담황색임. 뒷날개 중앙에 암회색 띠가 한 개 있음. 한국에도 분포함.

고운-사【孤雲寺】명 〖불교〗경상 북도 의성군(義城郡) 단촌면(丹村面) 구계리(龜溪里)의 등운산(騰雲山) 속에 있는 25교구 본사(敎區本寺)의 하나. 신라 신문왕(神文王) 원년(681), 의상 법사(義湘法師)가 지은 절.

고운 야:학【孤雲野鶴】[—냐—] 명 은사(隱士)를 가리켜 일컫는 말.

고:운점박이-푸른부전나비【—點—】명 〖충〗[*Maculinea euphemus*] 부전나빗과에 속하는 곤충. 편 날개의 길이는 36 mm 내외이며, 자웅(雌雄)의 몸빛에 변이(變異)가 많고 또 형태도 여러 가지임. 날개는 청람색인데 전연과 외연(外緣)은 암갈색이며, 중

〈고운점박이푸른부전나비〉

양에는 흑색 점무늬가 나열하고, 날개 뒷면은 청회색에 흑색 점무늬가 있음. 암컷은 담갈색임. 한국·일본·중국에 분포함.
고:운-체 명 올이 가늘고 구멍이 잔 체. ↔굵은체.
고웅【高雄】명〖지〗'가오슝'을 우리 음으로 읽은 이름.
고:-원[1]【古元】명〖사람〗'구 위안(古元)'을 우리 음으로 읽은 이름.
고:원[2]【古園】명 옛 정원. 오랜 정원.
고원[3]【沽源】명〖지〗'구 위안'을 우리 음으로 읽은 이름.
고:원[4]【故園】명 ①옛 뜰. 예전에 살던 곳. ②고향❶.
고원[5]【高原】명〖지〗상당한 높이를 가지면서도 비교적 연속된 평탄한 표면을 이룬 지역. 높고 넓은 벌판. ¶ ～ 지대.
고원[6]【高原】명〖지〗함경 남도 고원군(高原郡)의 군청 소재지. 함경선(咸鏡線)과 평원선(平元線)의 분기점으로 평원선이 개통된 후에 장족(長足)의 발전을 한 교통 도시임. 부근은 농산물의 집산이 성하며, 또 흑연(黑鉛)의 산지임.
고원[7]【高圓】명 높은 하늘. 하늘.
고원[8]【高遠】명 ①높고 원대(遠大)함. ②높은 데 착안하고, 먼 장래를 생각하며, 뜻이 비범(非凡)하고 고상함. ③〖미술〗삼원(三遠)의 하나. 산 줄기에서 산꼭대기를 올려다 보는 방법. ——-하다 형여불
고원[9]【庫員】명〈이두〉전지(田地)의 퇘기 수(數).
고원[10]【雇員】명 관청에서 관리의 사무를 돕게 하기 위하여 특별히 고용하는 직원. 고용원(雇傭員).
고원 경기【高原景氣】명 급격(急激)한 상승(上昇)이나 저하(低下)를 하지 아니하고, 높은 수준(水準)에서 조금씩 천천히 상승(上昇)하거나 현상 유지(現狀維持)를 하는 경기.
고:원-국【古爰國】명〖역〗삼한(三韓) 때, 마한(馬韓)에 속했던 나라. 지금의 충청도 지방에 있었던 것으로 추정됨.
고원-군【高原郡】명〖지〗함경 남도의 한 군. 관내 1읍 5면. 북은 영흥군(永興郡), 동은 동해, 남은 문천군(文川郡), 서는 평안 남도의 양덕군(陽德郡)에 인접함. 주요 산물은 쌀·콩·피·조·삼 등의 농산과 수산·공산·축산·임산물이 있음. 명승 고적으로 양천사(梁泉寺)·부래산(浮來山)이 있음. 군청 소재지는 고원(高原). [661 km²]
고원 난행【高遠難行】명 이상(理想)이나 학문의 이치가 높고도 멀어, 실행하여 그에 미치기가 어려움. ——-하다 형여불
고원-성【高原性】[—썽] 명 ①고원(高原) 특유의 성질. ¶ ～ 기후. ②고원(高原)과 같은 성질.
고원 식물【高原植物】명 고원(高原)이나 고산(高山)의 산록(山麓)을 중심으로 생육하는 식물. 물참나무·참피나무·단풍나무 등의 낙엽수, 진달래 종류, 제꽃 등 종류가 많음.
고원 정밀【高遠精密】명 학문의 이치가 높고 원대(遠大)하고 자세함. ——-하다 형여불
고원 지대【高原地帶】명 고원이 잇따라 있는 지대.
고원 탄:전【高原炭田】명〖지〗함경 남도 고원군(高原郡) 성내면(城內面)에 있는 무연탄 탄전. 추정 매장량 1억 1천만 톤.
고원 현무암【高原玄武岩】명〖지〗광대한 용암 대지(熔岩臺地)를 이루는 현무암. 인도·아메리카 등지에서 볼 수 있는데 화학 성분이 똑같이 분포되어 있음. 대지(臺地) 현무암. 고대 현무암.
고:원 화류가【故園花柳歌】명〖문〗규방 가사(閨房歌辭)의 하나. 조심스러운 시집살이에서 일시 벗어나 오랜만에 친정에 가서 고향의 산천과 친지들을 만나게 되는 기쁨을 노래함. 작자·제작 연대 미상.
고:월[1]【古月】명〖사람〗이장희(李章熙)의 호(號).
고월[2]【孤月】명 쓸쓸하고 외로운 달.
고월[3]【皐月】명 음력 5월의 별칭(別稱).
고:월-헌【古月軒】명〖고월헌은 중국 청(淸)나라 건륭(乾隆) 연간의 명도공(名陶工) 호학주(胡學周)의 호(號)〗중국 청(淸)나라의, 옹정(雍正; 1722-35)·건륭(乾隆; 1736-95)대에 관요(官窯)에서 만들어진 자기(瓷器). 성형(成形)·채화(彩畫)가 정교하며, 소품(小品)만으로 되었음.
고위[1]【考位】명 돌아간 아버지로부터 그 위의 각 대(代)의 할아버지의 위(位). ↔비위(妣位).
고위[2]【孤危】명 외롭고 위태함. ——-하다 형여불
고위[3]【高位】명 ①높고 귀한 지위. 대위(大位). ②높은 위치. 1)·2):↔하위(下位)·저위(低位).
고위-급【高位級】[—끕] 명 높은 지위에 해당하는 급. 또는 그에 해당하는 사람. ¶ ～ 회담.
고위긔몸 명〈옛〉고위까람. =고윗가룜. ¶ 고위긔몸(穀精草)《方藥》.
고위-까람 명〖식〗곡정초(穀精草).
고-위도【高緯度】명 위도의 도수(度數)가 높음. 남극·북극에 각각 가까운 지방의 위도.
고위도 저:압대【高位度低壓帶】명〔subpolar low-pressure belt〕대체로 50-70°의 위도대(緯度帶)에 위치하는 저기압대. 남반구(南半球)에서는 남극 대륙의 주위에 존재하는 것으로 믿어지며, 북반구(北半球)에서는 알류산(Aleutian) 저기압과 아이슬란드 저기압이 발달(發達)하는 대역(帶域). 아한대 저압대.
고위도 지방【高緯度地方】명〖지〗고위도에 있는 지방. 곧, 남·북 양극에 가까운 지방.
고위 박절【孤危迫切】명 고립하여 위태롭고, 심정이 답답하여 고생스러움.
고위 방:매【姑爲放賣】명 법률상 일정한 기한을 정하여 그 기한 안에 도로 사겠다는 약관(約款)을 붙여서 토지나 가옥을 방매하는 일.
고위지-화【孤危之禍】명 의지할 곳이 없는 불행.
고위-직【高位職】명 높은 지위의 직책. ¶ ～ 공무원.
고위-층【高位層】명 고위의 계급(階級). ¶ ～ 인사.
고위 토탄【高位土炭】명〖지〗고층 습원(高層濕原)에서 나는 이탄(泥炭). 구성 원식물(原植物)은 물이끼 따위가 주(主)임.
고:위-하다【故違—】타여불 고의로 어기다. 일부러 반대하다.
고윗가룜 명〈옛〉고위까람. ¶ 고윗가룜(穀精草)《湯液》.

고:유[1]【告由】명 사삿집이나 나라에서 큰일이 ... 에 사당(祠堂)이나 신명(神明)에게 고함. ¶ ～제(祭). ——-하
고:유[2]【告諭】명 일러서 깨우쳐 줌. ¶ ～문(文). ...
고유[3]【固有】명 ①본디부터 있음. 처음부터 있음 ... 유(特有)함. ——-하다 형여불
고유[4]【孤遺】명 ①선부(先夫)가 남기고 죽은 자식. ...
고유[5]【苦窳】명 그릇의 만듦새가 뒤틀리거나 우므 ...
고유[6]【高猷】명 고모(高謨).
고유[7]【膏油】명 등잔에 쓰는 기름.
고유[8]【膏腴】명 ①기름지고 살짐. ②땅이 걺. 고옥(膏 ...
고유 공:명【固有共鳴】명〔natural resonance〕〖물〗외 ... 동적 작용의 주기가 계(系)의 고유 진동 주기와 같을 때 ...
고유-광【固有光】명〔도 Eigenlicht〕〖생〗눈에 빛이 들 ... 항상 그 강도·색·형상이 여러 가지로 변하는 미광(微光 ... 일. 조용한 곳에서 이명(耳鳴)을 감각하는 것과 같은 이치 ... 름에 의하여 망막(網膜)의 시세포(視細胞)가 기계적으로 ... 어남.
고-유균【顧維鈞】명〖사람〗'구 웨이쥔'을 우리 음으로 읽은 ...
고유 명사【固有名詞】명〖언〗어느 한 물건이나 사람에 한하여 ... 有)한 이름을 나타내는 명사. 인명이나 지명(地名) 등. 특별 명 ...
고:유-문【告由文】명 고유(告由)하는 글.
고유 문자설【固有文字說】[—짜—] 명 훈민 정음이 창제되기 ... 자 차용(漢字借用)이 아닌 우리 나라 고유의 문자가 있었다는 설 ...
고유 문화【固有文化】명 어떤 국가나 민족만이 본디부터 지니고 ... 오는 독특한 문화. *민족 문화.
고유 미사【固有彌撒】명〖천주교〗어떤 축일 고유의 정신을 나타내 ... 록 특히 제정된 경문과 차례로써 지내는 미사.
고유 반:도체【固有半導體】명〖물〗진성(眞性) 반도체.
고유 반:사【固有反射】명〖생〗반사를 유발(誘發)하는 자극의 수용기(受容器), 곧 감각기(感覺器)가 반사 운동이 생기게 하는 기관(器官) 속에 있는 경우의 반사. 무릎 반사나 아킬레스(Achilles) 힘줄 반사가 그 대표적인 것인데, 반사 운동 중 가장 간단한 반사궁(反射弓)을 가지며, 따라서 자극을 받을 때로부터 운동에 이르기까지의 반사 기간이 가장 짧음. *자가(自家) 반사.
고-유방【高維訪】명〖사람〗고려 명종(明宗) 때의 화가. 이광필(李光弼)과 함께 명종의 사랑을 받던 명공(名工)이었음. 생몰 연대 미상.
고유-법【固有法】[—뻡] 명〔original law〕〖법〗그 나라나 민족의 오랜 역사적 흐름 속에서 자연히 생긴 풍속·관습 등을 기초로 하여 발달 성립된 법률. ↔계수법(繼受法).
고유 벡터【固有—】〔vector〕명〖수〗고윳값.
고유 사:무【固有事務】명〖법〗도나 시·읍 같은 지방 자치 단체가 그 본래의 존립 목적을 위하여 행하는 공공(公共) 사무. *위임(委任) 사무.
고유 사:무비【固有事務費】명〖법〗고유 사무의 수행에 드는 경비. *위임 사무비.
고유-색【固有色】명〖심〗흔히 경험할 수 있는 대상이 그 고유한 빛깔 그대로 기억에 남아 현실의 지각(知覺)에 영향을 주는 빛깔. 예를 들면 회색 종이를 은행나무 잎 모양으로 벤 것을 보면 다소 초록색을 띤 것같이 보이는 일.
고-유섭【高裕燮】명〖사람〗근대 한국의 미술사학가(美術史學家). 호는 우현(又玄). 경기도 출생. 경성 제국 대학 철학과 졸업. 저서에 《송도 고적(松都古蹟)》·《조선 탑파(塔婆) 연구》·《조선 미술 문화사 논총(論叢)》·《고려 청자(高麗靑瓷)》등이 있음. [1904-44]
고유-성【固有性】[—썽] 명〔essential property〕〖철〗어느 사물이나 종족(種族)이 가진 고유한 성질. ↔우유성(偶有性).
고유 수용기【固有受容器】명〖생〗고유 반사에 있어서, 반사를 유발(誘發)하는 자극의 수용기. 자기 수용기.
고유-시【固有時】명〔proper time〕〖물〗아인슈타인(Einstein)의 상대성(相對性) 이론에 있어서, 어떤 물체에 일어난 사건을, 물체와 함께 움직이고 있는 시계로 잰 시각을 그 물체의 고유시라 함.
고유 식물【固有植物】명〖식〗어느 한 지방에만 나며 다른 곳에서는 볼 수 없는 식물.
고유 신:앙【固有信仰】명 어떤 국가나 민족만이 본디부터 지니고 내려오는 독특한 신앙.
고유-어【固有語】명 본디부터 해당 언어에 있던 말이나 그것에 기초하여 새로 만들어진 말. 우리말에서는 외래어나 한자어에 상대하여 이르는 말. 토박이말. 토착어(土着語).
고유 엑스선【固有 X 線】명〔characteristic X-rays〕〖물〗각 원소(元素)가 내는 그 원소에 고유한 파장(波長)의 선(線)스펙트럼을 내는 엑스선. 특성(特性) 엑스선.
고유 운:동【固有運動】명〔proper motion〕〖천〗지구(地球)의 운동으로 기인(起因)하는 세차(歲差)·장동(章動)·광행차(光行差)·연주 시차(年周視差) 따위를 제외한 항성(恒星) 자신의 시운동(視運動). 보통 1년간의 적경(赤經)·적위(赤緯)의 변화량으로 나타내는데 1초 이상의 고유 운동을 하는 항성은 200개 정도임.
고유-음【固有音】명〔proper tone〕〖물〗각 발음체(發音體)의 각각 고유한 음. 이것은 그 물체가 자유 진동할 때 생기며, 그 물체의 크기·두께·형(形)·밀도·탄성률(彈性率) 등에 의하여 달라지며 진동을 시키는 방법에 의하여서도 달라짐.
고유 음향 저:항【固有音響抵抗】명〖물〗평면 음파(平面音波)가 진행하고 있을 때 그 음압(音壓)과 입자 속도(粒子速度)의 비(比)가 매질(媒質) 고유의 값이 되는 일.
고유 자:극【固有刺戟】명〖생〗기관의 활동(活動)에 의하여 기관 안에

발생하는 자극. 예를 들면 근육이 수축(收縮)함으로써 근육 안에 있는 근방추(筋紡錘)가 자극되는 일. 이것에 의하여 기관의 자가 조절(自家調節)을 할 수 있음.

고유 재산【固有財產】명 상속·양도 등에 의하여 취득한 재산이 어떤 특정한 목적을 위하여 그 사람이 본래부터 소유한 재산과 구별하여 관리될 때의 본래의 재산.

고유 정신【固有精神】명 어떤 한 민족만이 가지고 있는 정신.

고:유-제【告由祭】명 중대한 일을 치르고자 할 때, 고유(告由)하기 위하여 지내는 제사. 준고제(告祭).

고유-종【固有種】명〔endemic species〕〖생〗어느 한 지방에만 나며 타처에서 볼 수 없는 종류의 동식물. 토착종(土着種).

고유 주파수【固有周波數】명〖물〗용량(容量)과 코일을 가진 회로(回路)가 고유 진동(固有振動)할 때의 그 고유 진동의 주파수.

고유지-지【膏腴之地】명 걸고 기름진 땅.

고유 진:동【固有振動】명 외력(外力)의 영향을 받지 않고 행해지는 진동. 자유 진동(自由振動). 규준(規準) 진동.

고육【股肉】명 넓적다리의 살.

고육-조【高肉彫】명〖미술〗고부조(高浮彫).

고육지-계【苦肉之計】명 적을 속이는 수단으로서 제 몸을 괴롭히는 것도 돌보지 않고 쓰는 계책. 고육지책. 고육책(苦肉策).

고육지-책【苦肉之策】명 고육지계(苦肉之計).

고육-책【苦肉策】명 고육지계(苦肉之計).

고:윤【古胤】명 옛 자손.

고윤-산【高尹山】명〖지〗강원도 회양군(淮陽郡)과 통천군(通川郡) 사이에 있는 산. [1,225 m]

고:율[1]【古律】명 옛 규율. 옛 법률.

고율[2]【股慄】명 무서워서 다리가 떨림. 고전(股戰). ——-하다 자여불

고율[3]【高率】명 비율(比率)이 높음. 또, 높은 율(率). ↔저율(低率).

고율-사【考律司】[—싸] 명〖역〗조선 시대 때 율령(律令)과 안핵(按覈)의 일을 맡아 보던 형조(刑曹)의 한 분장(分掌).

고율 적용제【高率適用制】명〖경〗대출(貸出)을 조절하여 인플레이션 경향을 방지하기 위하여, 중앙 은행에서 시중 은행에 대부를 행할 때에 차입(借入) 은행의 예금액의 일정 비율 이상의 대부에 대해서 공정 금리(公定金利)보다 높은 이율(利率)을 적용시키는 제도.

고윳-값【固有—】[—깝] 명〖수〗행렬(行列)에 따르는 값의 일군(一群). A를 정방(正方) 행렬, E를 단위(單位) 행렬. x를 변수(變數)로 할 때, $A-xE$의 행렬식(行列式)을 0으로 하여 얻어지는 x의 방정식의 근(根)을 A에 대하여 말함. 고유 벡터(vector).

고으다 타〈옛〉고다[2]. ¶ 燒酒 고으는 듸(燒鍋)《華類 39》.

고은[1]【孤恩】명 은혜를 저버림. 배은(背恩)함. ——-하다 자여불

고은[2]【庫銀】명 중국 청(清)나라 때 통용된 은화(銀貨). 고평(庫平)이라는 저울로 그 무게를 달았기 때문에 이 이름이 생겼음. 문은(紋銀).

고은[3]【高恩】명 높은 은혜. 큰 은혜. 홍은(鴻恩).

고:은-대 명 ①☞고운대. ②줄기가 마른, 땅 속에 있는 감자.

고을[1] 명 ①군(郡). ②〖역〗주(州)·부(府)·군(郡)·현(縣)의 총칭. 준골. ③군아(郡衙)가 있는 곳. 준골. ④〈옛〉고구려(高句麗).

고을[2]【庫乙】〈이두〉곳을.

고을-고을 ㊀ 명 여러 고을. ㊁ 부 고을마다 두루. ¶ ~ 방랑하는 김 삿갓. 준골골.

고-을나【高乙那】[—라] 명〖역〗탐라국(耽羅國)을 개창(開創)한 세 신인(神人) 중의 하나. *양을나(良乙那).

고을-모둠 명 문자 유희(文字遊戲)의 한 가지. 글자의 범위를 한정하고, 그 글자를 넣어 맞추어 고을의 이름을 아는 대로 만들어서, 많고 적음으로써 승부를 다툼. 준골모둠. ——-하다 자여불

고을-살이 명 옛날에, 고을의 원 노릇을 하는 생활. 준골살이. ——-하다 자여불

고을읍-부【—邑部】명 한자 부수(部首)의 하나. '邕'·'邑'·'邕' 등의 '邑'의 이름. *우부방.

고:음[1]【古音】명 옛날에 쓰이던 한자의 음.

고음[2]【孤吟】명 홀로 읊음. 고가(孤歌). 고영(孤詠). ——-하다 타여불

고음[3]【侤音】명〈이두〉다짐.

고음[4]【苦吟】명 고심(苦心)하여 시가(詩歌)를 읊음. ——-하다 타여불

고음[5]【高吟】명 소리 높이 읊음. ——-하다 타여불

고음[6]【高音】명 ①높은 소리. 진동(振動) 수가 많은 소리. ②〖악〗'소프라노'의 역어(譯語). 1)·2):↔저음(低音).

고음[7]【膏飮】명 '곰[1]'의 취음.

고-음계【高音階】명〖악〗높은 음계.

고음-부【高音部】명〖악〗높은 음에 속하는 부분. 데스캔트(descant).

고음부 기호【高音部記號】명〖악〗'높은음자리표'의 한자 이름. ↔저음부(低音部) 기호.

고음부 보:표【高音部譜表】명〖악〗높은음 보표. 사음 보표.

고음용 확성기【高音用擴聲器】[—뇽—] 명〔tweeter〕통상, 3,000 Hz를 넘는 고역 가청 주파수(高域可聽周波數)만을 작용할 수 있게 만든 확성기. 분할 회로(分割回路)나 저음용(低音用) 확성기와 같이 사용함.

고:읍【古邑】명 옛날에 군아(郡衙)가 있던 곳.

고의[1] 명〈궁중〉여자가 입는 저고리.

고의[2] 명〈옛〉황새. ¶ 鵠浦縣一云古衣浦《三史 地理志 四》.

고:의[3]【古意】[—/—이] 명 ①옛 뜻. ②옛적을 그리는 심정.

고:의[4]【古義】[—/—이] 명 ①옛 의의(意義). ②옛 해석. ③옛날의 올바른 도리. 고의(古誼).

고:의[5]【古儀】[—/—이] 명 옛적의 의식.

고:의[6]【古誼】[—/—이] 명 옛날의 바른 도리(道理).

고의[7]【固意】[—/—이] 명 뜻을 굳게 함. ——-하다 자여불

고:의[8]【故意】[—/—이] 명 ①일부러나 억지로 하려는 뜻. ②〖법〗자기의 행위가 일정한 결과를 발생(發生)하게 할 것을 인식(認識)하고 어떤 행위를 한 경우의 심리 상태(心理狀態). 1)·2):↔과실(過失).

고:의[9]【故誼】[—/—이] 명 대대로 내려오며 오래 두고 사귄 정의(情誼).

고의[10]【苦衣】[—/—이] 명〖천주교〗수도자(修道者)가 고행(苦行)과 금욕(禁慾)의 수단으로 입는 옷. 산양(山羊)이나 낙타 털로 짠 옷으로, 맨 살갗 위에 그대로 입음.

고의[11]【苦薏】[—/—이] 명〖식〗과꽃.

고의[12]【高意】[—/—이] 명 ①높은 뜻. 뛰어난 뜻. ②남의 뜻의 높임말.

고의[13]【高椅】[—/—이] 명 높은 의자.

고의[14]【高義】[—/—이] 명 ①뛰어난 덕의(德義). ②두터운 은의(恩義). 고의(高誼).

고의[15]【高誼】[—/—이] 명 ①두터운 정의(情誼). 고의(高義). ②남의 교의(交誼)의 높임말.

고의[16]【高醫】[—/—이] 명 의술이 뛰어난 의원. 명의(名醫).

고의[17]【高議】[—/—이] 명 탁월한 의론. 전하여, 남의 의론이나 의견의 높임말. 고론(高論).

고의[18]【袴衣】[—/—이] 명 여름에 바지 대신에 입는 홑옷. 단고(單袴). 중의(中衣).

고:의 낙구【故意落球】[—/—이—] 명 야구에서, 페어 지역에 들어온 플라이(fly)를 고의로 떨어뜨리는 행위. 누상(壘上)에 주자(走者)가 있을 때 더블 플레이를 노리고 할 수 있기 때문에 규칙상 금지되어 있음.

고:의-로【故意—】[—/—이—] 부 일부러. 짐짓.

고의믿 명〈옛〉속잠방이. ¶ 고의믿 당(襠)《字會 中 23》.

고:-의방【古醫方】명〖한의〗중국 후한(後漢) 때의 장중경(張仲景)의 상한론(傷寒論)에 의한 한방 의학(漢方醫學).

고:의-범【故意犯】[—/—이—] 명〖법〗죄를 범할 의사를 가지고 한 행위에 의하여 성립되는 범죄. 살인범·절도범 따위. 유의범(有意犯). ↔과실범(過失犯)·무의범(無意犯).

고:의-적【故意的】[—/—이—] 명관 일부러 또는 억지로 그렇게 하는 모양. 의식적(意識的). ¶ ~인 방해.

고의 적삼【袴衣—】[—/—이—] 명 고의(袴衣)와 적삼. 여름에 입는 홑옷.

고:의 주:의【故意注意】[—/—이—이] 명〖심〗유의(有意) 주의. ↔무의(無意) 주의.

고의-춤【袴衣—】[—/—이—] 명 고의의 허리를 배에 접어 여민 사이. 준괴춤.

고:의 충간【古誼忠肝】[—/—이—] 명 고의(古義)에 통하고 충실한 마음을 지님. 중국 송(宋)나라의 왕응린(王應麟)이 문천상(文天祥)의 거시(擧試)의 대책(對策)이 탁월함을 찬양한 말.

고이[1] 명〈방〉고양이(충남·황해).

고이[2] 명〈방〉속곳.

고:이[3]【古爾】명 성(姓)의 하나. 우리 나라에는 현존(現存)하지 아니함.

고:이[4] 부 ①곱게. 곱다랗게. ¶ ~ 자란 처녀/연산께 ~ 보일 양으로 말씀만 내리면 먼저 지당하시옵시오 소리를 내놓는다《朴鍾和: 錦衫의 피》. ②삼가 조심하여. 정성을 다하여. ¶ ~ 간직하다. ③편안히. 고요히. ¶ 영령이여 ~ 잠드소서/~ 잠든 바다. ④본디 그대로 온전히. ¶ ~ 돌려 보내다.

고이-고이 부 '고이[4]'를 강조해서 쓰는 말.

고이기 명〈방〉고기(충남).

고이다 자타 괴다[1.2.3.].

고이-댕기 명 서북(西北) 지방에서, 혼례 때 신부가 드리는 댕기. 길이가 썩 길며, 오른쪽 가닥에는 모란꽃 세 송이를 수놓고, 왼쪽 가닥에는 십장생(十長生)을 수놓음.

고:이-도【古耳島】명〖지〗전라 남도 신안군(新安郡) 압해면(押海面) 고이도리(古耳島里)에 위치한 섬으로, 서해상에 돌출된 무안 반도(務安半島) 서쪽에 있음. [5.54 km²]

고:이-만(:)년【古爾萬年】명〖사람〗고구려의 장수. 본래 백제의 망명인인데 장수왕(長壽王) 63년(475) 백제 정벌시에 선봉으로 한성(漢城)의 북성(北城)을 7일 만에 빼앗고, 남성(南城)을 쳐서 도망하는 개로왕(蓋鹵王)을 잡아 아차성(阿且城)에서 죽임.

고이소 구니아키〔小磯国昭: こいそくにあき〕명〖사람〗일본의 군인·정치가. 육군 대장. 1910년 육군 대학 졸업. 조선군 사령관 등을 거쳐, 1942년 조선 총독이 되어 식민지 정책을 수행하고, 1944년에 수상에 취임하였는데, 제2차 대전이 끝난 뒤 극동 국제 군사 재판에서 전범(戰犯)으로 종신형을 받고 복역중 병사함. [1880-1950]

고이아스 주【—州】〔Goiás〕명〖지〗브라질 중부 내륙에 있는 주. 대부분의 지역이 해발 700-1,100 m의 고원(高原)으로, 북부는 열대 우림(雨林) 지역, 남부는 초원 지대를 이룸. 육도(陸稻)·커피·밀 등을 재배하는데, 특히 목우(牧牛)는 손꼽힘. 주도는 고이아니아(Goiânia). [642.05 km² : 4,659,000 명(1987)]

고이엔〔Goyen, Jan van〕명〖사람〗네덜란드의 화가. 레이덴(Leiden) 태생. 벨데(Velde)에게 사사(師事)하여, 로이스달(Ruysdael, Jacob v.)과 함께 17세기 네덜란드의 대표적 풍경 화가가 됨. 고향의 강(江)이나 사구(砂丘), 해안 따위를 황갈색·회갈색 등의 부드러운 색조로써 시정(詩情)이 풍부하게 그림으로 그렸음. [1596-1656]

고:이-왕【古爾王】명〖사람〗백제 제8대 왕. 국가의 기초를 확립하고 관제를 제정, 관복을 착용하게 하고 영토를 확장시켜 신라 변경을 침범하여 변방을 넓혔음. [?-286 ; 재위 234-286]

고이젠〔도 Geusen〕명〖역〗1563년 스페인 국왕 펠리페(Felipe) 2세의 폭정에 반항하여 봉기한 네덜란드 귀족의 동맹에 붙여진 별명. 칼뱅파(Caivin派) 시민들과 협력하여 심한 탄압에도 굴하지 아니하고 맹렬

히 저항했으며, 해상에서 스페인 함선(艦船)을 습격한 해적 선대(船隊)는 오라녜공(Oranje公)과 호응하면서 네덜란드 독립의 원동력이 됨.

고이ᄒᆞ다 혱〈옛〉괴이(怪異)하다. 이상하다. ¶ 오ᄅᆞ디 못ᄒᆞ거니 ᄂᆞ려가미 고이ᄒᆞᆯ가≪松江 關東別曲≫.

고익 비행기【高翼飛行機】명 동체의 중심축(中心軸)에서부터 위쪽으로 날개가 달린 단엽(單葉) 비행기.

고:인[1]【古人】명 옛 사람. 선민(先民). ↔금인(今人).

고:인[2]【告引】명 죄를 짓고 서로 발뺌하려고 갑(甲)은 을(乙)이, 을은 병(丙)이 죄를 범하였다고 고해 바치는 일.

고:인[3]【故人】명 ①오래된 벗. 고구(故舊). ②죽은 사람. ¶ 이미 ~이 된 여러 벗.

고인[4]【高人】명 고결(高潔)하고 벼슬하지 않은 사람.

고인[5]【雇人】명 고용(雇用)되어 품팔이하는 사람. ↔고주(雇主).

고인[6]【賈人】명 물건을 파는 사람. 상인(商人). 장수.

고인[7]【鼓人】명〖역〗공인(工人)❶.

고인[8]【瞽人】명 소경. 고자(瞽者).

고인-돌 명〖고고학〗선사 시대(先史時代)에 있어서의 거석 기념물(巨石記念物)의 하나. 납작하고 넓적한 돌 서너너덧 개로 석실(石室)을 만들고 평평한 돌 한 장을 얹어 놓은 간단한 거석 분묘(巨石墳墓). 그 속에서 사람의 뼈·석기(石器)·토기(土器) 등의 부장품(副葬品)이 발견됨. 서 유럽을 위시하여 북아프리카·인도·동북아시아·한국·만주 등지에 분포함. 지석묘(支石墓). 돌멘(dolmen). *선돌.

〈고인돌〉

고:인류-학【古人類學】[-일-] 명 [paleoanthropology] 화석 인류(化石人類)를 연구하는 인류학의 한 분야.

고:인지-자【故人之子】명 ①친구의 아들. ②죽은 사람의 아들.

고:일[1]【古逸】명 옛날에 산일(散逸)된 것.

고일[2]【高逸】명 높이 빼어남. 속기(俗氣)를 떠나 고상함. ――하다 혱여불

고일-계【高日季】명〖기상〗적도(赤道) 부근 지대의 해가 높이 있을 때의 계절. 적도 부근의 지방에서는 1년 동안 항상 기온이 높아 기온상(氣溫上)으로는 네 계절을 분간할 수 없고 다만 해의 높이로써 계절을 정함.

고:일-시【古逸詩】[-씨] 명 고시(古詩) 중에서 ≪시경(詩經)≫에 실려 있지 않은 시(詩). ≪좌전(左傳)≫의 모치(茅鴟), ≪논어(論語)≫의 당체지화(唐棣之華) 따위.

고임[1] 명 ①굄[1]. ②굄[2].

고임[2]【苦任】명 ①어렵고 귀찮은 임무(任務). ②〖불교〗보수 없이 사무만 많은 절의 임원.

고임[3]【雇賃】명 품삯.

고임-돌[-똘] 명 굄돌.

고임-목【-木】명 굄목.

고임-새 명 굄새.

고임-질 명 굄질.

고임피:던스 전:압계【高-電壓計】명 [high-impedance voltmeter]〖전〗피(被)측정 장치에 대한 부하 효과(負荷效果)를 감소시키기 위해, 고입력(高入力) 임피던스를 갖게 한 전압 측정기. 진공관(眞空管) 전압계 등이 있음.

고입【高入】명 ↗고등 학교 입학.

고:잉 마이 웨이 [going my way] 명 나의 길을 감의 뜻. 남이 뭐라 하든 상관 아니하고 자기가 옳다고 믿는 바를 밀고 나감을 이르는 말.

고ᄋᆞ며 혱〈옛〉고우며. '곱다'의 활용형. ¶ 거우루는 고ᄋᆞ며 골 업스며 됴ᄒᆞ며 구주믈 어루 ᄀᆞᆯᄒᆡᄂᆞ니(鏡者可辨姸媸好惡)≪圓覺 上一之二 13≫.

고은 혱〈옛〉고운. '곱다'의 활용형. =고온. ¶ 고은 사ᄅᆞᆷ(美人)≪重內訓 Ⅱ:20≫. 「小 Ⅸ:4≫/고올현(縣)≪石千 21≫.

고올 명〈옛〉고을. ¶ 그 고올 知州 ㅣ 事 ㅣ 랏 벼슬ᄒᆞ엿더니(知州事)≪飜

고올히〈옛〉고을에. '고올'의 처격형(處格形). ¶ 그 고올히 귀향간 손님히 이시니≪太平 Ⅰ:6≫

고자[1] 명 ↗활고자.

고자[2] 명 ↗고자잎.

고:자[3] 명〈옛〉아이광대. 광대의 자식. 또, 풍류치는 사람. ¶ 倡人之子曰故作 樂工亦曰故作≪鷄類≫.

고:자[4]【古字】명 옛 체(體)의 글자. 고대의 문자.

고:자[5]【古瓷】명 옛 자기(磁器). 옛 도기(陶器).

고:자[6]【告者】명 남의 잘못이나 비밀을 일러 바치는 사람.

고자[7]【姑姉】명 아버지의 손윗누이.

고자[8]【孤子】명인대 아버지는 돌아가고 어머니만 계신, 상중에 있는 사람이 자칭(自稱)하는 말. *고애자(孤哀子)·애자(哀子).

고자[9]【孤雌】명 수컷을 잃은 암컷의 뜻으로 과부를 이름. 「던 사람.

고자[10]【庫子】명〖역〗각 군아(郡衙)에서 물품을 둔 창고(倉庫)를 맡아 보

고자[11]【鼓子】명 생식기가 불완전한 남자. 화자(火者). 엄인(閹人). 내관(內官).

[고자 처갓집 가듯] 분주하게 왕래하나, 기실 실속은 아무 것도 없다는 말. [고자 힘줄 같은 소리] 빳빳이 힘을 들여 목을 누르며 내는 소리를 형용하는 말.

고자[12]【瞽者】명 소경. 고인(瞽人).

-고자 어미 동사의 어간에 붙어서 의도·욕망(慾望)의 뜻을 나타내는 연결 어미. ¶ 우주 여행을 하~ 한다.

고자 과:곡【孤雌寡鵠】명 고자 과학(孤雌寡鶴).

고자 과:학【孤雌寡鶴】명 짝을 잃은 새의 뜻으로 남편이나 아내를 잃은 사람. 고자 과곡(孤雌寡鵠).

고자-기【鼓字旗】[-짜-] 명〖역〗의장(儀仗)의 하나. 화염(火焰)·기각(旗脚)이 있는 붉은 바탕의 복판에 '鼓'자를 쓴 깃발을 단 기.

〈고자기〉

고자누룩-이 부 고자누룩하게.

고자누룩-하다 혱여불 ①한참 떠들다가 조용하다. ②몹시 괴롭고 답답하던 병세가 좀 가라앉다.

고자-닢 명 ☞고자잎.

고자리[1] 명〖충〗오이돼지벌레의 유충(幼蟲).

[고자리 쑤시듯 하다] 썩은 물건에 구더기가 구멍을 뚫듯이 함부로 쑤시다.

고자리 먹다 구 고자리가 오이나 배추 잎을 쏠아 먹다.

고자리[2] 명 오가리[1]❶.

고자리[3] 명〈방〉구더기(충남·전북).

고-자매【姑姉妹】명 아버지의 자매. 고모(姑母).

고자-빠기 명〈방〉①〖식〗씀바귀. ②뿌리. ③썩은 그루.

고자-빼기 명〈방〉〖식〗고들빼기.

고자-사【鼓子詞】명 '고사(鼓詞)'의 고칭(古稱).

고-자세【高姿勢】명 거만하게 버티는 자세. ¶ ~로 나오다. ↔저자세.

고자-잎 명 활의 도고지로부터 양냥고자까지를 말함. 준고자.

고:자-쟁이【告者-】명 고자질하는 사람.

[고자쟁이가 먼저 죽는다] 남을 음해하려고 고자질하는 사람은 먼저 해를 입어 절대로 잘 되는 법이 없다는 뜻.

고자-좆 명 바둑을 두는데, 찌를 곳이 있어도 찌르면 되잡히게 되므로 찌르지 못하는 말밭.

고:자-질【告者-】명 남의 잘못이나 비밀(秘密)을 몰래 일러 바치는 짓. ――하다 자여불

고자-품 명〖농〗고지[3]. ¶ ~을 팔다.

고자-화【鼓子花】명〖식〗메꽃❶.

고작[1] 명〈속〉상투. ¶ 부득불 실성을 하시든지 ~을 수채에다 박으시든지 무슨 난리가 나야지 그냥 배겨나겠소?≪金周榮:客主≫.

고작[2]【考作】명 생각해서 만듦. ――하다 타여불

고작[3]【高爵】명 높은 작위(爵位). 영작(榮爵).

고작[4] ㊀부 기껏하여야. 아무리 하여도. ¶ 이제 ~ 십 리 걸었다. ㊁명 기껏 한 것의 전부. ¶ 직장이라고 다녀 봤자 입에 풀칠하는 게 ~이다.

고작-해야 부 기껏 한다고 해야. ¶ 재산이라곤 ~ 18 평밖에 안 되는 이 아파트뿐이다.

고장[1] 명 나거나 또는 생기는 곳. ¶ 내~/쌀이 많이 나는 ~.

고장[2] 명〈방〉꽃(제주).

고:장[3]【古狀】명 옛 사람의 서장(書狀). 낡은 서장.

고:장[4]【古牆】명 오래된 담. 옛 담.

고장[5]【股掌】명 다리와 손바닥.

고장[6]【姑藏】명〖지〗중국 한(漢)나라 때의 지명. 지금의 간쑤 성(甘肅省) 우웨이 현(武威縣)에 있음. 양(涼) 및 당초(唐初)의 이궤(李軌) 등이 도읍을 두어 양주(涼州)라고도 하였으나 당대(唐代)에는 토번(吐蕃)의 땅이 되었음.

고장[7]【孤掌】명 한쪽 손바닥.

고장[8]【枯腸】명 ①마른 창자. 빈 속. ②심중(心中)에 시정(詩情)이 부족함.

고장[9]【苦杖】명〖식〗감제풀.

고장[10]【苦障】명〖불교〗지옥. 아귀(餓鬼)·축생(畜生)의 괴로움.

고:장[11]【故障】명 사고(事故)나 장애(障碍)로 생기는 탈. ¶ 버스가 ~이 나서 걸어 왔다.

고장[12]【高張】명〖생〗어떤 용액의 삼투압(滲透壓)이 딴 용액의 삼투압과 비교하여 높은 일. 주로 생물학에서 각종 용액의 농도를 체액(體液)이나 혈액과 비교할 때 쓰는 말. ¶ ~ 용액(溶液). *등장(等張)·저장(低張).

고장[13]【高牆】명 높은 담.

고장[14]【庫藏】명 ①창고에 저장해 놓은 것. ②〖민〗술가(術家)에서 포태법(胞胎法)의 진(辰)·술(戌)·축(丑)·미(未)를 가리키는 말.

고장[15]【鼓匠】명〖역〗북 종류를 만드는 것을 업으로 삼는 장인(匠人).

고장[16]【鼓掌】명 손바닥을 침. ――하다 자여불

고장[17]【藁葬】명 시체를 짚이나 거적에 싸서 지내는 장사. ――하다 타여불

고장구 명〈방〉고쟁이[1](경북).

고장 난명【孤掌難鳴】명 '외손뼉이 울랴'와 같은 뜻으로, 일을 혼자 하여서는 잘 되는 것이 아니라는 말. 또는, 상대자가 서로 같으니까 말다툼이나 싸움이 된다는 말. 독장 난명(獨掌難鳴).

고장력-강【高張力鋼】[-녁-] 명 일반 강재(鋼材)보다 항장력(抗張力)이 높고 용접성(鎔接性)이 우수한 강재. 규소(硅素)·망간 등을 조금 첨가한 강(鋼)에, 담금질 따위의 열처리(熱處理)를 가한 것으로, 항장력 80-100kg/mm²에 달하며, 조선(造船)·교량·구형(球形) 탱크 등에 널리 쓰임.

고장-물 명 ①무엇을 빨거나 씻어 더러워진 물. ②고름이 빠진 뒤, 헌데서 흘러나오는 진물. 1)·2): <구정물.

고장-바지 명〈방〉고쟁이[1].

고:장부 선하 증권【故障附船荷證券】[-꿘] 명 적요란(摘要欄)에 선적 화물에 고장이 있다는 내용의 기재가 있는 선하 증권. ↔무고장(無故障) 선하 증권.

고:-장성【古長城】명〖역〗고려 때 여진(女眞)의 침투를 막기 위하여 쌓은 성. 덕종(德宗) 2년(1033)에 평장사(平章事) 유소(柳韶)가 쌓은 것으로 압록강(鴨綠江) 어귀에서 시작하여 영원(寧遠) 등 열 네 고을을 거쳐 함흥 도련포까지 이름. 북경 관성(北境關城). 유소장성(柳韶長城).

고장애물 경:주【高障碍物競走】명 [high hurdle race] 육상 경기에서, 남자 장애물 경주의 한 종목. 110m의 거리에 높이 1.06m, 폭 1.2m의 장애물을 10개 놓고 하나씩 차례로 뛰어넘음. 하이 허들(high hurdles). ↔저(低)장애물 경주.

고장-액【高張液】명〖생〗혈액이나 원형질보다 고장(高張)인 용액. *등장액(等張液)·저장액(低張液).

고장 용액【高張溶液】[-농-] 명〖생〗고장액.

고장이 명〈방〉고쟁이[1](경상).

고:장점 표정【故障點標定】[-쩜-] 명 전력(電力)의 송전선·배전선

] 접지(接地)되었거나 선 사이의 단락(短絡)
치를 정하는 일. 전력의 경우에는 선로(線路)
衝擊波)를 보내면 고장점에서 이것이 반사되
하며, 통신 선로의 경우에는 선로의 고장점
抗)을 측정해서 거리를 추정(推定)하는 방법
경상·제주). ㄴ을 씀.
고굉지신(股肱之臣).
] 섭사를 다스리는 환약.
. ¶ 고재 미(弭)《字會 中 28》.
주. 또, 재주가 뛰어난 사람. 고재(高材).
才). ②키가 큰 사람.

쪽] 명 고재 질족(高才疾足).
쪽] 명 키가 크고 걸음이 빠르다는 뜻으로, 지
사람을 이름. 고재 일족(高才逸足).
한 가지. 속곳 위 단속곳 밑에 입는 가랑이 통

도 보일 것은 다 보인다】 ㉠아무리 여러 번 감
가렸다는 뜻이니, 요점을 얻지 못했다는 말.
는 것만 못하다는 말.
상).
¶ 고자 엄(閹), 고자 환(宦)《字會 中 2》.
'의 뜻. -고자. ¶ 더리운 흐터내야 人傑을 만
》.
도 통천군(通川郡)에 있는 항구. 영동(嶺東)지
어항이며, 부근에는 경치 좋은 총석정(叢石
되어 있음.
❶. ②〔물〕 발음체(發音體)의 진동수(振動數)
구별되는 음(音)의 높낮이.
저서에 대한 공댓말.
자. ¶ 겨울날 다사한 볏츨 님에게 비최고저 봄 미나
게 드리고저《古時調 類聚》.
] 명 〔site〕 사격(射擊)할 목표와 사격자(射擊者)를 이은
이루는 각.
低音】 명 높고 낮은 음.
高低字】 명 평측자(平仄字).
단【高低長短】 명 고저와 장단.
량【高低測量】 [—냥] 명 〔토〕 어떠한 지점의 높이를 재는 측량
흔히 수준기(水準器)와 함척(函尺)으로써 잴 지점이 이미 알려진
준 거표(水準據標)보다 얼마나 높고 낮은가를 재는 일. ——-하다 자
여불

고저-파【高低波】 명 〔물〕 횡파(橫波).

고저 평행봉【高低平行棒】 명 〔체〕 이단(二段) 평행봉.

고:적[1]【古蹟·古跡·古迹】 명 ①남아 있는 옛적 물건. ②옛 물건이 있던 자리. 역사상(歷史上)의 유적(遺跡). 고적지(古蹟地). 사적(史蹟). ¶ ~ 답사.

고적[2]【考績】 명 관리의 성적을 상고함. ——-하다 타여불

고적[3]【孤寂】 명 외롭고 쓸쓸함. ¶ ~한 나날/동궁은 몹시도 ~하고 우울하였다《朴鍾和 : 錦衫의 피》. ——-하다 형여불

고:적[4]【故敵】 명 옛적의 적.

고적[5]【鼓笛】 명 북과 피리.

고적-대【鼓笛隊】 명 〔악〕 횡적(橫笛)과 큰 북·작은 북으로써 이루어진 행진용(行進用)의 음악대.

고적-운【高積雲】 명 〔altocumulus〕 〔기상〕 중층운(中層雲)에서 가장 높은 곳에 있는 구름으로 고층운(高層雲)의 위. 백색 또는 회색으로 크고 둥글둥글하게 덩어리진 구름. 높이 2-7km. 기호는 Ac. 높쌘구름. 양떼구름. *적권운(積卷雲).

고적 유명【考績幽明】 [—뉴—] 명 관리의 성적을 상고하여 진퇴(進退)를 결정함. ——-하다 자여불

고:적-지【古蹟地】 명 고적[1](古蹟)❷.

고전[1] 명 〔악〕 판소리에서, 소리꾼과 고수(鼓手) 사이에 통하는 암시. 소리 도중 소리꾼이 혼란에 빠지면 고수가 바로잡아 주고, 고수가 착각했을 때는 소리꾼이 부채로 암시를 주는 일 따위.

고:전[2]【古典】 명 ①옛 전례(典禮). 옛날의 의식(儀式)이나 법식(法式). ②옛 전적(典籍). 옛날의 서적으로 후세에 남을 만한, 가치 있는 책. ¶ ~을 읽다. ③〔classics〕 2세기 이래의 그리스 및 로마의 대표적 저술. 넓은 뜻으로는, 널리 학예상의 대가(大家)의 저술이나 거장(巨匠)의 예술 작품 같은 것으로서 후인(後人)의 모방·전형(典型)이 되고 애호(愛好)를 받아 현대까지도 아직 생명을 유지하고 있는 것을 가리킴.

고:전[3]【古傳】 명 예로부터 전해 내려옴.

고:전[4]【古殿】 명 옛날의 궁전(宮殿).

고:전[5]【古篆】 명 옛날의 전자(篆字).

고:전[6]【古甎】 명 옛날의 벽돌과 기와.

고:전[7]【古錢】 명 옛날 돈. ¶ ~ 수집.

고전[8]【股戰】 명 고율(股慄). ——-하다 자여불

고전[9]【苦戰】 명 몹시 힘드는 괴로운 싸움. 난전(難戰). 고투(苦鬪). ¶ ~을 면하지 못하다. ↔낙전(樂戰). ——-하다 자여불

고:전[10]【雇錢】 명 품삯.

고:전 경제학파【古典經濟學派】 명 〔경〕 고전파 경제학의 창시자 스미스(Smith) 및 리카도(Ricardo)의 경제학설을 계승한 경제학자들의 총칭. 대체로 1776년경부터 1847년경까지 나온 영국의 중요한 경제학자들. 정통 경제학파(正統經濟學派). ㊀고전학파(古典學派).

고:전 고:대【古典古代】 명 〔역〕 서양 고전 문화를 개화(開花)시킨 고대 그리스·로마의 총칭. 시대적으로는 미케네(Mycenae) 시대로부터 로마 제국의 쇠퇴(衰退)까지의 거의 2,000년에 걸치며, 지역적으로는 지중해 연안의 그리스·로마계(系) 도시 영역이 주체(主體)이나 헬레니즘(Hellenism) 동방의 세계나 서유럽 등도 포함됨.

고:전-극【古典劇】 명 〔classic drama〕 〔연〕 ①유럽의 문예 부흥기로부터 19세기에 낭만주의가 출현하기까지의 기간에 있어서의 연극의 주류(主流). 영국에선 셰익스피어, 독일에서는 레싱(Lessing)·괴테 등이 작가로서 이 범주(範疇)에 포함되는데, 특히 프랑스에서 행하여진 것으로서 16-18세기 서(西) 유럽에 있어서의 고대 그리스 극시(劇詩)의 문학적 모방(模倣)인 희곡(戲曲)이나 연극을 말함. ↔근대극(近代劇). ②일반적으로, 고전의 내용을 주제로 한 연극.

고:전-기【告傳旗】 명 활터의 과녁 가까이에서 화살이 맞음과 떨어지는 방향을 알리는 기.

고:전 동:화【古典童話】 명 아라비안 나이트처럼 각국의 고전 문학으로서 남아 있는 동화. 예술 동화. *구비(口碑) 동화.

고:전 모음곡【古典一曲】 명 〔악〕 모음곡의 하나. 같은 조(調), 같은 구조(構造)를 가지는 일련의 춤곡으로 이루어진 모음곡. 보통, 적어도 네 곡 이상을 모아 만듦. 고전 조곡(古典組曲). *근대 모음곡.

고:전 무:곡【古典舞曲】 명 사라반드(saraband), 지그(gigue), 쿠랑트(courante), 알망드(allemande) 등 16세기 전후에 발달하여 무곡으로서의 형식을 확립한 악곡. 주로 고전 모음곡에 쓰임.

고:전 문학【古典文學】 명 〔문〕 ①옛날의 문예 작품으로서 지금까지 어떠한 가치를 띠고 전하여 오는 여러 가지의 문학. 서양에서는 그리스·로마의 문학을 말함. ②고전주의의 문학.

고:전 물리학【古典物理學】 명 〔물〕 19세기 말에 일단 완성을 본 뉴턴 역학(Newton 力學)과 맥스웰의 전자기학(電磁氣學)을 기초로 하는 물리학의 이론 체계(理論體系). 20세기에 들어와서 물리학의 기본 개념을 일신(一新)한 상대성 이론(相對性理論)이나 양자 역학(量子力學) 등 현대 물리학에 대한 말. 그러나 광속도(光速度)보다 훨씬 적은 속도나, 작용 양자(作用量子)를 무시할 수 있을 정도의 거시적(巨視的) 현상에 대해서는 현대에도 여전히 적용됨.

고:전-미【古典美】 명 고전적인 아름다움. ↔현대미(現代美).

고:전 발레【古典—】 명 〔classic ballet〕 유럽의 전통적 발레를 이르는 말. 클래식(classic) 발레. ↔모던(modern) 발레.

고:전 소나타【古典—】 〔sonata〕 명 〔악〕 바로크 시대를 거쳐 이탈리아의 코렐리(Corelli)·스카를라티(Scarlatti), 독일의 바흐(Bach, J.S.)·슈타미츠(Stamitz) 등의 고전파 음악가들이 완성한, 기악(器樂)에 독특한 소나타 음악 형식.

고:전 소:설【古典小說】 명 〔문〕 옛날 사람이 쓴 소설. 전래적인 명칭으로서는 소설·언패(諺稗) 또는 이야기책 등이 있음. 개화기 이후의 소설과 구별하기 위하여 쓰이는 용어임. 고대(古代) 소설. 고(古)소설. 구(舊)소설. *고전 문학(文學).

고전 악투【苦戰惡鬪】 명 악전 고투(惡戰苦鬪). ——-하다 자여불

고:전-어【古典語】 명 〔언〕 고전에 쓰인, 후세(後世) 언어의 모범이 된 언어. 유럽에서는 그리스어·라틴어를 가리킴.

고:전 역학【古典力學】 [—녀—] 명 〔물〕 뉴턴(Newton)의 '운동의 법칙'에 입각한 역학. 상대론적(相對論的) 역학 및 양자(量子) 역학과 구별하기 위하여 쓰는 말. 뉴턴 역학(力學).

고:전 예:술【古典藝術】 [—녜—] 명 고전적 예술.

고:전 음악【古典音樂】 명 〔악〕 ①고전적인 가치가 있는 음악. ②고전파 음악. 클래식(classic).

고:-전장【古戰場】 명 옛날의 싸움터.

고:전-적[1]【古典的】 명관 ①고전의 가치가 있음. ②고전을 중히 여기는 경향(傾向)이 있는 모양. ¶ ~인 작품. ③전통적(傳統的)·형식적인 모양. ¶ ~ 양식.

고:-전적[2]【古典籍】 명 조선 시대 또는 그 이전의 한서류(韓書類).

고:전적 예:술【古典的藝術】 [—녜—] 명 예술사적인 면에서 가치가 있는 훌륭한 예술. 고전 예술.

고:전적 조건부【古典的條件付】 [—껀—] 명 〔심〕 개에게 고기를 주면서 종을 울리면, 나중에는 종소리만 들어도 고기를 본 것처럼 침을 흘리게 되는 조건 반사. ↔도구적(道具的) 조건부.

고:전 조곡【古典組曲】 명 〔악〕 고전(古典) 모음곡.

고:전-주의【古典主義】 [—/—이] 명 〔classicism〕 〔예〕 고전 문학·고전 미술에 흐르는 정신과 작풍 등을 계승하여 간소·조화·균정(均整) 등의 형식을 중히 여기는 주의. 특히 그리스·로마 시대의 고전을 모범(模範)으로 한 17-18세기의 유럽 문예(文藝)의 경향(傾向)을 이름. 의고주의(擬古主義). 상고주의(尙古主義). 클래시시즘(classicism). 클래식(classic).

고:전-파【古典派】 명 고전주의를 신봉하고 실천하는 파. ↔낭만파(浪漫派).

고:전파 건:축【古典派建築】 명 〔건〕 고대 그리스·로마의 양식에 따라 균정(均整)·안정(安定)·위엄(威嚴)을 중히 여기는 건축. 특히 1770-1840년에 고전 정신을 부흥하려고 하여 유럽 여러 나라에 유행한 건축.

고:전파 경제학【古典派經濟學】 명 〔classical economics〕 〔경〕 정통 학파(正統學派).

고:전파 음악【古典派音樂】 명 〔악〕 18세기 중엽부터 19세기 초엽에 걸쳐 주로 빈(Wien)을 중심으로 번성하였던 음악. 하이든·모차르트·베토벤의 3인이 대표적 작곡가임. 그 특징은 고전주의적 정신인 간결(簡潔)·균정(均整)·조화(調和) 등의 형식을 중히 여겼으며, 소나타 형식이 확립되어 있고, 음악 전체는 절대 음악의 경향을 취하고 있음. 고전 음악. 클래식(classic).

고:전-학[1]【古典學】[명] 고전을 연구하는 학문. *문헌학(文獻學)·국학(國學).
고:전-학[2]【古錢學】[명] [numismatics] 고대로부터 근대에 이르기까지의 화폐(貨幣) 및 사건·인물 등을 기념하여 만든 메달(medal)에 관하여 연구하는 학문. 역사학·신화학(神話學)·지리학·미술사학(美術史學) 등의 보조적 역할을 하는데, 모양·크기·명문(銘文)이나 의장(意匠)·성분(成分)의 금속·기능(機能)·예술적 가치 등이 연구의 대상이 됨. *전화학(錢貨學).
고:전학-자【古典學者】[명] 고전(古典)을 연구하는 학자.
고:전학-적【古典學的】[명][관] 고전학의 성격을 띤, 또, 고전학에 있어서와 같은 모양.
고:전학-파【古典學派】[명] [classical school]〔경〕↗고전 경제학파(古典經濟學派).
고절[1]【孤節】[명] 고고(孤高)한 절개. ¶오상(傲霜) ~.
고절[2]【枯節】[명] 말라 꺾임. ──하다 [자][여불]
고절[3]【苦節】[명] 곤란과 고통을 겪으면서도 마음을 변하지 않고 굳굳하게 지켜 나가는 절개.
고절[4]【高絶】[명] 더할 수 없이 높고 뛰어남. ──하다 [형][여불]
고절[5]【高節】[명] 고상한 지조(志操)를 지켜 변하지 않는 절개(節槪). 고개(高槪).
고점【高點】[—쩜] [명] 높은 점수. ¶~자(者).
고접【孤蝶】[명] 짝이 없는, 외로운 한 마리의 나비.
고젓긔 [명] 〈옛〉 그때. 접때. ¶내 고젓긔 묻조오이다 浩의 ㅎ욘 이리라 ㅎ여 니르더이다(臣嚮問皆云浩所爲)《飜小 Ⅸ:46》.
고정[1] [명] 〈방〉 고쟁이[2](경북).
고정[2]【考正】[명] 생각하여 바르게 고침. ──하다 [타][여불]
고정[3]【考定】[명] 생각하여 정함. ──하다 [타][여불]
고정[4]【考訂】[명] 생각하여 정정함. 특히, 세월이 흘러 내용이 변형된 사료(史料)를 정정하여 원형대로 복원(復元)시킴. ──하다 [타][여불]
고정[5]【固定】[명] ①일정한 장소나 일정한 상태에서 움직이지 아니함. 변화하지 않음. ¶~ 수입. ②[fixation]〔생〕생물의 기관·조직(組織)·세포(細胞) 등을 관찰할 때에 되도록 살아 있는 상태에 가깝도록 유지하기 위하여 그 원형질(原形質)을 동결(凍結)시키거나 응고(凝固)시키는 일. 이것에 쓰이는 약을 고정액(液)이라 함. ③〔심〕리비도(libido)가 어떤 대상과 과도하게 결합하는 일. ──하다 [자][타][여불]
고정[6]【固精】[명] 병자나 허약자의 정력(精力)을 강하게 함. ──하다 [타][여불]
고정[7]【孤貞】[명] 마음이 외곬으로 곧음. 아주 정직하고 결백함. 고정 단일(孤貞單一). ¶~배기. ──하다 [형][여불]
고정[8]【孤亭】[명] 외따로 떨어져 있는 정자.
고정[9]【苦情】[명] 괴로운 정상(情狀).
고:정[10]【故情】[명] 오랫동안 사귀어 온 정분(情分).
고정[11]【高情】[명] ①고상한 마음씨. ②남이 자기에게 베푼 정(情)의 존칭.
고정[12]【雇丁】[명] 고인(雇人).
고-정[13]【鼓鉦】[명] 군중(軍中)에서 쓰는 북과 징.
고정 간:첩【固定間諜】[명] 이동(移動)하거나 교체(交替)되지 않고 일정한 곳에 정주(定住)하는 간첩. ¶장기(長期) ~.
고정 관념【固定觀念】[명] ①[fixed idea]〔심〕사람의 마음 속에 잠재하여 항상 염두(念頭)에서 떠나지 않으며, 외계(外界)의 움직임이나 상황(狀況)의 변화에도 좀처럼 변하지 않는 생각. 고착 관념(固着觀念). ¶~에 사로잡히다. ②〔악〕고정 악상(樂想). 이데 픽스(idée fixe).
고정-균【固定菌】[명]〔의〕한 곳에 붙어서 움직이거나 떨어지지 않는 병균.
고정-급【固定給】[명]〔경〕노동자의 임금 형태의 한 가지. 제일 간단한 형태의 임금 제도로, 하루 또는 한 시간의 금액을 정하여 놓고, 거기에 노동 일수나 노동 시간을 곱하여 산출함. *능률급·성과급(成果給).
고정 길이 레코:드【固定—】[명] [fixed-length record]〔컴퓨터〕항상 똑같은 수의 문자를 포함하는 레코드. ↔가변 길이 레코드.
고정 단일【孤貞單一】[명] 고정(孤貞). ──하다 [형][여불]
고정 도르래【固定—】[명]〔물〕축(軸)을 고정시킨 도르래. 힘의 방향을 변경시키는 데 씀. 고정 활차(固定滑車). 정(定)활차. ↔움직 도르래.
고정 도 창:법【固定—唱法】[do] [—뻡] [명]〔악〕어떤 조(調)의 곡(曲)이든지 항상 시음(C音)을 도(do)로 정하고 노래하는 방법. ↔이동 도 창법(移動do唱法).
고정 독자【固定讀者】[명] 잡지·신문 등 정기 간행물을 계속해서 장기간 구독(購讀)하는 일정한 독자. ¶~의 확보.
고정-란【固定欄】[—난] [명] 신문·잡지 등에서, 어떤 종류의 기사(記事)가 고정적으로 실리는 난(欄).
고-정맥【股靜脈】[명]〔생〕대퇴 정맥(大腿靜脈). ↔고동맥(股動脈).
고정 목표【固定目標】[명]〔군〕도시·공장이나 포위된 군대·군사 시설 기타 움직일 수 없거나 움직일 수 없게 한 목표.
고정 문학【固定文學】[명]〔문〕책이 됨으로써 정형(定形)을 얻어 문학사의 연구 대상이 되는 문학.
고정-배기【孤貞—】[명] 〈속〉 고정(孤貞)한 사람을 낮게 이르는 말.
고정 배:치【固定配置】[명] 한 곳에 붙박이로 하여 놓은 배치.
고정 부수【固定部數】[—쑤] [명] 신문·잡지 등 정기 간행물이 과거의 발행 부수의 통계로 보아 틀림없이 나갈 수 있는 고정된 부수.
고정 부:채【固定負債】[명] [fixed liabilities]〔경〕지급 예정 기일이 대차 대조표일(貸借對照表日)로부터 기산(起算)하여 1년을 초과하는 부채. 사채(社債)·장기 차입금(長期借入金)이 그 대표적인 것임. 장기(長期) 부채. ↔유동(流動) 부채.
고정 불변【固定不變】[명] 고정하여 변함이 없음.
고정-비【固定費】[명] [fixed costs]〔경〕조업도(操業度)의 증감과는 상관 없이 정액적(定額的)으로 발생하는 비용. 가령 제품 단위에서, 조업도가 향상하면 단위당(單位當) 고정비는 감소하고, 조업도가 떨어지면 단위당 고정비는 증가하는 반비례의 증감을 보임. ↔변동비(變動費).
고정 비:율【固定比率】[명]〔경〕기업(企業)이 조달(調達)한 자기 자본 중 어느 만큼의 부분이 고정 자산에 투하되어 …내는 비율. 곧, 대차 대조표로 나타내는 고정 자… 잉여금(剩餘金)과의 합계 금액으로 나눈 백분율.
고정 상징【固定象徵】[명] 전통적으로 약속되어 있… 랑, 비둘기는 평화를 상징하는 따위.
고정석-정【固定席艇】[명] 좌석이 고정되어 있고, 폭… 조정(競漕艇). ↔활석정(滑席艇).
고정성 배:열 방법【固定性配列方法】[—썽—] [명] … 과목을 배열하여 표시하는 데, 고정 자산을 중요시하… 것으로부터 약한 것의 순서로 계정 과목을 배열하는 방… 動性) 배열 방법.
고정 소:수점 방식【固定小數點方式】[—쩜—] [명] [fix… sentation]〔컴퓨터〕수(數) 표기법의 하나로서, 소수점… 자리에 두는 방식. ↔부동(浮動) 소수점 방식.
고정-수【固定數】[명] 고정된 수.
고정-스럽다【孤貞—】[형][ㅂ불] 고정(孤貞)하게 보이다. 고정…—][부]
고정-식【固定式】[명] 한 곳이나 한 형식으로 정착(定着)되어 … 없는 방식(方式). ↔이동…
고정 악상【固定樂想】[명] [프 idée fixe]〔악〕베를리오즈의 용… 표제 음악(標題音樂)에서 어떤 고정된 관념을 나타내는 선율. … 機)보다는 길고 주제(主題)는 되지 못한 것으로, 다시 나타날 때… 금씩 달라짐. 고정 관념(觀念).
고정-액【固定液】[명]〔생〕조직·세포 등을 생시(生時)의 상태대로… 시키기 위하여 그 원형질(原形質)을 응고(凝固)시키는 액체. 알코… 르말린·중금속(重金屬)의 용액(溶液) 등. *고정(固定).
고정 요소【固定要素】[—쏘—] [명]〔경〕생산량이 증감해도 그 양… 이 변화하지 않는 생산 요소. 자본 시설이나 경영자 수(經營者數)가… 에 해당됨. 불변 요소. ↔가변(可變) 요소.
고정 원목【固定圓木】[명] 공원·유원지 등에서의 어린이들의 놀이 기구… 의 하나. 길고 굵은 둥근 나무를 지상 30-40cm 높이에서, 지면(地面)… 에 수평 가설(水平架設)한 것으로 밑으로 떨어지지 않도록 걸어 감. 정밀한 것은 기계 체조의 기구로서 사용됨.
고정-익【固定翼】[명] 항공기의 동체(胴體)에 고정된 날개. 헬리콥터 등의 회전익(回轉翼)에 대하여 주로 양력(揚力)을 얻기 위한 보통 비행기의 날개를 말함.
고정-자[1]【固定子】[명] [stator]〔물〕전동기(電動機)에서 전류(電流)를 공급하여 자기장(磁氣場)을 이루는 부분(部分). ↔회전자(回轉子).
고정자[2]【庫—子】[명] 〈방〉〔역〕고성자(庫城子).
고정자 극판【固定子極板】[명]〔전〕가변(可變) 콘덴서 내부에 고정되고 틀과 절연된 콘덴서의 극판의 하나.
고정 자:금【固定資金】[명]〔경〕고정 자본에 투입된 자금. ↔유동(流動) 자금.
고정 자본【固定資本】[명] [fixed capital]〔경〕생산(生産) 자본 중에서 토지·건물·기계 등의 구매(購買)에 충당되는 자본과 같이 몇 번이고 생산 과정(過程)에 계속적으로 사용되어 그 가치의 일부분을 생산물(生産物)에 이전(移轉)하는 자본. ↔유동(流動) 자본.
고정 자산【固定資産】[명] [fixed assets]〔경〕기업이 경영을 영위하기 위하여 장기적으로 사용할 목적으로 보유하는 자산 및 장기간 다른 목적에 이용할 수 없는 자본적 자산. 유형(有形) 고정 자산(토지·건물·기계 설비 따위), 무형(無形) 고정 자산(영업권·특허권 따위), 투자(投資) 자산(관계 회사 유가 증권·투자 유가 증권 따위)의 셋으로 나뉨. ↔유동(流動) 자산.
고정 자산세【固定資産稅】[—쎄] [명]〔법〕토지·가옥 등 상각(償却) 자산을 과세 대상으로 하는 지방세의 하나.
고정 자산 재:평가【固定資産再評價】[—까] [명] [revaluation of assets]〔경〕고정 자산의 장부 가격이 인플레 등의 현상에 의하여 실제의 가격과 현저하게 거리가 먼 경우, 이것을 시가(時價)에 가깝도록 고쳐 행하는 평가. 자산 재평가. [준]재평가.
고정자 전:기자【固定子電機子】[명] [stator armature]〔전〕대부분의 교류기(交流機)에 있는 주전류 코일(主電流 coil)을 가진 고정자. 자속(磁束) 회전에서 발생하는 기전력(起電力)을 이 코일에 유전(誘電)함.
고정 재산【固定財産】[명]〔경〕부동산·기계·기구 등과 같이 유통(流通)을 목적으로 하지 아니하며, 소모품(消耗品)에 속하지 아니하는 재산. *유형(有形) 고정 자산.
고정-적【固定的】[명][관] 고정되거나 고정되어 있는 모양.
고정-주【固定株】[명]〔경〕주주(株主)가 고정되어 부동(浮動)하지 아니하는 주(株). ↔부동주(浮動株).
고정-주의【固定主義】[—/—이] [명]〔법〕파산 선고 당시 채무자(債務者)의 소유인 재산만으로써 파산 재단(財團)을 구성(構成)시키는 법률상의 주의. 고정주의를 채택하면 파산자는 파산 절차 중에도 신득(新得) 재산에 의하여 사업을 하는 일도 있으며, 그 결과 최초의 파산 절차가 종료(終了)되지 않은 사이에 다시 또 파산하는 일도 있음. 독일주의(獨—主義). 비팽창주의(非膨脹主義). ↔팽창(膨脹)주의.
고정 주주【固定株主】[명]〔경〕안정(安定) 주주.
고정-지【藁精紙】[명] 함경 북도에서 나는 귀리 짚으로 만든 황지(黃紙). 옛날부터 우리 나라의 명산임.
고정-창【固定窓】[명] 붙박이창(窓).
고정 초점【固定焦點】[—쩜] [명] 카메라 등에서, 렌즈로부터 상(像)을 맺는 면(面)까지의 거리가 고정되어 있어, 초점 조절이 필요 없는 것을 말함. 스냅 사진이나 8mm 등의 값싼 카메라에 사용되고 있음.
고정 축일【固定祝日】[명]〔천주교〕교회 축일 가운데, 날짜가 고정되어 있는 축일. 예수 성탄 대축일, 성모 승천(聖母昇天) 대축일, 성인·성축일(永定祝日). 구용어 : 영정 첨례(永定瞻禮).

명〔fixed carbon〕〖화〗 석탄·코크스·역청질 물 …분(水分)·회분(灰分)·휘발성 성분을 제거한 고 …은 탄소임.

…면 특정한 정당이나 후보자에게 선거 때마다 반 …지는 지지표(支持票). ↔부동표(浮動票).

자여불〔주로 손윗사람에게 쓰이어〕 흥분이나 노여 …진정시키다. ¶이제 그만 고정하시고 제 말을 들어

…〖한의〗 과체(瓜蒂).

…法】[—뻡] 명〖법〗 경성 헌법(硬性憲法).

…:도【固定協定併用制度】명〖법〗 관세율에 고정 세 … 병용하는 제도.

명 제도·사물 따위를 고정시켜 놓거나 또는 고정되게 … 타여불

…定化酵素】명〔immobilized enzyme〕〖화〗 물에 용해 … 가공(加工)한 효소. 불용성 효소(不溶性酵素).

…換率】명〖경〗 환시세(換時勢)가 수급 관계에 따라 자 … 인정하지 않기 위해 일정한 비율로 고정시킨 환율.

…固定換率制】[—쩨] 명〔fixed exchange rate system〕 … 고정 환율로 묶어 두는 제도. ↔변동(變動) 환율제.

…定滑車】명〖물〗 고정 도르래.

… 명 옛날의 제도.

… 명 옛적의 제작.

…除】명 감(減)함. 덜어 냄. 빼냄. 공제(控除). ——-하다 타여불

…告祭】명 ↗고유제(告由祭). ——-하다 타여불

…【苦諦】명〔←고체〕〔범 duḥkha-satya〕〖불교〗 사제(四諦)의 하 …. 중생계(衆生界)의 과보(果報)가 전부 고(苦)라고 하는 이치.

고제[6]【高弟】명 ↗고족 제자(高足弟子).

고제[7]【高第】명〖역〗 고과(高科).

고제[8]【高製】명 남이 지은 시문(詩文)의 높임말.

고:-제삼기【古第三紀】명〖지〗 신생대(新生代) 제 3 기의 전반(前半), 약 6500 만 년 전부터 약 2400 만 년 전까지의 시대. 기후는 온난하고 고위도(高緯度) 지방에도 아열대 식물이 무성했으며 거대(巨大) 파충류가 절멸(絶滅)하고 포유류(哺乳類)가 발전을 시작했고 화폐석(貨幣石)의 번성과 쇠퇴를 볼 수 있음. 또 이즈음 알프스 조산(造山) 운동이 일어남. 팔레오세(世)·에오세·올리고세로 구분함. 구제삼기(舊第三紀). 화폐석 시대. ＊신제삼기(新第三紀).

-고져 어미〈옛〉-고자. ¶아돌와 孫子 그리샤 病中에 보고져 ᄒᆞ시니 ≪月釋 X:1≫

고조[1] 명〈옛〉 술주자. 술을 짜는 틀. =고ᄌᆞ[1]. ¶고조 조(槽), 고조 자(榨) ≪字解 中 12≫.

고조[2] 명〈옛〉 먹통[1]❶. =고ᄌᆞ[2]. ¶먹고조(墨斗)≪朴解 下 12≫.

고:조[3]【古祖】명〖불교〗 옛 조사(祖師).

고:조[4]【古調】명 옛날부터 전하여 오는 가락.

고조[5]【苦潮】명 플랑크톤(plankton)의 대량 발생으로 바닷물이 변색하는 현상. 붉은색으로 변한 것을 '적조(赤潮)'라고 함.

고조[6]【枯凋】명 ①말라서 시듦. ②일이 쇠하여짐. ——-하다 자여불

고조[7]【枯燥】명 말라서 수분이 없어짐. 건조(乾燥). ——-하다 자여불

고조[8]【高祖】명 ↗고조부(高祖父).

고조[9]【高祖】명〖사람〗 중국 한(漢)의 초대 황제. 성명은 유방(劉邦). 자는 계(季). 장쑤 성(江蘇省) 펑이(豐邑)의 농민으로 태어나 한때 도둑의 두목이 되었다가, 진시황(秦始皇)이 죽은 다음해에 군사를 일으키어 항우(項羽)들과 합세하여, 기원전 207년에 진도(秦都) 센양(咸陽)을 점령하고 한왕(漢王)이 됨. 그 후 항우를 멸하여 천하를 통일하고 제위에 올랐음. 장안(長安)에 도읍함. [247?-195 B.C.; 재위 206-195 B.C.]

고조[10]【高祖】명〖사람〗 중국 당(唐)의 초대 황제. 성명은 이연(李淵). 자는 숙덕(叔德). 수(隋)나라 태원 유수(太原留守)에 임명되었다가, 차자 세민(世民)의 권고로 거병하여 장안(長安)을 점령, 양제(煬帝)의 손자 공제(恭帝)를 옹호하였다가 후에 스스로 즉위하여 당조(唐朝)를 세웠음. [566-635; 재위 618-626]

고조[11]【高祖】명〖사람〗 중국 오대의 후진(後晉)의 건국자. 성명은 석경당(石敬瑭). 후당(後唐)의 명종(明宗)의 사위로서, 명종이 죽은 후 거란(契丹)의 원조를 얻어 후당을 멸하고, 936년 제위에 올라 국호를 진(晉)이라 칭함. [892-942; 재위 936-942]

고조[12]【高彫】명 고부조(高浮彫).

고조[13]【高鳥】명 하늘 높이 나는 새.

[고조 진(盡)하여 양궁(良弓) 장(藏)이라] 하늘 높이 나는 새가 다하면, 좋은 활은 소용없게 되어 간직하게 된다는 뜻으로, 일이 있는 동안에는 잘 이용되나, 일이 끝나면 버림받게 됨의 비유. ＊교토(狡兎) 사(死)하여 주구(走狗) 팽(烹)이라.

고조[14]【高照】명 높이 비침.

고조[15]【高調】명 ①음률(音律)이 높은 곡조(曲調). ②의기(意氣)를 돋움. ③강조(強調). 역설(力說). ④시(詩)나 노래가 크게 감동시켜 흥취를 일으키는 일. ——-하다 자타여불

고조[16]【高潮】명 ①고비에 이른 만조(滿潮). ↔저조(低潮). ②아주 한창의 고비. 절정(絶頂). ¶흥분이 최(最)~에 달하다. ③태풍이나 강한 저기압의 영향으로, 폭풍과 함께 해수면(海水面)이 부풀어 일어나 바닷물이 해안으로 덮쳐 오는 현상. 폭풍 해일(暴風海溢).

고조[17]【高燥】명 땅이 높고 메마름. ——-하다 형여불

고조[18]【庫曹】명〖역〗 고려 초기에 병관(兵官)에 속하던 관아. 성종(成宗) 14년(995)에 상서 고부(尙書庫部)로 고쳤다가 현종(顯宗) 2년(1011)에 없앰.

고조[19]【涸潮】명 썰물.

고조[20]【鼓譟】명 북을 치며 떠듦. ——-하다 자여불

고조[21]【顧助】명 돌보아 줌. ——-하다 타여불

고조 간격【高潮間隔】명〖지〗 월조(月潮) 간격의 하나. 달이 자오선(子午線)에 남중(南中)한 때부터 고조(高潮)가 되기까지의 시간.

고조-고【高祖考】명 돌아가신 고조부(高祖父).

고조곤:-히 부〈방〉 고요히.

고조-기[1]【高照旗】명〖역〗 고초기(高招旗).

고조-기[2]【高潮期】명 어떤 일이나 현상 또는 기세 따위가 일시적으로 고조되는 시기. ↔퇴조기(退潮期).

고:조 독탄【古調獨彈】명 음조(音調)가 너무 고상하고 고풍(古風)스러워 화창(和唱)하는 이가 없음.

고조래미 명〈방〉 고드름(함남).

고조러미 명〈방〉 고드름(함남).

고조름 명〈방〉 고드름(함남).

고조리 명〈방〉 고드름(함남).

고-조모【高祖母】명 할아버지의 할머니. 아버지의 증조 할머니.

고조목술 명〈옛〉 술주자에서 갓 짜낸 술. ¶고조목술(鋼頭酒)≪譯語 上 50≫.

고조-박이【枯凋—】명 베어 낸 지 오랜 묵은 그루터기. ¶~ 넘어지듯 한다 / 썩은 ~처럼 힘이 없다.

고-조부【高祖父】명 할아버지의 할아버지. 아버지의 증조 할아버지. 준고조(高祖).

고-조비【高祖妣】명 돌아가신 고조모(高祖母).

고:-조선[1]【古朝鮮】명〖역〗 단군(檀君)·기자(箕子) 및 위만(衛滿)의 자손이 통치해 왔다고 전해지는 고대 국가. 중국 한(漢)나라 무제(武帝)가 한사군(漢四郡)을 설치하기 전, 곧 기원전 108년 이전의 고대 한국. 지역은 대개 대동강(大同江) 이북임.

고조-선[2]【高潮線】명〖지〗 만조선(滿潮線). ↔저조선(低潮線).

고조-시【高潮時】명〖지〗 만조(滿潮)가 고비에 이른 시각(時刻). ↔저조시(低潮時).

고조-파【高調波】명 기본 주파수(基本周波數)의 정수배(整數倍)가 되는 주파수의 사인파(sine波). ↔저조파(低調波). ＊기본파(基本波).

고조파 손:실【高調波損失】명〔harmonic loss〕〖물〗 발전기(發電機) 중의 에너지 손실. 전기자(電機子) 전류에 의해 생기는 기자력(起磁力)의 공간 고조파가 원인임.

고족[1]【孤族】명 일가가 번족(蕃族)하지 않은 집안. 일가가 적어 외로움. 「↔번족(蕃族). ——-하다 형여불

고족[2]【高足】명 ↗고족 제자(高足弟子).

고족[3]【高族】명 문벌이 높은 겨레. 귀한 무리.

고:족 대:가【古族大家】명 예부터 대(代)를 이어 자손이 번성하고 세력이 있는 집안.

고족-봉【高足峰】명〖지〗 함경 남도 풍산군(豐山郡)에 있는 산봉우리. 「[1,672 m]

고족 사기【高足砂器】명〖공〗 굽이 높은 사기 그릇.

고족-상【高足床】명 잔치 때 쓰는 발이 높은 상.

고족 제:자【高足弟子】명 학행(學行)이 뛰어난 제자. 우수한 제자. 준고족(高足)·고제(高弟).

고:존【告存】명 안부(安否)를 묻는 일.

고:졸[1]【古拙】명 ①고풍(古風)이고 솜씨가 서투름. ②예술 작품 등이 기교(技巧)가 없고 서툴러 보이나 고아(古雅)한 멋이 있음. ——-하다 형여불

고졸[2]【高卒】명 ↗고등 학교 졸업. ¶~자(者) 사원 모집.

고:종[1]【古終】명〖식〗 목화(木花).

고:종[2]【古鐘】명 옛날 종.

고종[3]【考終】명 천수(天壽)를 다하여 죽음. ——-하다 자여불

고종[4]【姑從】명 ↗고종 사촌(姑從四寸).

고종[5]【孤宗】명 대성(大姓) 중에서, 자손이 번족(蕃族)하지 못한 파(派).

고종[6]【孤蹤】명 고독 단신(孤獨單身).

고:종[7]【故縱】명 간수(看守)가 죄수를 고의(故意)로 놓아 줌. ——-하다 타여불

고종[8]【高宗】명〖사람〗 중국 당(唐)나라의 제3대 황제. 성명은 이치(李治). 명신(名臣) 장손 무기(長孫無忌) 등의 조력을 얻어 동도(東都) 뤄양(洛陽)을 건설하고, 영휘 율령(永徽律令)을 제정하여 국력 충실에 성공하였으며, 밖으로 백제와 고구려를 공략하여 안동 도호부(安東都護府)를 둠. 말년에는 중풍으로 황후 측천 무후(則天武后)가 정무를 보게 되었음. [628-683; 재위 649-683]

고종[9]【高宗】명〖사람〗 중국 남송(南宋)의 초대 황제. 휘종(徽宗)의 아들. 1127년에 금군(金軍)의 공격으로 정강(靖康)의 난(亂)이 일어나매 황위에 올라 도읍을 강남의 임안(臨安)으로 옮김. 진회(秦檜)를 등용하고 악비(岳飛)를 물리쳐 금과 굴욕적인 화약을 맺었음. [1107-87; 재위 1127-52]

고종[10]【高宗】명〖사람〗 고려 제23대 왕. 몽골족에게 쫓기어 1232년에 강화(江華)로 피난 갔다가 아들 원종(元宗)을 몽골에 볼모로 보내어 사실상 몽골에 굴복하였음. 문화 사업으로는 팔만 대장경(八萬大藏經)을 조판하였음. [1192-1259; 재위 1214-59]

고종[11]【高宗】명〖사람〗 중국 청(淸)나라 제6대 황제 건륭제(乾隆帝)의 「묘호(廟號).

고종[12]【高宗】명〖사람〗 조선 제26대 왕. 휘(諱)는 희(熙). 흥선 대원군(興宣大院君)의 둘째아들로 열두 살 때 익종(翼宗)의 대통을 이었음. 밖으로 프랑스·미국 등 양요(洋擾)가 있었고, 안으로는 민비(閔妃)와 대원군의 정쟁이 심하였음. 갑오 개혁이후 일본의 힘으로 내정 개혁을 꾀하였으나 뜻을 이루지 못하였음. 1897년에 국호를 대한 제국(大韓帝國)이라 고치고 황제라고 칭하였음. 뒤에 헤이그 밀사 사건으로 퇴위하고, 국권 피탈 후에는 이태왕(李太王)이라 칭하였음. [1852-1919; 재

위 1863-1907]

고종[13]【高蹤】명 고상(高尙)한 행위(行爲).

고종-매【姑從妹】명 고종 사촌(姑從四寸) 누이.

고종-명【考終命】명 제 명대로 살다가 편안하게 죽음. 오복(五福)의 하나. 영종(令終). ——하다 자여불

고종 사:촌【姑從四寸】명 고모(姑母)의 아들이나 딸. 내종 사촌(內從四寸). 준고종. *이종(姨從) 사촌.

고종-시【高宗柹】명 보통 감보다 잘고 씨가 없으며 맛이 단 감.

고종-씨【姑從氏】명 남의 고종 사촌(姑從四寸)을 높이어 부르는 말.

고종-제【姑從弟】명 자기보다 나이가 아래인 고종.

고종-형【姑從兄】명 자기보다 나이가 위인 고종.

고좌[1]【孤坐】명 혼자 외따로 앉아 있음. ——하다 자여불

고좌[2]【高座】명 ①상좌(上座)❶. ②〖기독교〗설교단.

고좌식 모노레일【跨座式—】〔monorail〕명 콘크리트의 주행량(走行樑) 위에 차량이 걸터앉듯이 얹혀서 달리는 방식의 모노레일. 고속 주행(走行)의 안전성을 향상시키기 위해 개발됨.

고:죄【告罪】명〖천주교〗스스로 진 모든 죄를 사죄권(赦罪權)을 가진 사람 앞에서 고백함. ——하다 자여불

고:죄-경【告罪經】명〖천주교〗'고백의 기도'의 구용어.

고족상 명〈옛〉고족상(高足床). 사선상(四仙床). ¶ 고족상 탁(卓)≪字會 中 10≫.

고주[1] 명 ↗고주 망태.

고:주[2]【古注·古註】명 ①옛적의 주석(註釋). ②한(漢)·당(唐) 시대의 훈고상(訓詁上)의 주석. 송(宋)대 이후의 경서의 주석에 대하여 이름. 1)·2):↔신주(新注).

고:주[3]【古籒】명 고문(古文)과 주문(籒文)을 아울러 이르는 말.

고주[4]【沽酒】명 술을 삼. ——하다 자여불

고주[5]【孤主】명 실권(實權)이 없이 외로운 임금.

고주[6]【孤舟】명 외따로 떠 있는 작은 배. 고범(孤帆).

고주[7]【孤注】명 노름꾼이 밑천을 한번에 다 털어놓고 마지막 승패를 겨룸. ——하다 타여불

고:주[8]【故主】명 옛 주인.

고주[9]【苦主】명 가까운 일가가 살해(殺害)당했을 때에 고소(告訴)하는 사람.

고주[10]【苦酒】명 ①독한 술. ②맛이 쓴 술이라고 남에게 겸손하여 하는 말. ¶ ~ 일배(一杯).

고주[11]【高柱】명〖건〗대청 한복판에 세운, 다른 기둥보다 높은 기둥. 높은 기둥.

고주[12]【雇主】명 남을 고용(雇用)하여 부리는 사람. 고용주(雇用主). ↔고인(雇人).

고주 대:문【高柱大門】명〖건〗솟을대문.

고주래미 명〈방〉고드름(함경).

고주러미 명〈방〉고드름(함남).

고주리【蠱疰痢】명〖한의〗설사(泄瀉)가 만성(慢性)이 된 병. 이질(痢疾)이라 할 수 있음.

고주림 명〈방〉고드름(함경).

고주 망태 명 술을 많이 마시어 정신을 차릴 수 없는 상태. ¶ ~가 되도록 퍼 마시다. 준고주.

고주박 명 땅에 박힌 채 썩은, 소나무의 그루터기.

고주박-잠 명 앉아서 자는 잠.

고주알-미주알 명 미주알고주알. ¶ ~ 캐어 묻다.

고주 오:량【高柱五樑】명〖건〗중간에 고주(高柱)를 세워 그것으로 동자주(童子柱)를 겸하여 짠 오량(五樑).

고주 일배【苦酒一杯】명 ①한 잔의 쓴 술. ②대접하는 술을 겸손하게 이르는 말.

고-주파【高周波】명〔high frequency ; HF〕〖물〗주파수·진동수(振動數)가 대단히 큼. 또, 그러한 파동이나 진동. 경우에 따라 그 범위가 달라서, 교류(交流)에서는 수백 Hz 이상을, 전파(電波)에서는 단파(短波)를 말하며, 텔레비전에서는 수 MHz도 저주파(低周波)라고 할 때가 있음. ↔저주파(低周波).

고주파 가열【高周波加熱】명 고주파의 전자기장(電磁氣場)을 물체에 가하면 내부가 발열(發熱)을 하는데, 이 현상을 이용하여 가열하는 일. 도체(導體)를 가열하는 유도(誘導) 가열과 절연체(絶緣體)를 가열하는 유전(誘電) 가열이 있음.

고주파 건조【高周波乾燥】명 대상물을 고주파 속에 넣어 내부에 있는 수분을 유도 가열(誘導加熱)시키는 건조법.

고주파 건조기【高周波乾燥機】명〖기〗100kw정도의 강력한 고주파 발생 장치로부터의 전자기파(電磁氣波)를 적당한 전극간(電極間)에 주어 거기에 건조물을 놓으면 물체내의 수분만이 고온으로 되어 급속히 건조되도록 되어 있는 장치.

고주파-담금질【高周波—】명〖공〗고주파 유도전류의 표피 효과(表皮效果)를 이용하여 강재(鋼材)의 수밀리미터 이내만 급열(急熱)·급냉(急冷)시킴으로써 경화(硬化)시키는 방법. 톱니바퀴·실린더의 내부 등 강인(強靭)하고 내마모성(耐摩耗性)을 요하는 기계 부품에 적용됨.

고주파-로【高周波爐】명 고주파 전기로(電氣爐).

고주파 머신【高周波—】〔machine〕명 고주파 유전 가열(誘電加熱)을 이용하여 비닐 등의 플라스틱 재료를 융착(融着)시키는 기계의 일종.

고주파 발전기【高周波發電機】〔—쩐—〕명〖물〗50 혹은 60 Hz의 상용(商用) 주파수보다 높은 주파수의 전력(電力)을 내는 발전기. 일반 고속 전동기(電動機)의 전원용(電源用)으로는 100-500 Hz, 고주파 전기로(爐)·장파 통신(長波通信)용으로는 100kHz 정도가 발전됨.

고주파 변:성기【高周波變成器】명〖전〗고주파 전압을 고압(高壓) 또는 저압(低壓)으로 변화시키는 기기(機器). 고주파 트랜스(trans).

고주파 분석【高周波分析】명 비커(beaker) 속에 단, 두 개의 백금 전극(白金電極) 사이에 라디오 반송파(radio 搬送波) 정도의 고주파 전압(電壓)을 걸어서 적정(滴定) 분석을 행하는 방법.

고주파 예:열【高周波豫熱】명〔radio-frequency preheating〕〖공〗소성 가공(塑性加工)을 용이하게 하기 위하여, 10-100M[illegible] 가공물을 예열시키는 일.

고주파 요법【高周波療法】〔—뻡〕명〖의〗말초 신[illegible] 쇠약 등에 1,000kHz 정도의 고주파 전류를 작용시켜 [illegible] 흥분시킴으로써 치료하는 법.

고주파 용접【高周波鎔接】명 고주파 유전 가열(誘電加[illegible] 플라스틱재(材)를 융해(融解)·압착(壓着)하는 용접 장치[illegible] 보다 두꺼운 것을 융착(融着)할 수 있음.

고주파 유도 가열【高周波誘導加熱】명〖물〗유도 가열.

고주파 유도 전:기로【高周波誘導電氣爐】명 고주파 전기로.

고주파 유전 가열【高周波誘電加熱】명 유전 가열.

고주파 적정【高周波滴定】명〖화〗전기 적정의 한 가지. 고주[illegible] 회로(同調回路)의 일부에 측정액(測定液)을 작용시켜, 적정에 [illegible] 작용의 변화를 전기적으로 검출해 반응의 종점을 판정하는 적정[illegible]

고주파 전:기로【高周波電氣爐】명〖공〗고주파 전류(電流)를 써[illegible] 도 전류(誘導電流)를 발생시키어 이에 의한 줄열(Joul熱)로 물질을 [illegible] 열하여 용해(鎔解)시키는 노(爐). 귀금속의 용해나 고급 특수강(特殊鋼)의 제조에 사용한. 고주파 유도(誘導) 전기로. 고주파로(爐).

고주파 전:류【高周波電流】〔—절—〕명〔radio-frequency current〕〖전〗일반적으로 매초(每秒) 15,000 이상의 주파수를 가진 교류(交流).

고주파 전:화【高周波電話】명〖전〗고주파 전류를 유선 전화 선로(線路)에 중첩(重疊)시켜 수종(數種)의 통화 대역(通話帶域)을 얻는 통화(通話) 방식. 원거리 다중(多重) 통신에 이용함.

고주파 제:강법【高周波製鋼法】〔—뻡〕명〖화〗철광석과 환원제(還元劑)와의 혼합물에 수십만 헤르츠(hertz)의 고주파 전류를 통하여 신속하게 가열(加熱)하여 특수강(特殊鋼)을 만드는 방법.

고주파 증폭【高周波增幅】명〖전〗무선 수신(無線受信)을 할 때, 일반적으로 검파기(檢波器)는 그것에 가(加)해지는 고주파 전류가 어떤 정도 이하로 적으면, 급격히 감도(感度)가 나빠지므로 전파의 힘이 미약해서 동조 회로(同調回路)에 생긴 고주파 전압(電壓)을 그대로 검파 회로(檢波回路)에 가(加)하여도 충분한 음량(音量)을 얻을 수 없으므로 진공관 증폭 회로(眞空管增幅回路)를 써서 고주파 전압을 증폭, 검파 회로에 가(加)하여 소요(所要)의 음량을 얻음.

고주파 초:크 코일【高周波—】〔choke coil〕명〖전〗무전 수신기에서 검파 회로(檢波回路)를 써서 고주파 전류를 저지(沮止)시키는 코일.

고주파 케이블【高周波—】〔cable〕명 다중(多重) 전화·텔레비전 등의 고주파신호의 전송로(傳送路). 감쇠(減衰)·누화(漏話)를 방지하기 위하여 중심 도체를 절연물·외부 도체·외피로 싼 동축(同軸) 구조임.

고주파 트랜스【高周波—】〔trans〕명〖전〗고주파 변성기(高周波變成器).

고죽[1]【苦竹】명〖식〗참대.

고죽[2]【孤竹】명 ①홀로 난 대나무. ②대나무로 만든 피리나 저. ③〖역〗중국 은(殷)나라 때의 나라 이름. 지금의 허베이 성(河北省) 루룽 현(盧龍縣)에서 랴오닝 성(遼寧省) 서부의 차오양 현(朝陽縣)에 이르는 일대의 지역. 수양산(首陽山)에서 굶어 죽은 백이 숙제(伯夷叔齊)는 고죽군(孤竹君)의 두 아들임.

고:준[1]【告竣】명 일이 다 준공(竣工)되었음을 알림. ——하다 자타여불

고준[2]【考準】명 베낀 책이나 서류를 원본(原本)과 대조해 봄. ——하다 타여불

고준[3]【高峻】명 산이 높고 험준(險峻)함. 숭준(崇峻). ——하다 형여불

고줏-구멍 명〖건〗연자매의 밑돌 한가운데에 고줏대를 박기 위해 뚫어 놓은 네모난 구멍.

고줏-대【高柱—】명〈방〉〖건〗고주(高柱).

고줏-집【高柱—】명〖건〗고주(高柱)를 써서 지은 집. 복판이 높게 되었음.

〈고줏집〉

고-중합체【高重合體】명〔high polymer〕〖화〗분자량 10,000 이상의 중합도(重合度)가 큰 중합체. 연쇄 반응에 의하여, 단위체(單位體)가 중합체 말단에 결합하는 과정을 반복한 결과 이루어짐. 대부분의 고분자(高分子) 화합물은 고중합체임.

고즈너기 부 ☞고즈넉이.

고즈넉-이 부 ①고요하고 아늑히. ¶ 저녁 노을이 산기슭 마을을 ~ 감싸간다. ②잠잠하고 다소곳이. ¶ 그는 고정된 시선으로 ~ 그녀를 바라보았다.

고즈넉-하다 형여불 ①고요하고 아늑하다. ¶ 순시원의 발짝 소리마저 들려 오지 않는 오늘 밤은 괴이하리만큼 고즈넉한 것이었다≪金容誠 : 잃은 자와 찾은 자≫. ②잠잠하고 다소곳하다. ¶ 고즈넉하게 앉아 무언가 깊은 사념에 잠겨 있는 여인.

고즈래미 명〈방〉고드름(함경).

고즉ᄒᆞ다 형〈옛〉곧다. ¶ 엇게와 등이 고즉ᄒᆞ며(肩背竦直)≪飜小 X:26≫.

고증【考證】명 옛 문헌(文獻)을 상고(詳考)하여 증거를 찾아 설명함. 또, 그 설명. ¶ 시대 ~. ——하다 타여불

고증-학【考證學】명 ①고문서(古文書) 따위에서 증거를 찾아 연구하는 학문. ②중국 명말(明末)에 일어나 청대(淸代)에 발전한 학문. 또, 그 학풍(學風). 송(宋)·명(明)의 유학자들이 너무 공리(空理)·공론(空論)을 일삼았음에 반하여, 옛 문헌(文獻)에서 확실한 증거를 찾아 경서(經書)를 설명하려 하였음. 황종희(黃宗羲)·고염무(顧炎武) 등에 의하여 시작되었음.

고지[1] 명 호박이나 가지·고구마 같은 것을 납작납작하게 또는 가늘고 길게 썰어서 말린 것. ¶ 호박 ~.

고지[2] 명 누룩이나 메주를 넣어서 디디어 만드는 나무 골. 모양이 밑 없는 모발이나 쳇바퀴 같으며, 그 안에 삶은 콩이나 밀기울 따위를 싸 담

아서 발로 디디어 단단하게 함.

고지[3] 명〖농〗논 한 마지기에 값을 정하여 모내기로부터 마지막 김매기까지의 일을 해 주기로 하고 미리 받아 쓰는 삯. 또, 그 일. 고자품.
고지(를) 먹다 구〖농〗고지를 약속하고 삯을 미리 받아 쓰다.

고지[4] 명 명태의 이리.

고지[5] 명〈방〉고드름(황해).

고:지[6]【告知】명 ①알림. 통지함. ¶ ~서(書)/~판(板). ②〖법〗당사자의 일방(一方)의 의사 표시에 의하여 임대차(賃貸借)·고용(雇傭)·위임(委任)·조합(組合)과 같은 계속적인 계약(契約) 관계를 종료(終了)시켜 앞으로 그 효력을 소멸시키는 일. 해약 고지(解約告知). ③〖법〗소송법상(訴訟法上), 법원이 결정 또는 명령을 당사자에게 알리는 일. *선고(宣告). ——-하다 타여불

고지[7]【固持】명 굳게 지님. 단단히 가짐. ——-하다 타여불

고:지[8]【故知】명 옛사람이 쓴 지략.

고:지[9]【故地】명 전에 살던 땅. 연고(緣故)가 있는 땅.

고:지[10]【故址】명 예전에 건물이나 성곽(城郭) 같은 것이 있었던 터.

고지[11]【枯枝】명 시들어 말라 죽은 가지.

고지[12]【高地】명 ①높은 땅. 전하여, 산(山). ¶ 백마 ~. ↔저지(低地). ②어떤 목표·목적. ¶ 1,000 억 불(弗) 수출 ~를 점령하다.

고지[13]【高旨】명 ①훌륭한 취지나 마음. ②남의 의견의 높임말.

고지[14]【高志】명 ①고상한 뜻. ②남의 뜻의 공댓말.

고-지기【庫—】명〖역〗관아의 창고를 지키는 사람. 고직(庫直).

고지너기 부〈방〉①슬그머니. ②고스란히.

고지-논 명〖농〗고지로 내놓은 논.

고-지대【高地帶】명 높은 지대. ↔저지대(低地帶).

고:-지도【古地圖】명 ①오래 된 지도. ②〖지〗고기(古期) 지도 시대에 손으로 그린 지도와 초기의 인쇄 지도 시대에 일부 손으로 그린 지도.

고지 도시【高地都市】명〖지〗열대 지방에서 기온의 수직차(垂直差)로 말미암아 서늘한, 높은 산간 분지 같은 곳에 이루어진 도시. 해발 약 2,000 m 이상 되는 곳에 세워진 에티오피아의 수도 아디스아바바(Addis Ababa), 볼리비아의 수도 라파스(La Paz), 멕시코의 수도 멕시코 시티(Mexico City) 따위. 「독일어.

고지 독일어【高地獨逸語】명〔Hochdeutsch〕문어(文語)로서의 표준

고지랑-물 명 더러운 물건이 섞이어 깨끗하지 못한 물. 또, 썩은 물. <구지렁물. 「등의 지리.

고:-지리【古地理】명 지질 시대(地質時代)의 해륙의 분포·산맥·하천

고:지리-학【古地理學】명〖지〗과거의 지질 시대를 대상으로 하는 지리학의 한 분야. 지질 시대에 있어서의 수륙 분포(水陸分布)·기후 상태·생물 분포 등을 발생학적으로 연구하여, 시대에 따르는 지리학적 조건의 차이점·변천 등을 연구하는 학문.

고지-새 명〖조〗쇠밀화부리. 「지서(納稅告知書).

고:지-서【告知書】명〖법〗①어느 일을 통지하는 서장(書狀). ②납세 고

고지식-하다 형여불 성질이 곧아서 변통성(變通性)이 없다.

고:지 의:무【告知義務】명〖법〗보험 계약자 또는 피보험자(被保險者)가 보험 계약을 체결할 때에 중요한 사실을 알리며, 또는 중요한 사실에 관하여 거짓말을 하지 않을 의무. 이 의무의 위반은 계약 해제(解除)의 원인이 됨.

고:-지자기학【古地磁氣學】명〖지〗지구 표면의 암석에 남아 있는 자연 잔류 자기(自然殘留磁氣)를 단서(端緖)로 하여 지질(地質) 시대의 지구나 또는 지구 자기장(地球磁氣場)을 연구하는 학문.

고지 자리품 명〖농〗논을 마지기로 떼어 돈만 받고 농사를 지어 주는

고지-젓 명 명태의 이리로 담근 젓. *명란젓. 「일. 준자리품.

고:지질-학【古地質學】명〔paleogeology〕과거의 지질 시대를 대상으로 하는 지질학의 한 분야. 주로, 부정합면(不整合面)의 암석 해명에 관해 연구함.

고:지 참가【告知參加】명〖법〗민사 소송에서, 제삼자(第三者)가 소송 통지(訴訟通知)를 받은 남의 소송에 참가하는 일.

고지-키〔일 古事記: こじき〕명〖책〗일본 고대의 역사를 적은 가장 오래 된 책. 일본의 개벽(開闢) 시대로부터 34대(代) 스이코 천황(推古天皇)에 이르기까지의 신화·전설·옛 가사(歌辭)를 많이 수록하고 있음. 712년에 완성됨. 모두 3권. 고사기(古事記).

고:지-판【告知板】명 고지하기 위하여 만들어 놓은 게시판.

고지혈-증【高脂血症】[—쯩] 명〔hyperlipemia〕〖의〗혈액 중에 콜레스테롤이나 트리글리세리드 등의 지방질(脂肪質)이 정상보다 높은 증세.

고직【庫直】명〖역〗고지기.

고진 감래【苦盡甘來】[—내] 명 고생이 끝나면 즐거움이 옴. ——-하다 자여불
【고진 감래에 흥진 비래(興盡悲來)】고생 끝에 낙(樂)이 오고 즐거운 일이 다하면 슬픈 일이 온다는 뜻으로, 좋은 일과 궂은 일은 덧없이 돌고 돈다는 말.

고-진공【高眞空】명〖물〗진공도가 높은 진공 상태. 보통 10^{-3} mm Hg부터 10^{-6} mm Hg까지를 가리킴. *초고(超高) 진공.

고진공 절연【高眞空絶緣】명〖공〗이중벽을 가진 용기의 벽 사이를 고진공으로 만들어 초저온(超低溫)으로 절연하는 일.

고진 금퇴【鼓進金退】명 북을 치면 전진하고 징을 치면 후퇴한다는 뜻으로, 초보적인 군사 훈련을 가리키는 말.

고진-음:자【固眞飮子】명〖한의〗정력(精力)을 돕는 약(藥).

고질[1]【姑姪】명 인질(姻姪).

고질[2]【固質】명 단단한 성질.

고질[3]【高秩】명 ①많은 녹(祿). 후록(厚祿). ②높은 관직.

고질[4]【痼疾】명 ①오래도록 낫지 않아 고치기 어려운 병. 불치병(不治病). 고질병(痼疾病). 구질(久疾). 지병(持病). 침고(沈痼). ¶ ~인 치질로 고생하다. ②오래된 나쁜 습관. 침고(沈痼). ¶ ~이 된 도박.

고질-병【痼疾病】[—뼝] 명 고질(痼疾)❶.

고질-적【痼疾的】[—쩍] 명관 고질이 되다시피 한 모양. ¶ ~ 병폐를 제거하다.

고질-전【庫質錢】[—쩐] 명 장생전(長生錢)❷.

고:집[1]【古集】명 오랜 이전에 모은 시가·문장 등의 문집.

고집[2]【固執】명 자기 의견(意見)을 굳게 지킴. ¶ 쓸데없는 ~을 부리다/~이 세다. ——-하다 타여불
고집을 세우다 구 고집스럽게 제 의견만 자꾸 주장하다.

고집 경향【固執傾向】명〖의〗어떤 의식 내용이 일단 의식에 오르면 그 외적(外的) 자극이 없어도 의식에 머무르려고 하는 경향. 또는 한번 행한 동작이나 언어가 불필요하게 반복되려고 하는 경향. 보통 사람도 정신이 피로할 때에는 이 경향이 강해짐.

고-집-멸-도【苦集滅道】[—또] 명〖불교〗미(迷)의 원인 결과와 오(悟)의 원인 결과. '고'는 생로병사(生老病死)의 괴로움이고, '집'은 '고'의 원천이 되는 번뇌(煩惱)의 모임이고, '멸'은 '고'와 '집'이 없어져 깨달은 경계(境界)이고, '도'는 그 깨달은 경계에 도달한 수행(修行)임. 이것을 사제(四諦)라 함. 성자(聖者)의 과보(果報)를 얻는 법문(法門).

고집 불통【固執不通】명 고집이 너무 세어서 조금도 변통성이 없음. ——-하다 형여불
【고집 불통이면 폐가 망신(廢家亡身)】융통성 없이 고집만 내세우면, 집안 망하고 몸 망치는 결과를 가져 온다는 뜻으로, 고집 불통인 자를 경계하는 말. 「執—】부

고집-스럽다【固執—】형ㅂ불 고집이 많은 듯이 보이다. 고집-스레【固

고집-쟁이【固執—】명 고집이 센 사람. 고집통이.

고집통-머리【固執—】명〈비〉고집통이❶.

고집통-이【固執—】명 ①고집이 센 성질. ②고집쟁이.

고징【高澄】명 높이 맑음. ——-하다 형여불 「《譯語 下 14》.

고ᄌᆞ[1] 명〈옛〉술주자. =고조[1]. ¶ 기름 ᄧᆞᄂᆞᆫ 고ᄌᆞ(油榨), 술고ᄌᆞ(酒榨)

고ᄌᆞ[2] 명〈옛〉먹통[1]❶. =고조[2]. ¶ 뭇 지위 고ᄌᆞ 자 들고 헤뜨다가 말려ᄂᆞ다《松江 時調》. 「恭敬ᄒᆞ야《釋譜 IX:25》.

고ᄌᆞ기 부〈옛〉극진하게. 지극하게. ¶ 더 부텻 일후믈 고ᄌᆞ기 念ᄒᆞ야

고ᄌᆞ기ᄒᆞ다 자〈옛〉도스르다. ¶ 모ᄆᆞᆯ 고ᄌᆞ기ᄒᆞ야 ᄡᅩᄆᆞᆫ 간곡ᄒᆞᆫ 톳기ᄅᆞᆯ ᄉᆞ랑ᄒᆞᄂᆞ도고(擻身思狡兎)《杜諺 XX:45》. 「면《釋譜 IX:16》.

고ᄌᆞᆨᄒᆞ다 형〈옛〉단단하다. 굳다. 지극하다. ¶ 고죽ᄒᆞᆫ ᄆᆞᅀᆞᄆᆞ로 歸依ᄒᆞ

고차[1]【固車】명 견고한 수레. 「정식.

고차[2]【高次】명〖수〗차수(次數)가 높음. 보통 3차 이상을 말함. ¶ ~ 방

고차[3]【高車】명 덮개가 높아 선 채로 탈 수 있는 수레.

고차[4]【庫車】명〖지〗'쿠처'를 우리 음으로 읽은 이름. 「②도르래.

고차[5]【鼓車】명 ①중국에서, 북을 실는 수레. 천자(天子)의 노부(鹵簿).

고차 도:함수【高次導函數】[—쑤] 명〖수〗고계(高階) 도함수.

고차 반:응【高次反應】명〖화〗화학 반응의 속도가 그 반응에 관계되는 물질의 농도의 고차식에 의하여 지배될 때의 반응.

고차 방정식【高次方程式】명〖수〗3차 방정식 이상의 차수(次數)를 가진 방정식의 총칭.

고차 사:마【高車駟馬】명 덮개가 높고 네 필의 말이 끄는 수레란 뜻으로, 지위가 높은 귀인(貴人)의 탈것.

고차-식【高次式】명〖수〗3차 이상의 식(式).

고차 언어【高次言語】명〔metalanguage〕〖논〗언어가 아닌 어떤 대상에 관하여 말하는 언어를 대상(對象) 언어라고 하는 데에 대하여, 대상 언어의 표현 내용에 관하여 말하는 언어를 이르는 말. 예를 들면, '4+4=8'은 수(數)라는 대상에 관해 말한 대상 언어이지만, '〈4+4=8〉은 산수(算數)의 명제이다'라 하면 고차 언어임. 대상 언어와 고차 언어와의 관계는 상대적이며, 고차 언어도 또한 한 단계 높은 고차 언어에 대해서는 대상 언어로 될 수 있음. 일상 언어에서는 언어의 이 두 가지 용법이 혼용되고 있어, 그 때문에 오해·모순·혼란을 일으키는 일이 있음. 고계(高階) 언어. 메타(meta) 언어.

고-차원【高次元】명 차원이 높음. 3차원 이상임.

고차원 세:계【高次元世界】명 시간과 공간을 초월한 세계.

고차-재【高次財】명〖경〗생산재(生産財). ↔일차재(一次財).

고차-적【高次的】명관 차원이 높음. 정도가 높은 모양. ¶ ~인 문제.

고차 화합물【高次化合物】명〖화〗각 성분 원자가 통상의 원자가(原子價)로써 결합된 일차(一次) 화합물에 대하여, 형식적으로 일차 화합물이 두 개 이상 결합하여 된 화합물. 착염(錯塩)·복염(複塩)·유기 분자 화합물 등. *착화합물(錯化合物).

고착【固着】명 ①굳게 붙음. ②〖심〗한 번 행한 행위(行爲)나 언어를 다른 행위나 언어가 요구되었을 때에도 반복하여 행하는 상태. '지금 몇 살이요'하고 물으면 '55세요'라고 대답한 환자에게 '오늘은 3월 며칠이요'하고 물으면 '55일'이라고 대답하는 따위. 이것은 정신 박약자(精神薄弱者), 병적으로는 긴장병·기질적(器質的) 뇌질환, 특히 동맥경화증·실언증(失言症) 등에 의하여 일어남. ③〖물〗계(系)에 대한 마찰적 속박에 의하여 하나 또는 그 이상의 자유도(自由度)를 잃는 일. ——-하다 자여불

고착 관념【固着觀念】명〖심〗고정(固定) 관념.

고착 생활【固着生活】명〖생〗어떤 고정(固定)된 곳이나 물건에 붙어서 사는 생활. ——-하다 자여불

고착-제【固着劑】명〖화〗매염제(媒染劑)나 물감을 효과적으로 섬유(纖維)에 고착시키는 약제. 매염 고착용으로는 토주석(吐酒石)·탄산 나트륨·규산 나트륨 등, 물감 고착용으로는 황산 구리·중크롬산 칼륨 등이 「있음.

고:찰[1]【古刹】명 옛 사찰(寺刹). 고사(古寺).

고찰[2]【考察】명 상고(詳考)하여 살피어 봄. ——하다 타 여불

고찰[3]【高札】명 ①방문(榜文)을 써서 붙여 두는 널빤지. ②가장 많은 입찰액. ③남의 서간(書簡)의 높임말. 혜서(惠書).

고찰[4]【高察】명 남의 추찰(推察)의 높임말.

고:참【古參】명 오래 전부터 한 직장(職場)이나 한 직위(職位)에 머물러 있는 일. 또, 그 사람. ¶ ~ 대령(大領)/그는 나보다 훨씬 ~이다. ↔신참(新參).

고:참-권【古參權】[-꿘] 명 선임권(先任權).

고:참-병【古參兵】명 군대에서 오래 복무한 병사. 고병(古兵). ↔신병 「(新兵).

고창[1]【高昌】명 〖역〗 5-7세기에 타림 분지(Tarim 盆地) 동부의 투르판(Turfan) 지방에 있었던 한인(漢人)의 식민지 국가. 전한(前漢)이 고창벽(高昌壁)에 둔전(屯田)한 기원전 1세기 이래 중국과 교섭을 가졌으며 중국이 혼란하면 피난하여 이곳으로 이주하는 자가 많았음. 특히 국씨(麴氏) 고창국(高昌國; 498-640)은 중국 문화·서방 문화·북방 문화를 융합한 특이한 문화를 갖고 있었음.

고창[2]【高唱】명 ①높은 소리로 노래를 부름. 고가(高歌). ②강하게 주장함. ——하다 타 여불

고창[3]【高敞】명 지세(地勢)가 높고 탁 트임. ——하다 형 여불

고창[4]【高敞】명 〖지〗 전라 북도 고창군(高敞郡)의 군청 소재지인 읍(邑). 군(郡)의 동쪽에 위치하고 토지가 비옥하여 농산물의 산출이 많음. 명소로는 고창 읍성(邑城)이 알려짐. [20,437명(1996)]

고창[5]【鼓脹】명 ①〖의〗 소화액의 이상(異常)으로 말미암아 뱃속에 가스가 충만하여 배가 땡땡하게 붓는 병. 장폐색(腸閉塞), 장(腸)의 흡수 부전(不全) 등의 경우에 볼 수 있음. ②반추류(反芻類) 특히 소의 제1위(胃)에 먹은 것의 발효(醱酵)로 말미암아 다량의 가스가 괴는 병. 급성·만성이 있는데, 급성의 경우 수시간내에 죽는 일도 있음.

고창[6]【蠱脹】명 〖한의〗 창증(脹症)의 하나. 이 병은 만성(慢性)이 되면 복부(腹部)가 땡땡하게 붓고 내부(內部)는 비어 있음. 내부는 텅 비고 배가 땡땡 붓는 것은 일종의 벌레가 내부를 침식(侵蝕)하는 까닭이라 하여 이 이름이 생겼음.

고창-군【高敞郡】명 〖지〗 전라 북도의 한 군. 관내 1읍 13면. 북쪽은 바다와 부안군(扶安郡), 동쪽은 정읍시(井邑市)와 전라 남도 장성군(長城郡), 남은 장성군과 영광군(靈光郡)에 접함. 농업이 주인데, 낙농(酪農)과 수박·참깨 등의 특용 작물 재배도 성하고, 임산과 수산도 있음. 명승 고적으로는 선운사(禪雲寺)·문수사(文殊寺)·고창 읍성(邑城)·고창 향교(鄕校)·동호(冬湖) 해수욕장 등이 있음. 군청 소재지는 고창(高敞). [606.78 km² : 85,166명(1990)]

고창 읍성【高敞邑城】명 〖역〗 전라 북도 고창군(高敞郡) 고창읍(邑)의 읍성(邑城). 조선 단종(端宗) 원년(1453)에 축성된 것으로 추정됨. 서해안의 방어를 위해 축조된 요새로, 해미 읍성(海美邑城)과 더불어, 우리 나라에서 가장 완전하게 남아 있는 읍성 중의 하나. 성의 길이 1,680 m, 높이 3.6-4 m, 성내 면적 50,172평. 사적(史蹟) 제145호. 모양성(牟陽城).

고창 입운【高唱入雲】명 구름에까지 들어갈 만큼 높은 소리란 뜻으로, 소리의 가락이 맑고 높음.

고채[1]【苦菜】명 ①〖식〗 씀바귀. ②고들빼기.

고채[2]【菰菜】명 줄의 연한 줄기로 만든 나물.

고채-목 명 〖식〗 [*Betula ermani*] 자작나뭇과에 속하는 낙엽 활엽 교목. 잎은 달걀꼴에 거친 톱니가 있음. 꽃은 자웅 일가(雌雄一家)이고, 수상(穗狀) 화서로 5-6월에 핌. 작은 견과(堅果)는 좁은 날개가 있는데, 과수(果穗)는 짧은 원기둥꼴을 이루며, 10월에 익음. 높은 산꼭대기 부근에 나는데, 제주·경남·전북·강원 및 일본에도 분포함. 기구재·신탄재로 씀.

〈고채목〉

고처【高處】명 높은 곳.

고처 공:포증【高處恐怖症】[-쯩] 명 〖의〗 고소(高所) 공포.

고처비-현【高處飛峴】명 〖지〗 경상 북도 봉화군(奉化郡) 비룡산(飛龍山)에 있는 낮은 고개. [490 m]

고:천[1]【告天】명 하느님께 아룀. ——하다 타 여불

고천[2]【高天】명 높은 하늘.

고:천-문【告天文】명 예식(禮式) 때에 하느님에게 아뢰는 글.

고:천-자【告天子】명 〖조〗 종다리[2]❷.

고:철[1]【古哲】명 옛날의 철인(哲人).

고:철[2]【古鐵】명 헌 쇠. ¶ ~상(商).

고:철[3]【故轍】명 ①이전에 지나간 수레바퀴의 자국. ②이전 사람이 행한 행적(行績). 전례(前例).

고첨【顧瞻】명 고시(顧視). ——하다 타 여불

고청[1]【固請】명 굳이 청함. ——하다 타 여불

고청[2]【高聽】명 타인의 청취를 높이어 일컫는 말.

고:체[1]【古體】명 시속(時俗)과 다른 옛날의 체(體).

고체[2]【固滯】명 성질이 편협하고 너그럽지 못함. ——하다 형 여불

고체[3]【固體】명 〖물〗 ①일정한 부피와 형상을 가지고 있으며, 그것을 변하게 하려면 저항이 작용하는 물질. ②성분 원자가 삼차원 격자(三次元格子)의 세 방향에 주기적으로 배열된 결정성(結晶性) 물체. *기체(氣體)·액체(液體).

고체 계:수관【固體計數管】명 〖물〗 방사선 측정기의 하나. 감응 물질(感應物質)은 결정성의 고체임. 크리스탈 계수관·신틸레이션(scintillation) 계수관이 이에 해당함.

고체 레이저【固體—】[laser] 명 발진부(發振部) 재료로서 고체를 사용한 레이저. 대표적인 재료는 루비 또는 네오디뮴 이온이 함유된 결정(結晶), 또는 유리임. 피크(peak) 출력이 매우 큰 발진광(發振光)을 얻을 수 있으며, 용접·의학적 응용, 열핵융합(熱核融合) 등에의 이용이 연구되고 있음. *레이저.

고체 로켓【固體—】명 [solid fuel rockets] 고체 연료식 로켓. 고체 연료식은 액체 연료식에 비하여 구조가 간단하고 취급이 편리하며, 또 필요시에 즉각 발사할 수 있는 등의 이점(利點)이 있어, 군용 로켓에 많이 사용됨.

고체-론【固體論】명 〖물〗 고체 물리학.

고체 물리학【固體物理學】명 [solid-state physics] 〖물〗 물성(物性) 물리학의 중요한 한 부문. 고체가 지닌 전기·자기·열·기계적 성질 등 여러 성질을 그 원자적 구조에 의거하여 해명하는 것이 목적으로, 2차 세계 대전 후 급속히 진전(進展)된 분야임. 금속·반도체·자성체(磁性體)·유전체(誘電體)의 여러 성질, 결정(結晶)의 격자 결함(格子缺陷) 등이 주요 대상인데, 공업상의 각종 재료나 통신 공학 관계 등에 널리 응용되고 있음. 고체론(論).

고체 배:양【固體培養】명 〖생〗 미생물을 우무나 젤라틴 등의 고형(固形) 배양기 위에서 배양하는 일. ↔액체(液體) 배양.

고체-상【固體相】명 〖화〗 고체(固體)로서의 양상(樣相). 고상(固相). *기체상(氣體相)·액체상(液體相).

고:체-시【古體詩】명 〖문〗 글자와 글귀의 일정한 수가 없고, 한 수(首) 안에 평운(平韻)을 썼다가 혹 측운(仄韻)을 쓰며, 운(韻)을 도르기도 하고 아니 도르기도 하여 정한 법칙이 없는 한시(漢詩). 오언(五言)·칠언(七言)·삼언(三言)·육언(六言)의 구별이 있음. ↔근체시(近體詩)·금체시(今體詩). ㊤고시(古詩).

고체 연료【固體燃料】[-열-] 명 고체로 된 연료의 총칭. 장작·목탄·석탄·코크스(cokes) 등. *액체(液體) 연료·기체(氣體) 연료.

고체 온도계【固體溫度計】명 〖물〗 고체의 열팽창(熱膨脹)을 이용하여 열을 측정하는 온도계.

고체 유전체 콘덴서【固體誘電體—】명 [solid-dielectric capacitor] 〖전〗 도기(陶器)·운모·유리·플라스틱막(膜)·종이와 같은 여러 고체를 유전체로 하고 있는 콘덴서.

고체 일렉트로닉스【固體—】[electronics] 명 〖전〗 반도체(半導體)의 이용을 중심으로 하는 전자 공학.

고체 전:자론【固體電子論】명 〖물〗 양자(量子) 역학과 통계 역학을 기초로 하여, 고체 안의 전자의 움직임을 논하는 이론 체계. 양자 역학을 기초로 하여 고체 속의 전자가 취하는 에너지 상태를 다루는 것과, 통계 역학을 합쳐 사용하여서 고체 속의 전자의 수송(輸送) 현상을 다루는 전도론(傳導論) 및 전자파·음파·입자선(粒子線)과의 상호 작용에 의한 고체 속의 전자의 변천·이동 과정을 다루는 것의 세 분야로 크게 나눔.

고체 절연물【固體絶緣物】명 〖전〗 황·폴리스틸렌·고무·자기(瓷器)와 「같은 고체물로 된 전기 절연물.

고체 추진제【固體推進劑】명 고체상의 로켓용 추진제. 흔히, 연료와 산화제(酸化劑)를 혼합하여 막대 모양의 고체로 만들어 사용함.

고체 탄:산【固體炭酸】명 〖화〗 고체로 된 이산화 탄소(二酸化炭素). 드라이 아이스(dry ice).

고체-화【固體化】명 액상(液狀)의 물질이 고체로 화함. 또, 고체로 화하게 함. 고화(固化). ——하다 자타 여불

고체 회로【固體回路】명 물성(物性) 현상을 응용하여, 전자 회로와 같은 기능을 가지게 한 부품을 말함. 집적 회로(集積回路)는 그 한 예임. 소형(小形)으로도 안전도가 큼. 진공관 대신에 트랜지스터 등 반도체 소자(半導體素子)를 사용한 회로의 뜻으로도 사용됨. 솔리드 스테이트(solid-state) 회로.

고쳐-걸누르기 명 유도에서, 누르기 재주의 하나. 오른손으로 상대편의 왼쪽 겨드랑이를 끼어 누르는 재주.

고:초[1]【古初】명 태고(太古). 옛날. 고석(古昔).

고초[2]【枯草】명 시들어서 마른 풀.

고초[3]【苦草】명 〖식〗 →고추[1].

고초[4]【苦楚】명 쓰라림. 고난(苦難). 신초(辛楚). 초독(楚毒). ¶ 갖은 ~ 「를 다 겪다.

고초[5]【藁草】명 볏짚.

고초[6] 부 〈옛〉 곧추. 아래위가 곧게. ¶ 恭敬하샤 흔 발로 고초 드듸여 셔샤《月釋 I :52》.

고초-균【枯草菌】명 〖식〗 [*Bacillus subtilis*] 간균과(桿菌科)에 속하는 세균(細菌)의 하나. 호기성(好氣性) 세균으로 몸의 양끝이 둔하고 여러 개가 연속함. 균체의 중앙에 원형·달걀꼴의 아포(芽胞)가 있으며, 편모(鞭毛)를 갖춤. 토양(土壤) 및 마른 풀·개울물·된장·간장 같은 것의 거죽이나 우유 등에서 볼 수 있는데, 우유를 응고(凝固)시키고, 녹말을 당화(糖化)하며 유지(油脂) 등을 분해함. 매우 빨리 분열 증식(分裂增殖)하며 가열(加熱)에 저항성이 강함. 비병원성(非病原性)임. *졸도균(卒倒菌).

고초-기【高招旗】명 〖역〗 군대를 지휘하고 호령할 때에 쓰던 군기(軍旗)의 한 가지. 기면(旗面)이 다섯인데, 동서남북중(東西南北中)의 다섯 방위(方位)에 응하여 푸른 빛·흰 빛·붉은 빛·검은 빛·누른 빛의 다섯 가지 빛으로 나타내고, 기면에 팔괘(八卦)를 그리며 화염(火焰)과 기미(旗尾)의 빛은 상생지리(相生之理)를 따라서, 푸른 기면은 붉은 빛, 흰 것은 검은 빛, 붉은 것은 누른 빛, 검은 것은 푸른 빛, 누른 것은 흰 빛으로 하며, 그 깃발마다 외쪽의 비단으로 하되 길이는 열 두 자요, 깃대의 길이는 열 다섯 자이며, 꼭대기에는 영두(纓頭)·주락(珠絡)·장목이 있고 영두에는 초롱이 달렸음. 고조기(高照旗).

고초다 타 〈옛〉 ①곧추 세우다. 곧게 하다. =곳초다. ¶ 부텨 向ᄒᆞ수바 손고초샤《月釋 I :52》 ②지극히 하다. 한결같이 하다. ¶ 눉믈 흘려 精誠 고초아(雨淚翹誠)《楞嚴 V:3》.

고초드듸다 자 〈옛〉 곧추 디디다. ¶ 고초드듸여 셔샤《月釋 I :52》.

고초 만:상【苦楚萬狀】명 갖은 고초.
고초-선【苦草膳】명 →고추선.
고초아-채【苦草芽菜】명 고추싹 나물.
고초 안:다 [—따] 타 〈방〉 곧추 안다.
고초-열【枯草熱】명 [hay fever]〖의〗 꽃가룻병(病).
고초엽-채【苦草葉菜】명 고춧잎 나물.
고초-일【枯焦日】명〖민〗 예전에 책력(冊曆)으로 오행(五行)을 풀어서 길흉(吉凶)을 매기던 날의 한 가지. 이 날에 씨앗을 뿌리면 말라 버려 싹이 트지 않는다고 함.
고초-장【苦草醬】명 →고추장.
고초-전【藁草廛】명 볏짚을 파는 가게.
고초-포【苦草包】명 고추쌈.
고촉¹【孤燭】명 외따로 있는 쓸쓸한 촛불.
고촉²【高燭】명〖물〗 도수(度數)가 높은 촉광(燭光).
고촌【孤村】명 외따로 떨어져 있는 촌락.
고촐리 [Gozzoli, Benozzo] 명〖사람〗 이탈리아 르네상스 초기의 화가. 안젤리코(Angelico)의 제자. 그의 영향을 받아 화려하고 풍속화적 경향이 짙은 프레스코(fresco)화를 제작함. 대표작에 피렌체(Firenze)의 메디치궁(Medici 宮), 곧 현재의 리카르디궁(宮)의 벽화 《삼현왕(三賢王)의 여행》등이 있음. [1420-97]
고:총¹【古塚】명 실전(失傳)하였거나 절손(絶孫)하여 사초(莎草)를 하지 못하는 묵은 무덤.
고총²【固寵】명 변하지 않는 총애(寵愛)를 받음. ——-하다 자여불
고쵸 명 〈옛〉 고추¹. ¶ 고쵸 쵸(椒)《字會 上 12》.
고추¹ 명〖식〗[←고초(苦草)] [*Capsicum longum*] 가짓과에 속하는 일년초. 줄기는 높이 60-90cm 가량으로 많이 갈라지고, 잎은 긴 달걀꼴에 끝이 뾰족함. 여름에 다섯 갈래로 열게 찢어진 흰 합판화(合瓣花)가 핌. 초록색의 장과(漿果)는 긴 타원형을 이루고 익어 가면서 점차 빨갛게 되는데, 껍질과 씨는 매우 매움. 잎은 무치어 나물을 만들어 먹고, 열매는 식용(食用)하는데, 특히 익은 열매를 빻아서 조미료(調味料)로 씀. 관상용(觀賞用)으로 심는 종류도 있음. 당초(唐椒). 번초(蕃椒).
〈고추¹〉
[고추나무에 그네를 뛰고 잣 껍질로 배를 만들어 타겠다] ㉠사람의 키가 작아지고, 몸도 줄어들어서 고추나무에 그네를 뛸 수 있고, 잣 껍질로 만든 배도 탈 만하게 된다고 하는 뜻이니, 세상이 말세(末世)나 되면 있을 괴상 망측한 짓을 한다는 말. ㉡불가능한 잔꾀를 부리는 사람을 두고 하는 말. [고추는 작아도 맵다] 사람이 몸집은 작아도 힘이 세거나, 성질이 모질거나, 하는 일이 야무지거나 함을 비유하여 이르는 말. [고추 밭에 말 달리기] 매우 심술이 고약하다는 말. [고추 밭을 매도 참이 있다] 고추밭 매기처럼 헐한 일이라도 참을 주듯, 작은 일이라도 사람을 부리면 보수를 줘야 한다는 말. [고추보다 후추가 더 맵다] ㉠작은 사람이 큰 사람보다 더 뛰어남을 이르는 말. ㉡뛰어난 사람보다 더 뛰어난 사람이 있음을 이르는 말.
고추 먹은 소리 구 못마땅하게 여겨 씁쓸해하는 말.
고추² 명 〈방〉 고치(경기·강원·충북·전라).
고추³【考推】명 고찰(考察)하고 추리(推理)함. ——-하다 타여불
고:추-가【古雛加·古鄒加】명〖역〗 고구려 왕실 종족(宗族)의 대가(大加). 전왕족(王族)인 연노부(涓奴部)의 적통 대인(嫡統大人) 및 왕비족(王妃族)인 절노부(絶奴部)의 칭호(稱號).
고:추가 경:기【古雛加競技】명〖역〗 고구려 시대에 5 부족장(部族長) 사이에 행해지던 경기. 경기 종목은 각저(角觝)·궁사(弓射)·승마(乘馬)·수박(手搏) 등이 있었음.
고추-감 명〖식〗 작은 뾰주리감.
고추 감주【—甘酒】명 고춧가루를 탄 감주. 감기를 푸는 약으로 먹음.
고추 기름 명 고춧가루에 기름을 부어 갠 양념.
고추-나무 명〖식〗[*Staphylea bumalda* var. *typica*] 고추나뭇과에 속하는 낙엽 활엽 관목. 잎은 세 개가 복생(複生)하며, 소엽(小葉)은 달걀꼴 또는 달걀꼴 피침형임. 5월에 흰 오판화가 원추 화서로 정생하며, 삭과(蒴果)는 10월에 익음. 산골짜기에 나는데, 한국 각지·일본·만주·중국 등지에 분포함. 잎은 식용함.

〈고추나무〉

고추-나물 명〖식〗[*Hypericum erectum*] 물레나물과에 속하는 다년초. 줄기는 30-60cm 내외, 잎은 대생하며, 무병(無柄)에 달걀 모양의 피침형 또는 긴 달걀꼴을 이룸. 7-8월에 노란 꽃이 취산(聚繖) 화서로, 줄기 끝과 가지 끝에 정생(頂生)하며, 삭과(蒴果)를 맺음. 산이나 들에 나는데, 거의 한국 전역 및 일본에 분포함. 어린 잎은 식용하고 줄기와 잎은 약용함.
〈고추나물〉
고추나뭇-과【—科】명〖식〗[Staphyleaceae] 쌍자엽(雙子葉) 식물 이판화류(離瓣花類)에 속하는 한 과. 목본(木本)으로 전세계에 25여 종, 한국에는 고추나무·말오줌대 등의 3 종이 분포함.
고추-냉이 명〖식〗[*Wasabia koreana*] 겨잣과에 속하는 다년초. 시냇가에 저절로 나는데 재배하기도 함. 지하경은 비대한 원주형으로 잎꼭지와 함께 몹시 매움. 줄기 높이는 30cm 가량되고, 근생엽은 심장형을 이룸. 5-6월에 흰 사판화가 총상(總狀) 화서로 정생함. 열매는 장각(長角). 지하경은 향신료(香辛料)로 씀. 산규(山葵).

〈고추냉이〉

고:추 대:가【古鄒大加】명〖역〗 고추가(古鄒加)를 한층 높이어 일컫던 벼슬 칭호.
고추 바람 명 살을 에는 듯하게 부는 찬 바람.
고추-박이 명 〈속〉 천한 계집의 서방.
고추 보찜 명 〈방〉 고추쌈.
고추 부서【孤雛腐鼠】명 외로운 병아리와 썩은 쥐. 곧, 어려서부터 돌보아 주는 사람이 없이 떠돌아 다니어 그 인격이 천하다는 뜻으로, 남을 멸시하는 말.
고추-뿔 명 둘이 다 곧게 선 쇠뿔.
고추 상투 명 고추와 같이 작은 늙은이의 상투.
고추-선【—膳】명 [←고초선(苦草膳)] 풋고추를 한 편만 갈라서 씨를 빼고 고기와 생선을 짓이긴 것에 두부와 갖은 양념을 하여 넣고, 실로 허리를 동여매어 너스레에 쪄내어 식힌 음식.
고추싹 나물 명 고추씨를 싹을 내어, 데쳐서 양념을 하고, 무치거나 콩나물 볶듯 볶은 나물. 고초아채(苦草芽菜).
고추-쌈 명 풋고추의 꼭지를 따 버리고 한쪽만 쪼개어서 씨를 털어 내고, 그 속에다 짓이긴 고기와 두부를 양념하여 주물러서 소를 넣고, 소 넣은 쪽에 밀가루·달걀을 씌워 지진 음식. 고초포(苦草包).
고추-씨 명 고추의 씨. 황색에 납작하고 동그스름함.
고추 자:지 명 어린애의 조그마한 자지를 귀엽게 일컫는 말.
고추-잠자리 명〖충〗[*Crocothemis servilia*] 잠자릿과에 속하는 곤충. 복부(腹部)의 길이는 28mm, 뒷날개는 33mm 가량임. 두흉부(頭胸部)는 칙칙한 등색(橙色)에 반문은 없고, 수컷은 복부가 고추처럼 빨간데, 암컷은 등색(橙色)임. 날개는 투명하고, 시맥(翅脈)은 갈색이며, 연문(緣紋)은 황색을 이룸. 6-9월에 걸치어 농촌이나 연못가에 떼를 지어 왔다 갔다 날아다니는 것을 볼 수 있는데, 몹시 민활함. 동양 열대 지방 및 한국·일본에 분포함. 암컷을 '메밀잠자리'라고도 함. 강추(絳緅). 적변 장인(赤弁丈人). 적의 사자(赤衣使者). 적졸(赤卒).
〈고추잠자리〉
고추-장【—醬】명 [←고초장(苦草醬)] 메줏가루에 질게 지은 밥이나 떡가루 또는 되게 쑨 죽을 버무리고 고춧가루와 소금을 넣어 섞어서 간을 맞추어 익힌 조미료(調味料)의 한 가지. 그 재료나 만드는 법에 따라 떡고추장·멥쌀 고추장·무거리 고추장·보리 고추장·약고추장·찹쌀 고추장·팥고추장 등의 구별이 있음.
[고추장 단지가 열둘이라도 서방님 비위를 못 맞춘다] 성미가 몹시 까다로워서 비위 맞추기가 대단히 어렵다는 말. [고추장이 밥보다 많다] 본말전도(本末顚倒)라는 말.
고추장 볶이【—醬—】명 볶은 고추장.
고추장 지짐이【—醬—】명 고기나 채소·나물 등에 고추장을 풀어 지진 반찬.
고추장 찌개【—醬—】명 물에 고추장을 풀고 고기·파·두부 등을 썰어 넣고 끓인 찌개.
고추-좀잠자리 명〖충〗[*Sympetrum frequens*] 잠자릿과에 속하는 곤충. 복부(腹部)의 길이는 28mm, 뒷날개의 길이는 31mm 가량임. 중흉부(中胸部)는 앞쪽이 갈색이고, 흉부 측면은 황갈색인데 석 줄의 검은 줄무늬가 있음. 복부는 적색 또는 황색이며, 측변(側邊)은 검음. 암컷은 각 복절의 흑색부가 선상(線狀)으로 발달하였음. 유럽·시베리아·한국 등에 분포함. 늦고추잠자리.

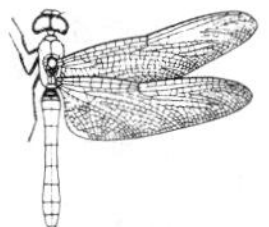
〈고추좀잠자리〉

고추-짱아 명 〈소아〉〖충〗 고추잠자리.
고추-찌 명 몸통이 고추 모양으로 생긴 낚시찌.
고추-풀 명〖식〗 주름잎풀.
고:축【告祝】명 신명에게 고하여 빎. 하소연하여 빎. ——-하다 타여불
고:춘【古春】명 늦봄. 만춘(晩春).
고춘-봉【高春峰】명〖지〗 함경 남도 덕원군(德源郡) 풍상면(豐上面)과 안변군(安邊郡) 서곡면(瑞谷面) 사이에 있는 산봉우리. 태백 산맥(太白山脈)의 첫머리 부분을 이룸. [1,121 m]
고-출력【高出力】명〖전〗 높은 출력.
고춤 명 〈옛〉 콧물과 침. ¶ 佛前에 고춤 받거나ᄒᆞ면《龜鑑 下 55》.
고춧-가루 명 고추를 말리어서 찧어 만든 가루.
고춧-잎 [—닙] 명 고추의 잎사귀.
고춧잎 나물 [—닙—] 명 고춧잎을 삶아서 무친 나물. 고초엽채(苦草葉菜).
고춧잎 장아찌 [—닙—] 명 ①삶아서 우린 고춧잎을 짜서 장을 치고 양념을 하여 끓인 반찬. ②삶아서 말린 고춧잎과 말린 무 장아찌를 섞어서 장을 치고 양념을 한 반찬.
고충¹【孤忠】명 남의 도움을 받지 아니하고 단지 홀로 바치는 외로운 충성.
고충²【苦衷】명 괴로운 심정(心情). 괴로운 마음 속. 고회(苦懷). ¶ ~을 헤아리다.
고충³【蠱蟲】명〖동〗 회충(蛔蟲).
고충실도 증폭기【高忠實度增幅器】[—또—] 명〖전〗 증폭기의 입력 파형(入力波形)으로 출력(出力)을 증폭시키는 증폭기. 최근 레코드 녹음 재생 장치의 증폭기에 사용되고 있음. 하이파이(hifi) 증폭기.
고충실 음향 재:생 장치【高忠實音響再生裝置】명 하이파이(hifi).
고충 처:리 기관【苦衷處理機關】명〖법〗 근로자의 고충을 청취하고 이를 처리하는 기구. 사업체 또는 사업장마다 노사(勞使)를 대표하는 3 인 이내의 위원을 두게 되어 있음.
고취¹【高趣】명 고상한 운치(韻致).
고취²【鼓吹】명 ①북을 치고 피리를 붊. ②군사(軍事)에 아뢰는 음악(音樂). 군악(軍樂). ③〖역〗 군악(軍樂)을 아뢰는 악대. 중국 후한(後漢) 때에 비롯됨. ④용기와 기운을 북돋아 일으킴. 격려(激勵). 고무(鼓舞). ¶ 사기를 ~하다. ⑤의견이나 사상 등을 열렬히 주장하여 널리 선전함. ¶ 애국심을 ~하다. ——-하다 타여불
고취-악【鼓吹樂】명 예전에, 타악기와 취주 악기로 아뢰는 음악. 주로,

군악(軍樂)으로 쓰이었으나, 임금의 거둥이나 궁중의 연례(宴禮) 등에도 연주되었음.

고:츠 산맥【一山脈】〔Ghats〕명〖지〗인도 남부 데칸 고원(Decan 高原)의 양옆을 남북으로 달리는 산맥. 아라비아 해(Arabia 海) 쪽에 면한 서(西)고츠 산맥은 여름철의 남서 계절풍을 차단하여, 해안은 다습(多濕)하고 육지 쪽은 한해(旱害)가 심하며, 벵골 만(Bengal 灣) 쪽에 면한 동(東)고츠 산맥은 산릉(山陵)이 불연속(不連續)함.

고층【高層】명 ①2층 이상의 높은 층. ¶ ~ 건물. ②상방(上方)의 층. ¶ ~ 기류.

고층 건:물【高層建物】명 고층으로 지은 건물. ＊단층(單層).

고층 건:축【高層建築】명〖건〗고층으로 짓는 건축. ＊단층집·이층집.

고층 기상 관측【高層氣象觀測】명〖기상〗고층 대기 중의 기상 상태를 관측하는 일. 측풍 기구(測風氣球)·탐측 기구(探測氣球)·연·비행기 등이 사용되었으나 1927년 라디오존데(radiosonde)의 발명, 또한 레이윈(rawin)의 발명 등으로 크게 진보, 1960년 이후는 기상 위성·기상 로켓의 사용으로 지상 수십 킬로미터의 상공까지 관측하게 되었음.

고층 기상대【高層氣象臺】명 고층 기상의 관측과 초고층 대기(超高層大氣)의 연구를 하는 기상대.

고층 기상학【高層氣象學】명〖기상〗고층의 기상을 연구하는 기상학. 30 km 정도까지의 범위를 연구하는 것과 그 이상의 높이에 관하여 연구하는 초고층 기상학으로 구분함.

고층 단:면도【高層斷面圖】명〖기상〗특정한 자오선(子午線)이나 위도선(緯度線)에 연(沿)하여 지상으로부터 상공까지의 기상 자료를 한 장의 도표에 기입하여 필요한 등치선(等値線)을 그린 도면. 거의 수평면에 관하여 작성하는 고층 천기도와 병용(倂用)해서, 대기의 입체'구조를 보다 더 완전히 파악할 수 있으며 제트 기류(jet 氣流)나 전선(前線)의 모양을 포착하는 데 유효함.

고층 대:기【高層大氣】명〔upper air〕〖기상〗지상 약 1 km 이상의 대기. 기상 관측·종관(綜觀) 기상학에서 쓰이는 용어로서 대류권(對流圈) 위의 대기를 가리키기도 함. ＊대기 성층(大氣成層)·초고층 대기.

고층 습원【高層濕原】명 고산 지방의 습기가 많은 지대. 여름에는 습기가 적고 식물의 잎이 쌓이어 있음. ↔저층(低層) 습원.

고층-운【高層雲】명〔altostratus〕〖기상〗중층운(中層雲)에 속하는 구름으로 고적운(高積雲)의 아래, 난층운(亂層雲)의 위에 있음. 2~7 km의 하늘에 널리 깔리어서 거의 하늘을 덮은 것 같은 약간 진한 잿빛 또는 엷은 청색을 띤 구름. 기호는 As. 높층구름. ＊층권운(層卷雲).

고층 일기도【高層日氣圖】명〖기상〗라디오존데(radiosonde)나 레이윈(rawin)의 관측 결과를 기초로 하여 대기의 입체적 상태를 알기 위하여 만드는 천기도. ↔지상(地上) 일기도.

고층-풍【高層風】명〖기상〗지표면의 요철(凹凸)의 영향을 받지 아니하는 고공(高空)을 부는 바람. 상층풍(上層風).

고치[1] 명 ①누에가 실을 토하며 제 몸을 둘러싸서 조금 긴 타원형으로 얽어 만든 집. 흰빛이 많고 누른빛도 있음. 데치어 명주실을 뽑음. 누에고치. 잠견(蠶繭). ②물레질하려고 만든 솜방망이.
【고치를 짓는 것이 누에다】제 본분을 다 해야 명실(名實)이 상부(相符)하게 된다는 말.

고치[2] 명〈방〉고추(전라·경상·강원·함경·제주).

고:-치[3]【古峙】명〖지〗전라 남도 장흥군(長興郡)과 보성군(寶城郡) 사이에 있는 재. [286 m]

고:치[4]【叩齒】명 치근(齒根)을 튼튼히 하기 위하여 아래윗니를 자꾸 마주침. ——-하다 자여불

고치[5]【高値】명 비싼 값.

고치[6]【高置】명 높은 곳에 둠. ——-하다 타여불

고치[7]【膏雉】명 살진 꿩.

고:치[8]〔高知: こうち〕명〖지〗일본 고치 현(縣) 중부의 시. 현청 소재지. 시멘트·섬유·화학·제지(製紙) 등의 공업이 행하여짐. 대학(大學)이 있음. [322,560 명(1996)]

고치-가림 명 고치고르기.

고치-고르기 명 고치를 등급에 따라서 골라 내는 일. 고치가림. 선견(選繭). ——-하다 자여불

고치고름-틀 명 고치를 고르는 기계. 선견기(選繭機).

고치다 타 ①헐거나 고장이 난 물건을 손질하여 쓸 수 있도록 만들다. 수선하다. 수리하다. ¶ 기계를 ~. ②병을 낫게 하다. ¶ 위장병을 ~. ③잘못된 일이나 마음을 바로잡다. 교정(矯正)하다. ¶ 버릇을 ~. ④틀린 것을 바로잡다. 수정하다. 정정(訂正)하다. ¶ 답안을 ~. ⑤변경하다. 변개(變改)하다. ¶ 시간표를 ~/규칙을 ~. ⑥모양이나 위치를 가지런히 하거나 바르게 하다. ¶ 옷매를 ~/자세를 ~.

고치-따기 명 수견(收繭).

고치-떡 명 전라 남도 향토 음식의 하나. 흰 떡가루에 노랑·분홍·연둣빛 물을 들여 누에고치 모양으로 빚어 찐 떡. 누에를 칠 때 마지막 잠을 재워 잠박(蠶箔)에 올려 놓고 고치짓기를 기다리며 만들어 먹음.

고치-방【固齒方】명 흔들리는 이를 튼튼하게 하는 방법.

고치-벌 명〖충〗벌목(目) 고치벌과에 속하는 곤충의 총칭. 주로 온대 및 열대에 사는 작은 곤충으로 해충에 기생하는 익충(益蟲)이 많음. 소견봉(小繭蜂). ＊고치벌과(科).

고치벌-과【一科】[一꽈] 명〖충〗[Braconidae] 벌목(目)에 속하는 한 과. 대체로 4-6 mm 정도이나 2 mm 정도의 것도 있고 큰 것은 20 mm에 달하는 종류도 있음. 기생성(寄生性)이므로 산란관(產卵管)이 몸길이의 수배(數倍)에 달하며, 특히 나비·나방, 딱정벌레, 파리·등에 등의 유충의 체내에 기생하여 농업 해충의 천적(天敵)으로 중요시됨. 배추벌레고치벌·명충살이고치벌 등이 있는데, 전세계에 5,000 여 종이 분포함.

고치-솜 명 견면(繭綿).

고치-실 명 노숙한 집누에가 번데기로 변할 때에 머리의 토사공(吐絲孔)에서 토하여 자기의 몸을 둘러싸는 실. 생사의 원료가 됨. 견사(繭絲).

고치-장【一醬】명〈방〉고추장(경상·강원·충청).

고치-켜기 명 조사(繰絲).

고치-틀기 명 누에가 실을 토하여 고치를 만드는 일. 결견(結繭). 영견(營繭).

고:치 현【一縣】〔高知: こうち〕명〖지〗일본 시코쿠(四国) 섬 남부의 현(縣). 9시 7군. 산지가 많고 경작지는 약 8%, 고온 다우(高溫多雨)함. 농림·수산업이 주이며, 근대 공업은 발전이 뒤지고 시멘트·제지(製紙)·펄프 공업 등이 행하여짐. 현청 소재지는 고치 시(市). [7,104 km²: 816,704(1996)]

고:칙【古則】명〖불교〗공안(公案).

고:친【故親】명 오래 전부터 친한 사람.

고:칠 현:삼제【古七現三制】명 어떤 일에 대하여 옛 것을 7, 현재의 새 것을 3의 비율로 취택(取擇)하는 방식.

고침[1]【孤枕】명 홀로 자는 외로운 베개.

고침[2]【高枕】명 ①높은 베개. ②↗고침 안면(高枕安眠).

고침 단금【孤枕單衾】명 홀로 쓸쓸히 자는 여자의 이부자리.

고침 단면【高枕短眠】명 베개를 높이 베면 오래 자지 못한다는 말.

고침 단명【高枕短命】명 베개를 높이 베면 오래 못 산다는 말.

고침 사지【高枕肆志】명 높은 베개를 베고 마음대로 한다는 뜻으로, 재산이 있어 몸과 마음이 편안하며, 할일 없이 한가하고 즐겁게 지냄을 이르는 말.

고침 안면【高枕安眠】명 베개를 높이 하여 잘 잠. 아무 근심 없이 편안하게 잘 잠. ㊟고침(高枕).

고침 한등【孤枕寒燈】명 외로이 자는 방의 쓸쓸한 등잔.

고칫-대 명 솜으로 고치를 마는 수수목대 따위.

고:칭[1]【古稱】명 예전에 일컫던 이름.

고칭[2]【高秤】명 저울을 세게 다는 일.

고:-카:트〔gocart〕명 ①어린애가 타고 놀 수 있는 소형의 모형 자동차 또는 보행기(步行器). 의자 모양의 유모차. 소형(小型) 유모차. ②구조가 간단한 엔진이 달린 놀이 또는 경기용의 소형(小型) 자동차.

고:칼레〔Gokhale, Gopal Krishna〕명〖사람〗인도의 정치가. 국민 회의파의 지도자의 한 사람. 입헌적인 자치 운동에 진력하였고, 인도 봉사 협회를 창립하였음. [1866-1915]

고코을다 자〈옛〉코 골다. ¶ 고코을 한(鼾)《字會 上 30》.

고콜 명 두메에서 밤에 불을 켤 때, 불붙은 관솔을 올려 놓기 위하여 벽에 뚫어 놓은 구멍.

고콜-불 [一뿔] 명 고콜에 켜는 관솔불.

고콤 명〈옛〉고금. 학질(瘧疾). ＝고곰. ¶ 고콤 힉(痎)《字會 中 34》.

고콰 〈옛〉코와. '고[2]'의 공동격형(共同格形). ¶ 귀와 고콰 혀와 《釋譜 Ⅵ:28, 月釋 Ⅱ:15》.

고클레니우스의 연쇄식【一連鎖式】〔Goclenius〕[一/一에一] 명〖철〗〔고클레니우스는 17세기초의 독일의 논리학자〕연쇄식의 한 가지. 넓은 개념으로부터 좁은 개념으로 퇴하는 연쇄식. 역퇴적(逆退的) 연쇄식. 후퇴적 연쇄식. ↔아리스토텔레스 연쇄식(Aristoteles 連鎖式).

고:키〔Gorky, Arshile〕명〖사람〗아르메니아 태생의 미국 화가. 1920년 미국에 이주, 피카소·미로 등의 영향을 받았고, 입체파(立體派)와 초현실주의(超現實主義)의 요소를 지닌 독자적인 화풍을 전개함. 미국에 있어서 추상화의 개척자로 일컬어짐. 자살하였음. [1809-48]

고키리 명〈옛〉코끼리. ¶ 象兵은 ᄀᆞᄅᆞ쳐 싸호매 브리ᄂᆞᆫ 고키리오《月釋 Ⅰ:27》/고키리 샹(象)《字會 上 18》.

고타[1]【拷打】명 고문(拷問)하여 때림. 고략(拷掠). ——-하다 타여불

고:타[2]〔Gotha〕명〖지〗독일의 에르푸르트(Erfurt)주에 있는 도시. 1875년 고타 강령(綱領)이 채택된 곳. 섬유·철도·차량·기계 공업이 성하며 철도의 요지임.

고:타 강령【一綱領】〔Gotha〕[一녕] 명〖정〗독일 사회주의 노동당의 강령. 에르푸르트(Erfurt) 강령의 전신(前身)으로, 1875년 독일의 고타 시(市)에서 열린 독일 노동자 협회와 독일 사회 민주 노동자당(勞動者黨)의 합동 대회에서 채택됨.

고타마 싯다르타〔Gautama Siddhartha〕명〖사람〗'싯다르타' 곧 석가가 태자이었을 때의 정식 이름.

고타분-하다 형여불 ↗고리타분하다. <구터분하다.

고탁[1]【高卓】명 매우 뛰어남. 월등하게 뛰어남. ——-하다 형여불

고탁[2]【鼓柝】명 ①북과 딱딱이. ②딱딱이를 침. ——-하다 자여불

고-탄성【高彈性】명 탄성의 한계가 큼. 고무의 탄성 따위.

고탄소-강【高炭素鋼】명 탄소를 0.5 % 이상 함유하는 탄소강.

고탄소 크롬【高炭素一】명〔high-carbon chromium〕크롬 86 % 이상, 탄소 8-11 %, 철과 규소(珪素) 각각 0.5 % 이하를 함유하는 크롬.

고:탑[1]【古塔】명 옛 탑.

고탑[2]【高塔】명 높은 탑.

고탑지근-하다 형여불 좀 고리탑탑하다. <구텁지근하다.

고탑탑-하다 형여불 ↗고리탑탑하다. <구텁텁하다.

고:태[1]【古態】명 예스럽고도 아취 있는 모습. 고아(古雅)하고 질박(質朴)한 상태.

고태[2]【固態】명〖물〗물질이 고체(固體)의 상태를 취하고 있을 때의 이름. ＊기태(氣態)·액태(液態).

고:태[3]【故態】명 옛 자태(姿態). 옛 모습.

고태-교【高台教】명〖종〗카오다이교(Cao Dai 教).

고:태 의연【古態依然】명 옛 모습이 조금도 변하지 아니하고 그대로 있음. ——-하다 형여불

고:택[1]【古宅】명 옛날에 지은 집.

고:택[2]【故宅】명 예전에 살던 집. 구택(舊宅).

고택[3]【膏澤】명 ①몸의 기름. ②남의 은혜. ③이슬과 비의 은택(恩澤).

우로지택(雨露之澤). ④고혈(膏血).

고택골-가다【高宅—】[구]〈속〉〔고택골은 서울 은평구(恩平區) 신사동(新寺洞)에 있던 마을 이름. 공동 묘지가 있었음〕죽다.

고:텐〔도 Goten〕[명]〖역〗고트(Goths).

고텨 [타]〈옛〉고쳐. 다시. '고티다'의 활용형. ¶ 眞歇臺 고텨 올나 안즌마리 《松江 關東別曲》.

고토¹【苦土】[명]〖화〗'산화 마그네슘'의 속명.

고:토²【故土】[명] 고향(故鄕)의 땅. 고향.

고토³【膏土】[명] 기름진 땅. 걸찬 땅.

고토 감:람석【苦土橄欖石】[—남—] [명]〔forsterite〕〖화〗마그네슘과 규소(珪素)의 산화물을 성분으로 하는 올리브 녹색의 사방 정계(斜方晶系) 광물. 철(鐵)감람석과 임의의 비율로 혼합하면, 변질하여 사문암(蛇紋岩)이 됨. [Mg_2SiO_4] ＊감람석.

고토리 [명]〈옛〉꼬투리. ¶ 고토리 협(莢)《字會 下 6》.

고토-석【苦土石】[명]〔magnesite〕〖광〗삼방 정계(三方晶系)의 광물(鑛物). 보통 괴상(塊狀)·입상(粒狀)·섬유상(纖維狀) 등임. 순수한 것은 백색이며, 보통은 대황(帶黃)·대회(帶灰)·대갈색(帶褐色) 등임. 유리 광택이 나며 투명함. 내화(耐火) 재료·시멘트 재료 또는 사리염(瀉利塩) 기타 마그네슘염(塩)의 제조 등에 쓰임. 능고토광(菱苦土鑛). 마그네사이트. [$MgCO_3$]

고:-토양【古土壤】[명]〖지〗지질 시대(地質時代)에 이룩된 토양. 지표에 노출하고 있으나, 현재의 자연 환경과는 다른 조건 아래에서 이루어진 특징을 남긴 렐릭(relic) 토양, 생물(生物)의 화석(化石)처럼 지층 중에 보존된 화석 토양, 다른 자연 환경의 영향을 중복하여 받은 다원(多元) 토양 등이 있음.

고토 운모【苦土雲母】[명]〖광〗흑운모.

고톨배 [명]〈방〉도토리.

고통【苦痛】[명] 몸이나 마음의 괴로움과 아픔. 통고(痛苦).

고통-스럽다【苦痛—】[형][ㅂ불] 몸이나 마음이 괴롭고 아프다. 고통-스레【苦痛—】[부]

고통의 신비【苦痛—神祕】[—/—에—] [명]〔라 Mysteria Dolorosa〕〖천주교〗'묵주(默珠)의 기도'의 제5단(端). '통고(痛苦)'의 고친 말.

고퇴【敲推】[명] 퇴고(推敲).

고투【苦鬪】[명] ①힘드는 싸움을 함. 고전(苦戰). ¶ 악전(惡戰) ～. ②힘드는 일을 함. 고전(苦戰). ——-하다 [자][여불]

고투자율 재료【高透磁率材料】[명] 작은 자기장(磁氣場)에서도 쉽게 자화(磁化)되는 극히 민감한 재료. 테이프 레코드의 자기(磁氣) 헤드(head)나 전자석의 자심(磁心) 등에 쓰임.

고:트〔Goth〕[명]〖역〗게르만계(系)의 한 부족(部族). 2세기경 동유럽의 원주지(原住地) 비스와 강(Wisła江) 유역으로부터 흑해(黑海) 방면으로 이주(移住)하여 동(東)고트·서(西)고트로 나뉘었음. 동고트는 훈족(Hun族) 멸망 후 이탈리아에 침입하여 왕국을 세웠으나 6세기 중엽 동로마 제국에게 망하고, 서고트는 4세기말 훈족에게 밀리어 피레네(Pyrénées) 산맥의 남북에 왕국을 세웠으나 8세기초에 아라비아 민족에게 망함. 고텐(Goten).

고트발트〔Gottwald, Klement〕[명]〖사람〗체코슬로바키아의 정치가. 처음에는 사회 민주당 지도자. 1921년 공산당 창립에 참여, 1929년 당 서기장이 됨. 스페인 내란에도 참가, 1928-48년 코민테른 중앙 집행 위원. 제2차 대전 중에는 소련에 망명하여 민족 해방 투쟁을 지도, 1946년 수상이 되고 후(1948-53)에 대통령이 됨. [1896-1953]

고트셰트〔Gottsched, Johann Christoph〕[명]〖사람〗독일의 문예 이론가. 볼프(Wolff,C.)의 계몽주의 철학을 신봉하여 문학을 인심 교화(人心敎化)의 도구로 인정, 감정이나 도락적(道樂的) 요소를 배격하였고, 프랑스 고전극(古典劇)을 규범으로 한 연극술(演劇術)을 주장하였음. 저속한 연극을 추방하는 데 공이 있었음. [1700-66]

고:트-어【—語】〔Goth〕[명]〖언〗인도·유럽 어족의 동게르만어(東 German 語)에 속하는 언어. 오늘날이 계통의 게르만어는 사멸하고 없음.

고트프리:트 폰 슈트라:스부르크〔Gottfried von Strassburg〕[명]〖사람〗독일 중세(中世)의 궁정(宮廷) 서사 시인. 대표작 《트리스탄과 이졸데(Tristan und Isolde)》는 심리 묘사와 형식미(形式美)에 뛰어남. [1170?-1210?]

고트헬프〔Gotthelf, Jeremias〕[명]〖사람〗스위스의 목사·독일어 작가. 본명은 Albert Bitzius. 방언(方言)을 살리어 농민 생활을 사실적(寫實的)으로 그린 교양 소설 《머슴 울리(Uli der Knecht)》, 그 속편인 《소작인 울리》 등 외에 민화(民話)를 기초로 한 인간의 사악(邪惡)을 그린 《검은 거미》는 이색적인 걸작임. [1797-1854]

고트호:프〔Godthaab〕[명]〖지〗그린란드의 행정 중심지. 섬의 서남 해안(西南海岸)의 고트호프 협만(峽灣)에 있으며, 데이비스 해협에 면한 어항(漁港)이자 무역항임. 병원·교원(教員) 양성소·방송국 등이 있음. [9,848명(1983)]

고틀란드-기【—紀】〔Gottland〕[명]〖지〗'실루리아기(Siluria紀)'의 전 이름.

고틀란드 섬〔Gottland, Gotland〕[명]〖지〗스웨덴 남동부, 발트 해(Baltic Sea) 상의 섬. 고생대(古生代) 전기의 석회암을 기반으로 하는데, 귀리·라이보리·사탕무의 재배 및 면양(緬羊)의 목축(牧畜)이 성하며 대리석·시멘트 등을 생산함. 주도(主都)는 비스비(Visby). [3,140 km^2]

고티 [명]〈옛〉고치. ¶ 고티(繭)《訓例》/고티 견(繭)《字會 中 24》.

고티다 [타]〈옛·방〉고치다. ¶ 田制를 고티시니(大正田制)《龍歌 73章》.

고:티에〔Gautier, Théophile〕[명]〖사람〗프랑스의 시인·작가·비평가. 위고(Hugo)를 도와 낭만주의 운동의 선두에 섰음. 대표적인 시집 《나전칠보집(螺鈿七寶集)》, 장편 소설 《모팽 양(de Maupin 孃)》은 그의 '예술을 위한 예술'을 표명한 것으로 중요함. [1811-72]

고티크〔프 gothique〕[명] 고딕.

고티 힐후다 [타]〈옛〉고쳐 힐난하다. '고티다'의 부사형(副詞形) '고티'에 '힐후다'가 복합된 말. ¶ 믈러와 날마다 ㅎ논 일와 믈읫 니르논 말와롤 견줌뻐 고티 힐훠보니 븓들여 서로 어긘 이리 하더니(及退而自黶括日之所行 與凡所言自相掣肘矛盾者 多矣)《飜小 X:25》.

고파【高波】[명] 큰 물결.

고:파-도【古波島】[명]〖지〗충청 남도 서해상, 서산시(瑞山市) 팔봉면(八峰面) 고파도리(古波島里)에 있는 섬. [1.04 km^2]

고:판¹【古版】[명] ①옛 목판(木版). 옛날의 책판(册版). 옛날에 출판된 서적. 구판(舊版). ②↗고판본(古版本). 1)·2):↔신판(新版).

고판²【沽販】[명] 물건을 사고 파는 일.

고:판-본【古版本】[명] ①옛날의 목판본의 총칭. ②신판의 책에 대하여 그 이전의 책. [준]고판(古版).

고팡【庫—】[명]〈방〉고방(庫房)(제주).

고패¹ [명] 높은 곳에 기(旗)나 물건을 달아 올리었다 내리었다 하는 데 줄을 걸치는 작은 바퀴나 고리. 녹로(轆轤).

〈고패¹〉

고패² [명]〈방〉고개. 산비탈.

고패³ [명]〈방〉글피(전남·경남).

고패⁴ [명]〈방〉고팽이❶.

고:패⁵【古貝】[명]〖식〗목면(木棉)❸.

고패⁶【沽貝】[명]〖동〗동죽.

고패-낚 [명] ↗고패낚시.

고패-낚시 [명] 미끼를 오르락내리락 놀리면서 하는 낚시질. [준]고패낚.

고패 떨어뜨리다 [자] 하인(下人)이 상전(上典)에게 뜰 아래에서 절하다.

고패 떨어트리다 [자] 고패 떨어뜨리다.

고패 빼:다 [자] 굴복하다. 동곳빼다. ¶ 힘두 제법 겨뤄 보지 못하구 고패를 뺀 모양이데《洪命憙 : 林巨正》.

고패 숙이다 [자] 약한 소치(所致)로 머리를 숙이다.

고패-자지 [명] 어린아이의 타고난 까진 자지.

고패-해【沽貝醢】[명] 동죽젓.

고팻-줄 [명] 고패에 걸치는 줄.

고팽【高伻】[명] 남의 하인(下人)을 높이어 이르는 말.

고팽이 [명] ①새끼나 줄을 사리어 놓은 한 돌림. ②〖건〗고팽이 모양으로 된 무늬, 곧 소용돌이 무늬를 단청(丹靑)에서 일컫는 이름. ③어떤 거리(距離)의 한 왕복(往復). 또, 그 왕복. ¶ 십부름으로 정거장까지 두 ～하였더니 피곤하다/ 옥쇄장이가 저의 집에를 몇 ～ 왔다갔다한 동안이 지나도 오지 아니하여…《洪命憙 : 林巨正》. ——-하다 [타][여불]

고페 [명]〈방〉글피(전라).

고편¹【苦鞭】[명]〖천주교〗극기(克己)하기 위하여 수도자(修道者)가 제 몸을 때리는 채찍.

고편²【高篇】[명] 뛰어난 시문(詩文).

고-편도【苦扁桃】[명]〖식〗감복숭아.

고편도-수【苦扁桃水】[명] 고편도유(苦扁桃油)를 물에 녹인 것. 진통제(鎭痛劑)로 씀.

고편도-유【苦扁桃油】[명] 고편도에서 얻어지는 무색(無色)의 액체. 벤즈알데히드(benzaldehyde ; $C_6H_5CONH_2$)를 주성분으로 하며, 음료·과자·화장품 등의 향료(香料)로 씀.

고평¹【考評】[명] 시문(詩文)의 우열(優劣)을 고사하여 평정(評定)함. ——-하다 [타][여불]

고평²【高評】[명] 남의 평론(評論)의 높임말.

고폐¹【固閉】[명] 굳게 닫음. 단단히 닫음. ——-하다 [타][여불]

고폐²【高陛】[명] 높은 계단.

고폐³【痼弊】[명] 뿌리가 깊어 고치기 어려운 폐단(弊端). 고막(痼瘼).

고포¹【苦匏】[명]〖식〗①호리병박나무. ②호리병박.

고포²【高抱】[명] 고상한 포부(抱負).

고푸리다 [타] 몸을 앞으로 고부리다. 꼬꾸리다. <구푸리다.

고-풀이 [명]〖민〗씻김굿에서, 흰 무명이나 베로 열둘 또는 일곱 개의 매듭을 지어 한 끝을 기둥에 매고, 무당이 무가(巫歌)를 부르며 다른 한 끝을 잡아당겨서 매듭을 푸는 일.

고:품【古品】[명] 낡은 물품. 옛 물품.

고품위 텔레비전【高品位—】[명]〔high-definition television〕주사선(走査線)의 수를 현재의 배로 늘리어, 기존의 TV 방송보다 훨씬 선명한 화상(畫像)과 양질(良質)의 음성을 제공하는 텔레비전 방송 방식. 에이치디 티브이(HD TV). 하이비전. ＊고화질화 텔레비전.

고:풍¹【古風】[명] ①옛 풍속. 옛날의 모습. 아르카이슴. ②한시(漢詩)의 한 체(體). ③〖역〗임금이 습사(習射)하다가 살을 맞히면 모시었던 신하들에게 상을 주는 일. ④〖역〗서당(書堂) 아이들이 대신이나 재상이 지나는 길에 책을 펴 놓고, 책 위로 못 지나가게 하면, 그 기개를 장히 여겨 많은 지필묵(紙筆墨)을 내주고 통과하던 풍속. ⑤〖역〗장신(將臣)이 사정(射亭)에 간 때에 사원(射員)들에게 터놀이하라고 돈을 주던 일. ⑥〖역〗새로 부임한 벼슬아치가 전례를 좇아 하례(下隷)에게 행하(行下)를 주던 일.

고풍²【高風】[명] ①높은 곳으로 부는 바람. ②뛰어난 인덕(人德). 또, 남의 인격을 높이어 이르는 말. ③고상한 풍채(風采). 뛰어난 풍격(風格). ④남의 풍채의 존칭.

고-풍로【鼓風爐】[—노] [명]〖공〗광석을 강하게 열하는 작은 규모의 화로. 내화성(耐火性) 진흙으로 원통형으로 만듦.

고:풍-스럽다【古風—】[형][ㅂ불] 보기에 고풍을 지닌 데가 있다. 고풍-스레【古風—】[부]

고:풍-채【古風債】 명 〖역〗 새로 부임한 관원이 고풍(古風)으로 주는 돈.
고프다 형 시장하다. 허기(虛飢)를 느끼다. ¶ 배가 ~.
-고프다 미 동사 어간에 붙어, '-고 싶다'의 뜻을 나타내는 말. ¶ 가고파/보고픈 얼굴. 「서화(書畫).
고:필【古筆】 명 ①오래된 붓. ②옛 사람의 필적(筆蹟). 옛 사람이 그린
고:필-가【古筆家】 명 옛 사람의 필적을 보고 그 작가·연대 또는 가치 등을 감정하는 사람.
고푸리켜다 타 〈옛〉 굽혀 오그리다. ¶ 다리놀 고푸리켜고 드니는 이는 무릿 우희 알픔이오(曲腿行節上痛)≪馬經 上 75≫.
고:하[1]【古下】 명 〖사람〗 송진우(宋鎭禹)의 호(號).
고하[2]【苦河】 명 〖불교〗 고해(苦海).
고하[3]【高下】 명 ①위아래. 상하(上下). ②높낮이. 고저(高低). ③귀천(貴賤)❷. ¶ 신분의 ~. ④우열. ⑤값의 많음과 적음.
고하[4]【高廈】 명 높고 큰 집.
고하-간【高下間】 명 값이 많든지 적든지. ¶ 값은 ~에 사겠다.
고:-하다[1]【告—】 타여불 ①아뢰다. 여쭙다. ¶ 웃어른에게 ~. ②이르다. 까바치다. ¶ 잘못을 고해 바치다. 「히다.
고:-하다[2]【誥—】 타여불 윗사람이 아랫사람에게 고(告)하여 가르쳐 밝
고하-도【高下島】 명 〖지〗 전라 남도 목포시(木浦市) 충무동(忠武洞)에 있는 작은 섬. 목포(木浦) 앞바다에 있는데, 특히 무상 기일(無霜期日)이 200일 이상 계속되는 따뜻한 기후를 이루어, 면화 재배에 적당해서, 한국에서 육지면(陸地棉)의 재배가 제일 먼저 시작된 곳임. 이순신(李舜臣) 장군의 비각(碑閣)이 있음. [1.78 km² : 497 명(1985)]
고하-자【高下字】 [—짜] 명 평측자(平仄字).
고:학[1]【古學】 명 ①고대의 학예(學藝)를 연구하는 학문. ②송유(宋儒)의 의리(義理)의 학문에 대하여 한당(漢唐)의 주소(註疏)를 주로 하는 학문.
고학[2]【苦學】 명 학비를 제손으로 고생하여 벌어서 배우는 일. ¶ ~생. ——-하다 자여불
고-학년【高學年】 명 높은 학년을 이르는 말. ↔저학년.
고학력화 사회【高學歷化社會】 [—녀—] 명 소득 수준의 상승, 교육 정책의 충실, 관청·대기업 등의 학력 중시(學歷重視) 등으로 고학력자가 「많아진 사회.
고학-생【苦學生】 명 고학(苦學)하는 학생.
고:한[1]【古汗】 명 〖지〗 강원도 정선군(旌善郡)의 한 읍(邑). 무연탄(無煙炭)을 산출하는 신흥 탄광 도시로, 주로 탄광 종사원이 거주함. 주요 산물로는 무연탄 외에 정암사(淨岩寺)의 주목(朱木)이 유명하며, 정암사의 수마노탑(水瑪瑙塔)은 보물로 지정되고 있음. [9,847 명(1996)]
고한[2]【侤限】 명 다짐을 두는 기한(期限).
고한[3]【孤寒】 명 가난하고 한미(寒微)함.
고한[4]【枯旱】 명 한발로 인하여 식물이 마름. ——-하다 자여불
고한[5]【苦寒】 명 ①모진 추위. 혹한(酷寒). ②추위의 괴로움.
고한[6]【辜限】 명 ↗보고 기한(保辜期限).
고한 노동【苦汗勞動】 명 〖사〗 장시간·저임금(低賃金) 등의 좋지 아니한 노동 조건 밑에서 자본가의 착취(搾取)에 그대로 복종하며 반노예적 상태로 하는 노동. *고한 제도(苦汗制度).
고한 제:도【苦汗制度】 명 〔sweating system〕 〖사〗 고한 노동에 의한, 경제적·육체적·정신적으로 과도한 고통이 따르는 노동 착취 제도의 일반적 호칭. 원래는 수공업(手工業) 제도에서 상업 자본주의 시대로 옮아 오는 과정에 서구(西歐)에 있었던 것으로 19세기에 영국에서 성행하였음. 고혈 제도(膏血制度).
고함[1]【高喊】 명 크게 부르짖는 소리. 큰 함성. 대함(大喊).
고함(을) 지르다 구 큰 소리로 부르짖다.
고함(을) 치다 구 크게 소리치다.
고함[2]【鼓喊】 명 북을 치며 고함을 지름. 북을 치며 여러 사람이 함께 큰 소리를 지름. ——-하다 자여불
고함-고함【高喊高喊】 부 큰 소리로 부르짖는 모양.
고함 소리【高喊—】 [—쏘—] 명 고함을 지르는 소리.
고합금-강【高合金鋼】 명 〔high-alloy steel〕 〖공〗 탄소 이외의 원소를 다량으로 함유한 강.
고항【高亢】 명 뜻이 높아 남에게 굽실거리지 아니함. ——-하다 형여불
고해[1] 명 〈옛〉 황새. =고해. ¶ 고해 곡(鵠)≪字會 上 15≫.
고:해[2]【告解】 명 〖천주교〗 ↗고해 성사. ——-하다 자여불
고해[3]【苦海】 명 〖불교〗 고뇌(苦惱)가 많은 이 세상. 이 세상에 괴로움과 근심이 많아 그치지 아니함을 바다에 비유한 말. 고하(苦河).
고:해 성:사【告解聖事】 명 〖천주교〗 일곱 가지 성사의 하나. 세례를 받은 신자가 범한 죄를 뉘우치고 천주님의 대리자인 사제(司祭)에게 고백하여 용서를 받는 일. 준고해(告解).
고:해-소【告解所】 명 〖천주교〗 성당 안의 성사(聖事)로서의 고백을 듣기 위한 장소. 고해 신부와 고백자 사이를 창살로 가름.
고-해안【高海岸】 명 〔backshore〕 〖지〗 통상(通常)의 파랑(波浪)이나 조석(潮汐)이 미치지 않는 높은 해안대(海岸帶). 「여불
고핵【考覈】 명 생각하며 조사하여 명백히 함. 검핵(檢覈). ——-하다 타
고행[1]【孤行】 명 ①홀로 감. ②홀로 함. ——-하다 자여불
고행[2]【苦行】 명 〖불교〗 ①마음은 선(善)이고 몸은 악(惡)이라는 이원론적(二元論的) 사상을 기초(基礎)로 하여, 자기의 육신(肉身)을 괴롭히고 물질적 욕망을 고뇌(苦惱)를 견디어 내는 일. 또, 그 방법으로서 하는 명상(瞑想)·단식(斷食)·불면(不眠) 등의 행위. ②절에서 장차 중이 되기 위하여 여러 대중(大衆)에게 심부름하는 사람. ——-하다 자 「여불
고행[3]【高行】 명 고상한 행위. 뛰어난 행위.
고행[4]【鼓行】 명 북을 치며 기세를 돋우어 행진함. ——-하다 자여불
고:향[1]【告香】 명 〖불교〗 스승에게 향(香)을 사르면서, 설법(說法)하여 주기를 간청함. ——-하다 자여불
고향[2]【故鄕】 명 ①제가 나서 자라난 곳. 고구(故丘). 고리(故里). 고산(故山). 고원(故園). 고토(故土). 시골. ②제 조상이 오래 누려 살던 곳.
[고향을 떠나면 천하다] 고향을 떠나 낯선 고장에 가면 고생은 크고 외롭다 하여 이르는 말. ¶ 속담에 고향을 떠나면 천하다 하였으니 네 설혹 수궁에 들어간들 무슨 부귀를 일조에 얻을소냐≪토끼전≫.
고향[3]【鼓響】 명 북소리의 울림.
고:허[1]【古墟】 명 오랜 세월을 지낸 폐허(廢墟).
고:허[2]【故墟】 명 옛날, 성곽(城郭)이나 시가(市街)가 있던 곳. 옛 성터.
고허[3]【高虛】 명 ①지위는 높고 실제(實際) 직임(職任)은 없음. ②높고 허무함. ——-하다 형여불
고:헌[1]【古憲】 명 옛적의 법칙. 「에 대한 존칭.
고헌[2]【高軒】 명 ①높은 처마. ②높은 헌거(軒車)라는 뜻으로, 남의 수레
고헌-산【高獻山】 명 〖지〗 경상 남도 울산(蔚山) 광역시 두서면(斗西面)과 상북면(上北面) 사이에 있는 산. 태백 산맥(太白山脈)의 남단에 솟아 있음. [1,033 m]
고-헌(:)성【顧憲成】 명 〖사람〗 중국 명말(明末)의 학자. 자(字)는 숙시(叔時). 벼슬은 이부 낭중(吏部郎中)에 이르렀으나, 만력제(萬曆帝)의 뜻을 어기어 면직됨. 뒤에 향리의 동림 서원(東林書院)에서 재야의 동지들과 학문을 강의하고 인물을 키워 냈음. 이를 동림당(東林黨)이라 하며, 후세의 조정에 큰 영향을 주었음. 시호는 단문(端文). [1550-1612]
고헐[1]【苦歇】 명 오래 앓는 중에 병이 더하였다 덜하였다 하는 일.
고헐[2]【高歇】 명 ①값이 올랐다 내렸다 하는 일. ②값의 비쌈과 쌈.
고헐-간【高歇間】 ㊀명 값이 싸든지 비싸든지 불계(不計)함. ㊁ 부 싸거나 비싸거나. 「하다 형여불
고헐 무상【高歇無常】 명 값의 오르고 내림이 일정하지 아니함. ——-
고험[1]【考驗】 명 생각하여 조사함. 고사(考査). ——-하다 타여불
고험[2]【高險】 명 높고 험함. ——-하다 형여불
고헤 〈옛〉 코에. '고²'의 처격형(處格形). ¶ 고헤 이션 香을 곧히오(在鼻辨香)≪牧牛訣 6≫.
고:현[1]【古賢】 명 옛날의 현인(賢人). 석현(昔賢). 전현(前賢).
고현[2]【高玄】 명 고상하고 유현(幽玄)함. ——-하다 형여불
고현[3]【高賢】 명 덕이 높고 현명한 사람.
고현-학【考現學】 명 〔modernology〕 현대 사회의 모든 분야에 걸쳐서, 그 유행(流行)의 변천을 조직적·과학적으로 연구하여 현대의 진상을 규명하려는 학문. 모더놀러지. ↔고고학(考古學).
고혈[1]【孤孑】 명 고단(孤單). ——-하다 형여불
고혈[2]【膏血】 명 ①사람의 기름과 피. ②심신(心身)을 괴롭히어 얻은 이익(利益). 고생하여 얻은 수익(收益). 고택(膏澤).
고혈을 짜다 구 가혹하게 착취하거나 징수(徵收)하다.
고혈 단신【孤孑單身】 명 혈육이 없는 외로운 몸. 혈혈 단신.
고-혈당【高血糖】 [—땅] 명 〖의〗 고혈당증.
고혈당-증【高血糖症】 [—땅쯩] 명 〔hyperglycemia〕 〖의〗 혈액 내에 포도당이 비정상적(非正常的)으로 상승(上昇)하여 있는 증세. 이른 아침 공복시에 측정하여 0.12 % 이상일 때를 가리키는데 당뇨병에서 볼 수 있는 증상. 고혈당. 「1)·2): ↔저혈압.
고-혈압【高血壓】 명 ①혈압이 정상보다 높음. ②〖의〗 ↗고혈압증.
고혈압-증【高血壓症】 [—쯩] 명 〔hypertension〕 〖의〗 최고 혈압 및 최저 혈압이 모두 비(非)정상적으로 높은 심장 혈관계(血管系)의 병적 상태. 개인차도 있고, 명확한 한계가 있는 것은 아니나, 임상적(臨床的)으로는 최고 혈압 160 mm Hg이상, 최저 혈압 95 mm Hg이상을 말하며, 경계역(境界域)의 최고 혈압은 140-160 mmHg임. 신장(腎臟)이 나빠 일어나는 경우 또는 갑상선(甲狀腺)이나 부신(副腎) 등의 호르몬이 상(異常)으로 일어나는 경우가 있음. 원인 불명의 것은 본태성(本態性) 고혈압증이라 함. 갑자기 혈압이 오르면 두통·구토·이명(耳鳴)·현기증 또는 가벼운 반신(半身) 마비가 일어나기도 하는데, 오래되면 자각 증상이 없을 때도 있음. 동맥 경화·심장 비대(肥大)·신장 경화(硬化)·뇌출혈 등을 초래함. 혈압 항진증(亢進症). 준고혈압.
고혈 제:도【膏血制度】 명 〖사〗 고한(苦汗) 제도.
고형[1]【固形】 명 질이 단단하고 일정한 형체(形體)를 가진 것. ¶ ~체.
고형[2]【苦刑】 명 고문(拷問).
고형-물【固形物】 명 고형(固形)의 물건이나 물체.
고형 비:료【固形肥料】 명 토탄(土炭)으로 굳힌 배합 비료. 보통 거름보다 흡수율이 좋고 효율이 큼.
고형 사료【固形飼料】 명 주요한 사료 성분이나 부족되기 쉬운 비타민·무기 염류(無機塩類) 등을 배합하고, 사용하기 쉽도록 당밀(糖蜜)·녹말 등을 점착제(粘着劑)로서 가하여 고형으로 만든, 정제(錠劑) 또는 입상(粒狀)의 인공 가축(家畜) 사료.
고-형산【高荊山】 명 〖사람〗 조선 중종(中宗) 때의 능신(能臣). 자는 정숙(靜叔). 횡성(橫城) 사람. 성종(成宗) 때 등과(登科)한 후 호조 판서 때 기묘 사화(己卯士禍)가 일어나자, 당시 원로로서 조광조(趙光祖) 일파의 신진 학자들을 추방하였음. 성질이 순박하여 군병 전곡(軍兵錢穀)의 임무를 잘 수행하였음. 시호는 익평(翼平). [1453-1528]
고형 알코올【固形—】 〔alcohol〕 명 〖화〗 비누·아세틸 셀룰로오스 등에 알코올을 흡수시킨 고형 연료(固形燃料). 휴대용(携帶用) 연료임.
고형 천연 가스【固形天然—】 명 〔solidified natural gas〕 〖화〗 압력이 높고 저온인 땅속에서 수화물(水化物)이 되어 고체화한 천연 가스.
고형-체【固形體】 명 고형의 물체(物體).
고형 파운데이션【固形—】 〔foundation〕 명 유액(乳液)에 가루분을 섞어서 굳혀 케이크처럼 만든 화장품. 땀·지방을 잘 흡수하므로, 봄·여름철에 알맞음.

고형 화:약【固形火藥】명 분말, 가벼운 과립상(顆粒狀) 또는 막대기 모양의 화약.

고-혜(:)진【高惠眞】명〖사람〗고구려 보장왕(寶藏王) 때의 장군. 보장왕 4년(645)에 남부 욕살(南部褥薩)로 있을 당시 당태종(唐太宗)이 안시성(安市城)에 침입 포위하자, 안시성의 군대를 지원하려고 진격하다가 당태종의 유인에 빠져 대패, 고연수(高延壽)와 함께 항복하였으며, 후에 당나라로부터 사농경(司農卿)의 벼슬을 받았음. 생몰년 미상.

고:호[1]【古號】명 사람이나 땅·나라 등의 옛 이름. ¶ 신라의 ~는 서라벌이다.

고호[2]【苦瓠】명 고호로(苦瓠蘆). 호리병박.

고호[3]【顧護】명 돌보아 줌. 고견(顧見). ──-하다 타여불

고호로【苦瓠蘆·苦壺蘆】명〖식〗호리병박. 고호(苦瓠).

고혹【蠱惑】명 ①남을 미혹(迷惑)하게 함. ②남을 꾀어 속임. ──-하다 타여불

고혹적-미【蠱惑的美】명 남을 미혹(迷惑)하게 하는 미(美).

고혼【孤魂】명 붙일 곳 없이 떠돌아다니는 외로운 넋. ¶ 수중(水中) ~.

고혼-지【孤魂紙】명 죽은 사람의 공양(供養)을 위하여 태우는 종이.

고홍【孤鴻】명 고안(孤雁).

고:화[1]【古畫】명 옛날의 그림.

고화[2]【固化】명 액상(液狀)의 물질이 고체로 화함. 또, 고체로 화하게 함. 고체화. ──-하다 자타여불

고화[3]【枯花】명 시든 꽃.

고화[4]【鼓花】명〖미술〗인화(印花).

고:화분-학【古花粉學】명〔paleopalynology〕〖생〗화분이나 포자(胞子)의 화석, 미생물의 화석, 대형 생물에서 분리된 현미경적 부분 등 공중에 비산(飛散)하는 것들의 화석에 관계하는, 화분학의 한 분야.

고화질화 텔레비전【高畫質化一】명〔extended definition televison〕주사선(走査線)은 현재와 같은 525선 그대로 두고, 매초(每秒)의 송신 신호수를 늘려서 화면을 더욱 선명하게 한 텔레비전. 기존의 지상(地上) 방송 시스템을 이용함. 화질 수준은 현재의 텔레비전과 하이비전의 중간 정도임. 이디 티브이(ED TV). ＊고품위 텔레비전.

고:화 품:록【古畫品錄】[-녹] 명〖책〗중국 남제(南齊)의 인물 화가 사혁(謝赫)의 화론(畫論). 단행본으로 된 중국 화론서(書)로서는 현존하는 것 중 가장 오래된 것임. 3세기 전반(前半)인 오(吳)나라 조불흥(曹不興)으로부터 사혁에 이르기까지의 화가 27인을, 제1품(品)으로부터 제6품까지로 분류, 짧은 평전(評傳)을 달았음.

고환[1]【考還】명〖역〗조선 시대 때, 세초(歲抄)에 군사(軍士)의 결원이 있을 경우, 다른 사람으로 채우고, 6년마다 있는 장부 작성시에, 그 사실을 고사(考査)하여 결원을 빼고 채운 사람을 환원(還元)시키는 일.

고환[2]【苦患】명 고뇌(苦惱).

고환[3]【睾丸】명〖생〗포유류(哺乳類)의 정소(精巢)의 별명. 웅성(雄性)의 음낭 중에 있어서, 정자의 형성 및 남성 호르몬의 분비를 맡은 두 개의 난원형(卵圓形)인 생식소(生殖睾)임. 불알.

고환 간:질 세:포【睾丸間質細胞】명〖생〗고환의 정세관(精細管) 간질 중에 있는, 지방(脂肪)이 많고 원형질(原形質)이 풍부한 큰 세포. 수개(數箇)씩 집합하여 있을 때도 있으나 서로 떨어져 큰 원형을 이룸. 노인에서는 색소(色素)를 띰.

고환 결핵【睾丸結核】명〖의〗고환이 결핵균에 침해당한 증상. 원발적(原發的)인 일은 극히 드물며 부(副)고환 결핵이 진행하여 2차적으로 일어나는 경우가 있음.

고환 고무종【睾丸一腫】명〔도 Hodengumma〕〖의〗매독의 제3기에 고환에 생기는 고무종. 대개는 양측성(兩側性)으로 몇 개의 구슬 같은 딱딱한 결정을 만드나, 어떤 때는 융합 증대하여 고환은 커지며 표면은 요철(凹凸)이 심하여져 마침내 연화(軟化)하여 궤양(潰瘍)을 형성함. 이런 상태가 고환 균종(菌腫)임.

고환 균종【睾丸菌腫】명〖의〗고환 고무종이 심하여져 고환이 확대(擴大)되고, 따라서 고환에 심한 궤양이 생기는 병.

고환-망【睾丸網】명〖생〗〔라 Rete testis〕정세관(精細管)에서 생긴 정자(精子)를 통과시키는 고환의 한 조직(組織). 고환의 뒤 위쪽 부분에 있는 결합 조직 중에 망상(網狀)의 잇달린 강소(腔所)가 있어 이 내면에 단층 상피(單層上皮)로 쌓이어 있음.

고환 매독【睾丸梅毒】명〖의〗고환에 매독균이 침입하여 생기는 병. 이것의 제3기가 고무종임.

고환 신경통【睾丸神經痛】명〔도 Hodenneuralgie〕〖의〗고환부에 국한하거나 또는 서혜부(鼠蹊部)·요천골부(腰薦骨部)에 일어나는 신경통 비슷한 동통(疼痛). 원인은 불명이나 여러 가지 고환염·고환 위축·만성 부(副)고환염 등에 의한 국부(局部)의 신경 압박·혈관 협착으로 인하여 일어나는 것으로 알려짐.

고환-염【睾丸炎】[-념] 명〔orchitis〕〖의〗결핵·임질 등의 세균(細菌)이 후부 요도에서 상승하여 부고환과 함께 고환에 급성의 염증을 일으킬 때와 매독·외상(外傷)으로 인하여 혈행성(血行性)으로 고환에 균이 침입하여 생기는 염증. 급성과 만성이 있음. 갑자기 심한 동통(疼痛)과 고열·구토 등이 일어남. 정소염(精巢炎).

고환 정체【睾丸停滯】명〔도 Kryptorchismus〕〖의〗고환이 충분히 하강(下降)하지 아니하여 복강(腹腔) 또는 서혜관(鼠蹊管) 안에 정체되는 병. 남자 불임증(男子不姙症)의 원인 또는 악성 종양(腫瘍) 발생의 원인이 됨.

고환 종:양【睾丸腫瘍】명〖의〗고환에 발생하는 악성 종양. 천천히 음낭이 붓고 단단해지는데, 통증이나 발열이 없는 것이 특징임. 20-30대에서 가장 많음.

고환 하:강【睾丸下降】명〖생〗고환이 처음에는 요추(腰椎)의 바깥쪽에서 생기어 태아(胎兒)가 성장함에 따라 하강하여 서혜관(鼠蹊管)을 지나서 음낭 안으로 들어가는 현상(現象).

고환 형성 부전【睾丸形成不全】명〖의〗한쪽 또는 양쪽 고환의 발육이 나빠서 어른이 되어도 어린아이의 불알만한 병.

고환 호르몬【睾丸一】〔hormone〕명〖생〗고환 간질 세포(睾丸間質細胞)에서 생성되는 호르몬. 수컷의 이차 성특징(二次性特徵)의 발현(發現)과 생식 기관의 발달을 촉진하며 또한 성적 충동을 일으킴.

고황[1]【苦況】명 고생스러운 상황.

고황[2]【膏肓】명〖생〗〔'고(膏)'는 가슴 밑의 작은 비계, '황(肓)'은 가슴 위의 얇은 막(膜)〕병이 그 속에 들어가면 낫기 어렵다는 부분.
고황에 들다 구 병이 몸 속 깊이 들어 고치기 어렵게 되다.

고-황산철【枯黃酸鐵】명〖화〗결정수(結晶水)를 증발시킨 황산철(黃酸鐵).

고황-죽【枯黃竹】명 말라서 누렇게 된 왕대 또는 참대. 좋은 연을 만들 때 달로 씀.

고황지-질【膏肓之疾】명 병이 고황에 들어, 낫기 어려운 병. 불치의 병.

고해 명〈옛〉황새. ＝고해[1]. ¶ 고해 곽(鶴)《類合 安心寺板 6》.

고회[1]【孤懷】명 고독한 회포. 외롭고 쓸쓸한 생각.

고회[2]【苦懷】명 괴로운 생각. 고충(苦衷).

고회[3]【高會】명 성회(盛會).

고회[4]【高懷】명 거룩한 생각.

고회-석【苦灰石】명〖광〗백운석(白雲石).

고회-암【苦灰岩】명〖광〗백운암(白雲岩).

고후[1]【枯朽】명 말라 썩음. 또, 그것. ──-하다 자여불

고:후[2]〔甲府: こうふ〕명〖지〗일본 야마나시 현(山梨縣)에 있는 도시. 현청 소재지. 생사·수정(水晶) 세공품·포도주 등을 생산하며 화학·정밀 기계 공업이 행하여짐. [196,425명(1996)]

고:훈[1]【古訓】명 옛 사람의 교훈(敎訓).

고훈[2]【苦訓】명 엄격한 가르침. 엄격한 교훈.

고훈[3]【高訓】명 거룩한 교훈. 또, 남의 교훈의 존칭.

고훈-사【考勳司】명〖역〗조선 시대 이조(吏曹)의 한 마을. 종재(宗宰)·공신(功臣)의 봉작과 증직(贈職)·증시(贈諡)와 향관(享官)·노직(老職)·명부(命婦)의 작첩(爵帖) 및 향리(鄕吏)의 급첩(給牒) 사무를 맡았음.

고훼【枯卉】명 말라 죽은 풀과 나무.

고휼【顧恤】명 불쌍히 여기어 돌보아 줌. ──-하다 타여불

고흐〔Gogh, Vincent van〕명〖사람〗네덜란드의 화가. 처음 밀레(Millet)를 배워 레알리슴(réalisme)의 화풍을 지니었으나 파리에 나와 인상파(印象派)를 알게 된 이후 이에 정진, 후기 인상파의 거두로서 근대의 가장 대표적인 화가의 한 사람이 됨. 강렬한 주관에 입각, 타는 듯한 열정적인 화풍으로 즐기어 태양과 해바라기를 그리어 20세기의 회화에 큰 영향을 주었음. 말년에 정신 이상으로 자살함. 작품에 《감자를 먹는 사람》·《해바라기》·《자화상》 등이 있음. [1853-90]

고흥[1]【高興】명 ①한창 도도(滔滔)한 흥. ②고상한 흥취.

고-흥[2]【高興】명〖사람〗백제의 박사(博士). 근초고왕(近肖古王) 30년(375)에 《서기(書記)》를 편찬함.

고흥[3]【高興】명〖지〗전라 남도 고흥군(高興郡)의 군청 소재지로 읍(邑). 고흥 반도에 있어 육상 교통은 불편하나 해상 교통이 편리하여 수산물의 집산지이며 김의 양식이 유명함. [14,328명(1996)]

고흥-군【高興郡】명〖지〗전라 남도의 한 군. 관내 2읍 14면. 북서는 보성군(寶城郡), 북은 순천시(順天市), 동은 바다와 여수시(麗水市), 남은 남해(南海), 서는 바다와 장흥군(長興郡)에 인접함. 농산·수산·임산·공산이 성함. 수도암(修道庵)·팔영산(八影山)·나로도(羅老島) 등의 명승 고적(名勝古蹟)이 있음. 군청 소재지(所在地)는 고흥(高興). [747.21 km²: 112,389명(1996)]

고흥 반:도【高興半島】명〖지〗전라 남도 남동쪽에 돌출한 반도. 반도 동쪽은 순천만(順天灣), 서쪽에 보성만(寶城灣)이 있고 남서쪽은 거금수도(居金水道)를 건너 거금도(居金島)를 마주 봄.

고:희【古稀】[-히] 명〔두보(杜甫)의 곡강시(曲江詩)'인생 칠십 고래희(人生七十古來稀)'에서 나온 말〕'일흔 살'을 말함.

고-희동【高羲東】명〖사람〗동양화가. 서울 태생. 호(號)는 춘곡(春谷). 처음 안중식(安中植)·조석진(趙錫晋) 문하에서 동양화를 배움. 1908년 한국인으로는 처음으로 일본 도쿄(東京) 미술 학교에 입학하여, 서양화를 수업. 제3회 선전(鮮展)에 출품한 유화를 마지막으로 동양화로 전향, 남종화(南宗畫)에 서양화의 기법을 가미(加味)한 새로운 음영법(陰影法)을 시도함. 제1회 국전(國展) 심사 위원장, 대한 미술 협회 회장, 초대 예술원장 등을 역임, 참의원 의원도 지냄. [1887-1965]

고:희-연【古稀宴】[-히-] 명 일흔 살이 되는 해의 생일 잔치.

고히[1]〈옛〉코가. '고[2]'의 주격형(主格形). ¶ 고히 平코 엷디 아니ᄒᆞ며(鼻不匾匾)《妙蓮 Ⅵ:13》.

고:히[2] 부 ☞고이[4].

고-힐강【顧頡剛】명〖사람〗'구 제강'을 우리 음으로 읽은 이름.

고ᄒᆞ로〈옛〉코로. '고[2]'의 조격형(造格形). ¶ 고ᄒᆞ로 맏는 거슬 다 니르니라《釋譜 XIII:39》.

고ᄒᆞ야 나다 타〈옛〉고발(告發)하다. ¶ 고ᄒᆞ야 나다(告發)《老朴 單字解 7》.

고ᄒᆞᆫ〈옛〉코는. '고[2]'의 절대격형(絶對格形). ¶ 고ᄒᆞᆫ 수미 나며 드로ᄃᆡ《月釋 XVII:91》.「《月釋 XXI:43》.

고ᄒᆞᆯ〈옛〉코를. '고[2]'의 목적격형(目的格形). ¶ 시혹 입 고ᄒᆞᆯ 디르며

고히〈옛〉고(庫)에. '고(庫)'의 처격형(處格形). ¶ 만일 가졋ᄂᆞᆫ 行李財帛이 잇거든 공번히 驗ᄒᆞ야 庫히 녀허(如有携帶行李財帛 公驗貯庫)《無寃錄 I:56》.

곡[1]【曲】명 ①↗곡조(曲調). ②↗악곡(樂曲). ③↗이곡(理曲).

곡[2]【曲】명 성(姓)의 하나. 현재 우리 나라에는 용궁(龍宮)·면천(沔川) 등 2개의 본관(本貫)이 있음.

곡³【谷】명 성(姓)의 하나. 우리 나라에는 현존하지 아니함.
곡⁴【哭】명 ①소리를 내어 욺. 또, 그 소리. ②사람이 죽었을 때 또는 제(祭)를 지낼 때에 소리를 내어 욺. 또, 그 소리. ——하다 자여불
곡⁵【斛】명 → 곡(斛).
곡⁶〔Gog〕명〖성〗고대 마곡(Magog)의 왕. 대군을 이끌고, 이스라엘에 침입하였음. 후세에 마곡과 함께 적(敵)그리스도적인 지도자로 알려짐. *마곡(Magog).
-곡 어미〈옛·방〉-고(제주). -고서. (받침의 ㄱ은 뜻을 강(強)하게 함). ¶잠간 몸 아논 義分을 갑곡(暫酬知己分)《杜諺 Ⅶ:8》.
곡가【穀價】명 곡식의 가격. ¶~가 오르다.
곡각【穀殼】명 낟알의 껍질.
곡간【谷澗】명 산골짜기에 흐르는 시내.
곡갈【曲葛】명〖역〗'고깔'의 취음(取音).
곡강 분지【曲降盆地】명〖지〗산간 분지(山間盆地).
곡-갱이 명〈방〉곡괭이(경기·강원·전라·경상).
곡-걷다¹ 타〈옛〉곱걷다. ¶등놈이 샹토 풀쳐 손에 츤츤 곡거러 잡고
곡-걸:다² 타〈방〉옭걸다. 「《永言》.
곡격【轂擊】명 수레의 바퀴통과 바퀴통이 서로 맞닿는다는 뜻으로, 차마(車馬)의 왕래가 몹시 붐빔을 가리키는 말.
곡격 견마【轂擊肩摩】명〔수레가 바퀴통끼리 서로 부딪치고 사람이 어깨를 서로 스친다는 뜻〕번화하여 사람과 수레의 왕래(往來)가 많은 땅의 형용.
곡경¹【曲徑】명 ①꼬불꼬불한 길. ②세력을 구하는 데 부정(不正)한 인연(因緣). 사경(私徑). 「境).
곡경²【曲境】명 얽히고 해내기 힘든 지경. 몹시 어려운 지경. 곤경(困
곡경³【穀耕】명〖농〗밀·벼·옥수수 등의 곡류가 넓은 지대에 걸쳐서 재배되는 일. 오스트레일리아의 동남(東南) 지방·미국·아르헨티나 등지에서의 밀재배, 중국·인도·타이(Thai) 등에 있어서의 수도(水稻) 재배, 미국 서부의 옥수수 재배 등.
곡곡【曲曲】명 ①굴곡(屈曲)이 많은 산천이나 도로의 굽이굽이. ②↗방
곡과【穀果】명〖식〗영과(穎果). 「방 곡곡.
곡관【曲管】명 팔꿈치 모양으로 구부러진 관(管).
곡관 온도계【曲管溫度計】명〖물〗곡관 지중 온도계.
곡관 지중 온도계【曲管地中溫度計】명〖물〗지면(地面) 및 지중(地中)의 온도를 측정하는 온도계. ㄴ자형으로 굽은 수은(水銀) 온도계로서, 구부(球部)를 소정(所定)의 깊이에 삽입(挿入)하여 측정함. 곡관 온도계(曲管溫度計).
곡-괭이 명 ①괭이의 한 가지. 보통 괭이보다 나비가 좁고 기름함. ②단단한 땅을 파는 데 쓰는 연장. 쇠로 황새의 주둥이같이 만들어, 그 중앙의 구멍에 자루를 박음.
곡괭이 버력 명〖광〗다이너마이트를 쓰지 아니하고 곡괭이만으로 파낼 수 있는 버력.

〈곡괭이❶〉 〈곡괭이❷〉

곡굉【曲肱】명 팔을 굽힘. ——하다 자여불
곡-굉이 명〈방〉곡괭이(제주).
곡굉이-침지【曲肱而枕之】명〔팔을 굽히어 베개로 삼고 잠을 잠의 뜻〕가난한 생활을 비유하는 말.
곡굉지-락【曲肱之樂】명 침구(寢具)도 넉넉지 못하여 팔을 베고 자는 청빈(淸貧)에 만족하며 도(道)를 탐구하는 즐거움.
곡-교의【曲交椅】[ㅡ/ㅡ이] 명 용교의(龍交椅).
곡구【曲球】명 ①묘기(妙技)를 다하여 보는 사람으로 하여금 감탄을 자아내게 하면서 치는 당구(撞球). ②야구에서, 커브 볼.
곡구룡 부〈옛〉꾀꼬리가 우는 소리. ¶谷口哢 우는 소리에 낫잠 깨여 일어보니《永言》. 주의 '谷口哢'으로 쓴은 취음(取音).
곡구리 명〈옛〉꾀꼬리. ¶…世人이 謂爾 곡구리 ᄒᆞ니《永言》. 주의 '谷口哩'로 쓴은 취음(取音).
곡국【曲鞫】명 자세히 사정(事情)을 물어 조사함. ——하다 타여불
곡귀【穀貴】명 ①시장(市場)에서 곡식의 귀가 달림. ②곡식의 공급이 부족하여 값이 비쌈. ——하다 자여불
곡균【麴菌】명 누룩곰팡이.
곡기¹【曲技】명 아슬아슬한 묘기. 곡예의 기술.
곡기²【穀氣】명 밥·죽·미음·떡 등 곡식으로 만든 음식의 총칭. 낟알기.
곡기를 끊다 구 낟알기를 먹지 못하거나 먹지 아니하다.
곡기를 놓다 구 곡기를 끊다.
곡다【曲茶】명〖불교〗곡차.
곡단【穀旦】명 곡일(穀日).
곡단-도【曲斷圖】명 하천(河川)·도로·철도 등의 굴곡(屈曲)에 따라 곡선으로 나타난 단면을 그대로 그린 도면.

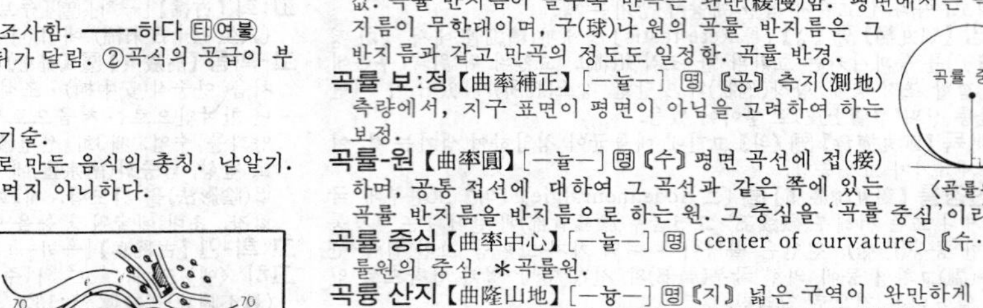

〈곡단도〉

곡달【穀疸】명〖한의〗황달(黃疸)의 한 가지. 곡류만 많이 먹고 다른 것을 적당하게 섞어 먹지 아니하여서 생기는 병.
곡도¹ 명〈옛〉곡두. 꼭두각시. ¶幻은 곡되오 軀는 모미라《金三 Ⅱ:67》.
곡도²【曲度】명〔degree of curve〕〖토〗도로나 철도의 곡률(曲率) 측정 단위. 철도는 길이 100 ft의 현(弦), 도로는 길이 100 ft의 호(弧)에 대한 각도.
곡도³【穀道】명 대장(大腸)과 항문(肛門).

곡도노롯 명〈옛〉꼭두각시놀음. ¶世間이 無常ᄒᆞ야 구든 주리 업서 곡도노롯 ᄀᆞᆮᄒᆞ야《月釋 Ⅹ:14》.
곡도손 명〈옛〉꼭두서니. =곡도숑. ¶곡도손으로 뻐 초히 드리터 傷處에 ᄇᆞ르면(以茜草 投醋內 塗傷處)《無冤錄 Ⅰ:20》.
곡도숑 명〈옛〉꼭두서니. =곡도손. ¶곡도숑 천(蒨)《字會 上 9》.
곡도송 명〈옛〉꼭두서니. ¶곡도송(茜草)《譯語 下 40》.
곡동【曲動】명〖지〗지표면(地表面)을 만곡(彎曲) 또는 요곡(撓曲)시키는 운동. 곡동하여 융기(隆起)되는 경우를 곡륭(曲隆), 침하(沈下)의 경우를 곡강(曲降)이라 함. 지층의 습곡(褶曲)처럼 명료하지는 아니하나 지표면에 아주 적은 경사(傾斜)를 주며 수계(水系)의 변화, 분지(盆地)의 형성 등을 조장(助長)함.
곡두¹ 명(중세: 곡도) 눈앞에 있지 아니한 사람이나 물건의 모습이 있는 것처럼 삼삼거리어 보이는 형상. 환영(幻影). *허깨비¹.
곡두²【穀頭】명〖불교〗선종(禪宗)에서, 쌀을 맡아 보는 역승(役僧).
곡두 생각【穀頭生角】명 입추(立秋) 후, 첫번 돌아오는 갑자일(甲子日)에 비가 오면 그 해 추수 때 장마가 져서 거두기 전에 곡식에서 싹이 난다는 말. ——하다 자여불
곡두-선【曲頭扇】명 쥘장선(扇).
곡뒤 명〈옛〉꼭뒤❶. ¶곡뒤(後腦)《字會 上 28》.
곡듸 명〈옛〉꼭대기. ¶뫼ㅅ곡듸(頂)《漢淸 Ⅰ:39》.
곡량-전【穀梁傳】[ㅡ냥ㅡ] 명〖책〗중국 전국 시대 자하(子夏)의 제자 곡량 적(穀梁赤)이 강술(講述)하여 전한 춘추(春秋)의 주석서 11권. 좌씨전(左氏傳)·공양전(公羊傳)과 더불어 춘추 삼전(三傳)이라 함. 춘추 곡량전.
곡령【穀靈】[ㅡ녕] 명 곡물을 살게 하는 영혼. 곡물의 성장·성숙·고사(枯死)를 인간 생활에 비기어서, 인간에게 영혼이 있듯이 곡물에게도 영혼이 있다고 하는 애니미즘(animism)의 한 가지. 동남 아시아의 인도네시아 수마트라 같은 곳에 많으며, 미국·유럽 등지에서도 볼 수 있음. 인도네시아에서 개화(開花) 중의 벼를 임부(姙婦)처럼 취급하여 놀라지 아니하게 특별한 주의를 하며 순산(順産)에 좋다고 하는 음식물을 가져다 바치는 것과 같은 일은 곡령을 믿는 전형적인 예임.
곡례【曲禮】[ㅡ녜] 명 ①자상스러운 예식(禮式) 또는 행사(行事)에 관한 예의(禮儀). ②예기(禮記)의 편명(篇名).
곡록【曲彔】[ㅡ녹] 명 승려용(僧侶用)의 의자. 두 다리가 교차되고 뒤 쪽으로 만곡된 등받이가 있으며 좌부(坐部)에 가죽을 걸었음.
곡록-응【穀轆鷹】[ㅡ녹ㅡ] 명〖조〗수리부엉이.
곡론【曲論】[ㅡ논] 명 ①이치가 바르지 못한 이론. ②이치를 잘못 이해하고 벌이어 놓은 이론. ——하다 자여불

〈곡록〉

곡뢰【牿牢】[ㅡ뇌] 명 소나 말을 가두어 두는 곳. 외양간.
곡루【穀樓】[ㅡ누] 명〖불교〗다락집으로 된 곡식 창고.
곡류¹【曲流】[ㅡ뉴] 명〔meander〕꾸불꾸불 물이 흘러감. 또, 그 흐름이나 물. 사행(蛇行). ——하다 자여불
곡류²【穀類】[ㅡ뉴] 명 ①쌀·보리·밀 등의 곡식. 곡물. ②곡식의 종류.
곡류 운반선【穀類運搬船】[ㅡ뉴ㅡ] 명 곡물 운반선.
곡류-천【曲流川】[ㅡ뉴ㅡ] 명〖지〗꾸불꾸불 흘러가는 하천. 사행천(蛇行川).
곡륜【轂輪】[ㅡ뉸] 명 수레바퀴. 차륜(車輪).
곡률¹【曲律】[ㅡ뉼] 명〖악〗악곡(樂曲)의 선율.
곡률²【曲率】[ㅡ뉼] 명〔curvature〕〖수·물〗곡선이나 곡면(曲面)의 굽은 정도. 그 값은 곡률(曲率) 반지름의 역수(逆數)임.

Δs Q P R
〈곡률²〉

곡률 반:경【曲率半徑】[ㅡ뉼ㅡ] 명〖수·물〗'곡률 반지름'의 구용어.
곡률 반:지름【曲率半ㅡ】[ㅡ뉼ㅡ] 명〔radius of curvature〕〖수·물〗곡면이나 곡선의 각 점에 있어서의 만곡(彎曲)의 정도를 표시하는 값. 곡률 반지름이 클수록 만곡은 완만(緩慢)함. 평면에서는 곡률 반지름이 무한대이며, 구(球)나 원의 곡률 반지름은 그 반지름과 같고 만곡의 정도도 일정함. 곡률 반경.
곡률 보:정【曲率補正】[ㅡ뉼ㅡ] 명〖공〗측지(測地) 측량에서, 지구 표면이 평면이 아님을 고려하여 하는 보정.
곡률-원【曲率圓】[ㅡ뉼ㅡ] 명〖수〗평면 곡선에 접(接)하며, 공통 접선에 대하여 그 곡선과 같은 쪽에 있는 곡률 반지름을 반지름으로 하는 원. 그 중심을 '곡률 중심'이라 함.

곡률 중심
〈곡률원〉

곡률 중심【曲率中心】[ㅡ뉼ㅡ] 명〔center of curvature〕〖수·물〗곡률원의 중심. *곡률원.
곡륭 산지【曲隆山地】[ㅡ늉ㅡ] 명〖지〗넓은 구역이 완만하게 굽어서 높게 된 산지. 원정구(圓頂丘)를 형성하는 궁륭산지(穹窿山地)는 그 예임.
곡림【哭臨】[ㅡ님] 명 임금이 죽은 신하를 친히 조문함. ——하다 자여불
곡마【曲馬】명 ①말을 타고 여러 가지로 재주를 부림. ②말을 부리어 여러 가지 재주를 피우게 함. 말놀음.
곡마-단【曲馬團】명 곡마와 기술(奇術)과 요술 등을 부리는 흥행 단체.
곡마-사【曲馬師】명 곡마로 업을 삼는 사람. 「서커스.
곡면【曲面】명〖수〗①평면(平面)이 아닌 면. 곡선(曲線)으로 이루어진 면으로, 이를테면 공이나 달걀 등의 표면(表面). ↔평면(平面). ②해석기하학에서, 평면(平面)을 포함하는 일반적 면(面)의 일컬음.
곡면 도형【曲面圖形】명〖수〗①구면 삼각형(三角形)처럼 하나의 곡면 위에 포함되고 평면 위에는 포함되지 아니하는 여러 가지 도형. ②곡면만으로 또는 곡면과 평면으로 이루어진 공간(空間) 도형. 원뿔이나 구(球) 따위. 곡면형. 1)·2):↔평면 도형(平面圖形).

곡면 선도【曲面線圖】 명 선체(船體)·자동차 차체(車體) 등의 복잡한 곡면을 표시한 도면. *조립도(組立圖).
곡면 인쇄【曲面印刷】 명 〖인쇄〗 연필·주사액용 앰플·맥주병·통조림 등과 같이 원통상 또는 접시 모양의 곡면체에 대한 인쇄.
곡면-체【曲面體】 명 〖수〗 적어도 그 표면의 일부가 곡면으로 된 입체 도형. 원뿔체·구체(球體) 등. ↔다면체(多面體).
곡면-형【曲面形】 명 〖수〗 곡면 도형.
곡-명【曲名】 명 곡조의 이름. 곡목.
곡목【曲目】 명 〖악〗 ①연주할 곡목을 적어 놓은 목록. 프로그램. 연주 곡목(演奏曲目). ②악곡의 이름. 곡명(曲名).
곡물【穀物】 명 사람의 상식(常食)이 되는 쌀·보리·밀·콩·조·수수·옥수수 따위의 총칭. 곡식. 곡류(穀類).
곡물 건조기【穀物乾燥機】 명 〖기〗 품질을 향상하고 저장력(貯藏力)을 높이기 위하여 곡물을 인공적으로 건조하는 기계. 날씨가 고르지 못하여 수확 후에 자연 건조를 충분히 할 수 없을 때 사용하는데, 흔히 화력(火力)을 이용함. 열(熱)의 발생 장치·열풍(熱風) 송풍 장치·건조탑(乾燥塔)·승강기(昇降機) 등을 주요부로 함.
곡물 검:사【穀物檢査】 명 농산물 검사법에 의하여, 주요한 식량에 대하여 국가가 행하는 검사. 곡물의 생산 유통(流通)과 소비의 합리화를 도모할 것을 목적으로 하는데, 아울러 품질의 향상 및 용량·중량·포장(包裝)의 적정(適正)을 꾀함. 「세.
곡물 관세【穀物關稅】 명 곡물이 국경을 넘어서 수송될 때 부과하는 조
곡물 메이저【穀物一】 명 〔major grain companies〕 〖경〗 독점도(獨占度)가 높은 다국적 거대(巨大) 곡물 상사(商社)를 석유(石油) 메이저에 대비하여 일컫는 말. 종자(種子) 개발에서 곡물 거래·판매까지 일관하여 취급함.
곡물-법【穀物法】 [一뻡] 명 ① 곡물의 수요(需要) 공급을 조절하고 그 가격을 일정한 기준(基準)으로 보호하려고 하는 법률. 역사적으로는 1815년에 제정되고 1846년에 폐지된 영국의 곡물 조례(條例)가 유명함. ②〖역〗 곡물 조례.
곡물-상【穀物商】 [一쌍] 명 곡물을 매매하는 장사·장수. ㊉곡상(穀商).
곡물 선:별기【穀物選別機】 명 ①지푸라기·먼지·등겨 같은 것을 골라 없애거나 또는 피·싸라기·현미(玄米) 등을 분리(分離)하여서 곡물을 균일(均一)하게 하는 데 쓰이는 농기구(農機具). ②풍구❶.
곡물-세【穀物稅】 [一쎄] 명 곡물 관세(關稅). 「種) 방식.
곡물-식【穀物式】 명 〖농〗 주로 벼·보리 등의 곡물을 재배하는 경종(耕
곡물 운반선【穀物運搬船】 명 밀·콩·쌀 등의 곡물을 가마니나 섬에 담지 아니하고 그대로 실어 운반하는 배. 곡류 운반선.
곡물 조례【穀物條例】 명 〔Corn Laws〕 〖역〗 농업을 보호하기 위하여 곡물의 수출입을 구속 제한하였던 법률. 영국에서 1803년과, 1815년에 각각 통과시키었다가 1846년에 폐지하였음. 곡물법.
곡물 한:계【穀物限界】 명 지구 위에서 곡물을 생산할 수 있는 한계.
곡물 해:안【穀物海岸】 명 〔Grain Coast〕 〖지〗 후추 해안.
곡물 화:력 건조기【穀物火力乾燥機】 명 〖기〗 화력(火力)으로써 움직이는 곡물 건조기.
곡미【曲眉】 명 초승달 모양의 눈썹.
곡미-어【曲尾語】 명 〖언〗 굴절어(屈折語).
곡반【哭班】 명 〖역〗 국상(國喪) 때에 망곡(望哭)하던 벼슬아치의 반열
곡발【鵠髮】 명 백발(白髮). ㄴ(班列).
곡배【曲拜】 명 〖역〗 임금을 뵐 때에 하는 절. 임금은 남쪽을 향하여 앉고, 곡배하는 사람은 북쪽이나 서쪽을 향하여 절함. ——하다 자여불
곡백【穀帛】 명 곡식과 비단.
곡법【曲法】 명 법을 굽힘. 법을 어김. ——-하다 자여불
곡변【曲辯】 명 ①틀린 것을 옳다고 주장하는 말. ②곡론(曲論)으로써 변명하거나 주장함. ¶ ~을 농(弄)하다. ——-하다 타여불
곡병¹【曲屛】 명 ①머릿병풍. ②가리개.
곡병²【曲餠】 명 꿀장떡.
곡보【曲譜】 명 〖악〗 악보(樂譜). 음보(音譜). 「곡(絲穀).
곡복 사신【穀腹絲身】 명 먹는 것과 입는 것. 사신 곡복(絲身穀腹). ㊉사
곡부【曲阜】 명 〖지〗 '취푸'를 우리 음으로 읽은 이름.
곡분¹【穀粉】 명 곡물을 갈아서 만든 가루.
곡분²【穀糞】 명 곡식을 먹는 사람의 똥.
곡분 영양 장애【穀粉營養障礙】 명 〖의〗 모유(母乳)가 부족하여 미음 같은 곡즙(穀汁)만을 먹이어 기를 때, 곡분에 있는 탄수화물 또는 염분(塩分)은 충분하나 각종 비타민제(劑)·단백질·지방(脂肪) 등이 부족되어 일어나는 영양 장애.
곡비¹【曲庇】 명 ①힘을 다하여 보호하여 줌. 곡호(曲護). ②도리를 굽히고 남을 비호함. ——-하다 타여불
곡비²【哭婢】 명 〖역〗 장례(葬禮) 때에 상복하여 애곡하면서 행렬의 앞에 가는 계집종.
곡-빙하【谷氷河】 명 〔valley glacier〕 〖지〗 골짜기를 따라서 흘러내리는 빙하. 히말라야·알프스 등지에 발달되어 있으며 빙하의 침식 작용으로 골짜기는 U자형의 특유한 횡단면을 나타냄.
곡사¹【曲士】 명 ①마음이 바르지 아니한 사람. ②두메 사람. 하찮은 향곡(鄕曲) 사람. 「일.
곡사²【曲事】 명 ①바르지 못한 일. 도리에 어긋난 일. ②위법(違法)한
곡사³【曲射】 명 은폐(隱蔽)되거나 차폐(遮蔽)된 표적(標的) 또는 수평면 위에 있는 표적을 쏘아 맞추기 위하여 만곡(彎曲)한 탄도(彈道)로 포탄을 떨어뜨리는 사격. ¶ ~ 화기(火器). ↔직사(直射). ——-하다 타여불
곡사⁴【曲赦】 명 〔'곡'은 일부분의 뜻〕 어느 지방에 한하여 죄인을 사면(赦免)하는 일. ——-하다 자여불

곡사⁵【鵠瀉】 명 〖식〗 쇠귀나물.
곡-사궁【曲四宮】 명 바둑에서, ㄴ자(字) 모양으로 고부라진 넉 집으로 된 사궁(四宮). 완생(完生)임. *귀곡사(曲四).
곡사-포【曲射砲】 명 〖군〗 곡사(曲射)할 수 있는 포. 같은 구경(口徑)의 평사포보다 포신이 짧으며, 중간쯤 되는 포구 초속(砲口初速)으로 비교적 고각(高角) 사격을 할 수 있으며, 또 직사 화기로는 이룰 수 없는 능선 뒤의 표적(標的) 등을 사격할 수 있음. ¶ 105밀리 ~. ↔직사포(直射砲).
곡산【谷山】 명 〖지〗 황해도 곡산군의 군청 소재지. 산간 분지(山間盆地)로서 잡곡의 집산지이며 특히 담배와 소가 유명함.
곡산 광:산【谷山鑛山】 명 〖지〗 황해도 곡산군(谷山郡) 이령면(伊寧面) 동백년산(東百年山) 부근에 있는 백년 광산·기주 광산(箕州鑛山) 등의 총칭. 광석은 주로 철·망간·텅스텐이고 회중석(灰重石)도 남. 상동(上東) 광산과 함께 세계적인 중석 광산임.
곡산-군【谷山郡】 명 〖지〗 황해도의 한 군. 관내 11면. 북은 평안 남도 양덕군(陽德郡), 동은 함경 남도 덕원군(德原郡), 남은 신계군(新溪郡)과 강원도 이천군(伊川郡), 서는 수안군(遂安郡), 서북은 평안 남도 성천군(成川郡)에 닿음. 주요 산물은 쌀·보리·콩·면화·인삼 등이고, 명승 고적은 호로천(葫蘆泉)·용봉(龍峰)·치마대(馳馬臺)·고달사(高達寺)·자하담(紫霞潭) 등임. 군청 소재지는 곡산(谷山). [1,854.6 km²]
곡산 분지【谷山盆地】 명 〖지〗 황해도 동부 산지에 있는 산간 분지(山間盆地). 대동강(大同江) 상류의 개석(蓋石) 작용과 아울러 산간에 이루어진 침식 분지의 하나. 분지의 중심지는 곡산(谷山)임.
곡삼【曲蔘】 명 굵은 꼬리를 꼬부리어 말린 백삼(白蔘). ↔직삼(直蔘).
곡-삼궁【曲三宮】 명 바둑에서, ㄴ자형으로 고부라진 석 점으로 된 삼궁(三宮). 상대방이 이 곳 중앙에 놓으면, 살지 못함. *직(直)삼궁.
곡상¹【斛上】 명 〖역〗 → 괵상.
곡상²【穀商】 명 ↗곡물상(穀物商).
곡상-미【斛上米】 명 〖역〗 → 괵상미.
곡-새기다 명 〈방〉 곱새기다.
곡-생초【曲生綃】 명 명주붙이의 한 가지. 씨를 빛깔이 같지 아니한 두 가지 흰 실로 반분(半分)씩 섞바꾸어 짜서 문채(文采)가 남. 갑생초(甲ㄴ生綃).
곡석¹ 명 〈방〉 곡식(경상·강원).
곡석² 명 〈방〉 모이(제주).
곡석-가리 명 〈방〉 낟가리(강원).
곡선¹【曲線】 명 ①부드럽게 구부러진 선. ②〖수〗 직선(直線)만으로는 이루어지지 아니하는 선. ↔직선(直線). ③〖수〗 해석 기하학에서, 직선을 포함한 선(線)의 일컬음.
곡선²【曲蟺·蛐蟺·蛐蟮】 명 〖동〗 지렁이❶.
곡선-계【曲線計】 명 〖지〗 지도상의 곡선이나 길이를 측정하는 데 쓰는 기구. 보통, 길이 10 cm 쯤 되는 것으로 아래에 작은 바퀴가 달리어 있어 이것이 굴러감에 따라 중앙에 있는 지시반(指示盤)이 그 거리를 나타냄. 커보미터(curvometer)
〈곡선계〉
곡선 도형【曲線圖形】 명 〖수〗 곡선만으로 또는 곡선과 직선으로 이루어지는 평면 혹은 공간 도형. 곡선형. ↔직선 도형.
곡선-동【曲線動】 명 〖물〗 ↗곡선 운동(曲線運動).
곡선-미【曲線美】 명 ①회화(繪畫)·조각(彫刻)·건축(建築) 등에 표현된 곡선의 미(美). ↔직선미(直線美). ②여자의 육체(肉體)의 곡선에서의 미(美).
곡선-식【曲線式】 명 〖지〗 지도를 그릴 때에 각 지점(地點)의 해발 고도를 적고, 같은 해발 고도를 연결한 곡선으로써, 지형(地形)의 높낮이를 나타내는 방식.

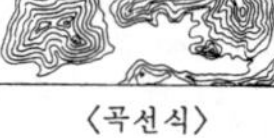

〈곡선식〉
곡선 운:동【曲線運動】 명 〖물〗 끊이지 아니하고 방향을 바꾸면서, 그 지나간 자국이 곡선이 되는 운동. ㊉곡선동(曲線動).
곡선-자【曲線一】 명 〖수〗 운형(雲形)자.
곡선 저:항【曲線抵抗】 명 〔curve resistance〕 〖물〗 궤도 위에서 차의 움직임을 방해하는, 궤도의 곡선에서 생기는 힘.
곡선 좌:표【曲線座標】 명 〖수〗 점의 좌표가 x, y일 때, 직선 좌표에서는 x 또는 y가 일정하여 직선을 나타내는 데 대하여, 이들 x, y의 한쪽 또는 양쪽이 곡선으로 되는 좌표. 극(極)좌표·원통 좌표·타원 좌표 등.
곡선-판【曲線板】 명 〖수〗 운형(雲形)자.
곡선-표【曲線標】 명 〖지〗 철도 선로(線路) 좌측에, 곡선부(曲線部)가 시작되는 곳이나 끝나는 곳에 세우는 표(標). 갑호(甲號)는 1 km 마다, 을호(乙號)는 500 m마다 세움.

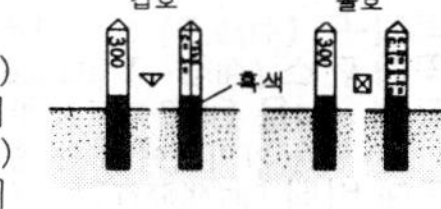

〈곡선표〉
곡선-형【曲線形】 명 곡선 도형. ↔직선형(直線形).
곡설【曲說】 명 한쪽으로 치우쳐 바르지 못한 이론.
곡성¹【曲城】 명 성문을 밖으로 둘러 가려서 곱게 쌓은 성벽. 곱은성. 옹성(甕城).
곡성²【谷城】 명 〖지〗 전라 남도 곡성군(谷城郡)의 군청 소재지로 읍(邑). 섬진강을 등지고 군의 북쪽에 위치함. 전라선(全羅線)의 요역(要驛)으로 농산물의 집산지이며 농업이 주인데, 담배·누에고치의 산출도 많음. 명소(名所)로는 660년에 원효 대사가 창건한 도림사(道林寺)가 유명함. [10,548 명(1996)]
곡성³【哭聲】 명 ①애곡하는 소리. ②우는 소리.
곡성-군【谷城郡】 명 〖지〗 전라 남도의 한 군. 관내 1읍 10면. 북은 전라 북도 순창군(淳昌郡), 북동은 남원시(南原市), 동은 전라 남도 구례군

(求禮郡), 남은 순천시 남서는 화순군(和順郡), 북서는 담양군(潭陽郡)에 닿음. 쌀·보리·밀·콩 등의 농산과 축산·임산·공산 등의 산물이 남. 명승 고적으로는 관음사(觀音寺)·도림사(道林寺)와 태안사(泰安寺)의 광자 대사탑(廣慈大師塔) 등이 있음. 군청 소재지는 곡성. [546.96 km²: 41,752 명(1996)]

곡셔 명 〈옛〉 곡식. ¶ 가이 곡셔글 마니 두어 주으리며 치위를 면ᄒᆞ며(可以豐粟穀免飢寒)《正俗 21》.

곡속¹ 명 〈방〉 곡식(함경).

곡속² 【穀粟】 명 곡식. 알곡식.

곡속³ 【觳觫】 명 ①무서워서 벌벌 떪. ②죽기를 무서워함. ——-하다 자 여불

곡-쇠 【曲—】 명 곡철(曲鐵)❶.

곡수¹ 【曲水】 명 ①굽이굽이 휘어 흐르는 물. ②정원(庭園)이나 산기슭 같은 데를 에워서 굽이쳐 흐르는 물.

곡수(를) 놓다 구 곡수(曲水)를 수놓다.

곡수(를) 틀다 구 곡수(曲水)를 그리다.

곡수² 【谷水】 명 골짜기의 물.

곡수³ 【穀數】 명 곡식의 소출(所出)의 수량.

곡수-연 【曲水宴】 명 〔역〕 옛날 궁중(宮中)의 후원(後苑)에서 베풀던 잔치. 보통 음력 3월 3일에 문무 백관이 곡수의 가에 여기저기 자리잡고 앉았다가 상류에서 임금이 띄운 술잔이 자기 앞에 오기 전에 시를 짓고 잔을 들어 술을 마시었음. 곡수 유상(曲水流觴). 곡연(曲宴).

곡수 유상 【曲水流觴】 명 곡수연(曲水宴).

곡식 【穀—】 명 사람의 상식(常食)이 되는 쌀·보리·콩·조·수수 따위의 총칭. 곡물(穀物). 주의 '穀食'으로 쓴은 취음(取音).

[곡식에 제비 같다] 제비는 곡식을 안 먹으니, 청렴한 사람을 이르는 말. [곡식은 될수록 준다] 무엇이나 이리저리 자꾸 옮겨 담으면 조금이라도 줄지 늘지는 않는다는 말. [곡식 이삭은 잘 될수록 고개를 숙인다] 훌륭한 인격자일수록 교만하지 아니하고 겸손하다는 말.

곡식-나방 【穀—】 명 〔충〕 [*Sitotroga cerealella*] 곡식나방과에 속하는 곤충. 몸길이 6mm, 편 날개의 길이 11-16mm 가량이며, 앞날개는 회갈색, 뒷날개는 끝이 암흑색에 뾰족하며 연모(緣毛)는 특히 길. 유충은 몸길이 7mm가량이고 몸빛은 황갈색·황백색에 점문이 한 쌍 있음. 보리 따위 낟알 속에 알을 까는데 유충으로서 월동함. 한 해에 2-5회 발생함. 저장 곡류(穀類)를 먹는 해충임. 전세계에 널리 분포함. 곡아(穀蛾).

〈곡식나방〉

곡식나방-과 【穀—科】 [—꽈] 명 〔충〕 [Gelechiidae] 나비목(目)에 속하는 한 과. 몸은 미소 또는 소형이며 몸빛은 음침한데, 선명한 종류도 있음. 주야간 활동하며, 촉각은 드물게 기부만이 빗살 모양임. 유충은 원통형(圓筒形)이며 담색(淡色) 또는 대자색을 띰. 대부분이 초식성임. 전세계에 3,700여 종이 분포함.

곡식-날 【穀—】 명 〔민〕 곡일(穀日).

곡식 농사 【穀—農事】 명 곡식의 생산을 목적으로 하는 농사. 주곡 농업(主穀農業).

곡식-삐까리 명 〈방〉 낟가리(경북).

곡식-알 【穀—】 명 곡식의 낟개.

곡식-좀나방 【穀—】 명 〔충〕 [*Tinea granella*] 좀나방과에 속하는 곤충. 편 날개의 길이 9-14mm이며, 앞날개는 회백색, 그 중앙부는 갈색에 불규칙한 흑갈색의 반문이 있음. 뒷날개는 암회색임. 유충은 저장(貯藏) 곡류의 해충으로, 전세계에 분포함.

〈곡식좀나방〉

곡신¹ 【谷神】 명 골짜기 속의 공허한 곳. 현묘(玄妙)한 도(道)를 비유하여 이름.

곡신² 【穀神】 명 곡식을 맡아 다스리는 신(神).

곡실 【穀實】 명 〔한의〕 닥나무의 열매. 저실(楮實).

곡심 【曲心】 명 마음이 곧지 아니하고 비뚦. ——-하다 형 여불

곡아 【穀蛾】 명 〔충〕 곡식나방.

곡언 【曲言】 명 멀리 둘러서 하는 말. ——-하다 자 여불

곡연 【曲宴】 명 ①임금이 궁중(宮中) 내원(內苑)에서 베푸는 소연(小宴). ②곡수연(曲水宴).

곡예 【曲藝】 명 ①연예(演藝)의 한 가지. 줄타기·공타기·곡마 등 보통 사람이 할 수 없는 여러 재주를 부림. ¶ ~단. ②작은 기능(技能).

곡예-단 【曲藝團】 명 곡예를 전문으로 하는 단체.

곡예 댄스 【曲藝—】 [dance] 명 곡예 무용.

곡예 무:용 【曲藝舞踊】 명 대중의 흥미를 본위(本位)로 하여 기술(奇術) 등을 가미하여 추는 춤. 애크러배틱 댄스.

곡예 비행 【曲藝飛行】 명 공중에서 비행기로 부리는 여러 가지 재주. 원래는 공중전(空中戰)의 필요성에서 발달하였으나 현재는 전기(戰技)로서는 거의 실용성이 없으며 조종 감각의 양성에 쓰이고 있음. 공중제비·횡전(橫轉)·반전(反轉)·배면 비행(背面飛行) 따위가 있는데, 한 대 또는 여러 대의 편대로도 행함. 아크로바트 비행. 에어 쇼.

곡예-사 【曲藝師】 명 곡예(曲藝)를 하는 사람. 아크로바트(acrobate).

곡예-술 【曲藝術】 명 곡예를 하는 기술.

곡-오궁 【曲五宮】 명 바둑에서, 빈 집이 ㄴ자 모양으로 고부라진 다섯 집으로 된 오궁(五宮). ＊귀곡오궁.

곡옥 【曲玉】 명 〔고고학〕 곱은옥(玉).

곡왕 【谷王】 명 바다의 별명(別名).

곡요 【曲腰】 명 〔역〕 조선 시대 때, 아전(衙前)이 수령 앞에서 허리를 구부리는 예의.

곡용 【曲用】 명 〔언〕 체언에 격조사(格助詞)가 붙어 어형(語形)이 바뀌는 일. 격변화(格變化). 첨용(添用). ↔활용(活用).

곡우 【穀雨】 명 24 절기의 여섯째. 청명(清明)과 입하(立夏) 사이에 드는데, 황경(黃經)이 30°인 때로, 양력 4월 20일경임. 봄비가 내려서 백곡(百穀)을 기름지게 한다는 뜻임.

[곡우에 가물면 땅이 석 자가 마른다] 곡우에 가뭄이 들면 그 해 농사가 치명적이라는 말.

곡우-사리 【穀雨—】 명 곡우가 들 무렵에 서해(西海)에서 잡히는 조기. 살은 적으나, 연하고 맛이 있음.

곡읍 【哭泣】 명 소리를 내어 섧게 욺. ——-하다 자 여불

곡이 【曲耳】 명 말이나 나귀의 굽은 귀. 양귀.

곡인 【穀人】 명 농사짓는 사람. 농군(農軍).

곡일 【穀日】 명 〔민〕 음력 정월 초여드렛날. 곡단(穀旦).

곡자¹ 【曲—】 명 ☞곱자.

곡자² 【曲子】 명 마음이 곧지 아니하고 비뚠 사람.

곡자³ 【曲子·†麯子】 명 [←국자(麴子·麯子)] 누룩.

곡자-균 【曲子菌·†麯子菌】 명 〔식〕 누룩곰팡이.

곡자 아:의 【曲者我意】 [—/—이] 명 마음이 곧지 아니한 사람이 모든 일을 제 마음대로 한다는 말.

곡자-전 【麯子廛】 명 누룩을 파는 가게.

곡자-집 【曲字—】 명 기역자집.

곡장 【曲牆】 명 능(陵)과 원(園) 또는 예장(禮葬)한 무덤 뒤에 둘러 쌓은 나지막한 토담.

곡-재아 【曲在我】 명 잘못이 자기에게 있음. ↔곡재피(曲在彼).

곡-재피 【曲在彼】 명 잘못이 남에게 있음. ↔곡재아(曲在我).

곡저 【谷底】 명 〔지〕 골짜기의 바닥. 골밑.

곡저 평지 【谷底平地】 명 [valley flat] 〔지〕 양쪽이 급경사이고 좁은 골짜기 바닥의 작은 평야.

곡적¹ 【穀賊】 명 〔한의〕 곡식의 까끄라기가 목구멍에 걸리어서 열(熱)이 나고, 붓고, 아픈 병.

곡적² 【鵠的】 명 과녁. 정곡(正鵠).

곡전 【轂轉】 명 수레의 바퀴통처럼 돎. ——-하다 자 여불

곡절¹ 【曲切】 명 곡진(曲盡). ——-하다 형 여불. ——-히 부

곡절² 【曲折】 명 ①구부러져 꺾임. 구불구불 구비짐. 반절(盤折). ②글의 문맥(文脈) 같은 것이 단조롭지 않고 변화가 많음. ③자세한 사정과 내용. 위곡(委曲). 위절(委折). ¶ 우여 ~. ④까닭. ¶ ~을 말해라. ⑤〔언〕 어미·어간의 변화·활용. ——-하다 자 여불

곡절³ 【曲節】 명 ①절개를 꺾음. ②〔악〕 곡조(曲調)의 마디. ——-하다 자 여불

곡절-어 【曲折語】 명 〔언〕 굴절어(屈折語).

곡정¹ 【曲釘】 명 갈고리못.

곡정² 【曲靖】 명 〔지〕 '취징'을 우리 음으로 읽은 이름.

곡정³ 【穀精】 명 곡식의 자양분(滋養分).

곡정-수 【穀精水】 명 밥물❷.

곡정-초 【穀精草】 명 〔식〕 [*Eriocaulon sieboldtianum*] 곡정초과에 속하는 일년초. 잎은 뿌리에서 총생하고 선상(線狀) 피침형이며 창상 공질(窓狀孔質)로 길이 2-6cm, 폭 1-2mm임. 8-9월에 5-12cm의 꽃대가 무더기로 나와 그 끝에 난상 구형(卵狀球形)의 회백색 두상화(頭狀花)가 정생(頂生)함. 늪이나 무논에 나는데, 경남·경기·평북·일본 및 중국·말레이 등지에 분포함. 한방(韓方)에서 치통(齒痛)·안질 등의 약제로 씀. 고위까람.

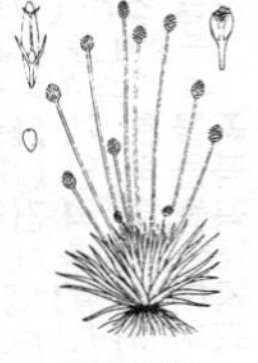
〈곡정초〉

곡정초-과 【穀精草科】 [—꽈] 명 〔식〕 [Eriocaulaceae] 단자엽(單子葉) 식물에 속하는 한 과. 전세계에 500여 종, 한국에서는 개수염·곡정초·넓은잎개수염 등 10여 종이 분포함.

곡제 화:주 【穀製火酒】 명 위스키같이 곡물로 만든 독한 술.

곡조 【曲調】 一 명 음악이나 가사(歌詞)의 가락. 준곡(曲)·조(調). 二 의명 곡목을 세는 단위로 이르는 말. ¶ 노래 한 ~ 부르다. ↔가사(歌詞).

곡종¹ 【曲從】 명 임시 변통으로 자기의 의사를 굽히어 좇음. ——하다 자 여불

곡종² 【穀種】 명 ①곡식의 종류. ②곡식의 씨앗.

곡좌 【曲坐】 명 윗사람 앞에 앉을 때에 공경하는 뜻으로 마주 향하여 앉지 아니하고 옆으로 조금 돌아앉음. ——-하다 자 여불

곡주 【穀酒】 명 곡물(穀物)로 만든 술. ↔합성주(合成酒).

곡지¹ 명 〈옛〉 꼭지. ¶ 츰외곡지(瓜蔕)《方藥 42》.

곡지² 【谷地】 명 골짜기.

곡지³ 【鵠志】 명 큰 뜻. 원대한 포부. 대지(大志). 홍곡지지(鴻鵠之志).

곡지-통 【哭之痛】 명 매우 슬프게 욺. 목을 놓아 슬프게 욺. ¶ 그야말로 ~을 해도 시원할 일이 아니었다《張德祚 : 狂風》. ——-하다 자 여불

곡직 【曲直】 명 ①사리(事理)의 옳고 그름. ¶ 시비 ~. ②굽은 것과 곧은 것.

곡직 불문 【曲直不問】 명 불문 곡직(不問曲直). ——-하다 타 여불

곡진¹ 【曲陳】 명 〔악〕 정대업지무(定大業之舞)의 맨 처음의 배열(排列)로서 내무(內舞)가 첫째 번으로 변하는 바탕. 청(靑)이 세로 한 줄로 동쪽에 서고 흑(黑)이 동쪽 끝 사람과 나란히 하여 가로 북쪽으로 한 줄에 서고, 백(白)은 흑의 끝 사람의 앞에서부터 서쪽으로 가로 한 줄에 서며, 홍(紅)은 동쪽 청의 첫 사람의 앞에서부터 서쪽 백의 첫 사람의 옆에까지 서되, 양끝으로부터 차차 휘어 구부듬하게 섬. 황(黃)은 한가운데의 네 명만 줄의 사이를 멀리 띄워 둘씩 동서로 갈라 서고, 남북의 각 두 명은 자리를 변하지 아니함.

곡진² 【曲盡】 명 ①마음과 정성을 다함. ¶ 손님을 ~히 대접하다 / 유자광은 이 조정 의논을 가지고 다시 연산께 들어가 ~하게 나라 일을 근심하는 듯 사유를 올리었다《朴鍾和 : 錦衫의 피》. ②자세하고 간곡하게 함. 곡절(曲切). ——-하다 형 여불. ——-히 부

곡진 기정 【曲盡其情】 명 사정을 자세히 앎. ——-하다 자 여불

곡차 【曲茶·穀茶·麯茶】 명 〔불교〕 [진묵 대사(震默大師)가 술을 좋아하였는데, 술이라고 하기가 협의쩍어서 차(茶)라 하고 마셨음에서 나온

말〕 술. 곡다.
곡창[1]【穀倉】[명] ①곡식을 저장하여 두는 창고. ②곡식이 많이 나는 지방을 이르는 말. ¶ 호남 평야는 우리 나라의 ~이다.
곡창[2]【穀脹】[명]〖한의〗창만(脹滿)의 한 가지. 곡류(穀類)로 만든 음식을 과식하여 배가 불러 오는 위장병.
곡창 방통【曲暢旁通】[명] 조리가 자세하고 명확함. ──-하다 [형][여불]
곡척【曲尺】[명] 곱자.
곡척-형【曲尺形】[명] 곡척같이 생긴 모양. 곧, 직각으로 생긴 모양.
곡천[1]【谷泉】[명] 골짜기에서 나는 샘물. 「여불
곡천[2]【穀賤】[명] 곡식이 많이 생산되어 값이 떨어져 헐함. ──-하다 [형]
곡철【曲鐵】[명] ①직각형으로 된 쇳조각. 곡쇠. ②〖악〗양금(洋琴)의 줄을 고르는 열쇠.
곡초【穀草】[명] 온갖 곡식풀의 이삭을 훑어 낸 줄기. 볏짚·밀짚 같은 것.
곡초-식【穀草式】[명]〖농〗곡초식 농업(穀草式農業).
곡초식 농업【穀草式農業】[명]〔도 Feldgraswirtschaft〕〖농〗목장(牧場)을 개척(開拓)하여 곡식을 십다가, 지력(地力)이 감퇴(減退)하여, 곡식이 잘 되지 아니할 때, 다시 목장으로 쓰는 영농(營農)의 방식. 곡초식(穀草式).
곡초-전【穀草廛】[명]〖역〗이엉을 팔던 가게.
곡총【穀總】[명] ①국고에 수입되는 곡식의 총액(總額). ②곡식의 총수(總數).
곡추【曲脉】[명] 오금[1]❶.
곡축【曲軸】[명]〖기〗크랭크축(crank軸).
곡출【穀出】[명] 곡식을 추수한 수량.
곡충-류【曲蟲類】[一뉴] [명]〖동〗[Kamptozoa] 내항 동물(內肛動物).
곡취-창【穀嘴瘡】[명]〖한의〗분가시.
곡타【曲打】[명]〖악〗북 같은 것을 율조(律調)에 변화를 주면서 두드림.
곡파【曲破】[명]〖악〗↗곡파무(曲破舞). ──-하다 [타][여불]
곡파-무【曲破舞】[명]〖악〗정재(呈才) 때 추는 춤의 한 가지. 당악(唐樂)이며 여악(女樂)임. 죽간자(竹竿子)·무기(舞妓) 각 두 사람이 주악(奏樂)과 박(拍)에 소리를 맞추어, 구호(口號)와 사(詞)를 부르며 족도(足蹈)하거나 또는 춤을 추되 혹은 대무(對舞) 혹은 배무(背舞)를 하면서 들어갔다 나갔다 함. [준]곡파.
곡판 구조【曲板構造】[명]〖건〗셸(shell) 구조.
곡포【曲浦】[명] 꼬불꼬불한 갯벌.
곡풍【谷風】[명] ①동풍. ②산악 지방에서 낮에 산허리의 온도가 높아지고 공기가 희박하여지므로 산기슭이나 골짜기에서 올라오는 바람. 골바람. *산풍(山風).
곡피【穀皮】[명] 곡물의 껍질.
곡필【曲筆】[명] 사실을 바른 대로 쓰지 아니하고 일부러 굽히어 씀. 또, 그 글. 무필(舞筆). ──-하다 [타][여불] 「름. 제도(帝都).
곡하【轂下】[명] 천자(天子)가 타는 수레의 밑이라는 뜻으로, 서울을 이
곡-하다[1]【曲一】[형][여불] ①사리(事理)가 옳지 아니하다. ②고깝다.
곡-하다[2]【哭一】[자][여불] 큰소리로 외치며 울다. 특히, 사람의 죽음을 슬퍼하여 크게 울다. 「(正學).
곡학【曲學】[명] 정도(正道)를 벗어난 학문. 비뚤고 간사한 학문. ↔정학
곡학 아세【曲學阿世】[명] 정도를 벗어난 학문으로 세상 사람에게 아첨함. ──-하다 [자][여불]
곡학 아세지도【曲學阿世之徒】[명] 곡학 아세하는 무리.
곡해【曲解】[명] 사실과 어긋나게 잘못 이해함. 곱새김. ¶ 친구의 호의(好意)를 ~하다. ──-하다 [타][여불]
곡행【曲行】[명] ①꼬불꼬불 돌아서 감. ②부정한 행실. 도리에 어긋난 행실. ──-하다 [자][여불]
곡향【穀鄕】[명] 곡식이 많이 나는 고장.
곡형【曲形】[명] 굽은 형상(形狀).
곡형 동:물【曲形動物】[명]〖동〗[Kamptozoa] 내항(內肛) 동물.
곡호【曲護】[명] 곡비(曲庇). ──-하다 [타][여불]
곡호-대【曲號隊】[명]〖역〗곡호수(曲號手)로 조직된 부대.
곡호-수【曲號手】[명]〖역〗군대에서 나팔을 부는 병정.
곡화【曲畫】[명]〖미술〗정상적이 아닌 방법으로 그린 그림. 붓 대신에 머리카락·종이·손가락·헝겊 조각 등을 사용하거나 왼손·발·입 등으로 그림.
곡회【曲會】[명] 친구끼리 모이어서 술을 마심. ──-하다 [자][여불]
곡희【穀饎】[一히] [명] 곡식이 풍성(豐盛)하게 많음. ──-하다 [형][여불]
곤[1] [명]〈옛〉고니. 백조(白鳥). ¶ 곤(天鵝)《字會 上 16》.
곤[2]【困】[명]〖민〗↗곤괘(困卦). 「↔건(乾).
곤[3]【坤】[명]〖민〗①↗곤괘(坤卦). ②↗곤방(坤方). ③↗곤시(坤時). 1)-3):
곤[4]【鯀·鮌】[명] 중국 신화(神話) 상의 인물. 하(夏)의 우왕(禹王)의 아버지. 요제(堯帝)의 명령으로 치수(治水)에 착수, 상제(上帝)의 아들인 양(壤)을 훔치어 홍수를 막으려고 하였으나 실패하여, 우산(羽山)에서 주살(誅殺)됨. 3년이 지나도 시체가 썩지 아니하여, 칼로 배를 가르니 우(禹)가 태어났다고 함.
곤[5]【鯤】[명] 장자(莊子) 소요편(逍遙篇)에 나오는, 상상(想像)의 큰 물고기. 크기가 몇 천리나 되는지 모른다고 함.
곤[6]【梱】[명][의명] 포장한 화물, 특히 생사(生絲)나 견사(絹絲)의 개수(個·數) 또는 수량을 표시하는 말. 생사는 9관(貫)을 나무 상자에 넣으며, 면사는 400 파운드를 마포(麻布)로 싸서 철사로 동여맴.
-곤[1] [어미] 같은 동작을 되풀이함을 나타내는 연결 어미. ¶ 봄만 되면 등산(登山)하~ 하였다/밤이면 울~ 한다. [주의] 흔히, '하다'가 뒤에 따름.
-곤[2] [어미] ↗-고는. ¶ 밥을 먹~ 있지만 생각은 딴 데에 있다.
-곤[3] [어미]〈옛〉-거든❷. ¶그 福이 오히려 하곤 ᄒᆞ물며 또 能히 사ᄅᆞᆷ 爲ᄒᆞ야 사겨 닐오미 ᄯᆞ녀(其福尙多何況更能爲人解說)《金剛 下 92》.
곤:가【困坷】[명] 곤란하여 괴로워함. 고생함. ──-하다 [자][여불]
곤:각【困却】[명] 곤란(困難). 고생.
곤:갈【困竭】[명] 곤궁(困窮)하여 다 없어짐. 곤절(困絕). ──-하다 [자][여불]
곤강【崑腔】[명]〖문〗↗곤산강(崑山腔). 「鎖)를 채움.
곤겸【髡鉗】[명] 옛 중국에서의 형벌의 하나. 머리를 깎고 목에 항쇄(項
곤:경【困境】[명] 곤란한 경우. 어려운 고비. 난경(難境). 곡경(曲境). ¶ ~에서 벗어나다.
곤:-계[1] [명]〈방〉등겨(경기).
곤계[2]【昆季】[명] 형제(兄弟).
곤:고【困苦】[명] 곤란하고 고통스러움. 고곤(苦困). ──-하다 [형][여불]
곤곡【崑曲】[명]〖문〗중국 고대 희곡(戲曲)의 한 파(派). 명(明)나라 무종(武宗) 정덕 연간(正德年間)에 장쑤 성(江蘇省) 쿤산(崑山)의 위양보(魏良輔)가 남곡(南曲)의 일파인 해염강(海塩腔)과 익양강(弋陽腔)을 본받아 시작한 것. 뒤에 북곡(北曲)까지도 병합, 경극(京劇)의 원류(源流)의 하나가 되었음. 곤산강(崑山腔). 곤강(崑腔).
곤:곤[1]【困困】[명] ①몹시 곤란함. ②몹시 빈곤함. ──-하다 [형][여불]
곤:곤[2]【滾滾】[명] 많은 물이 출렁출렁 흘러가는 모양. ¶ 정자에 올라 앞을 굽어보니 ~히 서쪽으로 흐르는 긴 강은 예나 이제나 다만 푸른 물결을 굼실거릴 뿐이었다《朴鍾和 : 錦衫의 피》. ──-하다 [형][여불]. ──-히 [부]
곤:골【滾汨】[명] 매우 바쁨. ──-하다 [형][여불]. ──-히 [부]
곤:관【悃款】[명] 정성스러움.
곤:-괘[1]【困卦】[명]〖민〗육십 사괘(卦)의 하나. 태괘(兌卦)와 감괘(坎卦)가 거듭된 것인데, 몸에 물이 없음을 상징함. [준]곤(困).
곤-괘[2]【坤卦】[명]〖민〗①팔괘(八卦)의 하나. 음(陰)의 괘이며 유순(柔順)하고 사물을 성장시키는 덕(德)을 나타내며 땅을 상징함. 상형(象形)은 '☷'. ②육십 사괘(卦)의 하나. 땅 아래에 땅이 거듭됨을 상징한 것. 1)·2):↔건괘(乾卦). [준]곤(坤).
곤:구【綑屨】[명] 짚신을 삼음. ──-하다 [자][여불]
곤:구 직석【綑屨織席】[명] 짚신을 삼고 자리를 짬. ──-하다 [자][여불]
곤:군【困窘】[명] 가난하고 군색함. ──-하다 [형][여불]. ──-히 [부]
곤:궁[1]【困窮】[명] 가난하여 살림이 구차함. 궁(窮). ──-하다 [형][여불]. ──-히 [부]
곤궁[2]【坤宮】[명] 왕후의 궁전.
곤:궁[3]【壼宮】[명] ①후비(后妃). ②후비의 처소. 「[困窮一] [부]
곤:궁-스럽다【困窮一】[형][ㅂ불] 가난하고 구차하게 보이다. 곤:궁-스레
곤:권【困倦】[명] 고단하여 기운이 없음. 곤비(困憊). ──-하다 [형][여불]
곤:궤【困匱】[명] 재력(財力)이 다하여 곤란함. ──-하다 [형][여불]
곤극[1]【坤極】[명] 곤위(壼位).
곤:극[2]【壼極】[명] 곤위(壼位).
곤:급【困急】[명] 곤란하고 위급(危急)함. ──-하다 [형][여불]. ──-히 [부]
곤:기[1]【困氣】[一끼] [명] 고단한 기색이나 느낌.
곤:기(가) 들다 [구] 고단함을 느끼게 되다.
곤:기[2]【閫寄】[명] ①경외(境外)에 출정(出征)시킨 군사(軍事)의 전권(全權)을 맡는 일. *곤외지임(閫外之任). ②장군(將軍)의 책임(責任).
곤:난【困難】[명] →곤란.
곤냐꾸〔일 蒟蒻:こんにゃく〕[명] '곤약(蒟蒻)'의 일본말.
곤:뇌【困惱】[명] 곤핍(困乏)과 번뇌(煩惱)에 잠기어 있음. 시달리어 고달프고 힘이 없음. ──-하다 [형][여불]. ──-히 [부]
곤느다 [타]〈방〉괴다[3](경북).
곤:-달걀 [명] 곯은 달걀.
[곤 달걀 꼬끼요 울거든] 도저히 이룰 가망이 없는 일에 비유하는 말. [곤 달걀 지고 성(城) 밑으로 못 가겠다] 무슨 일에 지나치게 두려워하며 걱정하는 사람의 비유.

〈곤달비〉
곤달비 [명]〖식〗[*Ligularia stenocephala*] 국화과에 속하는 다년초. 줄기 높이는 60-90 cm이고, 근생엽(根生葉)은 장병(長柄)인데 신형(腎形) 혹은 극상 신형(戟狀腎形)이며, 경엽(莖葉)은 작고 연약함. 꽃은 8-10월에 황색 두화(頭花)가 총상(總狀) 화서로 핌. 깊은 산에 나는데, 전남의 매가도(梅加島) 및 일본·중국에 분포함. 어린 잎은 식용함.
곤당【褌襠】[명] 속고의.
곤:-대 [명] 고운대.
-곤대 [어미]〈옛〉-었기에. ¶ 世尊하 摩耶夫人이 엇던 業을 지ᅀᅳ시곤대 畜生中에 나시니잇고《釋譜 XI:40》.
곤대로 [부]〈방〉간대로.
곤:댓-국 [명] 고운댓국.
곤댓-질 [명] ☞ 곤댓짓. ──-하다 [자][여불]
곤댓-짓 [명] 젠 체하며 뽐내어 하는 고갯짓. ──-하다 [자][여불]
곤덕【坤德】[명] 황후 또는 왕후의 덕(德). ↔건덕(乾德).
곤도[1]【坤道】[명] ①대지(大地)의 도(道). ②전(轉)하여, 여자가 지켜야 할 도리. 부도(婦道). 1)·2):↔건도(乾道).
곤도[2]【昆刀】[명] 중국 주(周)나라 때, 곤오국(昆吾國)에서 만들었다는 잘 드는 칼.
곤도 성녀【坤道成女】[명]〖철〗음성(陰性)이고 건전한 곤도(坤道)를 얻은 자가 여성이 된다는 말. ↔건도 성남(乾道成男).
곤:독【悃篤】[명] 간독(懇篤). ──-하다 [형][여불]. ──-히 [부]
곤:돈[1]【困敦】[명]〖민〗고갑자(古甲子) 십이지(十二支)의 첫째. 자(子)와 같음.
곤:돈[2]【困頓】[명] 곤핍(困乏). ──-하다 [형][여불]. ──-히 [부]
곤돌라〔이 gondola〕[명] ①베니스 특유(特有)의 배. 길이 9 m, 폭 1.5 m 가량의 작은 배인데, 선체(船體)는 까맣게 칠하여 있고 길쭉하며 팽이 모양으로 삐죽히 나온 선수(船首)와 선미(船尾)에 장식이 있고 중앙에

창이 달린 아름다운 선실(船室)이 있음. 상앗대로 저어 가며, 유람선과 나룻배로 사용함. ②미국의 무개 화차(無蓋貨車). ③비행선(飛行船) 밑에 달린 선실(船室)이나 기구(氣球)에 달린 바구니 모양의 탈것. ④빌딩이나 고층(高層) 아파트 등의 옥상(屋上)에서 늘어뜨려, 유리창을 닦거나, 짐을 실어 오르내리기 위한, 바구니나 상자 모양의 장치.

〈곤돌라❶〉

곤두 명 [←근두] 몸을 번드쳐서 재주넘는 짓.

곤:두-곤두 감 어린아이를 손바닥 위에 세울 때에 가락을 맞추기 위하여 부르는 소리.

곤두막질-하다 자 〈방〉 근두박질하다(평안).

곤두-박이 명 [←근두박이] 곤두박이는 일.

곤두-박이다 자 [←근두박이다] 머리가 땅에 닿도록 거꾸로 넘어지다.

곤두박이-치다 자 높은 곳에서 머리를 아래로 거꾸로 떨어지다.

곤두박-질 명 [←근두박질(筋斗撲跌)] 몸을 번드쳐 급히 거꾸로 박히는 짓. ¶ 비행기가 ~하여 추락하다. ——하다 자여불

곤두박질-치다 자 힘있게 곤두박질하다.

곤두-박히다 자 거꾸로 넘어 박히다.

곤두-벌레 명 〈방〉〖충〗 장구벌레.

곤두-서다 자 ①거꾸로 꼿꼿이 서다. ②신경 따위가 날카로와지다. ¶ 머리털이 ~/신경이 ~.

곤두-세우다 타 거꾸로 꼿꼿이 세우다. 날카롭게 하다. ¶ 신경을 곤두세우고 덤벼들다.

곤두잡이-치다 자 〈방〉 곤두박이치다.

곤두잡이-하다 자 〈방〉 곤두박이치다.

곤드기 장:원 [一壯元] 명 노름판에서 승부(勝負)가 없이 된 노름.

곤드라미[1] 명 〈방〉 굴대. 굿대[1].

곤드라미[2] 명 〈방〉 고드름(충청).

곤드라-지다 자 ①너무 과로(過勞)하여 지치었거나 술이 몹시 취하였을 때 정신없이 쓰러져서 곤히 자다. ②곤두박질하여 쓰러지다. ¶ 곤드라지며 마루 끝까지 뛰어나갔던 지단심은……《張德祚 : 狂風》. <군드러지다.

곤드레-만드레 부 술에 몹시 취하거나 잠에 취하여 정신을 차리지 못하고 몸을 가누지 못하는 모양. ——하다 자여불

곤드레만드레(가) 되다 구 술에 몹시 취하여 몸을 가누지 못하다.

곤드와나 대:륙 [一大陸] [Gondwana] 명 〖지〗 고생대(古生代) 말기에서부터 중생대(中生代) 초기에 걸쳐 남극 대륙을 중심으로 남반구(南半球) 일대에 있었으리라 생각되는 대륙. 그 일부인 남미·아프리카·인도·오스트레일리아 등지에는 석탄기(石炭紀)로부터 쥐라기(Jura紀)에 걸치는 육성층(陸成層)이 분포함.

곤드-족 [一族] [Gond] 명 인도 데칸(Deccan) 고원의 한 지방에 있는 종족. 약 300만 명. 흑갈색에 키가 작고, 머리가 길며 코가 펑퍼짐함. 형질적(形質的)으로는 드라비디언(Dravidian) 제족(諸族)과 상이하나 언어적으로는 드라비다어(語)에 속함. 초보적 누경(耨耕)·채집 수렵(採集狩獵)에 종사함. 가족신(家族神)·씨족신·부족신의 신앙이 있음.

곤들-매기 명 〖어〗 [*Salvelinus malma*] 연어과에 속하는 민물고기. 몸의 길이 20cm 내외로, 송어 비슷하나 몸이 작으며, 몸빛은 암황갈색이나 옆줄 아래는 은백색이며, 등 쪽에는 담황갈색 무늬가 산재하고, 옆줄 위에 있는 원점은 황백색을 띰. 배 쪽은 가슴지느러미 후단에서 뒷지느러미의 전단까지 황갈색이며, 가슴지느러미는 담황색, 뒷지느러미는 담암갈색, 꼬리지느러미는 암회색, 등·배는 양끝이 적색임. 깨끗한 냉수어(冷水魚)로서 한국 북부 동서 해안에 주입(注入)하는 하천과 일본 중부 이북에 분포하는 육봉종(陸封種)이지만, 사할린·캄차카 지방에서는 소하성 해어(遡河性海魚)임. 맛이 좋음. 가어(嘉魚). 역무개.

〈곤들매기〉

[곤들매기가 바닷물을 흐려뜨린다] 한 사람의 소인이 전체에 좋지 아니한 영향을 미친다는 말.

곤디기 명 〈방〉〖충〗 번데기[1](전북·경상).

곤:-떡 명 [고운 떡의 뜻] 충청도 지방의 향토 음식. 익반죽한 찹쌀 가루 반죽을 지름 4-5cm 되게 둥글납작하게 빚어, 지초 뿌리를 넣고 끓인 기름에 지진 불그스름한 떡. 잔치 때 웃기떡으로 씀.

곤:란 [困難] [골—] 명 [←곤난] ①처치(處置)하기 어려움. ¶ ~한 문제. ②생활이 궁핍함. ¶ 생활이 ~하다. ③괴로움❷. ¶ ~을 이기다. ——하다 형여불. 준난하다. ——히 부

곤:로[1] [困勞] [골—] 명 노곤(勞困). ——하다 형여불

곤로[2] [일 焜炉 : こんろ] [—노] 명 '풍로'의 일본 말.

곤:룡-포 [袞龍袍] [골—] 명 〖역〗 임금이 집무시(執務時)에 입던 정복(正服). 황색이나 붉은 비단으로 지으며 가슴과 두 어깨에 발톱이 다섯 개 달린 용(龍)의 무늬를 금실로 둥글게 수 놓았음. 곤복(袞服). 망포(蟒袍). 어곤(御袞). 준용포(龍袍).

〈곤룡포〉

곤륜 [崑崙] [골—] 명 ①〖한의〗 백렴(白蘞)❷. ②중국의 고문헌(古文獻) 서경(書經)에 나오는 칭하이(青海) 부근에 살던 민족의 이름. ③↗곤륜산. ④중국에서 한대(漢代) 이후, 남양에서 도래(渡來)한 흑인의 일컬음. 곤륜노(崑崙奴).

곤륜-노 [崑崙奴] [골—] 명 곤륜(崑崙)❹.

곤륜-산 [崑崙山] [골—] 명 중국 전설(傳說) 속에 나오는 산. 처음에는 하늘에 이르는 높은 산 또는 아름다운 옥(玉)이 나는 산으로 알리어졌으나 전국(戰國) 말기부터는 서왕모(西王母)가 살며, 불사(不死)의 물이 흐르는 신선경(神仙境)이라 믿어졌음. 준곤륜.

곤륜 산맥 [崑崙山脈] [골—] 명 〖지〗 쿤룬 산맥.

곤륜산 팔선무 [崑崙山八仙舞] [골—썬—] 명 곤륜 팔선.

곤륜 팔선 [崑崙八仙] [골—썬] 명 춤의 한 가지. 학(鶴)춤. 곤륜산 팔선무. 준팔선(八仙).

곤-릉 [坤陵] [골—] 명 〖지〗 고려 강종(康宗)의 왕비 유씨(劉氏)의 능. 경기도 강화군(江華郡)에 있음.

곤리-도 [昆里島] [골—] 명 〖지〗 경상 남도 통영군(統營郡) 산양면(山陽面) 곤리(昆里)에 있는 섬. 남해상에 돌출한 충무 반도(忠武半島) 서쪽에 위치함. [11.9 km² : 860명(1985)]

곤:마[1] [困馬] 명 ①사람이 너무 오래 타서 지친 말. ②바둑에서, 적에게 쫓기거나 둘러싸이어 살기 어렵게 된 말. ¶ ~를 살리다.

곤:마[2] [袞馬] 명 임금이 타는 말.

곤만 명 〈방〉 금시(今時)(평안·함경).

곤:-면 [袞冕] 명 곤룡포(袞龍袍)와 면류관(冕旒冠).

곤명[1] [坤命] 명 ①〖불교〗 축원문(祝願文)에 쓰는 '여자'의 일컬음. ②〖민〗 여자의 생년(生年). 1)·2):↔건명(乾命).

곤명[2] [昆明] 명 〖지〗 ①'쿤밍'을 우리 음으로 읽은 이름. ②↗곤명지(池).

곤명-지 [昆明池] 명 〖지〗 쿤밍 지(池). 준곤명.

곤명-호 [昆明湖] 명 〖지〗 쿤밍 호(湖).

곤:박 [困迫] 명 사세(事勢)가 곤궁하고 어찌할 수 없이 절박(切迫)함. ——하다 형여불

곤:-밥 명 〈방〉 [고운 밥의 뜻] 쌀밥(제주).

곤방[1] [坤方] 명 〖민〗 ①이십사 방위의 하나. 정남(正南)과 정서(正西)의 사이의 한가운데 15 도의 각도 안. ②팔방의 하나. 정남과 정서의 사이 한가운데 45 도의 각도 안. 이흑(二黑). 1)·2):↔건방(乾方). 준곤(坤).

곤방[2] [棍棒] 명 〖역〗 무예 육기(武藝六技)·십팔기(十八技) 또는 이십사반(二十四般) 무예(武藝)의 하나. 또, 그에 쓰는 막대기. 넉 자나 다섯 자가 되는 단단하고 둥근 나무로 여러 가지 기술을 부림.

〈곤방[2]〉

곤:법 [壼法] [—뻡] 명 〖역〗 궁중 후궁(後宮)의 규율(規律).

곤:보[1] [困步] 명 기운이 없어서 잘 안 걸리는 걸음. 고단한 걸음.

곤:보[2] [袞寶] 명 임금의 보새(寶璽).

곤:복[1] [悃愊] 명 질실(質實)하고 정성(精誠)스러움. ——하다 형여불

곤:복[2] [袞服] 명 〖역〗 임금의 정복(正服). 곤룡포.

곤봉 [棍棒] 명 ①체조 용구(用具)의 한 가지. 벚나무·박달나무같이 단단한 나무로 병 모양으로 만들어 보통 두 개를 양손의 손가락 사이에 끼고 체조를 하는 방망이. ¶ ~ 체조. ②총 대신 허리에 차고 다니는 경비용 방망이. *경찰봉(警察棒).

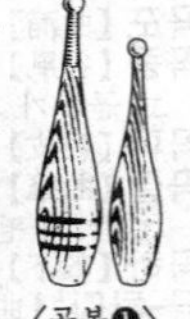

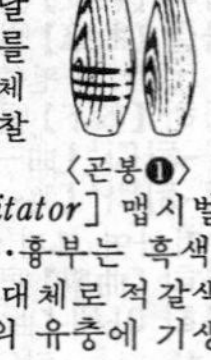

〈곤봉❶〉

곤봉-납작맵시벌 [棍棒—] 명 〖충〗 [*Coleocentrus excitator*] 맵시벌과에 속하는 곤충. 암컷은 몸길이 23mm 가량이고 두부·흉부는 흑색, 복부는 흑갈색이며 각 복절의 후연은 등황색임. 촉각은 대체로 적갈색이고, 산란관(產卵管)은 몸길이보다 약간 짧음. 하늘소의 유충에 기생함. 한국·일본·유럽·시베리아 등지에 분포함.

곤봉-딱정벌레 [棍棒—] 명 〖충〗 [*Carabus rugipennis*] 딱정벌렛과에 속하는 곤충. 몸길이 33-43mm 이고, 두부와 전배판(前背板)은 광택 있는 암녹색(暗綠色)이며 시초(翅鞘)와 몸의 하면은 자흑색인데 시초에는 서로 유합(癒合)된 점각(點刻)이 밀포하고, 촉각·다리는 흑색, 퇴절은 자색임. 한국·일본 등지에 분포함.

곤봉-산 [坤峰山] 명 〖지〗 함경 북도 부령군(富寧郡) 서상면(西上面)과 무산군(茂山郡) 어하면(漁下面) 사이에 있는 산. 함경 산맥(咸鏡山脈)의 첫머리 부분을 구성하며, 두만강(豆滿江)의 지류인 성천수(城川水)·서두수(西頭水) 등의 수원지를 이루고 있음. [1,927 m]

곤봉-자루맵시벌 [棍棒—] 명 〖충〗 [*Acanthostoma insidiator*] 맵시벌과에 속하는 곤충. 암컷은 몸길이 35mm 가량이고, 두흉부(頭胸部)는 흑색, 날개는 담황적색임. 산누에나방의 유충에 기생함. 한국·일본 등지에 분포함.

곤봉 체조 [棍棒體操] 명 곤봉을 가지고 하는 체조. 보통 양손에 하나씩 곤봉을 쥐고 손목의 동작에 의하여 곤봉을 전후 좌우(前後左右)로 휘두르면서 팔을 크게 회전함. 미국에서 발달하였음. 인디언 클럽.

곤붕 [鯤鵬] 명 [중국의 장자(莊子)가 비유하여 말한 큰 물고기와 큰 새의 이름] 홍대(鴻大)하고 지대(至大)한 사물의 비유.

곤:비 [困憊] 명 괴롭고 가쁨. 곤궁하고 고달픔. 곤핍(困乏). 곤권(困倦). 허비(虛憊). ¶ 피로(疲勞) ~. ——하다 형여불

곤산-강 [崑山腔] 명 〖문〗 곤곡(崑曲). 준곤강(崑腔).

곤살레스 [González, Julio] 명 〖사람〗 스페인의 조각가. 금은 세공사(金銀細工師)인 아버지의 작업장에서 조금(彫金)을 배움. 제1차 대전 중, 르노 공장(Renault 工場)에서 일한 체험으로, 첫 조각이나 철판 용접에 의한 조각(彫刻)을 시작하여, 철(鐵)의 조각의 선구자가 됨. [1876-1942]

곤-삼절 [坤三絕] 명 〖민〗 곤괘(坤卦)의 상형(象形)인 '☷'의 이름.

곤:상 [袞裳] 명 〖역〗 예전에 천자(天子)가 입던 하의(下衣). 조(藻)·분미(粉米)·보(黼)·불(黻)의 수를 놓았음.

〈곤상〉

곤:색[1] [困塞] 명 ①운수(運數)가 비색(否塞)하여 생활이 곤궁함. ②돈의 융통이 막힘. ——하다 형여불. ——히 부

곤-색[2] [一色] [일 紺 : こん] 명 '감색(紺色)'의 일본말.

곤-선명 [坤仙命] 명 〖민〗 죽은 여자의 생년(生年). 술가(術家)의 말. ↔

건선명(乾仙命).

곤:-소금 [명] 재염(再塩). *굵은 소금.

곤손【昆孫】[명] 내손(來孫)의 아들. 현손(玄孫)의 손주. 육대손(六代孫).

곤쇠아비-동갑【一同甲】[명]〈속〉 흉측하고 나이 많은 사람을 가리키는 말. ¶ 놀부는 ~ 같은 놈이다.

곤:수¹【困睡】[명] 곤히 잠. ——-하다 [자][여불] 「*곤임(閫任).

곤:수²【梱帥·閫帥】[명] 병사(兵使)나 수사(水使)를 예스럽게 부르는 말.

곤:수 유투【困獸猶鬪】[명] 위급한 경우에는 약한 짐승일지라도 적을 향하여 싸우려고 덤빔. 궁서 설묘(窮鼠齧猫).

곤시【坤時】[명]〖민〗이십사시(二十四時)의 열여섯째 시. 곧, 오후 2시 반부터 3시 반까지의 동안. [준]곤(坤).

곤신-풍【坤申風】[명]〖민〗곤방(坤方)이나 신방(申方)에서 불어오는 바

곤:-쌀 [명]〈방〉〔고운 쌀의 뜻〕 쌀(제주). └람. 서남풍.

곤:액【困厄】[명] 곤란(困難)과 재액(災厄). 재난(災難). 액곤(厄困).

곤약【蒟蒻】[명] ①〖식〗구약나물. ②구약나물의 지하경(地下莖)을 가루로 만들어 석회유(石灰乳)를 섞어 끓여서 만든 식료품. 곤냐꾸.

곤약-판【蒟蒻版】[명] 간단한 등사판(謄寫版)의 한 가지. 양지(洋紙)에다 농자색(濃紫色)·적색의 수용성(水溶性) 특수 잉크로 쓴 원고를 우무 또는 젤라틴의 얇은 판에 붙였다가 잠시 후에 떼어서 된 원판(原版)을, 물로 축이고 종이를 대어 안쪽에서 밀면 복사(複寫)가 되는데 수십 장의 등사가 가능함. 한천판(寒天版).

곤양【昆陽】[명]〖지〗중국 전국 시대의 위(魏)나라 서울. 지금의 허난 성(河南省) 예 현(葉縣). 유수(劉秀)가 왕망(王莽)을 크게 쳐부순 곳.

곤:얼【閫臬】[명]〖역〗감사(監司)·병사(兵使)·수사(水使)의 영문(營門).

곤여【坤輿】[명] 대지(大地). 지구(地球).

곤여-도【坤輿圖】[명]〖지〗명나라 숭정(崇禎) 초년(1628)경에 탕약망(湯若望), 곧 아담 샬(Adam Schall)이 만든 세계 지도. 여덟 첩 병풍으로 만들어 인쇄하였음. 후에 최석정(崔錫鼎)이 발문(跋文)을 써서 보관함.

곤여 만:국 전도【坤輿萬國全圖】[명]〖지〗명(明)나라 말기에 중국으로 건너온 선교사 마테오 리치(Matteo Ricci)가 제작한 한문(漢文)의 세계 지도. 베이징(北京)에서 중국 사람 이지조(李之藻)의 조력을 받아 1602년에 출판한 것인데, 6장이 한 벌이 되고, 각각 그 길이가 5.6 척, 폭이 2척으로 되었음.

곤옥【崑玉】[명] 쿤룬산(崑崙山)에서 나는 아름다운 옥.

곤:와【困臥】[명] 고단하여 깊이 잠듦. 곤침(困寢). ——-하다 [자][여불]

곤:외【閫外】[명] ①문지방의 밖. ②왕성(王城)의 밖. 「는 일.

곤:외지-사【閫外之事】[명]〖역〗대궐 밖을 통제하는 일. 병마를 통솔하

곤:외지-임【閫外之任】[명]〖역〗①군대를 이끌고 경외(境外)로 출정하는 장군의 직임(職任). ②병마(兵馬)를 통솔하는 직임. [준]곤임(閫任).

곤:욕【困辱】[명] 심한 모욕. 군욕(窘辱). ¶ 심한 ~을 치르다/~을 당하

곤:원【悃願】[명] 정성껏 원함. 간원(懇願). ——-하다 [타][여불] └다.

곤원-절【坤元節】[명]〖역〗융희(隆熙) 때 황후(皇后)의 탄생일.

곤위¹【坤位】[명] ①부인(婦人)의 무덤이나 신주(神主). ↔건위(乾位). ②곤위(壼位).

곤:위²【壼位】[명] 황후(皇后)의 지위. 곤극(壼極). 곤위(坤位).

곤유【崑崳】[명]〖지〗'쿤위'를 우리 음으로 읽은 이름.

곤의¹【坤儀】[—/—이] [명] ①대지(大地). 곤여(坤輿). ②왕후의 덕(德).

곤:의²【袞衣】[—/—이] [명] 천자(天子)가 입는 웃옷. 곤룡포(袞龍袍).

곤의³【褌衣】[—/—이] [명] 잠방이.

곤이【鯤鮞】[명] ①물고기의 뱃속의 알. ②물고기의 새끼.

곤:-이득지【困而得之】[명] 고생 끝에 성취함. ——-하다 [타][여불]

곤:-이지지【困而知之】[명] 고생하여 공부한 끝에 지식(知識)을 얻음. 곤지(困知). ——-하다 [타][여불] 「의 직임.

곤:임【閫任】[명]〖역〗①↗곤외지임(閫外之任). ②병사(兵使)·수사(水使)

곤자소니 [명] 소의 똥구멍 속에 있는 창자의 한 부분.

【곤자소니에 발 기름이 끼었다】 문에 드리우는 발같이 온통 기름이 창자에 끼었다는 뜻으로, 부귀를 누리고 크게 호기 부리며 뽐내는 사람을 이르는 말.

곤:작【困作】[명] 시문(詩文)을 애써가며 더디 지음. ——-하다 [타][여불]

곤:-잠【困—】[명] 곤하게 자는 잠.

곤장【棍杖】[명]〖역〗도둑이나 군율(軍律)을 어긴 죄인의 볼기를 치는 형구(刑具)의 하나. 버드나무로 넓적하고 길게 만든 몽둥이로, 중곤(重棍)·대곤(大棍)·중곤(中棍)·소곤(小棍)·치도곤(治盜棍)의 다섯 가지 종류가 있음. ¶ ~을 치다.

크기 / 종별	길 이	넓 이	두 께
중 곤	5자 8치	5치	8푼
대 곤	5자 6치	4치 4푼	6푼
중 곤	5자 4치	4치 1푼	5푼
소 곤	5자 1치	4치	4푼
치 도 곤	5자 7치	5치 3푼	1치

【곤장에 대갈 바가지】 곤장으로 매를 무수히 맞는다는 말. 【곤장을 메고 매 맞으러 간다】 공연히 스스로 화(禍)를 자초(自招)한다는 말.

곤장을 내:다 [구] 곤장을 치는 것처럼 때려 부수다.

곤장덕-봉【棍杖德峰】[명]〖지〗함경 북도 무산군(茂山郡)에 있는 산봉우리. 함경 산맥(咸鏡山脈)에 속함. [1,322m]

곤장-질【棍杖—】[명] 곤장으로 볼기를 치는 짓. ——-하다 [자][타][여불]

곤:-재해심【困在垓心】[명] 대단히 어려운 경우를 당함. ——-하다 [형][여불]

곤쟁이 [명]〖동〗[*Acetes* sp.] 갑각류(甲殼類)의 십각목(十脚目)에 속하는 새우의 하나. 보리새우와 비슷한데 몹시 작고 몸이 연함. 한국 서해안에 분포함. 소금에 절이어 젓을 담가 먹음. 노하(滷蝦). 자하(紫蝦).

【곤쟁이 주고 잉어 낚는다】 소자본(小資本)을 들여서 큰 이익(利益)을 보았을 때 하는 말.

곤쟁이-젓 [명] 곤쟁이로 담근 젓. *감동젓.

곤쟁이젓 찌개 [명] 곤쟁이젓에 고기·파·기름을 넣고 주물러, 물을 조금

곤전【坤殿】[명]〖역〗중궁전(中宮殿). └붓고 끓인 찌개.

곤전 마:마【坤殿媽媽】[명] '곤전'의 경칭.

곤:절【困絕】[명] 곤갈(困竭). ——-하다 [자][여불]

곤:정【壼政】[명]〖역〗내전(內殿)의 일.

곤제【昆弟】[명] 형제(兄弟). 곤계(昆季).

곤좌【坤坐】[명] 집터나 묏자리 따위가 곤방(坤方)을 등진 좌향. 또, 그런 자리.

곤좌 간:향【坤坐艮向】[명]〖민〗곤방(坤方)을 등지고 간방(艮方)을 향한 좌향(坐向). 서남쪽에서 동북쪽으로 향한 좌향.

곤-죽【一粥】[명] ①곯고 썩은 죽(粥)이라는 뜻으로서, 땅이 몹시 질어 질퍽질퍽함을 가리키는 말. ¶ 길이 ~이다. ②일이 엉망진창이 되어 갈피를 잡기 어려움을 가리키는 말. ¶ 일을 ~을 만들어 놓다. ③술에 몹시 취하거나 몸이 지쳐서 힘없이 늘어진 모양을 이르는 말. ¶~이 되도록 술을 퍼마시다.

곤줄-매기 [명]〖조〗곤줄박이.

곤줄-박이 [명]〖조〗[*Parus varius varius*] 박샛과에 속하는 새. 날개 길이 7-8cm 가량이고 머리와 목은 흑색이며, 얼굴·이마·머리의 중앙은 갈색을 띤 백색인데 뒷머리에 'V'자 모양의 흑색 무늬가 있음. 상배면(上背面)은 밤색이고 그 이하는 회청색이며, 몸의 하면은 밤색, 부리는 암갈색임. 얕은 산이나 평지·삼림에 서식하며 4-7월에 5-8개의 알을 낳음. 한국·일본·대만에 분포함. 익조(益鳥)이며 보호조임. 민첩하고 영리하여 농조(籠鳥)로 애완됨. 곤줄매기. 산작(山雀).

〈곤줄박이〉

곤지¹ [명] 시집가는 새색시가 단장할 때에, 이마 가운데에 찍는 연지(臙

곤지² [명]〈방〉 고누. └脂). ¶ 연지 ~.

곤지³ [명]〈방〉 곰팡.

곤:지⁴【困知】[명] 삼지(三知)의 하나. 애쓴 다음에 도(道)를 앎. 곤이지지(困而知之). 「[여불]

곤:지⁵【困躓】[명] 곤궁에 허덕이어 중도에서 좌절(挫折)함. ——-하다 [자]

곤지⁶【昆支】[명]〖사람〗백제 개로왕(蓋鹵王)의 둘째 아들. 문주왕(文周王)의 동생. 동성왕(東城王)의 아버지. 477년 내신 좌평(內臣佐平)이 되고 이 해에 죽었음. [? -477]

곤지-곤지 [명][감] 젖먹이에게 왼손 손바닥에 오른손 둘째 손가락을 댔다 뗐다 댔다 뗐다 하라고 하는 말. 또, 그런 동작. ——-하다 [자][여불]

곤:직【袞職】[명] ①임금의 직책. ②임금을 보좌하는 삼공(三公)의 직책.

곤질-고누 [명] ☞ 열두밭고누.

곤차로프 〔Goncharov, Ivan Aleksandrovich〕 [명]〖사람〗러시아의 소설가. 관리 생활 중 처녀작 《평범한 이야기》로 문단에 등장, 3년간 세계 일주 후 여행기(旅行記)와 《오블로모프(Oblomov)》를 발표하여, 농노제(農奴制) 폐지의 필연성을 논하였음. [1812-91]

곤챙이 [명]〈방〉 이리¹.

곤축【坤軸】[명] 지축(地軸).

곤충【昆蟲】[명] ①벌레의 속칭. ②곤충류(昆蟲類)에 속하는 동물. 벌레. ¶ ~ 채집.

곤충-강【昆蟲綱】[명]〖동〗[Insecta] 절지 동물(節肢動物)의 한 강(綱). 온몸이 키틴질(chitin質)로 된 껍질이나 혹은 껍데기로 싸이고 많은 환절(環節)로 되었는데 머리·가슴·배의 세 부분으로 구분함. 두부(頭部)에는 각 한 쌍의 촉각(觸角)·복안(複眼)과 2-3개의 단안(單眼) 및 구기(口器)를 갖추며, 흉부(胸部)에는 두 쌍의 날개와 세 쌍의 다리가 있으나, 날개가 퇴화하여 한 쌍 또는 전혀 없는 것도 있음. 복부(腹部)는 11절(節)로 이루어지는데 말단절에 흔히 한 쌍의 돌기가 있고 제 9-10절은 생식기(生殖器)임. 내장은 한 줄의 관상(管狀)으로 되고 흉부·복부의 기문(氣門)으로 호흡함. 자웅 이체(雌雄異體)로 난생(卵生)하는 것이 많으며, 흔히 육지(陸地)에서 살고, 변태(變態)의 과정으로 발육 성장함. 그 수는 지상 동물의 4분의 3이나 됨. 메뚜기목(目)·딱정벌레목·파리목·벌목·나비목·매미목·잠자리목 등으로 분류함. 곤충류(昆蟲類).

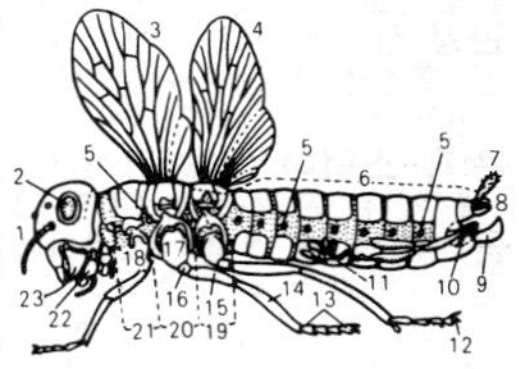

1. 촉각 2. 복안 3. 앞날개 4. 뒷날개 5. 기문 6. 복부 7. 미각(尾角) 8. 항문 9. 파악기(把握器) 10. 음경 11. 정소(精巢) 12. 갈고랑이 13. 부절 14. 경절 15. 퇴절 16. 전절 17. 기절 18. 하순 19. 후흉 20. 중흉 21. 전흉 22. 작은 턱 23. 큰턱

〈곤충❷〉

곤충-기【昆蟲記】[명]〔프 Souvenirs entomologiques〕〖책〗프랑스의 박물학자(博物學者) 파브르(Fabre, J.)의 저서. 1878년 제1권이 출판되고 1910년에 완성되었는데, 부제(副題)는 '곤충의 본능과 습성에 대한 연구'임. 갑충류(甲蟲類) 170종, 벌류(類) 130종을 비롯한 곤충의 상태를 상세히 관찰하고, 자전적 회상(自傳的回想)을 섞어 기록한 것. 과학적으로나 문학적으로 높이 평가되고 있음. 10권.

곤충-류【昆蟲類】[—뉴] [명]〖동〗'곤충강(昆蟲綱)'의 관용어.

곤충-망【昆蟲網】[명] 포충망(捕蟲網).

곤충 바이러스【昆蟲—】〔virus〕 [명]〖의〗곤충을 숙주(宿主)로 하는 바이러스. 이를테면 누에의 다각체병(多角體病) 바이러스 따위. *동물 바이러스.

곤충 채:집【昆蟲採集】[명] 생태를 관찰하거나 표본을 만들기 위하여 곤충을 채취하여 모으는 일. ──-하다 [자][여불]
곤충 초목【昆蟲草木】[명] 곤충과 풀과 나무.
곤충-침【昆蟲針】[명]〖충〗곤충 표본을 만들 때, 곤충을 표본함(函) 속에 고정(固定)하는 데 쓰는 바늘. 양은(洋銀) 또는 스테인레스제(製)로, 길이는 약 4 cm임.
곤충-탄【昆蟲彈】[명]〖군〗세균(細菌)의 수송·살포(撒布)의 매체(媒體)가 되거나 적국(敵國) 농업에 대한 해충(害蟲)이 되는 곤충을 속에 넣은 생물학 병기의 하나.
곤충 페로몬【昆蟲—】〔pheromone〕[명]〖생〗곤충의 성(性)페로몬과 집합(集合) 페로몬의 총칭. 곤충의 수컷을 유인하는 물질이 암컷에서 분비되는데 이것을 성(性)페로몬이라고 함. 성페로몬은 20종 가까운 곤충에게서 채취(採取)되어 1960년에 그 구조식(構造式)이 알리어졌음. 또한 진디의 배설물(排泄物) 중에서 진디를 모이게 하는 유효(有効) 물질이 발견되었는데 이를 집합 페로몬이라고 함.
곤충-학【昆蟲學】[명]〖충〗곤충을 연구하는 학문. 분류(分類) 곤충학·생태(生態) 곤충학·형태(形態) 곤충학·생리(生理) 곤충학·농곤충학(農昆蟲學)·응용(應用) 곤충학 등으로 구분함.
곤충 호르몬【昆蟲—】〔hormone〕[명]〖생〗곤충의 체내에 분비되는 호르몬의 총칭. 곤충의 뇌·탈피(脫皮)·유약(幼若)의 세 가지 호르몬이 주요하며, 모두 변태(變態)·탈피 등에 중요한 작용을 함. 유약 호르몬은 뇌의 뒤 쪽에 있는 알라타체(allata體)에서 분비되며, 이 분비를 억제하면 유충에서 번데기, 나아가 성충(成蟲)으로 급속도로 성장함. 이러한 호르몬에 의하여 이상 발육을 촉진시키어 해충(害蟲)을 없앨 수 있는 살충제(殺蟲劑)로서 유약 호르몬이 연구되고 있음.
곤치 [명]〈방〉고치¹(경상).
곤치다 [타]〈방〉고치다(경기·강원·충청·전라·경상).
곤:침【困寢】[명] 피곤하여 잠이 깊이 듦. 곤와(困臥). ──-하다 [자][여불]
곤:태【困殆】[명] 곤란하고 위태로움.
곤:틀릿 궤:도【—軌道】〔gantlet〕[명]〖토〗좁은 다리나 길 위의 복선 궤도(複線軌道)에서, 한쪽 궤도의 레일의 한 줄이 다른 궤도의 두 줄 사이를 지나고 있는 궤도.
곤:폐【困弊】[명] 괴롭고 피로함. ──-하다 [자][여불]
곤포¹【昆布】[명]〖식〗다시마.
곤:포²【梱包】[명] 거적이나 새끼로 짐을 꾸리어 포장(包藏)함. 또, 그 짐. ──-하다 [타][여불]
곤포-국【昆布—】[—꾹][명] 다시맛국.
곤포-쌈【昆布—】[명] 다시마쌈.
곤:포-업【梱包業】[명] 상품, 특히 수출품을 포장하는 일을 전문적으로 하는 직업. 또, 그 기업(企業).
곤포-차【昆布茶】[명] 다시마차.
곤포-탕【昆布湯】[명] 다시맛국.
곤피 [명]〈방〉〖식〗다시마(경남).
곤:필【困筆】[명] 힘들이어 더디 쓰는 글이나 글씨.
곤:핍【困乏】[명] 고달파서 힘이 없음. 곤돈(困頓). 곤비(困憊). ──-하다 [형][여불]
곤:-하다【困—】[형][여불] 힘을 많이 또는 오래 써서 기운이 풀리어 느른하다. 피곤하다. 고단하다. 곤:-히【困—】[부]. ¶ ~ 자다.
곤:학【困學】[명] 고생하여 学問을 배움. ──-하다 [자][타][여불]
곤:학 기문【困學紀聞】[명]〖책〗중국 송(宋)나라 왕응린(王應麟)의 저서로, 경사자집(經史子集)의 고증(考證)을 기록한 책. 20권.
곤형【棍刑】[명]〖역〗곤장(棍杖)에 처하는 형벌.
곤형-장【坤亨章】[—짱][명]〖악〗악장(樂章)의 이름.
곤:혹【困惑】[명] 곤란한 일을 당하여 어찌할 바를 모름. ──-하다 [자][여불]
곤:혹-스럽다【困惑—】[형][ㅂ불] 곤혹한 느낌이 들다. ¶ 곤혹스러운 표정을 짓다. 곤:혹-스레【困惑—】[부]
곧¹ [명]〈옛〉곳. ¶ 處는 고디라《月序 20》.
곧² ㊀[부] ①그 때를 놓치거나 그 자리를 옮기지 아니하고 바로. ¶ ~ 떠나라. ②머지않아. ¶ 입춘이 지났으니 ~ 봄이 오겠지. ③'다시 말하자면, 즉(卽)'의 뜻의 접속 부사. ¶ 생명체는 유한하다. ~ 살아 있는 것은 모두 죽는다. ㊁[조] 어떤 일이 있을 때마다 반드시 어떤 사실이 따름을 나타낼 때, 앞의 사실의 주어(主語)에 붙어 '만'의 뜻을 나타내는 보조사. ¶ 그는 밤~되면 가야금을 타오.
곧갈 [명]〈옛〉고깔. 곳갈. ¶ 곧갈 개(帞)《字會 中 22》.
곧-날 [명]〖고고학〗석기(石器)의 날이 직선으로 곧게 된 것. 직인(直刃).
곧날-대패 [명] 날을 곧게 90도(度)로 끼워, 단단한 나무를 깎는 데 쓰는 대패.
곧다 [형] ①구부러지거나 비뚤어지지 아니하고 똑바르다. ¶ 쭉 곧은 선. ②마음이 정직하다. ¶ 곧은 사람. ③마음이 외곬으로 바르다.
【곧기는 먹줄 같다】 겉으로는 곧은 체하나 속이 검은 사람을 빗대서 하는 말. 【곧은 나무 먼저 찍힌다; 곧은 나무 쉬 꺾인다】 똑똑한 사람 또는 정직한 사람이 먼저 도태(陶汰)된다는 말.
곧-듣다 [타][ㄷ불] ↗곧이듣다.
곧-바로 [부] ① 즉시. ¶ 학교가 파하면 ~ 집에 돌아오너라. ②사실대로. ¶ 묻는 말에 ~ 대답하라.
곧-바르다 [형][르불] 곧고 바르다. ¶ 마음가짐이 늘 곧바른 사람.
곧-뿌림 [명]〖농〗직파(直播). ──-하다 [자][여불]
곧아-지다 [자] ①곧게 되다. ②꼿꼿하여지거나 팽팽하여지다. ¶ 허영은 마치 마지막 숨을 모으는 모양으로 눈이 곧아지고 씨근씨근하고 있었다《李光洙 : 사랑》.
곧은-결 [명]〖건〗결이 곧은 나무를 나이테와 직각이 되게 제재(製材)한 면(面)에 나타난 나뭇결. *엇결.
곧은결 판자【—板子】[명] 나이테에 직각이 되게 켠 판자. 수축(收縮)이 적고 줄이 곧으나 쪼개지기 쉬움.
곧은-금 [명]〖수〗직선(直線)❷.
곧은-길 [명] 구부러지지 아니하고 바로 곧게 벋어 나간 길. 직로(直路).
곧은-낚시 [명] 강태공(姜太公)이 썼다는, 끝이 꼬부라지지도 않고 미늘도 없는 밋밋한 낚싯바늘. ¶ 강태공의 ~.
곧은-바닥 [명]〖광〗곧게 파서 내려가는 광 구멍이. 수갱(竪坑). 곧은썸. 썸.
곧은-바람 [명]〈방〉서풍(西風)(경북).
곧은-불림 [명] 지은 죄를 사실대로 바로 말함. 직초(直招). 자백(自白). ──-하다 [타][여불]
곧은-뿌리 [명]〖식〗주근(主根)이 잘 발달하여 땅 속으로 곧게 벋어 내려가는 뿌리. 쌍자엽 식물에서는 보통 그러함. 직근(直根).
곧은-썸 [명]〖광〗곧은바닥. 썸.
곧은-썸 [명]〈방〉〖광〗곧은썸.
곧은-줄기 [명]〖식〗땅 위로 곧게 서서 자라는 줄기. 식물의 보통 형태임. 직립경(直立莖).
곧은-창자 [명] ①〖생〗직장(直腸)❶. ②아주 고지식한 사람. ③밥을 먹고 곧 뒤보는 사람을 홍보아 이르는 말. ㊜곧창자.
곧이 [고지] [부] ①곧게. ②바로. ③거짓없이.
곧이-곧대로 [고지—] [부] ①아무 꾸밈이나 거짓이 없이 사실대로. ¶ ~ 말하다. ②거리낌없이 마음대로. ¶ 일을 ~ 하다.
곧이-곧솔 [고지—] [부]〈방〉곧이곧대로.
곧이-듣다 [고지—] [타][ㄷ불] 남의 말을 고지식하게 참말로 믿고 그대로 듣다. ¶ 농담을 ~. ㊜곧듣다.
곧잘 [부] ①제법 잘. 꽤 잘. ¶ 할 줄 모른다더니 ~ 한다. ②자주. ¶ ~ 어지곤 하다.
곧장 [부] ①똑바로 곧게. ¶ 이 길로 ~ 가오. ②쉬지 않고 줄곧. ¶ ~ 뛰어왔더니 숨이 가쁘다.
곧-창자 [명]〖생〗↗곧은창자.
곧추 [부] 아래위가 곧게.
곧추-갈이 [명]〖농〗논밭을 갈 때에 곧바로 갈아 나가는 방법.
곧추다 [타]〔←곧-(곧바르다)+-추-+-다〕굽은 것을 곧게 하다.
곧추-들다 [타] 아래위가 곧게 쳐들다.
곧추-뛰기 [명]〖체〗그 자리에 선 채로 곧추 뛰어오르는 운동.
곧추-뜨다 [자][타] ①아래위가 곧게 뜨다. ②눈을 부릅뜨다.
곧추-서다 [자] 꼿꼿이 서다.
곧추-세우다 [타] 아래위가 곧게 세우다. ¶ 깃대를 ~.
곧추-안다 [—따] [타] 어린 아이를 곧게 세워서 안다. ¶ 어린애를 ~.
곧추-앉다 [—안따] [자] 꼿꼿이 앉다.
골¹ [명] ①〖생〗골수(骨髓). 뇌(腦). ②↗머릿골¹. ¶ ~이 아프다.
골² [명] 한때 벌컥 성이 나서 일어나는 기운.
골이 상투 끝까지 나다 [구] 골이 몹시 나다.
골³ [명] 모자나 신 또는 부어서 만드는 물건을 만들 때, 혹은 만든 뒤에 그 물건의 모양의 테두리를 잡는 틀. 형(型). ¶ 망건~/짚신~/구둣~.
골⁴ [명] 종이·피륙·나무 같은 것을 길이로 똑같이 나누어 오리거나 접는 금.
골⁵ [명]〈방〉고물³.
골⁶ [명]〈방〉팽이(함남).
골⁷ [명]〈옛〉왕골. ¶ 골 관(菅)《字會 上 9》.
골⁸ [명]〈옛〉고¹⁵. ¶ 골 밍ᄀ라 븨 우희 불라(作膏塗布)《救簡 Ⅲ:31》.
골⁹ [명]〈옛〉관(棺). ¶ 늘근 쥐 골 녀흐로ᄃᆞᆺ 마티 ᄒᆞ야(如老鼠咬棺)《蒙法 16》.
골¹⁰ [명]〈옛〉궤. =고볼. ¶ 골 독(櫝)《字會 中 10》.
골¹¹ [명]〈옛〉꼴¹. ¶ 세 受의 고리 덛더디 그러호터(三受之狀固然)《永嘉 下 74》.
골:¹² [명] ①↗골목. ②깊은 구멍. ③두 산 사이가 우묵하게 갈라지어 물이 흐르는 길. 골짜기. ¶ ~이 깊다. ④↗고랑. ¶ ~을 타다.
골:로 가다 [구]〈속〉죽다.
골:¹³ [명] ↗고을❷.
골:¹⁴ [명]〈방〉가리마(황해).
골:¹⁵ [명]〈방〉개울(경북).
골¹⁶【骨】[명] ①뼈❶. ②〖역〗신라 상세(上世)에 왕족을 지위상으로 또는 혈통상으로 본 등급. *성골(聖骨)·진골(眞骨).
골¹⁷【骨】[명] 성(姓)의 하나. 우리 나라에는 현존하지 아니함.
골:¹⁸〔goal〕[명] ①목적. 목표. ②결승선(決勝線). 결승점. ③축구 등에서, 골 라인 위에 세운 두 기둥과 골 바와의 사이. 골문(goal 門). ④축구·농구·하키 등에서, 공이 골인하여 득점하는 일. 또, 그 득점. ¶ 한 ~ 이기다. ⑤럭비에서, 트라이(try) 다음에 다시 골포스트에 공을 차 넣는 일. 모두 5점임.
골¹⁹ [수]〈옛〉만(萬). ¶ 萬數名十千골《新字典》.
골- [두] 일정한 명사 위에 붙이어 '고루(固陋)한'·'골타분한'의 뜻을 나타냄. ¶ ~선비/~생원.
-골 [미] 일정한 명사 아래 붙이어 동네 이름을 나타내는 말. ¶ 대추나뭇~/남산~ 샌님.
골각【骨角】[명] ①뼈와 뿔. ②툭 불거진 뼈. 뼈가 쑥 불거져 나온 곳.
골각-골각 [부]〈옛〉갈가마귀의 우짖는 소리. ¶ 摩里山 갈가마귀 太白山 기슭으로 골각골각 우지즈면서《永言》.
골각-기【骨角器】[명] 석기(石器) 시대에 동물의 뼈나 뿔 또는 엄니로 만든 기구(器具). 사슴의 뿔이나 뼈로 흔히 만드는데 새나 물고기의 뼈로 만든 것도 있음. 도끼·창(槍)·활고자·낚시·핀(pin) 같은 것이 지금 남아 있음. ㊜골기(骨器).

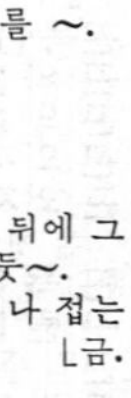

1. 뼈바늘 2-3. 사슴뿔작살 〈골각기〉

골각-촉【骨角鏃】[명] 골촉(骨鏃).
골각-품【骨刻品】[명] 뼈에다 새기어 만든 공예품.
골간【骨幹】[명] ①몸의 뼈대. 뼈대. 골격. ②사물의 중요한 부분. 기본적인 부분. ¶ 일의 ~을 이루다.
골간-적【骨幹的】[명][관] 골간이 되는 모양.

골:-감¹ [명]〖식〗감의 한 종류. 꼭지에서 꽃이 붙었던 배꼽 자리로 네 갈래의 골이 졌음.
골감²【骨疳】[명]〖한의〗신감(腎疳).
골갑-류【骨甲類】[—뉴] [명]〖어〗[Osteostraci] 어류에 속하는 한 아강(亞綱). 현재는 멸종(滅種)되어 다만 화석으로만 발견될 뿐임.
골강【骨腔】[명]〖생〗골수(骨髓)가 차 있는 관상골(管狀骨) 속의 빈 부분.
골강이 [명]〈방〉골갱이.
골개 [명]〈방〉고리¹(경북).
골개이 [명]〈방〉고리¹(경북).
골갱이 [명] ①물질 속의 단단한 부분. ②일의 줄거리. 골자(骨子). ③〈방〉고리¹(경북).
골거리 [명]〈방〉골딱지.
골:-걷이 [—거지] [명]〖농〗곡식을 심은 밭고랑의 잡풀을 뽑아 없애는 일. ——-하다 [자][여불]
골검【骨檢】[명]〖역〗살인 사건의 시체 또는 변사(變死)한 시체의 백골(白骨)을 검시(檢屍)함. ——-하다 [타][여불]
골: 게터〔goal+getter〕[명] 농구 등 구기(球技)에서, 득점을 많이 올리는 선수.

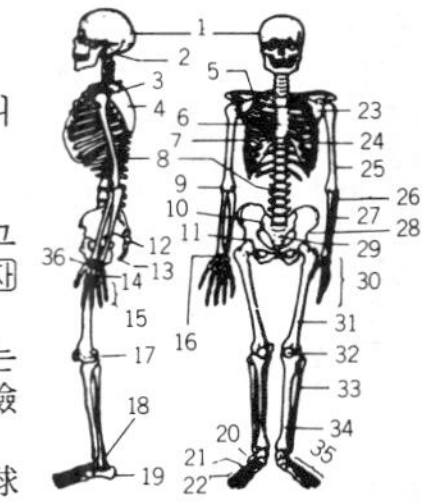
1. 두개 2. 환추후두관절 3. 견관절 4. 견갑골 5. 쇄골 6. 흉골 7. 늑골 8. 척추 9. 주관절 10. 선장관절 11. 고관절 12. 천골 13. 미골 14. 중수골 15. 지골 16. 요골수근관절 17. 슬관절 18. 거퇴관절 19. 종골 20. 족근골 21. 중족골 22. 지골 23. 견갑골 24. 흉부 25. 상완골 26. 척골 27. 요골 28. 관골 29. 천골 30. 수골 31. 대퇴골 32. 슬개골 33. 비골 34. 경골 35. 족골 36. 수근골
〈골격❶〉

골격【骨格·骨骼】[명] ①〖생〗몸을 지탱하고 체형(體形)을 만들고 있는 견고한 기관(器官). 대개의 경우 근육이 부착(附着)하여 운동 기관이 됨. 몸의 외부에 있는 외(外)골격과, 몸의 내부에 있는 내(內)골격으로 나누어짐. 골간(骨幹). ②품격(品格). 풍격(風格). 격조(格調). ③뼈대 ❶.
골격-계【骨格系】[명]〖생〗척추 동물의 몸체의 지주(支柱)가 되며, 몸을 지탱 또는 보호하고 근육의 부착 부위가 되는 경골(硬骨)·연골(軟骨). 또, 이들의 결합체로 된 조직.
골격-근【骨格筋·骨骼筋】[명]〖생〗골격을 움직이는 근육. 척추 동물에서는 보통 방추형(紡錘形)으로, 양단(兩端)은 건(腱)이 되어 골격에 부착(附着)함. 근섬유(筋纖維)에는 횡문(橫紋)이 있음. 운동 신경의 지배로 수의(隨意)로 움직일 수 있음. 골격 근육(骨格筋肉). 골격 힘살. 수의근(隨意筋). 횡문근(橫紋筋). 뼈대살. 뼈대근. [준]골근(骨筋). ↔내장근.

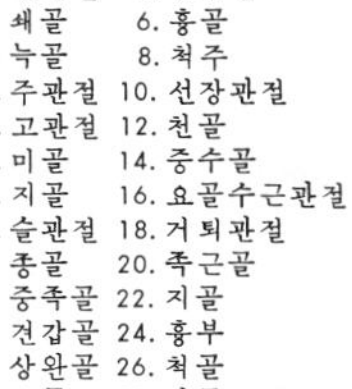

〈골격근〉

골격 근육【骨格筋肉】[명]〖생〗골격근(骨格筋).
골격-도【骨格圖】[명] 어떤 장치(裝置)를 이룬 체계를 대충 요약하여 나타낸 그림.
골격 측량【骨格測量】[—냥] [명] 측점(測點) 상호간의 상대 위치를 정하는 측량. 측점을 다각형 모양으로 한 트래버스(traverse)와 삼각형 모양으로 한 삼각망이 있음.
골격 힘살【骨格—】[—쌀] [명]〖생〗골격근(骨格筋).
골-결핵【骨結核】[명]〖의〗뼈의 결핵병. 관상골(管狀骨)의 끝이나 뼈의 중간 부분에 잘 일어나는 결핵으로, 거의가 신체의 다른 부위(部位)의 결핵소(結核巢)에서 이차적(二次的)으로 걸림. 초기에는 거의 무증상(無症狀)인데, 자발통(自發痛)이나 고타통(叩打痛)이 나타나고 나중에는 카리에스(caries)의 상태가 됨.
골경【骨骾·骨鯁】[명] ①짐승의 뼈와 생선의 뼈의 뜻으로, 단단하여 목구멍으로 넘어가지 못하는 데서, 강직한 기질의 사람을 일컬음. 경골(硬骨). ②임금의 허물을 직간(直諫)하는 신하. 골경지신(骨骾之臣). ③〈속〉두려워하지 아니하고 입바른 말을 잘하는 사람.
골경지-신【骨骾之臣】[명] 강직한 신하. 골경(骨骾).
골계【滑稽】[명] 익살.
골계-가【滑稽家】[명] 익살꾼.
골계-극【滑稽劇】[명]〖연〗익살스럽고 우습게 꾸민 극(劇). 익살극.
골계-본【滑稽本】[명] 익살맞은 내용의 책.
골계 소:설【滑稽小說】[명]〖문〗익살스러운 이야기를 쓴 소설. 익살 소설.
골계-적【滑稽的】[명][관] 익살맞은 모양.
골계-전【滑稽傳】[명]〖책〗고려 말과 조선 초의 유명한 사람들 사이에 생긴 기문(奇聞)·재담(才談)을 서거정(徐居正)이 모아서 엮은 책. 조선 성종(成宗) 8년(1477)에 이루어졌음. 원명은 ≪태평 한화 골계전(太平閑話滑稽傳)≫. 4권.
골계-화【滑稽畫】[명]〖미술〗익살스럽게 그린 그림. 희화(戲畫).
골고다〔Golgotha〕[명]〖성〗〔해골의 뜻〕예루살렘 교외의 언덕. 예수가 십자가형(十字架刑)을 받은 곳. '갈보리²'의 아람어(語) 이름.
골:-고래 [명] 불길이 몇 갈래로 각각 따로따로 들게 놓은 방고래.
골고로 [부]〈방〉골고루.
골고루 [부]↗고루고루. ¶ ~ 나누어 먹어라.
골:-고사리 [명]〖식〗[*Phyllitis japonica*] 고사릿과에 속하는 다년초. 땅 밑의 근경(根莖)에서부터 높이 45cm 가량의 잎꼭지가 있는 상록(常綠)의 잎사귀가 더부룩하게 나며, 엽병에는 털이 있음. 잎은 기각(基脚)이 심장형(心臟形)인 가늘고 긴 달걀꼴에 톱니가 없고 물결 모양을 이루며, 뒤쪽에 자낭군(子囊群)이 밀포함. 깊은 산의 나무 그늘에 나며 울릉도(鬱陵島)에 분포함. 나도파초일엽.

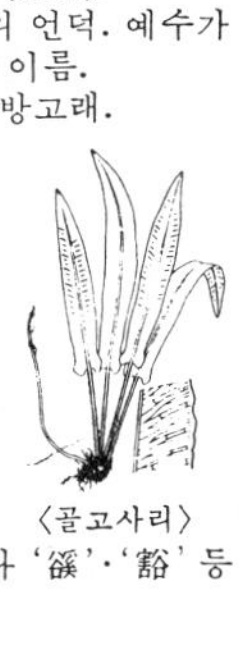
〈골고사리〉

골:곡-부【—谷部】[명] 한자 부수(部首)의 하나. '谿'이나 '谽'·'豁' 등에서 '谷'의 이름.
골:-골¹ ㊀ [명]↗고을고을. ㊁ [부] 고을마다 두루. ¶ ~ 살피다.
골:-골² [부] ①숙환(宿患)이 더하였다가 덜하였다가 하는 모양. *고헐(苦歇). ②병이 잦아서 늘 약한 모양. ¶ ~하는 마누라. ——-하다 [자][여불]
골:-골³ [부] 암탉이 알겯는 소리. ——-하다 [자][여불]
골:골-거리다¹ [자] ①숙환(宿患)이 더하였다가 덜하였다가 하다. ②연해 자주 앓다.
골:골-거리다² [자] 암탉이 알겯는 소리를 자꾸 하다.
골:골-대다 [자] 골골거리다¹·².
골골 무가【汨汨無暇】[명] 몸이 일에 파묻혀서 쉴 겨를이 없음. 골몰 무가(汨沒無暇). ——-하다 [형][여불]
골:골-샅샅 [명] 한군데도 빼놓지 아니하고 갈 수 있는 곳. 곳곳. 방방곡곡(坊坊曲曲).
골:골샅샅-이 [—산사치] [부] 한군데도 빼놓지 아니하고 갈 수 있는 곳은 어디든지. ¶ 김정호(金正浩)는 대동 여지도를 만들기 위하여 ~ 걸어 다녔다.
골공-이 [인대]〈방〉궐공(厥公).
골관【骨管】[명] 뼈로 만든 관(管).
골-관자【骨貫子】[명]〖역〗뼈로 만든 관자. 일반 백성이 닮. *뿔관자.
골-관절【骨關節】[명]〖생〗뼈의 관절. 뼈마디. [준]골절(骨節).
골-괴저【骨壞疽】[명]〖의〗카리에스(caries). 골저(骨疽).
골구【鶻鳩】〖조〗염주비둘기.
골-국¹ [—꾹] [명] 소의 등골이나 머릿골에 녹말을 묻힌 것을 달걀과 함께 맑은 장국이 끓을 때에 넣어 익힌 국. 골탕. 수탕(髓湯).
골-국²【骨—】[—꾹] [명] 쇠뼈를 삶아 곤 국. 골탕(骨湯).
골근【骨筋】[명] ①뼈와 근육. ②〖생〗↗골격근(骨格筋).
골기¹ [명]〈방〉고리¹(경상).
골기²【骨氣】[명] ①뼈대와 기질. ②뼈대에 나타난 사람의 됨됨이. 골상(骨相).
골기³【骨器】[명] ①뼈로 만든 물건. ②〖역〗↗골각기(骨角器). ③〖고고학〗뼈연장.
골기 시대【骨器時代】[명]〖역〗뼈나 뿔 따위로 만든 도구 사용을 특징으로 하는 선사(先史) 시대의 한 시기.
골-김 [—낌] [명] 골이 났던 그 바람. 홧김. ¶ ~에 그만 뺨을 쳤다.
골-나다 [—라—] [자] 노여움이 생기다. 성나다.
【골나면 보리 방아 더 잘 찧는다】사람이 골나면 더 기가 올라 힘이 세어진다는 말. 【골난 날 의붓아비 온다】반갑지 아니한 일이 겹쳐 올 때 이르는 말.
골내근-정【骨乃斤停】[—래—] [명]〖역〗신라의 군영(軍營). 십정(十停)의 하나. 지금의 여주(驪州)에 두었었음.
골-내다 [—래—] [자] 노여움을 나타내다. 성내다. ¶이 말을 듣고 펄쩍 뛰어 일어서며 상투 끝까지 골을 내어 두 눈을 부릅뜨고≪古本 春香傳≫.
골: 네트〔goal net〕[명] 축구·하키 등에서, 골의 윗면·측면 및 뒤에 그물처럼 친 망(網). ¶ ~에 공이 꽂히다.
골-농양【骨膿瘍】[—룽—] [명]〖의〗화농성 골수염의 한 가지. 뼈에 완두콩 내지 달걀 크기만한 공동(空洞)이 생기고 고름이 나오는 병.
골:다 [타] 잘 때에 숨을 따라 콧구멍으로 드르렁드르렁 소리를 내다. ¶ 코를 ~.
골다공-증【骨多孔症】[—쯩] [명]〔osteoporosis〕〖의〗나이들어 생리적으로 뼈의 단백질·칼슘이 줄어서, 뼈가 물러지고 부러지기 쉽게 되는 병. 50세 이상의 폐경(閉經) 후의 여성에게 특히 많은데, 남성의 약 5배 정도임. 골조송증.
골-다리 [명]〈방〉다릿골.
골단¹ [명]〈속〉'단골'을 익살스럽게 거꾸로 이르는 말.
골단²【骨端】[—딴] [명] 긴 관상골(管狀骨)의 양끝. 뼈의 성장을 맡음.
골단-염【骨端炎】[—딴념] [명]〖의〗활발한 성장기 아이들에게 일어나는 병의 하나. 골단부 혹은 골두부(骨頭部)에 반복하여 경미한 외상(外傷)이 가해여지므로 마침내는 순환 장애를 일으켜, 세균이 없는 데도 괴사(壞死) 상태를 일으키는 동통(疼痛) 증후군(症候群). 뜀질·정좌(正坐) 따위가 곤란하여짐.
골담-초 [명]〖식〗[*Caragana chamlagu*] 콩과에 속하는 낙엽 활엽 관목. 줄기는 총생(叢生)하고 가시가 났음. 잎은 두 쌍의 우상 복엽(羽狀複葉)인데 소엽(小葉)은 넓은 타원형 또는 거꿀달걀꼴임. 5월에 적황색(赤黃色) 꽃이 하나씩 액생(腋生)하여 늘어짐. 과실은 협과(莢果)로 원기둥꼴이며 가을에 익음. 중국 원산(原産)으로 촌락 부근에 심음. 관상용. 뿌리는 약용함.

〈골담초〉

골:-답【—畓】[명] 물이 흔하고 기름진 논. 무논. 수답(水畓). ↔건답(乾畓).
골당【骨堂】[—땅] [명]↗납골당(納骨堂).
골:-대〔goal〕[—때] [명]〖체〗골포스트(goalpost).
골덴 [명] ☞코르덴.
골도니〔Goldoni, Carlo〕[명]〖사람〗이탈리아의 희극(喜劇) 작가. 처음에는 변호사, 후에 극장 전속 작가가 되어 여러 작품을 씀. 대표작에 ≪주막집의 안주인≫·≪거짓말쟁이≫ 등이 있음. [1707-93]
골독【汨篤】[—똑] [명] 한 가지 일에만 온 정신을 기울임. ¶눈을 다시 사르르 감으며 ~히 생각하다. ——-하다 [형][여불] →골똘하다. ——-히 [부]
골독-어【骨獨魚】[—똑—] [명] '꼴뚜기'의 취음(取音).
골돌【蓇葖】[—똘] [명]〖식〗↗골돌과.
골돌-과【蓇葖果】[—똘—] [명]〖식〗열과(裂果)의 하나. 갈라진 여러 개의 자방(子房)으로 된 과실로서, 과피(果皮)는 익으면 내봉선(內縫線) 혹은 외봉선을 따라 벌어짐. 작약(芍藥)·바곳 같은 열매. 분과(分果).

(준)골돌.
골동[1]【骨疼】[―똥] 명 매독(梅毒)이 온 몸에 만연(蔓延)되어 골수(骨髓)에 들어가 고통을 느끼는 일.
골동[2]【骨董】[―똥] 명 ①여러 가지 물건을 한데 섞은 것. ②골동품(骨董品). 고동(古董).
골-동당이 명 〈방〉 골땅땅이.
골동-면【骨董麵】[―똥―] 명 비빔국수.
골동 문학【骨董文學】[―똥―] 명 〖문〗 ①골동(骨董)에 관한 내용을 주제로 한 문학 작품. ②골동품과 같이 희귀한 문학 작품.
골동-물【骨董物】[―똥―] 명 오래되고 또 희귀한 물건.
골동-반【骨董飯】[―똥―] 명 비빔밥.
골동-탄【骨董炭】[―똥―] 명 등걸숯.
골동-포【骨董鋪】[―똥―] 명 골동품을 파는 가게.
골동-품【骨董品】[―똥―] 명 ①오래되고 희귀(稀貴)한 여러 가지 세간이나 미술품. 골동. ¶ ～상(商). ②오래되었을 뿐 가치도 없고 쓸모도 없게 된 물건. 또, 그러한 사람. ¶ 그 노인은 이미 ～이다.
골:드 〔gold〕 명 금. 황금(黃金).
골:드 러시 〔gold rush〕 명 ①새로운 금 산지(金產地)를 발견하여 많은 사람이 그 곳으로 쇄도(殺到)하는 일. 특히 1848년, 미국의 캘리포니아에서 금광이 발견되면서부터, 70년대에 걸친 금 채굴(採掘) 붐을 말함. ②금값의 상승을 예상하여 금 투기(金投機)에 쇄도하는 일.
골드만 〔Goldman, Emma〕 명 〖사람〗 러시아의 여류 무정부주의자. 미국의 무정부주의당(黨)과 연락하여 국제적으로 활동하고 소련에 대하여는 비판적이었음. 저서로 《나의 생애》가 있음. [1869-1940]
골:드슈타인 〔Goldstein, Joseph Leonard〕 명 〖사람〗 미국의 의학자. 텍사스 대학 의학부 교수. 인간 유전자의 암호 해독 연구로 알려짐. 콜레스테롤 대사(代謝)와 여기 관여하는 질환(疾患)의 연구로 1985년 노벨 생리·의학상을 받음. [1940-]
골:드스미스 〔Goldsmith, Oliver〕 명 〖사람〗 아일랜드 태생의 영국의 작가. 젊어서 대륙을 방랑하고 귀국 후 소설 《웨이크필드(Wakefield)의 목사》를 내어 문명(文名)을 얻음. 그 당시 풍미(風靡)하던 감상적 희극(喜劇)에 반발하여 영국 희극의 전통을 돌려 놓으려고 《호인(好人)》 등을 내어 명성을 높였음. [1728-74]
골:드윈 〔Goldwyn, Samuel〕 명 〖사람〗 폴란드 태생의 미국의 영화 제작가. 엠 지 엠(M.G.M.) 영화 회사를 창립한, 할리우드 원로의 한 사람임. [1882-1974]
골:드 코:스트 〔Gold Coast〕 명 〖지〗 서아프리카 기니 만(灣) 북안(北岸)의 전 영국령. 독립하여 가나(Ghana)가 됨. 황금 해안(海岸).
골:드 트랑슈 〔gold tranche〕 명 〖경〗 국제 통화 기금 가맹국이, 국제 수지가 악화되었을 경우에, 기금으로부터 간단히 융자를 받을 수 있는 부분. 보통, 각 출자액의 25%에 상당하는 금액이며, 대부분의 나라가 이것을 자기 나라의 외화 준비고(外貨準備高)에 계상하고 있음.
골:든-게이트 〔Golden Gate〕 명 〖지〗 미국 샌프란시스코 만(灣)의 입구에 있는 해협. 제일 좁은 부분은 3km 가량이며, 해협의 남안에 샌프란시스코가 있음. 금문 해협(金門海峽).
골:든게이트-교【―橋】 명 〔Golden Gate Bridge〕 〖지〗 샌프란시스코시가와 골든게이트를 건너 마린 반도를 연결하는, 강철로 만든 다리. 6차선의 자동차 전용 도로교(道路橋)로 1937년에 완성되었음. 다리의 밑으로 큰 선박이 통과할 수 있음. 금문교(金門橋). [2,825m]
골:든 글로:브상【―賞】 명 〔Golden Globe Award〕 할리우드의 외국인 기자(記者) 협회가 그 해 최우수 영화의 각 부문(部門)과 남녀 배우에게 수여하는 상.
골:든 디스크 〔golden disc〕 명 백만 장 이상 팔린 레코드. 미국 레코드 협회에서, 백만 장 이상 팔린 레코드에 대해 금빛 레코드를 준 데서 나온 이름. 밀리언 셀러 레코드.
골:든 아워 〔golden hour〕 명 ①가장 좋은 때. 행복한 시간. ②방송에서 가장 시청률(視聽率)이 높은 시간대. 대개 오후 7시부터 10시까지의 동안.
골:든 에이지 〔golden age〕 명 황금 시대(黃金時代).
골:든 웨딩 〔golden wedding〕 명 결혼 축하식의 하나. 금혼식(金婚式). *실버 웨딩(silver wedding).
골:든 웨이브 〔golden wave〕 명 〖식〗 금계국(金雞菊).
골:든 칼라 〔golden collar〕 명 과학·기술 분야의 전문직에 종사하는 고학력자(高學歷者). *화이트 칼라·블루 칼라.
골:든 트라이앵글 〔Golden Triangle〕 명 〖지〗 〔황금의 삼각 지대라는 뜻〕 미얀마·타이·라오스의 국경에 걸친 산악 지대. 세계 최대의 양귀비 재배지임.
골:든-혼 〔Golden Horn〕 명 〖지〗 흑해(黑海)의 문호(門戶)로 유럽과 아시아의 접속점(接續點)에 있는 이스탐불의 항구. 보스포루스 해협(Bosporus 海峽)의 남쪽에 있음. 폭은 약 400m, 길이는 6km 정도임.
골등골-나물 [―라―] 명 〖식〗 [*Eupatorium lindleyanum*] 국화과에 속하는 다년초. 줄기 높이 70cm 내외이고 잎은 대생하며 피침형 또는 긴 타원형임. 7-10월에 백색 또는 담홍자색 꽃이 취산(聚繖) 화서로 피고, 과실은 수과(瘦果)임. 산이나 들에 나는데, 한국 각지 및 동북 아시아의 온대에 분포함. 어린 잎은 식용함.
골:딩 〔Golding, William (Gerald)〕 명 〖사람〗 영국의 작가. 1954년 처녀작 《파리 대왕》으로 일약 유명해짐. 이후 인간의 원죄(原罪)를 주제로 중후한 작품을 발표함. 이 밖에 《상속인》·《핀처 마틴》·《자유로운 전락》·《첨탑(尖塔)》 등이 있음. 1983년 노벨 문학상을 받음. [1911-93]
골딱 부 ①아주. 전혀. ¶ 해가 서산으로 ～ 넘어가다. ②홀딱. ¶ ～ 속았다.
골-딱지 명 〈속〉 골[2].
 골딱지(가) 나다 구 〈속〉 골이 나다. ¶ 골딱지가 나서 못 참겠다.
골:-땅 명 골짜기를 이룬 땅. 곡지(谷地).
골-땅땅이【骨―】 명 골패(骨牌) 노름의 한 가지. 여시.
골똘-하다 형여불 〔←골독(汨篤)하다〕 하고 있는 일에만 온 정신을 기울이다. ¶ 연구에 ～. 골똘-히 부 ¶ ～ 생각하다.
골라다 타 〈방〉 고르다(경남).
골:라 내다 타 속에서 골라서 집어 내다.
골: 라인 〔goal line〕 명 〖체〗 ①결승선(決勝線). ②축구·하키 등에서 경기장의 양쪽 짧은 변(邊)을 구획한 선. ¶ ～ 아웃.
골:라-잡다 타 여럿 중에서 마음에 드는 대로 골라 가지다. ¶ 골라잡아 1,000원. *가려잡다.
골락-새 명 〖조〗 크낙새.
골래다 타 〈방〉 고르다(강원).
골러루 부 〈방〉 고리로(평안).
골려시 명 〈방〉 골땅땅이.
골력【骨力】 명 서화 등의 필력(筆力).
골로 준 ①고리로. ¶ ～ 돌아가시오. ②고것으로. ¶ ～ 주시오.
골로사이인들에게 보낸 편:지【―人―片紙】 〔Colossae〕 명 〖성〗 골로새서(書).
골로새 〔Colossae〕 명 〖성〗 고대 로마의 영토이었던 소아시아의 서부 에베소(Ephesus)로부터 동쪽 약 50리 거리에 있는 도시. 바울의 제자가 이 곳에 교회를 세웠음.
골로새-서【―書】 〔Colossae〕 명 〖성〗 신약 성서 중의 한 권. 골로새 교회에 보낸 서간문으로서, 이단(異端) 사상을 논박한 내용임. 60-62년에 사도 바울이 로마 옥중에서 썼다 함. 골로사이인들에게 보낸 편지.
골로시 명 〈방〉 고무신(함경).
골로신 명 〈방〉 고무신(함경).
골루【骨瘻】 명 〖의〗 화농성 골양(化膿性骨瘍)으로 말미암아 골질이 파괴되어 신체 조직 안에 형성된 이상성(異常性)의 통관(通管). 피부 밖으로 구멍이 나는 수가 있음.
골루다 타 〈방〉 고르다(전남).
골류【骨瘤】 명 〖의〗 골혹.
골르다 타 〈방〉 고르다(경기·강원·충청·전라·경상·제주).
골리다 타 〈방〉 고르다(경북).
골리아스 크레인 〔goliath-crane〕 명 문(門) 모양의 거대한 이동(移動) 기중기(起重機). 원자력 발전소 공사, 조선(造船) 공사 등 특수 공사에 쓰임.
골리앗 〔Goliath〕 명 〖성〗 구약(舊約) 성서에서, 다윗(David)에게 돌에 맞아 죽은 블레셋(Philistia)의 거인. 전(轉)하여, 주변의 기업이나 국가 등을 압박하는 거대한 존재를 일컬음.
골:리즘 〔Gaullism〕 명 〖정〗 프랑스 제5공화국 초대 대통령 드 골(de Gaul)의 주의·주장의 통칭. 프랑스의 영광을 추구하는 민족주의 외교, 대통령 중심의 강력한 행정 우위(優位) 체제 등을 내용으로 함.
골린【骨鱗】 명 〖어〗 경골어류(硬骨魚類)의 체표면(體表面)에 있는 비늘. 진피성(眞皮性)의 골판(骨板)으로 둥근비늘과 빗비늘의 두 가지가 있음. ↔각린(角鱗).
골립【骨立】 명 몸이 수척하여 뼈만 남음.
골:-마루 명 ①안방이나 건넌방 뒤에 딸려 붙은 골방같이 좁은 마루. ②집과 집 사이 또는 집의 가장자리에 잇따라 골처럼 만든 좁고 긴 마루.
골마지 명 간장·술 같은 물기 있는 식료품에 생기는 곰팡이 같은 물건. 발만(醱醭). ¶ ～가 끼다.
골막【骨膜】 명 〖생〗 뼈의 거죽을 싸고 있는 튼튼한 백색의 막(膜). 결합 조직으로 이루어졌으며, 신경과 혈관이 많이 통하고 있고 뼈의 성장과 영양을 맡음. 뼈막.
골막-골막 부 그릇마다 물건이 가득히 차지 아니한 모양. < 굴먹굴먹. ―하다 형여불
골막-염【骨膜炎】[―념] 명 〔periostitis〕 〖의〗 외골막(外骨膜)의 염증(炎症)의 총칭. 화농균(化膿菌)의 감염(感染)이나, 매독(梅毒)·유행성 감기·타박상(打撲傷)에 의한 심한 자극(刺戟) 등에 의하여 생기는 골막의 염증. 골조직(骨組織)의 화농과 파괴를 일으킴. 골수염과 병발하는 수가 많음.
골-막이[1] 명 〖건〗 서까래와 서까래 사이를 흙으로 막는 일. 또, 그 흙. ――하다 자여불
골:-막이[2] 명 〖민〗 영남(嶺南)·강원도 등지의 고을의 수호신(守護神). 대개, 그 마을에 최초로 정착(定着)한 시조신(始祖神)으로, 정월 보름날에 동제(洞祭)를 지내어, 풍년과 부락의 번영을 빎.
골:막이-굿 명 〖민〗 영남(嶺南) 일대의 동신제(洞神祭).
골막-하다 형여불 그릇에 채 가득하지 못하나 거의 차다. ¶ 밥을 골막하게 푸다. < 굴먹하다. *골싹하다.
골매[1] 명 〈방〉 골무(전남·경남).
골-매[2]【鶻―】 명 ↗송골매.
골맹이 명 〈방〉 골무(전북).
골맺기 명 〈방〉 대님(평안).
골-머리 명 〈속〉 머릿골.
 골머리(를) 앓다 구 어떻게 해야 좋을지 몰라 이리저리 머리를 썩이다. 골치 앓다.
골모 명 〈방〉 골무(충북·전남).
골:-모둠 명 ↗고올모둠.
골:-모판 명 〖농〗 골이 있는 모판.
골:목 명 동네 가운데의 좁은 길. 큰길로 뚫린 작은 길. ¶ 막다른 ～. (준)골.
골:목-골목 명부 골목마다. ¶ ～ 아이들도 많다.
골:목-길 명 골목으로 들어가는 길.
골:목 대:장【―大將】 명 〈소아〉 한 골목 안에서 어린 아이들의 대장 노릇을 하는 아이.
골:목-자기 명 ☞골목쟁이.
골:목-장이 명 ☞골목쟁이.
골:목-쟁이 명 골목에서 더 깊숙이 들어간 좁은 곳. ¶ ～에 있는 집.

골몰【汨沒】 명 ①다른 생각을 일절 하지 않고 한 가지 일에만 온 정신을 쏟음. ¶ 독서에 ~하다. ②부침(浮沈)❶. ——-하다 자여불. ——-히 부

골몰 무가【汨沒無暇】 명 한 가지 일에 골몰하여 틈이 조금도 없음. 골골 무가(汨汨無暇). ——-하다 형여불

골무 명 바느질할 때에, 바늘을 눌러 밀기 위하여 바늘 쥔 손의 둘째 손가락 끝에 끼는 물건. 헝겊이나 가죽 또는 쇠붙이로 만듦.

【골무는 시어미 죽은 넋이라】 바느질을 하다가 빼어 놓은 골무는 얼른 다시 찾아지지 아니하고, 으레 일어서서 옷이나 일감을 털어야 나온다 하여 이르는 말.

골무-꽃 명『식』 ①꿀풀과에 속하는 가는골무꽃·광능골무꽃·그늘골무꽃·애기골무꽃·참골무꽃 등의 총칭. ②[*Scutellaria indica*] 꿀풀과에 속하는 다년초. 줄기는 방형(方形)인데 높이 30cm 정도이고 잎은 대생하며 둥근 달걀꼴 또는 넓은 달걀꼴임. 5-6월에 자줏빛 꽃이 총상(總狀) 화서로 정생(頂生)하는데 화관(花冠)은 긴 통상 순형(筒狀脣形)임. 산이나 들의 숲 속에 나는데, 제주·전남·경남·강원·경기 및 동부 아시아에 분포함.

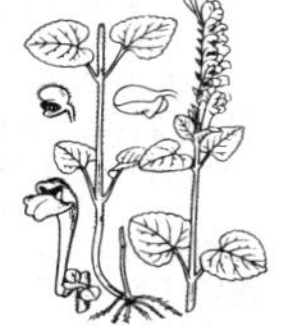
〈골무꽃❷〉

골무-떡 명 ①색떡의 밑에 받침으로 만든 흰떡. ②가락을 짧게 자른 흰떡. 권무자(拳撫餈).

골무-쥐 명〈방〉 생쥐.

골묵 명〈방〉 골목(경기·전북·경상·제주).

골:-문【—門】〔goal〕 명 골(goal)❸.

골미 명〈방〉 골무(평안·경상·전라·함경).

골-미로【骨迷路】 명『생』 미로(迷路)의 복잡한 형태의 강소(腔所)를 이루고 있는 딱딱한 골벽(骨壁) 부분. ↔막미로(膜迷路).

골:-밀이 명『건』 골변탕으로 밀어서 등이 골이 지게 만든 문살이나 미닫이 틀.

골:-밑 명 곡저(谷底).

골밑-샘 명『생』 뇌하수체(腦下垂體).

골: 바:〔goal bar〕 명 축구의 골포스트 위에 가로 건너지른 나무. 크로스 바.

골:-바람［—빠—］ 명 골짜기로부터 산으로 부는 바람. 곡풍(谷風). ↔산바람.

골-박다 자 ①제한(制限)된 테두리 밖을 나가지 못하게 하다. ②☞골치다.

골반【骨盤】 명『생』 구간(軀幹)과 하지(下肢)를 연결하고 있는 깔때기 모양의 뼈. 좌우의 관골(髖骨)과 천골(薦骨)·미저골(尾骶骨)의 세 부분으로 이루어졌는데 그 속에 성기(性器)·분비기(分泌器)·소화기(消化器) 등이 들어 있음. 높이는 남자가 높으나 폭(幅)은 여자가 더 넓음.

제5요추 제4요추 장골 천골 관골 고관절 치골 좌골 치골결합 미저골 대퇴골
〈골반〉

골반 결합직염【骨盤結合織炎】［—념］ 명『의』 자궁 주위의 결합 조직에 일어나는 염증. 삼출물(滲出物)이 생기고 급성인 경우는 열이 나며 아프고, 심하면 농양(膿瘍)을 형성함.

골반-경【骨盤鏡】 명 여성의 골반 부근의 기관(器官)을 검사하는 바리때 모양의 내시경(內視鏡).

골반-계【骨盤計】 명 골반의 크기나 형상을 측정하는 컴퍼스처럼 생긴 기구.

골반 계:측【骨盤計測】 명『의』 골반의 크기를 알아보기 위하여 임부(妊婦)의 골반을 측정하는 일.

골반 고위【骨盤高位】 명『의』 수술할 때에 골반부를 높게 하고 머리 부분을 낮게 하는 일. 주로 부인과(科) 개복(開腹) 수술시에 사용됨. 이러한 상태에서 장관(腸管)은 상복부로 내려 앉아 그 내부에 있는 장이나 병근(病根)이 잘 보이며 수술하기 쉬울 뿐 아니라 두부의 혈량(血量)이 증가하여 연수 중추(延髓中樞)의 빈혈이 완화되는 장점이 있음.

골반 농양【骨盤膿瘍】 명『의』 골반강(骨盤腔) 안에 생기는 농양. 충수염(蟲垂炎)·골막염 등의 후발(後發) 또는 남아 있는 고름이 일으키며, 복막내(腹膜內) 농양과 복막외 농양이 있음. 그 주증상(主症狀)은 발열·복통·자궁 출혈(子宮出血) 등임.

골반단-위【骨盤端位】 명『의』 정상(正常)과는 반대로 머리가 안 쪽에 있는 태아(胎兒)의 위치. 골반위(骨盤位). *도산(倒產).

골반 복막염【骨盤腹膜炎】［—념］ 명『의』 골반 장기, 곧 자궁·난관·난소 등의 염증 또는 골반내 수술시 세균의 감염에 의하여 발생하는 복막염.

골반-위【骨盤位】 명『의』 골반단위(骨盤端位).

골반 유도선【骨盤誘導線】 명『의』 골반축(骨盤軸).

골반 장기【骨盤臟器】 명『생』 골반 안에 있는 모든 장기. 방광·자궁·난관·난소 등임.

골반-축【骨盤軸】 명『의』 골반 각부에 있어서 전후경(前後徑)의 중점(中點)을 연결하여 생긴 가상적(假想的)인 만곡선(彎曲線). 골반 유도선(骨盤誘導線).

골반 협착【骨盤狹窄】 명『의』 골반의 여러 경선(徑線)의 일부 또는 대부분이 정상(正常)보다 짧은 것. 분만(分娩)할 때 장애를 받음.

골방[1] 명〈옛〉 우렁이. =골왕이·골와래. ¶ 田螺鄕云古乙方《新編 馬醫方牛醫方》.

골:-방[2]【—房】 명 큰방의 뒤 쪽에 딸린 어둡고 작은 방.

골방-조개【—房—】 명〈방〉『조개』 소라[2](함경).

골:-배질 명 이른봄 얼음이 풀릴 때에, 나루터에서 얼음을 깨어 뱃길을 만들고 배를 건너게 하는 일. ——-하다 자여불

골-백번【—百番】 명 '여러 번'을 강조하여 이르는 말. ¶ 그래서는 ~ 죽어도 싸지.

골뱅 명〈방〉 팽이(함남).

골:뱅이 명〈방〉 ①팽이(함남). ②『동』 달팽이(경상·강원·함경). ③『동』 고둥(강원·충북·경북·함남).

골번〔Goulburn〕 명『지』 오스트레일리아 뉴사우스웨일스 주(New South Wales 州) 남동부에 있는 광공업 도시. 캔버라와 시드니 간 철도 교차점으로, 철광석 채굴의 중심지임. 양모 공장·화강암 채석장이 있음. ［22,000명(1981)］

골-베도라치 명『어』［*Omobranchus japonicus*］ 청베도라칫과에 속하는 바닷물고기. 길이 10cm 내외로 몸은 측편한데, 주둥이는 짧고 둔하며 입은 작고 비늘은 없음. 몸빛은 회갈색으로 몇 줄의 불규칙한 흑갈색 무늬가 있음. 온대성 연안성 어종으로 한국 중남부 연안 및 일본 중부 이남에 많이 분포함.

골벵이 명〈방〉『동』 고둥(강원·경북).

골:-변탕【—邊鐋】 명『건』 골을 파는 데 쓰는 변탕.

골-병【—病】 명 심히 다치거나 뇌를 너무 써서 겉으로 나타나지 아니하고 속으로 깊이 든 병.

골병(이) 들다 구 심히 다치거나 뇌를 너무 많이 써서 겉으로는 나타나지 아니하나 속으로 병이 깊이 들다.

골-병꽃나무【—甁—】 명『식』［*Weigela hortensis*］ 인동과에 속하는 낙엽 활엽 관목. 잎은 달걀꼴 또는 긴 타원형임. 6월에 홍색 꽃이 취산(聚繖) 화서로 액생(腋生) 또는 정생(頂生)하고, 삭과(蒴果)는 9월에 익음. 산록의 양지에 나는데, 경남 및 일본 등지에 분포함. 관상용임.

〈골병꽃나무〉

골-보[1] 명 골을 잘 내는 사람을 홀하게 일컫는 말.

골보[2]【骨譜】 명 골패(骨牌) 노름에 관하여 써 놓은 책.

골부【骨賦】 명 골부객(骨賦客).

골부-객【骨賦客】 명 과문(科文) 가운데, 여섯 글자로 한 구(句)를 만드는 부(賦)를 어릴 때부터 전문으로 배우던 사람. 골부(骨賦).

골부리 명〈방〉『동』 고둥(경북).

골-부림 명 닥치는 대로 함부로 골을 내는 짓. ¶ 형님한테 걱정 듣구 내게다 ~을 한단 말인가《洪命憙: 林巨正》. ——-하다 자여불

골부육【骨付肉】 명 파이쿠.

골-부인【骨夫人】 명〈유행〉 골이 빈 주제에 멱도 모르고 투기(投機)의 목적으로 골동품(骨董品)이나 미술 작품들을 극성스럽게 사 모으는 가정 부인의 일컬음. *복(福)부인.

골북【骨北】 명『역』 조선 중기에, 대북(大北)으로부터 갈려 나온 당파의 하나. 영수(領袖)는 홍여순(洪汝諄). 1623년 인조 반정(仁祖反正)으로 전멸함. *육북(肉北)·중북(中北).

골분【骨粉】 명 동물의 뼈를 쪄서 교질분(膠質分)을 없앤 다음 갈아서 만든 가루. 주성분은 인산(燐酸)이며 질소가 적고 칼리는 전혀 없음. 사료(飼料)로 쓰이고, 과수(果樹)나 담배의 비료로 사용됨. 뼛가루.

골분 비:료【骨粉肥料】 명『농』 골분으로 된 비료. 준골비(骨肥).

골비[1]【骨肥】 명『농』↗골분 비료(骨粉肥料).

골비[2]【骨痺】 명『한의』 골수가 아프고 저리며 차가운 마비증(痲痺症)의 한 가지. 수족을 마음대로 놀리지 못함.

골-비다 형 머리에 든 것이 없다. 어리석다. ¶ 골빈 녀석 / 골비었나, 그런 일을 하게.

골비-단지 명 항상 병으로 골골거리며 몹시 허약한 사람.

골비이 명〈방〉『동』 고둥(경북).

골빙이 명〈방〉『동』 고둥(경상).

골뺑이 명〈방〉 고삐(충북·경상).

골:-뿌림 명 고랑에 씨를 뿌림. ——-하다 타여불

골삐 명〈방〉 고삐(충북).

골-사초【—莎草】 명『식』［*Carex aphanolepis*］ 방동사닛과에 속하는 다년초. 줄기는 총생(叢生)하고, 높이 30cm 가량이며, 잎은 호생하고 선형(線形)인데 위의 잎은 줄기보다 길. 소수(小穗)는 3-4개이고 웅수(雄穗)는 한 개가 정생(頂生), 자수(雌穗)는 두세 개가 측생(側生)하고 암꽃의 영(穎)은 달걀꼴이며 또 5-6월에 피고, 과낭(果囊)은 큼. 산야의 숲 밑에 나는데, 제주·전남·경기 등지에 분포함.

골산【骨山】［—싼］ 명 나무 하나 없이 돌만으로 이루어진 산.

골:-살이 명 ↗고을살이.

골상【骨相】［—쌍］ 명 ①뼈대. 골조직(骨組織). ②인상(人相). ③골격상에 나타난 길흉 화복의 상. 골기(骨氣). ¶ ~을 보다.

골상-학【骨相學】［—쌍—］ 명〔phrenology〕 두개골(頭蓋骨)의 구조나 골상(骨相)을 관찰하고 그 사람의 지능·성격·운명 등을 판단하는 학문. 이러한 고찰(考察)은 멀리 그리스에 그 근원을 두고 현대의 실험적 심리학(實驗的心理學)의 발달 이전에 크게 유행하였음.

골상학-자【骨相學者】［—쌍—］ 명 골상학을 연구하는 학자.

골-샌님 명 판박이의 샌님.

골-생원【—生員】 명 ①사람됨이 옹졸하고 고루(孤陋)한 사람. ②기질이 약하여 잔병 치레로 골골하는 사람의 별명. 골선비.

골-선비 명 ①판박이의 선비. ②골생원.

골성 미로【骨性迷路】［—썽—］ 명『생』 측두골(側頭骨) 암양부(岩樣部) 안에 있는 복잡한 공동부(空洞部). 전정(前庭)·골반규관(骨半規管)·와우각(蝸牛殼)의 세 부분으로 됨.

골-세포【骨細胞】 명『생』 뼈를 이루는 세포. 세포 간질(間質) 속에 산재하여 있으며, 경골(硬骨)에서는 각 세포가 무수한 돌기(突起)를 내어서 서로 연결하고 있음.

골소【骨素】［—쏘］ 명『생』 약한 산(酸) 처리에 의해서 뼈에서 광물질(鑛物質)을 빼 낸 후에 남은 유기 성분(有機成分).

골-소강【骨小腔】［—쏘—］ 명『생』 골질(骨質) 속에 산재하는 작은 구멍. 이 안에 골세포가 들어 있음. *골소체(骨小體).

골-소체【骨小體】[―쏘―] 명 〖생〗 골세포와 골소강(骨小腔)의 병칭(倂稱). 가느다란 돌기를 많이 내어서 서로 연락하고 있음.

골-속 [―쏙] 명 ①골풀의 속. 한약국에서는 '등심(燈心)'이라 함. ②〖식〗 골풀. ③↗왕골속. ④머릿골의 속.

골숍 명 〈옛〉 골속❶. ¶ 골숍(燈心)《救簡 Ⅲ:92》.

골-쇄보【骨碎補】[―쐐―] 명 ①〖식〗 넉줄고사리. ②〖한의〗 넉줄고사리의 뿌리. 성질이 온(溫)하여 지혈(止血)·파혈(破血)하는 효험이 있어 절골(折骨)·치통(齒痛)·구설(久泄) 등의 약으로 씀.

골:-쇠 명 〖광〗 골 밑에 있는 사금(砂金)의 층.

골수【骨髓】[―쑤] 명 ①〖생〗 뼈의 중심부인 골강(骨腔)에 가득 차 있는 결체질(結締質)의 물질. 황색수(黃色髓)와 적색수(赤色髓)의 두 가지가 있는데 적색수는 적혈구와 백혈구를 만들고, 황색수는 지방 세포를 포함하며 양분의 저장을 맡음. 골. 뼛속. ②마음의 깊은 속. 참 정신. ¶ 원한이 ～에 사무치다. ③요점(要點). 주안(主眼). 골자(骨子).

골수에 들다 구 병 따위가 속으로 깊이 들다.

골수에 맺히다 구 잊혀지지 않고 마음속 깊이 뭉치어 있다. ¶ 홍장군을 원망하는 소리 골수에 맺혔으며 마음에 사무쳤으니《玉樓夢》.

골수에 새기다 구 잊지 않고 마음속 깊이 새기듯 간직하다.

골수 분자【骨髓分子】[―쑤―] 명 가장 핵심이 되는 구성 요원.

골수-상【骨髓像】[―쑤―] 명 〖의〗 골수 천자(骨髓穿刺)에 의하여 뽑아낸 골수에 대하여, 형태학적 검사를 시행하여서 골수의 세포 성분과 성질을 기재(記載)한 실적.

골수성 백혈병【骨髓性白血病】[―쑤썽―뼝] 명 〖의〗 골수의 백혈구 생성 조직이 무제한으로 증식(增殖)하는 질환(疾患). 경과의 더디고 급함에 따라 만성(慢性)과 급성(急性)으로 나눔. *급성 골수성 백혈병·만성 골수성 백혈병.

골수 세:포【骨髓細胞】[―쑤―] 명 〔myelocyte〕〖생〗 골수 속에 있는 혈액 과립구(顆粒球)의 전구체(前驅體)로서 운동성을 가진 세포.

골수 수혈【骨髓輸血】[―쑤수―] 명 〖의〗 보통의 흉골(胸骨) 골수 속에 직접 혈액을 주입(注入)하는 방법. 감수성(感受性)이 지나치게 강하거나 또는 비만(肥滿)하여서 정맥 수혈(靜脈輸血)이 어려운 환자(患者)에게 행함.

골수아 세:포【骨髓芽細胞】[―쑤―] 명 〔myeloblast〕〖생〗 혈액 속에 있는 과립구(顆粒球)의 가장 어린 세포. 미세한 과립상의 크로마틴(chromatin)을 가진 핵·핵소체(核小體)와 염기성 색소에 잘 염색되는 세포질로 되어 있음.

골수-염【骨髓炎】[―쑤―] 명 〖의〗 화농균(化膿菌)의 감염이나 외상(外傷)에 의하여 골수에 생기는 염증. 골질염(骨質炎)·골막염(骨膜炎)이 함께 일어나는 수가 많은데, 결핵균에 의한 것은 카리에스라 불리며, 척추골이나 늑골 등 작은 뼈에 발생되기 쉬움. 뼈가 쑤시고 아프며 붓고 발열(發熱)함. 외과적 수술을 요함.

골수외 조:혈소【骨髓外造血巢】[―쑤―쏘] 명 〖생〗 이소성 조혈소(異所性造血巢).

골수 이식【骨髓移植】[―쑤―] 명 〖의〗 백혈병이나 재생 불량성(再生不良性) 빈혈 따위로, 골수의 혈구(血球) 생산 기능이 극도로 병적이 된 사람에게 건강한 골수를 이식하는 일.

골수 조직【骨髓組織】[―쑤―] 명 호은성(好銀性)의 섬유가 넓은 그물 모양으로 형성되어 있으며, 여기에 지방 세포(脂肪細胞)·적아구(赤芽球)·골수 세포 등이 산재하고 있는 구조.

골수-종【骨髓腫】[―쑤―] 명 〔myeloma〕〖의〗 골수 세포, 골수 아세포(芽細胞) 등의 암화(癌化)로 생기는 골수의 암. 50-60 세에 많음.

골수 천:자【骨髓穿刺】[―쑤―] 명 〖의〗 혈액의 생리나 병리(病理)를 알기 위해서 골수를 천자하여, 그 속의 혈액을 검색(檢索)하는 일. 흔히 흉골(胸骨)을 이용하여 행함.

골: 슛〔goal shoot〕 명 하키에서, 공격측이 상대방 서클 안에서 골을 겨냥하여 슛하는 일.

골: 스로:〔goal throw〕 명 〖체〗 ①농구에서, 공을 바스켓 안으로 던져 넣는 일. *슛(shoot). ②핸드볼·수구(水球)에서, 공격 팀의 공이 골라인을 넘었을 때, 방어측의 골키퍼가 공을 넘겨 받아 골라인 위에서 공을 던지는 일.

골습【骨濕】[―씁] 명 〖한의〗 습기로 인하여 정강이뼈 속이 저리고 아픈 병.

골신【骨身】[―씬] 명 뼈와 몸. 전신(全身).

골-신경【―神經】 명 〖생〗 뇌신경(腦神經).

골:-심지【―心紙】 명 골판지의 심(心)을 이루는 골이 진 얇은 마분지.

골-싸다 타 피륙을 두 쪽 길이가 같게 접다.

골싹-하다 형여불 그릇에 차지는 아니하나 거의 다 차다. <굴썩하다. 골싹-골싹 부. ――하다 형여불

골씨 명 〈방〉 골짜기❶(강원).

골아 형 〈옛〉 고르게 하여. '고ᄅ다'의 활용형. ¶ 섯거 골아 ᄒᆞᆫ兩만 글는 므레 ᄃᆞᆷ가(拌勻一兩許沸湯浸)《救急方 上 8》.

골:아가리-토기【―土器】 명 〖고고학〗 바리·항아리 따위 그릇의 입술 부분에 톱니 같은 골이 져 있는 토기. 구순 각목(口脣刻目) 토기.

골아지 명 〈옛〉 골마지. ¶ 골아지 복(醭)《字會 下 12》.

골:-안개 명 골짜기나 들에 끼는 아침 안개.

골안 응정【鶻眼凝睛】 명 〖한의〗 간경(肝經)의 적열(積熱)이 위로 치밀어 올라 동공(瞳孔)의 운동이 불가능하게 되는 병. 치료법은 사간탕(瀉肝湯)을 내복하거나 마풍고(摩風膏)를 외용(外用)함.

골-암【骨癌】 명 〖의〗 유방·전립선(前立腺)·폐·신장 따위, 다른 장기(臟器)에 생긴 암이 혈류(血流)에 의하여 뼈에 전이(轉移)한 암. 일반적으로 암으로서는 말기(末期)의 징후임.

골양【骨瘍】 명 〖의〗 카리에스(caries). 골저(骨疽).

골업다 형 〈옛〉 아름답지 못하다. 추하다. ¶ 여러 가짓 골업수미 업스며《月釋 Ⅶ:53》.

골: 에어리어〔goal area〕 명 축구·하키 등에서, 골 라인 안의 구역.

골-여시【骨―】[―려―] 명 ☞ 골땅땅이.

골연【骨硯】 명 동물의 뼈로 만든 벼루.

골-연령【骨年齡】[―련―] 명 〖생〗 성장함에 따라 진행되는 섬유 조직이나 연골(軟骨)의 골화(骨化)를 X선 사진 등으로 판정하여 산출하는 연령. 주로 슬관절(膝關節)의 뼈나 손의 뼈가 쓰임. 골화 연령.

골연-증【骨軟症】[―쯩] 명 가축병(家畜病)의 한 가지. 주로 말에게 일어나나 소·돼지 그 밖의 가축에게도 발생함. 소화(消化) 장애에 의한 설사를 일으키거나 등을 둥글게 굽히며 발을 절고 뼈가 연화(軟化)하는 등의 증상을 일으킴. 원인은 산성도(酸性度)가 높은 사료(飼料)만의 공급에 의함.

골-연화증【骨軟化症】[―련―쯩] 명 〖의〗 골조직(骨組織)에서 석회염류(石灰塩類)가 탈출(脫出)하여 본래의 딱딱한 성질을 잃는 상태. 심하면 골격(骨骼)에 여러 가지 변형(變形)이 나타남. 여자, 특히 임산부(姙産婦)에게 많음.

골염【骨炎】[―렴] 명 골질(骨質)에 생기는 모든 염증. 골막·골수의 염증의 결과 2차적으로 일어남.

골-예수 [―례―] 명 〈속〉 예수교를 믿어 조금도 변통성이 없는 사람을 가리키는 말.

골오 부 〈옛〉 고루. ¶ 等은 골오 니르실 씨라《釋譜 Ⅵ:45》.

골오래 명 〈옛〉 소라. ¶ 골오래(梵嬴)《四聲 下 27 嬴字註》.

골-오르다 자르불 화가 마음 속에 치밀어 오르다. 약오르다.

골-올리다 자타 골이 나게 하다. 노기(怒氣)를 북돋우다. *약올리다.

골와 명 〈옛〉 소라. ＝골와라. ¶ 골와 부다(吹海螺)《譯語 上 26》.

골와라 명 〈옛〉 소라. ¶ 한숨 디ᄂᆞᆫ 소리 골와랏 소리《釋譜 XIX:14》.

골와래 명 〈옛〉 우렁이. 고둥. ＝골왕이·골방[1]. ¶ 貝ᄂᆞᆫ 골와래니《釋譜 XIII:53》/螺ᄂᆞᆫ 골와래오《釋譜 XIII:26》.

골왕이 명 〈옛〉 우렁이. 고둥. ＝골방[1]·골와래. ¶ 골왕이 라(螺), 골왕이 ᄉᆞ(螄)《字會 上 23》.

골:웨이〔Galway〕 명 〖지〗 ①아일랜드(Ireland) 서부의 주(州). 대서양에 면함. [5,939 km² : 172,000 명(1981)] ②❶의 주도(州都). 골웨이 만(灣)에 면한 항구 도시. 검은 대리석 산출로 유명하며, 식품·섬유·기계·화학 공업 외에 어업도 성함. [38,000 명(1981)]

골위【骨委】 명 〖한의〗 허리와 하체(下體)를 마음대로 쓰지 못하는 병. 과로(過勞)로 말미암아 열이 생기어서 신장(腎臟)을 범하고 드디어 골수(骨髓)를 건조하게 하여 일어남.

골윗-샘 명 〖생〗 송과선(松果腺).

골유【骨油】 명 〔bone oil〕 골지(骨脂)에서 고체(固體) 상태의 지방(脂肪)을 제거한 액체 모양의 기름. 알코올 변성제(變性劑)·살충제 등에 쓰임.

골육【骨肉】 명 ①뼈와 살. ②↗골육지친(骨肉之親).

골육 상잔【骨肉相殘】 명 친족(親族)끼리 서로 해치고 죽이고 함. ――하다 자여불

골육 상쟁【骨肉相爭】 명 골육 상전(骨肉相戰). ――하다 자여불

골육 상전【骨肉相戰】 명 지친(至親)끼리 서로 싸움. 곧, 부자·형제 또는 동족 간의 싸움. 골육 상쟁(骨肉相爭). ――하다 자여불

골육-수【骨肉水】 명 무덤이 있는 산 밑에서 흐르는 물.

골-육종【骨肉腫】[―륙―] 명 〖의〗 뼈에 생기는 육종. 흔히 대퇴골(大腿骨)의 하단(下端)이나 경골(脛骨)의 상단에 많은데, 동통(疼痛)·종창(腫脹)·피하 정맥의 강장(強張)·혈침강도(血沈降度) 촉진 등의 증상을 나타냄.

골육지-애【骨肉之愛】 명 육친(肉親) 간의 애정.

골육지-정【骨肉之情】 명 가까운 혈족 사이의 의로운 정분.

골육지-친【骨肉之親】 명 ①부자·형제 또는 그와 같이 가까운 혈족(血族). ②혈통(血統)이 같은 것. 준골육.

골:-인〔goal＋in〕 명 ①축구, 농구 등에서, 공이 골에 들어감. ¶ 슛 ～. ②경주·경영(競泳)·경조(競漕) 등에서, 경기자가 결승점에 도달함. ¶ 1 착으로 ～하다. ③목적·목표에 달함. 특히, 결혼함. ¶ 연애 끝에 드디어 결혼에 ～하다. ――하다 자여불

골자【骨子】[―짜] 명 일이나 말의 골갱이. 요점(要點). 강요(綱要). 골갱이. ¶ ～만 말하라.

골자래 명 〈심마니〉 머리.

골자리 명 〈방〉 돗자리(경남).

골재【骨材】[―째] 명 〖토〗 모르타르나 콘크리트에 사용되는 모래·자갈·쇄석(碎石) 따위의 총칭. 경량 골재로서 화산회(火山灰)·화산력(火山礫) 따위가 있고, 인공(人工) 골재로서는 석탄(石炭)재나 플라이 애시(fly ash) 등이 쓰임. 철근 콘크리트의 골재에는 염분이 섞이는 것을 피함. ¶ 천연 ～/인공 ～/～상(商).

골저【骨疽】[―쩌] 명 〖의〗 카리에스(caries). 골양(骨瘍). 골괴저(骨壞疽).

골-저냐 명 소의 머릿골을 삶아서 저민 것이나 토막친 등골 쪼갠 것을 밀가루로 씌워서 달걀에 지진 저냐.

골-저리다 자 찬 기운이 뼛속까지 미치어 저리다.

골: 저지〔goal judge〕 명 ① 아이스하키에서, 퍽(puck)이 골포스트 사이의 골 라인을 완전히 통과했나를 판정하는 경기 임원. 골 뒤의 울 안에 위치함. ②핸드볼·수구(水球)에서, 골 라인의 연장선(延長線) 위에 위치하여, 골 스로·코너 스로·득점 등을 가리는 심판원. 문심(門審).

골저-창【骨疽瘡】[―쩌―] 명 〖한의〗 만성의 골막염(骨膜炎).

골-전도【骨傳導】 명 〖생〗 진동체(振動體)가 두개(頭蓋)에 접촉하거나 또는 두개 안에 있을 때, 진동이 공기를 통하지 아니하고 뼈에서 직접 내이(內耳)로 전하여져 청각(聽覺)을 일으키는 일.

골절[1]【骨折】[―쩔] 명 〖의〗 뼈가 부러짐. 외력(外力)이 뼈의 저항력을 초과하였을 때 뼈의 결합 상태가 단절되는 외상성(外傷性) 골절과, 뼈의 병적 변화가 주인(主因)이 되는 자연 골절의 두 가지가 있음. 절골

(折骨). *단순(單純) 골절·복잡(複雜) 골절. ──-하다 자여불

골절²【骨節】[─쩔] 명〖생〗뼈마디. 골관절(骨關節).

골절-증【骨絶症】[─쩔쯩] 명〖한의〗신기(腎氣)가 절(絶)하여 일어나는 병. 대개는 이가 누런 빛으로 변하여 빠지고, 열흘이 못 되어 죽음. 신주골(腎主骨).

골절-통【骨節痛】[─쩔─] 명〖의〗관절통(關節痛).

골제【骨制】[─쩨] 명〖역〗신라 시대의 골품제(骨品制) 가운데, 왕족의 족제(族制). 제일골(骨)과 제이골로 나뉘는데, 앞엣 것은 성골(聖骨), 뒤엣 것은 진골(眞骨)이라 함. *두품제(頭品制).

골-제품【骨製品】명 뼈로 만든 제품. 뼈 제품.

골조¹【骨組】[─쪼] 명 ①골격(骨格). ②건조물 등의 주요 부분의 구성.

골조²【骨彫】[─쪼] 명 상아나 뼈에 새긴 조각(彫刻). 뼈대.

골-조송증【骨粗鬆症】[─쯩] 명〖의〗골다공증.

골-조직【骨組織】명〖생〗결체(結締) 조직의 일종으로서, 뼈를 구성하는 조직. 연골(軟骨) 조직과 경골(硬骨) 조직이 있는데, 경골 조직에는 혈관(血管)을 중심으로 한, 윤상(輪狀)으로 중첩(重疊)된 기질(基質)에 골세포(骨細胞)가 점재(點在)하여 있음. 세포의 간질(間質)이 화교성 섬유(化膠性纖維)와 석회염(石灰塩)의 배합(配合)으로 됨.

골조-풍【骨槽風】[─쪼─] 명〖한의〗처음에 충치(蟲齒)로 인하여 잇몸의 안팎이 곪기고 다음에 골막(骨膜)·악골(顎骨)·치조(齒槽) 등이 따라서 염증(炎症)을 일으키는 병.

골종【骨腫】[─쫑] 명〖의〗골조직에 일어나는 양성(良性)의 종양(腫瘍). 10-25세 때에 흔히 나는데, 뼈 표면에 나는 것을 외골종(外骨腫), 뼈 속에 나는 것을 내골종(內骨腫)이라고 함.

골-종양【骨腫瘍】명〖의〗뼈를 형성하는 제반 조직에서 발생하는 종양의 총칭. 골종·연골종·섬유종·혈관종·골수종 따위가 있음. 골수종을 제외하면 일반적으로 양성(良性)의 종양임. 골수종은 드문 질환이지만 지극히 악성임. 그 밖에 골육종(骨肉腫)이라고 불리는 악성 종양도 있음.

골즈워:디〔Galsworthy, John〕명〖사람〗영국의 소설가·극작가. 법률학을 배웠으나 1897년경부터 소설을 쓰기 시작함. 즐겨, 사회 정의(社會正義)의 테마를 취하여 리얼한 수법으로 사회의 모순과 냉혹을 그렸음. 1932년에 노벨 문학상 수상. 대표작에 연작(連作) 장편 소설 《포사이트가(Forsyte家)의 연대기(年代記)》, 희곡 《정의(正義)》 등이 있음. [1867-1933]

골증-열【骨蒸熱】[─쯩녈] 명〖한의〗뼈가 저릿저릿하고 지지는 것같이 괴로운 병. 음기(陰氣)·혈기(血氣)가 부족하고 골수(骨髓)가 고갈(枯渴)함으로써 생기는데, 발열(發熱)·해수(咳嗽)·객담(喀痰)·요혼탁(尿混濁)·유정(遺精)·도한(盜汗)의 증세를 일으키고 정신이 몽롱하여져 점점 쇠약해짐.

골증-증【骨蒸症】[─쯩쯩] 명〖한의〗골증열이 생긴 병증(病症).

골지¹【骨脂】[─찌] 명 쇠뼈에서 채취한 지방(脂肪). 골탄(骨炭)이나 아교를 만들 때의 부산물인데 비누의 원료로 쓰임.

골지²〔Golgi, Camillo〕명〖사람〗이탈리아의 의사·병리학자. 1878년 신경 세포의 염색 방법을 발견하고, 골지 기관(Golgi 器官)·골지 소체(小體) 등을 명명하였으며 1906년 노벨 생리·의학상을 받았음. [1844-1926]

골:-지르다 타르불〖농〗밭을 세 번째 갈다.

골지 소:체【─小體】명 골지체(Golgi 體).

골지-체【─體】명〔Golgi body〕〖생〗생물의 세포질 내에서 볼 수 있는 입상(粒狀) 또는 망상(網狀)의 소체. 골지(Golgi)가 발견. 척추 동물의 신경 세포 및 장(腸) 등의 분비(分泌) 세포에서 볼 수 있으며, 분비물과 배출물의 형성에 관여하는 것으로 알려짐. 골지 소체.

골질【骨質】[─찔] 명 동물의 뼈와 같은 물질(物質). 또, 그러한 성질.

골-집[─찝] 명 ☞ 순대.

골짜갱 명〈방〉골짜기❶(강원).

골짜구 명〈방〉골짜기❶(경기·강원·경북).

골-짜구니 명〈방〉①골짜기❶(경기·강원·충청·경북). ②골목쟁이(경상).

골짜궁이 명〈방〉골짜기❶(강원·충청).

골짜기 명 ①두 산 사이에 움푹 패어 들어간 곳. 곡지(谷地). 협간(峽間). ㊥골짝·골. ②〈방〉골목쟁이.

골짜기형 빙산【─型氷山】명〔valley iceberg〕〖해〗U자형의 커다란 구멍이 뚫린, 침식된 빙산.

골짝 명 ↗골짜기.

골짝-하다 형〈방〉골싹하다.

골째기 명〈방〉골짜기❶(경기·충청·전라·경상·제주).

골차기 명〈방〉골짜기❶(전남).

골착 명〈방〉골짜기❶(전북).

골:-참외 명〖식〗재래 참외의 한 품종. 열매는 길고 골이 졌는데, 껍질은 짙은 녹색, 살은 연한 녹색임. 향기는 그다지 없으나 맛이 달고, 딴 뒤 오래 견디며, 수확량이 많음.

골창 명 ①↗고랑창. ¶ 개~. ②〈방〉고랑(제주).

골-창이 명〈방〉수채¹(강원).

골채¹ 명 골짜기에 있어서, 관개(灌漑)의 편이 좋은 논.

골-채²【─彩】명〖건〗먹줄로 그린 윤곽(輪廓)을 그대로 두고 채색(彩色)하는 방식.

골-채기 명〈방〉골짜기❶(함경).

골챙이 명〈방〉고랑(제주).

골-초【─草】명 ①품질(品質)이 좋지 못하여, 쓰고 독한 담배. ②담배를 많이 피우는 사람을 놓으로 일컫는 말.

골촉【骨鏃】명 뼈로 만든 화살촉. 후기(後期) 석기 시대의 마들렌 문화 후기(Madeleine 文化後期)에 볼 수 있음. 골각촉(骨角鏃).

골츠의 반:사【─反射】〔Goltz〕[─/─에─] 명〖생〗여러 가지 말단(末端) 자극에 의하여 심장의 기능이 강화되거나 억제되는 반사 운동. 1862년 독일의 생리학자 골츠(Goltz, F.L.)가 실험에 성공함.

골층【骨層】명〔bone bed〕〖지〗척추 동물의 뼈, 물고기의 비늘, 이, 기타 생물 잔해(殘骸)의 화석(化石) 파편 등을 다량으로 포함하고 있는 지층(地層).

골치¹ 명 '골머리'의 낮춤말. ¶ 골칫거리.

골치(가) 아프다 구 성가시고 귀찮아 머리가 아프다.

골치(를) 앓다 구〈속〉골머리(를) 앓다.

골치² 명〈옛〉골. 머릿골. ¶ 골치 슈(髓), 골치 노(腦)《字會 上 28》.

골-치다 타 골을 박아서 제 모양으로 바로잡다.

골침【骨針】명〖역〗석기 시대의 고대인들이 사용한, 사슴·새·물고기 따위의 뼈로 만든 바늘.

골칫-거리 명 일이 잘 안 되거나 말썽만 피워 노상 애를 태우는 사람이나 사물.

골칫-덩어리 명〈속〉골칫덩이.

골칫-덩이 명〈속〉애를 먹이는 일이나 사람. 골칫덩어리.

골-켜다¹ 타〈방〉골치다

골:-켜다² 타 나무를 통째 세로로 켜서 골을 만들다.

골: 크리:스〔goal crease〕명 아이스하키에서, 골 앞에 붉은 선으로 둘리어 있는 반원(半圓)의 빙역(氷域).

골:-키:퍼〔goalkeeper〕명 하키·수구·축구 등에서, 골(goal)을 수비하는 선수. ㊥키퍼.

골: 킥〔goal kick〕명 ①축구에서, 상대방이 공을 골 라인 밖으로 차냈을 경우, 그 공을 자기 골 에어리어에 갖다 놓고 차는 일. ②럭비에서, 트라이를 한 후, 골(goal)을 겨냥하여 차는 일.

골타 자〈옛〉곯다. ¶ 사습도 삿기 빈 골하ᄒᆞ거든《釋譜 XI:41》.

골:-타개 명〈방〉가르마 끄챙이(평안).

골:-타다 타 ①밭 같은 데에 고랑을 만들다. ②〈방〉가리마를 가르다.

골타분-하다 형여불 ↗고리타분하다. <굴터분하다.

골탄【骨炭】명〖화〗①〔bone black〕소·말 또는 그 밖의 동물의 뼈를 건류(乾溜)하여 만든 탄질(炭質)의 물질. 주성분은 인산 칼슘이며, 탄소가 적고 다공질(多孔質)이어서 액중(液中)에 존재하는 물질의 취기(臭氣) 또는 색소(色素)를 흡수시키는 힘이 강하므로 탈취(脫臭)·탈색제(脫色劑)로 사용하며, 특히 설탕의 정제(精製)에 씀. ②석탄을 공기 없이 가열·휘발시킨 덩어리. 코크스(cockes). ③〔bone coal〕〖지〗석탄층 중에 있는 점토질탄(粘土質炭) 또는 탄질 이판암(炭質泥板岩).

골탄-말【骨炭末】명 동물의 뼈로 만든 골탄을 빻아서 염산(塩酸)과 더운 물로 여러 번 씻어 정제(精製)한 까만 가루. 위장약(胃腸藥)·소독약(消毒藥)으로 쓰는 외에 공업·제약의 탈색제로 사용함.

골탑탑-하다 형여불 ↗고리탑탑하다. <굴텁텁하다.

골-탕【─湯】명 ①소의 등골이나 머릿골에 녹말을 묻히고 기름에 지지어 맑은 장국에 넣어서 다시 끓인 국. 수탕(髓湯). 골국. ②〈속〉되게 당하는 손해나 낭패.

골탕(을) 먹다 구〈속〉한꺼번에 크게 손해를 입거나 낭패를 당하다.

골탕(을) 먹이다 구〈속〉한꺼번에 크게 손해를 입히거나 낭패를 당하게 하다.

골턴〔Galton, Francis〕명〖사람〗영국의 과학자·유전학자. 종제(從弟) 다윈(Darwin, C.)의 영향으로 유전학을 연구하여 여러 가지 통계적 방법을 써서 우생학(優生學)을 창시하고, 회귀 계수(回歸係數)를 발견, 특히 천재(天才)에 관한 연구 업적이 큼. 주저 《자연(自然)의 유전》이 있음. [1822-1911]

골턴의 법칙【─法則】〔Galton〕[─/─에─] 명〖생〗골턴이 제창한 유전의 법칙. 곧, 자식의 형질은 선조로부터 누대(累代)의 형질을 받아 내려오는데, 그 분량은 양친으로부터 전형질(全形質)의 2분의 1, 조부모로부터 4분의 1을 이어받으며, 선조(先祖)로 거슬러 올라감에 따라 점차 영향이 감소된다는 법칙. 연구법에 잘못이 있어 현재는 과학적 근거를 잃고 있음. 자손 퇴화(子孫退化)의 법칙.

골-통¹ 명〈속〉①↗골통이. ②죄수(罪囚)들의 은어(隱語). 말썽꾸러기. 골칫거리.

골통²【骨痛】명〖한의〗과로(過勞)로 인하여 뼈가 쑤시는 것같이 아프고 신열이 오르내리는 병.

골통-대 명 담배통이 굵고 크며, 전체의 길이가 짧은 담뱃대의 한 가지. 재료는 나무·흙·합성 수지(合成樹脂) 등 여러 가지임. 마도로스 파이프.

〈골통대〉

골통-뼈 명〈비〉두골(頭骨).

골통-이 명〈속〉머리¹❶. ㊥골통.

골트베르크〔Goldberg, Simon〕명〖사람〗폴란드의 바이올리니스트(violinist)·지휘자. 포이어만(Feuerman) 등과 함께 삼중주단(三重奏團)을 조직하였음. 네덜란드 실내 관현악단(管絃樂團)의 지휘자·독주자(獨奏者)를 지냄. [1909-]

골트슈미트-법 【─法】〔Goldschmidt〕[─뻡] 명〖화〗알루미늄이 산화할 때 발생하는 다량의 열을 이용하는 산화 금속의 환원 야금법(還元冶金法). 독일의 화학자 골트슈미트(Goldschmidt, Hans; 1861-1923)가 발견하였음. 테르밋법(Thermit 法).

골트슈타인〔Goldstein, Eugen〕명〖사람〗독일의 물리학자. 포츠담 천문대 천체 물리학부장. 진공 방전 현상(眞空放電現象)을 연구하여, 음극(陰極)에서의 방사선을 처음으로 음극선이라고 명명하고, 또 양극선(陽極線)을 발견하였음. [1850-1930]

골-틀 명〖고고학〗머리뼈의 속 크기를 떠서 만든 틀. 뇌(腦) 부피재기와 비교에 쓰이는 중요한 기준임.

골-틀리다 자 마음이 비꼬여 부아가 나다. 마음이 틀어져서 심사가 나다. ¶ 거들거리는 꼴은 골이 틀려서 못 보겠다.

골:-파 명〖식〗① [*Allium ascalonicum*] 백합과에 속하는 이년초 또는

다년초. 파의 변종이 아님. 높이 20-30cm이고 경엽(莖葉)은 담녹색이고 연질(軟質)이며, 취기(臭氣)가 적음. 경부(莖部)는 비대하고, 적갈색의 피막(被膜)에 싸인 인경(鱗莖)은 좁은 달걀꼴이며, 쉽게 갈라짐. 7-8월에 포기를 갈라 심어 번식시킴. 시베리아 또는 소아시아 원산으로, 재배하여 파 대용으로 먹음. ②파의 한 가지. 밑동이 마늘 조각같이 붙고, 잎이 여러 쪽으로 남. 분총(分葱). [준]파.

골-팍이 [명] ☞골패기. ¶저 장쇠놈 ～하며 장쇠 어멈의 극성하며……《李無影 : 農民》.

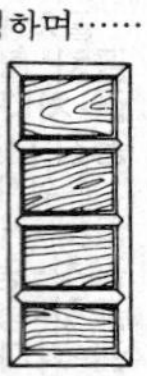

골판【骨板】[명]〖생〗①골질(骨質)의 판대기. ②성게의 몸 표면(表面)에 석회질(石灰質)의 소판(小板)이 모여서 된 외골격(外骨格).

골판-문【骨板門】[명]〖건〗문짝의 머름 틀에 청판(廳板)을 끼워서 만든 문.

골:-판지【一板紙】[명] 골이 죽죽 지게 만든 판지. 안쪽에 골이 진 얇은 종이로 덧붙인 판지. 포장할 때 씀.

골판-횟대【骨板一】[명]〖어〗[*Trilgops scepticus*] 둑중갯과 〈골판문〉에 속하는 바닷물고기. 몸과 꼬리는 가늘며, 아래턱은 위턱보다 돌출하여 있고 눈이 큼. 몸빛은 담회갈색이고 배 쪽은 암색임. 체측에 너덧 줄의 암회색 가로띠가 있으며, 머리와 몸에 작은 가시가 밀생하였으나 비늘은 없음. 옆 줄에 따라서 한 줄의 비늘 모양의 골질판(骨質板)이 있음. 한국 원산(元山) 근해 및 일본에 분포함.

골패【骨牌】[명] 노름 기구의 한 가지. 손가락 한 마디만한 검은 나무 바탕에 흰 뼈를 붙여 여러 가지 수효의 구멍을 판 것. 모두 서른 두 짝이 한 벌인데, 백아(쥐코)·백사·아삼·어사·관이·아륙·삼사·삼오·삼륙·사오 각 한 짝, 통소·소삼·백오·백륙·진아·장삼·직홍·준오·사륙·오륙·준륙이 각 두 짝씩임.

골-패기 [명]〈속〉머릿골.

골패-타:령【骨牌打令】[명]〖악〗경상도 민요의 하나. 골패 용어(用語)를 노래에 얹어 엮은 것. 흔히 가야금 병창으로 불리어짐.

골팽 [명]〈방〉팽이(함남).

골팽이 [명]〈방〉①팽이(함남). ②〖동〗달팽이(경남).

골퍼〔golfer〕[명] 골프를 하는 사람. ¶프로 ～.

골페 [명]〈방〉글피(전남).

골편【骨片】[명] ①뼈의 부스러진 조각. ②좀 큰 골분(骨粉)의 조각. ③〔spicule〕〖동〗많은 무척추 동물의 지지 구조(支持構造)로서의 석회성(石灰性) 또는 규질(硅質)의 소체(小體). 특히, 해면(海棉)·강장 동물(腔腸動物)의 일부, 화형충류(花形蟲類)·해삼류(海蔘類)에 많음.

골편 모:세포【骨片母細胞】[명]〔scleroblast〕〖동〗해면류·강장 동물 체내에서 골편을 분비하는 세포. 조골편 세포(造骨片細胞).

골:-편사【一便射】[명]〖역〗어느 구역과 구역이, 각기 서로 그 구역 안에 사정(射亭)을 연합하여, 활쏘기를 겨루는 일. 동편사(洞便射).

골:-포스트〔goalpost〕[명] 축구에서, 골 양쪽의 기둥. 골 대. 골 문.

골폼 [형]〈옛〉고픔. '골프다'의 명사형. ¶골폼 알며 渴홈 알며(知飢知渴)《牧訣 5》.

골-풀 [명]〖식〗①골풀과(科)에 속하는 날개골풀·참골풀·물골풀 등의 총칭. ②[*Juncus effusus* var. *decipiens*] 골풀과에 속하는 다년초. 줄기는 원기둥꼴인데 높이 1m 이상이며 수(髓)는 접속 성형(接續星形)임. 잎은 심상엽(尋常葉)이 없고 줄기의 하부에 인편상(鱗片狀)의 암갈색 엽초(葉鞘)가 있을 뿐임. 5-6월에 녹갈색 꽃이 요취산(凹聚繖) 화서로 피고, 열매는 삭과(蒴果)임. 들의 습지에 나는데, 한국·중국·일본 등지의 온대에 분포함. 말린 줄기는 흰 자리를 만들고, 또 약용함. 골속. 등심초(燈心草). 석용추(石龍芻).

〈골풀②〉

골풀-과【一科】[一꽈] [명]〖식〗[Juncaceae] 단자엽 식물에 속하는 한 과. 보통, 다년생 또는 일년생의 초본(草本)으로 7속 290여 종이 주로 온대 또는 한대 지방에 분포함.

골:-풀무 [명] 불을 피우는 데 바람을 일으키는 기구의 하나. 땅 바닥에 직사각형의 골을 파서 중간에 굴대를 가로 박고, 그 위에 골에 꼭맞는 널빤지를 걸쳐 놓아, 두 발로 번갈아 가며 널빤지의 두 끝을 디디어서 바람을 일으킴. 발풀무. ¶～를 밟다.

골풀-아재비 [명]〖식〗[*Rhynchospora miyakeana*] 방동사니과에 속하는 일년초. 줄기는 높이 30cm 가량이고 잎은 호생하며 삼릉상(三稜狀) 협선형(狹線形)임. 꽃은 7-8월에 총상(總狀) 화서로 정생(頂生) 또는 액출(腋出)하며, 과실은 수과(瘦果)임. 산이나 들의 양지바른 습지에 나는데, 강원도·경기도에 분포함.

골-풀이 [명] 성난 기운을 닥치는 대로 함부로 풀어 버림. ——-하다 [자][여불]

골풀-자리 [명]〈방〉돗자리.

골품【骨品】[명]〖역〗신라의 신분 제도로서, 계급적 또는 족속적(族屬的)으로 보아, 선천적으로 신분의 높고 낮음을 정한 등급. 왕족을 나타내는 성골(聖骨)·진골(眞骨)과, 귀족·평민의 족제(族制)를 나타내는 육두품(六頭品) 이하 일두품(一頭品)까지의 여섯 개의 두품(頭品)으로 이루어짐. *골제(骨制)·두품제(頭品制).

골프〔golf〕[명] ①스코틀랜드에서 발달한 구기(球技)의 하나. 보통 18군데의 그린(green) 위의 홀(hole)에 순차적으로 돌아가며 속이 찬 고무제(製)의 공을 클럽(club)으로 쳐서 들여보내되, 타구(打球)의 횟수가 적은 사람이 이기는 것으로 함. 각 홀(hole)을 플레이해서 총타수(總打數)를 계산하는 스트로크 플레이와 각 홀마다 승패를 겨루는 매치 플레이의 2가지 경기 방식이 있음. ②↗베이비(baby) 골프.

골프다 [형]〈옛〉고프다. ¶비 마장 골프다(肚裏好生飢了)《老解 上 35》.

골: 프롬 더 필:드〔goal from the field〕[명] 미식 축구에서, 필드로부터 드롭 킥 또는 플레이스 킥(place kick)으로 얻는 득점.

골프 링크〔golf links〕[명] 골프장(場).

골프 바지 [명]〔golf pants〕무릎의 어름이 풍신하게 지은 골프용의 짧은 바지. 골프 팬츠.

골프-장【一場】[명]〔golf links〕골프를 하는 경기장. 골프 링크.

골프-채〔golf〕[명]〈속〉골프 클럽.

골프 클럽〔golf club〕[명] 골프의 타구봉(打球棒).

골프 팬츠〔golf pants〕[명] 골프용의 바지. 골프 바지.

골필【骨筆】[명] 묵지(墨紙)를 넣고 복사(複寫)할 때에 쓰기 위하여 촉을 뼈로 만든 필기구(筆記具). *철필(鐵筆).

골프다 [형]〈옛〉고프다. ¶비 골프며 곳븐 주를 아디 몯호라(不知飢倦也)《內訓 Ⅱ:18》.

골학【骨學】[명]〔osteology〕〖생〗해부학의 한 분과. 척추 동물의 뼈의 구조와 변화를 연구하는 학문.

골한【骨寒】[명]〖한의〗↗골한증(骨寒症).

골한-증【骨寒症】[一쯩] [명]〖한의〗뼛 속에 한랭(寒冷)을 느끼는 병. 신경(腎經)에 수분(水分)이 없어서 골수(骨髓) 가운데 수기(水氣)가 적어지므로 생김. [준]골한(骨寒).

골:-함석 [명] 물결 모양으로 골이 죽죽 지게 만든 함석. 지붕을 이거나, 울타리를 치는 데 씀. 아연도 낭평판(亞鉛鍍浪平板).

골항츠다 [자]〈옛〉고랑 치다. ¶골항츠다(擺了)《同文 上 8》.

골해【骨骸】[명] 몸에 있는 뼈의 전부(全部).

골핵【骨核】[명]〖생〗연골성 골화(軟骨性骨化)가 시작되는 뼈의 부위(部位).

골형성 부전증【骨形成不全症】[一쯩] [명]〖의〗화골(化骨) 부전증.

골호【骨壺】[명]〖고고학〗뼈단지.

골-혹【骨一】[명]〖의〗뼈에 생기는 혹. 가끔 골조직(骨組織)이 없는 데 나거나 또는 다른 종기와 함께 나기도 하는데 상아같이 단단한 것과 해면같이 연한 것이 있음. 골류(骨瘤).

골홈 [명]〈옛〉옷고름. ¶골홈 及 긴홀 皆曰帶子《字會 中 23》.

골화【骨化】[명] 경골(硬骨)이 형성되는 과정. 석회가 침착(沈着)하여 뼈 조직이 됨. 화골(化骨). ——-하다 [자][여불]

골화 연령【骨化年齡】[一열一] [명] 뼈의 발달 정도에 따라 정하는 연령. 골(骨) 연령.

골회[1] [명]〈옛〉고리[1]. ¶골회 환(環)《字會 中 24》.

골회[2]【骨灰】[명] 동물의 뼈를 지방(脂肪)과 교질(膠質)을 빼고 태워서 얻은 흰 빛의 가루. 주성분은 인산(燐酸) 칼슘인데 인산과 인(燐)의 제조 원료로 쓰이고, 또 인산 비료(肥料)로도 사용함. *골분(骨粉).

골회눈몰 [명]〈옛〉고리눈말. ¶골회눈몰(環眼馬)《老解 下 8》.

골희〈옛〉골에. 'ᄆᆞ올'의 처격형(處格形). ¶골희 가 노니며 현의 가 헤대혀져(遊州獵縣)《誡初心學人文 11》.

곪기다 [곰一] [자] '곪기다'의 잘못.

곪:다 [곰따] [자] ①탈난 살에 염증이 생겨 고름이 들게 되다. ②'내부의 갈등·모순·부패 등이 쌓여서 터질 정도에 이르다'를 비유한 말.

곪아-터지다 [골마一] [자] ①상처가 곪을 대로 곪아서 터지다. ②비유적으로, 내부(內部)의 모순·부패 따위가 쌓이고 쌓여서 드디어 터지다.

곬 [골] [명] ①한 방향으로 트이어서 나가는 길. ¶외～으로만 가다. ②물이 흘러 내려가는 길. ③사물의 유래. ④양재에서, 접는 부분.

곯다[1] [골타] [자] 먹는 것이 모자라서 늘 배가 고프다. ¶곯은 배를 움켜 쥐고….

곯다[2] [골타] [자] ①속으로 물커져 상하다. ¶달걀 곯은 냄새. ②은근히 해를 입어 골병이 들다. ¶나만 곯는다.

[곯아도 젓국이 좋고 늙어도 영감이 좋다] 아무리 늙어도 자기 배우자가 가장 좋다는 말.

곯다[3] [골타] [형] 곡식 같은 것이 담은 그릇에 차지 못하고 좀 비다. <곯다.

곯리다[1] [골一] [타] ①그릇에 차지 못하게 하다. <곯리다. ②먹는 것이 모자라서 늘 배가 고프게 하다. ¶배를 ～.

곯리다[2] [골一] [사동] ①속으로 물커져 상하게 하다. ②남을 은근히 골병들게 하다.

곯-마르다 [골一] [자][르불] 속으로 썩어 가면서 마르다.

곯아-떨어뜨리다 [골一] [타] 곯아 떨어지게 하다. ¶술을 먹여 ～.

곯아-떨어지다 [골一] [자] 잠에 빠지거나 술이 몹시 취하여 정신을 잃고 자다. ¶술에 ～.

곯아-떨어트리다 [골一] [타] 곯아떨어뜨리다.

곯아-빠지다 [골一] [자] ①몹시 곯은 상태에 있다. ②주색 잡기(酒色雜技)에 빠져 정신 못 차려 벗어나지 못하다.

[곯아빠져도 마음은 조방(助幇)에 있다] 제 처지는 생각지 않고 힘에 겨운 일을 자꾸 하려고 원한다는 말.

곰:[1] [명] 고기나 생선을 푹 삶은 국. 취음:고음(膏飮).

곰:[2] [명] ①곰과에 속하는 짐승의 총칭. ②〖동〗[*Ursus thibetanus*] 곰과에 속하는 짐승. 두동(頭胴)의 길이 1.2-1.9m, 꼬리 8cm 가량이고, 몸은 비대하며 사지(四肢)는 굵고 짧음. 앞가슴에 흰 초승달 무늬가 있으나 없는 것도 있고 온몸이 흑색임. 앞발 발바닥이 나출(裸出)하고 어깨는 등보다 낮으며 얼굴은 짧음. 깊은 산에 사는데, 야간에 밤·딸기·나무 뿌리·어린 싹·개미·게·고기 등을 먹고 나무에 잘 오름. 겨울에는 암혈(岩穴)에서 동면(冬眠)함. 수명 20년 가량임. 행동이 미련하고 둔함. 2월경에 한두 마리의 새끼를 낳음. 쓸개는 '웅담(熊膽)'이라 하여 소화(消化)·해독(解毒)의 약재로 귀히 쓰고, 살은 식용, 모피(毛皮)는 방석 등에 씀. 반달가슴곰. 반달곰. ③미련한 사람을 조롱하여 이르는 말.

〈곰[2]②〉

[곰 가재 뒤듯] 곰이 개천에서 돌을 뒤져서 가재를 잡듯이 급하지 아니하게 물건을 뒤지고 있음을 이르는 말. [곰의 설겆이하듯] 일을 해도 보람이 아니 나는 경우에 하는 말. [곰의 재주] 미련한 사람을 이르는 말. [곰이라 발바닥을 핥으랴] 아무 것으로도 배를 채울 것이 없다

는 뜻. **[곰 창(鎗) 날 받듯]** 위인(爲人)이 우둔하여 자기의 행동이 자기를 해(害)침을 비유하는 말.
곰:³ 명 〖식〗 ↗곰팡이.
곰:⁴ 명 〈방〉 고욤(경북).
-곰¹ 미 〈옛〉 부사 및 부사형 전성 어미를 가진 용언 뒤에 붙어 뜻을 강조하는 말. ¶ 그츤 이본 길헤 눈 보리라 우러곰 온다《月釋 Ⅷ:87》.
-곰² 미 〈옛〉 -씩. =-옴. ¶ 그 五百 사ᄅᆞ미 弟子ㅣ ᄃᆞ외아지이다 ᄒᆞ야 銀돈 ᄒᆞᆫ 낟곰 받ᄌᆞᄫᆞ니라《月釋 Ⅰ:9》.
곰:-거리 [―꺼―] 명 곰국의 재료가 되는 고기.
곰:-고양이 명 〖동〗 판다(panda).
곰:곰 부 깊이깊이 생각하는 모양. 곰곰이. ¶ 지난 일을 ~ 생각하며 뉘우치다.
곰:곰-이 부 '곰곰'을 어조(語調)를 고르어 일컫는 말.
곰:-과【—科】 [―꽈] 명 〖동〗 [Ursidae] 개목(目)에 속하는 한 과. 몸은 비대(肥大)하고, 5개의 발가락에는 발톱이 있으며, 꼬리는 대체로 귀보다 짧음. 잡식성(雜食性)임. 곰·말라야곰·말곰·큰곰·흰곰 등이 이에 속함. 북반구의 주산(主産)임.
곰:-국 [―꾹] 명 쇠고기를 흠씬 고아서 끓인 국. 육탕(肉湯).
곰기다 자 곪는 자리에 딴딴한 멍울이 생기다.
곰깽이 명 〈방〉 부스럼(전남).
곰:-나루 명 〖지〗 '웅진(熊津)'을 우리 말로 읽은 이름.
곰달ᄂᆡ 명 〈옛〉 곰취. =곰돌외. ¶ 草삽쥬 고ᄉᆞ리 들밧트로 ᄂᆞ리다가 곰달ᄂᆡ 물숙 계우목 삿다지 잔다괴 씀바괴 고들바기 두룹 ᄏᆡ야《古時調 永言》.
곰:-달래 명 〈방〉 〖식〗 곰취.
곰:-달루 명 〈방〉 〖식〗 곰취.
곰돌아-들다 자 끝내 가지 못하고 되돌아오다. ¶ 일행 때문에 곰돌아들었는지 내 병수발하려고 왔는지는 모르지만…《金周榮 : 客主》.
곰-두리 명 어깨동무하고 2인 3각으로 달리는 모습의 두 마리의 새끼곰의 인형. 제8회 서울 장애자 올림픽의 마스코트였음.
곰돌외 명 〈옛〉 곰취. =곰달ᄂᆡ. ¶ 곰돌외(馬蹄菜)《字會 上 9》.
곰:-딸기 명 〖식〗 [*Rubus phoenicolasius*] 장미과에 속하는 낙엽 활엽 관목(灌木). 높이 2m 가량이고 가시가 있으며 홍색의 선모(腺毛)가 밀생함. 잎은 깃 모양으로 우상 복생(羽狀複生)하고 세 개의 소엽(小葉)으로 째지며 잎 뒤에 백색 털이 밀생함. 첫여름에 엷은 홍색 또는 백색 오판화(五瓣花)가 총상(總狀) 화서로 정생(頂生)하여 피고, 과실군(果實群)은 구형(球形)이며 가을에 발갛게 익음. 깊은 산의 숲 밀에 나는데, 평북을 제외한 한국 각지 및 일본에 분포함. 과실은 식용 또는 양주(釀酒)용임. 붉은가시딸기.

〈곰딸기〉

곰바지런-하다 형 여불 일을 잘하지는 못하나 쉬지 아니하고 꼼꼼히 부지런하게 하다. **곰바지런-히** 부
곰발 명 〈방〉 부스럼(전남).
곰방-님방 부 〈방〉 곰비임비.
곰방-담뱃대 명 곰방대.
곰방-대 명 짧은 담뱃대. 단죽(短竹). 곰방담뱃대.

담배설대 담배통 물부리
〈곰방대〉

곰방-메 명 〖농〗 흙덩이를 깨뜨리고 씨를 묻는 데 쓰는 농구(農具)의 한 가지. 지름 두 치, 길이 한 자쯤 되는 둥근 나무 토막에 긴 자루를 박은 것 어 낌.
곰방이 명 〈방〉 곰방대.
곰방-주우 명 〈방〉 잠방이(경남).
곰방-중우 명 〈방〉 잠방이(강원·경남).
곰배 명 ① ↗곰배팔이. ②〈방〉 고무래(강원·충청·전북·경상). ③〈방〉 곰방메.
곰배-곰배 부 ☞곰비임비.
곰배-님배 부 〈방〉 곰비임비(평북). ¶ 잠자코 부어서는 ~ 마시는 사이, 주전자는 점점 가벼워지며 밑바닥이 드러나더니……《桂鎔默 : 心猿》.
곰배-말 명 등이 굽은 말.
곰배-팔 명 굽거나 펴지 못하는 팔. 형체가 기형(畸形)인 팔.
곰배팔-이 명 병으로 인하여 팔이 꼬부라져 붙거나, 팔뚝이 없는 사람. 팔의 형체가 정상적이 아닌 장애자. 준곰배.
[곰배팔이 담배 목판 끼듯] 무슨 물건을 옆에 꼭 끼고 있는 모양을 이르는 말. **[곰배팔이 장치다리도 짝이 있다]** 누구에게나 천생 배필은 있는 법이라는 말.
곰뱅이 명 〈방〉 ①곰보. ②잠방이(강원). ③〖충〗 굼벵이(전남).
곰:보 명 얼굴이 얽은 사람.
곰:보-딱지 명 〈속〉 얼굴이 몹시 얽은 사람을 조롱하는 말.
곰:보-벌레 명 〖충〗 [*Cupes anguliscutis*] 곰보벌렛과에 속하는 곤충. 몸길이 25mm 가량이고 몸이 뚜렷하게 편평하고 세장(細長)하며, 두부(頭部)에 곰보 모양의 과립(顆粒)이 많음. 겉날개에 곳곳이 들어간 갈색의 선조(線條)가 있고, 몸빛은 적갈색임. 썩은 나무의 수피(樹皮) 밑에 서식하며 다른 곤충을 포식함. 동부 아시아에 분포함. 장편충(長扁蟲). *머리대장벌레.
곰:보벌렛-과【—科】 명 〖충〗 [Cupedidae] 딱정벌레목(目)에 속하는 한 과. 머리대장과(科)와 가까운 종류로 온몸은 미소한 인편(鱗片)으로 덮혀 있는 것이 많고, 두부(頭部)에는 굵은 과립(顆粒)이 밀포(密布)함. 촉각은 길고 복부는 다섯 절(節)임. 고목(枯木)에 모임. 동부 아시아·오스트레일리아·아프리카·미국 등지에 20여 종이 분포함.
곰:보-석【—石】 명 〈방〉 〖광〗 구세¹.
곰:보 쇳돌 명 〈방〉 〖광〗 구세¹.
곰:보 유리【—琉璃】 명 〈속〉 표면을 도톨도톨하게 만든 유리.
곰:보-타:령【—打令】 명 〖악〗 경기(京畿) 휘몰이 잡가(雜歌)의 하나. 얽은 사람을 해학적(諧謔的)으로 풍자한 긴 사설(辭說)을 삼단(三段)으로 나누어 빠른 박자로 부름.
곰:보-하늘소 [―쏘] 명 〖충〗 [*Sachalinobia koltzei*] 하늘솟과에 속하는 곤충. 몸길이 12-19mm이고 몸빛은 칠흑색임. 소순판(小楯板)은 회백색이고, 시초(翅鞘)는 금속 광택이 나며, 중앙에 황색의 한 가로띠가 있는데, 그물 모양의 조각(彫刻)을 이룸. 유충은 분비나무의 고목에 기생함. 한국에도 분포함.
곰봇-대 명 〖광〗 다이너마이트를 남포 구멍 속으로 밀어 들이는 나무 꼬챙이. 또, 다이너마이트 속에 뇌관(雷管)을 넣을 때 다이너마이트의 한 쪽에 구멍을 뚫는 나무 꼬챙이.
곰봇-자국 명 ☞마맛자국.
곰부 명 〈방〉 곰보(전남).
곰부레 명 〈방〉 고무래(전북).
곰뷔님뷔 부 〈옛〉 자주자주. 앞뒤 계속하여. =곰븨님븨·곰비님비·곰비림비. ¶ 곰뷔님뷔 님뷔곰뷔 쳔방지방 지방쳔방 ᄒᆞᆫ번도 쉬지 말고《古時調 永言》.
곰븨님븨 부 〈옛〉 자꾸자꾸. 앞뒤 계속하여. =곰비림비·곰뷔님뷔·곰비님비. ¶ 보션 버서 품에 품고 신 버서 손에 쥐고 곰븨님븨 님븨곰븨 쳔방지방 지방쳔방 즌듸 ᄆᆞ른듸 굴희지 말고《古時調 님이 오마ᄒᆞ거늘》.
곰비-곰비 부 〈방〉 곰비임비.
곰비-임비 부 ①일이나 물건이 거듭 모이는 모양. ②이모로 저모로.
곰비 명 〈옛〉 뒤. ¶ 德으란 곰비예 받ᄌᆞᆸ고 福으란 림비예 받ᄌᆞᆸ고《樂範 動動》.
곰비님비 부 〈옛〉 계속하여. =곰뷔님뷔·곰븨님븨·곰비림비. ¶ 날은 느져가고 어서 내라 곰비님비 재촉ᄒᆞ고《癸丑日記 上 98》.
곰:-삭다 자 ①옷 같은 것이 오래 되어서 올이 삭고 품질이 약하여지다. ②담가 둔 젓갈 같은 것이 오래 되어 소금 결이 푹 삭다.
곰:-살갑다 형 ㅂ불 성질이 겉으로 보기보다 속으로 살갑다. ¶ 태도가 전에 비하여 곰살갑지 않은 것 같다. <굼슬겁다.
곰:-살곱다 형 ㅂ불 ☞곰살갑다.
곰:-살궂다 형 성질이 부드럽고 다정하다. ¶ 곰살궂어 친구가 많다.
곰:-살맞다 형 ☞곰살궂다. ¶ 그는 제호가 곡진한 태도로 곰살맞게 구는 품이……어떻게도 고마운지 눈물이 나올 것 같았다《蔡萬植 : 濁流》.
곰상-곰상 부 꼼꼼하게 살살.
곰상-스럽다 형 ㅂ불 성질이나 행동이 잘고 좀스럽다. **곰상-스레** 부
곰소 명 '소금'의 변말.
곰:-솔 명 〖식〗 해송(海松).
곰실-거리다 자 자지레한 벌레 같은 것이 느릿느릿 자꾸 움직이다. 쓰꼼실거리다. <굼실거리다. **곰실-곰실** 부. **——-하다** 자 여불
곰실-대다 자 곰실거리다.
곰:의말채-나무 [―/―에―] 명 〖식〗 [*Cornus brachypoda*] 층층나뭇과에 속하는 낙엽 활엽 교목. 잎은 대생(對生)하며 타원형 또는 넓은 달걀꼴인데 측맥(側脈)이 4-10개이고 잎뒤가 백색임. 5월에 황백색 꽃이 산형(繖形) 화서로 정생(頂生)하여 피고, 직경 5cm의 핵과(核果)는 10월에 벽흑색(碧黑色)으로 익음. 산 중턱 및 골짜기에 나는데 전남북·경남북·충남 및 일본·중국 등지에 분포함. 정원수로 심고 신탄재(薪炭材)로도 이용됨.
곰작 부 움직임이 느리고 약한 모양. 쓰꼼작·꼼짝. <굼적. **——-하다** 자 타 여불
곰작-거리다 자 타 자꾸 곰작하다. 쓰꼼작거리다·꼼짝거리다. <굼적거리다. **곰작-곰작** 부. **——-하다** 자 타 여불
곰작-대다 자 타 곰작거리다.
곰:-쥐 명 〖동〗 [*Rattus rattus rufescens*] 쥣과(科)에 속하는 쥐의 하나. 몸의 길이 15-23cm이고, 꼬리는 몸보다 길고, 귀는 둥글며 큰 것이 특징임. 몸의 상면(上面)은 광택 있는 흑색이고 하면은 석판색(石板色)에 다소 황갈색을 띠었으며, 사지(四肢)는 흑갈색임. 일반적으로 가옥내(家屋內)에 가장 많음. 한배에 새끼를 6-7마리 낳음. 곡물(穀物)을 비롯한 사람의 음식물이 주식물(主食物)이며, 페스트균을 가진 벼룩을 인체(人體)에 퍼뜨리는 유해(有害)한 동물임. 원산지는 인도·말레이 지방이라고 하며 유럽에는 12세기경에 이주(移住)했다고 하는데, 전세계에 분포함. 집쥐. 쥐.

〈곰쥐〉

곰지 명 〈방〉 곰팡이(함경).
곰지락 부 몸을 가볍게 천천히 움직이는 모양. 준곰질. 쓰꼼지락. <굼지럭. **——-하다** 자 타 여불
곰지락-거리다 자 타 자꾸 곰지락하다. 준곰질거리다. 쓰꼼지락거리다. <굼지럭거리다. **곰지락-곰지락** 부. **——-하다** 자 타 여불
곰지락-대다 자 타 곰지락거리다.
곰질 부 ↗곰지락. 쓰꼼질. <굼질. **——-하다** 자 타 여불
곰질-거리다 자 타 ↗곰지락거리다. 쓰꼼질거리다. <굼질거리다. **곰질-곰질** 부. **——-하다** 자 타 여불
곰질-대다 자 타 곰질거리다.
곰:-취 명 〖식〗 [*Ligularia fischeri*] 국화과에 속하는 다년초. 줄기는 높이 1m 내외이고, 잎은 대형에 장병(長柄)이며 심장상(心臟狀) 타원형임. 7-9월에 황색 두화(頭花)가 총상 화서(總狀花序)로 피고, 수과(瘦果)에는 갈색 털이 있음. 깊은 산에 나는데, 한국 각지 및 일본·사할린·중국·동부 시베리아에 분포함. 어린 잎은 식용함. 웅소(熊蔬).

〈곰취〉

곰치 명 〖어〗 [*Gymnothorax kidako*] 곰칫과에 속하는 바닷물고기. 몸의 길이 60cm 내외로 뱀장어처럼 가늘고 길지만 살이 지고 피부가 두꺼우며 꼬리

부분이 측편(側扁)함. 입이 크며 튼튼한 이가 있고, 가슴지느러미와 배지느러미가 없는데 몸빛은 황갈색 바탕에 흑갈색의 불규칙한 가로띠가 있음. 아가미 구멍은 흑색, 뒷지느러미의 가장자리는 흰 빛임. 연안의 암초(岩礁)에 사는데 성질이 흉포하여 물리면 동통(疼痛)을 느낌. 한국 중남부 연해 및 일본 중부 이남에 걸쳐 널리 분포함. 식용 및 수산(水産) 피혁(皮革)의 원료가 됨.

〈곰치〉

곰칫-과【—科】명〖어〗[Muraenidae] 뱀장어목(目)에 속하는 어류의 한 과. 보통, 가슴지느러미가 없는 것이 특징임. 알락곰치·백설곰치·곰치·가지굴 등이 이에 속함.
곰:-탕[1]【—湯】명 밥을 만 곰국을 음식점에서 이르는 말.
곰:탕[2] 명 ☞곰팡이.
곰:탱이 명〈방〉곰팡이(황해).
곰틀 부 몸을 이리저리 고부리어 움직이는 모양. 쓰꼼틀. <굼틀. ——하다 자타여불
곰틀-거리다 자타 자꾸 곰틀하다. 쓰꼼틀거리다. <굼틀거리다. 곰틀-곰틀 부. ——-하다 자타여불
곰틀-대다 자타 곰틀거리다.
곰:-파다 타 사물을 자세히 찾아 보고 따지다.
곰:팡 명〖식〗↗곰팡이.
곰:팡(이) 나다 구 곰팡이가 생기다.
곰:팡(이) 슬다 구 곰팡이가 널리 나 있다.
곰:팡(이) 피다 구 곰팡이가 많이 나다. ㊟곰피다.
곰:팡-내 명 ↗곰팡냄새. ¶～ 나다.
곰:팡-냄새 명 ①곰팡이에서 나는 냄새. ②시대에 아주 뒤떨어진 물건이나 행동·사상. ¶～ 나는 양반의 도덕. ㊟곰팡내.
곰:팡-스럽다 형ㅂ불 사람의 하는 짓이 괴상하고 궁벽스럽다. 곰:팡-스레 부
곰:팡-이 명〖식〗몸의 구조가 간단한 하등 균류(下等菌類)의 총칭. 동식물에 기생하며, 음습(陰濕)할 때 음식물·의복·기구 등에 남. 발육 기관은 무색의 균사(菌絲)로, 보통은 분열에 의해서 분생자(分生子)의 무성 포자(無性胞子)로 번식하는데, 때로는 유성 생식(有性生殖)도 함. 푸른곰팡이·털곰팡이·검은곰팡이 등의 여러 종류가 있음. ㊟곰팡·곰.
곰팡이-독【—毒】명 곰팡이가 식품·사료에 부착·번식하여 만들어 내는 독소. 사람과 가축이 섭취하면 중독을 일으킴. 간장독(肝臟毒) 아플라톡신(aflatoxin)이나 신경독(神經毒)·세포독(細胞毒) 등 종류가 많으며, 발암성인 것도 있음. 미코톡신(mycotoxin).
곰퍼:스〔Gompers, Samuel〕명〖사람〗미국의 노동 운동 지도자. 유태인(猶太人). 영국 런던에서 태어나, 1863년 미국 뉴욕으로 가서 담배 공장에서 일하며, 담배 직공 노동 조합을 결성하였음. 1886년 에이 에프 엘(AFL)을 조직, 이의 초대 회장을 지냄. 노사 협조(勞使協調)·직업별 조합·경제 투쟁주의를 주장함. [1850-1924]
곰퓌다 자〈옛〉곰팡 피다. ¶곰퓔 부(殕)《字會 下 12》.
곰:-피다 자 ↗곰팡(이) 피다.
곱[1] 명 종기·부스럼·헌데 같은 데의 아구리에 끼는 골마지 모양의 물질. ¶～똥.
곱[2] 명 ①↗곱쟁이. ②↗곱절. ¶6은 3의 ～이다. ③〖수〗둘 이상의 수(數) 또는 식(式)을 곱하여 얻은 수 값. 적(積). ↔몫. ——-하다 타여불
곱[3] 명〈옛〉기름. ¶곱 고(膏)《字會 中 25》.
곱:개 명〈방〉때때.
곱:개-옷 명〈방〉때때옷.
곱-걸다 자 ①두 번 겹치어 얽다. 두 겹으로 매다. ②노름에서, 돈을 태울 때 곱절을 걸다.
곱-걸리다 피동 겹치어 걸리다.
곱:게-곱게 부 매우 곱게. ¶～ 기른 딸.
곱고뢰다 자〈옛〉고부라지다. ¶과와 과실ㅅ가온디 곱고뢰오 얽놋다(曲綴瓜果中)《杜諺 XI:24》.
곱골외다 자〈옛〉고부라지다. ¶곱골외디 아니ᄒᆞ며(不曲戾)《妙蓮 VI:13》.
곱구자 명〈방〉치레.
곱기곰 명〈옛〉곱. 배(倍). ¶아ᄇᆡ나해서 곱기곰 사라《月釋 I:47》.
곱-꺾다 타 ①뼈마디를 꼬부리었다 폈다 하다. ②노래를 부를 때 그 꺾이는 목에 가서 소리를 낮추었다가 다시 돋우어 매우 부드럽게 불러 넘기다.
곱-꺾이 명 ①뼈마디를 오그리었다가 다시 폄. ②노래를 부를 때, 그 꺾이는 목에 가서 소리를 낮추었다가 다시 돋우어 부드럽게 불러 넘김.
곱-꺾이다 피동 곱꺾음을 당하다.
곱-끌 명 날이 곱은 끌.
곱-끼다 자 ①종기·부스럼에 곱이 생기다. ②↗곱살끼다.
곱-나들다 자 종기·부스럼이 자꾸 곪다.
곱-놓다[—노타] 타 ①노름에서 먼저 댄 돈의 곱을 다시 걸어 놓다. ②거듭 되풀이하다.
곱다[1] 자 이익을 보려다가 도리어 손해를 보다. ¶장사를 하려며는 곱기도 일수니라/짐을 바꾸면 자네는 선심 있는 사람 되구 나는 염의 없는 사람 되니 곱는 속 아닌가《洪命憙 : 林巨正》.
곱다[2] 타〈옛〉곱하다. 배(倍)하다. ¶倍는 고볼 씨라《月釋 I:48》.
곱다[3] 타〈옛〉꼽다. 손꼽다. 꼽아지다. ¶구버견ᄌᆞ 먹더니 數를 혜면 千萬이 고ᄇᆞ니이다《月釋 XXI:54》.
곱다[4] 형자 바르지 아니하고 고부라져 휘어 있다. 또, 한쪽으로 휘어지다. <굽다[3].
곱다[5] 형 ①손가락이나 발가락이 몹시 차서 감각이 없고 잘 움직여지지 아니하다. ②신것을 먹은 뒤에 이 뿌리가 저리고 시금시금하다.
곱:다[6] 형ㅂ불 ①겉 모양이 보기에 산뜻하고 아름답다. ¶곱게 단장한 색씨. ↔밉다. ②말이나 소리가 귀로 듣기에 맑고 부드럽다. ¶고운 목소리/오는 말이 고와야 가는 말도 ～. ③살결이나 피륙 같은 것의 바탕이 거칠지 아니하고 부드럽다. ④가루 같은 것이 굵지 아니하다. ¶가루를 곱게 치다. ⑤마음이 부드럽고 순하다. ¶고운 마음씨. ⑥편안하다. 지장 없다. ¶고이 잠들다. ⑦그대로 온전하다. ¶물건은 곱게 써야 한다/곱게 간직하여라.
[고와도 내 님 미워도 내 님] 좋으나 싫으나 한번 정(情)을 맺은 다음에야 더 말할 것이 없다는 뜻. [고운 사람 미운 데 없고 미운 사람 고운데 없다] 한번 좋게 보면 그 사람이 하는 일은 모두 옳게만 보이고, 한번 나쁘게 보면 그 사람이 하는 일은 무엇이나 다 궂게만 보인다는 말. [고운 일 하면 고운 밥 먹는다] 모든 일이 자기의 할 탓에 달렸다는 말. [고운 정 미운 정] 오래 사귀는 동안에 서로 뜻이 맞기도 하고 안 맞기도 하였으나, 그런 저런 고비를 잘 넘기고 깊이 든 정. [고운 털이 박히다] 남달리 곱게 여길 만한 점이 있다.
곱다라니 부 곱다랗게. ¶……자네의 젊음을 ～ 자네 자신이 늙히니……《朴花城 : 고개를 넘으면》.
곱다란-히 부 ☞곱다라니.
곱:다랗다[—라타] 형ㅎ불 ①매우 곱다. ②축나거나 변함이 없이 고대로 온전하다. ¶곱다랗게 간직하다. ㊟곱닿다.
곱:다래-지다 자 곱다랗게 되다.
곱:다시 부 곱다랗게.
곱:닿다[—다타] 형ㅎ불 ↗곱다랗다.
곱도숑 명〈옛〉꼭두서니. =곱두숑. ¶곱도숑 불휘(茜根)《救簡 III:28》.
곱-돌 명〖광〗납석(蠟石). ¶～솥.
곱돌 냄비[—램—] 명 곱돌을 깎아서 만든 냄비.
곱돌다 자〈옛〉곱아 돌다. 꼬불꼬불 휘돌다. ¶비오다가 개야아 눈 하디신나래 서린 석석사리 조븐 곱도신 길헤《樂詞 履霜曲》.
곱돌-솥 명 곱돌을 깎아서 만든 조그마한 솥.
곱돌조대 명〈옛〉곱돌을 깎아 만든 담뱃대. ¶곱돌조대 넌짓 들어《春香傳》.
곱돌 탕:관【—湯罐】명 곱돌을 깎아서 만든 약탕관(藥湯罐).
곱돌 화:로【—火爐】명 곱돌을 깎아서 만든 조그마한 화로.
곱-되다 자 사물의 수나 양이 배가 되다.
곱두숑 명〈옛〉꼭두서니. =곱도숑. ¶茜根 鄕名 古邑豆訟《月令 二月》.
곱드러-지다 자 걸음을 걷다가 남에게 걸어채이거나 무엇에 부딪치어 엎드러지다.
곱-들다 자 재료나 비용이 갑절 들다. 곱먹다.
곱-들이다 사동 재료나 비용을 갑절 들이다.
곱:디-곱다 형ㅂ불 곱고도 곱다. 아주 곱다. ¶곱디고운 살결.
곱-디디다 자 발을 접질리게 디디다.
곱-똥 명 곱이 섞여 나오는 똥. 점액(粘液)이 섞인 똥.
곱-먹다 ㊀타 곱절로 먹다. ㊁자 곱들다. ¶그것은 비용이 곱먹는다.
곱-바 명 지게의 짐을 얽는 긴 바.
곱-빼기 명 ①두 번 거듭하는 것. ②술·국수·떡국 같은 것의 두 잔 또는 두 그릇 몫을 한 그릇에 담은 분량.
곱뿌〔일 コップ, 포 copo〕명 유리·사기·오지 등으로 키를 높이 만든 잔의 총칭. *컵(cup).
곱사 명 ①↗곱사등. ②↗곱사등이.
곱사-등 명 등뼈가 굽고 큰 혹과 같은 뼈가 불쑥 나온 등. 타배(駝背). ㊟곱사.
곱사-등이 명 등뼈가 굽고 등에 큰 혹과 같은 뼈가 불쑥 나온 사람. 곱추. 구배(傴背). 구루(佝僂). 누배(僂背). 척이(戚施). 타배(駝背). 웅질(癰疾). ㊟곱사.
[곱사등이 짐 지나 마나] 일을 해도 하지 아니하는 것이나 다름 없음을 이르는 말.
곱사등이-춤 명 남을 웃기기 위해 곱사등이처럼 등에 바가지·베개 따위를 넣고 익살스럽게 추는 춤. ㊟곱사춤.
곱사-병【—病】[—뼝] 명 구루병(佝僂病).
곱사-송어【—松魚】명〖어〗[*Oncorhynchus gorbuscha*] 연어과에 속하는 바닷물고기. 연어와 비슷하나 몸이 훨씬 작고 배부(背部)가 뚜렷이 융기함. 체측에 흰 띠가 있으며, 기름지느러미와 꼬리지느러미 등에 흑점이 있음. 산란기에는 하천 상류에 올라감. 한국 동해 북부·일본 홋카이도·사할린·쿠릴·캄차카·알래스카 및 북미 서해안·시베리아 연해 등에 널리 분포함.

〈곱사송어〉

곱-사위 명〖민〗겹사위.
곱사-춤 명 ↗곱사등이춤.
곱:살-끼다 자 몹시 보채다. ¶어린애가 아파서 ～. ㊟곱끼다.
곱:살-스럽다 형ㅂ불 곱살한 느낌이 있다. ¶말씨가 곱살스러워지다. 곱:살-스레 부
곱:살-하다 형여불 얼굴이나 성미가 예쁘고 곱다. ¶곱살한 소녀.
곱-삶다[—삼따] 타 ①두 번 삶다. ②〈방〉곱놓다. ¶그 동안에 몇십 번이나 곱삶았을 듯한 정말(丁抹)의 시찰담《沈熏 : 常綠樹》.
곱-삶이[—살미] 명 ①두 번 삶아 짓는 밥. ②꽁보리밥. ¶처음에는 ～ 주먹밥을 얻어 먹고 갑자기 체하여 곽란이 난 줄 알았다《劉賢鍾 : 들꽃》.
곱-상어 명〖어〗[*Squalus suckleyi*] 곱상어과에 속하는 바닷물고기. 몸길이 1.5m 가량의 상어로, 머리는 측편(側扁)하고 제1·제2 등지느러미 앞 끝에 센 가시가 하나씩 있으며 주둥이는 비교적 짧음. 몸빛은 청회색, 흰 점이 세로줄 모양으로 등 쪽에 있음. 북태평양에서 많이 산출되는데, 한국 전연해와 일본·미국 서해안 일대에 분포함. 태생어(胎生魚)로 한번에 열두서너 마리씩 낳음. 식용 및 제유(製油)의 원료로 씀. 기름상어. 점돔발상어.

〈곱상어〉

곱상어-과【—科】[—꽈] 명〖어〗[Squalidae] 곱상어목(目)에 속하는 상어 무리의 한 과. 곱상어·돔발상어·가시줄상어 등이 있는데, 등지느러미의 앞 끝에 한 개의 가시가 있는 것이 특징임.
곱상어-목【—目】명〖어〗[Squalida] 판새류(板鰓類)의 한 목(目). 곱상

어과·톱상어과·전자리상어과 등이 이에 속하는데, 뒷지느러미가 없고 등지느러미에 가시가 있는 것이 많고 아가미구멍은 가슴지느러미 앞에 있는 점이 특색임.

곱새[1] 명 〈방〉 용마름.

곱:새[2] 명 〈방〉 곱사등이(경기·강원·충남·전북·경상·제주).

곱-새기다 타 ①잘못 생각하다. ②해석을 그릇되게 하다. 곡해(曲解)하다. ③고깝게 여기다. ④거듭 생각하다.

곱새-치기 명 ①돈을 곱걸어 하는 노름. ②노름판에서 돈을 곱거는 행위. ——-하다 타여불

곱색 명 〖광〗 황화광(黃化鑛)이 산화(酸化)하여 괴분상(塊粉狀)으로 된 적색 광맥(赤色鑛脈).

곱생-이 명 〈방〉 곱사등이(강원).

곱-생초 명 〈방〉 곡생초(曲生綃).

곱-셈 명 〖수〗 어떤 수를 몇 곱으로 계산하는 산법(算法). 승산(乘算). ↔나눗셈. ——-하다 타여불

곱셈 기호 【一記號】 명 〖수〗 곱셈표.

곱셈-법 【一法】 [一뻡] 명 〖수〗 곱셈의 셈법. ↔나눗셈법.

곱셈에 대한 역원 【一對一逆元】 명 〖수〗 수의 집합에서, 임의(任意)의 원소(元素) a에 대하여 다른 원소 x를 곱하면 $a \times x = 1$과 같이 곱셈에 대한 항등원(恒等元) 1이 될 때, 원소 x를 수의 집합에서의 곱셈에 대한 a의 역원이라고 함.

곱셈에 대한 항:등원 【一對一恒等元】 명 〖수〗 수의 집합 N에서, N의 임의(任意)의 원소(元素) a에 곱하여 그 곱이 a자신이 되는 원소를 그 집합 N에 있어서의 곱셈에 대한 항등원이라 함.

곱셈의 결합 법칙 【一結合法則】 [一/一에一] 명 〖수〗 임의의 수(數) a, b, c에 대하여 $(a \times b) \times c = a \times (b \times c)$가 성립하는 법칙.

곱셈-표 【一標】 명 〖수〗 곱하기의 기호. '×'의 이름. 곱셈 기호. 승표(乘標). ↔나눗셈표.

곱-소리 명 코끼리의 꼬리 털. 가늘고 부드러우며, 망건(網巾)·탕건(宕巾)을 떠서 만드는 데 씀. ㊟곱솔.

곱-솔[1] 명 박이옷을 지을 때, 한번 꺾어서 호고, 그 뒤를 베어 버리고 또 접어서 박는 일.

곱솔[2] 명 ↗곱소리.

곱송-거리다 타 ☞곱송그리다. ¶임승재도 연거푸 내리시는 술잔에 곱송거리는 마음이 차츰차츰 풀어지기 시작한다《朴鍾和 : 錦衫의 피》.

곱송-그리다 타 놀라거나 겁이 나서 몸을 움츠리다. ¶어느 짐승이나 독수리나 해하고자 할 때에 몸을 곱송그려서 밤송이같이 하고…《김필수 : 경세종》.

곱쇠 명 〈방〉 ①곡철(曲鐵)❶. ②곡정(曲釘). ③다리쇠.

곱-수 【一數】 명 ①배수(倍數). ②승수(乘數). ↔곱하임수.

곱수-머리 명 ☞고수머리.

곱숭-그리다 타 〈방〉 곱송그리다.

곱슬곱슬-하다 형여불 털이나 실 같은 것이 길차지 아니하고 옴츠러들어서 고불고불하다. <굽슬굽슬하다.

곱슬-머리 명 고수머리.

[곱슬머리 옥니박이하고는 말도 말랬다] 곱슬머리인 사람과 옥니박이인 사람은 흔히 인색하고 각박(刻薄)하다 하여 이르는 말.

곱실 부 남에게 아첨하는 뜻으로 머리와 허리를 숙이는 모양. ㅆ꼽실. <굽실. ——-하다 자타여불

곱실-거리다 자타 남에게 아첨하느라고 연하여 머리와 허리를 숙이다. ㅆ꼽실거리다. <굽실거리다. **곱실-곱실** 부. ——-하다 자타여불

곱실-대다 자타 곱실거리다.

곱싸 명 〈방〉 곱사등이(경기·강원·충북·전북·경상).

곱싸둥-이 명 〈방〉 곱사등이(경기).

곱싸등-이 명 〈방〉 곱사등이(강원·경북).

곱싸딩-이 명 〈방〉 곱사등이(경북).

곱쌍 명 〈방〉 곱사등이(충북).

곱쌔둥-이 명 〈방〉 곱사등이(경기·경남).

곱쌔등 명 〈방〉 곱사등이(경남).

곱쌔등-이 명 〈방〉 곱사등이(경기·경남).

곱-써레 명 〖농〗 갈아 놓은 논밭을 가로 한번 다시 더 써는 일.

곱-써리 명 〈방〉 곱써레.

곱-씹다 타 ①한 말을 거듭 말하다. ¶지금쯤 어디서 옛일을 곱씹어 이야기해 가며…《安壽吉 : 제 2 의 청춘》. ②다짐받듯 묻다.

곱은-성 【一城】 명 곡성(曲城).

곱은-옥 【一玉】 명 〖고고학〗 옛 장신구(裝身具)의 하나. 뼈·옥·마노(瑪瑙)·수정(水晶)·유리·비취·찰흙 등을 재료로 하여 크기 1-10 cm의 반달꼴로 만들고, 구멍을 뚫은 다음 끈을 꿰어 목걸이·가슴걸이 등으로 쓰이었음. 곡옥(曲玉). 구옥(勾玉).

곱은-창자 명 〈방〉 곱창.

곱이-곱이 부 물이 굽이쳐 흐르는 모양. <굽이굽이.

곱이-치다 자 굼틀거리어 곱이가 나게 되다. <굽이치다.

곱자 명 'ㄱ 자 모양으로 90도 각도로 만든 자. 나무나 쇠로 만듦. 곡척(曲尺). 구척(矩尺). 기역자자. ㄱ자자.

곱작 부 황송하여 상대방 앞에 머리를 숙이고 몸을 굽히는 모양. ㅆ꼽작. <굽적. ——-하다 자타여불

곱작-거리다 자타 황송하여 상대방 앞에 연하여 머리를 숙이고 몸을 굽히다. ㅆ꼽작거리다. <굽적거리다. **곱작-곱작** 부. ——-하다 자타여불

곱작-대다 자타 곱작거리다.

곱-잡다 타 곱절로 셈하여 헤아리다. ¶비용을 ~.

곱장-다리 명 무릎뼈는 밖을 향해 벌어지고 정강이는 안을 향해 휜 다리.

곱장-선 【一扇】 명 〈방〉 꼽장선.

곱장-쇠 명 〈방〉 다리쇠.

곱장이 명 〈방〉 곱쟁이.

곱쟁이 명 곱절되는 수량(數量). ㊟곱.

곱쟁이-씌우다 [一씨一] 타 술실을 이등분하여 목로에 얽어놓다.

곱절 ㊀명부 같은 물건의 수량을 몇 번이나 되짚어 합침. 또, 그 셈. ㊁의명 배(倍)의 수를 세는 말. ¶두 ~/열 ~/몇 ~. ㊟곱. *갑절. ——-하다 타여불

곱-존장 【一尊長】 명 웃어른의 웃어른.

곱-질리다 자타 〈방〉 접질리다.

곱-집다 타 〈방〉 곱치다.

곱-집합 【一集合】 명 〖수〗 집합 A의 원소(元素) a와 B의 원소 b로 만들어지는 순서쌍(a, b)의 전체로 이루어진 집합. 적집합(積集合). 직적(直積).

곱-창 명 소의 소장(小腸).

곱-채다 타 〈방〉 되풀이하다(평북). ¶힘있게 곱채는 진가의 눈에는 불빛이 번쩍하고 빛난다《桂鎔默 : 蜃氣樓》.

곱치 명 〖어〗 점이 박힌 상어. 아가리 밑에 뿔 같은 것이 달려 있음.

곱-치다 타 ①반(半)으로 접어 한데 합치다. ②곱절을 하다. ¶값을 곱쳐 드릴 테니 파시오. 1)·2):ㅆ꼽치다.

곱패 명 〈방〉 글피(전남·경남).

곱-하기 명 〖수〗 곱하는 일. 승(乘). ↔나누기.

곱-하다 타여불 곱절을 하다. ¶2에 3을 ~.

곱하임-수 【一數】 [一쑤] 명 〖수〗 피승수(被乘數). ↔곱수.

곱한치 장연 【一長椽】 명 〖토〗 물매를, 한 자에 대하여 한 자 한 치 높이의 비율(比率)로 한 서까래.

곱-향나무 【一香一】 명 〖식〗 [*Juniperus sibirica*] 향나뭇과에 속하는 상록 침엽 관목. 땅 위로 뻗어 자라는데 잎은 선형(線形)이고, 세 잎이 윤생(輪生)함. 꽃은 자웅 이가(雌雄異家)로, 수꽃이삭은 달걀꼴이고 암꽃이삭은 구형(球形)이며 5월에 피고, 구과(毬果)는 장질(漿質)인데, 다음해 10월에 익음. 산에 나는데 백두산 및 일본·사할린·만주·시베리아·북미(北美) 등지에 분포함. 관상용으로 심음.

곱다 형 〈옛〉 곱다[6]. ¶누네 고ᄫᆞᆫ 것 보고져 ᄒᆞ면《月釋 I:32》.

곳[1] 명 공간(空間)의 어느 점이나 부분. 데. ¶이~ 저~/조용한 ~

곳[2] 명 〈옛·방〉 꽃(평북). =곶[1]. ¶곳 화(花)《字會 下 4》.

곳[3] 명 〈옛〉 꼬치. =곶[2]. ¶ᄒᆞᆫ 곳(一串)《語錄 11》.

곳[4] 【員】 명 〈이두〉 논배미.

곳[5] 【庫·莊·廳·庫叱】 명 〈이두〉 곳[1].

곳[6] 부 〈옛〉 곧. 즉(卽). ¶(곳卽)《野雲 67》.

곳[7] 【只遺·直亦】 부 〈이두〉 곧. 바로. 즉시(卽時).

곳[8] 조 〈옛〉 만. 곧. 강세(強勢)의 조사. =봇[3]·봇. ¶密因곳 아니면 나타나디 아니ᄒᆞ리며(非密因不顯)《楞嚴 I:80》.

곳간 【庫間】 명 물건을 간직하여 두는 곳. 곳집. 고(庫). 창부(倉府). 창고(倉庫).

곳간-차 【庫間車】 명 〈속〉 유개 화차(有蓋貨車).

곳갈 명 〈옛〉 고깔. =곧갈. ¶곳갈 관(冠), 곳갈 면(冕), 곳갈 건(巾)《字會 中 22》 /紗 곳가리 조코(紗帽淨)《杜諺 XX:7》.

곳-게 명 〈방〉 〖동〗 꽃게.

곳겨집 명 〈옛〉 꽃계집. 첩(妾). ¶곳겨지븨 그에 자븐 것 만히 보내더니(賂遺外妻甚厚)《三綱 烈女 女宗知禮》.

곳고리 명 〈옛〉 꾀꼬리. =곳고리새. ¶宮殿에 곳고리ᄂᆞᆫ 보ᄆᆡ 우로ᄆᆞᆯ 몯 놋다(宮鶯罷囀春)《杜諺 XXIII:5》/곳고리 잉(鸎)《字會 上 17》.

곳고리새 명 〈옛〉 꾀꼬리. =곳고리·곳고릐. ¶四月 아니 니지 아으 오실셔 곳고리새여《樂範 動動》.

곳고릐 〈옛〉 꾀꼬리의. '곳고리'의 소유격형. ¶곧 곳고릐 말로 ᄒᆡ여(便教鶯語)《杜諺 X:7》.

곳고ᄉᆞ다 형 〈옛〉 고소하다. 향기롭다. =고ᄉᆞ다. ¶곳고ᄉᆞᆫ 벼ᄂᆞᆫ 鸚鵡ᄋᆡ 딕먹던 ᄡᆞᆯ나치 나ᄆᆡᆺ고(香稻啄餘鸚鵡粒)《杜諺 VI:10》.

곳고의 명 〈옛〉 꽃받침. ¶곳고의 악(蕚), 곳고의 부(柎)《字會 下 6》.

곳-곳[1] 명 서로 떨어져 있는 여러 군데. 이 곳 저 곳. 여기저기. 군데군데. 골골샅샅. 처처(處處). ¶~에서 난동을 부리다.

곳곳[2] 【庫庫】 명 〈이두〉 곳곳.

곳곳-이 부 곳곳마다. ¶시내 ~ 물난리다.

곳과 【庫果·廳果】 〈이두〉 곳과.

곳광이 명 〈옛〉 곡괭이. ¶곳광이(尖钁頭)《漢淸文鑑 X:37》.

곳구모 명 〈옛〉 콧구멍. =곳구무. ¶곳구모(鼻孔中)《救簡 I:48》.

곳구무 명 〈옛〉 콧구멍. ¶또 두 곳구무와 항문에 부러 녀코(又吹入兩鼻孔中及下部中)《救簡 I:45》.

곳나모 명 〈옛〉 꽃나무. ¶곳나모 가지마다 간ᄃᆡ족족 안니다가 향ᄆᆞ틴 ᄂᆞᆯ애로 님의 오ᄉᆡ 올므리라《松江 思美人曲》.

곳-남세니 명 〈방〉 샛서방(평안).

곳닢 명 〈옛〉 꽃잎. ¶곳니플(華葉)《楞嚴 VII:12》.

곳다 타 〈옛〉 꽂다. ¶곳츨 곳고(揷花)《朴解 上 5》.

곳다림 명 〈옛〉 꽃달임. ¶곳다림 모ᄅᆡ ᄒᆞ고 降神으란 글픠 ᄒᆞ리 《古時調 金裕器》.

곳답다 형 〈옛〉 꽃답다. ¶곳다올 향(香)《字會 下 13》/시ᄅᆞᆯ 니ᅀᅥ 곳다온 낛바ᄇᆞᆯ 드리우고(接縷垂芳餌)《杜諺 X:6》.

곳동 명 〈옛〉 꽃대. ¶千葉은 곳동앳 니피 즈므니라《釋譜 XI:2》.

곳들 【庫等】 명 〈이두〉 곳들.

곳ᄃᆞᆡ 명 〈옛〉 꽃대. ¶곳ᄃᆞᆡ(花蒂)《漢淸文鑑 XIII:45》.

곳믈 명 〈옛〉 콧물. ¶곳믈 톄(涕), 곳믈 농(齈)《字會 上 29》.

곳ᄆᆞᄅᆞ 명 〈옛〉 콧마루. ¶곳ᄆᆞᄅᆞ 쥰(準)《字會 上 26》.

곳ᄆᆞᆯ리 〈옛〉 콧마루가. '곳ᄆᆞᄅᆞ'의 주격형(主格形). ¶곳ᄆᆞᆯ리 놉고 두렵고《月釋 II:56》.

곳봉으리 명 〈옛〉 꽃봉오리. ¶곳봉으리 파(葩)《字會 下 4》.

곳부리 명 〈옛〉 꽃부리. ¶ 곳부리 영(英)《字會 下 4》/고온 곳부리는 븕도다(娟娟花蘂紅)《杜諺 XXI:15》. 「I:51》.

곳불휘 명 〈옛〉 꽃뿌리. ¶ 몰애옌 곳불휘 것거뎻도다(沙折花當)《杜諺

곳블 명 〈옛〉 고뿔. 감기(感氣). ¶ 곳블ᄒᆞ다(傷風)《漢清文鑑 Ⅷ:2》.

곳비 명 〈옛〉 꽃비. 하늘에서 비오듯 내리는 꽃. ¶ 노ᄑᆞ며 ᄂᆞᆺ가ᄫᆞᆫ디 업스며 곳비 오며《月釋 Ⅱ:33》.

곳숨 명 〈옛〉 콧숨. ¶ 곳수믄 나믜 드로매(鼻息出入)《妙蓮 Ⅵ:26》.

곳:-스럽다 형 〈방〉 예스럽다.

곳아해 【庫叱良中·庫良中·廳良中】 〈이두〉 곳에.

곳어름 명 〈옛〉 고드름. ¶ 곳어름(簷凌)《漢清文鑑 Ⅰ:14》.

곳여의 명 〈옛〉 꽃술. =곳여희. ¶ 곳여의는 버릐 입거우제 오ᄅᆞᄂᆞ다(花蘂上蜂鬚)《重杜諺 Ⅲ:27》.

곳여히 명 〈옛〉 꽃술. =곳여의. ¶ 곳여히(花心)《漢清文鑑 Ⅹ:44》.

곳으로 【庫以】 〈이두〉 곳으로.

곳을 【庫乙·乭·庫叱乙·㐥乙·廳乙】 〈이두〉 곳을.

곳을쓰아 【庫乙用良】 〈이두〉 곳은. '곳'의 강조된 목적격.

곳-집 【庫—】 명 ①재물이나 화물(貨物)을 넣어 두는 집. 곳간. 고사(庫舍). 창(倉). 창고(倉庫). 창름(倉廩). 부고(府庫). ②상여집. 「曲》.

곳초 부 〈옛〉 곧추. ¶ 啓明星 돗도록 곳초안자 ᄇᆞ라보니《松江 關東別

곳초다 타 〈옛〉 곧추세우다. =고초다. ¶ 五江 城隍之神과 南海 龍王之神께 손 곳초와 告祀ᄒᆞᆯ 쎄《古時調 李鼎輔》. 「關東別曲》.

곳초앉다 자 〈옛〉 곧추앉다. ¶ 啓明星 돗도록 곳초안자 ᄇᆞ라보니《松江

곳한 【處干】 명 〈이두〉 소작인.

공:[1] 명 ①가죽이나 고무 같은 것으로 둥글게 만들어 그 안에 바람을 넣고 던지거나, 차거나, 치거나 하는 운동 기구. 구(球). 볼(ball). ②〖수〗 구(球)❷. ③당구할 때에 쓰는 상아(象牙)로 만든 알.

공[2] 【工】 명 ↗공업(工業).

공[3] 【公】 명 ①여러 사람에게 관계되는, 국가나 사회의 일. ¶ ~과 사(私)를 구별하다. ↔사(私). ②↗공작(公爵).
[공에도 사(私)가 있다] 공적(公的)인 일에도 개인의 사정을 보아 줄 때가 있는데, 어찌 사사로운 일에 남의 사정을 조금도 보아 주지 않느냐고 할 때 이르는 말. [공은 공이고 사(私)는 사다] 공적인 일과 사적인 일은 분명히 구별해야 한다는 말. 공공 사사(公公私私). 「뿐임.

공[4] 【公】 명 성(姓)의 하나. 현재 우리 나라에는 본관이 김포(金浦) 하나

공:[5] 【孔】 명 성(姓)의 하나. 본관이 곡부(曲阜) 하나뿐임.

공[6] 【功】 명 ①↗공로(功勞). ¶ ~을 세우다. ②↗공력(功力).
공(을) 닦다 구 뜻한 일을 이루기 위해 정성을 기울이다. 공(을) 쌓다.
공(을) 쌓다 구 공(을) 닦다.

공[7] 【功】 명 성(姓)의 하나. 우리 나라에는 현존하지 아니함.

공[8] 【空】 ㊀명 ①속이 텅 빈 것. 아무 것도 없는 것. ¶ ~가교(駕轎). ②사실(事實)이 아닌 것. ③영(零). ④아라비아 숫자 '0'의 이름. ¶ ~~칠(007). ⑤대가(代價)가 없는 것. 도로(徒勞)에 그치는 일. ¶ ~으로 일을 하다/그 책을 친구한테서 ~으로 얻었다. ⑥쓸데없음. ⑦〖불교〗 중생(衆生)이나 제법(諸法)이 모두 인연(因緣)으로 말미암아 임시적으로 화합(和合)하여 된 것이므로 따로 불변(不變)의 실체가 없음. ¶~사상(思想)/법(法)~. ＊공하다. ㊁수 소수(小數)의 단위(單位)의 하나. 허(虛)의 억분(億分)의 일, 청(淸)의 억(億) 배, 곧 10^{-112}. ＊허공(虛空).

공[9] 【空】 명 성(姓)의 하나. 우리 나라에는 현존하지 아니함.

공:[10] 【貢】 명 〖역〗 ①↗공상(貢上). ②↗공물(貢物). ③↗공납(貢納). ——-하다 타 여불

공:[11] 【貢】 명 성(姓)의 하나. 우리 나라에는 현존하지 아니함.

공[12] 【恭】 명 성(姓)의 하나. 우리 나라에는 현존하지 아니함.

공[13] 【龔】 명 성(姓)의 하나. 우리 나라에는 현존하지 아니함.

공[14] 〔gong〕 명 ①〖악〗 징. 바라. ②(권투에서) 경기 시간을 알리는 종. ¶ ~이 울리다.

공[15] 【公】 인대 〈아〉 ①당신. ②남자 삼인칭(三人稱)의 공대말.

공- 【空】 두 힘이나 돈을 들이지 아니함의 뜻. ¶ ~돈.

-공[1] 【工】 미 명사 아래 붙어서, 그 일에 종사하는 직공 또는 그 일을 업으로 삼는 사람임을 나타내는 말. ¶ 인쇄~/숙련~.

-공[2] 【公】 미 ① 〈아〉성(姓)이나 시호(諡號)·관작(官爵) 밑에 붙이어서 존대하는 말. ¶ 김(金)~/충무(忠武)~. ②공작의 작위를 받은 사람의 성씨나 이름 밑에 붙이어 부르는 말. ¶ 윈저~/에딘버러~.

-공[3] 어미 〈옛〉 -고. ¶ 이리공 뎌리공 ᄒᆞ야셔 나즈란 디내와손뎌《樂詞 青山別曲》.

공가[1] 【工價】 [—까] 명 공전(工錢).

공가[2] 【公家】 명 〖불교〗 중이 절을 일컫는 말.

공가[3] 【公暇】 명 ①공무의 겨를. ②공무원에게 공식으로 인정되어 있는 휴가. 「亭). 빈집.

공가[4] 【空家】 명 아무도 살지 아니하는 빈집. 구정(丘

공가[5] 【空假】 명 〖불교〗 공제(空諦)와 가제(假諦).

공가[6] 【拱架】 명 〖건〗 아치(arch)를 만들 때, 버티기 위하여 사용하는 가구(架構).

〈공가⁶〉

공:가[7] 【貢價】 [—까] 명 공물(貢物)의 값.

공-가교 【空駕轎】 명 〖역〗 임금이 탄 정가교(正駕轎)보다 앞서 가는 빈 가교. ↔정가교. ＊가교·연(輦).

공가 보:험 【空家保險】 명 임대(賃貸)하여야 할 가옥을 임차(賃借)하는 사람이 없을 때, 그로 인해서 생기는 가주(家主)의 손해를 전보(塡補)하기 위한 보험.

공-가-중 【空假中】 명 〖불교〗 진리 파악(眞理把握)의 세 단계. 곧 우주의 모든 사물은 일체 빈 것이라고 하는 공제(空諦), 모든 것은 전부 인연에 의하여 거짓 화합(和合)하였다는 가제(假諦), 빈 것도 아니요 거짓도 아니라는 중제(中諦)의 삼제(三諦).

공각 【空殼】 명 곡식이나 열매의 빈 껍질이나, 조개의 빈 껍데기.

공:각-수 【恐角獸】 명 [dinoceras] 〖동〗 포유류(哺乳類) 공각수류(恐角獸類)를 대표하는 초식수(草食獸). 시신세(始新世)에 존재했던 것으로 절멸된 지 오랜데, 크기는 코끼리만하고 모양도 비슷하나 꼬리가 짧고 엄니가 없으며, 머리에 세 쌍의 뿔을 가지고 있었음.

공간[1] 【公刊】 명 공적(公的)으로 발간(發刊)함. ——-하다 타 여불

공간[2] 【公幹】 명 공사(公事)❶.

공간[3] 【功幹】 명 재간(才幹).

공간[4] 【空間】 명 ①물체가 점유하지 아니하는 곳. 모든 방향으로 끝없이 널리 퍼져 있는 빈 곳. ②건물의 쓰지 않는 빈 칸. ③〖철〗 시간과 더불어 물체계(物體界)를 이루는 기초적인 개념. 물체의 모든 내용물을 제거한 뒤에 남는 자리. 이것을 실재적(實在的)이라고 생각하면 실재론 또는 유물론(唯物論), 이에 반하여 칸트처럼 직관 형식(直觀形式)이라고 생각하면 관념론의 입장에 섬. ↔시간(時間). ④〖심〗 감각의 질(質)이나 강도(強度)를 떠나 생각한 물체의 위치·방향·크기를 동시에 이루는 연관(聯關). ＊공간 지각. ⑤〖물〗 실재성(實在性)을 갖게 할 수 있는 공간. 고전 역학에서는 3차원의 유클리드 공간을 사용하였는데, 상대성 이론에 의해서 공간은 시간을 포함하여 정의되어야 함이 밝혀지자 4차원 리만(Riemann) 공간이 도입(導入)되었음. ＊시공 세계(時空世界). ⑥〖수〗 기하학에서 n개(個)의 독립된 좌표(座標)로 결정되는 양(量)의 집합. 비(非)유클리드 공간·리만 공간·벡터(vector) 공간·함 ㄴ수 공간 같은 것.

공간[5] 【空簡】 명 선물이 딸리지 아니한 편지.

공:간[6] 【槓杆】 명 지렛대.

공간-각 【空間覺】 명 〖심〗 공간 지각(知覺).

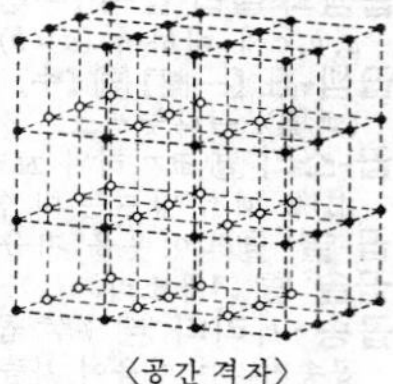
〈공간 격자〉

공간 개:념 【空間概念】 명 〖심〗 공간 지각(空間知覺)을 통하여 얻은 개념(概念). ↔시간 개념(時間概念).

공간 격자 【空間格子】 명 〔space lattice〕 〖물·화〗 공간 안에 규칙적으로 배열된 점계(點系)가 형성하는 그물 눈 모양의 격자. 결정(結晶)의 내부 구조를 연구하는 데 많은 도움이 됨.

공간 곡선 【空間曲線】 명 〖수〗 3차원 공간 안에 있어 한 평면 속에 포함되지 않은 곡선. 원 이외의 구면(球面) 곡선·나선(螺旋) 곡선 등.

공간 구성 【空間構成】 명 시각(視覺)·촉각(觸角) 따위의 공간 감각으로, 예술적으로 구성하는 일. 또, 그 작품. 조형 미술(造形美術)의 회화(繪畫)·염직(染織)·모자이크·조각(彫刻)·공예(工藝) 등이 있음.

공간-군 【空間群】 명 〔space group〕 〖물·화〗 공간 격자의 각 격자점의 위치를 변환하여 다시 원래의 공간 격자와 완전히 중합(重合)되는 기하학적 조작(幾何學的操作)을 요소로 하는 군(群).

공간 기하학 【空間幾何學】 명 〔space geometry〕 〖수〗 3차원의 공간에 있어서의 일반 도형을 연구하는 기하학의 한 부문. 입체 기하학(立體幾何學). ↔평면 기하학(平面幾何學).

공간 도시 【空間都市】 명 인공 지반(人工地盤) 위에 세워진 도시.

공간 도형 【空間圖形】 명 〔space figure〕 〖수〗 공간 내에 있어서의 각종 도형. 입체(立體) 도형.

공간 링크 장치 【空間—裝置】 〔link〕 명 3차원적인 공간 운동을 하는 연동(連動) 장치. 핀의 축선(軸線)이 일점에 모여 링크의 운동을 구면상(球面上)의 운동으로 하여 해석적(解析的)으로 취급할 수 있는 구면 링크 장치. 특히 중심각 90도의 링크 세 개로 된 것이 실용됨. 전차(電車) 내의 천장에 장치한 선풍기의 회전 기구(機構)는 그 응용예(應用例)임. 입체 링크 장치.

공간-미 【空間美】 명 〖예〗 공간적(空間的)으로 나타난 예술품, 곧 조각(彫刻)·건축(建築) 등의 미. ↔시간미(時間美).

공간-보 【空間—】 [—뽀] 명 〈방〉 〖건〗 공보.

공간 사:각형 【空間四角形】 명 〖수〗 동일 평면상에 있지 아니한 네 개의 점을 순차(順次)로 이어, 그 네 개의 선분에 의하여 만들어진 사각형.

공간-색 【空間色】 명 〖심〗 투명 유리 그릇 안의 착색 액체 등을 통하여 그 뒤에 있는 대상을 볼 때, 보이는 곳의 일정한 공간을 삼차원적(三次元的)으로 보이게 하는 색.

공간-성 【空間性】 [—썽] 명 공간으로서의 특성.

공간 속도 【空間速度】 명 〖천〗 항성 공간(恒星空間)에 대한 천체의 속도.

공간-역 【空間閾】 [—녁] 명 〖심〗 감각 기관에 동시에 주어진 두 개의 자극을 각각 두 점에서 판연히 분별하여 느낄 수 있는 최소 거리. 혀끝과 손가락 끝에서는 1-2mm, 등에서는 6-8mm 가량임.

공간 예:술 【空間藝術】 [—네—] 명 〖미술〗 물질적 소재(物質的素材)를 써서 일정한 공간을 구성함으로써 형상화(形象化)되는 예술. 조각·건축 같은 것. 조형 예술(造形藝術). ↔시간 예술.

공간 오:차 【空間誤差】 명 〖심〗 어떤 장소에서 자극을 주었는가 하는 공간적 배치에 따라 일어나는 관찰의 오차.

공간 운:동 【空間運動】 명 〔space motion〕 〖천〗 우주(宇宙) 공간 안에서의 천체의 운동.

공간 음악 【空間音樂】 명 〔도 Raummusik〕 〖악〗 전위 음악(前衛音樂)의 하나. 악기군(樂器群)을 공간적으로 다른 위치에 배치하여, 음(音)의 지향성(指向性)의 차이, 템포와 리듬의 다차원성(多次元性), 음향의 우연적 결합을 의도하여, 음향의 동적인 면(面)을 추구함. 독일의 작곡가 슈톡하우젠이 창시함.

공간 이음 【空間—】 명 〖건〗 기둥이나 받침한 곳과 떨어져 있는 부분에서 나무를 잇는 방식의 하나.

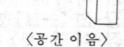

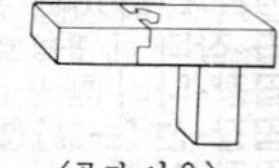
〈공간 이음〉

공간-적 【空間的】 명관 상하·전후·좌우로 퍼져 있는

모양. 또, 환경과 지역에 관계되는 모양.

공간 적변【空間赤變】명〖천〗①먼 곳의 별빛이 스펙트럼형에서 생각되는 색보다 더 붉게 보이는 현상. ②은하(銀河)의 스펙트럼선이 본래의 파장보다도 붉은 쪽으로 처져 있는 현상. 적색 편기(赤色偏倚).

공간-전【公墾田】명 관청에서 식량·임금을 지급하여 개간한 관유전(官有田).

공간 전:하【空間電荷】명〖물〗공간에 분포되어 있는, 전기를 띤 미립자 또는 전자. 특히, 전자관(電子管)·방전관(放電管) 속의 전자군(電子群) 또는 이온군(ion群)의 플러스 및 마이너스의 전하를 말함.

공간 전:하 효:과【空間電荷效果】명〔space-charge effect〕〖전〗전자관(電子管)의 양극(陽極) 전류가 공간 전하에 의하여 제한받는 현상.

공간 좌:표【空間座標】명〔space coordinates〕〖수〗삼차원(三次元) 유클리드 공간의 점(點)에 대한 좌표의 총칭. 공간 직교(直交) 좌표·공간의 극좌표(極座標)·원기둥 좌표·곡선(曲線) 좌표 등이 있음.

공간 지각【空間知覺】명〖심〗환경(環境)의 공간적 관계를 지각하는 능력. 시각·청각·촉각의 공동 작용(共同作用)에 의하여 이루어지며, 물건의 방향·위치·크기·모양·거리 등이 대상이 됨. 공간각(空間覺). *시공간(視空間)·시간 지각.

공간-파【空間波】명〖물〗송신(送信) 안테나로부터 발사(發射)되어 대기층 상공의 전리층(電離層)과 지표면(地表面)과의 사이를 반사(反射)하면서 전파(傳播)되는 전파(電波).

공간-포【空間包】명〖건〗다포(多包)집에서 기둥과 기둥 사이의 공간에 받친 공포(貢包). 「는 표상.

공간 표상【空間表象】명〖심〗주로 시각과 청각의 작용으로 이루어지

공간 학습【空間學習】명〖심〗환경에 있어서의 여러 점의 위치 관계에 관한 학습. 동물이 미로(迷路) 안에서 먹이에 도달하기 위하여 필요로 하는 여러 가지 반응 계열을 학습하는 것 등.

공갈[1]【空竭】명 헛되이 다함. 궁핍(窮乏)함. ——-하다 자여불

공:갈[2]【恐喝】명 ①을러서 무섭게 함. ②〖법〗타인(他人)에게 협박을 가하여 재물(財物)의 교부(交付)를 받거나 또는 재산상의 불법 이익(不法利益)을 얻는 일. 꼭 언행으로 명시할 필요 없이, 자기의 성행(性行)·경력(經歷)·직업상의 불법한 권위 등을 이용하는 것만으로도 성립됨. ③〈속〉거짓말. ——-하다 타여불

공:갈(을) 놓다 구〈속〉공갈하다.

공:갈(을) 때리다 구〈속〉공갈하다.

공:갈(을) 치다 구〈속〉공갈하다.

공:갈-빵【恐喝—】명〈속〉속이 텅 비고 겉만 부풀게 구운 중국식 빵.

공:갈-장【恐喝狀】[—짱] 명 남을 공갈할 목적으로 써 보내는 편지.

공:갈-죄【恐喝罪】[—쬐] 명〖법〗공갈하여 재물(財物)의 교부(交付)를 받거나 재산상으로 불법(不法)한 이익을 얻거나 또는 제삼자(第三者)에게 이것을 취득(取得)시킴으로써 성립되는 죄.

공:갈 취:재【恐喝取財】명〖법〗공갈하여 남의 재물을 취(取)하고 불법(不法)한 이익을 얻음. ——-하다 자여불

공:감【共感】명〖심〗①남의 의견이나 논설에 대하여 자기도 그러하다고 느낌. ¶ 그의 말에 ~할 수 없다. ②남과 같은 감정을 가짐. 또, 그 감정. ——-하다 자여불

공:-감각【共感覺】명〔synesthesias〕〖심〗하나의 자극에 대하여, 그에 상응(相應)하는 감각 외에 동시에 일어나는 다른 영역(領域)의 감각. 예를 들면 소리를 들었을 때 빛으로도 감각되는 경우 같은 것. 부감각(副感覺). *색청(色聽).

공:감-대【共感帶】명 서로 공감하는 부분. ¶ 내각제에 대해서는 좀더 국민들의 ~ 형성이 필요하다.

공:개[1] 명〈방〉팽이(경남).

공개[2]【公開】명 여러 사람에게 개방함. 여러 사람의 방청(傍聽)·관람을 허(許)함. ¶ ~ 녹음/~ 연설. ——-하다 타여불

공개 강:좌【公開講座】명 대학이나 학술 단체 등에서 학생이나 회원이 아닌 일반인에게도 청강(聽講)을 허용하는 강좌.

공개 경:쟁【公開競爭】명 여러 사람에게 개방하여 서로 겨루게 함. 또, 그렇게 겨루는 일.

공개 매:입 제:도【公開買入制度】명〖경〗회사의 지배권 획득 또는 강화를 목적으로 일정 기간 내에 일정 가격으로 일정 주식수를 매입한다는 내용을 공개하고, 주식 시장 외에서 주식을 매입할 수 있게 한 제도.

공개 방:송【公開放送】명 청취자(聽取者)나 시청자(視聽者)를 초대하여 방송 실황(實況)을 공개해 가며 하는 방송.

공개 법인【公開法人】명〖경〗내국 법인(內國法人)으로서 법이 정하는 요건을 갖추고, 그 주식을 증권 거래소에 상장(上場)하고 있거나, 모집 설립(募集設立) 또는 공모 증자(公募增資)한 법인. ↔비공개 법인.

공개 보:관【公開保管】명〖경〗어떤 사람의 유가 증권(有價證券)을 은행이 맡아서 보관하고, 맡긴 사람을 대신하여 증권에 관한 모든 절차를 행하는 보관.

공개 선:거【公開選擧】명 공개 투표에 의한 선거 제도. 또, 그 방식. 흔히, 기명(記名)·호명(呼名)·거수(擧手)·기립(起立) 등의 형식에 의함. ↔비밀 선거.

공개 수사【公開搜査】명 범인의 수사 과정에서, 범인의 인상 혹은 몽타주 사진을 전국에 배포(配布)하여, 널리 민간인의 협력을 구하는 경찰의 수사 방법. *광역(廣域) 수사. 「거래(去來)할 수 있는 시장.

공개 시:장【公開市場】명〖경〗특별한 조건 없이 아무나 자유로 출입·

공개 시:장 정책【公開市場政策】명〖경〗중앙 은행(中央銀行)이 적극적으로 금융 시장(金融市場)에서 어음이나 증권을 매매하여 통화량(通貨量)의 조절과 금융 통제(金融統制)의 목적을 달성(達成)하려는 정책. 공개 시장 조작(公開市場操作).

공개 시:장 조작【公開市場操作】명〖경〗공개 시장 정책.

공개 심리주의【公開審理主義】[—니—/—니—이] 명〖법〗재판의 공정(公正)과 국민의 신뢰(信賴)를 얻기 위하여 소송의 심리와 재판의 판결(判決)을 공개하는 주의. 공개 재판주의. 준공개주의. ↔비밀 심리주의. 「설.

공개 연:설【公開演說】명 아무나 들을 수 있도록 공개적으로 하는 연

공개 외:교【公開外交】명〖법〗공개적으로 행하여지는 외교. 교섭의 성과인 조약은 물론, 외교 교섭을 공개하고 방청을 허용하며, 교섭의 경과를 발표함. ↔비밀 외교.

공개 이:익【公開利益】명〖경〗주식을 새로 공개하였을 때의 이익. 액면(額面)과 프리미엄을 포함한 공개치(公開値)와의 차(差)가 소위 창업자 이득(創業者利得)이 되어 경영자의 수입이 됨.

공개-장【公開狀】[—짱] 명 일반의 비판을 얻고자, 어떤 특정인(特定人)에게 통지할 것을 신문이나 잡지에 게재하여 일반 공중이 다 알게 하는 서장(書狀). 「있는 재판. 공심판(公審判).

공개 재판【公開裁判】명 누구나 다 방청(傍聽)할 수 있도록 허락되어

공개 재판주의【公開裁判主義】[—/—이] 명 공개 심리주의.

공개-적【公開的】명관 비밀로 하지 않고 공개하는 모양.

공개-정【公開廷】명〖법〗누구나 방청(傍聽)하도록 공개한 법정(法廷).

공개 정지【公開停止】명〖법〗법관이 전원 일치하여 공공의 질서 또는 선량한 풍속을 해칠 우려가 있다고 결정하였을 때, 재판의 대심(對審)을 공개하지 않고 비밀리(祕密裡)에 하는 일. 다만 판결의 선고만은 공개 정지를 할 수 없음. ——-하다 타여불

공개-주【公開株】명〔newly introduced stock〕〖경〗동족(同族)이나 일부 대주주(大株主)가 보유하고 있던 주식을 회사가 일반에게 공개하여 주주(株主)를 모집하는 주(株). 보통, 거래소에서 처음으로 상장(上場)된 주를 이름.

공개-주의【公開主義】[—/—이] 명 ①무엇이나 비밀로 하지 않고 여러 사람에게 공개하는 주의. ②〖법〗↗공개 심리주의.

공개 투표【公開投票】명〖법〗선거에서, 투표인의 투표 내용을 제삼자가 알 수 있는 투표 제도. 구술(口述) 투표·거수(擧手) 투표·기립(起立) 투표·기명(記名) 투표 등이 있음. ↔비밀 투표.

공개 회:의【公開會議】[—/—이] 명 누구에게나 널리 방청을 허락하는 회의.

공거[1]【公車】명 병거(兵車).

공-거[2]【空—】[—꺼] 명〈속〉↗공것.

공:거[3]【貢擧】명〖역〗관리 등용법의 하나. 수양제(隋煬帝) 이후의 제도인데, 각 지방의 우수한 인재를 천거(薦擧)하여서, 그들을 고시(考試)하여 합격자를 임용(任用)하였음. ——-하다 타여불

공-거래【空去來】명〖경〗차금 매매(差金賣買).

공거-문【公車文】명〖역〗공거 문자(公車文字).

공거 문자【公車文字·公擧文字】명〖역〗응시(應試)·응제(應製)·소장(疏章) 등의 시문(詩文)의 총칭. 공거문(公車文).

공거문-초【公車文抄】명〖책〗조선 영조(英祖) 때의 지평(持平) 이석표(李錫杓) 등의 상소(上疏)·간주(諫奏)·구공(口供)·전유(傳諭) 등을 총괄하여 수록한 책. 권말(卷末)에 고인(古人)의 소장(疏章)을 뽑아 등사한 것도 붙어 있음. 1책.

공거문-총【公車文叢】명〖책〗조선 정조(正祖) 이후의 여러 조신(朝臣)들의 소장(疏章)을 순차로 실은 책. 37책.

공거문-휘【公車文彙】명〖책〗조선 정조(正祖) 이후의 조신(朝臣)들의 소장(疏章)을 수록한 책. 전(全) 116책. 현재 63책만이 남아 있음.

공거 유:선【公車類選】명〖책〗조선 시대에, 경재 시종(卿宰侍從)의 소문류(疏文類)를 수록한 책. 전부류(銓部類)·문원류(文苑類)·규장류(奎章類)·옥서류(玉署類)·가자류(加資類) 등으로 나누어졌음. 4권 4책.

공건[1]【空件】[—껀] 명 ①쓸모 없는 물건. ②공도는 물건. 「여불

공건[2]【恭虔】명 공손하고 삼감. 공근(恭謹). 건공(虔恭). ——-하다 자

공검【恭儉】명 공손하고 검소함. ——-하다 형여불. ——-히 부

공검-지【恭儉池】명〖역〗경상 북도 상주군(尙州郡) 공검면(恭儉面) 양정리(陽停里)에 있던 못. 제천의 의림지(義林池), 김제의 벽골제(碧骨堤)와 비슷한 시기에 만들어졌으리라 여겨지며, 지금은 주변이 모두 논이 되었음.

공-겁【空劫】명〖불교〗사겁(四劫)의 하나. 이 세계가 성겁(成劫)·주겁(住劫)을 거쳐 괴겁(壞劫) 때에 일어난 물·불·바람의 삼재(三災)로 인하여 색계(色界)의 일부만 남고 모조리 파괴되어 일체(一切)가 공(空)으로 돌아가는 시기. *성겁(成劫)·주겁(住劫)·괴겁(壞劫).

공것[1] 명〈방〉부스럼(충남·전남).

공-것[2]【空—】[—껏] 명 노력(努力)이나 대가(代價)를 지불하지 아니하고 거저 얻은 물건. 공득지물(空得之物). 공짜. *공치.

【공것 바라기는 무당의 서방】공짜를 좋아하는 사람을 두고 이르는 말. 【공것 바라면 이마가 벗어진다】㉠대머리를 놀리는 말. ㉡공것을 바라지 말라고 경고하는 말. 【공것은 써도 달다】공짜라면 무엇이든 좋아한다는 말. 【공것이라면 눈도 벌겅 코도 벌겅】공것이라면 눈도 빨개지고 코도 빨개진다는 뜻으로, 공것을 지나치게 탐냄을 비웃는 말. 【공것이라면 비상도 먹는다; 공것이라면 양잿물도 들고 마신다】욕심이 많아서 공것이라면 무엇이나 즐긴다는 말.

공겡이 명〈방〉〖식〗댑싸리.

공격[1]【公格】[—껵] 명 공직(公職)에 관한 격식.

공:격[2]【攻擊】명 ①적을 침. 쳐부숨. ¶ ~대. ↔방어(防禦). ②시비(是非)를 가리어 논난(論難)함. 몹시 꾸짖음. 공박(攻駁). ¶ 인신 ~. ③운동 경기에서 득점(得點)을 적극적으로 하기 위한 행동. ↔수비(守備). ④〖법〗소송법(訴訟法)에 있어서 원고(原告)의 주장(主張). ↔방어. ——-하다 타여불

공:격 개시선【攻擊開始線】명 〔line of departure: LD〕〖군〗 ①공격 또는 정찰 부대의 출발을 조정하기 위해 정해 놓은 선(線). ②공격 주정(舟艇)이 예정된 시간에 지정된 해변에 상륙할 수 있도록 해상(海上)에 적절하게 표시해 놓은 조정선.

공:격-군【攻擊軍】명〖군〗 적을 공격하는 군대. ↔수비군(守備軍).

공:격-기【攻擊機】명〖군〗 적의 함선(艦船)·육상 기지(陸上基地) 등을 공격하기 위해서 쓰이는 항공기의 총칭. 항공 모함에서 발진하는 함상 공격기, 육상 기지에서 발진하는 육상 공격기가 있음. *폭격기.

공:격-대【攻擊隊】명〖군〗 적을 공격하기 위하여 특별히 편성(編成)한 군대. ↔수비대(守備隊).

공:격 동맹【攻擊同盟】명 어떤 가상 적국(假想敵國)을 합세해서 공격하기 위하여 두 국가 또는 그 이상의 여러 국가가 공동(共同)으로 맺은 동맹. ↔방어 동맹(防禦同盟).

공:격-력【攻擊力】[-녁] 명 ①공격하는 힘. ②〖군〗 공격할 수 있는 병력(兵力) 또는 군사력(軍事力).

공:격-로【攻擊路】[-노] 명〖군〗 공격할 때 취하는 길. 또, 그럴 목적으로 만든 길. 공격상의 진로(進路).

공:격 목표【攻擊目標】명〖군〗 공격군이 노리는 표적(標的) 또는 목표지(目標地). 공격점(攻擊點).

공:격 방어 방법【攻擊防禦方法】명〖법〗 민사 소송에 있어서 당사자가 자기의 권리 보호(權利保護)를 요구하는 수단으로 주장하거나 또는 제출하는 사항의 전체.

공:격-성【攻擊性】명〖심〗 적대(敵對) 행위와 공격을 가하며, 파괴적 행동을 하는 성질.

공:격-수【攻擊手】명 구기(球技)·창술(槍術)·격검(擊劍) 등 경기(競技)에서, 공격을 기본적 임무로 하는 선수.

공:격 수뢰【攻擊水雷】명〖군〗 적함(敵艦)에 대고 발사(發射)하여 이를 격침(擊沈)시키기 위한 수뢰. 어형 수뢰(魚形水雷) 같은 것. ↔방어 수뢰(防禦水雷).

공:격 위성【攻擊衛星】명〖군〗 정찰(偵察) 위성·조기(早期) 경보 위성·통신 위성 등 적의 군사 위성을 공격·파괴할 목적으로 만든 위성 파괴 위성. 인공 위성을 직접 충돌시키거나, 목표물 부근에서 자폭(自爆)시켜 그 파편에 의해 파괴시킴. 킬러 위성. *에이샛(ASAT).

공:격-자【攻擊者】명 ①공격하는 사람. ②논쟁(論爭)에 있어서의 공박자(攻駁者). ③시합이나 경기(競技)에 있어서의 도전자.

공:격-적【攻擊的】명관 공격하려는 태도를 취하는 모양. ¶ ~인 언사.

공:격적 행동【攻擊的行動】명〖심〗 요구가 장벽(障壁)에 의하여 실현되지 아니할 때에 방해물을 말살(抹殺)하려는 행동.

공:격 전진【攻擊前進】명〖군〗 방어 상태에 있던 군대가 공격하면서 진격함.

공:격-점【攻擊點】명〖군〗 공격 목표.

공:격 정신【攻擊精神】명 ①〖군〗 후퇴할 줄 모르고 공격만 하려는 필승(必勝)의 군인 정신. ②불요 불굴의 진취적 기상(氣象).

공:격 종대【攻擊縱隊】명〖군〗 적을 공격할 때 종대(縱隊)로 전진(前進)하는 대형.

공:격 준:비 사격【攻擊準備射擊】명〖군〗 공격 준비로서, 최종 목표·중간 목표 및 적의 지원 부대·지원 시설에 대하여 행하는 일제 사격. 육·해·공군 전부 또는 일부가 합동으로 하기도 함.

공:격 항:모【攻擊航母】명 적에 대한 공격을 주임무로 하는 항공 모함.

공:격 헬리콥터【攻擊—】명 〔attack helicopter〕〖군〗 기관포(機關砲)나 로켓탄(彈)·대전차(對戰車) 미사일 등을 탑재하고, 화기 관제(火器管制) 장치를 장비(裝備)한 전투 전문 헬리콥터.

공견[1]【空見】명〖불교〗 공상(空想)❸.

공:견[2]【貢絹】명 공물로 바치는 명주.

공결【公決】명 공명 정대하게 결정함. ——-하다 타여불

공겸【恭謙】명 공손하고 겸손함. ——-하다 형여불

공경[1]【公卿】명〖역〗 ①삼공(三公)과 구경(九卿). ②고관(高官)의 총칭.

공경[2]【恭敬】명 공손히 섬김. 삼가서 예를 표시함. ¶어른을 ~하다. ——-하다 타여불

공경 대:부【公卿大夫】명〖역〗 공경(公卿)이나 대부(大夫)의 지위에 있는 사람들. 벼슬이 높은 이들. ↔사서인(士庶人).

공-경제【公經濟】명〖경〗 ↗공공 경제. ↔사경제(私經濟).

공경제적 수입【公經濟的收入】명〖경〗 국가 또는 지방 자치 단체가 공권(公權)에 의하여 개인 사경제(私經濟)로부터 강제 무상(強制無償)으로 징수(徵收)하는 수입.

공경지-례【恭敬之禮】명〖천주교〗 천사·성인·성녀들에게 드리는 숭경(崇敬). *상경지례(上敬之禮)·흠숭지례(欽崇之禮).

공계[1]【空界】명 ①〖불교〗 육계(六界)의 하나. 무변(無邊)의 허공(虛空). 아무 것도 존재(存在)하지 않는 세계. ②공간(空間). 공중의 세계. 하늘의 세계.

공:계[2]【栱枅】명 가로 걸친 보.

공:-계[3]【貢契】[-께] 명〖역〗 나라에 공물을 먼저 바치고 나중에 값을 타 내던 계의 총칭. *공방(貢房).

공:계[4]【恐悸】명 무서움에 가슴이 두근거림. ——-하다 자여불

공계 무물【空界無物】명〖불교〗 공계에는 아무 물건도 존재하지 않음.

공고[1]【工高】명 ↗공업 고등 학교(工業高等學校).

공고[2]【工庫】명〖역〗 각 관청의 기구를 두던 창고.

공고[3]【公告】명 ①세상에 널리 알림. ②국가 또는 공공 단체가 광고·게시(揭示) 혹은 다른 방법으로 일반 공중에게 알리는 일. 또, 그 광고·게시. ¶ ~문(文). ——-하다 타여불

공고[4]【公故】명〖역〗 ①벼슬아치가 조회(朝會)·진하(進賀)·거둥 기타 궁중(宮中)의 행사에 참여(參與)하는 일. ②마을의 사고.
공고 치르다 구〖역〗 공고(公故)의 일을 치르다.

공고[5]【功苦】명 ①노고(勞苦). ②그릇의 견고(堅固)함과 무름. ③이룬 결과의 양부(良否).

공고[6]【功高】명 공이 큼. 공로가 많음. ——-하다 형여불

공:고[7]【共鼓】명〖사람〗 중국 황제(黃帝) 시대의 사람. 배를 처음으로 만들었다 함.

공:고[8]【攻苦】명 학문·기술 등을 열심히 연구함. ——-하다 타여불

공:고[9]【控告】명〖법〗 '항고(抗告)'의 구칭.

공:고[10]【鞏固】명 견고(堅固)하고 튼튼함. ¶ ~한 기반. ——-하다 형여불. ——-히 부

공고라[1] 명〖동〗 주둥이가 검고 누른 빛깔의 말.

공고라[2] 〔Góngora y Argote, Luis de〕명〖사람〗 스페인의 시인. 살라망카(Salamanca) 대학에서 신학(神學)을 수학(修學), 성직자가 되었으며, 1626년까지 펠리페(Felipe) 3세의 고해(告解) 신부로 있었음. 그의 시는 간결 명확한 풍자적·서민적 서정시(抒情詩)와 난해(難解)하고 문식(文飾)주의적·기상(奇想)주의적인 것의 두 가지로 나뉨. 후자(後者)의 대표작인 《고수(孤愁)》는 3세기에 걸친 일대 문학 논쟁을 야기시켰음. [1561-1627]

공고-문【公告文】명 공고하는 글. 널리 알리려는 의도로 쓰인 글.

공고-상【公故床】[-쌍] 명〖역〗 번상(番床)을 격식차려 부르는 이름.

공고 입찰【公告入札】명〖경〗 정부나 공공 단체가 물품 등의 매매·임차(賃借)·도급(都給) 등을 위하여 사전에 공고(公告)하여 실시하는 일반 경쟁 계약의 한 방법.

공고-자【工庫者】명〖역〗 각 고을의 관노(官奴)의 하나. 공고의 수지기.

공고-장【功高章】[-짱] 명 용비 어천가 제101장의 이름.

공곡[1]【公穀】명 나라나 관청에서 소유하는 곡식. 관곡(官穀). 국곡(國穀). ↔사곡(私穀).

공곡[2]【空曲】명 인기척이 없는 쓸쓸한 산 모퉁이.

공곡[3]【空谷】명 인기척이 없는 쓸쓸한 골짜기. 빈 골짜기.

공곡 공음【空谷跫音】명 ①공곡에 울리는 사람의 발짝 소리. ②적적할 때 사람이 찾아옴 또는 쓸쓸히 지낼 때 듣는 기쁜 소식의 비유. 공곡 족음.

공곡 족음【空谷足音】명 공곡 공음(空谷跫音).

공골 명〈방〉〖토〗 공굴.

공골-말 명〖동〗 털빛이 누른 말. 황부루.

공골ᄆᆞᆯ 명〈옛〉 공골말. ¶공골ᄆᆞᆯ(黃馬)《老解 下 8》.

공골-차다 형 ☞ 옹골차다.

공곱-질 명〈방〉 소꿉질.

공공[1]【公共】명 ①일반 사회의 여러 사람과 정신적이나 물질적으로 공동의 이익을 위하여 힘을 함께 함. ②일반 사회. 공중(公衆). 공동(公同). ¶ ~ 생활/~의 안녕 질서.

공공[2]【空孔】명 〔hole〕〖물〗 고체의 에너지대(帶)의 충만대(充滿帶) 상단 가까이에서 전자(電子)가 차 있지 않은 에너지 상태. 마치 양(陽)으로 대전(帶電)한 입자처럼 작용함.

공공[3]【空空】명 ①아무 것도 없이 비어 있음. ②〖불교〗 일체의 법(法)은 인연에 의해서 임시로 화합(和合)한 것이므로 공(空)이거니와 이렇게 공이라고 생각하는 것도 공임. ③사려(思慮)가 없음. 생각이 없음. ④집착이나 번뇌(煩惱)가 없음. ⑤결자(缺字)의 표시나 숨김표로 쓰이는 부호 '○○'의 이름. ¶육군 ~ 부대 / 채용 인원 ~ 명.

공공 건:물【公共建物】명 공공용(公共用)의 건물. 학교·도서관·시민 회관 등.

공공 경비【公共經費】명〖경〗 국가나 지방 자치 단체가 그 권능(權能)을 수행하기 위하여 필요로 하는 화폐(貨幣)의 지출(支出).

공공 경제【公共經濟】명〖경〗 국가 및 공공 단체의 공법(公法)에 입각(立脚)한 경제. 권력 관계를 기본으로 삼으며 공동의 이익을 추구(追求)함을 목적으로 함. ㊔공경제(公經濟).

공공 경제학【公共經濟學】명〖경〗 시장 기구(市場機構)에 의해서는 해결할 수 없는 경제 문제에 대하여, 정부 개입에 의한 해결 방법을 찾는 새로운 학문 영역.

공공 고용【公共雇用】명 공공의 기금으로 국가·지방 자치 단체가 사업의 주체가 되어 운영하는 각종 건설 사업에 사람을 고용하는 일.

공공 고용인【公共雇傭人】명 공공의 기금(基金)으로 경비가 지급되고, 또 정부 또는 지방 자치 단체의 기관이 사업 주체가 되어 있는 건설 사업에 종사하는 사람.

공공 광:고【公共廣告】명 공공 목적으로 행하는 광고.

공공 기업체【公共企業體】명〖경〗 국가 또는 지방 자치 단체가 출자하고 경영하는 공공을 위한 기업체. 공유 공영(公有公營)·공유 사영(公有私營)·사유 공영(私有公營)의 세 가지가 있음. *공기업(公企業).

공공 녹지【公共綠地】명 자연의 숲·토양·수면(水面) 등으로 이루어져 있는 영속적(永續的)인 공지(空地)로, 국가 또는 지방 자치 단체가 설치·관리하며 일반에게 공개하는 곳. 각종 공원·광장·묘지·운동장·하천 부지·해변 등이 있음.

공공 단체【公共團體】명〖법〗 국가에 대하여 공법 상(公法上)의 의무(義務)를 담당(擔當)하는 법인(法人) 단체. 법령의 규정에 의하여 존립(存立)의 목적이 부여(賦與)되며 그 목적 달성을 위한 공권력(公權力)이 인정되는 것으로, 지방 자치 단체·공공 조합·영조물 법인(營造物法人)의 세 가지가 있음. 공법인(公法人). ↔사사(私私) 단체.

공공-물【公共物】명 여러 사람이 다 같이 사용할 수 있는 물건이나, 공공을 위하여 보존하는 기념물 같은 국유 재산. 도로·하천·수로 등을 비롯하여 공원·공공 기념물 같은 것.

공공 방:송【公共放送】명 영리를 목적으로 하지 아니하고, 공공의 이익과 필요를 위해서 하는 방송. 시청자로부터 받는 시청료에 의해 경영되며, 상업 광고 방송을 하지 않음. 영국의 BBC 같은 것이 그 대표적인 예임. ↔민간 방송. *국영(國營) 방송.

공공 복지【公共福祉】명 사회 구성원(社會構成員) 전체에 공통되는 복지.

공공 복지용 재산【公共福祉用財産】명 국가에서 직접 공공용으로 제공하였거나 제공하기로 결정한 공원·광장·공공 기념물·국보(國寶) 따

위의 국유 재산.

공공 사사【公公私私】명 '공은 공, 사는 사'란 뜻에서, 공과 사를 분명히 구별함. 이해 관계에서 공익과 사익(私益)을 확실히 함.

공공 사:업【公共事業】명 국가나 지방 자치 단체가 공공의 복리를 위하여 경영하는 사업. 학교·병원·도로 정비·전기 사업 등.

공공 사:업비【公共事業費】명 공공 사업에 지출하는 경비.

공공 사:업 예:산【公共事業豫算】[—네—] 명〖재정〗 하천(河川)·도로·항만·공항(空港) 등의 공공 토목 사업과 주택·하수도·공원 등 국민 생활에 직결되는 시설의 정비 등에 충당되는 예산. 흔히, 사회 보장 예산과 더불어 국가 예산의 근간을 이룸.

공공 서:비스【公共—】(service) 명 대중의 복리(福利) 증진을 위한 공공 기관의 서비스. 교통·의료·통신 등을 가리킴.

공공-선【公共善】명〖윤〗 개인적이 아니고 국가·사회 또는 일체(一切) 인류에 대한 선(善). 공중선(公衆善). 「는 성질.

공공-성【公共性】[—썽] 명 일반 사회 전체에 이해(利害) 관계를 미치

공공 시:설【公共施設】명 사회의 일반 공적(公的) 목적의 수행을 위하여 계획된 설비. 「위하여 진력하는 정신.

공공-심【公共心】명 공공(公共)의 행복과 이익을 위하는 마음. 공공을

공공 연:극【公共演劇】명〖연〗 공공적인 성질을 가진 비영리적(非營利的)·비직업적(非職業的) 연극의 총칭.

공공연-하다【公公然—】형(여불) ①지극히 공변되고 떳떳하여 사사로운 점이 없다. ②비밀이 없이 널리 알려져 있다. ¶ 공공연한 비밀. **공공연-히**【公公然—】부

공공 요:금【公共料金】[—뇨—] 명 전기·가스·수도·우편·전신·전화·철도 등의 정부 기업 및 민간 기업 가운데 공익 사업(公益事業)으로 불리는 사업의 요금을 일괄하여 이르는 말.

공공-용【公共用】[—뇽] 명 ①사무(私務)가 아닌 공공의 용무. ②공공의 용도(用途).

공공용-물【公共用物】[—뇽—] 명 직접 공중(公衆)의 공동 사용에 제공되는 공물(公物). 도로·하천·공원 따위. 공용물(共用物). ↔사용물(私用物).

공공용 재산【公共用財産】[—뇽—] 명〖법〗 행정 재산의 하나. 국가가 직접 공공용으로 사용하거나 사용하기로 결정한 국유 재산. 곧, 국가의 소유에 속하는 공공용물. *공공용물·공공물·기업용 재산.

공공의 복지【公共—福祉】[—/—에—] 명 사회 전반에 공통하는 이익

공공이 명〈방〉 개(함경). ㄴ이나 행복.

공공 이:론【空孔理論】명〖물〗 구멍 이론.

공공 자:금【公共資金】명〖경〗 공공의 사업을 하기 위한 자금. 국가의 보조(補助), 개인의 희사(喜捨) 등으로 이루어지며, 산업의 발전, 생활의 향상과 개선에 사용됨.

공공-재【公共財】명〖경〗 불특정 다수(多數)의 개인이 공동으로 누릴 수 있는 재화(財貨)·서비스. 보통, 공적(公的) 기관에 의해 제공됨. 공원·도로·소방(消防)·경찰 등. 「재산.

공공 재산【公共財産】명〖경〗 공공 단체(公共團體)의 소유로 되어 있는

공공 적적【空空寂寂】명〖불교〗 ①우주 만상(宇宙萬象)의 실체(實體)가 고정성(固定性)이 없이 전부 비어 있어 사려(思慮)로써 포착할 수 없음. 공적(空寂). ②번뇌나 집착(執着)이 없이 무아 무심(無我無心)임. ——-하다 형(여불). ——-히 부

공공 조합【公共組合】명〖법〗 공공의 이익을 도모할 목적으로 특수한 사업을 영위하는 법인체(法人體)의 조합. 농업 협동 조합·수산업 협동 조합 같은 것을 이름. 행정 조합(行政組合).

공공지-론【公共之論】명 대동지론(大同之論). 「돈이나 물건.

공공지-재【公共之財】명 ①공공의 재산. ②여러 사람이 기증·희사한

공공 직업 안정소【公共職業安定所】명 직업 소개·직업 지도·직업 보도 등의 사업을 무료로 하는 공공 시설.

공공 직업 훈:련【公共職業訓練】[—훌—] 명〖법〗 국가·지방 자치 단체 또는 공공 직업 훈련 법인(法人)이 실시하는 직업 훈련.

공공 차:관【公共借款】명 정부 또는 법인(法人)이 외국 정부 등으로부터 또는 정부가 외국 법인(外國法人)으로부터 외자(外資)를 차용하거나 자본재(資本財)·원자재(原資材) 등을 장기 결제 방식(長期決濟方式)으로 도입하는 차관.

공공 측량【公共測量】[—냥] 명 기본 측량 이외의 측량 가운데 국가·지방 자치 단체·정부 투자 기관 등이 실시하는 측량. *기본 측량.

공공칠 가방【○○七—】명〈속〉 [1960년대 후반의 첩보 영화(諜報映畫) 007 시리즈의 주인공 제임스 본드가 들고 다닌 데서] 아타셰 케이스의 속칭. 「사적(私的) 투자.

공공 투자【公共投資】명〖경〗 정부나 지방 자치 단체에 의한 투자. ↔

공공투자 정책【公共投資政策】명 국가가 공공 사업을 일으켜 직접 투자를 확대하든가 민간 투자를 자극하여 소득의 증가 및 유효 수요를 증가시킴으로써 경기를 회복시키려는 정책. 미국의 뉴딜(New Deal) 정책이 그 대표적인 예임. 「적 선전을 목적으로 하는 포스터.

공공 포스터【公共—】(poster) 명 선거·적십자 모금 따위와 같이 공공

공공-하다【公公—】형(여불) 공변되다.

공과¹【工科】[—꽈] 명 ①공학에 관한 학과. ②〈속〉 대학의 공학부(工學部). ㄴ部).

공과²【工課】명 공부하는 과정(課程).

공과³【公課】명 ①국가나 공공 단체가 국민에게 부과하는 조세(租稅) 및 기타의 공법 상(公法上)의 부담. ②조세 이외에 국가 또는 공공 단체가 부과하는 금전 부담. 부역이나 각종 조합비(組合費) 따위.

공-과⁴【功過】명 공로와 과실. 공과 허물. 공죄(功罪). ¶ ~를 논하다 / ~가 서로 반반(半半)이다. 「과(學課).

공과⁵【功課】명 ①일의 성적. 사업 성과(成果)의 정도. ②학생의 과업. 학

공과-격【功過格】명〖책〗 중국 도교(道敎)의 도덕률을 가르친 일련의 서적. 일상 행동을 선(善)인 공(功)과 악(惡)이 되는 과(過)로 분류하여 채점(採點)하고 공(功)의 계수(計數)의 증가와 과(過)의 계수의 감소를 위해 노력하여 매일매일 이 책이 가르치는 도덕률 즉 격(格)에 따라 처신하라고 하였음. 일반 민중 사이에는 일지(日誌)와 같은 형태로 명대(明代) 이후 보급됨.

공과-금【公課金】명 국가나 공공 단체가 국민에게 부과하는 금전적인 부담《재산세·전기료·상하수도 요금·종합 소득세 등》.

공과-기【功過記】명 관원(官員)의 공과를 기록한 서류.

공과 대학【工科大學】[—꽈—] 명 단과 대학의 하나. 공학에 관한 전문적인 학문을 연구함. 졸업자에게는 공학사의 학위를 수여함. ㊟공대.

공과 상반【功過相半】명 공로와 허물이 서로 반반임. ——-하다 형(여불)

공관¹【工官】명〖역〗 고려 초기에 있었던 육관(六官)의 하나로 상서 공부(尚書工部)·공부(工部)·공조(工曹)의 전신(前身).

공관²【公館】명 ①공공용으로 쓰는 건물. ②정부 고관의 공적 저택. ¶ 총리 ~. ↔사제(私第). ③↗재외(在外) 공관. ¶ 주일(駐日) ~.

공관³【空官】명 ①벼슬 자리가 빔. ②수령(守令)이 없음.

공관⁴【空館】명〖역〗 성균관의 유생들이 불평이 있을 때 단결하여 일제히 관을 물러 나가던 일. 권당(捲堂). 공재(空齋). ——-하다 자(여불)

공관⁵【空觀】명〖불교〗 천태종(天台宗)의 일심 삼관(一心三觀)의 하나. 제법 개공(諸法皆空)의 원리를 깨닫는 일. ↔가관(假觀)·중관(中觀). *

공관⁶【空罐】명 빈 깡통. ㄴ삼관(三觀).

공관-반【孔貫盤】명〖기〗 펀치(punch)로써 금속판에 구멍을 뚫는 제관용(製罐用) 기계의 하나.

공:관 복음【共觀福音】명〖성〗 ↗공관 복음서(共觀福音書).

공:관 복음서【共觀福音書】명〖성〗 신약 성경 중 최초의 마태·마가·누가의 세 복음서의 총칭. 모두 그리스도의 생애(生涯)와 교훈을 내용으로 하고 같은 서술법으로 기록하여 서로 비교 연구된 데서 나온 말. ㊟공관 복음.

공관-장【公館長】명 외국에 주재하고 있는 대사·공사·영사 등.

공관장 회:의【公館長會議】[—/—이] 명 외국에 주재하고 있는 공관장들이 모여 의견을 교환하는 연석 회의.

공광【空曠】명 텅 빔. 공허(空虛). ——-하다 형(여불)

공괴【公槐】명 삼공(三公)의 지위. *삼괴(三槐).

공교¹【公敎】명 가톨릭교. 천주교.

공:교²【孔敎】명 ①유교(儒敎). ②공자의 가르침.

공교³【空敎】명〖불교〗 삼시교(三時敎)의 하나. 형상 있는 모든 것은 인연에 따라 생긴 것일 뿐 실제는 텅 비어 아무것도 없다는 이치를 밝힌 교법. ↔유교(有敎). *공종(空宗).

공교-롭다【工巧—】형(ㅂ불) 공교한 듯하다. ¶ 돌을 어떻게 다루었으면 저다지도 어여쁘고 빼어나고 의젓하고 공교롭게 지어낼 수 있었을꼬《玄鎭健:無影塔》. **공교-로이**【工巧—】부

공교-스럽다【工巧—】형(ㅂ불) ☞공교롭다. **공교-스레**【工巧—】부

공교 요리【公敎要理】명〖천주교〗 교리 문답서의 하나. 천계(天啓)에 의한 교리의 추요점(樞要點)을 가르쳤으며, 믿어야 할 일(정리편(定理篇)), 지켜야 할 일(윤리편(倫理篇)), 은총을 받는 길의 세 부분으로 이루어짐. 1566년의 《로마 공교 요리》가 가장 알려져 있음.

공-교육【公敎育】명 공적인 재원에 의해서 유지되며, 공적으로 관리·운영되는 교육. 국가가 직접 관리 유지하는 국립 학교 및 지방 자치 단체에 의한 공립 학교의 교육. ↔사교육(私敎育).

공교-하다【工巧—】형(여불) ①교묘(巧妙)하다. ¶ 공교한 솜씨. ②뜻밖에 맞거나 틀리다. ¶ 장난삼아 뽑은 제비가 공교하게 들어맞았다 / 쥐약을 놓았더니 공교하게 개가 먹고 죽었다. ③때나 기회 같은 것이 우연히 좋거나 나쁘다. **공교-히**【工巧—】부

[공교하기는 마디에 옹이라] ㉠나무 마디에 옹이가 든 것처럼 공교롭다는 말. ㉡일마다 공교롭게도 방해가 끼어든다는 말.

공-교회【公敎會】명 '가톨릭 교회'를 달리 일컫는 말.

공구¹【工具】명 ①공작에 쓰이는 작은 기구의 총칭. ②기계 공작에 사용되는 날이 있는 기구. 「5호선 제 3 ~.

공구²【工區】명 시공(施工) 단위로서 구분된 공사 지역. ¶ 지하철 제

공:구³【孔口】명 구멍.

공:-구⁴【孔丘】명〖사람〗 공자(孔子)의 본명.

공:구⁵【攻究】명 학문 같은 것을 연구함. ——-하다 타(여불)

공:구⁶【供具】명 연회(宴會)에 쓰이는 기물(器物).

공:구⁷【恐懼】명 몹시 두려움. 황구(惶懼). ——-하다 형(여불). ——-히 부

공:구⁸【控球】명 공기¹❶❷.

공구-강【工具鋼】명 기계 가공 용구(加工用具)의 재료가 되는 강철의 총칭. 특수강(特殊鋼)과 탄소강(炭素鋼)의 두 가지가 있는데, 일반적으로 값이 싸고 작업이 간단한 탄소강을 주로 씀. 공구용강(工具用鋼).

공구 관리【工具管理】[—괄—] 명 생산 관리의 일부분으로서 공장 생산에 필요한 공구의 조달(調達)·보관(保管)·지급(支給)을 관리하여, 생산의 진행을 원활히 하고 생산 원가(原價)의 저감(低減)을 꾀하는 일.

공구다 타〈방〉 괴다³(경상).

공구르다 타(르불) ☞공그르다.

공구 선반【工具旋盤】명 공작 기계에 쓰이는 커터(cutter)·호브(hob)·탭(tap) 따위 공구를 만드는 선반. 정밀도가 매우 높음.

공구 연:마기【工具研磨機】명〖기〗 공구 연삭기.

공구 연:삭기【工具研削機】명 (tool grinder) 마모(磨耗)된 절삭(切削) 공구의 날을 재연삭(再研削)하는 공작 기계. 공구 연마기. 공구 연

공구 연:삭반【工具研削盤】명〖기〗 공구 연삭기. ㄴ삭반.

공구용-강【工具用鋼】명 공구강(工具鋼).

공구 현:미경【工具顯微鏡】 명 『기』 측미(測微) 현미경의 하나. 보통의 광학 현미경의 접안(接眼) 또는 대안(對眼) 렌즈의 초점면에 조준용의 십자선(十字線)·척도(尺度) 눈금·각도 눈금 따위를 새기고, 측정물을 얹는 대(臺)를 가로세로 이동할 수 있게 되어 있음.

〈공구 현미경〉

공국¹【公國】 명 〔dukedom〕 『역』 공(公)의 칭호를 가진 군주를 원수(元首)로 삼는 유럽의 작은 나라. 룩셈부르크 공국 따위. ＊후국(侯國).

공:국²【共國】 명 ↗공화국(共和國).

공:군¹【共軍】 명 ↗공산군(共産軍).

공군²【空軍】 명 『군』 항공기로써 공중 전투 및 대지상(對地上)·대함선(對艦船) 공격을 임무로 하는 별개(別個)의 병력을 가진 군대. ＊육군·해군.

공군-기【空軍機】 명 공군에 딸린 항공기.

공군 기술 고등 학교【空軍技術高等學校】 명 『법』 공군의 기술 분야 하사관이 될 사람을 교육하기 위해 공군에 둔 교육 기관. 고등 학교에 입학할 수 있는 15세 이상 17세 미만의 남자에게 입학 자격이 있으며, 수업 연한은 3년임. 졸업하면 공군의 장기 복무 하사로 임용(任用)됨.

공군 기지【空軍基地】 명 『군』 공군 항공기의 이착륙용 비행장을 중심으로 한 일정 지역.

공군-력【空軍力】 [-녁] 명 『군』 공군의 군사력.

공군 본부【空軍本部】 명 『군』 국방부 소속 기관의 하나로 공군의 최고 사령부. 공군의 편제(編制)·장비·기술·작전·교육·훈련·후방 지원(後方支援) 기타 공군에 관한 사항을 관장(管掌)함.

공군 사:관 학교【空軍士官學校】 명 『군』 공군 본부에 예속하여 공군의 정규(正規) 장교가 될 자에게 필요한 교육을 실시하는 군사 학교. 4년제로, 졸업자에게는 이학사(理學士)의 학위가 수여되고 공군 소위에 임명됨. 준공사.

공군-성【空軍省】 명 미국·영국·이탈리아 등의 행정 관청의 하나. 공군 군정(軍政)과 공군 군령을 장악하는 공군의 최고 기관.

공군 참모 총:장【空軍參謀總長】 명 공군 본부의 장(長).

공굴¹ 명 〈속〉 콘크리트.

공굴²【公屈】 명 형편이 어려운 집안의 일을 마을 사람이 공동으로 도와주는 일.

공굴-다리 [-따-] 명 콘크리트에 철근(鐵筋)을 넣어 만든 다리.

공:-굴리기 명 노름의 하나. 점수판이 새겨진 구멍에 두 번 공을 굴려, 들어간 구멍의 끗수를 합해서 승부를 가리는 도박.

공굴리다 타 〈방〉 공글리다.

공권¹【公權】 [-꿘] 명 『법』 공법 상(公法上)에 규정된 권리. 국가·공공 단체가 지배권자로서 국민에 대하여 가지는 국가적 공권과, 국민이 지배권자에 대하여 가지는 개인적 공권이 있음. 전자에게는 조직권·형벌권·경찰권·재정권·통제권 등이 있으며, 후자에게는 참정권·수익권·자유권 등이 포함됨. ↔사권(私權).

공권²【空拳】 명 빈주먹. 맨주먹. ¶ 적수(赤手) ～.

공권-력【公權力】 [-꿘녁] 명 『법』 국가 또는 공공 단체가 국민에 대하여 명령하고 강제하는 권력(권력을 행사하는 국가를 가리키는 경우도 있음). ¶ ～의 투입.

공권 박탈【公權剝奪】 [-꿘-] 명 일정한 원인이 있는 경우에, 공법상 인정된 참정권(參政權) 따위의 권리를 빼앗는 일.

공권적 해:석【公權的解釋】 [-꿘-] 명 『법』 국가 자신이 공식으로 하는 법률에 대한 해석. 유권 해석. 입법 해석.

공궐【空闕】 명 임금이 없는 빈 대궐(大闕).

공궐 위장【空闕衛將】 명 『역』 빈 대궐을 지키고, 순찰(巡察)하는 벼슬.

공:궤【供饋】 명 음식을 줌. ——-하다 타여불

공:규¹【孔竅】 명 구멍.

공규²【空閨】 명 오랫동안 남편이 없이 아내 혼자서 자는 방. 공방(空房). 한규(寒閨). ¶ ～를 지키다.

공그르기 명 헝겊의 시접을 접어 맞대어 바늘을 양쪽 시접에서 번갈아 넣어 실 땀이 겉으로 나오지 아니하게 꿰매는 바느질.

공그르다 타르불 헝겊의 시접을 접어 맞대어 바늘을 양쪽 시접에서 번갈아 넣어 실 땀이 겉으로 나오지 아니하게 꿰매다.

공-그리다 자 〈방〉 공치다.

공:극¹【孔隙】 명 틈. 구멍. 간극(間隙)·공극(空隙).

공:극²【孔劇】 명 몹시 지독함. ——-하다 형여불

공극³【空隙】 명 ①물건과 물건 사이의 비어 있는 곳. 빈 틈. 간극(間隙). ②겨를. ③건축물이 없는 빈 터.

공:극-률【孔隙率】 [-늉] 명 『지』 암석이나 흙의 용적을 100으로 했을 때, 그 안에 포함되는 틈의 용적. 간극률(間隙率).

공근¹【恭勤】 명 공손하고 부지런함. ——-하다 형여불

공근²【恭謹】 명 공손하게 근신함. 공건(恭虔). ——-하다 자여불

공글리다 타 ①땅바닥 같은 것을 단단하게 다지다. ②일을 알뜰하게 끝맺다.

공금¹【公金】 명 국가 또는 공공 단체의 소유로 되어 있는 돈. 공전(公錢). 공화(公貨). ＊관금(官金).

공:금²【貢金】 명 공납하는 황금 또는 금전.

공금 유용【公金流用】 [-뉴-] 명 공금을 정해진 용도 외의 사사로운 곳에 돌려 씀. ——-하다 자여불

공금 횡령【公金橫領】 [-녕] 명 『법』 공금을 불법(不法)으로 개인의 소유로 함. ——-하다 자여불

공급¹【功級】 명 공적(功績)의 등급.

공:급²【供給】 명 ①수요(需要)에 따라 물품을 제공함. 물건을 댐. ¶ 음료수의 ～. ②『경』 교환 또는 판매의 목적으로 시장에 상품을 제공함. 또, 그 제공된 재화(財貨)의 양(量). ¶ ～ 과다(過多). 1)·2):↔수요(需要). ——-하다 타여불

공:급-계【供給係】 명 『군』 보급계(補給係).

공:급 계:약【供給契約】 명 『법』 장래 일정한 시기에 목적물의 소유권을 이전할 것을 약속하는 계약.

공:급 과:잉【供給過剩】 명 『경』 수요(需要)에 비하여 공급이 지나치게 많은 일. 물가의 하락·불경기·공황의 원인이 됨.

공:급 과:점【供給寡占】 명 『경』 매주(賣主)는 소수이고, 매주(買主)는 다수인 경우의 과점. ↔수요(需要) 과점.

공:급 관리 정책【供給管理政策】 [-괄-] 명 『경』 국민 경제 전체의 생산성 향상과 공급 능력의 확대를 위하여 취해지는 정책.

공:급 독점【供給獨占】 명 『경』 매주(賣主)는 한 사람이고, 매주(買主)는 다수인 경우의 독점. 매주(賣主) 독점. ↔수요(需要) 독점.

공:급 복점【供給複占】 명 『경』 매주(賣主)가 두 사람이고, 매주(買主)는 다수인 경우의 복점. ↔수요(需要) 복점.

공:급 사이드 경제학【供給—經濟學】 명 〔supply-side economics〕 『경』 자원(資源)을 공공(公共) 부문에서 민간 부문으로, 소비재(消費材)로부터 자본재(資本財)로 돌림으로써, 생산력의 증강과 물가 순준의 안정을 꾀하는 경제 정책 상의 입장. 곧, 공급 측면을 중시하는 경제 정책.

공:급-소【供給所】 명 공급 사무를 맡아 보는 곳.

공:급-원【供給源】 명 공급의 근원. 급원(給源). 공원(供源). ¶ 영양의 ～.

공:급의 법칙【供給—法則】 [-/-에-] 명 『경』 일반적으로, 상품의 가격이 오르면 공급량은 늘고, 가격이 내리면 공급량이 줄어든다는 법칙. ↔수요의 법칙.

공:급의 탄:력성【供給—彈力性】 [-탈-/-에탈-] 명 〔elasticity of supply〕 『경』 가격의 변동에 따른 공급량의 변화도. 공급량의 변화율(가격 변동 이전의 공급량에 대한 변동 후의 공급량의 증감분(增減分)의 비율)을 가격의 변화율(당초 가격에 대한 가격 증감분의 비율)로 나눈 값으로 표시됨.

공:급-자【供給者】 명 공급하는 사람 또는 기관(機關).

공:급 지장 사:고【供給支障事故】 명 『전』 전기 공작물의 고장·손상·파괴 등으로 인하여 전기 사용자에 대하여 전기의 공급이 정지되거나 전기의 사용을 긴급히 제한하는 일.

공:기¹ 명 ①밤톨만한 돌 5개 또는 여러 개를 땅바닥에 놓고 집고 받는 계집아이들의 놀이. 또, 그 돌들. ¶ ～ 놀다. ②헝겊으로 콩이나 모래 같은 것을 넣어서 만든 작은 공 두 개 이상을 땅에 떨어지지 않게 하나씩 번갈아 가며 공중에 올리며 받는 계집아이들의 놀이. 또, 그 공. 1)·2) : 공기놀이·공구(控球).

공:기(를) 놀:다 구 공기 받기를 하고 놀다.

공:기(를) 놀리다 구 ㉠공기를 가지고 놀리다. ㉡사람을 농락하다.

공기²【工期】 명 ↗공사 기간(工事期間). ¶ ～를 단축하다.

공기³【公器】 명 ①공중(公衆)의 물건. ②개인의 사유(私有)가 아니라는 뜻으로 공공 기관을 이르는 말. ¶ 신문은 사회의 ～이다.

공기⁴【空氣】 명 ①지구를 둘러싸고 대기(大氣)의 하층 부분을 구성하고 있는 무색·투명·무취의 기체. 산소 20.95%, 질소 78.08%, 아르곤 9380 ppm, 이산화 탄소 330 ppm. 네온 18.2 ppm, 헬륨 5.24 ppm, 수소 0.5 ppm, 이밖에 크립톤·크세논 등과 먼지·질소 화합물·염화물·탄화 수소 등이 혼합(混合)되어 있음. 이산화 탄소는 근년에 연간 약 10^{-4}% 씩 증가하나 다른 성분은 변동하지 않고 있음. 동식물의 호흡, 소리의 전파(傳播)에 불가결한 것임. 대기(大氣). ¶ 맑은 ～. ②주위에 감도는 느낌이나 상태. 분위기. ¶ 험악한 ～.

공기⁵【空器】 명 ①빈 그릇. ②위가 넓게 벌어지고 밑이 뾰족한 작은 그릇. 밥 같은 음식을 덜어 먹는 데 씀. ¶ 밥 ～.

공기 가스【空氣—】 〔gas〕 명 ①공기에 휘발(揮發)하기 쉬운 가솔린 같은 것의 증기를 불어 넣어 만든 연성(燃性) 가스. 등화용 및 소규모의 열원(熱源)으로 사용함. ②발생로(發生爐) 가스.

공기 감:염【空氣感染】 [-념] 명 『의』 공기 전염(空氣傳染).

공기 건전지【空氣乾電池】 명 망간 건전지의 망간 대신에 공기를 감극제(減極劑)로 사용한 건전지.

공기 건조토【空氣乾燥土】 명 기건토(氣乾土).

공기 건:축【空氣建築】 명 〔air construction〕 『건』 공기의 압력을 이용하여 건조물을 지탱하는 방식. 외기압(外氣壓)보다 약간 높은 내기압을 갖는 돔(dome)을 만들어 스케이트 장(場) 따위의 건물로 쓰는 방식과, 공기 튜브를 구부려 돔을 만드는 방식이 있음. 뜯어 내기가 쉬워, 임시 건물에 적합함.

공기 공구【空氣工具】 명 압축 공기를 원동력으로 하여 그 팽창력에 의해서 움직이는 공구. 공기 드릴·공기 해머 따위.

공기-괴【空氣塊】 명 〔air parcel〕 『기상』 대기의 기초적인 역학적·열역학적 성질을 가지고 있다고 하는 상상적인 공기 덩어리.

공기-구¹【空氣口】 명 나쁜 공기가 나가고 새 공기가 들어오도록 만든 작은 구멍. 통풍구(通風口). 공깃구멍.

공기-구²【空氣球】 명 공기를 넣은 고무 공.

공기 기계【空氣機械】 명 압축 공기의 에너지를 이용하여 작동하는 기계의 총칭. 공기 압축기·착암기·공기 송곳·에어 브레이크 따위.

공기 기관【空氣機關】 명 〔air-engine〕 『공』 증기 기관의 증기 대신에 압축 공기 또는 열로써 팽창(膨脹)시킨 공기를 원동력(原動力)으로 사용하는 기관(機關). 기압 기관(氣壓機關).

공기 기관차【空氣機關車】 명 공기 기관을 사용하는 기관차. 주로 폭발(爆發)의 위험이 있는 탄갱(炭坑) 안에서 씀.

공기 기둥【空氣—】 명 〔air column〕 『물』 연직(鉛直)으로서 있는 관(管) 같은 것의 속에 들어 있는, 흡사 기둥 모양의 공기. 공기주. 기주(氣柱).

공기 기술【空氣技術】 명 플라스틱으로 만든 공 속에 공기를 불어넣고, 그 압력으로 거대한 돔(dome)을 만들어 박람회의 회장으로 만드는 등, 공기를 이용하는 새로운 기술.

공기 기중기【空氣起重機】 명 압축 공기를 원동력으로 하는 기중기. 공기 호이스트.

공기 남포【空氣―】[명] 공기 램프.

공기 냉:각【空氣冷却】[명] ①내연 기관(內燃機關)의 과열을 막기 위하여, 실린더와 공기의 접촉 면적을 크게 하여 열을 발산·냉각시키는 일. [준]공랭(空冷). ②냉동기로 공기의 단열(斷熱) 팽창에 의하여 온도 저하(低下)를 꾀하는 일.

공기 냉:각기【空氣冷却器】[명]〔air condenser〕『기』 냉각기의 한 가지. 일반적으로 증기 또는 가스를 공기에 의하여 냉각시키는 장치.

공:기-놀이 [명] 공기를 놀이로서 똑똑히 일컫는 말.

공기 뇌사【空氣腦寫】[명]『의』 요추 천자(腰椎穿刺)를 행하여 뇌척수액(腦脊髓液)을 조금씩 유출(流出)시키고, 거의 같은 양의 공기를 대신 주입(注入)하여 뇌표면(腦表面)이나 뇌실계(腦室系)에 공기를 보냄으로써 공기를 음성 조영제(陰性造影劑)로 하여 X선 사진을 찍는 방법.

공기 뇌실사【空氣腦室寫】[―싸] [명]『의』 두개골(頭蓋骨)에 구멍을 뚫어 그 구멍을 통하여 뇌실 천자(腦室穿刺)를 행하고, 뇌실 내수액(內髓液)을 공기와 치환(置換)하여 X선 사진을 찍는 방법.

공기 동:력계【空氣動力計】[―녁―] [명]『기』 동력계(動力計)의 하나. 프로펠러(propeller)를 공기 중에 회전시키어 소비된 에너지의 양(量)으로 원동기(原動機)의 출력(出力)을 측정함.

공기 드릴【空氣―】[명]〔air drill〕 공기 송곳.

공기 램프【空氣―】〔lamp〕[명] 빛을 세게 하기 위하여 심지를 원통형으로 만들고 아래 바닥에 많은 구멍을 내어, 공기가 잘 통하게 한 석유 램프. 공기 남포.

공기량-계【空氣量計】[명]〔aerometer〕『공』 공기 등 기체의 무게나 밀도를 측정하는 장치.

공기-력【空氣力】[명]〔aerodynamic force〕『물』 물체와 기체(氣體)의 상대 운동(相對運動)에 따라 양자(兩者) 사이에서 작용하는 힘. 공력(空力). 공력력(空力力).

공기 로크【空氣―】[명]〔air lock〕『광산』 지표(地表)로부터의 공기가 선풍기에 새어 들어가는 것을 최소로 막기 위해 배기갱(排氣坑)의 입구에 설치하는 기밀실(氣密室).

공기-류【空氣溜】[명] 압축 공기를 소용에 따라서 사용할 목적으로 한 곳에 모아 놓는 저장기.

공기 마이크로미터【空氣―】〔micrometer〕[명]〔air gauge〕 노즐(nozzle)에서 분출하는 공기압(空氣壓)의 변화를 이용하여 치수의 미소 변위(微小變位)를 측정하는 장치. 노즐의 분출구(噴出口) 가까이에 측정할 시료(試料)를 놓고, 양자의 간격의 대소에 의하여 일정압(一定壓)으로 분출하는 공기압이 변화하는 것을 측정함.

공기막 구조【空氣膜構造】[명] 공기 압력으로 부풀린 막(膜)으로, 일정한 형상을 유지함과 동시에, 풍설(風雪) 따위의 외력(外力)에 대한 저항력을 지니게 한 구조. 한 장의 막(膜)의 아래쪽 공기를 가압(加壓)하여 공중에 띄우는 단막(單膜) 구조, 두 장의 막 사이의 공기를 가압하여 렌즈 모양으로 만드는 이중막 구조 등이 있음. 합성 섬유나 유리 섬유의 막으로 대규모 공간을 덮는 지붕 따위에 이용함. *에어 돔.

공기 망치【空氣―】[명]〔pneumatic hammer〕 압축 공기를 동력(動力)으로 하여 망치에 충격(衝擊)을 가(加)함으로써 목적물에 내려치는 기계 장치. 주로 단조 작업(鍛造作業)이나 건축 구조물의 못박이 작업에 사용함. 공기 해머(空氣 hammer). 에어 해머(air hammer). 공기추(空氣鎚).

공기 못굴【恭基―窟】[명]『지』 강원도 영월군 북면(北面) 공기리(恭基里)에 있는 석회암 동굴. 내부에 대규모의 동굴 호수(湖水)를 지닌 것으로는 국내에서 으뜸감. 굴의 길이 380 m.

공기 방석【空氣方席】[명] 속에 공기를 불어 넣어서 깔게 된 방석.

공기 방파제【空氣防波堤】[명] 해저(海底)에 5천 개 이상의 작은 구멍이 뚫린 사다리 모양의 파이프를 부설하고, 여기에 2기압 정도의 강한 공기를 보내어서 거품을 일으켜 밀려 오는 물결을 막는 장치. 조선소(造船所)에서 방파용으로 시설함.

공기 밸브【空氣―】[명]〔air valve〕『기』 내연 기관(內燃機關) 또는 압축 공기 기관의 흡입 공기(吸入空氣)를 가감(加減)하는 판(瓣) 장치. 공기판(瓣).

공기 베개【空氣―】[명] 속에 공기를 불어 넣도록 된 베개. 공기침(空氣枕).

공기 분급【空氣分級】[명] 고체 입자(固體粒子)의 공기 중에 있어서의 운동이 입자의 크기에 따라 다름을 이용하여, 이것을 몇 개의 무리로 분립(分粒)하는 조작(操作).

공기 분:사식 기관【空氣噴射式機關】[명]『기』 연료(燃料)를 공기 압력으로 연소실(燃燒室)에 분사(噴射)하는 디젤 기관의 한 가지.

공기 브레이크【空氣―】[명]〔air brake〕 공기 제동기(空氣制動機).

공기-뿌리【空氣―】[명]『식』 기근(氣根). *땅위뿌리.

공기 사이클 방식 주:택【空氣―方式住宅】〔cycle〕[명] 에어 사이클 시스템 주택.

공기 색전【空氣塞栓】[명]〔air embolism〕『의』 공기가 어떤 기계 장치로 혈류(血流) 중에 들어가 혈류와 같이 운반되어, 가느다란 혈관의 내강(內腔)을 충색(充塞)함에 이르는 전과정(全過程).

공기 색전증【空氣塞栓症】[―쯩] [명]『의』 정맥으로 공기가 들어가서 발생하는 색전증. *가스(gas) 색전증.

공기 샤워【空氣―】[명]〔air shower〕『물』 에너지가 높은 1차 우주선(宇宙線)이 대기(大氣)에 입사(入射)하여 공기의 원자핵과 상호 작용을 하고, 그 결과로 생긴 2차 입자(粒子)가 다시 붕괴, 생성(生成)을 되풀이하여, 다수의 입자가 되어 지표(地表)로 쏟아져 내리는 현상. 에어 샤워.

공기 선:광【空氣選鑛】[명]『광』 풍력(風力) 선광.

공기 세:척기【空氣洗滌機】[명]〔air washer〕 공기를 물로 씻는 장치. 이 기계로 공기를 냉각하고 청결하게 만들어, 이 냉각 공기로 실내 온도를 낮추는 데 사용함.

공기 송:곳【空氣―】[명] 압축 공기를 사용하여 터빈을 움직여서, 그 끝에 단 송곳을 회전시켜 구멍을 뚫는 기계. 광산 등 전기 불꽃이 튀면 위험한 곳에서 씀. 공기 드릴.

공기 스프링【空氣―】〔spring〕[명] 공기 용수철.

공기-식【空氣式】[명] 공기 또는 다른 기체에 의존하거나 작동하는 방식.

공기 식물【空氣植物】[명]『식』 기생 식물(氣生植物).

공기-실【空氣室】[명] 수압 장치(水壓裝置)에서 액체의 유출(流出)을 고르게 하기 위한 공기가 들어 있는 간(間).

공기 아세틸렌 용접【空氣―鎔接】[명]〔air-acetylene welding〕『공』 공기와 아세틸렌의 연소로 나오는 열로 하는 가스 용접.

공기-압【空氣壓】[명]『물』 ↗공기 압력(空氣壓力).

공기 압력【空氣壓力】[―녁] [명]『물』 ①기압. 대기압(大氣壓). ②어떤 특정한 공기의 압력. [준]공기압.

공기 압착기【空氣壓搾機】[명] 공기 압축기.

공기 압축기【空氣壓縮機】[명]〔air compressor〕 공기를 대기압 이상의 압력으로 압축하여 압축 공기를 만드는 기계. 증기·전동기의 동력(動力)으로 원통(圓筒)에 넣은 펌프를 움직여 공기를 압축시킴. 공기 압착기. 에어 컴프레서.

공기-액【空氣液】[명] 액체 공기.

공기 액화기【空氣液化機】[명] 공기의 압축 냉각을 반복하여 액체 공기를 얻는 장치.

공-기업【公企業】[명]『경』 국가 또는 공공 단체가 출자하고 경영(經營)하는 기업. 이윤(利潤)의 추구가 목적이 아니고, 국민 생활의 안정, 경기(景氣) 회복, 국방 및 중요 산업의 발전 등 공공적 요구에 부응함을 목적으로 함. 철도·수도(水道)·체신 사업 같은 것. 비권력 사업(非權力事業). ↔사기업(私企業). *국영 공비 사업(國營公費事業).

공기업 수입【公企業收入】[명] 국가 또는 공공 단체가 경영하는 사업에 의해서 얻어지는 국가 수입.

공기 역학【空氣力學】[명]『물』 유체 역학 중 특히 기체상(氣體狀) 유체 중에 있는 물체에 작용하는 모든 힘을 역학적으로 연구하는 부문.

공기 역학적 안정성【空氣力學的安定性】[명]〔aerodynamic stability〕『항공』 대기 중에서 항공기나 로켓 기체(機體)가 자세를 유지하고 변위(變位)를 억제하는 성질. 만약 변위가 일어나면 공기 역학적 힘 또는 공력적 모멘트(空力的 moment)에 의해 원래의 상태로 복원시킴.

공기 열역학【空氣熱力學】[―력―] [명]〔aerothermodynamics〕『물』 기체의 열역학적 성질과 고속 기체의 역학적 현상을 연구하는 학문.

공기 열탄성학【空氣熱彈性學】[명]〔aerothermoelasticity〕『물』 탄성적 구조물에 미치는 공력 가열(空力加熱)과 공기력(空氣力)의 복합 효과를 다루는 학문.

공기 열화학【空氣熱化學】[명]〔aerothermochemistry〕『화』 기체의 운동·열·화학적 변화를 연구하는 학문.

공기 염소 처:리【空氣塩素處理】[명]〔aerochlorination〕『공』 압축 공기와 염소 가스로 하수 처리를 하는 방법. 지방질 물질 제거가 목적임.

공기 예:열기【空氣豫熱器】[명]〔air preheater〕『기』 증기(蒸氣) 가마의 연료(燃料)가 잘 연소하도록 노(爐)에 공급하는 공기를 미리 가열(加熱)하는 장치. 그 가열은 노(爐)의 발열을 이용하여서 함. 관형(管形)·판형(板形)·재생형(再生形) 따위가 있음.

공기 온도계【空氣溫度計】[명]〔air thermometer〕 가스 온도계(gas 溫度計)의 하나. 공기의 팽창(膨脹)을 이용한 온도계.

공기 요법【空氣療法】[―뻡] [명]『의』 호흡기 환자 특히 결핵(結核) 환자의 호흡의 탄력(彈力)을 조종하여 치료하는 방법의 하나. 대기 요법과 공기욕(空氣浴)의 두 가지가 있음.

공기-욕【空氣浴】[명] ①신선한 공기 속에서 생활하며 산소(酸素)를 섭취하여 신진 대사 기능을 항진(亢進)시키는 일. ②공기 속에 몸을 내놓아 피부의 저항력(抵抗力)을 증진시키는 일. ③실험실용 가열 장치의 한 가지로 장치내의 공기에 열을 가하여 그 더워진 공기로 간접적으로 실험 물질을 가열 또는 건조하는 일. 최고 300°C까지 가열할 수 있으며 유욕(油浴) 대신으로 씀. ――-하다 [자][여불]

공기 용수철【空氣龍鬚鐵】[명] 벨로즈(Bellows)로 불리는 고무제(製)의 용기(容器)내에 압축 공기를 넣어, 공기의 탄성(彈性)을 이용하는 용수철. 철도 차량·자동차의 현가 장치(懸架裝置)에 사용됨. 공기 스프링.

공기 운반기【空氣運搬機】[명] 공기 컨베이어(空氣 conveyer).

공기 원:근법【空氣遠近法】[―뻡] [명]『미술』 공기 또는 광선의 작용으로 말미암아 생기는 색채 명암(色彩明暗)에 의해서 물체의 거리감을 표시하는 원근법(遠近法).

공기 이젝터【空氣―】[명]〔air ejector〕『기』 유체 분사(流體噴射)에 의하여, 복수기(復水器) 따위에서 공기 또는 가스를 제거하는 장치.

공기 저:항【空氣抵抗】[명]〔air resistance〕『물』 공기 중에서의 물체의 운동에 대하여 공기가 그것을 저지(阻止)하는 현상(現象). 공기의 유동(流動)에 의한 항력(抗力).

공기 전색【空氣栓塞】[명]『의』 동맥 속에 공기가 침입하여 가느다란 동맥이나 모세 혈관의 혈류(血流)를 폐색(閉塞)시키는 일.

공기 전송관【空氣傳送管】[명] '에어 슈터'의 역어(譯語).

공기 전염【空氣傳染】[명]『의』 전염 병원균이 공기 중에 비산(飛散)하여 건강한 사람의 호흡기를 통해서 체내에 침입하여 전염하는 일. 공기 감염. ――-하다 [자][여불]

공기 전:지【空氣電池】[명]〔air cell〕 건전지(乾電池)의 한 가지. 보통, 전지에서 산화제(酸化劑)로 사용하는 이산화 망간(二酸化 mangan) 대신에 공기 중의 산소를 흡수할 수 있게 만든 구조로 되어 있음. 사용 중 전압 강하(電壓降下)가 적고 저장 수명(貯藏壽命)이 긴 것이 장점이나, 기전력(起電力)이 낮은 것이 단점임.

공기 정역학【空氣靜力學】[―녁―] [명]〔aerostatics〕『물』 유체(流體) 정역학의 하나. 정지한 공기 등, 기체(氣體) 자체의 균형이나 그 속에 있어서의 물체의 평형(平衡)에 대한 학문의 한 분야. 특히 기구(氣球)·낙하산 등의 연구와 관계가 깊음. 대기(大氣) 정역학.

공기 정화기【空氣淨化器】명 〔air cleaner〕〖공〗 공기에서 특정한 크기의 입자나 에어로졸을 제거하기 위한 각종 장치의 총칭. 습식 집진기·정전식(靜電式) 집진기·필터 등이 있음. 에어 클리너.

공기 제:강법【空氣製鋼法】[—뻡] 명〖공〗 공기·산소를 사용하는 제강법의 총칭.

공기 제:동기【空氣制動機】명 에어 브레이크(air brake).

공기 조절【空氣調節】명 실내의 보건 또는 생산 능률에 필요한 상태로 공기를 조절하는 일. 기계 장치에 의해서 자동적으로 공기의 온도·습도 등을 적당히 조절하는 것인데, 난방(暖房)·냉방(冷房) 등의 목적도 겸함. 공기 조화. 에어 컨디셔닝(air conditioning).

공기 조화【空氣調和】명 공기 조절(空氣調節).

공기-주【空氣柱】명〖물〗 공기 기둥.

공기 주머니【空氣—】명〖생〗 기낭(氣囊)❶.

공기 직통【空氣直筒】명 공기 펌프(空氣 pump).

공기 질산법【空氣窒酸法】[—싼뻡] 명〖화〗 공기 중의 질소와 산소를 직접 화합시켜서 질산을 만드는 방법.

공기 차:단기【空氣遮斷機】명〔airblast circuit breaker〕 전로(電路)를 차단할 때에 차단 아크(arc)에 압축 공기를 불어 넣어 소호(消弧)하는 형식의 차단기. 발전소·변전소·전기 철도 등에서 널리 쓰임.

공기 착암기【空氣鑿岩機】명 암반·암석 등에 구멍을 뚫는 기계. 실린더 안에 압축 공기를 보내어 피스톤의 왕복 운동에 의하여 그 첨단(尖端)에 있는 초경합금(超硬合金)의 비트(bit)가 달린 정에 타격을 가하고 동시에 정을 회전시킴.

공기-창【空氣窓】명 환기(換氣)를 하기 위하여 낸 조그만 창.

공기 청정기【空氣淸淨器】명 에어 클리너.

공기-총【空氣銃】명〔air rifle〕 압축 공기를 이용하여 장전(裝塡)한 총알을 발사시키는 장치로 된 총. 새를 잡는 총은 대개 이것임. 공기포(空氣砲). ＊새총.

공기-추【空氣鎚】명 공기 망치.

공기 축받이【空氣軸—】[—바지] 명 공기의 점성(粘性)을 이용한 축받이.

공기-침【空氣枕】명 공기 베개. 풍침(風枕).

공기 컨베이어【空氣—】명〔air conveyer〕 곡식 같은 입상물(粒狀物)을 관속으로 흐르는 공기에 의하여 운반하는 장치. 진공 펌프에 의한 흡입식(吸入式)과 공기 압축기에 의한 압송식(壓送式)의 두 가지가 있음. 공기 운반기.

공기 케이슨【空氣—】〔caisson〕명 건설 공사를 할 때 샘이 솟는 경우나 수중(水中) 굴착(掘鑿) 작업을 할 경우, 잠함(潛函) 하부(下部)에 압축 공기를 보내어 저부(底部)에 있는 작업실에 침수(浸水)함을 막으면서 굴착 작업을 진행시키며, 건조물(建造物) 자체의 무게에 의하여 잠함을 소정의 깊이까지 침하(沈下)시키는 방법. 또, 그 잠함. 수중(水中)에서 하는 기초 공사 때 쓰임. 뉴매틱 케이슨.

공기 콘덴서【空氣—】명〔air condenser〕 알미늄 등의 금속판을 많이 겹쳐서 전극(電極)으로 하고 공기가 유전체(誘電體)가 되게 만든 콘덴서. 전력 손실이 적으며 안정된 특성을 지님. 통신용 기기·고주파 측정 기구·표준 콘덴서 등에 쓰임.

공기 쿠션【空氣—】명〔air cushion〕 압축 공기의 반발력을 이용하여 공기를 치밀(緻密)한 자루에 넣은 쿠션. 공기 탄기(空氣彈機).

공기 타이어【空氣—】명〔air tire〕 튜브에 공기를 봉입(封入)하여 공기압(空氣壓)의 탄성(彈性)을 이용하여 바퀴의 충격을 완화하도록 만든 고무 타이어. 자전거·자동차·항공기 등의 바퀴에 쓰임.

공기 탄:기【空氣彈機】명 공기 쿠션(空氣 cushion).

공기-판【空氣瓣】명〖기〗 공기 밸브.

공기 펌프【空氣—】〔air pump〕명 ①밀폐된 용기(容器) 속의 기체(氣體)를 배제(排除)하는 펌프. 진공 펌프. 공기 직통(空氣直筒). 배기(排氣) 펌프. ②공기를 압축하여 용기 속에 넣는 펌프. 압축 펌프.

공기펌프-자리【空氣—】〔pump〕명〔라 Antlia〕〖천〗 남천(南天)에 있는 별자리의 하나. 바다뱀자리의 남쪽에 있음. 4등성 이하의 별로 이루어짐. 펌프자리. 약자(略字) : Ant.

공기-포【空氣砲】명 공기총(空氣銃).

공기 해머【空氣—】명〔air hammer〕〖기〗 공기 망치.

공기 호이스트【空氣—】명〔air hoist〕 공기 기중기.

공깃-구멍【空氣—】명 공기구(空氣口).

공:깃-돌 명 공기놀이에 쓰는 밤톨만한 돌.

공:난【攻難】명 공격하여 비난함. ——-하다 타 여불

공납[1]【公納】명 국고(國庫)로 수입되는 조세(租稅).

공:납[2]【貢納】명〖역〗 ①공물을 바침. ②조세(租稅)·공물·진상(進上) 및 신역(身役)의 역가(役價)의 총칭. 납공(納貢). 준 공(貢). ——-하다 타 여불

공납-금【公納金】명 ①관공서에 의무적으로 납부해야 할 돈. ②학교 학생이 학교에 정기적으로 바치는 돈. 수업료·육성회비 같은 것의 총칭.

공:납-품【貢納品】명 공납하는 물품.

공낭【空囊】명 ①돈이 들어 있지 아니한 빈 주머니. ②몸에 돈을 지니지 아니함을 일컬음.

공녀[1]【工女】명 여공(女工).

공녀[2]【公女】명 귀한 집안의 나이 어린 딸. 공작(公爵)의 딸. ¶소(小)～. ↔공자(公子).

공:녀[3]【貢女】명〖역〗 고려 및 조선 시대에, 중국 원(元)나라나 명(明)나라의 요구에 따라 여자를 진공(進貢)하던 일. 또, 그 여자. 고려 때에는 이를 위하여 결혼 도감(結婚都監)과 과부 처녀 추고 별감(寡婦處女推考別監)이라는 특별 관청을 두었음.

공:노【共怒】명 함께 노(怒)함. 함께 성냄. ¶천인 ～할 큰 죄. ——-하다 자 여불

공-노비【公奴婢】명〖역〗 관아에서 부리는 노비. 관노비. ↔사노비.

공-능【功能】명 ①공적과 재능. ②공효와 효능.

공다리 명 무·배추의 씨를 떨어 낸 장다리.

공단[1]【工團】명 ↗공업 단지.

공단[2]【公團】명 일정한 국가적 사업을 수행하기 위하여 설립하는 특수 법인. 그 임직원(任職員)은 법률에 의한 벌칙의 적용에 있어 공무원으로 간주되고, 예산 결산에 대해서 주무부 장관의 승인을 필요로 함. 한국 산업 안전 공단 따위.

공:단[3]【貢緞】명 감이 두껍고 무늬가 없는 비단. ¶～ 치마.

공단-곶【功端串】명〖지〗 경상 남도 울산만(蔚山灣)의 남쪽에 있는 갑(岬). 부근에는 방어진(方魚津)·울산 등의 동해안 굴지의 어항들이 있음.

공담[1]【公談】명 ①공평(公平)한 말. 공언(公言). ②공무(公務)에 관한 말. ↔사담(私談).

공-담[2]【空—】명 건물 주위의 공지(空地)에 둘러쌓은 담. 빈 담.

공담[3]【空談】명 ①쓸데없는 이야기. 헛된 이야기. ②실행이 불가능한 이야기.

공담-가【空談家】명 공담(空談)을 잘하는 사람.

공:담 의:무【共擔義務】명 연대(連帶) 책임.

공답【公畓】명〖역〗 나라의 논. ↔사답(私畓).

공당[1]【公堂】명〖역〗 공무(公務)를 보는 곳. ↔사당(私堂).

공당[2]【公當】명 〈이두〉 공변되고 타당함.

공당[3]【公黨】명 공공연하게 주의·방침 등을 발표한 정당. 또, 그러한 당파. ¶사회의 ～. ↔사당(私黨).

공:당[4]【共黨】명 ↗공산당(共産黨).

공당[5]【空堂】명 텅 빈 당.

공대[1]【工大】명 ↗공과 대학.

공대[2]【空大】명〖불교〗 오대(五大)의 하나. 애(礙)도 없고 장(障)도 없으며, 일체의 것을 그 안에 안주(安住)시키는 것. 전세계를 지탱하여 물(物)의 존재를 가능하게 하는 것. 즉 공간을 말함. ＊오대(五大)·사대(四大).

공대[3]【空垈】명 ①담 안의 빈 터전. ②집지을 터전. 빈 집터.

공대[4]【恭待】명 ①공손하게 대접함. ②상대자에게 경어를 씀. ¶～말. 1)·2):↔하대(下待). ——-하다 타 여불

공대-공【空對空】명 공중에서 공중으로 향함. ¶～미사일. ＊공대지(空對地).

공대공 미사일【空對空—】명〔air-to-air missile〕〖군〗 항공기에 탑재(搭載)하는 대공 공격(對空攻擊) 미사일. 약칭: 에이 에이 엠(AAM).

공대-말【恭待—】명 상대자나 상대자에 관계되는 일을 공대하여 이르는 말. '그이'를 '그분', '밥'을 '진지', '먹다'를 '잡수시다', '있다'를 '계시다', 조사(助詞) '가'나 '이'를 '께서'로 하는 것 등. 높임말. ↔예사말.

공대수중 미사일【空對水中—】명〔air-to-underwater missile〕〖군〗 수중 목표에 대하여, 항공기에서 발사하는 미사일.

공대위성 미사일【空對衛星—】〔missile〕명〖군〗 우주 공간의 인공 위성에 대하여, 항공기에서 발사하는 미사일.

공-대지[1]【空垈地】명 나대지(裸垈地).

공대-지[2]【空對地】명 공중에서 땅으로 향함. ¶～ 미사일. ↔지대공(地對空).

공대지 미사일【空對地—】명〔air-to-surface missile〕〖군〗 항공기에 탑재(搭載)하는 대지상(對地上) 공격 미사일. 에이 에스 엠(ASM). 에이 지 엠(AGM).

공대지 호:밍 미사일【空對地—】〔homing missile〕명〖군〗 비행기에서 지상 목표에 대하여 발사하는 미국 해군의 호밍 활공(滑空) 미사일. 월아이(walleye)와 콘도르(Condor)의 두 가지가 있는데, 안에 텔레비전 카메라를 비치하고 있으며, 비행기 조종사가 유도할 수 있음.

공덕[1]【公德】명 사회 공공에 대한 덕의(德義). 공중 도덕. ↔사덕(私德).

공덕[2]【功德】명 ①공로(功勞)와 인덕(仁德). 덕(德). ②〖불교〗 닦아서 이룬 공덕을 다른 사람에게 미치게 하는 일. 착한 일을 많이 한 힘, 현재와 미래를 좋게 하는 선업(善業). 급수 공덕(汲水功德)이나 활인 공덕(活人功德) 같은 것.

공덕-림【功德林】[—님] 명〖불교〗 선근(善根) 공덕을 많이 쌓음이 수풀의 무성(茂盛)함과 같다는 말.

공덕-문【功德文】명 ①공덕 있는 사람을 칭송하는 글. ②〖불교〗 중이 동냥하기 위하여 만들어 도르는 종이 주머니.

공덕-보【功德寶】명〖역〗 신라 혜공왕 때, 김유신(金庾信)의 명복을 빌기 위하여 나라에서 취선사(鷲仙寺)에 기진(寄進)한 토지인 공덕보전(功德寶田)을 재원으로 하여 취선사에서 설치 운영한 이식 기관(利息機關).

공덕-부【功德部】명〖역〗 백제(百濟)의 관직의 하나. 관서(官署) 22부(部) 가운데 내관(內官)에 딸린 벼슬.

공덕-산[1]【公德山】명〖지〗 평안 북도 강계군(江界郡)에 있는 산. 강남(江南) 산맥 첫머리 부분을 이룸. [1,134 m]

공덕-산[2]【功德山】명 경상 북도 문경시(聞慶市) 산북면(山北面) 전두리(田頭里)에 있는 산. 대승사(大乘寺)가 있으며 윤필(潤筆)·묘적(妙寂)·반야(般若) 등의 도사(道師)가 이 산에서 도(道)를 이루었다고 함. 사불산(四佛山). [912 m]

공덕-수【功德水】명〖불교〗 알가(閼加).

공덕-심[1]【公德心】명 공덕을 존중하고 지키려는 정신.

공덕-심[2]【功德心】명〖불교〗 여러 사람에게 좋은 일을 하려는 마음.

공덕-업【功德業】명〖불교〗 ①선근 공덕(善根功德)을 쌓는 일. ②불가(佛家)에서 공덕(功德)을 쌓기 위하여 7월 초하루부터 24일까지 길가에서 차(茶)를 끓이어 오가는 사람에게 베푸는 일.

공덕-의【功德衣】[—/—이] 명〖불교〗 가사(袈裟). 공덕 있는 이의 옷이라는 뜻으로 일컫는 말.

공덕-장【功德藏】명〖불교〗 ①선근 공덕(善根功德)을 많이 쌓음. ②복장엄(福莊嚴)이 충실한 사람. ③부처·보살(菩薩)·경문(經文)·염불(念佛)

등의 이칭(異稱). 아미타불(阿彌陀佛).

공덕-주【功德主】 명 〖불교〗 ①부처. 공덕을 베풀어 주는 근본이라는 뜻으로 일컬음. ②삼보(三寶)에 공양(供養)하는 시주(施主).

공덕-지【功德池】 명 〖불교〗 극락 정토(極樂淨土)에 있다는 못. 이 못의 물은 감미(甘味)·안화(安和)·윤택(潤澤)·음무환(飮無患) 등의 여덟 가지 공덕이 있는 물이라 함.

공덕-차【功德茶】 명 〖불교〗 불가(佛家)에서 공덕(功德)을 쌓기 위하여 7월 초하루부터 24일까지 길가에서 오가는 사람에게 끓이어 베푸는 ⌊차.

공덕-천【功德天】 명 〖불교〗 ↗공덕천녀.

공덕천-녀【功德天女】 명 〖불교〗 길상천녀(吉祥天女). ㊟공덕천(功德天). 「는 말.

공덕-해【功德海】 명 〖불교〗 공덕의 세계. 그 많고 깊음이 바다와 같다

공도[1]【公度】 명 〖수〗 동종(同種)인 두 개 이상의 양(量)에 공통한 공약량(公約量). 12mg과 16mg의 공도(公度)는 2mg이고, 2홉 5작(勺)과 2홉 7작의 공도는 1작임.

공도[2]【公盜】 명 공무원(公務員)이 자기의 직권(職權)을 이용하여 사리(私利)를 꾀하는 일. 또, 그러한 공무원. 공적(公賊).

공도[3]【公道】 명 ①공평하고 바른 도리. ②떳떳하고 당연한 이치. ③국가가 공중(公衆)의 통행로로 정해 놓은 길. 공로(公路). 1)·3):↔사도(私 ⌊道).

공도[4]【公稻】 명 〖역〗 관아에서 수납(收納)하는 벼.

공:도[5]【孔道】 명 ①〖유교〗 공자(孔子)가 가르친 도(道). ②공로(孔路).

공:도[6]【共倒】 명 같이 넘어짐. 함께 쓰러짐. ——-하다 자여불

공도-교【公道橋】 명 공도에 가설한 다리.

공:도 동망【共倒同亡】 명 ①같이 넘어지고 함께 망함. ②운명을 같이 함. ——-하다 자여불

공도-량【公度量】 명 〖수〗 공통의 공도를 가지는 몇 개의 양. ↔비공도량(非公度量).

공-도회【公都會】 명 〖역〗 관찰사(觀察使)·유수(留守)가 매년 자기 지방의 유생(儒生)에게 보이는 소과(小科) 초시(初試). 이에 합격한 사람은 다음해에 보는 생원(生員)·진사(進士)의 복시(覆試)에 응할 수 있음.

공-돈【空一】[一똔] 명 힘을 들이지 아니하고 공으로 얻은 돈. ¶ ~은 오래 못 간다.

공-돌다【空一】 자 매인 데가 없이 제멋대로 돌다. ¶ 자동차 바퀴가 ~.

공-돌쌓기【空一】[一싸키] 명 〖건〗 돌이나 벽돌을 쌓을 때 회(灰)나 흙을 쓰지 않고 그대로 쌓는 일.

공돌-이【工一】 명 〈속〉 공원(工員). 남자 직공. ↔공순이.

공동[1]【公同】 명 공중 일반(公衆一般)의 공동(共同).

공:동[2]【共同】 명 ①둘 이상의 사람이 같은 자격으로 모이는 결합(結合). ↔단독(單獨). ②둘 이상의 사람이 일을 같이 함. ——-하다 타여불

공:동[3]【共動】 명 〖생〗 자동(自動) 운동에 따라 무의식 중에 일어나는 운동. 예를 들면 하지(下肢)를 가랑이 및 무릎 관절에서 굴곡(屈曲)시킬 때 전경골근(前脛骨筋)이 자연히 수축하여 발 관절이 배굴(背屈)하는 현상 같은 것. ——-하다 자여불

공동[4]【空洞】 명 ①아무 것도 없이 텅 빈 굴. ②〔cavity〕〖의〗 몸의 조직 안에 괴사(壞死)가 일어나 그것이 배출된 뒤에 생기는 빈 곳. 특히 결핵균에 의해서 생기는 폐의 공동. ¶ 폐에 ~이 생기다.

공:동[5]【恐動】 명 위험한 말로 사람의 마음을 두렵게 함. ——-하다 타여불

공:동 가입 전:화【共同加入電話】 명 서로 비교적 가까운 거리에 있는 2-10대의 가입 전화기에 대하여 전화국까지의 전화선을 공동으로 사용하는 전화. ㊟공동 전화(共同電話).

공:동 거류지【共同居留地】 명 〖법〗 여러 외국의 공동 관리에 속하는 거류지(居留地). 조약(條約)에 의하여 조약을 맺은 여러 외국이 일정한 지역을 빌려 그 외국의 국민을 거주하게 하며 그 외국의 행정권으로써 공동 관리하는 지역. ↔전관 거류지(專管居留地). *공동 조계.

공:동 건:축【共同建築】 명 이웃하고 있는 몇 사람의 대지(垈地) 소유자가 공동으로 한 채의 건물을 짓는 일. 대지를 유효하게 이용할 수 있으며 건설비(建設費)가 절약되는 등의 이점(利點)이 있음.

공:동-격【共同格】[一껵] 명 〖언〗 주어(主語)에 있어서 함께 함을 나타내는 토가 붙는 자리. '과'·'와'·'하고' 등의 토가 붙음. 여동격(與同格). 함께자리. 「견(雙繭).

공:동-견【共同繭】 명 누에 두 마리가 지은 쌍고치. 동공견(同功繭). 쌍

공:동 결정법【共同決定法】[一정뻡] 명 〖사〗 기업의 감사 회의(監査會議)에 노동자측 감사를 출자자측의 감사와 동수로 참여시키고, 투표권을 행사하게 보장한 서부 독일의 법률.

공:동 결혼식【共同結婚式】 명 합동 결혼식(合同結婚式). 「獨經營).

공:동 경영【共同經營】 명 여러 사람이 함께 하는 경영. ↔단독 경영(單

공:동 경작【共同耕作】 명 둘 이상의 농가(農家) 또는 한 부락이 공동으로 경작하는 일. ——-하다 타여불

공:동 경작지【共同耕作地】 명 공동으로 경작하는 토지.

공:동 경제【共同經濟】 명 〖경〗 각 개인의 독립적 존재를 허용하지 않고, 어떤 통일적 의지(意志)에 의해서 관리 주재(主宰)되는 경제. 원시 공산체(原始共產體)·가족·회사·국가의 경제 또는 사회주의 경제 같은 것. ↔단독 경제(單獨經濟).

공동공:진기【空洞共振器】 명 〔cavity resonator〕〖물〗 극초단파(極超短波)의 공진 회로(共振回路)의 한 가지. 금속으로 만든 속이 빈 상자에서, 그 크기나 모양에 따라 정해지는 진동수의 전파가 그 공동(空洞) 안에 생김. 극초단파의 발진(發振)·증폭(增幅), 주파수의 안정화(安定化), 파장의 측정, 전자(電子)의 가속(加速) 등에 사용됨. 공진 상자(共振箱子).

공:동 관계【共同關係】 명 〖사〗 공동 사회적 관계(共同社會的關係).

공:동 관리【共同管理】[一괄一] 명 ①공동으로 관리함. ②〖법〗 두 나라 이상이 공동으로 어떤 나라에 대한 채무(債務)의 상환(償還)을 확실하게 하거나, 혹은 재류(在留) 국민의 생명 재산을 보호하기 위하여, 그 나라의 철도·광산·우편·전신·세관 같은 것을 공동으로 지배하여 관리하는 일. 국제 관리. ——-하다 타여불

공:동 관심【共同關心】 명 여러 사람이 다같이 가지는 관심. ¶ 양국의 ~사(事)에 대하여 논의하다.

공:동 관재인【共同管財人】 명 공동으로 한 재산을 관리하는 사람.

공동-구【共同溝】 명 상하수도·가스·전력(電力)·통신 등의 관(管)이나 케이블을 공동으로 수용(收容)하는 지하 시설.

공:동 권리【共同權利】[一궐一] 명 〖법〗 여러 사람이 공동으로 가지는 권리.

공:동 규제 수역【共同規制水域】 명 1965년 6월에 맺어진 한일(韓日) 어업 협정에 의거해서, 한국 전관 수역(專管水域)의 바깥쪽에 설치된 양국의 공동 어업 수역(共同漁業水域). 이 수역은 한일 어업 공동 위원회가 규제 조치를 권고하나 잠정적 규제 조치로서, 이 수역 내에서의 연간 어획량(年間漁獲量)을 제한함.

공:동-근【共動筋】 명 〖생〗 딴 근육과 협동하여 운동 작용하는 근.

공:동 기업【共同企業】 명 〔도 Gesellschaft〕〖경〗 두 사람 이상이 공동으로 경영하는 기업. 조합(組合)·회사(會社) 같은 것.

공:동 기업체【共同企業體】 명 〖경〗 단일 기업으로는 자금력·기술력·노동력 등의 조달이 곤란한 경우, 복수(複數)의 기업이 공동으로 사업을 하기 위하여 설립하는 기업. 조인트 벤처.

공:동 나:포【共同拿捕】 명 〖군〗 ①전시에 있어서, 두 척 이상의 군함이 서로 협력하여 동일한 선박을 나포함. ②육·해·공군이 협력하여 같이 나포함. ——-하다 타여불 「*공공 단체.

공:동 단체【共同團體】 명 두 사람 이상이 동일한 목적으로 모인 단체.

공:동 담보【共同擔保】 명 〖법〗 ①거래원(去來員) 중에 위약(違約) 행위가 있을 때, 이로 인해서 생긴 손해의 배상을 공동으로 하는 담보. ②동일 채권(債權)의 담보로서 여러 개의 물건 위에 담보권(權)을 설정하는 일. ↔특별 담보.

공:동-답【共同畓】 명 두 사람 이상이 공동으로 경작하는 논.

공:동 대:리【共同代理】 명 〖법〗 두 사람 이상의 대리인(代理人)이 공동(共同)해서 비로소 법률 행위를 할 수 있는 대리.

공:동 대:부【共同貸付】 명 〖경〗 두 개 이상의 은행이 한 개인이나 한 회사에 대하여 자금을 대부하는 일. 공동 융자(共同融資).

공:동 대:표【共同代表】 명 〖법〗 몇 사람이 공동하여 비로소 법인(法人)을 대표할 때의 대표. 합명 회사·합자 회사의 무한 책임 사원 또는 주식 회사의 대표 이사가 정관(定款)에 정하는 바에 의하여 몇 사람이 공동하여 회사를 대표할 때 같은 것.

공:동 도급【共同都給】 명 토목 건축 청부의 한 방식으로, 어떤 대규모의 공사(工事)를 공동으로 도급맡아 완성(完成)의 책임을 분담하고, 그 성과에 비례해서 이익을 분배하는 일.

공:동 동:작【共同動作】 명 〔common action〕 둘 이상의 단체가 당면한 공통 목적을 위하여 취하는 동일한 행동. 협동 동작(協同動作).

공:동-력【共同力】[一녁] 명 두 사람 이상이 동일한 목적으로 뭉친 힘.

공:동 면:허【共同免許】 명 〖법〗 탁주 또는 약주의 제조 면허를 받은 자가 자율적으로 결속하여 같은 행정 구역 안에서 공동으로 주류(酒類)를 제조(製造)하기 위하여 개별적인 면허를 취소하고 연기명(連記名)으로 받는 면허.

공:동 모금【共同募金】 명 사회 사업 시설의 자금을 모을 목적으로 각 계층의 사람들이 협동하여 행하는 모금 운동. 크리스마스 실 따위.

공:동 모의【共同謀議】[一/一이] 명 〖법〗 ①두 사람 이상이 공동으로 위법한 행위를 하고자 하는 합의(合意). ②두 사람 이상이 공동으로 범죄의 실행을 모의하는 일. 공모(共謀). ——-하다 타여불

공:동 목간【共同沐間】 명 공동 목욕탕.

공:동 목욕탕【共同沐浴湯】 명 많은 사람이 요금(料金)을 내고 공동으로 쓰도록 설비된 목욕탕. 공동 욕장(浴場). 공동탕. 공동 목간.

공:동 목적【共同目的】 명 관계자 일반에게 공통된 목적.

공:동 못자리【共同一】 명 〖농〗 모 기르는 데 관리인을 두어 땅고름·거름주기·씨뿌리기 등의 관리를 관리인에게 일임하고, 모의 이식기(移植期)에 이르러 각자의 예정된 수량을 분배하는 방법.

공:동 묘:지【共同墓地】 명 ①한 지방에서 여러 사람이 공동으로 쓰도록 지정한 매장지(埋葬地). ↔사설 묘지(私設墓地). ②어떤 단체가 소유하는 묘지.

공:동-물【共同物】 명 여러 사람이 공동으로 소유(所有)하는 물건.

공:동 발표【共同發表】 명 〔joint statement〕 정부 수뇌의 회담 내용이나 합의 사항 따위를 기록한 외교 문서. 회담 내용의 발표 방법으로서는 극히 비공식적인 것인 신문 발표와 공식적인 공동 성명과의 중간에 해당하는 것임. 「하다 타여불

공:동 방위【共同防衛】 명 두 나라 이상이 공동으로 방위하는 일. ——-

공:동 배:서인【共同背書人】 명 〖법〗 여러 사람이 중첩적(重疊的)으로 배서한 경우의 배서인. 이때 전원이 다른 어음 또는 수표 채무자와 합동하여 소지인에 대하여 담보 책임을 짐.

공:동 번역 성:서【共同飜譯聖書】 명 1977년 부활절(復活節)에 가톨릭과 개신교(改新敎)가 공동으로 번역·간행한 한글판 성서.

공:동-법【共同法】[一뻡] 명 〖언〗 청유법(請誘法).

공동 벽돌【空洞甓一】 명 〖토〗 중량을 줄이고 방습(防濕)·방열(防熱)의 특성을 갖게 하기 위하여 속을 비게 만든 벽돌.

공:동 변:동 환:율제【共同變動換率制】[一쩨] 명 〖경〗 화폐 블록을 형성하고 있는 여러 나라가, 역내(域內)에서는 고정(固定) 환율제를 취하면서 역외(域外)에 대해서는 공동으로 환율을 변동시키는 제도.

공:동 변소【共同便所】[명] ①몇 집 또는 한 동네에서 공동으로 사용하기 위하여 만들어 놓은 변소. ②'공중 변소'의 별칭. ③〈속〉 음탕한 계집 또는 매춘부를 경멸하여 일컫는 말.
공:동 보:관【共同保管】[명] 각종 협동 조합 같은 곳에서 조합원의 원자재·생산품 등을 맡고 관리하는 일. 「은 보조. ¶ ~를 취하다.
공:동 보:조【共同步調】[명] 여러 사람이 한 뜻으로 일을 해 나아감. 같
공:동 보:증【共同保證】[명] 동일(同一)한 채무에 대하여 계약의 건수(件數)나 때와 장소에 관계없이 두 사람 이상이 공동으로 하는 보증.
공:동 보:험【共同保險】[명]〖법〗 두 사람 이상의 보험업자(保險業者)가 동일(同一)한 목적에 대하여 맡은 보험. 분할 보험(分割保險).
공동 복사【空洞輻射】[명] 공실 방사(空室放射).
공:동 불법 행위【共同不法行爲】[명]〖법〗 여러 사람이 공동으로 행한 한 개의 불법 행위. 「경영(經營)하는 사업.
공:동 사:업【共同事業】[명] 둘 이상의 여러 사람이 공동으로 협력하여
공:동 사회【共同社會】[명]〖사〗 가족·촌락과 같이 유기체적인 본질 의지에 의하여 결합된 자연적·폐쇄적 사회. 공동체(共同體). 협동체. 게마인샤프트. ↔이익 사회(利益社會).
공:동 사회적 관계【共同社會的關係】[명]〖사〗 상호간의 애착 또는 공동 이해 관계로 맺어진 사회적 관계. 공동 관계(共同關係).
공:동 상속【共同相續】[명]〖법〗 유산 상속에 있어서 동일한 순위(順位)에 있는 두 사람 이상의 유산 상속인이 공동으로 유산을 상속하는 일. ↔단독 상속(單獨相續). ——-하다 [타][여불]
공:동 상속인【共同相續人】[명]〖법〗 공동 상속을 받는 사람.
공:동 생활【共同生活】[명] ①똑같은 목적을 가졌거나 똑같은 환경에 있는 여러 사람이 일정한 기간(期間) 또는 무기간(無期間)으로 한데 모여 서로 도우며 사는 생활. ②〖생〗 목적이나 환경을 의식(意識)함이 없이 생래적(生來的)으로 일정한 장소에서 서로 도우며 사는 생활. 개미·벌 따위의 생활. ③남녀가 결혼하여 사는 생활. ——-하다 [자][여불]
공동 서한【公同書翰】[명]〖기독교〗 신약(新約) 성서 중에 있는 7편의 서한. 바울의 편지와 달라 여러 교회 또는 모든 교회에 보낸 것으로 이설(異說)에 대하여 정통적인 권위를 가지고 있으며, 교리에 융통성이 있음. 야고보서(書)·베드로 전서(前書)·베드로 후서(後書)·요한 일서·요한 이서·요한 삼서·유다서(書) 등임. *목회 서간.
공:동-선[1]【共同善】[명] 공동의 선. 공공(公共)을 위한 선(善).
공:동-선[2]【共同線】[명] 하나의 회선(回線)에 두 개 이상의 가입(加入) 전화(電話)를 접속(接續)시켜 사용하는 전화선.
공:동선-식【共同線式】[명]〖전〗 공동 전지식(共同電池式).
공:동 선언【共同宣言】[명] ①둘 이상의 개인이나, 단체 또는 국가가 공동으로 발표하는 선언. ②〔joint declaration〕 국가 간(國家間)의 의사 표시의 한 형식. 당사국 사이에 권리와 의무 관계가 발생하여 조약과 같은 법적 효력을 갖는 것과 당사국이 그 행위에 대하여 설명(說明)할 뿐 국제적인 약속이 되지 않는 것이 있음. ——-하다 [타][여불]
공:동 성명【共同聲明】[명] ①둘 이상의 개인이나, 단체 또는 국가가 어떤 일에 관하여 그 내용·경과(經過) 같은 것을 공동으로 세상에 대하여 발표하는 성명. ②〔joint communiqué〕 한 나라의 정부 수뇌가 외국을 방문하였을 때, 그 나라 수뇌와의 회담 내용·특기 사항 등을 기록한 일종의 외교 문서. ——-하다 [타][여불]
공:동 소송【共同訴訟】[명]〖법〗 단일 사건에 관하여 한 사람의 원고가 몇 사람의 피고를 또는 몇 사람의 원고가 한 사람의 피고를 상대로 하여 병합(併合) 제기하는 소송. ——-하다 [타][여불] 「피고.
공:동 소송인【共同訴訟人】[명]〖법〗 공동 소송에 관계되는 원고 또는
공:동 소:유【共同所有】[명] 둘 이상의 권리 주체가 공동으로 동일물에 대하여 소유권을 가지는 일. ——-하다 [타][여불]
공:동 소:작【共同小作】[명]〖농〗 두 사람 이상이 공동으로 토지를 빌려서 경작하는 소작. ——-하다 [타][여불] 「하는 수도. ↔전용 수도.
공:동 수도【共同水道】[명] 두 사람 이상 또는 한 동네가 공동으로 사용
공:동 수역【共同水域】[명] 일정한 목적을 위하여 조약을 기초로 하여 관계국이 공동의 규제를 가하도록 합의한 공해 상의 수역. 어족 보호를 목적으로 하는 것이 많음. *어업 전관 수역.
공:동 수익자【共同受益者】[명]〖경〗 신탁(信託)의 수익자가 둘 이상일 때의 수익자. ↔단독 수익자. 「수탁자. ↔단독 수탁자.
공:동 수탁자【共同受託者】[명]〖경〗 신탁에서 수탁자가 둘 이상일 때의
공:동 숙박소【共同宿泊所】[명]〖사〗 도시에 거주하는 가난한 사람들의 주택난(住宅難)을 해결하기 위하여 또는 자유 노동자들에게, 숙박료가 싼 숙사를 제공하기 위하여 정부·공공 단체·자선 단체(慈善團體) 등에서 설치하여 경영하는 숙박소.
공:동 시:설【共同施設】[명] 일정 구역의 주민에게 공용(共用)되는 시설 또는 공중에게 공개되는 시설의 총칭. 공원·집회소·공동 변소·공동 목욕탕 등. *공공 시설.
공:동 시:설세【共同施設稅】[명]〖법〗 지방세의 하나. 소방 시설·오물 처리 시설 기타 공공 시설에 필요한 비용에 충당하기 위하여, 그 시설로 인하여 이익을 받는 사람에게 부과함.
공:동 시:장【共同市場】[명]〖경〗 ①몇 사람의 사인(私人)이 공동으로 출자(出資)하여 설치하고 경영하는 시장. 어물(魚物) 시장·청과물(青果物) 시장 같은 것. *사설(私設) 시장·공설(公設) 시장. ②〔common market〕 유럽 공동 시장처럼 복수의 국가가 경제적으로 국경을 초월해서 역내(域內)의 관세·수입 제한 등을 철폐하고, 노동력과 자본의 이동을 자유롭게 함으로써 발생하는 단일의 대(大)경제권.
공:동 신문 발표【共同新聞發表】[명]〔joint press statement〕 회의나 회담이 끝난 다음에, 몇 개의 입장에 서는 자(者)가 논의의 일치점을 중심으로 하여 공동으로 보도 기관에 대하여 행하는 발표.
공:동 압류【共同押留】[—뉴] [명]〖법〗 채무자의 동일 재산에 대하여 동시에 다수의 채권자를 위하여 행하는 압류. *공동 집행.
공:동 어업권【共同漁業權】[명] 어업권의 하나. 어업 협동 조합 등이 수면을 공동으로 이용하여 영위하는 어업권.
공:동 영지【共同領地】[—녕—] [명] 두 나라 이상이 공동으로 소유(所有)·관리(管理)·통치하는 영지.
공:동 욕장【共同浴場】[명] 공동 목욕탕(共同沐浴湯).
공:동 우승【共同優勝】[명] 경기에서, 승부가 나지 않거나 득점이 같아, 두 사람 또는 두 단체 이상을 함께 우승자로 결정하는 일. ——-하다 [자][여불]
공:동 운:동【共同運動】[명] ①두 사람 이상이 어떠한 목적을 이룩하기 위하여 서로 힘을 합하여 공동으로 하는 운동. ②〔associated automatic movement〕 유의 운동(有意運動)을 할 때에 따라 일어나는 다른 무의식(無意識)의 운동. 별안간 뛰려고 할 때 양손이 높이 흔들리는 것 같은 것. 켤레 운동. ——-하다 [자][여불]
공:동 원고【共同原告】[명]〖법〗 둘 이상이 동일 사건의 원고가 되었을 때의 그 원고. ↔공동 피고. 「[준]공위(共委).
공:동 위원【共同委員】[명] 공동 위원회(共同委員會)를 구성하는 위원.
공:동 위원회【共同委員會】[명] 한 문제를 공동으로 심의 검토하기 위하여 두 단체 또는 두 국가 이상이 각각 위원을 내어 조직한 위원회. [준]공위(共委). 「로 하는 유언. 이런 유언서는 무효가 됨.
공:동 유언【共同遺言】[—뉴—] [명]〖법〗 두 사람 이상이 동일한 유언서
공:동 융자【共同融資】[—늉—] [명] 공동 대부(共同貸付). 「무.
공:동 의:무【共同義務】[명] 동일한 일에 대하여 공동으로 부담하는 의
공:동 의:무자【共同義務者】[명] 공동 의무를 가지고 있는 사람.
공:동 인명부【共同人名簿】[명]〖법〗 등기(登記)에 있어서, 권리자와 의무자가 여럿일 경우, 신청서의 필두(筆頭)에 쓴 사람을 제외한 나머지 사람들의 주소·성명을 따로 기록하는 장부.
공:동 일치【共同一致】[명] 어떠한 일을 당할 때, 여러 사람이 마음과 행동을 똑같이 하여 힘을 합함. ——-하다 [자][여불]
공:동 자본【共同資本】[명]〖경〗 공동 출자한 자본.
공:동-작【共同作】[명]〖문〗 개인작과는 대립되는 개념의 문학 창작 방식으로 많은 사람들이 오랜 기간에 걸쳐 작품을 계속 창작하는 방식. * 유동 문학(流動文學)·표박 문학(漂泊文學)·적층 문학(積層文學).
공:동 작업【共同作業】[명] 두 사람 이상이 힘을 합하여 한 가지 일을 공동으로 함. 또, 그 일. ——-하다 [자][여불]
공:동 작전【共同作戰】[명]〖군〗 둘 이상의 부대(部隊) 또는 육해공군이 공동으로 수행하는 작전. 협동 작전(協同作戰). ——-하다 [자][여불]
공:동 장비【共同裝備】[명] 구성원(構成員)이 공동으로 사용하는 용구(用具)·장비. ↔개인 장비. 「있는 재산.
공:동 재산【共同財産】[명]〖경〗 두 사람 이상의 공동 소유(所有)로 되어
공:동 저:금【共同貯金】[명] 여러 사람이 공동 목적으로 저금하려 할 때 대표자의 이름으로 돈을 맡기는 저금. ——-하다 [자][여불]
공:동 저:당【共同抵當】[명]〖법〗 공동 담보의 한 가지. 동일 채권의 담보로서 수 개(數個)의 부동산 위에 설정된 저당권.
공:동 저:작권【共同著作權】[명]〖법〗 두 사람 이상이 협력하여 공동으로 한 저작물을 지은 경우의 저작권. 저작물은 공동 저작자의 공유(共有)가 됨. 작사(作詞)·작곡 등도 이에 해당함. 「작한 것.
공:동 저:작물【共同著作物】[명] 두 사람 이상이 협력하여 공동으로 저
공:동-전[1]【共同田】[명] ①공동의 소유로 되어 있는 밭. ②두 사람 이상이 공동으로 경작하는 밭. 「栓).
공:동-전[2]【共同栓】[명] 공동으로 사용하는 수도전(水道栓). 공용전(共用
공:동 전:선【共同戰線】[명] ①동일 목적을 향하여 전투하는 두 개 이상의 최전선(最前線). ②두 개 이상의 단체가 공동의 목적이나 공동의 적에 대하여 일치한 행동을 취하는 협력 태세. 또, 그 조직. 통일 전선(統一戰線). 협동 전선. ¶ ~을 펴다.
공:동 전:지식【共同電池式】[명] 전화 가입자가 집에 전지를 놓지 아니하고 교환국(交換局)에 장치한 전지를 전화기의 송화용(送話用)·신호용으로 공동 사용하는 방식. 공동선식(共同線式). 공용 전지식(共用電池式). [준]공전식(共電式).
공:동 전:지식 전:화기【共同電池式電話機】[명] 공동 전지식 교환국(交換局)에 가입한 집에 장치하는 전화기. 자석식(磁石式)처럼 핸들을 돌리지 않아도 수화기만 들면 저절로 교환원에게 신호가 가게 되어 있음. [준]공전식 전화기.
공:동 전:화【共同電話】[명] ↗공동 가입 전화(共同加入電話).
공동 절개술【空洞切開術】[명]〖의〗 폐결핵(肺結核)의 외과적 요법(外科的療法)으로서 행하여지는 수술. 표면에 가까운 공동에 대하여 직접적으로 내용을 흡인(吸引) 치료한 후, 절개 소파(切開搔爬)나 공동벽(空洞壁)의 절제(切除)를 행함.
공:동 절교【共同絶交】[명] 한 부락 등의 주민 전체가 제재(制裁)를 목적으로 어떤 사람을 공동 사회(共同社會)에서 제외하고 그와 절교하는 일. ——-하다 [자][여불]
공:동 점:유【共同占有】[명] 하나의 물건에 대하여 두 사람 이상이 공동으로 점유하는 일. ↔단독 점유.
공:동 정:범【共同正犯】[명]〖법〗 여러 사람이 공동으로 범죄를 실행한 경우의 그 여러 범인. 공동하여 범죄를 수행할 의사 및 범죄의 실행을 공동한 사실이 필요한데, 여럿이 공모하고 그 중 한 사람이 실행했을 경우에도 전원에 적용됨. ↔단독 정범. *공범(共犯). 「신.
공:동 정신【共同精神】[명] 공동 생활을 하는 데 필요한 정신. 협동 정
공:동 조건【共同條件】[—껀] [명] 일정한 일이 성립되는 데 있어 함께 관계되는 하나하나의 요소.

공:동 조계【共同租界】 명 제2차 세계 대전 전에 중국에 있었던 여러 외국의 공동 거류지. ↔전관 조계(專管租界).
공:동 조합【共同組合】 명〖법〗두 사람 이상이 서로의 이익을 도모하기 위하여 모이어 조직한 조합.
공:동 존재【共同存在】 명 〔도 Mitsein〕〖철〗하이데거(Heidegger, M)의 용어. 다른 사람과 같이 있다고 하는 현존재(現存在; Dasein)의 아프리오리(a priori)한 구조(構造). 공존재(共存在).
공:동 주최【共同主催】 명 두 사람 이상 또는 둘 이상의 단체가 공동하여 한 모임을 개최함. ㊟공최(共催). ——-하다 타여불
공:동 주:택【共同住宅】 명 대지(垈地)·복도·계단 및 설비 등의 전부 또는 일부를 공동으로 사용하는 각 세대가 하나의 건축물 안에서 각각 독립된 주거 생활을 영위할 수 있는 구조로 된 주택. 건축물의 구조가 3층 이하인 것을 연립 주택, 4층 이상인 것을 아파트라 칭함.
공:동-지【共同地】 명〖역〗고대 및 중세(中世)에 농민 공동의 방목(放牧)·벌채(伐採)·수렵(狩獵)·어로 용지(漁撈用地)로 허용되었던 토지. 게르만(German)의 마르크 공산체(Mark 共産體) 같은 것에서 그 전형적인 예를 볼 수 있음.
공:동 지배【共同支配】 명 두 사람 이상이 공동하여 대리권(代理權)을 행사하는 일. 각 지배인은 상호 견제(牽制)하여 대리권의 오용(誤用)과 남용(濫用)을 방지할 수 있음. ——-하다 타여불
공:동 집합소【共同集合所】 명 사회 일반 공중(公衆)이 집합하는 곳.
공:동 집행【共同執行】 명〖법〗동일한 채무자에 대하여 여러 명의 채권자가 동시에 공동으로 강제 집행하는 일. *공동 압류. ——-하다 타여불
공:동 차압【共同差押】 명〖법〗'공동 압류(共同押留)'의 구용어.
공:동 참가【共同參加】 명〖법〗계속 중인 소송의 목적이 당사자의 한 쪽과 제삼자에 대하여 똑같이 확정되어야 할 경우, 그 제삼자가 공동 소송인으로서 소송에 참가하는 일. ——-하다 자여불
공:동 책무【共同責務】 명 여러 사람이 공동으로 부담하는 책무.
공:동 청부【共同請負】 명 공동 도급(都給).
공:동-체【共同體】 명 ①〖사〗공동 사회(共同社會). 협동체(協同體). ②운명이나 생활을 같이하는 몸. ¶ 생활 ~.
공:동 출자【共同出資】[一짜] 명〖경〗둘 이상의 사람이나 법인(法人)이 어떤 사업을 하기 위하여 공동으로 자본(資本)을 냄. 합자 회사(合資會社)·합명 회사(合名會社) 등에 내는 자본금(資本金) 등. *공동 자본(共同資本). ——-하다 자여불
공:동-탕【共同湯】 명 여러 사람이 공동으로 사용하도록 시설된 목욕탕. 공동 목욕탕. 공동 목간. ↔독탕(獨湯).
공:동 텔레비전 수신 방식【共同一受信方式】 명〔community antenna television system; CATV〕수신 조건이 나쁜 지역을 위한 텔레비전 프로그램 분배 방식. 높은 곳에 설치한 고감도(高感度) 안테나로부터의 수신 신호를, 모든 수신 가능한 채널에 대해 증폭(增幅)하여, 동축(同軸) 케이블로 각 가정에 공급함.
공:동 통:치【共同統治】 명 ①둘 이상의 국가가 공동으로 통치하는 일. ②두 사람 이상이 한 나라를 공동으로 통치하는 일.
공:동 투자【共同投資】 명〖경〗과점(寡占) 상태에 있는 업계에서 행하여지는 일종의 설비 투자의 한 조정 방식. 일반적으로 각 기업이 자금을 내어, 새 회사를 설립하여 중복(重複) 투자를 피하고 수익성(受益性)을 높임을 목적함.
공:동 투쟁【共同鬪爭】 명 둘 이상의 단체가 공동 목적을 달성하기 위하여 공동으로 행하는 투쟁.
공동 파장계【空洞波長計】 명 공동 공진기의 공진 현상을 이용한 마이크로파 대역(micro 波帶域)의 주파수를 측정하는 계기.
공:동 판매【共同販賣】 명〖경〗①판매 조합을 통하여 공동으로 하는 판매. ②기업체가 각자의 손으로 판매하지 아니하고 공동 판매장의 손을 거쳐서 하는 판매. 1)·2): ㊟공판(共販). ——-하다 타여불
공:동 판매장【共同販賣場】 명〖경〗동업자가 상호 간의 판매 경쟁으로 말미암은 불이익(不利益)을 방지하거나 또는 다른 유력한 동업자에 대항하기 위하여, 또는 판로의 확장, 자금의 융통 등의 편익(便益)을 얻기 위하여 공동으로 조직하는 판매 기관. ㊟공판장.
공:동 판매 카르텔【共同販賣一】〔도 Kartell〕 명〖경〗카르텔의 가장 발달한 형태로서, 중앙 기관을 설치하여 각 가맹 기업의 생산품을 공동 판매하는 카르텔. 신디케이트.
공:동 판매 회:사【共同販賣會社】 명〖경〗신디케이트에서 가맹 기업체가 그 전체 생산품 판매를 위하여 설립한 회사.
공:동 편시【共同偏視】 명〔conjugate deviation〕〖의〗안구(眼球)가 지속적(持續的)으로 한쪽에 강박 위치(強迫位置)를 취하여, 마치 곁눈질할 때의 상태로 고정되는 일. 뇌출혈·뇌연화증(腦軟化症)의 졸중(卒中) 발작 후에 종종 나타남.
공:동 피:고【共同被告】 명〖법〗둘 이상이 동일 사건의 피고가 되었을 때의 그 피고. ↔공동 원고.
공:동 해:손【共同海損】 명〖법〗바다 위에서 선박과 화물의 공동 위험을 면하기 위하여 선장이 취하는 행동으로 인해서 생기는 손해나 비용. 곧, 침몰을 면하기 위하여 화물을 버렸을 때의 손해와 같은 것. 이 손해는 각 이해(利害) 관계인(關係人)이 공동으로 부담함. ↔단독 해손.
공:동 해:손 계:약서【共同海損契約書】 명〖법〗수하인(受荷人)과 선주(船主)가 사건을 공동 해손으로 처리하고 각기 공동 해손 분담액을 분담할 것을 약정하는 계약서. 공동 해손의 정산(精算) 사무가 많은 일수(日數)를 요하므로, 정산 전에 상당 금액을 공탁하여 화물의 인도를 받을 때에 맺음.
공:동 행위【共同行爲】 명 두 사람 이상이 서로 마음을 합하여 하는 행위. ↔단독 행위.
공:동 행위 집단【共同行爲集團】 명 교실 안에서의 학생 집단과 같이 어떤 구성원이 어떤 특정한 자극에 반응하고 있는 집단.
공동 현:상【空洞現象】 명〖물〗유체(流體) 속에 흐름이 빠른 부분이 있으면 그 곳에 기포(氣泡)가 발생하는 현상. 배의 프로펠러나 수력 터빈의 날개와 같이, 물 속에서 고속도로 운동하는 물체의 둘레에서는, 베르누이(Bernoulli)의 정리(定理)에 의하여 압력이 저하하는데, 그 압력이 포화 증기압(飽和蒸氣壓)보다 저하할 때, 물 속에 포함되어 있는 기체가 증기의 기포를 발생하여 그 곳에 공동 부분이 생기게 됨. *캐비테이션(cavitation).
공:동 협력【共同協力】[一녁] 명 두 사람 이상이 서로 마음을 합하고 협력함. ——-하다 자여불
공동화 현:상【空洞化現象】 명 ①〖경〗해외에서의 생산 활동의 비중이 높아짐으로써, 국내의 생산 활동 규모가 축소되어 가는 현상. 무역 규모는 유지되나, 국내에서 고용면 등에 문제가 생김. ②공해(公害) 등이 없는 쾌적한 환경을 찾아 주거(住居) 공간을 교외로 이주함으로써 도심(都心)의 상주(常住) 인구가 감소되는 현상.
공:동 환:각【共同幻覺】 명 괴이 현상(怪異現象) 등의 환각을 그 자리에 있는 사람들이 동시에 체험하는 일.
공두【工頭】 명 ①직공(職工)의 우두머리. ②〖역〗조선 말엽에 통신원(通信院)에서 전선(電線) 공사에 종사하던 사람.
공두-병【空頭病】[一뼝] 명 누에의 연화병(軟化病)의 한 가지. 어린 누에가 식욕이 감퇴하여 머리를 쳐들고 정지(靜止)하며, 머리에 가까운 환절(環節)이 부어 오르고 반투명으로 허옇게 되면서 죽음.
공두-인【公斗人】 명〈이두〉관가(官家)의 말장이. *말장이[1].
공두-한【空頭漢】 명 어리석은 자.
공득【空得】 명 ①힘을 들이지 아니하고 공으로 얻음. ②대가(代價)를 주지 아니하고 공짜로 얻음. ——-하다 타여불
공득지-물【空得之物】 명 공으로 얻은 물건. 공것.
공든 탑【功一塔】 명 ①공을 들이어 만든 탑. ②마음과 힘을 다하여 이룩한 일.
【공든 탑이 무너지랴】공을 들이어 이루어 놓은 일은 쉽게 깨뜨려지지 않으며 그 결과가 헛되지 아니함을 이르는 말. ¶ 공든 탑이 무너지지 않고 대한 끝에 양춘이 있다고≪金宇鎭: 榴花雨≫.
공-들다【功一】 자 어떤 일을 이루는 데 정성과 노력이 많이 들다.
공-들이다【功一】 자 어떤 일을 이루는 데 정성과 노력을 많이 들이다. 마음과 힘을 다하여 애쓰다. ¶ 공들인 작품.
공디박-질 명〈방〉곤두박질(함경). ——-하다 자
공-떡【空一】 명 힘들이지 아니하고 공으로 얻은 이익.
공-뜨다 자 ①임자 또는 매인 데 없이 공중에 떠 있다. ¶ 돈의 용도가 모호하여 3천 원이 ~. ②한데 섞이지 아니하고 따로 있다. ¶ 기름이 물 위에 ~. ③소문 따위가 근거없이 떠돌다. ¶ 공뜬 소문.
공:락【攻落】[一낙] 명 공격하여 함락(陷落)함. ——-하다 타여불
공란【空欄】[一난] 명 일정한 지면(紙面)에 글자 없이 비워 둔 난(欄).
공:람【供覽】[一남] 명 관람에 제공함. 관람하게 함. ——-하다 타여불
공랑【公廊】[一낭] 명〖역〗좌고(坐賈)를 위하여 나라에서 서울 종로(鐘路) 양쪽에 지어 빌린 시전(市廛).
공랭【空冷】[一냉] 명 ↗공기 냉각❶. ——-하다 타여불
공랭-식【空冷式】[一냉一] 명 총포(銃砲)·기관(機關) 등을 공기로 냉각시키는 방식. ¶ ~ 기관총. ↔수냉식(水冷式).
공랭식 기관【空冷式機關】[一냉一] 명〖기〗실린더의 표면에 냉각편(冷却片)이 있어서 냉각에 직접 공기를 사용하는 기관. 항공기·자동차 등에 사용함. 공랭식 발동기. ↔수냉식 기관(水冷式機關).
공랭식 발동기【空冷式發動機】[一냉一똥一] 명〖기〗공랭식 기관. ↔수냉식 발동기(水冷式發動機).
공:략[1]【攻略】[一냑] 명 공격하여 적의 진지(陣地)나 영토를 빼앗음. ¶ ~전. ——-하다 타여불
공:략[2]【攻掠】[一냑] 명 공격하여 남의 것을 약탈(掠奪)함. ——-하다 타여불
공:략-전【功略戰】[一냑一] 명 적의 진지나 영토를 공격하여 빼앗는 전쟁.
공:략 정책【攻略政策】[一냑一] 명 공략을 위주로 하는 정책.
공:략 정치【攻略政治】[一냑一] 명 공략(攻略)을 위주로 하는 정치.
공량[1]【公糧】[一냥] 명 중국의 식량(食糧)에 의한 현물세(現物稅).
공:량[2]【貢糧】[一냥] 명〖역〗강미(講米).
공려【公厲】[一녀] 명〖역〗칠사(七祀)의 하나. 옛 제후(諸侯)의 무후(無後)한 자로서 죽은 후에 제사를 못 받아 된, 살벌(殺罰)을 주장(主掌)하는 궁중(宮中)의 작은 신(神). ㊟여(厲). *여귀(厲鬼).
공:려 운:동【共勵運動】[一녀一] 명 1881년 미국의 회중파 교회(會衆派敎會)의 목사 클라크에 의해 '그리스도 교회를 위하여'라는 표어 아래 시작된 청년 운동. 공려회(共勵會)의 이름 아래 국제적으로 번짐.
공력[1]【工力】[一녁] 명 공부(工夫)의 힘.
공력[2]【公力】[一녁] 명 개인 또는 단체를 강제(強制)하고 복종(服從)시키는 국가 및 사회의 권력.
공력[3]【功力】[一녁] 명 ①공(功)들이고 애쓰는 힘. ㊟공(功). ②〖불교〗불법(佛法)을 수행(修行)하여서 얻은 공덕(功德)의 힘.
공력[4]【空力】[一녁] 명 ①공으로 들인 힘. 헛심. ②〖물〗공기력(空氣力).
공력 가열【空力加熱】[一녁一] 명〔aerodynamic heating〕〖물〗초고속으로 공중을 비행하는 기체(機體)에 닿는 공기가 마찰이나 압축의 작용에 의하여 고열(高熱)을 내면서 기체 표면을 가열하는 현상. 인공 위성 속도에서는 수천 도에 이름.
공:력-근【共力筋】[一녁一] 명〖생〗서로 같은 방향의 운동을 하는 근육. ↔길항근(拮抗筋).
공력-력【空力力】[一녁녁] 명〖물〗공기 역학적(空氣力學的) 힘. 공기력(空氣力).

공력 모멘트【空力—】[—녁—] 명 [aerodynamic moment]〖물〗대기 중을 이동하는 미사일이나 발사체(發射體)의 중심(重心) 주위의 회전력(回轉力). 중심(重心)에 작용하지 않는 공력(空力)에 의하여 생김.

공력 미사일【空力—】[—녁—] 명 [aerodynamic missile] 공기 역학적인 힘을 이용하여 비행 진로를 유지하는 미사일.

공련【空輦】[—년] 명〖역〗부련(副輦).

공:렬[1]【孔裂】[—녈] 명〖식〗꽃밥의 열개법(裂開法)의 하나. 꽃밥의 정수리에 구멍이 생기어 꽃가루를 날림. 진달래의 꽃밥 같은 것.

공렬[2]【功烈】[—녈] 명 큰 공적. 공업(功業).

공:렬-문【孔列文】[—녈—] 명〖고고학〗'구멍무늬'의 구용어.

공:렬 토기【孔列土器】[—녈—] 명〖고고학〗'구멍무늬 토기'의 구용어.

공렴【公廉】[—념] 명 공평하고 염직(廉直)함. ——-하다 형 여불

공령[1]【公領】[—녕] 명 관부(官府) 소유의 토지.

공령[2]【功令】[—녕] 명〖역〗과문(科文).

공령-시【功令詩】[—녕—] 명〖역〗과거(科擧) 볼 때 쓰는 시체(詩體).

공:-로[1]【孔老】[—노] 명 공자(孔子)와 노자(老子).

공:로[2]【孔路】[—노] 명 통행(通行)하는 사람이 많은 큰길. 공도(孔道).

공로[3]【公路】[—노] 명 ①공중(公衆)이 통행하는 길. 공도(公道). ②중국에서 간선(幹線) 도로나 자동차 도로.

공로[4]【功勞】[—노] 명 일에 애쓴 공적(功績). 공훈(功勳). 준공(功).

공:로[5]【攻路】[—노] 명 공격(攻擊)하여 나아가는 길.

공로[6]【空老】[—노] 명 ①아무 일도 한 것이 없이 헛되이 늙음. ②학식(學識)이 있는 선비가 과거(科擧)에 급제(及第)를 못한 채 늙음. ——-하다 자 여불

공로[7]【空路】[—노] 명 ①↗항공로(航空路). ②항공기를 타고 가고 옴을 나타내는 말. ¶ ~ 파리에 도착.

공로 면:천【功勞免賤】[—노—] 명〖역〗조선 시대에, 군공(軍功)·역적(逆賊) 취포(就捕)·범인 체포 등 국가에 대한 공로에 의해서 노비(奴婢)의 신분에서 벗어나는 일.

공로-상【功勞賞】[—노—] 명 공적을 기리어 주는 상.

공로-자【功勞者】[—노—] 명 공로를 세운 사람.

공로-주【功勞株】[—노—] 명〖경〗주식 회사에서, 그 회사의 설립·발전에 공로를 세운 사람에게 무상(無償) 또는 평가(平價)로 주는 주식(株式).

공로 퇴:직【功勞退職】[—노—] 명 교육 공무원으로서 장기간 근속하였거나 재직 중 공적이 있는 고령자가 정년 전에 자진 퇴직하는 일.

공로 퇴:직 수당【功勞退職手當】[—노—] 명 공로 퇴직자에게 지급되는 수당.

공록【空麓】[—녹] 명 뇌를 한 장도 쓰지 않은 산기슭.

공론[1]【公論】[—논] 명 ①공평한 의론(議論). 공의(公議). ②사회 일반의 공통된 평론. 여론(輿論). ¶ 천하의 ~. ——-하다 타 여불

공론[2]【空論】[—논] 명 ①무익한 의론. 쓸데없는 의론. ¶ 탁상 ~. ②근거없는 논(論). ③실제와는 동떨어진 논. 허론(虛論). ¶ 공리(空理) ~. ——-하다 타 여불

공론-가【空論家】[—논—] 명 공론만을 일삼는 사람. 시어리스트(theorist).

공론 공담【空論空談】[—논—] 명 쓸데없는 이야기.

공뢰【空雷】[—뇌] 명〖군〗↗공중 어뢰.

공:료【供料】[—뇨] 명 부처에게 공양하는 금품.

공:료-계【攻遼計】[—뇨—] 명〖역〗고려 우왕(禑王) 때에 최영(崔瑩)이 팔도 도통사(都統使)가 되어 좌군 도통사 이성계(李成桂)·우군 도통사 조민수(曺敏修) 등을 시켜 요동을 치게 한 계획. 5만 명의 대군을 동원한 고려 사상 최대의 북벌 계획이었으나 이성계의 회군으로 실패하였음.

공:룡【恐龍】[—뇽] 명 공룡류에 속하는 화석(化石) 동물의 총칭. 디노사우르(dinosaur). *금룡(禽龍).

공:룡-류【恐龍類】[—뇽뉴] 명〖동〗[Archosauria] 파충강(爬蟲綱)에 속하는 한 아강(亞綱). 중생대의 쥐라기(Jura紀)·백악기(白堊紀)에 번성하였는데, 몸길이 5-25m나 되는 거대한 지상(地上) 또는 수서(水棲) 동물로 이각(二脚) 또는 사각(四脚)이며 흔히 뒷다리로 보행하였음. 초식(草食) 또는 육식성(肉食性)임. 골반(骨盤) 구조 상으로 용반류(龍盤類)·조반류(鳥盤類)의 두 아목(亞目)으로 분류함. 금룡(禽龍)·검룡(劍龍) 등이 이에 속하는데, 북아메리카·유럽·동아프리카·인도·중국·남아메리카 등지에서 화석(化石)으로 출토함. *디노사우르(dinosaur).

공:룡 시대【恐龍時代】[—뇽—] 명〖지〗공룡류(恐龍類)가 번성(繁盛)하던 시대. 지질(地質) 시대의 중생대(中生代)의 쥐라기(Jura紀)·백악기(白堊紀)에 해당함.

공루【空淚】[—누] 명 거짓으로 흘리는 눈물.

공류【公流】[—뉴] 명 공공의 이해에 관계가 있는 유수(流水).

공-륙【空陸】[—뉵] 명 하늘과 땅.

공륜[1]【公倫】[—뉸] 명 ↗공연(公演) 윤리 위원회.

공륜[2]【空輪】[—뉸] 명〖불교〗오륜탑(五輪塔)이나 상륜탑(相輪塔)의 맨 위에 있는 보주형(寶珠形).

공률[1]【工率】[—뉼] 명 ①작업이 진행되는 율. ②〖물〗일률(率).

공:률[2]【恐慄】[—뉼] 명 두려워서 떪. ——-하다 자 여불

공-릉[1]【恭陵】[—능] 명〖지〗①고려 목종(穆宗)의 능. 장소는 미상. ②조선 예종(睿宗)의 계비(繼妃) 장순 왕후(章順王后) 한씨(韓氏)의 능. 경기도 파주군 조리면(條里面) 봉일천리(奉日川里)에 있음.

공:릉[2]【貢綾】[—능] 명 짜임새가 공단 비슷하고 얇고 보드라운 비단.

공리[1]【公吏】[—니] 명〖법〗①공무원이 아니면서 법이 정한 절차를 밟아 나라의 사무 및 자치 행정의 사무를 맡아 보는 사람. 공증인(公證人)·집달리(執達吏) 등. ②공공 단체의 사무를 맡아 보는 사람. 각 조합 등의 직원.

공리[2]【公利】[—니] 명 ①일반 공중의 이익. ②공공 단체의 이익. ↔사리(私利).

공리[3]【公理】[—니] 명 ①일반에 통용되는 도리. 또, 공명한 추리(推理). ②[axiom]〖수·논〗증명을 필요로 하지 아니하거나 또는 증명할 수 없는 것으로서, 직접 자명(自明)한 진리로 승인(承認)되어 다른 명제(命題)의 전제(前提)가 되는 근본 명제. 예컨대 '전량(全量)은 그 부분(部分)보다 크다'·'전량은 그 각 부분을 합한 것과 같다' 같은 것.

공리[4]【功利】[—니] 명 ①공명(功名)과 이욕(利慾). ②공로(功勞)와 이익. ③〖윤〗다른 목적의 실현에 소용이 되는 것. 이익과 행복.

공리[5]【空理】[—니] 명 ①실제로 소용이 되지 아니하는 이론 또는 사실과는 동떨어진 이론. ②〖불교〗만유(萬有)가 빈 이치(理致).

공:리[6]【貢吏】[—니] 명〖역〗공물(貢物)을 상납(上納)하는 이원(吏員).

공리-계【公理系】[—니—] 명〖수〗수학적인 이론 체계의 기초가 되는 공리의 체계. 공리군(公理群).

공리 공론【空理空論】[—니—논] 명 실천이 따르지 아니하는 헛된 이론.

공리-군【公理群】[—니—] 명〖수〗공리계(公理系).

공리-론【公理論】[—니—] 명〖수〗공리적 방법.

공리 문학【功利文學】[—니—] 명 ①공리를 목적으로 하고 쓴 작품. ②공리주의를 내용으로 한 작품.

공리-설【功利說】[—니—] 명〖윤〗공리주의(功利主義). 유틸리테리어니즘.

공리-성【功利性】[—니썽] 명 ①어떤 목적을 실현하는 데 유용한 성질. ②이익만을 추구(追求)하는 성질.

공리-적【功利的】[—니—] 명 관 타산적(打算的). ¶ ~인 생각.

공리적 방법【公理的方法】[—니—] 명〖수〗어떤 과학 영역의 공리계를 찾아 내어, 그것과 특정한 추리 규칙을 바탕으로 그 영역의 모든 명제(命題)를 연역적(演繹的)으로 유도해 내는 방법. 공리론(公理論).

공리-주의[1]【公理主義】[—니— / —니—이] 명 [axiomatism]〖수〗모든 이론은 기초가 되는 공리계(公理系)를 출발점으로 하여, 엄밀한 추론(推論)에 의하여 수립되어야 한다는 주장. 19세기 말, 독일의 수학자 힐베르트(Hilbert, D)가 제창. 현대의 수학은 이러한 점에 입각하여 추진되고 있음.

공리-주의[2]【功利主義】[—니— / —니—이] 명 [utilitarianism] ①〖윤〗쾌락주의(快樂主義)의 한 가지. 곧, 공리를 증진시키는 것으로써 행위의 목적과 선악 판단의 표준을 삼는 주의. 자기의 이익·행복을 주로 하는 자와 남의 이익 행복을 주로 하는 자가 있으나 그 중에서도 영국의 벤담(Bentham)이 주장한 '최대 다수의 최대 행복'을 주로 하는 일파가 유명함. 공리설(功利說). 실리주의(實利主義). 유틸리테리어니즘. *최대다수의 최대 행복. ②〖예〗예술은 한 사회나 인생의 공리(功利)를 위한 것이어야만 된다고 주장하는 예술론. 인생파의 예술론도 또한 이에 속함. ③일반적으로, 공리·효용을 생활의 궁극적 기준으로 삼으려는 생각.

공리-파【功利派】[—니—] 명〖윤〗19세기 전반(前半)에 영국의 벤담(Bentham)을 중심으로 하여 주장된 공리주의 학설을 신봉하는 일파.

공림【空林】[—님] 명 ①초목의 잎이 떨어지어 공허(空虛)한 숲. ②인가에서 멀리 떨어지어 쓸쓸한 숲.

공립[1]【公立】[—닙] 명 지방 자치 단체의 설립. ¶ ~ 학교. ↔사립.

공:립[2]【共立】[—닙] 명 ①나란히 섬. 병립(倂立). ②공동하여 설립함. ——-하다 자 타 여불

공립 병:원【公立病院】[—닙—] 명 지방 자치 단체가 지방비(地方費)로써 설립 경영하는 병원.

공립 학교【公立學校】[—닙—] 명 지방 자치 단체가 지방비(地方費)로 설립 유지(維持)하는 학교. ↔사립 학교.

공마-목【空摩目】명〖동〗[Cumacea] 연갑류(軟甲類)에 속하는 한 목(目). 몸길이 3-6cm이며, 흉부(胸部)의 8절(節) 중, 앞의 3절은 두부와 붙어 버리고 두흉갑(頭胸甲)으로 덮였음. 눈은 합착(合着)된 한 개의 복안(複眼)이며, 수컷의 둘째 촉각은 매우 긺.

공막[1]【空漠】명 ①아득하게 넓음. ②걷잡을 수 없음. 막연하여 종잡을 수 없음. ——-하다 형 여불

공:막[2]【鞏膜】명〖생〗각막(角膜)을 제외한 안구(眼球)의 전체 외벽(外壁)을 싸고 있는 희고 튼튼한 막. 주로 탄력성의 섬유를 포함하는 결체(結締) 조직으로 이루어짐. 단단막. 강막(剛膜).

공막-무【公莫舞】명〖악〗조선 영조(英祖) 때에 지은 궁중무의 하나. 두 사람이 대무(對舞)로 각각 칼을 들고 수룡음곡(水龍吟曲)에 맞추어 어르고 찌르는 것을 하며 춤.

공:막-염【鞏膜炎】[—념] 명〖의〗공막에 염증이 일어나 자홍색(紫紅色)을 띤 염성 반점(炎性斑點)이 생기는 눈병. 주로 결핵성임.

공매[1]【公賣】명〖법〗①당사자의 임의(任意)에 의하지 아니하고 법률의 규정에 의하여 공공 기관이 강제적으로 행하는 매각(賣却). 금전 채권(金錢債權)의 강제 집행으로서 또는 국세 체납금에 대한 환가(換價) 처분으로서, 공고(公告)하여 입찰 또는 경매(競賣)에 부치는 일. ②관공서에서 행하는 매각(賣却). ——-하다 타 여불

공매[2]【空買】명〖경〗공매수(空買受). ↔공매(空賣). ——-하다 타 여불

공매[3]【空賣】명〖경〗공매도(空賣渡). ↔공매(空買). ——-하다 타 여불

공매 공고【公賣公告】명〖법〗압류 재산을 공매에 부칠 경우에 내는 공고. 공매일 10일 전에 신문이나 관보(官報)에 냄.

공-매도【空賣渡】명 [short selling]〖경〗신용 거래에 있어서, 주권(株券)을 실제로 갖고 있지 않거나 또는 주권을 갖고 있더라도 상대에게

인도하여 결제할 의사가 없이, 신용 거래로 환매(還買)함으로써 주가 하락(株價下落)에서 생기는 차금(差金)을 노리고 하는 거래. 주가(株價)의 하락을 예상하는 투기자(投機者)에 의하여 이루어짐. 공매(空賣).

공매리 명 〈방〉 〖어〗 공미리. 「↔공매수(空買受).

공-매매【空賣買】명 〖경〗 차금 매매(差金賣買).

공매 보:증금【公賣保證金】명 〖법〗 압류 재산의 공매 처분에서, 입찰자·경매인으로부터 받는 보증금. 그 액수는 응찰 가격의 100분의 10 이상임.

공-매수【空買受】명 〔margin buying, long purchase〕〖경〗 신용 거래에 있어서, 자금을 충분히 갖고 있지 아니하거나 또는 갖고 있더라도, 주권(株券)을 인수(引受)할 의사 없이 전매(轉賣)하여, 주가 상승(株價上昇)에서 오는 차금 이득(差金利得)을 목적으로 하는 거래. 공매(空買). ↔공매도(空賣渡).

공매 중지【公賣中止】명 〖법〗 압류 재산의 공매 처분에서, 집행 기일 전에 체납자나 제삼자가 체납액을 완납하거나 또는 공매 집행 중에 압류 재산을 해제하였을 때 그 공매를 중지하는 일.

공매 처:분【公賣處分】명 〖법〗 관공서에서 세금 체납자의 재산을 강제 집행으로써 공매하여 그 체납액을 보충하는 행정 처분.

공:-맹【孔孟】명 공자와 맹자. 「성현(聖賢).

공:-맹-안-증【孔孟顔曾】명 공자·맹자·안회(顔回)·증삼(曾參)의 네

공:맹지-도【孔孟之道】명 공자와 맹자가 주장한 인의(仁義)의 도덕. *노장지도(老莊之道).

공:맹-학【孔孟學】명 공맹지도 또는 공맹지도를 연구하는 학문. *유

공:-면【一面】명 구면(球面). 「학(儒學).

공:-면-력【共面力】〔—녁〕명 〔coplanar forces〕〖수〗 한 평면에 작용하는 많은 힘. 평면에 대하여 평행으로 작용하며 그 작용점은 그 평면 안에 있음.

공명[1]【公明】명 사사로움이 없이 공변되고 명백함. ¶ ~한 처사. ——하다 형여불. ——히 부 「——하다 형여불

공:명[2]【孔明】명 ①대단히 밝음. ②〖사람〗 제갈량(諸葛亮)의 자(字).

공명[3]【功名】명 ①공을 세운 이름. ②공을 세워 이름이 널리 알려짐. 또, 그러한 공. ¶ ~을 다투다. ——하다 자여불

공:명[4]【共鳴】명 ①다른 행동을 감수(感受)하여 그 영향이 생김. ②남이 하는 일에 동감(同感)하는 일. ¶ ~을 느끼다. ③〔resonance〕〖물〗 발음체(發音體)가 외부로부터 온 음파(音波)에 자극되어 이와 동일한 진동수의 소리를 내는 현상. 이 현상은 발음체의 고유의 진동수가 외부 음파의 진동수와 같은 때 가장 현저하게 일어남. 음파 이외의 지진파·빛·전기 등의 진동에 있어서의 같은 현상에 대해서도 씀. 공진(共振). ④〖화〗 어떤 분자 또는 이온의 구조가 하나의 전형적(典型的)인 결합 양식 또는 하나의 구조식(構造式)으로 나타낼 수 없고, 몇 개의 혼합으로 설명될 때, 그 결합 또는 분자의 상태. ——하다 자여불

공명[5]【空名】명 ①실제에 맞지 아니하는 명성(名聲). ②빈 이름. 허명

공명[6]【空明】명 ①맑은 물에 비친 달 그림자. ②공중. 「(虛名).

공명[7]【空冥】명 하늘. 허공(虛空).

공:명-가【孔明歌】명 〖악〗 서도 잡가(西道雜歌)의 하나. 제갈 공명(諸葛孔明)이 갈건 야복(葛巾野服)으로 남병산(南屛山)에 올라가 동남풍을 비는 광경을 노래한 것.

공:명-강【共鳴腔】명 성대(聲帶)에 의해 나오는 소리에 공명을 주는 공동(空洞)으로, 인두(咽頭)·구강(口腔)·비강(鼻腔)으로 이루어짐.

공명 고:신【空名告身】명 〖역〗 공명첩(空名帖).

공명 고:신첩【空名告身帖】명 〖역〗 공명첩(空名帖).

공명-골【功名骨】명 뼈대가 잘 생겨서 장래에 공명할 골격(骨格).

공:명-관【共鳴管】명 공기로 공명하게 하여 음(音)의 강도(強度)를 증가(增加)시키는 관(管).

공:명-기【共鳴器】명 〔resonator〕〖물〗 공명 현상을 이용하여 특정한 진동수의 소리에만 공명시키는 기구. 보통 속이 빈 상자·관(管) 또는 구체(球體)로 만듦. 여러 진동수에 대한 것을 갖추어 놓으면, 임의의 소리의 진동수를 알 수 있으며, 또한 복잡한 혼성음(混成音)을 분석할 수 있음. 울림통.

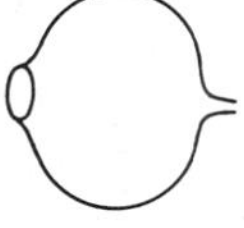

〈공명기〉

공:명-단【共鳴團】명 〖역〗 독립 운동의 자금 조달을 목적으로 조직된 단체. 최양옥(崔養玉)·김정련(金正連)이 주동이 되어 1929년 4월 20일, 망우리(忘憂里)에서 일본 정부의 우편 자동차를 습격, 우편물을 소각(燒却)해 버림. 일경(日警)의 추격을 받아 수차에 걸쳐 총격전을 벌인 끝에 체포됨. 최양옥은 11년, 김정련은 9년의 징역형을 받음.

공:명 복사【共鳴輻射】명 〔resonance radiation〕〖물〗 기체 또는 증기(蒸氣)가 공명 흡수하는 진동수를 갖는 입사 광자(入射光子)에 의해, 높은 에너지 준위(準位)에 원자가 여기(勵起)되는 상태에서 원래의 상태로 되돌아 갈 때, 광자가 재방출되는 일. 복사 광자의 에너지는 특정 기체·증기의 원자에 의해 정해지며, 흡수된 복사와 거의 같은 진동수이지만, 흡수 방출의 상호 작용에 의해 약간의 진동수 차이가 있음.

공명 부:귀【功名富貴】명 공명과 부귀.

공:명 산:란【共鳴散亂】〔—살—〕명 〔resonant scattering〕〖물〗 양자 역학적 계(量子力學的系)(통상 원자 또는 핵)에 의한 광자(光子)의 산란. 최초에 계는 어떤 에너지 상태에서 보다 높은 에너지 상태로 천이(遷移)하면서 광자를 흡수하고, 계속하여 정반대의 천이에 의해 광자를 재방사(再放射)함.

공:명 상자【共鳴箱子】명 〔resonance box〕〖물〗 공명기의 한 가지. 공명 현상에 의해서 발음체가 내는 소리를 강하게 하는 장치. 음차(音叉)의 받침, 바이올린이나 가야금의 동체 같은 것. 울림 상자. 사운드 박스(sound box).

공명 선:거【公明選擧】명 부정이 없는 공명하고 명랑한 선거. ¶ ~를 기(期)하다. ↔부정 선거.

공:명-설【共鳴說】명 〖심〗 헬름홀츠(Helmholtz)가 제창한 청각에 관한 학설. 와우각(蝸牛殼)의 기저막(基底膜)을 일종의 공명 장치로 보고 그 개개의 횡섬유(橫纖維)가 그 고유 진동수와 같은 순음(純音)에 대해서만 공명 진동하여, 그 위에 있는 청각 세포를 다른 막(膜)에 충돌시켜, 각 순음에 상응하는 흥분을 일으키며 이들 흥분이 중추(中樞)에서 종합되어 합음(合音)의 감각을 이룬다고 하는 설.

공:명 소음기【共鳴消音器】명 〔reactive muffler〕〖공〗 음을 음원(音源)에까지 반사시킴으로써 감쇠(減衰)시키는 소음기.

공:명-실【共鳴室】명 〖충〗 매미 수컷의 뱃속에 있는 얇은막으로 된 공기 주머니. 발음근(發音筋)의 진동으로 발음판(板)이 약한 소리를 내면 이곳에서 울리어 큰 소리가 되어서 퍼짐.

공명-심[1]【公明心】명 사사로움이 없이 공변되고 명백한 마음.

공명-심[2]【功名心】명 공을 세워 이름을 떨치려는 마음. 공명에 대한 애착심. 공명욕(功名慾). ¶ ~에 불타다.

공명-욕【功名慾】명 공명을 구하는 욕심. 공명에 대한 욕망. 공명심.

공:명 이:론【共鳴理論】명 〖화〗 분자 구조의 문제를 양자 역학적(量子力學的) 공명의 관점에서 취급하는 이론.

공명-장【空名帳】〔—짱〕명 〖역〗 공명첩(空名帖).

공명 정:대【公明正大】명 공명하고 정대함. 떳떳함. 대공 지평(大公至平). ¶ ~한 처사. ——하다 형여불. ——히 부

공:명 준:위【共鳴準位】명 〔resonance level〕〖물〗 두 개의 입자가 충돌할 때 형성되는 복합계(複合系)의 불안정 상태. 이 준위에 따라, 입자 산란(散亂)에 대한 단면적(斷面積) 에너지의 그래프는 날카로운 피크를 나타냄. 「공정초(空正草).

공명-지【空名紙】명 〖역〗 과거(科擧) 볼 때에 예비로 가지던 시험지.

공:명 진:동【共鳴振動】명 〔resonance vibration, sympathetic vibration〕〖물〗 어느 물체가 자기의 고유(固有) 진동수에 근사(近似)한 외력에 의한 진동을 받으면 그것에 쉽사리 합쳐져서 커다란 진폭(振幅) 진동을 하는 현상.

공:명 진:동수【共鳴振動數】명 〔resonance frequency〕〖물〗 ①양자 역학계(量子力學系)가 방사를 흡수할 때 보어(Bohr)의 진동수 조건을 만족시키는 특성 진동수. ②외부에서의 주기적 작용에 대한 계(系)의 응답이 최대가 되는 진동수. 세 개의 형, 즉 위상 공명(位相共鳴)·진폭(振幅) 공명·고유(固有) 공명이 있으나, 산일 효과(散逸效果)가 적을 때는 거의 같은 값이 됨.

공명-첩【空名帖】명 〖역〗 ①성명을 적지 아니한 서임서(敍任書). 관아에서 돈이나 곡식 같은 것을 받고 관직을 팔 때 관직 이름을 써서 주되, 이에 의해서 서임된 자는 실무(實務)는 보지 아니하고 명색만을 행세하게 됨. 공명장(空名帳). 공명 고신(空名告身). 공명 고신첩(告身帖). ②절을 크게 짓기 위하여 그 비용을 부담한 사람에게 나라에서 주는 하급 무직(下級武職)의 임명장.

공:명-통【共鳴筒】명 〖악〗 현악기류(絃樂器類)에서 현(絃)의 진동에 공명하는 동체. 손실음(損失音)이 적고, 많은 진동음에 공명하여 음량(音量)을 풍부하게, 음색(音色)을 아름답게 하는 작용을 함.

공:명 포:획【共鳴捕獲】명 〔resonance capture〕〖물〗 공명의 결과 생기는 복합핵(複合核)의 공명 준위(準位)에서의 입사 입자(入射粒子)와 핵의 결합. 그 결합은 대응하는 공명 에너지 및 그 가까이에서 큰 단면적(斷面積)을 가짐.

공:명-현【共鳴絃】명 〖악〗 음의 공명 진동을 조직적으로 이용한 현(絃). 인위적(人爲的)인 충동(衝動)을 직접으로 받지 아니하고 다른 현의 진동에 공명하여 음을 내는데, 일정한 음에 대해서만 공명을 함. 비올라(viola)·바리톤(bariton) 등에 쓰임. 「조(護照).

공명 호:조【空名護照】명 〖역〗 여행자의 이름을 기입하지 않은 백지 호

공:명 흡수【共鳴吸收】명 〔resonance absorption〕〖물〗 양자 역학계(量子力學系)에 의한 보어(Bohr)의 진동수 조건을 만족시키는 특성 진동수의 전자기 방사(電磁氣放射)의 흡수.

공모[1]【公募】명 〔↗공개 모집〕 ①일반에게 널리 공개하여 하는 모집(募集). ¶ 신춘 문예 작품의 ~. ②〖경〗 불특정 다수(多數)의 투자가를 대상으로, 발행 증권에의 응모(應募)를 구하는 일. 일반 모집. ¶ 신주(新株) ~에 응하다. 1)·2) : ↔사모(私募). ——하다 타여불

공:모[2]【共謀】명 두 사람 이상이 공동으로 어떤 일을 모의(謀議)함. 공동 모의(共同謀議). ——하다 타여불

공모[3]【空母】명 ↗항공 모함(航空母艦). 「다 자타여불

공모[4]【空耗】명 ①줄어 없어짐. ②헛되이 소비함. ③텅 비게 됨. ——하

공:모 공:동 정:범【共謀共同正犯】명 〖법〗 공모 공범(共謀共犯).

공:모 공:범【共謀共犯】명 〖법〗 몇 사람이 공동으로 범죄 실행을 모의(謀議)하고 그 중의 어느 사람에게 범죄의 실행 행위를 담당하게 하였을 경우의 공범. 모의에 참가했던 사람 전부가 공동 정범(正犯)이 됨. 공모 공동 정범. ㊎공모범(共謀犯). 「로 하여 모집하는 공채.

공모 공채【公募公債】명 〖경〗 일반 금융 시장에서, 일반 공중을 대상으

공모 발행【公募發行】명 널리 일반에게 응모(應募)를 구하는, 유가 증권(有價證券) 발행 방법의 하나. ↔비(非)공모 발행.

공:모-범【共謀犯】명 〖법〗 ↗공모 공범(共謀共犯).

공-모선【工母船】명 배 안에 수산 가공 설비(水產加工設備)를 갖춘 어선. 몇 척의 자선(子船)으로 이루어진 선단(船團)의 모선(母船)으로서 자선이 잡아온 어획물을 인수, 배 안에서 통조림을 만들거나 제유(製油) 등 수산 가공(水產加工)을 행함. 연어·송어·게·고래 따위 공모선이 있음. *모선식 어업.

공:모-자【共謀者】명 공모한 사람.

공모-전【公募展】명 공개 모집한 작품의 전람회. ¶ 판화(版畫) ~.
공모-주【公募株】명 일반에게 널리 투자자를 구해 발행하는 주식.
공모-채【公募債】명 공모의 방법으로 발행되는 국채·지방채·사채(社債) 등의 채권.
공:목[1]【孔目】명〖역〗고려 때, 예빈시(禮賓寺)의 구실.
공목[2]【空木·空目】명〖인쇄〗활자 조판(活字組版)에서 인쇄할 필요가 없는 빈 부분 곧, 자간(字間)이나 행간(行間) 등을 메우기 위한 나무나 납 조각. 보통은 활자보다 키가 좀 낮으며 길이는 여러 종류가 있음. 쿼드(quad). *인테르(inter).
공:목[3]【貢木】명〖역〗논밭의 결세(結稅)로 바치던 무명.
공:목[4]【恭睦】명 공경하고 친하게 사귐. ——하다 자여불
공목 작미【公木作米】명〖역〗조선 시대에, 일본 쓰시마(対馬)에서 솜을 수입(輸入)하는 대가(代價)로 수출(輸出)하던 쌀. 준공작미(公作米).
공몽【空濛·倥濛】명 이슬비가 보얗게 오는 모양. 안개가 자욱하게 낀 모양. 시야가 보얗고 자욱한 모양. ——하다 형여불. ——히 부
공묘[1]【公墓】명 군왕(君王)의 묘.
공:묘[2]【孔廟】명 공자를 모신 사당. 곧, 문묘(文廟)의 딴 이름.
공무[1]【工務】명 ①공장(工場)에 관한 사무. ②토목·건축에 관한 일.
공무[2]【公務】명 ①여러 사람에 관한 사무. ②국가(國家) 또는 공공 단체의 사무. 공사(公事). ¶ ~로 출장하다. ↔사무(私務).
공무[3]【公貿】명〖역〗조선 후기에, 정부가 육의전(六矣廛)에 없는 상품을 육의전으로 하여금 널리 구입하게 하여 납공(納貢)하게 한 일.
공무 강:요죄【公務強要罪】[—쬐] 명〖법〗공무원에게 어떠한 처분을 행하게 하거나 행하지 못하게 하기 위하여 폭행 또는 협박함으로써 성립하는 죄. 직무 강요죄(職務強要罪).
공무-국【工務局】명 ①신문사·출판사의 기구의 하나로, 주로 인쇄 공장을 이름. *업무국·편집국. ②〖역〗광무(光武) 10년(1906)부터 융희(隆熙) 2년(1908)까지 있었던 농상공부(農商工部)의 한 국.
공무 담임권【公務擔任權】[—꿘] 명〖법〗국민의 참정권(參政權)·정치권(政治權)의 하나로, 국민이면 누구든지 법이 정하는 바에 따라 넓은 의미의 국가 기관이 되어 공무(公務)를 담당할 수 있는 권리. 공직 피선거권(公職被選擧權)·공무원 피임권(被任權)을 뜻함.
공무도하-가【公無渡河歌】명〖문〗공후인(箜篌引).
공:무-랑【供務郞】명〖역〗조선 시대에, 토관직(土官職)의 정팔품 동
「반(東班) 품계.
공-무변처【空無邊處】명〖불교〗공무변처천.
공무변처-천【空無邊處天】명〖불교〗무색계(無色界) 사천(四天)의 둘째 하늘. 색을 싫어하고 공(空)을 의지하는 곳. 사심(捨心)에 의지하여 지혜를 닦지 아니하고 모든 형애(形碍)를 싫어하고 굳세게 공관(空觀)만을 닦아서 몸을 버리고 없는 곳으로 돌아감. 공무변처.
공무 상병 보:상제【公務傷病補償制】명〖법〗공무원이 공상(公傷)을 입거나 그로 인하여 사망하였을 때 국가가 본인 또는 그 유족(遺族)에게 손해 배상을 하여 주는 제도.
공무상 비:밀 누:설죄【公務上祕密漏泄罪】[—루—쬐] 명〖법〗공무원 또 공무원이었던 자가 정당한 이유 없이 직무 상(職務上)으로 알게 된 비밀을 남에게 누설함으로써 성립되는 죄.
공무-소[1]【工務所】명 토목 건축의 설계(設計)나 공사(工事)를 도급(都給)맡는 사무소.
공무-소[2]【公務所】명 공무원(公務員)이 공무를 행하는 곳. 공무원을 포함하고 이에 의하여 대표되는 기관을 이름.
공무 아:문【工務衙門】명〖역〗공사(工事)에 관한 모든 일을 맡아 보던 관아. 고종(高宗) 31년(1894)에 공조(工曹)를 폐지하고 창설하였다가 그 이듬해에 농상(農商) 아문과 합하여 농상공부(農商工部)라 고침.
공-무역【公貿易】명〖역〗조공(朝貢)의 답례(答禮)로 하사품(下賜品)을 받아 오던 물물 교환 형식의 옛 대외(對外) 무역의 하나. 신라와 당(唐), 고려와 송(宋), 여진(女眞)과 거란(契丹), 조선과 명(明)·청(淸)의 관계가 이에 속함.
공무-원【公務員】명 국가 또는 지방 자치 단체의 공무를 담당 집행하는 자. 국가 공무원과 지방 공무원으로 구별되며, 직에 따라 경력직 공무원과 특수 경력직 공무원으로 나뉨. 관공리(官公吏).
공무원 교:육 훈:련법【公務員敎育訓練法】[—훌—뻡] 명〖법〗공무원에게 국민 전체의 봉사자로서 갖추어야 할 정신적 자세와 맡은 바 직무를 효과적으로 수행할 수 있는 기술과 능력을 배양시킬 것을 목적으로 하는 법. 교육 기관·방법 등에 대해 규정함.
공무원 연금 관리 공단【公務員年金管理公團】[—넌—괄—] 명〖법〗공무원 연금법에 의거, 총무처 산하에 둔 특수 법인. 제반 급여의 지급, 기여금·부담금 기타 비용의 징수, 공무원 연금 기금의 증식을 위한 사업, 공무원 후생 복지 사업 등을 함.
공무원 연금 기금【公務員年金基金】[—넌—] 명〖법〗공무원 연금법에 의한 제반 급여에 충당하기 위한 책임 준비금으로, 공무원 연금 관리 공단의 예산에 계상된 적립금 및 결산 잉여금과 기금 운용 수입금으로 조성된 기금.
공무원 연금법【公務員年金法】[—넌—뻡] 명〖법〗공무원의 퇴직 또는 사망과 부상·질병·폐질에 적절한 급여를 하여, 공무원 및 그 유족의 생활 안정과 복리 향상을 도모하기 위한 법. 공무원 연금 관리 공단·급여·비용 부담·공무원 연금 기금 등에 대해 규정함.
공무원 임:용령【公務員任用令】[—녕] 명〖법〗일반직 및 기능직 국가 공무원의 신규 채용·전직·승진·임용·겸임 및 파견·보직 관리 및 인사 교류·신분 보장 등에 관한 사항을 규정한 대통령령.
공무원-증【公務員證】[—쯩] 명 공무원의 신분 증명서. 보안 유지 상 필요할 때나 공무원 신분을 명백히 할 필요가 있을 때에는 왼쪽 가슴
「에 닮.
공무 장부【公務帳簿】명 공부(公簿).
공무 집행【公務執行】명 공무를 집행하여 처리함. ——하다 자여불
공무 집행 방해죄【公務執行妨害罪】[—쬐] 명〖법〗공무원에 대하여 폭행 또는 협박을 가하여 공무원의 직무를 방해하고 또 강요할 때, 혹은 압류(押留)의 표시(標示)를 훼손(毁損)하였을 때에 성립하는 「죄.
공:-묵[1]【孔墨】명 공자(孔子)와 묵자(墨子).
공묵[2]【恭默】명 공손하고 말이 없으며 조용함. ——하다 형여불
공문[1]【公文】명 ↗공문서(公文書).
공문[2]【公門】명 군왕(君王)의 문. 군문(君門).
공:문[3]【孔文】명〖고고학〗구멍무늬.
공:문[4]【孔門】명 공자(孔子)의 문하(門下). 성문(聖門).
공문[5]【空文】명 무익·무효한 글. 실용에 부적(不適)한 글. 지상(紙上) 공문. 사문(死文). ¶ ~화(化)되다.
공문[6]【空門】명〖불교〗①제법 개공(諸法皆空)의 진리를 푸는 불교의 법문(法門). 삼론종(三論宗) 또는 선종(禪宗)의 이칭(異稱). *유문(有門). ②삼문(三門)의 하나. ③사문(四門)❸의 하나.
공:문[7]【拱門】명〖건〗아치(arch).
공:문 물관【孔紋一管】명〖식〗측벽(側壁)에 원형(圓形) 혹은 타원형(楕圓形)의 구멍을 많이 가진 물관. 피자(被子) 식물에서 볼 수 있음. 구멍은 유연공(有緣孔)이며, 두 겹의 윤곽(輪廓)을 보이고 비교적 규칙적으로 배열함. *물관.
공-문서【公文書】명 ①공무원이 그 직무상(職務上) 작성한 서류. ↔사문서(私文書). ②공식 서면(書面). 공첩(公牒). ¶ ~의 발송. 1)·2): 준 공문(公文). 공서(公書).
공문 서식【公文書式】명 공문을 작성하는 일정의 양식.
공문서 위조죄【公文書僞造罪】[—쬐] 명〖법〗공문서를 위조하거나 변조(變造)함으로써 성립하는 죄.
공문-식【公文式】명 공문서를 작성하는 방식(方式).
공:문 십철【孔門十哲】명 공자(孔子)의 문인 중, 학덕(學德)이 뛰어난 열 명의 고제(高弟). 안회(顔回)·민자건(閔子騫)·염백우(冉伯牛)·중궁(仲弓)·재아(宰我)·자공(子貢)·염유(冉有)·자로(子路)·자유(子游)·자하(子夏)를 이름. 사과 십철(四科十哲).
공문-자【空門子】명〖불교〗유문(有門)의 집착(執着)에서 해탈(解脫)하여 열반(涅槃)에의 길로 정진(精進)하는 사람이란 뜻으로, 속인(俗人)이 중을 일컫는 말.
공문 헛물관【孔紋一管】명〖식〗측막(側膜)의 비후부(肥厚部)에 원형(圓形)의 구멍이 1-2열(列)로 늘어서 있는 헛물관.
공물[1]【公物】명 국가나 공공 단체에 의해서 직접 공적 사용(公的使用)으로 개방(開放)되는 유체물(有體物). 공공용물(公共用物) 곧, 도로·항구(港口) 등과 같이 공중의 공용에 제공되는 것과, 공용물 곧, 관공서같이 국가 또는 공공 단체 자체가 직접 사용하는 것 등을 포함함. ↔사물(私物). *국유(國有) 공물.
공:물[2]【供物】명 신불(神佛) 앞에 바치는 물건.
공:물[3]【貢物】명〖역〗민호(民戶)를 대상으로 하여, 궁중이나 나라에 바치게 한 토산(土產) 물건. 지방의 주현(州縣) 단위로 부과됨. 폐공(幣貢). 준공(貢). *진상(進上).
공:물-방【貢物房】명〖역〗조선 시대에, 지방에서 바치는 공물의 납공(納貢)을 대신하던 곳. 주민의 납공을 대신하고 그 값을 받을 때 이자까지 쳐서 받았음. 준공방(貢房).
공:물 연조【貢物年條】[—련—] 명〖역〗조선 시대에, 매년 받아들이기로 정한 공물에 대한 규정 조목(規定條目). 조정에 필요한 물품을 조달하기 위해 각 지방의 특산물을 기준으로 하여 공물의 종류·액수를 정하고 이 규정에 의하여 바치게 하였음. 공납 전의 매매는 금하였음.
공:물 주인【貢物主人】명〖역〗조선 시대에, 공물방(貢物房)의 경영자.
공:물-지【貢物紙】명〖역〗나라에 바치던, 영남 지방에서 나는 종이. 이 종이에다 공물품을 싸서 중국에 보냈음. 호척지(胡尺紙).
공미[1]【公米】명〖역〗공목 작미(公木作米).
공:미[2]【供米】명 신불(神佛)에 바치는 쌀.
공:미[3]【貢米】명〖역〗공물로 바치던 쌀. *세미(稅米).
공미리 명〖어〗학공치.
공미리-회【一膾】명 공미리를 썰어서 만든 회.
공민【公民】명 ①나라에 딸리어 독립 생활을 하는 자유민. ②시·군·읍·면을 구성하는 주민 중에 공민권을 가진 사람. *시민(市民).
공민 교:육【公民敎育】명 공민으로서 필요한 교양을 목표로 하는 교육.
공민-권【公民權】[—꿘] 명〖법〗공민으로서의 자격. 선거권·피선거권을 통하여, 국가 또는 지방 자치 단체의 정치에 참가할 수 있는 지위.
공민권-법【公民權法】[—꿘뻡] 명〖법〗흑인에 대한 인종 차별의 철폐와 그 지위 향상을 도모하기 위한 미국의 연방법. 1957년 투표권 보호를 목적으로 성립, 두 차례의 개정이 있었으나 사실 상의 차별은 아직 「남아 있음.
공민 도:덕【公民道德】명 공민으로서 지켜야 할 도덕.
공민-왕【恭愍王】명〖사람〗고려 31대 왕. 즉위하자 원(元)나라와 인척 관계를 맺고 권세를 부리던 귀족 기씨(奇氏) 일족을 살륙 제거하는 한편, 원이 점령했던 평안·함경 두 도(道)를 실력으로써 회복하고, 원나라를 따랐던 연호와 관제(官制)를 개정하여 문종(文宗) 시대 이전의 구제에 복귀하였음. 말년에는 신돈(辛旽)을 중용하여 정치를 그르치어 마침내 환관 최만생(崔萬生)과 폐신(嬖臣) 홍륜(洪倫)에게 시해당함. [1330-74; 재위 1352-74]
공민왕-신【恭愍王神】명〖민〗무속(巫俗)에서 신앙되는 고려 공민왕의 신령.
공민 자치【公民自治】명 자치 행정❶.
공민 학교【公民學校】명 초등 교육을 받지 못하고 취학 학령을 초과한 자에게 국민 생활에 필요한 보통 교육을 실시함을 목적으로 하는 학교.

수학 연한은 3년임. *간이 학교.

공바기 (명) 씨도리 배추를 잘라 낸 뿌리.

공바기-밭 (명) 공바기를 심은 밭.

공바치 (명) 〈방〉 〖생〗 콩팥(함경).

공:-바치다【貢—】(자)〖역〗 나라에 공물(貢物)을 바치다. 공납(貢納)하다.

공박[1]【公拍】(명)〖역〗 '경매(競賣)'와 같음. 갑오 개혁(甲午改革) 이후 국권 피탈 전까지 썼던 말로서, 값을 25전(錢)씩 올려 부르게 되었음. *경매(競賣). ——-하다 (타)(여불)

공:박[2]【攻駁】(명) 남의 잘못을 논란(論難)하고 공격함. ——-하다 (타)(여불)

공:박-전【攻駁戰】(명) 서로 공박하여 싸우는 싸움.

공:-박테리아〔bacteria〕(명)〖생〗 구균(球菌).

공발[1]【公發】(명) 일반(一般)에게 공개하여 발포(發布)함. ——-하다 (타)(여불)

공:발[2]【攻拔】(명) 적의 성새(城塞)나 보루(堡壘)를 공격하여 함락(陷落)시킴. ——-하다 (타)(여불)

공발[3]【空發】(명) ①겨냥을 하지 아니하고 헛되이 발사함. ②남포질할 때, 목적한 암석을 파괴하지 못하고 허탕으로 폭발함. ——-하다 (자)(타)(여불)

공-밥【空—】[—빱] (명) 마땅한 값을 치르지 아니하고, 공으로 먹는 밥. 공밥을 먹다 (구) 해야 할 일은 하지 않고, 공짜로 보수만 받다.

공방[1]【工房】(명) ①미술·공예가의 작업장. 아틀리에. ②〖역〗 공전(工典)에 관한 사무를 맡아 보던 승정원(承政院) 육방 및 중앙·지방 관아의 육방(六房)의 하나.

공방[2]【公方】(명) 공정(公正)함. 정직 무사(正直無私)함. ——-하다 (형)(여불)

공:방[3]【孔方】(명) 공방형(孔方兄).

공:방[4]【攻防】(명) 공격과 방어(防禦).

공방[5]【空房】(명) ①사람이 거처하지 아니하는 방. 빈방. ②혼자 자는 방. 특히 여자에 씀. 공규(空閨). ¶ 독수 ～.

공:방[6]【貢房】(명)〖역〗 ↗공물방(貢物房).

공방-살【空房殺·空房煞】[—쌀] (명)〖민〗 부부간에 불화한 살(煞). ¶～이 끼다.

공방-살이【空房—】(명) 남편 없이 혼자 쓸쓸히 지내는 생활. ——-하다 (자)(여불)

공방 승지【工房承旨】(명)〖역〗 승정원(承政院)의 공방을 맡아보던 승지. 곧, 동부승지(同副承旨)를 이름.

공방-씨【孔方氏】(명) 공방형. ¶ 오늘날 기생 연주회까지 되었는지라, 그 목적을 말하자면 천산지산 할 것 없이 ～만 생기란 것이라《朴頤陽 : 明月亭》.

공:-방울 [—빵—] (명) 〈방〉 공.

공:방-전[1]【孔方傳】(명)〖문〗 고려 고종(高宗) 때, 임춘(林椿)이 지은 가전체(假傳體)의 작품. 옥석(玉石)을 의인화(擬人化)한 것으로, 옥은 빛나고 귀하나 때로는 어지러운 길에 쓰이고, 재(財)를 탐내는 못된 길로 이끌어 가니 경계하여야 한다고 하여, 처신(處身)의 정도(正道)를 논하고 있음. 《동문선(東文選)》에 실림.

공:방-전[2]【攻防戰】(명) 서로 공격하고 방어하는 전투. ¶ 치열한 ～.

공:방-형【孔方兄】(명) 〔노포(魯褒)의 전신론(錢神論)에 '親之如兄字曰孔方'이라 한 데서 유래. 공방(孔方)은 돈에 뚫린 네모진 구멍〕 엽전(葉錢)의 별칭. 공방(孔方). 공방씨.

공배【空排】(명) 바둑을 둘 때에 끝 판에 가서 메우는, 양편에서 어느 편이 두어도 무방한 빈 밭. ¶～를 메우다.

공-배수【公倍數】(명) 〔common multiple〕〖수〗 두 개 이상의 정수(整數)에 공통한 배수(倍數). ↔공약수(公約數).

공백【空白】(명) ①종이나 책에서 글씨나 그림이 없는 곳. 여백(餘白). ②아무것도 없이 빔. 블랭크(blank). ¶～기(期). ③〔blank〕〖컴퓨터〗 기억 장치의 영역 중에서 아무런 자료도 아직 들어 있지 않은 영역, 혹은 아직 아무런 내용이 기록되지 않은 테이프나 디스크 등의 기록 매체.

공백-기【空白期】(명) 이렇다 할 활동이나 실적이 없는 기간. ¶ 3년 동안의 ～.

공번【公反】(부) 〈이두〉 공평하게. 고로(公反).

공번되다 (형) 〈옛〉 공변되다. ¶ 妾이 능히 私로써 公번되욤을 蔽티 못ᄒᆞ야(妾不能以私蔽公)《內訓 Ⅱ:19》/ 쥬의ᄀᆞᄅᆞ침과법은 곳공변되고슬길셰《찬양가 : 5》.

공번ᄃᆞ외다 (형) 〈옛〉 공변되다. ¶ 아ᄅᆞᆷᄃᆞ로써 公反ᄃᆞ외요ᄆᆞᆯ 廢티 못ᄒᆞ야(不敢以私廢公)《內訓 Ⅱ:20》.

공번히 (부) 〈옛〉 공변되게. ¶ 공번히 驗ᄒᆞ야 庫히 녀허(公驗貯庫)《無寃錄 Ⅰ:56》.

공:벌【攻伐】(명) 공격하여 정벌(征伐)함. ——-하다 (타)(여불)

공:벌-제【攻伐劑】[—쩨] (명)〖약〗 독하게 만든 약제(藥劑). 성분(成分)을 강하게 만든 약제.

공:범【共犯】(명)〖법〗 ①두 사람 이상이 공모하여 죄를 범하는 일. 이 때 공모에 참가한 자 전부가 그 죄의 정범(正犯)으로 처벌됨. 형법은 공범의 형식으로서 공동(共同) 정범·교사범(敎唆犯)·종범(從犯)의 셋을 규정함. 공모(共謀) 공범. *단독범. ②↗공범자. ——-하다 (타)(여불)

공:범 경:합【共犯競合】(명)〖법〗 동일인(同一人)이 동일 행위에 대하여 공범의 두 개 이상의 다른 형식으로 가공(加功)하는 일. 곧, 교사자(敎唆者)가 공동 정범의 행위를 하거나, 교사자가 방조(幇助) 행위를 겸할 때와 같은 것.

공:범-자【共犯者】(명)〖법〗 공모하여 죄를 지은 자. 어떤 범죄의 구성요건(構成要件)의 실현(實現)에 참여한 자들. (준)공범.

공:범-죄【共犯罪】[—쬐] (명)〖법〗 ①두 사람 이상이 구성 요건의 실현에 관여하여 범한 죄. ②두 사람 이상이 공모하여 범한 죄.

공법[1]【工法】[—뻡] (명) 공사 방법. ¶ 잠함(潛函) ～.

공법[2]【公法】[—뻡] (명)〖법〗 ①국가와 국가와의 관계, 공공 단체 상호간의 관계 또는 국가와 개인과의 관계 등 권력 관계·통치 관계 및 공익에 관한 사항을 규정하는 법률. 헌법·국제 공법·행정법·형법·소송법 등이 이에 속함. ↔사법(私法). ②〖수〗 기하학의 작도제(作圖題)의 기초가 되는 가장 간단한 작법(作法). 임의(任意)의 점을 정하는 것과, 임의의 두 점 사이에 직선을 긋는 것, 임의의 점을 중심으로 하고 임의의 길이를 반지름으로 하여 원(圓)을 그리는 세 가지가 보통으로 쓰임.

공법[3]【空法】[—뻡] (명) ①〔도 Luftrecht〕 항공기에 의한 공간의 이용 관계를 규정한 법규의 총칭. ②도법(徒法).

공:법[4]【貢法】[—뻡] (명)〖역〗 ①중국 하(夏)나라 때의 조세법(租稅法). 한 사람에게 50묘(畝)의 밭을 주고 4묘의 수확을 공(貢)하게 함. ②조선 세종(世宗) 12년(1430)에 제정한 세법(稅法). 종래의 답험 손실법(踏驗損實法)의 폐해를 바로잡고자, 전국 각도(道)를 땅의 걸고 척박함에 따라 상등도(上等道)·중등도·하등도의 삼등(三等)으로 나누고, 다시 도내의 주 군(州郡)을 상·중·하 세 등관(等官)으로 나누고, 그 9등관(等官)의 토지를 다시 상·중·하 세 전등(田等)으로 나눔으로써, 27종의 전등(田等)에 따라 각각 다른 세율(稅率)로써 조세를 거두어들임. 그 뒤 동 26년(1444)에는 전분 육등법(田分六等法)·연분 구등법(年分九等法)·결부법(結負法)으로 개정됨.

공법 관계【公法關係】[—뻡—] (명)〖법〗 공법 상의 법률 관계.

공법 상의 계:약【公法上—契約】[—뻡—/—뻡—에—] (명)〖법〗 행정 계약.

공법 상의 권리 관계에 관한 소송【公法上—權利關係—關—訴訟】[—뻡—궐—/—뻡—에궐—] (명)〖법〗 대등(對等)한 당사자(當事者)간의 공법 상의 권리 관계에 관하여 다툼이 있을 경우에 제기되는 소송. 공법 상의 손실 보상(損失補償)이나 공무원의 급료 청구(給料請求) 소송이 그 예임. 공법 상의 당사자 소송.

공법 상의 당사자 소송【公法上—當事者訴訟】[—뻡—/—뻡—에—] (명)〖법〗 공법 상의 권리 관계에 관한 소송.

공법 상의 손:실 보:상【公法上—損失補償】[—뻡—/—뻡—에—] (명)〖법〗 적법(適法)한 공권력(公權力)의 행사에 의하여 가하여진 경제 상의 특별한 희생에 대하여 그 손실을 보전(補塡)하는 공법 상의 금전 급부(金錢給付). 토지의 수용(收用)에 대한 손실 보상, 농지(農地)의 강제 매수(強制買收)에 대한 대가(對價) 지급, 형사(刑事) 상의 손실 보상(損失補償) 등.

공:법 상정소【貢法詳定所】[—뻡—] (명)〖역〗 조선 세종(世宗) 18년(1436)에 공법을 심의·연구하기 위하여 설치하였던 관청. 종래의 답험 손실법(踏驗損實法)의 폐단을 시정하기 위하여 새로운 공법을 제정, 국민들에게 찬부(贊否)를 물어 공법 상정소를 설치하고 전국의 땅을 기름지고 메마름에 따라 여러 등급으로 나누었음.

공법 위반【公法違反】[—뻡—] (명)〖법〗 공법이 보호(保護)하는 법익(法益)을 침해함.

공-법인【公法人】(명)〖법〗 국가의 밑에 특정의 국가적 목적을 수행하기 위하여 설립된 법인. 공공 조합·공사단(公社團) 등. 광의(廣義)로는 국가·지방 자치 단체(地方自治團體)도 이에 포함됨. 공공 단체(公共團體). ↔사법인(私法人).

공법적 소권설【公法的訴權說】[—뻡—꿘—] (명)〖법〗 소권(訴權)을 사권(私權)과 별개(別個)의, 인민의 국가에 대한 공권(公權)이라고 하는 설. 소권을 어떠한 내용의 판결까지를 청구할 수 있는 권리로 보느냐에 따라, 추상적 소권설·구체적 소권설·본안 판결 청구권설(本案判決請求權說)로 분류됨. ↔사법적 소권설.

공법-학【公法學】[—뻡—] (명) 공법에 관계된 법리(法理)나 공법의 본질을 연구 대상으로 하는 과학. ↔사법학(私法學).

공:벽【孔壁】(명) 공자(孔子)가 살던 집의 벽. 이 벽 속에서 고문(古文)으로 된 예기(禮記)·논어(論語)·효경(孝經)·상서(尙書) 등 수십 편이 한(漢) 무제(武帝) 때 발견되었음. *고문 상서(古文尙書).

공변-되다 [—뙤—] (형) 〔중세 : 공번ᄒᆞ다. 근대 : 공번되다〕 공평하고 정당하여 사정이나 치우침이 없다. 공공(公公)하다. ¶ 공변되고 밝고 청렴하고 부지런하면 이는 선치수령(善治守令)이니요…《洪命憙 : 林巨正》.

공:변-법【共變法】[—뻡] (명)〖논〗 영국의 밀(Mill, J.S.)이 실험적 탐구법으로 제창한 귀납법의 제5 형식. '어떠한 현상이라도 어떤 다른 현상이 어느 특수한 방법으로 변화함에 따라 그 자신도 변화할 때, 그 현상은 다른 현상의 원인 또는 결과이거나, 혹은 양자는 인과(因果)의 사실에 의해서 결합하고 있다'고 함.

공:변 세:포【孔邊細胞】(명) 〔guard cell〕〖식〗 기공(氣孔)을 둘러싸아 식물체 안의 물기가 많고 적음에 따라 기공을 닫고 열어서 물기가 적당한 정도로 있도록 조절하는 신장(腎臟) 모양의 세포. 구멍가 세포. 보호 세포(保護細胞). 개폐(開閉) 세포. 여닫이 세포.

공병[1]【工兵】(명) ①군에서 축성(築城)·도하(渡河)·교통·갱도(坑道)·건설(建設)·파괴 등 기술적 공사 임무에 종사하는 병과. 건설 공병과 야전 공병으로 구분됨. ②공병대에 속하는 병사.

공:병[2]【共病】(명)〖의〗 처가 임신하면 남편도 처의 임신 증세, 곧 발한·구토·쇠약 등의 증세를 일으키는 병. 처의 해산과 함께 치료됨.

공병[3]【空甁】(명) 빈 병.

공병-감【工兵監】(명) 공병감실의 장.

공병감-실【工兵監室】(명) 육군 본부의 특별 참모 부서의 하나. 공병에 관한 운용(運用)·교육 등의 사항을 분장함.

공병-단【工兵團】(명) 육군의 건설 공병단과 야전 공병단의 총칭.

공병-대【工兵隊】(명) 군대 상의 토목·건축 기타 작전상의 공사를 맡은 부대.

공병-부【工兵部】(명) '공병 참모부'의 속칭.

공병 참모부【工兵參謀部】(명) 각급 사령부의 특별 참모 부서의 하나. 공병에 관한 사항을 분장함.

공병 학교【工兵學校】(명) ↗육군 공병 학교.

공-보[1]【空—】[—뽀] (명)〖건〗 기둥과 기둥 사이의 벽을 치지 아니한 곳에 얹히어 있는 보.

공:보²【孔父】명 '공자(孔子)'를 이름.

공보³【公報】명 ①관청에서 국민 일반에게 널리 알리는 보고. ¶ ~관. *홍보(弘報). ②지방 관청이 관보(官報)에 준(準)하여 내는 보고. 1)·2):↔사보(私報). ③관청에서 딴 관청에 내는 보고.

공보⁴【公輔】명 삼공(三公)과 사보(四輔).

공보⁵【公寶】명 공중의 보배.

공보-관【公報官】명〖법〗정부의 시책과 그 업적의 홍보·선전 기타 공보 사무에 관하여 장관을 보좌하는 보조 기관. 대부분의 중앙 행정 기관에 두며, 이사관·부이사관 또는 2급 상당 별정직 국가 공무원으로 ㄴ보(補)함.

공보-부【公報部】명 '문화 공보부'의 전신(前身).

공보-실【公報室】명 전에, 국정(國政)의 홍보(弘報) 및 홍보 업무 조정을 위하여 설치되었던 국무 총리 보좌 기관. 1999년 국정 홍보처(國政弘報處)로 개편됨.

공보 업무【公報業務】명 정부의 시책과 그 업적에 대한 홍보·선전에 관한 업무. 각종 매스 미디어를 이용함.

공보-원【公報院】명 ①관청이나 지방 자치 단체가 국민이나 주민(住民) 일반에게 일정한 상황이나 정보를 알리기 위하여 설치한 기관. ②주한 미국 대사관(大使館)에 소속한 공보 기관.

공보 장:교【公報將校】명 군의 공보 업무를 담당하는 장교.

공보지-기【公輔之器】명 재상이 될 만한 기국(器局). *공보(公輔).

공보-처【公報處】명 전에 중앙 행정 기관의 하나. 국내외의 홍보·여론 조사·언론·보도에 관한 사무를 맡았음.

공보처 장:관【公報處長官】명 전에 공보처의 장(長)이던 국무 위원.

공-보험【公保險】명〖법〗국가나 그 밖의 공적(公的) 기관이 운영하는 보험. 사회 보험과 공영(公營) 보험을 포함함. ↔사보험(私保險).

공복¹【公服】명〖역〗대소 관원의 제복(制服). 조의(朝衣). ↔사복(私服).

공복²【公僕】명 국가나 사회의 심부름꾼으로서의 공무원. ¶ 민중의 ~.

공복³【功服】명 상복의 대공(大功)과 소공(小功)의 총칭.

공복⁴【空腹】명 ①아침이 되어 아직 아무것도 안 먹은 배. 공장(空腸). ¶ ~을 채우다. ②음식을 먹은 지 오랜 시간이 지난 빈 속. ¶ ~에 술을 마셔 몹시 취한다. ③배가 고픈 것. 배고픔. ¶ ~을 느끼다.

【공복에 인경을 침도 아니 바르고 삼키려 한다】경위(經緯)를 가리지 아니하고 한없이 탐내기만 한다는 말.

공복-감【空腹感】명 배가 고픈 느낌. 헛헛증.

공복-재【空腹齋】명〖천주교〗공심재(空心齋).

공복-증【空腹症】명 시장기.

공복-통【空腹痛】명〖의〗공복시에 상복부에 느끼는 복통. 유문부(幽門部)의 궤양·십이지장 궤양 또는 단순한 위염·담낭염 등에서도 이 증세를 볼 수 있음.

공:봉【供奉】명〖역〗고려 예문 춘추관(藝文春秋館)의 응교(應敎)의 다음인 정육품 벼슬 또는 예문관(藝文館)·춘추관의 정칠품 벼슬.

공:봉 의사【供奉醫師】명〖역〗신라 때, 약전(藥典)에 속한 벼슬 이름.

공부¹【工夫】명 학문을 배움. 또, 배운 것을 익힘. ¶ ~ 벌레 / 입시 ~. ——-하다 자타여불

공부²【工部】명〖역〗↗상서 공부(尙書工部). 「청.

공부³【公府】명〖역〗①임금이 정사(政事)를 보던 곳. ②삼공(三公)의 관

공부⁴【公簿】명 법령의 규정에 따라 관공서에서 작성·비치하는 장부.

공부⁵【空簿】명 사실과 다르게 거짓 꾸민 장부. ㄴ공무 장부(公務帳簿).

공:-부⁶【貢賦】명〖역〗공물(貢物)과 부세(賦稅).

공부⁷【巭】명〈이두〉관청에서 불러서 쓰는 인부. 민부(民夫).

공부-방【工夫房】[—빵] 명 공부하기 위하여 따로 차려 놓은 방. 서헌(書軒).

공부 상서【工部尙書】명〖역〗고려 때 공부(工部)의 으뜸 벼슬. 정삼품. 뒤에 공조 판서로 바꿈.

공:부 상정 도감【貢賦詳定都監】명〖역〗조선 태조(太祖) 원년(元年)(1392), 공물(貢物)을 재조정하기 위하여 설치한 임시 관청. 각 지방의 특산물을 조사하여 공부(貢賦)의 등급과 공물의 수량을 정해서 공안(貢案)을 만들었음.

공부-선【功夫選】명〖역〗고려 때 승려에게 실시하던 시험. 공민왕 때 국사(國師) 혜근(慧勤)이 개경(開京)의 광명사(廣明寺)에서 왕의 임석하에 양종(兩宗)의 납자(衲子)를 모아 그들이 스스로 체득한 것을 시험하였음. 「있는 중.

공부-승【工夫僧】명〖불교〗①불경을 배우는 중. ②수업(修業)을 닦고

공:-부자【孔夫子】명 [부자는 선생·장자(長者)의 뜻] '공자(孔子)'의 높임말.

공:북-루【拱北樓】[—누] 명 전라 북도 전주시 팔복동(八福洞)에 있는 누각. 본디 조정에서 조령(朝令)을 받들고 사람이 내려올 경우 부윤(府尹)이 나가 맞던 곳으로, 나라에 경사가 있을 때는 망궐(望闕) 행례(行禮)를 하였음.

공분¹【公憤】명 ①공중(公衆)의 분노. ②공사(公事)에 관한 분노. 정의(正義)를 위한 분개. ¶ ~을 참지 못하다. ↔사분(私憤). 「여불

공:분²【共分】명 ①공동으로 분할함. ②공동으로 분담함. ——-하다 타

공-분모【公分母】명〖수〗공통 분모.

공:불【供佛】명〖불교〗부처에 향화(香華)·등명(燈明) 등을 공양하는 일. ——-하다 자여불

공-불승사【公不勝私】[—쑹—] 명 [공(公)은 사(私)를 이기지 못한다는 뜻] 공적인 일에 사사로운 정(情)이 끼게 된다는 말.

공비¹【工費】명 공사에 드는 비용. 공사비(工事費). 「의 비.

공비²【公比】명〖수〗등비 급수(等比級數)에서 연속되는 두 항(項) 사이

공비³【公費】명 관청 또는 공공 단체의 비용. 공용(公用). ↔사비(私費).

공:비⁴【共沸】명 [azeotropy]〖물〗액체 혼합물을 증류할 때, 특정한 온도, 특정한 조성(組成)에서 용액과 증기의 조성이 일치하여, 끓는점(點)이 극대(極大) 또는 극소(極小)를 나타내는 현상.

공:비⁵【共匪】명 공산당의 유격대(遊擊隊)를 비적으로 일컫는 말. 본디, 중국에서, 국민 정부 시대에 공산당의 지도 아래 활동한 게릴라를 욕하여 일컫던 말임. 적비(赤匪). ¶ ~ 소탕.

공비⁶【空費】명 쓸데없는 경비(經費).

공비⁷【恭卑】명 공손한 태도로 자기를 낮춤. ——-하다 자여불

공:비등 혼:합물【共沸騰混合物】명〖화〗공비 혼합물.

공비의 정:리【公比一定理】[—니 / —에—니] 명〖수〗'몇 개의 비(比)가 서로 같을 때, 각 비의 전항(前項)과 후항(後項)과의 합(合)의 후항에 대한 비는 서로 같다'는 정리.

공:비-점【共沸點】[—쩜] 명〖물〗공비 현상을 일으킬 때의 끓는점(點).

공:비 증류【共沸蒸溜】[—뉴] 명 공비 혼합물이나 끓는점(點)이 근접한 액체 혼합물의 분리에 쓰이는 증류법의 하나. 원액(原液)에 제3의 성분을 첨가하여, 그것과 원액 속의 하나 또는 그 이상의 성분과의 사이에 최저 공비 혼합물을 만들게 하여 분리를 용이하게 하는 방법임. 널리 석유 화학 공업에 쓰임. 공비 증류법.

공:비 증류법【共沸蒸溜法】[—뉴뻡] 명 공비 증류.

공:비 토벌 기장【共匪討伐記章】명 기장(記章)의 한 가지. 6·25 동란 이전에, 반란 지구(叛亂地區)에서 공비의 토벌에 참가한 이에게 수여됨.

공:비 혼:합물【共沸混合物】명 [azeotropic mixture]〖화〗끓는점이 일정하도록 특정한 비율로 섞은 액체의 혼합물. 알코올 95%에, 물 5%의 혼합액 같은 것. 공비등(共沸騰) 혼합물.

〈공비 토벌 기장〉

공사¹【工事】명 토목·건축 등의 역사(役事).

공사²【工師】명 공인(工人)·공장(工匠)의 우두머리.

공사³【公司】명 회사의 중국식 명칭. ¶ 한양 약품 ~.

공사⁴【公私】명 ①공공(公共)의 일과 사사로운 일. ¶ ~ 다망(多忙)/~를 혼동하다. ②관청과 민간. 관사(官私). ③사회와 개인.

공사⁵【公舍】명 관사(官舍).

공사⁶【公事】명 ①관청이나 공공 단체의 사무. 공무(公務). 공간(公幹). ②공공에 관계되는 일. ③〖역〗증점²(中點). 1)·2):↔사사(私事).

공사⁷【公使】명〖법〗국가를 대표하여 외무부 장관의 감독·훈령을 받아 조약국에 상주하는 외교 사절로, 대사(大使)에 버금가는 계급. 또, 국제 회의에 파견되는 대표단 또는 국제 기관에 상주하는 대표부의 상급 직원의 칭호로서 주어지는 경우가 있음. ¶ 주일(駐日) ~.

공사⁸【公社】명〖법〗공공 기업체의 하나. 정부에서 전액(全額)을 출자(出資)하여 설립되는 특수 법인(特殊法人)으로, 총회(總會)와 같은 의결 기관을 갖지 아니하며, 사업 운영·회계 등에 관하여는 전면적으로 정부의 감독을 받음. 국가적 사업을 경영하며 공과금이 면제됨. ¶ 대한 ㄴ석탄 ~.

공사⁹【空士】명 ↗공군 사관 학교.

공:사¹⁰【供司】명〖불교〗공양주(供養主)❷.

공사¹¹【空事】명 헛일. 「招). 초사(招辭).

공:사¹²【供辭】명〖역〗죄인(罪人)의 범죄 사실을 진술하는 말. 공초(供

공:사¹³【貢士】명〖역〗①옛날 중국에서, 지방으로부터 선발하여 관청에 천거한 재주가 뛰어난 인사. ②고려 때, 중앙 국자감시(國子監試)의 제1차 고시에 합격한 선비. 태학(太學)에서 선발된 토공(土貢), 주(州)·현(縣)의 향시(鄕試)에서 합격한 향공(鄕貢), 외국인 특히 중국 송(宋)나라의 귀화인 중에서 선발된 빈공(賓貢)의 3공이 있었음.

공:사¹⁴【貢使】명 공물(貢物)을 바치는 사신(使臣).

공사 감리【工事監理】[—니] 명〖법〗감리³(監理)❸.

공사-관¹【公事官】명〖역〗의정부(議政府)의 분장인 제언사(堤堰司)에 속한 종육품 벼슬.

공사-관²【公使館】명〖법〗공사가 주재지에서 사무를 보는 공관(公館). 국제법상 본국의 영토로 간주되어 치외 법권(治外法權)이 있음.

공사관-원【公使館員】명 공사관의 직원. 「——-하다 형여불

공사 다망【公私多忙】명 공적·사적인 일로 인하여 매우 분망(奔忙)함.

공-사단【公社團】명〖법〗일정한 조합원이나 사원으로 구성되는 공법상의 사단 법인. *공공 조합(公共組合).

공-사립【公私立】명 공립(公立)과 사립(私立). ¶ ~ 중고등 학교.

공사 부:담금【工事負擔金】명 전기 사업(電氣事業)·가스(gas) 사업 등 그 사업에 필요한 시설을 설치하기 위해, 그 시설에 의하여 편익(便益)을 받는 사람으로부터 받아들이는 금전이나 자산.

공사-비【工事費】명 공사에 드는 비용. 공비(工費).

공사-색【公事色】명〖역〗조선 고종(高宗) 2년(1865)에 비변사(備邊司)를 의정부(議政府)에 합치고 부른 이름. 종전에 비변사가 맡고 있던 모든 군국(軍國)의 기무(機務)를 그대로 이어받음.

공사 양:편【公私兩便】명 ①공사(公事)로나 사사로나 다 편리함. ②공사와 사사의 양 쪽. ——-하다 형여불

공사 이:자【工事利子】명〖경〗건설 이자(建設利子).

공사-장【工事場】명 공사를 하는 곳. 현장(現場).

공:사-증【恐死症】[—쯩] 명〖심〗네크로포비아(necrophobia).

공사-지【工事地】명 공사를 하는 땅. 「종이를 공물로 바치던 계.

공사지-계【公事紙契】명〖역〗조선 시대에, 선혜청(宣惠廳)에서 쓰는

공-사채【公社債】명〖경〗공채(公債)와 사채(社債).

공사채 담보 금융【公社債擔保金融】[—/—늉] 명〖경〗일반적으로는 공사채를 담보로 하는 금융, 증권계(證券界)에서는 인수(引受) 금융과 유통(流通) 금융을 말함.

공사채 등록법【公社債登錄法】[—녹—] 명〖법〗공사채 발행의 간편화와 이의 권리 보전을 기하여 자본 시장의 발전을 도모할 목적으로,

에 잡혀 간 사람을 국가 비용으로 배상하고 데려온 일을 말함. 속환사(贖還使) 신계영(申啓英)은 2,500 냥을 주고 겨우 그 일부만 데리고 돌아왔는데, 이들은 공천(公賤)이 되었음.

공손¹【公孫】명 ①왕후의 손자. ②귀족의 혈통.

공손²【公孫】명 성(姓)의 하나. 우리 나라에는 현존(現存)하지 아니함.

공손³【恭遜】명 공경하고 겸손함. 고분고분함. ¶ ~한 태도. ——-하다 형여불. ——-히 부

공손-강【公孫康】명 〖사람〗 중국 후한(後漢)·위(魏)나라의 장군. 아버지 탁(度)의 뒤를 이어 요동 태수(遼東太守)가 되어, 고구려 산상왕(山上王)을 공격, 환도성(丸都城)으로 도읍을 옮기게 하고, 대방군(帶方郡)을 설치하여 한(韓)·예(濊)를 침공함. [?-221]

공손-법【恭遜法】[—뻡] 명 〖언〗 높임법에서 말하는 이가 특별히 공손한 뜻을 나타냄으로써 듣는 이를 높이는 법. 선어말 어미 '-자옵-'·'-자오-'·'-잡-'·'-사옵-'·'-사오-'·'-삽-'·'-옵-' 등을 써서 표현함. '받잡고', '가옵고' 따위. 주로 문어체의 글과 옛글에 쓰임. 겸양법.

공손-수【公孫樹】명 〖식〗 은행나무.

공손-연【公孫淵】명 〖사람〗 중국 위(魏)나라의 무장(武將). 아버지 강(康)의 사후, 요동 태수(遼東太守)가 된 숙부(叔父) 공(恭)을 몰아내고 태수가 되어, 위(魏)나라 명제(明帝)로부터 낙랑공(樂浪公)으로 봉해졌으나, 스스로 연왕(燕王)을 칭하여, 위나라 사마의(司馬懿)와 고구려 연합군의 정벌을 받고 참수(斬首)됨. [?-237]

공송¹【公誦】명 공론을 따라서 사람을 천거함. ¶ 어렵지 않은 일일세. 그 대신 해주와서 종씨 영감께 ~이나 잘 해 주게≪洪命憙 : 林巨正≫. ——-하다 타여불

공:송²【貢送】명 공물(貢物) 또는 공인(貢人)을 보냄. ——-하다 자여불

공수¹ 명 〖민〗 무당이 죽은 사람의 뜻이라고 전하는 말.

공수(를) 내리다 구 공수(를) 주다.

공수(를) 받다 구 무당이 전하는 공수를 듣다. ↔공수(를) 주다.

공수(를) 주다 구 무당이 공수를 전하여 말하다. 공수(를) 내리다. ↔공수(를) 받다.

공수²【工數】[—쑤] 명 일정한 작업에 요하는 인원수를 노동 시간 또는 노동일로 나타낸 수치. ＊인시(人時).

공수³【公水】명 공공의 목적에 사용되는 물. 하천·운하 따위. ↔사수(私水).

공수⁴【公需】명 〖역〗 지방 관아(官衙)에서 쓰는 공비(公費).

공:수⁵【共守】명 동일한 적에 대하여 공동으로 방어함. ——-하다 자여불

공:수⁶【攻守】명 공격과 수비(守備).

공:수⁷【供水】명 물의 공급

공수⁸【空手】명 빈손. 맨손. 적수(赤手).

공수⁹【空首】명 구배(九拜)의 하나. 상체(上體)를 굽혀서, 머리를 가슴 앞에 올린 공수(拱手)한 손 높이까지 숙여 하는 절. ——-하다 자여불

공:수¹⁰【供需】명 〖불교〗 절에서 손님에게 무료로 대접하는 음식.

공수¹¹【空輸】명 ↗항공 수송(航空輸送). ——-하다 타여불

공:수¹²【拱手】명 ①공경의 예(禮)를 표하기 위하여 오른손을 밑에, 왼손을 위로 하여 두 손을 마주 잡음. ②팔짱을 끼고, 아무 것도 하지 않고 있음. ¶ ~ 방관. ——-하다 자여불

공:수-간【供需間】[—깐] 명 〖불교〗 음식을 만드는 곳.

공수 기동대【空輸機動隊】명 〖군〗 대형 헬리콥터를 갖추어, 물자·차량의 수송 보급과 전투 부대의 공수를 목적으로 하는 기동 부대.

공:수 동맹【攻守同盟】명 공동의 병력을 가지고 제삼국(第三國)을 공격하거나, 그의 공격에 대하여 방어(防禦)할 목적으로 두 나라 또는 여러 나라가 맺는 동맹.

공수래 공수거【空手來空手去】구 〖불교〗 빈 손으로 왔다가 빈 손으로 간다는 뜻으로, 사람이 세상에 태어날 때 가지고 나온 것이 없고 죽을 때 아무것도 가지고 갈 수 없는 것을, 무엇 그렇게 악착스럽게 욕심을 부릴 것이 있느냐라는 말.

공수-받이[—바지] 명 〖민〗 무당이 전하는 공수를 듣는 일.

공:수-병【恐水病】[—뼝] 명 〖의〗 광견독(狂犬毒)이라는 전염성 미생물이, 특히 사람에게 감염되어 생기는 광견병을 일컫는 말. 림프선이 붓고 경련·호흡 곤란 등의 격렬한 증상이 있으며 특히 물을 마시거나, 보기만 하여도 공포를 느끼어 목에 경련을 일으킴. 한번 발병하면 완쾌하기 어려움. ＊광견병(狂犬病).

공수 부대【空輸部隊】명 ①항공기로 병력·군수 물자 등을 수송하기 위하여 편성한 수송기(輸送機) 부대. ②[airborne troops] 공중으로부터의 돌격 착륙을 주임무로 하는 부대. 공정 부대. ＊낙하산 부대.

공수 부:정【公須副正】명 〖역〗 고려 때 지방 관청의 재무를 관할하던 향직(鄕職)의 한 구실. 등급은 향직의 9등급 중 여섯째의 부병창정(副兵倉正)과 같음.

공수-사【公須史】명 〖역〗 고려 때 향직(鄕職)의 한 구실. 등급은 향직의 9등급 중 여섯째의 병창사(兵倉史)에 해당함.

공:수 시:립【拱手侍立】명 공경하는 마음으로 두 손을 마주 잡고 옆에 서 모시어 섬. ——-하다 자여불

공수 용량【空輸容量】[—냥] 명 수송기로 1회 운항에 적재할 수 있거나 적재한 인원과 물자의 총용량.

공수-위【公須位】명 〖역〗 공수전(公須田).

공수 작전【空輸作戰】명 항공기로 병력과 물자를 수송하는 작전.

공수-전【公須田】명 〖역〗 ①중앙에서 지방으로 나가는 관리가 숙박(宿泊)할 때, 공선(供膳) 등의 접대비에 충당하게 하기 위하여, 부(府)·군(郡)·현(縣)에 지급하는 전지(田地). ②역(驛)의 여러 가지 경비(經費)에 쓰기 위하여 지급하는 전지. 공수위(公須位).

공수-정【公須正】명 〖역〗 고려 때 지방 관청의 재무를 관할하던 향직(鄕職)의 한 구실. 등급은 향직 9등급 중 넷째인 호정(戶正)과 같음.

공수 죄:괴【功首罪魁】명 공(功)에 있어서 최고인 동시, 죄(罪)에 있어서도 역시 으뜸이란 말.

공:수-증【恐數症】[—쯩] 명 〖의〗 운산증(運算症).

공수 특전단【空輸特戰團】명 〖군〗 항공기로부터 낙하산으로 적지(敵地)에 내려 싸우는 특수 부대.

공-수표【空手票】명 ①은행에 전혀 거래가 없는 사람이나 또는 거래가 있었으나 해약(解約)당한 사람이 발행한 수표. ②당좌 거래인(當座去來人)이 발행한 수표로서 은행에 지불(支拂)을 위하여 제시한 경우 잔액(殘額)이 전연 없어 거절당한 수표. 부도 수표. ③〈속〉 신빙성이 없는 말. 빈말. ¶ ~를 떼다.

공순【恭順】명 공손하고 온순(溫順)함. ——-하다 형여불. ——-히 부

공순-이【工順—】명 〈속〉 여공(女工). 여직공. ↔공돌이.

공-술¹【空—】[—쑬] 명 거저 얻어먹는 술. 공주(空酒).

[공술에 술 배운다] 술이라는 것은, 처음에는 남의 권(勸)에 못이겨 마시다가 배우게 된다는 말. [공술 한 잔 보고 십리 간다] 공짜라면 십리 길도 멀다 아니 하고 탐한다는 말.

공:술²【供述】명 〖법〗 진술(陳述). ——-하다 타여불

공:술-서【供述書】[—써] 명 〖법〗 진술서.

공술-인【公述人】명 공청회(公聽會)에서 이해 관계자나 학식 경험자로서 의견을 진술하는 사람.

공:습¹【攻襲】명 습격하여 침. ——-하다 타여불

공습²【空襲】명 비행기로 공중에서 기관총·폭탄·소이탄 등을 써서 습격(襲擊)함. ——-하다 타여불 ｢보. 청색 경보.

공습 경:보【空襲警報】명 적의 비행기가 공습해 왔을 때에, 발하는 경

공습 관제【空襲管制】명 적기(敵機)가 공습해 온 때에, 공습 경보가 발해진 후 해제될 때까지 시행하는 등화(燈火) 관제. 옥외(屋外)의 불을 끄고 옥내의 불빛이 전혀 밖으로 새지 않도록 함. ↔경계 관제.

공시¹【公示】명 ①널리 일반에게 보임. ②〖법〗 공공의 기관이 일정한 사실을 주지(周知)시키는 일. ¶ ~ 사항. ——-하다 타여불

공시²【公試】명 ①국가에서 행하는 시험. ②공개하여 행하는 시험.

공시-가【公示價】[—까] 명 정부나 공공 기관에서 공시한 값. 공시 가격.

공:시 당상【貢市堂上】명 〖역〗 의정부 당상관(堂上官)의 하나. 공계(貢契)·시전(市廛)에 관한 사무를 맡아 봄.

공:시-론【共時論】명 〖언〗 공시 언어학(共時言語學).

공시 송:달【公示送達】명 〖법〗 민사 소송법 상의 송달(送達)의 하나. 그 송달의 수신인(受信人)의 주소나 거소(居所)가 불명할 경우, 언제든지 송달할 서류를 교부(交付)한다는 뜻을 법원의 게시판에 게시하여, 송달한 것과 꼭 같은 효력을 발생시키는 방법.

공:시 언어학【共時言語學】명 [프 linguistique synchronique] 〖언〗 스위스의 언어 학자 소쉬르파(Saussure派)의 용어. 어떤 특정 시기에 있어서의 언어의 양상(樣相)을 체계적으로, 횡적(橫的)으로 연구하는 부문. 공시론(共時論). 정태(靜態) 언어학. ↔통시 언어학(通時言語學).

공-시운전【公試運轉】명 배가 완공(完工)되었을 때, 속도·기관·연료 소비량·선회(旋回)·타력(惰力) 등에 대하여 행하는 시운전(試運轉).

공시의 원칙【公示—原則】[—/—에—] 명 〖법〗 배타적인 권리의 변동은 점유(占有)·등기·등록과 같은 외형상 인식할 수 있는 표상(表象)을 갖추지 않으면 완전한 효력이 생기지 않는다고 하는 법률 원칙. 부동산 물권 변동의 등기, 혼인의 신고, 회사 설립의 등기, 어음 상의 권리 양도의 배서(背書) 등은 그 예임.

공시 지가【公示地價】[—까] 명 건설 교통부 장관이 둘 이상의 감정 평가업자에게 의뢰, 표준지(標準地)의 적정 가격을 조사·평가하여 공시한 단위 면적당(面積當) 가격. 토지 거래의 지표(指標)가 되며, 지가(地價)를 산정(算定)하거나 토지를 감정 평가하는 경우의 기준이 됨. 공시 기준일은 1월 1일임. 시가(時價)의 50-80%선이라고 함. ＊기준 시가.

공:시-체【供試體】명 〖토〗 일정한 규격(規格)으로 만들어 재질(材質) 시험에 쓰는 나뭇조각.

공시 최고【公示催告】명 〖법〗 불명(不明)한 이해 관계인에 대하여, 일정한 기간을 정하여 권리의 신고를 시키기 위하여 하는 최고. 법원의 게시판·관보(官報)·공보(公報)에 공고하여 기간내에 신고가 없으면 실권(失權)시킴.

공:시-태【共時態】명 [프 synchronie] 〖언〗 공시(共時) 언어학의 입장에서 본 언어의 상(相). 곧, 어떤 말의 특정한 시기에 있어서의 상태. 소쉬르(Saussure)의 용어임.

공시-표【公示表】명 〖경〗 거래소가 매일 매매 거래의 종별마다 거래원(去來員)·회원 수도 기일별(受渡期日別)로 그 매매고(賣買高)를 발표하는 표.

공시-학【公示學】명 [도 Publizistik] 신문을 비롯하여 출판·방송·영화를 매체로 해서 대중에게 전달되는 시사적(時事的) 정보가 시대나 사회에 어떻게 관여하나를 연구 대상으로 하는 학문.

공-시험【空試驗】명 〖화〗 검체(檢體)를 넣지 않고, 그 외의 조건은 똑같게 하여 행하는 실험적 조작. 맹험(盲驗). 대조(對照) 시험. 블랭크 테스트(blank test).

공식¹【公式】명 ①국가적으로 또는 사회적으로 규정되었거나 인정된, 공적(公的)인 방식. ¶ ~ 방문/~ 발표. ②일정한 방식에 의해서만 행하려는, 틀에 박힌 방식. ¶ 사물을 ~적으로만 생각하다. 1)·2):↔비공식(非公式). ③〖수〗 수의 계산 법칙 또는 이론 및 실험에서 얻은 어떤 양의 계산법 같은 것을 수학 상의 기호를 써서 나타낸 식. $(a+b)^2=a^2+2ab+b^2$, 또 원주$=2\pi r$ 따위. 범식(範式).

공:식²【共食】명 [common meal] 〖사〗 토템이나 숭배 대상의 제물이 되는 동식물을 공동으로 먹는 미개인의 의식(儀式). 이로 인해서 동일 종

족으로서의 또는 숭배 대상과의 생명의 융합이 이루어진다고 생각한 데서 나온 것임.

공식³【空食】[명] ①힘을 안 들이고 거저 재물을 얻거나 음식을 먹음. ②〖불교〗 공으로 손님에게 음식을 먹임. ——-하다 [타][여불]

공:식 건:축【拱式建築】[명]〖건〗 출입구의 위를 아치(arch) 모양으로 둥글게 만드는 건축 양식. ↔미식(楣式) 건축.

공:식 구조【拱式構造】[명] 출입구의 윗 부분을 아치식으로 하는 건축 구조.

공식-론【公式論】[一논] [명] 공식주의.

공식 서:원【公式誓願】[명]〖천주교〗 교회의 정당한 어른 앞에서 행하고, 교회의 이름으로 수락되는 서원. 공식 허원(公式許願).

공식-어【公式語】[명] ①사사로이 쓰는 말이 아니고 다 함께 두루 쓰는 말. ②정치 상 또는 국민 교육 상의 표준으로 삼아 쓰는 말.

공식-적【公式的】[명][관] ①형식이나 틀에 구애되어, 정세에 알맞은 적결한 판단·행동을 그르치거나 못 하는 모양. 융통성이 없는 모양. ¶ ~인 답변. ②공적(公的)으로 하는 모양.

공식-전【公式戰】[명] 공식의 시합이나 경기. 정해진 일정(日程)에 따라, 패권을 다투는 경기·시합.

공식-주의【公式主義】[一/一이] [명]〖사〗 모든 일의 처리를 현실의 정세에 따라 임기 응변으로 하지 아니하고, 규칙대로만 행하려고 하는 방법. 공식론(公式論). 콘포미즘(conformism).

공식 허원【公式許願】[명]〖천주교〗 공식 서원(誓願). ↔사적(私的) 허원.

공식-화【公式化】[명] 일정한 공식으로나 공식적인 것으로 됨. 또, 그렇게 되게 함. ——-하다 [자][타][여불]

공신¹【公信】[명] ①공공(公共)의 신용. ②관공서에서 공적으로 부여하는 신용.

공신²【功臣】[명] ①국가에 공로가 있는 신하. ¶ 1등 ~. ②공로가 있는 부하(部下). ③〖역〗 국가나 왕실을 위하여 공을 세운 사람에게 주던 칭호. 또, 그 칭호를 받은 사람. 훈공(勳功)을 나타내는 명호(名號)를 주고 등급을 나누어 포상하였음. 고려 때 처음으로 문헌에 나타남.

공:신³【貢臣】[명] 공물(貢物)을 바치는 신하.

공신⁴【恭愼】[명] 공경하여 삼감. ——-하다 [타][여불]

공:신⁵【恐愼】[명] 두려워하여 삼감. ——-하다 [타][여불]

공신 노비【功臣奴婢】[명]〖역〗 조선 시대에, 공신에게 사여(賜與)한 노비.

공신 녹권【功臣錄券】[명]〖역〗 조선 시대에, 공신 도감에서 공신에게 수여하는 상훈(賞勳) 문서의 하나. 동공자(同功者) 전체의 공적과 상전(賞典)을 기록한 문서. 공신축(功臣軸). 철권(鐵券). *공신 상훈 교서.

공신 도감【功臣都監】[명]〖역〗 ①조선 시대에, 공신을 표창해야 할 일이 생겼을 적에, 공신의 업적을 사실(査實)하기 위하여 임시로 설치한 관청. ②'충훈부(忠勳府)'의 별칭.

공신-력【公信力】[一녁] [명]〖법〗 외형적 표상(表象)을 신뢰한 사람에 대하여, 설사 그 표상(表象)에 진실한 권리가 없을 경우에도 그것이 실제로 있는 경우와 동일한 법률상 효력을 부여하는 효력. 등기부를 믿고 거래(去來)한 자는 그 등기가 진실한 것이 아니더라도 보호되며, 등기부의 기재 사실이 진실한 것과 동일한 권리 취득을 함과 같은 것임.

공신 상훈 교:서【功臣賞勳敎書】[명]〖역〗 조선 시대 때, 공신 도감(都監)에서 공신에게 수여하는 상훈 문서의 하나. 수사자(受賜者) 각 개인의 공적과 상전(賞典)을 기록한 문서. *공신 녹권(錄券).

공-신용【公信用】[명] 국가의 신용.

공신의 원칙【公信一原則】[一/一에一] [명]〖법〗 실제에는 권리 관계가 존재하지 않음에도 불구하고, 권리 관계의 존재를 추측할 만한 외형적 표상(表象)이 있는 경우에, 이 외형(外形)을 믿고 거래한 자를 보호하고, 권리 관계가 존재한 것과 같은 법률 효과를 인정하려는 법률 원칙.

공신 적장【功臣嫡長】[명]〖역〗 조선 태조(太祖) 때, 공신의 적계 자손들로 구성된 무관. 모두가 체아직(遞兒職)으로, 정원(定員)은 없으며 해마다 1월·4월·7월·10월의 4 회에 걸쳐 선발하고, 재직 108 일 후에 승급했으나 정삼품에서 그쳤음.

공신-전【功臣田】[명]〖역〗 조선 시대에, 공신에게 주던 전지(田地). 조선 시대 초기의 개국(開國) 공신전·정사(定社) 공신전·좌명(佐命) 공신전 등이 그것인데, 자손이 세습(世襲)할 수 있는 것이 특징임. 고려 시대에는 이에 준하는 것으로 훈전(勳田)·공음 전시과(功蔭田柴科)가 있었음.

공신-축【功臣軸】[명]〖역〗 공신 녹권(功臣錄券).

공:신-포【貢身布】[명]〖역〗 관아의 노비(奴婢)가 몸으로 노역(勞役)하는 대신 바치는 베나 무명. 남자 종은 1 필 반, 여자 종은 1 필씩 바침.

공신 회:맹제【功臣會盟祭】[명]〖역〗 조선 시대에, 공신 책록(册錄) 뒤 공신들이 모여 구리 쟁반의 피를 마시며 충성을 맹세하는 의식.

공실¹【公室】[명] ①공무를 보는 방. ②제후(諸侯)의 집.

공실²【空室】[명] ①사람이 없는 또는 사람이 살지 않는, 빈 방. 공방(空房). ②〖불교〗 조실(祖室)에 경스승의 자리가 비어 있음.

공실 복사【空室輻射】[명]〖물〗 복사(輻射)를 불통하게 하는 벽으로 둘러 싸인 빈 방의 벽이, 일정한 온도로 보전되어, 그 안이 열평형(熱平衡) 상태에 있는 경우의 열 복사. 공동 복사(空洞輻射).

공심¹【公心】[명] 공정(公正)하고 편벽되지 않은 마음. 공지(公志). ↔사심(私心).

공심²【空心】[명] 음식 먹은 지가 오래 되어 속이 빈 배.

공심-복【空心服】[명]〖의〗 아침 먹기 전이나 음식 먹은 지가 오래 되어 속이 비었을 때에 약을 먹음. 식전복(食前服). ↔식후복(食後服)·식원복(食遠服). ——-하다 [타][여불]

공심-재【空心齋】[명]〖천주교〗 영성체(領聖體)하기 전, 한 시간 동안 아무것도 먹지 않는 일. 공복재(空腹齋).

공-심판【公審判】[명] ①〖법〗 공개 재판(公開裁判). ②〔General Judgement〕〖천주교〗 세상의 마지막에 예수가 다시 강림(降臨)하여 모든 사람의 선악을 공정히 하는 심판. 최후의 심판. ↔사심판(私審判).

공-쌓다【功一】[一싸타] [자] 노력과 정성을 들이다.

공아【公衙】[명]〖역〗 마을❶.

공안¹【公安】[명] 공공의 안녕. 사회의 질서가 편안히 유지되는 상태. ¶ ~ 검사(檢事) / ~ 사범(事犯).

공안²【公案】[명] ①공사(公事)의 안문(案文). ②판청의 조서(調書). ③공론(公論)에 의하여 결정한 안건(案件). ④〖불교〗 불조(佛祖) 석가(釋迦)의 언어와 거동. ⑤〖불교〗 선종(禪宗)에서, 수행자(修行者)의 마음을 연마하기 위하여 과(課)하는 시험 문제. 한 사람의 사안(私案)이 아니고 조사(祖師)들이 공정(公定)함. 고칙(古則).

공안³【公眼】[명] 여러 사람의 공평한 눈.

공:안⁴【供案】[명]〖역〗 죄인의 공술서(供述書).

공:안⁵【貢案】[명]〖역〗 다음 해에 필요한 공물(貢物)의 품목·수량을 기록한 문부(文簿).

공안-국¹【公安局】[명] 중국의 경찰서(警察署).

공:-안국²【孔安國】[명]〖사람〗 중국 전한(前漢) 때의 학자. 산둥(山東) 사람. 자는 자국(子國). 공자(孔子) 11 대 손. 무제(武帝) 때 시간 대부(侍諫大夫) 박사가 되었음. 공자가 살던 집의 벽에서 나온 고문의 경서(經書), 곧 상서(尙書)·논어·효경·예기(禮記)·춘추 등이 과두 문자(蝌蚪文字)로 쓰인 것을 공왕(共王)의 명에 의하여 번역하여, 이로부터 고문학(古文學)이 시작되었다고 함. 생몰년 미상.

공안-군【公安軍】[명] 중국(中國)의 공안부(公安部)에 소속한 경찰 조직.

공:안 상정청【貢案詳定廳】[명]〖역〗 조선 시대에, 조(租)·용(庸)·조(調)의 모든 수입에 관한 일을 처리하기 위해 설치한 기관. 연산군(燕山君) 때에는 특히 지방의 공물을 거두어 들이는 데에 중점을 두었음.

공안-선【公案禪】[명]〖불교〗 과(課)해진 공안(公案)을 보고 진리 통달의 공부를 함으로써 대오 철저(大悟徹底)하는 선풍(禪風). *묵조선.

공안 소:설【公案小說】[명]〖문〗 ①우리 나라 고전 소설의 한 종류. 관정(官庭)에서 유능한 관장(官長)이 범죄 사실을 올바르게 처결함으로써 원통한 지경에 이른 주인공이 위기에서 벗어나는 내용을 담음. ≪장화 홍련전≫·≪진대방전(陳大房傳)≫ 등이 이에 속함. ②옛날 중국에서, 작품의 주제 내용에 따라 나누던 소설 분류의 하나. 재판에 관한 이야기, 의협적(義俠的)인 사건 이야기가 이에 속함.

공안 위원회【公安委員會】[명] ①〔프 Comité de Salut Public〕〖역〗 프랑스 혁명 때 1793년 4월 6일 국민 협의회가 설치한 집행 기관. 정적(政敵)을 탄압하고 공포 정치의 단서(端緖)를 만들었으나 외적의 침입을 막는 데 공이 있었음. 1795년 10월 27일 폐지됨. ②1960년에 민주 개혁의 일환(一環)으로서 설치되었던 경찰 관리 기관. 5·16 군사 정변 후 폐지됨.

공:알 [명] 음핵(陰核).

공:액【共軛】[명]〖수〗 '켤레¹'의 구용어.

공:액-각【共軛角】[명]〖수〗 '켤레각'의 구용어.

공:액-경【共軛徑】[명]〖수〗 ↗공액 직경.

공:액-근【共軛根】[명]〖수〗 '켤레근'의 구용어.

공:액-면【共軛面】[명]〖수〗 '켤레면'의 구용어.

공:액 복소수【共軛複素數】[명]〖수〗 '켤레 복소수'의 구용어.

공:액 삼각형【共軛三角形】[명]〖수〗 '켤레 삼각형'의 구용어.

공:액-선【共軛線】[명]〖수〗 '켤레선'의 구용어.

공:액 쌍곡선【共軛雙曲線】[명]〖수〗 '켤레 쌍곡선'의 구용어.

공:액 운:동【共軛運動】[명]〖생〗 '켤레 운동'의 구용어.

공:액 이:중 결합【共軛二重結合】[명]〖화〗 '짝 이중 결합'의 구용어.

공:액-점【共軛點】[명]〖수〗 '켤레점'의 구용어.

공:액 직경【共軛直徑】[명]〖수〗 '켤레 지름'의 구용어. [준]공액경.

공:액 초점【共軛焦點】[一쩜] [명]〖물〗 '켤레 초점'의 구용어.

공:액-축【共軛軸】[명]〖수〗 '켤레축'의 구용어.

공:액-호【共軛弧】[명]〖수〗 '켤레호'의 구용어.

공야【空夜】[명] 외롭고 쓸쓸한 밤.

공:야-사【攻冶司】[명]〖역〗 조선 시대에, 공조(工曹)의 한 분장. 모든 장색(匠色)이 만드는 물건, 광물의 제련, 도량형에 관한 사무를 맡아 봄.

공약¹【公約】[명] ①〖법〗 공법상(公法上)의 계약. ②사회에 대하여 약속하는 일. ¶ 선거 ~. 1)·2):↔사약(私約). ——-하다 [타][여불]

공약²【空約】[명] 헛된 약속. 거짓으로 허황되게 하는 약속. ——-하다 [타][여불]

공약-량【公約量】[一냥] [명]〖수〗 같은 종류의 몇 개의 양에 공통되는 약량(約量). 공도(公度).

공-약수【公約數】[명]〔common measure〕〖수〗 둘 이상의 정수(整數) 또는 정식(整式)에 공통되는 약수(約數). ¶ 최대 ~. ↔공배수(公倍數).

공:양【供養】[명] ①웃어른에게 음식을 대접함. ¶ 시부모 ~. ②〖불교〗 부처 앞에 음식물을 올림. ¶ ~미. ③〖불교〗 중이 음식을 먹는 일. ——-하다 [타][여불]

공:양(을) 드리다 [구] '공양하다'를 높이어 쓰는 말. 불공드리다.

공양-고【公羊高】[명]〖사람〗 중국 전국 시대의 노(魯)나라 사람. 자하(子夏)의 제자로, ≪공양전(公羊傳)≫을 썼음.

공:양-미【供養米】[명]〖불교〗 공양하는 데 쓰는 쌀. →고양미.

공:양-법【供養法】[一뻡] [명]〖불교〗 ①밀교(密敎)에서, 부처에게 공양을 하기 위한 법도나 방식. ②널리 삼보(三寶)·부모·스승·사자(死者) 등을 위한 공양에서의 일정한 법식.

공:-양사【貢洋紗】[명] 질(質)이 좋은 양사.

공양-왕【恭讓王】[명]〖사람〗 고려의 마지막 34 대 왕. 휘는 요(瑤). 신종(神宗)의 7 대손. 이성계(李成桂) 일파의 손에 의하여 왕이 되었다가, 4년(1392)에 이성계에게 쫓겨나 뒤에 처형되니, 곧 고려는 망하였음. [1345-94; 재위 1389-92]

공양-전【公羊傳】[명]〖책〗≪춘추(春秋)≫의 주석서로, 춘추 삼전(春秋三傳)의 하나. 중국 노(魯)나라의 공양고(公羊高)가 전술(傳述)한 것을 그 현손(玄孫)인 수(壽)와 호모자(胡母子) 등이 기록하여 한 책으로 만들었음. 11 권. 춘추(春秋) 공양전.

공:양-주【供養主】명〖불교〗①절에 시주(施主)하는 사람. ②절에서 밥을 짓는 중. 공사(供司). 1)·2):→고양주.

공양지-사【公養之仕】명〖역〗임금의 우대(優待)에 감동하여 어진 사람이 출사(出仕)하는 일.

공:양-탑【供養塔】명〖불교〗부처에게 공양하는 뜻으로 세운 탑.

공양-학【公羊學】명 춘추 삼전(春秋三傳) 중 ≪공양전≫에 입각하여 왕조의 교체(交替), 사회의 진화를 설(說)하고, 정치를 비판한 학문. 중국 한대(漢代)에 창시되고, 청대(淸代) 말기에 캉 유웨이(康有爲)가 학문적(學問的) 체계를 세웠음.

공양학-파【公羊學派】명 ≪공양전(公羊傳)≫에 근거를 두고 공자(孔子)의 사상을 탐구 파악하려는 학파. 장존여(莊存與)에 비롯하여 캉 유웨이(康有爲)에 이르러 크게 비약(飛躍)하였음.

공얘 명〈방〉〖동〗고양이(함경).

공어¹【公魚】명〖어〗공미리.

공:어²【供御】명 임금에게 물건을 바침. ──-하다 타여불

공-어음【空─】명〖경〗융통 어음.

공언¹【公言】명 ①공평한 말. 공담(公談). ②여러 사람 앞에 명백하게 공개하여 하는 말. ③ 공식적인 발언. ──-하다 타여불

공언²【空言】명 ①말뿐으로 실행이 없는 빈말. ②근거 없는 풍설. 허언(虛言). ──-하다 자여불

공언 무시【空言無施】명 빈말만 하고 실행이 없음.

공-얻다【空─】타 힘 들이거나 값을 치르지 않고 얻다. 거저 얻다.

공업¹【工業】명 원료를 가공하여 새로운 제품을 만드는 산업. 농업·임업·수산업 등 원료를 생산하는 제1차 산업에 대하여, 제조업·건설업이 중심이 되는 제2차 산업을 말함. 옛날에는 주로 가내(家內) 공업이었으나 기계의 발달에 따라 대규모로 되었음. 공업은 그 표준(標準)에 따라 중(重)공업과 경(輕)공업, 반제품(半製品) 공업과 정제품(精製品) 공업, 생산재(生產財) 공업과 소비재(消費財) 공업, 내국(內國) 공업과 수출(輸出) 공업, 계절(季節) 공업과 기타로 나누어짐. 준공(工).

공업²【功業】명 ①공적이 현저한 사업. ②큰 공로. 공렬(功烈) 훈업(勳業).

공업-가【工業家】명 공업에 종사하는 사람.

공업 가솔린【工業─】〔gasoline〕명 연료로서 쓰이는 것이 아닌 각종 산업용의 가솔린. 끓는점(點) 범위가 좁으며, 세척·용해·추출(抽出) 등에 적합함. 벤진·고무 휘발유·대두(大豆) 휘발유·클리닝 솔벤트(cleaning solvent) 따위.

공업-계【工業界】명 공업 방면에 속하는 사회 분야. 공업을 경영하는 사람들로 이루어진 사회.

공업 계:기【工業計器】명 각종 공업의 생산 과정에 가장 적응한 형태와 기능을 갖추고, 측정(測定)·지시·기록·경보(警報)·자동 조절·품질 관리 따위, 공장 조업(操業)의 중추(中樞)로서 작동하는 계기. 측정(測定)의 대상은 온도·습도·액면(液面)·압력·유량(流量) 등 광범위에 걸치고 목적·용도에 따라 많은 종류가 있음. 이 공업 계기의 발달은 전기 응용 계기, 특히 전자 계기의 진보에 힘입은 바 크며, 최근에는 고체(固體) 회로화(回路化)가 현저함.

공업 계:측【工業計測】명 공업의 생산 과정에서, 각종 공업 계기·제어(制御) 장치 따위를 써서 원료, 에너지 수지(收支), 기계나 장치의 상태, 제품의 양·품질 따위를 측정·기록하고, 자동 또는 수동(手動)으로 그들을 제어하는 기술.

공업 고등 학교【工業高等學校】명〖교〗공업에 관한 학문과 기술(技術)을 가르치는 실업 고등 학교. 토목과(土木科)·건축과(建築科)·채광과(採鑛科)·기계과(機械科)·전기과(電氣科)·섬유과(纖維科) 등의 교과가 있음. 준공고(工高)·공업 학교.

공업 공:황【工業恐慌】명〖경〗공업계에 일어나는 경제 공황. 제품 체화(製品滯貨)의 증대 및 공장의 폐쇄와 해고(解雇) 등의 현상이 일반화하여서 많은 실업자가 발생함.

공업 교:육【工業敎育】명 직업 교육의 한 부분. 기계 기구 제조업·전기 공업·금속 공업·화학 공업·방직 공업·토건업(土建業)·목공업(木工業)·광업 등의 공업에 종사시키기 위한 준비 교육.

공업 교:육과【工業敎育科】명〖교〗대학에서, 공업 교육에 관한 학문을 전공하는 학과. *과학 교육과.

공업-국【工業國】명 공업이 발달하고 각종 공업 생산품(生產品)이 많은 나라. ¶선진 ~. ↔농업국

공업-권【工業權】명 공업 소유권(工業所有權).

공업 규격【工業規格】명〖공〗원료·재료·기계·제품 등 모든 공업품에 있어서, 종류·특성·형상·치수·성분 등 그 물건을 결정하는 기술적 조건의 규격. 흔히 국가가 이를 통일함. *한국(韓國) 공업 규격.

공업 금융【工業金融】[─/─늉] 명〖경〗공업 경영을 위하여 융통되는 금융. 장기적이고 고정적인 것이 특징임. ↔상업 금융(商業金融).

공업 기상학【工業氣象學】명〖기상〗기상학의 지식이나 기술을 공업 문제에 응용하는 기상학의 한 분야.

공업 기지【工業基地】명〖경〗철강·석유 정제(精製)·석유 화학·전력 등의 기간 자본형 공업군의 입지(立地).

공업 뇌관【工業雷管】명 다이너마이트 같은 폭파약(爆破藥)에 파괴적 폭발을 일으키게 하기 위하여 쓰이는 화공품(火工品).

공업 단지【工業團地】명 '산업 입지 및 개발에 관한 법률'에 의거, 공장을 집단적으로 설립·육성하기 위하여 포괄적 계획에 따라 계획되고 개발되는 일단의 공업 용지. 국가 공업 단지·지방 공업 단지·농공(農工) 단지 등이 있음. 공장 단지. 준공단(工團).

공업 도시【工業都市】명 시민의 생업(生業)이 주로 공업에 속하는 도시. 공업을 주된 산업으로 하여 발달한 도시.

공업 동:원【工業動員】명〖정〗전시(戰時)에 국가가 국내의 모든 공업 시설과 기술자의 일부 또는 전부를 정부 관리 아래 두고, 군수품의 생산과 수리(修理)에 종사하게 하는 동원.

공업 디자인【工業─】명〔industrial design〕양상(量產)되는 공업 제품을 대상으로 기능적인 면과 미적(美的)인 면을 고루 만족시키도록 고안(考案)된 디자인. 산업 디자인.

공업 미생물학【工業微生物學】명 경제적으로, 희망하는 물질의 생성·변환 등을 할 수 있도록 하는 미생물의 연구·이용·조작 및 필요없는 미생물의 제어(制御) 등을 연구하는 학문.

공업 박람회【工業博覽會】[─남─] 명 공업의 발달과 공업 기술의 개량·향상을 도모하며 판로를 확장할 목적으로, 각종 공업 생산품을 수집(蒐集) 진열하여 공중에게 관람하게 하는 박람회.

공업 발전법【工業發展法】[─쩐뻡] 명〖법〗공업의 균형있는 발전을 도모하고, 공업의 합리화를 촉진함으로써 국민 경제의 발전에 이바지하게 할 목적으로 제정된 법률.

공업 부기【工業簿記】명〖경〗공업 기업에 쓰이는 응용(應用) 부기의 한 가지. 원료의 구입에서 가공, 제품의 판매에 이르기까지 전과정의 회계를 취급하는 부기.

공업 부:이사관【工業副理事官】명 공업직 국가 공무원 직급 명칭의 하나. 기계 직렬(職列)에 속하며, 공업 서기관의 위, 공업 이사관의 아래로 3급 공무원임.

공업 분석【工業分析】명〖공〗공업용의 원료·재료·제품 및 제조 공정(工程)의 조절에 필요한 물자 등의 분석. 학문적·연구적인 분석이 아니고 생산 현장의 기술적 요구에 적합하도록 간단하고 확실하고 신속하게 행하여지는 것이 특징임.

공업 서기관【工業書記官】명 공업직(工業職) 국가 공무원 직급 명칭의 하나. 기계 직렬(職列)에 속하며, 공업 부이사관의 아래, 기계 사무관·전기 사무관·조선(造船)사무관·섬유 사무관·화공 사무관·전자 사무관·원자력 사무관·금속 사무관의 위로 4급 공무원임.

공업 센서스【工業─】〔census〕명 제조 공업의 실태 조사. 각 업종별(業種別) 사업소의 수, 종업원 수, 현금 급여 총액, 원재료 사용액, 제품 출하량(出荷量), 부가 가치액(附加價値額) 따위에 관한 제조 공업의 실태 조사. 공업 통계.

공업 소:유권【工業所有權】[─꿘] 명〖법〗'산업 재산권'의 구용어.

공업 시대【工業時代】명〖경〗경제사(經濟史)에서 나눈 시대 구분의 하나. 산업 혁명(產業革命) 이후의 대규모 생산 공업 시대.

공업 암:화【工業暗化】명〔industrial melanism〕〖생〗공업화에 의하여 매연(煤煙) 등으로 환경이 검어짐에 따라 근처에 서식하고 있는 곤충 중에 암색(暗色)의 변이 개체(變異個體)가 증가하는 현상. 나방 따위의 나비목(目)에 그 예가 많은데, 진화(進化) 이론에 영향을 끼쳤음.

공업 약품【工業藥品】[─냑─] 명 공업용으로 많이 쓰이는 약품. 황산(黃酸)·염산(塩酸)·소다(soda)·가성(苛性) 소다 따위.

공업 어음【工業─】명〖경〗제조업자가 원자재를 구입하기 위하여 발행하는 약속 어음.

공업-염【工業塩】[─념] 명 원염(原塩).

공업-용【工業用】[─뇽] 명 공업에 쓰임.

공업용 동:물【工業用動物】[─뇽─] 명 동물 자원의 하나로 공업에 쓰이는 동물. 여기에서 옷감·가죽·아교·향료 따위를 얻음.

공업용 로봇【工業用─】〔robot〕[─뇽─] 명 사람 대신으로 작업을 하는 자동 기계 장치로서의 로봇. 위험한 작업, 노동 환경이 나쁜 작업이나 단순한 반복 작업에 쓰임.

공업용 비누【工業用─】[─뇽─] 명 카르본산(carbon 酸)의 금속염(金屬塩)으로 공업적 용도에 쓰여지는 비누. 건조·방수·방부제로 쓰이는 나프텐산(Naphten 酸) 비누, 농약·종이 사이징(sizing)에 쓰이는 로진산(rosin 酸) 비누 등이 그 예이며, 이 밖에 섬유의 정련 세정(精練洗淨), 유연화(柔軟化), 염색(染色)의 조제(助劑), 윤활제(潤滑劑) 등으로도 이용됨.

공업 용:수【工業用水】[─뇽─] 명 공업의 생산 과정에 쓰이는 물. 원료용·냉각용·세정용(洗淨用) 등 용도에 따라 수질을 달리함. 종래는 흔히 지하수를 썼으나, 과도로 퍼올려 지반 침하(地盤沈下) 따위의 공해(公害)를 일으키므로 공업용 수도를 건설하여 급수(給水)하는 등의 방법이 취하여지고 있음.

공업용 식물【工業用植物】[─뇽─] 명 공업의 원료로 쓰이는 식물.

공업용 알코올【工業用─】[─뇽─] 명〔industrial alcohol〕음료(飮料)로서 쓰지 못하게 아세톤·케톤·가솔린 따위를 첨가, 변성된 에틸 알코올.

공업용 텔레비전【工業用─】[─뇽─] 명〔industrial television〕방송 이외의 분야에서 쓰이는 텔레비전의 총칭. 댐의 수위(水位) 상황, 노(爐)의 연소 상태, 상품 판매의 감시, 열차의 진행 상황, 대강당 따위의 강의, 수술·해부의 실황, 작업 상태의 감시 등, 공업·상업·교통·교육 등 넓은 분야에서 이용되고 있음. 대부분 유선으로 전송(傳送)됨. 약칭: 아이티브이(ITV). *엑스선(X線) 텔레비전.

공업용 화:약【工業用火藥】[─뇽─] 명 폭파(爆破)시키는 데에 쓰이는 파괴약(破壞藥). 주로 안전 폭약(安全爆藥) 같은 것으로, 광산·탄광·채석장(採石場)·터널의 개착(開鑿) 같은 데에 쓰임.

공업 위생【工業衛生】명 공업에 종사하는 사람들에 대한 위생.

공업 은행【工業銀行】명〖경〗장기(長期)의 산업 자금(產業資金) 공급을 목적으로 하는 은행. ↔상업 은행(商業銀行).

공업 이:사관【工業理事官】명 공업직(工業職) 국가 공무원 직급 명칭의 하나. 기계 직렬(職列)에 속하며, 관리관의 아래, 공업 부이사관의 위로 2급 공무원임.

공업 입지【工業立地】명 공업 생산 활동을 영위하는 데 적합한 지리적·사회적 조건. 또, 이 조건에 따라 토지를 선정하는 일.

공업 정책【工業政策】명〖정〗국가 또는 공공 단체가 공업의 건전한 발

달을 피하려는 정책. 기술·기업 장려(企業奬勵)·노동 문제 등이 그 주요한 과제임.

공업 중독【工業中毒】명 작업병의 하나. 공업에서 취급하고 있는 원료(原料)·중간체(中間體)·제품(製品) 중에 있는 유해(有害)한 물질이나 작업 과정(作業過程)에서 발산(發散)하는 가스 중의 유해 물질 등이 원인이 되어 일어나는 중독 현상.

공업 지대【工業地帶】명 공업이 그 중심을 이루는 지대. 내용에 따라 중공업 지대·경공업 지대, 또 지리적 조건에 따라 임해(臨海) 공업 지대·내륙(內陸) 공업 지대로 나뉨. ¶ 경인(京仁) ~.

공업 지리학【工業地理學】명〖지〗경제 지리학의 한 부문. 공업의 지리적 조건 혹은 공업과 지리적 환경과의 상호 관계를 연구하는 학문.

공업 지역【工業地域】명 국토 이용 관리법에 따라, 국토 이용 계획 심의회의 심의를 거쳐 건설부 장관이 결정 고시하는 용도(用途) 지역의 하나. 공업과 주요 산업 시설 및 그에 부수된 용도에 이용되거나 이용될 지역. 1993년 법 개정으로 삭제됨.

공업 통:계【工業統計】명 공업 센서스. *산업 통계.

공업 폐:수【工業廢水】명 공업 생산에 사용되어 생긴 오수(汚水). 고온(高溫)·강산(強酸)·강염기(強塩基)·방사능·금속 이온·악취 따위 공해의 원인을 낳을 요소가 많아, 큰 사회 문제를 일으키고 있음.

공업-품【工業品】명 공업 생산품(生産品).

공업 학교【工業學校】명〖교〗①공업에 관한 지식과 기능을 가르치는 실업 학교의 총칭. ②구제(舊制) 실업 학교의 하나. 현재의 공업 고등 학교가 이에 상당함. ③↗공업 고등 학교.

공업-항【工業港】명〖지〗공업 도시에 딸려 화물선이 출입·정박(碇泊)하며, 공장용 원료 또는 그 제품을 하역(荷役)하는 항구.

공업-화【工業化】명 국가 경제의 산업 구성의 중점이 점차로 농업·광업(鑛業) 같은 원시 산업으로부터 가공(加工) 산업으로 이행(移行)하고 제조 공업이 발달하여 가는 현상. ——-하다 자타여불

공업 화학【工業化學】명〖화〗응용 화학의 한 분과. 공업적 제품의 화학적 연구를 하는 학문. 제약 화학(製藥化學)과 야금(冶金) 화학의 구분이 있음.

공업 화학과【工業化學科】명〖교〗대학에서, 공업 화학을 전공하는 학과. *화학 공학과.

공여[1]【公餘】명 공무(公務)의 여가.

공:여[2]【供與】명 어떤 이익(利益)을 상대방에게 수득(收得)시키는 행위. ——-하다 타여불

공역[1]【工役】명 ①토목·건축의 공사. ②공사를 이룩하는 일.

공역[2]【公役】명 국가나 공공 단체로부터 명령을 받은 의무. 병역(兵役)·부역(賦役) 따위.

공역[3]【功役】명 토목 공사의 부역(賦役).

공:역[4]【共譯】명 한 가지의 책이나 글을 두 사람 이상이 협력하여 번역함. 또, 그 번역한 것. ——-하다 타여불

공역[5]【空域】명 ①공중 지역. ¶김포 ~. ②〖항공〗연습 시에, 비행기 편대에 의해 점유되는 공간. ③〖항공〗비행 중인 항공기가 충돌(衝突)하는 것을 피하는 데 절대 필요한 비행기 주위의 공간. 항공기 속도에 의해 정해짐.

공:역-서【供驛署】명〖역〗고려 때 제도(諸道)의 정역(程驛)을 맡은 관서(官署). 명령의 전달, 역마(驛馬)의 동원 등을 맡았음.

공역 주권설【空域主權說】[—꿘—] 명〖법〗국토와 영해(領海)의 상공(上空)도 영토 주권(領土主權)이 미치는 것이라고 주장하는 학설.

공:역-축【共役軸】명 부축(副軸).

공연[1]【公演】명 관중 앞에서 음악·극·무용 같은 것을 하는 일. ¶첫 ~/지방 ~. ——-하다 타여불

공:연[2]【共演】명〖연〗연극이나 영화에 함께 출연함. ——-하다 자여불

공연-권【公演權】[—꿘] 명〖법〗영화·각본·악보·음반 등 저작물을 상영·상연·연주 기타의 방법으로 공개 연출할 수 있는 배타적(排他的) 권리. 학술·문예·미술에 관하여 존재하는 저작권에 부수(附隨)하는 권능의 하나임. *상연권(上演權).

공:-연마기【孔研磨機】명〖기〗연마용 공작 기계의 하나. 둥근 구멍의 내부를 갈아 깎는 기계.

공연-법【公演法】[—뻡] 명〖법〗예술의 자유를 보장하고 건전한 국민 오락(國民娛樂)을 육성하기 위하여, 공연에 관한 사항을 규정한 법.

공연-스럽다【空然—】형ㅂ불 까닭이나 필요가 없어 보이다. 공연-스레【空然—】부 공연스럽게. ㊌괜스레.

공연 윤리 위원회【公演倫理委員會】[—뉼—] 명 공연법에 의해, 공연의 공공성(公共性)과 그 질서 및 품위(品位)를 유지하기 위하여, 문화부 장관이 위촉한 공연 윤리 위원으로 구성한 기구. 공연 활동에 있어서의 윤리면의 저해 사항을 심의하고, 공연자·공연장 경영자에게 시정을 요구함. ㊌공륜(公倫).

공연 음란죄【公然淫亂罪】[—난쬐] 명〖법〗공공연히 음란한 행위를 하는 죄. 성적(性的)인 도덕 감정을 해하는 범죄. 건전한 성적 풍속 내지 성도덕을 보호하려는 것임.

공연-하다[1]【公然—】형여불 세상에서 사실을 다 알도록 뚜렷하고 떳떳하다. 공연-히【公然—】부

공연-하다[2]【空然—】형여불 까닭이나 필요가 없다. 객쩍고 부질없다. ¶공연한 짓을 했군. ㊌괜하다. 공연-히【空然—】부 공연하게. ㊌괜히. 【공연한 제사 지내고 어물(魚物) 값에 졸린다】공연한 짓을 하여서, 쓸데없이 그 후환을 입게 된다는 말.

공연-회【公演會】명 음악·연극·무용 따위 공연을 하기 위한 모임.

공열【恭悅】명 삼가 기뻐함. ——-하다 자여불

공-염불【空念佛】[—념—] 명 ①입끝으로만 외는 헛된 염불. 곧, 말만 앞세우고 실제가 없음의 비유. ②아무리 타일러도 허사가 되는 말. ¶아무리 좋은 말도 그녀에겐 ~에 지나지 않았다. ——-하다 자여불

공-염송【空念誦】[—념—] 명 신심(信心)이 없이 하는 헛된 염송.

공영[1]【公營】명 ①관청의 경영. ¶선거 ~. ②지방 자치 단체가 경영 또는 설립·관리함. 또, 그 사업. 1)·2):↔사영(私營). ——-하다 타여불

공:영[2]【共榮】명 ①서로 함께 번영함. ¶공존(共存) ~. ②[co-prosperity] 두 종류의 생물이 독립하여 생활하면서 서로 이익을 주며 생활하는 일. 꽃에 곤충이 와서 꽃은 수분(受粉)의 이익을 얻으며, 곤충은 꿀이나 꽃가루를 받아 이익을 얻는 따위. ——-하다 자여불

공:영[3]【共營】명 공동으로 경영(經營)함. ——-하다 타여불

공영[4]【空營】명 장병(將兵)이 없는 진영(陣營).

공영 개발【公營開發】명 택지·공단 등을 개발할 때 토지 개발 공사·주택 공사·지방 자치 단체 등이 구역 내의 토지를 전면 매수하여 도로·상하수도·공원 등의 시설을 계획적으로 개발·조성한 후 다시 실수요자에게 공급하는 방식.

공영 기업【公營企業】명 지방 공기업(公企業). 공영 사업.

공:-영달【孔穎達】명〖사람〗중국 수말(隋末)에서 당초(唐初)의 학자. 허베이 성(河北省) 형수이(衡水) 사람. 공자 32 대손이라 함. 자(字)는 중달(仲達). 어려서부터 총명해, ≪좌씨전(左氏傳)≫·≪모시(毛詩)≫·≪예기(禮記)≫ 등 외에 산력(算曆)에도 통달했음. 당태종(唐太宗)의 명으로 ≪오경 정의(五經正義)≫를 골라 엮어 중국 고전 해석상 큰 공적을 남겼음. 위징(魏徵)과 함께 ≪수사(隋史)≫를 편찬했음. [574-648]

공영 방:송【公營放送】명 국가 기관으로부터 독립하여 방송 사업을 경영하되, 영리(營利)를 직접적인 목적으로 삼지 않고 시청료를 주요 재원(財源)으로 하는 방송 기관. 영국의 BBC 따위.

공영 보:험【公營保險】명〖경〗공공 단체가 경영하는 보험. 유럽 여러 나라에서는 옛날부터 생명 보험·손해 보험 같은 것을 각 주(州)에서 경영하는 예가 많았음.↔사영 보험(私營保險)

공-영사【公領使】[—녕—] 명 공사(公使)와 영사(領事).

공영 사:업【公營事業】명 공영 기업(公營企業).

공영 선:거【公營選擧】명〖법〗선거 공영(選擧公營).

공영 주:차장【公營駐車場】명 공영으로 운영되는 주차장.

공영 주:택【公營住宅】명 국가나 지방 자치 단체에서 건축하여 주민(住民)에게 싸게 분양하거나 임대(賃貸)하는 주택.

공예[1]【工藝】명〖공〗①물건을 만드는 기예(技藝). 공작(工作)에 관한 예술(藝術). ¶도자기 ~. ②미술적인 조형미(造形美)를 갖춘 공업 생산품을 만드는 일. 또, 그 제작물. 기능과 장식의 조화가 가장 중요함.

공예[2]【空譽】명 실제보다 높이 평가된 명예. 유명 무실한 명예.

공예-가【工藝家】명 공예에 관한 전문적인 기술과 지식을 가진 사람.

공예 미술【工藝美術】명〖미술〗조형(造形) 미술의 하나. 공예품에 미(美)를 이입(移入)하는 기술. 또, 그 작품. 금공(金工)·목공(木工)·칠공(漆工)·도공(陶工)·직공(織工) 같은 것. 미술 공예(美術工藝).

공예 사진【工藝寫眞】명 공예품으로서 이용하는 사진의 총칭. 헝겊이나 사기나 질그릇 같은 물건에 인화한 사진 같은 것.

공예-식【工藝式】명〖농〗↗공예 작물식(工藝作物式).

공예 작물【工藝作物】명〖농〗수확 후에 사람의 수요(需要)로 제공되기까지 비교적 많은 가공을 필요로 하는 작물. 섬유료(纖維料)·당료(糖料)·유료(油料)·물감·향료(香料)·약료(藥料) 등으로 구분함. 목화·차(茶)·담배·사탕무 따위. 특용(特用) 작물.

공예 작물식【工藝作物式】명〖농〗공예 작물을 재배하는 집약 경종 방식(集約耕種方式). ㊌공예식(工藝式).

공예 조각【工藝彫刻】명 공예품의 표면 장식이나 건축물의 장식 등을 주목적으로 하여 이루어지는 조각.

공예-품【工藝品】명 예술적 가치가 있게 만든 공작품. 미술 의장(美術意匠)과 기교(技巧)에 의하여 위안(慰安)과 쾌감(快感)을 주며 일상 생활에 실용적으로 쓰이는 물품. 칠기(漆器)·도자기(陶磁器)·염직품(染織品)·가구(家具) 따위에 많음.

공예-학【工藝學】명 공예에 관한 이론과 실제를 연구하는 학문.

공예학-과【工藝學科】명〖교〗대학에서, 공예학을 전공하는 학과.

공:옥[1]【攻玉】명 ①옥을 갊. ②옥을 갈 듯이 지덕(知德)을 닦음.

공옥[2]【空玉】명〖고고학〗빈구슬.

공옹【工翁】명〖역〗신라 때, 본피궁(本彼宮)에 속한 벼슬 이름.

공용[1]【公用】명 ①공적인 용무·사무. 공무(公務). ¶~ 외출. ②국가 또는 공공 단체의 비용. 공비(公費). ③국가 또는 공공 단체의 사용(使用). 관용(官用). ④일반 공중의 사용. 1)-4):↔사용(私用). ——-하다 타여불

공용[2]【功用】명 공효(功效).

공용[3]【功庸】명 공. 공적(功績).

공:용[4]【共用】명 공동으로 사용함. ↔전용(專用). ——-하다 타여불

공:용[5]【供用】명 준비하여 두었다가 씀. 사용에 제공함. ——-하다 타여불

공:용 급수【共用給水】명 공동 수도의 급수.

공:용-림【供用林】[—님] 명 ①인공을 가한 산림. 시업림(施業林). ↔원생림(原生林). ②목재(木材) 기타 임산물(林産物)의 이용·수익을 목적으로 경영하는 산림. 경제림(經濟林). ↔보안림(保安林).

공용 문서【公用文書】명 공문서(公文書).

공용-물[1]【公用物】명〖법〗행정 주체(行政主體) 자신이 사용하는 공물(公物). 관공청의 청사·보안림(保安林) 따위. 공용 재산(財産). ↔사용물(私用物). *공물(公物)·공공용물(公共用物).

공:용-물[2]【共用物】명〖법〗일반 공공 사용에 제공되는 공물(公物). 공용물(公用物)에 대하여 말함. 공공용물(公共用物). *사용물(私用物).

공:용 벽돌【拱用甓—】명〖건〗홍예문(虹霓門)에 쓰이는 쐐기 모양의 벽돌. 구워서 만들거나 또는 갈거나 깎아서 씀.

』국가나 공공 단체가 공익을 위한 특정
의 보전을 위해 국민에게 부과하는 부담.
』건축물에서 임대할 수 없는 부분. 변소·
無効罪】[—쬐] 명〖법〗공무소(公務所)
건을 손상 또는 은닉(隱匿)하거나 그 밖
해침으로써 성립되는 죄. 형법에서 공무
정하고 있음.
〔consolute〕〖화〗일정한 조건하에서 두
는 성질.
』공용 징수(徵收).
에서 수개 국어가 사용되고 있는 경우, 그 나
인정받고 있는 언어. 또, 국제 간에 설치된 공
효력을 갖는 것으로서 정식으로 인정된 언
프랑스어가 둘 다 ~다.
으로 함께 쓰는 말.
명〖법〗국가나 공공 단체가, 스스로 쓰는 영

근무 시간 중에 공무를 떠고 근무처 밖으
여불
】[—쯩] 명 공용 외출임을 증명하여 소속장
. ㊀공용증(公用證).
법〗국가가 직접 그 사무용·사업용 또는 공
하거나 사용하기로 결정한 재산. 곧, 관공청·
따위. 공용물(公用物).
공전(共同栓). ↔전용전(專用栓).
式】명〖전〗공동 전지식(共同電池式).
〖법〗공공 사업의 경영이나 공공용물의 보전
(特定物)에 대하여 소유권을 제한하는 행정 처
로 인접지(隣接地)를 일시적으로 점유 사용하
「류. ②↗공용 외출증.
】명 ①공용의 임무를 띠고 있음을 증명하는 서
명〖법〗토지에 대하여 과해지는 공용 제한.
】명〖법〗국가가 특정한 공공 사업에 쓰기 위하여
특정한 재산권을 강제적으로 징수하는 행정 처분(行
수용(收用). *토지 수용(土地收用).
用廢止】명〖법〗도로·하천(河川) 같은 공공용물(公共用
그 공물(公物)인 성질을 잃게 하기 위하여 하는 공물 관리
표시.
기【共用火器】명〖군〗둘 이상의 인원(人員)이 함께 다루는 화
관총 따위. *개인 화기.
산:지【公用換地】명〖법〗토지의 이용 가치를 전반적으로 늘리기
하여 일정한 지역 안에 있어서의 토지의 소유권 또는 기타의 권리
등을 권리자의 의사 여하에 불구하고 강제적으로 교환·분합(分合)하
는 일. 「陸運). *공수(空輸)

공운【空運】명 항공기에 의한 여객 및 화물의 운송. ↔해운(海運)·육운

공원¹【工員】명 공장에서 노동에 종사하는 사람. 직공(職工).

공원²【公員】명〖역〗조선 인조(仁祖) 때에, 팔도의 보부상(褓負商)들을 각 도마다 두 조(組)로 나누어 조직했을 때 그 보부상 조합(組合)의 한 직임(職任).

공원³【公園】명 공중(公衆)의 보건(保健)·교화(敎化)·휴양(休養)·유락(遊樂) 등을 위하여 누구든지 자유로이 거닐며 놀 수 있도록 된 정원(庭園)·유원지·동산 등의 사회 시설. *국립 공원(國立公園).

공:원⁴【供源】명 공급(供給)의 본원(本源). 공급원(供給源).

공:원⁵【貢院】명〖역〗옛날 중국에서, 과거(科擧)를 보던 시험장.

공원 경관【公園景觀】명〖지〗건조한 지방에서 초지(草地) 사이에 수목(樹木)이 혼생(混生)하는 상태.

공원 도:로【公園道路】명 ①공원과 공원을 연결하여 놓은 도로. ②공원처럼 시설을 하여 놓은 도로.

공원 묘:지【公園墓地】명 지방 자치 단체나 개인이 경영·관리하는, 공원처럼 꾸민 공동 묘지.

공원-수【公園樹】명 공원의 풍치를 돕기 위하여 심어 가꾸는 나무.

공위¹【功位】명 ①공훈(功勳)과 지위(地位). ②세운 공(功)에 따라서 얻는 관위(官位). 「同委員).

공:위²【共委】명〖법〗①↗공동 위원회(共同委員會). ②↗공동 위원(共

공:위³【攻圍】명 ①포위하여 공격함. ②병력에 의해서 적의 점거(占據) 지역을 포위하여 외부와의 교통을 끊는 일. ——-하다 타여불

공위⁴【空位】명 ①비어 있는 지위. ②실권이 없이 이름뿐인 지위. 허위(虛位). *공명첩(空名帖). 「(軍勢).

공:위-군【攻圍軍】명 ①공격하여 포위하는 군대. ②쳐 들어오는 군세

공유¹【公有】명〖법〗국가나 공공 단체의 소유. ↔사유(私有). *국유(國有)·관유(官有).

공:유²【共有】명 ①두 사람 이상이 한 가지 것을 공동으로 가짐. ②〖법〗두 사람 이상이 동일 물건의 소유권을 양적(量的)으로 분유(分有)하는, 공동 소유의 형태. *총유(總有). ——-하다 타여불 「(假象).

공유³【空有】명〖불교〗공(空)과 유(有). 평등과 차별. 실체(實體)와 가상

공유⁴【恭惟】명 삼가 생각함. 공경하고 생각함. ——-하다 자여불

공:유 결합【共有結合】명〔covalent bond〕〖화〗화학 결합의 하나. 두 개의 원자가 서로 원자가전자(原子價電子)를 공동으로 내어 공유함으로써 이루어지는 결합. 등극 결합(等極結合). 무극 결합(無極結合). 전자쌍 결합(電子雙結合). 구용어:상과 원자가(相跨原子價). *금속 결합.

공:유 결합 결정【共有結合結晶】[—쩡] 명〔covalent crystal〕〖화〗결정 내의 원자가 모두 공유 결합에 의하여 이웃끼리 결합되어 있는 결정. 대표적인 예는 다이아몬드로, 단단하고 녹는점이 높은 것이 특징임.

공유-권【公有權】[—꿘] 명〖법〗하해(河海)에 대한 국가의 지배권 같이 유체물(有體物)을 공법적(公法的)으로 완전히 지배하는 국가의 절대권(絶對權).

공유력 대:연【空有力待緣】명〖불교〗실과가 생긴 뒤에야 종자가 있게 되므로 종자가 처음에는 공(空)이었으나 과실 가운데에 있는 어떠한 힘으로 타연(他緣)을 기다리어 생긴다는 뜻. 「有林).

공유-림¹【公有林】명 국가나 공공 단체가 소유하는 삼림. ↔사유림(私

공:유-림²【共有林】명 복수인(複數人)의 공유에 속하는 산림(山林).

공:유 면:적【共有面積】명〖건〗아파트 등의 공동 주택에서, 출입구의 홀·엘리베이터 홀·계단·통로·관리인실·기계실 등 각 가구가 공동으로 사용하는 부분의 바닥 면적. ↔주거 전용(住居專用) 면적.

공유-물¹【公有物】명 국가나 공공 단체가 소유하는 물건. 도로·하천과 같은 공공용(公共用)과 청사 부지·건물과 같은 국가·공공 단체의 사용에만 쓰이는 것이 있음. ↔사유물(私有物)·전유물(專有物).

공:유-물²【共有物】명 두 사람 이상이 공동(共同)으로 소유하는 물건.

공유 수면【公有水面】명 하천·바다·호소(湖沼) 및 그 밖의 공공의 이익에 제공되는 국유(國有)의 수면이나 수류(水流).

공유 수면 매립【公有水面埋立】명〖법〗공유 수면을, 건설 교통부 장관으로부터 권한의 위임을 받은 특별시장·광역시장·도지사의 면허를 얻어 매립하는 일. 「공유 결합의 수.

공:유 원자가【共有原子價】[—까] 명 한 개의 원자가 형성할 수 있는

공:유-자【共有者】명 한 물건을 공동으로 소유한 사람.

공유 재산【公有財產】명〖법〗국가나 공공 단체가 소유하는 재산.

공:유-점【共有點】[—쩜] 명 두 개의 도형(圖形)의 교점(交點). 또, 그 접점(接點).

공:유-제【共有制】명 두 사람 이상이 공동으로 소유하는 제도.

공유-지¹【公有地】명 국가나 공공 단체가 소유하는 땅. 공유토(公有土). ↔사유지. *국유지(國有地).

공:유-지²【共有地】명 두 사람 이상이 공동으로 소유하는 땅.

공유-토【公有土】명 공유지(公有地).

공:융-물【共融物】명 공융 혼합물(共融混合物).

공:융 온도【共融溫度】명〔eutectic temperature〕〖물·화〗공융 혼합물의 최저(最低) 융해 온도(融解溫度).

공:융-점【共融點】[—쩜] 명〔eutectic point〕〖물·화〗공융 혼합물이 정출(晶出)되는 온도. 공정점(共晶點).

공:융-정【共融晶】명 공융 혼합물.

공:융 합금【共融合金】명〖화〗공융 혼합물을 형성한 결과, 성분 금속의 어느 것보다 녹는점이 낮아진 합금.

공:융 혼:합물【共融混合物】명〔eutectic mixture〕〖화〗혼합 액체를 냉각(冷却)했을 때 동시에 정출(晶出)되는 두 개 이상의 결정의 혼합물. 융해는 각 성분 모두 같은 온도에서 일어나며 표면상으로는 순수한 성분 또는 화합물처럼 보임. 공정(共晶). 공융정(共融晶). 공융물(共融物). 공정(共晶) 혼합물.

공-으로【空—】부 힘이나 돈을 들이지 아니하고 거저. 공짜로. ¶이 책을 ~ 너에게 주겠다. *거저².

공은¹【工銀】명 임금(賃金). 공전(工錢). 「혜(恩惠).

공은²【公恩】명〖천주교〗모든 사람에게 두루 미치는 천주(天主)의 은

공음¹【蛩音】명 ①귀뚜라미의 우는 소리. ②모든 벌레의 우는 소리.

공음²【跫音】명 사람의 발자국 소리. 족음(足音).

공음-전【功蔭田】명〖역〗↗공음 전시과(功蔭田柴科).

공음 전시【功蔭田柴】명〖역〗고려 때, 전시과(田柴科)의 규정으로 오품(五品) 이상의 관인(官人)들에게 반급(頒給)한 토지와 임야. 세습(世襲)하게 하였음.

공음 전시과【功蔭田柴科】명〖역〗고려 때 공신(功臣)에게 나누어 주던 전시(田柴). 처음에는 공신에게만 나누어 주었으나, 문종(文宗) 때에는 일반 관리에게도 품(品)에 따라 차등 있게 지급하게 되었음. ㊀공음전.

공읍¹【公邑】명 임금의 직할지(直轄地). 임금의 영지(領地).

공:읍²【拱揖】명 두 손을 마주 잡고 읍(揖)함. ——-하다 자여불

공의¹【公義】[—/—이] 명 ①〖천주교〗선악의 제재(制裁)를 공평하게 하는 천주의 적극적인 품성(稟性)의 한가지. ②인간이 사회 생활을 하는 데 필요한 도의(道義).

공의²【公儀】[—/—이] 명 ①공적(公的)인 의식. ②공개적인 의식.

공의³【公醫】[—/—이] 명〖의〗관청의 촉탁과 지령(指令)을 받아 그 구역 안의 시료(施療)를 맡은 의사. *의료 촉탁·경찰의(警察醫).

공의⁴【公議】[—/—이] 명 공평한 의론. 공론(公論). ——-하다 타여불

공의⁵【功議】[—/—이] 명〖역〗①공신의 공을 알아 주는 뜻으로서 공신이나 그 자손의 범죄에 대한 형벌을 감하는 규정. ②공신과 의친(議親).

공:의⁶【共議】[—/—이] 명 함께 상의함. ——-하다 타여불

공의-롭다【公義—】[—/—이—] 형ㅂ불 공평하고 의롭다. 공의-로이【公義—】부

공-의무【公義務】명〖법〗공권(公權)에 대한 관념으로서, 타자(他者)의 이익을 위하여 의무자의 의사에 가(加)해진 공법상의 구속. 곧, 국민이 일정한 한도의 국가의 통제와 합법적 명령에 복종할 의무를 말하며, 국토 방위·납세·근로·교육 등의 의무를 가리킴. ↔사(私)의무.

공:-의식【共意識】명〔co-consciousness〕〖심〗이중 인격 등에서 평상시의 의식에서 분리되어 이와 독립적으로 존재하는 제2의 의식.

공의-회【公議會】[—/—이—] 명〖천주교〗교회 전체에 걸친 교리(敎理)·교회 규율에 관한 일을 토의하고 정의(定義)하기 위하여, 교황이

전세계의 추기경(樞機卿)·주교(主敎)·신학자 등을 소집하여 사회하는 회의.

공이¹ 명 ①절구나 확에 든 물건을 찧는 도구. 메공이·돌공이·쇠공이·절굿공이·방앗공이 등의 여러 가지가 있음. 고석(敲石). ②공이치기의 충격을 받아 탄알의 뇌관(雷管)을 쳐 폭발하게 하는 송곳 모양의 총포(銃砲)의 한 부분. 격침(擊針).

공이² 명 〈방〉 옹이.

공이³ 명 〈방〉 〖동〗 회충(경상).

공이⁴ 명 〈방〉 〖조〗 거위¹(경상).

공이⁵ 명 〈방〉 〖동〗 고양이(강원).

공이-치기 명 격발 장치의 하나. 방아쇠를 당기면 압축된 용수철이 퉁기어짐으로써 공이를 쳐서 뇌관(雷管)을 폭발하게 함. 격철(擊鐵).

공익¹ 【公益】 명 사회 공중(社會公衆)의 이익(利益). ↔사익(私益).

공:익² 【共益】 명 공동(共同)의 이익(利益).

공:익 광:고 【公益廣告】 명 공공(公共)의 이익을 목적으로 하는 광고. 청소년 범죄 예방이나 마약 추방 등을 호소하는 따위의 광고.

공:익-권 【共益權】 명 〖법〗 단체(團體)의 목적을 달성하기 위하여 부여되는 것으로, 그 조직이나 운영에 참여하는 권리. 선거권·의결권(議決權)·업무 집행권(業務執行權) 등. ↔자익권(自益權).

공익 근무 요원 【公益勤務要員】 명 병역법 규정에 의하여, 국가 기관 또는 지방 자치 단체의 공익 목적 수행에 필요한 경비(警備)·감시·보호 또는 행정 업무 지원 등 공익 분야에 복무하는 사람. 복무 기간은 2년 8개월 이내. '방위병'을 고친 말임.

공익 기업 【公益企業】 명 공공의 이익을 첫째로 하는 기업. 철도·체신·수도·가스 등의 기업. 공익 사업(公益事業).

공익 단체 【公益團體】 명 〖법〗 사회 공중(社會公衆)을 이(利)롭게 하는 일을 목적으로 하는 단체. 적십자사 등.

공익 법인 【公益法人】 명 일반 공중을 이롭게 하기 위하여, 학자금·장학금 또는 연구비의 보조나 지급, 자선에 관한 사업을 목적으로 하는 법인. 사단(社團) 법인과 재단(財團) 법인이 있음. 비영리 법인. ↔영리 법인.

공:익 비:용 【共益費用】 명 〖법〗 한 사람의 채무자(債務者)에 대하여 채권자(債權者)가 여럿이 있을 경우에, 각자의 공동 이익을 위하여 쓴 비용. 채무자의 재산의 보존(保存)·청산(清算) 또는 배당(配當) 등의 목적으로 쓰는 비용 따위.

공익 사:업 【公益事業】 명 공익 기업(公益企業).

공익 사:업체 【公益事業體】 명 공공적(公共的) 성격이 강한 사업을 경영하는 기관.

공익 신:탁 【公益信託】 명 〖법〗 종교·자선(慈善)·학술 등 공익을 위한 신탁. 이 경우에는 수탁자(受託者)의 인수(引受)는 주무 관청의 허가가 필요하며 항상 주무 관청의 감독에 따라야 함. ↔사익(私益) 신탁.

공익 위원 【公益委員】 명 〖법〗 노동 위원회에 있어서 공익을 대표하는 위원. 임기(任期)는 3년이며 중앙 노동 위원회의 위원은 대통령이, 특별 노동 위원회의 위원은 당해 중앙 행정 기관의 장(長)이, 지방 노동 위원회의 위원은 노동부 장관이 위촉하며, 연임(連任)할 수 있음.

공익 재량 【公益裁量】 명 〖법〗 구체적인 경우에, 무엇이 행정 목적에 적합하며, 무엇이 공익에 합치(合致)하는가의 문제에 대한 행정청의 재량. ↔법규 재량(法規裁量).

공익 전:당포 【公益典當舖】 명 공익 법인이나 자치 단체가 공중의 이익을 목적으로 경영하는 전당포. ＊공설(公設) 전당포.

공익 포장 【公益褒章】 명 포장의 하나. 정치·경제·사회·교육 등 문화 발전에 기여한 공적이 뚜렷한 자, 공익 사업에 많은 사재(私財)를 기부하였거나 그를 경영하여 국민의 복리 증진에 기여한 자에게 수여 됨. 수(綬)의 빛은 감색(紺色)임. 1973년 국민 포장으로 바뀌었음.

〈공익 포장〉

공인¹ 【工人】 명 ①〖역〗 악기를 가지고 음악을 하는 사람. 악생(樂生)과 악공(樂工)의 총칭. 공생(工生). 고인(鼓人). ②중국에서의 직공·노동자.

공인² 【公人】 명 ①국가나 사회를 위하여 일하는 사람. ¶ 신문 기자는 ~이다. ②공직에 있는 사람. ¶ ~으로서의 생활. 1)·2):↔사인(私人).

공인³ 【公印】 명 관공서나 공공 단체 등에서 공용(公用)으로 쓰는 도장의 총칭. ↔사인(私印). ＊관인(官印)

공인⁴ 【公認】 명 국가나 사회 또는 정당 등이 어느 행위나 물건에 대하여 인정함. ¶ ~ 단체/~ 기록. ——-하다 타여불

공인⁵ 【功人】 명 공로가 있는 사람. 공을 세운 사람.

공인⁶ 【恭人】 명 〖역〗 조선 시대 외명부(外命婦) 작호(爵號)의 하나. 정(正)오품 및 종(從)오품 문무관의 아내의 품계.

공:인⁷ 【貢人】 명 〖역〗 조선 시대의 공계(貢契)의 계원(契員). 광해군(光海君) 이후 대동법(大同法)의 실시로 토공(土貢)이 대동미로 바뀌어 국가에서 여러 가지 수요품이 필요하게 되자 국가로부터 대가(代價)를 받고 이들 물품을 납부하였음.

공인 감정사 【公認鑑定士】 명 〖법〗 '감정 평가사'의 구칭.

공인-교 【公認敎】 명 〖종〗 불교·천주교·기독교 등과 같이 국가에서 공인을 받은 종교.

공인 노무사 【公認勞務士】 명 공인 노무사법에 따른 자격을 가지고, 노동 관계 법령의 규정에 의하여, 관계 기관에 대하여 하는 신청·신고·보고·진술·청구·권리 구제 등의 대행(代行)이나 대리, 노동 관계 법령·노무 관리에 관한 상담과 지도, 근로 기준법의 적용을 받는 사업장에 대한 노무 관리 진단 등을 업으로 하는 사람.

공:인 문기 【貢人文記】 명 〖역〗 공인(貢人)의 권리를 매매하는 문서.

공-인수 【公因數】 [—쑤] 명 〖수〗 공통(共通) 인수.

공:인 역가 【貢人役價】 명 〖역〗 조선 시대에, 호조(戶曹)·군자창(軍資倉)·광흥창(廣興倉)·풍저창(豐儲倉)에 딸린 지급하기 위하여, 세곡(稅穀) 상납 때 각 군(稅).

공인 위조 【公印僞造】 명 공인을 위조하는 일.

공인 자본 【公認資本】 명 〖경〗 수권 자본(授權資

공인 중개사 【公認仲介士】 명 〖법〗 공인 중개사 지역을 관할하는 시장·군수·구청장의 허가를 매매·교환·임대차 기타 권리의 변경 등에 관한 있는 자격을 획득한 사람.

공인-회 【工人會】 명 중국에서의 노동 조합의 일컬어

공인 회:계사 【公認會計士】 명 〖법〗 국가의 공인을 의한 소정의 시험에 합격하고 주무 관서에 등록을 위촉에 의하여 회계에 관한 감사·감정·증명·계산·정 는 법인 설립에 관한 회계와 세무(稅務) 대리 등을 람. 구칭은 계리사(計理士).

공인 회:계사회 【公認會計士會】 명 〖법〗 공인 회계사들 설립된 법인의 하나. 재정 경제부 장관의 인가·감독을 공인 회계사는 가입의 의무가 있고, 회원 상호 간의 품위 의 개선을 목적으로 함.

공-일¹ 【空一】 [—닐] 명 보수(報酬) 없이 거저 하는 일. ↔삯

공일² 【空日】 명 일요일(日曜日). 공일날.

공일-날 【空日一】 [—랄] 명 일주일 가운데 공일(空日)인 날.

공임¹ 【工賃】 명 직공의 품삯.

공임² 【公任】 명 공무(公務)에 관한 직임(職任).

공:입 【攻入】 명 쳐서 들어 감. 쳐 들어감. ——-하다 자타여불

공잉-색 【公剩色】 명 〖역〗 조선 시대에, 잡비(雜費)의 지출을 맡던 선혜청(宣惠廳)의 한 관부(官府).

공자¹ 【公子】 명 귀한 집안의 나이 어린 자제. ¶ 귀(貴)~.

공:-자² 【孔子】 명 [자(子)는 미칭(美稱)] 〖사람〗 중국 춘추 시대(春 代)의 대철학자. 유가(儒家)의 비조(鼻祖). 성은 공(孔). 이름은 구(자(字)는 중니(仲尼). 노(魯)나라 사람. 어려서 부모를 여의고, 빈곤 에서 뜻을 학문에 두어, 주공(周公)을 이상(理想)의 인물로 추앙하였 노나라에 주공의 이상적 정치를 실현하고자 관리가 되었으나, 반대파 로 인하여 국외로 망명하여 여러 나라를 두루 돌아다니며, 치국(治國)의 도(道)를 설(說)하기 십수 년, 결국 노(魯)나라로 돌아와, 오로지 제자의 교육에 힘썼음. 육경(六經), 곧 예(禮)·악(樂)·시(詩)·서(書)·역(易)·춘추(春秋)를 산술(刪述)함. 인(仁)을 이상(理想)의 도덕이라 하여, 효제(孝悌)와 충서(忠恕)로써 이상을 이루는 근거로 삼고, 인간 사회에 있어서의 가족 생활의 윤리(倫理)가 국가·천하를 평정(平定)하는 원리가 됨을 역설하였음. 뒤에 그의 제자들이 그의 언행을 기록하여 놓은 ≪논어(論語)≫ 7권이 있음. 고향을 비롯하여, 중국·한국·일본의 각지에 공자묘(孔子廟)가 세워져, 석전(釋奠)이 집전(執典)되고 있으며, 후세의 동양 삼국(東洋三國)의 정치·사상에 커다란 영향을 주었음. [552-479 B.C.]

공자 왈 맹자 왈 구 공자·맹자를 거론(擧論)하여, 유교(儒敎)의 가르침을 아는 체하는 모양.

공자³ 【功者】 명 공로가 있는 사람.

공:자 가어 【孔子家語】 명 〖책〗 공자의 언행 및 문인(門人)과의 문답·논의(論議)를 적은 책. 처음에 27권이었으나, 그 후 흩어져 없어지고, 위(魏)나라 왕숙(王肅)이 주(註)를 붙여, 10권 44편(篇)으로 만들었음. 왕숙이 위작(僞作)한 것이라고도 함. ㊉가어(家語).

공:자-교 【孔子敎】 명 공자를 시조로 하는 교. 곧, 유교.

공:자-묘 【孔子廟】 명 문묘(文廟).

공자 왕손 【公子王孫】 명 지체 높은 집안의 자손과 왕의 자손.

공-자진 【龔自珍】 명 〖사람〗 중국 청대(清代)의 학자·문인. 저장(浙江) 태생. 28세 때 유봉록(劉逢祿)에게 공양학(公羊學)을 배움. 경세가(經世家)로서 위원(魏源)과 병칭되며, 뒤에 불교를 신앙함. 특히, 문학에 뛰어나 내우 외환(內憂外患)의 울분을 광채(光彩)와 기백(氣魄)이 넘치는 시문(詩文)으로 읊어 청조(清朝) 말의 개혁·혁명 사상에 큰 영향을 주었음. 독살당함. 저서에 ≪정암집(定盦集)≫ 등이 있음. [1792-1841]

공자-집 【工字一】 [—짜—] 명 용마루가 공자형(工字形)으로 된 집.

공작¹ 【工作】 명 ①토목·건축·제조 등에 관한 일. ②어떤 목적을 위하여 미리 꾸미어 계획하거나 준비함. ¶ 선전 ~/화평 ~/지하 ~. ③〖교〗 공작 교육을 학습하는 한 교과목(敎科目). ——-하다 타여불

공작² 【工作】 명 〖역〗 조선 시대에 공조(工曹)·군기시(軍器寺)·상의원(尙衣院)·선공감(繕工監) 등의 종구품 잡직(雜職)의 하나.

공:작³ 【孔雀】 명 〖조〗 [*Pavo muticus*] 꿩과에 속하는 새. 꿩과 비슷하나 몸이 커서 수컷은 날개 길이 50cm, 암컷은 40cm, 꽁지는 1.5m 가량이고, 머리 위에 10cm 가량의 깃털이 삐죽하게 있음. 꽁지는 아름다운데 이것을 펴면 큰 부채와 같으며 둥글고 잔 무늬가 많이 있어서 오색(五色)이 찬란함. 암컷은 수컷보다 작고 꼬리가 짧으며 무늬가 없음. 인도 원산(原産)으로 말레이·미얀마·자바·중국 남부에 분포함. 문금(文禽). ＊인도공작.

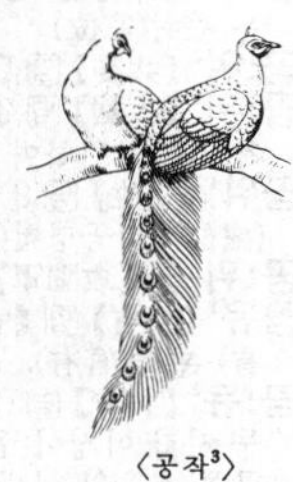
〈공작³〉

【공작은 날거미만 먹고 살고, 수달피는 발바닥만 핥고 산다】 괜히 가진 체하여 음식을 이리저리 가리는 사람을 두고 핀잔을 줄 때 이르는 말.

【공작이 날거미를 먹고 살까】 공작 같은 아름다운 새도 보잘것없는 거미를 먹고 사는데, 괜히 입 높은 체하지 말고 아무거나 먹으라고 할 때 쓰는 말.

공작⁴ 【公爵】 명 ①〖역〗 중국 주(周) 때의 5등작(等爵)의 첫째 작위. 후

작(侯爵)의 위? ②〖역〗 고려 때에, 중국 고제를 모방한 5등작의 첫
째 작위. ③중? 이래, 유럽 각국에서 가장 상급에 속하는 귀족의 작
위. 대개 세습)됨. 현재는 폐지되었거나 남아 있다 하여도 특권이
없고 형식?함. ㈜공(公).

공작 게이지【工作一】〔gauge〕 명 가공품을 공작할 때에 쓰는 게이지.

공:작-경【孔雀經】 명 〖불교〗 공작 명왕(孔雀明王)의 신주(神呪)를 써 놓은 經). 3권. 중국 당(唐)나라 불공 삼장(不空三藏)이 한역(漢譯)해 놓은 것임.

공:작-고사리【孔雀一】 명 〖식〗 [*Adiantum pedatum*] 공작고사릿과에 속하는 다년생 양치류(羊齒類). 높이는 15-30 cm 가량인데 흑갈색의 엽병(葉柄)이 새 발 모양으로 갈라지고 복엽(複葉)이 공작이 꼬리를 편 것과 같음. 작은 우편(羽片)은 도형(倒形)이고 길이는 12-20 mm 가량됨. 원형 또는 타원형의 자낭군(子囊群)이 소엽(小葉)의 뒷면 가장자리에 착생(着生)함. 산지에 나는데, 한국 중부 이북 및 일본·중국·북미(北美) 등지에 분포함. 관상용임. 공작초(孔雀草). 등국(藤菊).

〈공작고사리〉

공작고사릿-과【孔雀一科】 명 〖식〗 [Adiantaceae] 양치 식물에 속하는 한 과. 공작고사리·섬공작고사리 등이 이에 속함.

공작 교:육【工作敎育】 명 〖교〗 물건을 만드는 능력과 그것을 통하여 사상 감정을 표현하는 능력을 기르고, 실용품이나 예술품을 이해하며 감상하는 능력을 양성하는 교육. *노작(勞作) 교육.

공작-금【工作金】 명 어떤 일을 꾸미며 이루게 하는 데 드는 돈. ¶ 간첩 활동에 쓰여진 ~.

공:작-기【孔雀旗】 명 〖역〗 의장기(儀仗旗)의 하나. 조선 고종이 황제가 되면서부터 거둥할 때 썼음.

〈공작기〉

공작 기계【工作機械】 명 〖공〗 기계를 제작하거나 기계의 부분을 가공(加工)하는 기계. 선반(旋盤)·연마반(研磨盤) 등 여러 가지가 있음.

공:작-나비【孔雀一】 명 〖충〗 [*Nymphalis io geisha*] 네발나빗과에 속하는 곤충. 편날개 길이는 48-62 mm인데 날개 표면에 공작새 무늬처럼 아름다운 무늬가 있고, 뒷면은 흑갈색에 물결 모양의 무늬가 있음. 한국·만주·아무르·사할린·일본·시베리아에 분포함.

공작-대【工作隊】 명 어떤 일을 공작하는 부대.

공작-도【工作圖】 명 〖기〗 기계 제작 때에 사용하는 도면. 공정도(工程圖)·부분도(部分圖) 등으로 나누어짐.

〈공작나비〉

공:작 동남비【孔雀東南飛】 명 〖문〗 육조 시대(六朝時代)의 작품이라고 하는 중국의 서사시. 작자는 미상(未詳). 오언(五言) 353구(句)로 되어 있음. 내용은 한(漢)나라 말기 건안(建安) 때 노강부(廬江府)의 관리인 초중경(焦仲卿)의 아내 유씨(劉氏)가 시어머니의 학대에 못 이겨 친정으로 돌아가서 재혼(再婚)의 권유에도 응하지 아니하고 물에 빠져 죽자, 남편도 슬퍼한 나머지 뒤따라 자살하였다는 줄거리임.

공:작 명왕【孔雀明王】 명 〔범 Mayūra〕〖불교〗 불교의 밀교(密敎)에서 높이 받드는 명왕. 그 모양은 머리가 하나에 팔이 넷이며, 연화(蓮華)·구연과(俱緣果)·길상과(吉祥果)·공작의 날개를 가지고 있고, 공작의 등에 타고 있음. 모든 재해(災害)를 없이하며, 이생(利生)의 덕(德)을 표현한 부처님의 화신(化身)이라 함. 불화(佛畫)에 많이 보임.

〈공작 명왕〉

공:작 명왕법【孔雀明王法】[一뻡] 명 〖불교〗 불교의 밀교(密敎)에서, 공작 명왕을 본존(本尊)으로 하여 재앙(災殃)을 없이 하며 병마(病魔)를 덜고 목숨을 늘이도록 빌거나 기우(祈雨)할 때 하는 수법(修法).

공:작 무늬【孔雀一】[一니] 명 공작의 꽁지 무늬를 본떠서 그린 무늬.

공작-물【工作物】 명 ①재료에 기계적 가공(加工)을 가하여 조립(組立)하여 만든 물건. 제작품. 공작품. ②〖법〗 지상이나 지중에 인공을 가하여 제작한 물건. 건축물·전선주(電線柱)·정원·못·우물·터널 따위.

공-작미[1]【公作米】 명 〖역〗 ↗공목 작미(公木作米).

공:작-미[2]【孔雀尾】 명 ①공작새의 꽁지. ②〖역〗 공작우(孔雀羽)❶❷.

공:작 부인【孔雀夫人】 명 〈아〉 화려하게 양장한 아름다운 여인.

공:작-새【孔雀一】 명 〖조〗 '공작'을 더 분명히 일컫는 말.

공:작-색【孔雀色】 명 녹색과 청색의 양색(兩色)이 도는 빛깔. 공작의 날개 빛깔에서 나온 말로 흔히 직물(織物)의 색깔 등에 쓰임.

공:작-석【孔雀石】 명 〖광〗 괴상(塊狀)·포도상(葡萄狀)·신장상(腎臟狀)의 단사정계(單斜晶系)의 광물. 성분은 구리 탄산기(炭酸基)·수산기(水酸基)로 되어 있는데, 산뜻한 초록색의 광택이 있어 공작새의 꽁지처럼 아름다움. 장식석(裝飾石)으로 쓰며 안료(顔料)로도 쓰임. 석록(石綠).

공작-선[1]【工作船】 명 공작원(工作員)이 공작 임무를 수행하기 위하여 사용하는 배. *공작함(工作艦).

공:작-선[2]【孔雀扇】 명 〖역〗 의장(儀仗)의 한 종류. 자루의 길이가 180 cm쯤 되고, 붉은 색으로 공작을 화려하게 그린 부채.

〈공작선[2]〉

공:작-선인장【孔雀仙人掌】 명 〖식〗 [*Epiphyllum hybridum*] 선인장과(科)에 속하는 원예 식물. 멕시코 중앙 고원 원산인데 현재는 자생하는 것을 볼 수 없다고 함. 교배(交配)로 만들어져 현재 1,000여종에 이름. 줄기는 높이 30-50 cm, 폭 5-8 cm 가량이며, 편평(扁平)하고 가장자리는 톱니 모양을 하고 있어 잎사귀처럼 보임. 꽃은 줄기의 상단에 단생(單生)하며 직경 10-25 cm 가량 됨. 색은 백색·등적색(橙赤色)·자홍색(紫紅色)·주황색 등임.

공작-실【工作室】 명 실험이나 실습을 위하여 간단한 기구나 물품을 만들 수 있는 시설을 갖추어 놓은 방.

공:작 왕조【孔雀王朝】 명 〖역〗 마우리아 왕조(Maurya 王朝).

공:작-우【孔雀羽】 명 〖역〗 ①주립(朱笠)을 장식하는 물건의 한 가지. 공작의 꽁지깃을 무늬를 맞추어서 길이 46 cm, 넓이 15 cm 정도로 미선(尾扇)과 같이 겯어서 만듦. 융복을 입을 때 주립에 호수(虎鬚)와 함께 양편에 꽂음. 별감(別監)·안롱(鞍籠)·겸내취(兼內吹) 등도 능행(陵幸)에 따를 때에는 초립에 꽂음. 방우(傍羽). 수우(秀羽). ②공작의 꽁지깃과 남빛의 새털을 한데 아울러서 펼친, 손뼉같이 둥글넓적하고 아주 두툼하게 만든 장식품. 전립(戰笠)의 증자(鎗子)에 잡아 매어 앞으로 처뜨려서 전동(轉動)하게 함. 방색(方色)을 따라 남·누른·붉은·흰·검은 다섯 가지 빛의 새털을 쓰는 일도 있었음. 공작미(孔雀尾). 영우(翎羽). 적우(翟羽). 전우(轉羽). ㈜작우(雀羽).

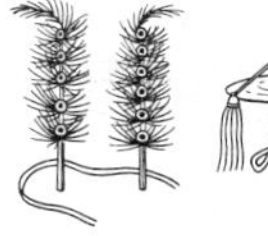

〈공작우❶〉

〈공작우❷〉

공작-원【工作員】 명 정당이나 단체의 지령을 받아, 어떠한 목적을 이루기 위하여 자기 편에 유리하도록 일을 꾀하는 사람. ¶ 대남(對南) ~.

공:작-유【孔雀釉】 명 〖공〗 비취유(翡翠釉).

공작-인【工作人】 명 호모 파베르(Homo faber).

공:작-자리【孔雀一】 명 〔라 Pavo〕〖천〗 남쪽 하늘에 있는 별자리의 하나. 궁수(弓手)자리의 멀리 남쪽에 있어 우리 나라에서는 보이지 아니함. 공작좌(孔雀座). 약자(略字) : Pav.

공:작-좌【孔雀座】 명 〖천〗 공작자리.

공작-창【工作廠】 명 철도 차량과 철도용 물자의 제조·개량 및 수리에 관한 사항을 맡은 철도청장 소속 하의 기관.

공작창-장【工作廠長】 명 공작창의 장(長). 이사관·공업 기감·부이사관 또는 공업 부기감으로써 보(補)함.

공:작-책【孔雀幘】 명 〖역〗 왕자나 왕손이 어릴 때에 쓰는 관(冠). 금관(金冠)같이 생겼으나 양(梁)이 없고 자줏빛의 공단으로 겉을 쌌음.

공:작-초【孔雀草】 명 〖식〗 공작고사리.

공작-품【工作品】 명 공작물.

공작-함【工作艦】 명 〖군〗 함대(艦隊)에 수반하거나 전진 기지(前進基地)로 나아가, 선체(船體)·기관(機關)·병기(兵器)의 정비(整備)나 수리를 행하는 군함. *공작선(工作船).

공:작 흉배【孔雀胸背】 명 〖역〗 조선 고종(高宗) 이전에, 정일품·종일품의 문관이 달던 흉배. 공작을 수놓음.

공장[1]【工匠】 명 전문적인 수공업에 의하여 물품을 만드는 것으로 업을 삼는 사람. *장색(匠色).

공장[2]【工場】 명 일정한 기계를 설비·사용하며, 다수의 노동자가 분업(分業)에 의하여 협력하면서 계속적으로 생산에 종사하는 시설.

공장[3]【公狀】 명 〖역〗 수령(守令)·찰방(察訪)이 감사(監司)·병사(兵使)·수사(水使)들에게 공식으로 만날 때에 관직명을 적어서 내는 편지.

공장[4]【公葬】 명 공적 기관(公的機關)에서 주재하여 행하는 장례식.

공:장[5]【供帳】 명 연회(宴會)를 열기 위하여 물건을 준비하고 막(幕)을 침. ——-하다 자여불

공장[6]【空腸】 명 ①아침을 먹기 전의 빈 창자. 공복(空腹). ②〖생〗 십이지장(十二指腸)에 계속되는 소장(小腸)의 일부로, 소장의 후반부인 회장(回腸)까지의 부분.

공장[7]【空葬】 명 시체가 없는 장례식(葬禮式). ——-하다 자여불

공장-가[1]【工匠歌】 명 〖문〗 마이스터게장(Meistergesang).

공장-가[2]【工場街】 명 공장이 많이 있는 구역. 공장 지대(地帶).

공장-계【工匠契】 명 〖역〗 조선 말기에, 공장(工匠) 상호간의 협조와 연대 책임에 관한 질서의 정돈 및 행정상의 박해에 대한 일치 단결을 목적으로 공장들에 의하여 구성된 계. 현재의 동업(同業) 조합과 같음.

공장 공업【工場工業】 명 공장 제도를 형성하여 대규모적인 생산 양식에 의하여 기계와 노동자가 집중되는 근대적인 공업. 공업의 발달 단계로서 수공업 시대를 거쳐 공장 공업화하였음. ↔가내 공업(家內工業).

공장 공해【工場公害】 명 공장에서의 작업이나 공장 설치에 의하여 공장 밖의 생활에 지장을 초래하는 일. 곧, 소음·진동에 의한 거주·수면의 방해, 매연(煤煙)에 의한 기물(器物)의 오염(汚染), 폐수(廢水)에 의한 농수산물(農水產物)의 사멸(死滅) 등.

공장 관리【工場管理】[一괄一] 명 ①공장을 관리하는 일. ②〖사〗 노동쟁의의 결과로 기업가측의 관리인을 내어쫓고 공장을 점령한 노동자들이 자기들의 손으로 공장을 관리하며, 운영하여 사업을 계속해 나가는 일. ③공장의 생산 능률을 올리기 위한 과학적·합리적 관리. 작업 관리·공장 설비 개선 및 임금 제도 확립 등을 실시함.

공장 교:육【工場敎育】 명 공장이나 사업장(事業場)에서 종업원을 대상으로 하여 행하는 교육.

공장 근로자【工場勤勞者】[一글一] 명 공장에서 생산에 종사하는 근로자.

공장 급식【工場給食】 명 공원(工員)의 영양을 개선할 목적으로 공장에서 공원에게 식사를 공급하는 일.

공장 노동자【工場勞動者】 명 〖사〗 ①공장에서 생산에 종사하는 노동자. ②공장에서 기업가측과의 고용 관계에 의하여 임금을 받고 제조·가공(加工) 등의 작업을 일정 기간 계속하는 노동자.

공장 단지【工場團地】 명 공업 단지.

공장-도【工場渡】 명 제품을 공장에서 인도하는 거래 방식. ¶ ~ 가격.

공장 동:원【工場動員】명 군사상 긴급한 때를 당하여, 필요한 공장을 동원시키어 군부(軍部)가 관리하는 일. ——-하다 자여불

공장 문예【工場文藝】명〖문〗공장에서 일어나는 사건이나 내막 등을 소재(素材)로 한 문예.

공장 문학【工場文學】명〖문〗프로 문학 전성기에 생긴 말로, 공장에서 생기는 사건들을 중심으로 하여 노동자와 사용자와의 관계, 공장의 조직, 노동자의 생활고(生活苦) 등을 취급한 프로 문학.

공장-법【工場法】[—뻡] 명〖법〗공장 노동과 근로자에 관하여 규정한 여러 법률. 근로 기준법 따위.

공장 별사전【工場別賜田】[—싸—] 명〖역〗고려 때, 도교서(都校署)·잡직서(雜職署) 등 어용(御用) 수공업 부문에 숙련 공장(工匠)을 전속시키고 이들에게 녹(祿)으로 주던 토지. 문종(文宗) 30년(1076) 전시과(田柴科)의 정비에 따라 제정·지급되던 것임.

공장-부【工匠府】명〖역〗신라 때 공장(工匠)의 일을 맡았던 관부(官府). 경덕왕(景德王)이 전사서(典祠署)라 고치었다가 뒤에 다시 본이름으로 부르게 되었음.

공장 생산 주:택【工場生産住宅】명 건축의 주체 구조(主體構造) 및 여타 부분의 일체를 미리 공장에서 대량 생산하여 놓고 현장(現場)에서는 다만 조립과 조정 작업만으로 건축되는 주택. 수공업적인 생산 방법을 근대적인 공장 생산으로 전환하여 생산의 합리화를 꾀한 것임. 조립식(組立式) 주택.

공장-설【工場雪】명 추운 한랭지(寒冷地)에서 쾌청(快晴)하고 찬 밤에, 공장에서 나오는 연기와 증기가 눈이 되어 내리는 일.

공장-세【工匠稅】[—쎄] 명〖역〗조선 시대에, 공장(工匠)의 자유 노동에 의하여 생산되는 생산물에 매긴 세금. 공장은 호조(戶曹)·공조(工曹)·본도(本道)·본읍(本邑)으로 하여금 공장안(工匠案)을 작성하고 등위에 따라 상등장(上等匠)은 다달이 저화(楮貨) 9장, 중등장은 6장, 하등장은 3장을 물도록 하였음.

공장-안【工匠案】명〖역〗조선 시대에, 호조(戶曹)·공조(工曹) 및 각 도읍(道邑)에 딸린 공장(工匠)을 등록한 장부.

공장 위생【工場衛生】명〖사〗공장 노동자의 보건(保健)과 질병(疾病)의 예방·치료에 관한 시설 및 작업장의 안전·채광(彩光)·환기·조명·온도·음향 등에 관한 제반 시설의 완비를 목적으로 하는 위생. 산업 의학의 일종임. 노동 위생(勞動衛生). 산업 위생.

공장 위원회【工場委員會】명〖사〗①구미(歐美) 등과 같이 산업별·직종별로 조직된 횡단 조합(橫斷組合)이 발달한 나라에서, 이들과는 따로 기업 마다 경영자와의 교섭을 목적으로 전종업원(全從業員)으로써 이룬 조직. 제1차 대전 무렵부터 영국·독일 등지에서 발달함. ②공장에서 기업가측의 위원과 노동자측의 위원으로 구성되어 노사간(勞使間)의 의사 소통(意思疏通)을 꾀하는 기관.

공장이 명〈방〉〖식〗댑싸리.

공장 입지【工場立地】명 공장을 설립함에 있어서, 주위의 자연적·사회적 조건을 고려하여 장소를 정하는 일

공장 자동화【工場自動化】명〔factory automation〕공장의 생산 기기(機器)·반송 기기(搬送機器), 제품이나 소재(素材)의 보관 기기(機器) 등을 컴퓨터로 제어(制御)·관리하고, 더 나아가 제어 정보로 생산 계획·생산 관리·생산 정보 등과 같은 상위(上位)의 정보를 이용하는 시스템. 에프 에이(FA).

공장-장【工場長】명 공장의 우두머리. 공장 노동자들의 풍기(風紀)·근무 상태·작업 상황 등을 지휘 감독함.

공장 재단【工場財團】명〖법〗공장 저당법에 의하여 저당권의 설정이 인정되는 재단. 한 개 또는 수 개의 공장을 기초로 하여 설정되고 공장에 속하는 토지·건물·기계·기구·전주·전선, 지상권 및 전세권(傳貰權)·산업 재산권 등의 전부 또는 일부로 구성됨.

공장 재단 목록【工場財團目錄】[—녹] 명〖법〗공장 재단에 관하여 재단을 구성하는 것의 세목(細目)을 기재한 서면. 재단 등기부에 소유권 보존 등기를 신청할 때 제출함.

공장 저:당【工場抵當】명〖법〗공장의 소유자가 그 공장에 속하는 토지·공작물·기계·기구 등에 저당권을 설정하는 일. 또, 그 저당권. 공장 저당법에 의해 설정되는 특수 저당권임.

공장 저:당법【工場抵當法】[—뻡] 명〖법〗공장에 속하는 토지 건물에 대한 저당권의 설정, 공장 재단의 구성, 이 재단에 대한 저당권의 설정 및 등기 등의 여러 관계를 규정한 법. 생산 공업의 기업으로 하여금 자금을 확보하게 하여 기업의 유지와 그 건전한 발전을 도모하는 것을 목적으로 함.

공장적 수공업【工場的手工業】명〖경〗가내 공업(家內工業)이 공장 공업으로 발전하는 중간에 있는 공업적 생산 제도의 한 형태. 기계 시대 이전의 수공업자가 그 수공적인 기술을 토대로 하여 한 공장주 밑에 고용되어 임금 노동자로서 협업(協業) 또는 분업을 하며 생산에 종사하는 생산 제도. 영국의 16세기 중엽부터 18세기 후반이 이에 해당됨.

공장 점거【工場占據】명〖사〗노동자와 사용자 사이에 분쟁으로 인하여 노동자들이 사용자를 내쫓고 자기들이 공장을 점거하는 일. 공장 점령. *직장 점거.

공장 점령【工場占領】[—녕] 명 ①공장을 점령하는 일. ②공장 점거.

공장제 공업【工場制工業】명〖경〗자본주의하의 전형적인 생산 형태의 하나. 기계와 동력(動力)을 시설하여 그것을 기술적 기초로 하고 많은 노동자들을 한 공장 안에 모아 부리며 어떠한 조직 아래 대규모로 대량 생산을 하는 공업. 공장 제도.

공장 제:도【工場制度】명〖경〗공장제 공업(工場制工業).

공장 조:경【工場造景】명 산업 공해(公害)를 예방하고 종업원의 보건 향상 및 복리(福利) 증진에 기여하기 위해서 공장의 건물 주변을 공원으로 가꾸어 나가는 일.

공장 조직【工場組織】명〖경〗공장에 있어서 작업을 리화하며, 능률을 증가하기 위한 조직.

공장-주【工場主】명 공장의 소유자. 공장의 주인.

공장 지대【工場地帶】명 공장이 많이 서 있는 지대. 공장

공장 진:단【工場診斷】명 산업(産業) 합리화와 통제 경제 하여 각 전문가에 위촉, 공장 설비·작업 조직·인사(人事 재을 위 장의 실태 조사를 하여 공장 경영 일반의 비판 지도를 구하는 공

공장 폐:쇄【工場閉鎖】명 ①공장의 문을 닫고 일을 쉼. ②〖 있어서 노동 쟁의가 일어났을 경우에 기업가가 경영하던 공 닫아 사업을 쉬고, 노동자들을 해고(解雇)하는 일. 로크아웃(lo 셧아웃(shutout).

공장 폐:수【工場廢水】명 식료품·제사(製絲)·제지(製紙)·정유(精 화공 약품 등의 각종 생산 공장에서 배출(排出)되는 폐수. 업종 및 에 따라 그 수질이 다양하나, 납이나 수은 등의 유독성 물질이 함유 어 있어 공해(公害) 문제가 되고 있음.

공장 학교【工場學校】명 기업체(企業體)에서 종업원을 교육시키기 위하여 공장내에 설립 운영하는 학교.

공장-화【工場化】명 생산에 있어서 그 조직·과정·시설 등이 근대적인 공장의 형태를 갖추게 됨. 또, 그렇게 만듦. ——-하다 자타여불

공재[1]【公裁】명 관청에서 행하는 재판.

공:재[2]【共在】명 어떤 사물이나 그 성질이 동시에 존재함. 구재(俱在). ——-하다 자여불

공재[3]【空財】명 공으로 얻은 재물.

공재[4]【空齋】명〖역〗성균관의 거재 유생(居齋儒生)들이 불만이 있을 때, 시위(示威)로 재사(齋舍)를 비우고 나가 버림. *공관(空館).

공재[5]【恭齋】명〖사람〗윤두서(尹斗緖)의 호(號).

공쟁이 명〈방〉〖식〗댑싸리.

공쟝와치 명〈옛〉장색(匠色). ¶ 네 빅셩 도의리 네 가지니 냥반과 녀름지으리와 공쟝와치와 흥졍와치라(古之爲民者曰 士農工商是也)《正俗 21》. 「3」.

공쟝바치 명〈옛〉공장(工匠). =셩냥바지. ¶ 공쟝바치 공(工)《字會 中

공저[1]【公邸】명 특정한 고급 공무원을 위하여 설치한 저택. 관사(官舍).

공저[2]【公儲】명 국가에서 하는 비축(備蓄). ——-하다 타여불

공:저[3]【共著】명 한 책을 둘 이상의 사람이 합작하여 공동으로 지음.

공:-저자【共著者】명 한 책을 공동으로 지은 사람.

공적[1]【公的】[—쩍] 명관 ①공공(公共)에 관계 있는 모양. ¶ ~인 생활. ↔사적(私的). ②공변된 모양.

공적[2]【公賊】명 공금(公金)·공물(公物)을 훔친 도둑. 공도(公盜).

공적[3]【公敵】명 국가나 사회·공중의 적. ↔사적(私敵).

공적[4]【功績】명 ①공로(功勞)의 실적(實績). ②애쓴 보람.

공적[5]【空寂】명 ①〖불교〗만물이 모두 실체(實體)가 없고 상주(常住)가 없음. 공공 적적(空空寂寂). ②조용하고 쓸쓸함. ——-하다 형여불

공적 부조【公的扶助】[—쩍—] 명 국가가 국민의 최저 한도의 생활을 보장하기 위해서 생활에 곤궁한 국민에게 대하여 보호 또는 원조를 행하는 일. 국가(國家) 부조.

공적 자:금【公的資金】[—쩍—] 명〖경〗금융 구조 조정을 지원하기 위해 조성한 자금. 기업 부도 등으로 회수 불가능한 부실 채권이 많은 은행으로부터 그 부실 채권을 싼값으로 사 주거나, 은행에 출자하여 은행 자본금을 늘려 주거나, 금융 기관이 도산하는 경우 정부가 예금을 대신 지급해 주는 따위를 하기 위한 자금.

공전[1]【工典】명〖역〗조선 시대에, 육전(六典)의 하나. 산택(山澤)·공장(工匠)·영선(營繕)·도야(陶冶) 등 공조(工曹)가 맡는 여러 가지 사항을 규정한 법전임.

공전[2]【工錢】명 물품을 만드는 품삯. 공가(工價). 공은(工銀).

공전[3]【公田】명 ①소유권과 수조권(收租權)을 모두 국가에서 가지고 있는 논밭. ¶ ~ 공답(公畓). ↔사전(私田)·민전(民田). ②중국의 정전법(井田法)에서, 한복판에 있는 공유의 논밭. 그 둘레의 사전(私田)을 부치는 여덟 집에서 번갈아 경작하고, 그 수확은 조세(租稅)로 바쳤음.

공전[4]【公典】명 공평하게 만든 법률.

공전[5]【公電】명 관청과 관청 사이에서 공무를 위하여 왕복하는 전보. ↔사전(私電).

공전[6]【公戰】명 국가의 의사에 의한 전쟁. ↔사전(私戰).

공전[7]【公錢】명 공금(公金).

공전[8]【公轉】명〖천〗한 천체가 다른 천체의 주위를 도는 운동. 행성이 일정한 주기(周期)로써 태양의 주위를 회전하는 것이나 또는 위성(衛星)이나 반성(伴星)이 행성이나 주성(主星)의 주위를 회전하는 운동 따위. ↔자전(自轉). ——-하다 자타여불

공전[9]【功田】명〖역〗옛날, 국가에 훈공이 있는 자에게 하사하던 전지(田地).

공:전[10]【攻戰】명 공격하여 싸움. 또, 그 전투. ——-하다 자여불

공전[11]【空前】명 비교할 만한 것이 전에는 없음. ¶ ~의 대홍수(大洪水). *공전 절후(空前絕後).

공전[12]【空電】명〖전〗①↗공중 전기(空中電氣). ②↗공전 방해(空電妨害).

공전[13]【空戰】명〖군〗↗공중전(空中戰).

공전[14]【空轉】명 ①바퀴나 기관(機關) 같은 것이 헛돎. ②아무런 결과나 성과도 낳지 못하고, 일이나 행동이 헛되이 진행됨. ¶ 국회가 ~을 거듭하다. ——-하다 자여불

공전 공답【公田公畓】명 ①〖역〗공전(公田)과 공답(公畓). ②국유로 되어 있는 전답(田畓).

공전 궤:도【公轉軌道】명〖천〗천체(天體)가 공전할 때 그리는 궤도. 인력(引力)의 중심을 초점(焦點)으로 하는 2차 곡선으로 나타내어짐.

공전 궤:도면【公轉軌道面】명〖천〗천체가 공전할 때 그 궤도가 이루는 평면.

공-전도지【公傳道之】명 비밀한 일을 공개하여 전파함. ——-하다 타 여불

공전 방해【空電妨害】명〖물〗공전이 일으키는 전자기파(電磁氣波)의 방해. 대기 중의 방전(放電)이나 낙뢰(落雷) 등의 자연 현상에 의하여 발생함. 공전이 차지하는 주파수 범위는 극히 넓으나, 특히 장파대(長波帶)에 대한 전파 방해가 심함. 지리적으로는 저위도(低緯度) 지대, 지형적으로는 사막·산악·해안 지대에 발생하고, 계절적으로는 여름에 많음. 준공전(空電).

공전 법규【空戰法規】명 공중전에 관한 국제법상의 법규의 총칭. *육전(陸戰) 법규.

공:전-식【共電式】명〖전〗↗공동 전지식(共同電池式).

공:전식 전:화기【共電式電話機】명 ↗공동 전지식 전화기.

공전 절후【空前絕後】명 비교할 만한 사물이 이전에도 없었거니와 앞으로도 없을 것으로 생각됨. 전무 후무. ¶ ~의 대성황을 이루다. ——-하다 형 여불

공전 주기【公轉週期】명〖천〗천체(天體)가 한 바퀴 공전하는 데 걸리는 시간. ↔자전(自轉) 주기.

공-절선【公切線】[—썬] 명〖수〗공통 접선(共通接線).

공:점【共點】[—쩜] 명〖수〗셋 이상의 직선이 같은 점을 지나는 일. 집교(集交).

공:점 도표【共點圖表】[—쩜—] 명〖수〗계산 도표의 하나. 주어진 관계식(關係式)을 만족시키는 $x \cdot y \cdot z$의 값이 선의 교점(交點)으로써 구해지는 계산 도표. *공선(共線) 도표.

〈공점 도표〉

공-접선【公接線】명〖수〗공통 접선(共通接線).

공정[1]【工程】명 ①일이 진척(進陟)되는 정도. ②공부하는 정도. ③〖물〗공률(工率)❷. ④근대 기계 공업에서의 대량 생산 방식 중 계획적·분업적으로 생산하기 위하여 수종 혹은 수십 종으로 나눈 가공 단계(加工段階)의 하나하나. 각각 하나의 관리 단위(管理單位)가 됨.

공정[2]【公正】명 공평하고 정대함. ¶ ~ 거래/~한 처사. ——-하다 형 여불. ——-히 부

공정[3]【公廷】명 ↗공판정(公判廷).

공정[4]【公定】명 ①일반 사람의 공론(公論)에 의하여 정함. ②관청에서 정함. ¶ ~ 환율. ——-하다 타 여불

공정[5]【公庭】명 관정(官庭).

공:정[6]【共晶】명 〔eutectic〕〖화〗공융 혼합물(共融混合物).

공정[7]【空井】명 물이 말라 버린 우물.

공정[8]【空井】명〖건〗건물 내부에 수직으로 2-3층 높이의 큰 공간을 이루게 한 부분. 또, 벽이 없이 기둥만으로 외부를 향하여 개방되어 있는 부분. *필로티(pilotis).

공정[9]【空庭】명 텅 빈 뜰.

공정[10]【空挺】명 〔'공중 정진(空中挺進)'의 뜻〕 항공기를 이용하여, 지상 부대가 적지에 진출하는 일. ——-하다 자 여불

공정[11]【空晶】명〖광〗고유한 결정면을 가지고 있는 광물의 내부의 공동(空洞).

공정-가[1]【公正價】[—까] 명 ↗공정 가격(公正價格).

공정-가[2]【公定價】[—까] 명〖경〗↗공정 가격(公定價格).

공정 가격[1]【公正價格】[—까—] 명 공평하고 정당한 가격. 준공정가(公正價).

공정 가격[2]【公定價格】[—까—] 명〖경〗법령에 의거, 국민 생활 안정을 위해 국가가 지정한 물품의 판매 가격. 경제 통제의 필요상, 국가가 일정한 품목에 대하여 가격을 결정하는 것임. 준공정가(公定價).

공정 거:래【公正去來】명 독점 거래나 암거래가 아닌 공정한 거래.

공정 거:래법【公正去來法】[—뻡] 명〖법〗사업자(事業者)의 시장 지배적 지위의 남용(濫用)과 과도한 경제력의 집중을 방지하고, 부당한 공동 행위 및 부정 거래 행위를 규제하여, 공정하고 자유로운 경쟁을 촉진함으로써, 창의적인 기업 활동을 조장하고 소비자를 보호함과 아울러 국민 경제의 균형있는 발전을 도모함을 목적으로 하는 법률. 정식 명칭은 '독점 규제 및 공정 거래에 관한 법률'. *공정 거래 위원회.

공정 거:래 사:무소【公正去來事務所】명〖법〗독점 규제 및 공정 거래에 관한 사무를 지역별로 관장하기 위하여 공정 거래 위원회 소속 하에 둔 기관. 부산·광주·대전·대구의 네 지방에 공정 거래 사무소가 있음.

공정 거:래 위원회【公正去來委員會】명〖법〗독점 규제 및 공정 거래에 관한 법률에 의거, 국무 총리 소속하에 둔 중앙 행정 기관. 시장 지배적 지위 남용 행위 규제, 기업 결합의 제한·경제력 집중의 억제, 부당한 공동 행위 및 사업자 단체의 경쟁 제한 행위 규제, 불공정 거래 행위 및 재판매 가격 유지 행위 규제 등에 관한 사무를 맡아봄. 위원장 1명, 부위원장 1명을 포함한 9명의 위원으로 구성되며, 그 중 4명은 비상임 위원으로 함.

공:정-고【供正庫】명〖역〗사도시(司䆃寺).

공정 관리【工程管理】[—괄—] 명 생산 관리의 한 부문. 대량 생산 방식에서 공정도(工程圖)·공정표(表)에 따라 계획적으로 제품의 완성에 필요한 순서·일정(日程) 등을 관리하는 일. *생산 분석.

공정 금리【公定金利】[—니] 명〖경〗중앙 은행이 거래처인 금융 기관에 대하여 어음 할인(割引)이나 대부를 하여 줄 때의 이자의 율. 한 나라의 금융 시장(市場)의 표준적 금리(金利)로서 일반 금융 시장의 각종 금리에 영향을 줌. 공정 이율(公定利率).

공정 기록【公正記錄】명〖법〗법률상 공인된 효력이 있는 기록.

공정-대【空挺隊】명 공정 부대.

공정-도【工程圖】명〖공〗한 공정에서 할 가공의 정도를 표시한 도면.

공정-력【公定力】[—녁] 명〖법〗행정 행위가 유효하게 성립하기 위한 요건을 완전히 갖추지 못하여 하자(瑕疵)가 있다고 인정될 경우에도 절대 무효인 경우를 제외하고는 권한 있는 기관에 의하여 쟁송(爭訟) 또는 직권으로 취소될 때까지는 그 행위는 적법(適法)의 추정(推定)을 받으며, 누구도 그 효력을 부인하지 못하게 하는 힘. 무하자 추정(無瑕疵推定)·적법성 추정(適法性推定)이라고도 하며 일단 행정 행위가 성립 요건과 효력 발생 요건을 구비하는 한, 행정 행위의 종류에 따라 다르나 공정력이 발생하는 것이 보통임.

공:정 반:응【共晶反應】명 〔eutectic reaction〕〖물·화〗공정을 생기게 하는 변화. 변화 내용은 '융체(融體)⇄고체상(固體相)A+고체상B'임.

공정 변:수【工程變數】명 〔process variable〕〖화〗화학 프로세스의 조작에 의하여 조작 상태나 물리적 상태를 바꾸는 모든 양(量). 예컨대, 압력·유속(流速)·밀도(密度)·페하(pH)·점도(粘度) 또는 화학 조성.

공정 부대【空挺部隊】명 항공기로 적의 후방에 강하(降下)하여 작전을 전개하는 낙하산 부대 또는 글라이더 부대. 공정대.

공정-석【空晶石】명 〔chiastolite〕〖광〗홍주석(紅柱石)의 변종(變種). 장각주상(長角柱狀)으로, 횡단면에 열십자의 까만 탄질물(炭質物)을 포함함. 장식용으로 이용됨.

공정-성【公正性】[—썽] 명 공정(公正)한 성질.

공정 시세【公定時勢】명〖경〗①재화(財貨)의 공정한 표준 가격으로서 공시된 시세. ②거래소에서 성립된 매매의 가격. 동일 상품의 일반 시가(市價)의 표준이 되는 가격. ③환(換)시장에서 유력한 은행이 발표하는 시세.

공정 이:율【公定利率】[—니—] 명〖경〗공정 금리(公定金利).

공정 작전【空挺作戰】명〖군〗공중 수송에 의해서 중요 지점에 지상군과 무기를 이동시켜 적의 기선(機先)을 제(制)하고 공격하는 작전.

공:정-점【共晶點】[—쩜] 명 공융점(共融點).

공정 주법【工程做法】[—뻡] 명〖책〗↗흠정 공정 주법 칙례(欽定工程做法則例).

공정-주의【公正主義】[—/—이] 명 공정(公正)을 부르짖는 주의.

공정 증서【公正證書】명〖법〗①관공리가 법의 규정을 따라 직무상 작성한 서류. ②당사자의 촉탁에 의하여 법률 행위 기타 계약서 등의 사법상(私法上)의 권리 관계에 관하여 공증인(公證人)이 작성한 증서. 법률상 완전한 증거력이 인정되며, 법원의 명령만 얻으면 강제 집행을 할 수가 있음. ↔사서 증서(私署證書).

공정 증서 원본 불실 기재죄【公正證書原本不實記載罪】[—씰—쬐] 명〖법〗공무원에게 허위의 신고를 하여 공정 증서 원본·면허장·감찰 또는 여권에 불실의 사실을 기재하게 함으로써 성립되는 죄.

공정 증서 유언【公正證書遺言】명〖법〗유언 방식의 하나. 증인 2명의 입회하에 유언자가 유언의 취지를 공증인에게 구수 필기(口授筆記)시켜 각자가 기명 날인(記名捺印)함.

공정 지가【公正地價】[—까] 명 토지 대장에 등기된 토지의 가격. 지조(地租) 징수의 표준이 됨.

공정-책【空頂幘】명〖역〗왕세자 또는 왕세손이 관례(冠禮) 전에 쓰던 관모(冠帽). 평천판(平天板)이 없는 면류관(冕旒冠)과 비슷하며, 위쪽에 비녀를 꽂아 꾸밈.

공정-초【空正草】명〖역〗공명지(空名紙).

공정-표【工程表】명 ①공사의 시공(施工) 순서를 표로 나타낸 것. ②한 개의 제품을 가공해 나가는 과정이나 일정(日程)을 나타낸 표.

공:정 혼:합물【共晶混合物】명 〔eutectic mixture〕〖화〗공융(共融) 혼합물.

공정 환:율【公定換率】명〖경〗자유 외환율(自由外換率)에 대립되는 외환율의 지칭(指稱). 정부가 인위적으로 정하여 고정(固定)시킨 환시세로 국제 통화 기금의 평가(平價)와 관련된 외환율. 개발 도상국(開發途上國)에서 많이 채택하고 있으며, 암시세(暗時勢)가 형성되는 폐단이 있음. ↔변동(變動) 환율·실세 레이트(實勢 rate). *고정(固定) 환율.

공제[1]【工制】명〖역〗조선 시대의 군기시(軍器寺)·상의원(尙衣院)의 종칠품 잡직(雜職)의 하나.

공제[2]【公除】명〖역〗왕이나 왕비가 죽은 뒤 26일 동안 일반 공무를 중지하고 조의를 표하던 일.

공:제[3]【共濟】명 ①힘을 합하여 서로 도움. ②같이 일을 함. ——-하다 타 여불

공제[4]【空諦】명〖불교〗〔←공체〕 삼제(三諦)의 하나. 가제(假諦)와 중도제일 의제(中道第一義諦)에 입각한 원융 무애(圓融無礙)의 공(空)을 설정한 것으로, 만물이 모두 공(空)이며 하나도 실(實)은 없다는 진리. *가제(假諦).

공:제[5]【控制】명 ①남의 자유를 제어(制御)함. ②진정(鎭定)함. ——-하다 타

공:제[6]【控除】명 ①금액이나 수량을 빼어 냄. 빼어 버림. ¶ 월급에서 ~하다. ②덤[1]❷. ¶ 5호 반 ~. ——-하다 타 여불

공:제-금【控除金】명 일정한 금액에서 빼내는 돈.

공:제 보:험【控除保險】명 보험자가 부담하는 최고액만을 정해 놓고, 일정한 기간에 개개의 보험 금액이 결정됨에 따라, 그 금액을 공제하여 가는 예정 보험의 한 방법.

공:제 조합【共濟組合】명 동종(同種)의 직업 또는 동일한 사업 등에 종사하는 자(者)의 상호 부조(扶助)를 목적으로 조합원이 출자하여 조직한 단체.

공조[1]【工造】명〖역〗조선 시대의 공조(工曹)·군기시(軍器寺)·상의원(尙衣院)·선공감(繕工監)·교서관(校書館)·사섬시(司贍寺)·조지서(造紙署) 등의 종팔품 잡직(雜職)의 하나.

공조[2]【工曹】명〖역〗①고려 때 육조(六曹)의 하나. 산택(山澤)·공장(工匠)·영조(營造)를 맡아 보던 중앙 관서. 국초에 공관(工官)이라 하다

가 성종(成宗) 14년(995)에 상서 공부(尙書工部)로 개칭, 충렬왕(忠烈王) 원년(1275)에 폐지, 다시 동 24년에 공조를 설치했다가 공민왕(恭愍王) 5년(1356)에 공부로 개칭, 한때 전공사(典工司)라고 하다가 공양왕(恭讓王) 원년(1389)에는 다시 공조로 개칭함. *상서 공부(尙書工部)·전공사(典工司). ②조선 시대의 육조(六曹)의 하나. 산택(山澤)·공장(工匠)·영선·도야(陶冶)를 담당하던 정이품의 아문의 하나. 소속 관청으로 영조사(營造司)·정야사(政冶司)·산택사(山澤司)가 있었고, 그 사무가 공조에 소속된 관아로는 상의원(尙衣院)·선공감(繕工監)·수성금화사(修城禁火司)·전연사(典涓司)·장원서(掌苑署)·조지서(造紙署)·와서(瓦署) 등이 있었음. 고종(高宗) 31년(1894)에 공무 아문(工務衙門)으로 개칭. 이듬해에 농상 아문(農商衙門)을 합쳐 농상공부로 개편함. 동관(冬官). 동관 아문(冬官衙門). 수부(水府). 예작(例作). 수례(修例). 공관(工官). 전공(典工). 수조(輸曹). *육조(六曹).

공조[3]【公租】명 공공의 목적을 위하여 부과되는 금전 급부(給付)의 하나. 국세(國稅) 및 지방세의 총칭. 조세(租稅). ↔사조(私租).

공조[4]【功曹】명〖역〗벼슬 이름. 군(郡)의 속리(屬吏)인 녹사(錄事)를 이름.

공:조[5]【共助】명 ①공동(共同)으로 도움. ②〖법〗재판 사무에 대하여 법원 또는 사법 기관이 서로 필요한 것을 보조(補助) 협력하는 일. ——-하다 타여불

공조[6]【空調】명 ↗공기 조절. ¶~ 시스템.

공:조[7]【貢租】명 공물로 바치는 조세.

공:조[8]【恐鳥】명〖조〗'모아(moa)'의 이칭(異稱).

공:조[9]【貢調】명 공물을 바침. ——-하다 자여불

공조 공과【公租公課】명 공조와 공과.

공:조-서【供造署】명〖역〗고려·조선 시대의 관청. 궁중의 장식 기구(裝飾器具)를 맡았음. 고려 충선왕(忠宣王) 2년(1310)에 종전의 중상서(中尙署)를 고친 이름으로, 공민왕(恭愍王) 5년(1356)에 다시 중상서로 바뀐 뒤 몇번 명칭이 변경되었으나 공민왕 11년(1362)에 공조서로 개칭, 조선 시대까지 계속되다가 조선 태종(太宗) 10년(1410)에 공조(工曹)로 통합되었음.

공조 판서【工曹判書】명〖역〗①고려 공민왕(恭愍王) 11년(1362)과 21년에 공부(工部)를 고친 전공사(典工司) 및 공양왕(恭讓王) 원년(1389)에 둔 공조(工曹)의 장관(長官). 관질(官秩)은 정삼품. ②조선 왕조 때 공조의 장관. 관질은 정이품. 대사공(大司空). 준공판(工判).

공족【公族】명 왕공(王公)의 동족(同族). 제후(諸侯)의 일족(一族).

공:존【共存】명 두 가지 이상의 일이나 물건이 함께 있음. 자타(自他)가 함께 존재함. 동존(同存). ¶평화 ~. ——-하다 자여불

공:존 공:영【共存共榮】명 함께 존재하고 함께 번영함. 함께 잘 살아 나아감. ——-하다 자여불

공:존 농도【共存濃度】명〖화〗자유로이 혼합할 수 없는 두 액체가 일정한 온도에서 서로 딴 성분을 포화 상태로 용해하여 공존하고 있을 때의 각 층의 농도.

공:존 동생【共存同生】명 함께 생존하고 같이 살아 나감. ——-하다 자여불

공:존 동생권【共存同生權】[—꿘] 명 함께 생존하고 같이 살아 나갈 권리.

공:존 용액【共存溶液】명〖화〗두 개의 액체를 충분히 혼합하여도 다시 두 개의 액상(液相)으로 분리되는 용액.

공:존 유물【共存遺物】명 반출 유물(伴出遺物).

공:존 의:식【共存意識】명 공존하고 있다는, 또는 공존하여야 한다는 의식.

공:존 정책【共存政策】명〖정〗공존을 주장하고 또 그것을 목적으로 하는 정책.

공졸【工拙】명 재주가 있고 없음. 교묘함과 서투름.

공종【空宗】명〖불교〗①불교의 별칭. ②공교(空敎)의 종문(宗門). 성실종(成實宗)·삼론종(三論宗)·선종(禪宗)의 딴이름.

공좌【公座】명 공석(公席)❷. ↔사좌(私座).

공죄[1]【公罪】명〖법〗직접으로 국가의 공익(公益)을 해한 죄. ↔사죄(私罪).

공죄[2]【功罪】명 공과 죄. 공과(功過).

공죄 상보【功罪相補】명 ①공적이 있으나 죄과(罪過)도 있으므로 서로 상쇄(相殺)됨. ②죄가 있으나 공이 그것을 보충할 만큼 있으므로 관대히 용서해 줄 만함. ——-하다 자여불

공주[1]【公主】명 ①〔옛날 중국에서, 왕이 그 딸을 제후(諸侯)에게 시집보낼 때 삼공(三公)에게 그 일을 맡게 하였던 일에서 유래〕왕후(王后)가 낳은 임금의 딸. *옹주(翁主). ②〖역〗고려 때, 정이품 이상의 문무관의 부인 또는 중국 원(元)나라 출신의 왕비들의 일컬음.

공주[2]【公州】명〖지〗충청 남도의 한 시(市). 1읍(邑) 10면(面) 8동(洞). 북쪽은 아산시(牙山市)와 천안시(天安市), 동쪽은 연기군(燕岐郡)과 대전(大田) 광역시, 남쪽은 논산시(論山市)와 부여군(扶餘郡), 서쪽은 예산군(禮山郡)과 청양군(青陽郡)에 접하고 시내를 금강(錦江)이 관류(貫流)함. 주요 산물(產物)은 쌀·보리·콩·삼·면화 등의 농산(農產)과 임산(林產)·공산(工產) 등이며 근래에 방적(紡績)이 성함. 명승고적으로 공산성(公山城)·무령왕릉(武寧王陵)·계룡산(鷄龍山)·동학사(東鶴寺)·마곡사(麻谷寺)·갑사(甲寺) 등이 있음. 1986년 1월 읍에서 시로 승격하고, 1995년 1월 공주군과 통합, 개편됨. [940.00 km^2 : 138,018명(1996)]

공주[3]【空酒】명 공술[1].

공주[4]【空株】명〖경〗공매매(空賣買)에서, 실제로 수수(授受)하지 아니하고 거래되는 주(株). ↔실주(實株).

공:주[5]【控柱】명 지주(支柱).

공주 공산성【公州公山城】명〖지〗충청 남도 공주시(市), 금강(錦江)에 임한 산성동(山城洞) 공산(公山) 위에 있는 산성(山城). 둘레 약 2.2km, 넓이 21만km^2의 큰 산성으로 백제(百濟) 22대 문주왕(文周王) 때 약 60년 동안 도성(都城)이었던 곳임. 사적 제12호. 웅진성(熊津城).

공주-군【公州郡】명〖지〗충청 남도에 속했던 군. 1995년 1월, 공주시에 통합됨.

공주 대학교【公州大學校】명 국립 종합 대학교의 하나. 1948년 7월, 충청 남도 도립 공주 사범 대학으로 설립되어 1950년 국립 공주 사범 대학으로 개편되고, 1991년 3월 종합 대학교로 승격됨. 소재지는 충청 남도 공주시 신관동.

공-주련【空柱聯】명 글씨나 그림이 없는 주련(柱聯).

공주-령【公主嶺】명〖지〗궁주령.

공주 민란【公州民亂】[—밀—] 명〖역〗조선 철종(哲宗) 13년(1862) 5월에 충청도 공주에서 일어난 농민 봉기(蜂起). 삼정(三政)의 문란과 이를 악용한 탐관 오리의 착취로 궁핍에 빠진 농민이 주동이 되어 일으킴.

공주 박물관【公州博物館】명 국립 중앙 박물관장 소속하에 둔 지방 박물관의 하나. 1940년 공주읍 박물관으로 발족, 1945년 국립 박물관 공주 분관으로, 1975년 공주 박물관으로 명칭이 바뀌었음. 소장 유물은 모두 6,728점으로 백제의 공주 천도(遷都) 때의 유물이 중심이며, 고려 조선 왕조 때의 유물이 약간 포함되어 있음.

공:주 생활【共住生活】명〖천주교〗수도회의 공동 생활.

공:-주인【貢主人】명〖역〗공물(貢物)을 대신 바치고 공물의 값을 납공자(納貢者)에게 배징(倍徵)하던 사람. 서울에 있는 공주인을 특히 '경주인(京主人)'이라 일컬음.

공죽【空竹】명 손님을 위하여 장만한 담뱃대. 객죽(客竹).

공준【公準】명 ①〖철〗공리(公理)처럼 절대로 확실한 것은 아니나, 어떤 이론 체계를 연역(演繹)으로 전개(展開)하는 시초로서 승인(承認)을 필요로 하는 근본 명제(命題). 공리가 자명(自明)한 데 대하여 공준은 가정적임. 요청. ②〖수〗유클리드의 《기하학 원본》에서, 증명 없이 채용된 기초 명제 중 기하학적인 내용으로 된 것. 요청(要請). *보통 공리(普通公理).

공중[1]【公衆】명 사회의 여러 사람. 일반 사람들. 민중(民衆).

공중[2]【空中】명 하늘. 하늘과 땅 사이의 빈 곳. 천공(天空).
[공중을 쏘아도 알과녁만 맞힌다] 아무런 규준(規準)에 의하지 아니하고 해도 능히 그 일을 이룸의 비유.
공중(에) 뜨다 구 온데 간데 없다. ¶돈 만 원이 공중에 떠 버렸다.

공:중[3] 부〈방〉공연히. ¶알지도 못하면서 ~ 떠들어댄다.

공중가 삭도【空中架索道】명〖토〗가공 삭도(架空索道).

공중 감시【空中監視】명 ①공중 사찰(空中査察). ②주로 비행 중인 아군과 적군의 항공기·미사일 등의 이동을 확인·식별하기 위하여 공중을 계통적으로 감시하는 일. 전자(電子) 장치·시각 기타 방법에 의함. ——-하다 타여불

공중 경:계 관제기【空中警戒管制機】명〔airborne warning and control system〕〖군〗강력한 초계(哨戒) 레이더를 탑재(搭載)하여 공중에서 적기(敵機) 침입의 조기 탐지 경보(早期探知警報) 기능과 아군(我軍)의 전투기(戰鬪機)·공격기(攻擊機)의 유도 관제(誘導管制) 기능을 갖는 항공기의 총칭. 또, 그 경계관제 지휘 시스템. 특히, 미국 공군의 보잉 E-3C 센트리의 일컬음. 반경 400km에 이르는 범위의 공중과 지표(地表)를 감시할 수 있음. 에이왁스(AWACS).

공중 경:비【空中警備】명 항공기로써 적의 공습을 막기 위한 경비.

공중 광:고【空中廣告】명 ①공중에서 항공기로 선전 삐라·방송 등을 사용하여 하는 광고. ②기구(氣球) 따위를 올려서 하는 광고.

공중-권【空中權】[−꿘] 명 토지 소유권의 범위를 넓힌 것으로서 상한(上限)과 하한을 정하여 공중에 설정된 권리. 곧, 공간의 소유 권리. 햇빛·공기·광고 가치 등의 보호를 목적으로 함.

공중 급유【空中給油】명 비행 중인 항공기에 파이프를 통하여 급유기(給油機)로부터 연료유(燃料油)를 공급하는 일. 공중 보급(空中補給). ——-하다 자타여불

공중 납치 방지 지침【空中拉致防止指針】명 1979년의 도쿄 경제 정상 회담(經濟頂上會談)에서 발표된 공중 납치 방지 조처. 범인을 보호하는 나라와는 민간 항공기의 취항을 거부한다는 등을 내용으로 함.

공중 누각【空中樓閣】명 ①공중에 누각을 짓는 것처럼 근거가 없는 가공(架空)의 사물. ②신기루(蜃氣樓).

공중 대:기【空中待機】명〖군〗전투 준비를 한 항공기가 이륙 체공(滯空)하면서 긴급 임무에 임할 수 있는 태세에 있는 일.

공중-던지기【空中—】명 씨름에서, 어깨를 맞잡고 있는 상태에서 뒷무릎을 굽혀 약간 앞으로 나오는 동시에 상대를 비스듬히 앞 뒤로 당기며 온 몸의 힘을 위로 솟구쳐 올리고, 다리샅바와 허리샅바를 잡은 손과 팔을 크게 왼편 위로 올려서 상대를 몸에 붙이지 않고 던지는 허리 기술의 하나.

공중 도:덕【公衆道德】명 공중을 위하는 덕의(德義). 공덕(公德). ¶~을 준수하다.

공중-물【空中—】명 한데에 놓은 그릇 같은 것에 비가 와서 괸 물. 공중수(空中水).

공중 발사 순:항 미사일【空中發射巡航—】[—발싸—] 명〔Airborne Launched Cruising Missile〕〖군〗폭격기에서 발사하는 순항 미사일의 하나. 소형 터보팬(tourbofan) 엔진과 날개가 있어, 테르콤(TERCOM) 유도로 초저공을 날아 목표를 맞춤. 약칭:에이 엘 시 엠(A.L.C.M).

공중 방:전【空中放電】명〖전〗구름과 대지(大地) 사이의 전위차(電位差)가 극한(極限) 이상으로 커져서, 공간을 뚫고 방전하는 현상. 번개와 천둥은 이 현상에 의해서 일어남.

공중 변소【公衆便所】명 공중을 위하여 길거리나 공원 같은 데 만들어 놓은 변소. *공동 변소(共同便所).

공중 보:건 의사【公衆保健醫師】명 병역법 규정에 의하여, 의사·치과

의사·한의사의 자격을 가진 사람으로서 농어촌 등 보건 의료 취약 지역에서 공중 보건 업무에 종사하는 사람. 3년간의 의무 종사 기간을 마치면 공익 근무 요원 복무를 마친 것이 됨.

공중 보:급【空中補給】명 ①공중 급유(空中給油). ②〖군〗 적에 포위된 아군(我軍)에게 헬리콥터나 비행기로 물품을 투하(投下)하여 보급하는 일. ——-하다 자타여불

공중 분해【空中分解】명 ①항공기가 비행 도중에 풍압(風壓)·기계 고장 등의 원인으로 분해하여 파괴되는 일. ②비유적으로, 계획 등이 중도에서 무산됨. ¶ 모처럼의 대(大)구상이 ~되고 말았다. ——-하다 자여불

공중 사령부【空中司令部】명 지상(地上)의 괴멸적(壞滅的) 타격을 예상하여, 항공기 안에 설치하는 사령부.

공중 사진【空中寫眞】명 항공기나 기구(氣球) 등에서 찍은 사진. 항공 「사진(航空寫眞).

공중 사진 측량【空中寫眞測量】[―냥] 명 지형이나 지상의 시설물 등을 공중 사진에 의하여 측량하는 일.

공중 사찰【空中査察】명〖군〗 기습(奇襲)의 방지를 목적으로 인공 위성 또는 항공기로써 자국 및 타국의 군사 시설을 사찰하는 일. 공중 감시(監視). ——-하다 타여불

공중 삭도【空中索道】명 가공 삭도(架空索道).

공중 생물학【空中生物學】명〔aerobiology〕①공기 중의 균류 포자(菌類胞子)·화분(花粉)·미생물의 공중 확산 등에 대한 연구를 하는 학문. ②공중에 있는 조류(藻類)의 배아자(胚芽子)나 원생 동물, 진디와 같은 작은 곤충, 특별히 생물학적 영향을 주는 오염 가스나 입자(粒子)에 대한 연구를 하는 학문.

공중 서:커스【空中―】〔circus〕명 높이 매단 그네 등을 이용하여 공중에서 하는 곡예(曲藝).

공중-선[1]【公衆善】명〖윤〗 사회 공중이나 인류 일반의 선(善). 공공선(公共善). ↔일반선(一般善).

공중-선[2]【空中線】명〖물〗 안테나(antenna).

공중 세:균【空中細菌】명 공중에 존재하는 세균. 먼지에 부착하여 다니거나 바람에 불리어 날리는 곰팡이의 포자(胞子)처럼 비산(飛散)함.

공중 소추주의【公衆訴追主義】[―/―이] 명〖법〗 형사(刑事)의 소추권을 피해자를 포함한 일반 공중에게 맡기는 주의. *국가 소추주의·피해자 소추 주의.

공중-수【空中水】명 공중물.

공중 수색【空中搜索】명 ①항공기로써 공중에서 조난선·조난자·조난처 등을 찾는 일. 또, 전시에 항공기로 적정(敵情)을 정찰하는 일. ②탐조등(探照燈)으로 비행 중의 항공기를 찾음. ——-하다 타여불

공중 수송【空中輸送】명 ①항공기로 사람·물품·화물 등을 운반함. 항공 수송. ㊣공수(空輸). ②항공기 자체를 수송할 때 그것을 비행시켜 목적지로 운반함. ——-하다 타여불

공중 습격【空中襲擊】명 비행기로 공중에서 습격함. ——-하다 타여불

공중 식당【公衆食堂】명 ①자치체(自治體) 등이 사회 정책상 설치한 일반 공개의 식당. ②값싸고 간단한 식사를 제공하는 식당. 대중(大衆) 식당. 간이(簡易) 식당.

공중 어뢰【空中魚雷】명〖군〗 항공기(航空機)에서 수면(水面) 밑으로 떨어뜨려 적의 함선을 침몰시키기 위한 어뢰. 항공 어뢰. ㊣공뢰(空雷).

공중 열차【空中列車】[―녈―] 명〖항공〗 한 대의 비행기가 여러 대의 글라이더를 끌고 비행하는 것을 열차에 비유한 말.

공중 우편【空中郵便】명 항공 우편(航空郵便).

공중 위생【公衆衛生】명 사회 일반의 공동 건강(健康)을 위한 위생. 모자(母子) 보건·전염병 예방·성인병(成人病) 대책 등. ↔개인 위생.

공중 위생법【公衆衛生法】[―뻡] 명〖법〗 공중(公衆)이 이용하는 위생 접객업(接客業) 기타 위생 관련 영업의 시설 및 운영 등에 관한 사항과 공중 이용 시설 및 위생 용품의 위생 관리 등에 관한 사항을 규정한 법률.

공중 위생학【公衆衛生學】명〖의〗 지역 주민의 건강 상태 유지 및 증진(增進)을 다루는 기술 및 과학.

공중 유:사【公中有私】명 공사(公事)를 보아 나가는 가운데도 사정(私情)이 있음. ——-하다 형여불

공중이 명〈방〉〖충〗 귀뚜라미(제주).

공중 저색【空中沮塞】명〖군〗 공습을 공중에서 저해(沮害)하기 위한 설비. 계류 기구(繫留氣球)가 있음.

공중-전【空中戰】명〖군〗 항공기가 기상 무기(機上武器)로써 공중에서 하는 싸움. ㊣공전(空戰). *지상전(地上戰).

공중 전:기【空中電氣】명〖전〗 대기(大氣) 중에 있는 전기장(場), 대기 중의 이온(ion), 대기 중을 흐르는 전류 등의 현상을 총괄적으로 표현한 것의 일컬음. 대기(大氣) 전기. 기상(氣象) 전기. ㊣공전(空電).

공중 전:망【空中展望】명 항공기에서 지상(地上)을 전망함. 또, 그 전「망.

공중 전:기장【空中電氣場】명 대(大)이온(ion) 등에 의한 대기 중의 공간 전하(電荷)의 분포와 지면이 갖는 음(陰)의 전하에 의해 생기는 대기 중의 전기장. 그 세기는, 지면 부근에서, 1미터에 대해 높이 100-130볼트 정도이고, 높이가 증가함에 따라 급격히 감소함.

공중 전:화【公衆電話】명 큰 도시 길가의 요긴한 곳에 놓아 공중(公衆)이 수시로 요금을 내고 쓸 수 있게 한 전화.

공중 전:화 카:드【公衆電話―】〔card〕명 공중 전화의 통화(通話) 요금용 카드. 동전 대신에 자기(磁氣) 카드를 카드용 전화기에 넣으면 통화가 가능함.

공중 전:회【空中轉回】명 공중 회전.

공중 정복【空中征服】명 과학의 힘을 빌려, 공중을 인류(人類)의 활동의 장소로 만드는 일. *우주(宇宙) 정복. ——-하다 자타여불

공중 정찰【空中偵察】명〖군〗 항공기를 타고 공중에서 행하는 정찰. 항공(航空) 정찰. ——-하다 타여불

공중-제비【空中―】명 ①두 손을 땅에 짚고 두 다리를 공중으로 쳐들어서 반대 방향으로 넘는 재주. 텀블링(tumbling). ②공중에서 거꾸로 떨어짐. ——-하다 자여불

공중 조:명【空中照明】명〖항공〗 야간에 항공기의 행동 등을 용이하게 하기 위하여 또는 그것을 탐지하기 위하여 정기 항공로(定期航空路) 위에 설치하여 위로 향해 비추는 등대(燈臺)의 조명.

공중 지리학【空中地理學】명〔aerogeography〕〖지〗 공중 관측이나 항공 사진으로 지표(地表)를 연구하는 지리학의 한 분야.

공중 지질학【空中地質學】명〔aerogeology〕〖지〗 공중 관측과 항공 사진에 의하여, 지세(地勢)를 지질학적으로 연구하는 지질학의 한 분야.

공중 질소 고정【空中窒素固定】[―쏘―] 명〖화〗 대기 중의 유리 질소(遊離窒素)를 원료로 하여 암모니아·황산 암모늄·질산 등 질소 화합물을 만드는 일. 전호법(電弧法)·석회 질소법(石灰窒素法)·암모니아 합성법(合成法) 등의 방법이 있음. 뿌리혹박테리아·남조류(藍藻類) 등도 이 기능(機能)이 있음. 화학 공업에서는 사료·화약 등의 제조원이 되어 중요한 분야를 차지함. *질소 고정.

공중 질소 고정균【空中窒素固定菌】[―쏘―] 명 공기 속의 질소를 균체내(菌體內)에 흡수 동화(同化)하여서 균체 성분을 구성하는 균. 이 균이 많은 토양(土壤)은 비료를 주지 아니하여도 땅이 걸어, 인공적으로 이 균을 배양하여 비료 대신 농지에 살포하기도 함. *세균 비료.

공중-차기【空中―】명 태권도에서, 두 발로 뛰어 공중에서 몸을 돌려 한 발로 목표물을 차는 술법.

공중 청:음기【空中聽音機】명〖군〗 비행기의 내습(來襲)을 그 비행기가 내는 음파를 청취하여 알고, 또 그 위치·항로(航路) 등을 탐지하는 장치. 레이더 발명 이전에 쓰였음. *청음기(聽音機).

공중 촬영【空中撮影】명〖항공〗 항공기를 타고 공중에서 주로 지상(地上)의 시설·지형을 촬영하는 일. ——-하다 타여불

공중 케이블 카:【空中―】〔cable car〕명 가공 삭도(架空索道).

공중 쾌락설【公衆快樂說】명〖윤〗 쾌락을 유일의 선(善)으로 하기는 하나, 개인적 쾌락이 아니고 인류 전체의 쾌락을 목적으로 하여 그것이 최대의 선(善)이라고 보는 도덕설(道德說). 영국의 철학자 벤담(Bentham, J.)의 학설임.

공중 투영기【空中投影機】명〖기〗 밤에 1,000 m 가량의 높이에 있는 구름에 환등(幻燈)과 탐조등을 사용하여 선전 광고의 글자나 그림을 비추어 나타나게 하는 기계.

공중 투하【空中投下】명 항공기에서 인원이나 물자를 투하하는 일. ——-하다 타여불

공중 폭격【空中爆擊】명〖군〗 항공기로 공중에서 행하는 폭격. ㊣공폭(空爆). ——-하다 타여불

공중 폭발【空中爆發】명〖군〗 폭탄이나 포탄 등이 지표면에 이르기 전에 공중에서 폭발하는 일. ——-하다 자여불

공중 표적도【空中標的圖】명〖군〗 공중 표적 정보를 표시한 특정한 도「표.

공중 프로펠러선【空中―船】〔propeller〕명 비행기의 것과 같은 모양의 프로펠러를 공중에서 회전시켜 추진하는 배. 흐름이 급한 하천에서의 역항(逆航), 수심이 얕은 하천 등에 적합함.

공:-중합【共重合】명〖화〗 '혼성 중합'의 구용어.

공중 항:법【空中航法】[―뻡] 명〖항공〗 항공기의 현재 위치를 구하고, 안전하고 확실하게 목적지에 도착시키는 방법. 위치를 구하는 방법에 따라 지문 항법(地文航法)·천문 항법(天文航法)·무선 항법(無線航法)·추측 항법(推測航法) 등으로 구분됨. 항공술(航空術). 「항공 조약.

공중 협약【空中協約】명〖법〗 공중 이용(利用)에 관한 국제간의 협약.

공중 활공【空中滑空】명 ①〖항공〗 항공기가 공중에서 발동기를 정지시키고 중력(重力)과 부력(浮力)에 의해서 비행하는 상태. ②새 따위가 날개를 움직이지 아니하고 나는 일. 활공. 공중 활주(空中滑走).

공중 활주【空中滑走】[―쭈] 명〖항공〗 공중 활공❷.

공중 회랑【空中回廊】명 ①오인(誤認)에 의한 사격으로부터 보호하기 위하여 아군 항공기가 이용하도록 되어 있는, 제한된 비행 항로. ②베를린과 서독을 연결하는 제한된 항공로. 1945년 미·영·불·소 4개국 협정에서 결정한 것임. 폭을 10 km로 규정함. 높이에 관한 제한은 없음.

공중 회전【空中回轉】명 ①비행기 등이 공중에서 회전함. ②체조나 곡예, 또는 다이빙을 할 때 허공에서 회전하는 일. 공중 전회.

공즉-시색【空卽是色】명〖불교〗〔반야 심경(般若心經)에 나오는 말〕 우주의 모든 사물(事物)은 실체(實體)가 없는 현상, 곧 공(空)이지만, 실체가 없는 그 공(空)이 그대로 일체의 사물이라는 말. ↔색즉시공(色卽是空).

공증【公證】명 ①공적(公的)인 증거. ②공무원 등이 그 직권(職權)으로 특정한 법률 사실·법률 관계의 존부(存否)를 공식으로 증명하는 일. 또, 그 증거. 등기부에 의해서 부동산의 취득(取得)·이전을 증명하는 일 또는 졸업 증명서 발행 따위. ——-하다 타여불

공증 문서【公證文書】명〖법〗 문서 작성의 권한이 있는 국가 또는 공공 단체의 기관, 곧 공증인·시읍면장·구청장 등이 그 권한에 의해 사법(私法)상의 법률 관계를 명확하게 하고 또는 법률상의 공권적 증거력을 부여하기 위하여 작성한 문서. 공채 증서·호적 등본과 초본·등기증(登記證)·공정 증서(公正證書) 따위.

공증-인【公證人】명〖법〗 당사자 또는 그 밖의 관계자의 촉탁(囑託)에 의하여, 법률 행위 기타 사권(私權)에 관한 사실에 대한 공정 증서(公正證書)를 작성하고, 사서 증서(私署證書)에 대한 인증(認證)을 하는 권한을 가지는 사람. 법무부 장관이 판사·검사·변호사의 자격을 가진 사람 중에서 임명함.

공증인 사:무소【公證人事務所】명 공증인이 그 관할 지방 검찰청의 구역 안에서 법무부 장관의 인가(認可)를 얻어 설치하여 사무를 보는 곳.

공지[1] 명〈방〉〖어〗공미리.
공지[2]【工遲】명 재주는 있으나 더딤. ——-하다 형여불
공지[3]【公志】명 공변된 뜻. 공심(公心).
공지[4]【公知】명 세상 사람이 널리 앎. 세상에 널리 알림. ¶～ 사항. ——-하다 타여불
공:지[5]【共知】명 여러 사람이 다 같이 앎. ¶세인 ～의 사실. ——-하다 「타여불
공지[6]【空地】명 ①집이나 밭 같은 것이 없는 터. 공처. 빈땅. 빈터. 공터. 휴한지(休閑地). ②하늘과 땅. 공중과 지상. ¶～ 연락. ③〖토〗보건(保健)을 위하여 도시의 한 부분을 일부러 남겨 놓은 빈 터전.
공지[7]【空紙】명 ①아무 것도 쓰지 아니한 종이. 백지. ②쓸데없는 종이.
공지간 전:류【空地間電流】[–절–] 명〖전〗대기(大氣)에서 지면으로 흘러 이동하는 전류.
공지니 명〈방〉〖민〗태주할미.
공지-대【空地帶】명 방화(防火) 또는 그 밖의 필요로 공지로 해 둔 구역.
공지 사:실【公知事實】명 사회 일반이 모두 알고 있어 의심할 여지가 없는 명백한 사실. 역사상의 저명한 사건 같은 것.
공지 사:항【公知事項】명 일반에게 널리 알릴 사항.
공지 작전【空地作戰】명〖군〗공군 부대와 지상(地上) 부대가 협동하여 하는 작전.
공지 협동【空地協同】명〖군〗근접 항공 지원(近接航空支援).
공직[1]【公直】명 사사롭고 편벽(偏僻)됨이 없이 정직함. ——-하다 형
공직[2]【公職】명 관청이나 공공 단체의 직무. ¶～ 생활. 「여불
공:직[3]【供職】명 관청 또는 공공 단체의 직무를 맡음. ——-하다 자여불
공:직-랑【供職郞】[–낭] 명〖역〗조선 시대의 품계(品階)의 하나. 잡직(雜職)의 정육품 벼슬. 여직랑(勵職郞)과 같은 계열에 속함.
공직-자【公職者】명 공무원·국회 의원 등 공직에 종사하는 사람.
공직자 윤리법【公職者倫理法】[–율–뻡] 명〖법〗공직자의 재산 등록·선물 신고·퇴직 공직자의 취업 제한 등을 정하여 공직자의 부정 행위를 방지하고, 공무 집행의 공정성을 확보하여 깨끗한 공직 사회를 구현하며, 나아가 공직자로 하여금 국민 전체에 대한 봉사자로서 그 책임을 다할 수 있게 함을 목적으로 하는 법.
공직자 윤리 위원회【公職者倫理委員會】[–율–] 명〖법〗공직자 윤리법에 따라 공직자의 재산 은닉 및 퇴직 후의 사기업체 취업 등에 관한 사항을 심의·결정하기 위하여 국회·대법원·헌법 재판소·정부에 각각 두는 위원회.
공:진[1]【共振】명〔resonance〕〖물〗①한 진동체가 딴 진동체에 유도되어 그와 같은 진동수로 진동하는 현상. ②공명(共鳴) 현상 중에서, 전기·기계 등이 진동하는 현상. *공명(共鳴). ——-하다 자여불
공진[2]【空振】명 화산·화약·핵무기 등의 폭발로 일어나는 공기 진동.
공:진[3]【供進】명 신이나 임금께 음식을 바침. ——-하다 타여불
공:진[4]【拱陣】명 사방을 포위한 것같이 된 진지.
공:진[5]【貢進】명 공물(貢物)을 올림. ——-하다 타여불
공:진-기【共振器】명〔resonator〕〖물〗특정 진동수에서만 공진을 나타내는 장치. 전자파 또는 전기 진동에 관하여 일컬음. *공명기(共鳴器).
공:진-단【供辰丹】명〖한의〗보혈 강심(補血强心)하는 약.
공:진-법【共振法】[–뻡] 명〔resonance method〕〖전〗피측정 소자(素子)를 포함하는 공진 회로의 공진 주파수를 측정함으로써, 그 소자의 임피던스(impedance)를 결정하는 측정법.
공:진 변:압기【共振變壓器】명〖전〗이차 회로(二次回路)가 전원(電源)의 주파수에 동조(同調)하도록 한 고전압 변압기(高電壓變壓器).
공:진 상자【共振箱子】명〖물〗공명 상자.
공:진-소【供進所】명〖역〗조선 시대 말엽의 관청의 하나. 고종(高宗) 31년(1894)에 궁내부(宮內府)에 설치했던 기관으로 내수사(內需司)와 사옹원(司饔院)에서 맡아 하던 식료품에 관한 일을 맡아 보았음.
공:진 주파수【共振周波數】명〖물〗전기 진동(振動)의 공진 현상 때의 주파수. 공진 회로(回路)의 회로 상수(常數)에 의하여 결정됨.
공:진-회【共進會】명 ①식산(殖産)·공예(工藝)의 개량·발달을 도모하기 위하여, 널리 산물·제품을 모아서 이것을 일정한 장소에 진열하고 일반 공중(公衆)에게 관람시키어, 그 우열(優劣)을 품평(品評)·사정(査定)하는 모임. 품평회(品評會)와 박람회(博覽會)를 절충한 것임. 경진회(競進會). ②〖역〗1904년에 조직된 혁신 운동 단체. 윤효정(尹孝定)·나유석(羅裕錫) 등의 보부상(褓負商)들이 그들의 조직인 상민회(商民會)를 진명회(進明會), 다시 공진회로 개칭하고, 정부에 대하여 황실의 권위·국민의 권리와 의무 등에 관하여 건의하였음.
공:진 회로【共振回路】명〔resonance circuit〕〖물〗전기의 공진 현상을 일으키게 하는 회로. 동조(同調) 회로.
공-집기【空–】명 돈을 모아서 무엇을 사다 먹는 내기의 한 가지. 사람의 수효대로 종이 쪽지에 몫을 지어서 돈의 액수를 쓰되 차등이 있게 하고 그 중에 '○'을 한 개나 또는 몇 개 넣어서 그 '○'을 집는 사람은 돈을 내지 않게 됨. 또, 이와 반대로 '○'을 집은 사람이 돈을 내는 수도 있음. *공짚기. ——-하다 자여불
공-집합【空集合】명〔empty set〕〖수〗원소(元素)를 하나도 갖지 아니한 집합. 기호는 ϕ. 영집합(零集合).
공징이 명〖민〗귀신 소리라는 휘파람 소리를 내면서 점을 치는 여자 점쟁이. *공창(空唱).
공-짚기【空–】명 돈을 모아서 무엇을 사다 먹는 내기의 한 가지. 여러 사람이 그 수효대로 종이에 몫을 지어서 돈의 액수를 쓰되, 차등이 지게 하고 '○'을 하나 또는 몇 개를 그리는데, 글자 위로 줄을 하나씩 긋고 글자를 가려 놓은 뒤에 각 사람이 하나씩 짚어서 그 짚은 대로 돈을 내되, '○'을 짚은 사람만 돈을 내지 않게 됨. *공집기. ——-하다 「자여불
공짜【空–】명 거저 얻은 물건. 거저 얻음. 무료(無料).
[공짜라면 당나귀도 잡아먹는다] 공것을 매우 즐긴다는 말. 공것이라면 양잿물도 들고 마신다.
공짜-로 부 공으로. ¶～ 얻다.
공짜-배기【空–】명 공짜를 분명하게 일컫는 말. 준짜배기.
공차[1]【公差】명 ①〖역〗관아나 궁가(宮家)에서 파견하는 관원(官員) 및 사자(使者). ②〖수〗등차 급수(等差級數)에서 연속되는 두 항(項)의 차. ③〖수〗어떤 수량을 취급할 때 실제로 채용되는 근사값에 대한 오차(誤差)의 한계나 범위. ④〖법〗화폐의 법정 기준에 대한 실제 품위(品位)·양목(量目)의 차이로서 법률에서 용인(容認)되는 범위. ⑤〖법〗도량형기(度量衡器)의 법정 표준과 실지와의 차이로서 법률에서 인정하는 범위. 「아니하고 거저 타는 차. ¶～ 타다.
공차[2]【空車】명 ①사람 혹은 짐을 싣지 아니한 차. 빈 차. ②돈을 내지
공:-차반【供次飯】명〖불교〗'반찬(飯饌)'을 절에서 이르는 말.
공:찬【供饌】명 음식을 신불께 바침. ——-하다 타여불
공찰[1]【公札】명〖역〗공함(公函). ↔사찰(私札).
공찰[2]【公察】명〖역〗'충청도 관찰사(觀察使)'를 달리 이르는 말.
공:참[1]【孔慘】명 매우 참혹함. ——-하다 형여불
공참[2]【空參】명〖군〗↗공군 참모 총장.
공창[1]【工廠】명 ①철공물(鐵工物)을 만드는 공장. ②군(軍)에 직속되어, 병기·탄약 등의 군수품을 제조·수리하는 공장.
공창[2]【公娼】명 관청의 공허(公許)를 받고 매음 행위를 영업으로 하는 여자. ↔사창(私娼).
공창[3]【空唱】명〖민〗무당들이 귀신의 소리라고 하면서 입으로 휘파람처럼 내는 소리. *공징이.
공창-가【公娼街】명 공창들의 창루(娼樓)가 있는 길거리. ↔사창가(私娼街).
공창 제:도【公娼制度】명〖사〗공창을 인정하는 제도.
공창 폐:지【公娼廢止】명〖사〗공창 제도를 폐지함.
공:-채[1] 명 ①장치기하는 데 쓰는 끝이 조금 구붓한 막대기. ②공을 치는 채의 총칭. 라켓 따위.
공채[2]【公採】명〔↗공개 채용〕관청이나 회사 등에서 지원자(志願者)를 공개적으로 모집, 시험을 치른 다음 합격자를 채용함. ¶～1기로 입사하다. ——-하다 자여불
공채[3]【公債】명 ①공채무(公債務). ②국가 또는 지방 자치 단체가 세출의 재원을 마련하기 위하여 임시로 부담하는 금전 채무(金錢債務). 국가의 공채를 국채(國債), 지방 자치 단체의 공채를 지방채(地方債)라고 함. 응모자의 국적에 따라 내국채(內國債)·외국채(外國債), 모집 방식에 따라 임의(任意) 공채와 강제 공채, 상환(償還) 기간의 장단(長短)에 따라 확정(確定) 공채와 유동(流動) 공채, 담보의 유무에 따라 담보(擔保) 공채와 무담보(無擔保) 공채의 구별이 있음. ↔사채(私債). ③↗공채 증서(公債證書).
공-채[4]【空–】명 사람이 거처하지 아니하는 빈 집채.
공채-다리 명〈방〉발장다리.
공-채무【公債務】명 공금을 소비하여 진 빚이나 공과금(公課金) 미납(未納)으로 인하여 진 빚. 공채(公債). ↔사채무(私債務).
공채-비【公債費】명〖경〗공채에 관계되는 모든 비용. 공채의 모집(募集), 이자의 지급, 상환(償還), 차환(借換) 등에 필요한 경비인데 이 중에 이자와 상환금이 가장 많음.
공채 정책【公債政策】명〖정〗국가나 지방 자치 단체가 세입(歲入)의 부족을 충당하기 위하여 공채를 발행하는 정책.
공채 증권【公債證券】[–꿘] 명〖경〗국가 또는 지방 자치 단체가 공채의 채권자(債權者)에게 대하여 발행 교부하는 기명(記名) 또는 무기명의 증권. 공채 증서.
공채 증서【公債證書】명〖경〗공채 증권. 준공채(公債).
공채 파:기【公債破棄】명〖경〗공채의 원리(元利)의 지급 의무를 거절하는 일. *국가 파산(國家破産). 「노트(note).
공책【空冊】명 필기하기 위하여 백지로 매어 놓은 책. 필기장(筆記帳).
공처[1]【空處】명 ①임자 없이 버려 둔 빈 터. ②공지(空地)❶.
공:처[2]【恐妻】명 남편이 아내에게 눌려 지냄. 처시하(妻侍下).
공:처-가【恐妻家】명 아내에게 꼼짝 못하고 눌려 지내는 남편.
공처 노비【公處奴婢】명〖역〗관가(官家)에서 부리던 노비. 준공노비(公奴婢). *관(官)노비·공천(公賤).
공척-보【工尺譜】명〖악〗우리 나라 고대 악보의 하나. 조선 세종(世宗) 때 당악(唐樂)을 기보(記譜)하는 데 사용했으나 불편하여 오래 쓰이지는 못했음. 10자(字) 곧, '합(合)·사(四)·일(一)·상(上)·구(句)·척(尺)·공(工)·범(凡)·육(六)·오(五)'와 같은 문자로 음의 고저(高低)를 나타내는 데서 십자보(十字譜)라고도 함.
공천[1]【公賤】명〖역〗관아(官衙)의 사내종과 계집종의 총칭. 흔히 죄과(罪科)에 의하여 세습적(世襲的)으로 관(官)에 몰입(沒入)된 관노비(官奴婢)·관기(官妓)·조례(皁隷)·나장(羅將)·일수(日守)군·조수(漕水)군·봉군(烽軍)·역졸(驛卒)·옥졸(獄卒) 등을 통틀어 일컬음.
공천[2]【公薦】명 ①공중의 천거(薦擧). ②공정한 추천(推薦). ③〖정〗정당에서 선거에 출마할 당원을 공식적으로 추천함. ¶민주당 ～ 후보/～을 받다. ——-하다 타여불
공:천[3]【供薦】명〖종〗신(神)이나 부처에게 음식물을 바쳐 올림. ——-하다 타여불 「紙).
공:-천련지【貢川連紙】[–철–] 명 중국산의 품질이 좋은 천련지(川連
공천 선:임【公薦選任】명 ①공중이 천거한 사람 중에서 뽑아 직무를 맡김. ②공정히 추천하여 자리를 맡김. ——-하다 타여불

공천 위원【公薦委員】명 공천을 하기 위하여 뽑은 위원.

공첩[1]【公貼】명 공문서.

공첩[2]【公牒】명 ①공사(公事)에 관한 의사 통지(意思通知). ②공사에 관한 서류. 「『역』공해(公廨).

공청[1]【公廳】명 ①공공 단체의 공무를 처리하는 기관. ②관청(官廳). ③

공청[2]【空青】명 ①『광』광물의 한 가지. 금동광(金銅鑛)에서 나는데 빛이 푸르고 물감·약재(藥材) 등으로 씀. 양매청(楊梅青). ②『미술』영청 └(影青).

공청[3]【空廳】명 헛간.

공:청용 안테나【共聽用—】〔antenna〕〔—농—〕명 여러 가구가 공동으로 사용하기 위해 높은 지대에 설치한 고감도의 수신용 안테나.

공청-회【公聽會】명『정』국회·행정 기관 등이 영향력이 큰 사안(事案)을 결정함에 있어, 참고로서 공개 석상에서 학식 있는 경험자나 이해 관계자 등으로부터 의견을 청문하는 제도. 또, 그 모임. *청문회(聽 └聞會).

공체[1]【公體】명 관원 사이의 예의(禮儀).

공체[2]【空諦】명『불교』→공제(空諦).

공:초[1]【供招】명『역』범죄 사실을 진술함. 공사(供辭). ——-하다 타 └여불

공초[2]【空超】명『사람』오상순(吳相淳)의 호(號).

공총【倥傯】명 이것저것 일이 많아 바쁨. ——-하다 형여불

공최[1]【功最】명 가장 큰 공로. 첫째의 공.

공:최[2]【共催】명 ↗공동 주최.

공축[1]【恭祝】명 공손한 마음으로 축하함. ——-하다 타여불

공:축[2]【恐縮】명 두려워서 몸을 움츠림. 황축(惶蹙). ——-하다 자여불

공:출【供出】명 ①제공하여 내놓음. ②국가의 수요(需要)에 따라 국민이 농업 생산물이나 기타 물자·기물(器物)을 의무적으로 정부에 매도(賣渡)하는 일. ——-하다 타여불

공-출물【空出物】명 ①밑천이나 힘을 들이지 아니하고 남이 하는 일에 참여함. ②밑천이나 힘을 낼 필요가 없는데 공연히 냄. ——-하다 타여불

공:출-미【供出米】명 정부의 할당 수량에 의해서 농가가 공출한 쌀.

공:출 제:도【供出制度】명『경』전시나 전후의 식량 부족에 대한 대책으로 생산자에게 일정한 양의 농산물을 공출하게 하는 제도.

공:취[1]【攻取】명 공격하여 빼앗음. ——-하다 타여불

공취[2]【空翠】명 ①수목이 울창한 산중의 기운. ②먼 산의 푸른빛.

공치[1] 명〈방〉공것.

공치[2] 명〈방〉『어』공미리.

공치[3]【工緻】명 기술이 치밀하고 공교(工巧)함.

공:-치기 명 ①공을 치고 받는 운동의 통칭. ②장치기.

공:-치다[1] 자 손이나 공채로 공을 치다.

공-치다[2]【空—】자 ①어떤 표시로 동그라미를 그리다. ¶결석자의 이름 위에다 ~. ②맞히지 못하다. ③무슨 일을 하려다가 목적을 이루지 못하고 허탕치다. ¶비가 와서 지겟벌이를 ~.

공-치사[1]【功致辭】명 남을 위하여 애쓴 일을 남 앞에서 자기 스스로 치사함. ¶그깟 일 좀 도와준 걸 가지고 ~는 되게 하는구먼. ——-하다 자여불

공:치-사[2]【攻治司】명『역』조선 왕조 때, 공조(工曹)의 한 분장(分掌). 태종(太宗) 5년(1405)에 베풂. 공장(工匠)이 금·은·동·철 등의 금속을 붓고 도기(陶器)·기와 등을 굽는 일을 맡아서 함.

공-치사[3]【空致辭】명 빈말로 하는 치사. ¶그런 ~는 집어치우시오. ——-하다 자여불

공칙-스럽다 형ㅂ불 공교롭게 잘못된 듯하다. 공칙-스레 부

공칙-하다 형여불 공교롭게 잘못되다. 공칙-히 부. ¶현마의 작정으로는 배 떠나는 광경을 보자는 것이었으나 ~ 배는 벌써 떠나버린 듯…《李孝石 : 花粉》.

공-친왕【恭親王】명『사람』중국 청(清)나라 때의 황족(皇族). 도광제(道光帝)의 여섯째 아들이며 함풍제(咸豐帝)의 동생. 형을 도와 태평 천국·애로(Arrow) 전쟁을 처리함. 동태후(東太后)·서태후(西太后)와 짜고 동치제(同治帝) 옹립의 옛 측근들을 쿠데타로 일소하였고, 의정 왕대신(議政王大臣)으로서 내외의 실권을 잡았다가 서태후와 대립, 은퇴함. 동치 중흥(同治中興)의 중심적 인물임. [1832-98]

공:침【共沈】명『화』화학적 성질이 닮은 원소가 공존하고 있을 때, 그 중의 어느 종류의 물질을 침전 분리시키려 하면, 단독으로는 침전할 리가 없는 다른 물질이 앞서의 물질과 함께 침전하는 현상. 예를 들면, 염화 발륨 용액에 황산 칼륨 용액을 넣으면 황산 발륨이 공침함. 미량(微量) 원소의 분리·농축 따위에 이용됨.

공칭【公稱】명 ①공식 명칭. 공적인 이름. ②공개하여 일컬음. 널리 일반에게 발표되어 있음. ¶~ 자본. 「표된 능력.

공칭 능력【公稱能力】〔—녁〕명『기』무기(武器)나 기계의 일반에게 발

공칭 마:력【公稱馬力】명『기』기관(機關)이나 기관(汽罐) 등의 과세(課稅)나 매매상(賣買上) 부르는 마력의 수.

공칭 변:형력【公稱變形力】〔—녁〕명〔nominal stress〕『물』변형력 상승·소성 유동(塑性流動) 따위는 무시하고, 단순한 탄성론(彈性論)에 의하여 계산된 변형력.

공칭 자본【公稱資本】명『경』은행·회사 등이 정관(定款)에 기재(記載)하여 등기(登記)한 자본의 총액. 납입(納入) 자본금과 미납(未納) 자본금의 합계.

공쿠:르〔Goncourt〕명『사람』①〔Edmond Louis Antoine de G.〕프랑스의 소설가. 처음 역사의 연구에 뜻을 두고 동생과 합작으로 《마리 앙투아네트(Marie Antoinette)》·《18세기의 여성》 등을 냈는데, 여기서 얻은 자료를 소설 제작에 적용하여 소설 《르네 모프랭(Renée Mauperin)》·《제르미니 라세르퇴(Germinie Lacerteux)》 등 자연주의 문학의 걸작을 내었음. [1822-96] ②〔Jules Alfred Huot de G.〕❶의 동생. 평생, 형과 함께 전작품을 합작(合作)하였으며 흔히 '공쿠르 형제'로 병칭됨. 공쿠르 문학상은 그들 형제의 유산(遺産)으로 창설됨. [1830-70]

공쿠:르-상【—賞】명〔프 Prix Goncourt〕『문』프랑스의 문학상. 공쿠르 형제의 유언(遺言)에 따라, 1902년 아카데미 공쿠르를 창설하고 10명의 회원의 추천에 의하여 1903년부터 매년 우수한 작품을 낸 작가에게 수여함. 현재 프랑스에서 제일 권위 있는 소설상임.

공:탁【供託】명 ①물건을 제공(提供)하고 기탁(寄託)함. ②『법』법령의 규정에 따라 금전·유가 증권 또는 다른 물건을 공탁소(供託所)에 기탁하는 일. 사법상(私法上)으로는 채무 소멸(債務消滅)을 위한 공탁, 즉 변제 공탁과 채권 담보(債權擔保)를 위한 공탁, 즉 담보 공탁 등이 있음. ——-하다 타여불

공:탁 공무원【供託公務員】명 공탁 사무를 행하는 자로서 공탁소를 구성하는 국가 공무원. 지방 법원장이 지정하는 지방 법원 서기관이 됨.

공:탁-금【供託金】명『법』①공탁한 돈. ②공직(公職) 선거의 입후보자가 기탁(寄託)하는 돈. 법정 득표수(法定得票數)에 미달되는 경우는 몰수됨.

공:탁-물【供託物】명『법』공탁한 돈·유가 증권 또는 그 밖의 물건.

공:탁-법【供託法】명『법』공탁의 절차를 규정한 법률.

공:탁-서【供託書】명 공탁물에 첨부하여 공탁소에 제출하는 서류.

공:탁-소【供託所】명『법』공탁 사무를 행하는 국가 기관. 지방 법원장의 감독에 속하며, 각 지방의 지방 법원 또는 그 지원의 소재지에 둠. 실제의 공탁 사무는 공탁소를 구성하는 공탁 공무원이 행하고 공탁물의 보관은 대법원장이 지정하는 은행 또는 창고업자가 함.

공탄【空彈】명 발사하는 소리만 나고 실탄이 나오지 아니하는 탄약.

공:탈【攻奪】명 무력(武力)으로 쳐서 빼앗음. ——-하다 타여불

공탕【公帑】명 관금(官金). 공금(公金).

공-터【空—】명 빈터. 공지(空地).

공터-넣기【空—】〔—너키〕명『건』단청(丹青)할 때 색을 칠한 뒤에, 색과 색의 빈 사이를 다른 색이나 그 색으로 메우는 일.

공토【公土】명 ①공공 단체에서 소유한 토지. ②국유지(國有地). 1)·2): ↔사토(私土).

공:통【共通】명 어느 것에나 통용됨. 여럿 사이에 같은 관계가 있음. ¶~ 수학(數學). ——-하다 자여불

공:통-근【共通根】명『수』둘 이상의 방정식에 공통하는 근.

공:통 기어【共通基語】명『언』조어(祖語).

공:통 내:접선【共通內接線】명『수』두 원이 공통 접선에 관하여 서로 반대쪽에 있을 때의 접선. ↔공통 외접선.

공:통-법【共通法】〔—뻡〕명『일제』제2차 세계 대전 전에, 일본의 주권에 속하였던 식민지 사이의 민사·형사에 관한 법규를 적용하는 데 대한 통칙(通則)을 정해 놓았던 법률.

공:통 부분【共通部分】명 ①두 가지 이상의 사물(事物)에 대하여, 그 어느 것에도 통하는 부분. ②『수』교집합(交集合).

공:통 분모【共通分母】명『수』여러 개의 서로 다른 분수를 크기를 변화시키지 아니하고, 같게 통분(通分)한 분모. 2/3와 3/4을 8/12과 9/12로 했을 때의 12. 공분모. 동분모. *이분모.

공:통 비:용【共通費用】명『경』간접비(間接費). ↔주요(主要) 비용.

공:통-성【共通性】〔—썽〕명 공통되는 성질.

공:통 수선【共通垂線】명『수』두 직선, 두 평면, 한 평면과 한 직선에 그은 공통인 수선.

공:통 식물【共通植物】명『식』전세계에 널리 분포하는 식물. 별꽃·민들레 따위.

공:통-어【共通語】명『언』①몇 가지의 다른 언어가 쓰이어지는 지역 안에서 공통으로 통용되는 언어. ②전국에 공통으로 쓰이어지는 국어. 곧, 표준어(標準語). ↔방언(方言).

공:통 언어【共通言語】명〔common language〕『컴퓨터』수많은 컴퓨터의 어느 기종(機種)에도 공통으로 사용할 수 있는 프로그램 언어. 현재 개발되어 사용되고 있는 것에는 코볼(COBOL)·알골(ALGOL)·포트란(FORTRAN) 등이 있음.

공:통 외:접선【共通外接線】명『수』두 원이 공통 접선에 관하여 같은 쪽에 있을 때의 접선. ↔공통 내접선.

공:통-음【共通音】명『악』'같은 음'의 한자 이름.

공:통 이온【共通—】명〔common ion〕『화』두 종류 이상의 전해질(電解質)이 있는 용액 중에서 생성하는 이온 중에 두 전해질에 공통하게 있는 이온. 예를 들면, 염화 나트륨(NaCl)과 염산(HCl)의 용액 중에 있는 Cl^-이온 따위. 「공통되는 인수. 공인수(公因數).

공:통 인수【共通因數】〔—쑤〕명『수』두 개 이상의 수 또는 식(式)에

공:통 재판적【共通裁判籍】명『법』원고(原告)가 여러 사람의 피고를 상대로 할 때, 소송을 받는 법원이 그 공동 피고에 대한 일괄(一括) 관할권을 가지는 경우에, 피고측에서 본 재판적.

공:통-적【共通的】명관 여럿 사이에 통용점이 있는 모양. ¶~인 과제(課題).

공:통 접선【共通切線】〔—썬〕명『수』공통 접선(共通接線).

공:통-점【共通點】〔—쩜〕명 공통되는 점. ↔차이점(差異點).

공:통 접선【共通接線】명『수』두 개 이상의 곡선이나 곡면이 공유하는 접선. 공통 내접선과 공통 외접선이 있음. 공절선. 공접선. 공통 절선(共通切線).

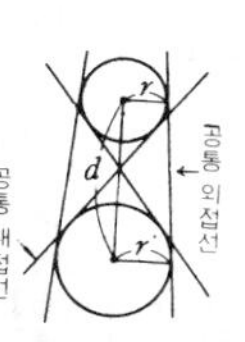

〈공통 접선〉

공:통-종【共通種】명 ①서로 공통되는 종류. ②『생』전세계에 널리 분포하고 있는 동일한 동식물의 품종이나 종류.

공:통 집합【共通集合】 명 〖수〗 교집합(交集合). 적집합(積集合).

공:통-항【共通項】 명 〖수〗 일반항(一般項).

공:통-현【共通弦】 명 〖수〗 평면상(平面上)에서 두 개의 원이 서로 교차하였을 때의 교점(交點)을 연결한 선분(線分).

〈공통현〉

공-투세 명 〈방〉 공치사(功致辭)(평안). ——-하다 자

공:파[1]【攻破】 명 공격하여 쳐부숨. ——-하다 타여불

공파[2]【空破】 명 〖민〗 풍수 지리(風水地理)로 보아 불길한 파(破).

공:파[3]【拱把】 명 두 손으로 쥐는 일과 한 손으로 쥐는 일. 또, 그만한 굵기.

공판[1]【工判】 명 〖역〗 ↗공조 판서(工曹判書).

공판[2]【公判】 명 〖법〗 ①형사 사건에 있어서 공소 제기(公訴提起)로부터 소송 종결(訴訟終結)에 이르기까지의 일체의 재판 절차. ②일정한 공판 기일에 법정에서 재판관·검사·피고인·변호인 기타 소송 관계인 들이 입회(立會)하여 형사 피고인의 유죄와 무죄를 심판하는 소송 절차. 공개(公開)를 원칙으로 함. ——-하다 자여불

공:판[3]【孔版】 명 등사판(謄寫版)의 별칭.

공:판[4]【共販】 명 〖경〗 ↗공동 판매(共同販賣). ——-하다 타여불

공:판 기관【共販機關】 명 〖경〗 판매 카르텔에 있어서, 가맹 사업자의 제품을 공동 판매하는 기관.

공판 기일【公判期日】 명 〖법〗 형사 소송법상, 법원·검사·피고인과 그 밖의 소송 관계인들이 회동하여 공판 절차를 행하는 기일. 재판장이 정함.

공:판 인쇄【孔版印刷】 명 〔screen printing〕 등사판·스크린 인쇄 등과 같이, 형지(型紙)를 사용하여 판(版)의 안쪽에서 잉크가 배어 나오게 하여 인쇄하는 방식의 총칭.

공:판-장【共販場】 명 ↗공동 판매장. ¶ 농산물 ~.

공판 절차【公判節次】 명 〖법〗 공판 기일에 공판정에서 행하는 심리 및 재판의 절차. 일반적 순서는 모두(冒頭) 절차, 곧 인정(人定) 신문·검사의 기소 요지 진술 및 증거 조사·변론·판결의 단계로 나누임.

공판-정【公判廷】 명 〖법〗 공판을 행하는 법정. ㊄공정(公廷).

공판 조서【公判調書】 명 〖법〗 공판 기일에 행한 형사 소송의 공판 절차에 대하여 법원 서기가 기록 작성하는 조서.

공판 투쟁【公判鬪爭】 명 형사 사건의 공판정을 투쟁의 장소로 이용하여 피고인측이 자기의 주장·요구 등을 명언(明言)하고, 선전 및 선동의 목적을 달성하려는 방법.

공:판 회:사【共販會社】 명 가맹 업자(加盟業者)의 제품을 공동 판매하기 위한 회사.

공-팔포【空八包】 명 〈속〉 〖역〗 조선 시대 후기에, 연행(燕行) 사신이 서울의 각 군문·아문으로부터 돈을 빌려서, 팔포(八包) 이외의 상행위를 하던 일.

공패【功牌】 명 공로 있는 사람에게 내리어 주는 패.

공편[1]【公便】 명 공평하고 편리함. ——-하다 형여불. ——-히 부

공:편[2]【共編】 명 두 사람 이상이 공동으로 책을 퍼냄. 또, 그 책. ——-하다 타여불

공평[1]【公平】 명 치우침이 없이 공정함. ¶ ~한 처사. ——-하다 형여불. ——-히 부

공평[2]【公評】 명 ①공정한 비평. ②공중(公衆)의 비평. ——-하다 타여불

공평 무사【公平無私】 명 공평하고 사사로움이 없음. ——-하다 형여불. ——-히 부

공평 의:무【公平義務】 명 〖정〗 전시에 중립국이 교전 중의 어느 국가에 대해서도 전쟁 수행상의 편의를 제공하지 말아야 할 의무. 방지 의무(防止義務)와 피지 의무(避止義務)로 대별함.

공평의 원칙【公平—原則】 [—/—에—] 명 ①〖사〗 신문·방송 등에서, 공중(公衆)에게 있어서 중요한 논쟁적 문제에 대하여 다원적 언론과 소수 의견을 공평하게 보장하고, 또한 그 쟁점에 대하여 반대 의견을 표명할 기회를 확보한다는 원칙. 원래 미국에서 방송에 대하여 적용하여 오다가 1969년의 최고 재판소 판결로 그 합헌성(合憲性)이 확정되었음. ②과세(課稅)는 국민 누구에게나 수입과 과세 능력에 따라 공평하게 부과되어야 한다는 원칙.

공포[1]【公布】 명 ①일반에게 널리 공표하여 알림. ②〖법〗 법령(法令)·예산·조약 등을 일반 국민에게 고시(告示)함. 보통 관보(官報) 등 정부의 정기 간행물에 게재됨. ——-하다 타여불

공포[2]【公逋】 명 일반 공중(公衆)에게 진 빚.

공포[3]【功布】 명 관(棺)을 묻을 때, 관을 닦는 삼베 헝겊. 발인(發靷)할 때에 명정(銘旌)과 함께 앞에 세우고 감.

〈공포[3]〉

공포[4]【空包】 명 실탄 대신에 나무나 종이로 만든 마개를 장치하여 발사 소리만 나게 한 연습용 탄약. ↔실포(實包).

공포[5]【空胞】 명 〖생〗 세포 안의 액포(液胞). 식물 세포에서 흔히 볼 수 있으며 성장(成長)과 더불어 불어 감. 동물 세포에 있어서는, 원생 동물(原生動物)에서 배설(排泄) 작용을 하는 수축포(收縮胞) 또는 소화 작용을 하는 식포(食胞)로서 나타남.

공포

〈공포[5]〉

공포[6]【空砲】 명 ①실탄을 재지 아니한 발포. 헛총. ¶ ~를 쏘다. ②위협하기 위하여 공중으로 향하여 쏘는 총.
공포(를) 놓다 구 ㉠공포를 쏘다. ㉡전(轉)하여, 위협 주다. 공갈하다.

공:포[7]【拱包·貢包】 명 〖건〗 처마 끝의 무게를 받치려고 기둥 머리 같은 데에 짜맞추어 댄 나무쪽들. 두공(枓拱). 포작(包作).

공:포[8]【貢布】 명 〖역〗 결세(結稅)로 바치는 베.

공:포[9]【恐怖】 명 ①무서움과 두려움. ¶ ~에 떨다. ②〖심〗 미래에 있어서 고통이나 재앙을 받을 것이라고 생각할 때 일어나는 정서(情緖).

공:포-감【恐怖感】 명 무섭게 생각되는 느낌. ¶ ~에 사로잡히다.

공포-문【公布文】 명 〖법〗 헌법·법률·조약 등을 공포할 때, 공포 법령 앞에 붙이는 전문(前文). 법령(法令)의 일부가 아님.

공포 발화【空砲發火】 명 실탄은 없이 화약만 재어 총포를 발포함. ——-하다 자타여불

공:포 시대【恐怖時代】 명 ①악정(惡政)으로 인하여 생명과 재산에 위협을 받아 백성이 불안을 느끼는 시대. ②〖역〗 프랑스 대혁명 때 과격 공화주의(過激共和主義) 당파인 자코뱅(Jacobins) 당이 정권을 잡고 왕당파(王黨派)·온화파(溫和派)를 가차(假借)없이 처형하여 이른바 공포 정치를 행한 기간. 1793년 4월에 시작하여 이듬해 7월까지 이름.

공:포 신경증【恐怖神經症】 [—쯩] 명 〖심〗 신경증의 하나. 자기 행동을 빈번히 방해하고, 때로는 신체 증상을 수반하여 긴장과 불안을 조성하는 지속적인 공포증.

공:포-심【恐怖心】 명 무서워하는 마음.

공포-약【空砲藥】 명 실탄을 재지 아니하고 발포할 수 있는 장약(裝藥). 예포(禮砲)·신호(信號) 따위에 씀.

공:포의 균형【恐怖—均衡】 [—/—에—] 명 2차 대전 후의 냉전기(冷戰期)와 그 이후의 동서 양진영의 공존(共存)이 단순한 '힘의 균형'에 그치는 것이 아니고 대량 학살 무기인 핵무기에의 상호(相互) 공포에 근거를 두고 있음을 형용한 말.

공포-일【公布日】 명 법령 등을 공포(公布)한 날짜.

공:포 정치【恐怖政治】 명 ①〖정〗 광포(狂暴)한 수단을 써서 반대당(反對黨)을 탄압하여 행하는 정치. 공하 정치(恐嚇政治). ②〖역〗 프랑스 대혁명 때 과격 공화주의(過激共和主義) 당파인 자코뱅(Jacobins) 당이 행한 탄압 정치.

공포-증【恐怖症】 [—쯩] 명 〔phobia〕 〖의〗 어떤 특정 사물에 대하여, 그 이유가 없음을 알면서도 공포·불안을 느끼는 신경증. 질병(疾病) 공포·동물 공포·범죄(犯罪) 공포·대인(對人) 공포 등 여러 가지임.

공:포-탄【空砲彈】 명 화약은 들어 있으나 탄알이 없는 탄환. 예포(禮砲)·신호 따위에 씀.

공폭【空爆】 명 〖군〗 ↗공중 폭격(空中爆擊). ——-하다 자타여불

공-표[1]【一標】 명 동그라미표.

공표[2]【公表】 명 세상에 널리 발표함. ——-하다 타여불

공표[3]【空表】 명 기계의 구조가 간단한 구식 회중 시계의 한 가지.

공표[4]【空票】 명 ①값을 치르지 아니하고 거저 얻는 입장권·차표 등의 표. ②추첨 같은 데서 아무런 배당이 없는 표.

공:피-병【鞏皮病】 [—뼝] 명 〖의〗 피부가 경화(硬化)하여 나뭇 조각처럼 되는 피부병의 한 가지. 강피증(強皮症). 경피증(硬皮症).

공핍【空乏】 명 결핍(缺乏)함. ——-하다 자여불

공:하[1]【恭賀】 명 공경하여 축하함. 근하(謹賀). ——-하다 타여불

공:하[2]【恐嚇】 명 공갈(恐喝). 위협(威脅). ——-하다 타여불

공:-하다[1]【供—】 타여불 ①이바지하다. ②제공하다.

공:-하다[2]【貢—】 타여불 ①공물(貢物)을 바치다. ②이바지하다.

공-하다[3]【空—】 형여불 힘을 들이지 아니하고 거저 생기다.

공:하 신년【恭賀新年】 명 근하 신년(謹賀新年).

공:하 정치【恐嚇政治】 명 〖정〗 공포 정치(恐怖政治)❶.

공학[1]【工學】 명 〔engineering〕 공업에 이바지할 것을 목적으로 자연 과학적 수법을 써서 신제품(新製品)·신제법(新製法)·신기술(新技術)을 연구하는 학문. 토목 공학·건축학·기계 공학·선박 공학·항공학·전기 공학·전자 공학·원자력 공학·야금학(冶金學)·응용 화학 따위.

공:학[2]【共學】 명 이성(異性) 또는 이민족(異民族)이 한 학교 또는 한 학급에서 함께 섞이어 배움. ¶ 남녀 ~. ——-하다 자여불

공학 박사【工學博士】 명 공학에 관한 학술을 전공(專攻)하고 그 온오(蘊奧)를 다하여, 일정한 제도상의 절차·조건에 합격 통과한 사람에게 주는 학위. 또, 그 학위를 받은 사람.

공학-부【工學部】 명 〖교〗 종합 대학이나 또는 여러 학과(學科)의 부문(部門)을 설치하고 있는 대학에서 공학을 전수(專修)하는 학부.

공학-사【工學士】 명 공과 대학 또는 대학의 공학부를 졸업한 사람에게 수여하는 학위. 또, 그 학위를 받은 사람.

공학 석사【工學碩士】 명 공학을 전공하여 대학원의 소정 연구 과정을 마친 후, 석사 학위 논문이 통과된 사람에게 주는 학위. 또, 그 학위를 받은 사람.

공한[1]【公翰】 명 공적(公的)인 서한(書翰). ↔사한(私翰).

공한[2]【空閑】 명 하는 일이 없어 한가함. ——-하다 형여불

공한-지【空閑地】 명 ①농경(農耕)이 가능하면서도 아무것도 심지 아니한 토지. ②집을 짓지 아니한 빈 터.

공한지-세【空閑地稅】 [—쎄] 명 〖법〗 지상에 정착물(定着物)이 없고 사용하지 아니하는 대지·잡종지(雜種地)에 과하는 지방세.

공한-처【空閑處】 명 ①임자 없는 빈 곳. ②아무도 없어 한가한 곳.

공함[1]【公函】 명 〖역〗 공사(公事)에 관하여 주고받는 편지. 공찰(公札). ↔사함(私函).

공:함[2]【攻陷】 명 공격하여 함락시킴. ——-하다 타여불

공함[3]【空函】 명 ①빈 상자. ②빈 봉투. ③빈 함(函).

공합【空盒】 명 〔chamber〕 〖물〗 동심원상(同心圓狀)의 주름이 달린, 얇은 두 장의 금속판의 둘레를 접합하여 만든 진공 상자. 안팎에 작용하는 압력의 차에 따라 중심축(中心軸) 방향으로 오그라드는 것을 이용하여 압력계 등에 사용함.

공합 청우계【空盒晴雨計】 명 〖물〗 아네로이드(aneroid) 기압계.

공항[1]【公項】 명 〖수〗 일반항(一般項).

공항[2]【空港】 명 정기 항공기 등의 상업용 항공기가 발착(發着)하는 지상 또는 수상(水上)의 비행장. 활주로와 대합실·격납고(格納庫) 등이 시설되어 있으며, 항공 관제탑(航空管制塔)에 의해서 그 공역(空域)·지역(地域)내의 교통 관제를 실시함. 국제 공항에는 세관·검역(檢疫)·출입국(出入國) 관리 등의 사무소가 있음. 에어포트(airport). 항공항

공항 감시 레이더

(航空港). ¶김포 (監視一) 명 〔airport surveillance radar〕 지
공항 감시 레이더 나 레이더 관제에 있어서, 비행장이나 관제권
상 관제 진입(進 감시·관제하는 레이더 장치. 보통 9,000메
내를 비행하는 펄스(puls)를 사용, 반지름 70-100 km의 범위
가헤르츠대(하여, 이에 지시를 주는 데 사용함. 약칭: ASR.
에 있는 항 명 외국에서 국내로 들어오는 항공기의 탑승원
공항 검:역 항에서 실시하는 검역.
공항 검:역소 (疫所) 명 〔법〕 전염병의 국내와 국외 전파를 방지
및 여객 설치한 기관.
공항 검 명 〔airport engineering〕 〔공〕 항공기의 이착륙·
하기 물의 출납을 위한 시설을 계획·설계·건설·운용·유

공항 【空港交通管制塔】 명 〔airport traffic control tower:
서 터미널 관제를 하는 장소. 모든 이착륙 동작, 출
항공기나 차량의 지상 이동을 관제함.
【空港面探知裝置】 명 〔airport surface detection
은 고주파를 사용, 공항 내의 항공기나 차량을 탐지하
하는 근거리 레이더 장치. 안개·비 따위로 시계(視界)
이동을 관제하여 충돌 등의 사고를 일으키지 아니하도
SDE.
港一】〔bus〕 명 공항과 도심지, 공항과 역(驛) 따위를 왕
등을 실어나르는 버스. 에어포트 버스.
명 공공에 미치는 해. 산업의 발달, 교통량의 증가에 따라
정신적·육체적·물질적으로 받는 여러 가지 피해와 자연
, 즉 소음·진동·매연·먼지·악취·폐수(廢水)·지반 침하(地
독 가스·방사성 폐기물 따위로 인한 피해를 말함. ¶~ 방
환경 보전법.
명 〔법〕 어느 나라의 주권(主權)에도 속해 있지 아니하고,
이 공통적으로 사용할 수 있는 해양(海洋). 어느 나라 선박
라도 자유로이 왕래하고 또 어업도 할 수 있음. ↔영해(領海).
公廨】 명 〔역〕 관가(官家) 소유의 건물. 공청(公廳). 「과 바다.
【空海】 명 ①하늘처럼 가이없는 바다. ②바다와 같은 창공. ③하늘
해 교:육【公害敎育】 명 주민의 생명·건강·생활 등에 심각한 영향을
주고 있는 공해에 관한 교육.

공해 방지 국제 규칙【公害防止國際規則】 명 1972년 2월 경제 협력 개발 기구의 환경 위원회에서 채택하고, 5월의 각료 이사회에서 결의한 기본 강령. 공해 방지 비용(費用)은 발생 기업이 부담해야 한다는 오염자 부담의 원칙을 내세움.

공해 방지 산:업【公害防止産業】 명 중유 탈황(重油脫黃) 장치·선진기(選塵機)·배(排)가스 처리 장치·유수(油水) 분리 장치·오니(汚泥) 처리 장치·이온 교환 장치·여과 장치·소각로(燒却爐) 등 공해 방지 기기(機器)의 생산 판매를 담당하는 산업 분야.

공해-병【公害病】[一뼝] 명 수질 오탁(汚濁)·대기 오염 등의 공해로 해서 일어나는 병. 대기 오염(大氣汚染) 관계의 광화학(光化學) 스모그 장애·기관지 천식(氣管支喘息)·각종 농약 중독·폭음(爆音)에 의한 정신 장애 및 바닷물의 수은 오염어(水銀汚染魚)에 의한 만성 중독 등.

공해 산:업【公害産業】 명 대기 오염 및 수질 오염, 기타의 환경 오염의 주된 원인이 되는 산업. 제철 제강 공업·석유 화학 공업 및 펄프 공업 따위.

공해 수출【公害輸出】 명 공해 기업을 국내에서 해외로 옮겨 세우는 일.

공해 어업【公海漁業】 명 공해에서 행하여지는 어업. ↔영해 어업.

공해 자유의 원칙【公海自由一原則】[一/一에] 명 공해가 어느 나라의 영유(領有)나 주권적 지배에도 속하지 아니하므로 각국은 공해를 항해(航海)·통상(通商)·어업 등을 위해 자유로이 사용할 수 있다는 국제법상 확립된 원칙.

공해 재판【公害裁判】 명 주민이 공해 발생원(發生源)인 공장 등을 상대로, 조업(操業) 중지나 손해 배상을 청구하는 소송. 공해 소송. 「받.

공해-전【公廨田】 명 〔역〕 각 관청에 급전(給田)으로서 반급(頒給)한 논

공해 전시【公廨田柴】 명 〔역〕 내장택(內庄宅)·정부의 각 사직(司直)·주(州)·현(縣)·관(館)·역(驛) 등에 정급(定給)하여 주던 논밭과 임야(林野). 「비용으로 쓰기 위하여 지급하던 토지.

공해 전시과【公廨田柴科】 명 〔역〕 고려 때 중앙과 지방의 각 관아의

공해 표류 비:축 방식【公海漂流備蓄方式】 명 석유(石油)의 해상 비축(海上備蓄) 방식의 하나. 유조선(油槽船)으로 하여금 태풍 따위의 해난(海難)을 피하면서 해류(海流)를 타고 공해상을 적당히 표류하게 하고 승무원 교대나 물자 보급 때에만 모항(母港)에 돌아오게 하는 방식.

공행[1]【公行】 명 ①공무(公務) 여행. ②일반 대중이 널리 행함. ③거리낌 없이 공공연하게 행함. ④중국, 청대(淸代)에 광주(廣州)에서 외국 무역을 독점한 특허 상인(特許商人)이 결성한 조합. ——-하다 자여불

공행[2]【空行】 명 ①헛걸음. ②글을 쓰지 않고 비워 둔 줄. ——-하다 자여불

공행[3]【恭行】 명 삼가 행함. ——-하다 타여불 「다는 말.

공행 공반【空行空返】 명 행하는 것이 없으면 제게 돌아오는 소득도 없

공허[1]【公許】 명 ①관허(官許). ②공식 허가. ——-하다 타여불

공허[2]【空虛】 명 ①속이 텅 빔. 아무 것도 없음. 공광(空曠). ¶~한 이야기. ②방비(防備)가 없음. ——-하다 형여불

공허-감【空虛感】 명 텅 빈 듯한 허전한 느낌.

공허지-지【空虛之地】 명 아무 것도 없는 빈 땅.

공:헌【貢獻】 명 ①〔역〕 공물(貢物)을 상납(上納)함. ②힘을 들이어 이바지함. 기여(寄與). ¶회사에 대한 ~도(度)가 크다. ——-하다 자타여불

공현【空弦】 명 화살을 시위에 먹이지 않고 빈 활을 쏘는 일.

공:현 석굴【鞏縣石窟】 명 〔지〕 궁 현 석굴.

공현 축일【公顯祝日】 명 〔천주교〕 ↗주(主)의 공현 대축일.

공:혈[1]【孔穴】 명 ①구멍. ②〔한의〕 혈(穴)❶.

공:혈[2]【供血】 명 〔의〕 수혈용(輸血用)의 혈액을 제공함. 헌혈(獻血). ——-하다 자여불

공:혈-자【供血者】[一짜] 명 수혈(輸血)하도록 피를 제공하는 사람.

공형【公兄】 명 ↗삼공형(三公兄).

공:형 기하학【共形幾何學】 명 〔conformal geometry〕 〔수〕 도형(圖形) 이 원(圓)이라고 하는 성질 또는 두 원이 만드는 각(角) 등을 연구 대상으로 하는 기하학. 「익(法益)을 박탈하는 형벌.

공-형벌【公刑罰】 명 〔법〕 국가가 범죄(犯罪)에 대하여 사인(私人)의 법

공호【空濠】 명 물이 마른 해자(垓字).

공화[1]【公貨】 명 공금(公金). 공공(公共)의 재물.

공:화[2]【共和】 명 ①공동 화합(和合)함. ②〔정〕 두 사람 이상이 공동 화합하여 정무(政務)를 시행(施行)함. ↔전제(專制). ——-하다 타여불

공:화[3]【供花·供華】 명 ①죽은 사람에게 꽃을 바침. 또, 그 꽃. ②〔불교〕 불전(佛前)에 꽃을 바침. 또, 그 꽃. ——-하다 타여불

공화[4]【空華】 명 ①〔의〕 안화(眼花). ②〔불교〕 눈병에 걸린 눈으로 허공(虛空)을 바라보면 공중(空中)에 꽃이 있는 듯이 보이는 것처럼 번뇌(煩惱)로 말미암아 떠오르는 여러 가지 망상(妄想).

공:화-국【共和國】 명 ①〔republic〕 〔정〕 공화 정치를 하는 나라. 귀족 정치·과두(寡頭) 정치의 나라도 공화국이 있지만 가장 순수하고 전형적인 것은 민주 공화국(民主共和國)이며, 민주 공화국 중 가장 전형적인 것은 아메리카 합중국임. ↔전제국(專制國). ②〔그 Res Publica〕 〔책〕 그리스의 플라톤(Platon)이 쓴 저명(著名)한 대화편(對話篇). 그가 정의(正義)의 이데아(idea)의 실현(實現)이라고 하는 이상적(理想的) 국가를 상상하여 썼음. ㊀공국(共國). ＊민국·민주국.

공:화-당【共和黨】 명 ①〔Republican Party〕 〔정〕 민주당과 더불어 미국의 이대 정당(二大政黨)의 하나. 1854년 결당(結黨)하여 처음에는 페더럴리스트 내셔널 리퍼블리컨(Federalist National Republican)이라 칭하였음. 초대 당수 해밀턴(Hamilton) 시대부터 중앙 집권(中央集權)과 보호 관세주의(保護關稅主義)를 주장하였으며 보수적인 성격이 강함. 주로 북부의 공업 지대에 지반(地盤)이 확립되어 있음. ②↗민주 공화당.

공:화-력【共和曆】 명 〔역〕 프랑스 혁명 때, 1794년부터 1806년까지 사용된 역법(曆法). 9월 22일인 공화제 선언(共和制宣言)의 날을 원년(元年) 1월 1일로 기산(起算)하고, 1년을 12개월, 매달을 30일로 하며, 나머지 5일을 국경일로 충당하고, 4년마다 있는 윤일(閏日)은 혁명일(革命日)로 정하였음. 혁명력(革命曆).

공:화 정부【共和政府】 명 공화제(共和制)를 채택하는 나라의 정부.

공:화 정체【共和政體】 명 〔정〕 공화 정치의 정체. ↔전제(專制) 정체.

공:화 정치【共和政治】 명 〔commonwealth〕 〔정〕 주권(主權)이 한 사람의 의사(意思)에서가 아니고 합의체의 기관에서 나오는 정치. 과두(寡頭) 정치·귀족(貴族) 정치도 여기에 포함되나 근세(近世)에 와서는 오직 민주 정치만을 일컬음. ↔전제 정치. ＊민주 정치(民主政治).

공:화-제【共和制】 명 〔정〕 ↗공화 제도. ↔군주제(君主制).

공:화 제:도【共和制度】 명 〔정〕 공화 정치의 제도. ㊀공화제. ↔전제 제도(專制制度). 「적으로 하는 정치상의 입장.

공:화-주의【共和主義】[一/一이] 명 공화제의 실현 또는 유지를 목

공화-증【空話症】[一쯩] 명 〔의〕 엉뚱한 공상과 거짓말을 말하는 병적인 증세. 흔히 이 증세에 걸린 사람에게는 허위와 현실이 혼동(混同)되어 있음.

공:화-회【供華會】 명 〔불교〕 ①네 철을 따라 그때그때의 새로운 꽃을 부처에게 공양하는 의식. ②백일·천일을 정하여 놓고 끊임없이 새로운 꽃을 바쳐 기도하는 불사(佛事). 「여불

공환【空還】 명 목적을 이루지 못하고 헛걸음으로 돌아옴. ——-하다 자

공활【空豁】 명 매우 넓음. ¶가을 하늘 ~한데 높고 구름 없이 ≪尹致昊: 찬미가≫. ——-하다 형여불

공:황[1]【恐惶】 명 두려워서 어찌할 바를 모름. ——-하다 자여불

공:황[2]【恐慌】 명 ①급변(急變)한 사태(事態)에 놀라고 두려워 당황함. ②〔경〕 ↗경제 공황(經濟恐慌). 「的敍述).

공:황-사【恐慌史】 명 〔경〕 경제 공황에 관한 사실의 역사적 서술(歷史

공:황 주기설【恐慌周期說】 명 〔경〕 공황이 일정 기간마다 반드시 일어난다고 보는 학설. 19세기 전반(前半)의 태양 흑점설·신용 순환설(信用循環說) 등은 대략 10년마다 공황이 일어난다고 해석하였는데, 사실은 이 설과 같지 아니함.

공:황 학설【恐慌學說】 명 〔경〕 경제 공황 내지 경기 순환(景氣循環)에 관하여 독립하여 설명하려는 이론적 견해. 주요한 학설로 판로설(販路說)·태양 흑점설(太陽黑點說)·과잉 생산설(過剩生産說)·과소 소비설(過少消費說) 등이 있음.

공회[1]【工會】 명 〔사〕 중국의 노동 조합. 1917년 조직됨. 공인회(工人會).

공회[2]【公會】 명 ①공사(公事)로 인한 모임. ②공중의 회합. ③공개 회의. ④〔congress〕 〔정〕 중대 문제를 의결하기 위하여 열리는 국제 회의. 1878년의 베를린 공회 따위. ⑤중국에서 공인(公認)을 받은 동업 조합. ⑥〔그 sanhedrin〕 로마 시대의 유태인의 의회. 예루살렘과 각 지방 고을에 있었는데, 예루살렘의 것은 71인의 공회원으로 구성되고 의장은 대제사장(大祭司長)이 됨. 주로 국민의 종교 생활을 감독하며 민사(民事) 문제도 관할하였음.

공회[3]【空懷】 명 헛된 생각.

공회-당【共會堂】명 공중 회합을 위하여 세운 건물.
공회-원【公會員】명 유대의 의회인 공회의 의원. *공회(公會).
공효【功効】명 ①보람. ②효험(効驗). 효력.
공후¹【公侯】명 ①제후(諸侯). ②공작(公爵)과 후작(侯爵).
공후²【箜篌】명 〔악〕 옛날 중국·한국·일본에서의 현악기(絃樂器)의 한가지. 음색(音色) 및 모양이 서양의 하프와 비슷한 악기로, 활 모양의 틀에 21현(絃)을 맨 수공후(竪箜篌), 모양은 비슷하되 작고 13현인 소(小)공후, 타원형의 공명통(共鳴筒)을 가지며 13현인 와(臥)공후의 세 가지가 있음.

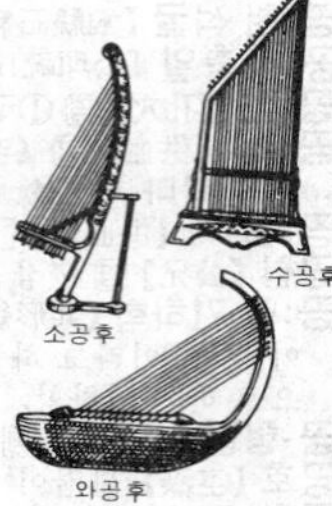

〈공후²〉

공후-인【箜篌引】명 〔문〕 고조선(古朝鮮) 때, 곽리 자고(霍里子高)의 처 여옥(麗玉)이 지은 노래. 중국 진(晉)나라 사람 최표(崔豹)의 《고금주(古今註)》에 아래와 같이 한역(漢譯)되어 전함. 곧 '공무도하(公無渡河), 공경도하(公竟渡河), 타하이사(墮河而死), 장내공하(將奈公何)'. *공무도하가(公無渡河歌).
공훈【功勳】명 공로(功勞). 훈공(勳功).
공훈-장【功勳章】[—짱] 명 공로를 표창(表彰)하기 위하여 주는 훈장.
공훈-전【功勳田】명 〔역〕 고려 때, 공신(功臣)이나 귀순한 성주(城主) 또는 지방의 유력자들에게 주던 논밭. 5대 경종(景宗) 2년(977)부터 시작된 기록이 있음. *공신전(功臣田)·공음 전시(功蔭田柴).
공훤【公萱】명 〔사람〕 고려 태조(太祖) 때의 장수. 고려가 후백제(後百濟)를 칠 때, 대장군(大將軍)으로 선봉이 되어 후백제군을 격파함.
공휴【公休】명 ↗공휴일(公休日).
공휴-일【公休日】명 ①동업자의 정기적 휴일. ②공적(公的)으로 쉬기로 정해진 날. 곧, 국경일(國慶日)이나 일요일 따위. ㊀공휴(公休).
공휴 일궤【功虧一簣】명 〔'서경(書經)'에 나오는 말. 산을 쌓는데 한 삼태기만 쌓아올리면 다 될 것을 그만둔다는 뜻〕 오랜 고생도 하나의 과실(過失)로 실패함의 비유.
공:희【供犧】[—히] 명 옛날 신에게 희생 공물(犧牲供物)을 바치던 의례. 또, 그 공물. 동식물이 보통이나 사람을 희생으로 바치는 일도 있었음.
공:-히【共—】부 다 같이. 모두. ¶명실(名實)～.
공경ᄒᆞ다 타〈옛〉 공경하다. ¶越姬 마롤 恭공敬경ᄒᆞ샤텨(敬越姬之言)《內訓 2 上 29》.
공경ᄒᆞᆸ다 형〈옛〉 공경스럽다. ¶恭敬ᄒᆞᄫᆞᆫ ᄆᆞᅀᆞᆷ 아니 내리도 잇ᄂᆞ니《釋譜 XI:6》. 「《小諺 V:34》.
공슌ᄒᆞ다 형〈옛〉 공손하다. ¶모든 ᄉᆞ랑ᄒᆞ고 아ᅌᆞᆫ 공슌ᄒᆞ며(兄友弟恭)
공심 명〈옛〉 공심(空心). 공복. ¶됴ᄒᆞᆫ 분 ᄒᆞᆫ돈과 ᄂᆞᆯ춤기름 ᄒᆞᆫ홉과를 섯거 공심에 머그라(膩粉生麻油 相和空腹服之)《救簡 Ⅲ:66》.
공ᄉᆞ 명〈옛〉 정교(政敎). ¶黯이 나ᅀᅡ가 공ᄉᆞ롤 엳ᄌᆞ오려 ᄒᆞ더니(黯前奏事)《飜小學 Ⅸ:42》. *공ᄉᆞᄒᆞ다.
공ᄉᆞᄒᆞ다 타〈옛〉 공사(公事)하다. 상의하다. 의논하다. ¶제 지순 罪며 福올 다 써 琰魔法王ᄭᅴ 맛뎌든 뎌 王이 그 사ᄅᆞᄆᆞᆯ 무려 지순 罪며 福이며 혜여 공ᄉᆞᄒᆞ리니《釋譜 Ⅸ:30》.
공히 부〈옛〉 공연히. 부질없이. ¶공히(徒然之辭)《老朴集 單字解 2》.
곶¹ 명〈옛〉 꽃. =곳². ¶곶 됴코 여름 하ᄂᆞ니(有灼其華有蕡其實)《龍歌 2章》/빗 곶 爲梨花《訓例》/ᄀᆞᅀᆞᆳ돌와 봆고지(秋月春花)《金三 Ⅱ:6》.
곶² 명〈옛〉 꼬챙이. ¶ᄒᆞᆫ 고재 다 ᄢᅦ며(一串都穿)《法語 12》.
-곶【串】미 지명 밑에 붙어서 갑(岬)의 뜻을 나타내는 말. 관(串). ¶장산(長山)～/ 장기(長鬐)～.
곶-감 명 껍질을 벗기고 말린 감. 건시(乾柿). 관시(串柿). 백시(白柿). 【곶감이 접 반이라도 입이 쓰다】 마음에 안맞고 언짢아 입맛이 쓸 때 하는 말. 【곶감죽을 먹고 엿 목판에 엎드러졌다】 ㉠먹을 복이 연달아 터졌다는 말. ㉡연달아 좋은 수가 생겼다는 말. 【곶감죽을 쑤어 먹었나】 왜 웃느냐고 핀잔 주는 말.
곶감 꼬치에서 곶감 빼 먹듯 구 애써 알뜰히 모아 둔 것을 힘들이지 아니하고 하나씩 쏙쏙 빼어 먹어 없애는 모양.
곶감-쌈 명 곶감에 호두를 박아 동글납작하게 썬 음식.
곶다 타〈옛〉 꽂다. ¶붇 고잿ᄂᆞᆫ 架子앤(筆架)《杜諺 Ⅶ:31》.
곶리-도【串里島】[—니—] 명 〔지〕 전라 북도의 서해상, 군산시(群山市) 옥도면(沃島面) 곶리도리(串里島里)에 위치한 섬. [1.21 km²]
곶비 명〈옛〉 꽃비. 하늘에서 비 오듯 내리는 꽃. ¶쌍祥瑞ᄉ 구룸과 곶비도 ᄂᆞ리니《月印 上 30》.
곶 명〈옛〉 꽃. ¶져비는 ᄂᆞᄂᆞᆫ 고ᄎᆞᆯ 박차 춤츠ᄂᆞᆫ 돗긔 디ᄂᆞ다(燕蹴飛花落舞筵)《重杜諺 XV:33》.
과:¹ 명 〔식〕 ↗과꽃.
과² 명〈방〉 팽이¹(함남).
과³ 명〈옛〉 거문고의 기러기발. ¶과爲琴柱《訓例》. *괘(棵).
과⁴【戈】명 꺾창. *극(戟).
과⁵【瓜】명 성(姓)의 하나. 우리 나라에는 현존(現存)하지 아니함.
과:⁶【果】명 ①나무 열매. ②결과(結果). ③〔불교〕 인연 소생(因緣所生)의 일체의 법. ↔인(因). ④〔불교〕 불과(佛果).
과⁷【科】명 ①연구 분야를 분류한 소구분(小區分). 부문(部門). ¶국어～/정치 외교～. ②〔생〕 생물학상의 분류 계급. 목(目)과 속(屬)과의 중간의 분류 단위임. ¶국화～/고양잇～. ③〔역〕 ↗과거(科擧). ④〔악〕 판소리나 가면극에서 소리나 놀이를 하면서 취하는 몸짓. *발림.
과⁸【課】명 사무 조직의 한 작은 구분. ¶총무～/관리～.
과⁹ 조 ①받침 있는 체언 밑에서 열거를 나타내는 접속 조사. ¶형～아우/말～ 소. ②받침 있는 체언에 붙어, 다[...] 조사. ¶이 책～ 저 책/그 것～ 같다. ③받침 [...] 함을 나타내는 부사격 조사. ¶김군～ 같이 가[...]
과¹⁰【果】조〈이두〉 과. 와.
과:-【過】두 ①'지나친·과도한'의 뜻. ¶～적재(積載) ②[...] 준 또는 보통의 원자가(原子價) 관계 이상의 비율[...] 있음을 나타내는 접두어. ¶～산화 수소(過酸化水素)
과가 명〈방〉 〔역〕 과거(科擧)(평안).
과:각【過刻】명 조금 전.
과갈【瓜葛】명 〔외와 칡은 덩굴이 벋고 그 가지와 잎이 [...]는 점이 인척 사이의 관계와 같다는 뜻에서 온 말〕 인척[...] 친(瓜葛之親). *척의.
과갈-간【瓜葛間】명 과갈 사이. 인척간(姻戚間).
과갈이 부〈옛〉 갑자기. 급히. =가골이. ¶과갈이 님자 엇기[...] 且難着主兒)《老解 下 56》.
과갈지-의【瓜葛之誼】[—/—이] 명 인척 사이의 정의(情誼). 척[...]
과갈지-친【瓜葛之親】명 ①과갈(瓜葛). ②과갈이 되는 사람.
과:감¹【果敢】명 과단성이 있고 용감함. 결단성이 강함. ——하[...] 여불〉. ——히 부
과:감²【過感】명 지나치게 고마움. ——하다 형여불. ——히 부
과:감-스럽다【果敢—】형ㅂ불 과감하게 보이다. 과:감-스레【果敢[...]
과갑¹【戈甲】명 창과 갑옷.
과갑²【科甲】명 〔역〕 과거(科擧)에 급제함.
과강【課講】명 〔역〕 왕의 임명을 받은 시험관이 강독(講讀) 시험을 보임. ——하다 자여불
과개 명〈방〉 〔역〕 과거(科擧)(평안·경상).
과객¹【科客】명 〔역〕 과거(科擧)를 보러 온 선비.
과:객²【過客】명 ①지나가는 손. ②과객질하는 나그네.
과:객-질【過客—】명 노자(路資) 없이 남의 집을 찾아다니며 얻어먹고 다니는 나그네 노릇. *망문 투식(望門投食). ——하다 자여불
과거¹ 명〈방〉 홍역(紅疫)(경북).
과거²【科擧】명 〔역〕 〔과목(科目)에 응하여 인재를 거용한다는 뜻〕 문무관을 등용할 때 보이던 시험의 총칭. 중국에서는 수·당(隋唐) 때 제정하여 수재(秀才)·진사(進士)·명경(明經) 등의 여섯 과(科)로 나누어 경전(經典)·시문(詩文) 등을 시험하고, 송(宋) 이후에 과는 진사만으로 되고 향시(鄕試)·회시(會試)·전시(殿試)를 신설(新設)하였다가 청말(淸末)에 폐지하였으며, 우리 나라에서는 고려 광종(光宗) 9년(958)에 제정하여 조선 고종(高宗) 31년(1894) 갑오 개혁 때까지 계속하였는데, 과의 종류는 문과(文科)·무과(武科)·잡과(雜科)가 있었음. 과시(科試). 과제(科第). ㊀과(科)·과목(科目). ——하다 자여불 과거에 급제하다. 【과거를 아니 볼 바에야 시관(試官)이 개떡 같다】 제게 관련이 없는 일이라면 조금도 두려워할 것이 없다는 말. 【과거 전에 창부(倡夫)】 일이 채 이루어지기도 전에 다 된 듯이 경솔하고 망령된 짓을 함을 비웃는 말. 과거(를) 보다 구 과거에 응시하다.
과:거³【過去】명 ①이미 지나간 때. 옛날. 지난날. ¶～를 회상하다. ②〔불교〕 ↗과거세(過去世). ③여러 가지 경난(經難). ¶～가 있는 여자. ④〔언〕 지나간 동작(動作)이나 모양을 나타내는 어법(語法). 현재(現在)에 '-았-'이나 '-었-의 보조 어간(補助語幹)을 더하여 씀. '나는 보았다', '그는 어제 글을 썼다' 등. ↔현재·미래.
과:거⁴【過擧】명 지나친 거동(擧動).
과:거⁵【寡居】명 과부(寡婦)로 지냄. 과처(寡處). ——하다 자여불
과거-꾼【科擧—】명 〔역〕 '과유(科儒)'의 낮은말. 과군(科軍).
과:거-로【過去路】명 지나는 길. 역로(歷路). ㊀과로(過路).
과거리 부〈옛〉 갑자기. 급히. =과걸리. ¶과거리 언제 초 除홈을 어드리오(急且幾時又得除)《朴解 中 46》.
과:거 분사【過去分詞】명 〔언〕 영어·프랑스어·독일어 등의 동사(動詞)의 한 변화형(變化形). 형용사의 성질을 띠었으며 완료형(完了形) 및 수동형(受動形)을 만듦.
과:거-사¹【過去事】명 지나간 과거의 일. 과거지사(過去之事). ↔미래[사].
과:거-사²【過去詞】명 〔언〕 과거를 나타내는 말.
과:거 생생【過去生生】명 〔불교〕 과거세(過去世)에 있어서, 태어났다가 죽고, 죽은 뒤 다시 태어나 유전 윤회(流轉輪廻)가 끝없음.
과:거-세【過去世】명 〔불교〕 전세(前世). ㊀과거(過去). ↔미래세.
과:거 시제【過去時制】명 〔언〕 활용어의 시제의 하나. 사건이나 동작이 일어난 시간이, 말하는 사람이 말한 시간보다 앞서 있는 시제. 활용어의 종결형 선어말 어미와 관형사형 어미로 나타냄.
과:거 예:정【過去豫定】명 〔언〕 동사의 예정상(豫定相)의 하나. 그렇게 예상되던 상황이 현재 전개되었음을 나타내는 어법(語法). '글을 읽게 되었다' 따위.
과:거 완료【過去完了】[—왈—] 명 〔언〕 과거 어느 때에 이미 있었거나 행하여졌던 동작을 나타내는 어법. 과거에 보조 어간 '-었-'을 더하여 씀. '그땐 우리도 젊었었지', '그는 한때 서울에 살았었지' 등. 대과거(大過去).
과:거 인과경【過去因果經】명 〔불교〕 ↗과거 현재 인과경.
과:거-장【過去帳】[—짱] 명 〔불교〕 절에서, 죽은 신도들의 속명·법명(法名)·죽은 날짜 등을 기록하여 두는 장부. 귀적(鬼籍). 귀부(鬼簿). *점귀부(點鬼簿).
과:거 장엄불【過去莊嚴佛】명 〔불교〕 삼천불(三千佛)의 하나. 화광불(華光佛)·비사부불(毘舍浮佛) 등의 천불(千佛)을 말함.
과거 제:도【科擧制度】명 〔역〕 과거를 시행하는 제도.
과:거지-사【過去之事】명 과거사(過去事). ¶～는 물에 씻고.

과거 지향

과:거 지향【過去指向】 ... 성의 체험에 있어서 지나간 체험을 의
식 안에 보류(保留)하 ... 래 지향(未來指向).

과:거 진:행【過去進 ... 동사의 진행상(進行相)의 하나. 지나간
어느 때에 동작이 ... 을 나타내는 어법(語法). '-고 있었다'
등으로 표시됨.

과:거 칠불【 ... 過去世)에 나타난 비파시(毘
婆尸)·시기 ... 子)·구류손(拘留孫)·구나함모니(拘那含
牟尼)·가 ... 일곱 부처.

과:거 현 ... 因果經】 명 『불교』 석가가 인과 응보의
... ㊐인과경·과거 인과경·과현 인과경.

... 과거리. ¶ 과걸리(急且)《譯語 下 49》.

... 제할 만한 상격(相格).

과:걸 ... 지나치게 격렬(激烈)함. ¶ ~한 운동/~한 성미.

「지나치게 격렬한 사람.

과격 ... 단체·정당 등에서 주의·주장·행동 등이
과격한 사상. 과격파가 주장하는 사상.

... 한 방법으로 주의(主義)·이상(理想)을 실현
... ②『사』 급진적 사회주의의 실행을 목적
... Bolsheviki).

... 을 내리어 결정함. ——-하다 타여불

... 손함. ——-하다 형여불. ——-히 부

... 있고 굳셈.

... 科擧)에 급제한 경사(慶事).

... 『한의』 상한병(傷寒病)과 비슷한 병. 상한병
... 下劑)를 알맞게 쓰면 4-5 일에 차도가 있으나
... 료를 하여도 차도가 없음.

... 조금 전에. 「비들이 모은 계.

... 거를 보는 데 쓰는 비용을 보충하기 위하여 선

... 計)함. 실책(失策)함. ——-하다 자여불

... 한 마리의 고니라는 뜻으로, 배우자를 잃은 사

... 』 복사뼈.

... 『역』 과문(科文)의 공부.

... 명 공로(功勞)를 자랑함. ——-하다 자여불

... 恭】 명 지나치게 공손함. ——-하다 형여불. ——-히 부

... 비례라 구 '과공 비례(過恭非禮)'와 같은 뜻.

... 【課工】 명 일과(日課)로 하는 공부.

... 공 비례【過恭非禮】 명 지나치게 공손한 것은 도리어 실례가 된다는 말.

과:과【果果】 명 『불교』 '열반(涅槃)'의 다른 이름. '수행(修行)의 결과가 보리(菩提)'이고, '보리의 결과가 열반'이라는 데서 나온 말.

과과으로【科科次】 부 〈이두〉 일일이. 세세(細細)히.

과:교-선【過橋仙】 명 『악』 춘앵전(春鶯囀)에 나오는 춤사위의 이름. 두 팔을 벌리고 좌우로 크게 세 번 도는 동작임.

과구【科具】 명 『역』 과장(科場)에서 쓰는 제구(諸具).

과구중-인【科臼中人】 명 평범한 여러 사람.

과군[1]【科軍】 명 『역』 '과유(科儒)'의 낮은 말. 과거꾼.

과:군[2]【寡君】 명 『역』 신하가 다른 나라 임금이나 고관에게 대하여 자기(自己) 나라 임금을 낮추어서 일컫는 말.

과궐【窠闕】 명 『역』 벼슬자리에 결원(缺員)이 있음.

과그르다 형 〈옛〉 급하다. ¶ 小人돌히 과그른 누치 서르보와셔(小人們驟面間斷見)《老解 上 37》.

과:극【過極】 명 몹시 분에 넘침. ——-하다 형여불

과글니【戈只】 부 〈이두〉 갑자기. 바삐.

과글리 부 〈옛〉 갑자기. 급히. =과마리. ¶ 요소이 時俗애 音이 上去셩이 서르 섯기여 뻐 과글리 고티기 어려온디라(近世 時俗之音 上去相混難以卒變)《小諺 凡例 3》.

과글이 부 〈옛〉 갑자기. 급하게. ¶ 과글이 가숨 알피롤 어더(卒患心痛)《佛頂 中 7》/暴流는 과글이 흐를씨라《楞嚴 V:13》.

과:급-기【過給器】 명 내연 기관(內燃機關)의 흡입(吸入) 압력을 높이는 작용을 하는 장치. 흡입 압력을 높이면 출력(出力)이 증가함. 예압기(豫壓器). 슈퍼차저(supercharger).

과긍【誇矜】 명 자랑함. ——-하다 자여불

과기[1]【瓜期】 명 ①기한이 참. ②『역』 벼슬의 기한. 과한(瓜限). ③여자의 15-16세 때.

과-기[2]【科技】 명 '과학 기술'의 준말. ¶ ~처(處).

과기[3]【科期】 명 『역』 과거를 보는 시기. 과시(科時).

과기[4]【堝器】 명 『공』 중국 송(宋)나라 때 산시요(山西窯)에서 구워 만든 도자기.

과:기[5]【過期】 명 기한이 지남. 과한(過限). ——-하다 자여불

과기-부【科技部】 명 ↗과학 기술부(科學技術部).

과:기 산:아【過期産兒】 명 과숙아(過熟兒)❷.

과마리 부 〈옛〉 갑자기. 바삐. =과글리. ¶ 과마리 드라오디 말며 과마리 도라가디 말며(毋拔來 毋報往)《內訓 I:7》.

과マ르다 형 〈옛〉 급하다. 심하다. ¶ 柔和善順ᄒᆞ야 과マ르디 아니ᄒᆞ며(柔和善順ᄒᆞ야 而不卒暴ᄒᆞ며)《妙蓮 V:57》.

과マ른 형 〈옛〉 과격한. '과マ르다'의 활용형. ¶ 과マ른 바룸과 섈른 비와(暴風疾雨)《瘟疫方 Ⅰ》.

과골이 부 〈옛〉 갑자기. =급하게. 가같이. ¶ 公이 과골이 色올 變커놀(公悖然變色)《妙蓮 Ⅶ:52》.

과:-꽃 명 『식』 [*Callistephus chinensis*] 국화과에 속하는 일년초. 줄기 높이 30-60 cm이고, 잎은 호생하는데, 밑의 잎은 유병(有柄)이며 비형(莖形), 가운데 잎은 능상(菱狀) 피침형, 위의 잎은 긴 타원형임. 7-9월에 남자색·청색·홍자색·자색·홍색 등의 대형 두화(頭花)가 핌. 중국 원산(原産)으로 냉냉한 지방의 산지에 나는데, 한국 각지 및 일본·중국·유럽에도 분포함. 관상용으로 재배함. 고의(苦薏). 당국화(唐菊花). 추금(秋錦). 추모란(秋牡丹). 취국(翠菊). ㊐과.

〈과꽃〉

과낙 명 〈방〉 과녁(평안).

과:남 명 ←과람(過濫). ¶ 일년 전부터 곤룡포 만드는 시중을 들었는데 비단 옷 한 벌이 ~할까《張德祚 : 狂風》. ——-하다 형여불

과남-풀 명 『식』 ①[*Gentiana triflora*] 용담과에 속하는 다년초. 줄기는 곧고 높이 30-60 cm 정도이며, 잎은 대생하고, 긴 타원상 선형(線形)임. 7-8월에 벽색(碧色) 꽃이 취산(聚繖) 화서로 밀생(密生)하는데, 화관(花冠)은 원통상 종형(鐘形)임. 산지(山地)에 나는데, 경남·경기·함남·함북 등지에 분포함. ②용담(龍膽).

과:납【過納】 명 세금·요금(料金)·대금(代金) 따위를 납부해야 할 규정(規定)의 금액보다 많이 내는 일. ¶ 세금을 ~하다. ——-하다 타여불

과내기 명 〈방〉 『동』 고양이(경북).

과:-내성【過耐性】 명 〔tachyphylaxis〕 『의』 미리 같은 처방(處方)으로 독성(毒性)이 약한 것을 소량(少量) 접종해 둠으로써, 장기 추출액(臟器抽出液)이나 혈청(血淸)의 투여(投與)에 대하여, 신속하게 탈감작(脫感作)하는 일. 「——-하다 타여불

과:냉【過冷】 명 〔←과랭〕 ①지나치게 냉각함. ②『물』 과냉각(過冷却).

과:-냉각【過冷却】 명 〔super-cooling〕 『물』 ①액체가 냉각하여 응고점(凝固點) 이하의 온도가 되어도 고체화(固體化)하지 않고 액상(液相) 그대로 있는 현상. ②증기의 온도가 내려서 이슬점(點) 이하로 되어도 액화(液化)하지 않고 증기압(蒸氣壓)이 포화 기압(飽和氣壓)보다 크게 되는 현상. 과냉. ③〔undercooling〕 『광』 금속을 변태시키지 않고, 변태 온도 이하로 냉각하는 일. *과냉 액체(過冷液體)·비행빙(飛行氷).

과:녀【寡女】 명 과부(寡婦).

과:녁 명 〔←관혁(貫革)〕 화살이나 총을 쏘는 연습을 할 때 목표로 세워 놓은 물건. 곡적(鵠的). 적(的). ¶ ~을 맞히다.

과:녁-빼기 명 똑바로 건너다 보이는 곳. *언덕빼기.

과:녁빼기-집 명 똑바로 건너다 보이는 곳에 있는 집. *막다른 집.

과:녁-판【一板】 명 과녁으로 세우는 나무판.

과년[1]【瓜年】 명 ①여자가 혼인의 과기(瓜期)에 이른 나이. ¶ ~의 처녀. ②『역』 벼슬의 임기가 찬 해.

과년(이) 차다 구 여자가 혼인 나이에 꽉 차다. 「하다 형여불

과:년[2]【過年】 명 여자의 나이가 혼기를 지남. ¶ ~한 딸을 두다. ——-

과년[3]【課年】 명 해마다 꼭꼭 함. 과세(課歲). ——-하다 자여불

과:년-도【過年度】 명 지난 연도. 작년도.

과:년도 수입【過年度收入】 명 과년도의 수입으로서 현년도 예산에 편입한 수입. 「서 지출하는 일.

과:년도 지출【過年度支出】 명 과년도에 속하는 경비를 현년도 예산에

과:념【過念】 명 너무 염려함. 과려(過慮). ——-하다 타여불

과농 소:초【課農小抄】 명 『책』 농업의 기술과 정책을 논한 박지원(朴趾源)의 저서. 중국 기술의 도입과 재래의 경험·기술을 개량할 것을 주장하고 있음. 15권.

과는 조 부사격 조사 '과'의 힘줌말. ¶ 그것~ 다르다. ㊐관. *와는.

과눈 조 〈옛〉 과는. ¶ 福과 힘과는 하놀콰 ᄀᆞ토더《月釋 Ⅰ:14》.

과:다[1]【過多】 명 너무 많음. ¶ 공급 ~. ↔과소(過少). ——-하다 형여불.

과다[2]【夥多】 명 퍽 많음. ——-하다 형여불. ——-히 부 ㄴ——-히 부

과:다 월경【過多月經】 명 『의』 월경 주기(周期)는 정상적이지만 매회(每回)의 출혈량이 이상적(異常的)으로 많은 증세. 자궁에 강한 출혈 또는 울혈(鬱血)을 일으키거나, 자궁근(筋)의 긴장 감퇴(緊張減退)를 일으켜서 생김. 「(胃酸) ~.

과:다-증【過多症】 [一쯩] 명 정도에 지나쳐 너무 많은 증상. ¶ 위산

과:단[1]【果斷】 명 일을 딱 잘라서 결정함. 용단(勇斷). ——-하다 타여불

과단[2]【科斷】 명 『역』 법에 비추어 죄를 판정함. ——-하다 타여불

과:단-성【果斷性】 [一썽] 명 일을 딱 잘라서 결정하는 성질. ¶ ~ 있는 조처.

과달라하라 〔Guadalajara〕 명 『지』 멕시코 제2의 도시. 아나우악 고원(Anahuac 高原)의 서부 할리스코 주(Jalisco 州)의 주도. 기후가 온화하고 상업의 대중심을 이룸. 섬유·시멘트·비누 등의 공업이 행하여지며, 특히 도자기가 유명함. [1,650,042 명(1990)]

과달루페 섬 〔Guadalupe〕 명 『지』 중앙 아메리카, 멕시코 북서단(北西端), 캘리포니아 반도 서부 해안의 태평양 쪽에 있는 화산도(火山島). 멕시코령. 해상(海象) 따위 동물이 많아, 조수 보호구(鳥獸保護區)로 되어 있음. [205 km^2]

과달카날 섬 〔Guadalcanal〕 명 『지』 태평양 서부, 솔로몬 제도 중의 가장 큰 섬. 화산성(火山性)의 산지(山地)와 울창한 열대 우림(熱帶雨林)으로 섬 전체가 덮임. 원주민은 주로 멜라네시아 계(系)이며 참마·타로토란·코프라(copra)·목재를 산출함. 제2차 대전중 미군과 일본군의 격전지(激戰地). 주도(主都) 호니아라(Honiara)는 솔로몬 공화국의 수도(首都)임. [5,668 km^2]

과달카날의 싸움 〔Guadalcanal〕 [一/一에一] 명 『역』 제2차 세계 대전중 1942년 8월-1943년 2월에, 미·일(美日) 양군 사이에 있었던 과달카날 섬 쟁탈전. 연합군은 이 싸움에서 승리, 총반격의 전기(轉機)를 잡음.

과달키비르 강【一江】 〔Guadalquivir〕 명 『지』 스페인의 남부 안달루

시아(Andalucia) 지방을 남서쪽으로 흘러 대서양으로 들어가는 큰 강. 농업 용수(用水)로 이용되며 유역은 과수 재배가 성함. [576 km]

과:당[1]【果糖】명〖화〗포도당과 함께 단 과일이나 꿀에 다량으로 함유(含有)되어 있는 육탄당(六炭糖)의 한 가지. 백색 분말(粉末)이며, 물·알코올에 녹음. 선광성(旋光性)이 있으므로 좌선당(左旋糖)이라고도 함. 발효하면 알코올이 됨. 프룩토오스(fructose). 「여불

과:당[2]【過當】명 보통보다 정도가 지나침. ¶ ~한 요구. ——-하다 형

과:당 경:쟁【過當競爭】명〖경〗기업간의 경쟁이 과도로 격렬하여, 경쟁자가 모두 망하게 되는 모순을 야기(惹起)하는 현상.

과:당-류【寡糖類】[—뉴] 명〔compound sugar〕〖화〗두 개 내지 여러 개의 단당체(單糖體)가 탈수 축합(脫水縮合)한 당류. 구성하는 당(糖)의 수에 의하여 2당체(糖體)·3당체·4당체·6당체로 구분됨. 「——-히 부

과:대[1]【過大】명 너무 큼. ¶ ~ 평가. ↔과소(過小). ——-하다 형여불.

과대[2]【誇大】명 작은 것을 큰 것처럼 과장(誇張)함. 풍을 침. ¶ ~ 선전. ——-하다 타여불 「허리띠. *요패(腰佩).

과:대[3]【銙帶】명〖역〗여러 가지 모양의 띠쇠 즉, 쇠장식을 달아서 만든

과대-광【誇大狂】명〖의〗↗과대 망상광(妄想狂).

과대 광:고【誇大廣告】명 상품의 내용·가격 등을 실제보다 과장되게 선전하여, 소비자에게 오인(誤認)을 주는 광고. 공정 거래법상 규제 대상이 됨.

과:대 구경탄【過大口徑彈】명〖군〗장갑판(裝甲板)의 두께보다 큰 직경을 가진 포탄.

과대 망:상【誇大妄想】명 자기의 능력·재산·용모 같은 것을 과장하여 그것을 사실이거니 하고 믿는 생각. *임신 망상. ——-하다 자여불

과대 망:상광【誇大妄想狂】명〖의〗과대 망상증에 걸린 정신병. 또, 그 병자. 준과대광(誇大狂). 「¶ ~ 환자.

과대 망:상증【誇大妄想症】[—쯩] 명〖의〗과대 망상에 빠지는 증세.

과:대-시【過大視】명 사물의 정도를 사실보다 과대하게 봄. 지나치게 중대시함. ——-하다 타여불

과:대 자본【過大資本】명〖경〗주식 회사에서 주주 출자 예산(豫算)을 대충 예산하여 과대하게 나타내는 자본.

과:대 최고【過大催告】명 채권자가 채무자에게 본래의 채무 내용보다 너무 큰 내용의 것을 청구하는 일.

과:대 평:가【過大評價】[—까] 명 사물을 실제 이상으로 평가함. ↔과소 평가(過小評價). ——-하다 타여불

과:대 황장【過大皇張】명 사물을 지나치게 떠벌림. ——-하다 타여불

과:댁【寡宅】명〔←과택〕↗과수댁(寡守宅).

-과댜 어미〈옛〉-고자. =-과뎌. ¶ 빅셩이 감발ᄒᆞ야 흥긔홈이 잇과댜호미오(欲民之有所感發而興起也)《警民篇 6》.

과:덕[1]【果德】명〖불교〗수행의 결과로 얻어지는 덕. 「다 형여불

과:덕[2]【寡德】명 몸에 갖춘 덕이 적음. 박덕(薄德). 비덕(菲德). ——-하

-과뎌 어미〈옛〉-고자. =-과댜·와뎌. ¶ 厄이 스러디과뎌ᄒᆞ노니(冀…

과:도[1]【果刀】명 과일을 깎는 칼. ㄴ災消)《月釋 序 25》.

과:-도[2]【果島】명〖지〗경상 남도의 남해상(南海上), 남해군(南海郡) 삼동면(三東面) 미조(彌助) 1리(里)에 위치한 섬. [0.35 km²:11명(1971)]

과:도[3]【過度】명 정도에 지나침. ¶ ~한 지출. ——-하다 형여불. ——-히 부 「에 도달함.

과:도[4]【過度】명〖불교〗생사(生死)의 바다를 건너 깨달음의 피안(彼岸)

과:도[5]【過渡】명 ①묵은 것에서 벗어나 새 것을 이루려는 도중(途中). ¶ ~기. ②〖언〗숨을 끊지 아니하고 어떤 음군(音群)을 발음할 때 한 음의 조음(調音)에서 다음 음의 조음으로 이행(移行)하는 것. 또, 그때 나는 소리. 과도음. *이중 모음(二重母音)·유기음(有氣音).

과:도-기【過渡期】명 ①한 계단에서 다른 계단으로 넘어가는 동안. ②〖사〗사회의 사상(思想)과 제도가 확립되지 않고 인심(人心)이 안정(安定)되지 못한 시기(時期). ¶ 전후(戰後)의 ~. 「상.

과:도기-적【過渡期的】명관 과도기의 특징을 나타내는 모양. ¶ ~ 현

과:도 시대【過渡時代】명 과도기에 처한 시대.

과:도 안정도【過度安定度】명〖물〗부하(負荷)가 변동(變動)한 직후처럼 기계의 운전 상태가 변하고 있는 과도 상태에 있어서의 안정도. *

과:도-음【過渡音】명〖언〗과도(過渡)❷. ㄴ안태(安態) 안정도.

과:도 응:답【過度應答】명〔transient response〕〖물〗특히 입력량(入力量)에 단계적·충격적 변화를 준 경우의 응답. *응답.

과:도적 과:잉【過渡的過剩】명〔transient overshoot〕〖물〗상태가 급격히 변화함으로 인해 어떤 양(量)이 지나치게 크게 되는 일.

과:도적 운:동【過渡的運動】명〔transient motion〕〖물〗새로운 정상 상태(定常狀態)가 되기까지 발생하는, 감쇠 진동적(減衰振動的)인 또는 좀더 복잡한 불규칙적인 운동.

과:도 적응【過度適應】명〖생〗생물의 어떤 형질(形質)이 적응의 도를 넘어 필요 이상으로 발달하는 현상. 매머드(mammoth)의 이빨 따위.

과:도 정부【過渡政府】명〖정〗한 정체(政體)에서 다른 정체로 넘어가는 과정에 임시로 조직된 정부. 준과정(過政).

과:도 현:상【過渡現象】명 ①하나의 정상 상태에서 다른 정상 상태로 이행(移行)하는 과도기에 일어나는 현상. ②〔transient phenomena〕〖전〗전기 회로에 전압을 가했을 때나, 회로를 끊었을 때에, 전압·전류의 값은 회로 중의 인덕턴스(inductance)나 저항의 양 등에 의하여 일시적으로 정상 상태와 다른 변화를 나타내는 현상. 「다 자여불

과:동【過冬】명 겨울을 지남. 겨울을 남. 겨우살이. 월동(越冬). ——-하

과:동-시【過冬柴】명 겨울에 때기 위하여 준비하여 두는 땔나무. *과하시(過夏柴).

과:동 준:비【過冬準備】명 겨울을 날 준비. 월동 준비.

과:두[1]【果頭】명〖불교〗과위(果位).

과두[2]【科頭】명 맨머리. 갓이나 두건 따

과두[3]【裹肚】명 수의(壽衣)의 한 가지. 염

과두[4]【裹頭】명 ①수의(壽衣)의 한 가지. 베. ②〖불교〗중이 가사(袈裟)로 머리를 싸

과:두[5]【寡頭】명 몇 사람 안 되는 우두머리. 치.

과두[6]【蝌蚪】명 꼬리가 달린, 개구리의 어린 것 올챙이.

과두 문자【蝌蚪文字】[—짜] 명〖문〗중국 옛 글 의 한 가지. 글자의 모양이 올챙이와 같이 글자 머리는 굵고 끝이 가늚. 황제(黃帝) 때에 창힐(蒼頡)이 처음으로 새 발자국에서 암시(暗示)를 얻어 지었다 함. 과두 조전(蝌蚪鳥篆).

과두시-사【蝌蚪時事】명 과두 시절(蝌蚪時節)의 일. 의 그 전에 고생하던 때의 일. 과두지사.

과두 시절【蝌蚪時節】명 개구리가 올챙이였던 시절이 재가 과거에 견주어 대단히 발전된 경우에, 그 발전되 가리키는 말.

과:두 정치【寡頭政治】명〔oligarchy〕〖정〗소수인(少數 을 장악한 정치. 과두제(寡頭制). *다두 정치(多頭政治).

과:두-제【寡頭制】명〖정〗과두 정치.

과두 조전【蝌蚪鳥篆】명〖문〗과두 문자. *조적(鳥迹)·조전

과두지-사【蝌蚪之事】명 과두시사.

과두-체【蝌蚪體】명〖문〗과두 문자의 서체(書體).

과들루:프 섬〔Guadeloupe〕명〖지〗중앙 아메리카 서인도 제도(諸島) 동부, 소앤틸리스(小 Antilles) 제도에 있는 섬. 좁은 해협 이에 두고 바스테르(Basse-Terre)·그랑드테르(Grande Terre)의 으로 이루어짐. 바나나·커피·카카오·설탕을 산출함. 1635년 프랑스 (領)이 되고, 1946년 부근의 속도(屬島)를 합하여 그 해외현(海外縣) 됨. 주도(主都)는 바스테르. [1,869 km²: 328,000명(1982)]

과등을【果等乙】조〈이두〉'과'와 '들'을 겹친 조사.

과디아나 강【—江】〔Guadiana〕명〖지〗이베리아 제2의 강. 스페인 중앙부에서 서류(西流), 스페인과 포르투갈의 국경에 달하고 남류(南流)하여 카디스 만(Cadiz 灣)에 흘러 듦. [834 km]

-과ᄃᆡ여 어미〈옛〉-고자. =-과뎌. ¶ 商聲으로 브르ᄂᆞᆫ 놀애를 듣과ᄃᆡ여ᄒᆞ야(商歌聽)《杜諺 Ⅱ:16》. *-되야.

과:-똑똑이【過—】명 지나치게 똑똑함. 또, 그런 사람. *윤똑똑이.

과:-라[1]【果蓏】명 나무 열매와 풀 열매.

과라[2]【蜾蠃】명〖충〗나나니벌.

-과라[3] 어미〈옛〉-았노라. -었노라. ¶ 巴州渝州ㅅ놀애를 세ᄒᆡ를 眞實로 ᄇᆡ브르 듣과라(巴渝曲三年實飽聞)《杜諺 Ⅶ:14》.

과라나〔guarana〕명 ①〖식〗무환자(無患子)나뭇과의 넝쿨 식물. 잎은 우상 복엽(羽狀複葉)으로 호생(互生)하고 노란 꽃이 원뿔꼴로 여러 개 핌. 과실은 배 모양인데, 직경 1 cm 정도의 검은 씨가 들어 있음. 브라질·우루과이 원산. ②그 씨로 만든 음료. 강장제임.

과락【科落】명 여러 학과목 중에서 한 과목만 점수 미달이 되는 일. 과

과란 조〈옛〉과는. ¶ 舍利와 經과 佛像과란《月釋 Ⅱ:73》. ㄴ목 낙제.

과:람【過濫】명 분수에 넘침. 분수에 지나침. →과남. ——-하다 형여불

과:량[1]【過量】명 분량이 과함. ¶ ~ 조사(照射) /~의 수면제를 복용하다. ——-하다 형여불

과량[2]【裹糧】명 양식을 쌈. 먼 길을 떠날 때에 양식을 싸가지고 감. ——-하다 자여불 「타여불

과:려【過慮】명 너무 염려함. 지나치게 근심함. 과념(過念). ——-하다

과:력【果力】명〖불교〗부처가 가진 자유 자재하고 불가사의한 힘. 수행의 결과로 얻어진 것임.

과령【科令】명 ①법령(法令). ②〖역〗과거를 시행하는 데 대한 영(令).

과:례【過禮】명 예가 지나침. 지나친 예절. ——-하다 자여불

과:로[1]【過勞】명 지나치게 일하여 고달픔. ¶ ~로 몸져 눕다. ——-하다

과:로[2]【過路】명 ↗과거로(過去路). ㄴ자여불

과로[3] 조〈옛〉'과'와 '로'를 합친 조사. ¶ 몸과 ᄆᆞᅀᆞᆷ과로 몯 아로ᄆᆞᆫ 모ᄆᆞᆫ 나모플 ᄀᆞ티 아로미 업고 ᄆᆞᅀᆞᄆᆞᆫ 섭섭ᄒᆞ야 眞實티 몯거니와《月釋 Ⅸ:23》.

과:로-사【過勞死】명 과중한 업무로 인한 근로자의 급사(急死). ——-하다 자여불

과료[1]【科料】명〖법〗형법에 규정된 형벌의 하나로, 경범죄에 과(科)하는 재산형(財産刑). 2,000원 이상 30,000원 미만의 금액을 범인에게서 징수(徵收)하며, 완납(完納)하지 못하는 경우에는 하루 이상 30일 미만의 기간을 노역장(勞役場)에 유치(留置)하여 작업에 복역(服役)시킴.

과:료[2]【過料】명〖법〗'과태료(過怠料)'의 구칭. ㄴ*환형(換刑).

과루[1]【瓜蔞】명〖식〗하눌타리.

과:루[2]【寡陋】명 견문(見聞)이 적어 완고함. ——-하다 형여불

과루-근【瓜蔞根】명〖한의〗하눌타리의 뿌리. 거담(祛痰)·소독(消毒)·해열제(解熱劑)로 쓰는 약제. *천화분(天花粉).

과루-인【瓜蔞仁】명〖한의〗하눌타리의 씨. 해소(咳嗽)·담기(痰氣)·울열(鬱熱)·유도(乳道) 병증·대소변 이상·종기(腫氣)·갈증(渴症) 등에 특효가 있음.

과루-죽【瓜蔞粥】명 하눌타리의 뿌리의 가루를 쌀과 함께 쑨 죽.

과:류【過謬】명 과오(過誤). 「수박 등.

과류 작물【瓜類作物】명 넌출이 지면서 열매를 맺는 작물. 오이·호박·

과르니에리〔Guarnieri〕명 이탈리아 크레모나(Cremona)의 바이올린 제작자의 한 집안. 안드레아 과르니에리(Andrea G.;1626–98)는 니콜로

세페 안토니오 과르니에리(Giuseppe
다바리(Stradivari)의 제자로 스승에
니(Paganini)도 애용하였음.
사람』이탈리아의 화가. 베네치아에서
대표하는 사람으로, 스승인 카날레토
적(Panorama的) 도시 풍경화의 화가로
寫眞的)인 정밀 묘사에 비해 빛의 효과
에서 보다 회화적이어서, 인상파의 선구
[1712-93]
명〖사람〗독일의 가톨릭 신학자. 이탈리
生). 베를린을 비롯하여 각지의 대학 교
톨릭 청년 운동을 지도하였으며 가톨릭 전
. 저서≪전례(典禮)의 정신≫·≪현대의 종
테·릴케의 연구로도 유명함. [1885~1968]
'를'이 합쳐진 조사.

명〖사람〗이탈리아 바로크의 대표적 건축가.
)≫에서 말하는 바와 같이, 수학적 기초 위
Torino)에서 활약함. 산 로렌초 성당과 파라
많은 독자(獨自)의 작품을 전개함. [1624-83]
울·잣송이 따위와 같은 구과(毬果)의 겉면
툴두툴한 부분(部分).
잔 알갱이. ¶ ~으로 된 위장약. ②〖의〗천연
발반(發斑)하여 피부에 돋은 것. ③〖의〗트라코
생기는 수포상(水泡狀)의 잔 알갱이. ④〖생〗세
함유된 미소한 알갱이. 「혈구.
생〗세포질 속에 과립을 갖는 백혈구. 과립성 백
〖생〗원형질(原形質)이 과립(顆粒)의 집합으로 이
*사상설(絲狀說).
粒性白血球】명〖생〗백혈구의 하나. 세포체(細胞體)
립을 가진 것으로 골수(骨髓)에서 생성됨. 중호성(中好
산호성(酸好性) 백혈구·염기호성(塩基好性) 백혈구의 세
는데 전체 백혈구의 70%를 차지함. 과립구.
【顆粒化】명〔granulation〕〖식〗귤 종류의 과실이 너무 오래 나
달려 있음으로 인해 과즙(果汁)이 말라서, 알이 단단해지고 맛이
없는 상태. ——-하다 자여불

과롤 조〈옛〉과를. ¶ 香과 곳과롤 비호니≪月釋 Ⅰ:37≫.

과만[1]【瓜滿】명〖역〗벼슬의 임기가 참. 과숙(瓜熟). *과년(瓜年).

과:만[2]【過滿】명 과분(過分). ——-하다 형여불 ⌊——-하다 자여불

과망[1]【科望】명〖역〗과거에 급제하리라는 중망(衆望).

과:망[2]【過望】명 분에 넘친 욕망. ——-하다 타여불

과:망간-산【過一酸】명〔permanganic acid〕〖화〗과망간산 칼륨에 황산을 가하여 만든 붉은 자줏빛 액체. 시약(試藥)으로 쓰임. [$HMnO_4$]

과:망간산 나트륨【過一酸一】명〔sodium permanganate〕〖화〗수용성(水溶性)의 보랏빛 분말. 가열(加熱)에 의해 분해됨. 사카린의 제조·소독제·산화제로 쓰임. [$NaMnO_4·3H_2O$]

과:망간산 무수물【過一酸無水物】명〖화〗〔permanganic acid anhydride〕〖화〗'칠산화(七酸化) 이(二)망간'의 통칭. 무수 과망간산.

과:망간산-은【過一酸銀】명〔silver permanganate〕〖화〗수용성의 보랏빛 결정. 알코올 속에서 분해됨. 의료(醫療)·방독(防毒) 마스크에 쓰임. [$AgMnO_4$]

과:망간산 칼륨【過一酸一】명〔potassium permanganate〕〖화〗흑자색의 광택이 있는 주상(柱狀)의 사방 정계(斜方晶系) 결정. 물에 잘 녹으며 부피 분석용(分析用)·유기 합성용·산화제·살균 소독용·표백 등으로 쓰임. 유독(有毒)함. [$KMnO_4$]

과:맥전 대:취【過麥田大醉】구 밀밭만 지나가도 취한다는 뜻으로, 술을 먹지 못하는 사람을 조롱하는 말.

과면【瓜麵】명 국수의 한 가지. 날오이를 썰어서 녹말을 묻히고, 소금물에 삶아 냉면 말듯 함.

과명【科名】명 ①〖역〗과거에 급제한 사람들의 이름. ②학과(學科)·과목 등의 이름. ③〖생〗동식물 분류상의 과(科)의 학명(學名). *속명(屬名).

과모[1]【戈矛】명 창. ⌊名).

과:모[2]【寡母】명 ①홀로 된 어머니. ②과부(寡婦).

과:목[1]【果木】명 과실이 열리는 나무. 과수(果樹). ¶ ~ 밭.

과목[2]【科目】명 ①학문의 구분(區分). ②분류(分類)한 조목(條目). ③〖교〗교과(敎科)를 세분하여 계통을 세운 영역(領域). 교과목. ¶ 필수 ~. ④〖역〗과거(科擧). ¶ ~ 출신(出身). ⑤〖불교〗불경(佛經)의 뜻을 알기 쉽게 추리어 그 뜻을 드러내게 하는 장구(章句).

과목 낙제【科目落第】명 과락(科落).

과:목-묘【果木苗】명〖식〗과실나무의 묘목(苗木).

과:목-밭【果木一】명 과실 나무를 심은 밭. *과수원(果樹園).

과목-별【科目別】명 과목을 따라 따로따로 됨. ¶ ~로 분류하다.

과:목 성송【過目成誦】명 무슨 책이든지 한 번 읽으면 곧 왼다는 뜻으로, 기억력이 좋다는 말. 「사람.

과목 출신【科目出身】[一씬] 명〖역〗과거에 급제하여 벼슬아치가 된

과몽【科夢】명 과거에 급제할 꿈.

과:묵【寡默】명 말이 적고 침착함. 과언 침묵(寡言沈默). ¶ ~한 사람. ——-하다 형여불. ——-히 부

과:묵 침용【寡默沈容】명 말이 적고 침착한 태도.

과문[1]【科文】명〖역〗문과에서, 과거 볼 때의 여러 가지 체(體)의 글. 공령(功令). 과체문(科體文).

과:문[2]【過門】명 ↗과문 불입(過門不入). ——-하다 자여불 「형여불

과:문[3]【寡聞】명 견문(見聞)이 적음. ¶ ~한 탓. ↔다문(多聞). ——-하다

과문-규식【科文規式】명〖책〗과문 제술(科文製述)의 규식(規式)을 기록한 책. 편자·연대 미상. 부(賦)의 30구(句)와 표(表)의 청(請)·사(謝)·진(進)·하(賀)·사(辭)·걸(乞)의 육체(六體) 및 조(詔)·제(制)·책(策)·잠(箴)·명(銘)·송(頌)·논(論) 외에 시제작(詩製作)의 정식(程式)을 표시했음. 1책 사본.

과:문 불입【過門不入】명 아는 사람의 문앞을 지나면서도 들르지 아니함. 과알(過戛). 준과문(過門). ——-하다 자여불

과문 육체【科文六體】[一뉵一] 명〖역〗문과(文科)에서 과거 보던 여섯 가지 문체(文體). 곧, 시(詩)·부(賦)·표(表)·책(策)·의(義)·의(疑) 등임.

과:문 천:식【寡聞淺識】명 문견(聞見)이 적고 학식이 얕음. ——-하다 ⌊형여불

과:물【果物】명 과실(果實)❶.

과:물-전【果物廛】명 여러 가지 과일을 파는 가게. 우전(隅廛). 모전(毛廛). 「은 뜻.

[과물전 망신은 모과가 시킨다] '어물전 망신은 꼴뚜기가 시킨다'와 같

과:민【過敏】명 지나치게 예민(銳敏)함. ——-하다 형여불

과:민성 관계 망:상【過敏性關係妄想】[一썽一] 명〖의〗일정한 논리적 근거는 있으나 거기에 지나친 감정적 요소가 가해져서 정상적으로는 도저히 생각이 미치지 않을 정도의 망상으로 발전한 관계 망상. 울병(鬱病)·신경질·신경 과민 상태 및 심인성 반응에서 볼 수 있음.

과:민성 대:장 증후군【過敏性大腸症候群】[一썽一] 명〖의〗자율 신경계 실조(失調)로 일어나는 대장의 운동 및 분비 기능의 이상. 복통·설사 등의 증상을 나타냄. 「한 사람의 체질.

과:민성 체질【過敏性體質】[一썽一] 명 선천적으로 알레르기성이 강

과:민성 폐:렴【過敏性肺炎】[一썽一] 명〖의〗진균 포자(眞菌胞子)나 동물성 이종(異種) 단백질을 함유하는 먼지 따위를 장기간 들이마심으로써 폐에 알레르기 반응을 일으키는 증상. 농부(農夫)와 조류(鳥類) 사육자의 폐 등 직업병적인 경우가 많음.

과:민-증【過敏症】[一쯩] 명〖의〗아나필락시(anaphylaxie).

과:밀【過密】명 ①지나치게 정밀(精密)함. ②인구(人口)나 건물·산업 등이 일정한 지역에 지나치게 집중되어 있음. ¶ 인구 ~. ↔과소(過疎). ——-하다 형여불

과:밀 도시【過密都市】명 인구와 산업의 집중에 따라 이를 수용할 도시의 환경이나 시설의 정비(整備)가 미처 이를 따르지 못하여 수급의 균형이 깨진 도시. 교통난·주택난·공해(公害) 등 여러 가지 문제를 낳고 있음.

과:밀 부:담금제【過密負擔金制】명 수도권 등 특정 도시 지역의 인구나 시설의 집중을 막기 위하여 신규 시설에 부담금을 물리는 제도.

과:밀 학급【過密學級】명 정원(定員)보다 학생수가 훨씬 많은 학급. ¶ ~의 해소 방안.

과:박【寡薄】명 덕이 적고 엷음. ——-하다 형여불

과:반[1]【果盤】명 ①과일을 담는 쟁반. ②과일이나 유밀과 따위를 얹어

과:반[2]【過半】명 절반이 넘음. 반수 이상. ⌊놓는 소반.

과:반[3]【過般】명 지난 번. ↔금반(今般). *저번(這番).

과:반-수【過半數】명 반이 넘는 수. 반수보다 많은 수. ¶ 출석자 ~의

과:방[1]【果房】명 숙설간(熟設間). ⌊찬성을 얻다.

과:방(을) 보다 구 과방의 일을 맡아 보다.

과방[2]【科榜】명〖역〗과거에 급제한 사람의 성명을 발표하는 방목(榜

과:방[3]【過房】명 양자로 삼는 일. ¶ ~자(子). ⌊目).

과:방[4]【過訪】명 지나가는 길에 방문함. ——-하다 타여불

과:방-꾼【果房一】명 옛적에 숙설간(熟設間)에서 주로 음식의 뒴질을 맡아 보던 사람.

과:-방목【過放牧】명〖농〗목장(牧場)의 급양력(給養力) 이상으로 가축을 놓아 기르는 일. 이로 인하여 풀이 나지 않고 심하면 목장을 폐기(廢棄)해야 될 경우도 있음.

과:방-자【過房子】명 양자(養子).

과법[1]【戈法】[一뻡] 명 서도(書道) 필법(筆法)의 하나. 오른쪽 아래로 끌어 내린 선을 삐쳐 올리는 '㇂'을 말함.

과:법[2]【過法】[一뻡] 명 ①과중한 형벌. ②도(度)가 지나침.

과:-벤조산【過一酸】명〔perbenzoic acid〕〖화〗무색(無色)의 결정성 물질. 유기 용매(有機溶媒)에 용해되며, 매우 불안전하여 가열하면 폭발함. 녹는점 41.3°-42℃, 끓는점 97°-110℃. 합성 반응이나 이중 결합(二重結合)의 정량(定量)에 사용함. 구칭 : 과안식향산(過安息香酸). [$C_6H_5CO_2OH$]

과벽[1]【戈壁】명〖지〗'고비(Gobi)'의 음역(音譯).

과벽[2]【科癖】명 과거(科擧)를 꼭 보겠다고 하는 성벽(性癖).

과벽 사막【戈壁沙漠】명〖지〗'고비 사막(Gobi 沙漠)'의 음역(音譯).

과:-변조【過變調】명〔overmodulation〕〖전〗100%를 넘는 진폭 변조. 반송파 전압(搬送波電壓)이 변조 신호의 각 사이클의 일부분에서 0이 되기 때문에 왜곡(歪曲)이 생김.

과:-변태【過變態】명〔hypermetamorphism〕〖생〗일부 곤충의 배(胚) 발생의 형태. 완전 변태 가운데에서, 초기의 유충(幼蟲)과 후기의 유

과병[1]【戈兵】명 무기(武器). ⌊충의 기본 체제가 바뀌는 일.

과:병[2]【果柄】명〖식〗열매의 꼭지.

과:병[3]【寡兵】명 과소한 병력.

과:보[1]【寡一】명〈방〉과부(寡婦)(경남).

과:보[2]【果報】명〖불교〗①↗인과 응보(因果應報). ②↗과보토(果報土).

과:보-토【果報土】명〖불교〗사토(四土)의 하나. 진실한 법(法)을 행하여 감득(感得)한 승보토(勝報土). 실보토(實報土). 준과보(果報).

과:-보호【過保護】명 ↗과잉 보호. ——-하다 타여불

과봉[1]【戈鋒】명 창의 끝.
과:봉[2]【裹封】명 잔칫집에 온 손님들이 돌아갈 때에, 음식물을 싸서 몫몫이 나누어 주는 봉지.
과부[1]【誇負】명 뽐내어 자부함. ——-하다 자여불
과:부[2]【寡婦】명 남편이 죽어서 혼자 사는 여자. 과수(寡守). 홀어미. 이부(嫠婦). 과녀(寡女). 미망인. 상아(孀娥). ¶청상 ~.
【과부가 찬밥에 곪는다】혼자 몸이라고 먹는 것을 충실히 하지 아니하여서 허약해진 과부가 많다 하여 이르는 말. 【과부는 은이 서 말이고 홀아비는 이가 서 말이다】과부는 돈을 모으고 알뜰히 살아도 홀아비는 생활이 곤궁하다는 말. 【과부는 찬물만 먹어도 살이 찐다】남편 시중을 들지 않아도 되는 홀어미의 마음 편안함을 이르는 말. 【과부 사정은 과부가 안다; 과부 사정은 홀아비가 안다; 과부 설움은 동무 과부가 안다】같은 처지에 놓여 있지 않으면 그 실정을 알 수 없다는 말. 【과부 설움은 서방 잡아먹은 년이 안다】'과부 설움은 동무 과부가 안다'와 같은 뜻. 【과부 은(銀) 팔아먹기】벌지는 못하고 저축하였던 돈을 쓰기만 한다는 말. 【과부의 대돈 오푼 빚을 낸다】돈이 하도 급하고 돌려 쓸 데가 없기 때문에, 비록 이자가 비싸더라도 갖다 쓴다고 할 때 이르는 말. 【과부 좋은 것과 소 좋은 것은 동네에서 나가지 않는다】질이 좋은 것은 누구나 귀히 여겨 가지려 하니 내침을 받음이 없다는 말. 【과붓집 똥넉가래 내세우듯 한다】변통성은 없고 호기(豪氣)만 부린다는 뜻. 【과붓집 송아지 백정 부르러 간 줄 모르고 날뛴다】위급한 처지에 있으면서 멋 모르고 함부로 호기를 부린다는 말. ¶너희들이 몰려들다가 너희들이 도로 몰리지 않나 보아라. 과붓집 송아지가 백정 부르러 간 줄 모르고 날뛰는 모양일라. 《朴頤陽:明月亭》. 【과붓집 수코양이 같다】조용한 밤중에 수코양이가 울어서 옆집 사람들이 갓난아기 울음 소리로 알고 과부가 어린애를 난 줄로 의심한다는 뜻으로서, 없는 사실을 있는 것처럼 꾸며서 말하는 사람을 가리켜 하는 말. 【과붓집에 가서 바깥 양반 찾기】당치도 않은 데 가서 엉뚱한 것을 찾는다는 말.
과부[3]【踝部】명《생》복사뼈가 있는 부분.
과:부-가【寡婦歌】명《문》가사(歌辭)의 하나. 작가·연대 미상. 내용은 혼인한 지 보름만에 혼자된 15세 과부가 한평생을 외로움과 번민으로 지내야 하는 불행한 사연을 읊은 것임.
과:부-댁【寡婦宅】[—땍] 명 과부의 높임말. 과수댁(寡守宅).
【과부댁 종놈은 왕방울로 행세한다】실속은 없으나 공연히 한번 떠들어대는 것으로 일삼는다는 말.
과:부 재:가 금지법【寡婦再嫁禁止法】[—뻡] 명《역》조선 성종(成宗) 8년(1477)부터 실시된 사족(士族) 과부의 재혼을 금지한 법.
과:-부적중【寡不敵衆】명 중과 부적(衆寡不敵).
과:-부족【過不足】명 남음과 모자람. ¶~ 없이 꼭 들어맞다.
과:부 처:녀 추고 별감【寡婦處女推考別監】명《역》고려 충렬왕(忠烈王) 2년(1276)에 원(元)나라에서 제 나라 군사를 장가들이고자 여자를 요구해 왔을 때 이를 뽑기 위하여 둔 특별 관청.
과:-부하【過負荷】명《전》전기의 규정량을 초과하는 부하. 지나친 부담.
과:부하 전:류【過負荷電流】[—절—] 명 〔overload current〕《전》회로(回路)의 정격(定格) 전류보다 큰 전류. 도선(導線)을 녹이거나 회로 소자(回路素子)에 손상을 줌.
과분[1]【瓜分】명 오이를 자르듯 쪼개는 일. 토지 따위를 분할하는 일.
과:분[2]【過分】명 분수에 넘침. 과만(過滿). 비분(非分). ¶~한 칭찬을 듣다. ——-하다 형여불. ——-히 부
과:-분쇄【過粉碎】명 〔overgrinding〕《광》단체분리(單體分離)에 필요한 정도 이상으로 지나치게 광석을 잘게 분쇄하는 일.
과:분지-망【過分之望】명 분수에 넘치는 욕망.
과:분지-사【過分之事】명 분수에 넘치는 일.
과:불【過拂】명 ①한도를 넘어서 지불함. ②《경》은행에서 당좌 거래자의 예금 잔액(殘額)을 초과하여 지불해 주는 일. *대월(貸越). ——-하다 타여불
과:-불급【過不及】명 능력(能力) 따위가 지나치거나 미치지 못함. 똑 알맞지 아니함. 중용(中庸)을 얻지 못함. *과유불급(過猶不及). ——-하다 형여불
과:비[1] 명 〈방〉 과부(寡婦)(함경).
과비[2]【科費】명 과거(科擧) 보는 데 드는 비용.
과:산【過酸】명《화》①산소산(酸素酸) 중에서 표준적인 산(酸)보다 산화수(酸化數)가 큰 산. 과염소산(過塩素酸)·과망간산(過 mangan酸) 등. ②과산화 수소(過酸化水素)로부터 유도(誘導)되는 산.
과:산-룡【過山龍】[—살—] 명《식》꼭두서니.
과:산-증【過酸症】[—쯩] 명《의》위산 과다증(胃酸過多症). ↔무산증(無酸症).
과:-산화【過酸化】명《화》산소(酸素)의 화합물 중에서 보통 것보다 산소를 다량으로 결합하고 있음을 나타내는 말. 주로, 접두어적으로 쓰임.
과:산화 나트륨【過酸化—】명 〔sodium peroxide〕《화》금속 나트륨을 건조한 공기 중에서 가열할 때에 생기는 누른 빛을 띤 육방 정계 결정(六方晶系結晶). 강한 산화 작용이 있으며, 물과 반응하여 과산화 수소·수산화나트륨을 생성함. 표백제·산화제·과산화 수소의 원료로 쓰임. [Na_2O_2]
과:산화-납【過酸化—】명《화》이산화(二酸化)납.
과:산화 망간【過酸化—】〔mangan〕명《화》이산화(二酸化) 망간.
과:산화-물【過酸化物】명 〔peroxide〕《화》분자 안에 -O-O-와 같은 결합으로 된 산화물(酸化物)의 총칭. 형식상으로 과산화 수소의 유도체로 볼 수 있으며, 수소와 치환(置換)되는 기(基)의 종류에 따라 무기(無機) 과산화물과 유기(有機) 과산화물로 나뉨. 산에 의하여 과산화 수소를 발생하여 산화제로 쓰임.
과:산화 바륨【過酸化—】명 〔barıum p
중(空中) 또는 산소 중에서 500°C로 가열
계 결정(正方晶系結晶). 과산화 수소의
으로 쓰임. [BaO_2]
과:산화 붕산 나트륨【過酸化硼酸—】명 〔so
산과 과산화 나트륨의 혼합액의 석출물(析出物
만든 백색 분말. 짠 맛이 있으며, 물에 조금 녹
균제·치약의 재료로 쓰임. [$NaBO_3 \cdot 4H_2O$]
과:산화 붕산-염【過酸化硼酸塩】[—념] 명《화》
素)와 결합하고 있는 산화물(酸化物) 이온이 과산
이온에 의해 치환(置換)된 꼴의 화합물의 총칭. 암
트륨염 등이 있으며, 화장품·비누 제조 등에 쓰임.
과:산화 소:다【過酸化—】〔soda〕명《화》'과산화 나
과:산화 수소【過酸化水素】명 〔hydrogen peroxide〕
비슷한 냄새를 약간 내는 약산성(弱酸性)·무색(無色)의
물에 산(酸)을 작용시켜 만듦. 30% 이상의 것은 폭발적으
산소(酸素)를 내보내고 물이 되므로 강한 산화(酸化) 작용
통 3% 가량의 수용액(水溶液)으로 하여 표백제·소독제로
농도(高濃度)의 것은 로켓의 연료로 쓰임. 이산화 수소. [H
과:산화 수소수【過酸化水素水】명《약》과산화 수소를 물에
품. 상품명은 옥시풀(oxyful)임.
과:산화 인산【過酸化燐酸】명 〔perphosphoric acid〕《화》저온
산화인(五酸化燐)(P_2O_5)을 30%의 과산화 수소(H_2O_2)로 처리하여
(氷水)로 희석(稀釋)시켜 만든 물질. 과산화 일(一)인산(H_3PO_5)과
산화 이(二)인산($H_4P_2O_8$)이 있는데 보통 과인산 일인산을 과산화 인
이라 이름. 산화제(酸化劑)로 사용함.
과:산화 일인산【過酸化一燐酸】명 〔peroxomonophosphoric acid〕《화》과산화 인산.
과:산화 지질【過酸化脂質】명 불포화 지방산(不飽和脂肪酸)이 산소를 흡수하여 산화된 물질. 이 물질이 증가하면 노화 현상(老化現象)이 촉진되거나, 동맥 경화와 간장병이 생김.
과:산화 질소【過酸化窒素】[—쏘] 명 〔nitrogen peroxide〕《화》'이산화 질소(二酸化窒素)'의 관용명(慣用名).
과:산화 황산【過酸化黃酸】명《화》①과산화 일황산(過酸化一黃酸). 30℃에서 묽은 황산을 가수 분해하거나 차고 진한 황산에 과산화 수소를 작용시켜서 얻음. 알코올·에테르 등의 유기 용매(溶媒)에 녹으며 산화제(酸化劑)로 사용함. [H_2SO_5] ②과산화 이황산(過酸化二黃酸). 차고 진한 황산을 전기 분해하여 만드는 백색의 작은 결정. 알코올에 일부 녹음. 건조하면 안전하여 그 염(塩)은 거의 다 물에 녹음. 가수 분해하여 과산화 수소를 발생함. 산화제로 사용함 [$H_2S_2O_8$]
과:산화 효소【過酸化酵素】명 〔peroxidase〕《화》피산화성 기질(被酸化性基質)을 산화하는 효소. 1863년 쉰바인(Schönbein; 1799-1868)에 의하여 식물 중에서 발견되었는데, 동물 조직 속에 있어서도 젖·타액(唾液)·간장(肝臟) 효모(酵母) 같은 것에서 발견할 수 있음.
과:상[1]【果上】명《불교》과위(果位).
과:상[2]【果床】명 유밀과(油蜜果)를 차려 놓은 상.
과:상[3]【過傷】명 지나치게 상심함. ——-하다 자여불
과:상[4]【過賞】명 칭찬이 지나침. 상을 지나치게 줌. 과포(過褒). ——-하다 자타여불
과상[5]【誇尙】명 자랑함. 뽐내는 듯한 태도를 취함. ——-하다 자여불
과:색【過色】명 과음(過淫). ——-하다 자여불
과:생【過生】명 세상을 살아 나감. ——-하다 자여불
과-생채【瓜生菜】명 오이 생채.
과:서【果序】명《식》화서(花序)에 따라서 형성되는 과실의 배열(配列) 상태.
과:석[1] 명《광》지면 위에 드러난 광맥(鑛脈)에서 노출(露出)된 광석.
과:석[2]【過石】명《화》↗과인산 석회(過燐酸石灰).
과선【戈船】명 ①악어 등의 해(害)를 막기 위해 배의 밑 면에 창(槍)을 장비한 배. ②창(槍)을 실은 배. 곧, 병선(兵船)을 일컫는 말.
과:선-교【跨線橋】명《토》철도선(鐵道線)을 건너기 위하여 그 위에 가설(架設)한 다리. *구름다리.
과:섭【過攝】명《역》백성들의 선박(船舶)을 거두어 나랏일에 씀. ——-하다 타여불
과:성 은혜【過性恩惠】명《천주교》인류의 원조(原祖)가 천주에게 받은 은혜의 하나. 낙원(樂園)의 즐거움과 지혜의 밝음을 향유하며, 사욕을 억제하고 고통이나 죽음을 당하지 아니하는 은혜.
과:세[1]【過稅】명《역》중국에서 송(宋)·명(明)대에 원격지(遠隔地)를 왕래하는 객상(客商)의 상품에 대한 상품 통과세.
과:세[2]【過歲】명 설을 쇰. 새해를 맞음. ¶이중(二重) ~/~ 안녕하십니까. ——-하다 자여불
과:세[3]【寡勢】명 과소(寡少)한 군세(軍勢).
과세[4]【課稅】명 세금을 부과(賦課)함. ¶인정 ~. ——-하다 자여불
과세[5]【課歲】명 과년(課年).
과세 가격【課稅價格】[—까—] 명《법》세금을 매기는 물건의 가격. 상속세(相續稅)에 있어서 상속 재산(相續財産)의 가격 따위.
과세 객체【課稅客體】명《경》과세 물건(課稅物件). ↔과세 주체(主體).
과세 고권【課稅高權】[—꿘] 명《법》과세 권능(權能)을 국가 주권 발현(發現)의 한 상태로 보는 일. 과세 주체인 국가·지방 자치 단체 등이 국내법에 의하여 스스로가 필요로 하는 조세 법규를 설정(設定)하여 과세함.
과세-권【課稅權】[—꿘] 명《법》일반적으로 국가의 통치권에 의하여 조세(租稅)를 부과 징수하는 권리. 이 권리는 국가 및 국가에서 그 통치권의 일부를 위임한 지방 자치 단체에 한함. 과세 권능(課稅權能).
과세 권능【課稅權能】명《법》과세권(課稅權).
과세 기간【課稅期間】명 일정한 기간을 정하여 기간내에 발생한 소득·

과세 단위

거래액에 세금이 부과되
과세 단위【課稅單位】
적음을 계산할 수 있
과세 물건【課稅物
사실. 이를테면
자본 또는 재
과세 소:득】
소득·배당
도 소득
과세-
과세

...간.
...과세 표준의 일정한 수량. 세액의 많고 ...됨. *과세 표준.
...』과세의 목적이 되는 물건·행위 기타의 ...있어서의 일정한 소득, 재산세에 있어서의 ...과세 객체(客體). 조세(租稅) 객체.
...법』소득세의 과세 대상이 되는 소득. 이자 ...소득·사업 소득·급여(給與) 소득·퇴직 소득·양 ...득 등으로 구분됨. ↔비과세 소득.
...』세금으로 매긴 금액. [준]세액(稅額).
...세 표준에 의하여 세액(稅額)을 산정(算定)하는 ...율(稅率)·과율(課率).
...[명] 조세를 매기는 주체. 곧, 과세권(課稅權)의 주 ...방 자치 단체를 말함. ↔과세 객체(課稅客體).
...最低限】[명] 납세 의무의 유무(有無) 분기점이 되는 ...득세 등에서 기초 공제·배우자 공제·부양 가족 공 ...하고 그 이상 금액에 대하여 과세할 때, 그 합계한 ...세점.
...稅特例者】[—녜—] [명]〖경〗부가 가치세법 상 장부 작 ...교부 및 세율 적용에 있어 특례를 인정받는, 연간 매 ...이하인 개인 사업자. [준]과특자.
...稅標準】[명]〖경〗세액 결정의 기준이 되는 과세 물건의 수 ...수치(數値). 지세(地稅)에 있어서의 지가(地價), 소득세 ...있어서의 소득액 따위. 이것에 세율(稅率)을 곱하면 그 세 ...[준]과표(課標).
...시가【課稅標準時價】[—까] [명] 내무부가 재산세·취득세·지방세의 부과(賦課) 근거로 삼기 위해 산출하는 부동산의 가 ...시 지가(公示地價)의 21% 수준임. *공시 지가.
...-품【課稅品】[명]〖경〗세납(稅納)을 부과(賦課)시키는 물품.
과:소¹【果蔬】[명] 과실과 채소. 과채(果菜).
과:소²【過小】[명] 너무 작음. ↔과대(過大). ——-하다 [형][여불]. ——-히 「[부]
과:소³【過少】[명] 너무 적음. ↔과다. ——-하다 [형][여불]. ——-히 [부]
과:소⁴【過所】[명]〖역〗고대 중국의 관청에서 여행자에게 발행하던 여권(旅券). 여행자나 종자(從者)의 신분·성명·연령·행선지·여행 목적 등을 기입하였는데, 여행자는 관(關)이나 나루터를 통과할 때 관리에게 이것을 제시하였음.
과:소⁵【過疏】[명] 지나치게 성김. 어느 지역의 인구 등이 지나치게 적음. ¶인구 ~ 지대. ↔과밀(過密). ——-하다 [형][여불]
과:소⁶【寡少】[명] 아주 적음. ——-하다 [형][여불]
과:소농-제【過小農制】[명]〖농〗수공업적인 농구(農具)를 가지고 경영을 하며 경작 면적이 너무 작아서 가족(家族)의 노동력도 충분히 이용할 수 없는 농업 제도.
과:소 문:제【過疏問題】[명]〖사〗인구나 산업이 너무 적기 때문에 지역 주민이 일정한 생활 수준을 유지하기 곤란하게 된 상태를 해결하고자 하는 문제. 대도시에의 인구 집중의 결과, 청장년층(靑壯年層)의 남자가 줄어 방재(防災)·교육·의료 활동 등 지역 사회의 기초적 조건을 유지하기 곤란하여 야기(惹起)되는 문제로 특히 산촌(山村)에서 현저하게 볼 수 있음.
과:-소비【過消費】[명] 과도한 소비. ¶망국적인 ~ 풍조.
과:소 소비【過少消費】[명]〖경〗생산 능력에 대한 화폐 소득(貨幣所得)의 부족(不足) 또는 그로 인한 소비 지출(消費支出)의 부족.
과:소 소비설【過少消費說】[명]〖경〗공황(恐慌)이나 불황(不況)의 원인은 소비의 부족에 있다고 하는 경제학설. 따라서 소비가 많고 적음에 따라서 생산이 결정된다고 함. *과잉 투자설.
과:소 신고 가산세【過少申告加算稅】[명] 신고 납세 방식에 있어서 신고의 갱신·정정 통고를 받거나, 수정(修正) 신고를 한 경우에 행정벌적(行政罰的)인 것으로 징수되는 가산세.
과:소 인구【過少人口】[명]〖경〗인구의 크기가 적당한 크기에 부족되는 일. 경제적으로는 소비 부족이 일어나서 불황(不況)이 영속(永續)하기 때문에 노동한 단위에 해당하는 생산량이 저하(低下)하게 됨. 인구 과소. ↔과잉(過剩) 인구. *적정(適正) 인구.
과:소 지주【過少地主】[명] 소유하고 있는 토지가 너무 작아 그 토지로부터 생기는 수입만으로는 생계를 유지할 수 없는 지주.
과:소 평:가【過小評價】[—까] [명] 실제 이하로 평가하는 일. 또, 그 평가. ¶상대를 ~하다. ↔과대 평가. ——-하다 [타][여불]
과:속【過速】[명] 일정한 표준에서 지나친 속도. ¶ ~ 과적(過積) 차량 단속 / ~으로 달리다.
과속 방지 턱【過速防止—】[명] 〔hump〕 아파트 단지 안의 도로나 골목길 같은 데에 차가 빨리 지나가지 못하게 길을 가로질러 베푼, 높이 10 cm 폭 50 cm 가량의 도도록한 돌기물. 길턱.
과:송【果松】[명]〖식〗잣나무.
과수¹【戈殳】[명] 창(槍)❶.
과:수²【果樹】[명]〖식〗식용으로 하는 과실을 생산하는 목본 식물(木本植物)의 총칭. 과목(果木). 과실 나무. 실과 나무.
과수³【科數】[명]〖역〗과거에 급제할 운수. 「手).
과:수⁴【過手】[명] 바둑·장기 등에서, 지나친 수. ¶~를 두다. *속수(俗
과:수⁵【過數】[명] 일정한 수를 넘음. ——-하다 [자][여불]
과:수⁶【寡守】[명] 과부(寡婦).
과수⁷【夥數】[명] 다수(多數). 「[타][여불]
과수⁸【課收】[명] 조세(租稅) 따위를 과(課)하여 징수(徵收)함. ——-하다
과:수-댁【寡守宅】[—땍] [명] 과부(寡婦)의 높임말. 과부댁(寡婦宅). [준]과댁(寡宅).
과:수-류【果樹類】[명]〖식〗과수의 종류.
과:수병-학【果樹病學】[—뼝—] [명]〖식〗과수의 병을 연구 대상으로 하는 식물병학. *식용 작물병학(食用作物病學).
과:수-업【果樹業】[명] 과실의 수확을 목적으로 과수를 재배하는 것을 업으로 삼는 일.
과:수-원【果樹園】[명] 과수를 기업적(企業的)으로 재배하는 원포(園圃). ¶~길. [준]과원(果園).
과숙¹【瓜熟】[명] ①오이무름. ②〖역〗과만(瓜滿). ——-하다 [자][여불]
과:숙²【過熟】[명] 고숙(枯熟). ——-하다 [자][여불]
과:숙-아【過熟兒】[명] ①출생(出生) 때의 몸무게가 4000g 이상의 아이. 거대아(巨大兒). ②출산(出産) 예정일보다 두 주(週)이상 늦게 태어난 아이. 과기 산아(過期産兒). *미숙아(未熟兒).
과-순【戈盾】[명] 창과 방패.
과:습【過濕】[명] 식물에 습기나 수분 따위를 너무 많이 준 상태. ——-하다 [형][여불]
과:승【過乘】[명] ①승객이 버스·기차 등에서 내릴 곳을 지나 더 탐. ②정원(定員)보다 많이 탐. ——-하다 [자][여불]
과시¹【科時】[명]〖역〗과거를 보는 때. 과기(科期).
과시²【科試】[명]〖역〗과거(科擧).
과시³【科詩】[명]〖역〗과거 볼 때 짓는 시.
과시⁴【誇示】[명] ①자랑하여 보임. ¶위세를 ~하다. ②사실보다 크게 나타내어 보임. ——-하다 [타][여불]
과:시⁵【過時】[명] 때가 지남. ——-하다 [자][여불] 「[여불]
과시⁶【課試】[명] 일정한 시기에 정기적으로 보이는 시험. ——-하다 [자]
과:시⁷【果是】[부] 과연(果然). ¶ ~ 대장부로세 / 저간에 이러한 장애가 있는 줄은 ~ 모르고 현숙한 도영을 몰라보았으니…≪崔瓚植 : 능라도≫.
과시 시초【科試詩抄】[명]〖책〗조선 영조(英祖) 때 사람들의 과시를 제일 진시(第一震詩), 제이 해동서(第二海東書), 제삼 동시(第三東詩) 등으로 분류하여 초록한 책. 편자·연대 미상. 3권 3책. 사본.
과식¹【科式】[명]〈이두〉일정한 전례(前例) 또는 제규(制規). 관식(官式).
과:식²【過食】[명] 양에 지나치게 먹음. ——-하다 [자][타][여불]
과:식³【過飾】[명] 지나치게 치장함. ——-하다 [자][타][여불]
과:신【過信】[명] 지나치게 믿음. 너무 믿음. ——-하다 [타][여불]
과:실¹【果實】[명] ①과수에 생기는 열매. 과물. 과종(果種). ②〖식〗현화식물(顯花植物)의 꽃이 수정(受精)하여 그 자방(子房)이 발육하여서 커진 것. 자방 외에 화탁(花托)·화피(花被) 등으로 이루어진 것을 '가과(假果)'라 하고 자방(子房)만인 것을 '진과(眞果)'라 함. 형태상으로 구과(毬果)·견과(堅果)·수과(瘦果)·이과(梨果)·장과(漿果)·영과(穎果)·시과(翅果)·삭과(蒴果)·협과(莢果)·골돌과(蓇葖果) 등으로 구분함. ③〖법〗원물(元物)에서 생기는 수익물(收益物). 곡물·나무 열매 등을 천연(天然) 과실, 원물의 사용의 대가로서 받은 이자(利子)나 물건 등을 법정 과실(法定果實)이라 함. ¶투자에 대한 ~ 송금(送金)의 허용.
과:실²【過失】[명] ①부주의나 태만에서 오는 실패. 잘못. 허물. 실착(失錯). ②〖법〗부주의(不注意)로 인하여 어떤 결과의 발생을 예견하지 못한 일. 민법상으로는, 주의하면 인식할 수 있었음에도 불구하고 부주의로 인해 이를 인식하지 못한 심리 상태. 형법상으로는, 행위자가 범죄 유형(犯罪類型)에 해당하는 사실과 그 위법성(違法性)을 인식하는 경우에만 비난받는 것이 아니라, 인식해야 하고 인식하였으리라는 사실이 있는 경우에도 비난 받음. 1)·2):↔고의(故意).
과:실 나무【果實—】[—라—] [명] 과수(果樹).
과:실-림【果實林】[명] 나무의 열매를 이용하기 위한 숲.
과:실-범【過失犯】[명]〖법〗과실로 인하여 성립되는 범죄. 또, 그런 죄를 지은 범인(犯人). 업무상 과실 또는 중(重)과실의 경우는 형(刑)이 가중(加重)되며, 이에는 실화죄(失火罪)·과실 상해 치사죄(過失傷害致死罪) 따위가 있음. 무의범(無意犯). ↔고의범(犯)·유의범(有意犯).
과:실-살【過失殺】[명]〖법〗과실 치사(過失致死). 「함.
과:실 살상【過失殺傷】[—쌍] [명]〖법〗과실로 사람을 죽이거나 상하게
과:실 상계【過失相計】[명]〖법〗채권자(債權者)나 피해자가 채무 불이행(債務不履行) 또는 불법 행위에 관하여 고의(故意) 과실을 범한 경우에 법원(法院)이 그 고의 과실을 고려하여 채무자나 가해자의 손해 배상 책임을 부정하거나 또는 손해 배상액을 경감(輕減)하는 일. 손해 발생이 자기 쪽의 과실에도 기인(基因)할 때, 남에게만 그 책임을 전부 부담시키는 것은 공평하지 아니하므로 그 책임을 적당히 조절하기 위
과:실 상규【過失相規】[명] 나쁜 행실을 서로 규제(規制)함. 「한 제도임.
과:실 상해죄【過失傷害罪】[—쬐] [명]〖법〗과실 행위로 남을 상해함으로써 성립되는 죄. 상해의 의사(意思)는 물론이고 폭행에 대하여도 고의(故意)가 없어야 함.
과:실 섬유【果實纖維】[명] 과실 조직 속의 섬유. 코코야자 따위.
과:실 시럽【果實—】〔syrup〕[명] 과실의 즙에 설탕을 섞어 만든 음료.
과:실 에센스【果實—】〔essence〕[명] 과실로 만든 방향유(芳香油). 인공적으로는 에스테르류(ester 類)에 알데히드류(aldehyde 類)·글리세롤·알코올(alcohol) 등을 혼합하여 만듦.
과:실 운반선【果實運搬船】[명] 과실의 장거리 수송을 목적으로 하는 냉장(冷藏) 운반선. 바나나 운반선은 그 대표적인 것임.
과:실 음:료【果實飮料】[—뇨] [명] 과실로 만든 청량 음료수의 하나. 가공한 과즙(果汁)이나 주스 따위. *젖산(酸) 음료.
과:실 일수죄【過失溢水罪】[—쑤쬐] [명]〖법〗사람이 살고 있는 건물이나 또는 공용 건물에 과실로 물을 흘려 보내어 침해(侵害)함으로써 공공의 위험을 발생하게 하는 죄.
과:실-죄【過失罪】[—쬐] [명]〖법〗과실에 의한 범죄의 총칭. 과실 상

해죄(過失傷害罪)·과실 치사죄(過失致死罪) 따위.

과:실-주【果實酒】[—쭈] 명 과실즙(果實汁)을 발효(醱酵)시켜 만든 알코올 음료(飮料). 매화주·포도주 따위.

과:실-주의【過失主義】[—/—이] 명〖법〗과실 책임주의(過失責任主義).

과:실-즙【果實汁】명 과실을 짜낸 즙. 또, 거기에 설탕을 가하여 농축(濃縮)한 것. 실과즙(實果汁). 준과즙(果汁). *넥타(nectar).

과:실-채【果實菜】명 배·사과 등의 과실을 껍질과 속을 버리고 채를 쳐서 물과 설탕을 많이 섞어 버무리고 얼음을 넣어서 만든 것. 술이나 다른 음식을 먹은 뒤에 먹음.

과:실 책임【過失責任】명〖법〗고의(故意) 또는 과실로 인하여 생긴 손해에 대하여 지는 배상 책임(賠償責任). *과실주의.

과:실 책임의 원칙【過失責任—原則】[—/—에—] 명〖법〗과실 책임주의.

과:실 책임주의【過失責任主義】[—/—이] 명〖법〗고의 또는 과실을 손해 배상 책임의 본질적인 객관적 요건으로 하는 입법주의. 근대 법전의 성립과 더불어 불법 행위의 통일적 원리로서 확립된 것인데 개인의 자유 활동을 널리 보장하기 위하여 근대법은 원칙적으로 이 주의를 채택하고 있음. 과실 책임의 원칙. 과실주의. ↔무과실 책임주의.

과:실-초【果實酢】명〖화〗당분을 많이 포함하는 과실의 즙액(汁液)을 발효시키어 일단 알코올로 만든 다음, 다시 이것에 아세트산균(酸菌)을 작용시키어 아세트산 발효를 행한 식용(食用)의 초.

과:실 치:사【過失致死】명〖법〗과실 행위로 사람을 죽임. 과실살(過失殺). ——-하다 타여불 「상해죄의 병칭.

과:실 치:사상죄【過失致死傷罪】[—쬐] 명〖법〗과실 치사죄와 과실

과:실 치:사죄【過失致死罪】[—쬐] 명〖법〗과실로 사람을 죽게 함으로써 성립되는 죄. 「여불

과:실 치:상【過失致傷】명〖법〗과실로 사람을 상해함. ——-하다 타

과:실-편【果實—】명 여러 가지 과실을 으깨거나 갈아서 꿀이나 설탕을 치고 조려서 떡처럼 굳힌 음식.

과:심【果心】명 열매 속에 씨를 싸고 있는 딱딱한 부분.

과심-저【瓜心菹】명 오이소박이 김치.

과:악【過惡】명 과실과 죄악.

과:안【過雁】명 하늘을 날아가는 기러기.

과:-안식향산【過安息香酸】명〖화〗'과(過)벤조산'의 구칭.

과애 조〈옛〉과에. ¶ 寃讎와 아숨과애 ᄆᆞᅀᆞᄆᆞᆯ 平等ᄒᆞ야《月釋 X:31》.

과액[1]【科額】명〖역〗과거(科擧)에 합격시키는 규정(規定)된 인원수. 조선 시대의 예를 보면 문과(文科) 33인, 무과(武科) 28인, 잡과(雜科) 46

과:액[2]【寡額】명 적은 액수(額數). 소액(少額). └인으로 되어 있었음.

과:야[1]【過夜】명 밤을 지냄. 또는 밤을 새움. ——-하다 자여불

과야[2]【課夜】명부 밤마다. ——-하다 자여불 밤마다 하다.

과야킬〔Guayaquil〕명〖지〗남미(南美), 에콰도르 남서부, 태평양안의 항구 도시. 이 나라 최대의 상공업 도시로, 키토(Quito)와 철도로 연결됨. 조선(造船)·고무·파나마모(帽) 등의 공업이 행하여지며, 카카오·커피·면화·고무를 수출함. 16세기의 성당과 1867년 창립된 대학이 있음. [1,572,615명(1987 추계)]

과:약[1]【寡約】명 검소(儉素)하게 하고 절약(節約)함. ——-하다 타여불

과:약[2]【寡弱】명 적고 약함. ——-하다 형여불

과약[3]【果若】부 과연. ¶ 당신이 ~ 저를 대신하여 제 집 원수를 갚아주시면…《朴頤陽 : 明月臺》.

과:-약기언【果若其言】명 미리 말하였던 것과 사실이 과연 들어맞음. ——-하다 형여불 「자여불

과:언[1]【過言】명 지나친 말. ¶ 명필이라 해도 ~이 아니다. ——-하다

과언[2]【誇言】명 자만(自慢)하는 말. ——-하다 자여불

과:언[3]【寡言】명 말이 적음. 말수가 적음. ↔다언(多言). ——-하다 형

과업【課業】명 배당(配當)된 업무 또는 학과. ¶ 혁명 ~. └여불

과업 배:당【課業配當】명 과업을 나누어 배당하는 일.

과여【果亦】조〈이두〉'과를'·'와를'·'이나를'·'나를' 따위의 뜻.

과역[1]【科役】명 조세(租稅)와 부역(賦役).

과역[2]【課役】명 노역(勞役)을 과함. ——-하다 자여불

과:연[1]【果然】부 ①알고 보니 참으로. 빈말이 아니라 정말로. 들은 바와 같이. 과시(果是). 딴은. ¶ ~ 아름답다. ②결과에 있어서 참으로. ¶ 그녀의 운명은 ~ 어찌될 것인가.

과연[2]【夥然】부 매우 많은 모양.

과:열[1]【過熱】명 ①물질을 필요 이상의 온도로 상승(上昇)시키는 일. 또, 과도(過度)의 열. ¶ 화재는 난로의 ~에서 발생했다. ②(비유적으로) 경기(景氣)의 이상 상승(異常上昇)으로 인플레 따위의 위험에 놓이게 되는 일. ¶ 증권 투자 ~로 인한 시중의 자금 고갈. ③〖물〗액체(液體)나 증기(蒸氣)를 비등(沸騰)시키지 않고 끓는점(點) 이상으로 가열하는 일. 응고점(凝固點) 이하로 냉각(冷却)해도 응고되지 않는 상태를 말하는 경우도 있음. 오버히트(overheat). ——-하다 자타여불

과:열[2]【寡劣】명〔←과렬〕미치지 못함. 덕행(德行)·재능(才能) 따위가 모자람. ——-하다 형여불

과:열-기【過熱器】명〖물〗보일러 안의 증기의 온도를 끓는점(點) 이상으로 올리는 장치. 슈퍼히터(superheater).

과:열 증기【過熱蒸氣】명〔superheated vapour〕〖물〗끓는점(點) 이상으로 가열한 증기. 포화(飽和) 증기보다 온도가 높으며, 온도가 다소 내려가도 다시 물로 환원(還元)하지 않음. ↔습증기(濕蒸氣).

과:염기성-암【過塩基性岩】[—썽—] 명〖광〗초염기성암(超塩基性岩).

과:염색-성【過染色性】명〔hyperchromatism〕〖생〗세포 또는 세포의 일부가 정상보다도 강렬하게 착색(着色)되는 상태.

과:-염소산【過塩素酸】명〔perchloric acid〕〖화〗과염소산 칼륨($KClO_4$)을 90-92%의 진한 황산과 함께 진공 중에서 증류하여 얻는 무색의 액체. 녹는점 −112℃, 끓는점 39℃. 불안정 ... 은 불순물이 있으면 특히 위험함. 산화력이 ... 산화하며 유기물(有機物)과는 폭발적으로 반하기 쉽고, Cl_2O_7 같 ...

과:염소산 암모늄【過塩素酸—】명〔amm...이나 은을 급속히 ... 무색의 사방 정계 결정(斜方晶系結晶). 에탄올 ...O_4] (高溫)에서는 $Cl_2 \cdot O_2 \cdot H_2O$ · 질소 산화물(窒素... 解)함. 폭약·로켓 연료 등으로 쓰임. [NH_4ClO...rate]〖화〗

과:염소산 칼륨【過塩素酸—】명〔patassium perc... 고온 ... 의 사방 정계 결정(斜方晶系結晶). 400℃ 이상에서 ... (塩化) 칼륨으로 분해함. 폭약·로켓 연료 등에 쓰임. (熱分

과:염소산 폭약【過塩素酸爆藥】명〖화〗과염산 칼륨 ... 암모늄(NH_4ClO_4)을 주성분으로 하는 폭파약. 폭파력과 ... 기 위하여 규소철(珪素鐵) 19%, 목분(木粉) 6%, 중유(重... 함. 다루기가 비교적 안전해서 토목 공사에 많이 쓰임. 상품...

과:-염화철【過塩化鐵】명〖화〗염화 제이철.

과:예【果銳】명 과단성이 있고 예민함. ——-하다 형여불

과:오[1]【過午】명 오후(午後).

과:오[2]【過誤】명 잘못. 과실(過失). 실책. 과류(過謬). ¶ ~를 범하다...

과:오 납금【過誤納金】명 납세자 또는 납부자가 국세를 오납(誤納)... 거나 초과하여 낸 세금. 이는 다른 세금에 충당하거나 환부(還付)함.

과옥【科獄】명〖역〗조선 시대에 과거의 부정으로 일어난 투옥 사건. 숙종(肅宗) 때 있었던 기묘(己卯) 과옥이 가장 유명함.

과외【課外】명 ①정한 과정(課程) 이외에 하는 공부. 과외 공부. ②일정한 학습 과정이나 수업 시간 이외.

과외 강:의【課外講義】[—/—이] 명 정한 과정 이외에 하는 강의.

과외 공부【課外工夫】명 과외❶. ——-하다 자여불

과외 독본【課外讀本】명 교과서 이외의 학습용의 독본. 부(副)독본.

과외 수업【課外授業】명 정한 과정(課程) 이외에 하는 수업(授業).

과외 지도【課外指導】명 정한 과정 이외에 학생들의 학습이나 클럽 활동 등을 보살펴 주는 일.

과외 활동【課外活動】[—똥] 명〖교〗학생들이 정규 교과목 학습 외에 하는 활동. 자치회·연구회 또는 클럽 활동 따위. *특별 활동.

과욕[1]【科慾】명 과거에 급제하려는 욕망. 「物). ——-하다 형여불

과:욕[2]【過慾】명 욕심이 지나침. 또, 그 욕심. ¶ 매사에 ~은 금물(禁

과:욕[3]【寡慾】명 욕심이 적음. 소욕(小慾). ——-하다 형여불

과:용[1]【果勇】명 과단성이 있고 용감함. ——-하다 형여불

과:용[2]【過用】명 너무 많이 씀. 지나치게 씀. ¶ 약을 ~하다. ——-하다

과:우[1]【過雨】명 지나가는 비. 잠깐 오는 비. └타여불

과:우[2]【寡雨】명 비가 적음. ¶ ~ 지역. ↔다우(多雨).

과:원[1]【果園】명 ↗과수원(果樹園).

과원[2]【課員】명 관청이나 회사 등의 한 과(課)의 직원.

과월【課月】명부 달마다. ——-하다 자여불 달마다 하다.

과:월-절【過越節】[—쩔] 명 유월절(逾越節).

과:위【果位】명〖불교〗인위(因位)의 수행을 달성하여 얻는 불(佛)의 지위. 이 지위에 있는 자를 과인(果人)이라 함. 과지(果地). 과상(果上). 과두(果頭). ↔인위(因位).

과유【科儒】명 과거 보는 선비. *과군(科軍).

과:-유불급【過猶不及】명 지나침은 미치지 못함과 같음. 지나친 것이나 모자란 것이 다 같이 좋지 않음. 사물(事物)은 중용(中庸)을 중히 여김. *과불급(過不及).

과:육【果肉】명 ①과일과 고기. ②과일의 살.

과율[1]【課率】명 ↗과세율(課稅率).

과율[2]〔guayule〕명〖식〗[*Parthenium argentatum*] 국화과에 속하는 아관목(亞灌木). 멕시코 및 미국 남서부 원산. 종래, 고무의 원료로 재배되었음.

과:-융해【過融解】명〖물〗액체·증기를 천천히 냉각할 때 그 온도가 응고점(凝固點) 아래로 내려갔어도 응고하지 아니하는 현상.

과:음[1]【過淫】명 성교(性交)를 지나치게 함. 과색(過色). ——-하다 자 「여불

과:음[2]【過飮】명 술을 지나치게 마심. 너무 많이 마심. ——-하다 자타

과:의【果毅】[—/—이] 명 결단성이 있어 강(強)함. ——-하다 형여불

과:의 교:위【果毅校尉】[—/—이—] 명〖역〗조선 시대의 정오품 무관의 품계.

과:의 장군【果毅將軍】[—/—이—] 명〖역〗고려 말엽·조선 초엽의 정삼품 당하관(堂下官)의 무관 품계. 조선 세조(世祖) 12년(1466)에 어모장군(禦侮將軍)으로 고침.

과이어콜〔guaiacol〕명〖약〗크레오소트(creosote)의 주성분으로 무색 투명한 기름과 같은 액체 또는 결정인 극약(劇藥). 특이한 방향이 나며 물이나 알코올에 잘 녹음. 폐결핵에 먹거나 내장 염증(內臟炎症)의 도포제(塗布劑) 또는 바닐린(vanillin)의 제조 원료로 사용됨.

과:인[1]【果人】명〖불교〗수행의 공으로 인하여 깨달음을 얻은 사람. ↔

과인[2]【科人】명 죄를 범한 사람. 죄인(罪人). └인인(因人).

과:인[3]【過人】명 덕망(德望)·학식이나 재주·힘 따위가 보통 사람보다 뛰어남. ——-하다 형여불 「자칭 대명사. *짐(朕).

과:인[4]【寡人】인대 왕이 겸손하는 뜻으로 자기를 낮추어 말할 때 쓰는

과인[5] 부〈방〉과연(果然)(함경).

과:-인산【過燐酸】명〖화〗'과산화 인산(過酸化燐酸)'의 잘못.

과:인산 석회【過燐酸石灰】명〔calcium superphosphate〕〖화〗인산질(燐酸質) 비료의 하나. 특유한 냄새가 나는 회백색(灰白色)의 분말로 수용성의 속효성(速効性) 비료. 인산 이수소 칼슘(燐酸二水素calcium)과 황산(黃酸) 칼슘의 혼합물로, 인회석(燐灰石)에 황산을 작용시켜 만듦.

과인지력

보통 사람보다 훨씬 센 힘.

과:인지-력【過人之力】명 ... 동료를 망신시킬 짓만 한다는

하는 과실. ㄴ말.

과:일¹ 명 식용으로 ... 시킨다】 못난 것이

【과일 망신은 모과가 ... 과거를 보는 날.

과일²【科日】명〖역〗 ... 날을 지냄. ...다 하다.

과:일³【過日】명 지나간 날. ——-하다 자여불 ...생〗 여러 개의 난자(卵子)

과일⁴【課日】명부 날마다. ... 〔superfecundation ...精)되어서, 동시에 생기는

과:-임신【過姙娠】명 ... 의하여 수...

가, 각기 다른 정자(精子)에 ... -보다 많음. ¶인구 ~/~ 충

다태 임신(多胎姙娠).

과:잉【過剩】명 예정한 수효나 필요하... 수적에 필요한 상당한 범위를 넘

성. ——-하다 형여불 ...침해하는 경찰 행동.

과:잉 경:비【過剩警備】명〖법〗 ... 산 활동에 필요한 수준 이상의 노동

어서, 국민의 권리·자유를 ... 실업을 야기시킴.

과:잉 고용【過剩雇傭】명 ... 값] 명〖수〗 참값보다 큰 근사값을 이

력을 고용하고 있는 일. ...인데 1.733으로 할 경우와 같음.

과:잉 근:사값【過剩... 명〖수〗 '과잉 근사값'의 구용어.

름. 예를 들면 √3 ... 〖법〗 정당 방위로서 허용(許容)되는 한도를

과:잉 근:사치【... 법 행위이지만 정상(情狀)에 따라 형의 감면

과:잉 방위【過...

... 】명 부모가 어린이를 지나치게 보호하는 일. 이

넘은 반격(反... 아이는 욕구 불만을 이겨 내는 힘이 약해지고, 자

을 받을 ... 우유 부단해지기 쉬움. 준과보호. ——-하다 타여불

과:잉 보... 生產】명〖경〗 수요량(需要量)보다 생산량이 지나치게

러한

... 剩設備】명 완전 조업(操業)을 하면 판매 가격이 하락되

과... 윤을 올릴 수 없어 놀리지 않을 수 없게 된 설비.

...형【過剩性畸形】[—썽—] 명〖생〗 몸의 어느 부분이 여분으... 는 기형. 이를테면 손가락이 하나가 더 있다든가 다리 사이에 하나 더 있는 기형 따위.

...수【過剩數】[—쑤] 명〔abundant number〕〖수〗 불완전수(不...數)의 한 가지. 어떤 수의 양(陽)의 약수(約數)의 총합(總合)이 그 ...의 배수(倍數)보다 큰 수. 가령 12는 그 약수(1·2·3·4·6·12)의 총합 ... 배수인 24보다 크므로 과잉수임. ↔부족수(不足數).

...:잉 염:색체【過剩染色體】[—념—] 명〔supernumerary chromosome〕〖생〗 정상 염색체에 부가(附加)하여 여분으로 하나 더 있는 염색체.

과:잉 유동성【過剩流動性】[—뉴—썽] 명〖경〗 통화(通貨) 또는 손쉽게 환금(換金)할 수 있는 예금·증권 등의 유동성 자금이 지나치게 많은 상태. 이러한 상태가 계속되면 경제 활동의 과열이나 인플레이션을 가져올 우려가 많음. ¶시중(市中)의 ~을 흡수하다.

과:잉 인구【過剩人口】명〖사〗 지나치게 많은 인구. 자본과 노동, 직업과 인구, 자본의 증식력(增殖力)과 생산력(生產力) 사이에 균형을 잃을 때 나타나는 현상. ↔과소(過少) 인구. *적정(適正) 인구.

과:잉 재:생【過剩再生】명〖생〗 생물의 재생에 있어서, 재생 부분이 없어진 부분보다 크거나 수가 많게 되는 현상. 동물에서는 거의 볼 수 없으나 식물에서는 먼저 상처(傷處)를 덮는 유상(癒傷) 조직이 생기고, 그속에서 여러 개의 재생아(再生芽)가 생김. 과재생(過再生).

과:잉-치【過剩齒】명〖생〗 치배(齒胚)의 분리 또는 잔존 치배 조직의 이상 발육(異常發育)으로 인하여, 영구치(永久齒) 32개, 유치(乳齒) 20개 이외에 더 나는 이.

과:잉 투자【過剩投資】명〖경〗 생산 설비의 확장·신설 등에 대한 한도(限度) 이상의 투자. 불황을 초래하는 주요 원인 중의 하나임.

과:잉 투자설【過剩投資說】명〖경〗 생산 수단 또는 자본재에의 과잉 투자를 불황(不況)의 주요 원인으로 보고, 장기 투자와 소비 곧 생산 수단 생산 부문과 소비재 생산 부문과의 불균형의 순환을 경기 변동의 원인으로 보는 경제학설. 보통 화폐적 과잉 투자설과 비(非)화폐적 과잉 투자설로 구분됨. *과소 소비설(過少消費說).

과:잉 피:난【過剩避難】명〖법〗 긴급 피난(緊急避難)으로서 허용(許容)되는 한도를 넘은 피난 행위. 범죄가 성립되나 정상(情狀)에 따라 그 형이 감면(減免)됨.

-과이다 어미〈옛〉-하나이다. -나이다. ¶求티 아니호야 제 得과이다(不求自得)≪妙蓮 Ⅱ:181≫. *-와이다.

과자【菓子】명 밀가루나 쌀가루에 설탕·팥·우유 같은 감미료(甘味料)를 넣어 만든 기호(嗜好) 본위의 식품. 케이크. 과품(果品). ¶호두 ~.

과자-점【菓子店】명 과자를 파는 가게.

과자 정:과【菓子正果】명 과실을 꿀물에 넣고 여러 번 끓이다가 건지어 말린 다음 놋그릇이나 질그릇에 담고 꿀을 다시 붓고 약한 불로 조ㄴ린 정과.

과자 초분【瓜字初分】명 16세를 달리 일컫는 말.

과자-화【瓜子花】명〖역〗 대궐 잔치에 쓰는 가화(假花)의 하나. 외꽃 모양으로 만듦.

과:작【寡作】명 작품 따위를 양적(量的)으로 적게 만듦. ↔다작(多作). ┌——-하다 타여불

과:작-가【寡作家】명 작품 따위를 양적으로 적게 내는 사람. ↔다작가ㄴ(多作家).

과잘 명〈방〉 매화 산자(梅花饊子).

과장¹【科場】명〖역〗 과거를 보이는 곳. 거장(擧場). 극위(棘圍). 문장(文場). 장옥(場屋).

과장²【科場】명〖민〗〔과(科)는 동작, 장(場)은 마당의 뜻〕 가면극에서 나누어진 한 단락. 과정(科程). ¶가산 오광대(駕山五廣大) 제 1 ~ 오방 신장무(五方神將舞). *마당¹. 막(幕).

과:장³【過狀】명 사과하는 서장(書狀).

과:장⁴【過葬】명〖역〗 계급·신분에 따라 각각 그 일정한 기간이 지나서 치르는 장사(葬事). ↔갈장(渴葬). ——-하다 타여불

과장⁵【誇張】명 실지보다 지나치게 나타냄. 떠벌림. ¶~된 보도/자기의 공을 ~하여 말하다. ——-하다 타여불

과장⁶【課長】명 관청이나 회사 같은 데 있는 한 과의 우두머리.

과장-법【誇張法】[—뻡] 명〖문〗 수사법(修辭法)의 하나. 사물을 과도히 크게 혹은 작게 형용하는 표현법. 백발 삼천장(白髮三千丈) 따위.

과장성 정신병질【誇張性精神病質】[—썽—뼝—] 명〖의〗 실제보다 크게 보이려는 경향이 센 성격으로, 자기를 남에게 인식시키기 위하여 건강이나 명예까지도 희생하려는 정신병질의 한 유형. *기분 이변성(氣分易變性) 정신병질.

과장 역서의 법【科場易書—法】[—/—에—] 명〖역〗 조선 시대에, 고시관(考試官)이 과거시 응시자의 글씨체를 앎으로써 야기되는 부정을 막기 위하여 응시자의 시험지를 다른 사람을 시켜 다시 베끼게 하던 법. 많은 폐단과 폐지론이 있었으나, 고종(高宗) 때에 가서야 폐지됨.

과:-장입【過裝入】명〔overburden〕〖야금〗 연료에 비해 지나치게 많은 광석 또는 용제(溶劑)를 장전(裝塡)하는 일. ——-하다 타여불

과장-증【誇張症】[—쫑] 명 병적으로 과장하는 증세.

과:-재생【過再生】명〖생〗 과잉 재생.

-과쟈 어미〈옛〉-고자. =-과저. ¶어버이 날 나호셔 어질과쟈 길러내니ㄴ≪海謠≫.

과저【瓜菹】명 오이김치.

-과저 어미〈옛〉-고자. =-과쟈·-과져. ¶한숨은 바람이 되고 눈물은 細雨되어 님 계신 窓 밧게 불면셔 뿌리과저≪古時調≫.

과적¹【科賊】명〖역〗 옳지 못한 짓을 하여 과거에 급제를 꾀하는 사람.

과:적²【過積】명 ↗과적재. ¶~ 차량 단속. ——-하다 타여불

과:-적재【過積載】명 화물의 정량을 초과하여 실음. 준과적(過積).

과전¹【瓜田】명 오이 밭. *이하(李下). ㄴ——-하다 타여불

과:전²【果田】명 과수를 심은 밭.

과전³【科田】명〖역〗 과전법(科田法)에 의해서 관원에게 지급되는 토지. 문무 백관을 18 등급으로 나누어, 재직(在職)·휴직을 불문하고 그 지위에 따라 지급하되, 제1과(科)는 150 결(結), 제18과는 10 결이었음.

과전⁴【科錢】명 과료(科料)로 내는 돈.

과:전⁵【過錢】명 과태료(過怠料)로 내는 돈.

과:-전류【過電流】[—절—] 명〔overcurrent〕〖전〗 비정상적인 높은 전류. 회로(回路)가 합선할 때 따위에 일어남.

과전-법¹【科田法】[—뻡] 명〖역〗 이성계(李成桂)가 공양왕(恭讓王) 3년(1391)에 정하여 고려말·조선 초에 실시된 토지 제도. 권문 세가(權門勢家)의 사전(私田)을 혁파(革罷)하여 문종(文宗)의 구제(舊制)에 돌아감을 원칙으로 하여 제정한 것인데, 전국을 경기(京畿)와 외방(外方)으로 구분하여, 경기 가운데서 과전(科田)을 지급하고, 외방으로는 군전(軍田)·공신전(功臣田)·공전(公田)에 충당하였음. 이 제도는 세조(世祖) 12년(1466)에 직전법(職田法)으로 개정될 때까지 시행되었음.

과전-법²【課田法】[—뻡] 명〖역〗 중국 서진(西晉) 시대의 토지 제도. 정남(丁男)에게 50묘(畝), 정녀(丁女)에게 20묘(畝)의 전지(田地)를 할당하고 조세를 징수하였음.

과전 불납리【瓜田不納履】[—람니] 명 오이 밭에서는 신을 고쳐 신지 말라는 뜻으로, 혐의를 받기 쉬운 일은 하지 말라는 말. 과전지리(瓜田之履). *이하 부정관(李下不整冠).

과:-전압【過電壓】명〔overvoltage〕〖물〗 ①전기 분해를 진행시키기 위해 필요한 전위차(電位差). 전류가 흐르고 있을 때의 전극(電極) 전위와 전류가 흐르지 않고 전극 반응이 평형(平衡) 상태에 있을 때의 전극 전위의 차(差). ②송배전선(送配電線)에 발생하는 정격(定格) 이상의 전압. 낙뇌(落雷), 차단기(遮斷器) 개폐(開閉) 고장 및 회로 고장 등에 의하여 생김. 이상(異常) 전압.

과전 이:하【瓜田李下】명 과전 불납리(瓜田不納履), 이하 부정관(李下不整冠)을 합한 약어(略語). 의심받을 일은 하지 말라는 뜻의 비유.

과전지-리【瓜田之履】명 과전 불납리(瓜田不納履). ┌이름.

과:절【過節】명〖역〗 고구려 후기 직제(職制)의 팔품(八品)쯤 되는 벼슬

과점¹【科占】명〖역〗 과거에 급제하고 낙제함을 미리 판단하는 점. ——-하다 자여불

과:점²【寡占】명〖경〗 어떤 상품 시장의 대부분을 소수의 기업이 독차지함. ¶독~ 품목.

과:점 주주【寡占株主】명〖경〗 일반적으로 발행 주식의 과반수 이상을 소유하고 기업 경영을 지배하고 있는 주주를 말함. 세법상으로는, 주주의 출자액 합계가 1인인 경우 자본금의 50% 이상, 2인인 경우 60% 이상, 3인인 경우 70% 이상 소유하고 있는 사람을 가리킴.

과정¹【科程】명 ①↗학과 과정(學科課程). ②과업(課業) 따위의 순서(順序)나 정도.

과:정²【過政】명 ↗과도 정부(過渡政府). ┌¶성장 ~.

과:정³【過程】명 사물의 진행·발전하는 경로(經路). 경과(經過)한 길.

과정⁴【課程】명〖교〗 ①과업(課業)의 정도. ②학교 등에서, 어느 일정 기간에 할당된 학습·작업의 범위. ¶교육 ~/3학년 ~. ③특히 대학 등에서, 교수(敎授)·연구를 위한 전문별 코스. ¶연구 ~/박사 ~.

과:정 정신 분열병【過程精神分裂病】[—뼝] 명〖의〗〔process schizophrenia〕 완만한 진행성 징후(進行性徵候)를 나타내는 정신 분열병.

과정-표【課程表】명〖교〗 학과 배당표.

과제¹【科第】명〖역〗 ①과거(科擧). 과시(科試). ②과거에 급제함. ——ㄴ하다 자여불

과제²【科題】명〖역〗 과거(科擧)의 제목(題目).

과제³【課題】명 ①부과(賦課)된 문제. ¶당면한 ~/~를 주다. ②제목(題目)❷. ¶~ 작문. ┌작품.

과제 문학【課題文學】명 내용과 제목을 편집자로부터 받아서 쓴 문학

과제-장【課題帳】[—짱] 명〖교〗 ①어떤 학과의 연구·예습·복습 따위

에 관한 문제를 실은 책. ②과제를 기록하는 공책.

과제 통:각 검:사【課題統覺檢査】명〖심〗티 에이 티(T.A.T.).

-과져 어미 〈옛〉-고자. =-과저·-과자. ¶ 뎌 물이 거스리 흐르과져 나도 우러 녜리라《古時調 元昊》.

과:조[1]【寡照】명〖농〗농작물(農作物)에 대하여 볕의 쬠이 적음.

과조[2]【課租】명 조세(租稅)를 부과함. ——-하다 자여불

과족【裹足】명 ①발을 싸맴. 전하여, 나아가지 못함. 진척이 없음. ②걸어서 먼 길을 여행함. ——-하다 자여불

과종[1]【瓜種】명〖식〗오이·참외·호박 등의 씨.

과:종[2]【果種】명 ①실과의 종류. ②과실(果實)❶.

과:종[3]【過從】명 서로 의좋게 지냄. 상종(相從). ——-하다 자여불

과종[4]【踝腫】명〖의〗발뒤축과 복사뼈 사이에 나는 종기. 「여불

과죄【科罪】명 죄를 처단(處斷)함. 죄인을 처결(處決)함. ——-하다 타

과:주【果州】명〖역〗중국의 옛 지명. 현재의 쓰촨 성(四川省) 동부, 난충 현(南充縣)의 북쪽을 중심으로 하는 지역. 당대(唐代)에는 주(州), 명대(明代)에는 순경부(順慶府)가 있었음. 고대 파촉(巴蜀)의 땅.

과준【瓜罇】명 오이 형상을 이룬 큰 항아리. 고려 자기(瓷器)에 흔함.

과줄 명〔근대 : 과즐〕유밀과의 한 가지. 꿀물 혹은 설탕물과 기름에 밀가루를 섞어 반죽을 한 뒤에 과줄판에 박아서 기름에 지지어 속까지 검은 빛이 나도록 익힌 것. 약과(藥果).

과줄-판 명 과줄을 박아 내는 다식판같이 생긴 기구.

과:중[1]【過中】명 도(度)를 넘음. 과도(過度)함. ——-하다 자여불

과:중[2]【過重】명 ①너무 무거움. ②힘에 벅참. 힘에 겨움. ¶ ~한 책임. ——-하다 형여불. ——-히 부 「는 교육.

과:중 교:육【過重敎育】명〖교〗학생의 체력(體力)·능력(能力)에 넘치

과:중 부:담【過重負擔】명 지나친 부담. 힘에 겨운 부담.

과:중-시【過重視】명 지나치게 중요하게 봄. ——-하다 타여불

과:즉【過則】부 ☞기껏해야. ¶ 꺽정이패는 상봉에서 서남간으로 ~이 마장 가량 밖에 안되는 서쪽 산 끝에를 겨우 나왔었다《洪命憙 : 林巨正》.

과:즉 물탄개【過則勿憚改】명 과실을 범했으면 즉시 거리낌없이 고쳐

과:즙【果汁】명 ↗과실즙(果實汁). ¶ ~ 음료. 「야 한다는 뜻.

과증[1]【瓜蒸】명 오이찜.

과증[2]【裹蒸】명 찹쌀을 쪄서 설탕을 치고, 대추 따위를 넣어서 큰 댓잎에 싼 다음에, 다시 쪄서 만든 음식.

과:지[1]【果地】명〖불교〗과위(果位).

과:지[2]【果枝】명 과수(果樹)의 가지.

과지[3]【裹紙】명 물건을 싸는 데 쓰는 종이. 포장지(包裝紙). 포지(包紙).

과지-전【瓜漬腆】명 오이지 지짐이.

과:-진화【過進化】명 진화의 도상(途上)에서 기관(器官)이나 몸의 일부가 그 생물(生物)에 불리하게 될 만큼 극단적으로 발달하는 일.

과질【瓜瓞】명 큰 오이와 작은 오이. 전하여, 덩굴이 번을수록 큰 오이가 열린다고 '자손의 번성'을 비유하는 말.

과징-금【課徵金】명 국가가 징수하는 금전 중, 조세를 제외한 것. 수수료·벌금 따위.

과차[1]【科次】명〖역〗과거에 급제한 사람의 성적 차례.

과:차[2]【過次】명 지나가는 길. 지날결.

과착【窠窄】명 관원의 정원이 적음. ——-하다 형여불

과:찬【過讚】명 지나치게 칭찬함. 또, 그 칭찬. ¶ 아니 원, ~의 말씀

과창 명〈방〉〖한의〗와창(蝸瘡). 「을. ——-하다 타여불

과채[1]【瓜菜】명 오이나물.

과:채[2]【果菜】명 ①과실과 채소. 과소(果蔬). ②열매 채소.

과채[3]【科債】명〖역〗과거를 보기 위하여 얻어 쓴 빚. 「채소류.

과:채-류【果菜類】명〖식〗사람이 그 과실을 식용하는 풀의 총칭. 열매

과:채-적【果菜積】명〖한의〗과일과 채소를 먹어서 나는 체증.

과:처[1]【寡妻】명 형처(荊妻).

과:처[2]【寡處】명 과거(寡居). ——-하다 자여불

과:천【果川】명〖지〗경기도의 한 시(市). 서울 특별시 남부에 있으며 수도권 위성(衛星) 도시의 하나. 정부 제 2 청사가 있으며, 위락 시설로 서울 대공원이 널리 알려짐. 1986 년에 시로 승격. [35.81 km² : 70,035 명 (1996)] 「자타여불

과체[1]【瓜遞】명〖역〗벼슬의 임기가 차서 갈림. *소체(召遞). ——-하다

과체[2]【瓜蔕】명〖한의〗참외 꼭지. 담(痰)·후증(喉症)·부증(浮症)·황달(黃疸) 등의 약제로 쓰임. 고정향(苦丁香).

과:체[3]【果蔕】명 과실의 꼭지.

과체-문【科體文】명〖문〗과문(科文).

과:초점 거:리【過焦點距離】[—쩜—] 명〖사진〗카메라 등의 렌즈에서, 어떤 거리 S에 초점을 맞추었을 때 그 후방(後方)이 무한원(無限遠)까지 흐려지지 않는 화상(畫像)을 맺는 경우의 거리 S.

과:추【過秋】명 가을을 지냄. 가을을 남. ——-하다 자여불

과:춘【過春】명 봄을 지냄. 봄을 남. ——-하다 자여불

과:취【過醉】명 과도하게 술이 취함. 몹시 취함. ——-하다 자여불

과칭[1]【誇稱】명 ①뽐내어 말함. ②사실을 늘이어 말함. ¶ 한국 제일이라고 ~하다. ——-하다 타여불

과:칭[2]【過稱】명 너무 칭찬함. ——-하다 타여불 「음.

과탄【夸誕】명 진실이 아닌 것을 과장하여 말함. 과장하여 믿을 수가 없

과태[1]【科怠】명 벌받아 마땅한 태만.

과:태[2]【過怠】명 태만(怠慢). 과실(過失).

과:태기【寡—】명〈방〉과댁(寡宅)(경북·경남).

과:태-료【過怠料】명 형벌로서의 성질을 가지지 않는 금전벌(金錢罰)의 총칭. 법률·질서를 유지하기 위하여 법령을 지키지 않은 자에게 제재(制裁)로서 과하여지는 질서벌(秩序罰), 행정상의 의무를 이행(履行)시키는 수단으로서의 집행벌(執行罰), 재판관이나 공증인 등에 대한 징계 처분으로서의 징계벌(懲戒罰)의 성질을 가지는 것 등으로 나뉨.

과:태 약관【過怠約款】명〖법〗채무(債務)를 이행하지 아니하는 데서 생기는 손해 배상(損害賠償)의 금액을 약정(約定)함을 목적으로 하는 채권자와 채무자 사이의 계약.

과:태 파:산【過怠破産】명〖법〗파산자가 파산 선고의 전후를 불문하고 파산 재산을 감소(減少)하여 파산 채권자에게 손해 또는 불평등을 일으키는 행위를 함으로써 성립되는 죄. 특히 자기 또는 타인의 이익을 도모하거나 채권자를 [illegible] 목적으로 행한 행위가 아닌 점에서 사기(詐欺) 파산죄와는 구별됨.

과택[1]【科擇】명〖역〗과거(科擧)를 택(擇)함. ——-하다 자여불

과:택[2]【寡宅】명 →과댁(寡宅).

과테말라〔Guatemala〕명〖지〗중[illegible]에 있는 공화국. 열대에 있지만 산지[illegible]카 북서부, 멕시코의 남부 [illegible]기후는 온난(溫暖)함. 산의 경치가 아름다운 가운데 페텐 평[illegible]野)가 있으며, 농업은 주로 커피·바나나·옥수수·면화 등을 산[illegible] 인디오가 54%, 스페인 사람과의 혼혈이 35%임. 공용어는 [illegible] 1524년에 스페인령(領)이 되었다가 1839년에 독립함. 마야[illegible] 번영하던 곳임. 수도는 과테말라 시티. 정식 명칭은 '과테말[illegible]epublic of Guatemala)'. [108,889 km² : 10,621,000 명(1995)]

과테말라-시티〔Guatemala City〕명〖지〗과테말라[illegible] 고원 위에 있어 기후(氣候)가 쾌적(快適)함. 시가지가 [illegible]기로 유명함. [1,150,452 명(1994)]

과특-자【課特者】명 ↗과세 특례자.

과티다 자〈방〉떠들다(평북). *고다[1].

과:-판[1] 명〔←국화판〕①국화 모양의 장식이 달린 여자의 머꽂이. ②국화 모양의 물건을 찍어 내는 데 쓰는 판. 쇠붙이나 나무에 국화 모양을 새기어 만듦.

과:판[2]【銙板】명〖고고학〗과대(銙帶)를 이루는 낱낱의 쇳조각. 띠

과:편【果片】명 과즙(果汁)에 녹말이나 꿀을 넣고 끓여서 굳힌, 묵과 같은 음식. 앵두편·살구편·산사편·들쭉편 등이 있음.

과폐【科弊】명 과거로 말미암아 일어나는 여러 가지 폐해.

과:포【過褒】명 과상(過賞). ——-하다 타여불

과:-포자【果胞子】명〔carpospore〕〖식〗홍조류(紅藻類) 식물에서 유성생식(有性生殖)으로 생긴 포자. 무성(無性) 생식에 의한 것은 사분(四分) 포자라고 함. *사분 포자.

과:-포화【過飽和】명〔supersaturation〕〖물·화〗①용액이 어떤 온도에 있어서 용해도에 상당(相當)하는 농도 이상으로 용질(溶質)을 함유하고 있는 상태. ②어떤 온도에 있어서 증기가 그 온도에 상당하는 포화 증기압보다 큰 압력을 갖는 상태.

과:포화 용액【過飽和溶液】명〖물〗용해도의 한도 이상으로 용질(溶質)을 함유하고 있는 용액. 불안정하고 조그마한 자극에도 급격히 용질을 석출(析出)함.

과:포화 증기【過飽和蒸氣】명〖물〗증기가 급격하게 팽창할 때 생성하는 과포화의 증기. 이것은 불안전하여 일부는 곧 응결(凝結)하여 습윤(濕潤) 포화 증기로 됨.

과표【課標】명 ↗과세(課稅) 표준. ¶ ~ 인상.

과:품[1]【果品】명 여러 가지의 과실(果實).

과품[2]【菓品】명 과자(菓子).

과:품[3]【過品】명 과분(過分)한 품계(品階).

과:피【果皮】명 ①〖식〗과실(果實)의 종자를 제외한 나머지 전부. 자방벽(子房壁)이 성숙(成熟)한 것으로 외과피·중과피·내과피로 나눔. ②과실의 표면을 싸고 있는 부분. 과실의 껍질.

외과피
중과피
내과피
씨
퇴화한 배주
내봉선

〈과피❶〉

과필【科筆】명〖역〗과거를 볼 때에 쓰는 붓.

과핍【窠乏】명〖역〗벼슬 자리가 차서 결원이 없음. ——-하다 형여불

과:하【過夏】명 여름을 지냄. 여름을 남. ——-하다 자여불

과-하다[1]【科—】타여불 형벌을 지우다. ¶ 벌금을 ~.

과-하다[2]【課—】타여불 ①조세(租稅)나 과태료(過怠料) 따위를 매기어 내게하다. ¶ 중세를 ~. ②시험(試驗)하다. ③공부를 시키다. ④어떠한 일이나 책임 등을 매기어 하게 하다.

과:-하다[3]【過—】형여불 도수가 지나치다. 분에 넘치다. ¶ 그 사람은 술이 ~. 과:-히【過—】부 ①너무 지나치게. ¶ 술을 ~ 마시다./~ 염려 마시오. ②그다지. ¶ ~ 크지 아니하다. 주의 '그다지'의 뜻으로 쓰일 때에는, 뒤에 부정의 말이 따름.

과:하-마【果下馬】명 키가 썩 작은 말. 타고서 과실 나뭇가지 밑으로 지날 수 있다는 뜻인데, 고구려와 예(濊)에서 났다는 전설이 있음.

과:하-시【過夏柴】명 여름에 때려고 준비하여 두는 땔나무. *과동시.

과:하-주【過夏酒】명 소주와 약주를 섞어서 빚은 술. 여름에 많이 마심.

과학【科學】명〔science, 도 Wissenschaft〕보편적인 진리나, 법칙의 발견을 목적으로 한 체계적 지식. 광의(廣義)로는 학(學)과 같은 뜻이고, 협의(狹義)로는 철학 이외의 학문의 총칭 또는 자연 과학을 일컬음.

과학-계【科學界】명 과학에 관계되는 사회적 활동 분야.

과학-관【科學館】명 과학 기술 자료를 수집·조사·연구하여 이를 보존·전시하며, 각종 과학 기술 교육 프로그램을 개설하여 과학 기술 지식을 보급하는 시설.

과학 관측 위성【科學觀測衛星】명 과학 위성.

과학 교:육【科學敎育】명〖교〗과학에 관한 지식·태도·처리 능력 등의 교육. 현상(現象)을 과학적으로 관찰하여 처리할 능력을 양성하는 교육. 일반적으로 자연 과학 교육을 일컬음.

과학 교:육과【科學敎育科】명〖교〗대학에서, 과학 교육에 관한 학문

*공업(工業) 교육과. 사회(社會) 교육과.
을 전공하는 학과. *공업(工業) 교육과·사회(社會) 교육과.
과학 교:육 심:의회【科學教育審議會】[-/—이—] 명 〖법〗교육부 장관의 자문 기관의 하나. 과학 교육에 관한 종합 계획의 수립과 과학 교육의 내용 및 방법의 개선, 교재·실험·실습 시설 등에 관한 사항을 심의하여 교육부 차관에게 건의함.
과학 교:육 진:흥법【科學教育振興法】[—뻡] 명 〖법〗국민의 과학 지식·기능 및 창의력을 함양하여 과학 교육을 진흥하려는 법.
과학 기술 기금【科學技術基金】명 〖법〗 과학 기술에 관한 조사·연구와 진흥을 위하여 조성되는 기금. 정부의 출연(出捐)과 외국 기관의 원조금 및 기부금으로 조성됨.
과학 기술부【科學技術部】명 행정 각부의 하나. 과학 기술 진흥을 위한 기획, 기술 협력 및 원자력과 기타 과학 기술 진흥에 관한 사무를 맡음. 산하에 기상청을 둠. 준과기부.
과학 기술부 장:관【科學技術部長官】명 과학 기술부의 장(長)인 국무 위원.
과학 기술원【科學技術院】명 ↗한국 과학 기술원.
과학 기술 정보 통신 위원회【科學技術情報通信委員會】명 국회 상임 위원회의 하나. 과학 기술부와 정보 통신부 소관 사항을 심의함.
과학 기술 정책【科學技術政策】명 〖정〗한 나라 또는 국제간의 과학 기술을 평균적으로 발달시키어 그 인류 사회에 있어서의 역할을 다할 수 있도록 하기 위한 과학 기술에 대한 정치적인 도모(圖謀). 곧, 과학 기술 연구 기관의 정비(整備) 및 충실, 연구자의 생활의 보장과 연구 사상의 자유에 대한 장애의 배제(排除), 과학 기술 교육의 진흥과 연구자의 양성, 과학 기술 연구에 관한 정보 및 연구자 교류(交流)의 원조, 과학 기술 연구 성과의 생산에의 응용 촉진 등의 정책.
과학 기술 진:흥법【科學技術振興法】[—뻡] 명 〖법〗국민 생활의 과학화와 경제·산업 발전을 위하여, 과학 기술 진흥에 관한 기본 시책 및 종합 계획 수립과 그 시행을 위한 지원(支援) 체제의 강화에 관한 사항을 규정한 법률.
과학 기술 진:흥 위원회【科學技術振興委員會】명 〖법〗과학 기술부 장관의 자문에 응하여 과학 기술 진흥을 위한 기본 시책과 과학 기술 진흥 관계 예산 및 과학 기술에 대한 중요 사항을 심의하기 위하여 과학 기술처에 둔 기관.
과학 기술처【科學技術處】명 과학 기술부의 전신(前身).
과학 논리학【科學論理學】[—놀—] 명 수학을 중심으로 하여 과학의 기초를, 그 개념·명제(命題)의 논리 분석에 의하여 확립하려는 연구. 빈 학파(Wien學派) 또는 논리 실증주의의 과학론의 입장을 가리킴.
과학-도【科學徒】명 과학을 전공하는 학도. 과학을 연구하는 사람.
과학-력【科學力】[—녁] 명 과학의 힘.
과학-론【科學論】[—논] 명 ①과학 철학❶. ②과학 비판.
과학 만:능주의【科學萬能主義】[—/—이] 명 과학에 의하여서만 삼라만상(森羅萬象)의 모든 문제를 구명(究明)할 수 있다는 주장. 정신적 방면을 경시(輕視)하는 경향이 있음.
과학 무:기【科學武器】명 현대의 과학 기술을 응용하여 만든 무기. 독가스 등의 화학 무기, 세균 등을 이용한 생물학 무기, 핵무기, 광학(光學) 무기, 항공 무기 등의 총칭.
과학 문법【科學文法】[—뻡] 명 〖언〗언어의 과학적 연구의 일환으로, 문법 사실을 있는 그대로 객관적이며 과학적으로 서술·설명하는 문법. 학문(學問) 문법. ↔규범(規範) 문법.
과학 박물관【科學博物館】명 자연 과학 또는 그 응용에 관한 교육·계몽·연구를 돕기 위한 자료를 진열한 박물관.
과학 비:판【科學批判】명 〔도 Wissenschaftskritik〕〖철〗과학의 이론적 전제나 방법을 철학적으로 검토하는 작업. 과학론(科學論).
과학 비:평【科學批評】명 ①〖문〗예술 작품에 대하여, 그 작자의 기질(氣質)·환경·시대의 배경(背景) 등을 조사 연구하여 그 가치를 비평하는 일. 과학적 비판. ②〖철〗과학 비판(批判).
과학-사【科學史】명 과학의 변천·발달의 경과를 쓴 역사.
과학 사전【科學辭典】명 과학에 관한 용어와 사항을 모아 주석한 전문 사전의 하나.
과학 사회학【科學社會學】명 과학과 사회의 관련을 사회학적 접근 방법으로 밝히려는 연구 분야.
과학-성【科學性】명 과학의 성질. 과학적인 성질. ¶ ~의 결핍(缺乏).
과학 소:설【科學小說】명 〖문〗①과학을 기초로 하여, 여기에서 발전하는 공상·설계·사색을 적은 소설. 영국의 웰스(Wells, H.G.)의 《공중전쟁》 같은 것. ②과학 연구에서 취재한 소설. 에스 에프(S.F.).
과학 수사【科學搜査】명 과학의 힘에 의하여 범죄를 감정 수사(鑑定搜査)하는 일. 지문(指紋)의 감식(鑑識)이나 혈흔(血痕) 분석, 사체(死體) 해부(解剖) 등에 의하여 사인(死因)을 확인하는 것 등. 과학적 수사.
과학-심【科學心】명 과학하는 마음. 과학을 연구하여 즐기는 마음.
과학 영화【科學映畫】[—녕—] 명 과학 사상이나 실적을 널리 전하는 영화. 또 저속도나 고속도 촬영 등 영화의 여러 기능을 이용하여, 과학적 구명에 필요한 대상의 운동·변화를 기록하여 관찰하는 학술적인 영화.
과학 위성【科學衛星】명 지구 또는 우주 공간의 과학 관측을 목적으로 쏘아 올린 인공 위성. 관측 항목은 상층(上層) 대기의 조성(組成)·방사능대(帶)·전리층·자기장(磁氣場)·유성진(流星塵)·태양 방사선·우주선(宇宙線) 등 매우 여러 갈래로 되어 있음. 과학 관측 위성.
과학의 날【科學—】[—/—에—] 명 과학 기술부 주관으로, 과학 기술의 중요성을 높이고 국민 생활의 과학화를 추진하는 행사를 하는 날. 4월 21일.
과학-자【科學者】명 과학, 특히 자연 과학을 연구하는 사람.
과학자 헌:장【科學者憲章】명 〔Charter for Scientific Workers〕세계 과학 노동자 연맹이 1948년 9월 프라하(Praha)에서 열린 제1회 총회에서 채택한 헌장. 전문(前文)과 7장 52항으로 되었는데, 과학의 유지와 발전과 과학의 적당한 사용에 대한 과학 노동자의 책임과, 과학 노동자가 이 책임에 따라 요구하는 여러 가지 조건에 관하여 간결하게 요약되어 있음.
과학-적【科學的】명관 사실 그 자체에 의하여 뒷받침되고, 논리적인 인식에 의하여 매개(媒介)되어 있는 모양. 원리적(原理的)으로 체계(體系)가 세워져 있는 모양. 학문적(學問的). ¶ ~ 판단/~ 연구.
과학적 관리법【科學的管理法】[—괄—뻡] 명 〖사〗근로자의 능률(能率)을 향상시키기 위하여, 작업의 성질·순서 등을 연구하여, 그 관리를 과학적으로 행하는 방법. 테일러 시스템.
과학적 방법【科學的方法】명 ①논리(論理)의 법칙에 따라 과학의 목적을 달성하는 데 필요한 구체적 처리(處理). ②사물·현상 사이에 존재하는 법칙을 추구하는 자연 과학의 연구 방법.
과학적 비:판【科學的批判】명 〖문〗①과학 비평(科學批評). ②과학 철학❶.
과학적 사회주의【科學的社會主義】[—/—이] 명 〖사〗역사 및 현실의 사회에 대한 과학적 인식 위에서 마르크스(Marx)와 엥겔스 등이 주장한 사회주의. 공상적 사회주의는 한낱 실현성이 없는 공상에 불과하다 하여 마르크스나 엥겔스가 자기들이 주장하는 사회주의를 이른 말. 자본주의의 여러 가지 모순·결함을 비판하고 자본주의 사회가 몰락(沒落)한 후 필연적으로 자기들이 주장하는 사회주의가 탄생한다고 주장함. ↔공상적(空想的) 사회주의.
과학적 수사【科學的搜査】명 과학 수사. ¶ ~를 전개하다.
과학적 실재론【科學的實在論】[—째—] 명 〖철〗사물을 인식 주관(認識主觀)과 독립적으로 존재한다고 보고 이것을 과학적으로 연구하여 감관(感官)에 비치는 사물을 통일하여 그 근원을 정하려는 이론. *실재론(實在論).
과학적 인생관【科學的人生觀】명 인생의 모든 문제를 과학의 힘으로 해결하려는 인생관.
과학-전[1]【科學展】명 ↗과학 전람회.
과학-전[2]【科學戰】명 〖군〗과학적 신무기를 주로 써서 싸우는 전쟁.
과학 전:람회【科學展覽會】[—절—] 명 과학 기술의 발전과 국민 생활의 과학화를 촉진하기 위하여 해마다 과학 기술부 주관 하에 개최되는 전람회. 물리·화학·생물·산업의 네 부문이 있는데, 제작 후 4년 이상 경과된 작품과 과학전에 이미 출품되었던 작품은 출품할 수 없음.
과학-주의【科學主義】[—/—이] 명 〖철〗인식론에 있어서, 과학의 한계를 인정하고 다른 인식 방법을 허용하는 입장에 반대하여, 과학적 인식을 최고 유일(唯一)의 인식 방법으로 삼는 입장. 메이에르송(Meyerson, É.)과 같이 실재에 관한 과학적 인식의 가능성을 주장하거나, 푸앵카레(Poincaré, J.H.)와 같이 일반적으로 실재 인식을 부정하여 현상(現象)에 관한 과학적 인식의 유일성을 주장하는 것과 같은 입장.
과학 철학【科學哲學】명 〖철〗①과학의 방법이나 과학적 인식(認識)의 기초에 관한 철학적인 탐구(探究). 과학론(科學論). 과학 비판(批判). ②수학·이론 물리학(理論物理學)을 중심으로 하는 제(諸) 과학의 인식·기술(記述)의 기초 혹은 제 과학의 통일의 조건을, 주로 기호(記號)·언어(言語) 및 논리의 분석적 조작(操作)을 통해서 추구(追求)하려는 입장(立場). 1930년 무렵부터 독자적(獨自的) 개념(槪念)으로서 주창(主唱)되기 시작하였음.
과학 혁명【科學革命】명 17세기 서(西)유럽에서 일어난, 역학(力學)과 물리(物理) 법칙 개념의 형성(形成)을 중심으로 한 세계상(世界像)의 변혁. 전(轉)하여, 사회적 영향이 큰 과학 상의 진전(進展).
과학-화【科學化】명 과학적으로 체계화함. ¶ 범죄 수사의 ~. ——-하다 타여불
과한[1]【瓜限】명 〖역〗벼슬의 기한. 과기(瓜期).
과:한[2]【過限】명 기한이 지남. 또, 기한을 넘김. 과기(過期). ——-하다 자타여불
과:할【過割】명 〖역〗↗과호 할량(過戶割糧). ——-하다 타여불
과함-저【瓜醎菹】명 오이짠지.
과함-지【瓜醎漬】명 오이지.
과:해【果海】명 〖불교〗불과(佛果)의 덕이 넓고 큼을 바다에 비유한 말.
과:해-량【過海糧】명 〖역〗조선 시대에, 입조(入朝)한 일본 사람에게 그들이 돌아갈 때에 소요되는 일수(日數)에 따라 지급한 식량. 「여불
과행【科行】명 〖역〗과거(科擧)를 보러 서울로 올라감. ——-하다 자
과혁【裹革】명 ①전사자(戰死者)의 시체를 싸는 말가죽. ②과혁지시.
과혁지-시【裹革之屍】명 가죽에 싼 시체라는 뜻으로, 전쟁에서 싸우다 죽은 시체를 일컬음. 과혁.
과:-현【過現】명 과거와 현재.
과:-현-미【過現未】명 〖불교〗과거·현재·미래의 삼세(三世).
과:현 인과경【過現因果經】명 〖불교〗↗과거 현재 인과경.
과형【剮刑】명 〖역〗옛날 중국에서, 사형에 처한 뒤에 살을 긁어내던 형벌.
과:-형성【過形成】명 〖의〗조직의 증식(增殖). 조직이 구성 성분의 수효의 증가에 따라 그 조직의 용적(容積)이 증가하는 것을 이름.
과:형성성-염【過形成性炎】[—썽념] 명 〖의〗염증의 한 가지. 어떤 조직의 구성 성분이 불어, 조직의 용적(容積)이 증가하는 염증. 번식성염(繁殖性炎)과 증식성염(增殖性炎)이 있음.
과:호[1]【過戶】명 〖역〗①부동산(不動産)을 양도(讓渡)함. ②↗과호 할량(過戶割糧). ——-하다 타여불
과호[2]【課戶】명 〖역〗봉읍(封邑) 안에서 조세(租稅)를 바치던 민호(民戶).
과호이 부 〈옛〉가상(可賞)하게. ¶ 심히 에엿비 너기며 과호이 너겨 위ᄒᆞ야 무덤을 민ᄃᆞ라 주니라(甚加矜賞)《飜小 Ⅸ:33》.
과:호 할량【過戶割糧】명 〖역〗토지 대장의 명의(名義)를 변경함. 준과

할(過割)·과호(過戶). ——-하다 타여불

과:혹【過酷】명 지나치게 참혹(慘酷)함. ¶ ~한 형벌. ——-하다 형여불

과홍-저【瓜紅菹】명 오이 깍두기.

과:화 숙식【過火熟食】명 지나가는 불에 음식이 익듯이, 특히 그 사람을 위하여 한 것은 아니지만 결과적으로 그 사람에게 은혜가 되는 것을 가리키는 말.

과:화 존신【過化存神】명 성인(聖人)이 지나는 것만으로 백성은 감화(感化)되고 오래 머무르는 곳에서는 그 감화는 신명(神明)과 같다는 뜻으로, 성인의 덕의 높음을 기리는 말.

과회【科會】명 대학의 같은 학과끼리 모이는 회.

과ᄒᆞ다 타 〈옛〉 일컫다. 칭찬하다. 부러워하다. ¶ 奇才를 과ᄒᆞ수ᄫᆞ니(奇才是服)《龍歌 57章》/義士를 올타 과ᄒᆞ샤(深奬義士)《龍歌 106章》/金ㅅ 사ᄅᆞ미 忠誠을 과ᄒᆞ야(金人嘆其忠)《三綱》.

곽¹ 명 ☞ 갑. ¶ 성냥~.

곽² 명 〈방〉 성냥(제주).

「두 본관이 있음.

곽³【郭】명 성(姓)의 하나. 현재 우리 나라에는 현풍(玄風)·청주(淸州)의

곽⁴【槨】명 관(棺)을 담는 궤. 외관(外棺).

곽⁵【霍】명 성(姓)의 하나. 현존하지 않음.

곽각 선생【郭覺先生】명 〖민〗 판수의 수호신인 맹인신(盲人神)의 하나.

곽-거【郭巨】명 〖사람〗 중국 후한(後漢) 시대의 이십사효(二十四孝) 중의 한 사람. 극진한 효자로 집이 가난하여 노모(老母)가 식사를 줄이는 것을 보고 자식을 묻고자 땅을 파다가 황금 솥을 얻었다고 함.

곽-거(:)병【霍去病】명 〖사람〗 중국 전한(前漢)의 명장(名將). 산시 성(山西省) 평양(平陽)에서 출생. 대장군 위청(衛靑)의 누이의 아들. 무제(武帝)를 섬기고 위청 등과 함께 흉노(匈奴)를 쳐서 큰 공을 세움. 산시 성(陝西省) 싱핑 현(興平縣)에 현존하는 그의 분묘(墳墓) 앞의 석조마(石彫馬)는 기원전 2세기 말의 작품으로서 유명함. [?-117 B.C.]

곽공【郭公】명 〖조〗 뻐꾸기.

곽공-충【郭公蟲】명 〖동〗 개미붙이.

곽기【癨氣】명 〖한의〗 곽란(癨亂).

곽내【郭內】명 어떤 구역의 안. ↔곽외(郭外).

곽대【廓大】명 넓히어 크게 함. ——-하다 타여불

곽-도【藿島】명 〖지〗 전라 남도의 서남 해상(西南海上), 진도군(珍島郡) 조도면(鳥島面) 맹골도리(孟骨島里)에 위치한 섬. [0.17km² : 38명(1984)]

곽란【霍亂·癨亂】[—난] 명 〖한의〗 음식이 체하여 별안간 토하고 설사가 심한 급성 위장병. 곽기(癨氣). ¶ 토사(吐瀉) ~.
【곽란에 약 지으러 보내면 좋겠다】 행동이 몹시 우둔한 사람을 두고 이르는 말. 【곽란에 죽은 말 상판대기 같다】 얼굴빛이 싯푸르뎅뎅하고도 검붉다는 말.

곽-령【霍嶺】[—녕] 명 〖지〗 함경 남도 단천읍(端川邑) 북쪽에 있는 재. 이 재 안에 종유동(鍾乳洞)이 있는데, 그 입구는 겨우 사람이 들어갈 만하나 들어가면 넓고 구슬 같은 돌들이 암벽에 만물상을 이루고 있

곽리【霍里】[—니] 명 성(姓)의 하나. 현존하지 않음. ㄴ음.

곽-말약【郭沫若】명 〖사람〗 '궈 모뤄'를 우리 음으로 읽은 이름.

곽문 유산【郭文遊山】[—뉴—] 명 화제(畫題)의 하나. 속세(俗世)를 떠나 산수를 사랑하고 오래도록 산중에서 고독한 생활을 보낸 중국 진(晉)나라 사람 곽문(郭文)을 그린 그림.

곽-박【郭璞】명 〖사람〗 중국 동진(東晉)의 학자·시인. 허둥(河東)에서 출생. 자는 경순(景純). 경학(經學)·시문(詩文)·역수(曆數)에 뛰어나고 박학의 재능을 인정받아 원제(元帝)에 의해 상서랑(尙書郞)으로 임명됨. 322년 중신인 왕돈(王敦)이 우창(武昌)에서 반란을 일으켜 왕도(王導)의 선방(善防)에도 불구하고 관군이 패하자 곽박도 왕돈에 의해 살해됨. 그의 《목천자전(穆天子傳)》·《산해경(山海經)》·《수경(水經)》·《초사(楚辭)》 등의 주석(註釋)은 유명함. [276-324]

곽-분양【郭汾陽】명 〖사람〗 분양왕(汾陽王)으로 봉해진 중국 당(唐)나라 숙종(肅宗) 때의 충신 곽자의(郭子儀)의 별칭. *곽분양 팔자.

곽분양-전【郭汾陽傳】명 〖문〗 조선 후기의 국문 소설. 당(唐)의 분양왕 곽자의(郭子儀)의 행적(行蹟)을 담은 역사 소설. 작자·연대 미상.

곽분양 팔자【郭汾陽八字】[—짜] 명 부귀 공명을 구비한 분양왕(汾陽王) 곽자의(郭子儀)의 팔자와 같다는 뜻으로, 오복(五福)을 겸비(兼備)하여 아주 팔자가 좋은 사람을 가리키는 말.

곽분양 향:락도【郭汾陽享樂圖】[—낙—] 명 〖미술〗 고사 인물화(故事人物畫) 화제(畫題)의 하나. 중국 당나라 때의 분양왕(汾陽王) 곽자의(郭子儀)의 향연 장면을 그린 병풍화. 곽분양 행락도(行樂圖).

곽사-봉【郭沙峰】명 〖지〗 함경 남도 혜산군(惠山郡) 보천면(普天面)에 있는 산봉우리. 부전령 산맥에 속함. [1,854m]

곽-상훈【郭尙勳】명 〖사람〗 정치가. 호(號)는 삼연(三然). 경상 남도 동래(東萊) 출신. 경성 고공(高工) 중퇴. 국회 의원, 민의원 의장을 지내고, 통일 주체 국민 회의 운영 위원장을 역임함. [1896-1980]

곽세【藿稅】명 〖역〗 미역 따는 사람에게 부과하던 세.

곽-송령【郭松齡】[—녕] 명 〖사람〗 '궈 쑹링'을 우리 음으로 읽은 이름.

곽-수경【郭守敬】명 〖사람〗 중국 원(元)나라의 과학자. 자는 약사(若思). 순더 싱타이(順德邢臺) 사람. 세조(世祖)를 섬겨 수리(水利)·토목에 큰 공적을 남김. 뒤에 종래의 '대명력(大明曆)'에 갈음하는 중국의 역법사상(曆法史上) 획기적인 새로운 역서(曆書) '수시력(授時曆)'을 만듦. 역서의 세부에 관해 적은 《추보(推步)》·《입성(立成)》 등의 저서가 있음. [1231-1316]

곽식-자【藿食者】명 콩 잎을 먹는 자(者)라는 뜻으로, 백성을 가리키는

곽실【槨室】명 〖고고학〗 널방(房)❷. ㄴ말.

곽씨-전【霍氏傳】명 〖문〗 조선 말기의 국문 소설. 사주(四柱)를 받은 다음 신랑이 옥에 갇히자, 납(納采)를 돌려 달라는 청을 거절하고 신부가 남장(男裝)하여 신랑을 옥에서 빼내 행복하게 살게 된다는 줄거리. 작가·연대 미상.

곽암【藿岩】명 미역이 붙어 있는 바위.

곽약【藿藥】명 〖한의〗 떡갈나무 으로 만든 치료에 사용하고 지갈(止渴)·제충(除蟲劑)로 치질·적리(赤痢)의

곽언【霍焉】명 빠른 모양.

곽-여¹【郭輿】명 〖사람〗 고려 예종(睿 때의 은사(得). 사어금기(射御琴棋)를 잘 하였으며 등제(登第) · 牧使)를 지냄. 후에 예종이 성동(城東)에 별장을 하사함 몽득(夢 (洪州)는 진정(眞靜). [1059-1130]

곽여²【廓如】명 →확여. ——-하다 형여불

곽연¹【廓然】명 →확연. ——-하다 형여불

곽연²【霍然】명 ①빠른 모양. 또, 갑자기 사라져 없어지는 모 모양. ——-하다 형여불

곽-예【郭預】명 〖사람〗 고려 충렬왕(忠烈王) 때의 시인. 자는 선甲). 초명은 왕부(王府). 청주 사람. 고종 때, 장원 급제하여 전주(사록(司錄)으로서 선치(善治)하였고, 뒤에 좌승지(左承旨)를 지냄. 렬왕 12년(1286) 하성절사(賀聖節使)로 원나라에 갔다 귀로에 죽음. [1232-86]

곽외¹【郭外】명 어떤 구역의 밖. ↔곽내(郭內).

곽-외²【郭隗】명 〖사람〗 중국 전국(戰國) 시대의 연(燕)나라 사람. 소왕(昭王)으로부터 인재(人材) 등용책을 자문받고, '먼저 '외'로부터 시작하시오(먼저 나를 등용하시오)'라고 대답한 것으로 유명함. 생몰(生沒) 연대 미상(未詳).

곽-위【郭威】명 〖사람〗 중국 오대 후주(後周)의 태조(太祖). 자(字)는 문중(文仲). 오대 후한(後漢)의 은제(隱帝)에게 중용되어 병마의 최고권을 위임받고 거란(契丹)의 친입을 물리쳤으나 은제와 불화, 이를 넘어뜨리고 스스로 후주를 세움. [904-954; 재위 951-954]

곽이【藿耳】명 〖식〗 미역귀.

곽이-저【藿耳菹】명 미역귀 김치.

곽-자의【郭子儀】[—/—이] 명 〖사람〗 중국 당(唐)나라의 명장(名將). 허난 성(河南省) 정 현(鄭縣) 사람. 안녹산(安祿山)의 난을 토벌하여 허베이의 10여 군을 회복하였고, 숙종(肅宗)·대종(代宗) 때에 토번(吐蕃)을 쳐서 많은 공을 세우고 사도(司徒)·중서령(中書令)에 이어 분양왕(汾陽王)으로 봉함을 받음. [697-781] *곽분양 팔자.

곽-재(:)우【郭再祐】명 〖사람〗 임진 왜란 때의 의병장(義兵將). 자는 계수(季綏). 현풍(玄風) 사람. 의령(宜寧)에서 의병을 일으켜 큰 공을 세웠음. 정유 재란(丁酉再亂) 때 다시 의병장으로 출전하여 고성(孤城)을 홀로 지키던 중 모상(母喪)을 당하여 울진(蔚珍)으로 돌아감. 시호는 충익(忠翼). 홍의(紅衣) 장군. [1552-1617]

곽재우-전【郭再祐傳】명 〖책〗 조선 시대의 군담(軍談) 소설의 하나. 임진 왜란에 곽재우가 신출 귀몰하게 활약하여 왜군을 무찌른 이야기. 연대·작자는 모두 미상.

곽쟁이 명 〈방〉 팽이¹(황해·평안).

곽전【藿田】명 바닷가의 미역을 따는 곳.

곽:쥐 명 [←곽주(郭走)] 옛날에 세력을 떨치던 '走'변의 이름을 가진 곽준(郭逡) 여덟 형제의 별명. 어린 아이가 보채거나 울 때에 위협하여 달래는 말. ¶ 울지 마라 저기 ~ 온다.

곽지 명 〈방〉 팽이¹(함남).

곽지-봉【郭支峰】명 〖지〗 ①함경 북도 혜산군(惠山郡) 보천면(普天面)에 있는 산봉우리. [1,667m] ②함경 남도 갑산군(甲山郡)에 있는 산봉우리. [1,583m]

곽청【廓淸】명 →확청(廓淸). ——-하다 타여불

곽-충서【郭忠恕】명 〖사람〗 중국 송(宋)초의 서화가. 자(字)는 서선(恕先). 뤄양(洛陽) 사람. 전(篆)·예(隸)의 서에 능하고 계척을 사용하여 매우 복잡한 누각 건축도 정확 명료하게 그렸음. [?-977]

곽탕【藿湯】명 미역국.

곽해룡-전【郭海龍傳】명 〖문〗 고전 소설의 하나. 작자·창작 연대 미상의 국문본 군담 소설. 곽해룡에게 초인간적인 기술(奇術)을 부여하여 영웅화한 것으로 배경은 중국 원(元)나라임.

〈곽향❶〉

곽향【藿香】명 ①〖식〗 [*Lophranthus rugosus*] 순형과(脣形科)에 속하는 약초(藥草). 잎이 박하(薄荷) 잎같고 갸름하며, 겉에 털이 나고 향기가 있음. ②〖한의〗 성질이 약간 온하고 향기가 많은 위장약. 곽란(霍亂)과 소화기(消化器)를 범한 외감(外感)에 쓰임.

곽향 정:기산【藿香正氣散】명 〖한의〗 향기가 많은 정기산의 하나.

곽휘 건단【廓揮乾斷】명 →확휘 건단(廓揮乾斷).

곽-희【郭熙】[—히] 명 〖사람〗 중국 북송(北宋)의 화가. 허양(河陽) 사람. 자(字)는 순부(淳夫). 이성(李成)의 산수화(山水畫)를 배워 사계(四季)의 경관(景觀)의 변화, 구름의 출몰에 의한 산수의 변화 등을 교묘히 표현함. 신종(神宗) 때 화원(畫院)에 들어가 이성과 더불어 '이곽(李郭)'이라 불리고 많은 추종자를 냈음. 대표작에 《계산 추제 도권(溪山秋霽圖卷)》이 있음. 북송의 화론(畫論)·기법을 집대성(集大成)한 《임천 고치(林泉高致)》는 그의 찬술(撰述)이라 전해지며 그 후의 수묵화(水墨畫)에 큰 영향을 주었음. 생몰년 미상.

관:¹ 명 과녁의 한복판. ↔변⁶(邊)❺.

관²【官】명 ↗관청. ¶ ~에서 하는 일.
관 물(을) 먹다 구 ↗관청 물을 먹다.

에 젖어 관료적인
「지 아니함.
관 물(이) 들다 구 ...의 나라에는 현존하
냄새를 풍기다. ...·예복(禮服)을 입을
관[3]【官】명 성(姓). 머리카락을 정교
관[4]【冠】명 ①... 모양은 방형(方形)·복
때에 망건을 ... 등 여러 가지가 있음.
...을 이르는 말. ↔동(童).
(精巧)하게 ...
이형(... 관구(棺柩). 널.
...은 말라】 어떤 경우에라도 말을 함부로 해서는
②... 에서 싸움한다】 예의를 모르고 함부로 무엄한 짓

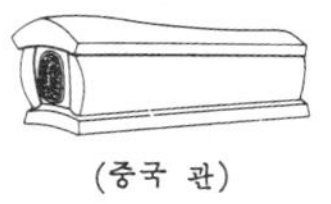
(중국 관)

(한국 관)
〈관[6]〉

관[5] ...
관 ...률문(法律文) 등의 조항. ②예산 결산 등의 과목을 ...목(科目)의 하나. 항(項)의 위임.
...나. 우리 나라에 현존하지 아니함.
... 둥글고 길며 속이 텅 비어 있는 물건. 담뱃대·시험 ...나 액체의 수송 또는 유도에 사용하는 둥글고 속이 ...기의 한 종류로서 오죽(烏竹)으로 만든 피리. 한쪽 ...를 맞대어 붙임. 길이가 한 자 남짓하며 다섯 개의

...】 ↗성균관(成均館)·홍문관(弘文館). ②↗왜관(倭館). ...에, 공공 여행자의 숙식과 빈객을 접대하기 위하여 ...路)에 50리마다 설치되었던 국영 여관 시설. *원 ...房). 다림방. ⑤서울에서, 쇠고기·돼지 고기 등을 전문 ... *푸주. ⑥고급 음식점. '관(館)'자가 붙은 요정(料 ... 술을 마시다.
...가는 소】 푸주에 들어가는 소처럼 몹시 겁냄을 이르는 말.
... 들어간 소가 나오는 걸 봤나】 한번 남의 손에 넘어간 것은 되찾...가 어렵다는 말.

관[11]【關】명 국경이나 요지의 통로에 두어서 외적을 경비하며 드나드는 사람이나 화물을 조사하는 곳. ¶ 산해(山海) ~.
관[12]【罐·鑵】명 ①양철로 만든 용기. 도료(塗料)나 기름 또는 식료 등을 상하지 않게 통조림하여 넣어 둠. ②질로 만든 두레박 또는 물주전자.
관[13]【觀】명【민】↗관괘(觀卦).
관[14]【觀】명 도교(道敎)의 사원(寺院).
관:[15]【鸛】명【조】황새.
관[16]【貫】의명 ①【역】쾌[3]❷. ②도량형(度量衡)의 무게의 기본 단위. 한 관은 3.75kg.
관[17] 부 ↗고만. ¶ ~ 둬.
관[18] 조 ↗과는. ¶ 나쁜 사람~ 안 논다.
-관[1]【串】미【지】-곶. ¶ 장산(長山)~.
-관[2]【官】미 ①일정한 직책을 맡은 군인이나 일정한 직위에서 일하는 공무원임을 나타내는 말. ¶ 사령~/경찰~/이사~. ②공무원은 아니라도, 공적인 직무를 맡은 사람을 뜻하는 말. ¶ 심판~/초헌(初獻)~.
-관[3]【館】미 ①어떤 기관이나 건물의 이름을 나타내는 말. ¶ 대사~/영사~/영화~. ②주로 한식 음식점·요정(料亭) 등의 옥호(屋號)에 붙이는 말. ¶ 명월(明月)~.
-관[4]【觀】미 체계화된 견해를 표하는 말. ¶ 인생~/연애~/세계~.
관가【官家】명【역】①나라 일을 보는 마을. 특히 지방의 한 고을의 행정 사무를 처리하던 관아. ↔민가(民家). ②시골 사람이 그 고을 원을 일컫는 말. 관정(官廷). ¶ ~에 고하다.
【관가 돼지 배 앓는 격】근심이 있으나 누구 하나 알아 주는 사람 없이 혼자 끙끙 앓는 것을 이르는 말.
관각[1]【館閣】명【역】홍문관(弘文館)과 예문관(藝文館).
관각[2]【觀閣】명 망대(望臺).
관각 당상【館閣堂上】명【역】홍문관·예문관의 대제학(大提學)과 제학(提學)을 이르는 말.
관각 문자【館閣文字】명【역】홍문관(弘文館)과 예문관(藝文館)에서 왕명(王命)을 받들어 지은 시문.
관각-체【館閣體】명 문체(文體)의 하나. 조선 말엽, 실학파(實學派)를 제외한 문장 대가(大家)들은 모두 정고문(正古文)을 사용했는데, 그 중 홍연천(洪淵泉)·김태산(金台山)·홍매산(洪梅山)·박선제(朴璿濟)·이영제(李寧齊) 등은 모두 홍문관(弘文館)·규장각(奎章閣) 등 관각에서 종사하던 문사(文士)였으므로 이들의 문장과 문체를 관각체라 했음.
관간【官刊】명 관에서 간행함. 또, 관에서 간행한 책. ──-하다 타여불
관감【觀感】명 눈으로 보고 마음으로 느낌. ──-하다 자여불
관개[1]【冠蓋】명【역】높은 벼슬아치가 타는 수레. 말 네 필에 멍에를 메워 끌게 함.
관:개[2]【灌漑】명【농】논밭을 경작하는 데 필요한 물을 댐. 급수와 배수의 두 가지로 나눔. 관수(灌水). 관주(灌注). ──-하다 자여불
관:개 농업【灌漑農業】명【농】농작물의 생육(生育)에 좋은 조건을 만들기 위하여 조직적으로 경지(耕地)에 물을 대어서 하는 농업.
관:개-망【灌漑網】명【농】관개 수로(水路)의 체계.
관:개 몽리 면:적【灌漑蒙利面積】[-니-] 명【농】관개 시설에 의하여 물을 이용할 수 있는 경지의 면적.
관개 상망【冠蓋相望】명 수레가 서로 바라볼 수 있는 가까운 거리를 두고 잇달아 간다는 뜻으로, 사신(使臣)의 왕래가 끊이지 않음을 이르는 말. ──-하다 자여불
관:개 용:수【灌漑用水】명【농】관개하는 데 쓰는 물.
관:개-지【灌漑地】명【농】관개한 땅.
관객【觀客】명 구경하는 사람. 간객(看客).
관거【貫渠】명【식】관중(貫衆).
관건【關鍵】명 ①문빗장. ②사물의 가장 중요한 곳. 핵심(核心). 키(key). ¶ 문제 해결의 ~을 쥐다.
관격【關格】명【한의】음식물이 급하게 체하여, 가슴이 꽉 막히어 답답하고, 먹지도 못하고 토하지도 못하며 대소변도 잘 못 보고 정신을 잃는 위급(危急)한 병.
관견【管見】명〔대롱 구멍으로 사물을 본다는 뜻〕좁은 소견. 넓지 못한 식견. 자기 소견의 겸사말. 혈견(穴見).
관결【官決】명【역】관가(官家)의 처분.
관경【觀經】명【불교】①간경(看經). ②↗관무량수경(觀無量壽經).
관경-대【觀耕臺】명【역】적전(籍田)에서, 경작(耕作)하는 것을 임금이 친람(親覽)하는 대(臺).
관계[1]【官界】명 국가의 각 기관. 또 그 관리의 사회. 관리 사회. 환해(宦海).
관계[2]【官契】명【역】관가(官家)에서 증명한 문서.
관계[3]【官桂】명【한의】품질이 가장 좋은 육계(肉桂).
관계[4]【官階】명 ①관등(官等). ②【역】품계(品階).
관계[5]【關係】명 ①둘 이상이 서로 걸림. 계관(係關). ¶ 연고 ~. ②남녀가 서로 정을 통함. ¶ 그 여자와 ~를 맺다. ③어떠한 사물에 상관함. ¶ 모 사건에 ~된 인물. ④남의 일에 참견함. ¶ 남이야 뭘 하든 네가 무슨 ~냐. ⑤어떤 방면이나 영역. ¶ 정보 ~ 업무에 종사하다. ⑥까닭이나 원인을 나타내는 말. ¶ 사업 ~로 해외 출장을 가다. ⑦【수】순서쌍(ordered pair)의 집합. ──-하다 자타여불
관계[6]【關契】명【역】군사 임무를 띠고 관문을 통과하는 사람에게 교부하는 나무로 만든 표지.
관계-관【關係官】명 어떤 일에 관계되는 관리.
관계-국【關係國】명 어떤 사항에 관련성이 있는 나라.
관계 논리학【關係論理學】[-놀-] 명 기호(記號) 논리학의 중요한 한 부문. 수학의 함수 개념을 도입하여 주어와 술어와의 관계를 정확하게 파악하려는 것.
관계 대:명사【關係代名詞】명【언】영어 등 일부 외국어에서, 접속사(接續詞) 구실을 하는 대명사. 걸림대이름씨.
관계 망:상【關係妄想】명【심】망상의 한 가지. 남이 항상 자기에게 관심을 가지고 있다고 생각하는 자아(自我) 과잉(過剩)의 망상. 관계 관념(關係觀念). *주시(注視) 망상.
관계 부:사【關係副詞】명【언】영어 등 일부 외국어에서 관계 대명사와 접속사(接續詞)의 구실을 겸한 부사의 한 가지. 곳·때·방법·이유 등의 관계를 나타냄. 걸림어찌씨.
관계-사【關係詞】명【언】①관계언(關係言). ②영어 등 유럽 언어에서 쓰는 관계 대명사·관계 부사를 통틀어 이르는 말. 걸림씨.
관계 사회학【關係社會學】명〔도 Beziehungslehre〕【사】사회 관계를 사회학의 독자적인 연구 대상으로 하려고 하는 학설. 준관계학(學).
관계-식【關係式】명【수】수학, 기타의 과학에서 여러 대상간(對象間)의 관계를 나타내는 식(式). 그 관계의 적용(適用) 범위 및 그 종류 등에 따라서 공식(公式)·조건식·등식(等式)·부등식·방정식 등이 있음.
관계-언【關係言】명【언】문장에서, 자립 형태소에 붙어서 그 말과 다른 말과의 문법적 관계를 나타내거나 특별한 뜻을 더하는 말로 조사(助詞)를 이르는 말. 관계사(關係詞). 걸림씨.
관계-없다【關係─】[-업-] 형 ①염려할 것 없다. 걱정할 것 없다. ②관계가 없다. 상관없다.
관계-없이【關係─】[-업씨] 부 관계없게.
관계 연:산자【關係演算子】명〔relational operator〕【컴퓨터】프로그래밍 언어에서, 산술 또는 문자로 구성된 피연산자 간에 비교 연산을 수행하기 위해 사용되는 연산자로, 그 결과는 참(true)이나 거짓(false)임. 예를 들면 A=B, A<B 등을 말함.
관계인 집회【關係人集會】명【법】회사를 정리함에 있어서 정리 채권자·정리 담보권자와 주주로 구성되는 정리 단체의 의결 기관. 정리 계획안의 심리 결정을 임무로 하며, 법원의 지휘 아래 열림. 이 집회에는 관리인과 대표자도 참석할 수 있음.
관계-자【關係者】명 어떤 사물에 관계된 사람. ¶ ~ 외 출입 금지.
관계-재【關係財】명【경】준경제재(準經濟財).
관계적 위치【關係的位置】명 한 지방이 그 주변(周邊)의 땅과 어떠한 관계를 가지고 이웃하여 있는가를 보는 위치.
관계-조【關係調】명〔relative keys〕【악】대부분의 음을 공통으로 가지고 있으면서 서로 깊은 관계를 가지는 장조와 단조. 병행조·같은으뜸음조·버금딸림음조 등. 근친조(近親調). 걸림조. ↔원격조(遠隔調).
관계 집단【關係集團】명【심】심리적으로 자기 자신과 관계짓고 있는 집단. 이를테면 야구의 팬이 어떤 구단(球團)에 대하여 자기의 구단이라는 느낌을 갖는 따위. ↔성원(成員) 집단.
관계-찮다【關係─】[-찬타] 형 ↗관계치 않다.
관계치 않다【關係─】[-안타] 형 →괘찮다. 준관계찮다.
관계-학【關係學】명【사】↗관계 사회학(關係社會學).
관계 회:사【關係會社】명【경】자본적·인적(人的) 및 거래상으로 밀접한 관계에 있는 회사. 일반적으로 지주(持株)나 중역 파견 따위로 타사의 지배를 받고 있는 회사. 곧 자회사(子會社)를 말함.
관고[1]【官庫】명【역】관가(官家)의 창고(倉庫).
관고[2]【官誥】명【역】사품(四品) 이상의 벼슬의 사령(辭令). 교지(敎旨).
관고-지【官誥紙】명【역】①관고(官誥) 곧 교지(敎旨)를 쓰는 종이. ②벼슬을 임명할 때 빙거(憑據)로 본인에게 주는 서류. *사령장(辭令狀).
관곡[1]【官穀】명【역】관가(官家)의 곡식. 공곡(公穀).
관:곡[2]【款曲】명 매우 정답고 친절함. ¶ 혹 들어오시는 손이 있으면 이같이 ~히 대접할 뿐이지 다른 일은 없나이다《作者未詳 : 秋天明月》. ──-하다 형여불. ──-히 부

관:골[1]【髖骨】명〖생〗궁둥이뼈.
관골[2]【顴骨】명〖생〗광대뼈. 협골(頰骨).
관:골-구【髖骨臼】명〖생〗비구(髀臼).
관:골-근[1]【髖骨筋】명〖생〗골반을 이루는 궁둥이뼈를 덮고 대퇴골(大腿骨)의 위쪽에 부착하는 근육. 두 종류가 있음. 내관골근(內髖骨筋)은 복강(腹腔) 내부에서 시작하여, 관골의 후측 벽에 이르며, 내장골근(內腸骨筋)·대요근(大腰筋)·장요근(腸腰筋) 및 육요근(六腰筋) 등으로 이루어지고 또 하나는 외관골근(外髖骨筋)이라 하여, 대둔근(大臀筋)·중둔근(中臀筋)·소둔근(小臀筋)·이자상근(梨子狀筋)·내폐쇄근(內閉鎖筋) 및 소자근(小孖筋) 등으로써 둔부(臀部)를 이룸.
관골-근[2]【顴骨筋】명〖생〗안면근(顔面筋)의 하나. 구각(口角)의 위 바깥쪽에 둘린 가는 근육 대상.
관:공-류【管孔類】[—뉴] 명〖동〗삼공류(三孔類).
관공-리【官公吏】[—니] 명 관리와 공리. 공무원(公務員).
관공-립【官公立】[—닙] 명 관립(官立)과 공립(公立). ¶ ~ 학교.
관공사-립【官公私立】명 관립·공립 및 사립.
관공-서【官公署】명 관서(官署)와 공서(公署). 관공청(官公廳).
관공-선【官公船】명 ①공용(公用)에 쓰는 선박. 대개 관공서의 소유임. ②〖법〗국제법상 국가의 공권(公權)을 행사하는 선박. 군함(軍艦)·측량선(測量船)·세관용(稅關用)의 선박 따위. 1)·2):↔사선(私船).
관:공 작용【貫孔作用】명〖토〗댐의 벽이나 바닥에서의 물에 의한 침식 작용. 누수(漏水) 또는 저수 불능(貯水不能)의 원인이 됨.
관공-직【官公職】명 관직(官職)과 공직(公職).
관공-청【官公廳】명 관청(官廳)과 공청(公廳). 관공서(官公署).
관과 지인【觀過知仁】명 어진 사람의 과실은 너무 후(厚)한 데 있고 악한 사람의 과실은 너무 박(薄)한 데 있으므로, 사람의 과실을 보고 그의 어질고 어질지 않음을 알 수 있다는 말.
관곽【棺槨】명 관과 곽. 속 널과 겉 널.
관곽-색【棺槨色】명〖역〗귀후서(歸厚署).
관곽-장이【棺槨匠—】명 관곽(棺槨)을 만드는 사람.
관관【館官】명〖역〗성균관(成均館)의 관원(官員).
관광[1]【寬廣】명 마음이 썩 넓음. ——-하다 형여불
관광[2]【觀光】명 ①다른 나라의 문물 제도를 시찰함. ②다른 지방이나 나라의 풍광·풍속을 유람함. ¶ ~ 여행. ——-하다 타여불
관광[3]【觀光】명〖역〗과거(科擧) 보러 감. ——-하다 자여불
관광-객【觀光客】명 관광하러 다니는 사람. ¶ 외국 ~ 유치.
관광객 이:용 시:설업【觀光客利用施設業】명 관광 사업의 하나. 관광객을 위하여 운동·오락·음식 또는 휴양 등에 적합한 시설을 갖추어 관광객에게 이용하게 하는 영업. 전문 휴양업·종합 휴양업·관광 유람선업 등이 있음.
관광 국가【觀光國家】명 관광 사업에 의한 수입이 국민 수입의 주요 부분을 차지하는 국가. 스위스·이탈리아 등.
관광 기본법【觀光基本法】[—뻡] 명〖법〗관광 진흥의 방향과 시책의 기본을 규정한 법.
관광 농원【觀光農園】명 도시 사람의 여가 선용과 관광용으로 경영 관리되는 농원.
관광-단【觀光團】명 관광을 목적으로 한 여행 단체.
관광 단지【觀光團地】명 관광지 중에서 관광 산업의 진흥을 위하여 관광 자원 및 관광 시설 등을 중점적으로 개발하는 관광 거점 지역. ¶ 경주 보문(普門) ~.
관광 무:역【觀光貿易】명〖경〗외국으로부터 관광객을 유치(誘致)하여 상품 수출과 꼭 같은 외화(外貨) 획득의 효과를 올리는 무역.
관광 버스【觀光—】〔bus〕명 관광객을 위하여 운행하는 버스.
관광 사:업【觀光事業】명 관광객을 위하여 운송·숙박·음식·운동·오락·휴양, 또는 용역(用役)을 제공하거나 관광에 부수되는 시설을 갖추어 이를 이용하게 하는 영업. 여행업·관광 숙박업·관광객 이용 시설업·국제 회의 용역업·관광 편의(便宜) 시설업 등으로 구분됨. 관광업. 「업. 레저 산업.
관광 산:업【觀光産業】명 관광에 따르는 교통·숙박·오락 등을 위한 산업.
관광 숙박업【觀光宿泊業】명 관광 사업의 하나. 관광객의 숙박에 적합한 시설을 갖추어 관광객에게 이용하게 하고 음식을 제공하는 영업. 관광 호텔업·유스호스텔업·해상 관광 호텔업·휴양 콘도미니엄업 등이 있음.
관광 시:설【觀光施設】명 관광 여행하는 사이에 이용되는 모든 교통·숙박·오락·관람(觀覽) 시설의 총칭.
관광 안:내원【觀光案內員】명 관광 종사원의 하나. 관광객에 대한 관광 안내를 맡는 사람. 내국인을 위한 국내 관광 안내원과 외국인을 위한 통역 안내원이 있음.
관광-업【觀光業】명 관광 사업.
관광 자원【觀光資源】명 관광 여행의 유인(誘因)이 되는 자연 또는 문화적 관광 대상물.
관광 정책【觀光政策】명 국가 또는 지방의 행정 기관이 관광 사업을 위하여 펴는 시책.
관광 종사원【觀光從事員】명 관광 사업에 종사하는 사람. 관광 안내원 따위.
관광-지【觀光地】명 ①관광할 만한 곳. ②관광 진흥법에 의거, 자연적 또는 문화적 관광 자원을 갖추고 있어 관광 및 휴양에 적합한 지역으로 지정된 곳.
관광지 개발【觀光地開發】명 ①알려지지 않은 곳을 관광지로 개발함. ②관광지에 시설을 더하여 더 좋은 관광지로 만듦.
관광 진:흥 개발 기금【觀光振興開發基金】명〖경〗정부 출연금(政府出捐金) 등으로 조성되어 교통부 장관이 관리·운용하는 기금. 관광 시설의 건설, 관광 교통 수단의 확보, 관광 사업 발전을 위한 기반 시설(基盤施設)의 건설 등에 대여(貸與)함.
관광 진:흥법【觀光振興法】[—뻡] 명〖법〗 ... 광 자원을 개발하며 관광 사업의 ...도 및 육... 된 법률.
관광-차【觀光車】명 여객이 경치(景致)를 관상... 별히 마련된 차. 관람차(觀覽車).
관광 포스터【觀光—】〔poster〕명 명승 고적·해수... 개와 안내를 목적으로 하는 포스터.
관광 휴양 지역【觀光休養地域】명 국토 이용 관리... 용 계획 심의회의 심의를 거쳐 건설부 장관이 결정, ...途) 지역의 하나. 국민 여가(餘暇) 선용을 위한 휴양 시... 문화재 등을 탐방(探訪)하는 관광객들을 위한 시설이 집... 단화되어야 할 지역. 1993년 법 개정으로 삭제됨.
관괘【觀卦】[—꽤] 명〖민〗육십 사괘(六十四卦)의 하나. ... 곤괘(坤卦)가 거듭된 것인데, 바람이 땅 위로 행(行)함을 상... 준관(觀).
관교【官敎】명〖역〗조선 시대에, 관리 임명에 있어서 처음에... (三品) 이상, 세조(世祖) 이후에는, 사품(四品) 이상을 대간(臺諫... 경(署經)을 거치지 않고 왕의 승인만으로 정식 사령(辭令)을 내... 교지(敎旨).
관교-지【官敎紙】명〖역〗각 관청의 사령 용지로 쓰던 두껍고 흰 종이...
관구[1]【棺柩】명 관(棺).
관구[2]【菅屨】명 엄짚신.
관구[3]【管句】명 ①관리(管理)❶. ②사무를 담당함. ③〖역〗고려 때, 국자감(國子監) 보문각(寶文閣)의 동제거(同提擧)의 다음가는 정삼품 벼슬. 겸직(兼職)함이 통례임. ——-하다 타여불
관구[4]【管區】명 ①↗관할 구역. ②〖군〗↗군관구(軍管區). ③〖천주교〗대주교의 관할 아래 있는 교회 행정 구역.
관구[5]【管球】명 ①대롱 모양의 가늘고 긴 전구(電球). 형광등의 전구 따위. ②진공관(眞空管).
관:구-검【毌丘儉】명〖사람〗중국 위(魏)나라의 무장(武將). 유주 자사(幽州刺史)가 되어, 고구려 동천왕(東川王) 18년(244)에 고구려의 랴오둥(遼東) 정벌을 탈잡아 대군을 이끌고 고구려에 침입, 환도성(丸都城)을 함락시켰으나, 동천왕이 피신하여 그대로 철수함. 이듬해 현도 태수(玄菟太守) 왕기(王頎)를 시켜 재차 고구려를 침공케 했으나, 이 때에도 고구려 왕은 동해안의 옥저(沃沮) 방면으로 피난했음. 만주 지안현(輯安縣)에 그의 고구려 침공을 기념한 기공비(紀功碑)가 있음. [?-255]
관:구검 기공비【毌丘儉紀功碑】명〖역〗1906년에, 옛 고구려 땅 지안(輯安)에서 발견된 비석. 위(魏)의 유주 자사(幽州刺史) 관구 검이 고구려를 공격, 환도성(丸都城)을 함락한 기념으로 세운 것이라 전함.
관구-류【管口類】명〖동〗기생류(寄生類).
관구 사령관【管區司令官】명〖군〗관구 사령부의 장(長).
관구 사령부【管區司令部】명〖군〗육군에 둔 한 사령부. 관구(管區) 내의 육군 제(諸)부대에 대한 군수 및 군행정의 지원(支援)과 관구내의 경비에 관한 사항을 관장함.
관구 유리【管球琉璃】명〖물〗전구나 진공관 같은 것을 만드는 데에 쓰이는 유리. 전극의 금속과 거의 같은 열팽창률(熱膨脹率)이 필요하며 전기 절연성(電氣絶緣性)이 좋아야 함. 마그네시아 유리·석영(石英) 유리 같은 것이 쓰임. 「말.
관구 자부【官久自富】명 벼슬살이를 오래 하면 저절로 부자가 된다는
관:구 지옥【灌口地獄】명〖불교〗음주계(飮酒戒)를 지키지 아니한 자가 빠지는 지옥. 끊임없이 입에 물을 붓는다고 함.
관-구-포-대【冠屨袍帶】명〖역〗관례할 때 입는 의관과 띠와 신.
관국【觀菊】명 국화를 감상함. ——-하다 자여불
관군[1]【官軍】명 조정의 군대. 정부 편의 군대. 관병(官兵). ↔적군(賊軍).
관군[2]【館軍】명〖역〗조선 시대에, 대로변(大路邊)의 관(館)에 딸린 군졸(軍卒).
관군 대:장군【冠軍大將軍】명〖역〗고려 때, 무관의 정삼품 품계(品階). 성종(成宗) 14년(995)에 정함.
관굴【官掘】명〖역〗범장(犯葬)한 무덤을 관아에서 파냄. ↔사굴(私掘). ——-하다 타여불 「권(民權)❶.
관권【官權】[—꿘] 명 ①정부의 권력. ②관청 또는 관리의 권한. ↔민
관권-당【官權黨】[—꿘—] 명〖정〗관권을 장악하고 이를 유지 확장하려는 정당. 정부의 여당. ↔민권당(民權黨).
관권-주의【官權主義】[—꿘—/—꿘—이] 명〖법〗파산 절차에 있어서, 법원이 채무자의 재산을 점유 관리하고 이를 시가에 따라 환산하여 배당하려는 주의. 곧, 파산 절차가 모두 법원의 권리에 맡겨지는 주의.
관귀【官鬼】명〖민〗점괘(占卦)의 육친(六親)의 하나.
관귀 발동【官鬼發動】[—똥] 명〖민〗관귀(官鬼)가 발악하여 불리하다는 술가(術家)의 말.
관규[1]【官規】명 관리에 대한 규칙.
관:규[2]【管窺】명 견식(見識)이 썩 좁음. ——-하다 형여불
관극【觀劇】명 연극을 관람함. ——-하다 자여불
관극-시【觀劇詩】명〖문〗조선 순조(純祖) 때의 문인 신위(申緯)가 가면극·판소리 등을 보고 느낌을 읊은 한시.
관근【冠根】명〖식〗화곡류(禾穀類)의 종자에서 제2차적으로 나오는 뿌리. 최초에 나온 종자 뿌리에 대하여 땅 속의 줄기에 나는 수염뿌리.
관금[1]【官金】명 정부가 소유하는 금전. 관은(官銀).
관금[2]【官禁】명 어떤 일에 대한 관청의 금지.
관급【官給】명 관청에서 금전·물품 따위를 급여(給與)함. ——-하다 타여불
관급-품【官給品】명 관(官)에서 지급하는 물품. 관물(官物).
관기[1]【官妓】명〖역〗궁중에서 가무(歌舞)·기악(技樂)을 하는 기생.
관기[2]【官紀】명 관리가 복무상(服務上) 지켜야 할 기율(紀律).

관기

관기³【官記】명〖역〗임관(任官)된 사람에게 수여하는 사령서.

관기 숙정【官紀肅正】명 관기 숙청(官紀肅淸). ——-하다 자여불

관기 숙청【官紀肅淸】명 문란한 관기를 바로잡아 깨끗하게 함. 관기 숙정. 관기 진숙(官紀振肅). ——-하다 자여불

관기 진:숙【官紀振肅】명 관기 숙청(官紀肅淸). ——-하다 자여불

관기 확립【官紀確立】[…] 명 관기(官紀)를 문란하지 않도록 바로잡고 굳건히 함. ——-하다 자여불

관꼴-꽃부리【管—】〖식〗'관상 화관(管狀花冠)'의 풀어 쓴 말.

관나【貫那】명〖역〗…려의 …족의 하나. 발음이 관노(灌奴)와 비슷하여 같은 부족…

관남【關南】명 … 마천령(摩天嶺) 이남의 땅. 함경 남도의 범칭(汎稱). 남관(南關). … 관북(關北)❶.

관납【官納】… 에 바침. ——-하다 타여불

관내¹【管內】… 관청(官廳)의 안. … 관할 구역의 안. ↔관외(管外).

관내²【館內】… 관(館)의 안. ↔관외(館外).

관내성 전염【管內性傳染】[—썽—] 명〖의〗점막(粘膜)으로 덮여 있 …을 통하여 하나의 장기(臟器) 안에 있는 감염 병소(感染 …)은 장기나, 같은 계열의 다른 장기에 전염되는 일.

관…】명 관심(關心)❶.

관념【觀念】명 ①생각. 견해(見解). ②〖불교〗마음을 조용히 하여 제법의 진리를 관찰하고 생각함. 눈을 감고 마음을 가다듬어 생각에 … ③〖심〗대상(對象)을 표시하는 심리 내용(心理內容)의 총칭. ④ 심리학적 표상(表象)과 거의 동의어로서, 대상을 표시하는 심적 형상(心的形象)의 총칭. 선악(善惡)의 관념, 죽음에 대한 관념 같은 것. 이디어(idea). 상념(想念).

관념 과학【觀念科學】명〔도 Idealwissenschaft〕〖철〗관념적 대상(觀念的對象)에 관한 학문. 시간적·공간적·개별적 대상(對象)을 문제로 하지 아니하고 본질을 대상으로 하는 학문. 즉 수학·논리학·현상학(現象學) 등. ↔실재 과학(實在科學).

관념-론【觀念論】[—논] 명〔idealism〕①〖철〗형이상학상(形而上學上)으로는 널리 정신적 존재(存在), 곧 이념(理念)·자아(自我)·정신(精神)·이성(理性)·의지(意志) 등을 본원적 존재(本源的存在)로 보고 물질적 존재(物質的存在)는 다만 그 현상(現象) 또는 가상(假象)으로서 제이의적(第二義的)이라고 생각하는 입장. 대표적 철학자로는 플라톤·피히테·헤겔 등이 있음. 인식론적(認識論的)으로는 존재(存在)한다는 것은 지각(知覺)되며 의식(意識)되어 있는 것에 불과하고, 만물(萬物)을 여러 표상(表象)의 복합체(複合體)라고 보는 입장. 대표적 철학자로는 버클리·칸트 등이 있음. 관념주의. 관념학(觀念學). ↔실재론(實在論)·유물론. ②현실을 떠난, 두뇌 속에서만 만들어 낸 생각. 이상론. ＊실증론.

관념론-자【觀念論者】[—논—] 명 관념론을 신봉하는 사람.

관념론-적【觀念論的】[—논—] 명관 관념론 특유의 모양. 관념론과 같은 모양.

관념 변:증법【觀念辯證法】[—뻡] 명〖철〗관념론의 입장에서, 변증법을 관념적인 것, 곧 이념적인 것이나 정신적인 것의 자기 운동이나 발전 법칙으로 삼는 입장.

관념 분일【觀念奔逸】명〖심〗연상(聯想)이 급속히 진행하여, 사고(思考)가 일정한 목표 표상(目標表象)을 잃고, 다른 관념으로 줄달음쳐 가는 상태. 조울병 등에서 볼 수 있음.

관념-성【觀念性】[—썽] 명〔ideality〕〖철〗현실적·구체적이 아니고 개인의 주관(主觀)에 단지 관념(觀念) 또는 표상(表象)으로서만 존재하는 것. 주관적 구성(構成)에 의하여서만 존재하는 것. 또, 그러한 성질. ↔실재성(實在性).

관념성 실행증【觀念性失行症】[—썽—쯩] 명〔ideational apraxia〕〖의〗뜻이 있는 운동이나 뚜렷한 목표 설정을 하지 못하는 신경계 장애의 하나. 광범성(廣範性) 뇌장애로 인한 정신 착란이 원인임.

관념 소:설【觀念小說】명〖문〗작자가 품고 있는 관념에서 출발하여 이것을 구체화한 소설. 개인과 사회적 윤리(倫理)와의 모순에서 생기는 비극 따위를 주제로 한 소설 같은 것.

관념-시【觀念詩】명〖문〗주관적인 관념으로써 이상과 감정을 부르짖는 시.

관념 실재론【觀念實在論】[—째—] 명〔도 Idealrealismus〕〖철〗객관은 모두 주관이 낳는다고 보는 입장. 주관과 사유(思惟)는 그대로 존재이며 사유와 존재, 관념과 실재는 동일하다고 봄. 절대적 관념론.

관념 연합【觀念聯合】[—년—] 명〖심〗관념과 관념의 결합을 말한 것으로, 전에 경험한 복합적(複合的) 정신 내용(精神內容)의 일부가 의식되면서 다른 내용이 연달아 상기(想起)되는 연락 과정(連絡過程)의 작용을 이름. 연상(聯想).

관념 염:불【觀念念佛】[—념—] 명〖불교〗부처의 상모(相貌)와 공덕, 교법의 진실상을 마음 속에 관찰·상념하면서 하는 염불.

관념 운:동【觀念運動】명〖심〗감각으로 인한 자극에 직접 수반하여 반응하는 운동과는 달리 사고 과정에 수반하여 반응하는 운동. 흔히 순간적인 운동을 이름.

관념 운:동 실행증【觀念運動失行症】[—쯩] 명〖의〗대뇌 피질(大腦皮質)의 손상으로 생기는 신경계 장애의 하나. 단순한 하나의 행동은 할 수 있으나, 일련의 연관된 행동을 못함.

관념 유희【觀念遊戲】[—뉴히] 명〖문〗사물(事物)의 실지(實地)를 그리거나 논하거나 하지 아니하고 유령(幽靈)과 같은 관념적 이론만을 부려서 향락(享樂)하는 행위.

관념-적【觀念的】명관 구체적인 현실에 의하지 아니한 추상적·공상적인 관념과 표상(表象)에 치우치는 모양. ↔실천적(實踐的).

관념적 경:합【觀念的競合】명〖법〗상상적 경합(想像的競合).

관념-주의【觀念主義】[—/—이] 명 ①〖미술〗일체의 객관의 대상을 묘사하는데, 그 제재(題材)를 주관에 따라 선택하여 가치(價値)를 결정하여 표현하고 상화(想化)하는 예술상의 주의. 또, 미(美)에 있어서 관념적 또는 내용의 요소에 치중하는 주의. ＊형식주의. ②〖철〗관념론(觀念論)❶.

관념-학【觀念學】명 관념론(觀念論)❶.

관념 형태【觀念形態】명 이데올로기❶.

관노【官奴】명〖역〗관가(官家)의 사내 종. ↔관비(官婢)·사노(私奴).

관노 가:면극【官奴假面劇】명〖민〗강릉 단오제(江陵端午祭) 때 관노들이 놀던 가면 놀이. 음력 5월 1일부터 단오날까지 날마다 실시하였음.

관:노-부【灌奴部】명〖역〗고구려 오부(五部)의 하나. 세력이 강하지 못하였음. 남부(南部). 전부(前部). ＊고구려 오부(五部).

관-노비【官奴婢】명〖역〗관가의 노비. 관노(官奴)와 관비(官婢). 공노비(公奴婢). ↔사노비(私奴婢).

관-놈【館—】명〈비〉①관사람. 반인(泮人). 반한(泮漢). ②관쇠. 「애.

관농【貫膿】명〖한의〗두창(痘瘡)이 부르터서 곪게 됨. ——-하다 자여불

관능【官能】명 ①〖생〗생물의 모든 기관(器官)의 작용. 폐(肺)의 호흡 작용·눈의 시력(視力) 등. ¶ ~ 장애(障碍). ②오관(五官) 및 기타 감각 기관의 기능(機能). 이성(理性)의 작용이 섞이지 아니한 마음의 작용. ③육체적 쾌감을 느끼는 작용의 만족. ④〈속〉감각(感覺). 감관(感官).

관능-기【官能基】명〖화〗작용기(作用基)❶.

관능 묘:사【官能描寫】명〖문〗성욕(性慾) 묘사.

관능-미【官能美】명 관능적인 미(美). 육감적인 미.

관능성 질병【官能性疾病】[—썽—] 명〖의〗육안(肉眼) 또는 현미경 등으로 검사하여도 형태적 변화를 찾아낼 수 없는 질병.

관능 심:사【官能審査】명 여러 가지 품질을 사람의 오감(五感)에 의하여 평가하는 방법. 주관적이기는 하나 고도의 정밀 평가가 가능함. 식료품·주류(酒類)·향료 등에 이용됨.

관능-욕【官能慾】명 육체적인 욕망. ¶ ~에 사로잡힌 여자.

관능 장애【官能障碍】명〖생〗관능의 장애. 생물 기관(器官)의 작용 장애.

관능-적【官能的】명관 육체적 쾌감을 자극하는 모양. 육욕적(肉慾的).

관능적 문학【官能的文學】명〖문〗저급(低級)한 관능의 자극을 위주로 한 문학.

관능-주의【官能主義】[—/—이] 명〔sensualism〕〖문〗감각을 생성하는 감각 기관의 기능이 미(美)와 깊은 관계가 있다는 것으로부터, 관능 중에서 미를 추구하려는 입장. 관능의 만족에 최고(最高)의 선(善)을 발견하려는 입장.

관능-파【官能派】명〖문〗프랑스와 영국을 중심으로 한, 퇴폐파(頹廢派) 사람들의 총칭. 보들레르·랭보·와일드 등이 그 대표자임.

관-다발【管—】[—따—] 명〔vascular bundle〕〖식〗양치(羊齒) 식물·종자(種子) 식물 등에 있는 중요한 조직의 하나. 체관부(管部)와 물관부(管部), 곧 체부(部)와 목부(木部)로 이루어졌는데, 체관부는 양분의 통로(通路), 물관부는 수분(水分)의 통로가 됨. 체관부와 물관부 사이에는 형성층(形成層)이 있어서 그것의 분열로 그 사이의 세포가 증가됨. 형성층은 봄에서 여름에 걸치어 막(膜)이 얇은 대형의 세포를 만들고, 여름에서 가을에 걸치어 소형의 세포를 만들므로 연륜(年輪)이 생김. 관속(管束). 유관속(維管束).

〈관다발〉

관다발 식물【管—植物】[—따—] 명〖식〗〔Tracheophyta〕관다발을 갖춘 식물의 총칭. 흔히, 양치(羊齒) 식물·종자(種子) 식물을 일괄할 때 쓰는 용어임. 곧, 유관(有管) 식물의 별칭. 관속(管束) 식물. 유관속(維管束) 식물. ↔비(非)관다발 식물.

관:담【款談】명 심정(心情)을 터놓고 하는 이야기. ——-하다 자여불

관-당상【館堂上】명〖역〗성균관(成均館)의 당상(堂上).

관대¹【冠帶】명〖역〗→관디.

관:대²【款待】명 정성껏 대접함. 관접(款接). ——-하다 타여불

관대³【棺臺】명 시체를 넣은 관을 얹어 놓는 평상(平牀).

관대⁴【寬大】명 마음이 너그럽고 큼. 관홍(寬弘). ¶ ~한 처분. ——-하다 형여불. ——-히 부

관대⁵【寬待】명 너그럽게 대접함. ——-하다 타여불

관대⁶【寬貸】명 너그럽게 용서함. 관서(寬恕). ——-하다 타여불

관대-성【寬大性】[—썽] 명 관대한 성질.

관대 장:자【寬大長者】명 관후 장자(寬厚長者).

관대지-국【冠帶之國】명 예의가 바른 나라.

관대지-전【寬大之典】명 관대한 은전(恩典). 특히, 죄수의 은사(恩赦) 같은 것. 준관전(寬典).

관대-판【冠帶板】명〖역〗→관디판.

-관댜 어미〈옛〉-ㄴ 것이여. -ㄴ 것이로구나. ¶모든 혜ᄌᆞ돌히 저히 그르ᄒᆞ관댜ᄒᆞ여사(諸生恐懼畏伏)《飜小 Ⅸ:4》. ＊-ㄴ댜.

관덕-정【觀德亭】명〖지〗제주시(濟州市) 삼도 일동(三徒一洞)에 있는 정자. 조선 세종(世宗) 30년(1448)에 세워진 건물로 정면 5간, 측면 4간의 단층 팔작(八作) 지붕으로 된 누정(樓亭)임. 보물 제322호임.

-관데 어미 어떤 사실에 대하여 그 까닭을 캐어 물을 때 예스럽게 쓰는 연결 어미. -기에. -길래. ¶무엇을 보았~ 그리 겁을 먹고 있는고/제가 무엇이~ 이래라 저래라 하나.

관도【官途】명 관리의 길. ¶ ~에 오르다.

관독【管督】명 관리하고 감독함. ——-하다 타여불

관독-자【管督者】명 관리하면서 감독하는 사람.

관-돈 [—똔] 명 돈 열 냥. 엽전(葉錢) 천 문(千文)을 일컬음. 쾟돈.

관동¹【冠童】명 어른과 아이. 관례(冠禮)를 한 사람과 관례를 아니한 아이.

관:동²【款冬】명 〖식〗 머위.

관-동³【關同】명 〖사람〗 중국 오대(五代) 후량(後梁)의 화가. 장안(長安) 사람. 형호(荊浩)에게 사사(師事), 수묵 산수화를 그리어 송대(宋代)의 화가에 큰 영향을 끼침. 자연의 경관을 힘찬 필치로 묘사하였다고 전하나 작품은 현존하지 아니함.

관동⁴【關東】명 〖지〗 ①대관령(大關嶺) 동쪽의 땅. 곧, 강원도 지역. 영동(嶺東). ¶ ~ 팔경. ②'관둥'을 우리 음으로 읽은 이름.

관동-군【關東軍】명 〖일제〗 중국을 침략하기 위해 관둥저우(關東州) 및 만주에 머물러 있던 일본 육군 부대의 총칭. 1905년 남만주 철도의 특수 권익을 옹호한다는 미명 아래 설치된 후, 일본의 만주 침략의 중추적 구실을 하였다가, 1945년 소련군의 만주 침공으로 와해됨.

관:동-기【貫動期】명 〖생〗 이동기(移動期).

관동 대학교【關東大學校】명 강원도 강릉시(江陵市) 내곡동(內谷洞)에 있는 사립 종합 대학. 1955년 관동 대의숙(大義塾)으로 창설되고, 1959년 관동 대학으로 개편, 1989년 종합 대학교로 되었음.

관-동맥【冠動脈】명 〖생〗 관상(冠狀) 동맥.

관동-무【關東舞】명 〖악〗 조선 시대에 정철(鄭澈)이 지은 ≪관동 별곡≫을 주제로 한 향악 정재(鄕樂呈才)의 하나. 8명의 무원(舞員)이 양편에 갈라 서서 관동 별곡을 병창(倂唱)하면서 춤.

관동 방물계【關東方物契】명 〖역〗 강원도의 산물(產物)을 공물(貢物)로 바치던 계.

관동 별곡【關東別曲】명 〖문〗 ①조선 14대 선조(宣祖) 13년(1580)에 송강(松江) 정철(鄭澈)이 지은 가사(歌辭). 그가 강원도 관찰사로 부임하여 관동 팔경과 해·내·외금강 등 절승지를 유람하며 읊은 작품들로 이루어졌으며, 형식은 4·4조(調). ≪송강 가사≫에 전함. ②고려 27대 충숙왕(忠肅王) 17년(1330)에 근재(謹齋) 안축(安軸)이 지은 경기체가(景幾體歌). 그가 강원도 순무사(巡撫使)로 있다가 돌아오는 길에 관동 지방의 절경을 보고 읊은 것으로 8장으로 되었음. 이두(吏讀)로 적히어 ≪근재집(謹齋集)≫에 실리어 전함. ＊관서(關西) 별곡.

관-동북【關東北】명 관동과 관북. 즉 강원도와 함경도.

관동-삼【關東蔘】명 강원도에서 나는 인삼.

관동삼-계【關東蔘契】명 〖역〗 강원도에서 나는 인삼을 공물(貢物)로 바치던 계.

관동 장:유가【關東壯遊歌】명 〖문〗 조선 시대의 장편 가사의 하나. 작자·제작 연대 미상. 금강산을 비롯한 관동 팔경의 풍광을 노래함.

관동-주【關東州】명 〖지〗 중국 동북부 랴오둥 반도(遼東半島)의 남쪽 끝지방의 일본 시대 명칭. 1905년 러일 전쟁의 결과 일본이 러시아로부터 조차권(租借權)을 양도(讓渡)받은 땅으로, 제2차 세계 대전 후 중국에 환부되었음.

관동지-별【冠童之別】명 어른과 아이의 구별.

관동 팔경【關東八景】명 〖지〗 강원도 동해안에 있는 8군데의 명승지(名勝地). 곧, 간성 청간정(杆城淸澗亭)·강릉 경포대(江陵鏡浦臺)·고성 삼일포(高城三日浦)·삼척 죽서루(三陟竹西樓)·양양 낙산사(襄陽洛山寺)·울진 망양정(蔚珍望洋亭)·통천 총석정(通川叢石亭)·평해 월송정(平海越松亭). 월송정 대신에 흡곡 시중대(歙谷侍中臺)를 넣어 치기도 함. 영동 팔경(嶺東八景).

관동 팔경도【關東八景圖】명 관동 팔경을 그린 병풍 그림.

관동해-가【觀東海歌】명 〖문〗 규방(閨房) 가사의 하나. 작자·제작 연대 미상. 순조(純祖) 원년(1801)에 지은 것으로 추측됨. 출가(出嫁)한 여인이 동해의 장엄한 경치를 바라보며 고향을 그리워하는 심정을 읊음.

관동-호【關東號】명 〖약〗 만주에서 나는 인삼(人蔘).

관:동-화【款冬花】명 〖한의〗 머위의 화경(花莖). 해소(咳嗽)·천촉(喘促)·담(痰) 등에 약으로 씀.

관두¹【官斗】명 〖역〗 나라에서 녹(祿)을 줄 때에 쓰는 말. 2되 6홉임.

관두²【官豆】명 금두(金豆). 비단팥.

관두³【關頭】명 가장 중요한 지경. 막다른 절정(絕頂). ¶성패의 ~에 서다. ＊고비¹.

관:-두다 타 ↗고만 두다.

관두-봉【冠斗峰】명 〖지〗 함경 남도 갑산군(甲山郡)에 있는 산봉우리. [2,136 m]

관둔-전【官屯田】명 〖역〗 조선 시대에, 각 진(鎭)·주(州)·부(府)·군(郡)·현(縣)의 지방 관청에 딸린 논밭. 그 수입으로 경비의 일부를 충당하였음. 그 전에 군량에 충당하던 국둔전(國屯田)을 세종(世宗) 6년(1424)에 지방관에도 둔전을 설치한 데서 비롯됨.

관둥 〔關東〕 명 〖지〗 ①중국의 한구관(函谷關) 또는 퉁관(潼關)의 동쪽 지방. 현재의 산둥(山東)·허난(河南)의 땅. 관동. ②중국의 산하이관(山海關)의 동쪽 지방. 지금의 둥베이(東北) 지방. 관동(關東).

관등¹【官等】명 관리의 등급. 관계(官階). 관질(官秩). ¶ ~ 성명(姓名).

관등²【觀燈】명 〖불교〗 부처님 오신 날, 곧 음력 4월 초파일에 등석(燈夕)이라 하여 등을 달고 등(燈)대를 세우고, 밤에 불을 켜서 석가모니의 탄일(誕日)을 축하하는 일. ＊등석(燈夕). ——-하다 자여불

관등-가【觀燈歌】명 〖문〗 조선 시대의 ≪청구 영언(靑丘永言)≫의 권말(卷末)에 실리어 전하는 가사(歌辭)의 하나. 정월부터 5월에 이르는 매달의 풍속과 즐거이 노는 어린이들을 부러워하며, 죽은 남편을 회상하는 과부의 애수(哀愁)를 읊은 것으로 작자·연대는 미상이나 21대 영조(英祖) 4년(1728) 이전에 지은 것으로 *추측됨.*

관등 *놀이*【*觀燈—*】*명 〖민〗 음력 4월 초파일*에 하는 놀이. 등석(燈夕)의 수일 전부터, 인가(人家)·관부(官府)·시전(市廛)·승가(僧家)가 모두 등대를 세우고, 온갖 등을 달고 밤에 불을 켬. 서울에서는 아이들은 파일빔을 하고 녹두 느티떡, 삶은 검정콩, 미나리 강회를 먹으며, 등대 밑에서 물장구 치고 놀고, 어른들은 도밋국이나 도미 국수에 술을 마시며 저녁에 패를 지어 남산(南山)이나 북악(北岳)에 올라 구경함. ——-하다 자여불

관등 봉:급령【官等俸給令】[—녕] 명 〖역〗 조선 고종 32년(1895) 을미개혁 때 제정된 관리에 대한 보수 규정. 칙임관(勅任官)은 4등급, 주임관(奏任官)은 6등급, 판임관(判任官)은 [illegible]등급으로 나누었으며, 각 등급에 대한 연봉(年俸)을 규정하였음.

관등-연【觀燈宴】명 〖불교〗 관등(觀燈)할 때에 [illegible] 잔치.

관등-절【觀燈節】명 〖불교〗 석가모니의 탄생일[illegible] 4월 초파일 명절. 이날 집집마다 지붕 위 간두(竿頭)에 [illegible] 그 집 [illegible] 을 달고 관등 놀이를 하며 관등연(觀燈宴)을 베풂.

관등-회【觀燈會】명 음력 4월 초파일의 관등절 행사(行事)대로 초롱 [illegible] 모임.

관디 명 〖역〗 〔←관대(冠帶)〕 옛날 벼슬아치의 공복(公服). 구식의 혼례 때에 신랑이 입음. 관복(官服).

관디목 지르다 타 르불 〖역〗 벼슬이 낮은 사람이 높은 사람[illegible]

관디-벗김 명 ①구식 혼인 때에 신랑이 초례(醮禮)를 마치고 [illegible] 을 때에 입는 신부집에서 지은 옷. ¶제법 빨아 다린 옷과 [illegible] 달랑한 두루마기를 입고 있었으나…≪金廷漢: 지옥변≫. ②신식 [illegible]에 예식이 끝나고 피로 연회 때 입는 옷으로, 신랑집에서 마련하여 [illegible]에게 입히는 옷. 길복벗김.

관디-판 명 〖역〗 〔←관대판(冠帶板)〕 관디를 담는 그릇. 관복판(官服板).

관디-팔 명 〈방〉 비단팥.

-관ᄃᆡ 어미 〈옛〉 -관데. -기에. ¶各各 엇던 願을 發ᄒᆞ시관ᄃᆡ≪月釋 XXI: 49≫

관ᄃᆡ옷 명 〈옛〉 관디. 관복(官服). ¶관ᄃᆡ옷 포(袍)≪字會 中 22≫.

관란-정【觀瀾亭】[괄—] 명 〖사람〗 원호(元昊)의 호(號).

관람【觀覽】[괄—] 명 연극·영화·경기(競技) 등을 구경함. 남관(覽觀). ——-하다 타여불

관람-객【觀覽客】[괄—] 명 관람(觀覽)하는 손님.

관람객-석【觀覽客席】[괄—] 명 관람석.

관람-권【觀覽券】[괄—꿘] 명 관람을 허가하는 입장권. 관람하는 표.

관람-료【觀覽料】[괄—뇨] 명 관람하는 요금.

관람-석【觀覽席】[괄—] 명 관람하는 좌석(座席). 관람객석.

관람-세【觀覽稅】[괄—] 명 관람객에게 부과하는 세금. ＊입장세(入場稅).

관람-인【觀覽人】[괄—] 명 관람하는 사람. 관람자.

관람-자【觀覽者】[괄—] 명 관람인.

관람-차【觀覽車】[괄—] 명 관광차(觀光車).

관략【冠略】[괄—] 명 관생(冠省).

관력¹【官力】[괄—] 명 관권(官權)의 힘. 관청이나 관리의 권력. ↔사력(私力).

관력²【官歷】[괄—] 명 관리로서의 경력.

관련【關聯·關連】[괄—] 명 ①서로 걸리어 얽힘. 서로 관계됨. ②〖생〗 연관(聯關). ——-하다 자타여불

관련 관할【關聯管轄】[괄—] 명 〖법〗 견련 관할(牽聯管轄).

관련-군【關聯群】[괄—] 명 〖생〗 연관군(聯關群).

관련 발명【關聯發明】[괄—] 명 〖법〗 발명 상호간에 체계적 관련성이 있으므로 한 통의 특허 원서에 기재하여 출원(出願)하는 것이 허용되는 둘 이상의 발명.

관련 사:건【關聯事件】[괄—껀] 명 〖법〗 형사 소송법상, 두 개 이상의 사건의 하나에 관하여 관할(管轄)이 있을 때, 다른 쪽에 대하여서도 관할을 가지게 되는 관계에 있는 사건. 1인이 범한 몇 가지 죄, 수인(數人)이 공동으로 범한 죄, 수인(數人)이 동시(同時)에 동일 장소에서 범한 죄 등. 견련 사건(牽聯事件).

관련-성【關聯性】[괄—썽] 명 서로 걸리어 얽힌 성질. 서로 관계되는 성질. 연관성.

관련 입자 방:출【關聯粒子放出】[괄—] 명 〖물〗 X선 또는 γ선이 공기 속을 통과할 때 생기는 이차 하전(二次荷電) 입자의 방출.

관련 재판적【關聯裁判籍】[괄—] 명 〖법〗 견련 관할(牽聯管轄).

관련 질문【關聯質問】[괄—] 명 〖정〗 의회 같은 데서, 의원의 질문에 대한 정부 위원(政府委員) 등의 답변(答辯)에 대하여, 다른 의원이 그 답변 내용에 관련된 다른 사항에 관하여 하는 질문. 심의 지연(審議遲延) 작전의 방법으로 사용함.

관련 청구【關聯請求】[괄—] 명 〖법〗 행정 처분의 취소 또는 변경을 요구하는 항고(抗告) 소송의 청구와 관련된 원상 회복·손해 배상 등의 청구.

관렴【棺殮】[괄—] 명 시체를 관에 넣음. ——-하다 자여불

관령¹【官令】[괄—] 명 관청의 명령.

관령²【管領】[괄—] 명 ①도맡아 다스림. ②권한을 가지고 감독함. ③〖역〗 조선 시대 한성부(漢城府)의 각 방(坊)과 성 밖 10리 안의 각 이(里)의 행정 책임자. 호구 수(戶口數)의 파악과 포도(捕盜) 등을 임무로 함.

관례¹【官隷】[괄—] 명 〖역〗 관가에서 부리는 하인들. 관하인(官下人).

관례²【冠禮】[괄—] 명 〖역〗 ①아이가 어른이 되는 예식. 남자는 갓을 쓰고, 여자는 쪽을 찜. 유교에서는 원래 스무 살에 관례를 하고 그 후에 혼례를 하는 것이나 조혼의 풍습이 성행하자, 관례와 혼례를 겸하여 하였음. ↔계례(笄禮). ＊성관(成冠). ②〈궁중〉 입궁(入宮)한 지 15년 된 나인이, 비로소 쪽을 찌고 첩지를 다는 의식. ——-하다 자여불

관례를 치르다 구 관례의 의식을 가져 어른이 되다.

관례³【慣例】[괄—] 명 관습이 된 전례(前例).

관례-법【*慣例法*】[*괄—뻡*] 명 〖법〗 관습법(慣習法).

관례-보임【冠禮—】[괄—] 명 관례 때 하는 옷차림. ¶혼인옷두 급한데 ~은 어떻게 하나≪洪命憙: 林巨正≫.

관례-식【冠禮式】[괄—] 명 〖역〗 관례를 거행하는 예식.

관례-옷【冠禮—】[괄—] 명 풀보기날 신부(新婦)가 관례하고 입는 옷.

관록¹【官祿】[괄—] 명 〖역〗 관원에게 주는 봉급. 관봉(官俸). 관질(官

秩). 봉질(俸秩). *관황(官況).

관록²【貫祿】[괄—] 명 몸에 갖추어진 위엄. ¶ ~이 붙다/~ 보이다.

관록³【館錄】[괄—] 명 『역』 홍문록(弘文錄). 본관록(本館錄)·도당록(都堂錄).

관료【官僚】[괄—] 명 ①동관(同官)의 사람. 동료. ②관리. 벼슬아치. ③특수한 권력을 가진 관리들.

관료 내:각【官僚內閣】[괄—] 명 『정』 의회 또는 정당을 기초로 두지 아니한 관료적 세력을 기초로 하는 내각. ↔정당 내각.

관료 문학【官僚文學】[괄—] 명 『문』 격식과 위엄만을 갖춘 관료적인 문학. 또, 관청 안에서 발행되는 관리의 도락적(道樂的) 문학.

관료-배【官僚輩】[괄—] 명 관료들.

관료-식【官僚式】[괄—] 명 ①관료주의에서 볼 수 있는 특징적인 방식. ②관료가 하는 식과 같은 방식. 관료주의.

관료 자본【官僚資本】[괄—] 명 관료들이 특권적 지위를 이용하여 독점적으로 축적한 자본.

관료-적【官僚的】[괄—] 명관 관료주의의 모양으로, 상대편의 의향이나 입장을 무시한 형식적·권위주의적인 것.

관료-전【官僚田】[괄—] 명 『역』 통일 신라 신문왕 7년(687)에 녹봉(祿俸) 대신에 토지를 주던 제도. 경덕왕 16년(757)에 녹읍제(祿邑制) 대신 마련되었다가 5대 왕 때 품계(品階)에 결부(結數)에 차등이 있었으며, 관직에서 물러나면 나라에 없애고 녹읍제를 다시 부활시켰음. *

관모답(官謨畓).

관료 정치【官僚政治】[괄—] 명 ①(bureaucracy) 지는 정치. 행정 조직이 군주에게 예속되어 국민에 대하여 전제적(專權的)으로 ②정치 조직의 중추부(中樞部)가 전제적(專制的)으로 행하는 정치. 1)·2):↔정당 정치(政黨政治).

관료-제【官僚制】[괄—] 명 (bureaucracy) 관료가 권력을 장악하고 있는 지배 구조(支配構造). 관료주의.

관료-주의【官僚主義】[괄—/괄—이] 명 ①국민의 의를 무시하고 관권을 펴려는 압제적(壓制的) 주의. ②위에서는 무조건으로 아부하고 아랫 사람에게 대하여는 오만하여 포악한 짓을 자행하며, 전제적·획일적(劃一的)인 형식만 쓰면서 독선적인 행동을 하는 등의 나쁜 경향. 관료식(官僚式). 대규모의 정당·조합·회사 등에 대해서 관료주의를 내세워 획일적·독선적인 행동을 하는 사람.

관료주의-자【官僚主義者】[괄—] 명 관료주의의 특성을 지닌 사람.

관료주의-적【官僚主義的】[괄—] 명관 관료주의 특성을 지닌 모양.

관료-파【官僚派】[괄—] 명 관료파.

관료-화【官僚化】[괄—] 명 관료적으로 됨. 또, 그렇게 되게 함. ——-하다 자타여불

관룡-사【觀龍寺】[괄—] 명 경상 남도 창녕군(昌寧郡) 창녕읍 옥천리(玉泉里) 구룡산(九龍山)에 있는 절. 통도사(通度寺)의 말사(末寺). 많은 국보급 문화재가 있음.

관룡-산【觀龍山】[괄—] 명 경상 남도 창녕군(昌寧郡) 창녕읍과 고암면(高岩面) 사이에 있는 산. 태백산맥 중에 속함. [740m]

관류¹【貫流】[괄—] 명 (perfusion) 『생』 동맥(動脈)에 의하여 조직 ... 일. ——-하다 타여불

관:류²【灌流】[괄—] 명 ... 끝에서 펌프로 밀어 넣 ...

관류 보일러【貫流—】 (through boiler) 『공』 긴 수관만으로 만들어진 ... 나가게 된 보일러. 고압 ... 과열(過熱)의 과정을 거쳐, ... 시동(始動) 시간이 짧아 은 물이 순차적으로 ... 다른 한 끝으로 ...

관:류 실험 ... 기관(器官)의 대사(代謝)를 ... 용으로 적합 ... 가깝게 인공적으로 그 기관 근년에 많이 ... 대사를 연구할 물질을 가하고, ... 분석하여 기관이 어떠한 대사 연구하기 ... 하는 실험.

에 순환 ... 회전 방향으로 구부러진 다수의 일정한 ... 를 회전시켜, 기체가 날개바퀴를 기능 ... 를 주는 팬. 날개바퀴의 크기에 비

관류-... 특히 환기(換氣)·통풍용(通風用) 날개 ... 식 서큘레이터(circulator) 등에 실용

관 ... 의 중. 602년 도일(渡日)하여 그 곳에 ... 한 서적·둔갑술(遁甲術)·방술(方術)을 ... (僧正)이 되었음. 생몰년(生沒年) 미상.

... (官況).

... 에 있는 사람. 벼슬아치. ②『법』 국가의 공무를 집행하여야 할 공법상의 의무를 ... 분을 가지는 ... 관헌(官憲).

... 과 신. *관리 전도(顚倒).

... 신.

... 무를 관할 처리함. 관구(管句). ②『법』 사법 ... 유지하며 또 그 성질을 변경하지 아니하는 ... (改良)을 꾀함. ↔처분(處分)❷. ③사무를 경 ... 유지·관할을 맡아 함. ④『교』 외부로부터 아 ... 한 곳으로 기울어짐을 막아 질서와 규율을 유 ... 독함. ——-하다 타여불

관리 가격【管理價格】[괄—까—] 명 『경』 상품의 생산·판매를 독점할 수 있는 위치에 있는 하나 또는 소수의 거대 기업이, 일정하게 높은 이윤을 획득할 수 있도록 상품의 수요·공급을 무시하고 정하는 가격.

관리 경제【管理經濟】[괄—] 명 『경』 경제 체제의 하나. 자유 경제를 기반으로 하면서도 자본주의의 여러 모순의 시정, 사회 정의의 실현, 균형 있는 국민 경제의 발전 등을 위하여 필요한 범위 안에서 국가가 경제에 관한 규제와 조정을 하는 체제임. 영국·미국을 비롯한 현대 민주주의 국가가 채택하고 있고 우리 나라도 이에 따르고 있음. 특히, 관리 화폐 제도와 고용 정책 등을 계기로 두드러지게 되었음.

관리 공학【管理工學】[괄—] 명 (management engineering) 넓은 뜻으로는 수학적·과학적 방법에 의한 관리의 연구·기술(技術)의 총칭임. 일반적으로는 아이이(IE), 오아르(OR), 컴퓨터를 중핵(中核)으로 한 에스 이(SE)를 포괄(包括)하는 것을 말함.

관리-관【管理官】[괄—] 명 일반직 공무원 중에서 1급 공무원의 직급 명칭의 하나. 일반직 공

관리-국【管理局】[괄—] 명 ... 의 관리를 맡는 국.

관리-권【管理權】[괄—꿘] 명 소속된 부(部)·처(處)의 재산·물자·기금 또는 사무를 관리하는 권리. 친권을 행하는 부모가 아들의 재산을 관리하는 것 ... 타인의 재산을 관리하는 권리.

관리-농【管理農】[괄—] 명 『농』 농지 소유자가 직접 경영하지 아니하고 관리인을 두고 경영하는 농업.

관리 능력【管理能力】[괄—녁] 명 ... 의 한 가지. 남편이 아내의 처분권을 소유하며, 남편이 아내의 재산을 관리할 수 있는 능력.

관리 대상 종:목【管理對象種目】 ... 영업 정지나 부도 발생 등과 관련하여 ... 을 두고 행위를 할 수 있는 법률 ... 해당되는 종목으로, 일반 투자자에게 주의를 주기 위해 지정한 것. 증권 거래소가 지정함.

관리-도【管理圖】[괄—] 명 대량 생산 공정에서 제품의 품질 변동이 있는지의 여부를 알기 위한 도표.

관리 도:역【冠履倒易】[괄—] 명 관리 전도(顚倒).

관리 명:령【管理命令】[괄—녕] 명 『법』 법원이 공정(工場) 및 회사 재산 등을 관리인에게 관리시키는 명령. 사의 업무 및 재산 상황에 대하여 있어 법원이 내리는 명령.

관리 무:역【管理貿易】[괄—] 명 『경』 정부의 통제가 가해지고 있는 무역 형태. 예전에는 관세 정책에 의한 관리에 그쳤으나 현대에는 무역 협정의 체결과 더불어 정부가 무역의 종류·대국·시기·결제 방법 등을 정하여 관리하게 되었음.

관리 범:위【管理範圍】[괄—] 명 『경』 한 사람의 관리자가 가장 직접 관리할 수 있는 부하(部下)의 수.

관리-법【管理法】[괄—뻡] 명 ①관리하는 방법. ②『법』 관리에 관한 사항을 규정한 법률.

관리-비【管理費】[괄—] 명 관리하는 데에 드는 비용. ¶ 그 아파트는 「가 많이 든다.

관리-사【管理使】[괄—] 명 『역』 조선 시대의 관리영의 장(長). 개성 유수(開城留守)가 겸임하는 종이품의 벼슬. 그 아래에 중군(中軍) 한 사람, 별장(別將) 두 사람, 천총(千摠) 네 사람, 파총(把摠) 여섯 사람, 초관(哨官) 서른 두 사람, 교련관(敎鍊官) 여덟 사람, 기패관(旗牌官) 서른여섯 사람, 당상 군관(堂上軍官) 신 사람, 군관(軍官) 이백 신 사람 및 그에 딸린 군졸을 거느림.

관리 사회【官吏社會】[괄—] 명 관리들의 사회. 관계(官界).

관리-서【管理署】[괄—] 명 『역』 조선 고종(高宗) 때 사찰(寺刹)·산림(山林)·성보(城堡)에 관한 사무를 맡아 보는, 궁내부에 딸린 마을.

관리 시가【管理時價】[괄—까] 명 『경』 인위적(人爲的)으로 일정한 수준으로 유지(維持)하거나 또는 상하(上下)로 조작한 주가(株價). *주가 조작(株價操作).

관리-영【管理營】[괄—] 명 『역』 군영(軍營)의 하나. 개성부(開城府)의 군무(軍務)를 맡아 보던 영문(營門). 조선 숙종(肅宗) 때에 설치함.

관리-인【管理人】[괄—] 명 ①『법』 사법상 타인의 재산을 관리하는 사람. 관리자(管理者). ②『법』 회사 정리 절차상, 회사 재산의 관리·회사 업무의 경영(經營), 정리 계획의 입안(立案) 등을 관장(管掌)하도록 법원에 의해서 선임(選任)되는 사람. ③아파트·빌딩·농장 따위에서 사무를 처리하며, 설비 유지 등 관리를 맡은 사람.

관리-자【管理者】[괄—] 명 관리인(管理人).

관리-장【管理長】[괄—] 명 『역』 대한 제국 때 탁지부 대신(度支部大臣)의 지휘를 받아 중앙 및 지방의 금고(金庫)를 감독하던 벼슬.

관리적 기능【管理的機能】[괄—] 명 『경』 회계의 기능에서, 경영자의 입장으로 보아 기업 전체를 가치적·수량적·경영적·법률적·신용적 기타의 여러 면으로 관리 통제를 하는 데 필요한 각종 수자적(數字的) 자료를 제출하는 기능.

관리 전:도【冠履顚倒】 「그르치는 일의 비유. 관리 도역(倒易).

관리-직【管理職】[괄—] 명 ①기업·관공청 등에서, 관리 또는 감독의 지위에 있는 직종. 또, 그런 직위에 있는 사람. ②(administrator) 『경』 기업에서, 경영이나 관리의 직능을 담당하는 직위. 넓은 뜻으로는 위는 이사(理事)로부터 밑으로는 현장 감독에까지 이르는 모든 계층을 말하며, 좁은 뜻으로는 정·부사장·전무·상무에서 아래로는 과장·계장에 이르는 모든 직위. 아주 좁은 뜻으로는 이들 직위 중에서 명령 계통에 있는 직위에 한정할 때도 있음.

관리 처:분권【管理處分權】[괄—권] 명〖법〗재산을 관리하고 처분할 수 있는 권능. 곧, 재산의 관리권과 처분권을 통틀어 일컫는 말. 관리 처분권을 가지는 자의 전형적인 예는 소유자이며, 소유자가 아닌 자는 소유자로부터 위임을 받을 경우, 또 처분권이 없는 부재자(不在者)의 재산 관리인이 그 재산 처분에 관하여 법원의 허가를 받는 경우에 관리 처분권을 가짐. 그러나 소유자라 하더라도 파산 선고와 같은 특별한 사유가 있을 때에는 그 재산의 관리 처분권을 상실함.

관리 태만【管理怠慢】[괄—] 명 관리자의 ... 부의로 국고에 손실을 가져왔거나, 본래의 기능을 발휘하지 못하게 된 경우, 감사 기관에 의하여 관리 소홀의 판정을 받는 상태.

관리 통화【管理通貨】[괄—] 명〖경〗관리 통화 제도에서, 금준비(金準備)에 구속되지 아니하고, 발행량(發行量)을 재무부·중앙 은행 등의 통화 당국의 자유 재량에 맡겨진 통화. ↔안정(安定) 통화 관리. (managed currency system) 금준비(金準備)의 ... 에서 ... 시켜 통화 당국에 ... 시세 ... 정책 목표에 ... 케인스(Keynes)의 주

관리 통화 제:도【管理通貨制度】... 물가 ... 通貨制度).

『경』 통화의 발행량을 ... 『경』 증권 시장에서, 상장(上場) ... 국의 자유 재량에 위임하고 ... 종목으로 지정된 것을 별도 매매 ... 맞춰 국내 통화의 유통량을 통제 ... *특별 포스트.

창(主唱)에 의함. 통제 ... 【管理—】(post) ... 『법』 재산의 현상을 유지하며 또 그

관리 포스트【管理—】 ... 해당되어 ... 범위내에서 그 이용·개량을 꾀하는 행위.

場) 체지 기준에 ... 지정된 ... 매하도록 ... 경영관리 활동을 위하여 유효한

관리 행위【管理行爲】[괄—] 명〖경〗 ... 계수적(計數的) 여러 기법. 기업 예산·직접 원 ... 성질을 변경하지 ... 컴퓨터의 도입으로 경영 정보 시스템 ... ❶ ... 이 있음. ... 재무(財務) 회계. *세무 회계(稅務會計).

↔처분 행위 ... 가고 있음. ↔ ... 산림(山林).

관리 회:계 ... 정부 소유의 ... ↔사립(私立). *공립(公立).

회계 정보 명 관청의 설립 ... 관청에서 설립한 학교. ↔사립 학교

가 지 ... 명 ...【고】 ... 교

에 ... 學校】[괄—] ... ②갓과 망건을 씀. ——-하다 자 여불

관아에 딸린 숲. ... ——-하다 타 여불

관... 명 ①갓과 망건. ②... 이 무성한 숲.

...】명 잡목(雜木)이 ... ¶ 사태를 ~하다.

...】명 형세를 바라봄. ... 두고 보는 모양.

...】명 관망하는 사람.

...【觀望者】명 ... 일이 되어 가는 형편을 ... ——-하다 자 여불

...【觀望的】명 ... 매화를 관상함. 탐매(探梅).

...【觀梅】명 ... 〖지〗 전라 남도 서남 해상, 진도군(珍島郡) 조도면

...-도【觀梅島】명〖지〗전라 남도 ... 독거 군도(獨巨群島)에 속

(鳥島面) 관매도리(觀梅島里)에 위치한 섬. [5.72 km²: 1,225 명 (1984)]

함. [5.72 km²: 1,225 명(1984)]

관매-점【觀梅占】[—점] 명 괘(卦)를 뽑아 일수(日數)를 보는 점.

관맥【關脈】명〖한의〗진찰하는 맥(脈). 곧, 집게손가락과 가운뎃손가락과 약손가락을 손목의 장면 요골 동맥(掌面橈骨動脈) 위에 댈 때에 뛰는 맥박. 왼손은 담(膽)·간(肝), 오른손은 위(胃)·비(脾)의 병세를 진찰함. *척맥(尺脈)·촌맥(寸脈).

관맹【寬猛】명 관인(寬仁)하고 용맹(勇猛)함. ——-하다 형 여불

관-머리【棺—】명 시체의 머리가 놓이는 관의 위 쪽.

관-멤【棺—】명 시체를 입관(入棺)한 뒤에 관 속의 빈 곳을 다른 물건으로 메워서 채움. *보공(補空). ——-하다 자 여불 「타 여불

관면¹【冠冕】명〖역〗벼슬하는 것을 일컫는 말.

관면²【寬免】명 죄나 허물을 너그럽게 용서함. 관서(寬恕). ——-하다

관면³【慣面】명 여러 번 보아서 낯익은 얼굴. 숙면(熟面).

관명¹【官名】명 벼슬의 이름. ¶ ~ 사칭.

관명²【官命】명 관부(官府)의 명령. ¶ ~에 의하여 처리하다.

관명³【冠名】명 관례(冠禮) 때에 아명(兒名)을 버리고 새로 지은 이름. [↔아명(兒名).

관모¹【官帽】명 관리가 쓰는 제모(制帽).

관모²【冠毛】명 ①〖식〗갓털. ②〖조〗도가머리❶.

관모³【冠帽】명 ①〖역〗옛날의 벼슬아치들이 쓰던 모자. ②〖고고학〗솟은 장식이 달린 관(冠)과 내관(內冠)의 총칭.

관모-답【官謨畓】명〖역〗통일 신라의 토지 제도의 하나로, 국가 직속의 관유지(官有地). 그 땅의 결수(結數)가 3-4결에 지나지 아니하였던 것으로 보아 최하급 관리들에게 준 토지로 추측되나, 관료전(官僚田)을 가리킴인지 공해전(公廨田)을 가리킴인지 분명하지 아니함. *관료전(官僚田)·결(結)⁸.

관모-봉【冠帽峰】명〖지〗①함경 북도 경성군(鏡城郡)에 있는 산봉우리. 함경 산맥의 첫머리 부분에 속함. [2,171 m] ②함경 북도 무산군(茂山郡)에 있는 산. [1,243 m] ③함경 북도 경성군(鏡城郡)과 무산군(茂山郡) 사이에 있는 산. 산 모양이 웅대하고 천연림(天然林)이 무성하여 한국의 알프스(Alps)라고 불림. 온 산이 화강암으로 되었고 침식(浸蝕) 형태가 장년기(壯年期)에 속함. [2,541 m] 「m]

관모-산【冠帽山】명〖지〗함경 북도 무산군(茂山郡)에 있는 산. [1,387

관모산-지옥나비【冠帽山地獄—】명〖충〗[*Erebia rossii ero*] 뱀눈나빗과에 속하는 나비. 날개는 흑갈색이고 앞날개에 작고 큰 둥그런 적갈색의 무늬가 있으며, 그 속에 2개의 검은 점이 있음. 앞날개의 뒷면은 등적갈색임. 앞날개의 길이는 25 mm 가량으로 우리 나라 북부 산지 및 시베리아 등지에 분포함.

관모-함【冠帽函】명 벼슬아치의 관모를 넣어 두는 함. *의복함(衣服函).

관목¹【貫目】명 말린 청어. 건청어(乾青魚).

관목²【關木】명 문의 빗장.

관:목³【灌木】명〖식〗키가 2-3 m 내외의 목본(木本) 식물로서 주간(主幹)이 분명하지 아니하고 밑동에서 가지가 많이 나는 나무. 진달래·사철나무·개나무 따위. 떨기나무. 저목(低木). ↔교목(喬木)·고목(高木).

관:목-대【灌木帶】명〖식〗고산 식물(高山植物) 분포상으로 본 지대(地帶)의 하나. 교목대(喬木帶)의 바로 위, 초본대(草本帶)의 아래에 있으며 온도(溫度)가 낮아 수목이 점점 작아지고, 강풍(強風)으로 줄기가 굽으며, 애초 ... 목도 관목 모양으로 됨. 누운잣나무·고채목 등이 이 구역에서 남. ...무대(帶).

관:목-림【灌木林】[—님] 명 관목이 우거진 숲.

관:목-자【灌沐者】명 [범 snataka]〖불교〗인도의 성하(聖河)나 사원(寺院)에 딸린 성지(聖池)에서 목욕의 의식을 끝낸 사람.

관몰【官沒】명〖역〗관가(官家)에서 물건을 몰수함. ——-하다 타 여불

관무【官務】명 관청의 사무. 관리의 직무.

관무량수-경【觀無量壽經】명〖불교〗정토 삼부경(淨土三部經)의 하나. 석가가 ... 국왕 빈바사라(頻婆沙羅)의 왕비 위제희(韋提希)에게 ... 한 ... 의 가르침. 전부 한 권. 무량수관경(無量壽觀經). 「——-하다 형 여불

관무사 촌:... 【官無事】... 村無事】명 공사간(公私間)에 아무 일이 없음.

관-무재【觀武才】명〖역〗조선 시대의 무과(武科) 시험의 하나. 임금이 친히 열병(閱兵)한 ... 당관(堂上官)으로부터 그 아래의 군관 및 한량(閑良)... 뽑는 무재(才)의 시험. 효종(孝宗) 3년(1652) 처음으로 금원(禁苑)에서 거행하였음.

관:묵 명〈방〉...

관문¹【官文】명 ... 官文書)

관문²【官門】명 ①관청(官衙)의 문. ②관아. 마을.

관문³【棺文】명 열반(涅槃)... 장례 때 관(棺)에 쓰는 문구. '생사를 떠나 ... 안락하소서 ... 도록 ... 두려움이 없으며, 구경(究竟)하

관:문⁴【貫聞】명 익요 ... 들어서 잘 앎. ——-하다 타 여불

관문⁵【關文】명〖역〗... 하급 관청에 보내는 ... 하관(下官)에게, 또 상급 관청이 ... 가서. 관자(關子).

관문⁶【關門】명 ①국경 ... 성문(城門). ②지계(地界)에 세운 문. ③적을 막기에 ... ⑤난관(難關). ¶고시(高試)의 ~을 돌파하다/...

관문⁷【觀門】명〖불교〗관... 음.

관-문서【官文書】명 관... 또, 공증(公證)한 문서. 관문자(官文字). 완문(完文) ... 다 자 여불

관-문자【官文字】[—짜] 명 ...

관문 해:협【關門海峽】명 ...

관물【官物】명 관청의 물품(...

관-물때【罐—】명〖화〗관석(...

관물-헌【觀物軒】명〖역〗창덕궁(...). 갑신 정변(甲申政變) 때, 독립 ... 이 곳에서 회의를 하였음 ... 자(亭子). 1884년

관민【官民】명 관리와 국민. 관청 ...

관민 공:동회【官民共同會】명〖역〗... 策)을 강구하기 위하여 ... 독립 협회가 ... 11월 2일까지 ... 민중 대회 ... 년 10월 28 일부터 ... 관료의 합석 ... 최한, 민중과 ... 고종(高宗)의 ... (獻議六條)를 의결하고, ... 에서 개최 ... 수구파(守舊派)의 반대로 실천 ... 되지 못하였음.

관민 일치【官民一致】명 관민이 한 마음 ... 의 육조 ... 어 내었

관-박쥐【冠—】명〖동〗[*Rhinolophus* ...] 관박쥣과에 속하는 박쥐의 하나. 몸길이 73 mm, ... 회갈색, ... 내외임. 몸빛은 대체로 상면은 ... 이주(耳珠)가 ... 비단처럼 보드랍고, 귀에는 ... 너덜거림에 ... 며, 코에는 비엽(鼻葉)이 있어서 ... 낮에는 암 ... 월에 한 마리의 새끼를 낳음. ... 군집(群集)하여 ... 穴)·나무 구멍 같은 데에 ... 해질 무렵부터 활동하면서 ... 로 늘어져 쉬다가 ... 땅 위에 앉아서 먹 ... 충 등을 잡아 나뭇가지나 ... 자웅(雌雄)이 서로 나누 ... 특징이 있음. 겨울에는 ... 동면(冬眠)함. 아시아 ... 어 큰 떼를 지어 굴 속에서 ... 홋카이도에 분포 ... 아 중남부·일본·한국·중국·... 함. 너덜코박쥐. 참관박쥐.

관박쥣-과【冠—科】명〖동〗[Rhinolophidae] 포유 ... 하는 한 과. 비교적 몸이 크고 귀가 크나 이주(耳珠) ... 는 피부의 엽상(葉狀) 비엽(鼻葉)이 복잡하게 ... 둥이에는 ... 것 같음. 낮에는 바위틈·광 같은 데 숨었다 ... (冠)을 ... 식충성(食蟲性)임. 관박쥐 등이 이 과 ... 나와 활동하며 ... 18종이 분포함. ... 열대·온대에

관반【館伴】명〖역〗관반사(館伴使).

관반-사【館伴使】명〖역〗고려 및 조선 시대에 서울 ... 사신을 접대하기 위하여, 임시로 임명한 정삼품 벼슬 ...

관-발【管—】명〖동〗관족(管足).

관방¹【官房】명 ①〖역〗벼슬아치가 일 보고 숙직하 ... 그 당시 광산은 대개 국 ... 국 시대의 광산의 사무소. ③〖일제〗관청의 장관 ... 가 나가서 사무를 보았음. ... 문서의 접수 등의 사무 ... 항·관리 및 직원의 진퇴와 ... 절대 군주제(絶對君主制)에서, 군주의 ... Kammer] ... 중신이 국가의 추요(樞要)한 사무를 집무하던 비 ...

관방²【關防】명 국경의 방비(防備).

관방-제【官防堤】명〖지〗전라 남도 담양군(潭 ...

으로 흐르는 영산강(榮山江) 상류의 남쪽 기슭을 따라 축조된 제방(堤防). 조선 인조(仁祖) 26 년(1648)에 수해 방지를 위하여 담양 부사(府使)가 축조한 후, 철종 5 년(1854)에 완공됨. 제방은 축조 당시에 심은 각종 수목으로 지금도 풍치림을 이루고 있음.

관방 중:지【關防重地】[명] 국경 지방에 있는 중요한 요새지(要塞地).

관방-학【官房學】[명] 〔도 Kameralismus〕〖경〗16-18세기를 통하여 독일에서 일어난 국가 수입 획득에 관한 학술. 광의(廣義)로는 재정학은 물론 국민 경제 정책, 즉 당시의 군주(君主)의 재원(財源)인 광산·공장·전답·삼림·상업 경영의 지식까지 포함함.

관방학-파【官房學派】[명] 〔도 Kameralisten〕〖경〗18세기에 독일의 재정학의 원천(源泉)으로서 관방학을 기초로 한 학파.

관:-배수【灌排水】[명] 물대기와 물빼기.

관-배자【官一子】[명] 〖역〗나라에서 발행한 체포 증명서(逮捕證明書). *배자[1]. 「리던 중직(重職).

관백【關白】[명] 〖역〗옛날 일본에서 천황(天皇)을 보좌하여 천하를 다스

관벌【官閥】[명] ①벼슬 자리의 등급. ②관작(官爵)의 벌열(閥閱).

관법【觀法】[一뻡] [명] ①〖불교〗마음에 불법(佛法)의 진리를 관찰하는 일. 이법(理法)을 관찰하고 분별하는 법. ②인상(人相)을 보는 법. ③관찰의 방법. 「¶ ～ 소식통.

관변【官邊】[명] ①〖역〗나라에서 법령으로 규정한 변리(邊利). ②관청측.

관변-측【官邊側】[명] '정부측(側)'·'정부 편'이라는 뜻을 막연히 나타내는 말. ¶ ～ 견해.

관병[1]【官兵】[명] 관군(官軍). ↔사병(私兵)·민병(民兵).

관병[2]【觀兵】[명] 〖군〗①군(軍)의 위력(威力)을 빛냄. ②군병을 정렬(整列)시키고 이것을 검열함. ——-하다 [자][타][여불]

관병-식【觀兵式】[명] 국가 원수가 군대를 검열하는 의식(儀式). 열병식(閱兵式)과 분열식(分列式)의 둘로 나눔.

관보[1]【官報】[명] ①〖법〗법령·예산·조약·서임(敍任)·사령(辭令)·국회 사항·관청 사항 기타 정부에서 일반에게 주지(周知)시킬 사항을 편찬하여 간행하는 국가의 공고 기관지(公告機關紙). ②관공서에서 발송하는 공용(公用) 전보.

관보[2]【官褓】[명] 궁중을 비롯하여 관가(官家)에서 쓰는 보자기를 민보(民褓)에 상대하여 일컫는 말. 「보던 의정부(議政府)의 한 국.

관보-국【官報局】[명] 〖역〗조선 시대 말기에, 관보의 인쇄 발행을 맡아

관보현-경【觀普賢經】[명] 〖불교〗대승 경전(大乘經典)의 하나. 담마밀다(曇摩密多)가 송(宋)의 원가(元嘉) 18년(441)까지 한역(漢譯)한 법화 삼부경(法華三部經)의 결경(結經)으로서, 보현 보살(普賢菩薩)을 관(觀)하는 방법과 육근(六根)의 죄(罪)를 참회하는 법과, 공덕(功德)의 충심 내용임. 보현 관경(普賢觀經). 관보현 보살 행법경(觀普賢菩薩行法經). 「經).

관보현 보살 행법경【觀普賢菩薩行法經】[명] 〖불교〗관보현경(觀普賢

관복[1]【官服】[명] ①〖역〗벼슬아치의 정복(正服). ②〖역〗관디. ③군(軍)·관(官)에서 지급한 제복(制服) 또는 정복(正服). ↔사복(私服).

관복[2]【官福】[명] 관리로서 출세할 운수. 환복(宦福).

관복[3]【冠服】[명] 갓과 의복.

관:복[4]【款服】[명] 진심으로 복종함. 심복(心服)함. ——-하다 [자][여불]

관복-색【官服色】[명] 〖역〗조선 태종 16년(1416)에 백관(百官)의 관복을 연구·제정하기 위하여 설치된 기관.

관복-판【官服板】[명] 〖역〗관디판.

관복-함【官服函】[명] 벼슬아치의 관디를 넣어 두는 함. *관모함. 「本).

관본【官本】[명] ①관판(官版)의 책. ②관부(官府)의 장서(藏書). 감본(監

관봉[1]【官封】[명] 〖역〗①관가(官家)에서 인(印)쳐서 봉(封)함. ②정부에서 돈을 주조하여 인(印)쳐서 봉함. ——-하다 [자][여불]

관봉[2]【官俸】[명] 〖역〗관록(官祿).

관-봉[3]【冠峰】[명] 〖지〗대구(大邱) 팔공산(八公山)의 남동쪽에 있는 봉우리. 정상에 관봉 석조 여래 좌상이 있음. 속칭 : 갓바위.

관봉 석조 여래 좌:상【冠峰石造如來坐像】[명] 〖불교〗갓바위 부처.

관봉 치패【官逢治捭】[명] 관가의 때림을 받음. ——-하다 [자][여불]

관부[1]【官府】[명] 〖역〗①조정(朝廷) 또는 정부(政府). ②마을❶.

관부[2]【官簿】[명] 관청의 장부.

관부 연락선【關釜連絡船】[一열一] [명] 〖일제〗한국의 부산(釜山)과 일본의 시모노세키(下關) 사이를 연락하던 선박. 1905 년부터 운항한 이래 제 2 차 세계 대전 직전까지 운항되었음. 현재는 민영(民營)의 부관 페리(釜關 ferry)가 취항 중임.

관-부전【冠不全】[명] 〖의〗관상 순환(冠狀循環)이 심근(心筋)에 필요한 만큼의 혈액을 공급할 수 없게 되어 일어나는 협심증(狹心症) 상태. 관상 순환계 자체의 병변(病變)에 의한 혈류(血流) 장애가 원인이 되는 일이 많음. 「(關南). ②함경 남북도의 범칭(汎稱).

관북【關北】[명] 〖지〗①마천령(摩天嶺) 북쪽의 지방. 함경 북도. ↔관남

관북 공업 지역【關北工業地域】[명] 〖지〗함경 남북도 해안 지대를 중심으로 형성되어 있는 중화학 공업 지역. 원산(元山)·흥남(興南)·성진(城津)·청진(淸津) 등이 핵심을 이룸.

관북 해:류【關北海流】[명] 〖지〗연해주(沿海州) 근처에서 내려오는 한류(寒流). 「*관세위(盥洗位).

관:분【盥盆】[명] 〖역〗나라의 제사 때에 제관(祭官)이 손을 씻던 물그릇.

관:분-대【盥盆臺】[一때] [명] 〖역〗관분을 올려놓던 대.

관:분-상【盥盆床】[一쌍] [명] 〖역〗관분을 올려놓던 상.

관:불[1]【灌佛】[명] 〖불교〗①불상(佛像)에다가 향수(香水)를 뿌리는 일. 욕불(浴佛). ②↗관불회(灌佛會).

관불[2]【觀佛】[명] 〖불교〗부처의 공덕(功德)과 상호(相好)를 관찰(觀察)함. ——-하다 [자][여불]

관불 삼매【觀佛三昧】[명] 〖불교〗생각을 가다듬어 부처의 상호(相好)와 공덕을 생각하고 관찰하는 선정(禪定).

관-불이신【官不移身】[명] 오랫 동안 벼슬살이를 함. ——-하다 [자][여불]

관:불-회【灌佛會】[명] 〖불교〗석가가 탄생한 음력 4월 초파일에 석가의 상(像)에 향수를 뿌리는 행사. 여러 가지 꽃으로 꾸민 조그마한 집을 지어 수반(水盤)에 탄생불(誕生佛)의 상(像)을 모시고 감로다(甘露茶)를 머리 위에 끼얹음. 불생회(佛生會). [준]관불(灌佛).

관비[1]【官婢】[명] 〖역〗관가(官家)의 계집종. ↔관노(官奴).

관비[2]【官費】[명] 관청에서 내는 비용. ¶ ～ 유학생. ↔사비(私費). *국비(國費).

관비[3]【館婢】[명] 〖역〗성균관(成均館)의 재실(齋室)에서 다탕(茶湯)을 공궤(供饋)하는 계집종.

관비[4]【髖髀】[명] 〖생〗궁둥이뼈. 관골(髖骨).

관비-목【管鼻目】[명] 〖조〗[Tubinares] 비공(鼻孔)이 관상(管狀)으로 열려 있는 새들로, '슴새목'의 구칭.

관비-생【官費生】[명] 관비로 공부하는 학생. ↔사비생(私費生). *국비생(國費生).

관비 유학생【官費留學生】[명] 관비로 공부하는 유학생(留學生).

관사[1]【官司】[명] 〖역〗마을❶.

관사[2]【官仕】[명] 관도(官途)에 오름. 관리가 됨. ——-하다 [자][여불]

관사[3]【官私】[명] 공사(公私)❷.

관사[4]【官舍】[명] 관리가 살도록 관청에서 지은 집. 공사(公舍). *공저

관사[5]【官事】[명] 관청에 관계되는 일. ↔사사(私事). ㄴ(公邸).

관사[6]【官紗】[명] 중국에서 나는 사(紗)의 한 가지.

관사[7]【冠詞】[명] ①〖역〗관례(冠禮)할 때의 축사(祝辭). ②〖언〗↗관형사(冠形詞). ③〖언〗영어·프랑스어·독일어 등에서 명사(名詞) 앞에 위치하여 단수·복수·성(性)·격(格) 등을 나타내는 품사. 정관사(定冠詞)와 부정관사(不定冠詞)가 있음. 영어의 "the"·"a", 독일어의 "der"·"ein" 같은 것. 아티클(article).

관사[8]【管事】[명] 〖역〗조선 시대에 영흥부(永興府)·함흥부(咸興府)의 도무사(都務司)·제학서(諸學署)·융기서(戎器署)·사창서(司倉署)·영작서(營作署), 평양부(平壤府)의 제학서·융기서·사창서·영작서, 영변 대도호부(寧邊大都護府)·경성 도호부(鏡城都護府)의 융기서·사창서·영작서에 딸린 동반(東班) 정팔품의 토관(土官) 벼슬. 「관소(館所).

관사[9]【館舍】[명] 〖역〗옛날, 외국 사신(外國使臣)을 유숙(留宿)시키던 집.

관사-도【觀沙島】[명] 〖지〗전라 남도(全羅南道)의 서남 해상(西南海上), 진도군(珍島郡) 조도면(鳥島面) 관사도리(觀沙島里)에 위치(位置)한 섬. [1.62 km² : 262 명(1984)]

관-사람【館一】[一싸一] [명] 〖역〗대대로 성균관(成均館)에 딸리어 있던 사람. 쇠고기 장사를 하는 이가 많았음. 반인(泮人).

관산[1]【冠山】[명] 〖지〗전라 남도 장흥군(長興郡)의 한 읍(邑). 군의 동남단, 보성만(寶城灣)에 면함. 사자바위·선바위·부처바위 등 유명한 돌이 많은 천관산(天冠山)과 천관사(寺)가 명소임. [11,019 명(1990)]

관산[2]【關山】[명] ①고향의 산. ②고향. ③관문(關門) 가까이에 있는 산.

관산[3]【觀山】[명] 간산(看山)❶.

관산 별곡【關山別曲】[명] 〖문〗작자·제작 연대 미상의 가사. ≪순오지(旬五志)≫와 ≪지봉 유설(芝峰類說)≫에 이름만 전할 뿐 가사 내용은 전하지 아니함.

관산-성【管山城】[명] 〖역〗옥천(沃川)에 있었던 신라의 성. 신라 진흥왕(眞興王) 15년(554)에 신라의 배신으로 한강 유역을 빼앗긴 백제(百濟)가 이곳을 침공해 왔으나 대패하고 성왕(聖王)도 전사했음. 옛 이름은 고시산군(古尸山郡)이며, 고려 때부터 옥천으로 불리게 되었음.

관산 융마【關山戎馬】[一늉一] [명] 〖악〗서도 가요의 하나. 조선 영조(英祖) 때 석북(石北) 신광수(申光洙)가 두보(杜甫)의 악양루(岳陽樓)에 올라 탄식하여 지은 칠언 절구(七言絶句)의 한시(漢詩)에다 토를 달아 부른 노래. 슬픈 애조를 띤 시창제(詩唱制)의 곡조임.

관삼【官蔘】[명] 관가(官家)에서 만든 인삼(人蔘). ↔사삼(私蔘).

관상[1]【冠狀】[명] 관과 같은 모양.

관상[2]【管狀】[명] 대롱과 같은 형상(形狀).

관상[3]【觀相】[명] ①인상(人相)을 보고 그 성질이나 운명(運命)을 판단함. ②남의 얼굴을 봄. ——-하다 [자][여불] 상(相)보다❶.

관상(을) 보다 [구] 상(相)보다❶.

관상[4]【觀象】[명] ①기상을 관측함. ②천문을 봄. ——-하다 [자][여불]

관상[5]【觀想】[명] ①〖철〗일상(日常)의 실천적(實踐的) 관심을 이탈하여 순수(純粹)한 이성 활동(理性活動)에 의하여 예지적(叡智的)인 것을 인식하는 상태. ②〖불교〗수행(修行)의 한 가지. 마음을 일경(一境)에 전주(專注)하여, 어떤 상념(想念)을 일으키게 하여 번뇌를 없애는 일.

관상[6]【觀賞】[명] 보고 즐기거나 칭찬함. ¶ ～용(用). ——-하다 [타][여불]

관상-가【觀相家】[명] 관상하는 일을 업으로 삼는 사람. 관상쟁이.

관상-감【觀象監】[명] 〖역〗조선 시대에, 천문(天文)·지리(地理)·역수(曆數)·측후(測候)·각루(刻漏) 등의 일을 보던 관부(官府). 세종(世宗) 15 년(1433)에 서운관(書雲觀)을 개칭한 것으로 고종(高宗) 32년(1895)에 폐지하고 관상소(觀象所)로 고침.

관상감-본【觀象監本】[명] 〖역〗관상감에서 간행한 책.

관상-골【管狀骨】[명] 〖생〗장골(長骨).

관상 광:상【管狀鑛床】[명] 〖광〗유용 광물(有用鑛物) 광상의 한 형태. 원주(圓柱) 모양이며 단면(斷面)이 원 또는 타원형인 광상. 페그머타이트(pegmatite) 광상이나 교대(交代) 광상 등에 이런 형태가 많음.

관상 꽃부리【管狀一】[명] 〖식〗관상 화관(管狀花冠).

관상-녀【觀相女】[명] 관상을 보는 것을 업으로 하는 여자. 여자 관상쟁

관상-대【觀象臺】[명] ①기상대(氣象臺). ②↗중앙 관상대. ㄴ이.

관상 도고【官商都賈】명〖역〗조선 시대 후기에, 관권(官權)을 배경으로 이룩된 도고. 시전(市廛) 도고와 영저(營邸) 도고로 크게 나누어짐. ↔사상(私商) 도고.

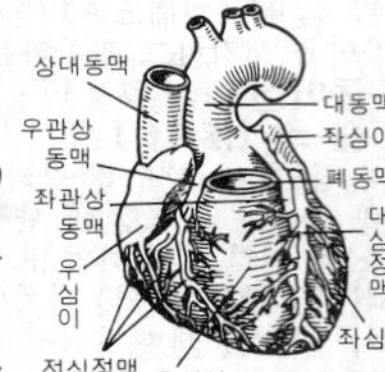

〈관상 동맥〉

관상 동:맥【冠狀動脈】명〖생〗심장(心臟)에 영양을 공급하는 좌우 두 줄기의 동맥. 대동맥의 뿌리에서 시작하여 심방(心房)과 심실(心室) 사이의 홈을 따라 내려가면서 갈라져 심방과 심실의 여러 조직, 특히 심실의 근층(筋層)에 분포하여 감. 관동맥(冠動脈).

관상 동:맥 경화증【冠狀動脈硬化症】[—쯩] 명〖의〗관상 동맥의 경화에 의한 질환. 40세 이상의 노년층에 흔히 나타나며 매독성인 경우에는 젊은 사람에게도 나타나는 것으로, 협심증 발작(狹心症發作)·심장성 천식 발작(心臟性喘息發作) 등을 일으킴.

관상 동:맥 혈전증【冠狀動脈血栓症】[—쩐쯩] 명〖의〗관상 동맥에 혈액의 덩어리가 생겨서 혈관이 막히는 병. 생명에 관계됨.

관상 명정【棺上銘旌】명 관(棺) 위에 쓰는 명정(銘旌). ＊행차 명정(行次銘旌).

관상-목【觀賞木】명 관상수.

관상-서【觀相書】명 관상(觀相)하는 방법을 쓴 책. ㊀상서(相書).

관상-소【觀象所】명〖역〗관상감(觀象監)의 후신(後身). 조선 고종(高宗) 32년(1895)에 관상감을 고쳐서 두었다가 순종(純宗) 융희(隆熙) 원년(元年)(1907)에 폐지(廢止)함.

관상-수【觀賞樹】명 관상하기 위하여 가꾸는 나무. 개나리·향나무·벚나무 등. 관상목. ＊관상초(草).

관상 수도회【觀想修道會】명〖천주교〗영적(靈的) 생활의 최고 경지인 관상(觀想)에 도달하고자 고독과 침묵 속에서 계속 기도하고 자신(自身)을 봉헌(奉獻)하는 수도회. 갈멜 수도회 따위.

관상 수시【觀象授時】명 역법(曆法)이 완성되지 아니하였던 시대에 천상(天象)을 보아서 계절을 정하던 방법. 일월 성신(日月星辰)의 출현 상태를 보아서 농경 생활에 필요한 계절을 알리다는 것은 농경 사회(農耕社會)에 있어서의 지배자의 중요한 임무였음.

관상 순환【冠狀循環】명〖생〗관상 동맥에 의한 혈액 순환.

관상 순환 부전【冠狀循環不全】명〖의〗관상 동맥 경화증. 매독에 의한 관상 동맥 개구부(開口部)의 협착(狹窄) 등의 원인으로 말미암아 관상 순환이 심근(心筋)에 충분한 영양소를 공급할 수 없게 되어 협심증(狹心症)을 일으키게 되는 증상.

관상-술【觀相術】명〖민〗관상하는 방법.

관상 식물【觀賞植物】명〖식〗관상할 목적으로 심는 식물. ＊관상초·「관상목.

관:상 신경계【管狀神經系】명〖생〗척추 동물에 분포되어 있는 집중(集中) 신경계. 앞쪽에서 뇌(腦), 뒤쪽에서 척수(脊髓)가 분화(分化)함. 무척추(無脊椎) 동물의 제상(梯狀) 신경계에 대하여 일컬음.

관상-어【觀賞魚】명 관상하기 위하여 기르는 물고기. 금붕어·열대어 같은 것. ＊관상목(木). 「(庭園樹).

관상-용【觀賞用】[—뇽] 명 두고 보며 즐기는 데 소용됨. ¶～ 정원수

관상-쟁이【觀相—】명 관상하는 일을 업으로 삼는 사람. 관상가(觀相家). 상자(相者). ㊀상쟁이.

관상 정맥【冠狀靜脈】명 포유류의 심장벽에 분포하고 있는, 우심방(右心房)으로 연결되어 있는 정맥. 관정맥. 「등. ＊농조(籠鳥).

관상-조【觀賞鳥】명〖조〗관상하기 위하여 기르는 새. 앵무새·십자매

관:상 중심주【管狀中心柱】명〖식〗중앙에 수(髓)와 이것을 둘러싸고 있는 목질부가 있고, 그 바깥쪽과 안쪽을 체관부(管部)가 둘러싸고 있는 중심부. 보통, 양치류(羊齒類)에서 볼 수 있음.

관상 참회【觀相懺悔】명〖불교〗취상 참회(取相懺悔).

관상-초【觀賞草】명〖식〗관상하기 위하여 가꾸는 풀. 국화·수련·백합 등. ＊관상어(魚).

관상-학【觀相學】명 신체의 외견(外見), 특히 안면의 특징과 동작으로부터 사람의 심적 특성(心的特性)을 알아 내고, 사람의 운명·장래를 예견하는, 경험에 의한 기술. 인상학(人相學).

관상-화【管狀花】명〖식〗꽃잎이 달라 붙어 대롱과 같은 모양으로 되어 끝만 겨우 째진 작은 꽃. 국화과에 속하는 백일홍(百日紅)이나 쑥갓 등의 꽃. 통상화(筒狀花).

관상 화관【管狀花冠】명〖식〗합판 화관(合瓣花冠)의 하나. 모양이 대롱같이 생긴 화관(花冠). 관상 꽃부리. 관꼴꽃부리. 통상(筒狀) 화관.

관새【關塞】명 국경에 설치한 관문. 국경의 요새(要塞).

관새-목【冠鰓目】명〖어〗[Lophobranchii] 조기류(條鰭類)에 속하는 한 목(目). 일반적으로 입이 작으며, 긴 관상(管狀)의 부리 끝에 달렸음. 조름은 총상(總狀)이고 아가미는 작음. 몸은 골판(骨板)으로 덮였고, 수컷에는 꼬리가 붙은 자리에 육아낭(育兒囊)이 달렸음.

관생[1]【冠省】명 편지나 소개장 등의 첫머리에 쓰는 말로, 일기와 문안을 생략한다는 뜻. 관략(冠略). ¶～하옵고. ——-하다 자여불

관생[2]【貫生】명 [proliferation] ①〖식〗꽃이나 화서(花序)가, 끄트머리에 잠재한 생장점이 활성화(活性化)하여 막눈이 나고 다시 줄기가 자라고 꽃이나 가지가 나는 현상. ②〖생〗조균류(藻菌類)에서 유주자낭(遊走子囊)과 같이 유주자가 빠져 나가 속이 빈 후에 새로운 균사(菌絲)가 자라서 새로운 유주자가 생기는 일.

관생-엽【貫生葉】명〖식〗잎자루가 없는 잎의 특수한 형태로, 대생(對生)하는 엽편(葉片)의 기부(基部)가 발달하여 서로 붙어서 줄기를 관통한 것처럼 보이는 잎. 「❶.

관서[1]【官署】명 ①관청과 그 보조 기관의 총칭. 공서(公署). ②〖역〗마을

관서[2]【寬恕】명 너그럽게 용서함. 관대(寬貸). 관면(寬免). 관유(寬宥). ——-하다 타여불

관서[3]【關西】명〖지〗①마천령(摩天嶺) 서쪽의 지방. 곧, 평안 남북도의 범칭(汎稱). ②중국의 '관시'를 우리 음으로 읽은 이름. 「자타여불

관서[4]【觀書】명 책을 봄. 소리를 내지 아니하고 책을 읽음. ——-하다

관서 공업 지역【關西工業地域】명〖지〗평안 남북도·황해도 지방에 형성되어 있는 공업 지역. 해주(海州)·사리원(沙里院)·송림(松林)·평양·진남포·신의주 등지가 핵심을 이룸.

관:서-류【管棲類】명〖동〗관주목(管住目).

관서 방언【關西方言】명 서북 방언(西北方言).

관서 별곡【關西別曲】명〖문〗조선 명종(明宗) 때, 백광훈(白光勳) 또는 그의 형 백광홍(白光弘)의 작이라고도 하는 가사. 관서 지방의 절경(絕景)을 읊은 것임. 《기성 별곡(箕城別曲)》·《향산 별곡(香山別曲)》으로 나뉨. ＊관동(關東) 별곡.

관서 악부【關西樂府】명 조선 영조(英祖) 50년(1774), 채제공(蔡濟恭)이 평안 감사(平安監司)로 갔을 때 그의 권유로 신광수(申光洙)가 지은, 서도(西都)의 경치·역사·명승·인물·놀이 들을 108장의 악부로 노래한 것. 《석북집(石北集)》에 전함.

관서 팔경【關西八景】명 평안도에 있는 여덟 군데의 명승지. 곧, 강계(江界)의 인풍루(仁風樓), 의주(義州)의 통군정(統軍亭), 선천(宣川)의 동림폭(東林瀑), 안주(安州)의 백상루(百祥樓), 평양(平壤)의 연광정(練光亭), 성천(成川)의 강선루(降仙樓), 만포(滿浦)의 세검정(洗劍亭), 영변(寧邊)의 약산 동대(藥山東臺).

관석【罐石】명〖화〗기관(汽罐)의 전열면상(傳熱面上)에 시간이 경과함에 따라 석출(析出)되는 박층상(薄層狀)의 고체. 그 성분은 장치의 종류·조작 조건에 따라 다르나 대개가 황산 칼슘·탄산 칼슘·수산화 마그네슘·이산화 규소(二酸化珪素) 등임. 관물때. 더껑이.

관선[1]【官船】명 관청이 소유한 선박(船舶). 「선(私線).

관선[2]【官線】명 관설(官設)의 전신선(電信線) 또는 철도선(鐵道線). ↔사

관선[3]【官選】명 관청에서 뽑음. 국선(國選). ↔민선. ——-하다 타여불

관선 변:호인【官選辯護人】명〖법〗'국선(國選) 변호인'의 구칭.

관선 이:사【官選理事】명 관청에서 뽑은 이사.

관선 전:군【官船典軍】명〖역〗고려 사수시(司水寺)의 벼슬. 공양왕(恭讓王) 3년(1391)에 두었음. 「용 기물(御用器物)을 감독하던 관청.

관선-창【官𤭛廠】명〖역〗중국 명(明)나라 때, 츠저우 요(磁州窯)에서 어

관설【官設】명 관청에서 시설함. ↔사설(私設). ——-하다 타여불

관설 철도【官設鐵道】[—또] 명 정부에서 부설한 철도. ↔사설(私設) 철도.

관섭[1]【管攝】명〖역〗겸관(兼管). ——-하다 타여불

관섭[2]【關涉】명 무슨 일에 관계하고 참섭함. ——-하다 자여불

관:성[1]【款誠】명 관곡(款曲)한 정성(精誠).

관성[2]【慣性】명 [inertia]〖물〗물체의 통성(通性)의 하나. 물체가 외력(外力)의 작용을 받지 아니하는 한, 정지(靜止) 또는 운동의 상태를 언제까지든지 지속하려고 하는 성질. 예컨대 전차가 갑자기 발차하거나 또는 정거할 때 승객(乘客)의 몸이 앞으로나 뒤로 기우는 것은 이 성질에 의함. 타성(惰性). 습관성(習慣性).

관성[3]【關聖】명〖종〗↗관성 대제(關聖大帝).

관성-계【慣性系】명〖물〗좌표계(座標系)가 서로 등속도(等速度) 운동을 하고 있는, 뉴턴(Newton) 역학(力學)이 성립하는 세계. 타성계(惰性系). 관성 좌표계.

관성-교【關聖教】명〖종〗①1920년에 박기홍(朴基洪)·김용식(金龍植)이 조직한 관왕(關王) 숭배교. 서울 숭인동(崇仁洞) 동묘(東廟)에 본부가 있었음. ②관우(關羽)·제갈량(諸葛亮)·유비(劉備)·장비(張飛) 등을 숭배하는 교. 1945년에 창시. 음력 3월 3일과 9월 9일을 대제일(大祭日)로 함.

관성 능률【慣性能率】[—뉼] 명〖물〗관성 모멘트(慣性 moment).

관성 대:제【關聖大帝】명〖종〗관성교에서 관우(關羽)를 높이어 일컫는 말. ㊀관성(關聖).

관성-력【慣性力】[—녁] 명 [inertial force]〖물〗관성 저항(慣性抵抗).

관성-류【慣性流】[—뉴] 명 [inertial flow]〖물〗외력(外力)이 유체(流體)에 영향을 미치지 않고 있는 흐름.

관성 모:멘트【慣性—】명 [moment of inertia]〖물〗물체의 각 부분의 질량(質量)과 그 부분으로부터 일정한 직선까지의 거리의 제곱과의 곱을 물체 전체에 대하여 더해 합친 양. 관성 능률.

관성-묘【關聖廟】명 관왕묘(關王廟).

관성 민란【管城民亂】[—밀—] 명〖역〗고려 명종 12년(1182)에 관성 곧, 현재의 충청 북도 옥천군(沃川郡)에서 일어난 민란. 현령(縣令)의 수탈과 횡포로 인하여 발생됨. 이 결과 현(縣)이 폐지됨.

관성 바퀴【慣性—】명〖기〗크랭크(crank) 축에 달린 무거운 바퀴. 크랭크축에 생긴 힘의 증감(增減)을 완화(緩和)하여 회전을 부드럽게 하는 역할을 함. 플라이휠. 세차(勢車).

관성 운:동【慣性運動】명 [inertial motion]〖해〗해류의 환상(環狀) 흐름. 지구 자전(地球自轉)의 편향력(偏向力)에 의해 일어나는 구심력의 가속과 지구의 만곡에서 생기는 원심력과의 상관 관계에서 유발됨.

관성 유도【慣性誘導】명〖물〗미사일 유도 방식의 하나. 자이로(gyro)와 가속도계에 의하여 관성의 가속도를 측정, 속도·비행 거리를 산출하여 탄도(彈道)의 오차(誤差)를 자동적으로 수정함. 오차는 사정(射程) 1만km에 대해 3km 정도.

관성 유도 장치【慣性誘導裝置】명 비행기·선박·유도탄 등에 사람이 없이 또는 외부의 조종없이 자력(自力)으로 항행하게 한 유도 장치. 팽이와 진자(振子)의 원리를 이용하였음.

관성의 법칙【慣性—法則】[—/—에—] 명 [law of inertia]〖물〗물체

는 그것에 힘이 작용하지 아니하면, 가속도를 얻는 일이 없이 그대로의 속도를 가지거나 또는 정지(靜止) 상태에 있다는, 뉴턴의 '운동의 제1 법칙'.

관성-자【管城子】명 〔중국 당(唐)나라 한유(韓愈)의 《모영전(毛穎傳)》에 나옴〕'붓'의 이칭(異稱).

관성-장【管城將】명 〖역〗 조선 시대에, 북한산성(北漢山城)을 관수(管守)하던 장관(將官). 정삼품 벼슬. 처음에 경리청(經理廳)에 속해 있다가 영조(英祖) 때 경리청이 총융청(摠戎廳)에 통합되어 소속이 바뀜.

관성 저:항【慣性抵抗】명 〔inertial resistance〕〖물〗 뉴턴의 운동의 법칙이 성립하는 계(系)에서 물체의 운동에 대한 외견상(外見上)의 저항. 밖에서 힘을 받지 아니하는 한 정지(靜止) 또는 등속(等速) 운동을 하는 성질에 의하여 물체에 힘을 주어도 되도록이면 먼저의 상태를 유지하려는 저항력. 관성력(慣性力).

관성 전진력【慣性前進力】[—녁] 명 〔set forward force〕〖물〗 발사체·미사일·폭탄 등이 충돌했을 때의 감속(減速)에 의하여 생기는, 앞으로의 관성력. 이 힘은 감속도와 감속된 구성 부분의 질량과 직접 비례함.

관성 제:군【關聖帝君】명 〖민〗 관왕묘(關王廟)에서 무덕(武德)의 신(神)으로 모신 관우(關羽)의 영(靈)을 일컫는 말. ㊌관제(關帝).

관성 제:군 명성경【關聖帝君明聖經】명 〖책〗 관우(關羽)를 모시는 경문(經文) 책. 조선 철종(哲宗) 6년(1855)에 간행. 1권, 목판본.

관성 좌:표계【慣性座標系】명 〖물〗 관성계(慣性系).

관성 질량【慣性質量】명 〔inertial mass〕〖물〗 운동 상태의 변화에서 결정되는 질량. 타성(惰性) 질량.

관성 항:법【慣性航法】[—뻡] 명 지물(地物)·천체·전파 따위의 매개에 의하지 아니하고 직접 대지 변위(對地變位)를 구하여 배·항공기의 위치 항정(位置航程)을 알아내는 항법. 로켓이나 미사일 등에 쓰임.

관성 항:법 장치【慣性航法裝置】[—뻡—] 명 자동적으로 자기의 가속도를 측정하고 가속도에서 속도를, 속도에서 거리를 측정하는 시스템으로 되어 있는 항법 장치.

관성 후:퇴력【慣性後退力】명 〔setback force〕〖물〗 미사일 등 발사체(發射體)가 발사될 때, 전방으로 가속(加速)되는 반동(反動)으로 생기는 후방(後方)으로의 관성력. 이 힘은 가속도와 가속된 구성 부분의 질량(質量)과 직접 비례함.

관세[1]【冠歲】명 관례를 치르는, 남자 나이 20세를 이름.

관세[2]【關稅】명 〖법〗 국가가 일정한 경계선을 통과하는 화물(貨物)에 대하여 부과하는 조세(租稅). 그 경계선의 위치에 따라서 국내 관세와 국경 관세의 구별이 있고, 또 그 화물의 출입에 따라 수입세(輸入稅)·수출세·통과세(通過稅)의 세 가지가 있는데, 각국이 실제로 부과하는 것은 수입세뿐임. 이 관세는 보통 재정 수입과 국내 산업의 보호를 그 주목적으로 하며 세관에서 징수함. 통관세(通關稅). *항구세(港口稅).

관:세[3]【盥洗】명 손발을 씻음. 또, 씻은 물.

관세[4]【觀勢】명 형세를 살피어 봄. ——-하다 자타여불

관세 감:면 제:도【關稅減免制度】명 〖경〗 산업에 꼭 필요한 수입 물품의 관세를 줄여 주거나 전액 면제해 주는 제도.

관세 경:찰【關稅警察】명 〖법〗 밀수(密輸)와 그 밖의 관세법에 관한 범죄를 방지하기 위한 행정 경찰. 세관 관리가 이것을 행함.

관세-국【關稅局】명 〖역〗 관세·외국 무역 등에 관한 사무를 맡아 보던 마을. 대한 제국 때에는 1882년 이후 인천·부산·원산에 해관(海關)을 둔 바 그 장(長)은 대부분 외국인이었음.

관세 도지【觀勢圖之】명 형세를 보아 계책(計策)을 세움. ——-하다 자여불

관세 동맹【關稅同盟】명 〔customs union〕〖경〗 서로 경제적·정치적으로 이해 관계가 깊은 둘 이상의 국가가 관세 제도의 통일을 목적으로 맺는 동맹. 동맹국 상호간의 수출입 화물에 대하여서는 관세를 철폐 또는 경감하며 무역을 자유롭게 하고, 동맹 밖의 여러 나라에 대하여서는 균일한 수입세를 징수함. 역사상으로 볼 때 1834년에 프로이센(Preussen)을 맹주(盟主)로 하는 독일 관세 동맹, 오타와 회의(Ottawa 會議)에 의하여 확립된 '대영 제국 경제 블록(bloc)' 따위.

관세 무:역 일반 협정【關稅貿易一般協定】명 〖경〗 가트(GATT).

관세-범【關稅犯】명 〖법〗 관세법 또는 관세법에 의한 명령에 위배되는 행위를 함으로써 성립되는 범죄. 또, 그 범인. 금지품 수출입죄, 관세 포탈죄, 무면허 수출입죄, 허위 보고죄 등 관세에 관한 모든 범죄를 총칭함.

관세-법【關稅法】[—뻡] 명 〖법〗 관세의 부과·징수 및 수출입 물품의 통관을 적정(適正)하게 하기 위하여 필요한 사항을 규정한 법률.

관세-사[1]【管稅司】명 〖역〗 조선 고종(高宗) 32년(1895)에 탁지부(度支部)의 속아문(屬衙門)으로 설치하여 조세(租稅)나 그 밖의 세입(歲入)의 징수를 관리하던 관청.

관세-사[2]【關稅士】명 관세사 시험에 합격하고, 수출입업자 등과 같은 타인의 의뢰를 받아, 관세법에 따른 수출·수입 등에 관련된 절차의 이행, 심사·심판 청구·이의 신청 등을 대리하는 것을 업으로 하는 사람. 반드시 관세청장에게 등록을 하여야 함. 구칭: 통관사(通關士).

관세 서기【關稅書記】명 행정직 국가 공무원 직급 명칭의 하나. 관세 직렬(職列)에 속하며, 관세 주사보(主事補)의 아래, 관세 서기보(書記補)의 위로 8급 공무원임.

관세 서기보【關稅書記補】명 행정직 국가 공무원 직급 명칭의 하나. 관세 직렬(職列)에 속하며, 관세 서기의 아래로 9급 공무원임.

관세 양:허표【關稅讓許表】명 〖경〗 가트(GATT) 가입국이 서로 관세율에 관하여 양보하고 인하(引下)해서 작정한 새로운 관세율의 표.

관세 에스컬레이션【關稅—】명 〔tariff escalation〕 원재료(原材料)에 대한 관세를 최저로 하고, 가공도(加工度)가 높아감에 따라 관세율이 높아지는 제도.

관세 영역【關稅領域】명 〖경〗 한 나라의 관세권이 미치는 영역. 그 영역 안에서는 물품이 관세의 부과 없이 자유로이 이동할 수 있음. 우리 나라의 관세 영역은 정치상의 국경선과 일치함.

관:세-위【盥洗位】명 〖역〗 제향(祭享) 때 제관(祭官)이 손을 씻는 곳. 「*관분(盥盆).

관세-율【關稅率】명 〖경〗 주로 수입 화물에 부과되는 소비(消費) 세율. 종량(從量) 세율과 종가(從價) 세율이 있음.

관-세음【觀世音】명 〖불교〗 ↗관세음 보살(觀世音菩薩).

관세음-경【觀世音經】명 〖불교〗 관음경(觀音經).

관세음 보살【觀世音菩薩】명 〔범 Avalokitésvara〕〖불교〗 보살의 하나. 대자 대비(大慈大悲)하여 중생(衆生)이 괴로울 때에 정성으로 그 이름을 외면 그 음성을 듣고 곧 구제(救濟)한다고 함. 무량수경(無量壽經)에는 극락 정토(極樂淨土)에서 아미타불(阿彌陀佛)의 협시(脇侍)로서 부처의 교화(敎化)를 돕고 있음. 용모가 원만한 보살형(菩薩形)으로 흔히 머리에 아미타의 화불(化佛)을 받아 연화(蓮華) 또는 연대(蓮臺)를 가짐. 그 형상을 달리함에 따라 천수 관음(千手觀音)·십일면 관음(十一面觀音)·백의 관음(白衣觀音)·마두 관음(馬頭觀音)·어람 관음(魚籃觀音)·여의륜 관음(如意輪觀音) 등의 이름이 있음. 관자재 보살(觀自在菩薩). 원통 대사(圓通大士). ㊌관세음·관음 보살·관음.

관세 일괄 인하 교섭【關稅一括引下交涉】명 〖경〗 케네디 라운드.

관세 자주권【關稅自主權】[—꿘] 명 〖정〗 국제법상(國際法上) 일반적으로 국내 사항에 속하는 관세에 대하여 독립 국가가 임의(任意)로 규제(規制)할 수 있는 권리.

관세 장벽【關稅障壁】명 〖경〗 관세를 과하거나 그 세율을 인상(引上)하여 수입(輸入)의 감소(減少)를 꾀하는 일.

관세 전:쟁【關稅戰爭】명 〖경〗 관세를 올리거나 또는 그 밖의 관세 정책을 무기(武器)로 하여 타국 상품이 자국 영토 안으로 유입(流入)됨을 서로 방지하는 데서 생기는 국가간의 알력(軋轢). 이를테면 갑국(甲國)이 을국(乙國)의 상품에 대한 관세를 인상하면 을국도 갑국의 상품 관세를 인상하는 일 등.

관세 정:률【關稅定率】[—뉼] 명 〖경〗 관세가 부과·징수되는 비율. 관세 정률법(關稅定率法)에 포함된 표에 의하여 정하는 것이 각국의 통례로서, 각국이 채택하는 관세 정책에 따라 단일(單一) 세율·국정(國定) 세율 및 협정 세율(協定稅率)·복관세율(複關稅率) 또는 최고저 세율(最高低稅率)이 있음.

관세 정책【關稅政策】명 〖경〗 관세에 의하여 국민 경제의 발달을 도모하는 정책. 곧, 외국 상품에 관세를 과하여 그 수입을 막으며 외국이 자국의 상품에 대하여 불리한 대우를 할 때에 그 나라의 상품에 대하여 보복적으로 관세를 부과하는 것 등.

관세 조약【關稅條約】명 〖법〗 주로 관세율을 협정하고 아울러 최혜국 조관(最惠國條款)을 포함하는 통상(通商) 조약.

관세 주사【關稅主事】명 행정직 국가 공무원 직급 명칭의 하나. 관세 직렬(職列)에 속하며, 행정 사무관의 아래, 관세 주사보의 위로 6급 공무원임.

관세 주사보【關稅主事補】명 행정직 국가 공무원 직급 명칭의 하나. 관세 직렬(職列)에 속하며, 관세 주사의 아래, 관세 서기의 위로 7급 공무원임.

관세-청【關稅廳】명 기획 재정부 장관에 소속된 중앙 행정 기관. 관세의 부과·징수 및 감면, 수출입 물품의 통관, 밀수 단속 등의 업무를 관장함.

관세청-장【關稅廳長】명 〖법〗 관세청의 장(長).

관세 통로【關稅通路】[—노] 명 육접(陸接) 국경으로부터 통관역에 이르는 일반 수송용 철도와, 육접 국경으로부터 통관장(通關場)에 이르는 육로(陸路) 또는 수로(水路)로서 세관장이 지정한 통로.

관세 포:탈범【關稅逋脫犯】명 〖법〗 관세 포탈죄를 범한 자.

관세 포:탈죄【關稅逋脫罪】[—쬐] 명 〖법〗 관세의 납부 의무자가 사위(詐僞) 또는 그 밖의 부정한 방법으로 관세의 전부나 일부를 포탈하였거나, 관세의 면제·환급(還給)을 받은 행위로 성립되는 죄.

관세 할당 제:도【關稅割當制度】[—땅—] 명 일정한 기간 안에 수입되는 특정 물품에 대하여 할당 수량까지는 낮은 세율의 관세를 매기고 그 이상의 것에 대하여는 높은 세율을 적용하는 이중 세율 제도.

관세 협력 이:사회【關稅協力理事會】[—녀—] 명 〔Customs Cooperation Council : CCC〕 각국의 관세 제도의 표준화와 관세 규정의 발전·개선을 위하여 설립된 국제 기관. 1952년 발족됨. 이사회는 회원국의 관세청장으로 구성되며, 본부는 벨기에의 브뤼셀에 있음. 회원국은 1996년 현재 140개국.

관세 환급【關稅還給】명 〖법〗 수출용 상품의 원재료(原材料)를 수입할 때 납부한 관세를, 그 재료로 제품을 생산하여 다시 수출한 경우 환급하는 일.

관세 휴일【關稅休日】명 〖경〗 보호 관세를 높이거나 신설하거나 하는 경쟁을 휴지(休止)하는 일정한 기간. 세계 경제의 불황의 심각화를 피하기 위하여 협정되는 것임.

관세 휴전 회:의【關稅休戰會議】[—/—이] 명 1929년의 대공황 이후에 높아진 각국간의 관세 장벽의 타개를 위하여 1930년 제네바에서 열린 회의. 1933년의 런던 세계 경제 회의로 이어졌으나 관세의 신설 및 인상 금지에는 실패하였음.

관소[1]【官訴】명 관아(官衙)에 소송함. ——-하다 자여불

관소[2]【館所】명 관사(館舍).

관소 과:녁【官所—】명 〖역〗 〔←관소 관혁(官所貫革)〕 무과를 보일 때, 일백오십 보(步)를 한정하여 쏘던 과녁.

관소 관혁【官所貫革】명 〖역〗 →관소 과녁.

관-소제기【管掃除器】명 관(管)의 내부를 소제하기 위한 기구.

관속[1]【官屬】명 〖역〗 군아(郡衙)의 아전과 하인. *관례(官隷).

관속²【管束】 명 〖식〗 관다발.

관속 식물【管束植物】 명 〖식〗 관다발 식물.

관:솔 명 〔근대 : 관솔〕 ①송진이 많은 소나무. ②소나무의 송진이 많이 엉긴 부분. 주로 옹이에 많이 엉김. 예전에는 관솔에 불을 붙이어 촛불이나 등불 대신으로 썼음. 송명(松明).

관:솔-불 [—뿔] 명 관솔에 붙인 불. 솔불. 송거(松炬). 송명(松明).

관쇄【關鎖】 명 문을 잠금. ——-하다 자타 여불

관-쇠【館—】[—쐬] 명 관(館), 즉 푸주를 내고 쇠고기를 파는 사람.

관수¹【官守】 명 관리로서의 직책.

관수²【官修】 명 ①정부에서 편수(編修)함. ②정부에서 수선함. ——-하다 타 여불

관수³【官需】 명 관청의 수요(需要). ↔민수(民需).

관수⁴【冠水】 명 홍수(洪水) 따위로 논밭·작물(作物)이 물에 잠김. ——-하다 자 여불

관수⁵【管手】 명 〖악〗 무속 음악(巫俗音樂)에서 피리나 젓대를 부는 사람.

관수⁶【管守】 명 보관(保管)하여 수호(守護)함. ——-하다 타 여불

관:수⁷【盥水】 명 손을 씻음. ——-하다 자 여불

관:수⁸【盥漱】 명 양치질하고 세수함. ——-하다 자 여불

관:수⁹【灌水】 명 〖농〗 관개(灌漑). ——-하다 자 여불

관:수-기【灌水機】 명 물을 대는 기계.

관:수-량【灌水量】 명 물을 대는 양.

관수-미【官需米】 명 〖역〗 수령(守令)의 양식으로 거두는 쌀.

관:수-법【灌水法】 [—뻡] 명 〖농〗 관수하는 방법.

관수-왜【館守倭】 명 〖역〗 부산 왜관(倭館)을 관리하던 왜인.

관수-해【冠水害】 명 논밭이 침수되어 농작물이 물 속에 잠겨서 발생하는 농작물의 피해.

관숙【慣熟】 명 ①손이나 눈에 익숙함. ②가장 친밀함. ——-하다 형 여불

관:술 명 〈방〉 관솔.

관습【慣習】 명 ①습관(習慣)❷. ②〔custom〕〖사〗 한 사회내에서 역사적으로 발달하여, 그 사회의 성원(成員)에게 일반적으로 널리 승인되어 있는 정통적인 행동 양식(行動樣式). 인스티튜션(institution).

관습 도감【慣習都監】 명 〖역〗 조선 시대 태조 때 베푼 관아 이름. 향악(鄕樂)과 당악(唐樂)을 가르치는 일을 맡음. 세조(世祖) 12년(1466)에 장악서(掌樂署)로 고침.

관습-법【慣習法】 명 〖법〗 관습에 근거를 두고 성립하는 법. 불문법(不文法)의 전형적인 것으로서 국가 기관 특히 법원의 관례(慣例)에 근거를 두는 것과, 민간에서 행해지는 관습에 의하여 성립하는 두 가지 경우가 있음. 관례법(慣例法). 습관법(習慣法). *불문법(不文法).

관습-적【慣習的】 명 관 관습으로 되는 모양. 습관처럼 된 모양.

관습 취:재【慣習取才】 명 〖역〗 조선 시대에 관습 도감에서 재주를 시험하여 악인(樂人)을 뽑던 일.

관승【官升】 명 〖역〗 관가(官家)에서 곡류(穀類)를 되는 데에 쓰던 양기(量器). 보통 집에서 쓰는 식승(食升)과 달라 열 닷 말을 한 섬으로 하고, 한 되는 오늘날의 서 홉 여섯 작과 같음. *시승(市升)·식승(食升).

관시¹【串柹】 명 곶감.

관시²【館試】 명 〖역〗 조선 시대에 성균관 유생(儒生)만이 볼 수 있는 문과(文科)의 초시(初試). 원점(圓點) 300점 이상 되는 유생만이 응시할 수 있으며, 정원은 처음에는 30명이었으나 뒤에 50명으로 늘림. 성균시(成均試).

관시³【觀視】 명 분명히 봄. ——-하다 타 여불

관시⁴ 〔關西〕 명 〖지〗 중국 한구관(函谷關) 서쪽의 땅. 주로 산시 성(陝西省)과 간쑤 성(甘肅省)을 가리킴. 관서(關西).

관식¹【官式】 명 〈이두〉 과식(科式).

관식²【官食】 명 관청에서 지급(支給)하는 음식. ↔사식(私食).

관심¹【關心】 명 ①마음이 끌림. 마음에 두고 잊지 아니함. 관념(關念). ¶ ~이 깊다. ②〔도 Interesse〕〖철〗 가치가 있는 것에 주의하는 심적인 태도. ——-하다 타 여불

관심²【觀心】 명 〖불교〗 마음의 본성을 관찰하여 밝게 함. 자종(自宗)의 진리를 살핌. 내관(內觀).

관심-거리【關心】 [—꺼—] 명 관심을 두게 되는 일. 관심사.

관심-문【觀心門】 명 〖불교〗 자기 마음의 본성을 밝히어 살핌으로써 교리를 실천 수행하는 법문(法門). *교문(敎門).

관심-사【關心事】 명 관심하고 있는 일. 관심거리. ¶ 지대한 ~.

관심-처【關心處】 명 관심하고 있는 곳. 관심을 두고 있는 점.

관-십리【官十里】 [—니] 명 〖역〗 관가에서 작정한 십리. 보통 십리보다 좀 가까움.

관신 명 〈옛〉 관인(官人). 관원(官員). ¶ 관신돌히 ᄒᆞ마 긔산ᄒᆞ리로소니(官人們待散也)≪朴解 上 7≫.

관아【官衙】 명 〖역〗 마을❶. 관해(官廨). ¶ 고을의 ~.

관아 양지정【官阿良支停】 명 〖역〗 신라 육기정(六畿停)의 하나. 막야정(莫耶停).

관악¹【管樂】 명 〖악〗 금관 악기를 주체로 하여 연주하는 음악. 취주악(吹奏樂). ↔현악(絃樂).

관악²【觀樂】 명 〖역〗 임금이 풍악을 보는 일. ——-하다 자 여불

관악-구【冠岳區】 명 〖지〗 서울 특별시의 한 구(區). 1973년 7월, 영등포구에서 분리 독립함. 동쪽은 서초구(瑞草區), 서쪽은 구로구(九老區), 남쪽은 경기도 안양시(安養市)와 과천시(果川市), 북쪽은 동작구(銅雀區)와 접하고 있음. 관내(管內) 27동(洞). 서울 대학교·낙성대(落星垈)·관악산 등이 유명함. [29.57 km² : 557,164 명(1996)]

관악-기【管樂器】 명 〖악〗 입으로 불어서 관내(管內)의 *공기를 진동시켜 소리를 내는 악기. 목관(木管) 악기와 금관(金管) 악기의 구별이 있음. 튜브(tube). ↔현악기·타악기.*

관악-대【管樂隊】 명 〖악〗 브라스 밴드. 취주 악대(吹奏樂隊).

관악-보【管樂譜】 명 〖악〗 관악의 악보.

관악 보:허자【管樂步虛子】 명 〖악〗 보허자를, 관악기인 당(唐)피리를 중심으로 연주하는 데서 일컫는 딴 이름.

관악-산【冠岳山】 명 〖지〗 서울 남방, 관악구와 경기도 과천시(果川市)와의 경계에 있는 산. 준평원 상(準平原上)에 솟아 있고, 서울 분지를 북한산·남한산 등과 함께 이중으로 둘러싼 자연의 장벽으로, 옛 서울의 요새지를 이루었음. 산정에 연주암(戀主庵), 산중에 삼막사(三幕寺)·관음사(觀音寺)가 있음. [629 m]

관악 악기【管樂樂器】 명 〖악〗 관악 합주(管樂合奏)에 쓰이는 악기. 금관(金管) 악기·목관(木管) 악기·타악기(打樂器) 등이 쓰임. 관악 합주 악기. 취주 악기(吹奏樂器).

관악 염:불【管樂念佛】 [—념—] 명 〖악〗 염불 타령을, 관악기인 피리·대금·해금·단소, 또는 생황과 단소 등으로 연주하는 데서 일컫는 딴 이름.

관악 영산 회:상【管樂靈山會相】 명 〖악〗 삼현(三絃) 영산 회상을 관악기를 위한 합주곡이란 뜻으로 일컫는 딴이름.

관악 합주【管樂合奏】 명 금관(金管)·목관(木管) 악기를 주체로 하여 이것에 타(打)악기를 더한 합주.

관악 합주 악기【管樂合奏樂器】 명 〖악〗 관악 악기.

관안【官案】 명 〖역〗 ①벼슬아치의 이름을 적은 책. 관리(官吏)의 성적을 매겨 포폄(褒貶)의 참고 자료를 만들기 위한 것임. ②각 마을의 이름과 그 곳에 딸린 벼슬 이름을 적은 책.

관암-산【冠岩山】 명 〖지〗 ①함경 남도 단천군(端川郡) 신만면(新滿面)에 있는 산. 부전령 산맥에 속함. [1,429 m] ②충청 남도 공주시(公州市) 반포면(反浦面)의 동남부와 대전 광역시 유성구(儒城區) 사이에 위치하는 산. [562 m]

관압【管押】 명 구류(拘留)함. ——-하다 타 여불

관압-사【管押使】 명 〖역〗 말을 조공(朝貢)하러 명(明)나라에 가던 사행(使行). 해(亥)·묘(卯)·미(未)의 해에 보내는 것이 원칙이었음.

관액¹【官厄】 명 〖민〗 관재(官災).

관:액²【款額】 명 작정한 액수.

관약¹【管籥】 명 〖악〗 생황(笙簧)·단소(短簫) 등의 관악기.

관약²【管鑰】 명 〖역〗 궁문(宮門)이나 성문(城門)의 자물쇠.

관:어【款語】 명 터놓고 이야기함. 다정하게 이야기함. 관화(款話).

관억【寬抑】 명 ①관대하게 억제함. ②너그럽게 생각함. ——-하다 타 여불

관엄【寬嚴】 명 관대하고도 엄격함. ——-하다 형 여불

관업【官業】 명 〖경〗 관영(官營)의 사업. 정부가 경영하는 영리 사업. 현재 우리 나라의 관업은 철도·우편·전신·전화 및 담배·인삼의 전매 사업 등임. 관영 사업(官營事業). ↔민업(民業).

관업 노동자【官業勞動者】 명 관업에 종사하는 노동자.

관업 불하【官業拂下】 명 관영 업체를 민간에 불하하는 일.

관업 수입【官業收入】 명 〖경〗 관업으로 얻는 국고 수입(國庫收入).

관업 요:금【官業料金】 [—뇨—] 명 관영 요금(官營料金).

관여【關與】 명 관계하여 참여함. 간여(干與). ——-하다 자 여불

관역¹【官役】 명 ①나라의 역사(役事). ②시골 관가의 부역(賦役).

관:역²【灌域】 명 ①관개(灌漑)할 수 있는 지역. ②유역(流域).

관역-사【館驛使】 명 〖역〗 고려 때, 각 역도(驛道)내의 역(驛)을 통제하고 감독·감시하기 위하여 전국 22개의 역도에 둔 관원. 조선 시대 때의 찰방(察訪)에 상당함.

관연¹【官煙】 명 관제(官製)의 담배. 관제 연초.

관연²【官燕】 명 빛깔이 희고 깨끗한 고급 연와(燕窩). 또, 그 요리.

관염【官塩】 명 관제(官製)의 소금. 또, 관(官)의 허가를 받아 제조·판매하는 소금. ↔사염(私塩).

관엽 식물【觀葉植物】 명 잎사귀의 빛깔이나 모양을 관상(觀賞)하기 위하여 재배하는 식물. 고무나무·단풍 따위. 관상(觀賞) 식물.

관영¹【官營】 명 정부에서 하는 사업 경영. 국영(國營). ↔사영(私營)·민영(民營).

관영²【貫盈】 명 가득 참. ¶ 족속의 죄악이 아직 ~치 아니함이니라≪구약 창세기 XV : 16≫. ——-하다 자 여불

관영³【冠纓】 명 관(冠)의 끈.

관영 공업【官營工業】 명 정부에서 직영하는 공업.

관영 광:산【官營鑛山】 명 정부에서 직영하는 광산.

관영 기업체【官營企業體】 명 관영의 기업체.

관영 사:업【官營事業】 명 관업(官業).

관영 요:금【官營料金】 [—뇨—] 명 관영 기업체(官營企業體)에서 정하여 받는 요금. 관업(官業) 요금.

관영-주의【官營主義】 [—/—이] 명 국가의 정책으로 민영(民營)보다 관영에 힘쓰는 주의.

관영 통신【官營通信】 명 정부에서 관리 운영하는 통신.

관-오리【官五里】 명 〖역〗 관가(官家)에서 정한 오리(五里). 보통 오리보다 좀 가까움.

관옥¹【冠玉】 명 ①관(冠) 앞을 꾸미는 옥(玉). 면옥(面玉). ②남자의 얼굴이 예쁜 것을 가리키는 말.

관옥²【管玉】 명 〖고고학〗 '대롱옥'의 구용어. ↔곡옥(曲玉).

관왕-묘【關王廟】 명 촉한(蜀漢)의 장수 관우(關羽)의 영(靈)을 모신 사당. 조선 시대에 서울에 동묘(東廟)·남묘(南廟)·북묘(北廟)가 있었음. 관제묘(關帝廟). 무묘(武廟).

관왕묘-악【關王廟樂】 명 〖악〗 조선 시대에 관왕묘 제사에 아뢰던 제례악(祭禮樂)의 하나. 종묘(宗廟) 제례악 가운데의 소무(昭武)·분웅(奮雄)·영관(永觀)을 사용하였음. 1938년 폐지됨. *문묘 제례악(文廟祭禮樂).

관외¹【管外】 명 관할 구역의 밖. ↔관내(管內).

관외²【館外】 명 관(館)의 밖. ¶ 도서(圖書)의 ~ 대출(貸出). ↔관내(館內).

관외³【關外】 명 관계할 바가 아님. ¶ ~의 사실.

관요【官窯】 명 〖역〗 조선 시대에 관청에서 경영하던 사기 가마. 또, 거기서 만든 도자기. ↔민요(民窯).

관욕¹【官辱】 명 관가로부터 받는 욕(辱). 체포당하거나 귀양살이 가는 일 등. *관재(官災).

관:욕²【灌浴】명 〚불교〛 재(齋) 지낼 때에 영혼(靈魂)을 목욕시키는 일.

관용¹【官用】명 ①관청의 소용. ②관청의 사용. ¶ ~차. ③관청의 용무.

관용²【慣用】명 ①늘 씀. 항상 씀. ¶ ~ 수단(手段). ②습관이 되어 사용함. ¶ ~어(語). ③바르지는 아니하나 오랫동안 널리 사용됨. ¶ ~음(音). ――-하다 타여불

관용³【寬容】명 ①너그럽게 받아들이거나 용서함. ②〚기독교〛 남의 잘못을 심하게 꾸짖지 않는 일. ――-하다 타여불

관용-구【慣用句】[-꾸] 명 〚언〛 관용어(慣用語)로 된 구. 이디엄.

관용-령【寬容令】[-녕] 명 〚역〛 1689년 5월에, 윌리엄 3세 통치하의 영국 의회에서 성립된 종교 관용에 관한 법령. 비국교도(非國教徒)에 대한 종래의 탄압 방침을 완화할 필요에서 성립되었음.

관:용-명【慣用名】명 〚화〛 명명법(命名法) 규칙에 맞지는 않으나 오래전부터 널리 쓰이고 있는 이름. 암모니아(NH_3)·포스핀(PH_3)·황산 무수물(黃酸無水物)·소석회(消石灰) 따위.

관용 부기【官用簿記】명 관청식의 부기(簿記).

관용-성【寬容性】[-썽] 명 너그럽게 받아들이거나 용서하는 성질.

관용 수단【慣用手段】명 늘 쓰는 수단. 언제든지 일정하게 쓰는 수단.

관용-어【慣用語】명 ①일반적으로 습관이 되어 사용되고 있는 말. ②〚언〛 문법상 논리적으로는 맞지 아니하나, 다년간 관용이 되어 널리 쓰이는 말. 보통, 둘 이상의 단어가 으레 붙어서 쓰이는 것 또는 결합되어서 전체가 독특한 뜻을 나타내는 표현 등을 이름. '-더라손 치더라도'·'천만 뜻밖'·'귀가 먹다' 따위. 이디엄(idiom). 숙어(熟語). 익은 말.

관용 어:법【慣用語法】[-뻡] 명 관습적으로 쓰이고 있는 어법.

관용 여권【官用旅券】[-꿘] 명 국가의 공무(公務)로 해외에 여행하는 자와 그 가족에게 발급하는 여권. *일반 여권·외교관 여권.

관용-음【慣用音】명 〚언〛 원래 바르지는 아니하나 흔히 사용되는 한자의 자음(字音). '십월(十月)'을 '시월', '백천(白川)'을 '배천'으로 읽는 따위. 속음(俗音).

관용 의:무【寬容義務】명 묵인 의무.

관용-적【慣用的】명관 관용되는 모양. 흔히 쓰이는 모양.

관용-차【官用車】명 관용에 쓰이는 차. 관청차.

관용-초【官用草】명 관청에서 귀빈(貴賓) 접대용으로 쓰는, 특별히 제조한 담배.

관-우【關羽】명 〚사람〛 중국 삼국 시대 촉한(蜀漢)의 무장. 자는 운장(雲長). 허둥(河東) 사람. 장비(張飛)와 함께 유비를 도와 전공 치적(戰功治績)이 현저하였음. 뒤에 손권(孫權)에게 모살(謀殺)당함. 후세 사람이 각처에 관왕묘(關王廟)를 세워 모심. [? -219]

관-우희【觀優戲】[-히] 명 〚책〛 조선 순조(純祖) 때 학자 송만재(宋晩載)가 판소리·줄타기·땅재주 등 광대들의 놀음을 보고 지은 한문시집. 50수의 시로 되어 있는데 《관극시(觀劇詩)》와 함께 판소리와 연희(演戲)의 연구에 귀중한 자료로 간주됨. *조희(調戲)❷.

관운【官運】명 벼슬을 누릴 운수. ¶ ~이 트이다.

관원¹【官員】명 관리(官吏). 벼슬아치.

관원²【館員】명 박물관·도서관 등 관(館)자가 붙은 기관에 소속되어 있는 사람.

관위¹【官位】명 벼슬의 직위(職位). 벼슬자리. ¶ ~를 박탈하다. *관계(官階)·관등(官等).

관위²【官威】명 관청의 위력. 관직의 권위.

관유¹【官有】명 관청의 소유. ↔사유(私有). *국유(國有)·공유(公有).

관유²【貫乳】명 도자기의 겉에 나타난 아주 섬세한 금. 관입(貫入).

관유³【寬宥】명 관서(寬恕). ――-하다 타여불

관유⁴【寬裕】명 너그러움. ――-하다 형여불

관유⁵【館儒】명 〚역〛 성균관(成均館)에서 기숙(寄宿)하는 유생(儒生).

관유⁶【關由】명 〚역〛 관청에서 지령 또는 명령으로 내리는 공문서.

관유⁷【灌油】명 (사람이나 물건에) 기름을 부음. 또, 그 기름. ¶ ~를 가져다가 그 머리에 부어 바르고《구약 출애굽기 XXIX : 7》. ――-하다 자여불 *도유(塗油).

관유-림【官有林】명 나라 소유의 임야. 국유림. ↔사유림(私有林).

관유-물【官有物】명 나라의 소유로 되어 있는 물건. ↔사유물.

관유 온유【寬裕溫柔】명 관유하고 온유함. ――-하다 형여불

관유 재산【官有財產】명 〚법〛 재정 수입(財政收入)의 대상(對象)이 되는 국가 소유의 재산. 관유림·관유지 따위. 국유 재산(國有財產).

관유-지【官有地】명 나라가 소유하고 있는 땅. 국유지(國有地). 관지(官地). ↔사유지(私有地).

관윤-자【關尹子】명 ①〚사람〛 중국 주(周)나라의 철학자. 성(姓)은 윤(尹), 이름은 희(喜), 자(字)는 공도(公度) 또는 공문(公文), 호(號)는 문시 선생(文始先生). 한구관(函谷關)의 관리였으므로 관윤자(關尹子)라고 칭하였음. 노자(老子)로부터 도덕경 오천언(道德經五千言)을 전수(傳受)하였다고 하며 노자와 더불어 서거(西去)하여 간 곳을 모른다고 함. ②〚책〛 관윤자(關尹子)가 지었다고 하는 책. 원본(原本)은 산일(散逸)하였으며 현존(現存)한 것은 당오대(唐五代)경의 위서(僞書)로 추정(推定)됨.

관은【官銀】명 관금(官金).

관은-호【官銀號】명 옛날 중국에서, 관(官)의 허가를 얻어 은의 매매, 은표(銀票) 발행 따위를 행하던 일종의 은행(銀行).

관음【觀音】명 〚불교〛 ↗관세음 보살(觀世音菩薩).

관음-강【觀音講】명 〚불교〛 관음경을 강의하는 법회(法會).

관음-경【觀音經】명 〚불교〛 법화경(法華經) 제8권 제 이십오품(品)의 보문품(普門品)만을 따로 뽑아 만든 책. 관세음 보살의 공덕(功德)과 묘력(妙力)을 적었음. 관음품(觀音品). 관세음경.

관음경 언:해【觀音經諺解】명 〚책〛 불경 언해의 한 가지인 '불정심 다라니경(佛頂心陀羅尼經)'의 속칭.

관음-관【觀音觀】명 〚불교〛 극락 왕생(極樂往生)을 기원하기 위하여, 정좌(靜坐)하여 열심히 관세음의 상(像)을 상념(想念)하는 수행법.

관음-당【觀音堂】명 〚불교〛 관세음의 상(像)을 안치(安置)한 당. 대비각(大悲閣).

관음-도【觀音島】명 〚지〛 경상 북도의 동해상(東海上), 울릉군(鬱陵郡) 북면(北面) 천부동(天府洞)에 위치한 섬. [0.07 km²]

관음-력【觀音力】[-녁] 명 〚불교〛 관세음 보살의 공덕(功德)의 힘과 중생(衆生)을 구제하는 힘.

관음-류【觀音柳】[-뉴] 명 〚식〛 능수버들.

관음 보살【觀音菩薩】명 〚불교〛 ↗관세음 보살(觀世音菩薩).

관음 보살 주경【觀音菩薩呪經】명 〚책〛 《사십 이수 진언(四十二手眞言)》의 원문을 한글로 음역하고, 또 각 진언의 용법을 한글로 설명한 불경의 하나. 조선 성종 7년(1476) 간행. 이 책은 국내에는 없고 일본에 있는 듯함.

관음-봉【觀音峰】명 〚지〛 금강산 외금강(外金剛)의 준봉(峻峰). 온정리(溫井里) 가까이 있으며 겨울철에 1.5-6 m 깊이의 눈이 계곡에 쌓임.

관음-사【觀音寺】명 〚불교〛 ①제주도 제주시에 있는 25 교구 본사(敎區本寺)의 하나. ②서울 특별시 관악구(冠岳區) 남현동(南峴洞)의 관악산(冠岳山)에 있는, 총무원 직할(總務院直轄)의 말사(末寺). 신라 진성 여왕(眞聖女王) 9년(895)에 도선 국사(道詵國師)가 창건하였으며, 1924년 주지 석주(石洲)가 중건(重建)함. ③경기도 개풍군(開豐郡)에 있는 절. 고려 4 대 광종(光宗) 19년(968)에 창건하였고, 우왕(禑王) 9년(1383)에 이성계(李成桂)가 중건함. 일명 관음굴(觀音窟). ④전라 남도 곡성군(谷城郡) 오산면(梧山面) 선세리(善世里)에 있는 화엄사(華嚴寺)의 말사(末寺). 백제 분서왕(汾西王) 3년(300)에 처녀 성덕(聖德)이 창건하였고, 고려 공민왕 23년(1374)까지 다섯 번 개수(改修)함. 원통전(圓通殿)은 고려 말 건축의 특색으로 유명함.

관음-상【觀音像】명 〚불교〛 관세음 보살의 상(像).

관음-전【觀音殿】명 〚불교〛 관세음 보살을 모신 불전(佛殿).

관음-점【觀音占】명 〚불교〛 관세음 보살에 기원하고 점괘(占卦)를 뽑아 길흉을 점치는 법.

관음-죽【觀音竹】명 〚식〛 [*Rhapis flabelliformis*] 야자과의 상록 관목. 중국 남부 원산으로, 관상용(觀賞用)으로 재배됨. 줄기는 곧게 자라 가지가 갈라지지 않으며 높이 1-2 m, 지름 약 2 cm임. 초여름에 작은 담황색 꽃이 듬성듬성 핌.

관음-증【觀淫症】[-쯩] 명 (voyeurism) 〚의〛 남의 나체(裸體), 특히 성기(性器)를 보고 쾌감을 느끼는 병증. 정상적인 성(性) 목적에 이르지 아니하고 이 단계만을 목적으로 하는 것은 성적 도착(性的倒錯)의 하나로 간주됨. 절시증(竊視症).

관음-찬【觀音讚】명 〚악〛 관세음 보살을 예찬하여 부르는 창사(唱詞). 처용무(處容舞) 둘째 회(回)에 본사찬(本師讚) 다음에 부름.

관음 참법【觀音懺法】[-뻡] 명 〚불교〛 관세음 보살을 본존(本尊)으로 하여 죽은 사람을 위해 죄업(罪業)을 참회하고 명복을 비는 일. *미타(彌陀) 참법.

관음 탱화【觀音幀畫】명 〚불교〛 관세음 보살에 관한 신앙을 그림으로 그린 불화(佛畫). 주로, 원통전(圓通殿)에 봉안(奉安)됨.

관음-품【觀音品】명 〚불교〛 관음경(觀音經).

관의【官醫】[-/-이] 명 관직(官職)에 있는 의사.

관이¹ 명 골패·투전·화투 따위의 노름에서 먼저 시작하는 사람.

관이²【貫耳】명 〚역〛 ↗관이전(貫耳箭).

관이-전【貫耳箭】명 〚역〛 전진(戰陣)에서 군율(軍律)을 범하여, 죽일 사람의 두 귀에 꿰어 무리에게 보이던 화살. 모양이 영전(令箭)보다 짧고 살촉이 뾰족함. ㊌관이(貫耳).

〈관이전〉

관인¹【官人】명 벼슬에 있는 사람. 관헌(官憲)에 있는 사람. 벼슬아치. ↔민간인(民間人).

관인²【官印】명 공무에 관하여 기관 또는 그 기관장의 명의로 발송·교부 혹은 인증(認證)이 필요한 문서에 사용하는 도장. 청인(廳印)과 직인(職印)이 있음. ↔사인(私印). *공인(公印).

관인³【官認】명 관청에서 인정함. ¶ ~ 영수증. ――-하다 타여불

관인⁴【寬仁】명 마음이 너그럽고 어짊. 관대하고 인자함. ――-하다 형여불

관인⁵【寬忍】명 너그러운 마음으로 참음. ――-하다 타여불

관인 대:도【寬仁大度】명 마음이 관대하고 인자하며 도량(度量)이 큼. ――-하다 형여불

관-인도【官引道】명 〚역〛 신라 인도전(引道典)의 벼슬. 위인도(位引道)의 다음.

관인 요:금【官認料金】[-뇨-] 명 정부에서 인정한 요금.

관인 위조죄【官印僞造罪】[-쬐] 명 〚법〛 행사(行使)할 목적으로 관인을 위조 또는 부정 사용함으로써 성립하는 죄.

관입¹【貫入】명 ①꿰뚫어 들어감. ②관유(貫乳). ③〚지〛 깊은 땅 속에 있는 마그마(magma)가 지각(地殼)을 뚫고 들어감. ――-하다 자여불

관입²【觀入】명 마음의 눈으로 대상을 똑바로 인식·파악함. ――-하다 타여불

관입 시험【貫入試驗】명 지반 조사(地盤調査) 방법의 하나. 지반에 철봉(鐵棒)을 압입(壓入)하거나 박아 넣어 그 저항의 정도에 따라 지반의 어느 깊이에서의 단단함, 부드러움, 지지력(支持力) 따위를 잼.

관입-암【貫入岩】명 화성암체(火成岩體)의 한 가지. 마그마(magma)가 지표(地表)에 분출(噴出)하지 아니하고 지각(地殼)을 뚫고 들어가서 고결(固結)하여 이룬 암석(岩石). 그 형태에 따라 암맥(岩脈)·관입 암상(貫入岩床)·저반(底盤)·병반(餠盤)·암주(岩株)·분반(盆盤) 따위로 분류함. 관입 암체(貫入岩體).

관입 암상【貫入岩床】명 〔intrusive sheet〕〖지〗 마그마(magma)가 지층면(地層面)에 따라 관입하여서 된, 수평에 가까운 평판(平板) 모양의 관입 암체(貫入岩體). 특히, 지층면에 평행하게, 그리고 수평으로 관입한 암상은 실(sill)이라 칭하고 구별하기도 함. 준암상(岩床).

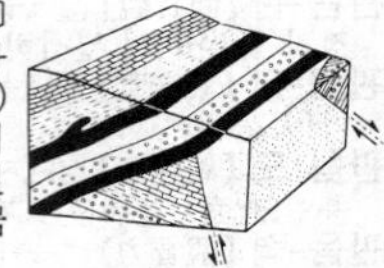

〈관입 암상(검은 부분)〉

관입 암체【貫入岩體】명〖지〗 관입암(貫入岩).

관입 편:마암【貫入片麻岩】명〖지〗 결정 편암(結晶片岩) 등의 편리면(片理面)을 따라 마그마(magma)가 가느다랗게 관입(貫入)하여 생성(生成)된 편마암(片麻岩).

관자¹【冠者】명 관례(冠禮)를 행한 사람.

관자²【貫子】명 망건에 달아 망건 줄을 꿰는 작은 고리. 옥·금·뿔·뼈 들로 만듦.

관자³【管子】명 ①〖사람〗 관중(管仲)의 경칭(敬稱). ②〖책〗 중국 춘추 시대 제(齊)나라 재상 관중(管仲)이 지은 책. 부민(富民)·입법(立法)·포교(布敎)를 서술하고 패도 정치(覇道政治)를 역설(力說)함. 처음에는 86편(篇)으로 되었으나, 원(元)나라 이후에 76편으로 됨.

관자⁴【關子】명 관문(關文). ¶관가의 ~루두 될동말동한데 방위사통 가지구 되겠나《洪命憙 : 林巨正》.

관자-놀이【貫子—】명 귀와 눈의 사이에 있는 태양혈(太陽穴)이 있는 곳. 머리에 쓰는 관자(貫子)가, 그 곳의 맥이 뛸 때 움직인다는 뜻에서 생긴 이름임.

관자목 명〈방〉〖식〗 녹나무.

관자-뼈 명〈방〉 광대뼈.

관-자재【觀自在】명〖불교〗 ①중생(衆生)을 보는 것이 자유 자재이어서 그 고난(苦難)을 잘 살핌. ②↗관자재 보살.

관자재 보살【觀自在菩薩】명〖불교〗 관세음 보살의 이칭. 관세음 보살. 준관자재(觀自在).

관자-치기 명 유도에서, 상대가 오른손으로 왼편 얼굴 옆을 공격하여 올 때 재빨리 왼손으로 막으며 피하고, 곧 오른발로 상대의 옆구리를 지르는 재주.

관자-턱 명〖건〗 사모턱의 한 가지.

관작¹【官爵】명〖역〗 관직(官職)과 작위(爵位).

관작²【冠雀】명〖조〗 만주뿔종다리.

관작 재주【官作財主】명〖역〗 조선 시대에 가산(家産)·노비(奴婢) 등의 소유자가 생전에 분재(分財)하지 아니하고 죽을 경우에, 관부(官府)에서 소유자 대신 재산 임자로서 공정히 분배하는 일.

관잠【官箴】명 ①신하(臣下)가 제왕(帝王)의 잘못을 간(諫)함. 또, 그러한 문장. ②관리의 계율. 또, 옛날 중국에서 관리가 지켜야 할 계율·교훈을 적은 책.

관장¹【官匠】명〖역〗 관아(官衙)에 딸린 공장(工匠). ↔사장(私匠).

관장²【官長】명〖역〗 시골 백성이 수령(守令)을 높이어 부르는 말.

관장³【官狀】명〖사람〗 관창(官昌).

관:장⁴【款狀】명 벼슬 또는 보직(補職)을 희망하거나 소송을 탄원(嘆願)하는 서장.

관장⁵【管掌】명 맡아서 주관함. 장관(掌管). ——하다 타여불

관장⁶【館長】명 ①〖역〗 성균관(成均館)의 우두머리 벼슬. ②도서관·박물관·학관(學館)과 같은 '관'의 장(長). ¶박물~.

관장⁷【關張】명 중국 촉(蜀)나라의 관우(關羽)와 장비(張飛)의 합칭(合稱).

관:장⁸【灌腸】명〖의〗 약물(藥物)을 항문(肛門)을 통하여 직장(直腸) 또는 대장(大腸)에 주입(注入)하는 일. 대변이 나오게 하는 배설(排泄) 관장, 영양물을 공급하기 위한 자양(滋養) 관장, 병을 치료하기 위한 약물 관장 등이 있음.

관:장-기【灌腸器】명〖의〗 관장하는 기구(器具).

〈관장기〉

관장-술【觀掌術】명 수상술(手相術).

관:장-약【灌腸藥】[—냑] 명〖의〗 관장제(灌腸劑).

관:장-제【灌腸劑】명〖의〗 관장하는 데 쓰는 약제(藥劑). 글리세린·타닌산(酸) 따위. 관장약.

관장제 수공업【官匠制手工業】명〖역〗 국가가 그 수요(需要) 물품을 조달(調達)하기 위하여 전업적(專業的)인 작업장을 설치하고, 전업적인 장인(匠人)으로 하여금 각종 물품을 생산하게 하던 관영(官營) 수공업.

관장 현:형기【官場現形記】명〖책〗 중국 청(淸)나라 말기의 이보가(李寶嘉)가 1903년에 간행한 소설. 아편 전쟁 이래 약점을 나타낸 중국의 사회상과 관료(官僚)의 부패상을 일화집(逸話集) 형식으로 묘사한 폭로 소설의 대표작. 작자의 사망에 따라 60회로써 중단되었음.

관재¹【官災】명〖민〗 관아(官衙)로부터 받는 재액(災厄). 관액(官厄). ¶~ 구설(口舌).

관재²【官裁】명 관청의 결재(決裁).

관재³【棺材】명 관을 만드는 재목(材木). 판재(板材).

관재⁴【管財】명 재산을 관리함. ——하다 자여불

관재 구:설【官災口舌】명〖민〗 관재와 구설.

관재-수【官災數】[—쑤] 명〖민〗 관재를 입을 운수.

관재-인【管財人】명〖법〗 남의 재산을 관리하는 사람. 파산자(破産者)나 채무자(債務者)의 재산을 법원의 선임이나 본인의 위탁에 의하여 관리함. 재산 관리인(財産管理人). ¶파산(破産) ~.

관저【官邸】명 장관급 이상의 고관의 관사(官舍). ¶대통령 ~. ↔사저(私邸)·사제(私第).

관적¹【官賊】명 관군(官軍)과 적군(賊軍).

관적²【貫籍】명 ①본적지(本籍地). ②관향(貫鄕).

관전¹【官前】명 아전이나 하인(下人)이 벼슬아치를 존대하여 하는 말.

관전²【官展】명 관청에서 주최하는 전람회.

관전³【官錢】명〖역〗 ①나라에서 만든 돈. ↔사전(私錢). ②관고(官庫)에 있는 돈.

관전⁴【寬典】명 ↗관대지전(寬大之典).

관전⁵【館田】명〖역〗 관(館)·역(驛)에 주어 객사(客舍)의 경비를 마련하게 한 전지(田地). 고려 때는 공해 전시(公廨田柴), 조선 시대에는 공수 위전(公須位田)이라고 하였음.

관전⁶【觀戰】명 ①전쟁의 실황(實況)을 시찰함. ②바둑·장기·야구·축구 따위 승부를 다투는 것을 구경함. ——하다 자타여불

관전 국곡【官錢國穀】명 관전(官錢)과 국곡(國穀).

관전-기【觀戰記】명 관전한 기록. ¶바둑 ~.

관전 무:관【觀戰武官】명 교전국(交戰國)의 허가를 얻어, 전쟁의 양상을 시찰하는 제삼국(第三國)의 무관(武官).

관전자 명 수라상(水剌床)에 오르는 요리의 한 가지. 꿩의 살코기와 쇠고기를 재료로 하며, 이에 갖은 양념을 넣고 간을 맞춘데다가 육즙(肉汁)을 쳐서 실백자를 띄운 음식.

관전-평【觀戰評】명 경기 따위를 관전하고 나서 하는 평.

관절¹【冠絶】명 가장 뛰어남. ——하다 형여불

관절²【貫絶】명〖식〗 관중(貫衆).

관절³【關節】명 ①〖생〗 뼈와 뼈가 서로 맞닿은 가동성의 연결부. 관절면(面)·관절낭(囊)·관절강(腔) 및 특수 장치로 구성되어 있음. 보통 한 쪽이 '凸' 모양이고 다른 쪽이 '凹' 모양이나, 그 모양의 차에 따라 여러 가지로 구별됨. 뼈마디. 마디. ②물건과 물건이 서로 접합하는 곳.

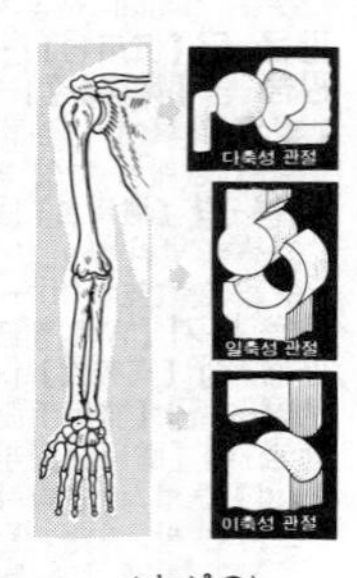

〈관절³❶〉

관절⁴【關節】명〖역〗 요로(要路)에 있는 사람에게 뇌물을 주고 청탁(請託)하는 일.

관절-각【關節角】명〖생〗 관절을 구성하는 뼈와 뼈가 이루는 각(角).

관절 감:각【關節感覺】명〖심〗 관절이 움직임에 따라 일어나는 유기 감각(有機感覺)의 하나.

관절-강【關節腔】명〖생〗 관절에서 두 개의 뼈 사이에 있는 공간으로 활액(滑液)이 차 있음.

관절 강직【關節強直】명〖의〗 관절이 경화하여 운동이 불가능하게 되는 병. 원인은 관절염·관절 외상 등임.

관절 결핵【關節結核】명〖의〗 신체의 다른 부분으로부터 이차적으로 결핵균이 관절에 도달하여 결핵성의 병변(病變)을 일으킨 병. 결핵성 관절염.

관절 고정술【關節固定術】명〖의〗 관절의 동통(疼痛)·불량 지위(不良肢位)의 발생·지지력(支持力) 소실 그 밖의 관절 기능에 장애(障礙)가 있을 때에, 관절면을 유착(癒着)시켜 환지(患肢)의 운동을 재생시키든가, 양지위(良肢位)로 고정시키기 위한 수술.

관절-낭【關節囊】[—랑] 명〖생〗 두 개의 뼈를 연결하는 막. 바깥 쪽의 활막층(滑膜層)과 안쪽의 섬유층(纖維層)의 두 층으로 되어 있음.

관절 내:장【關節內障】[—래—] 명〖의〗 관절내의 인대(靭帶)·반월판(半月板) 등의 외상성 장애(外傷性障礙). 어린이의 팔꿈치에 일어나는 것과 무릎에 일어나는 관절 내장이 있음.

관절 류:머티즘【關節—】〔rheumatism〕명〖의〗 류머티즘의 한 가지. 관절의 종창(腫脹)·동통(疼痛)·운동 장애 등의 증상(症狀)을 일으키는 질병. 병원체(病原體)는 분명하지 아니하나 목으로부터 침입한 병원체에 대한 항원 항체 반응(抗原抗體反應)이 관절에 국재화(局在化)한 것으로, 급성과 만성이 있음. 류머티스성(性) 관절염.

관절-막【關節膜】명〖동〗 절지 동물의 바깥 골격의 경화(硬化)된 부분 사이에 있는 연한 부분. 관절로서의 기능을 함.

관절 만곡증【關節彎曲症】명〖의〗 관절의 만곡 부분이 영구적으로 고정(固定)되는 증세.

관절-매물고둥【關節—】명〖조개〗[*Neptunea arthritica*] 물레고둥과에 속하는 바닷물고둥의 하나. 패각(貝殼)은 높이 90mm, 직경 55mm 내외의 방추형(紡錘形)이고 나탑(螺塔)은 높은 원추형, 나층은 5-6층임. 표면은 자색을 띤 갈색 또는 살빛이며 입은 긴 달걀꼴이고 나맥(螺脈)은 불명확함. 추운 바다에 서식하는데, 한국·일본 홋카이도 등에 분포함. 애쇠고둥.

관절-면【關節面】명〖생〗 골단(骨端)이 관절 연골로 덮여서 반들반들하게 된 면.

관절-뼈【關節—】명〖생〗 관절을 형성하고 있는 뼈.

관절-서【關節鼠】명〖의〗 외상(外傷)이나 관절염 등의 원인으로 관절 연골(軟骨) 및 뼈가 이탈·변형(變形)하여 관절강 안에 유리되어 형성된 이물(異物). 관절석.

관절-석【關節石】명〖의〗 관절서.

관절성 소:질【關節性素質】[—썽—] 명〖의〗 신경통이나 피부병 등이 발병되기 쉬운 체질. *신경증 소질·결석(結石) 소질.

관절 수동술【關節授動術】명〖의〗 관절 형성술(關節形成術).

관절 수종【關節水腫】명〖의〗 관절강(關節腔) 안에 장액성 삼출액(漿液性滲出液)이 괴어 있는 병. 결핵성·매독성·임독성·기형성 관절염 등의 초기 및 외상형 관절염에 이차적으로 옴.

관절 신경통【關節神經痛】명〖의〗 관절부에 일어나는 신경통.

관절 연:골【關節軟骨】[—련—] 명〖생〗 가동 관절(可動關節)의 면을 덮고 있는 연골(軟骨).

관절-염【關節炎】[—렴] 명〖의〗 관절에 일어나는 염증. 급성·만성으로 크게 나뉘는데, 류머티스성(性)·임독성·결핵성 변형성(變形性) 등이 있음. 증상(症狀)의 공통점은 운동시의 동통(疼痛)·종창(腫脹)·관절 기능 장애 등임.

관절-증【關節症】[—쯩] 명〖의〗 ①관절의 질환. ②관절의 신경 영양성(營養性) 질환의 하나. 보통, 통각(痛覺)의 결여로 나타남.

관절-지【關節肢】[—찌] 명〔jointed appendage〕〖충〗 절지 동물(節肢動物) 특유의 다리의 형으로, 일정수의 지절(肢節)로 이루어졌는데, 각 지절 사이는 관절을 형성하고, 굴신(屈伸)할 수가 있음.

관절 통:풍【關節痛風】명〖의〗 주로 엄지발가락의 중족지(中足趾) 관절에 생기는 염증. 관절은 격통과 함께 부어 오르며 그 부위의 피부는

붉어짐. 만성 알코올 중독, 기타 육식(肉食)을 많이 하는 사람에게 많음.
관절 혈종【關節血腫】[—쫑] 명 《의》 관절부에 상처를 입어 관절강(關節腔) 안에 혈액이 괴는 병.
관절 형성술【關節形成術】명 《의》 강직(強直)한 관절에 운동성(運動性)·지지성(支持性)·무통성(無痛性)을 부여하는 수술. 관절 수동술(關節授動術).
관점¹【管簟】명 대나무를 잘게 쪼개어 만든 돗자리.
관점²【觀點】[—쩜] 명 사물을 관찰할 때, 그 사람의 보는 입장·각도(角度). 견지(見地). ¶ ~이 다르다.
관:접【款接】명 관대(款待). ——-하다 타여불
관정¹【官呈】명 정관(呈官).
관정²【官廷】명 관가(官家).
관정³【官庭】명 관가(官家)의 앞뜰. 공정(公庭).
관정⁴【棺釘】명 《고고학》 '널못'의 구용어.
관정⁵【管井】명 《토》 둘레가 관상(管狀)으로 된 우물.
관정⁶【寬政】명 가혹하지 아니하고 너그러운 정치. ↔가정(苛政).
관:정⁷【灌頂】명 《불교》 밀교(密敎)의 의식(儀式). 전법(傳法)·수계(受戒)할 때 또는 수도자(修道者)가 일정한 지위에 오를 때 받는 자의 정수리에 향수를 붓는 일.
관:정 가행【灌頂加行】명 《불교》 관정의 법식(法式)에 앞서 미리 닦는 수행.
관:정-단【灌頂壇】명 《불교》 관정을 행하는 단.
관:정 대:법 왕자【灌頂大法王子】명 《불교》 관정을 받아 부처의 제자가 된 왕자의 존칭.
관:정 도:량【灌頂道場】명 《불교》 부처와 인연을 맺기 위하여 사람들을 단 위에 올려 놓고 꽃을 던지는 한 법회(法會).
관-정맥【冠靜脈】명 관상 정맥.
관정 발악【官庭發惡】명 관정에서 관원에게 악을 쓰고 욕설을 하는 짓. ——-하다 자여불
관-정식【官定式】명 관아(官衙)의 정례(定例).
관정 유:배 식물【管精有胚植物】명 《식》 독일의 식물학자 엥글러(Engler)의 분류에 의한 종자 식물의 일컬음. 유관(有管) 유배 식물.
관제¹【官制】명 《법》 국가의 행정 기관의 설치·명칭·조직·권한·구성 등을 정하는 규칙. 직제(職制). ¶ ~ 개혁.
관제²【官製】명 관청 또는 정부가 경영하는 기업체에서 만듦. ¶ ~ 엽서/~ 데모. ↔사제(私製). ——-하다 타여불
관제³【官題】명 《역》 소송·청원(請願) 등에 대하여 관아에서 내리는 지령.
관제⁴【管制】명 ①관할하여 통제함. 특히, 국가가 필요에 따라 강제적으로 관리·제한하는 일. ¶ 보도(報道) ~ / 등화(燈火) ~. ②↗항공 교통 관제. ——-하다 타여불
관제⁵【關帝】명 ↗관성 제군(關聖帝君).
관제 공역【管制空域】명 〔controlled airspace〕 항공 관제가 실시되고 있는, 정해진 범위의 공역.
관제-구【管制區】명 지상의 교통 관제 센터에서, 항공 교통 관제가 실시되고 있는 구역.
관제-권【管制圈】[—꿘] 명 〔control zone〕 공항(空港)을 포함한 지표(地表)로부터 상공(上空)에 이르는 정해진 넓이의 공간. 여기서는 관리 구역 내에 적용되는 법규 및 교통 보호를 위한 여러 규칙이 적용됨.
관제 담:배【官製—】명 정부에서 제조한 담배. 관제 연초. ↔사제 담배.
관제-묘【關帝廟】명 관왕묘(關王廟). 노야묘(老爺廟). 무묘(武廟).
관제-소【管制所】명 관할하여 통제하는 곳.
관제 연초【官製煙草】명 관제 담배. 관연(官煙). ↔사제 연초.
관제-염【官製塩】명 정부에서 제조한 소금.
관제 엽서【官製葉書】명 정부에서 만들어 파는 우편 엽서. ↔사제 엽서.
관제 이:정소【官制釐整所】명 《역》 조선 말기 광무(光武) 8년(1904)에 중앙의 관제 등을 개정하기 위해 두었던 관아. 관제 의정관(官制議政官) 17인을 두어, 의정부(議政府) 관제·중추원(中樞院) 관제 등 18개의 관제를 개정하였음. ＊의정관(議政官).
관제-탑【管制塔】명 비행장에서 안전과 능률을 위하여 항공 교통 관제를 행하는 탑. 비행기의 이착륙에 관한 지시를 내림. 항공(航空) 관제탑. 컨트롤 타워(control tower).
관제-품【官製品】명 정부나 관영 기업체에서 만든 물품. ↔사제품(私製品).
관조¹【官租】명 관청에 바치는 조세.
관조²【官糶】명 관에서 파는 곡식.
관조³【觀照】명 ①《불교》 지혜(知慧)를 써서 사리를 비추어 봄. ②〔contemplation〕《문》 예술 작품에 대하여 주관적 요소를 가하지 아니하고 냉정한 마음으로 관찰하고 완미(玩味)함. 정관(靜觀). ③〔intuition〕《미술》 미(美)를 직접적으로 인식함. 미의식(美意識)의 지적(知的) 측면 작용의 직관(直觀). ¶ 단순한 ~는 예술을 낳지 아니한다. ——-하다 타여불
관:조⁴【鸛鳥】명 《조》 황새.
관조 반야【觀照般若】명 《불교》 3반야의 하나. 사리(事理)를 비추어 보는 지혜.
관-조인트【管—】〔joint〕 명 관을 길게 잇거나 배관(配管) 도중에 방향을 바꾸거나 또는 굵기를 바꾸기 위하여 관과 관 사이를 연결하는 물건.
관조-적【觀照的】명관 냉정하게 객관적으로 현실을 직시하는 태도. 전(轉)하여, 행동력이 결핍되어 가만히 방관하는 태도. 또, 그 모양.
관족【管足】명 《동》 극피 동물(棘皮動物)의 외표면(外表面)에 많이 나온 부드럽고 연한 세관(細管). 흡반(吸盤)이 있는 것과 없는 것이 있음. 체내의 수관계(水管系)의 분지(分枝)로서 이 속에 체액(體液)을 유출입(流出入)하며 신축 자재(伸縮自在)함. 운동·촉감(觸感)·호흡(呼吸) 작용을 함. 관발. ＊위족(僞足).

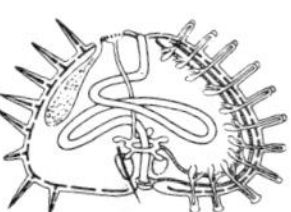
〈관족〉

관존 민비【官尊民卑】명 관리는 존귀(尊貴)하고 백성은 비천(卑賤)하다는 사고 방식. 또, 그러한 사회 현상.
관졸【官卒】명 관가의 포졸이나 병졸.
관-좌【冠座】명 《천》 북쪽왕관자리.
관주¹【官廚】명 《역》 수령(守令)의 음식을 만드는 곳. 관청(官廳).
관주²【貫珠】명 글자나 시문의 잘된 곳에 그리는 권점(圈點).
관주³【館主】명 미술관·도서관·박물관·영화관 등의 주인.
관:주⁴【灌注】명 ①흐름. 솟아 나옴. ②물을 댐. 관개(灌漑).
관:주-기【灌注器】명 《의》 이리가토어(Irrigator).
관:주 기관지【灌注氣管支】명 《생》 폐(肺)에 공동성 병변(空洞性病變)이 있을 경우, 공동 안에 구멍이 난 기관지.
관주-목【管住目】명 《동》 [Sedentaria] 환형(環形) 동물 모족류(毛足類)에 속하는 한 목. 일종의 대롱을 형성하여 그 속에 들어있으면서 밖에서 들어오는 먹이를 잡아 먹는데, 몸의 앞쪽 끝에 조름과 촉수(觸手)를 가지고 있고, 또 빛을 발하는 종류가 있음. 관서류(管棲類).
관-주인【館主人】[—쭈—] 명 《역》 성균관(成均館)에 응시(應試)하기 위하여 서울에 온 시골 선비가 유숙(留宿)하면 성균관 근처의 집. 또, 그 집의 주인. 반주인(泮主人).
관-죽전【官竹田】명 《역》 조선 시대 때, 나라에서 쓰기 위하여 가꾼 대밭.
관중¹【貫中】명 ①화살이 과녁의 복판에 맞음. ②활터에서 변(邊)을 대접해서 이르는 말. ——-하다 자여불
관중²【貫衆】명 《식》 면마(綿馬).
관중³【管仲】명 《사람》 중국 춘추 시대의 제(齊)나라의 정치가·법가. 안후이성(安徽省) 태생. 이름은 이오(夷吾). 친구 포숙아(鮑叔牙)의 권으로 환공(桓公)을 섬겨 부국 강병책(富國強兵策)을 추진하여 환공을 중원(中原)의 패자(霸者)로 만들었음. 《관자(管子)》 24권의 저자로 알려짐. [?-645 B.C.]
관중⁴【關中】명 《지》 ①중국 북쪽 산시 성(陝西省)의 웨이수이 분지(渭水盆地) 일대의 호칭. 동쪽은 한구관(函谷關), 남쪽은 우관(武關), 서쪽은 싼관(散關), 북쪽은 샤오관(蕭關)의 네 관(關)으로 둘러싸인 데서 생긴 이름임. 주(周)·진(秦)·한(漢)·수(隋)·당(唐) 등 여러 왕조의 중심지였음. ②중국 산시 성의 옛 이름.
관중⁵【關重】명 중대한 관계가 있음. ——-하다 형여불
관중⁶【觀衆】명 관람(觀覽)하는 사람들. 구경꾼들. ¶ 많은 ~.
관중 규표【管中窺豹】명 대롱을 통하여 표범을 보면 그 가죽의 얼룩무늬밖에 보이지 않는다는 말에서, '좁은 소견', '넓지 못한 식견'을 뜻함. 자기 소견의 겸사말. 관견(管見).
관중-석【觀衆席】명 관중이 앉는 자리.
관:즐【盥櫛】명 낯을 씻고 머리를 빗음. ——-하다 자여불
관지¹【官地】명 관유지(官有地).
관:지²【款識】명 ①옛날 그릇이나 종 같은 데에 새긴 표나 글자. ②낙관(落款).
관지³【關知】명 어떤 사실에 관련하여 앎. ——-하다 타여불
관지⁴【關知】명 《역》 조선 시대 때, 관찰사(觀察使)가 발하는 훈시·훈령(訓令)의 공문서.
관지⁵【觀止】명 다른 것은 볼 필요가 없어 보기를 그만둔다는 뜻으로, 극히 좋고 아름다워 이 이상의 것이 없음. 관지의(觀止矣).
관지-뼈 명 〈방〉 광대뼈.
관지-의【觀止矣】명 관지(觀止).
관-지정【官支定】명 《역》 지방 관아(地方官衙)에서 쓰는 물건 값을 일정하게 함.
관직¹【官職】명 ①관(官)과 직(職). 관은 직무(職務)의 일반적 종류의 칭호. 직은 담임하는 직무의 구체적 범위를 표시하는 칭호. ②관리가 국가로부터 위임받은 일정한 범위의 국가 사무. 벼슬.
관직²【館職】명 《역》 ①홍문관 부제학(弘文館副提學) 이하의 관원의 총칭. ②성균관 대사성(成均館大司成) 이하의 관원의 총칭.
관직-명【官職名】명 벼슬 이름. 관직 이름.
관진¹【關津】명 ①관(關)과 나루. ②《역》 진⁴(津).
관진²【關鎭】명 《역》 국경을 지키는 군영(軍營). 함경 북도의 육진(六鎭) 따위.
관진³【觀診】명 환자의 얼굴을 보고 병세를 진찰함. ——-하다 타여불
관질¹【官秩】명 ①벼슬의 질서. 관등(官等). ②관등에 따른 봉급. 관록(官祿).
관질²【寬疾】명 《역》 불치(不治)의 환자나 중병자에게 정역(征役)을 너그럽게 면제해 주는 일.
관짓-노리 명 〈방〉 관자놀이.
관차¹【官次】명 관직(官職)의 석차(席次).
관차²【官差】명 《역》 관아(官衙)에서 파견하는 아전. 곧, 군뢰(軍牢)·사령(使令) 등. ＊차사(差使).
관찬【官撰】명 관청에서 편집함. 또, 그 서적. ——-하다 타여불
관찰【觀察】명 ①사물을 주의하여 자세히 살펴 봄. ¶ ~ 기록/~력(力). ②실험과 더불어 과학적 연구 방법의 하나. 사물의 현상(現象)에 대하여 일정한 목적을 정하고 자연 상태 그대로 주의하여 자세히 살펴 봄. ③《불교》 지혜(智慧)로써 대상(對象)이 되는 것을 바르게 봄. ④《역》 ↗관찰사(觀察使). ——-하다 타여불
관찰 기록【觀察記錄】명 《교》 학습 지도·생활 지도 등의 교육 목적에 이용하기 위하여 어린이의 행동을 관찰하여 기록하는 일. 또, 그 기록.
관찰-도【觀察道】[—또] 명 《역》 조선 고종(高宗) 33년(1896)에 나라 행정 구역을 13도로 나눈 이후의 관찰부(觀察府)가 있는 각 도(各道).
관찰-력【觀察力】명 사물을 관찰하는 능력. 안광(眼光).
관찰-부【觀察府】명 《역》 관찰사가 직무를 행하는 관아.
관찰-사【觀察使】[—싸] 명 《역》 ①고려 성종(成宗) 때 주(州)·부(府)의 벼슬. 목종(穆宗)이 뒤에 파함. ②조선 시대 때, 외관직(外官職) 문관의 벼슬로, 팔도(八道) 또는 고종(高宗) 32년(1895)의 23부(府), 1년 뒤의 13도에 있어서의 각 도의 수직(首職). 민정(民政)·군정(軍政)·재정(財政) 등을 통할하며 관하의 수령(守令)을 지휘 감독함. 감사(監

司). 도백(道伯). 도신(道臣). 방백(方伯). 준관찰. ③↗관찰 출척사(觀察黜陟使).

【관찰사 닿는 곳에 선화당(宣化堂)】 전에, 관찰사는 어디를 가나 극진한 대접을 받았으므로, 가는 곳마다 호사를 누리는 복된 처지를 이르는 말.

관찰-안【觀察眼】 명 사물을 관찰하는 안식(眼識).

관찰-자【觀察者】[―짜] 명 관찰하는 사람.

관찰-점【觀察點】[―쩜] 명 주의하여 관찰하는 점.

관찰 출척사【觀察黜陟使】 명 〖역〗 고려 창왕(昌王) 때 안렴사(按廉使)를 고친 각 도(各道)의 장관. 공양왕(恭讓王) 4년(1392)에 다시 안렴사로 고치고, 조선 시대로 넘어와서도 그대로 사용하다가 태조(太祖) 2년(1393)에 또 본이름으로 고침. 준관찰사(觀察使).

관참【觀參】 명 참석(參席)하여 관람함. ――-하다 타여불

관창[1]【官昌】 명 〖사람〗 신라 무열왕 때의 충신. 좌장군(左將軍) 품일(品日)의 아들. 16세의 화랑(花郞)으로 황산(黃山)벌 싸움에 처음 출전하여 계백(階伯) 장군에게 붙잡힌 바, 너무 어리므로 돌려 보냈는데 재차 나와 싸우다가 잡히게 되자 계백이 그 목을 베어 말 안장에 달아서 돌려 보냈음. 관장(官狀). [645-660]

관창[2]【官倉】 명 관가의 창고(倉庫).

관:창[3]【祼鬯】 명 〖역〗 제사 때 울창주(鬱鬯酒)를 땅에 부어 강신(降神)하는 일.

관창[4]【寬敞】 명 넓고 앞이 탁 트임. ――-하다 형여불

관창[5]【觀漲】 명 홍수(洪水)가 난 것을 구경함. 시위를 구경함. ――-하다 자여불

관창-봉【冠昌峰】 명 〖지〗 경상 북도 울릉도에 있는 화산. [700 m]

관채 명 〈방〉 관차(官差).

관천【貫穿】 명 꿰뚫는다는 뜻으로, 학문에 널리 통함을 이름. ――-하다 타여불

관천 망:기【觀天望氣】 명 구름이나 대기 중의 여러 현상을 살펴 경험적으로 일기 예보를 행하는 일. 옛적부터 행하여지던 것으로 지금도 농어촌에서는 이 방법이 쓰이고 있음. '저녁놀은 갤 징조'·'달무리가 지면 비의 징조' 같은 말이 전해지고 있음.

관철[1]【貫徹】 명 어려움을 뚫고 나아가 목적을 달함. ¶ 초지(初志)를 ~하다. ――-하다 타여불

관철[2]【觀徹】 명 사물을 속속들이 꿰뚫어 봄. ――-하다 타여불

관첨【觀瞻】 명 ①여러 사람이 봄. ②자세히 두드러지게 봄. ――-하다 타여불

관첩【官帖】 명 〖역〗 고려 때 지방 관리의 임명장(任命狀). 태조 18년(935)부터 사심관(事審官) 제도를 실시하여 호장(戶長) 이하의 향리(鄕吏)를 사심관의 전선(銓選)을 거쳐 임명하였는데, 그 폐가 많아 현종(顯宗) 9년(1018)에 이를 시정하여 호장을 추천할 때는 전직(前職)의 임기 등 경력을 제출하게 하여 심사하고, 이 관첩을 주었음. *사심관.

관청【官廳】 명 ①〖역〗 마을❶. ②〖역〗 관주(官廚). ③〖법〗 국가 사무에 관하여 국가의 의사를 결정하며, 이를 표시하는 권능을 부여(賦與)받은 국가 기관. 그 담당하는 사무의 성질에 따라 사법 관청·행정 관청, 관할 구역에 따라 중앙 관청·지방 관청으로 나뉨. ④❸의 국가 기관의 사무를 실제로 집행하는 곳. 또, 그 보조 기관. 관서. 준관(官).

【관청 뜰에 좁쌀을 펴 놓고 군수가 새를 쫓는다】 관아(官衙)에 할 일이 없다는 말. 【관청에 잡아다 놓은 닭】 영문 모르고 낯선 데로 끌려 와서 어리둥절해 있는 사람.

관청 물(을) 먹다 구 〈속〉 관직 생활을 하다.

관청 부기【官廳簿記】 명 〖법〗 국가·지방 자치 단체의 재산 및 수지(收支)를 밝히고 예산(豫算)과 결산(決算)과의 누계를 명시하는 목적의 회계 정리법(會計整理法).

관청-빗【官廳―】 명 〖역〗 관청색(官廳色).

관청 사:무【官廳事務】 명 관청이 맡은 국가 사무. 사법(司法) 사무와 행정(行政) 사무로 나뉨.

관청-색【官廳色】 명 〖역〗 조선 시대 때, 수령(守令)의 음식을 맡은 아전. 관청(官廳)빗. *관주(官廚).

관초【關抄】 명 〖역〗 관문(關文)을 모아 엮은 책.

관:촉-사【灌燭寺】 명 〖불교〗 충청 남도 논산시(論山市) 은진면(恩津面) 반야산(般若山)에 있는 절. 석조(石造) 미륵 보살 입상(立像)(보물 218호)과 석등(보물 232호)으로 유명함. *은진(恩津) 미륵.

관축【管軸】 명 관(管)의 중축(中軸).

관-축목【貫軸木】 명 〖역〗 윤여(輪轝)의 채의 머리빼기에 윤축(輪軸)을 끼우기 위하여 붙이어 세워 놓은 운형(雲形)의 나무. 둥글게 팬 곳에 소목환(小木丸)을 세우고, 윤축(輪軸)을 끼워 빙글빙글 돌게 함.

관취[1]【官臭】 명 관료적인 냄새.

관취[2]【觀取】 명 보아서 그 진상을 파악함. ――-하다 타여불

관측【觀測】 명 ①육안(肉眼) 또는 기계로 자연 현상의 추이(推移)·변화를 정확하고 세밀하게 관찰하여 수량적(數量的)인 측정을 행하는 일. 천문학·기상학 등에 쓰이는 말. ¶ ~자(者)/천체 ~. ②관찰하여 장래를 추측(推測)함. ¶ 희망적 ~/~통(通). ――-하다 타여불

관측-경【觀測鏡】 명 적정(敵情)의 정찰이나 탄착(彈着) 등의 관측에 쓰이는 쌍안경 따위.

관측-기【觀測器】 명 〖기〗 관측하는 데 사용하는 기계. 망원경(望遠鏡)·쌍안경(雙眼鏡) 등.

관측 기구【觀測氣球】 명 ①고공(高空)의 대기(大氣) 상태를 관측하는 데 쓰는 기구. ②포탄의 탄착(彈着)을 관측하는 데 쓰는 기구. ③비유적으로, 여론이나 주위의 반응 등을 살피기 위하여 일부러 퍼뜨리는 정보나 성명 발표 따위. ¶ ~를 띄우다.

관측-반【觀測班】 명 〖군〗 군사상 필요한 자료를 얻기 위하여 지형을 살피거나 적정(敵情)의 탐지, 포(砲)의 사격 거리 따위를 관측하기 위하여 구성된 반(班). *관측소·관측 장교.

관측 사격【觀測射擊】 명 〖군〗 탄착점 또는 파열점을 관측하면서 하는 사격. 관측 결과는 전방 관측소 또는 항공기의 관측 장교에 의해서 사격 통제소로 통보되어 사격이 조정됨. ↔무관측 사격.

관측-선【觀測船】 명 해양(海洋) 관측선.

관측 성표【觀測星表】 명 〖천〗 한 천문대에서 어떤 기간 동안에 관측한 결과에 의하여 작성한 성표. 이에는 지역적·기계적 또는 관측자에 의한 여러 오차(誤差)가 수반됨. 소천표(掃天表)·사진 소천표·사진 천도 성표(天圖星表)·특정 성역(特定星域) 성표 따위가 이에 속함. ↔종합(綜合) 성표.

관측-소【觀測所】 명 ①천문(天文)·기상(氣象)·지진(地震)·위도(緯度) 등의 자연 현상을 관찰 기록, 그것들의 움직임을 측정하는 연구소. 태양 관측소·기상 관측소·위도 관측소 따위. 넓은 뜻으로는, 천문대나 기상대를 일컫는 경우도 있음. ②〖군〗 일반적으로는 적정(敵情)을 관측하기 위하여 설치된 시설을 가리키나, 포병과(砲兵科)에서는, 적의 동정을 살피고 아군(我軍) 포격의 거리 및 방향을 측정하여 포탄을 목표물에 유도하는 곳. 오피(O.P.). ③〖역〗 기상(氣象)에 관한 사무를 맡은 관아. 융희(隆熙) 2년(1907)부터 5년까지 있었음.

관측-자【觀測者】 명 관측하는 사람.

관측 장:교【觀測將校】 명 〖군〗 최전방에 나가거나 항공기에 탑승하여, 목표물을 관측, 아군(我軍)의 포사격을 유도(誘導)하는 임무를 띤 장교.

관측-통【觀測通】 명 정계(政界) 기타 특수한 방면의 동정(動靜)을 잘 관측하는 사람. 또, 그 기관(機關). *소식통(消息通).

관치【官治】 명 ↗관치 행정.

관-치차【冠齒車】 명 〖기〗 '크라운 기어(crown gear)'의 역어(譯語).

관치 행정【官治行政】 명 〖정〗 직접 국가의 행정 기관에 의하여 행하여지는 행정. 준관치. ↔자치 행정(自治行政).

관타나모〔Guantánamo〕 명 〖지〗 중미(中美), 쿠바 남동부의 항구 도시. 카리브 해(海)의 관타나모 만(灣)에 면해 있으며, 커피 정제(精製)·제당업이 성함. 1903년 이래, 조약에 의거한 미국의 해군 기지가 있음. 1819년에 아이티로부터 피난 온 프랑스인들이 창건함. [203,371 명(1991)]

관태【貫太】 명 북어를 덕에서 내리어 싸리로 한 쾌씩 꿰는 일. ――-하다 자여불

관택【官宅】 명 관사(官舍).

관택-사【官宅司】 명 〖역〗 고려 때 서경(西京)에 두어 외국 빈객 접대를 맡게 한 관청.

관-테【冠―】 명 〖고고학〗 관(冠)의 밑받침으로 머리에 얹혀지는 둥근 밑동 부분. 대륜(臺輪).

관통[1]【官桶】 명 〖역〗 곡식을 담아 두는 섬의 한 가지. 관두(官斗)로 열다섯 말이 듦.

관통[2]【貫通】 명 ①꿰뚫음. ¶ 흉부(胸部) ~. ②조리(條理)가 정연함. 문맥(文脈) 같은 것의 앞뒤가 통함. ――-하다 자타여불

관통 볼트【貫通―】〔bolt〕 명 너트(nut)를 사용하여 죄는 나사못. 두 개의 물체를 결합시킬 때 씀.

관통-상【貫通傷】 명 총탄(銃彈) 등이 몸을 꿰뚫어서 된 상처. ¶ 복부 ~을 입다.

관통 제:동기【貫通制動機】 명 〖기〗 열차에 있어서 기관차와 객차의 어느 쪽에서든지 열차의 진행을 제동할 수 있게 된 제동기.

관통 총창【貫通銃創】 명 〖의〗 총알이 신체를 꿰뚫은 상처. ↔맹관(盲管) 총창.

관판[1]【官版】 명 정부의 출판(出版) 또는 인쇄(印刷). ↔사판(私版).

관판[2]【棺板】 명 관(棺)을 만드는 넓고 긴 널빤지.

관판-본【官版本】 명 〖역〗 나라 관서(官署)에서 간행한 책. 관본(官本). 관간본(官刊本).

관폐【官弊】 명 관리의 부정 행위로 말미암아 생기는 폐단. *민폐(民弊).

관포[1]【官脯】 명 〖역〗 관아에서 만든 포육(脯肉).

관-포[2]【管鮑】 명 〖사람〗 관중(管仲)과 포숙아(鮑叔牙). ¶ ~지교(之交).

관-포주【官庖廚】 명 〖역〗 수령(守令)에게 쇠고기를 바치는 포주.

관포지-교【管鮑之交】 명 〔옛날 중국의 관중(管仲)과 포숙아(鮑叔牙)가 매우 사이 좋게 교제하였다는 옛일에서 생긴 말〕 친구 사이의 매우 다정(多情)하고 허물없는 교제를 이르는 말. 수어지교(水魚之交).

관폭-도【觀瀑圖】 명 〖미술〗 산수 인물화의 화제(畫題)의 하나. 폭포수를 감상하는 선비의 모습을 그린 그림. 고사(高士) 관폭도.

관품【官品】 명 〖역〗 관계(官階).

관풍[1]【觀風】 명 ①시기(時機)를 살핌. ②다른 나라의 인정·풍습을 봄. ――-하다 자여불

관풍[2]【觀楓】 명 단풍 구경. ――-하다 자여불

관풍 찰속【觀風察俗】 [―쏙] 명 풍속을 자세히 살피어 봄. ――-하다 자여불

관하[1]【管下】 명 관할하는 구역이나 범위 안. ¶ ~ 각 군(各郡)/중앙 기상대 ~의 측후소.

관하[2]【關下】 명 국경에 있는 관새(關塞)의 근처.

관-하기【官下記】 명 〖역〗 지방 관원(官員)의 회계 장부(會計帳簿).

관-하다[1]【關―】 자여불 ①대(對)하다. ¶ 수제건(首題件)에 관하여. ②관계하다.

관-하다[2]【觀―】 타여불 살피어 보다. 관찰하다.

관-하인【官下人】 명 〖역〗 관례(官隷).

관학【官學】 명 ①관립의 학교. ↔사학(私學)❷. ②국가에서 특별히 제정 또는 공인(公認)한 학문.

관학 유생【館學儒生】 [―뉴―] 명 〖역〗 성균관(成均館)과 사학(四學)에서 기숙(寄宿)하는 유생.

관학 유생 응:제【館學儒生應製】 [―뉴―] 명 〖역〗 조선 시대 때, 관학 유생에게 수시로, 특별한 시제(試題)를 주어 응시(應試)하게 하는, 대

과 전시(大科殿試)와 동격의 임시 과거.
관학-파【官學派】명 〖역〗 조선 시대 때, 훈구파(勳舊派) 또는 보수파를 달리 이르던 말.
관한【寬限】명 촉박한 기한을 넉넉히 하여 연기함. 전한(展限). ¶ 오늘도 역시 돈이 없어서 못 드리겠사오니 며칠만 더 ~하여 주시기를 바랍니다《崔瓚植 : 雁의 聲》. ——-하다 타여불
관-한(:)경【關漢卿】명 〖사람〗 중국 원나라 때의 희곡 작가. 베이징(北京) 사람. 금(金)나라의 유민(遺民)으로 원(元)나라를 섬겼음. 잡극(雜劇), 즉 원곡(元曲) 창시기의 중심 인물로, 활약 시기는 13세기 후반임. 성격·심리 묘사에 뛰어났으며, 특히 여성을 묘사하는 데 탁월했음. 60 편의 작품 중 15 편이 현존하며, 《두아원(竇娥冤)》·《구풍진(救風塵)》은 그의 대표작임. 생몰년 미상.
관-한량【館閑良】[—할—] 명 〖역〗 조선 시대, 서울에 있는 모화관(慕華館)을 회장(會場)으로 정하고 무예를 배우던 무관(武官)의 자제.
관할【管轄】명 ①권한에 의하여 지배함. 또, 그 지배(支配)가 미치는 범위. ¶ 본서(本署)가 ~하는 지역. ②〖법〗 국가 및 공공 단체가 취급하는 사무에 관하여 지역(地域)·사항(事項)·인건상(人件上) 한계가 그어진 범위. ¶ 교통부 ~ 사항. ——-하다 타여불
관할-관【管轄官】명 〖군〗 군사 법원의 행정 사무를 관할·지휘·감독하는 부대의 장. 고등 군사 법원에 있어서는 국방부 장관 및 각 군 참모 총장이, 보통 군사 법원에 있어서는 그 설치되는 부대와 지역의 사령관·장(長) 또는 책임 지휘관이 됨. 군사 법원의 판결에 대하여 확인 조치를 하여야 하며, 형(刑)을 감경(減輕) 또는 그 집행을 면제할 수 있음.
관할 관청【管轄官廳】명 〖법〗 관할권이 있는 관청.
관할 구역【管轄區域】명 〖법〗 관할권이 미치는 구역. 준관구(管區).
관할-권【管轄權】[—꿘] 명 〖법〗 관할하는 권한.
관할-내【管轄內】[—래] 명 관할권이 미치는 범위 안.
관할 범:위【管轄範圍】명 〖법〗 관할권이 미치는 범위. 「법원.
관할 법원【管轄法院】명 〖법〗 특정한 사건에 대하여 관할권을 갖는
관할 위반【管轄違反】명 〖법〗 ①관할의 규정에 위반되는 절차를 밟는 일. ②제기(提起)된 소송이 그 법원의 직무(職務) 관할·토지(土地) 관할 또는 사무(事務) 관할에 속하지 않는 일.
관할의 지정【管轄—指定】[—/—에—] 명 〖법〗 구체적인 사건에 관하여 관할상 관계 있는 상급 법원의 재판으로 관할 법원을 정하는 일. 이에 의하여 발생하는 관할을 '지정 관할' 또는 '재정(裁定) 관할'이라
관할-지【管轄地】명 〖법〗 관할권이 미치는 땅. ㄴ고 함.
관함【官銜】명 〖역〗 성 밑에 붙여 부르는 벼슬 이름. 직함(職銜).
관함을 두다 구 격식을 갖추려고 문서 끝에 벼슬 이름과 성명을 밝히어 쓰다.
관함-식【觀艦式】명 〖군〗 한 나라의 통치자가 그 나라의 군함을 한 곳에 모아 놓고, 군함의 장비(裝備)와 병사(兵士)의 사기(士氣)를 검열하는 의식. 네이벌 리뷰(naval review).
관:-항【款項】명 관(款)과 항(項). ¶ ~ 목절(目節).
관해[1]【宦海】명 관리의 사회. 환해(宦海).
관해[2]【官解】명 관아.
관해[3]【寬解】명 〖의〗 정신 분열증의 증상이 약화 또는 감소되어서 보기에 나은 것처럼 보이게 되는 일. ——-하다 자여불
관해[4]【觀海】명 견식(見識)이 넓음을 비유한 말.
관해 관청【管海官廳】명 선박·선원 등 해사 행정(海事行政)을 맡아 보는 관청.
관해파리-목【管—目】명 〖동〗 [Siphonophorae] 히드로충강(Hydro蟲綱)에 속하는 한 목(目). 물에 떠다니는 군체(群體)로서 맨 위에 부체(浮體) 또는 종과 같이 생긴 유영종(游泳鐘)이 있으며, 거기에 잇달아서 몸이 뻗어 났고, 그 줄기에 촉수(觸手)가 달린 영양체(營養體)와 생식체(生殖體)가 달려 있음. 부체는 기낭(氣囊)과 가스선(腺)으로서 물에 떠다니는 일을 맡아 보고, 유영종은 해파리형(型)에 가까우나 종류에 따라 형상이 몹시 다르며, 영양체는 포식(捕食)을 맡아 하는데 몸뚱이의 맨 아래 끝에 있음.
관행[1]【官行】명 〖역〗 ①관원(官員)의 행차. ②관원의 일행.
관행[2]【慣行】명 ①그전부터 관례가 되어 행함. ②한 가지 일을 자주 행함. ③숙달하여 잘함. ——-하다 타여불
관행[3]【觀行】명 〖불교〗 관념(觀念)과 수행(修行). 불과(佛果)에 이르기 위하여 선정(禪定)·정진(精進) 등을 하는 일.
관행-범【慣行犯】명 〖법〗 같은 행위를 되풀이함으로써 성립하는 범죄. 도박(賭博) 같은 것을 늘 하는 것 등. 상습범(常習犯).
관-행차【官行次】명 〖역〗 '관행(官行)'의 높임말.
관향【貫鄕】명 시조(始祖)가 난 땅. 관적(貫籍). 본(本). 본관(本貫). 본향(本鄕). 선향(先鄕). 성향(姓鄕). 향관(鄕貫).
관향-곡【管餉穀】명 〖역〗 조선 시대 때, 관향사(管餉使)가 관장하던 군량미(軍糧米).
관향-사【管餉使】명 〖역〗 조선 시대 때 평안도(平安道)의 군량(軍糧)을 관리하던 관직. 평안 감사(平安監司)가 겸임함.
관허【官許】명 정부의 허가. 관청에서 특정(特定)한 사람에게 특정한 일을 허가하는 일. 공허(公許). ¶ ~ 업소(業所). ——-하다 타여불
관허 요:금【官許料金】명 정부에서 허가한 요금.
관헌【官憲】명 ①관청의 법규(法規). ②관청(官廳). 당국(當局). ③관리(官吏). 특히, 경찰 관리를 이름. ¶ ~에게 붙들리다.
관혁【貫革】명 →과녁.
관현【管絃】명 〖악〗 관악기(管樂器)와 현악기(絃樂器). *사죽(絲竹).
관현-강【管絃講】명 〖불교〗 불전(佛前)에서 독경(讀經)에 맞추어 관현을 연주, 부처의 덕을 찬양·공양하는 의식(儀式).
관현-맹【管絃盲】명 〖역〗 관습 도감(慣習都監)에 딸린 소경. 향악(鄕樂)과 당악(唐樂)을 익히어 궁중(宮中) 잔치 때에 주악(奏樂)함. 세종(世宗) 29년에 없애고 기생으로 대신하였음.
관현-악【管絃樂】명 〖악〗 현악기·관악기·타악기(打樂器) 등의 합주(合奏) 음악. 일반적인 것은 60-120 명의 연주자로 이루어지며, 지휘자의 통제 아래 연주되나, 특수한 것으로는 15-30 명 정도의 실내 관현악도 있음. 대부분의 각 파트가 복수(複數)의 연주자를 가지고 있는 점에서 실내악과 구별됨. 오케스트라. *교향악(交響樂).
관현악-단【管絃樂團】명 〖악〗 관현악을 연주하는 단체. 10 여 명으로 편성된 실내 관현악단에서 100 명이 넘은 인원으로 편성된 대악단까지를 포함한 것을 일컬음. 오케스트라.
관현악-법【管絃樂法】명 〖악〗 오케스트레이션(orchestration).
관혈적 수술【觀血的手術】[—쩍—] 명 〖의〗 메스를 써서 피부·근육 조직 등을 절개(切開)하여 피를 흘려 가며 하는 수술. ↔무혈적 수술(無
관형[1]【寬刑】명 관대한 형벌. ㄴ血的手術).
관형[2]【管形】명 대롱과 같은 모양.
관형-격【冠形格】[—껵] 명 〖언〗 체언(體言)을 꾸민 자리. 매김자리.
관형격 조:사【冠形格助詞】[—껵—] 명 〖언〗 체언 아래 붙어서 그 체언이 관형어의 자격을 가지도록 만드는 조사. '의' 하나뿐임.
관형-사【冠形詞】명 〖언〗 수사(數詞) 이외의 체언 앞에 쓰여서, 그 체언의 내용을 구체적으로 어떠하다고 꾸며 주는 말. 활용하지 않으며, 조사(助詞)를 취하지 않음. '첫', '옛', '헌'과 같은 성상(性狀) 관형사, '이', '그', '저'와 같은 지시 관형사, '여러', '모든'과 같은 수 관형사로 나뉨. 매김씨. 준관사(冠詞). 「실을 하는 구.
관형사-구【冠形詞句】명 〖언〗 문장에서 관형사처럼 체언을 꾸미는 구
관형사-형【冠形詞形】명 〖언〗 관형사처럼 체언을 꾸미는 용언의 활용형의 하나. -ㄹ·-을·-ㄴ·-은·-는 등의 어미를 가짐. '맑은'·'볼'·'있을'·'우는' 같은 것. 매김꼴.
관형사형 어:미【冠形詞形語尾】명 관형사형 전성 어미.
관형사형 전:성 어:미【冠形詞形轉成語尾】명 〖언〗 용언의 어간에 붙어 앞의 말에 대해서는 서술의 기능을, 뒤의 말에 대해서는 관형어 구실을 하게 하는 어말 어미. '-는'·'-ㄴ'·'-은'·'-ㄹ'·'-을' 따위. 관형사형 어미.
관형-어【冠形語】명 〖언〗 체언(體言)의 뜻을 수식하기 위하여 그 위에 덧쓰는 말. 관형사를 비롯하여 체언 단독, 체언+관형격 조사, 체언+서술격 조사의 관형사형, 용언의 관형사형 등이 이에 속함. 가령 '그의 성공은 근면의 결과이다'에서 '그의'와 '근면의' 같은 것. 매김말.
관형-절【冠形節】명 〖언〗 관형사처럼 쓰이는 어절(語節). 매김마디.
관형 찰색【觀形察色】[—쌕] 명 ①남의 심정을 떠보기 위하여 안색을 자세히 살펴봄. ②사물을 자세히 관찰함. ——-하다 타여불
관형-형【冠形形】명 〖언〗 관형사형.
관호【官戶】명 〖역〗 ①중국 송(宋)나라 때, 관직(官職) 있는 집의 일컬음. ②중국 당(唐)나라 때, 범죄 때문에 관노(官奴)가 되어 사역(使役)에 종사하던, 주현(州縣)에 적(籍)이 없는 자.
관혼상-례【冠婚喪禮】[—녜] 명 관례·혼례·상례의 총칭.
관-혼-상-제【冠婚喪祭】명 관례·혼례·상례·제례의 총칭. *사례(四禮).
관홍【寬弘】명 관대(寬大). ——-하다 형여불
관홍 뇌락【寬弘磊落】명 도량이 넓고, 마음이 활달하여 작은 일에 구애되지 아니함. ——-하다 형여불
관화[1]【官話】명 [관아에서 쓰이는 언어의 뜻] 중국의 표준말. 베이징(北京) 관화와 난징(南京) 관화 및 서방(西方) 관화의 세 가지가 있음.
관:화[2]【款話】명 관어(款語).
관화[3]【爟火】명 ①봉화(烽火)❶. ②화톳불. 「불꽃놀이.
관화[4]【觀火】명 ①↗명약 관화(明若觀火). ②조선 시대 때 궁중에서의
관활【寬闊】명 도량이 넓고 성질이 활달함. ——-하다 형여불
관황【官況】명 〖역〗 지방관의 녹봉(祿俸). 관름(官廩). 늠료(廩料). 늠봉(廩俸). 늠황(廩況). *관록(官祿). 「여불. ——-히 부
관후【寬厚】명 너그럽고 후함. 관대하고 돈후(敦厚)함. ——-하다 형
관후-서【觀候署】명 〖역〗 고려 충렬왕(忠烈王) 원년(1275)에 사천감(司天監)의 고친 이름. 천문(天文)·지리(地理)·역수(曆數)·점주(占籌) 따위를 관장하던 관부(官府).
관후 장:자【寬厚長者】명 관후하고 점잖은 사람. 관대 장자(寬大長者).
관훈 클럽【寬勳—】[club] 명 중견 언론인들의 친목·연구 단체. 1957년 서울 종로구 관훈동에서 창립됨. 창립 초기에는 각 신문의 발행인과 원로 언론인·신문학(新聞學) 교수들을 초빙하여 강연회를 베푸는 것으로 시작했으나, 최근에는 정치 지도자·경제인 및 학술·문화계 인사들을 초빙하여 연설을 듣고 토론을 벌이기도 함.
관:흡【款洽】명 우정이 두터움. 극친함. ——-하다 형여불
괄괄-아【聒聒兒】명 〖충〗 여치.
괄괄-하다 형여불 ①풀이 너무 세다. 빳빳하다. ②성결이 세고 급하다. 성질이 과격(過激)하다. ¶ 괄괄한 성격의 소유자. 준괄하다.
괄구 마광【刮垢磨光】명 때를 벗기고 닦는다는 뜻으로, 사람의 결점을 고치고 장점을 발휘하게 함을 이름. ——-하다 타여불 「하다❷.
괄:다 형 ①화력(火力)이 세다. ¶ 불이 너무 괄아 밥이 탔다. ②괄괄
[괄기는 인왕산 솔가지라] 너그럽지 못하고 깐깐한 성격을 이르는 말.
괄대【恝待】[—때] 명 업신여기고 소홀히 대접함. 푸대접함. ——-하다
괄루【栝蔞】명 〖식〗 하눌타리. ㄴ타여불
괄루-근【栝蔞根】명 〖한의〗 하눌타리의 뿌리. 목이 마르거나 기침이 나
괄:리다 타 단단하게 하다. ㄴ는 병에 씀.
괄리오르 [Gwalior] 명 〖지〗 인도 마디아프라데시 주의 도시. 중세의 유명한 힌두교도의 성(城)과 무굴 왕조의 훌륭한 건축이 남아 있음.

1948년까지 괄리오르 토후국(土侯國)으로 인도의 5대 토후국의 하나였음. 밀·면화의 집산지이며, 면(綿)·식품 가공 등의 공업이 행하여짐. [560,000명(1981)]

괄목[1] 명〈방〉관목(貫目).

괄목[2]【刮目】명 전에 비하여 딴판으로 학식 등이 부쩍 늘어서 눈을 비비고 다시 봄. ¶ ~할 만한 경제 발전. ──-하다 자여불

괄목 상대【刮目相對】명 괄목하고 대면(對面)함. 남의 학식이나 재주가 놀랄 만큼 부쩍 는 것을 일컫는 말. 참고 윗사람에게는 쓰지 않음. ──-하다 자여불

괄발【括髮】명 상(喪)을 당한 사람이 성복(成服) 전에 풀었던 머리를 묶어 맴. ──-하다 자여불

괄선【括線】[─썬] 명 숫자(數字)나 또는 글자의 여러 개를 일괄(一括)하여, 다른 자(字)와 구별하기 위하여 그 위쪽에 긋는 선. $\overline{8+5}-2$와 같은 것.

괄세【恝─】[─쎄] 명 ☞괄시(恝視). ¶ ~를 받더라도 꿋꿋하게 지켜 나가야 하네《李鳳九 : 광대》. ──-하다 타여불

괄시【恝視】[─씨] 명 업신여김. ──-하다 타여불

괄약【括約】명 ①벌어진 것을 우므러지게 함. ②모아서 한데 합함. ──-하다 타여불

괄약-근【括約筋】명〖생〗근육(筋肉)의 한 가지. 입·눈·항문(肛門)·방광(膀胱)·유문(幽門) 등의 공동 장기(空洞臟器)가 밖으로 벌리는 곳에 있어 마음대로 확대(擴大)·수축(收縮)할 수 있는 윤상(輪狀)의 근육. 늘임치근.

괄연【恝然】명 업신여기는 태도. ──-하다 형여불. ──-히 부

괄이【聒耳】명 귀가 아프도록 지껄이고 떠듦. ──-하다 자여불

괄퀴 명〈방〉갈퀴(충남).

괄키 명〈방〉갈퀴(충남).

괄태-충【括胎蟲】명〖동〗민달팽이.

괄파-천【括巴天】명〖한의〗파극천(巴戟天).

괄:-하다 형여불 ↗괄괄하다. ¶ 그의 목소리가 괄하게 떨어진다.

괄호【括弧】명 숫자 또는 문장의 앞뒤를 막아, 다른 것과의 구별을 분명히 하는 기호(記號). ( )·{ }·〈 〉·[ ]·〔 〕등 여러 가지가 있음. 묶음표. 도림. ¶ ~로 묶다/~를 벗기다.

괌 섬〔Guam〕명〖지〗남양 군도(南洋群島)의 마리아나 제도(諸島) 최남단의 큰 섬. 1898년 이래 미국령(美國領)으로, 부근에 산재하는 이전의 일본 위임 통치령(委任統治領)을 관할함. 미국의 군사 기지가 있으며, 태평양 횡단 항공로의 중계 기지이기도 함. 코프라·사탕수수·타피오카(tapioca) 등을 산출함. 원주민은 차모로족(Chamorro族). 주도는 아가냐(Agaña). [541 km² : 132,726명(1990)]

꽈 조〈옛〉과의. '과'와 사이시옷이 겹친 조사. ¶ 셰흔 즈갸와 남꽈 뜨들 조츠샨 마리니(三隨自他意語)《圓覺 上 一之一 26》.

갓:-쇠 명〖건〗못을 칠 자리에 장식으로 대는, 모양 새긴 밑받침 쇠.

광:[1] 명 세간, 그 밖에 온갖 물건을 넣어 두는 곳.
【광에서 인심 난다】제 살림이 넉넉하고 윤택하여야 남을 동정하게 된다는 말. 쌀독에서 인심 난다.

광[2]【光】명 ①〖물〗빛❶. ②화투의 스무 끗짜리 패. 모두 다섯 장임.

광[3]【光】명 성(姓)의 하나. 우리 나라에는 현존(現存)하지 아니함.

광:[4]【光】명 번지르르하게 보이는 환한 윤기. 광택(光澤). ¶ ~을 내다/~을 죽이다/~이 나다.

광:[5]【廣】명 ①넓이. ②너비[1].

광:[6]【廣】명 성(姓)의 하나. 우리 나라에는 현존하지 아니함.

광:[7]【壙】명 송장을 묻기 위하여 판 구덩이. 장혈(葬穴). ＊광중(壙中).

광:[8]【鑛】명 광물을 파내는 구덩이. 갱(坑). 광갱(鑛坑). 광혈(鑛穴).

-광【狂】미 어떤 명사 밑에 붙어서, 열광적(熱狂的)인 성벽(性癖) 또는 그런 사람을 나타내는 접미어. ¶ 독서(讀書)~/댄스~/색~/야구~.

광가【狂歌】명 음조·가사에 맞지 아니하게 정신없이 소리를 질러 가며 부르는 노래.

광각[1]【光角】명〔optical angle〕〖물〗두 눈으로 한 점을 볼 때에, 두 눈과 그 점을 연결하는 두 직선이 이루는 각. 물체의 원근감(遠近感)은 이 각도에 의해서 생기는데, 광각이 크면 가깝게 보이고, 작으면 멀게 보임.

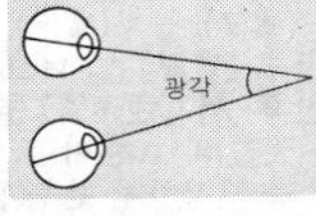

〈광각[1]〉

광각[2]【光覺】명〔photo-reception〕〖심〗빛의 자극에 의해서 일어나는 감각. 특히 흰 색에서 검은 색에 이르는 광도(光度)의 차를 지각하고, 색각(色覺)과 더불어 시각(視覺)을 구성하는데, 색각보다 한층 원시적이며, 하등 동물의 빛의 감각까지도 포함하고 있음. 고등 동물에서는 망막(網膜)에 있는 간상 세포(桿狀細胞)의 작용으로 감수(感受)됨. 무색 광각(無色光覺).

광:각[3]【廣角】명 너른 각도. 특히, 사진에서 렌즈의 사각(寫角)이 넓은 것을 말함.

광:각도 계:기【廣角度計器】명 스케일반(scale盤)의 눈금 각도를 250도쯤으로 하고, 지침(指針)과 회전 각도를 확대한 계기. 가동(可動) 코일형(coil型)·가동 철편형(鐵片型)·유도형(誘導型) 따위가 있으며, 배전반용(配電盤用) 계기로 쓰임.

광:각 렌즈【廣角─】〔lens〕명 표준 렌즈에 비하여 사각(寫角)이 넓고, 초점 거리가 짧은 렌즈. 건물(建物) 같은 광범위에 걸치는 대상물을 촬영하는 데 쓰며, 보통 50도 이상의 시야(視野)를 가짐.

광:각 컬러 브라운관【廣角─管】명〔wide angle tube〕보통 컬러 브라운관에 비하여 전자 빔(電子 beam)에서 쏘는 각도가 넓은 브라운관. 보통 컬러 브라운관은 전자총(電子銃)에서 영상면을 향하여 방사되는 전자 빔의 최대 각도가 90도인데, 이것을 110-114도로 넓힌 브라운관을 말함.

광간[1]【匡諫】명 올바르게 간함. 간계(諫戒)함. ──-하다 타여불

광간[2]【狂簡】명 진취적 기상(進取的氣象)이 있고 뜻이 크나 행위가 이에 수반하지 아니하고 조략(粗略)함. ──-하다 형여불

광-감작【光感作】명〖물〗형광(螢光) 물질에 의하여 생체(生體)의 빛에 대한 감도가 높아지는 현상. 티아진계(thiazine系) 색소·아크리딘계(acridine系) 색소 따위에 이 작용이 있는 것으로 여겨지나, 작용 기구(作用機構)는 분명하지 아니함. 어류나 양서류(兩棲類)의 피부 등에서 볼 수 있음.

광:개토-왕【廣開土王】명〖사람〗고구려의 제19대 왕. 휘는 담덕(談德). 연호는 영락(永樂). 고국양왕(故國壤王)의 태자로 391년에 즉위(卽位). 불교를 신봉(信奉)하였으며, 남북으로 영토를 크게 넓혀 만주 전역과 한강 이북을 장악하고, 신라를 도와 왜군을 궤주(潰走)시키는 등 고구려의 전성 시대를 이룩하였음. 호태왕(好太王). 영락(永樂) 대왕. [374-413; 재위 391-413]

광:개토왕릉-비【廣開土王陵碑】[─능─] 명 만주 지안 현(輯安縣) 통거우(通溝)에서 발견된 고구려 19대 광개토왕의 비석. 장수왕 2년(414)에 광개토왕의 공적을 기리기 위하여 아들인 장수왕이 능과 함께 건립한 사면 석비(四面石碑)로서, 높이는 약 6.39 m로, 우리 나라에서 가장 큰 비석임. 비면(碑面)에는 '국강상 광개토경 평안 호태왕(國罡上廣開土境平安好太王)'이라고 씌어 있으며, 비문의 내용은 고구려·신라·가야가 연합해서 왜국(倭國)과 싸운 일과, 왕의 일생 사업을 기록한 것임. 호태왕릉비(好太王陵碑).

광객【狂客】명 언행이 미친 사람처럼 상리(常理)에 벗어난 사람.

광:갱【鑛坑】명〖광〗광물(鑛物)을 캐내기 위해서 판 구덩이. 광(鑛). 광점(鑛店).

광거[1]【筐筥】명 대나무로 네모지게 만든 광주리와 둥글게 만든 둥구미.

광:거[2]【廣居】명 ①너른 집. ②맹자(孟子)가 제창하는 인(仁)의 길.

광:겁【曠劫】명〖불교〗지극히 오랜 세월.

광:겁 다생【曠劫多生】명〖불교〗한없는 세상에 죽고 남이 많은 일.

광겁-하다【恇怯─】자여불 겁내다.

광견[1]【狂犬】명 ①미친개. ②광견병(狂犬病)에 걸려서 사람을 물려고 덤비는 개. 제견(猘犬).

광견[2]【狂狷】명 지나치게 큰 뜻을 품는 것과 너무 의리를 고집하는 일. 또, 그런 사람. 중용(中庸)의 길에서 벗어난 행위. 견광(狷狂).

광:견[3]【廣絹】명 명주실로 얇고 성기게 짠 깁.

광견-병【狂犬病】[─뼝] 명〖의〗바이러스에 의한 개의 전염병. 이 병에 걸린 개는 몹시 사나워지며 전신 마비를 일으켜 죽음. 이 개에 물릴 경우, 개의 침을 매개로 한 바이러스가 그 상처를 통하여 사람이나 가축에도 전염되며 그 바이러스는 중추 신경을 해쳐 경련 및 마비를 일으켜서 죽음에까지 이름. 물을 마시거나 물을 보는 것만으로도 연하근(嚥下筋)이 경련을 일으키므로 공수병(恐水病)이라고도 함. 미친갯병. ¶ ~ 예방 주사. ＊공수병.

광견병 백신【狂犬病─】[─뼝─]〔vaccine〕〖의〗염소나 토끼의 뇌(腦)에 접종한 광견병 바이러스를 페놀(phenol) 또는 자외선 조사(照射)에 의하여 만든 백신. 광견병에 걸린 동물에 물린 사람에게 그 잠복 기간 내에 주사하여 발병을 예방하는 데 쓰임.

광경【光景】명 ①형편과 모양. ¶ 그 ~이 눈에 선하다/참혹한 ~/눈부신 ~. ②볼썽사나운 꼴. 효상(爻像). ¶ 별 ~을 다 보겠다.

광고[1]【光顧】명 광림(光臨). ──-하다 자여불

광:고[2]【廣告】명 ①세상에 널리 알림. ②세인(世人)의 주의를 끌어서 구매력(購買力)을 유발(誘發)하고 손님을 흡수(吸收)하기 위하여 상품 같은 것의 명칭이나 효능(効能) 등을 널리 선전하는 일. 또, 그 광고 문서. 상업 광고(商業廣告). ③자기의 존재를 여러 사람에게 알리고 선전함. 자기 선전(自己宣傳). ──-하다 타여불

광:고[3]【曠古】명 전례가 없음. 미증유(未曾有). ──-하다 형여불

광:고 관리【廣告管理】[─괄─] 명 광고 업무에 관한 능률적인 운영이나, 광고 효과의 측정 따위를 행하는 일.

광:고 기구【廣告氣球】명 광고를 하기 위하여 공중에 띄우는 계류 기구(繫留氣球). 애드벌룬(ad balloon). 광고 풍선(風船).

광:고 대:리업【廣告代理業】명 ①신문·잡지 등에 광고를 싣는 일을 중개(仲介)하는 영업(營業). ②길거리나 전철·버스 같은 교통 기관 또는 극장 같은 데에 광고하는 일을 도맡아서 대리하는 영업. ③생산자나 상인의 위촉을 받아 길거리나 백화점 또는 공중이 많이 모이는 장소에서 광고 선전을 하는 영업. 광고업(廣告業).

광:고-란【廣告欄】명 신문·잡지 등의 광고물을 싣는 난.

광:고-료【廣告料】명 광고를 내어 주고, 받는 요금.

광:고 매체【廣告媒體】명 광고 내용을 소비자에게 전달하는 매개체. 신문·잡지 따위의 인쇄 매체, 라디오·텔레비전 따위의 전파 매체, 연도(沿道) 간판 따위의 장소 매체 등이 있음.

광:고-문【廣告文】명 광고를 목적으로 신문·잡지·삐라 같은 데에 싣은 글.

광:고 미술【廣告美術】명 상업 미술(商業美術).

광:고-부【廣告部】명 ①광고에 관한 업무를 맡은 부서(部署). ②신문사나 잡지사 같은 데의 한 부. 광고의 청탁(請託)·게재(揭載) 등의 업무를 맡음.

광:고-비【廣告費】명 광고에 지출되는 경비.

광:고 사진【廣告寫眞】명 사진을 중심으로 하여 만든 광고. 또, 광고에 쓰이는 사진.

광:고-세【廣告稅】명 광고에 부과되는 조세(租稅).

광:고-술【廣告術】명 광고를 효과적으로 하기 위한 수단과 방법.

광:고 심리학【廣告心理學】[─니─] 명〖심〗광고를 유효하게 하는 조건 및 방법 또는 광고와 욕망과의 관계 등을 연구하는 응용 심리학의 한 부문.

광:고-업【廣告業】명 광고 대리업(廣告代理業).

광-고온계【光高溫計】명〖물〗고온계(高溫計)의 하나. 고온 물체의 휘도(輝度)와 표준 램프의 휘도를 비교하여 온도를 측정하는 장치. 물체

는 고온이 될수록 적색에서 청백색의 방사(放射)를 하게 됨을 이용한 것. 대개 700°C 이상에 이용됨. 옵티컬 파이로미터(optical pyrometer).

광:고 우편【廣告郵便】[명] 받을 사람을 지정하지 아니하고 우체국에서 그 구내(區內)에 배달하는 특수 우편.

광:고 윤리【廣告倫理】[―율―] [명] 광고의 표현·실시에 있어 준수되어야 할 도덕. 허위·과대 표현·중상(中傷)·모방·도작(盜作)의 금지 따위.

광:고-주【廣告主】[명] 광고 활동을 하는 주체자(主體者). 광고를 낸 사람. 스폰서(sponsor).

광:고-지【廣告紙】[명] ①광고하는 글이나 도안이 실린 종이. ②삐라❶.

광:고 책임자【廣告責任者】[명] 정기 간행물의 발행인 또는 방송국의 장(長)이 선임한 사람으로서, 광고의 게재(揭載)·방송에 관하여 책임을 지는 사람. *편성 책임자.

광:고 캠페인【廣告―】〔campaign〕[명] 어떤 일정한 광고 목표를 달성하기 위하여 일정 기간내에 계획적·조직적·계속적으로 실시하는 일련의 광고 활동.

광:고-탑【廣告塔】[명] 광고하기 위하여 높게 세운 탑.

광:고-판【廣告板】[명] ①널리 사람들에게 알려야 할 사항을 적어 게시하는 판. ②상품 따위의 광고를 적은 판. 사람 눈에 잘 띌 만한 철도 연선(沿線)이나 도로변의 건물 옥상 같은 데에 세워 둔 광고 간판.

광:고 풍선【廣告風船】[명] 광고 기구(氣球). 「대행하는 회사.

광:고 회:사【廣告會社】[명] 광고주(廣告主)의 위탁을 받아 광고 활동을

광:고 효:과【廣告效果】[명] 신문·라디오·텔레비전 등에 낸 광고에 대한 유형 무형(有形無形)의 반향(反響).

광곤【匡困】[명] 가난한 사람을 도와 줌. ――-하다 [타][여불]

광:공-업【鑛工業】[명] ①광업과 공업. ②광업에 딸린 공업.

광:공업 생산 지수【鑛工業生産指數】[명] 광공업에 있어서의 생산량의 시간적 변화를 나타내는 통계 비례수(統計比例數).

광-공해【光公害】[명] 네온사인·야간 조명 등이 공중의 먼지층에 반사되어 별이 보이지 않는 등 기상 관측이 방해 받는 공해. 광해(光害).

광:과【廣袴】[명] 너른 바지.

광:과-천【廣果天】[명]〖불교〗색계(色界) 십팔천(十八天)의 하나. 이 경지에 이르면 마음이 한없이 밝아지고 복덕(福德)이 둥글고 밝으며 또는 정복(定福)이 더욱 넓어지는 까닭으로 일컬음. 마음 닦는 사람이 마음에 다른 주장을 세우지 않고, 참된 선정(禪定)을 닦아서, 복애(福愛)가 많아지면, 이 사람은 곧 광과천이며, 죽으면 이 천계(天界)에 감.

광곽【匡郭】[명] 서책(書冊)에서, 판(版)의 사주(四周)를 둘러싼 검은 선(線). 중국에서는 변(邊) 또는 변란(邊欄)이라고도 함. 판광(版匡).

광관[1]【光冠】[명] 구름이 해나 달의 면(面)을 가릴 때, 물방울의 회절(回折)에 의해서 그 주위에 생기는 아름다운 빛깔의 작은 광채(光彩). 코로나(corona). 백광(白光). *무리[4].

광:관[2]【曠官】[명]〖역〗수령(守令)의 자리가 오래 빔.

광광[1]【恇恇】[명] 두려워함. ――-하다 [타][여불]

광:광[2]【廣廣】[명] 넓고 넓음. ――-하다 [형][여불]

광-광[3] [부] ①큰 쇠붙이가 둔하게 울려서 나는 소리. ②먼데서 은은하게 들려오는 대포 소리. 또, 그와 같은 소리. ㅆ광광. ㅆ광광. ――-하다 [자][타][여불] 「거리다. ㅆ광광거리다.

광광-거리다 [자][타] 자꾸 광광 소리가 나다. 또, 그 소리를 내다. ㅆ광광

광광-대다 [자][타] 광광거리다.

광괴[1]【狂怪】[명] 광기(狂氣)가 있고 괴상(怪常)함. ――-하다 [형][여불]

광:괴[2]【鑛塊】[명] 광갱(鑛坑)에서 파낸 광석의 덩이.

광교[1]【狂狡】[명] 미친 듯이 날뜀. 또, 그런 사람.

광:교[2]【廣橋】[명]〖지〗서울 종로의 종각(鐘閣) 남쪽, 청계천(淸溪川)에 있었던 다리. 본디 이름은 '대광통교(大廣通橋)'·'대광교(大廣橋)'. 조선 태조(太祖) 때 토교(土橋)로 축조(築造)했던 것을 태종 10년(1410)에 돌다리로 다시 놓았음. 1958년 청계천 복개 공사 때 철거됨.

광교 산맥【光敎山脈】[명]〖지〗경기도 수원(水原) 동쪽 구릉성(丘陵性)의 낮은 산맥.

광:교-파【廣敎派】[명]〖기독교〗↗광교회파(廣敎會派).

광:교회-파【廣敎會派】[명]〖기독교〗영국 국교회에 있어서, 고교회파(高敎會派)와 저교회파(低敎會派)의 중간에 있는 한 파. 관용(寬容)을 주로 하고, 자유주의적인 경향을 가짐. 자유 신학파(自由神學派). [준]광교파(廣敎派).

광구[1]【光球】[명]〖지〗①보통 육안(肉眼)으로 태양을 볼 때 둥글게 광채(光彩)를 내는 부분. 이론적으로는 일광(日光), 즉 연속(連續) 스펙트럼을 복사(輻射)하는 태양면(太陽面)의 가장 바깥쪽에 해당하는데, 두께 수백 km의 가스체(gas體)로, 평균 온도는 약 6,000°K임. ②항성(恒星)에서 연속 스펙트럼을 복사하고 있는 표면. 「[여불]

광구[2]【匡救】[명] 잘못된 것을 바로잡음. 언행을 바로잡음. ――-하다 [타]

광:구[3]【廣求】[명] 널리 구함. ¶ 인재를 ~하다. ――-하다 [타][여불]

광:구[4]【廣衢】[명] 넓은 길. 큰 거리.

광:구[5]【鑛口】[명] 광물(鑛物)을 파내는 구덩이의 입구(入口).

광:구[6]【鑛區】[명]〖법〗광업권자가 관청의 허가를 얻어 광물(鑛物)의 채굴이나 시추(試掘)를 할 수 있는 구역. 면적은 광물의 종류에 따라 다른데, 최대(最大) 300헥타르를 초과하지 못함.

광:구 금:지 지역【鑛區禁止地域】[명]〖법〗어떤 광물에 관하여 광업권의 설정(設定)을 금지한 구역. 어떤 광물의 채굴(採掘)이 일반 공익(一般公益)이나 농업·임업(林業) 등 다른 산업에 비하여 적당하지 않다고 판단한 경우에 설정함.

광:구-도【鑛區圖】[명] 광구를 그린 도면.

광:구-세【鑛區稅】[명] 광구의 면적에 따라 부과하는 세금.

광:구-완【廣口盌】[명]〖고고학〗'입큰바리'의 구용어.

광국 공신【光國功臣】[명]〖역〗조선 선조(宣祖) 23년(1590)에, 명(明)나라 역사에 이씨(李氏) 세계(世系)가 잘못 기록된 것을 고친 공으로, 윤근수(尹根壽) 등 19명에게 내린 훈명(勳名).

광군[1]【光軍】[명]〖역〗고려 정종(定宗) 2년(947)에 거란(契丹)에 대비하여 광군사(光軍司)를 두고 뽑은 30만의 군대. 거란에 붙잡혀 갔다가 돌아온 최광윤(崔光胤)의 상주(上奏)에 의하여 창설됨.

광:군[2]【曠郡】[명]〖역〗고을의 원이 그 고을 일을 오랫동안 돌보지 아니함. ――-하다 [자][여불]

광군 도감【光軍都監】[명]〖역〗고려 광군사(光軍司)의 고친 이름. 현종(顯宗) 2년(1011)에 다시 전(前) 이름으로 고침.

광군-사【光軍司】[명]〖역〗고려 때 광군의 일을 맡은 관청. 정종(定宗) 2년(947)에 두어 뒤에 광군 도감이라고 일컫다가 현종(顯宗) 2년(1011)에 다시 본 이름으로 고쳤음. 「궤(狹軌).

광:궤【廣軌】[명] 궤도(軌道)의 폭이 1.435m 이상 되는 궤간(軌間). ↔협

광:궤 철도【廣軌鐵道】[―또] [명] 궤도의 폭이 기본 궤간(軌間)인 1.435m보다 넓은 철도. 서양에서는 주로 이것을 사용함. 브로드 게이지(broad gauge). ↔협궤(狹軌) 철도. 「[여불]

광규 난:양【狂叫亂攘】[명] 미쳐 날뛰며 소란스럽게 떠듦. ――-하다 [자]

광귤-나무【―橘―】[―라―] [명]〖식〗[*Citrus aurantium*] 운향과(芸香科)의 상록 활엽 관목. 잎은 달걀꼴인데 톱니가 없음. 초여름에 흰 오판화(五瓣花)가 총상(總狀) 화서로 액생하고, 장과(漿果)는 직경 8cm 가량의 구형(球形)이며 황적색임. 인도 원산으로, 인가 부근에 심는데, 제주도 및 일본 남부·중국 등지에 분포함. 서양의 오렌지(orange)는 이의 변종임. 관상용으로도 심으며 과실은 식용하고, 건위(健胃)·발한(發汗)의 약재 또는 조미료(調味料)나 향수의 원료로 사용함. *굴나무.

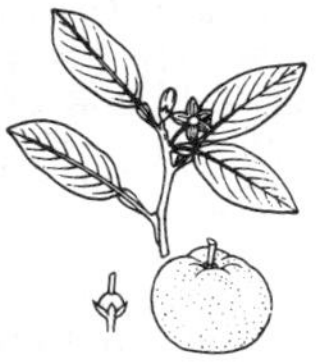

〈광귤나무〉

광극【狂劇】[명] 미친 듯이 날뛰며 놂.

광기[1]【光氣】[명]〖화〗포스겐(phosgene).

광기[2]【狂氣】[―끼] [명] ①미친 증세. 미친 듯한 기미. ②마음이 산란하여 날뛰는 성질이 있는 사람. ③사소한 일에 화를 내고 큰소리를 치는

광:기-류【廣鰭類】[명]〖동〗광익류(廣翼類). ㄴ사람의 기질.

광-기생【光寄生】[명]〖생〗만초(蔓草) 따위가 수목(樹木) 또는 키가 큰 식물 군락(群落)에 휘감겨서 위로 번어, 군락의 윗 표면(表面)에서 동화 기관(同化器官)인 잎을 벌여, 충분한 빛을 받는 일. 이로 인하여 다른 식물은 충분한 빛을 받지 못하여 해를 입음.

광기억 장치【光記憶裝置】[명]〖컴퓨터〗레이저 광선을 이용하여 정보를 기록하는 기억 장치의 총칭. 광디스크나 홀로그램(hologram) 따위.

광-기전력【光起電力】[―녁] [명]〔photoelectro-motive force〕〖물〗반도체(半導體)에 빛을 조사(照射)했을 때 일어나는 전압을 이용한 기전력. p형과 n형의 두 전도형(電導型) 반도체를 접합한 pn 접합면에 어떤 파장의 빛을 쬐면 p형에는 +, n형에는 －전압이 나타나 광기전력이 생김.

광기전력 효:과【光起電力效果】[―녁―] [명]〔photovoltaic effect〕〖물〗광전(光電) 효과의 일종으로서 빛의 조사(照射)에 의해서 기전력이 발생하는 현상. 전해질 용액에서도 볼 수 있으나 주로 반도체의 계면(界面)에서 볼 수 있음. 포토다이오드, 포토트랜지스터에 이용됨.

광:꾼【鑛―】[명] ①광원(鑛員). ②광업에 종사하는 사람을 얕잡아

광:-나다【光―】[자] ①빛이 나다. ②윤이 나다. ㄴ일컫는 말.

광:-나루【廣―】[명]〖지〗지금의 서울특별시 광진구(廣津區) 광장동(廣壯洞)에 있었던 한강(漢江)의 나루. *광진교(廣津橋).

광-나무 [명]〖식〗[*Ligustrum japonicum*] 물푸레나뭇과의 상록 활엽 교목. 높이 5-6m이고, 잎은 달걀꼴 또는 피침형인데 가에 톱니가 없고 혁질(革質)임. 6월에 백색 꽃이 복총상(複總狀) 화서로 정생(頂生)하여 피고, 핵과(核果)는 타원형으로 쥐똥 비슷하게 11월에 까맣게 익음. 산록의 저지(低地)에 나는데, 전남·경북 및 일본·대만에 분포함. 서재목(鼠梓木). 여정목(女貞木).

〈광나무〉

광:-난형【廣卵形】[명] 넓은 달걀꼴.

광:내【壙內】[명] 광중(壙中). 무덤 속.

광:-내다【光―】[타] ①빛이 나게 하다. ②광택이 나게 하다.

광녀【狂女】[명] 미친 여자. ↔광부(狂夫)·광한(狂漢).

광년【光年】[의명]〖천〗항성(恒星)이나 성운(星雲) 등의 거리를 나타내는 데 쓰는 단위. 광파(光波) 또는 전파(電波)가 1년 동안에 가는 거리. 대개 9.46×10^{12} km임. 라이트이어(lightyear). *파섹(parsec).

광노【狂奴】[명] 욕할 때 쓰는 말로, 미친 놈.

광:농【廣農】[명]〖역〗광작(廣作). ――-하다 [자][여불]

광:니【鑛泥】[명]〖광〗①진흙과 물을 많이 함유하여 이상(泥狀)으로 된 조광(粗鑛). ②선탄 과정(選炭過程)에서 생기는 광물. 슬라임(slime).

광:-다회【廣多繪】[명] ①넓고 크게 짠 끈목. ②〖역〗군사의 융복(戎服)에 쓰던 넓은 띠. *동다회(童多繪).

광:달【曠達】[명] 활달(豁達). ――-하다 [형][여불]

광달 거:리【光達距離】[명] ①빛이 도달하는 거리. ②등대에서 쓰는 용어로, 해면상 5m의 높이에서 빛을 인식할 수 있는 거리.

광달-권【光達圈】[―꿘] [명] 광달 거리를 반경으로 한 범위 안.

광:-달다 [자] 연(鳶)의 위를 표하는 무색 종이로 꼭지를 붙이다.

광담【狂談】[명] 이치(理致)에 맞지 않는 허황된 말. 광언(狂言).

광담 패:설【狂談悖說】[명] 이치에 맞지 아니하고 도의(道義)에 벗어나는 말. 광언 망설(狂言妄說).

광당-마【光唐馬】[명] 덜렁말.

광:당-포[1]【一布】 명 ←광동포(廣東布).

광:당-포[2]【廣唐布】 명 광목(廣木)과 당목(唐木).

광:대[1] 명〖민〗 ①인형극(人形劇)·가면극(假面劇) 같은 연극이나 줄타기·땅재주·솟대타기 같은 곡예(曲藝)를 하는 사람. 또, 판소리를 하는 것을 업으로 삼는 사람. 배우(俳優). 배창(俳倡). 극자(劇子). ＊화랑이. ②연극이나 춤을 추려고 얼굴에 물감을 칠하는 일. ＊남사당. ③탈춤 같은 것을 출 때에 얼굴에 쓰는 탈. ④〈속〉 얼굴. 낯. ¶～등걸. 주의 '廣大'로 씀은 취음(取音).

【광대 끈 떨어졌다】 ㉠광대가 쓰는 탈의 끈이 떨어졌다는 뜻으로, 의지할 데 없어 꼼짝을 못하게 되었다는 말. ㉡제구실을 못하고 아무짝에도 쓸모가 없게 되었다는 말.

광대를 그리다 구 얼굴에 먹이나 물감 따위를 이리저리 바르다.

광대[2]【光大】 명 광명 성대(光明盛大)함. ――하다 형여불. ――히 부

광:대[3]【廣大】 명〔중세 : 광대〕 넓고 큼. ¶～한 영토. ――하다 형여불. ――히 부

광:대-가【一歌】 명〖악〗 조선 말기 판소리 사설(辭說)의 작가 신재효(申在孝)가 지은 허두가(虛頭歌). 단가의 하나로 광대 판소리의 미학적 이론을 제시한 가사임. 명창 광대들의 특색을 들었고, 인물·사설·목소리·너름새의 네 가지를 갖추어야만 명(名)광대가 된다고 하여 광대 예술의 어려움과 성공의 비결을 가르침.

광:대-나물 명〖식〗[*Lamium amplexicaule*] 꿀풀과에 속하는 일년초 혹은 이년초. 줄기는 방형(方形)이고, 높이 25cm 정도임. 잎은 대생하는데 근생엽(根生葉)은 장병(長柄)으로 원형이고, 경엽(莖葉)은 무병(無柄)이며 반원형임. 4-5월에 홍자색 꽃이 줄기 위 엽액(葉腋)에서 다수 윤산(輪繖) 화서로 밀착(密着)하고, 화관(花冠)은 긴 통상 순형(筒狀脣形)임. 밭이나 논에 나는데, 전남북·경남북·경기·함남 및 아시아·유럽·북미에 분포함. 어린 잎과 줄기는 식용함.

〈광대나물〉

광:대-놀이 명 정월 대보름날 호남 지방에서 행하는 놀이. 농촌의 농악대들이 호랑이·토끼 등의 가면을 쓰고 악기를 치면서 부락을 돌아다님. 악귀(惡鬼)를 진압하고 영복(迎福)을 비는 것이라고 함.

광:대 덕담【一德談】 명 실속은 없이 수다스럽게 늘어놓는 듣기 좋은 말.

광:대 등걸 명 몹시 파리해져서 뼈만 남은 얼굴.

광:대-립【一笠】 명 광대들이 쓰는 초립(草笠).

광:대 머리 명 소의 처녑에 얼려붙은 고기. 국거리로 씀.

광:대 무변【廣大無邊】 명 너르고 커서 끝이 없음. 무변광대. ¶～의 천지. ――하다 형여불

광:대-버섯 명〖식〗[*Amanita muscarina*] 송잇과(科)에 속하는 담자균류(擔子菌類)의 독버섯. 높이 30cm 가량 되고, 삿갓의 겉껍질은 선홍색(鮮紅色)이거나 등황색(橙黃色)이며, 흰 빛의 좁쌀 같은 점이 많이 솟아나옴. 갓 밑과 자루는 희고, 버섯대에는 흰 빛의 막으로 된 버섯고리가 있음. 가을에 산에 많이 남. 붉은싸리버섯.

〈광대버섯〉

광:대-봉【廣大峰】 명〖지〗 평안 북도 희천군(熙川郡)과 초산군(楚山郡) 사이에 있는 산봉우리. [1,383m]

광:대-불나방〔一라一〕 명〖충〗[*Parasemia plantaginis macromera*] 불나방과의 곤충. 편 날개의 길이 38-42mm이며, 몸빛은 흑색에 앞날개에는 백색의 불규칙한 조문(條紋)이 있고, 수컷의 뒷날개는 백색, 암컷은 황색이며 외연(外緣)은 흑색임. 한국에도 분포함.

광:대-뼈 명 뺨 위 눈초리 아래로 내민 뼈. 관골(顴骨).

광:대-소금쟁이 명〖충〗[*Metrocoris histrio*] 소금쟁잇과에 속하는 곤충. 몸길이 6mm 가량이고, 몸빛은 담황색 또는 암황색이며, 특수한 흑조문(黑條紋)이 있음. 촉각은 흑갈색에 기부(基部)는 황색임. 보통 날개가 없으나 있는 것도 있음. 계류(溪流)에 서식하는데, 한국·일본에 분포함.

광:대-수염【一鬚髥】 명〖식〗[*Lamium barbatum*] 꿀풀과에 속하는 다년초. 줄기 높이 60cm 정도이고, 잎은 대생하고 장병(長柄)이며 달걀꼴임. 5월에 홍자색 꽃이 줄기 위 엽액(葉腋)에 윤산(輪繖) 화서로 밀착하며, 화관은 통상 순형(筒狀脣形)이고 과실은 수과(瘦果)임. 산이나 들에 나는데, 거의 한국 각지에 분포함.

〈광대수염〉

광:대-싸리 명〖식〗[*Securinega subfruticosa*] 여우주머닛과에 속하는 낙엽 활엽 관목. 잎은 긴 타원형임. 자웅 이가(雌雄異家)인데, 여름에 엷은 담황색 무판화(無瓣花)가 엽액에서 총생(叢生)하여 피고, 삭과(蒴果)는 가을에 익음. 산록이나 산허리의 양지에 나는데, 한국 각지 및 일본·대만·중국·동부 시베리아에 분포함. 어린 잎은 식용함. 황형(黃荊).

〈광대싸리〉

광:대역 증폭기【廣帶域增幅器】 명〖전〗 저주파(低周波)에서 고주파(高周波)까지의 넓은 주파수 범위에 걸쳐, 변형(變形)하지 않고 똑같이 증폭하는 증폭기.

광:대역 통신망【廣帶域通信網】 명〔broadband communications network〕 한 개의 동축(同軸) 케이블로써 유선(有線) 텔레비전의 송수신은 물론, 보내는 쪽과 받는 쪽이 대화할 수 있는 텔레비전 전화·데이터(data) 통신·팩시밀리(facsimile) 신문 등 다종 다양한 통신이 가능한 통신망.

광:대-줄 명〖민〗 ↗광대 줄타기.

광:대-줄타기 명〖민〗 나례 도감(儺禮都監)이나 재인청(才人廳)에 소속된 줄광대들이 정재(呈才)의 하나로서 하는 줄타기. ㊌광대줄. ＊줄광대·어름줄타기.

광:대 치장【一治粧】 명 야단스럽게 차려 입은 몸치장.

광:대-파리 명〖충〗[*Spheniscomyia sexmaculatus*] 광대파릿과에 속하는 곤충. 몸길이는 3-3.5mm이며, 몸빛은 흑색에 흉배(胸背)는 회황흑색(灰黃黑色)이며 황색 털로 덮임. 복부는 광택이 나고, 산란관(產卵管)은 침상(針狀)임. 날개의 기부, 전연(前緣)의 삼각형 반문 및 후연(後緣)의 네 개의 횡문은 백색임. 한국·일본·대만에 분포함.

광:대-파리매 명〖충〗[*Neoitamus angusticornis*] 파리맷과에 속하는 곤충. 몸길이 17-20mm이고, 몸빛은 흑색에 흉배(胸背)의 두 종선·횡구(橫溝) 및 측연(側緣)은 백분(白粉), 어깨는 황백분으로 덮임. 복부는 다소 갈색을 띠고, 각절(各節) 후연은 회색분으로 덮임. 한국·사할린·일본에 분포함.

광:대파릿-과【一科】 명〖충〗[Trypetidae] 파리목(目)에 속하는 한 과. 대부분이 소형이며 날개에 반문이 있음. 두부(頭部)는 반구상(半球狀)이며, 복부는 4-5절임. 과실·싹·잎에 모임.

광댕이 명〈방〉〖식〗 광저기(경기).

광덕[1]【光德】 명〖역〗 고려 광종(光宗)의 다년호(大年號). 즉위 원년(950) 경술(庚戌)부터 2년 신해(辛亥)까지임.

광:덕[2]【廣德】 명〖사람〗 신라 문무왕(文武王) 때의 고승(高僧). 엄장(嚴莊)과 벗하여 당대의 명승이었음. 분황사(芬皇寺) 서리(西里)에 은거, 십육관법(十六觀法)을 닦아 마침내 서방 극락에 태어날 수 있었다 함.

광덕 대:부【光德大夫】 명〖역〗 조선 시대 때 종일품(從一品) 의빈(儀賓)의 품계(品階). 후에 정덕(靖德) 대부로 고침.

광:덕-봉【廣德峰】 명〖지〗 함경 북도 무산군(茂山郡)에 있는 산봉우리. 함경 산맥(咸鏡山脈)의 첫머리 부분에 있음. [1,178m]

광:덕-산【廣德山】 명〖지〗 ①강원도 화천군(華川郡)·철원군(鐵原郡)·경기도 포천군(抱川郡) 사이에 있는 산. 광주 산맥(廣州山脈)에 속함. [1,046m] ②충청 남도 아산시(牙山市)와 천안시(天安市) 사이에 위치하는 산. 차령(車嶺) 산맥 남단에 있음. [699m]

광도[1]【光度】 명 ①〔luminous intensity〕〖물〗 발광체에서 방사하는 빛의 세기. 발광체에서 단위(單位) 거리에 있는 면(面)의 단위 면적이 단위 시간 동안에 받는 빛의 에너지의 양으로 표시됨. 1948년까지는 국제 촉광(燭光)을, 지금은 칸델라(candela)라는 에스 아이(SI) 단위를 사용함. 밝기. ＊조도(照度)·광속(光束). ②〔luminosity〕 항성(恒星)의 빛의 강도(強度). 예전에는 실시 광도(實視光度)를 육등(六等)으로 나누고 일등보다 2.512배 밝은 것을 영등(零等), 또 그보다 2.512배 밝은 것을 마이너스 일등(一等)으로 나타냈음. 지금은 절대 등급(絶對等級)으로 나타냄.

광도[2]【狂濤】 명 미친 듯이 날뛰는 사나운 물결. 광란(狂瀾). 광랑(狂浪).

광:도[3]【廣度】 명 넓은 도량.

광:-도[4]【廣島】 명〖지〗 ①전라 남도의 남해상(南海上), 여수시(麗水市) 삼산면(三山面) 손죽리(巽竹里)에 위치한 섬. [0.655km²] ②전라 남도의 서남해상(西南海上), 진도군(珍島郡) 조도면(鳥島面) 죽항리(竹項里)에 위치한 섬. [0.05km²]

광:도[5]【廣島】 명〖지〗 '히로시마'를 우리 음으로 읽은 이름.

광:도[6]【廣跳】 명 멀리뛰기. ↔고도(高跳). ――하다 자여불

광:도[7]【廣圖】 명 크나큰 계획.

표준광원 A　광도계　미지광원B

〈광도계[1]❶〉

광도-계[1]【光度計】 명〔photometer〕〖물〗 ①광원(光源)의 광도를 측정하는 장치. 일반적으로 측정하고자 하는 광원의 광도를 표준 광도의 광원의 광도와 비교하여 측정함. 미국의 럼퍼드(Rumford)가 발명한 것과 독일의 분젠(Bunsen)이 발명한 것 등이 있음. ②측광기(測光器).

광도-계[2]【光度階】 명〖천〗 ↗광도 계급(光度階級).

광도 계급【光度階級】 명〖천〗 천체(天體)의 광도를 표시하는 계급. 옛날의 이집트(Egypt) 천문학자 프톨레마이오스는 육안(肉眼)으로 볼 수 있는 별 중, 제일 적게 빛을 내는 것을 6등으로 하고, 제일 많이 빛을 내는 것을 1등으로 하여 그 중간을 균등(均等)하게 갈라서 2·3·4·5 등으로 하였는데, 현재는 북극성의 광도를 2.12 등으로 하고, 그 밝기가 2.512배가 될 때마다 한

	광도 계급		밝기
낮에 보임	태양 (−26.7등)		1등성의 120,000,000,000배
	만월 (−12.5등)		250,000배
	금성 (−4등)		100배
밤에 육안으로 보임	실리우스 (−1.6등)		11배
	0등성		2.5배
	1등성		1배
	6등성		$\frac{1}{100}$배
작은 망원경으로 보임	7등성		
	11등성		$\frac{1}{10,000}$배
큰 망원경으로 보임	23등성		$\frac{1}{600,000,000}$배

〈광도 계급〉

등급씩 줆. 즉 일등성(一等星)은 6등성의 100배의 밝기임. 광도 등급. ㊜광도계. ＊광도[1].

광도 등:급【光度等級】명 광도 계급(光度階級).

광:도래 명〈방〉걸음쇠.

광도전 재료【光導電材料】명 반도체처럼 빛을 조사(照射)하면, 빛의 에너지를 흡수하여 하전체(荷電體)의 양이 증가하여, 전기 전도도(傳導度)가 증가하는 성질, 즉 광전도성(光傳導性)을 갖는 재료. 광전 변환(光電變換)에 쓰임.

광도전 효:과【光導電効果】명〘물〙광전도.

광:독【鑛毒】명〘광〙①광물 속에 들어 있는 독(毒). ②광물을 채굴(採掘)·제련(製鍊)할 때 생기는 폐기물(廢棄物)로 말미암은 해독. ¶ ~으로 농작을 망치다.

광:독-지【鑛毒地】명 광독의 해를 받는 지역.

광동[1]【狂童】명 미친 짓을 하는 소년. 못된 짓을 하는 소년. 악(惡)소년.

광:동[2]【廣東】명〘지〙'광둥'을 우리 음으로 읽은 이름.

광:동-만【廣東灣】명〘지〙광둥 만.

광:동 선지【廣東宣紙】명 중국 광둥(廣東)에서 나는 종이. 질이 좋아서 서화(書畫)에 많이 씀. ＊옥판 선지(玉版宣紙).

광:동-성【廣東省】명〘지〙광둥 성.

광:동-어【廣東語】명〘언〙광둥 어.

광:동-요【廣東窯】명 광둥요.

광:동 요리【廣東料理】[―뇨―] 명 광둥 요리.

광:동 정부【廣東政府】명〘역〙광둥 정부.

광:동-지【廣東紙】명 중국 광둥에서 나는 종이. ＊광동 선지(宣紙).

광:동-파【廣東派】명〘역〙광둥파.

광:동-포【廣東布】명 중국 광둥에서 나는 베. →광당포.

광:동 폭동【廣東暴動】명〘역〙광둥 폭동.

광:두-정【廣頭釘】명〘건〙대가리가 넓고, 둥글고 크게 만든 못.

광둥〔廣東〕명〘지〙중국 광둥 성(廣東省)의 성도(省都)인 광저우(廣州)의 통칭(通稱). 광동(廣東).

광둥 만【―灣】〔廣東〕명〘지〙광저우 만(廣州灣). 광동만(廣東灣).

광둥 성【―省】〔廣東〕명〘지〙중국 남부의 성. 주장(珠江) 강 유역을 주체로 하고 하이난(海南) 섬을 포함하는데, 주장 강 삼각주(三角洲)·레이저우 반도(雷州半島)·연해 평야 이외는 산지임. 습열 다우(濕熱多雨)하여 쌀·바나나·귤·고구마 등의 집약적(集約的) 농업이 성함. 웨한(粵漢)·광주(廣九) 두 철도와 주장 강의 수운(水運)이 편리하며, 중국 대외 교통의 문호(門戶)임. 비스무트·텅스텐·안티몬·주석·철·제철·시멘트·방직(紡織)·제당(製糖)·사주(紗綢)·종이·우산 등을 산출함. 성도(省都)는 광저우(廣州). 웨 성(粵省). 광동성(廣東省). [222,000km² : 52,299,000명(1982)]

광둥-어【―語】〔중 廣東〕명〘언〙광둥 성의 전역, 광시 성의 일부, 남양 각지에서 사용되는 중국 방언의 하나. 광동어(廣東語).

광둥-요【―窯】〔중 廣東〕[―뇨] 명 중국 광둥 지방에서 산출되는 도자기. 단단하기로 유명함.

광둥 요리【―料理】〔중 廣東〕[―뇨―] 명 광둥 지방식(式)의 중국 요리. 베이징 요리를 북채(北菜)라 하는 데 대하여 남채(南菜)라 함. 과실·해산물이 많고, 특히 상어 지느러미·제비집·마른 해삼 따위의 요리로 유명함. 광동 요리(廣東料理). ＊베이징 요리.

광둥 정부【―政府】〔중 廣東〕명〘역〙1917년 쑨 원(孫文) 등의 남방파가 된 치루이(段棋瑞) 등의 베이징 정부에 대항하여 광둥에 수립한 군정부(軍政府). 1925년 쑨 원이 베이징에서 객사(客死)한 후, 위원(委員) 제도에 의한 국민 정부가 조직되었다 소멸되었음. 광동 정부(廣東政府).

광둥-파【―派】〔중 廣東〕명〘역〙중국 정파(政派)의 하나. 광둥 출신의 정객과 군벌(軍閥)들의 파. 후 한민(胡韓民)·왕 자오밍(汪兆銘) 등의 좌파(左派)와 장 제스(蔣介石) 등의 우파(右派)로 되어 있어 국민당의 중심 세력을 이루었음. 광동파(廣東派).

광둥 폭동【―暴動】〔중 廣東〕명〘역〙1927년 12월 11일에 중국 공산당이 광둥에서 무장 봉기(武裝蜂起)하여 인민 정권(人民政權)을 수립한 사건. 사흘 만인 14일에 진압되었음. 광동 폭동.

광등【狂騰】명 대단한 기세로 시세(時勢)가 오름. ――-하다 자 여불

광-등뼈 명〘생〙천골(薦骨).

광-디스크【光―】〔disk〕명 정보 기록 매체의 한 가지. 레이저 광(laser 光)을 이용하여 비접촉으로 정보를 기록, 재생하는 원반형의 기록 매체. 테이프·하드 디스크(hard disk)·플로피 디스크(floppy disk) 등보다 기록 밀도가 높고 검색 속도가 빠르며 반복 재생에 의한 질(質)의 저하가 없는 등의 장점이 있음.

광디스크 장치【光―裝置】〔disk〕명 컴퓨터 시스템을 구성하는 기억 장치의 하나. 수지 디스크(樹脂 disk)에 레이저 광선을 이용하여 정보를 기록함. 일반적으로 광학적(光學的)인 기록 밀도(記錄密度)는 자기 기록(磁氣記錄)의 그것에 비하여 10배 이상 100배 미만이라고 함.

광ᄃᆡ등걸 명〈옛〉험상궂게 생긴 등걸. ¶어엿분 얼골이 ᄂᆡ가에 섯ᄂᆞᆫ 垂楊버드나무 광ᄃᆡ등걸이 되거고나 ≪古時調 永言≫.

광:-뜨다 자 연(鳶)의 중앙에 뚫린 방구멍을 도려 내다.

광란[1]【狂亂】[―난] 명 정신이 미치어 행동이 상태(常態)를 잃음. 미치어 날뜀. ――-하다 자 여불

광란[2]【狂瀾】[―난] 명 미쳐 날뛰는 듯한 세찬 물결. 광도(狂濤). ¶ ~노도(怒濤).

광란-자【狂亂者】[―난―] 명 미친 듯이 어지럽게 날뛰는 사람.

광란-적【狂亂的】[―난―] 명 관 미친 듯이 어지럽게 날뛰는 모양.

광:란-젓【廣卵―】[―난―] 명 넙치 알로 담근 젓. 광란해(廣卵醢).

광:란-해【廣卵醢】[―난―] 명 광란젓.

광:랍【鑛臘】[―납] 명〘광〙지층 또는 암석 가운데에 있는 파라핀계(系)의 탄화 수소(炭化水素) 화합물을 주성분으로 하는 유기물(有機物). 파라핀계의 석유가 변질하여 천연적으로 생긴 것임.

광랑[1]【狂浪】[―낭] 명 광도(狂濤).

광랑[2]【桄榔】[―낭] 명〘식〙[*Arenga saccharifera*] 야자과에 속하는 상록 교목. 높이 10m 가량이고 가지가 없음. 잎은 우상 복엽(羽狀複葉)으로, 줄기 끝에 여러 개의 소엽(小葉)이 달리며 길이 60cm 가량 됨. 꽃은 단성 동주(單性同株)로서, 육수 화서(肉穗花序)로 배열됨. 줄기는 흑색 반조(斑條)가 있고 단단하여, 화로(火爐) 등을 만드는 데 씀. 꽃으로는 사탕(砂糖)을 만들고, 줄기의 수부(髓部)에서 전분(澱分)을 취하며, 잎꼭지의 섬유(纖維)로는 노끈을 꼼. 아시아 난지(暖地)의 원산(原産)임.

광랑[3]【爣朗】[―낭] 명 환하게 빛나고 밝음. 광명(光明). ――-하다 형 여불

광:랑[4]【曠朗】[―낭] 명 넓고 밝음. 광활하고 낭랑함. ――-하다 형 여불

광랑-자【桄榔子】[―낭―] 명 광랑(桄榔)의 열매.

광량[1]【光量】[―냥] 명〘물〙광속(光束)과 시간의 곱.

광:량[2]【廣量】[―냥] 명 도량(度量)이 넓음. 또, 그런 도량. ――-하다 형 여불

광:량[3]【鑛量】[―냥] 명 땅 속에 매장(埋藏)되어 있는 광물의 양.

광량-계【光量計】[―냥―] 명 광량을 측정하는 계기(計器).

광:량-만【廣梁灣】[―냥―] 명〘지〙평안 남도 서해안에 있는 만. 조석(潮汐) 간만의 차가 심하여 넓은 간석지가 있으며, 또한 바닷물의 인수(引水)가 용이하고, 아울러 청천 일수(晴天日數)·증발량·일조량(日照量) 등이 많아, 부근의 덕동(德洞)·해남(海南) 등지와 함께 한국 굴지의 천일(天日) 제염지임.

광려【匡勵】[―녀] 명 바르게 고치어 장려함. ――-하다 타 여불

광력【光力】[―녁] 명 빛의 밝은 정도. 광도(光度).

광련【狂戀】[―년] 명 미친 듯이 격렬한 연애.

광:렴【廣斂】[―념] 명〘악〙정재(呈才)에서, 소매를 여미되 한삼의 모양대로 여미는 동작.

광로【光路】[―노] 명〔optical path〕〘물〙광행로(光行路).

광로-차【光路差】[―노―] 명〔optical path difference〕〘물〙광행로차(光行路差).

광록 대:부【光祿大夫】[―녹―] 명〘역〙고려 문관(文官)의 관계(官階). 문종(文宗) 때 종삼품으로 정함. 충렬왕 원년(1275)에 몽고 이름을 피하여 다른 이름으로 고쳤다가, 공민왕(恭愍王) 5년(1356)에 다시 두고 종이품의 상(上)으로 올림. 11년에 또 폐지하고, 18년에 또다시 두어 정이품의 상(上)으로 함.

광록-승【光祿丞】[―녹―] 명〘역〙고려 국초(國初)에 태봉(泰封)의 제도를 본떠서 만든 벼슬의 하나. 주서령(注書令)의 다음.

광록-시【光祿寺】[―녹―] 명〘역〙고려 태조(太祖) 초년(918)에 둔 구시(九寺) 중의 한 관청. 주로 외빈 접대를 맡아 보았으나, 문하성(門下省)이 활동한 이후부터 없어짐.

광록-훈【光祿勳】[―녹―] 명〘역〙중국 진(秦)나라 때, 궁전 금문(禁門)의 일을 맡아 보던 낭중령(郞中令)을 한(漢)나라 때 이 이름으로 고치고, 제사(祭祀)·조회(朝會)·연향(宴饗) 등을 관리하게 한 벼슬 이름. 당(唐)나라 이후 사선(司膳) 벼슬이 됨.

광:료【廣遼】[―뇨] 명 넓고 아주 멂. 또, 그러한 곳. ――-하다 형 여불

광류【光流】[―뉴] 명〘물〙광속(光束)❷.

광:륜【廣輪】[―뉸] 명〔광(廣)은 동서(東西), 륜(輪)은 남북(南北)의 뜻〕넓이. 광무(廣袤).

광-릉【光陵】[―능] 명〘지〙조선 세조(世祖)와 정희 왕후(貞熹王后)의 능(陵). 경기도 남양주군(南楊州郡) 진접면(榛接面) 부평리(富坪里)에 있음. 능에 부속된 임야(林野) 2.3km²의 울창한 숲과 계곡은 서울 근교에서 보기 드문 명승지임. 사적 197호.

광릉을 부라리다 구 '눈을 부라리다'의 변말.

광릉-갈퀴【光陵―】[―능―] 명〘식〙[*Vicia subcapidata*] 콩과에 속하는 다년초. 줄기는 방형(方形)이고 높이 80cm 정도임. 잎은 호생하고 유병(有柄)이며, 우상 복엽(羽狀複葉)이고, 소엽(小葉)은 3-5 쌍인데 달걀꼴의 긴 타원형임. 6-7월에 벽자색 꽃이 총상(總狀) 화서로 액출(腋出)하며, 과실은 삭과(蒴果)임. 산지에 나는데 전남·충남북·강원·경기도 광릉 및 평북 등지에 분포함. 어린 잎과 줄기는 식용함.

광릉-골무꽃【光陵―】[―능―] 명〘식〙[*Scutellaria insignis*] 꿀풀과에 속하는 다년초. 줄기는 높이 70cm 정도이고, 잎은 대생하고 단병(短柄)이며, 타원형 또는 긴 타원형임. 5-8월에 벽자색 꽃이 이삭 모양의 총상 화서로 줄기 끝에 정생(頂生)하며, 화관(花冠)은 긴 통상 순형(筒狀脣形)임. 산지의 나무 그늘에 나는데, 경기도 광릉에 분포하는 특산종(特產種)임.

광릉-물푸레나무【光陵―】[―능―] 명〘식〙[*Fraxinus densata*] 물푸레나뭇과에 속하는 낙엽 활엽 교목. 잎은 우상 복생(羽狀複生)하고, 거꿀달걀꼴 또는 넓은 피침형임. 꽃은 자웅 이가(雌雄二家) 또는 양성화(兩性花)를 혼생(混生)하며, 복총상(複總狀) 화서로 5월에 피고, 시과(翅果)는 가을에 익음. 골짜기의 숲 속에 나는데 경기도 광릉에 분포함. 수피(樹皮)는 약용, 재목은 기구재(器具材)로 쓰임.

광릉-제비꽃【光陵―】[―능―] 명〘식〙[*Viola kamibayashii*] 제비꽃과에 속하는 다년초. 무경성(無莖性)으로 잎은 뿌리에서 여러 잎이 총생하며, 장병(長柄)이고, 심장 모양의 넓은 달걀꼴임. 꽃은 잎 사이에서 가는 화경(花莖)이 나와 그 끝에 한 송이씩 달리며, 엷은 홍자색으로 5-6월에 핌. 과실은 삭과(蒴果)임. 산지에 나는데, 경기도 광릉에 분포함.

광림【光臨】[―님] 명 '남이 찾아옴'의 높임말. 비림(賁臨). 광고(光顧). ＊내림(來臨)·왕림(枉臨). ――-하다 자 여불

광-마이크로세컨드【光―】명〔light microsecond〕〘물〙빛이 자유 공간(自由空間)을 1백만 분의 1초 동안에 전파하는 거리.

광:막【廣漠】명 넓고 아득함. 한(限)없이 너름. 묘막(渺漠). ¶ ~한 황야/

~한 대평원. ——-하다 형 여불. ——-히 부

광:막-풍【廣漠風】 명 북풍(北風).

광망¹【光芒】 명 광선(光線)의 끝. 빛. ¶ ~ 일섬(一閃).

광망²【狂妄】 명 망령되어서 이치에 맞지 아니함. ——-하다 형 여불

광:망³【曠茫】 명 너르고 너름. 한없이 너름. ¶ ~한 대평원. ——-하다 형 여불

광:맥¹【穬麥】 명 〖식〗 귀리.

광:맥²【鑛脈】 명 〖광〗 광물의 줄기. 바위 틈이나 단층(斷層) 사이에, 땅 속의 깊은 곳에서 분출한 광물의 용액이 침전(沈澱)·결정(結晶)되어 맥상(脈狀)으로 박힌 광상(鑛床). 광혈(鑛穴). 쇳줄. 준 맥(脈).

광:면【廣面】 명 아는 사람이 많음. 교제가 너름. ——-하다 형 여불

광명¹【光名】 명 ①빛나는 이름. ②굉장한 명예(名譽).

광명²【光明】 명 ①밝은 빛. ②밝고 환함. 광랑(爌朗). ③비유적으로, 역경(逆境)에 처했거나 갈피를 못 잡고 있을 때 발견하는 희망이나 해결의 실마리. ¶ ~을 잃다/해결에 한 가닥의 ~이 비치다. ④〖불교〗 번뇌(煩惱)·죄악의 암흑을 비추어 신앙상의 지견(智見)을 줌. ⑤〖불교〗 부처나 보살의 몸에서 비치는 빛. ——-하다 형 여불

광명³【光明】 명 〖지〗 경기도 서부의 중앙에 위치한 시. 동쪽과 북쪽은 서울 특별시, 서쪽은 시흥시와 부천시, 남쪽은 안양시에 접하였음. 1981년에 시흥군 소하읍(所下邑)과 서면(西面) 일부가 합치어 시(市)로 승격된 서울의 위성 도시임. 시청 소재지는 광명동(光明洞). [38.60 km² : 343,591 명 (1996)]

광명-단【光明丹】 명 〖화〗 연단(鉛丹).

광명두 명 나무로 만든 등잔걸이. 등방(燈榜).

광명-면【光明面】 명 인생의 행복스럽고 영광스러운 방면. ↔암흑면(暗黑面).

광명 변:조【光明遍照】 명 〖불교〗 아미타불(阿彌陀佛)의 자비(慈悲)가 넓고 커서, 염불하는 중생(衆生)을 전부 제도(濟度)함을, 광명이 두루 온 세상을 비춤에 비유한 말.

광명-불【光明佛】 명 〖불교〗 노사나불(盧舍那佛).

광명 소:설【光明小說】 명 〖문〗 인정과 세태(世態)의 광명한 방면을 암시하거나, 묘사한 소설.

광명 시대【光明時代】 명 도덕과 문물(文物)이 흥성(興盛)하고 태평한 시대. ↔암흑 시대.

광명 정:대【光明正大】 명 언행이 떳떳하고 정당함. ——-하다 형 여불. ——-히 부

광명-주【光明珠】 명 빛나는 구슬.

광모¹【狂慕】 명 미칠 듯이 사모함. 열렬히 사랑함. ——-하다 타 여불

광:모²【廣謨】 명 커다란 모계(謀計).

광:목【廣木】 명 무명 올로 서양목(西洋木)과 같이 폭이 넓게 짠 베. 왜포(倭布).

광:목-천【廣目天】 명 〖불교〗 사천(四天)의 하나. 서쪽의 천국(天國).

광:목천-왕【廣目天王】 명 〖불교〗 사천왕(四天王)의 하나. 수미산(須彌山)의 서쪽 중턱에 살며, 제석(帝釋)의 외장(外將)으로서 서쪽의 천국(天國)을 지키며, 모든 용왕(龍王)과 부루다나(富樓多那)를 맡았음. 형상은 갑옷을 입고 눈이 크며, 삼지창(三枝槍)을 가지고 있음.

〈광목천왕〉

광무¹【光武】 명 〖역〗 조선 시대 고종(高宗)의 연호(年號). 건양(建陽) 2년(1897) 정유(丁酉) 8월부터 광무 11년(1907) 정미(丁未) 7월까지.

광:무²【廣袤】 명 〔광(廣)은 동서, 무(袤)는 남북의 뜻〕 넓이. 토지의 면적. 광륜(廣輪). ¶ ~ 천리(千里).

광:무³【鑛務】 명 광업에 관한 사무.

광무-대【光武臺】 명 〖연〗 1912년에 창설하여, 1920년에 지금의 서울 을지로(乙支路) 부근에 세워진 구극(舊劇) 전문의 극장. 춘향전·심청전·흥부전 등을 상연하였는데, 1930년에 불타 없어졌음.

광:무 부:이사관【鑛務副理事官】 명 광무직(鑛務職) 국가 공무원 직급 명칭의 하나. 채광 직렬(採鑛職列)에 속하며, 채광 서기관의 위, 광무 이사관의 아래로 3급 공무원임.

광:무-소【鑛務所】 명 〖광〗 산업 자원부의 허가를 얻어서, 광업에 관한 일체의 제출 서류를 광업령(鑛業令)에 의하여 대서하는 영업소.

광무 신문지법【光武新聞紙法】 [—뻡] 명 〖역〗 대한 제국 때인 광무(光武) 11년(1907) 7월, 이완용(李完用) 친일 내각이 언론 기관의 탄압을 목적으로 제정한 법령. 융희(隆熙) 2년(1908) 일부 추가하여 광복되기까지 계속 효력을 발생하였음. 전문(全文) 41조. 대한 민국이 수립되어, 1952년 폐기됨.

광:무 이:사관【鑛務理事官】 명 광무직(鑛務職) 국가 공무원 직급 명칭의 하나. 채광 직렬(採鑛職列)에 속하며, 관리관(管理官)의 아래, 광무 부이사관의 위로 2급 공무원임.

광무-제【光武帝】 명 〖사람〗 중국 후한(後漢)의 시조(始祖). 성명은 유수(劉秀). 족형(族兄) 유현(劉玄) 등과 왕망(王莽)을 격파하고, 낙양(洛陽)에 도읍하여 한실(漢室)을 계승하였음. 제적 군웅(諸敵群雄)을 치고, 천하를 통일하여 적폐(積弊)를 일소하고 내치에 전력, 학문을 장려하여 사풍(士風)을 쇄신하였음. [6 B. C.-A. D. 57; 재위 25-57]

광:문【廣問】 명 ①널리 물어 봄. 여러 사람에게 물음. ②여러 사람에게 선사함. ——-하다 타 여불

광:문자-전【廣文者傳】 명 〖문〗 연암(燕岩) 박지원(朴趾源)이 정조(正祖) 때 한문으로 지은 소설. 희세(稀世)의 기인(奇人) 광문(廣文)의, 비록 거지일망정 순진하고 결백한 모습을 그려, 그 당시 사회의 부패상(腐敗相)을 은근히 풍자함. 《연암 외전(燕岩外傳)》에 실려 있음.

광문-회【光文會】 명 1910년 최남선(崔南善)이 창설한 고전(古典) 간행 기관. 《동국 통감(東國通鑑)》·《해동 역사(海東繹史)》·《대동운부 군옥(大東韻府群玉)》·《경세 유표(經世遺表)》·《상서 보전(尙書補傳)》 등 유명한 고서(古書)를 다시 간행하여 보급시켰음.

광:물【鑛物】 명 〖광〗 일반적으로 천연(天然)으로 지중에서 나는 무기물(無機物) 중에서 질이 균일(均一)하고, 일정한 분자식(分子式)으로 표시되는 화학 성분을 가지는 물질. 대부분 상온(常溫)에서는 고체인데, 예외적으로 석탄 같은 유기 물질(有機物質), 수은(水銀) 같은 액체로 된 것도 있음. 철·금·은·석탄 등.

광:물-계【鑛物界】 명 〖광〗 광물의 세계.

광:물 공학【鑛物工學】 명 광산학.

광:물 물리학【鑛物物理學】 명 광물의 빛깔·광학적(光學的) 성질·경도(硬度)·비중·전기적(電氣的) 성질 등의 물리성을 연구하는 과학.

광:물 비:료【鑛物肥料】 명 〖농〗 광물질 비료.

광:물-상【鑛物相】 [—쌍] 명 암석이나 광물이 조성(組成)될 때의 온도(溫度)·압력 등의 물리적 조건의 범위. 같은 범위 안에서 조성된 광물이라도 화학 조성이 다르면 광물 조성이 달라질 수 있으나, 같은 광물상에 속하게 됨.

광:물-성【鑛物性】 [—썽] 명 〖광〗 광물의 성질. 또, 광물로 이루어진 것. ↔동물성·식물성.

광:물성 비:료【鑛物性肥料】 [—썽—] 명 광물질 비료.

광:물성 사료【鑛物性飼料】 [—썽—] 명 광물질을 원료로 한 사료. 식염(食塩)·석회·인산·철분 등.

광:물성 색소【鑛物性色素】 [—썽—] 명 금속 광물 중, 그 빛이 고와서 가루를 만들어 그림의 채료(彩料)로 사용하는 색소. 붉은 빛의 진사(辰砂), 초록색의 공작석(孔雀石), 분홍빛의 적철광(赤鐵鑛) 같은 것.

광:물성 섬유【鑛物性纖維】 [—썽—] 명 천연적으로 나오는 석면(石綿), 인공적으로 만드는 암면(岩綿), 글라스 울(glass wool) 등의 총칭. 방화(防火)·보온(保溫)·내화(耐火)·전기 절연(絕緣) 등에 사용됨. ↔동물성 섬유·식물성 섬유.

광:물성 염:료【鑛物性染料】 [—썽—뇨] 명 광물질, 곧 무기 화합물로 된 물감. 유기 화합물 물감에 비하여 극히 적으며 황토(黃土)·녹청(綠靑)·호분(胡粉)·군청(群靑) 등이 이에 포함되는데 모두 불용성(不溶性)이며, 보통 채료(彩料)나 인쇄 잉크의 착색(着色)에 사용함. 염색에는 그다지 쓰이지 않음. 준 광물 염료. ↔동물성 염료·식물성 염료.

광:물 염:료【鑛物染料】 [—렴뇨] 명 ↗광물성 염료.

광:물용 굴절계【鑛物用屈折計】 [—룡—쩔—] 명 〖물〗 광물의 결정(結晶), 예컨대 수정(水晶)·방해석(方解石) 등의 굴절률을 측정하는 계기. 이미 굴절률을 알고 있는 기준 유리의 표면에 시험하려는 재료의 연마한 표면을 접촉시켜, 그 경계면에서의 임계각(臨界角)을 측정하여 굴절률을 구함.

광:물-유【鑛物油】 [—류] 명 광물성의 기름. 석유(石油) 같은 것. 준 광유(鑛油). ↔동물유·식물유.

광:물 자원【鑛物資源】 명 현재 및 장래에 이용할 수 있는 일정 지역의 유가 광상(有價鑛床). 기지(旣知)의 광체(鑛體), 발견 가능한 광석을 포함함.

광:물-질【鑛物質】 [—찔] 명 ①〖광〗 광물로 된 물질. 광물성인 물질. ②〖생〗 생체(生體)의 생리 기능을 작용시키는 데 필요한 광물 화합물이나 광물 원소. 칼륨·나트륨·칼슘·인(燐)·철(鐵)·구리·아연(亞鉛)·알루미늄·망간·코발트·니켈·붕소(硼素)·플루오르 등으로 극히 미량(微量)으로써 충분함. 미네랄(mineral). 무기질(無機質). ↔동물질.

광:물질 비:료【鑛物質肥料】 [—찔—] 명 〖농〗 비료를 공급원(供給源)에 따라 분류할 때의 무기질(無機質) 비료의 일컬음. 칠레 초석(硝石)·과인산 석회(過燐酸石灰) 따위. 광물성 비료. 광물 비료. ↔동물질 비료·식물질 비료.

광:물질 안료【鑛物質顏料】 [—찔알—] 명 무기 안료(無機顏料).

광:물-체【鑛物體】 명 〖광〗 천연으로 나는 무기물(無機物).

광:물-학【鑛物學】 명 〖광〗 광물에 관한 학문. 광물의 생인(生因)·산상(產狀)·성질·형태·종류·용도 등을 연구하는 과학. 결정형(結晶形) 등을 연구하는 결정학(結晶學), 열이나 전기·탄성(彈性) 등에 대한 광물의 물리적 성질을 연구하는 광물 물리학(物理學), 광물 성분의 화학식(化學式)을 연구하는 광물 화학 등이 이에 속함. 금석학(金石學). 준 광학(鑛學).

광:물학-자【鑛物學者】 명 광물학을 연구하는 학자.

광:물 현:미경【鑛物顯微鏡】 명 〖광〗 편광(偏光) 현미경.

광:물 형태학【鑛物形態學】 명 〖광〗 광물이 나타내는 결정(結晶)의 형태나 집합(集合) 상태 등에 관한 연구를 하는 광물학의 한 분야.

광:물 화학【鑛物化學】 명 〔mineral chemistry〕 광물의 화학적 조성, 착색의 원인, 성인(成因), 분해의 구조 등을 화학적 견지에서 연구하는 화학의 한 분야.

광:미【鑛尾】 명 〖광〗 복대기.

광:박【廣博】 명 썩 넓음. ——-하다 형 여불

광-반사【光反射】 명 〔light reflex〕 〖생〗 ①일부 수생 생물(水生生物)의 광원(光源) 자극에 대한 자세 정위 반응(姿勢定位反應). 수용기(受容器)가 배 쪽 또는 등 쪽의 체표면(體表面)에 있는 것으로 생각되고 있음. ②빛의 자극으로 동공(瞳孔) 크기가 변화하는 일. ③고막(鼓膜) 또는 망막(網膜)의 빛에 대한 반사.

광-반응【光反應】 명 〖물〗 핵광전 효과.

광배【光背】 명 〖불교〗 부처의 초인성(超人性)을 형용하여 불신(佛身)의 배면(背面)에 광명을 표현한 원광(圓光). 머리 뒤의 원형의 것은 두광(頭光), 몸통 뒤의 것은 신광(身光)이라고 하며, 두광과 신광을 합친 것을 거신광(擧身光)이라고 함. 후광(後光).

〈광배〉

광배 효:과【光背效果】 명 〖심〗 평가(評價) 행위에 있어서, 대상(對象)의 어느 방면의 특질이 다른 방면의 특질에까지 미치는 효과. 즉, 인물 평가에 있어서 그 사람의 표면적(表面的)인 모습에서 받은 인상이 좋았을 경우, 그 인상이 그 사람의 지능·성질의 평가에도 좋은 영향을 미치는 것 등. 후

광(後光) 효과. 헤일로 효과.
광백【光魄】명 달의 빛나는 부분과 빛나지 않는 부분.
광:범【廣範】명 범위가 넓음. 광범위(廣範圍). ¶ ~한 권한을 부여하다. ——-하다 형여불. ——-히 부
광:-범위【廣範圍】명 ①넓은 범위. ¶ ~ 항생 물질. ②범위가 넓음. 광범(廣範). ¶ ~한 거래. ——-하다 형여불
광:범위 항:생 물질【廣範圍抗生物質】[-찔] 명 〔broad-spectrum antibiotic〕〖생〗그람 음성·그람 양성의 세균종에 대하여 두루 효과가 있는 항생 물질.
광병【狂病】[-뼝] 명 미친 병. 정신(精神)이 이상하게 된 병.
광보【匡輔】명 광필(匡弼). 광익(匡翼). ——-하다 타여불
광복[1]【光復】명 ①빛나게 회복함. ②잃었던 나라와 주권(主權)을 되찾음. ——-하다 자타여불
광복[2]【匡復】명 나라의 위태로움을 구(救)하여 회복함. 광정(匡正)하여 회복함. ——-하다 자타여불
광복-군【光復軍】명 중국에서 한국의 독립을 위해 항일(抗日)한 대한 민국 임시 정부의 군대. 1940년에 충칭(重慶)에서 결성하였고, 사령관은 지청천(池靑天)이었음. 일본에 선전 포고하고, 일본군과 왕 자오밍(汪兆銘)군을 공격하였음.
광복군 사령부【光復軍司令部】명 1920년 2월 남만주 콴톈현(寬甸縣)·홍퉁거우(紅通溝)·샹루거우(香爐溝)에서 조직된 항일 독립 혁명군의 통합 단체. 대한 민국 임시 정부의 군무부(軍務部) 직할이었으며, 총병력 3천여 명으로 활동하여 관공서 소각, 일본 경찰의 사살 등 많은 전과를 거두었음. 후에, 시베리아에 출동한 일본군의 공세로 분열, 수십 개의 단체로 분산됨.
광복군 총:영【光復軍總營】명〖역〗광복군 사령부가 해산된 후, 1920년에 남만주 콴톈 현(寬甸縣)에서 오동진(吳東振)이 조직한 독립 무장군(武裝軍). 만주와 국내에서 활약하다가, 1922년 통군부(統軍府)에 편입됨.
광복-단【光復團】명〖역〗①1913년에 경북 풍기(豐基)에서 채기중(蔡祺中)·유창순(庾昌淳)·유장렬(柳璋烈) 등이 창설한 독립 운동 단체. 1916년 노백린(盧伯麟)·김좌진(金佐鎭) 등이 가입하면서 광복회로 개칭됨. 임시 정부로부터 무기를 지원받아, 암살 행동반을 조직, 1920년 8월 미국 국회 의원단의 내한을 틈타 일본 요인을 암살하려다가 실패, 주요 간부 27명이 체포되어 해산함. ②1920년 동만주 지린 성(吉林省) 안투 현(安圖縣)에서, 김성극(金星極)·홍두식(洪斗植) 등이 중심이 되어 조직한 독립 운동 단체. 150여 명의 병력을 확보, 유격전으로 일본 관청을 습격함.
광:복-산【廣腹山】명〖지〗양암산(楊岩山).
광복 시간【光復時間】명 동경 127.5° 자오선의 시간에 의하여 정하였던 우리 나라 표준시(標準時). 동경 135°를 표준시로 하기 전까지의 표준시였음.
광복-절【光復節】명 국경일의 하나. 1945년 8월 15일에 우리 나라가 일본으로부터 해방된 것을 기념하는 날. 8월 15일.
광복-회【光復會】명 ①국권 피탈(國權被奪) 전후로부터 1945년 8월 14일까지, 국내외에서 국권 피탈을 반대하거나 독립 운동을 하기 위하여 적극 항거한 독립 유공자 및 그 유족들이, 상부 상조(相扶相助)하여 자활 능력을 배양하고, 순국자(殉國者)의 유지를 이어 반공 태세를 확립하기 위하여 조직한 회. ②중국 청(淸)나라 말기의 정치 단체. 수령은 장 빙린(章炳麟). 쑨 원(孫文)의 흥중회(興中會)와 함께 신해(辛亥) 혁명의 전구(前驅)가 됨.
광:본【廣本】명 같은 이름의 서적 중에서, 원형(原形)의 보존, 증보(增補) 등으로 내용이 광범한 서적. ↔약본(略本).
광부[1]【狂夫】명 미친 사내. 미친 놈. ↔광녀(狂女).
【광부의 말도 성인(聖人)이 가려 쓴다】누구나 남의 말에 귀를 기울여야 한다는 말.
광:부[2]【曠夫】명 ①홀아비. ②아내에게 불충실한 남편.
광:부[3]【鑛夫】명 '광원(鑛員)[5]'의 구칭.
광부지-언【狂夫之言】명 미친 사내의 말. 미친 사람의 말.
광분[1]【光粉】명 백분(白粉)❷.
광분[2]【狂奔】명 ①미친 듯이 뛰어다님. ¶ 선거 운동에 ~하고 있다/돈 마련에 ~하다. ②미친 듯이 달아남. ③미친 듯이 날뜀. ——-하다 자여불
광:분[3]【鑛分】명〖광〗광물의 성분.
광-분해【光分解】명〔photolysis〕〖물〗①물질이 빛을 흡수하여 두 가지 성분이나 그 이상으로 분해하는 일. ②핵광전 효과(核光電效果).
광분해 스티롤【光分解―】〔styrol〕명〖화〗태양 광선에 쬐면 자연히 분해하여 가루가 되는 스티렌(styrene) 수지(樹脂).
광비【光比】명〖천〗광도(光度)가 한 등급 다른, 두 천체의 광량(光量)의 비. 1등성은 2등성보다 2.512배 밝음. *광도 계급(光度階級).
광:비-류【廣鼻類】명〖동〗영장류(靈長類) 원후류(猿猴類)에 속하는 한 유(類). 두 콧구멍 사이의 간격이 넓고 좌우로 바깥쪽을 향하여 뚫려 있으며, 유인원(類人猿)이나 인류(人類)와는 유연(類緣)이 멂. 남미(南美) 및 중미(中美)에만 있음. 광비원류(廣鼻猿類). ↔협비류(狹鼻類).
광:비원-류【廣鼻猿類】[-뉴] 명〖동〗광비류(廣鼻類).
광사[1]【狂死】명 미쳐서 죽음. ——-하다 자여불
광사[2]【筐笥】명 대오리로 만든 바구니.
광:사[3]【廣榭】명 넓고 큰 전각(殿閣).
광사[4]【誑詐】명 거짓말로 속임. ——-하다 타여불
광:사[5]【鑛舍】명〖광〗광석·석탄 등을 선광(選鑛)하기 위하여 임시로 저장하여 두는 창고.
광:사[6]【鑛砂】명〖광〗광산에서 채광(採鑛)·선광(選鑛)·제련(製鍊)할 때에 생기는 부스러기.
광:사[7]【鑛師】명 광산의 기사(技師).
광:산[1]【鑛山】명〖광〗①유용한 광물을 캐어 내는 산. 금산(金山)·은산(銀山)·철산(鐵山)·동산(銅山)·탄산(炭山) 등, 그 캐어 내는 광물의 종류에 따라 여러 종별(種別)이 있음. ②광산 경영에 관한 사무를 맡아보는 곳.
광:산[2]【鑛産】명 광업상의 생산이나 그 생산물.
광:산[3]【鑛酸】명〖화〗무기산(無機酸).
광:산-가【鑛産家】명 ①광산에 관한 전문가. ②광산(鑛産)을 업으로 하는 사람. 광업가(鑛業家).
광:산 공학【鑛山工學】명 광산학.
광:산-과【鑛山科】[-꽈] 명〖교〗공업 고등 학교나 공과 대학에 두는 학과. 광물의 채굴·야금(冶金) 또는 광산 경영 등에 관한 학문을 전공으로 함. *광산학.
광:산-국【礦山局】명〖역〗①갑오 개혁 뒤에 베푼 공무 아문(工務衙門)의 한 국(局). ②대한 제국 때 농상공부(農商工部)의 한 국. 광무(光武) 9년(1905) 농무국(農務局)과 합하여 농광국(農礦局)으로 고침.
광산-군【光山郡】명〖지〗전에, 전라 남도에 있었던 한 군. 1988년에 광주 직할시에 편입되어 광산구(光山區)로 됨.
광:산 기술자【鑛山技術者】[-짜] 명 광물의 맥(脈)과 층(層)을 조사하고 개발(開發) 계획을 입안(立案)하며, 탐광(探鑛)·채취 채굴(採取採掘) 기술의 연구 지도를 주임무로 하는 기술자.
광:산 노동자【鑛山勞動者】명 광산에서 일하는 노동자.
광:산-도【鑛山圖】명〖광〗광산 측량의 결과를 그린 그림. 측량 연월일과 자기 자오선(磁氣子午線)·진(眞)자오선 등을 반드시 기입해야 함.
광:산 도시【鑛山都市】명 광산으로 말미암아 발달한 도시.
광:산 모형【鑛山模型】명〖광〗복잡한 광상(鑛床)이나 갱내(坑內)의 상태를 입체적(立體的)으로 나타낸 광산의 모형.
광:산-물【鑛産物】명 광산(鑛山)의 산출물(產出物).
광:산-병【鑛山病】[-뼝] 명 광산에서 오래 노동하여 일어나는 병. 감기·류머티즘·호흡기병·소화기병 등.
광:산 보:안【鑛山保安】명 광산 종업원에 대한 위해(危害)의 방지, 지하 자원의 보호, 광업 시설의 보전(保全), 광해(鑛害)의 방지 등을 위하여 적절히 조처하는 일.
광:산 보:안법【鑛山保安法】[-뻡] 명〖법〗광산 종업원에 대한 위해(危害)를 방지함과 아울러 광해(鑛害)를 방지함으로써 지하 자원의 합리적인 개발을 도모함을 목적으로 제정된 법률.
광:산 보:안 사:무소【鑛山保安事務所】명 산업 자원부 소속 기관의 하나. 광산 시설에 대한 안전 검사와 보안 대책 등에 관한 사무를 관장함. 영동·영서·중부·서부·남부 광산 보안 사무소가 있음.
광:산-세【鑛産稅】[-쎄] 명〖법〗광세(鑛稅).
광:산 수명【鑛山壽命】명 탐광(探鑛)을 실시하여, 경제적으로 채굴할 수 있는 광석이 다 없어지기까지 즉, 매장량을 다 파낼 때까지의 기간.
광-산업[1]【光産業】명〔opto-industry〕광기술(光技術)을 중심으로 한 광통신(通信)·광계측(計測)·광정보(情報) 등의 산업 분야.
광:산-업[2]【鑛産業】명 ①광산(鑛産)의 직업. ②광산에 따르는 여러 가지 사업.
광:산용 기계【鑛山用機械】[-농-] 명〖광〗광산에서 채광(採鑛)에 사용하는 기계의 총칭. 시추기(試錐機)·준설기(浚渫機)·절탄기(截炭機)·착암기(鑿岩機)·운반기·송풍기(送風機) 같은 것. *산업 기계.
광:산 위생【鑛山衛生】명〖광〗광산에서 일하는 사람들을 위한 위생. 광산에서의 위생. 산업 의학의 일종임.
광:산 재해【鑛山災害】명 갱내(坑內) 작업을 중심으로 하는 광산에서 발생하는 재해. 즉, 낙반(落盤) 사고, 운반이나 기재(器材) 취급 작업 중의 사고 등이 많으나, 특히 가스 폭발·탄진(炭塵) 폭발 등은 순식간에 다수의 사상자를 냄. *광산 보안.
광:산-지【鑛産地】명 광산물이 나는 곳. 광산이 성(盛)한 곳.
광:산 지대【鑛山地帶】명 ①광업이 행해지고 있으며, 농업이나 기타 산업에는 적합하지 못한 땅. ②여러 개의 광상(鑛床)이 한 지역에 가까이 몰려 있는 곳.
광:산 지질학【鑛山地質學】명〖광〗응용 지질학의 한 분과. 광상(鑛床)의 탐사·발견과 광산의 평가에 관한 과학 기술을 연구하는 학문.
광:산-촌【鑛山村】명 광산이 있는 마을. 광산 종사자들의 주거지로서 이루어진 마을.
광:산 측량【鑛山測量】[-냥] 명〖광〗광산에서, 탐광(探鑛)·지질 조사·매장량 결정·채광(採鑛) 계획 등을 위하여 행하는 측량. 광구 경계선 측량 등 갱외 측량도 있지만, 주로 갱내에서 실시되어 큰 기기(機器) 또는 정밀 기기 등의 사용에 제한을 받으므로 고도의 기술이 요구됨.
광:산-학【鑛山學】명〖광〗광물의 채굴(採掘)에 관한 학리(學理)를 연구하는 학문. 광상 지질학·광산 검정(檢定)·채광학(採鑛學)·선광학(選鑛學)·광산 법률·광산 위생 등의 부문이 있음. 광물 공학. 광산 공학.
광-산화【光酸化】명〔photooxidation〕〖화〗산화를 수반하는 광화학 반응(光化學反應). 빛의 흡수에 의하여 생긴 들뜬 상태의 분자나 자유 라디칼(自由 radical)이 직접 산소 분자와 화합하여 과산화물(過酸化物)을 생성하는 일. 대기(大氣) 중에서는 자동차 등의 배기(排氣) 가스가 광산화에 의하여 광화학 스모그(光化學 smog)를 생기게 하는 일이 있음. ↔광환원(光還元).
광:산 화장【鑛山化粧】명〖광〗금립(金粒)이나 금분(金粉) 및 고품위(高品位)의 분광(粉鑛)을 갱내(坑內)나 채굴한 광석에 산포(散布)하거나 묻혀서, 그 광산의 광상(鑛床)을 고품위인 것처럼 속이는 일. 값싼 광산을 비싸게 팔려고 할 때 행하여짐.
광삼【光蔘】명〖동〗[*Cucumaria japonica*] 광삼과에 속하는 극피(棘皮) 동물. 몸은 해삼(海蔘)과 비슷한데, 길이 15-20cm의 긴 타원형(楕圓形)으로, 보통 몸빛은 회갈색에 불규칙한 갈색 무늬가 있으며, 개체에 따라 암농자색

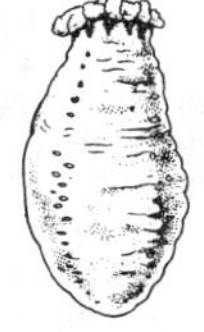
〈광삼〉

또는 황백색인 것도 있음. 전단(前端)의 구부(口部)의 가장자리에 10개의 촉수가 있고, 관족(管足)은 각 보대(步帶)에 두 줄 있음. 체벽(體壁)은 육질(肉質)이며, 골편은 톱니면이 있는 천공판(穿孔板)이고 생식선(生殖腺)은 황색임. 주로, 중국 요리에 많이 씀. 한국·일본·홋카이도·사할린 등의 얕은 바다에 분포함. 갈미. 금해서(金海鼠). 등자(藤子).

광삼-과【光蔘科】[―꽈] 명 《동》 [Cucumaridae] 해삼강(海蔘綱)에 속하는 극피 동물(棘皮動物)의 한 과.

광상¹【匡牀】명 잠자리. 침상(寢牀). 와상(臥牀).

광:상²【鑛床】명 《광》 지각(地殼)을 구성하고 있는 암석(岩石) 사이에 존재하는 특수한 광물의 집합체(集合體)로, 그 안에 유용한 원소(元素)나 화합물을 다량으로 함유하고 있는 곳. 좁은 뜻으로는 유용 금속 광물을 포함하는 금속 광상을 뜻하지만, 지금은 비금속(非金屬) 광물인 암염(岩塩)·인회석(燐灰石)·황 등을 포함하여 이름. 성인(成因)에 따라 화성(火成) 광상·퇴적(堆積) 광상·변성(變性) 광상 등으로 분류됨.

〈광상²〉

광상-곡【狂想曲】명 《악》 '카프리치오(capriccio)'의 역어(譯語).

광:상 생성구【鑛床生成區】명 《광》 특히 한 종류의 광상이 비교적 많이 존재하는 지역.

광:상 지질학【鑛床地質學】명 《광》 광상의 성인(成因)·형상·함유물(含有物) 및 지질학상의 관계 등을 연구하는 지질학의 한 분과. 광상학(鑛床學).

광:상 품:위도【鑛床品位圖】명 《광》 시금도(試金圖).

광:상-학【鑛床學】명 《광》 광상 지질학(鑛床地質學).

광색【光色】명 광채(光彩) ❶.

광서【光緖】명 《역》 중국 청(淸)나라 제 11 대 황제 덕종(德宗)의 연호(年號). [1875-1908]

광:서-성【廣西省】명 광시 성.

광:서 장:족 자치구【廣西壯族自治區】명 광시 좡족 자치구.

광서-제【光緖帝】명 《사람》 중국 청(淸)나라 제11대 황제. 서태후(西太后)의 옹립(擁立)으로 4세 때 즉위하였으나 태후의 독재(獨裁)가 되었음. 17세 때 친정(親政)을 시작한 후, 청일 전쟁 등 내외로 다사(多事)하여 변법 자강(變法自强)의 개혁에 착수하였으나, 무술 정변(戊戌政變)으로 유폐된 채 병몰(病沒)하였음. 묘호(廟號)는 덕종(德宗), 연호(年號)는 광서(光緖). [1871-1908; 재위 1874-1908]

광:석【鑛石】명 《광》 채굴·제련할 수 있는 유용한 광물 또는 그런 광물이 섞여 있는 집합체.

광:석 검:파【鑛石檢波】명 《물》 광물로는 황철광(黃鐵鑛)·방연광(方鉛鑛)·게르마늄(germanium), 인조 결정물(人造結晶物)로는 실리콘(silicon)·인조 방연광 같은 반도체(半導體)를 사용하여 고주파(高周波) 교류(交流)를 정류(整流)하는 일.

광:석 검:파기【鑛石檢波器】명 [crystal detector] 《물》 두 종류의 광석이나 또는 광석과 금속(金屬)을 가볍게 접촉(接觸)시켜, 그것을 고주파(高周波) 회로(回路) 가운데 끼우면 한 방향으로만 전류(電流)를 통하는 성질이 있는 것을 이용하여 검파하는 장치. 광석 수신기로 쓰이는 외에 현재에는 마이크로웨이브(microwave)용으로 중시(重視)하게 되었으며, 부피가 작은데다 감도(感度)가 높기 때문에 트랜지스터로 발전하게 되었음.

광:석 광:물【鑛石鑛物】명 《광》 광석 중에 포함된 유용(有用) 광물. 흔히는 유용 광물 중 이용될 수 있는 것만 이름.

광:석 라디오【鑛石―】[radio] 명 《물》 광석 수신기(受信機).

광:석-법【鑛石法】명 《광》 평로(平爐)에 의한 제강법(製鋼法)의 한 가지. 설철법(屑鐵法)에 상대되는 방법으로, 설철보다 선철(銑鐵)의 비율을 높게 하고, 산화제(酸化劑)로서 다량의 철광석(鐵鑛石)을 사용하는 방법. 선철 일관법(銑鐵一貫法).

광:석 변:환기【鑛石變換機】명 《물》 주파수(周波數) 변환에 사용하는 반도체 다이오드(半導體 diode).

광:석 삼극관【鑛石三極管】명 《물》 '트랜지스터(transistor)'의 구칭(舊稱).

광:석-선【鑛石船】명 광석의 경제적인 수송을 주요한 목적으로 하는 특수한 화물선. 광석 운반선. 광석 전용선(專用船).

광:석 세트【鑛石―】[set] 명 《물》 광석 수신기(鑛石受信機).

광:석 수신기【鑛石受信機】명 [crystal receiver] 《물》 진공관(眞空管) 대신에 광석 검파기를 쓰는 간단한 라디오 수신기. 증폭 회로가 없어서 감도가 심히 약함. 광석 세트(set). 광석 라디오(radio).

광:석 양륙 설비【鑛石揚陸設備】[―뉵―] 명 제철소(製鐵所) 같은 데서 수상 수송(水上輸送)에 의하여 운반된 광석을 배에서 양륙하여 저광장(貯鑛場)으로 수송하는 설비.

광:석 운반선【鑛石運搬船】명 광석선(鑛石船).

광:석 정:류기【鑛石整流器】[―뉴―] 명 《광》 방연광(方鉛鑛)·황철광(黃鐵鑛)·황동광(黃銅鑛)·반동광(斑銅鑛) 등의 천연 광석의 비직선성 도전 현상(非直線性導電現象)을 이용한 정류기 및 인공(人工)의 반도체 정류기. *금속 정류기(金屬整流器).

광:석-차【鑛石車】명 광차(鑛車).

광:석 현:미경【鑛石顯微鏡】명 반사 현미경(反射顯微鏡).

광선¹【光線】명 ①빛의 줄기. ②[ray of light] 《물》 광원(光源)으로부터 나오는 빛이 공간을 진행하는 모양을 나타낼 때, 빛 에너지의 흐르는 경로를 나타내는 선. 균질(均質)의 매질(媒質) 안에서는 직선상(直線狀)으로 나아감. 빛살. ¶ 살인 ~/불가시(不可視) ~.

광:선²【廣宣】명 널리 선포함. ――하다 타여불

광선 과:민증【光線過敏症】[―쯩] 명 《의》 알레르기 반응의 하나. 어떤 약을 먹었을 때 얼굴·손 따위 햇빛을 받는 부분이 붉게 부르트며, 나은 뒤에도 색소(色素)가 남는 것 따위.

광선 무:기【光線武器】명 [beam weapon] 레이저 광선·적외선·방사선(放射線) 등을 이용한 무기.

광선 미용【光線美容】명 인공적인 자외선이나 적외선을 이용한 미용법. 자외선은 주로 피부를 아름다운 다갈색(茶褐色)으로 태우는 데 사용되며, 적외선은 혈액 순환을 왕성하게 하는 작용이 있어 미안술(美顔術)·전신(全身) 미용 등에 쓰임.

광선-석【光線石】명 《광》 양기석(陽起石).

광선-속【光線束】명 [pencil flux of light ray] 《물》 기하 광학 용어(幾何光學用語)로서, 집합하여 일군(一群)으로 된 광선의 다발. 발산(發散) 광선속·수렴(收斂) 광선속·평행(平行) 광선속 따위가 있음. 광속(光束). 빛다발. 빛발.

광선 속도【光線速度】명 《물》 빛의 에너지가 전하여지는 속도. 빛의 에너지가 실제로 전파하는 방향, 즉 포인팅 벡터(Poynting's vector) S를 에너지 밀도(密度)로 나눠서 얻음. *수선(垂線) 속도.

광선 요법【光線療法】[―뻡] 명 《의》 일광·적외선·자외선·뢴트겐선·라듐 방사선 등을 사용하여 치료하는 물리 요법. 방사선 요법.

광선 전:화【光線電話】명 《물》 전선(電線) 대신에 광선을 이용하여 서로 떨어진 지점에 소리를 전하는 장치. 태양 광선 또는 아크등(燈) 광선을 전류로 고쳐서 소리를 내는 장치로, 지향성(指向性)이 강하여 근거리의 비밀 통신에 사용됨. 광전화(光電話). 라디오폰(radiophone).

광선 정:반【光線定盤】명 옵티컬 플랫.

광선-총【光線銃】명 [beam shooting] 탄환 대신, 적외선(赤外線)을 사용한 사격 경기용 총. 1973년 일본서 개발함. 총의 모양은 라이플과 같은데, 방아쇠를 당기면 총알 대신 인축(人畜)에 무해한 적외선이 나오며, 표적에 닿으면, 전자 두뇌가 작동해서 명중 장소가 표시됨.

광설【狂雪】명 ①바람에 휘날리는 눈. ②때늦게 날리며 내리는 눈.

광-섬유【光纖維】명 [optical fiber] 《물》 실리콘으로 만든 유리 섬유의 일종. 지름 0.01-0.1 mm 정도의 가는 섬유. 바깥쪽의 굴절률은 크나 안쪽은 작아, 섬유가 구부러져도 빛이 섬유 속을 통과할 수 있는 특성이 있어, 의학용 내시경(內視鏡) 등에 쓰이고, 레이저 통신용(通信用)의 통신 케이블로 응용됨. 광파이버(光fiber).

광섬유 케이블【光纖維―】[cable] 명 광섬유로 된 전선. 전기 신호가 광신호로 바뀌어 이 케이블로 흐름. 광파이버 케이블. ㊥광 케이블.

광섬유 통신【光纖維通信】명 광통신(光通信).

광성 대:부【光成大夫】명 《역》 조선 시대 때, 종사품 종친(從四品宗親)의 품계.

광:성-보【廣城堡】명 《역》 인천 광역시 강화군 불은면(佛恩面)에 있는 진보(鎭堡). 강화읍에서 남쪽으로 10 km 지점에 있었으며, 조선 효종 9년(1658)에 설치했음. 고종 8년(1871) 신미 양요(辛未洋擾) 때, 미국 해군 육전대(陸戰隊)에 한때 점령당하였는데, 어재연(魚在淵) 등 53명이 전사하고 부상자 24명이 났음. 사적 제 227 호. *신미 양요.

광:세¹【曠世】명 세상에 드묾. 희대(稀代). ――하다 형여불

광:세²【鑛稅】명 《법》 광업권자에 대하여 부과하는 세금. 광산세(鑛産稅). 광업세(鑛業稅).

광:세 영웅【曠世英雄】명 세상에 보기 드문 영웅.

광:세지-재【曠世之材】명 세상에 보기 드문 비범한 재주. 또, 그런 재주를 가진 사람.

광-센서【光―】명 [optical sensor] 빛을 검출(檢出)하는 센서 및 여러 가지 측정량을 빛의 신호로 바꾸는 센서.

광소¹【光昭】명 빛나서 반짝거림. ――하다 형여불

광소²【光素】명 《물》 광입자(光粒子).

광속¹【光束】명 《물》 [luminous flux] ①광선속(光線束). 빛다발. 빛발. ②빛의 진행 방향에 수직인 단위 면적을 단위 시간에 통과하는 빛의 양 또는 그 밖의 방사선 에너지. 국제 단위는 루멘(lumen). 광류(光流).

광속²【光速】명 [speed of light] 《물》 진공(眞空) 속에서의 빛의 속도. 299792.4580±0.0012 km/sec. 광속도(光速度).

광속-계【光束計】명 《물》 전구(電球)·전등(電燈) 등의 광원(光源)의 광속을 측정하는 계기(計器).

광-속도【光速度】명 광속(光速).

광속도 불변의 원리【光速度不變―原理】[―월―/―에월―] 명 《물》 '진공(眞空) 속에서의 빛의 속도는 광원(光源)이 정지하여 있거나 등속도(等速度) 운동을 하거나 꼭 같다'는 원리. 특수 상대성 이론(特殊相對性理論)의 기본 원리임.

광-솔 명 〈방〉 관솔(평안·경상).

광:-쇠¹ 명 ①《불교》 중이 염불할 때 치는 쇠. ②〈방〉 꽹과리.

광:-쇠²【光―】명 쇠붙이에 광을 내는 데 쓰는 연장. 날카로운 모서리로 쇠붙이를 깎게 되었음.

광:수¹【廣袖】명 폭이 넓은 소매. 활수(闊袖). ↔첨수(尖袖).

광:수²【鑛水】명 ①광물질을 다량으로 포함한 물. 광천(鑛泉)의 물. 광천수(鑛泉水). *미네랄 워터. ②광산의 구덩이 안이나 제련소(製鍊所)에서 흘러나오는 광독(鑛毒)이 섞인 물.

광:수 공:양가【廣修供養歌】명 《문》 향가(鄕歌)의 하나. 고려 광종(光宗) 때의 중 균여(均如)가 지은 보현 십원왕가(普賢十願往歌) 11수 중의 하나임. 《균여전(均如傳)》에 전함.

광:수-무【廣袖舞】명 《악》 정재(呈才) 때 추는 춤. 남악(男樂)으로, 무동(舞童) 들이 동서에 마주 서서 창사(唱詞) 없이 춤.

광-수복【光修復】명 [repair by light] 《생》 자외선(紫外線)에 의하여 발생된 피부 장애를, 가시 광선(可視光線)과 자외선 사이의 파장(波長) 420-300 미크론의 근자외선(近紫外線)이 고치는 작용.

광-수차【光收差】명 [aberration of light] 《물》 광속(光速)의 유한성 때

는 방향으로 운동하고 있는 관측자
보이는 현상. 1727년 영국의 천문학
*광행차.
의견을 물음. ——-하다 타여불
여러 사람의 의견을 물어서 중의(衆議)

茂).
안구(眼球)를 눌렀을 때, 망막(網膜)이 자
) 광감(光感).
않고, 속어(俗語)나 비어(卑語) 등을 써

소디(rhapsody)'의 역어(譯語).
】 '광시 장족 자치구'의 구명.
治區】〔廣西壯〕 명 〔장족(壯族)은 이 자
구수를 차지하는 소수 민족(少數民族)의
西南國境)에 있는 자치구(自治區). 베트남
족(壯族)·야오족(瑤族) 등의 소수 민족이
역 중심의 분지(盆地)를 형성하고 있으며
)함. 교통은 시장(西江) 강의 수운과 샹구이
구이(黔桂)의 세 철도와 공로(公路)가 있음.
物) 등을 생산하며 특히 임산(林産)은 풍부
원이 되고 있음. 이 외에 회유(茴油)·계피(桂
출됨. 성도(省都)는 난닝(南寧). 구이 성(桂
0,000 km²: 36,430,000 명(1982)]

】 먹이의 선택 범위가 넓은 동물의 식성(食性).

物】 명 〖동〗 식성이 광식성(廣食性)인 동물. 잡
여러 종류의 동물을 잡아먹는 개구리나, 여러 종
나방의 유충 같은 것이 이에 속함.
나 미신 같은 것을 미칠 정도로 지나치게 믿음.
信念)의 승리를 지나치게 믿어, 관용(寬容)과 이성
)한 태도. ¶ ~적인 태도. ——-하다 타여불
】 명 광신자.
徒】 명 광신하는 신도(信徒).
병질【狂信性精神病質】[—썽—뼝—] 명 〖의〗 이상적(異
념에 지배되며, 자신이 강하고 적극성을 가지는 정신 병질의
類型). *과장성(誇張性) 정신병질.
-자【狂信者】 명 이성(理性)에서 벗어나 지나칠 정도로 어떤 종교
를 믿는 사람. 광신가(狂信家).

광신-적【狂信的】 명관 광신하는 모양.

광신-증【狂信症】[—쯩] 명 〖의〗 정신병의 하나. 강한 감정을 가지고 어떤 생각에 열중하여 그것만을 주장하는 병증(病症).

광심【光心】 명 〔optical center〕 〖물〗 렌즈에 들어가는 광선(光線)과 렌즈를 통하여 나가는 광선이 평행(平行)으로 될 때, 광선의 통로(通路)와 광축(光軸)이 마주치는 점.

광:아【廣雅】 명 〖책〗 중국 위(魏)나라 장읍(張揖)이 편찬한 한자 자전(字典). 《삼창(三蒼)》·《설문(說文)》 등을 참고하여 증보(增補)한 것임. 10 권.

광아리 명 〈방〉 광주리(전북).

광 아이시:【光—】 [IC] 명 광집적 회로(光集積回路).

광압【光壓】 명 〔light pressure〕 〖물〗 빛 또는 전자파(電磁波)가 물체에 닿아서 반사되거나 흡수될 때, 물체면에 미치는 압력. 빛의 압력. *방사압(放射壓).

광:액【鑛液】 명 선광(選鑛)할 때에 나오는, 미세(微細)한 광석 알갱이를 포함한 물. 펄프(pulp).

광:야[1]【廣野】 명 너른 들. 너른 벌판. ¶ 눈 덮인 ~.

광:야[2]【曠野】 명 ①아득하게 너른 벌판. 광원(曠原). ②황야(荒野). ¶ 인적이 없는 ~.

광:-약[1]【光藥】 [—냑] 명 물건에 광을 내는 데 쓰는 약품.

광약[2]【狂藥】 [—냑] 명 ①사람을 미치게 하는 약. ②'술'의 별칭(別稱).

광양[1]【光陽】 명 〖지〗 전라 남도의 한 시(市). 1 읍(邑) 6 면(面) 7 동(洞). 북쪽은 구례군(求禮郡), 남쪽은 남해(南海), 서쪽은 순천시(順天市), 동쪽은 경상 남도 하동군(河東郡)과 접해 있음. 농업이 주로, 양송이 등의 재배가 성하고 밤의 산출이 많으며, 야산(野山)을 이용한 비육우(肥肉牛) 사육이 활발함. 광양 제철소가 건설됨에 따라 철강 공업과 이에 따른 각종 산업이 성하게 되었음. 명승 고적(名勝古蹟)은 백운산(白雲山)·학사대(學士臺)·중흥산성(中興山城) 삼층 석탑·광양 향교(鄕校) 등이 있음. 1995년 1월, 동광양시와 광양군이 통합하여 광양시로 개편됨. [442.18 km²: 129,000 명(1996)]

【광양 송장 하나 산 순천(順天) 세 사람 잡는다】 광양 사람의 영악함을 이르는 말.

광양[2]【恇勷】 명 성질이 조급함. ——-하다 형여불

광양-군【光陽郡】 명 〖지〗 전라 남도에 속했던 군. 1995년 1월, 광양시에 통합됨.

광양 금산【光陽金山】 명 〖지〗 전라 남도 광양군 광양읍 초남리(草南里)에 있는 금산.

광양-만【光陽灣】 명 〖지〗 전라 남도 남해안에 돌출한 여수 반도(麗水半島)와 경상 남도의 남해도(南海島) 사이에 있는 만. 만 남쪽에 여천(麗川) 공업 단지, 북쪽인 광양시(光陽市)에 종합 제철소가 있음. 한려수도(閑麗水道)의 서단(西端)에 해당되어 주위 경관이 매우 좋음.

광-양자[1]【光量子】 [—냥—] 명 〔light quantum〕 〖물〗 1905년 아인슈타인이 도입한 빛의 요소가 되는 입자(粒子). 빛을 진동수와 플랑크의 상수와의 곱과 같은 에너지를 갖는 입자의 집합으로 표현하고, 광전(光電) 효과나 플랑크의 열복사(熱輻射) 공식을 이끌어 냈음. *광자(光子)·광양자설(光量子說).

광-양자[2]【光陽子】 [—냥—] 명 〔photoproton〕 〖물〗 광핵 반응으로 핵에서 방출되는 양자.

광양자 가:설【光量子假說】 [—냥—] 명 〖물〗 광양자설(光量子說).

광양자-설【光量子說】 [—냥—] 명 〖물〗 빛의 파동성(波動性)과 입자성(粒子性) 중에서 입자성에 관하여 세워진 가설. 빛을 흡수할 때 받는 에너지는 빛의 진동수를 ν로 할 때, $h\nu$의 정수배(整數倍)와 같다고 한 플랑크(Planck)의 가설을 1905년 아인슈타인(Einstein)이 더욱 발전시켜, 진동수 ν의 빛은 $h\nu$의 에너지를 갖고 있으며 그 진행 방향에 $h\nu/c$ [h는 플랑크의 상수, c는 진공 중에서 빛의 속도]의 운동량을 갖는다고 하였음. 이 설로써 종래의 파동설(波動說)로 설명하지 못하였던 광전 효과(光電效果) 같은 현상을 설명하게 되었을 뿐더러 양자론의 발전에 박차를 가하게 되었음. 광양자 가설(光量子假說).

광:어【廣魚】 명 ①〖어〗 넙치. ②짜개어 말린 넙치.

광:어-눈이【廣魚—】 명 넙치눈이.

광어리 명 〈방〉 광주리(전북).

광:어 무침【廣魚—】 명 광어(廣魚)를 두드려 잘게 찢어 양념하여 무친 반찬.

광:어 전:유어【廣魚煎油魚】 명 넙치 저냐.

광언[1]【狂言】 명 상식에서 벗어난 허튼 소리. 미친 소리. 광담(狂談).

광:언[2]【廣言】 명 방언(放言). ——-하다 자여불

광언 기어【狂言綺語】 명 ①이치에 맞지 아니하는 말이나, 교묘하게 수식한 말. ②흥미 본위로 가장한, 문학적 표현이나 소설. 불교·유교의 입장에서 문학을 욕한 말.

광언 망:설【狂言妄說】 명 이치에 벗어난 엉뚱하고 허망한 말. 광담패설(狂談悖說).

광:업[1]【廣業】 명 광대한 사업.

광:업[2]【鑛業】 명 광산에 관한 사업. 광물의 시굴(試掘)·채굴(採掘) 및 이에 딸린 선광(選鑛)·세광(洗鑛)·정련(精鍊) 등, 모든 작업의 총칭.

광:업-가【鑛業家】 명 광산가(鑛産家).

광:업 경:찰【鑛業警察】 명 광업 작업에서 생기는 위해(危害)를 예방하고 공익(公益)을 보호하기 위한 경찰.

광:업-권【鑛業權】 명 〖법〗 특정한 광구(鑛區)에서 광물을 채굴(採掘)·취득하는 권리. 시굴권(試掘權)과 채굴권의 두 가지가 있음.

광:업권-자【鑛業權者】 명 광업권을 소유하는 사람. 광업자.

광:업 금융【鑛業金融】 [—늉/—] 명 〖경〗 광업에 필요한 설비 자금과 운전(運轉) 자금을 융통하는 일.

광:업 등록 사:무소【鑛業登錄事務所】 [—녹—] 명 〖법〗 산업 자원부의 소속 기관. 광업 등록에 관한 사무를 관장함.

광:업-법【鑛業法】 명 〖법〗 광업에 관한 기본적 제도를 정한 법률. 광업권(鑛業權)의 발생·변경·소멸(消滅)·행사(行使), 조광권(租鑛權), 광구(鑛區)의 조정, 국영(國營) 광업, 토지의 사용·수용(收用), 광해(鑛害)의 배상(賠償) 등에 관하여 규정함.

광:업-부【鑛業簿】 명 광물의 채굴권자(採掘權者)가 광업법에 따라 광업소(所)에 비치(備置)하는 장부. 광산물의 수량·판매액(販賣額)·판매 가격·작업 공수(作業工數)·임금액 등을 기재함.

광:업-세【鑛業稅】 명 〖법〗 광세(鑛稅).

광:업-소【鑛業所】 명 광물의 채굴권자가 그 사업에 관한 사무를 취급하는 곳.

광:업 식민지【鑛業植民地】 명 〖정〗 광산의 채굴(採掘), 공업상의 원료나 연료(燃料)를 얻는 것 등을 목적으로 하는 식민지.

광:업 원부【鑛業原簿】 명 〖법〗 광업권 또는 그에 대한 저당권(抵當權) 등에 관하여 그 설정(設定) 및 변경·이전·소멸(消滅)·처분(處分)의 제한(制限) 등을 등록하는 공부(公簿).

광:업-인【鑛業人】 명 광업자❷.

광:업-자【鑛業者】 명 ①광업권자. ②광업을 경영하거나 이에 종사하는 사람. 광업인.

광:업 재단【鑛業財團】 명 〖법〗 광물의 채굴권자(採掘權者)가 저당권(抵當權)의 목적으로, 광업권(鑛業權) 및 물건의 전부 또는 일부(一部)를 하나의 부동산으로 한 재단.

광:업 재단 저:당법【鑛業財團抵當法】 [—뻡] 명 〖법〗 광업 재단의 구성과 그 재단에 대한 저당권의 설정 등의 여러 관계를 규정한 법률.

광:업 저:당【鑛業抵當】 명 〖법〗 광물 채굴권자가 광업 재단(鑛業財團)을 만들어서 저당권을 설정하는 일. 또, 그 저당권.

광:업적 임업【鑛業的林業】 명 원시림처럼 자연재(自然財)로서 존재하는 자원을 단순히 채취하는 임업. ↔농업적 임업.

광:업 지리학【鑛業地理學】 명 광업의 지리적 조건과 환경 관계를 연구하는 경제 지리학의 한 부문.

광:업 출원【鑛業出願】 명 광업권의 설정을 받고자 당국에 출원하는 일. ——-하다 자여불

광:업 출원인【鑛業出願人】 명 광업권의 설정을 받기 위하여 공업 진흥청에 출원한 사람.

광:업 회:사【鑛業會社】 명 민사 회사(民事會社)의 하나. 광업을 기업화(企業化)하여 그 이윤 획득을 목적으로 하는 회사.

광역[1]【狂易】 명 미쳐서 제 정신을 잃음. ——-하다 자여불

광:역[2]【廣域】 명 넓은 구역. 넓은 지역. ¶ ~ 수사.

광:역 경제【廣域經濟】 명 〔도 Grossraumwirtschaft〕 〖경〗 제국주의적 강국이 그 식민지·반식민지·종속국을 하나로 뭉쳐, 그 범위 안에서 자급 자족을 행하는 경제. 나치스가 제정한 경제 양식임. 블록 경제.

광:역 도시【廣域都市】 명 인구·산업의 과밀(過密)을 막고, 주변의 저개발 지역을 개발하기 위한 넓은 지역에 걸친 도시.

광:역 변:성대【廣域變成帶】 명 〖지〗 광역 변성 작용을 받은 지대. 습곡(褶曲) 산맥이 형성된 조산대(造山帶)의 중심부에 널리 분포하며, 여러 가지 결정 편암(結晶片岩)·편마암(片麻岩)으로 됨. 칼레도니아 조산

운동(Caledonia造山運動)에 의한 스칸디나비아 반도, 알프스 조산 운동에 의한 알프스 따위. ＊변성대.

광:역 변:성암【廣域變成岩】명〖지〗조산(造山) 운동 시대에 지향사(地向斜)의 깊은 곳에 고열(高熱)·고압(高壓)이 작용하여 형성된 변성암. 매우 넓은 지역에 걸쳐서 분포하며, 편마암 따위가 있음. ＊변성암.

광:역 변:성 작용【廣域變成作用】명〔regional metamorphism〕〖지〗조산(造山) 운동의 경우, 지각 안의 암석이 온도·압력의 작용을 받아 넓은 지역에 걸쳐서 변성암이 되는 변성 작용의 하나. 편암(片岩)·편마암(片麻岩)은 이 작용에 의하여 된 것이며, 온도와 압력의 관계에 따라 고압 저온형(高壓低溫型)과 저압 고온형으로 나뉨. ＊변성 작용.

광:역 수사【廣域搜査】명 각 시도(市道) 경찰이 밀접한 연락과 협력 아래 넓은 지역에 걸쳐 전개하는 경찰의 수사. ＊공개(公開) 수사.

광:역-시【廣域市】명 지방 자치 단체(地方自治團體)의 하나. 도(道)와 동격(同格)으로, 보통의 시(市)가 도의 감독(監督)을 받는 데 대하여 직접 중앙(中央)의 감독을 받음. 현재, 부산(釜山)·대구(大邱)·인천(仁川)·광주(光州)·대전(大田)·울산(蔚山)의 여섯이 있음.

광:역시-세【廣域市稅】명 지방세의 하나로, 광역시가 부과 징수하는 세금. 세금의 종목은 '특별시세'와 같고, 군(郡)지역은 '도세(道稅)'와 같음. ＊특별시세.

광:역 지질학【廣域地質學】명〔regional geology〕공간적 분포나 층서 단위(層序單位)의 위치, 구조적 특성·지표(地表) 형태 등의 관점에서 다루는 넓은 지역에 관한 지질학. 「는 학문.

광-역학【光力學】[—녁—] 명 식물의 운동에 대한 빛의 작용을 연구하

광:역 행정【廣域行政】명 하나의 지방 자치 단체 또는 지방 행정 기관을 넘어서 그보다 넓은 지역을 대상으로 하는 지방 행정.

광:역-화【廣域化】명 넓은 구역이나 넓은 지역이 됨. 또, 그렇게 만듦. ——-하다 자타여불

광:연[1]【廣衍】명 ①넓음. ②널리 퍼지게 함. ——-하다 형타여불

광:연[2]【廣淵】명 넓고 깊음. 광대(廣大)하고 시원함. 홍연(洪淵). ——-하다 형여불 「체. 주로 이산화황을 포함함.

광:연[3]【鑛煙】명〖화〗황화철(黃化鐵)을 제련할 때 굴뚝에서 나오는 기

광열[1]【光熱】명 빛과 열.

광열[2]【狂熱】명 미친 듯한 열정. 열광(熱狂). 「용.

광열-비【光熱費】명 난방·조명 등에 쓰이는 전기·가스·연료 등의 비

광-열탄성【光熱彈性】명〔photothermoelasticity〕〖물〗투명한 유전체(誘電體)가 온도(溫度) 기울기에 바탕을 둔 기계적 응력(應力)을 받았을 때 그 광학적 성질이 변화하는 일.

광염[1]【光焰】명 ①빛과 불꽃. ②빛나는 불꽃. ③등등(騰騰)한 세력.

광염[2]【光艶】명 ①매우 아리따움. ②아리따운 광택.

광염[3]【狂炎】명 미친 듯이 타오르는 불길 또는 정열. ¶ ～ 소나타.

광:염[4]【鑛染】명〖광〗금속 광물(金屬鑛物)의 용액(溶液)이 바위 속에 스며들어서 작은 결정(結晶)을 이루어 촘촘히 박혀, 바위가 그 광물 특유(特有)의 빛깔로 물들인 것처럼 되는 현상.

광:염 작용【鑛染作用】명〖광〗암석(岩石)의 작은 틈이나 암괴(岩塊) 전체에 걸쳐 광액(鑛液)이나 광화(鑛化) 가스가 확산·침투하여, 암석 중에 광석(鑛石)이나 맥석(脈石)을 불규칙하게 침전(沈澱)·침염(浸染)하는

광:엽【廣葉】명 넓고 큰 잎. 넓은 잎. ㄴ작용.

광엽-석【光葉石】명 개노필라이트(ganophyllite).

광영【光榮】명 영광(榮光).

광예【光譽】명 빛나는 영예.

광완【狂頑】명 미친 듯이 완고함. ——-하다 형여불

광요[1]【光耀】명 ①광채(光彩). ②빛남. ——-하다 자여불

광요[2]【恇擾】명 두려워서 떠듦. ——-하다 자여불

광우[1]【光佑】명 큰 도움.

광우[2]【狂愚】명 광치(狂癡)❷.

광우리 명 ☞ 광주리.

광우-병【狂牛病】[—뼝] 명〔mad cow disease〕〖의〗소의 뇌(腦)가 스펀지 모양으로 되어 운동 신경에 장애를 일으켜 침을 흘리고 비틀거리다가 죽는 전염병. 1986년에 발견되었는데 10년 후인 96년에, 사람에게로 감염되면 크로이츠펠트야코프병의 원인이 된다고 하여 온 세계가

광우치 명〈방〉늦은밥. ㄴ떠들썩함.

광:운【廣韻】명〖책〗한문자를 운(韻)에 따라 분류하여 배열하고, 글자마다 음과 뜻을 주해(註解)한 운서(韻書). 중국 당(唐)나라 때에, 수(隋)의 육법언(陸法言) 등이 편찬한 《절운(切韻)》을 증보하여 《당운(唐韻)》이라고 이름을 붙인 책을, 다시 북송(北宋)의 진종제(眞宗帝)의 칙명을 받아 진팽년(陳彭年) 등이 증보하여, 《대송 중수 광운(大宋重修廣韻)》이라고 이름을 붙여 1008년에 간행했음. 26,194자(字)를 206운(韻)으로 분류함. 5권.

광운 대학교【光云大學校】명 사립 대학교의 하나. 1963년 동국 전자 공과 대학(東國電子工科大學)으로 설립되어, 이듬해 광운(光云) 전자 공과 대학으로, 1976년 광운 공과 대학으로, 1983년 광운 대학으로 개칭, 1987년에 종합 대학교로 개편됨. 소재지는 서울시 도봉구 월계동.

광:운-장【廣運章】[—짱] 명〖악〗악장(樂章) 이름의 하나.

광원[1]【光源】명〔light source〕①빛의 근원. ②〖물〗다른 것에서 빛을 받지 아니하고 제 스스로 빛을 내는 물건. 적외선·가시 광선(可視光線)·자외선 따위를 방사하는 복사체(輻射體). 열복사에 의한 것과 방전에 의한 것이 있음. 태양·전구의 필라멘트 같은 것. 발광체(發光體).

광:원[2]【廣元】명〖지〗'광위안'을 우리 음으로 읽은 이름.

광:원[3]【廣遠】명 넓고 멂. ——-하다 형여불

광:원[4]【曠原】명 너른 들판. 광야(曠野). 「로자.

광:원[5]【鑛員】명 광산에서 광물을 캐는 일꾼. 광꾼. 채공(採工). 광산 근

광원-체【光源體】명〖물〗광원(光源)이

광위안〔廣元〕명〖지〗중국 쓰촨 성(四

元縣)의 현청 소재지. 자링 강(嘉陵江)

시 성(陝西省)을 연결하는 촨산(川陝) 공

며 산시의 면화·약재, 쓰촨의 설탕·견직물

측천 무후(則天武后)의 탄생지에 세운 황

광유[1]【光猷】명 분명한 계책. 밝은 계책.

광:유[2]【誑誘】명 속이어 꾀어 냄. ——-하다

광:유[3]【廣裕】명 ①널리 퍼지는 일. ②크게 풍

광:유[4]【鑛油】명 ↗광물유(鑛物油).

광음[1]【光陰】명 ①세월(歲月). ②때[1]❶.

광음[2]【狂飮】명 정신 없이 술을 마구 들이켬. 미친

광음 여류【光陰如流】[—녀—] 명 세월(歲月)의 가

같이 대단히 빠름. ——-하다 형여불

광음 여전【光陰如箭】[—녀—] 명 세월의 흐름이 화

다시 돌아오지 않음. ——-하다 형여불

광음-천【光音天】명〔범 Ābhāsvara-deva〕〖불교〗색

천(第二禪天)의 최상천(最上天). 여기 사는 천중(天衆)

없애 버리고, 입에서 정광(淨光)을 발사하여 말 대신으

며, 인류의 시조는 이 천중에서 내려왔다고 함.

광:의【廣義】[—/—이] 명 넓게 보는 뜻. 넓은 뜻. ↔협의(

광이[1] 명〈방〉〖동〗고양이(평북·강원·경북).

광이[2] 명〈옛·방〉괭이[1](경기·강원·경상·제주). ¶ 삷과 광이로

흙을 퀴여(條鐵杴和鐝來掘土)《朴解 下 5》.

광이온-화【光一化】명〔photoionization〕〖물〗가시(可視) 또는

(紫外線)의 광자(光子)를 흡수(吸收)하여, 원자·분자에서 전자(

해리(解離)하는 일. 넓은 뜻으로는 외부 광전 효과(外部光電効

하나로 보며 광전리(光電離)라고도 함. ＊광전 효과.

광익[1]【匡益】명 바로잡고 이익이 되게 함. ——-하다 타여불

광익[2]【匡翼】명 광보(匡輔). ——-하다 타여불

광:익[3]【廣益】명 널리 일반에게 이익을 베풂. ——-하다 자여불

광:익-류【廣翼類】[—뉴] 명〖동〗〔Eurypterida〕절지 동물 퇴구류(腿口類)에 속하는 한 목(目). 고생대에 번성했었으나 현재는 멸종(滅種)함. 모양은 참게와 비슷한데, 촉각(觸角)이 없고 복절(腹節)이 길게 자라고, 몸길이는 2-3m에 달하는 것도 있었음. 대갑류(大甲類). 광기류(廣鰭類). ＊검미류(劍尾類). 「풍광부(風狂夫).

광인【狂人】명 미친 사람. 정신에 이상(異常)이 있는 사람. 광자(狂者).

광-인자【光因子】명〔light factor〕〖생〗생물에게 큰 영향을 주는 환경 인자의 하나. 질적(質的)으로는 빛의 파장(波長), 양적(量的)으로는 조도(照度)로 표시됨. 수중 생물(水中生物)의 분포, 엽록소(葉綠素)의 형성, 광합성(光合成), 개화(開花)나 발아(發芽) 등에 큰 영향을 줌.

광:일【曠日】명 하는 일이 없이 헛되이 세월을 보냄. ¶ 불일이 태산 같은 터에… 나를 따라 나섰다가 여러 달 ～을 하니, 여간 낭패는 이루 측량키 어렵고…《李海朝：雨中行人》. ——-하다 자여불

광:일 미구【曠日彌久】명 헛되이 세월(歲月)을 보내어 오래 끌고 머무름. ——-하다 타여불 「여불

광:일 지구【曠日持久】명 헛되이 날을 보내 날짜만 끎. ——-하다 타

광-입자【光粒子】명〖물〗빛의 미립자설(微粒子說)에서, 광원(光源)으로부터 고속도로 방사(放射)된다고 가정하였던 물질적 미립자. 19세기 전반까지 뉴턴(Newton) 등의 지지를 얻어, 빛의 본질(本質)이라 생각되면 미립자임. 빛깔에 따라 질량이 다르며, 물질의 분자 사이에 인력(引力)이 작용한다고 가정하고, 빛의 직진(直進)·굴절(屈折) 등의 현상을 광입자를 빌려 설명하였음. 현재는, 빛은 전자기파(電磁氣波)의 일종임이 증명되어 빛의 입자설은 부정되었음. 양자 역학(量子力學)의 광양자(光量子)는 별개의 것임. 광소(光素). ＊광양자.

광자[1]【光子】명〔photon〕〖물〗소립자(素粒子)의 하나. 정지 질량(靜止質量)은 0, 스핀은 1의 입자. 빛 곧 전자기파(電磁氣波)는, '장(場)의 양자론(量子論)'에서는 광자의 집합으로 취급됨. 초기의 명칭은 광양자(光量子)와는 다르게 쓰일 때가 많음. 포톤. ＊광양자·소립자.

광자[2]【狂者】명 미친 사람. 광인(狂人).

광자[3]【狂恣】명 난폭하고 방자함. ——-하다 형여불

광자기 디스크【光磁氣—】명〔magnet-optical disk〕〖컴퓨터〗컴퓨터의 외부 기억 장치의 하나. 강한 레이저 광선으로 자성체(磁性體) 표면을 가열하고 자기장(磁氣場)을 작용시켜, 자성체의 자기화(磁氣化) 방향을 바꿈으로써 데이터를 써넣으며, 자성체 표면에서 레이저 광선이 변화하는 것을 이용하여 읽어냄.

광자 기체【光子氣體】명〔photon gas〕〖물〗광자의 집단으로 취급되는 전자기장(電磁氣場). 입자가 무제한 방출되거나 흡수되는 이외는 다른 보손(boson) 집단과 같음.

광자 로켓【光子—】〔rocket〕명〖물〗우주 공간에서 대량의 빛을 모아 반사경으로 후방에 방사(放射)하여 그 광압(光壓)으로 추진하는 로켓. 태양계 밖으로의 항행용(航行用)으로, 모든 입자(粒子) 중 가장 가벼운 광자를 분사(噴射)하면 최대의 비추력(比推力)을 얻을 수 있으며, 그 속도는 광속보다 약간 늦음. 상대성 원리에 의해 이것에 타는 인간은 늙지 않으리라고 함. 광파(光波) 로켓.

광-자성【光磁性】명〔photomagnetism〕〖물〗빛을 흡수(吸收)함으로써 자기(磁氣) 모멘트를 갖는 들뜬 분자를 발생, 그 상자성(常磁性)으로 인하여 그 물질의 반자기성(反磁氣性)이 감소하는 일. 「빤지.

광자위 명 장롱(欌籠)의 한 부분으로, 마대(馬臺) 앞과 옆에 오려 붙인 널

광자 효:과【光磁效果】명〖물〗자기적 광분해(磁氣的光分解).

광:작【廣作】명 ①〖농〗농사(農事)를 많이 지음. ②〖역〗조선 시대 후기

…)이 보급됨에 따라 일어난 농경지 확대 …타 여불
…=광장이. ¶ 광작이(莞豆)《華類 46》.
…壯大)함. ——-하다 형 여불
…¶ 역전 ~. ②여러 갈래의 길이 한군데로 …. 교통(交通) 광장·시장(市場) 광장 등 그 …었음.

…증】 강박 신경증(强迫神經症)의 한 증상. 광 …통(胸痛) 등의 신체적 이상(異常)을 한번 …마다 같은 증상이 나타나지 않을까 하고 …

…. 또, 그런 재주를 가진 사람.

…로의 고로재(高爐滓)를 원료로 만든 기와. …함. ＊슬래그 브릭(slag brick).

…의 용융 고로재(熔融高爐滓)를 가늘고 긴 … 고압 증기로 뿜어 날려 면상(綿狀)으로 만 …열(斷熱)·보온·보냉(保冷)·방음(防音) 장치 …(slag wool). 광재 섬유.

…책】 조선 시대 때 간행된 백과서(百科書)의 …글로 설명하였음. 1권에는 천(天)·지(地)· …신(臣)·서물(庶物)·문학, 2권에는 예절·음 …技戲), 3권에는 화(火)·금(金)·석(石)·초(草)· …에는 목(木)·죽(竹)·과(果)·어(魚)·금(禽)·수 …하였음. 4권 4책. 사본.

…[slag wool] 광재면.

…ment] 명 『공』 고온(高溫)의 광재를 물에 넣 …만든 것에 20~30%의 석회나 석고(石膏)를 가 …공사·지하 공사에 알맞음. 슬래그(slag) 시멘트.

… 바닥. 광주리 안.

…주리(경상).

… 명 『지』 중국 광둥 성(廣東省)의 성도. 웨장(粵江) 강 북 …, 중세 이래의 대무역항(大貿易港)으로 1757년에 개항(開 …. 징광(京廣)·광주(廣九)·광싼(廣三) 세 철도가 만나는 곳 …주장(珠江) 강 선운(船運)의 기점이나 해항(海港)으로서는 얕 … 황푸(黃埔)가 외항(外港) 구실을 함. 화난(華南) 최대의 정치· …업·문화의 중심지로, 자동차·시멘트·제지(製紙)·화학 섬유 공업이 … 해지며, 생사(生絲)·차(茶)·과물(果物)·공예품 등을 수출하고 식량· 금속 제품·화학 제품 등을 수입함. 중국 혁명의 발상지임. 고명(古名)은 양성(羊城)·번우(番禺). 통칭(通稱)은 광둥(廣東). 광주. [3,420,000 명 (1987)]

광저우 교역회【—交易會】〔중 廣州〕 명 『정』 중국의 수출 상품 교역회(輸出商品交易會)의 통칭. 1957년부터 중국 광둥 성(廣東省) 광저우에서 해마다 봄·가을 두 차례씩 1개월간 열리는 중국의 대외 무역 상담회(商談會). 매년 1백여 나라에서 8천여 명이 참가함.

광저우 만【—灣】〔廣州〕 명 『지』 중국 광둥 성(廣東省) 서남부, 레이저우 반도(雷州半島) 동안(東岸)의 만(灣). 둥하이 도(東海島)의 북쪽에 있으며 그 남쪽은 레이저우 만(雷州灣)이라고 함. 천연(天然)의 양항(良港)으로, 이 지역 일대를 1898년 이래 프랑스가 조차(租借)하였었으나 1946년에 중국에 반환하였음. 광둥 만(廣東灣).

광-저항【光抵抗】 명 〔photoresistance〕『물』 광전도(光傳導)를 이용하여 광신호(光信號)를 전기 저항의 변화로 바꾸는 장치.

광적[1]【光跡】 명 『물』 빛을 내며 움직이는 물체를 보았을 때나 사진으로 찍었을 때 나타나는 빛 줄기. 「양. ¶ ~ 행동.

광적[2]【狂的】[—쩍] 명관 미친 사람과 같은 모양. 제 정신이 아닌 모

광:전【曠田】 명 썩 넓은 전지(田地).

광전-관【光電管】 명 〔photoelectric tube〕『물』 광전지의 한 가지. 광전 효과를 이용하여 빛의 강약(強弱)을 전류의 강약으로 바꾸는 일종의 이극 진공관(二極眞空管). 진공 또는 비활성 가스(非活性 gas)가 들어 있는 유리관(管) 안벽인 광전면(面)에는 알칼리 금속, 산화 세슘(cesium)과 은의 복합체, 세슘과 안티몬의 합금 등을 써서 음극으로 하고, 수십 볼트의 전압을 양극(陽極)에다 걸어 놓으면 음극에 닿는 빛의 세기에 따라 전자가 방출되어 양극에 모이므로 전류가 흐르게 됨. 사진 전송(寫眞電送)·텔레비전·발성 영화·광도 측정 검출(測定檢出)·자동 경보 장치 등에 사용됨. ＊아이코노스코프(iconoscope).

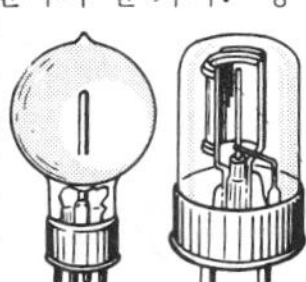
〈광전관〉

광전관 고온계【光電管高溫計】 명 물체로부터의 방사(放射)를 광전관으로 받아, 방사의 강도(強度)에 의하여 변하는 광전류(光電流)를 측정함으로써 온도를 정하는 고온계.

광전관식 자동 평형 전:위차계【光電管式自動平衡電位差計】 명 『물』 검류계(檢流計)와 광전 회로(光電回路)에 의하여 조작(操作)을 자동화(自動化)한 전위차계.

광전 광도계【光電光度計】 명 『공』 빛의 세기를 측정하는 계기. 광전자·포토트랜지스터·광전관을 이용한 광도계.

광-전기【光電氣】 명 〔photoelectricity〕 물질에 전자기 방사(電磁氣放射)가 입사하여 생기는 전자(電子)의 방출.

광전 다이오:드【光電—】 명 〔photodiode〕 빛을 전류로 변환시키는 광학 소자(光學素子). 빛의 검출(檢出)이나 광학 마크 판독기, 고속·고 감도의 …통신(…

광-전도【光傳導】 … 종류의 절연체(絶… 전기 전도율(電氣… 로 바꿀 수 있음. … 광전 효과.

광전도-체【光傳導體】 … 을 때, 전기 전도율(… 固體).

광-전류【光電流】[—절—] … 의한 전류. 내부 광전 … 전류로, 광전관·광전지 …

광-전리【光電離】[—절—] …

광전 변:환【光電變換】 명 …

광전 변:환 소자【光電變換… 꾸는 소자의 총칭.

광전 분광 광도계【光電分光… 로 측정하는 분광 광도계의 … mann 型)과 콜맨형(Coleman …

광전 비:색계【光電比色計】 … 광전지(光電池)나 광전관(光電管)을 사용하여 광량(光量)을 전기량(電氣量)으로 바꾸어, 전기 적으로 비색하여 미량 성분(微量成分)을 정량(定量)하는 장치. 연구실·병원에서 임상(臨床) 검사에 이용됨.

광전 소자【光電素子】 명 〔photoelectric element〕『물』 빛을 전기량으로 변환시키는 소자.

광전 음극【光電陰極】 명 〔photocathode〕 빛 또는 다른 방사선에 조사되었을 때, 전자(電子)를 방출하는 감광성(感光性) 표면. 광전관·… 광 소자(感光素子)로 쓰임.

광-전자【光電子】 명 〔photoelectron〕『물』 … 일으킬 때에 방출(放出)된 자유(自由) 전자 및 … 하게 될 전자(電子)의 총칭. ②전도 전자(傳導電子).

광전자 공학【光電子工學】 명 『물』 빛의 진동수(震動數)… 를 크게 바꾸는 강유전체 소자(強誘電體素子) 따위를 다루는 …

광전자 방:출【光電子放出】 명 〔photoemission〕『전』 고체 속의 … 에 광선·X선 등의 전자기파(電磁氣波)를 쏘일 때 일어나는 전자 방출. 광선을 전류로 전환시키는 장치·촬상관(撮像管)·토키(talkie) 광전관·광전자 증배관(增倍管) 등에 응용됨. ＊이차(二次) 전자 방출.

광전자 증배관【光電子增倍管】 명 음극(陰極)인 하나의 광전면(光電面)과 여러 개의 이차 전자 방출면(二次電子放出面) 및 양극(陽極)으로 되어 있는 진공관(眞空管). 빛이 광전면에 닿으면 거기서 광전자(光電子)가 방출되고, 이것이 가속(加速)으로 2차 전자 방출면에 수렴(收斂)되어 증배(增倍)된 2차 전자가 얻어지는데, 이것이 되풀이되어 양극에 달하는 동안에 수백만 배에 이르는 전류 증폭이 얻어짐. 사진 건판(乾板)의 흑화도(黑化度) 측정, 천문(天文) 측광(測光), 빛의 반사·흡수 등에 있어서의 분광(分光) 측정, 형광(螢光) 측정, 신틸레이션 카운터(scintillation counter) 등에 응용됨. 광전자 체배관(光電子遞倍管).

광전자 체배관【光電子遞倍管】 명 광전자 증배관(光電子增倍管).

광-전지【光電池】 명 〔photocell〕『물·화』 광전 효과를 이용하여 빛의 에너지를 전기 에너지로 바꾸는 장치의 총칭. 광전관(光電管)·셀레늄(selenium) 광전지·산화(酸化) 구리 광전지·태양 전지·pn 접합형 광전지 등이 있으며 카메라의 노출계(露出計)에 이용됨. 포토셀. ＊화학(化學) 전지.

광전지 고온계【光電池高溫計】 명 물체로부터의 방사(放射)를 광전지로 받아, 방사의 강도(強度)에 따라 변화하는 광전류를 측정함으로써 온도를 알게 되어 있는 온도계.

광전지 조:도계【光電池照度計】 명 조도계의 일종. 광전지에 마이크로 전류계(micro 電流計)를 직접 접속하여, 전류치(電流値) 대신에 조도(照度)의 눈금을 새긴 계기(計器).

광전 측광【光電測光】 명 『천』 광전관과 광전류 증폭관(光電流增幅管)을 사용하여 천체의 광도를 측정하는 일. 1등급의 0.001까지 정밀하게 측정할 수 있음. ＊실시(實視) 측광·사진(寫眞) 측광·열량(熱量) 측광·분광(分光) 측광.

광전-펜【光電—】〔pen〕 명 『컴퓨터』 광(光)펜.

광-전화【光電話】 명 무선 전화의 전파 대신에 광선을 사용하는 전화. 광선 전화. ＊광통신(光通信).

광전 효:과【光電效果】 명 〔photoelectric effect〕『물』 물질이 빛을 흡수하여 광전자(光電子)가 생기는 현상. 또는 이에 수반하여 광전도(光傳導)나 광기전력(光起電力)이 생기는 현상. 광전자 생성 과정에는 원자나 분자에서 자유(自由) 전자가 방출되는 광이온화(光ion化), 고체 표면에서 자유 전자가 방출되는 외부(外部) 광전 효과, 고체 내부의 전도 전자수(傳導電子數)가 증가하는 내부(內部) 광전 효과가 있음. 1888 년 할박스(Hallwachs, W.L.F. ; 1859-1922)가 발견했음. 텔레비전의 촬상관(撮像管)·광전광 등에 이용됨.

광전 흡수【光電吸收】 명 〔photoelectric absorption〕『전』 광전 효과의

광질 열두 촌충

하나로, 광전자(光電子)를 흡수하는 일. …광점(發光點). ②점광원(點光源). ③〖천〗 ′백반(白斑)

광:절 열두 촌:충【廣節裂頭寸蟲】

광점¹【光點】[─쩜] 명

광:점²【廣占】명 땅을 넓게 …

광:점³【鑛店】명 광물 …광(鑛坑).

광-점탄성【光粘彈性】… sticity]〖물〗투명한 점탄성 물질이 응력(應力)… (光學的) 성질이 변화하는 일.

…(坑口部)로부터 천정면(天井面)의 실 …통(筒)처럼 뚫어 놓고, 그 내면(內面) …놓은 장치. 「여불

…교정(矯正). 확정(廓正). ──-하다 타

…──-하다 타여불

광:접【狂蝶】명

광정¹【光… 행정.

…1923년 만주에서 조직된 독립 운동 단체. 김 …하여, 흥업단(興業團)·군비단(軍備團)·태극단 …團)의 네 단체를 합친 것으로 단장은 김호익(金 …府)에 통합되었음.

…명〖역〗고려 때 문관(文官)의 관계(官階). 종이 …(忠烈王) 원년(1275)에 정함. 전 이름은 금자 광록 …夫). 동 24년에 폐하였다가, 동 34년에 다시 두어 정이 … 충선왕(忠宣王) 2년(1310)에 또 종이품의 상(上)으로 …愍王) 5년(1356)에 또다시 폐하였다가 동 11년에 다시 정 …고, 동 18년에 또 이 이름을 없앰.

…政院】명〖역〗고려 충렬왕(忠烈王) 24년(1298)에 밀직사(密 …)를 고친 이름. 뒤에 곧 전의 이름으로 다시 고침.

…사【光政院副使】명〖역〗고려 광정원(光政院)의 셋째 벼슬. …정원사(同知光政院事)의 다음. 종이품임.

…사【光政院使】명〖역〗고려 충렬왕(忠烈王) 때, 광정원(光政院) …뜸되는 벼슬. 종일품임.

…【光霽】명 ↗광풍 제월(光風霽月).

…제²【匡濟】명 바르게 고치어 구제함. ──-하다 타여불

광:제³【廣濟】명 널리 구제(救濟)함. ──-하다 타여불

광:제 비:급【廣濟秘笈】명〖책〗조선 정조(正祖) 14년(1790), 북관(北關)의 관찰사(觀察使) 이병모(李秉模)가 이경화(李景華)에게 편찬시켜서 판각(版刻)한 의서(醫書). 주로 《동의 보감(東醫寶鑑)》·《경험방(經驗方)》·《본초 강목(本草綱目)》 등에 의거하였고, 기타 약 70종을 한국과 중국의 의서에서 인용 편찬했음. 4권 4책.

광:제-원【廣濟院】명〖역〗대한 제국 때, 질병(疾病) 구료(救療)에 관한 사무를 맡아 보던, 내부(內部)에 속하는 관아. 광무(光武) 3년(1899)에 설치하여 11년에 폐지함.

광조¹【光照】명 빛을 내어 환하게 비춤. ──-하다 타여불

광조²【狂躁】명 미쳐서 날뜀. ──-하다 자여불

광조리 명〈옛〉광주리. ¶광조리 비(篚), 광조리 광(筐)《字會 中 13》/ 광조리 안히 이시니(在筐子裏頭)《老乞 下 32》.

광:족-류【廣足類】[─뉴] 명〖동〗[Platypoda] 전새류(前鰓類)에 속하는 한 아목(亞目). 몸의 앞 쪽에 바닥이 편평한 발이 있고, 빗살 모양의 조름이 있으며, 심장(心臟)은 일심이(一心耳), 일심실(一心室)이고, 털은 거의 다 있음. 고둥과(科) 등이 이에 속함.

광종¹【光宗】명 고려 제4대 왕. 태조의 제3 왕자. 세도하는 무리를 억압하고, 근친 결혼(近親結婚)으로 외척의 폐를 없앰. 노비 안검법(奴婢按檢法)을 제정하였고, 958년 과거제(科擧制)를 시행하였음. 능호(陵號)는 헌릉(憲陵). [925-975; 재위 949-975]

광:종²【鑛種】명 광물의 종류.

광좌¹【匡坐】명 정좌(正坐). ──-하다 자여불

광:좌²【廣座】명 많은 사람이 앉아 있는 넓은 자리.

광주¹【光州】명〖지〗전라 남도의 중앙부에 있는 광역시. 영산강 평야의 북부 광주 분지(盆地)에 있으며, 고래로 백제의 무진주(武珍州), 신라의 무주(武州), 견훤(甄萱)의 후백제 도읍지로서, 전주(全州)와 함께 호남의 정치·군사의 중심지였음. 부근 평야는 삼백 지방(三白地方)이라 하여 쌀·면화·고치의 산출이 많고, 화순(和順) 탄광에 인접하여 제사(製絲)·면방적·견직(絹織) 등 섬유 공업과 피혁·식료품·자동차 공업 등이 성함. 명승 고적으로는 무등산(無等山)·서석대(瑞石臺)·입석대(立石臺)·광주 향교(鄕校)·원효사(元曉寺)·증심사(證心寺) 등이 있음. 1986년 11월에 직할시로 승격하고, 1995년에 광역시로 됨. [1,284, 590명(1996)]

광:주²【廣州】명〖지〗경기도 광주군(廣州郡)의 군청 소재지로 읍(邑). 본래의 광주는 남한(南漢)·유한(惟漢)·한산·한주라고도 불리던 지금의 중부면(中部面) 산성리(山城里)를 가리켰으나, 지금의 광주는 군(郡)의 중앙부에 위치한 곳으로, 경안천(慶安川)이 남쪽에서 북동쪽으로 관류(貫流)하고 있음. 북쪽인 중부면 산성리에 백제 온조왕(溫祚王)이 쌓은 남한산성(南漢山城)이 있음. [92,763명(1996)]

【광주 생원(生員) 첫 서울】무엇이든지 처음 보면 신기하여 정신이 얼떨떨하고 어리둥절하여진다는 말.

광주³【廣州】명〖역〗발해 왕국(渤海王國) 62주(州) 가운데 하나. 발해는 전국을 5경(京) 15부(府) 62주(州)로 나누어 관할하고 있었는데, 광주는 15부 가운데 하나였던 철리부(鐵利府) 소령(所領)이었음.

광:주⁴【廣州】명〖지〗'광저우'를 우리 음으로 읽은 이름.

광:주⁵【鑛主】명〖광〗광업권(鑛業權)을 가진 사람.

광:주⁶【鑛柱】명〖광〗광산에 있어서, 갱내(坑內)의 천반(天盤)이나 상반(上盤)을 받치고 갱도(坑道)나 채굴장(採掘場)을 안전하게 유지하기 위하여 채굴하지 않고 남겨 두어 자연의 기둥으로 삼는 광석의 부분.

광:주-군【廣州郡】명〖지〗경기도의 한 군. 관내 1읍(邑) 7면. 북은 하남시(河南市), 동은 양평군(楊平郡)과 여주군(驪州郡), 남은 이천시(利川市), 서는 성남시(城南市), 서남은 용… 함. 주요 산물은 농산·광산·축산·임산. 명승 고적… 대(西將臺)·숭렬전(崇烈殿)·현절사(顯節祠) 등이 있… 광주읍(廣州邑). [431.61 km²: 92,763명(1996)]

광-주기성【光週期性】[─썽] 명〖생〗생물이 일조(日照)… 대하여 반응하는 성질. 식물의 꽃눈의 형성·개화(開花)… 타남. 장일(長日) 식물·단일(短日) 식물 등의 구별은 이것… 김. 동물에서는 특히 새·곤충 등의 생활이나 발육에 중요한…

광주-댐【光州─】[dam] 명〖지〗영산강 농업 개발 사업(榮…發事業)으로 이루어진 네 개 댐 중의 하나. 전라 남도 담양… 의 영산강(榮山江) 지류인 증암강(甑巖江)을 막아 만든 댐. … 길이 505 m이며 도립 공원인 무등산 계곡에 위치… 하기 때문에 관광(觀光)을 겸한 다목적(多目的) 농… 업용 댐임. 1976년 10월 14일 준공.

광주리 명 대·싸리·버들 따위로 엮어 만든 크고 둥… 근 그릇.

〈광주리〉

【광주리에 담은 밥도 엎어질 수가 있다】틀림없을 듯한 일도 잘못… 그르칠 수가 있다는 말.

광주리 덫 명 주로 참새를 잡기 위해 민가의 마당 등에 만들어 놓는… 광주리 등을 엎어서 긴 줄을 단 짧은 막대기로 괴어 모이를 뿌려놓아… 새 등이 날아들면 줄을 당겨 광주리가 새를 덮치게 함.

광주리 장수 명 광주리에 채소·어물·잡화 따위를 담아 머리에 이고 다니며 장사하는 사람.

광:주 민란【廣州民亂】[─밀─] 명〖역〗조선 철종 13년(1862)에 경기도 광주에서 일어난 민란. 부민(府民) 1,000여 명이 결미(結米) 문제를 들고 봉기하였으나 수창자(首唱者)가 잡혀 처벌됨으로써 진압되었음.

광주 분지【光州盆地】명〖지〗영산강(榮山江) 상류에 의하여 개석(開析)된 분지. 나주 평야(羅州平野)의 동쪽에 위치하며, 중심지는 광주시임. 부근 평야는 쌀·보리·목화의 집산지임.

광:주 산맥【廣州山脈】명〖지〗태백 산맥의 철령(鐵嶺) 부근에서 갈라져 서남으로 뻗어 내린 산맥. 산맥 중에는 최고봉인 명지산(明智山)을 비롯하여 북한산·관악산 등이 솟아 있음.

광주-선【光州線】명〖지〗호남선 송정리역(松汀里驛)에서 광주·화순(和順)·보성(寶城)을 지나 순천에서 전라선(全羅線)에 접속하던 철도선. 지금은 광주선이라 부르지 아니하고 종전의 진주선(晋州線)과 함께 경전선(慶全線)에 통합 운행되고 있음. [134 km]

광주 일보【光州日報】명 광주 광역시(光州廣域市)에서 발간되는 지방 일간 신문. 1980년 12월 1일 전국 언론 기관 통폐합의 일환으로 '전남 매일 신문'과 '전남 일보'를 통합하여 창간함.

광주 학생 항:일 운:동【光州學生抗日運動】명〖역〗1929년 11월 3일 광주에서 일어난 학생들의 항일 투쟁 운동. 광주에서 기차(汽車) 통학을 하던 한·일(韓日) 중학생 사이에 싸움이 일어나 이것이 도화선(導火線)이 되어 광주의 2,000여 학생이 궐기하여 항일(抗日) 투쟁으로 돌입(突入), 마침내 항일 운동은 전국으로 번져 전국의 젊은 학도 58,000여 명이 이에 가담, 이듬해 2월까지 계속되었음. 그 후 11월 3일을 '학생의 날'로 정하여 기념하다가 1973년 4월에 폐지함.

광:중【壙中】명 구덩이 속. 주로 시체를 묻는 구덩이를 말함. 광내(壙內). 광혈(壙穴). 지실(地室). *광(壙)·둔석(窀穸).

광-중성자【光中性子】명 [photoneutron]〖물〗①γ선에 의한 핵반응(核反應) 때 방출되는 중성자. ②광핵(光核) 반응 때 방출되는 중성자.

광-중합【光重合】명 [photopolymerization]〖화〗빛의 조사(照射)에 의해 일어나는 첨가(添加) 중합. 단위체(單位體)가 빛을 흡수하여 중합을 개시하는 경우와 공존(共存)하는 다른 분자가 빛을 흡수하여 그 에너지의 이동에 의해 중합이 유기(誘起)되는 경우가 있음. 포토레지스트(photo-resist)에 이용됨.

「세. 광질(狂疾). 전광(癲狂).

광증【狂症】[─쯩] 명〖한의〗정신에 이상(異常)이 생기는 병. 미친 증

광-증폭기【光增幅器】명 [light amplifier]〖물〗광신호(光信號)나 광상(光像)을 직접 증폭하는 장치의 총칭. 광신호 증폭에는 레이저가 사용되며, 광상 증폭에는 이미지 증강관(image 增強管)이 쓰임.

광:지【壙誌】명 묘지(墓誌).

광:지암-산【廣之岩山】명〖지〗평안 북도 강계군(江界郡) 입관면(立館面)과 화경면(化京面) 사이에 있는 산. 강남 산맥(江南山脈)의 첫머리 부분에 솟아 있음. [1,643 m]

광:지-정 명〈방〉광두정(廣頭釘).

광:직【曠職】명 ①직무를 게을리하고 책임을 다하지 않음. ②오래 결근함. ③관직을 결원(缺員)인 채로 오래 둠. ──-하다 자여불

광진-교【廣津橋】명 한강에 건설된 다리의 하나. 서울 특별시 광진구 광장동과 강동구 천호동을 잇는 길이 1,037.6 m, 너비 9.4 m의 다리. 1936년에 준공됨. *광나루.

광:진-구【廣津區】명〖지〗서울 특별시의 한 구(區). 서쪽은 성동구(城東區), 북쪽은 중랑구(中浪區), 남쪽과 동쪽은 한강(漢江)에 접함. 어린이 대공원·세종 대학교·건국 대학교·동서울 터미널·뚝섬 유원지 등이 있음. 1995년 3월 성동구에서 분리되었음. [17.05 km²: 389,608명(1996)]

광진구

정신병.

optical integrated circuit ; OIC〕〖물〗 ...路)·광 스위치·광변조기·광검출기 ...것. 소자를 일체화함으로써 작고 가 ...거나 이웃에 대한 광학계(光學系)의 불 ...을 가져올 수 있음. 광 아이시(光 IC).

광질【狂疾】명〖한의〗

광집적 회로【光集...

반도체 레이저·광소자...에서 일어난 현 ...등의 ...이 실제로 일어 ...뿐만 ...부터 지구까지 ...안정성도 ...에서 지구까지

광차²【光差】...를 관하는 데 소요(所 ...

채굴한 광석을 ...석차(鑛石車).

〈광차²〉

...개의 전라 남도의 관찰사(觀察使).

...宗)에서, 한 산중의 대중이 모두 참당(參 ...

...을 위하여 설치한 창.

...어 끼운 창.

...색(光色). 광요(光耀). 광휘(光輝). 정화 ...다.

...다.

...閉 빛이 뒤섞여 빛나는 모양.

...홍성군 서남부의 읍(邑). 장항선(長項 ...로, 수산·농산물의 집산지이며, 도자기 ...3,561명(1990)〕

...방사성 물질을 일정량 이상 함유한 샘. ..., 보통 냉천을 가리킴. 포함되어 있는 물질 ...산성천(酸性泉)·유황천(硫黃泉)·방사성천(放 ...약용(藥用) 음료·목욕 치료 등에 이용됨.

...광천의 샘물. 광수(鑛水).

...[—념]〕명〖광〗광천(鑛泉)을 증발시켜서 얻은 염류 ...적으로 이것을 모조한 염류.

...】명〖역〗고려 광종(光宗) 때, 임금의 탄일(誕日)의 일 ...명 ①빛을 내는 물체. ②〖물〗발광체(發光體). ㄴ켰음.

...】명〖광〗지표(地表)나 지중(地中)에 있어서, 광석이 채굴 ...규모를 갖는 개개의 광상(鑛床). 「가는 빛의 다발.

...錐】명〖물〗한 광원(光源)으로부터 어떠한 면(面) 위에 모이어

...【光軸】명〔optical axis〕〖물〗①렌즈·구면경(球面鏡) 등의 광학계 (光學系)에서 각 면의 중심과 곡률(曲率) 중심을 연결한 선. 주축(主軸). ②이방성(異方性) 결정에서 빛이 복굴절(複屈折)을 나타내지 않는 방향의 축. 광학축(光學軸). *단축 결정. 「이 이루는 각.

광축-각【光軸角】명〖물〗결정 중에서 복굴절(複屈折)이 없는 두 방향

광축각-기【光軸角器】명〖물〗쌍축 결정(雙軸結晶)의 두 개의 광축 사이의 각을 재는 기구. 광축계.

광축-계【光軸計】명〖물〗광축각기.

광축-면【光軸面】명〖물〗쌍축 결정(雙軸結晶)에 있어서, 두 개의 광축을 포함하는 평면(平面). 곧, 광학적 탄성축(彈性軸) X·Y를 포함하는 평면. 「성축(彈性軸) Y의 방향.

광축면 법선【光軸面法線】명〖물〗광축면에 직각(直角)인 방향. 곧, 탄

광취【狂醉】명 심히 술에 취함. ——-하다 형여불

광:층【鑛層】명〔ore bed〕〖광〗주로 해저(海底)나 호수 바닥에, 물에 용해되었던 광물 성분이 침전(沈澱)되어 생긴 광상(鑛床). 흔히 다른 수성암층(水成岩層)과 겹쳐서 지층을 이룸. 철광·암염(岩塩)·칼리염·석고·만강광·황(黃)·인광(燐鑛) 등으로 된 광층이 있음. 성층 광상(成層鑛床). 침전 광층. 「愚). 백치(白痴).

광치【狂癡·狂痴】명 ①미친 사람과 바보. ②미치고 어리석음. 광우(狂

광치내【匡治奈】명〖역〗태봉(泰封)의 광평성(廣評省)의 으뜸 벼슬. 고려의 시중(侍中)과 같음.

광:-치다【光—】타 ①광을 내다. ②사실보다 크게 떠벌이어 자랑하다.

광:치 전장【廣置田庄】명 논밭을 많이 가짐. ——-하다 자여불

광침【光鍼】명〖한의〗레이저 광선을 이용하는 침. 통증이 전혀 없으며 침의 중복 사용으로 인한 전염 우려도 없음. *전침(電鍼).

광-컴퓨:터【光—】〔computer〕명 빛을 이용하여 정보의 기억이나 처리를 하는 컴퓨터. 미래의 컴퓨터의 주류(主流)가 될 것으로 기대되며, 기억 장치의 시작 연구(試作硏究)가 활발함. 현재 레이저 광선(光線)을 사용한 홀로그램 메모리(hologram memory)·광자성체(光磁性體) 메모리·유리 반도체(半導體) 메모리 등이 개발되고 있음.

광:-타원형【廣楕圓形】명〖수〗긴지름과 짧은지름의 차가 적고 원형에 가까운 타원형.

광탄【光彈】명〖군〗조명탄의 한 가지. 일정한 높이에서 강한 빛을 내게 만든 포탄(砲彈). 야간 신호(信號)·원거리 조명·적의 접근 경계 등에 사용됨.

광-탄성【光彈性】명〔photoelasticity〕〖물〗물체에 외력(外力)을 가하면 일시적으로 복굴절성(複屈折性)을 나타내는 성질. 복굴절로 생긴 줄무늬를 관측하여 물체 안의 변형력(變形力) 분포를 알 수가 있음.

광탄성-학【光彈性學】명〖물〗광탄성을 응용하여 힘을 받는 물체의 내부에 대한 힘의 작용과 변형력을 연구하는 탄성학의 일부분.

광:탄-천【鑛灘...】... 서 벽성군 축천...

광탈【狂奪】명 미...

광:탐【廣探】명 널리 ...

광탑【光塔】명 등대...

광:탕지-전【曠蕩之...】... 특사(特赦)의 은전(恩...

광태【狂態】명 ①미친...

광택¹【光宅】명 천하(天...

광택²【光澤】명 ①사물의 ... 는 일. 광. 빛. ¶닦을수록 ...

광:택³【廣宅】명 넓은 집.

광:택⁴【廣澤】명 넓은 늪.

광택-기【光澤機】명〖기〗마... 드럽게 하며 광택을 내는 기계...

광택-사【光宅寺】명〖불교〗중... 502년 양(梁)나라 무제(武帝)가 ... 강설(講說)한 것으로 유명함.

광택 사진【光澤寫眞】명 거죽에 ...

광택-제【光澤劑】명 전기 도금 때, ... 위하여 쓰는 첨가제(添加劑)의 총칭...

광택-지【光澤紙】명 양면(兩面) 또는 ... 거나, 칠을 발라서 광택을 낸 종이. 코...

광하

명〖지〗황해도 벽성군(碧城郡) 검단면(檢丹面)에 ...장연군(長淵郡) 태탄(苔灘)을 지나 황해로 들어 ...가는 강. [47 km] ...빼앗음. ——-하다 타여불 ...(探問)함. 두루 찾아보고 찾아봄. ——-하다 ...조선 시대 때 베풀던 대사(大赦) 또는 ...(赦典). 타여불 ...듯한 태도. ¶~를 부리다. ②미친 사 ...스럽을 일컫는 말. 「람의 태도. ...받아 번쩍이는 일. 또, 윤기가 나 ...〖불교〗부처의 광명(光明)의 비 ...춤을 받아 제도(濟度)되는 일. ...(織物)·종이 같은 것을 보 ...남경(南京)에 있는 절. ...법화경(法華經)을 ...페로타이프(ferrotype). ...사진. *페

광:토【曠土】명 ①공지(空地). ②거칠어 ... 하기

광-통신【光通信】명〖물〗광선을 신호로 ... 법. 빛의 점멸(點滅)로 정보를 전달하는데, ...光)을 반송파(搬送波)로 하는 연구가 진행... 重) 통신 등 초원거리(超遠距離) 통신의 발...

광파¹【光波】명〔light wave〕〖물〗빛의 파동(... 이 있는 데서 일컫는 말. 17세기 후반(後半)... '빛은 에테르(ether) 속을 전파(傳播)하는 횡파(... 데, 현대에 이르러서는 '빛은 공간을 매질(媒質)... 氣波)'로 해석되고 있으며, 1905년 아인슈타인의 ... 에 의하여 파동과 입자(粒子)의 양면성(兩面性)이 ...

광:파²【廣播】명 널리 뿌림. 두루 퍼뜨림. ——-하다

광파 로켓【光波—】〔rocket〕명 광자(光子) 로켓.

광-파이버【光—】〔fiber〕명 광섬유.

광:판【廣板】명 폭이 넓은 나무 판자. 「—

광패【狂悖】명 미친 사람처럼 도의(道義)에 벗어나는 ...

광-펌핑【光—】〔pumping〕명〖물〗빛에 의하여 메이저 또는 ... 동작 에너지를 주는 일.

광-펜【光—】〔pen〕명〖컴퓨터〗끝에 감광 소자(感光素子)가 붙은 연필 모양의 입력(入力) 장치. 이것을 모니터 화면에 대고 단추를 누르면 그 점의 좌표를 계산하여 컴퓨터로 입력해 줌. 점을 찍거나 선을 긋거나 그림을 그릴 수 있어 컴퓨터 그래픽에 많이 이용됨. 라이트 펜(light pen). 광전(光電)펜.

광:평-성【廣評省】명〖역〗①태봉(泰封)의 국정(國政)을 총리(總理)하던 관아. 신라 효공왕(孝恭王) 8년(904)에 둠. ②고려 초기의 백관(百官)을 총령(總領)하던 관아. 성종(成宗) 원년(982)에 어사 도성(御事都省)으로, 동 14년에는 상서 도성(尙書都省)으로 고쳤음.

광:평성 광치내【廣評省匡治奈】명〖역〗광치내.

광:평 시:랑【廣評侍郞】명〖역〗고려 광평성의 버금 벼슬.

광:평 시:중【廣評侍中】명〖역〗고려 광평성의 으뜸 벼슬.

광:폐【曠廢】명 ①오래 폐지됨. ②자기 할 일을 게을리하여 돌아보지 않음. ——-하다 자타여불

광포¹【狂暴】명 마음결이 미친 듯이 사나움. 행동이 대단히 난폭함.

광:포²【廣布】명 나비가 넓은 마포(麻布). ㄴ——-하다 형여불

광:포³【廣布】명 널리 보급함. 널리 펴서 알림. ¶애비의 죄를 세상 ~하구 있거든《朴榮濬 : 靑春病室》. ——-하다 타여불

광:포⁴【廣浦】명〖지〗①함경 남도 정평군(定平郡)에 있는 호수. 면적이 크기로는 한국에서 으뜸임. 여은포(女隱浦). [13.77 km^2] ②강원도 통천군(通川郡) 벽양면(碧養面)에 있는 호수. [0.15 km^2]

광-포화점【光飽和點】[—쩜] 명〖생〗식물의 호흡(呼吸) 작용에서, 더 강하게 빛을 비추어도 광합성량(光合成量)이 증가하지 않을 때의 빛의 세기. 강한 빛을 비추면, 소모되는 포도당(葡萄糖)보다 생성되는 포도당이 많아 숨구멍으로부터 이산화 탄소가 흡수되고 산소는 배출(排出)되기 때문임.

광:폭【廣幅】명 ①넓은 폭(幅). ¶~의 옷감. ②이유(理由) 없이 남의 일에 간섭(干涉)함. ——-하다 타여불

광-표백【光漂白】명〔fluorescent bleaching〕〖화〗형광(螢光) 물질의 수용액(水溶液)을 써서 섬유(纖維)를 처리하여 표백하는 일. ——-하다 타여불 「고 해가 나온 뒤에 부는 바람.

광풍¹【光風】명 ①봄볕 다사로운 맑은 날씨에 부는 바람. ②비가 그치

광풍²【狂風】명 미친 듯이 사납게 부는 바람.

광풍 제:월【光風霽月】명〔비가 갠 뒤의 바람과 달이란 뜻으로, 황정견(黃庭堅)이 주돈이(周敦頤)의 인품을 평한 말〕마음결이 명쾌하고 집착(執着)이 없으며 쇄락(灑落)함. 준광제(光霽).

광풍-채【光風菜】명〖식〗개자리¹❶.

광필¹【光弼】명 크게 도움. 광보(光輔). ——-하다 타여불

광필²【匡弼】명 그릇을 고치며 미치지 못하는 곳을 보필함. ——-하다

광:하【廣廈】명 넓고 큰 집. 대하(大廈). ㄴ타여불

...音】명 주로 토키용(talkie用) 녹음에 사용되는 녹음 ...름에 광선을 대어 빛의 양을 가감(加減)함으로써, 필름 ...)의 농도를 소리의 크기에 따라 변화시키는 가변(可變) ...도 대신에 검은 부분의 면적을 응용한 가변 면적형이 있 ...늘 흔히, 레이저 광선의 반사를 이용하는 방식인 콤팩트 디 ...컬음. *자기(磁氣) 녹음.

...【光學臺】명〔optical bench〕〖공〗실험 중의 광학 장치를 보지 ...하기 위한 수평대. 장치의 위치를 간단히 변경·조정할 수 있음.

...마:크 판독기【光學一判讀機】명〔optical mark reader : OMR〕...퓨터〗컴퓨터 입력 장치의 하나. 카드 모양으로 된 용지의 미리 정 ...진 위치에 검은 연필이나 사인펜으로 그려진 표시를 광학적으로 판독 하여 전기 신호로 바꾸어 컴퓨터에 입력시키는 장치. 광학식 기호 판독기.

광학 무:기【光學武器】명〖군〗광학 기계를 응용한 무기(武器). 망원경·잠망경(潛望鏡)·탄착 관측기(彈着觀測器)·폭격 조준기(爆擊照準器)·포대경(砲隊鏡)·조준경 등의 총칭.

광학 문자 판독기【光學文字判讀機】[一짜一] 명〔optical character reader : OCR〕〖컴퓨터〗컴퓨터 입력 장치의 하나. 손으로 썼거나 인쇄된 문자를 읽어 전기 신호로 바꾸어서 컴퓨터에 입력시키는 장치. 광학식 문자 판독기.

광학 바: 코:드 판독기【光學一判讀機】명〔optical bar code reader〕〖컴퓨터〗물품에 인쇄된 바코드 표시를 광학적으로 읽어들이는 장치. 백화점·슈퍼마켓 등 대형 상점에서 주로 이용함.

광:학-보【廣學寶】명〖역〗고려 때, 불법을 배우는 사람들을 위하여 베푼 일종의 장학 기관(奬學機關). 정종(定宗) 원년(946)에 7만 석의 미곡을 큰 사원에 시납(施納)하여 불명 경보(佛名經寶)와 광학보를 만들어 불교 공부를 권장했음.

광학 분광계【光學分光計】명〖물〗파장(波長) 측정이나 투명한 프리즘 재료의 굴절률을 측정하기 위하여 기준 스케일을 비치한 분광기.

광학 분석【光學分析】명〔optical analysis〕산란·흡수·굴절·편광 등 현상을 관측하여, 물질의 화학 조성, 매질(媒質) 중의 현탁한 입자의 크기 등, 물질이나 매질의 성질을 알아내는 일.

광학 섬유【光學纖維】명 광섬유.

광학-성【光學性】명 물질의 광학적 성질.

광학 시:각 통신 무:기【光學視覺通信武器】명〖군〗발광기 또는 탐조등(探照燈)에 의한 발광 신호와 수기(手旗)·신호탄·몸짓·기류(旗旒)·포판(布板) 등을 사용하는 통신 무기. *전파 무기·음향 무기·무선 통신 무기.

광학식 기호 판독기【光學式記號判讀機】명 광학 마크 판독기.

광학식 문자 판독기【光學式文字判讀機】[一짜一] 명 광학 문자 판독기.

광학 유리【光學琉璃】[一뉴一] 명〖화〗광학 기기에 사용하는 유리. 플린트(flint) 유리와 크라운(crown) 유리·특수 유리로 대별되는데, 맥리(脈理)·기포(氣泡)가 없고 굴절률이나 분산(分散)의 오차(誤差)가 없으며 투명도(透明度)가 높음.

광학 이:상【光學異常】명〖광〗결정에 가해진 장력(張力)이나 압력(壓力)의 영향을 입어 어떤 한 결정이 그 결정계(結晶系) 특유의 광학적 성질 이외의 성질을 나타내는 현상.

광학 이:성【光學異性】명〖물〗입체 이성의 하나. 분자식(分子式)이나 보통의 물리적·화학적 성질은 같은데, 선광성(旋光性)만이 다른 이성. 결정(結晶)·분자의 입체적 구조의 비대칭성(非對稱性)에 의하는 것으로 우선성(右旋性) 또는 좌선성(左旋性)을 나타냄.

광학 이:성질체【光學異性質體】명〖물〗광학 이성을 나타내는 물질. 구조식이 같으며, 분자 중의 원자 배열이 좌우 손바닥과 같이 대칭(對稱) 관계가 있는 이성질체. 이 한 쌍의 물질에 편광(偏光)을 보내면 편광면은 각기 일정한 각도만 회전시키는 성질이 있음. 부정(不整) 탄소 원소를 갖는 타르타르산(酸)·알칼로이드류(類) 등. *대장체(對掌體).

광학 재료【光學材料】명〔optical metarial〕광선·적외선·자외선·X선을 투과시키는 재료. 곧, 유리 또는 어떤 종류의 단결정(單結晶)이나 다결정체(多結晶體) 및 플라스틱 따위.

광학-적【光學的】명관 광학에 입각한 모양...

광학적 등:방성【光學的等方性】[一썽] ... 물질 속에서 방향에 따라 광학적 성질이 달...

광학적 미술【光學的美術】명 옵 아트.

광학적 성:질【光學的性質】명〖물〗물질이나 ... 빛이나 전자 방사(電磁放射)에 대하여 흡수·산... 등의 성질.

광학적 이:방성【光學的異方性】[一썽] 명〔op... 물질 속에서 방향에 따라 광학적 성질이 달라지...

광학적 이:방체【光學的異方體】명〖물〗광학적으... 는 물체. 등축 정계(等軸晶系)를 제외한 결정 또는 ... 외력(外力)·전압(電壓) 등을 받은 물체는 광학적 이...

광학적 이:중성【光學的二重星】명〖천〗복성(複星).

광학적 이:축성 결정【光學的二軸性結晶】[一쩡] ... (雙軸結晶).

광학적 일축성 결정【光學的一軸性結晶】[一쩡] 명 ... (單軸結晶).

광학적 탄:성축【光學的彈性軸】명〖물〗광학적 이방체(異... 서, 최대 속도의 광파(光波)가 진동하는 방향, 최소 속도... 가 진동하는 방향 및 이 두 방향에 수직(垂直)된 방향의 세...

광학 증감【光學增感】명 색증감(色增感). ↔유제(乳劑) 증감...

광학 지레【光學一】명〔optical lever〕〖물〗극히 작은 각도(角度)의 변화량(變化量)을 거울의 반사(反射)를 이용하여 측정하는 장치. 거울 앞에 볼록 렌즈를 놓고 그 맞은쪽 벽에 있는 광원(光源)에서 발하는 광선을 렌즈를 통하여 받아들인 다음, 그 거울을 약간 기울이어 그 광선이 렌즈를 통하여 나가게 해서 먼젓번의 광원과 거울을 통해서 반사한 광선의 도착점과의 거리를 측정하면 거울의 회전각(回轉角)을 알 수가 있음. 이 원리는 반사 검류계(反射檢流計)·조사 측미계(照射測微計) 등 각종 측정기에 이용됨.

〈광학 지레〉

광학 천:이【光學遷移】명〔optical transition〕〖물〗원자·분자가 하나의 에너지 상태에서 다른 상태로 변화하여 가시(可視)·적외·자외 영역(領域)의 전자기파(電磁氣波)를 방출 또는 흡수하는 일.

광학 추적【光學追跡】명〔optical tracking〕〖공〗각종 망원경 또는 탄도(彈道) 측정용 카메라를 사용하여, 비행기·미사일·인공 위성의 공간 위치를 측정하거나 공학상의 현상을 기록하는 일.

광학-축【光學軸】명〖물〗광축(光軸)❷.

광학 측거의【光學測距儀】[一/一이] 명 레이저(laser) 거리계.

광학 통장【光學筒長】명〔optical tube-length〕〖물〗현미경에 있어서, 대물(對物) 렌즈의 상공간 초점(像空間焦點)과 접안(接眼) 렌즈의 물(物)공간 초점과의 거리.

광학 판독기【光學判讀機】명〖컴퓨터〗종이에 기록된 색의 반사로 기호를 판독하는 기계. 광학 마크 판독기·광학 문자 판독기 따위가 있음.

광학 현:미경【光學顯微鏡】명 대물(對物) 렌즈·접안(接眼) 렌즈에 유리 렌즈를 써서 물체의 미세(微細) 부분을 확대시켜 관찰하는 장치. 특수한 것에는 금속 현미경·위상차(位相差) 현미경·편광(偏光) 현미경·한외(限外) 현미경 따위가 있음. *전자(電子) 현미경.

광학 활성【光學活性】[一썽] 명〔optical activity, rotary polarization〕〖물〗직선 편광(偏光)이 어떤 물질을 통과할 때, 그 편광면을 회전시키는 물질의 성질. 회전 방향에 따라 좌회전성(左回轉性)과 우회전성(右回轉性)으로 구별됨. 선광성(旋光性).

광학 활성체【光學活性體】[一썽一] 명〖물〗자연 상태에서 선광성(旋光性)을 나타내는 물질. 광학 이성질체(異性質體)나 수정(水晶) 따위.

광한【狂漢】명 미친놈. ↔광녀(狂女).

광:한-궁【廣寒宮】명 광한전(廣寒殿).

광한-단【光韓團】명〖역〗1920년 만주에서 조직된 독립 운동 단체. 3·1 운동 후, 만주에 망명한 독립 지사 40여 명과 한족회(韓族會)의 현정경(玄正卿)·현익철(玄益哲)·이시열(李時說) 등이 관전 현 샹루거우(寬甸縣香爐溝)에 모여 조직, 각처에서 파괴 활동을 하다가, 1923년 통군부(統軍府)에 통합됨.

광:한-루【廣寒樓】[一할一] 명〖지〗전라 북도 남원(南原)에 있는 누정(樓亭). 조선 태조 때 황희(黃喜)가 세운 것으로 《춘향전(春香傳)》에 의하여 유명해졌음. 원래 광통루(廣通樓)였는데, 지금의 건물은 인조(仁祖) 13년(1635)에 재건한 것이며, 경내에 춘향의 사당(祠堂)이 있음.

광:한루-기【廣寒樓記】[一할一] 명〖책〗조선 후기에 필명(筆名) 수산(水山)이라는 사람이 지은 한문 소설. 필사본. 필사 연도 미상. 광한루를 중심으로 하여 춘향(春香)과 도련(桃隣)의 사랑을 그렸음.

광:한루 악부【廣寒樓樂府】[一할一] 명 조선 철종(哲宗) 3년(1852)에 윤달선(尹達善)이 지은, 춘향전의 한시본(漢詩本). 신위(申緯)의 관극시(觀劇詩)를 모방하여 춘향전에서 취재한 것으로, 7언 절구 108편으로 요령(要令)·전어(轉語)·창(唱)으로 분류함. 사본 1책. 호남 악부(湖南樂府).

광:한-부【廣寒府】명 광한전(廣寒殿).

광:한-전【廣寒殿】명 달 속에 있다고 전하는, 항아(姮娥)가 사는 전각(殿閣). 광한궁(廣寒宮). 광한부(廣寒府).

광:한-풍【廣寒風】명 북풍(北風).

광-합성【光合成】명〔photosynthesis〕〖생〗녹색(綠色) 식물의 엽록체가 빛에너지를 이용하여 공기 중에서 빨아들인 이산화 탄소와 뿌리에

…(有機) 화합물을 생성하는 과정. 이 때, …같은 양의 산소가 발생됨. 이에는 명(明)반… 있음. ↔화학 합성(化學合成). *탄소 동…반응(明反應).

…] 명 〖생〗 광합성으로 흡수되는 이산화 탄…의 몰비(mol 比). 광합성비.

…생〗 광합성률.

…菌類】[―뉴] 명 〔photosynthetic bacteria〕 …중 광합성을 하는 독립 영양(獨立營養) 세균…에 따라 홍색(紅色) 광합성 세균과 녹색 광합…성을 하는 방법은 녹색 식물과 달라 산소를 생… 등 지표(地表)에 흔히 있음. *진정 세균류

…

…원의 채굴(採掘)·제련(製鍊) 과정에서 생기는 …의 유독(有毒) 가스 등에 의한 피해. 또, 일반 …제련소의 연기에 의한 연해(煙害), 선광(選鑛) 및 …의 하천 방류(河川放流)에 의한 해, 지하 채굴에 …(陷沒) 등의 해. 「또 폐위된 후의 봉작.

…〖사람〗 광해주(光海主)의 왕세자(王世子) 되기 전,

…日記】 명 〖책〗 광해주의 재위(在位) 15년 동안의 …祖) 2년(1624)에 찬수(撰修)됨.

…] 〔photodissociation〕 〖물〗 빛의 조사(照射)을 받아 …子)가 여기(勵起)·전리(電離)되어 분자가 원자(原 …al)·이온(ion)으로 해리하는 현상. 「상.

…害賠償】 명 〖법〗 광해에 대한 광업권자(鑛業權者)의 배

…鑛害調停】 명 〖법〗 광해 배상의 분쟁에 관한 조정.

…光海主】 명 〖사람〗 조선 시대 제15대 왕. 선조의 후궁 공빈 …) 김씨의 소생. 즉위 후 대북(大北)과 소북(小北) 사이의 당쟁(黨…)에 휩쓸려 임해군(臨海君)·영창 대군(永昌大君)을 역모(逆謀)로 몰아 죽이고 인목(仁穆) 대비를 서궁(西宮)에 유폐하는 등, 패륜(悖倫) 행위가 잦고 정치가 문란해지자, 서인파(西人派)에 의한 인조 반정(仁祖反正)으로 폐위됨. 그러나 재위 15년간 서적 편찬·사고(史庫) 정리 등 내치(內治)에 힘쓰고, 명(明)·후금(後金) 두 나라에 대한 양단(兩端) 정책으로 난국을 잘 처리했음. [1575-1641; 재위 1608-23]

광핵 반:응【光核反應】 명 〔photonuclear reaction〕 〖물〗 광자(光子)를 원자핵(原子核)에 조사(照射)했을 때 생기는 핵반응의 총칭. 중성자(中性子)·양성자(陽性子)·중양성자(重陽性子)·알파 입자(α粒子)가 방출되거나 핵분열이 일어나 핵의 구조에 대한 여러 가지 정보를 얻을 수 있음.

광행-로【光行路】[―노] 명 〔optical path〕 빛이 통과하는 길의 길이와 그 부분의 매질(媒質)의 절대 굴절률(屈折率)을 곱한 것. 이것은 같은 시간내에 빛이 진공(眞空) 속을 통과하는 거리와 같음. 광학 거리(光學距離). 광로(光路).

광행로-차【光行路差】[―노―] 명 〔optical path difference〕 입사광(入射光)이 간섭계(干涉計) 따위로 둘로 갈라져서부터 다시 합성(合成)되기까지의 두 빛의 광행로를 $(nl)_1$, $(nl)_2$로 할 때, $\Delta(nl)_1-(nl)_2$를 일컬음.

광행-차【光行差】 명 〔aberration〕 〖천〗 빛이 오는 방향과 평행이 아닌 방향으로 운동하고 있는 관측자에게 광원(光源)의 방향이 드티어져 보이는 현상. 지구의 공전(公轉) 운동은 빛의 속도의 약 1만분의 1이므로 별의 방향은 최대 약 20.5초 서쪽으로 보임. 1727년 영국의 브래들리(Bradley,J.)가 발견함. *항성(恒星) 광행차·일주(日周) 광행차.

광헌공-도【匡憲公徒】 명 〖역〗 고려 사학(私學) 십이도(十二徒)의 하나. 참정(參政) 노단(盧旦)이 세움.

광현[1]【光顯】 명 덕(德) 같은 것이 밝게 나타남. ――-하다 자 여불

광:-현[2]【廣峴】 명 〖지〗 ①황해도 곡산군(谷山郡)에 있는 고개. 멸악 산맥 중에 있는 안부(鞍部)의 하나로 예로부터 주요 통로를 이룸. [320m] ②경기도 이천군과 광주군 사이에 있는 고개. [173m]

광:혈[1]【壙穴】 명 시체를 묻는 구덩이. 광중(壙中). 묘혈(墓穴).

광:혈[2]【鑛穴】 명 〖광〗 ①광(鑛). ②쇳줄.

광:협【廣狹】 명 넓음과 좁음. 곧, 폭(幅).

광:협 장단【廣狹長短】 명 넓음과 좁음과 길과 짧음. 곧, 폭과 길이.

광:혜-원【廣惠院】 명 〖역〗 조선 고종(高宗) 22년(1885)에 통리 교섭 아문(統理交涉衙門)의 관리하에 지금의 서울 재동(齋洞)에 베풀어 일반 사람의 병을 치료하던 병원. 미국 사람 앨런(Allen, H.N.)에게 주관(主管)하게 하였으며, 얼마 안 가서 제중원(濟衆院)으로 고쳤음.

광호【匡護】 명 도와 보호함. ――-하다 타 여불

광-호흡【光呼吸】 명 빛이 있는 곳에서 식물(植物)이 하는 호흡 작용. 이산화 탄소를 배출하고 산소를 흡수함.

광혹[1]【狂惑】 명 미쳐서 혹함. ――-하다 자 여불

광혹[2]【誑惑】 명 속이고 얼을 빼어 호림. ――-하다 타 여불

광:-홍명집【廣弘明集】 명 〖책〗 중국의 불서(佛書). 당(唐)나라 도선(道宣)이 편찬하여 인덕(麟德) 원년(664)에 완성함. 양(梁)나라 승우(僧祐)의 《홍명집》을 따라 육조(六朝)로부터 당초(唐初)까지의 불교 관계 문서·시부(詩賦)·명문(銘文)을 모은 것. 귀정(歸正)·불덕(佛德)·승행(僧行) 등 10편으로 됨. 도교(道敎)에 대한 불교의 입장을 밝힌 것으로 불교·도교 두 교의 교섭을 아는 데 중요한 자료임. 30권.

광화[1]【光華】 명 광휘(光輝).

광화[2]【狂畫】 명 〖미술〗 희화(戲畫).

광:화[3]【鑛化】 명 〖광〗 마그마가 응결할 때 고온의 기체가 다른 암석에 작용하여 유용한 각종 광석을 생성하는 일. ――-하다 자 타 여불

광화[4]〔중 光化〕 명 〖지〗 중국 후베이 성(湖北省) 북쪽에 있는 광화 현(光化縣)의 현청 소재지·상항(商港). 한수이(漢水) 강의 동쪽 연안에 자리잡고 있으며, 한커우(漢口)까지 소형 기선이 운항함. 후베이·후난·산시(陜西) 등지의 교통의 중심지이며 오동유(梧桐油)·약재·옻 등 한수 상류의 물자는 이 곳을 거쳐서 우한(武漢) 쪽으로 수송됨. 구칭: 노하구(老河口).

광화-문【光化門】 명 〖지〗 경복궁(景福宮)의 정문(正門). 조선 태조(太祖) 4년(1395) 9월에 건립. 임진 왜란 때에 소실(燒失)되어 270여 년간 그 자태를 감추었다가 고종 2년(1865) 경복궁과 함께 재건되었으나, 1927년 일제(日帝)에 의하여 경복궁의 동문이던 건춘문(建春門) 북쪽에 옮겨 세워짐. 1950년에 다시 한국 전쟁으로 소실되어 석재부(石材部)만 남았는데, 1968년 중앙청 정면에 콘크리트로 복원됨.

광:화-제【鑛化劑】 명 〖광〗 ①암석 속에서 여러 가지 광물을 생성(生成)하는 작용을 가지고 있는 물질. 마그마(magma) 중의 수분·탄산 가스·아황산 가스·붕소(硼素)·플루오르(Fluor)·염소 따위. 성광제(成鑛劑). ②광물의 결정화(結晶化)를 촉진시키기 위하여 첨가하는 물질. 시멘트 제조시에 첨가하는 형석(螢石) 따위.

광-화학【光化學】 명 〔photochemistry〕 〖물·화〗 빛을 흡수한 물질의 전자(電子) 상태·화학 반응, 또 화학 반응에 따른 발광(發光) 따위 현상을 연구하는 화학의 한 분야. 방사선(放射線) 화학·우주 화학·빛에 의한 유기(有機) 합성·광합성(光合成)·태양 에너지의 화학적 전환·사진 화학·반도체 공학·형광(螢光)·인광(燐光) 등 각종 연구와 깊은 관련을 가짐.

광화학 당량【光化學當量】[―냥] 명 〔photochemical equivalent〕 〖물·화〗 광화학 당량의 법칙에 의하여 파장이 일정한 복사 에너지(energy)의 1cal를 흡수하여 분해한 물질의 양을 몰수(mol數)로 나타낸 수.

광화학 당량의 법칙【光化學當量―法則】[―냥―/―냥에―] 명 〖물〗 광화학 반응에 있어서, 하나의 광자를 흡수하여 활성화한 분자는 모두 화학 변화를 일으키며, 흡수된 광자의 수와 광화학적으로 변화한 분자수가 같다고 하는 법칙. 1905년에 아인슈타인이 발표함.

광화학 반:응【光化學反應】 명 〔photochemical reaction〕 〖화〗 빛에 의하여 일어나는 화학 반응. 일반적인 반응과 같이 분해·합성·중합(重合)·이성질화(異性質化) 등의 반응이 있음. 반응 물질에 빛이 닿음으로써 활성 분자(活性分子)·유리(遊離) 원자·자유 라디칼(自由 radical) 등이 생기고 이로 인하여 일련의 반응이 진행되어 연쇄 반응이 되는 경우가 많음.

광화학 분해【光化學分解】 명 〖화〗 광분해(光分解).

광화학 스모그【光化學―】 명 〔photochemical smog〕 〖화〗 배기 가스(排氣gas) 중의 탄화 수소와 질소 산화물(窒素酸化物)이 자외선(紫外線)을 받아 광화학 반응을 일으켜 생기는 옥시던트(oxidant)의 스모그. 햇볕이 강하고 바람이 약한 날에 발생하기 쉬우며, 눈이나 목을 자극하는 대기 공해(大氣公害)의 하나임. *옥시던트.

광화학 전:지【光化學電池】 명 〔photochemical cell〕 〖물〗 어떤 용액이 광화학 반응에 의하여 빛을 받은 부분과, 받지 않은 부분과의 사이에 기전력(起電力)을 생성하는 것을 이용하여, 광전관(光電管)처럼 빛의 에너지 측정에 사용하는 전지.

광화학 증감【光化學增感】 명 〔photochemical sensitization〕 〖물〗 광화학 반응에 있어서 반응 물질에 첨가된 다른 물질 즉, 광증감제(光增感劑)가 먼저 빛을 흡수하여 여기(勵起)된 다음 그 여기된 에너지가 반응 물질에 이동하여 반응을 일으키는 일.

광환【光環】 명 광관(光冠).

광-환원【光還元】 명 〔photoreduction〕 〖화〗 환원을 수반하는 광화학 반응(光化學反應). 무기물(無機物)의 산화(酸化)에 의하여 생기는 에너지로 이산화 탄소를 환원시켜 유기(有機) 탄소 화합물을 합성하는 일. 이산화 탄소의 환원을 위하여서는 물 이외의 황화 수소 따위 수소 공여체(水素供與體)를 필요로 하며, 산소는 발생하지 않음. ↔광산화(光酸化).

광:활【廣闊】 명 넓고 전망(展望)이 트이어 있음. ――-하다 형 여불.

광:회【曠懷】 명 넓은 도량(度量). └――-히 부

광훈【光勳】 명 빛나는 공훈.

광휘【光輝】 명 아름답게 빛나는 빛. 광화(光華). 광채(光彩). 빛.

광:휘 대:부【廣徽大夫】 명 〖역〗 조선 시대 초기 정사품 종친(宗親)의 품계(品階). 「하다 자 여불

광흥【狂興】 명 미친 듯이 흥분함. 몹시 흥겨워서 미친 듯이 날뜀. ――

광:흥-창【廣興倉】 명 〖역〗 ①고려 충렬왕(忠烈王) 34년(1308)에 좌창(左倉)의 고친 이름. 백관(百官)의 녹봉(祿俸)을 맡아 봄. 태창(太倉). ②조선 시대 때, 관원의 녹봉에 관한 사무를 맡아 보던 호조(戶曹) 예속의 관아. 태조(太祖) 원년(1392)에 베풀어졌다가 고종(高宗) 33년(1896)에 └폐지됨.

광희[1]【狂喜】[―히] 명 미치다시피 기뻐함. ――-하다 자 여불

광희[2]【狂戲】[―히] 명 미친 장난. 「을 고쳐 부른 이름.

광:희[3]【廣熙】[―히] 명 〖역〗 조선 연산군 10년(1504)에 한때, '악공(樂工)'

광희-문【光熙門】[―히―] 명 〖지〗 서울 동남쪽에 있던 문. 조선 태조 5년(1396) 가을에 만들었음. 허물어졌던 것을 1976년에 복원했음. 수구 └문(水口門).

광대 명 〈옛〉 광대. ¶ 광대(傀)《四聲 上 48》.

광쟝이 명 〈옛〉 광저기. ―광작이. ¶ 광쟝이 강(豇)《字會 上 13》/광쟝 └이(莞豆)《朴解 下 37》.

괘[1] 명 〈방〉 팽이(경북).

괘[2] 명 〈방〉 〖동〗 고양이(경상).

괘[3] 명 〈방〉 오얏.

괘[4]【卦】 명 〖민〗 ①중국 고대(古代)의 기형(紀形)의 글자. 복희씨(伏羲氏)가 만들었다 함. 한 괘에 각각 삼효(三爻)가 있고, 효(爻)를 음양(陰

陽)으로 나누어 건(乾)·태(兌)·이(離)·진(震)·손(巽)·감(坎)·간(艮)·곤(坤)의 팔괘(八卦)가 되고 이를 거듭하여 육십 사 괘(六十四卦)가 됨. 천지간(天地間)의 변화를 나타내며 길흉(吉凶)의 판단을 하는 주역(周易)의 골자(骨子)가 되는 것. ②점괘(占卦). 「양이 여러 가지임.
괘[5]【棵】명〖악〗거문고·가야금 따위 현악기의 현(絃)을 괴는 기둥. 모
괘[6] 조〈옛〉'과'에 '이'가 겹친 조사. ¶몸과 ᄆᆞᅀᆞᆷ괘 便安ᄒᆞ리이다《月
괘- 간 '괘다'의 어간. ¶ ~ㄴ/~니. 「釋 Ⅸ:40》.
괘견【絓絹】명 괘사(絓絲)로 짠 견포(絹布). 흔히 표구(表具) 등에 쓰임.
괘:경【掛鏡】명 기둥이나 벽에 걸게 된 거울.
괘:관【掛冠·挂冠】명〖역〗벼슬을 내놓음. 사직(辭職)함. 괘면(掛冕).
——-하다 자여불 「산맥 중에 솟음. [1,252m]
괘:관-산【掛冠山】명〖지〗경상 남도 함양군(咸陽郡)에 있는 산. 소백
괘:관-현【掛冠峴】명〖지〗개성 경덕궁(敬德宮) 북쪽에 있는 언덕. 이성계(李成桂)의 사저(私邸) 소재지. 태조가 등극하였을 때 고려의 선비들이 이 고개에서 관을 벗어 던지고 사라져 갔다 함.
괘괘-떼다 타 ↗괘괘이떼다. 「떼다.
괘괘이-떼다 타 단연히 엄숙하게 거절하다. 딱 잘라 거절하다. 준괘괘
괘-그르다【卦—】자르불 일이 모두 뜻대로 되지 아니하다.
괘:금【掛金】명 ①'보험료(保險料)'의 구용어. ②노름판에서 돈을 걺.
괘기[1] 명〈방〉괭이[1]❶(함경). 「——-하다 자여불
괘기[2] 명〈방〉고기(제주).
괘기[3]【卦氣】명 ①중국 전한(前漢)의 학자인 맹희(孟喜)·경방(京房)이 시작한 역학(易學)의 한 설(說). 당시 유행한 천인 상관(天人相關) 사상을 기초로, 역(易)을 달력에 결부시킨 것인데, 한(漢)나라 역학의 주류(主流)가 되었음. ②음양가(陰陽家)의 용어. 8괘를 낙서(洛書)의 수(數)와 결부시키고, 기우(奇偶)로 음양을 구분하는 일.
괘괭-스럽다 형ㅂ불 말이나 행동이 예상 외로 괴상하다. 망령스럽다. ¶문득 돌아간 자기 마누라의 생각이 나서 괘괭스럽게 눈물이 핑 돌기도 했다《金廷漢: 뒷기미나루》. 괘괭-스레 부
괘:나이 부〈방〉괜히.
괘냉이 명〈방〉〖동〗고양이(경북).
괘:념【掛念】명 마음에 두고 잊지 아니하거나 걱정함. 괘의(掛意). ¶그 일에 ~치 마십시오. ——-하다 자타여불
괘니 조〈옛〉'과'와 '이니'가 겹친 말. ¶믈와 블와 돌와 두듥괘니(水火
괘:니-시리 부〈방〉괜스레. 「月岸也)《圓覺 上 二之三 24》.
괘다리-적다 형 ①사람됨이 멋없고 정이 붙지 아니하다. ②성미가 뻔
괘달머리-적다 형〈속〉괘다리적다. 「뻔하며 거칠다.
괘:도【掛圖】명 벽에 걸게 된 그림.
괘등[1] 명〖광〗산등에 드러난 광맥(鑛脈)의 노두(露頭).
괘:등[2]【掛燈】명 전각(殿閣)이나 누각 천장에 매다는 등.
괘:등 부표【挂燈浮標】명〖해〗부표의 꼭대기에 점등(點燈) 장치를 한 항로 표지의 하나. 조류·수심(水深) 등으로 인하여 표등(標燈)을 설치하기 곤란한 해면에 닻으로 매어 둠.
괘:등 입표【挂燈立標】[—닙—] 명〖해〗바다 속의 암초 위에 석재(石材)나 콘크리트로 축조하여 석유나 가스로 점화하는 항로 표지(航路標識)의 입표. 「譜 序 6》.
괘라 조〈옛〉'과'에 '이라'가 겹친 말. ¶三寶ᄂᆞᆫ 佛와 法과 僧괘라《釋
-괘라 어미〈옛〉-았노라. -었노라. -겠노라. ¶失禮ᄒᆞᆫ 쩐 ᄒᆞ괘라《古時調 金壽長 臥龍岡》/丈夫의 浩然之氣를 오ᄂᆞᆯ이야 알괘라《永言》.
괘:력【掛曆】명 벽에 걸게 된 일력(日曆)이나 달력. 양달력.
괘로다 조〈옛〉'과'에 '이로다'가 겹친 조사. ¶狐와 狸와 纖ᄒᆞᆫ 皮괘로다(狐狸과 纖皮로다)《書諺 Ⅰ:63》.
괘:-릉【掛陵】명〖지〗경주시(慶州市) 외동읍(外東邑) 괘릉리(掛陵里) 숲 속에 있는 능(陵). 신라 원성왕(元聖王)의 능이라는 설이 있음.
괘:면[1]【掛冕】명〖역〗[면은 대부(大夫) 이상의 관(冠)] 높은 벼슬아치가 벼슬을 내어 놓음. 괘관(掛冠). ——-하다 자여불
괘:면[2]【掛麵】명 마른 국수.
괘:발【掛鉢】명〖불교〗①철발(鐵鉢)을 승당(僧堂)의 고리에 걸어 둠. ②선종(禪宗)의 승려가 수행(修行)을 위하여 어떤 절에 머무름. ③대중과 함께 밥이나 죽을 먹는 일. ——-하다 자여불
괘:방【掛榜】명〖역〗①정령(政令)·포고를 붙이어 보임. ②시험에 합격한 자를 써 붙임. ③익명(匿名)으로 글을 써 붙임. ——-하다 자여불
괘:방(을) 치다 구 비밀을 드러내다.
괘:범【掛帆】명 돛을 닮. ——-하다 자여불 「여 점치는 일.
괘변【卦變】명〖민〗한 괘(卦)로부터 변괘(變卦)를 내고, 그 변괘에 의하
괘:병-산【掛兵山】명〖지〗강원도 삼척시(三陟市)에 있는 산. 태백산에
괘-보리 명〈방〉〖식〗귀리(경북). 「속함. [1,132m]
괘:불【掛佛】명〖불교〗①크게 그리어 걸게 된 불상(佛像). 괘불탱(掛佛幀). ②부처를 그린 그림을 높이 거는 일.
괘:불 불사【掛佛佛事】[—싸] 명〖불교〗괘불을 그리는 일.
괘:불 이안【掛佛移安】명〖불교〗괘불을 옮기어 거는 일.
괘:불-재【掛佛齋】명〖불교〗부처의 그림을 밖에 내걸고 야외에서 베푸
괘:불-탱【掛佛幀】명〖불교〗괘불(掛佛)❶. 「는 법회(法會).
괘사[1] 명 변덕스럽게 익살부리는 말과 짓. 우습고 괴상한 말과 짓.
괘사(를) 떨:다 구 남을 웃기려고 언행을 우습고 괴상하게 자꾸 하다.
괘사(를) 부리다 구 남을 웃기려고 언행을 우습고 괴상하게 하다. 익살부리다. 「(爻辭).
괘사[2]【卦辭】명〖민〗점괘(占卦)를 풀어 써 놓은 글. 또, 그 말. *효사
괘사[3]【絓絲】명 누에고치의 겉가죽에서 뽑아 낸 질이 나쁜 견사(絹絲).
괘사-스럽다 형ㅂ불 말이나 하는 짓이 우습고 괴상스럽다. 괘사-스레 부
괘사-직【絓絲織】명 괘사로 짠 직물(織物). 괘직(絓織).

괘상【卦象】명〖민〗역괘(易卦)의 길흉(吉凶)
괘:상-봉【掛上峰】명〖지〗함경 북도 경성군(
무산군(茂山郡) 삼사면(三社面) 사이에 위치
며, 개마 고원(蓋馬高原)의 일부를 이룸. [2,139
괘-상청【棵上淸】명〖악〗거문고의 넷째 줄의 이
괘서[1]【卦筮】명〖민〗점. 점치는 일.
괘:서[2]【掛書】명 이름을 숨기고 게시(揭示)하는 글.
을 일으키거나 남을 모함할 때에 궁문(宮門)·성문(
문 같은 데에 써 붙임. ——-하다 자여불
괘:서 사:건【掛書事件】[—껀] 명〖역〗조선 시대 중
(三政)의 문란과 세도 정치에 시달린 백성들이 괘서·
이용하여 나라를 비방하고 민심을 선동한 사건. 영조(英
나주(羅州)에 귀향간 소론(少論) 윤지(尹志)가 노론(老論)
고 괘서를 붙인 사건과, 순조(純祖) 4년(1804)에 황해도에서
達宇)가 민심을 선동하기 위하여 괘서를 이용한 일이 있었고
서울에서 상민(常民) 재영(載榮) 등이 괘서 사건을 일으켰음.
괘석【挂錫】명〖불교〗①돌아다니던 중이 절에 가서 쉼. ②석장
을 승당(僧堂)에 걸어 둠. ——-하다 자여불
괘:선【罫線】명 ①〖인쇄〗활판 인쇄소(活版印刷所)에서 식자할 때
용(輪廓用)·접선·장식용 등의 선을 긋는 데 쓰기 위하여 아연판을
라서 만든 기구. ¶가는 ~. ②〖경〗주가(株價)의 움직임을 방안지(方
紙)에 나타낸 선. 주가 예측의 참고 자료임.
괘:심【掛心】명 괘념(掛念). ——-하다 타여불
괘씸-하다 형여불 사람으로서 마땅히 지켜야 할 예절·신의(信義) 등에 어긋나는 일을 하여 남에게 크게 미운 느낌을 주다. ¶그의 나에 대한 처사는 ~. 괘씸-히 부 「는 말. ——-하다 자여불
괘:약【掛藥】명 약을 걸어 놓는다는 뜻으로, 약국의 영업을 함을 일컫
괘오[1]【詿誤】명 그릇됨. 잘못됨. ——-하다 형여불
괘오[2] 조〈옛〉'과'에 '이오'가 겹친 말. ¶세혼 오직 ᄆᆞᅀᆞᄆᆡ 妄과 眞괘오(三唯心妄眞)《圓覺 上 一之一 45》.
괘:의【掛意】[—/—이] 명 괘념(掛念). ——-하다 타여불
괘이[1] 명〈방〉괭이(황해).
괘이[2] 명〈방〉〖동〗고양이(황해).
괘:자【掛子】명 →쾌자(快子).
괘장 명 처음에는 할 듯이 하다가 갑자기 딴전을 부리고 하지 않는 일. ¶무슨 ~인지 도무지 모르겠다.
괘장(을) 부치다 구 생급스럽게 그럴 듯한 말로 일을 안되게 하다. ¶무슨 심술인지 쏘다니며 괘장부치기가 일쑤다.
괘조【卦兆】명〖민〗점을 칠 때 나타나는 길흉(吉凶)의 현상.
괘:종【掛鐘】명 시계의 한 가지. 벽이나 기둥에 걸게 된 자명종(自鳴鐘). 괘종 시계. ↔좌종(坐鐘)·탁상 시계.
괘:종 시계【掛鐘時計】명 괘종.
괘:중【罫中】명 바둑판의 정간(井間) 안.
괘:지【罫紙】명 [←쾌지(罫紙)] 인찰지(印札紙).
괘직【絓織】명 괘사직(絓絲織).
괘:탑-단【掛搭單】명〖불교〗승당(僧堂)에서 안거(安居)할 때 지정된 각자의 좌석. 벽에 명패를 붙여 표시하고, 반평(半坪) 가량의 자리에서 앉고 눕고 공양함.
괘:판【罫版】명 인찰지(印札紙)를 박는 판.
괘효【卦爻】명 역괘(易卦)의 여섯 개의 획.
괜:스레 부 ↗공연(空然)스레. ¶바쁜 사람을 ~ 오라가라 한다.
괜스리 부〈방〉공연스레.
괜시리 부〈방〉공연스레.
괜찮다 [—찬타] 형 [←괜하지 않다] ①별로 나쁘지 아니하다. 그저 쓸 만하다. ¶국민 학교 학생의 그림으로는 괜찮은 편이다. ②무방(無妨)하다. ¶여기서 놀아도 ~. ③상관 없다. 염려할 것 없다. ¶늦어도 ~.
괜찮-이 [—찬—] 부 괜찮게.
괜:-하다 형여불 ↗공연(空然)하다. ¶괜한 소리 하지 말라. 괜:-히 부
괠:다 형〖광〗광맥(鑛脈) 노석(露石)이 치밀(緻密)하지 못하여 금분
괠-띠 명〈방〉허리띠(충남). 「(金分)이 적은 듯하다.
괭가리 명〈심마니〉달[1]❶.
괭상-어 명〈방〉〖어〗괭이상어.
괭이[1] 명 ①땅을 파는 데 쓰는 농기구(農器具)의 한 가지. 가짓잎 모양의 넓적한 쇠의 'ㄱ'자와 같이 달린 괏구멍에 긴 자루를 낀 것. 왜괭이·가짓잎괭이·삽괭이 등이 있음. ②↗수숫잎괭이.

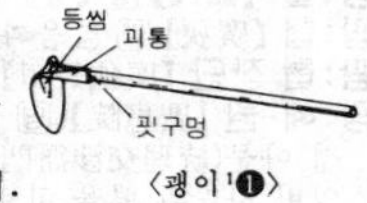

〈괭이[1]❶〉

괭이[2] 명〈방〉구유(황해·평남).
괭이[3] 명〈방〉〖동〗회충. 거위(경상).
괭:이[4] 명〖동〗↗고양이.
[괭이 새끼는 길러 놓으면 앙갚음을 한다] 어떤 단계에 이르면 반드시 최종적인 결과가 나타나게 마련이라는 말.
괭:이-갈매기 명〖조〗[*Larus crassirostris*] 갈매깃과에 속하는 물새. 갈매기와 비슷하나 날개 길이 36cm 가량이고, 꽁지에 넓은 흑색 띠가 있으며, 부리가 황록색, 아랫부리에 등황적색의 반점이 있는 것으로 구별됨. 몸빛은 백색이고 배면(背面)과 날개는 암청회색임. 섬·항만·강에 많이 모이어 조개·새우 등을 잡아먹고 5-7월에 서너 개의 알을 낳음. 울음소리가 괭이 소리 같음. 동부 아시아의 특산으로 홋카이도·한국·일본의 연안에서 번식하고 큐슈·중국 남부에서 월동함.

〈괭이갈매기〉

m grayanum] 범의귀과에 속하는 다
다에 잔뿌리가 남.
)이 풀잎과 같으
톱니가 있고, 담녹색
대기에 담황색의 작
둘로 찢어져 마치 고
음. 산의 습지에 나
분포함.

corniculata] 괭이밥
) 속에 옥살산(酸)이
높이 10-30 cm임. 잎
삼출(三出)하고,
. 7-8월에 엽액
그 끝에 황색 꽃
달리어 피고, 과
길가에 나는데, 거
잎은 식용임. 괴승
酢漿草).
Oxalidaceae] 쌍자
에 속하는 한 과. 전
애기괭이밥·큰괭이밥·괭이밥·선괭이밥 등

〈괭이눈〉

〈괭이밥〉

phalides felis] 벼룩과에 속하는 곤충. 몸
있는 흑색의 강극즐(剛棘櫛)은 7-8개, 앞
앞 쪽과 촉각와(觸角窩)의 뒤 쪽에는 각각
사람·고양이·원숭이 등에 기생하는데, 전

] [Carex neurocarpa]
초. 줄기는 총생하여, 높
줄기의 하부에 호생하고
叢)은 정생(頂生)하며 기둥꼴
다수로 다소 구형(球形)이고,
상부는 수술, 하부는 암술이
에 핌. 과낭(果囊)은 편평한 달걀
습지(濕地)에 나는데, 경남·충북·경기·
남북 등지에 분포함.

〈괭이사초〉

상어 명〔어〕[Heterodontus japonicus] 괭이상어과에 속하는 바닷물고기. 몸길이 1 m 가량이고 머리는 아주 크고 살져서 괭이 비슷한데, 주둥이는 짧고 둔하게 둥글며, 조개를 깨물 정도로 강한 이를 가짐. 몸빛은 다갈색 바탕에 일곱 줄의 흑갈색 가로띠가 있음. 두 등지느러미의 앞 끝에 강한 가시가 있고, 뒷지느러미는 작으며 가슴지느러미는 아주 큼. 운동이 활발하지 않고 연안성 저서어(底棲魚)로서 3-4월에 산란하는데, 입에 물건을 물고 있을 때는 덤비지 않는다는 기습(奇習)이 있다고 함. 한국 서남부해·일본 중부 이남에 많이 분포함.

〈괭이상어〉

괭:이상어-과【一科】[一꽈] 명〔어〕[Heterodontidae] 괭이상어목(目)에 속하는 상어 무리의 한 과. 괭이상어·삿징이상어 등이 이에 속하는데 뒷지느러미가 있고 두 개의 등지느러미에는 각각 앞에 센 가시가 하나씩 있으며, 아가미 구멍은 다섯 쌍, 분수공(噴水孔)이 있는 점이 특이함. 난생(卵生)임.

괭:이상어-목【一目】명〔어〕[Heterodontida] 어류의 한 목. 괭이상어과(科)가 이에 속하며, 괭이상어·삿징이상어 등이 있음.

괭:이-싸리 명〔식〕[Lespedeza pilosa] 콩과에 속하는 다년초. 줄기는 길이 1 m 가량 벋고, 잎은 호생하며 유병(有柄)이고 삼출(三出)하는데, 소엽(小葉)은 넓은 타원형 또는 거꿀달걀꼴임. 8-9월에 백색꽃이 액출(腋出)하여 피고, 과실은 협과(莢果)임. 들에 나는데, 한국 중부 이남 및 일본에 분포함.

괭이-자루 명 땅을 파는 기구인 괭이에 달린 손잡이.

괭:이-잠 명 푹 자지 못하고 자주 깨면서 자는 잠.

괭이-질 명 괭이로 땅을 파는 일. ——하다 자여불

괭:이털-니 [一리] 명〔충〕[Felicola subrostrata] 짐승털닛과의 곤충. 몸길이 1.2 mm, 폭 0.5 mm 가량이고 두흉부(頭胸部)는 담황색, 복부는 백색이며, 온 몸에 농색(濃色)의 반문이 있음. 두부는 오각형이고, 각 복절 중앙에 암황색 횡반이 있음. 괭이에 기생하는 전세계 공통종임.

〈괭이털니〉

괭잇-날 명 괭이의 날.

괭-하다 형여불 물체가 맑고 투명하여 환히 비치어 보이다. ㅆ뺑하다.

괴[1] 명〈옛·방〉〔동〕고양이. ¶ 괴 묘(貓)《字會 上 18》.
[괴 죽 쑤어 줄 것 없고 새앙쥐 볼가심할 것 없다] 몹시 가난하다는 말.

괴[2] 명〈방〉녀스레.

괴:[3] 명〈방〉개암❶(강원).

괴:[4] 명〈방〉궤(櫃)(전남).

괴[5]【塊】명〔한의〕'융모 상피종(絨毛上皮腫)'의 속칭. ¶ 뱃속에 ～가 「들다.

괴[6]【魁】명 ①으뜸. ②〔천〕북두 칠성(北斗七星)의 머리에 있는 네 개의 「별.

괴[7]【槐】명 성(姓)의 하나. 우리 나라에는 현존(現存)하지 않음.

괴각【乖角】명 성질이 비꼬임. ——하다 자여불

괴각-채【槐角菜】명 홰나무의 연한 잎을 짓이기어 즙을 내어서 밀가루나 쌀가루를 섞어서 반죽한 후 잘게 썰어 젓국을 치고 익힌 다음 기름과 깨소금을 함께 쳐서 비빈 반찬.

괴갑【魁甲】명 괴방(魁榜).

괴:걸[1]【怪傑】명 ①매우 괴상한 기량을 가지고 있는 호걸(豪傑). 성질이나 행동이 괴상한 인걸(人傑).

괴걸[2]【魁傑】명 큰 호걸.

괴:겁【壞劫】명〔불〕... 재·수재·풍재의 대삼재 사겁(四劫)의 하나. 주겁(住劫) 뒤에 화재·수재가 일어나 세계가 파괴되고 공무(空無)로 돌아가기까지의 동안.

괴격【乖隔】명 떨어짐.

괴:결【壞決】명 무너짐. ——하다 자여불

괴경【塊莖】명〔식〕덩이줄기.

괴:고【壞苦】명〔불교〕... 는 고통. *고고(苦苦)·행고.

괴과【魁科】[一꽈] 명〔역〕... 던 문과(文科)의 갑과(甲科).

괴:광[1]【怪光】명 ①괴상한 빛.

괴광[2]【塊鑛】명 큰 덩어리로 된 광석.

괴괴【怪怪】명 괴상(怪常)함.

괴괴 망측【怪怪罔測】명 말할 수 없이 괴상함.

괴괴이-떼다 타 ☞ 괘괘이떼다.
이 괴괴이떼던 일을……《李海朝》

괴괴-하다 형여불 쓸쓸하고 고요하다. ... 누룩하다. ¶ 허영은 불을 끄고 괴괴하게 닫고 건넌방으로 건너왔다《李光洙》

괴:교[1]【怪巧】명 괴상하고 교묘함. ——하다

괴교[2]【槐膠】명〔약〕홰나무의 진. 신경...

괴:교 괴기【怪巧瑰琦】명 괴이(怪異)하고 ...

괴-구녁 명〈방〉괴통.

괴:귀【怪鬼】명 도깨비. 괴물(怪物).

괴근【塊根】명〔식〕덩이뿌리.

괴:금[1]【怪禽】명 괴조(怪鳥).

괴금[2]【塊金】명 사금(砂金)과 같이 나오는 둥근 ...

괴기[1] 명〈방〉고기(경기·강원·충청·전라·경상·...

괴:기[2]【怪奇】명 ①괴상하고 기이함. 기괴(奇怪). ...(架空的)이고 그로테스크함. 황당 무계함. ——하...

괴:기[3]【傀奇】명 괴상하고 기이함. 괴기(怪奇).

괴기[4]【魁奇】명 진귀하고 빼어남. ——하다 형여불

괴:기 소:설【怪奇小說】명〔도 Schauerroman〕〔문〕환상(幻想)을 소재로 하여 괴기한 분위기와 공포감을 ... 국의 공포파(恐怖派)나 괴기파 그리고 중국의 전기(傳...)... 이에 속함.

괴:기-파【怪奇派】명〔문〕현실과 괴리(乖離)된 괴기 소설이나 (傳奇談)을 쓰는 작가의 한 파. 낭만주의 작가나 포(Poe, E.A.)·호프(Hoffmann, E.T.A.) 등이 그 대표임.

괴:기 환:상 문학【怪奇幻想文學】명〔문〕마술(魔術)·연금술(鍊金術)·점성술(占星術)을 중심으로 하는 은비학(隱祕學)·신화(神話)·전설 등 민속학적(民俗學的)인 기반 위에 정립(定立)한 괴기 소설이나 환상 소설. 《호프만 전집(Hoffmann全集)》·《흡혈귀 드라큘라》 등.

괴-까다롭다 형ㅂ불 괴상하고 까다롭다. ㅆ꾀까다롭다. 괴-까다로이 부 「괴-까닭스레 [一닥一] 부

괴-까닭스럽다 [一닥一] 형ㅂ불 괴상하고 까닭스럽다. ㅆ꾀까닭스럽다.

괴깔 명 실·피륙·종이 또는 나무 등의 겉에 보풀보풀하게 일어난 섬유(纖維). 산모(散毛) 섬유.

괴끌 명 타작할 때 나오는 벼 알이 섞인 짚북더기.

괴끼 명 곡식의 수염 부스러기.

괴나리 명 ↗괴나리봇짐.

괴나리-봇짐 명 보행으로 길을 갈 적에 보자기에 싸서 어깨에 메는 조그마한 짐. 준괴나리.

괴:난【愧赧】명 →괴란(愧赧). ——하다 자여불

괴내기 명〈방〉〔동〕고양이(경북).

괴냉이 명〈방〉〔동〕고양이(경남).

괴:다[1] 자 우묵한 곳에 액체(液體)가 모이다. 고이다. ¶ 도랑에 빗물이 ～.

괴:다[2] 자 술·간장·초 등이 발효할 때에 거품이 부걱부걱 일다. ¶ 빚어 넣은 술이 ～ / 숨막힐 분위기가 지긋지긋 싫어져서 가슴은 부글부글 괴었다《朴花城: 벼랑에 피는 꽃》.

괴:다[3] 타 ①넘어지거나 쓰러지지 않게 하기 위하여 밑을 받쳐 안정하게 하다. 버티다. ¶ 턱을 ～. ②그릇에 떡·과자 등을 차곡차곡 쌓아 올려 담다. ¶ 쟁반에 떡을 ～. ③웃어른의 음식을 조심스레 담다. ④웃어른의 직함을 받들어 쓰다.

괴:다[4] 타 유난히 귀엽게 사랑하다.

괴:담【怪談】명 이상 야릇한 얘기. 귀화(鬼話). 환담(幻談).

괴:담 이:설【怪談異說】명 괴이한 이야기.

괴당【乖當】명 정당하지 아니함. ——하다 형여불

괴대【拐帶】명 위탁 받은 물건을 가지고 도망함. ——하다 타여불

괴대기 명〈방〉〔동〕고양이(전남).

괴더기 명〈방〉〔동〕고양이.

괴덕-부리다 자 수선스럽고 실없어 미덥지 아니한 짓을 하다.

괴덕-스럽다 형ㅂ불 수선스럽고 실없어 미덥지 못하다. ¶ 괴덕스럽게 꽃망울을 잡아 흔드는 그 희멀건 얼굴이 꽃다발같이 향기롭다《李孝石: 花粉》. *넌덕스럽다. 괴덕-스레 부

괴데기 명〈방〉〔동〕고양이(전남).

괴:도【怪盜】명 괴상한 도둑. ¶ ～ 뤼팽.

괴도라치 명〔어〕[Azuma emmnion] 황줄베도라칫과에 속하는 바닷물

고기. 몸길이 약 25cm로 길쭉하고 측편(側扁)하며 머리가 작고 주둥이 끝이 둔함. 몸빛은 암갈색으로 체측에 불명한 한 개의 가로띠가 있고, 꼬리지느러미 끝은 담갈색임. 옆줄은 몸에 짧은 피질(皮質) 있는데, 짧은 한 줄의 구멍으로 되어 있고, 많고, 일본 남부에 분 돌기가 있음. 한국 연해 특히 목포·부산 가진 아이.

포함. 역(孝子驛)에서 포항 종합

괴:동【怪童】명 괴상한 아동. 괴상한 道線). 1968년 12월 30일 개

괴동-선【槐東線】명〖지〗동해 남부선 「일위.

제철 공장이 있는 괴동에 이르는 발(散髮). ②과거에 급제한 제

통. [5.6km] 수 없는 사람의 일컬음.

괴두【魁頭】명 ①결발(結髮

괴:딸-아비 명〈속〉이 의 작자·연대 미상의 가사체(歌辭體)

괴때기 명〈방〉괴팔. 가는 딸에게 여자의 올바른 행실을 지키

괴또라지 명〈방〉 인 소설임.

괴똥-전【一傳】 하여 떨어짐. ——-하다 자여불

소설. 국문 어지러움. ——-하다 형여불 「형여불

라는 총간(愧赧)〕 부끄러워서 낯이 붉어짐. ——-하다

괴뚜더기 어지러움. 무너뜨리어 어지럽게 함. ¶ 풍속 ~.

괴:락 형 창피스러워 얼굴이 뜨거울 정도로 어색하다.

괴란 웃음소리나. 누가 들으면 괴란쩍게《玄鎭健·無

赧一】부 괴란쩍게.

명 어그러지고 외람(猥濫)됨. ——-하다 형여불

〈방〉〖동〗고양이(경북).

orres, Joseph von〕명〖사람〗독일의 문필가·학자이며 신문 (Der Rheinische Merkur)의 창간자(創刊者). 중세적인 낭만 신봉하고 반(反)나폴레옹·반프로이센을 외침. 후에 열렬한 가 주의자로서 울트라몬타니즘(ultramontanism)을 주창함. 주저(主 는《기독교 신비주의》등. [1776-1848]

【乖戾】명 사리(事理)에 어그러짐. 괴천(乖舛). ——-하다 형여불

:력【怪力】명 ①초인적(超人的)인 뛰어난 큰 힘. 대력(大力). ②괴이(怪異)와 용력(勇力).

괴:-력-난-신【怪力亂神】명 괴이(怪異)와 용력(勇力)과 패란(悖亂)과 귀신(鬼神). 이성(理性)으로는 설명할 수 없는 불가사의(不可思議)한 존재나 현상을 일컬음.

괴로우- 간 '괴롭다'의 불규칙 어간. ¶ ~ㄴ/~니.

괴로움 명 ①몸이나 마음에 고통(苦痛)을 느낌. 몸이 아프거나 마음이 편하지 못함. ②힘들고 어려움. 곤란(困難). ③귀찮음. 성가심. 준괴롬.

괴로워-하다 자여불 ①괴로운 느낌을 갖다. ②애쓰다. ③귀찮아하다.

괴로-이 부 괴롭게.

괴롬 명 ↗괴로움.

괴롭다 형ㅂ불 ①몸이나 마음에 고통을 느끼다. 몸이 아프거나 마음이 편안하지 아니하다. ②힘들고 어렵다. 곤란하다. ③성가시다. 귀찮다. ¶ 괴롭게 굴지 말아라.

괴롭-히다 타 괴롭게 하다. 못살게 굴다. ¶ 마음을 ~.

괴:뢰【傀儡】명 ①꼭두각시❶. ②망석중이❶❷. ③남의 앞잡이가 되어 이용당하는 사람. 허수아비.

괴:뢰-군【傀儡軍】명 꼭두각시 노릇을 하는 군대. 괴뢰 정부의 군대.

괴:뢰-배【傀儡輩】명 꼭두각시놀음을 하던 무리.

괴:뢰-사【傀儡師】명 꼭두각시를 놀리는 사람.

괴:뢰 정권【傀儡政權】[—꿘] 명 다른 나라의 조종(操縱)대로 움직이는 정권(政權). 점령 국가(占領國家)가 점령지에 세워서 직접 행정을 대행(代行)시키는 정권 따위. 「라의 행정부.

괴:뢰 정부【傀儡政府】명 어떤 다른 나라의 조종대로 움직이는 한 나

괴:뢰-희【傀儡戲】[—히] 명〖연〗중국 대만(臺灣)의 인형극. 인형을 네 가닥의 끈으로 놀리는 연극으로 송·원(元) 시대에 유행했던 것임. 꼭두

괴륙【魁陸】명〖조개〗안다미조개. 살조개. 「각시놀음.

괴를리츠〔Görlitz〕명〖지〗독일 동부의 작센 주(Sachsen 州)에 있는 공업 도시. 독일 동부 공업 지대의 동단(東端)에 위치하여 기계·직물 공업이 성함. 폴란드와의 국경을 흐르는 나이세(Neisse) 강의 양안(兩岸)을 차지한 곳이었으나 1945년 이후 동안(東岸)은 폴란드령(領)이 되어 즈고르첼레츠(Zgorzelec)라고 함. [89,284명(1962추계)]

괴리[1] 명〈방〉허리띠(전북).

괴리[2]【乖離】명 서로 등지어 떨어짐. ¶ 인심의 ~. ——-하다 자여불

괴리 개:념【乖離概念】명〖논〗개념이 그 내포(內包)에 있어서 하등의 공통점도 없어 같은 종류의 개념에 포섭(包攝)할 수 없는 개념. 곧, 종(種)과 유(類)의 관계가 아닌 경우를 가리킴. 이를테면 덕(德)과 삼각형(三角形) 같은 것. 이류 개념(異類概念). 부등 개념(不等概念). 별위 개념(別位概念). 이격(離隔) 개념.

괴리-끈 명〈방〉허리띠(충남).

괴:링〔Göring, Hermann〕명〖사람〗나치스 독일의 정치가·군인. 1922년 나치스 당(黨)에 참가, 돌격대를 지휘하였고, 1933년 나치스 정권 수립과 함께 입각, 게슈타포(Gestapo)를 조직하였으며, 군수 공업과 군비의 확장을 강행하였음. 나치스 당의 중진(重鎭)으로 공군 총사령관, 프로이센의 내상(內相)·수상을 역임하였고, 1940년에 원수(元帥)가 되어 히틀러의 후계자로 지명됨. 제2차 세계 대전 후 전쟁 범죄자로서 뉘른베르크(Nürnberg) 국제 군사 재판에서 (處刑) 직전에 자살하였음. [1893-1946]

괴:망[1]【怪妄】명 언행(言行)이 괴상하고 망측 않으며 중인과 혼잡지 아니하기에 웬 일인 었으나 처형 쌀쌀하다고 하였지《金敎濟: 牧丹花》. ——

괴:망(을) 떨:다 구 괴망스러운 짓을 자꾸 하다

괴:망(을) 부리다 구 괴망스러운 짓을 하다.

괴:망[2]【傀網】명〔rete mirabile〕〖동〗가는 혈관 혈관의 분지(分枝)로 형성되며, 끝에서는 단일 혈 서(水棲) 동물에서는 산소 저장의 기능을 갖는다고 기며

괴:망-스럽다【怪妄一】형ㅂ불 말과 행동이 괴상하고

괴:망 우벽【怪妄迂僻】명 괴망스럽고 편벽됨. 「망-

괴:-머리 명 물레의 왼쪽에 가락을 꽂게 된 부분.

괴:머리 기둥 명 물레의 괴머리에 박혀, 가락을 꽂고 가 된 두 개의 나무.

괴:멸【壞滅】명 파괴되어 멸망함. ——-하다 자여불

괴목【槐木】명〖식〗홰나무.

괴목-반【槐木盤】명 홰나무로 만든 소반.

괴목-장【槐木欌】명 홰나무로 만든 장.

괴:몽[1]【怪夢】명 괴상한 꿈. 이상 야릇한 꿈.

괴몽[2]【槐夢】명 ↗괴안몽(槐安夢).

괴:문[1]【怪聞】명 괴상한 소문.

괴문[2]【槐門】명〔중국 주(周)나라 때 외조(外朝)에 세 그루의 괴 고 삼공(三公)이 이를 향해 앉았었다는 데서 유래됨〕'삼공(三 별칭.

괴문 극로【槐門棘路】[—노] 명 '삼공 구경(三公九卿)'의 이칭(異稱

괴:-문서【怪文書】명 중상적(中傷的)·폭로적인 내용을 갖는 출처 불 의 문서.

괴:물【怪物】명 ①괴상한 물건. 이상 야릇한 물체. ②괴상한 사람.

괴:민【怪民】명 ①미친 백성. ②미치광이 같은 사람.

괴밀개 명〈방〉고무래(충북). 「어 놓는 나무때기.

괴밋-대 명〖광〗방아 확에서 분쇄된 광석을 파낼 때에 방앗공이를 괴

괴반[1]【乖反】명 어그러짐. 벗어남. ——-하다 형여불

괴반[2]【乖叛】명 배반함. 반역(叛逆). ——-하다 타여불

괴:발-개발 부〔←괴(고양이)+발+개+발〕글씨를 되는 대로 함부로 갈겨 써 놓은 모양. ¶ ~ 써 놓아 글인지 그림인지 분간할 수 없다.

괴:발개:발 그리다 구 글씨 쓰는 솜씨가 아주 사납다.

괴:발-디딤 명 고양이처럼 소리가 나지 않게 가만히 발을 디디는 짓.

괴발-딱취 명〈방〉〖식〗단풍취. 「과(魁科). 장원랑(壯元郞).

괴방【魁榜】명〖역〗과거(科擧)의 갑과(甲科)에 첫째로 급제한 사람. 괴

괴배【乖背】명 배반(背反)함. 도리(道理)에 어긋남. ——-하다 자여불

괴-배다【塊一】자 뱃 속에 괴(塊)가 들다.

괴:벨〔Goebel, Karl Eberhardt von〕명〖사람〗독일의 식물학자. 식물 형태, 특히 기관(器管)을 연구하고 근대 식물 형태학의 기초를 쌓음. 학술 잡지《플로라(Flora)》를 창간함. 주저(主著)는《식물 기관학》. [1855-1932]

괴벨스〔Göbbels, Joseph Paul〕명〖사람〗나치스 독일의 정치가. 나치스 당(黨)의 중진(重鎭)으로 선전상(宣傳相)을 역임하였음. 모략 선전에 특이한 재능이 있으며, 언론의 탄압과 문화의 통제 및 유태인 박해(迫害)의 철저한 실행자. 제2차 세계 대전이 끝나기 직전에 가족과 함께 자살하였음. [1897-1945]

괴벽[1]【乖僻】명 괴망(怪妄). ¶ ~한 성질. ——-하다 형여불. ——-히 부

괴:벽[2]【怪癖】명 괴이한 버릇. 「벽-스레【乖僻一】부

괴벽-스럽다【乖僻一】형ㅂ불 말과 행동이 궁벽하고 괴상 망측하다. 괴

괴:변[1]【怪變】명 괴상한 변고. 이상 야릇한 변고.

괴:변[2]【壞變】명 붕괴(崩壞)하여 변형함. ——-하다 자여불

괴:병【怪病】명 이상 야릇한 병. 원인을 알 수 없는 괴상한 병.

괴:복【愧服】명 부끄러워하여 복종함. 부끄럽게 생각해서 굴복함.

괴부【槐府】명〖역〗의정부(議政府). 「——-하다 자여불

괴부-랑 명〈방〉호주머니(전북).

괴:분【愧忿】명 부끄러워하여 성을 냄.

괴-분상【塊粉狀】명 괴상과 분상. 괴상이나 분상. 「같은 무늬.

괴:불 명 ①↗괴불 주머니. ②〖건〗단청(丹靑)에서, 주렴(珠簾)에 달린 술

괴:불-나무【—라—】명〖식〗[*Lonicera maackii var. typica*] 인동과의 낙엽 활엽 관목. 높이 2-3m이고, 수(髓)는 갈색이며 가운데가 비었음. 잎은 달걀꼴 또는 타원형인데 톱니가 없음. 5월에 백색 꽃이 액생(腋生)하며, 장과(漿果)는 가을에 암적색으로 익음. 산기슭이나 골짜기에 나는데, 거의 한국 각지 및 일본·만주·중국에 분포함. 과실은 식용함.

괴:불 주머니【—쭈—】명 어린아이의 노리개. 네모진 색 헝겊을 귀나게 접어서 속에 솜을 통통하게 넣고 가에 수를 놓아 색 끈을 접어서 「닮. 준괴불.

괴:불-줌치 명〈방〉괴불 주머니.

괴비[1] 명〈방〉갑절(함경).

괴비[2] 명〈방〉호주머니(전라·경남).

괴비-주멩이 명〈방〉호주머니(전북).

괴비-진지 명〈방〉〖동〗진드기(경북).

괴빵이 명〈방〉고삐(충남).

괴삐 명〈방〉고삐(경기·강원·전북). 「鳥)《詩諺 物名 I》.

괴ᅂ리 명〈옛〉꾀꼬리. ¶ 괴ᅂ리(百舌鳥)《湯液 卷一 禽部》/괴ᅂ리(黃

괴:사[1]【怪死】명 사인(死因)이 의심스러운 죽음. ——-하다 자여불

괴:사[2]【怪事】명 괴상한 일. 까닭 모를 이상 야릇한 일.

괴:사[3]【怪辭】명 기이한 언사(言辭).

괴사

괴:사⁴【愧死】명 ①대

다닐 수 없을 만큼 불

괴:사⁵【壞死】명

능을 잃는 일

괴산【槐山】명

맥의 산간

는 제월

고산

괴산

…워하여 죽음. ②세상에 얼굴을 들고 …러워함. 참사(慙死). ——-하다 자여불

…조직이나 세포가 국부적으로 죽어 그 기

…괴산군의 군청 소재지로 읍(邑). 소백 산 …치하며, 연초·고추를 산출함. 명승으로 …(孤山九景)이, 명소(名所)로는 충민사와 …96)]

… 북도의 한 군. 관내 2읍 11면. 북은 음 …), 동은 제천시(堤川市)와 경상 북도 문 … 문경시와 상주시(尙州市), 서는 천안시· … 산물은 고추·마늘·잎담배·인삼 등 농산 …·공산이 있음. 명승 고적으로는 화양동(華 …강(雙谷小金剛)·제월대(霽月臺)·각연사(覺 …地) 등이 있음. 군청 소재지는 괴산(槐山). …6)]

…] 충청 북도 괴산군(槐山郡) 칠성면(七星面) …강(達川江)을 막아 만든 댐으로, 길이 171 m, … 16 m임.

…증(剝症)

…버리고

…양. 이상 야릇한 모양. 「——-히 부

…함. 괴이하고 이상함. ——-하다 형여불.

…에 어그러짐. ——-하다 형여불

… 된 모양. 괴형(塊形). ②〔massive〕〖광〗 광 … 형태를 나타내지 않고 뒤섞여 있는 상태.

… 괴상하기 짝이 없음. ——-하다 형여불 「부

…ㅂ불 괴상하게 보이다. 괴:상-스레【怪常一】

… ①화성암(火成岩). ②구성하는 광물이 특정한 …하는 암석.

…常一】[一냐一] 형여불 괴상하고 야릇하다.

…어〗팽이상어.

…狀熔岩】명〖지〗모난 단면(斷面)의 매끄러운 바윗덩어리 … 겹쳐 쌓인 상태의 용암. 비교적 점성(粘性)이 크고 두꺼운 …熔岩流)에 있어서 이미 냉각(冷却)하여 굳어 버린 용암류의 표 …다시 계속되는 운동으로 말미암아 부서져서 됨.

… 중합【塊狀重合】명〖화〗단량체(單量體)에 가용성 촉매(可溶性觸媒)를 가하고 필요에 따라 가열하여 중합시키는 방법. 고순도(高純度)의 것을 얻을 수 있고 중합 속도는 크지만 반응열(反應熱)의 제거가 곤란하므로 그리 높은 중합도(重合度)의 것은 얻기 어려움.

괴상 화:산【塊狀火山】명〖지〗종(鐘) 모양의 산으로, 분화구(噴火口)는 보이지 않으며, 산 전체가 점성(粘性)이 강한 동일 용암으로 되어 있는 화산. 종상 화산(鐘狀火山). 톨로이데(Tholoide).

화구(火口)가 없음

〈괴상 화산〉

괴:색¹【愧色】명 부끄러워하는 얼굴빛.

괴:색²【壞色】명〖불교〗가사(袈裟)의 염색으로 제정한 목란색(木蘭色). 곧, 황색·홍색·적색을 뒤섞은 색.

괴:석¹【怪石】명 기괴(奇怪)하게 생긴 돌. 고석(古石). ¶ 기암 ～.

괴석²【塊石】명 돌멩이. 「풀.

괴:석 기초【怪石奇草】명 이상하게 생긴 돌과 기이한

괴:석-도【怪石圖】명〖미술〗특이한 형태의 바위를 그린 그림. 수석도(壽石圖).

괴:선¹【怪船】명 수상한 배. 괴상한 배.

괴선²【魁選】명〖역〗과거의 갑과(甲科)에 첫째로 뽑힘.

괴:설【怪說】명 기괴한 설. 이상한 소문.

괴성【魁星】명 ①북두 칠성의 첫째 별. ②중국에서, 사람의 녹적(祿籍)이나 문장(文章)을 맡았다는 신(神). 과거(科擧)가 있는 해 같은 때에는 특히 수험자(受驗者)들이 신봉하였음. 자동 제군(梓潼帝君). 문창(文昌) 제군.

〈괴성❷〉

괴:손【壞損】명 ①무너뜨려 손해를 입힘. ②체면(體面)을 손상함. 훼손(毁損). ——-하다 타여불

괴:송【愧悚】명 ①부끄러워하고 두려워함. ②부끄러움과 두려움.

괴:수¹【怪獸】명 괴상하게 생긴 짐승. ㄴ——-하다 자여불

괴:수²【愧羞】명 괴치(愧恥). ——-하다 자여불

괴수³【魁首】명 악당의 두목. 무리배의 두령(頭領). 수괴(首魁). 거수(渠

괴수⁴【魁帥】명 무리배의 장수. ㄴ帥).

괴수⁵【魁殊】명 남달리 빼어남. ——-하다 형여불

괴숭이 명〈방〉〖식〗괴승아.

괴승아 명〖식〗괭이밥.

괴신【槐宸】명 천자(天子)의 궁전. 풍신(楓宸).

괴실【槐實】명〖한의〗홰나무의 열매. 살충·타태제(墮胎劑)로 씀.

괴:심【愧心】명 부끄러워하는 마음.

괴싱이 명〈방〉괴승아.

괴:아【怪訝】명 이상하게 여김. 의심함. ——-하다 타여불

괴아내다 타〈옛〉괴게 하다. 술을 빚어 익히다. ¶ 즈는것 마고 쇠허 쥐비저 괴아내니《古時調 金光煜 뒷집의》.

괴악【怪惡】명 말이나 행실이 괴이하고 흉악함. ——-하다 형여불

괴악 망측【怪惡罔測】명 괴악하기 짝이 없음. ——-하다 형여불

괴악-스럽다【怪惡一】형ㅂ불 보기나 듣기에 괴악하다. 괴:악-스레

괴악-적【怪惡的】명관 말이나 행실이 괴악한 모양. ㄴ【怪惡一】부

괴안【魁岸】명 체격이 웅장하고 기운이 셈. ——-하다 형여불

괴안-국【槐安國】명 중국 당(唐)나라의 이공좌(李公佐)가 지은 전기(傳奇) 소설《남가기(南柯記)》에 나오는 말로, 홰나무 밑에 있었다는 상상(想像)의 개미의 나라.

괴안-몽【槐安夢】명 남가몽(南柯夢). ㊥괴몽(槐夢).

괴알 명〈방〉귀얄(전북).

괴암¹ 명〈방〉개암❶(경남).

괴:암²【怪岩】명 괴상하게 생긴 암석(岩石). 기암(奇岩). ¶ ～ 괴석(怪石).

괴애【乖崖】명〖사람〗김수온(金守溫)의 호(號).

-괴야 어미〈옛〉-구나. ¶ 어와 우습괴야 世上 사름 우읍괴야《永言》.

괴야-쭈머니 명〈방〉호주머니(전북).

괴:약【怪一】명〈방〉괴악(怪惡)(경상).

괴얄 명〈방〉귀얄(경기).

괴얌 명〈방〉개암❶(경북).

괴얌-감 명〈방〉고욤(전북).

괴양-감 명〈방〉고욤(전남).

괴앵이 명〈방〉〖동〗고양이(강원).

괴:어【怪魚】명 괴상하게 생긴 어류. 이상한 고기.

괴어 오르다 자르불 술·간장·초 같은 것이 발효(醱酵)할 때에 거품이 부걱부걱 솟아오르다. 발효하기 시작하다.

괴:언【怪言】명 괴상한 말. 「다 형여불

괴:연¹【傀然】명 ①큰 모양. 위대한 모양. ②독립(獨立)한 모양. ——-하

괴연²【魁然】명 ①형체가 큰 모양. 또, 위대한 모양. ②편안한 모양. ③흙덩이처럼 움직이지 않는 모양. ——-하다 형여불

괴:열【壞裂】명 ①허물어지고 갈라짐. ②일이 중도(中途)에서 허물어

괴염 명〈방〉고욤(전북). ㄴ짐. ——-하다 자여불

괴엽빈【槐葉蘋】명〖식〗생이가래. 「여불

괴오¹【乖忤】명 배반하여 거역함. 어그러지고 거슬림. ——-하다 자타

괴오²【魁梧】명 얼굴 생김이 위대함. 괴위(魁偉). ——-하다 형여불

괴오다 타〈옛〉괴다❸. ¶ 괴올 지(榰), 괴올 오(捂), 괴올 텡(撐)《字會 下 17》/平牀을 괴오니(支床)《杜諺 X:38》.

괴오히 부〈옛〉고요히. =괴외히. ¶ 괴오히 오히려 잇는가 업슨가(蕭條猶在否)《重杜諺 Ⅱ:49》.

괴오ᄒᆞ다 형〈옛〉고요하다. ¶ 사ᄅᆞ미 다 避亂ᄒᆞ야 나가니 烟氣 져거 괴오ᄒᆞ도다(人煙眇蕭瑟)《重杜諺 Ⅰ:2》.

괴:옥【壞屋】명 파괴된 가옥. 파옥(破屋). 폐옥(廢屋).

괴옴¹ 명〈방〉고욤(강원). 「媚取寵)《龜鑑 下 51》.

괴옴² 명〈옛〉총애(寵愛). 굄. ¶ 그스기 고온양ᄒᆞ야 괴오믈 取ᄒᆞᄂᆞ니(陰

괴외좀좀ᄒᆞ다 형〈옛〉고요하고 잠잠하다. ¶ 釋迦牟尼는 能히 仁ᄒᆞ며 괴외좀좀ᄒᆞ시다 혼마리니《月釋 XV:53》. 「覺 上 一之二 99》.

괴외히 부〈옛〉고요히. =괴오히. ¶ 괴외히 좀좀ᄒᆞ시니라(寂默也)《圓

괴외ᄒᆞ다 형〈옛〉고요하다. ¶ 寥는 괴외홀씨라, 寂은 괴외홀씨라《月序 1》/괴외ᄒᆞᆫ 고대 ᄒᆞ오아 안자(獨坐靜處)《佛頂 上 5》.

괴:욕【愧辱】명 부끄러움.

괴욤 명〈방〉고욤(강원·충북·전북).

괴:용【怪勇】명 이상할 만큼 큰 용기. 괴이한 용기.

괴:우¹【怪迂】명 괴이하고 바르지 못함. ——-하다 형여불

괴:우²【怪雨】명 회오리바람에 물고기·개구리·벌레 등이 말려 올라갔다가 비와 함께 지상으로 떨어지는 현상.

괴우다 타〈방〉괴다³(강원).

괴:운【怪雲】명 괴상하게 생긴 구름.

괴원【槐院】명〖역〗승문원(承文院).

괴원 분관【槐院分館】명〖역〗새로 문과(文科)에 급제한 자를 승문원(承文院)에 분속시키는 일. *국자 분관(國子分館).

괴위¹【槐位】명〖역〗〔중국 주(周)나라 때 홰나무를 심어서 삼공(三公)의 자리를 정한 데서〕삼공의 지위(地位). 괴정(槐鼎). 「여불

괴위²【魁偉】명 얼굴 생김이 위대(偉大)함. 괴오(魁梧). ——-하다 형

괴:유【怪由】명〖사람〗고구려의 장군. 북명(北溟) 사람. 키가 아홉 자나 되는 거인으로, 대무신왕(大武神王) 5년(22)에 부여(扶餘)를 칠 때, 부여왕의 머리를 벰. [? -22]

괴:율【愧慄】명 부끄러워 떪. ——-하다 자여불

괴:의【怪疑】[一/一이] 명 괴이하고 의심스러움. ——-하다 형여불

괴이¹ 명〈방〉팽이¹(경북).

괴:이²【怪異】명 이상 야릇함. ——-하다 형여불. ——-히 부

괴이³ 부〈옛〉사랑스럽게. '괴다⁴'의 전성 부사(轉成副詞). ¶ 나면 괴이 양ᄌᆞ롤 지스며(出則窈窕作態)《內訓 Ⅱ:12》.

괴이다¹ 자타 ①☞괴다¹. ②☞괴다². ③☞괴다³. ④☞괴다⁴.

괴이다² 〈옛〉㊀ 타 사랑하다. ¶ 괴여 爲我愛人《訓例 合字解》. ㊁ 자 아양 부리다. 사랑을 받다. =괴여다. ¶ 또 효ᄀᆞᆫ 臣下 님금씌 괴이ᄋᆞ와(亦如小臣媚至尊)《杜諺 Ⅲ:70》.

괴이다³ 피동 ①받친 물건에 굄을 당하다. ¶ 한쪽 다리를 괴인 책상. ②그릇 위에 괴어 쌓아올림을 당하다. ¶ 예쁘게 괴인 사과. ③직함(職啣)이 괴어 쓰임을 당하다. ④남에게 귀엽게 굄을 받다.

괴:이-쩍다【怪異一】형 괴이한 느낌이 있다. ¶ 그의 언동이 괴이쩍으니 다시 한번 알아 보자.

괴:이-찮다【怪異一】[一찬타] 형 괴이하지 아니하다.

괴:인¹【怪人】명 수상한 사람. 괴이한 인물.

괴인²【拐引】명 꾀어 냄. 유괴(誘拐). ——-하다 타여불

괴인-돌 명 ☞괸돌. 고인돌.

괴임 명 ①☞굄¹·고임¹. ②☞굄²·고임².

괴임-돌 [一똘] 명 ☞굄돌.

괴임-목【一木】명 ☞굄목.

괴임-새 명 ☞굄새·고임새.

괴임-질 명 ☞괼질.
괴여다 피동 〈옛〉 괴이다. 사랑을 받다. =괴이다². ¶괴여 爲人愛我 《訓例 合字解》.
괴자누룩-하다 형 〈방〉 고자누룩하다.
괴재【瑰才】명 뛰어난 재주.
괴:저¹【愧沮】명 부끄러워 기가 죽음. ——하다 자여불
괴:저²【壞疽】명 〖의〗 괴사(壞死)로 인하여 몸의 한 부분이 썩어서 생리적 기능이 없어지는 병.
괴정【槐鼎】명 삼공(三公)의 지위(地位). 괴위(槐位).
괴:조【怪鳥】명 괴상하게 생긴 새. 이상한 새. 괴금(怪禽).
괴:좆-나무 명 〖식〗 ☞구기자(枸杞子)나무.
괴주【塊朱】명 〖약〗 천연적으로 나는 새빨간 무거운 가루 광석. 환약(丸藥)의 거죽에 바름. 적색 황화홍(赤色黃化汞).
괴:증【壞症】[—쯩] 명 〖의〗 상한병(傷寒病)과 비슷한 병. 온독(溫毒)·온역(溫疫)·온학(溫瘧)이 병발(並發)하는 것이 보통임.
괴지¹ 명 〈방〉 귀에지.
괴지²【槐枝】명 〖한의〗 홰나무의 가지. 습기로 나는 모든 병의 약재(藥材)로 씀.
괴지-주【槐枝酒】명 홰나무 가지를 달인 물로 담근 술. 대마 위비(大痲痿痺)의 약으로 씀.
괴:질【怪疾】명 〖한의〗 ①병상(病狀)이 괴상하여 병인(病因)을 몰라서 병명을 붙일 수 없는 병. ¶~이 창궐하다. ②〈속〉 콜레라(cholera).
괴짜【怪—】명 〈속〉 괴상(怪常)한 사람이나 물건. ¶~ 취급을 받다.
괴찜 명 〈방〉 호주머니(전북).
괴:-찮다【怪—】[—찬타] 형 괴이하지 아니하다.
괴:참【愧慙】명 부끄러워함. ——하다 자여불
괴천【乖舛】명 사리(事理)에 어그러져 온당하지 않음. 괴려(乖戾). ——하다 형여불
괴철【塊鐵】명 철광(鐵鑛)을 용해하여 응결시킨 쇳덩이.
괴촌【塊村】명 〖지〗 민가(民家)가 불규칙하게 모여서 덩어리 모양의 평면 형태를 나타내는 촌락. 지형·교통로 등에 의하여 자연적으로 집합된 것과 계획적으로 이룩한 것이 있음.
괴:춤 명 ↗고의춤.
괴:충【怪蟲】명 이상한 벌레. 괴상하게 생긴 벌레.
괴:치¹【怪鴟】명 〖조〗 수알치새. 수리부엉이.
괴:치²【愧恥】명 부끄러워함. 괴수(愧羞). ——하다 자여불
괴탁【魁擢】명 〖역〗 과거에 장원(壯元)으로 뽑힘. ——하다 자여불
괴탄¹【怪歎】명 괴상하게 여겨 탄식함. ——하다 타여불
괴:탄²【怪誕】명 괴이하고 헛된 소리.
괴탄³【塊炭】명 덩이로 된 석탄. ↔분탄(粉炭).
괴:테 [Goethe, Johann Wolfgang von] 명 〖사람〗 독일 최대의 문호(文豪). 프랑크푸르트에서 태어나 라이프치히(Leipzig)와 스트라스부르(Strasbourg) 대학에서 수학(修學)한 후 슈투름 운트 드랑(Sturm und Drang) 예술 운동에 참가함. 24세 때 《괴츠(Götz)》와 《젊은 베르테르의 슬픔》으로 일약 문명(文名)을 날리고, 바이마르 공국(Weimar 公國)의 태자 카를 아우구스트(Karl August)에게 초대되어 약 10년간 관리 생활을 한 후, 이탈리아에 여행 중 로마에서 시극(詩劇) 《이피게니에(Iphigenie)》·《에그몬트(Egmont)》 등을 완성. 이 밖에 그 때의 일기와 편지 등은 《이탈리아 기행》에 수록했음. 귀국 후 재상(宰相)의 일을 보면서, 《빌헬름 마이스터(Wilhelm Meister)》·《친화력(親和力)》과 자전(自傳) 《시와 진실》 및 희곡 《파우스트(Faust)》와 서사시(敍事詩) 《헤르만(Hermann)과 도로테아(Dorothea)》·《서동 시편(西東詩篇)》 등을 공간(公刊)하여, 실러(Schiller)와 함께 독일 문학의 황금 시대를 이루었음. 그의 작품은 모두 자기 경험의 고백과 참회이며, 고전주의·낭만주의의 각 시대를 통하여 전인적(全人的)인 창조력에 의하여 거대한 업적을 남겼음. 이 밖에 식물학·지질학·광물학·해부학 등의 연구에도 평생 힘을 기울였으며, 그 중 《색채론(色彩論)》은 특히 중요함. [1749-1832]
괴:테-상【—賞】(Goethe) 명 독일 프랑크푸르트 시(市)가 그 도시 출신인 괴테를 기념하기 위하여 창설한 문화상. 1927년에 제정됨.
괴토【塊土】명 덩어리진 흙.
괴통 명 창(槍)·삽·괭이·쇠스랑 등의 자루를 박는 부분. 그 구멍은 '굇구멍'이라 함. *고달.
괴:특【怪特】명 진기(珍奇)함. ——하다 형여불
괴팅겐 [Göttingen] 명 〖지〗 독일 니더작센 주(Niedersachsen州) 남부, 라이네 강(Leine江) 가에 있는 학술·상공(商工) 도시. 광학(光學)·정밀 기계·출판 인쇄·섬유 공업이 행해지며, 괴팅겐 대학과 연구 시설이 있음. [130,000명(1981)]
괴팅겐 대학【—大學】[Göttingen] 명 독일의 괴팅겐에 있는 대학. 정식 명칭은 게오르크 아우구스트 대학(Georg-August-Universität). 1737년에 창립. 할레(Halle) 대학을 본받아, 과학의 자유로운 연구를 강조함. 18세기 후반의 대학 혁신 운동의 선구가 되어 그 후 급격히 발전함. 현재 신학·법학·의학·이학(理學)·임학(林學)·농학·경제학의 각 학부로 됨.
괴팅겐 칠교수 사:건【—七敎授事件】[Göttingen] [—껀] 명 1831년 하노버(Hannover)의 새 국왕 에른스트 아우구스트(Ernst August)가 자유주의적 헌법의 무효와 구헌법의 부활을 선언하자, 이에 항의한 괴팅겐 대학의 달만(Dahlmann, F. C.), 게르비누스(Gervinus, G. G.), 그림 형제(Grimm兄弟) 등 7명의 교수가 파면된 사건.
괴:팍【乖—】명 성미가 까다롭고 별남. ¶~한 성미. ——하다 형여불
괴:팍-스럽다【乖—】형ㅂ불 성미가 까다롭고 별나서 붙임성이 없다.
괴:팍-스레【乖—】부
괴패¹【乖悖】명 이치에 벗어남. ——하다 형여불
괴:패²【壞敗】명 헐어짐. 무너짐. ——하다 자여불

괴:팩 명 [←괴퍅(乖愎)]. ☞괴팍.
괴:팩-스럽다 형ㅂ불 [←괴퍅(乖愎)스럽다
괴:퍅【乖愎】명 ☞괴팍. ——하다 형여불
괴:퍅-스럽다【乖愎—】형ㅂ불 ☞괴팍스럽
괴:폐【壞廢】명 파괴되어 폐물(廢物)이 됨. ——
괴:-하다【怪—】형여불 성질이나 행동이 괴상
괴:한¹【怪漢】명 차림새나 거동이 수상한 사나이
괴:한²【愧汗】명 부끄러워 땀을 흘림. 또, 그 땀.
괴합【魁蛤】명 〖조개〗 안다미조개.
괴:행【怪行】명 괴이한 행동.
괴:-현상【怪現象】명 괴이한 현상.
괴:혈-병【壞血病】[—뼝] 명 〖의〗 비타민 C의 결핍 채소나 과실을 섭취하지 못하였을 때에 일어나는 병증 빈혈(貧血)·쇠약(衰弱)·경골(脛骨)의 동통(疼痛)·치은(의 출혈(出血)·전신 권태감 등이며, 심해지면 심장이 쇠 특히, 유아(乳兒)의 괴혈병은 묄러 발로 병(Möller Barlow
괴형【塊形】명 덩어리로 된 모양. 괴상(塊狀).
괴:화¹【怪火】명 원인을 알 수 없는 괴상한 불.
괴화²【槐花】명 〖한의〗 홰나무의 꽃. 치질(痔疾)·혈변(血便)·이 에 쓰며, 살충약(殺蟲藥)으로도 씀.
괴화-나무【槐花—】명 〖식〗 ☞홰나무.
괴화-차【槐花茶】명 차의 한 가지. 홰나무 꽃봉오리의 꽃술을 따 꽃잎을 그늘에서 말려 볶아 달인 차.
괴황【槐黃】명 홰나무 열매로 만든 노란 물감.
괴후¹【乖候】명 괴후(怪候).
괴:후²【怪候】명 괴상한 기후(氣候).
괵【斛】명 휘¹. ¶슬프다, 이 말 한 마디를 듣기 위하여 그 여자는 오늘까지 기만 ~의 눈물을 흘렸느뇨! 《趙重桓 : 長恨夢》.
괵국 부인【虢國夫人】명 〖사람〗 양귀비(楊貴妃)의 언니.
괵량【斛量】[—냥] 명 곡식을 휘로 됨. *두량(斗量). ——하다 타여불
괵목【槲木】명 〖식〗 떡갈나무.
괵상【斛上】명 〖역〗 [←곡상] 세미(稅米)를 받을 때, 미리 서해(鼠害) 등의 손실이 있을 것을 짐작하여 한 섬에 몇 되씩 더 받던 일.
괵상-미【斛上米】명 〖역〗 [←곡상미] 조선 시대에, 괵상으로 거둔 쌀.
괵속【槲樕】명 〖식〗 떡갈나무.
괵수【馘首】명 목을 자름. ——하다 타여불
괵실【槲實】명 도토리.
괵약【槲藥·槲若】명 〖한의〗 떡갈나무의 잎사귀. 치질(痔疾)·혈리(血痢)·지갈(止渴)·구충(驅蟲)에 약재로 쓰임.
괵주【虢州】명 〖지〗 중국의 수(隋)·당(唐) 시대에 설치되었던 주(州). 지금의 허난 성(河南省) 루스 현(盧氏縣).
괸:-돌 명 ☞고인돌.
괼:¹ 명 귀엽게 여겨 사랑하는 일. 고임. 총애(寵愛). ¶~을 받다.
괼:² 명 물건의 밑을 받쳐서 괴는 일. 또, 그 괴는 물건.
괼:³ 명 〈방〉 개암❶(강원).
괼:⁴ 명 〈방〉 고욤(강원·전북·경북).
괼:-감 명 〈방〉 고욤(전북).
괼:-대 [—때] 명 물건을 받치어 괴는 대.
괼:-돌 [—똘] 명 ①물건의 밑을 받쳐서 괴는 돌. ②〖고고학〗 북방식(北方式) 고인돌에서 덮개돌을 직접 받치고 있는 넓적한 돌. 돌방(房)의 벽을 이룸. 지석(支石). *고인돌.
괼:-목【—木】명 물건의 밑을 받쳐서 괴는 나무.
괼:-새 명 ①괴어 놓은 모양. ②괼질하는 솜씨.
괼:-성【—性】[—썽] 명 남의 사랑을 받을 만한 성질. *괼¹.
괼:-질 명 그릇에 떡·과일·과자 같은 것을 모양내어 높이 쌓아 올리는 일. ——하다 자여불
굇고리 명 〈옛〉 꾀꼬리. ¶온 가지로 울면셔 옮ᄃᆞ니는 굇고리는 建章宮에 ᄀᆞ독ᄒᆞ얫도다(百囀流鶯滿建章) 《杜諺 Ⅵ:3》.
굇-구멍 명 창(槍)·삽·괭이·쇠스랑 등의 자루를 박는 구멍. *괴통.
굉갯-대 명 〖민〗 고싸움놀이에 쓰이는 고의 타원형 고리 부분을 45° 각도만큼 치켜올리기 위하여 고리 밑쪽에 덧대는 챗다리 모양의 지름 15 cm, 길이 2-3 m의 통나무.
굉걸【宏傑】명 굉장하고 훌륭함. ¶그 규모의 ~ 웅장한 품도 어느 절보다 못하지 않은 대찰이다《玄鎭健 : 無影塔》. ——하다 형여불
굉관 이:상 현:상【宏觀異常現象】명 〖지〗 육안으로 보거나, 귀로 들어 알 수 있는 지진 선행 현상(地震先行現象). 우물에서 물이 갑자기 넘쳐 흘러 나온다거나, 지하수위(地下水位)가 떨어진다거나 또는 동물들에게서 나타나는 이상 행동 등을 들 수 있음.
굉굉【轟轟】명 소리가 굉장하게 울리는 모양. ——하다 형여불. ——히 부
굉굉이 명 〈방〉 대싸리.
굉구【宏構】명 ①큰 꾸밈새. 큰 건축물(建築物). ②대저작(大著作).
굉규【宏規】명 큰 계책(計策). 굉모(宏謨).
굉기【宏器】명 큰 기량(器量).
굉달【宏達】명 마음이 넓고 사리(事理)에 달통(達通)함. ——하다 자여불
굉대【宏大】명 굉장하게 큼. 어마어마하게 큼. ——하다 형여불
굉도【宏圖】명 굉장한 계획.
굉려【宏麗】[—녀] 명 굉장하고 화려함. 어마어마하게 크고 아름다움. ——하다 형여불
굉렬¹【宏烈】[—녈] 명 심하게 진동함. ——하다 자여불
굉렬²【轟烈】[—녈] 명 몹시 사납고 세참. ——하다 형여불
굉렬³【轟裂】[—녈] 명 큰 소리를 내면서 찢어짐. ——하다 자여불

광맥

굉맥【鑛麥】명〔식〕겉보리 ... 드운 보리.
굉모【宏謨】명 굉장한 계획 ... 가어마하게 큰 계획. 굉규(宏規). 굉유(宏猷). 대유(大猷).
굉미리 명〈방〉〖어〗공미리 ... 웅대함. ——-하다 형여불
굉박【宏博】명 크고 넓 ... 리를 내면서 폭발·발사함. ——-하다 자
굉발【轟發】명 굉연 ... (大笑). ——-하다 자여불 타여불
굉소【轟笑】명 ... 거마어마하게 큰 사업.
굉업【宏業】명 ... 크게 울리는 모양. ¶ ~한 폭음. ——-하다
굉연【轟然】부 ... 썩 넓. ②너르고 넓. ¶ 기우(氣宇) ~.—— -하다 형여불
형여불 ... 학자(儒學者). 대유(大儒).
굉원【宏遠】... 히 마심. ——-하다 타여불
굉유 ... 는 소리.
굉유² ... 이 마심. ——-하다 타여불
굉음 ... ·강원·충북·전북·경상·제주).
... 이(전남·경기·충북·경상).
... 경·강원).
... 고 훌륭함. ¶ ~한 건축물. ②대단함. ¶ ~한 인파/ ... 다 형여불. ——-히 부
... 고 크고 으리으리함. ——-하다 형여불. ——-히 부
... 一】형ㅂ불 굉장(宏壯)한 느낌이 있다. 보기에 굉장하 ... (宏壯一)】부
... 어난 큰 재주. 또, 그러한 사람.
... 큰 재주를 가진 뛰어난 인물.
... 卓識)】명 큰 재능과 빼어난 견식(見識).
... 交錯)】명〔'觥'은 술잔, '籌'는 산가지〕술잔과 술잔 수 ... 지가 뒤섞인다는 뜻으로, 주연이 성대함을 이르는 말.
... 넓고 시원함. ——-하다 형여불 ——-하다 형여불
... 명 술이 대단히 취함. ——-하다 자여불
... 명 포격·폭격 또는 뇌격(雷擊)을 받은 함선(艦船)이 순식간 ... 가라앉는 일. 또, 그렇게 가라앉힘. ——-하다 자타여불
... 【閎誕】명 허황된 일.
굉파【轟破】명 포격(砲擊)하여 파괴함. ——-하다 타여불
굉홍【宏弘】명 너르고 큼. ——-하다 형여불
굉활【宏闊】명 크고 너름. ¶ ~한 평야. ——-하다 형여불. ——-히 부
교¹【佼】명 성(姓)의 하나. 우리 나라에는 현존하지 아니함.
교:²【敎】명 ①〖종〗↗종교(宗敎). ②〖불교〗삼문(三門) 즉 교(敎)·율(律)·선(禪) 중의 하나. 경론(經論)으로써 신앙의 근본을 삼음.
교³【絞】명〖법〗↗교형(絞刑).
교⁴【驕】명 ↗교만(驕慢). ¶ 그 사람 ~가 있어 탈이다. ——-하다 형여불
교⁵【絞】의명 수대명사 아래에 덧붙여서 몇 '매끼' 또는 끈 줄의 몇 '가닥'을 표시하는 말. ¶ 삼(三)~/사(四)~. 「폐~.
-교【橋】미 명사 아래 붙어서 '다리'의 뜻을 나타내는 말. ¶ 인도~/개
교가¹【交加】명 ①뒤섞임. ②왕래함. 교제(交際)함. ——-하다 자여불
교가²【交柯】명 서로 엇걸린 나뭇가지.
교:가³【校歌】명 학교에서, 기풍(氣風)을 발양(發揚)시킬 목적으로 그 학교의 정신·이상·특장(特長) 등이 나타나도록 특별히 제정하여 학생들에게 부르게 하는 노래.
교가⁴【嬌歌】명 요염한 노래. 색정(色情)을 풍기는 노래.
교가⁵【橋架】명 다리의 기둥 위에 가로질러 맞춘 나무나 철근.
교가 사:상【交嫁士常】명〖역〗사족(士族)과 상민(常民)이 서로 결혼하는 일. *양천 교가(良賤交嫁)·양천 불혼(不婚).
교가 상한【交嫁常漢】명 양반집 여자가 상민에게 시집감.
교각¹【交角】명〖수〗①어떤 두 개의 도형이 교차할 때에 그 사이에 끼인 각. 협각(夾角). ②두 개의 원의 교점(交點)에서 그 두 원의 접선(接線)이 이루는 각.

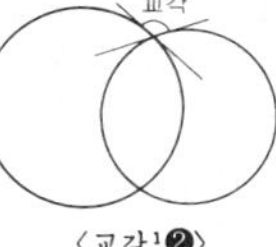

〈교각¹❷〉

교각²【橋脚】명〖건〗교체(橋體)를 받치는 기둥. 교대(橋臺)와 함께 다리의 하부 구조를 이룸.
교각³【橋閣】명 잔교(棧橋). 잔도(棧道).
교각⁴【磽确】명 돌이 많은 거친 땅. 교척(磽瘠).
교각 살우【矯角殺牛】명〔소의 뿔을 바로잡으려다가 소를 죽인다는 뜻으로〕결점이나 흠을 고치려다가 수단이 지나쳐서 일을 그르침의 비유.
교간【喬幹】명 높은 나무의 줄기.
교감¹【交感】명 ①양쪽이 서로 접촉되어 감응(感應)함. ②최면술(催眠術) 쓰는 사람이 상대자를 최면시키는 관계. ——-하다 자여불
교:감²【校勘】명 ①〖역〗고려 때, 비서성(秘書省)에 두었던 종구품 벼슬. 또 보문각(寶文閣)의 한 벼슬. ②〖역〗조선 때, 승문원(承文院)에 두었던 종사품 벼슬. ③같은 종류의 여러 책들을 비교하여 잘못되거나 차이나는 것들을 바로잡음.
교:감³【校監】명〖교〗초등 학교·중고등 학교 등에 있어서, 교장의 명을 받아 학교의 사무를 장리(掌理)하며 학생을 교육하고 교장 유고시(有故時) 교장을 대리하는 직책. 또, 그 사람. *교무 주임(敎務主任).
교:감⁴【矯監】명 공안직(公安職) 국가 공무원 직급 명칭의 하나. 교정 직렬에 속하며, 교위(矯衛)의 위, 교정관(矯正官)의 아래로 6급 공무원임.
교감성 안:염【交感性眼炎】[—썽—] 명〖의〗한쪽 눈의 천공성(穿孔性) 외상(外傷)으로 일어난 홍채(虹彩)·모양체(毛樣體)의 염증이 있은 후, 약 한 달 후에 외상을 입지 않은 딴 눈에 포도막염(葡萄膜炎)이 발생한 상태. 갑자기 시력이 몽롱해지고 눈이 부시게 되는데, 악화하면 시력(視力)이 몹시 떨어져 거의 실명(失明) 상태가 됨.
교감 신경【交感神經】명〖생〗고등 척추 동물의 교감 신경계를 구성하는 신경. 심장·혈관 기타의 불수의 근육성 기관(不隨意筋肉性器官) 또는 소화선(消化腺)·한선(汗腺) 등에 분포하여 신체의 호흡·순환·소화 기능을 조절함. 뇌척수 신경 중추(腦脊髓神經中樞)의 지배를 받지 않으며, 부교감 신경(副交感神經)과 길항적(拮抗的)으로 작용하여 함께 자율 신경계(自律神經系)를 형성함.
교감 신경계【交感神經系】명〖생〗고등 척추(高等脊椎) 동물의 자율 신경계의 하나. 척추의 양쪽에 흐르는 한 쌍의 교감 신경간(幹)과 거기에서 갈라져 나오는 신경 섬유로 됨. 뇌척수 신경 중추(中樞)의 지배를 받지 아니하고 부교감(副交感) 신경과 길항적(拮抗的)으로 작용함.
교감 신경절【交感神經節】명〖생〗교감 신경의 중간에 있는 좀 굵은 신경절. 사람에게는 교감 신경간(幹)에 있는 20여 개의 복강(腹腔) 신경절·장간(腸間) 신경절 따위가 있음.
교:감-학【校勘學】명 고증학(考證學)의 한 분과. 경전의 문자·문장 등의 오기(誤記)·오전(誤傳)에 대하여 많은 다른 책과 대조하여 진위(眞僞)를 고증해서 참다운 의미를 해득하려는 학문. 중국에서는 한(漢)나라 유향(劉向)에 의하여 일어나고 청대(淸代)에 가장 성하였음.
교갑【膠匣】명〖약〗먹기 어려운 쓴 가루약을 넣어서 삼키는, 아교(阿膠)로 만든 작은 갑. 교낭(膠囊). 캡슐(capsule). 캅셀(Kapsel).
교객【驕客】명 남의 '사위'를 일컫는 말.
교거¹【僑居】명 남의 집에 붙어서 삶. 우거(寓居). ——-하다 자여불
교거²【驕倨】명 교만하고 거만함. ——-하다 형여불
교거³【攪車】명 씨아.
교건【驕蹇】명 교만하고 건방짐. ¶ ~ 만상(慢上). ——-하다 형여불
교:검【校檢】명〖역〗조선 때 승문원(承文院)에 두었던 정육품 벼슬. 외교 문서의 교정과 검열을 맡아보았음.
교:격【矯激】명 성질이 굳세고 과격(過激)함. ——-하다 형여불
교결¹【交結】명 서로 사귀어 정(情)을 맺음. ——-하다 자여불
교:결²【皎潔】명 ①밝고도 맑음. ¶ 달빛이 ~하다. ②희고도 깨끗함. ——-하다 형여불. ——-히 부
교경【咬痙】명〖의〗파상풍(破傷風)과 같은 병에서 입을 벌리려고 하면 할수록 입이 다물어지는 증상.
교계¹【交界】명 땅의 경계(境界). 접경(接境).
교계²【交契】명 교분(交分). 「계통.
교:계³【敎系】명〖불교〗스승에게서 제자에게로 이어가는 교법(敎法)의
교:계⁴【敎界】명 종교의 사회. 종교계.
교:계⁵【敎誡】명 ①가르치며 훈계함. ②덕성(德性)·인격 등을 함양(涵養)함. ——-하다 타여불 「타여불
교:계⁶【較計】명 맞나 아니 맞나 서로 견주어 봄. 계교(計較). ——-하다
교:계-륜【敎誡輪】명〖불교〗삼륜(三輪)의 하나. 부처가 중생을 교화하기 위하여 설법하는 일.
교:고¹【巧故】명 공교(工巧)로운 허위(虛僞). 교묘한 거짓.
교고²【膠固】명 ①아교(阿膠)로 붙인 것같이 굳음. ②찰싹 붙음. ③융통성이 없음. ——-하다 형여불 「에 있는 산. [1,112 m]
교곡-산¹【橋曲山】명〖지〗평안 북도 후창군(厚昌郡) 동흥면(東興面)
교곡-산²【橋谷山】명〖지〗평안 북도 강계군(江界郡)에 있는 산. 강남 산맥(江南山脈)에 속하고 또 강계 분지(盆地)를 둘러싼 자연 방벽의 하나임. [1,623 m]
교곤【攪棍】명 사침대.
교골【交骨】명〖생〗여자의 치골(恥骨).
교:과¹【敎科】명〖교〗①학교에서 학생이 학습할 지식·기술을 교육적 입장에서 계통을 세워 조직한 일정한 분야. 국어·사회 생활·산수 같은 것. ②교과목(敎科目).
교:과²【敎課】명〖교〗교육의 내용.
교과³【驕誇】명 교만하고 뽐냄. ——-하다 자여불
교:과 과정【敎科課程】명〖교〗커리큘럼(curriculum).
교:과 단원【敎科單元】명〖교〗교과 내용의 논리적 계열에 의한 단원.
교:과 담임【敎科擔任】명〖교〗어느 특정한 교과를 담임하는 교원.
교:과 담임제【敎科擔任制】명〖교〗한 교사가 한 교과만을 담당하고 하나 또는 여러 학급의 지도를 분담하는 방법. 교과 내용이 분화(分化)하고 전문적 지도가 필요하게 되는 중학교 이상의 교육에 채용됨.
교:과-목【敎科目】명〖교〗교과(敎科)를 세분(細分)한 한 부분. 수학(數學)에 대하여 해석(解析)·미적분(微積分)·기하(幾何) 등 과목(科目). 교과(敎科). 과목(科目).
교:과-서【敎科書】명〖교〗학교 교육상, 교육 과정에 따라 주된 교재(敎材)로 사용하기 위하여 편찬한 도서. 일종(一種) 교과서와 이종(二種) 교과서 등이 있음. 교본(敎本). 교정(敎程). *지도서(指導書)·인정 도서(認定圖書).
교:과서 중심주의【敎科書中心主義】[—/—이] 명〖교〗피교육자의 흥미나 자발성을 무시하고 교사에 의한 일방적인 주입(注入)으로써, 교과서를 유일한 학습 수단으로 보는 교육 활동의 한 형태.
교:과-안【敎科案】명〖교〗교과 학습 지도 요령.
교:과용 도서【敎科用圖書】명〖교〗교육 및 학습에 필요한 각종 도서. 교과서·지도서 및 인정(認定) 도서가 있음.
교:과 커리큘럼【敎科—】〔curriculum〕명〖교〗교과별(敎科別)로 구성된 교재(敎材)의 체계. ↔경험 커리큘럼.
교관¹【交款】명 교환(交驩). ——-하다 자여불
교관²【交關】명 왕래함. ——-하다 자여불
교:관³【敎官】명 ①〖역〗↗동몽 교관(童蒙敎官). ②학교에서 교련을 맡은 교사. ③학술을 교수하는 관리. ④〖군〗군대의 학교·훈련소 등에서 교직(敎職)에 종사하는 장교. *조교(助敎).
교:-관⁴【敎觀】명〖불교〗교상(敎相)과 관심(觀心)의 두 문(門). 교상(敎

相)은 이론이고, 관심(觀心)은 실천의 뜻임.

교관-선【交關船】명〖역〗신라의 청해진 대사(淸海鎭大使) 장보고(張保皐)의 무역선(貿易船).

교-관화【喬冠華】명〖사람〗'차오 관화'를 우리 음으로 읽은 이름.

교교[1]【咬咬】명 새가 지저귀는 소리.

교교[2]【姣姣】명 재지(才智)가 있음. ——-하다 형여불

교:교[3]【皎皎】명 ①달이 썩 맑고 밝음. ¶ ~한 달빛/오리알빛 같은 하늘에 티끌 한 점 없어지고 ~한 추월색이 천지에 가득하니…≪崔瓚植 : 秋月色≫. ②썩 희고 깨끗함. ——-하다 형여불. ——-히 부

교:교 월색【皎皎月色】[一쌕] 명 매우 맑고 밝은 달빛. 휘영청 밝은 달빛.

교:구[1]【巧構】명 교묘하게 꾸밈. ——-하다 타여불

교구[2]【交媾】명 성교(性交). ——-하다 자여불

교:구[3]【校具】명 학교에서 쓰는 온갖 도구. ＊교구(敎具).

교:구[4]【敎具】명 교육의 수단·방법으로 사용하는 도구. 흑판·괘도(掛圖)·실물·표본·모형·영화·텔레비전 등의 시청각(視聽覺) 교구와 같이 교사(敎師)가 사용하는 것 이외에 학생이 사용하는 교과서·운동구·완구(玩具)·인형 등이 포함됨. 교수 용구(敎授用具). ＊교구(校具).

교:구[5]【敎區】명〖종〗①포교(布敎)나 신자(信者)의 지도·감독의 편의상 설치한 구역. ¶ ~ 목사. ②가톨릭 교회를, 주교(主敎)를 중심으로 하여 지역적으로 구분하는 단위.

교구[6]【鉸具】명 혁대 장식. 버클.

교:구[7]【矯捄】명 교정(矯正). ——-하다 타여불

교:구 본사【敎區本寺】명〖불교〗대한 불교 조계종(曹溪宗)에서, 전국을 25개 교구(敎區)로 나누고, 각 교구 안의 말사(末寺)를 관할(管轄)하기 위하여 둔 절. 준본사(本寺).

교:구 사제【敎區司祭】명〖천주교〗수도원이 아니라 교구에 속해 있는 사제. ↔수도(修道) 사제.

교:구-장【敎區長】명〖천주교〗교구를 사목(司牧)하는 책임을 맡은 사제. 대개, 주교(主敎)가 맡아봄.

교:구-청【敎區廳】명〖천주교〗교구 전체의 행정 및 교회 법규와 관련된 사법(司法)을 담당하는 교구의 기구(機構).

교:국【敎國】명 한 종교를 국교(國敎)로 삼은 나라.

교군[1]【僑軍】명 객병(客兵)❶.

교군[2]【轎軍】명 ①가마[4]. ②가마를 메는 일. ③↗교군꾼. ——-하다 자여불

교군-꾼【轎軍—】명 가마를 메는 사람. 교부(轎夫). 교자(轎子)꾼. 교정(轎丁). 준교군(轎軍).

교:궁【校宮】명 각 고을에 있는 문묘(文廟). ＊향교(鄕校)·재궁(齋宮).

교:권[1]【敎勸】명 가르치어 권함. ——-하다 타여불

교:권[2]【敎權】[一꿘] 명 ①교육상 교사(敎師)가 학생에 대하여 갖는 권력이나 권위. ②종교상의 권위. 특히, 천주교에 있어서 교황(敎皇)이나 교회의 권력.

교:권-자【敎權者】[一꿘一] 명 교권을 가진 사람.

교:권-주의【敎權主義】[一꿘一/一꿘一이] 명 교황 황제주의(敎皇皇帝主義).

교궤-선【交軌線】명〖천〗행성(行星) 또는 위성(衛星)·혜성(彗星)의 궤도(軌道)와 황도(黃道)가 교차하는 점.

교귀【交龜】명〖역〗감사(監司)·병마 절도사(兵馬節度使)·수군 통제사(水軍統制使)가 바뀔 때에 병부(兵符)·인신(印信) 등을 인계하던 일. ——-하다 타여불

교:규[1]【校規】명 학교의 규칙. 교칙(校則).

교:규[2]【敎規】명 교칙(敎則)❶.

교극【交戟】명 창을 엇걸리게 맞댐. 곧, 싸움의 뜻. 교전(交戰). ——-하다 자여불

교근【咬筋】명〖생〗저작근(咀嚼筋)의 하나. 턱에 있어서 아래턱을 앞쪽으로 당기는 근육.

〈교근〉

교:금【敎禁】명 교훈(敎訓)과 금제(禁制).

교긍【驕矜】명 교만하게 자부(自負)함. ——-하다 자여불

교:기[1]【巧技】명 교묘한 재주.

교:기[2]【校紀】명 학교의 풍기(風紀).

교:기[3]【校旗】명 학교를 대표하는 기.

교기[4]【嬌氣】명 아양부리는 태도. 교태(嬌態).

교기[5]【驕氣】명 교만한 기풍(氣風). 교만한 태도. ＞갸기.

교기(를) 부리다 구 교만한 태도를 가지다.

교:난【敎難】명 종교상의 박해(迫害)나 곤란(困難).

교남【嶠南】명〖지〗영남(嶺南).

교낭【膠囊】명 교갑(膠匣).

교:내【校內】명 학교의 안. 학교의 구내. ¶ ~ 활동. ↔교외(校外).

교:내 방:송【校內放送】명 아동·학생이 학교 내에서 행하는 방송. 클럽 활동의 형식으로 실시되는 경우가 많음.

교녀【嬌女】명 교태(嬌態) 있는 여자. 아양을 떠는 여자.

교:녀-가【敎女歌】명〖문〗작자·연대 미상의 규방(閨房) 가사. 시집가기 전의 딸을 교훈하기 위하여 아버지가 지어 준 것으로 2음보 1구로 1,400여 구의 장편 가사이며, 4·4조를 기본으로 하고 있음.

교:-노비【校奴婢】명〖역〗조선 때, 향교(鄕校)에 딸린 노비.

교:노 승목【敎猱升木】명 원숭이에게 나무에 오르는 것을 가르친다는 뜻으로, 나쁜 사람에게 나쁜 짓을 하도록 권함을 비유한 말.

교니【膠泥】명〖토〗모르타르(mortar).

교:단[1]【校壇】명 학교의 운동장에 설치한 단. 조회 시간이나 체조 시간 등에 교장이나 선생이 올라가 훈시하거나 교수하는 데 씀.

교:단[2]【敎團】명 ①같은 교의(敎義)를 믿는 사람이 모여 만든 종교 단체. ②정신적인 단련(鍛鍊)을 목적으로 하여 공동 생활을 하는 수양 단체.

교:단[3]【敎壇】명 교실에서 교원이 강의

교:단에 서다 구 학교에서, 선생 노릇을

교:단 문학【敎壇文學】명〖문〗①교단에

문학. ②교단인(敎壇人)들이 창작한 문학.

교:단 생활【敎壇生活】명 교원 생활(敎員生

교단-요【郊壇窯】명〖지〗중국 남송(南宋) 후

장 성(浙江省) 항저우 남교(杭州南郊)의 우

으며, 관유(貫乳)에 특색이 있는 정교(精巧)하

를 구웠으나 유품(遺品)은 극히 드묾.

교담【交談】명 이야기를 주고받음. ——-하다 자여

교답미【喬答彌】명〖사람〗석가(釋迦)의 이모(姨母)

訶波闍波提)를 말함. 마야 부인(摩耶夫人)이 석가를

죽었으므로, 석가는 이 부인에게 양육되었음.

교:당【敎堂】명〖종〗종교 단체의 신자들이 모이는 집.

교대[1]【交代】명 서로 번갈아 들어서 대신함. 갈마듦. 교

(替代). ¶ 보초 ~. ——-하다 자타여불

교:대[2]【敎大】명 ↗교육 대학.

교대[3]【絞帶】명 ①상복(喪服)에 띠는 삼으로 만든 띠. ②염(殮

의(壽衣)에 띠는 오색 실로 만든 띠.

교대[4]【絞臺】명 ↗교수대(絞首臺).

교대[5]【橋臺】명〖건〗교량(橋梁)의 양쪽 끝을 받치는 기둥. ＊교각(

교대 가:상【交代假象】명〖광〗어떤 광물이 그 형상(形象)은 보유

서 그 성질이 변화하는 일. 황철광(黃鐵鑛)이 변질하여 갈철광(褐鐵

이 되는 것 같은 일.

교대 광:상【交代鑛床】명〖광〗암석의 일부가 고열(高熱)로 녹은 마그마(magma) 때문에 용해(熔解)하여 유출(流出)해서 생긴 구멍 속에 다시 유용 광물이 침전(沈澱)·결정(結晶)하여 메워진 광상. 접촉(接觸) 교대 광상·열수(熱水) 교대 광상이 있음.

교대 급수【交代級數】명〖수〗교번 급수.

교대-병【交代兵】명 제대시키거나 다른 곳으로 이동시킨 대신으로 파견되거나 배속된 병사.

교대 본위【交代本位】명〖경〗화폐의 복본위제(複本位制)를 실제의 유통면(流通面)에서 일컫는 말. 곧, 본위 화폐인 금·은의 법정 비가(法定比價)와 시가(時價)와의 사이에 차이가 있으면, 때로는 금화(金貨)만이 유통하고 때로는 은화(銀貨)만이 유통해서, 교대하여 일정하지 않기 때문에 이처럼 일컬음.

교대성 인격【交代性人格】[一썽一껵] 명〖의〗히스테리성 인격 이상(人格異常)의 하나. 두 개의 개별적 인간이 하나의 인간 속에서 시간적으로 교대되어 나타나는 상태. 이와 같은 상태가 여러 차례 거듭되기도 하고, 몇 년을 두고 계속되기도 함.

교대-식【交代式】명〖수〗두 변수(變數)의 위치를 서로 바꾸어 놓았을 때, 절대값은 변하지 아니하고 양음(陽陰)의 부호만이 변한 식. x^2-y^2은 $x \cdot y$의 교대식이고, $(y-z)(z-x)(x-y)$는 $x \cdot y \cdot z$의 교대식임.

교대 작용【交代作用】명〖광〗암석(岩石) 중에 수용액(水溶液)이나 가스 같은 것이 침윤(浸潤)하여 어떤 성분을 녹여 없애고, 그 대신에 딴 물질이 침전(沈澱)하는 일. ＊교대 광상(交代鑛床).

교대-제【交代制】명〖사〗노동자를 2조(組)나 3조로 나누어 작업 시간을 달리해서, 각 조(組)의 작업 시간은 8시간 혹은 12시간이지만, 조업(操業) 시간은 16시간 혹은 24시간으로 하는 제도.

교대 행렬【交代行列】[一녈] 명〖수〗부호를 바꾸면 그 전치(轉置) 행렬과 같게 되는 행렬.

교도[1]【交刀】명 가위[1].

교도[2]【交道】명 친구와 사귀는 도리(道理). 교제하는 방법.

교:도[3]【敎徒】명 종교의 신도(信徒). 신자(信者).

교:도[4]【敎道】명 종교적인 도(道). 종교적인 도리.

교:도[5]【敎導】명 ①가르치어 인도(引導)함. 가르쳐 지도함. 교유(敎諭). 계적(啓迪). ②〖교〗학생의 생활·신상(身上)·가정 문제 등을 지도·상의함. 또, 그 특수 교사. ③〖역〗조선 때, 향교(鄕校)의 교관(敎官). 교수관(敎授官)이 없는 향교에 생원·진사로써 임명함. ——-하다 타여불

교도[6]【橋道】명 다리와 길. 교량과 도로.

교:도[7]【矯導】명 공안직(公安職) 국가 공무원 직급 명칭의 하나. 교정 직렬에 속하며, 교사(矯査)의 아래로, 9급 공무원임.

교:도-관【矯導官】명 교도소에서 행형(行刑)에 관한 사무에 종사하는 공무원. 구칭 : 형무관(刑務官).

교:도관 학교【矯導官學校】명〖법〗법무부 장관에 속한 교도관의 교육 기관. 1973년 법무 연수원에 통합됨.

교:도 교:사【敎導敎師】명〖교〗카운슬러(counselor).

교:도-보【矯導補】명〖법〗'교도(矯導)'의 이전 이름.

교:도 사목【矯導司牧】명〖기독교〗교도소 수감자의 처우 개선과 수감자에 대한 선교를 목적으로 하는 일.

교:도-소【矯導所】명〖법〗법무부 장관 소속하의 기관의 하나. 만 20세 이상의 수형자(受刑者)를 격리하여 교정(矯正)·교화(敎化)하며, 건전한 국민 사상과 근로 정신을 함양하고, 기술 교육을 실시하여 사회에 복귀하게 하고, 기타 행형(行刑)에 관한 사무를 관장함.

교:도-원【敎導員】명 교도(敎導)하는 사람.

교:도 통신사【一通信社】〔일 共同: きょうどう〕명 일본의 대표적인 통신사. 도쿄(東京)에 본사가 있음. 1945년 창립.

교독【交讀】명〖기독교〗예배 볼 때에 십계명(十誡命)이나 시편(詩篇) 같은 것을 목사(牧師)와 신도(信徒)가 한 대문씩 번갈아 읽음. ——-하다 타여불

교독-문【交讀文】명〖기독교〗예배에서, 사회자와 회중(會衆)이 주로

위한 식문(式文).
…년美少年).

교동

성구(聖句)를 서로 읽…
교동¹【佼童·姣童·嬌…
교:동²【狡童】[명]
교:동³【驕童】[명]
교동-도【喬桐…

…천 광역시 강화군(江華郡) 교동면(喬桐面)
…쪽 4km 지점에 있으며, 조선 때 연산군
…46.25 km²]
…[명]〖고고학〗석기 시대 말기의 것으로 추정
…춘천시 교동(校洞)의 봉의산(鳳儀山) 중턱
…을 이루는 …토되었음.
…이 귀양…
교:동실…역〗인천 광역시 강화군 교동면(江華郡喬桐
…우리 나라 최초의 향교. 고려 인종 5년(1127),
…(孔子)와 안자(顔子)의 상(像)을 들여오다가
…를 댄 곳인 교동도에, 그 해에 문묘(文廟)를
…안한 것임. 1980년에 복원(復元)됨. 지방 문화

…(齒冠)으로부터 돌출하여 있는 혹과 같은 돌
…에 있음.
…소학교나 중학교의 수석(首席) 교사.
…있는 근처(近處).
…미가 첨차(檐遮)같이 된 것.
…군〗①교량(橋梁)을 직접 엄호(掩護)하거나 교량
…기 위하여 그 전방 또는 필요한 곳에 축조(築造)
…·호수·바다의 대안(對岸)에서 도과점(渡過點)을 엄
…작전을 유리하게 전개시키기 위하여 설치하는 거점
…하다. ③비유적으로, 침략을 도모하기 위한 발판.
…박주가리¹.
…건〗난간(欄干)에 '亞'자 모양으로 장식한 것. 구란(句

…】[명] 뒤흔들어서 어지럽게 함. ¶ 민심을 ～하다. ——-하다

…-력【攪亂力】[一녁] [명]〖천〗섭동(攝動)을 일으키는 셋째 천체(天體)의 인력(引力).

교란-층【攪亂層】[명]〖지〗①바다나 호수의, 수면으로부터 수십 미터 깊이에서 수심에 관계없이 비교적 동일한 온도를 보존하고 있는 물의 층. 바람·파도·대류(對流) 등에 의하여 상하의 물이 섞이므로 수온이 깊이에 따라 변화하지 않음. 이 밑의 심수층에서는 수온이 급격히 내려감. 상부 혼합층. ②〖고고학〗흐트러진층.

교:랑【皎朗】[명] 밝음. 환함. 명료함. ——-하다 [형][여불]

교:량¹【較量】[명] 비교하여 헤아려 봄. ——-하다 [타][여불]

교량²【橋梁】[명]〖토〗다리²❶. ¶ ～을 가설하다.

교:려【矯勵】[명] 나쁜 점을 고치고 부지런히 힘씀. ——-하다 [자][여불]

교:련【敎鍊】[명] ①가르쳐서 단련시킴. ②〖군〗장병(將兵)을 전투(戰鬪)에 적응(適應)하도록 행하는 기본 훈련. 밀집(密集) 교련·각개(各個) 교련·집총(執銃) 교련 등으로 구분함. 연조(鍊操). 조련(操鍊). ③〖교〗학생에게 행하는 군사(軍事) 훈련. ——-하다 [자][타][여불]

교:련-관【敎鍊官】[명]〖역〗조선 시대 말에, 현대식 군제(軍制)에 의하여 군대를 교련하던 장교.

교련-법【攪鍊法】[一뻡] [명]〖공〗반사로(反射爐)로써 연철(鍊鐵)이나 연동(鍊銅)을 만드는 방법. 선철(銑鐵)에 산화철을 혼합해서 가열·용해하여 철봉(鐵棒)으로 휘저어서 선철의 불순물을 산화·제거하는 방법.

교령¹【交靈】[명] 죽은 이의 영혼이 살아 있는 이와 서로 통함. ——-하다 [자][여불]

교:령²【敎令】[명] ①〖역〗임금의 명령. ②〖천주교〗일반적으로 교황, 공의회, 또는 성성(聖省)이 공동체나 지역에 적용시키기 위하여 제정 공포한 결정이나 규칙.

교:령³【敎領】[명]〖천도교〗천도교를 대표하고 교내(敎內)를 통할하는 우두머리.

교례【交禮】[명] 예(禮)를 주고받음. 인사나 절을 교환(交換)함. ¶ 이북도민(以北道民) ～회.

교로【郊勞】[명] 교외에까지 출영(出迎)하여 위로함. ——-하다 [타][여불]

교록【澆綠】[명]〖공〗중국 청(淸)나라에서, 도자기(陶瓷器)를 구울 때에 쓰던 잿물의 한 가지.

교료¹【郊燎】[명]〖역〗중국에서, 들판에서 불을 놓고 하늘에 제사지내던 예(禮).

교:료²【校了】[명]〖인쇄〗교정(校正)을 끝냄. 교정필(校正畢). 완준(完準). 오 케이(O.K.). ——-하다 [자][타][여불]

교:료(를) 놓다 [구] 교정을 끝내어 교정쇄(校正刷)에 그 뜻을 적거나 도장을 찍다.

교:료-지【校了紙】[명]〖인쇄〗교정을 끝낸 교정지.

교룡¹【交龍】[명] 용틀임.

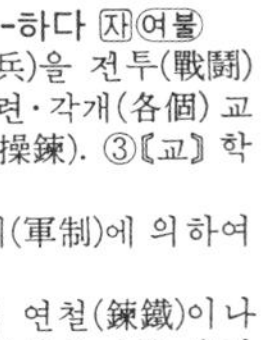
〈교룡기¹〉

교룡²【蛟龍】[명] ①전설상(傳說上)의 용의 하나. 모양이 뱀과 같고 길이가 한 길이 넘으며, 네 개의 넓적한 발이 있다고 함. ②때를 못 만나 뜻을 이루지 못하는 영웅·호걸을 비유한 말.

교룡-기¹【交龍旗】[명]〖역〗아기(牙旗)의 하나. 기면(旗面)은 누른 바탕에 용틀임과 운기(雲氣)를 채색(彩色)으로 그리고, 가장자리에 붉은 화염이 있음. 친열(親閱)할 때에는 이 기로 각 영(營)을 지휘(指揮)하였음.

교룡-기²【蛟龍旗】[명]〖역〗거둥 때 노부(鹵簿)에 둑(纛)의 다음에 서는 큰 기. 깃대의 머리에는 삼지창(三枝槍)으로 된 창인(槍刃)이 있고, 그 밑에 더부룩한 삭모(槊毛)가 있음. 용기(龍旗). 용대기(龍大旗). 화룡대기(畫龍大旗). 황룡 대기(黃龍大旗).

〈교룡기²〉

교룡-하【蛟龍瘕】[명]〖한의〗괴상한 병의 한 가지. 봄·가을에 교룡이 교미(交尾)하여 미나리 속에 알을 스는데, 사람이 미나리와 함께 알을 먹으면, 얼굴이 창백해지고, 배가 부어 몹시 아프고, 또 엿을 많이 먹으면 도롱뇽 같은 것을 토하고 낫는다 함.

교류¹【交流】[명] ①[alternating current]〖물〗일정한 시간마다 번갈아 역(逆)의 방향으로 흐르는 전류(電流). 1초 동안에 흐르는 방향을 변경하는 횟수를 그 교류의 주파수(周波數)라 함. 보통의 동력원(動力源) 또는 전등용(電燈用)에는 주파수 50-60의 교류를 사용하나, 무선 통신·고주파 전기로(高周波電氣爐) 등에서는 수만 내지 수백만의 주파수를 가진 소위 고주파 전류를 씀. 교번 전류(交番電流). 교류 전류. 에이 시(AC). ↔직류(直流)·정상 전류(正常電流). ②문화·사상(思想) 등의 조류(潮流)가 서로 통함. ¶ 동서 문화의 ～. ③다른 관할 계통(管轄系統) 등이 서로 교체되고 바뀜. ¶ 인사 ～. ——-하다 [자][여불]

교류²【鮫類】[명]〖어〗상어무리의 물고기의 총칭. 괭이상어·칠성상어·고래상어·별상어·개상어 등 여러 종류가 있는데 몸이 방추형(紡錘形)이고, 아가미 구멍이 분수공(噴水孔)과 함께 몸의 옆에 열리었으며, 꼬리 지느러미가 비교적 잘 발달되었음.

교류 결합【交流結合】[명]〖전〗교류 신호는 통과시키나, 직류 신호는 저지시키는 결합.

교류 계:산반【交流計算盤】[명]〖전〗송전(送電) 계통의 많은 전원(電源)·변압기·송전 선로·부하(負荷) 등을 본뜬 작은 장치를 만들어서 시험실 안에 설치해 놓고 송전 계통의 현상을 소규모로 재현시켜서 실제의 송전 계통에서 일어나는 여러 문제를 해결하는 방책을 얻기 위한 장치.

교류-기【交流機】[명]〖물〗↗교류 발전기(交流發電機).

교류 라디오 수신기【交流一受信機】[radio] [명]〖물〗교류(交流)를 전원(電源)으로 하여 사용하는 라디오 수신기. 현재의 수신기는 대개 이 것임. [준]교류 수신기(交流受信機).

교류 발전기【交流發電機】[一쩐一] [명][alternating current generator]〖물〗전자 감응 작용을 응용하여 교류 기전력(交流起電力)을 발생하게 하는 발전기. 코일을 자극(磁極) 사이의 자장(磁場) 안에서 회전시키면 반회전(半廻轉)마다 반대 방향의 자력선(磁力線)을 절단하므로 교호(交互)로 방향이 반대되는 전동력, 곧 교류 전압(交流電壓)을 발생하게 됨. [준]교류기(交流機).

교류 수신기【交流受信機】[명]〖물〗↗교류 라디오 수신기.

교류 장치【交流裝置】[명]〖물〗수신기(受信機)나 기타 전원(電源)을 얻기 위하여, 전등선 같은 것의 교류 전원으로부터 전류를 평활(平滑)하게 정류(整流)시키어, 직류 전원(直流電源)을 얻음으로써 전지(電池)의 대신 노릇을 하는 장치.

교류 전:동기【交流電動機】[명][alternating current motor]〖물〗교류를 전원(電源)으로 하는 전동기. 원리와 구조에 의하여 유도(誘導) 전동기·주기(週期) 전동기·정류자(整流子) 전동기 등이 있음.

교류 전:류【交流電流】[一절一] [명]〖전〗교류(交流)❶.

교류 전:류계【交流電流計】[一절一] [명][alternating current ammeter]〖물〗교류 전류의 세기를 재는 계기. 가동 철편형(可動鐵片型)·다이너모미터(dynamometer)형·유도(誘導)형·정류(整流)형·열선(熱線)형·열전(熱電)형 등이 있음.

교류 전:압계【交流電壓計】[명][alternating current voltmeter]〖물〗교류 전압의 실효치(實効値)를 나타내는 계기. 교류 전류계에 적당한 고저항(高抵抗)을 직렬(直列)로 연결한 것이 많음.

교류 전:화【交流電化】[명] 증기 기관(蒸氣機關)·디젤 기관·직류식(直流式) 전기 철도 등을 교류식 전기 철도로 바꾸는 일. 즉, 교류로 전차(電車)를 움직이는 방식으로의 전이(轉移).

교류 정:류자기【交流整流子機】[一정뉴一] [명]〖전〗교류 전원에 접속하여 사용하는 회전 전기 기계로, 정류자를 가지고 있는 것의 총칭.

교류 진공관【交流眞空管】[명]〖물〗교류 라디오 수신기에 장치된 진공관.

교륙【絞戮】[명] 교살(絞殺). ——-하다 [타][여불]

교:리¹【狡吏】[명] 교활한 관리.

교리²【郊里】[명] 마을. 촌락(村落).

교:리³【校理】[명]〖역〗①조선 때, 홍문관(弘文館)의 정오품(正五品) 벼슬. ②조선 때, 교서관(校書館)·승문원(承文院)의 한 벼슬. 품계는 종오품(從五品). *옥당(玉堂).

교:리⁴【敎理】[명][dogma]〖종〗종교상의 이치나 원리. 각 종교 종파(宗派)가 진리라고 규정한 교(敎)의 체계(體系).

교:리 문:답【敎理問答】[명] ①종교상의 이치를 서로 묻고 대답함. 또, 교리를 문답체로 기록한 책. ②〖기독교〗세례(洗禮)나 학습(學習)을 받을 때 주례(主禮) 목사가 하는 교리에 대한 문답.

교:리 문:답서【敎理問答書】[명]〖기독교〗캐티키즘(catechism)❶.

교:리-서【敎理書】[명] 기독교의 교리를 수록한 책.

교:리 신학【敎理神學】[명]〖종〗교의학(敎義學).

교린【交隣】[명] 이웃 나라와의 교제.

교린 정책【交隣政策】[명] ①이웃 나라와 화평하게 지내는 정책. ②〖역〗조선 태조가 세운 외교 정책의 하나. 이웃인 여진(女眞)·일본과 화친을 꾀함.

교린지-의【交隣之誼】[一/一이] [명] 교린의 정의(情誼).

교림【喬林】[명] 교목이 우거진 산림. ↔왜림(矮林).

교마【轎馬】[명] 가마와 말.

교만【驕慢】[명] 젠체하고 뽐내며 방자함. 거만(倨慢). 언오(偃傲). ¶ ～

방자. 준교(驕). ↔겸손(謙遜). ——-하다 형여불
교만(을) 부리다 구 교만하게 행동을 하다.
교만-스럽다【驕慢—】 형ㅂ불 교만한 태도가 있다. 고만(高慢)스럽다.
교만-스레【驕慢—】 부
교망【翹望】 명 대단히 기다림. ——-하다 타여불
교맥【蕎麥】 명〖식〗메밀.
교맥-국【蕎麥麴】 명 면국(麵麴).
교맥 당수【蕎麥糖水】 명 메밀 당수.
교맥-면【蕎麥麵】 명 메밀 가루로 만든 국수.
교맥면-수【蕎麥麵水】 명 국수물❷.
교맥-반【蕎麥飯】 명 메밀로 지은 밥.
교맥-분【蕎麥粉】 명 메밀 가루.
교맥 산:자【蕎麥饊子】 명 메밀 산자.
교맥 소주【蕎麥燒酒】 명 메밀 소주.
교맥 운두병【蕎麥雲頭餠】 명 메밀 수제비.
교맥-유【蕎麥乳】 명 메밀묵.
교맥유-탕【蕎麥乳湯】 명 메밀묵과 닭고기를 맑은 장국에 넣어 끓이고 달걀을 풀고 고명을 얹은 국.
교맥 의이【蕎麥薏苡】 명 메밀 응이.
교면【嬌面】 명 교태(嬌態) 있는 얼굴. 아양 떠는 얼굴.
교:명¹【校名】 명 학교의 이름. 학교명.
교:명²【教名】 명〖천주교〗세례명.
교:명³【教命】 명〖역〗조선 때, 왕비 또는 세자를 책봉(冊封)하던 임금의 명령.
교명⁴【嬌名】 명 창녀·기생 등의 교태로 인한 명성.
교명⁵【嬌命】 명 명령을 거짓 꾸밈. 군명(君命)이라고 사칭(詐稱)함.
교:명-문【教命文】 명〖역〗왕비(王妃) 또는 세자(世子) 등을 책봉할 때 훈유(訓諭)하는 글.
교:모【校帽】 명 학교의 제모(制帽). 학생모.
교:목¹【校牧】 명 학교에서, 종교 교육을 맡아 보는 목사.
교목²【喬木】 명〖식〗줄기가 곧고 굵으며, 높이 자라고 비교적 위쪽에서 가지가 퍼지는 나무. 소나무·전나무 등. 큰키나무. ↔관목(灌木).
교목-대【喬木帶】 명〖식〗식물의 수직 분포(垂直分布)의 하나. 산록대(山麓帶)와 관목대(灌木帶) 사이의 교목이 무성한 지대.
교목-성【喬木性】 명 교목의 성질.
교목 세:가【喬木世家】 명 여러 대를 현달(顯達)한 지위에 있어서 나라와 휴척(休戚)을 같이하여 온 집안.
교목 세:신【喬木世臣】 명 여러 대를 중요한 지위에 있어서 휴척(休戚)을 나라와 같이하는 신하.
교목 한:계선【喬木限界線】 명〖지〗수목 한계선(樹木限界線).
교:묘【巧妙】 명 썩 잘되고 묘함. ¶ ~한 수단(手段). ——-하다 형여불. ——-히 부
교:묘 정치【巧妙精緻】 명 솜씨나 슬기가 정교하고 치밀함. ——-하다 형여불
교:무¹【校務】 명 학교의 교무(教務)와 일반 사무(事務).
교:무²【教務】 명 ①교수상(教授上)의 사무. ②종교상의 사무.
교무³【嬌誣】 명 꾸며 맞추어 남을 속임. ——-하다 타여불
교:무-금【教務金】 명〖천주교〗신자(信者)가 신년초(新年初)에 월 납부액(月納付額)을 약속하고 다달이 교회에 내는 헌금(獻金).
교:무-소【教務所】 명 ①〖종〗종교상의 사무를 맡아 보는 곳. ②감옥에서 죄수들의 교회(教誨) 및 교육의 사무를 맡아 보는 곳.
교:무-실【教務室】 명〖교〗학교 직원이 교무를 보는 방. 교사실(教師室). *서무실(庶務室).
교:무 주임【教務主任】 명〖교〗학교의 교무(教務)를 주관하는 교원. *학감(學監).
교:무-처【教務處】 명〖교〗대학교에 둔 한 사무 부서(部署). 교무·학적(學籍)에 관한 사항을 분장함. 교학처(教學處).
교:문¹【校門】 명 학교의 문.
교:문을 나서다 구 학교를 졸업하다.
교:문²【教文】 명〖역〗임금이 내리는 글. *교지(教旨).
교:문³【教門】 명 ①교회(教會)의 문. ②〖불교〗관심문(觀心門)에 대한 교상문(教相門). 불교의 교의(教義)를 연구하는 방면. ③〖불교〗부처의 가르침은 생사(生死) 해탈(解脫)의 도(道)에 들어가는 문(門)이라는 뜻.
교미¹【交尾】 명〖생〗생식(生殖)을 하기 위하여 동물의 자웅(雌雄)이 교접하는 일. 흘레. ——-하다 자여불
교미²【嬌媚】 명 아리따운 태도로 아양을 부리는 일.
교:미 교:취약【矯味矯臭藥】 명〖약〗교정약.
교미-기¹【交尾期】 명〖생〗동물이 교미하는 시기(時期). *번식기.
교미-기²【交尾器】 명〖생〗체내 수정(體內受精)을 행하는 동물이 교미할 때 사용하는 생식 기관(生殖器官)의 일부. 많은 동물에서 볼 수 있으며 특히 포유류(哺乳類)에서 발달하였고, 수컷은 음경(陰莖), 암컷은 질(膣)을 사용함.
교미-침【交尾針】 명〖생〗회충(蛔蟲) 따위 선충류(線蟲類) 수컷의 꼬리 끝에 있는 바늘 모양의 교미 보조기. 총배출구(總排出口)에 한 쌍 또는 한 개가 있으며 암컷의 교미기(器)에 넣어 교미를 도움.
교:민¹【巧敏】 명 교묘하고 민첩함. ——-하다 형여불
교민²【僑民】 명 외국에 살고 있는 동포.
교민-회【僑民會】 명 외국에 살고 있는 교민들의 자치회.
교:밀【巧密】 명 교묘하고 정밀함. ——-하다 형여불. ——-히 부
교박【磽薄】 명 척박(瘠薄). ——-하다 형여불
교반¹【橋畔】 명 다릿가. 교변(橋邊).
교반²【攪拌】 명 휘저어 섞음. ——-하다 타여불
교반-기【攪拌機·攪拌器】 명〖기〗열(熱)의 전도(傳導)를 균등히 하거나 융합(融合)을 촉성(促成)하기 위하여 재료를 뒤섞는 기구나 기계. 용도에 따라서 여러 가지가 있음. 셰이커(shaker).
교-반응【交反應】 명〖화〗동일 반응 물질이 서로 생성물(生成物)을 달리하는 두 종류의 화학 반응(化學反應). 조
날 때도 있음.
교:발 기중【巧發奇中】 명 교묘하게 발언(發
교:방【教坊】 명〖역〗①고려 시대의 기생 학교
있는 지역을 일컫기도 하였음. ②조선 때, 장악
과 우방(右坊)을 아울러 일컫던 이름. 좌방은 아
악(俗樂)을 맡았음.
교:방 가요【教坊歌謠】 명〖역〗임금을 환영하는
재(呈才). 어로(御路) 가운데에 침향산(沈香山)과
다 놓고, 그 앞에 화전벽(花甎碧)을 깔고 도기(都妓)
(女妓)가 한 줄에 열 명씩 침향산의 좌우로 남향(南向
줄씩 서되, 도기가 서쪽 첫째 줄 머리에 서고 또 청학(
의 서쪽에, 백학(白鶴)이 동쪽에 섬. 화전벽의 서쪽으로
을 놓고 가요(歌謠)의 축(軸)을 담은 함을 올려 놓고, 소
우로 한 명씩 섬. 대가(大駕)가 이르면 전부 고취(前部鼓
여기의 뒤에 좌우로 반씩 갈라 서서 여민락(與民樂) 영(令)
모든 여기는 창가(唱歌)하고 후부 고취(後部鼓吹)는 악(樂)을
(拍)을 치면 도기가 염수(斂手)하고 족도(足蹈)하며 열(列)에
꿇어앉으면, 탁의 좌우에 있는 소기가 염수하고, 꿇어 엎드렸
어나서 함을 받들고 나와 도기의 오른편에 꿇어앉으면, 도기가
(尖紬)로 축을 받들고 일어서서 족도하고 조금 나가서 꿇고 승지(
에게 전함. 승지는 받아 가지고 꿇어 나가서 내시(內侍)에게 전하
받아서 함에 담아 가지고 나가며, 도기는 엎드렸다가 일어나서 춤
며 물러가 저의 자리에 서고, 동시에 모든 여기도 엎드렸다가 일어나서 족도함. 악이 그치면 학무(鶴舞)와 연화대(蓮花臺)의 정재를 함. 연화대가 끝이 나면 전후부(前後部)의 고취가 환궁악(還宮樂)을 아뢰며, 침향산을 뒤로 십 보(十步) 가량 끌어 물릴 때에 모든 여기도 퇴보(退步)하면서 금척무(金尺舞)를 추고 전과 같이 갈라 섬. 대가가 나와 머무르면 또 정재하되 그때마다 위의 절차(節次)와 같이 퇴위(退位)하여 이와 같이 거듭해서 궐문(闕門)에 이르러 그침. 정재가 없을 경우에는 다만 가요를 드린 뒤에 동서로 나누어 서면 대가가 그대로 지나가며 앞뒤의 고취는 모시고 대궐에 들어가서 악을 그침.
준가요(歌謠).
교:방-고【教坊鼓】 명〖악〗당악기(唐樂器)에 속하는 타악기의 하나. 북통 둘레에 서린 용(龍)을 그린 납작한 북을 네 발 틀에 북면이 위로 가게 걺. 장구의 북편 소리에 맞추어 동시에 침. 본디 중국 당(唐)나라의 교방(教坊)에서 쓰던 북으로, 당악(唐樂)에 사용되었으며, 행악(行樂)에서는 북틀 가로나무에 긴 장대를 둘 꿰어, 네 사람이 메고 걸어가며 쳤음. 이 때에는 행악고(行樂鼓)라 이름.

〈교방고〉

교:방-사【教坊司】 명〖역〗궁내부(宮內府)에 속한 관아. 속악(俗樂)에 관한 일을 맡음. 광무(光武) 4년(1900)에 설치하였다가 동 9년에 폐함.
교:방-소【教坊簫】 명〖악〗아악기(雅樂器)의 한 가지.
교배¹【交拜】 명 혼인 때, 신랑 신부가 서로 절을 하는 예(禮). ¶ 신부의 사배와 신랑의 재배로 교배를 마치었다《洪命憙 : 林巨正》. ——-하다 자여불
교배²【交配】 명〔hybridization〕〖생〗종류가 다른 생물의 자웅(雌雄)의 배합(配合). 그 결과 생긴 생물을 잡종이라 함. ——-하다 자타여불
교배-석【交拜席】 명 교배할 때 까는 자리.
교배-종【交配種】 명〖생·농〗종류가 다른 생물을 교배시켜 새로 만든 잡종(雜種). 그 첫 번째 것을 일대 잡종(一代雜種)이라고 하는데 일반적으로 우량(優良)함.
교번【交番】 명 ①번(番)을 서로 갈마듦. 체번(替番). ②〔alternation〕〖물〗양음(陽陰)에 관계없이 영(零)에서 최대값이 되었다가 다시 영(零)으로 돌아오는 곡선의 변화. ——-하다 자여불
교번 급수【交番級數】 명〖수〗양(陽)의 수와 음(陰)의 수가 번차로 나타나는 급수. 교대 급수.
교번-소【交番所】 명〖역〗순검막(巡檢幕).
교번 전:류【交番電流】[—절—] 명〖물〗교류(交流)❶.
교:범【教範】 명 가르치는 법식. ¶ 각개 전투 ~.
교:법【教法】 명 ①〖종〗교의(教義). 특히, 부처의 가르침. ②[—뻡] 가르치는 방법.
교:법 개조【教法箇條】 명〖종〗교법의 조문(條文).
교:변¹【巧辯】 명 교묘한 말. 재치 있는 말. 교설(巧舌).
교변²【橋邊】 명 다릿가. 교반(橋畔).
교병¹【交兵】 명〖군〗교전(交戰)❶. ——-하다 자여불
교병²【膠餠】 명 족편.
교병³【驕兵】 명 싸움에 이기고 뽐내는 군사.
교보¹【郊堡】 명 교외의 작은 성(城).
교:보²【校報】 명 학교에서, 학생·교직원(教職員) 등에게 여러 가지 일을 알리기 위한 인쇄물.
교:복¹【校服】 명 학교의 제복(制服).
교:복²【校僕】 명 학교에 딸린 하인.
교복³【矯復】 명 고쳐 회복함. ——-하다 자여불
교:본¹【校本】 명 ①〖인쇄〗교정(校正)을 다 한 책. ②고서(古書) 등의 전본(傳本)이 몇 가지 있을 때, 그들 본문의 다른 점을 일람할 수 있게 만든 책. 교열본.
교:본²【教本】 명 교과서. ¶ 피아노 ~.
교봉【交鋒】 명 교전(交戰)❶. ——-하다 자여불
교:부¹【巧婦】 명 ①솜씨가 훌륭한 여자. ②〖조〗교부조(巧婦鳥).
교부²【交付·交附】 명 내어 줌. 내리어 줌. ¶ 증서 ~. ——-하다 타여불
교:부³【校簿】 명〖역〗조선 때, 평양부(平壤府)·영변 대도호부(寧邊大都護府)·경성 도호부(鏡城都護府)의 도무사(都務司)에 속한 동반(東

班)의 정육품 사관(士官) 벼슬.

교:부[4]【敎父】 명 〔Church-Fathers〕〖천주교〗 고대 교회에서 교의(敎義)와 교회의 발달에 큰 공헌을 한 종교상의 교사(敎師) 및 저술가(著述者)들의 일컬음.

교:부[5]【敎婦】 명 방직 공장·제사(製絲) 공장 같은 데서 직공에게 기술을 가르치고 지도하는 여자.

교부[6]【鮫膚】 명〖생〗 소름.

교부[7]【轎夫】 명 교군꾼.

교부 공채【交付公債】 명〖경〗 간접적 강제 국채(强制國債)로서, 국가가 경비의 지출을 피하기 위하여 현금을 지불하는 대신에 발행·교부하는 공채. 국가가 어떠한 사람의 공로를 갚을 때나 혹은 구휼(救恤)·구제(救濟)를 하거나 또는 토지(土地)·철도(鐵道)·궤도(軌道)의 매수 대상(買收代償)으로 교부하는 공채 같은 것. 교부 국채(國債). ↔모집 공채.

교부 국채【交付國債】 명〖경〗 교부 공채.

교부-금【交付金】 명 ①내어 주는 돈. ②〖경〗 보조금(補助金)❷.

교부-세【交付稅】[-쎄] 명 ↗지방 교부세.

교부 요구【交付要求】 명〖법〗 조세 체납자(滯納者)에 관하여, 딴 원인으로 강제 집행이 진행 또는 완료되었을 경우, 그 환가(換價) 처분에 참가하여 체납 세금의 교부를 받아서 징수 목적을 달성하고자 하는 절 ㄴ차.

교:부-조【巧婦鳥】 명〖조〗 뱁새. 교부.

교:부 철학【敎父哲學】 명〖철〗 1-8세기경의 초기(初期) 기독 교회에서 교리(敎理)를 합리적·철학적으로 조직하려고 한 철학. 곧, 교부들의 철학. 클레멘스(Clemens)를 거쳐 아우구스티누스에 이르러 최성기(最盛期)에 달했음.

교:부-학【敎父學】 명〖천주교〗 교부(敎父)의 저술과 생활, 교리에 관한 사실 일체에 관하여 연구하는 학문.

교분[1]【交分】 명 서로 사귄 정분(情分). 교계(交契). ¶ ~이 두텁다. *교의(交誼)·교정(交情).

교분[2]【膠分】 명 아교(阿膠)의 성분.

교붕【交朋】 명 ①여자의 동성애(同性愛). ②교우(交友).

교:비【校費】 명 학교에서 쓰는 경비. 학교비(學校費).

교:비-생【校費生】 명 교비로 공부하는 학생. 「자여불

교빙【交聘】 명 나라와 나라 사이에 서로 사신(使臣)을 보냄. ——-하다

교:사[1]【巧詐】 명 교묘하게 남을 속이는 모양. ——-하다 형여불

교사[2]【郊祀】 명〖역〗 임금이 절기에 맞추어 서울 백 리 밖에서 하늘이나 땅, 그 밖의 여러 자연신에게 지내던 제사. 남교사(南郊祀)와 북교사(北郊祀)가 있음.

교:사[3]【狡詐】 명 교활하게 남을 속임. 간사한 꾀로 남을 속임. ——-하

교:사[4]【校舍】 명 학교의 건물. ㄴ다 타여불

교:사[5]【敎師】 명〖교〗 ①학술이나 기예(技藝)를 가르치는 스승. 선생(先生). ②교원 중에서 유치원·초등 학교·중학교·고등 학교 및 특수 학교에서 소정의 자격을 가지고, 학생을 지도하는 사람. 정교사·준교사(準敎師)·특수 학교 교사·양호 교사(養護敎師)·사서(司書) 교사·실기 교사·교도(敎導) 교사 등의 구별이 있음. 교원(敎員). ③〖종〗 종교상 교화(敎化)를 맡은 사람. ④〖불교〗 태고종(太古宗)에서 교리(敎理)를 연구한 승려(僧侶)의 법계(法階)의 2급. 대교사(大敎師)의 아래, 대덕(大德)의 위. 대덕(大德) 법계(法階)를 받고 3년 이상된 자로서 7년 이상 안거(安居)한 자에게 줌.

교:사[6]【敎唆】 명 ①남을 선동하여 못된 일을 하게 함. ②〖법〗 형법상(刑法上) 범의(犯意)를 갖지 아니한 사람을 부추기어 죄를 범하게 하는 행위. ¶ 살인 ~. ③〖법〗 민법상(民法上) 타인(他人)에게 불법 행위를 할 의사를 결정(決定)시키는 일. ——-하다 타여불

교사[7]【絞死】 명 목을 매어 죽음. ——-하다 자여불

교사[8]【膠沙】 명 바다 밑에 깔린 개흙이 섞인 모래.

교:사[9]【矯查】 명 공안직(公安職) 국가 공무원 직급 명칭의 하나. 교정직렬에 속하며, 교도(矯導)의 위, 교위(矯衛)의 아래로, 8급 공무원임.

교:사[10]【矯詐】 명 속임. 기만. 허위.

교사[11]【翹思】 명 마음에 늘 두고 생각함. ——-하다 자타여불

교사[12]【驕奢】 명 교만하고 사치함. 교치(驕侈). ——-하다 형여불

교사[13]【驕肆】 명 교만하고 방자(放恣)함. 교자(驕恣). 교태(驕泰). ——-하다 형여불

교:사-범[1]【敎事犯】 명〖천주교〗 이단(異端)을 신봉(信奉)하는 죄.

교:사-범[2]【敎唆犯】 명〖법〗 공범(共犯)의 일종으로 타인을 교사하여 범죄를 실행하게 한 자. 또, 그 범죄. 정범(正犯)에 준하여 처벌함.

교:사-상【敎師像】 명 교사만이 지닌 독특한 여러 가지 상(像).

교:사-스럽다【巧詐—】 형ㅂ불 교사한 행동이 있다. 교사한 데가 있다. 교:사-스레【巧詐—】 부

교:사-실【敎師室】 명 교사들이 교무를 보는 방. 교무실.

교:사-자【敎唆者】 명 교사(敎唆)하는 사람.

교:사 자격증【敎師資格證】 명 교원 자격증. 「하는 죄.

교:사-죄【敎唆罪】[-쬐] 명〖법〗 타인을 교사하여 죄를 범(犯)하게

교산【蛟山】 명〖사람〗 허균(許筠)의 호(號). 「여불

교살[1]【絞殺】 명 목을 졸라 죽임. 교륙(絞戮). 교수(絞首). ——-하다 타

교:살[2]【矯殺】 명 임금의 명령이라고 속이고 사람을 죽임. ——-하다

교상[1]【交觴】 명 교작(交爵). ㄴ타여불

교상[2]【咬傷】 명 짐승·독사·독충 같은 것에 물려서 상함. 또, 그 상처.

교:상[3]【敎相】 명〖불교〗 ①석존(釋尊) 일대(一代)의 설법(說法)의 형태(形態). ②각 종(各宗)의 교의 이론(敎義理論).

교상[4]【膠狀】 명 물질이 아교(阿膠)처럼 끈끈한 상태.

교:상 관심【敎相觀心】 명〖불교〗 교상과 관심. 각 종(各宗)의 이론적 교리(敎理)와 실천적 교리.

교상-암【膠狀癌】 명〖의〗 암종 세포(癌腫細胞)가 점액 변성(粘液變性)을 나타내는 점액암. 위나 장에 발생하는 암에 이런 형태가 많음.

교상-질【膠狀質】 명 물질의 끈끈한 상태의 바탕.

교:상 판석【敎相判釋】 명〖불교〗 석존 일대(釋尊一代)의 설법(說法)을 설법한 순서, 교리의 심천(深淺) 등에 따라 나누어, 이것을 자세히 해석하는 일. 화엄경(華嚴經)의 오교(五敎) 십종(十宗)과, 천태종(天台宗)의 오시(五時) 팔교(八敎) 같은 것. 자종(自宗)의 우위(優位)를 보이려고 하는 점에 특색이 있음. 준교판(敎判).

교색【驕色】 명 교만한 빛.

교색 섬광등【交色閃光燈】 명 규칙적인 간격으로 서로 다른 빛깔의 빛이 점멸(點滅)하는 표지등. 빛의 지속(持續) 시간은 꺼져 있는 시간보다 짧음. 「심부름꾼이 되었음. 공생(貢生).

교:생[1]【校生】 명〖역〗 향교(鄕校)의 유생(儒生)의 일부. 뒷날에 향교의

교:생[2]【敎生】 명〖교〗 ↗교육 실습생.

교:생-포【校生布】 명〖역〗 조선 후기에, 향교(鄕校)나 서원(書院)의 교생(校生)이 바치던 신포(身布)의 하나.

교:서[1]【校書】 명 책의 문자의 이동 정오(異同正誤)를 검열(檢閱)함. ——-하다 타여불

교:서[2]【敎書】 명 ①임금이 발하는 명령서(命令書). ②〖천주교〗 로마 교황(敎皇)이 공식으로 발표하는 신앙 및 교리에 관한 서한(書翰). *회칙(回勅). ③〖정〗 미국에서 대통령 또는 주지사(州知事)가 국회 또는 주의회(州議會)에 제출하는 정치상의 의견서, 또는 국민에게 대해서 어떤 입법(立法) 또는 행위를 촉진하며 이해시키기 위하여 발하는 서면. ¶ 연두(年頭) ~.

교:서-관【校書館】 명〖역〗 조선 때, 경서 인행(經書印行)·향축(香祝)·인전(印篆) 등을 맡은 관아(官衙). 태조(太祖) 원년(1392)에 창설한 교서감(校書監)을 태종(太宗) 원년(1401)에 개칭(改稱)하였다가 정조(正祖) 6년(1782)에 규장각(奎章閣)에 붙였음. 내서(內書). 운각(芸閣). 운관(芸館). 외각(外閣).

교:서관-본【校書館本】 명〖역〗 교서관(校書館)과 그 소속인 주자소(鑄字所)에서 간행한 책. 「품인 체아직(遞兒職).

교:서관 창:준【校書館唱準】 명〖역〗 조선 때, 교서관에 속하였던 종구

교:서-권【敎書權】[-꿘] 명〖정〗 거부권(拒否權)과 더불어 미국 대통령의 입법 참여권(立法參與權)의 하나로, 교서를 의회(議會)에 보내는 권리. 「가는 정구품의 벼슬.

교:서-랑【校書郞】 명〖역〗 고려 비서성(祕書省)의 비서랑(祕書郞) 다음

교:서-초【敎書抄】 명〖책〗 조선 때, 임금의 교유(敎諭)를 초록한 책. 고종 5년(1868)부터 10년간에 걸쳐, 팔도 감사(八道監司)·사도 유수(四都留守)·통제사·총융사(摠戎使)·경기 수사(京畿水使) 등에 내린 교서를 뽑아 모은 것임. 1책.

교-석【喬石】 명〖사람〗 '차 오스'를 우리 음으로 읽은 이름.

교석 포장【膠石鋪裝】 명〖토〗 모래를 섞지 않고, 깨뜨린 자갈에 시멘트를 개서 만든 콘크리트 포장. 내마모성(耐磨耗性)이 큼.

교선【交線】 명〖수〗 둘 또는 그 이상의 도형(圖形)이 교차할 때에 생기는 직선(直線) 또는 곡선(曲線).

교:설[1]【巧舌】 명 교변(巧辯).

교:설[2]【巧說】 명 말솜씨 있게, 교묘하게 꾸며대는 말. 교언(巧言).

교:설[3]【敎說】 명 가르치어 설명함. ——-하다 타여불

교섭【交涉】 명 ①어떠한 일을 이루기 위하여 서로 의논하고 절충함. ¶ 사전 ~. ②관계를 가짐. ——-하다 자타여불

교섭-국【交涉局】 명〖역〗 조선 시대 말, 외무 아문(外務衙門) 외부(外部)의 한 국(局). 교섭 사무를 맡아 보았음. 「는 권한.

교섭 권한【交涉權限】 명〖법〗 노동자와 사용자간의 단체 교섭을 행하

교섭 단위제【交涉單位制】 명〖사〗 사용자별·직종별·공장별 또는 그들의 하부(下部) 기구별로 단체 교섭의 단위를 정하여 그 단위내의 노동자의 과반수로 지정된 대표가 일정한 기간에 단위 안의 단체 교섭·노동 조약의 체결을 배타적으로 독점하는 제도.

교섭 단체【交涉團體】 명〖정〗 국회에서 단체 교섭회(團體交涉會)에 참가하여 의사 진행(議事進行)에 관한 중요한 안건(案件)을 협의하기 위하여 의원(議員)들이 구성하는 단체. 원내(院內) 교섭 단체.

교섭 사:무【交涉事務】 명 ①〖역〗 교섭국(交涉局)에 관한 사무. ②교섭(交涉)에 관한 사무.

교성【嬌聲】 명 아리따운 소리. 애교 있는 소리. 교음(嬌音).

교성-곡【交聲曲】 명〖악〗 '칸타타(cantata)'의 역어(譯語).

교:세[1]【敎勢】 명 종교(宗敎)의 세력. 교단·종단의 세력. ¶ ~ 확장.

교:세[2]【矯世】 명 세상의 나쁜 것을 교정(矯正)함. ——-하다 자여불

교:소[1]【巧笑】 명 ①귀염성 있는 웃음. ②아양을 떠는 웃음.

교소[2]【筊簫】 명〖악〗 16관으로 엮은 소(簫). 나무를 속에 끼워 퉁소 모양 내리 부는데 밑이 막혔음.

교소[3]【嬌小】 명 귀엽고 작음. 아리잠직함. 또, 그런 여자. ——-하다 형

교소[4]【嬌笑】 명 요염한 웃음. ㄴ여불

교:속【矯俗】 명 교풍(矯風). ——-하다 자여불

교송[1]【喬松】 명 높이 솟은 소나무.

교송[2]【喬竦】 명 높이 솟음. ——-하다 형여불

교송지-류【膠松脂類】 명 고무와 송진의 혼합물.

교송지-수【喬松之壽】 명 교송의 수명처럼 오래 삶을 일컫는 말.

교:수[1]【巧手】 명 교묘한 수단·솜씨. 또, 그 사람.

교수[2]【交手】 명 ①양손을 마주 쥠. ②인도의 예법의 하나. 왼손으로 오른손을 쥐고 가슴에 얹는 예법. ——-하다 자여불

교수[3]【交綏】 명 피곤하여 서로 퇴진(退陣)함. 양쪽 군대가 다같이 물러남. ——-하다 자여불

교수[4]【交酬】명 예물(禮物)을 교환함. ——-하다 타여불

교:수[5]【校讎】명 구교(仇校). ——-하다 타여불

교:수[6]【教授】명 ①학술이나 기예를 가르침. ②대학에서 급수(級數)가 가장 높은 교원. 광의(廣義)로는 교수·부교수·조교수·전임 강사 등 대학에서 전문적인 학술을 가르치는 사람의 통칭. 프로페서(professor). ③〖역〗 사학(四學)의 유생(儒生)을 가르치던 벼슬아치. ④〖역〗 동학(東學)의 교직(教職)인 육임(六任)의 제이위(第二位). ——-하다 타여불

교수[7]【絞首】명 ①교살(絞殺). ②〖법〗 교수형(絞首刑)의 선고를 받은 사형수의 목을 옭아 매어 죽임. ——-하다 타여불

교수[8]【嬌羞】명 아양스럽게 부끄러워함. ——-하다 자여불 「분.

교수[9]【橋髓】명〖의〗 뇌의 일부로서, 연수(延髓)와 소뇌(小腦)를 잇는 부

교:수[10]【矯首】명 머리를 듦. 거두(擧頭). ——-하다 자여불

교수[11]【翹秀】명 재능이 뛰어나게 우수함. ——-하다 형여불

교수[12]【翹首】명 간절히 원함. 대단히 기다림. ——-하다 타여불

교:수 계단【教授階段】명〖교〗 교수 단계.

교:수-관【教授官】명〖역〗 조선 때, 문과(文科) 출신으로서 파견한 향교(鄕校)의 교관.

교:수-단【教授團】명 교수들로 조직된 단체. ¶ 평가(評價) ~.

교:수 단계【教授段階】명〖교〗 교수 효과(效果)를 최대로 거두기 위하여 교육자가 필요로 하는 방법상의 순서. 교재(教材)에 따라서 다르며, 코메니우스(Comenius)의 이해·기억·응용 또는 페스탈로치(Pestalozzi)의 직관(直觀)·인식(認識)·응용(應用)의 삼단계설이 주장되었으나, 헤르바르트 학파(Herbart 學派)에 의한 예비(豫備)·제시(提示)·연결(連結)·총괄(總括)·응용(應用)의 5단계설이 정리되매 그것이 일반적으로 중요시되어졌음. 교수 계단. 「교대(絞臺).

교수-대【絞首臺】명 교수형을 집행하는 대. 옥대(獄臺). 의가(縊架). 준

교:수-법【教授法】[—뻡] 명〖교〗 교수(教授)의 방법에 있어서의 조직적인 지식과 기술. 수업법(授業法).

교:수-사【教授師】명〖불교〗 삼사(三師)의 하나. 수계(授戒)할 때에, 수계자(受戒者)에게 예법(禮法)을 가르치는 스님. *계화상(戒和尙)·갈마사.

교:수 세:목【教授細目】명〖교〗 학교 사정이나 환경 및 피교육자의 발달에 따라 적절히 교수하기 위해서 교과 과목의 교재를 학년·학기·월·주별로 배열하여 교재의 주안점, 종횡(縱橫)의 연락, 취급상의 주의 등을 기록한 1년간의 교수 예정표. 준세목(細目). *세안(細案).

교:수-식【教授式】명〖교〗 ↗교수 양식.

교:수-안【教授案】명〖교〗 교안[2](教案).

교:수 양식【教授樣式】명〖교〗 지도 과정(指導過程)의 각 단계에서 쓰이는 지도의 정식화(定式化)된 방법. 강의법·자습법(관찰·실험·독서)·상호 학습법(문답·토의·발표) 등으로 편성한 다종 다양(多種多樣)한 것이 있음. 준교수식(教授式).

교:수 요목【教授要目】명〖교〗 학교 교육에서, 학과마다 꼭 가르쳐야 될 줄거리. 요목(要目).

교:수-용【教授用】명 교수하는 데 쓰임. 또, 교수가 씀. ¶ ~ 기재.

교:수용-구【教授用具】명 교구(教具).

교:수 자격 심사 위원회【教授資格審査委員會】명〖법〗 교육법의 규정에 의하여 교육부에 설치된 교수·부교수·조교수·전임 강사의 자격 검정 및 자격 인정을 심의하는 위원회. 위원장은 교육부 장관, 부위원장은 교육부 차관이 되고, 위원은 11인 이내로 구성함.

교:수-진【教授陣】명 교수의 진용(陣容).

교:수 진:도【教授進度】명〖교〗 교수의 진행 정도.

교:수 진:도표【教授進度表】명〖교〗 교수한 진도를 주(週)·월(月) 또는 학기 등으로 나누어 적은 표.

교수 치:명【絞首致命】명〖천주교〗 교수형을 받고 순교함.

교:수-학【教授學】명〖교〗 교수에 관한 이론과 기술을 연구하는 학문.

교수-형【絞首刑】명〖법〗 목을 옭아 매어 죽이는 사형(死刑). ¶ ~에 처하다.

교:수-회【教授會】명 ①교수로 구성된 회의. ②대학 교수가 학과 과정(學科課程), 학생의 시험, 학위에 관한 사항, 대학 학장의 자문(諮問) 사항, 훈육상의 중요 사항 등을 심의하는 회의 「다 자여불

교순【交詢】명 신실(信實)로써 교제함. 교제의 친밀을 도모함. ——-하

교:술 민요【教述民謠】명〖문〗 사실을 서술·전달하는 것을 특징으로 하는 민요. 영물(咏物)의 민요라는 명칭도 사용되었음.

교슬【膠瑟】명 교주 고슬(膠柱鼓瑟).

교:습【教習】명 가르쳐서 익히게 함. ——-하다 타여불

교:습-소【教習所】명 교습하는 장소. ¶ 피아노 ~.

교승【交承】명 교대(交代)하여 서로 주고받고 함. ——-하다 타여불

교시[1]【交市】명 교역(交易)❶. ——-하다 타여불

교:시[2]【校是】명 학교 설립의 기본 정신을 나타내는 짧은 글.

교:시[3]【校時】명 학교에서 수업상 정한 시간의 차례. 흔히, 45분, 50분 또는 1시간 등으로 함. ¶ 3~는 국어 시간이다.

교:시[4]【教示】명 가르치어 보임. 또, 가르침. 시교(示教). ¶ ~를 바람. ——-하다 타여불

교시 설화【郊豕說話】명〖문〗《삼국 사기》에 세군데 나오는 설화. 교사(郊祀)에 바칠 돼지에 얽힌 이야기.

교:식【矯飾】명 거짓으로 겉치레만을 꾸밈. ——-하다 자타여불

교식-의【交食儀】[—/—이] 명〖천〗 조선 때, 일식(日蝕)·월식(月蝕)을 관측하던 기계.

〈교식의〉

교식 추보법【交食推步法】[—뻡] 명〖책〗 조선 세종(世宗) 때 만든 천문(天文)에 관한 책. 해와 달의 교식에 대한 남음과 모자람의 차이, 더딤과 빠름의 차이, 밤낮의 분별, 동지의 적도 일도(赤道日度)와 황도(黃道) 일도의 법 등을 고법(古法)에 의하지 아니하고 추구(推究)해서 만들었음. 2권 1책. 활자 인본.

교신[1]【交信】명 ①통신을 주고받음. ¶ ~이 끊기다. ②특히 서신 교환.

교신[2]【驕臣】명 교만한 신하. 「——-하다 자여불

교:실【教室】명 ①학교에서 학생을 가르치는 방. ②대학에서, 전공 과목별 연구실. 또, 교과별로 교수가 소속되어 있는 방의 일컬음.

교심【驕心】명 교만(驕慢)한 마음.

교아[1]【嬌兒】명 귀여운 아이. 미소년(美少年).

교아[2]【驕兒】명 ①버릇없이 자란 아이. ②교만한 자.

교아 절치【咬牙切齒】명 몹시 분하여서 이를 갊. ——-하다 자여불

교:악[1]【狡惡】명 교활(狡猾)하고 간악(奸惡)함. ——-하다 형여불

교악[2]【喬嶽】명 ①태산[2](泰山)❶. ¶ 상감마마의 일동 일정은 태산보다도 무거우시고 ~보다도 진중하셔야 합니다《朴鍾和 : 多情佛心》. ②높은 산. 고산(高山).

교안[1]【交案】명〖민〗 무덤의 안(案)이 서로 교차(交叉)됨.

교:안[2]【教案】명〔lesson plan〕〖교〗 교수(教授)에 필요한 사항을 적은 예정안(豫定案). 예정한 교재(教材)의 단원(單元)을 적당한 시간에 적절히 배당(配當)하여 그 목적·순서·방법 등을 고안·기재함. 흔히, 교수 단계에 의하여 전개·실천(實踐)·정리(整理) 등의 3단계로 구분하여 씀. 학습 지도안(學習指導案). 교수안(教授案).

교:안[3]【教案】명〖역〗 구교 운동(仇教運動).

교안[4]【嬌顔】명 교태를 띤 얼굴. 요염한 얼굴.

교앙【驕昂】명 교만. ¶ 인신이 제멋대로 하여 ~함도 군주를 희롱함이라 그 죄가 진실로 크거늘《張德祚 : 狂風》. ——-하다 형여불

교앙-스럽다【驕昂—】형ㅂ불 교만스럽다. 교앙-스레【驕昂—】부 교만스럽게.

교야【郊野】명 교외의 들.

교양[1]【交讓】명 서로 사양함. 호양(互讓). ——-하다 타여불

교:양[2]【教養】명 ①가르치어 기름. ②학문·지식 등에 의하여 생겨 난 품위(品位). 문화에 관한 광범한 지식을 쌓아 길러지는 마음의 윤택함. ③전문적인 분야의 학문·지식. ——-하다 타여불

교양[3]【驕揚】명 뽐냄. ¶ ~스러운 정씨의 얼굴, 정씨의 소생인 왕자의 얼굴이 나타났다《朴鍾和 : 錦衫의 피》. ——-하다 자여불

교:양 과목【教養科目】명〖교〗 전공(專攻) 외에 일반 교양을 위한 과목. 국어·외국어 따위. ↔필수 과목(必須科目).

교:양-관【教養官】명〖역〗 지방의 선비를 가르치던 벼슬아치. 조선 현종(顯宗) 5년(1664)에, 평안도의 강변(江邊) 모든 고을에 두었고, 동 7년에 함경도 경원(慶源)·회령(會寧) 두 고을에 두었음.

교:양-물【教養物】명 교양을 위한 읽을거리.

교:양-미【教養美】명 교양이 있는 데서 풍겨 오는 아름다움. ¶ ~가 풍기다.

교:양 서적【教養書籍】명 일반 교양에 도움이 되는 서적.

교:양 소:설【教養小說】명〖문〗 주인공의 유년(幼年) 시대로부터 성년(成年) 시대에 이르는 열력(閱歷)을, 보다 높은 정신적 경지(境地)로의 자기 형성(自己形成)으로서 전개하여 보이는 소설.

교:양 오:락비【教養娛樂費】명 가계부에서, 문화 생활비 중의 하나로 신문·잡지·도서·시청료·오락·소풍·관람료·각종 회비 등으로 쓰이는 「비용을 말함.

교:양-인【教養人】명 교양이 있는 사람.

교:양 학부【教養學部】명 4년제 대학에서, 주로 일반 교육을 베풀기 위하여 전문 학부·단과 대학과 독립하여 만든 조직체. 2년 또는 1년 반 「임.

교:어[1]【巧語】명 교언(巧言). ——-하다 자여불

교어[2]【交語】명 말을 주고받음. ——-하다 자여불

교어[3]【嬌語】명 교언(嬌言).

교어[4]【鮫魚】명〖어〗 상어.

교어-부【交魚符】명〖역〗 조선 세종(世宗) 때 궁성(宮城)의 여러 문을 개폐(開閉)하는 데 사용하던 부험(符驗). 문을 엄중히 감시하기 위하여 만든 것으로, 상시로 궁성문의 상태를 보게 하기 위한 것임.

교어-피【鮫魚皮】명 사어피(鯊魚皮). 「하다 자여불

교:언[1]【巧言】명 교묘하게 꾸며 대는 말. 교어(巧語). 교설(巧說). ——-

교언[2]【嬌言】명 요염한 언사. 교태를 띤 언사. 교어(嬌語).

교:언 영색【巧言令色】[—넝—] 명 남의 환심(歡心)을 사려고 아첨하는 교묘한 말과 보기 좋게 꾸미는 얼굴 빛.

교여【轎輿】명〖역〗 가마와 수레. 탈것.

교여지-제【轎輿之制】명〖역〗 관원이 그 계급에 따라서 수레나 가마를 타는 제도. 평교자(平轎子)는 일품(一品)과 기로(耆老), 사인교(四人轎)는 판서 또는 그에 상당한 벼슬아치, 초헌(軺軒)은 일품(一品)이나 이품(二品)의 관원, 사인 남여(四人籃輿)는 이품(二品)의 참판 이상, 남여(籃輿)는 삼품(三品)의 승지와 각조(各曹)의 참의(參議) 이상, 장보교(帳步轎)는 하급 관원이 탔음.

교역[1]【交易】명 ①물품을 서로 교환하여 장사함. 교시(交市). ②〖경〗 재화(財貨)의 교환 무역(交換貿易). ¶ 외국과의 ~. ——-하다 타여불

교:역[2]【教役】명〖종〗 종교적 사업인 설교(說教)·전도(傳道)·신자(信者) 방문 등을 책임지고 맡아서 하는 일.

교역 도시【交易都市】명 생산품이 집결하여 상거래가 이루어지는 상업 도시.

교:역-자【教役者】명〖종〗 교역에 종사하는 사람. 곧, 목사·전도사 등.

교역 조건【交易條件】[—껀] 명 한 나라의 재화(財貨)와 다른 나라의 재화와의 수량적 교환 비율. 즉, 수출 상품(輸出商品) 한 단위(單位)와 교환으로 얻어지는 수입 상품(輸入商品)의 단위수(單位數)를 일컬음.

다 形여불. ——-히 부
. ——-하다 자여불
음. ——-하다 타여불
잘못된 곳을 교정(校正)하며 검열(檢閱)
다 타여불
(敎)과 열병(閱兵). ②〖역〗 성률(聲律)을
——-하다 타여불
교본(校本)❷.
에 관한 모든 일을 맡아 보는 한 부(部). ②
의 정리·정정 및 조판되어 나온 기사를 교정

교연
교연¹【撟然】명 꿋꿋함.
교연²【皦然】명 큰소리
교열¹【咬裂】명 입으로
교:열²【校閱】명
교:열³【敎閱】
원고를
함. ¶
가르침과
교:열-본
교:열-

염함. ——-하다 형여불
밖에 나가서 맞음. ↔교전(郊餞). ——-하다
태. 미태(媚態). ㄴ타여불
(藝)의 낫고 못함을 비교함. ——-하다 자여불
임. ——-하다 자여불
위함. ——-하다 자여불
하고 거오(倨傲)함. ②〖천주교〗 칠죄종(七罪宗)
기준 없이 자신을 높이고 남을 업신여기는 마음의
여불. ——-히 부
러진 것을 바로잡음. ——-하다 타여불
直】명 구부러진 것을 잡으려다가 너무 곧게 함. 곧,
잡으려다가 너무 지나치어 오히려 나쁘게 함. ——-

가(市街)에 인접(隣接)한, 들이나 논밭이 비교적 많은
밖. ¶ ~ 산책. *야외(野外).
학교의 밖. ¶ ~ 활동. ↔교내(校內).
명 종교나 한 교파(敎派)의 외계(外界).
...수【校外敎授】명〖교〗 교외 교육을 통(通)한 교수. ——-하
자여불
...외 교:육【校外敎育】명〖교〗 견학·조사·실습·봉사 활동 등의 방법으로 학교 밖에서의 학생들의 직접적인 경험을 통하여 행하는 교육.
교:외 교:육생【校外敎育生】명 교외생(校外生).
교:외 별전【敎外別傳】[—쩐] 명〖불교〗 선종(禪宗)의 요체(要諦)를 나타내는 말의 하나로 경전(經典) 등의 문자(文字)나 말에 의하지 아니하고, 석존(釋尊)의 오도(悟道)를 마음에서 마음으로 전하는 일. 또, 그 심원(深遠)한 뜻. *염화 미소.
교:외-생【校外生】명〖교〗 통학(通學)을 하지 아니하고 통신 교수 또는 강의록(講義錄) 등에 의하여 그 학교의 교육을 받는 학생. 교외 교육생(敎育生). 「결한 철도.
교외-선【郊外線】명 도시의 외곽(外廓)과 교외 또는 도시의 주변을 연
교:외 수업【校外授業】명 교외 교육(敎育)을 통(通)한 수업. ——-하다 자여불
교외 전:차【郊外電車】명 도시의 외곽(外廓)과 교외를 연결하는 철도 또는 도시의 주변을 도는 철도에 사용되는 전차. *시간 고속도(市間高速度) 전차. 「——-하다 자여불
교:외 지도【校外指導】명〖교〗 학생의 교외 생활을 감독하고 지도함.
교:외 훈:련【校外訓鍊】[—훌—] 명〖교〗 학교 밖에 나가서 하는 훈련. 야외(野外) 훈련. ——-하다 자여불
교:요【敎擾】명 짐승을 가르치어 길들임. ——-하다 타여불
교용【嬌容】명 교태를 띤 모습.
교우¹【交友】명 벗을 사귐. 친구와 교제함. 또, 그 벗. 교붕(交朋). ¶ ~ 관계. ——-하다 자여불 「서, 졸업생에 대한 일컬음.
교:우²【校友】명 ①같은 학교에서 배우는 벗. 동창(同窓)의 벗. ②학교에
교:우³【敎友】명 같은 종교(宗敎)를 믿는 벗.
교우⁴【僑寓】명 우거(寓居)❶. ——-하다 자여불
교우 도식【交友圖式】명〖심〗 소시오그램(sociogram).
교우 이:신【交友以信】명 벗을 사귐에 믿음으로써 함. 세속 오계(世俗五戒)의 하나.
교:우-지【校友誌】명 교우들의 원고를 수집하여 발간하는 잡지.
교우지-도【交友之道】명 벗을 사귀는 도리(道理).
교:우-회【校友會】명〖교〗 ①한 학교의 직원(職員) 및 학생으로써 조직되어 과외 연구(課外硏究)·운동·친목·후생(厚生)·수양(修養) 등을 행하는 단체. ②모교(母校)를 중심으로 그 학교의 졸업생·직원·재학생 등이 조직하는 모임. 동창회(同窓會).
교:우회-지【校友會誌】명〖교〗 교우회에서 발간하는 잡지.
교원¹【郊原】명 교외(郊外)의 들.
교:원²【敎員】명〖교〗 각 학교에서 원아(園兒)·학생을 직접 지도·교육하는 사람. 교사·교감·교장·총장·학장·교수·부교수·조교수·전임 강사·조교·유치원장 등의 총칭. *교사(敎師).
교:원 검:정【敎員檢定】명〖교〗 ↗교원 자격 검정(敎員資格檢定).
교원-병【膠原病】[—뼝] 명〖의〗 전신(全身)의 결합(結合) 조직이 계통적으로 침해를 받는 하나의 질병군(疾病群). 결절성(結節性) 동맥주위염(周圍炎)·홍반성 낭창(紅斑性狼瘡)·공피증(鞏皮症)·피부근염 등이 포함됨.
교:원 생활【敎員生活】명 교원 노릇을 하는 생활. 교단 생활(敎壇生活).
교:원-실【敎員室】명 교원의 사무실. 교무실(敎務室). 교사실(敎師室).
교:원 연:수원【敎員硏修院】[—년—] 명 교육 공무원의 재교육과 연수를 위하여 설치한 기관. 국립의 교육 대학에 부설하는 초등 교원 연수원과 국·공·사립의 사범 대학에 부설하는 중등 교육 연수원 및 국립 대학교 사범 대학에 부설하는 교육 행정 연수원의 세 가지가 있음.
교:원 자격 검:정【敎員資格檢定】명〖교〗 교원 자격 검정령에 의거하여 교원 되기를 지원(志願)하는 사람의 인격·학력(學力)·신체 등을 검사하여 그 자격이 있는 사람을 선정하는 일. 준교원 검정(敎員檢定).
교:원 자격증【敎員資格證】명〖법〗 교원 자격 검정령에 의거하여 교원의 자격을 인정한 증서. 교사(敎師) 자격증.
교원-질【膠原質】명〖화〗 경단백질(硬蛋白質)의 하나. 결체 조직(結締組織)의 성분으로 뼈·인대(靭帶)·피부·비늘 등에 있음. 물과 함께 끓이면 젤라틴(gelatin)으로 됨. 콜라겐(collagen).
교:월¹【巧月】명 〔걸교전(乞巧奠)이 든 달이란 뜻〕 '음력 7월'의 이칭
교:월²【皎月】명 희고 밝게 비치는 달. ㄴ(異稱).
교:위¹【巧違】명 의외의 일로 공교롭게 기회를 놓침. ——-하다 타여불
교:위²【巧僞】명 교묘히 속임. ——-하다 타여불
교:위³【校尉】명 벼슬의 품계(品階)에 붙이는 칭호. 중국 당대(唐代)와 원(元)나라·명(明)나라 때에는 육품(六品) 이하, 청대(淸代)에는 팔품(八品) 이하에 붙였으며, 조선 시대 때에는 무관(武官)의 오륙품(五六品)에 붙이었음. ¶ 과의(果毅) ~/병절(秉節) ~. *부위(副尉).
교:위⁴【敎委】명〖교〗 ↗교육 위원회(敎育委員會).
교:위⁵【矯僞】명 속여 꾸밈. ——-하다 타여불
교:위⁶【矯衛】명 공안직(公安職) 국가 공무원 직급 명칭의 하나. 교정 직렬에 속하며, 교사(矯査)의 위, 교감(矯監)의 아래로 7급 공무원임.
교:유¹【巧諛】명 교묘하게 아첨함. ——-하다 자여불
교유²【交遊】명 서로 사귀어 놂. 서로 교제함. ——-하다 자여불
교:유³【敎誘】명 달래어 가르침. ——-하다 타여불
교:유⁴【敎諭】명 ①가르치고 타이름. ②〖일제〗 중등 학교(中等學校)의 교원. ——-하다 타여불
교:유⁵【矯揉】명 잘못 된 것을 바로잡음. ——-하다 타여불
교:유-서【敎諭書】명 교서(敎書)와 유서(諭書).
교:유서-통【敎諭書筒】명 교유서(敎諭書)를 넣는 통(筒).
교:육【敎育】명 ①가르치어 기름. 가르치어 지식을 줌. ②〔education〕 성숙(成熟)한 사람이 아직 성숙하지 못한 사람에게 심신(心身)의 모든 성능(性能)을 발육(發育)시킬 목적으로 일정한 방법에 의하여 일정한 기간 동안 계속하여 미치는 영향(影響). 곧, 피교육자의 지식·이해·태도를 기르고 생활을 발전시키며 인격을 형성하는 인간의 육성 과정임. 그 작용의 주체(主體)로 보아서 가정 교육·학교 교육·사회 교육 등이 있음. ——-하다 타여불
교:육-가【敎育家】명 교육에 종사하는 사람. 교육자(敎育者).
교:육-감【敎育監】명〖교〗 특별시·광역시·도(道)의 교육청의 장(長). 특별시·광역시·도의 교육·학예에 관한 사무를 집행하며, 소속 공무원을 지휘 감독함. 학식과 덕망이 있고 교육 행정 경력이 15년 이상 되는 사람 중에서 당해 교육 위원회의 교육 위원들의 무기명 투표로 선출함. 임기는 4년임. 「본 요강(要綱).
교:육 강령【敎育綱領】[—녕] 명 교육의 목적과 순서·방법에 관한 근
교:육 개:혁 위원회【敎育改革委員會】명 대통령 자문 기관의 하나. 21세기에 대비한 교육의 기본 방향을 정립하고, 교육의 장기 발전을 위한 국민적 합의의 도출과 범정부적·범사회적 교육 개혁의 추진 등에 관한 사항을 심의 건의함.
교:육 경력【敎育經歷】[—녁] 명 교육법에 규정된 학교에서 교원으로
교:육-계【敎育界】명 교육과 관계가 있는 사회. ㄴ근무한 경력.
교:육 공무원【敎育公務員】명 국립 또는 공립의 교육 기관에 근무하는, 교육법(敎育法)에 규정한 교원과 교육 행정 기관의 장학관·장학사 및 연구 기관의 교육 연구관(硏究官)·교육 연구사(硏究士)의 총칭. 강사는 전임 강사에 한함.
교:육 공무원법【敎育公務員法】[—뻡] 명〖법〗 교육 공무원의 자격·임용·보수·연수·복무 및 신분 보장과 징계 기타 교육 공무원에 적용할 인사 행정의 근본 기준을 정함을 목적으로 제정된 법률.
교:육 공무원 인사 위원회【敎育公務員人事委員會】명〖법〗 교육부 장관의 자문에 응하여 교육 공무원의 인사에 관한 방침과 기준의 결정 및 교육 공무원의 인사에 관한 법령의 제정(制定)·개폐(改廢)에 관한 사항 등을 심의 의결하는 기관. 위원장은 교육부 차관이 되고 위원은 6인으로 구성함.
교:육 공학【敎育工學】명 〔educational technology〕〖교〗 ①교육 과정에 새로 개발된 교육 기기(敎育機器)·통신 수단·학습 이론 등을 도입하여 교육 효과를 극대화하려는 교육학의 새로운 학문 분야. ②넓은 뜻으로, 교육 행정·학교 경영·학습 지도 등 교육에 관계되는 여러 요인(要因)을 통어(統御)할 수 있는 형태로 조직하여, 사람과 기기(機器)를 효율적으로 활용하는 방법을 연구하는 교육학의 학문 분야의 하나. *심리(心理) 공학.
교:육 과정【敎育課程】명〖교〗 커리큘럼(curriculum).
교:육 과정 심:의회【敎育課程審議會】[—/—이—] 명〖법〗 교육부 장관의 자문에 응하여 대학·사범 대학과 각급 학교의 교육 과정의 제정에 관한 사항을 심의하며, 이에 관한 조사 연구를 하기 위하여 교육부에 둔 기관.
교:육 과학【敎育科學】명 교육학이 규범(規範)을 구하는 데 대하여 교육을 사회적·역사적 사상(事象)으로 보고, 그 성질 및 기능(職能)에 관한 분석과 이론을 추구(追求)하는 과학.
교:육 관광【敎育觀光】명 단순한 유람으로서의 관광이 아니라, 여행을 하면서 어떠한 교양을 얻는 것을 목적한 관광. 산업 관광은 그 전형적(典型的)인 것임.
교:육 교:재【敎育敎材】명 학생의 학습 효과를 증진시키기 위하여 교수용으로 사용되는 교재. 교육 영화·슬라이드·사진·음반·괘도·표본·지도·지구의(地球儀) 따위.

교:육-권【敎育權】명 교육을 받을 권리와 교육을 할 권리. 곧, 능력에 따라 균등한 교육을 받을 권리와, 교권(敎權)의 독립, 교원(敎員)의 권리로서의 교육의 자유 등을 이름.

교:육 기관【敎育機關】명 교육의 일을 수행하는 조직체.

교:육 기금【敎育基金】명 교육 사업에 쓰는 기본금(基本金).

교:육 기기【敎育機器】명 교육의 효율을 높이기 위한 교육 기계 또는 기구. 티칭 머신(teaching machine)·브이 티 아르(VTR)·집단 반응 측정 장치·랭귀지 라보라토리(language laboratory)·컴퓨터 등.

교:육 기여율【敎育寄與率】명 국민 소득의 증가분 가운데 교육 수준의 향상에 의한 부분을 계산한 비율.

교:육-대【敎育隊】명〘군〙특정한 군대 교육을 실시하기 위하여 특설(特設)한 부대. ¶ 하사관 ~.

교:육 대학【敎育大學】명〘교〙초등 학교 교사를 양성함을 목적으로 설립된 대학. 수업 연한은 4년임. 1963년 사범 학교제를 폐지하고 새로 세움. ㊎교대(敎大). ＊사범 대학.

교:육 도시【敎育都市】명 학교 도시(學校都市).

교:육-률【敎育率】[—뉼] 명 교육 지수(敎育指數).

교:육 목표【敎育目標】명 교육 활동을 일정한 방향으로 질서 있게 조직화(組織化)하기 위한 목표.

교:육 방:송【敎育放送】명〘교〙①학교 교육 또는 사회 교육의 일환으로 라디오나 텔레비전 등 매스미디어를 통하여 실시하는, 교육에 관한 방송. ②〔Educational Broadcasting System〕학교 교육의 보완(補完)과 사회 교육을 목적으로 개국한 방송. 한국 교육 개발원 부설로 1990년에 설립함. 호출 부호는 텔레비전은 HLQK, 에프 엠은 HLQL. 통상 명칭은 이 비 에스(EBS).

교:육-법【敎育法】명〘법〙홍익 인간의 이념 아래 모든 국민으로 하여금 인격을 완성하고 자주적 생활 능력과 공민(公民)으로서의 자질을 구유(具有)하게 하여 민주 국가 발전에 봉사하며 인류 공영의 이상(理想) 실현에 기여하게 할 목적으로 제정된 법률. 총칙 외에 교원·교육 기관·수업 등에 대해 규정함.

교:육 병:리학【敎育病理學】[—니—] 명〘의〙아동 심리학·병리학 등을 기초로 하여 정신 이상의 아동을 연구하고 치료하는 학문.

교:육 보:험【敎育保險】명 보험의 하나. 학자금(學資金)의 준비를 목적으로 하며 피보험자가 보험 연령에 달하여 중학교 이상의 학교에 입학하였을 때 보험금을 지급함. ＊학자(學資) 보험.

교:육-부【敎育部】명 ①전에, 행정 각부의 하나. 학교 교육·평생 교육 및 학술에 관한 사무를 맡아보았음. 2001년 1월 교육 인적 자원부로 개편됨. ②〘역〙구한말 고종(高宗) 때, 육군의 교육을 관리하던 관청. 광무 8년(1904)에 설치됨.

교:육부 장:관【敎育部長官】명〘법〙교육부의 장(長)이던 국무 위원.

교:육 부조【敎育扶助】명 생활의 곤궁으로 최저 생활을 유지할 수 없는 사람에 대하여 의무 교육을 받는 데 필요한 비용을 부조하는 일.

교:육-비【敎育費】명 ①교육에 드는 경비. ②교육의 비용으로 교육 재정에 의해서 정부가 지출하는 경비.

교:육-사【敎育史】명 교육의 사상·학설·제도·사실 등에 관한 발달을 취급한 역사.

교:육 사회학【敎育社會學】명〘사〙교육의 이론과 실천의 기초가 되는 사회적 요소와 그 법칙을 연구하는 학문.

교:육 산:업【敎育産業】명 가정·학교·직장 등에서의 교육을 현대화·효율화하기 위한 교육 기기(機器)를 개발·제조하는 새로운 산업. 그 대표적인 기기로서는 시청각 기기·랭귀지 라보라토리(language laboratory)·티칭 머신(teaching machine) 따위가 있음.

교:육 상담【敎育相談】명〘교〙어린이의 학교 및 가정에서의 교육 방법에 대하여 전문적인 입장에서 교사나 부모에게 조언(助言)을 주는 활동. 어린이의 버릇·일반 학습·특수 학습·문제적(問題的) 행동·신체 장애·진로(進路) 지도 등에 관하여 상담함.

교:육-세【敎育稅】명〘법〙교육세법에 의거, 교육의 질적 향상을 위해 필요한 교육 재정의 확충에 소요되는 재원을 확보하기 위해 부과되는 세금. 국세로서 목적세임.

교:육 소집【敎育召集】명〘군〙①군사 교육을 위하여 보충역에 대하여 60일 이내로 실시하는 소집. 제2국민역도 필요에 따라 실시할 수 있음. ②국방상 필요한 경우, 예비역·보충역 또는 제2국민역에 대하여 진급시키거나 장교 임용에 필요한 자격을 부여하기 위해 실시하는 소집. 기간은 120일 이내임.

교:육 실습【敎育實習】[—씁] 명 대학 등에서, 교직 과정(敎職課程)의 일부로 하여, 학교 교육의 실제를 관찰(觀察)·실지 수업(實地授業) 등의 형식으로 체험시키는 일.

교:육 실습생【敎育實習生】[—씁—] 명 교육 실습을 하는 학생. ㊎교생(敎生).

교:육 심리학【敎育心理學】[—니—] 명〔educational psychology〕〘심〙교육 사상(事象)의 심리학적 연구를 목적으로 하는 학문. 인간의 정신 발달을 밝히고 학습 과정의 해명을 하는 것이 주요한 연구 영역으로, 피교육자의 개성(個性), 교육적 인간 관계, 학습 효과의 측정(測定), 특수 아동의 심리, 정신 위생, 교사(敎師)의 심리 등이 대상이 됨.

교:육 심리학과【敎育心理學科】[—니—] 명〘교〙대학에서, 교육 심리학을 전공하는 학과. ＊산업(産業) 심리학과.

교:육-애【敎育愛】명 교육자의 피교육자에 대한 사랑.

교:육 연:구관【敎育硏究官】[—년—] 명〘교〙교육 기관·교육 행정 기관 또는 교육에 대하여 조사·연구하는 기관에 근무하는 교육 공무원. 대학 졸업자로서 7년 이상의 교육 경력·교육 연구 경력이 있는 자, 2년 이상의 교육 연구사의 경력이 있는 자 등에 임용 자격이 있음.

교:육 연:구사【敎育硏究士】[—년—] 명 … 관 또는 교육에 대하여 조사·연구하는 기… 대학 졸업자로서 5년 이상의 교육경력이나 … 함한 5년 이상의 교육 행정 경력 또는 교육… 게 임용 자격이 있음.

교:육 연:구소【敎育硏究所】[—년—] 명 교육…

교:육 연령【敎育年齡】[—녈—] 명 피교육자(被… (水準)을 표시하는 연령.

교:육 연합회【敎育聯合會】[—년—] 명 ↗대한 교…

교:육-열【敎育熱】[—녈] 명 교육에 관한 열성.

교:육 영화【敎育映畫】[—넝—] 명 교화(敎化)를 목적… 시청각 교육(視聽覺敎育)의 교재(敎材)로 쓰임. 오락(娛… 교재(學校敎材) 영화·학술(學術) 영화·사회 교육 영화 등…

교:육 예:산【敎育豫算】[—녜—] 명〘교〙문교부가 주관… 예산 및 지방 자치 단체의 교육에 관한 세출(歲出) 예산의…

교:육 원리【敎育原理】[—월—] 명〘교〙교육의 목적·의의·… 기본적 원칙이나 제 문제(諸問題)에 관한 이론적 기초를 분명… 고 하는 연구. 또, 그것을 학생에게 학습시키는 과목.

교:육 위원【敎育委員】명〘교〙교육 위원회를 구성하는 위원. 위원… 별시·광역시·도 의회(議會)에서, 시·군 및 자치구(自治區) 의회가… 천한 학식과 덕망이 높은 자 중에서 무기명 투표로 선출함. 위원 정… (定數)는 특별시·광역시는 지방 자치 단체인 구(區)의 수(數)로 하되… 7인에 미달될 때에는 정수를 7인으로 하고, 도(道)는 교육청의 수(數) 로 하고, 제주도는 7인으로 함. 임기는 4년임.

교:육 위원회【敎育委員會】명〘법〙①서울 특별시·각 광역시·도(道)에 설치되어 당해 지방 자치 단체내의 교육·학예(學藝)에 관한 중요 사항을 심의·의결하는 기관. ㊎교위(敎委). ②국회 상임 위원회의 하나. 교육 인적 자원부 소관 사항을 심의함.

교:육의 자유【敎育—自由】[—/—에—] 명〘교〙정부 기관이나 경제적인 이익 단체 또는 종교 집단 등의 압력에서 벗어나서 교육적 가치를 실현하는 자유. ＊학문의 자유.

교:육의 중립【敎育—中立】[—닙/—에—닙] 명〘교〙근대 사회의 공(公)교육에서 요청되는 종교적 종파성(宗派性) 및 정치적 당파성으로부터의 중립.

교:육 인구【敎育人口】명 전체 인구 중에서 현재 각종 학교에 재적(在籍)하여 교육을 받고 있는 사람의 인구.

교:육 인적 자원부【敎育人的資源部】[—쩍—] 명 행정 각부의 하나. 인적 자원 개발 정책의 수립·총괄·조정, 학교 교육·평생 교육 및 학술에 관한 사무를 장리(掌理)함.

교:육 인적 자원부 장:관【敎育人的資源部長官】[—쩍—] 명〘법〙교육 인적 자원부의 장(長)인 국무 위원. 부총리를 겸함.

교:육 인적 자원부 차관【敎育人的資源部次官】[—쩍—] 명〘법〙교육 인적 자원부 장관을 보좌하고, 장관 유고시 장관을 대리하는 정무직 공무원.

교:육 입국【敎育立國】명 교육을 통하여 국가를 튼튼하게 세움.

교:육-자【敎育者】명 교육가(敎育家).

교:육-장【敎育長】명〘교〙1개 또는 2개 이상의 시·군 및 자치구를 관할 구역으로 하는 하급 교육청의 장. 장학관(獎學官) 중에서 보(補)하며, 특별시·광역시·도의 교육·학예에 관한 사무 중 위임받은 사무를 통할하고, 소속 공무원을 지휘 감독함.

교:육-적【敎育的】명관 교육에 관계 있는 모양. 교육상으로 바람직한 모양. 또, 교육하려는 경향.

교:육적 교:수【敎育的敎授】명 교수는 항상 교육의 목적인 도덕적 품성의 도야에 이바지하여야 한다는 헤르바르트(Herbart)의 학설.

교:육적 사회학【敎育的社會學】명〘사〙사회학의 하나. 교육의 이론과 실제의 기초가 되는 사회적 요소와 그의 법칙을 연구하는 학문.

교:육적 환경학【敎育的環境學】명〘교〙환경이 교육상 중요한 의미를 가진 데 주목(注目)하여 환경과 개인과의 관계를 교육적 견지에서 연구하는 학문.

교:육 정책【敎育政策】명 교육에 관한 기본 방침이나 계획. 근대에 있어서는 보통 국가의 교육 방침을 가리키며, 교육 입법과 교육 행정을 통하여 실현됨.

교:육 제:도【敎育制度】명〘교〙①교육 전반에 관한 제도. ②학교 교육의 제도.

교:육 조사【敎育調査】명 ①〔educational survey〕〘교〙현실로 일어나고 있는 교육 문제를 과학적·실증적(實證的)으로 분석하여 그 문제를 해결하기 위한 자료(資料)의 획득을 목적으로 하는 조사 활동. ②〔educational research〕특정한 교육 현상을 분석하여 그 발생 원인이나 조건을 밝히고, 그 상관되는 바 여러 법칙을 밝히려는 조사 활동.

교:육 주간【敎育週間】명〘교〙교육의 장려·연구·개선 및 문맹자(文盲者)의 퇴치 등을 강조 실천하기 위하여 설정한 주간. 매년 한글날(10월 9일)을 전후한 1주일간임.

교:육 지도【敎育指導】명〘교〙청소년이 각자의 소질·환경을 고려하여 최선의 발달을 이루도록 그 방향을 지시하여 효력이 있게 하는 일. ＊학습 지도(學習指導).

교:육 지수【敎育指數】명〔educational quotient〕교육 연령(年齡)을 역연령(曆年齡)으로 나누어 백을 곱한 수. 연령에 비한 학습(學習)의 진도(進度)를 나타내는 데 쓰임. 교육률(敎育率). 약칭:이 큐(E.Q.).

교:육 진:단【敎育診斷】명〔educational diagnosis〕〘교〙교육의 조직과 방법의 개선에 이바지하기 위하여 피교육자(被敎育者)의 지능(知能)·성능·체질(體質)·환경 등을 개별적으로 또는 집단적으로 검사·진단하는 일. 교육 측정(敎育測定)도 그 일부에 들어감. 학급 편제(編制)·

직업 지도 등에 쓰임.

교:육 철학【敎育哲學】명〔philosophy of education〕《교》 교육의 기본 원리를 연구하는 학문. 교육에 관한 철학적 기초의 구명(究明)을 목적으로 하는 교육학의 한 영역(領域).

교:육-청【敎育廳】명《교》 지방 교육 행정을 담당하는 기관. 특별시·광역시·도(道) 교육청이 있고, 1개 또는 2개 이상의 시·군·자치구를 관할하는 하급 교육청이 있음.

교:육 체육 청소년 위원회【敎育體育靑少年委員會】명 전에, 국회 상임 위원회의 하나. 교육부·문화 체육부 소관 사항을 심의하였음.

교:육 측정【敎育測定】명《교》 ①아동의 능력을 정확히 판단할 목적으로 학과와 각 학년에 따라 객관적 표준을 세우고, 그 표준에 비추어 개개인의 실력을 시험하는 방법. ②교육의 결과를 초래하는 제 원인(諸原因)인 학습자의 지능·인격·홍미·교육 과정·지도법·교과서·교사의 능력·가정 환경 등을 측정하는 일.

교:육 통:계【敎育統計】명 교육에 관한 통계. 교육 실태를 조사하여 행정 관리의 자료로 하기 위하여 교육 행정을 담당하는 기관이 행함.

교:육 투자【敎育投資】명 교육에 투입하는 비용. 직접적인 이익을 목적으로 하는 투자와는 달리 사회적으로 이롭게 하자는 것임.

교:육 평:가【敎育評價】[—까] 명《교》 아동·학생의 학습·행동의 발달을 교육 목표에 비추어 측정·판단하는 일. 단지, 측정하는 것만이 목적이 아니라, 그것에 따라 교육 효과를 높이는 역할을 이룩하는 것이 바람직하다고 함. 시험뿐 아니라 일상의 관찰에 의한 판정도 포함됨. 평가(評價).

교:육-학【敎育學】명〔pedagogy〕《교》 교육의 본질(本質)·목적·내용·방법과 제도·행정 등에 관한 이론을 연구하는 학문. 교육의 역사적 연구와 심리학적 연구의 전영역(全領域)과 과학적 연구도 포함됨. 옛날에는 철학의 일부분이었으나, 지금은 인문 과학 또는 사회 과학의 한 부문임. 「를 목적으로 함.

교:육학-과【敎育學科】명《교》 대학의 한 학과(學科). 교육학의 연구

교:육학 박사【敎育學博士】명 교육학에 관한 업적(業績)이 크거나 또는 교육학에 관한 학위 논문이 통과한 사람에게 수여하는 박사 학위. 또, 그 학위를 가진 사람. 「사전의 하나.

교:육학 사전【敎育學辭典】명 교육학에 관한 용어를 모아 해석한 전문

교:육학-자【敎育學者】명 교육학을 연구하는 학자.

교:육 한:자【敎育漢字】[—짜] 명 중고등 학교에서 지도하도록 교육부에서 선정한 1,800자(字)의 한자. ＊상용 한자(常用漢字).

교:육 행정【敎育行政】명《교》 국가 또는 지방 자치 단체가 교육에 대하여 하는 행정. 학정(學政).

교:육 행정 연:수원【敎育行政硏修院】[—년—] 명《법》 교육 행정을 담당하는 공무원의 연수에 관한 사무를 관장하기 위하여 교육부 장관 소속하에 둔 기관. 각급 학교의 교장·교감·원장·원감 등을 연수 대상으로 함. 1997년 중앙 교육 연수원이 바뀐 기관임.

교:육 헌:장【敎育憲章】명 ↗국민 교육 헌장.

교:육-형【敎育刑】명《법》 형벌(刑罰)을 응보(應報)로 보지 아니하고 수형자(受刑者)를 교육하고 개선(改善)하는 조치(措置)라고 해석하는 학설. 목적형(目的刑). ↔응보형(應報刑). ＊응보주의(應報主義).

교:육형-론【敎育刑論】[—논] 명《법》 형벌을 응보(應報)로서가 아니라 수형자(受刑者)를 교육하고 개선하는 조치라고 해석하는 학설. ↔응보형론. ＊응보주의.

교:육-회【敎育會】명《교》 교육의 개선(改善)·발달을 도모하기 위하여 조직한 회. 교육 일반의 보급·발달에 특히 관심을 가진 교직원·관공리 및 유지(有志)로 구성됨.

교음【嬌音】명 교성(嬌聲).

교의¹【交椅】[—/—이] 명 ①의자(椅子). ②신주(神主)를 모시는 의자(椅子).

교의²【交誼】[—/—이] 명 사귄 정의(情誼). ¶ ～가 두텁다. ＊교계(交契)·교분(交分)·교정(交情).

교:의³【校醫】[—/—이] 명《교》 ↗학교의(學校醫).

〈교의¹❷〉

교:의⁴【敎義】[—/—이] 명 ①〔dogma〕《종》 종교의 신앙 내용(內容)이 진리(眞理)로서 공인(公認)되어, 신앙 상의 가르침으로서 표현된 것. 가르침. 신조(信條). ②《교》 교육의 본지(本旨).

교-의치【橋義齒】명《의》 가공 의치(架工義齒).

교:의-학【敎義學】[—/—이—] 명《종》 특수한 종교의 교의가 학문적으로 조직·서술된 학문. 교리 신학(敎理神學).

교이¹【餃飴】명 곡식 가루를 섞어서 만든 엿.

교이²【餃餌】명 찐만두.

교이³【驕易】명 교만하여 남을 업신여김. ——-하다 타여불

교인¹【交引】명 중국에서 '어음'을 일컫는 말.

교인²【交印】명 ①같은 사무를 보는 이들이 공문서(公文書)를 처결(處決)하기 위해서 연명(連名)하여 날인(捺印)함. ②동지자(同志者)가 약속을 굳게 하기 위하여 연명 날인함. ——-하다 자여불

교인³【佼人】명 미인(美人). 가인(佳人).

교:인⁴【敎人】명 종교(宗敎)를 믿는 사람. ¶ 기독교 ～.

교인⁵【僑人】명 우거(寓居)하는 사람.

교인⁶【鮫人】명 인어(人魚)❶.

교인⁷【驕人】명 지위를 믿고 교만한 사람.

교일¹【驕佚·驕逸】명 교만하고 방자함. ——-하다 형여불

교일²【驕溢】명 교만하여 분수에 맞지 아니하는 일을 함. 지나치게 교만함. ——-하다 자여불

교:임【校任】명 향교(鄕校)의 직원(職員).

교:자¹【巧者】명 기예가 교묘한 사람. 어떤 일에 숙련되어 있는 사람.

교자²【交子】명 교자상(交子床)에 차려 놓은 음식. 건교자(乾交子)·식교자(食交子)·얼교자(孼交子)의 종류가 있음.

교자³【交子】명 중국의 가장 오래된 지폐(紙幣). 송나라 진종(眞宗) 때에 쓰촨(四川) 지방의 한 민간 금융업자가 발행한 어음에서 유래된 것으로, 인종(仁宗) 때부터 관영(官營)이 되었다 함.

교자⁴【餃子】명 중국 요리의 하나로, 만두를 일컬음.

교자⁵【嬌姿】명 교태(嬌態).

교자⁶【澆紫】명《공》 중국 청(淸)나라 때, 도자기(陶瓷器)를 굽던 잿물

교자⁷【菖子】명《식》 염교¹. ㄴ의 한 가지.

교자⁸【轎子】명《역》 ↗평교자(平轎子).

교자⁹【驕恣】명 교사(驕肆). ——-하다 형여불

교자-군【轎子軍】명《역》 교군(轎軍)꾼. 「형여불

교자 불민【驕恣不敏】명 교만하고 방자하여 버릇이 없음. ——-하다

교자-상【交子床】[—쌍] 명 직사각형으로 된 큰 음식 상. 교자를 차려놓게 되었음.

교:자 졸지노【巧者拙之奴】[—찌—] 구 꾀가 많은 사람은 용렬한 사람의 노예라는 말. 즉, 머리가 둔해도 끝까지 끊임없는 노력을 하는 사람은 제 재주만 믿는 사람보다 큰 일을 하게 된다는 뜻.

교작【交爵】명 술잔을 주거니 받거니 함. 교상(交觴). ——-하다 자여불

교잡【交雜】명 ①서로서로 뒤섞임. ②《생》 계통·품종·성질이 다른, 암컷과 수컷의 교배. 잡교(雜交). ——-하다 자타여불

교잡 육종법【交雜育種法】[—뻡] 명《생》 교배(交配)에 의하여 인위적으로 목적하는 변이(變異)를 만들어 내어 새 형질을 형성시키는 품종 개량법의 하나. 분리(分離) 육종법. ＊잡종 강세(雜種強勢) 육종법.

교:장¹【巧匠】명 교묘한 장인(匠人). 교묘한 목수.

교:장²【校長】명 ↗학교장(學校長).

교:장³【校葬】명 학교가 주재하여 행하는 장례식.

교:장⁴【敎長】명《역》 동학(東學)의 교직(敎職)인 육임(六任)의 제1위.

교:장⁵【敎場】명 ①가르치는 곳. ②《군》 일정한 교육 시설을 해 놓은 장소. 교내(校內) 또는 야외(野外)에 시설함.

교:장 도감【敎藏都監】명《역》 고려 때의 관청. 대각 국사(大覺國師) 의천(義天)의 청에 의하여 선종(宣宗) 3년(1086)에 흥왕사(興王寺)에 설치하여 《속장경(續藏經)》 등 불전(佛典)을 조판(彫板)·인행(印行)함.

교장-사【攪腸沙】명《한의》 산기(山氣)나 장기(瘴氣)를 마시고 식체(食滯)·기아(飢餓)를 만나서, 발열(發熱)·두통·구역(嘔逆)·사지 궐랭(四肢厥冷)·심복 동통(心腹疼痛)·냉한(冷汗)·고민(苦悶)을 일으키는 병. 음사(陰沙)·양사(陽沙)가 있는데, 음사는 복통이 나며 사지가 궐랭하고 온몸에 홍점(紅點)이 돋으며, 양사는 복통이 일어나고 수족이 더움.

교장-증【交腸症】[—쯩] 명《한의》 오줌에 똥이 섞여 나오는 여자의 병.

교:재¹【敎材】명《교》 교수(敎授)하는 데 쓰이는 재료.

교재²【喬才】명 ①거짓말을 잘 하는 재지(才智). 또, 그런 재지를 가진 사람. ②재지(才智)가 있다고 자만하는 사람.

교:재-비【敎材費】명 교재의 구입 경비(經費).

교:재-원【敎材園】명《교》 교육상 필요한 동식물을 교정(校庭) 같은 데에 재배·양육하여 학생들에게 보이는 뜰.

교:적¹【敎跡】명《불교》 부처가 설법(說法)한 족적(足跡).

교:적²【敎籍】명《천주교》 신자(信者) 각 개인의 신상 기록표. 본당이나 공소(公所)에서 가구별로 작성됨.

교전¹【交戰】명 ①서로 싸움. 서로 병력(兵力)을 가지고 전투 행위를 함. 교병(交兵). 교봉(交鋒). 교화(交火). 합인(合刃). ¶ ～ 상태. ②십팔기(十八技)의 하나로 두 사람이 각기 왜검(倭劍)을 가지고 맞서서 검술(劍術)을 익히는 무예(武藝). ——-하다 자여불

교전²【郊餞】명 성문(城門) 밖에 나가서 사람을 전송함. ↔교영(郊迎). ——-하다 타여불 「교육에 관한 전범(典範).

교:전³【敎典】명 ①《종》 종교상의 경전(經典) 또는 법식(法式). ②《교》

교전 구역【交戰區域】명《군》 ①교전국의 병력(兵力)이 서로 적대 행위를 할 수 있는 구역. 교전국의 영토·영해(領海)·영공(領空) 등으로서, 중립 영역(中立領域)을 포함하지 않음. ②전쟁터. 전장(戰場).

교전-국【交戰國】명 ①교전의 당사자인 국가. 전쟁에 참가하고 있는 국가. ②전쟁 상태에 있는 상대국. 적국(敵國).

교전-군【交戰軍】명《군》 교전(交戰)하는 군대. 전지(戰地)에 파견된 군대. ↔잔류군(殘留軍).

교전-권【交戰權】[—꿘] 명《법》 ①국가가 전쟁을 할 수 있는 권리. 주권국(主權國)에만 있음. ②국가가 교전국으로서 가지는 국제법상의 제(諸) 권리.

교전 단체【交戰團體】명《법》 국제법상으로 교전국(交戰國)과 같은 자격을 인정받은 단체. ¶ ～의 승인.

교전 법규【交戰法規】명《법》 전시 국제법(戰時國際法) 중, 특히 교전국 상호의 관계에 관한 법규의 총칭. 협의(狹義)로는 전시 법규(戰時法規)의 뜻으로도 쓰임.

교전-비【轎前婢】명 혼례 때에 새색시를 따라가는 계집종.

교전-자【交戰者】명《법》 ①교전하는 나라 또는 단체. ②교전하는 나라의 병력(兵力). ③교전하는 나라의 병력을 구성하고 있는 인원. 전투원(戰鬪員)과 비전투원(非戰鬪員)의 구별이 있음.

교절¹【交截】명 두 개의 도형이나 물체가 서로 교차되어 공통된 부분을 가지는 일. 또, 두 개념(槪念)이 부분적으로 공통인 외연(外延)을 갖는 ㄴ일.

교절²【交節】명 환절(換節)❶. ——-하다 자여불

교점¹【交點】[—쩜] 명 ①서로 만나는 점. ②《천》 행성(行星) 또는 혜성(彗星) 등의 궤도면(軌道面)이 황도면(黃道面)과 만나는 점. ③《수》 두 개의 선이 서로 만나는 점. 「여불

교점²【膠粘】명 아교가 찐득찐득함. 또, 아교로 붙임. ——-하다 형타

교점-월【交點月】[—쩜—] 명 〔nodical month〕〖천〗 지구에서 보는 달이 어떤 점에서 떠나 다시 그 점으로 돌아오는 동안. 27일 5시 5분 35.8초. 분점월(分點月).

교접[1]【交接】 명 ①서로 닿아붙음. ②성교(性交). ——-하다 자여불

교접[2]【僑接】 명 우거(偶居)❶. ——-하다 자여불

교접[3]【膠接】 명 꼭 붙음. 꼭 붙게 함. ——-하다 자타여불

교접-기【交接器】 명〖생〗 동물의 성기(性器).

교접-완【交接腕】 명〖생〗 두족류(頭足類)의 수컷의 교미 기관.

교정[1]【交情】 명 사귄 정. 사귀어 온 정. *교분(交分)·교의(交誼).

교:정[2]【校正】 명 ①글자의 잘못된 것을 대조하여 바로잡음. ②〖인쇄〗 교정쇄(校正刷)와 원고를 대조하여 오자(誤字)·오식(誤植) 등을 바로잡아 고침. 교준(校準). 교합(校合). 준(準). 간교(刊校). *구교(仇校). ——-하다 타여불

교:정(을) 보다 구 교정하다. 준보다. 「여불

교:정[3]【校定】 명 서적 등의 자구(字句)를 비교하여 정함. ——-하다 타

교:정[4]【校訂】 명 남의 문장(文章) 또는 출판물의 잘못된 글자나 글귀 등을 바르게 고침. 단연(丹鉛). ——-하다 타여불

교:정[5]【校庭】 명 학교의 마당.

교:정[6]【敎正】 명 가르치어 바르게 함. ——-하다 타여불

교:정[7]【敎政】 명〖천주교〗 교회 정치. 교회를 다스리는 일.

교:정[8]【敎程】 명〖교〗 ①가르치는 정도. ②어떤 과목을 가르치는 법식(法式). ③기초부터 차례로 가르치도록 꾸민 책. 교과서(敎科書).

교정[9]【較正】 명 계기류(計器類)의 정밀도 등을 표준기와 비교하여 맞추는 일. ——-하다 타여불 「든 못.

교:정[10]【鉸釘】 명〖공〗 강철 재료를 접합(接合)하는 데 쓰는 강철로 만

교:정[11]【矯正】 명 틀어지거나 굽은 것을 바로잡음. 광정(匡正). 교구(矯捄). 교직(矯直). ¶ 말더듬이 ~. ——-하다 타여불

교:정[12]【矯情】 명 마음 속에서 자연히 우러나오는 감정을 억눌러 나타내지 않고 겉으로는 그렇지 않은 체함. *교정 진물. ——-하다 자여불

교:정[13]【轎丁】 명 교군(轎軍)꾼.

교:정-감【矯正監】 명 공안직(公安職) 국가 공무원 직급 명칭의 하나. 교정 직렬에 속하며, 교정관(矯正官)의 위, 교정 부이사관의 아래로 4급 공무원임.

교:정-관【矯正官】 명 공안직(公安職) 국가 공무원 직급 명칭의 하나. 교정 직렬에 속하며, 교감(矯監)의 위, 교정감(矯正監)의 아래로 5급 공무원임.

교:정 교:육【矯正敎育】 명〖사〗 비행(非行) 소년을 사회 생활에 적응시키기 위하여 자각(自覺)시키고 기율적(紀律的) 생활화에 교과(敎科) 및 직업의 보도(輔導), 적당한 훈련과 의료(醫療)를 베푸는 일.

교:정-권【敎政權】[—꿘] 명〖천주교〗 그리스도에게서 받은 교황권(敎皇權)의 한 가지. 신자들을 가르치고 다스리는 권리. 곧, 교도권(敎導權)과 통치권(統治權)의 총칭.

교:정 기계【矯正器械】 명 몸의 결함을 고치고, 바른 발달을 촉진하기 위한 기계. 스웨덴 체조에 쓰이는 늑목(肋木)·횡목(橫木) 등.

교정 기속【較正氣速】 명〖항공〗 속도계의 구조의 차이 및 설치 장소에 따른 오차를 수정한 대기 속도(對氣速度). *지시(指示) 대기 속도.

교:정 기호【校正記號】 명〖인쇄〗 인쇄물을 교정할 때 쓰는 기호.

교:정 도감【敎定都監】 명〖역〗 고려 희종(熙宗) 때, 최충헌(崔忠獻)이 무단(武斷) 정치를 하면서 국가의 모든 일을 처리하던 정치 기관.

교:정-료【校正料】[—뇨] 명〖인쇄〗 교정을 보아 준 삯.

교:정 별감【敎定別監】 명〖역〗 고려 때의 관직의 하나. 교정 도감(敎定都監)의 장(長)으로, 최충헌(崔忠獻)의 무단 정치 이래 역대의 무인(武人) 집권자들의 특정직(特定職)이었음.

교:정 보:호【矯正保護】 명 범죄자의 갱생(更生)을 위해, 교도소·소년원 등의 교정 시설에 수용하거나 전문가의 지도·감독 아래 사회 생활을 시키는 일.

교:정-본【校訂本】 명 고서(古書)의 문장·어구 등을 후세(後世) 사람이 교정하여 출판한 도서. 「하는 부서(部署).

교:정-부【校正部】 명〖인쇄〗 출판사나 신문사 등의 교정 업무를 담당

교:정 부:이사관【矯正副理事官】 명 공안직(公安職) 국가 공무원 직급 명칭의 하나. 교정 직렬에 속하며, 교정감(矯正監)의 위, 교정 이사관의 아래로 3급 공무원임.

교:정-소【敎定所】 명〖역〗 고려 때, 교정 도감(敎定都監)의 후기에 있어서의 별칭(別稱).

교:정-쇄【校正刷】 명〖인쇄〗 교정을 보려고 임시로 활자 조판(活字組版) 위에 종이를 놓고 찍는 일. 또, 그 찍어 낸 종이. 게라쇄(刷).

교:정-술【矯正術】 명 ①몇 가지의 간단한 운동을 되풀이하여, 자세가 나쁜 것을 바로잡는 맨손 체조. ②기계적 작용을 응용하여 인체의 골관절(骨關節) 계통의 운동 장애 또는 기형(畸形)을 수술하지 않고서 교정하는 법.

교:정 시:력【矯正視力】 명 굴절 이상(屈折異常)인 눈에 있어서 적당한 렌즈나 기타의 장치로써 교정하여 얻은 시력.

교정 시:설 경:비 교도대【矯正施設警備矯導隊】 명〖법〗 교정 시설의 파괴나 재소자(在所者)의 폭동 등에 대처하기 위하여 법무부 장관 소속 밑에 둔 경비 기관. 교정직 공무원과 귀휴병(歸休兵)으로 임용한 경비 교도(警備矯導)로 구성함.

교:정-약【矯正藥】[—냑] 명〖약〗 약제의 고약한 냄새나 맛을 없애기 위해 섞어 먹는 약. 박하(薄荷)·계피(桂皮) 등 교미 교취약(矯味矯臭藥).

교:정-원【校正員】 명 인쇄소나 출판사에서 교정을 전문으로 보는 사람.

교:정 이:사관【矯正理事官】 명 공안직(公安職) 국가 공무원 직급 명칭의 하나. 교정 직렬에 속하며, 관리관의 아래, 교정 부이사관의 위로 2급 공무원임.

교:정 일치【敎政一致】 명〖천도교〗 강령(綱領)의 하나. 종교와 정치는 일치한다는 말. 「장(臺狀).

교:정-지【校正紙】 명〖인쇄〗 교정을 보기 위하여 교정쇄를 한 종이. 대

교:정-직【矯正職】 명 공안(公安) 공무원의 직렬(職列)의 하나. 교도소에서 교정 업무에 종사하는 직무.

교:정 진:물【矯情鎭物】 명 교정(矯情)하면서 사물을 태연히 대함.

교:정 처:분【矯正處分】 명〖법〗 음주 또는 마취제를 사용하는 자가 명정(酩酊) 또는 마취 상태에서 범죄를 저지르는 습벽(習癖)이 있을 때, 이 습벽을 교정하기 위하여 특정한 장소에 수용하여 필요한 조치를 취하는 처분.

교:정-청【校正廳】 명〖역〗 ①조선 때, 유교 경서의 교정과 번역을 담당하였던 관청. 선조(宣祖) 18년(1585) 1월에 설립하여 선비들을 뽑아 많은 경서를 교정·번역시켰음. ②조선 고종(高宗) 31년(1894) 6월에 정치를 개혁하기 위하여 설치한 관청. 영의정을 비롯한 조정의 대신들이 총재관(總裁官)으로 임명되어 매일 정치의 개혁을 의논하여 임금께 알려 시행하였음.

교:정 체조【矯正體操】 명 가벼운 운동으로 신체의 변형(變形)·운동 장애 등을 정상적인 형태로 하기 위하여 행하는 체조. *미용(美容) 체조.

교:정-침【校正針】 명 지속침(遲速針).

교:정-필【校正畢】 명 교정이 끝났음. 교료(校了).

교제[1]【交際】 명 ①서로 사귐. 사귀어 가까이 지냄. ¶ ~가 많은 사람/이성 ~. ②어떤 목적을 달성하기 위한 수단으로서의 사교(社交). ¶ 취직하려고 ~하다. ——-하다 자타여불

교제[2]【膠劑】 명〖약〗 아교같이 진득진득한 약제. 그 교착성(膠着性)에 의하여 피막(被膜)을 만들어 피부를 보호하며, 또 피부를 압박하는 작용을 함.

교:제[3]【矯制】 명〖역〗 교지(矯旨).

교:제[4]【敎弟】 인대〖기독교〗 교우(敎友) 사이에 쓰이는 자칭 대명사.

교제-비【交際費】 명 ①교제하는 데 드는 비용. ②직무상(職務上) 교제를 필요로 하는 관리나 사원에게 관청이나 회사에서 내어 주는 비용. ③가계부에서, 경조금(慶弔金)·손님 접대비 등에 쓰이는 비용을 말함.

교제-술【交際術】 명 교제하는 재주나 수단.

교제-창【交濟倉】 명〖역〗 조선 영조 때 함경도 원산·고원·함흥에 설치한 환곡(還穀) 창고. *제민창(濟民倉).

교:조[1]【敎祖】 명〖종〗 한 종교나 종파(宗派)를 처음으로 세운 사람. 교주(敎主). 종조(宗祖).

교:조[2]【敎條】 명 ①법규(法規). 또, 배우는 자가 지켜야 할 조규(條規). ②〖종〗 교회가 공인한 교의(敎義). *도그마(dogma).

교:조[3]【矯詔】 명 조칙(詔勅)을 거짓 꾸밈. ——-하다 자여불

교조 교식【交租交息】 명 중국 공산당이 항일전(抗日戰) 중에 추진한 토지 개혁에 선행(先行)한 경제 정책. 경작자(耕作者)에게 소작료(小作料)와 이자의 지불을 의무화하여 지주·부상(富商)의 이익 보호를 도모하였으며, 지주측에는 감조 감식(減租減息)을 추진하여 양자(兩者)를 같이 항일 전선의 전열(戰列)에 참가시켰음.

교:조-주의【敎條主義】[—/—이] 명〖논〗 ①종교상의 교의·교조(敎條)에 의거하여 세계의 사상(事象)을 설명하려는 태도. 중세(中世)의 스콜라 철학 등에서 대표됨. ②특히 마르크스주의에 있어서, 역사적 정세를 무시하고 그 원칙론을 굳이 지키려는 공식(公式)주의를 이름. ③전하여, 흔히 원리 원칙에만 얽매여, 융통성이 없는 사고 방식을 이름.

교족-상【交足床】 명 혼례(婚禮) 때, 나조반을 올려 놓는 상.

교:졸[1]【巧拙】 명 ①교묘함과 졸렬함. ②익숙함과 서투름.

교졸[2]【交捽】 명 서로 겨루고 다툼. 대항함. ——-하다 자여불

교:졸[3]【校卒】 명〖역〗 군아(郡衙)에 딸린 장교(將校)와 나졸(羅卒).

교:종【敎宗】 명 ①〖불교〗 불교의 두 파 중의 하나로서 불교의 교리(敎理)를 중심으로 하여 세운 종파. ↔선종(禪宗). ②〖불교〗 조선 세종(世宗) 6년(1424)에 자은종(慈恩宗)·화엄종(華嚴宗)·시흥종(始興宗)·중신종(中神宗)이 합하여 된 교파. ③〖천주교〗 교황(敎皇).

교:종 본산【敎宗本山】 명〖불교〗 교종의 가장 으뜸가는 사찰(寺刹). 각 말사(末寺)를 통할(統轄)함.

교:종-선【敎宗選】 명〖역〗 고려 승과(僧科)의 하나. 교종(敎宗) 승려를 시취(試取)한 시험으로, 교종의 본산인 개경(開京) 왕륜사(王輪寺)에서 보였음. 여기에서 급제되면 대선(大選)의 칭호를 주며, 차츰 올라 왕사(王師)에까지 이름. *선종선(禪宗選).

교:종-시【敎宗試】 명〖역〗 조선 세종(世宗) 이후의 승과(僧科)의 하나. 교종(敎宗) 승려를 시취(試取)한 과거로, 전등(傳燈)·점송(拈頌)을 시험보아 30명을 뽑았는데, 급제자를 교종 대선(敎宗大選)이라 하였음. *선종시(禪宗試).

교:종 판사【敎宗判事】 명〖역〗 조선 때, 승직(僧職)의 하나. 세종(世宗) 때 종래의 불교 각 종파를 선(禪)·교(敎) 양종(兩宗)으로 통합하고, 전국 교종의 절과 승려를 관장하게 하였음.

교죄【絞罪】[—쬐] 명 교수형(絞首刑)에 처할 범죄.

교주[1]【交州】 명〖지〗 인도차이나 지방의 옛 중국명(中國名).

교주[2]【交奏】 명〖역〗 향악(鄕樂)과 당악(唐樂)을 교대로 연주함. ——-하다 타여불

교:주[3]【校主】 명 사립 학교의 경영주.

교:주[4]【校注·校註】 명 문장(文章)의 자구(字句) 따위를 교정(校訂)하여 주석(註釋)을 가함. 또, 그 주석. ——-하다 타여불

교:주[5]【敎主】 명 ①〖종〗 한 종교 단체의 우두머리. ②〖종〗 교조(敎祖). ③〖불교〗 개교(開敎)의 본주(本主). 곧, 석존(釋尊).

교:주 가곡집【校註歌曲集】 명〖책〗 일본의 한국 고서(古書) 연구가 마에마 교사쿠(前間恭作)가 편집한 시조집. ≪고금 가곡(古今歌曲)≫·

)여종을 합하여 1,780 수를 수록 집대성
전편(流傳編)과 작가편(作家編)으로
검(頭句檢索)과 가나다순 시조 색인(索

나 거문고의 기러기발을 아교로 붙여 놓
한가지 소리밖에 나지 않는다는 데서, 고
이 꼭 달라붙은 소견(所見)을 비유하는

고려 명종 8 년(1178)부터 원종 4 년(1263)까
원도 지역의 명칭.
자오저우 만.
교정(校正)❷. ——-하다 타여불
교우(敎友)들 가운데. ¶ ~ 미사.
中).
재지(才智). 「다 형여불
하기는 하나 속도가 느림. ↔졸속(拙速). ——-하
〖역〗중국 한(漢)나라 때의 군(郡) 이름. 지금의 월
이 지방.
한 지혜.
사한 재주와 지혜.
교 터.
교 신문.
학생들이 교내에서 편집·발행하는 잡지.
①〖역〗사품(四品) 이상 벼슬의 사령(辭令). 관고(官誥).
(王旨). ②〖역〗임금의 전지(傳旨). 왕지(王旨). ③〖종〗
旨). ④교육의 취지.
교만한 마음.
명〖역〗왕명이라고 거짓 꾸며댐. 교제(矯制).
支】명〖역〗대형(大兄)❷.
기【校一】명 학교를 지키는 사람. 교직(校直).
지나【交趾支那】명〖지〗코친차이나(Cochin-China).

교직[1]【交直】명〖전〗전기의 교류와 직류.
교직[2]【交織】명 ①두 가지 이상의 실을 섞어서 짠 직물. 교직물(交織物). ②명주실로 날을 삼고, 무명실로 씨를 삼아 섞어서 짠 피륙. 1)·2):↔평
교:직[3]【校直】명 교지기. 「직.
교:직[4]【敎職】명 ①〖교〗학생을 가르치는 직무. ②〖종〗그리스도교(敎)에서, 신도(信徒)의 지도와 교회의 관리를 맡은 직무. 목사·집사·전도
교:직[5]【矯直】명 교정(矯正). ——-하다 타여불 「사 따위.
교:직 과목【敎職科目】명〖교〗교직에 관한 전문 과목. 교육 원리·교육 심리학·교육 실습·교과 교육법 등.
교:직 과정【敎職課程】명〖교〗교직에 관한 전문 교육의 과정.
교:직-국【敎職局】명〖법〗전에, 문교부의 한 국(局). 교직에 관한 사항을 관장(管掌)함. 1981년 폐지됨.
교직-물【交織物】명 교직(交織)❶.
교직 양:용【交直兩用】[—냥—] 명〖전〗교류 전원(電源)이나 직류 전원의 어느 쪽에서나 전력(電力)을 받으면 가동하는 전자 장치.
교직 양:용 전:동기【交直兩用電動機】[—냥—] 명 〔AC/DC motor〕〖전〗직류나 단상 교류(單相交流)를 막론하고, 거의 같은 속도와 출력(出力)으로 작동하는 전동기.
교:직-원【敎職員】명 교직에 종사하는 교원 및 관계 직원.
교:직-자【敎職者】명 교직을 맡아 보는 사람. 「다 자타여불
교질[1]【交迭】명 서로 바뀜. 서로 바꿈. 교체(交替). 이체(移替). ——-하
교질[2]【交質】명〖역〗양국간에 인질을 서로 교환함. ——-하다 자여불
교질[3]【膠質】명 ①아교와 같은 물질의 끈끈한 성질. ②〖화〗콜로이드
교질-물【膠質物】명 끈끈한 물건. 「(colloid).
교질 삼투압【膠質滲透壓】명〖화〗콜로이드 삼투압.
교질-액【膠質液】명〖화〗교질 용액(膠質溶液).
교질 용액【膠質溶液】명〖화〗콜로이드 용액. 교질액.
교질 이온【膠質一】명 〔colloidal ion〕〖화〗콜로이드 이온.
교질-학【膠質學】명〖화〗교질 화학(化學).
교질 화학【膠質化學】명〖화〗콜로이드 화학(colloid化學).
교집【交集】명 ①뒤섞여 모임. ¶ 이 말까지 자세히 들은 국향은 비회 ~하여 마루를 향하고 재배하며…≪趙重桓 : 菊의 香≫. ②사귀어 모임. ——-하다 자여불
교-집합【交集合】명〖수〗두 개 이상의 집합에서 각 집합에 공통으로 들어 있는 원소의 집합. 공통 집합.
교즛 명〈옛〉평교자. 가마. ¶ 교즛 교(轎)≪字會 中 26≫.
교차[1]【交叉】명 ①종횡으로 엇갈림. ¶ 철길이 ~하다. ②〔crossingover〕〖생〗유전학상의 용어. 생식(生殖) 세포의 감수(減數) 분열 초기에, 연쇄(連鎖)가 불완전한 상동 염색체(相同染色體) 사이에 부분적 교환이 행하여져, 유전자가 치환(置換)되는 일. ——-하다 자타여불
교차[2]【較差】명 ①최고(最高)와 최저(最低)와의 차. ¶ 기업(企業) ~. ②최고 및 최저 기온의 차. 일교차(日較差)와 연교차(年較差)가 있음.
교차-가【交叉價】[—까] 명〖생〗연쇄하여 있는 두 개의 유전자(遺傳子) 사이의 교차가 일어나는 정도를 백분율로 나타낸 수치. 교차율.
교차 개:념【交叉概念】명〖논〗근본적인 의의(意義)는 서로 다르나 그 외연(外延)의 일부를 서로 같이 하는 개념. 교육가와 학자, 군인과 용사 등. 교착 개념(交錯槪念). 교호 개념(交互槪念).
교차 내:성【交叉耐性】명 〔cross-tolerance〕〖약〗약리 작용(藥理作用)이 비슷한 다른 약을 계속 사용함으로써 생긴 약제 작용(藥劑作用)에 대한 내성 또는 저항성.
교차-로【交叉路】명 교차된 길. 서로 엇걸려 있는 길.
교차 반:응【交叉反應】명 〔cross-reaction〕〖의〗어떤 항원(抗原)으로 만든 항체(抗體)에 대하여 그 항원과 유사한 물질이 반응하는 일.
교차 방위【交叉方位】명〖해〗해도(海圖)의 도면상(圖面上)에 교차하는 두 개 이상의 지물(地物)의 방위. 연안을 항행하는 선박이 자기 배의 위치를 알기 위하여 두 개 이상의 지물의 방위를 측정하여, 그 방위의 선(線)을 해도에 기입하여 구함.
교차 수역【交叉水域】명〖항해〗물의 흐름이 서로 엇갈리는 지역.
교차 시험【交叉試驗】명 〔cross matching〕〖의〗수혈을 위한 혈액 적합성의 시험. 제공자의 혈구(血球)와 수용자의 혈청(血淸), 수용자의 혈구와 제공자의 혈청을 혼합하여 응집 반응을 조사함.
교차 신:문【交叉訊問】명〖법〗교호(交互) 신문.
교차-율【交叉率】명〖생〗교차가(交叉價).
교차-점【交叉點】[—쩜] 명 교차된 점. 서로 엇걸려 있는 곳.
교차 책임【交叉責任】명〖해〗과실로 선박이 서로 충돌하였을 때에 각 선박의 소유자가 분담할 손해의 비율에 따라 서로 불법 행위에 의한 손해 배상 청구권을 가지는 일.
교차 청약【交叉請約】명〖법〗두 사람 사이에 서로 객관적 내용이 일치하는 청약. 예를 들면, 말을 만 원에 팔겠다는 갑(甲)의 청약이 을(乙)에게 도달하기 전에, 을은 말을 만 원에 사겠다는 청약을 하는 일 따위.
교차 투표【交叉投票】명 크로스 보팅.
교차-형【交叉型】명〖생〗염색체의 교차에 의해서 생기는 유전자의 행태.
교착[1]【交着】명 서로 붙음. ——-하다 자여불 「다 자여불
교착[2]【交錯】명 ①〖언〗혼성(混成). ②이리저리 엇걸려 뒤섞임. ——-하
교착[3]【膠着】명 ①단단히 달라붙음. ②전선(戰線)·교섭 등이 현상을 유지하여 조금도 변동이 없음. ¶ ~ 상태에 빠지다. ③〔cementation〕〖공〗화학 약제나 결합제를 주입하여 묽은 토사(土砂)나 모래 따위를 고화(固化)시키는 일. ——-하다 자여불
교착 개:념【交錯槪念】명〖논〗교차(交叉) 개념.
교착 박자【交錯拍子】명〖악〗주주부(主奏部)와 반주부(伴奏部)와의 박자가 그 구조를 달리하는 것을 이름.
교착-어【膠着語】명 〔agglutinative language〕〖언〗언어의 형태적 유형(形態的類型)의 하나. 언어의 문법적 기능(機能)을 어근(語根)과 접사(接辭)와의 결합 연속(結合連續)에 의하여 나타내는 언어. 그 어미 변화는 굴절어(屈折語)와 같이 밀접하지 아니하고, 어근 안의 변화도 수반하지 아니함. 핀란드 어 등의 우랄 어족, 터키 어·한국어·일본어 등의 알타이 어족은 이에 속함. 부착어(附着語). 점착어(粘着語). 접속어. 첨가어. *굴절어(屈折語).
교창[1]【交唱】명 두 성가대가 또는 한 성가대가 두 부분으로 나뉘어 한 마디씩 또는 일 절씩 교대로 노래함. ——-하다 타여불
교창[2]【交窓】명〖건〗분합문(分閤門) 위에 가로 길게 짜서 끼우는 빛받이 창. 창살 모양이 효자(爻字)로 되어 있음. 횡창(橫窓).

〈교창[1]〉

교창[3]【咬創】명 물린 상처.
교:창[4]【校倉】명〖건〗목재를 정(井)자 모양으로 쌓아 올려 지은 원시적인 건축. 세계 여러 나라에 분포되어 있음.
교창[5]【窖倉】명 땅을 파서 만든 움.
교척[1]【喬陟】명 높은 산. 중첩하여 있는 산.
교척[2]【磽瘠】명 교각(磽确).
교천[1]【交淺】명 사귄 지 얼마 안 됨. ——-하다 형여불
교천[2]【郊天】명〖역〗천신(天神)에게 지내던 제사.
교:천[3]【敎川】명〖지〗경상 북도 경주(慶州) 근처의 땅 이름. 최씨 부자(富者)가 살았다 함. 「르는 말.
【교천 부자가 눈 아래로 보인다】벼락 부자가 호기(豪氣)를 부림을 이
교천[4]【喬遷】명 승진(昇進)함. 벼슬이 올라감. ——-하다 자여불
교천 언심【交淺言深】명 사귄 지 얼마 안 되는 사람에게, 된 소리 안 된 소리 지껄이어 어리석다는 뜻. ——-하다 형여불 「형여불
교철 몽락【交綴蒙絡】[—낙] 명 친친 서로 얽혀서 무성함. ——-하다
교첩[1]【交睫】명 잠자기 위해 눈을 붙임. 접목(接目). ——-하다 자여불
교:첩[2]【敎牒】명〖역〗조선 시대에 처음에는 오품 이하, 뒤에는 사품 이하의 관원에게, 서경(署經)을 거쳐서 지급한 사령장. 첩지(牒紙).
교첩[3]【蹻捷】명 빨리 달림. 또, 걸음이 빠름. ——-하다 형여불
교청【鵁鶄】명〖조〗해오라기. 「——-하다 자타여불
교체[1]【交替】명 교대(交代). 교질(交迭). 체대(替代). ¶ 선수 ~/세대 ~.
교체[2]【交遞】명 ①서로 갈마듦. 교질(交迭). 질대(迭代). 체대(遞代). ②교통과 체신. ¶ ~ 위원회. ——-하다 자타여불
교체[3]【僑體】명 객지에 있는 몸. 객체(客體). 「건너지른 뼈대.
교체[4]【橋體】명〖토〗다리의 주체(主體)가 되는 부분. 곧, 물 위로 가로
교체균-증【交替菌症】[—쯩] 명〖의〗항생 물질을 쓴 결과 그 병원균은 없어지되, 딴 균이 퍼져 다른 병으로 되는 일.
교체-기【交替期】명 서로 바뀌는 시기.
교체신-교【交替神敎】명 〔kathenotheism〕〖종〗다신교(多神敎)에서, 지상신(至上神)으로서 숭배하는 신이 때와 장소에 따라 바뀌는 교(敎).
교체 위원회【交遞委員會】명 ↗교통 체신 위원회.
교체적 판단【交替的判斷】명 〔alternative judgement〕〖논〗'갑은 을을 사랑한다'와 '을은 갑의 사랑을 받는다'와 같이 그 의의(意義)를 변경하지 아니하고 서로 교환할 수 있는 두 판단.
교초[1]【交鈔】명〖역〗중국 금(金)·원(元) 시대의 지폐(紙幣).
교초[2]【翹楚】명 출중(出衆)함. 또, 그 사람. ¶ 그 외의 두 사람도 다 평산 선비의 ~들이었다≪洪命憙 : 林巨正≫. ——-하다 형여불
교촌【郊村】명〖지〗도시 근교(近郊)에 있는 마을.

교:축【敎軸】명 〖역〗 왕의 교지(敎旨)를 표장(表裝)한 권축(卷軸).

교:취【敎趣】명 교훈 또는 교육의 취지.

교:치[1]【巧緻】명 정교(精巧)하고 치밀(緻密)함. ——-하다 형여불

교치[2]【咬齒】명 소리를 내어 이를 갊. 알치(戛齒). 해치(齘齒). ——-하 ∟다 자여불

교치[3]【驕侈】명 교사(驕奢). ——-하다 형여불

교:칙[1]【校則】명 〖교〗 학교의 규칙. 교규(校規). 학칙(學則). 학규(學規). ¶ ~ 위반. ⌈규칙.

교:칙[2]【敎則】명 ①〖교〗 교수(敎授)상의 규칙. 교규(敎規). ②종교상의

교:칙-본【敎則本】명 〖악〗 악기 연주 등의 기본적 기교를 초보부터 단계적으로 습득·연습하기 위한 책. 성악(聲樂)의 솔페지오(solfeggio), 피아노의 바이에르(Beyer) 따위.

교칠【膠漆】명 ①아교와 칠. ②교분(交分)이 극히 두터워서 아교나 칠과 같이 서로 떨어질 수 없음을 비유하는 말.

교칠지-교【膠漆之交】명 아주 친밀하여 서로 떨어질 수 없는 교분(交 ∟分).

교침【膠枕】명 화각(畫角)을 대어서 만든 베갯모.

교침-해【交沈醢】명 조침젓.

교:쾌【狡獪】명 교활(狡猾). ——-하다 형여불

교타【驕惰】명 교만하고 나태함. 교태(驕怠). ——-하다 형여불

교:탁[1]【敎卓】명 교단(敎壇) 앞에 놓은 탁자(卓子).

교:탁[2]【矯託】명 거짓 핑계를 댐. ——-하다 자여불

교:탈【矯奪】명 속이어 빼앗음. ——-하다 타여불

교탑【橋塔】명 교량의 입구나 교각(橋脚)의 위에 교량의 노면(路面)에 따라서 탑 또는 문같이 만든 축조물(築造物).

교태[1]【交態】명 교제하는 태도. 교제의 상태.

교태[2]【嬌態】명 아름답고도 아양부리는 자태(姿態). 교기(嬌氣). ¶ ~를 ∟부리다.

교태[3]【驕怠】명 교타(驕惰). ——-하다 형여불

교태[4]【驕泰】명 교만(驕慢). 교사(驕肆). ——-하다 형여불

교태[5]【驕態】명 교만한 태도.

교태-전【交泰殿】명 〖지〗 경복궁 안에 있는 침전(寢殿). 조선 태조(太祖) 3년(1394)에 창건. 선조(宣祖) 25년(1592)의 임진 왜란 때 소실(燒失)되어 고종(高宗) 6년(1869)에 다시 세움.

교토[1] 명 〈옛〉 양념. 고명. =교퇴. ¶ 장물의 파와 교토를 빠 노하 섯고 (調上些醬水生葱料物拌了)<老乞 上 19>.

교:토[2]【狡兎】명 ①날쌘 토끼. ②교활한 토끼. ⌈하다 자여불

교토[3]【攪土】명 〖농〗 흙덩이를 부스러뜨리어 부드럽게 하는 일. ——-

교:토[4]〔京都: きょうと〕명 〖지〗 ①교토 부(府). ②교토 부 남동부의 시로 부청(府廳) 소재지. 11구(區). '헤이안쿄(平安京)'의 이름으로 791년 이래 천여 년 동안 일본의 왕도(王都)였으므로, 미술·건축·공예 등의 명소와 사적이 많아 관광 도시로 유명함. 염직(染織)·양조(釀造)·수공예(手工藝) 등 전통 공업과 전기(電機)·기계(機械)·방적(紡績) 등 근대 공업이 아울러 발달하고, 교토 대학 등 많은 대학(大學) 외에 인쇄 출판업이 성하여 학예 도시의 성격이 짙음. [610.21 km²: 1,463,840명(1996)]

교토-기【攪土器】명 〖농〗 교토(攪土)하는 농구(農具).

교:토 대학【—大學】〔京都: きょうと〕명 일본 교토에 있는 국립 종합 대학. 교토 제국 대학 및 제3 고등 학교의 후신. 아홉 개의 학부가 있음.

교:토 부【—府】〔京都: きょうと〕명 〖지〗 일본 중부의 한 부(府). 11시(市) 12군(郡). 산지가 많아 농업이 부적당하며 고래로 염색·도자기·칠기 등의 전통 산업이 발달하였음. 교토 시(市)를 중심으로 방적(紡績)·기계·전기(電機)·제약(製藥)·조선(造船)·레이온 등 근대 공업이 발달함. 교토 시를 중심으로 명승 고적이 많으며, 북부 해안 지대는 해안 국립 공원(國立公園)의 일부를 이룸. 부청(府廳) 소재지는 교토 시. [4,612.4 km²: 2,629,592명(1996)]

교:토 삼굴【狡兎三窟】명 교활한 토끼는 굴 셋을 파 놓는다는 뜻으로, 사람이 교묘하게 재난을 피함을 이름.

교통【交通】명 ①오고 가는 일. ¶ ~량(量). ②서로 떨어진 지역간에 있어서의 사람의 왕복, 화물(貨物)의 수송(輸送), 기차·자동차 등의 운행하는 일의 총칭. ¶ ~이 편리하다. ③의사(意思)의 통달(通達). ④남녀가 성교(性交)하는 일. 교접(交接). 교합(交合).

교통 경제【交通經濟】명 〖경〗 교통 기관의 경영에 있어서 경제적 합리주의(合理主義), 곧 최소의 경비(經費)로써 최대의 효과를 거둠을 목적으로 하는 경제. ⌈으로 하는 경제학의 한 부문.

교통 경제학【交通經濟學】명 〖경〗 교통 운수(運輸) 관계를 연구 대상

교통 경:찰【交通警察】명 〖법〗 교통으로 인한 모든 위해(危害)를 예방하고 그 안전을 목적으로 하는 경찰. *행정(行政) 경찰.

교통 공무원 교:육원【交通公務員敎育院】명 철도청 소속 기관의 하나. 교통 공무원의 자질 향상을 위한 교육 훈련에 대한 계획·연구·조사 및 실시와, 인력 개발 및 능률 향상을 위한 적성 검사·산업 심리·산업 보건과 인간 공학에 대한 조사·연구와, 철도 유물 및 철도 관계 자료의 전시·관리에 대한 업무를 관장함.

교통 공학【交通工學】명 자동차 교통을 중심으로 한 도로 교통 공학. 철도·수운(水運)·공수(空輸)를 포함, 종합적으로 다루는 경우도 있음.

교통 공해【交通公害】명 항공기·선박·열차·자동차 등 교통 수단에 의하여 야기되는 공해. 주로 대기 오염·소음·진동 등에 의한 공해를 말함.

교통 관제 센터【交通管制—】〔center〕명 교통 업무를 종합적으로 파악하고 처리하는 관제 기구. 도심지의 교통 체증·교통 사고·배기 가스 공해 등 차량으로 인한 여러 문제를 개선하기 위해 1971년 10월에 서울 특별시 경찰국 내에 설치되었음.

교통 광:고【交通廣告】명 교통 기관 및 이에 관계된 설비를 이용하여 행하는 광고의 총칭. 전차·버스·택시 등 차체 … 구내외(構內外), 연선(沿線)이나 고속 도로 … 있음.

교통 광:장【交通廣場】명 도시 같은데서, 교… 올리기 위하여 만들어 놓은 광장. *로터리(rot…

교통-권【交通權】[—꿘] 명 국가가 다른 국가와 … 그 국민의 거주(居住)·통상(通商)을 타국(他國)에 …

교통 기관【交通機關】명 운수 기관과 통신 기관의 … 도로(道路)·철도(鐵道) 등의 시설과 차량·선박·항공 … 을 가리킴.

교통 기록계【交通記錄計】명 어느 지점에서의 시간별 … 통량 등을 기계적으로 측정하거나 기록하는 기기. 공… 기·자기식 검지기(磁氣式檢知器)·레이더 검지기 등이 있…

교통-난【交通難】명 교통 기관의 부족 또는 교통의 혼잡… (疏通)이 원활하게 행하여지지 아니하는 일. ¶ ~을 해소하…

교통 노동【交通勞動】명 도로·철도·수상·항공(航空) 등의 … 부문에서 일하는 특수한 노동. 육상 교통로를 주요 직장으로 … 상 교통 노동과, 선원(船員)에 의한 해상 교통 노동 및 파일… 어디스·통신사·정비원, 그 밖의 공항(空港) 근무자 등에 의한 항… 동의 셋으로 구분됨.

교통 능력【交通能力】[—녁] 명 〔trafficability〕 지형적으로 교통… 통시킬 수 있는 능력. 또, 연속적으로 통행시킬 수 있는 교통량.

교통 도:덕【交通道德】명 교통상 마땅히 지켜야 할 도덕. 보행자의 측 통행, 승차시의 줄서기 질서, 길의 양보, 위해(危害)의 제거 등을 하는 공중 도덕.

교통 도시【交通都市】명 〖지〗 교통상 중요한 위치에 있어 교통로가 교차하고 교통 운수업이 발달하여 교통의 중심지를 이룬 도시.

교통-량【交通量】[—냥] 명 일정한 곳에서 일정한 시간에 왕래하는 교통의 분량(分量). ¶ ~이 가장 많은 세종로 일대.

교통-로【交通路】[—노] 명 교통을 원활하게 하기 위한 길. 사람이나 거마(車馬) 같은 것이 왕래하는 도로 외에, 수로(水路), 항공로 및 통신 시설 등에도 일컬음.

교통 마비【交通痲痺】명 강설(降雪)이나 기타 장애로 교통 기관이 기능을 발휘하지 못하는 상태.

교통-망【交通網】명 그물처럼 밀집(密集)하여 이리저리 통하는 교통 선로(線路)의 배치를 비유한 말. 도로망(道路網).

교통 박물관【交通博物館】명 철도·자동차·선박·비행기 등의 각종 교통 기관 및 신호·보안 시설 등의 실물(實物)과 모형, 기타 교통 사료(史料) 등을 수집·진열하여 일반 대중의 전람(展覽)에 이바지하고 학술 연구의 자료로서 기여하는 박물관.

교통 방:송【交通放送】명 〔Traffic Broadcasting System〕 우리 나라 수도권의 교통 정보와 기상 상태 등 교통 관련 프로그램을 전담하여 방송하는 관영 방송국. 1990년 6월 개국됨. 호출 부호는 HLST, 주파수 95.1 메가헤르츠. 통상 명칭은 TBS.

교통 방해죄【交通妨害罪】[—쬐] 명 〖법〗 각종 교통 기관과 도로 왕래의 안전을 고의 또는 과실에 의하여 방해하는 죄. 왕래 방해죄.

교통 법규【交通法規】명 사람·화물의 수송에 있어서의 안전을 확보하기 위하여 항공기·선박·열차·자동차 등의 운행을 규율하는 법률·명령·규칙의 총칭. ¶ ~를 지키다.

교통-부【交通部】명 〖법〗 전에, 행정 각부의 하나. 1994년 건설부와 통합하여 건설 교통부로 바뀜.

교통-비【交通費】명 ①타고 다니는 데 드는 비용. 거마비(車馬費). ②자동차·우마차 등을 운행 또는 수리하는 데 드는 비용.

교통 사:고【交通事故】명 교통상 발생하는 사고. 교통 기관의 충돌·탈선·침몰(沈沒)·추락(墜落) 등과, 이로 인하여 인축(人畜)·물질 등에 미치는 사상(死傷)이나 피해(被害).

교통 사:업【交通事業】명 차량 및 그 운전 요원, 이에 따른 시설 등을 갖추고 여러 사람에게 교통 편의를 제공하는 사업. 교통업.

교통-세【交通稅】[—쎄] 명 ①도로 및 도시 철도 등 교통 시설의 확충에 소요되는 재원을 확보하기 위하여 부과하는 세. 과세 대상 물품은 휘발유와 경유. ②유통세(流通稅).

교통 소음【交通騷音】명 항공기·선박·열차·자동차 등의 주행(走行)에 의한 소음의 총칭.

교통 수단【交通手段】명 사람이나 짐을 옮기는 데 쓰는 수단. ¶ 지하철은 대도시의 중요한 ~의 하나다.

교통 순경【交通巡警】명 교통 정리(整理)를 담당하는 순경.

교통 순환도【交通循環圖】명 〖군〗 교통 지도❷.

교통 신:호【交通信號】명 교통이 번잡한 거리에서 '가라'·'서라'·'돌아가라' 등의 신호를 나타내는 표시.

교통 신:호기【交通信號機】명 도로 교통에 관하여 문자·기호·등화(燈火)로써 진행·정지·방향 전환·주의 등의 신호를 표시하기 위하여 인력(人力) 또는 전력(電力)에 의하여 조작하는 신호 장치.

교통 안전【交通安全】명 교통 질서와 교통 법규를 잘 지켜 사고를 미연에 방지함. 또는 그런 일. ¶ ~에 만전을 기하다.

교통 안전 공단【交通安全公團】명 교통 사고의 예방을 위한 사업을 함으로써, 교통 안전 관리의 효율화를 도모하고, 국민의 생명, 신체 및 재산의 보호에 기여하게 할 목적으로 설립된 특수 법인. 교통 안전 교육, 교통 안전 기술의 개발 및 보급, 교통 안전 정보의 수집 및 조사·연구 등의 사업을 함.

교통 안전 주간【交通安全週間】명 교통 법규의 준수(遵守)와 교통 도덕의 앙양을 강조하고 계몽(啓蒙)하기 위하여 설정한 주간.

교통 안전 진:흥 공단【交通安全振興公團】명 교통 사고의 예방을 위한 사업을 함으로써, 교통 안전 관리의 효율화를 도모하고, 국민의 생명, 신체 및 재산의 보호에 기여하게 할 목적으로 설립된 특수 법인. 교통 안전 교육, 교통 안전 기술의 개발 및 보급, 교통 안전 정보의 수집 및 조사·연구 등의 사업을 함.

교통 안전 표지【交通安全標識】명 교통의 안전에 필요한 주의·규제(規制)·지시(指示) 등을 표시하는 표지판 또는 노면상(路面上)에 표시하는 기호·문자(文字)와 선(線) 등의 표지. 주의 표지·규제 표지·지시 표지·보조 표지·노면(路面) 표지 등이 있음. 도로 표지. 교통 표지.

교통-업【交通業】명 교통 사업.

교통 유발 부:담금【交通誘發負擔金】명 특별시·광역시 지역에서 교통 체증을 유발하는 병원·업무 시설·판매 시설·위락 시설 등 대형 시설물에 과하는 부담금.

교통 재판소【交通裁判所】명 교통 사고 및 교통 위반을 처리하는 재판소. 미국 같은 나라에 있음.

교통 정:리【交通整理】[-니] 명 도로 교통 또는 선박·비행기 따위의 교통을 원활히 하고 사고를 방지하기 위하여 경찰관, 그 밖의 정리원이나 신호기·표지·방송·통신 따위를 이용해서 통행을 규제·지시·유도하는 일.

교통 정책【交通政策】명〖정〗교통 기관의 창설·경영 및 이에 대한 보조·감독 등에 관한 정책.

교통 조사【交通調査】명 일정한 장소에 있어서 교통의 종류·방법 및 분량 등에 관하여 행하는 조사.

교통-지【交通枝】명〖생〗말초 신경에 있어서, 어떤 신경의 줄기나 가지와 다른 신경의 줄기나 가지를 연락하는 신경지(神經枝). 이것에 의하여 상호간의 신경 섬유의 교통이 가능하게 됨.

교통 지도【交通地圖】명 ①〖지〗지도의 한 가지. 철도·도로·항로(航路)·항공로 및 통신에 관한 사항을 자세히 표시한 지도. ②〖군〗교통의 유통을 계획하고 조절하는 데 사용되는 지도. 노선·도로·재원 이동 방향 및 교통 이동량이 포함됨. 교통 순환도(循還圖).

교통 지리학【交通地理學】명〖지〗교통 현상의 지역적 상이(相異)·공간적(空間的)인 구조·환경과의 관계·지역과의 결합 등을 주요 연구 대상으로 하는 지리학의 한 부문.

교통 지옥【交通地獄】명 전차·버스·기차 등의 교통 시설이 부족하거나 또는 타는 사람이 너무 많아서, 교통 기관을 이용하기가 지극히 곤란함을 이르는 말.

교통 차:단【交通遮斷】명〖법〗공중(公衆)의 안녕(安寧)을 도모하기 위하여 특정 지역에 한하여 교통을 임시로 금지하는 행정 경찰상(行政警察上)의 처분.

교통 체신 위원회【交通遞信委員會】명 국회(國會)의 상임 위원회의 하나. 교통부·체신부에 관한 사항을 심의함. ㊟교체(交遞) 위원회.

교통 체증【交通滯症】명 차량이 많이 밀려 소통이 잘 안 되는 상태. ¶ 월요일은 특히 ~이 심하다.

교통-편【交通便】명 어디를 오고 가는 데 이용하는 교통 수단.

교통 표지【交通標識】명 교통 안전 표지.

교통-학【交通學】명 운수 기관에 관한 이론과 실제를 과학적으로 연구하는 학문.

교통 행정【交通行政】명 도로·철도·항공·해운 등의 운수(運輸)에 관한 행정.

교통-호【交通壕】명〖군〗참호와 참호 사이를 서로 잇는, 안전 통로로 파 놓은 호.

교통-화【交通禍】명 교통 사고에 의한 재해(災害).

교퇴 명〈옛〉양념. 고명. =교토. ¶ 즈 것과 싱강과 교퇴와 파와 마놀과 초와 소금을 다 가져오라(零碎和生薑料物葱蒜醋塩都將來)《朴解下33》.

교:파【敎派】명〖종〗종교의 파(派). 종파(宗派).

교:판【敎判】명〖불교〗교상 판석(敎相判釋).

교:편【敎鞭】명〖교〗①수업이나 강의할 때 교수 사항을 지시하기 위하여 선생이 가지는 회초리. ②교사(敎師)로서 수업(授業)을 하는 일. 교:편을 잡다 구 학교에서, 선생 노릇을 하다.

교:편 생활【敎鞭生活】명 교편을 잡는 교원 생활.

교:폐【矯弊】명 악폐(惡弊)를 교정(矯正)함. ——-하다 자여불

교포¹【絞布】명 염포(殮布).

교포²【僑胞】명 외국에 거주하고 있는 동포. ¶ ~ 이세(二世) / 재일(在日) ~.

교포³【驕暴】명 교만하고 횡포함. ——-하다 형여불

교:풍¹【校風】명 그 학교 특유의 기풍(氣風). 학풍(學風).

교:풍²【敎風】명 설교(說敎)하는 양식(樣式).

교:풍³【矯風】명 폐풍(弊風)을 교정(矯正)함. 나쁜 풍속·습관을 고쳐 바로잡음. 교속(矯俗). ——-하다 자여불

교피【鮫皮】명 말린 상어 가죽. 칼자루에 감거나 또는 물건을 닦는 데 쓰임.

교하【橋下】명 다리 밑.

교-하다¹【絞—】타여불 교형(絞刑)에 처하다.

교:-하다²【巧—】형여불 ①물건을 만드는 재주가 교묘하다. ②일을 처리하여 나가는 솜씨가 교묘하다.

교-하다³【驕—】형여불 교만(驕慢)하다.

교:하-생【敎下生】명 문하생(門下生)❷.

교하 천:도론【交河遷都論】명〖역〗조선 광해군(光海君) 5년(1613)에 술사(術士) 이의신(李懿信)이 주장한 교하(交河) 천도에 관한 논의. 서울은 지세가 노쇠하였고 왕기(王氣)가 진(盡)하여 임진 왜란(壬辰倭亂)에 이어 역적의 변(變)이 자주 일어나는 등 나라가 혼란하니 지금의 파주군(坡州郡)인 교하로 천도해야 한다고 주장하였음.

교:학【敎學】명 ①남을 가르치는 일과 스승에게 배우는 일. ②교육과 학문.

교:학 정:례【敎學定例】[-네] 명〖책〗사제(師弟)의 예법에 관한 책. 흥선 대원군(興宣大院君) 이하응(李昰應)이 《왕손 교부 상견 일기(王孫敎傅相見日記)》와 《오례의(五禮儀)》·《문헌비고(文獻備考)》 등을 참증(參證)하여 편집한 것으로, 종친(宗親)의 입학(入學) 및 사제(師弟)의 예법을 정하였음.

교:학-처【敎學處】명 교무처. ¶ ~장(長).

교한【驕悍】명 교만하고 사나움. ——-하다 형여불

교할¹【交割】명 ①〖불교〗입회(立會)한 가운데 물건을 분할하는 일. 특히, 선찰(禪刹)에서 주지(住持)나 집무자(執務者)가 바뀔 때 신구(新舊)가 입회하여 공사(公私)의 물건을 점검하는 일. 교할(校割). ②신구(新舊)의 사무 담당자가 사무를 교대한 뒤에 관계를 끊는 일. ——-하다 타여불

교:할²【校割】명〖불교〗교할(交割).

교함【鮫函】명 상어 가죽으로 만든 갑옷.

교합¹【交合】명 성교(性交). ——-하다 자여불

교합²【咬合】명〖의〗입을 다물었을 때 생기는 아랫니와 윗니의 접촉 상태. 상하 치열의 맞물림 상태. ¶ 부정 ~ / 겸자(鉗子) ~.

교:합³【校合】명 교정(校正)❷. ——-하다 타여불

교항¹【橋杭】명〖건〗다리의 기초 공사 때에 사용하는 말뚝.

교항²【驕亢】명 교만하고 자존심이 많음. ——-하다 형여불

교항 급수【交項級數】명〖수〗교번(交番) 급수.

교해면-류【膠海綿類】[-뮬—] 명〖동〗[Myxospongida] 무석회 해면강(無石灰海綿綱)에 속하는 한 목(目). 체벽(體壁)에 골편(骨片)과 해면질 등이 없어서 몸이 부드럽고 연하며, 아교와 같은 형상을 이룸.

교행【郊行】명 교외의 산책(散策).

교향【交響】명 서로 울림.

교향-곡【交響曲】명〖악〗관현악(管絃樂)을 위하여 작곡한 보통 4악장(樂章)으로 된 곡(曲). 형식은 소나타와 같음. 하이든(Haydn)이 시작하고 모차르트(Mozart)를 거쳐 베토벤(Beethoven)에 의하여 확립됨. 심포니(symphony).

교향 관현악【交響管絃樂】명〖악〗교향악(交響樂).

교향 관현악단【交響管絃樂團】명 〔symphony orchestra〕〖악〗교향악단(交響樂團).

교향 모음곡【交響—曲】명〖악〗관현악용으로 쓰여진 모음곡. 교향 조곡(組曲).

교향-시【交響詩】명〔symphonic poem〕〖악〗보통 표제(標題)를 가진 독립한 단악장(單樂章)의 관현악곡. 교향악시(交響樂詩).

교향-악【交響樂】명〖악〗교향곡·교향시 등 관현악을 위하여 만든 음악의 총칭. 대규모의 관현악 조직에 의하여 연주됨. 교향 관현악(管絃樂). 심포니. 오케스트라.

교향악-단【交響樂團】명〖악〗교향악을 연주하는 대규모의 관현악단. 교향 관현악단. 오케스트라.

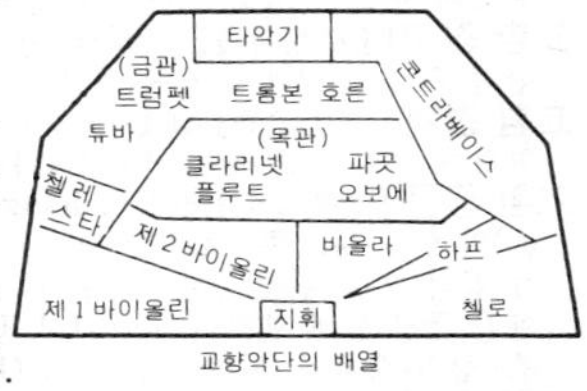

타악기
(금관)
트럼펫 트롬본 호른
콘트라베이스
튜바
(목관)
클라리넷 파곳
플루트 오보에
첼레스타
제 2 바이올린
비올라
하프
제 1 바이올린
지휘
첼로
교향악단의 배열

〈교향악단〉

교향악-시【交響樂詩】명〖악〗교향시.

교향 조곡【交響組曲】명〖악〗교향 모음곡.

교향 협주곡【交響協奏曲】명〖악〗협주곡(協奏曲)풍의 교향곡.

교허【郊墟】명 들.

교:혁【矯革】명 고침. 개혁함. ——-하다 타여불

교형【絞刑】명〖법〗↗교수형(絞首刑).

교형 크레인【橋形—】명〔bridge crane〕크레인의 일종. 석탄·광석 등의 저장소나 조선소(造船所)의 건조(建造) 독 같은 데서 볼 수 있는 다리 모양의 대형 기중기(起重機). 브리지 크레인.

교:혜【巧慧】명 교묘하고 슬기로움. ——-하다 형여불

교호¹【交互】명 서로 어긋매낌. ——-하다 자여불

교호²【交好】명 사이 좋게 지냄. ——-하다 자여불

교호 개:념【交互槪念】명〖논〗교차(交叉) 개념.

교호 계:산【交互計算】명〖경〗거래를 하는 데 채권(債權)·채무(債務)가 생길 때마다 결제(決濟)하지 아니하고, 일정한 기간 안에 거래한 총액에서 서로 상쇄하고 그 잔액(殘額)만 치르는 계산. 보통 그 기간은 3개월·6개월·1개년임. ——-하다 타여불

교호-맥【交互脈】명〖의〗심실(心室) 수축력의 장애로 말미암아, 맥박의 주기(週期)는 고르나 큰 맥과 작은 맥이 번갈아 뛰는 부정맥(不整脈)의 한 가지.

교호 박리【交互剝離】[-니] 명〖고고학〗엇갈림떼기.

교호 수준 측량【交互水準測量】[-냥] 명〖공〗거리가 먼 두 지점의 수평 고저(水平高低) 측량의 한 방법. 두 지점을 번갈아 측량하고 그 고저차의 평균을 참값으로 함.

교:호 시:설【敎護施設】명〖법〗아동 복지 시설의 하나. 불량 행위를 하거나 또는 그러한 우려가 있는 아동으로서 보호자가 없는 아동, 친권자나 후견인이 입소(入所)를 신청한 아동, 가정 법원·지방 법원 또는 지방 법원 소년부 지원에서 보호 위탁된 아동을 입소시켜 그들을 교육·보호하여 건전한 국민으로 육성하는 것을 목적으로 하는 시설.

교호 신경 지배【交互神經支配】명〖생〗상반(相反) 신경 지배.

교호 신:문【交互訊問】명〖법〗증인 신문에 있어서, 법원이 직접 증인을 심문하지 않고 당사자가 교호로 신문을 하는 방식(方式). 먼저 신청 당사자가 증인을 주신문(主訊問)하고, 다음에 상대방의 당사자가 반대(反對) 신문을 하는데, 이와 같이 번갈아 가며 재(再)신문·재반대(再反對) 신문을 되풀이함. 교차(交叉) 신문. *반대 신문(反對訊問).

교호 작용【交互作用】명 둘 또는 둘 이상의 사물·현상이 서로 작용하여 원인이 되고 결과도 되는 일.

교혼【交婚】명 서로 바꾸어 혼인을 맺음. ——-하다 자여불

교화¹【交火】명 교전(交戰)❶. ——-하다 자여불

교:화[2]【教化】명 ①교도(教導)하여 감화(感化)시킴. 가르쳐서 착한 사람이 되게 함. 회화(誨化). ¶ 불량 소년을 ~하다. ②〖불교〗 불법(佛法)으로 사람을 가르쳐서 선심(善心)을 가지게 함. ——-하다 타여불

교화[3]【蕎花】명〖식〗메밀꽃.

교화[4]【膠化】명 겔화(Gel化).

교:화-관【教化觀】명〖천도교〗1955년에 생긴 천도교 중앙 총본부의 부서(部署). 포덕(布德)·수련·설교·강습 등을 맡음.

교:화-력【教化力】명 교화시키는 힘.

교:화-사【教化師】명〖법〗'교회사(教誨師)'의 구칭.

교:화-소【教化所】명 교화시키는 곳.

교:화-적【教化的】명관 ①교도하여 감화시키는 모양. ②불법(佛法)으로 사람을 가르쳐서 선심(善心)을 갖게 하는 모양.

교:화-황【教化皇】명〖천주교〗교황(教皇).

교환[1]【交換】명 ①이것과 저것을 서로 바꿈. ¶ ~ 조건/물물 ~. ②〖경〗 어떠한 재물을 타인(他人)에게 주고서, 그 보수(報酬)로서 타인으로부터 같은 가치의 다른 재물이나 화폐(貨幣)를 얻음. ③〖법〗 민법상(民法上), 당사자가 서로 금전의 소유권 외에 재산권(財產權)의 이전(移轉)을 함을 목적으로 하는 계약(契約). ④↗전화 교환. ⑤〖경〗 우체국에서, 발송인이 위탁한 물건을 찾으러 온 수취인(受取人)에게 주고 그 물건 값을 받아서 발송인에게 보내는 일. 구용어:인환(引換). *대금 교환 우편. ⑥〖물〗두 개의 입자가 사이에 있는 제3의 입자를 주고받는 일. ⑦(바둑에서) 한 군데를 희생하고 다른 곳에서 대상(代償)을 얻는 일. 패(覇)의 경우에 흔히 쓰임. ——-하다 타여불

교환[2]【交歡·交驩】명 서로 즐거움을 교환함. 같이 즐김. 교관(交款). ¶ ~ 음악회. ——-하다 자여불

교환 가격【交換價格】[—까—] 명〖경〗①사회 일반의 수요(需要)와 공급(供給)을 표준으로 한 가격. ②화폐를 재화(財貨)와 교환할 때 화폐가 가지는 실질적인 가치. 화폐의 구매력. ↔유용 가격(有用價格).

교환 가:능 통화【交換可能通貨】명〖경〗미국 달러화(貨)나 금(金)으로 자유로이 교환이 가능한 통화. 곧, 경화(硬貨). ↔교환 불능 통화.

교환 가치【交換價值】명〖경〗①화폐(貨幣)를 다른 나라의 화폐와 교환할 때의 가치. 곧, 화폐 가치. ②일정량(一定量)의 물품이, 다른 종류의 물품과 어느 정도로 교환할 수 있는가의 상대적인 가치. *사용 가치.

교환 경:기【交歡競技】명 외국 선수를 초청하여, 대항 경기·선수권 시합 등을 하며 국제 친선을 증진시키는 경기. ¶ 한일 고교 ~.

교환 경제【交換經濟】명〖경〗경제 주체(主體) 사이에 재화(財貨)를 교환하여 영위(營爲)되는 경제. ↔자연(自然) 경제.

교환 공문【交換公文】명 〔exchange of notes〕〖정〗국제법상 조약(條約)의 한 가지. 주요한 조약의 보충이나 기술적 성질을 가진 사항 및 그 밖의 외교 관계 수립, 외교관·영사에 관한 합의, 항공이나 항해에 관한 규정 등에 관하여 국가간에 공문을 교환하여 행하는 명시적(明示的) 합의(合意)의 형식. 보통 비준(批准)을 필요로 하지 아니함.

교환 교:수【交換教授】명 학술·교육을 통하여 친선(親善)과 문화의 교류(交流)를 도모하기 위해서 두 나라의 대학 사이에 서로 교수를 파견하여 강의를 행하는 일. 또, 그 교수. *교환 학생.

교환-국【交換局】명 ↗전화 교환국(電話交換局).

교환-기【交換機】명 ↗전화 교환기.

교환-끝【交換—】명 〔balance of clearing〕〖경〗어음 교환소에서 어음을 교환하고 상호간의 채권(債權)을 상쇄(相殺)했을 때 생기는 차액.

교환-대【交換臺】명 전화 교환원이 전화의 교환 업무를 행하는 곳.

교환 대:금【交換代金】명〖경〗대금 교환 우편에서, 교환하는 데 내는 물건의 값. 구용어:인환(引換) 대금.

교환 렌즈【交換—】〔lens〕명 목적에 따라 교환하여 쓸 수 있는 카메라용(用) 렌즈. 일반적으로 초점 거리에 따라 그에 맞게 사용되며, 망원(望遠)·광각(廣角)·표준(標準) 렌즈 따위로 불림.

교환-력【交換力】[—녁] 명〖물〗두 개의 입자(粒子)가 하전(荷電) 혹은 하전 입자를 교환함으로써 두 입자 사이에 생기는 힘. 양자 역학(量子力學)에 의하여 비로소 이해되는데, 이를테면 원자핵(原子核)을 구성하는 중성자(中性子)와 양성자(陽性子)와의 사이에 작용하는 힘 따위.

교환 반:응【交換反應】명〖화〗두 종의 분자간 또는 한 분자 안에서 두 종의 원자·이온이 교환되는 반응. 「하여 방송함.

교환 방:송【交換放送】명 두 방송국(放送局)이 서로 프로그램을 교환

교환 법칙【交換法則】명 〔commutative law〕〖수〗운산(運算)의 세 법칙의 하나. 두 개 또는 그 이상의 수(數)에 베푼 셈의 결과는 이들 수의 순서에 상관 없다는 법칙. 가법(加法)·승법(乘法)은 이 법칙에 따르고, 감법(減法)·제법(除法)은 그렇지 아니함. 즉 $a+b=b+a$, $ab=ba$ 등. 교환율(交換律).

교환 분합【交換分合】명 두 사람 이상의 경지(耕地) 또는 광구(鑛區)의 경영자가 근접(近接)한 경지·광구를 서로 교환하여 각각 분산한 토지를 병합(倂合)하는 일. 「곧, 연화(軟貨). ↔교환 가능 통화.

교환 불능 통화【交換不能通貨】[—릉—] 명〖경〗교환성이 없는 통화.

교환 사채【交換社債】명〖경〗기업이 보유 중인 다른 회사 주식 등을 담보로 발행한 사채. 이 사채 소유자는 일정 기간 경과 후 이 기업이 보유 중인 다른 회사 주식을 취득할 수 있음《전환 사채와 유사하나 전환 대상 주식이 발행사가 아닌 다른 회사의 것이라는 점이 다름》.

교환-선【交換船】명 교전국(交戰國)이 서로 재류민(在留民)이나 포로들을 교환하기 위하여 파견하는 배.

교환-소【交換所】명 ①↗전화 교환소. ②〖경〗↗어음 교환소.

교환-수【交換手】명 '교환원'의 구칭.

교환 수혈【交換輸血】명〖의〗한쪽 혈관에서 사혈(瀉血)함과 동시에 다른 혈관에서 수혈하여, 신생아(新生兒)의 혈액을 수혈 혈액과 치환(置換)하는 일. 신생아의 용혈성(溶血性) 질환의 치료법으로 쓰임.

교환-액【交換額】명〖경〗어음 교환소에서의 어음 교환액.

교환-양【交換孃】[—냥] 명 전화 교환소에서, 전화 교환을 하는 여성. 여성 교환원.

교환-원【交換員】명 ①↗전화 교환원. ②전신직 기능 공무원 직급 명칭의 하나. 6급에서 10급까지 다섯 등급이 있음.

교환-율[1]【交換律】[—뉼] 명〖수〗교환 법칙.

교환-율[2]【交換率】[—뉼] 명 일정 기간 안에 사용 중인 장비 또는 그 수리 부품을 교환해 준 비율. 또, 앞으로 교환하여 줄 추정 비율.

교환-자【交換子】명〖물〗전환기(轉換器)❶.

교환-재【交換財】명〖경〗자본주의 사회에 있어서의 유통재(流通財). 즉, 재화와 재화의 교환의 매개가 되는 것으로, 영구히 생산계(系)와 소비계(系)에 들어가지 아니하는 재산. 「로 내세우는 조건.

교환 조건【交換條件】[—껀] 명 어떤 것을 바꾸거나, 떠맡는 대신으

교환-창【交換唱】명 민요의 가창 방식(歌唱方式)의 하나. 선창자(先唱者)와 후창자로 나누일 수 있고, 선창자와 후창자가 다 같이 변화 있는 말로 된 가사를 주고받음. *선후창(先後唱)·제창(齊唱).

교환 첨표【交換添表】명〖경〗어음 교환소에서 조합 은행(組合銀行)이 서로 교환할 어음·수표에 첨가(添加)하여 수수(授受)하는 표(表). 그 어음·수표의 매수(枚數)·금액을 기재함. 컴퓨터 도입 이후 점차 쓰이지 아니하게 됨.

교환 학생【交換學生】명〖교〗학술·교육을 통하여 두 나라 사이의 친선과 문화의 교류를 도모하기 위하여, 서로 학생을 파견하여 유학(留學) 연구시키는 일. 또, 그 학생. *교환 교수.

교환-혼【交換婚】명 두 개의 혈연 집단 사이에, 남녀 성원(成員)의 교환에 의한 결혼 방식. 교환 방법으로서는, 두 집단이 서로 여성을 교환하는 직접적 교환인 한정 교환과, A집단은 B집단에 여자를 보내고 반대로 C집단으로부터 여자를 받는 간접 교환인 일반 교환이 있음. 자매나 근친간의 교환혼은 가족간의 연대(連帶)를 안정시키고 가족의 노동력 등의 균형을 꾀하는 구실을 함.

교:활【狡猾】명 간사(奸邪)한 꾀가 많음. 교쾌(狡獪). 교힐(巧黠). ¶ ~한 녀석. ——-하다 형여불

교:황[1]【教皇】명 〔Pope〕〖천주교〗천주교의 최고 지도자로서의 성직자. 사도(使徒) 베드로의 후계자이며, 이 세상에 있어서의 그리스도의 대리자이고, 전 가톨릭 교회의 수장(首長)인 로마 주교(主教). 추기경(樞機卿)에 의해서 선거되며, 남자인 가톨릭 신도이면 누구나 피선거권(被選擧權)이 있으나, 실제는 이탈리아 사람인 추기경 가운데서만 선출되어 왔음. 임기는 종신(終身)임. 옛적에는 유럽 열강(列強)의 제왕을 위압(威壓)하고 광대한 영토를 가졌었으나, 현재는 종교상의 권력을 가지는 데 불과함. 지금의 265 대(代) 교황 요한 바오로 2세는, 이탈리아 인이 아닌 폴란드 출신의 교황임. 교종(教宗). 교화황(教化皇). 로마 교황. 「잿물의 하나.

교황[2]【澆黃】명〖공〗중국 청(清)나라 강희(康熙) 시대에 쓰던 도자기의

교:황 공사【教皇公使】명 교황청에 공사를 파견하고 있는 나라에 교황이 보내는 공사. 그 나라의 정부에 대하여 교황청을 대표하는 외교관. 명의 주교(名義主教)로서 가톨릭 교도까지 관할함.

교:황 대:사【教皇大使】명 교황청에 대하여 대사를 파견하고 있는 나라에 교황이 파견하는 대사. 명의 주교(名義主教)로, 외교관으로서 정부와 접촉하는 외에 그 나라의 가톨릭 교도의 신앙 상태 등을 돌봄.

교:황-령【教皇領】[—녕] 명 로마 교황이 통치하는 세속적 영역(領域). 곧, 바티칸 시국(Vatican 市國).

교:황 사:절【教皇使節】명 로마 교황청과 아직 정식 외교 관계를 맺지 아니하고 있는 나라에 주재하며, 교황청을 대표하여 그 나라와의 외교를 담당하는 명의 주교(名義主教). 「니즘(ultramontanism).

교:황 절대권론【教皇絕對權論】[—때꿘논] 명〖천주교〗울트라몬타

교:황 정치【教皇政治】명〖천주교〗교황의 교회(教會) 정치.

교:황 지상권론【教皇至上權論】[—꿘논] 명〖천주교〗울트라몬타니즘(ultramontanism).

교:황 지상주의【教皇至上主義】[—/—이] 명 교황 황제주의.

교:황-청【教皇廳】명 전세계의 가톨릭 교도를 다스리기 위한, 교황을 중심으로 하는 교회 행정(教會行政)의 중앙 기관. 바티칸 시에 있음. 로마 정청(政廳).

교:황 황제주의【教皇皇帝主義】[—/—이] 명 교황을 지상으로 여겨 교권(教權)의 우위를 주장하는 주의. 서(西)로마 제국 멸망(476) 후에, 크게 제창되었는데, 중세 유럽의 그레고리우스 7세, 인노켄티우스 등에게서 볼 수 있음. 교권주의(教權主義). 교황 지상주의(教皇至上主義). ↔황제 교황주의·제권주의(帝權主義).

교회[1]【交會】명 서로 만남. ——-하다 자여불

교:회[2]【教會】명 〔church〕〖종〗①종교 신앙을 같이하는 사람들의 조직체. ¶ 장로 ~. ②종교 신앙의 가르침을 선포(宣布)하며 의식(儀式)을 행하는 건물. 주로, 기독교에서 쓰는 말. *교회당·성당(聖堂)·예배당(禮拜堂). 「~하다. ——-하다 타여불

교:회[3]【教誨】명 잘 가르쳐서 지난날의 잘못을 깨우치게 함. ¶ 죄인을

교:회-감【教誨監】명 공안직(公安職) 국가 공무원 직급 명칭의 하나. 교정 직렬(職列)의 교회 직류(職類)에 속하며, 교정 부이사관의 아래, 교회관의 위로 4급 공무원임.

교:회-관【教誨官】명 공안직(公安職) 국가 공무원 직급 명칭의 하나. 교정 직렬(職列)의 교회 직류(職類)에 속하며, 교회감의 아래, 교회사의 위로 5급 공무원임.

교:회 국가주의【教會國家主義】[—/—이] 명 국가와 교회와의 관계에 있어서, 양자의 원리적 독립을 인정하지 아니하고 국가를 종교에 종속

ㅓ가톨릭 교회가 주장한 교권 우위론(教
]종교의 제례(祭禮)·예배·회합 등을 하
죄·교당(敎堂).
그리스도의 구세(救世) 사업의 중요한
일 년간에 배당한 달력. 11월 말-12월 초
터 시작하여, 이듬해의 대림절에 이르기
의 축일, 여러 성인(聖人)의 축일도 기념됨.
럽의 가톨릭 교회가 가지고 있던 토지·

교회당 시키자는 주의. 종 權優位論). 교:회-당【敎會 는 건물. * 교:회-력【 일들을 경의 까지 교:

명〖기독교〗 기독교 교회를 규율(規律)하
體系). 국가가 제정한 것과 교회가 자주적으
있음. 특히, 가톨릭교의 교회법을 가리킴.
] [—뻡—] 명 〔라 Corpus juris canonici〕
의 대법전(大法典). 로마법에 있어서의 로마
16세기에 성립되어, 다섯 개의 법령집을 포
행 교회 법전이 시행되기까지 통용되었음.
〔라 Codex juris canonici〕〖천주교〗 가톨릭
에 교황 피우스(Pius) 10세가 추기경 가스파
)으로 하여 14년이나 걸려 편찬하여 1918년

]〔라 schisma〕〖종〗 ①중세에 있어서, 둘 또는
대립. ②1278-1415년에 로마와 아비뇽(Avi-
일.
안직(公安職) 국가 공무원 직급 명칭의 하나. 교
직류(職類)에 속하며, 교회관의 아래, 교회사보

. 명 공안직(公安職) 국가 공무원 직급 명칭의 하
,의 교회 직류(職類)에 속하며, 교회사의 아래, 교
공무원임.
會旋法】[—뻡] 명〖악〗 유럽 중세의 교회 음악의 기초
. 그레고리오(Gregorio) 성가(聖歌)에 쓰여진 음의 소재
그 음역(音域)과 마침음(音)으로 구별 분류하여 그들 음을
고 단계적으로 배열한 선법.
소나타【敎會—】〔이 sonata〕 명〖악〗 17세기 후반에 이탈리아의
작곡가 코렐리(Corelli, Arcangelo; 1653-1713) 등에 의해서 확립된 바로크 시대의 기악(器樂) 형식. 보통, 아다지오, 알레그로, 아다지오, 알레그로의 네 악장(樂章)으로 이루어짐.

교:회-원【敎誨員】 명 공안직(公安職) 국가 공무원 직급 명칭의 하나. 교정 직렬(職列)의 교회 직류(職類)에 속하며, 교회사보의 아래, 교회원보의 위로 8급 공무원임.

교:회원-보【敎誨員補】 명 공안직(公安職) 국가 공무원 직급 명칭의 하나. 교정 직렬(職列)의 교회 직류(職類)에 속하며, 교회원의 아래로 9급 공무원임.

교:회 유보권【敎會留保權】 [—꿘] 명 〔라 Reservatum ecclesiasticum〕〖역〗 1555년 아우크스부르크의 종교 화약(和約)에 의하여 가톨릭 교회에 유보된 교회령(敎會領)에 대한 권리. 주교(主敎)·수도원장으로서 독일 제국 의회(帝國議會)에 의석(議席)을 가지는 자가 신교(新敎)로 옮기는 것을 금하고, 신교로 옮길 때에는 그 종교상의 지위와 이에 따르는 토지 및 수입을 몰수한다고 규정하였음. 이는 후일 30년 전쟁을 일으킨 요인의 하나가 되었음. 교회 특권.

교:회 음악【敎會音樂】 명〖악〗 그리스도교에 관계 있는 각종의 성악(聲樂)·기악(器樂)의 총칭. *종교 음악.

교:회 일치 운:동【敎會一致運動】 명〖기독교〗 교회 합동 운동(敎會合同運動).

교:회 종지【敎會終止】 명〖악〗 '벗어난마침'의 한자 이름.

교:회 특권【敎會特權】 명〖역〗 교회 유보권(敎會留保權).

교:회 학교【敎會學校】 명 〔church school〕 기독교회에서 주일마다 신도들에게 성경을 가르치고 종교 교육을 베푸는 모임. 장년부·청년부·학생부·유년부 등으로 나뉘는데, 특히 유년 주일 학교를 일컬음. 1780년 영국의 글로스터에서 레이크스(Raikes R.)가 개인적으로 가난한 집 아이들에게 종교 도덕 교육을 베푼 것이 기원임. 주일 학교.

교:회 학자【敎會學者】 명〖천주교〗 교의(敎義)로써 교회에 큰 기여를 한 교회 내의 학자들. 성사(聖士).

교:회 합동 운:동【敎會合同運動】 명 〔Ecumenical Movement〕〖기독교〗 분립되어 있는 여러 교단(敎團)을 그리스도가 최초에 설립한 단일 유일한 교회로 통일시키려는 염원과 그 실현을 위한 프로테스탄트 교회의 운동. 1948년 암스테르담에서의 제1회 세계 교회 회의에서 그 최고 기구로서 세계 교회 협의회가 탄생되고, 그 후 1961년의 제3회 대회에는 로마 가톨릭 교회·러시아 정교회도 참여하였음. 교회 일치 운동. 에큐메니컬(Ecumenical) 운동. 세계 교회 운동(世界敎會運動).

교:회혼-주의【敎會婚主義】 [—/—이] 명〖역〗 혼인을 성립시키기 위해 기독교 교회 상의 의식을 필요로 하는 주의. 트렌토(Trento)의 종교 회의에서 확립되었으나, 혼인 환속 운동에 의하여 폐지됨.

교횡【驕橫】 명 교만하고 횡포(橫暴)함. ——-하다 형여불

교:효 표절정【敎孝表節旌】 명〖역〗 의장(儀仗)의 한 가지.

교:훈[1]【校訓】 명〖교〗 학교의 교육 이념(理念)을 간명하게 표현한 표어(標語). *가훈(家訓).

교:훈[2]【敎訓】 명 교도하고 훈유(訓諭)함. 가르치고 이끌어 줌. 훈회(訓誨). ¶ 산 ~. ——-하다 타여불

〈교효 표절정〉

교:훈-가【敎訓歌】 명〖문〗 ①규방 가사(閨房歌辭) 가운데 특히 규수(閨秀)들의 유교적 교화를 목적으로 한 가사의 총칭. ② ≪용담 유사(龍潭遺詞)≫에 수록된 최제우(崔濟愚) 가사의 하나.

교:훈-극【敎訓劇】 명 사람을 교훈하기 위하여 만든 연극 또는 희곡(戲曲). 모랄 플레이.

교:훈 문학【敎訓文學】 명〖문〗 교훈적인 의도가 풍부한 문학.

교훼-조【交喙鳥】 명〖조〗 잣새.

교:휼【狡譎】 명 간사한 꾀와 거짓이 많음. 교사(狡詐). ——-하다 형여불

교:힐【巧黠·狡黠】 명 교활(狡猾). ——-하다 형여불

굠: 명〈방〉 고욤(전라).

구[1]【仇】 명 성(姓)의 하나. 우리 나라에는 현존하지 아니함.

구[2]【勾】 명〖수〗 직각 삼각형(直角三角形)의 직각을 낀 두 변(邊) 중의 짧은 변. *구고현(勾股弦).

구[3]【丘】 명 성(姓)의 하나. 현재 우리 나라에는 본관이 평해(平海) 하나뿐임.

구[4]【句】 명 ①〖언〗 둘 이상의 단어가 모이어 절(節)이나 문장(文章)의 일부분이 되는 토막. 연어(連語). 이은말. ②〖문〗 시조(時調)·사설(辭說)의 각 짧은 토막. 세 음절 또는 네다섯 음절로 이루어짐. ③귀글에 안팎 두 짝씩으로 맞춘 한 덩이. ④구절.

구:[5]【灸】 명 ①구이[1]. ②〖한의〗 뜸[2]. ③약 법제(法製)의 한 가지. 불에 약간 구워서 쓰는 법. ——-하다 타여불

구[6]【邱】 명 성(姓)의 하나. 현재 우리 나라에는 본관이 은진(恩津) 하나뿐임.

구[7]【具】 명 성(姓)의 하나. 현재 우리 나라에는 능성(綾城)과 창원(昌原)등 두 개의 본관이 있음.

구[8]【姤】 명〖민〗 ↗구괘(姤卦).

구[9]【矩】 명 ①곱자. ②〖천〗 지구에서 볼 때에 외혹성(外惑星)이 태양과 직각 방향에 있는 현상. 동쪽에 있을 때를 상구(上矩), 서쪽에 있을 때를 하구(下矩)라 함. ③〖천〗 달이 상현(上弦)·하현(下弦)일 때, 태양에 대한 달의 위치.

구[10]【球】 명 ①공같이 둥글게 생긴 물체. ②〖수〗 3차원 공간(三次元空間)에서 한 정점(定點)으로부터 거리가 일정한 점의 궤적(軌跡)으로 둘러싸인 입체(立體). 곧, 구면(球面)으로 둘러싸인 입체. 공.

구[11]【區】 명 ①넓은 범위의 것을 몇으로 나눈 구획(區畫). 구역(區域). ②특별시와 광역시 관할 구역 안에 둔 지방 자치 단체의 하나. 밑에 동(洞)을 둠. ③ 특별시와 광역시가 아닌 인구 50만 이상의 시의 하급(下級) 행정 구역. 밑에 동(洞)을 둠. ④법령 집행의 목적으로 정한 토지의 구획. 선거구·투표구 같은 것.

구[12]【毬】 명〖역〗 격구(擊毬)나 타구(打毬)에 쓰는 공. 격구의 것은 나무로 바가지 모양으로 두 쪽을 만들어 맞붙인 것으로 둘레가 26 cm 가량 되고 겉에 붉은 칠을 함. 타구의 것은 나무나 마노(瑪瑙)로 만든 것으로 크기가 대략 달걀만함. 채구(彩毬).

구[13]【裘】 명 성(姓)의 하나. 현재 우리 나라에는 현존하지 아니함.

구[14]【瞿】 명 성(姓)의 하나. 현재 우리 나라에는 현존하지 아니함.

구[15]【釦】 명〖고고학〗 그릇테.

구[16]【衢】 명〖지〗 '취(衢)'를 우리 음으로 읽은 이름.

구[17]【九】 수관 아홉.

구[18]【溝】 수 ①양(穰)의 억 배(億倍), 간(澗)의 억분(億分)의 일의 수. 곧, 10^{56}. ②양(穰)의 만 배, 간(澗)의 만분의 일의 수. 곧, 10^{32}.

구[19]【口】 의명 몫. '계좌'의 뜻의 일본어를 우리말로 읽은 것.

구[20]【具】 의명 시체(屍體)의 수효를 세는 단위. ¶ 유해(遺骸) 3 ~.

구-[1] 간 '굴다'의 불규칙 어간. ¶ ~니/~ㅂ니다.

구:-[2]【舊】 무 어떠한 명사 위에 붙이어 '전날의'·'묵은'·'낡은' 등의 뜻을 나타내는 말. ¶ ~시가(市街)/~세대(世代). ↔신-(新).

-구- 미 자동사를 타동사로 만드는 어간 형성 접미사. ¶ 돋~다/ 솟~다. *-기-·-리-·-이-·-히-.

-구[1]【口】 미 ①일부 명사 뒤에 붙어 '작은 구멍', '구멍이 나 있는 곳'을 나타내는 말. ¶ 접수~ / 통풍~. ②일부 명사 뒤에 붙어 '드나드는 곳'을 나타내는 말. ¶ 출입~ / 비상~.

-구[2]【具】 미 일부 명사 뒤에 붙어 기구(器具) 등의 물건을 나타내는 말. ¶ 문방~ / 운동~.

-구[3] 미 〈방〉 -고[1]. ¶ 먹~ 자~ / 가~ 싶다.

구가[1]【九家】 명 중국 전국 시대(戰國時代)의 아홉 학파(學派). 곧, 유가(儒家)·도가(道家)·음양가(陰陽家)·법가(法家)·명가(名家)·묵가(墨家)·종횡가(縱橫家)·잡가(雜家)·농가(農家)의 총칭.

구가[2]【仇家】 명 원수의 집. 원수가 살고 있는 집.

구가[3]【求假】 명 ①휴가를 원함. ②구하여 빎. ——-하다 자타여불

구가[4]【狗加】 명〖역〗 부여(夫餘)의 벼슬 이름. 사방(四方)의 일우(一隅)를 관할하던 벼슬.

구가[5]【舅家】 명 시집.

구:가[6]【舊家】 명 ①오래 대를 이어 온 집안. ②옛날에 살던 집. ③한 곳에 오래 살아 온 집안.

구가[7]【謳歌】 명 칭송하여 노래함. 구음(謳吟). ¶ 청춘을 ~하다. ——하다 타여불

구가[8]【驅價】 명〖역〗 관원이 녹봉 이외에 사사로 부리는 하인의 급료로 받는 금곡(金穀)이나 포백(布帛). 구채(驅債). *구가목(驅價木)·구가전(驅價錢).

구가[9]【衢街】 명 큰 길거리.

구가마-하다 타여불 곡식을 넣은 가마니를 법식에 맞추어 묶다.

구가-목【驅價木】 명〖역〗 구가(驅價)로 받는 무명.

구가-전【驅價錢】 명〖역〗 구가(驅價)로 받는 돈.

구:각[1]【口角】 명 입아귀.

구각[2]【晷刻】 명 잠깐 동안. 짧은 시간.

구:각[3]【舊殼】 명 낡은 껍질이라는 뜻으로, 옛 제도(制度)·관습(慣習) 등을 이르는 말. ¶ ~을 벗다.

구각[4]【軀殼】 명 온몸의 형체. 몸뚱이의 윤곽(輪郭).

구:각 궤:양【口角潰瘍】 명〖의〗 어린아이들에게 많이 생기는 입병의

하나. 입아귀의 언저리가 빨갛게 되고 갈라져서 부스럼이 되는 병. 구각 미란증(口角糜爛症).
구:각-목【口脚目】명〖동〗[Stomatopoda] 갑각류(甲殼類)에 속하는 한 목(目). 거의 바다에서 나는데 물 밑바닥 모래 속에서 사는 것이 많고, 유충기(幼蟲期)에도 부유(浮遊) 생활하는 일이 적음. 몸을 이룬 마디는 뚜렷하고, 두흉갑(頭胸甲)으로 덮임. 자루가 달린 한 쌍의 복안(複眼)과 두 쌍의 촉각(觸角)이 있고, 구기(口器)가 발달됨. 변태 발육(變態發育)을 함.
구:각 미란증【口角糜爛症】[—쯩] 명〖의〗구각 궤양(口角潰瘍).
구:각-염【口角炎】[—념] 명〖의〗입아귀의 피부가 붉게 허는 염증. 입을 열면 아픔. 입 주위의 불결, 위장 장애 또는 비타민 B_2 결핍 등이 그 원인임.
구:각 유말【口角流沫】[—뉴—] 명 거품을 튀기며 맹렬히 의론(議論)하는 모양.
구:각 춘풍【口角春風】명 좋은 말재주로 남을 칭찬하여 즐겁게 함. 또, 그 칭찬하는 말.
구간¹【九干】명〖역〗가야국(伽倻國) 초기의 아홉 추장(酋長). 곧, 아도간(我刀干)·여도간(汝刀干)·피도간(彼刀干)·오도간(五刀干)·유수간(留水干)·유천간(留天干)·신천간(神天干)·오천간(五天干)·신귀간(神鬼干).
구:간²【苟艱】명 몹시 가난함. ¶어떤 자의 말은 생애에 ~하여 한 달에 네 날씩을 똑똑 지킬 수 없다하나 가량으로 말하면 생각하여 볼 만하도다《김필수: 경세종》. ——-하다 형여불. ——-히 부
구간³【球竿】명 체조에서 쓰이는 용구. 양쪽 끝이 공 모양으로 되어 있는 1.5m의 쇠막대기.
구간⁴【區間】명 ①일정한 지점(地點)의 사이. ②〖수〗수직선상(數直線上)에서 $a<b$인 두 개의 실수를 가지고 부등식(不等式) $a<x<b$를 만족시키는 점 x의 전체로 이루어지는 집합을 일컫는 말.
구간⁵【鉤竿】명〖역〗의장(儀仗)에 쓰던 제구(諸具)의 하나. 창과 비슷한데 끝의 양쪽에 구부러진 날이 있음.
구:간⁶【舊刊】명 예전에 나온 책. ↔신간(新刊).
구간⁷【軀幹】명 포유류(哺乳類)의 신체에 있어서 머리·사지(四肢)를 제외한 부분. 동부(胴部). 몸통. 동체(胴體). 신간(身幹). 체간(體幹).
구간-골【軀幹骨】명〖생〗몸통뼈.
구간 운:동【軀幹運動】명 몸통 운동.
구간제 운임【區間制運賃】명 철도·버스 등의 노선(路線)을 몇 개의 구간으로 나누어 그 구간을 단위로 하여 산출되는 운임.
구:갈¹【口渴】명 목이 마름. 물 생각이 남.
구갈²【裘葛】명 ①가죽옷과 갈포옷. 겨울옷과 여름옷. ②겨울과 여름을 지냄. 곧, 1년을 뜻함.
구갈³【裘褐】명 가죽옷과 거친 모직물.
구갈-돔 명〖어〗[*Lethrinus haematopterus*] 갈돔과에 속하는 바닷물고기. 몸길이는 50cm 가량이고, 몸은 타원형에 등 쪽이 몹시 솟아 있으며 주둥이가 길고 뾰족함. 몸빛은 적색을 띤 자갈색이고, 배 쪽은 담색임. 등지느러미 및 뒷지느러미의 연변은 담홍색이고 입 속은 붉음. 근해어로서 한국 동남부해 및 제주도 연해와 남일본·대만·필리핀·동인도 제도에도 분포함. 식용으로 하는데 맛이 좋음.
구:갈-증【口渴症】[—쯩] 명〖한의〗목이 마른 증세.
구:감【口疳】명〖한의〗입안이 헐고 터지는 병. 구감창.
구:감-창【口疳瘡】명〖한의〗구감(口疳).
구:-감초【灸甘草】명〖한의〗구운 감초.
구-갑주【具甲冑】명〖역〗갑옷을 입고 투구를 씀. ——-하다 자여불
구강¹【九江】명〖지〗'주장(九江)'을 우리 음으로 읽은 이름.
구:강²【口腔】명 [oral cavity]〖생〗입 안의 빈 곳. 소화관(消化管)의 최선단부(最先端部)로 입에서 목구멍에 이르는 부분. 음식물의 섭취·소화를 하며, 발성기(發聲器)의 일부분이 됨. ¶~ 위생.
구강³【丘岡】명 언덕. 구릉(丘陵).
구강⁴【灸薑】명〖한의〗구운 새앙.
구:강-경【口腔鏡】명 치과 의료에 쓰이는 기구의 하나. 구강 내부의 상태를 살필 수 있도록 손잡이 끝에 작은 원형의 거울이 달려 있음.

〈구강²〉

구:강 백반【口腔白斑】명〖의〗구강 속에서 혀의 둘레라든가 표면의 앞쪽, 볼의 점막 또는 큰 어금니가 닿는 곳 등에 잘 발생하는 유백색(乳白色)의 반점. 혀를 계속적으로 움직이거나 흡연 또는 만성 위장 질환에 의하여 발생함.
구:강-샘【口腔—】명〖생〗구강선(口腔腺).
구:강-선【口腔腺】명〖생〗양서류(兩棲類) 이상의 척추 동물의 구강 점막 속 또는 점막 아래에 있는 분비선(分泌腺)의 총칭. 부위(部位)에 따라 순선(脣腺)·구개선(口蓋腺)·타액선(唾液腺) 등으로 구분됨. 무척추 동물에 있어서는 타액선을 이름.
구:강 성:교【口腔性交】명 입이나 혀로 상대방의 성기를 자극하여 쾌감을 느끼는 성행위. 남성의 성기를 입으로 자극하는 것을 펠라티오(fellatio), 여성의 성기를 핥는 것을 쿤닐링구스(cunnilingus)라 함.
구:강-암【口腔癌】명 상하악암(上下顎癌)·설암(舌癌) 등 구강에 생기는 암의 총칭.
구:강 어린선【口腔魚鱗癬】명〖의〗구강 백반(白斑).
구:강-염【口腔炎】[—념] 명〖의〗구강에 일어나는 염증. 구내염(口內炎).
구:강 외:과【口腔外科】[—꽈] 명〖의〗치과 의학의 한 분과. 발치(拔齒)·치조 농루(齒槽膿漏)의 수술·악골 골절·구강암·언청이·구개열(口蓋裂) 등의 기형(畸形)을 주요한 대상으로 함.
구:강 위생【口腔衛生】명 입 속, 즉 입천장·혀, 특히 이의 건강을 보호하고 질병의 예방 치료를 게을리하지 아니
구:강 의학【口腔醫學】명 [stomatology] 구
구조·조직의 해부학·생리학·병리학·치료학
영역과의 관련성을 다루는 의학 분야.
구강-자【九江瓷】명 주장자(九江瓷)
구:개¹【口蓋】명〖생〗척추 동물에서 구강(口腔)의
는 벽. 경(硬)구개와 연(軟)구개가 있음. 구두개.
구개²【具蓋】명 그릇에 뚜껑을 갖춤. ——-하다 타
구:개-골【口蓋骨】명〖생〗비강(鼻腔)의 뒤쪽 벽(壁
의 뼈. 형상이 편평(扁平)하며 정자형(丁字形)으로
구개국 조약【九個國條約】명 [Nine-Power Treaty]
6일 워싱턴 회의 때 미국·영국·프랑스·중국·이탈리아
에·포르투갈·일본의 9개국 사이에 체결된 조약. 중국
정책으로서 중국의 영토 보전과 문호 개방(門戶開放),
원칙을 규정하였음.
구개국 협정【九個國協定】명〖역〗1954년 10월 3일 미국
스·캐나다·벨기에·네덜란드·룩셈부르크·이탈리아·서독의
상이 런던에 모여 서독의 주권 부여(主權賦與)와 재군비(再
(新)유럽 방위 기구에의 가입을 조인한 협정. 이 협정에 의
은 브뤼셀(Brussel) 조약과 나토(NATO)에 가입하여 서유럽 방
가하게 되었음. 런던 협정.
구:개-범【口蓋帆】명〖생〗연구개(軟口蓋).
구:개-선【口蓋腺】명〖생〗구개에 있는 구강선(口腔腺).
구:개-수【口蓋垂】명〖생〗현옹수(懸壅垂).
구:개수-음【口蓋垂音】명〖언〗현옹수음(懸壅垂音).
구:개-음【口蓋音】명 [palatal]〖언〗'ㅈ·ㅉ·ㅊ' 등과 같이 혀와 구개와의 사이에서 나는 소리. 전설면(前舌面)과 경구개(硬口蓋) 사이에서 나는 소리를 전구개음(前口蓋音), 후설면(後舌面)과 연구개(軟口蓋) 사이에서 나는 소리를 후구개음(後口蓋音)이라고 함. 입천장 소리.
구:개음-화【口蓋音化】명〖언〗구개음 아닌 자음(子音)이 모음(母音) 'ㅣ'나 반모음 'ㅣ' 위에서 구개음으로 변하는 현상. 탸·텨·티가 차·처·치로, 댜·뎌·디가 자·저·지로 변함. 곧, '땀받이'가 '땀바지'로, '같이'가 '가치'로 되는 것과 같음. 입천장소리되기.
구개-초【九蓋草】명〖식〗흰털냉초.
구:개 파:열【口蓋破裂】명〖의〗태어나면서부터 위턱 안이 갈라져 있는 기형. 임신 초기의 외상이나 큰 병, 바이러스 감염, 영양 부족 등으로 임신 초기에 태아의 입술의 발육이 멈추게 됨으로써 일어남. 젖빨기가 어렵고, 발음이 뚜렷하지 아니함. ＊언청이.
구:개 편도【口蓋扁桃】명〖의〗편도선(扁桃腺).
구개-흙 명〈방〉진흙(경남).
구:갱【舊坑】명〖광〗광산이나 탄광에 있어서, 이미 채굴(採掘)을 마치고 폐기(廢棄)한 갱(坑).
구거¹【柩車】명 시체를 싣는 수레. ＊영구차(靈柩車).
구거²【鳩居】명 구거 작소(鳩居鵲巢). ——-하다 자여불
구거³【鉤距】명 미늘❶.
구거⁴【溝渠】명 개골창.
구거-법【九去法】[—뻡] 명〖수〗운산(運算)의 결과를 '9'로 검산(檢算)하는 법. 어떤 정수를 9로 나눈 나머지는, 그 수의 각 자리 수의 합을 9로 나눈 나머지와 똑같다는 원리에 따라 가(加)·감(減)·승(乘)·제(除)의 검산을 함. 예를 들면, 426+39=465를 검산할 때에 (4+2+6)÷9의 나머지는 3, (3+9)÷9의 나머지는 3으로 좌변의 나머지의 합계는 6이 되고, 우변도 (4+6+5)÷9의 나머지가 6이 되므로 답은 옳음.
구거-식【溝渠式】명 전차(電車)의 궤도에 따라 땅속에 판 홈 안에 전선을 시설하고 여기서 전류를 얻어 전차를 운행하는 방식. 가공선(架空線)을 쓰지 못할 경우에 씀. 암거식(暗渠式).
구거 작소【鳩居鵲巢】명 ①비둘기가 스스로 자기의 집을 짓지 못하고 까치 집에서 사는 데서, 아내가 남편의 집을 자기 집으로 삼는 데 비유하는 말. ②남의 집을 빌려 삶. 구거(鳩居). ——-하다 자여불
구건【九乾】명 넓은 하늘. 구천(九天). 구중(九重).
구걸【求乞】명 남에게 돈이나 곡식 등을 거저 달라고 청함. 걸구(乞求). ——-하다 타여불
구검¹【句檢】명 구관(句管)하고 검사함. 맡아서 다스리고 검사함. ——-하다 타여불
구검²【拘檢】명 언행을 구속하여 계칙(戒飭)함. ——-하다 타여불
구겐하임 미술관【—美術館】[Guggenheim] 명 미국의 실업가 구겐하임(Guggenheim, S. R.; 1861-1949)에 의해서 1937년 뉴욕에 설립된 미술관. 20세기 거장(巨匠)들의 작품을 중심으로 많은 작품을 소장(所藏)함. 1959년 라이트(Wright, F.L.)의 설계로 신관(新館)이 완성됨.
구겨내 명〈옛〉구지내. 새매. ¶구겨내(黃鷂子)《字會 上 16》.
구겨-지다 피동 구김살이 잡히다.
구격¹【具格】명 격식(格式)을 갖춤. 격에 맞음. ——-하다 자여불
구격²【毆擊】명 구타(毆打). ——-하다 타여불
구:격³【舊格】명 옛날의 낡은 식. 구식(舊式). 구제(舊制).
구격 나:래【具格拿來】명〖역〗중한 죄인(罪人)을 수갑 지르고 차꼬 채고 칼 씌워 잡아 옴. ——-하다 타여불
구격-지 명〈방〉썰매.
구견 자:금【購繭資金】명 제사(製絲) 업자가 생사의 원료인 고치를 살 때 소요되는 자금.
구:결¹【口訣】명 한문(漢文)의 한 구절 끝에 다는 토. 하고(丷)·하며(丷)·에(厂) 등의 약호(略號)로 표시되었음. 현토(懸吐). ＊이두(吏讀)·향찰(鄕札)·구결자(口訣字).
구결²【句決】명 여성의 머리 치장.
구결³【球缺】명〖수〗구(球)를 한 평면으로 잘랐을 때 그 잘린 구의 부분. 곧, 구관(球冠)과 그 밑면으로 이루어지는 입체. ＊구관(球冠).
구:결-자【口訣字】[—짜] 명 구결(口訣)의 표기에 쓰이는 글자.

구:-대륙【舊大陸】명〖지〗아메리카 대륙 발견 이전부터 알려진 대륙. 곧, 유럽·아시아·아프리카의 세 대륙. 구세계(舊世界). ↔신(新)대륙.

구:대-인【舊代人】명 ①선대(先代)부터 부리는 하인. ②한 동네에 대대로 이어 사는 사람.

구더기 명〖충〗파리의 유충(幼蟲). 몸은 원통형에 한끝은 뾰족하고 한끝은 뭉뚝하며, 몸빛은 흼. 차차 자라 꼬리가 생기고 번데기가 되었다가 뒤에 파리가 됨. 【구더기 될 놈】둔하고 어리석은 자를 욕하는 말. 【구더기 무서워 장(醬) 못 담글까】방해가 되는 일이 있더라도 할 일은 해야 한다는 말.

〈구더기〉

구더리 명〈방〉〖충〗구더기(전라·경상).

구더분:-하다 형여불 ☞구저분하다.

구더지 명〈방〉〖충〗구더기(전남·경남).

구덕[1] 명〈방〉①광주리. ②바구니(제주).

구덕[2] 명〈방〉구덩이(전남·경남).

구덕[3]【九德】명 사람이 닦아야 할 아홉 가지 덕(德). ≪서경(書經)≫에 의하면 관이율(寬而栗)·유이립(柔而立)·원이공(愿而恭)·난이경(亂而敬)·요이의(擾而毅)·직이온(直而溫)·간이염(簡而廉)·강이색(剛而塞)·강이의(彊而義)를 이르는 말이나, 이 밖에도 몇 가지의 다른 가르침이 있음.

구:덕[4]【口德】명 ①말에 덕기(德氣)가 있는 것. ②독실한 말씨.

구덕[5]【具德】명 덕을 갖춤. 덕을 구비함. ——-하다 자여불

구:덕[6]【舊德】명 오래 이전에 베푼 덕.

구덕-구덕 부 물기 있는 물체의 거죽이 약간 마른 모양. ㅆ꾸덕꾸덕. *거덕거덕. ——-하다 형여불

구덕새 명〈방〉안달뱅이.

구덜 명〈방〉구들(경상).

구덥다 형ㅂ불〔←굳-(굳다의 어간)+-업-+-다〕아주 미덥다. 마음이 흔들리지 아니하고 확실하여 믿을 수 있다.

구덩-무덤 명〖고고학〗구덩이를 파고 널 없이 직접 묻는 무덤. 토장묘(土葬墓).

구덩-식【一式】명〖고고학〗무덤을 만드는 방법의 한 가지. 위에서 밑으로 주검을 넣도록 되어 있는 방식. 수혈식(竪穴式).

구덩이 명〔←굳+-엉이〕①땅이 움푹하게 팬 곳. 땅을 우묵하게 파낸 곳. ②〖광〗광산에서 광물(鑛物)을 파내기 위하여 땅 속을 파 들어 간 굴. 갱(坑). ③〖고고학〗발굴(發掘)하기 위해 유적지(遺蹟地)를 일정한 넓이로 갈라서 나눈 조그마한 단위 구역. 토광(土壙).

구데 의명〈방〉군데.

구데기[1] 명〈방〉〖충〗구더기(경기·강원·충청·전라·경북).

구데기[2] 명〈방〉구덩이(충남·전북·경남).

구뎅이 명〈방〉구덩이(경기·강원·충청·전라·경상·제주).

구도[1]【九道】명 ①옛날 중국 학문의 아홉 가지 길. 곧, 도덕(道德)·음양(陰陽)·법령(法令)·천관(天官)·신징(神徵)·기예(技藝)·인정(人情)·계기(械器)·처병(處兵). ②〖천〗달의 궤도(軌道).

구도[2]【求道】명〖불교〗불법의 정도(正道)를 구함. 안심 입명(安心立命)의 길을 구함. ¶~심(心). ——-하다 타여불

구도[3]【狗屠】명 개를 잡음. 또, 그 사람. 개백장. ——-하다 자여불

구도[4]【狗盜】명 개의 흉내를 내어 몰래 들어가 훔치는 도둑. 좀도둑. 구절(狗竊). ¶계명(鷄鳴) ~.

구도[5]【矩度】명 ①법. 법칙. ②기거 동작(起居動作)의 규율.

구도[6]【區都】명 중국에서, 자치구(自治區)의 정치·문화 등의 중심 도시. 위구르 족의 자치구가 된 신장위구르(新疆 Uighur)의 우루무치(烏魯木齊) 따위.

구도[7]【寇盜】명 도둑.

구도[8]【構圖】명〔composition〕〖미술〗미적(美的) 효과를 얻기 위하여 모든 부분을 전체적으로 조화되게 배치하는 도면 구성(圖面構成)의 요령. 보통, 회화(繪畫)·데생(dessin)·판화(版畫) 등에서 많이 쓰이는 말. 동양화(東洋畫)의 경영 위치(經營位置)란 말과 같음.

구도[9]【歐刀】명 죄인의 목을 베는 칼.

구-도[10]【鳩島】명〖지〗전라 남도의 남해상(南海上), 완도군(莞島郡) 소안면(所安面)에 위치한 섬. [$0.39km^2$]

구:도[11]【舊都】명 옛 도읍. 옛 서울. ↔신도(新都).

구:도[12]【舊道】명 옛적 도로. 오래 전에 쓰이던 도로.

구-도[13]【龜島】명〖지〗경상 남도의 남해상(南海上), 거제시(巨濟市) 동부면(東部面) 가배리(加背里)에 위치한 섬. [$0.05km^2$]

구-도독부【九都督府】명〖역〗고구려 보장왕(寶藏王) 27년(668) 나당(羅唐) 연합군이 고구려를 멸망시킨 후, 당나라가 고구려에 둔 9개 도독부. 고구려의 5부(府) 176성(城) 69만여 호(戶)를 9도독부 42주(州) 100현(縣)으로 하고 이의 통치 기관으로 평양에 안동 도호부(安東都護府)를 설치하였음. *도독부(都督府)·안동 도호부.

구도리 명〈방〉〖충〗구더기(전남).

구도-성【球淘省】명〖역〗태봉국(泰封國)의 관청 이름. 기물 만드는 일을 맡았음.

구도-심【求道心】명 도(道)를 찾는 마음.

구도-자【求道者】명 ①〖불교〗구도하는 사람. 불법(佛法)의 정도(正道)를 구하는 사람. ②〖기독교〗처음으로 기독교를 믿기로 작정한 사람.

구독[1]【溝瀆】명 개천과 수렁.

구독[2]【購讀】명 책이나 신문 잡지 등을 사서 읽음. 구람(購覽). ¶신문을 ~하다. ——-하다 타여불

구독-료【購讀料】[-뇨] 명 잡지나 신문 같은 정기 간행물(定期刊行物)을 사서 보는 값.

구독-자【購讀者】명 잡지나 신문 등을 구독하는 사람.

구돌 명〈방〉구들(경상).

구돌배미 명〈방〉〖충〗귀뚜라미(경남).

구동[1]【九冬】명 겨울철 90일간을 일컫는 말. *삼동(三冬).

구:동[2]【舊冬】명 지난 겨울. 작년 겨울.

구동[3]【驅動】명 동력(動力)을 가(加)하여 움직임. ——-하다 타여불

구동-륜【驅動輪】[-뉸] 명〖기〗구동축(驅動軸)에서 전달된 회전 동력(回轉動力)으로 전체를 움직이는 차륜.

구동 장치【驅動裝置】명〖기〗기계·계측기(計測器) 등의 작동 기구(作動機構)를 움직이는 장치.

구-동지【狗同知】명〖문〗조선 말기에 널리 퍼졌던 설화(說話)의 하나. 어느 시골의 부자 과부가 자기의 기르는 개 이름을 석지(錫之)라 불렀는데, 어느 협잡배가 석지를 과부의 아들인 줄 알고 공명첩(空名帖)을 발급한 후에 금품을 강요해 오매 과부는 탄식해서 이르기를 '비록 개이지만 벼슬을 했으니 어찌 소홀히 하겠느냐'하고 개에게 갓·탕건·관자를 만들어 씌우니 사람들이 그 개를 구동지라 불렀다 함. 당시의 부패상을 풍자한 것임.

구동-축【驅動軸】명〖기〗원동기의 회전 동력(回轉動力)을 기계의 작동 기구(作動機構)에 전달하는 주축(主軸).

구두[1]〔일 くつ〕명 가죽·베·고무·플라스틱 등을 원료로 하여 만든 서양식의 신. 양혜(洋鞋). 양화(洋靴).

구두[2] 명 ↗구두쇠.

구:두[3]【口頭】명 마주 대하여 입으로 하는 말. ¶~ 시험/~ 계약.

구두[4]【句讀】명〖언〗↗구두법(句讀法).

구두[5]【顒頸】명 핀잔.

구:두-개【口頭蓋】명〖생〗구개(口蓋).

구:두 계:약【口頭契約】명 ①증서를 만들지 아니하고 말로만 하는 계약. ②증서가 없어 미덥지 못한 계약. 1)·2):↔성문(成文) 계약·서면(書面) 계약.

구두기 명〈방〉〖충〗구더기(경기).

구두-닦기 명 구두를 닦아서 윤을 내는 일.

구두-닦이 명 구두 닦는 일을 업으로 하는 사람.

구두더리다 자〈옛〉구두덜거리다. ¶구두더리다(咕噥)≪華語類抄 23≫.

구두덜-거리다 자 못마땅하여 혼자 군소리를 하다. '두덜거리다'보다 정도가 심할 때 쓰는 말. 구두덜-구두덜 부. ——-하다 자여불

구두덜-대다 자 구두덜거리다.

구두리 명〈방〉〖충〗①구더기(경남). ②굼벵이(경상).

구두배기 명〈방〉구두쇠.

구:두-법[1]【口頭法】[-뻡] 명〖언〗외국어 교수법의 하나. 대역법(對譯法) 또는 문법 번역법(文法飜譯法) 등이 번역에 중점을 두는 데 대해서, 발음(發音)을 중요시하여 그 외국어를 사용함으로써 직접적으로 습득시키려는 방법. 오럴법(oral 法).

구두-법[2]【句讀法】[-뻡] 명〖언〗글을 읽기 편하게 하기 위하여 단어 구절을 점(點) 또는 부호(符號) 등으로 표하는 법. ㊟구두(句讀).

구:두 변:론【口頭辯論】[-별-] 명〖법〗법정(法廷)에서 소송(訴訟) 당사자가 직접 구두(口頭)로 하는 변론. ——-하다 타여불

구:두 변:론 조서【口頭辯論調書】[-별-] 명〖법〗법원의 서기(書記)가 구두 변론의 경과에 관하여 작성한 조서(調書).

구:두 삼매【口頭三昧】명〖불교〗경문(經文)의 글귀만 읽고 참된 선리(禪理)를 닦음이 없는 수도(修道). 화두(話頭)만 주장하는 선(禪). 구두선(口頭禪).

구:두-선【口頭禪】명 ①구두 삼매(口頭三昧). ②실행(實行)이 따르지 않는 헛된 말. ¶그의 말은 ~에 불과하다.

구:두 설명【口頭說明】명 말로 하는 설명.

구두-쇠 명 몹시 인색한 사람. ¶이름난 ~. ㊟구두.

구:두 시:문【口頭試問】명 구두 시험(口頭試驗). ——-하다 자여불

구:두 시험【口頭試驗】명 시험관이 묻는 말에 구두로 대답하는 시험. 구두 시문(試問). 구술(口述) 시험. *면접(面接) 시험. ——-하다 자여불

구:두 심리【口頭審理】[-니] 명〖법〗구두로 하는 심리. ——-하다 자여불

구두 심:목【臼頭深目】명 보기 싫은 여자를 형용하여 일컫는 말.

구:두 심판【口頭審判】명〖법〗구두로 하는 소송 사건의 심판. ——-하다 자여불

구두-약【一藥】명 구두를 닦을 때 칠하여 윤이 나게 하는 약. 크림.

구:두 약속【口頭約束】명 말로써 맺는 약속.

구:두 위임【口頭委任】명〖법〗구두로 하는 어떤 행위의 위임.

구두-장이 명 구두를 만들거나 고치는 사람을 얕잡아 일컫는 말. *신기료 장수.

구두-점【句讀點】[-쩜] 명〖언〗구두법에 따라서 표하는 점(點). 머무름표.

구:두-주의【口頭主義】[-/-이] 명〖법〗민사·형사 소송에 있어서, 구두로 의사 표시를 하는 주의. ↔서면주의(書面主義).

구:두-질 명 방고래에 모인 재를 구둣대로 쑤시어 내는 일. ——-하다 자여불

구두-창[1] 명 구두의 밑바닥에 대는 창. 고무창과 가죽창 등이 있음.

구:두-창[2]【口頭瘡】명〖의〗입가에 나는 악성 피부병의 하나.

구두충-류【鉤頭蟲類】[-뉴] 명〖동〗[Acanthocephala] 선형(線形) 동물에 속하는 한 강(綱). 몸길이 2-3mm 혹은 10-20mm. 주둥이에는 갈고리가 열생(列生)하고, 촌충(寸蟲)과 비슷한 것도 있으며 소화 기관은 없음. 자웅 이체(雌雄異體)이고 갑각류 곤충을 숙주(宿主)로 하고 쥐·돼지, 때로는 사람에게도 기생(寄生)함.

구두-칼 명〈방〉구둣주걱.

구:두 투표제【口頭投票制】명〖정〗구두로 투표하는 제도. 영국·미국의 여러 주(州)에서 행하였으나, 투표자의 자유를 구속하는 일이 많아 폐지되었음.

구:두 표결【口頭表決】명 말로써 하는 표결.

구둑-구둑 부 물기가 있던 물건이 거의 말라서 조금 빳빳한 느낌이 드는 모양. ㅆ꾸둑꾸둑. >꼬독꼬독. ——-하다 형여불
구:둔【口鈍】명 말이 둔함. 입이 굼뜸. ——-하다 형여불
구둘 명〈방〉구들(경상).
구둘-골〔—꼴〕명〈방〉방고래(평안).
구둘배미 명〈방〉〖충〗귀뚜라미(경남).
구둠 명〈방〉먼지(제주).
구:둣-대 명 굴뚝이나 방고래의 검댕이나 재 등을 그러내는 제구. 긴 댓가지 같은 것의 끝에 솔 같은 것을 맨 것.
구둣-발 명 구두를 신은 발. ¶ ~로 방에 들어가다.
구둣발길〔—낄〕명 구두를 신고 차는 발길.
구둣-방【—房】명 구두를 만들거나 수선하는 가게. 양화점(洋靴店).
구둣-솔 명 구두 닦는 데 쓰는 솔.
구둣주걱 명 발 뒤축에 대어 발이 구두에 잘 들어가게 하는 제구. 준 주걱.
구드 도법【—圖法】〔—뻡〕명 〔Goode's projection〕〖지〗 위도(緯度) 40°를 경계로 적도(赤道)에 가까운 부분은 상송 도법(Sanson圖法), 극(極)에 가까운 부분은 몰바이데 도법(Mollweide圖法)을 쓰는 단열(斷裂) 도법. 육지의 모양이 비교적 덜 일그러지고 간편하게 구상된 도법임. 1923년 시카고 대학 교수 구드(Goode, J.P.)가 발표하였음.

〈구드 도법〉

구드러-지다 자〔근대: 구드러디다←굳-+-을+-어+-디다〕말라서 빳빳하게 굳어지다. ¶ 떡이 ~. ㅆ꾸드러지다. >고드러지다.
구:드룬〔Gudrun〕명〖문〗작자 미상의 중세(中世) 독일의 영웅 서사시(敍事詩). 조부(祖父) 하겐(Hagen), 어머니 힐데(Hilde), 여주인공 구드룬을 중심으로 사랑 싸움과 약탈 결혼의 주제(主題)를, 북해(北海)를 무대로 하여 그려냈음. ≪니벨룽겐(Nibelungen)의 노래≫에 비하면 그리스도교 윤리의 영향이 강하게 나타나 있음. 1230년경 만들어진 것으로 추정됨. 전 3부(部). 쿠드룬(Kudrun).
구드리 명〈방〉〖충〗구더기(경남).
구득【求得】명 구하여 얻음. ——-하다 타여불
구들 명 ↗방구들.
구들 장군(將軍) 구 제집 안에서만 활개치는 남자나, 방안에만 박혀 있는 남자를 이르는 말.
구들 고래〔—꼬—〕명 ☞방고래.
구들-골〔—꼴〕명〈방〉방고래.
구들-구들 부 밥 같은 것이 되어서 낟알이 속은 무르고 겉은 좀 오돌오돌한 모양. ㅆ꾸들꾸들. >고들고들. ——-하다 형여불
구들-더께 명 늙고 병들어서 나다니지 못하고 방안에만 붙어 있는 사람을 놓으로 일컫는 말. *구들직장.
구들-돌〔—똘〕명 돌로 된 구들장.
구들 동:티 명 이렇다 할 아무 동티도 없이 갑자기 죽은 것을 놓으로 하는 말. ¶ ~가 나다.
구들-미 명〔←굳(구덩이)+-을+미(이긴 흙)〕방구들을 뜯어 고칠 때에 나온 재나 탄 흙. 거름으로 씀. 구재.
구들 바닥〔—빠—〕명 장판이나 자리를 깔지 아니한 구들의 맨바닥.
구들-방【—房】〔—빵〕명 구들장을 놓아 불을 땔 수 있게 만든 방. 온돌방. ↔마루방.
구들-장〔—짱〕명〔←굳(구덩이)+-을+장(조각)〕방고래 위에 놓아 방을 만드는 넓고 얇은 돌.
구들장(을) 지다 구〈속〉구들방에 눕다.
구들-재〔—째〕명 구재.
구들-직장【—直長】명 밖에 나다니지 아니하고 방안에만 들어앉아 있는 사람을 놓으로 일컫는 말. *구들더께.
구듭 명 귀찮고 괴로운 남의 뒤치다꺼리.
구듭(을) 치다 구 귀찮고 괴로운 남의 뒤치다꺼리를 하다.
구등¹【球燈】명 모양이 둥근 등.
구등²【毬燈】명 공같이 둥근 등.
구등³【鉤藤】명〖식〗〔*Ouroouparia rhynchophylla*〕꼭두서니과에 속하는 만초(蔓草). 잎은 달걀꼴에 끝이 뾰족하고 대생하며, 엽맥(葉腋)에는 구부러진 갈고리 모양의 덩굴이 있어서 다른 물건에 잘 휘감기며 황갈색 꽃이 원추(圓錐) 화서로 핌. 엽액의 갈고리는 어린아이의 경간(驚癇)에 약재로 씀. 산이나 들에 저절로 남. 구단등(鉤端藤).

〈구등³〉

구등⁴【篝燈】명 불어리를 씌워 바람을 막는 등. 구화(篝火).
구:등⁵【舊等】명〖역〗↗구등내(舊等內).
구:-등내【舊等內】명〖역〗예전의 등내. 지난번의 등내. 준구등(舊等).
구등호-제【九等戶制】명〖역〗통일 신라 및 고려 시대의 호등(戶等) 구분 방법. 각 민호(民戶)를 인정(人丁)의 많고 적음에 따라 상상호(上上戶)에서 하하호(下下戶)에 이르는 9등급으로 구분함. 부역(賦役) 징수를 목적으로 실시된 듯함.
구디¹ 명〈방〉〖충〗구더기(경남).
구디² 부〈옛〉굳이. 굳게. ¶ 門돌흘 다 구디 줌겨 뒷더시니≪釋譜 Ⅵ:2≫.
구디기¹ 명〈방〉구덩이(경상).
구디기² 명〈방〉〖충〗구더기(경기·강원·충청·전북·경상).
구디이 명〈방〉구덩이(경상).
구딩이¹ 명〈방〉구덩이(충남·경상).
구딩이² 명〈방〉〖충〗구더기(경남).
구뚜라미 명〈방〉〖충〗귀뚜라미.
구뜨래미 명〈방〉〖충〗귀뚜라미(전북).
구뜨레미 명〈방〉〖충〗귀뚜라미(경기).
구뜰-하다 형여불 변변하지 않은 음식 맛이 과히 나쁘지 않고 구수하여 먹을 만하다. ¶ 시래깃국이 꽤 ~.

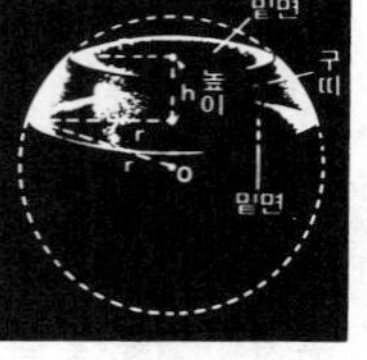

〈구띠〉

구-띠【球—】명〖수〗평행한 두 개의 평면(平面) 사이에 끼인 구면(球面)의 부분. 그 두 평면과 구(球)가 교차하는 원을 밑면이라고 하며, 밑면간의 거리를 구띠의 높이라고 함. 구칭: 구대(球帶).
구:라【救癩】명 나병(癩病) 환자에 대한 구제(救濟). ¶ ~ 사업.
구:라 주일【救癩主日】명〖천주교〗나병(癩病) 퇴치와 나환자를 위해 교회가 특별히 정한 주일. 매년 1월의 넷째 주일임.
구라 철사금【歐邏鐵絲琴】〔—싸—〕명〖악〗유럽에서 건너온 철사를 맨 금(琴)이란 뜻으로, 조선 시대 때 양금(洋琴)을 일컫던 이름.
구라 철사금 자보【歐邏鐵絲琴字譜】〔—싸—〕명〖책〗조선 순조(純祖) 때의 문인(文人) 이규경(李圭景)이 편찬한 양금(洋琴) 악보.
구라파【歐羅巴】명〖지〗①'유럽'의 음역. ②↗구라파주(歐羅巴洲). 준구(歐).
구라파 대:전【歐羅巴大戰】명 제1차 세계 대전의 일컬음. 구라파 전쟁.
구라파 부:흥 계:획【歐羅巴復興計劃】명〖경〗구주 부흥 계획(歐洲復興計劃).
구라파-인【歐羅巴人】명 구라파의 사람. 유럽인.
구라파 인종【歐羅巴人種】명 유럽 인종(Europe人種).
구라파 전:쟁【歐羅巴戰爭】명 ①구라파 대전(歐羅巴大戰). ②〈속〉여럿이 심하게 싸우거나 떠들어댐을 비유하는 말. ¶ 뱃속에서 ~이 일어났다.
구라파-주【歐羅巴洲】명〖지〗유럽주(Europe洲). 준구라파(歐羅巴)·구주(歐洲).
구락부【俱樂部】명〔←club〕정치·문학·사교(社交)·오락(娛樂)·친목(親睦) 등 공통된 목적에 의하여 결합된 사람들의 단체. *클럽(club).
구락장이 명〈방〉아궁이.
구란【句欄】명〖건〗교란(交欄).
구람¹ 명〈방〉굴밤(충북).
구람²【購覽】명 책·신문·잡지 등을 사서 봄. 구독(購讀). ——-하다 타여불
구람-나무 명〈방〉〖식〗졸참나무.
구:랍【舊臘】명 지난해의 섣달. 객랍(客臘).
구랑-성【狗狼星】명〖불교〗악한 귀신의 이름. 이 귀신이 내리는 해에는 절이나 집을 짓지 못하며, 만일 지으면 해가 된다 함.
구랑-찰 명〈방〉구렁찰.
구:래【舊來】명 예로부터 내려옴. ¶ ~의 누습을 타파하다.
구략【寇掠】명 공격하여 약탈함. ——-하다 타여불
구량¹【九樑】명〖건〗↗구량각(九樑閣).
구:량²【口糧】명〖역〗사람 수효대로 내어 주는 양식.
구량-각【九樑閣】명〖건〗집이 넓어서 칠량(七樑)으로는 상연(上椽)의 경사가 급하지 못할 경우에 도리를 두 개 더 쓴 네 칸 넓이의 큰 전각(殿閣). 구량집. 준구량(九樑).
구량-집【九樑—】〔—찝〕명〖건〗구량각(九樑閣).
구러디다 자〈옛〉거꾸러지다. =구러지다. ¶ 그 사름이 구러디거늘(那人倒了)≪老乞 上 26≫.
구러지다 자〈옛〉거꾸러지다. =구러디다. ¶ 니마 우희 구러져 하야지니(額頭上跌破了)≪朴新解 Ⅰ:53≫.
구럭 명〔중세: 구력〕①새끼로 눈을 드물게 떠서 그물같이 만든 물건. 섬이나 오쟁이처럼 씀. *멍구럭. ②☞망태기.
〔구럭엣 게 놔 주겠다〕잡아서 구럭에다 넣어 둔 게도 놓치겠다는 뜻으로 조심성이 없어 쏟기 어려운 그릇에 담은 것도 쏟아지게 한다는 말.
구럼 명〈방〉구름(경상).
구렁 명〔중세: 굴헝〕①움푹 패어들어간 땅. 구학(溝壑). ②빠져서 헤어나기 어려운 환경을 비유하는 말. ¶ 못된 ~에서 발을 빼다.
구렁-논 명 구렁같이 움푹하게 팬 지대에 있는 논.
구렁-말 명〔몽: küreng(갈색말)〕털이 밤빛의 말. 황마(黃馬).
구렁-물 명〈방〉우물.
구렁몰 명〈옛〉구렁말. =굴형몰. ¶ 구렁몰(栗色馬)≪老乞 下 8≫.
구렁이¹ 명 ①〖동〗뱀과에 속하는 큰 뱀 종류의 한 무리. 몸빛은 담갈색·회갈색·담흑색 등 종류에 따라 변이(變異)가 심함. 능구렁이·먹구렁이·산구렁이·황구렁이 등이 있음. ②〖동〗〔*Elaphe schrenckii*〕뱀과에 속하는 동물의 하나. 몸길이 150-180 cm이고 몸빛은 황적색에 반문(斑紋)이 없음. 동작이 몹시 느리고, 집 근처 담이나 돌 무덤 등에 나타남. *무자치. ③〈속〉속이 음흉한 사람. 능글맞은 사람. ¶ 겉으로 얌전해도 하는 짓이 ~ 같다. 준구리.
〔구렁이 담 넘어 가듯〕일을 처리하는 데 태도를 명확히 하지 아니하고, 남이 모르는 사이에 음흉하게 슬그머니 하는 모양. 〔구렁이 제몸 추듯〕제자랑하는 모양.

〈구렁이¹❷〉

구렁이² 명〈방〉구렁.
구렁이-알 명 ①구렁이의 알. ②소중한 밑천의 비유. ¶ ~같이 아껴 저금해 놓은 2대 과부 장롱 속 돈.
구렁-찰 명 늦게 익는 찰벼.
구렁-텅 명 ↗구렁텅이.
구렁-텅이 명 특히 깊숙하거나 험악한 구렁의 한 모퉁이. ¶ 악(惡)의 ~에 빠지다. 준구렁텅.
구렁-텡이 명 ①☞구렁텅이. ②〈방〉구렁(평안).
구레¹ 명〈옛·방〉굴레¹❶. =굴에. ¶ 구레(轡頭)≪老乞 下 27≫.
구레² 명〈옛〉뱃구레. ¶ 구레 강(腔), 구레 脧(광)≪字會 上 28≫.
구레³ 명〈방〉〖동〗구렁이¹(함경).

구레기 명〈방〉〖동〗 노래기¹(제주).

구레-나룻 명〔근대 : 구레나룻. ※중세 : 날옷〕 귀 밑에서 턱까지 잇따라 난 수염. 준나룻.

구레-망【—網】명〈방〉 부리망.

구레미¹ 명〈심마니〉 범¹.

구레미² 명〈방〉 꾸러미(평안).

구렛-들 명 바닥이 깊고 물이 늘 있어서 기름진 들.

구렝이¹ 명〈방〉〖동〗 구렁이¹(평안·경상).

구렝이² 명〈방〉 골짜기❶(충남).

-구려 어미 ①동사·형용사의 어간이나 선어말 어미 '-았-'·'-었-' 등에 붙어 '하오'할 자리에 새삼스러운 감탄을 나타낼 때 쓰는 종결 어미. ¶ 벌써 갔~/참 좋~. *-는구료·-더구료. ②동사의 어간에 붙어 상대자에게 좋도록 시킴을 나타내는 종결 어미. ¶ 빨리 가~/그렇게 하~. *-게나. ③↗-로구려. *-구나·-구먼.

구:력【舊曆】명 태음력(太陰曆). ↔신력(新曆).

구련【拘攣】명〖의〗 손발이 굽어져서 마음대로 쓰지 못하는 병.

구련-성【九連城】명〖지〗 '주롄청'을 우리 음으로 읽은 이름.

구:령¹【口令】명 여러 사람의 동작을 일제히 취하게 하기 위해서 부르는 호령. '차려'·'열중 쉬어'·'뒤로 돌아' 같은 말. 예령(豫令)과 동령(動令)으로 구분함. 호령(號令). ——-하다 자타여불

구-령²【狗嶺】명〖지〗 강원도 고성(高城) 서쪽 약 15km 지점에 있는 재. 금강산 동쪽 기슭에 위치하여 대단히 험함.

구:령³【救靈】명〖종〗 신앙에 의하여 영혼을 구원함. ——-하다 자여불

구:령⁴【舊領】명 이전의 영지(領地). 옛적의 영지.

구:령 사:업【救靈事業】명〖천주교〗 영혼을 구원하는 사업.

구령-산【九靈山】명〖지〗 경상 북도 봉화군(奉化郡) 춘양면(春陽面)에 있는 산. 소백 산맥 중에 솟아 있음. [1,341m]

구령이 명〈옛〉 구렁이. ¶ 구령이 망(蟒)《字會 上 22》.

구례¹【求禮】명〖지〗 전라 남도 구례군의 군청 소재지로 읍(邑). 소백 산맥 중 벽지의 중심으로, 예전에는 섬진강의 강구(江口)로부터 주운(舟運)의 길이 있었음. 부근 섬진강 협곡미(峽谷美)로 이름이 있으며, 지리산이 근접해 있어 진입로를 이룸. [14,053명(1996)]

구례²【拘禮】명 예의에 얽매여 변통성이 없음. ——-하다 형여불

구:례³【舊例】명 옛날부터 전하여 내려오는 관례(慣例). 구관(舊慣).

구:례⁴【舊禮】명 옛날부터 내려오는 예법(禮法).

구례-군【求禮郡】명〖지〗 전라 남도의 한 군. 관내 1읍 7면. 북쪽은 전라 북도 남원시(南原市), 동쪽은 경상 남도 하동군(河東郡), 서쪽은 곡성군(谷城郡), 남쪽은 순천시(順天市)에 접해 있으며, 주요 산물은 쌀·보리·콩·면화·고치이고, 특산물로 산수유가 있음. 명승 고적으로는 화엄사(華嚴寺)·천은사(泉隱寺)·연곡사(鷰谷寺)·오산사(鰲山寺)·용호사(龍虎寺)·천단 폭포(天壇瀑布)·노고단(老姑壇) 등이 유명함. 군청 소재지는 구례(求禮). [441.71km²: 36,427명(1996)]

구례-마【俱禮馬】명〖역〗 신라의 6촌(村) 중의 하나인 모량부(牟梁部)의 시조. 하늘에서 내려와 모량부의 장(長)이 되고, 동시에 시조가 되었다고 함.

구로¹【劬勞】명 자식을 낳아서 기르는 수고. ¶ 아이 때부터 부모가 ~하심을 모르시고 양육하심은 우리 장성한 후 말년에 재미를 보고자 하심이어늘…《具然學 : 雪中梅》/너의 고통에 잡힘이 ~하는 여인 같지 않겠느냐《구약 예레미야 XIII : 21》. ——-하다 자여불

구로²【耉老】명 늙은이. 노인(老人).

구로³【歐露】명〖지〗 유럽주에 속해 있는 러시아의 영토. 곧, 우랄 산맥 서쪽의 땅.

구:로⁴【舊勞】명 오랜 이전에 세운 공로.

구:로⁵【舊路】명 옛날부터 있던 길. ↔신작로(新作路).

구-로⁶【鷗鷺】명 갈매기와 백로(白鷺).

구로⁷【衢路】명 네거리. 갈림길.

구로-구【九老區】명〖지〗 서울 특별시의 한 구(區). 동쪽은 동작구(銅雀區), 서쪽은 경기도 부천시(富川市), 남쪽은 경기도 광명시(光明市)와 금천구(衿川區), 북쪽은 영등포구(永登浦區)와 양천구(陽川區)에 접함. 경부선(京釜線)·경인선(京仁線)의 분기점(分岐點)이고, 우리 나라 굴지의 구로 공단(九老工團)·동양 공업 전문대·고려 대학교 구로 병원 등이 있음. 1995년 1월, 금천구(衿川區)와 분리되었음. [20.15km²: 381,955명(1996)]

구로-국【狗盧國】명〖역〗 마한(馬韓) 54국 중의 하나. 위치는 충청 남도 청양군(靑陽郡)으로 추측되며, 백제 시대는 고량부리현(古良夫里縣)이었음.

구로다 기요타카〔黑田清隆: くろだきよたか〕명〖사람〗 일본 메이지 유신(明治維新)의 공신(功臣). 메이지 3년(1870) 개척 차관(開拓次官)으로 사할린(Sakhalin)에 출장, 러시아와 절충하여 쿠릴(Kuril), 사할린 교환을 성취시킴. 고종(高宗) 13년(1876) 강화도 조약(江華島條約)에 일본 전권 대사(全權大使)로 참석하였음. [1840-1900]

구로다 나가마사〔黑田長政: くろだながまさ〕명〖사람〗 일본 전국 시대(戰國時代)의 무장(武將). 임진 왜란 때 제3진(陣)으로 1만 1천의 병력을 이끌고 황해도 방면을 담당, 해주(海州)에서 조인득(趙仁得)의 공격을 받고, 연안(延安)에서 전부사(前府使) 이정암(李廷馣)의 의병(義兵)의 저항을 받음. 정유 재란(丁酉再亂)에도 선봉이 되어 침입, 전라도 남부와 김해(金海)·창원(昌原) 등지를 공략했음. [1568-1623]

구로시오〔일 黑潮 : くろしお〕명〖지〗 쿠로시오(Kuroshio).

구로-일【劬勞日】명 자식을 낳아서 기르느라고 애쓰기 시작한 날이라는 뜻으로, 자기의 생일을 일컫는 말.

구로지-감【劬勞之感】명 자기를 낳아 기르느라고 애쓴 부모의 은덕을 생각하는 마음.

구로지-은【劬勞之恩】명 자기를 낳아 기른 부모의 은혜.

구록¹【具錄】명 빠짐없이 모두 기록함. ——-하다 타여불

구:록²【舊錄】명 옛날의 기록. 묵은 기록.

구-록피【狗鹿皮】명 사슴의 가죽처럼 부드럽게 다룬 개 가죽.

구:론【口論】명 구두로 논쟁함. ——-하다 자여불

구롬 명〈옛〉 구름. ¶ 武陵 어제 밤의 구롬이 머흐더니《古時調 鄭澈》.

구롱【丘壟】명 ①언덕. 구릉(丘陵). ②조상(祖上)의 산소.

구료¹【求療】명 치료를 청함. ——-하다 자여불

구:료²【救療】명 병을 치료할 능력이 없는 빈민(貧民)을 구원하여 치료해 줌. 구약(救藥). ——-하다 타여불

-구료 어미 ☞-구려.

구룡【九龍】명〖지〗 ①구룡 반도(九龍半島). ②'주룽'을 우리 음으로 읽은 이름.

구룡-강【九龍江】명〖지〗 청천강(淸川江)의 한 지류(支流). 적유령 산맥(狄踰嶺山脈)에서 시작하여, 평안 북도 중앙부를 흐름. [119km]

구룡-거저리【九龍—】명〖충〗[*Alphitobius fagi*] 거저릿과에 속하는 갑충. 몸길이 8mm. 몸빛은 전체가 검으며, 저장한 곡식·말린 과실·말린 고기 등을 파먹는 해충임. 온 세계에 분포함. 중국에서는 이 벌레를 길러서 성충을 날로 삼키어 강장제로 삼았음.

구룡덕-봉【九龍德峰】명〖지〗 강원도 인제군(麟蹄郡)에 있는 산봉우리. [1,388m]

구룡-도【九龍島】명〖지〗 전라 남도의 서남해상(西南海上), 완도군(莞島郡) 노화읍(蘆花邑)에 위치한 섬. [0.04km²]

구룡 반:도【九龍半島】명〖지〗 주룽 반도.

구룡 산맥【九龍山脈】명〖지〗 대파 산맥(大巴山脈).

구룡-연【九龍淵】명〖지〗 금강산의 구룡폭(九龍瀑)이 떨어져서 된 못. 대소 아홉 개의 구혈(甌穴)이 화강암상에 패어져 있어 마치 용이 빠져나간 듯한 모양을 이룸.

구룡 토:수【九龍吐水】명〖불교〗 석가모니가 탄생할 때 아홉 마리의 용이 물을 뿜어 목욕을 시켰다는 일.

구룡-포【九龍浦】명〖지〗 경상 북도 포항시(浦項市)의 한 읍. 장기 반도(長鬐半島)에 있는 항구로, 꽁치·오징어 등의 어획이 많고, 식품 냉동(食品冷凍)과 통조림 공장이 있음. [16,948명(1996)]

구룡-폭【九龍瀑】명〖지〗 금강산에 있는 유명한 폭포. 온정리(溫井里) 서쪽 8km 지점에 있는 옥류계(玉流溪)의 최상단(最上端)에 있음. 폭포 길이 50m로 그 폭포 밑을 구룡연(九龍淵)이라 함.

〈구룡 황개〉

구룡 황개【九龍黃蓋】명〖역〗 의장(儀仗)의 하나. 누런 비단으로 양산처럼 꾸미고 가장자리에 아홉 마리의 용을 그렸음.

구루¹【九漏】명〖불교〗 사람의 두 눈, 두 귀, 두 콧구멍, 입, 항문, 소변 구멍 등 아홉 구멍을 더러운 것이 나온다 하여 일컫는 말.

구루²【傴僂·佝僂·痀瘻】명 ①꼽사등이. ②노쇠하거나 병들거나 하여 허리가 앞으로 꼬부라지는 일. 또, 그 허리. ——-하다 자여불

구루마〔일 車 : くるま〕명 짐을 싣는 수레. *달구지.

구루마-꾼〔일 車 : くるま〕명 구루마를 끄는 사람.

구루-병【佝僂病】[—뼝] 명〖의〗 석회 침착(石灰沈着) 장애로 인하여 골연화(骨軟化)가 일어나고 척추나 사지(四肢)의 만곡을 일으키는 병. 흔히 어린아이에게 많음. 비타민 D의 결핍(缺乏)이 원인이라 함.

구룸 명〈옛·방〉 구름. ¶ 雲은 구루미라《月序 18》.

구룸브틈 구〈옛〉 구름 붙음. 구름 엉김. ¶ 니일은 구룸브트미 됴쓰오니 藍島ㅅ지는 브트실까 아롬디와 ㅎ옵닝이다《新語 VI:13》.

구룸비 명〈옛〉 구름과 비. ¶ 神龍이 구룸비 펌 곧고(如神龍布雲雨)《圓覺 下 Ⅱ:26》.

구류¹【九流】명 중국 한(漢)나라 때에, 학문을 아홉 가지로 나누어 일컫던 말. 유가(儒家)·도가(道家)·음양가(陰陽家)·법가(法家)·명가(名家)·묵가(墨家)·종횡가(縱橫家)·잡가(雜家)·농가(農家)의 총칭. 구학파(九學派).

구:류²【久留】명 오랫동안 머무름. ——-하다 자여불

구류³【勾留】명〖법〗 '구금(拘禁)'의 구(舊) 형사 소송법상의 용어.

구류⁴【拘留】명 ①잡아서 가두어 둠. ②〖법〗 자유형(自由刑)의 하나. 1일 이상 30일 미만의 기간, 죄인을 구류장에 구금(拘禁)하여 자유를 속박하는 형벌. ——-하다 타여불

구:류⁵【舊流】명 ①이전의 수류(水流). ②구파(舊派).

구류-간【拘留間】[—깐] 명 구류장(拘留場).

구류-생【九類生】명〖불교〗 과거에 지은 선·악의 행위에 따라 생(生)을 받는다는 아홉 가지. 곧 태생(胎生)·난생(卵生)·습생(濕生)·화생(化生)·유색(有色)·무색(無色)·유상(有想)·무상(無想)·비유상비무상(非有想非無想)의 아홉 가지.

구류 신:문【拘留訊問】명〖법〗 사법 기관에서 범죄의 혐의가 있는 사람을 구치소에 가두어 두고 하는 심문.

구류-장¹【拘留狀】[—짱] 명〖법〗 법관이 사람을 구류할 때 내놓는 영장.

구류-장²【拘留場】명〖법〗 구류에 처한 범인을 가두어 두는 구치소(拘置所)를 이름. 구류간(拘留間).

구류 처:분【拘留處分】명〖법〗 죄인(罪人)을 구류에 처하는 사법권(司法權)의 작용의 발동.

구륙【九六】명 ①아홉과 여섯. ②양(陽)과 음(陰). 또는 음양이 판합(判合)하여 만물이 생기는 도(道).

구륜【九輪】명〖불교〗 불탑(佛塔)의 노반(露盤) 위에 있는 높은 기둥의 장식. 노반 위에 앙화(仰花)와 맨 꼭대기의 수연(水煙) 사이에 있는 아홉 개의 테 장식. 보륜(寶輪). 상륜(相輪).

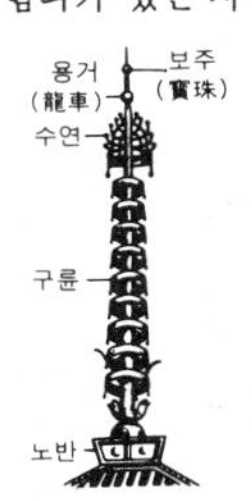

〈구륜〉

구르다[1] 자 르불 ①데굴데굴 돌면서 옮기어 나아가다. ②총 같은 기계가 어떤 강한 반동으로 뒤로 되튀다. ③말 같은 것이 걸음 걸을 때에 괜히 출썩거리다. 준굴다.

[구르는 돌에 이끼가 안 낀다] ㉠한 자리에 가만히 있는 돌에 이끼가 앉듯이, 사람이 활동이 없으면 폐인이 된다는 말. ㉡직업이나 장사를 자주 바꾸면, 돈을 모을 수 없다는 말. ㉢끊임없이 노력하면 거듭 발전하여 침체하지 않는다는 말. [굴러 온 돌이 박힌 돌 뺀다] 타처에서 들어온 사람이 본래부터 있던 사람을 내쫓는다는 말. [굴러 온 호박] 뜻밖에 굴러 들어온 좋은 운수. 「~.

구르다[2] 타 르불 밑바닥이 쿵쿵 울리도록 발을 내리 디디다. ¶ 발을 동동 구르다.

구르몽 〔Gourmont, Rémy de〕 명 〖사람〗 프랑스의 비평가·소설가·시인. 상징시(象徵詩) 운동의 이론가·옹호자로서 아름다운 사상은 아름다운 글에 있다고 주장하여 특색 있는 소설·시 등을 발표하였음. 박학다식(博學多識)을 나타내는 평론 《문학 산책(散策)》·《철학 산책》으로 유명함. [1858-1915]

구르 왕조 【一王朝】〔Ghūr〕 명 〖역〗 아프가니스탄 대지(臺地)의 구르(Ghur)를 중심으로 일어난 이슬람 왕조. 가즈니 왕조(Ghazni 王朝)를 멸하고, 12세기 말에는 서북 인도로 침입하여 델리(Delhi)를 점령, 벵골 지방까지 진출하였음. [1186-1215]

구르치다 타 〈옛〉 거꾸러뜨리다. =구르티다. ¶ 뎌룰 구르치지 말라(休跌了他) 《朴新解 Ⅱ:53》.

구르카-어 【一語】〔Gurkha〕 명 〖언〗 네팔어(Nepal 語).

구르카-족 【一族】〔Gurkha〕 명 현 네팔(Nepal) 왕국을 건설한 지배 부족. 중부 인도에서 북상(北上)하였음. 티베트 어족(語族)이고 농경과 목축에 종사함. 용맹 과감한 종족으로 유명함.

구르티다 타 〈옛〉 거꾸러뜨리다. =구르치다. ¶ 아히롤 구르티디 말라(休跌了孩兒) 《朴解 中 48》.

구륵 【鉤勒】 명 〖미술〗 윤곽(輪郭)을 가늘고 엷은 쌍선(雙線)으로 그리고 그 가운데를 채색하는 법. 몰골법(沒骨法)과 더불어 회화의 이대 기법(二大技法)임. 구륵법(鉤勒法). 쌍구(雙鉤). ↔몰골법(沒骨法).

구륵-법 【鉤勒法】 명 〖미술〗 구륵(鉤勒).

구른-돌 명 〖고고학〗 모난 돌이 자연적으로 마모되어 모서리가 무디어진 돌. 둥근돌.

구를라-만다타 〔Gurla Mandhata〕 명 〖지〗 중국 티베트 자치구 남서부의 고산(高山). 히말라야 산계(山系)의 중앙부 북쪽에 위치하며 네팔 국경에 가까움. 성호 마나사로와르(聖湖 Manasarowar)의 남쪽에 있음. [7,728 m]

구름 명 ①공기 중의 수분이 상승하여 팽창한 결과 이슬점(點) 이하로 되어 응결(凝結)해서 작은 물방울 또는 수정(水晶)의 상태로 되어 대기(大氣)의 고층에 떠도는 것. 구름의 형상과 높이에 따라, 권운(卷雲)·권적운(卷積雲)·권층운(卷層雲)·고적운(高積雲)·층운(層雲)·적운(積雲)·적란운(積亂雲) 등으로 구분하며, 구성 입자에 따라서 수운(水雲)·빙정운(氷晶雲)·혼합운(混合雲) 따위로 구분함. *안개. ②높은 것의 비유. ¶ ~ 다리/~ 차일.

[구름 갈 제 비 간다] 둘이 으레 같이 붙어 다니어 서로 떠나지 않는 것을 이름. ¶ 범 가는 데 바람 가고 용 가는 데 구름 가고 구름 갈 제 비가 가고 바늘 갈 제 실이 가고 봉 가는 데 황이 가고 《古本 春香傳》.

구름(을) 잡다 구 뚜렷하지 아니하고 막연하여 걷잡을 수 없음의 비유.

구름-결 [一껼] 명 ①구름같이 슬쩍 지나가는 겨를. ②풀솜을 펼쳐 놓은 것처럼 엷고 고운 구름의 결.

구름-골풀 명 〖식〗 [*Juncus triglumis*] 골풀과에 속하는 다년초. 줄기 높이는 약 12cm에 달함. 잎은 두 관질(管質)로 대개 줄기보다 짧음. 화서는 밀생(密生)하고 7월에 피며, 과실은 삭과(蒴果)임. 고산의 산복에 나는데, 함북의 관모봉(冠帽峰)에 분포함.

구름-금 [一끔] 명 도약 운동에서, 구름판의 맨 앞 선.

구름-꿩의밥 [一/一에一] 명 〖식〗 [*Luzula oligantha*] 골풀과에 속하는 다년초. 줄기 높이 약 20cm로, 근생엽(根生葉)은 총생하고 경엽(莖葉)은 호생하며 선형(線形)을 이룸. 6-7월에 흑갈색 꽃이 두상 화수(頭狀花穗)로 정생(頂生)하며, 과실은 삭과(蒴果)임. 고산의 산복에 나는데, 강원·평북·함북 등지에 분포함. *꿩의밥.

구름 다리 명 길 위로 공중 높이 놓은 다리. 운교(雲橋).

구름-떡쑥 명 〖식〗 [*Anaphalis morii*] 국화과에 속하는 다년초. 줄기는 근경(根莖)에서 총생(叢生)하고 높이 8cm 내외임. 잎은 호생하고 밀착(密着)하며, 도피침형(倒披針形) 또는 주걱 모양을 이룸. 8-9월에 담황색 꽃이 산방상(繖房狀) 화서로 핌. 고산에 나는데, 제주도 한라산에 분포함.

구름 마찰 【一摩擦】 명 〔rolling friction〕 〖물〗 물체가 어떤 면(面) 위를 굴러갈 때, 이 물체의 운동(運動)에 대한 면의 저항력(抵抗力)을 이름. 이것은 미끄럼 마찰보다 훨씬 작기 때문에 미끄럼 마찰을 피하여 구름 마찰로 바꿈으로써 마찰에 의한 일의 손실(損失)을 막을 수 있음. 회전 마찰(回轉摩擦).

구름 모임 명 〖불교〗 ①법회 대중(法會大衆)이 구름이 몰려오듯 많이 모여든다는 말. ②운집종(雲集鐘).

〈구름문〉

구름-무늬 [一니] 명 구름문(紋).

구름-문 【一紋】 명 무늬의 한 가지. 구름 모양으로 된 무늬. 운문(雲紋).

구름 물리학 【一物理學】 명 〔cloud physics〕 〖기상〗 구름의 구조나 발달, 구름에서 내리는 눈·비 따위 강수(降水)를 지배하는 물리적·역학적(力學的) 과정을 연구하는 학문.

구름-미나리아재비 명 〖식〗 [*Ranunculus borealis*] 미나리아재빗과에 속하는 다년초. 높이 10-15cm이고 근생엽(根生葉)은 총생(叢生)하여 장병(長柄)인데, 세 갈래로 깊게 째지고, 경엽(莖葉)은 단병(短柄), 정생엽(頂生葉)은 무병임. 5월에 담황색 꽃이 꼭대기에 1-3개씩 취산 화서로 피고, 수과를 맺음. 산지에 나는데, 제주도·함남 등지에 분포함.

구름-바늘꽃 명 〖식〗 [*Epilobium davuricum*] 바늘꽃과에 속하는 다년초. 줄기 높이 30cm 가량, 밑의 잎은 대생하고 꼭대기 잎은 호생하며 선상(線狀) 피침형임. 7-8월에 담홍색 꽃이 줄기 끝 엽액(葉腋)에 하나씩 피고, 삭과(蒴果)를 맺음. 깊은 산에 나는데, 함북의 백두산에 분포함.

구름-바다 [一빠一] 명 바다처럼 넓게 깔린 구름.

구름-발 [一빨] 명 길게 벋어 있거나 퍼져 있는 구름의 덩이.

구름 방울 [一빵一] 명 〔cloud droplet〕 〖기상〗 대기 중에 부유(浮遊)하면서 구름을 형성하는 물방울. 수증기가 엉기면서 생김.

구름 방향계 【一方向計】 명 〖기상〗 측운기(測雲器).

구름-범의귀 [一/一에一] 명 〖식〗 [*Saxifraga laciniata*] 범의귓과에 속하는 다년초. 줄기 높이 25cm 가량, 잎은 뿌리에서 총생(叢生)하며 넓은 피침형 또는 거꿀달걀꼴을 이룸. 7-8월에 흰 꽃이 취산(聚繖) 화서로 정생(頂生)하여 피고, 삭과(蒴果)를 맺음. 고산의 산복(山腹)에 나는데, 한국 북부 지방에 분포함.

구름 베어링 〔bearing〕 명 볼(ball) 또는 롤러(roller)가 구르면서 접촉하기 때문에 마찰이 작아 고속 회전을 하는 곳에 적합한 베어링. 볼 베어링·롤러 베어링으로 대분됨.

구름 분류 【一分類】 [一불一] 명 〖기상〗 ① 〔cloud classification〕 구름을 외관(外觀)·형성 과정·고도(高度)·구성 입자(構成粒子) 등에 의하여 구별 분류하는 일. ②운급(雲級).

구름-불나방 [一라一] 명 〖충〗 [*Spilosoma nebulosa*] 불나방과의 곤충. 편날개의 길이 44-53mm, 몸빛은 황갈색에 앞 날개의 전후면은 흑색, 후반부는 암갈색임. 날개 전면(全面)에 걸쳐 흑색 구름무늬가 있고, 뒷날개에는 홍색·흑색의 반문(斑紋), 복부 배면(背面)에도 흑색 점무늬가 한 줄 있음. 한국에도 분포함.

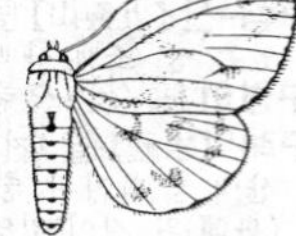

〈구름불나방〉

구름-비 명 구름과 비.

구름-송이 [一쏭一] 명 〈시〉 작은 구름 덩이.

구름-송이풀 명 〖식〗 [*Pedicularis verticillata*] 현삼과에 속하는 다년초. 줄기 높이 5-15cm이고, 장병(長柄)의 근생엽(根生葉)은 총생(叢生)하며, 경엽(莖葉)은 단병(短柄)으로 서너 개가 윤생(輪生)하는데, 우상 복엽(羽狀複葉)임. 7-8월에 홍자색 꽃이 줄기 끝에 총상(總狀) 화서로 피고, 길쭉한 달걀꼴의 삭과(蒴果)를 맺음. 고산에 나는데, 경남·함남북 등지에 분포함.

구름 씨뿌리기 명 〔cloud seeding〕 〖기상〗 구름에 물질을 뿌려, 구름의 자연적인 발달을 변화시키는 수법.

구름-양 【一量】 [一냥] 명 〔cloud cover〕 〖기상〗 구름이 하늘을 덮고 있는 정도. 구름이 전혀 없을 때를 0으로 하고, 가득 차 있을 때를 10으로 하여 그 정도를 목측(目測)으로 정함. 운량(雲量).

구름양-계 【一量計】 [一냥一] 명 〔nephometer〕 〖기상〗 구름양을 측정하는 장치의 일반적인 이름. 운량계(雲量計).

구름-오이풀 명 〖식〗 [*Sanguisorba argutidens*] 짚신나물과에 속하는 다년초. 줄기 높이 60cm 가량, 잎은 호생하는데 근생엽(根生葉)은 장병(長柄), 경엽(莖葉)은 무병(無柄)이며 기수 우상 복엽(奇數羽狀複生)하고 소엽(小葉)은 5-15개로 긴 타원형을 이룸. 8월에 흰 꽃이 수상(穗狀) 화서로 정생(頂生)하여 핌. 고산의 산복(山腹)에 나는데, 함남·함북 등지에 분포함.

구름-장 [一짱] 명 구름의 덩이.

[구름장에 치부했다] 허망한 짓이나, 금세 잊어버림을 비유한 말.

구름재 명 〈방〉 그림자.

구름-집 명 〖불교〗 운당(雲堂).

구름 차:일 【一遮日】 명 구름같이 높이 친 차일.

구름-털제비꽃 명 〖식〗 [*Viola crassa*] 제비꽃과에 속하는 다년초. 근경(根莖)은 가늘고 줄기는 여러 줄기가 총생하며 높이 15cm 정도임. 근생엽(根生葉)은 총생(叢生)하고 장병(長柄), 경엽(莖葉)은 호생하고 단병(短柄)이며 신장형임. 7월에 황색 꽃이 줄기 끝 잎 사이에 가는 꽃줄기가 나와 그 끝에 좌우 상칭(左右相稱)으로 하나씩 피는데, 과실은 삭과(蒴果)임. 고산의 돌·자갈밭에 나는데, 평북·함남북 등지에 분포함. 큰장백오랑캐꽃.

〈구름털제비꽃〉

구름-판 【一板】 명 멀리뛰기 같은 도약 운동을 할 때, 발을 굴러 뛰는 판.

구름 흡수 【一吸收】 명 〔cloud absorption〕 〖전〗 구름 속의 물방울이나 수증기에 의하여 전자기파(電磁氣波)가 흡수되는 일.

구릅 명 마소의 아홉 살.

구릉 【丘陵】 명 언덕. 구부(丘阜). 능구(陵丘). ¶ ~ 지대.

구릉-지 【丘陵地】 명 〖지〗 높이 약 300m를 넘지 아니하고 완만한 경사면(傾斜面)과 골짜기가 있는 지역.

구리[1] 명 〖화〗 전연성(展延性)이 풍부한 붉고 윤나는 금속 원소. 결정상(結晶狀)의 자연동(自然銅) 또는 화합물로서 산출됨. 흑색을 띤 적색(赤色)이나, 습기 중에서는 염기성 탄산(炭酸) 구리가 되어 그 표면은 푸른 빛으로 변함. 은(銀) 다음가는 전기 및 열의 양도체(良導體)로서 용도가 넓음. 동(銅). [29번:Cu:63.54]

구리[2] 명 〖동〗 ↗구렁이[1].

구리[3] 명 〈방〉 그네(함북).

구리[4] 【九里】 명 〖지〗 경기도의 한 시(市). 동은 남양주시, 서는 서울 중랑구 망우동(忘憂洞), 남은 서울 강동구 명일동(明逸洞), 북은 남양주시 퇴계원리(退溪院里)에 접함. 서울의 동쪽 관문이며, 동구릉(東九陵) 등의 고적이 있음. [143,064명(1996)]

구:리[5] 【久痢】 명 〖의〗 만성(慢性)의 이질.

구리[6]【句履】명 직사각형으로 생긴 신.
구리[7]【究理】명 사물의 이치를 구명(究明)함. ——-하다 타여불
구리[8]【具利】명 구본변(具本邊). ——-하다 타여불
구:리[9]【舊里】명 고향(故鄕).
구리가라【俱梨伽羅】명〔범 Krkara〕〖불교〗부동 명왕(不動明王)의 변화신(變化身)인 용왕(龍王)의 하나. 형상(形像)은 반석(盤石) 위에 서서, 검(劍)에 몸을 휘감은 흑룡(黑龍)이 검(劍)을 삼키는 형상을 나타냈으며, 화염(火炎)에 싸여 있음. 구리가라 용왕. 구리가라 부동 명왕. 「〖불교〗구리가라.
구리가라 부동 명왕【俱梨伽羅不動明王】명〔범Krkara〕
구리가라 용왕【俱梨伽羅龍王】명〔범 Krkara〕〖불교〗구리가라.

〈구리가라〉

구리 귀:신【一鬼神】명 몹시 구두쇠이며 인내성이 강한 사람. 동신(銅神).
구리다 형 ①똥이나 방귀 냄새와 같은 내가 나다. ②하는 짓이 더럽고 추잡하다. ③하는 것이 의심스럽다.
구리-대 명〈옛·방〉구리때. ¶구리대(白芷)≪四聲上 芷字註≫.
구리-때 명〖식〗[*Angelica dahurica*] 미나릿과에 속하는 2-3년초. 근경(根莖)은 비후(肥厚)하고 수근(鬚根)이 많음. 줄기는 높이 1.5m 정도로 잎은 재우상 복엽(再羽狀複葉)이고, 열편(裂片)은 타원형 또는 피침형임. 6-8월에 흰 꽃이 복산형(複繖形) 화서로 피고, 타원형 과실을 맺음. 산간의 골짜기에 나는데, 거의 한국 각지에 분포함. 뿌리는 '백지(白芷)'라 하여 약재로 쓰고 어린 잎은 식용함.
구리때 뿌리 명〖한의〗구리때의 뿌리. 약재로 씀. 백지(白芷).
구리-밤나방 명〖충〗[*Euplexia lucipara*] 밤나방과에 속하는 곤충. 편 날개의 길이 30-36mm, 몸빛은 자갈색인데 앞날개의 아기선(亞基線)·내외 횡선(橫線)은 흑색임. 아외연선(亞外緣線)은 황갈색이며 중앙은 암갈색이고 뒷날개는 옅은 암갈색임. 유충은 사탕무·콩토끼풀 등의 해충임. 한국에도 분포함.
구리-법【究理法】[一뻡] 명 여름 누에의 잠종(蠶種)을 저온 보호(低溫保護)하여 다음 대(代)의 알을 불월년란(不越年卵)으로 하여 가을에 ㄴ계속해서 사육하는 방법.
구리 부처 명 구리로 만든 불상(佛像).
구리-쇠 명〖화〗☞구리[1].
구리-쎄 명〈방〉〖화〗구리[1](경남).
구리-쐬 명〈방〉〖화〗구리[1](경남).
구리 암모늄 레이온 명〔cupro-ammonium rayon〕재생 셀룰로오스 섬유(再生 cellulose 纖維)의 하나. 구리를 암모니아수(水)에 녹여서 얻어지는 진한 푸른 빛 액(液)에 셀룰로오스를 섞어서, 이 용액을 묽은 황산(黃酸)이나 탄산 나트륨액(液)으로 처리하여 뽑아 낸 실로 짠 인조 견사. 구리 암모늄 인조 견사(人造絹絲).
구리 암모늄 용액【一溶液】〔ammonium〕명〖화〗수산화(水酸化) 구리를 짙은 암모니아수(水)로 용해하여 만든 진한 청색(靑色)의 용액. 셀룰로오스의 점도(粘度) 측정용 용제(溶劑), 구리 암모늄 인조 견사 제조 따위에 쓰임. 산화 구리 암모늄 용액.
구리 암모늄 인조 견사【一人造絹絲】명〔cupro-ammonium rayon〕구리 암모늄 레이온.
구리 암모늄 착이온【一錯一】명〔cupric ammonium complex ion〕〖화〗구리와 암모니아의 착(錯)이온. 용액 속에서만 안정이 유지되고, 단리(單離)할 수 없음. 구리 암모늄 용액에 함유됨. [$[Cu(NH_3)_4]^{2+}$]
구리족 원소【一族元素】명〖화〗주기율표(週期律表) 1B족(族)에 속하는 구리·은·금 등 세 원소의 총칭. 천연적으로 산출되며 광석에서 쉽게 얻을 수 있으므로 옛날부터 사용됨. 화폐 금속(貨幣金屬). 동족 원소(銅族元素).
구리-줄 명 가는 구리 철사로 만든 코드(code). 동선(銅線).
구리지-언【丘里之言】명 시골 사람의 말. 이속(里俗)의 말. 상말. 비언(鄙言). 구언(丘言). 「(銅線).
구리 철사【一鐵絲】[一싸] 명 구리로 만든 가는 철사. 동사(銅絲). 동선
구리터분-하다 형여불 ①냄새가 구리고 터분하다. ②하는 짓이 더럽고 구역이 나다. 큰구터분하다·굴터분하다. 1)·2):>고리타분하다.
구리텁텁-하다 형여불 ①냄새가 구리고 텁텁하다. ②몹시 구리터분하다. 큰구텁텁하다·굴텁텁하다. 1)·2):>고리탑탑하다.
구리티다 타〈옛〉거꾸러뜨리다. ¶훈살의 구리티고(一箭踣之)≪東國新續三綱 孝子圖 Ⅰ:59≫.
구리 팔괘【一八卦】명 연(鳶)의 하나. 전면(全面)을 몇 등분하여 빛을 각각 다르게 한 연.
구리-풍뎅이 명〖충〗[*Anomala cuprea*] 풍뎅잇과에 속하는 갑충. 몸길이 20-24mm의 긴 달걀꼴이고, 몸빛은 구릿빛 또는 녹색이며 촉각은 암갈색, 몸의 아래는 흑동색(黑銅色)에 자색 광택이 있으며, 흉부에는 흰 털이 밀생함. 유충은 길이 35mm 가량의 원통형임. 성충은 콩·포도·감·사과나무 잎을 갉아 먹음. 손으로 잡으면 똥을 깔기는 습성이 있음. 한국·일본 등지에 분포함.

〈구리풍뎅이〉

구리 합금【一合金】명〖화〗구리를 주성분으로 한 합금의 총칭. 아연(亞鉛)과의 합금으로 된 놋쇠, 주석과의 합금으로 된 청동(靑銅)은 그 대표적인 것임. 동합금(銅合金).
구린-내 명 똥이나 방귀와 같이 구리게 나는 냄새. 쿠린내.
구린내(를) 피우다 구 구린내를 주위에 풍기다.
구린-입 [一닙] 명 ①구린내 나는 입. ②더럽고 주제넘은 말을 하는 입. ③어느 자리에서, 한 번도 열지 아니하는 입.
구린입도 안 떼다 구 무엇이든 자기의 의견을 말해야 할 사람이 입을 다물고 있다.
구:림[1]【久霖】명 오랜 장마. 장림(長霖).
구림[2]【球琳】명 ①아름다운 옥. ②빼어난 재능. 또, 그런 재능을 가진 ㄴ사람.
구림[3]【鳩林】명〖역〗계림(鷄林)❶.
구:립【舊笠】명 오래된 헌 갓.
구립 운:석【球粒隕石】명 석질(石質) 운석의 한 가지. 감람석(橄欖石)·사방 휘석(斜方輝石)·사장석(斜長石) 등을 주성분으로 하는 운석 기지(隕石基地) 속에 구립상(球粒狀)의 결정 집합체(結晶集合體)가 산재(散在)하여 있는 것. 함구립(含球粒) 운석.
구릿-빛 명 흑색을 띤 적색. 적갈색. 동색(銅色). ¶~ 살결.
구릭다 자〈옛〉구르다. ¶훈발 구릭고 훈 거름 나아가 騎龍勢롤 호고 므르라≪武藝圖譜 12≫.
구룸 명〈옛〉구름. ¶우는 소리 바로 올아 구룸찐 하놀해 干犯호놋다(哭聲直上干雲霄)≪重杜諺 Ⅳ:1≫ / 불과 구룸기동으로 내길인도호쇼셔≪찬양가 : 91≫.
구마[1]【臼磨】명 절구[1].
구-마[2]【狗馬】명 개와 말.
구마[3]【裘馬】명 ①의복과 거마(車馬). ②부자(富者).
구-마[4]【駒馬】명 망아지와 말.
구마[5]【驅魔】명 마귀를 몰아 내쫓음. ——-하다 자여불
구마-검【驅魔劍】명 ①마귀를 쫓아내는 데 쓰는 신검(神劍). ②〖책〗이해조(李海朝)가 지은 장편 신소설(新小說). 개화기를 배경으로 하여 당시의 암흑 사회를 풍자하고 무당의 허위성을 폭로하여 미신 타파를 다루었음. 1908년에 출간됨. 1권.
구마 고속 도:로【邱馬高速道路】명 영남 지방을 남북으로 달리는, 대구(大邱)와 마산(馬山) 사이의 고속 도로. 2차선(車線)으로, 1977년 12월에 개통됨. [84.2km]
구마라다【鳩摩羅多】명〖불교〗열 아홉째의 조사(祖師)의 이름. 석가여래(釋迦如來)의 19대(代) 제자(弟子). 인도의 대월지(大月氏)나라 사람으로서, 성(姓)은 바라문(婆羅門)임. 열 여덟 가지의 신통력(神通力)이 있어서 당시 제이(第二) 석가라고 일컬음. 사야다(闍夜多)에게 법(法)을 전하고 입멸(入滅)하였음.
구마라습【鳩摩羅什】명〔범 Kumārajiva〕〖사람〗인도의 학승(學僧). 불전(佛典)의 번역자. 구자국(龜玆國)에 태어나 7세 때 출가하여 대승(大乘) 불교에 능통하였음. 전진(前秦)의 왕 부견(苻堅)이 구자국을 칠 때(384) 잡혀서 중국으로 온 후 401년 장안(長安)으로 들어와 ≪마하반야경≫·≪법화경≫·≪중론(中論)≫ 등의 경론(經論) 74부(部) 384권을 유려(流麗)한 문사(文辭)로 번역하였음. 삼론종(三論宗)의 시조. 준나습(羅什). [344-413]
구마라집【鳩摩羅什】명 구마라습(鳩摩羅什). 준나집(羅什).
구마모토〔熊本:くまもと〕명〖지〗일본 구마모토 현(熊本縣) 중부의 시. 현청 소재지. 소비 도시적(消費都市的) 성격이 짙고 상업이 성함. 식품·제재(製材)·농기구 제조 등 중소 공업이 행하여짐. 구마모토 대학이 있음. [570,460명(1990)]
구마모토 현【一縣】〔熊本:くまもと〕명〖지〗일본 규슈(九州) 중앙 서부의 현(縣). 11시(市) 11군(郡). 기후는 내륙성(內陸性)이며 쌀·밀·감자 등과 귤·석탄·비료·종이·인견 등을 산출함. 국립 공원인 아소화산(阿蘇火山)의 대칼데라(大 caldera)가 유명함. 현청 소재지는 구마모토 시(市). [$7,408.24 km^2$: 1,841,649명(1991)]
구-마비【球痲痺】명〖의〗연수(延髓)의 상해(傷害)로 인하여, 구음(構音)·연하(嚥下)·저작(咀嚼)·발성 장애(發聲障碍) 등을 일으키는 상태. 구증후군(球症候群)의 대표적인 것으로 급성 졸중양(急性卒中樣)과 진행성 구마비(球痲痺)가 있고, 중년 이후의 남성에 많이 발생하나 원인은 불명임. 구증상(球症狀).
구마지-심【狗馬之心】명 ①개나 말이 그 주인에게 다하는 충성심. ②자기의 진심을 겸손하게 이르는 말. 견마지심(犬馬之心).
구마-품【驅魔品】명〖천주교〗신품 하사품(神品下四品)의 셋째. 개혁 ㄴ된 현제도에서는 없어짐.
구막 명〈방〉부뚜막(평안).
【구막 가에 있는 소금도 집어 넣어야 짜다】아무리 손쉬운 일이라도 움직이고 힘을 들이지 아니하면 제게 이익이 되지 아니한다는 말. '부뚜막엣 소금도 집어 넣어야 짜다'와 같음.
구만[1]【懼懣】명 두렵고 답답함. ——-하다 형여불
구만[2] 부〈방〉그만[2](평안).
구만-리【九萬里】[一말一] 명 '아득하게 멂'의 뜻. ¶앞길이 ~ 같은 청년 / 기러기 울어 예는 하늘 ~. 「空).
구만리 장공【九萬里長空】[一말一] 명 구만리 장천(長天). 준구공(九
구만리 장천【九萬里長天】[一말一] 명 아주 높고 먼 하늘. 만리 장천.
【구만리 장천이 지척】높고 먼 저 세상이 곧 지척간에 있으니, 사람은 언제 죽을지 모르는 일이라는 말.
구만-포【九萬浦】명〖지〗충청 남도 홍성군(洪城郡)에 있는 포구(浦口). 조선 고종(高宗) 5년(1868), 독일인 오페르트(Oppert, E.J.)가 우리나라의 천주교 탄압에 대한 보복을 하겠다고 상륙한 곳. 대원군(大院君)의 아버지 남연군(南延君) 구(球)의 무덤을 도굴하기 위하여 몰래 숨어들어온 곳임.
구망【句芒】명〖민〗목(木)의 운(運)을 맡은 신(神). 목정(木正).
구매[1]【毆罵】명 때리고 욕함. ——-하다 타여불
구매[2]【購買】명 물건을 사들임. 구입(購入). ——-하다 타여불 「여불
구매[3]【驅梅】명 매독(梅毒)을 구제(驅除)함. 구미(驅黴). ——-하다자
구매 동:기【購買動機】명〖경〗소비자가 어떤 상품에 대하여 구입할 의사를 갖게 되는 원인. 소비자의 구매 동기를 아는 것은 광고 방책 수립에 매우 중요함.

구매-력【購買力】 명 상품(商品)을 살 수 있는 재력(財力).

구매력 평가설【購買力平價說】[—까—] 명 〔purchasing power parity〕〖경〗 1910 년대에 스웨덴의 경제학자 카셀(Cassel, G.)이 주장한 외국환 이론. 곧, 서로 독립한 지폐를 가진 두 나라 사이의 환시세는 두 나라의 화폐의 대내적 구매력의 비(比), 즉 물가의 비를 표준으로 하여 결정된다고 함.

구매 명세서【購買明細書】 명 정부의 최소한의 필요를 충족시키기 위한 품목·용역 또는 물자의 본질적인 특성과 기능을 약술한 설명서.

구매-부【購買部】 명 학교 같은 기관에서 구매 조합(購買組合)의 제도를 본떠서 학용품 등을 싸게 사 들여서 파는 곳.

구매 사:무 관리【購買事務管理】[—괄—] 명 여러 물품의 구입·보관·배급 등에 관한 관리.

구매 시점 광:고【購買時點廣告】[—쩜—] 명 〔point of purchase advertising〕 광고 상품이 소매자에 의해서 최종적으로 구입되는 곳, 곧 소매점의 점두(店頭)·점내(店內) 또는 가게 주위의 일체의 광고물.

구매 예:산【購買豫算】 명〖경〗 원료나 기계를 구입할 때, 그 시기와 수량·가격 등을 각 원재료별로 견적한 것. 판매와 재고품의 관리 통제에 직접 관계가 있음.

구매-자【購買者】 명 구매하는 사람. 매주(買主).

구매자 시:장【購買者市場】 명 물자 공급이 많아서 판매자측보다 구매자측의 처지가 유리한 시장 형태. 판매자들이 물품을 팔기 위하여 경쟁을 하여 시장 형세가 구매자의 의사에 의하여 좌우되는 상태.

구매-제【驅梅劑】 명〖약〗 매독(梅毒) 스피로헤타에 유효한 약물(藥物)의 총칭. 바일병(病)·서교병(鼠咬病) 등 매독 이외의 스피로헤타에도 유효하므로 항(抗)스피로헤타제(劑)라고도 함. 살바르산·수은제(水銀劑)·비스무트제(蒼鉛劑)·페니실린 같은 것.

구매 조합【購買組合】 명〖사〗 구제(舊制)의 산업 조합(産業組合)의 한 가지. 산업에 필요한 물품이나 일용품 등을 구매 또는 생산하여 조합원에게 판매하는 조합. 「나 부서.

구매-처【購買處】 명 보급품이나 용역을 구매하는 기능을 가진 시설이

구매-혼【購買婚】 명〖사〗 남자 편에서 여자 편에 일정한 금품을 지불하는 형식의 결혼.

구맥[1]【九貊】 명〖역〗 고대 중국의 동북쪽에 있었다는 9 종의 오랑캐.

구맥[2]【瞿麥】 명〖한의〗 패랭이꽃의 꽃. 파혈(破血)·통경(通經)·타태(墮胎)하는 데 쓰고, 임질(淋疾)과 외치(外治)에 씀.

구맥-산【九脈山】 명〖지〗 함경 남도 고원군(高原郡)에 있는 산. [1,206m]

구:맹[1]【舊盟】 명 옛날의 맹약(盟約). 이전의 맹약.

구맹[2]【鷗盟】 명 〔갈매기와의 맹세라는 뜻에서〕 속세를 떠난 풍류(風流)의 교제. 은거하여 풍월(風月)을 즐김. ——-하다 자여불

구먹 명 〈방〉 구멍(전라·충북·경기).

구먹-쟁이 명 〈방〉 귀머거리(평안).

-구먼 어미 ①형용사의 어간이나 선어말 어미 '-았-'·'-었-'·'-겠-' 등에 붙어 반말이나 혼잣말로 새삼스러운 감탄을 나타내는 종결 어미. ¶ 많～/ 빨리 왔～. ②↗로구먼. 준-군. ＊-는구먼·-더구먼.

구멍 명 파냈거나 뚫어진 자리. 공구(孔口). 공규(孔竅).
[구멍 보아 가며 쐐기 깎는다] 무슨 일에고간에, 형편을 보아 가며 적합하도록 일을 꾸며야 한다는 말. [구멍은 깎을수록 커진다] 잘못된 일을 수습하려는데, 더욱 크게 잘못되는 경우를 이르는 말. [구멍을 보아 말뚝 깎는다] '구멍 보아 가며 쐐기 깎는다'와 같은 뜻. [구멍을 파는 데는 칼이 끌만 못하고 쥐잡는 데는 천리마가 고양이만 못하다] 제 구실이 따로 있고, 쓰이는 데가 각각 다르다는 말.

구멍 가:게 명 조그맣게 차린 가게.

구멍가 세:포【—細胞】[—까—] 명〖식〗 공변 세포(孔邊細胞).

구멍-구멍 명 으슥한 군데군데.

구멍-무늬 [—니] 명〖고고학〗 그릇 아가리 밑에 한 줄로 돌아가며 작은 구멍을 같은 간격으로 낸 것. 공문(孔文). 공렬문(孔列文).

구멍무늬 토기【—土器】[—니—] 명〖고고학〗 아가리 바로 밑에 한 줄로 돌아가며 작은 구멍을 낸 토기. 청동기 시대에 흔한 민무늬 토기임. 공렬 토기(孔列土器).

구멍벌-과【—科】[—꽈] 명〖충〗 [Sphecidae] 벌목(目)에 속하는 한 과. 몸빛은 대체로 흑색 또는 광택 있는 남색이며, 자색에 황색·등황색·적색 등의 반문이 있고 털이 있는 종류도 있음. 복병(腹柄)은 봉상(棒狀), 전흉은 삼각형임. 암석·나무·건축물 등에 흙으로 집을 지음.

구멍-병【—病】[—뼝] 명〖식〗 잎에 작은 구멍이 동그랗게 뚫리는 식물의 병. 복숭아·벚나무·앵두·오얏·매화 등의 핵과류(核果類)에서 볼 수 있음. 천공병(穿孔病).

구멍-봉 명 가운데에 구멍이 맞뚫려 있어 낚싯줄을 꿰어 쓸 수 있게 된 낚싯봉.

구멍-새 명 ①구멍의 생김새. ¶ ～가 길쭉길쭉하다. ②얼굴의 생김새.

구멍 이:론【—理論】 명 〔hole theory〕〖물〗 영국의 물리학자 디랙(Dirak, P.A.M.)이, 양자 역학(量子力學)과 특수 상대성 이론의 요구를 충족시키는 전자(電子)의 파동 방정식(波動方程式)을 세움에 있어 여기에서 유도해 나온 마이너스 에너지의 근(根)을 해결하기 위하여 제창한 이론. 공공(空孔) 이론.

구멍-탄【—炭】 명 구멍이 뚫린 원기둥꼴의 연탄(煉炭). 구멍이 9 개 있는 것을 구공탄(九孔炭), 19개 있는 것을 십구공탄(十九孔炭)이라 함. 준탄(炭).

구멍파기-끌 명 날이 두껍고 자루가 튼튼한 끌. 자루머리에는 망치로 때릴 때 파손되지 아니하도록 쇠로 만든 가락지를 씌움. 「이름.

구멍혈-밑【—穴—】 명 한자 부수(部首)의 하나. '空'·'窓' 등의 '穴'의

구메 명 〈옛〉 구멍. ¶ 離別 나는 구메도 막히는가 ≪古時調 永言≫.

구메-구메 부 새새. 틈틈이. 기회 있을 적마다 남에게 물건을 주는 모양. ¶ ～ 먹여 키웠다.

구메 농사【—農事】 명〖농〗 ①연사(年事)가 고르지 아니하여 고장에 따라 풍흉(豐凶)이 같지 않은 농사. 혈농(穴農). ②작은 규모로 짓는 농사.

구메 도적【—盜賊】 명 ☞좀도적.

구메-밥 명 옥문(獄門)의 구멍으로 죄수(罪囚)에게 주는 밥.

구메-혼인【—婚姻】 명 격식을 제대로 갖추지 못한 약식 혼인. ¶ 구경꾼도 몇 사람이 못 되었다. 말하자면 ～이나 별로 다름이 없었다≪洪命憙 : 林巨正≫.

구:면[1]【苟免】 명 간신히 액을 벗어남. ——-하다 타여불

구면[2]【垢面】 명 때 묻은 얼굴.

구면[3]【球面】 명 ①구(球)의 표면. ②〖수〗 어느 일정한 점(點)에서 일정한 거리에 있는 점의 궤적(軌跡). 공면.

구:면[4]【舊面】 명 안 지 오래 되는 얼굴. 전부터 잘 알고 있는 처지. 구상식(舊相識). ↔초면(初面).

-구면 어미 ☞-구먼.

구면-각【球面角】 명〖수〗 한 구면 위의 두 개의 대원(大圓)이 이루는 「호(弧) 사이 각.

구면 거울【球面—】 명 〔spherical mirror〕〖물〗 구상(球狀)의 반사면(反射面)을 가진 거울. 구면의 바깥쪽으로 반사하는 볼록 거울과 안쪽으로 반사하는 오목 거울의 두 가지가 있음. 구면경.

구면-경【球面鏡】 명〖물〗 구면 거울.

구면-계【球面計】 명 〔spherometer〕〖물〗 렌즈(lens) 등의 구면의 곡률(曲率) 반지름 또는 얇은 판의 두께를 측정하는 기계. 삼각(三脚)과 중앙에 있는 측미(測微) 나사를 움직여 상하(上下)로 이동 조절할 수 있는 'A' 각(脚)이 측정하려는 물체에 접할 때의 눈금을 읽으면 됨. 구척(球尺). 스페로미터(spherometer).

〈구면계〉

구면 과:잉【球面過剩】 명〖수〗 구면 다각형의 내각의 합에서 그 다각형과 같은 변수를 가진 평면 다각형의 내각의 합을 뺀 차(差).

구면 기하학【球面幾何學】 명〖수〗 구면 위의 기하학적 도형(圖形)에 대해서 연구하는 기하학의 한 분과(分科).

구면 다각형【球面多角形】 명〖수〗 세 개 이상의 대원(大圓)의 열호(劣弧)로 둘러싸인 구면의 일부.

구면-대【球面帶】 명 구면의 대(帶). 열대(熱帶)·식물대(植物帶) 등.

구면 삼각법【球面三角法】 명〖수〗 삼각 함수(三角函數)를 써서 구면 삼각형의 변·각 사이의 관계를 기초로 하는 각종의 기하학적 관계 및 그 응용을 연구하는 삼각법의 한 부문. 사인(sine) 법칙과 코사인(cosine) 법칙이 있는데, 천문학·항해학·측지학(測地學)·결정학(結晶學) 등에 필요한 수단을 제공함. ↔ 평면 삼각법(平面三角法).

구면 삼각형【球面三角形】 명〖수〗 세 개의 대원(大圓)의 열호(劣弧)로 둘러싸인 구면상(球面上)의 삼각형.

〈구면 삼각형〉

구면 수차【球面收差】 명 〔spherical aberration〕〖물〗 한 점(點)에서 발사하는 광선이 구면 거울에서 반사(反射)하거나 또는 구면 렌즈(lens)를 통과한 후 한 점에 모이지 않아 그림자가 선명(鮮明)하지 아니한 현상. 곧, 단색광(單色光)에서 일어나는 수차(收差)임. 주상 수차.

구면 음파【球面音波】 명〖물〗 파면(波面)이 구면인 음파(音波).

구면 천문학【球面天文學】 명〖천〗 천구상(天球上)에 투영(投影)된 각 천체(天體)의 위치·운동·크기 등을 연구하는 천문학의 한 분과(分科). 위치(位置) 천문학.

구면 콘덴서【球面—】 명 〔spherical capacitor〕〖전〗 두 개의 동심(同心) 금속구(金屬球)로 되어 있으며, 구면 사이의 공간에 유전체(誘電體)를 충전한 콘덴서.

구면 투영법【球面投影法】[—뻡] 명〖지〗 반구(半球)의 밑면에 평행한 면 위에 투시법(透視法)으로 반구를 투영하는 도법(圖法).

구면-파【球面波】 명 〔spherical wave〕〖물〗 한 점이 진동원(振動源)이 되어 등질 등방(等質等方)의 삼차원 매질(三次元媒質) 중에 전파되는 파동(波動). 파면(波面)이 구면을 이룸. 못의 수면(水面)에 돌을 던졌을 경우에 나타남.

구명[1]【九命】 명〖역〗 중국 주(周)나라 때 관원의 아홉 가지 임명 순서. 일명(一命)하여 정리(正吏)가 되며, 구명하여 방백(方伯)이 됨.

구명[2]【究明】 명 깊이 연구(硏究)하여 밝힘. ——-하다 타여불

구:명[3]【苟命】 명 구차한 목숨.

구:명[4]【救命】 명 사람의 목숨을 구함. ¶ ～ 보트. ——-하다 타여불

구:명[5]【舊名】 명 고치기 전의 이름. 옛적에 부르던 이름.

구명[6]【軀命】 명 신명(身命).

구:명-구【救命具】 명 해상이나 강 따위에서 조난자(遭難者)의 구조(救助)에 필요한 여러 가지 기구. 구명정(救命艇)·구명 부대(救命浮帶) 등. 구명 기구.

구:명-기【救命器】 명 갱내(坑內)가 폭발하거나 화재가 났을 때 해로운 가스가 충만한 곳 또는 산소(酸素)가 불충분한 장소에서 내부 탐색(內部探索)·이재 구제(罹災救濟)·화재 소방(火災消防)·통풍 차단(通風遮斷) 등의 작업을 하는 사람이 안전히 호흡하기 위하여 착용하는 장치. 세관 호흡 장치(細管呼吸裝置)·압축 산소 구명기(壓縮酸素救命器)·액체 공기 구명기(液體空氣救命器)·산소 발생제 구명기(酸素發生劑救命器) 등 여러 종류가 있음.

구:명 기구【救命器具】 명 구명구(救命具).

구:명-대【救命帶】 명 선박의 조난 등에서 해면 부유(海面浮遊)를 용이

하게 하기 위하여 조끼처럼 입거나 허리·어깨에 착용 또는 잡아매는 구명구. 천 또는 고무로 되어 있으며, 코르크·케이폭(kapok) 등의 부체(浮體)를 넣거나 간단하게 가스로 팽창시킬 수 있도록 되어 있음. 구명 부대(救命浮帶). 구명 동의(救命胴衣). 구명 조끼.

구:명 도생【苟命徒生·救命圖生】명 구차스럽게 겨우 목숨만 보전함. 근근히 목숨만 이어 나감. ──-하다 자여불

구:명 동:의【救命胴衣】[─/─이] 명 구명대(救命帶).

구:명 보:트【救命─】〔boat〕명 구명정(艇).

구:명 부대【救命浮帶】명 구명대(救命帶).

구:명 부이【救命─】〔buoy〕명 구명 부표(救命浮標).

구:명 부표【救命浮標】명 몸을 물 위에 뜨게 하는 기구. 코르크를 방수포(防水布)로 싼 환상(環狀)의 부표로서 조난자(遭難者)의 구조(救助)에 씀. 구난 부표. 구명 부이. 구명 부환.

구:명 부환【救命浮環】명 구명 부표(救命浮標).

구:명-삭【救命索】명 ①선박이 항해하는 동안 선체가 매우 심하게 흔들릴 때, 걷는 사람들이 붙잡고 걷게 하며, 또한 풍파에 밀려 물에 빠지지 않게 하기 위하여, 갑판 위에 가로 세로 쳐 놓는 줄. ②구명정(救命艇)의 주위나 잠수자(潛水者)의 몸에 매는 줄.

구:명 시:식【救命施食】명〖불교〗구병 시식(救病施食).

구:명-염【救命焰】[─념] 명 밤에 조난한 경우에 그 위치를 가리키기 위하여 구명 부대에 매어 다는 기구. 속에 수분(水分)을 머금으면 불꽃을 일으키는 약품을 장치한 양철제(製)의 둥근 관(罐)이 있음.

구:명 운:동【救命運動】명 목숨을 건지기 위하여 벌이는 운동. ¶ 사형수의 ~.

구:명-정【救命艇】명 본선(本船)에 탑재(搭載)하여 본선이 조난(遭難)한 경우에 인명을 구조하기 위하여 쓰는 보트. 구명 보트.

구:명 조끼【救命─】명 구명대(救命帶).

구:명-총【救命銃】명 구조총(救助銃).

구모【舅母】명 외숙모.

구:모-열【口毛列】명〖동〗나팔충(喇叭蟲) 등의 주둥이 주위에 난 길고 가는 털.

구목[1]【丘木】명 무덤가에 있는 나무. 묘목(墓木).

구목[2]【枸木】명 굽은 나무.

구몰【俱沒】명 양친이 다 돌아감. *구경하(具慶下). ──-하다 자여불

구:몽【舊夢】명 지나간 헛된 꿈.

구묘【丘墓】명 무덤. 구총(丘冢).

구묘지-향【丘墓之鄕】명 선산(先山)이 있는 시골. 추향(楸鄕).

구무[1] 명〈옛·방〉구멍(경상). 굴. ¶ 구무 공(孔), 구무 혈(穴), 구무 굴(窟)《字會 下 18》.

구무[2]【構誣】명 터무니없는 일을 꾸미어 남을 속임. ──-하다 타여불

구무거리다 자타〈옛〉구물거리다. ¶ 구무거릴 쥰(蠢)《倭解 下 27》.

구무-구무 부〈방〉구메구메.

구무-도둑 명〈방〉좀도둑(경상·전라).

구무-떡 명〈방〉물송편.

구무럭-거리다 자타 몸을 천천히 자꾸 움직이다. ㅆ꾸무럭거리다. ＞고무락거리다. 구무럭-구무럭 부. ──-하다 자타여불

구무럭-대다 자타 구무럭거리다.

구:-무소식【久無消息】명 오랫동안 소식이 없음. ──-하다 형여불

구:-무완인【口無完人】명 늘 남의 흠을 찾아내어 헐뜯어서 성한 사람이 없다는 뜻으로, 그러한 사람을 욕하는 말. ¶ 그 사람은 어찌나 남의 험담을 잘하는지 ~이야.

구무자 명〈방〉〖어〗뱀장어(경남).

구무장아 명〈방〉〖어〗뱀장어(경남).

구:-무택언【口無擇言】명 한 마디도 가려서 버릴 것이 없는 좋은 말.

구묵[1] 명〈방〉굴뚝(함경).

구묵[2]【矩墨】명 ①곱자와 먹줄. ②전하여, 법(法)·법칙·규율. 구승(矩繩).

구문[1]【九門】명 아홉 개 또는 아홉 겹의 대문.

구문[2]【口文】명 흥정을 붙여 주고 그 보수로 받는 돈. 구전(口錢).

구문(을) 받다 구 흥정을 붙여 주고 그 대가로 돈을 받다.

구:문[3]【口吻】명 ①입술. ②주둥이. ③말투.

구문[4]【句文】명〖문〗귀글.

구:문[5]【扣問】명 의견을 물음. ──-하다 자여불

구문[6]【究問】명 추구(追究)하여 물음. 캐어 물음. ──-하다 타여불

구문[7]【具文】명 문서(文書)의 형식(形式)만을 갖춤. 또, 그 문면(文面). ──-하다 자타여불

구문[8]【毬門】명〖역〗①격구(擊毬)할 때에 공을 쳐 넣기 위하여 나무로 만들어 세우는 문. 홍문(紅門). ②↗포구문(拋毬門).

구문[9]【構文】명 ①문장의 구성. 글의 짜임. ¶ ~론. ②〖컴퓨터〗언어의 구조와 표현을 지배하는 규칙. 어떤 프로그래밍 언어로 작성된 프로그램이 그 언어에서 정당한 프로그램인가 아닌가를 판별하는 기준이 됨.

구문[9]【構文】명 문장의 구성. 글의 짜임. ¶ ~론.

구문[10]【歐文】명 유럽 사람들이 쓰는 글자. 또, 그 글.

구:문[11]【舊聞】명 전에 들은 소문(所聞). 지나간 이야기. ¶ 그건 이미 ~이야. ↔초문(初聞).

구:문 구:대【口問口對】명 묻는 말에 말로 대답하는, 옛날 시험 방법의 하나. 오늘날의 구술 시험(口述試驗)과 같음.

구문-권[1]【求問權】[─꿘] 명〖법〗민사 소송법상, 소송의 구두 변론(口頭辯論) 중에 당사자가 상대방의 진술의 취지를 확인하기 위하여, 재판장에게 대하여 필요한 질문을 할 수 있는 권리.

구:-문권[2]【舊文券】[─꿘] 명 구문서(舊文書).

구:-문기【舊文記】명〖법〗구문서(舊文書).

구문 도해【構文圖解】명 문장을 도해한 것.

구문-론【構文論】[─논] 명 ①〖논〗언어 중의, 기호(記號)간의 형식적 관계만을 취급하는 이론. ②〔syntax〕〖언〗문중(文中)의 말과 말 사이의 일치(一致)·지배 관계(支配關係)를 어법(語法)에 따라 취급하는 문법학의 한 부문. 통사론. 문장론.

구:-문서【舊文書】명 토지·가옥을 매매할 때에 그 매도 증서에 붙는 전 소유자의 등기 권리증(登記權利證). 구문권(舊文券). 구문기(舊文記).

구문 타이프라이터【歐文─】〔typewriter〕명 영문(英文) 타이프라이터.

구-물[1] 명〈방〉국물(경상).

구물[2] 명〈방〉그물(전남·제주).

구:물[3]【舊物】명 ①옛 물건. 예전 것. ②대대로 물려 전해 오는 물건.

구물-거리다 자타 몸을 느리게 이리저리 자꾸 움직이다. ㅆ꾸물거리다. ＞고물거리다. 구물-구물 부. ──-하다 자타여불

구물-대다 자타 구물거리다.

구믈구믈ᄒᆞ다 자〈옛〉구물구물하다. ¶ 곳 이 人城이니 그저 구믈구믈ᄒᆞ더라(便是箇人城只是垓垓滾滾的)《朴解 下 30》.

구믈어리다 자타〈옛〉구물거리다. ¶ 구믈어릴 쥰(蠢), 구믈어릴 연(蠕)《字會 下 8》/구믈어리논 含靈에 니르리 너비 恭敬ᄒᆞ며 어엿비 너겨(乃至蠢動含靈普敬愛之)《金剛 9》.

구:미[1]【口味】명 입맛. ¶ 병이 나서 ~를 잃다.

구:미가 나다 구 ㉠입맛이 생기다. ㉡욕심이 나다.

구:미(가) 돌:다 구 ㉠입맛이 돌다. ㉡흥미가 일다.

구:미가 동:하다 구 ㉠입맛이 돌아 먹고 싶은 생각이 들다. ㉡무엇을 차지하고 싶은 마음이 생기다.

구:미를 돋우다 구 ㉠입맛이 나게 하다. ㉡흥미를 갖게 만들다.

구:미[2]【口糜】명 입속이 헒.

구미[3]【龜尾】명〖지〗경상 북도의 한 시(市). 1읍(邑) 7면(面) 22동(洞). 북쪽은 상주시(尙州市)와 의성군(義城郡), 동쪽은 의성군과 군위군(軍威郡), 남쪽은 칠곡군(漆谷郡), 서쪽은 김천시에 접함. 경부 고속도로와 경부선이 통과하고 있으며, 구미 공업 단지가 건설되어 전자·섬유 공업과 봉제 완구(縫製玩具) 등 제조업이 성하고, 농업·광업·임업·축산업 등이 성함. 명승 고적으로는 도리사(桃李寺)·금오 서원(金烏書院)·숭신산성(崇信山城) 등이 있음. 1995년 1월 선산군과 통합, 개편됨. [617.28 km² : 302,174 명(1996)]

구미[4]【歐美】명 ①유럽 주와 아메리카 주. ②유럽과 미국. 서양(西洋).

구:미[5]【舊米】명 묵은 쌀. 작년 쌀. ↔신미(新米).

구미[6]【驅黴】명 구매(驅梅). ──-하다 자여불

구미 강활탕【九味羌活湯】명〖한의〗감기를 푸는 약.

구미-구미 부〈방〉구메구메.

구:-미납【舊未納】명 일 년 이상이 넘도록 바치지 못한 세금.

구미-산【龜尾山】명〖지〗경상 북도 경주시 견곡면(見谷面)과 서면(西面) 사이에 있는 산. 근처에 신라 진덕왕(眞德王)의 능(陵)과 수운 최제우(水雲 崔濟愚)의 생가(生家)와 용담정(龍潭亭) 등 사적(史蹟)이 많음. [593m]

구미 속초【狗尾續貂】명〔담비의 꼬리가 모자라 개꼬리로 잇는다는 뜻으로〕①벼슬을 함부로 줌. ②훌륭한 것에 하찮은 것이 뒤를 이음.

구:-미수【舊未收】명 일 년 이상 받지 못한 세금.

구미-제【驅黴劑】명〖약〗창병균(瘡病菌)을 죽이는 약. 구매제(驅梅劑).

구미-초【狗尾草】명〖식〗강아지풀.

구미-포【九味浦】명〖지〗황해도 장산곶(長山串) 남동쪽에 있는 포구. 유리의 원료인 규사(硅砂)가 무진장으로 있음.

구미-호【九尾狐】명 ①오래 묵어서 꼬리가 아홉 개 돋치고 자유 자재(自由自在)로 도섭을 부려 사람을 호린다고 하는 여우. 청구국(青丘國)에 있다고 하며 태평한 세상에 나온다고 함. ¶ ~ 같은 계집. ②간녕(奸佞)한 사람을 비유하는 말. ③'달기(妲己)'의 별칭.

〈구미호❶〉

구민[1]【九旻】명 ①가을 하늘. ②구천(九天).

구민[2]【丘民】명 ①많은 백성. ②시골 사람. 전부 야인(田夫野人).

구민[3]【區民】명 한 구 안에 사는 사람. *동민(洞民).

구:민[4]【救民】명 백성을 구제(救濟)함. ──-하다 자여불

구:-민법【舊民法】[─뻡] 명 1912년부터 1959년까지, 곧 우리 나라 민법이 시행되기 전 '조선 민사령(朝鮮民事令)' 1조에 의하여 우리 나라에 의용(依用)된 일본 민법. *신(新)민법.

구믿 명〈옛〉귀밑. =구밋·구밑. ¶ 혜 길오 너브샤 구믿 니르리 두프시며《月釋 Ⅱ:41》.

구:밀【口密】명〖불교〗삼밀(三密)의 하나. 진언을 분명히 외는 일.

구:밀 복검【口蜜腹劍】명 외면(外面)으로는 친절한 듯하나 내심(內心)으로는 해칠 생각을 품음을 비유한 말.

구밋 명〈옛〉귀밑. =구믿·구밑. ¶ 구밋과 머리왜 세여 시리 ᄃᆞ외도다(鬢髮白成絲)《杜諺 Ⅺ:44》.

구밑 명〈옛〉귀밑. =구믿·구밋. ¶ 어르누근 구미틔 ᄀᆞ마니 안자셔 숤잔올 드노라(斑鬢兀稱觴)《杜諺 Ⅱ:41》.

구ᄫᅳᆯ다 자〈옛〉엎드리다. =굽슬다. ¶ 妄識 더러부메 ᄀᆞᄆᆞ니 구ᄫᅳᆯ써 사오나ᄫᅡ 어디디 몯ᄒᆞᄂᆞ니《月釋 ⅩⅣ:7》.

구박[1]【具縛】명〖불교〗번뇌(煩惱)로 인하여 생사에 속박(束縛)되는 일. ──-하다 자여불

구박[2]【毆縛】명 때리고 결박함. ──-하다 타여불

구박[3]【驅迫】명 못 견디게 굶. 학대(虐待)함. ¶ 계모의 ~이 심하다. ──-하다 타여불

구박-지르다 타르불 ↗구기박지르다.

구:반【舊班】명 예전에 행세하던 양반.

구발【俱發】명 함께 발생함. 한꺼번에 발생함. ──-하다 자여불

구방[1]【九房】명〖역〗조선 시대의 관청. 형조의 사사(四司)에 소속된 기관으로, 상복사(詳覆司)에서 사형수를 심사하던 상일방(詳一房)·상

이방, 고율사(考律司)에서 법률을 맡아보던 고일방(考一房)·고이방, 장금사(掌禁司)에서 형옥령(刑獄令)을 맡아보던 금일방(禁一房)·금이방, 장예사(掌隷司)에서 노비에 관한 사무를 처리하던 예일방(隷一房)·예이방, 죄수를 다스리던 형방(刑房)의 구방을 말함.

구:방²【舊邦】명 옛날에 세운 나라. 오래 된 나라.

구방-천【九方天】명 한복판과 사정(四正)과 사우(四隅). ㈜구천(九天).

구배¹【九拜】명 ①아홉 가지 절. 곧, 계수(稽首)·돈수(頓首)·공수(空首)·진동(振動)·길배(吉拜)·흉배(凶拜)·기배(奇拜)·포배(褒拜)·숙배(肅拜). ②여러번 절함.

구배²【勾配】명 ①〖건〗 물매. 흘림. ¶ ～가 심하다. ②〖수〗 '기울기'의 구용어.

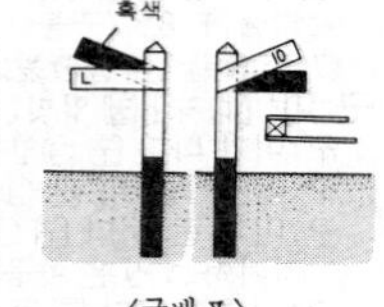
〈구배자〉

구배³【傴背】명 곱사등이.

구배 게이지【勾配―】명 〔taper gauge〕 구배를 검사하는 데 사용하는 게이지. 테이퍼 게이지.

구배-류【溝背類】명〖어〗 조기류(條鰭類)에 속하는 한 아목(亞目).

구배-자【勾配―】명 한 각만 각도가 규정되어 있는 삼각자. 몇 장이 모여 한 벌을 이루는데 지붕의 경사 각도나 선로의 기울기 등을 측정할 때 사용함.

흑색

〈구배표〉

구배-표【勾配標】명 철도 선로의 곁에 세워 선로의 구배(勾配)를 나타내는 표지. 물매표. 기울기표.

구백【九伯】명〖역〗〔백(伯)은 지방 장관의 뜻〕 구주(九州)의 장(長).

구백 말사【九百末寺】〔―싸〕 명〖불교〗 해방 전 전국 31본산(本山)에 각각 딸려 있던 구백여 곳의 말사(末寺).

구법¹【九法】명 구주(九疇).

구:법²【口法】〔―뻡〕 명 말하는 입버릇. 「하는 방법.

구-법³【句法】〔―뻡〕 명〖문〗 시문(詩文)의 구절을 만들거나 배열(配列)

구법⁴【求法】명〖불교〗 불법을 구함. ――-하다 자여불

구:법⁵【舊法】명 예전 법률(法律). ↔신법(新法).

구법 고승전【求法高僧傳】명〖책〗 ↗대당(大唐) 서역 구법 고승전.

구:법-당【舊法黨】명〖역〗 중국 북송(北宋)의 신종(神宗) 때부터 북송이 멸망하기까지 왕안석(王安石)·채경(蔡京) 등의 신법당(新法黨) 정책에 반대한 보수적인 수구파(守舊派). 사마광(司馬光)이 두령(頭領)이었으며, 대부분이 화북(華北) 지방의 대지주(大地主) 출신이었음. ↔신법당(新法黨).

구베아〔Gouvea, Alexandre de〕명〖사람〗 포르투갈의 프란체스코 회(Francesco會) 소속의 성직자. 1782년 중국 베이징 교구 대리 주교(代理主教)가 되어, 청나라 건륭제(乾隆帝)의 총애를 받아 흠천감 감정(欽天監監正)이 됨. 베이징에서 이승훈(李承薰)에게 세례를 주고, 조선의 천주교 신자로 하여금 유교(儒教) 전례(典禮)를 지키지 말도록 금지함으로써 신해 박해(辛亥迫害)의 원인이 되게 함. 중국인 신부 주문모(周文謨)를 조선에 보내고, 그의 보고서를 기초로 하여 라틴어로 ≪한국 기독교사≫를 저술함. [?-1808]

구:벽【口癖】명 입버릇.

구벽다리 명〈방〉 구년묵이.

구:-벽토【舊壁土】명 오래 된 바람벽의 흙. 논밭에 거름으로 씀.

구:변¹【口邊】명 입가.

구:변²【口辯】명 말솜씨. 언변(言辯). ¶ ～이 좋다.

구변³【具邊】명 ↗구본변(具本邊). ――-하다 타여불

구:변-머리【口辯―】명〈속〉 구변.

구:별¹【久別】명 오래 떨어져 있음. 오랜 이별.

구별²【區別】명 ①종류에 따라 갈라 놓음. ¶ 동식물을 ～하다. ②차별을 둠. 차별함. ¶ 금전(金錢)으로 사람을 ～하는구나. ――-하다 타여불

구:병¹【久病】명 구질(久疾).

구병²【句兵】명 날 끝이 구부러진 무기.

구:병³【救兵】명 구원하는 군사. 도와 주는 군사. 원병(援兵).

구:병⁴【救病】명 병구완을 함. ――-하다 타여불

구:병 시:식【救病施食】명〖불교〗 병자를 위하여 귀신에게 먹을 것을 주고 법문(法門)을 알려 줌. 구명 시식(救命施食). ――-하다 자여불

구:보¹【口輔】명 구협(口頰).

구보²【邱報】명〖역〗 조선 시대 때, 보도(報道)의 한 형식. 지방 관청에서 서울로 파견한 경주인(京主人)이 조보(朝報)를 필사(筆寫)하여 중앙의 소식을 각각 자기 지방에 알렸던 것을 말함. ――-하다 자여불

구보³【狗寶】명〖한의〗 병든 개의 쓸개 속에 든 황. 푸른 빛을 띤 흰 돌 같은데, 건두부(乾豆腐) 속에 넣어 반나절쯤 쪄서 익힌 뒤에 갈아서 폐경(肺經)의 풍독(風毒)·담화(痰火)·옹저(癰疽)·악창(惡瘡) 등을 다스림. 구사(狗砂). 구황(狗黃).

구보⁴【矩步】명 올바른 걸음걸이.

구:보⁵【舊譜】명 ①예전 족보. ②예전의 악보.

구보⁶【驅步】명 달음질. 달음질침. ――-하다 자여불

구복¹【九服】명〖역〗〔복은 복종의 뜻〕 중국 주(周)나라 때에 방국(邦國)을 왕성(王城)으로부터의 거리에 따라서 나눈 행정 구획. 곧, 후복(侯服)·전복(甸服)·남복(男服)·채복(采服)·위복(衛服)·만복(蠻服)·이복(夷服)·진복(鎭服)·번복(藩服).

구:복²【口腹】명 생명을 이어 가기 위하여 음식물을 섭취하는 입과 배. 【구복이 원수라】 '목구멍이 포도청(捕盜廳)'과 같은 뜻.

구:복-루【口腹累】〔―누〕 명 살림 걱정.

구-복색【具服色】명 복색을 갖추어 입음. ――-하다 타여불

구복-원【勾覆院】명〖역〗 고려 때 관아(官衙)의 하나.

구:복지-계【口腹之計】명 먹고 살아 갈 방도.

구:본【舊本】명 발행한 지 오래 된 책. ↔신본(新本).

구-본변【具本邊】명 본전과 변리를 합함. 구리(具利). 병본리(並本利). ㈜구변(具邊). ――-하다 타여불 「도의 봉급.

구:봉¹【口俸】명 생활할 수 있을 정도의 봉급. 호구(糊口)할 수 있을 정

구:봉²【舊封】명 이전의 봉토. 「面)에 있는 금산.

구봉 금산【九峰金山】명〖지〗 충청 남도 청양군(靑陽郡) 사양면(斜陽

구-봉령【具鳳齡】〔―녕〕 명〖사람〗 조선 시대의 정치가. 퇴계(退溪)의 문인. 자는 경서(景瑞). 호는 백담(栢潭). 능성(綾城) 사람. 명종 15년(1560)에 등제(登第), 벼슬이 이조 참판(吏曹參判)에 이름. [1520-85]

구봉리-도【九峰里島】〔―니―〕 명〖지〗 경기도 서해상, 안산시(安山市) 대부면(大阜面)에 있는 섬. 대부도(大阜島) 북서쪽에 위치하며, 이 섬 연안은 어류의 산란장임. [0.94 km²]

구봉-산【九峰山】명〖지〗 ①전라 북도 진안군(鎭安郡) 주천면(朱川面)과 정천면(程川面) 사이에 있는 산. 노령(蘆嶺) 산맥에 속함. [1,004 m] ②황해도 곡산군(谷山郡) 곡산면(谷山面)과 청계면(淸溪面)에 있는 산. 멸악 산맥(滅惡山脈) 첫머리 부분에 위치하며 예성강(禮成江)의 수원을 이루고 있음. [916 m] ③강원도 영월군(寧越郡)에 있는 산. 내지 산맥(內地山脈)에 속함. [900 m]

구봉-침【九鳳枕】명 베개의 한 가지. 대개 길이 석 자, 직경 다섯 치로, 모에 두 마리의 어미 봉황과 일곱 마리의 새끼 봉황을 수 놓음. 신혼 부

구부¹ 명〈방〉 귀부(龜趺). ㄴ부가 씀.

구부²【九府】명 ①중국 주대(周代)에 재화(財貨)를 맡아 보던 아홉 관청. 곧, 대부(大府)·왕부(王府)·내부(內府)·외부(外府)·천부(泉府)·천부(天府)·직내(職內)·직금(職金)·직폐(職幣). ②구주(九州), 곧 전국(全國)의 보장(寶藏).

구:부³【口賦】명〖역〗 옛날 중국에서 인구수로 할당하여 거두어 들이던 ㄴ조세(租稅).

구부⁴【丘阜】명 구릉(丘陵).

구부⁵【舅父】명 외숙(外叔).

구:부⁶【舊夫】명 전남편(前男便).

구:부⁷【舊婦】명 전처(前妻).

구부⁸【驅夫】명 말몰이꾼.

구-부득【求不得】명 구하여도 얻지 못함.

구부득-고【求不得苦】명〖불교〗 팔고(八苦)의 한 가지. 무엇이든지 얻으려고 하여도 얻지 못하는 고통. 「다. >고부라들다.

구부러-들다 자 안쪽으로 구부러져 들어오거나 들어가다. ㅆ꾸부러들

구부러-뜨리다 타 세게 구부러지게 하다. '구부리다'의 힘줌말. ㅆ꾸부러뜨리다. >고부라뜨리다.

구부러-지다 자 굽어지다. 한쪽으로 휘어지다. ㅆ꾸부러지다. >고부

구부러-치다 타〈방〉 구부러뜨리다. ㄴ라지다.

구부러-트리다 타 구부러뜨리다. 「랑고부랑. ――-하다 형여불

구부렁-구부렁 부 여럿이 모두 구부렁한 모양. ㅆ꾸부렁꾸부렁. >고부

구부렁-길〔―낄〕 명 구부러진 길. ㅆ꾸부렁길. >고부랑길.

구부렁-이 명 구부러진 물건. ㅆ꾸부렁이. >고부랑이.

구부렁-하다 형여불 안으로 욱어 들어 굽다. ㅆ꾸부렁하다. >고부랑하다.

구부리다 타 한쪽으로 욱어 굽게 하다. ㅆ꾸부리다. >고부리다.

구부숭-하다 형여불〈방〉 구부슴하다.

구부스레 부 구부스름하게. ㅆ꾸부스레. >고부스레. ――-하다 형여불

구부스름-하다 형여불 조금 굽은 듯하다. ㈜구부슴하다. ㅆ꾸부스름하다. >고부스름하다. **구부스름-히** 부 「**구부슴-히** 부

구부슴-하다 형여불 ↗구부스름하다. ㅆ꾸부슴하다. >고부슴하다.

구부정-구부정 부 여럿이 모두 구부정한 모양. ㅆ꾸부정꾸부정. >고부장고부장. ――-하다 형여불 「다. >고부장하다. **구부정-히** 부

구부정-하다 형여불 휘우듬하게 굽다. ¶ 구부정한 자세. ㅆ꾸부정하

구:-북구【舊北區】명〖생〗 생물 지리학상의 한 구역. 유럽 대륙·아시아 대륙·아프리카의 북부 및 보르네오 이서(以西)의 말레이 제도를 포함하는, 가장 진화된 동식물이 생육하는 구역. ↔신북구(新北區).

구:분¹【口分】명 ①사람마다 똑같이 나누어 줌. ②〖역〗 ↗구분전(口分

구분²【丘墳】명 ①무덤. ②언덕. ㄴ田). ――-하다 타여불

구분³【區分】명 ①따로따로 갈라 나눔. ¶ 대소(大小)로 ～하다. ②구역(區域)으로 분할함. ――-하다 타여불 「의 부분. ↔선분(線分).

구분⁴【球分】명〖수〗 평행되는 두 개의 단면(斷面) 사이에 끼어 있는 구

구분 감정【區分鑑定】명〖법〗 재산의 감정 가격을 산정(算定)할 때, 한 개의 물건이라도 가치를 달리하는 부분은 이를 구분하여 감정하는 일.

구분 구적법【區分求積法】명〖수〗 도형(圖形)의 넓이·부피를 구함에 있어 그 도형을 여럿의 작은 부분으로 나누어 그 넓이·부피의 총합을 계산하는 방법.

구분 소:유권【區分所有權】〔―꿘〕 명〖법〗 아파트 따위와 같이 구분 소유되고 있는 건물의 각 부분에 대한 소유권.

구분적 선형【區分的線形】명〔piecewise-linear〕〖수〗 유한개(有限個)의 선분을 서로 이어서 얻어지는 연속 곡선 또는 선.

구:분-전【口分田】명〖역〗 ①고려 시대 전시과(田柴科)에서, 자손이 없이 죽은 관원(官員)의 아내와 부모 구몰(父母俱沒)한 출가 전(出嫁前)의 딸이나 또는 전장에 나가서 자손이 없이 죽은 군인의 아내 또는 자손이나 친척이 없는 나이 70이 넘은 군인에게 품등에 따라 주던 논밭. ②당(唐)나라 때 균전법(均田法)으로 농민 각 개인에게 종신(終身) 대여한 경지(耕地). 18세 이상의 남자에게 80묘(畝), 60세 이상에게는 그 절반을 대여했다가 죽으면 회수했음. ㈜구분(口分).

구:분 증닉【救焚拯溺】명 불에 타고 물에 빠진 사람을 구해낸다는 뜻

으로, 남의 어려움과 재액(災厄)을 구해 줌을 일컬음. ——-하다 [자][여불]
구분-지【區分肢·區分枝】[명]〔members of division〕〖논〗구분된 가지의 뜻으로, 유개념(類槪念)에 대하여 그것을 구분한 종(種)개념을 일컫는 말.
구:-불가도【口不可道】[명] 입 밖에 낼 수 없음.
구불-거리다 [자] 이리저리 자꾸 구부러지다. ㅆ꾸불거리다. >고불거리다. 구불-구불 [부]. ——-하다¹ [자][여불]
구불구불-하다² [형][여불] 이리저리 자꾸 구부러진 상태에 있다. ㅆ꾸불꾸불하다². >고불고불하다².
구:-불견【久不見】[명] 오랫동안 서로 보지 못함. ——-하다 [자][여불]
구불-구중 [명]〈방〉구종(驅從).
구불다 [형] ☞ 굽다³.
구불-대다 [자] 구불거리다.
구불직-이 [명]〈방〉구종(驅從).
구불텅-구불텅 [부] 여러 곳이 모두 구불텅한 모양. ㅆ꾸불텅꾸불텅. <고불탕고불탕. ——-하다 [형][여불]
구불텅-하다 [형][여불] 느슨하게 굽다. ㅆ꾸불텅하다. >고불탕하다.
구불퉁-구불퉁 [부] ☞ 구불텅구불텅. ——-하다 [형][여불]
구불퉁-하다 [형][여불] ☞ 구불텅하다.
구붓-구붓 [부] 여럿이 모두 구붓한 모양. ㅆ꾸붓꾸붓. >고붓고붓. ——-하다 [형][여불]
구붓-이 [부] 구붓하게. ㅆ꾸붓이. >고붓이.
구붓-하다 [형][여불] 조금 굽다. ㅆ꾸붓하다. >고붓하다.
구:붕【舊朋】[명] 구우(舊友).
구브 [명]〈옛〉정강이. ¶ 또 풀와 구브를 뿌추며 굽힐훠 보라(扔摩捋臂腿屈伸之)《救簡 I:60》.
구븓ᄒᆞ다 [형]〈옛〉구붓하다. ¶ 구븓ᄒᆞᆯ 궁(穹)《字會 下 1》.
구블 [명]〈옛〉귀뿌리. ¶ 오직 평상ᄒᆞᆫ 증은 귀과 구브리 ᄎᆞ면 슌ᄒᆞ고 만일 검어 빠디고 귀과 구브리 더우면 역ᄒᆞ니라(但見平證耳凉尻凉爲順若痘黑陷耳及尻反熱者爲逆)《痘瘡集要 上 52》.
구블쟈할 [명]〈옛〉궁둥이가 얼룩진 말. ¶ 구블쟈할(豹臀馬)《譯語 下 28》.
구븨 [명]〈옛〉굽이. ¶ 묏 시냇 구븨예서 녀름 지ᅀᅵᄒᆞ고 바ᄅᆞᆳ 구룺ᄀᆞᅀᅵ 病ᄒᆞ야 누엣도다(爲農山澗曲臥病海雲邊)《杜諺 XXI:41》.
구:비¹【口碑】[명] 대대로 전하여 내려오는 말. 비석(碑石)에 새긴 것처럼 오래도록 전하여 온 말이라는 뜻. ¶ ~ 문학.
구비²【具備】[명] 빠진 것 없이 고루 갖춤. ¶ ~ 서류. ——-하다 [타][여불]
구비³【廐肥】[명] 쇠두엄.
구비⁴【糗糒】[명] 건량(乾糧).
구:비 동:화【口碑童話】[명] 민간에 전승되어 입으로 전해 온 동화. *예술 동화.
구:비 문학【口碑文學】[명]〖문〗문자의 힘을 빌리지 않고 입으로 전해 온 문학. 구전 문학. 표백 문학.
구비-사【廐肥舍】[명] 두엄간.
구비 삼옹주【九妃三翁主】[명]〖역〗고려 우왕의 총애를 받던 12명의 여자. 곧, 창왕(昌王)의 모(母) 근비(謹妃), 최영(崔瑩)의 딸 영비(寧妃), 노영수(盧英壽)의 딸 의비(毅妃), 최천검(崔天儉)의 딸 숙비(淑妃), 강인유(姜仁裕)의 딸 안비(安妃), 왕흥(王興)의 딸 선비(善妃), 신아(申雅)의 딸 정비(正妃), 조영길(趙英吉)의 딸 덕비(德妃), 안숙로(安淑老)의 딸 현비(賢妃) 및 기생 소매향(小梅香)인 화순 옹주(和順翁主), 기생 연쌍비(燕雙飛)인 명순(明順) 옹주, 기생 칠점선(七點仙)인 영선(寧善) 옹주.
구비-장【廐肥場】[명] 두엄자리.
구비-화【具備花】[명]〖식〗갖춘꽃.
구빈¹【九嬪】[명]〖역〗중국 주대(周代)의 제도에서, 천자(天子)가 둘 수 있는 아홉 사람의 빈.
구:빈²【救貧】[명] 가난한 사람을 구제함. ——-하다 [자][여불]
구:빈 사:업【救貧事業】[명] 빈민이나 이재민을 구호하는 사업.
구븨구븨 [부]〈옛〉굽이굽이. ¶ 千年老龍이 구븨구븨 서려 이셔《松江 關東別曲》.
구쁘다 [형] 먹고 싶어 입맛이 당기다. ¶ 웬일인지 입도 별로 구쁘지 않은 것이다《吳有權 : 산장》.
구ᄫᅥ [타]〈옛〉구워. '굽다¹'의 활용형. ¶ 만히 머구디 붓그며 구ᄫᅥ 젼ᄌᆞ 먹더니《月釋 XXI:54》.
구ᄫᅳᇙ제 [구]〈옛〉구울 적에. ¶ 더오ᄆᆞᆫ 밤 구ᄫᅳᇙ제 더ᄫᅳᆫ 氣韻이 소배 드러《蒙法 44》.
구사¹【九四】[명] 역괘(易卦)의, 밑에서부터 네 번째의 양효(陽爻)의 이름. *구오(九五).
구사²【九思】[명] 군자(君子)가 항상 명심하여야 할 아홉 가지 일. 명백히 보도록 생각하며, 총명하게 들을 것을 생각하며, 따뜻한 안색(顏色)을 가질 것을 생각하며, 공손한 외모를 가질 것을 생각하며, 말에 충직(忠直)할 것을 생각하며, 일을 존경할 것을 생각하며, 의심나는 것을 물을 것을 생각하며, 분노를 당했을 때는 어려운 지경을 생각하며, 이득을 보았을 때는 의(義)를 생각함.
구:사³【口四】[명]〖불교〗열 가지 선악(善惡) 가운데 입으로부터 나오는 망어(妄語)·기어(綺語)·악구(惡口)·양설(兩舌)의 네 가지 악한 구업(口業)과 불망어(不妄語)·불기어(不綺語)·불악구(不惡口)·불양설(不兩舌)의 네 가지 선한 구업.
구사⁴【丘史】[명]〖역〗①조선 시대 때, 임금이 종친(宗親) 및 공신에게 구종(驅從)으로 하사(下賜)한 관노비(官奴婢). 품위(品位)에 따라 수가 정해져 있었음. ②관원의 마전(馬前)·교전(轎前)을 가금(呵噤)하는 노비.
구사⁵【求仕】[명] 벼슬을 구함. ——-하다 [자][타][여불]
구사⁶【求師】[명] 스승을 구함. ——-하다 [자][여불]
구사⁷【求嗣】[명] 대(代) 이을 아들을 보려고 첩을 둠. ——-하다 [타][여불]
구-사⁸【灸士】[명]〖한의〗의료법의 규정에 의거한 자격 인정을 받고, 환자의 경혈(經穴)에 대하여 구(灸) 시술 행위를 하는 것을 업으로 하는 사람.
구사⁹【狗砂】[명]〖한의〗구보(狗寶).
구사¹⁰【俱舍】[명]〖불교〗①↗구사종(俱舍宗). ②↗구사론(俱舍論).
구사¹¹【鳩舍】[명] 비둘기 집.
구사¹²【廐舍】[명] 마구간.
구사¹³【構思】[명] 구상(構想)❶. ——-하다 [타][여불]
구:사¹⁴【舊史】[명] 옛날의 역사.
구:사¹⁵【舊寺】[명] 오래 된 절.
구:사¹⁶【舊事】[명] 옛 일. 오래 된 일.
구:사¹⁷【舊思】[명] 옛적 생각.
구:사¹⁸【舊射】[명] 활이나 총을 오래 쏘아 익숙한 사람.
구:사¹⁹【舊師】[명] 옛날에 가르치던 선생. 옛 스승.
구사²⁰【驅使】[명] ①사람이나 동물을 몰아치어 부림. ¶ 부하를 노예처럼 혹독하게 ~한다. ②자유 자재로 다루어 씀. 구역(驅役). ¶ 미사 여구를 ~한 문장/3개 국어를 ~하다. ③〖역〗고려 때, 서관(庶官)에 배속된 노복(奴僕). ——-하다 [타][여불]
구:사-대【救社隊】[명] 노사 분규가 일어났을 때, 사용주 쪽에 서서 실력으로 사태를 수습하여 회사를 살리겠다고 결성한 조직체.
구사-론【俱舍論】[명]〖책〗5세기경 인도의 세친 보살(世親菩薩)이 저술한 불전(佛典). 정식 이름은 아비 달마 구사론(阿毘達磨俱舍論). 당(唐)나라 현장(玄奘)이 한역(漢譯)하였으며, 소승(小乘) 불교의 기초적 논부(論部)의 하나로 중요시됨. 30권. [준]구사(俱舍). *구사종(俱舍宗).
구-사맹【具思孟】[명]〖사람〗조선 선조 때의 명신(名臣). 자는 경시(景時). 호는 팔곡(八谷). 능성(綾城) 사람. 명종(明宗) 13년(1558)에 등제하여 벼슬이 좌찬성(左贊成)에 이름. 임진 왜란 때 왕자를 보호하며 외방에서 수고하였고, 정유 재란 때에는 왕자와 후궁을 성천(成川)으로 피란시켰음. 시호는 문의(文懿). [1531-1604]
구:사 불첨【救死不瞻】[명] 곤란이 극도에 달하여 다른 일을 돌아볼 겨를이 없음. ——-하다 [형][여불]
구:-사상【舊思想】[명] ①옛적 사상. ②묵어서 낡은 사상. 1)·2): ↔신사상.
구사쓰 온천【一溫泉】〔草津:くさつ〕[명]〖지〗일본 군마 현(群馬縣)의 시라네 산(白根山) 동쪽 기슭에 있는 온천. 황화 수소(黃化水素)·산성 명반(酸性明礬) 및 녹반(綠礬)을 함유하며, 온도는 54-64°C임.
구사 오단국【臼斯烏旦國】[명]〖역〗삼한(三韓) 시대에, 전라 남도 장성군(長城郡) 진원면(珍原面) 일대를 차지한 작은 나라. 마한(馬韓) 54국(國)의 하나로 백제 때의 구사 진혜현(丘斯珍兮縣)으로 추측됨.
구사 일생【九死一生】[一쌩][명] 죽을 고비를 여러 차례 겪고 겨우 살아남. 십생 구사(十生九死). ¶ ~으로 살아난 사람. ——-하다 [자][여불]
구사-종【俱舍宗】[명]〖불교〗팔종(八宗)·십종(十宗)·남도 육종(南都六宗)의 하나. 세친 보살(世親菩薩)을 종조(宗祖)로 하고 그의 저서 《구사론(俱舍論)》을 따른 소승(小乘) 불교. 이 종파에서는 일체 제법(諸法)을 오위(五位) 칠십오법(七十五法)으로 나누고, 아(我)는 공(空)이나 법(法)은 유(有)라고 하여, 이 법체(法體)는 삼세(三世)에 걸쳐 실유(實有)라고 함. 칠십오법을 대별하여 유위(有爲)·무위(無爲)로 구별하고 사제(四諦)의 이치를 관(觀)하고 아라한과(阿羅漢果)를 증(證)하여 열반(涅槃)에 들어감을 종지(宗旨)로 함. [준]구사(俱舍). *구사론.
구사-통 [명]〈방〉굴뚝(황해).
구사 하:가사【九四下加四】[명]〖수〗구귀가(九歸歌)의 하나. '아홉'으로 '넷'을 나눔에는, 그 '넷'을 몫으로 삼아 그대로 두고 나머지 '넷'을 그 아랫자리에 놓으라는 뜻. *구귀가.
구산¹【九山】[명] ①〖불교〗달마(達磨)의 선법(禪法)을 전래하여 그 문풍(門風)을 유지하여 온 아홉 산문(山門). 가지산(迦智山)·실상산(實相山)·동리산(桐裡山)·봉림산(鳳林山)·성주산(聖住山)·사자산(師子山)·희양산(曦陽山)·수미산(須彌山)·사굴산(闍崛山). 신라 말엽부터 고려 중엽까지 일컫던 '오교(五敎)'에 상대한 명칭임. *조계종(曹溪宗). ②중국의 아홉 명산. 《회남자(淮南子)》에는 회계(會稽)·태산(泰山)·왕옥(王屋)·수산(首山)·태화(太華)·기산(岐山)·태행(太行)·양장(羊腸)·맹문(孟門)이라 하였고, 《사기(史記)》에는 견(汧)·호구(壺口)·지주(砥柱)·태행(太行)·서경(西傾)·웅이(熊耳)·총(冢)·내방(內方)·기(岐)라고 하였음.
구:산²【口算】[명] 입으로 계산함. ——-하다 [타][여불]
구산³【丘山】[명] ①언덕과 산. 강만(岡巒). ②물건이 많이 쌓인 모양.
구산⁴【求山】[명] 묏자리를 구함. ——-하다 [자][여불]
구:산⁵【舊山】[명] ①오래 된 무덤 자리. ↔신묘(新墓). ②조상의 무덤이 있는 곳.
구산-대【丘山臺】[명] 높다랗게 쌓인 물건 더미.
구산-도【龜山徒】[명]〖역〗고려 사학(私學) 십이도(十二徒)의 하나. 개경(開京)의 구산(龜山)에 설립된 것 같음.
구산 선문【九山禪門】[명]〖불교〗달마 대사(達磨大師)의 선법(禪法)을 종지(宗旨)로 삼는 아홉 교파(敎派). *구산(九山).
구산 조사【九山祖師】[명]〖불교〗신라 말엽에 당(唐)나라에 유학하여 달마(達磨)의 선법(禪法)을 전래하여 구산을 각기 개창(開創)한 아홉 조사. 도의(道義)·홍척(洪陟)·혜철(惠哲)·현욱(玄昱)·무염(無染)·도윤(道允)·도헌(道憲)·이엄(利嚴)·범일(梵日).
구산 팔해【九山八海】[명]〖불교〗세계의 창조에 관한 불교의 신화. 수미산(須彌山)을 중심으로 하고 철위산(鐵圍山)을 밖으로 하여 그 사이에 일곱 개의 금산(金山)과 여덟 개의 바다가 있다고 함.
구살¹ [명]〈방〉〖동〗해삼(海蔘).
구살²【構殺】[명] 허구(虛構)의 사실을 날조하여 죄로 몰아 죽임. ——-하다 [타][여불]
구살³【毆殺】[명] 때려 죽임. 타살(打殺). ——-하다 [타][여불]
구살머리 [명]〈방〉핀잔.
구삼【九三】[명] 역괘(易卦)의 밑으로부터 세 번째의 양효(陽爻)의 이름. *구사(九四).
구삼 고사 현오【勾三股四弦五】[명]〖수〗직각 삼각형의 세 변의 길이의 비율. 구(勾)의 변의 길이가 셋, 고(股)의 길이가 넷이 될 때에는 현(弦)의 길이는 다섯이 된다는 말.
구:-삼국사【舊三國史】[명]〖역〗고려 때에, 김부식(金富軾)의 삼국사기(三國史記) 이전에 있었던 찬자(撰者) 미상의 사서(史書). 이규보(李奎報)의 동명왕편(東明王篇) 서(序)에 언급되어 있으나, 지금 전(傳)하지 않음.
구삼 하:가삼【九三下加三】[명]〖수〗구귀가(九歸歌)의 하나. '아홉'으

로 '셋'을 나눔에는, 그 '셋'을 몫으로 삼아 그대로 두고 나머지 '셋'을 그 아랫자리에 놓으라는 뜻. *구귀가.

구:상¹【口狀】명 ①진술한 바를 기록한 문서. ②말하는 모양.

구상²【臼狀】명 절구처럼 생긴 모양.

구상³【求償】명 ①배상 또는 상환(償還)을 요구함. 클레임(claim). ②〖법〗 타인을 위하여 변제(辨濟)를 한 자가 그 타인에 대하여 상환 청구를 함.

구상⁴【具象】명 구체(具體). ↔추상(抽象). ──하다 타여불

구상⁵【球狀】명 공같이 둥근 모양. 구형(球形).

구상⁶【鉤狀】명 갈고리와 같은 모양.

구상⁷【構想】명 ①생각을 얽어 놓음. 또, 그 얽어 놓은 생각. 구사(構思). ¶ 여러 모로 ~하다. ②〖예〗 예술 작품을 창작할 때, 그 내용·표현 형식 등의 구성(構成)을 생각하는 일. 플롯(plot). ──하다 타여불

구상⁸【毆傷】명 때리어 상처를 냄. ──하다 타여불

구상 개:념【具象概念】명〖논〗 구체 개념(具體概念).

구상 관절【球狀關節】명〖생〗 가동 관절(可動關節)의 하나. 어깨 관절과 같이 한쪽은 구상, 다른 한쪽은 와상(窩狀)으로 되어 서로 맞물려 있어 운동이 자유로움. 구와 관절(球窩關節).

구상-권【求償權】[─꿘] 명〖법〗 타인을 위하여 변제(辨濟)를 한 사람이 그 타인에 대하여 가지는 반환 청구의 권리. 연대 채무자(連帶債務者)의 한 사람·보증인·물상(物上) 보증인·저당 부동산의 제삼 취득자(第三取得者)의 변제와 같이 주로 타인의 채무를 변제할 때에 생김.

구상-균【球狀菌】명 구균(球菌).

구상-나무 명〖식〗[*Abies koreana*] 전나뭇과에 속하는 상록 침엽 교목(喬木). 잎은 침형(針形)인데 잎 뒤는 백색을 띰. 자웅 이가(雌雄二家)로 6월에 짙은 자색 꽃이 피고, 구과(毬果)는 녹갈색으로 9-10월에 익음. 산복(山腹) 이상에 나는데, 무등산(無等山)·전북의 덕유산(德裕山)·지리산·전남의 가지산(迦智山) 및 제주도 등에 분포하는 특산종임. 건축 및 상자 재료로 쓰이며 정원수로도 심음.

구상 단백질【球狀蛋白質】명 분자(分子)가 구(球)에 가까운 형상을 갖는 단백질. 생체내(生體內)에서의 생활 현상에 관여하는 단백질의 대부분은 이에 속하며, 알부민·글로불린·히스톤·프로타민 등과 많은 복합 단백질(複合蛋白質)이 있음. *섬유상(纖維狀) 단백질.

구상-도【構想圖】명 ①주제·표현 형식·제작 순서 따위를 계획적으로 진행시켜 마무리한 그림. ②아동화(兒童畫)의 하나. 구상에 따라 부분적인 스케치를 시켜 의식적(意識的)으로 구성한 그림. 흔히 고학년(高學年)의 공동 작업으로 행하여짐.

구상 명사【具象名詞】명〖언〗 구체 명사(具體名詞).

구상 무:역【求償貿易】명〖경〗 두 나라 사이에 그 수출 총액과 수입 총액의 균형이 취하여지도록 협정을 하고, 다액(多額)의 물품 매매가 되어도 그에 따른 금액의 지불을 필요로 하지 아니하도록 결정한 무역. 일반적으로 바터(barter) 무역제라는 것은 이런 무역 방식이며, 물품과 물품과의 교환 비율을 결정하여 교역하는 것임. 바터 시스템(barter system). 바터제(barter 制).

구상 보증【求償保證】명〖법〗 보증인이 주채무자(主債務者)에 대하여 가지는 구상권(求償權)을 담보하기 위한 보증. 곧, 보증인에 대한 주채무자의 상환 의무를 보증하는 것으로, 그 효력은 보통 보증과 다름없음.

구:상-서【口上書】명 [verbal note]〖정〗 외교상 상대국과 한 토의의 기록으로서 또는 문제를 제시(提示)하기 위하여 상대국에 제출하는 외교 문서. 자기 나라와 상대국을 모두 3인칭으로 호칭하고, 수신인명(受信人名)도 없으며, 서명(署名)도 하지 않음.

구상 선수【球狀船首】명 선수 아래쪽이 배수 용적(排水容積)을 많이 차지하도록, 단면의 모양으로 보아 그 아래쪽을 둥글게 만든 선수. 대형 고속선에 적합함.

구상-성【具象性】[─썽] 명〖철〗 구체성(具體性). ↔추상성.

구상 성단【球狀星團】명 [globular clusters]〖천〗 은하계(銀河系)의 주변부(周邊部)의 곳곳에 지름 100광년(光年)의 범위로 수만에서 수십만 개의 항성(恒星)이 구상으로 집단을 이룬 성단. 중심으로 갈수록 더 밀집(密集)해 있음.

구상 시세【求償時勢】명〖경〗 두 나라 사이의 지불 협정(支拂協定)에 있어서 결제(決濟)를 위하여 특정된 비율.

구:-상식【舊相識】명 오래 전부터 잘 아는 사이. 구지(舊知). 구식(舊識). 구면(舊面).

구상-암【球狀岩】명〖광〗 열변성(熱變成) 작용으로 결정질(結晶質) 암석 안에서 공 모양 구조를 이룬 암석. 무색(無色) 또는 유색(有色) 광물로 핵(核)을 이루고, 백색·흑색·녹색 등 일곱 빛깔과 광물띠가 양파처럼 둘러져 있는 아름다운 돌. 반려암(斑糲岩)·응회암(凝灰岩)·편마암(片麻岩)·화강암 등 16가지가 있음.

구상-어【具象語】명 형체를 갖춘 구체적인 것을 나타내는 말.

구상 예:술【具象藝術】[─네─] 명 형체가 있는 예술. 그림·조각·연극 따위. ↔추상 예술(抽象藝術).

구:-상유취【口尙乳臭】[─뉴─] 명 입에서 아직 젖내가 난다는 뜻으로, 언어와 행동이 유치함을 일컬음. ──하다 형여불

구상-적【具象的】명관 구체적(具體的). ↔추상적(抽象的).

구상적 개:념【具象的概念】명〖논〗 구체적(具體的) 개념.

구상적 개:념 명사【具象的概念名辭】명〖논〗 구체적 개념 명사.

구상적 명사【具象的名詞】명〖논〗 구체적 명사.

구:-상전【舊上典】명 옛 상전.

구상 절리【球狀節理】명 화성암에 발달한 공 모양의 절리(節理).

구-상태【球狀態】명 ①〖물〗 세빨갛게 단 금속판 위에 떨어진 물방울이 구상이 되어 유동(遊動)할 때, 잠시 동안은 증발되지 아니하고 그대로 구상을 유지하는 현상. 물방울 밑에서 생긴 수증기가 열에 대해서 부도체이기 때문에 일어나는 현상임. ②〖수〗 타원의 긴 지름 또는 짧은 지름을 축으로 하여 회전시킬 때 생기는 입체.

구상 풍화【球狀風化】명〖지〗 동심원상(同心圓狀) 또는 구면상(球面狀)의 변질 암석의 표면이, 암괴(岩塊)로부터 차례로 분리되는 풍화 작용.

구상-화¹【具象化】명 구체화(具體化). ──하다 자타여불

구상-화²【具象畫】명〖미술〗 실재(實在)하거나 또는 상상할 수 있는 사물(事物)을 사실적(寫實的)으로 표현하는 그림. ↔추상화(抽象畫).

구상 화:산【臼狀火山】명〖지〗 폭발성(爆發性)의 분화(噴火)에 의하여 생긴 화산. 산의 높이에 비하여 화구(火口)의 지름이 대단히 크며 얕은 원추형을 이룸. 호마테(Homate).

구상 흑연 주:철【球狀黑鉛鑄鐵】명 보통 엽편상(葉片狀)으로 존재하는 주철 중의 흑연의 모양을 구상화(球狀化)함으로써 기계적 성질을 향상시킨 주철. 각종 기계 부품 따위에 널리 쓰임.

구새¹ 명〖광〗 광석(鑛石) 새에 끼어 있는 산화된 딴 광물질(鑛物質)의 작은 알갱이.

구새² 명 ①↗구새통. ②〈방〉 굴뚝(함경).

구새(가) 먹다 ㉮ 살아 있는 나무의 속이 오래 되어 저절로 썩어 구멍이 뚫리다.

구새³ 명〈방〉 구재¹.

구새⁴【九塞】명〖지〗 '주자이'를 우리 음으로 읽은 이름.

구새-통 명 ①구새 먹은 통나무. ②나무로 만든 굴뚝. 본디는 구새먹은 나무로 하였음. 1)·2):㊗구새.

구색¹【求索】명 구하여 찾아 냄. ──하다 타여불

구색²【究索】명 연구하고 사색함. ──하다 타여불

구색³【具色】명 여러 가지 물건을 고루 갖춤.

구색(을) 맞추다 ㉮ 구색이 갖추어지게 하다. 「타여불

구색⁴【鉤索】명 ①깊은 이치를 탐구함. ②금속제의 갈고리. ──하다

구색 친구【具色親舊】명 각 방면으로 사람을 널리 사귐. 또, 그 친구.

구생¹【求生】명 생명의 안전을 구함. 살기를 원하여 구함. ──하다 자

구:생²【苟生】명 구차한 생활. 구차하게 삶. ──하다 형여불

구생³【俱生】명 ①함께 생김. ②〖불교〗↗구생기(俱生起). ──하다 자

구생⁴【舅甥】명 ①외삼촌과 생질. ②장인과 사위. 여불

구생-기【俱生起】명〖불교〗 몸이 생기는 것과 동시에 번뇌가 생기는 것을 이름. ㊗구생(俱生). ↔분별기(分別起).

구생-신【俱生神】명〖신〗 인도 신화의 신. 사람이 태어날 때부터 양어깨 위에 있어 항상 그 사람의 선악을 기록한다고 하는 남녀의 두 신. 남자 신은 왼쪽 어깨 위에 있어 선(善)을 기록하며, 여자 신은 오른쪽 어깨 위에 있어 악(惡)을 기록한다고 함. 지옥의 그림에서는 이 두 신은 염라 대왕의 양쪽에 있음.

구생-혹【俱生惑】명〖불교〗 구생기(俱生起)의 여러 번뇌. 선천적으로 갖고 있는 번뇌.

구서¹【九暑】명 여름 90일간의 더위.

구:서²【口書】명 ①붓을 입에 물고 쓴 글씨. ②구공(口供)을 적은 서류(書類). 「타여불

구서³【具書】명 글자의 획을 빼지 아니하고 전부 갖추어 씀. ──하다

구서⁴【狗鼠】명 ①개와 쥐. ②전하여, 인격이 비천한 사람. 좀도둑.

구서⁵【購書】명 서적을 구입함. ──하다 자여불

구:서⁶【舊棲】명 예전에 살던 집.

구서⁷【驅鼠】명 쥐를 잡아 없애는 일. 쥐잡기. ──하다 자여불

구-서당【九誓幢】명〖역〗 신라 때 군대의 이름. 녹금 서당(綠衿誓幢)·자금 서당(紫衿誓幢)·백금 서당(白衿誓幢)·흑금 서당(黑衿誓幢)·벽금 서당(碧衿誓幢)·적금 서당(赤衿誓幢)·청금 서당(靑衿誓幢)·황금 서당(黃衿誓幢)·비금 서당(緋衿誓幢)의 아홉 군영(軍營)이 있음. *당(幢)·서당(誓幢).

구-서목【具書目】명 보고서에 목록을 안동함. ──하다 자여불

구석¹ 명 [중세 : 구석←굿+억] ①모퉁이의 안쪽. ②밖에 드러나지 아니하고 한쪽으로 치우친 곳. 각우(角隅). ¶ 시골~/집 ~에 들어박히다/마음 한 ~.

구석² 명〈방〉 규석(鏐石).

구석³【九錫】명 천자(天子)가 특히 공로가 있는 사람에게 하사하던 아홉 가지 물품. 곧, 거마(車馬)·의복·악칙(樂則)·주호(朱戶)·납폐(納陛)·호분(虎賁)·궁시(弓矢)·부월(鈇鉞)·거창(秬鬯).

구석 건:넌방【─房】명 건넌방 뒤로 마루가 있고, 거기에 연결되어 있는 방.

구석-구석 부 이 구석 저 구석. 구석마다. ¶ ~ 먼지투성이.

구:-석기【舊石器】명〖역〗 홍적세(洪積世) 시대에 인류가 제작·사용한 뗀 석기.

구:석기 시대【舊石器時代】명〖역〗 석기 시대의 한 구분으로, 신석기 시대(新石器時代)에 앞서 구석기가 만들어진 시대. 구석기 및 골각기(骨角器)를 사용하며, 아직 토기(土器)를 만들지 아니하고 어렵(漁獵)에 의하여서만 식량(食糧)을 구하던 시대. 고석기(古石器) 시대. ↔신석기 시대.

구석-대기 명〈방〉 구석¹(전라).

구석-방【─房】명 집의 한 모퉁이에 있는 방.

구석-배기 명 썩 치우쳐 박힌 구석.

구석-장【─欌】명 방구석 한 모퉁이에 끼워 놓는 장. 대체로 이등변 삼각형으로 되었음.

구석-장이 명〈방〉 구석¹.

구석-쟁이 명〈방〉 구석¹(경기·충청).

구석지 명〈방〉 구석¹(충남·전남).

구석-지다 형 한쪽 구석으로 치우치다. ¶ 구석진 자리.

구:선【口宣】명 말로써 베풀어 아룀. 구술(口述). ──하다 타여불

구선왕도-고【九仙王道糕】명 구선왕도(九仙王道)떡.

구선왕도-떡【九仙王道─】명 연실(蓮實)·산약(山藥)·백복령(白茯苓)·의이(薏苡) 각각 넉 냥쭝과 백변두(白藊豆)·감인(芡仁) 각각 두 냥쭝, 곶감 시설 한 냥쭝, 설탕 스무 냥쭝, 멥쌀 가루 닷 되를 전부 한데 섞어서 찐 떡. 어린 아이의 암죽을 만드는 데와 늙은이에게 좋음. 구선

왕도고(九仙王道糕).

구:설¹【口舌】명 남의 입에 오르내리는 말. 시비하는 말. 비방하는 말.

구:설²【久泄】명 오래 된 설사(泄瀉). ⌊¶ ~수(數).

구:설³【舊說】명 이전에 제창된 설. 오래 된 설. ↔신설(新說).

구:설-복【口舌福】명 구설수(口舌數). ⌈(口舌福). ¶ ~가 들다.

구:설-수【口舌數】[一쑤] 명 남에게 구설(口舌)을 들을 운수. 구설복

구:설-창【口舌瘡】명〖한의〗입안과 혀가 헐어서 헤어지는 어린 아이

구설-초【狗舌草】명〖식〗수리취. ⌊의 입병.

구성¹【九成】명 황금(黃金)을 품질에 따라 10등(等)으로 나눌 때의, 제2등. 십성(十成)의 아래.

구성²【九星】명〖민〗①탐랑(貪狼)·거문(巨門)·녹존(祿存)·문곡(文曲)·염정(廉貞)·무곡(武曲)·파군(破軍)·좌보(左輔)·우필(右弼)의 총칭. 또는 북두 칠성과 두(斗) 옆의 존성(尊星)·제성(帝星)을 아울러 일컫는 말. 그 방위(方位)를 괘효(卦爻)에 배당하여 풍수(風水)·택일(擇日)의 길흉(吉凶)을 정함. ②풍수 지리에서, 산(山)의 모양을 하늘 위의 구성(九星)에 비하여 일컫는 말. ③구요성(九曜星)❶.

구성³【九城】명〖역〗고려 16대 예종 3년(1108)에 윤관(尹瓘)이 17만의 대군으로 함흥 평야의 여진족을 정벌하고 쌓은 아홉 개의 성. 곧, 함주(咸州: 咸興)·영주(英州)·웅주(雄州)·복주(福州)·길주(吉州)·공험진(公嶮鎭)·숭녕진(崇寧鎭)·진양진(眞陽鎭)·통태진(通泰鎭). 이로 인하여 여진족들은 생활 근거지를 잃어 무력으로써 대항하는 한편 강화(講和)를 요청하므로 고려에서는 구성을 철수하고 여진족의 조공(朝貢)을 받음.

구:성⁴【久成】명〖불교〗오랜 시간을 두고 닦아야만 불도를 깨달을 수 있다는 말.

구성⁵【構成】명 ①몇 가지 요소(要素)를 조립하여 하나로 만드는 일. 또, 그 결과. ②문예·음악·조형 예술·연극 따위 예술에서, 표현 상(表現上)의 소재(素材)를 독자적인 수법으로 조립·배열(配列)시키는 일. 특히, 회화(繪畫)·사진의 경우는 구도(構圖)라고 함. ──-하다 타여불

구:성⁶【舊姓】명 옛적 성. 일본 등 외국에서 여성이 결혼 전 친가(親家)에서 쓰던 성.

구성⁷【龜城】명〖지〗평안 북도 구성군(龜城郡)의 군청 소재지. 평북선(平北線)의 요역으로 농산물의 집산지임.

구성 개:념【構成槪念】명〖심〗과학적인 처리에 의하여 조작적(操作的)으로 만들어진 개념. 불변적인 실체 개념이 아니고 함수적 관계, 즉 법칙에 있어서 하나의 변수로서 정의될 수 있는 기능적인 개념임.

구성-거리다 자〈방〉술렁거리다. ¶성이 머리끝까지 나서 영창을 밀어 젖히고 한숨을 쉬어 가며 혼자 구성거리는데…《金宇鎭: 榴花雨》. 구성-구성 부. ──-하다 자

구성-군【龜城郡】명〖지〗평안 북도의 한 군. 북은 의주군(義州郡)·삭주군(朔州郡), 동은 태천군(泰川郡), 남은 정주군(定州郡)·선천군(宣川郡), 서(西)는 의주군에 접함. 쌀·콩·조·목화·고치 등의 농산과, 축산·공산·광산·수산 등이 남. 명승 고적으로는 진남루(鎭南樓)·약수(藥水)·굴암사(窟岩寺)가 있음. 군청 소재지는 구성(龜城). [1,242 km²]

구-성명【具姓名】명 성(姓)과 이름을 다 씀. ──-하다 자여불

구성 본능【構成本能】명〖심〗발달 본능의 하나. 어린 아이들이 조립 완구(組立玩具) 따위를 쌓아올려 무엇을 만들려는 본능.

구성 분지【龜城盆地】명〖지〗평안 북도 구성(龜城)을 중심으로 청천강(淸川江)의 지류인 천방강(川坊江)에 의하여 개석(開析)된 분지.

구성-비【構成比】명〖사〗구조적 비례수(構造的比例數).

구성 성분의 법칙【構成成分一法則】[一/一에一] 명〔component substances law〕〖화〗어떤 물질을 구성하고 있는 성분 물질은, 단일 물질이건 혼합 물질이건 간에, 재료 속의 다른 물질과 관계없이 특유한 성질을 나타낸다는 법칙.

구성 심리학【構成心理學】[一니一] 명〖심〗구성적 심리학.

구성 암석학【構成岩石學】명〖광〗암석의 여러 구조를 연구하고 그 형성의 기구를 해석하고자 하는 지질학의 한 분과.

구성-없다 [一업一] 형 격에 맞지 아니하다.

구성-없이 [一업씨] 부 구성없게. ¶밑천도 없어 가지고 ~ 덤벼들어 남 골탕먹이기 일쑤더니…《蔡萬植: 濁流》.

구성 요건【構成要件】[一뇨껀] 명〖법〗형법상 금지되는 행위를 유형화하여 규정한 법률 상의 개념. 이를테면 '사람을 죽인', '남의 재물을 훔친'과 같은 법률 상의 범죄 정형(定型)을 말함. 범죄가 성립하기 위하여는 먼저 행위가 이러한 구성 요건에 해당함을 요함.

구성 요소【構成要素】[一뇨一] 명 어떠한 사물을 짜 얽어 이루어 놓은, 없어서는 아니 될 필요한 성분.

구성-원【構成員】명 어떤 조직을 이루고 있는 인원.

구성 유희【構成遊戲】[一뉴히] 명 물건을 짜 맞춘다든가 구성하고 제작하는 것을 즐기는 놀이의 하나. 그림 그리기·공작(工作) 같은 창조적 활동이 가미된 것으로 두 살 때부터 초등 학교 때에 많이 함. *감각(感覺) 유희·수용(受容) 유희.

구성-은【九成銀】명 지은(地銀).

구성-적【構成的】명관 구성에 알맞은 모양.

구성적 범:주【構成的範疇】명〖논〗의식에서 독립하여 대상을 객관적으로 규정하는 범주. ↔반성적 범주(反省的範疇).

구성적 실업【構成的失業】명〖경〗구조적 실업.

구성적 심리학【構成的心理學】[一니一] 명〔structural psychology〕〖심〗티체너(Titchener, E. B.)가 19세기 의식주의의 심리학에 붙인 명칭. 여러가지 정신 상태 및 의식 경험(意識經驗)의 통일과 구조(構造)를 요소(要素)로 나누어 설명하려고 하는 심리학. 구성 심리학. 요소 심리학. 내용 심리학. ↔기능 심리학.

구성-주의【構成主義】[一/一이] 명〖예〗제1차 대전 후에 러시아에서 시작되어 독일 등 서유럽으로 발전해 간 추상 예술의 한 유파. 전위 예술, 특히 사실주의를 배격하고 주로 기계적 또는 기하학적 형태의 합리적·합목적적 구성에 의하여 새 형식의 미를 창조하려고 한 것으로, 미술·건축 분야(分野)에서 일어나, 문학에도 영향을 끼치었음.

구성-지다 형 천연덕스럽고 멋지다. ¶구성진 노랫소리.

구성-체【構成體】명 인과(因果) 관계에 의하여 빈틈없이 짜여진 방식.

구성-파【構成派】명〖미술〗20세기 초두에 구성주의적 경향을 띠고 조형 예술에 참가한 예술가들의 한 파.

구성 학파【構成學派】명〖철〗칸트 이후의 독일의 유심론자(唯心論者)인 피히테·셸링·헤겔 등의 학파. 철학적 사색(思索)의 특징이 사변적(思辨的), 즉 구성적(構成的)임.

구성-헌【九成軒】명 덕수궁(德壽宮) 안에 있는 전각(殿閣)의 하나.

구세¹ 명〖광〗해면(海綿)처럼 구멍이 숭숭 뚫린 광석(鑛石). 황동(黃銅)

구세² 명〈방〉뒷간(경남). ⌊에만 있음.

구세³ 명〈방〉구유¹(경남).

구-세⁴【區稅】명 지방세의 하나로, 구(區)가 부과·징수하는 세금. 보통세와 목적세의 두 가지가 있음. 보통세에는 면허세·재산세·종합 토지세가 있고, 목적세에는 사업소세가 있음. *특별시세.

구:세⁵【救世】명 ①세상 사람을 구함. ②〖종〗종교의 힘에 의하여 인류(人類)를 이 세상의 불행·죄악·결함에서 구원하여, 행복·선량·원만의 경지(境地)로 인도함. ──-하다 자여불

구:세⁶【舊歲】명 묵은 해.

구:-세계【舊世界】명〖지〗구대륙(舊大陸). ↔신세계.

구:세 관세음 보살【救世觀世音菩薩】명〖불교〗〔법화경(法華經)에 관음의 묘지(妙智)가 세상을 능히 구할 수 있다고 한 데서 나온 말〕'관세음 보살'의 이명(異名).

구:세-교【救世敎】명 '기독교(基督敎)'의 이칭(異稱).

구:세-군【救世軍】명〔Salvation Army〕〖기독교〗기독교의 한 파(派). 1865년에 영국 사람 부스(Booth, William)가 창시한 것으로서, 중생(重生)·성결(聖潔)·봉사(奉仕)를 중히 여기고 군대식 조직 밑에 민중 전도(傳道)와 사회 사업 등을 함. 한국에서는 1908년에 발족되었음.

구:세군 대:한 본영【救世軍大韓本營】명〖기독교〗우리 나라의 구세군을 통할하는 본부. 서울 특별시 중구 정동(貞洞)에 있음. 본영 밑에 서울·남서울·충서(忠西)·충청·충북·경북·경남·전라·서산(瑞山) 등 9개 지방 본영(本營)이 있음.

구:세군 만:국 본영【救世軍萬國本營】명〖기독교〗세계 각국의 구세군을 통할하는 본부. 영국 런던에 있음.

구:세군 사:관 학교【救世軍士官學校】명〖기독교〗구세군의 교육 기관. 군대식 조직 생활을 하며 사관생(士官生)들에게 구세군에 대한 종교 교육 및 사회 사업에 관한 것을 교육함. 남녀(男女) 공학이고 교내 교육은 2년간, 통신 교육이 3년간으로, 5년을 마치면 대위(大尉)로 임관됨.

구세기 명〈방〉구석¹(경상).

구:-세대【舊世代】명 옛 세대. 낡은 세대. ↔신세대.

구세 동거【九世同居】명 구대(九代)가 한 집 안에서 산다는 뜻으로, 집안이 화목(和睦)함을 이르는 말.

구:-세력【舊勢力】명 ①옛 세력. ②수구적(守舊的)인 세력.

구:세의 원통【救世一圓通】[一/一에一] 명〖불교〗구세 관세음 보살이 중생을 제도(濟度)하기 위하여 여러 가지 형태로 나타나서 원만·융통·무애(無礙)·자재(自在)하는 일.

구:세의 제천【救世一提闡】[一/一에一] 명〖불교〗대악(大惡) 불신(不信)한 사람까지도 구하는 구세 관세음 보살의 크나큰 자비(慈悲).

구:세 제:민【救世濟民】명 세상과 민생을 구제함. ──-하다 자여불

구:세-주【救世主】명 ①인류(人類)를 구제하는 사람. ②〖기독교〗모든 사람들을 악마와 죄악의 속박에서 구속(救贖)하는 '메시아', 곧 '예수'를 일컫는 말. 준주(主). *구주(救主). ③〖불교〗인간의 고충을 덜어 준 석가모니의 존칭(尊稱).

구:세주 대:림【救世主待臨】명〔라 Adventus〕〖천주교〗예수의 강림을 준비하고 기다리는 '장림(將臨)'의 바뀐 말. 성탄 전 4주일 동안.

구-세청【韭細靑】명〖미술〗청자(靑瓷)의 한 빛깔. 회청(灰靑)과 비슷함.

구소¹【九霄】명 하늘. 아주 멀거나 높은 곳의 비유로도 씀. 구천(九天). 층소(層霄). ¶그 원억한 기운이 ~에 사무치다.

구소²【灸所】명〖한의〗뜸을 뜰 수 있는 몸의 어느 국부(局部). 염혈(炎

구소³【球素】명〖화〗'글로불린(globulin)'의 역어. ⌊穴) 등.

구:소⁴【舊巢】명 ①새들의 옛 둥우리. ②오랜 옛 집.

구:-소설【舊小說】명〖문〗갑오 개혁(甲午改革) 이전에 나온 소설. 대부분이 비현실적인 공상(空想)의 세계를 표현하여 낭만 소설의 성격을 띰. 전기(傳奇) 소설·우화(寓話) 소설·애정 소설·역사 소설·영웅 소설·가정 소설 등 여러 주제의 유형성(類型性)을 지님. 고전(古典) 소설.

구속¹ 명〈방〉구석¹(제주). ⌊↔신소설.

구속²【九屬】명 구족(九族).

구속³【拘束】명 ①행동의 자유를 제한(制限)하거나 또는 속박함. ②〖법〗법원 또는 판사가 피의자(被疑者) 또는 피고인(被告人)을 구금(拘禁)하는 강제 처분(強制處分). 피의자 구속·피고인 구속·형의 집행을 확보하기 위한 구속으로 나눌 수 있으나, 피의자·피고인 구속의 경우는, 죄를 범하였다고 의심할 만한 상당한 이유가 있으며, 주거 부정(住居不定)·증거 인멸의 염려와 도망의 염려가 있을 때, 법원 또는 판사가 발부하는 영장에 의하여 행하여짐. *구금(拘禁)·구인(拘引). ③〔constraint〕〖공〗고체에 가로의 수축(收縮)을 제한하면서, 세로 장력(張力)을 가하는 일. ④〔constraint〕〖물〗계(系)가 자연적으로 가지고 있

는 자유도(自由度)에 대한 제한. 운동을 제한하는 것이 없다고 가정한 때의 자연(自然)의 자유도와 실제의 자유도의 차가 구속의 차원수(次元數)임. ——하다 타여불

구속⁴【拘俗】명 세속(世俗)에 얽매임. ——하다 자여불

구:속⁵【救贖】명〖기독교〗대속(代贖)하여 구원함. 죄악과 악마의 손에서 인류를 건지어 냄.

구속⁶【球速】명 야구에서, 투수가 던지는 공의 속도.

구:속⁷【舊俗】명 옛 풍속. 낡은 풍속.

구속 계:약【拘束契約】명〖법〗물자나 그 밖의 경제상 이익의 공급 계약에 있어서, 상대방에 대하여 다른 사람과의 거래를 하지 못하도록 구속적인 조건을 붙인 계약. 곧, 상대방이 다른 공급자나 고객과 거래하지 아니하고 자기하고만 거래한다는 것을 조건으로 하여 상대방을 구속하는 일.

구속-대기 명〈방〉구석¹(전라).

구속-력【拘束力】[—녁] 명〖법〗일정한 행위를 제한·강제하는 효력.

구속성 예:금【拘束性預金】[—네—] 명〖경〗어음 할인이나 대부를 할 때에, 융자 금액의 일부 또는 일정 비율을 예금으로서 금융 기관이 구속하는 예금. 양건 예금(兩建預金).

구속 시간【拘束時間】명〖사〗노동자가 정시(定時)에 직장에 들어가 정시에 직장에서 나올 때까지의 시간. ↔실동(實動) 시간.

구속 영장【拘束令狀】[—녕짱] 명〖법〗구속의 재판을 기재한 영장(令狀). 피의자·피고인 구속의 경우의 영장에는 피고인 또는 피의자의 성명·주거(住居)·죄명(罪名)·범죄 사실의 요지·인치(引致) 구금할 장소·발부 연월일·유효 기간 등을 기재함. 형의 집행을 확보하기 위한 구속의 경우의 영장에는 형의 선고를 받은 자의 성명·주거·연령·형명(刑名)·형기(刑期) 등을 기재함. 영장(令狀). *구속(拘束).

구속 적법 여:부 심사【拘束適法與否審査】명〖법〗적부 심사(適否審査).

구속 적부 심사【拘束適否審査】명〖법〗적부 심사(適否審査).

구속 전:하【拘束電荷】명〔bound charge〕〖물〗금속의 전도 전자(傳導電子)와 같은 자유 전자와는 달리, 원자나 분자에 구속되어 있는 전하.

구속-형【拘束形】명〖언〗어미 변화(語尾變化)의 하나. 뒤에 말할 사실에 꼭 매는 힘이 미치게 됨을 나타내는 어형(語形). '-면', '-어야' 따위. 매는꼴. ↔방임형(放任形).

구송¹ 명〈방〉구유¹(함경).

구:송²【口誦】명 소리 내어 욈. ——하다 타여불

구:송-시【口誦詩】명 ①글자로 옮겨지기 이전에 입으로 읊어 전하여지는 시. ②읊기에 적당한 시.

구:송-체【口誦體】명 운율(韻律)이 있어 소리 내어 외기 좋게 된 문체.

구:송체 소:설【口誦體小說】명〖문〗춘향전(春香傳) 등과 같이 운문체(韻文體)로 읽기 좋게 된 소설.

구숑 명〈옛〉꾸중. =구종. ¶미리 구숑 니보믈 젇느니(預畏被呵)≪永嘉下 71≫.

구수¹ 명〈방〉구유¹(경기·전라·충청).

구:수²【九數】명〖수〗구장 산술(九章算術).

구:수³【久囚】명 살인한 죄수가 결말이 나지 아니하여 오래 갇히어 있음.

구:수⁴【久修】명〖불교〗장구한 세월 동안 수행함. ——하다 타여불

구:수⁵【久嗽】명〖한의〗기침이 나기 시작하면 오랫 동안 그치지 아니하는 병의 증세. 만성(慢性)의 폐질환(肺疾患), 만성 기관지 질환의 총칭.

구:수⁶【口受】명 말로 전하여 줌을 받음. ——하다 타여불

구:수⁷【口授】명 말로 전하여 줌. ——하다 타여불

구:수⁸【口數】명 ①인구수(數). ②할당이나 분담이 돌아온 '구(口)'의 수. 몫의 수.

구수⁹【仇讐】명 원수(怨讐). ¶윤필상과 이목은 아주 ~간이다.

구수¹⁰【丘首】명〔여우는 죽을 때 살던 산 쪽으로 머리를 둔다는 말로〕①근본을 잊지 않음의 뜻. ②고향을 생각함의 뜻.

구수¹¹【丘嫂】명 맏형수.

구수¹²【拘囚】명 죄인(罪人)을 가둠. 또, 그 수인(囚人). 수금(囚禁). ——하다 타여불

구수¹³【寇讐】명 원수(怨讐).

구수¹⁴【鳩首】명 여럿이 머리를 맞댐. ¶~ 회의(會議).

구수¹⁵【蛷螋·蠷螋】명〖충〗①집게벌레❷. ②'그리마'를 잘못 일컫는 말.

구수¹⁶【驅水】명 배수(排水). ——하다 자여불

구수-닭[—닥] 명 얼룩점이 박힌 닭.

구수무레-하다 형여불 ☞구수하다. ¶구수무레한 냄새에 침이 돌다.

구:수 연:행【久修練行】명〖불교〗장구한 세월 동안 수행하여 그 일에 숙련됨. ——하다 자여불

구수-왕【仇首王】명〖사람〗백제의 제6대 왕. 초고왕(肖古王)의 장자(長子). 9년(222)에 제방(堤防)을 수축하여 농사를 장려하고, 신라 우두진(牛頭鎭)을 공격하였음. 귀수왕(貴須王). [재위 214-233]

구수 응의【鳩首凝議】[—/—이] 명 구수 회의(鳩首會議). ——하다 타여불

구수-자【構樹子】명〖한의〗저실(楮實).

구수 장치【驅水裝置】명 배수 장치(排水裝置)❷.

구:수-죽【口數粥】명 섣달 스무 닷샛 날 밤에 쑤어 먹는 붉은 팥죽. 그 때 밖에 나간 사람이라도 돌아오면 꼭 먹임.

구수지-간【仇讐之間】명 서로 원수로 지내는 사이.

구:수 축음기【口授蓄音器】명 딕터폰(dictaphone).

구수-하다 형여불 ①맛이나 냄새가 비위에 당기도록 좋다. ②말이 듣기에 그럴 듯하게 좋다. 1)·2): >고소하다. 구수-히 부

구수 회:의【鳩首會議】[—/—이] 명 여럿이 한자리에 모여 앉아 머리를 맞대고 의논함. 구수 응의(凝議). ——하다 타여불

구숙 명〈방〉구석¹(경상).

구:순【口脣】명 ①입과 입술. ②입술. ③〈궁중〉입. ④〖고고학〗입술².

구:순 각목 토기【口脣刻目土器】명〖고고학〗'골아가리 토기'의 구용어.

구:순-기【口脣期】명〔oral phase〕〖심〗프로이트가 성본능(性本能)의 발달을 정신 분석학적으로 나눈 한 기(期). 생후 약 1년간 젖을 빠는 입술의 활동이 생활의 중심이 되는 시기. *항문 성감(肛門性感).

구:순 성:격【口脣性格】[—껵] 명〔oral character〕〖심〗어린 아이의 정신적·성적 발달이 구순기(口脣期)를 지나 성장하여도, 그대로 구순기에 머물러 있는 사람의 성격. 이 성격의 소유자는 외계에 대한 태도·행동이 구순기의 유아의 그것과 동일하여, 수동적·의존적임. 구애적(口愛的) 성격.

구순-하다 형여불 의좋아 화목하다. 구순-히 부. ¶한두 사람이 피를 흘린들 무엇하리 하고 그저 구순하게 살아 왔습니다≪韓戊淑 : 역사는 흐른다≫.

구술¹ 명〈방〉구슬¹(경기·강원·충북·전남·경북).

구:술²【口述】명 말로 진술(陳述)함. 구연(口演). 구선(口宣). 구진(口陳). ——하다 타여불

구술³【灸術】명〖한의〗구치(灸治).

구술⁴【具述】명 상세히 진술함. ——하다 타여불

구:술 시험【口述試驗】명 구두 시험(口頭試驗).

구:술 제:소【口述提訴】명〖법〗구술로 소송(訴訟)을 제기함. 소액(少額)의 민사 사건을 간이(簡易)한 절차에 따라 신속히 처리하고자 할 때 함.

구:술 축음기【口述蓄音器】명 딕터폰(dictaphone).

구:술 투표【口述投票】명〖법〗투표 제도의 하나. 선거인의 구술에 의한 의사 표시에 따라 특정한 공직자를 선출하는 방법. 선거인의 수가 비교적 적은 선거에서 사용될 수 있음에 불과하며, 국가의 선거 제도로서는 거의 채택되고 있지 않음. *공개 투표.

구:술 필기【口述筆記】명 다른 이가 구술하는 것을 그 자리에서 받아쓰는 일.

구숭 명〈방〉구유¹(강원·함남).

구슈 명〈옛〉구유¹. =구슈. ¶구슈 조(槽)≪類合 上 27≫.

구:스〔Goes, Hugo van der〕명〖사람〗네덜란드의 화가. 반 아이크(Van Eyck)·바이덴(Weyden) 이후의 초기 네덜란드 회화의 대표적 화가로, 그 정세(精細)한 사실(寫實)과 신선한 구도는 같은 시대 화가들에게 큰 자극을 주었음. 만년에는 수도자 생활을 하면서 걸작을 남겼음. 대표작 ≪삼왕 예배(三王禮拜)≫. [1440?-82]

〈구스베리〉

구스다 형〈옛〉구수하다. ¶회홧고즐 구스게 니기 봇가(槐花炒香熟)≪救簡 Ⅰ:16≫.

구스베리〔gooseberry〕명〖식〗[*Ribes grossularia*] 범의귓과에 속하는 낙엽 소관목. 줄기 높이 약 1m. 많은 가시가 있으며, 봄에 흰 오판화가 피는데, 구상의 장과(漿果)가 황록색으로 익음. 유럽·서남 아시아·북아프리카의 원산(原産)으로 각지에서 재배함. 과실은 생식(生食) 또는 잼을 만들어 먹음.

구스타브 바사〔Gustaf Vasa〕명〖사람〗스웨덴 국왕. 바사 왕조(王朝)의 시조. 구스타브 아돌프의 조부. 덴마크 지배하에서 농민을 이끌고 반항, 독립을 회복하여 즉위함. 루터주의(Luther主義)에 의한 국교회(國敎會) 제도와 절대 왕정을 확립, 스웨덴 발전의 기초를 이룸. 구스타브 1세. [1496-1560; 재위 1523-60]

구스타브 아돌프〔Gustaf Adolf〕명〖사람〗스웨덴 국왕. '북방의 사자'로 불리어짐. 러시아·폴란드·덴마크와 싸워 발트해로 진출. 30년 전쟁에 개입, 독일 신교도를 원조하여 연승하고 뮌헨을 공략했으나 뤼첸(Lützen) 싸움에서 전사. 옥센셰르나(Oxenstjerna) 백작을 등용, 내정에도 힘써서 당시의 유럽 강대국을 건설함. 구스타브 2세. [1594-1632; 재위 1611-32]

구:슨스〔Goossens〕명〖사람〗①〔Eugène, G.〕벨기에의 오페라 지휘자. ❸의 할아버지. [1845-1906] ②〔Eugène, G.〕프랑스 보르도에서 태어난 영국의 오페라 지휘자. ❸의 아버지. [1867-1958] ③〔Eugène, G.〕영국의 음악 지휘가·작곡가. 1947년부터 52년까지 오스트레일리아의 시드니 교향 악단 지휘자로 있었음. [1893-1962]

구슬¹ 명 ①보석붙이로 둥글게 만든 물건. 꾸미개나 패물(佩物)로 쓰임. ②진주(眞珠). ③어린 아이들 장난감의 하나. 사기나 유리로 눈알만한 크기의 공처럼 만들었음. ¶~ 치기.

[구슬 없는 용] 여의주(如意珠) 없는 용처럼, 쓸데없고 보람없게 된 처지. ¶날개 없는 봉황이오 구슬 없는 용이로다. 물 없는 기러기오 꽃 없는 나비로다≪歌詞: 斷腸離別曲≫. [구슬이 서 말이라도 꿰어야 보배라] 아무리 훌륭하고 좋은 것이라도 매조지하여 완전히 끝을 내어야 귀하게 된다는 말.

구슬² 명〈방〉구실¹.

구슬³ 명〈방〉홍역(紅疫)(경북).

구슬⁴〔아랍 ghusl〕명〖이슬람〗예배에 앞서 온 몸을 목욕하는 일. 죽은 이를 접했을 때, 교접(交接), 월경(月經), 분만, 기타 특별한 더럽을 씻는 일. 대정(大淨).

구슬-감기[—끼] 명 →구슬갱기.

구슬 갓끈 명 구슬을 잇달아 꿰어 만든 갓끈.

구슬-갓냉이 명〖식〗[*Rorippa globosa*] 겨잣과에 속하는 다년초. 줄기 높이 60cm에 달하며, 잎은 호생 유병(有柄)인데, 피침형 또는 긴 타원형을 이룸. 5-6월에 황색 꽃이 총상(總狀) 화서로 줄기 끝과 가지 끝에 정생(頂生)하고, 삭과(蒴果)를 맺음. 산이나 들에 나는데, 한국 중부·북부 등지에 분포함.

구슬-갱기 명〔←구슬감기〕짚신 총갱기의 하나.

구슬-골무꽃 명〖식〗[*Scutellaria moniliorhiza*] 꿀풀과에 속하는 다년초. 줄기 높이 25cm 내외로, 잎은 대생하고 단병(短柄)인데, 긴 달걀꼴 또는 달걀꼴 피침형임. 7-8월에 홍자색 꽃이 엽액(葉腋)에 하나씩 피거나 대생하는데, 꽃부리는 긴 통상 순형(筒狀脣形)을 이루며, 수과(瘦果)를 맺음. 고산의 초지(草地)에 나는데, 한국 북부에 분포함.

구슬-구슬 부 밥이 알맞게 잘 되어 질지도 되지도 아니한 모양. >고슬고슬. ——하다 형여불

구슬-냉이 [―랭―] 명 〖식〗 애기냉이.
구슬-눈 [―룬] 명 〖식〗 구아(球芽).
구슬-댕댕이나무 명 〖식〗 [*Lonicera vesicaria*] 인동과에 속하는 낙엽 활엽 관목. 수(髓)는 백색이고, 잎은 달걀꼴 또는 넓은 달걀꼴임. 6월에 황색 꽃이 액생(腋生)하고, 둥근 과실을 맺는데 9월에 익음. 골짜기에 나는데, 강원·평남·함남북 등지에 분포함.
구슬-덩 명 오색(五色) 주렴(珠簾)으로 꾸민 덩.
구슬-땀 명 구슬같이 동글게 맺힌 땀방울. 주한(珠汗).
구슬려-대다 타 자꾸 구슬리다.
구슬리다 타 ①그럴 듯한 말로 남을 넌지시 꾀어 마음을 움직이다. ¶ 슬슬 구슬리어 솔깃하게 만들다. ②끝난 일을 가지고 이리저리 자꾸 생각하다.
　구슬려 내다 구 그럴 듯한 말로 남을 넌지시 꾀어 마음을 움직이어 내다.
　구슬려 삶다 [―삼따] 구 자꾸 구슬리어 마음이 솔깃하도록 만들다.
　구슬려 세다 구 자꾸 구슬려서 추어올리다.
구슬-발 명 주렴(珠簾)❶.
구슬-붕이 명 〖식〗 [*Gentiana squarrosa*] 용담과에 속하는 월년초. 줄기는 총생(叢生)하고 높이 약 3-8cm임. 잎은 대생하는데 밑의 잎 두세 쌍은 큰 피침형, 경엽(莖葉)은 작고 넓은 달걀꼴을 이루며 인편상(鱗片狀)임. 6-8월에 연보라색의 작은 종 모양의 꽃이 가지 끝에 피고, 삭과(蒴果)를 맺음. 들에 나는데, 한국 및 일본·동부 아시아에 분포함.
구슬 사탕 【―砂糖】 명 ☞알사탕.
구슬 양피 【―羊皮】 [―량―] 명 털이 동글동글하고, 곱슬곱슬하여 구슬 모양으로 말리어 오그라든 양털 가죽.
구슬-오이풀 명 〖식〗 [*Sanguisorba glabularis*] 짚신나물과에 속하는 다년초. 줄기 높이 1m 이상, 잎은 호생(互生) 유병(有柄)이며 기수 우상 복생(奇數羽狀複生)하고 소엽(小葉)은 6-13개인데, 선상(線狀) 타원형 또는 달걀꼴 타원형을 이룸. 8월에 자색의 꽃이 수상(穗狀) 화서로 핌. 고산에 나는데, 함남의 부전 고원(赴戰高原)에 분포함.
구슬-옥 【―玉】 명 〖고고학〗 가운데에 구멍이 뚫린 작은 공 모양의 옥(玉). 구옥(球玉). 환옥(丸玉).
구슬옥-변 【―玉邊】 명 한자의 변의 하나. '玖'나 '珍' 등의 '王'의 이름. *임금왕변.
구슬-우렁이 명 〖조개〗 [*Natica janthostoma*] 구슬우렁잇과에 속하는 우렁이의 한 가지. 패각(貝殼)의 높이·직경이 각각 40mm 내외의 구상(球狀)임. 각표(殼表)는 담갈색이며 체층(體層)에 희미한 백색 점의 띠가 두 개 있고, 각피(殼皮)는 황갈색이며, 입은 달걀꼴에 백색이며 내부에도 황색의 각피로 덮여 있음. 한국·일본·베링 해에 분포함. *큰구슬우렁이.
구슬-찌 명 공 모양의 낚시찌. 나무·플라스틱 등으로 만듦.
구슬-치기 명 ①땅에 놓은 유리 구슬을 다른 구슬로 맞혀서 따먹는 사내아이의 놀이. ②〈속〉 빠찡꼬.
구슬-파 【―派】 명 〖문〗 구슬같이 청량하고 동글동글한 말로 표현함을 창작 태도(創作態度)로 하는 파.
구슬프다 형 처량하고 슬프다. ¶ 구슬프게 울다.
구슬피 부 구슬프게. ¶ ～ 우는 벌렛소리.
구:습[1] 【口習】 명 ①입버릇. ②말버릇. ¶ 아무에게나 함부로 욕하는 것이 상없는 ～이지 무어요?
구:습[2] 【舊習】 명 옛날의 풍속과 습관. ¶ ～을 타파하다.
구:승[1] 【口承】 명 입에서 입으로 전하여 내려옴. ――하다 타여불
구승[2] 【狗蠅】 명 〖충〗 개파리.
구승[3] 【矩繩】 명 구묵(矩墨)❷.
구:승[4] 【舊升】 명 2리터들이 신승(新升)이 나오기 전에 쓰던 1.8리터들이 시승(市升)을 일컫는 말.
구:승 문학 【口承文學】 명 〖문〗 구승하여 내려오는 옛이야기를 문학으로서 일컫는 말. 전승(傳承) 문학.
구시[1] 명 〈방〉 구유[1](전라·경상·충청·함경).
구시[2] 명 〈방〉 구석[1].
구시[3] 【九寺】 명 〖역〗 중국의 진(秦)·한(漢) 시대 이후 남북조(南北朝) 시대까지 중앙 정부의 중심이 되던 9개의 주요한 정부 기관의 총칭. 곧, 태상시(太常寺), 광록시(光祿寺), 위위시(衛尉寺), 종정시(宗正寺), 태복시(太僕寺), 대리시(大理寺), 홍로시(鴻臚寺), 사농시(司農寺)·태부시(太府寺). *구경(九卿).
구:시[4] 【久視】 명 ①오래 삶. 불로 장생(不老長生). ②물끄러미 응시하는 일.
구시[5] 【仇視】 명 원수로 봄. 원수로 여김. ――하다 타여불
구:시[6] 【舊時】 명 왕시(往時). 「↔신시가(新市街).
구:-시가 【舊市街】 명 신시가(新市街)에 대하여 그전부터 있는 시가.
구:-시대 【舊時代】 명 옛 시대. ↔신시대(新時代).
구시라 【拘尸羅】 명 〖불교〗 석가(釋迦)가 입멸(入滅)한 곳.
구시렁-거리다 자 잔소리를 듣기 싫도록 자꾸 되씹어 하다. >고시랑거리다. 구시렁-구시렁 부. ――하다 자여불
구시렁-대다 자 구시렁거리다.
구시로 〔釧路:くしろ〕 명 〖지〗 일본 홋카이도(北海道) 동부의 도시. 수산 가공·제지·제재(製材) 등이 성함. [202,297명(1993)]
구시르다 타 〈방〉 구슬리다(경상).
구:시 심비 【口是心非】 명 말로는 옳다 하면서 마음속으로는 그르게 여김. ――하다 타여불
구시-월 【↑九十月】 명 구월과 시월.
【구시월 세(細)단풍】 ㉠구시월의 섬세하게 고운 단풍. ㉡당장 보기는 좋아도, 얼마 안 가서 흉하게 될 것을 비유하는 말.
구시-통 명 〈방〉 구유[1](전남).
구:-시화:지문 【口是禍之門】 명 입은 재앙을 불러 들이는 문이라는 뜻으로 말을 삼가야 한다는 말.
구식[1] 명 〈방〉 구석[1](경상).
구식[2] 【九式】 명 〖역〗 주대(周代)에 왕실의 재정을 절약(節約)하는 아홉 가지 조목. 곧, 제사(祭祀)·빈객(賓客)·상황(喪荒)·수복(羞服)·공사(工事)·폐백(幣帛)·추말(芻秣)·비반(匪頒)·호용(好用) 등의 각각의 지출액에 일정한 절도(節度)가 있고, 구부(九賦)로써 충당함.
구:식[3] 【口食】 명 목숨을 유지하기 위한 음식물.
구:식[4] 【求食】 명 먹을 것을 구함. ――하다 자여불
구식[5] 【救蝕】 명 〖역〗 조선 시대 의식(儀式)의 한 가지. 일식(日蝕)이나 월식(月蝕) 때 왕이 궁전 안뜰에 앉아서, 천변(天變)에 대하여 자숙하는 뜻을 표하던 일. 각 관아에서는 당상관(堂上官)과 낭관(郎官)이 각 한 사람씩 천담복(淺淡服)을 입고 기도를 올림. ――하다 자여불
구:식[6] 【舊式】 명 ①옛 격식. 그전 형식. 구격(舊格). ¶ ～ 혼인. ②옛 형(型). 옛 양식(樣式). ¶ ～ 양복. ③케케묵은 것. 시대에 뒤떨어진 것. ¶ ～ 생각. 1)-3):↔신식(新式). 「상식(舊相識).
구:식[7] 【舊識】 명 오랜 이전부터의 면식(面識). 구지(舊知). 구면(舊面). 구
구:식-쟁이 【舊式―】 명 구식을 지나치게 지키는 사람. 구식을 따르는 사람.
구:식지-계 【口食之計】 명 구복지계(口腹之計). ㄴ사람.
구신[1] 명 〈방〉 귀신(鬼神)(충남·전남·경상·평안·제주).
구신[2] 【具申】 명 정상(情狀)을 일일이 아뢰어 바침. ――하다 타여불
구신[3] 【具臣】 명 〖역〗 육사(六邪)의 하나. 단지 수효만 채우는 신하.
구신[4] 【狗腎】 명 〖한의〗 개의 자지. 음위증(陰痿症)과 대하증(帶下症)에
구:신[5] 【舊臣】 명 그전의 신하. 옛 신하. ㄴ씀. 엘레지.
구:-신경절 【口神經節】 명 〖생〗 연체(軟體) 동물의 구기(口器) 활동에 관계되는 신경 중추. 보통, 뇌신경절의 앞쪽이나 뒤쪽에 한 쌍 있음.
구신-맛 【狗腎―】 명 〖조개〗 긴맛.
구실[1] 명 ①〖역〗 공공(公共) 또는 관가의 일을 맡아 보는 직무. ②각종 조세(租稅)의 총칭. ¶ ～을 물다. ③제가 응당 하여야 할 일. 맡은 소임. ¶ 제 ～을 하다.
구실[2] 명 〈방〉 구슬(경상·경기·강원·충청·전북).
구:실[3] 【口實】 명 핑계 삼을 밑천. 변명할 재료. 탁언(託言). ¶ 아프다는 ～로 쉬다.
　구:실(을) 붙다 구 공연히 트집을 잡아 시비를 걸다. ¶ 복단 아비가 화풀이할 데가 없던 차에 또복이에게 구실을 붙는다 《李海朝:鬢上雪》.
　구:실(을) 삼:다 [―따] 구 구실로 하다. 핑계의 밑천으로 삼다.
구실-구실 부 〈방〉 구슬구슬(경상). ――하다 형
구실-길 [―낄] 명 〖역〗 구실아치가 공사(公事)로 가는 길.
구실르다 타 〈방〉 구슬리다(경상).
구실-바위취 명 〖식〗 [*Saxifraga octopetala*] 범의귓과에 속하는 다년초. 화경(花莖)의 높이 40cm 내외로, 원형(圓形)의 잎이 뿌리에서 총생(叢生)함. 7월에 둥근 녹백색의 꽃이 원추(圓錐) 화서로 피고 삭과(蒴果)를 맺음. 깊은 산에 나는데, 함남·함북 등지에 분포함.
구실-아치 명 〖역〗 각 관아(官衙)의 벼슬아치 밑에서 일을 보는 사람. ¶ 벼슬아치냐 ～냐? *아전(衙前).
구실-우럭 명 〖어〗 [*Epinephelus chlorostigma*] 농어과에 속하는 바닷물고기. 몸길이 45cm 가량, 몸빛은 암갈색 바탕에 몸과 지느러미에는 작은 원형 또는 다각형의 흑갈색 반점이 밀포되어 있음. 열대성 어종으로 한국의 전남·제주도와 일본 중부 이남·중국·대만·필리핀·인도양에서 홍해에 걸쳐 널리 분포함. 맛이 좋음.
구실-잣밤나무 명 〖식〗 [*Castanopsis cuspidata* var. *sieboldii*] 참나뭇과(科)에 속하는 상록 활엽 교목(常綠闊葉喬木). 난지산(暖地産)으로 줄기는 직립(直立)하며, 큰 것은 25m를 넘고, 직경이 1.5m에 달함. 수관(樹冠)은 둥글고 껍질은 흑회색, 잎은 2열생(列生)으로 유병 호생(有柄互生)하며 많은 지엽(枝葉)을 가짐. 6월경 길이 10cm 전후의 이삭 모양의 화수(花穗)가 나오는데, 향기가 짙고 자웅 동주(雌雄同株)의 충매화(蟲媒花)임. 길이 1.5cm 전후의 견과(堅果)는 원추상(圓錐狀) 달걀꼴을 이룸. 보통 정원수(庭園樹)로 쓰는 외에 목재로 이용하며, 백색의 자엽(子葉)이 있는 종자는 식용함. 산기슭에 나며 한국·일본·중국·하와이 등지에 분포함.
구-실재:아 【咎實在我】 명 남의 잘못이 아니고 자기의 허물이라고 자인(自認)하는 말.
구실ᄒᆞ다 자 〈옛〉 벼슬하다. ¶ 나ᄅᆞᆯ 구실ᄒᆞ노라 이셔 머리셰오 아ᄎᆞᆷ아ᄎᆞᆷ히 오직 醉ᄒᆞ야셔 ᄌᆞ오ᄂᆞ다 그듸의 닐오ᄆᆞᆯ 듣노라 (聞君話我爲官在頭白昏昏只醉眠)《杜諺 Ⅸ:27》.
구심[1] 【求心】 명 ①〖불교〗 참된 마음을 찾아서 참선(參禪)함. ②〖물〗 중심으로 향(向)하여 쏠리는 힘. 중심으로 당기는 작용.
구심[2] 【究審】 명 구찰(究察). ――하다 타여불
구심[3] 【疚心】 명 근심함. 걱정함. ――하다 자타여불
구심[4] 【球心】 명 구(球)의 중심.
구심[5] 【球審】 명 야구에서, 포수 뒤에서 볼(ball)·스트라이크(strike) 등을 분별하고, 경기의 진행을 주관하는 심판(審判).
구심 가속도 【求心加速度】 명 〔centripetal acceleration〕 〖물〗 등속(等速) 원운동을 하는 물체의 가속도. 가속도의 방향은 원의 중심을 향함.
구심-력 【求心力】 [―녁] 명 〔centripetal force〕 〖물〗 물체가 등속 원운동 또는 곡선 운동을 할 때에 그 중심을 향하여 작용하는 힘. 향심력(向心力). ↔원심력(遠心力).
구:-심리학 【舊心理學】 [―니―] 명 〖심〗 심리 현상을 과학적 실험적으

로 연구하기 이전의 심리학. 그 방법은 주로 철학적 사변적(思辨的)이며 정신의 본질(本質)을 천명하는 것을 목적으로 하였음.

구심-성【求心性】[—썽] 명〖생〗중추 내부 또는 중추 방향으로 이끌어 가거나 전달하는 성질. 특히, 신경과 혈관에 관하여 말함.

구심성 뉴:론【求心性—】[—썽—] 명 (afferent neuron)〖생〗자극을 신경 중추에 전달하는 신경 세포.

구심성 신경【求心性神經】[—썽—] 명〖생〗말초 신경으로부터 중추부(中樞部)에 자극을 전달하는 신경. 감각(感覺) 신경·반사(反射) 신경 등이 이에 속함. 감각(感覺) 신경. ↔원심성(遠心性) 신경.

구심 신경【求心神經】명〖생〗구심성 신경. ↔원심 신경(遠心神經).

구심 운:동【求心運動】명 중심을 향하여 쏠리는 물체나 정신의 운동.

구심-적【求心的】[—쩍] 명관 정신을 내면적(內面的)으로 깊이 파고들려는 경향이나 태도. 또, 그 모양.

구심-점【求心點】[—쩜] 명 ①중심으로 향하여 쏠리어 모이는 그 점. ②어떤 역할의 핵심적인 인물이나 단체 등을 비유적으로 일컫는 말.

구십【九十】수관 아흔. 「99번 팻말이 붙어 있음.

구십구번 창구【九十九番窓口】명 은행의 지로 창구(Giro 窓口)의 속칭.

구십오개조 논제【九十五個條論題】명〖종〗루터(Luther)가 1517년 10월 31일에 면죄부(免罪符)를 중심으로 한 신학 상의 문제를 써서 비텐베르크 성(Wittenberg 城) 교회 정문에 붙였던 아흔다섯 조목의 논제. 종교 개혁의 발단(發端)이 되었음.

구십육 외:도【九十六外道】[—뉵—] 명〖종〗인도에서, 불교를 제외한 96파(派)의 종교. 불교의 정도(正道)에 대한 말임.

구십 춘광【九十春光】명 ①봄의 석 달 구십 일 동안. ②노인(老人)의 마음이 청년같이 젊음을 이름.

구씨【舅氏】명 외숙.

구씨-관【歐氏管】명〖생〗유스타키오관(管). 「25〉.

구술 명〈옛〉구슬. ¶ 뎌 구술 뀔리아 이바(那賣珠兒的有麼)《朴解 下

구슈 명〈옛〉구유¹. =구수·귀요·구쉬. ¶ 물 구슈(馬槽)《字會 中 12》.

구쉬 명〈옛〉구유¹. =구수·귀요·구슈. ¶ 구쉬 력(櫪)《字會 中 19》.

구아¹【球芽】명〖식〗백합과 식물의 엽액(葉腋)에 생기는 흑자색의 둥근 눈. 땅에 떨어지면 싹이 남. 구슬눈.

구아²【歐亞】명〖지〗구라파(歐羅巴)와 아세아(亞細亞).

구:아³【舊痾】명 오랫동안 낫지 아니하는 병.

구아노(guano) 명 해조(海鳥)의 똥이 해안의 암석 위에 쌓여 변질된 덩어리. 인비료(燐肥料)로 쓰며 구아닌의 원료로도 씀. 페루·칠레 서해안에 많이 생김. 조분석(鳥糞石). 분화석(糞化石).

구아노신 (guanosine) 명〖화〗퓨린계(purine系) 뉴클레오티드의 하나. RNA를 가수 분해하면 얻어지는 침상(針狀) 결정. [$C_{10}H_{13}O_5N_5$]

구아노신-삼인산【—三燐酸】명 (guanosine triphosphate)〖화〗구아노신의 리보오스에 인산이 3분자 결합한 뉴클레오티드. RNA합성의 직접 전구(前驅) 물질. 신호 전달, 미소관(微小管) 형성 등에 관여함. 약칭: 지 티 피(GTP).

구아니딘 (guanidine) 명〖화〗무색 흡습성(無色吸濕性) 결정의 화학 약품. 강염기성(強塩基性)으로 공기 중에서 탄산 가스를 흡수함. 설파민에 첨가되어 설파 구아니딘을 만듦. [CH_5N_3]

구아닌 (guanine) 명〖화〗핵단백질(核蛋白質)의 분해 산물. 물고기의 비늘, 양서류(兩棲類)의 색소 세포(色素細胞), 포유류의 간장이나 췌장 등에 함유되어 있음. [$C_5H_5ON_5$]

구아닐-산【—酸】명 (guanylic acid)〖화〗리보핵산을 구성하는 뉴클레오티드(nucleotide)의 하나. 말린 표고버섯을 물에 불릴 때 나오는 감미로운 성분으로서 이것의 나트륨염(塩)은 조미료로 사용됨. 구아노신(guanosine) 1인산(燐酸).

구아슈 (프 gouache) 명〖미술〗①물·아라비아 고무·꿀 등으로 용해(溶解)한 진하고 불투명한 수채화용 호분 채료(胡粉彩料). 또, 그 화법(畫法). ②고무 수채화(水彩畫).

구아 식물구계【歐亞植物區系】명〖식〗북대(北帶)에 속하는 식물구계의 하나. 아시아의 대부분과 유럽 중부를 차지하는 지역으로, 물참나무·황철나무·단풍나무 등의 여름철의 녹수(綠樹)와 전나무·소나무 등의 침엽수가 많음. *중앙 아시아 식물구계·한대(寒帶) 식물구계.

구아야콜 (도 Guajakol) 명〖약〗과이어콜.

구아 잡종【歐亞雜種】명 유라시안(Eurasian). 「(Eurasia).

구아-주【歐亞洲】명〖지〗구라파와 아시아 두 주(洲)의 통칭. 유라시아

구:악¹【舊惡】명 ①전에 저지른 죄악. ②전날의 사회적인 여러 가지 악습이나 병폐. ¶ ~을 일소(一掃)하다.

구:악²【舊樂】명〖악〗아악(雅樂) 등과 같은 옛 음악.

구:악-설【口惡說】명〖불교〗말을 잘못하여 짓는 죄. 망언(妄言)·기어(綺語)·양설(兩舌)·악구(惡口) 등. 「다 형여불

구:안¹【久安】명 오랫동안 편안함. ¶ ~하시다니 반갑습니다. ——-하

구:안²【口案】명 말한 대로 적어 놓은 글이나 책. 구공서(口供書).

구안³【具案】명 ①초안(草案) 같은 것을 세움. ②일정한 수단 방법을 갖

구안⁴【具眼】명 안식(眼識)이 있음. 「춤. ——-하다 자여불

구:안⁵【苟安】명 한때의 편안함을 꾀함. ——-하다 자여불

구안 교:수【構案敎授】명〖교〗프로젝트법(project 法).

구안-마【具鞍馬】명 안장을 갖춘 말.

구안-법【構案法】[—뻡] 명〖교〗프로젝트법(project 法).

구:안 와사【口眼喎斜】명〖한의〗입과 눈이 한쪽으로 비뚤어져 쏠리는

구안-자【具眼者】명 안식(眼識)이 있는 사람. 「병. 준와사(喎斜).

구-안장【具鞍裝】명 말에 안장(鞍裝)을 갖춤. ——-하다 자여불

구안지-사【具眼之士】명 안식이 있는 선비. 「하다 자여불

구:안 투생【苟安偸生】명 일시적 편안을 탐하여 헛되이 살아 감. ——

구암-산【九巖山】명〖지〗경상 북도 청송군(青松郡) 부남면(府南面)과 영일군(迎日郡) 죽장면(竹長面) 사이에 위치하는 산. 태백 산맥의 남단을 이룸. [807 m]

구:-압물【舊押物】명〖역〗조선 시대 때, 외국에 보내는 예폐(禮幣)의 호송(護送)을 맡아 보던 사역원(司譯院)의 한 벼슬.

구:앙¹【久仰】명 (오랫동안 존경하였다는 뜻) 초면 인사(初面人事)에서 쓰는 말. ——-하다 타여불

구앙²【咎殃】명 재앙(災殃).

구애¹【九閡】명 하늘 끝. 하늘 밖. 천외(天外).

구애²【求愛】명 이성(異性)의 사랑을 구(求)함. ——-하다 자여불

구애³【拘礙】명 거리낌. ¶ 작은 일에 ~하지 아니하다. ——-하다 자여불

구:애적 성:격【口愛的性格】[—껵] 명〖심〗구순 성격(口脣性格).

구:액【口液】명〖생〗침¹.

구야【九野】명 ①옛날 중국에서, 하늘을 아홉 방위(方位)로 나눈 호칭. 구천(九天). ②구주(九州)의 들. 구주(九州). ③(중국 전토(全土)의 뜻에서 전(轉)하여) 천하(天下).

구야-국【拘耶國】명〖역〗①'가야(伽耶)'의 별칭. ②경상 남도 김해(金海) 지방에 있었던 변한(弁韓) 소국 중의 하나.

구야²【狗耶】명〖역〗가야(伽倻).

구야-국【狗倻國】명〖역〗'가야(伽倻)'의 별칭.

구:약¹【口約】명 구두(口頭)로 하는 약속. ——-하다 타여불

구:약²【救藥】명 구료(救療). ——-하다 타여불

구약³【蒟蒻】명〖식〗구약나물.

구:약⁴【舊約】명 ①옛 약속. 오래된 약속. 구요(久要). ②〖기독교〗예수가 나기 전에 하느님이 사람들에게 했다는 약속. ↔신약(新約). ③〖성〗↗구약 성서(聖書).

구약-구【蒟蒻球】명 구약나물의 구경(球莖).

〈구약나물〉

구약-나물【蒟蒻—】명〖식〗[*Amorphophallus konjac*] 천남성과에 속하는 다년초. 땅 속에 큰 구경(球莖)이 있으며 높이 1 m 가량이고, 근생엽(根生葉)은 장상 복엽(掌狀複葉)임. 여름에 자갈색의 잔 꽃이 큰 불염포(佛炎苞)를 가진 육수(肉穗) 화서로 꽃줄기 위에 핌. 인도 및 실론 원산(原産)으로, 중국·한국·일본 등지에서 재배함. 구경(球莖)은 '구약구'라고 하는데 곤약을 만들어 식용하고, 방적용·사무용·제지용·방수용(防水用)의 점착제(粘着劑)의 풀로 씀. 곤약(菎蒻). 구약(蒟蒻).

구약-분【蒟蒻粉】명 구약구(蒟蒻球)를 말리어 곱게 빻은 가루. 끈기가 많으므로 옷감이나 종이 등을 붙이는 풀을 만들며 공기 주머니·방수포(防水布) 등의 도료(塗料)로 또는 곤약(菎蒻)을 만드는 재료로 씀.

구:약 성:서【舊約聖書】명〖성〗성서의 일부로, 하느님이 예수 그리스도를 보내기 전까지 이스라엘 민족과 맺은 구원의 약속이 담긴 모세오경. 역사서·문학서·예언서들로 이루어졌으며, 총 39권임. 구약 전서(舊約全書). 준구약(舊約). ↔신약 성서.

구:약 시대【舊約時代】명〖기독교〗여호와가 천지를 창조한 후부터 예수가 나기까지의 율법(律法) 시대. ↔신약(新約) 시대.

구:약 외:전【舊約外典】명 구약 성서에 수록되어 있지 않은 경외(經外) 성서의 하나. 모두 14편인데, 구약 시대와 신약 시대의 중간 시대에 씌었으며, 그리스어(語) 성서에 들어 있음. *신약 외전.

구:약 전서【舊約全書】명〖성〗구약 성서(舊約聖書).

구양¹ 명〈방〉구멍(함남·경남). 「은 하늘. 구천(九天)의 끝.

구양²【九陽】명 ①해. 태양. ②해가 뜨는 곳. ③순수한 양기(陽氣). ④넓

구양-수【歐陽修】명〖사람〗중국 송(宋)나라의 문인·정치가. 호는 취옹(醉翁) 또는 육일 거사(六一居士). 당송 팔대가(唐宋八大家)의 한 사람. 왕안석(王安石)의 개혁에 반대하고 정계에서 은퇴하였음. 편저(編著)《오대사기(五代史記)》·《구양 문충공집(歐陽文忠公集)》등이 있음. [1007-72]

구양-순【歐陽詢】명〖사람〗중국 당(唐)나라의 서가(書家). 자는 신본(信本). 글씨를 왕희지(王羲之)에게 배워 해서(楷書)의 모범이 되었음. 초당 삼대가(初唐三大家)의 한 사람. 작품《구성궁 예천명(九成宮醴泉銘)》등이 있음. [557-641]

구:어¹【口語】명〖언〗보통 대화에 쓰는 말. 입말. ↔문어(文語).

구어²【句語】명〖언〗완전한 하나의 문장(文章)의 뜻을 갖추지 못하는 한 구절의 말. 귀어(句語). 「(文語文).

구:어-문【口語文】명〖언〗구어체(口語體)로 쓴 글. 입말글. ↔문어문

구어-박다 ㊀자 사람이 한군데서 아무 변동을 못하고 지내다. ㊁타 ①사람이 한군데서 아무 변동을 못하고 지내게 하다. ②쐐기를 불길을 쐬어서 박다. ③이자 놓는 돈을 한데 잡아 두어 늘리지 아니하다.

구어-박히다 피동 구어박음을 당하다.

구어보다 타〈옛〉굽어보다. ¶ 窟穴을 구어보니《蘆溪》.

구-어안사【拘於顔私】명 사귀던 사사로운 정의(情誼)에 끌림. ——-하다 자여불 「一致體). ↔문어체(文語體).

구:어-체【口語體】명〖언〗구어로서 쓴 글체. 입말체. 언문 일치체(言文

구언¹【丘言】명 구리지언(丘里之言).

구언²【求言】명 임금이 신하(臣下)의 바른 말을 구함. ——-하다 타여불

구:언³【苟言】명 구차스러운 말. 임시 방편의 말.

구:업¹【口業】명〖불교〗삼업(三業)의 한 가지. 입으로 짓는 죄업.

구:업²【舊業】명 ①예로부터 모은 재산. ②전부터 행하여 온 사업.

구에 명〈방〉진흙(경북).

구에르치노 (Guercino) 명〖사람〗이탈리아의 화가. 본명은 Giovanni Francesco Barbieri. 카라치(Carracci)의 영향을 받았으나, 후에 카라

바조풍(風)의 명암(明暗)이 강하고 양감(量感)이 풍부한 작풍(作風)으로 바뀌어 비라 루도비시의 벽화 등 구수한 작품을 그림. 후에, 레니(Reni)의 영향을 받아 색채·형체가 온화한 작품으로 옮김. [1591-1666]

구엔-조 【一朝】〔베트남 阮〕 명 〖역〗 베트남 최후의 왕조. 1802년 구엔푹안(阮福映)이 타이손당(黨)의 난(亂)이 있은 후에 세움. 후에(Hue: 順化)에 도읍하여 캄보디아·라오스를 병합, 제2대 명명제(明命帝) 때 중앙 집권제를 확립하여 베트남 역사상 최대의 제국(帝國)이 됨. 19세기 중엽부터 프랑스의 침략으로 1883년 아르망(Harmand) 조약에 따라 보호국이 되었다가 1887년 인도차이나 총독의 통치하에 놓이게 되었고, 1945년 8월의 혁명으로 제13대 황제 바오다이가 퇴위, 왕조는 멸망하였음. 완조(阮朝).

구엘포-당 【一黨】〔Guelfo〕 명 〖역〗 '겔프(Guelf)당'의 이탈리아어(語) 이름.

구여¹ 【九如】 명 ①〔≪시경(詩經)≫의 천보(天保)의 시에 아홉 개의 여(如)자가 있다는 데서〕 송축(頌祝)의 말. ②〖사람〗 청(淸)나라 사람 만보(滿保)의 자(字).

구:여² 【救與】 명 시여(施與). ——-하다 타여불

구:-여성 【舊女性】 명 신식 교육을 받지 못한 여성. ↔신여성(新女性).

구역¹ 명 〈방〉 구석¹(충남·제주).

구역² 【九域】 명 중국 전토(全土). 구주(九州).

구역³ 【九譯】 명 아홉 번이나 통역(通譯)을 거듭하여야만 언어(言語)가 통할 수 있다는 뜻으로, 몹시 먼 나라를 일컫는 말. 중구역(重九譯).

구역⁴ 【狗疫】 명 개가 앓는 돌림병.

구역⁵ 【區域】 명 갈라 놓은 지역(地域). 구(區). 구우(區宇). ¶ 보호 ～.

구:역⁶ 【遘逆】 명 배반(背叛). ——-하다 타여불

구역⁷ 【嘔逆】 명 메스꺼워 토할 듯한 느낌. 욕지기. 구역(이) 나다 구 욕지기(가) 나다.

구:역⁸ 【舊譯】 명 ①구래(舊來)의 번역. ②〖불교〗 현장(玄奘) 삼장(三藏) 이전의 불전(佛典)의 한역(漢譯).

구역⁹ 【驅役】 명 구사(驅使). ——-하다 타여불

구:-역사학파 【舊歷史學派】 명 〖경〗 로셔(Roscher)·힐데브란트(Hildebrand, B.) 등을 대표로 하는 전기(前期)의 역사학파. 경제를 정치사·법제사(法制史)·문화사(文化史) 등과 결부시켜 연구하여, 각국 국민의 비교 연구 및 국민사의 연구에 의한 국민 경제의 역사적 발전을 밑받침하고 있는 본질적인 원칙을 발견하려는 역사적·생물학적 방법을 제창하였음. ↔신(新)역사학파.

구역-증 【嘔逆症】 명 속이 불편하여 느글느글한 증세(症勢).

구역-질 【嘔逆一】 명 욕지기를 하는 짓. ——-하다 자여불

구역 통신망 【區域通信網】 명 〔local area network : LAN〕 대학·공장 구내 등 비교적 좁은 지역에 분산된 컴퓨터·단말기·대용량 기억 장치·프린터·플로터·모니터 기기·전화기 등을 연결하는 컴퓨터 통신망. 랜.

구:연¹ 【口演】 명 구술(口述). ——-하다 타여불

구:연² 【久延】 명 오래 끎. ——-하다 자타여불

구연³ 【枸櫞】 명 〖식〗 레몬(lemon).

구연⁴ 【球宴】 명 올스타전(戰)처럼, 스타 선수들이 모여서 벌이는 야구 경기. ¶ 꿈의 ～.

구:연⁵ 【舊緣】 명 옛날에 맺은 인연. 고연(故緣).

구연-과 【俱緣果】 명 〖불교〗 과일의 일종. 레몬 종류로 모과 비슷한데, 공작 명왕(孔雀明王)이 손에 들고 있다고 함.

구:연 동:화 【口演童話】 명 어린이들을 상대로, 입으로 사연을 베풀어 들려주는 동화.

구:연-부 【口緣部】 명 〔mouth〕 〖고고학〗 아가리❸.

구연-산 【枸櫞酸】 명 〖화〗 '시트르산(酸)'의 구칭.

구연산 구리 【枸櫞酸一】 명 〖약〗 '시트르산(酸) 구리'의 구칭.

구연산 나트륨 【枸櫞酸一】〔도 Natrium〕 명 〖화〗 '시트르산(酸) 나트륨'의 구칭.

구연산-철 【枸櫞酸鐵】 명 〖약〗 '시트르산철(酸鐵)'의 구칭.

구연산철 암모늄 【枸櫞酸鐵一】〔ammonium〕 명 〖화〗 '시트르산철(酸鐵) 암모늄'의 구칭.

구연산철-주 【枸櫞酸鐵酒】 명 〖약〗 '시트르산철주(酸鐵酒)'의 구칭.

구연산철 퀴닌 【枸櫞酸鐵一】〔quinine〕 명 〖약〗 '시트르산철(酸鐵) 퀴닌'의 구칭.

구연산 칼륨 【枸櫞酸一】〔라 kalium〕 명 〖화〗 '시트르산(酸) 칼륨'의 구칭.

구:-연세월 【苟延歲月】 명 근근히 세월을 보냄. ——-하다 자여불

구연-유 【枸櫞油】〔一뉴〕 명 구연피(枸櫞皮)로부터 채취한 담황색의 기름. 향미료(香味料)로 사용함.

구:연-증 【口軟症】〔一쯩〕 명 〖한의〗 어린 아이가 말을 똑똑히 못 하는 병증. 어지증(語遲症).

구연-피 【枸櫞皮】 명 레몬(lemon)의 껍질. 구연유(油)를 짜냄. 향기와 쓴 맛이 있는데, 건위약(健胃藥)·교취제(矯臭劑)로 씀.

구-연학 【具然學】 명 〖사람〗 개화기의 소설가. 1908년 일본 개화기의 소설가 스에히로 뎃초(末廣鐵腸)의 원작 소설 ≪설중매(雪中梅)≫의 내용을 당시 한국의 현실에 맞게 번안하였는데, 대표적인 사회 소설의 하나로 개화기 소설에 큰 영향을 주었음. 생몰년 미상.

구열¹ 【九列】 명 구경(九卿)의 지위(地位).

구:열² 【口熱】 명 입 속의 더운 기운. 입 안의 열기.

구:-열대구 【舊熱帶區】〔一때一〕 명 〖생〗 구대륙(舊大陸)의 열대 지방을 주로 한 생물 지리구(地理區)의 하나. *동양구(東洋區).

구:열대 동:물구계 【舊熱帶動物區系】〔一때一〕 명 〖동〗 동물 지리구계의 하나. 열대 동남 아시아·사하라 사막 이남의 아프리카·마다가스카르 등지를 포함함. 식물 지리구에서의 구열대구와 서반(西半)이 일치되나 뉴기니가 오스트레일리아 구계(區系)에 포함되는 것이 다름.

구:열대 식물구계 【舊熱帶植物區系】〔一때一〕 명 〖식〗 식물 지리구계(植物地理區系)의 하나. 케이프 지역(Cape 地域)을 제외한 북위 20° 이남의 아프리카 대륙·마다가스카르·아라비아의 일부, 히말라야 지역을 제외한 인도 대륙, 스리랑카·미얀마·중국 남부·류큐(琉球)·대만·뉴기니·필리핀·말레이 군도·인도네시아 등지가 포함됨. 기후적으로는 열대 강우림 및 사바나가 주체이며, 거기에 생육하는 특징적 식물 또는 그 근연성(近緣性)에 의하여 구계역(區系域) 및 구계구(區系區)로 나뉨.

구:염 【口炎】 명 〖의〗 구내염(口內炎).

구:염 오속 【舊染汚俗】 명 오래 전부터 배어 든 더러운 풍속.

구영¹ 명 〈방〉 구멍(경상·강원·함경).

구영² 명 〈방〉 구유¹(경기·충북·경남).

구-영³ 【仇英】 명 〖사람〗 16세기 전반에 활약한 중국 명(明)대의 화가. 자는 실부(實父). 호는 십주(十洲). 장쑤 성 태창(太倉) 사람. 화풍이 정세치밀(精細緻密)함. 남송(南宋) 화원(畫院)의 주밀체(周密體)와 이공린(李公麟)·조맹부(趙孟頫)의 선묘 양식(線描樣式)을 따른 고전파로서, 인물·불상·누각(樓閣)·산수 등에 매우 능함. 생몰년 미상.

구영⁴ 【句嬰】 명 ①옛날 중국 북쪽에 있던 나라 이름. 그 나라 사람은 모두 등이 굽고 키가 작았음. ②키가 작고 등이 굽은 사람.

구영⁵ 【構營】 명 구성하여 경영함. ——-하다 타여불

구영뎅이 명 〈방〉 구석¹(전북).

구-영자 【鉤纓子】 명 〖역〗 벼슬아치의 갓의 갓끈을 다는 데에 쓰는 물건. 모양은 두 끝이 길고 꼬부라져서 'S'자와 비슷함. 보통은 은(銀)으로 만들고 종이품 이상은 도금(鍍金)한 것을 사용하였음. 귀영자. 준영자(纓子).

구예¹ 〈옛〉 귀에. '귀'의 처격형(處格形). ¶ 훈번도 구예 디내디 아니ᄒᆞ며 ≪飜小 Ⅸ:3≫.

구예² 【求譽】 명 명예를 구함. ——-하다 자여불

구예³ 【垢穢】 명 때가 묻어 더러움. ——-하다 형여불

구오¹ 【九五】 명 ①역괘(易卦)의 밑에서 다섯째의 양효(陽爻)의 일컬음. ②〔역학(易學)에서 구는 양(陽), 오는 군위(君位)에 배정(配定)하므로 생긴 말〕 천자(天子)의 지위. 임금의 자리.

구:오² 【舊誤】 명 과거의 잘못. 오래 된 잘못.

구:-오대사 【舊五代史】 명 〖책〗 이십오사(二十五史)의 하나로, 중국 후오대(後五代)의 역사를 기록한 책. 송(宋)나라의 설거정(薛居正) 등이 칙명을 받들어 태조(太祖) 개보(開寶) 7년(974)에 완성함.

구오 사미 【驅烏沙彌】 명 〖불교〗 삼사미(三沙彌)의 하나. 7세부터 13세까지의 어린 중.

구오지-위 【九五之位】 명 천자(天子)의 지위.

구오지-존 【九五之尊】 명 '구오지위(九五之位)'의 경칭.

구오 하:가오 【九五下加五】 명 〖수〗 구귀가(九歸歌)의 하나. 5를 9로 나눌 때에는 그 5를 몫으로 삼아서 그대로 두고, 나머지 5를 그 아랫 자리에 놓으라는 뜻.

구:옥¹ 【球玉】 명 〖고고학〗 '구슬옥'의 구용어.

구:옥² 【舊屋】 명 ①고옥(古屋). ②전에 살던 집.

구온-주 【九醞酒】 명 전국술.

구와-가막사리 명 〖식〗 [*Bidens maximowicziana*] 국화과에 속하는 일년초. 줄기 높이 30-80cm이고, 잎은 대생하며 유병(有柄)에 우상 심렬(羽狀深裂)하고 열편(裂片)은 달걀꼴 피침형 또는 선형(線形)임. 8월에 황색의 두상화(頭狀花)가 가지 끝에 정생하고 수과(瘦果)를 맺음. 물가의 습지에 나는데 함남의 부전 고원에 분포함. 어린 잎은 식용함.

구와 관절 【球窩關節】 명 〖생〗 구상 관절(球狀關節).

구와-도 【狗臥島】 명 〖지〗 전라 남도의 서해안(西海岸), 영암군(靈岩郡) 삼호면(三湖面) 용당리(龍塘里)에 위치한 섬. [0.03km²]

구와-말 명 〖식〗 [*Ambulia sessiliflora*] 현삼과에 속하는 다년생의 수초(水草). 줄기 높이 10-20cm이고, 잎은 각 마디에서 3-6개씩 윤생(輪生)함. 8-9월에 홍자색의 꽃이 액출(腋出)하고 삭과(蒴果)는 구형(球形)임. 연못이나 수전(水田) 및 습지에 나는데, 경남·경기·황해·함남 및 함북 등지에 분포함.

구와-장지 명 〈방〉 구화장지.

구와-취 명 〖식〗 [*Saussurea ussuriensis*] 국화과에 속하는 다년초. 줄기 높이 60-90cm이고 밑의 잎은 장병(長柄)에 타원형, 꼭대기 잎은 무병(無柄) 또는 유병(有柄)에 피침형 또는 선형임. 8-9월에 홍자색 통상화(筒狀花)가 방상(房狀) 화수로 총생하며 과일은 수과(瘦果)임. 깊은 산에 나는데, 한국 각지 및 중국·우수리·일본 등지에 분포함. 어린 잎은 식용함.

구완 명 〔←구원(救援)❸〕 병구완·해산 구완 등의 통칭. ——-하다 타여불

구:왕 【舊王】 명 옛 임금.

구:-왕궁 【舊王宮】 명 조선 시대의 궁전. 또, 그 왕실. *구황실(舊皇室).

구외¹ 명 〈옛〉 관청(官廳). =구위². ¶ 프른닌 구외 소곰 굽는 닛비치로다 (靑者官鹽烟)≪杜諺 Ⅰ:18≫.

구외² 【構外】 명 큰 건물 등의 울의 밖. ↔구내(構內).

구:외 불출 【口外不出】 명 말을 입 밖에 내지 않음. 비밀(祕密)을 지킴. ——-하다 자여불

구외 전:화 【構外電話】 명 큰 건물에서 전화국 교환대를 통하여 외부와 통화하는 전화. ↔구내 전화. *국선(局線).

구:요 【久要】 명 옛날의 약속. 오래 된 약속. 구약(舊約).

구요-성 【九曜星】 명 〖민〗 ①낙서(洛書)의 수(數)에 응(應)한 아홉 개의 별. 곧, 일백(一白)·이흑(二黑)·삼벽(三碧)·사록(四綠)·오황(五黃)·육백(六白)·칠적(七赤)·팔백(八白)·구자(九紫)임. 구성(九星). ②고대 인도의 복점(卜占)에 사용된 아홉 개의 별. 일(日)·월(月)·화(火)·수(水)·목(木)·금(金)·토(土)의 일곱 별과 나후(羅睺)·계도(計都) 두 별을 가한 것임.

구:용¹ 【苟容】 명 비굴하게 남의 비위를 맞춤. ——-하다 자여불

구용²【鉤用】명 채택하여 씀. ——하다 자타여불

구우¹【九牛】명 ①아홉 마리의 소. ②많은 소. ¶ ~ 일모(一毛).

구:우²【久雨】명 장마.

구우³【丘隅】명 언덕의 모퉁이.

구우⁴【求友】명 벗을 구함. ——하다 자여불

구우⁵【求雨】명 기우(祈雨). ——하다 자여불

구우⁶【區宇】명 구역(區域).

구:우⁷【舊友】명 사귄 지 오래 된 친구. 옛 친구. 고우(故友). 구붕(舊朋).

구-우⁸【瞿佑】명 〖사람〗 중국 명(明)나라 때의 문인. 자는 종길(宗吉). 호는 존재(存齋). 저장(浙江) 성 첸당(錢塘) 출생. 국자감(國子監)의 조교수, 왕부(王府)의 우장사(右長史)를 역임하고, 후에 시화(詩禍)로 인하여 산시(陝西) 북변에 유배(流配)당하였음. 괴담(怪談) 단편집 《전등 신화(剪燈新話)》·《영물시(詠物詩)》·《귀전 시화(歸田詩話)》 등이 있음. [1347-1433]

구:우⁹【懼憂】명 두려워하고 근심함. ——하다 자여불

구우니다 자 〈옛〉 굴러다니다. =구으니다·그우니다. ¶ 사도(邪道)의 더레요물 수이 맛나 구우녀 ᄣ러디니(易遭邪染宛轉零落)《楞嚴 Ⅰ:37》.

구우룸 자 〈옛〉 구름. '구울다'의 명사형. ¶ 報應이 無盡ᄒᆞ ᄠᅳ디 술윗ᄢᅵ 구우룸 ᄀᆞᆮᄒᆞᆯᄇᆞᆯ기니라(明報應無盡義如車輪轉)《圓覺 上 20》.

구우리다 타 〈옛〉 굴리다. ¶ 돌ᄒᆞᆯ 구우려(轉石)《重杜諺 Ⅱ:4》.

구우실 명 〈옛〉 구실¹. ¶ 구우실ᄒᆞᄂᆞᆫ ᄠᅳ데 다시 믈ᄀᆞᆺ이 머루믈 아ᄂᆞ니(吏情更覺滄洲遠)《杜諺 Ⅺ:20》.

구우 일모【九牛一毛】명 썩 많은 가운데서 매우 적은 것을 일컫는 말.

구운 두부【—豆腐】명 두부를 얇고 넓게 썰어서 양념을 발라 구운 반찬. ㊀군두부.

구운 만두【—饅頭】명 기름에 지져 낸 만두. ㊀군만두.

구운-몽【九雲夢】명 〖책〗 조선 숙종 때, 김만중(金萬重)이 지은 국문 소설. 남해(南海)에 귀양가서 홀어머니를 위로하고자 지었다 함. 곧, 성진(性眞)이 여덟 선녀(仙女)와 함께 인간으로 환생(還生)하여 입신 양명하고 부귀·영화를 마음껏 누리다가 깨고 보니 꿈이었다는 줄거리.

구운-밤 명 불에 구워 낸 밤. ㊀군밤.

구운-빵 명 불에 구워 만든 빵. ㊀군빵. ↔찐빵.

구운-석고【—石膏】명 〖화〗 소석고(燒石膏).

구운-흙 [—혹] 명 소토(燒土).

구울【漚鬱】명 향기(香氣)가 대단한 모양. ——하다 형여불

구울다 자 〈옛〉 구르다. ¶ 구을 면(轉)《類合 上 3》. 「다 자여불

구움-일 [—닐] 명 구움판에 재목을 넣고 말리는 일. ㊀굼일. ——하

구움-판 명 재목을 말리기 위하여 굽는 구덩이. ㊀굼판.

구워 박다 자타 ☞구어박다.

구워 박히다 피동 ☞구어박히다.

구워 삶다 [—삼따] 타 구슬려서 말을 듣게 하다. 삶다.

구원¹【九原·九京】명 ①'묘지(墓地)'의 이칭(異稱). ②구천(九泉).

구:원²【久遠】명 아득하고 멀고 오램. 무궁함. ¶ ~의 여상(女像). ——하다 형여불 ——히 부

구원³【仇怨】명 원수(怨讎)❶. 「(菜蔬)밭.

구원⁴【丘園】명 언덕에 있는 화원(花園). 또, 과수원(果樹園)이나 채소

구:원⁵【救援】명 ①도와 건져 줌. 원구(援救). ¶ ~의 손길을 뻗다. ②〖기독교〗 인류를 죄악과 고통과 죽음에서 건져 냄. 사탄의 마력(魔力)에서 건져 내어 천국(天國)에 가게 함. ③→구완. ——하다 타여불

구원⁶【構怨】명 원한을 맺음. ——하다 자여불

구:원⁷【舊怨】명 오래 전부터 품고 있는 원한(怨恨).

구:원-겁【久遠劫】명 〖불교〗 지극히 멀고 오랜 과거의 때.

구:원 노비【久遠奴婢】명 여러 대(代)를 내려오면서 하는 종.

구:원-대【救援隊】명 구원하기 위해 파견되는 부대 또는 일군(一群)의

구:원-병【救援兵】명 구원하는 병사. ㄴ사람들.

구:원-불【久遠佛】명 〖불교〗 지극히 오랜 옛날부터의 부처. 곧, 아미타여래(阿彌陀如來).

구:원 소방차【救援消防車】명 큰 불이 났을 때 건조물의 파괴, 방어선(防禦線)의 설정 또는 일반 화재 때에 장애물의 제거, 건물에 깔린 인명(人命)의 구출 등을 주임무로 하는 특수한 소방 자동차. 윈치(winch)나 크레인(crain)을 장비함. *조명(照明) 소방차·화학(化學) 소방차.

구:원-자【救援者】명 구원하여 주는 사람.

구:원 투수【救援投手】명 야구에서, 투수를 구원하여 등판(登板)하는 일. 또, 그 투수. 릴리프(relief).

구월【九月】명 한 해의 아홉째 달. 초가을의 달. 구추(九秋).

구월 대:학살【九月大虐殺】명 〔September massacre〕〖역〗 1792년 9월 프랑스 혁명 당시 정권을 잡고 있던 자코뱅 당(Jacobin 黨)이 국내 태세의 정비를 이유로, 루이 16세를 반혁명죄로 처형하고 지롱드 당(Gironde 黨)을 거세하기 위하여 반혁명파를 대량으로 숙청한 사건. 구월 학살.

구월-산【九月山】[—싼] 명 〖지〗 황해도 신천군(信川郡) 용진면(用珍面)에 있는 산. 단군(檀君)이 은퇴한 '아사달(阿斯達)'이 이 산이라 함. [954 m]

구월산-대【九月山隊】[—싼—] 명 〖역〗 1920년 황해도 구월산에서, 이명서(李明瑞)·이근영(李根永)·박기수(朴基洙) 등이 조직한 무장 항일(武裝抗日) 단체. 관공서를 습격하는 등 활약하다 밀고를 당해, 같은 해에 해산됨.

구월 산맥【九月山脈】명 〖지〗 황해도 서부에 위치한 소규모의 산맥. 해안의 강령(康翎)에서 시작하여 북으로 달리다가 바다로 빠짐. 구월산이 솟아 있음.

구월 학살【九月虐殺】명 〖역〗 구월 대학살.

구 웨이쥔〔顧維鈞〕명 〖사람〗 중화 민국의 외교관. 콜롬비아 대학 졸업. 철학 박사. 외교부장·각국 공사를 거쳐 1919년 파리 평화회의 대표, 1945년 샌프란시스코 회의 대표로 활약, 1946년 주미 대사(駐美大使), 1957년 이후 국제 사법 재판소 판사가 됨. 구미(歐美)에서는 웰링턴 쿠(Wellington Koo)라는 이름으로 널리 알려짐. 고유균. [1888-1985]

구위¹ 명 〖역〗 구이². 「(官作旣有程)《杜諺 Ⅰ:18》.

구위² 명 〈옛〉 관청(官廳). =구의¹. ¶ 구위예서 지유미 ᄒᆞ마 限ㅣ 이실시

구위³【九圍】명 〖역〗 구주(九州)❶.

구위⁴【球威】명 야구에서, 투구(投球)의 위력.

구:위⁵【救危】명 위급한 것을 구함. ——하다 자여불

구위실 명 〈옛〉 구실¹. ¶ 구위실 마로미 ᄯᅩ 사ᄅᆞᄆᆞ로 브테어놀(罷官亦由人)《杜諺 Ⅹ:29》.

구 위안¹〔古元〕명 〖사람〗 현대 중국의 목각(木刻) 화가. 광둥(廣東) 사람. 루쉰 예술 학원(魯迅藝術學院)에서 수학. 중앙 미술 학원 판화과(版畫科) 교수를 지냄. 그의 목판화(木版畫)는 선(線)을 주로 한 평명(平明)한 작품으로 농민 생활을 묘사함. 고원. [1919-]

구위안²〔沽源〕명 〖지〗 중국 허베이 성(河北省) 최북부의 구위안 현(沽源縣)의 현청 소재지. 롼장(灤江) 강의 상류인 상두 강(上都江)의 동안(東岸)에 위치함. 북동은 둬룬(多倫), 남서는 장자커우(張家口)로 통하는 자동차 도로의 요지로 축산물·약재료(藥材料) 등의 집산지임. 고원. [210,000명(1982)]

구윗문 명 〈옛〉 관가(官家)의 문. ¶ 구윗문에 이슈믄 져고 므레 이슈미사 하도다(少在公門多在水)《初杜諺 XV:46》.

구윗몰 명 〈옛〉 관가(官家)의 말. ¶ 구윗ᄆᆞᆯ 구위예 도로 보내요ᄆᆞ로브터(自從官馬送還官)《初杜諺 XV:40》.

구윗집 명 〈옛〉 관청 집. ¶ 구윗지비 寂靜ᄒᆞ더 히 臨ᄒᆞ얏ᄂᆞ니(日臨公館靜)《杜諺 XVI:45》.

구유¹ 명 〔중세 : 구싀, 근대 : 구슈〕 말이나 소의 먹이를 담아 주는 그릇. 큰 나무 토막이나 큰 돌의 한 쪽을 파내어 만듦. 사조(飼槽). 죽통.

〈구유¹〉

구유²【九有】명 〖역〗 구주(九州)❶.

구유³【九乳】명 ①종(鐘)의 위쪽에 있는 아홉 개의 사마귀 모양의 돌기물. ②'종(鐘)'의 별칭(別稱).

구유⁴【九幽】명 구지(九地)의 땅 속. 대지(大地)의 밑. 나락(奈落). 지옥(地獄).

구유⁵【具有】명 갖추어 있음. ——하다 형여불

구:유⁶【舊遊】명 ①옛날에 놀던 일. ②지난날에 같이 놀던 동무.

구유전 뜯다 자 남에게 돌보아 주기를 청하다.

구유크〔Güyük〕명 〖사람〗 '귀유(貴由)'의 몽고식 이름.

구육¹【狗肉】명 개고기❶. ¶ 양두(羊頭) ~.

구:육²【救育】명 구하여 양육함. ——하다 타여불

구율¹【彀率】명 ①화살이 과녁에 맞는 표준. ②규칙의 범위.

구:율²【舊律】명 옛적 규율.

구융 명 〈방〉 구유¹(충북·경기·강원·전남·경상).

구으니다 자 〈옛〉 굴러다니다. =구우니다·그우니다. ¶ 五道애 구으녀 사라오며 주거가매(流轉五道 生來死去)《牧訣 24》.

구으러디다 자 〈옛〉 거꾸러지다. 넘어지다. ¶ 구으러디다(倒了)《老朴單字解 3》.

구은¹【九垠】명 ①구주(九州)의 끝. ②천지(天地)의 끝. 구천(九天)의 끝.

구은²【九隱】명 〖역〗 고려 말기, 아호(雅號)에 '은(隱)'자를 가진 아홉 학자. 곧, 목은(牧隱) 이색(李穡)·포은(圃隱) 정몽주(鄭夢周)·야은(冶隱) 길재(吉再)·도은(陶隱) 이숭인(李崇仁)·송은(松隱) 박천익(朴天翊)·성은(成隱) 김대윤(金大尹)·동은(桐隱) 이재홍(李在弘)·휴은(休隱) 이석주(李錫周)·만은(晩隱) 홍공재(洪公載)를 가리킴.

구은³【求恩】명 ①은혜를 구함. ②〖천주교〗 은총(恩寵)을 기구(祈求)함.

구:은⁴【舊恩】명 전에 입은 은혜. ㄴ——하다 자여불

구을다 자 〈옛〉 구르다. ¶ 구을 면(轉)《石千 20》.

구을-도리 [—또—] 명 〈방〉 굴도리.

구을리다 타 〈옛〉 굴리다. ¶ 뎌 발빠당에 노하 구을리고(放在他脚心上轉)《朴解 中 1》/발뜽에 구을리고(脚背上轉)《朴解 中 1》.

구을-방울 명 〖역〗 격구(擊毬)하는 동작의 한 가지. 도돌방울을 하고 이어서 귀견줌하여 왼편으로 돌아, 또 할흉(割胸)하고, 두 번째 치니매기를 하고 나서, 다시 공 던진 곳에 이르러 공을 뜨는 동작. 전령(轉鈴). *귀견줌.

구:음¹【口音】명 ①구강(口腔)에만 기류(氣流)를 통하여서 내는 소리. ↔비음(鼻音). ②〖악〗 국악(國樂)에서, 피리·대금·장구 등의 악기의 특징적인 음(音)을 본떠서, 양악(洋樂)의 계명(階名)처럼 입으로 소리내어 읽도록 정한 음의 이름. 또, 그 이름을 써서 채보(採譜)하는 방법.

구:음²【口吟】명 ①읊조림. ②말을 더듬음. ——하다 자여불

구:음³【久淫】명 오래 놂. 오랫동안 머묾. ——하다 자여불

구음⁴【謳吟】명 ①노래를 부름. ②구가(謳歌). ——하다 자여불

구:음 살풀이【口音煞—】명 〖악〗 시나위 가락을 구음(口音)으로 부르는 연주 양식. 또는 그 곡 이름. 짜임새가 보통 살풀이 장단으로 되어 있음.

구음 장애【構音障礙】명 〖의〗 말을 하는 데 필요한 여러 근육의 기능 장애에 의하여 일어나는 언어(言語) 장애. 중요한 것은 연수(延髓)의 장애에 의한 것으로, 진행성 구마비(進行性球痲痺)·연수 출혈의 경우임.

구:읍【舊邑】명 예전에 그 고을의 관아(官衙)가 있던 동네.

구의¹ 명 〈옛〉 관청. =구위²·구이⁴. ¶ 구의 관(官)《字會 中 7》.

구의²【九疑】[—/—이] 명 창오(蒼梧).

구의³【句義】[—/—이] 명 글귀의 뜻.

구의⁴【柩衣】[—/—이] 명 출관할 때 관(棺) 위에 덮는 긴 보자기.

구의[5] 【垢衣】 [—/—이] 명 때묻은 옷.
구의[6] 【擂衣】 [—/—이] 명 옷을 걷어 듦. ——-하다 자여불
구:의[7] 【舊衣】 [—/—이] 명 낡은 의복.
구:의[8] 【舊儀】 [—/—이] 명 옛적의 의식.
구:의[9] 【舊誼】 [—/—이] 명 지난 날에 친하게 지내던 정의(情誼).
구:의[10] 【舊醫】 [—/—이] 명 〈속〉 한의(漢醫). ↔신의(新醫).
구의쭝 명 〈옛〉 관사(官司). ¶ 구의쭝 어려운 일 잇거든(有官司災難)≪朴解 上 25≫.
구의 화음 【九一和音】 [—/—이—] 명 〖악〗 칠(七)의 화음(和音) 위에 삼도(三度)를 더 겹친 화음.
구의흐다 자 〈옛〉 송사(訟事)하다. ¶ 구의흘 송(訟)≪字會 下 32≫.
구읫나기은 명 〈옛〉 관가의 은(銀). ¶ 구읫나기은(官銀)≪譯語 下 1≫.
구읫자 명 〈옛〉 나라에서 만든 자. ¶ 구읫자 흐로는 스믈여둛자히오(尺裏二丈八)≪老乞 下 25≫.
구이[1] 명 〔←굽-+-이〕 고기나 생선에 갖가지 양념을 하여 구운 음식. 구(炙).
구이[2] 명 〖역〗 정승(政丞).
구이[3] 명 〈방〉 구유[1](경상).
구이[4] 명 〈옛〉 관청(官廳). =구의[1]. ¶ 집안히 쇡쇡흐야 구이ᄀ 곧더라(家中凜如公府)≪二倫 31≫.
구이[5] 【九二】 명 〖민〗 역괘(易卦)에서, 밑에서부터 두 번째의 양효(陽爻)의 이름. *구오(九五).
구이[6] 【九夷】 명 〖역〗 옛날, 중국에서 부르던 동쪽의 아홉 오랑캐. 곧, 견이(畎夷)·간이(干夷)·방이(方夷)·황이(黃夷)·백이(白夷)·적이(赤夷)·현이(玄夷)·풍이(風夷) 및 양이(陽夷). 구족(九族).
구:이[7] 【口耳】 명 ①입과 귀. ②들은 것을 그대로 말하는 일.
구이[8] 【鉤餌】 명 낚시에 단 미끼. 낚싯밥.
구이[9] 【糗餌】 명 마른 밥. 제사 때 변(籩)에 담는 제물(祭物)의 하나임.
구이 가마 명 선술집 같은 데에서 구이를 만드는 가마. 그 둘레에 서서 술을 마시며 구이를 집어 먹음.
구:이-경지 【久而敬之】 명 길이길이 공경함. ——-하다 타여불
구이린 〔桂林〕 명 〖지〗 중국 광시장족(廣西壯族) 자치구 동북부의 군사·교육의 도시. 샹구이 철도(湘桂鐵道) 연변에 위치하여 상공업이 성하고 후난(湖南) 남부 지방의 농산물의 집산지이며, 부근에는 명승지가 많음. 계림. [364,130 명(1990)]
구이샹 산지 【一山地】 〔桂湘〕 명 〖지〗 중국 남부 윈구이 고원(雲貴高原) 북동에 가로놓인 산지. 서쪽은 위안장(沅江) 강, 동쪽은 샹장(湘江) 강의 골짜기로 격해 있으며, 후난 성(湖南省)의 대부분과 광시(廣西)·광둥 성에까지 미침. 양쯔 강(揚子江)과 시장(西江) 강 수계(水系)의 분수계(分水界)를 이루고 있음. 계상 산지.
구:이신-왕 【久爾莘王】 명 〖사람〗 백제(百濟) 제19대 왕. [재위 420-427]
구이쑤이 〔歸綏〕 명 〖지〗 〔구이화(歸化)·쑤이위안(綏遠)의 두 성(城)을 병합한 이름〕 중국 내몽고 자치구의 주도 '후허하오터(呼和浩特)'의 구명. 귀수.
구이양 〔貴陽〕 명 〖지〗 중국 구이저우 성(貴州省)의 성도(省都). 전성(全省)의 중심부로 공로가 사방으로 통하고 정치·경제·교통의 중심지임. 중일(中日) 전쟁으로 경제 개발이 촉진되었음. 경승지(景勝地)가 많음. 귀양. [1,018,619 명(1990)]
구이장 〔桂江〕 명 〖지〗 중국 남쪽을 흐르는 주장(珠江) 강의 지류. 광시 성(廣西省)의 먀오얼 산(苗兒山)에서 발원하여 남쪽으로 흘러 우저우(梧州)에서 주장 강에 합류함. 계강. [300 km]
구이저우 성 【一省】 〔貴州〕 명 〖지〗 중국 서남부에 있는 성의 하나. 임산(林產)이 이 지방의 큰 자원이며 여러 종류의 약재를 산출하고, 수은·알루미늄·철·석탄·금 등 풍부한 광산물을 이용하여 근대 공업이 발달함. 성도(省都)는 구이양(貴陽). 검성(黔省). 귀주 성. [174,000 km²]
구:이지-학 【口耳之學】 명 귀로 들은 것을 그대로 남에게 이야기하는, 조금도 자기의 것으로 소화(消化)하지 못한 학문. 연구적인 학문이 아니고, 기억만 해 두는 천박한 학문. 도청 도설(塗聽塗說)의 학문. *기문지학(記問之學).
구이-초 【狗耳草】 명 〖식〗 나팔꽃.
구이-통 【一筒】 명 구이 가마의 연기를 빼내는 연통(煙筒).
구이 팔만 【九夷八蠻】 명 옛날에 중국에서 부르던 동쪽의 아홉 오랑캐와 남쪽의 여덟 오랑캐. *구이(九夷)·팔만(八蠻).
구이팔 수복 【九二八收復】 명 6·25 전쟁 때 남침을 받은 한국군과 유엔군이 작전상 후퇴했던 서울을 1950년 9월 28일에 다시 수복한 일.
구이핑 〔桂平〕 명 〖지〗 중국 광시장족(廣西壯族) 자치구 동부의 도시. 주장(珠江) 강 중류 수운(水運)의 요지임. 북방의 진전춘(金田村)은 태평천국군(太平天國軍)이 일어난 곳임. 구명은 심주(潯州). 계평.
구이-현 【仇耳峴】 명 〖지〗 황해도 송화군(松禾郡)에 있는 재.
구인[1] 【九仞】 명 〔일인(一仞)은 8자, 약 2.4 m〕 썩 높은 것을 형용하여 이르는 말.
구인[2] 【仇人】 명 원수진 사람.
구인[3] 【求人】 명 쓸 사람을 구함. ↔구직(求職). ——-하다 자여불
구인[4] 【拘引】 명 ①잡아 끌고 감. ②〖법〗 법원이 심문할 목적으로 피고인이나 그 밖의 관계인이 소환에 응하지 아니할 때 일정한 장소로 인치(引致)하는 강제 처분. 구속 영장이 있어야 하며 구금(拘禁)의 불필요를 인정하면 24시간내에 석방하여야 함. *구속. ——-하다 타여불
구:인[5] 【救人】 명 사람을 도움. 또, 어려운 일을 당할 때 도와 주는 사람.
구인[6] 【蚯蚓】 명 〖동〗 지렁이❶.
구인[7] 【鉤引】 명 갈고리로 걸어 잡아당김. ——-하다 타여불
구:인[8] 【舊人】 명 ①오래 전의 사람. ②새 시대에 맞지 않는 사람. ↔신인(新人). ③〔Paleoanthropinae ; archaic *Homo sapiens*〕 〖인류〗 구석기(舊石器) 시대 중기(中期), 홍적세(洪積世) 중기의 인류. 네안데르탈인(人)이 이에 속함. *호모 사피엔스.
구:인[9] 【舊因】 명 오래 전부터의 인연.
구:인[10] 【舊姻】 명 옛적부터의 친척.
구인공 휴일궤 【九仞功虧一簣】 명 〔높이가 구 인(九仞), 곧 칠십 이 척의 산을 쌓는 데 한 삼태기의 흙을 쌓아올리면 완성하는 최후의 순간에 가서 실패한다는 뜻〕 오래오래 쌓은 공로가 최후의 한 번 실수나 부족으로 실패하게 된다는 말.
구인 광:고 【求人廣告】 명 쓸 사람을 구(求)하는 광고.
구-인기 【具仁墍】 명 〖사람〗 조선 인조 때의 공신. 자는 후경(厚卿). 능성(綾城) 사람. 인조 반정에 공을 세워 공조 판서·판돈령 부사(判敦寧府事)에 올랐음. 사후 영의정에 추증(追贈)됨. [1597-1676]
구인-난 【求人難】 명 쓸 사람을 구하기 어려움.
구인-니 【蚯蚓泥】 명 〖한의〗 지렁이의 똥. 이질(痢疾)의 만성열(慢性熱)·단독열(丹毒熱)에 약으로 씀. 구인분(蚯蚓糞). 육일니(六一泥).
구인-란 【求人欄】 [—난] 명 신문의 구인 광고를 싣는 난(欄).
구인-령 【蚯蚓嶺】 [—일—] 명 〖지〗 평안 북도 희천(熙川) 서북쪽 29 km 지점에 있는 재.
구인-록 【求仁錄】 [—녹] 명 〖책〗 조선 명종(明宗) 때, 이언적(李彥迪)이 지은 책. 사서 오경(四書五經)으로부터 정주학파(程朱學派) 학자들의 '인(仁)'에 관한 학설을 추려 주석을 붙였음. 4권 2책.
구-인마 【具人馬】 명 마부와 말을 다 갖춤. ——-하다 자여불
구-인문 【具人文】 명 〖사람〗 조선 단종 때의 충신. 자는 장숙(章叔). 호는 수옹(睡翁). 능성(綾城) 사람. 집현전 교리(校理)로 문종의 총애를 받았으나 세조가 즉위하자 세상을 비관, 고향 봉생(鳳生)에서 두문 불출(杜門不出)하였음. 이조 판서에 추증(追贈). [1409-62]
구인-분 【蚯蚓糞】 명 〖한의〗 구인니(蚯蚓泥).
구:인-사 【救仁寺】 명 〖불교〗 충청 북도 단양군(丹陽郡) 영춘면(永春面) 백자리(栢子里)의 연화봉(蓮花峰)에 있는, 천태종(天台宗)의 본사(本寺). 1945년 초대 종정(宗正) 박준동(朴準東)에 의해 창건됨.
구인-장 【拘引狀】 [—짱] 명 〖법〗 구(舊)형사 소송법(刑事訴訟法)의 용어. 법원이 피고인(被告人) 또는 다른 관계인을 구인하기 위하여 내는 영장(令狀). *구속 영장(拘束令狀).
구인-재 【求人齋】 명 〖역〗 고려 예종(睿宗) 4년(1109)에 국학(國學)에 베푼 칠재(七齋)의 하나. 주례(周禮)를 전공하던 곳.
구인-회 【九人會】 명 〖문〗 1933 년 8 월에 경향(傾向) 문학에 반발하고 순수 문학을 지향하고자 문단 및 예술계의 작가 9 명이 결성한 문학 친목 단체. 이종명(李鍾鳴)·김유영(金幽影)의 발기로 이효석(李孝石)·이무영(李無影)·유치진(柳致眞)·이태준(李泰俊)·조용만(趙容萬)·김기림(金起林)·정지용(鄭芝溶) 등이 참가하였으나 발족한 지 얼마 안 되어 이종명·김유영·이효석이 탈퇴하고 박태원(朴泰遠)·이상(李箱)·박팔양(朴八陽)이 가입하였으며, 그 뒤에 유치진·조용만 대신 김유정(金裕貞)·김환태(金煥泰)가 가입하여 인원수는 언제나 9 인이었음.
구-인후 【具仁垕】 명 〖사람〗 조선 효종(孝宗) 때의 무신. 호는 유포(柳浦). 인조 반정(仁祖反正) 때에 2 등훈에 오름. 심기원(沈器遠)의 난을 진압하고 능천(綾川) 부원군에 봉군(封君)되었으며, 우의정·좌의정·병조 판서·훈련 대장을 지냄. 시호는 충무(忠武). [1578-1658]
구일[1] 【九日】 명 ①아흐레. ②음력 구월 구일. 예전 명절의 하나. 이 날에 학식있는 남자는 시를 짓고 민가(民家)에서는 국화를 넣어 만든 떡을 먹고 노는 풍속이 있었음. 중광(重光). 중양(重陽). 중구(重九).
구:일[2] 【久逸】 명 오랫동안 편안히 지냄. 오랫동안 안일한 생활을 함. ——-하다 자여불
구일 기도 【九日祈禱】 명 〖천주교〗 특별한 은총을 받기 위해 9 일 동안 계속하여 드리는 기도.
구일-장 【九日葬】 명 죽은 뒤 아흐레만에 지내는 장사(葬事).
구일-제 【九日製】 [—쩨] 명 〖역〗 조선 시대 때, 오순절제(五巡節製)의 하나. 9 월 9 일에 보이던 과거.
구일 하:가일 【九一下加一】 명 〖수〗 구귀가(九歸歌)의 하나. 9 로 1 을 나누려면 1 을 상(商)으로 잡아 그대로 두고 나머지 1 을 그 아랫자리에 놓으라는 뜻.
구:임[1] 【久任】 명 ①일을 오래 맡김. ②〖역〗 조선 때의 관리 유임(官吏留任) 제도. 특정한 기술·경험·자격을 필요로 하는 관직으로 호조(戶曹)·병조(兵曹)의 낭관(郎官) 중의 약간명과 장례원(掌隷院)의 사의(司議) 이하, 선혜 낭청(宣惠郎廳) 등의 직장(直長)·판관(判官)·주부(主簿) 등의 직책이 이에 속했음. *구임과(久任窠). ——-하다 타여불
구:임[2] 【舊任】 명 이전에 어떤 임무나 직위에 있었음. ↔신임(新任).
구:임-과 【久任窠】 명 〖역〗 조선 때에 구임하던 관직.
구:임 아:문 【久任衙門】 명 〖역〗 구임 관직이 있던 관청. 호조(戶曹)·병조(兵曹)·장례원(掌隷院) 등이 있었음.
구:임-원 【久任員】 명 〖역〗 조선 시대 때, 벼슬 자리의 일정한 임기가 차도 천관(遷官)시키지 않는 호조(戶曹)·병조(兵曹)의 정랑(正郎) 각각 둘씩과 선혜 낭청(宣惠郎廳)·사복 판관(司僕判官) 등을 일컬음.
구:임 책성 【久任責成】 명 임기(任期)를 길게 하여 그 맡은 바 직책을 다하게 함. ——-하다 자여불
구입[1] 명 겨우 벌어 살아감. 겨우 밥벌이만 함. ——-하다 자여불
구입[2] 【購入】 명 물건을 사들임. 매입(買入). ¶ ~ 가격/물품 ~/~자. ——-하다 타여불
구입[3] 【驅入】 명 몰아 들어감. ——-하다 타여불

구입-장생 명 겨우 밥벌이가 되어 살아감. ——-하다 자여불
구자[1]【九紫】명〖민〗음양가(陰陽家)가 이르는 화성(火星). 구궁(九宮)에 있어서 그 근본 자리는 남쪽, 곧 이방(離方)임.
구:자[2]【口子】명 ↗열구자(悅口子).
구자[3]【丘慈】명〖지〗구자(龜玆).
구자[4]【龜玆】명〖지〗중국 한(漢)나라 때 서역(西域) 나라의 이름. 톈산 남로(天山南路)의 쿠처(庫車) 부근. 효선제(孝宣帝) 때 정길(鄭吉)이 오루성(烏壘城)의 도호(都護)가 된 이후, 한나라에 예속되었음. 남북조 시대 및 당(唐)의 초기에는 불교가 융성하였음. 굴지(屈支). 구자(丘慈).
구-자균【具滋均】명〖사람〗국문학자. 호(號)는 일오(一梧). 개성(開城) 출신. 경성 제대(京城帝大) 조선어 문학과를 졸업, 대구 사범·고려 대학 교수를 역임. 저서에 ≪한국 평민 문학사(韓國平民文學史)≫·≪국문학 논고(論藁)≫·≪국문학사≫ 등이 있음. [1912-64]
구자라트〔Gujarat〕명〖지〗인도의 서부 나르바다 강(Narbada江)의 북쪽, 카티아와르(Kathiawar)의 북동쪽에 있는 평야 지방. 옛 왕국(王國)이 있었음.
구자라트-어【一語】〔Gujarat〕명〖언〗인도 어파에 속하는 언어. 인도 서부의 구자라트 지방 및 마하라슈트라(Maharashtra) 지방 등의 주민 약 1,000만 명에 의하여 사용됨.
구자 무불성【狗子無佛性】[—썽] 명〖불교〗개에는 불성이 없다는 말.
구:자-탕【口子湯】명 열구자탕(悅口子湯).
구:작[1]【舊作】명 이전에 지었거나 만든 작품. ↔신작(新作).
구:작[2]【舊斫】명 묵은 장작.
구잠-정【驅潛艇】명〖군〗주로 폭뢰(爆雷)로써 적의 잠수함을 구축(驅逐)하는 100t 이하의 소형 쾌속정(快速艇).
구장[1]【九章】명 임금의 면복(冕服)에다 놓은 아홉 가지의 수(繡). 의(衣)에는 산·용(龍)·화(火)·화충(華蟲)·종이(宗彝)의 다섯 가지, 상(裳)에는 마름·분미(粉米)·보(黼)·불(黻) 등 네 가지를 수놓았음. *구장복(九章服).
구장[2]【九腸】명 창자의 총칭. 모든 창자.
구장[3]【九臟】명〖생〗심장·비장·간장·폐·신장 및 위(胃)·방광(膀胱)·대장(大腸)·소장(小腸)의 아홉 가지 내장(內臟).
구:장[4]【口帳】명〖역〗호수(戶數)와 인구수를 기록한 책.
구:장[5]【口張】명 훈민 정음의 술어. 구축(口蹙)에 대립되는데, 입술 모양의 평순(平脣)에 해당하는 것으로 해석하는 설과 개구도(開口度)가 큰 모음으로 해석하는 설이 있음. *구축(口蹙).
구장[6]【灸醬】명 군장.
구장[7]【具狀】명 상세하게 적어 구신(具申)하는 글발.
구장[8]【狗醬】명 개장국.
구장[9]【毬杖】명〖역〗①격구(擊毬)할 때 쓰는 공채. 자루의 길이 70.5cm, 그 밑에 붙인 장시(杖匙)의 넓이 6.6cm, 전체의 길이 76.5cm임. 전체에 오색 칠을 했음. 월장(月杖). 준장(杖). ②↗금구장(金毬杖). ③↗은구장(銀毬杖).
구장[10]【毬場】명〖역〗격구(擊毬)하는 마당. 길이는 출마표(出馬標)에서 치구표(置毬標)까지 60m, 여기에서 구문(毬門)까지가 240m, 전체의 길이는 300m이고 넓이는 제한(制限)이 없음.

〈구장[9]❶〉

구장[11]【球場】명 ①축구·야구 등 구기(球技)를 하는 운동장. ②특히, 야구장.
구장[12]【區長】명 전에, 시(市)·읍(邑)·면(面)에 속한 구(區)의 장(長). 지금의 통장(統長)에 상당함.
구장[13]【鳩杖】명〖역〗사궤장(賜几杖) 때에 주던 지팡이. 꼭대기에 비둘기를 새겨 앉혔음. 길이 1.5m. 준장(杖).
구:장[14]【舊章】명 옛 전장(典章).
구장 극구【鉤章棘句】명 대단히 읽기 어려운 문장.
구장-동【球場洞】명〖지〗평안 북도 청천강(淸川江) 중류에서 만포진(滿浦鎭)으로 들어가는 도중에 있는 역. 1928년에 남동 3km 지점에서 대종유동(大鍾乳洞)인 동룡굴(蝀龍窟)이 발견되어 세계적으로 유명해졌음.

〈구장[13]〉

구장-률【九章律】[—뉼] 명〖법〗중국의 한 고조(漢高祖)가 법삼장(法三章)을 부로(父老)와 약조한 후, 그것만으로는 불편을 느끼어 소하(蕭何)에게 명하여, 진(秦)나라 법까지를 참조하여 편찬하게 한 9장으로 된 법전. 총칙적(總則的) 규정인 구율(具律)을 비롯한 도율(盜律)·적률(賊律)·수율(囚律)·포율(捕律)·잡률(雜律)에 새로 호율(戶律)·흥률(興律) 및 구율(廐律)의 세 편을 부가하였음. 후세의 율의 근원이 됨.
구장-복【九章服】명〖역〗구장(九章)을 수놓은 임금의 면복(冕服). 종묘 제례(宗廟祭禮)·즉위(即位), 정초의 하례식(賀禮式), 비(妃)를 맞을 경우 등의 의식 때에 입었음. *구장(九章).
구장 산:술【九章算術】명〖수〗중국 최고(最古)의 산법(算法). 황제(黃帝)가 예수(隷首)에게 명하여 만들었다고 하는 수학 상의 아홉 가지 법식. 곧, 방전(方田: 논밭의 측량법), 속포(粟布: 미전(米錢)·교역(交易)·매매산(賣買算)), 쇠분(衰分: 귀천 혼합법(貴賤混合法)), 소광(少廣: 평방·입방(立方)), 상공(商功: 공력(工力)·공정(工程)의 산법), 균수(均輸: 주차(舟車)·인마(人馬)의 운임 계산법), 영뉵(盈朒: 안분 비례(按分比例)), 방정(方程: 방정식(方程式)), 구고(勾股: 삼각법(三角法)) 등임. 구수(九數).
구:장-포【口裝砲】명 포구(砲口)로부터 탄환을 장전(裝塡)하는 대포. 「전장포(前裝砲).
구:재[1] 명 방고래에 낀 철매와 재. 구들재.
구재[2]【九齋】명〖역〗①고려 문종(文宗) 때 최충(崔沖)이 사학(私學)을 일으키고 제자를 가르치던 학재(學齋). 악성(樂聖)·대중(大中)·성명(誠明)·경업(敬業)·조도(造道)·솔성(率性)·진덕(進德)·대화(大和)·대빙(待聘)의 아홉으로 나뉘어 있었음. ②공민왕(恭愍王) 때부터 있는 성균관(成均館)의 경학(經學)을 공부하는 재(齋). 오경 사서재(五經四書齋)로서 역재(易齋)·서재(書齋)·시재(詩齋)·춘추재(春秋齋)·예재(禮齋)의 오경재(五經齋)와 논어재(論語齋)·중용재(中庸齋)·맹자재(孟子齋)·대학재(大學齋)의 사서재(四書齋)의 아홉 분과(分科)가 있었음.
구:재[3]【口才】명 ①말재주. 변재(辯才). ②노래를 잘 부르는 재주. 「여불
구재[4]【具載】명 빠짐없이 모두 실음. 상세히 적어 실음. ——-하다 타
구재[5]【俱在】명〖철〗두 개 이상의 대등(對等)한 사물 또는 그 성질이, 같은 시간에 같은 곳에 있음. 공재(共在). ——-하다 자여불
구:재[6]【救災】명 재난을 만난 사람을 구함. ——-하다 자여불
구재[7]【鳩財】명 재물을 거두어 모음. ——-하다 자여불
구재[8]【構材】명〖건·토〗트러스(truss)를 이루는 개개(個個)의 재료.
구재 삭시【九齋朔試】명〖역〗고려 충숙왕 4년(1317)에 국자감시(國子監試) 대신으로 실시한 과거(科擧)의 일컬음.
구재-일【九齋日】명〖불교〗매월 8일·14일·15일·23일·29일·30일의 육재일(六齋日)과 정월·오월·구월의 삼재월(三齋月)의 총칭. 이 날과 이 달에는 살생(殺生) 등을 삼가며, 계법(戒法)을 엄수하고 선근(善根)을 쌓으며, 중을 위하여 재(齋)를 올림.
구저【臼杵】명 절구와 절굿공이.
구저리 명〈방〉구더기(전북).
구저분-하다 형여불 거칠고 더럽다. 구저분-히 부. ¶ ~ 먹다.
구적[1] 명 돌·질그릇 등이 삭아서 겉에 일어나는 얇은 조각.
구:적[2]【口笛】명 휘파람.
구:적[3]【口跡】명 말투.
구적[4]【仇敵】명 원수(怨讎)❶.
구적[5]【求積】명〖수〗①면적·체적을 셈하여 내는 일. ②↗구적법(求積法). ——-하다 타여불
구적[6]【寇賊】명 국토(國土)를 침범(侵犯)하는 외적(外賊).
구:적[7]【舊迹·舊蹟】명 옛날의 사적(事蹟)이 있었던 곳.
구적-계【求積計】명〔planimeter〕〖지〗도면(圖面) 위의 면적을 구하는 계기.
구적-법【求積法】명〖수〗①면적과 체적을 계산하는 법. ②미분 방정식을 부정 적분(不定積分)으로 푸는 법. 준구적(求積).
구:-적사암【舊赤砂岩】명〖지〗고생대(古生代) 중기의 데본기(Devon紀)에 형성되어 북유럽·영국 등지의 육상(陸上)에 퇴적(堆積)된 지층(地層). 주로 사암으로 되어 있으며, 철분을 함유하고 있어 적색을 나타내며 어류의 화석(化石)이 많이 들어 있는 것이 특징임.
구적-장【寇賊章】명〖악〗용비 어천가(龍飛御天歌) 제49장의 이름.
구:전[1]【口傳】명 입으로 전함. 말로 전함. 말로 전해 내려옴. ——-하다 타여불
구전[2]【口錢】명 구문(口文).
구전[3]【俱全】명 모두 다 온전함. ——-하다 형여불
구전[4]【球電】명〖천〗우레의 전기에 의해 생기는 방전(放電) 현상의 하나. 직경 10-20cm정도의 둥근 발광체(發光體)가 적황색의 빛을 내며 천천히 날아감. 수명(壽命)은 수초에서 2-3분인데, 흔히 도깨비불로 오인됨. 뇌우(雷雨)가 멎을 즈음 지상 가까이에 나타나는, 대단히 드문 기상 현상임.
구:전[5]【舊典】명 ①옛날의 법전(法典). 옛 전장(典章). ②고문서(古文書). 「고서(古書).
구:전[6]【舊傳】명 예전부터 전해 옴. ——-하다 자여불
구:전[7]【舊錢】명 옛날 돈. ↔신전(新錢).
구:전-론【口錢論】[—논] 명〖역〗조선 시대 때, 호구(戶口)를 표준하여 돈으로 양역세(良役稅)를 받자고 하던 양역(良役) 이정론(釐整論)의 하나. 삼정(三政)이 문란하여 국가 재정까지 위기에 빠지자, 숙종 때부터 영조 때까지 활발하게 논의되었으나 실현되지 못하였음.
구전 문:사【求田問舍】명〔논밭과 집을 구하여 산다는 뜻으로〕자기 일신 상(一身上)의 이익에만 마음을 쓰고 국가의 대사(大事)를 돌보지 아니함을 이름. ——-하다 자여불
구:전 문학【口傳文學】명〖문〗이야기로 전해 내려오는 문학. 또, 그것을 다루는 문학. 구비 문학(口碑文學).
구:전 민요【口傳民謠】명 입에서 입으로 전하여 내려온 민요.
구:전 설화【口傳說話】명〖문〗현재까지 구전되어 전승되고 있는 설화. 설화의 하위 범주(下位範疇)임. ↔문헌(文獻) 설화.
구:전 성:명【苟全性命】명 구차하게 생명을 보전함. ——-하다 자여불
구:전 신화【口傳神話】명 문자가 없던 미개 사회에서부터 대대로 구전해 내려오는 신화의 통칭. 신화의 하위 범주(下位範疇)로서, 전승되고 있는 형태에 따른 분류에서 나온 술어. ↔문헌 신화.
구:전 심수【口傳心授】명 말로 전하고 마음으로 가르침. ——-하다 타여불
구전 영사【九傳靈砂】[—녕—] 명〖한의〗수은에 황을 넣어서 아홉 번 고아 만든 약. 어린애의 간기(癎氣)에 쓰임.
구:전 정사【口傳政事】명〖역〗이조 판서(吏曹判書)나 병조 판서(兵曹判書)가 직접 왕명(王命)을 받아 벼슬아치를 임명하는 정사(政事). 고려 충숙왕 6년(1319)에 비롯됨.
구전지-훼【求全之毁】명 몸을 닦고 행실을 온전히 하고자 하다가 도리어 남에게서 듣는 비방(誹謗).
구:전 취:초【口傳取招】명〖역〗죄인의 공술(供述)을 조서(調書)로 작성하는 일.
구:전 하:교【口傳下敎】명 왕명(王命)을 구두(口頭)로 전함. ——-하다 타여불
구전-하다 형여불 물건이 넉넉하다.
구절[1]【九折】명 ①꼬불꼬불한 비탈길. ②꼬불꼬불함.
구절[2]【九節】명 ①대나무의 아홉 마디. ②아홉 마디가 있는 선초(仙草). 중국 한(漢)나라의 무제(武帝)가 얻었다고 함.
구절[3]【句切】명 구절(句節).
구절[4]【句絕】명 구절(句節).
구절[5]【句節】명〖언〗①구(句)와 절(節). ②한 토막의 말이나 글. 구절(句切·句絕). 구(句). 마디.

구절⁶【狗竊】㊔ 구도(狗盜).

구절-령【九折嶺】㊔〖지〗함경 북도 회령군(會寧郡) 보을면(甫乙面)과 무산군(茂山郡) 풍계면(豐溪面) 사이에 있는 고개. [1,026 m]

구절 양장【九折羊腸】[―량―] ㊔ 양의 창자처럼 산길 같은 것이 꼬불꼬불하고 험함을 일컫는 말.

구절 죽장【九節竹杖】㊔〖불교〗마디가 아홉 있는 중의 대지팡이.

구절-초【九節草·九折草】㊔〖식〗[*Chrysanthemum sibiricum*] 국화과에 속하는 다년초. 근생엽(根生葉) 및 밑의 경엽(莖葉)은 이회 우상 심렬(羽狀深裂)하고 중간의 잎은 단우상 심렬(單羽狀深裂)하며 위의 잎은 다소 삼렬(三裂) 또는 찢어지지 않음. 9-11월에 홍색이나 백색 꽃이 줄기 끝에 핌. 과실은 수과(瘦果). 산지에 나며 한국 각지에 분포함. 잎은 약용하며, 특히 9월 9일에 채취한 것이 좋다고 한 데서 이름지어짐. 관상용으로도 재배함. 바위구절초.

구절초-고【九節草膏】㊔〖한의〗구절초를 고아서 만든 약. 강장제·보혈제로 쓰임.

구절-충【九節蟲】㊔〖충〗나무굼벵이.

구절-판【九折坂】㊔ 구절판 찬합에 담는 음식. 궁중식(宮中式)과 민간식(民間式)이 있음. 궁중식은 연한 살코기·미나리·양(胖)·숙주·무·표고·처녑을 양념하여 볶은 것과 달걀을 부쳐서 채친 것 등 여덟 가지를 찬합의 가장자리 여덟 구멍에 따로따로 담아 놓고, 가운뎃구멍에는 밀전병을 담아 놓아, 밀전병 한 조각에 여덟 가지를 조금씩 한데 싸서 초장에 찍어 먹음. 민간식은 찹쌀 가루나 밀가루로 전병(煎餠)을 만들고 골저냐·미나리 강회·쑥갓·홍당무·생채·양배추 채·육회·달걀쌈·어회·순무 채 등에서 색을 맞추어 여덟 가지를 담음. 구절포.

구절판 찬:합【九折坂饌盒】㊔ 구절판을 담는 찬합. 둥글고 두꺼운 나무 판으로 만들었으며 뚜껑이 따로 있음.

구절-포【九折包】㊔ 구절판(九折坂).

구:점¹【口占】㊔ ①문서에 의하지 아니하고 말로써 전함. ②즉석에서 시를 지어 부름. 구호(口號). ――-하다 ㊋㊍

구점²【句點】[―쩜] ㊔〖언〗구절(句節)에 찍는 점. 귀점.

구점³【灸點】[―쩜] ㊔ 뜸뜰 자리에 먹으로 찍은 점.

구점-원【九點圓】[―쩜―] ㊔〖수〗하나의 삼각형의 각 변(邊)의 세 개의 중점(中點)과 각 꼭지점으로부터 대변(對邊)에 그은 세 개의 수선(垂線)의 발과, 각 꼭지점과 수심(垂心)과를 연결한 선분의 세 개의 중점을 합하여 도합 아홉개의 점을 통하는 원.

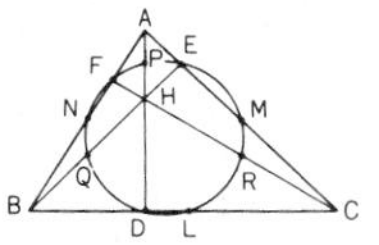

〈구점원〉

구접-스럽다 ㊕㊏ ①너절하고 더럽다. ②행동이 너절하다. 하는 짓이 더럽다. ¶나는 아니 갈터이야. 구접스럽게 화자의 집으로 갈 것은 없어《崔瓚植 : 능라도》. **구접-스레** ㊖

구접-시럽다 ㊕〈방〉구접스럽다. ¶영감의 풍채가 계집 하나 홀릴 만치 못되어서 구접시럽게 분을 발라?《作者未詳 : 산천 초목》.

구접지근-하다 ㊕㊍ 좀 구저분하다. ¶방바닥에는……찻잔이 구접지근하게 놓여 있었다《鄭飛石 : 薔薇의 季節》.

구-젓 ㊔ ☞굴젓❶.

구정¹【九井】㊔ 좌우 양쪽에 두 줄을 각각 걸고 한 쪽에 열 여덟 사람씩 메는 큰 상여.

구정²【九鼎】㊔ 중국의 우왕(禹王) 때에 구주(九州)에서 금을 모아 만든 솥. 하(夏)·은(殷) 이래로 천자에게 전하여 오는 보물임.

구정³【丘亭】㊔ 빈집. 공가(空家).

구정⁴【球晶】㊔〖화〗플라스틱 따위의 고분자 재료에 발생하는 구상(球狀)의 결정. 원자가 규칙적으로 주기성을 가지며 입체적인 격자(格子) 모양으로 배열된 것인데, 미세한 결정핵(結晶核)을 심(芯)으로 하여 성장함. 큰 결정은 1 mm에 이르기도 함.

구정⁵【毬庭】㊔〖역〗고려 때부터 궁중(宮中)이나 대가(大家)의 울안에 있던, 격구(擊毬)하는 크고 넓은 마당.

구:정⁶【舊正】㊔ ①음력 설. ②음력 정월. 1)·2):↔신정(新正).

구:정⁷【舊政】㊔ 옛적부터 행하여 내려온 정치(政治).

구:정⁸【舊情】㊔ 전부터 사귀어 내려온 정. 전정(前情). 옛정. ¶~을 못 잊다. ↔신정(新情).

구정⁹【鷗亭】㊔〖사람〗한명회(韓明澮)의 호(號).

구정-거리다 ㊋〈방〉휘정거리다(경상).

구정-겹줄【九井―】㊔ ☞구정(九井).

구정 대:려【九鼎大呂】㊔ [구정(九鼎)은 하(夏)·은(殷)·주(周) 3 대에 걸친 보정(寶鼎), 대려(大呂)는 주나라 대묘(大廟)에 둔 큰 종(鐘)으로, 둘 다 주(周)나라의 보기(寶器)였던 데서] 중한 지위(地位)나 명망(名望)의 비유.

구정-물 ㊔ ①빨래나 설거지를 하여 더러워진 물. 오수(汚水). ②종기 고름이 빠진 뒤에 흐르는 맑은 물. ③〈방〉모래집물. 1)·2):>고장물.

구정-체【球晶體】㊔〖식〗①달리아·우엉 등의 뿌리나 뚱딴지의 괴경(塊莖) 등의 세포 속에 있는 이눌린(inulin)의 아름다운 구형의 결정. ②세포 속의 단백질의 작은 알맹이 속에 있는 자그마한 구상(球狀)의 결정. 빛을 강하게 굴절함.

구:제¹【救濟】㊔ ①불행이나 재해(災害) 등으로 어려운 지경에 빠진 사람을 건져 줌. ¶빈민을 ~하다. ②〖불교〗고통받는 사람들을 제도(濟度)함. ――-하다 ㊋㊍

【구제할 것은 없어도 도둑 줄 것은 있다】아무리 가난한 집이라도 도둑맞을 물건은 있다는 말.

구제²【舅弟】㊔ 외사촌(外四寸) 아우.

구:제³【舊制】㊔ 이전의 제도. 구제도(舊制度). ↔신제(新制).

구:제⁴【舊製】㊔ 옛적에 만듦. 그 이전에 만듦. 또, 그 물건.

구:제⁵【舊題】㊔ 이전에 쓰인 제목(題目).

구제⁶【驅除】㊔ 몰아 내어 없애 버림. ¶해충 ~. ――-하다 ㊋㊍

구 제강〔顧頡剛〕㊔〖사람〗중국의 역사가. 쑤저우(蘇州) 사람. 《고사변(古史辯)》을 편저(編著)함. 사학 잡지 '우공 반월간(禹貢半月刊)'의 편집을 통하여 고대사(古代史)의 문헌학적(文獻學的) 해석에 민간의 가요·설화의 고구(考究) 결과를 도입하여 신경지(新境地)를 엶. 자전(自傳) 《고사변 자서(古史辯自序)》는 유명함. 고힐강. [1893-1981]

구:제-권【救濟權】[―꿘] ㊔〖법〗권리를 침해당하였을 경우에 그 구제를 청구하는 권리. ↔원권(原權).

구:제 금융【救濟金融】[―/―늉] ㊔〖경〗경영이 어려운 기업을 구제하기 위하여 행하는 금융. 금융 기관으로서는 채산(採算)과는 관계없이 종래의 대부금을 회수할 목적으로 구제 금융을 행하는 수가 많음. 적자 융자(赤字融資).

구:제 대학【舊制大學】㊔〖교〗수업 연한을 3년으로 하던 구제의 대학. 5년제의 구제 중학 졸업자가 대학 예과(豫科)에서 2년을 수업한 다음에 입학하게 되어 있었음.

구:-제도【舊制度】㊔ 구제(舊制). 구체제(舊體制). ↔ 신제도(新制度).

구:제 도감【救濟都監】㊔〖역〗고려 때의 구제 기관. 16 대 예종(睿宗) 4 년(1109)에 설치, 질병의 치료와 빈민 구제를 그 임무로 함. 29 대 충목왕(忠穆王) 4년(1348)에 설치한 진제(賑濟)도감과, 우왕(禑王) 7년(1381)에 설치한 진제색(賑濟色)은 이 기관의 후신임.

구:제 명:령【救濟命令】[―녕] ㊔〖법〗노동 위원회에서 노동 조합·근로자, 기타의 신청에 따라 사용자의 부당한 노동 행위의 사실을 인정, 이를 구제하기 위하여 발하는 명령.

구:제-법¹【救濟法】[―뻡] ㊔ 구제(救濟)하는 방법.

구제-법²【驅除法】[―뻡] ㊔ 구제(驅除)하는 방법.

구제비¹ ㊔〈방〉〖조〗칼새(평안).

구:제-비²【救濟費】㊔ 구제하는 데 소용되는 비용.

구제비-나비 ㊔〖충〗산제비나비.

구제비-젓 ㊔ 생선의 내장으로 담근 젓.

구:제 사:업【救濟事業】㊔ 불행이나 사변에 빠진 나라나 백성 또는 근로자를 구제하기 위한 사업.

구:-제삼기【舊第三紀】㊔ 고제삼기(古第三紀).

구:제-역【口蹄疫】㊔〖동〗소나 돼지 같은 우제류(偶蹄類)에 잘 걸리는 전염성이 강한 바이러스병(Virus病). 구강 점막(口腔粘膜)과 발톱 사이의 피부에 수포(水疱)가 생겨 화농(化膿)함.

구:-제정【舊帝政】㊔ 옛날의 제황(帝皇)의 정치.

구:제 조합【救濟組合】㊔〖사〗불행·재해 등으로 곤경에 빠진 근로자를 구제할 목적으로 기업주 또는 근로자가, 혹은 기업주와 근로자가 협동하여 조직하는 조합.

구:제-책【救濟策】㊔ 구제할 방책.

구:제-품【救濟品】㊔ 구제용 물품.

구조¹【九條】㊔〖불교〗↗구조 가사(九條袈裟).

구:조²【久阻】㊔ 소식이 오래 막힘. ――-하다 ㊌㊍

구조³【狗蚤】㊔〖충〗개벼룩❶.

구:조⁴【救助】㊔ 어려운 지경에 있는 자를 도와 건져 줌. ¶인명(人命) ~. ――-하다 ㊋㊍

구조⁵【構造】㊔ ①꾸미어 만듦. ②꾸밈새. 얼개. ③〖철〗구조주의에서, 사물을 이루고 있는 것의 상호(相互)의 기능적 연관(聯關). ④〖수〗집합(集合)과 거기에서 정해진 연산(演算), 집합과 거기에서 정해진 관계 등 집합과 그것이 가지고 있는 집합론적(集合論的) 대상으로써 조립(組立)되는 것. 현대 수학의 대상은 모두 이러한 뜻에서 구조라고 생각됨. ⑤〖광〗탁상(卓狀)·섬유상(纖維狀) 등과 같은 광물(鑛物)의 형태. ――-하다 ㊋㊍

구조 가사【九條袈裟】㊔〖불교〗베 아홉 폭을 가로 꿰매어 합쳐 만든 가사(袈裟). 승가리(僧伽梨)의 가장 간단한 것. ㊟구조(九條).

구-조개 ㊔ ①굴과 조개. ②〈옛〉굴조개. ¶ᄂᆞᄆᆞ자기 구조개랑 먹고 바ᄅᆞ래 살어리랏다《樂詞 青山別曲》.

구조 개:혁론【構造改革論】[―논] ㊔〖정〗현대의 선진 자본주의 국가에서의 사회주의적 변혁의 신이론(新理論). 우선 자본주의 사회 경제 구조의 부분적인 개혁을 쟁취(爭取)함과 동시에 의회 내에서 사회주의 정당이 다수를 점령, 국민 대중의 지지 하에 사회주의로의 이행(移行)을 실현하려는 생각. 1956년 스탈린 비판 후 이탈리아 공산당의 톨리아티(Togliatti)에 의하여 제창됨.

구조-곡【構造谷】㊔〖지〗단층(斷層)·습곡(褶曲) 등의 원인(原因)으로 생긴 골짜기. 단층곡(斷層曲)·향사곡(向斜谷)·배사곡(背斜谷) 등의 구별이 있음.

구조 공학【構造工學】㊔ [structural engineering]〖토〗건물·댐·교량과 같은 구조물 설계 관계 등을 다루는 토목 공학의 한 분야.

구:조-금【救助金】㊔ 어려운 지경에 있는 사람을 돕기 위하여 모은 돈.

구조 단구【構造段丘】㊔〖지〗지각(地殼) 변동으로 말미암아 지반(地盤)의 융기(隆起)나 해면(海面)의 저하(低下)가 일어나서, 하천(河川)의 침식이 부활되어 생긴 단구.

구조 단:면【構造斷面】㊔ [structure section]〖지〗관찰이나 추찰(推察)에 의거해서 지질 구조(地質構造)의 수직 단면(垂直斷面)을 구한 것.

구:조-대【救助袋】㊔ 고층 건물(高層建物)에 불이 났을 때, 인명 구조(人命救助) 등에 쓰는 통상(筒狀)의 부대. 피난하는 사람들이 이 속을 통하여 안전하게 땅 위에 미끄러져 내려옴.

구조 독직【構造瀆職】㊔ 특정한 개인의 의사에 의하여 독직이 일어나는 것이 아니고 정치·경제 등 사회 구조의 결함 때문에 일어난다고 하는 주장.

구조 등:고선도【構造等高線圖】㊔〖지〗특정한 지질면이 지하(地下)에

서 어떠한 공간적 위치를 점하고 있는가를 표시한 지질도(地質圖)의 한 가지.

구:조-료【救助料】명 선박 등이 해난(海難)을 당했을 때, 아무런 의무가 없는 자로서 이를 구원한 사람에게 주는 보수 및 비용.

구:조-막【救助幕】명 화재가 난 경우 등에 높은 곳에서 뛰어내리는 사람을 밑에서 받는 막. 「려 죽음을 막는, 쇠로 된 그물.

구:조-망【救助網】명 전차(電車)의 앞에 장치하여 사람이나 짐승이 깔

구조-물【構造物】명 ①꾸미어 만든 물건. ②〖건〗자연물에 인공적인 수법(手法)을 가하여 여러 과정을 밟아 정밀하게 만든 물건. 주택·교량 같은 것. 「쌀.

구:조-미【救助米】명 구제하기 위하여 비축하였다가 의연(義捐)하는

구조 민감【構造敏感】명〖물〗물질 속에 미량으로 존재하는 불순물이라든가 결정 격자(結晶格子)의 사소한 변화에 의해서, 어느 물리량(物理量)이 극히 민감하게 영향을 받음을 이르는 말.

구:조-법【救助法】[-뻡] 명 수영(水泳)에서, 사람이 빠졌을 때 구조하는 방법. 운반법·접근법·인공 호흡법 등이 있음.

구조 불황【構造不況】명〖경〗재고 조정(在庫調整)을 원인으로 하는 순환적 경기 침체와는 달리, 산업 구조나 수요(需要) 구조 및 경제 환경의 구조적 변화가 얽혀서, 좀처럼 자동적으로 풀리지 아니하고 장기화(長期化)의 양상을 띠는 불황.

구:조-비【救助費】명 구조하는 데 소용되는 비용.

구:조 사다리【救助—】명 불이 나거나 위험할 때 사람을 구출하기 위하여 쓰는 사다리. 「동으로 형성된 산지.

구조 산지【構造山地】명〖지〗단층(斷層)이나 습곡(褶曲) 따위, 지각 변

구:조-선[1]【救助船】명 파선(破船)을 당한 사람을 구조하는 배. 해난(海難) 구조선. 샐비지 베슬(salvage vassel).

구조-선[2]【構造線】명〔tectonic line〕〖지〗지각(地殼) 운동 따위로 생긴 규모가 큰 단층선(斷層線). 서로 이웃하는 두 개의 지질 구조(地質構造)가 크게 다름. 「선도(曲面線圖)·개요도(槪要圖).

구조선-도【構造線圖】명 기계·건물 등의 뼈대를 표시한 도면. *곡면

구조-성【構造性】[-썽] 명〖화〗분자내의 원자의 종류나 수(數)에는 관계되지 않고, 분자의 구조에 의하여 현저하게 지배되는 성질. 선광성(旋光性)·빛의 흡수 등.

구조성 가스【構造性—】〔gas〕[-썽-] 명〖화〗물이나 석유가 섞이지 않은 천연 가스. 보통, 천연 가스에는 수용성 천연 가스와 석유계(系) 가스가 있는데 가스만을 분출하는 것을 이름. 수용성이나 석유계 가스를 너무 빼면 지반 침하(地盤沈下)의 우려가 있으나 구조성 가스는 그런 우려가 없음.

구조성 지진【構造性地震】[-썽-] 명〖지〗구조 지진(構造地震).

구:조 소방차【救助消防車】명 내화 건축물(耐火建築物) 등의 화재에 있어서의 방수(放水)·인명 구출 작업을 용이하게 하기 위하여 셔터·창문 등을 절단(切斷)·파괴하는 소방차. 프로판 가스 또는 산소 절단기, 최대 능력 10t의 유압(油壓) 잭 등을 장비하고 있음. *화학 소방차.

구조-식【構造式】명〖화〗분자식(分子式)을 화학 기호로 풀어서, 물질의 분자 안의 각 원자(原子)의 결합·배열 상태를 나타낸 식(式). 물의 구조식은 H—O—H로 표시됨.

구조 심리학【構造心理學】[-니-] 명〖심〗종래의 심리학이 심적(心的) 요소(要素)의 인과적 연관으로서 심적 현상을 설명하려고 하는 데 대하여, 정신을 구체적 전체로서 발전하는 구조 연관(構造聯關)으로부터 이해하려고 하는 딜타이(Dilthey) 일파(一派)의 심리학.

구조 암석학【構造岩石學】명〖지〗암석의 생성(生成) 과정에 있어서 작용한 역학적 운동의 성질의 해석을 목적으로 하는 암석학의 한 부문.

구조 언어학【構造言語學】명〔structural linguistics〕〖언〗언어 연구의 한 분야. 일정한 시대의 언어의 양상을 체계적으로 파악, 그 구조를 밝혀서 거기에서 언어 전반에 통하는 일반 법칙을 추구하는 학문.

구조 역학【構造力學】명 건물·교량·선체(船體)·기체(機體) 같은 구조물을 구성하고 있는 부재(部材)에 생기는 응력(應力)·변형(變形) 및 구조물 전체의 변형·파괴를 연구하는 공학의 한 부문.

구조 연관【構造聯關】명〖철〗부분(部分)은 내면적 관계(內面的關係)에 의하여 전체(全體)에 불가 분리적(不可分離的)으로 결합해 있는 관계.

구조용 강【構造用鋼】명 건축·토목·기계·철도·조선(造船) 등에 광범위하게 사용되는 구조용 압연 강재(壓延鋼材)의 총칭.

구조용 목재【構造用木材】명 목조(木造) 건물에 있어서, 토대·기둥·보·도리·가새 등과 같은 구조재로 사용되는 목재.

구조 운:동【構造運動】명〔tectonic motion〕〖지〗습곡(褶曲)·단층(斷層) 등의 구조적 변형이나 파괴를 일으키는 지각(地殼) 운동 및 과정의 총칭.

구조 유전자【構造遺傳子】명〔structure gene〕〖생〗오페론(operon)을 구성하는 유전자의 한 종류. 단백질이나 리보솜 RNA, 운반 RNA 등의 1차 구조를 결정하는 정보를 가지고 있으며, 작동(作動) 유전자의 작용을 받아 단백질을 합성함. *작동 유전자·오페론.

구조 이:성【構造異性】명〖화〗분자식(分子式)은 같으나 구조가 다른 이성. 연쇄 이성(連鎖異性)·위치 이성(位置異性)·메타 이성·핵(核)이성·환(環)이성 등이 있음. ↔입체(立體) 이성.

구조 인류학【構造人類學】[-일-] 명〔structural anthropology〕현대 인류학의 중심을 이루는 연구 방법의 하나. 프랑스의 인류학자 레비스트로스(Lévi-Strauss)가 제창한 학문적 방법론으로, 이후 주로 프랑스 및 영국에서의 인류학 연구 방법의 경향을 말함. 경험적 사상(事象)의 배후에 존재하는 무의식의 구조를 분석하여, 문화의 다양성 속에 숨어 있는 인간 정신의 보편성을 문제로 삼음. 「고 있는 모양.

구조-적【構造的】명관 사물이 서로 기능적(機能的)으로 연관(聯關)하

구조적 결합【構造的結合】명〖토〗개개의 부재(部材)를 결합하여 하나의 완전한 조립 구조를 형성하는 일.

구조적 비:례수【構造的比例數】명〔component ration〕〖사〗집단(集團)의 구조(構造)를 분석적(分析的)으로 표시하는 수단으로서, 어느 전체적 집단(예를 들면 한국의 유직(有職) 총인구를 100으로 하여)과 부분적 집단(예를 들면 산업별(產業別) 인구)과의 비례. 구성비(構成比).

구조적 실업【構造的失業】명〖경〗자본주의의 경제 구조에 따라 발생하는 만성적(慢性的)·장기적(長期的)인 실업.

구조 점성【構造粘性】명〖화〗용액(溶液)의 점도(粘度)가 속도 구배(速度勾配)에 관계하는 현상.

구조 조정【構造調整】명〖경〗①〔structural adjustment〕세계 은행과 IMF가 개발 도상국에 대해 융자 조건으로 내세워 실시하는 경제 정책. 세출(歲出) 삭감과 증세(增稅), 정부 보조금 폐지, 환율 및 금리의 자유화, 기업의 민영화 추진 등으로 경쟁력 강화를 유도하는 정책. ②IMF를 극복하고자 1998년부터 실시된 한국의 재벌 기업에 대한 경제 정책. 기업 경영의 투명성 확보, 기업의 재무 구조 개선, 주력 사업 중심의 기업 경영 등을 요청하면서, 같은 동업종간의 합병·매각·폐업 등을 유도함. 재벌 개혁(財閥改革).

구조-주의【構造主義】[-/-이] 명〔structuralism〕일반적으로, 연구 대상의 구조적인 연구를 주로 하는 연구 방법. ①언어(langue)에 내재(內在)하는 구조를 적출(摘出), 각 요소의 기능적 연관을 밝히는 언어학(言語學)의 입장. 스위스의 언어학자 소쉬르(Saussure, F.)가 제창함. ②사회·문화 현상의 의미 질서(意味秩序)도 언어 구조와 유비적(類比的)인 것으로 보고, 이것을 분석 방법에 도입한 학문적 입장의 총칭. 야콥슨(Jacobson, Roman : 1896-1982)이나 무카르조프스키(Mukařovsky, J : 1891-1975)의 구조주의적 미학(美學)·시학(詩學)이 있으나, 특히 프랑스의 인류학자 레비스트로스(Lévi-Strauss)가 인류학(人類學)에 이 방법을 도입, 미개 사회의 복잡 다양한 친족 조직(親族組織)의 분석에 성공한 이래, 프랑스를 중심으로 라캉(Lacan, J. : 1901-81), 바르트(Barthes, R. : 1915-80), 푸코(Foucault, M. : 1926-84) 등 현대의 반역사적(反歷史的) 인문 과학(人文科學)의 중핵(中核)을 이룸.

구조 지진【構造地震】명〖지〗지각(地殼)의 구조선(構造線) 및 단층 운동(斷層運動)으로 말미암아 생기는 지진. 단층 지진(斷層地震). 구조성 지진. ↔화산 지진.

구조 지질학【構造地質學】명〖지〗지각(地殼)을 형성하고 있는 암석의 성질·산상(產狀)·종류·성인(成因) 등에 관하여 연구하고 지각의 구조를 조사하며, 나아가 그것이 어떠한 운동과 작용에 의하여 생겼는가를 고구(考究)하는 지질학의 한 분야.

구:조-총【救助銃】명 고층 건물 위의 화재나 난파(難破)·홍수 등의 경우, 피난자에게 구조용 그물을 발사하는 총. 구명총(救命銃).

구조-토【構造土】명〖지〗툰드라(tundra)·고산 초원(高山草原) 지대 따위의 주빙하(周氷河) 기후 아래서 땅 속 수분의 동결(凍結)·융해가 반복되어, 자갈이나 바위가 지표(地表)에 치솟아 집적하여 원형·다각형·망상(網狀)·계단상(階段狀) 등의 대칭형(對稱型)의 모양을 이룬 것.

구조-파【構造派】명〖건〗근대 건축가 그룹의 하나. 19세기 후반에서 20세기 전반에 걸쳐 철·유리·콘크리트 따위, 새로운 건축 재료를 써서 합리적·과학적 구조체를 만들려고 하던 파의 호칭.

구조 평야【構造平野】명〖지〗고생대(古生代)·중생대(中生代) 등 지질 시대의 퇴적 지층이 지각 변동을 받지 않고, 수평 상태 그대로 남아 이루어진 평야. 침식 작용으로 표면이 평탄함. 유럽 평원·러시아 평원·미국 내륙의 저지(低地) 따위.

구조-호【構造湖】명〖지〗단층(斷層)으로 인해서 침하(沈下)하여 생긴 분지에 물이 괴어 된 호소(湖沼). 일반적으로 호안(湖岸)이 직선적이고 급경사여서 물이 깊음.

구조-화【構造化】명〖심〗심적 과정(心的過程) 또는 의식 내용이 상호 관련하여 통일적 조직을 형성하는 일. 재(再)체계화. ——하다 자여불

구조화 프로그래밍【構造化—】명〔structured programming〕〖컴퓨터〗프로그래밍에 정돈된 구조를 부여함으로써 신뢰성이 높은 프로그래밍을 작성하려는 생각, 또는 그러한 방법. 이에 의하여 검증이 쉬워지고 프로그래머의 생산성이 향상되며, 프로그램을 읽고 이해하기가 쉬워짐.

구조 화학【構造化學】명〖화〗분자의 집합으로서의 물질의 구조에 관하여 연구하는 물리 화학의 한 분야. 원자·분자·이온의 배열과 입체적인 배치, 또는 그 구성 입자들 간의 결합을 연구 대상으로 함. *현상론적(現象論的) 물리 화학·분자 통계학(分子統計學).

구족[1]【九族】명 ①고조(高祖)로부터 증조·조부·부친·자기·아들·손자·증손·현손(玄孫)까지의 직계친(直系親)을 중심으로 하여, 방계친(傍系親)으로 고조의 사대손(四代孫) 되는 형제·종형제(從兄弟)·재종 형제(再從兄弟)·삼종 형제를 포함하는 동종(同宗) 친족의 일컬음. ②부족(父族) 넷·모족(母族) 셋·처족(妻族) 둘의 일컬음. 곧, 부족의 넷인 고모의 자녀, 자매의 자녀, 딸의 자녀, 자기의 동족, 모족의 셋인 외할아버지, 외할머니, 이모의 자녀, 처족의 둘인 장인·장모. ③〖역〗구이(九夷).

구족[2]【具足】명 구존(具存). ——하다 타여불 「자여불

구:족[3]【救族】명 위태로운 지경에 놓여 있는 민족을 건져냄. ——하다

구족[4]【鉤足】명〖한의〗다리의 과로로 인하여 발목 관절의 중족골(中足骨) 부근에 종창을 일으키는 병. 동통(疼痛)을 수반함.

구:족[5]【舊族】명 옛적부터 내려오는 지체 높은 집안.

구족-계【具足戒】명〖불교〗비구(比丘)와 비구니(比丘尼)가 지켜야 할 일체의 계(戒). 비구에 250계, 비구니에 500계가 있음. 준구계(具戒).

구-족달【具足達】명〖사람〗고려 태조 때의 서가(書家). 충주 정토사(淨土寺)의 《법경 대사 자등탑비(法鏡大師慈燈塔碑)》와 강릉 지장원(地藏院)의 《낭원 대사 오진탑비(朗圓大師悟眞塔碑)》는 그의 필적이며

후자는 북조(北朝)의 서풍(書風)이 있음.

구족-반【狗足盤】 명 '개다리소반'의 한자 이름.

구족지-친소【九族之親疎】 명 구족 중에서의 친함과 버성김.

구존[1]【具存】 명 빠짐없이 갖추어 있음. 구족(具足). ——-하다 타여불

구:존[2]【苟存】 명 무능하여 오래 삶. 일시적인 안일(安逸)에 빠져 구차하게 오래 삶.

구존[3]【俱存】 명 양친이 다 살아 계심. ↔구몰(俱沒). ——-하다 자여불

구졸[1]【句卒】 명 군진(軍陣)의 명칭. 삼군(三軍) 외에 좌우에 진(陣)을 치는 별대(別隊)를 이름. 허성(虛聲)으로 적(敵)을 유인하여 적세(敵勢)를 분산시킴.

구졸[2]【驅卒】 명 말을 몰고 다니는 병졸.

구종[1]【九宗】 명〖불교〗 불교의 아홉 종파(宗派). 곧, 삼론종(三論宗)·성실종(成實宗)·법상종(法相宗)·구사종(俱舍宗)·율종(律宗)·화엄종(華嚴宗)·천태종(天台宗)·진언종(眞言宗)·정토종(淨土宗)임.

구:종[2]【苟從】 명 분별없이 좇고 따름. ——-하다 타여불

구종[3]【驅從】 명 관원을 모시고 다니는 하인. ¶ ~ 별배(別陪).
구종(을) 들다 구 구종이 되어 말고삐를 잡다.

구:종[4]【舊蹤】 명 예전 발자취. 옛 자취.

구종[5]〔Goujon, Jean〕 명〖사람〗 프랑스 르네상스의 조각가. 노르망디에서 태어나 파리·루앙 등에서 활동, 1562년 이래 볼로냐(Bologna)에 정착하였음. 이탈리아 르네상스의 영향을 받으면서 독자적(獨自的)인 형태 감각을 가미(加味)하여 부드러운 살집과 우미(優美)한 사지(四肢)를 특색으로 하는 인상 조각(人像彫刻)을 많이 남겼음. 대표작으로 루브르 궁전(宮殿)의 여인상주(女人像柱) 조각, 이노산 분수(噴水)의 님프(nymph) 부조(浮彫) 등이 있음. [1510-68]

구종-나무 명〖식〗 굴피나무.

구-종직【丘從直】 명〖사람〗 조선 세조(世祖) 때의 명신. 자는 정보(正甫). 평해(平海) 사람. 세종 26년(1444)에 등과하여, 세조 때 옥당(玉堂)과 대사성(大司成)을 지내고 좌찬성(左贊成)에 이름. 경학(經學)과 주역(周易)에 통하였음. 시호 장안(長安). [1404-77]

구:좌[1]【口座】 명〖경〗 '계좌(計座)'의 구칭.

구좌[2]【球座】 명 티(tee).

구:좌[3]【舊左】 명〖지〗 제주도 북제주군(北濟州郡)의 한 읍(邑). 군의 북동쪽 끝 바다에 면해 있음. 금녕 사굴(金寧蛇窟)·만장굴(萬丈窟) 등의 명소(名所)와 동양 제일을 자랑하는 비자(榧子)나무숲, 문주란(文珠蘭) 등의 천연 기념물이 있고, 목장(牧場)으로도 유명함. [18,543 명(1996)]

구-좌표【球座標】 명〖수〗 극좌표(極座標).

구죵ᄒᆞ다 타〈옛〉 꾸중하다. ¶ 힌 갈홀 구죵ᄒᆞ야 헤티디 몯호롸(不叱白刃散)《杜諺 Ⅱ:52》.

구주[1]【九州】 명 ①〖역〗 옛날에 중국 전토(全土)를 아홉으로 나눈 명칭. 요·순·우(堯舜禹) 때에는 기(冀)·연(兗)·청(靑)·서(徐)·형(荊)·양(揚)·예(豫)·양(梁)·옹(雍)이며, 은(殷)나라 때에는 기(冀)·예(豫)·옹(雝)·양(揚)·형(荊)·연(兗)·서(徐)·유(幽)·영(營)이고, 주(周)나라 때에는 양(揚)·형(荊)·예(豫)·청(靑)·연(兗)·옹(雍)·유(幽)·기(冀)·병(幷)으로 되었었음. 구국(九國). 구야(九野). 구위(九圍). 구유(九有). ②〖역〗 신라가 삼국을 통일한 뒤에 전국을 나눈 아홉 주(州). 곧, 상주(尙州)·양주(良州)·강주(康州)·웅주(熊州)·전주(全州)·무주(武州)·한주(漢州)·삭주(朔州)·명주(溟州). 신라는 이 구주 외에 오소경(五小京)을 두었음. ③〖지〗 규슈.

구주[2]【九疇】 명 ↗홍범 구주(洪範九疇).

구:주[3]【久住】 명 오래 머물러 삶. ——-하다 자여불

구:주[4]【口奏】 명 구두(口頭)로 상주(上奏)함. ——-하다 타여불

구:주[5]【救主】 명〖기독교〗 구원(救援)하는 주인(主人)이란 뜻으로, 개인에게는 '구주'가 되고 만백성에게는 '구세주(救世主)'가 되는 '예수 그리스도'를 일컫는 말. *구세주·메시아.

구주[6]【歐洲】 명〖지〗 ↗구라파주(歐羅巴洲).

구:주[7]【舊主】 명 옛 주인. 이전의 소유자.

구:주[8]【舊株】 명〖경〗 자본이 증가되어서 새로 발행한 주식에 대하여 그 이전의 주식. ↔신주(新株).

구주[9]【衢州】 명〖지〗 '구(衢)'의 구명(舊名).

구주[10]〔固舊〕 명〖지〗 중국 윈난 성(雲南省) 남부에 있는 성할시(省轄市). 덴웨 철도(滇越鐵道)의 지선(支線)에서 73km 들어간 소분지(小盆地) 가운데에 위치함. 원래 원대(元代) 이전은 은(銀)의 산지였으나 현재는 중국 제1의 주석(朱錫) 산지로, '주석의 서울'이라고까지 불림. 고구.

구주[11]〔Gouges, Olympe de〕 명〖사람〗 프랑스의 여성 혁명가. 프랑스 혁명에 당초부터 참가했는데, 1789년 인권 선언에 불만을 품고, 여성 참정권 운동의 선구(先驅)라고 할 '여권 선언(女權宣言)'을 발표했음. 후에 반역죄의 명목으로 혁명 정부에 의해 처형당함. [1748-93]

구주 결제 동맹【歐洲決濟同盟】[—쩨—] 명〖경〗 구주 지불 동맹(歐洲支拂同盟).

구주 경제 공:동체【歐洲經濟共同體】 명〖경〗 유럽 경제 공동체.

구주 경제 위원회【歐洲經濟委員會】 명〖경〗 유럽 경제 위원회.

구주 경제 협력 기구【歐洲經濟協力機構】[—녁—] 명 유럽 경제 협력 기구.

구주 공:동 시:장【歐洲共同市場】 명〔European Common Market〕〖경〗 유럽 경제 공동체.

구주 공:동체【歐洲共同體】 명〖경〗 유럽 공동체.

구주-군【歐洲軍】 명 유럽군.

구주기 부〈옛〉 우뚝이. ＝구즈기. ¶ 머리롤 구주기 셰오(頭腦卓竪)《蒙法 24》.

구주 대:전【歐洲大戰】 명〖역〗 제1차 세계 대전.

구주 대:첩【龜州大捷】 명〖역〗 ☞ 귀주 대첩.

구:주 매안【舊主埋安】 명 대진(代盡)한 위패(位牌)를 땅에 묻음. ——-하다 자여불

구주-목【一木】 명〈방〉〖식〗 소태나무.

구주-물푸레【歐洲一】 명〖식〗[*Fraxinus excelsior*] 물푸레나뭇과에 속하는 낙엽 활엽의 작은 교목. 잎은 우상 복생(羽狀複生)하고 소엽은 3-6쌍이며 달걀꼴 피침형임. 꽃은 자웅 이가(雌雄二家) 또는 잡가(雜家)인데, 가지 끝에 정생하여 피고, 시과(翅果)는 가을에 익음. 유럽 원산으로 한국 각지의 산에 야생함. 기구재(器具材)로 사용함.

구:주 보살【舊主菩薩】 명〖불교〗 새로 왕생하는 보살에 대해, 예전부터 정토에 살고 있는 보살.

구주 부:흥 계획【歐洲復興計劃】 명 마셜 플랜.

구주-불【歐洲弗】 명〖경〗 유러달러(Euro-dollar).

구주 석탄 철강 공:동체【歐洲石炭鐵鋼共同體】 명〖경〗 유럽 석탄 철강 공동체.

구주 싸움【龜州一】 명〖역〗 고려(高麗) 23대 고종 18년(1231)에 몽고군의 침입에 대항한 구주성(龜州城)에서의 싸움. 김경손(金慶孫)과 박서(朴犀)가 이끄는 고려군은 완강히 결사적으로 저항하여 수차 몽고군을 격퇴하였으나, 조정(朝廷)에서 몽고와 강화(講和)하자 왕명(王命)에 따라 항복하였음. 후에 구주는 장수들이 성을 견수(堅守)한 공에 힘입어 정원 대도호부(定遠大都護府)로 승격되었음. 귀주 싸움.

구주 연맹【歐洲聯盟】 명〖정〗 유럽 연맹.

구주 오:소경【九州五小京】 명〖역〗 통일 신라(新羅) 시대의 지방 행정 구역인 구주(九州)와 오소경(五小京).

구주 원자력 공:동체【歐洲原子力共同體】 명 유럽 원자력 공동체.

구:-주인【舊主人】 명 옛 주인. 그전 주인. ↔신주인(新主人).

구주 자유 무:역 연합체【歐洲自由貿易聯合體】 명〖경〗 유럽 자유 무역 연합.

구주 작가 협회【歐洲作家協會】 명 유럽 작가 협회.

구주 지불 동맹【歐洲支拂同盟】 명〖경〗 유럽 지불 동맹.

구주 통:합군【歐洲統合軍】 명 유럽군. 유럽 통합군.

구주 통화 협정【歐洲通貨協定】 명〖경〗 유럽 통화 협정.

구주-희【九柱戲】[—히] 명 나인 핀스. *볼링.

구죽 명 바닷가에 쌓인 굴껍질.

구죽 바위 명 구죽으로 이루어진 바위.

구중[1]【九重】 명 ①아홉 겹. ②↗구중 궁궐(九重宮闕).

구:중[2]【口中】 명〈궁중〉 입. 임금이나 그 직계 왕족에 씀.

구중 궁궐【九重宮闕】 명 문이 겹겹이 달린 깊은 대궐. 구중 심처(深處). 준구중(九重).

구중 대:나마【九重大奈麻】 명〖역〗 신라 때 벼슬. 대나마 가운데 가장 높으며 팔중(八重) 대나마의 바로 위임.

구중 심:처【九重深處】 명 구중 궁궐(九重宮闕).

구중-안【句中眼】 명 시구(詩句) 가운데서 눈이라고 할 만큼 중요한 자(字). 시안(詩眼).

구:중-약【口中藥】[—냑] 명〖약〗 입 속의 병 또는 구강 위생(口腔衛生)으로 쓰는 약.

구중-주【九重奏】 명〖악〗 9개의 서로 다른 독주 악기에 의한 실내악 협주.

구중중-하다 형여불 더럽고 축축하다. 축축하고 지저분하다.

구중-천【九重天】 명 구천(九天)❶.

구즈기 부〈옛〉 우뚝이. ＝구주기. ¶ 부들 놀이리 鸞이 구즈기 셰는 ᄃᆞᆺ고(筆飛鸞聳立)《杜諺 Ⅷ:8》.

구즉구즉ᄒᆞ다 형〈옛〉 우뚝우뚝하다. ¶ 구즉구즉ᄒᆞ야 피ᄯᆞᆷ 내는 몰삿기 ᄀᆞ도다(偶儻汗血駒)《杜諺 XXII:45》.

구즉셔다 자〈옛〉 우뚝 서다. ¶ 구즉셜 탁(踔)《類合 下 55》.

구즉ᄒᆞ다 형〈옛〉 우뚝하다. ¶ 魏侯氣骨이 구즉ᄒᆞ고 精神이 ᄲᅢᄅᆞ니(魏侯骨聳精爽緊)《杜諺 V:38》.

구즌 형〈옛〉 궂은. '궂다'의 활용형. ¶ 구즌 길(惡道)《阿彌 11》.

구:증[1]【口證】 명 말로 하는 증명. ——-하다 타여불

구증[2]【狗蒸】 명 개찜.

구:증[3]【救拯】 명 구원(救援). ——-하다 타여불

구증 구포【九蒸九曝】 명〖한의〗 약재를 말릴 때에, 찌고 말리기를 아홉 번 함. 지황(地黃) 등을 만드는 법임. ——-하다 타여불

구-증상【球症狀】 명〖의〗 구마비(球痲痺).

구지[1]【九地】 명 ①땅의 가장 낮은 곳. ↔구천(九天). ②손자(孫子) 병법(兵法)에서, 아홉 가지 땅. 산지(散地: 병졸이 흩어지기 쉬운 땅)·경지(輕地: 적지(敵地)에 깊숙이 들어가지 않는 땅)·쟁지(爭地: 피아(彼我)가 서로 빼앗으려고 다투는 땅)·교지(交地: 피아(彼我) 쌍방(雙方)이 서로 왕래하는 땅)·구지(衢地: 제국(諸國)의 왕래의 통로가 되는 땅)·중지(重地: 적지(敵地) 깊숙이 들어간 땅)·비지(圮地: 지형이 험한 땅)·위지(圍地: 막다른 골목 같은 땅)·사지(死地: 진퇴(進退)가 곤란한, 반드시 죽는 땅) 등임. ③적에 발견되기 어려운 곳.

구:지[2]【口脂】 명 연지(臙脂).

구지[3]【矩地】 명 옛날에, 대지(大地)를 사각형으로 생각한 데서 '대지'를 이르는 말.

구지[4]【俱胝】 명〔범 koṭi〕〖불교〗 수(數)의 이름. 천만(千萬). 일설에, 억(億). 무량 대수 장구 시간(無量大數長久時間).

구지[5]【溝池】 명 ①도랑과 못. ②〖역〗 성(城) 둘레에 파놓은 해자(垓字).

구:지[6]【舊地】 명 이전의 영지(領地). 본래의 땅. 구토(舊土).

구:지[7]【舊址】 명 옛 터. 전에 건물(建物)·성(城) 등이 있었던 자리. 구기(舊基).

구:지[8]【舊知】 명 이전부터 아는 친구. 구상식(舊相識).

구지[9] 부〈옛〉 궂게. 흉하게. ¶ 이 呪 외올 사ᄅᆞ미 열다ᄉᆞᆺ 가짓 善히 사로ᄆᆞᆯ 얻고 열다ᄉᆞᆺ 가짓 구지 주구ᄆᆞᆯ 受티 아니ᄒᆞ리라《靈驗 3》.

구지-가【龜旨歌】 명 우리 나라 원시 시가(詩歌)의 하나. 가락국(駕洛國)

의 추장(酋長)들이 구지봉(龜旨峰)에 모여서 김수로왕(金首露王)을 맞이하려고 노래를 했다는 주문(呪文)의 한 가지. ≪가락국기(駕洛國記)≫에 실려 있음. 영신군가(迎神君歌).

구지내 명〖조〗새매의 하나.

구지ᄃᆞᆷ 명〈옛〉꾸지람. 꾸짖음. ¶ 慈悲心으로 구지ᄃᆞᆷ 모ᄅᆞ시니 ≪月印 上 28≫.

구지-등【九枝燈】명 아홉 개의 가지가 있어서 그 곳에 초 같은 것을 꽂게 되어 있는 등.

구지란왈라〔Gujranwala〕명〖지〗파키스탄 북동부의 상업 도시. 쌀·밀·유료 작물(油料作物)·사탕수수·밀감 등의 집산지임. 초기(初期) 시크 왕국의 수도(首都)였음. [785,000명(1981)]

구지람 명〈옛〉꾸지람. =구지럼. ¶ 샹녜 구지라ᄆᆞᆯ 니부터(常被罵詈) ≪妙蓮 Ⅵ:80≫.

구지럼 명〈옛〉꾸지람. =구지람. ¶ 이 야ᄋᆞ로 여러 ᄒᆡᄅᆞᆯ 샹녜 구지럼 드로ᄃᆡ 怒ᄒᆞᆫ ᄠᅳ들 아니 내야 ≪釋譜 XIX:30≫.

구지렁-물 명 썩어서 더러운 물. >고지랑물.

구지레-하다 형여불 지저분하게 더럽다. ¶ 구지레하게 늘어놓았군/구지레한 세간을 없애다.

구지-봉【龜旨峰】명〖지〗경상 남도 김해시(金海市) 뒤에 있는 산봉우리. 가락국(駕洛國)의 시조 수로왕(首露王)이 태어난 곳.

구지 부득【求之不得】명 구해도 얻지 못함. 얻으려야 얻을 수 없음. ——-하다 타여불

구지-뽕 명〈방〉꾸지뽕(경상).

구지-심【求知心】명 지식을 갈구(渴求)하는 마음.

구지ᄌᆞᆷ 명〈옛〉꾸짖음. ¶ 일ᄏᆞ롬과 구지ᄌᆞᆷ과(稱譏) ≪圓覺 上 二之一 12≫.

구지지-하다 형〈방〉구지레하다(평안).

구지하-성【久知下城】명〖역〗백제의 오방성(五方城)의 하나. 남쪽에 있던 성(城)으로, 지금의 전라 남도 장성군(長城郡) 부근에 있었음.

구직[1]【九職】명 ①중국 주대(周代)의 아홉 가지 직업. ②중국 요대(堯代)의 아홉 가지 직업. ③구관(九官)❶.

구직[2]【求職】명 직업을 구함. 직장을 구함. ¶ ~ 광고. ——-하다 자여불

구직-자【求職者】명 직업을 구하는 사람.

구-직함【具職銜】명 관계(官階)·본직(本職)·겸직(兼職)을 갖추어 씀. ——-하다 타여불

구:진[1]【口陳】명 구술(口述). ——-하다 타여불

구:진[2]【久陳】명 ①음식이 오래 되어 맛이 변함. ②약재(藥材)가 오래 되어 약효가 없어짐. ——-하다 자여불

구진[3]【仇珍】명〖사람〗신라의 장수. 진흥왕(眞興王) 12년(551)에 거칠부(居柒夫) 등 여덟 장군과 백제의 군사와 연합하여 고구려를 쳐서, 죽령(竹嶺) 바깥의 열 성(城)을 빼앗음. 벼슬은 대각찬(大角飡)에 이름.

구진[4]【丘疹】명〖의〗살갗에 돋는 발진(發疹)의 일종. 크기는 바늘 대가리 또는 완두콩만하고, 모양은 원형·타원형 또는 다각형인데, 장액(漿液)을 포함하고 있는 것과 포함하지 아니하는 것이 있음.

구진[5]【具陳】명 모두 갖추어 진술함. ——-하다 타여불

구진[6]【鉤陳】명 ①〖천〗북극에 가장 가까운 여섯 별 중의 하나. ②'후궁(後宮)'을 이르는 말.

구진[7]【媾疹】명〖동〗소나 말의 교미에 의해 생기는 생식기병(病). 생식기 부근의 림프선이 부었다 터지며 심한 경우에는 불임이 되는 때도 있음.

구:진[8]【舊陳】명 오래 묵힌 땅. 여러 해 내버려 둔 논밭.

구진 괴기 명〈방〉궂은 고기(경상).

구진-닐 명〈방〉궂은일(경상).

구진-등【九眞藤】명〖식〗박주가리.

구진-비 명〈방〉궂은비(경상).

구진-살 명〈방〉궂은살(경상).

구:-진전【舊陳田】명 2년 이상 여러 해를 묵은 진전. *금진전(今陳田).

구진천【仇珍川】명〖사람〗신라 문무왕(文武王) 때의 노사(弩師). 쇠뇌를 잘 만들어 천보(千步)나 가게 하였다 함. 문무왕 9년(669)에 당(唐)에서 불러 천보노(千步弩)를 만들라고 하였으나 불과 60보밖에 가지 않는 것을 만들었다고 함.

구짇다 타〈옛〉꾸짖다. =구짖다. ¶ 무렛 衆을 구지드며(罵詈徒衆) ≪楞嚴 Ⅸ:108≫.

구질[1]【九秩】명 아흔 살. 90세(歲).

구:질[2]【久疾】명 앓는 지 오래 되어 고치기 어려운 병. 고질(痼疾). 구병(久病).

구질[3]【丘垤】명 작은 언덕.

구질[4]【球質】명 테니스·탁구·야구 등에서, 치거나 던지는 공의 속도·회전·진행 상태 등의 성질.

구질-구질 부 구중중한 모양. ¶ ~ 내리던 비로 말미암아 한동안 손을 못 댄 고추밭≪金裕貞 : 산골≫. ——-하다 형여불

구집【驅集】명 몰아서 모음. ——-하다 타여불

구짓다 타〈옛〉꾸짖다. =구짖다. ¶ 그 아비 그 ᄯᆞ니ᄆᆞᆯ 구짓고≪釋譜 XI:26≫.

구징【咎徵】명 천벌(天罰)의 징조. 임금의 악행에 대한 경계로서 일어나는 천변 지이(天變地異).

구짖다 타〈옛〉꾸짖다. =구짇다. ¶ 무렛衆을 구지주ᄃᆡ(罵詈徒衆) ≪楞嚴 Ⅸ:106≫.

구ᄌᆞᆷ 형〈옛〉궂음. 나쁨. '궂다'의 명사형. ¶ ᄒᆞ다가 ᄆᆞᆯ의 됴홈 구ᄌᆞ므란(如馬好歹) ≪老解 下 17≫.

구:차[1]【久次】명 오랫동안 승진(昇進)하지 못함. ——-하다 자여불

구:차[2]【苟且】명 ①군색스럽고 구구(區區)함. ¶ ~하게 그런 변명은 하기 싫다. ②가난함. 빈곤함. ¶ ~한 살림. ——-하다 형여불. ——-히 부

구차[3]【柩車】명 ↗영구차(靈柩車).

구차[4]【鳩車】명 비둘기 모양을 만들어 실은 작은 수레. 어린아이의 장난감의 한 가지.

구:차-스럽다【苟且—】형ㅂ불 구차한 듯이 보이다. ¶ 구차스럽게 살다. 구:차-스레【苟且—】부

구찰【究察】명 충분히 살펴서 분명히 함. 구심(究審). ——-하다 타여불

구:창[1]【口瘡】명 입안에 생기는 부스럼.

구창[2]【灸瘡】명 쑥으로 뜸뜬 자리가 헐어서 생긴 부스럼.

구창[3]【俱唱】명 함께 노래함. 함께 부름. ——-하다 자타여불

구채[1]【韭菜】명〖식〗부추.

구:채[2]【舊債】명 묵은 빚. 오래 된 빚. ¶ ~를 청산하다.

구채[3]【驅債】명 구가(驅價).

구채-변【韭菜邊】명 도자기(陶瓷器)에 무늬를 넣을 때 쓰는 푸른 물감의 하나.

구채-병【韭菜餠】명 부추 떡.

구책【咎責】명 나무람. 꾸짖음. ——-하다 타여불

구책 유액【驅策誘掖】명 ①부리는 방책을 가르쳐 도와 줌. ②다루어 쓰는 방도를 지도하여 도와 줌.

구처【區處】명 ①구분하여 처리함. 따로따로 처치함. ¶ 이씨 부인을 그림자도 없게 ~하여 주면 서씨집 세간을 돌앙이라도 빼어주겠다고 간청을 하니…≪李海朝 : 鬢上雪≫. ②변통함. ¶ 우리가 병문 밖에서는 떨고서 있을 수는 없지 않습니까? 무슨 ~를 내어야지요≪金周榮 : 客主≫. ——-하다 타여불

구-처(:)기【丘處機】명〖사람〗중국 금(金)나라 말기에서 원(元)나라 초기의 도사(道士). 산둥(山東) 출생. 자는 통밀(通密). 호는 장춘자(張春子). 1167년 전진교(全眞敎) 교조 왕중양(王重陽)에게 입문(入門)하여, 전진교 일곱 진인(眞人)의 한 사람이 됨. 칭기즈 칸의 초청으로 중앙 아시아를 여행했을 때 쓴, ≪장춘 진인 서유기(張春眞人西遊記)≫는 동서 교섭사(東西交涉史)의 중요 자료임. [1148-1228]

구처 무로【區處無路】명 구처할 길이 없음. ——-하다 형여불

구척[1]【狗脊】명〖식〗고비[4].

구척[2]【矩尺】명 곱자.

구척[3]【球尺】명〖물〗구면계(球面計).

구척[4]【鉤尺】명〖역〗신라 때 고관 가전(古官家典)의 한 벼슬.

구척 장신【九尺長身】명 구척이나 되는 아주 큰 키. 또, 그러한 사람.

구천[1]【九川】명〖지〗중국 구주(九州)에 흐르는 하천. 곧, 양쯔 강(揚子江)·황허(黃河) 강·한수이(漢水) 강·지수이(濟水) 강·화이수이(淮水) 강·웨이수이(渭水) 강·뤄수이(洛水) 강·뤄수이(弱水) 강·헤이수이(黑水) 강.

구천[2]【九天】명 ①가장 높은 하늘. 구중천(九重天). 구현(九玄). ↔구지(九地). ②하늘을 아홉 방위로 나눈 일컬음. 곧, 중앙을 균천(鈞天), 동방(東方)을 창천(蒼天), 서방을 호천(昊天), 남방을 염천(炎天), 북방을 현천(玄天), 동북방을 변천(變天), 서북방을 유천(幽天), 서남방을 주천(朱天), 동남방을 양천(陽天)이라 함. 구소(九霄). ③〖불교〗대지(大地)를 중심으로 그 주위를 회전한다고 가정한 아홉 개의 천체. 곧, 일천(日天)·월천(月天)·수성천(水星天)·금성천(金星天)·화성천(火星天)·목성천(木星天)·토성천(土星天)·항성천(恒星天)·종동천(宗動天)의 총칭. 구야(九野). ④〖문〗≪시용 향악보(時用鄕樂譜)≫에 전하는 무가(巫歌) 계통의 노래.

구천[3]【九泉】명〔구중(九重)의 땅 밑이라는 뜻〕죽은 뒤에 넋이 돌아간다는 곳. 저승. 구천 지하(九泉地下). 구경(九京). 구원(九原). 지하(地下). 황천(黃泉). 천양(泉壤). 천대(泉臺).

구:천[4]【久喘】명〖한의〗오래 그치지 않는, 숨이 가쁜 증세(症勢).

구-천[5]【句踐】명〖사람〗중국 춘추 시대 월(越)나라 제2대 왕. 기원전 496년에 오(吳)나라의 합려(闔閭)를 무찔렀으나, 기원전 494년에 부차(夫差)에게 대패하여 회계산(會稽山)에서 굴욕적 화의(和議)를 체결하였음. 그 후 와신 상담(臥薪嘗膽)하고 범려(范蠡) 등의 보좌에 의하여 부흥하여 기원전 473년 부차를 죽이고 오나라를 멸하여 회계의 치욕을 씻었음. [? -465 B.C. ; 재위 496-465 B.C.]

구천[6]【懼喘】명 두려워하며 숨을 가쁘게 쉼. ——-하다 자여불

구천 구지【九天九地】명 하늘 꼭대기부터 땅 밑까지의 사이.

구천-무【九天巫】명 구천을 제사 지내는 무당.

구천 용귀【屨賤踊貴】명 보통 신의 값은 싸고 용(踊)(죄를 지어 발을 잘린 사람이 신는 신)의 값은 비싸다는 뜻이니, 죄인이 많음을 비유한 말.

구천 지하【九泉地下】명 구천(九泉).

구천 직하【九天直下】명 일사 천리(一瀉千里)의 형세를 이름.

구천 현녀【九天玄女】명 '현녀(玄女)'를 달리 이르는 말.

구철[1]【九哲】명 공자의 제자 십철(十哲) 중에서 안회(顔回)를 제외한 아홉 사람의 뛰어난 제자. 곧, 민자건(閔子騫)·염백우(冉伯牛)·중궁(仲弓)·재아(宰我)·자공(子貢)·염유(冉有)·계로(季路)·자유(子游)·자하(子夏)를 일컫는 말. *십철(十哲).

구철[2]【矩鐵】명 단면(斷面)이 구형으로 된 강철. 또, 연철(鍊鐵)로 만든 쇠막대기. 강한 내구력(耐久力)이 있음.

구첨【具瞻】명 중인(衆人)이 모두 우러러 봄. ——-하다 타여불

구첩 반상【九一飯床】명 밥·탕·김치·세 가지 장류(醬類)·찌개·찜 등의 기본 음식에다 숙채·두 가지 생채·두 가지 구이 ·조림·전·마른 찬·회의 아홉 가지 반찬을 갖춘 밥상. *반상.

구첩-전【九疊篆】명 도장 따위를 새길 때에, 글자 획을 여러 번 구부려서 쓴 서체의 하나.

구청[1]【求請】명 청구(請求). ——-하다 타여불

구청[2]【區廳】명 인구 50만 이상의 시(市)의 행정 구역의 하나인 구(區)의 행정 사무를 맡아 보는 관청.

구청-장【區廳長】명 구청의 장(長).

구:체[1]【久滯】명〖한의〗오래 된 체증. 만성 위장병(慢性胃腸病)의 통칭. 미루체.

구체[2]【狗彘】명 개와 돼지.

구체[3]【具體】명 ①전체(全體)를 구비(具備)함. ②〖철〗개체(個體)가 특수한 형체(形體)·성질을 갖추어 가짐. 구상(具象). ↔추상(抽象). ③바둑에서, 기력(棋力)의 단계를 나타내는 말의 하나. 체용(體用)을 갖추었다는 뜻으로 7단(段)을 이르는 말. *좌조(坐照).

구체[4]【球體】명 공 모양으로 된 물체. 공처럼 둥근 형체.

구:체[5]【舊滯】명 묵은 체증(滯症).

구:체[6]【舊體】명 낡은 체제. ↔신체(新體).

구체[7]【軀體】명 몸. 구간(軀幹). 몸통.

구체 개:념【具體概念】명〖논〗구체적 개념(具體的概念).

구체 대:화 법칙【軀體大化法則】명〖생〗생물 진화 과정에 있어서의 한 법칙. 한 종족(種族)이 그 진화가 거듭됨에 따라 일반적으로 몸이 커지는 일. 방추충(紡錘蟲)·암모나이트(ammonite)·삼엽충(三葉蟲)·포유류(哺乳類)의 각 종족이 그 현저한 예임.

구체 명사[1]【具體名詞】명〖언〗돌·쇠·나무와 같은 구체적 개념(具體的概念)을 나타내는 명사. 구상 명사(具象名詞). 꼴있는 이름씨. ↔추상명사(抽象名詞). 「념.

구체 명사[2]【具體名辭】명〖논〗구체적 명사(具體的名辭). 구상(具象) 개

구체-성【具體性】[一썽] 명〖철〗〔도 Konkretheit〕사유(思惟)될 뿐만 아니라 직관(直觀)의 대상(對象)이 될 수 있는 것. 경험적 실재성(經驗的實在性)을 가지고 있는 것. 직관적 내용(直觀的內容)을 갖추고 있는 것. 구상성(具象性). ↔추상성(抽象性).

구체-안【具體案】명 구체적인 안건(案件).

구체 음성【具體音聲】명〖언〗발음 기관의 차이나 그때그때의 사정에 따라 달라지는 발음의 강약 장단(強弱長短)에 의하여 상대방의 청각(聽覺)에 주는 인상을 다르게 하는 실제의 음성. ↔추상(抽象) 음성.

구체 음악【具體音樂】명〖악〗뮈지크 콩크레트(musique concrète).

구체이-미【具體而微】명 형체는 갖추었으나 미미하고 불완전함. ——-하다 형 여불

구체-적【具體的】명관 사물(事物)이 뚜렷한 실체(實體)를 갖추고 실제의 형체·내용을 가지고 있는 모양. 구상적(具象的). ↔추상적(抽象的).

구체적 개:념【具體的概念】명〖논〗①속성(屬性)을 포함하는 사물을 가리키는 개념. *대상 개념(對象概念). ②단독 개념(單獨概念). ③다른 사물과의 관련에서 충분히 포착(捕捉)한 사물의 개념. 구상적(具象的) 개념. ↔추상적 개념(抽象的概念). 「辭).

구체적 개:념 명사【具體的概念名辭】명〖논〗구체적 명사(具體的名

구체적 명사【具體的名辭】명〖논〗구체적 개념을 말로 나타내는 명사. 개·집 같은 것. 구체적 개념 명사. 구상적 명사. ↔추상적 명사(抽象的名辭).

구체적 사고【具體的思考】명〖철〗직관적(直觀的) 사고.

구체적 소권설【具體的訴權說】[一꿘一] 명〖법〗공법적 소권설(公法的訴權說)의 하나. 소권은 구체적인 자기 주장대로의 승소(勝訴) 판결까지를 청구할 수 있는 권리라고 하는 설.

구체적 시:장【具體的市場】명〖경〗구체적 장소에 의하여 존재하는 시장. 교역소(交易所)·견본(見本) 시장·직장점(職場店)·점포·거래소 등. ↔추상적(抽象的) 시장.

구체적 일원론【具體的一元論】[一논] 명〔concrete monism〕〖철〗우주 만상(宇宙萬象)의 현상(現象)과 그 본체(本體)는 서로 독립한 것이 아니라는 견해. 곧, 본체의 나타난 것이 바로 현상이라는 설(說).

구체적 조작기【具體的操作期】명〖심〗스위스의 심리학자 피아제(Piaget, J.)의 지적(知的) 발달 단계설에서, 사람의 7-8 세부터 11-12 세까지의 시기. 아이들의 사고(思考)에 가역성(可逆性)이 생기고 각종 보존(保存)이 가능해지며 구체물(具體物)을 통한 사고 조작에 이론성(理論性)이 생김. *감각적 운동기·형식적 조작기.

구체적 진리【具體的眞理】[一질一] 명〖철〗시간, 장소, 그 밖의 구체적, 개별적인 조건 아래에서 진(眞)으로 인정되는 사물(事物). 헤겔(Hegel)은 이를 인정하고 추상적 진리를 부정함.

구체적 타:당성【具體的妥當性】[一썽] 명〖법〗법의 규범을 구체적인 사건에 적용할 경우, 법의 목적에 비추어서 적절하고 정당한 해석·적용이 이루어졌다고 하는 상태.

구:-체제【舊體制】명 전부터 내려오는 체제. 낡은 체제. 묵은 제도. 구제도(舊制度). ↔신체제.

구체-책【具體策】명 구체적으로 꾸민 방책(方策).

구체-화【具體化】명 ①사실로서 나타남. 또, 무형(無形)의 것을 사실에 의해 나타냄. ②계획 등을 실행함. 실현(實現). ——-하다 자타 여불

구:초[1]【口招】명 죄인이 신문(訊問)에 대답함. ——-하다 타 여불

구:초[2]【舊草】명 ①묵은 담배. ②오래 된 초고(草稿).

구촌【九寸】명 ①삼종 숙질(三從叔姪) 사이의 촌수(寸數). ②아홉 치.

구총【丘冢】명 무덤. 구묘(丘墓).

구추【九秋】명 ①삼추(三秋)❶. ②구월(九月).

구-추백【瞿秋白】명〖사람〗'취 추바이'를 우리 음으로 읽은 이름.

구:축[1]【口蹙】명 훈민 정음의 술어. 구장(口張)에 대립되는데, 입술 모양의 원순(圓脣)에 해당되는 것으로 해석하는 설과 개구도(開口度)가 작은 모음으로 해석하는 설이 있음. *구장(口張).

구축[2]【拘縮】명 ①〖생〗1회(回)의 단시간적 자극이나 반복되지 않는 지속적 자극에 의해서 생기는 근육(筋肉)의 지속적 수축(收縮). 각종 알칼로이드나 마취약 따위에 의한 마취약 구축, 산(酸)·염기(塩基)에 의한 산구축·염기 구축 등이 알려져 있음. 자극의 원인을 조기(早期)에 제거하면 근육은 이완(弛緩)해서 회복하나, 작용이 장시간에 걸치면 불가역적(不可逆的)이 됨. ②〖의〗원인이 직접 관절에 있는 것이 아니고, 이를테면 관절 근처의 피부에 반흔(瘢痕)이 있어 그로 인하여 관절이 움직이지 아니하는 상태. 「地)~. ——-하다 타 여불

구축[3]【構築】명 얽어 만들어 쌓아 올림. 구조물을 쌓아 만듦. ¶ 진지(陣

구축[4]【驅逐】명 몰아 쫓아 냄. ——-하다 타 여불

구축-대【驅逐隊】명〖군〗↗구축함대(驅逐艦隊).

구축 전:차【驅逐戰車】명〖군〗장갑(裝甲)은 비교적 약하나 위력이 큰 대전차포(對戰車砲)를 적재하여 고속도로 기동(機動)하는 10-60t 급의 전차. *전투(戰鬪) 전차.

구축-함【驅逐艦】명〖군〗본디, 어뢰(魚雷)를 주요 병기로 하며, 적의 주력함(主力艦)·잠수함을 격파하는 것을 임무로 하는 속력(速力)이 빠른 1,000-3,000 톤의 소형(小型)의 군함. 지금은 호위(護衛)나 초계(哨戒)에 종사하고, 잠수함 격침·비행기 격추를 주임무로 하는 호위함(護衛艦)을 포함한 소형 고속 군함의 총칭. 수뢰(水雷) 구축함.

구축함-대【驅逐艦隊】명〖군〗두 척 이상의 구축함으로 편성된 함대(艦隊). ㊊구축대(驅逐隊).

구춘【九春】명 봄철의 90 일을 일컫는 말.

구:출[1]【救出】명 구하여 냄. ¶ ~ 작전. ——-하다 타 여불

구출[2]【驅出】명 몰아 냄. 쫓아 냄. ——-하다 타 여불

구충[1]【九蟲】명〖한의〗사람의 뱃속에 있는 아홉 가지 기생충. 곧, 복충(伏蟲)·회충·백충(白蟲)·요충(蟯蟲)·약충(弱蟲)·폐충(肺蟲)·위충(胃蟲)·육충(肉蟲)·적충(赤蟲).

구충[2]【鉤蟲】명〖동〗선충류(線蟲類) 구충과에 속하는 기생충의 통칭(通稱). *촌충.

♂ ♀

〈구충[2]〉

구충[3]【驅蟲】명 기생충·해충(害蟲) 등을 구제함. 제충(除蟲). ——-하다 자 여불

구충-과【鉤蟲科】[一꽈] 명〖동〗[Ancylostomidae] 선충류(線蟲類)에 속하는 한 과. 구치(鉤齒)나 치판(齒板)으로 숙주(宿主)의 소장벽(小腸壁)에 붙어 사는 것으로 몸길이는 10mm 정도임. 사람에게 기생하는 십이지장충(十二指腸蟲)·아메리카구충·브라질구충 또는 개에 기생하는 개구충 등이 있음. *촌충류(寸蟲類). 「——-하다 타 여불

구:-충기수【苟充其數】명 질(質)은 돌보지 아니하고 다만 수효만 채움.

구충-약【驅蟲藥】[一냑] 명 구충제(驅蟲劑).

구충-제【驅蟲劑】명 ①체내(體內)의 기생충을 구제(驅除)하는 데 쓰는 약제. 산토닌 등. ②해충(害蟲)을 없애는 약제. 디 디 티(DDT) 따위. 살충제(殺蟲劑). 구충약. 제충약(除蟲藥).

구충-증【鉤蟲症】[一쯩] 명〖의〗구충의 감염(感染)으로 일어나는 병. 빈혈(貧血)이 점점 심하여지며, 이식증(異食症)·호흡 곤란·영양 장애·두통·현기증 등이 일어남.

구:취[1]【口臭】명 입에서 나는 나쁜 냄새. 구과(口過). 입내.

구취[2]【鉤取】명 갈고리로 갈아 당겨 취함. ——-하다 타 여불

구취[3]【鳩聚】명 한 곳에 모음. 한 곳에 모임. ——-하다 자타 여불

구:츠 무:츠〔Guts Muths, Johann Christoph Friedrich〕명〖사람〗독일의 체육 지도자. 각종 운동과 무용을 체계화하여 학교 체육을 확립함. 저서에 《청년의 체조》가 있음. [1759-1839]

구:츠-헤어샤프트〔도 Gutsherrschaft〕명〖역〗15-19세기 엘베 강 이동(以東)의 독일 여러 지역에서 전형적으로 발달한 토지 영주제(領主制)의 한 형태. 영주는 직영지(直營地)를 중심으로 13세기 이래의 동방식민(東方植民)에서 생겨난 자영(自營) 농민을 지배 하에 두고 자기 경영(自己經營)을 확대함과 동시에 영주권(領主權)·토지 소유권·영주 재판권까지 아울러 가졌음. 「탑.

구층-탑【九層塔】명 ①9층으로 된 탑. ②〖불교〗황룡사(皇龍寺) 구층

구치[1]【臼齒】명〖생〗어금니. 「여불

구치[2]【灸治】명〖한의〗뜸으로 병을 고침. 구술(灸術). ——-하다 타

구치[3]【拘置】명 구속하여 유치(留置)함. ——-하다 타 여불

구:치[4]【救治】명 구하여 이전의 상태로 돌이킴. ——-하다 타 여불

구치[5]【驅馳】명 ①말이나 수레 등을 몰아 빨리 달림. ②남의 일을 위하여 분주히 힘을 다함. ——-하다 타 여불

구:치[6]〔Gooch, George Peabody〕명〖사람〗영국의 역사가. 케임브리지·베를린·파리의 여러 대학에서 공부했고, 제1차 세계 대전의 외교 문서 편집에 종사하였음. 정치 사상사·외교사·사학사(史學史)·독일사 등에 업적이 큼. 주저(主著)는 《19세기 역사학과 역사가》·《독일과 프랑스 혁명》·《독일사 연구》 등. [1873-1968]

구치-감【拘置監】명 '구치소'의 구칭(舊稱). ↔기결감(旣決監).

구-치(:)관【具致寬】명〖사람〗조선 세조(世祖) 때의 상신(相臣). 자는 이율(而栗). 능성(綾城) 사람. 계유 정난(癸酉靖難)에 가담, 재능을 인정받아 영상에까지 올랐으며 정직·청렴하여 사후(死後) 유산이 없었다 함. [1406-70]

구치다 타〈옛〉①굽히다. 마지못하다. ¶太子ㅣ 구쳐 푸라놀《釋譜 Ⅵ:25》. ②궂치다. 상하게 하다. ¶늘그시닛 쁘들 구추미 어려운 젼추로(難傷老人意故)《內訓 Ⅱ:60》.

구치-소【拘置所】명 미결 수용자를 수용하는 시설.

구칠-당【仇七幢】명〖역〗신라 군대의 이름. 문무왕(文武王) 16년(676)에 둠. 금(衿)의 빛은 흰.

구:칠-립【舊漆笠】명 칠한 지 오래 되어 빛이 바랜 갓.

구칠 하:가칠【九七下加七】명〖수〗구귀가(九歸歌)의 하나. 아홉으로 일곱을 제함에는, 그 일곱을 상(商)으로 삼아 그대로 두고, 나머지 일곱을 그 아랫자리에 놓으라는 뜻. 「어 걸는 데 쓰는 바늘.

구침【鉤針】명 ①끝이 갈고리 모양으로 된 바늘 같은 것의 통칭. ②역

구:칭[1]【口稱】명 입으로 나무아미타불 따위를 욈. ——-하다 타 여불

구:칭[2]【舊稱】명 옛 칭호(稱號). ↔현칭(現稱).

구:칭 염불【口稱念佛】[一념一] 명〖불교〗입으로 외는 염불.

구:카이〔空海: くうかい〕명〖사람〗일본의 9세기 초엽의 고승(高僧). 중국 당나라에 건너가 불법을 배워 일본 진언종(眞言宗)의 개조(開祖)가 되었음. 글씨와 시문(詩文)에도 능함. 시호(諡號)는 고보 대사(弘法大師). [774-835]

구:쾌【口快】명 말을 삼가지 아니하여 입이 가벼움. ——-하다 형 여불

구타[1]【毆打】명 사람을 때리고 침. 구격(毆擊). ——-하다 타 여불

구타[2]〔말레이 gutta〕명〖화〗구타페르카의 주성분. 고무와 같은 구조이나, 결합형(結合形)이 다름. [$(C_{10}H_{16})_n$]

구타-페르카〔말레이 gutta-percha〕명 열대산의 구타페르카나무의 가지 또는 잎에서 채취한 유액(乳液)을 건조시킨 물질. 고무질로서 회색

또는 갈색이며 가열하면 말랑말랑하게 됨. 전기 절연성이 있어 해저 전선·방수제·내산(耐酸) 용기·치과 수술용·골프 공 등의 재료로 쓰임.

구타페르카-나무 [gutta-percha] 명 〔식〕 [*Palaquium gutta*] 적철과(赤鐵科)에 속하는 상록 교목. 말레이·자바에서 나는데, 높이는 10 m이고 잎은 거꿀달걀꼴, 뒷면에 황금색의 털이 밀생하였음. 꽃은 희며, 장과(漿果)가 열림. 가지에 상처를 내어 나오는 유액(乳液)을 굳혀 구타페르카를 만듦.

구탁【垢濁】명 더러운 것으로 흐림. 때묻고 더러움. ——하다 형여불

구탈【寇奪】명 사람을 해치고 재물을 약탈함. ——하다 타여불

구:탈 보살【救脫菩薩】명 〔불교〕 팔대 보살(八大菩薩)의 하나. 사람의 고(苦)와 난(難)을 구하여 줌.

구태¹【仇台】명 〔사람〕 삼국 사기에서, 백제의 시조 비류(沸流)의 아버지로 알려진 사람.

구:태²【舊苔】명 오래 묵은 이끼.

구:태³【舊態】명 옛 모양. ¶ ~를 벗다. ↔현태(現態).

구태⁴ 부 ↗구태여.

구:-태양력【舊太陽曆】[-녁] 명 〔천〕 율리우스력(曆).

구태여 부 〔중세 : 구틔여(구틔다(강요하다)의 활용형)〕 애써 짓궂이. 일부러. 짐짓. ¶ ~ 그렇게 할 필요가 있나.

구:태 의연【舊態依然】명 옛 모양 그대로임. ——하다 형여불

구:택¹【口澤】명 그릇 같은 것의 항상 입에 닿는 곳에 나는 윤(潤). *수택(手澤).

구:택²【舊宅】명 ①옛 사람이 살던 집. ②본디 살던 집. 또, 여러 대(代)를 가 살던 집. ↔신택(新宅).

구탱이 명 〈방〉 구석¹(충청·평안).

구터분-하다 형여불 ↗구리터분하다. ＞고타분하다.

구텁지근-하다 형여불 좀 구리텁텁하다. ¶ 구텁지근한 냄새. ＞고탑지근하다.

구텁텁-하다 형여불 ↗구리텁텁하다. ＞고탑탑하다.

구:텐베르크¹ [Gutenberg, Beno] 명 〔사람〕 독일 태생의 미국 지진학자(地震學者). 괴팅겐(Göttingen) 대학을 나와 프랑크푸르트(Frankfurt) 대학 교수를 역임함. 제2차 세계 대전 때, 나치스의 탄압(彈壓)을 피하여 미국으로 이주(移住) 귀화(歸化)하여 캘리포니아 공과 대학에서 패서디나(Pasadena) 지진 관측소를 창설(創設)함. 지진의 규모별 빈도(頻度) 분포와 지구 내부 구조의 연구 등에 업적이 많음. [1889-1960]

구:텐베르크² [Gutenberg, Johannes] 명 〔사람〕 독일의 활판(活版) 인쇄술의 발명자. 마인츠(Mainz) 태생. 1450년 가동(可動) 인쇄기를 만들어 주형(鑄型) 활자로 처음 성경(聖經)을 박아 내었음. [1394-1468]

구:텐베르크 비:헤르트 불연속면【—不連續面】[Gutenberg Wiechert] 명 〔지〕 지구의 내부 중 맨틀(mentle)과 핵(核)과를 가르는 면(面)을 이름. 독일의 지진학자 비헤르트(Wiechert, E.)와 구텐베르크(Gutenberg, B.) 등이 연구해서 2,900 km라는 이 면의 깊이를 확립(確立)하였음.

구텡이 명 〈방〉 구석¹(충남).

구토¹【九土】명 중국 고대의 구주(九州)의 땅.

구토²【嘔吐】명 위(胃) 속의 음식물을 토함. 게움. 토역(吐逆). ¶ ~ 설사. ——하다 타여불

구토³【嘔吐】명 〔프 La Nausée〕〔문〕 사르트르(Sartre, Jean Paul)작의 소설. 1938년 간행(刊行). 젊은 사학도(史學徒) 로캉탱은 북프랑스의 소도시(小都市)에 역사 연구를 위해 체재(滯在)하고 있지만,어느 날 조약돌을 주워 바다에 던지려다 '무엇인가'를 느낀다. 이윽고 그것은 '구토(嘔吐)'이며 사물의 '존재'를 의식(意識)함으로써 생긴다는 것을 안다는 내용임. 일기체의 장편 소설로 작가의 문학적·철학적 출발을 보여 주는 중요한 작품이며 실존(實存)주의 문학의 대표적 걸작임.

구:토⁴【舊土】명 이전의 영지. 구지(舊地).

구토 설사【嘔吐泄瀉】[-싸] 명 게우고 설사함. ¶ 심한 ~. ——하다 타여불

구토-증【嘔吐症】[-쯩] 명 구토를 느끼는 증세. 게우는 증세. ¶ ~이 나다.

구-통【九通】명 중국의 역사·문물 제도·문헌을 통람(通覽)할 수 있는 책. 당(唐)의 두우(杜佑)가 지은 《통전(通典)》(200권), 송의 정초(鄭樵)가 지은 《통지(通志)》(100권), 송의 마단림(馬端臨)이 지은 《문헌통고(文獻通考)》(348권), 건륭(乾隆) 12년에 칙찬(勅撰)한 《속문헌통고(續文獻通考)》(250권) 및 《황조 문헌 통고(皇朝文獻通考)》(166권), 동 32년 칙찬한 《속통전(續通典)》(650권) 및 《황조 통전(皇朝通典)》(100권)과, 같은 해 칙찬한 《속통지(續通志)》(640권), 《황조통지(皇朝通志)》(126권)의 아홉 가지 책을 일컫는 말.

구:투¹【苟偸】명 눈앞의 일시적인 안일(安逸)을 취함. ——하다 자여불

구투²【寇偸】명 타국에 쳐들어가서 난폭한 짓 또는 도둑질을 함. ——하다 자여불

구:투³【舊套】명 예전 양식. 관습·도덕·사상 등 옛 사물(事物)의 투식(套式). ¶ ~를 벗어나다.

구튜리라 타 〈옛〉 굳히려고. '구티다'의 활용형. ¶ 僞姓을 구튜리라(謀固僞姓)《龍歌 71章》.

구트나 부 〈옛〉 구태여. ¶ 구트나 울고 가고 그리는 대를 심어 무슴ᄒᆞ리오《古時調》.

구틀 명 〈방〉 귀틀.

구틔다 타 〈옛〉 강요하다. 강권하다. ¶ 모든 父兄 돌ᄒᆡ 구틔대(諸父兄強之)《初內訓 Ⅲ:47》.

구틔야 부 〈옛〉 구태여. =구틔여. ¶ 구틔야 노ᄒᆞ야 말라(不須惱操)《老解 下 18》.

구틔여 부 〈옛〉 구태여. =구틔야·구ᄐᆞ야. ¶ 구틔여 法身이라 일ᄏᆞᄅᆞ니라《月序 5》/구틔여 네 자바 닐오딕(必汝執言)《楞嚴 Ⅰ:61》.

구티이 명 〈방〉 구석¹(충청).

구티다 타 〈옛〉 굳히다. ¶ 열븐 어르믈 하ᄂᆞ리 구티시니(有薄之氷天爲之堅)《龍歌 30章》.

구팅이 명 〈방〉 구석¹(경남).

구ᄐᆞ야 부 〈옛〉 구태여. =구ᄐᆞ여. ¶ 구ᄐᆞ야 六面은 므어슬 象톳던고《松江關東別曲》.

구ᄐᆞ여 부 〈옛〉 구태여. =구ᄐᆞ야. ¶ 엇디 구ᄐᆞ여 이러ᄐᆞ시 괴롭게 ᄒᆞᄂᆞ뇨(何自苦如此)《五倫 Ⅱ:12》.

구:-파【舊派】명 ①구래(舊來)의 형식을 따르는 파. 구류(舊流). ②〔연〕 ↗구파 연극(舊派演劇). 1)·2):↔신파(新派).

구:파-극【舊派劇】명 〔연〕 ↗구파 연극(舊派演劇). ↔신파극.

구:파 연:극【舊派演劇】명 〔연〕 구래의 형식을 따르는 연극. 준구극(舊劇)·구파(舊派)·구파극(舊派劇). ↔신파 연극.

구판¹【丘坂】명 언덕과 산비탈.

구:판²【舊板·舊版】명 그 전에 만든 책판(冊板). 묵은 판. 또, 묵은 판으로 찍은 책. ¶ ~을 개정하다. ↔신판.

구판-장【購販場】명 조합(組合)에서 공동으로 물품을 구입(購入)하여 싸게 판매하는 곳. ¶ 농협 ~.

구팔 하:가팔【九八下加八】명 〔수〕 구귀가(九歸歌)의 하나. 아홉으로 여덟을 제함에는 그 여덟을 상(商)으로 삼아 그대로 두고, 나머지 여덟을 그 아랫자리에 놓으라는 뜻.

구팡 명 〈방〉 마루(함경).

구패 명 〈방〉 글피(경남).

구편【鳩便】명 전서구(傳書鳩)를 이용하여 통신(通信)함. 또, 그 통신. ——하다 타여불

구폐¹【狗吠】명 ①개가 짖음. 또, 그 소리. ②밤에 수상한 자가 다님. ——하다 자여불

구폐²【垢弊】명 때가 묻고 떨어짐. 또, 그 물건. ——하다 자여불

구:폐³【捄弊】명 폐해(弊害)를 바로잡음. ——하다 자여불

구:폐⁴【舊弊】명 전부터 내려오는 나쁜 관습(慣習) 등의 폐단. 묵은 폐단. ¶ ~를 일소하다.

구:폐 생폐【捄弊生弊】명 폐해를 바로잡으려다가 도리어 폐해를 일으킴. ——하다 자여불

구포¹【臼砲】명 〔군〕 포신(砲身)이 구경(口徑)에 비하여 짧고 사각(射角)이 큰 화포(火砲). 탄도(彈道)는 만곡(彎曲)하여 거의 수직으로 떨어짐.

구포²【龜浦】명 〔지〕 부산 직할시 북구(北區)의,낙동강(洛東江) 가에 있는 구읍(舊邑).

구:포³【舊逋】명 오랜 흠포(欠逋).

구포-교【龜浦橋】명 〔지〕 부산 광역시 북구(北區) 구포동과 강서구(江西區) 대저일동(大渚一洞)과의 경계선을 흐르는 낙동강에 가설된 교량. [1,060 m]

구포 속량【購捕贖良】[-냥] 명 〔역〕 조선 시대 때, 범인을 고발하여 잡히게 함으로써 노비(奴婢)의 신분을 벗어나 양인(良人) 신분을 얻는 일.

구품 타 〈옛〉 굽힘. '구피다'의 명사형. ¶ 등 구표미 몯ᄒᆞ리라(不可背曲)《蒙法 24》.

구푸리다 타 몸을 앞으로 구부리다. ¶ …무덤에 달려가서 구푸려 들여다보니… 《누가복음 24:12》. ㅆ꾸푸리다. ＞고푸리다.

구품¹【九品】명 ①구경(九卿). ②아홉 가지 관위(官位)의 등급. ③〔역〕 벼슬의 아홉째 품계. 정구품과 종구품이 있음. ④〔불교〕 극락 왕생(極樂往生)의 아홉 가지 계급. *구품 연대(蓮臺).

구품²【具稟】명 사유(事由)를 갖추어 웃어른에게 아뢺. ——하다 타여불

구품 관인【九品官人】명 〔역〕 구품 중정(九品中正).

구품 연대【九品蓮臺】명 〔불교〕 구품으로 나뉜 극락 세계에 있는 연꽃. 중생이 죽어 가서 앉는 연대인데, 평생 지은 업(業)의 깊고 얕음에 따라 구등(九等)으로 나뉨. *구품(九品).

구품 정토【九品淨土】명 〔불교〕 구품으로 나눈 극락 세계. 상·중·하의 삼품(三品)으로 나누고 각 품을 다시 삼생(三生)으로 나눔.

구품 중정【九品中正】명 〔역〕 중국 위진 육조(魏晉六朝)의 관리의 등용법(登用法). 향거 이선 제도(鄕擧里選制度)의 하나. 위(魏)의 조조(曹操)가 실시한 제도로 각 주(州)·군(郡)·현(縣)에 지방 장관과는 별도로 중정(中正)을 두어 그 중정이 지방의 인사를 덕행·재능에 따라 구품 곧 아홉 등급으로 분류 판정하여 중앙의 이부(吏部)에 추천하였음. 구품 관인(九品官人).

구품 천사【九品天使】명 〔천주교〕 상·중·하 세 급으로 나누고, 각 부를 다시 삼품씩으로 나눈 아홉 계급의 천사. *천신¹.

상 급	치품 천사(熾品天使) 지품 천사(智品天使) 좌품 천사(座品天使)
중 급	권품 천사(權品天使) 능품 천사(能品天使) 역품 천사(力品天使)
하 급	주품 천사(主品天使) 대 천사(大天使) 천사(天使)

구품 행업【九品行業】명 〔불교〕 9품으로 나뉜 극락 세계의 각 품을 닦는 업(業).

구품-혹【九品惑】명 〔불교〕 탐(貪)·진(瞋)·만(慢)·무명(無明)의 네 가지 수혹(修惑)을 상·중·하의 3품으로 나누고, 각 품을 다시 상·중·하로 분류한 것.

구풍¹【颶風】명 〔기상〕 ①강한 바람. ②'열대성 저기압(熱帶性低氣壓)'의 구칭.

구:풍²【舊風】명 옛 풍습.

구풍-약【驅風藥】[-냑] 명 〔한의〕 구풍제(驅風劑).

구풍-제【驅風劑】명 〔한의〕 장관(腸管)에 집적(集積)한 가스를 배설시키는 작용을 하는 약제. 구풍약.

-구프다 미 〈방〉 -고 싶다(평안).

구피¹ 명 〈방〉 다시마(경북).

구피² 명 〈방〉 글피(전북).

구피³【狗皮】명 개의 가죽.

구피⁴ [guppy] 명 〔어〕 ☞ 거피(guppy).

구피-계【狗皮契】명 〔역〕 조선 시대 때, 성절(聖節)·정월 초하루·동지의 세 명절에 녹피(鹿皮)·수달피(水獺皮)·장피(獐皮)·표피(豹皮)·호피

(虎皮) 등을 진상(進上)하기 위한 계(契). 「씀.

구피-고【狗皮膏】명〖한의〗개 가죽에 발라 만든 고약(膏藥). 신경통에

구피다 타〈옛〉굽히다. ¶ 올흔 무룹 수려 몸 구펴 合掌ᄒᆞ야≪月釋 Ⅸ:49≫/구필 유(揉), 구필 굴(屈)≪類合 下 62≫.

구:필【口筆】명 붓을 입에 물고 쓰는 글씨. 구호(口毫).

구하【九夏】명 여름철의 90일을 일컫는 말.

구-하다¹【求—】타여불 ①손에 넣으려고 찾다. 찾아 얻다. ¶ 직업을 ~/해답을 ~. ②바라다. ③사다.

구-하다²【灸—】타여불 ①쑥으로 뜨다. ②불에 굽다.

구:-하다³【救—】타여불 ①어려운 일을 벗어나게 하다. ¶ 물에 빠져 죽는 것을 ~. ②물건을 주어 돕다. ¶ 극빈자를 ~. ③병을 잘 돌보아 낫

구학¹【丘壑】명 언덕과 구렁. ㄴ게 하다. ¶ 위독한 병을 구하여 주다.

구학²【求學】명 배움의 길을 찾음. ——-하다 자여불

구학³【矩矱·集矱】명〔←구확〕①먹줄과 자. ②법칙❶.

구학⁴【溝壑】명 구렁❶.

구:학⁵【舊學】명 ↗구학문(舊學問).

구:-학문【舊學問】명 서양에서 들어온 새로운 학문에 대한 재래의 한학(漢學)을 이름. ㊌구학(舊學). ↔신학문(新學問).

구:-학파【九學派】명 구류(九流).

구:한¹【久旱】명 오래 가뭄.

구한²【仇恨】명 원한(怨恨).

구:한³【舊恨】명 오래 전부터 품어 온 원한. ¶ ~을 풀다.

구:한 감우【久旱甘雨】명 오랜 가뭄 끝에 내리는 단비.

구:-한국【舊韓國】명 대한 제국.

구:한-말【舊韓末】명〖역〗구한국 말기(舊韓國末期) 곧, 대한 제국의 말기를 뜻하나, 흔히 1897년부터 1910년까지의 대한 제국 기간을 말함.

구:한 봉감우【久旱逢甘雨】구 오랜 가물음 끝에 단비가 옴. 오랜 고생 끝에 낙을 얻음. 인생의 가장 기쁜 일 가운데의 하나.

구함¹【具銜】명 수결(手決)과 직함(職銜)을 갖추어 씀. ——-하다 자여불

구함²【構陷】명 터무니없는 말로 남을 죄에 빠지게 함. ¶ 남의 ~에 빠지다. ——-하다 타여불

구합¹【九合】명 ①아홉 번의 회합. ②규합(糾合).

구:합²【苟合】명 ①겨우 합치함. ②아부(阿附)함. ——-하다 자여불

구합³【鳩合】명 한데 모아 합함. ——-하다 타여불

구합⁴【媾合】명 성교(性交). ——-하다 자여불

구합⁵【遘合】명 ①남녀가 부부의 인연을 맺음. ②교접(交接)함. ③밖에서 만남. ——-하다 자여불

구해¹【九垓】명 ①구천(九天)의 밖. ②나라의 끝. 땅 끝. ③중국 전토.

구해²【仇亥】명〖사람〗구형왕(仇衡王).

구해³【叩解】명 제지용 섬유를 물에서 기계로 세단(細斷)하여 압축해 가지고 다시 교화(膠化)하는 조작(操作).

구해⁴【求解】명 양해를 구함. ——-하다 자타여불

구:해⁵【救解】명 도와서 화해(和解)시킴. ——-하다 타여불

구해-국【狗奚國】명〖역〗국명(國名). 54국으로 구성되었던 마한(馬韓)

구핵【究覈】명 깊이 살피어 밝힘. ——-하다 타여불 ㄴ의 일부.

구행【九行】명 ①아홉 가지의 훌륭한 행동. 곧, 인(仁)·행(行)·양(讓)·신(信)·고(固)·치(治)·의(義)·의(意)·용(勇) 또는 효(孝)·자(慈)·문(文)·신(信)·언(言)·충(忠)·공(恭)·용(勇)·의(義). ②구주(九州)의 길. 전국의 길. ③아홉 순배(巡杯) 돎.

구:행-인【久行人】명〖불교〗오랫동안 수행(修行)한 사람.

구향¹ 명〈옛〉귀양. ¶ 너를 일훔호디 구향 왯ᄂᆞᆫ 仙人이라 ᄒᆞ더니라(呼爾謫仙人)≪杜諺 Ⅻ:5≫.

구:향²【舊鄕】명 여러 대를 한 고을에 사는 향족(鄕族).

구허¹【丘墟】명 예전에는 번화했었으나 지금은 쓸쓸하게 된 곳.

구허²【構虛】명 거짓을 꾸밈. ——-하다 자타여불

구:허³【舊墟】명 옛날 성이나 건물 따위가 있던 곳.

구허 날무【構虛捏無】명 터무니없는 말을 만들어 냄. ㊌구날(構捏). ——-하다 자타여불

구:허 호흡【呴噓呼吸】명 폐(肺) 속의 공기를 될 수 있는 대로 많이 드나들게 하는 호흡. 심호흡(深呼吸). 「뿌

구:험【口險】명 입이 험함. 남의 욕을 잘함. ——-하다 형여불. ——-히

구혁【溝洫】명 길가나 논밭 사이의 작은 도랑. 구회(溝澮). 「人).

구현¹【九玄】명 ①구천(九天)❷. ②도교(道敎)에서, 존경하는 선인(仙

구현²【扣舷】명 뱃전을 두드림. 또, 그 소리. ——-하다 자여불

구현³【求賢】명 현인(賢人)을 구함. ——-하다 자여불

구현⁴【具現·具顯】명 ①구체적(具體的)으로 나타냄. ②구체적으로 나타남. 또, 그 것. ——-하다 자타여불

구현⁵【俱現】명 내용이 다 드러남. ——-하다 자여불

구현-금【九絃琴】명〖악〗줄이 아홉 가닥인 거문고.

구현-령【狗峴嶺】[—혈—] 명〖지〗평안 북도 희천군(熙川郡)과 강계군(江界郡) 사이에 있는 고개. [815m]

구현-치【駒峴峙】명〖지〗황해도 황주군(黃州郡)과 중화군(中和郡) 사

구혈¹【九穴】명 구규(九竅). ㄴ이에 있는 고개. [62m]

구혈²【灸穴】명〖한의〗뜸을 뜰 수 있는 몸의 국부(局部).

구혈³【甌穴】명〖지〗급류(急流) 하상(河床)의 암석면(岩石面)에 생기는 냄비 모양의 구멍. 하수(河水)의 침식 작용에 의함.

구:혈⁴【舊穴】명 광산에서 광석을 캐고 난 구덩이.

구:혈 미:건【口血未乾】명 서로 피를 마시고 맹세할 때, 입에 묻은 피가 아직 마르지 않았다는 뜻으로, 맹세한 지 얼마 되지 않음의 비유.

구혈-법【驅血法】[—뻡] 명〖의〗지혈법(止血法)의 한 가지. 외상(外傷)이나 사지 절단술(四肢切斷術) 때에 수상 부위(受傷部位)보다 중심부에 있는 주간 동맥(主幹動脈)을 세게 매어 혈액(血液)의 상실을 방지하

구:협【舊嫌】명 오래된 혐의. ㄴ는 일.

구:협¹【口峽】명〖생〗구강(口腔)과 인두(咽頭)를 결합하는 강동(腔洞).

구:협²【口頰】명 ①입 언저리. 구보(口輔). ②변설(辯舌).

구:협-염【口峽炎】[—념] 명〖의〗앙기나(Angina).

구형¹【九刑】명 ①〖역〗주대(周代)의 아홉 가지 형벌. 곧, 묵형(墨刑)·의형(劓刑)·비형(剕刑)·궁형(宮刑)·대벽(大辟)·유형(流刑)·속형(贖刑)·편형(鞭刑)·복형(扑刑). ②형서(刑書)의 이름.

구형²【求刑】명〖법〗형사 사건의 재판에 있어서, 피고(被告)에게 어떠한 형벌을 주기를 검사가 판사에게 요구함. ——-하다 자타여불

구형³【矩形】명〖수〗'직사각형(直四角形)'의 구용어.

구형⁴【球形·毬形】명 공과 같이 둥근 모양. 구상(球狀).

구형⁵【鉤形】명 갈고리와 같이 생긴 모양.

구형⁶【構桁】명〖건·토〗트러스(truss) 보.

구:형⁷【舊形·舊型】명 구식인 모양. ↔신형(新型).

구형-강【溝形鋼】명 끊은 면(面)이 'ㄷ'자(字) 형상인 강철(鋼鐵).

구형-도【矩形度】명 형태가 구형에 가까운 정도.

구:-형법【舊刑法】[—뻡] 명 1953년 10월 3일부터 시행된 현행 형법에 대응시켜 그 이전의 형법을 이르는 말.

구형-왕【仇衡王】명〖사람〗가야국(伽倻國)의 제10대 왕. 부왕은 겸지왕(鉗地王). 562년에 신라 진흥왕(眞興王)이 쳐들어 왔을 때 신라에 항복하였음. 일설(一說)에는 490-532년에 멸망하였다고도 함. 구해(仇亥). [재위 521-562]

구형 잠수기【球形潛水機】명〔bathysphere〕공 모양으로 생긴 잠수(潛水) 장치. 조사(調査)나 연구 목적으로 사람이 바다 밑바닥에 내리는 데 사용함.

구형충 연니【球形蟲軟泥】명 글로비게리나 연니(Globigerina 軟泥).

구형-파【矩形波】명〖물〗전신 부호(電信符號)와 같이 구형 모양으로 된 전파(電波)나 전류(電流)의 파형(波形).

구:혜【口惠】명 말뿐인 친절.

구:호¹【口毫】명 구필(口筆).

구:호²【口號】명 ①구점(口占)❷. ②군호(軍號). ③연설이 끝났을 때나 시위 행진을 할 때에 감명(感銘)을 깊게 하기 위하여 외치는 간결한 문구. ④〖악〗정재(呈才)를 부르는 치어(致語)의 한 토막. 곧, 여문(儷文)의 한 단(段)이 끝나고 다음에 딸리는 시(詩). ——-하다 타여불

구:호³【救護】명 ①구조(救助)하여 보호함. ¶ ~금/~ 시설. ②상병자(傷病者)를 수용(收容)하여 간호 또는 치료함. ——-하다 타여불

구:호⁴【舊好】명 예부터 좋아하는 사이. 「돈.

구:호-금【救護金】명 구호하기 위하여 방출(放出)하거나 갹출(醵出)한

구:호 기관【救護機關】명 빈민(貧民)이나 이재민(罹災民) 등을 구제(救濟)하고 보호하기 위하여 설치된 기관.

구:호 단체【救護團體】명 노쇠·병약·빈곤·신체 장애 등으로 생활이 어려운 사람들을 구호하기 위하여 조직된 사회 단체.

구:호 물자【救護物資】[—짜] 명 구호에 쓰이는 물자. 구호를 요(要)하는 사람들에게 지급되는 물자.

구:호-반【救護班】명 ①적십자사(赤十字社)에서 구호를 목적으로 편성한 소단위의 조직체. ②각종 행사나 비상시 등에 대비한 조직에서, 상병자(傷病者)를 구호하기 위하여 설치한 반조직(班組織). ¶ 민방위 ~.

구:호-법【救護法】[—뻡] 명 구호하는 방법.

구:호 사:업【救護事業】명 극빈자나 이재민을 구호하는 사업.

구:호-선【救護船】명 ①구조하여 보호하는 배. ②상병자(傷病者)나 조난자(遭難者)를 치료·간호하는 배.

구:호-소【救護所】명 ①구호의 사무를 맡아 보는 곳. ¶ 피난민 ~. ②군대 의무 시설의 하나. 전투 중인 연대·대대급 본부에 설치되며, 주로 부상자의 응급 치료 및 분류·후송 업무 등을 수행함.

구:호 시:설【救護施設】명 요구호자(要救護者)를 수용하여 생활 부조(扶助)를 행하는 것을 목적으로 하는 시설. 고아원(孤兒院)·양로원(養老院) 따위.

구:호 양곡【救護糧穀】명 극빈자·이재민 등에게 정부 또는 사회 단체 등에서 무상으로 급여하는 양곡.

구:호-책【救護策】명 구호할 방책.

구혼【求婚】명 ①혼처(婚處)를 구함. ②혼인을 제의(提議)함. ——-하

구혼-자【求婚者】명 구혼하는 사람. ㄴ다 자여불

구화¹ 명〈옛〉국화(菊花). ¶ 구홧 국(菊)≪字會 上 7≫.

구:화²【口話】명 특수 교육을 받은 농아자(聾啞者)가 남이 말하는 입술 모양 따위로 그 뜻을 알아듣고, 자기도 소리내어 말하는 일. ↔수화(手

구:화³【救火】명 불을 끔. ——-하다 자여불 ㄴ話).

구화⁴【毬花】명〖식〗긴 원추형의 꽃. 소나무·노송나무 등의 꽃.

구화⁵【媾和】명 강화(講和). ——-하다 자여불

구화⁶【構禍】명 화근(禍根)을 만듦. ——-하다 자여불

구화⁷【歐化】명 유럽의 사상이나 습관으로 화함. ——-하다 자여불

구화⁸【篝火】명 구등(篝燈)의 불. 모닥불.

구:화⁹【舊貨】명 새로 발행된 화폐에 대해서 그 이전의 화폐. 예전 돈.

구화-반자 명〖건〗국화(菊花) 무늬를 새긴 반자. 국화 반자.

구:화-법【口話法】[—뻡] 명 농아자(聾啞者)에게 독순 지도(讀脣指導)와 발음·발어(發語) 훈련을 시켜, 보통 사람이 말하는 음성과 언어를 수용(受容)·이해시킴과 동시에 자신이 말할 수 있는 능력을 양성하여 읽고 쓸 수 있는 언어의 여러 기능을 교육시키는 방법.

구화-장【九華帳】명 여러 가지 꽃무늬를 놓은 아름다운 장막.

구화 장지【—障—】명 국화 무늬를 새긴 장지. 취음(取音): 菊花障子.

구화-주의【歐化主義】[—/—이] 명 구미(歐美) 문화를 극단(極端)으

로 심취 모방(心醉模倣)하는 일.

구:화 투신【救火投薪】명 불을 끄려고 섶나무를 던짐. 곧, 폐해(弊害)를 없애고자 한 노릇이 도리어 해(害)를 더 크게 함을 이름.

구-화판 명〈방〉과판.

구:화-패【救火牌】명〖역〗조선 시대 때, 소방에 종사하는 관원들이 차던 패(牌).

구확【矩矱·榘矱】명 →구학³.

구:환【舊歡】명 예전의 즐거움. 과거에 즐기던 일.

구:활【久闊】명 오랫 동안 소식이 없거나 만나지 못함. ——-하다 자여불

구:활자-본【舊活字本】[—짜—] 명〖인쇄〗딱지본.

구황-들 명〖지〗전라 북도 임실(任實) 근방의 땅이름.

구황¹【狗黃】명〖한의〗구보(狗寶).

구:황²【救荒】명 기근(饑饉) 때에 빈민(貧民)을 구조함. ——-하다 타여불 자

구:-황궁【舊皇宮】명 대한 제국 때의 황궁.

구:황-방【救荒方】명 구황(救荒)하는 방법.

구:황 보:유방【救荒補遺方】명〖책〗조선 현종(顯宗) 원년(1660)에, 서원현감(西原縣監)으로 있던 신숙(申洬)이 흉년을 만난 현민(縣民)에게 구황하는 방법을 알리기 위하여 엮은 책. 목판본 1권.

구:황 식물【救荒植物】명 산이나 들에 야생하며, 흉년에 식물(食物)로 대용할 수 있는 식물. 피·아카시아·쑥 따위.

구:황 식품【救荒食品】명 흉년에 기근을 면하기 위하여 먹는 식품.

구:-황실【舊皇室】명 전에 황실이었던 이 왕가(李王家)의 일컬음.

구:황 작물【救荒作物】명 기근(饑饉) 때 재배하기 적당한 작물. 가물이나 장마에 시달리지 아니하고 걸지 아니한 땅에도 재배할 수 있는 작물. 뚱딴지·강아지풀·피·감자 등. 비황(備荒) 작물.

구:황-청【救荒廳】명〖역〗조선 시대 때, 흉년에 백성들을 구제하던 관청. 인조(仁祖) 4년(1626)에 이름을 진휼청(賑恤廳)으로 고쳤으며, 고종(高宗) 31년(1894)에 폐지함. 주로 서울을 제외한 지방을 구제하였음.

구:황 촬요【救荒撮要】명〖책〗조선 세종(世宗)이 지은 ≪구황 벽곡방(救荒辟穀方)≫ 중에서 중요한 부분만 뽑아 번역한 것. 13대 명종(明宗)의 명으로 동왕 9년(1554)에 간행됨. 1권 1책.

구:황 촬요 벽온방【救荒撮要辟瘟方】명〖책〗≪구황 촬요≫와 ≪벽온방≫을 합본하여 간행한 책. 조선 인조 17년(1639)에 간행.

구:회¹【久懷】명 오랜 회포.

구회²【咎悔】명 ①남의 꾸지람을 듣고 스스로 뉘우침. ②자기 자신을 나무라고 뉘우침. ——-하다 자여불

구회³【疚懷】명 친척의 죽음을 슬퍼함. ——-하다 타여불

구회⁴【溝澮】명 구혁(溝洫).

구:회⁵【舊懷】명 지난날을 생각하고 그리는 마음. 지난날의 회포.

구회-장【九廻腸】명 ①장(腸)이 아홉 번이나 뒤틀리어 회전(廻轉)할 정도로 괴롭고 고통스러움. ②꼬불꼬불 뒤틀리고 꼬부라진 모양.

구획【區畫·區劃】명 구별하여 획정(劃定)함. 경계를 갈라 정함. 또, 그 구역. ¶～선(線). ——-하다 타여불

구획 어업【區劃漁業】명 일정한 수면(水面)을 구획을 만들어 경영하는 어업. 주로 양식업(養殖業)에 이용됨.

구획 정:리【區劃整理】[—니] 명 도시 또는 그 근교에 있어서, 도로 등 공공 시설의 정비 개선, 택지의 이편(利便) 증진 등을 위해, 토지의 교환·분합(分合)·기타 구획 변경, 지목(地目) 또는 형질(形質)의 변경을 비롯해서 부속 시설 등을 설치·개량하는 일.

구획 채:탄【區劃採炭】명〖광〗탄광(炭鑛)의 갱내(坑內)에서 폭발성 가스가 매우 많이 나오거나, 해저 채탄(海底採炭)에 있어서 출수(出水)의 위험이 예상되는 경우 등에 갱내의 채탄 구역을 적당한 넓이의 구역으로 나누어 채탄하는 방법.

구획 폭격【區劃爆擊】명〔pattern-bombing〕〖군〗일정한 표적 지역에 대해 폭탄을 균등하고 체계적으로 투하하는 폭격.

구후 시:신경염【球後視神經炎】[—넘] 명〖의〗비타민 B_1의 부족, 알코올·담배 중독 등으로 인해 안구(眼球)보다 더 뒤쪽에 염증이 생기는 눈병. *시신경염(視神經炎).

구:훈【舊勳】명 예전의 훈공. 오랜 이전의 훈공.

구:휼【救恤】명 빈민이나 이재민 등에게 금품을 주어 구조함. 휼구(恤救). ¶～금/～ 사업. ——-하다 타여불

구:휼-금【救恤金】명 구휼하기 위하여 내놓는 돈.

구흉【鳩胸】명 새가슴.

구희【球戱】[—히] 명 공을 가지고 하는 놀이. 특히, '당구(撞球)'의 일컬음.

구힐【究詰】명 끝까지 따져 힐책함. ——-하다 타여불

국¹ 명 ①채소·어류·고기 등을 넣고 물을 많이 부어 끓인 음식. 갱탕(羹湯). ②↗국물.
【국에 덴 놈 물 보고도 분다】어떤 일에 한번 겁을 먹으면 그와 비슷한 것만 보아도 조심한다는 말. 【국이 끓는지 장이 끓는지】일이 어떻게 되어 가는지 도무지 영문을 모른다는 말.

국²【局】명 ①행정 각부(各部)의 외국(外局)으로 설치되는 행정 기관. 문화재 관리국과 수로국이 있음. ②관청·회사의 사무를 분담하여 처리하는 부서의 하나. ¶편집～. ③특히 우체국의 일컬음. ④바둑·장기 등의 승부의 한 판. ¶제3 ～에서 불계로 이기다.

국³【局】명〖민〗풍수 지리(風水地理)에서 말하는, 혈(穴)과 사(砂)가 합하여 이룬 자리.

국⁴【國】명 성(姓)의 하나. 현재 우리 나라에는 담양(潭陽)·풍천(豐川) 등이 주요 본관이며, 문헌상으로는 현풍(玄風)·영양(英陽)·금성(金城)·대명(大明) 등도 전함.

국⁵【菊】명 성(姓)의 하나. 현재 우리 나라에는 영광(靈光) 등의 본관이 있음.

국⁶【鞠】명〖역〗축국(蹴鞠)이나 타구(打毬)에 쓰던 공. 가죽으로 둥글게 만든 주머니에 겨나 바람을 넣으며 꿩 깃을 꽂기도 함.

국⁷【鞠】명 성(姓)의 하나. 현재 우리 나라에는 담양(潭陽) 단본(單本)이 있음.

-국【國】미 '나라'의 뜻. ¶강대～/공화～.

국가¹【國家】명 ①'나라'의 법적인 호칭. ②〖정〗일정한 영토(領土)를 가지며 거기에 거주하는 다수인(多數人)으로써 구성되어 하나의 통치 조직(統治組織)을 갖는 단체. 영토·인민·통치권(統治權)의 3요소를 필요로 함. 나라. 네이션(nation).

국가²【國歌】명 한 나라의 이상(理想)과 정신을 나타내어 의식(儀式)에서 부르게 만든 노래. 국제 간에, 각 국가(各國家)를 대표하는 노래. *애국가(愛國歌).

국가 경제【國家經濟】명〖경〗국가의 재정. 국가 및 공공 단체의 경제. 국가의 경제 활동 전반을 포함하며 사경제(私經濟)와 더불어 국민 경제를 구성함. ↔개인 경제(個人經濟).

국가 경:찰【國家警察】명〖법〗국가가 그 유지(維持)의 권능과 책임을 가지고 있는 경찰. 중앙 경찰이라고도 이르며 지방 자치 단체가 그 유지의 권능과 책임을 가지고 있는 지방 경찰에 상대(相對)되는 말임. 우리 나라는 중앙 집권적인 국가 경찰 제도를 가지고 있으며, 자치체 경찰 제도는 없음. *국립 경찰.

국가 계:약설【國家契約說】명〖정〗사회 계약설(社會契約說).

국가 고시【國家考試】명 합격자에게 자격을 인정하거나 또는 일정한 지위 활동에 대한 면허(免許)를 주기 위하여 국가 기관이 관리하여 시행하는 시험. 사법 시험, 국가 공무원의 채용 시험, 대학 입학 학력 고사, 공인 회계사·의사·치과의·약사·수의사·한의사·간호사 시험 등이 있음. 국가 시험(試驗).

국가 공무원【國家公務員】명〖법〗나라의 공무에 종사하는 사람. 경력직 공무원과 특수 경력직 공무원으로 구분됨. ↔지방 공무원. *경력직 공무원. 특수 경력직 공무원.

국가 공무원법【國家公務員法】[—뻡] 명〖법〗국가 공무원 제도에 관한 근본법(根本法). 인사 행정(人事行政)의 근본 기준을 확립하여, 그 공정(公正)을 기함과 동시에 공무원으로 하여금 국민 전체의 봉사자(奉仕者)로서 행정의 민주적이며 능률적인 운영을 기하게 할 목적으로 제정한 법.

국가 공업 단지【國家工業團地】명 국가 기간 공업 및 첨단 과학 기술 산업 등을 육성하기 위하여 건설부 장관이 지정하는 공업 단지. *공업 단지.

국가 과학 기술 자문 회:의【國家科學技術諮問會議】[—/—이] 명〖법〗과학 기술의 혁신과 정보·인력의 개발 등 과학 기술 기본 정책의 발전 방향에 관한 사항, 과학 기술 개발을 촉진하기 위한 제도의 발전 사항 등에 대하여 대통령의 자문에 응하는 기관. 위원장 1인을 포함한 11인 이내의 위원으로 구성됨.

국가-관【國家觀】명 개인과 사회 및 정치 제도 등을 포괄하는 하나의 나라로서의 국가에 대한 견해의 체계.

국가 관리【國家管理】[—괄—] 명〖정〗사기업(私企業) 등 보통은 간접적으로 밖에 감독하지 아니하는 단체의 조직과 운영에 국가 기관이 개입(介入)하여, 계획을 세우며 보고를 받고 준칙(準則)을 지시(指示)하는 등 직접적인 어느 정도의 관리를 행하는 일. 사회주의 정책의 하나임.

국가 교:육【國家教育】명〖교〗①국가가 국민에 대하여 행하는 교육. ②국가를 제일의적(第一義的)으로 하는 국가주의에 입각하여 그 사상에 입각한 사고(思考) 방식과 생활 양식(樣式)을 주입(注入)시키는 교육.

국가 교:회【國家教會】명〖종〗국왕을 수장(首長)으로 하는 교회 제도. 중세 말기, 교황권의 쇠퇴에 따라 영국의 국교회와 종교 개혁 후의 독일의 제후국(諸侯國)에서 실현했음.

국가-군【國家群】명 서로 공통되는 연관성을 가진 여러 국가. ¶아랍～.

국가 권력【國家權力】[—궐—] 명 국가의 통치권. 즉, 국가가 합법적으로 행사할 수 있는 물리적 강제력(強制力).

국가 기관【國家機關】명〖법〗국정(國政)을 시행하기 위하여 설치한 입법·사법 및 행정 관청의 통칭.

국가 기본권【國家基本權】[—꿘] 명〖법〗국제법 상의 주체(主體)가 되는, 국가가 마땅히 가지는 기본적 권리. 독립권(獨立權), 국내 사항(事項)에 관한 행동의 자유권, 자기 보존권(自己保存權), 자위권(自衛權) 및 긴급 방위권(緊急防衛權), 평등권(平等權), 위엄 보존권(威嚴保存權), 국제 교통권(國際交通權) 등.

국가 기술 자격법【國家技術資格法】명 기술 자격에 관한 기준과 명칭을 통일하여, 적정(適正)한 자격 제도를 확립하고, 그 관리와 운영을 효율화함으로써 기술 인력의 자질 및 사회적 지위의 향상과 경제 개발에 기여함을 목적으로 제정된 법. 이 법에 의하여 기술 자격이 공인됨.

국가 기업【國家企業】명〖경〗국가가 생산 수단을 가지고 경영의 주체(主體)가 되는 기업. ↔사기업(私企業). *공기업(公企業).

국가 기원【國家起原】명 국가가 맨 처음 생긴 근원.

국가 기원설【國家起原說】명〖정〗국가가 시초에 어떻게 하여 생겼는지에 관하여 설명하는 학설. 신의설(神意說)·계약설(契約說)·가족설(家族說)·심리설(心理說)·실력설(實力說)·재산설(財產說)·계급 투쟁설(階級鬪爭說)·진화설(進化說) 등이 있음.

국가 긴급권【國家緊急權】명〔도 Staatsnotrecht〕〖법〗전시 또는 비상사태에 즈음하여 국가의 어떤 기관이 비상 수단으로써 이를 극복할 수 있는 권한. 대통령의 비상 조치권·계엄 선포권 따위.

국가 대:표【國家代表】명 ①다른 나라와의 외교 등에 있어서 국가를 대표하는 사람. 공화국의 경우에는 대통령이, 군주국(君主國)의 경우에는 군주가 됨. ②↗국가 대표 선수. ㊟국가 대표.

국가 대:표 선:수【國家代表選手】명 국가를 대표하여 경기를 하는 선

국가 독점 경제【國家獨占經濟】 명 〔경〕 국가 독점 자본주의.

국가 독점 자본주의【國家獨占資本主義】 [—/—이] 명 독점 자본주의의 새로운 형태로, 독점 자본이 국가 기관을 완전히 종속시켜 최대한의 이윤을 획득하고 있는 체제. 제1차 대전 후, 특히 1929년의 세계 공황을 계기로 주요 자본주의 국가는 이 단계로 이행하였음. 그 성격은, 첫째 자본주의하에 있어서 생산의 사회화(社會化)를 최고도로 발전시키면서도 생산 수단의 사유제(私有制)는 여전히 존속하는 점이며, 둘째 경제의 군사화(軍事化)와 연결되어 진행됨으로써 국민 생활 향상을 위하여 충당할 수 있는 돈·물건·노동이 비생산적으로 사용되며, 셋째 국민의 생활 수준을 낮은 수준으로 퇴보시키는 경향이 있는 점 등임. 국가 독점 경제.

국가-론【國家論】 명 〔정〕 국가학(國家學).

국가 만:능설【國家萬能說】 명 〔경〕 각 개인에게 방임(放任)된 경제 상의 사업은 빈부의 차이를 더욱 현격하게 하므로 모든 경영권(經營權)을 국가가 가져야 한다고 주장하는 설.

국가 모:독죄【國家冒瀆罪】 명 〔법〕 내국인(內國人)이 외국에서 또는 내국인이 외국인이나 외국 단체 등을 이용하여 국내에서, 대한 민국 또는 헌법에 의하여 설치된 국가 기관을 모욕 또는 비방(誹謗)함은 물론, 사실을 왜곡(歪曲)하거나 또는 허위 사실을 유포(流布)하든지 기타 방법으로 대한 민국의 안전·이익 또는 위신을 해(害)치거나 해할 우려가 있게 함으로써 성립하는 죄.

국가 목적【國家目的】 명 국가가 달성하려고 노력하는 목적. 국가 존립의 목적으로 외적 방어·재력(財力) 유지·법질서 유지의 목적, 사회 공공의 이익 증진의 목적으로 치안·복리 증진의 목적 등이 있음.

국가 미사일 방어 체계【國家—防禦體系】〔missile〕 명 엔 엠 디(NMD).

국가 배상법【國家賠償法】 [—뻡] 명 〔법〕 공무원이 그 직무를 행함에 있어서 고의(故意) 또는 과실로 국민에게 손해를 입혔을 경우, 국가나 지방 자치 단체가 그 손해에 대한 배상 책임을 지도록 규정한 법률.

국가-법【國家法】 [—뻡] 국제법이나 지방 자치법 등과 구별하여 일컫는 국내법(國內法).

국가 법인설【國家法人說】 명 〔법〕 국가를 하나의 법인으로 보는 학설. 주권은 군주나 국민을 포함한 국가에 있고, 군주는 국가의 기관이라고 생각함. 19세기에 독일의 게르버(Gerber, K. F. W.)·옐리네크(Jellinek, G.) 등이 주창하였음.

국가 보:상【國家補償】 명 국가 정책의 실시에 의해서 손실을 본 자에 대하여 국가가 그 손실을 보전(補塡)하는 일.

국가 보:안법【國家保安法】 [—뻡] 명 〔법〕 국가의 안전과 국민의 생존 및 자유를 확보함을 목적으로 반국가 활동을 규제하는 법률. ㊀보안법.

국가 보:위 비상 대:책 위원회【國家保衛非常對策委員會】 명 〔법〕 1980년 5월 17일 발동된 비상 계엄(非常戒嚴)의 계엄 업무를 지휘 감독하는 데 대통령을 보좌하고 국가 보위를 위한 국책(國策) 사항을 심의하던, 대통령의 자문·보좌 기관. 1980년 5월 31일 발족하여 동년 10월 27일 국가 보위 입법 회의가 구성될 때까지 존속함. 국무 총리·경제 기획원 장관 등 주요 각료와 계엄 사령관 및 군요직자(軍要職者) 등 24명의 위원으로 구성되었었음. ㊀국보위(國保委).

국가 보:위 입법 회:의【國家保衛立法會議】 [—/—이] 명 〔정〕 제5공화국 헌법의 시행에 따라, 국회가 성립될 때까지 국회의 권한을 행사하던 기관. ㊀입법 회의.

국가 보:위 입법 회:의 의원【國家保衛立法會議議員】 [—/—이—] 명 국가 보위 입법 회의의 구성원(構成員). 대통령이 임명하며, 정원은 50~100명. ㊀입법 의원.

국가 보:훈【國家報勳】 명 국가가 국가 유공자와 그 유족에 대하여 응분의 예우(禮遇)와 보상을 하는 일. 보훈(報勳).

국가 보:훈처【國家報勳處】 명 국무 총리 소속 하에 둔 중앙 행정 기관의 하나. 국가 유공자 및 그 유족에 대한 보훈, 제대 군인에 대한 보상·보호와 군인 보험에 관한 사무를 맡아봄. 구칭 : 원호처(援護處). ㊀보훈처.

국가 부조【國家扶助】 명 국가나 공공 단체가 사회적으로 보호가 필요한 사람이나 생활이 곤궁한 사람에게 복지 시설이나 생활에 소요되는 금품을 제공하는 생활 보장 제도. 생활 보호·아동 복지·사회 복지 사업·신체 장애자 복지 등이 이에 속함. 공적 부조(公的扶助). 사회 부조.

국가 비상 사:태【國家非常事態】 명 나라에 천재(天災)·사변(事變)·폭동(暴動)·소요(騷擾) 등이 일어나서, 치안(治安)이 어지러워져 국가 존립(存立)이 위태롭게 될 염려가 있는 상태. 비상 사태.

국가 사:상【國家思想】 명 국가를 위주(爲主)로 하는 사상.

국가 사:업【國家事業】 명 국가가 직접 경영하는 사업.

국가 사회주의【國家社會主義】 [—/—이] 명 ①계급 투쟁을 부정하고 기존(既存) 국가 조직을 통하여 사회주의적 요구의 일부 곧 사회 개량을 실현하려는 사상. 중요 산업의 국가 경영, 입법적(立法的) 수단에 의한 노동 관계의 조정 등을 주장함. ②파시즘의 한 형태. 특히, 독일의 나치스의 입장을 말함. 국민 사회주의.

국가 사회주의 독일 노동당【國家社會主義獨逸勞動黨】 [—로—/—이—로—] 명 나치스(Nazis).

국가 삼요소설【國家三要素說】 [—뇨—] 명 〔정〕 국가는 국민·영토·정치 조직으로 이루어진다는 학설.

국가 소멸론【國家消滅論】 명 노동자와 자본가(資本家) 간의 계급 투쟁에서 자본주의 사회를 타도하고, 프롤레타리아 독재가 실현되면, 동시에 계급 대립도 없어지며, 따라서 계급 지배의 도구인 국가도 소멸된다는 공산주의의 정치 이론.

국가 소추주의【國家訴追主義】 [—/—이] 명 국가의 기관인 검사(檢事)가 당사자가 되어 공소(公訴)를 제기하고 유지하는 주의. ↔사인(私人) 소추주의.

국가 승인【國家承認】 명 〔recognition of state〕 기존의 국가가 새로 성립된 국가에 국제법 상의 주체로서의 자격을 승인하는 일. 혁명 따위로 새로운 정부가 형성되었을 경우에는 정부 승인이 행하여짐. 국가와 정부가 영속적·자립적인 지배권을 확립하고 있고, 국제법을 준수할 의사와 능력을 구비하고 있어야 함을 요건(要件)으로 함. 승인 이후에는 양국 간에 완전한 법적 관계가 발생함. *정부(政府) 승인.

국가 시험【國家試驗】 명 국가 고시(國家考試).

국가 신:용【國家信用】 명 ①형식적으로는, 국가의 지급(支給) 의사와 지급 능력에 대한 대부 자본가(貸付資本家) 또는 자금 소유자(資金所有者)의 신뢰(信賴). ②실질적으로는 국채·국가 금융 기관·국가 보증 등을 둘러싸고 국가와 그 사람들과의 자본의 대차(貸借) 또는 채권(債權) 채무 관계의 총칭. 공신용(公信用).

국가 신의설【國家神意說】 [—/—이—] 명 현재의 국가를 신국(神國)에 이르는 한 과정이라고 하며, 수단으로만 인정된다는 중세기의 신학적 국가관(神學的國家觀). 신의설(神意說).

국가 안위【國家安危】 명 국가의 편안함과 위태함.

국가 안전 기획부【國家安全企劃部】 명 국가 안전 보장에 관련되는 정보·보안 및 범죄 수사에 관한 사무를 담당하던 대통령 직속 기관. 1981년 중앙 정보부(中央情報部)를 개편한 기관이었다가 1999년 다시 국가 정보원(國家情報院)으로 개편됨.

국가 안전 보:장 회:의【國家安全保障會議】 [—/—이] 명 국가 안전 보장에 관련되는 대외 정책·군사 정책과 국내 정책의 수립에 관하여 대통령의 자문에 응하는 기관. 대통령, 국무총리, 재정 경제부·통일부·외교 통상부·행정 자치부·국방부 장관 및 국가 정보원장·비상 기획 위원회 위원장 등으로 구성됨. 의장은 대통령이 됨.

국가 양:면설【國家兩面說】 명 〔정〕 국가는 법적 측면과 사회적 측면의 양면을 가지고 있으므로, 국가학(國家學)은 국가의 법학적 연구로서의 국법학(國法學)과 사회학적 연구로서의 국가 사회학의 양면을 종합해야 된다는 학설. 19세기, 독일의 옐리네크(Jellinek, G.)가 주장하였음.

국가 연합【國家聯合】 명 〔정〕 조약에 의한 여러 국가의 평등한 결합의 하나. 국제법 상의 주체(主體)는 각국(各國)에 있으며, 중앙 조직과 각국이 각기 제한된 범위 내에서 주권을 행사함. 1778~87년의 미국 합중국, 1821~66년의 독일 연합이 이 예임. *연합 국가.

국가 영역【國家領域】 명 국가가 지배권(支配權)을 행사할 수 있는 공간적 한계. 영토(領土)·영해(領海)·영공(領空)에 의하여 구성됨.

국가 올림픽 위원회【國家—委員會】 명 〔National Olympic Committee〕 국제 올림픽 위원회(IOC)가 인정한 각국 또는 지역별 조직. 아이 오 시(IOC)의 헌장에 의하여, 해당 지역 내의 올림픽 운동을 추진하며 올림픽 대회에 선수를 파견하는 모체(母體)임. 우리 나라는 대한 올림픽 위원회(KOC)임. 엔 오 시(NOC).

국가 원로 자문 회:의【國家元老諮問會議】 [—월—/—월—이] 명 국정의 중요 사항에 관한 대통령의 자문에 응하거나 대통령에게 건의하기 위하여 국가 원로로 구성된 헌법 기관의 하나. 의장은 직전(直前) 대통령이 되고, 원로 위원은 35명 이내로 하며, 의장의 추천으로 대통령이 위촉함. '국정 자문 회의'를 고친 이름.

국가 원수【國家元首】 명 ①국민의 수장(首長). 국가의 통치자. ②〔법〕 국제법상(國際法上) 외국에 대하여 국가를 대표하는 기관. 군주국(君主國)에 있어서는 군주, 공화국(共和國)에 있어서는 대통령(大統領)임. 1)·2): ㊀원수(元首).

국가 유:공자【國家有功者】 명 조국의 광복(光復)에 공헌하였거나 국토 방위에 공이 많은 사람, 그 밖에 나라를 위해 공헌하였거나 희생한 사람. 순국 선열(殉國先烈)·애국 지사·전몰 군경·무공(武功) 수훈자·전상 군경(戰傷軍警)·순직 공무원 등.

국가 유:기체설【國家有機體說】 명 〔정〕 국가의 본질을 일종의 유기체로 생각하는 국가학설. 체계적으로는 프랑스 대혁명 후, 노발리스(Novalis)·뮐러(Müller, A.)·셸링(Schelling, F.W.J.) 등 독일의 정치적 낭만주의자(浪漫主義者)들에 의하여, 자연법적 국가학설, 원자론적 및 기계론적 국가학설에 대항하여 처음으로 주장되었음. 이들의 유기체적 관념은 세계관의 중심적 지위를 차지하여, 그것은 기계론과 달리 내재적(內在的) 합목적성(合目的性)을 가지고 스스로 발전하는 것이며, 따라서 국가도 국민으로부터 자연히 유기적으로 내재적인 합목적성을 가지고 발전하는 것이라 하였음.

국가 유:형【國家類型】 명 〔정〕 정권의 성격에 따라 나눈 국가의 종류. 봉건 국가·자본주의 국가·사회주의 국가 따위가 있음.

국가 의:사【國家意思】 명 국가가 그 목적을 이루기 위하여 가지는 단체의 의사. 그것을 결정하는 최고의 원동력을 주권이라 이름. 국가 의사는 국가 구성원 즉, 국민의 개인 의사를 초월한다는 것을 전제로 하며 국가의 기관을 통하여 표현됨. 국가는 그 의사를 이루기 위해서 권력을 가지는 바, 그 권력이 통치권임.

국가 의:지【國家意志】 명 국가를 의지 능력이 있는 인격자로 보았을 때의 의지. 국가의 활동은 이 국가 의지의 발현(發現)이라 함.

국가 이:성【國家理性】 명 국가는 자기 목적적 존재로서의 국가의 유지(維持)·강화만을 최고의 원리로 하여 행동한다는 개념. 국가의 활동은 도덕이나 법의 구속을 받는 일이 없이 그 자체의 생존의 편의(便宜)에 의하여 모든 것을 결정하여야 한다고 함. 국가 이유(理由). 레종 데타(raison d'État).

국가 이:유【國家理由】 명 〔사〕 국가 이성(國家理性).

국가 이:익【國家利益】 명 〔national interest〕 〔정〕 국제적으로 주장이 되는 자국(自國)의 이익.

국가 자기 제:한설【國家自己制限說】 명 독일의 국가학에 있어서, 주권

(主權)을 법적 성질과 관련시켜, 국가는 그 법에 의하여 자기 스스로를 구속한다고 하는 학설. 근대의 법치 국가에 있어서 국가 활동은 모두 법에 의하여 구속되어 있으며, 국가는 법을 제정할 뿐만 아니라 자가 스스로가 그 법에 복종함으로써 권리 의무의 주체(主體)가 된다고 함. 따라서 국가 권력은 절대 무제한한 것이 아니고 법적으로 제한된 권력으로서 대외적으로는 국제법에 의하여 구속되며, 대내적으로는 국법에 의하여 구속되어 있다는 설(說). 주창자(主唱者)는 옐리네크(Jellinek, G.)임.

국가 자본【國家資本】 명 〖경〗 ①국영 기업과 정부 투자 기업에 국가가 투자한 자본 및 국가가 사적(私的) 기업 또는 외국의 국가나 기업에 대부한 자본의 총칭. ②국가가 국민 경제의 통제·재정 수입(財政收入)·특수 목적을 위하여 스스로 경영하며 투자하는 자본. 철도·우편·전신·조폐 공사·전매 사업 등에 투자한 자본 등.

국가 자본주의【國家資本主義】 [—/—이] 명 일반적 위기에 직면하여 국가가 생산 수단(生産手段)을 관리함에 있어서 대(大)자본과 결합하여 권력으로써 국민의 경제 생활 곧 생산과 분배에 강력한 간섭과 통제를 행하는 자본주의 경제 제도. 국가 독점 자본주의의 단계. 사회주의 정권 밑에서나 후진국의 경우에도 이 형태가 존재함.

국가 재:건 비상 조치법【國家再建非常措置法】 [—뻡] 명 〖법〗 1961년에 정한 5·16 군사(軍事) 정부의 기본적 통치법(基本的統治法)으로서, 기존 헌법의 일부 규정의 효력을 정지시킨 법. 즉, 국회(國會)를 폐지함과 동시에 국가의 권력을 국가 재건 최고 회의에 집중시킨 점에서 입헌주의 헌법(立憲主義憲法)과는 그 유(類)가 다름. 1961년 6월 6일 공포, 1963년 12월 제3공화국 탄생으로 폐지됨.

국가 재:건 최:고 회:의【國家再建最高會議】 [—/—이] 명 1961년 5월의 군사 정변 이후 총선거로 국회 및 정부가 수립될 때까지의 대한 민국의 최고 통치 기관으로서 설치되었던 기관.

국가-적【國家的】 명관 ①국가를 이룬 상태나 성질. ②국가 전체가 관여하는 모양. ¶ ~ 행사/~ 사업/~ 문제.

국가적 통:제【國家的統制】 명 국가 목적(目的)에 의하여 국가가 행하는 통제.

국가 전:선【國家戰線】 명 국민 전선.

국가 정보원【國家情報院】 명 〖정〗 국가 정보 기구의 중추(中樞) 구실을 하는 대통령 소속하의 기관. 국외 정보와 대공(對共) 및 정부 전복 등 국내 보안(保安) 정보의 수집, 국가 기밀(機密)에 대한 보안(保安), 내란죄·외환죄(外患罪)·반란죄 등 범죄의 수사 및 정보 업무의 기획·조정을 통할함. 1999 년 종전의 국가 안전 기획부(國家安全企劃部)를 개칭(改稱)한 것. ㊟국정원(國情院).

국가 정복설【國家征服說】 명 국가의 기원(起源)을, 유력(有力)한 종족의 약소(弱小) 종족에 대한 정복에서 구하는 정치학설. 오스트리아 학파 및 사회학파의 굼플로비치(Gumplowicz, L.; 1838-1909)·라첸호퍼(Ratzenhofer, C.; 1842-1904)·오펜하이머(Oppenheimer, F.) 등에 의하여 주장되었음.

국가 정책【國家政策】 명 국가의 목표를 추구하기 위하여 정부가 채택한 광범위한 행동 방책 또는 표명된 지도 방향.

국가 제창【國歌齊唱】 명 의식(儀式) 때에, 국가를 모두 소리 맞추어 부르는 일.

국가 조직【國家組織】 명 일정한 지역을 기초로 하여 성립하는 인류의 영속적 사회 조직. 그 구성원에 대하여 무조건적 지배권을 가지며 자기 이외에는 자기를 지배할 여하한 권력도 인정치 아니하는 점이 특색임.

국가 종교【國家宗教】 명 〖종〗 국교(國教).

국가 주권설【國家主權說】 [—뭔—] 명 국가 권력, 즉 주권이 군주(君主)나 국민에게 속하는 것이 아니고 사회적 단일체(單一體)이며, 법률상의 인격자인 국가 자신에 귀속(歸屬)한다는 학설.

국가-주의【國家主義】 [—/—이] 명 ①국가의 이익을 국민의 이익에 우선(優先)시키어 국가를 지상(至上)이라고 하는 주의. 국가의 존재를 적극적으로 인정하여 그 통일과 안녕(安寧)을 제일의(第一義)로 삼고 개인의 복리(福利)는 나라에 복종하여야만 한다고 주장하는 설(說). ↔개인주의·국제주의(國際主義). ②〖경〗 국가 무역의 정책상 개인을 단위로 하지 아니하고 국가 전반(全般)의 이해(利害)를 표준삼는 주의.

국가주의-적【國家主義的】 [—/—이—] 명관 국가주의의 상태에 놓여 있는 모양. 국가주의를 띠고 있는 성질.

국가 진:화설【國家進化說】 명 국가의 진화 발전에 관한 학설. 게텔(Gettel)의 학설, 헤겔(Hegel)의 학설, 폴리비우스(Polibius)의 학설 등 여러 가지가 있음.

국가 채:권 관리법【國家債權管理法】 [—뭔괄—뻡] 명 〖법〗 국가의 채권에 대한 관리 기관·관리 절차, 채권의 내용 변경 및 면제 등에 관한 기준을 정하여, 채권의 적정한 관리를 목적으로 하는 법.

국가 책임【國家責任】 명 〖법〗 국가의 국제법상의 의무 위반에 대한 책임. 국가 기관의 고의(故意) 또는 과실(過失)에 의하여 국제 의무(國際義務)를 위반함으로써 성립함.

국가 철학【國家哲學】 명 〖철〗 국가의 존립(存立)·의의(意義)·목적 등에 관한 철학.

국가 총:동원【國家總動員】 명 전시(戰時)나 사변에 있어서 국방(國防)의 목적을 달성하기 위하여 국가의 모든 인적(人的)·물적(物的) 자원을 가장 유효하게 통제 운용(統制運用)하여 전쟁이나 그 부속 사업을 완수하는 일.

국가 총:력전【國家總力戰】 [—녁—] 명 나라 전체의 모든 힘을 기울여서 하는 전쟁.

국가 파:산【國家破産】 명 〖경〗 국가가 채무(債務)를 이행할 수 없게 된 상태. 주로 국채(國債) 원금(元金)의 파기(破棄), 국채 상환(償還) 기한의 연기, 국채 원리(元利) 무효 등으로 나타남.

국가-편【國家篇】 명 〖책〗 레스푸블리카(Respublica)❷.

국가 표준 제:도【國家標準制度】 명 〖법〗 과학 기술 분야에 관하여, 용어·규격·검사 방법 등의 표준이 되는 기준을 국가가 정하여 공정(公正)한 통일(統一)을 기하는 제도.

국가-학【國家學】 명 국가를 연구 대상으로 하는 학문. 곧, 국가의 성질·조직·발달·변천 등을 연구하는 학문. 국가론(國家論).

국가 회:계 제:도【國家會計制度】 명 국가의 현금 및 재산의 수급(受給)·증감(增減)·이동을 계산 정리하는 제도.

국간【國幹】 명 국가의 줄기. 국가의 기본.

국-간장【—醬】 명 재래의 조선 간장을 국 끓이는 데 친다는 뜻으로 일컫는 말. ＊진간장.

국감【國監】 명 ↗국정 감사.

국강상-왕【國罡上王】 명 〖사람〗 고국원왕(故國原王).

국-거리 명 ①국을 끓일 재료. ②곰국의 재료가 될 소의 내장과 잡살뱅이 고기. 1)·2): ＊탕거리.

국견【局見】 명 좁은 소견.

국결【國結】 명 〖역〗 결부(結簿)에 올린 결복(結卜).

국경[1]【國境】 명 ①나라와 나라 사이의 경계. 강역(疆域). 국계(國界). 방강(邦疆). 경장(境場). 주경(州境). 방경(邦境). 봉경(封境). ¶~을 넘다. ②〖법〗 국가와 국가의 판도(版圖)를 구획(區劃)하는 경계선. 국가의 영토 주권이 미치는 한계. 자연적 국경과 인위적 국경이 있음.

국경[2]【國慶】 명 나라의 경사.

국경 관세【國境關稅】 명 국경을 통과하는 수입 화물(輸入貨物)에 부과하는 조세. ↔국내 관세.

국경 무:역【國境貿易】 명 〖경〗 ①국경 부근의 일정한 지역에 있어서의 주민의 필수품 교환. ②인접하고 있는 국가 간의 무역.

국경 분쟁【國境紛爭】 명 인접한 두 국가 간에 국경선이 잘못되었거나 명백하게 드러나지 아니하여 일어나는 분쟁.

국경-선【國境線】 명 나라의 경계가 되는 선. 국경의 경계선.

국경-성【國境城】 명 〖역〗 나라와 나라 사이의 경계에 기다랗게 쌓은 성(城). 중국의 만리 장성이나 고려의 천리 장성(千里長城)이 이에 해당함. ＊산성(山城)·평성(平城).

국경 없는 의사회【國境—醫師會】 명 〖사〗 〔프 médecins sans frontières : 약칭 MSF〕 세계 최대의 민간 긴급 의료 구호 단체. 1971 년 파리에서 창립. 인종·종교·사상·정치적 권력 따위를 초월하여 전 세계 20 개국에 사무소를 두었고, 연간 약 3000 명의 자원 봉사자들이 세계 80 여 개국에서 구호 및 긴급 의료 지원 활동을 하고 있음. 이러한 공로로 1999 년 노벨 평화상을 수상함.

국경-일【國慶日】 명 법률로 정한 국가적으로 경사스러운 날. 우리 나라는 삼일절·광복절·제헌절·개천절·한글날이 있음. ＊경절(慶節).

국경-절【國慶節】 명 ①(중화 민국의) 쌍십절(雙十節). ②중국의 건국 기념일. 1949 년 마오쩌둥(毛澤東) 주석이 중화 인민 공화국 성립을 선언한 날을 기념하는 날. 매년 10 월 1 일.

국경-표【國境標】 명 국경상 주요한 지점에 세운 경계의 표지.

국계【國界】 명 국경(國境).

국고[1]【國故】 명 중국에서, '고전(古典)'의 일컬음.

국고[2]【國庫】 명 〖경〗 ①재산권(財産權)의 주체로서의 국가. ②국가의 금고(金庫). 국가 소유(所有)에 속하는 현금을 출납·보관하는 기관(機關). 중앙 금고. ↔사고(私庫).

국고-금【國庫金】 명 〖경〗 국고에 속하는 현금. 경비를 지출하기 위하여 수납(收納)되는 세입금(歲入金), 경비로서 지출되는 세출금(歲出金) 및 기타 정부의 보관(保管)에 속하는 세입 세출 외의 현금. 나랏돈.

국고 보:조【國庫補助】 명 〖경〗 국고에서 경비를 보조하는 일.

국고 부:담금【國庫負擔金】 명 국가와 지방 자치 단체 상호간에 관계되는 사무를 지방 자치 단체에서 맡아볼 때, 국고에서 그 비용의 일부를 부담하는 돈.

국고 여유금【國庫餘裕金】 명 〖경〗 한 회계 연도의 도중에서 수입·지출의 계절적인 차이 등 요인으로 국고에 일시적으로 생긴 여유 자금.

국고 잉:여금【國庫剩餘金】 명 〖경〗 전년도 세계 잉여금(前年度歲計剩餘金)으로 전연 그 용도(用途)가 정해지지 아니한 국고금.

국고 정:리 운:동【國故整理運動】 [—니—] 명 〖역〗 〔국고(國故)는 중국에서 고전의 뜻〕 중국에서 1919년의 오사(五四) 운동에 앞서서 일어난 문화 혁명 때, 철저한 유교(儒教) 비판과 더불어 일어난 전통 문화 재평가의 운동. 선진 제자(先秦諸子)나 불교의 재검토, 고전(古典) 소설이나 민간(民間) 문예의 재평가, 실증적(實證的)인 역사 연구의 세 가지 분야의 연구가 행하여졌음.

국고 준:비금【國庫準備金】 명 〖경〗 국가의 위급(危急)에 응하기 위하여 언제나 국고에 간직하여 두는 일정한 준비금.

국고 증권【國庫證券】 [—뭔] 명 〖경〗 국고 채권.

국고 지출【國庫支出】 명 〖경〗 국고에서 비용을 지출하는 일. 국고 지판(國庫支辦).

국고 지판【國庫支辦】 명 〖경〗 국고 지출.

국고 차:입금【國庫借入金】 명 〖경〗 넓은 뜻으로는 국가의 채무(債務)의 총칭. 좁은 뜻으로는 국고금의 일시적 부족을 조달하기 위하여 특히 중앙 은행에서 차입(借入)하는 자금(資金).

국고 채:권【國庫債券】 [—뭔] 명 〖경〗 ①임시로 특별한 수요에 충당하기 위하여 발행되는 국채 증권(國債證券). ②국채(國債)에 대한 권리를 표시하는 증권. 곧, 국고가 부담하는 채권. 국고 증권(證券).

국고 채:무 부:담 행위【國庫債務負擔行爲】 명 〖법〗 예산을 구성하는 하나의 부분으로 당해(當該) 연도의 세출 예산이나 법률에 의거하지 않고 경비의 지출을 수반하는 따위의 계약을 국가가 체결하는 일. 예산의 한 형식으로 국회의 의결을 필요로 함.

국고 총간【國故叢刊】 명 국민의 손으로 이루어진 옛 책을 종류별로 다시 출판함.

국고 행위【國庫行爲】 명 〖법〗 행정 주체의 사(私) 경제적 행위. 이를테면 국가의 물품 매매 계약·교량 건설 도급 계약·국유 재산 불하·수표 발행·지방 자치 단체의 공원 건설 도급 계약·지방채(地方債) 모집·은행으로부터의 일시 차입 등. 이러한 행위는 행정 주체의 사법상(私法上) 재산권의 주체로서의 행위요 사인(私人)으로서의 행위이며, 따라서 특별한 규정이 없는 한 일반 사인과 마찬가지로 민법 기타 사법(私法)의 적용을 받음.

국고 현:계【國庫現計】[명]〔경〕국가가 예산 집행중(豫算執行中), 완료(完了)된 세출입의 현상(現狀)을 명백히 하는 계산.

국곡【國穀】[명] 국가의 소유에 속하는 곡식. 공곡(公穀).

국공¹【國公】[명]〔역〕고려 때 오등작(五等爵)의 첫째. 서식(書式)은 조선(朝鮮) 국공, 대방공(帶方公) 등으로 국(國)자를 붙이기도 하고 안 붙이기도 함. 품계는 정이품으로, 식읍(食邑) 3,000 호(戶)를 받았음. *군공(郡公).

국공²【國共】[명] 중국 국민당과 중국 공산당. 국민 정부와 공산 정부. ¶ ~ 합작(合作). 「지.

국공유-지【國公有地】[명] 소유권이 국가 또는 지방 자치 단체에 속한 토

국공 합작【國共合作】[명]〔역〕중국 국민당과 중국 공산당의 제휴 통일전선(提携統一戰線). 제1차 합작은 1923년부터 1927년까지의 쑨 원(孫文)의 소련 용공(容共)에서 우한 정부(武漢政府)의 중공 추방(中共追放)까지를 말하며, 제2차 합작은 1937년부터 1946년까지의 시안(西安) 사건 후의 항일 민족 통일 전선 결성 협정(抗日民族統一戰線結成協定)에서 제2차 대전 후의 국공 간의 내란까지를 말함.

국과수【國科搜】[명] ↗국립 과학 수사 연구소.

국광¹【國光】[명] ①그 나라의 문화. 그 나라의 풍속이나 제도 또는 지리(地理) 등의 상태. ②국가의 영광. 나라의 위광(威光). *국위(國威).

국광²【國光】[명] 사과의 한 품종. 좀 늦게 익으며, 푸른 빛을 띤 붉은 빛으로 다른 사과보다 비교적 신 맛이 덜함. 작고 단단하여 오래 저장해 두기에 적당함. *홍옥(紅玉).

국교¹【國交】[명] 국가와 국가와의 교제. 방교(邦交). ¶ ~를 맺다.

국교²【國敎】[명] 국가에 의하여 특히 지정 받아 보호 받는 특정한 종교. 교의(敎義)를 국가의 정신적 원리로서 존중하며, 교무(敎務)를 국무(國務)의 일부로서 취급함. 국가 종교. ¶ 영국 ~.

국교 단:절【國交斷絶】[명] 분쟁에 관한 원만한 해결을 얻지 못하여 국가간의 외교 관계를 단절하는 일. 또, 국제법 상으로는 국가 간의 평화 관계의 사실적 단절을 말함. ——-하다 [자][타][여불]

국교-죄【國交罪】[—쬐] [명]〔법〕외국과의 교제의 원활을 손상하고 간접적으로 국가 존립의 안전을 위협하는 죄. 즉 외국의 원수(元首)나 외교 사절에 대한 폭행, 외국의 국기나 국장(國章)에 대한 모독 또는 외국 간(外國間)의 교전(交戰)에 있어서의 중립 명령 위반(中立命令違反), 외교 상의 기밀 누설(機密漏泄) 등으로 인하여 국가 간의 화친(和親)을 해하게 하는 죄.

국교-회【國敎會】[명]〔기독교〕국왕이나 영주(領主)를 수장(首長)으로 하는 프로테스탄트 교회 제도. 종교 개혁 후의 독일 프로테스탄트 제후국(諸侯國)에서 성립한 영방(領邦) 교회가 그 후 유럽 여러 나라의 신교(新敎) 지역에서 각기 국교회제로 전개한 것. 덴마크·노르웨이·스웨덴·핀란드의 루터 교회나 영국의 성공회(聖公會)가 그 전형(典型)임.

국교 회복【國交回復】[명] 국가 간의 국교 단절 상태를 본디의 우호적인 평화 관계로 회복함. ——-하다 [자][타][여불]

국구【國舅】[명] 국왕의 장인. 왕후(王后)의 아버지. *부원군(府院君).

국-국물 [명] 국의 국물. 갱즙(羹汁).

국군¹【國君】[명] 한 나라의 군주(君主). 국왕(國王).

국군²【國軍】[명] ①국가의 군대. ②우리 나라의 군대. 대한 민국 군대. 국군 조직법에 의거, 육군·해군·공군으로 조직되며 해군에 해병대를 둠.

국군³【麴君】[명] '술¹'을 달리 이르는 말.

국군 간호 사:관 학교【國軍看護士官學校】[명]〔법〕국방부 장관 소속의 교육 기관의 하나. 군의 간호 장교가 될 사람에게 필요한 교육을 함. 수업 연한은 4년으로, 간호사 국가 시험에 합격하면 소위로 임용됨.

국군 기무 사령관【國軍機務司令官】[명]〔군〕국군 기무 사령부의 장(長). [준]기무 사령관.

국군 기무 사령부【國軍機務司令部】[명]〔군〕군사 정보와 방위 산업체(防衛產業體) 등에 대한 감시·보안 업무, 대북(對北) 정보 및 간첩 수사 등을 관장하는 국방부 산하의 정보 기관. 국군 보안 사령부(保安司令部)가 개칭(改稱)된 것임. [준]기무사(機務司)·기무 사령부.

국군 묘:지【國軍墓地】[명] 호국(護國)의 영령(英靈)을 안치하는 묘지. 지금의 '국립 묘지'의 전신(前身)임.

국군 병:원【國軍病院】[명]〔군〕군(軍) 병원의 총칭. 1971년 육해공군 병원이 해체되어 통합 병원으로 발족한 국방부 산하의 의료 기관.

국군의 날【國軍—】[—/—에—] [명] 국방부 주관으로, 국군의 위용 및 전투력을 국내외에 과시하고 국군 장병의 사기를 높이기 위한 행사를 하는 날. 매년 10월 1일. 1950년에 동부 전선에서 육군 제 3 사단이 선봉으로서 38선을 돌파 진격한 날에 연유함.

국군 조직법【國軍組織法】[명]〔법〕육해공군을 포함한 국방 기관의 설치, 조직과 편성의 대강(大綱)을 규정한 법률.

국군 통:합 병:원【國軍統合病院】[명] '국군 병원'의 전신(前身).

국군 홍보 관리소【國軍弘報管理所】[—팔—] [명]〔법〕국군 방송실·국군신문 제작소·국군 영화 제작소를 통합한 국방부 소속 기관.

국궁¹【國弓】[명] 양궁(洋弓)에 대하여, 우리 나라 고유의 활, 또는 그 궁술(弓術). 「[자][여불]

국궁²【鞠躬】[명] 존경하는 뜻으로 몸을 굽힘. ¶ ~ 재배(再拜). ——-하다

국궁-새 [명]〈방〉〔조〕뻐꾸기(경북).

국궁 진:췌【鞠躬盡瘁】[명] 마음과 몸을 다하여 나라 일에 이바지함. ——-하다 [자][여불]

국권【國權】[명]〔정〕나라가 행하는 권력. 곧, 주권과 통치권. 「[여불]

국권 상실【國權喪失】[명] 나라의 주권(主權)을 잃어버림. ——-하다 [자]

국권 피:탈【國權被奪】[명]〔역〕우리 나라의 국권이 일본에게 탈취당하였다 하여 '경술 국치(庚戌國恥)'를 일컫는 말.

국권 회복【國權回復】[명] 잃었던 나라의 주권(主權)을 도로 찾아 이전의 상태와 같이 만듦. ——-하다 [자][여불]

국균¹【國均·國鈞】[명] ①국정(國政). 국권(國權). 또, 국정을 다스리는 사람. ②국정(國政)의 추기(樞機).

국균²【麴菌】[명]〔식〕누룩곰팡이.

국-그릇 [명] 국을 담는 그릇. 「나라의 창극(唱劇)의 일컬음.

국극【國劇】[명]〔연〕①한 나라의 특유한 국민성을 나타낸 연극. ②우리

국금【國禁】[명] 국법 상의 금제(禁制). 국법으로 금함. ——-하다 [타][여불]

국기¹【國伎】[명]〔악〕서량기(西涼伎).

국기²【國忌】[명] 임금이나 왕후의 제삿날. 국기일(國忌日).

국기³【國技】[명] 한 나라가 특별히 가지고 있는 기예(技藝)나 무술(武術). 그 나라 국민의 취미를 발휘한 기예. 한국의 씨름·태권도, 미국의 야구(野球) 따위. 내셔널 게임.

국기⁴【國紀】[명] 나라의 기율(紀律). 방기(邦紀). ¶ ~가 문란해지다.

국기⁵【國記】[명] 나라에 관한 기록. 나라의 역사. 「들리다.

국기⁶【國基】[명] 나라를 유지하는 기초. 국초(國礎). ¶ 내란으로 ~가 흔

국기⁷【國旗】[명] 한 나라의 역사·국민성·이상 등을 상징(象徵)하여 그 나라를 대표하고 국위(國威)의 표지(標識)로 제정한 기. 한국의 태극기(太極旗), 미국의 성조기(星條旗) 등. 「사람.

국기⁸【國器】[명] 나라를 다스릴 만한 기량(器量). 또, 그런 기량이 있는

국기-가【國旗歌】[명]〔악〕대한 제국 때 불리던 애국가의 하나.

국기 배:례【國旗拜禮】[명] 국기에 대하여 경례함. ——-하다 [자][여불]

국기-법【國旗法】[—뻡] [명]〔법〕기국법(旗國法).

국기-원【國技院】[명] 재단 법인 '국기원(國技院)'이 운영하는 상설 태권도 체육관. 서울 특별시 강남구(江南區) 역삼동(驛三洞)에 있음.

국기-일【國忌日】[명] 국기(國忌). 「판.

국기-판【國忌板】[명]〔역〕국기(國忌)의 행사에 관한 사항을 게시하는

국기 해:이【國紀解弛】[명] 나라의 기율(紀律)이 풀리어 질서가 문란해짐. ——-하다 [자][여불] 「死)하다.

국난【國難】[명] 나라의 위태로움과 어려움. 국환(國患). ¶ ~에 순사(殉

국난 극복【國難克服】[명] 나라의 위태로운 상태나 어려운 형편을 이겨냄.

국난 극복 기장【國難克服記章】[명] 1979년 10월 26일의 박정희(朴正熙) 대통령 저격 사건 이후에 잇따라 일어난 국난을 극복하고 국정(國政)을 안정시키는 데 기여한, 전체 국군 장병과 공적이 뚜렷한 공무원에게 1981년 3월에 국방부 장관이 수여한 기장.

국난 사충신【國難思忠臣】[명] 국난을 당하여 충신을 생각함. *가빈즉사현처(家貧則思賢妻).

국난 타:개【國難打開】[명] 국난을 잘 처리하여 나감. ——-하다 [자][여불]

국내¹【局內】[명] ①묘지(墓地)의 구역 안. ②무슨 일의 판국의 안. ③관청이나 회사의 한 국의 안. 1)-3):↔국외(局外).

국내²【國內】[명] 나라 안. 국중(國中). ↔국외(國外).

국내 공안【國內公安】[명] 나라 안의 안녕 질서. ↔국제 공안(國際公安).

국내 관세【國內關稅】[명]〔법〕한 나라 안에서 어떤 한정(限定)된 지역을 출입하거나 통과하는 화물(貨物)에 대하여 부과(賦課)하고 징수(徵收)하는 관세. 지금은 이것이 없으며 관세라 하면 국경 관세(國境關稅)만을 말함. ↔국경 관세.

국내 균형【國內均衡】[명]〔경〕국내에 있어서의 자본이나 노동력 따위의 경제적인 모든 양(量)이 균형 잡힌 상태에 있는 일. 이를테면 과잉(過剩) 자본이 존재하지 않으며 노동력의 완전 고용(雇傭)도 실현되어 있고 생활 수준도 향상된 상태를 이룩하고 있음을 이름.

국내 무:역【國內貿易】[명]〔경〕국내 상업(國內商業).

국내 문:제【國內問題】[명] 국내 사항. 「또, 그 법인.

국내-범【國內犯】[명] 자기 나라 영역(領域) 안에서 행하여지는 범죄.

국내-법【國內法】[—뻡] [명]〔national law〕〔법〕한 나라의 국권이 행하여지는 범위 안에서 효력(效力)을 가지며 주로 그 나라의 내부(內部) 관계를 규율짓는 법. ↔국제법(國際法).

국내법-주의【國內法主義】[—뻡—/—뻡—이] [명]〔법〕국제 사법상(私法上)의 본질을 국내법이라고 하는 입장. 국제 사법을 단순히 국내법이라고 하는 절대적 국내법주의와, 국제 사법의 대부분을 국내법이라고 하거나 또는 각국이 장차 동일한 국제 사법 원칙을 승인함에 이르기까지는 국내법이라고 하는 상대적 국내법주의가 있음. ↔국제법주의.

국내 사:항【國內事項】[명]〔법〕국제법상 국가가 스스로 결정·처리할 수 있는 권한을 가지는 사상 또는 문제. 곧, 그 나라의 국내법에 의하여 또는 그 나라의 입법·사법·행정의 작용에 의하여 국제법에 저촉됨이 없이 자유로 처리할 수 있는 문제. 국가의 정치·경제 체제·관세·이민·국적 등의 문제 따위. 국내 문제.

국내 사회【國內社會】[명] 한 나라를 형성하고 있는 사회. 나라 안 사회.

국내-산【國內產】[명] 국내에서 생산하는 물건. 내국산. 국산. ↔외국산.

국내 상업【國內商業】[명]〔경〕한 나라의 영역(領域) 안에서 행하여지는 상업. 국내 무역(國內貿易). 내국(內國) 무역. 「상품.

국내 상품【國內商品】[명]〔경〕한 나라 안에서만 거래되는 상품. ↔국제

국내-선【國內線】[명] 국내 교통·국내 통신에만 이용되는 각종 선(線). ↔국제선(國際線).

국내-성【國內城】[명]〔역〕고구려 전기(前期)의 수도. 지금의 만주 지안(輯安)과 그 배후의 산성을 포함하는 지역에 상당함. 제2대 유리왕(琉璃王) 때 이곳으로 천도하여 제20대 장수왕(長壽王) 15년(427)에 평양성(平壤城)으로 옮겼음.

국내-세【國內稅】[명] 내국세(內國稅).

국내 소비세【國內消費稅】[—쎄] 명〖경〗국내에서 소비되는 물건에 부과하는 세금. 내국 소비세.
국내 송:장【國內送狀】[—짱] 명 국내 어떤 지방에서 다른 지방으로 화물을 발송하는 경우에 사용하는 송장.
국내 시:장【國內市場】명〖경〗자국(自國) 산업이 생산한 상품의 판로(販路)로서의 나라 안의 시장. 내국 시장. ↔국제 시장.
국내 안전 보:장법【國內安全保障法】[—뻡] 명〖정〗미국에서 1950년 9월 트루만(Truman) 대통령의 거부권(拒否權) 행사에도 불구하고 성립된 미국의 반공 입법(反共立法). 제1부는 파괴 활동 제한법이라 하여 공산주의 단체의 등록과 방첩법(防諜法)의 강화를 규정하고, 제2부는 국가 비상시 구금법이라 하여 국가 비상시에 태업(怠業) 또는 간첩(間諜) 활동의 용의자를 구금할 수 있음을 규정하였음.
국-내외【國內外】명 나라의 안과 밖.
국내 우편【國內郵便】명 주고받는 사람이 다 국내에 있는 우편. 내국 우편. ↔국제 우편.
국내 원천 소:득【國內源泉所得】명〖법〗외국 법인이 국내 원천에서 발생한 소득.
국내-적【國內的】명관 나라 안의 범위에만 관계되는 모양.
국내 정세【國內情勢】명 국내의 정치적·경제적·군사적 사정이나 형편.
국내 총:생산【國內總生產】명〖경〗국민 총생산(國民總生產)에서 투자 수익(投資收益) 등 해외(海外)로부터의 순소득(純所得)을 제외한 지표(指標). 경제 성장의 대외 비교(對外比較)에 쓰임. 지 디 피(GDP).
국내 통신【國內通信】명 주고받는 사람이 다 한 나라 안에 있는 통신. 내국 통신. ↔국제 통신.
국내 항:로【國內航路】[—노] 명 국내의 한 항구나 공항에서 국내의 다른 항구나 공항에 이르는 항로.
국대【國大】명 ↗국립 대학.
국-대부인【國大夫人】명〖역〗①고려 때 외명부(外命婦)의 정삼품 벼슬. ②조선 시대 초기 임금의 외조모나 또는 왕비의 어머니에게 내리던 봉작(封爵). 뒤에 부부인(府夫人)으로 고침.
국대-불【局待拂】명 우체국에 대체 저금(對替貯金)이 들어오면 가입자(加入者)에게 직접 돈을 지급하여 주지 않고 입금 통지서(入金通知書)만을 보내고, 가입자가 통지서를 가지고 와서 청구할 때를 기다려서 지급하는 일.
국대안 반:대 운:동【國大案反對運動】명 1946년에 국립 대학안을 반대하여 일어난 맹휴 사건. 이 해 8월 23일 국립 서울 대학교 총장에 미국 군인을 임명한다는 군정령(軍政令)이 발표되자, 좌경(左傾) 교수 및 학생들이 이를 식민지 교육이라 선동하여 서울 대학교를 비롯한 전국 대부분의 대학 및 중학교에서 맹휴에 들어갔으나, 이듬해 2월 군정 장관이 서울 대학교 이사회를 한국인으로 조직하라는 지시를 내리기에 이르러 맹휴의 기세가 꺾이기 시작, 2월말부터 정상 수업에 들어갔음.
국더기 명〈방〉고무래.
국도[1]【局度】명 국량(局量).
국도[2]【國度】명 나라의 용도(用度). 나라의 비용.
국-도[3]【國島】명〖지〗경상 남도 남해 상에 돌출된 충무 반도(忠武半島) 남쪽의, 통영시(統營市) 욕지면(欲知面) 연화리(蓮花里)에 위치한 섬. [0.4 km²]
국도[4]【國都】명 한 나라의 수도(首都).
국도[5]【國道】명 전국적인 간선 도로망(幹線道路網)을 구성하는 도로. 고속(高速) 국도와 일반 국도의 두 종류가 있음. 일등 도로. ↔지방도(地方道).
국동【國棟】명 [나라의 기둥이라는 뜻] 태자(太子)의 일컬음.
국둑-발이 명〈방〉절뚝발이.
국-둔전【國屯田】명〖역〗수자리 사는 군사가 경작하여 그 수확을 모두 군자(軍資)에 충당하던 토지. 백제 말엽부터 시작하여, 고려 때 왜구(倭寇)를 막기 위해 연해(沿海) 지방에 많이 두었으며, 조선 시대 때 이를 폐지하였으나 세조(世祖) 6년(1460)에 토지 제도의 하나로 확정됨. 국둔토(國屯土). *군둔전(軍屯田)·영전(營田).
국-둔토【國屯土】명〖역〗국둔전.
국란【國亂】[—난] 명 나라 안에서 일어난 변란(變亂).
국량【局量】[—냥] 명 도량(度量)과 재간(才幹). 국도(局度). ¶ ~이 큰 사람. ㊀양(量).
국력[1]【局力】[—녁] 명 재주와 슬기의 힘. 재간(才幹).
국력[2]【國力】[—녁] 명 대외적(對外的)인 위력의 유무(有無)에서 본 국가의 힘, 곧 경제력·군사력 등의 종합적인 힘.
국력 신장【國力伸張】[—녁—] 명 국력이 늚. ——하다 자여불
국련【國聯】[—년] 명 ↗국제 연합(國際聯合).
국련-군【國聯軍】[—년—] 명 ↗국제 연합군(國際聯合軍).
국련-기【國聯旗】[—년—] 명 ↗국제 연합기(國際聯合旗).
국련 총:회【國聯總會】[—년—] 명 ↗국제 연합 총회.
국련 헌:장【國聯憲章】[—년—] 명 ↗국제 연합 헌장.
국로[1]【國老】[—노] 명 ①경대부(卿大夫)로서 치사(致仕)한 뒤에도 경대부의 대우를 받는 사람. ②나라의 원로(元老).
국로[2]【國老】[—노] 명〖한의〗감초(甘草).
국로-연【國老宴】[—노—] 명〖역〗고려 때, 높은 벼슬 자리에 있거나 또는 나이가 많거나 덕이 높은 사람들을 위하여 임금이 베풀던 잔치.
국록【國祿】[—녹] 명 나라에서 주는 녹봉(祿俸).
국록지-신【國祿之臣】[—녹—] 명 나라의 녹(祿)을 받는 신하(臣下).
국론【國論】[—논] 명 국내의 공론(公論). 국민의 여론(輿論).
국론 비:등【國論沸騰】[—논—] 명 국론이 물 끓듯 함. ——하다 자여불
국리【國利】[—니] 명 국가의 이익. 국익(國益).
국리 민복【國利民福】[—니—] 명 국가의 이익과 국민의 행복.
국립【國立】[—닙—] 명 나라에서 세움. ↔사립(私立). *공립(公立)·관립(官立).
국립 각종 학교【國立各種學校】[—닙] 명 국가에서 직접 관리·운영하는 각종 학교. 부산·인천 선원(船員) 학교와 서울의 국악(國樂) 학교가 있음.
국립 건:설 시험소【國立建設試驗所】[—닙—] 명 건설 교통부 장관에 소속하여, 건설 공사 및 건설 공사용 자재에 관한 조사·시험 업무를 관장하는 기관.
국립 검:역소【國立檢疫所】[—닙—] 명 보건 복지부 장관에 소속하여, 전염병의 국내 침입과 국외 전파의 방지에 관한 사무를 관장하는 기관. 서울·부산·인천·군산·목포·여수·마산·김해·통영·울산·포항·동해·제주 등 13 곳에 있음.
국립 결핵 병:원【國立結核病院】[—닙—] 명 보건 복지부 장관에 소속하는 병원의 하나. 결핵 환자의 구호 및 요양에 관한 사항을 관장함. 공주·마산·목포 등 세 곳에 있음.
국립 경:찰【國立警察】[—닙—] 명 국가가 설립하여 국고(國庫)의 비용으로 유지하는 경찰. *국가 경찰.
국립 고등 학교【國立高等學校】[—닙—] 명 국가에서 직접 관리·운영하는 고등 학교. 국악 고등 학교, 부산·전북 기계 공업 고등 학교, 구미 전자 공업 고등 학교 등 4 개 고등 학교가 있음.
국립 공원【國立公園】[—닙—] 명 대외적으로 과시(誇示)할 수 있는 그 나라 국토의 대표적 경승지(景勝地)를 골라서, 그 자연을 보호하며 국민의 보건(保健)·휴양 및 정서 생활(情緖生活)의 향상에 이용하도록 국가가 지정하여 경영·관리하는 공원. 우리 나라는 1992 년 현재 속리산 국립 공원·설악산 국립 공원·오대산 국립 공원 등 20 개 공원으로, 행정 자치부 장관이 지정 고시함.
국립 공장【國立工場】[—닙—] 명 ①나라에서 세워서 경영하는 공장. ②〔프 Ateliers Nationaux〕〖역〗프랑스 2월 혁명 때, 파리의 실업자에게 일자리를 주기 위하여 세운 공장. 일하는 사람에게는 하루 2프랑씩, 일 없는 사람에게는 1.5프랑씩 주었는데, 1848년 6월에 폐쇄(廢鎖)되었음. 국립 작업장(作業場).
국립 과학관【國立科學館】[—닙—] 명 과학 기술부 장관에 소속하여, 이공학·산업 기술 및 자연사에 관한 자료를 수집·보존·연구 및 전시하여 과학 기술의 지식을 보급하고 생활의 과학화를 기하는 기관. 서울 창경원 옆에 있는 현재 건물은 1972년 9월에 준공되었음.
국립 과학 수사 연:구소【國立科學搜査研究所】[—닙—] 명 행정 자치부 장관에 속하는 기관의 하나. 범죄 수사에서 법의학·법화학·이공학 분야 등에 대한 과학적 조사·연구·감정·분석 및 교육 훈련에 관한 사항을 관장하고, 국가 기관 또는 지방 자치 단체의 요청으로 범죄 수사 및 사건 사고에 필요한 해석 및 감정(鑑定)도 함. ㊀국과수.
국립 국악원【國立國樂院】[—닙—] 명 문화 관광부 장관에 소속하여, 민족 음악을 보존·전승하고 그 발전·보급에 관한 사항을 관장하는 기관. ㊀국악원(國樂院).
국립 국어원【國立國語院】[—닙—] 명 문화 체육 관광부 장관에 소속, 국어의 합리화와 국민의 언어 생활 향상을 도모하기 위한 조사, 연구 업무를 관장하는 기관.
국립 극장【國立劇場】[—닙—] 명 한 나라의 민족 예술의 발전과 연극 문화를 유지 향상시키기 위하여 국가의 재정적 원조를 받아서 창설 운영되는 연극 조직. 보통 직속 극장이나 본거(本據)로 하는 극장을 소유하고, 국가로부터 임명된 대표자에 의하여 경영상 또는 예술상의 관리·운영이 행하여짐. 우리 나라에는 서울에 국립 중앙 극장이 있음.
국립 기술 품:질원【國立技術品質院】[—닙—] 명 중소 기업청장에 속하는 기관의 하나. 공산품 및 공업 재료에 관한 시험·분석·감정, 공업 기술의 연구 개발, 표준 원기의 보관, 계량 측정 기기의 검정과 교정, 산업 표준, 계량·측정 및 공산품의 품질 안전에 관한 사무를 관장하는 기관.
국립 나:병원【國立癩病院】[—닙—] 명 '국립 소록도 병원'의 전신(前身).
국립 노동 과학 연:구소【國立勞動科學研究所】[—닙—년—] 명 노동부 장관에 소속하여, 산업 안전 보건에 관한 조사·연구, 산업 안전 보건 관계자에 대한 교육 훈련, 산업 재해 및 직업병의 예방에 관한 기술 지원 등 사무를 관장하는 기관.
국립 농산물 검:사소【國立農產物檢查所】[—닙—] 명 농림부 장관에 소속하는 기관의 하나. 농산물을 검사·가공·저장하고 농산물 품질 인증·규격 출하·원산지 관리와 이에 필요한 시험 조사나 연구에 관한 사무를 관장함. 특별시·광역시·도에 지소가 있음.
국립 농업 자재 검:사소【國立農業資材檢查所】[—닙—] 명 농림부 장관에 소속하여, 비료·농약 및 농업용 기계·기구의 검사에 관한 사무를 관장하는 기관.
국립 대학【國立大學】[—닙—] 명 국가에서 직접 설립·경영하는 대학. ㊀국대. ↔사립 대학.
국립 대학교【國立大學校】[—닙—] 명 국가에서 직접 관리·운영하는 대학교. 서울·강원·경상·경북·부산·전남·전북·충남·충북 제주·목포·강릉·군산·순천·안동·창원·공주·부산 수산 대학교 등 총 20개 대학교가 있음.
국립 도서관【國立圖書館】[—닙—] 명 '국립 중앙 도서관'의 구칭.
국립 동:물 검:역소【國立動物檢疫所】[—닙—] 명 농림부 장관에 소속하여, 수출입 동물·축산물(畜產物)·사료(飼料)의 검역과 위생 검사에 관한 사무를 관장(管掌)하는 기관. 서울·부산·인천·군산·제주에 지소(支所)가 있음.
국립 묘:지【國立墓地】[—닙—] 명 군인·군무원으로서 사망한 자, 국가

에 유공한 자의 유골 또는 시체를 안장하고, 그 충의(忠義)와 위훈(偉勳)을 영구히 추앙(推仰)하도록 만든 묘지. 서울 동작구(銅雀區) 동작동(銅雀洞)과 대전 직할시 유성구(儒城區) 갑동(甲洞)에 있음. *국군(國軍) 묘지.

국립 민속 박물관【國立民俗博物館】[—닙—] [명] 문화 관광부 장관에 속하는 기관의 하나. 민족의 고유한 생활 양식·풍속·관습과 이에 사용된 도구 및 자료의 연구·조사·수집·보존·전시·계몽·보급과 교류에 관한 사무를 관장함. 경복궁(景福宮) 안에 소재함.

국립 박물관【國立博物館】[—닙—] [명] 나라에서 세운 박물관. 우리 나라에는 중앙 박물관·경주 박물관·공주 박물관·부여 박물관·광주 박물관 등이 있으며, 문화 체육부 장관에 소속함.

국립 보:건 안전 연:구원【國立保健安全硏究院】[—닙—년—] [명] 보건 복지부 장관에 소속하여, 의약품, 화장품, 의약부 외품(醫藥部外品), 의료 용구, 위생 용품, 식품, 식품 첨가물, 식품의 기구·용기·포장, 새로운 화학 물질의 보건 안전성·유효성에 관한 시험·연구 및 평가 업무를 관장하는 기관.

국립 보:건원【國立保健院】[—닙—] [명] 보건 복지부 장관에 소속하여, 국민 보건 향상을 위한 보건 요원의 훈련, 전염병 및 특수 질환에 관한 조사·연구·평가 및 보건 관련 국가 시험 업무를 관장하는 기관.

국립 보:훈원【國立報勳院】[—닙—] [명] 국가 보훈처장에 속하여, 국가 유공자 및 그 유족의 양육·양로 보호, 정신 교육 및 국가 보훈처 소속 공무원과 임용 예정자에 대한 교육 훈련에 관한 사항을 관장하는 기관.

국립 사회 복지 연:수원【國立社會福祉硏修院】[—닙—] [명] 보건 복지부 장관에 소속하여, 사회 복지의 증진을 위한 사업에 종사하는 자 또는 종사하고자 하는 자의 양성과 훈련을 실시하는 기관.

국립 생사 검:사소【國立生絲檢査所】[—닙—] [명] 농림부 장관에 소속하여, 생사 검사 곧, 생사의 품위·정량 및 포장 등을 검사하는 기관.

국립 소:록도 병:원【國立小鹿島病院】[—닙—] [명] 보건 복지부 장관에 소속하여 나환자의 수용·보호·진료·교도 및 자활 정착을 위한 직업 보도와 나병에 관한 연구 업무를 관장하는 병원. 전라 남도 고흥군(高興郡) 소록도에 있음. 구칭: 국립 나병원(癩病院).

국립 수산 기술 훈:련소【國立水產技術訓練所】[—닙—훌—] [명] 해양 수산부 장관에 소속해, 수산 직무에 종사하는 공무원과 수산연구 및 어촌 지도 사업에 종사하는 자와 어민에게 필요한 지식과 기술을 습득시키기 위한 교육·훈련을 실시하는 기관.

국립 수산 진:흥원【國立水產振興院】[—닙—] [명] 해양 수산부 장관에 소속하여, 수산 진흥에 관한 조사·시험·연구와 수산 기술의 지도·보급을 수행하는 기관.

국립 식물 검:역소【國立植物檢疫所】[—닙—] [명] 농림부 장관에 소속하여, 수출입 식물 및 국내 식물의 검역과 검사에 관한 사무를 관장하는 기관. 서울·인천·부산·군산·제주에 지소(支所)가 있음.

국립 영상 제:작소【國立映像製作所】[—닙—] [명] 문화 관광부 장관에 속하는 기관의 하나. 종합 유선 방송의 공공 채널 프로그램 제작·방송, 정부의 영상물 제작·배포, 공공 기관과 단체의 영상물 제작에 대한 협조 사항에 관한 사무를 관장함.

국립 은행【國立銀行】[—닙—] [명] 〖경〗 국가에서 직접 경영하는 은행.

국립 의료원【國立醫療院】[—닙—] [명] 보건 복지부 장관에 소속하는 병원의 하나. 메디컬 센터를 개편하여 설립. 의료 기술 수준의 향상을 위한 조사·연구·진료, 의료 요원의 훈련 및 환자 영양에 관한 사항을 관장함.

국립 작업장【國立作業場】[—닙—] [명] 〖역〗 국립 공장❷.

국립 잠사소【國立蠶絲所】[—닙—] [명] 농림부 장관에 소속하여, 생사의 검사, 원원잠종(原原蠶種)의 생산, 잠종에 대한 병독(病毒) 검사에 관한 사무를 관장하는 기관. [준]잠사소.

국립 재:활원【國立再活院】[—닙—] [명] 보건 복지부 장관에 소속하여, 장애인의 복지 증진을 위한 상담 지도·재활 훈련·재활 전문 요원의 훈련 및 재활 조사 연구 사업에 관한 업무를 관장함.

국립 전문 대학【國立專門大學】[—닙—] [명] 국가에서 설립한 전문 대학. 여수·통영·군산 수산 전문 대학, 목포 해양 전문 대학, 경기·대전·삼척·부산·충주 공업 전문 대학, 안성·순천·예산(禮山) 농업 전문 대학, 진주 농림 전문 대학, 상주·밀양 농잠 전문 대학, 철도 전문 대학, 철도 간호 전문 대학, 국립 의료원 간호 전문 대학, 세무 전문 대학 등 총 19개 전문 대학이 있음.

국립 정신 병:원【國立精神病院】[—닙—뼝—] [명] 보건 복지부 장관에 소속하는 병원의 하나. 정신과 환자의 진료·조사·연구와 정신과 의료 요원의 훈련에 관한 사항을 관장함.

국립 종축원【國立種畜院】[—닙—] [명] 농림부 장관에 소속하여, 우량 종축의 생산 보급·가축 사육 관리·자급 사료 생산 및 초지(草地) 개량에 관한 조사·연구 및 축산 기술의 훈련에 관한 사무를 관장하는 기관.

국립 중앙 과학관【國立中央科學館】[—닙—] [명] 과학 기술부 장관에 속하여, 이공학(理工學)·산업 기술·과학 기술사 및 자연사에 관한 자료를 수집·보존·연구 및 전시하여 과학 기술 지식을 보급하고, 생활을 과학화하기 위한 사무를 관장하는 기관.

국립 중앙 극장【國立中央劇場】[—닙—] [명] 문화 관광부 장관에 소속하여, 민족 예술의 발전과 연극 문화의 향상에 관한 사무를 관장하는 기관. 서울 특별시 중구 장충동에 있음.

국립 중앙 도서관【國立中央圖書館】[—닙—] [명] 문화 관광부 장관 소속하에 둔 우리 나라 대표 도서관. 국내외 자료의 수집·정리·분석·보존·축적 및 공중의 도서 이용, 국내 자료의 제출(提出) 관리, 각종 서지(書誌)의 작성 및 표준화와 국제 표준 도서 번호 제도의 운영, 전산화를 통한 국가 문헌 정보 체제 및 도서관 협력망의 통합, 외국 도서관과의 협력 및 자료의 국제 교류 등의 업무를 행함. 서울 남산에 있음.

국립 중앙 박물관【國立中央博物館】[—닙—] [명] 문화 관광부 장관에 소속해, 고고학·미술사학·역사학·인류학 및 민속학 분야에 속하는 문화재와 자료를 수집·보존 및 전시하여 일반 공중의 관람에 제공하며, 이에 관한 연구·조사와 전통 문화의 계몽·홍보·보급 및 교류에 관한 사무를 관장하는 기관. 경주·광주·전주·청주·진주·부여·공주 박물관 등 일곱 지방 박물관이 있음.

국립 중앙 직업 안정소【國立中央職業安定所】[—닙—] [명] 〖법〗 노동부의 소속 기관. 전국 규모의 광역 직업 소개 업무(廣域職業紹介業務)와 직업 지도에 관한 전문 기법(專門技法)의 연구 개발 및 보급에 관한 사무를 관장함.

국립 중앙 직업 훈:련원【國立中央職業訓練院】[—닙—훌—] [명] 노동부 장관에 소속하여, 직업 훈련 기본법의 규정에 의한 직업 훈련 교사 및 그 교사가 되고자 하는 자에 대한 훈련을 실시하며, 국가 이외의 기관이 실시하는 공공 직업 훈련, 사업내 직업 훈련 및 인정 직업 훈련에 대한 기술 지원을 하는 기관.

국립 지리원【國立地理院】[—닙—] [명] 건설 교통부 장관에 소속하는 기관. 국토의 기본 측량(基本測量)·지도 제작(地圖製作)과 지리에 관한 조사 연구 사항을 관장함.

국립 지질 광:물 연:구소【國立地質鑛物硏究所】[—닙—련—] [명] '자원 개발 연구소'의 전신(前身).

국립 직업 재:활원【國立職業再活院】[—닙—] [명] 전에, 원호처에 소속하여, 원호 대상자의 직업 재활·기술 교육에 관한 사업을 관장하던 기관.

국립 천문대【國立天文臺】[—닙—] [명] 과학 기술부 장관에 소속하여, 천문학에 관한 연구와 천상 관측(天象觀測)·역서(曆書) 편찬·표준시의 결정(決定) 및 시보(時報)에 관한 사무를 관장하는 기관.

국립 토목 시:험소【國立土木試驗所】[—닙—] [명] '국립 건설 연구소'의 전신(前身).

국립 특수 학교【國立特殊學校】[—닙—] [명] 국가에서 직접 관리·운영하는 특수 학교. 서울 맹학교(盲學校)와 서울 농아(聾啞) 학교의 둘이 있음.

국립 학교【國立學校】[—닙—] [명] 국가에서 설립·경영하는 학교. *공립 학교·사립 학교.

국립 해:양 조사원【國立海洋調査院】[—닙—] [명] 해양 수산부 장관에 소속하는 기관의 하나. 해양 조사·해양 측량·해도 간행·해양 자료에 관한 일을 맡아봄. '수로국'을 고친 이름.

국립 현:대 미:술관【國立現代美術館】[—닙—] [명] 문화 관광부 장관에 소속해, 미술 작품 및 자료의 수집·보존·전시·조사·연구와 이에 관한 국제 교류 및 미술 활동의 보급을 통한 국민의 미술 문화 의식 향상에 관한 사무를 관장하는 기관.

국립 현:충원【國立顯忠院】[—닙—] [명] 국방부 장관에 소속하는 기관의 하나. 국립 묘지를 관리하는 사무를 관장함. 구칭: 국립 묘지 관리소.

국립 환경 연:구원【國立環境硏究院】[—닙—년—] [명] 환경부 장관에 소속하여, 환경 보전과 환경 오염 방지에 대한 조사·연구 및 평가와 환경 관리 요원의 훈련에 관한 사무를 관장하는 기관.

국마【國馬】[명] 〖역〗 나라 소유의 목장(牧場)에서 기르는 말.

국말【國末】[명] 나라가 망하거나 끝날 무렵. ↔국초(國初).

국-말국 [명] 〈방〉 국물(경남·전북).

국-말이 [명] ①국에 만 밥이나 국수. *국밥. ②미리 국에 말아 끓인 음식.

국망-봉【國望峰】[명] 〖지〗 ①경상 북도 영주시(榮州市) 순흥면(順興面)과 충청 북도 단양군(丹陽郡) 가곡면(佳谷面) 사이에 있는 산. 태백 산맥 중에 솟아 있음. [1,421m] ②평안 북도 후창군(厚昌郡) 후창면(厚昌面)과 남신면(南新面) 사이에 있는 산. [1,496m] ③경기도 포천군(抱川郡) 이동면(二東面)과 가평군(加平郡) 북면(北面) 사이에 있는 산. 광주(廣州) 산맥에 속함. [1,168m] ④서울 북한산(北漢山)의 한 봉우리인 만경대(萬景臺)의 딴이름.

국면【局面】[명] ①어떤 일이 있는 경우의 그 장면. ¶ 어려운 ～에 부닥치다. ②바둑·장기판의 표면 또는 그 판 위에서 전개되는 승패(勝敗)의 변화. 반면(盤面). ③일이 되어 가는 모양.

국면 타:개【局面打開】[명] 절박한 국면을 잘 처리하여 나감. ——-하다 [자][여불]

국명¹【國名】[명] 나라의 이름. 국호(國號).

국명²【國命】[명] ①나라의 명령. ②나라의 사명. ③나라의 정치.

국명-석【菊銘石】[명] 〖동〗 해화석(海花石).

국모¹【國母】[명] 임금의 아내. 곧 왕후(王后). ↔국부(國父).

국모²【麴母】[명] 누룩밑.

국묘-죽【菊苗粥】[명] 감국(甘菊)의 싹을 잘게 썰어 소금을 치고 멥쌀과 함께 쑨 죽.

국무¹【國巫】[명] 〖민〗 ↗국무(國巫)당.

국무²【國務】[명] 국정에 관한 사무. 나라의 정무(政務).

국-무당【國巫—】[명] 〖민〗 나라의 굿을 하던 무당. 나라의 전속(專屬) 무당. [준]국무(國巫).

국무-부【國務部】[명] 미국의 외교(外交) 정책에 관하여 대통령을 보좌하는 부(部). 국무 장관을 장(長)으로 함. 국무성.

국무-성【國務省】[명] 국무부(國務部).

국무-원【國務院】[명] ①대통령과 국무총리 기타의 국무 위원으로 조직되는 합의체(合議體)로서, 대통령의 권한에 속한 중요 국책(國策)을 의결하는 기관. ②중국에서, 최고 국가 권력을 집행하는 행정 기관.

국무 위원【國務委員】[명] 국무 총리의 제청(提請)으로 대통령이 임명하는 국무 회의의 구성원. 정원 15-30명으로, 국정(國政)에 관하여 대통령을 보좌하며, 국무 회의에서 국정을 심의함. 대부분이 행정 각부의 장으로서 각부의 행정 사무를 분담·관리하나, 분담하지 않는 정무 장관도 있음. 「사무를 전담함.

국무 장:관【國務長官】명 미국 국무부의 장관. 각료의 수석이며, 외교

국무 조정실【國務調整室】명 국무 총리 소속하에 둔 중앙 행정 기관의 하나. 각 중앙 행정 기관의 행정의 지휘·감독, 정책의 조정, 심사 평가 및 규제(規制) 개혁에 관한 사무를 맡아봄.

국무 총:리【國務總理】[—니] 명 대통령을 보좌하고, 행정에 관하여 대통령의 명을 받아 행정 각부를 통할하는 기관. 국무 회의의 부의장을 맡음. 대통령이 국회의 동의를 얻어 임명함. ㊂총리.

국무 회:의【國務會議】[—/—이] 명 정부의 중요한 정책을 심의하는 기관. 대통령·국무 총리와 국무 위원으로 구성되며, 대통령이 의장이 되고 국무 총리는 부의장이 됨. 행정부의 최고(最高) 의결 기관임.

국문¹【國文】명 ①한 나라의 국어로 쓰인 문장. 또, 그 문학. ②우리 나라 말로 쓰인 문장. 또, 그 문학. ③↗국문학.

국문²【鞫問】명 〖역〗 국청(鞫廳)에서 중대한 죄인을 신문하던 일. 최고 담당자인 위관(委官)이 주재하였음. ——하다 타여불

국문-과【國文科】[—꽈] 명 ↗국어 국문학과. 「문의 법칙.

국-문법【國文法】[—뻡] 명 ①그 나라의 국문의 법칙. ②우리 나라 국

국문 연:구소【國文研究所】[—년—] 명 〖역〗 광무(光武) 11년(1907) 7월에 학부(學部) 안에 설치(設置)하였던 국문 연구 기관. 주시경(周時經)·지석영(池錫永) 등을 위원(委員)으로 구성하여, 약 3년 동안 국문 통일에 관한 토의를 하였으나 완고한 유학자들의 반대로 실시(實施)를 보지 못하였음.

국-문자【國文字】[—짜] 명 ①한 나라의 문자. ②우리 나라의 문자.

국문 정:리【國文正理】[—니] 명 〖책〗 광무 원년(1897)에 이봉운(李鳳雲)이 지은 단편적인 문법(文法) 책. 띄어쓰기·장단음(長短音)·된소리·시제(時制) 등이 적혀 있음.

국-문학【國文學】명 〖문〗 ①자기 나라의 문학. ②우리 나라의 문학. 또, 그것을 연구의 대상으로 삼는 학문. ㊂국문.

국문학-과【國文學科】명 〖교〗 ↗국어 국문학과(國語國文學科).

국문학-사【國文學史】명 ①〖문〗 국문학의 발달 과정의 역사. 또, 그 학문. ②국문학의 역사를 적은 책.

국-물 명 ①국·찌개·김치 등의 물. ㊂국. ②〈속〉 많지 않은 이득.
국물도 없:다 구 조그마한 이득도 없다. ¶너 그것 해 봐야 국물도 없으니 아예 그만두어라.

국물 김치 명 보통 김치와 같은 방법으로 담그나 특히 국물이 많고 맛이 좋도록 담근 김치. 물김치.

국미-주【麴米酒】명 보리밥을 사흘 동안 찬 물에 담갔다가 말리어 쪄서 담그는 술. 소주를 만들 때에는 보리쌀 한 되에 누룩 가루는 넉 되씩 섞음. 「국적을 가진 인민. 국인(國人).

국민【國民】명 동일한 통치권 밑에 결합되어 국가를 조직한 인민. 같은

국민 가요【國民歌謠】명 〖악〗 공동적 정신을 고취시키기 위하여, 힘차고 진취적(進取的)인 것을 내용으로 해서 국민 전체가 부를 수 있게 지은 노래. 「日) ~.

국민 감:정【國民感情】명 어떤 국민 전반에 공통되는 감정. ¶대일(對

국민 개병 제:도【國民皆兵制度】명 병역 제도에 있어서, 일정한 연령에 달하면 국민의 전부에게 강제적으로 병역 의무를 지우는 제도.

국민 건:강 보:험【國民健康保險】명 〖사〗 국민 건강 보험법에 따라, 국민의 질병·부상에 대한 예방·진단·치료·재활(再活)과 출산·사망 및 건강 증진에 보험 급여를 실시하는 제도. 국민 건강을 향상시키고 사회 보장을 증진함을 목적으로 함.

국민 건:강 보:험 공단【國民健康保險公團】명 국민 건강 보험법에 따라 설립된 법인(法人). 보험료 등 징수금(徵收金)의 부과·징수, 보험 급여 비용의 지급, 건강 보험에 관한 조사 연구, 국제 협력 및 가입자와 피부양자(被扶養者)의 건강 유지·증진을 위한 예방 사업 등을 함.

국민 경제【國民經濟】명 〖경〗 한 나라 안에서 영위되는 경제 활동의 총체(總體). 모든 재화(財貨)의 생산이 특정한 주문(注文)에 기인하는 것이 아니고 국민 전체의 수요(需要)를 예견(豫見)하는 것이며 소비자(消費者)도 소요품을 일반 시장(市場)에서 구하도록 되어 있는, 국민 전체를 기초로 한 경제 조직. 사회 경제. ↔가족 경제·도시 경제.

국민 경제 계:산 체계【國民經濟計算體系】명 〖경〗 한 나라의 경제 성장이나 부(富)를 나타내는 새로운 통계 방식. 종래의 국민 총생산에 산업간의 거래(去來)를 분석하는 산업 연관표, 자산(資產)·부채(負債)의 면에서 국부(國富)를 파악하는 국민 대차 대조표(國民貸借對照表), 자금의 흐름을 나타내는 자금 순환표(資金循環表), 해외 거래(海外去來)를 정리한 국제 수지표(國際收支表)의 다섯 지표(指標)를 종합 편성하는 방식. 국민 경제를 종합적으로 볼 수 있고, 경제 정보량(經濟情報量)이 많아 산업별 투자나 소득 자산과의 관계 등 경제 현상을 자세히 파악할 수 있으며, 복지(福祉) 부문에 대한 투자 내용을 목적별로 관찰할 수 있는 등의 장점이 있음. 에스 엔 에이 방식(SNA 方式).

국민 경제학【國民經濟學】명 국민 경제의 현상(現象)을 이론적으로 연구하는 학문. 경제학.

국민 고충 처:리 위원회【國民苦衷處理委員會】명 고충 민원(苦衷民願) 등을 접수·상담하고, 이를 신속히 조사·처리하기 위하여 국무 총리 소속하에 둔 기관. 민원 사항에 대한 안내·상담·조사·처리와 조사 결과에 따라 관계 행정 기관에 대한 시정 조치를 권고하며, 각 행정 기관의 민원 사무 집행에 관한 업무를 관할함. 위원장 1명을 포함한 10명의 위원으로 구성됨.

국민 공회【國民公會】명 〔프 La Convention nationale〕〖역〗 1792년 설립된 프랑스 혁명 의회. 자코뱅 당(Jacobin 黨)이 가장 세력이 있었는데, 그 의결에 의하여 왕정을 폐지하여 루이(Louis) 16세를 사형에 처하고 공포 정치를 시행하였으나, 자코뱅 당의 세력이 약해지자 1795년 스스로 해산되었음. 국민 협의회(國民協議會).

국민 교:육【國民敎育】명 〖교〗 ①국가가 그 국민을 국민으로서의 자질(資質)을 갖추게 하여 그 본분과 권리·의무를 인식시키기 위하여 실시하는 교육. 근대 국가의 성립과 함께 생김. ②국가가 시책(施策)하는 체제의 교육에 대하여 국민을 위해 국민이 행(行)하는 교육. 민주주의의 주권 재민(在民) 이념의 보급과 함께 생김. ③의무 교육(義務敎育).

국민 교:육 헌:장【國民敎育憲章】명 국민 도덕의 기본 방향을 밝히고 국민 각자가 나아갈 바 교육의 지표를 제시한 헌장. 국민의 생활 윤리를 확립하기 위한 전문(全文) 393 자(字)로 된 이 헌장은 1968년 11월 26일 국회 본회의에서 만장 일치로 가결, 1968년 12월 5일 정부가 이를 선포함. ㊂교육 헌장.

국민 국가【國民國家】명 동일 민족(同一民族) 또는 국민이라는 의식을 바탕으로 하여 형성된 중앙 집권 국가. 영국이나 프랑스처럼 절대주의 국가에서 시민 혁명을 거쳐 근대적인 국민 국가로 발전한 나라가 있고, 독일·이탈리아·일본의 경우와 같이 절대주의 국가 권력의 주도하(主導下)에 국민 국가를 형성한 나라와 그 밖에 식민지나 종속국으로 있다가 민족 독립 운동에 성공하여 이룩된 나라도 있음. *민족 국가.

국민-군【國民軍】명 ①일반적인 뜻으로, 한 나라의 군대의 총칭. ②영국이나 미국에 있어서의 민병(民兵) 제도에 의한 군대. ③〖역〗 프랑스 혁명의 초기인 1789년에 조직되어 1871년까지 존속하였던, 중류 이상의 부유한 시민들의 자위(自衛)를 목적으로 한 시민군(市民軍). 봉건(封建) 세력의 수호군인 정규군(正規軍)과 외국의 용병대(傭兵隊) 및 혁명의 급진화(急進化)를 노리는 민중의 세력과도 대립하였음.

국민-당【國民黨】명 〖정〗 중국 국민당.

국민 대:차 대:조표【國民貸借對照表】명 〖경〗 국민 경제 계산 체계에 있어서의 하나의 계산 방식. 국민 경제에 있어서 특정 시점(時點)의 부(富)나 자본량(資本量) 등을 파악하려는 것. 기업에 있어서 대차 대조표에 상당함. 국민 자본 계정.

국민 대:표【國民代表】명 특정한 지역·신분·이익의 대표가 아니고 전 국민의 대표로서의 의회(議會)의 의원. 따라서 의회 그 자체도 국민 대표 기관이 됨. *지역 대표제·신분 대표·이익 대표.

국민 대학【國民大學】명 〖교〗 덴마크의 국민 대학 운동에 있어서의 성인(成人) 국민 교육 기관. 대개 사립 경영의 숙(塾)인데 초등 교육을 마치고 실사회의 생산 노동에 종사하는 18-25세의 근로 청년을 대상으로 하여 농장·공장·선박·상점에서 얻을 수 없는 고등 보통 교육을 목적으로 하며 남자는 겨울에 5개월, 여자는 여름에 3개월, 교장(校長) 중심의 학교에서 공동 생활·공동 학습을 함.

국민 대학교【國民大學校】명 〖교〗 사립 대학교의 하나. 1946년 국민 대학관(大學館)으로 개교, 1949년 국민 대학으로 승격, 1981년 종합 대학으로 승격함. 서울 특별시 성북구 정릉동(貞陵洞)에 위치함.

국민 대학 운:동【國民大學運動】명 〖교〗 덴마크를 부흥(復興)시킨 성인(成人) 국민 교육 운동. 그룬트비(Grundtvig)의 주장에 의하여 1844년 독일 국경 지방에 창시(創始)되고, 1864년 프로이센·오스트리아 두 나라와의 전쟁에서 패한 후 전국적으로 국민 대학이 보급(普及)되어 전 국민, 특히 지방 농촌 청년에 대한 고등 보통 교육이 널리 전개되어 민족 문화의 창조와 조국 부흥에 이바지한 바 컸음. 이 운동은 스칸디나비아 여러 나라를 비롯하여 유럽·미국·아시아 등 세계 각국에도 퍼졌음.

국민 대:회【國民大會】명 〖정〗 ①국가의 비상시(非常時)나 또는 어떤 일에 처하여 국민의 총의(總意)를 나타내기 위해서 다수의 유지자(有志者)가 때를 기하여 한곳에 모이는 회합. ②중국 국민 정부의 정권 행사의 최고 기관. 「서 다 같이 지켜야 할 도덕.

국민 도:덕【國民道德】명 〖윤〗 ①한 국민의 고유한 도덕. ②국민으로

국민 문학【國民文學】명 〖문〗 ①혈족·종족·민족·토지·풍속·언어·습관 등 역사적으로 전승되는 그 나라의 국민성을 나타낸 문학. ②근대 국민 국가의 발생과 더불어 만들어지고 그 국가 의식(意識)을 반영하여 다수의 민중에 침투하는 규모의 문학.

국민 문학파【國民文學派】명 〖문〗 민족의 성격을 특별히 고도로 표현하고 독자(獨自)의 문학을 지향하는 파.

국민 발안【國民發案】명 〔initiative〕〖사〗 국민 투표의 한 형식. 일정수 이상의 국민이 헌법 개정안이나 법률안을 직접 제안하는 일.

국민 방위군【國民防衛軍】명 전시(戰時) 또는 사변에 있어서 병력 동원의 신속을 기하기 위하여 설치 조직된 군대. 1950년 12월에 법률로 공포되었으며, 지역을 단위로 하여 편성함을 원칙으로 하고, 육군 총참모장(總參謀長)의 지시를 받아 군사 훈련 또는 작전에 임함. 그 이듬해 5월에 폐지되었음. ㊂방위군.

국민 방위군 사:건【國民防衛軍事件】[—껀] 명 1951년 1월 국민 방위군 사령부 간부들이 군수 물자 및 군량미 등을 부정 처분함으로써 장정들을 굶주리게 하여, 1000여 명의 사망자와 많은 병자를 내었던 사건. 이 사건으로 1951년 5월 국민 방위군은 해체되고, 방위군 총사령관 김윤근(金潤根), 부사령관 윤익헌(尹益憲) 등 5명이 처형되었음.

국민-병【國民兵】명 〖군〗 국민 병역(兵役)에 복역(服役)하던 사람.

국민 병역【國民兵役】명 구 병역법상, 병역의 한 구분. 제1 국민 병역과 제2 국민 병역으로 나뉘었는데, 1962년 '국민역(國民役)'으로 개정되었음. 「체조.

국민 보:건 체조【國民保健體操】명 국민의 보건을 위하여 제정한 맨손

국민-부【國民府】명 〖역〗 1928년 만주에서 조직된 독립 운동 단체. 만주 지방의 독립 운동 단체의 대표들이 지린 성(吉林省)에 모여, 중앙 집행 위원장에 현익철(玄益哲)을 선출하고 군사 훈련과 교육 사업에 주력하는 한편, 잡지 '봉화(烽火)'를 발간함.

국민 분한【國民分限】 명 국민의 법률상의 지위 또는 신분. 국적(國籍).

국민 사:상【國民思想】 명 〖사〗 한 국민의 고유한 사상.

국민 사회주의【國民社會主義】[―/―이] 명 〖사〗 국가 사회주의❷.

국민 사회주의 독일 노동당【國民社會主義獨逸勞動黨】[―로―/―이―로―] 명 나치스(Nazis).

국민 생명 보:험【國民生命保險】 명 국가 관리의 생명 보험. 1978년 폐지됨.

국민 생명표【國民生命表】 명 국민을 대상으로 하여 만든 생명표. 어떤 시점(時點)에 있어서의 성별(性別)·연령별 인구를 분모(分母)로 하고 그 시점을 포함하는 어떤 기간내의 성별·연령별 사망수(死亡數)를 분자(分子)로 하여서 만듦. 수명(壽命)의 계측(計測)·인구 추계(推計)·위생 상태의 평가(評價)·손해 배상·생명 보험 사업 등에 널리 쓰임.

국민 생활【國民生活】 명 ①한 국민의 독특한 생활 양식. ②한 국민의 생활 상태. ¶ ~의 향상.

국민 생활 백서【國民生活白書】 명 한 나라의 국민 생활의 실태에 관한 백서. 국민 생활의 1년간의 동태를 분석 발표하는데, 특히 계층별·지역별 소득이나 소비 내용의 변화·추이(推移) 등을 명백히 함.

국민-성【國民性】[―썽] 명 한 나라의 국민에게 공통되며, 그 국민에게 고유한 성질. 오랜 역사를 통하여 정치·경제·문화·사회·지리·종교 등의 영향을 받아 이루어짐. 민족성(民族性). ¶ 근면한 ~. *민성(民性).

국민 소:득【國民所得】 명 〔national income〕〖경〗 한 국민 경제 안에서, 일정 기간 내에 생산되는 가치의 합계. 넓은 뜻으로는 국민 총생산(國民總生産)과 같은 뜻으로 쓰이나, 보통은 국민 총생산에서 자본 감모(減耗) 부분과 간접세를 뺀 국민 순생산(純生産)을 뜻함. 생산면·분배면·지출면의 파악 방법에 따라서, 생산 국민 소득·분배 국민 소득·지출 국민 소득 등으로 불림. *가처분 소득.

국민 소:득 통:계【國民所得統計】 명 국민 소득 및 그에 관련하는 여러 가지 통계의 총칭.

국민 소환【國民召還】 명 〔recall〕〖정〗 선거 등으로 선출·임명된 국민 대표 또는 공무원을 임기가 끝나기 전에 국민 또는 주민의 발의(發議)에 의하여 파면, 소환하는 제도. 현재 미국·스위스·일본(日本) 등에서 부분적으로 채택되고 있음.

국민 순생산【國民純生産】 명 〔Net National Product〕〖경〗 국민 소득 통계상의 용어. 국민 소득에 간접세를 가산하고 정부 보조금을 공제한 것. 시장 가치로 표시한 일국의 생산물의 총계를 나타냄. 국민 총생산과의 차이점은 국민 순생산에는 감가 상각(減價償却) 부분이 포함되어 있지 않은 것임. 순국민 생산. 엔 엔 피(NNP). *국민 총생산.

국민 순지출【國民純支出】 명 〔Net National Expenditure〕〖경〗 국민 총지출에서 자본 감모액(資本減耗額)을 뺀 액수. 여기서 다시 순(純)간접비를 빼면 지출 국민 소득과 같아짐. 엔 엔 이(NNE). *국민 총지출.

국민-시【國民詩】 명 그 나라 고유의 국민성을 읊어 온 국민이 애송(愛誦)·애독하는 시.

국민 신보【國民新報】 명 〖역〗 국권 피탈 직전에 일진회(一進會)에서 발간한 친일적(親日的) 신문.

국민 신화학【國民神話學】 명 특수(特殊) 신화학.

국민 악파 음악【國民樂派音樂】 명 〖악〗 19세기 중엽부터 20세기에 걸쳐 러시아·보헤미아·노르웨이·핀란드 등지에서 일어난 음악. 음악에 국민적·민족적인 특징을 예술적으로 가미하여 표현함.

국민-역【國民役】 명 병역(兵役)의 한 종류. 만 18세로부터 입영할 때까지의 자가 복역하는 제1 국민역과 예비역을 마친 자나 징병이 면제된 자가 복역하는 제2 국민역으로 나뉨.

국민 연:극【國民演劇】[―년―] 명 그 나라 독자적인 문화를 창조하려고 하는 국민 의식(意識)을 반영한 연극. 또, 전시(戰時)에 국민의 전의(戰意)를 높이는 것을 목적으로 한 연극 운동을 이를 경우도 있음.

국민 연금【國民年金】[―년―] 명 국민의 노령·폐질(廢疾) 또는 사망에 대하여 필요한 비용을 급여하는 연금 제도. 1988년 1월 1일, 국민 연금법에 의해 실시되고, 가입자는 공무원·군인·사립 학교 교직원을 제외한 18세 이상 60세 미만의 국민 중 사업장(事業場) 가입자·지역 가입자 및 임의 계속 가입자의 세 종류가 있고, 급여에는 노령 연금·장해 연금·유족 연금·반환 일시금이 있음.

국민 연금 관리 공단【國民年金管理公團】[―년―괄―] 명 국민 연금법에 따라 보건 복지부 장관의 위탁을 받고, 국민의 생활 안정과 복지 증진을 위한 사업을 효율적으로 수행하기 위하여 설립한 법인체. 국민 연금 가입자에 대한 기록의 관리 및 유지, 갹출료(醵出料)의 징수, 급여의 결정 및 지급 등의 업무를 수행함.

국민 연금 기금【國民年金基金】[―년―] 명 국민 연금 사업에 필요한 재원을 확보하고, 국민 연금법에 의한 급여에 충당하기 위한 책임 준비금으로 설치된 기금. 기금은 연금 가입자의 갹출료, 기금 운영 수익금, 적립금 및 연금 관리 공단의 수입 지출 결산상 잉여금으로 조성되고, 보건 복지부 장관이 관리 운용함.

국민 연금제【國民年金制】[―년―] 명 18세 이상 60세 미만의 모든 국민이 가입할 수 있으며, 가입자가 노령으로 퇴직하거나 질병 등 기타 사유로 소득원을 잃은 경우 일정한 소득을 보장하는 제도. 1988년 1월 1일부터 실시됨.

국민 오페라【國民―】〔opera〕 명 민족주의적인 입장에서 민족 고유의 전설·사상·감정·음악 등을 중시(重視)하여 창작된 오페라. 국민 가극.

국민 외:교【國民外交】 명 〖정〗 ①국민의 여론을 중심으로 하여 그 여론을 외교 정책에 반영(反映)시키는 외교. ②국민 각자가 외국인을 상대하여 자기 나라의 실태를 널리 선전하며, 국위(國威)를 선양하는 외교.

국민 운:동【國民運動】 명 소원(所願)·계몽(啓蒙)·여행(勵行) 등 어떠한 목적을 이루기 위하여 뜻을 같이하는 국민의 전체 또는 일부가 전개하는 운동.

국민 은행【國民銀行】 명 〖경〗 특수 은행의 하나. 서민 경제의 발전과 향상을 위하여 1962년에 설립된 은행으로서, 보통 은행 업무 이외에 상호 부금(相互賦金)을 취급하며, 국민 저축 채권을 발행함.

국민의 당【國民―黨】[―/―에―] 명 〖정〗 5·16 군사 정변 후, 주체 세력이 민정에 참여하자 이를 군사 정권의 연장이라 보고, 이를 종식시키기 위해 만든 정당. 1963년 9월 5일 가칭(假稱) 신정(新政)·민우(民友)의 두 정당과 무소속 및 민정당(民政黨)·민주당(民主黨)의 일부가 통합하여 창당, 김병로(金炳魯)가 대표 최고 위원이 됨. 1964년 9월 17일 민주당에 통합됨.

국민 의례【國民儀禮】 명 국가의 의식(儀式)이나 다른 예식(禮式)에서 국민으로서 갖추어서 해야 할 전례(典禮). 곧, 국기 배례(國旗拜禮)·애국가 제창(齊唱)·묵도(默禱) 등.

국민 의:무【國民義務】 명 〖법〗 한 나라의 국민으로서 부담하여야 할 공법상(公法上)의 의무. 곧, 병역·납세·교육·근로의 의무.

국민 의회【國民議會】 명 ①〔프 Assemblée nationale〕〖역〗 1789년의 프랑스 대혁명의 초기에 성립된 근대적 의회. 5월에 루이 16세가 귀족·성직자 600명과 평민(平民) 600명으로써 신분적 의회(身分的議會)의 형식으로 삼부회(三部會)를 조직하여 소집하였으나 특권 의원과 평민 의원과의 대립으로 합동 회의가 열리지 않아, 평민 의원은 신분적 의회를 근대 의회로 전화(轉化)시키기 위하여, 단독적으로 6월 7일에 국민 의회라고 명칭을 붙였음. 지금도 프랑스의 국회(國會)는 국민 의회라 불림. ②전국민 또는 국민의 대표자로 구성되는 의회. ③1946년 한독당(韓獨黨)이 중심이 되어 반탁(反託)을 근본으로 하여, 좌우 합작(左右合作)과 남북 통일을 실현하기 위하여 만든 단체.

국민 자본【國民資本】 명 〖경〗 일정한 시점(時點)에 있어서의 국민 경제의 총자본의 합계.

국민 자본 계:정【國民資本計定】 명 〖경〗 국민 대차 대조표.

국민 자유당【國民自由黨】 명 〔도 Nationalliberale Partei〕〖역〗 1886년 프로이센 오스트리아 전쟁의 승리를 계기로, 자유주의 원칙을 수호하면서 비스마르크의 국민 통일 정책을 지지하는 일파들이 프로이센의 진보당(進步黨) 속에서 갈라져 나와서 결성한 프로이센 및 독일의 정당. 독일 제국이 성립된 후 한참 동안 제국 의회에서나 프로이센 하원(下院)에서나 제일당(第一黨)의 지위를 차지하였었는데, 1918년 11월의 혁명과 더불어 소멸(消滅)함.

국민 자치【國民自治】 명 국민 주권주의에 입각한, 국민에 의한 국민 스스로의 지배 원리.

국민-장[1]【國民章】 명 종전의 문화 훈장의 하나. 등위(等位)에 있어서 제3위였음.

국민-장[2]【國民葬】 명 대통령직에 있었던 자나, 국가 또는 사회에 현저한 공훈(功勳)을 남긴 자에게 국민 전체의 이름으로 베푸는 장례(葬禮). 국무 회의의 심의를 거쳐 대통령이 결정하며, 소요 경비의 일부를 국고에서 보조할 수 있음. *국장(國葬). ――-하다 타 여불

국민 저:축 조합【國民貯蓄組合】 명 지역 사회 단위의 주민·관공서·학교·사업장·협동 조합·사회 단체의 구성원으로 이루는 저축 조합으로, 조합원의 저축 알선을 그 목적으로 함. '저축 증대와 근로자 재산 형성 지원에 관한 법률'에 의하여 존립함.

국민 저:축 조합 예:금【國民貯蓄組合預金】[―네―] 명 국민 저축 조합의 조합원이 하는 예금. 일부 조합원에게는 강제성을 띠며, 이자율은 일반 예금에 비하여 높음. 이 예금은 국가 사업 자금으로 이용됨.

국민 저:축 채:권【國民貯蓄債券】[―꿘] 명 〖경〗 국민 은행에서 발행하는 저축 채권.

국민-적[1]【國民的】 명 관 규모가 국민 전체가 관계되는 상태에 있는 모양.

국민-적[2]【國民籍】 명 특정한 국가의 국민인 자격.

국민적 최:저한【國民的最低限】 명 〔national minimum〕〖사〗 사회적으로 공인(公認)되고 있는 국민의 최저 한도의 생활 수준. 국가가 그 사회적 책임으로서 국민의 최저 한도의 생활 수준을 보장한다는 뜻을 가짐. 내셔널 미니멈(national minimum).

국민 전:선【國民戰線】 명 〔프 Front national〕 1935년 프랑스에서 인민 전선에 대항하여 파시스트파(Fascist派) 여러 단체가 결성한 공동 전선. 국가 전선.

국민 정당【國民政黨】 명 〖정〗 국민 전체의 입장에 설 것을 당시(黨是)로, 널리 국민 각층의 지지를 얻으려고 하는 정당. 군주(君主) 또는 명망가(名望家)의 정당에 대하여, 국민 일반을 대표하는 정당의 뜻으로 쓰이기도 하나, 주로 계급 정당에 대립하는 개념으로 쓰이는 말임.

국민 정부【國民政府】 명 〖정〗 중화 민국 정부를 이름. 1925년 쑨 원(孫文)이 사망하자, 후 한민(胡漢民)이 쑨 원이 조직한 광둥 정부를 개혁하여, 1928년 국민 정부 조직법을 발표하여 성립되었고 그 후 장 제스(蔣介石)에 의해 민주 공화국으로 새로 발족하였으나 중국 공산당에 패(敗)하여 1949년 타이완으로 물러났음. 입법·사법·행정·고시·감찰의 5원(院)으로 조직됨. ㊥국부(國府). *자유 중국.

국민 정신【國民精神】 명 ①한 나라 국민에게 공통되는 고유한 정신. ②나라와 겨레를 위하여 충성을 다하는 정신.

국민-주【國民株】 명 국민 특히 일반 서민에게 고루 주식을 분산 소유케 하기 위하여 정부가 연간 소득 금액이 일정액 이하인 근로자와 농어민에게 매각하는 정부 소유의 특정 주식. 현재 우리 나라에서는 포철주(浦鐵株)와 한전주(韓電株)가 국민주로서 상장(上場)되어 있음.

국민 주권【國民主權】[―꿘] 명 민주주의의 기본 원리로, 국가의 주권이 국민에게 있는 일. 주권 재민. 인민 주권. ↔이성(理性) 주권.

국민 주권설【國民主權說】[―꿘―] 명 〖사〗 나라의 주권이 국민 전체에게 있다고 하는 학설. 선거를 통하여 국민의 주권이 행사되며, 국회를 통하여 국민의 의사가 정책에 반영(反映)된다고 함. 루소(Rousseau)가 그의 사회 계약설(社會契約說)에서 주장하였음. 국민 주권주의.

국민 주권주의【國民主權主義】[—꿘—/—꿘—이] 명〖사〗국민 주권설.

국민-주의【國民主義】[— / —이] 명〖사〗①중세 말기 이후의 절대주의적 국민 국가의 형성 및 19세기에 있어서의 독일과 이탈리아 등의 국민 국가 통일의 운동. ②국가 권력의 유지·강화를 중심으로 한 배외적 강권 정치(排外的强權政治). 국수주의(國粹主義). ③후진국(後進國)이나 식민지에 있어서의 민족 해방·민족 독립의 운동. 민족주의(民族主義). 내셔널리즘. ↔국제주의.

국민주의 운:동【國民主義運動】[— / —이—] 명〖사〗민족주의를 원동력으로 해서 하나의 민족 의식을 자각하여 독립된 국가를 형성하려는 운동.

국민주의-자【國民主義者】[— / —이—] 명〖사〗국민주의를 신봉하는 사람. 내셔널리스트.

국민 주:택【國民住宅】명 주택 건설 촉진법에 따라 설치된 국민 주택 기금의 자금을 지원받아 건설되거나 개량되는 주택. 주택이 없는 국민에게 싼값으로 임대(賃貸)·분양하는 전용 면적 60 m^2(18 평) 이하의 공동 주택, 특히 아파트를 가리킴. *민영(民營) 주택.

국민 주:택 기금【國民住宅基金】명〖경〗주택 건설 촉진법에 따라, 국민 주택을 건설·공급하기 위하여 필요한 자금을 확보하고, 이를 원활히 공급하기 위하여 설치한 기금. 이 기금은 건설 교통부 장관의 위탁을 받아 한국 주택 은행장이 운용·관리함.

국민-차【國民車】명 국민 대중이 싼 값으로 살 수 있는 소형 승용차.

국민 체육 진:흥 기금【國民體育振興基金】명 체육 진흥에 소요되는 시설 비용과 경비를 지원하기 위하여 마련된 기금. 이 기금은 정부의 출연금(出捐金), 담뱃갑을 이용한 광고 수입금 등으로 조성됨.

국민 체육 진:흥법【國民體育振興法】[—뻡] 명〖법〗국민의 체력 증진과 건전한 정신의 함양(涵養)을 위한 여러 가지 조치들을 정한 법률. 총칙 외에 체육 진흥을 위한 조치, 체육 단체의 육성, 국민 체육 진흥 기금 등에 대하여 규정하고 있음.

국민 총:생산【國民總生産】명〔Gross National Product〕〖경〗국민 소득 통계상의 용어. 국민 순생산(純生産)에 감가 상각(減價償却) 내지 자본 소비 상당액을 가산한 것으로, 한 나라에 있어서 일정 기간(보통 1년간)에 생산된 재화(財貨)와 서비스, 곧 용역(用役)의 총량(總量)을 화폐액으로 표시한 것. 이용면으로 보아 국민 총지출(總支出)이라 부르기도 함. 시장 가격에 의하여 평가하고, 국민 소득이나 국민 순생산보다 정확히 산정(算定)할 수 있으므로, 2차 대전 후 일국의 경제 규모를 재는 척도로서 널리 이용되고 있음. 지 엔 피(GNP). *경제 성장률·국민 순생산·국내 총생산·국민 경제 계산 체계.

국민 총:생산비【國民總生産費】명〖경〗국민 총생산을 분배면(分配面)에서 파악한 것. 최종(最終) 생산물의 생산에 요(要)한 비용의 구성(構成)을 가리킴.

국민 총:지출【國民總支出】명〔Gross National Expenditure〕〖경〗국민 총생산의 지출면을 표시하는 것으로, 한 나라에서 1년간에 생산된 최종(最終) 생산물의 총액인 국민 총생산에 대한 유효 수요(有効需要)의 현실태(現實態), 곧 어느만큼 소비되고 어느만큼 투자되었는가를 시장 가격으로 나타내는 평가액(額). 개인 소비 지출, 정부의 재화(財貨)와 서비스 경영(經營) 구입, 재고품 증가, 국내 총고정 자본 형성, 경상 해외 여잉(餘剩) 등으로 구성됨. 지 엔 이(GNE). *국민 순지출.

국민 투자 기금【國民投資基金】명 중화학 공업 등 중요 산업의 건설을 촉진하고 수출을 증대시키는 데 필요한 투융자(投融資) 자금을 확보하고, 이를 원활히 공급하기 위하여 마련되는 기금. 이 기금은 국민 투자 기금법에 의하여, 국민 투자 채권의 발행, 정부의 각 회계로부터의 전입금(轉入金) 또는 예탁금(預託金), 국민 투자 기금의 결산상 잉여금 등으로 조성됨.

국민 투표【國民投票】명〔referendum〕〖정〗선거 이외에, 국정상(國政上) 중요한 일정 사항에 관하여 국민이 행하는 투표. 직접 민주제(制)의 하나임. 우리 나라 헌법에서는 대통령이 필요하다고 인정하는 외교·국방·통일 기타 국가 안위(安危)에 관한 중요한 정책과 국회가 의결(議決)한 헌법 개정안에 대하여 국민 투표에 부치도록 되어 있음. 국민 표결(票決). 일반 투표.

국민 투표법【國民投票法】[—뻡] 명〖법〗국민 투표에 필요한 사항 등을 규정한 법률. 투표권·국민 투표에 관한 구역·투표인 명부·국민 투표안의 게시·국민 투표에 관한 운동·투표일과 투표·개표·확정·재투표·소송·벌칙 등에 관하여 규정하고 있음.

국민 포장【國民褒章】명 정치·경제·사회·교육·학술 분야 발전에 기여한 사람 또는 공익 시설(公益施設)에 다액(多額)의 재산을 기부하였거나, 공익 사업에 종사하여 국민의 복리 증진에 기여한 공적이 뚜렷한 사람에게 수여하는 포장.

〈국민 포장〉

국민 표결【國民票決】명〖정〗국민 투표.

국민 학교【國民學校】명〖교〗학령 아동(學齡兒童)에게 초등 보통 교육을 가르치던 학교. 수업 연한은 6년이고, 한국에서는 의무 교육으로 실시했음. 초등 학교의 구칭.

국민 학생【國民學生】명 초등 학생의 구칭.

국민 해:직【國民解職】명〖정〗국민 소환. 리콜(recall).

국민 혁명【國民革命】명〖역〗①1925-28년에 중국의 국민당이 공산당과 연합하여 장 제스(蔣介石)를 추대해서 국민 혁명군을 조직·북벌(北伐)한 혁명. ②1923년 뮌헨(München)에서 일어나 1933년 독재권을 장악한 나치당이 국민적 통일을 목적으로 한 변혁(變革).

국민 협의회【國民協議會】[— / —이—] 명〖역〗국민 공회(國民公會).

국민 협회【國民協會】명〖역〗1920년 1월 민원식(閔元植)·김환(金丸) 등이 조직한 친일 단체. 총독 정치를 원활히 할 것과 이른바 일조(日朝) 융화를 강령으로 하였으며, 기관지 '시사(時事) 신문'을 발행하여 총독부의 시정 방침을 지지하는 등 적극적으로 친일 활동을 하였음.

국민 회:의파【國民會議派】[— / —이—] 명 인도의 가장 큰 정당. 1885년에 간디(Gandhi)에 의하여 조직되었으며, 인도 민족 독립 운동의 중심 조직이었음. 1947년의 독립 이래 여러 번 정권을 담당함.

국민 훈장【國民勳章】명 정치·경제·사회·교육·학술 분야에 공을 세워 국민의 복지 향상과 국가 발전에 기여한 공적이 뚜렷한 사람에게 수여하는 훈장. 무궁화장(無窮花章)·모란장(牡丹章)·동백장(多柏章)·목련장(木蓮章)·석류장(石榴章)의 5등급이 있음.

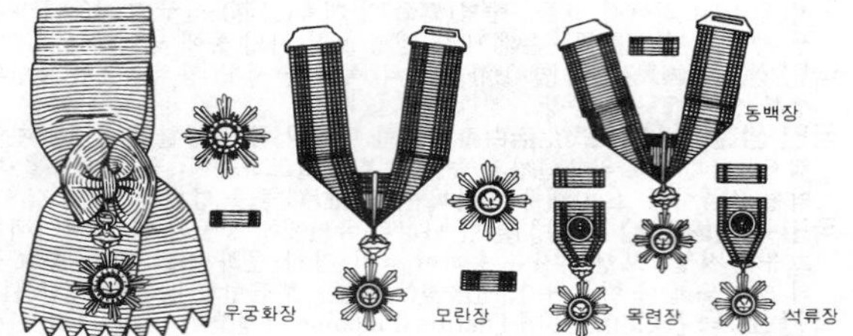

〈국민 훈장〉

국민 훈장 동백장【國民勳章多柏章】명 제3등급의 국민 훈장. 수(綬)는 중수(中綬)이며, 황색 바탕에 녹색 줄이 여섯 줄 있음.

국민 훈장 모란장【國民勳章牡丹章】명 제2등급의 국민 훈장. 수(綬)는 중수(中綬)이며, 황색 바탕에 녹색 줄이 여덟 줄 있음.

국민 훈장 목련장【國民勳章木蓮章】[—년—] 명 제4등급의 국민 훈장. 수(綬)는 소수(小綬)이며, 황색 바탕에 녹색 줄이 넉 줄 있음.

국민 훈장 무궁화장【國民勳章無窮花章】명 제1등급의 국민 훈장. 수(綬)는 대수(大綬)이며 짙은 황색임.

국민 훈장 석류장【國民勳章石榴章】[—뉴—] 명 제5등급의 국민 훈장. 수(綬)는 소수(小綬)이며, 황색 바탕에 녹색 줄이 두 줄 있음.

국-반【菊半】명 ↗국반절(菊半截).

국-반절【菊半截】명 국판(菊判)의 절반이 되는 종이의 크기. (준)국반(菊半).

국-반판【菊半版】명 책의 판형의 한 가지. 가로 109 mm, 세로 152 mm의 크기로 된 인쇄물의 규격. 국판(菊版)의 절반 크기임.

국발 지진【局發地震】명〖지〗어떤 특정한 소지역(小地域)에 일어나는 가장 규모가 작은 지진으로서, 인체에 감각을 받는 지역의 긴반지름이 100 km 이내인 것임.

국-밥 명 국에 말아서 끓인 밥. *국말이.

국방【國防】명 ①국가의 독립과 영창(永昌)을 확보함. ②외적의 침략에 대한 군사력에 의한 방어. 근대 국가에 있어서는 현실적인 위협의 유무에 불구하고 국가의 독립과 안전을 보장하기 위한 수단과 체제를 말함. ¶ ~력(力).

국방 경:비대【國防警備隊】명 1946년 1월 미군정하(美軍政下)에 창설된 군대. 오늘날 국군의 모체가 되었음. (준)경비대(警備隊).

국방 경:비법【國防警備法】[—뻡] 명 1948년에 공포한 육군의 형사법(刑事法). 1962년 군형법(軍刑法)의 제정으로 폐지함.

국방 과학 연:구소【國防科學研究所】[—년—] 명 국방부 장관 소속하의 연구 기관의 하나. 국방에 필요한 병기·장비·물자에 관한 기술적 조사·연구·개발·시험 등을 담당함.

국방 관세【國防關稅】명 국방상 필요한 군수품과 식료품을 확보하기 위하여 수출입품(輸出入品)에 부과하는 관세.

국방 교:육【國防教育】명 국민의 국방 의식을 함양하고 강화하기 위한 교육.

국방-군【國防軍】명 나라의 방비를 위하여 정부에 의해서 창설된 군대.

국방 군수 본부【國防軍需本部】명〖법〗국방부 소속 기관의 하나. 군대의 효율적인 군수 지원 및 자원 관리를 함.

국방 대학【國防大學】명 '국방 대학원'의 전 이름.

국방 대학원【國防大學院】명 국방부 소속 교육 기관의 하나. 각군(各軍)·정부 기관 및 정부 관리 기업체 등에서 선발된 사람에게 국가 안전보장(國家安全保障)에 관한 학술을 교수하고, 이에 관한 사항을 분석·연구·발전시키게 함. 수업 연한 1년의 안보 과정(安保課程)과 2년의 석사 과정(碩士課程)이 있음.

국방 백서【國防白書】명 국방 방침·국방 예산·장비·병력 등에 관하여 정부의 방침이나 방위력의 현황을 보고하기 위하여 작성되는 문서.

국방-부【國防部】명 행정 각부의 하나. 국방에 관련된 군정(軍政) 및 군령(軍令)과 기타 군사에 관한 사무를 맡아봄. 관하에 병무청을 둠.

국방부 장:관【國防部長官】명 국방부의 장(長)인 국무 위원.

국방부 차관【國防部次官】명 국방부 장관을 보좌하고 장관 유고시(有故時) 장관을 대리하는 정무직 공무원.

국방부 차관보【國防部次官補】명 국방부 장관이 명하는 업무에 관하여 장관과 차관을 보좌하는 별정직 국가 공무원. 제 1 차관보 및 제 2 차관보가 있음.

국방부 합동 조사단【國防部合同調査團】명〖법〗국방부 소속 기관의 하나. 국방부와 그 직할 기관 및 부대에 근무하는 군인·군무원에 대한 범죄 수사와 육군·해군·공군 중 2개군 이상에 관련된 범죄 수사 등에 관한 사항을 관장함.

국방-비【國防費】명 한 국가의 육해공군을 유지하는 비용. 넓은 의미에서는 전쟁의 경비 및 전쟁에 대비하는 경비를 포함함.

국방-상【國防相】명 영국·러시아 등에 있어서의 국방성의 장관.

국방-색【國防色】명 육군의 군복(軍服)의 빛깔. 카키색(色)이나 진초록.

국방-성【國防省】명 미국·영국·러시아·프랑스 등의 나라의 관제(官制)로, 우리 나라 국방부에 해당하는 기관.

국방 심리학【國防心理學】[―니―] 명 심리학을 응용하여, 평상시에는 국책(國策) 수행의 수단으로 하고, 전시에는 전쟁을 유리하게 끌어 나가며, 전후에는 점령·지배의 유지 또는 군사적 국가 집단 운영을 위하여, 전쟁을 중심으로 하는 심리학을 연구하는 한 부문.

국방 예:산【國防豫算】[―녜―] 명 국토 방위에 소요(所要)되는 예산.

국방 위성 통신망【國防衛星通信網】명 디 에스 시 에스(D.S.C.S).

국방 위원회【國防委員會】명 국회의 상임 위원회의 하나. 국방부 소관에 관한 사항을 심의함.

국방 의:무【國防義務】명 법률에 의하여 모든 국민이 지는 국방에 관한 의무. 병역의 의무 외에, 방공·방첩의 의무, 군사 작전에 협력할 의무, 군(軍) 노무 동원에 응할 의무 등이 있음.

국방 의원【局方醫員】명〖역〗나라에서 제정한 의학을 배우던 의원.

국방 정부【國防政府】명〖역〗프로이센 프랑스 전쟁 하의 프랑스에서 1870년 9월부터 이듬해 8월까지 존속하였던 임시 정부. 나폴레옹 3세에 의한 제2 제정(第二帝政)의 붕괴(崩壞)와, 공화 정치를 주장하는 파리 시민의 폭동(暴動)에 대비하여 세워졌음.

국방 총:성【國防總省】명 펜타건(Pentagon). 「은 날.

국방 택일【局方擇日】명〖역〗관상감(觀象監)의 관원(官員)이 택한 좋

국방 헌:금【國防獻金】명 국방을 위한 경비를 보충하기 위하여 정부에 헌납하는 금품. *방위 성금(防衛誠金).

국번【局番】명 ↗국번호(局番號).

국-번호【局番號】명 전화의 교환국의 국명(局名)에 대응되는 번호.

국법【國法】명〖법〗①한 나라의 모든 법률 및 법규. 방헌(邦憲). ¶ ~을 준수하다. ②국가의 구성(構成) 및 그 공법적(公法的) 활동을 규정하는 법규의 전부. 곧, 국제법(國際法)과 형법(刑法)을 제외한 보통 공법(公法). ③국가의 기본되는 법. 곧, 헌법(憲法). 국헌(國憲).

국법-학【國法學】명〖법〗①국가의 성질·형태·구성 요소·권력·기관·작용·국체(國體)·정체(政體) 등을 법률학적으로 연구하는 학문. 곧, 헌법(憲法)과 행정법을 연구하는 학문. ②일반 헌법학 또는 비교 헌법학

국변【國變】명 나라의 변란(變亂). ⌊의 별칭.

국-별장【局別將】[―짱] 명〖역〗훈련 도감(訓鍊都監)의 정삼품 벼슬.

국별장-청【局別將廳】[―짱―] 명〖역〗조선 시대 때, 왕의 시위(侍衛)와 감찰을 맡았던 훈련 도감에 소속한 무관청(武官廳).

국병【國柄】명 나라를 통치하는 권력. 국권(國權).

국보[1]【局報】명 ①우편·전신 등에 관한 업무 연락으로 우체국 사이에서 주고받는 전보. 무료로 취급됨. ②환경부 장관의 승인을 얻어 기상(氣象) 보고에 관하여 관계되는 관청 사이에 주고받는 전보. ③국(局)의 명칭이 붙은 기관에서 발행·배부하는 통지·보고·보도. 방송국보 따위. 「국운(國運).

국보[2]【國步】명〔국운의 진행을 보행(步行)에 비유하여〕 나라의 운명.

국보[3]【國寶】명 ①나라의 보배. ②우리 나라에 있는 건조물(建造物)·미술품(美術品)·문서(文書) 등 보물(寶物)로 지정된 것 중에서, 특히 학술적 가치가 높은 것, 미술적으로 우수한 것, 문화사적 의의가 깊은 것으로서, 나라가 지정한 것. 문화재 보호법에 의거하여 지정되고 보호·관리됨. ③〖역〗국새(國璽). 「여불

국보[4]【跼步】명 허리를 굽히고 걸음. 몸을 구부리고 걸음. ——-하다 자

국보 간난【國步艱難】명 나라의 운명(運命)이 매우 어지럽고 어려움. ——-하다 형 여불

국보-위【國保委】명〖법〗↗국가 보위 비상 대책 위원회.

국보적 존재【國寶的存在】명 국보가 될 만한 물건이나 사람.

국본【國本】명 ①동궁(東宮). ②나라의 근본. ③백성(百姓).

국부[1]【局部】명 ①전체 가운데의 한 부분. 국소(局所). ¶ ~ 절개 수술(切開手術). ②음부(陰部). ¶ ~를 가리다.

국부[2]【國父】명 ①임금. ↔국모(國母). ②건국(建國)에 특히 공로가 있어 국민으로부터 숭앙(崇仰) 받는 사람. 예컨대, 미국의 워싱턴이나 중국의 쑨 원(孫文) 같은 이. ¶ ~로 추앙(推仰)되는 인물.

국부[3]【國府】명〖정〗↗국민 정부(國民政府).

국부[4]【國富】명〖경〗①국가가 부영(富榮)하는 일. ②한 나라의 부(富). 한 나라 안의 전(全) 유형 자산(有形資產)에다가, 대외(對外) 자산과 대외 부채(負債)의 차액을 가한 것. 일반적으로 국민 자본과 거의 같은 뜻 ⌊으로 쓰임.

국부-군【國府軍】명 중화 민국 국민 정부의 군대.

국부-론【國富論】명〔An Inquiry into the Nature and Causes of the Wealth of Nations (제국민의 부(富)의 성질과 원인에 관한 고찰)〕〖책〗애덤 스미스(Adam Smith)가 저술한 경제학서(經濟學書). 개인의 이윤 추구(利潤追求)에 근거한 노동이, 보이지 않는 손에 인도되어 질서를 낳고, 나라의 부(富)를 증대한다는 이론으로 자유 방임 경제를 주장함. 자본주의 사회를 최초로 체계적으로 파악한 것으로서, 자유주의의 고전(古典)으로 됨. 1776년 간행. 2권. 부국론(富國論).

국부 마취【局部痲醉】명〖의〗수술(手術)할 자리만을 하는 마취. 국소 마취(局所痲醉). 국부 몽혼. ↔전신 마취.

국부 몽:혼【局部矇昏】명 국부 마취. 「묘사함.

국부 묘:사【局部描寫】명〖문〗전체 가운데서 한 부분을 더욱 상세히

국부 발진기【局部發振器】[―찐―] 명 송수신기에서 신호 주파수를 변화시키기 위하여 국부적으로 작동하는 발진기.

국부 성운군【局部星雲群】명〖천〗국부 은하군.

국부 운:동【局部運動】명 ①몸의 한 부분만을 움직이는 운동. ②〖식〗식물이 외부의 변화에 대하여 그 일부분만을 움직이는 운동. 접촉(接觸) 운동·취면(就眠) 운동·회선(回旋) 운동 또는 온도의 변화 및 공기의 건습(乾濕)으로 인하여 생기는 운동 등.

국부 은하군【局部銀河群】명〔local group of galaxies〕〖천〗은하계(銀河系)와 안드로메다(Andromeda) 은하를 중심으로 하여 반지름 300만 광년 정도의 범위 안의 은하 집단. 대체적으로 30개 이상의 은하의 모임인데 안드로메다 은하·소마젤란운(小Magellan雲)·대마젤란운 등이 포함됨. 국부 성운군(星雲群).

국부-적【局部的】명관 어떤 한정된 부분(部分)의 경향이나 모양. ¶ ~ 질문/ ~ 관찰. ↔일반적.

국부-전【局部戰】명 일정 지역에 한정된 전투. 국지전(局地戰).

국부 전:류【局部電流】[―절―] 명〔local current〕〖전〗전지의 극판(極板)이 불순물을 포함할 때, 그 한 국부를 흐르는 전류를 말함. 국소(局所) 전류.

국부 전:지【局部電池】명〖전〗금속의 각 국부(局部) 사이에 전위차(電位差)가 있어 형성되는 전지. 불순물의 부착, 온도차 또는 용액이나 감극제(減極劑)의 온도차 등이 그 원인임. 금속의 부식(腐蝕)이나 전지의 전위차와 밀접한 관계가 있음. 「명.

국부 조:명【局部照明】명 어떤 국부만을 조명하는 일. ↔전반(全般) 조

국부 조사【國富調査】명 국부 통계를 작성하기 위하여 실시되는 조사.

국부 진:찰【局部診察】명 병든 부분만을 살피는 진찰.

국부 초은하단【局部超銀河團】명〔local supercluster〕〖천〗처녀자리 은하단을 중심으로, 우리 은하계가 속해 있는 국부 은하단을 포함하여 반경 1.5억 광년 정도의 범위 안에 있는 은하들의 집단. 얇은 원반부(圓盤部)와 이를 둘러싼 헤일로(halo) 성분으로 이루어짐. *초은하단·국부 은하군. 「(富)를 나타내는 통계.

국부 통:계【國富統計】명 일정한 시점(時點)에 있어서의 한 나라의 부

국부 항성계【局部恒星系】명〔local stellar system〕〖천〗은하계 안에서 특히 태양의 부근에 항성이 밀집하여 있는 부분. 크기는 지름이 약 4,000광년, 두께는 1,500광년이나 되는 볼록 렌즈 모양을 하고 위치는 은하계의 중심에서 약 32,000광년 떨어짐. 「*관비(官費).

국비【國費】명 국고(國庫)에서 지출하는 비용. 국용(國用). ¶ ~ 장학생.

국비-생【國費生】명 국고금(國庫金)의 보조를 받아 공부하는 학생. *관비생(官費生).

국빈【國賓】명 ①〖역〗전조(前朝) 임금의 제사를 지내는 전조 임금의 자손. ②나라의 손님으로, 국가적인 대우를 받는 외국 사람.

국빈 대:우【國賓待遇】명 국빈격(格)으로 대우함. 「국사단(局司壇).

국사[1]【局司】명〖불교〗①한 절의 국내(局內)를 맡아 본다는 귀신. ②↗

국사[2]【國士】명 온 나라에서 특히 높이는 우수한 선비.

국사[3]【國史】명 ①한 나라의 역사. 자기 나라의 역사. 국승(國乘). ②한

국사[4]【國使】명 한 나라의 사신. ⌊왕조의 역사. ③한국 역사.

국사[5]【國事】명 나라 전체에 상관되는 사건. 나라의 정치. ¶ ~를 논하다. ↔가사(家事).

국사[6]【國社】명〖역〗작은 나라에서 세우는 태사(太社).

국사[7]【國祀】명 대사(大祀).

국사[8]【國師】명 ①한 나라의 스승. ②천자(天子)의 스승. ③〖역〗신라와 고려 때, 가장 지덕(智德)이 높은 중에게 조정(朝廷)에서 내린 칭호(稱號). 신라 효소왕(孝昭王) 때 혜통 대사(惠通大師)가 처음임. ④〖불교〗고려 때, 국내의 승려를 관장하는 가장 높은 중의 지위. 한때 국존(國尊)이라 불리기도 하였음. *국존(國尊)·국통(國統)·수좌(首座).

국사[9]【國嗣】명 임금의 후사(後嗣).

국사-가【國史家】명 국사를 연구하는 사람.

국사기-책【國私忌冊】명〖책〗조선 철종(哲宗) 때에, 국기일(國忌日)과 국왕 사친(私親)의 기일 등을 기재한 책. 공상소(供上所)에 보존하였음. 1책. 사본.

국사-단【局司壇】명〖불교〗한 절의 국내(局內)를 맡아보는 귀신을 봉안(奉安)한 곳. 준국사(局司).

국사-당【國師堂】명 ①〖역〗이 태조(李太祖)가 한양(漢陽)에 도읍을 정하고, 서울의 수호 신사(守護神祠)로서 북악 신사(北岳神祠)와 아울러 남산 꼭대기에 둔 목멱 신사(木覓神祠)의 사당. 뒤에 무속적(巫俗的)인 것으로 변하여 일반의 기도 장소로 됨. ②〖민〗성황당(城隍堂).

국사-령【國司嶺】명〖지〗평안 북도 벽동군(碧潼郡) 벽동면과 대평면(大平面) 사이에 있는 재. [337 m] 「제일의 인물.

국사 무쌍【國士無雙】명 국사 가운데 겨눌 만한 이가 없는 선비. 천하

국사-범【國事犯】명〖법〗국가 권력이나 국가의 행정·사법·군사 등을 침해하는 범죄. 또, 그 범인. 정치범(政治犯). ↔상사범(常事犯).

국사-봉【國師峰】명〖지〗강원도 고성군(高城郡) 서면(西面)과 김화군(金化郡) 내금강면(內金剛面) 사이에 있는 산. [1,385 m]

국사 탐정【國事探偵】명 국사범에 관한 탐정. 또, 그 직무를 가진 사람.

국사 편찬 위원회【國史編纂委員會】명 국사의 연구·편찬·간행과 사료(史料)의 조사·수집·편찬 및 발간 등에 관한 사무를 관장하는 교육 과학 기술부 장관 소속하의 기관.

국사-학【國史學】명 국사를 연구 대상으로 하는 학문. *태학(太學).

국산【國產】명 ①자기 나라에서 생산함. ②우리 나라에서 생산함. 국내산. ③↗국산품. ↔외국산. *한제(韓製).

국산-물【國產物】명 국산품.

국산 장:려【國產獎勵】[―녀] 명 국산품의 생산 증가와 애용을 장려하여 국내 산업의 발달, 외국산의 수입 방지, 국제 대차의 개선 등을 꾀하는 일.

국산-품【國產品】명 ①자기 나라에서 생산된 물품. ②우리 나라에서 생산된 물품. 국산물. 준국산(國產). ↔외래품(外來品).

국상[1]【國狀】명 나라의 정상(情狀). 국정(國情).

국상[2]【國相】명〖역〗①고구려의 군국(軍國)의 사무를 맡은 대신. 신대왕(新大王) 2년(166)에 둠. ②고려 때, 정이품(正二品)인 좌복야(左僕

射)·우복야(右僕射)·문하 시랑 평장사(門下侍郞平章事), 종(從)이품인 참지정사(參知政事)·정당 문학(政堂文學) 등의 일컬음. *근시(近侍).

국상³【國常】 명 국가의 상궤(常軌).

국상⁴【國喪】 명 〖역〗 국민 전체가 복(服)하는 왕실의 초상. 곧, 태상왕(太上王)·태상왕비·상왕(上王)·상왕비·왕·왕비·왕세자·왕세자빈·왕세손·왕세손빈 등의 초상. 국애(國哀). 국휼(國恤). ¶ ～이 나다.

국상-학【國狀學】 명 〔도 Staatenkunde〕 〖정〗 독일에 있어서의 넓은 뜻의 국가학(國家學). 이론적 국가학 또는 일반 국가학과 달라, 개개의 국가를 대상으로 하여 그 비교적·종합적 연구를 행하는 기술학(記述學)으로서의 정책학(政策學)의 한 부분임. 그 기원은 17-18세기의 독일 절대주의하에 성립된 관방학(官房學) 속에서 찾아볼 수 있음.

국새【國璽】 명 ①국가의 표상으로서의 인장. 한국에서는, 7cm의 정사각형으로 '대한 민국'의 넉 자(字)를 전서체로 하여 가로로 새겼음. ②〖역〗 임금의 인장. 국보(國寶). 어보(御寶). 옥새(玉璽). 영새(靈璽). 준새(璽).

국색【國色】 명 ①나라 안에서 제일 가는 용모. 절세의 미인. 국향(國香). ②〖식〗 '모란꽃'의 미칭.

국생【麴生】 명 '술'의 별칭.

국서¹【局署】 명 관서(官署). 관청.

국서²【國書】 명 ①한 나라의 원수(元首)가 그 나라의 이름으로 다른 나라에 보내는 외교 문서. 비준서(批准書) 또는 전권 위임장(全權委任狀) 등. ②한 나라의 역사와 문장 등에 관한 서적. ③우리 나라의 서적.

국서³【國瑞】 명 나라의 길조(吉兆).

국서⁴【國壻】 명 ①임금의 사위. 부마 도위(駙馬都尉). ②여왕의 남편.

국석【菊石】 명 〖동〗 암모나이트(ammonite).

국선¹【局線】 명 외선(外線)❸.

국선²【國仙】 명 〖역〗 ①전국의 화랑의 총지도자(總指導者)인 화랑. ②화랑(花郞)❶.

국선³【國船】 명 나라의 소유에 속하는 배.

국선⁴【國選】 명 국가에서 선택함. 관선(官選). ——하다 타 여불

국선-도【國仙徒】 명 〖역〗 국선의 무리. 곧, '화랑도(花郞徒)'의 딴이름.

국선 변:호인【國選辯護人】 명 형사(刑事) 사건에 있어서, 피고인이 빈곤(貧困), 기타 사유로 변호인을 선임(選任)할 수 없는 경우, 피고인의 청구에 의하여, 혹은 피고가 미성년자이거나 70세 이상된 사람으로서 변호인이 없을 때, 법원이 직권(職權)으로 선정하는 변호인. 구칭(舊稱)은 관선(官選) 변호인. ↔사선(私選) 변호인.

국선생-전【麴先生傳】 명 〖책〗 고려 고종(高宗) 때의 학자 이규보(李奎報)가 지은 의인체(擬人體) 설화(說話). 작중에 나오는 인명이나 지명을 모두 술 또는 누룩에 관계 있는 말로 설정하였음.

국성¹【國姓】 명 성과 본이 임금과 같은 성.

국성²【國城】 명 ①나라와 성. ②나라 안에 있는 성. ③한 나라의 수도(首都).

국세¹【局勢】 명 ①국면(局面)에 나타난 형세. ②판국이 되어 가는 형세.

국세²【國稅】 명 국가가 경비를 쓰기 위하여 국민에게 부과·징수하는 조세. 소득세·법인세·교육세·상속세·증여세·재평가세·부당 이득세·부가 가치세·특별 소비세·주세·전화세·인지세·토지 초과 이득세·증권 거래세·교통세·농어촌 특별세 등 내국세와 관세가 있음. ↔지방세(地方稅).

국세³【國勢】 명 나라의 형편. 나라의 세력.

국세 기본법【國稅基本法】[—뻡] 명 〖법〗 국세에 관한 기본적·공통적 사항과 위법 또는 부당한 국세 처분에 대한 불복 절차를 규정한 법.

국세 부:가세【國稅附加稅】 명 〖법〗 지방 자치 단체가 국세에 부가해서 국민으로부터 받던 세. 1967년 폐지됨.

국세 심:사 위원회【國稅審査委員會】 명 〖법〗 국세 기본법에 따르는 심사 청구에 대한 심의 기관. 위원장과 위원 10명으로 구성되며, 위원장은 국세청 차장이 됨.

국세 심:판소【國稅審判所】 명 〖법〗 국세 심판 청구에 대한 심사와 결정에 관한 업무를 관장하는 재정 경제부 장관 소속하의 기관.

국세 유지권【國勢維持權】[—꿘] 명 나라가 물질적 세력으로 국세를 발달시키는 권력. 곧, 인구와 부력(富力)을 늘리기에 힘쓰거나, 혹은 다른 나라와 정치적 동맹을 맺는 일 따위.

국세 조사【國勢調査】 명 한 나라의 국세를 밝힐 목적으로 일정한 시기와 일정한 곳에서 인구 동태 및 이에 관한 여러 가지 상태에 대해 전국에 걸쳐 실시하는 조사. 이것은 각종 정책(政策)·계획·운용의 자료가 됨. 센서스. *인구 조사.

국세 징수법【國稅徵收法】[—뻡] 명 〖법〗 국세의 징수에 관하여 기본적인 사항을 규정한 법.

국세-청【國稅廳】 명 기획 재정부 장관 소속의 중앙 행정 기관. 내국세의 부과·감면 및 징수에 관한 사무를 관장함.

국세청 기술 연:구소【國稅廳技術硏究所】[—련—] 명 주조(酒造)의 기술 및 시설의 개선·발전, 주질(酒質)의 향상과 기타 과세 물품의 분석·감정에 의한 합리적인 과세를 도모하기 위하여 국세청장 소속하에 둔 연구소. 1970년, 양조 시험소를 고친 이름임.

국세청-장【國稅廳長】 명 국세청의 장.

국세 체납 처:분【國稅滯納處分】 명 〖법〗 국세 납세 의무자가 기일 안으로 완납(完納)하지 않을 경우에 취하는 행정상의 강제 집행인 강제 징수(徵收). 의무자의 재산을 압류(押留)하여 이것을 공매(公賣)에 부쳐서 독촉 수수료(督促手數料)·연체금(延滯金)·조세 금액에 충당함.

국소【局所】 명 ①한정된 일정한 곳. 국부(局部). ②몸의 관절(關節).

국소 마취【局所痲醉】 명 〖의〗 국부(局部) 마취. ↔전신 마취.

국소-시【局所時】 명 〖천〗 지방시(地方時).

국소적 성:질【局所的性質】 명 〔local property〕 〖수〗 ①곡선(曲線)이나 곡면(曲面)의 성질 중, 그 곡선이나 곡면 위의 한 점(點)에 아주 가까운 상태에만 관계하는 성질. 접선(接線) 또는 접평면(接平面)의 유무(有無)나 기울기, 곡률(曲率)의 유무 또는 값 따위. ②위상(位相) 공간의 성질 중, 그 점의 작은 근방(近傍)의 상태에만 관계하는 성질. ↔대역적 성질(大域的性質).

국소 전:류【局所電流】[—절—] 명 〔local current〕 〖물〗 국부(局部) 전류.

국소 조직 면:역설【局所組織免疫說】 명 〖의〗 면역은 혈액 속에 항체(抗體)가 생김으로써 되는 것이 아니고, 한번 세균이 침범한 조직은 그 세균에 대하여 감응하지 아니하게 됨으로써 된다고 하는 학설.

국소 징험【局所徵驗】 명 〖심〗 피부 또는 눈의 각막의 두 점이 같은 자극(刺戟)을 받더라도, 각기 감각이 일어난 곳이 다름을 나타내는 성질. 이에 의하여 공간의 지각이 일어남.

국소 피로【局所疲勞】 명 신체의 어느 한 부분에 국한된 피로.

국속【國俗】 명 나라의 풍속. 국풍(國風).

국-솥 명 국을 끓이는 솥. 국을 끓이는 데 소용되게 만든 솥.

국수¹ 명 〔근대 : 국슈〕 메밀가루·밀가루 또는 감잣가루 등을 반죽하여 얇게 밀어서 가늘게 썰든가, 국수틀을 구멍으로 내리 눌러서 흘러 빠지게 한 식품. 또, 그것을 삶아 국물에 말거나 혹은 비비어 먹는 음식. 면(麵). 면자(麵子). 탕병(湯餠).

[국수 먹은 배] 무엇이 헤프다는 뜻. [국수 못 하는 년이 피나무 안반만 나무란다] '서투른 무당이 장구만 나무란다'와 같은 뜻. [국수 잘하는 솜씨가 수제비 못 하랴] 어려운 것을 능히 할 수 있는 사람이 쉬운 것을 못 할 리가 없다는 뜻.

국수(를) 먹다 구 '결혼식을 올리다'의 곁말.

국수²【國手】 명 ①〔나라 병을 고친다는 뜻인 '의국수(醫國手)'의 준말〕 이름난 의사. 명의(名醫). ②바둑·장기 등의 예능이 한 나라에서 일류(一流) 가는 사람.

국수³【國粹】 명 한 국가 또는 국민에게 고유한 물질상·정신상의 장점(長點). 국민성·역사·국토의 관계로 발달한 것임.

국수⁴【國讎·國讐】 명 나라의 원수.

국수⁵【掬水】 명 두 손을 오목히 하여 물을 뜸. 또, 그 물. ——하다 자 여불

국수⁶【菊水】 명 〖지〗 '쥐수이'를 우리 음으로 읽은 이름.

국수-나무 명 〖식〗 [*Stephanandra incisa*] 조팝나뭇과에 속하는 낙엽 활엽 관목. 잎은 달걀꼴인데 결각(缺刻) 또는 날카로운 톱니가 있으며 양면에 털이 남. 첫여름에 흰 꽃이 원추(圓錐) 화서로 피고 골돌(蓇葖)은 한 개가 가을에 익음. 산이나 들에 나는데, 함북을 제외한 한국 각지 및 일본에 분포함. 관상용임.

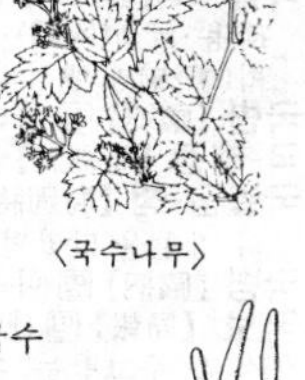

〈국수나무〉

국수-맨드라미 명 〖식〗 맨드라미의 한 가지. 꽃이 국수 가닥처럼 여러 갈래로 갈라짐.

국수-방망이 명 ☞ 밀방망이.

국수-버섯 명 〖식〗 [*Clavalis fragilis*] 싸리버섯과에 속하는 버섯의 하나. 산과 들의 나무 숲 가운데 더부룩하게 나는데 높이 3-6cm임. 자실체(子實體)가 누렇고 가지를 벋지 아니하며, 마치 썰어 놓은 국수같이 족생(族生)함. 자낭층(子囊層)은 자실체 전부를 덮음.

〈국수버섯〉

국수 비빔 명 국수에 다른 여러 가지를 넣고 비빈 음식. 쇠고기를 지진 것과 돼지고기를 썬 것과 여러 가지 저냐나 채소를 넣고, 간장·기름·설탕·후춧가루·고춧가루 등을 치고 비비어 담고, 완자·석이·버섯 채 친 것·알고명 등을 위에 얹음. 골동면(骨董麵).

국수 원밥숭이 명 흰밥과 국수를 넣고 끓인 떡국.

국수 장:국【—醬—】[—꾹] 명 더운 장국에 만 국수. 온면(溫麵).

국수 장:국밥【—醬—】[—꾹—] 명 국수를 넣은 장국밥. 면장 탕반.

국수-주의【國粹主義】[—/—이] 명 자기 나라의 역사·전통·정치·문화 등 국민적 특수성만을 가장 우수한 것으로 믿고 유지·보존하며, 남의 나라 것을 배척하는 주의. 국민주의.

국수주의-자【國粹主義者】[—/—이—] 명 국수주의를 주장하는 사람.

국수-집【國秀集】 명 〖책〗 중국 당(唐)나라의 예정장(芮廷章)이 편찬한, 당나라의 개원(開元)·천보(天寶)간의 시(詩)의 선집(選集). 90인의 시 220수로 되었었으나, 현행본(現行本)에는 85인의 시 217수가 있음.

국수-틀 명 국수를 눌러 빼는 틀. 반죽을 국숫분통에 넣고 누르면 가는 가닥이 실처럼 빠져 나오게 되었음. 모양이 여러 가지임.

공이

국숫분통

〈국수틀〉

국수-현【國水峴】 명 〖지〗 평안 남도 대동군(大同郡)에 있는 고개. [45m]

국순-전【麴醇傳】 명 고려 때, 임춘(林椿)이 지은 가상적 전기 설화(傳記說話). 의인체(擬人體)로서의 대상(對象)을 술에 두었음. 인간이 술을 좋아하게 되고 더러는 술 때문에 타락하는 것을 풍자함.

국숫-물 명 ①국수를 삶아 낸 물. ②국수 내린 물에 메밀가루를 풀어서 끓인 물. 이 물에 국수 부스러기를 넣어서 먹음. 교맥 면수(蕎麥麵水).

국숫-발 명 국수의 가락. 면발.

국숫-분 명 ↗ 국숫분통.

국숫-분통 명 국수틀의 한 부분. 가루의 반죽을 넣는 통. 밑에 구멍이 송송 뚫린 쇳조각이 있어서 국수가 빠져 나옴. 준국숫분.

국숫-집 명 ①가루로 국수를 빼는 집. ②국수를 파는 음식점.

국슈 명 〈옛〉 국수¹. ¶ 즌 국수 먹기 닉디 못ᄒᆞ여라(不慣喫濕麪) ≪老乞 上 53≫ / 무른 국슈와(掛麪) ≪朴解 下 33≫.

국승【國乘】 명 국사(國史)❶.

국시¹ 명 〈방〉 국수¹(경상·함경).

국시²【國是】 명 국민 전체가 옳다고 인정한 주의와 시정(施政)의 근본 방침. 확정되어 있는 한 나라의 방침. ¶ 민주주의를 ～로 하다.

국신【鞫訊·鞫訊】 명 국문(鞫問). ——-하다 타 여불

국악【國樂】 명 〖악〗 ①각 나라의 고유(固有)한 음악. ②우리 나라의 고전 음악. 악기(樂器)로서는 거문고·가야금·피리·장구·북 등을 사용함. 향악(鄕樂)·아악(雅樂)·당악(唐樂)·속악(俗樂) 등이 있음. 한국 음악.

국악-과【國樂科】 명 〖교〗 음악 대학에서 국악을 전공하는 학과. *종교 음악과. 「악사장(樂士長).

국악-사[1]【國樂士】 명 국악 연주단에서 국악을 연주하는 악사(樂士). *

국악-사[2]【國樂師】 명 우리 나라의 고전(古典) 음악에 능통한 사람.

국악-원【國樂院】 명 ①민족 음악의 보존과 보급 발전을 목적으로 조직

국안【國安】 명 국가의 안녕. ㄴ된 기관. ②↗국립 국악원.

국애【國哀】 명 국상(國喪).

국약 헌:법【國約憲法】[—뻡] 명 복합(複合) 국가·연방 국가를 이룰 때, 여러 국가의 국제적 협약에 따라 제정되는 형식의 헌법. *민정(民定) 헌법·흠정(欽定) 헌법.

국양【鞠養】 명 국육(鞠育). ——-하다 타 여불

국양-왕【國壤王】 명 〖사람〗 고국천왕(故國川王).

국어[1]【國語】 명 ①〔national language〕〖언〗 그 나라의 말. 자기 나라의 언어. 곧, 한 국가의 주체(主體)를 형성하는 민족의 전부 또는 대다수가 사용하고 있는 언어(言語)로서, 대개는 조상(祖上)으로부터 계승(繼承)하여 역사적·문화적·사상적(思想的)으로 공통성이 있으며 그 나라의 공용어(公用語)·교육 용어·표준어(標準語)가 되는 말임. 방어(邦語). ②우리 나라의 말인 한국어(韓國語). 나라말. ③〖교〗↗국어과(國語科).

국어[2]【國語】 명 〖책〗 중국 고전(古典)의 하나. 좌씨전(左氏傳)에 누락된 춘추(春秋) 시대의 역사를 적은 책. 좌구명(左丘明)이 지었다 함. 21권. 춘추 외전(春秋外傳).

국어 계:통론【國語系統論】[—논] 명 〖언〗 국어가 세계의 다른 여러 언어 중 어떤 언어와 기원적(起源的)으로 계통을 같이하느냐 하는 문제에 관한 연구. 또, 그 논설.

국어-과【國語科】[—꽈] 명 〖교〗 학교의 교과(敎科)의 하나. 국어의 이해·표현 등의 학습을 목적으로, 쓰기·말하기·듣기·읽기 및 맞춤법, 문장의 감상, 표준어 등을 교육함. 준국어. 「시키기 위한 교육.

국어 교:육【國語敎育】 명 국민에게 국어의 사용·이해·표현 등을 습득

국어 교:육과【國語敎育科】 명 〖교〗 대학에서, 국어 교육에 관한 학문을 전공하는 학과. *외국어 교육과.

국어 국문학【國語國文學】 명 ①국어학과 국문학의 총칭. ②〖책〗 국어 국문학회의 연구지(硏究誌). 1952년 12월 1일 창간호를 냄.

국어 국문학과【國語國文學科】 명 〖교〗 국어 국문학을 연구하는 학과. 주로 우리 나라 어법(語法)과 우리 나라의 글, 즉 한글과 우리 나라의 고전(古典) 및 현대의 문학을 연구하는 분과. 준국문학과·국문과.

국어 국문학회【國語國文學會】 명 1952년에 설립된 국어 국문학을 연구하는 학술 단체. 연구 발표를 비롯하여 연구지(硏究誌) '국어 국문학'을 간행함.

국어 국자 문:제【國語國字問題】 명 〖언〗 어떤 한 나라 안에 둘 이상의 국어가 존재하거나 또는 한 국어 안에 여러 종류의 언어나 문자가 있을 경우, 기준(基準)이 없어 사회 생활에 불편을 초래할 때 생기는 문

국어 독본【國語讀本】 명 국어를 교육시키기 위한 교과서. ㄴ제.

국어 문법【國語文法】[—뻡] 명 〖언〗 ①국어의 문법. ②우리 나라 말의 낱말이 서로 관계를 맺어서 문장을 이루는 법칙. ③〖책〗 주시경(周時經)이 지은 우리 나라 문법책. 융희(隆熙) 4년(1910)에 발간됨. *조선어 문법.

국어 문전 음학【國語文典音學】 명 〖책〗 국어 문법의 음성론·음성학 등을 논한 어학서. 주시경(周時經)이 지음. 1908년 그의 제자들이 간행. 1권 1책. 「러 가지 문제.

국어 문:제【國語問題】 명 국어의 통일·정리·개량·표기·순화에 관한 여

국어-사【國語史】 명 〖문〗 국어의 음운(音韻)·어휘(語彙)·어법(語法)이 발달·변천하여 온 역사. 또, 그것을 연구하는 학문.

국어 사전[1]【國語辭典】 명 국어를 모아 일정한 순서로 배열하고, 주석 및 어원(語源)·품사·다른 말과의 관련 등을 해설한 사전.

국어 사전[2]【國語辭典】 명 〖책〗 중국의 사서(辭書). 중국 대사전 편찬처(編纂處)에서 엮었으며 1937-45년 사이에 간행되었음.

국어 순화【國語醇化】 명 〖언〗 국어에 대한 순화. 비속한 말이나 저열한 유행어(流行語) 등을 삼가고 바르고 아름다운 말을 사용하게 하는 일. ¶ ~ 운동.

국어 심:의회【國語審議會】[—/—이—] 명 문화 체육 관광부 장관의 자문 기관. 국어에 관한 중요 사항을 조사·연구하여, 한글·한자·학술 용어 등의 문제와 외국어 한글 표기법, 한글 로마자 표기법 등에 관한 사항을 심의함.

국어 운:동【國語運動】 명 ①자기 나라 말을 존중하여 애용(愛用)하자는 운동. ②〖사〗 중국 청말(淸末)에 노장장(盧戇章)·왕조(王照)·노내선(勞乃宣) 등이 선구가 되어, 중국 국자(國字)의 개혁과 통일을 목적으로 일으킨 운동. 「는 학문.

국어 음성학【國語音聲學】 명 〖언〗 국어의 발음을 과학적으로 연구하

국어-학【國語學】 명 〖언〗 ①국어를 연구하는 학문. ②우리 나라 말을 연구 대상으로 하는 학문의 총칭. 타국어와의 비교 연구를 비롯하여 음운(音韻)·어휘(語彙)·문법·계통(系統)·표준어·방언(方言)·고어(古語) 및 국어 교육·국어 정책 등을 내용으로 함.

국어학-사【國語學史】 명 ①국어학의 발달 과정의 역사. 또, 그 학문. ②국어학의 역사를 적은 책.

국얼【麴櫱】 명 누룩.

국역[1]【國役】 명 나라의 역사(役事).

국역[2]【國譯】 명 다른 나라 글을 우리 나라 말로 번역(飜譯)함. 한역(韓譯). ——-하다 타 여불

국역-본【國譯本】 명 다른 나라 글을 우리 말로 번역한 책. 「는 사람.

국역-사【國譯士】 명 다른 나라 글을 우리 말로 번역하는 일을 맡아 하

국역 장경【國譯藏經】 명 〖불교〗 한글로 번역한 불경(佛經). 조선 세조(世祖) 때 설치된 간경 도감(刊經都監)에서 원각경(圓覺經)·법화경(法華經)·능엄경(楞嚴經)·묘법 연화경(妙法蓮華經) 등을 번역하였음.

국엽-전【菊葉煎】 명 감국(甘菊) 잎에 찹쌀 가루를 묻히어 기름에 지진

국엽 전병【菊葉煎餠】 명 국화 잎을 드문드문 박아 부친 전병. ㄴ음식.

국영【國營】 명 나라에서 경영함. 또, 그 사업. 관영(官營). ↔사영(私營)·민영(民營). ——-하다 타 여불

국영 공비 사:업【國營公費事業】 명 공기업(公企業)의 한 유형(類型). 공공 단체가 부담하는 경비로 국가가 경영하는 사업. 국도·하천의 관리 따위. *공기업.

국영 기업【國營企業】 명 국가가 경영하고 있는 기업. 「업체.

국영 기업체【國營企業體】 명 국가가 경영하는 사업을 진행해 나가는

국영 농장【國營農場】 명 국가 경영의 농장. 소프호스(sovkhoz).

국영 무:역【國營貿易】 명 국가 자체가 기관을 통하여 직접 무역하는 일. 사기업(私企業)이 행하는 무역에 대한 국가의 간섭·관리의 고차(高次)적 단계에서의 형태임.

국영 방:송【國營放送】 명 재원(財源)을 국가 예산에 의하거나 수신세(受信稅) 또는 수신자로부터 수납한 시청료 등으로써 국가가 직접 운영하는 라디오·텔레비전 등의 방송 사업. ↔민영 방송(民營放送). *공공(公共) 방송·상업 방송.

국영 보:험【國營保險】 명 〔state insurance〕 국가가 경영하는 보험. 공영 보험에 속하며, 그 성질상 공보험에 속하는 것이 원칙이지만, 사(私)보험이면서 국영으로 되는 경우가 있음. 산업 재해 보상 보험·수출 보험 따위.

국영 사:업【國營事業】 명 국가가 스스로 관리 경영하는 사업. 우편·전신·전화·국영 철도·국립 학교·국립 도서관·국립 극장 따위. 전매 사업까지 포함하는 수가 있으나 보통, 국영 공기업만을 뜻함.

국영 사:업 수입【國營事業收入】 명 국가가 수입보다 공익을 목적으로 하는 사업, 곧 철도·우편·전신·전화 등과 같이 국가 자본으로 경영하는 공기업(公企業)에서 얻는 수입.

국옥【鞫獄】 명 죄를 신문(訊問)하여 처벌함. ——-하다 타 여불

국왕【國王】 명 나라의 임금. 국군(國君).

국외[1]【局外】 명 ①그 일에 관계 없는 처지. 방외(方外). ¶ ~ 자(者)/~ 중립국. *판밖. ②어떤 한 우체국·전신 전화국 등의 관할내에 들어 있지 않은 곳. 「(國內).

국외[2]【國外】 명 한 나라의 영토(領土) 바깥. 나라 밖. ¶ ~ 추방. ↔국내

국외 망명【國外亡命】 명 정치가가 그의 신변을 보호하기 위하여 다른 나라로 망명함. ——-하다 자 여불

국외-범【國外犯】 명 〖법〗 한 나라의 영토 밖에서 행하여진 범죄. 형법의 적용은 없으나 특정한 범죄에 예외적으로만 적용함. ↔국내범.

국외 유출【國外流出】 명 국외로 흘러나감. 물품·기술·인재 등이 나라 밖으로 나가 버림.

국외-인【局外人】 명 국외자(局外者). 「더.

국외-자【局外者】 명 그 일에 관계 없는 사람. 국외인(局外人). 아웃사이

국외 주권【國外主權】[—꿘] 명 〖법〗 국가가 제 나라 영토 밖에서 행사하는 주권. 공해(公海)에 있어서의 자국의 선박 및 외국에 있어서 제 나라의 국민과 재산에 대하여 행사하는 주권.

국외 중립【局外中立】[—닙] 명 두 나라 이상이 전쟁을 하고 있을 때에 전연 전쟁에 관여하지 아니하고 교전국과 평화적 관계를 유지하는 일. 교전국 쌍방에 원조를 하지 아니하고, 전쟁에 영향을 미치는 행동을 피하며 공평히 대우함을 원칙으로 함.

국욕【國辱】 명 나라의 수치. 국치(國恥).

국용【國用】 명 ①나라의 비용(費用). 국비. ②나라의 소용(所用).

국우【國憂】 명 나라 전체의 시름. 나라의 걱정. 국환(國患).

국운【國運】 명 나라의 운명. 국보(國步). 국조(國祚). 정조(鼎祚).

국원[1]【局員】 명 ①〖역〗 조선 시대 말기의 원수부(元帥府)·참모부(參謀部)의 한 벼슬. ②국장(局長) 밑에서 국(局)의 사무를 취급하는 직원.

국원[2]【國原】 명 〖역〗 충청 북도 '충주(忠州)'의 옛 이름.

국원 소:경【國原小京】 명 〖역〗 중원경(中原京).

국월【菊月】 명 국화꽃 피는 달이라는 뜻에서, '음력 9월'의 이칭(異稱).

국위[1]【國位】 명 나라를 다스리는 임금의 지위. ㄴ국추(菊秋).

국위[2]【國威】 명 나라의 권세와 위력. 나라의 위엄. 방위(邦威). ¶ ~ 선양. *국광(國光). 「유(官有).

국유【國有】 명 나라의 소유. ↔사유(私有)·민유(民有). *공유(公有)·관

국유 공물【國有公物】 명 〖법〗 공물의 한 가지. 사권(私權)의 목적이 될 수 있는 공물에 있어서 그 소유권의 주체가 국가일 때를 이름. *공물(公物).

국유-림【國有林】 명 국가의 소유에 속하는 산림(山林). 국유 재산법(國有財產法)의 적용을 받음. 국유 임야. ↔사유림·민유림.

국유 문화재【國有文化財】 명 개인 소유의 문화재에 대하여 문화 체육부의 외국(外局)인 문화재 관리국에서 보호 관리하는 문화재.

국유 임야【國有林野】 명 〖법〗 국유림(國有林).

국유 재산【國有財產】 명 ①나라가 소유하는 모든 재산. ②〖법〗 국가의 부담이나 기부(寄附)의 채납(採納) 또는 법령과 조약(條約)의 규정에 의하여 국가의 소유로서 국유 재산법에 열거된 재산. 용도에 따라 행정 재산과 보통 재산으로 구분됨. 공공용(公共用) 재산·공용(公用) 재산 및 기업용(企業用) 재산은 전자(前者)에 속하는 것으로 각 기관의 장(長)이 관할하며, 후자(後者)는 국세청장이 관리함. ↔사유(私有) 재산·

민유(民有) 재산.

국유 재산 대장【國有財産臺帳】[명] 국유 재산의 적정한 관리를 위하여 그 관리청이 재산의 종목·소재·지번·수량·가격·증감과 이동의 연월일 및 그 사유 등을 기재·비치하는 공부(公簿).

국유 재산법【國有財産法】[—뻡] [명] 〖법〗 국유 재산에 대하여 그 관리·취득·처분 등을 규정한 법률.

국유 재산 수입【國有財産收入】[명] 국가가 소유하고 있는 토지·산림·채권·주식 등의 귀속 재산에서 나오는 수입.

국유-지【國有地】[명] 나라의 소유에 속하는 토지. 공토(公土). ↔사유지(私有地). *공유지(公有地). 「鐵). ↔사유 철도.

국유 철도【國有鐵道】[—또] [명] 국가가 소유·경영하는 철도. [준]국철(國

국유-화【國有化】[명] 산업 또는 경영의 사유권(私有權)을 국가 또는 지방 자치(自治) 단체나 공공(公共) 단체에 이관(移管)하여 그 관리를 행하게 하는 일. ↔사유화(私有化). ——-하다 [타][여불] 「[여불]

국육【鞠育】[명] 어린 사람을 사랑하여 기름. 국양(鞠養). ——-하다 [타]

국-으로 [부] 제가 생긴 그대로. 제 주제에 알맞게. ¶ ～ 가만히 있어라 / ～나 있었으면 불쌍하게나 여기지마는, 경관의 앞에서 되지 못한 말로 서방 발명을 하여 주다가 저 경치고, 남 경치고…≪崔瓚植: 春夢≫/ ～ 땅이나 파먹지 이게 무슨 지랄들이야! ≪金裕貞: 금 따는 콩밭≫.

국은【國恩】[명] 백성이 나라에서 받는 은혜. 그 나라에 태어나 편안히 살아 나아가는 은혜.

국음【國音】[명] ①그 나라의 고유한 말소리. ②우리 나라 국어의 말소리.

국의[1]【國儀】[—/—이] [명] 국가의 의식.

국의[2]【國醫】[—/—이] [명] 국보적인 의사. 썩 훌륭한 의사.

국의[3]【國議】[—/—이] [명] 나라의 중요한 사항을 토의하는 회의.

국익【國益】[명] 국가의 이익. 국리(國利).

국인【國人】[명] 한 나라의 인민. 나랏사람. 국민.

국자[1] [명] 국을 뜨는 기구. 바탕이 넓고 수직으로 만든 자루가 있으며, 놋·양은·스테인리스 등으로 만듦. 국비(棘匕). *구기. 「제(子弟).

국자[2]【國子】[명] 〖역〗 ①↗국자감(國子監). ②공경 대부(公卿大夫)의 자

국자[3]【國字】[명] ①그 나라의 문자. 곧, 한 국가의 국어(國語)를 표기하는 전통적인 공용(公用)의 문자. ②한자(漢字)에 대하여 우리 나라의 문자.

국자[4]【鞠子】[명] 어린 아이. ㄴ곧, 한글. 나라 글자.

국자[5]【麯子·麴子】[명] →곡자(麯子).

국자-가【局子街】[명] 〖지〗 '쥐쯔제'를 우리 음으로 읽은 이름.

국자-가리비 [명] 〖조개〗 [*Pecten albicans*] 가리빗과에 속하는 조개의 하나. 패각(貝殼)은 부채 모양으로, 길이 120 mm, 높이 105 mm, 폭 35 mm 가량이고 각편(殼片)의 한 짝은 홍갈색이며 각정(殼頂)은 높고 다른 한 짝은 백색에 갈색 무늬가 약간 있음. 방사륵(放射肋)은 8-13 조(條)가 있어서 지붕 모양임. 물을 뿜어 도약(跳躍)하며 겨울에 산란함. 살을 식용하고 패각으로 국자를 만듦. 20-30 m 깊이의 바다에 사는데, 한국·일본·중국에 분포함. 잰지.

〈국자가리비〉

국자-감【國子監】[명] 〖역〗 ①'성균관(成均館)'의 딴이름. ②고려 성종(成宗) 때부터 유학(儒學)을 가르치는 소임(所任)을 맡은 관아(官衙). 충렬왕(忠烈王) 원년(1275)에 국학(國學), 24년에 성균감(成均監), 34년에 성균관, 공민왕 5년(1356)에 다시 본이름, 11년에 또 성균관으로 고치어 조선 왕조로 넘어 옴. ③중국에서, 수양제(隋煬帝)가 국자학(國子學)을 개칭한 교육 기관. [준]국자(國子). *국학(國學).

국자감-시【國子監試】[명] 〖역〗 고려 때의 국자감의 진사(進士)를 뽑는 시험. 조선 시대의 소과(小科)에 해당함. 덕종(德宗) 때에 시작하였는데, 시(詩)와 부(賦)를 보이었음. 뒤에 국자감이 성균관(成均館)으로 이름이 바뀜에 따라 성균시(成均試)라 불렀음. 남성시(南省試). 사부시(詞賦試). 진사시(進士試). 거자시(擧子試). [준]감시(監試)·국자시.

국자 문:제【國字問題】[명] 국어의 표기(表記)에 쓰는 문자(文字)에 관하여 논의(論議)를 요하는 사항.

국자 박사【國子博士】[명] 〖역〗 고려 때, 국자감의 정칠품(正七品) 벼슬. 충렬왕(忠烈王) 24년(1298)에 성균(成均) 박사로, 공민왕(恭愍王) 5년(1356)에 다시 본이름으로, 동 11년에 또 성균 박사로 고침.

국자 분관【國子分館】[명] 〖역〗 새로 문과(文科)에 급제한 사람 가운데, 실무(實務)를 익히기 위하여 권지(權知)라는 이름으로 성균관(成均館)에 분속(分屬)시키던 일. *괴원 분관(槐院分館).

국자-생【國子生】[명] 〖역〗 ↗국자학생(國子學生).

국자-시【國子試】[명] 〖역〗 ↗국자감시(國子監試). 「벼슬.

국자 조:교【國子助敎】[명] 〖역〗 고려 때, 국자감의 국자 박사 다음 가는

국자-학【國子學】[명] 〖역〗 ①국자감에 속한 학교 이름. 고려 인종 때 정한 입학 자격을 보면, 문무관 삼품 이상의 자손이나, 훈관(勳官) 이품으로 현공(縣公) 이상이 되거나, 경관(京官) 사품으로 삼품 이상의 훈봉(勳封)이 있는 사람의 아들로 되어 있음. *대학[2](大學)·사문학(四門學). ②중국에서 진무제(晉武帝)에 의해 창시된, 귀족 자제나 영재(英才)를 대상으로 하는 교육 기관. 수(隋)나라 이후 국자감(國子監)으로 개칭됨.

국자학-생【國子學生】[명] 〖역〗 고려 때, 국자학의 학생. [준]국자생(國子

국잠【菊簪】[명] 국화잠. ㄴ生).

국장[1]【局長】[명] 관청·회사 등의 한 국(局)의 우두머리.

국장[2]【國章】[명] 국가의 권위를 나타내는 휘장의 총칭. 국기·군기 따위.

국장[3]【國葬】[명] ①나라에 큰 공이 있는 이가 죽었을 때에, 나라에서 국비(國費)로 지내는 장례(葬禮). 국무 회의의 심의를 거쳐 대통령이 정하며, 관공서(官公署)는 휴무(休務)함. *국민장(國民葬). ②〖역〗 태상황·태상황후·황제·황후·황태자·황태자비·황태손·황태손비·태왕(太王)·태왕비·왕·왕비·왕세자·왕세자빈·왕세손·왕세손빈의 장례. 예장(禮葬). 인봉(因封). 인산(因山). ——-하다 [타][여불] 「던 임시의 관청.

국장 도감【國葬都監】[명] 〖역〗 조선 시대 때, 국장에 관한 일을 맡아 보

국장 도감 의궤【國葬都監儀軌】[명] 〖책〗 국장 도감에서 행하는 의절을 기록한 책. 국장 도감이 관장하는 의절은 재궁(梓宮)·거여(車輿)·책보(冊寶)·복완(服玩)·능지(陵誌)·명기(明器)·길흉(吉凶)·의장(儀仗)·상유(喪帷)·포연(鋪筵)·제기(祭器)·제전(祭奠)·반우(返虞) 등임. 98책, 사본.

국장생-표【國長生標】[명] 〖역〗 고려 때, 사원(寺院) 소유 전토(田土)에 세웠던 경계선 표지. 당시 사원은 권문(權門) 세가(勢家)의 토지 기증으로 수천 결(結)의 토지 소유자가 되었으며, 그 사원 소령(所領)의 전결(田結)을 표시하기 위하여 세우게 되었음. 「무함.

국장-일【國葬日】[명] 국장을 지내는 날. 조기(弔旗)를 달고 관공서는 휴

국장 침해죄【國章侵害罪】[—죄] [명] 〖법〗 그 나라를 모욕할 목적으로 국기(國旗)·국장(國章)에 대한 손상·제거·오욕을 실행함으로써

국재[1]【國災】[명] 나라의 재변(災變). ㄴ성립하는 죄.

국재[2]【國財】[명] 나라의 재산.

국재[3]【國宰】[명] 나라의 재상. 「(薦度)하는 재.

국재[4]【國齋】[명] 〖불교〗 왕실(王室)에서 비용을 내어 돌아간 임금을 천도

국저【國儲】[명] 임금의 맏아들. 곧, 태자(太子).

국적[1]【國賊】[명] ①나라를 어지럽히는 놈. 국가에 해(害)를 입히는 놈. 조적(朝賊). ②국경을 범하는 국가의 적(賊).

국적[2]【國籍】[명] 〖법〗 일정한 국가의 구성원(構成員)이 되는 자격. 어느 개인이 법률상 국민으로서 어느 국가에 종속하는 관계.

국적-법【國籍法】[명] 〖법〗 대한 민국 국민의 국적의 취득·상실(喪失)에 관하여 규정한 법률. 혈통주의(血統主義)를 원칙으로 하고, 생지주의

국적 변:경【國籍變更】[명] 〖법〗 국적을 바꿈. ㄴ(生地主義)를 가미함.

국적 상실【國籍喪失】[명] 〖법〗 국적을 잃음. 한 나라의 국민으로서의 공법상(公法上)·사법상의 권리·의무를 잃음.

국적 선:택권【國籍選擇權】[명] 〖법〗 전쟁에 의하여 영토가 할양(割讓)될 때, 할양지의 주민이 국적을 선택할 수 있는 권리.

국적 이탈【國籍離脫】[명] 〖법〗 자기 또는 보호자의 지망에 의하여 자기의 국적을 상실하는 일. 외국에서 탄생하여 외국의 국적을 취득한 자가 외국에 살고 있는 경우에 허용됨.

국적 자유의 원칙【國籍自由의原則】[—/—에—] [명] 〖법〗 국적 선택 자유의 원칙. 곧, 전쟁 그 밖의 이유로 영토를 할양(割讓)하는 경우, 그 주민으로 하여금 할양국의 국적과 양수국(讓受國)의 국적 중 자유로이 선택할 수 있게 하는 원칙을 말함.

국적 재판관【國籍裁判官】[명] [nation judge] 〖법〗 상설 국제 사법 재판소 재판관 중에, 분쟁 당사국의 국적을 가진 법관이 없는 경우, 그 당사국이 그 사건을 심리하기 위하여 재판관으로서 선임하는 자기 나라 국적의 소유자.

국적 저:촉【國籍抵觸】[명] 〖법〗 두 나라 이상의 국적법이 저촉되어 한 사람이 두 국적을 가지는 경우와, 어떤 국적도 가질 수가 없게 되는 경우의 총칭. 전자(前者)를 국적의 적극적 저촉, 혹은 이중(二重) 국적, 후자(後者)를 국적의 소극적 저촉, 혹은 무(無)국적이라고 함.

국적 증명서【國籍證明書】[명] 〖법〗 본국(本國)의 관헌(官憲)에서 발급(發給)한 국적의 증명서. 「(積量) 등에 관한 증명서.

국적 증서【國籍證書】[명] 〖법〗 선박(船舶)의 국적·선적항(船籍港)·적량

국적 취:득【國籍取得】[명] 〖법〗 어떤 사람이 어떤 나라와의 복종(服從) 관계를, 그 국적법의 조건을 갖춤으로써 얻는 일.

국적 회복【國籍回復】[명] 〖법〗 일단 국적을 상실하여 외국인이 되었던 자가 다시 옛날의 국적을 얻는 일. *재귀화(再歸化).

국전[1]【國典】[명] ①나라의 법전(法典). 나라의 전례(典禮). 조전(朝典). ②국가의 전적(典籍).

국전[2]【國展】[명] 〖미술〗 ↗대한 민국 미술 전람회(大韓民國美術展覽會).

국전[3]【國錢】[명] 나라 소유의 돈.

국점【國占】[명] 국사(國事)에 관한 점.

국정[1]【國定】[명] 나라에서 정함. 또, 그 제정한 것. ——-하다 [타][여불]

국정[2]【國政】[명] ①나라의 정치. 나라를 다스리는 정사. ↔가정(家政)❶. ②국가의 정치 조직 및 현실의 기구(機構)와 기본적 정책 및 그 실천 상황. 입법·사법·행정의 모든 것을 포함함. ¶～ 조사(調査).

국정[3]【國情】[명] 나라의 정세. 나라의 형편. 국상(國狀).

국정[4]【鞫正】[명] 신국(訊鞫). ——-하다 [타][여불]

국정 감사【國政監査】[명] 〖법〗 국회가 국정 전반에 관하여 실시하는 감사. 소관 상임 위원장이 국회 운영 위원회와 협의하여 작성한 감사 계획서에 의하여 상임 위원회별로 매년 정기회 집회 기일의 다음 날부터 20일간 함. [준]국감(國監). 「대하여 감사할 수 있는 권한.

국정 감사권【國政監査權】[—꿘] [명] 〖법〗 국회가 국정(國政) 전반에

국정 관세【國定關稅】[명] 〖경〗 한 나라의 법률에 의해서 자유로 세율이나 과세 품목을 정하고 변경시킬 수 있는 관세. ↔협정(協定) 관세.

국정 교:과서【國定敎科書】[명] 〖교〗 교육부에서 편찬(編纂)한 교과서. 저작권이 교육부 장관에게 있음.

국정 밀탐【國情密探】[명] 남의 나라의 정세를 몰래 탐지함.

국정 세:율【國定稅率】[명] 〖법〗 국가가 법률로써 정한 관세율(關稅率). ↔협정 세율(協定稅率).

국정-원【國情院】[명] ↗국가 정보원(國家情報院).

국정 조사【國政調査】[명] 국회가 특정한 국정 사안(事案)에 관하여 직접 조사하는 일. 재적 위원 3분의 1 이상의 요구가 있을 때에는 특별 위원회 또는 상임 위원회가 조사함.

국정 조사권【國政調査權】[—꿘] [명] 헌법상 허용된, 국회가 특정한 국정 사안(事案)에 관한 조사를 행할 수 있는 권한.

국정 학설【國定學說】 명 〖경〗 화폐를, 국가 법률이 부여하는 강제 통용력(通用力)에 의한 표권적(票券的) 지급 요구(支給要求)로 보는 학설.

국정 홍보처【國政弘報處】 명 국무 총리 소속하에 둔 중앙 행정 기관의 하나. 국정에 대한 국내외 홍보·정부 안의 홍보 업무 조정·국정에 대한 여론 수렴 및 정부 발표에 대한 사무를 관장함. 1999년 공보실(公報室)을 개편한 기관임.

국제[1]【國制】 명 ①나라의 제도. ②국상(國喪)의 복제(服制).

국제[2]【國際】 명 〔international〕 ①나라와 나라와의 교제. 또, 그 관계. ②세계 각국에 관한 일. ¶ ~ 시세.

국제 가격【國際價格】 〔—까—〕 명 〖경〗 세계의 주요한 거래 시장에서 거래되는 가격. 일반적으로, 거래량(量)이 많고, 그 시세 가격이 세계 시장을 지배하는 가격. 대체로, 미국의 뉴욕 거래소의 시세가 국제 가격의 기준이 됨.

국제 가입 전:신【國際加入電信】 명 텔렉스(Telex).

국제 가치론【國際價值論】 명 〖경〗 국제간에 교환되는 여러 상품의 상대적(相對的) 가치가 어떠한 법칙에 지배되는가를 논하는 국제 경제학상의 문제. 또, 그 가설.

국제-간【國際間】 명 나라와 나라가 교제하는 사이. ¶ ~의 친선.

국제 개발처【國際開發處】 명 〔Agency for International Development〕 1961년 미국의 많은 해외 원조 기관들을 통합한 기관. 발전 도상국(發展途上國)에 대한 개발 차관을 중심으로 각종 원조 및 조사 등을 임무로 함. 약칭: 에이 아이 디(AID).

국제 개발 협회【國際開發協會】 명 〔International Development Association〕 국제 연합 전문 기관의 하나. 저개발 지역의 경제 개발을 위하여, 세계 은행이나 국제 금융 공사에서 충족시킬 수 없는 자금 원조를 행하는 기관. 1960년에 설치됨. 가맹국은 세계 은행 가맹국에 한정되어 있으며, 제2 세계 은행이라고 불리기도 함. 본부는 워싱턴. 1996년 현재, 가맹국 159. 약칭: 아이 디 에이(IDA).

국제 건:축【國際建築】 명 〖건〗 1920년대의 중간쯤에 시작되어 1930년대에 세계적으로 퍼진 건축 사조(思潮). 건축의 개성이나 지방성을 교통·재료·기술 등의 세계적 공통성을 위하여 세계성·국제성 속에 포함시키려고 하는 주장.

국제 건:축 미술상【國際建築美術賞】 〔—쌍〕 명 〖건〗 파리에서 발행되는 프랑스의 대표적 건축 잡지 '오늘의 건축'이 창설한 국제상(賞). 독창적인 정신을 지닌 젊은 건축가를 국제적 견지에서 선정하여 포상함.

국제 견:본시【國際見本市】 명 〖경〗 타국의 수출용 상품의 견본만을 모아 진열하고 이것에 의하여 상담(商談)을 꾸며 후일 실물의 매매를 기하는 시장. 또, 그 전시회(展示會).

국제 결제 은행【國際決濟銀行】 〔—쩨—〕 명 〔Bank of International Settlements; BIS〕 〖경〗 제1차 세계 대전 후 독일 배상금(賠償金)의 처리(處理) 기관으로서, 1930년 5월에 스위스의 바젤(Basel)에 설립한 은행. 그 기능은 독일 배상금의 수리(受理)·관리·분배에 있었는데, 그 후 기능을 확대하여 국제 결제의 원활화와 각국 중앙 은행의 국제 협력을 위한 기구가 되었음.

국제 결혼【國際結婚】 명 국적을 달리하는 남녀가 결혼하는 일.

국제 경:기【國際競技】 명 국제간에 행하는 경기. 올림픽 경기 등.

국제 경:기장【國際競技場】 명 나라 사이의 경기를 행하는 곳.

국제 경:쟁력【國際競爭力】 〔—녁〕 명 국제 시장에서, 한 나라의 산업이나 기업이 경제적으로 경쟁해 나가는 힘. 생산성·자본력 등의 여건에 좌우됨.

국제 경제【國際經濟】 명 〖경〗 국경을 넘어서 행하여지는 여러 가지 경제적인 상호 교섭. 또, 그 교섭으로 성립되어 있는 경제 체제. 상품(商品) 및 서비스(service)의 무역, 이민(移民), 사적(私的) 자본의 이동, 배상 지불, 정부의 대외 원조, 국제 기관의 여러 가지 활동 등이 포함됨.

국제 경제학【國際經濟學】 명 〖경〗 국경을 초월하여 행하여지는 일체의 경제 거래를 대상으로 하는 경제학. 국제 무역론과 국제적 생산 요소 이동론을 그 주요 내용으로 함.

국제 경제 회:의【國際經濟會議】 〔—/—이〕 명 〖역〗 국제간의 경제 관계에 대해서 각국의 협조 촉진을 도모(圖謀)하기 위하여 열리는 회의. 특히, 1927년에 국제 연맹의 주최로 연맹의 가입국(加入國)과 소련·터키 등 50 개국이 통상(通商)의 자유와 노사(勞使)의 생산 조건에 관해서 토의하기 위하여 제네바에서 연 회의를 말함.

국제 경:찰【國際警察】 명 ①해적(海賊) 행위나 노예 매매 같은 개인의 국제법상의 범죄에 대한, 그 개인이 속하는 본국 이외의 여러 나라의 방지·진압 행위. ②국가의 침략 행위나 국제 사회 일반의 이익을 침해하는 행위에 대한, 다른 여러 국가의 조직적인 방지·진압 행위. 국제 연합의 집단적 안전 보장 제도 밑에서 행하여지는 강제 조치 같은 것.

국제 경:찰군【國際警察軍】 명 ①해적(海賊) 행위·노예 매매 등과 같은 국제법상의 범죄를 방지하기 위하여 여러 나라의 사실상의 협력에 의한 경찰력. 항상 조직되어 있는 것은 아님. ②국제 연합 안전 보장 이사회의 지휘하에 침략에 대한 여러 나라 공동의 방지·진압 행위를 위하여 미리 준비되는 군사력. ＊국제 연합군.

국제 고도【國際高度】 명 〔international pitch〕 〖악〗 음(音)의 높이가 나라나 지방에 따라 차이가 생기지 않도록 1859년 파리 국제 회의에서 결정된 악기의 음높이. '1점 가' 음의 진동수가 1초간 435회의 것으로 정함. 국제 표준음. 국제 기준 고도. ＊바탕음.

국제 곡물 협정【國際穀物協定】 명 1967년 8월 로마에서 열린 국제 소맥(小麥) 회의에서 채택된, 소맥 무역과 식량 원조에 관한 국제 협정.

국제 공무원【國際公務員】 명 국제 기관에 근무하는 사무 직원. 원칙상 개인적 자격으로 임용(任用)되어, 제각기 다른 국적을 가진 많은 사람들로써 이루어지는데, 이들은 오직 속하여 있는 국제 기관에 대한 책임만을 지며, 그 본국이라도 국가적인 억제(抑制)를 가할 수 없음. 국제 연합의 사무국·전문 기관·지역적 기관에서 근무하는 사람 등.

국제 공법【國際公法】 〔—뻡〕 명 국제법(國際法). ↔국제 사법(私法).

국제 공:산당【國際共產黨】 명 〖사〗 1919년 3월, 레닌의 지도하에 러시아 공산당과 독일의 사회 민주당 좌파(左派)를 중심으로 조직된 세계 각국 공산당의 통일적인 국제 조직. 1943년 해체(解體)되었음. 코민테른(Komintern). 제삼 인터내셔널(第三International).

국제 공안【國際公安】 명 국제간의 안녕 질서. 국가의 안녕 질서의 관계가 그 나라 사람과 외국인 사이에 공통할 경우를 말함. ↔국내 공안.

국제 공항【國際空港】 명 국제간을 운항하는 항공기가 이착륙할 수 있도록 정부에서 지정한 공항. 우리 나라에는 김포(金浦) 공항·김해(金海) 공항·제주(濟州) 공항 등 세 공항이 지정되어 있음.

국제 관계【國際關係】 명 나라와 나라 사이의 관계. 외교상의 관계.

국제 관광 공사【國際觀光公社】 명 '한국 관광 공사(韓國觀光公社)'의 전신(前身).

국제 관광년【國際觀光年】 명 〔International Tourist Year〕 1966년 유엔 총회 결의로 '관광의 해'로 지정된 1967년을 이름. 개발 도상에 있는 여러 나라에의 여행을 특히 강조했음.

국제 관례【國際慣例】 〔—괄—〕 명 국제적으로 널리 통용되는 관례.

국제 관리【國際管理】 〔—괄—〕 명 공동 관리(共同管理)❷.

국제 관리 통화【國際管理通貨】 〔—괄—〕 명 〔International Managed Currency〕 〖경〗 국제적으로 관리·발행되는 통화. 현재 국제적으로 관리되는 통화는 없으며, 국제 통화 기금의 특별 인출권(引出權: SDR)이 이러한 취지를 목적으로 한 것임.

국제 관설 관광 기구【國際官設觀光機構】 명 〔International Union of Official Travel Organization; IUOTO〕 1946년에 창립된 각국 정부 기관에 속한 관광 단체의 국제 동맹 기구. 유엔을 비롯한 여러 국제 기구와 협력하여 국제 관광 사업의 발전을 도모하는 유엔의 자문 기관. 우리 나라는 1957년에 가입. 본부는 제네바에 있음. 1975년 창시된 '세계 관광 기구'의 전신.

국제 관세 협정【國際關稅協定】 명 ①국제간에 체결된 관세에 관한 협정의 총칭. ②관세·무역에 관한 일반 협정. 가트(GATT).

국제 관습법【國際慣習法】 명 〖법〗 법적 구속력을 가지는 국제 관행(國際慣行). 종전에는 이것이 국제법의 대부분을 형성하고 있었음.

국제 관행【國際慣行】 명 여러 국가 사이에 관례로 실행되고 있는 일. 곧, 국제법으로서의 국제 관습법(慣習法)의 기초가 되는 사실을 말함.

국제 교:원 헌:장【國際敎員憲章】 명 세계 교원 조합 연맹, 국제 교원 협회 연합, 국제 중등 교원 연합 등 세 조직의 합동 위원회가 1954년에 채택한 교원의 국제적 통일 행동의 강령(綱領). 어린이의 발달과 사회의 진보를 찬양하고, 교사의 책임과 권리 및 교육에서의 민주적 요구를 내걸었음. 전문(前文)과 본문 15조(條)로 됨.

국제 교:육국【國際敎育局】 명 세계 여러 국민 상호간의 이해 촉진을 위한 교육 활동의 국제적 기관. 어린이들과 그 지도자를 위한 국제 교육 관계 도서의 발행, 국제 교육 관계 회의의 개최 등을 맡고 있음. 1925년 발족. 본부는 제네바. 약칭: 비 아이 이(BIE).

국제 교:육년【國際敎育年】 명 〔International Education Year; IEY〕 1968년 유엔 총회 결의로 지정한 '교육의 해'인 1970년을 말함. 각국이 교육의 양적·질적 발전을 도모하고, 교육비의 재원을 확충, 교육의 국제 협력을 촉진할 것을 촉구하였음.

국제 교환국【國際交換局】 명 국제간의 전화와 국내 통신망과의 교환 접속을 취급하는 국.

국제 군사 재판【國際軍事裁判】 명 ①〖역〗 제2차 세계 대전에서 죄를 범한 독일의 주요 전쟁 범죄자를 처단하기 위하여 뉘른베르크(Nürnberg)에서 행한 재판. ②〖역〗 극동 국제 군사 재판소가 일본의 주요 전쟁 범죄자를 처단한 도쿄(東京) 법정의 재판. ③국제적으로 성립된 군사 재판소의 재판. ＊전쟁 범죄·극동 국제 군사 재판.

국제 균형【國際均衡】 명 〖경〗 국제 수지상의 균형. 넓게는 환시세의 안정도 포함됨.

국제 극년【國際極年】 명 극년(極年).

국제 금리【國際金利】 〔—니〕 명 〖경〗 ①외국의 금리. ②런던·뉴욕 같은 국제 금융의 중심지에서의 대표적 금리.

국제 금융【國際金融】 〔—/—늉〕 명 〖경〗 나라와 나라 사이의 자금 이동. 이에는 상품 무역과 같은 비(非)금융적 거래에 의한 것과, 자본 거래와 같은 순수한 금융 거래에 의한 것이 있음. 국제간에 거래되는 자금의 융통으로는 정부 차관·민간 차관·외채(外債) 발행 등이 있음.

국제 금융 공사【國際金融公社】 〔—/—늉—〕 명 〔International Finance Corporation〕 유엔 전문 기관의 하나. 국제 부흥 개발 은행의 자매(姉妹) 회사로서, 생산을 목적으로 하는 사기업, 특히 개발 도상국의 민간 기업의 성장을 도와 융자하며 민간 투자의 알선도 행함. 1956년 7월에 발족, 우리 나라는 1963년 9월에 가맹하였음. 약칭: 아이 에프 시(IFC). ＊세계 은행.

국제 금융 시:장【國際金融市場】 〔—/—늉—〕 명 〖경〗 국제적인 단기 자금에 대한 수요와 공급이 경합(競合)하는 시장. 런던·뉴욕 등이 대표적인 것임.

국제 기관【國際機關】 명 복수(複數)의 국가로써 구성되어, 국제법상 독자(獨自)의 지위를 가지는 조직체. 국가 곧 정부를 단위로 하는 것이 특징임. 그 구성 국가의 범위상으로 보아 국제 연맹·국제 연합·유네스코(UNESCO)·국제 노동 기관·만국 우편 연합 등 일반적 국제 기관과, 서(西)유럽 연합·전(全)아메리카 연합·아랍(Arab) 연맹 등 지역적 국제 기관으로 분류되며, 그 목적·임무상으로 보아 이들을 종합적 국제 기관과 자문적 국제 기관으로도 나눌 수 있음. 국제 기구.

국제 기구【國際機構】 명 나라와 나라끼리 또는 여러 나라끼리 구성한 국제적 조직체. 국제 기관.

국제 기능 올림픽 대:회【國際技能一大會】〔Olympic〕 명 국가간의 직업 훈련·기능 수준 향상·국제 친선을 도모하기 위하여 기계 조립·용접 등 31개 부문의 산업 기능을 겨루는 국제 대회. 만 21세 미만의 기능자가 참석하되 1개국 1직종(職種)에 1명씩만 참가할 수 있음. 1950년 스페인의 수도 마드리드에서 최초로 개최됨. 연 1회 회원국에서 윤번제로 개최되며, 우리 나라는 1966년에 가입하여, 1978년 제24회 대회를 부산에서 가짐. 기능 올림픽. 국제 직업 훈련 경기 대회.

국제 기능 올림픽 대:회 한:국 위원회【國際技能一大會韓國委員會】〔Olympic〕 명 국제 기능 올림픽 대회의 국내 위원회. 11개 기술 분과 위원회를 두고 있으며, 5개 지방 위원회가 있음.

국제 기독교 노동 조합 연합【國際基督敎勞動組合聯合】[一년一] 명 《사》〔International Confederation of Christian Trade Union; ICCTU〕 1891년 로마 교황(敎皇) 레오 13세의 회칙(回勅)에 의해서 유럽 여러 나라에 결성된 기독교 노동 조합의 국제적 조직. 본부는 브뤼셀. 통칭: 국제 기독교 노련(勞聯).

국제 기상 기구【國際氣象機構】 명 〔International Meteorological Organization〕 1879년 세계 각국의 기상 관계 기관장들이 오스트리아 빈(Wien)에 모여 창립한 국제 기구. 1950년 '세계 기상 기구'로 그 이름을 바꿈. 약칭:아이 엠 오(IMO).

국제 기업【國際企業】 명 다국적 기업(多國籍企業).

국제 기준 고도【國際基準高度】 명 《약》 국제 고도.

국제 난민 기구【國際難民機構】 명 〔International Refugee Organization〕 1948년에 설치된 국제 연합의 전문 기관. 제2차 세계 대전에 의한 난민과 나치스(Nazis)·파시스트(Fascist)의 박해에 의한 피해자의 구제·본국 송환, 새로운 토지에의 정주(定住) 주선 등을 목적으로 설립됨. 1946년 12월의 총회에서 국제 난민 기관 헌장(憲章)이 채택되고 18개국에 의하여 비준(批准)되어 1951년 9월 30일까지 존속, 100여 만 명의 정주와 74,000명의 귀환을 주선하였음. 그 후로는 국제 연합내에 설치된 국제 연합 난민 고등 판무관(辦務官) 사무소가 대행하게 됨. 국제 피난민 기구. 약칭: 아이 아르 오(IRO).

국제 노동 기구【國際勞動機構】 명 《사》〔International Labour Organization〕 국제적 노동 조건의 개선을 위하여 1919년 베르사유 평화 조약에 따라 설립된 국제 연맹의 한 기구. 국제 연맹의 해체와 함께 1946년 몬트리올에서의 29회 총회에서 헌장(憲章)의 개정을 가결하고 국제 연합 경제 사회 이사회와의 협정에 의하여 그 전문 기관의 하나로 되었음. 1969년 노벨 평화상 수상. 회원국 1992년 현재 152개국. 약칭:아이 엘 오(ILO).

국제 노동법【國際勞動法】[一뻡] 명 《법》 각국의 노동법, 특히 근로자 보호에 관한 법규를 통일하기 위해서, 주로 국제 조약에 의하여 제정된 법규.

국제 노동자 협회【國際勞動者協會】 명 제1 인터내셔널(International).

국제 노동 조약【國際勞動條約】 명 《사》 국제 노동 기구 총회에서 채택된 국제 노동 조약. 1919년의 1호 조약에서는 1일 8시간 주(週) 48시간 근무제 등, 1928년의 26호 조약에서는 최저 임금 제도에 관하여, 1948년 87호 조약에서는 결사(結社)의 자유와 단결권 보호 등에 관하여, 1949년 98호 조약에서는 단체 교섭권·부당 노동 행위 금지 등에 관하여, 1951년 100호 조약에서는 남녀 동등 등에 관하여, 1952년 102호 조약에서는 사회 보장의 최저 기준에 관하여 기준을 정함. 가맹국의 비준(批准)에 의해 그 해당국을 규제(規制)함. 아이 엘 오(ILO) 조약. 노동 조약.

국제 노동 조합 연합【國際勞動組合聯合】[一년一] 명 〔International Federation of Trade Unions〕 제2 인터내셔널계(系)의 여러 나라 노동 조합의 국제 조직. 1903년에 창립, 1913년에 명명(命名). 제1차 세계 대전에 의하여 와해(瓦解)되어 1919년 재건됨. 암스테르담(Amsterdam)에 본부를 둠. 개량주의적이며, 제2 인터내셔널을 지지하여 국제 노동 조합 평의회와 대립하였으므로 황색(黃色) 조합이라 불림. 암스테르담 인터내셔널. 약칭: 아이 에프 티 유(IFTU).

국제 노동 조합 평:의회【國際勞動組合評議會】[一/一이一] 명 〔International Council of Trade and Industrial Unions〕 제3 인터내셔널계의 여러 나라 노동 조합의 국제 조직. 1921년 창립. 본부를 모스크바에 설치하여 노동 조합의 국제적 통일을 주장함. 1943년 제3 인터내셔널의 해산과 함께 해체됨.

국제 노동 헌:장【國際勞動憲章】 명 《사》 ①1919년, 베르사유 조약 제13편 제427조의 '세계 평화는 사회주의를 기초로 한다'는 국제 노동 기구의 지도 원칙. 최저 임금의 보장, 한 주 48시간의 노동, 한 주 하루의 휴일, 아동 노동의 금지, 남녀 동등의 임금 등을 규정하였으며 전문(前文)을 제외한 40장으로 되어 있고, 필라델피아 선언이 부속되어 있음. ②1946년 10월, 국제 노동 기구 총회에서 채택된 국제 조약. 정식 명칭은 국제 노동 기구 헌장. ILO의 기본 정신·조직·절차 및 기타의 일반 규정과 원칙을 명시한 헌장. 전문(前文)을 제(除)하고 40장(章)이 있으며, 필라델피아 선언이 부속되어 있음. 전문(前文)에서 세계의 항구적 평화는 사회 정의를 기초로, 노동 조건의 개선, 실업(失業) 방지, 재해(災害) 방지와 보상, 연소자와 여성의 보호, 노인 및 폐질(廢疾) 환자에의 급부(給付), 결사의 자유의 승인, 직업 훈련의 필요성 등을 들고 있음. 아이 엘 오(ILO) 헌장. 노동 헌장. *필라델피아 선언.

국제 노동 회:의【國際勞動會議】[一/一이] 명 《사》〔International Labour Conference〕 국제 연합에 속하는 국제 노동 기구의 규약(規約)에 의해 조직된 국제 노동 조직의 최고 기관. 매년 한 번씩 회의를 엶.

국제 노선【國際路線】 명 국제적으로 결정된 방침.

국제 단위【國際單位】 명 〔International Unit〕 ①역학적으로 정의된 전자기(電磁氣)의 절대 단위를 구체적으로 나타내기 위하여 1908년 국제적으로 정한 실용 단위. 국제 암페어·국제 옴(ohm) 등. 1948년 국제 도량형 회의에서 폐지함. ②비타민 A와 D, 호르몬·항생제의 효력을 국제적으로 통일·표시하기 위한 실용 단위. 예를 들면, 비타민의 국제 단위는 0.000344 mg, 남성 호르몬의 1 국제 단위는 합성 안드로스테론 0.1 mg의 효력과 같음. 약칭:아이 유(IU).

국제 단위계【國際單位系】 명 1960년 제 11회 국제 도량형 총회에서 채택한 국제 도량형 단위계. 길이의 미터(m), 시간의 초(s), 질량의 킬로그램(kg), 전류의 암페어(A), 열역학적(증성자) 온도의 켈빈(K), 광도의 칸델라(cd), 물질량의 몰(mol) 등 7개의 기본 단위와, 평면각을 나타내는 라디안(rad), 입체각을 표시하는 스테라디안(sr) 등 두 개의 보조 단위 외에 이들을 기초로 한 유도 단위로 구성됨. 유도 단위에는 힘의 단위인 뉴턴(N), 압력과 응력의 단위인 파스칼(Pa), 주파수·진동수의 헤르츠(Hz), 일률·복사속의 와트(W), 기전력의 볼트(V), 전기 저항의 옴(Ω), 조명도의 럭스(lx) 등이 있음. 에스 아이(SI).

국제 단체【國際團體】 명 《법》 여러 국가가 조약에 의하지 아니하고 자발적으로 조직한 단체. 엠 아르 에이(MRA)·국제 올림픽 위원회 따위.

국제 담판【國際談判】 명 국제 간의 사건에 관한 담판. ——하다 타여불

국제 대:차【國際貸借】 명 《경》 국제간의 대차(貸借) 관계. 한 나라가 그 국제 거래의 결과로서 생긴 채권과 채무의 관계를, 일정 시점(時點)에 있어서 종합 정리한 대차 대조(貸借對照). 보통 연도말(年度末) 현재로서 표시함. 국제 수지(國際收支)가 일정 기간에 현실적으로 수불(受拂)된 화폐액의 종합인 데 반하여 국제 대차는 한 시점에 있어서의 미결제의 채권·채무의 종합으로서, 이를테면 한 나라의 대외적인 대차 대조표임. *국제 수지.

국제 대학 스포:츠 연맹【國際大學一聯盟】 명 〔프 Fédération Internationale du Sport Universitaire; FISU〕 국제 대학생 경기 대회 '유니버시아드(Universiade)'를 주관하는 연맹. 1925년 파리에서 창립됨. 2차 대전 후 자유 진영의 국제 대학 스포츠 연맹과 공산 진영의 국제 대학 연맹으로 나뉘었다가 1957년 다시 국제 대학 스포츠 연맹으로 통합됨. *유니버시아드.

국제 도:덕【國際道德】 명 ①나라와 나라 사이에 지켜야 할 도덕. ②한 나라의 국민과 다른 나라 사람의 사이에 지켜야 할 예의나 도덕.

국제 도:량형국【國際度量衡局】 명 〔International Bureau of Standards〕 미터 협약(meter 協約)에 의해 파리 교외 세브르(Sévres)에 설치된 국제 기관. 국제 도량형 위원회의 지휘 감독을 받으며, 국제 원기(原器)의 보관·비교 측정(比較測定), 각국에서 사용되는 원기와 국제 원기와의 비교, 물리 상수(物理常數)의 측정 등을 행함. 정식 명칭은 도량형 만국 중앙국.

국제 도:량형 위원회【國際度量衡委員會】 명 미터 협약(meter 協約)에 의한 협약 시행의 이사 기관(理事機關). 협약 가맹국의 도량형에 관한 학자들로 구성되며, 임무는 국제 도량형국의 지휘·감독, 도량형에 관한 가맹국의 공동 사업의 감독, 도량형에 관한 전문가의 공동 작업(共同作業)의 조직과 통합 등임. 정식 명칭은 도량형 만국 위원회(度量衡萬國委員會).

국제 도:로 연맹【國際道路聯盟】 명 〔International Road Federation〕 도로나 또는 도로 수송의 발전과 개량의 촉진을 목적으로 하여 1948년에 설립된 국제 기관. 비영리(非營利) 단체로, 도로와 교통 관계 기술자의 교육, 공학 기술에 관한 국제적 교류 등을 도모함. 약칭:아이 아르 에프(IRF).

국제 도서관 협회 연맹【國際圖書館協會聯盟】 명 〔International Federation of Library Associations〕 각국의 도서관 협회의 연합체. 1929년 창설. 본부는 영국의 세븐오크스(Sevenoaks)에 있음.

국제 도시【國際都市】 명 ①세계적인 대도시. ②세계 각국에 잘 알려져 있는 도시. ③많은 외국인이 거주하고 있는 도시.

국제 도큐먼테이션 연맹【國際一聯盟】 [一년一] 명 〔프 Fédération Internationale de documentation〕 국제 십진 분류법(十進分類法)의 출판에 관한 기관으로, 1895년 브뤼셀에서 설립된 국제 서지(書誌) 학회가 그 전신(前身)임. 본부는 헤이그(Hague).

국제 독점 자본【國際獨占資本】 명 《경》 국제적 규모로 생산과 판매 부문에 지배망(支配網)을 펴고 있는 독점 자본. 20세기 이후에 결성된, 원료나 공업 제품의 시장 통제(市場統制)를 지향하는 국제 카르텔과 석유·전기·철강·화학 제품 등에 형성되어 있는 국제 트러스트 등이 그 대표적인 것임.

국제 로:터리【國際一】 명 〔Rotary International〕 로터리 클럽의 국제 조직. 1912년 창설 당시는 국제 로터리 클럽(The International Association of Rotary Clubs)이었다가 1922년 이 이름으로 바뀜. 본부는 미국 일리노이 주 에번스턴(Evanston)임. 우리 나라에서는 1927년에 서울로터리 클럽이 처음으로 가입하였음. *로터리 클럽.

국제 면화 자문 위원회【國際棉花諮問委員會】 명 〔International Cotton Advisory Council; ICAC〕 면화의 가격 안정·수급 조절·정보 교환을 위해 설립된 국제 기구의 하나. 1939년 9월에 면화 수출 12개국의 면화 생산 조정에 관한 결의에 의하여 설립됨. 한국은 1954년에 가입. 본부는 워싱턴.

국제 무:대【國際舞臺】 명 국제적으로 활동하는 국면(局面). *세계 무대(世界舞臺).

국제 무선 전:보【國際無線電報】 명 한 나라와 항행 중의 외국 선박(船舶)이나 항공기와의 사이에 발착(發着)되는 전보. *국제 전보·국제 사진 전보.

국제 무선 전:신 조약【國際無線電信條約】 명 선박(船舶) 상호간 및 선박과 해안(海岸) 무전국간의 무선 교환에 관한 국제 조약. 1906년 베를

린에서 처음 조약 체결, 이후 여러 차례 새로운 조약 체결이 있었으며, 1932년에 국제 전기 통신 조약에 흡수(吸收) 통합됨.

국제 무선 통신 자문 위원회【國際無線通信諮問委員會】 명 〔프 Comité Consultatif International des Radiocommunications; CCIR〕 국제 전기 통신 연합의 상설(常設) 기관의 하나. 국제 전기 통신 조약에 의거하여 무선 통신에 관한 기술상·운용상의 문제 해결을 위해 연구를 행하고 의견을 교환하는 일을 임무로 함. 각국 주무 관청(主務官廳) 및 사기업(私企業) 등의 대표로 구성되며, 보통 2년마다 총회(總會)가 개최됨.

국제 무:역【國際貿易】 명 〖경〗 다수의 국가나 국민 사이에 행하여지는 무역. 대외(對外) 무역. 외국(外國) 무역.

국제 무:역 기구【國際貿易機構】 명 〔International Trade Organization〕 국제 무역 헌장(憲章)에 의거하여, 설립 예정인 국제 무역의 촉진 기관. 국제 무역 상의 장벽(障壁) 제거, 각국 간의 통상 협정(通商協定)의 촉진 등을 목적(目的)으로 하나, 아직 발족하지 아니함. 약칭:아이 티 오(ITO).

국제 무:역 헌:장【國際貿易憲章】 명 〔International Trade Charter〕 1948년 국제 무역 회의에서 채택된 헌장. 자유 통상(通商)을 원칙으로 삼고 세계 경제의 확대(擴大)·균형(均衡)을 목적으로 함. 아바나(Havana) 헌장.

국제 문:제【國際問題】 명 나라와 나라 사이에 일어나는 정치·경제·군사·영토·문화 등에 관한 문제.

국제 미곡 위원회【國際米穀委員會】 명 〔International Rice Commission〕 유엔 식량 농업 기구의 하부 기관으로, 주로 미곡·잡곡의 증산을 도모하기 위해, 농업 기술의 교류를 목적으로 하는 위원회.

국제 미작 연:구소【國際米作硏究所】 [―년―] 명 〖농〗 동남 아시아에서의 쌀 증산 기술 개발 연구와 기술자 훈련을 목적으로 하는 연구소. 1962년에 미국의 록펠러 재단과 포드 재단 및 필리핀 정부의 삼자 협약으로, 필리핀의 마닐라 남방 40마일의 라구나 성(省) 바노스 읍(邑)에 설립됨. 우리 나라는 1968년에 농촌 진흥청이 이 연구소와 기술 협약을 체결, 통일(統一)·유신(維新)·밀양(密陽) 23호·노풍(魯豐) 등 품종 개량을 이룩함.

국제 민간 항:공 기구【國際民間航空機構】 명 〔International Civil Aviation Organization〕 유엔 전문(專門) 기관의 하나. 국제 민간 항공의 안전 유지와 항공로·공항·항공 보안 시설의 발달 등을 촉진할 목적으로 국제 민간 항공 협정에 의하여 1947년에 정식으로 발족하였는데, 우리 나라는 1952년 12월에 가입하였음. 본부는 캐나다의 몬트리올에 있음. 약칭: 아이 시 에이 오(ICAO)·이카오.

국제 민간 항:공 협정【國際民間航空協定】 명 〔International Civil Aviation Arrangement〕 국제 민간 항공의 안전하고 정연(整然)한 발전과 국제 민간 항공 수송 업무의 기회 균등 원칙에 입각한 국제 항공 운송 업무의 확립과 건전하고 경제적인 운영을 목적으로 1944년 시카고에서 52개국이 협의 작성한 협정.

국제 민법【國際民法】 [―뻡] 명 〖법〗 국제 사법(私法) 중, 민사(民事)에 관한 사항을 규정한 법률. 곧, 국제 상법(商法)을 제외한 법률.

국제 박물관 회:의【國際博物館會議】 [―/―이] 명 〔International Council of Museums; ICOM〕 유네스코의 협력 기관으로서, 박물관을 통하여 교육·학술·문화의 국제 협력을 촉진하는 국제 기구(機構). 1946년 11월, 유네스코 제1회 총회 개최에 앞선 회의에서 창립되었음.

국제 방:사선 방호 위원회【國際放射線防護委員會】 명 〔International Commission on Radiological Protection; ICRP〕 1928년 국제 방사선학 회의의 위탁에 의하여 만들어진 기관. 방사선 방호에 관한 최신 데이터·정보를 기초로 하여 방사선 방호 기준을 작성, 세계 각국 및 국제 원자력 기구 등 국제 기구에 통보하고 있음.

국제 방:송【國際放送】 명 타국(他國)에서 수신(受信)될 것을 목적으로 하여 행하는 방송. 또, 나라와 나라 사이에 각각 프로그램을 서로 교환하여 방송하는 일. 국제 협정에 의하여 5950-21750kHz의 주파수대(周波數帶)가 할당됨. 해외(海外) 방송.

국제 범:죄【國際犯罪】 명 〖법〗 ①국제 관습법상, 세계 만민에 대한 범죄. 이를 발견한 나라는 누구나 처벌할 수 있는 해적(海賊) 행위 같은 것. ②문명 국가의 공통 이해에 위배(違背)되는 사항으로서 부녀 매매(婦女賣買)·노예 매매·마약(痲藥) 거래와 같은 것. 조약에 의하여 공동으로 그 방지·진압에 노력함. ③국제 사회의 질서를 파괴하는 범죄. 침략 전쟁에 관한 범죄나 인류 대량 학살 범죄 같은 것. ④여러 국가에 걸쳐서 행하여진 사기·절도 등의 보통 범죄.

국제-법【國際法】 [―뻡] 명 〖법〗 공존(共存)·공영(共榮)의 생활을 도모하기 위하여 국가간의 합의에 따라 국가간의 관계를 규정하는 국제 사회의 법률. 조약(條約)·국제 관습(慣習)에 의하여 성립함. 외교관의 특권, 조약의 일반적 효력, 국제 분쟁의 평화적 해결에 관한 문제를 취급하는 평시(平時) 국제법과 전시(戰時)의 국제 관계를 규정하는 전시 국제법이 있음. 국제법을 국제 공법(公法)과 국제 사법(私法)으로 구분하여 설명하는 학설도 있음. 만국 공법(萬國公法). 국제 공법(國際公法). ↔국내법(國內法).

국제법 단체【國際法團體】 [―뻡―] 명 〖법〗 국제법의 적용을 받는 여러 국가의 총체. 원래는 기독교국만 일컬었으나 오늘날 그 범위는 세계적으로 확대되고 있음.

국제법 상:위설【國際法上位說】 [―뻡―] 명 〖법〗 국제법과 국내법의 관계에 관한 학설의 한 가지. 국제법과 국내법이 서로 타방(他方)을 무시하여 아무 관계 없이 존재하는 것이 아니고, 서로 타방을 예정(豫定)하여 그 존재를 전제로 하여서 결국 두 법이 통일적인 법질서를 구성하고, 그 속에서 국제법은 상위, 국내법은 하위(下位)의 관계에 있다고 하는 학설. 제1차 세계 대전 직후부터 켈젠(Kelsen, Hans)을 중심으로 순수법학파(純粹法學派)에 의하여 구성·주장되었는데, 국제법과 국내법의 관계에 관하여 법이론적으로 가장 철저한 인식과 체계를 갖춘 견해임. 국제법 우위설(優位說). 「說).

국제법 우위설【國際法優位說】 [―뻡―] 명 〖법〗 국제법 상위설(上位

국제법 위원회【國際法委員會】 [―뻡―] 명 〔Commission on International Law〕 국제법의 정비와 법전화(法典化)를 목적으로 하는 유엔 총회 밑의 특별 위원회. 1947년 설치됨. 임기 5년의 전문가 25명으로 구성됨.

국제 법전 편찬【國際法典編纂】 명 〖법〗 국제 관행(慣行)이나 조약(條約)에 의하여 성립되는 국제법을 한층 더 밝고 확실한 권위(權威)가 있게 법전으로 편찬·통일하는 일. 1930년 헤이그에서 이를 위하여 47개국이 참가한 국제 회의가 열리었음.

국제법-주의【國際法主義】 [―뻡―/―뻡―이] 명 〔internationalism〕 〖법〗 국제 사법(私法)의 본질을 국제법이라고 보는 견해. 곧, 국제 사법은 국가간의 관계를 규율하는 법칙이라고 하는 입장임. ↔국내법(國內法)주의.

국제법 학회【國際法學會】 [―뻡―] 명 국제법의 연구와 보급을 목적으로 전세계의 저명한 국제법 학자로 구성된 학회. 1837년에 벨기에의 헨트(Gent)에서 창립되었음. 1904년 노벨 평화상을 수상함. 본부를 벨기에에 둠.

국제법 협회【國際法協會】 [―뻡―] 명 〔International Law Association〕 국제법 연구의 세계적 협회. 1873년에 창립. 본부는 런던.

국제 변:호사 협회【國際辯護士協會】 명 〔International Bar Association; IBA〕 1947년 2월, 뉴욕에서 창립된 세계 각국 변호사 협회의 연합체. 각국 법률가들 사이에 우호 관계를 유지하며 법학의 발전을 꾀하고, 법적 국면(法的局面)에서 국제 연합의 목적과 원칙을 촉진할 것을 목적으로 함. 한국은 대한 변호사 협회가 1958년 7월 가입함. 본부는 뉴욕.

국제 보:건 기구【國際保健機構】 명 세계 보건 기구(世界保健機構).

국제 보:조어【國際補助語】 명 〖언〗 국제어. 보조어. 「회의.

국제 보:험학 회:의【國際保險學會議】 [―/―이] 명 국제 액추어리

국제 보:호 동:물【國際保護動物】 명 〔international protected animals〕 국제 자연 보호 연합(IUCN)이 특별히 보호하지 않으면 절멸(絶滅)할 염려가 있다고 지정한 동물. 범·사자·고릴라·사향노루·나무늘보·코뿔소·오랑우탄·신천옹(信天翁)·따오기 따위.

국제 보:호조【國際保護鳥】 명 국제 조류 보호 회의가 절멸(絶滅)할 염려가 있어 특별히 보호할 필요가 있다고 지정한 13종(種)의 조류. 신천옹(信天翁)·따오기 따위.

국제 복본위 제:도【國際複本位制度】 명 〖경〗 금은(金銀) 복본위 제도를 채용하는 나라가 많아져 그것이 세계 무역의 결제(決濟)에 큰 역할을 하게 되는 경우의 복본위 제도. 1865년 프랑스·벨기에·이탈리아·스위스간에 체결된 라틴(Latin) 화폐 동맹은 여러 나라가 이의 영향을 받거나 가맹(加盟)하거나 하여 19세기 후반은 영국을 제외하면 국제 복본위 제도의 시대였다고 할 수 있음.

국제 볼트【國際―】 명 〔international volt〕 전위차(電位差) 또는 기전력의 국제 단위. 20°C에서 웨스턴 전지(Weston 電池)의 기전력(起電力)의 1/1.01858과 같으며, 1 국제 볼트는 1.00034V임.

국제 부:흥 개발 은행【國際復興開發銀行】 명 〔International Bank for Reconstruction and Development〕 〖경〗 제2차 대전 후의 경제 부흥과 개발 도상국의 개발을 위하여 장기(長期) 자금의 제공을 목적으로 한 국제 은행. 1944년의 브레튼우즈 협정(Bretton Woods 協定)에 의거하여, 동 협정 가맹 제국의 출자(出資)로 설립됨. 1946년 6월부터 영업을 개시한 바 공칭(公稱) 자본금은 100억 달러임. 소재지 워싱턴. 우리 나라는 1955년 8월에 가입함. 세계 은행(世界銀行). 약칭:아이 비 아르 디(IBRD). *국제 통화 기금(國際通貨基金).

국제 분업【國際分業】 명 〖경〗 국제적으로 행하여지는 산업상의 분업. 생산의 능력이나 적성(適性)이 서로 다른 각국 사이에 그것을 유효하게 이용하고 타국보다 싼 상품을 생산하기 위하여 행하여지며 이것이 국제 무역의 계기가 됨. *수직적 국제 분업·수평적 국제 분업.

국제 분쟁【國際紛爭】 명 〖정〗 나라와 나라 사이에 특정 문제에 관하여 뜻이 서로 충돌되어 일어나는 분쟁.

국제 비엔날레 전:람회【國際―展覽會】 [―절―] 명 〔이 Esposizione Biennale Internazionale d'Arte〕 〖미술〗 2년마다 이탈리아 베니스에서 열리는 대규모의 국제 미술 전람회. 이탈리아 및 외국 예술가의 작품을 전시하며 수상상(首相賞)·베니스 시상(市賞) 등의 상이 있음. 베니스 비엔날레. *비엔날레.

국제 사격 연맹【國際射擊聯盟】 [―년―] 명 〔Union International de Tir〕 라이플 사격·클레이 사격을 통할하는 국제 기구. 1907년에 창설되어, 독일의 뮌헨(München)에 본부를 둠. 4년마다 세계 선수권 대회를 개최함. 1989년 현재 117개국이 가맹하고 있으며, 우리 나라는 1956년에 가입함. 약칭:위 이 테(UIT).

국제 사:관 학교【國際士官學校】 명 〖기독교〗 만국(萬國) 사관 학교.

국제 사:면 위원회【國際赦免委員會】 명 '앰네스티 인터내셔널(Amnesty International)'의 역어(譯語).

국제 사법【國際私法】 [―뻡] 명 〖법〗 자국(自國)의 사법(私法)과 외국의 사법과의 적용(適用) 범위를 규정하는 법. 각국의 사법(私法)의 상위(相違)에 의하여 생기는 법률의 저촉(抵觸)을 해결하고 각종의 법률 관계에 대하여 그 준거법을 지정함. 국제적 사법. 섭외 사법(涉外私法). ↔국제 공법(公法).

국제 사법 재판【國際司法裁判】 명 국제법에 의해서 하는 국제 사법 재

판소의 재판. 그 판정(判定)은 분쟁 당사국을 구속할 수 있음. *국제 중재(仲裁) 재판.

국제 사법 재판소【國際司法裁判所】 명 〖법〗 〔International Court of Justice〕 국제 연합의 주요 기관의 하나. 조약(條約)의 해석, 국제 의무 위반의 사실 여부, 위반에 의한 배상(賠償) 등 국제적 법률 분쟁(紛爭)의 해결을 도모하는 상설(常設) 재판소. 네덜란드의 헤이그에 있음. 약칭 : 아이 시 제이(ICJ).

국제 사법 재판소 규정【國際司法裁判所規程】 명 〖법〗 국제 사법 재판소의 구성·절차·관할 등에 관한 규정.

국제 사진 전:보【國際寫眞電報】 명 국제간에 사진·도면(圖面)·문자 등을 그대로 송수(送受)하는 전보. *국제 전보·국제 무선 전보.

국제 사회【國際社會】 명 여러 나라로써 이루어지는 사회. 다수의 국가가 상호 교통과 상호 의존(依存)으로 국제적 공동 생활을 영위하는 사회. *국제 단체(團體).

국제 사회 보:장 협회【國際社會保障協會】 명 사회 보장 제도를 관장하는 약 230개의 각국 민간 단체·정부 기관 등을 회원으로 하는 국제 기관으로, 국제 노동 기관의 외곽 단체임. 1927년 설립. 본부는 스위스의 로잔(Lausanne).

국제 사회 사:업단【國際社會事業團】 명 국제 관계에서 생기는 가족 문제를 해결하기 위한 유엔 경제 사회 이사회의 자문 기관. 약칭 : 아이 에스 에스(ISS).

국제 사회주의자 회:의 위원회【國際社會主義者會議委員會】 [—/—이—이—] 명 〖정〗 코미스코(COMISCO).

국제 상공 회:의소【國際商工會議所】 [—/—이—] 명 국제 상업(商業) 회의소.

국제 상법【國際商法】 [—뻡] 명 〖법〗 상업에 관한 국제 사법(國際私法). 곧, 상법상의 법률 관계를 지정하는 법률. 국제 해상법(海上法)·국제 어음법 등.

국제 상사 중재【國際商事仲裁】 명 〖경〗 국제적인 상거래에서 일어난 분쟁을 소송에 의하지 않고 당사자가 선정한 중재인의 재정(裁定)으로 해결하는 제도. 우리 나라에서는 대한 상사 중재원(大韓商社仲裁院)에서 이러한 기능을 수행하고 있음.

국제 상업 회:의소【國際商業會議所】 [—/—이—] 명 〔International Chamber of Commerce〕 국제 통상 관계의 원만한 발달을 도모하고 국제간의 중요한 경제 문제를 심의하며, 상업에 관한 분쟁의 중재(仲裁)·화해(和解)를 행할 목적으로 1920년 파리에 설치된 경제적 단체. 우리 나라는 1951년 6월에 가입함. 국제 상공(商工) 회의소. 약칭 : 아이 시 시(ICC).

국제 상품【國際商品】 명 〖경〗 세계 시장 거래의 대상이 되는 상품. ↔ 국내 상품(國內商品).

국제 상품 협정【國際商品協定】 명 〔International Commodity Agreements〕 〖경〗 여러 가지 1차 산품(産品)의 국제적 수급(需給) 조정과 가격 안정을 목적으로 하여, 그 수출국 및 수입국의 정부가 맺는 협정. 현재, 소맥·설탕·주석·커피·올리브유·코코아에 대하여 성립되어 있음. 협정 내용은 완충 재고 방식(緩衝在庫方式)이나 수출 할당(割當) 방식 등을 채택하며 일정 기간마다 갱신됨.

국제-색【國際色】 명 많은 나라의 사람들과 풍물(風物)이 뒤섞이어 자아내는 정서(情緖)·분위기. ¶ ~이 짙은 도시.

국제 석유 자본【國際石油資本】 명 〔International oil majors〕 〖경〗 석유 산업의 채굴·수송·정제·판매 등 모든 단계를 지배하고 있는 국제 석유 트러스트. 미국계(系)의 엑슨·텍사코·걸프·모빌·스탠더드 캘리포니아, 영국계의 브리티시 페트롤리엄, 영국·네덜란드계의 로열 더치 셸 및 프랑스계의 프랑스 석유의 8대 국제 석유 회사를 이름.

국제 석유 카르텔【國際石油—】 〔도 Kartell〕 명 형식적으로는 스탠더드 뉴저지 석유·로열 더치 셸·앵글로 퍼션(현 브리티시 석유)의 3사(社)에 의한 1928년의 세계 시장에 있어서의 현상 유지 협정, 곧 옛 터키 제국(帝國)내의 석유 자원 공동 개발 협정을 일컬어 왔으나, 실질적으로는 이 협정을 기초로 한 모빌텍사코·걸프 및 스탠더드 캘리포니아를 포함한 소위 7대 국제 석유 자본의 세계 시장 지배 체제(體制)를 말함.

국제-선【國際線】 명 국제 통신·교통에 이용되는 각종의 선(線). ¶ 대한 항공의 ~. ↔국내선(國內線).

국제 선박 신:호【國際船舶信號】 명 바다에서의 선박끼리, 또는 선박과 육상 사이에 쓰이는 국제 공통 신호. 수기(手旗)·섬광·음향 등을 이용함.

국제 설탕 이:사회【國際雪糖理事會】 명 〔International Sugar Council; ISC〕 국제간의 설탕 가격의 안정과 수급 조절(需給調節)을 위해 1954년 1월에 발효한 국제 설탕 협정에 의해서 설치된 기관. 1년에 약 2회 이상 회합하여 세계적인 수요 공급의 균형에 따른 가격의 협정과 추정 수출량을 가맹 수출국에 할당함. 가맹국은 수출국 34, 수입국 12. 소재지는 런던.

국제 설탕 협정【國際雪糖協定】 명 1953년 8월에, 런던에서 세계 설탕 생산국과 소비국 24개국이 협의 결정한 설탕의 가격 안정과 수급 조절을 목적으로 하는 국제 상품 협정. 우리 나라는 1969년에 가입함.

국제 섬유 협약【國際纖維協約】 명 〖경〗 섬유 무역의 질서 있는 발전과 수출입 시장에서의 교란(攪亂) 요인 제거를 목적으로, 1974년 9월 가트(GATT)에서 합의된 섬유 제품의 국제 무역에 관한 협약.

국제-성【國際性】 [—썽] 명 국제적인 성질.

국제 소:맥 이:사회【國際小麥理事會】 명 〔International Wheat Council; IWC〕 1949년 국제 소맥 협정에 따라 설립된 국제 상품 기관. 국제 소맥 가격의 안정을 통하여 수출입국 쌍방의 이익을 도모함. 본부는 런던. 우리 나라는 1953년에 가입함.

국제 소:맥 협정【國際小麥協定】 명 1949년, 미국에서 열린 국제 소맥 회의에서 농업 공황에 대비할 목적으로 소맥의 수출량·가격 등을 결의한 국제 협정. 1968년 7월 1일 국제 곡물 협정으로 대체됨.

국제 소비자 동맹【國際消費者同盟】 명 〔International Organization of Consumers Unions〕 소비자의 이익을 지키기 위하여 상품을 시험하고, 그 결과 등의 정보 교환을 목적으로 1960년 설립된 소비자 단체의 국제 조직. 본부는 네덜란드의 헤이그. 1995년 국제 소비자 기구(Consumers International ; CI)로 이름을 바꿈. 약칭 : 아이 오 시 유(I.O.C.U.).

국제 솔베이 물리학 화학 협회【國際—物理學化學協會】 명 〔프 Institut International de Physique (Chimie) Solvay〕 물리학·화학의 연구를 장려할 목적으로 벨기에의 공업가이자 응용 화학자인 솔베이(Solvay, M.E.)가 1911년에 창립한 국제적 과학 연구 장려 기관. 세계적인 물리학자·화학자를 초치하여 중요 과제들을 토의·보고하게 하고, 학지(學誌)를 발행하는 등 많은 업적을 남김.

국제 수로【國際水路】 명 〖지〗 연안(沿岸)을 여러 나라가 공유(共有)하고 있는 하천(河川)·운하(運河)·해협(海峽) 등의 수로(水路). 다뉴브 강·파나마 운하·다르다넬스 해협 (Dardanelles 海峽) 같은 것.

국제 수지【國際收支】 명 〖경〗 한 나라의 국제 거래로부터 생긴 외국에의 지급(支給)과 외국으로부터의 수입(受入)과의 화폐 계정(貨幣計定)을 일정 기간에 걸쳐서 집계(集計)한 총체(總體). 거래의 형태에 따라 경상(經常) 계정과 자본(資本) 계정으로 대별(大別)되며, 전자(前者)는 다시 무역 수지와 무역외 수지로 나뉨. *국제 대차(國際貸借).

국제 수지 아이 엠 에프 방식【國際收支—方式】 〔IMF〕 명 일정 기간의 국제 수지를 표시함에 있어서, 국제 통화 기금(IMF)이 정한 방식에 따라 체계적으로 종합 발표하는 형식.

국제 수지 조정 기구【國際收支調整機構】 명 〔Adjustment Mechanism of International Payments〕 국제 수지가 무역상의 변동 또는 그 밖의 사유로 불균형하여질 때 조절하기 위하여 설치된 기구. 트랜스퍼 기구(Transfer 機構).

국제 수:학 올림픽【國際數學—】 명 〔International Mathematical Olympiad〕 세계 각국의 고교생들이 모여서 수학의 실력을 겨루는 대회. 1959년 루마니아에서 제1회 대회가 열렸으며, 각국 6명 이내의 팀으로 참가함. 약칭 : 아이 엠 오(IMO).

국제 수:학자 회:의【國際數學者會議】 [—/—이] 명 〔International Congress of Mathematicians〕 1900년 이후 매 4년마다 열리는 세계 각국 수학자들의 모임. 주요 연구 결과를 발표함.

국제 순수 응:용 물리학 연합【國際純粹應用物理學聯合】 [—년—] 명 〔International Union Pure and Applied Physics; IUPAP〕 1923년 설치된 국제 학술 연합 회의(ICSU)에 속하는, 물리학 전반에 관한 국제적 조직. 물리학에 관계되는 기호 단위 명령법(命令法) 위원회·출판 위원회·물리 교육 위원회 외에 열역학(熱力學)·통계 역학(統計力學)·우주선(宇宙線)·극저온(極低溫) 등 10여 개의 분과 위원회가 있으며, 각 분과 위원회는 2~3년마다 국제 회의를 열며, 총회는 3년마다 엶. 약칭 : 아이 유 피 에이 피(IUPAP).

국제 순수 응:용 화:학 연합【國際純粹應用化學聯合】 [—년—] 명 〔Intenational Union of Pure and Applied Chemistry; IUPAC〕 1919년 조직된, 화학 및 응용 화학에 관한 국제적 기관. 국제 학술 연합 회의에 속하며 원소의 원자량·유기 및 무기 화학물의 명명법(法)·표준적인 실험법 등에 관한 국제 위원회를 가짐. 3년마다 총회를 열어 보고(報告)·협의를 함. 약칭 : 아이 유 피 에이 시(IUPAC).

국제 스포:츠 연맹【國際—聯盟】 명 〔International Sports Federation〕 국제 올림픽 위원회에서 승인된 스포츠별 국제 조직. 각국이 각 경기마다 가맹(加盟)하며, 여기에 가맹하지 않으면 올림픽이나 각종 국제 경기 대회에 참가할 수 없음. 국제 육상 경기 연맹·국제 스키 연맹 등 1992년 현재 31개 단체가 있음. 약칭 : 아이 에스 에프(ISF).

국제 시:장【國際市場】 명 〖경〗 ①국제적 상품의 수요와 공급이 집중(集中)하는 시장. ②여러 경제 주체(主體)가 세계인으로서 서로 대립하는 시장 관계. 세계(世界) 시장. ↔국내(國內) 시장. 「농업 기구.

국제 식량 농업 기구【國際食糧農業機構】 [—냥—] 명 국제 연합 식량

국제식 배구【國際式排球】 명 극동식(極東式)이라고 하는 9인제 배구에 대하여 6인제 배구를 일컫는 말.

국제 신문【國際新聞】 명 부산에서 발간되었던 지방(地方) 일간 신문. 1947년 9월 '산업 신문'으로 창간되어, 1980년 11월 25일 언론사 통폐합 조치로 폐간되었다가, 89년 2월 1일 복간됨.

국제 신문 발행인 협회【國際新聞發行人協會】 명 〔프 Fédération Internationale des Editeurs de Journaux et Publications; FIEJ〕 국제적 분야에서 신문이 요구할 수 있는 필요 사항을 연구·실현하며, 신문의 이익을 옹호하고, 신문 제작에 필요한 통계 그 밖의 자료의 작성·발표·보관 및 다른 모든 신문 관계 국제 단체와 협력하는 일 등을 목표로 1948년 파리에서 설립된 단체. 각국의 신문 발행인 협회를 구성원으로 함. 우리 나라는 1971년 6월에 가입함.

국제 신문인 협회【國際新聞人協會】 명 〔International Press Institute〕 신문의 자유를 지키고 뉴스의 자유로운 교류를 촉진하며, 신문 편집의 실무를 개선함을 목표로 1951년에 설립된 국제 단체. 매년 한 번씩 대회를 여는데, 신문의 자유가 인정되어 있는 나라의 신문 편집 책임자라야 정회원의 자격이 있음. 한국은 1960년 12월에 가입했음. 본부는 스위스의 취리히(Zürich)에 있음. 국제 신문 편집자(編輯者) 협회. 약칭 : 아이 피 아이(IPI). 「협회.

국제 신문 편집자 협회【國際新聞編輯者協會】 명 국제 신문인(新聞人)

국제 신:탁 통:치 제:도【國際信託統治制度】 명 〖정〗 국제 평화·안전

의 증진, 주민의 정치적·경제적·사회적·교육적 진보의 촉진, 자치(自治) 또는 독립의 달성 등을 위하여 국제 연합의 신탁을 받아 연합국이 일정한 영토를 통치하는 제도.

국제 신:호기【國際信號旗】명 국제 통신서(通信書)의 규정에 의해 교 「신하는 신호기.

국제 실용 온도 눈금【國際實用溫度—】[—끔] 명 〔international practical temperature scale〕 국제 도량형 총회에서 승인된 실용 온도 눈금. 1927년 총회에서 채택된 후 1968년에 대폭 개정되어, IPTS-68로 약기(略記)함. 온도의 표시는 국제 실용 켈빈 온도 T_{68}과 국제 실용 셀시우스 온도 t_{68}의 두 종이며, 단위 기호는 K와 C이고, 상호 관계는 $t_{68}=T_{68}-273.15$ K임. 이 눈금을 정의하기 위한 표준 온도계는 평형 수소의 삼중점(三重點) 13.81 K, 25/76 기압에서의 끓는점 17.042 K, 1 기압에서의 끓는점 20.28 K, 네온(neon)의 1 기압에서의 끓는점 27.102 K, 산소의 삼중점 54.361 K, 1 기압에서의 끓는점 90.188 K, 물의 삼중점 273.16 K, 1 기압에서의 끓는점 373.15 K, 1 기압에서의 세 응고점(點), 즉 아연(亞鉛) 692.73 K, 은(銀) 1235.08 K, 금(金) 1337.58 K의 정의 정점(定義定點)으로 교정됨. 표준 온도계로는 백금(白金)의 순도가 높은 백금 저항 온도계(白金抵抗溫度計)를 씀.

국제 심:사【國際審査】명 〖정〗 국제적인 분쟁 문제를 심사하고 그 문제를 명백히 함. ——하다 타여불

국제 심:사 위원회【國際審査委員會】명 〖정〗〔International Commission of Inquiry〕 1907년 국제 분쟁 평화적 처리 조약에 의하여 설치된 국제 조정 기관. 분쟁의 사실을 심사하고 그것을 명백히 함. 상설적(常設的)이 아니고, 특정의 분쟁 해결을 위하여 당사국간에 설정됨.

국제 암페어【國際—】명 〔international ampere〕〖전〗 전류(電流)의 국제 단위. 전해액(電解液)으로서 15%의 질산은 용액(窒酸銀溶液)을 사용할 경우, 은(銀)의 양극(陽極)에 1초 동안에 0.001118 g의 은을 석출하는 데 필요한 불변 전류를 1국제 암페어라 이름. 1국제 암페어는 약 0.999865 암페어임.

국제 액추어리 회:의【國際—會議】〔actuary〕〔—/—이〕 명 〔프 Congrès International d'Actuaires〕 보험 관계자들이 회합하여 보험 수리(數理)를 연구하는 국제 회의. 이 회의는 당초에 생명 보험 수리에 관한 것만을 다루었으나 오늘날에는 모든 사보험(私保險)·사회 보험·보험 경제·보험 정책까지 다룸. 회의 본부는 브뤼셀. 국제 보험학(保險學) 회의.

국제-어【國際語】명 〖언〗 ①국제적으로 널리 쓰이는 말. 이를테면 영어·프랑스어·스페인어 같은 언어. ②세계어(世界語). 국제 보조어(國際補助語).

국제 어업【國際漁業】명 국제 조약에 의해서 하는 어업.

국제 어업 조약【國際漁業條約】명 〖법〗 공해(公海)에서 고기잡이하는 데 관한 국제 조약. 「외국환(外國換) 어음.

국제 어음【國際—】명 〖경〗 ①두 개 이상의 나라에서 유통되는 어음. ②

국제 에너지 기구【國際—機構】명 〔International Energy Agency; IEA〕 1974년 벨기에의 브뤼셀에서 열린 석유 소비국 조정 그룹 회의의 합의에 따라 같은 해 11월에 발족한 국제적 석유 긴급 융통 계획 기구. 미국·영국·서독·캐나다·일본·스웨덴·오스트레일리아 등 20개국이 가맹(加盟)하여, 석유 비축(備蓄)과 에너지 소비 절감(節減)의 협조를 추진함. 현재는 대체(代替) 에너지 개발에도 주력하고 있음.

국제 에너지 은행【國際—銀行】〔energy〕 명 〖경〗 석유·천연 가스 등의 에너지 자원 개발이나 플랜트 건설에 대한 중장기(中長期) 자금의 대부 및 정보 서비스 등을 목적으로 하는 다국적 투자 은행.

국제 여성의 날【國際女性—】[—/—에—] 명 〖사〗 '여성의 날'로서 국제적으로 정하여진 날. 1904년 3월 8일 뉴욕에서 행하여진 사회주의 여성 동맹의 여성 참정권 요구에서 시작되었음. 1910년 덴마크의 코펜하겐에서 열린 사회주의자 국제 회의 석상에서, 매년 3월 8일을 정치·경제·사회상의 남녀 평등을 달성하기 위한 집회나 데모를 행하는 날로 결정함.

국제 여학사 연맹【國際女學士聯盟】 명 〔International Federation of University Woman; IFUW〕 1919년 런던에 설립된 각국 여학사회의 연합체. 종족·종교·정치적 견해를 초월하여 각국 여학사들 사이에 이해와 우의를 증진하며 권익을 옹호함을 목적으로 함. 우리 나라에서는 1950년 1월 대한 여학사 협회가 창설되고, 1953년 8월에 이 기구에 가입함. 본부는 런던.

국제 연:극의 달【國際演劇—】[—/—에—] 명 국제 연극 협회의 구체적인 활동의 하나로 1년에 한 번씩 참가하는 여러 나라가 행하는 행사.

국제 연:극 협회【國際演劇協會】명 〔International Theatre Institute〕 연극을 통해 국제 이해를 높일 목적으로, 1948년에 창립된 유네스코의 외곽 단체. 본부는 파리. 약칭: 아이 티 아이(I.T.I.).

국제 연맹【國際聯盟】명 〔League of Nations〕 제1차 대전 후, 국제 평화의 유지와 국제 협력의 촉진을 목적으로 한, 주권(主權) 국가들의 국제적 연합체(聯合體). 미국 대통령 윌슨(Wilson)의 제창으로, 베르사유 조약에 따라 1920년에 스위스 제네바에 설치됨. 주요 기관으로 총회·이사회·사무국, 방계 기관으로 국제 사법 재판소·국제 노동 기구 등이 있었음. 국제 분쟁의 평화적 처리에 크게 공헌하였으나 탈퇴국(脫退國)이 속출하여 1946년에 정식으로 해체됨. ＊국제 연합.

국제 연합【國際聯合】명 〔United Nations〕 제2차 세계 대전 후, 평화와 안전의 유지(維持), 국제 우호(友好) 관계의 촉진, 경제적·사회적·문화적·인도적 문제에 관한 국제 협력(協力)을 달성하기 위하여 설립된 국제 평화 기구(機構). 국제 연맹의 정신을 계승하고 그것을 더욱 강화한 조직체로서 1945년 10월 24일에 정식으로 성립되었음. 주요 기관으로서, 총회·안전 보장 이사회·경제 사회 이사회·신탁 통치 이사회·국제 사법 재판소 및 사무국(事務局)이 있음. 1991년 9월 18일 남·북한이 동시에 국제 연합에 가입하였으며, 1992년 현재 가맹국 수는 179개국으로, 본부는 뉴욕에 있음. 약칭: 유엔(UN). 준국련(國聯).

국제 연합 개발 계:획【國際聯合開發計劃】명 〔United Nations Development Program; UNDP〕 1949년에 설립된 기술 원조 확대 계획과 1958년에 설립된 국제 연합 특별 기금이 통합하여 1966년 1월에 발족한 국제 연합 총회의 특별 기구. 발전 도상국의 경제 개발, 기술 원조, 특히 저소득국(低所得國)의 자본 투하 촉진을 위한 투자 등 원조 계획을 입안(立案) 실시함. 관리 이사회는 48개국으로 구성하고, 자금은 각 가맹국의 자발적 갹출금으로 충당함. 본부는 뉴욕.

국제 연합 경제 사회 이:사회【國際聯合經濟社會理事會】 명 경제 사회 이사회.

국제 연합 경:찰군【國際聯合警察軍】명 유엔(UN) 경찰군.

국제 연합 공업 개발 기구【國際聯合工業開發機構】 명 〔United Nations Industrial Development Organization; UNIDO〕 발전 도상국의 공업화 촉진을 위한, 국제 연합 총회의 상설 기구. 종래의 국제 연합 공업 개발 센터를 계승하여, 1966년 11월에 발족함. 발전 도상국의 공업화 촉진을 목적으로 제조 부문을 중심으로 한 기술 원조, 공업화에 관한 조사 연구, 심포지움의 개최 등을 행함. 전체 UN 가맹국이 참가하고, 45개국이 이사회를 구성하며, 매년 1회 회의를 엶. 본부는 빈.

국제 연합 공채【國際聯合公債】명 국제 연합의 적자 재정의 해소를 목적으로 제16회 국제 연합 총회에서 결정된 공채. 총액 2억 달러, 이율 2%, 25년간 상환으로, 인수 주체는 국제 연합과 그 전문 기구에 들어 있는 나라의 정부 또는 그 공기관으로 되어 있음.

국제 연합 교:육 과학 문화 기구【國際聯合敎育科學文化機構】명 유네스코(UNESCO). 「(UNRRA).

국제 연합 구:제 부:흥 사:업국【國際聯合救濟復興事業局】 명 운라

국제 연합군【國際聯合軍】명 평화에의 위협·파괴·침략 행위 등에 대한 비군사적(非軍事的) 조치가 부적당한 경우에 국제 연합이 국제적 평화와 안전을 유지·회복하기 위하여 사용하는 군대. 안전 보장 이사회의 요구에 의하여, 또 특별 협정에 따라서 국제 연합의 가맹국으로부터 제공되는데, 상설적(常設的)인 것은 없고, 그 사용 계획은 안전 보장 이사회가 작성함. 1950년 7월 한국 전란에 즈음하여 처음으로 행동하였음. 강제 조치를 수반하지 아니하는 것으로는 2차에 걸쳐 중동(中東)에 파견된 국제 연합 긴급군, 서(西)이리안에 대한 유엔의 잠정적 통치의 일환으로서의 역할을 한 유엔 평화군(平和軍), 키프러스의 치안 유지를 위해 파견된 유엔 평화 유지군(平和維持軍), 이스라엘과 레바논 국경 지대에 파견된 유엔 병력 분리 감시군(兵力分離監視軍), 남부 레바논에 파견된 유엔 잠정군(暫定軍) 등이 있음. 유엔군(UN軍). 준국련군. ＊국제 경찰군(警察軍).

국제 연합군 대:여금【國際聯合軍貸與金】명 〖경〗 유엔군 대여금.

국제 연합군 묘:지【國際聯合軍墓地】명 유엔(UN) 묘지.

국제 연합 군축 위원회【國際聯合軍縮委員會】 명 군비 축소 추진을 목적으로 한, 국제 연합 안전 보장 이사회의 보조 기관. 1952년 원자력 위원회와 통상 군비 위원회를 통합하여 창설됨. 소련과 미국·서방 국가들의 의견 불일치로 실질적 토의는 행하여지지 아니하여, 총회는 1958년 10개국 군축 위원회, 1961년 18개국 군축 위원회를 설치한 바, 회의 참가국이 늘어 군축 위원회 회의로 개칭하였음. 그 동안 부분 핵 금지 조약·핵확산 방지 조약·환경 파괴 금지 조약 등을 채택하였으나 프랑스의 불참으로 소기의 성과를 못 올렸으며, 1979년 미국·영국·소련·프랑스·중공의 5개 핵 보유국과 35개 비핵국으로 구성된 신(新)제네바 군축 회의를 다시 열고 핵실험 금지·화학 병기 금지에 관한 토론을 가졌음.

국제 연합기【國際聯合旗】명 국제 연합을 상징하는 기. 북극을 중심으로 한 세계 지도를 올리브나무 가지로 둘러싼 기장(旗章)을 청색 바탕에 흰빛으로 나타냄. 1947년에 제정되었음. 유엔기(UN旗). 준국련기.

〈국제 연합기〉

국제 연합 기술 원:조처【國際聯合技術援助處】 명 〔United Nations Technical Assistance Board; UNTAB〕 개발 도상국에 기술 원조를 제공하기 위한 국제 연합 기구. 제4회 국제 연합 총회에서 그 설치안이 가결되어 기술 원조 위원회와 함께 설치. 국제 연합의 저개발 지역에 대한 개발 원조는 이 기관이 중심이 되어 실시함. 유엔(UN) 기술 원조처.

국제 연합 기술 원:조 확대 계:획【國際聯合技術援助擴大計劃】 명 〔United Nations Expanded Program of Technical Assistance: UNEPTA〕 1949년 1월, 미국의 트루만 대통령의 대(對) 발전 도상국 개발 원조 계획의 일부로서 국제 연합에 제출되어, 동년 8월 경제 사회 이사회에 의하여 경제 개발 기술 원조 확대 계획으로 채택된 계획. 광범위한 기술 원조를 제공하는 바, 인도의 종합 하천 개발, 라틴 아메리카 제국의 수력 개발 등이 그 예임.

국제 연합 긴급군【國際聯合緊急軍】명 〔United Nations Emergency Forces; UNEF〕 전투를 목적으로 하지 아니하고 분쟁 지역의 치안 유지·정전(停戰)의 감시 등 국한된 임무를 수행할 목적을 갖는 국제 연합군. 2차에 걸쳐 이스라엘과 이집트 국경 지대에 파견됨.

국제 연합 난민 고등 판무관 사:무소【國際聯合難民高等辦務官事務所】〔United Nations High Commissioners Office for Refugees; UNHCR〕 명 국제 연합 경제 사회 이사회의 특별 기관. 1952년 설립. 100만을 넘는 아프리카 난민(難民)을 비롯한 세계 각지의 난민을 대상으로 하여, 그들의 재정주(再定住)·생활 보호 및 구제(救濟)를 목적으로 함. 본부는 제네바. 1954년 노벨 평화상 수상.

국제 연합 대:기군【國際聯合待機軍】 명 국제 연합 가맹국의 군대 안에, 국제 연합의 요청에 따라서 언제든지 제공할 수 있도록, 자발적으로 대기시키어 두는, 특별한 훈련과 수송·보급의 수단을 갖춘 특정된 부대.

국제 연합 무:역 개발 이:사회【國際聯合貿易開發理事會】 명 〔United Nations Trade and Development Board; UNTDB〕 국제 연합 무역 개발 회의의 상설 집행 기관. 아시아·아프리카 29, 라틴 아메리카 11, 선진국 21, 공산권 7의 68개국으로 구성, 적어도 1년에 2회 이 사회를 엶. 사무국은 제네바.

국제 연합 무:역 개발 회:의【國際聯合貿易開發會議】 [ㅡ/ㅡ이] 명 〔United Nations Conference on Trade and Development; UNCTAD〕 국제 연합 총회의 상설 기관. 1964년 12월에 설치되었으며 선진국과 발전 도상국 사이나, 경제 사회 제도를 달리하는 여러 나라 사이의 무역을 촉진함을 목적으로 함. 국제 연합과 국제 연합 여러 기구의 회원국으로 구성, 4년마다 총회를 엶. 상설 집행 기관으로서 국제 연합 무역 개발 이사회를 가짐. 본부는 제네바.

국제 연합 방:송【國際聯合放送】 명 유엔(UN) 방송.

국제 연합 분담금【國際聯合分擔金】 명 국제 연합 가입 각국이 그 능력에 따라 국제 연합의 경비에 충당하기 위하여 분담하는 돈. 최근에는 2년마다 총회에서 나라별로 분담 비율이 결정됨. 유엔 분담금.

국제 연합 사:무국【國際聯合事務局】 명 국제 연합의 운영 사무를 집행하는 기관. 사무 총장을 중심으로, 이 기관이 필요로 하는 직원으로 구성됨. 본부는 뉴욕.

국제 연합 사:무 총:장【國際聯合事務總長】 명 국제 연합 사무국의 장. 안전 보장 이사회의 권고에 의거하여 총회가 임명함. 국제 연합 활동의 운영 사무를 관장하고, 국제 연합의 견해를 대표하는 책임을 가지고 있으며, 그 영향력은 지대함. 유엔(UN) 사무 총장.

국제 연합 식량 농업 기구【國際聯合食糧農業機構】 [ㅡ냥ㅡ] 명 〔United Nations Food and Agriculture Organization〕 국제 연합 전문 기관의 하나. 1945년 10월에 설치. 국제 연합의 경제 사회 이사회 전문 기관으로, 세계의 식량 및 농림·수산에 관한 문제를 취급하며, 세계 각 국민의 영양 및 생활 수준의 향상 등을 위하여 활동함. 본부는 로마. 우리 나라는 1949년 11월에 가입함. 국제 식량 농업 기구. 약칭:에프 에이 오(FAO).

국제 연합 신:탁 통:치 이:사회【國際聯合信託統治理事會】 명 신탁 통치 이사회.

국제 연합 아동 기금【國際聯合兒童基金】 명 유니세프(UNICEF).

국제 연합 안전 보:장 이:사회【國際聯合安全保障理事會】 명 〔United Nations Security Council〕 국제 연합에서 총회와 비견하는 최고 기관. 미국·영국·프랑스·러시아 연방·중국의 5개 상임 이사국과, 총회에서 선출되는 10개 비상임 이사국으로 구성됨. 분쟁의 평화적 해결, 평화에 대한 위협·파괴·침략 행위의 방지·억압 등을 목적으로 함. 약칭:유 엔 에스 시(UNSC). ㈜안전 보장 이사회·안보(安保) 이사회.

국제 연합 인간 환경 회:의【國際聯合人間環境會議】 [ㅡ/ㅡ이] 명 〔United Nations Conference on the Human Environment〕 '하나밖에 없는 지구'를 슬로건으로 하여, 1972년 6월에 스웨덴의 수도 스톡홀름에서 열린, 인간 환경 문제를 주제(主題)로 한 회의. 114개국 1,200명의 대표가 참가하여 '인간 환경 선언'을 채택하였고 국제 연합 환경 계획(UNEP)이라는 기구(機構)를 설립함.

국제 연합일【國際聯合日】 명 외교 통상부 주관으로, 국제 연합 창립과 6·25 전쟁 중 국제 연합군이 참전한 뜻을 기념하는 행사를 하는 날. 10월 24일. 유엔 데이(UN day).

국제 연합 지역 경제 위원회【國際聯合地域經濟委員會】 명 세계를 5 지역으로 나누어, 그 지역 경제 문제의 해결과 경제적·사회적 수준의 향상을 꾀하기 위한 국제 연합 경제 사회 이사회의 보조 기관. 그 지역의 국제 연합 회원국 및 그 지역과 특별한 이해 관계를 가지는 국제 연합 회원국으로 구성되는데, 그 지역의 국제 연합 비회원국이나 보호령·식민지도 준(準)회원국으로 가입할 수 있음. 아시아 태평양 경제 사회 위원회·유럽 경제 위원회·라틴 아메리카 경제 위원회·아프리카 경제 위원회·서아시아 경제 위원회가 있음.

국제 연합 총:회【國際聯合總會】 명 국제 연합의 최고 기관. 전 회원국으로 구성되며, 일국 일표(一國一票)의 투표권을 가지고, 중요 사항은 3분의 2 이상의 찬성으로, 기타 사항은 과반수로 결정함. 단 안전 보장 이사회와 같이 구속력 있는 결정을 하여 이를 실시하는 권한은 없고, 토의·권고를 행할 뿐임. 매년 9월부터의 정기 총회 외에, 필요에 따라 특별 총회가 열림. 유엔(UN) 총회. ㈜국련(國聯) 총회.

국제 연합 통행증【國際聯合通行證】 [ㅡ쯩] 명 국제 연합이 그 직원을 위하여 발행하고 회원국에 의하여 유효(有效)한 여행 증명서로 통용되는 증명서. 유엔 통행증.

국제 연합 특별 기금【國際聯合特別基金】 명 개발 도상국의 개발 촉진을 목적으로 하는 국제 연합의 원조 기금. 5천만 달러의 기금으로 1959년 발족. 총회·경제 사회 이사회의 관리하에 있으며, 경제 사회 이사회에서 선출한 선진국 9개국, 개발 도상국 9개국의 18개국으로 구성된 관리 이사회가 운영함. 개발 투자에 앞서 자원 조사·기술자 양성·전문가 파견 등이 주요 사업임. 1966년 국제 연합 개발 계획에 통합됨. 유엔(UN) 특별 기금.

국제 연합 평화 봉:사단【國際聯合平和奉仕團】 명 〔United Nations Volunteers:UNV〕 발전 도상국에 파견되어 국제 연합 여러 기관의 개발 계획에 협력하는 청년 단체. 1970년에 발족이 결의되었음. 미국의 '평화 봉사단'을 본뜬 것임.

국제 연합 한:국 위원회【國際聯合韓國委員會】 명 1947년 11월 국제 연합에 설립된 한국의 통일을 위한 위원회. 유엔(UN) 한국 위원회.

국제 연합 한:국 통:일 부:흥 위원단【國際聯合韓國統一復興委員團】 명 언커크(UNCURK).

국제 연합 해:양법 회:의【國際聯合海洋法會議】 [ㅡ뻡ㅡ/ㅡ뻡ㅡ이] 명 1958년 스위스의 제네바에서 열린 국제 회의. 1956년 국제법 위원회가 채택한 해양법 초안을 심의, 영해(領海)와 접속 수역(接續水域)에 관한 조약, 공해(公海)에 관한 조약, 어업 및 공해의 생물 자원의 보존에 관한 조약, 대륙붕에 관한 조약 등 네 조약안을 채택함. 국제 연합의 국제 법전화(國際法典化) 사업의 일환임.

국제 연합 행정 재판소【國際聯合行政裁判所】 명 〔United Nations Administrative Tribunal; UNAT〕 국제 연합 사무 직원의 직무 내용에 관한 분쟁을 처리하는 재판소. 국적이 다른 7명으로 구성되나 실제 심리는 3명으로 구성된 소법정에서 행함.

국제 연합 헌:장【國際聯合憲章】 명 〔The Charter of the United Nations〕 국제 연합의 목적·원칙·조직·기능 등을 정한 기본 법규. 원안은 미·영·소·중국의 네 나라가 참가하여 1944년 8~9월에 열린 미국의 덤바튼오크스(Dumbarton Oaks) 회의에서 작성되고 1945년 6월 샌프란시스코 회의에서 제2차 대전 때의 연합국 51개국의 승인을 얻어 채택, 같은 해 10월 24일에 발효되었음. 19장(章) 111조. 정문(正文)은 영·프랑스·스페인·러시아·중국의 각 국어로 씌어져 있음. 유엔 헌장(UN 憲章). 약칭:유 엔 시(U.N.C.). ㈜국련(國聯) 헌장.

국제 영화제【國際映畫祭】 명 《연》 세계 각국에서 출품(出品)한 영화를 심사하여 시상(施賞)하는 행사. 아시아 영화제·베니스 영화제·칸 영화제·베를린 영화제 등이 있음. 국제 영화 콩쿠르.

국제 영화 콩쿠:르【國際映畫ㅡ】 〔concours〕 명 《연》 국제 영화제.

국제 예양【國際禮讓】 명 국가간에 일반적으로 행하여지는 예의·편의(便宜)·호의(好意) 등에 의하는 관례(慣例). 이에 위반할 때, 도덕적·정치적으로는 비난을 받거나 불이익(不利益)을 받는 일은 있어도 국제법 위반은 되지 아니하는 것을 이름. 국가의 대표자에 대한 경칭, 군함에 대한 예포(禮砲), 회합 때의 석순(席順)같은 것.

국제 예양설【國際禮讓說】 명 《법》 국제 사법에 있어서, 외국법 적용의 근거를 국제 예양에 구하는 학설.

국제 올림픽 경:기 대:회【國際ㅡ競技大會】 〔Olympic〕 명 4년마다 한 번씩 열리는 국제 경기 대회. 1894년 프랑스의 체육인 쿠베르탱(Coubertin) 등의 주창으로, 1896년 제1회 대회를 그리스의 아테네에서 개최한 이래, 제2차 세계 대전으로 두 차례의 대회를 중지하였으나 1948년부터 재개(再開), 오늘에 이름. 우리 나라는 1948년부터 참가하였으며, 1988년에는 제 24 회 대회를 서울에서 개최하였음. ㈜올림픽 경기·올림픽 대회.

국제 올림픽 위원회【國際ㅡ委員會】 명 《체》 〔International Olympic Committee〕 국제 올림픽 경기 대회를 운영·주관하고 일체를 결정하는 위원회. 1894년에 설립. 본부는 스위스의 로잔. 우리 나라는 1947년 7월에 가입함. 약칭:아이 오 시(IOC). ㈜올림픽 위원회.

국제 옴:【國際ㅡ】 명 〔international ohm〕 《물》 전기 저항(電氣抵抗)의 국제 단위. 길이 106.300 cm, 질량 14.4521 g의 단면이 고른 수은주의 저항. 1 국제 옴은 1.00049 Ω에 해당함.

국제 옹스트롬【國際ㅡ】 명 〔international Ångstrom〕 《물》 길이의 국제 단위. 표준 대기압, 15°C, 부피 0.03%의 이산화 탄소(二酸化炭素)를 함유하고 있는 건조한 대기에서 붉은 카드뮴선(cadmium線) 파장(波長)의 1/6438.4696의 길이. 1.0000002 옹스트롬과 같음.

국제 와트【國際ㅡ】 명 〔international watt〕 《물》 일률·전력의 국제 단위. 1 국제 와트는 1.00017 와트.

국제 우:주 공간 연:구 위원회【國際宇宙空間硏究委員會】 〔Committee on Space Research〕 [ㅡ년ㅡ] 명 국제 학술 연합(ICSU) 회의의 하부 조직의 하나. 관측 로켓이나 인공 위성 등으로 우주 공간 연구를 국제적 협력으로 추진하려는 것. 1958년 11월에 발족. 약칭:코스파(COSPAR).

국제 우:주년【國際宇宙年】 명 〔International Space Year : ISY〕 콜럼버스의 아메리카 대륙 발견 500년이 되는 1992년을 우주 활동에 있어서의 국제 협력 촉진과 우주 공간 평화 이용의 발전의 해로 정한 것. 미국 상원 의원 스파크 마츠나가의 제안으로 시작됨.

국제 우:주 여행 연맹【國際宇宙旅行聯盟】 [ㅡ년ㅡ] 명 〔International Astronautical Federation〕 1951년 9월에 창립된 각국 우주 여행 협회와 횡적으로 연락하는 기관. 해마다 국제 우주 여행 회의를 열어 화성(火星) 여행이나 달나라 여행 등 우주 여행의 문제를 토의함. 본부는 스위스. 약칭:아이 에이 에프(IAF). *우주 여행 협회(協會).

국제 우편【國際郵便】 명 국제간에 왕래되는 우편. 외국(外國) 우편. ↔국내(國內) 우편.

국제 우편 연합【國際郵便聯合】 [ㅡ년ㅡ] 명 만국(萬國) 우편 연합.

국제 운전 면:허증【國際運轉免許證】 [ㅡ쯩] 명 운전 면허증의 하나. 국제 연합 경제 사회 이사회의 도로 교통에 관한 협약에 의하여 우리 나라에 와서 운전을 희망하는 외국 사람이 소지함. 유효 기간은 1년. 우리 나라의 운전 면허증을 발급받지 않아도 됨. 1971년 7월부터 실시.

국제 운하【國際運河】 명 《지》 공해(公海)를 연락하는 인공적(人工的) 수로(水路)로서, 국제 조약에 의하여 모든 나라의 선박이 자유로이 운항할 수 있도록 되어 있음. 수에즈 운하·파나마 운하·킬 운하 등.

국제 원료 회:의【國際原料會議】 [ㅡ월ㅡ/ㅡ월ㅡ이] 명 《경》 〔International Material Conference〕 1950년 미국·영국의 제의에 따라 국제 원료의 할당과 공급 문제를 토의하는 상설 기관으로서 결성된 중앙 원료 할당 위원회(割當委員會)가 개최하는 국제 회의. 영국·미국·프랑스·이탈리아·캐나다·인도 및 미주 기구(美洲機構) 등의 각 대표로 구성되며, 품목별(品目別) 분과 위원회가 있음. 약칭:아이 엠 시(IMC).

국제 원자량【國際原子量】명 국제 원자량 위원회가 발표하는 원자량의 값. 현재 가장 신뢰할 만한 원자량임. 만국(萬國) 원자량.

국제 원자량 위원회【國際原子量委員會】명 국제 순수 화학 및 응용 화학 연합내의 한 위원회. 해마다 정밀(精密)하여지는 원자량에 대한 검토를 하며, 1931년부터는 한 해 걸러 한 번씩 국제 원자량표(表)를 발표함. 만국(萬國) 원자량 위원회.

국제 원자력 기구【國際原子力機構】명〔International Atomic Energy Agency〕원자력의 평화 이용을 촉진하는 국제 기관. 원자력의 평화적 이용과 국제 공동 관리를 목적으로, 가입국의 연구 장려와 원조 및 평화적 이용에 관한 기술적·과학적 정보의 교환을 도모함. 1957년 7월에 발족하였으며 본부는 빈. 1996년 현재 124개국이 가입. 우리 나라는 1956년 창립 총회에 참석, 서명 가입하였음. 약칭:아이 에이 이 에이(IAEA).

국제 위생 조약【國際衛生條約】명 여러 나라가 상호간에 검역 전염병(檢疫傳染病)의 침입을 방지할 목적으로 맺은 조약. 가입국에 그 영토 안에서 발생한 전염병에 대한 보고 의무를 부과하고, 육운(陸運)·해운(海運) 관계에 있어서의 전염병의 대책상 엄수해야 할 검역과 그 밖의 조치를 규정한 1926년의 것과, 이를 항공(航空) 관계에도 채택한 1933년의 것의 두 가지가 가장 주요함. 1946년 12월부터 세계 보건 기구에서 주관하게 되었음.

국제 위원회【國際委員會】명 국제적인 사항을 처리하기 위하여, 여러 나라의 합의에 따라 설치되는 위원회.

국제 유동성【國際流動性】[―썽] 명〖경〗무역 등의 국제 결제(決濟)를 원활히 행하기 위하여 필요한, 외화(外貨)의 준비 보유액과 대외 지급액의 비율을 이름. 보유액이 많으면 유동성이 풍부하다고 함.

국제 육상 경:기 연맹【國際陸上競技聯盟】명〔International Amateur Athletic Federation〕육상 경기를 통괄하는 국제 단체. 1912년 제5회 스톡홀름 올림픽을 계기로 설립하여 2000년 현재 가맹국이 210개국임. 본부는 모나코에 있음.

국제 음성 기호【國際音聲記號】명〔International Phonetic Alphabet〕국제 음성학 협회(國際音聲學協會)에서 1888년에 정한 음성 기호. 현재 가장 널리 쓰이는 음성 기호임. 로마자 외에 보조 기호 및 그리스 문자를 사용함. 국제 음성 자모(字母). 국제 음자(音字). 만국(萬國) 음성 기호.

국제 음성 자모【國際音聲字母】명 국제 음성 기호.

국제 음악 교:육 회:의【國際音樂敎育會議】[―/―이] 명 1953년 유네스코의 주선으로 만들어진 국제 음악 교육 협회가 주최하는 음악 교육의 심포지움. 음악을 통하여 인간 형성에 도움이 되게 하는 것이 취지임.

국제 음악 평:의회【國際音樂評議會】[―/―이―] 명 각국을 대표하는 음악 단체의 세계적 조직. 각국의 음악 진흥·국제 교류를 주요 사업으로 하며, 그 하부 조직으로 국제 현대 작곡 회의가 있음.

국제 음자【國際音字】[―짜] 명 국제 음성 기호(國際音聲記號).

국제 의회 연맹【國際議會聯盟】명〔Inter-Parliamentary Union〕국제 평화와 협력을 도모하며 의회(議會) 활동으로 해결할 수 있는 모든 국제 문제를 연구함을 목적으로 하는 각국 국회 의원의 연합체. 1888년 10월에 영국·프랑스 두 나라 국회 의원으로 창립한 후 국제 연합의 자문(諮問) 기관의 하나가 되었음. 본부는 제네바. 우리 나라는 1964년 8월에 가입함. 약칭:아이 피 유(IPU).

국제 이:해【國際理解】명 세계 인권 선언의 정신에 따라서 각 국민 사이의 인종적·종교적·정치적·성별적(性別的) 차이를 초월하여 발현되는 올바른 인간으로서의 이해.

국제 인권 규약【國際人權規約】[―꿘―] 명〔International Covenant on Human Rights〕기본적 인권을 국제적으로 보장하기 위하여 1966년 제21회 국제 연합 총회에서 채택된 규약. 도의적 구속력만을 갖는 세계 인권 선언에 대하여, 규약 가입국을 법적으로 구속함.

국제 인권 옹:호상【國際人權擁護賞】[―꿘―] 명 1950년 6월에 발족한 국제 문화 기관인 인권 아카데미(Academy)가 인간의 의무 수행을 위해 노력한 사람에게 주는 상.

국제 인권의 해【國際人權―】[―꿘―/―꿘에―] 명〔International Year for Human Rights〕1966년 12월의 국제 연합 총회 결의에서 지정된 1968년을 이르는 말. 이 결의에서 모든 정부나 국민에게 기본적인 인권을 수호하는 투쟁을 확대할 것을 요청하였음.

국제 인도법【國際人道法】[―뻡] 명〔International Humanitarian Law〕국제 사회의 무력 분쟁 하에서, 주민을 유효하게 보호할 것을 목적으로 하는 전시 법규(戰時法規).

국제 자동차 연맹【國際自動車聯盟】명〔프 Fédération Internationale de l'automobile〕통일 기준에 의한 국제 자동차 경기의 운영을 위하여 1904년 설립된 단체. 국제 면허·기록·선수권의 공인(公認)도 행함. 본부는 파리에 있음. 약칭:에프 아이 에이(FIA).

국제 자본 시:장【國際資本市場】명 외국의 정부나 기업의 자금 조달에도 응할 수 있는 규모를 가진 자본 시장. 뉴욕·런던·프랑크푸르트·취리히 등이 유명함.

국제 자연 보:호 연합【國際自然保護聯合】명〔International Union for Conservation of Nature and Natural Resources〕1948년 창립된 자연 보호 운동을 통할하는 국제 기구. 1991년 2월 현재 53개 국가, 93개 정부 기관, 455개 민간 단체가 가맹되어 있음. 본부는 스위스에 있음. 약칭:아이 유 시 엔(IUCN).

국제 자유 노동 조합 연맹【國際自由勞動組合聯盟】[―년―] 명〔International Confederation of Free Trade Unions; ICFTU〕〖사〗국제적 노동 조합 조직의 하나. 세계 노련(世界勞聯)에서 이탈한 반공적 색채를 띤 여러 나라의 노동 조합이 미국의 산업별 조직 회의와 영국의 노동 조합 회의의 지도하에 1949년 결성된 국제 노동 조합. 본부는 브뤼셀. 우리 나라는 창설 당시부터 가맹함. ㊈국제 자유 노련(勞聯).

국제 자유 노련【國際自由勞聯】명 ↗국제 자유 노동 조합 연맹.

국제 재판【國際裁判】명〖법〗국제 분쟁의 당사국에 대하여 국제 재판소가 제삼자의 입장에서 판결을 내리는 재판. 사법(司法) 재판과 중재(仲裁) 재판의 두 가지가 있음.

국제 재판소【國際裁判所】명〖법〗국제 분쟁을 해결하기 위하여 국가간에 설치한 재판소. 헤이그에 상설되어 있는 국제 사법 재판소·상설 중재(常設仲裁) 재판소 외에, 당사국간에 개별적으로 설치되는 개별 중재 재판소·혼합(混合) 중재 재판소 등이 있음.

국제 재판 조약【國際裁判條約】명〖법〗국제 분쟁(紛爭)을 국제 재판에 부칠 것을 약속하며, 그 의뢰의 절차 및 재판소의 구성 방법과 재판의 절차 등을 정한 조약. 개별적인 국제 조약은 1899년 브라질과 칠레 사이에 처음으로 맺어진 이래, 그 예가 상당히 많으나, 일반적인 재판 의무는 아직 확립되고 있지 아니함.

국제 저:널리스트 기구【國際―機構】명〔International Organization of Journalists〕〖사〗저널리스트의 국제적인 단결과 우호(友好)를 목적으로 하는 조직. 1946년에 결성되었음. 언론 자유의 확립을 통하여 국제적 상호 이해의 증진, 평화의 옹호, 저널리스트의 물질적 생활의 향상을 목적으로 함. 주로 사회주의 제국이 중심임. 본부는 프라하. 약칭:아이 오 제이(IOJ).

국제 저:널리스트 연맹【國際―聯盟】명〔International Federation of Journalists〕신문의 자유를 위하여 활약하는 저널리스트를 수호하기 위하여 조직된 연맹. 1951년 국제 저널리스트 기구에서 떨어져 나와, 비(非)정치적 성격을 띰. 본부는 브뤼셀.

국제-적【國際的】명관 국가 사이에 관계가 있는 모양. 세계적인 폭(幅)「이 있는 모양.

국제적 관행【國際的慣行】명 이전부터의 습관에 따라 국제적으로 행하여지는 일.

국제적 무:력 분쟁【國際的武力紛爭】명 국가간의 전쟁을 이름. 제네바 4개 협약과 2개의 추가 의정서에서 채용된 말.

국제 적십자【國際赤十字】명〔International Red Cross〕적십자 국제 위원회·적십자 연맹·각국 적십자사의 총칭. 약칭:아이 아르 시(IRC).

국제 적십자의 날【國際赤十字―】[―/―에] 명 매년 5월 8일. 적십자의 창시자 뒤낭(Dunant)의 생일인 1828년 5월 8일을 기념하여 정함.

국제 전:기 통신 연합【國際電氣通信聯合】[―년―] 명〔International Telecommunication Union〕국제 연합의 전문 기구의 하나. 전파를 관리, 이를 원활히 사용하기 위하여 국제 전기 통신 조약 가맹국으로 1865년에 창설됨. 우리 나라는 1952년에 가입함. 약칭:아이 티 유(ITU).

국제 전:기 통신 위성 기구【國際電氣通信衛星機構】명〔International Telecommunications Satellite Organization〕1964년 미국이 중심이 되어 11개국이 조직한, 통신 위성을 사용하는 세계적인 단일(單一) 상업 통신 조직. 통신용 정지(靜止) 위성을 띄워 대륙간 통신 중계를 함. 약칭:인텔샛(INTELSAT).

국제 전:기 통신 조약【國際電氣通信條約】명〔International Convention of the Telecommunications〕국제간의 전신·전화·무선 통신 등 모든 전기 통신의 개선(改善)과 합리적 사용을 위하여 국제 협력을 유지·증진함을 목적으로 하는 조약. 세계 최초의 국제 전기 통신 조약으로 1849년 프러시아와 오스트리아 간에 체결되었는데, 그 후 많은 개별 조약이 맺어졌으며, 1865년의 파리 조약에서 이것들이 통일되어 국제 전기 통신 조약이 성립됨.

국제 전:기 표준 회:의【國際電氣標準會議】[―/―이] 명〔International Electrotechnical Commission; IEC〕전기에 관한 각국간의 규격 통일을 목적으로 하는 국제 기관. 1908년 창립. 1947년 국제 표준화 기구(ISO)에 전문부회(專門部會)로서 가입함. 사무국은 제네바.

국제 전:략 연:구소【國際戰略硏究所】[―절―년―] 명〔The International Institute for Strategic Studies; IISS〕1958년에 포드 재단(財團)의 원조로 런던에 설립된 민간 전략 연구 기관. 각국의 권위자 약 500명의 회원이 근대 전쟁(近代戰爭)의 전략 문제를 연구함.

국제 전:보【國際電報】명 한 나라와 외국 사이의 육지간(陸地間)에 발착(發着)하는 전보. *국제 무선 전보·국제 사진 전보.

국제 전:신 전:화국【國際電信電話局】명 체신부의 국제 전신 전화에 관한 업무를 관장하는 현업 관서의 총칭.

국제 전:파 과학 연합【國際電波科學聯合】[―년―] 명〔프 Union Radio-Scientifique Internationale; URSI〕전파에 관한 기초적 측정과 이론 연구에 관한 국제적 협력 기구. 1919년 설립. 사무국은 브뤼셀에 있음.

국제 전:화【國際電話】명 국제간에 유선(有線) 또는 무선에 의하여 연락되는 전화. 1927년 처음으로 런던과 뉴욕 사이에 설치됨.

국제 정세【國際情勢】명 세계(世界) 정세.

국제 정온 태양 관측년【國際靜穩太陽觀測年】명〔International Quiet Sun Year〕태양 흑점의 극소기(極小期)에, 세계 각국이 협력하여 지구 물리학상의 종합적인 관측을 행하는 행사. 국제 지구 물리 관측년의 중간 해에 해당하며, 최근은 1964-65년이었음. 약칭:아이 큐 에스 와이(IQSY).

국제 정치【國際政治】명〖정〗주권을 가진 국가 상호간에 존재하는 정치적 관계. 한 쪽 극(極)에 각국간의 권력 투쟁이 있고, 다른 한 쪽 극에 국제 평화 기구의 실현이 있음.

국제 정치학【國際政治學】명 정치학에서, 국제 정치를 대상으로 하는 연구 분야. 한편으로는 국가간의 권력 투쟁, 다른 한편으로는 국제 평화의 실현이라는 모순과, 또 그 사이에서 국가적 이익을 추구하는 것 등이 주요한 연구 과제가 되어 있음.

국제 정치학회【國際政治學會】 명 〔International Political Science Association〕 정치학 연구의 국제적 협력을 확보·발전시킬 목적으로 1950년 9월 설립된 학회. 가입 자격은 각국 정치학회를 원칙으로 하되, 개인이나 소규모의 정치학회도 예외로 인정함. 매년 국제 회의를 열고 정치학의 중요 문제를 보고·토론함. 본부는 파리. 약칭: 아이 피 에스 에이(IPSA).

국제 조강 카르텔【國際粗鋼一】 명 〔International Steel Cartel; ISC〕 제1·2차 세계 대전 사이에 유럽 및 세계의 철강업국(鐵鋼業國)을 규제한 대표적인 국제 카르텔. 1926년 독일·프랑스·벨기에·룩셈부르크 등 사이에 성립, 뒤에 오스트리아·체코슬로바키아·헝가리·유고 등도 참가함. 가맹국에의 생산 할당에 의한 조강의 생산 제한을 목적으로 하였음.

국제 조:난 주파수【國際遭難周波數】 명 〔international distress frequency〕 조난당하였을 경우, 국제적으로 사용되는 소정(所定)의 주파수. 500 KHz. 이 주파수는 405-535 KHz 사이의 주파수대(帶)를 사용하는 선박국(船舶國)·항공기국의 조난 호출·조난 통신·긴급 신호·안전 신호·통보(通報) 등에 쓰임.

국제 조약【國際條約】 명 《법》 넓게는 국가간 또는 국가와 국제 기관과의 사이의 문서에 의한 합의(合意)의 모든 것을 가리키며, 좁은 뜻으로는 그 중 조약이라는 명칭으로 불리는 것만을 이름. 우리 나라에 있어서는, 조약의 체결권은 대통령에 있으나, 국회의 동의를 얻어야 함.

국제 조정【國際調停】 명 《정》 직접 이해 관계가 없는 제삼국(第三國)이 분쟁 당사국의 주장의 조화를 꾀하고 공평하게 분쟁을 심사, 정당한 해결안을 당사국에 권고하여 분쟁을 해결하려는 절차. 제삼자로는 국제 심사 위원회나 국제 연합 같은 것이 이를 담당함. 국제 중재.

국제 조직【國際組織】 명 《정》 여러 국가의 공통된 이해(利害) 관계를 처리하기 위하여 설립된 조직. 평화 유지를 주된 목적으로 하는 국제 연맹·국제 연합, 경제적·사회적 목적을 가진 국제 노동 기구 및 문화적인 목적을 가진 유네스코 등.

국제-주【國際株】 명 외국으로부터 자본을 도입한 회사 또는 외국 회사와 기술 제휴한 회사, 국제적으로 이름이 알려진 회사 등의 주식(株式).

국제 주석 협정【國際朱錫協定】 명 주석 광석(鑛石)·주석 지금(地金)의 가격 안정과 수급 조절을 목적으로 하는 국제 상품 협정. 1934년 처음 협정이 체결됨.

국제-주의【國際主義】 [－/－이] 명 〔internationalism〕 ①독립한 각 국가가 협조하여 세계 평화와 질서 유지를 실현하려는 입장. 제1차 대전 후의 국제 연맹, 제2차 대전 후의 국제 연합에서 그 성과를 보았음. 인터내셔널리즘. ②노동자 계급이 사회주의 사회의 실현을 목적으로 각국 인민의 국제적 유대를 강화하려는 입장. 프롤레타리아(proletariat) 국제주의. ↔국가주의(國家主義)·국민(國民)주의.

국제 주파수 등록 위원회【國際周波數登錄委員會】 [－녹－] 명 〔International Frequency Registration Board; IFRB〕 국제 전기 통신 연합의 상설 기관의 하나. 각국의 무선 통신에 사용하는 주파수가 서로 혼신(混信)되지 아니하도록 하며, 또 될 수 있는 한(限) 다수의 무선 통신 회선(回線)을 통하게 하기 위한 기관으로서, 각국은 사전에 주파수 사용을 이 곳에 통고하여 정식으로 국제적 승인을 받아야 함. 현재 각국에서 등록된 주파수는 약 30만 개임. 본부는 제네바.

국제 중재【國際仲裁】 명 《정》 국제 조정(調停).

국제 중재 재판【國際仲裁裁判】 명 《법》 넓은 의미로는, 국제 재판 그것을 가리키며 국제 분쟁의 해결을 위한 일체의 사법적 해결을 의미함. 좁은 뜻으로는, 우선 형식적으로 '국제 중재 재판소'의 재판을 가리키는데, 실질적으로는 법을 존중한다는 바탕에서 타협적으로 해결되는 재판을 가리킴. ＊국제 사법(司法) 재판.

국제 중재 재판소【國際仲裁裁判所】 명 〔International Arbitral Tribunal〕 《법》 국제간의 분쟁을 조정하는 재판소. 국제 사법 재판소 이외의 국제 재판소를 가리키는 말로, 주요한 것은 1901년에 설립된 상설(常設) 중재 재판소 및 사건 때마다 임시로 당사국이 설치하는 개별 중재 재판소가 있음. ＊개별(個別) 중재 재판소.

국제 증권【國際證券】 [－꿘] 명 《경》 국제간에 사고 파는 주권(株券)·공채·사채 증권 등의 유가 증권(有價證券).

국제 지구 내:부 개발 계:획【國際地球內部開發計劃】 명 〔International Upper Mantle Project; UMP〕 상부(上部) 맨틀(mantle)의 여러 성질과 그것이 지각(地殼) 발전에 미치는 영향의 해명(解明)을 목적으로 하는 국제 협동 연구 계획.

국제 지구 물리 관측년【國際地球物理觀測年】 명 《지》 〔International Geophysical Year〕 국제 학술 연합 회의가 기획, 53개국이 협력하여 전 세계적 규모로 지구 물리학상의 관측 사업을 행한 1957년 7월부터 1958년 12월까지를 이름. 전리층·고층 기상(高層氣象)·지자기(地磁氣)·경위도(經緯度)·태양(太陽)·우주선(宇宙線)·야광(夜光)·극광(極光) 등의 관측을 행하였음. 본디 1882-83년에 북극을 중심으로 관측한 제1회 국제 극년(極年), 1932-33년의 제2회 국제 극년을 제3회에 와서 변경 확대한 것임. 약칭: 아이 지 와이(IGY). ＊극년(極年).

국제 지리학 연합【國際地理學聯合】 [－년－] 명 〔International Geographical Union; IGU〕 국제 학술 연합 회의(國際學術聯合會議)에 속하는 지리학회의 국제적 조직. 1871년 제1회 대회를 안트베르펜(Antwerpen)에서 개최했으며 4년마다 대회를 열어 1992년에는 콜럼버스의 아메리카 대륙 발견 500주년을 맞아 미국 워싱턴에서 제27회 대회를 열었음. 17개 상설 연구 위원회와 11개 작업 그룹이 있음. 1982년 현재 가맹국은 83개국.

국제 지역【國際地役】 명 〔state servitude〕 다른 나라의 이익을 위하여 조약 등에 따라 자국령(自國領)의 일부에 과(課)하여지는 부담(負擔). 타국 군대의 통행·주둔 등 국제 지역이 설정된 지역을 승역지(承役地), 제한을 받은 국가를 승역국(承役國), 상대방을 요역국(要役國)이라 함.

국제 지점 번호【國際地點番號】 명 〔international index numbers〕 세계 각지를 몇 개의 블록으로 나누어 각각 두 자리 수자를 부여하고, 다시 각 블록을 나누어 세 자리 수자로 나타내고 있는 세계 기상 관측점 표시 번호. 수자는 일반적으로 동에서 서, 남에서 북으로 커짐. 세계 기상 기구에서 만들어 관리하고 있음.

국제 직업 훈:련 경:기 대:회【國際職業訓練競技大會】 [－훌－] 「국제 기능 올림픽 대회.

국제 질소 카르텔【國際窒素一】 [－쏘－] 명 〔International Nitrogen Cartel〕 합성(合成) 기술의 발달과 세계 공황(恐慌)에 의한 질소 비료의 생산 과잉으로 초래되는 심한 경쟁을 극복하기 위하여 1930년 영국·독일·프랑스 등 유럽 10개국의 화학 비료 회사가 결성한 기업 연합(企業聯合). 처음에는 가격 협정과 생산·판매의 통제로 시작하여 지금은 수출을 목적으로 한 새로운 국제 카르텔이 결성되어 있음. 세계 질소 비료 시장(市場)을 실질적으로 좌우함.

국제 차:관단【國際借款團】 명 〔consortium〕 ①개발 도상국의 사업에 대하여, 선진국의 자본이 공동으로 부담하는 차관단. ②발전 도상국에 대한 선진국의 경제 원조의 경합(競合)과 중복(重複)을 막고, 분담(分擔) 방법을 조정하기 위한 회의. 또, 그 그룹. 채권국 회의(債權國會議).

국제 차:터【國際一】 〔charter〕 명 국제 전세(專貰) 항공기 또는 선박.

국제 천문학 연합【國際天文學聯合】 [－넌－] 명 〔International Astronomical Union; IAU〕 천문학의 국제적 연구 기관. 국제 학술 연합 회의에 속함. 1920년 미·영·소 등 7개국으로 결성되어 1922년 로마에 16개국이 모여 제1회 총회를 가짐.

국제 철도【國際鐵道】 [－또] 명 국경을 넘어 둘 이상의 나라에 통하여 「있는 철도.

국제 청년 회:의소【國際青年會議所】 [－/－이－] 명 〔The Junior Chamber International; JCI〕 국적·인종·종교의 차별 없이 구성한 40세 이하의 경제인의 친목 단체. 청년 각 개인의 능력 개발과 지도(指導) 역량을 배양하여 그들로 하여금 복지 사회를 건설하게 함을 목적으로 함. 1915년 미국의 헨리 기젠비어에 의해 창설됨. 우리 나라는 1952년에 회원국이 됨. 본부는 미국 플로리다 주(州)의 코럴게이블스.

국제 체력 테스트【國際體力一】 〔test〕 명 국제적 공통 기준을 설정, 각국 각 민족의 체력을 비교하는 테스트. 국제 스포츠 의학 연맹의 체력 테스트 표준화 위원회가 각 종목에 대한 기준을 작성함.

국제 촉광【國際燭光】 명 《물》 광도(光度)의 국제 단위의 한 가지. 1908년 영국·미국·프랑스 세 나라 사이의 협정에 의하여 정하여져, 1948년 제9회 국제 도량형(度量衡) 회의에서 칸델라가 광도의 단위로 채택되기까지 널리 쓰이었음. 하커트(Harcourt)의 펜탄 등(pentan燈)이 발하는 광도를 기준으로 하고 있음. 약호는 int. C 또는 C. 만국 촉광.

국제 축구 연맹【國際蹴球聯盟】 명 〔Fédération Internationale de Football Association; FIFA〕 축구를 총괄하는 국제 스포츠 연맹의 하나. 1904년에 창립, 1991년 현재 166개국이 가맹하고 있음.

국제 측량사 연맹【國際測量士聯盟】 [－냥－] 명 국제간의 기술 정보 교환, 측량사의 파견 교육, 기술 협력 등을 목적으로 하는 측량 기술자의 국제적 기구. 우리 나라는 1981년에 한국 측량사 총연맹이 가입함.

국제 친선【國際親善】 명 국가간에 친선을 도모하는 일. 외국인과 친밀히 하고, 교제를 돈독히 하는 일.

국제 카르텔【國際一】 명 〔international cartel〕 《경》 국제 상품 시장의 독점을 목적으로 하여, 수개국의 동종(同種) 기업 또는 수개국의 국내 카르텔이 결성하는 국제적 기업 연합(聯合). 판로(販路)의 협정, 공급량의 제한(制限)·할당, 때에 따라서는 가격의 협정도 함. 국제 설탕 카르텔·국제 인견(人絹) 카르텔·국제 조강(粗鋼) 카르텔·국제 질소(窒素) 카르텔 등이 있음.

국제 커피 협정【國際一協定】 〔coffee〕 명 커피의 가격 안정과 수급 조절을 목적으로 하는 국제 상품 협정. 국제 연합의 제창으로 생산국과 소비국의 대부분이 가입되어 있음.

국제 콘체른【國際一】 명 〔도 internationales Konzern〕 국제적으로 확대된 거대한 자본(資本) 밑에 정리·지배되고 있는 기업의 통일체. 외국에 지점 설치의 필요성이 있을 경우 또는 외국에서의 보호 관세 때문에 외국에 회사를 세워 거기서 생산과 판매를 할 필요가 있는 경우 등에 발달함. 석유업·전기 공업·화학 공업 등에 흔히 볼 수 있음.

국제 킬로그램 원기【國際一原器】 〔kilogram〕 명 1875년의 미터 조약에 의하여, 1 kg의 질량을 갖는 것으로 결정된 기준 분동(分銅). 백금(白金) 90%, 이리듐 10%의 합금으로, 높이·지름이 다같이 3.9 cm의 원통체임. 미터 원기와 함께 파리의 국제 도량형국에 보관되고, 각국에는 이것을 기준으로 제작한 부원기(副原器)가 배포됨.

국제 텔레비전 중계【國際一中繼】 〔television〕 명 국제간에 행하는 텔레비전의 방영 중계. 통신 위성을 매체로 이용하는 대륙간(大陸間) 국제 텔레비전 중계와 지상(地上)의 마이크로 회선을 사용하는 지역적 국제 텔레비전 중계로 대별됨.

국제 텔렉스【國際一】 〔telex〕 명 국제간의 텔렉스 통신. 1933년에 처음으로 네덜란드와 벨기에 및 독일 사이에 행하여졌고, 제2차 세계 대전 이후 고도로 발달됨.

국제 통:계 협회【國際統計協會】 명 〔International Statistical Institute; ISI〕 1885년 런던 통계 학회 창립 50주년을 계기로, 통계적 방법의 진보·발달과 그것의 전세계적 적용(適用)을 위하여 설립된 국제 단체. 1947년 협회 규약을 개정하여, 전문적·학술적 성격을 띠면서 활발하여짐. 총회는 격년제로 열리며, 그 상설 사무국은 헤이그에 있음.

국제 통신【國際通信】 명 국제 조약에 의하여 국제간에 전신·전화 등 유선 및 무선으로 행하여지는 통신 연락. ↔국내 통신.

국제 통화【國際通貨】 명 『경』 국제간 거래의 결제용(決濟用)으로 이용되는 수가 많은 통화. 그 조건으로는 보통 그 나라의 경제력이 세계 경제 전체 속에서 큰 비중을 차지하며, 통화 가치가 안정되어 있는 나라의 통화라야 하는데, 미국의 달러(dollar)·영국의 파운드 및 일부 서유럽 통화를 이름.

국제 통화 기금【國際通貨基金】 명 〔International Monetary Fund〕 『경』 국제 금융 기관의 하나. 국제 연합의 전문 기관으로서, 국제 협력에 의한 환(換)의 안정화·환 제한의 철폐·국제 수지의 균형을 도모하는 것을 목적으로 함. 1946년의 브레튼우즈 협정에 따라 그 협정 가입국의 출자로 설치되고, 1990년 현재 가입국은 154개국, 출자 할당액은 291억 8940만 달러에 이름. 우리 나라는 1955년 8월에 가입하였음. 본부는 워싱턴. 약칭 : 아이 엠 에프(IMF). *국제 부흥 개발 은행.

국제 통화 제:도【國際通貨制度】 명 달러의 부담을 가볍게 하기 위하여 미국·영국·프랑스·독일·캐나다·이탈리아·스웨덴·네덜란드·벨기에·일본 등 선진 공업 10개국에서 추진하는 신 국제 통화안.

국제 투자【國際投資】 명 『경』 외국의 사업에 투자하는 일. 투자자가 외국에서 사업을 경영하는 직접 투자와, 외국 회사의 주식이나 공사채(公社債)를 매입하는 간접 투자가 있음. 후진국 개발, 정치적·군사적 제휴(提携)를 위한 국가 자본의 공적 투자도 이에 포함됨.

국제 투자 보증 기구【國際投資保證機構】 명 〔Multilateral Investment Guarantee Agency〕 누적 채무에 시달리는 발전 도상국에 대하여 선진국 기업의 직접 투자 활동을 촉진시키기 위하여 세계 은행이 중심이 되어 1988년 발족한 국제 기구.

국제 투자 은행【國際投資銀行】 명 『경』 유로달러(Euro-dollar)를 끌어들이어 2-7년의 중기(中期) 대출을 주업무로 하는 은행. 유럽에서는 현지 및 수개국의 은행이나 증권 회사의 합병 형태를 취하는 경우가 많음.

국제 트러스트【國際—】 명 〔international trust〕 『경』 트러스트의 힘이 국제간에 미치는 독점적 조직. 석유에 있어서의 스탠더드 오일 트러스트, 자동차에 있어서의 제너럴 모터즈 같은 것.

국제 파:산【國際破產】 명 『법』 파산 선고의 국제적 효력. 그 효력이 타국에까지 미치는지 아니하는지는 각 나라에 따라 다르나 우리 나라에서는 파산 선고가 행해진 국내에서만 효력을 가짐.

국제 판권【國際版權】 [—꿘] 명 『법』 국제상 공통으로 보호하는 판권.

국제 펜 클럽【國際—】 〔PEN Club〕 명 〔International Association of Poets, Playwrights, Editors, Essayists and Novelists〕 문필에 종사하는 사람들의 국제적 문화 단체. 세계 각국의 시인(詩人)·극작가(劇作家)·편집인·평론가(評論家)·소설가 등 문필(文筆)에 종사하는 사람들의 교우(交友)와 친목을 통하여 국제간의 이해를 깊게 하려는 데 목적이 있음. 제1차 세계 대전 후, 1921년에 영국에서 창시되었음. 본부는 런던. 파리에 국제 펜 회관(國際 PEN 會館)이 있으며, 매년 1회 총회(總會)를 개최함. 한국은 1954년에 가입하였으며, 1970년에 제37차 대회가 서울에서 개최되었음. 펜 클럽(PEN Club).

국제 평화【國際平和】 명 국제적인 범위에서의 평화. 전세계의 평화.

국제 평화 기구【國際平和機構】 명 국제 평화를 위한 조직. 제1차 대전 후의 국제 연맹 및 제2차 대전 후의 국제 연합 따위.

국제 평화의 날【國際平和—】 [—/—에—] 명 1981년 유엔 총회에서 결의하여 모든 국가와 국민들에게 평화의 이상을 강조하기 위하여 설정하기로 선포한 날. 곧, 매년 유엔 정기 총회가 열리는 9월 셋째 화요일.

국제 포:경 위원회【國際捕鯨委員會】 명 〔International Whaling Commission〕 국제 포경 조약의 시행 기관. 1982년 총회에서 상업 포경의 실질적 금지를 결정함.

국제 포:경 조약【國際捕鯨條約】 명 고래 자원 보호의 국제적 규제(規制)를 내용으로 하는 조약. 1921년 제네바에서 최초로 서명된 후, 수차의 개정 보완을 거쳐 1946년 미국·영국·소련·일본·노르웨이 등 17개국이 워싱턴에서 새로 체결함. 감독관의 배치, 보호를 요하는 고래의 종류, 해금기(解禁期) 및 금어기(禁漁期)와 그 수역(水域), 사용하는 어구(漁具) 및 장치, 통계 및 생물학적 기록의 수집·보고 등을 규정함.

국제 표준 대:기【國際標準大氣】 〔international standard atmosphere〕 명 항공기의 공력적(空力的)인 계산이나, 고도(高度)의 계산을 위하여, 국제 항공 위원회에서 가정(假定)한 대기의 상태. 지상 기압·기온(氣溫)·비중(比重)·기체 상수(氣體常數)·기온 감률(氣溫減率) 등이 정해져 있음. 약칭 : 아이 에스 에이(ISA).

국제 표준 도서 번호【國際標準圖書番號】 명 〔International Standard Book Number〕 서적의 유통 업무의 컴퓨터 처리를 위한 국제적인 번호 시스템. ISBN의 네 글자 뒤에 13자리의 숫자로 국적·출판사·책이름 등을 표시함. 아이 에스 비 엔(ISBN).

국제 표준 미:터【國際標準—】 〔meter〕 명 파리의 국제 도량형 중앙국(度量衡中央局)에 있는 원기(原器)의 길이를 표준으로 한 미터의 단위.

국제 표준음【國際標準音】 명 『악』 1859년 파리 회의에서 프랑스 정부가 제정한, 음악에 쓰이는 음의 높이의 표준. '가'음의 진동수를 매초간 435회로 정하였는데, 각국이 공통으로 사용하고 있음.

국제 표준 킬로그램【國際標準—】 〔kilogram〕 명 파리의 국제 도량형국(局)에 있는 원기(原器)의 무게를 표준으로 한 킬로그램의 단위.

국제 표준화 기구【國際標準化機構】 명 〔International Organization for Standardization〕 공업 규격을 국제적으로 표준화하기 위하여, 1947년에 설립한 기관. 1926년 창립의 국제 규격 통일 협회(ISA) 대신에 2차 대전 후 설립된 국제 연합 규격 조정 위원회가 그 전신임. 각종 규격에 대하여 필요한 권고를 행하며, 국제 규격의 제정 및 규격에 관한 정보 교환을 주임무로 함. 본부는 제네바에 있음. 약칭 : 아이 에스 오(ISO)·이소(ISO).

국제 피:난민 기구【國際避難民機構】 명 『정』 국제 난민 기구.

국제 하천【國際河川】 명 여러 나라의 국경을 구성하거나 또는 여러 나라의 영역을 관류(貫流)하는 하천. 연안 제국의 조약에 의하여 선박의 자유 항행이 허용되어 있음. 또, 비연안 제국을 포함한 국제 조약에 의하여 모든 나라의 자유 항행이 인정됨. 도나우 강·라인 강 등.

국제 하천 위원회【國際河川委員會】 명 〔International Rivers Commission〕 국제 하천을 관리하기 위한 국제 위원회. 대표적인 것에 도나우 강 국제 위원회와 라인 강 국제 위원회가 있음.

국제 학생 경:기 대:회【國際學生競技大會】 명 〔International Students Games〕 유니버시아드(Universiade).

국제 학생 봉:사단【國際學生奉仕團】 명 〔World University Service〕 주택·학습용재(學習用材)의 부족, 불건강(不健康) 등으로 곤란을 겪고 있는 학생들을 원조하여 국제적 상호 교육을 도모하려고 하는 세계적 학생 조직. 본부는 제네바에 있음.

국제 학술 연합 회:의【國際學術聯合會議】 [—련—/—련—이] 명 〔International Council of Scientific Unions〕 자연 과학에 관한 국제적 학회 연합을 다시 연결하는 학술 기관. 1900년 파리에서 결성된 국제 아카데미 연합회가, 1919년 국제 연구 회의로 발족하고, 1931년에 개편하여 이 명칭으로 되었음. 가입국의 대표 학술 기관 및 참가하는 국제 학회 연합의 중추(中樞) 기관으로서 그 활동의 협조를 도모하는 일을 주로 함. 사회 과학 영역에 있어서의 국제 사회 과학 협의회에 대응함. 약칭 : 아이 시 에스 유(ICSU).

국제 학술원 연합【國際學術院聯合】 [—년—] 명 〔프 Union Academique Internationale; UAI〕 1920년에 창설되어 현재 33개국의 학술원이 가입해 있는 학술원의 국제 기구. 우리 나라는 1978년에 가입함. 본부는 브뤼셀에 있음.

국제-항【國際港】 명 외국의 선박(船舶)이 많이 드나드는 큰 항구.

국제 항:공【國際航空】 명 국제 항공 조약에 의하여 여러 나라 사이를 왕래하는 항공. 「로.

국제 항:공로【國際航空路】 [—노] 명 여러 나라 사이를 연락하는 항공

국제 항:공 연맹【國際航空聯盟】 [—년—] 명 〔프 Fédération Aeronautique Internationale; FAI〕 비행 클럽 및 모형 비행기 클럽의 민간 국제 기구. 1905년 10월 4일 파리에서 설립, 해마다 총회를 가짐. 기록 비행의 국제적 규칙을 제정하고, 이에 따라 수립된 새로운 항공 기록을 심사·공인하여 수시 공표함.

국제 항:공 운송 협회【國際航空運送協會】 명 〔International Air Transport Association〕 정기(定期) 항공에 종사하고 있는 항공 회사의 세계적 단체. 안전 확실하고 경제적인 항공 수송의 발달, 항공에 의한 무역 촉진, 직접 또는 간접으로 국제 항공 수송 사업에 종사하는 기업자간의 협력을 도모하고, '국제 민간 항공 기구' 및 그 밖의 국제 단체와 협력할 것을 그 목적으로 함. 국제 항공 수송 협회를 계승하여, 1945년에 아바나에서 조직됨. 본부는 캐나다의 몬트리올(Montreal) 시에 있음. 약칭 : 아이아타(IATA).

국제 항:공 조약【國際航空條約】 명 『법』 영공에 관한 국가의 주권(主權), 영역 상공(領域上空)의 비행 권리, 항공기의 국적, 항공기가 휴행(携行)할 서류 및 국제 민간 항공 기구의 조직 등을 규정한 조약. 민간 항공기에 적용됨. 1944년 시카고에서 열린 연합국 국제 민간 항공 회의에서 1919년의 파리 조약을 대신하여 채택함. 우리 나라는 1960년 6월 22일 가입. 시카고(Chicago) 조약.

국제 항:공 협정【國際航空協定】 명 〔International Aviation Agreement〕 국제 민간 항공 기구의 회의에서 결정되지 아니한 여객의 승강(乘降), 화물의 운송에 관한 당사국간의 협정.

국제 해:법【國際海法】 [—뻡] 명 『법』 해사(海事)에 관하여 국가간의 관계를 규율하는 특수 법규의 총칭. 평시 국제 해법과 전시 국제 해법으로 구분됨.

국제 해:사 기구【國際海事機構】 명 〔International Maritime Organization ; IMO〕 해사 문제에 관한 유엔의 전문 기구. 1958년 정부간 해사 협의 기구로 발족, 82년 현재의 명칭으로 개칭됨. 해상 안전, 해수 오염 방지, 해운 육성을 위한 회원국 간의 협력을 도모하며, 1993년 현재 참가국 137개국임.

국제 해:사 위성 기구【國際海事衛星機構】 명 〔International Marine Satellite Organization〕 대양(大洋)을 항해하는 선박과 통신하기 위한 위성(衛星)을 운영·관리하는 국제 조직. 1979년 발족(發足)됨. 대서양, 인도양, 태평양 위의 위성을 인텔샛에게서 빌려 쓰고 있는데, 거점국(據點國)에 설치한 지상국(地上局)을 이용해서 항행 중의 배와 세계 어느 곳과도 전화로 통화할 수 있음. 본부는 런던, 1989년 현재 가맹국은 56개국임. 약칭 : 인마샛(INMARSAT).

국제 해:상법【國際海商法】 [—뻡] 명 『법』 해상(海商)에 관한 국제 사법(私法). 각국의 해상(海商)에 관한 법률의 저촉을 해결하는 법률임.

국제 해:협【國際海峽】 명 〔international straits〕 『지』 공해(公海)와 공해(公海)가 연결, 자연적으로 해로(海路)가 되어, 선박이나 항공기의 국제적 항행(航行)에 이용되는 해협. 국제 수로(國際水路).

국제 행정법【國際行政法】 [—뻡] 명 각국의 협력을 기초로 하는 공동적 사무 처리에 관한 조약과 조약에 따라 정하는 연합 또는 동맹의 조직 관계 및 그 행정적 활동에 관한 법. 또, 각국의 국내 행정법 적용 범위의 한계나 그 국제적 저촉을 처리하는 법을 지칭할 때도 있음.

국제 행정 연합【國際行政聯合】 [—년—] 명 교통·통신·통상(通商)·위생·문화 등 행정 사무에 관한 국제 협력을 목적으로 조약에 의하여 결합된 국제 조직. 이를테면 만국 우편 연합(萬國郵便聯合)·국제 전기 통신 연합(國際電氣通信聯合) 등으로 제2차 세계 대전 후에는 대부분이 국제 연합과 협정을 맺어 전문 기관의 지위를 차지하게 되었음.

국제 헌:장【國際憲章】[명]〔법〕↗국제 연합 헌장.

국제 현:대 음악제【國際現代音樂祭】[명] 국제 현대 음악 협회가 주최하는 현대 작곡가 콩쿠르. 1954년 '세계 음악제'로 개칭. *세계 음악제.

국제 현:대 음악 협회【國際現代音樂協會】[명]〔프 Société Internationale pour la Musique Contemporaine; SIMC〕1922년 오스트리아의 잘츠부르크(Salzburg)에서 20개국이 모여 국적·민족·정치적 의견 또는 종교상의 견해 차이를 불문하고 현대 작곡가의 가치 있는 작품을 세상에 알릴 목적으로 창립한 국제적인 협회. 매년 개최지를 바꾸어 국제 현대 음악제, 1954년부터는 세계 음악제를 열고 있음.

국제 협동 조합 동맹【國際協同組合同盟】[명]〔International Cooperation Association; ICA〕1895년 창립된 협동 조합의 국제적 연합체. 1886년 영국의 협동 조합 대회에 참석(參席)하였던 프랑스의 부아브(Boyve, E. de)의 제창으로 주로 영국 기독교 사회주의자들에 의하여 추진 설립되었음. 본부는 런던에 있음.

국제 협동 조합의 날【國際協同組合—】[—/—에—][명] 1922년 국제 협동 조합 동맹 대회에서 협동 조합의 발달과 세계 평화를 위하여 정한 날. 1950년부터 해마다 9월의 둘째 일요일로 정함.

국제 협력【國際協力】[—녀][명] ①넓은 뜻으로, 일체의 국제적 사항에 관한 여러 국가의 협력. 고도의 정치적인 국제 평화를 위한 협력도 이에 속함. ②좁은 뜻으로, 경제적·사회적 사항을 비롯하여 주로 문화적·인도적(人道的)·기술적 사항에 관한 여러 국가의 협력. 곧, 교통 및 통상의 자유, 근로 조건의 개선, 여성 및 아동의 매매(賣買)의 단속, 아편(阿片) 등 유해 약물(有害藥物)의 단속, 질병의 방지 등에 관한 협력.

국제 협력의 해【國際協力—】[—녀—/—녀에—][명]〔United Nations International Cooperation Year〕1963년 12월의 제18회 유엔 총회에서 정한 유엔 창립 20주년에 해당하는 '1965년'을 이르는 말. 인도의 네루 수상이 제창함. 세계 협력의 해.

국제 협조처【國際協助處】[명] 아이 시 에이(ICA).「의 전신.

국제 형무 회:의【國際刑務會議】[—/—이][명] '국제 형법 형무 회의'

국제 형법【國際刑法】[—뻡][명]〔법〕여러 나라 공통의 형벌 법규를 제정할 목적으로 체결된 국제 조약이나 국제 위원회에 의하여 제정된 형벌 법규. 여성 및 아동의 매매에 관한 국제 조약, 범인 인도에 관한 조약, 집단 살해죄의 방지 및 처벌에 관한 조약 등.

국제 형법 형무 회:의【國際刑法刑務會議】[—뻡—/—뻡—이][명] 형법 및 행형(行刑) 전문가의 국제 회의. 국제적인 교도소 개량 운동을 목적으로, 1872년 처음 열렸고, 1950년 제12차 헤이그 회의를 마지막으로 1951년에 해산, 그 사업은 국제 연합의 범죄 및 범죄인 처우 회의에 인계됨.

국제 형사 경:찰 기구【國際刑事警察機構】[명]〔International Criminal Police Organization〕가맹국 상호의 협력으로 국제적인 형사 범죄의 방지에 이바지할 목적으로 결성된 공조 기관(共助機關). 정보 자료의 교환, 수사 협력 등을 임무로 함. 임의(任意) 조직이므로 강제 수사권이나 체포권은 없으며 정치적·군사적·종교적·인종적 문제에 관여하는 것은 엄금되고 있음. 1914년 발족되어, 1991년 현재 가맹국은 158개국인데, 이 중 공산 국가는 없음. 사무국은 파리임. 약칭: 아이 시 피 오(ICPO)·인터폴(Interpol).

국제-호【國際湖】[명]〔지〕두 나라 이상의 영토(領土)에 걸치어진 호수. 외해(外海)에서 항행(航行)할 수 있는 것에 대하여는 국제 하천과 같이, 각국 선박의 자유 항행, 평등 대우가 인정되고 있음.

국제-화【國際化】[명] 국제적인 규모로 되거나 되게 함. ——-하다 [자타] [여불]

국제 화의【國際和議】[—/—이][명]〔법〕화의 개시의 국제적 효력. 재판의 경우와 같이 내외국인 평등주의를 원칙으로 하며, 이에 상호(相互)주의를 가미하고 있음. 우리 나라는 절대 속지주의(絶對屬地主義)를 따르는 파산법(破産法)을 준용하고 있으므로, 우리 나라에 있는 재산에 대하여 외국에서 개시(開始)한 화의는 그 효력이 없는 것으로 되어 있음.

국제-환【國際換】[명]〔경〕외국환(外國換).

국제 활동 태양 관측년【國際活動太陽觀測年】[—똥—][명]〔International Active Sun Year〕1970년 전후의 태양 활동 극대기(極大期)에 실시된 국제적인 태양의 종합적 관측 사업. 국제 학술 연합 회의의 태양·지구 물리학 연락 협의회가 제창(提唱), 각국에서 실시되었음. 약칭: 아이 에이 에스 와이(IASY).

국제 회:의【國際會議】[—/—이][명] 국제적 이해(利害) 사항을 토의·결정하기 위하여 다수 국가의 대표자에 의하여 열리는 회의.

국제 회:의 용:역업【國際會議用役業】[—/—이—][명] 국제 회의의 계획·준비·진행 등 필요한 업무를, 행사 주관자로부터 위탁받아 대행하는 영업.

국제 횡축 메르카토르 도법【國際橫軸—圖法】[—뻡][명] 자오선(子午線)에 감긴 원통을 전개(展開)한 모양의 메르카토르 도법. 유 티 엠(UTM) 도법. 횡축 메르카토르 도법. *유 티 엠 좌표계(座標系).

국조[1]【國祚】[명] 국운(國運).

국조[2]【國祖】[명] 나라의 시조(始祖).

국조[3]【國租】[명] 나라의 조세.

국조[4]【國鳥】[명] 그 나라를 대표하는 것이라 하여 정한 새. 1782년 미국 의회에서 흰머리독수리(bald eagle)를 국조로 선정한 것이 시초이며, 1960년에 개최된 제12회 국제 조류 보호 회의의 결의로 각국은 정식으로 국조를 선정함. 선정 기준으로는 국민과의 친근성, 고유성 등 여러 가지임. 우리 나라는 까치, 영국은 울새, 인도는 인도공작, 아일랜드는 검은머리물떼새, 네덜란드는 노랑부리저어새, 벨기에는 황조롱이, 일본은 꿩, 룩셈부르크는 상모솔새, 아이슬란드는 백송고리, 오스트리아는 제비, 덴마크는 종다리 등임. *국화(國花).

국조[5]【國朝】[명] ①자기 나라의 조정(朝廷). 전하여, 우리 나라. 본조(本朝). 본방(本邦). ②당대(當代)의 조정.

국조 계:방록【國朝桂榜錄】[—녹][명]〔책〕고려 충렬왕 16년(1290)부터 조선 현종 3년(1662)까지의 문과 급제자의 이름을 적은 방명록. 2권. 필사본.

국조-권【國調權】[—꿘][명] 국회의 '국정 조사권(國政調査權)'의 준말.

국조 기략【國朝記略】[명]〔책〕조선 태조(太祖)부터 광해군까지의 우리 나라의 사적(史蹟)을 약술(略述)한 책. 역대의 세계(世系)를 책머리에 싣은 다음 사건을 뽑아 기록함. 편자·연대는 미상(未詳). 5권 5책.

국조 명신록【國朝名臣錄】[—녹][명]〔책〕①조선 개국 이래 명신의 사적을 수록한 책. 효종 때 김육(金堉)이 편찬. 도학(道學)·사업(事業)·충절(忠節)로 분류됨. 17책. 해동 명신록(海東名臣錄). ②조선 초부터 인조(仁祖) 때까지의 명신(名臣)에 관하여 기록한 책. 영조 때 이존중(李存中)이 지었음. 54권 30책.

국조 명신 언행록【國朝名臣言行錄】[—녹][명]〔책〕조선 태조부터 효종(孝宗)까지의 명신들의 언행을 수록한 책. 송징은(宋徵殷; 1652-1720)이 편찬. 전집(前集)·후집(後集)·외집(外集)·별집(別集)·속집(續集)으로 구분됨. 51권 30책, 사본.

국조 문과 방:목【國朝文科榜目】[명]〔책〕조선 태조부터 영조(英祖)까지 역대의 문과 급제자의 이름·계통(系統)·연령·향관(鄕貫) 등을 수록한 책. 편자·연대는 미상. 16권 8책, 사본.

국조 문과 성:보【國朝文科姓譜】[명]〔책〕조선 태조부터 영조(英祖)에 이르는 역대 문과 급제자의 성명·관직·향관(鄕貫) 등을 연대순, 또는 성씨별(姓氏別)로 기록한 책. 2권 2책.

국조 방:목【國朝榜目】[명]〔책〕①조선 태조(太祖) 원년(1392)부터 고종(高宗) 14년(1877)까지의 문과 급제자 명단. 조선 시대 때의 급제자를 수록하고 책 머리에 고려 광종 때 한림 학사 쌍기(雙冀)의 제안에 의하여 시부(詩賦)·송(頌)·시무책(時務策)으로 진사를 시취(試取)한 일과, 고려 때 과거에 등제(登第)한 인명 약간을 수록하였음. 10권 10책. ②조선 태조 원년(1392)부터 고종 31년(1894)까지의 문과 급제자의 명단. 12권 12책.

국조 보:감【國朝寶鑑】[명]〔책〕조선 시대 역대 군주의 치적에서 모범이 될 일을 실록에 의하여 편찬한 편년체(編年體)의 역사책. 세종 때 편집 계획에 착수, 세조 때 수찬청(修撰廳)을 두고 태조·태종·세종·문종 4대의 보감을 처음으로 완성, 그 후 숙종·영조·정조·헌종 때 편찬을 속행, 고종 때에 완성됨. 90권 26책.

국조 보:첩【國朝譜牒】[명]〔책〕조선 시대 왕족의 세계(世系)를 남녀의 순으로 수록한 책. 헌종(憲宗) 때 편찬. 1책 84장.

국조 사장【國朝詞章】[명]〔책〕악장 가사(樂章歌詞).

국조 상례 보:편【國朝喪禮補編】[—녜—][명]〔책〕조선 영조의 명으로 홍계희(洪啓禧) 등이 《국조 오례의(五禮儀)》의 상례(喪禮) 부분을 보충·개편한 책. 청(廳)을 설치하여 원편 6권을 개정 증보하고 도설(圖說) 1권을 따로 붙이었음. 영조 34년(1758)에 완성. 7권 6책.

국조 속오례의【國朝續五禮儀】[—/—이][명]〔책〕《국조 오례의(國朝五禮儀)》의 개정판(改訂版). 조선 영조 20년(1744)에, 이종성(李宗城) 등에 명하여 편찬하게 한 예서(禮書). 《속대전(續大典)》에 대응함.

국조 악장【國朝樂章】[명]〔책〕조선 영조(英祖)의 명으로 홍계희(洪啓禧)·서명응(徐命膺) 등이 종묘 악장(宗廟樂章)·문소전(文昭殿) 악장·열조(列朝) 악장 및 그 밖의 서적을 한 권으로 편찬하여 간행한 악장집. 1책 44장.

국조 역상고【國朝曆象考】[명]〔책〕역관(曆官) 성주덕(成周悳)·김영(金泳)이 조선 정조(正祖)의 명을 받아 편찬한 역서(曆書). 역법(曆法)의 연혁(沿革), 북극의 고도(高度), 동서의 편도(偏度), 경루(更漏)의 오목(五目) 등을 밝힌 책임. 4권 2책.

국조 오:례의【國朝五禮儀】[—/—이][명]〔책〕조선 세종(世宗)의 명을 받아 허조(許稠) 등이 오례(五禮)의 편찬에 착수하고, 세조(世祖) 때의 강희맹(姜希孟) 등의 손을 거치어 성종(成宗) 5년(1474)에 신숙주(申叔舟)·정척(鄭陟) 등이 완성한 예서(禮書). 길(吉)·흉(凶)·가(嘉)·빈(賓)·군(軍) 중에서 실행하여야 할 것을 뽑아 도식(圖式)으로 편찬함. 8권 8책. [준]오례의(五禮儀).

국조-왕【國朝王】[명]〔사람〕태조왕(太祖王).

국조 유선록【國朝儒先錄】[—녹][명]〔책〕조선 선조(宣祖)의 명으로 제학(提學) 유희춘(柳希春) 등이 유학자(儒學者)의 저작을 수집·편찬한 문학서. 김굉필(金宏弼)의 《경현록(景賢錄)》, 이언적(李彦迪)의 《유사(遺事)》에서 초록(抄錄)하고, 정여창(鄭汝昌)·조광조(趙光祖)의 저작을 수집, 그 밖의 많은 사람의 견문을 모아 편성하였음. 선조 3년(1570)에 간행. 4책.

국조 인물고【國朝人物考】[명]〔책〕조선 태조부터 숙종(肅宗)까지의 역대 인물 전기(傳記). 편자·연대 미상. 원고(原考) 66권, 속고(續考) 8권.

국조 휘언【國朝彙言】[명]〔책〕군도(君道)·신도(臣道)·육조(六曹)·인사(人事)에 관한 고금의 사례(事例)를 모아 엮은 책. 《국조 보감(國朝寶鑑)》을 근거로 하고 기타 서적을 인용하였음. 13권 10책.

국족【國族】[명] 임금과 같은 본(本)의 성(姓)을 가진 사람.

국족-척【國族戚】[명] 국족(國族)과 국척(國戚). 임금의 친족(親族)과 인척.

국존【國尊】[명]〔역〕고려말에 '국사(國師)'의 고친 이름. *국사(國師).

국졸【國卒】[명] ↗국민 학교 졸업.

국죄【鞫罪·鞠罪】[명] 죄상(罪狀)을 신문(訊問)함. ——-하다 [자] [여불]

국주[1]【國主】[명]〔역〕나라의 임자. 임금. 나라님.

국주[2]【國胄】[명] 태자(太子). 세자(世子).

국주 한:종체【國主漢從體】[명] 국문이 주가 되고 한문이 보조적으로 써어진 문체.

국중【國中】[명] 국내(國內).

국지[1]【一紙】명 도련치고 남은 종이 부스러기. 제지(蹄紙).
국지[2]【局地】명 한정(限定)된 일정한 지역. ¶ ~ 전쟁.
국지[3]【國志】명 한 나라의 역사.
국지 기후【局地氣候】명〖기상〗비교적 좁은 지역의 기후.
국지 방공【局地防空】명〖군〗공습에 대비하여 작은 지역이나 단일(單一) 목표를 방어하는 일. 항공기, 모든 군(軍), 민간 등의 지상 방어 조치가 포함됨.
국지-어음【國之語音】명 나라의 말.
국지-적【局地的】명관 한 지역에 한정된 상태나 그 모양.
국지-전【局地戰】명 한정된 지역에서 하는 전투. 국부전(局部戰).
국지 전:쟁【局地戰爭】명〔local war〕교전국의 정치 목적에 한계가 있고 사용 병기의 제약이나 지리적 제약을 받는 전쟁. 곧, 현대적인 형태로서 강대국의 전면 전쟁을 회피하여 제한된 지역에서 제한된 조건하에 국가 정책과 군사 목적을 달성하기 위하여 행하는 전쟁을 이름. 한정 전쟁(限定戰爭). 한지 전쟁(限地戰爭). ↔전면(全面) 전쟁. *제한(制限) 전쟁.
국지 전:투기【局地戰鬪機】명〖군〗한정된 지역의 제공(制空)이나 방공(防空)에 쓰이는 전투기. 항속(航續) 거리에 비하여 상승(上昇) 능력이 뛰어남.
국지-풍【局地風】명〖기상〗국지적 지형이나 수륙(水陸) 분포 등의 영향에 의하여 부는 지방적인 특색을 지닌 바람. 산풍(山風)·곡풍(谷風)·해륙풍(海陸風) 따위. 지방풍(地方風).
국직【國稷】명 작은 나라의 태직(太稷).
국창【國唱】명 ①나라에서 으뜸가는 명창. ②소리 광대 중, 전주(全州)의 대사습에서 장원을 했거나, 궁중에 불리어 가서 판소리를 불렀던 사람. *명창(名唱).
국채【國債】명 넓은 뜻으로는 국가가 세입의 부족을 메우기 위하여 지는 금전 채무. 또, 그것을 표시하는 채권(債券). 좁은 뜻으로는, 차입금 이외의 장기 채무로 유가 증권(有價證券) 형태에 의한 것을 가리킴. 모채(募債)의 장소에 따라 내국채(內國債)와 외국채(外國債)로 나뉨. 또, 상환(償還)의 기한에 의하여 영원(永遠) 국채와 유기(有期) 국채로, 기채(起債) 사항의 확부(確否)에 의하여 확정(確定) 국채와 유동(流動) 국채로 나눔. 국가의 채무를 공채(公債)라고도 하지만 지방채(地方債)와 구별하기 위하여 국채라고 함. *공채(公債)·재정 증권.
국채 과세【國債課稅】명 국채의 이자에 대하여 부과하는 조세.
국채-법【國債法】〔—뻡〕명〖법〗국채의 발행 및 관리에 관한 기본적인 사항을 규정한 법률.
국채 보:상 운:동【國債報償運動】명〖역〗대한 제국 융희 원년(1907), 일본으로부터 얻은 1천 3백만 원(圓)의 차관(借款)을 갚기 위하여 일어난, 거족적 국민 운동. 대구(大邱)의 서상돈(徐相敦) 등이 주동이 되고, 제국 신문·황성 신문·만세보(萬歲報) 등이 적극 지지하여 모금(募金) 운동을 벌였으나, 통감부(統監府)의 압력과 일진회(一進會)의 방해로 중지됨.
국채-비【國債費】명 일반 회계 예산의 한 비목(費目). 국채의 상환에 충당하고 국채 정리 기금 특별 회계에서 처리함.
국채 오퍼레이션【國債—】〔operation〕명〖금융〗공개 시장 조작의 한 가지. 경제의 확대에 따라 성장 통화(成長通貨)를 공급하거나 시중(市中)의 잉여 자금을 흡수하기 위하여 국채를 매매(賣買)함으로써 이루어지는 오퍼레이션.
국채 정:리 기금【國債整理基金】〔—니—〕명 국채의 상환 및 발행에 관한 비용에 충당하기 위하여, 국채 정리 특별 회계가 일반 회계 또는 특별 회계에서 받아들이는 자금.
국채 증권【國債證券】〔—꿘〕명 나라의 채무에 대한 권리를 표시한 증권. 정부가 발행하며 무기명을 원칙으로 함.
국-채표【鞠埰表】명〖사람〗기상학자(氣象學者). 전남 담양 출생. 일본 교토(京都) 제국 대학 수학과를 졸업, 광복 후 국립 중앙 관상대 부대장(副臺長)을 지냄. 1958년 미국 시카고 대학에서 기상학을 연구, 1961년 귀국하여 중앙 관상대장이 됨. 태풍 진로 예상법인 '국(鞠)의 방법(Kook's Method)'으로 국제적으로 알려짐. 〔1906-67〕
국책[1]【國責】명 국가의 소임.
국책[2]【國策】명 ①국가의 정책(政策). 국가 목적을 수행하기 위한 정책. 치국(治國)의 방책(方策). ②〖책〗↗전국책(戰國策).
국책 문학【國策文學】명〖문〗국가 정책에 호응·협력함을 소재로 한 문학. 전쟁 문학·농민 문학·개척 문학·보국(報國) 문학 등.
국책 영화【國策映畫】〔—녕—〕명 국가 관리 하에, 국책의 보급을 위해 만든 영화.
국책 은행【國策銀行】명 국책에 의하여 설립 운영되는 은행. 우리 나라에서 한국 은행·한국 산업 은행 등. *특수 은행.
국책 회:사【國策會社】명 국가의 정책을 수행하기 위하여 물자의 생산·유통(流通)을 통제하며 그 합리화를 도모할 목적으로 설립된 반관 반민(半官半民)의 회사. 포항 제철 주식 회사(浦項製鐵株式會社) 등이 이에 속함.
국척[1]【國戚】명 임금의 인척(姻戚).
국척[2]【跼蹐】명 황송하여 몸을 굽힘. 두려워 몸을 옴추림. 국축(跼縮). 국천 척지(跼天蹐地). ——-하다 자여불
국천 척지【跼天蹐地】명 국척(跼蹐). ——-하다 자여불
국철【國鐵】명 ↗국유 철도. ↔사철(私鐵).
국청【鞫廳·鞠廳】명〖역〗역적 따위 중한 죄인을 신문(訊問)하기 위하여 임시로 만든 곳.
국체【國體】명 ①나라의 사정·상태. ②나라의 체면. ③〖법〗국가의 주권이 어디에 있느냐에 따라 구분한 국가의 형태. 민주(民主) 국체와 군주(君主) 국체의 두 가지가 있음. *정체(政體). ④↗전국 체육 대회.
국초[1]【國初】명 ①나라를 세운 때의 처음. 건국(建國)의 초기. ↔국말(國末). ②본조(本朝)의 처음.
국초[2]【國礎】명 나라의 기초. 국기(國基).
국초[3]【菊初】명〖사람〗이인직(李人稙)의 호(號).
국촉【局促·局趣】명 ①도량이 좁은 모양. 소견이 좁은 모양. ②몸을 움츠리는 모양. 줄어드는 모양. ——-하다 형여불
국추【菊秋】명 '음력 9월'의 별칭. 국월(菊月).
국축【跼縮】명 국척(跼蹐). ¶영식은 열렬한 의기의 기운을 얻어 이제까지 ~하던 기운은 흘연 없어지고…≪沈天風:兄弟≫. ——-하다 자여불
국-출신【局出身】〔—씬〕명〖역〗조선 시대 때, 훈련 도감(訓鍊都監)의 최하급의 장교.
국치[1]【國恥】명 나라의 수치. 국욕(國辱). *민욕(民辱).
국치[2]【鞫治·鞠治】명〖역〗중한 죄인을 국청(鞫廳)에서 문초하여 다스림. ——-하다 타여불
국치 기념일【國恥記念日】명 외국으로부터 당한 치욕을 잊지 아니하도록 정한 기념일. 특히, 중국이 일본으로부터 국욕(國辱)을 당하였던 날을 국민에게 명심시키어 각오를 새롭게 하게 하기 위하여 정한 날. 1915년 중일(中日)간에 21개조 조약이 승인된 5월 9일.
국치 민욕【國恥民辱】명 나라의 수치와 인민의 욕됨.
국치-일【國恥日】명 한국 민족이 당한 국치를 잊지 아니하기 위한 날. 8월 29일. 1910년에 대한 제국이 국권 피탈 문서에 치욕적인 조인을 한 날임.
국태【國泰】명 나라가 태평(泰平)함. ¶ ~ 민안(民安).
국-태공【國太公】명〖역〗'흥선 대원군(興宣大院君)'의 존칭.
국태 민안【國泰民安】명 나라가 태평하고 인민이 살기가 평안함. ——-하다 형여불
국토【國土】명 ①나라의 땅. 한 나라의 통치권(權)이 미치는 영토의 전부. 방토(邦土). ¶ ~ 건설. ②토지. 대지(大地). ③고향. 고국. 향토. ④〖불교〗↗국토 세간(國土世間).
국토 개발 기술사【國土開發技術士】〔—싸〕명 측량 기술자의 하나. 측량에 관한 계획·실시·지도·감독 및 평가를 맡음. *측지 기사.
국토 개발 연:구원【國土開發研究院】〔—련—〕명〖법〗국토 개발 연구원 육성법에 따라 정부의 출연금으로 설치한 재단 법인. 국토 개발과 국토 계획·수립에 필요한 연구 조사를 함.
국토 건:설 사:업【國土建設事業】명 국토 종합 개발 계획에 의하여 국토·자연 자원의 개발 및 이용·보전을 기하고, 유휴 노동력에 대한 취업 기회를 주기 위한 사업. 국토 장기 개발 사업과 국토 보전 사업으로 나눔.
국토 건:설 종합 계:획【國土建設綜合計劃】명 국토 건설 종합 계획법에 의거하여, 정부 또는 지방 자치 단체가 실시할, 토지·물 기타 천연 자원의 이용·개발·보전, 수해·풍해(風害) 기타 재해의 방제, 도시와 농촌의 배치 및 규모, 산업 입지의 선정과 그 조성(造成), 중요 공공 시설의 배치 및 규모, 문화·후생 및 관광 자원의 보호·시설의 배치 및 규모 등에 대한 종합적이고 기본적인 장기 계획. 전국·특정 지역·도(道)·시(市)·군(郡) 건설 종합 계획의 네 가지가 있음. 준국토 계획.
국토 건:설 종합 계:획법【國土建設綜合計劃法】명〖법〗국토의 자연 조건을 종합적으로 이용·개발 및 보전하는 국토 건설 종합 계획과, 그 기초가 될 국토 조사에 관한 사항을 규정한 법률.
국토 계:획【國土計劃】명 ↗국토 건설 종합 계획.
국토 방위【國土防衛】명 나라의 영토를 적의 공격으로부터 막아 지킴.
국토 보:전 사:업【國土保全事業】명 국토 종합 개발 계획에 따른 국토 건설 사업의 하나. 방재(防災)와 경제 개발 촉진(促進)을 위한 조림(造林)·사방(砂防)·치수(治水)·수리(水利)·도로·항만 및 도시 토목 사업 등이 있음.
국토 보:존【國土保存】명 나라의 영토를 잘 간수하여 잃지 않도록 함.
국토 분단【國土分斷】명 국토가 갈라짐. ¶ ~의 비극.
국토 세:간【國土世間】명〖불교〗삼종(三種) 세간의 하나. 일체 중생을 거주시키고 있는 산하(山河)·대지(大地) 등 모든 것을 가리킴. 기세간(器世間). 준국토❹.
국토 안온【國土安穩】명 나라 전체가 잘 다스리어져 안온함. 국토 안전.
국토 안전【國土安全】명 국토 안온(安穩).
국토-애【國土愛】명 국토, 곧 나라 땅에 대한 사랑.
국토 양:단【國土兩斷】명 국토가 양쪽으로 갈라짐. ¶ ~의 비극.
국토 여래【國土如來】명 국토를 석가 여래인 양으로 우러러 일컫는 말.
국토 이:용 계:획【國土利用計劃】명〖법〗국토를 그 기능과 적성(適性)에 따라 가장 적합하게 이용·관리하기 위한 계획.
국토 이:용 계:획 심:의회【國土利用計劃審議會】〔—/—심이—〕명 국토 이용 계획의 결정과 그 변경, 규제 구역의 지정과 그 해제, 기타 토지 정책에 관한 주요 사항을 심의하기 위하여 건설 교통부에 둔 기관. 위원장 및 부위원장을 포함한 20명 이내의 위원으로 구성되며 위원장은 건설 교통부 장관이 됨.
국토 이:용 관리법【國土利用管理法】〔—괄—뻡〕명〖법〗국토 건설 종합 계획의 효율적인 추진과 국토 이용 질서를 확립하기 위하여 국토 이용 계획의 입안(立案)·결정, 토지 거래의 규제와 토지 이용의 조정 등에 관한 사항을 규정한 법률.
국토 조사【國土調査】명 국토 건설 종합 계획법에 의거, 정부 또는 지방 자치 단체가 국토의 이용·개발 및 보전을 위하여 실시하는 조사. 기본 조사·토지 분류 조사·자원 조사의 세 가지가 있음.
국토 종합 개발【國土綜合開發】명 국토의 자연적 조건을 고려하여 경제·사회·문화 등에 관한 시책(施策)을 종합적 견지에서 이용·개발·보전(保全)하여, 산업 입지(立地)의 적정화(適正化)를 기하고 복지(福祉)를 향상시키는 일.
국토 통:일원【國土統一院】명 '통일원'의 구칭.
국토 해:양부【國土海洋部】명 중앙 행정 기관의 하나. 국토 종합 계획

의 수립·조정, 국토 및 수자원의 보전·이용 및 개발, 도시·도로 및 주택의 건설, 해안·하천·항만 및 간척, 육운·해운·철도 및 항공, 해양 조사, 해양 자원 개발, 해양 과학 기술 연구·개발 및 해양 안전 심판에 관한 사무를 관장함.

국토 회복 운:동【國土回復運動】명 〖역〗 레콩키스타(Reconquista).

국통【國統】명 〖역〗 신라 때 제일 높은 승직(僧職). 진흥왕(眞興王) 12년(551)에 고구려에서 온 혜량 법사(惠亮法師)를 이에 임명한 데서부터 비롯함. 승통(僧統). ＊국사(國師)·국존(國尊).

국파【國破】명 나라가 흩어져 망함. ——-하다 자여불 「음.

국파 산하재【國破山河在】명 나라는 망하였으나 산과 강은 그대로 있

국판【菊判】명 〖인쇄〗 ①세로 93cm, 가로 63cm의 양지(洋紙)의 크기. ②책 모양의 크기. 국판 전지(全紙)를 열 여섯 겹으로 접은 크기. 곧, 세로 210mm, 가로 148mm의 책의 체제. ＊사륙판(四六判).

국판 인쇄【菊判印刷】명 〖인쇄〗 국판의 규격으로 박는 인쇄.

국폐[1]【國弊】명 나라의 폐해.

국폐[2]【國幣】명 〖역〗 조선 시대 때 공인(公認)되어 쓰던 화폐에 관한 규정 조목. 초기에는 포화(布貨)와 저화(楮貨)를 국가의 화폐로 하였는데, 정포(正布) 1필(疋)은 상포(常布) 2필에 준하고, 상포 1필은 저화 20장(張)에 준하며, 저화 1장은 쌀 1되에 준하였음. 그 후 동전(銅錢)을 사용하였는데, 정은(丁銀) 1냥(兩)은 상평 통보(常平通寶) 2냥으로 대용하였음. ＊저화(楮貨)·상평 통보.

국풍【國風】명 ①그 나라 특유의 풍속. 국속(國俗). ②중국 최고(最古)의 시집 ≪시경(詩經)≫ 중의 민요 부분의 총칭. 또, 그 시풍(詩風).

국학【國學】명 ①자기 나라의 전통적인 국민의 신앙·사상·문화에 관한 학문. 우리 나라에서는 국어·국문·한문·국사·민속(民俗) 등의 학문. 국학문(國學問). ↔양학(洋學). ②〖역〗 신라 때 교육을 맡은 곳. 예부(禮部)에 속함. 신문왕(神文王) 2년(682)에 둠. 경덕왕(景德王)이 태학감(太學監)으로 고치었다가 혜공왕(惠恭王)이 다시 본이름으로 함. ③〖역〗 고려 충렬왕(忠烈王) 원년(1275)에 '국자감(國子監)'을 고친 이름. ④〖역〗 '성균관(成均館)'의 예스러운 이름. ⑤옛 중국의 국도(國都)에 세운 학교. 수(隋)나라 이후는 국자감(國子監)이라 함. 3)·4): ＊국자감(國子監).

국-학문【國學問】명 국학(國學)❶.

국학 사인【國學舍人】명 〖역〗 신라 시대 국학에 다니던 학생. 15-30세 된 사람만이 다니며 지위는 대사(大舍)에서 무위(無位)까지 있었음.

국학-자【國學者】명 국학을 연구하는 학자. 또, 국학에 뛰어난 사람.

국학 정신【國學精神】명 국학을 존중하는 정신.

국한[1]【局限】명 어떤 부분에만 한정함. 한국(限局). ¶ 문제의 범위를 ～시키다. ——-하다 타여불

국한[2]【國漢】명 ①국문과 한문. ¶ ～문. ②국어와 한어(漢語).

국-한문【國漢文】명 ①국문과 한문. ②국문과 한문이 섞인 글.

국한문-체【國漢文體】명 국문에 한문을 섞어 쓰는 글의 체.

국한문 혼:용【國漢文混用】명 국문과 한문을 섞어 씀.

국한-화【局限化】명 어떤 부분에만 한정(限定)되게 함. 또, 그렇게 됨. ——-하다 자타여불

국해 명 〈방〉 진흙(경북).

국핵【鞠劾】명 죄를 국문(鞠問)함. 또, 그 조서(調書). ——-하다 타여불

국행 수륙전【國行水陸田】명 〖역〗 조선 시대 때 제전(祭田)의 일종으로, 나라를 위하여 죽은 자의 명복을 빌기 위하여 수륙재(水陸齋)를 마련할 비용에 충당하던 논밭. 「草).

국향【國香】명 ①나라에서 제일 가는 미인. 국색(國色). ②〖식〗 난초(蘭

국헌【國憲】명 나라의 근본 법규. 곧 헌법. 국법(國法). 조헌(朝憲).

국헌 문:란【國憲紊亂】[—물—] 명 〖법〗 헌법 또는 법률에 정한 절차에 의하지 아니하고 헌법 또는 법률의 기능을 소멸(消滅)시키거나, 헌법에 의하여 설치된 국가 기관을 강압(強壓)에 의하여 전복 또는 그 기능 행사를 불가능하게 하는 일.

국호【國號】명 한 국가의 칭호. 국명(國名). 나라 이름.

국혼【國婚】명 〖역〗 왕·왕세자·왕자·공주·옹주(翁主)·왕손 등 왕실(王室)의 혼인. 「모신 단.

국혼-단【國魂壇】명 〖불교〗 절 안의 역대 임금의 영혼의 위목(位目)을

국혼 정:례【國婚定例】[—녜] 명 〖책〗 조선 시대 때 펴낸, 혼례(婚禮)에 관한 규정의 책. 국민의 혼례에 있어서의 지출 절감(節減)을 목적으로 영조 25년(1749), ≪탁지 정례(度支定例)≫에 뒤이어 박문수(朴文秀) 등이 왕명을 받아 편찬하였음. 7권 2책.

국화[1]【菊花】명 〖식〗 ①국화과 국화속(菊花屬)에 속하는 식물의 총칭. 대개 아름다운 꽃이 피는데, 전세계에 약 200종이 분포하고 한국에도 수국(水菊)·산국(山菊)·울릉국화 등 야생종이 10여 종 있음. 가을 꽃으로 가장 널리 재배되며, 개량 품종이 썩 많음. 불로 장수(不老長壽) 및 상서(祥瑞)로운 영초(靈草)로서 옛날부터 상용(賞用)되고, 약용 및 양조용(釀造用)·향료로도 씀. 상하걸(霜下傑). 은군자(隱君子). 중양화(重陽花). 동리(東籬). 동리 군자(東籬君子). ②감국(甘菊).

국화[2]【國花】명 한 나라의 상징으로서 모든 국민이 한결같이 애중히 여기는 꽃 또는 식물. 우리 나라 국화는 무궁화, 영국은 장미, 프랑스는 백합, 일본은 벚꽃 따위. 나라꽃. 국화(國華). ＊국조(國鳥).

국화[3]【國貨】명 ①그 나라에서 통용되는 화폐. ②그 나라의 생산 물자. 그 나라의 재화(財貨).

국화[4]【國華】명 ①국화(國花). ②국가의 위광(威光).

국화[5]【國畫】명 〖미술〗 현대 중국에서, 서양화 또는 서화(西畫)에 대하여 필묵(筆墨)으로 그린 중국 재래의 전통적인 회화의 일컬음.

국화-과【菊花科】[—꽈] 명 〖식〗 (Compositae) 쌍자엽 식물(雙子葉植物) 이판화류(離瓣花類)에 속하는 한 과. 전세계에 1,000속(屬), 11,000여 종, 한국에는 과꽃·국화·담배풀·도깨비바늘·박쥐나물·수리치·쑥·쑥부쟁이·엉거시·엉겅퀴 및 비단쑥·털산쑥·더위지기 등 재배하는 것과 합하여 390여 종이 분포함.

국화-다【菊花茶】명 감국꽃을 그늘에 말린 차. 냄새가 날지 아니하도록 그릇에 봉하여 두고 씀.

국화 단추【菊花—】명 국화 모양을 본떠 만든 단추.

국화-도【菊花島】명 〖지〗 경기도의 서해상(西海上), 화성군(華城郡) 우정면(雨汀面) 국화리(菊花里)에 위치한 섬. [0.39km²: 71명(1984)]

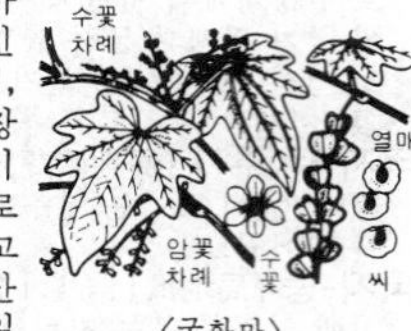
〈국화 동자못〉

국화-동【菊花童】명 〖건〗 ↗국화 동자못.

국화 동:자못【菊花童子—】명 〖건〗 판문 또는 난간 등에 박는 국화 모양으로 생긴 장식(裝飾) 못. 국화판(菊花瓣). ㊥국화동.

국화-떡 명 국화전(菊花煎).

국화-마【菊花—】명 〖식〗 [*Dioscorea quinqueloba*] 맛과에 속하는 다년생 만초(蔓草). 근경(根莖)은 비후(肥厚)하고 줄기가 세장(細長)함. 잎은 호생(互生), 긴 잎꼭지에는 한 개씩의 돌기(突起)가 있으며, 엽편(葉片)은 심상(心狀) 달걀꼴인데 가장자리에 결각(缺刻)이 있음. 6-7월에 자웅 이가(雌雄二家)의 노랑 꽃이 수상(穗狀) 화서로 액출(腋出)함. 삭과(蒴果)는 거꿀심장형이고 열매 주위에는 각기 날개가 있음. 들이나 산에 나는데, 평안도를 제외한 한국 각지 및 일본 등지에 분포함.

〈국화마〉

국화 만두【菊花饅頭】명 밀가루를 물에 풀어 국화 모양의 판에 붓고 팥 소를 넣어서 구운 과자의 한 가지.

국화 매듭【菊花—】명 매듭의 기본형(基本型)의 하나. 마름모꼴 주위에 꽃잎이 둘린 납작한 매듭. 나비 매듭·국화 난간 매듭 등의 기초가 됨.

국화-바람꽃【菊花—】명 〖식〗 [*Anemone altaica*] 미나리아재빗과에 속하는 다년초. 근경(根莖)은 가늘고 가로 뻗으며, 줄기 높이 20cm 정도임. 잎은 이회 삼출(二回三出)하고, 소엽(昭葉)은 달걀꼴의 결각(缺刻) 또는 결각상 치아연(齒牙緣)이 있음. 4-5월에 포엽(苞葉)의 중심에서 한 개의 화경(花莖)이 나와 그 끝에 담자색 또는 백색 꽃이 하나씩 피며, 과실은 수과(瘦果)임. 산이나 들에 나는데, 강원·함경 등지에 분포함.

국화-반자【菊花—】명 구화반자.

국화-방망이【菊花—】명 〖식〗 [*Senecio koreanus*] 국화과에 속하는 다년초. 줄기는 높이 30-50cm, 근생엽(根生葉)은 장병(長柄)에 달걀꼴 또는 달걀꼴 원형(圓形)을 이룸. 6-8월에 노란 두상화(頭狀花)가 가지 끝에 복방상(複房狀) 화서로 다수 착생(着生)하는데, 변화(邊花)는 설상화(舌狀花)이고 심화(心花)는 통화(筒花)임. 과실은 수과(瘦果). 산지에 나는데, 평북·함남 등지에 분포함.

국화-빵【菊花—】명 국화꽃 모양의 판에 부어 만든 빵.

국화-석【菊花石】명 국화 모양으로 된 화석(化石).

국화 송:곳【菊花—】명 나사못 대가리가 들어갈 자리를 파는 데 쓰는 국화 모양으로 생긴 송곳.

국화-수【菊花水】명 〖한의〗 감국 포기 밑에서 나오는 샘물. 성질은 덥고, 맛이 달며, 풍(風)을 제하는 약으로 쓰임. 불로(不老)의 약효가 있어 오래 마시면 화색(和色)이 난다 함.

국화-수리취【菊花—】명 〖식〗 [*Synurus palmatopinnatifidus*] 국화과에 속하는 다년초. 경엽(莖葉)은 호생하며 달걀꼴 타원형이고 근생엽(根生葉)은 장병(長柄)으로 삼각상(三角狀) 달걀꼴에 우상(羽狀)으로 얕게 째짐. 9-10월에 암자색의 관상화(管狀花)가 핌. '수리취'의 원종(原種)으로 산이나 들에 나는데, 함북의 부령(富寧) 등지에 분포함.

국화-엽【菊花葉】명 국화의 잎사귀. 「(菊簪).

국화-잠【菊花簪】명 비녀 머리에 국화 모양의 장식이 붙은 비녀. 국잠

국화 장자【菊花障子】명 〖건〗 '구화 장지'의 취음(取音).

국화-전[1]【菊花展】명 개량 품종의 여러 가지 국화를 원예가들이 전시(展示)하는 전람회.

국화-전[2]【菊花煎】명 깨끗이 씻은 감국(甘菊)의 꽃에 찹쌀가루를 묻히어서 기름에 지진 전. 음력 9월 9일에 해먹음. 감국전(甘菊煎). 국화떡.

국화-주【菊花酒】명 ①감국(甘菊)의 꽃·생지황(生地黃)·구기자(枸杞子) 나무 뿌리의 껍질과 찹쌀을 섞어서 빚은 술. 한방(韓方)에서 치풍제(治風劑)로 씀. ②감국의 꽃이나 싹을 달이어 그 즙(汁)으로 담근 술. ③감국·설탕·숙지황·인삼을 소주 항아리에 넣어 봉하였다가 70일 만에 찌끼를 버리고 먹는 술.

국화-쥐손이【菊花—】명 〖식〗 [*Erodium stephanianum*] 쥐손이꽃과에 속하는 다년초. 줄기는 높이 30-60cm 내외로 장병(長柄)의 잎은 복우상(複羽狀)으로 갈라져 열편(裂片)은 선형(線形)을 이룸. 7-8월에 홍자색(紅紫色)의 양성화(兩性花)가 액출(腋出)함. 과실은 삭과(蒴果). 산지에 나는데 평북·함북 등지에 분포함.

국화-천【菊花天】명 음력 9월의 절후(節候).

국화-판【菊花瓣】명 ①〖식〗 국화의 화판. ②→과판❶❷. ③국화동자못.

국화-하늘소【菊花—】[—쏘] 명 〖충〗 [*Phytoecia rufiventris*] 하늘솟과에 속하는 곤충. 몸길이는 7-10mm이고 몸빛은 흑색이며 전흉(前胸) 중앙에는 등적색 반문이 있고, 시초(翅鞘)에는 연회색(鉛灰色) 털이 밀생하는데, 촉각은 몸길이만함. 유충은 담황색인데 몸길이 20mm 가량이며 발이 없음. 성충은 가을에 잠을 잔 다음 4-5월에 나와 유충과 함께 국화과 식물의 어린 잎을 갉아 먹음. 한국·일본에 분포함.

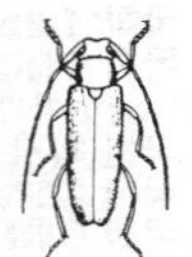
〈국화하늘소〉

국환【國患】명 나라의 환난(患難). 국가의 재난(災難). 국난(國難). 국우(國憂).

국회【國會】명 〖정〗 ①국민의 대표로 구성된 합의제(合議制)의 입법 기

관. 민주 정치의 중추(中軸) 기관으로, 삼권 분립(三權分立) 제도에 있어서의 입법부로서 행정부와 맞섬. 민의(民意)를 받들어 법치 정치의 기초인 법률을 제정하며 또 행정부나 사법부를 감시하고 그 책임을 추궁하는 외에 여러 가지 국가의 중요 사항을 의결하는 권한을 가짐. 그 구성 요소(構成要素)가 단일제(單一制)인가 복수제(複數制)인가에 따라서 일원제(一院制)·2원제·3원제·4원제의 구별이 있으나 현대에는 1원제나 2원제가 보통임. 우리 나라는 단원제(單院制)의 국회로 지역 선거구와 전국 선거구에서 선출되는 299명으로 구성됨. 법률의 제정권, 예산의 심의 결정권, 대통령·정부가 하는 중요한 일에 대한 동의권(同意權), 국무총리 및 개개의 국무 위원에 대한 해임 의결권, 비상 조치와 계엄령 해제 요구권, 국정 감사권, 국정 조사권, 고급 공무원에 대한 탄핵 소추(彈劾訴追) 의결권 등의 권한이 있음. 내셔널 어셈블리(national assembly). ②국회 의원들이 국회 의사당에 모여서 하는 회의.

국회 도서관【國會圖書館】 명 도서 기타 자료를 수집하여 국회 의원의 직무 수행에 도움을 주는 동시에, 국회 이외의 국가 기관·공공 단체·교육 연구 기관 및 공중(公衆)에 대하여 봉사하는 도서관.

국회-법【國會法】[—뻡] 명 〖법〗 국회에 관한 여러 가지 사항, 곧 국회의 집회·회의 절차·위원회에 관한 사항·정부와의 관계·질서와 경호(警護)·윤리 심사와 징계(懲戒) 등에 관하여 규정한 법률.

국회 부:의장【國會副議長】 명 국회 의장을 보좌하고, 의장이 사고(事故)가 있을 때 그 직무를 대행하는 기관. 국회에서 2명을 선출함.

국회 사:무처【國會事務處】 명 국회 의장의 지휘·감독을 받아 국회의 회의와 운영 등 입법 활동에 관련된 사무를 처리하는 기관.

국회 상임 위원회【國會常任委員會】 명 〖법〗 상임 위원회❷.

국회 운:동【國會運動】 명 〖정〗 국회를 두어 달라고 요구하여 일으키는 민중 운동.

국회 운영 위원회【國會運營委員會】 명 〖법〗 국회의 상임 위원회의 하나. 국회 운영에 관한 사항, 국회법 기타 국회 규칙에 관한 사항, 국회 사무처·국회 도서관, 의정 연수원 소관에 속하는 사항을 심의함.

국회 의사당【國會議事堂】 명 〖정〗 국회의 의사(議事)를 행하는 건물. ㊟의사당.

국회 의원【國會議員】 명 〖정〗 국회를 이루는 구성원(構成員). 우리 나라의 경우, 임기는 4년, 정원수(定員數)는 300명임. 현행범인 경우를 제외하고는 회기중 국회의 동의 없이 체포 또는 구금(拘禁)되지 아니하며, 회기 전에 체포 또는 구금된 때에는 현행범이 아닌 한 국회의 요구가 있으면 회기 중 석방되며, 국회에서 직무상 행한 발언과 표결에 관하여 국회 밖에서 책임을 지지 아니하는 면책 특권(免責特權)이 있음. 선량(選良).

국회 의원 선:거법【國會議員選擧法】[—뻡] 명 〖법〗 국회 의원 선거에 관한 일반적 사항을 규정한 법.

국회 의장¹【國會議長】 명 〖정〗 국회의 의장. 국회의 질서를 유지하고 의사(議事)를 정리(整理)하며, 사무를 감독하고 국회를 대표함. 국회에서 선거함.

국회 의장²【國會議場】 명 국회의 의사(議事)를 행하는 장소.

국회 의장 모:욕죄【國會議場侮辱罪】 명 〖법〗 국회의 심의를 방해 또는 위협할 목적으로 국회 의장 또는 그 부근에서 모욕적인 언동을 하여 국회의 권위를 해친 죄. 의회 모욕죄(議會侮辱罪). *법정 모욕죄(法廷侮辱罪).

국회 전문 위원【國會專門委員】 명 〖법〗 국회 의원이 아니면서 국회의 상임 위원회에 속하여 있는, 전문 지식(專門知識)을 가진 위원.

국회 특별 위원회【國會特別委員會】 명 〖법〗 국회 상임 위원회에서 소관하는 이외의 특정 사건을 심사하는 위원회. 안건이 본회의에서 의결될 때까지 존속함.

국회 해:산【國會解散】 명 〖정〗 의원 내각 제도(議員內閣制度)의 국가에 있어서, 국회가 정부의 불신임(不信任)을 결의하였을 때에 정부가 국회와 대립하여 국회를 해산시키는 일. 이 때 정부는 국회의 해산을 명하여 민의를 물을 수 있는 권한이 인정되어 있는데 이 권한을 정부의 국회 해산권이라 함. 우리 나라는 의원 내각 제도의 국가는 아니지만 헌법상(憲法上) 대통령은 필요하다고 인정될 때 국회를 해산하고 새로운 총선거를 실시할 수 있음.

국회 회:기【國會會期】 명 〖법〗 국회가 개회(開會)하여 폐회(閉會)할 때까지의 기간. 정기회에서는 100일, 임시회에서는 30일을 초과할 수 없음.

국휼【國恤】 명 국상(國喪).

국희¹【局戲】[—히] 명 국면(局面)을 마주 향하여 하는 놀이. 대국(對局)하여 하는 놀이. 장기·바둑 등.

국희²【鞠戲】[—히] 명 공치는 놀이. 공놀이. ——하다 자 여불

군¹【君】㊀ 명 〖역〗 ①조선 시대 때 왕의 서자의 봉작에 붙이는 존칭. 왕자군(王子君). ②조선 시대 때 종친(宗親)이나 훈신(勳臣)에게 내리는 정일품이나 정이품 또는 종일품이나 종이품의 작위(爵位). ㊁ 의명 ①친구 사이나 손아랫사람을 부를 때에 성이나 이름 밑에 붙이어 부르는 말. ¶김 ~/철수 ~. ②신문 잡지의 가십 기사(gossip 記事) 같은 데서 국회 의원·장관·사회 명사들의 성·이름·별명 밑에 농조(弄調)로 붙이어 쓰는 말. ㊂ 인대 그대. 자네. ¶~은 훌륭한 학생일세.

군²【軍】 명 ①↗군부(軍部). ②↗군대(軍隊). ¶~에 입대하다. ③〖군〗 육군의 최고 편성 단위. 군단(軍團)의 위. ¶제1~. ④〖군〗 ↗군사령부(軍司令部).

군:³【郡】 명 ①광역시(廣域市)나 도(道)의 관할 구역에 있는 지방 자치 단체의 하나. 밑에 읍(邑)·면(面)을 둠. ②고을. ③〖역〗↗군아(郡衙). ④↗군청(郡廳). ⑤〖역〗 중국 주(周)나라 이후, 송(宋)나라 이전까지의 행정 구획의 하나. 주나라에서는 현(縣) 아래에 속하고, 진(秦)나라 이후에는 현(縣)을 포괄(包括).

군⁴【群】 명 〔horde〕〖역〗 원시 시대에 있었다고 하는, 순수한 공동체적 생활 집단. 계급·직업의 분화가 없고 개인 의식도 명확하지 아니한 생활 집단(生活集團).

군⁵【群】 명 〔group〕〖수〗 산법(算法)이 정의(定義)되어 있는 집합(集合)의 한 가지. 그 요소(要素) 사이에 네 가지 조건을 채우는 산법 '∘'이 정의(定義)되어 있는 공(空)이 아닌 집합 G를 말함. *가환군(可換群).

군:- 두 '쓸데없는' 또는 '가외의'의 뜻으로, 명사 앞에 붙이어 쓰는 말. ¶~것/~말/~일/~불을 때다.

-군¹【群】 미 어떤 명사 아래 붙이어 그 무리 또는 같은 떼를 나타내는 말. ¶어선(漁船)~.

-군² 어미 ①↗-구나. ¶날이 흐렸~. ②↗-구먼. ¶거 참 좋~. *-로군·-는군.

군가【軍歌】 명 군대의 사기(士氣)를 돋우거나 또는 국민의 군사 사상(軍事思想)을 고취(鼓吹)하기 위하여 부르도록 지은 노래.

군가-집【軍歌集】 명 군가를 모아 엮은 노래 책.

군:간【窘艱】 명 군색하고 고생스러움. ¶민제인이 집이 가난한 까닭으로 귀양간 뒤에 의식이 ~하여 그 아우 제영이 한 걱정으로 지내는데 …≪洪命憙：林巨正≫. ——하다 형 여불. ——히 부

군감【軍監】 명 ①〖역〗↗군자감(軍資監). ②군사(軍事)의 감독.

군거【群居】 명 ①떼를 지어 삶. ¶~ 생활. ②〖생〗 군서(群棲). ¶~하고 있는 조류(鳥類). ——하다 자 여불

군거 본능【群居本能】 명 〖심〗 집단 본능(集團本能).

군:-것 명 쓸데없는 것. 요긴하지 아니한 것.

군:것-지다 형 없어도 좋을 것이 쓸데없이 있다.

군:것-질 명 ①끼니 밖에 필요하지 아니한 음식물을 사서 먹는 짓. 주전부리. ¶아이들의 ~. ②〈속〉 오입질. ——하다 자 여불

군견¹【軍犬】 명 〖군〗 ↗군용견(軍用犬).

군견²【群犬】 명 떼지어 모인 개. 군구(群狗).

군-결-환【軍結還】 명 〖역〗 나라의 정사를 다스리는 데의 세 가지 중요한 일인 군정(軍政)·전결(田結)·환곡(還穀)의 총칭. *삼정(三政).

군-경¹【軍警】 명 군대와 경찰. ¶~ 합동 수사.

군경²【群經】 명 많은 경서(經書). 여러 성인(聖人)의 책. 많은 유교(儒敎)의 경전(經典). 제경(諸經).

군:경³【窘境】 명 몹시 살기가 어려운 지경.

군-경-검【軍警檢】 명 군대와 경찰과 검찰.

군경 연금【軍警年金】[—년—] 명 전투 또는 그에 준한 행위로 전몰한 군인이나 경찰관 유족 및 상이 군경에 대하여 지급하는 연금.

군경 원:호【軍警援護】 명 군인이나 경찰의 유가족을 원조하고 보호하는 일.

군경 원:호금【軍警援護金】 명 군인이나 경찰관의 유가족의 생활을 원호하기 위한 기금(基金).

군경 위문【軍警慰問】 명 군대나 경찰을 방문하여 그 수고를 위로함.

군경 절축【群輕折軸】 명 〔가벼운 물건도 많이 모이면 수레의 굴대를 부러뜨린다는 뜻〕 작은 힘도 합하면 큰 힘이 됨의 비유.

군경 합동 수사【軍警合同搜査】 명 군대의 수사 관계자와 경찰관이 같이 어울려서 수사하는 일. ¶~반(班).

군:계¹【郡界】 명 군(郡)과 군 사이의 경계. 군의 경계.

군계²【群系】 명 〖식〗 식물 군락(植物群落)의 기재(記載)에 쓰이는 단위. 식상(植相)이 일정한 환경에서 일정한 특징적인 상관(相觀)을 보이는 데서, 대개 수림(樹林)·초원(草原)·황원(荒原) 등으로 분할할 때 쓰임. 또, 전층(全層) 식물 군락을 분할할 때, 군총 연합(群叢聯合) 혹은 군단(群團)의 상위(上位)의 단위로서도 쓰임. 가령 중앙 아시아 초원의 생물 군집(群集)과 북미(北美) 초원의 생물 군집과는 유사하므로 이것을 일괄(一括)하여 온대 초원 군계(溫帶草原群系)라 일컫는 일 등.

군계³【群鷄】 명 닭의 무리. 많은 닭.

군계 일학【群鷄一鶴】 명 계군 일학(鷄群一鶴).

군:-계집 명 아내 외에 간통하는 가외의 계집.

군고¹【君姑】 명 아내가 남편의 어머니를 이르는 말.

군고²【軍鼓】 명 군대에서 쓰는 북. 싸울 때 치는 북.

군:-고구마 명 불에 구운 고구마.

군공¹【君公】 명 제후(諸侯).

군공²【軍功】 명 전쟁에서 세운 공적. 무훈(武勳). 전훈(戰勳).

군:-공³【郡公】 명 〖역〗 고려 때 오등작(五等爵)의 하나로 국공(國公)의 바로 아래. 식읍(食邑)은 이천 호(二千戶)이며 종이품. 부를 때에는 군(郡)의 이름을 위에 붙이고 '개국(開國)' 두 글자를 '군(郡)'자와 '공(公)'자 사이에 넣거나, '군(郡)'자를 줄이고 군의 이름만 붙이기도 함. ¶경원(慶源)~. *국공(國公).

군-공창【軍工廠】 명 〔military arsenal〕〖군〗 군(軍)에서 필요한 장비·피복 등을 생산하고, 재생·가공·정비 등의 작업을 하는 곳.

군공-청【軍功廳】 명 〖역〗 조선 시대 때의 임시 관청. 선조 25년(1592), 임진 왜란 때의 각 지방의 의병들이 세운 군공을 조사하기 위하여 설치한 것으로, 임진 왜란이 끝난 뒤 선조 36년(1603)에 폐지됨.

군관【軍官】 명 ①군사(軍事)를 맡아 보는 관리. *무관(武官). ②〖역〗 조선 시대 후기에, 각 군영에 딸린 장교(將校)의 하나. 무과(武科)를 치지 않은 한량(閑良)이나, 출신(出身) 또는 전직 무관 등 중에서 선발됨.

군-관구【軍管區】 명 〖군〗 군사상 필요로 가른 군대의 관할 구역(管轄區域). ㊟관구(管區).

군관리 시스템【群管理—】〔system〕[—괄—] 명 〖경〗 산업의 생력화(省力化) 방식의 하나. 한 대의 대형 범용(汎用) 컴퓨터로 여러 종류·여러 대의 엔 시(NC) 공작 기계 등을 동시에 제어(制御)하면서, 사무 처리나 엔 시 공작 기계를 위한 자동 프로그래밍도 행하는 방식.

군-관-민【軍官民】 명 군대와 관리와 일반 국민. 민관군. ¶~ 일체(一體).

군교¹【軍校】 명 〖역〗 조선 시대에, 중앙의 액례(掖隷)와 각 군영(軍營)의 영문 소속(營門所屬) 및 지방의 장교(將校) 등 하급 군직(軍職)의 총칭.

군교²【軍橋】 명 〖군〗 군사상의 필요로 군대가 임시로 놓은 다리. 군용교(軍用橋).

군구¹【軍區】 명 〖군〗 군사 행정상(軍事行政上)의 필요로 베푼 구역.

군구²【群狗】 명 떼지어 모인 개. 군견(群犬).

군국¹【君國】 명 ①임금과 나라. ②군주(君主)가 통치하는 나라. ↔민국(民國).

군국²【軍國】 명 ①군대와 나라. 군사(軍事)와 국정(國政). ②군사상 큰 일을 겪고 있는 나라. 곧, 전쟁을 하고 있는 나라. ③군사를 주요한 정책으로 삼고 있는 나라. ¶ ~주의.

군국 기무처【軍國機務處】 명 〖역〗 조선 고종(高宗) 31년(1894) 청일(淸日) 전쟁이 일어난 직후에, 일본의 강압으로 관제를 개혁할 때 만든 임시 관아. 정치·군사에 관한 일체의 사무를 관장(管掌)·결의하는 기관으로 갑오 경장(甲午更張)의 중추적 역할을 하였음. 이듬해에 폐지함. ㊥기무처(機務處).

군국 대:사【軍國大事】 명 군사상의 기밀과 국가에 관한 큰 일.

군:국-제【郡國制】 명 〖역〗 중국 한(漢)나라 고조(高祖)가 실시한 봉건(封建) 제도와 군현(郡縣) 제도를 병용(倂用)한 제도. 동족(同族)·공신(功臣)들을 분봉(分封)한 국(國)을 두고 직할지에는 군현을 설치함.

군국-주의【軍國主義】[─/─이] 명 〖정〗 군사력에 의한 대외적 발전을 중시(重視)하며, 전쟁과 그 준비를 위한 정책이나 제도를 국민 생활 속에서 최상 위에 두고, 정치·경제·문화·교육을 이에 전면적으로 종속시키려는 입장, 혹은 체제(體制). 제2차 세계 대전중의 일본·독일·이탈리아 등이 군국주의의 나라이었음. 밀리터리즘(militarism).

군국주의-자【軍國主義者】[─/─이─] 명 〖정〗 군국주의를 주장하는 사람. 밀리터리스트(militarist).

군:-군【郡君】 명 〖역〗 고려 때 외명부(外命婦)의 정사품 벼슬.

군:궁【窘窮】 명 곤궁함. 궁군(窮窘). ──-하다 형여불

군권【君權】[─꿘] 명 군주의 권력.

군권 신수설【君權神授說】[─꿘─] 명 왕권 신수설.

군규¹【軍規】 명 군대의 규율. 군율(軍律).

군규²【軍窺】 명 군사 기밀을 정탐함. 또, 그 사람. 군사 정탐.

군:-글자【─字】[─짜] 명 쓸데없는 글자. 필요 밖에 더 있는 글자. ㊥군자.

군금【群禽】 명 군조(群鳥).

군:급【窘急】 명 몹시 군색함. 군박(窘迫). ──-하다 형여불

군기¹【軍紀】 명 군대의 규율(規律) 및 풍기(風紀). 군율(軍律). ¶ ~ 숙정(肅正).

군기²【軍氣】 명 군대의 사기(士氣).

군기³【軍旗】 명 〖군〗 군대를 상징하고 그 명예를 표상(表象)하는 기(旗). 육군기·해군기·공군기 등의 각 군기, 육군의 연대급(聯隊級) 이상의 부대, 해군의 전대급(戰隊級) 이상의 부대, 공군의 전대급 이상의 부대, 국방부 직할 부대 등의 부대기, 병과기(兵科旗) 및 소(小)부대기가 있음.

군기⁴【軍器】 명 군용(軍用)의 기구(器具). 병기(兵器).

군기⁵【軍機】 명 군사상의 기밀(機密). 전쟁의 비밀. 전기(戰機).

군기⁶【群起】 명 ①많은 사람들이 떼를 이루어 봉기(蜂起)함. ②많은 사람들이 한꺼번에 떼지어 일어남. ──-하다 자여불

군기-감【軍器監】 명 〖역〗 ①고려 때 병기의 영조(營造)를 맡은 관아. 충렬왕(忠烈王) 34년(1308)에 민부(民部)에 합하였다가 공민왕(恭愍王) 5년(1356)에 다시 두고 뒤에 군기시(軍器寺)로 고침. ②병기(兵器)·기치(旗幟)·융장(戎仗) 등의 영조(營造)를 맡아 관리하던 관아(官衙). 조선 태조(太祖) 원년(1392)에 베풀어서 태종(太宗) 14년(1414)에 군기시(軍器寺)로 고침.

군기-고【軍器庫】 명 병기를 보관하여 두는 창고. 병기고.

군기 누:설【軍機漏泄】 명 〖군〗 군사상의 기밀이 민간(民間) 또는 적국(敵國)에 새어 나감. ──-하다 자여불

군기 대:신【軍機大臣】 명 〖역〗 중국 청조(淸朝) 때, 군기처(軍機處)의 장관(長官). 재상(宰相)에 해당함.

군기-법【軍機法】[─뻡] 명 ↗군사 기밀 보호법(軍事機密保護法).

군기 수여식【軍旗授與式】 명 〖군〗 국가 원수가 군기를 수여할 때 거행하는 의식.

군 기술 위탁생【軍技術委託生】 명 〖군〗 군에서 필요한 통신·전자(電子)·기공(機工)·항공 기관(航空機關)·의무(醫務) 등 기술 요원을 확보하기 위하여, 장학금을 지급하고 국내 실업 고등 학교 등에 위탁하여 교육을 받게 하는 학생. 학교를 졸업하면, 각 군의 현역 병적에 편입되어, 실역(實役)에 복무하게 됨.

군기-시【軍器寺】 명 〖역〗 ①고려 공민왕(恭愍王) 때 군기감(軍器監)의 고친 이름. ②조선 태종(太宗) 14년(1414)에 군기감(軍器監)을 고친 이름. 고종(高宗) 21년(1884)에 폐하고 그 일은 기기국(機器局)에 옮기어 붙임. 무고(武庫).

군기 조:성 도감【軍器造成都監】 명 〖역〗 고려 때 병기 만드는 일을 맡은 관아. 충렬왕(忠烈王) 원년(1275)에 둠. *융기 도감(戎器都監).

군기-창【軍器廠】 명 〖역〗 군기(軍器)·탄약 등을 만들던 관청. 고종 광무(光武) 8년(1904)에 두었다가 순종 융희(隆熙) 원년(1907)에 폐지함.

군기-처【軍機處】 명 〖역〗 중국 청조(淸朝)의 중앙 관서의 이름. 군사상(軍事上)의 기무(機務)를 맡아 보던 곳. 나중에는 일반 정치상의 실권(實權)까지 장악하였음.

군기 충천【軍氣衝天】 명 군대의 사기가 하늘을 찌를 듯함. ──-하다 자여불

군:-기침 명 공연히 버릇이 되어 하는 기침. 헛기침. ──-하다 자여불

군기 호:위병【軍旗護衛兵】 명 정식(正式) 열병식이나 의식(儀式) 때에 군기를 받치어 들거나 호위하는 의장병(儀仗兵).

군:난【窘難】 명 박해(迫害).

군납【軍納】 명 ①군대에 바침. ②인가를 받은 업자가 군에 필요한 물자를 군에 납품하는 일. ──-하다 타여불

군납-불【軍納弗】 명 〖경〗 미군(美軍) 관계 기관에 대한 물자의 납품에 의하여 획득한 불화(弗貨). 사전에 재무부(財務部) 당국과 미군측에 사용 승인을 얻어야 함.

군납-업【軍納業】 명 군납에 관한 모든 사업의 총칭.

군납업-자【軍納業者】 명 인가를 받아 상품을 군대에 납품하는 상인이나 생산업자.

군납-품【軍納品】 명 군(軍)에 납품하는 물품.

군:-내¹ 명 제 본맛이 아닌 다른 냄새. 변하여 구진한 냄새. ¶ ~ 나는 김치.

군:내²【郡內】 명 고을 안. 한 군의 안. 군하(郡下).

군네 명 〈방〉 그네(함남).

군노【軍奴】 명 〖역〗 군아(軍衙)에 속한 종.

군-녹사【軍錄事】 명 〖역〗 고려 때 삼군 도총제부(三軍都摠制府)의 벼슬.

군:-눈 명 ①보지 아니하여도 좋을 것을 보는 눈. ②쓸데없는 짓.
 군:눈(을) 뜨다 구 ㉠아니하여도 좋을 짓에 눈을 뜨게 되다. ㉡외도(外道)에 눈을 뜨다.

군다리【軍茶利】 명 〖불교〗 ↗군다리 명왕.

군다리 명왕【軍茶利明王】 명 〔범 Kundali〕 〖불교〗 진언종(眞言宗) 오대 명왕(五大明王)의 하나. 남방(南方)을 지킴. 군다리는 감로(甘露)의 뜻으로, 증익 경애(增益敬愛)의 덕(德)을 나타냄. 그 형상(形像)은 머리 하나에 팔이 여덟이고 분노(忿怒)의 상(相)을 하여 모든 아수라(阿修羅)와 악귀(惡鬼)를 항복(降伏)시킨다고 함. 군다리 야차(軍茶利夜叉). ㊥군다리(軍茶利).

〈군다리 명왕〉

군:-다리미질 명 다리미질할 때 옷의 후미진 부분이나 끝 부분 같은 데를 혼자 잡고 다리는 일. ──-하다 자여불

군다리-법【軍茶利法】 명 〖불교〗 진언종(眞言宗)에서 군다리를 본존(本尊)으로 하여 행복을 기원하는 수법. 이 수법을 행할 때에는 붉은 빛의 정의(淨衣)를 입음.

군다리 야:차【軍茶利夜叉】 명 〖불교〗 군다리 명왕(軍茶利明王).

군단¹【軍團】 명 〖군〗 군대 편성에 있어서, 군(軍)과 사단 중간의 전략 단위 병단(戰略單位兵團). 두 개 또는 그 이상의 사단으로써 이룸.

군단²【群團】 명 ①많은 무리의 집단. ②〔alliance〕 〖식〗 식물 군락(植物群落)의 단위의 하나. 군집(群集)의 상위(上位)에 두는 단위. 공통의 표징종(標徵種)을 한 개 내지 수종(數種)을 포함하고 조성(組成)이 비슷한 군집을 몇 개 통합하여 취급할 때 씀.

군단 관:구【軍團管區】 명 〖군〗 군단 사령부의 관할 구역.

군단 사령부【軍團司令部】 명 〖군〗 군단 관구내(管區內)의 작전에 관한 사항을 관장하는 사령부.

군단 우선 배:당주의【群團優先配當主義】[─/─이] 명 〖법〗 법률상 기간을 정하여 기간 안에 신청한 채권자를 한 군(群)으로 치고 그 안에서는 평등 배당을 인정하되, 그 후 일정 기간내에 신청한 채권자의 한 군보다는 우선권을 주는 주의. 우선 배당주의와 평등 배당주의를 절충한 것.

군단-장【軍團長】 명 〖군〗 군단 사령부의 장(長). 중장(中將)이나 소장(少將)의 장관급(將官級) 장교로써 보함.

군-단지럽다 형ㅂ불 마음과 행동이 더럽고 너더분하다. <군던지럽다.

군:-달¹ 명 ☞ 윤달.

군달²【莙薘】 명 〖식〗 근대.

군달-채【莙薘菜】 명 근대 나물.

군담【軍談】 명 전쟁 이야기.

군담 소:설【軍談小說】 명 전쟁에 관한 이야기를 소재로 한 소설.

군답【軍畓】 명 군영(軍營)에 부속된 논.

군당【群黨】 명 많은 무리. 여러 당파(黨派).

군대¹ 명 〈방〉 그네(경상).

군대²【軍大】 명 ↗군부 대신(軍部大臣).

군대³【軍隊】 명 일정한 질서(秩序)를 가지고 조직 편제(編制)된 장병(將兵)의 집단. 병대(兵隊). 사려(師旅). ㊥군(軍).

군대⁴ 의명 ☞ 군데.

군대 교:육【軍隊敎育】 명 〖군〗 군사 교육(軍事敎育)❶.

군대-군대 명부 ☞ 군데군데.

군대-면【裙帶麪】 명 밀국수의 한 가지. 잘 반죽한 밀가루를 넓고 얇게 밀어서 치마 끈처럼 만들어, 끓는 물에 익혀서 찬물에 담갔다 내어 씀.

군:-대부인【郡大夫人】 명 〖역〗 고려 때 외명부(外命婦)의 정사품 벼슬.

군대 소집【軍隊召集】 명 〖군〗 전쟁이나 비상시에 대비하여 군대를 집합시켜 준비 태세를 갖추는 일.

군대 예절【軍隊禮節】 명 군대 생활에서 지키어야 할 예절.

군대 용:어【軍隊用語】 명 군대에서 쓰는 말.

군-대장【軍大將】 명 〖역〗 주장(主將)의 위임을 받아 임시로 군(軍)을 통솔 지휘하는 사람.

군대 폴로네:즈【軍隊─】 명 〔프 Polonaise militaire〕 〖악〗 쇼팽(Chopin) 작곡의 피아노곡. 폴로네즈는 폴란드 특유의 무곡(舞曲)으로 쇼팽이 마요르카 섬을 여행중 작곡하였다 함.

군대 해:산【軍隊解散】 명 〖역〗 대한 제국(大韓帝國) 때, 일본이 군대를 해산한 사건. 융희 1년(1907), 통감(統監) 이토 히로부미(伊藤博文)가 순종(純宗)에게 칙어(勅語)를 내리게 하여, 한국군을 해산시켰는데 시위(侍衛) 제1 연대 제1 대대장 참령(參領) 박승환(朴昇煥)의 자결(自決)에 자극된 부대원들이 봉기(蜂起), 지방에 내려가 5년여에 걸쳐, 항일(抗日) 운동을 벌임.

군대 행진곡【軍隊行進曲】명〔military march〕〖악〗①군대의 행진이나 분열식(分列式)을 위하여 작곡한 행진곡. ②슈베르트 작곡의 피아노곡의 하나. 1824년경 작곡한 작품 51의 3곡(曲)을 이름. 밀리터리 마치.

군:-더더기 명 ①쓸모없이 덧붙은 물건. ②까닭없이 남을 따라다니는 사람.

군덕【君德】명 군주로서의 덕.

군-던지럽다 형ㅂ불 마음과 행실이 아주 비루하고 추저분하다. 준군지럽다. >군단지럽다.

군데[1] 명〈방〉그네(경상).

군데[2] 의명 낱낱의 곳. 어떤 지점(地點). 개소(箇所). ¶여러 ~ 상처를 입다.

군데-군데 명부 여러 군데. 이 곳 저 곳. ¶그의 진술에는 ~ 수상한 데가 있다.

군도[1]【君道】명 군주로서 행할 도리.

군도[2]【軍刀】명 군인이 차는 칼. 지휘(指揮) 등에 씀. *환도(環刀).

군도[3]【軍徒】명 병졸(兵卒).

군도[4]【軍道】명 군용 도로(軍用道路).

군:-도[5]【郡道】명〖법〗도로 종별(種別)의 하나. 군내(郡內)의 도로로서, 군수(郡守)가 노선을 인정하고 관리하는 도로. *지방도(地方道).

군도[6]【群島】명 ①떼지은 많은 섬. ②〖지〗해양중에 불규칙(不規則)하게 모이어 있는 크고 작은 섬들의 총칭. ¶말레이 ~.

군도[7]【群度】명〔sociability〕일정한 평방구(平方區) 안의 식물 군락(植物群落)의 집합(集合)의 상태를 분류하는 데 쓰는 척도(尺度)의 하나.

군도[8]【群盜】명 무리지은 도둑.

군도[9]【群盜】명〔도 Die Räuber〕〖책〗독일의 작가 실러(Schiller, J.)의 희곡. 1780년 작. 열렬한 정의와 자유에의 욕구, 낡은 질서에 대한 전면적인 반항심을 표현하였음.

군도목【軍都目】명 '군두목'의 취음(取音).

군도 수역【群島水域】명 군도의 맨 끝을 연결한 수역.

군도 이:론【群島理論】명〔theory of archipelago〕인도네시아나 피지 제도(Fiji 諸島)와 같이 근접하는 몇 개의 섬으로 구성되는 군도 국가의 영해에 관한 이론. 그 내용은 첫째, 군도의 외단(外端)을 맺은 선을 군도 기선(群島基線)으로 하고, 영해와 경제 수역은 그 기선에서 밖을 향하여 설정하며, 둘째, 기선내의 군도 수역에서는 군도 국가의 주권이나 깊이와 거리에 관계없이, 해저(海底)·해중 및 공간과 그 자원은 군도 국가의 주권에 속한다고 되어 있음.

군:-돈 명 안 써도 괜찮은 데에다 쓰는 돈. 불필요하게 쓰는 돈.

군돌프〔Gundolf, Friedrich〕명〖사람〗독일의 문예사가(文藝史家). 본명은 군델핑거(Gundelfinger, F.). 소위 철학적 문예학의 창시자로, 딜타이·니체 등의 영향하에 게오르게(George)의 사상을 발전시키었음. 저서에 《괴테(Goethe)》·《하인리히 폰 클라이스트(Heinrich von Kleist)》 등이 있음. [1880-1931]

군돗-바람【軍刀—】명 군도를 차고 다니며 부리는 기세(氣勢).

군두[1] 명 ①가래의 날을 맞추어 끼우는 넓적한 판. ②↗군두 새끼.

군두[2] 명〈방〉그네(전라).

군두[3] 명〈방〉군도(軍刀).

군두[4]【群頭】명〖역〗관아(官衙)에서 경영하던 목장(牧場)의 일군의 우두머리.

군:두[5]【郡頭】명〖역〗말객(末客).

군:-두드러기 명 장농의 문에 네 모 혹은 여덟 모로 문 알갱이의 가를 장식하기 위하여 두른 둥그스름한 나무.

군두목 명 한자(漢字)의 뜻은 어찌 되었든지 음(音)과 새김을 따서 물건의 이름을 적는 법. 콩팥을 '豆太', 팽이를 '廣耳'로 적는 따위. 조선 시대 말엽에 서리(胥吏)에 의하여 이루어졌음. ¶나 역시 공부를 잘못하여 글씨가 겨우 ~일세《李海朝:琵琶聲》. 주의 '軍都目'으로 씀은 취음(取音). *취음(取音).

군:-두부【—豆腐】명 ↗구운 두부.

군두 새끼 명 군둣 구멍에 꿰어서 가랫줄을 얼러 매는 가는 새끼. 준군두.

군두-쇠 명 크고 굵은 쇠고리. 큰 재목(材木)을 산 같은 곳에서 운반할 때에 재목의 한쪽 머리에 박고 거기에 줄을 매서 끌어 감. 군두철(軍頭鐵).

군두-철【軍頭鐵】명 '군두쇠'의 군두목.

군-둔전【軍屯田】명〖역〗군수(軍需)의 비용을 충당하기 위하여 둔토(屯土)를 선정하고 군졸을 시키어 경작·수확하던 둔전. 고려 숙종 8년(1103)에 설치되었음. *둔전(屯田).

군둣-구멍 명 ①가래 바닥의 양쪽에 위로 있는, 군두 새끼를 꿰는 구멍. ②소나 말의 고삐를 매기 위하여 구유에 뚫어 놓은 구멍.

군드러-지다 자 술이 취하거나 몹시 피곤하여 정신을 잃고 쓰러져 자다. ¶술이 취하여 길바닥에 ~. >곤드라지다.

군들 명〈방〉그네(경북).

군듸 명〈방〉그네(전라·경상·충청).

군디 명〈방〉그네(전라·경상).

군뜯 명〈옛〉다른 뜻.

군뜨디 없다 구〈옛〉타의가 없다. ¶나도 님을 미더 군뜨디 전혀 업서《鄭澈:續美人曲》.

군락【群落】[굴—]명 ①많은 부락(部落). ②〖식〗식물 생태학상(生態學上)의 용어로서, 넓은 뜻으로는 식물이 상호 근접하여 어느 범위를 가지고 생활하고 있는 커다란 집단을 가리키며, 좁은 뜻으로는 통합이 있는 하나의 물질계(物質系)를 구성하고 있는 식물의 집단을 가리킴. 페판. 콜로니. *군집(群集).

군락-대【群落帶】[굴—]명〖식〗환경 조건에 따라 어느 방향에 대상(帶狀)으로 늘어선 식물 군락의 변화. 가령 호소(湖沼)에서는 수심에 따라 물가에서 멀어질수록 갈대대(帶)·부엽 식물대(浮葉植物帶)·침수(沈水)식물대 등의 군락대가 보임.

군락-도【群落圖】[굴—]명〖식〗식생도(植生圖).

군락 생태학【群落生態學】[굴—]명〖식〗식물 군락의 구조·조직·분류 등을 주요 연구 대상으로 하는 식물 생태학의 한 부문. *개체(個體)생태학·식물 생태 지리학.

군란【軍亂】[굴—]명 군사들이 일으키는 난리. 군요(軍擾). 병변(兵變). ¶임오(壬午) ~. ↔민란(民亂).

군략【軍略】[굴—]명 군대 운용(運用)에 관한 방책(方策). 병략(兵略). 전략(戰略).

군략-가【軍略家】[굴—]명 군대의 운용(運用)에 관한 꾀와 방책(方策)을 쓰는 사람. 병략가(兵略家).

군량【軍糧】[굴—]명 군대의 양식. 병량(兵糧). 군향미(軍餉米). 양향(糧餉). 군양미(軍養米).

군량-관【軍糧官】[굴—]명〖역〗군량을 관리·보급하는 일을 맡아 보는 관원.

군량-미【軍糧米】[굴—]명 군대에서 식량으로 쓰는 쌀. 군수미(軍需米). 병량미(兵糧米).

군량-선【軍糧船】[굴—]명 군량을 운반·보급(補給)하는 배.

군량-전【軍糧田】[굴—]명〖역〗군량을 조달하기 위한 특정한 전답(田畓).

군려[1]【軍旅】[굴—]명 ①군대나 군세(軍勢)의 범칭(凡稱). 무려(武旅). ②전쟁. ③〖역〗백 명으로 편성한 군대. 그 우두머리를 여수(旅帥)라 함. ④['旅'를 여행한다고 해석한 데서] 전쟁의 여행. 곧, 원정(遠征)하는 군세.

군려[2]【軍慮】[굴—]명 군사에 대한 심려(心慮).

군려[3]【群侶】[굴—]명 많은 동료. 동료의 무리.

군려[4]【群黎】[굴—]명 많은 백성. 많은 평민.

군력【軍力】[굴—]명 병력(兵力). 군사력(軍事力).

군령[1]【君令】[굴—]명 군주(君主)·군왕(君王)의 명령.

군령[2]【軍令】[굴—]명〖군〗①군중(軍中)의 명령. 진중(陣中)의 명령. ¶~이 엄하다. ②군사상의 법령이나 형벌. 군율(軍律).

군령 다짐【軍令—】[굴—]명〖역〗군령(軍令)을 받고서 그대로 행하지 못할 때에는 벌을 받겠다는 다짐. ——-하다 자여불

군령-장【軍令狀】[굴—짱]명〖역〗군령을 시행(施行)하는 서면(書面).

군령 태산【軍令泰山】[굴—]명 군중(軍中)의 명령은 태산같이 무겁고 엄함.

군령-판【軍令板】[굴—]명〖역〗군령(軍令)을 적은 판.

군례【軍禮】[굴—]명 ①군대의 예절. ②군사에 관한 의식. 군대의 식전(式典).

군례-악【軍禮樂】[굴—]명〖악〗국악의 궁정악(宮廷樂)의 하나. 왕의 거둥, 대궐 전정(殿庭)에서의 의식과, 군대 의식 등에 아뢰는 음악의 총칭. 속칭 구군악(舊軍樂).

군로[1] 명〈방〉군뢰(軍牢).

군로[2]【軍虜】[굴—]명 포로.

군록【群綠】[굴—]명 군청(群青)과 녹청(綠青)을 섞어 만든 채료(彩料).

군-론【群論】[—논]명〔도 Gruppentheorie〕〖수〗군(群)의 성질(性質)을 연구하는 수학의 한 분야.

군뢰【軍牢】[굴—]명〖역〗군대에서 죄인을 다루던 병졸. 뇌자(牢子). 거리치.

군뢰-박대기【軍牢—】[굴—]명〈방〉군뢰복다기.

군뢰-벅데기【軍牢—】[굴—]명〈방〉군뢰복다기.

군뢰-복다기【軍牢—】[굴—]명〖역〗군뢰가 군장(軍裝)할 때 쓰는 벙거지. 붉은 전(氈)으로 만들었는데, 전을 걸어 올린 데에다 앞 이마에 길이 10cm, 넓이 8cm 되는 주석으로 만든 '勇'자를 붙이고, 증자(鐙子)에 청전우(靑轉羽)를 달았음. 전립. 주전립(朱氈笠). 홍전립(紅氈笠). 깔때기. 벙테기.

상모

〈군뢰복다기〉

군료【群僚】[굴—]명 많은 동료. 또, 많은 관료(官僚).

군리【群吏】[굴—]명 많은 벼슬아치들. 많은 관리.

군림【君臨】[굴—]명 ①군주로서 그 나라를 거느리어 다스림. ¶전제 군주로 ~하다. ②절대적 세력을 가진 자가 남을 압도하는 일. ¶산업계에 제1인자로 ~하다. ——-하다 자여불

군:립 공원【郡立公園】[굴—]명〖지〗국립(國立) 공원·도립(道立) 공원 이외의, 군내(郡內)의 수려(秀麗)한 자연 풍경지. 군수가 지정함.

군마【軍馬】명 ①군사와 말. ②군대에서 사용하는 말. 병마(兵馬). 융마.

군마 대:왕【軍馬大王】명〖악〗조선 시대부터 전하는 무격(巫覡) 노래의 하나.

군마 현【—縣】〔群馬:ぐんま〕명〖지〗일본 혼슈(本州) 중부의 현. 11시(市) 12군(郡). 서부는 산지. 남부는 도네(利根) 강 유역의 평야가 있어 축산과 양잠 등 농업과 전기 기기(電氣機器)·수송(輸送) 기기 등의 기계 공업 및 섬유 공업이 성함. 현청 소재지는 마에바시(前橋) 시. [6,356 km^2: 1,980,818명(1991)]

군막【軍幕】명 군대에서 쓰는 장막(帳幕).

군막 사찰【軍幕寺刹】명〖불교〗승장(僧將)이 승병(僧兵)을 기르던 절.

군:-만두【—饅頭】명 ↗구운 만두. ↔찐만두.

군:-말 명 하지 아니하여도 좋을 때에 쓸데없이 하는 말. 객설(客說). 군소리. ——-하다 자여불

군-매점【軍賣店】명 군인을 위한 매점. 피 엑스(P.X.).

군맥【軍脈】명 군대 내부의 어떤 관련을 가진 사람과 사람과의 유대 관계. 군의 인맥(人脈).

군맹【群盲】명 ①여러 명의 장님. ②많은 어리석은 사람들.

군맹 무:상【群盲撫象】명〔여러 명의 장님이 코끼리를 만져 보고, 배를 만진 장님은 바람벽 같다고 말하고, 다리를 만진 장님은 기둥과 같다고 하였다는 옛 이야기에서 온 말〕모든 사물을 자기 주관(主觀)과 좁은 소견으로 그릇 판단한다는 뜻. 군맹 평상.

군맹 평:상【群盲評象】명 군맹 무상.

군명[1]【君命】명 임금의 명령. 주명(主命). ¶~을 어기다.

군명[2]【軍命】명 군대의 명령.

군-명암【群明暗】명〔group occulting light〕켰다 껐다 하는 시간이 같거나 또는 켜져 있는 시간이 꺼져 있는 시간보다 길게, 규칙적인 간격

으로 켰다 껐다 신호하는 등대 불빛의 한 가지.

군모[1]【君母】명 아버지의 정실(正室).

군모[2]【軍帽】명 군인의 제모(制帽).

군모[3]【軍謀】명 전쟁에서의 계략. 싸움의 계략.

군모[4]【群毛】명〖생〗한 곳에 군생(群生)한 편모(鞭毛). 「다 타여불

군모[5]【群謀】명 여러 사람이 모여서 꾀함. 또, 그 수많은 계책. ——-하

군:-목[1] 명〖악〗판소리 창법에서, 흥이 날 때 혼자서 멋있게 한 번 굴려 내어 보는 목소리.

군목[2]【軍牧】명〔↗종군 목사(從軍牧師)〕군종 감실(軍宗監室)에 예속되어 있는 목사(牧師) 또는 신부(神父). 장교로 보함. 사단 또는 단위 부대에 배속되어 장병의 종교·도덕·신상(身上) 문제 등에 관한 일을 맡아 봄. 종군 목사. *군승(軍僧).

군목-부【軍牧部】명〖군〗〈속〉군종 참모부(軍宗參謀部).

군몯다 자〈옛〉군사(軍士)를 모으다. ¶ 군모돌 둔(屯)《字會 中 8》.

군무[1]【軍務】명 군사에 관한 사무. 군에서의 근무.

군무[2]【群舞】명 여러 사람이 무리를 지어 춤을 춤. 또, 그 춤. ↔독무(獨舞). ——-하다 자여불

군무-국【軍務局】명 ①〖역〗대한 제국 때, 원수부(元帥府)의 한 국. ②〖일제〗일본의 육군성(省)과 해군성에 있었던 한 국. 군무 행정(軍務行政)에 관한 일을 맡아 보았음.

군무-사【軍務司】명〖역〗조선 시대 말엽의 관청. 통리 기무 아문(統理機務衙門)·통리 군국 사무 아문(統理軍國事務衙門)의 예속 관청의 하나로, 군사에 관한 것과 이웃 나라의 동정(動靜)을 살피는 일을 맡아 보았음. 고종 17년(1880)에 설치하였다가 동 21년에 폐지되었음.

군무 아:문【軍務衙門】명〖역〗조선 시대 때 군에 관한 행정 사무를 통할하던 아문. 고종(高宗) 31년(1894)에 병조(兵曹)의 후신(後身)으로 설치하였다가 이듬해 군부(軍部)로 고침.

군무-원【軍務員】명〖법〗군무에 종사하는 군인 이외의 공무원. '군속(軍屬)'을 개칭한 이름임.

군무 이탈【軍務離脫】명〖군〗군무를 기피할 목적으로 부대 또는 직무에서 벗어나는 일.

군무 총:장【軍務總長】명〖역〗조선 시대 말엽의 무관직. 광무(光武) 6년(1902)에 개편한 원수부(元帥府) 군무국(軍務局)의 장(長)으로, 처음에는 국장(局長)으로 불리다가 뒤에 총장으로 개칭됨.

군무 회:의【軍務會議】[—/—이] 명 국방부에 속한 심의 기관. 국방 정책에 관해 장관의 자문에 응하며, 장관의 지시 사항을 심의함. 국방부 장관·국방부 차관·합동 참모 회의 의장·각군 참모 총장·병무청장·국방부 각 차관보 및 합동 참모 본부장으로 구성되며 의장은 국방부 └장관이 됨.

군문[1]【君門】명 궁문(宮門).

군문[2]【軍門】명〖군〗①군영(軍營)의 문. ②군영(軍營)의 경내(境內). 아문(牙門). 영문(營門). 원문(轅門). 병문(兵門). ③〈속〉군대. ¶ ~에 들 └어가다.

군문 둔전【軍門屯田】명〖역〗영문 둔전(營門屯田).

군문 효수【軍門梟首】명〖역〗죽인 죄수의 목을 베어서 군문 앞에 매어 다는 일. ——-하다 타여불

군:-물[1] 명 ①끼니 때 밖에 마시는 물. ②풀은 물에 거듭 치는 맹물. ③음식이나 풀 위에 따로 생기는 물.

군:물(이) 돌:다 구 음식과 한데 섞이지 아니하고 위로 물기운이 따로 └돌다.

군물[2]【軍物】명 군중에서 쓰는 물건의 총칭.

군물-사【軍物司】[—싸] 명〖역〗조선 고종(高宗) 17년(1880)에 설치한 통리 기무 아문(統理機務衙門) 안의 한 관청. 병기(兵器) 제조를 맡아 보았음.

군미-국【軍彌國】명〖역〗변진(弁辰)의 한 나라. 고려 시대의 곤명현(昆明縣)에 해당하는 지역으로 경상 남도 사천군(泗川郡) 곤명(昆明)·곤양(昆陽)의 양면(兩面) 지방에 있었던 작은 나라임.

군-민[1]【君民】명 임금과 국민. ¶ ~ 일체.

군-민[2]【軍民】명 군인과 국민. 군대와 민간인(民間人).

군:민[3]【郡民】명 그 군에 사는 백성. 군의 주민. 「중(群衆).

군민[4]【群民】명 ①많은 백성. 민중(民衆). ②떼를 지어 있는 사람들. 군

군:민 대:회【郡民大會】명 한고을을 출신(出身)들끼리 친목을 도모하거나 또는 군민 대중의 운동을 목표로 모이는 회합.

군민 동조【君民同祖】명 임금과 인민의 조상이 같다는 말.

군민 동치【君民同治】명 군주와 인민의 대표자로 구성된 의회가 공동으로 그 나라의 정무(政務)에 임하는 일. 곧, 영국의 정체(政體) 같은 입헌 군주 정치(立憲君主政治). 군민 공치(君民共治).

군:박【窘迫】명 ①몹시 군색함. 군급(窘急). ②난관에 부닥쳐 일의 형세가 급하게 됨. ③적에게 공격을 당하여 괴로움을 받음. ——-하다 형여불 「는 씨족(氏族).

군반 씨족【軍班氏族】명〖역〗고려 초기에, 군역(軍役)을 세습(世襲)하

군발【群發】명 일정한 시기 또는 지역에 집중하여 발생함. ——-하다 자여불

군발-이【軍—】명〈속〉발에 군화를 신은 사람. 곧 군인.

군발 지진【群發地震】명〖지〗지역적·시간적으로 비교적 집중적으로 일어나는 지진. 진원(震源)이 비교적 얕고 화산 지역에 많음. 빈발(頻發) 지진.

군:-밤 명 ↗구운밤.

[군밤 둥우리 같다] 옷 입은 맵시가 붕긋하며 맞지 아니함을 조롱하는 말. [군밤에서 싹 나거든] 아무리 바라도 소용이 없다는 말.

군:밤 구덩이 [—꾸—] 명 밤을 굽기 위하여 우묵하게 판 구덩이.

군:밤-타:령【—打令】명 ①군밤 장수가 군밤을 사가라고 노랫조(調)로 외치는 소리. ②〖악〗경기 민요의 하나. 신(新)민요에 속한 노래이지만, 우리 민요로 불리어 온 지는 상당히 오래 되었음.

군:-밥 명 ①군식구에게 먹이는 밥. ②먹고 남은 밥. 잔반(殘飯).

군방[1]【群邦】명 많은 나라. 중방(衆邦). 만방(萬邦).

군방[2]【群芳】명 ①많은 방향(芳香)이 있는 아름다운 초목의 꽃. 여러 가지 꽃. 군영(群英). 군화(群花). ②많은 현자(賢者)나 미인(美人).

군-방송국【軍放送局】명〖군〗군에서 운영·관리하는 방송국. 군대를 위한 고시(告示)·연예(演藝) 및 정훈 교육(政訓敎育) 등을 포함하여 군에 관한 방송 업무를 주로 다룸.

군배【軍配】명 군대의 배치·진퇴 등에 관한 거취.

군번【軍番】명〖군〗①군인에게 매기는 일련 번호(一連番號). ②'인식표(認識票)'의 속칭.

군번-줄【軍番—】[—쭐] 명 인식표(認識票)를 몸에 지니기 위하여, 인식표에 꿰어서 목에 걸도록 되어 있는 줄.

군벌【軍閥】명 ①군인의 파벌. ②군부를 중심으로 한 정치적 세력. 군사력을 배경으로 하여 정치적 특권을 쥔 군인의 일단(一團). ¶ ~ 정치. ③중국에서, 군인의 일단이 사병(私兵)으로써 지방에 수립한 지배 기구(支配機構). 특히 청말(淸末)부터 민국(民國) 시대에 많았음.

군벌 정치【軍閥政治】명〖정〗군부를 중심으로 한 큰 세력에 의하여, 행하여지는 정치. 군부의 권력 밑에서 행하여지는 군사 우선(軍事優先)의 정치. *군인(軍人) 정치.

군법【軍法】[—뻡] 명 ①군대의 형법(刑法). 군율(軍律). ②군대내의 규칙. ③군대의 배치·조종 등 전쟁의 방법. 병법(兵法). 전술(戰術).

군법-국【軍法局】명〖역〗대한 제국 때 군부(軍部)의 한 국.

군-법무관【軍法務官】명〖법〗육해공군의 법무과 장교. 군사 법원법에 의거하여 주로 군사 법원의 군판사 또는 검찰관이 됨. 준법무관.

군법무관 시:보【軍法務官試補】명〖법〗군법무관 임용 시험에 합격하고 실무 수습을 받은 자. 실무 수습 기간은 2년임.

군법무관 회:의【軍法務官會議】[—/—이] 명〖군〗국방부 장관을 의장으로 하고 각군(各軍) 참모총장이 지정하는 군법무관인 군판사와 검찰관 각 1인으로 구성되는 의결 기관. 대법원이 제정하는 군사 법원의 내부 규율과 사무 처리에 관한 군사 법원 규칙을 의결함. 「칭.

군법 회:의【軍法會議】[—뻡—/뻡—이] 명 '군사 법원(軍事法院)'의 구

군변【君邊】명 군측(君側).

군-변조【群變調】명〔group modulation〕〖전〗전기 통신에 있어서 다단(多段) 변조를 행하는 수단의 하나. 여러 개의 통신로를 모아, 일군(一群)으로서 하나의 반송파(搬送波)로 공통하게 변조하는 일.

군별【軍別】명 ①육해공군의 구별. ②1군·2군 등 각 군(軍)의 구별.

군병【軍兵】명 군사(軍士). 융병(戎兵).

군보【軍保】명〖역〗정병(正兵)을 돕기 위하여 두는 조정(助丁)을 일컫는 말. 조선 시대의 군제(軍制)를 보면 한 사람의 현역병에 대하여 조정(助丁)인 봉족(奉足) 두 사람씩을 두고, 현역병의 농작(農作)을 대신하여 주도록 하였는데, 조선 시대 후기에는 양병(養兵)의 비용에 쓰기 위하여 조정에서 역(役)을 면하여 주고 그 대가로 군포(軍布)를 바치게 하였음. 향보(餉保).

군보-포【軍保布】명〖역〗정병(正兵)을 돕는 조정(助丁)에게 역(役)을 면하여 주는 대가로 받던 삼베나 무명. 준군포(軍布). *정포(丁布).

군복【軍服】명 군인의 제복(制服).

군복(을) 벗다 구〈속〉제대(除隊)하다.

군복-판【軍服板】명〖역〗군복을 담아 두는 나무 상자.

군복 패:영【軍服貝纓】명 산호나 밀화(蜜花)의 구슬을 꿰어 만든 전립(戰笠)의 끈.

군봉[1]【軍鋒】명 ①군대의 선봉. 선진(先陣). ②군의 위세(威勢).

군봉[2]【群峰】명 많이 솟아 있는 산봉우리. 군산(群山). 중봉(衆峰).

군봉 제:국주의【軍封帝國主義】[—/—이] 명〔military-feudal imperialism〕군사적·봉건적 제국주의의 준말. 레닌이 제정(帝政) 러시아의 차리즘(tsarism)의 권력을 규정한 말. 「나라님. ↔신자(臣子).

군부[1]【君父】명〔임금은 백성의 아버지와 같다는 뜻에서 온 말〕임금.

군부[2]【君婦】명 ①황후(皇后). 왕후(王后). ②정실(正室)❶.

군부[3]【軍夫】명 군대에 딸리어 잡역(雜役)을 맡아 보는 인부(人夫). 또, 병졸(兵卒). 「하는 곳.

군부[4]【軍府】명 ①무기고(武器庫). ②장수가 군중(軍中)에서 집무(執務)

군부[5]【軍部】명 ①군사에 관한 일을 맡아 보는 모든 기관(機關). 준군(軍). ②〖역〗고려 광종(光宗) 11년(960)에 순군부(徇軍部)를 고친 이름. ③〖역〗대한 제국 때, 군정(軍政)에 관한 일을 맡아 보던 관아. 고종(高宗) 32년(1895)에 군무 아문(衙門)을 고친 이름으로, 순종(純宗) 융희(隆熙) 4년(1910)에 폐함.

군부[6]【軍賦】명 ①옛날에 농민에게 병사(兵士)·물자 등을 할당하여 징집한 제도. ②군사상 과한 부세(賦稅). 「大).

군부 대:신【軍部大臣】명〖역〗대한 제국 때, 군부의 장(長). 준군대(軍

군부-사【軍簿司】명〖역〗①고려 충렬왕(忠烈王) 원년(1275)에 상서 병부(尙書兵部)를 고친 이름. 동 24년(1298)에 다시 병조(兵曹)로 고쳤다가 동 34년에 선부(選部)에 합하였으며 뒤에 다시 나누어 총부(摠部)로 독립시키고 뒤에 또다시 이 이름으로 고침. ②고려 말엽의 육사(六司)의 하나로, 병부(兵部)를 공민왕 11년(1362)에 고친 이름. 동 18년에 총부(摠部)로, 동 21년에 다시 이 이름으로 고치었음.

군:-부인【郡夫人】명〖역〗조선 시대 때 외명부(外命婦)의 봉작(封爵)의 하나. 왕자군(王子君)과 종일품 종친의 아내에게 베풂.

군부 판서【軍簿判書】명〖역〗고려 군부사(軍簿司)의 장(長). 「(軍協).

군부 협판【軍部協辦】명〖역〗대한 제국 때, 군부의 차관(次官). 준군협

군:북 광:산【郡北鑛山】명〖지〗경상 남도 함안군(咸安郡)에 있는 구리 └광산.

군:-불 명 방을 덥게 하려고 때는 불.

[군불에 밥 짓기] 다른 일 하는 길에 나의 일도 따라 성취함을 이름.
[군불 장단가 키만 크다] 키큰 사람을 놀리는 말.

군:불(을) 때:다 구 ㉠방을 덥게 하려고 불을 때다. ㉡〈속〉 담배 피우다.

군:불-솥 명 군불 때는 아궁이에 걸린 솥.

군:불 아궁이 명 군불을 때는 아궁이. *함실 아궁이.

군:-붓 명 지어 놓은 글에 더 써 넣은 군글자.

군비¹【軍備】명 ①국방상(國防上)의 군사 설비. ②전쟁의 준비. 융비(戎備). ¶ ~를 갖추다.

군비²【軍費】명 전쟁 및 군사 일반에 소요되는 비용. 군사비(軍事費). 군수전(軍需錢). *전비(戰費).

군비³【群飛】명 떼지어 낢. ——-하다 자 여불

군비 관리【軍備管理】[—괄—] 명 〔arms control〕 전쟁 발발의 가능성을 줄이고, 만약 일어나도 이를 국지화(局地化)하여 확대를 방지하기 위한 정책으로서, 군비를 규제(規制) 또는 억제(抑制)하는 일.

군비 긴축【軍備緊縮】명 군비를 축소하여 조리차함.

군비-단【軍備團】명〖역〗1919년 3월, 만주 창바이 현(長白縣)에서 조직된 독립 운동 단체. 윤덕보(尹德甫)·오주환(吳周煥) 등을 중심으로 조직된 단체로, 주로 무력에 의해 일본의 관청과 관헌을 습격하였음. 그 후, 1923년 광정단(匡正團)에 통합되었음.

군비 배상금【軍費賠償金】명〖정〗국제 전쟁에 있어서, 패전국이 전승국에 대하여 소비한 군비를 배상하기 위해서 지불하는 돈.

군비 전폐론【軍備全廢論】명 군비를 전적으로 폐지하자는 이론.

군비 제:한【軍備制限】명 국제 전쟁을 방지하기 위하여 군비를 적당히 제한하는 일.

군비 책정【軍費策定】명 국가의 예산을 편성함에 있어 군사비에 관한 안(案)을 책정함.

군비 철폐【軍備撤廢】명 현재 보유하고 있는 군비를 모두 폐지하는 일.

군비 축소【軍備縮小】명〖정〗군비 확장에 국력(國力)이 소비됨을 방지하기 위하여 그 규모를 줄이려고 하는 일. 준 군축(軍縮). ↔군비 확장(擴張). *감군(減軍). ——-하다 자 여불

군비 축소 위원회【軍備縮小委員會】명 '국제 연합 군축 위원회'의 통칭. 준 군축 위원회.

군비 축소 회:의【軍備縮小會議】[—/—이] 명〖역〗방대한 군사비 지출로 말미암아 산업의 유지와 발전이 저해(沮害)됨을 방지하고 나아가 세계의 평화를 위하여 각국이 협력하여 군비의 제한 축소를 행하고자 연 회의. 1차 세계 대전 뒤에 일어난 세계적 운동의 하나로 1921년 워싱턴, 1927년 제네바, 1930년 런던에서 열렸음. 준 군축 회의(軍縮會議).

군비 확장【軍備擴張】명〖정〗군비를 늘리어 국가의 위력을 보이며 국방이나 전쟁의 준비에 힘씀. 군비 확충(軍備擴充). 준 군확(軍擴). ↔군비 축소(縮小). ——-하다 자 여불

군비 확충【軍備擴充】명〖정〗군비 확장(軍備擴張).

군:-빗질 명 자고 일어나 바쁠 때에 대강 윗머리만 빗는 빗질. ——-하다 자 여불

군:-빵 명 ↗구운빵.

군사¹【軍士】명 ①군인(軍人). ②계급(階級)이 낮은 하사관(下士官) 이하의 군인. 군병(軍兵). 군졸(軍卒). 군총(軍摠). ③병사(兵士). 병졸(兵卒). 사병(士兵). 사졸(士卒).

군사²【軍史】명 군대의 역사. 전사(戰史).

군사³【軍使】명〖군〗전쟁중에 한쪽의 군대에서 사명을 띠고 적군에게 가는 사자(使者). 흰 기를 들어서 표시함.

군사⁴【軍事】명 군대·병비(兵備)·전쟁 등 군에 관한 일. 군무(軍務)에 관한 일. 융사(戎事). *병사(兵事).

군사⁵【軍師】명 ①주장(主將) 밑에서 군기(軍機)를 장악하고, 군대의 운용(運用)을 담당하며 모계(謀計)를 꾸미는 사람. ②전하여, 책략과 수단을 꾸미어 내는 사람.

군:사⁶【郡史】명 군의 역사.

군:사⁷【郡司】명〖역〗조선 시대 때, 각 고을에 있던 호장(戶長)의 집무소(執務所).

군사-감【軍師監】명〖역〗신라 호반의 벼슬. 위계(位階)는 나마(奈麻)부터 사지(舍知)까지. 왕도(王都)·육정(六停)·구서당(九誓幢)에 두었음.

군사 경계선【軍事境界線】명 〔military boundary line〕〖군〗작전 행동이 중지되고 협정에 의하여 구획된 군사 활동의 한계선. 군사 분계선(分界線).

군사 경:찰【軍事警察】명 ①전시(戰時)나 사변 때에 계엄지·점령지 등의 치안을 유지하기 위하여 그 지구의 사령관이 통상(通常)의 경찰법에 의하지 아니하고 행하는 경찰 행위. ②군사에 관한 경찰 행위. 헌병이 이에 종사함.

군사 고문【軍事顧問】명 군사 사항에 관한 제반 업무를 돕고 지도하기 위하여 외국 정부에서 파견되는 군인·군속 또는 민간인.

군사 고문단【軍事顧問團】명 군사 고문으로 조직된 일단. *케이맥(KMAG).

군사 공채【軍事公債】명 군비 확장이나 군비(軍費)의 충당을 목적으로 발행한 공채. *전시(戰時) 공채.

군사 공학【軍事工學】명〖군〗군사의 시설·교량·요새 등의 설계와 폭발물의 사용·제거 등 군사 일반에 걸친 공학.

군사 교:관【軍事敎官】명 군사학을 가르치는 교관.

군사 교:련【軍事敎鍊】명 군사상의 지식·기능을 가르치고 국가의 무력을 유지·증강할 목적으로 베풀어지는 교육과 훈련. 특히 학교에서 행하는 군사에 관한 교육과 훈련. 군사 교육(敎育).

군사 교:육【軍事敎育】명〖교〗①군인으로서 필요한 정신이나 기술을 가르침. 또, 그 교육. 군대(軍隊) 교육. ②군사 교련(敎鍊).

군사 구:조【軍事救助】명 제삼국이 교전국(交戰國)의 한편에 주는 돈 또는 물자의 구조.

군사 규약【軍事規約】명〖법〗전시(戰時) 규약.

군사 기밀【軍事機密】명〖군〗군사에 관한 기밀. 그 내용이 누설되는 경우 국가 안전 보장상 해로운 결과를 초래할 우려가 있는 사항 및 이에 관계되는 문서·도화(圖畫) 또는 물건 중 군사상의 기밀(機密)이 해제되지 아니한 것.

군사 기밀 보:호법【軍事機密保護法】[—뻡] 명〖법〗군사상의 기밀을 보호하여 국가 안전 보장에 기여할 목적으로 제정한 법률.

군사 기술【軍事技術】명〖군〗병기 생산(兵器生產) 기술·병기 운용(運用) 기술·전투 기술 등의 총칭.

군사 기지【軍事基地】명〖군〗전략·전술상의 거점(據點)이 되는 중요한 군사 시설이 있는 곳. 국내 기지와 재외(在外) 기지가 있으며, 그 성격에서 전술 기지·보급 기지·통신 기지·훈련 기지 등으로 나누임.

군사-당【軍師幢】명〖역〗신라(新羅)의 군대. 진평왕(眞平王) 26년(604)에 베풂.

군사당-주【軍師幢主】명〖역〗신라 무관(武官)의 벼슬. 법흥왕(法興王) 11년(524)에 왕도(王都)·육정(六停)·구서당(九誓幢)·삼무당(三武幢)에 각 한 사람씩 열 아홉 사람 있었음. 위계(位階)는 일길찬(一吉飡)에서 나마(奈麻)까지.

군사 대:국【軍事大國】명 군비가 크기 때문에 대국으로 꼽히는 나라.

군사 도시【軍事都市】명〖군〗군사적 기능이 뚜렷한 도시. *산업(産業) 도시.

군사 동맹【軍事同盟】명〖정〗군사 행동에 대하여 두 나라 또는 여러 나라 사이에 맺는 동맹. 공격 동맹·방어 동맹·공수(攻守) 동맹 등이 있음.

군:-사람 명 정원 밖의 사람. 필요 이외의 사람. 가외 사람.

군사-력【軍事力】명 병원(兵員)·병기·훈련·사기(士氣)·군사 잠재력 등 모든 요소를 종합한 한 나라의 전쟁 속행 능력(續行能力). 군사적인 능력. 군력(軍力). *병력(兵力).

군-사령관【軍司令官】명〖군〗한 군을 통솔 지휘하는 장성(將星).

군-사령부【軍司令部】명〖군〗군사령관이 군을 지휘 통솔하는 본부. 곧 예하(隷下) 부대의 동원 계획·교육의 감독 및 소할 관구(管區)의 방위(防衛)를 맡아 보는 곳. 준 군(軍).

군-사마【軍司馬】명〖역〗조선 고종(高宗) 때 베푼 친군영(親軍營)의 무관 벼슬.

군사 목표【軍事目標】명 ①적이 군사 작전 수행이나 지원에 직접 간접으로 사용하므로, 파괴·손상·상해·점령되어야 할 목표. 적의 공장·도시·군사 시설 및 지역 또는 사람의 집단·부대 등. ②직접 군사 작전에 사용되는 또는 사용 가능성이 있는 적의 군인·부대·군사 시설·지역 등의 목표.

군사 법원【軍事法院】명〖군〗군인·군무원의 범죄에 대하여 군법을 적용하여 재판을 하는 기관. 고등 군사 법원과 보통 군사 법원의 두 가지가 있음. 재판관은 군판사(軍判事)와 심판관으로 구성되며, 헌법과 법률에 의하여 그 양심에 따라 독립하여 심판함. 구칭 : 군법 회의.

군사 법원법【軍事法院法】[—뻡] 명〖법〗군사 재판을 관할할 군사 법원의 조직·권한, 재판관의 자격 및 심판 절차와 군사 법원에 부치(附置)되는 군검찰(軍檢察)의 조직·권한 및 수사 절차를 정한 법률. 구칭 : 군법 회의법.

군사 보:안【軍事保安】명〖군〗부대가 적의 간첩·관측·파괴 행위·태업·요란 및 기습으로부터, 그 자체를 보호하기 위하여 취하는 수단.

군사 봉쇄【軍事封鎖】명〖법〗전시(戰時) 봉쇄의 하나. 적국에의 교통이나 수송을 무력으로 차단하는 일. 통상(通商)에 관계없는 해상 전투력이 있는 연안(沿岸)에 대하여 행함. *상사 봉쇄(商事封鎖).

군-사-부【君師父】명 임금과 스승과 아버지. ¶ ~ 일체(一體).

군사 부:담【軍事負擔】명〖법〗군수(軍需)를 충실히 하기 위하여 국민이 재산의 제한을 받거나 재산의 공출을 부과(賦課)당하는 경제 및 법률상의 부담. 징발(徵發)·군수 공업 동원 등.

군사부 일체【君師父一體】명 임금·스승·아버지의 은혜는 같다는 뜻.

군사 분계선【軍事分界線】명 군사 경계선.

군사-비【軍事費】명 군비 기타 전쟁에 소용되는 군사상의 비용. 군비(軍費).

군사 사절단【軍事使節團】[—딴] 명 〔military mission〕〖군〗일반적인 외교 사절단과 구별되어 군사 부문에 관한 어떤 면을 연구 또는 교수할 목적으로 정부가 외국에 보내는 군인의 일단. 통상 신임장을 부여하여 파견함.

군:-사설【—辭說】명 쓸데없이 길게 늘어놓는 말. ——-하다 자 여불

군사 수송【軍事輸送】명 군사상의 목적에 의하여 군대·병기·군수품 등을 특별히 수송하는 일. ——-하다 자 여불

군사 술어【軍事術語】명 군사학(軍事學)에서 사용하는 술어.

군사 시:설【軍事施設】명 전투(戰鬪)에 대비하기 위하여 베푼 군사적인 모든 시설.

군사 시:설 보:호법【軍事施設保護法】[—뻡] 명〖법〗중요한 군사 시설을 보호하고 군작전의 원활한 수행을 기하기 위하여 필요한 사항을 규정한 법률.

군사 영어【軍事英語】명 군사상(軍事上)에서 쓰이는 영어.

군사 영어 학교【軍事英語學校】명 1945년 12월에 군간부 양성을 목적으로 개설된 군사 교육 기관. 공식 명칭은 군사 용어(用語) 학교이나, 주로 영어를 가르쳤으므로 이 이름으로 통칭됨. 1946년 4월에 문을 닫음.

군사 우체국【軍事郵遞局】명 군사 우편을 다루는 우체국. 준 군우(軍郵).

군사 우편【軍事郵便】명 군인·군무원이 발송하거나 그들에게 가는 통상 우편물의 원활한 취급을 위해 마련된 특별 우편 제도. 준 군우(軍郵).

군사 우편법【軍事郵便法】[—뻡] 명 전시나 사변시에 우편물을 군사 우편으로 할 수 있음을 규정한 법률.

군사 우편 저:금【軍事郵便貯金】명 전시(戰時)나 사변 때에 군사 우체국에 하는 우편 저금.

군사 원:조【軍事援助】명 한 나라가 전투 상태에 있는 다른 나라의 전쟁 수행을 돕기 위하여 병력·무기(武器) 등 인적·물질적·경제적 원조를 하는 일. 준 군원(軍援).

군사 위성【軍事衛星】[명]〖군〗군사적 목적으로 이용되는 인공 위성. 지상 정찰용·군사 통신용 및 적의 미사일 발사 조기 탐지용(早期探知用) 등이 개발되어 실용화되었음. 군용(軍用) 위성.

군:사-장【郡社長】[명]〖역〗혜민원(惠民院)의 한 벼슬.

군사 재판【軍事裁判】[명]〖법〗군사 법원에서 하는 재판. [준]군재(軍裁).

군사 재판소【軍事裁判所】[명] ①군사 법원. ②1946년 일본과 독일의 전범자를 재판하기 위하여 설치한 국제 군사 재판소. *국제 군사 재판.

군사-적【軍事的】[명][관] 군사에 관계되는 모양. ¶ ~ 우위(優位).

군사적 사회형【軍事的社會型】[명]〖사〗군사형 사회(軍事型社會).

군사 전:략【軍事戰略】[—절—] [명]〖군〗승리의 확률이 증대하게끔 군사적인 방면을 운용하는 전술. 현재는 주로 핵전략을 가리키며, 무력 행사 혹은 무력을 배경으로 국가 목표를 달성 확보하기 위해 한 나라의 방위력을 운용하는 것을 이름.

군사 전문가【軍事專門家】[명] 군사 문제를 전문으로 연구하는 사람.

군사 점검【軍事點檢】[명]〖군〗군함에서, 매일 저녁에 각원(各員)을 전투 배치에 두고 각 부서장(部署長)이 이를 점검하며 또 부장(副長)이 하갑판(下甲板)을 순시하고 그 결과를 함장에게 보고하는 일. [준]점검.

군사 점:령【軍事占領】[—녕] [명] 전쟁 또는 사변에 즈음하여 타국의 영토를 군사력으로써 점령하는 일.

군사 정권【軍事政權】[—꿘] [명] 군인이 중심이 되어 조직한 정권. 쿠데타 등으로 군대를 지휘한 군인이 그대로 정권의 자리에 앉는 예가 많음.

군사 정보【軍事情報】[명] 군사상에 필요한 첩보(諜報)를 해석·평가하여 종합 작성한 적의 상황(狀況). 수집 방법에 따라 전투 정보·전략 정보로 구분함. *정보(情報).

군사 정보 부대【軍事情報部隊】[명]〖군〗↗육군 군사 정보 부대.

군사 정부【軍事政府】[명] 군사 행동으로 정권을 장악하여 군인으로 조직한 정부.

군사 정전 위원회【軍事停戰委員會】[명]〖군〗'한국 군사 정전에 관한 협정'의 실시를 감독하며, 동 협정에 대한 모든 위반 사건을 협의하여 처리하는 기구. 국제 연합군 사령관이 임명한 고급 장교 5명과 이른바 조선 인민군 최고 사령관과 중공 인민 지원군(志願軍) 사령관이 공동으로 임명한 고급 장교 5명, 도합(都合) 10명의 위원으로써 구성되며, 본부는 판문점(板門店) 부근에 설치되어 있음.

군사 정탐【軍事偵探】[명] 군규(軍窺).

군사 지리학【軍事地理學】[명]〖지〗전쟁이나 전투 및 그 밖의 군사적 활동에 필요한 지리적 환경의 영향을 연구하는 학문. 인문 지리학(人文地理學)의 한 부문에 속함.

군사지-물【君賜之物】[명] 임금이 백성에게 하사(下賜)하는 물건.

군사 참모 위원회【軍事參謀委員會】[명] 유엔 안전 보장 이사회의 보조 기관의 하나. 안전 보장 이사회의 상임 이사국(常任理事國)의 참모 총장 또는 그 대리로 구성되며, 국제적인 군사 문제에 관한 협조를 그 임무로 함.

군사 첩보【軍事諜報】[명] 군사상의 정보(情報)가 될 수 있는 자료(資料).

군사-통【軍事通】[명] 군인이 아니면서 군사 계통에 밝음. 또, 그 사람.

군사 통신원【軍事通信員】[명] 군사에 관한 통신을 맡아 일하는 사람.

군사-학【軍事學】[명]〖군〗군대·병비(兵備)·전쟁에 관한 모든 부문의 학리를 연구하는 학문. 병학(兵學).

군사 행동【軍事行動】[명] 군대가 병력 또는 무력으로써 행하는 모든 행동. 곧, 교전(交戰)·부대 이동·전투 등의 총칭.

군사 행정【軍事行政】[명] 병력(兵力)의 설비(設備)·편제(編制)·교육 등에 관한 군사상의 행정.

군사 혁명【軍事革命】[명] 군사 행동으로써 일으킨 혁명.

군사형 사회【軍事型社會】[명]〖사〗영국의 사회학자 스펜서(Spencer)가 지배적인 사회 활동의 차이에 따라서 분류한 사회 유형(類型)의 하나. 끊임없이 투쟁이 발생하는 결과, 군사적 활동이 중심적 의의를 갖고, 강제적 협동에 의하여 유지되는 사회. 군사적 사회형(軍事的社會型). ↔산업형 사회(產業型社會).

군사 훈:련【軍事訓鍊】[—홀—] [명] 특정한 군사 기능 및 과업을 수행할 역량을 향상시키기 위한 훈련.

군산¹【群山】[명] 많은 산. 줄지어 연하여 있는 산. 군봉(群峰).

군산²【群山】[명]〖지〗전라 북도의 한 시(市). 1읍(邑) 10면(面) 23동(洞). 북쪽은 충청 남도 서천군(舒川郡)과 금강(錦江), 동쪽은 익산시(益山市), 남쪽은 김제시(金堤市)와 만경강(萬頃江), 서쪽은 황해에 인접함. 우리 나라에서 손꼽히는 곡창지(穀倉地)로 주요 산물은 농산물과 더불어 황해의 수산물. 명승 고적으로 백제 고탑(百濟古塔)·월명산(月明山)·불지사(佛智寺)·자천대(紫泉臺)·탑동탑(塔洞塔)·고군산도(古群山島)·선유도(仙遊島) 등이 있음. 1995년 1월 옥구군과 통합, 개편됨. [388.45 km²: 275,709 명(1996)]

군산-선【群山線】[명]〖지〗이리(裡里)와 군산(群山) 사이의 철도선(鐵道線). 1912년 3월 6일 개통. [24.7 km]

군:-살 [명] 궂은살. 군더더기 살. 췌육(贅肉). ¶ ~을 빼다.

군상¹【君上】[명] 임금. 주상(主上). 나라님.

군상²【群像】[명] ①많은 사람이 모이어 있는 모양. ¶실업자 ~. ②〖미술〗조각·그림 등에서 몇 사람의 인물이 집합한 상태를 구성하여, 어떤 표현을 한 것을 이름. ↔단신상(單身像).

군상-화【群像畫】[명] 군상을 주제(主題)로 한 그림.

군:-새 [명] 초가 지붕의 군 곳을 기워서 질러 넣는 짚.

군:색【窘塞】[명] ①살기가 구차함. ¶~한 살림. ②일이 뜻대로 되지 아니하여서 어렵게 보임. ¶~한 변명을 늘어놓다. ——-하다 [형][여불]. ——-히 [부]

군:색-스럽다【窘塞—】[형][ㅂ불] 군색(窘塞)하게 보이다. 군:색-스레【窘塞—】[부]

군생【群生】[명] ①많은 것이 떼지어 남. 특히, 식물이 어느 지역에 떼를 지어 나는 일. ②모든 생물. 전하여, 많은 백성. 많은 중생(衆生). ③떼지어 삶. 군서(群棲). ——-하다 [자][여불]

군서¹【軍書】[명] ①군사상의 일이 기재되어 있는 문서. ②군사학에 대한 서적. 군학서(軍學書).

군서²【群書】[명] 많은 서적. 여러 가지 서적. 군적(群籍). 군전(群典).

군서³【群棲】[명]〖생〗같은 종류의 동물이 생식·포식(捕食)·방어(防禦) 등을 위하여 많이 모이어 생활하는 일. 생식기(生殖期)나 이동할 때와 같이 일시적인 경우도 있고, 또 많은 종류가 군취(群聚)를 이루는 경우도 이름. 군거(群居). 떼살이. 군생(群生). 콜로니(colony). ——-하다 [자][여불]

군:-서방 [명] 샛서방. 간부(間夫).

군서 치요【群書治要】[명]〖책〗중국 당(唐)나라의 정관(貞觀) 5년(631), 위징(魏徵) 등이 황제의 명을 받들어 편찬한 책. 경(經)·사(史)·자(子)의 3부(部) 60종의 책에서 정치상의 요항(要項)을 발췌하여 만듦. 총 50권.

군석【君石】[명] 담반(膽礬).

군선【軍船】[명] 수상전(水上戰)에 쓰이는 배. 군함(軍艦). 군용선(軍用船).

군선가-미【軍船價米】[—까—] [명]〖역〗조선 시대에, 군선을 새로 건조하거나 수리하는 데 필요한 비용을 충당하기 위하여 예축(預蓄)해 둔 쌀.

군선-도【群仙圖】[명]〖미술〗신선(神仙)의 무리를 그리는 동양화의 한 가지.

군선도-병【群仙圖屛】[명] 조선 영조(英祖) 때, 단원(檀園) 김홍도(金弘道)가 그린 신선도(神仙圖). 전체 팔연폭(八連幅)으로 된 큰 병풍으로 꾸며졌던 대작(大作)임. 각 폭 118 cm×48.8 cm 내외. 국보 제139호.

군-섬광【群閃光】[명] 등대(燈臺) 불빛의 한 종류. 2개 이상의 명멸등(明滅燈)을 규칙적 간격으로 발광시키어 이용하는 항해 보조 기구임.

군성¹【軍星】[명]〖천〗'북두 칠성'의 딴이름.

군성²【軍聲】[명] 병정과 군마(軍馬)의 떠드는 소리.

군성³【群星】[명] 한군데에 몰린 별. 많은 별.

군세¹【軍勢】[명] 군대의 형세(形勢). 군대의 위력. 군의 인원수. 병력(兵力). 무려(武旅). ¶ 막강한 적의 ~.

군:-세²【郡稅】[—쎄] [명] 군(郡)에서 부과하고 징수하는 지방세. 보통세와 목적세가 있음.

군:세³【郡勢】[명] 고을의 형세(形勢).

군소¹ [명]〖동〗[*Aplysia kurodai*] 군솟과에 속하는 연체 동물. 몸길이 30-40 cm, 몸빛은 개체에 따라 변이(變異)가 있으나 대체로 자흑색에 회백색의 불규칙한 반문이 있음. 몸의 앞에는 한 쌍의 촉각, 등쪽에는 한 쌍의 취각(臭角)이 있으며, 그 기부(基部)에 작은 눈을 가짐. 껍데기는 각질(角質)임. 발의 가장자리는 근육질의 막(膜)으로 덮이고 그 안에 달걀꼴의 각(殼)이 있어서 몸에 스치면 막의 선(腺)에서 자색의 액(液)을 분비하며 몸을 감춤. 이른 봄에는 연안에서 자취를 감춤. 해조·해초를 먹고 삶. 고기는 식용임. 한국·일본·대만 등지의 해안에 분포함.

〈군소¹〉

군소²【群小】[명] ①많은 자질한 것. 가치(價値)나 규모가 작은 하찮은 사물이나 사람의 경우에 쓰임. ¶ ~ 정당(政黨)/~배(輩). ②많은 첩.

군소-국【群小國】[명] 여러 작은 나라. 잗단 나라.

군:-소리 [명] ①쓸데없이 중얼거리는 소리. ②군말. ③헛소리. ——-하다 [자][여불]

군소-배【群小輩】[명] 많은 소인의 무리.

군소-봉【群小峰】[명] 많이 솟아 있는 작은 산봉우리.

군소 업자【群小業者】[명] 규모가 작고 보잘 것 없는 업자.

군소 작가【群小作家】[명] 이름이 떨치지 못한 작가들.

군소 정당【群小政黨】[명] 세력이 떨치지 못한 작은 정당들.

군속¹【軍屬】[명] 군인 아닌 사람으로서 육해공군에 속하여 군무(軍務)에 종사하는 사람. 군무원(軍務員)의 이전 이름임. *문관(文官).

군:속²【郡屬】[명] 마을에 속함. ——-하다 [자][여불]

군:속³【窘束】[명] 묶어 놓은 듯이 변통성이 없게 군색함. ——-하다 [형][여불]

군속⁴【群俗】[명] 여러 속인들. 많은 사람. 민중(民衆). 대중(大衆).

군-속도【群速度】[명] [group velocity]〖물〗약간 다른 진동수와 위상 속도(位相速度)를 가진 일군(一群)의 파동이 전체로서 같이 전파되어 가는 속도.

군:-손질 [명] 아니 하여도 괜찮을 것을 하는 손질. ——-하다 [자][여불]

군솟-과【—科】[명]〖동〗[Aplysiidae] 연체 동물(軟體動物) 복족류(腹足類)에 속하는 한 과.

군:-쇠 [명] 문쇠 옆에 문쇠와 같이 길이로 선 나무. 농장(籠欌) 등의 한 부분.

군:-수¹【一手】[명] 바둑이나 장기를 둘 때 쓸데없이 놓는 수. *수(手).

군수²【軍帥】[명] ①군대의 장수. ②군대의 총사령관.

군수³【軍需】[명] 군사상의 수요(需要). 또, 군사상에 필요한 물자. ¶ ~품. ↔민수(民需).

군:수⁴【郡守】[명] ①〖역〗조선 시대 때 군의 으뜸 벼슬. 외관직(外官職) 문관의 종사품 벼슬. ②한 군(郡)의 행정을 맡아 보는 으뜸 관직. ③↗아낙 군수.

군수 경기【軍需景氣】[명] 군수 산업을 중심으로 하여 재계(財界)가 호황(好況)을 이루는 상태(狀態). *군수 인플레이션(軍需 inflation).

군수 공업【軍需工業】[명] 군수품(軍需品)을 주로 생산·수리하는 공업.

군수 공장【軍需工場】[명] 군수품을 생산·수리하는 공장.

군수-국【軍需局】[명]〖역〗조선 시대 말 군무 아문(軍務衙門)의 한 국. 군대에 필요한 물자를 관리하던 국(局).

군수-로【軍輸路】[명] 군수품과 병력 등을 수송하는 도로나 철로.

군수 물자【軍需物資】[—짜] [명] 군비(軍備) 또는 전쟁에 소용되는 온갖 물자. 군수품.

군수-미【軍需米】[명] 군량으로 쓰이는 쌀. 군량미(軍糧米).

군수 산:업【軍需産業】[명] 군수품을 제조·생산하는 모든 산업. 방위(防衛) 산업.

군수 심:의회【軍需審議會】[—/—이—] [명]〖법〗'군수 조달에 관한 특별 조치법'에 의거, 국무 총리 소속하에 설치된 심의회. 군수 산업 기본 계획의 수립과 변경, 군수업체의 지정, 군수 물자의 지정 및 기타 안건 등을 심의함. 위원장은 국무 총리, 위원은 재정 경제부 장관·국방부 장관·산업 자원부 장관·과학 기술부 장관, 그 밖에 국무 총리가 위촉하는 10인 이내로 구성함.

군수 인플레【軍需—】[명]〖경〗↗군수 인플레이션(軍需 inflation).

군수 인플레이션【軍需—】〔inflation〕[명]〖경〗전시·평시를 막론하고 군비 확장에 의한 군수 지출의 증대가 근본 원인이 되어 발생하는 인플레이션. 적자(赤字) 재정과 민수(民需) 산업의 감퇴가 따름. [준]군수 인플레. *군수 경기(景氣)·전쟁(戰爭) 인플레이션.

군수-전【軍需錢】[명] 군비(軍費).

군수 차관보【軍需次官補】[명] 국방부의 차관보의 하나. 군수·시설 업무에 관하여 장관과 차관을 보좌하는 별정직 국가 공무원.

군수 참모부【軍需參謀部】[명]〖군〗각급(各級) 사령부의 한 참모 부서(部署). 군수에 관한 사항을 분장함.

군수 판단【軍需判斷】[명]〔logistical estimate of the situation〕〖군〗예상되는 행동 방도에 영향을 미치는 군수 요소를 순차적으로 검토함으로써 얻어지는 평가. 그 영향의 정도와 상태에 관하여 결론을 내리게 됨. *상황(狀況) 판단.

군수-품【軍需品】[명] 군사상에 수용(需用)되는 물품.

군수품 관리법【軍需品管理法】[—괄—뻡] [명]〖법〗군수품의 효율적이고 적정한 관리를 도모함을 목적으로 제정한 법률. 물품 관리법 제2조의 규정에 의하여 군수품 관리에 관한 기본적인 사항을 규정함.

군수 학교【軍需學校】[명]〖군〗↗육군 군수 학교.

군수 회:사【軍需會社】[명] 군수의 충족상 필요한 사업을 경영하는 회사.

군:-순【—筍】[명]〖식〗쓸데없는 순.

군술【軍術】[명] 전술(戰術)❶.

군습【捃拾】[명] 주워서 모음. ——하다 [타][여불]

군승【軍僧】[명] 군종감실(軍宗監室)이나 예하 각 군사령부 군종 참모부에 예속된 장교로서의 중. 사단 또는 단위 부대에 배속되어 장병의 종교·도덕·신상(身上) 문제에 관한 일을 맡아 봄. *군목(軍牧).

군시럽다 [형][ㅂ불] 벌레 따위가 살갗에 기어가는 듯한 느낌이 있다. 가려운 느낌이 나다. ¶ 등에 이가 기어가는지 ~.

군:-식구【—食口】[명] ①집안 식구 이외에 덧붙어서 먹고 있는 식구. 객식구. 잡식구. ¶ ~가 많은 집. ②끼니 때 외에 와서 밥을 먹는 사람.

군신¹【君臣】[명] 삼강(三綱)의 하나. 임금과 신하. ¶ ~ 일체.

군신²【軍神】[명] ①군인의 무운(武運)을 수호(守護)하는 신. ②군인의 모범이 될 만한 훌륭한 행동으로 공을 세우고 전사한 군인을 신(神)에 비유하여 이르는 말.

군신³【群臣】[명] 뭇 신하들. 제신(諸臣). ¶ 기라성같이 늘어선 ~.

군신⁴【群神】[명] 뭇 귀신들.

군신 대:의【君臣大義】[—/—이] [명] 임금과 신하간의 의리.

군신 복주【群臣伏奏】[명] 여러 신하가 임금에게 엎드려 아뢲. ——하다 [자][여불]

군신 분:의【君臣分義】[—/—이] [명] 임금과 신하 사이에 있어야 할 직분과 의리.

군신 유:의【君臣有義】[—/—이] [명] 오륜(五倫)의 하나. 임금과 신하의 도리는 의리(義理)에 있음. ——하다 [형][여불]

군-신-좌:-사【君臣佐使】[명]〖한의〗약방문을 내는 데 제일 주되는 약인 군제(君劑)와 그에 배합하여 쓰이는 다른 약을 그 작용의 강약(强弱)·경중(輕重)에 따라 구별한 신약(臣藥)·좌약(佐藥)·사약(使藥)의 병칭. *군제(君劑).

군실-거리다 [자] 어딘지 모르게 근실거리다. 군실-군실 [부]. ——하다 [자][여불]

군실-대다 [자] 군실거리다.

군심【群心】[명] ①여러 사람의 마음. ②군중 심리(群衆心理).

군ᄉᆞ [명]〈옛〉군사(軍士). 병정. ¶ 군ᄉᆞᆺ 군(軍), 군ᄉᆞ 졸(卒), 군ᄉᆞ 오(伍)《字會 中 2》/ 군ᄉᆞ 군(軍)《類合 下 13》/ 하ᄂᆞᆯ군ᄉᆞ찬미ᄒᆞ라《찬양가 : 9》.

군아¹【軍衙】[명]〖역〗군무(軍務)를 맡아 보던 관아.

군:아²【郡衙】[명]〖역〗군(郡)의 사무를 맡아 보던 관아. 군청(郡廳). [준]군(郡).

군악【軍樂】[명] ①〖군〗군대에서 쓰이는 음악. 군악대의 연주 또는 연주 악곡. ②〖문〗가사(歌詞) 길군악(軍樂)의 딴이름. ③〖악〗궁중 연례악(宴禮樂)에서 타령(打令) 금전악(金殿樂)에 뒤이어 계주(繼奏)되는 관악. 영산 회상곡(靈山會相曲)의 마침 곡의 변주(變奏)임.

군악-기【軍樂器】[명]〖악〗군악에 쓰이는 악기. 취주 악기와 타악기를 주로 하고 현악기를 넣는 수도 있음.

군악-대【軍樂隊】[명] 군악을 맡아 연주하는 부대(部隊).

군악대-장【軍樂隊長】[명] 군악대의 악장(樂長). [준]군악장.

군악-수【軍樂手】[명] 군악대의 악수.

군악-장【軍樂長】[명] ↗군악대장.

군악 장단【軍樂長短】[명]〖악〗영산회상(靈山會相) 중의 군악 연주에 쓰이는 장단. 그 기본형은 타령 장단과 같음.

군악-타:령【軍樂打令】[명]〖악〗유예지(遊藝志)에 전하는, 영산회상(靈山會相) 끝 곡인 군악의 1·2장과 3장 넷째 장단까지에 해당하는 곡.

군안【軍案】[명] 군적(軍籍)❷.

군안-도【群雁圖】[명]〖미술〗여러 마리의 기러기 떼를 그린 그림.

군액【軍額】[명] ①군인의 수효. 병액(兵額). ②군용에 쓸 곡물의 양. ③국용(國用)에 쓸 인부의 수효.

군양【群羊】[명] 많은 양. 양떼.

군양-미【軍養米】[명] 군대의 양식. 군량(軍糧). 군향미(軍餉米). 양향(糧餉).

군언¹【群言】[명] 여러 사람의 말. 중구(衆口).

군언²【群焉】[명] 많은 사람. 다수(多數).

군역【軍役】[명] ①〖역〗군적(軍籍)에 등록된 신역(身役). ②군대에의 복역. 군대에 관한 부역(賦役). ③싸움. 전쟁.

군연장【軍—】[명]〈옛〉군대의 연장. 병기(兵器). ¶ 군연장 병(兵)《類合 下 24》.

군영¹【軍營】[명] 군대가 주둔하는 처소. 병영(兵營). 진영(陣營). 영소(營所). 군문(軍門).

군영²【群英】[명] ①많은 영준(英俊). ②여러 가지 꽃. 군방(群芳).

군영³【群泳】[명] 어류 등이 떼지어 유영(遊泳) 또는 이동함. ——하다 [자][여불]

군오【軍伍】[명] 군대(軍隊)의 대오(隊伍).

군:옥【郡獄】[명]〖역〗조선 시대 때 군(郡)에 두었던 감옥. 관제상 근거가 있던 것은 아니었음.

군옥-산【群玉山】[명] 중국의 전설상의 산 이름. 절세 미인 서왕모(西王母)가 살고 있었다 함. 주(周)나라의 목왕(穆王)이 그녀를 만나 돌아오기를 잊었다는 산.

군왕¹【君王】[명] 임금.

군:왕²【郡王】[명] 옛날 중국의 작(爵)의 이름. 청(淸)나라에서는 친왕(親王)의 다음 자리였음.

군왕 천세기【君王千歲旗】[명]〖역〗조선 시대 때 의장(儀仗)의 한 가지. 흰 바탕에 동그라미를 크게 그리고 그 안에 '君王千歲'라 써서 돌아가며 운기(雲氣)를 채우고 가장자리에는 푸른 빛·누른 빛·붉은 빛·흰 빛들의 화염(火焰)과 기각(旗脚)이 붙어 있음.

〈군왕 천세기〉

군요【軍擾】[명] 군란(軍亂).

군:욕【窘辱】[명] 곤욕(困辱).

군용¹【軍用】[명] ①군사(軍事) 또는 군대에 쓰임. ②군의 비용. 군비(軍費).

군용²【軍容】[명] ①군대의 상태. ②군대의 위용(威容)이나 장비.

군용-견【軍用犬】[명] 특별한 훈련을 받아 수색·통신·경계·탄약 운반 등 군용에 쓰이는 개. [준]군견(軍犬).

군용-교【軍用橋】[명] 군사상의 목적으로 놓은 다리. 군교(軍橋).

군용-구【軍用鳩】[명] 군용 비둘기.

군용-금【軍用金】[명] 군자금(軍資金)❶.

군용-기【軍用機】[명] 군사상의 목적에 쓰이는 항공기. 전투기·폭격기·정찰기 등. 군용 비행기. ↔민간기(民間機).

군용 기구【軍用氣球】[명] 군용에 쓰는 기구. 계류(繫留) 기구·자유(自由) 기구·탐측(探測) 기구의 세 가지가 있음.

군용 도:로【軍用道路】[명] 군사상 필요로 만들어 지정한 길. [준]군용로(軍用路).

군용-로【軍用路】[—노] [명] ↗군용 도로.

군용물 손:괴죄【軍用物損壞罪】[—쬐] [명]〖법〗군법상 군용의 설비·건물·기구·기계 등을 고의로 훼손·파괴하여서 성립하는 죄.

군용 병:원선【軍用病院船】[명] 상병자(傷病者)를 구호하기 위하여 병원 시설을 갖춘 배. 백색의 선체(船體)에 푸른 가로 줄을 긋고 국기와 적십자기를 달아 표시함.

군용 부교【軍用浮橋】[명] 군대가 물을 건너려고 임시로 간단히 놓은 가교(假橋). *배다리.

군용 비둘기【軍用—】[명] 군사상의 통신문을 전달하는 비둘기. 군용구(軍用鳩).

군용 비행기【軍用飛行機】[명] 군용기(軍用機).

군용-선【軍用船】[명] 군대에서 쓰는 선박. 군선(軍船).

군용 수송기【軍用輸送機】[명] 군수품과 무장한 병원(兵員)을 수송하는 대형의 군용기.

군용 수표【軍用手票】[명]〖경〗군표(軍票).

군용 어음【軍用—】[명]〖경〗☞ 군표(軍票).

군용 열차【軍用列車】[—녈—] [명] 군사 수송을 위하여 특별히 운행하는 열차.

군용 위성【軍用衛星】[명] 군사 위성.

군용 자재【軍用資材】[명] ①전투용·비전투용을 막론하고, 장비·정비·작전 및 군사 활동 지원에 필요한 모든 자재. ②전투용·병참 지원용으로 쓰이는 무기·차량 또는 특별 목적용 피복에 쓰는 자재. 피복·식료품·위생 재료와 같은 통상 용도의 물품과 구별됨.

군용-장【軍用章】[—짱] [명] 용비어천가 제51장의 이름.

군용 장구【軍用裝具】[명] 군대에서 쓰는 장구(裝具)나 장비(裝備). 요대(腰帶)·수통·배낭·야전삽·군용 천막·모포·식기·축전지·목침대 등.

군용 전:기 통신법【軍用電氣通信法】[—뻡] [명]〖법〗군사 행정 및 작전을 위한 군용 전기 통신 설비의 관리 운용과 그 설치에 관한 사항을 정한 법률.

군용 전:신【軍用電信】[명] 군사 통신을 위하여 특별히 시설한 전신. 고정된 설비와 이동되는 설비가 있음.

군용 전:화【軍用電話】[명] 군사 통신을 위해 특별히 설비한 전화.

군용-지【軍用地】[명] 군사에 쓰려고 정한 땅.

군용 지도【軍用地圖】[명] 군사 작전에 소용되도록 자세하고 특수하게 그린 지도. 전략 지도·전술 지도 등이 있음.

군용-차【軍用車】[명] 군대에서 부리는 차. 군차(軍車).

군용 차량【軍用車輛】[명] 군대에서 쓰이는 모든 차량.

군용 철도【軍用鐵道】[—또] [명] 군사 수송과 그 밖의 군사상의 목적으로 부설한 철도.

군용 특성【軍用特性】[명] 전투용·비전투용을 막론하고, 군 임무 수행에 바람직한 또는 필요한 장비품의 특성.

군용-표【軍用票】[명] 군표(軍票).

군용-품【軍用品】[명] 군용으로 쓰이는 물품.

군용 피복【軍用被服】[명] 군용의 피복. 곧, 군복 및 군모·군화·양말·배낭·침구·천막·비행복·전차복 등의 총칭.

군용 화:약【軍用火藥】[명] 전투에 사용하는 화약의 총칭.

군우¹【軍友】[명] ①〖기독교〗구세군(救世軍)에서, 신자(信者)를 일컫는 말. ②전우(戰友).

군우[2] 【軍郵】 명 ①↗군사 우편(軍事郵便). ②↗군사 우체국(軍事郵遞局).
군웅[1] 【軍雄】 명 〖민〗 ①무당이 위하는 신(神)의 하나. 가업(家業)의 수호신(守護神)임. ¶ ~ 청배(請陪). ②무당의 열 두 거리 굿 가운데 열째 거리. 무당이 홍(紅)철릭을 입고 붉은 빛의 갓을 씀.
군웅[2] 【群雄】 명 같은 시대에 태어난 여러 영웅. 제호(諸豪).
군웅 할거 【群雄割據】 명 군웅이 저마다 한 지방씩을 차지하여 세력을 떨치는 일. 중국의 전국 시대의 사회 상태 등.
군원 【軍援】 명 ↗군사 원조.
군위[1] 【君位】 명 군주의 지위.
군위[2] 【君威】 명 군주의 위광.
군위[3] 【軍威】 명 ①군대의 위력. ②군대의 위신.
군위[4] 【軍威】 명 〖지〗 군위군(軍威郡)의 군청 소재지로 읍(邑). 소백산으로 둘러싸인 산간 분지로 소·농산물 등이 남. [10,026명(1990)]
군위-군 【軍威郡】 명 〖지〗 경상 북도의 한 군. 관내 1읍 7면. 북은 의성군(義城郡), 동은 청송군(靑松郡)·영천군(永川郡), 남은 영천군·달성군(達城郡)·칠곡군(漆谷郡), 서는 선산군(善山郡)·칠곡군에 접함. 주요 산물은 쌀·보리·사과·누에고치 등의 농산과 임산·축산이 있음. 명소 고적으로는 삼존 석굴(三尊石窟)과 인각사(麟角寺), 신라 의상(義湘) 대사가 창건한 지보사(持寶寺)가 있음. 군청 소재지는 군위(軍威). [613.28 km² : 37,898명(1990)]
군위 삼존 석굴 【軍威三尊石窟】 명 〖불교〗 경상 북도 군위군(軍威郡) 부계면(缶溪面) 남산동(南山洞)에 있는 석굴. 통일 신라 초기에 창건한 것으로, 궁륭형(穹窿形) 굴의 깊숙이 들어간 벽에 아미타불 좌상(坐像)과 좌우에 관음(觀音)·세지(勢至)의 보살 입상(立像)이 안치되었는데 방형 대좌(方形臺座)인 점과 자연 암석을 이용한 점이 석굴암과는 다른 새로운 석굴 양식임. 경주의 석굴보다 반 세기나 앞선 것이며 '제2의 석굴암'이라고도 함. 국보 제109호.
군 위탁생 【軍委託生】 명 〖군〗 군 교육 기관에서 양성하기 곤란한 특수 업무에 복무할 장기 복무 현역 군인으로서, 교육비 등을 군에서 부담하고 국내외의 교육 기관이나 연구 기관에서 수학·연구하게 하는 사람. 준사관 및 사관 생도를 포함하는 장기 복무 현역 군인의 지원자 중 소정의 시험을 거쳐 임명함. 「이름.
군유 【群有】 명 〖불교〗 삼유(三有)·구유(九有)·이십오유(二十五有) 등을
군윤 【軍尹】 명 〖역〗 ①고려의 향직(鄕職). 구품(九品)의 첫째. ②태봉(泰封) 나라의 벼슬로서 보윤(甫尹)의 다음.
군율 【軍律】 명 〖군〗 ①군대의 형법. 군법(軍法). 군령(軍令). ②적국(敵國)에 침입한 군대가 자기의 안전을 도모하기 위하여 행사하는 준엄한 형률(刑律). ③군대내의 기율(紀律). 군기(軍紀). 군규(軍規).
군율 재판 【軍律裁判】 명 출정(出征)중인 육해군이 군율로써 행하는 재판. 이 재판은 처음부터 피고를 유죄로 가정하고, 피고에게 반증(反證)을 들어서 무죄를 증명할 의무를 가지게 함. 점령지 백성으로 하여금 공포심을 일으키는 방법을 씀.
군은 【君恩】 명 임금의 은혜. 임금의 은덕. 주은(主恩).
군은 망극 【君恩罔極】 명 임금의 은혜가 그지없음. ——-하다 형여불
군은 보:답 【君恩報答】 명 임금의 은혜에 보답함. ——-하다 자여불
군음[1] 【群飮】 명 많은 사람이 모여 술을 마심. ——-하다 자여불
군음[2] 【群陰】 명 많은 별.
군:-음식 【—飮食】 명 끼니때 외에 먹는 음식. 떡·과자 등. 간식(間食).
군:-읍 【郡邑】 명 ①군과 읍. ②옛날의 지방 제도인 주(州)·부(府)·군(郡)·현(縣)의 총칭. 군현(郡縣).
군의[1] 【軍醫】 [—/—이] 명 ↗군의관.
군의[2] 【軍議】 [—/—이] 명 군사상의 회의.
군의[3] 【群疑】 [—/—이] 명 많은 의문.
군의[4] 【群議】 [—/—이] 명 중의(衆議).
군의-관 【軍醫官】 [—/—이—] 명 군대에서, 환자의 진찰·치료·위생에 관한 군무(軍務)에 종사하는 장교. 준군의(軍醫).
군의 만:복 【群疑滿腹】 [—/—이—] 명 많은 의심이 마음에 가득함.
군 의무 위원회 【軍醫務委員會】 명 〖군〗 군의 의무 정책에 관해서 국방부 장관의 자문(諮問)에 응하게 하기 위하여 국방부에 둔 위원회.
군의 학교 【軍醫學校】 [—/—이—] 명 ↗육군 군의 학교.
군인 【軍人】 명 ①전쟁에 종사하는 것을 직무로 하는 사람. 군사(軍士). 병사(兵士). 융사(戎士). ②특히, 근대(近代) 육해공군의 군적(軍籍)에 있는 장교·하사관·병졸의 총칭. ¶ 직업 ~/~ 정신.
군인 보:수법 【軍人報酬法】 [—뻡] 명 〖법〗 군인의 보수에 관한 사항을 규정한 법.
군인 보:험법 【軍人保險法】 [—뻡] 명 〖법〗 군인에게 복무중 보험에 가입하게 함으로써 사망 또는 전역 후 본인이나 그 가족의 생활 안정 및 복리 향상에 기여하고, 제대 군인 대부의 기금을 조성하기 위하여 제정된 법.
군인 복무 규율 【軍人服務規律】 명 〖법〗 군인의 복무, 기타 병영 생활에 관한 기본 사항을 규정한 법령.
군인 연금법 【軍人年金法】 [—년—뻡] 명 〖법〗 군인이 상당한 연한 성실히 복무하고 퇴역하였거나 심신의 장애로 인하여 퇴역 또는 사망한 때에, 본인이나 그 유족에게 적절한 급여를 지급함으로써 본인 및 그 유족의 생활 안정과 복리 향상에 기여할 목적으로 제정한 법.
군인 유족 기장 【軍人遺族記章】 명 전사한 군인의 유족에 대하여 수여하는 기장.

〈군인 유족 기장〉

군인-전 【軍人田】 명 〖역〗 고려 때, 군역(軍役)의 대가로 분급(分給)하던 토지. 「*군벌(軍閥) 정치.
군인 정치 【軍人政治】 명 군인이 정권(政權)을 장악하고 행하는 정치.
군인 황제 시대 【軍人皇帝時代】 명 〖역〗 로마 제정 시대인 235년부터 284년까지의 반 세기 동안을 이르며, 제국(帝國) 각지에서 군대가 황제를 마음대로 폐립시킨 시대. 이 기간에 18명의 황제가 통치하여 내란이 잇따랐음.
군:-일 [—닐] 명 쓸데없는 일. 공연한 일. ——-하다 자여불
군:-입 [—닙] 명 ①자고 난 입. ②군음식을 먹고 난 입.
군:입(을) 다시다 구 ㉠자고 나서 무엇을 먹는 것처럼 입맛을 다시다. ㉡군음식을 먹고, 더 먹고 싶어서 쩍쩍하며 입맛을 다시다.
군:-입정 [—닙—] 명 ①때없이 음식으로 입을 다시는 일. ② ☞ 주전부리. ——-하다 자여불 「——-하다 자여불
군:입정-질 [—닙—] 명 때없이 음식으로 입을 다시는 짓. 준군입질.
군:입-질 [—닙—] 명 ↗군입정질. ——-하다 자여불
군:-자[1] 【—字】 명 ↗군글자.
군자[2] 【君子】 명 ①학식과 덕행(德行)이 높은 사람. ¶ 성인 ~. ②높은 관직에 있는 사람. 1)·2):↔소인(小人). ③아내가 자기의 남편을 가리키는 말.
【군자 말년에 배추씨 장사】 평생을 두고 남을 위하여 어질게 살아온 사람이 말년에 가서는 매우 곤란하게 살 때 이르는 말.
군자[3] 【軍資】 명 ↗군자금(軍資金).
군자-가 【君子歌】 명 〖문〗 조선 중종(中宗) 때, 주세붕(周世鵬)이 군자의 도리를 읊은 시조.
군자-감 【軍資監】 명 〖역〗 조선 시대 때, 군수품의 출납(出納)을 맡아 보던 관아. 태조 원년(1392)에 설치하였다가 고종(高宗) 31년(1894)에 폐함. 물장성(物藏省). 보천성(寶泉省). 소부성(小府省). 준군감(軍監).
군자 교절 불출 악성 【君子交絶不出惡聲】 구 군자는 남과 절교를 한 뒤에도 그 사람의 악평(惡評)을 하지 않는다는 말.
군자-국 【君子國】 명 ①풍속이 아름답고 예절이 발달한 나라. 곧, 우리나라를 말함. ②'신라(新羅)'의 별칭.
군자-금 【軍資金】 명 ①군사(軍事)에 필요한 자금(資金). 군용금(軍用金). ②비유적으로, 어떤 일을 하기 위한 자금. ¶ 한 잔 하려도 ~이 없구나. 준군자(軍資).
군자 대:로행 【君子大路行】 명 군자는 큰길을 택하여서 걸어간다는 뜻으로, 덕행과 학행(學行)이 있어 남의 모범이 되려면 밝고 바르게 행동하라는 경우에 비유하는 말.
군자-란 【君子蘭】 명 〖식〗 [*Clivia nobilis*] 수선과에 속하는 다년초. 아마릴리스를 닮은 관상용 화초인데 남아프리카 원산. 인경은 가늘고 불완전하며 10개 안팎의 잎이 좌우로 남. 아마릴리스 비슷한 잎은 폭 2.5-4cm이고 끝이 둥긂. 정단(頂端)에 40-60개의 꽃이 산상(繖狀)으로 피는데, 길이 3-4cm의 꽃은 깔때기꼴에 밑으로 좀 처지며, 6개의 주홍색 꽃잎은 녹색을 띰.

〈군자란〉

군자 무:본 【君子務本】 명 학식과 덕행이 높은 사람은 근본에 힘쓴다는 말.
군자 삼감 【軍資三監】 명 〖역〗 조선 시대에, 광통교(廣通橋)에 있던 군자감(軍資監)의 본감(本監), 송현(松峴)에 있던 분감(分監) 및 용산강(龍山江)에 있던 강감(江監)의 총칭.
군자 삼락 【君子三樂】 [—낙] 명 삼락(三樂).
군자-시 【軍資寺】 명 〖역〗 고려 때, 군수품(軍需品)의 저장을 맡은 관아. 공양왕(恭讓王) 2년(1390)에 소부시(小府寺)를 없애고 둠.
군자시-전 【軍資寺田】 명 〖역〗 고려 때 군자시(軍資寺)에 준 토지. 고려 34대 공양왕(恭讓王) 3년(1391) 토지 개혁을 하고 새로이 과전법(科田法)을 실시하였을 때에 생긴 제도인데, 조선 태종(太宗) 이후에는 군자시전의 명칭이 없는 것으로 보아 폐지된 듯함.
군자연-하다 【君子然—】 자여불 군자인 체하다.
군자위-전 【軍資位田】 명 〖역〗 군자전(軍資田).
군자-인 【君子人】 명 덕행이 높아 군자라고 일컬을 만한 사람. 남의 사표(師表)가 될 만한 사람.
군자-전 【軍資田】 명 〖역〗 고려 말기·조선 시대 초기에, 군자미(軍資米)의 확보를 위해 설치한 토지. 군자시(軍資寺)에서 관장함. 그 경작자인 농민이 바친 전조(田租)를 군자시와 각 지방에 저적(儲積)하게 함. 군자위전(軍資位田).
군자지교 담:약수 【君子之交淡若水】 구 군자의 교제(交際)는 그 담박(淡泊)함이 물과 같이 영구히 변하지 아니한다는 뜻.
군자지-덕풍 【君子之德風】 명 군자의 덕은 바람과 같아서 백성은 다 그 풍화를 입는다는 뜻.
군자-창 【軍資倉】 명 〖역〗 조선 시대, 군자감(軍資監)에 소속된 창고. 각 지역의 군자전세(軍資田稅)를 받아들여 저장함.
군자 표변 【君子豹變】 명 군자는 개과 천선(改過遷善)함에 있어 지극히 빠르고 현저함을 이르는 말.
군작 【群雀】 명 무리를 이룬 참새. 떼지은 참새.
【군작이 어찌 대붕(大鵬)의 뜻을 알랴】 범인 따위에게는 큰 인물의 일을 헤아려 알 리가 없다. 「미곡(米穀).
군작-미 【軍作米】 명 〖역〗 납세(納稅)의 하나. 군포(軍布) 대신에 내던
군:-장[1] 【—醬】 명 간장을 여러 번 떠낸 찌끼 된장을 즙을 내서 새앙·파·후춧가루·조핏가루 등을 섞어 반죽하여, 기름·꿀을 발라서 구워, 볶은 깨를 뿌린 반찬. 구장(灸醬).
군장[2] 【君長】 명 군주(君主).
군장[3] 【軍將】 명 군대를 통솔하는 대장.
군장[4] 【軍葬】 명 군에 대한 공적이 높은 이에 대하여 군에서 지내 주는 장례식. *사회장(社會葬).
군장[5] 【軍裝】 명 ①군인의 복장. ②군대의 장비. 무장(武裝). 융장(戎裝).
군:장[6] 【郡將】 명 〖역〗 백제 때, 각 군(郡)의 행정 및 군사 책임자.

군장 국가【君長國家】명〖역〗우리 나라 역사상 처음으로 나타난 국가 형태. 삼국(三國) 시대 이전에, 씨족(氏族) 사회가 붕괴하면서 부족장(部族長)이 여러 읍락(邑落)을 통일하여 이룬 국가.

군재【軍裁】명〖법〗↗군사 재판. ↔민재(民裁).

군:재 독서지【郡齋讀書志】명〖책〗중국 남송(南宋) 때에 조공무(晁公武)가 엮은 그의 임지(任地)였던 군청(郡廳) 장서(藏書)의 도서 해제(圖書解題). 2권.

군적[1]【軍籍】명〖군〗①군인이라는 자격·신분(身分). ②군인의 주소·성명·학력·경력 등을 적어 군인으로서의 지위·신분을 밝힌 명부. 군안(軍案). 병적(兵籍). ¶ ~에 편입되다.

군적[2]【群敵】명 많은 적. 무리를 이룬 많은 적.

군적[3]【群籍】명 많은 책. 군서(群書).

군전[1]【軍田】명〖역〗여말 선초(麗末鮮初)의 과전법(科田法) 아래에서, 외방(外方)의 한량관(閑良官)에게 분여(分與)한 그 지방의 토지. 조선 태종(太宗) 9년(1409)에 국가에 몰수되어 군자전(軍資田)이 됨.

군전[2]【群典】명 많은 책. 군서(群書).

군접【群蝶】명 떼지어 나는 나비.

군정[1]【軍丁】명〖역〗①군적(軍籍)에 있는 지방(地方)의 장정(壯丁). ②공역(公役)에 종사하는 장정.

군정[2]【軍政】명 ①〖법〗전쟁이나 사변 때에 점령한 지역의 군사령관이 행하는 임시 행정. 융정(戎政). ¶ 점령지에 ~을 펴다. ↔민정(民政). ②육해공군에 관한 행정 사무. ↔군령(軍令). ③군사상의 정무(政務). ④〖역〗삼정(三政)의 하나.

군정[3]【軍情】명 군대(軍隊)의 정상(情狀). ¶ ~을 시찰하다.

군:정[4]【郡政】명 군의 행정.

군정-관【軍政官】명 점령한 지역에서 군정을 시행하는 관원.

군정-권【軍政權】[—꿘] 명〖법〗군사 행정에 관한 권한.

군정 법령【軍政法令】[—녕] 명〖법〗군정 장관이 그의 통치하에 있는 점령 지역을 다스리는 법률. 우리 나라에서는 보통 1945년 이후의 미(美)군정 장관이 발(發)한 법령을 가리키며, 1948년 정부 수립 후 헌법에 의거하여 실효 또는 대치되어 오다가 구법령 정리에 관한 특별 조치법으로 모두 정리 폐지됨.

군-정부【軍政府】명 군대가 어떤 나라나 지방을 점령하였을 때에 그 곳을 다스리기 위하여 사령관이 군법(軍法)을 펴고 세운 행정부.

군정 시대【軍政時代】명〖정〗군정을 실시하는 시대.

군정 장:관【軍政長官】명 군정을 시행하는 군정청의 장관. ↔민정 장관.

군정-청【軍政廳】명 점령한 지역의 군사령관(軍司令官)이 군사 정치를 행하는 기관.

군정 탐사【軍情探査】명 군대내의 정상을 탐색하여 조사함.

군정 포:고【軍政布告·軍政佈告】명 군정 장관의 권한으로 그의 통제하에 있는 점령 지역에 법률이나 규칙 등을 선포하는 일.

군제[1]【君劑】명〖한의〗처방(處方)에 제일 주장되는 약(藥). 육미탕(六味湯)의 숙지황 따위. *군신좌사(君臣佐使).

군제[2]【軍制】명〖군〗①군사상에 관한 제도. 곧, 군의 건설·유지·관리(管理)·운용(運用) 등에 관한 제도의 총칭. ②군대의 편제(編制)·경리(經理)에 관한 규칙. 「제도.

군:제[3]【郡制】명 군청(郡廳)에서 행정상 설정하여 놓은 편제·경리 등의

군제 이정소【軍制釐整所】명〖역〗조선 말기 광무 8년(1904)에 군사 제도에 관한 법령을 개정하기 위해 두었던 관아. 군제 의정관(軍制議政官) 12인을 두어 원수부(元帥府) 관제·군부 관제 등 18개 관계법을 개정하였음. *의정관(議政官).

군제-학【軍制學】명 군제에 관한 여러 규정을 연구하는 학문.

군조[1]【君朝】명 임금의 조정.

군조[2]【群鳥】명 떼지어 모인 새. 군금(群禽).

군족【群族】명 몇 개의 가족으로 형성되어, 명백한 조직이 없는 원시적 └인 집단(集團).

군졸[1]【軍卒】명〖군〗군사(軍士)❷.

군:졸[2]【窘拙】명 있어야 할 것이 없어서 어려움. 넉넉지 못함. 궁핍(窮乏). ¶ 매삭에 이백원씩은 가져야 ~히 지내지 않겠다고 하였는걸…《金宇鎭：榴花雨》. ——-하다 형여불. ——-히 부

군종【軍宗】명〖군〗군대내의 종교에 관한 일. ¶ ~감(監).

군종-감【軍宗監】명〖군〗군종감실의 장(長).

군종감-실【軍宗監室】명〖군〗육군 본부·해군 본부·공군 본부의 편제상의 한 실(室). 군인·군무원의 종교 및 도덕 교육에 관한 사항을 분장함.

군종 담당관【軍宗擔當官】명〖법〗국방부 인사국장의 보조 기관. 군종에 관한 계획, 군인·군무원의 인격 지도, 종교 단체와의 친선 등에 관하여 인사국장을 보좌함. 서기관 또는 영관급 장교로 보함.

군종 신부【軍宗神父】명 군인·군무원의 신앙 생활을 지도하는 신부.

군종 참모부【軍宗參謀部】명〖군〗사령부의 한 참모 부서. 군종(軍宗)에 관한 사항을 맡음.

군주[1]【君主】명 군장(君長). 임금. 나라님. ¶ 전제(專制) ~.

군주[2]【軍主】명〖역〗신라 때에 각 주(州)의 군대를 통솔하던 장관. 주마다 한 사람씩 두었음. 위계(位階)는 이찬(伊飡)부터 급찬(級飡)까지이며, 지증왕(智證王) 6년(505)에 두었음. 문무왕(文武王) 원년(661)에 총관(摠管)으로 고치고 원성왕(元聖王) 원년(785)에 도독(都督)이라 고치었음.

군:주[3]【郡主】명〖역〗①신라 초기에, 지방을 다스리던 외관(外官)의 이름. 탈해왕(脫解王) 11년(67)에 두었다 함. ②조선 시대 때의 외명부(外命婦). 왕세자의 정실(正室)에서 태어난 딸로 품위는 정이품임.

군주-국【君主國】명〖정〗주권의 원천자(源泉者)인 군주가 세습적으로 국가 원수가 되는 국체(國體). 입헌 군주국과 전제 군주국의 구별이 있음. 왕국(王國). 모너키(monarchy). ↔민주국(民主國).

군주 국체【君主國體】명〖법〗군주가 자기 고유한 권력으로써 임금이 되는 국체. 곧, 군주 한 사람만을 주권자로 인정하는 국체. ↔민주 국체.

군주 권력【君主權力】[—궐—] 명 군주의 권력. 군주만이 부릴 수 있는 권력. 「는 권리.

군주 권리【君主權利】[—궐—] 명 군주의 권리. 군주만이 행사할 수 있

군주 기관설【君主機關說】명〖법〗주권의 본체(本體)는 국가이고, 군주는 그 최고 기관(最高機關)이라는 학설.

군주 도:덕【君主道德】명〖윤〗강권(強權)을 획득하여 강력자(強力者)가 되는 것이 도덕의 최고 목적이라고 하는 니체의 귀족주의적(貴族主義的) 도덕설. 귀족(貴族) 도덕. ↔노예 도덕(奴隷道德).

군주 독재【君主獨裁】명〖법〗군주 전제(君主專制).

군주-론【君主論】명〔이 Il Principe〕〖책〗이탈리아의 마키아벨리가 지은 책. 1513년에 간행되었음. 군주의 통치 기술 방법을 취급함.

군주 불가침【君主不可侵】명〖법〗군주는 국법(國法) 위에 있기 때문에 국법의 지배를 받지 아니하고, 신성하여서 아무도 침범하지 못한다는 뜻. 「리던 시대.

군주 시대【君主時代】명 국왕이나 황제가 주권을 가지고 나라를 다스

군주 신권설【君主神權說】[—꿘—] 명〖정〗국왕의 권력은 신(神)에게서 주어진다는 학설. 중세의 신학적 국가론에 기원하여 말기에는 절대 왕정(王政) 옹호의 근거가 되었음.

군주 전제【君主專制】명〖정〗국가의 모든 권력이 군주 한 사람에게 집중되어 주권의 운용이 군주의 독단(獨斷)에 맡겨지는 정치. 군주 독재(獨裁). 「정치.

군주 전제 정치【君主專制政治】명〖정〗군주가 자기 마음대로 행하는

군주 전제주의【君主專制主義】[—/—이] 명〖정〗군주(君主)가 자기의 마음대로 전제(專制)하는 주의(主義).

군주 정체【君主政體】명〖정〗주권(主權)의 운용이 세습적인 국가 원수에 의하여 행하여지는 정체. 왕정(王政). ↔민주 정체(民主政體).

군주 정치【君主政治】명〖정〗군주가 나라를 총람(總攬)하는 정치. ↔ 민주(民主) 정치. 「제도. 왕제(王制). ↔공화제.

군주-제【君主制】명〖정〗세습의 군주를 원수로 하는 정치 체제. 군주

군주 제:도【君主制度】명〖정〗군주제.

군주 주권설【君主主權說】[—꿘—] 명 국가를 주권의 객체라고 보고, 주권은 특정의 한 사람인 군주에게 있다는 설.

군주-주의【君主主義】[—/—이] 명 군주가 그 나라의 정치를 아무 제재(制裁)없이 행하는 주의. 제정주의(帝政主義). 모너키즘. ↔민주주의.

군주 통:치론【君主統治論】명〔라 De Regimine Principum〕〖책〗이탈리아의 토마스 아퀴나스의 저서. 1270-72년에 발간되었음. 국가의 발생·기초·목적·정체 및 교회와의 관계 등을 논하였음.

군중[1]【軍中】명 ①진영(陣營)의 안. 군대내. ②전쟁중. 또, 출정(出征) └한 동안.

군중[2]【軍衆】명 많은 병사. 군대(軍隊).

군중[3]【群中】명 모여 있는 사람 가운데.

군중[4]【群衆】명 한 곳에 떼를 지어 모여 있는 비조직적(非組織的) 집단인 사람의 무리. 군민(群民). ¶ 시위 ~.

군중 고독【群衆孤獨】명〖심〗〔러시아의 작가(作家) 안드레예프가 그의 작품 《도회(都會)》에서 '근대 도회는 고독이 모여서 되었다'고 말한 데서 유래〕여러 사람이 다 같이 느끼는 고독.

군중-극【群衆劇】명〖연〗주요 인물이 없이 군중이 마구 등장하는 연극.

군중 대:회【群衆大會】명 일정한 목적 아래 군중들이 모여서 개최하는 대회.

군중 범:죄【群衆犯罪】명〖법〗군중 심리에 이끌리어 다수인의 참가에 의해서 행하여지는 범죄. 내란죄·소요죄(騷擾罪)가 이에 속함.

군중 심리【群衆心理】[—니] 명〔crowd psychology〕〖심〗군중 행동 가운데 일어나는 일시적인 또 특수한 심리 상태. 대체로 판단력·추리력이 약해지며, 감수성·흥분성이 높아지고 무비판·무책임한 언동이 유발(誘發)되어 부화 뇌동하기 쉬운 심리 상태를 말함. 군심(群心). 대중(大衆) 심리.

군중 심리학【群衆心理學】[—니—] 명〖심〗군중 심리를 연구하는 사회 심리학의 한 분과. *사회 심리학(社會心理學).

군중 취:타【軍中吹打】명〖악〗대취타(大吹打)의 호적(胡笛) 가락을 2율 높여 조옮김한 곡. 원래 군중에서 연주하던 음악임.

군중 행동【群衆行動】명 공통된 자극에 대한 군중의 반응적인 행동. 일시적이고 우연적인 것. 또, 비조직적이고 감정적이기도 함. *대중(大 └衆) 행동.

군지[1] 명〈방〉그네(전라).

군지[2]【軍持】명〖불교〗〔범 kundikā〕①천수 관음(千手觀音)이 가지는 물병. 도자(陶瓷)나 금속으로 만드는데, 배가 부르고 목이 길어 병의 모양과 같으나 물을 따르는 귀때와 손잡이 귀가 달려 있으며, 병의 목위에 마디가 있고, 그 위에 다시 기다란 목이 있음. ②중이 가지는 물 └병.

군지럽다 형ㅂ불 ↗군던지럽다.

군지렁-거리다 자 ☞구시렁거리다.

군직【軍職】명 ①〖군〗군에 종사하는 관직. ②〖역〗고려 때 이군 육위(二軍六衛)에 속한 상장군(上將軍)·대(大)장군·장군·중랑장(中郞將)·낭장(郞將)·별장(別將)·산원(散員)·위(尉)·대정(隊正) 등의 총칭. ③조선 시대 때 오위(五衛)에 속한 상호군(上護軍)·대호군(大護軍)·호군(護軍)·부호군(副護軍)·사직(司直)·부사직(副司直)·사과(司果)·부사과(副司果)·사정(司正)·부사정(副司正)·사맹(司猛)·부사맹(副司猛)·사용(司勇)·부사용(副司勇) 등 서반(西班)의 벼슬의 총칭. 군함(軍銜).

군직-청【軍職廳】명〖역〗조선 시대 후기에, 오위(五衛)의 상호군(上護軍) 이하 부사용(副司勇)까지의 원록 체아직(原祿遞兒職) 관원(官員)들이 속한 무관청(武官廳).

군진【軍陣】명 군대의 진영. 융진(戎陣).

군진 수칙【軍陣守則】명〘군〙장병(將兵)이 군진에서 유의하여 지켜야 할 규칙.

군진 의학【軍陣醫學】명 육해공군의 군인을 대상으로 하는 의학. 군인의 보건, 위생, 전상병(戰傷病)의 진료, 방역 등을 연구함.

군집【群集】명 ①많은 사람 등이 떼지어 한 곳에 모임. ②〔community, biocenose〕〘생〙생물 생태학에서 거의 같은 자연 환경을 구비한 구역에 생존하는 모든 생물 개체군(個體群). 각 종류가 상호간에 유기적 관계를 맺어 혼연 일체가 되어 생활함. 식물만의 경우를 군락(群落)이라고 함. 군취(群聚). *군락(群落)·군총(群叢). ——-하다 자여불

군집 생태학【群集生態學】명〔synecology〕〘생〙한 지역내에 생활하는 생물 전체에 대하여 개체(個體) 생활의 상호 관계를 밝힘으로써 생물계의 사회·진화(進化) 등의 문제를 연구하는 생물학의 한 부문.

군:-짓 명 아니하여도 좋은 짓. 소용없는 짓. ——-하다 자여불

군차【軍車】명 군대에서 부리는 차. 군용차(軍用車).

군:-참새 명 참새구이.

군창【軍倉】명 군대의 창고.

【군창 가는 배도 둘러 먹는다】㉠곤궁한 처지가 되면 무슨 짓이라도 다 한다는 말. ㉡뻔뻔스럽고 염치없어 제 욕심만 채우려 한다는 말. *나라 고금(雇金)도 잘라먹는다.

군책 군력【群策群力】[—굴—] 명 많은 신하들의 방책(方策)과 여러 사람의 힘.

군:척【攈摭】명 거둠. 주움. ——-하다 타여불

군천【桾櫏】명〘식〙고욤나무.

군천-자【桾櫏子】명 고욤.

군:청[1]【郡廳】명 ①군의 행정 사무를 맡아 처리하는 관청. ㊀군(郡). ②〘역〙군아(郡衙).

군청[2]【群靑】명 고운 광택이 나는 짙은 남청색의 광물성 안료(顏料). 천연적으로는 석회석·황화 철광(黃化鐵鑛)에 조금씩 나고, 인공적으로는 백도토(白陶土)·탄산 나트륨·황·목탄(木炭)·규석(珪石)을 혼합하여 낮은 온도에 가열하여서 만듦. 울트라마린(ultramarine).

군청-색【群靑色】명 군청처럼 선명한 남청색(藍靑色). ¶ ~의 바다.

군체【群體】명〔colony〕〘생〙같은 종류의 동물 개체가 많이 모여서 공통의 몸체를 조직하고 서로 연결되어 생활하는 동물체. 해면(海綿)·산호(珊瑚) 등. 무리몸. ↔개체(個體)❸. *군락(群落).

〈군체〉

군총[1]【君寵】명 임금의 총애.

군총[2]【軍摠】명 ①〘역〙조선 시대 때, 한 군영(軍營)에 속하여 있던 기사(騎士). 또, 마병(馬兵) 이하의 여러 종류의 군졸. ②군사❷. ③군병의 총수(總帥).

군총[3]【群叢】명〔association〕〘식〙식물 생태학에서 군계(群系)의 다음 가는 군집(群集) 분류의 한 단위. 일정한 외위(外圍) 조건과 일정한 종류의 조성(組成)을 가지고 있으며, 일정한 상관(相觀)을 나타내는 식물의 집단. *군집(群集).

군추【群酋】명 여러 괴수(魁首). 두목들.

군축【軍縮】명〘정〙↗군비 축소(軍備縮小). ¶ ~ 회담. ↔군확(軍擴). ——-하다 자여불

군축 소:위원회【軍縮小委員會】명〘정〙1953년 유엔 제8차 총회 결의에 따라 미·소·영·프랑스·캐나다의 5개국으로 구성, 1954년 발족을 본 유엔의 보조 기관. 미·소 양진영의 대립으로 구체적인 성과를 올리지 못한 채 1957년 폐지됨. *군비 축소 위원회.

군축 위원회【軍縮委員會】명〘정〙↗군비 축소 위원회(軍備縮小委員會).

군축 회:의【軍縮會議】[—/—이] 명〘정〙↗군비 축소 회의(軍備縮小會議).

군충【軍忠】명 군인의 충절(忠節). 군사상의 충절.

군취【群聚】명 군집(群集)❷.

군측【君側】명 임금의 곁. 군변(君邊).

군치리 명 개고기를 안주로 하여 술을 파는 집.

군친【君親】명 임금과 아버지.

군:-침 명 속이 느긋거리며 입 속으로 도는 침. ¶ ~이 돌다.

군:침(이) 돌:다 구 ㉠식욕이 나다. ㉡이익·재물에 욕심이 동하다.

군:침(을) 삼키다 구 ㉠음식 등을 먹고 싶어서 입맛을 다시다. ㉡이익·재물을 보고, 몹시 탐을 내다.

군탄【涒灘】명〘민〙고갑자(古甲子)의 지지(地支)의 하나. 곧, 신(申).

군:-턱 명 턱 아래로 축 처진 살.

군:통【郡統】명〘역〙신라 때, 중요한 군(郡)에 두던 승직(僧職). 열 여덟 사람이었음.

군:-티 명 물건의 조그마한 허물.

군-판사【軍判事】명〘법〙군사 법원법 상 심판관(審判官)과 함께 군사 법원을 구성하는 재판관. 각군(各軍) 참모 총장 또는 국방부 장관이 소속 군법무관 중에서 임명함.

군편【群篇】명 군서(群書).

군평서니 명〘어〙[*Hapalogenys mucronatus*] 하스돔과에 속하는 바닷물고기. 몸의 길이 20cm 가량으로 곱새돔과 비슷하나 아가미 뚜껑에 센 가시가 두 개 있고 비늘이 작은 것이 다름. 몸빛은 담회갈색으로 체측에 다섯 줄의 짙은 회갈색의 가로띠가 있으며 등지느러미와 각 지느러미의 끝이 검음. 온대성 어종으로 한국 중부 이남, 특히 다도해(多島海)에 많고 일본 남부 및 중국해에도 분포함. 맛이 좋음.

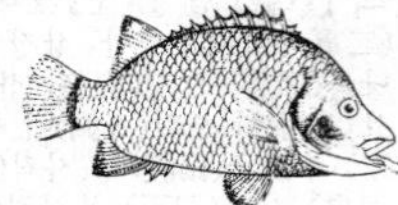

〈군평서니〉

군포[1]【軍布】명〘역〙↗군보포(軍保布).

군포[2]【軍浦】명〘지〙경기도의 한 시(市). 안양시(安養市) 남쪽, 수원시(水原市) 북쪽에 위치하여 예로부터 장(場)으로 유명함. 1989년에 시로 승격됨. [99,956 명(1990)]

군포[3]【軍鋪】명〘역〙대궐 밖에, 순라군(巡邏軍)이 머물러 있던 곳.

군포-계【軍布契】명〘역〙조선 시대 때, 평안도·함경도에서 군포(軍布)를 납부하기 위하여 마을마다 조직한 계. 동포계(洞布契).

군-포목【軍布木】명〘역〙군포(軍布).

군표【軍票】명〘경〙군의 작전 행동상(作戰行動上) 필요한 물자 및 노력(勞力)의 조달 또는 군인·군무원의 봉급 급여의 지불, 점령지의 경영, 적국 화폐의 공격 등을 위하여 사용되는 긴급 통화의 하나. 군용 수표(軍用手票). 군용 어음. 엠 피 시(MPC). *본토불(本土弗).

군:핍【窘乏】명 매우 군색(窘塞)함. ——-하다 형여불

군:하[1]【郡下】명 군내(郡內). ¶ ~의 각 학교.

군하[2]【群下】명 많은 신하. 많은 부하.

군학[1]【軍學】명 용병(用兵) 전술을 연구하는 학문. 병학(兵學).

군학[2]【群鶴】명 무리를 이룬 학.

군학-산【群鶴山】명〘지〙강원도 회양군(淮陽郡) 안풍면(安豐面)과 사동면(泗東面) 사이에 있는 산. 태백 산맥의 중앙부에 있으며 북한강·금강천 등의 수원을 이룸. [1,085m]

군함[1]【軍銜】명〘역〙군직(軍職)❸.

군함[2]【軍艦】명〘군〙①해군 함정(艦艇) 유별(類別)의 하나. 해군 구성의 주요한 요소로서 전함·순양함·항공 모함·수상기 모함(水上機母艦)·잠수 모함(潛水母艦)·부설함(敷設艦)·해방함(海防艦)·포함(砲艦)의 총칭. 구축함·잠수함 등은 보조 함정(補助艦艇)으로서 이와 구별함. 군선(軍船). ②전함(戰艦)❶. ↔상선(商船).

군함-기【軍艦旗】명 그 군함의 표장(表章)이며, 상징(象徵)이 되는 기.

군함 우편【軍艦郵便】명 군함과 본국 우체국과의 사이에 서로 교환되는 우편.

군함 정계소【軍艦碇繫所】명〘군〙군함을 매어 두는 곳.

군함-조【軍艦鳥】명〘조〙[*Fregata ariel*] 군함조과에 속하며 열대 해양(熱帶海洋)에 떼를 지어 사는 해조(海鳥)의 하나. 공중에서 생활하는 일이 많음. 몸은 광택 나는 흑갈색. 몸에 비해 날개가 크며 그 길이는 약 1m. 목에 주머니가 있는데, 평소는 등황색(橙黃色)이나 번식기에는 두드러지게 붉은 색을 띠고 풍선처럼 부풀어 크게 됨. 꽁지깃은 길고 가늘며 둘로 갈라져 엇갈림. 수컷은 암컷보다 작고 색이 짙음. 물고기를 먹음.

〈군함조〉

군함조-과【軍艦鳥科】[—꽈] 명〘조〙[*Fregatidae*] 가마우지목에 속하는 한 과. 다섯 종류가 있으며 모두 열대 해양에서 서식함.

군합-국【君合國】명〘법〙둘 이상의 나라가 국내법과 국제법상으로는 서로 독립되나, 오직 한 임금을 같이 하는 점으로 결합한 나라. 1890년까지의 네덜란드와 룩셈부르크, 1907년까지의 벨기에와 콩고(Congo)의 관계와 같은 것.

군항【軍港】명〘군〙국방상 함대의 근거지로서, 특수한 시설을 하여 놓은 항구(港口).

군행【群行】명 떼를 지어 감. ——-하다 자여불

군행 여진【軍行旅進】[—녀—] 명 군대가 전쟁터로 나아감.

군-행형법【軍行刑法】[—뻡] 명〘법〙군사 법원에 의해 징역형(懲役刑)·금고형(禁錮刑) 및 노역장 유치(勞役場留置)와 구류형(拘留刑)을 받은 자를 격리(隔離) 보호하여 교정 교화(矯正敎化)하며 건전한 국민 사상과 견고한 군인 정신을 함양하여 사회나 군에 복귀(復歸)하게 할 목적으로 제정한 법률.

군향【軍餉】명 ↗군향미(軍餉米).

군향-미【軍餉米】명 군량(軍糧). 군양미(軍養米). ㊀군향(軍餉).

군:현[1]【郡縣】명 군읍(郡邑)❷.

군현[2]【群賢】명 뭇 현인. 많은 어진 이.

군:현-성【郡縣姓】명〘역〙토성(土姓).

군:현 제:도【郡縣制度】명〘정〙온 나라에 같은 정령(政令)을 펴고, 행정 구역을 정하여, 중앙 정부에서 임명한 지방관이 중앙 정부의 지시 감독을 받아, 그 구역의 행정을 맡아 하는 제도. ↔봉건 제도(封建制度).

군협【軍協】명〘역〙↗군부 협판(軍部協辦).

군-형법【軍刑法】[—뻡] 명〘법〙군사(軍事)에 관한 범죄와 그에 관한 형벌을 정한 특별 형법의 성격을 띤 법률. 군인·군무원 및 군적(軍籍)을 갖고 군의 소속 기관에 근무하는 자는 우선적으로 이 법의 적용을 받으며, 이 법에 규정이 없을 때에 한해 형법이 보충적으로 적용됨.

군호[1]【君號】명 임금이 군(君)을 봉(封)한 이름. 흥선군(興宣君)·수양군(首陽君) 등.

군호[2]【軍戶】명〘역〙고려 때에, 군역(軍役)을 담당하고 이를 세습(世襲)해 가는 하나의 단위. 군인과 양호(養戶)로써 구성되었으며, 군인 한 명에 양호 두 명이 배정되어 군인이 군에 복무하는 대신 양호는 이들을 부양(扶養)하였다고 함.

군호[3]【軍號】명 ①〘역〙순라군(巡邏軍) 사이에 서로 주고 받아, 위험을 막는 암호. 날마다 신시(申時)에 입직(入直)한 병조(兵曹)의 참의(參議)나 참지(參知) 중 한 사람이 석 자 이내의 글을 밀봉(密封)하여 임금께 드리고 재가를 받아 이것을 비밀히 각 순경대(巡警隊)에 전달함. ②군대의 암호 또는 신호. ③서로 말짓이나 눈짓으로써 가만히 연락하는 일. ——-하다 타여불

군호[4]【群豪】명 많은 호걸.

군:-혹 명〈방〉군더더기.

군혼【群婚】명 원시 사회의 혼인 형태의 한 가지. 일군(一群)의 남자와 일군의 여자와 통혼(通婚)하는 관습. 집단혼(集團婚).

군화[1]【軍靴】명 군인용(軍人用)의 편상화(編上靴).

군화[2]【群化】명 그림·조각 등에서 대상을 집합체의 단위로 구성함. ——-하다 타여불

군화[3]【群花】명 많은 꽃. 군방(群芳).

군확【軍擴】명 ↗군비 확장(軍備擴張). ↔군축(軍縮). ——-하다 자여불

군-환-결【軍還結】명〖역〗군포(軍布)·환미(還米)·결세(結稅)의 총칭.
군:-획【一畫】명 원글자에는 없는 군더더기로 붙은 획.
군:획-지다 형 본디 글자에 군획을 붙이어 잘못 쓰여져 있다.
군후【君候】명 '제후(諸候)'의 존칭.
군후-소【軍候所】명〖역〗고려말인 공양왕 원년(1389)에, 십학 교수관(十學敎授官)을 둘 때 병학(兵學)을 담당한 관청. 설치 연대·관장 사무는 미상임.
군흉【群凶】명 ①흉악한 뭇 인물들. ②국가나 사회의 변혁(變革)을 꾀하는 무리들.
군흥다 형〈옛〉군색(窘塞)하다. ¶ 군흘 군(窘)《類合 下 29》.
굳 명〈옛〉구덩이. ¶ 큰 어려븐 구데 뻐러디긔 ᄒᆞᄂᆞ니《釋譜 IX:14》.
굳건-하다 형여불 뜻이 굳세고 하는 일이 건실하다. ¶ 굳건한 정신. 굳건-히 부
굳게 부 단단하게. 확실히. ¶ ～ 결심하다/～ 약속하다.
굳게-굳게 부 더욱 굳게. 아주 굳게.
굳기 명〖광〗고체, 특히 금속·광물의 단단한 정도. 여러 기준이 있는데 모스(Mohs) 굳기에서는 활석(滑石)에서 다이아몬드에 이르는 광물을 표준으로 삼고 있음. 경도(硬度).
굳-기름 명 지방(脂肪).
굳다 ㊀ 형 ①무르지 않고 단단하다. ¶ 굳은 돌. ②표정 같은 것이 딱딱하다. ¶ 굳은 표정. ③뜻이 흔들리지 아니하다. 유혹에 지지 않다. ¶ 굳은 결심/의지가 ～. ④튼튼하고 단단하다. 견고하다. ¶ 성문을 굳게 지키다. ㊁ 자 ①뻣뻣하거나 딱딱하여지다. ¶ 떡이 ～. ②몸에 배어 습관이 되다. ¶ 버릇이 굳어 버리다. ③말을 더듬다. ¶ 추워서 말이 ～. ④단단히 응결하다. ¶ 기름이 ～.
[굳은 땅에 물이 괸다] 검소하고 절약하는 결심이 굳어야 재산을 모을 수 있다는 말.
굳-비늘 명〖어〗경린(硬鱗).
굳브르다 형〈옛〉어삽(語澁)하다. (풍병 따위로 입놀림이) 부자유스럽다. ¶ 말ᄉᆞ미 굳브르며 모미 다 알ᄑᆞ거든(語澁渾身疼痛)《救簡 I:6》.
굳빅얌 명〈옛〉굿뱀. ¶ 굳빅얌(土桃蛇)《湯液 卷二 虫部》.
굳-뼈 명〖생〗경골(硬骨)❶. ↔물렁뼈.
굳뼈물고기-무리〔—꼬—〕명〖어〗'경골어류(硬骨魚類)'의 풀어 쓴 말.
굳-세다 형 ①굳고 힘이 세다. ¶ 굳센 몸. ②뜻한 바를 굽히지 아니하고 나아가다. ¶ 굳센 의지/굳세게 살아가다.
굳어-지다 자 굳게 되다.
굳은-돌 명 경도(硬度)가 센 돌. 화강암·안산암 등.
굳은-동 명〖광〗굳은 모암(母岩).
굳은-살 명 ①손바닥·발바닥의 단단하게 된 살. 못. ②곪기 전에 딴딴하게 된 살.
굳은-수시렁이 명〖충〗수시렁이❷.
굳은-어깨 명〖의〗힘살이 굳어서 무거우며 자유롭게 놀릴 수 없이 아픈 어깨.
굳은-입천장【—天障】〔—닙—〕명〖생〗'경구개(硬口蓋)'의 풀어 쓴 말. ↔여린입천장.
굳은 초전도체【—超傳導體】명 '경(硬)초전도체'의 풀어 쓴 말.
굳은-힘 명 모질게 쓰는 힘.
굳음-병【—病】〔—뼝〕명〖의〗'경화병(硬化病)'의 풀어 쓴 말.
굳이〔구지〕부 굳게. 기어이 고집을 부려서. ¶ ～ 사양하다/～ 원한다면.
굳-잠 명〈방〉귀잠.
굳해파리-목【—目】명〖동〗〔Trachymedusae〕강장 동물(腔腸動物) 히드라충강(綱)에 속하는 한 목(目). 이 목에 속하는 것은 해파리형(型)의 세대(世代)뿐인데, 알이 발육하여 곧 해파리형이 됨. 산연(傘緣)은 전연(全緣)인데 속이 들어찬 촉수(觸手)가 있고, 체강(體腔)은 조금 치밀함. 생식기는 방사관(放射管) 위에 있는데, 방사관은 4-8개 있음.
굳-히기〔구치—〕명 유도에서, 누르기·조르기·꺾기·비틀기 등을 통틀어 일컫는 말. ↔메치기. ——-하다 자여불
굳-히다〔구치—〕타 ①굳게 하다. 엉기어 단단해지게 하다. ②확고 부동한 것으로 하다. ¶ 승리를 ～/신념을 ～/증거를 ～/기반을 ～. ③바둑에서, 상대방이 귀에 들어오지 못하도록 지키는 수를 두다.
굴¹ 명 ①〖조개〗굴과(科)·벗굴과 등에 속하는 쌍패류(雙貝類)의 총칭. 굴·미네굴·벗굴 등이 있음. ②〖조개〗[*Ostrea gigas*] 굴과에 속하는 조개. 고착 생활을 하는 장소에 따라 패각(貝殼)이 일정치 않으나 길이 60mm가량임. 껍질의 내면은 백색이고 두 조가비가 맞물리는 곳에 이가 없음. 함도(鹹度)가 낮은 해안에 서식하며 산란기는 6-7월이고 1년만에 성숙함. 한국 연안·일본·대만 근해에 분포함. 살을 '굴'이라 하여 널리 식용·약용으로 하는데 글리코겐·비타민의 함유가 많음. 껍질은 패회(貝灰)의 재료로 씀. 굴조개. 모려(牡蠣). 석화(石花). 석(石)굴. ③굴❷의 살. 한방(韓方)에서 번열(煩熱)·갈증(渴症)에 쓰며, 혈색(血色)을 곱게 하고 영양을 돕는 데 씀. 모려육(牡蠣肉).

〈굴¹❷〉

굴:²【窟】명 ①땅이나 바위가 안으로 깊숙이 벌어져 들어간 곳. ¶ ～ 속에 살다. ②산이나 땅 밑을 뚫어 만든 길. 수도(隧道). 터널. ¶ 기차가 ～ 속으로 들어가다. ③산 속에 짐승이 숨어 있는 구멍. ¶ 토끼～/여우～. ④↗소굴(巢窟).
[굴에 든 뱀 길이를 알 수 없다] 남의 숨은 재주나 가지고 있는 보물은 얼마나 되는지 모른다는 말.
굴:-가마【窟—】명〖고고학〗산등성이 비탈면에 굴 모양으로 길게 만든 가마. 등요(登窯).
굴-갓 명〖불교〗벼슬을 가진 중이 쓰던 갓. 대로 만들었는데 모자 위가 둥글게 되었음.

〈굴갓〉

굴강¹【屈強】명 고집이 세어서 남에게 굴(屈)하지 아니함. ——-하다 형여불
굴강²【掘江】명 ①개천(開川)❶. ②해자(垓字)❷.
굴:-개【窟—】명 썩은 물이 괸 곳의 바닥에 처진 개흙.
굴거리-나무 명〖식〗[*Daphniphyllum macropodum*] 대극과(大戟科)에 속하는 상록 활엽 교목. 잎은 10-20cm의 긴 타원형이고 혁질(革質)이며 잎 뒤가 분처럼 흼. 4-5월에 자웅이가(雌雄二家)의 꽃이 총상(總狀) 화서로 액생(腋生)함. 과실은 핵과(核果)이고 11월에 암벽색(暗碧色)으로 익음. 산지의 숲속에 나는데, 전남북·경북 및 일본·대만·중국 등지에 분포함. 정원수(庭園樹)로 재배하며 가지와 잎은 만병초(萬病草)라 하여 약용함.

〈굴거리나무〉

굴걱치 명〈심마니〉의복.
굴건【屈巾】명 상주(喪主)가 두건(頭巾) 위에 덧쓰는 건(巾). 손가락 셋의 넓이만한 베오리를 세 솔기가 지게 하고 뒤에 종이로 배접하여 만듦. 그 위에 수질(首絰)을 눌러 쓰게 됨. 굴관(屈冠).
굴건 제:복【屈巾祭服】명 굴건과 제복. ——-하다 자여불 굴건을 쓰고 제복을 입다.
굴검【掘檢】명 묻었던 송장을 파내어 검증(檢證)함. ——-하다 타여불
굴겁사리 명〈심마니〉의복.
굴게 명〈방〉굴레¹.
굴곡【屈曲】명 ①상하 또는 좌우로 꺾이고 굽음. ¶ ～이 심한 고갯길. ②사람이 살아가면서 성(盛)함과 쇠(衰)함이 번갈아 오는 일. ¶ ～ 많은 생애. ——-하다 형여불
굴곡 가락지【屈曲—】명 층(層)이 지게 꺾이거나 고부라진 모양의 소반의 가락지. *평(平)가락지.
굴곡-선【屈曲線】명 굴곡된 선. ¶ ～을 이루다.
굴곡 주:성【屈曲走性】명〔klinotaxis〕〖생〗운동성 생물의, 자극에 의해 유발된 양성(陽性)의 지향성(指向性) 운동.
굴-과【—科】〔—꽈〕명〖조개〗〔Ostreidae〕연체 동물 판새류(瓣鰓類)에 속하는 한 과. 쌍패류(雙貝類)의 조개로 좌우이형(左右異形)이고, 해수(海水)의 염도(塩度)가 높은 곳에서는 진주층(眞珠層)의 광택이 남. 해안에 착생 생활을 하며 6-7월에 5백만-1억 개의 개체가 있는 알을 낳음. 굴조개·미네굴·털굴·토굴 등 22 종이 있음.
굴관【屈冠】명 굴건(屈巾).
굴광-성【屈光性】〔—썽〕명〖식〗식물체(植物體)가 빛의 자극에 대해서 나타내는 굴성(屈性). 광원(光源) 방향으로의 굴곡 운동을 양성(陽性)의 굴광성, 광원의 반대 방향으로의 것을 음성(陰性)의 굴광성이라 함. *향광성(向光性)·향일성(向日性).
굴-국〔—꾹〕명 굴에 밀가루를 묻히고 달걀을 씌워서 끓는 맑은 장국에 넣어 익힌 국. 석화탕(石花湯).
굴근【屈筋】명〖생〗팔다리를 구부리는 운동을 하는 근육의 총칭. ↔신근(伸筋).

〈굴근〉

굴근 반:사【屈筋反射】명〔flexion reflex〕〖생〗유해(有害) 자극에 의해 유발되어, 같은 쪽의 모든 관절 굴근(屈筋)이 수축하는, 무조건적인 척수(脊髓) 반사의 하나.
굴긔 명〈옛〉굵기. ¶ 기동만흔 굴긔예(停柱來鹿細的)《朴解 中 1》.
굴기¹ 명〈방〉그네(함북).
굴기²【屈起】명 ①강성하여 흥기(興起)함. ②산 같은 것이 우뚝 솟음. 굴기(崛起). ——-하다 자형여불
굴기³【倔起】명 ①몸을 일으킴. ②천한 신분에서 입신 출세(立身出世)함. ——-하다 자여불
굴기⁴【崛起】명 ①산이 불쑥 솟음. 굴기(屈起). 굴출(崛出). ②벌떡 일어섬. ③기울어진 집안에서 큰 인물이 남. ——-하다 자형여불
굴기-성【屈氣性】〔—썽〕명〔aerotropism〕〖식〗굴화성(屈化性) 가운데 그 화학 물질이 산소나 공기일 때의 굴성(屈性)의 일컬음. *굴화성(屈化性)·향기성(向氣性).
굴:-길【窟—】〔—낄〕명 수도(隧道).
굴-김치 명 젓국을 치고 생굴을 넣어서 담근 김치. 석화저(石花菹).
굴-깍두기 명 생굴을 넣고 담근 깍두기.
굴-내 명〈방〉냇내.
굴농-성【屈濃性】〔—롱썽〕명〖식〗식물 등의 체내(體內)에 있어서의 삼투압(滲透壓)의 차(差)가 자극(刺戟)이 되어 생기는 굴성(屈性). 삼투압이 높은 쪽으로 굴곡(屈曲)하는 경우를 양(陽), 낮은 쪽으로의 경우를 음(陰)이라 함. 실제(實際)로는 굴화성(屈化性)과 구별하기 어려움.
굴:다¹ 자 ↗구르다¹.
굴다² 타〈옛〉①입으로 불다. ¶ 산 긔운을 구러(呵吐生)《救簡 I:65》. ②저주하다. ¶ 굴 축(呪)《字會 中 3》.
굴:다³ 보동 부사형의 용언 밑에 붙어서 그러하게 행동함을 나타내는 말. ¶ 밉게 ～/못살게 ～/약삭빠르게 ～.
굴:다⁴〔—따〕형〈방〉굵다(경기·강원·경상).
굴:-다리【窟—】〔—따—〕명 굴로 된 길 위로 가로 건너지른 다리.
굴:대〔—때〕명 수레바퀴의 한가운데에 뚫린 구멍에 끼워 수레가 바로 놓이게 하는 긴 나무나 쇠. 축(軸).
굴:대-통【—筒】〔—때—〕명 바퀴에서, 한가운데는 굴대가 들어갈 구멍이 있고, 그 둘레에는 바퀴살을 꽂을 홈들이 패어 있는 부분.
굴:대-투겁〔—때—〕명〖고고학〗바퀴에 박힌 굴대 끝을 막는 부속품. 방울이 달린 것도 있음. 거축두(車軸頭). 여(轊). 통형 동기(筒形銅器).
굴덴〔gulden〕의명 네덜란드의 화폐 단위. 1251년 처음으로 플로렌스에서 주조되었음. 길더(guilder). 플로린.
굴-도【屈島】〔—또〕명〖지〗①전라 남도의 서해상, 신안군(新安郡) 임자면(荏子面) 재원리(在遠里)에 위치한 섬. [0.08km²] ②경상 남도의 남해상(南海上), 사천시(泗川市) 서포면(西浦面) 비토리(飛兎里)에 위치한 섬. [0.02km²]
굴:-도리〔—또—〕명〖건〗둥근 도리. ↔납도리.
굴:도리-집〔—또—〕명〖건〗소로받침과 굴도리로 된 집.

굴:-도지【—賭地】[—또—] 명 전도지(轉賭地).

굴:드〔Gould, Stephen Jay〕명 〖사람〗 미국의 진화 생물학자. 뛰어난 착상과 경쾌한 추론으로 인기가 있음. 신진 진화학자의 대표적 존재임. 저서로 ≪다윈 이래≫·≪팬더의 발가락≫·≪플라밍고의 웃음≫ 등이 있음. [1941-]

굴드베르그〔Guldberg, Cato Maximilian〕명 〖사람〗 노르웨이 수학자·물리 화학자. 1869년 크리스티아니아 대학의 응용 수학 교수. 1864년 보게(Waage, A. ; 1833-1900)와 함께 화학 친화력(親化力)에 관한 연구를 행하여, 반응 속도에 대한 질량(質量) 작용의 법칙을 발견. 분자론 및 화학 평형(平衡)에 대한 열역학적 연구는 반트 호프(van't Hoff)의 묽은액(液) 이론의 선구임. [1836-1902]

굴-등 명 〖동〗 따개비.

굴:때 명 ↗굴때장군. ¶ 뭐 많이도 말고 ～ 같은 아들로만 한 열다섯이면 족하지≪金裕貞 : 아내≫.

굴:때-장군【—將軍】명 ①키가 크고 몸이 남달리 굵은 사람. ㊤굴때. ②살빛이 검거나 옷이 시커멓게 된 사람.

굴:떡 명 〈방〉 굴뚝(경상).

굴똥 명 물레의 몸이 얹힌 굴대.

굴:뚝 명 〔근대 : 굴독, 굴쑥〕 ①아궁이에서 불을 때는 연기가 방고래를 지나서 빠져나가게 만든 장치. 조돌(竈突). ¶ 아니 땐 ～에 연기 날까. ②불을 때어 연기가 빠져 나가게 만든 물건의 총칭. 연통(煙筒). [굴뚝 막은 덕석] 새까맣고 더러운 옷이나 물건을 이르는 말. [굴뚝에서 빼놓은 족제비] 지저분하고 가냘픈 사람을 두고 이르는 말.

굴:뚝 같다 구 무엇을 하고 싶은 생각이 간절하다. ¶ 가고 싶은 생각은 ～.

굴:뚝-나비 명 〖충〗 [*Minois dryas*] 뱀눈나빗과에 속하는 곤충. 편 날개 길이는 수컷이 40mm, 암컷은 70mm 내외임. 날개는 가가 둥그스름하며 대개 회갈색 또는 흑갈색인데 앞날개에는 두 개, 뒷날개에는 한 개의 둥근 이중(二重) 무늬가 있음. 날개의 뒷면은 암색 수피(樹皮) 같고 작은 둥근 무늬가 있음. 유충은 댓잎을 먹음. 한국·만주·대만에 분포함. ＊도시 처녀(都市處女).

〈굴뚝나비〉

굴:뚝-목 명 방고래와 굴뚝이 잇닿는 곳.

굴:뚝-새 명 〖조〗 [*Troglodytes troglodytes fumigatus*] 굴뚝샛과에 속하는 작은 새. 날개 길이 47-57mm, 꽁지 30-38mm이고 몸빛은 배면(背面)이 전부 다갈색이며 등 이하에는 흑갈색의 가로무늬가 있음. 몸의 하면(下面)은 붉은 빛을 띤 회갈색이며 가슴 이하에는 흑갈색의 가로무늬가 있음. 여름에는 산지(山地), 겨울에는 인가(人家)의 굴뚝 부근에 서식하며, 거미·파리 및 곤충을 포식하고 5-8월에 4-6 개의 알을 낳음. 작게 욺. 유럽에서 아시아에 걸쳐 널리 분포함.

〈굴뚝새〉

굴:뚝샛-과【—科】명 〖조〗 [Troglodytidae] 참새목(目)에 속하는 한 과. 소형 또는 중형의 조류로서 부리는 가늘고 길며 만곡하였고, 며느리발톱도 길고 만곡하여 활 모양을 이룸. 산개울 부근이나 음습한 곳의 수풀 속에 서식하는데, 양 마구리가 뚫린 큰 보금자리를 만들고 한배에 6-8 개의 알을 산란함. 구북구(舊北區)·신북구·신열대구 및 동양구의 지방에 따라 다소 다른 소수의 종류가 분포함.

굴:뚝-청어【—靑魚】명 덜 자란 어린 청어. 특히, 겨울에 많이 잡힘.

굴:뚱 명 〈방〉 굴뚝(황해).

굴래기 명 〈방〉 〖충〗 개똥벌레(황해).

굴:러-가다 자 구르며 나아가다.

굴:러-다니다 자 ①데굴데굴 구르며 이곳저곳 왔다갔다하다. ②정처 없이 여기저기 방랑하다. ¶ 어디서 굴러다니던 놈이냐.

굴:러-먹다 자 〈속〉 여기저기 방랑하며, 갖가지 이력을 다 겪다. ¶ 굴러먹을 대로 다 굴러먹은 여자. 「나 막대기.

굴렁-대 [—때] 명 손에 쥐고 굴렁쇠를 밀어 굴리는 굵은 철사 토막이

굴렁-쇠 명 장난감의 하나. 자전거의 바퀴 또는 둥근 테처럼 생긴 것인데, 굴렁대로 굴리며 놂. 동그랑쇠.

굴레[1] 명 〔중세 : 굴에〕 ①마소의 목에서 고삐에 걸쳐 얽어 매는 줄. ¶ ～를 씌우다. ②바디집을 걸치어 매는 끈. ③부자유하게 얽매이는 일. 기반(羈絆). 속박. ¶ 의리와 인정의 ～.

굴레 벗은 말 구 ㉠거칠게 구는 사람을 말함. ㉡몸이 자유로움을 이름. ¶ 녹초 청강상에 굴레 벗은 말이 되어≪古時調≫.

굴레(를) 쓰다 구 일에 얽매이어 구속(拘束)을 받게 되다.

굴레 쓴 말 구 얽매여 구속을 받는 처지.

굴레(를) 씌우다 구 남을 일에 붙잡아 얽매어 놓다.

굴레[2] 명 어린애 머리에 씌우는 모자의 한 가지. 뒤에 수놓은 헝겊이 달렸으며 겨울 것은 검은 비단에 솜을 넣어서 짓고, 여름 것은 오색의 사(紗)오리로 얼기설기하게 만드는데, 구슬도 달고 금자(金字)도 박음.

굴레[3] 명 〈방〉 그네(함경·경남).

굴레미 명 나무로 만든 수레바퀴.

굴레-박대기 명 〈방〉 〖역〗 군뢰복다기.

굴레-수염 명 〈방〉 구레나룻(경상).

굴레-치기 명 〈속〉 여자의 목걸이를 전문으로 하는 소매치기.

굴렬진-병【屈列陣病】[—찐—] 명 〖의〗 '크레틴병'의 취음(取音).

굴류-성【屈流性】[—썽] 명 〔rheotropism〕 〖식〗 유수(流水) 가운데 있는 식물체가 상류 또는 하류로 향하는 굴성(屈性)의 하나. 겨잣과 식물이나 볏과 식물의 뿌리는 수류(水流)가 빠르지 않으면 상류로의 굴류성이 있음.

굴리 명 〈방〉 그네(함북).

굴:리다 타 ①굴러가게 하다. ¶ 구슬을 ～. ②돈놀이하다. ¶ 돈을 ～. ③함부로 아무렇게나 돌아다니게 내버려 두다. ¶ 물건을 아무데나 내～. ④나무를 모나지 않게 깎다. ⑤〈속〉 염(殮)하다. ⑥영업을 목적으로 차를 운행하다. ¶ 버스를 다섯 대 ～. 「여불

굴:림 명 〖공〗 나무 토막 같은 것을 모나지 않게 깎는 일. ——-하다 타

굴:림-끌 명 〖공〗 나무를 둥글게 파거나 새기는 데 쓰는, 날이 안쪽으로 반원을 이룬 끌. 「리는 쇠 또는 나무로 만든 원기둥체.

굴:림-대 [—때] 명 〖물·건〗 무거운 물건을 옮길 때, 그 밑에 깔아서 굴

굴:림 대:패 명 나무 토막을 모나지 않게 깎는 데 쓰는, 날의 가운데가 둥그스름하게 들어간 대패.

굴:림 만두【—饅頭】명 만두소를 완자 모양으로 둥글게 빚어 밀가루에 굴려서 만두 껍질을 만드는 평안도식 만두. 「에 씀.

굴:림 백토【—白土】명 백토를 깨뜨리어 왕모래를 추리어 낸 것. 흙일

굴:림 소리 [—쏘—] 명 〖언〗 전설음(顫舌音). 설전음(舌轉音).

굴립【屈笠】명 '굴갓'의 군두목.

굴매[1] 명 〈방〉 그네(제주).

굴매[2] 명 〈방〉 그림자(제주). 「여불

굴먹-굴먹 부 여러 개가 모두 굴먹한 모양. ＞골막골막. ——-하다 형

굴먹다 타 〈옛〉 살찔 만큼은 못 먹다. ¶ ᄀ득의 굴먹는 나귀를 모라 므숨ᄒ리≪古時調≫.

굴먹-하다 형여불 그릇에 꽉 차지 못하나 거의 다 차다. ＞골막하다.

굴멍 명 〈방〉 골짜기❶(충북).

굴메 명 〈방〉 그네(제주).

굴목 명 〈방〉 굴뚝(함남·평북).

굴묵[1] 명 〈방〉 굴뚝(함경·평북).

굴묵[2] 명 〈방〉 골목.

굴묵둑 명 〈방〉 굴뚝(평북).

굴묵똥 명 〈방〉 굴뚝(평안).

굴묵-통 명 〈방〉 굴뚝(평북).

굴-밤 명 졸참나무의 열매. 식용(食用)으로 쓰임. ＊꿀밤.

굴밤-나무 명 ☞ 〖식〗 졸참나무.

굴-밥 명 끓는 밥 위에 생굴을 섞어서 익힌 밥. 석화반(石花飯).

굴:-방【窟房】명 빛살이 들어오지 않는 어두운 방.

굴벌레-나방 명 〖충〗 [*Cossus japonica*] 굴벌레나방과에 속하는 곤충. 편 날개 길이 35-65mm이며 몸빛은 회갈색인데, 앞날개의 중앙과 바깥 선두리는 회백색임. 전면(全面)에 흑색의 가는 줄이 흩어져 있어 마치 구름 모양임. 뒷날개는 일률적으로 암갈색임. 한국·일본·인도·중국·만주·아무르 등지에 분포함.

굴벌레나방-과【—科】[—꽈] 명 〖충〗 [Cossidae] 나비목(目)에 속하는 한 과. 몸은 중형 또는 대형이며, 몸빛은 음침한 빛이고 주야 활동하는 성질임. 유충은 대황백색 또는 홍색이며 배면(背面)에 암색 반문이 있음. 낙엽 삼림(落葉森林) 속에만 서식하는데, 온대 지방에 분포함.

굴:-법당【窟法堂】명 〖불교〗 천연적으로 되어 있는 굴 속에 지은 법당.

굴변【掘變】명 무덤을 파낸 변고(變故). 「자여불

굴복[1]【屈伏】명 ①머리를 굽히어 꿇어 엎드림. ②굴복(屈服). ——-하다

굴복[2]【屈服】명 힘이 미치지 못하여 복종함. 힘에 굴하여 복종함. 굴복(屈伏). 굴슬(屈膝). ¶ 권력에 ～하다. ——-하다 자여불

굴봉【掘棒】명 〖고고학〗 '뒤지개'의 구용어.

굴:불-사【窟佛寺】[—싸] 명 〖불교〗 경상 북도 경주시 동천동(東川洞)에 있던 절. 신라 경덕왕(景德王)이 백률사(栢栗寺)에 갔을 때, 창불(唱佛) 소리가 땅 속에서 나므로 파 보니 4면(面)에 불상이 조각된 큰 돌이 나와 왕은 그 후 이곳에 절을 짓고 굴불사, 그 산을 굴불산이라 불렀다 함. 잘못 전하여져 굴석사(窟石寺)라고도 하며 보물로 지정된 사면 석불(四面石佛)이 있음. 「사지 석불상.

굴:불사지 석각 불상【窟佛寺址石刻佛像】[—싸—쌍] 명 〖불교〗 굴불

굴:불사지 석불상【窟佛寺址石佛像】[—싸—쌍] 명 〖불교〗 굴불사 자리인 경주 소금강산 백률사(栢栗寺) 남쪽에 있는 사면 석불(四面石佛). 거대한 화강석 덩어리의 4면을 다듬어 서면(西面)에는 아미타 삼존(阿彌陀三尊), 동면에는 약사 여래(藥師如來), 남쪽은 보살상(菩薩像)과 2구(軀)의 입불상(立佛像), 그리고 북쪽에도 같은 입불상 2 구를 조각하였음. 육각(肉刻)·양각(陽刻)·음각(陰刻)의 여러 수법으로 조각한 신라 불상의 집군(集群)임. 이 석불 조각은 그 작품의 웅장하고 아름다움과 그 각법(刻法)의 소박함이 통일 신라 초기의 유물 중에서도 최고의 거작(巨作)이라고 할 수 있음. 보물 제121호. 굴불사지 석각 불상.

굴비 명 소금에 약간 절여서 통째로 말린 조기. 건석어(乾石魚).

굴비 두름 명 굴비 스무 마리를 짚으로 길게 두 줄로 엮은 것.

굴비 찌개 명 굴비에 쇠고기와 파를 섞어 밥에 찌거나 끓인 찌개.

굴삭【掘削】[—싹] 명 땅을 파거나 깎아 냄. 본디, 일본에서 상용 한자표(常用漢字表)에 '착(鑿)'자가 없어서 대신 쓰게 된 '굴착(掘鑿)'의 대용 한자말임. ¶ ～기. ——-하다 타여불

굴삭-기【掘削機】[—싹—] 명 굴착기(掘鑿機).

굴산-사【崛山寺】[—싼—] 명 강원도 강릉시(江陵市) 구정면(邱井面) 학산리(鶴山里)에 있던 절. 신라 문성왕 9년(847)에 굴산 조사(崛山祖師) 범일(梵日)이 창건하여 전교하던 곳임. 보물로 지정된 부도(浮屠)·당간 지주(幢竿支柱)가 있음.

굴산사지 당간 지주【崛山寺址幢竿支柱】[—싼—] 명 〖불교〗 굴산사 자리, 송림(松林) 가운데 마주 서 있는 화강석의 기둥. 두 기둥 모두 상하 두 군데에 직경 약 18cm의 관공(貫孔)을 만들었음. 높이 5.4m. 보물 86호.

굴산사지 부도【崛山寺址浮屠】[—싼—] 명 굴산사 자리에 있는 부도. 화강암(花崗岩) 8각형 사리탑(舍利塔)으로서 전체적으로 아름다운 수법을 보여 주는 작품임. 고려 시대에 건립한 것이며 높이 3.5m. 탑신

(塔身)에는 호형(戶形)을 표현하고 옥개(屋蓋)와 보개(寶蓋)·보주(寶珠)를 얹었고 기단(基壇) 제1층에는 영수(靈獸), 제3층에는 운문(雲文), 중대석(中臺石)에는 천인(天人), 제5층에는 앙련판(仰蓮瓣)을 조각하였음. 보물 85호.

굴상-성【屈傷性】[-쌍썽] 명 [traumatropism]〖식〗상처를 입은 식물체가 그 쪽 또는 반대쪽으로 향하는 굴성의 하나. 굴창성(屈創性).

굴성【屈性】[-썽] 명 [tropism]〖식〗식물체(體) 또는 그 기관이나 조직에 물리적·화학적 환경(環境)의 작용의 변화가 일어날 때, 그것이 자극이 되어 그 자극 방향으로 굽는 성질. 굴광성(屈光性)·굴지성(屈地性)·굴촉성(屈觸性)·굴화성(屈化性)·굴기성(屈氣性)·굴수성(屈水性)·굴상성(屈傷性)·굴전성(屈電性)·굴류성(屈流性) 등이 있음. 굽성. *향성(向性).

굴:-속【窟-】[-쏙] 명 ①굴의 안쪽. ②어두워서 캄캄한 곳. 굴혈(窟穴). 와중(窩中). ¶ ~ 같다.

굴속살이-게 [-쏙-] 명〖동〗[*Pinnotheres sinensis*] 속살이겟과에 속하는 갑각류(甲殼類)의 동물. 게의 하나로서 갑각은 연약하고 백색이며 앞이 뒤쪽보다 좁음. 제4 보각(步脚)의 말단부에만 털이 윤생(輪生)하는데, 갑장(甲長)은 13.5mm 가량이고 폭은 15.5mm 내외임. 굴의 패각(貝殼) 속에 공서(共棲)함. 한국 서해안에 분포함. *대합속살이게.

굴수-구【掘水溝】[-쑤-] 명〖지〗우열(雨裂).

굴수-성【屈水性】[-쑤썽] 명〖식〗굴성(屈性) 가운데 그 화학 물질이 수분일 때의 굴성의 일컬음. 굴습성(屈濕性). *향수성(向水性).

굴스트란드 [Gullstrand, Allvar] 명〖사람〗스웨덴의 안과 의사. 웁살라(Uppsala) 대학 교수. 눈의 조절 기능의 연구로 난시(亂視) 이론에 뛰어났으며, 안경용 렌즈와 눈의 진단 용구 등을 개량했음. 1911년 노벨 생리 의학상을 수상(受賞). [1862-1930]

굴슬【屈膝】[-쓸] 명 ①무릎을 꿇고 절을 함. ②굴복(屈服). ——-하다 자여불

굴습-성【屈濕性】[-씁-] 명〖식〗굴수성(屈水性).

굴:-식【窟式】명〖고고학〗주검을 묻기 위해 지면과 수평으로 판 널길을 통해 널방으로 들어가는 무덤 방식. 횡혈식(橫穴式). *구덩식·앞트기식.

굴-신[1]【屈伸】[-씬] 명 굽힘과 폄. ¶팔 다리의 ~ 운동/그 주막 봉노에 ~ 못하고 누운 봉삼을 못 볼 리 만무였다《金周榮:客主》. ——-하다 타여불

굴신[2]【屈身】[-씬] 명 ①몸을 앞으로 굽힘. ②겸사함. ——-하다 자여불

굴신 관세【屈伸關稅】[-씬-] 명〖경〗탄력 관세.

굴신 레이트【屈伸-】[rate] [-씬-] 명〖경〗환율(換率)을 단일하게 고정하지 않고 최고 환율과 최저 환율에 상당한 차이를 두고 그 때 그 때의 실세(實勢)에 따라 그 범위내에서 자동적으로 변동되게 하는 비율. 자유 환율로 이행(移行)하는 과도적인 형태임.

굴신-성【屈伸性】[-씬썽] 명 ①늘고 줄고 하는 성질. ②〖경〗경제의 기초적 사정의 변화에 따라 가격·이자·임금 등이 변동하는 정도.

굴신 운:동【屈伸運動】[-씬-] 명 몸을 굽혔다 폈다 하는 운동.

굴신-장【屈身葬】[-씬-] 명〖고고학〗굽혀묻기. ↔신전장(伸展葬).

굴신 제:한제【屈伸制限制】[-씬-] 명〖경〗은행권 발행 제도의 하나. 보증 준비 발행액(保證準備發行額)을 일단 제한은 하나, 필요에 따라 일정한 조건하에 한도외(限度外)의 발행이 인정됨.

굴심【屈心】[-씸] 명 남에게 겸사함. ——-하다 자여불

굴썩-굴썩 부 여러 개가 모두 굴썩한 모양. >골싹골싹. ——-하다 형여불

굴썩-하다 형여불 가득 차지 못하고 좀 곯은 듯하다. >골싹하다.

굴암-나무 명〈방〉〖식〗졸참나무.

굴억【屈抑】명 억누름. ——-하다 타여불

굴업-도【掘業島】명〖지〗인천 광역시(仁川廣域市) 옹진군(甕津郡) 덕적면(德積面) 굴업리(掘業里)에 위치한 섬. 덕적도(德積島)의 서남쪽 13km의 지점에 있음. [1.83km²]

굴에 명〈옛〉굴레. =구레[1]. ¶프른 실로 밍ᄀᆞ론 굴에 도라오디 아니ᄒᆞᄂᆞ니(不返青絲鞚)《杜諺 XXI:28》.

굴열-성【屈熱性】[-썽] 명 식물 등에 적외선과 같은 열선(熱線)을 조사(照射)하였을 때 생기는 굴성(屈性). 굴광성(屈光性)의 일종이라 할 때도 있음.

굴왕【屈枉】명 ①굽음. 굽힘. ②억울한 죄. 원죄(冤罪).

굴왕신-같다 형 낡고 찌들고 몹시 더러워져 흉하게 보이는 것을 흉보는 말. ¶굴왕신같은 물건들/땀과 먼지로 온통 굴왕신같이 되어 있었다《金廷漢:뒷기미나루》.

굴요【屈撓】명 굽혀 휨. 또, 굽어 휘어짐. ——-하다 자타여불

굴욕【屈辱】명 남에게 꺾여 업신여김을 받음. 모욕을 받아 면목이 없음. 좌욕(挫辱). ¶ ~ 외교(外交).

굴욕-감【屈辱感】명 모욕을 당해 창피한 감정.

굴:-우물【窟-】명 한없이 깊은 우물.
【굴우물에 돌 넣기】깊은 우물에 돌을 아무리 넣어도 차지 않는다는 뜻으로, 한(限)이 없음을 비유한 말. 【굴우물에 말똥 쓸어 넣듯 한다】음식을 가리지 않고 마구 먹음을 조롱하는 말.

굴원【屈原】명〖사람〗중국 전국 시대 초(楚)나라의 정치가·시인. 이름은 평(平), 원(原)은 자(字). 회왕(懷王)·경양왕(頃襄王)을 섬겨서 좌도(左徒)·삼려 대부(三閭大夫) 등의 벼슬을 했고, 모략에 빠져 한때 방랑 생활을 하다가 멱라수(汨羅水)에 빠져 죽었음. 작품은 모두가 울분의 감정에 넘쳐, 고대 문학 중에 드물게 보는 서정성을 띰. 초사(楚辭)에 수록된 작품 25편 중 《이소(離騷)》·《천문(天問)》·《구장(九章)》이 남아 있음. [343?-277? B.C.]

굴이【掘移】명 무덤을 파서 옮김. ——-하다 자타여불

굴이다 자〈옛〉저주를 받다. 저주를 당하다. ¶여듧차힌 모딘 藥을 먹거나 ᄂᆞ오롤 굴이거나 邪曲ᄒᆞᆫ 귓거시 들어나ᄒᆞ야 橫死ᄒᆞᆯ 씨오《釋譜 IX:37》/노을 굴인병(蠱毒)《救簡 目錄 5》.

굴일-성【屈日性】[-썽] 명〖식〗굴광성(屈光性)의 특별한 것으로, 태양이 자극이 되는 굴성(屈性). 해굽성. *굴광성(屈光性).

굴-장[1]【-醬】명 생굴을 섞어서 담근 간장.

굴장[2]【屈葬】[-짱] 명 굽혀묻기.

굴-장아찌 명 ①생굴에 진장을 붓고 기름과 실고추를 넣어서 볶은 반찬. ②생굴에 소금과 초를 치고 잘게 썬 배·밤·파·마늘·생강과 잣을 넣어 잠깐 동안 익힌 반찬.

굴:-재 명〈방〉구재.

굴-저냐 명 생굴에 밀가루와 달걀을 씌워 지진 저냐. 석화 전유화(石花煎油花).

굴-적【-炙】명 굵은 토굴을 기름과 깨소금에 버무린 뒤에 꼬치에 꿰어 살짝 구워 낸 적. 토화적(土火炙).

굴전-성【屈電性】[-쩐썽] 명 [electrotropism]〖식〗전기장(電氣場)에 놓인 식물체가 음극 또는 양극의 방향으로 향하는 굴성.

굴절[1]【屈折】[-쩔] 명 ①휘어서 꺾임. 꺾이어서 휨. ②[refraction]〖물〗광파(光波)나 음파(音波)가 한 매체(媒體)에서 다른 매체로 들어갈 때에, 경계면에서 이제까지와 다른 방향으로 나가는 현상. 꺾임. *빛의 굴절. ③(비유적으로) 본래의 모습이 일그러짐. 성질·심정 따위가 솔직하거나 단순한 데가 없어짐. ¶~된 감정. ——-하다 자여불

굴절[2]【屈節】[-쩔] 명 절개·정조를 굽힘. ——-하다 자여불

굴절-각【屈折角】[-쩔-] 명 [angle of refraction]〖물〗광파(光波)나 음파(音波) 등이 두 개의 다른 매질의 경계면에서 굴절할 때, 굴절에 의하여 생기는 파면(波面)의 진행 방향이 경계면의 법선(法線)과 이루는 각.

굴절-계【屈折計】[-쩔-] 명 [refractometer]〖물〗굴절율(屈折率)을 측정(測定)하는 계기(計器).

굴절 광선【屈折光線】[-쩔-] 명〖물〗빛이 하나의 매질(媒質)로부터 다른 매질로 들어갈 때에 입사점(入射點)에서 굴절로 인하여 방향을 바꾸어서 진행하는 광선. *빛의 굴절.

굴절-구【屈折球】[-쩔-] 명 [refracting sphere]〖물〗통과하는 빛이 반드시 굴절되도록 주위의 매질(媒質)과 다른 굴절률을 가진, 투명 물질로 된 공.

굴절-도【屈折度】[-쩔-] 명〖물〗굴절률(屈折率).

굴절-력【屈折力】[-쩔-] 명〖물〗굴절(屈折)하는 힘.

굴절-률【屈折率】[-쩔-] 명 [index of refraction]〖물〗광선이 굴절할 때의 입사각(入射角)의 사인(sine)과 굴절각의 사인의 비(比). 굴절도(屈折度). 꺾임률.

굴절 망:원경【屈折望遠鏡】[-쩔-] 명 [refracting telescope]〖물〗주로 렌즈와 프리즘으로 되어 있어, 이것에 의한 빛의 굴절만을 이용한 망원경. 천체 망원경은 이의 하나임.

굴절-면【屈折面】[-쩔-] 명〖물〗광선이나 음파(音波)가 굴절하는 매체(媒體)의 면(面).

굴절-사다리【屈折-】[-쩔-] 명 구조(救助) 사다리의 한 가지. 용도에 맞게 여러 모양으로 접을 수 있게 만든 사다리.

굴절-선【屈折線】[-쩔-] 명〖물〗광선이 굴절하는 방향.

굴절성 원:시【屈折性遠視】[-쩔썽-] 명 [refractive hypermetropia]〖의〗원시의 한 가지. 안구(眼球)의 전 굴절력이 약해서 원시(遠視)의 굴절 상태를 일으키는 눈. 수정체(水晶體)나 각막(角膜)에 있어서의 만곡도(彎曲度)가 약하거나, 수정체의 탈구(脫臼)·백내장(白內障)을 수술한 뒤의 무수정체안(無水晶體眼) 등에서 볼 수 있음. ↔축성 원시.

굴절 손:실【屈折損失】[-쩔-] 명 [refraction loss]〖물〗매질(媒質)이 균일하지 않기 때문에 굴절이 일어나, 이로 인해 생기는 투과 손실.

굴절-어【屈折語】[-쩔-] 명〖언〗언어 분류의 한 방법으로 문법의 형태적 구조(形態的構造)에 의하여 가른 명칭. 어형(語形)과 어미의 변화로써 단어가 문장 중에서 차지하는 여러 가지 관계를 나타내는 말. 곧, 명사·대명사·형용사에는 성·수·격, 동사에는 인칭·수·시제(時制) 등의 문법 범주(範疇)가 있어 이에 따라 일정한 변화를 함. 유럽의 각 국어는 이에 해당함. 곡절어(曲折語). 곡미어(曲尾語). *첨가어(添加語)·교착어(膠着語).

굴절 운:동【屈折運動】[-쩔-] 명 팔다리를 꺾거나 몸을 앞뒤로 휘는 운동.

굴절의 법칙【屈折-法則】[-쩔-/-쩔에-] 명 [law of refraction]〖물〗광선이 한 매질(媒質)로부터 다른 매질에 들어갈 경우, 굴절 광선은 입사(入射) 광선과 입사점에서 경계면에 세운 법선(法線)을 포함하는 평면 안에 있으며, 입사각(入射角)의 사인(sine)과 굴절각의 사인(sine)과의 비(比)는 입사각 여하에 불구하고 일정하다고 하는 법칙. 네덜란드의 수학자 스넬에 의하여 1626년에 확립된 것으로, 이는 광파(光波)뿐만 아니라 모든 파동의 경우에도 성립함. 스넬(Snell)의 법칙.

굴절 이:상【屈折異常】[-쩔-] 명〖의〗눈의 조절 작용이 기능을 상실하여 멀리서부터 오는 평행 광선이 망막 위에 상을 맺지 못하는 병.

굴절 저:항【屈折抵抗】[-쩔-] 명〖식〗식물체가 외력(外力)에 의하여서 꺾이어 굽어들려고 할 때에 이에 저항하는 본성(本性). 이런 경우, 식물의 섬유 조직·줄기의 공동(空洞)에 의하여 저항력이 생김.

굴절-파【屈折波】[-쩔-] 명 [refracted wave]〖물〗입사파(入射波) 가운데에서, 제1 매질에서 제2 매질로 들어가는 파.

굴절-학【屈折學】[-쩔-] 명〖물〗굴절에 관한 학문.

굴-젓 명 ①생굴로 담근 젓. 석화해(石花醢). ②〈속〉코❷. 특히, 누렇고 된 코.

굴젓-눈이 명 한쪽 눈에 백태가 끼어서 보지 못하는 사람을 놀리는 말.

굴-조개 명〖조개〗굴❷.

굴족-류【掘足類】[-쪽뉴] 명〖동〗[Scaphopoda] 연체 동물(軟體動物)에 속하는 강(綱)의 하나. 이 유(類)는 바다의 모래 바닥에서 사는데, 몸과 외투막(外套膜)은 원통형이며 쇠뿔과 같고 양쪽이 터진 껍질을 분비하여 형성함. 발생 초기에는 좌우 두 개의 껍질을 갖춘 점으로 보아

원시적인 부족류(斧足類)에서 진화한 것으로 생각됨. 두부(頭部)는 퇴화하여 분명하지 아니하고, 눈이 없으며 자웅 이체(雌雄異體)임. 화석(化石)으로서 270여 종, 현존하는 종류로는 약 150 종이나 된다고 함.

굴종【屈從】[—쫑] 명 제 뜻을 굽히어 복종(服從)함. ——-하다 자여불

굴-죽【—粥】명 생굴을 넣고 쑨 죽. 석화죽(石花粥).

굴지¹【屈支】명 《지》 구자(龜玆).

굴지²【屈指】[—찌] 명 ①손가락을 꼽음. ②여럿 가운데 손가락을 꼽아 셀 만하게 뛰어남. ¶ 한국 ～의 실업가. ——-하다 자여불

굴지 계:수【屈指計數】[—찌—] 명 손가락을 꼽아서 수를 셈. ——-하다 자타여불

굴지 계:일【屈指計日】[—찌—] 명 손꼽아 날짜를 기다림. ——-하다 자여불

굴지-근【屈指筋】[—찌—] 명 《생》 전박(前膊)의 전면(前面)에 있는 근육. 그 수축(收縮)으로 손가락을 폈다 오므렸다 함.

굴지 득금【掘地得金】[—찌—] 명 땅을 파다가 금을 얻는다는 뜻에서, 뜻밖에 횡재(橫財)함을 이르는 말. ——-하다 자여불

굴지-성【屈地性】[—찌썽] 명 《생》 변화하는 환경의 인자(因子)가 중력(重力)의 작용 방향일 때의 굴성. 향지성(向地性).

굴-진¹【—찐】명 [←굴(굴뚝)+진(진액)] 구들장 밑에나 굴뚝 속에 붙은 끈끈한 검은 기름.

굴진²【掘進】[—찐] 명 파 들어감. 파 나아감. ¶ 터널의 ～ 작업. ——-하다 자여불

굴:-집【窟—】[—찝] 명 굴처럼 파서 만든 집. *움집.

굴찍-하다 형 〈방〉 굵직하다.

굴착【掘鑿】명 땅이나 암석 따위를 파고 뚫음. ¶ ～기. ——-하다 타여불

굴착-기【掘鑿機】명 흙·하천 바닥의 토사(土砂)·암석 따위를 파내거나 파내서 차에 싣는 기계의 총칭.

굴-참나무 명 《식》 [*Quercus variabilis*] 참나뭇과에 속하는 낙엽 활엽 교목. 높이 20 m 가량이고, 잎은 긴 타원형이며 뒷면에 흰 털이 있음. 자웅 일가(雌雄一家)인데 5월에 수꽃 이삭은 길게 늘어지고, 암꽃 이삭은 액생(腋生)함. 과실은 견과(堅果)이고 다음해 10월에 익음. 거의 남향 산복의 건조지에 나는데, 소나무와 혼림(混林)을 만들면 좋음. 평북·함북을 제외한 한국 각지 및 일본·대만·중국·만주에 분포함. 나무는 신탄(薪炭) 및 도구재(道具材), 수피(樹皮)는 코르크 또는 물감으로 쓰이며 과실은 식용함.

〈굴참나무〉

굴창-성【屈創性】[—썽] 명 《생》 굴상성(屈傷性).

굴채【掘採】명 채굴(採掘). ——-하다 타여불

굴척-스럽다 형 〈방〉 ①괴팍스럽다. ②궁벽하다.

굴:-천장【窟天障】명 반원통(半圓筒) 모양의 굴과 같은 천장. 터널식 천장.

굴체비 명 〈방〉 굴건(屈巾).

굴촉-성【屈觸性】명 [thigmotropism] 《생》 식물체의 한쪽이 딴 물건에 닿았을 때에 그 방향으로 굴곡하는 굴성(屈性). 오이·완두의 권수(卷鬚) 같은 것이 그 예임. 향촉성(向觸性).

굴총【掘塚】명 남의 무덤을 파냄. 발총(發塚). ——-하다 자타여불

굴-추상【屈推上】명 구간(球桿)이나 무거운 아령(啞鈴)을 한쪽 어깨 위에 가져다가 그 쪽 손으로 쥐고, 몸을 빈 손 편으로 기울이어 나사못과 같은 작용으로 머리 위에 높이 한 팔로 드는 운동.

굴축-스럽다 형 〈방〉 ①괴팍스럽다. ②궁벽하다.

굴출【崛出】명 불끈 솟아 나옴. 굴기(崛起). ——-하다 자여불

굴침-스럽다 형ㅂ불 억지로 하려고 애쓰는 태도가 있다. 굴침-스레 부

굴칩【屈蟄】명 때를 못 만나 들날리지 못하고 집에 들어박혀 있음. ——-하다 자여불

굴타리-먹다 자 오이·호박·수박 등이 흙에 닿아 썩은 자리를 벌레가 파먹다. ¶ 굴타리먹은 과일이 맛이 좋다.

굴태-나무 명 〈방〉 《식》 굴피나무.

굴터분-하다 형여불 ↗구리터분하다. >골타분하다.

굴텁텁-하다 형여불 ↗구리텁텁하다. >골탑탑하다.

굴토【掘土】명 땅을 팜. ——-하다 자여불

굴:-통¹【—筩】명 굴대통.

굴통² 명 〈방〉 ①구새통❶. ②굴뚝(평안).

굴통-대 명 〈방〉 골통대.

굴통-막대 명 〈방〉 궁굴막대.

굴퉁이 명 ①겉 모양은 그럴 듯하나 속이 보잘것없는 물건. 또, 그러한 사람. ②씨가 여물지 않은 늙은 호박.

굴-튀김 명 생굴에 밀가루와 달걀을 묻혀서 기름에 튀긴 음식. *굴저냐.

굴패 명 〈방〉 굴피(전라).

굴피¹【—皮】명 돈이 마른 돈주머니. 빈 돈주머니.

굴피²【—皮】명 [←굴(가죽나무)+피(皮). *굴밤] 참나무의 두꺼운 껍질.

굴피-나무 명 《식》 [*Platycarya strobilacea*] 호두나뭇과에 속하는 낙엽 활엽의 작은 교목. 높이 6-10 m, 잎은 우상 복생(羽狀複生)하며 소엽(小葉)은 피침형임. 6-7월에 자웅 일가(雌雄一家)의 화피(花被)가 없는 꽃이 취산상(聚繖狀) 화서로 정생(頂生)하는데 수꽃 이삭은 원기둥꼴, 암꽃 이삭은 긴 타원형으로 피고, 과실은 구과상(球果狀)으로 10월에 익음. 산기슭이나 산복(山腹)의 양지에 나는데, 경기도 이남 및 일본·대만·중국 등지에 분포함. 목재는 신탄재, 수피(樹皮)는 어망(魚網)의 물감 및 포어용(捕魚用)으로 씀. 구종나무.

〈굴피나무〉

굴피-집 명 굴피나무·상수리나무·참나무 등의 두꺼운 나무껍질로 지붕을 인 집.

굴-하다【屈—】자타여불 ①몸을 굽히다. ②힘이 부치어 쓰러지다. ¶ 실패에 굴하지 않고 노력하다. ③복종하다. ¶ 권력에 굴하고 말았다. ④겁을 먹다. ¶ 사소한 일에 굴해서는 안 된다.

굴해【掘垓】명 가로 돌아가며 무덤에 깊은 고랑을 팜. 몰래 매장한 무덤의 임자에게 대하여 파 가기를 재촉하는 뜻으로 그렇게 하는 풍습이 있음. ——-하다 타여불

굴헝몰 명 〈옛〉 구렁말. ¶ 굴헝몰(栗色馬)《譯語 下 28》.

굴헝 명 〈옛〉 구렁. 골. 골목. ¶ 굴헝에 모롤 디내샤(深巷過馬)《龍歌 48章》/굴헝 항(巷)《字會 上 6》.

굴혈¹【掘穴】명 구멍이나 또는 구덩이를 팜. ——-하다 자여불

굴:혈²【窟穴】명 ①도적·비도(匪徒)·악한들의 근거지. 소굴(巢窟). ②굴속.

굴형¹【屈形】명 굽은 모양.

굴:형²【窟形】명 굴처럼 생긴 모양.

굴화-성【屈化性】[—썽] 명 [chemotropism] 《식》 식물체의 주위에 화학 물질의 농도차(濃度差)가 있을 때에, 농도가 높은 방향(양(陽)의 굴화성) 또는 낮은 방향(음(陰)의 굴화성)으로 굴곡하는 굴성. 누룩곰팡이의 균사(菌絲)는 포도당·인산염(燐酸鹽)·암모늄염(塩) 등에 양(陽)의 굴화성을 나타냄. *굴기성(屈氣性)·향화성(向化性).

굴-회【—膾】명 생굴을 초장이나 초고추장에 찍어 먹는 회. 석화회(石花膾).

굵다 [국—] 형 ①몸피가 크다. 둘레가 크다. ¶ 굵은 연필. ②말이나 행동의 폭이 크다. ¶ 굵게 놀다. ③목소리가 저음으로 우렁우렁 울려 크다. ¶ 굵은 목소리. ④살찌고 잘지 않다. ¶ 굵은 밤알. 1)-3):↔가늘다. 4):↔잘다.

굵-다랗다 [국—라타] 형ㅎ불 매우 굵다. ¶ 굵다란 새끼줄. ↔가느다랗다.

굵디-굵다 [국—국—] 형 굵고 굵다. ↔가늘디가늘다.

굵어-지다 [굴거—] 자 차차 굵게 되다.

굵은-고리 [굴근—] 명 《고고학》 귀걸이에서, 굵고 크며 속이 비어 있는 둥근 고리. 태환(太鐶). ↔가는 고리.

굵은고리 귀걸이 [굴근—] 명 《고고학》 귀걸이의 양식(樣式)의 하나. 귓불에 꽂는 고리가 굵은 귀걸이. ↔가는고리 귀걸이.

굵은금-무늬 [굴근—니] 명 《고고학》 깊고 굵은 줄무늬. 양끝 또는 한끝에 눌렀다 뗀 깊은 홈이 패어 있음. 남해안(南海岸)의 빗살무늬토기(土器)에 많이 보임. 태선문(太線文).

굵은-딩게 명 〈방〉 등겨(충남).

굵은-베 [굴근—] 명 굵은 올로 짠 삼베. ↔가는베.

[굵은 베가 옷 없는 것보다 낫다] 아주 없는 것보다는 나쁜 것이라도 있는 것이 낫다는 말.

굵은-소금 [굴근—] 명 알이 굵고 거친 소금. 호렴. *곤소금.

굵은줄-나비 [굴근—라—] 명 《충》 [*Limenitis sydyi*] 네발나빗과에 속하는 곤충. 편날개 길이 34-58 mm이고, 수컷은 앞날개 가운데에 선명치 않은 고치 모양의 무늬가 있기도 하며, 뒷날개에는 '<' 모양의 백색 띠가 있고 뒷면은 청백색임. 암컷의 앞날개 중앙실에 고치 모양과 곤봉 모양의 백색 무늬가 있고 그 중간에 붉은 점이 있음. 한국에도 분포함.

굵은-체 [굴근—] 명 올이 굵고 구멍이 큰 체. ↔고운체.

굵직-굵직 [국—국—] 부 여럿이 모두 꽤 굵은 모양. ——-하다 형여불

굵직굵직-이 [국—국—] 부 굵직굵직하게.

굵직-이 [국—] 부 굵직하게.

굵직-하다 [국—] 형여불 [근대 : 굵즉ᄒ다] 꽤 굵다. ¶ 굵직한 몽둥이.

굶기다 [굼—] 사동 먹지 못하도록 하다. 굶게 하다.

굶:다 [굼따] 자타 ①끼니를 먹지 않거나 먹지 못하다. 주리다. ¶ 점심을 ～. ②놀이나 오락 따위에서, 자기 차례를 거르다.

[굶기를 밥 먹듯 한다:굶기를 부잣집 밥먹듯 한다] 자주 굶는다는 뜻. ¶ 굶기를 밥 먹듯 하여 살 길이 없는지라《興夫傳》/아씨께서 굶으시기를 부잣집 밥먹듯 하시는데《李海朝:鬢上雪》. [굶어 보아야 세상을 안다] 굶주릴 정도로 고생을 겪어 보아야 세상을 알게 된다는 말. [굶어 죽기는 정승하기보다 어렵다] 아무리 가난한 사람이라도 생명만은 이어 갈 수 있다는 말. [굶으면 아낄 것 없어 통 비단도 한 끼라] 굶주리면 먹는 것이 가장 긴급하다는 말.

굶-주리다 [굼—] 자 ①먹을 것이 없어 주리다. 험한 음식만 먹고 생명을 이어 나가다. ②어떤 정신적인 것에 매우 모자람을 느끼다. ¶ 사랑에 ～.

굶주림 [굼—] 명 굶주리는 일. 기아(飢餓).

굸조개 명 〈옛〉 굴조개. ¶ 굸조개(杜蠣)《救簡 Ⅲ:56》.

굻다 [굴타] 형 ①그릇에 차지 아니하다. ②한쪽이 푹 꺼지어 있다. >곯다.

굻리다 [굴—] 타 굻게 하다. >곯리다¹.

굻어-지다 [굴—] 자 ①한 부분이 우묵하게 들어가다. ②다 차지 않게 되다.

굼긔 〈옛〉 구멍에. '구무'의 처격형(處格形). ¶ 당당이 버믜 굼긔 니셰도다(應連虎穴)《初杜諺 Ⅶ:31》.

굼닐-거리다 자타 자주 굼닐다.

굼닐다 ㊀ 타 [근대 : 굽닐다←굽-+닐-+-다] 몸을 구부렸다 일으켰다 하다. ㊁ 자 몸을 구부렸다 일으켰다 하며 일하다. ¶ 가냘픈 몸에 배가 유착히 불러서 굼닐기가 가쁜 까닭에….

굼닐-대다 자타 굼닐거리다.

굼:드렁-타:령【—打令】명 거지가 구걸하면서 노래로 부르는 소리.

[굼드렁타령인가] 부부가 늘 같이 다니고 떨어지지 않음을 이르는 말.

굼:-뜨다 형 동작이 둔하여 재빠르지 못하다.

굼목 명 〈방〉 굴뚝(함경).

굼묵 명 〈방〉 굴뚝(함경).

굼배이 명 〈방〉 《충》 굼벵이(경상).

굼배-타:령【—打令】명 《악》 서도 잡가(西道雜歌)의 하나.

굼뱅이 명 〈방〉 《충》 굼벵이(전남).

굼버리 명〈방〉〖충〗굼벵이(전남).
굼:버지 명〈방〉〖충〗굼벵이(함남).
굼벙이 명〈방〉〖충〗굼벵이(전남·경남·평북). ¶문득 ～처럼 전신을 한 번 꿈틀하고 움직이더니…≪鄭飛石 : 愛情無限≫.
굼벙 명〈옛〉굼벵이. ¶굼벙(爲蠐螬)≪訓例≫.
굼벙이 명〈옛〉〖충〗굼벵이. ¶굼벙이 제(蠐), 굼벙이 조(螬)≪字會 上 21≫.
굼베 명〈방〉〖충〗굼벵이(함경).
굼베기 명〈방〉〖충〗굼벵이(경북).
굼베이 명〈방〉〖충〗굼벵이(황해).
굼베지 명〈방〉〖충〗굼벵이(함경).
굼:벵이 명〔중세 : 굼벙이←굼벙+-이〕①〖충〗매미의 유충(幼蟲). 누에와 비슷하나 몸길이가 짧고 뚱뚱함. 초가집 썩은새 속이나 땅속에서 보통 수 개년 자라는데 알에서 50일 또는 300일 만에 부화하여 나무 뿌리의 양분 등을 흡수함. 제조(蠐螬). 지잠(地蠶). ②〈속〉동작(動作)이 몹시 느리고 굼뜬 사람의 별명. ③〈방〉〖동〗달팽이(경북).
[굼벵이가 지붕에서 떨어지는 것은 매미될 셈이 있어 떨어진다; 굼벵이가 지붕에서 떨어질 때는 생각이 있어 떨어진다] 남 보기에는 못난 짓 같으나 제딴에는 뚜렷한 목적이 있어 그렇게 한다는 말. [굼벵이도 궁글 재주가 있다; 굼벵이도 꾸부리는 재주가 있다] 어떤 사람이라도 각각 장기가 있으니 업신여기지 말라는 뜻. [굼벵이도 다치면 꿈틀한다; 굼벵이도 디디면 꿈틀한다; 굼벵이도 밟으면 꿈틀한다]'지렁이도 밟으면 꿈틀한다'와 같은 뜻. [굼벵이도 제 일 하는 날은 열 번 재주를 넘는다] 미련한 사람도 제 일이 급하면 무슨 수를 내서든지 해 낸다는 말. [굼벵이 천장(遷葬)하듯] 굼벵이는 느린 놈이므로, 천장을 하자면 오래 걸린다는 뜻으로 어리석은 사람이 일을 지체(遲滯)하며 좀처럼 성사(成事)시키지 못함을 비유(比喩)하는 말.
굼:벵이 나래 매듭 명 굼벵이 매듭의 좌우에, 긴 날개를 두 쌍 단 모양의 매듭.
굼:벵이-등【一燈】명〈방〉접등(摺燈).
굼:벵이 매듭 명 굼벵이가 옴츠린 모양을 본뜬 매듭의 하나.
굼:벵이-벌 명〖충〗굼벵이벌과(Tiphiidae)에 속하는 벌의 총칭. 암수 모두 날개가 있는 것과 암컷에 날개가 없는 것이 있는데, 후자의 경우는 대체로 몸이 수컷에 비하여 극히 작음. 모두 기생성(寄生性)으로 투구풍뎅이나 벌 종류의 유충에 기생함. 몸길이 6～17 mm 정도로, 몸빛이 검음. 알풍뎅이의 천적(天敵)임.
굼:벵이벌-과【一科】[一꽈] 명〖충〗[Tiphiidae] 벌목(目)에 속하는 한 과. 몸은 대체로 흑색이며, 몸길이는 7-13 mm 가량이고 유충은 풍뎅이류의 유충에 기생함. 세계적으로 널리 분포하는데, 봄굼벵이벌·왕굼벵이벌·먹굼벵이벌 등이 이에 속함.
굼:벵이-콩 명〖민〗음력 정월 열 엿샛날 귀신 단오(鬼神端午)날에 볶는 콩. 이 날에 콩을 볶으면서 '굼벵이콩 볶자, 좀 볶자'하면 밭의 굼벵이나 좀벌레가 없어진다 함.
굼부리 명〈방〉〖충〗굼벵이(경남).
굼붕기 명〈방〉〖충〗굼벵이(경상).
굼붕이 명〈방〉〖충〗굼벵이(경북·평남).
굼:비[1] 명〈방〉〖충〗굼벵이(함경).
굼비[2] 명〈방〉①〖동〗달팽이(경북). ②〖충〗굼벵이(경상·함남).
굼비이 명〈방〉〖충〗굼벵이(경상).
굼빙이 명〈방〉〖충〗굼벵이(경상·충남).
굼:-슬겁다 형ㅂ불 성질이 겉으로 보기보다 속으로 너그럽다. >곰살갑다.
굼실-거리다 자 ①작은 벌레 같은 것이 굼뜨게 움직이다. ¶등에서 이가 ～. ②구불구불 물결을 이루며 넘실거리는 모양. ¶영도의 방파제를 벗어난 배는 크게 굼실거리기 시작했다≪朴景利 : 波市≫. ㅆ꿈실거리다. >곰실거리다. 굼실-굼실 부. ——-하다 자여불
굼실-대다 자 굼실거리다.
굼:-일 [一닐] 명 ↗구움일.
굼일-거리다 [一닐一] 자타 '굼닐거리다'의 오기(誤記).
굼일다 [一닐一] 자타 '굼닐다'의 오기(誤記).
굼장어 명〈방〉〖어〗뱀장어(경남).
굼적 부 무겁고 둔하게 움직이는 모양. ¶굼벵이가 ～하다. ㅆ꿈적·꿈쩍. >곰작. ——-하다 자타여불
굼적-거리다 자타 둔하게 자꾸 움직이다. ¶굼벵이가 ～. ㅆ꿈적거리다. 꿈쩍거리다. <곰작거리다. 굼적-굼적 부. ——-하다 자타여불
굼적-대다 자타 굼적거리다.
굼지럭 부 무디고 느릿하게 움직이는 모양. ㉾굼질. ㅆ꿈지럭. >곰지락. ——-하다 자여불
굼지럭-거리다 자 둔하고 느리게 자꾸 움직이다. ㉾굼질거리다. ㅆ꿈지럭거리다. >곰지락거리다. 굼지럭-굼지럭 부. ——-하다 자여불
굼지럭-대다 자 굼지럭거리다.
굼질 부 ↗굼지럭. ㅆ꿈질. >곰질. ——-하다 자여불
굼질-거리다 자 ↗굼지럭거리다. ㅆ꿈질거리다. >곰질거리다. 굼질-굼질 부. ——-하다 자여불
굼질-대다 자 굼질거리다.
굼:튼튼-하다 형여불 성질이 굳어서 재물을 아끼고 튼튼하다. 저축심이 많다.
굼틀 부 몸을 이리저리 구부리어 움직이는 모양. ㅆ꿈틀. >곰틀. ——-하다 자여불
굼틀-거리다 자 몸을 이리저리 구부리어 자꾸 움직이다. ㅆ꿈틀거리다. >곰틀거리다. 굼틀-굼틀 부. ——-하다 자여불
굼틀다 명 ☞굼틀거리다. ¶이 굼틀어 올라오는 반역의 불길을 누르고 덮었다≪朴鍾和 : 錦衫의 피≫.
굼틀-대다 자 굼틀거리다.
굼:-판 명 ↗구움판.
굼플로비치〔Gumplowicz, Ludwig〕명〖사람〗오스트리아의 사회학자. 유태인. 사회학을 사회 집단의 상호 관계로 보고 이에 계급 투쟁적인 자연 과학적 방법을 적용하였음. 저서에≪종족과 국가≫·≪인종 투쟁≫이 있음. [1838-1909]
굶 명〈옛〉구멍. =구무. ¶穴은 굼기라≪月釋 Ⅷ:27≫.
[굶에 든 뱀이 긴지 짧은지] 사람의 마음이나 그의 재주가 아직 세상에 드러나지 않았기 때문에 어떻게 될지 알 수 없다는 말. [굶에 든 범] 사람의 마음이나 또는 그의 장래는 드러나지 않은 까닭에 헤아릴 수가 없음을 비유하는 말.
굽 명〔중세 : 굽〕①말·소·양 등의 발 끝에 있는 두껍고 단단한 발톱. ¶말～ 소리. ②나막신의 발이나, 구두 바닥의 뒤쪽. ¶～이 높은 구두. ③그릇 밑에 붙어서 그 그릇이 편평히 놓여지게 하는 둥근 받침.
굽 쳐 먹는 말 구〔말이 먹이를 요구할 때 굽으로 땅을 치는 데서〕제가 청해서 자기 먹이를 찾아 먹음의 비유.
굽-갈다 타 나막신·구두 뒤축의 닳은 굽을 새 것으로 바꾸어 대다.
굽-갈래 명 굽의 갈라진 곳.
굽-갈리다 사동 나막신·구두 뒤축의 닳은 굽을 새 것으로 갈아 대게 하다.
굽갈리-장수 명 나막신의 굽을 갈아 대는 일로 업을 삼는 사람.
굽-갈이 명 나막신이나 구두 등의 닳은 굽을 새 것으로 바꾸어 대는 일. ——-하다 타여불
굽격지 명 ①〈옛〉진신. 굽 달린 나막신. ¶굽격지 보요 박은 잣딩이 무뒤도록 드녀보새≪永言≫. ＊격지. ②〈방〉썰매.
굽구뤼다 자〈옛〉구부러지다. ¶鵾鷄는 굽구뤈 믌 ᄆᆞᅀᆡ셔 울오(鵾鷄號枉渚)≪杜諺 Ⅶ:26≫.
굽구릐다 자〈옛〉구부러지다. ¶滄江 흐르는 므리 굽구릐오 브어 오놋다(屈注滄江流)≪杜諺 ⅩⅢ:10≫.
굽-구멍 명〖고고학〗토기(土器)의 굽에 뚫린 구멍. 투공(透孔). 투창(透窓).
굽마리기 명〈옛〉굽 흘 뿌리기. ¶또 져기 굽마리기 ᄒᆞ더라(也有些撒蹄)≪朴解 上 63≫.
굽:다[1] 타ㅂ불 ①불 위에 놓거나, 불 속에 넣어서 익히거나 또는 타게 하다. ¶떡을 ～. ②참나무를 숯가마에 넣고 불을 질러 숯을 만들다. ¶숯을 ～. ③벽돌이나 도자기를 만들 때 가마에 넣고 고온으로 불을 때다. ¶벽돌을 ～. ④덜 굳은 나무에 불기운을 쬐어서 말리다. ⑤사진의 음화를 인화지에 옮겨 양화로 만들다. ¶사진을 ～.
[구운 게도 다리를 떼고 먹는다] 틀림 없을 듯 하더라도 잘 알아보고 조심해야 된다는 말.
굽:다[2] 타ㅂ불 윷놀이에서, 먼저 놓았던 말 위에 새로 붙이어 어우르다. ¶두 동을 구워서 가다.
굽다[3] 형자 한쪽으로 휘어져 있다. 또, 한쪽으로 휘어지다. ¶굽은 나무. >곱다[4].
[굽은 나무가 선산(先山)을 지킨다] 쓸모 없는 것이 도리어 소용(所用)이 된다는 말. 자손이 빈한해지면 선산의 나무까지 팔아 버릴 수가 있으나 줄기가 굽어 쓸데없는 것은 그대로 남게 되므로 이렇게 말함. [굽은 나무는 길맛가지가 된다] 세상에는 아무 것도 버릴 것이 없다는 뜻. [굽은 지팡이는 그림자도 굽어 비친다] 제 본래의 모습이 좋지 않은 것은 숨기지 못한다는 말.
굽-다리 명〖고고학〗그릇의 높다란 굽.
굽다리 모양 꼭지【一模様一】명〖고고학〗토기(土器) 뚜껑에 달린, 굽다리처럼 생긴 꼭지. 대족형(臺足形) 손잡이.
굽다리-바리 명〖고고학〗굽다리가 달린 바리 모양의 토기(土器). 주로 삼국 시대의 토기 중에 나타남. 유대발(有臺鉢). 대부발(臺付鉢).
굽다리-접시 명〖고고학〗굽다리가 달린 옛 그릇. 신라·가야 고분(古墳)에서 나옴. 고배(高杯). 굽잔.
굽다리-합【一盒】명〖고고학〗굽이 달려 있는 합. 대족부 합(臺足付盒).
굽-달이 명 굽이 달린 접시.
굽-대접 명〖건〗굽이 달린 대접 받침.
굽-도리 명 ①방안의 벽의 아랫도리. ¶～를 대다. ②↗굽도리지(紙).
굽도리-지【一紙】명 굽도리에 바르는 종이. ㉾굽도리.
굽도 젖도 할 수 없:다 [一업一] 구 ①나갈 수도 없고 물러날 수도 없다. ②이러지도 저러지도 못하여 곤경에서 벗어날 수가 없다. ¶아니 도망하고 그대로 있자하니 당장에 탄로가 될 것이니 굽도 젖도 못하고 이 일을 어찌할꼬≪李海朝 : 鬢上雪≫.
굽-두리 명 ☞굽도리.
굽-둘레 명〈방〉쇠코뚜레.
굽-뒤축 명 마소의 굽의 뒤축.
굽-바닥 명 굽의 밑바닥. 말이나 소의 발 뒤축의 단단한 살.
굽-바자 명 작은 나뭇가지로 엮어 만든 얕은 울타리.
굽-바탕 명 굽의 단단하고 질긴 본바탕.
굽배 성에 명〖농〗쟁기의 한 부분. 구멍 언저리가 불끈 솟고 그냥 끝까지 숙어 나간 성에의 한마루.
굽벅-거리다 자타 ☞꿉적거리다.
굽-벽【一壁】명 마소의 굽의 단단하고 좀 편평한 벽면(壁面).
굽-병【一瓶】명〖고고학〗굽이 달려 있는 병. 백제·고구려 및 통일 신라 토기(土器)에서 볼 수 있음. 대족부 병(臺足付瓶).
굽-새 명 마소의 굽의 갈라진 사이.
굽-성【一性】명〖식〗'굴성(屈性)'의 풀어 쓴 이름.
굽슬 부 ☞굽실.
굽슬-거리다 자타〈방〉굽실거리다.
굽슬굽슬-하다 형여불 털이 길차지 않고 옴츠러들거나 말려들어서 구불구불하다. >곱슬곱슬하다.
굽슬다 자〈옛〉엎드리다. =구뿔다. ¶벼개예 굽스러셔(伏枕)≪杜諺 Ⅶ:10≫.
굽신 부 ☞굽실. ——-하다 자타여불
굽신-거리다 자타 ☞굽실거리다. 굽신-굽신 부. ——-하다 자타여불
굽실 부 남의 비위를 맞추느라고 머리와 몸을 구푸리는 모양. ¶～ 절을 하다. ㅆ꿉실. >곱실. ——-하다 자타여불

굽실-거리다 자타 남의 비위를 맞추느라고 머리와 몸을 구푸리다. ㅆ꿉실거리다. >곱실거리다. **굽실-굽실** 부. ——-하다 자타여불

굽실-대다 자타 굽실거리다.

굽-싸다 타 짐승의 네 발을 모아 얽어 매다.

굽-아: 감 소에게 굽을 들라고 명령하는 말.

굽어-보다 타 ①고개를 숙이거나 허리를 굽히어서 아래를 내려다보다. ②아랫 사람을 도와 주려고 살피다. ¶ 하늘이 ~.

굽은-꼬리하루살이 명 〔충〕 〔*Epeorus curvatulus*〕 꼬리하루살이과에 속하는 곤충. 몸길이 9.5-13mm, 앞날개 11-16mm이고 수컷의 몸빛은 대체로 백색이며 두부는 회갈색, 흉부는 담갈색임. 날개는 무색 투명하고, 암컷의 몸빛은 황백토색(黃白土色)임. 한국·만주·일본에 분포함.

굽은-뎅이 명 〈방〉 굽이.

굽이 명 휘어서 굽은 곳. 구부러진 곳. ¶ 강 ~.

굽이-감다 〔—따〕 자타 ①휘어서 감다. ②물이 굽이에 와서 빙빙 감아 돌다.

굽이-굽이 부 ①휘어서 굽은 곳곳마다. ¶ ~ 꽃이 핀 산길. ②물이 굽이쳐 흐르는 모양. ¶ 강물이 ~ 흐르다. >곱이곱이.

굽이-돌다 자 굽이지어 돌다.

굽이-지다 자 줄이 휘우듬하게 들어가게 만들어지다. 한쪽으로 구부러져 들다. ¶ 강물이 굽이진 곳.

굽이-치다 자 물이 굽틀거려 굽이가 나게 되다. ¶ 파도가 ~. >곱이치다.

굽이-칼 명 칼몸이 구부러진 칼.

굽일-거리다 〔—닐—〕 자타 →굼닐거리다.

굽일다 〔—닐—〕 자타 → 굼닐다

굽일-대다 〔—닐—〕 자타 굽일거리다.

굽잇-길 명 굽이진 길.

굽-잔 【—盞】 명 〔고고학〕 굽다리접시.

굽-잡다 타 남의 기운을 못 펴게 하다.

굽-잡히다 피동 남에게 꼭 쥐이어서 기운을 못 펴게 되다.

굽적 부 황송한 마음으로 남의 앞에 머리를 숙이고 허리를 굽히는 모양. ㅆ꿉적. >곱작. ——-하다 자타여불

굽적-거리다 자타 자꾸 머리를 숙이고 허리를 굽히다. ㅆ꿉적거리다. >곱작거리다. **굽적-굽적** 부. ——-하다 자타여불

굽적-대다 자타 굽적거리다.

굽-정이 명 ①굽게 생긴 물건. ②〔농〕 농기구(農器具)의 하나. 쟁기같되 그보다 작음.

굽젼솔 명 〈옛〉 굽은 소나무. ¶ 山林에 굽젼솔이야 《永言》.

굽-죄이다 자 썩 미안하여 떳떳하지 못하고 기를 펴지 못하다. 겸연한 일이 있어 마음이 어연번듯하지 못하다. ¶ 내가 무슨 굽죄일 일이 있습디까?

굽지[1] 명 〈방〉 구두.

굽지[2] 【—紙】 명 ☞국지.

굽-질리다 자 일이 꼬이어 제대로 안 되다. ¶ 재수없으려니까 자꾸 일이 굽질린다.

굽-창 명 짚신 바닥의 뒤쪽에 대는 가죽 조각.

굽타 왕조 【—王朝】 〔Gupta〕 명 〔역〕 320-550년경에 갠지스 강(Ganges 江) 유역을 중심으로 하여 인도를 통치한 한 왕조. 시조(始祖)는 찬드라 굽타(Chandra Gupta) 1세. 5세기경에는 종교·문화·미술·철학이 번성하고, 특히 간다라 양식을 인도화한 그 불상 조각의 수법(手法)은 이후 전인도를 풍미(風靡)하고 스리랑카·자바에까지 그 영향이 미쳤음. 5세기 중엽에 궁정(宮廷) 내의 불화와 흉노(匈奴)의 침입으로 급속히 쇠퇴, 6세기에 멸망함. 급다(笈多) 왕조.

굽-통[1] 명 마소의 발굽의 몸통.

굽-통[2] 명 화살대의 끝 쪽에 대통으로 싼 윗부분.

굽통-줄 명 〔농〕 나래의 번지 가운데서 두 줄로 갈라 봇줄과 함께 꿰어 잡아 맨 줄.

굽혀-묻기 명 〔고고학〕 시체(屍體) 매장법의 하나. 수족을 굽혀 체위를 쪼그린 자세로 매장하는 일. 굴장(屈葬). 굴신장. 쪼그려묻기.

굽히다 타 ①구푸리게 하다. ¶ 고집을 ~. ②구푸리다. ¶ 허리를 앞으로 ~.

굽힐후다 타 〈옛〉 굽혔다 폈다 하다. 굴신(屈伸)하다. ¶ 또 풀와 구브를 뿌추며 굽힐훠 보라(仍摩捋臂腿屈伸之)《救簡 Ⅰ:60》.

긇다 타 〈옛〉 굽다[1]. ¶ 만히 머구터 봇그며 구버 젼ㅈ 먹더니 《月釋 XXI: 54》.

굿[1] 명 ①〔민〕 무당이 노래나 춤을 추며 귀신에게 치성 드리는 의식. ②연극이나 여러 사람이 모이어 떠드는, 볼만한 구경거리. ——-하다 자여불

【굿 구경을 하려면 계면떡이 나오도록】 무슨 일이든 착수(着手)를 하면 참고 견디어 끝장을 보라는 뜻. 【굿도 볼 겸 떡도 먹을 겸】 겸두겸두 이득을 봄을 이름. 【굿 뒤에 날장구 친다】 일이 끝나거나 결정된 뒤에 쓸데없는 문제를 들고 나와서 중언 부언한다는 뜻. 【굿 들은 무당, 재(齋) 들은 중】 자기가 희망하던 일을 하게 되어 신이 남을 이르는 말. 【굿 본 거위 죽는다】 남의 일에 쓸데없이 끼어 들었다가 봉변을 당할 때 이르는 말. 【굿에 간 어미 기다리듯 한다】 떡을 얻어 가지고 올까 하고 굿에 간 어미를 기다리는 아이처럼, 어떤 일에 희망이 있을 때, 몹시 초조하게 기다린다는 말. 【굿이나 보고 떡이나 먹지】 남의 일에 쓸데없는 간섭을 하지 말고 이익이나 얻자는 말. 【굿하고 싶어도 맏며느리 춤추는 꼴 보기 싫다】 무엇을 하려고 할 때, 미운 사람이 따라 나서 기뻐하는 것이 보기가 싫어 하기를 꺼려한다는 말. 【굿한다고 마음 놓으랴】 정성을 들였다고 해서 그 결과를 걱정하지 않고 안심할 수 없다는 말. 【굿해 먹은 집 같다】 어떤 일이 있은 뒤 갑자기 고요해짐을 이르는 말.

굿[2] 명 ①'구덩이'가 줄어서 변한 말. ②굿단속한 구덩이. ③뫼를 쓸 때에 구덩이 안에 널이 들어갈 만큼 잘 다듬어 놓은 속 구덩이.

굿[3] 〔good〕 명 '좋음'·'훌륭함'·'유쾌함' 등의 뜻.

굿[4] 부 〈옛〉 굳이. ¶ 父母ㅣ 굿 얼우려커늘(父母欲嫁強之)《三綱 李氏感燕》.

굿-거리 명 〔악〕 ①↗굿거리 장단. ②무속(巫俗) 무용이나 승무(僧舞)·검무(劍舞) 등 민속 무용의 반주 음악의 하나. 경기도·충청도·전라도 지방에서, 삼현 육각(三絃六角)으로 연주되며, 장단은 굿거리 장단임.

굿거리 시조 【—時調】 명 〔악〕 굿거리 장단을 도입한 시조.

굿거리 장단 【—長短】 명 〔악〕 ①무당이 굿할 때에 치는 장단. 9박자임. ②장구를 가지고 맞추는 장단의 하나. 느린 4박자임. 1)·2): 준굿거리.

굿것 명 〈옛〉 귀신. 도깨비. ¶ 굿것시 브륨애셔 뒷프람 부느니(魑魅嘯有風) 《杜諺 Ⅰ:21》.

굿-꾸리다 자 광이 무너지지 않도록 장벽(長壁)과 천장에 기둥을 세우다.

굿 나이트 〔Good night〕 감 '안녕히 주무세요'의 뜻의, 밤의 작별 인사.

굿-단속 【—團束】 명 〔광〕 구덩이가 무너지지 않도록 단속하는 일. ——-하다 자여불

굿-덕대 명 〔광〕 한 구덩이의 작업을 감독하는 책임자.

굿 디자인 〔good design〕 명 〔좋은 의장(意匠)의 뜻〕 조형(造形)·기능(技能)이 모두 뛰어나고, 생산성·시장성이 또한 모두 높은 디자인. 1950년 뉴욕 근대 미술관에서 열린 '굿 디자인전(展)' 이후 '굿 디자인 운동'으로 퍼져 나가게 되었음.

굿-막 【—幕】 명 〔광〕 구덩이 밖에 광부의 휴게소로 지어 놓은 작은 집.

굿맨 〔Goodman, Benjamin David〕 명 〔사람〕 미국의 재즈 및 클래식의 클라리넷 연주자·지휘자. 베니 굿맨(Benny Goodman)의 별명으로 악단을 조직, 스윙 재즈의 유행을 가져와, '스윙 왕(swing 王)'으로서 알려짐. 〔1909-86〕

굿-메기다 자 〈방〉 굿꾸리다.

굿 모:닝 〔Good morning〕 감 오전 중에 만났을 때, '안녕하셨습니까'의 뜻으로 하는 인사말.

굿-문 【—門】 명 〔광〕 구덩이의 드나드는 문. 갱구(坑口).

굿-바이 〔Good-bye〕 감 작별할 때, '안녕히 계셔요', '안녕히 가셔요'의 뜻으로 하는 인사말.

굿-반수 명 〔광〕 굿단속을 책임 맡은 사람.

굿-뱀 명 흙구덩이 밑에 모여 사는 작은 뱀. 토도사(土桃蛇).

굿-보다 자 ①굿을 구경하다. ②남의 일에 참여치 않고 보기만 하다.

굿-보허사 【—步虛詞】 명 〔악〕 소보허사.

굿-복 【—服】 명 〔광〕 굿옷.

굿븐 자타 〈옛〉 구푸린. 엎드린. '굿블다'의 활용형. ¶ 굿븐 쥐을 모터 놀이시니(維伏之雉 必令驚飛)《龍歌 88章》.

굿블다 자타 〈옛〉 구푸리다. 엎드리다. ¶ 굿브러셔 請ᄒᆞᄋᆞᆸ노니(伏請)《楞嚴 Ⅲ:112》/굿블 복(伏)《類合 下 3》.

굿블이다 타 〈옛〉 구프리게 하다(使伏). ¶ 煩惱 굿블여 그추터(伏斷煩惱)《妙蓮 Ⅱ:210》.

굿 샷 〔good shot〕 명 테니스에서, 상대방이 받지 못할 만큼 짧게 준 공.

굿-옷 〔굳—〕 명 〔광〕 구덩이 속에서 광부들이 일할 때 입는 옷. 굿복.

굿이어 〔Goodyear, Charles〕 〔굳—〕 명 〔사람〕 미국의 발명가. 1835년 이래, 고무의 품질 개량에 전심하여 1839년에 가황(加黃) 고무, 1852년에 에보나이트를 발명함. 〔1800-1860〕

굿-일 〔—닐〕 명 뫼의 구덩이를 파는 일.

굿-쟁이 명 〈방〉 무당[1](전남·경상).

굿-중 명 〔불교〕 집집으로 꽹과리를 치고 돌아다니며 시주를 청하는 중. 「*걸립(乞粒).

굿중-놀이 명 ①굿중패가 꽹과리를 치면서 요란하게 염불을 하는 일. ②아이들이 시끄럽고 수선스럽게 몰려다니는 일을 비유하는 말.

굿중-패 【—牌】 명 굿중의 무리.

굿-짓다 자 ㅅ불 뫼를 쓸 때 널이 들어갈 자리를 다듬어 만들다.

굿ᄒᆞ야 부 〈옛〉 구태여. =구틔여. ¶ 굿ᄒᆞ야 두시니 마디 못ᄒᆞ여 두엇더니《新語 Ⅷ:1》. 「리오《古時調》.

굿ᄒᆞ여 부 〈옛〉 구태여. = 구틔여. ¶ 굿ᄒᆞ여 光明ᄒᆞᆫ 날 빗츨 더퍼 무슴ᄒᆞ리오《古時調》.

굿히여 부 〈옛〉 구태여. =구틔여. ¶ 굿히여 이리 니롤다(硬道是這們)《朴解 中 57》.

궁[1] 명 〈방〉 구유(경기·강원·황해).

궁[2] 명 〈방〉 공[1].

궁[3] 【弓】 ㊀ 명 활❶. ㊁ 의명 ①중국에서, 활을 쏠 때 과녁까지의 거리를 재는 단위. 1궁은 6척(尺). 현재는 5척임. ②땅의 거리를 재는 단위. 8척(尺)이 1궁. 지금의 약 5척(五尺)으로서 보(步)와 같음.

궁[4] 【弓】 명 성(姓)의 하나. 본관은 토산(兎山) 하나뿐임.

궁[5] 【宮】 명 ①궁전(宮殿). ②대군(大君)·왕자군(王子君)·공주(公主)·옹주(翁主)의 궁전. 궁가(宮家). 궁방(宮房). 방(房). ③사궁(四宮). ④↗궁형(宮刑). ⑤〔악〕 동양 음악의 오음(五音)의 하나. 오음 음계의 주음(主音)임. ⑥〔천〕 천구(天球)의 한 구분(區分). ¶ 황도 십이~. *성수(星宿). ⑦장기에서, 장수(將帥)격 되는 큰 말. '將'자나 '漢'·'楚'자가 새겨져 있음.

【궁 처지기 불 처지기】 장기 둘 때 궁(宮)이 면(面)줄로 내려앉은 것과, 축 처진 남자 생식기는 정상이 아니고 패색(敗色)이 완연한 것이니, 무엇이나 정상 상태가 아니고 볼장 다 본 것을 두고 이르는 말.

궁[6] 【宮】 명 성(姓)의 하나. 우리 나라에는 현존(現存)하지 아니함.

【궁가 박가요】 서로 동아리가 되어 잘 어울리는 사람을 이르는 말.

궁[7] 【窮】 명 ①물건이 다하여 하나도 없음. 곤궁(困窮). ¶ 생활이 ~하다. ②앞길이 막힘. 처리할 도리가 없음. ¶ ~하면 통한다/대답에 ~하다. ③출세하지 못하고 초야에 파묻혀 있음. ——-하다 형여불

【궁한 뒤에 행세를 본다】 간난(艱難)을 당하여야 비로소 그의 본성을 알 수 있다는 말.

궁가[1] 【宮家】 명 〔역〕 왕실(王室)에서 분가(分家)한 왕자·공주(公主)들의 종가(宗家). *궁실(宮室)·궁방(宮房).

궁가[2] 【躬稼】 명 직접 자기가 곡식을 심음. 몸소 농사를 지음. 궁경(躬耕). ——-하다 자여불

궁각【弓角】명 활을 만드는 데 쓰이는 황소의 뿔.

궁각-계【弓角契】명〖역〗활의 재료를 공물로 바치던 계.

궁간-목【弓幹木】명 애끼찌.

궁간-주【弓桿奏】명〖악〗콜 레뇨(col legno). ——-하다 타여불

궁감【宮監】명〖역〗세를 받아들이기 위하여 각 궁(各宮)에서 보내던 사람.

궁강 명〈방〉구멍(함경).

궁개 명〈방〉구멍(함경).

궁객【窮客】명 몹시 궁한 사람.

궁갱 명〈방〉구멍(함경).

궁갱이 명〈방〉구멍(경상·강원).

궁겁다 형〈방〉궁금하다.

궁겅 명〈방〉구멍(함남).

궁-결【宮結】명〖역〗각 궁에 하사(下賜)하던 결세(結稅).

궁경[1]【躬耕】명 ①직접 자기가 농사를 지음. 몸소 논밭을 경작함. 궁가(躬稼). ②임금이 몸소 적전(籍田)을 갊. ——-하다 자여불

궁경[2]【窮經】명 경학(經學)을 깊이 연구함. ——-하다 타여불

궁경[3]【窮境】명 ①생활이 매우 어려운 지경. ②어떤 일에 있어 어찌할 수 없는 곤란한 경우. 궁지(窮地). ¶ ~에 빠지다.

궁계【窮計】명 궁한 끝에 생각해 낸 계책(計策). 궁책(窮策). 말계(末計).

궁고[1]【窮苦】명 더 할 수 없는 괴로움. 절박(切迫)한 괴로움. ——-하다 형여불

궁고[2]【窮孤】명 곤궁하고 의지할 곳이 없이 외로움. ——-하다 형여불

궁곡【窮谷】명 깊은 산골짜기. 유곡(幽谷).

궁곤【窮困】명 생활이 궁하고 곤란함. 곤궁(困窮). ——-하다 형여불. ——-히 부

궁관【宮官】명〖역〗동궁(東宮)에 소속되어 있던 관원.

궁교[1]【穹窖】명 구덩이를 파고 위를 활 모양으로 두두룩하게 만든 움.

궁교[2]【窮交】명 ①남의 궁함을 이용하여 사귐. ②빈궁한 때의 교제. ——-하다 자여불

궁교-배【窮交輩】명 빈곤한 벗. 궁핍한 벗.

궁교 빈족【窮交貧族】명 빈곤한 벗과 친척. ¶ 가산을 헤쳐 ~을 나눠주다.

궁교 포대【穹窖砲臺】명 위를 움과 같이 엄폐하여 만든 포대.

궁구[1] 명〈방〉그네(강원).

궁구[2]【窮究】명 속속들이 깊이 연구함. ——-하다 타여불

궁구[3]【窮寇】명 궁지에 빠진 적.

궁구 막추【窮寇莫追】명 궁지에 빠진 적이나 원수를 모질게 다루면 해를 입으니 건드리지 말라는 뜻. 궁서 막추(窮鼠莫追).

궁구 물박【窮寇勿迫】명 곤궁에 빠진 적을 모질게 핍박하지 말라는 말.

궁군【窮窘】명 곤궁(困窮). ——-하다 형여불

궁굴【窮屈】명 궁하고 막힘. ——-하다 형여불

궁굴다[1] 자〈방〉뒹굴다(경상)

궁굴다[2] 형 그릇이 겉으로 보기보다 속이 너르다. ¶ 그 꿀단지는 ~.

궁굴리다 타 ①너그러이 생각하다. ②순한 말로 용서하다.

궁굴-채 명〖악〗농악에서 장구를 칠 때 왼손에 쥐고 장단을 치는 채. 곧은 대나무 뿌리 막대기에 박달나무를 둥글게 깎아 끼워서 만듦.

궁궁【芎藭】명〖식〗궁궁이.

궁궁-이【芎藭—】명〖식〗[*Angelica polymorpha*] 미나릿과에 속하는 다년초. 줄기 높이 1.5m 가량이고, 근생엽(根生葉)은 장병(長柄), 경엽(莖葉)은 호생하며 삼회(三回) 삼출(三出) 우상 전열(羽狀全裂)하고 열편(裂片)은 달걀꼴 또는 긴 타원형임. 6-9월에 흰 꽃이 복산형(複繖形) 화서로 피고, 과실은 편평한 타원형임. 산지나 골짜기에 나는데 거의 한국 각지에 분포함. 어린 잎은 식용함. 궁궁(芎藭). 운초(芸草). 천궁(川芎). 천궁이.

〈궁궁이〉

궁궐【宮闕】명 임금이 거처하는 집. 궁금(宮禁). 궁위(宮闈). 금궐(禁闕). 대궐(大闕). 자어(紫籞). 궁성(宮城). 제궐(帝闕). 천궐(天闕).
【궁궐 지킨 내관의 상】시름에 잠긴 얼굴에 비유하는 말.

궁궐 도감【宮闕都監】명〖역〗고려 때에, 궁궐의 영건(營建)이나 중수(重修)를 맡은 임시의 관아. 문종(文宗) 20년(1066)과 우왕(禑王) 6년(1380)에 두었음.

궁궐-지【宮闕志】명〖책〗①조선 시대 궁궐의 소재(所在)·건축(建築)·전각의 위치·명칭·연혁 등을 수록한 책. 23대 순조(純祖) 때 편찬에 착수, 왕의 사후에 간행(刊行)된 것으로 추측됨. 5책 사본. ②경복궁(景福宮)·창덕궁(昌德宮)·창경궁(昌慶宮) 등에 관한 기록. 전명(殿名)·당호(堂號)·문호(門號)와, 칸의 수·크기 및 궁장(宮牆)의 연장(延長) 등을 상세히 기술하였음. 3책 사본.

궁귀【窮鬼】명 ①궁한 귀신. ②곤궁(困窮)한 사람을 비유하는 말.

궁귀-탕【芎歸湯】명〖한의〗불수산(佛手散).

궁그 명〈방〉구멍.

궁극【窮極】명 ①극도에 달함. 구극(究極). ②마지막. 구경(究竟). ¶ ~에 가서. ——-하다 형여불

궁극 목적【窮極目的】명〖철〗구극 목적(究極目的)❷.

궁극 무:기【窮極武器】명 수소 폭탄을 장치한 대륙간 탄도탄을, 목표물을 눈 깜짝할 사이에 절멸(絶滅)시키며, 이에 대한 적절한 방어법이 없다는 뜻으로 일컫는 말.

궁극-스럽다【窮極—】형ㅂ불 끝장을 내고야 말 듯이 태도가 극성스럽다. ¶ 찾으려는 박씨도 궁극스럽거니와 숨기는 나 역시 지독하다《作者未詳 : 산천초목》. 궁극-스레【窮極—】부

궁극 원리【窮極原理】[—월—] 명〖철〗구극 원리(究極原理).

궁극-적【窮極的】명관 궁극에 도달하는 모양.

궁글다 형〔중세 : 궁글다〕착 달라붙어야 할 물건이 들떠서 속이 비다. ¶ 장판이 ~/그의 음성은 굵고 궁글어서 옆에 있는 사람에게까지 파동이 오는 듯했던 것입니다《崔貞熙 : 끝없는 낭만》.

궁글-대 [—때] 명 롤러(roller).

궁글 막대 명 길마의 앞가지와 뒷가지를 꿰뚫어 맞춘 나무.

궁금【宮禁】명 궁궐(宮闕). 금궐(禁闕).

궁금-증【—症】[—쯩] 명 궁금하여 답답한 마음. ¶ ~을 풀어 주다.

궁금-하다 형여불〔근대 : 궁굼ᄒᆞ다〕①내막(內幕)을 몰라서 마음이 답답하다. ¶ 결과가 ~. ②걱정이 되어 마음이 안 놓이다. ¶ 소식이 없으니 ~. ③속이 출출하여 무엇이 먹고 싶다. ¶ 입이 ~. 궁금-히 부

궁기[1] 명〈방〉구멍(함남·제주).

궁기[2]【窮氣】[—끼] 명 궁상(窮相)이 낀 모양. ¶ 얼굴에 ~가 흐르다.

궁-끼다【窮—】자 궁상이 끼다.

궁남【窮南】명 극남(極南).

궁납【宮納】명〖역〗각 궁(各宮)에 바치는 세(稅).

궁낭【宮囊】명〖역〗음력 정월 첫 해일(亥日)에 임금이 근신(近臣)들에게 하사(下賜)하던 비단 주머니. 해낭(亥囊). 돼지주머니.

궁내【宮內】명 대궐의 안. 궐내(闕內). 금내(禁內).

궁내-부【宮內府】명〖역〗조선 시대 때, 왕실에 관한 모든 일을 맡아 보던 관아. 고종(高宗) 31년(1894) 갑오 경장(甲午更張) 때 설치하여 순종(純宗) 융희(隆熙) 4년(1910)까지 있었음.

궁내부 대:신【宮內府大臣】명〖역〗궁내부의 으뜸 벼슬. 궁상(宮相). 준 궁대(宮大)·내대신(內大臣).

궁내부 일기【宮內府日記】명〖책〗궁내부에서 기록된 일기. 1894년 11월 1일부터 1895년 3월 30일까지로 되어 있음. 고종 31년(1894)에 승선원(承宣院)을 없애고 그 사무를 궁내부로 옮겼는데, 이 일기는《승선원 일기(承宣院日記)》에 이어서 쓴 기록임.

궁내부 협판【宮內府協辦】명〖역〗궁내부(宮內府)의 버금 벼슬. 준 궁협(宮協).

궁녀【宮女】명〖역〗궁궐 안에서 대전(大殿)·내전(內殿)을 가까이 모시는 내명부(內命婦)의 통칭. 나인. 궁인(宮人). 궁첩(宮妾). 시녀(侍女). 궁빈(宮嬪). 궁아(宮娥). 여관(女官). 홍수(紅袖).

궁년 누:세【窮年累世】명 본인의 일생과 자손의 대대.

궁노[1]【弓弩】명 활과 쇠뇌.

궁노[2]【宮奴】명〖역〗궁가(宮家)의 노복(奴僕). 궁노자(宮奴子).

궁-노루 명〖동〗사향노루.

궁-노비【宮奴婢】명〖역〗고려 이후 궁중에 딸렸던 노비(奴婢). 관노비(官奴婢)의 일종으로 궁중의 공역(供役)·내구(內廐)의 잡역(雜役)을 맡아 보았음. 궁노비가 극심하였던 충혜왕(忠惠王) 복위 2년(1341)에는 선상(選上) 노비·투탁(投托) 노비·사여(賜與) 노비·매매(賣買) 노비 등을 민간에서 징발하고, 그 중 우수한 자를 선발하여 궁노비로 삼았음. 당시 막대한 수의 궁노비가 있었음을 추측할 수 있으며, 조선 시대 때에는 공천(公賤)으로 계승되었음. 내노비(內奴婢).

궁노-수【弓弩手】명〖역〗활·쇠뇌를 쏘던 군사.

궁-노자【宮奴子】명〖역〗궁노(宮奴).

궁-단속【宮團束】명 장기 둘 때에, 궁의 둘레를 경계하여 지킴. ——-하다 자여불

궁달【窮達】명 빈궁(貧窮)과 영달(榮達). 궁통(窮通).

궁답【宮畓】명〖역〗각 궁(宮)에 속한 논.

궁당-짝 명〈방〉궁둥짝.

궁대[1]【弓袋】명 활집.

궁대[2]【宮大】명〖역〗↗궁내부 대신(宮內部大臣).

궁덩이 명〈방〉궁둥이(강원·전남·경북).

궁뎅이 명〈방〉궁둥이.

궁도[1]【弓道】명 ①궁술(弓術)을 닦는 일. ②활 쏘는 데 지켜야 할 여러 가지 도의(道義).

궁도[2]【宮圖】명 (바둑에서) 돌이 에워 싸고 있는 공간의 모양새.

궁-도[3]【窮島】명〖지〗경상 남도의 남해상(南海上), 마산시(馬山市) 진동면(鎭東面) 고현리(古縣里)에 위치한 섬. [$0.07\,km^2$]

궁도[4]【窮途】명 곤궁(困窮)한 경우(境遇). 곤궁한 처지.

궁-도련님【宮—】[—또—] 명 ①반지빠르고 거만한 궁가(宮家)의 젊은 사람. ②호강스럽게 자라나서 세상의 어려운 일을 잘 모르는 사람. 취음:宮道令.

궁-도령【宮道令】[—또—] 명 '궁도련님'의 취음.

궁도령-님【宮道令—】[—또—] 명 '궁도련님'의 취음.

궁동【窮冬】명 마지막 겨울철. 곧 음력 섣달. 궁음(窮陰).

궁-둔전【宮屯田】명〖역〗각 궁(宮)에 속한 둔전(屯田).

궁둥-방아 명 ☞ 엉덩방아.

궁둥-배지기 명 씨름에서, 궁둥이를 돌리어 대고 몸을 비틀어, 다리로 감아서 넘어뜨리는 재간.

궁둥이 명〔근대 : 궁둥이〕①주저 앉아서 바닥에 붙는 엉덩이의 아랫 부분(部分). ¶ 여자 ~를 좇아다니다. ②옷에서, 궁둥이가 닿는 부분. ¶ 바지 ~가 해지다.
【궁둥이에서 비파(琵琶) 소리가 난다】분주하게 이리저리 다니다 보니 조금도 쉴 사이가 없다는 말.
궁둥이가 가볍다 구 한 자리에 오래 있지 못하고 이내 자리를 뜨다.
궁둥이가 무겁다 구 ㉠동작이 굼뜨고, 오랫동안 앉아 있는 성미를 가지다. 밑이 질기다. ㉡차분하게 버티어, 좀처럼 움직이려 하지 않는 상태이다.
궁둥이가 질기다 구 궁둥이가 무겁다.
궁둥이를 붙이다 구 ㉠궁둥이를 바닥에 대고 앉다. ㉡생활 터전을 잡아 안정하다.

궁둥이 내:외【—內外】명 여자가 남자와 마주쳤을 때 슬쩍 돌아서서 피하는 짓. 멀리 피하는 것이 아니고 궁둥이만 돌려서 내외한다는 뜻.

──-하다 자여불

궁둥이-뼈 명 《생》 하지대(下肢帶)를 이루는 한 쌍의 큰 뼈. 골반을 형성함. 장골(腸骨)·좌골(坐骨)·치골(恥骨)의 세 부분으로 이루어짐. 무명골(無名骨). 관골(髖骨). 관비(髖髀).

궁둥잇-바람 명 신이 나서 궁둥잇짓을 하는 기세.

궁둥잇-짓 명 걸음이나 춤을 출 때 궁둥이를 내흔드는 짓. ──-하다 자여불

궁둥-짝 명 궁둥이의 좌우 두 짝. *볼기짝.

궁디 명 〈방〉 궁둥이(경상).

궁딩이 명 〈방〉 궁둥이(충남·경상).

궁듸 명 〈옛〉 궁대(弓袋). 활집. ¶ 궁듸 고(櫜)/궁듸 건(鞬)/궁듸 독(韣)/궁듸 탕(韔)《字會 中 29》.

궁-따다 자 시치미를 딱 떼고 딴소리를 하다.

궁-떨다【窮一】 자 ☞ 궁상 떨다.

궁뚱망뚱-하다 형여불 궁벽(窮僻)하고 너절하다.

궁랍【窮臘】[一납] 명 한 해의 마지막 때. 연말(年末).

궁려【穹廬】[一녀] 명 ①천막(天幕)으로 지은 집. ②가난한 집.

궁례【宮隷】[一녜] 명 《역》 각 궁의 하인. 궁액(宮掖). 「또, 그 사람.

궁로【窮老】[一노] 명 ①곤궁과 늙은 나이. 곤궁한 노인. ②매우 늙음.

궁료【宮僚】[一뇨] 명 《역》 ①세자 시강원(世子侍講院)의, 보덕(輔德) 이하의 벼슬아치의 총칭. ②동궁(東宮)에 속한 모든 관료.

궁료-소【宮僚疏】[一뇨一] 명 《책》 궁료(宮僚)가 올린 상소(上疏)를 시강원(侍講院)에서 등사하여 보존한 책. 조선 현종 11년(1670)부터 영조(英祖) 12년(1736)까지 즉, 숙종(肅宗)으로부터 경종(景宗)·영조·장조(莊祖) 및 정조(正祖)가 세자로서 동궁에 있을 때까지 받은 상소임. 5책 사본.

궁루【宮漏】[一누] 명 《역》 궁중(宮中)의 물시계. 금루(禁漏).

궁륭【穹窿】[一늉] 명 ①한가운데가 제일 높고 사방 주위는 차차 낮아진 하늘 형상. ②활이나 무지개같이 높고 길게 굽은 형상. ③둥근 천장.

궁륭-형【穹窿形】[一늉一] 명 궁륭(穹窿) 모양의 형상. 돔(dome).

궁리¹【宮裏】[一니] 명 대궐 안. 궁중.

궁리²【窮理】[一니] 명 ①사리를 깊이 연구함. ②좋은 도리를 발견하려고 곰곰 생각함. ¶ 아무리 ~해도 좋은 수가 없다. ③중국 송(宋)나라의 정이(程頤)가 제창하고 주자(朱子)가 완성시킨, 주자학 수양(修養)의 안목(眼目). 사물의 하나하나의 도리를 밝혀 내고 이에 일관(一貫)하는 천리(天理)를 발견하려는 것임. *거경(居敬). ──-하다 타여불

궁리-궁리【窮理窮理】[一니一니] 부 궁리(窮理)에 또 궁리를 거듭하는 모양. 몹시 궁리하는 모양. ──-하다 타여불

궁마【弓馬】명 ①활과 말. ②활 쏘고 말 달리는 일. 궁술과 마술.

궁마지-간【弓馬之間】명 활 쏘고 말 달리는 곳. 곧 전쟁터. 전장(戰場).

궁마지-재【弓馬之才】명 활 쏘고 말 타는 재주.

궁명【窮命】명 운명이 궁함. ──-하다 형여불

궁묘【宮廟】명 선조(先祖)를 모신 사당(祠堂). 종묘(宗廟).

궁-무소불위【窮無所不爲】명 궁하면 무엇이든지 한다는 뜻으로, 사람이 살기 어려우면 예의 염치를 가리지 않음을 이르는 말.

궁문¹【宮門】명 궁전의 문. 궐문(闕門). 천궐(天闕).

궁문²【窮問】명 엄중히 신문 조사함. ──-하다 타여불

궁문-랑【宮門郞】[一낭] 명 《역》 고려 때 동궁(東宮)에 속한 종육품 벼슬. 문종(文宗) 22년(1068)에 둠.

궁민【窮民】명 빈궁(貧窮)한 백성.

궁박【窮迫】명 곤궁이 절박함. 몹시 곤궁함. ¶ 재정적으로 몹시 ~하다. ──-하다 형여불. ──-히 부

궁반【窮班】명 빈궁(貧窮)한 양반.

궁발【窮髮】명 북극(北極) 지방의 초목(草木)이 나지 않는 땅.

궁방¹【弓房】명 ①활을 만드는 곳. ②《역》 조선 시대 때, 군기시(軍器寺)에서 활과 활촉을 만드는 공장(工匠)이 있던 곳.

궁방²【宮房】명 《역》 궁실(宮室)과 궁가(宮家)의 통칭.

궁방 둔전【宮房屯田】명 《역》 사궁 장토(司宮庄土).

궁방-전【宮房田】명 《역》 궁방에서 세를 받는 논밭. 사궁 장토(司宮庄土).

궁-밭【宮一】명 장기에서, 궁(宮)을 중심으로 한 여덟 개의 밭. 그 복판에 궁이 자리잡음.

궁벌【宮罰】명 《역》 궁형(宮刑).

궁범【躬犯】명 자기가 몸소 범한 죄. 자신이 직접 저지른 죄.

궁벽¹【宮辟】명 《역》 궁형(宮刑). 「──-히 부

궁벽²【窮僻】명 매우 후미지고 으슥함. ¶ ~한 시골. ──-하다 형여불.

궁벽-스럽다【窮僻一】형ㅂ불 궁벽한 기미가 있다. 궁벽하게 보이다.

궁벽-스레【窮僻一】부

궁복【弓福】명 《사람》 장 보고(張保皐)의 별명(別名).

궁부¹【宮府】명 조정(朝廷). 궁중(宮中)과 부중(府中).

궁부²【窮蔀】명 빈궁(貧窮)한 사람의 집.

궁-부인【宮夫人】명 《역》 고려 국초(國初) 때 후비(后妃) 이하의 칭호.

궁북【窮北】명 극북(極北).

궁빈【宮嬪】명 《역》 궁녀(宮女).

궁사¹【弓師】명 ①활을 만드는 사람. ②활잡이.

궁사²【宮事】명 궁중(宮中)의 모든 일.

궁사³【宮詞】명 《문》 중국에서, 궁정 내부의 비사(祕事)나 유문(遺聞)을 칠언 절구(七言絕句)의 형식에 의해서 읊은 시의 한 체.

궁사⁴【窮士】명 곤궁한 선비.

궁사⁵【窮死】명 몹시 곤궁해서 죽음. 생활고(生活苦)나 병고(病苦) 따위로 죽음. ──-하다 자여불

궁사⁶【窮奢】명 대단한 호사. 더없이 호사스러운 모양. ──-하다 형여불

궁사 극치【窮奢極侈】명 사치(奢侈)가 극도에 달함. 몹시 사치함. ¶ 응접실은 ~를 다하여서 장치해 놓았다. ──-하다 형여불

궁사 남:위【窮思濫爲】명 궁하면 아무 짓이나 함. ──-하다 자여불

궁사 멱득【窮思覓得】명 궁심 멱득(窮心覓得). ──-하다 타여불

궁사 무척 명 〔←공사 무척(孔蛇無尺)〕 구멍에 든 뱀의 길이가 긴지 짧은지 알 수 없다는 뜻에서, 사람의 마음이나 재주는 세상에 드러나지 않기 때문에 헤아리기 어렵다는 말.

궁사-전【宮司田】명 《역》 고려 말기에, 왕실 소유의 사유지(私有地). 사궁 장토(司宮庄土). *내장전(內莊田·內庄田)·내수사전(內需司田)·창고전(倉庫田).

궁상¹【弓狀】명 활 모양의 형상.

궁상²【宮相】명 《역》 궁내부 대신(宮內府大臣).

궁상³【宮商】명 《악》 궁(宮)과 상(商)의 소리. 전(轉)하여, 음률(音律).

궁상⁴【窮狀】명 곤궁(困窮)한 상태(狀態). 궁핍한 형상. 궁태(窮態). ¶ 이재민의 ~은 실로 형언할 수가 없다.

궁상(을) 떨:다 구 자기 스스로가 궁상을 드러나 보이게 행동하다.

궁상⁵【窮相】명 궁하게 생긴 상격(相格). 빈상(貧相).

궁-상-각-치-우【宮商角徵羽】명 《악》 오음(五音)의 각 명칭. 음악상의 선율에 의한 배열. 궁을 주음(主音)으로 하고, 궁의 위 오도음(五度音)을 치, 치의 위 오도음을 상, 상의 위 오도음을 우, 우의 위 오도음을 각이라 함.

궁상-맞다【窮狀一】형 밉살스럽게 궁상스럽다. 초라하고 꾀죄죄하다. ¶ 궁상맞은 얼굴.

궁상-스럽다【窮狀一】형ㅂ불 궁상이 드러나 보이다. 보기에 궁상맞다.

궁상-스레【窮狀一】부

궁상하일이지-보【宮上下一二之譜】[一리一] 명 《악》 오음 약보(五音略譜)에서 중심음인 궁(宮)의 위아래를 상일(上一)·상이(上二), 또는 하일(下一)·하이(下二) 등으로 나타내는 방법.

궁색¹【窮色】명 곤궁한 모습. 곤궁한 빛.

궁색²【窮塞】명 몹시 곤궁하고 군색함. ¶ 생활이 ~하다. ──-하다 형여불. ──-히 부

궁생【窮生】명 《불교》 삼계(三界)로 유전(流轉)하며 궁하게 살아 가는 중생. *궁자(窮子).

궁-생원【窮生員】명 곤궁한 서생. 궁유(窮儒).

궁서【窮鼠】명 쫓겨서 궁경에 빠진 쥐.

[궁서가 고양이를 문다] 처지가 궁박한 사람은, 조심하여 그 이상 괴롭히지 말라는 말.

궁서 막추【窮鼠莫追】명 궁구 막추(窮寇莫追).

궁서 설묘【窮鼠齧猫】명 사지(死地)에 몰린 쥐는 죽기로 한하고 고양이를 깨묾. 곧, 궁지에 몰린 약자가 강적(強敵)에게 필사적으로 반항함의 비유. 곤수 유투(困獸猶鬪).

궁설【窮說】명 궁한 형편을 이야기함. 또, 궁기(窮氣)가 끼인 말. ──-하다 자여불

궁성¹【宮省】명 《역》 ①궁중의 관서(官署). 상서성(尙書省) 따위. ②궁중(宮中).

궁성³【宮聲】명 《악》 오음(五音) 중의 궁의 소리. 전(轉)하여 음악.

궁성²【宮城】명 ①궁궐(宮闕)을 싸고 있는 성벽(城壁). 궁장(宮牆). 금성(禁城). ②임금이 거처하는 궁전. 궁궐(宮闕).

궁-세¹【宮稅】[一쎄] 명 《역》 각 궁가(宮家)에서 받아들이는 세.

궁세²【窮勢】명 곤궁한 형세. 곤궁한 형편. ¶ ~에 몰리다.

궁소-산【芎蘇散】명 《한의》 아이 밴 여자의 감기에 쓰는 약. 천궁(川芎)과 소엽(蘇葉) 등을 재료로 하여 만듦.

궁-소임【宮所任】[一쏘一] 명 《역》 각 궁(宮)의 하급 원역(員役).

궁속【宮屬】명 《역》 각 궁에 속하여 있는 원역(員役) 이하의 종.

궁수¹【弓手】명 《역》 활 쏘는 군사. *사수(射手).

궁-수²【宮繡】[一쑤] 명 궁녀가 놓은 수.

궁수³【窮愁】명 곤궁하여 겪는 근심. 곤궁하여 생기는 근심.

궁수⁴【窮數】[一쑤] 명 궁핍한 운수(運數).

궁수분-곡【窮獸奔曲】명 《문》 정도전(鄭道傳)이 지은 송축가(頌祝歌)의 하나. 조선 태조 2년(1393)작. 태조가 왜구(倭寇)를 물리친 공을 송영(頌詠)함. 《악장 가사(樂章歌詞)》·《악학 궤범(樂學軌範)》에 전함.

궁-수세【宮一】명 〈방〉 궁장식(宮裝飾).

궁수-자리【弓手一】명 〔라 Sagittaris〕 《천》 별자리의 하나. 황도(黃道)상의 제10 성좌임. 태양은 12월 20일에 이 별자리에 들어가서 1월 20일경에 나옴. 늦여름의 초저녁에 남중(南中)함. 사수좌(射手座). 약자: Sgr.

궁술【弓術】명 활 쏘는 기술. 사(射).

궁술 대:회【弓術大會】명 활쏘기의 실력을 겨루는 대회.

궁술-사【弓術師】[一싸] 명 궁술을 가르치는 스승.

궁시【弓矢】명 활과 화살. 궁전(弓箭).

궁시-도【弓矢島】명 《지》 충청 남도의 서해상, 태안군(泰安郡) 근흥면(近興面) 가의도리(可誼島里)에 위치한 섬. [0.16km²]

궁시-무【弓矢舞】명 《역》 둑제(纛祭) 때 추는 춤의 한 가지. 악생(樂生) 스물 세 사람 가운데 네 사람이 각각 한 손에 활, 한 손에 화살을 쥐고 춤. *간척무(干戚舞).

궁실【宮室】명 《역》 왕과 선왕(先王)의 가족 집안. 대왕 사친궁(大王私親宮)·세자(世子) 사친궁과 수진궁(壽進宮)·명례궁(明禮宮)·어의궁(於義宮)·용동궁(龍洞宮), 그리고 임금의 후궁·왕자·공주 등이 사는 궁(宮) 따위가 있음.

궁심【窮心】명 정신을 이리저리 씀. 힘을 다함.

궁심 멱득【窮心覓得】명 온갖 힘을 다 들이어, 매우 고생한 끝에 간신히 찾아 냄. 궁사 멱득(窮思覓得). ¶ 죽을 애를 다 쓰고 ~하여 행으로 지금 다시 만났으니…《作者未詳: 산천 초목》. ──-하다 타여불

궁싯-거리다 자 몸을 이리저리 뒤척거리다. ¶ 현주 생각을 하며 궁싯거리고 있을 것만 같이 여겨진다《鄭飛石: 靑春의 倫理》. 궁싯-궁싯 부. ¶ 좀 어색한 듯…… 미란을 똑바로 바라보지 못하며 ~ 저 혼자 움직였다《李孝石: 花粉》. ──-하다 자

궁아¹【窮餓】명 궁하여 굶주림. 또, 그런 사람.

궁아²【宮娥】명 궁녀(宮女).

궁아-장【宮娥章】[一짱] 명 《악》 용비 어천가의 제17장(章)의 이름.

궁액¹【宮掖】명 《역》 ①제왕의 궁전. 신액(宸掖). ②각 궁에 속하여 있는

하인. 궁례(宮隷).
궁액²【窮厄】명 재액(災厄)으로 고생함. ——-하다 자여불
궁여 일책【窮餘一策】명 매우 궁박하여 어려운 끝에 짜 낸 한 가지 꾀. 궁여지책.
궁여지-책【窮餘之策】명 궁여 일책(窮餘一策).
궁역【宮域】명 궁전의 구역.
궁영 명〈방〉구멍(강원).
궁예【弓裔】명〖사람〗마진(摩震)·태봉(泰封)의 왕. 승호(僧號)는 선종(善宗). 신라 47대 헌안왕(憲安王) 또는 48대 경문왕(景文王)의 서자라고도 함. 신라 진성 여왕(眞聖女王) 5년(891)에 북원(北原)에서 반기를 들고 일어나, 광화(光化) 원년(898)에 송도에 도읍을 정하고, 901년에 자칭 왕이 되어 국호를 후고구려·마진(摩震)·태봉 등으로 정하고 뒤에 서울을 철원(鐵圓)으로 옮김. 918년에 왕건(王建)에게 쫓기어 달아나다가 토민(土民)에게 피살됨. 궁왕(弓王). [? -918]
궁온【宮醞】명 임금이 내리는 술.
궁옹【宮翁】명〖역〗신라 때, 촌도전(村徒典)·고역전(尻驛典)·좌산전(坐山典) 등의 벼슬 이름.
궁왕【弓王】명〖사람〗'궁예(弓裔)'의 별칭.
궁외【宮外】명 궁전의 밖. ↔궁내(宮內).
궁요【弓腰】명 활처럼 굽은 허리.
궁우¹【宮宇】명 궁궐(宮闕), 대궐(大闕).
궁우²【宮羽】명〖악〗오음(五音) 중, 궁성(宮聲)과 우성(羽聲).
궁원¹【宮苑】명 궁중(宮中)의 정원(庭園). 또, 궁(宮)과 원(苑).
궁원²【宮垣】명 담. 장원(牆垣).
궁원³【宮園】명 궁전의 정원(庭園).
궁원 식례【宮園式例】[—녜] 명〖책〗조선 영조(英祖) 29년(1753)에, 구윤명(具允明) 등이 왕명으로 편찬한 육상궁(毓祥宮)·소령원(昭寧園)에 대한 여러 가지 의식 예절을 정한 책. 1책 사본.
궁원-전【宮院田】명〖역〗고려 때 공해 전시(公廨田柴)의 일종. 비빈(妃嬪) 또는 왕자의 궁원(宮院)에 속하여 그 경비에 충당하던 전토(田土). 세습지이며, 세습되는 사이에 거의 사유지화(私有地化) 되었음. 궁전(宮田).
궁-월【弓鉞】명 활과 도끼.
궁위¹【宮衛】명 ①궁전의 수위(守衛). ②궁중(宮中).
궁위²【宮闈】명 ①궁중의 내전(內殿). ②궁궐(宮闕).
궁위-령【宮闈令】명〖역〗조선 시대 때 종묘(宗廟) 제사에서 왕후(王后)의 신주(神主)를 받드는 관원. 처음에는 조관(朝官)으로 시키다가 태종(太宗) 15년(1415)에 고치어 환관(宦官)으로 시킴.
궁위-승【宮闈丞】명〖역〗고려 때 내시부(內侍府)의 정팔품 벼슬.
궁유【窮儒】명 곤궁한 선비. 궁생원(窮生員).
궁음【窮陰】명 궁동(窮冬).
궁의¹【弓衣】[—/—이] 명 활집. 궁건(弓鞬).
궁의²【宮衣】[—/—이] 명 궁신(宮臣)이 입는 옷.
궁이 명〈방〉①구유¹(평안). ②궤(강원·평안).
궁인¹【弓人】명 ①활을 만드는 것으로 업을 삼는 사람. 조궁장(造弓匠)이. ②활을 쏘는 사람. 궁수(弓手). 궁사(弓師).
궁인²【宮人】명〖역〗궁녀(宮女). 나인. 여관(女官).
궁인³【窮人】명 곤궁한 사람.
궁인 모사【窮人謀事】명 운수가 궁한 사람이 꾸미는 일은 모두 실패한다는 뜻으로, 일이 뜻대로 이루어지지 않음을 가리키는 말.
[궁인 모사는 계란에도 유골(有骨)] 운수가 궁한 사람은 하는 일마다 마가 끼어 안 된다는 말.
궁인-직【宮人職】명〖역〗궁인(宮人), 특히 정오품 상궁(尙宮) 이하의 궁녀의 직무(職務). 또, 직무 있는 궁녀의 직위.
궁일지-력【窮日之力】[—찌—] 명 아침부터 저녁까지 온 종일 일함. ——-하다 자여불
궁자【窮子】명〖불교〗법화경(法華經) 신해품(信解品)에 나오는 빈궁한 자식. 장자(長者)의 아들이 도망하여, 여기저기 유랑(流浪)하다가, 제 집 앞에 이르니, 장자가 제 아들인 줄 알고, 맞아들이어 전재산을 물려 주었다는 이야기인데, 석가(釋迦)는 불성(佛性)을 잃어버린 중생(衆生)이 삼계(三界)를 유전(流轉)하고 있음을, 부처가 자비 방편(慈悲方便)으로 인도하여 법화(法華)의 묘법(妙法)을 가르치어 정도(正道)를 깨닫게 하는 것이라고 비유하였음.
궁장¹【宮庄】명〖역〗각 궁에 예속되어 있는 논밭. 궁전(宮田).
궁장²【宮牆】명 궁성(宮城)❶.
궁-장식【宮裝飾】명 장기 둘 때, 궁(宮)을 안전하게 하기 위하여, 그 주위에 포(包)·차(車)·마(馬) 등을 배치하는 일. ——-하다 자여불
궁-장이【弓匠—】명 ↗조궁장이.
궁-장토【宮庄土】명〖역〗사궁 장토(司宮庄土).
궁저구 명〈방〉군두.
궁저긋 구멍 명〈방〉군둣 구멍❶.
궁전¹【弓箭】명 활과 화살. 궁시(弓矢).
궁전²【宮田】명〖역〗각 궁에 속한 논밭. 궁장(宮庄). 궁원전(宮院田).
궁전³【宮前】명 궁전(宮殿)의 앞.
궁전⁴【宮殿】명 제왕(帝王)이 사는 궁. 대궐. 궁침(宮寢). 전사(殿舍).
궁전-복【宮殿服】명 궁전에서 입는 옷.
궁전지-사【弓箭之士】명 무사(武士).
궁전-촌【宮田村】명〖역〗주민이 주로 궁방전(宮房田)을 경작하는 마을.
궁절【窮節】명 묵은 곡식은 다 떨어지고, 새 곡식은 아직 익지 아니한 곤궁한 시절. *궁춘(窮春).
궁정¹【弓旌】명 활과 기(旗).
궁정²【宮廷】명 천자(天子)나 국왕(國王)의 거처. 대궐. 궐내(闕內). 금액(禁掖). ¶ ~ 시인(詩人).
궁정³【宮庭】명 대궐 안의 마당.
궁정 문학【宮廷文學】명〖문〗궁중 문학(宮中文學).
궁정 서:사시【宮廷敍事詩】명〖문〗서사시의 하나. 중세 봉건 제후(封建諸侯)의 궁정을 중심으로 한 이야기를 소재로 한 서사시.
궁정 시인【宮廷詩人】명〖문〗17세기 영국에 있어서 왕당파(王黨派)에 속했던 서정(抒情) 시인. 그들 작풍(作風)의 특색은 경쾌하면서도 퇴폐적(頹廢的)인 데 있음.
궁정-악【宮廷樂】명〖악〗궁정에서 연주하는 음악. 궁중 음악.
궁정 정치【宮廷政治】명 궁중 정치.
궁정 화:가【宮廷畫家】명 궁정에 전속되어 있던 화가.
궁제기-서대 명〖어〗[*Zebrias zebra*] 양서댓과에 속하는 바닷물고기. 몸길이 30cm 가량으로 두 눈이 몸의 오른쪽에 있는데, 그 쪽의 몸빛은 회담색 바탕에 흑색 가로띠가 있음. 꼬리지느러미에는 흑색 바탕에 고운 등황색 무늬가 있고, 등지느러미와 뒷지느러미는 서로 융합되어 있음. 한국 서남부 연해·일본 남부·동중국해 및 대만 연해에 분포함. 식용함.
궁조¹【宮調】명〖악〗아악(雅樂)의 조 중에서 가장 기본적인 것. 오음(五音) 또는 칠음(七音)의 제일음인 궁음(宮音)으로 시작하여 궁음으로 끝나는 음계.
궁조²【窮鳥】명 쫓기어 도망할 곳이 없는 곤경에 빠진 새.
궁-조대【窮措大】명 곤궁하고 청빈(清貧)한 선비.
궁조 입회【窮鳥入懷】명 쫓긴 새가 품 안에 날아든다는 뜻으로, 궁한 사람이 와서 의지함의 비유.
궁족【弓足】명 활 모양으로 굽은 데서, 전족(纏足)한 여자의 발.
궁죄【宮罪】[—죄] 명〖역〗궁형(宮刑)에 해당하는 죄.
궁주¹【弓奏】명 [이 arco]〖악〗바이올린 등의 현악기(絃樂器)를 활로 켜서 연주함. ——-하다 자여불
궁주²【宮主】명〖역〗①고려 때 비빈(妃嬪)의 한 명칭. 충선왕(忠宣王) 때에 옹주(翁主)로 고침. ②고려 때 왕녀(王女)의 한 칭호. ③조선 시대 때도 처음에 고려의 예를 좇아 비빈·왕녀의 칭호에 이 이름을 썼으나, 세종(世宗) 4년(1422)부터 비빈의 칭호로만 쓰기로 고치고, 다시 세종 10년에는 빈(嬪)·귀인(貴人) 등의 내관(內官)의 칭호가 상정(詳定)됨에 따라 비빈의 칭호에도 이 이름을 쓰지 않게 됨.
궁중【宮中】명 대궐 안. 금중(禁中). 궐내(闕內). 궁성(宮省). 궐액(闕掖). 전중(殿中). 궁리(宮裏).
궁중-말【宮中—】명 궁중어(宮中語).
궁중-무【宮重—】명〖식〗무의 한 가지. 반쯤은 땅 위로 솟음. 살이 연하고 물기가 많고 달며, 수확량이 많음.
궁중 무:용【宮中舞踊】명 궁중에서 추워 오던 춤. 향악무(鄕樂舞)와 당악무(唐樂舞)가 있음.
궁중 문학【宮中文學】명〖문〗궁궐(宮闕) 안에서 일어난 일을 소재로 하였거나 또는 궁중의 귀인(貴人)이 지은 작품(作品). 우리 나라의 대표적 궁중 문학에는 혜경궁 홍씨(惠慶宮洪氏)의 《한중록(恨中錄)》이 있음. 궁정 문학(宮廷文學).
궁중-어【宮中語】명 대궐 안에서만 독특하게 쓰이던 말. 똥을 '매화', 점심을 '낫수라', 버선을 '족건(足件)'이라고 하는 것 등. 궁중말.
궁중 음악【宮中音樂】명〖악〗궁정악(宮廷樂).
궁중 정재 무:도 홀기【宮中呈才舞圖笏記】명 정재 무도 홀기(呈才舞圖笏記).
궁중 정치【宮中政治】명 궁정의 귀족 또는 궁정의 각료에 의하여 행하여지는 정치. 궁정 정치(宮廷政治).
궁지¹ 명〈방〉구멍(제주).
궁지²【宮趾·宮址】명 궁터.
궁지³【窮地】명 궁경(窮境)❶❷. ¶ ~에 몰리다.
궁진¹【躬進】명 자기가 몸소 나아감. ——-하다 자여불
궁진²【窮盡】명 ①마지막으로 다하여 없어짐. ②몹시 궁함. ——-하다 형여불
궁차【宮差】명〖역〗조선 때, 궁가(宮家)에서 파견하여 보내는 원역(員役). 장토(庄土)의 소작 관계에 있어서 소작료를 징수·상납하는 일을 담당하였음.
궁-차지【宮差知】명〖역〗각 궁가(宮家)의 사무를 맡아 처리하던 사람.
궁창【穹蒼】명 높고 푸른 하늘. ¶하나님이 ~을 만드사《구약 창세기 Ⅰ:7》.
궁창 분합【—分閤】명〖건〗아래쪽에 널을 댄 네 짝 중에서 가운데의 두 짝만 여닫게 되고, 양쪽의 두 짝은 떼어서 달지 못하게 된 분합.
궁창-초【—草】명〖건〗문짝에 그린 단청(丹靑).
궁책【窮策】명 궁계(窮計).
궁척【弓尺】명〖역〗①신라 때, 활 쏘던 군사. ②한량(閑良).
궁천 극지【窮天極地】명 하늘·땅과 같이 끝간데가 없음. ——-하다 형여불
궁첩【宮妾】명 궁녀(宮女).
궁체¹【弓體】명 활을 쏠 때의 몸의 자세.
궁체²【宮體】명 ①조선 시대에, 궁녀(宮女)들이 쓰던 한글의 글씨체. 선이 맑고 곧으며 단정하고 아담한 점이 특징임. 한글 글씨로는 이를 정통으로 보고 있음. ②중국 육조의 말기 및 양(梁)·당초(唐初)에 유행된 기염(綺艶)한 시체(詩體).
궁초【宮綃】명 비단의 한 가지. ¶ ~ 댕기.
궁초 댕기¹【宮綃—】명 궁초로 만든 댕기.
궁초-댕기²【宮綃—】명〖악〗함경도 민요의 하나. 장단은 볶는 타령(打令).
궁촌【窮村】명 가난하여 살기 어려운 마을.
궁촌 벽지【窮村僻地】명 궁촌(窮村)과 벽지(僻地).
궁추【窮追】명 ①끝까지 쫓아감. ②추궁(追窮). ——-하다 타여불

궁축【窮蹙】명 궁하고 어려워 죽치고 들어앉아 있음. ——-하다 자여불

궁춘【窮春】명 묵은 곡식은 다 떨어져 가고 보리는 아직 익지 아니하여, 농민이 곤궁하게 지내는 봄철. 춘궁(春窮). 보릿고개. 궁절(窮節).

궁치【宮徵】명〖악〗오음(五音) 중의 궁과 치의 두 음. 전(轉)하여, 음률.

궁침【宮寢】명 궁전(宮殿).

궁탄【窮嘆】명 궁한 나머지 탄식함. 또, 그 탄식. ——-하다 자여불

궁태【窮態】명 궁상(窮狀).

궁-터[1]【弓—】명 ☞ 활터.

궁-터[2]【宮—】명 궁궐(宮闕)이 있었던 자리. 궁지(宮趾).

궁토【宮土】명〖역〗궁가(宮家)에 속한 땅.

궁통【窮通】명 ①성질이 가라앉고 진득하여 깊이 궁리를 잘함. ②궁달(窮達). ——-하다 자타여불

궁-팔십【窮八十】[—씹] 명 ①중국 주(周)나라 무왕(武王) 때 정승이던 강태공(姜太公)이 벼슬을 하기 전 가난하게 살아온 80년. ②가난한 인생. 1)·2):↔달팔십(達八十).

궁폐【窮弊】명 곤궁하고 피폐함. ——-하다 형여불. ——-히 부

궁핍【窮乏】명 곤궁하고 빈핍(貧乏)함. ¶ ~한 생활. ——-하다 형여불. ——-히 부

궁핍화 법칙【窮乏化法則】명〖경〗마르크스가 《자본론》에서 주장한 법칙의 하나. 자본주의의 발전에 따라 자본의 유기적 구성은 고도화(高度化)하여, 자본의 집중·집적(集積)은 진전하며, 자본은 이윤을 축적하여 가지만 그 반면(反面), 노동자 계급의 실질 임금·노동 조건·생활 수준은 낮아져 생활 환경은 악화된다는 법칙. 궁핍화 이론.

궁핍화 이:론【窮乏化理論】명〖경〗궁핍화 법칙.

궁-하다【窮—】형여불 ①가난하다. ¶ 살림이 ~. ②넉넉하지 못하다. ¶ 용돈에 ~. ③변통할 도리가 없다. ¶ 답변할 말에 ~. ④극도에 이르다. ¶ 궁하면 무엇인들 못하랴.
[궁하면 통한다] 매우 궁박한 처지에 이르면 도리어 펴날 도리가 생긴다는 말. [궁한 뒤에 행세(行勢)를 본다] 어려운 일을 당하여야 비로소 그의 본성을 알 수 있다는 말.

궁학【窮學】명 학문을 깊이 연구함. ——-하다 자여불

궁할【宮割】명〖역〗궁형(宮刑).

궁합[1]【宮合】명〖민〗혼인할 신랑 감·신부 감의 사주(四柱)를 오행(五行)에 맞추어 보아서 길흉을 점치는 방술(方術). ¶ ~이 맞는 부부.
궁합(을) 보다 구 궁합의 좋고 나쁨을 따지어 보다.
궁합이 맞다 구 서로 부부의 의를 맺을 수 있는 궁합이다.

궁합[2]【宮閤】명 ①후궁(後宮)의 소문(小門). ②궁중의 내전(內殿).

궁항【窮巷】명 ①좁고 으슥한 뒷골목. ②궁벽(窮僻)한 촌구석.

궁해【窮海】명 먼 바다 또는 먼 고장. 전(轉)하여, 문화가 미치지 않는 벽지(僻地).

궁핵【窮覈】명 원인(原因)을 깊이 캐어 찾음. ——-하다 타여불

궁행【躬行】명 몸소 실행함. 친행(親行). ¶ 실천 ~. ——-하다 타여불

궁향【窮鄕】명 도시에서 멀리 떨어져 궁벽(窮僻)하게 치우쳐 있는 시골.

궁현[1]【弓弦】명 ①활시위. ②곧게 뻗어 나간 길.

궁현[2]【宮懸】명〖악〗편종(編鐘)과 편경(編磬)을 동서남북 사방에 모두 배설하는 천자인 경우의 악기 편성. ＊헌현(軒懸).

궁 현 석굴【—縣石窟】〔鞏〕명〖지〗중국 허난 성(河南省) 궁 현(鞏縣)의 석굴사(石窟寺). 북위(北魏) 시대의 것으로 불보살(佛菩薩) 외에 부조(浮彫)한 공양자 열상(供養者列像)·요벽(腰壁)의 낙천 괴수(樂天怪獸) 등이 있음. 공현 석굴.

궁현 악기【弓絃樂器】명〖악〗찰현(擦絃) 악기.

궁현-장【弓弦匠】명〖역〗조선 시대 때, 활시위를 만드는 장인(匠人).

궁협[1]【宮協】명〖역〗↗궁내부 협판(宮內府協辦).

궁협[2]【窮峽】명 길이 험한 깊은 산골.

궁형[1]【弓形】명 ①활 모양으로 굽은 형상. ②〖수〗'활꼴'의 구용어.

궁형[2]【宮刑】명〖역〗원래는 중국에서 유래하였던 형벌로서, 오형(五刑)의 하나. 남녀의 불의(不義)를 벌하는 형벌인데, 자손(子孫)을 끊어 버릴 의도에서 남자는 그 불알을 까 버리고, 여자는 감방에 유폐(幽閉)하여 버림. 또, 일설(一說)에 여자는 그 근(筋)을 제거하여 버린다고 함. 부형(腐刑). 궁벌(宮罰). 궁벽(宮辟). 궁할(宮割). 준궁(宮).

궁형-각【弓形角】명〖수〗'활꼴각'의 구용어.

궁혜【宮鞋】명〖역〗궁녀가 신던 외코신.

궁화【躬化】명 윗사람이 몸소 본을 보여 백성을 교화(敎化)함. ——-하다 타여불

궁흉【窮凶】명 성정(性情)이 매우 음험(陰險)하고 흉악함. ——-하다 형여불

궁흉 극악【窮凶極惡】명 성정이 비길 바 없이 아주 음험하고 흉악함. ——-하다 형여불

궁힐【窮詰】명 죄를 끝까지 캐서 물음. ——-하다 타여불

궂 명〈옛〉구멍. ＝굼. ¶ 밋궁글 씨고 집의 안자시라(挾着屁眼裡坐着) ≪朴新解 Ⅲ:3≫.

궂기다 자 ①상사(喪事)가 나다. '죽다'의 존대어. ¶ 할아버지가 ~/그 아버지 그 어머니가 궂기는 날이면 애모 불녕 슬퍼하고 사모하여…≪朴鍾和 : 錦衫의 피≫. ②일에 헤살이 생기어 잘 되지 아니하다.

궂다[1] 자 눈이 멀다. 소경이 되다.

궂다[2] 형 ①사물이 언짢고 거칠다. ¶ 좋은 일 궂은 일/궂은쌀. ② 눈이나 비가 와서 날씨가 나쁘다. ¶ 궂은 날씨. 1)·2):↔좋다.

궂은 고기 명 병 따위로 죽은 짐승의 고기. 진육(殄肉).

궂은-비 명 끄느름하게 오래 두고 오는 비. 음우(霪雨).

궂은-살 명 부스럼 속에 두드러지게 내민 군더더기 살. 노육(努肉). 식육(瘜肉). 췌육(贅肉).

궂은-쌀 명 깨끗이 쓿지 아니하여 겨가 섞이고 빛이 좋지 못한 쌀.

궂은-일 [—닐] 명 ①언짢고 불결한 일. ②사람 죽은 데에 관계된 일.
[궂은일에는 일가만한 이가 없다] 상사에는 일가가 서로 도와 초상을 치러 낸다는 말. ¶ 궂은일에는 일가만한 이가 없다고 강근족(強近族)이 있으면 초종은 치루어 주련마는…≪李海朝 : 鬢上雪≫.

궂히다 타〔중세 : 구치다(궂-의 사동사)〕①죽게 하다. ¶ 사람을 ~/요 년, 이 앙큼하고 담대하여 사람 궂힐 년. ②일을 그르치게 하다. 헤살을 하다.

궤 명〈방〉궤(櫃)(강원).

궤알 명〈방〉귀얄(전북).

궬: 명〈방〉귀얄(황해).

궈래 명〈방〉너[1](함북).

궈 모뤄〔郭沫若〕명〖사람〗중국의 문학가·정치가. 본명은 카이전(開貞). 모뤄(沫若)는 호(號)임. 쓰촨 성(四川省) 출생. 일본 유학에서 귀국하여 1920년경부터 창조사(創造社)를 거느리어 창작·평론·번역 등 광범위한 활약을 하고, 1926년 북벌군(北伐軍)에 참가한 후 좌경(左傾)하여 제 4 계급의 문학을 강조하였음. 제 2 차 세계 대전 후, 중공 정권의 부수상이 됨. 저서에 《중국 고대 사회 연구》, 시집 《여신(女神)》 등이 있음. 곽말약. [1892-1978]

궈 쑹링〔郭松齡〕명〖사람〗중국의 군인. 만주(滿洲) 선양(瀋陽) 사람. 장 쭤린(張作霖)의 부하로 장 쉐량(張學良)의 부사령으로서 신임이 두터웠으나, 남몰래 펑 위샹(馮玉祥)과 연락하여 반기를 들고 동북(東北) 국민군 총사령으로서 펑텐(奉天)에 진격했다가, 패하여 총살당함. 곽송령. [1886-1925]

궈이 명〈방〉〖동〗게(평안).

권[1]: 명〈방〉구석[1](경북).

권[2]【鬈】명 성(姓)의 하나. 본관(本貫)은 순창(淳昌) 혹은 선산(善山)으로 전함.

궈진 명〈옛〉〔몽 kögsin(늙은 사람·동물)〕새매의 한 종류. ¶ 궈진(白角鷹)≪字會 上 15, 譯語 下 25≫.

권:[1]【勸】명 남이 권고하는 말. ¶ ~에 못이겨. ——-하다 타여불
[권에 띄어 방립(方笠) 산다;권에 못이겨 방립 쓴다] 남이 권하는 말이면 무엇이든지 잘 듣는 사람을 두고 이르는 말. [권에 비지떡] 남의 권에 못이겨 어쩔 수 없이 따라서 하는 일.

권[2]【權】명〖천〗천권(天權)❷.

권[3]【權】명 성(姓)의 하나. 현재 우리 나라에는 안동(安東)·예천(醴泉)의 2개의 본관이 있음.

권:[4]【卷】의명 ①같은 계통이나 종류의 서적을 2권 이상으로 편찬하였을 때 그 차례를 나타내는 말. ¶ 상(上)~/오(五) ~. ②책을 세는 단위. ¶ 한 ~/두 ~. ③한지(韓紙) 20장을 하나치로 한 분량을 세는 말. ¶ 창호지 두 ~. ④영화(映畫) 필름의 길이의 단위. 한 권이 305 m임. 릴(reel).

-권[1]【券】[꿘] 미 '지폐'·'증서'·'승차권'·'입장권' 등의 뜻을 나타내는 접미어. ¶ 500원~/회수~.

-권[2]【圈】[꿘] 미 ①〖지〗지구상(地球上) 위도(緯度) 66도 30분의 지점을 연결하는 윤형(輪形)의 선이나 그 이상의 고위도(高緯度) 지방을 나타내는 접미어. ¶ 북극(北極)~. ②어떤 명사 밑에 붙어 '범위', '그 테두리 안'의 뜻을 나타내는 말. ¶ 성층(成層)~/당선(當選)~/수도(首都)~.

-권[3]【權】[꿘] 미 명사 끝에 붙어, 그 명사에 따르는 권리를 나타내는 말. ¶ 입법~/참정(參政)~.

권:가[1]【勸駕】명〔한고조(漢高祖)가 군수(郡守)에게 명하여 어진 사람을 서울로 불러 올리었다는 고사(故事)에서〕거가(車駕)를 보내어 덕행 있는 사람에게 권하여 서울로 불러 올리는 일.

권가[2]【權家】명 ↗권문 세가(權門世家).

권:간[1]【勸諫】명 충고함. 간(諫)하여 가르침. 간언(諫言). ——-하다 타여불

권간[2]【權奸】명 권세를 가진 간신(奸臣).

권감 국사【權監國事】명〖역〗임금이 외국에 갔을 때 태자(太子)가 나라 일을 감독하던 일. ——-하다 자여불

권:갑【卷甲】명 갑옷을 말아 둠. 곧, 무장을 풀고 전쟁을 그만둠. ——-하다 자여불

권:강[1]【勸講】명 제왕(帝王)의 곁에서 학문을 강의하는 사람. 시강(侍講).

권강[2]【權綱】명 정권(政權)의 대강령(大綱領). 정강(政綱).

권:객【倦客】명 피로한 나그네.

권:게【倦憩】명 피로하여 쉼. ——-하다 자여불

권:경【勸耕】명 경작(耕作)에 힘씀. 또, 경작을 권함. ——-하다 자여불

권계[1]【券契】명〖경〗어음. 증서(證書).

권:계[2]【勸戒】명 ①타일러 가며 훈계함. ②〖불교〗불도에 인연이 있는 남녀에게 수계(受戒)를 권함. ——-하다 타여불

권:계-면【圈界面】명〖지〗↗대류권 계면(對流圈界面).

권:계-화【勸戒畫】명 유교(儒敎)를 통속화하여 권선 징악(勸善懲惡)을 목적으로 한 회화. 효자(孝子)·열녀(烈女)·현왕(賢王)·음비(淫妃)·충신(忠臣) 등이 그려져 있음.

권:고[1]【眷顧】명 특별히 눈여겨 돌보아 줌. ¶ 땅을 ~하사 물을 대어 심히 윤택케 하시며≪구약 시편 LXV : 9≫. ——-하다 타여불

권:고[2]【勸告】명 어떤 행위를 취하도록 권하여 말함. 또, 그 말. ¶ 사임(辭任)을 ~하다. ——-하다 타여불

권:고 가격【勸告價格】[—까—] 명〖경〗정부가 적당하다고 생각하는 가격을 사정(査定)하여 표시하는 가격.

권:고-문【勸告文】명 권고하는 내용을 적은 글. 권고서.

권:고 사직【勸告辭職】명 권고에 의하여 그 직책에서 해임하는 일. ＊의원 면직(依願免職). ——-하다 자타여불

권:고-서【勸告書】명 권고문(勸告文).

권:고-자【勸告者】명 권고하는 사람.

권:고지-은【眷顧之恩】명 돌보아 준 은혜.

권:곡[1]【卷曲】명 말라서 구부러짐. ——-하다 형여불

권:곡²【拳曲】(명) 꼬불꼬불 구부러짐.——-하다 (형)(여불)

권:곡³【圈谷】(명)〖지〗카르(Kar).

권:곡-호【圈谷湖】(명)〖지〗카르호(Kar 湖). 「(형)(여불)

권:곤【倦困】(명) 권태로와 곤고(困苦)함. 피곤하여 쇠약함. ——-하다

권:공【勸工】(명) 공업을 권장(勸奬)함. ——-하다 (자)(여불)

권관¹【權官】(명) 권세 있는 벼슬. 또, 그 사람. 「구품 벼슬.

권관²【權管】(명)〖역〗조선 시대 때, 각 진(各鎭)에 속한 무관(武官)의 종

권교【權敎】(명)〖불교〗대승(大乘)에 들어가는 길의 계제(階梯)가 되는 방편(方便)의 교(敎). ↔실교(實敎).

권교 대:승【權敎大乘】(명)〖불교〗권대승교.

권:구【眷口】(명) 한집에 사는 식구.

권:권¹【拳拳】(명)(부) ①참된 마음으로 정성스럽게 간직함. 또, 그 모양. ¶ ~ 복응(服膺). ②삼가는 모양. 「양. ¶ ~ 불망(不忘).

권:권²【眷眷】(명)(부) 마음이 늘 쏠림. 가엾게 여기어 늘 생각함. 또, 그 모

권:권³【睠睠】(명)(부) 마음과 힘을 다하여 두텁게 하는 모양.

권:권 복응【拳拳服膺】(명) 마음에 정성껏 간직하여 잊어버리지 아니함. ——-하다 (타)(여불) 「(타)(여불)

권:권 불망【眷眷不忘】(명) 가엾게 여기어 늘 돌보아 생각함. ——-하다

권:귀¹【捲歸】(명) 거두어 가지고 돌아감. 철귀(撤歸). 철환(撤還). ——-하다 (타)(여불) 「하다 (형)(여불)

권귀²【權貴】(명) 권세(權勢)가 있고 높은 지위에 있음. 또, 그 사람.——-

권-극중【權克仲】(명)〖사람〗조선 선조(宣祖) 때의 학자. 호는 청하(靑霞) 또는 화산(花山). 저서 《청하집(靑霞集)》 7권 1책이 있음. [1560-1604]

권-극지【權克智】(명)〖사람〗조선 선조(宣祖) 때의 문신. 자는 택중(擇中). 안동 사람. 명종(明宗) 22년(1567) 식년 문과(式年文科)의 병과(丙科)에 급제, 춘추관 기주관(春秋館記注官)으로 <명종 실록>의 편찬에 참여, 후에 예조 판서(禮曹判書)가 됨. 1592년 임진 왜란 때 비변사 유사당(備邊司有司堂)으로서 국세가 날로 위급함을 보고 병중에 울분하여 단식(斷食)중 피를 토하고 죽음. 시호(諡號)는 충숙(忠肅). [1538-92] 「(자)(여불)

권:근¹【倦勤】(명) 근로(勤勞)에 권태를 느낌. 일에 싫증이 남. ——-하다

권-근²【權近】(명)〖사람〗조선 태조(太祖)·태종(太宗) 때의 학자. 자는 가원(可遠) 또는 사숙(思叔). 호는 양촌(陽村). 안동(安東) 사람. 원래 고려 때 벼슬하였으나, 이성계 개국 후에 이끌려 태종 때에 성균관 직강(直講), 예문관(藝文館) 응교(應敎)를 지냄. 시호는 문종(文宗). 저서 《양촌집(陽村集)》·《오경 천견록(五經淺見錄)》·《입학 도설(入學圖說)》·《상대 별곡(霜臺別曲)》등. [1352-1409]

권:금【勸禁】(명) 권하는 일과 금하는 일. 「하다 (형)(여불)

권기【權奇】(명) ①매우 기묘한 계모(計謀).②썩 뛰어남. 썩 우수함.——-

권-남【權擥】(명)〖사람〗조선 세조(世祖) 때의 공신. 자는 정경(正卿), 호는 소한당(所閒堂). 안동 사람. 한명회(韓明澮)와 친하여 수양대군(首陽大君)의 모사(謀士)가 되어 활동함. 세조가 즉위하자 이조 참판(吏曹參判)이 됨. [1416-65]

권:내¹【圈內】(명) 일정하게 금을 그은 안쪽. 범위의 안. 테두리 안. ¶ ~에 들다. ↔권외(圈外).

권내²【權內】(명) 권한의 안. ↔권외(權外).

권:념【眷念】(명) 돌보아 생각함. ——-하다 (타)(여불)

권:농【勸農】(명) ①농사를 널리 장려함. ②〖역〗지방의 방(坊)이나 면(面)에 속하여 농사를 장려하던 유사(有司). ——-하다 (자)(여불)

권:농-관【勸農官】(명)〖역〗조선 시대 때, 지방 관직의 하나. 태조 4년(1395), 정분(鄭芬)의 건의에 의해 각 고을의 한량(閑良) 중, 청렴하고 재주 있는 자를 권농관으로 삼아 저수지를 만들게 하고, 가뭄과 장마에 대비하는 일을 관장하게 하였음.

권:농-사【勸農使】(명)〖역〗고려 때, 농사일을 살피던 임시 벼슬아치. 오도(五道)와 양계(兩界)에 둠. 충렬왕(忠烈王) 13년(1287)에 없애고 안렴사(按廉使)로 겸임(兼任)시킴. 조선 시대에 들어와서는 권농관으로 됨.

권:농 수세령【勸農輸稅令】(명)〖역〗고려 때 국학(國學)의 양현고(養賢庫)에 속하는, 곡식을 관리하던 사람. 주로, 개경(開京)으로 곡식을 가져오는 일을 맡았음.

권:농 윤음【勸農綸音】(명)〖역〗농사를 장려하는 임금의 교서(敎書).

권:농의 날【勸農—】[—/—에—] (명) 농어민의 노고를 위로하고 보다 많은 수확을 올려 소득 증대를 다짐하는 날. 5월 넷째 화요일. 권농일.

권:농-일【勸農日】(명) 권농의 날.

권:농-책【勸農策】(명) 농사를 장려하는 정책.

권능【權能】(명) ①권력과 능력. ¶ 신의 ~. ②〖법〗넓은 뜻으로는, 법인(法人)의 기관이나 대리인(代理人) 또는 관리인(管理人)이 법률상으로 행할 수 있는 능력. 권한(權限). 직권(職權). ③〖법〗좁은 뜻으로는, 권리의 속에 포함되어 있는 개개 작용(作用). ¶ 소유권자(所有權者)는 사용수익(收益)의 ~과 처분(處分)의 ~을 가진다.

권:단【卷丹】(명)〖식〗당개나리.

권-달수【權達手】[—쑤] (명)〖사람〗조선 연산군(燕山君) 때의 문신. 자는 통지(通之), 호는 동계(桐溪). 안동(安東) 사람. 연산군의 모후 폐비(廢妃) 윤씨의 추숭(追崇)을 반대, 유배되고 이 해 갑자 사화(士禍) 때 다시 국문(鞫問)중 옥사하였음. 도승지에 추증(追贈)됨. [1469-1504]

권:당¹【捲堂】(명)〖역〗성균관(成均館)의 유생(儒生)들이 그들의 주장이 관철되지 않았을 때 하던 일종의 동맹 휴학(同盟休學). 공관(公舘).

권:당²【眷黨】(명) 친척(親戚)❶.

권:당 바느질 (명) 권당질.

권:당-질 (명) 속이 뚫려 통해야 할 것을 잘못하여 양쪽이 들러붙게 꿰매는 바느질. 권당 바느질. ——-하다 (자)(타)(여불)

권-대승【權大乘】(명)〖불교〗↗권대승교(權大乘敎).

권-대승교【權大乘敎】(명)〖불교〗대승교(大乘敎) 가운데, 기근(機根)이 얕고 소승교(小乘敎)보다는 앞선 것. 실대승(實大乘)에 나아가는 방편으로 설교(說敎)한 교법(敎法). 유식(唯識)·삼론(三論) 등. 권교 대승(權敎大乘). (준)권대승(權大乘). ↔실대승교(實大乘敎).

권-대(:)운【權大運】(명)〖사람〗조선 인조(仁祖)·효종(孝宗) 때의 상신(相臣). 자는 시회(時會), 호는 석담(石潭). 숙종(肅宗) 15년(1689)에 영의정이 되었다가, 폐비(廢妃) 문제로 서인(西人)들에게 탄핵(彈劾)을 받고 걸해(乞骸)하여, 남해로 쫓겨남. [1612-99]

권-대(:)임【權大任】(명)〖사람〗조선 선조(宣祖) 때의 서가(書家). 자는 홍보(弘輔). 안동(安東) 사람. 선조의 딸 정선 옹주(貞善翁主)와 결혼하여, 길성위(吉城尉)·길성군(吉城君)을 습봉(襲封)함. 글씨를 잘 썼음. [1595-1645].

권-대(:)재【權大載】(명)〖사람〗조선 숙종(肅宗) 때의 학자. 자는 중거(仲車), 호는 소천(蘇川). 안동(安東) 사람. 송시열(宋時烈)을 처벌하게 하려다가 광주에 유배되었음. 기사 환국(己巳換局)으로 다시 등용, 호조 판서를 지냈음. [1620-89]

권-덕규【權悳奎】(명)〖사람〗사학가·국문학자. 경기도 김포 출생. 국사·국어 연구에 주력하고 1936년부터 약 1년간 조선어 학회에서 <큰 사전> 편찬 사업에 종사하였음. 저서 《을지문덕전(乙支文德傳)》·《조선 어문 경위(朝鮮語文經緯)》등. [1891-1950]

권-덕근【權德根】(명)〖사람〗독립 운동가. 경기 출생. 3·1운동 때 활약하다가 남만주로 탈출, 독립단(獨立團)에 가입하였는데, 1920년 체포되어 혹독한 고문에 스스로 혀를 잘라 경찰을 놀라게 하였음. 중형(重刑)을 받아 병사(病死)하였음. 생몰년 미상.

권:도¹【勸導】(명) 타일러 지도함. ——-하다 (타)(여불) 「(均衡).

권도²【權度】(명) ①권형(權衡)과 척도(尺度). 저울과 자. ②규칙. ③균형

권도³【權道】(명) 수단은 옳지 아니하나 목적은 정도(正道)에 합당하는 처리 방식. 목적을 달성하기 위하여 임기 응변(臨機應變)으로 취하는 방편. ¶ 외교상의 ~ /그러나 내가 이 말을 함은 ~요 명령은 아니라《고

권도⁴【權導】(명)〖역〗권두(權頭). ㄴ린도 前書 Ⅶ : 6》.

권:독¹【勸督】(명) 타일러 권하고 감독함. ——-하다 (타)(여불)

권:독²【勸讀】(명) ①독서(讀書)를 권함. ②〖역〗조선 시대 때의 관직. 세손 강서원(世孫講書院)에서 세손에게 학문을 가르치던 직책. 전임관(專任官)으로 좌권독(左勸讀)·우권독(右勸讀) 두 명이 있었는데, 종오품(從五品) 벼슬임. ——-하다 (타)(여불)

권-돈인【權敦仁】(명)〖사람〗조선 헌종(憲宗) 때의 상신(相臣). 자는 경의(景義), 호는 이재(彝齋) 또는 과지 초당 노인(瓜地草堂老人). 안동(安東) 사람. 헌종 8년(1842)에 영의정이 되었고, 헌종묘 천론(憲宗廟遷論)을 김정희(金正喜)와 함께 주장하다가 쫓겨남. 서가(書家)로서 이름이 높았으며, 글씨의 노건(老健)함이 신자하(申紫霞)보다 낫다 함. [1783-1859]

권-동진【權東鎭】(명)〖사람〗독립 운동가. 33인 중의 한 사람. 호는 우당(憂堂). 도호(道號)는 실암(實菴). 서울 출생. 대한 제국 정부의 육군 참령(參領)을 지내고 1884년 갑신 정변(政變)이 일어나자 손병희(孫秉熙)·오세창(吳世昌) 등과 함께 일본으로 망명, 1919년 3월 독립 선언에 참가. 신간회(新幹會) 회장. 광복 후에는 국민회 대표 위원·민주 의원(民主議院) 의원 등을 역임함. [1861-1946] 「사(辭). ↔권말(卷末).

권두¹【卷頭】(명) 책의 첫머리. 권수(卷首). 개권(開卷). ¶ ~의 첫구절/~

권두²【權頭】(명)〖역〗조선 시대 때의 관직. 종친부(宗親府)·의정부(議政府)·의빈부(儀賓府)·충훈부(忠勳府)·돈녕부(敦寧府)·중추부(中樞府)의 하례(下隷)의 우두머리. 권도(權導).

권-두경【權斗經】(명)〖사람〗조선 효종(孝宗) 때의 문신·학자. 자는 천장(天章), 호는 창설재(蒼雪齋). 안동(安東) 사람. 벼슬이 현감(縣監)을 거쳐 수찬(修撰)에 올랐는데, 우리 나라 산천의 형세, 이정(里程)의 원근(遠近), 인물의 출처(出處), 세대의 변혁, 군신(君臣)의 현부(賢否), 정사(政事)의 득실(得失), 유학(儒學)의 장단점 등에 정통하였으며, 시·서화(書畫)에도 능하였음. [1654-1726]

권두-사【卷頭辭】(명) 권두언(卷頭言).

권두-언【卷頭言】(명) 잡지나 회보(會報) 등의 머리말. 권두사. 머리말. ↔권말기(卷末記)·권미언(卷尾言).

권략【權略】[궐—] (명) 권도(權道)와 모략(謀略). 권변(權變)의 계략(計略).

권량【權量】[궐—] (명) 저울과 말. ㄴ권모(權謀).

권:려【勸勵】[궐—] (명) 권하여 장려(奬勵)함. ——-하다 (타)(여불)

권:력¹【勸力】[궐—] (명) 알아듣도록 타일러서 힘쓰게 함. 권면(勸勉). ——-하다 (타)(여불)

권력²【權力】[궐—] (명) ①남을 강제로 복종시키는 힘. 권세. ¶ ~ 다툼. ②〖법〗타(他)에의 강제력. 치자(治者)가 피치자(被治者)에게 복종을 강요하는 사회적 실력. ¶ ~ 기관.

권력-가【權力家】[궐—] (명) 권력을 가진 사람.

권력 관계【權力關係】[궐—] (명)〖법〗합법적인 권력의 행사에 의하여 성립하는 지배·복종의 사회 관계. 치자(治者)가 피치자(被治者)에 대하여 사실상 또는 법률상의 우월한 지배적 힘을 갖는 관계.

권력 균형【權力均衡】[궐—] (명)〖정〗세력 균형(勢力均衡).

권력 기관【權力機關】[궐—] (명) 권력을 가진 기관.

권력 분립【權力分立】[궐—불—] (명)〖정〗삼권(三權) 분립.

권력 분립제【權力分立制】[궐—불—] (명)〖정〗삼권 분립 제도.

권력 분립주의【權力分立主義】[궐—불—/궐—불—이] (명)〖법〗삼권 분립주의(三權分立主義).

권력-설【權力說】[궐—] (명) [moral of authority]〖윤〗도덕의 근거는 권력자의 명령이나 권위에 의거한다는 도덕설(道德說).

권력-욕【權力慾】[궐-뇩] 명 권력을 잡으려는 욕심.

권력 의:지【權力意志】 명 〔도 Wille zur Macht〕〖철〗 니체(Nietzsche) 철학의 근본이 되는 개념. 남을 정복 동화(同化)하여 더 한층 강대하게 되려는 의욕. 니체는 단순한 생존 투쟁이 아닌 이 의욕이야말로 존재의 가장 심오(深奧)한 본질이며 삶의 근본 충동이라 하였음.

권력-자【權力者】[궐-] 명 권력을 가진 사람. 법(法)의 범위에서 강제로 복종하게 명령할 수 있는 사람.

권력 작용【權力作用】[궐-] 명〖법〗국가가 우월한 지배적 지위, 곧 일방적 명령·강제의 입장에서 행하는 작용. 예컨대, 조직권(組織權)·경찰권·재정권(財政權)·군정권(軍政權) 등의 작용. ＊권력 관계.

권력적 행정【權力的行政】[궐-] 명〖법〗행정의 본래적 활동이며, 사인(私人)에 대한 명령·강제의 작용을 말함. 이 범위에서 국가 또는 공공 단체는 항상 사인(私人)에 대하여 명령자로서 우위(優位)에 서며,그 관계는 명령·복종의 권력 관계임. 예컨대, 경찰권·재정권(財政權) 등의 작용. ↔비권력적 행정. ＊권력 작용.

권력 정치【權力政治】[궐-] 명 〔power politics〕〖정〗 정치의 내용이 윤리적·이념적인 계기보다도, 지배자 또는 국가가 자기의 이익 추구를 위하여 행하는 권력 투쟁으로서 파악하는 생각이나 정책. 국제 정치에 있어서 군사력(軍事力) 우선주의를 가리킬 때가 많음.

권력 투쟁【權力鬪爭】[궐-] 명 정치 투쟁의 최고의 형태. 정치 권력을 획득하기 위한 투쟁.

권력 평균【權力平均】[궐-] 명〖정〗세력 균형(勢力均衡).

권력형 부조리【權力型不條理】[궐-] 명 권세 있는 지위나 직책을 이용하여 이권(利權) 개입이나 인사 청탁 등을 하는 부조리 형태.

권:련【眷戀】[궐-] 명 간절히 생각하며 그리워함. ——하다 타 여불

권:렴【捲簾】[궐-] 명 늘이었던 발을 말아 올림. ——하다 타 여불

권:로【倦勞】[궐-] 명 싫증이 나서 피로함. ——하다 형 여불

권:뢰【圈牢】[궐-] 명 짐승을 가두어 두는 우리. 권함(圈檻).

권리【權利】[궐-] 명 ①권세와 이익. ②〔right〕〖법〗일정한 이익을 주장하고 그것을 누릴 수 있는 수단으로서, 법률이 일정한 자격을 가진 사람에게 부여하는 힘. 사법상(私法上)의 권리인 사권(私權)과 공법상(公法上)의 권리인 공권(公權)으로 나뉨. ¶국민의 ~를 주장하다. ③어떤 일을 행하거나, 행하지 않을 수 있는 자격 또는 능력. 권한(權限). ¶나는 그것을 행할 ~가 있다. ④〖윤〗남에게 바라고 기대할 수 있는 정의(正義). 도덕상 어떤 인격이 최고선(最高善)을 실현하기 위하여 남의 인격에 대하여, 가지는 행위의 자유. 2)·4):↔의무(義務).

권리 관계【權利關係】[궐-] 명〖법〗권리자와 의무자간에 있어서의 법률 관계. 곧, 권리와 의무가 서로 대립하는 관계를 말함.

권리 구속【權利拘束】[궐-] 명〖법〗'소송 계속(訴訟係屬)'의 구칭.

권리-금【權利金】[궐-] 명〖법〗어떤 종류의 권리를 양도하는 대가(對價)로서 수수(授受)되는 금전. 흔히, 도시에서의 부동산 임대차 계약 체결(不動產賃貸借契約締結)에 있어서, 특정한 장소적 또는 영업상의 특수 이익의 대가(對價)로서 임대료 이외에 전차가인(前借家人)이나 전차지인(前借地人) 또는 전(前) 영업자에게 관습상 지급함. ¶100만 원의 ~이 붙은 점포.

권리 남:용【權利濫用】[궐-] 명〖법〗권리가 법률상 인정되어 있는 사회적 목적에 반하여 부당하게 행사되는 일. 즉, 단순히 남을 해하기 위해서 권리를 행사하거나, 부당하게 이익을 얻기 위하여 권리를 행사하거나, 공서 양속(公序良俗)에 반(反)하는 방법으로 권리를 행사하는 일 따위.

권리 능력【權利能力】[궐-녁] 명〖법〗권리 의무의 주체가 될 수 있는 법률상의 자격·능력. 즉, 사권(私權)을 향유할 수 있는 능력. 법인격(法人格).

권리 능력 없:는 사단【權利能力—社團】[궐-녁업-] 명 〖법〗 실체(實體)로는 사단 법인과 다름이 없으나, 법률상 권리 능력이 인정되지 않는 사단. 동창회(同窓會)·클럽·학회(學會)·설립 중인 회사 따위. '법인격(法人格)이 없는 사단' 또는 '법인이 아닌 사단'이라고도 함.

권리-락【權利落】[궐-] 명〖경〗회사가 증자를 행할 때,어느 일정한 기일까지의 주주에 대하여서만 새 주식을 할당하므로, 그 이후의 새 주주에게는 이 할당을 받을 권리가 없게 되는 일. ↔권리부(權利附).

권리 매매【權利賣買】[궐-] 명〖경〗 증권 거래소의 용어. 신주(新株)의 할당을 받은 자의 권리를 매매하는 일.

권리 명의【權利名義】[궐-/궐-이] 명〖법〗권리자의 명의. 권리 관계의 명의.

권리 문:제【權利問題】[궐-] 명〖철〗사물의 권리·가치·규범 및 타당성을 논구(論究)하며 증명하는 문제. 인식(認識)을 구성하는 보편적 필연적 제약(制約)을 논정(論定)하는 일. ↔사실 문제(事實問題).

권리 변:경 판결【權利變更判決】[궐-] 명〖법〗형성 판결(形成判決).

권리 보:석【權利保釋】[궐-] 명〖법〗필요적 보석(必要的保釋).

권리 보:호 청구권【權利保護請求權】[궐-꿘] 명〖법〗사인(私人)이 법원 즉, 국가에 대하여 사권(私權)의 보호를 위한 재판권의 행사를 청구하는 공권(公權)의 총칭.

권리 본위 사:상【權利本位思想】[궐-] 명〖법〗법의이론 및 실제에 대하여 권리가 가지는 의의를 중요시하며, 권리의 개념을 중심으로 하여 법제도(法制度)를 바라보는 법사상(法思想).

권리-부【權利附】[궐-] 명〖경〗주식에서, 증자(增資)한 새로운 주식을 가질 권리가 붙는 일. ↔권리락(權利落).

권리-서【權利書】[궐-] 명 소유권(所有權)의 등기(登記) 서류.

권리 선언【權利宣言】[궐-] 명 ①〔declaration of rights〕〖법〗인간 또는 국민의 자유권(自由權) 및 기타의 권리를 선언하고 보장하는 규정의 총칭. ②〖역〗1689년 명예 혁명에 의하여 오렌지공(Orange公) 윌리엄 3세와 메리(Mary)가 즉위할 때에 의회가 제출한 인민 권리의 선언. 권리 장전(權利章典).

권리의 객체【權利—客體】[궐-/궐-에-] 명〖법〗권리를 법률 관계로서 볼 때에, 그 관계의 기점(基點)인 주체에 대하여 수동적 지위에 서는 대상(對象). 사람·물건·무체 재산(無體財產) 및 사람의 행위 등 여러 가지가 있음.

권리 의:무【權利義務】[궐-] 명 권리와 의무. 준권의(權義).

권리의 변:동【權利—變動】[궐-/궐-에-] 명〖법〗권리의 발생·변경(變更)·소멸의 총칭.

권리의 의:무성【權利—義務性】[궐-/궐-에의-] 명〖법〗근대법에 있어서는 권리와 의무를 분리하였으나, 20세기에 들어와서 권리의 행사는 단순히 개인의 자유에 맡겨지는 것이 아니고, 사회에 대한 의무이기도 하다는 사상.

권리-자【權利者】[궐-] 명〖법〗①권리 의무의 관계에 있어서 권리를 가진 자. ②채권자(債權者).

권리 자백【權利自白】[궐-] 명〖법〗당사자가 소송의 변론 또는 준비 절차에서 자기에게 불리한 구체적인 권리 관계나 법률 효과의 존부(存否)를 인정하는 진술.

권리자 참가【權利者參加】[궐-] 명〖법〗독립 당사자 참가(獨立當事者參加).

권리 장전【權利章典】[궐-] 명〖역〗①〔Bill of Rights〕권리 선언을 확인하고, 또 왕위 계승의 순위를 규정한 영국 헌정사상 유명한 법률의 통칭. 1689년에 제정됨. 영국 헌법의 일부를 이룸. 권리 선언. ②연방 정부가 국민의 기본적 인권을 보장하기 위하여, 북미(北美) 합중국 헌법에 부가한 최초의 10개 조항의 수정(修正).

권리 쟁의【權利爭議】[궐-/궐-이] 명〖사〗노동 쟁의(勞動爭議)에서 노동 협약이나 취업 규칙의 해석·적용 등 주로 노동자의 권리 확보를 위해서 벌이는 쟁의.

권리 전:당【權利典當】[궐-] 명〖법〗소유권 밖의 재산권을 목적으로 한 전당.

권리-주【權利株】[궐-] 명〖경〗주식 회사의 설립 등기(登記) 또는 자본 증가(資本增加)의 효력 발생 전에 있어서의 주식. 즉, 주식 인수인(株式引受人)으로서의 권리.

권리 주체【權利主體】[궐-] 명〖법〗권리를 향유할 수 있는 인격자(人格者). 권리 능력이 있는 자. 자연인(自然人)과 법인(法人)의 두 가지가 있음.

권리-증【權利證】[궐-쯩] 명〖법〗등기필증(登記畢證).

권리-질【權利質】[궐-] 명〖법〗재산권을 객체로 하는 질권(質權). 곧, 소유권·점유권(占有權)을 제외한 물권(物權)·채권(債權)·주주권(株主權) 및 무체(無體) 재산권 등을 목적물로 하는 질권.

권리 청원【權利請願】[궐-] 명 〔Petition of Rights〕〖역〗 1628년 영국 의회가 찰스 1세에게 제출하여 그 승인을 얻은 청원서. 의회의 동의 없는 과세(課稅), 이유가 명백하지 않은 구속(拘束), 병사의 민가 숙박(宿泊) 등의 금지가 규정되어 있음.

권리 침해【權利侵害】[궐-] 명〖법〗권리의 객체를 훼손한다든가 권리의 행사를 방해한다든가 함으로써 권리의 존재(存在) 또는 작용을 침해하는 일.

권리 행사 방해죄【權利行使妨害罪】[궐-쬐] 명〖법〗타인의 점유(占有) 또는 권리의 목적이 된 자기(自己)의 물건을 가지거나 감추거나 또는 손괴(損壞)하여 타인의 권리 행사를 방해하는 죄.

권리 행위【權利行爲】[궐-] 명〖법〗권리를 소유한 사람이 권리를 행사하기 위하여 하는 행위. 집 임자가 자기 집을 임대(賃貸)하는 것과 같은 것.

권:마-성【勸馬聲】명〖역〗임금이 말이나 가교(駕轎)를 탄 때 또는 봉명 고관(奉命高官)이나 수령(守令) 또는 그 부인(夫人)이 말이나 쌍교(雙轎)를 타고 행차할 때 위세(威勢)를 더하기 위하여 그 앞에서 임금일 때는 사복 하인(司僕下人)이, 그 밖의 경우에는 역졸(驛卒)이 가늘고 길게 부르는 소리.

권:마성-제【勸馬聲制】명〖악〗판소리에서, 권마성(勸馬聲)처럼 높은 소리로 외치는 창조(唱調). 설렁제의 딴이름.

권말【卷末】명 ①책의 맨 끝. 권미(卷尾). ¶~의 부록. ↔권두(卷頭). ②책의 마지막 권. ↔권수(卷首).

권말-기【卷末記】명 책의 맨 끝에 그 책에 관계되는 사항을 적은 기록. 「↔권두언(卷頭言).

권:매[1]【勸買】명 사도록 권함. ——하다 타 여불

권:매[2]【勸賣】명 팔기를 권함. ——하다 타 여불

권매[3]【權賣】명 다시 무를 수 있도록 약속하고 매매하는 일. ——하다 타 여불

권매 문기【權賣文記】명〖역〗환퇴 문기(還退文記).

권면[1]【券面】명 증권(證券)의 겉면. 액면.

권:면[2]【勸勉】명 알아듣도록 타일러서 힘쓰게 함. 권력(勸力). ——하다 타 여불

권면-액【券面額】명 액면 가격.

권모【權謀】명 임기(臨機)의 모략. 권변(權變)의 모략. 권략(權略). ¶~에 능하다.

권모-가【權謀家】명 음모(陰謀)와 권변(權變)을 잘 쓰는 사람. 모략가(謀略家). 술책가(術策家).

권모 술수【權謀術數】[-쑤] 명 권모(權謀)와 술수. 목적을 위해서는 수단을 가리지 않고 인정이나 도덕도 없이 권세와 모략과 중상 등 온갖 수단과 방법을 쓰는 술책. ¶~의 화신(化身). 준권술(權術).

권무【權務】명〖역〗임시로 맡아 보는 사무(事務).

권:무-과【勸武科】명〖역〗조선 시대 때, 특명(特命)이나 친림(親臨)으로 권무 군관(勸武軍官)에게 보이던 무과(武科). 이 시험에 합격하면 곧 전시(殿試)에 나갈 수 있는 특전(特典)을 주었음.

권:무 군관【勸武軍官】명〖역〗조선 시대 때의 삼영(三營) 곧, 훈련 도감(訓鍊都監)·금위영(禁衛營)·어영청(御營廳)에 속한 무관의 하나.

권:무-자【拳無凳】명 골무떡❷.

권무-정【權務政】명〖역〗음력 6월에 행하는 도목 정사(都目政事). 소정(小政).

권문【權門】명 ↗권문 세가(權門勢家).

권문 귀:족【權門貴族】명 권세가(權勢家)와 귀족의 총칭. 상류 사회의 사람들.

권문 세:가【權門勢家】명 관위(官位)가 높고 권세 있는 집안. ㈜권가(權家)·권문(權門).

권문 세:족【權門勢族】명 권문 세가.

권문 자제【權門子弟】명 권세 있는 집안의 자제.

권-문해【權文海】명〖사람〗조선 선조(宣祖) 때의 학자. 자는 호원(灝元), 호는 초간(草澗). 예천(醴泉) 사람. 벼슬은 감사(監司)에 이름. 중국 원나라의 음시부(陰時夫)의 《운부 군옥(韻府群玉)》을 본따, 우리 나라의 모든 서적을 참고하여 《대동 운부 군옥(大東韻府群玉)》 20권을 저술함. [1534-91]

권미【卷尾】명 서적의 제일 뒤. 권말(卷末).

권미-언【卷尾言】명 권말기(卷末記). 꼬리말. ↔권두언.

권반【券班】명 권번(券番).

권:발¹【卷髮】명 고수머리.

권:발²【圈發】명 한자의 사성(四聲)을 나타내기 위해, 네 귀퉁이에 붙이는 반권점(半圈點). ◺을 평성(平聲), ◸을 상성(上聲), ◹을 거성(去聲), ◿을 입성(入聲)으로 함. *점발(點發).

권:배【勸盃】명 술잔을 권함. ——하다 자여불

권:백【卷柏】명〖한의〗'부처손'을 한방(漢方)에서 일컫는 말. 혈증(血症)을 다스리는 약으로, 징가(癥瘕)·변혈(便血)·월경 불통·하혈(下血)에 쓰임.

권번【券番】명 일제 강점기에 있었던, 기생(妓生)들의 조합. 가무를 가르쳐 기생을 양성하고, 또 기생들이 객석에 나가는 것을 지휘하고 화대(花代)를 받아 주는 등의 중간 역할을 하였음. 광복과 더불어 없어졌음. 검번(檢番). 권반(券班).

권:법【拳法】[—뻡] 명 ①정신 수양과 신체 단련으로 주먹을 놀리어서 하는 운동. ②십팔기(十八技). 이십 사반(二十四般) 무예(武藝)의 하나. 수박(手搏)과 같은 것으로 권투의 한 가지. ③빈 주먹을 휘둘러 가면서 격투(格鬪)하는 기술.

〈권법❷〉

권-벽【權擘】명〖사람〗조선 중종(中宗) 때의 문인. 자는 대수(大手), 호(號)는 습재(習齋). 청직(淸職)에 있으면서 중종(中宗)·인종(仁宗)·명종(明宗) 삼대의 실록 편찬에 참여함. 특히 시에 대한 감식안(鑑識眼)이 높았음. 문집으로 《습재집(習齋集)》이 10여 권 있었으나 모두 간행하지 못하고 1권만을 간행함. [1520-93]

권변【權變】명 사변(事變)에 응하여 임기(臨機)로 꾸며 대는 권모(權謀).

권병¹【權柄】명 ①권력 있는, 정치상 중요한 지위 또는 신분. ②생살 여탈(生殺與奪)하는 힘. ③권력을 남용하여 백성을 좌우하는 일.

권병²【權病】명 일을 면하려고 부리는 꾀병.

권-병(:)덕【權秉悳】명〖사람〗독립 운동가. 3·1독립 선언의 민족 대표 33인 중의 한 사람. 호는 청암(靑菴). 청주(淸州) 출생. 저서에 《조선 총사(朝鮮總史)》·《이조 전란사(李朝戰亂史)》·《궁중 비사(宮中秘史)》 등이 있음. [1867-1944]

권-병(:)훈【權丙勳】명〖사람〗한문학자. 자는 남리(南里), 호는 성대(惺臺). 경기도 김포군(金浦郡) 출생. 대한 제국 때, 함흥(咸興) 지방 재판소 판사 재임시 사법권이 일제에 넘어가자 관계(官界)의 뜻을 버리고 설문학(說文學) 연구에 몰두하여 《육서 심원(六書尋源)》을 완성함. [1864-1941]

권:복【勸服】명 심복(心服)함. 마음으로 따름. ——하다 타여불

권:봉【捲奉】명 영정(影幀)을 말아서 모시어 둠. ——하다 타여불

권부¹【權府】명 권력을 행사하는 관부(官府).

권-부²【權溥】명〖사람〗고려 충렬(忠烈)·충선왕(忠宣王) 때의 학자. 초명(初名)은 영(永). 자는 재만(齋萬), 안동(安東) 사람. 주자학(朱子學)을 처음 제창한 사람으로, 주자의 《사서 집주(四書集註)》를 간행할 것을 건의하였음. 시호는 문정(文正). [1262-1346]

권:분【勸分】명〖역〗고을 수령(守令)이 관내의 부자를 권하여 극빈자(極貧者)를 구휼(救恤)함. ——하다 타여불

권-불십년【權不十年】명 아무리 높은 권세라도 10년을 가지 못한다는 말. *화무십일홍(花無十日紅).

권:비¹【拳匪】명〖역〗권법(拳法)을 무기로 삼아서 반제국주의 운동을 일으켰던 중국 청말(淸末)의 비밀 결사 의화단(義和團)의 별칭.

권:비²【眷庇】명 뒤덮어 비호함. 돌보아 줌. ——하다 타여불

권:비³【倦憊】명 고달픔. 노곤함. 권피(倦疲). ——하다 형여불

권:사¹【勸士】명〖기독교〗교회 교직(敎職)의 하나. 신자(信者)를 심방(尋訪)하여 신앙심을 더욱 두텁게 하고 낙심한 이를 권면(勸勉)하며 불신자(不信者)에 전도(傳道)하는 것을 주요한 임무로 함.

권사²【權詐】명 권모와 사술(詐術).

권:산-꽃차례【卷繖—】명〖식〗유한(有限)꽃차례 가운데의 취산(聚繖)꽃차례의 하나. 꽃줄기의 꼭대기에 한 개의 꽃이 있고 바로 그 아래에서 한 개의 꽃꼭지가 나와 꽃이 붙으며, 또다시 그 꽃 아래에서 먼저의 꽃꼭지와 같은 쪽으로 한 개의 다른 꽃꼭지가 생기어 꽃이 붙는 것을 여러 번 되풀이하여 나중에는 화경(花莖)이 꼬부라지게 되는 화서. 파리·물망초(勿忘草) 등의 꽃이 이에 속함. 권산 화서(卷繖花序).

〈권산꽃차례〉

권:산 화서【卷繖花序】명〖식〗권산꽃차례.

권:삼【拳參】명〖한의〗마디풀과에 속하는 범꼬리의 뿌리. 설사를 멈추게 하는 데 씀.

권-삼득【權三得】명〖사람〗조선 영조(英祖)·정조(正祖) 때의 명창(名唱). 익산(益山) 출생. 타고난 좋은 성대로 '흥부가(興夫歌)' 중에서도 '제비가'를 특히 잘 불렀음. [1771-1841]

권:상¹【勸相】명 권장하고 도와 줌. 권조(勸助). ——하다 타여불

권:상²【勸賞】명 상품을 주어 장려함. 권하고 장려함. ——하다 타여불

권-상로【權相老】[—노] 명〖사람〗불교학자·중. 호는 퇴경당(退耕堂). 경북 문경 사람. 1931년 중앙 불교 학교 총장을 거쳐, 1953년 동국 대학교 총장을 역임. 1962년 대한 민국 문화 훈장을 받음. 저서에 《조선 불교 약사(略史)》·《동국 문학사》·《조선 종교사》 등이 있음. [1879-1965]

권-상(:)연【權尙然】명〖사람〗조선 정조(正祖) 때의 천주교 순교자. 안동(安東) 사람. 고모(姑母)의 제사 문제로 사교 이단(邪敎異端)으로 몰려, 배교(背敎)하기를 강요당하였으나, 끝내 신앙을 지켜 참수당함. [1751-91]

권:상 요목【勸上搖木】명 〔나무에 오르게 하고 흔들어 떨어뜨린다는 뜻〕남을 선동해 놓고 낭패 보도록 방해함을 이름.

권-상(:)유【權尙游】명〖사람〗조선 숙종(肅宗) 때의 학자. 자는 계문(季文), 호는 구계(癯溪). 일세의 종유(宗儒)인 만형 상하(尙夏)와 송시열(宋時烈) 문하에서 수학하고, 이조 판서(吏曹判書)를 지냄. 박세당(朴世堂)의 《사변록(思辨錄)》에 대한 변설(辯說)로 유명해짐. 시호는 정헌(正獻). [1656-1724]

권-상(:)하【權尙夏】명〖사람〗조선 숙종(肅宗) 때의 상신(相臣). 자는 치도(致道), 호는 수암(遂菴)·한수재(寒水齋). 스승 송시열(宋時烈)의 뜻을 받들어 화양동(華陽洞)에 만동묘(萬東廟)를 세우고 명(明)나라 신종(神宗)을 모시었음. 당시의 유종(儒宗)으로 이조 판서를 지냈고, 숙종 43년(1717) 좌의정을 시켰으나 사퇴하고 은퇴하였음. 시호는 문순(文純). [1641-1721]

권서¹【券書】명 증서(證書).

권:서²【卷舒】명 ①말았다 폈다 함. ②나아감과 물러감. ③재덕(才德)을 숨김과 나타냄. ——하다 타여불

권:서³【拳書】명 붓 아닌 주먹으로 먹을 찍어 글씨를 씀. 또, 그 글씨.

권:서⁴【勸書】명〖기독교〗매서인(賣書人).

권-서국사【權署國事】명〖역〗권지국사(權知國事).

권:석【拳石】명 ①주먹만한 크기의 돌. ②악부(握斧).

권:선¹【捲線】명〖물〗'코일(coil)'의 구용어.

권:선²【圈選】명〖역〗권점(圈點)하여 적당한 사람을 관리로 뽑던 일. ——하다 타여불

권:선³【勸善】명 ①선(善)을 권하고 장려함. ②〖불교〗불가(佛家)에서 선심(善心) 있는 사람에게 보시(布施)를 청함. ——하다 타여불

권:선-가【勸善歌】명〖불교〗회심곡(回心曲).

권:선-기【捲線機】명 철선이나 밧줄 따위를 감아 들이거나 또는 풀어내는 기계 장치.

권:선-대【勸善袋】명〖불교〗권선지(勸善紙).

권:선-문【勸善文】명〖불교〗불가(佛家)에서 권선하는 글발.

권:선 보:시【勸善布施】명 〔←권선 포시〕불가(佛家)에서 선심(善心) 있는 사람에게 권하여 재물(財物)을 내어 다른 사람을 도와 줄 것을 청함. ——하다 타여불

권:선 시:주【勸善施主】명〖불교〗시주에게 권선하여서 절의 양식을 구함. ——하다 타여불

권:선-지【勸善紙】명〖불교〗가을에 중이 속가(俗家)에 두루 돌아다니며 돈이나 쌀을 넣어 시주(施主)하라고 돌려 주는 종이 주머니. 권선대(勸善袋). ㈜권지(勸紙).

권:선 지로가【勸善指路歌】명〖문〗조선 시대 때의 가사(歌辭)의 하나. 착한 일을 권장하여 좋은 길로 인도함을 목적으로 한 노래. 지봉 유설(芝峰類說)에 작자는 조식(曺植)이라 기록되고 있으나, 작품은 전하지 아니함. 권의 지로사(勸義指路辭).

권:선 징악【勸善懲惡】명 착한 일을 권장하고 악한 일을 징계함. 징권(懲勸). ㈜권징(勸懲). ——하다 자여불

권:선 징악 소:설【勸善懲惡小說】명〖문〗교훈적(敎訓的) 목적으로 저작(著作)된 소설로서, 항상 선(善)이 악(惡)을 이긴다는 사상을 주제(主題)로 한 데 특징이 있음. 《흥부전》·《홍길동전》 등의 고대 소설은 대개 이런 유(類)에 속하는 대표작들임. ㈜권징 소설.

권:선-책【勸善冊】명〖불교〗시주(施主)의 이름과 금액을 기록하는 책.

권:설¹【卷舌】명 ①혀를 만다는 뜻으로, 놀라거나 어이가 없어서 말이 나오지 아니함을 이름. ②별의 이름. ——하다 자여불

권:설²【勸說】명 타일러 권함. 또, 그 말. ——하다 타여불

권설³【權設】명 임시로 설치함. ¶ ~ 아문(衙門). ——하다 타여불

권설-직【權設職】명〖역〗임시로 두는 벼슬 자리.

권섭【權攝】명 임시로 대리하여 사무를 맡아 봄. ——하다 타여불

권세【權勢】명 ①권력과 세력. 권력을 쥐어 위세(威勢)가 있음. ¶ ~욕. ②남을 복종시키는 세력. 세권(勢權). ¶ 돈의 ~는 대단하다.
권세(를) 부리다 구 권세를 행사하다. 권세(를) 피우다.
권세(를) 피우다 구 권세(를) 부리다.

권:속【眷屬】명 ①한 집안의 식구. ¶ 일가(一家) ~. ②처(妻)의 낮춤말.

권:솔【眷率】명 한집에서 생활을 같이 하는 식구. ¶ 일가 ~.

권수¹【卷首】명 ①책의 첫째 권. ②책의 첫머리. 권두(卷頭). ↔권말(卷末)❷.

권수²【卷數】[—쑤] 명 ①책의 수효. ②〖불교〗경문(經文)·주문(呪文) 등을 읽고 왼 횟수(回數)를 적어 중이 그 스님에게 보내는 문서.

권:수³【卷鬚】명〖식〗'덩굴손'의 한자말.

권:수⁴【勸酬】명 술잔을 주거니 받거니 함. ——하다 자여불

권수⁵【權數】명 권모(權謀)와 술수(術數). 임기 응변의 꾀.

권:수 우:상 복엽【卷鬚羽狀複葉】명〖식〗우상 복엽(羽狀複葉)의 한 가지. 완두(豌豆)의 잎처럼 잎꼭지에 붙은 작은 잎이 변하여 된 권수를 가진 잎.

권:숙 명〈방〉권속(眷屬).

권:순 노:치【卷脣露齒】명 입술이 두껍고 이가 삐어져 나옴.

권술【權術】명 ↗권모 술수(權謀術數).

권-승정【權僧正】 명〖불교〗승정의 다음 직위. *승정.

권-시【權諰】 명〖사람〗조선 효종(孝宗)·현종(顯宗) 때의 학자. 자는 사성(思誠), 호는 탄옹(炭翁). 대군 사부(大君師傅)로서 한성부(漢城府) 우윤(右尹)이 되었으나, 현종 원년(1660) 예송(禮訟) 때 윤선도(尹善道)를 구원하여, 같은 서인(西人) 일파에게 미움을 받아 파직됨. 문집 ≪탄옹집(炭翁集)≫이 남아 있음. [1604-72]

권신【權臣】 명 권세를 잡은 신하. 병신(柄臣).

권실【權實】 명〖불교〗①방편과 진실. ②권교(權敎)와 실교(實敎). ③대승(大乘)과 소승(小乘).

권실 불이【權實不二】 명 권교(權敎)와 실교(實敎), 대승(大乘)과 소승(小乘)은 형식은 다르나 귀착점은 같음. ——-하다 형여불

권안【權按】 명〖악〗대금(大笒) 연주에서, 연주에 편리하도록 임시로 구멍을 열거나 막는 법.

권:애【眷愛】 명 보살펴 사랑함. 정을 둠. 귀여워함. ——-하다 타여불

권약【券約】 명 약속(約束)❷. ——-하다 자타여불

권:양【圈養】 명 짐승을 우리에 넣어서 키움. ——-하다 타여불

권:양-기【卷揚機】 명〖기〗윈치(winch).

권:언【勸言】 명 권고하는 말.

권:업【勸業】 명 산업을 권장함. ——-하다 자여불

권:업 모범장【勸業模範場】 명〖역〗산업의 발달 개량을 도모하여 종자(種子)·종묘(種苗)·종축(種畜)의 배부(配付)와 같은 농산에 관한 사무를 맡아 보던 관아. 고종(高宗) 광무(光武) 11년(1907)에 베풀어 순종(純宗) 융희 4년(1910)까지 있었음.

권:업 박람회【勸業博覽會】[—남—] 명 산업의 장려를 목적으로 베푸는 박람회.

권:업-회【勸業會】 명〖역〗1912년 이종덕(李鍾德)을 중심으로, 시베리아의 블라디보스톡 신한촌(新韓村)에서 조직한 개발·계몽 운동 단체.

권여【權輿】 명〔權은 저울대, 輿는 수레 바탕, 곧 저울을 만들 때는 저울대부터 만들고, 수레를 만들 때는 수레 바탕부터 만든다는 뜻〕사물의 시초.

권:역【圈域】 명 어떤 특정 범위 안의 지역.

권:연¹【卷煙】 명 →궐련.

권:연²【眷然】 명 사모하여 뒤돌아 봄. ——-하다 타여불

권:연³【勸緣】 명〖불교〗인연이 있는 이들에게 권하여 재물을 사찰(寺刹)에 기부시키는 일. ——-하다 자여불

권:연-갑【卷煙匣】[—깝] 명 →궐련갑.

권:-연송【卷連誦】[—년—] 명 책 한 질(秩)을 처음부터 끝까지 내리 욈. *연송(連誦).

권:-연초【卷煙草】 명 궐련.

권:염【倦厭】 명 권태가 생겨 염증이 남. ——-하다 자여불

권-영대【權寧大】 명〖사람〗물리학자. 호는 성봉(性峯). 경기도 개풍(開豐) 출생. 일본 홋카이도(北海道) 제국 대학을 졸업, 서울 대학교 문리과 대학(文理科大學) 물리학과 교수로 재직 중, 1957년 영국 브리스틀(Bristol) 대학에서 우주선(宇宙線)을 연구하고 귀국하여, 물리학 발전에 공헌함. [1908-85]

권-오(:)복【權五福】 명〖사람〗조선 성종(成宗) 때의 문학가·명필(名筆). 자는 향지(嚮之), 호는 소유(小游) 또는 수헌(睡軒). 예천(醴泉) 사람. 문장과 필법(筆法)이 일세에 추중(推重)되었고 한원(翰苑)을 거쳐 옥당(玉堂)에 들어감. 김일손(金馹孫)과 같이 무오 사화(戊午士禍) 때 좌죄(坐罪)되어 피살됨. [1467-98]

권:왕-문【勸往文】 명〖불교〗극락(極樂) 세계로 가라는 노래. 또, 그 노래를 적은 책.

권:외¹【圈外】 명 테의 밖. 범위의 밖. ¶ 당선 ~로 떨어짐. ↔권내(圈內).

권외²【權外】 명 권한의 밖. ↔권내(權內).

권요【權要】 명 권력 있는 중요한 자리. 또, 그러한 자리에 있는 사람.

권:용¹【拳勇】 명 용력(勇力)이 있음. ——-하다 형여불

권:용²【捲勇】 명 대단한 용기.

권용선-전【權龍仙傳】 명〖책〗조선 시대 때의 소설. 중국을 배경으로 하여 남녀 간의 애정을 묘사한 것. 연대 및 작자는 미상(未詳)임.

권-용(:)정【權用正】 명〖사람〗조선 순조(純祖) 때의 화가. 후사가(後四家)의 한 사람. 경건(勁健)하고 청려(淸麗)한 화법으로 산수화(山水畫)에 뛰어났는데 벼슬은 부사(府使)에 이름. [1801-?]

권우¹【眷佑】 명 친절히 보살펴 도와줌. ¶ 천신(天神)이 ~했다. ——-하다 타여불

권:우²【眷遇】 명 임금이 신하를 후하게 대우함. ——-하다 타여불

권-우³【權遇】 명〖사람〗고려말·조선 시대 초기의 학자. 호는 매헌(梅軒). 권근(權近)의 아우. 고려 때에 등과(登科)하여 조선 시대 초기에 와서 예문 제학(藝文提學)의 빈객(賓客)을 지냈음. 세종(世宗)이 세자 때에 경사(經史)를 강론(講論)하였음. [1363-1419]

권:운【卷雲】 명〔cirrus〕〖기상〗상층운(上層雲)의 한 가지. 흰 머리털이나 나란히 된 가는 실올같이 보이는데, 상층운(上層雲) 중에서도 가장 높은 곳에 있는 구름임. 5-13km 정도의 높이에 있어 지극히 작은 얼음의 결정(結晶)으로 이루어진다고 추측되고 있음. 새털구름. 털구름. 기호: Ci.

권:운-관【卷雲冠】 명〖역〗임금이 쓰던 관의 한 가지. 통천관(通天冠).

권:운-층【卷雲層】 명 권운이 겹쳐 쌓인 층.

권원【權原】 명〖법〗권리의 원인 또는 어떤 행위를 정당화하는 법률상의 원인.

권위【權威】 명 ①남을 강제하며 복종시키는 권세와 위력. ¶ ~를 세우다. ②권위자. ¶ 사계(斯界)의 ~.

권위 국가【權威國家】 명〔authoritarian state〕〖정〗지도자의 권위를 중심으로 하여 조직된 독재 국가의 일종. 정부와 국민과의 관계가 지도자 대(對) 복종자라는 관계에서 고려되고, 정부는 지도자의 권위에 대한 신뢰를 기초로 하여 구성되기 때문에, 입헌(立憲) 국가에서와 같이 정부의 전횡(專橫)을 방지하기 위하여 설정된 여러 제도가 전부 제거(除去)되고, 국가가 국민에 대한 완전한 행동의 자유를 보유하는 점에 그 특징이 있음.

권위 도:덕【權威道德】 명 개인의 의지 밖에 있는, 국가 또는 신(神) 등의 권위에 복종함을 도덕이라고 하는 설(說). 권위설(權威說).

권위-서【權威書】 명 어떤 종류의 책 중에서 가장 권위 있는 책.

권위-설【權威說】 명 권위 도덕.

권위-자【權威者】 명 탁월한 전문가. 그 계통에 정통한 사람. 권위. 오소리티(authority). ¶ 그는 로마법의 ~다.

권위적 성:격【權威的性格】[—껵] 명〖심〗권위 있는 것에 대한 의존(依存), 약한 것에 대한 힘의 과시(誇示), 사고(思考)의 경직성(硬直性) 따위를 특징으로 하는 성격을 말함. 민주주의적 성격과 반대되는 파시즘(Fascism)의 기초를 이루는 성격임.

권위-주의【權威主義】[—/—이] 명〔authoritarianism〕〖정〗①자기 주장을 어떤 권력이나 위광(威光)에 의하여 진리라고 단정하는 입장. ②자기를 비하(卑下)하여, 외재적(外在的) 권위에 복종하는 태도 및 그에 따르는 여러 가지 사고(思考) 방식이나 행동 양식.

권:유¹【倦游】 명 관리(官吏) 생활에 싫증이 남. ——-하다 자여불

권:유²【勸誘】 명 권하여서 하도록 함. 유진(誘進). ¶ ~를 받다. ——-하다 타여불

권:유³【勸諭】 명 권하여 타이름. ——-하다 타여불

권:유-가【勸遊歌】 명〖문〗판소리 단가의 하나. ≪신재효 본집(申在孝本集)≫에 수록되어 있음.

권:유-원【勸誘員】 명 보험 회사 등에서 보험에 가입할 것을 권유하는 사람. 「운동원. 권유인(勸誘人). ¶ 보험 ~.

권:유-인【勸誘人】 명 ①권유하는 사람. ②권유원.

권-율【權慄】 명〖사람〗조선 선조(宣祖) 때의 도원수(都元帥). 자는 언신(彥愼), 호는 만취당(晩翠堂). 선조 15년(1582)에 진사(進士)에 합격한 후, 광주 목사(光州牧使)로 있다가 임진 왜란 때 방어사가 되었고, 곽영(郭嶸) 밑에서 중랑장(中郎將)을 지낸 후 도원수가 되어 이치(梨峙)의 싸움, 행주(幸州)의 싸움에서 대승하였음. 정유 재침(丁酉再侵) 때 다시 활약하다가 병사하였음. 시호는 충장(忠莊). [1537-99]

권:음【卷音】 명〖언〗진동음(振動音).

권-응(:)수【權應銖】 명〖사람〗임진 왜란(壬辰倭亂) 때의 의병장(義兵將). 자는 중평(仲平), 호는 백운재(白雲齋). 수군 절도사(水軍節度使) 박홍(朴泓)의 막하에 있다가 임진 왜란 때 의병을 일으켜 공을 세워 화산군(花山君)에 봉군되고, 오위 도총관(五衛都摠管)의 벼슬을 겸함. 시호는 충의(忠毅). [1562-1608]

권의【權義】[—/—이] 명 ↗권리 의무.

권:의 지로사【勸義指路辭】[—/—이—] 명〖문〗권선 지로가(勸善指路歌).

권:이【卷耳】 명〖식〗도꼬마리.

권-이(:)진【權以鎭】 명〖사람〗조선 숙종(肅宗)·영조(英祖) 때의 학자. 호는 유회당(有懷堂). 문과에 등제하여 호조 판서를 지냄. 경사(經史) 제가(諸家)에 널리 통했음. 시호는 공민(恭敏). [1668-1734]

권익【權益】 명 권리와 이익. ¶ ~을 옹호하다.

권-익륭【權益隆】[—늉] 명〖사람〗조선 때 시조 작가. 자는 대숙(大叔), 호는 하처 산인(何處散人). 음사(蔭士)로 벼슬이 목사(牧使)에 이르렀음. 작품으로는 고금 가곡(古今歌曲)에 ≪풍아 별곡(風雅別曲)≫ 6 수를 비롯하여 도합 8 수의 시조가 전함. 생몰년 미상.

권:인【勸引】 명 권하여 이끎. ——-하다 타여불

권-일신【權日身】[—씬] 명〖사람〗한국 천주교를 창설한 인물 중의 한 사람. 양평(楊平) 사람. 세례명은 프란치스코 사베리오. 남인(南人)에 속한 학자로 이벽(李蘗)의 권유로 천주교에 입교 열렬한 천주교 전교자가 됨. 가성직(假聖職) 제도 아래서 한때 신부로서 성사를 집행하기도 함. 신해(辛亥) 박해 때 잡히어 팔순 노모(八旬老母)에 대한 불효라는 형조(刑曹)의 꾐에 배교함으로써 감형되어 유배지로 가던 도중, 고문의 상처가 도져 객사함. [?-1792]

권임【權任】 명〖역〗순검(巡檢)의 우두머리.

권:자¹【卷子】 명 ①두루말이. ②〖역〗과거의 답안지. 글장.

권:자²【圈子】 명 얼마를 한도로 한 둘레.

권자³【權者】 명〖불교〗권화(權化)❶.

권:자-본【卷子本】 명 서적 장정(書籍裝幀)의 한 가지. 길게 옆으로 이은 종이 또는 겸백(縑帛)의 한 끝에 지백(紙帛)보다 좀 큰 권축(卷軸)을 달고 다른 한 끝에 보지용(保持用)의 가벼운 대나무 또는 쇠붙이와 끈을 달아, 보존할 때는 권축에 둥글게 만 다음 끈으로 매어 두고, 읽을 때는 그 권축에서 풀어 펴 보도록 된 최초의 장정. 권축장(卷軸裝). 두루마리. *권축.

권:잠【勸蠶】 명 누에치기를 장려함. ——-하다 자여불

권장¹【券狀】[—짱] 명 증서(證書).

권:장²【勸奬】 명 권하여서 장려함. 장권. ¶ 독서를 ~하다. *장려(奬勵). ——-하다 타여불

권장이 명〈방〉〖어〗곤쟁이.

권-재족하【權在足下】 명 남의 도움을 청할 때에 쓰는 말. 권한은 오로지 당신에게 있다는 뜻. ¶ 저의 축고 싶은 ~입니다.

권적【權迹】 명 권화(權化)의 족적(足迹).

권:적-운【卷積雲】 명〔cirrocumulus〕〖기상〗상층운(上層雲)의 한 가지. 권운(卷雲)의 아래, 권층운(卷層雲)의 위에 있으며 조그마한 여러 덩어리의 흰 구름이 고등어의 비늘 무늬처럼 널려 있는 구름. 지상 5-13km 사이에 있으며, 빙결(氷結)이나 과냉각(過冷却)의 상태에 있는 물방울로 이루어지는 것으로 보고 있음. 털쌘구름. 조개구름. 기호: Cc. *비늘구름.

권:-전병【捲煎餠】 명 밀가루를 반죽하여 조각을 만들고, 돼지 고기·닭고기·파대가리·죽순(竹筍) 들로 만든 소를 넣어서 접되, 맞닿는 자리에 밀풀을 발라 붙인 뒤에 기름에 띄우거나 번철에 지져 낸 떡.

권-절【權節】 명〖사람〗조선 단종(端宗) 때 생육신(生六臣)의 한 사람. 자는 단조(端操), 호는 율정(栗亭). 안동(安東) 사람. 집현전 교리(校理) 때 수양 대군(首陽大君)으로부터 거사(擧事)에 가담할 것을 권유받았으나 거절하였음. 시호는 충숙(忠肅). [1422-?]

권:점【圈點】[―쩜] 명 ①글을 맺는 끝에 찍는 고리 형상의 둥근 점. ②글이 잘된 곳 또는 중요한 곳을 표시하기 위하여 찍는 둥근 점 '○·◉' 등. 방점(傍點). ③한자(漢字) 옆에 찍어서 사성(四聲)의 구별을 표시하는 둥근 점. *권발(圈發). ④〖역〗조선 시대 때 청관(淸官)을 임명할 때에 후보자들의 성명을 죽 적어 놓고 뽑는 사람들이 각기 뽑고자 하는 사람의 성명 아래에 찍는 둥근 점. 점수가 많은 사람이 뽑히게 되는 것으로 지금의 투표와 비슷함. ――-하다 타여불 권점을 찍어서 관원을 뽑다.

권정【權定】명 임시로 작정함. ――-하다 타여불

권-정례【權停禮】[―녜] 명〖역〗①조하(朝賀) 때에 임금의 임어(臨御)는 그만 두고 권도(權道)로 식(式)만 거행하는 일. ②절차를 다 밟지 아니하고 거행하는 의식.

권-정(:)선【權靖善】명〖사람〗조선 시대 말기 헌종(憲宗) 때의 국어학자. 동몽 교관(童蒙敎官)을 지냈고, 만년에 국어학 연구에 관한 저술에 힘썼음. 저서에 ≪훈민 종편(訓民宗篇)≫·≪음경(音經)≫ 등. [1848-?]

권제[1]【權制】명 ①권력(權力)과 법제(法制). 힘과 법(法). ②권력으로 남을 제어함. ――-하다 타여불

권-제[2]【權踶】명〖사람〗조선 태종(太宗) 때의 학자. 자는 중의(仲義), 호는 지재(止齋). 사헌부 감찰(司憲府監察)을 지내다가 태종 갑오 친시(甲午親試)에 장원하여 대제학(大提學)·이조 판서 등을 지냈으며, 후에 우찬성(右贊成)에 이름. 저서에 ≪지재집(止齋集)≫·≪역대 세년가(歷代世年歌)≫ 등이 있음. 시호는 문경(文景). [1387-1445]

권:조[1]【勸助】명 권상(勸相). ――-하다 타여불

권조[2]【權厝】명 권폄(權窆). ¶정신을 수습하여 예를 갖추어 뒷산에 ～하다. ――-하다 타여불

권좌【權座】명 권세의 자리. 권력을 쥔 지위. ¶～에 앉다.

권:주【勸酒】명 술을 권함. ――-하다 자여불

권:주-가【勸酒歌】명 술을 권하는 노래. 열 두 가사(歌詞) 중의 하나.

권:주-호【勸酒胡】명 술자리에서 나무로 만든 인형(人形)을 술상 한가운데에 세워 놓고, 그것이 넘어진 쪽에 앉은 사람에게 술을 권하는 일. 주호자(酒胡子). 주호(酒胡).

권중【權重】명 권세가 중대함. ――-하다 형여불

권:중 대:성현【卷中對聖賢】명 책 속에서 성현(聖賢)의 말씀을 대함. ――-하다 자여불

권-중(:)현【權重顯】명〖사람〗조선 말기의 친일 대신. 호는 경농(經農). 안동(安東) 사람. 주일(駐日) 공사·한성 부윤(漢城府尹)·농상공부 대신·군부 대신을 역임. 1905년 농상공부 대신으로 있을 때 을사 조약(乙巳條約) 체결에 찬성하여 을사 오적(五賊)의 한 사람으로 규탄받았음. [1854-1934]

권-중(:)화【權仲和】명〖사람〗조선 초기의 학자. 고려 정승 권한공(權漢功)의 얼자(孼子). 공민왕(恭愍王) 때 을과(乙科)에 등제하여 정당 문학(政堂文學)을, 조선 태조(太祖) 때에는 문하 부사(門下府事)를 지냈는데 고사(古事)를 잘 알므로 국가에서 상정(祥定)할 때면 늘 자문에 응하였음. 의학·지리·복서(卜筮) 등에 통하고, 대전(大篆)·팔분(八分) 등에 능하였음. [1322-1408]

권:지[1]【勸止】명 권고하여 그만두게 함. 그치도록 권함. ――-하다 타여불

권:지[2]【勸紙】명〖불교〗↗권선지(勸善紙).

권지[3]【權智】명〖불교〗불보살(佛菩薩)의 방편(方便)으로 중생(衆生)을 제도(濟度)하는 지혜. ↔실지(實智).

권지-【權知】접〖역〗①벼슬 이름 앞에 붙어 그 벼슬의 일을 잠시 맡아 봄을 뜻하는 말. ②어떤 벼슬의 후보자·시보(試補) 같은 것임을 가리키는 말. 조선 시대 때의 예를 보면 문과(文科)에 급제하더라도 곧 정식 벼슬을 주지 않고 분관(分館)이라 하여 성균·교서(校書)·승문(承文)의 삼관(三館)으로 나누어 권지라는 이름으로 실무를 익히게 하였음.

권지-교감【權知校勘】명〖역〗고려 때 전교서(典校署)의 벼슬 이름.

권지-국사【權知國事】명〖역〗아직 왕호(王號)를 인정하지 못하는 동안 우선 국사를 맡아 다스린다는 뜻의 칭호. 권서 국사(權署國事).

권지-부정자【權知副正字】명〖역〗조선 시대 때 승문원(承文院)·교서관(校書館)의 한 벼슬.

권지-지후【權知祗候】명〖역〗고려 때 합문(閤門)의 벼슬 이름.

권지-참군【權知參軍】명〖역〗조선 시대 때 한성부(漢城府) 훈련원(訓鍊院)의 한 벼슬.

권:진-표【勸進表】명 제위(帝位)에 오르기를 권하는 글. 위(魏)·진(晉)·육조(六朝) 시대에 많이 행하여졌음.

권:-질【卷帙】명 권(卷)과 질(帙).

권:징【勸懲】명 ↗권선 징악(勸善懲惡). ――-하다 자여불

권:징 소:설【勸懲小說】명〖문〗↗권선 징악 소설.

권:찰[1]【勸察】명〖기독교〗장로교(長老敎)에서 교인의 가정 형편을 조사하는 직무.

권찰[2]【權察】명 임시로 겸찰(兼察)함. ――-하다 타여불

권-채【權採】명〖사람〗조선 세종(世宗) 때의 문신. 자는 여서(汝鋤), 안동(安東) 사람. 동부(同副)·우부승지(右副承旨)를 역임하고, 유효통(兪孝通) 등과 ≪향약 집성방(鄕藥集成方)≫을 편찬·발행함. [1399-1438]

권:척[1]【卷尺】명 '줄자'의 구용어. *포권척(布卷尺).

권척[2]【權戚】명 권력 있는 외척(外戚). 권세 있는 일가(一家) 친척.

권-철신【權哲身】[―씬] 명〖사람〗한국 천주교 초창기의 신자. 권일신의 형. 세례명은 암브로시오. 학문이 높아 사람들의 존경을 받았고, 남인(南人)의 실학자 정약용(丁若鏞) 등과 서학 교리 연구회(西學敎理研究會)를 만들어 신앙 생활을 하다가 신유(辛酉) 박해 때 이가환(李家煥)·정약용·이승훈(李承薰) 등과 함께 잡혀 국문을 당하고, 옥사(獄死)함. [1736-1801]

권:청【勸請】명 ①신불의 내림(來臨)을 빎. ②신불의 영(靈)을 청하여 맞이함. ――-하다 타여불

권:초-관【捲草官】명〖역〗조선 시대 때 비빈(妃嬪)의 산실(産室)에서 권초례(捲草禮)를 행하던 임시 벼슬. 아들이 많고 다복한 조신(朝臣) 중에서 뽑았는데, 해산할 때에 깔았던 거적자리를 걷는 일을 맡아 봄. 자리걷이 벼슬아치.

권:초-례【捲草禮】명〖역〗①조선 시대 때 궁중에서 행하던 의식의 하나. 비빈(妃嬪)에게 산후(産候)가 보이면, 태의원 제조(太醫院提調)가 길(吉)한 방향에 산좌(産座)를 마련하고, 해산이 끝나면 해산할 때 깔았던 거적자리를 붉은 끈으로 문(門)에 매달아 두었다가, 산후 7일에 권초관으로 하여금 그 거적자리 앞에 명은(命銀)·명미(命米)·명주(命紬)·명사(命絲) 등을 진열, 분향 제고(祭告)한 다음, 그 고석(藁席)을 칠궤(漆櫃)에 넣고 홍보(紅褓)로 싸서, 남자면 내자시(內資寺), 여자면 내섬시(內贍寺)의 창고에 보관하게 하였음. ②전(轉)하여, 궁중의 해산에 따른 예제(禮制)의 통칭.

권:총[1]【拳銃】명 한 손으로 발사할 수 있는 소형의 총. 주로 호신용(護身用)임. 단총(短銃). 피스톨(pistol).

권총[2]【權寵】명 권세와 임금의 총애(寵愛).

권:총 강:도【拳銃強盜】명 권총을 들이대고 위협하여 물건을 빼앗아 가는 강도.

권:총-대【拳銃帶】명 권총을 휴대할 수 있도록 고리쇠가 달린 넓은 혁대.

권:총-집【拳銃―】[―찝] 명 권총을 넣어서 차고 다니는 주머니.

권:추【圈樞】명 원(圓)의 중심.

권:축[1]【卷軸】명 ①표장(表裝)하여 말아 놓은 서화(書畫)의 축(軸). *권자본(卷子本). ②주련(柱聯) 아래에 가로지르는 둥글고 긴 나무.

권:축[2]【捲縮】명 합성 섬유에 곱슬곱슬한 성질을 부여하는 일.

권:축-성【捲縮性】명 섬유가 고불고불하게 오그라지는 성질.

권:축-장【卷軸裝】명 권자본(卷子本).

권:취-지【卷取紙】명〖인쇄〗'두루마리❷'의 구용어.

권:층-운【卷層雲】명 [cirrostratus]〖기상〗상층운(上層雲)의 한 가지. 권적운(卷積雲)의 아래, 고적운(高積雲)의 위에 있으며, 푸른 하늘에 흰 새털이나 엷게 늘인 솜털같이 하늘 전면에 퍼지어 있는 구름. 지상(地上) 5-13km 높이에서 형성되는데 얼음의 결정(結晶)으로 이루어진다고 생각되고 있음. 흔히 햇무리나 달무리를 이룸. 털층구름. 햇무리구름. 솜털구름. 기호: Cs.

권칭【權稱】명 권형(權衡)❶.

권:커니 잣거니【勸―】구 술을 권하고 따르면서 계속해서 마시는 모양.

권:타[1]【拳打】명 주먹으로 때림. ――-하다 타여불

권:타[2]【倦惰】명 싫어져서 태만함. ――-하다 자여불

권:태【倦怠】명 ①싫증을 느끼어 게을러짐. ¶～감/～를 느끼다. ②심신(心身)이 피로하고 나른함. 탐탁한 맛이 없어지고 귀찮아짐.

권:태-감【倦怠感】명 싫증이나 게으름이 나는 느낌. 또, 몸이 나른한 느낌.

권:태-기【倦怠期】명 권태를 느끼는 시기. 특히, 부부(夫婦) 관계에 대하여 잘 씀. ¶～에 접어든 부부.

권:태-롭다【倦怠―】형ㅂ불 권태가 있어 보이다. 싫증이 나다. 심신이 피로하고 나른하다. 권:태-로이【倦怠―】부

권:태-증【倦怠症】[―쯩] 명 권태를 느끼는 증세.

권:토 중래【捲土重來】[―내] 명 한번 패(敗)하였다가 세력을 회복하여 다시 쳐 들어옴. ¶～를 기하고 일단 물러나다. ――-하다 자타여불

권:투[1]【拳鬪】명 가죽 장갑을 끼고 주먹으로 치는 운동 경기. 경기 시간은 1회에 3분, 쉬는 시간은 1분이며, 공격의 대상은 몸의 배꼽으로부터 위임. 아마추어는 3회, 프로는 4회 이상 12회로 승부를 결정함. 복싱(boxing).

권:투[2]【圈套】명 ①새나 짐승을 잡는 올가미. 또, 책략을 꾸밈. ②세력권 안. 세력 범위.

권:투 선:수【拳鬪選手】명 권투를 잘 하는 사람. 또, 권투 시합을 하는 사람. 복서(boxer).

권:투-장【拳鬪場】명 권투 시합을 할 수 있도록 꾸며 놓은 링. 14-20피트 사방을 로프로 둘러 막았음. 복싱 링.

권:투 장갑【拳鬪掌匣】명 권투의 글러브(glove).

권:파【倦罷】명 권비(倦憊). 권피(倦疲). ――-하다 형여불

권판【權判】명 품계(品階)가 높은 사람에게 그 지위보다 낮은 일을 보게 함. ――-하다 타여불

권:패【卷貝】명〖조개〗고둥·소라·우렁이같이 껍데기가 하나로 둘둘 말린 조개. 고둥. 나사조개.

권:패-류【卷貝類】명〖조개〗연체 동물 복족류(腹足類)에 속하는 조개의 한 부류. 나사 모양으로 패각(貝殼)이 꼬이고 머리와 다리가 좌우 상칭(左右相稱)이며 담수·해수에 서식하는데, 고둥·소라·우렁이 등이 있음. 나사조개류. ↔쌍패류.

권폄【權窆】명 풍수설에 따라 좋은 산지(山地)를 구할 때까지 임시로 하는 가매장(假埋葬). 권조(權厝). 중폄(中窆).↔완폄(完窆). ――-하다 타여불

권품 천사【權品天使】명〖천주교〗구품 천사(九品天使) 중 중급에 속하는 천사.

권품 천신【權品天神】명〖천주교〗'권품 천사'의 구용어.

권:피【倦疲】명 권태가 나서 피곤함. 권비(倦憊). ――-하다 자여불

권-필【權韠】명〖사람〗조선 광해군(光海君) 때의 현유(賢儒). 자는 여장(汝章), 호는 석주(石洲). 안동(安東) 사람. 정철(鄭澈)의 문인으로 과거에는 뜻이 없어 유생(儒生)들을 가르치고 가난하게 살았으며, 광해군 척족(戚族)들의 방종을 비방하다가 귀양 도중 폭음으로 죽었음. 그의 유시(遺詩)를 수록한 ≪석주집(石洲集)≫, 한문 소설 ≪주생전(周生傳)≫ 등이 있음. [1569-1612]

권:-하다【勸―】타여불 ①하도록 말하다. 권고하다. ¶입원하도록 ～. ②음식을 먹도록 하다. ¶술을 ～.

권:하-생【眷下生】명 존귀한 사람에게 자신을 낮추어 이르는 말.
권:학【勸學】명 학문(學問)을 권면(勸勉)함. ――-하다 자여불
권:학-가【勸學歌】명〖문〗①학문을 권장하는 노래. 작자·제작 연대 미상. ②천도교의 포교용(布敎用) 가사집인 ≪용담 유사(龍潭遺詞)≫ 중의 한 편. 순 한글로 된 가사체의 글임.
권:학 강:문【勸學講文】명 학문을 권장하며 공부에 힘쓰게 함.
권:학-문【勸學文】명 권학하는 글. 학문을 권면(勸勉)하는 글.
권:학-소【勸學所】명〖역〗중국 청(淸)나라 광서(光緖) 32년(1909)에 설치한, 행정 기관을 보좌하던 지방 자치 기관. 민국(民國) 11년(1922)에 교육국(敎育局)으로 고침.
권:학-편【勸學編】명〖책〗중국 청나라 때의 호광 총독(湖廣總督) 장지동(張之洞)이 지은 책. 청소년에게 서양 과학의 연구를 권하는 한편, 민권론(民權論)의 위험을 경고하고 종래의 윤리 도덕의 존중을 역설하였음. 1898년 출판.
권한【權限】명〖법〗①공법상(公法上) 국가 또는 공공 단체의 기관이 법령의 규정에 의거하여 직권(職權)을 행사하는 범위. ¶지방 관청의 ~을 늘리다. ②사법상 법인(法人)의 기관이나 대리인의 법령·정관(定款)·계약 등에 의하여 행할 수 있는 사항의 범위. ③권리❸. ¶무슨 ~으로 일을 시키느냐.
권한-내【權限內】명 권리·권력의 한도(限度) 안. 직권이 미치는 범위를 넘지 아니함. ↔권한외(權限外).
권한 대:행【權限代行】명〖법〗공법상으로는, 어떤 국가 기관이나 국가 기관의 구성원의 권한을 다른 국가 기관 또는 국가 기관의 구성원이 대행(代行)하는 일. 대통령이 궐위(闕位)되거나 사고로 인하여 직무를 수행할 수 없을 때에는 국무 총리 또는 법률에 정한 국무 위원(國務委員)의 차례로 그 권한을 대행함. 사법상으로도, 대리인(代理人)의 대리 행위에 관하여 사용될 수 있는 용어임. *서리(署理).
권한 배:정【權限配定】명〖법〗국가 기관 상호 간의 권한을 헌법과 법령에 의해 배정하는 일. 행정 각부(各部) 사이의 권한 배정은 정부 조직법과 그 밖의 법률에 규정되어 있으며, 권한 배정의 기본 계획은 국무 회의의 심의 사항임. 관청 상호간의 권한 배정에 의문이 생겨 쟁의(爭議)가 일어나면 국무 회의에서 결정짓고, 한 부내(部內)의 기관 상호간의 경우에는 그 부(部)의 장관에 의해서 결정됨. *주관 쟁의(主管爭議).
권한-외【權限外】명 권리·권력의 한도(限度) 밖. ↔권한내(權限內).
권한 재판【權限裁判】명 사법권(司法權)과 행정권(行政權) 간의 권한 쟁의(爭議)를 재판에 의하여 해결하는 제도.
권한 쟁의【權限爭議】[―/―이] 명〖법〗권한의 싸움. 계통이 다른 두 관청(官廳) 사이에 일어나는 권한에 관한 의견의 충돌. 두 개의 기관이 서로 관할권이 있다고 다투는 적극적 권한 쟁의와 서로 자기 관할이 아니라고 하는 소극적 권한 쟁의의 두 가지가 있음. *권한 배정.
권:함【圈檻】명 권뢰(圈牢).
권:항【勸降】명 항복하도록 권함. ――-하다 자여불
권:항-사【勸降使】명 항복을 권하기 위하여 적군에게 보내는 사자(使者).
권:항-서【勸降書】명 권항의 글. 항복을 권하거나 요구하는 글.
권:해【勸解】명 권고하여 화해(和解)시킴. 화해하도록 권고함. ――-하다 타여불
권:해-인【勸解人】명 권해하는 사람. 쟁의(爭議)의 중간에 서서 쌍방에 화해하도록 권하는 사람. 중재인(仲裁人).
권현【權現】명 권화(權化)❶.
권형【權衡】명 ①저울. 권칭(權稱). ②저울추와 저울대. ③사물의 경중(輕重)을 재는 척도(尺度)나 규준(規準). ④사물의 균형(均衡).
권:호【拳豪】명 권투의 명수. 권투계의 강호(強豪).
권-호(:)문【權好文】명〖사람〗조선 선조(宣祖) 때 학자. 자는 장중(章仲), 호는 송암(松巖). 안동(安東) 사람. 퇴계(退溪)의 문인. 30세 때 진사 시험에 합격하였으나 출사(出仕)하지 아니하고, 청성산하(靑城山下)에 무민재(無悶齋)를 짓고 영풍 가월(詠風歌月)로 세상을 보냄. 죽은 후 청성 서원(靑城書院)에 모시었음. 저서로 ≪송암집(松巖集)≫이 있음. [1532-87]
권:화¹【勸化】명 ①권유(勸諭)하여 감화(感化)시킴. ②〖불교〗중이 보시(布施)를 청함. ――-하다 타여불
권화²【權化】명 ①〖불교〗부처·보살 또는 신이 중생(衆生)을 건지기 위하여 인간 세상에 사람으로 나타나는 일. 또, 그 화신(化身). 권자(權者). 권현(權現). 분신(分身). ②어떤 추상적(抽象的) 특질 또는 사상이 그대로 구체화 또는 유형화(類型化)되었다고 믿어질 만큼 그 특성이 현저한 사람. ¶사랑의 ~.
권화³【權火】명 옛날 임금이 친제(親祭)를 하지 못하고 망배(望拜)를 할 때에 올리던 봉화(烽火).
권:화-소【勸化所】명〖불교〗절에서 기부금을 모집할 때 사무 보는 곳.
권:화-장【勸化帳】[―짱] 명〖불교〗절에서 기부금을 모집할 때 쓰는 장부.
권:환¹【圈圜】명 동그라미. 테.
권-환²【權煥】명〖사람〗시인. 본명은 경완(景完). 경남 창원 출생. 일본 교토(京都) 제국 대학 독문과 졸업. 중외 일보(中外日報)·조선 일보 기자를 거쳐, 임화(林和) 등과 더불어 카프(KAPF)의 중심 인물로서 활약함. 시집으로 ≪자화상(自畫像)≫·≪동결(凍結)≫·≪윤리(倫理)≫ 등이 있음. 목적 의식이 강하고 이념의 노출과 경직성이 심했음. [1903-54]
권:회¹【卷懷】명〔말아서 주머니 속에 집어넣는다는 뜻〕자신의 재능을 숨기고 나타내지 아니함. 도회(韜晦).
권:회²【勸誨】명 권하여 깨우침. ――-하다 타여불
권횡【權橫】명 권력을 믿고 자기 멋대로 행동함. ――-하다 자여불
권흉【權凶】명 권세를 함부로 부리는 흉악한 사람.
궐¹【闕】명 ①임금이 거처하는 곳. 대궐(大闕). ②참여하지 아니함. 하여야 할 일을 건너뛰고 못함. ③자리가 빔. 결원(缺員). ④부족(不足)함. ――-하다 타여불
궐²【厥】인대 ↗궐자(厥者). ¶선친께서 각처에 거래하는 셈을 모두 ~이 하였삽는데…≪李海朝 : 彈琴臺≫.
궐각【厥角】명 궐각 계수(厥角稽首). ――-하다 자여불
궐각 계:수【厥角稽首】명 이마가 땅에 닿도록 최대의 경례(敬禮)를 표함. 궐각(厥角). ――-하다 자여불
궐공¹ 명 몸이 허약한 사람의 별명.
궐공²【厥公】인대 궐자(厥者).
궐과【闕課】명 일과(日課)에 빠짐. ――-하다 자여불
궐기【蹶起】명 ①벌떡 일어남. ②모든 사람이 한결같이 그런 뜻을 품고 힘차게 일어남. ¶국민이 총~하다. ――-하다 자여불
궐기 대:회【蹶起大會】명 어떤 문제에 대하여 좋은 해결책을 촉구하기 위해서 뜻있는 사람들이 궐기하는 큰 모임. ¶반공(反共) ~.
궐기-타:령【―打令】명〖민〗함경 북도 두만강(豆滿江) 연안(沿岸) 마을의 민요. 쇠를 숯불에 녹일 때, 궐기라는 송풍(送風) 장치를 밟으면서 부르는 노동요(勞動謠).
궐-나다【闕―】[―라―] 자 결원(缺員)이 생기다.
궐내【闕內】[―래] 명 대궐의 안. 궁내(宮內). 궁정(宮廷). 궁중. 궐중(闕中). 금중(禁中). 액정(掖庭). ↔궐외(闕外).
궐-내다【闕―】[―래―] 타 결원(缺員)이 생기게 하다.
궐내 저:주의 옥【闕內咀呪―獄】[―래―/―래―에―] 명〖역〗조선 인조 21년(1643), 임금의 총애를 받던 조귀인(趙貴人)을 상궁 이(李) 씨가 저주하였다 하여 일어난 옥사. 이 씨는 진도(珍島)로, 그 일파 진이(眞伊)는 남해(南海)로 유배되고 몇 달 뒤 이 씨는 병을 받아 자살하였음.
궐녀【厥女】[―려] 인대 그 여자. ¶구소사라는 ~는 돈 욕기에는 자식을 바꾸는 그런 악부인즉…≪隱菊散人 : 누구의 죄≫.
궐-놈【厥―】[―롬] 인대〈속〉궐자.
궐덕-산【蕨德山】[―떡―] 명〖지〗함경 남도 풍산군(豐山郡) 천남면(天南面)에 있는 산. 부전령 산맥(赴戰嶺山脈) 중에 솟아 있으며 이곳 일대는 허천강(虛川江)·남대천(南大川) 등의 수원지를 이루고 있음. [1,430 m]
궐-두통【厥頭痛】명〖한의〗혈액 순환이 나쁘고 체온이 내릴 때 생기는, 머리가 아픈 증세.
궐랭【厥冷】명〖한의〗체온이 식을 때 생기는 모든 병증.
궐략【闕略】명 결략(缺略).
궐:련 명〔←권연(卷煙)〕①종이로 말아 놓은 담배. ¶~을 피우다. ②지(紙)궐련과 엽(葉)궐련의 통칭. 권연초(卷煙草).
【궐련 마는 당지(唐紙)로 인경을 싸려 한다】될 리도 없는 무리한 짓을 하려 한다는 말.
궐:련-갑【―匣】[―깝] 명〔←권연갑(卷煙匣)〕①궐련을 넣어 봉한 종이 갑. 한 갑에 스무 개, 열두 개 또는 열 개의 궐련이 들었음. ②궐련을 몸에 지니도록 상자처럼 만든 갑. 초갑(草匣).
궐:련 딱지 명 궐련갑에 든 그림 딱지. 준딱지.
궐:련 물부리[―뿌―] 명 궐련을 끼어 물고 피우는 물부리. 준물부리.
궐:련 상자【―箱子】명 ①궐련을 담는 상자. ②궐련갑을 10개씩 담아 포장한 상자.
궐루【闕漏】명 결루(缺漏)❶. ――-하다 자여불
궐리-가【闕里歌】명〖문〗작자·제작 연대 미상의 가사의 하나. 인의예지(仁義禮智)를 갖춘 공부자(孔夫子)의 훌륭한 집 구경을 가자는 것으로, 공자의 덕을 본받자는 노래. ≪초당 곡전(草堂曲全)≫이라는 가첩(歌帖)에 전함.
궐-매【鷢―】명〖조〗'개구리매'의 딴이름.
궐명【厥明】명 ①다음 날 날이 밝을 무렵. 내일 새벽. ②그 이튿날.
궐문¹【闕文】명 빠진 글자. 또, 그 글귀. 글자나 글귀가 빠진 글.
궐문²【闕門】명 대궐의 문. 궁문(宮門).
궐미【厥尾】명 짧은 꼬리. 또, 꼬리가 짧은 개.
궐반【闕盤】명 주로, 대궐에서 특별한 때에 쓰인다 하여 반월반(半月盤)을 일컫는 딴이름.
궐방【闕榜】명 ①〖역〗과방(科榜)에 빠짐. 과거에 낙제함. ②꼭 하여야 할 일을 못함. ――-하다 타여불
궐방(을) 치다 구 마땅히 해야 할 일을 못하다.
궐본【闕本】명 결본(缺本).
궐사¹【闕仕】[―싸] 명〖역〗관원이 결근함. ――-하다 자여불
궐사²【闕祀】[―싸] 명 제사를 지나치어 못 지냄. 궐제(闕祭). 궐향(闕享). ――-하다 자여불
궐석【闕席】[―썩] 명 결석(缺席). ――-하다 자여불
궐석 재판【闕席裁判】[―썩―] 명〖법〗결석 재판.
궐석 판결【闕席判決】[―썩―] 명〖법〗결석 판결.
궐식【闕食】[―씩] 명 끼니를 거름. 결식(缺食). ――-하다 자여불
궐식 아동【闕食兒童】[―씩―] 명 결식 아동(缺食兒童).
궐실【闕失】[―씰] 명 의당히 할 일을 하지 않은 허물.
궐-심통【厥心痛】명〖한의〗마음이 흥분되어 일어나는 가슴앓이.
궐액¹【闕掖】명 궁중(宮中).
궐액²【闕額】명 미리 정한 액수에 차지 못함.
궐야【厥也】인대 궐자(厥者).
궐어【鱖魚】명〖어〗쏘가리.
궐어-구【鱖魚灸】명 쏘가리 구이.
궐어-담【鱖魚膽】명〖한의〗쏘가리의 쓸개. 한방(漢方)에서 목구멍에 걸린 생선의 가시를 없애는 데 씀.
궐어-전【鱖魚腆】명 쏘가리 지짐이.
궐어-탕【鱖魚湯】명 쏘가리탕.
궐어-회【鱖魚膾】명 쏘가리회.
궐언【闕焉】명 결여(缺如). ――-하다 자여불
궐여【闕如】명 결여(缺如). ――-하다 자여불

궐역 두통【厥逆頭痛】 명 《한의》 찬 기운이 머릿골을 범하여 두통·치통(齒痛)이 함께 나는 병.

궐연-하다【蹶然—】 형 (여불) 일어나는 모양이 매우 기운차다. 궐연-히【蹶然—】 부

궐외【闕外】 명 대궐의 밖. ↔궐내.

궐원【闕員】 명 결원(缺員). ——-하다 자 (여불)

궐위【闕位】 명 지위가 빔. 또, 그 지위. ——-하다 자 (여불)

궐이【厥弛】 명 흔들리는 모양.

궐자[1]【闕字】[—짜] 명 ①문장 가운데 빠진 글자. ②문장 중에서 왕이나 귀인의 이름 위에 경의를 표하는 뜻으로 한두칸 남겨 놓는 일. *궐획(闕畫). ——-하다 자 (여불)

궐자[2]【厥者】[—짜] 인대 '그 사람' '그'를 좀 홀하게 이르는 말. 궐공(厥公). 궐야(厥也). 준궐(厥).

궐-잡다【闕—】 타 제때에 제자리에 빠진 것을 세어 두거나 적어 두다.

궐-잡히다【闕—】 피동 궐잡음을 당하다.

궐전[1]【闕典】[—쩐] 명 결전(缺典).

궐전[2]【闕錢】[—쩐] 명 곗돈·월수(月收)·일수(日收) 등 제때에 내어야 할 것을 내지 아니한 돈.

궐-전유화【鱖煎油花】 명 쏘가리 저냐.

궐정【闕廷】[—쩡] 명 대궐. 궁정(宮廷).

궐제【闕祭】[—쩨] 명 제사를 궐함. 궐사(闕祀). ——-하다 자 (여불)

궐종【厥終】[—쫑] 명 그 끝. 종말(終末).

궐종 서:부【厥宗噬膚】[—쫑—] 명 〔'厥宗'은 당(黨)의 무리, '噬膚'는 피부 속 깊이 들어간다는 뜻〕 당(黨)이 굳게 결합함. 군신(君臣)이 서로 마음이 잘 맞음.

궐중【闕中】[—쭝] 명 대궐 안. 궐내(闕內).

궐지【蹶躓】[—찌] 명 헛디디거나 걸려 넘어짐. ——-하다 자 (여불)

궐직【闕直】[—찍] 명 돌아오는 번(番) 차례에 빠짐. ——-하다 자 (여불)

궐참【闕參】 명 참여(參與)할 일에 빠짐. ——-하다 자 (여불)

궐채【蕨菜】 명 《식》 ①고사리. ②고사리 나물.

궐채 주인【蕨菜主人】 명 《역》 조선 시대 때, 종묘(宗廟)에 올리는 채소(菜蔬)를 바치던 계(契).

궐초【厥初】 명 그 처음. 시초(始初).

궐취【闕炊】 명 끼니를 거름. 가난하여 끼니밥을 끓이지 못함. ——-하다 자 (여불)

궐탕【蕨湯】 명 고사릿국.

궐패【闕牌】 명 《역》 각 고을을 관아의 객사(客舍)에 모셔 놓은 '궐(闕)'자를 새긴 위패(位牌) 모양의 나무 패. 그 앞에서 망궐례(望闕禮)를 행함.

궐하【闕下】 명 대궐 아래. 대궐 전각 아래.

궐-하다【闕—】 자타 (여불) ①빠지다. 참여하지 못하다. ②할 일을 아니하다.

궐향【闕享】 명 제사를 궐함. 궐사(闕祀). ——-하다 자 (여불)

궐획【闕畫】 명 ①글자의 획(畫)을 빠뜨리는 일. ②문장 중에서 왕이나 귀인의 이름을 쓸 적에 자획(字畫)의 마지막 한 획을 빠뜨리는 일. 가령 '玄'을 '玄'으로 쓰는 따위. 결획(缺畫). *궐자(闕字).

〈궐패〉

궐후【厥後】 명 그 이후.

궐희【闕戱】[—히] 명 《역》 성균관 유생(儒生)들이 해마다 여름과 겨울 두 차례, 종이에 '궐(闕)'자를 써서 성균관 문에 붙이고 모의 조정(模擬朝廷)을 꾸미는 놀이. 공자(孔子)를 왕으로 받들고, 동(東)·남(南)·중(中)·서(西)의 사학(四學)으로 복성공(復聖公) 곧 안자(顔子), 술성공(述聖公) 곧 자사(子思), 종성공(宗聖公) 곧 증자(曾子), 아성공(亞聖公) 곧 맹자(孟子) 등 사성(四聖)의 봉국(封國)으로 삼으며, 관중(館中)의 상하 재생(上下齋生)을 백관(百官)의 직(職)에 전주(銓注)하여, 반사(頒赦)·견사(遣使)의 예(禮)도 행하며, 시제(試題)를 내어 제술(製述)하게 하고는 창방(唱榜)하기도 하고, 정초(政草)를 크게 써서 대성전(大成殿) 뜰에 포고하기도 함.

궘 명 〈방〉 구유[1](황해).

궘의 명 〈방〉 그네(전라).

〈궤²❶〉

궤:[1] 명 〈방〉 ①구유[1](황해). ②《동》 게(황해·경기).

궤:[2]【几】 명 《역》 ①대신이나 중신(重臣)이 늙어서 벼슬을 그만둘 때 임금이 주는 물건. 앉았을 때 팔을 기대어 몸을 편하게 하는 것으로 나무로 만들었음. 양편 끝은 조금 높고 가운데는 둥긋하게 우묵하고 모가 없음. 구멍이 있어 제면(綈綿)을 잡아 맴. ②제향(祭享)에 쓰는 탁상(卓床)의 하나. 직사각형의 판(板)에 좌우로 굽은 다리가 둘씩 달리며, 두 개의 다리에 세로로 나무를 박았음. ③명기(明器)의 하나. 앞 쪽이 조금 움츠러 들어간 타원형의 판에 굽은 다리 세 개가 박히어 있음.

〈궤²❷〉

〈궤²❸〉

궤:[3]【簋】 명 《역》 종묘(宗廟)와 문묘(文廟) 기타 나라 제사에 쓰는 제기(祭器)의 하나. 기장쌀이나 핍쌀을 담음. 무게 3.4kg, 높이 18.5cm 가량으로 구리쇠로 만들었음. 뚜껑이 있으며 양쪽에 손잡이가 달렸고 바깥쪽은 17cm 가량이며 손잡이가 달린 곳의 직경은 약 30cm임. *보(簠).

궤:[4]【軌】 명 ①수레의 두 수레바퀴 사이의 간격. ②수레바퀴의 자국. ③무슨 일의 경로.

궤:를 같이하다 구 어떤 방침이나 논리(論理)의 방향, 사고 방식 따위가 같다.

〈궤³〉

궤:[5]【櫃】 명 물건을 넣도록 나무 등으로 상자처럼 만든 그릇. 나무로 짜되, 앞면이나 윗면을 두 쪽으로 나누어 반쪽만 여닫게 한 것임. 궤독(櫃櫝). ¶ 돈~. *함(函).

궤:간【軌間】 명 ①궤도(軌道)의 너비. ②철도 레일의 안쪽 너비. 협궤(狹軌)와 광궤(廣軌)의 두 종류가 있는데, 표준(標準) 궤간의 거리는 1.435m임.

궤:간-자【軌間—】 명 궤도의 너비를 재는 자.

궤:갈【匱竭】 명 다하여 없어짐. 모두 없어짐. 궤핍(匱乏). ——-하다 자 (여불)

궤:개-전【机槪典】 명 《역》 신라 때의 관아 이름.

궤:격【詭激】 명 언행이 온당하지 아니하고 격렬함. ——-하다 형 (여불)

궤:결【潰決】 명 둑 같은 것이 무너져 터짐. 결궤(決潰). ——-하다 자 (여불)

궤:계【詭計】 명 간사하게 남을 속이는 꾀. 궤모(詭謀).

궤:괴【詭怪】 명 이상야릇함. 괴상함. ——-하다 형 (여불)

궤:궤[1]【憒憒】 명 마음이 산란함. 산란해짐. 궤란(憒亂). ——-하다 형 자 (여불). ——-히 부

궤:궤[2]【几几】 부 진중한 모양. 침착한 모양. ——-하다 형 (여불)

궤궤[3]【蹶蹶】 부 ①동작이 재빠른 모양. ②놀라 당황하는 모양. ——-하다 형 (여불)

궤기 명 〈방〉 고기[1](경북).

궤:다 타 〈방〉 괴다[3](전라).

궤:도[1]【軌度】 명 법도(法度). 본보기.

궤:도[2]【軌道】 명 ①차가 지나다니는 길. ②기차나 전차를 운행하기 위하여 레일을 깔아 놓은 길. 레일. 선로(線路). ③밟아야 할 바른 길. ④〔orbit〕 《천》 천체가 공전(公轉)하는 일정한 길. 행성(行星)의 궤도는 타원(楕圓), 혜성의 궤도는 포물선(拋物線)·쌍곡선(雙曲線) 또는 타원임. ¶ 달의 ~. ⑤〔orbit〕 《물》 물체가 어떠한 힘의 작용으로 운동할 때에 그리는 일정한 경로(徑路).

궤:도[3]【詭道】 명 ①남을 속이는 수단. ②지름길. 첩경(捷徑).

궤:도 경사【軌道傾斜】 명 궤도면과 기준면이 이루는 각도.

궤:도 교점【軌道交點】[—쩜] 명 《천》 행성 또는 위성의 궤도가 황도면(黃道面) 또는 적도면(赤道面)과 교차하는 두 점.

궤:도 기중기【軌道起重機】 명 지면에 부설된 궤도 위를 회전 이동시키는 기중기. 탑형(塔形) 크레인·교형(橋形) 크레인 등.

궤:도-론【軌道論】 명 《천》 천체의 궤도를 역학적(力學的)·기하학적으로 논하며 그 운동 상태를 정하는 천문학의 한 분과. 주로 태양계의 천체·행성(行星)·혜성(彗星) 등의 궤도에 대하여 연구하고 역(曆)의 추산에 이용함.

궤:도-면【軌道面】 명 〔orbital plane〕 《물》 중심력장(中心力場)에서, 물체 또는 질점(質點)의 궤도를 포함하는 면. 힘의 중심을 통과함.

궤:도 방향【軌道方向】 명 〔orbital direction〕 《항공》 궤도상의 물체가 가는 방향. 지구 위성의 경우, 적도면에 대한 경사각으로 정해짐.

궤:도 사:업【軌道事業】 명 지상에 부설한 궤도에 의하여 여객 또는 화물을 운송하는 사업. *삭도 사업.

궤:도 속도【軌道速度】 명 ①〔circular velocity〕 《물》 임의(任意)의 힘의 중심에서 떨어진 거리에서, 일정한 주궤도(周軌道)를 유지하는 데 필요한 속도. ②〔orbital velocity〕 《천》 지구의 위성 또는 궤도 천체가, 중심력장(中心力場) 기점의 둘레를 운행하는 순간 속도.

궤:도 시험차【軌道試驗車】 명 철도 차량의 하나. 레일의 보선(保線) 상태에 관하여, 레일 앞뒤의 높낮이, 좌우 레일의 상대적인 높이, 궤간의 폭, 레일의 손상 등을 조사·시험함.

궤:도 요소【軌道要素】 명 〔elements of an orbit〕 《천》 행성(行星)과 위성(衛星)의 공간적 위치를 정하는 데 필요한 여섯 가지 요소. 곧, 반장경(半長徑)·이심율(離心率)·궤도 경사·승교점 황경(昇交點黃徑)·근일점(近日點) 황경·근일점 통과. 케플러(Kepler)의 요소.

궤:도 운:동【軌道運動】 명 〔orbital motion〕 물체가 어떤 점의 주위를, 원이나 타원형을 그리면서 연속하여 운동하는 일.

궤:도 재단【軌道財團】 명 전차·기차 등의 궤도 및 그 부속물을 법률상의 재산으로 하여 저당(抵當)의 목적으로 제공하는 재단.

궤:도 전:자【軌道電子】 명 〔orbital electron〕 《물》 보어(Bohr)의 원자 모형에 있어서, 원자핵의 주위에 일정한 궤도를 그리면서 운행한다고 생각되는 전자. 핵외(核外) 전자.

궤:도 주기【軌道週期】 명 〔orbital period〕 《천》 위성이 궤도상의 어떤 한 점을 기준으로 한 바퀴 도는 데 드는 시간.

궤:도-차【軌道車】 명 전차·기차·기동차 등과 같이 궤도 위를 운행하는 차.

궤:도 폭탄【軌道爆彈】 명 〔Fractional Orbital Bombardment System; FOBS〕 《군》 ICBM과 같이 탄도(彈道)를 나는 것이 아니라, 인공 위성처럼 궤도를 비행하면서 지구를 돌아 목표점에 근접한 곳에서 감속(減速) 로켓을 분사(噴射)하여, 대기권(大氣圈)에 재돌입(再突入)하여 폭격하는, 핵탄두(核彈頭)가 장비된 폭탄. 정확히는, 부분(部分) 궤도 폭격 시스템이라고 함. 위성(衛星) 폭탄.

궤:독【櫃櫝】 명 궤(櫃).

궤때기 명 〈방〉 검불(강원).

궤떼기 명 〈방〉 검불(경기).

궤:란[1]【憒亂】 명 마음이 산란함. 궤궤(憒憒). ——-하다 자 (여불)

궤:란[2]【潰亂】 명 싸움에 패하여 흩어져 도망침. ——-하다 자 (여불)

궤:란[3]【潰爛】 명 썩어 문드러짐. ——-하다 자 (여불)

궤란-쩍다 형 주제넘다. 행동이 건방지다.

궤롭다 형 〈방〉 괴롭다(제주·경기·함북).

궤:맹【潰盟】 명 맹세를 저버림. 맹약을 포기함. ——-하다 자 (여불)

궤:-면복【跪俛伏】 명 《춤》 무릎 꿇고 고개 숙여 엎드림. 향악 정재(鄕樂呈才)를 시작할 때의 인사법. *배면복흥(拜俛伏興). 면복흥퇴(俛伏興退).

궤:멸【潰滅】 명 무너져 망함. ¶ 패주하는 왜군을 ~시키다. ——-하다 자 (여불)

궤:모[1]【軌模】 명 궤범(軌範).

궤:모[2]【詭謀】 명 궤계(詭計).

궤:배【跪拜】 명 무릎을 꿇고 절함. ——-하다 자 (여불)

궤:범【軌範】 명 본보기가 될 만한 법도(法度). 궤모(軌模).

궤:변【詭辯】 명 ①도리에 맞지 않는 변론. 도리가 아닌 말을 도리에 맞는 것처럼 억지로 공교롭게 꾸며 대는 말. ②〔sophism〕 《논》 상대편을 이론으로 이기기 위해서, 상대방의 사고(思考)의 혼란·불확정 및 감

정의 격앙(激昂)을 이용하여 참이 아닌 것을 참인 것처럼 꾸며대는 논법. ③〖논〗옳은 전제(前提)에서 누가 보든지 이상하게 생각할 결론을 유도해서 쉽사리 반박하기 어렵게 하는 논법. 소피스티케이션(sophistication).

궤:변-가【詭辯家】명 궤변을 잘하는 사람.

궤:변-술【詭辯術】명 궤변을 부리는 화술(話術). ¶ ~에 능하다.

궤:변-쟁이【詭辯―】명 궤변을 잘 늘어 놓는 사람.

궤:변-적【詭辯的】명관 궤변을 부리는 모양.

궤:변-파【詭辯派】명〖철〗궤변 학파.

궤:변 학도【詭辯學徒】명 궤변 학파의 학도.

궤:변 학파【詭辯學派】명〖철〗소피스트(sophist)❶.

궤:병【潰兵】명 궤주(潰走)하는 병사.

궤:복【跪伏】명 꿇어 엎드림. ――-하다 자여불

궤:봉【櫃封】명 물건을 궤에 넣고 봉하여 둠. ――-하다 타여불

궤-불미 명〈방〉손풀무.

궤:붕【潰崩】명 흩어져 무너짐. ――-하다 자여불

궤:사¹【詭詐】명 간사스러운 거짓. 교묘하게 속임. 궤휼(詭譎). ――-하다 타여불

궤:사²【詭辭】명 궤언(詭言).

궤:사³【跪謝】명 무릎을 꿇고 사죄함. ――-하다 자여불

궤:산【潰散】명 무너져서 흩어짐. ――-하다 자여불

궤:산-봉【机山峰】명〖지〗함경 북도 경성군(鏡城郡)과 무산군(茂山郡) 사이에 있는 산(山). [2,277 m]

궤:상¹【机上】명 책상 위.

궤:상²【机床】명 네모 반듯하고 낮은 서안(書案). 한두 개의 서랍을 붙이기도 함. *경상(經床).

궤:상³【跪像】명 무릎을 꿇은 모양의 상.

궤:상 공론【机上空論】[―논] 명 탁상 공론(卓上空論). ――-하다 타여불

궤:상-봉【櫃床峰】명〖지〗함경 북도 무산군(茂山郡)과 경성군(鏡城郡) 사이에 있는 산봉우리. [2,333 m]

궤:상-육【机上肉】[―뉵] 명 '도마 위에 오른 고기'와 같은 뜻.

궤:석【几席】명 안석(案席)과 자리.

궤:설【詭說】명 거짓으로 속이는 말. 「다 타여불

궤:송【饋送·餽送】명 물품을 보냄. 물품을 선사함. 궤유(饋遺). ――-하다 타여불

궤:술【詭術】명 사람을 속이는 술책. 궤책(詭策).

궤:안【几案】명 의자(椅子)·사방침(四方枕)·안석(案席) 등의 통칭.

궤:양【潰瘍】명〖의〗체표면(體表面) 또는 강(腔) 내면의 일부가 진무르고 허는 증상. ¶위(胃)~.

궤:양-병【潰瘍病】[―뼝] 명 ①〖의〗궤양의 증상이 일어나는 병. ②〖식〗식물의 병의 한 가지. 줄기·잎·열매의 피부(皮部) 등의 조직이 좀 우므러들면서 죽고 그 주위가 코르크층(cork層)을 이루면서 올라오며 나중에는 병반면(病斑面)의 표피(表皮)가 찢어져서 거칠어지는 병. 귤·탱자·토마토 등에 흔함.

궤:양성 구:내염【潰瘍性口內炎】[―썽―] 명〖의〗구강 점막(口腔粘膜)에 궤양을 일으키는 질환. 영양 장애·충치(蟲齒)·이의 비위생(非衛生) 등으로 나선상균(螺旋狀菌)·방추상균(紡錘狀菌) 등이 생겨서 치육(齒肉) 점막의 궤양 및 심한 구취(口臭)를 내는 것이 그 특징임.

궤:양-암【潰瘍癌】명〖의〗위(胃)궤양 때, 위의 점막(粘膜) 특히 선(腺) 조직이 현저한 증식(增殖)을 되풀이하면서 이형적(異型的) 증식을 일으키어 암성화(癌性化)한 암종(癌腫).

궤:언【詭言】명 간사하게 속이어 꾸미는 말. 궤사(詭辭).

궤:연【几筵】명 영궤(靈几)와 혼백·신주를 모셔 두는 곳. 영실(靈室). 영연(靈筵). 영좌(靈座).

궤:열【潰裂】명〔←궤렬〕헤져 갈라짐. 헤져 찢어짐. ――-하다 자여불

궤:열 강도【潰裂強度】명 주로 제철용(製鐵用) 코크스의 경도(硬度)를 나타내는 지수(指數).

궤:욕【憒辱】명 어지럽고 더러움. ――-하다 형여불

궤:우【詭遇】명 ①정당하지 않은 방법. ②정도(正道)를 밟지 아니하고 부귀(富貴)를 얻음. 요행스러운 입신(立身).

궤:위¹【詭僞】명 거짓으로 속임. ――-하다 타여불

궤:위²【潰圍】명 적군의 포위를 무너뜨림. ――-하다 자여불

궤:유【饋遺】명 물건을 보냄. 궤송(饋送). ――-하다 타여불

궤:일【潰溢】명 둑이 무너져 물이 넘쳐 흐름. ――-하다 자여불

궤:자【樻子】명 가마바탕.

궤:장【几杖】명 ①안석과 지팡이. ②〖역〗궤장연(几杖宴) 때, 임금이 하사하던 궤(几)와 지팡이. *사궤장(賜几杖).

궤:장-연【几杖宴】명〖역〗조선 시대 때, 나이 70세 이상된 대신들에게 궤장(几杖)을 하사함과 동시에 베풀던 연회. 가장 명예스러운 국가 행사로서 호화스럽게 행하였는데, 그 비용은 각 주(州)와 군(郡)에서 염출하였음. 선조(宣祖) 원년(1568)에는 국비를 절약한다는 뜻에서 영의정 이준경(李浚慶)이 이를 중지시킨 예도 있음.

궤:적【軌跡·軌迹】명 ①수레바퀴가 지나간 자국. ②전인(前人)의 행적(行跡). ③〖수〗'자취'의 구용어. ④〖지〗지진파(地震波)의 경로(經路).

궤:적 사진【軌跡寫眞】명 밤하늘의 별들을 향하여 카메라를 고정하고, 장시간 노출시켜 찍는 사진. 별들이 움직인 자취를 알 수 있음.

궤:-전선【饋電線】명〖전〗발전소나 변전소에서, 다른 발전소나 변전소를 통하지 아니하고 직접 간선(幹線)이나 전철(電鐵) 등의 가공선(架空線)에 이르는 전선.

궤:조【軌條】명 기차나 전차가 다니도록 깔아 놓은 가늘고 긴 강철재(鋼鐵材). 궤철(軌鐵). 궤도(軌道). 레일(rail).

궤:조 본드【軌條―】〔bond〕명 궤조와 궤조의 접속을 기계적으로 완전하게 하기 위하여 붙이는 동선(銅線)의 도체(導體).

궤:좌【跪坐】명 꿇어앉음. ――-하다 자여불

궤:주【潰走】명 패하여 흩어져 달아남. 분궤(奔潰). ――-하다 자여불

궤즉ᄒᆞ다 형〈옛〉우뚝하다. ¶궤즉홀 뎍(倜), 궤즉홀 당(儻)《類合 下 5》/궤즉홀 홀(屹)《類合 下 54》.

궤지 명〈방〉귀에지(평안).

궤:-지기¹ 명 다 고르고 찌꺼기만 남아서 쓰지 못하게 된 것.

궤:-지기²【几―】명〖역〗기로(耆老)에게 하사(下賜)하던 궤(几)를 간수하던 사람. 궤직(几直).

궤:-직【几直】명〖역〗궤지기².

궤:-짝【櫃―】명〈속〉궤(櫃).

궤:창【潰瘡】명〖의〗카리에스(caries).

궤:창-병【潰瘡病】[―뼝] 명〖의〗카리에스(caries).

궤:책【詭策】명 궤술(詭術).

궤:철¹【軌轍】명 ①차가 지나간 바퀴 자국. ②법칙. 법도. ③전인(前人)의 사적(事跡). 과거의 사적.

궤:철²【軌鐵】명 ①궤조에 쓰이는 철재(鐵材). ②궤조(軌條).

궤:촉【軌躅】명 ①수레바퀴 자국. ②전인(前人)이 남긴 모범. 유범(遺範).

궤:칙【軌則】명 ①법칙(法則). 본보기. ②규범으로 삼고 배움. ――-하다 타여불

궤:패【潰敗】명 무너져 패함. ――-하다 자여불

궤-풀미 명〈방〉손풀무.

궤:핍【匱乏】명 다 없어짐. 없어져서 다함. 궤갈(匱竭). ――-하다 자여불

궤:하【机下】명 ①책상 아래. ②편지 봉투 겉에, 상대편의 이름 아래 붙여 쓰는 경칭. 안하(案下). 연북(硯北). 오하(梧下).

궤:형【詭形】명 괴상한 형상(形狀).

궤환 증폭기【饋還增幅器】명〔feedback amplifier〕〖전〗출력의 일부를 입력측(入力側)에 돌리는 귀화 회로를 사용한 증폭기. 귀환으로 증폭도가 증가하는 양(陽)궤환 증폭기와 증폭도가 저하(低下)하는 음(陰)궤환 증폭기가 있음. 되먹임 증폭기.

궤:휼¹【詭譎】명 교묘하고 간사스럽게 속임. 야릇한 속임수. 궤사(詭詐). ――-하다 타여불

궤:휼²【饋恤】명 빈곤(貧困)한 사람에게 물건을 주어 구제함. ――-하다 타여불

궬로〔Gwelo〕명〖지〗아프리카 남부, 짐바브웨 중앙부의 마타벨렐란드(Matabeleland)의 중심 도시. 표고(標高) 약 1,400 m에 있으며, 불라와요(Bulawayo)와 솔즈베리(Salisbury) 간의 철도에 연하여, 농·축산물 거래의 중심지임. 부근에서 금·철·크롬을 산출하며, 금속·시멘트·피혁 공업이 행하여짐. [79,000 명(1982)]

귕 명〈방〉구유¹(황해).

귕이 명〈방〉구유¹(경기).

귀¹ 명 ①〖생〗오관(五官)의 하나로, 얼굴의 좌우에 있어 청각(聽覺)을 맡은 기관(器官). 고등 동물에 있어서는 외이(外耳)·중이(中耳)·내이(內耳)의 세 부분으로 나뉘는데, 외이는 귓바퀴와 외청도(外聽道)가 있고 외청도(外聽道)와 중이 사이에 고막(鼓膜)이 있음. 내이에는 와우각(蝸牛殼)과 전정부(前庭部)와 삼반규관(三半規管)이 있음. 고막이 공기의 진동을 전하며 중이의 여러 기관을 통하여 내이에 이르러 청신경(聽神經)을 자극함. ¶ ~가 먹다. *외이(外耳). ②↗귓바퀴. ¶ ~가 크다. ③↗귀때. ¶도가니의 ~로 쇳물을 따르다. ④넓적한 물건의 모퉁이 끝. ¶신문지의 ~를 맞추다. ⑤실을 꿰는 바늘 구멍. ¶바늘~. ⑥↗아귀¹. ¶두루마기의 양쪽 ~를 크게 내다. ⑦두루마기나 저고리의 섶끝. ⑧↗불귀. ¶화승총(火繩銃)의 ~에 불을 댕기다. ⑨바둑판의 네 모퉁이의 화점(花點) 지역의 부분. ¶ ~에서 겨우 살다.

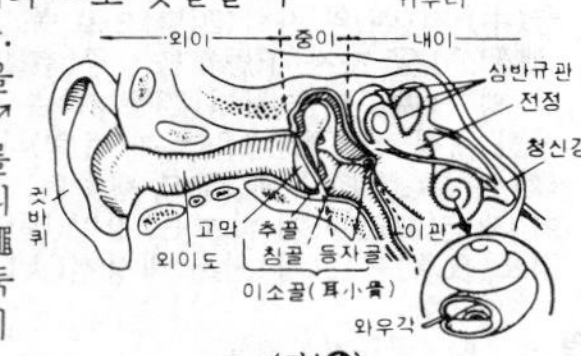

〈귀¹❶〉

⑩그릇이나 통 따위에 달린 귀 모양의 손잡이. ⑪〈방〉족자리. ⑫돈의 단위의 십진급수(十進級數)를 넘는 소액의 액수 또는 물건의 부른 값에 좀 더 붙이는 금액. ¶ ~ 달린 천원/500 만원에 ~가 달려 있는 집. [귀가 도자전(刀子廛)이라;귀가 보배다;귀가 산호가지라] 배운 것은 없으나 귀로 들어서 아는 것이 많다는 것을 놓으로 하는 말. [귀 막고 방울 도둑질한다] 얕은 수를 써서 남을 속이려 하나 거기에 속는 사람은 없다는 말. [귀 소문 말고 눈 소문 하라] 실지로 보고 확인한 것이 아니면 말하지 말라는 말. [귀에 걸면 귀걸이 코에 걸면 코걸이] ㉠정해 놓은 것이 아니고 둘러댈 탓이라는 뜻. ㉡하나의 사물이 두 쪽에 관련되어 어느 한쪽으로 결정짓기 어렵다는 뜻. [귀 작으면 앙큼하고 담대하다] 귀가 작으면 흔히, 속이 앙큼하고 담이 크다고, 귀가 작은 사람을 놀리는 말. [귀 장사 하지 말고 눈 장사 하라] 귀로 많이 듣는 것보다는 실지로 눈으로 보는 것이 더 확실하니 보지 않고는 소문을 내지 말라는 말. [귀 좋은 거지 있어도 코 좋은 거지 없다] 얼굴 복판에 있는 코가 잘 생겨야 상(相)이 좋다는 말.

귀가 번쩍 뜨이다, 귀가 번쩍하다 구 뜻밖에 반가운 소리를 들어, 막혔던 귀가 뚫리는 것 같다.

귀가 새파랗다 구 아직 어리다.

귀가 솔깃하다 구 어떤 말을 듣고 그럴 듯하게 여겨져 마음이 쏠리다.

귀가 솔:지경이다 구 너무 많이 들어서 귀가 아플 지경이다. ¶으례 첫머리에 '친애하는 동포 여러분!' 식으로 외치던 '친애하는 동포'였다. 아주 귀가 솔 지경이었다.

귀가 절벽 구 아주 귀가 먹었거나 또는 사리에 어두움을 이르는 말. ¶그 늙은이는 귀가 절벽일세. 《李人稙:鬼의 聲》.

귀를 의심하다 구 믿을 수 없는 이야기를 들었을 때, 잘못 들은 것이 아닌가 생각하다.

귀를 팔다 구 정신을 그 쪽으로 돌리어 듣다.

귀에 못이 박이다 구 같은 말을 여러 번 들어, 귀찮고 싫은 느낌이 들다.

귀에 싹이 난다 구 몇 번이나 되풀이해서 들었음을 강조하는 말.

귀에 익다 구 여러 번 들어 익숙해져서, 언뜻 듣기만 해도, 그것이 무엇인지 또는 무슨 뜻인지 이내 알 수 있다. ¶ 귀에 익은 목소리.

귀[2] 명 〈방〉〖동〗고양이(경상).

귀[3] 명 〈방〉 구유[1](황해).

귀[4] 명 〈방〉 궤(櫃)(경기·강원·충북·경상).

귀[5] 명 〈방〉 모서리(경북).

귀[6] 명 〈옛〉 관청(官廳). ¶ 왕시 임의 주거시매 명증이 업서 귀예 가 숑ᄉᆞ

귀:[7] 【句】 명 ☞구(句). ㄴ롤 ᄒᆞ니《太平廣記 I :21》.

귀:[8] 【鬼】 명 〖천〗↗귀성(鬼星). 「《古時調 鄭澈 인ᄂᆞ니》.

귀[9] 의명 〈옛〉 따위. =쒸. ¶ 비온 날 니믜촌 누역이 볏 귀 본돌 엇더리

귀:-【貴】 두 ①상대편에 대한 존칭으로 한문 글자로 된 명사의 머리에 붙이는 말. ¶ ～학회(學會)/～자제(子弟). ②희귀하거나 존귀하다는 뜻을 나타내는 말. ¶ ～금속. 「宅). 존댁(尊宅). 존가(尊家).

귀:가[1] 【貴家】 명 상대방의 집, 혹은 집안을 높여서 하는 말. 귀댁(貴

귀:가[2] 【貴價】 [—까] 명 고가(高價).

귀가[3] 【歸家】 명 집으로 돌아오거나 돌아감. 환제(還第). ——-하다 자

귀가[4] 【歸嫁】 명 시집감. ——-하다 자여불 ㄴ여불

귀-가렵다 형ⓑ불 그 자리에 있지 아니한 남이 자기에 대한 소문이나 비평을 한다고 생각될 때에, 어쩐지 귀가 가려움을 느끼다.

귀가-성 【歸家性】 [—썽] 명 〖동〗 귀소 본능(歸巢本能).

귀-각[1] 【—角】 명 바둑판의 네 귀의 모서리.

귀각[2] 【龜殼】 명 거북의 등딱지. 귀갑(龜甲).

귀각[3] 【龜脚】 명 〖동〗 거북손. 「대내마(大奈麻)에 해당함.

귀:간[1] 【貴干】 명 〖역〗 신라 때 외위(外位)의 넷째 등급. 경위(京位)의

귀:간[2] 【貴簡】 명 귀함(貴函).

귀-간지럽다 형ⓑ불 남이 자기의 소문이나 비판을 하매, 낯이 간지러워 듣기에 거북하다. 「～.

귀감 【龜鑑】 명 사물의 거울·본보기가 될 만한 것. 귀경(龜鏡). ¶ 군인의

귀갑 【龜甲】 명 거북등의 껍데기. 한방에서 어린아이의 정문 불합(頂門不合)·두창(頭瘡) 및 난산(難產)·설사·치질·사지 무력(四肢無力) 등을 치료하는 데 씀. 귀각(龜殼).

귀갑 따내기 【龜甲—】 명 바둑에서, 귀갑 모양의 여섯 돌로 상대방의 두 돌을 둘러싸서 따내는 일.

귀갑-문 【龜甲紋】 명 거북등무늬.

귀갑 수골 【龜甲獸骨】 명 거북의 등딱지와 짐승의 뼈. 중국 은대(殷代)에는 여기에 문자를 새겨 점(占)을 쳤음. *갑골 문자(甲骨文字).

귀갑-형 【龜甲形】 명 거북의 등딱지를 닮은 육각형(六角形).

귀갓-길 【歸家—】 명 집으로 돌아오거나 돌아가는 길. ¶ ～을 재촉하다/～에 차량이 몹시 붐비다.

귀:개 명 ☞귀이개.

귀:객 【貴客】 명 귀한 손님. 높은 손님. 귀빈(貴賓).

귀:거 【鬼車】 명 〖충〗 범나비. 호랑나비.

귀거래 【歸去來】 명 〔도연명(陶淵明)의 귀거래사에서 온 말〕 관직(官職)을 사임하고, 고향으로 돌아감.

귀거래-사 【歸去來辭】 명 〖문〗 중국 진(晉)나라의 도연명(陶淵明)이 팽택(彭澤)의 영(令)이 되었을 때에 군(郡)의 장관(長官)이 의관을 갖추어 배알하라는 데 분개하여 그 날로 사직하고 귀향할 때에 지은 글. 육조(六朝) 시대의 으뜸가는 명문으로 침.

귀-걸이 명 ①귀에 걸어 추위를 막는 제구. 귓집. ②↗귀걸이 안경. ③귓불에 붙이는 장식품. 금은 보석 등으로 만들며 주로 여자가 장식함. 귀고리. 이식(耳飾).

귀걸이 수화기 【—受話器】 명 헤드폰(headphone)❶.

귀걸이 안:경 【—眼鏡】 명 안경의 한 가지. 안경 다리 대신 실로 꿰어 귀에 걸게 되어 있는데 접을 때에는, 두 짝의 알이 한데 포개져 겹치게

귀격[1] 명 〈방〉 구격(具格). ㄴ됨. 준귀걸이.

귀:격[2] 【貴格】 [—껵] 명 ①귀(貴)하게 될 상격(相格). ②매우 드물고 귀

귀:견 【貴見】 명 상대자의 의견의 높임말. ㄴ한 체격(體格).

귀-견줌 명 격구(擊毬)에서, 시작할 때의 동작. 행구(行毬)할 처음에 함부로 치지 아니하고, 장(杖)을 말 목 위로 가로 들어 말 귀와 가지런히 하는 동작. 비이(比耳).

귀결 【歸結】 명 ①어느 가정(假定)에서 미루어 생각하여 낸 결과. 종결(終結). 결론(結論). ②끝을 맺음. ——-하다 자여불

귀결(을) 짓:다 구 끝맺음을 하다. 결론을 내리다.

귀결-부 【歸結符】 명 수의 계산이나 문제를 풀어 귀결된 식을 보일 때 그 식의 앞에 쓰는 부호. '∴'표. 고로표. 삼발점.

귀결-점 【歸結點】 [—쩜] 명 귀결이 되는 점. 결론으로 돌아가는 점. 귀

귀:경[1] 【貴庚】 명 남의 나이를 높이어 하는 말. ㄴ착점(歸着點).

귀경[2] 【歸京】 명 서울로 돌아오거나 돌아감. ——-하다 자여불

귀경[3] 【歸耕】 명 벼슬을 내버리고 시골로 돌아가서 농사를 지음. 귀농(歸農). ——-하다 자여불

귀경[4] 【歸敬】 명 〖불교〗 귀의(歸依)하여 존경함. ——-하다 타여불

귀경[5] 【龜鏡】 명 귀감(龜鑑). 「의식.

귀경-식 【歸敬式】 명 〖불교〗 진종(眞宗)에서, 귀경한 자의 머리를 깎는

귀:계[1] 【鬼薊】 명 〖식〗 엉겅퀴.

귀계[2] 【歸計】 명 고향으로 돌아갈 계획.

귀:고 【貴稿】 명 남의 원고(原稿)를 높이어 이르는 말. ↔졸고(拙稿).

귀-고리 명 여자의 귀에 장식으로 다는 고리.

귀:곡[1] 【鬼哭】 명 귀신의 울음.

귀곡[2] 【龜谷】 명 〖사람〗 각운(覺雲)의 법호.

귀-곡사 【—曲四】 명 ↗귀곡사궁(—曲四宮).

귀-곡사궁 【—曲四宮】 명 바둑에서, 귀각에 생긴 곡사궁(曲四宮). 귀가 갖는 특수성에 의해, 귀의 곡사궁은 죽는다는 규약이 정해져 있음. 준귀곡사(曲四). *정(正)사궁.

귀:곡-새 【鬼哭—】 명 음침한 날이나 밤에 구슬프게 울고 다니는 부엉이. 귀곡조(鬼哭鳥).

귀:곡-성 【鬼哭聲】 명 ①귀신의 우는 소리. ②귀곡새의 우는 소리.

귀-곡오궁 【—曲五宮】 명 바둑에서, 귀각(角)에 생긴 곡오궁.

귀:곡-자 【鬼谷子】 명 ①〖사람〗 중국 전국(戰國) 시대의 종횡가(縱橫家). 성씨(姓氏)·사적(事跡) 모두 미상(未詳)인데, 그가 은신하던 고장곤, 지금의 산시성(山西省) 쩌저우부내(澤州府內)의 귀곡(鬼谷)을 따서 호(號)로 삼았음. 소진(蘇秦)·장의(張儀)의 스승이라고 함. ②〖책〗 중국 전국 시대에 귀곡자(鬼谷子)가 종횡설(縱橫說)의 법을 논한 책. 위작

귀:곡-조 【鬼哭鳥】 명 귀곡새. ㄴ(僞作)이라고도 함.

귀:곡 천:계 【貴鵠賤鷄】 명 〔따오기를 귀히 여기고 닭을 천히 여긴다는 뜻〕 먼 데 것을 귀히 여기고 가까운 데 것을 천히 여김을 말함.

귀:골 【貴骨】 명 ①귀하게 생긴 골격(骨格). ②귀하게 될 골상(骨相). ③귀하게 자란 사람. 1)-3):↔천골(賤骨).

귀:공[1] 【鬼工】 명 세상에 보기 드문, 몹시 뛰어난 솜씨.

귀:공[2] 【貴公】 인대 담화를 할 때에, 아랫사람이 윗사람을 부르던 말. 전에는 손윗사람에 대한 호칭(呼稱)으로 쓰였으나, 지금은 동배(同輩)나 손아랫사람에 대한 호칭으로 쓰임. 「풍격(風格).

귀:-공자 【貴公子】 명 귀한 집안에 태어난 남자. 귀자(貴子). ¶ ～ 같은

귀:관[1] 【鬼關】 명 〖불교〗 저승에 들어가는 문. 귀문(鬼門).

귀:관[2] 【貴館】 명 상대방의 관(館)을 높이어 이르는 말. ↔폐관(弊館).

귀:관[3] 【貴官】 인대 ①상급(上級)자가 아랫사람을 부르는 칭호(稱號). ②관리를 공경하여 부르는 말.

귀관[4] 【歸館】 명 관(館)에 돌아오거나 돌아감. ——-하다 자여불

귀:교[1] 【貴校】 명 상대방을 높이어 그가 근무하는 학교, 혹은 적(籍)을 둔 학교를 이르는 말. ↔폐교[2](弊校).

귀교[2] 【歸校】 명 학교로 돌아오거나 돌아감. ——-하다 자여불

귀:구[1] 【鬼臼】 명 〖식〗 [*Podophyllum versipelle*] 매자나뭇과에 속하는 다년초. 줄기는 곧고 그 끝에 잔털이 있는 잎이 더부룩하게 나며, 잎 아래에 청백색 또는 홍자색 꽃이 아침과 해질 무렵에만 피어 눈에 잘 띄지 아니하고 누른 빛의 열매가 열림. 산 속에 나는 독초(毒草)로 열매는 소독약(消毒藥), 뿌리는 '귀구근(鬼臼根)'이라 하여 치풍(治風)·학질·사독(蛇毒) 등의 약재로 씀.

귀구[2] 【歸咎】 명 허물을 남에게 씌움. ——-하다 타여불

귀-구멍 명 〈방〉 귓구멍(함경). 「대사관. ↔폐국(弊國).

귀:국[1] 【貴國】 명 상대방의 나라를 높이어 일컫는 말. 귀방(貴邦). ¶ ～

귀국[2] 【歸國】 명 제 나라로 돌아가거나 돌아옴. 환국(還國). 회국(回國). 귀조(歸朝). ¶ ～선(船). ——-하다 자여불

귀:군 【貴君】 인대 손아랫사람을 친근하게 높이어 부르는 말.

귀근 【歸覲】 명 귀성(歸省). ——-하다 자여불

귀-글 【句—】 명 한문의 시부(詩賦)처럼 두 마디가 한 덩이씩 되게 지은 글. 그 각 마디를 '짝'이라 하며 앞마디를 '안짝', 뒷마디를 '바깥짝'이라 함. 구문(句文). ↔줄글.

귀글월 명 〈옛〉 공문서(公文書). ¶ 귀글월(公案)《語錄 9》.

귀:금[1] 【貴金】 명 〖사람〗 신라 진흥왕(眞興王) 때의 거문고의 명가(名家). 경덕왕(景德王) 때의 명금(名琴) 옥보고(玉寶高)와 그의 제자 속명득(續命得)의 금도(琴道)를 계승, 지리산에 들어가서 나오지 않으매 진흥왕은 거문고의 도가 끊어질까 두려워 남원 공사(公事) 윤흥(允興)으로 하여금 안장(安長)·청장(淸長)을 보내어 귀금의 비곡(秘曲) 표풍(飄風) 등 세 곡조를 전수하게 하였다고 하며, 그 외는 이름조차 전하지 않음.

귀금[2] 【歸禽】 명 저녁이면 자려고 집에 돌아오는 새. *귀소성(歸巢性).

귀:-금속 【貴金屬】 명 〖화〗 높은 온도에서도 산화(酸化)하지 아니하고 일반 물질처럼 화학 작용도 받지 아니하고 항상 아름다운 금속 광택을 보유하고 있는 쇠붙이. 백금·금·은 같은 것. 「를 삼는 주의.

귀:금-주의 【貴金主義】 [—/—이] 명 〖경〗 화폐로써 가치의 본체(本體)

귀-긋기 명 〖건〗 단청(丹靑)에서, 첨차(檐遮) 등의 윤곽에 색줄을 긋는 일. 「일.

귀긋기 뱃바닥 명 〖건〗 첨차(檐遮)·장여 등의 뱃바닥에 귀긋기를 하는

귀기[1] 명 〈방〉 고기[1](경상).

귀:기[2] 【鬼氣】 명 ①귀신이 나올 듯 오싹하고도 무서운 기운. ¶ ～가 서려 있는 고가(古家). ②귀신이 붙은 기운.

귀기[3] 【歸期】 명 ①돌아갈 기약이나 기한. ②돌아올 기약이나 기한.

귀-기둥 명 〖건〗 건물의 모퉁이에 세운 기둥. 우주(隅柱).

귀-기울이다 자 정신을 가다듬어 잘 듣다.

귀-깃 명 〖조〗 올빼밋과 부엉이종(種) 등의 새에 있는, 귀 모양의 깃. 이우(耳羽).

귀까리 명 〈방〉 귀때기.

귀-꽃 명 〖건〗 돌탑(塔) 등의 귀마루 끝에 새긴 초화형(草花形)의 장식.

귀꿈-맞다 형 귀꿈스럽다.

귀꿈-스럽다 형ⓑ불 궁벽하여 흔하지 아니하다. 귀꿈-스레 부

귀-나다 자 ①모가 반듯하지 아니하고 한쪽으로 비뚤어지다. ②서로 의견이 빗나가 틀어지다.

귀-날실 명 피륙의 귀 부분을 이루는 날실.

귀:-남자 【貴男子】 명 ①존귀한 남자. ②귀한 집에 태어난 아들.

귀납 【歸納】 명 〔induction〕〖논〗 추리(推理) 및 사고(思考)의 방식의 하나. 개개(個個)의 구체적 사실로부터 일반적인 명제(命題) 및 법칙을 유

도해 내는 일. 특수로부터 보편을 끌어 내는 일. 귀납적 추리. ↔연역(演繹). ——하다 [타][여불]
귀납 논리학【歸納論理學】[—놀—] [명]〔inductive logic〕〖논〗 전통적으로는 밀(Mill, J.S.)에 의해 연구되고, 근래에는 카르납(Carnap)에 의하여 발전된 논리학. 주어진 가설(假說)이 관찰 명제(觀察命題)에 의하여 어느 정도의 확률로 확증되었나를 밝히는 학문. ↔연역(演繹) 논리학.
귀납-법【歸納法】[명]〖논〗 귀납적 연구법. 최초로 그 의미를 명확히 한 것은 베이컨(Bacon, F.)이었고 이것을 밀(Mill, J.S.)이 대성하였음. 협의로는 밀이 정식화(定式化)한 인과 관계 확정(因果關係確定)의 다섯 방법을 가리킴. ↔연역법(演繹法).
귀납-적【歸納的】[명][관]〔inductive〕〖논〗 개개(個個)의 특수한 경험 사실(經驗事實)로부터, 공통 요소를 찾아 내어 일반적인 원리·법칙으로 인도하는 방법에 따르는 모양. ↔연역적(演繹的).
귀납적 논리【歸納的論理】[—놀—] [명]〖논〗 귀납법을 응용하여 추리하는 논리. 아 포스테리 오리(a posteriori). ↔연역적 논리(演繹的論理).
귀납적 논증【歸納的論證】[명]〖논〗 귀납적으로 어떤 진리 명제나 법칙을 논증하는 일.
귀납적 비:평【歸納的批評】[명]〔inductive criticism〕〖문〗 문학 비평의 한 가지. 하나의 설명을 될 수 있는 한 많은 재료로부터 귀납하여 종합적 결론을 유도해 내는 방법. 「理).
귀납적 삼단 논법【歸納的三段論法】[—뻡] [명]〖논〗 귀납적 추리(推
귀납적 정:의【歸納的定義】[—/—이] [명]〖수〗 자연수를 변수로 하는 함수의 정의(定義) 형식의 하나. 즉, 1에 있어서의 함수값 및 n에 있어서의 함수값에서 $n+1$에 있어서의 함수값을 구하는 방법.
귀납적 추리【歸納的推理】[명]〔inductive inference〕〖논〗 특수한 사실로부터 일반적 결론을 유도해 내는 추리. 예로서 '지구(地球)·수성(水星)들은 구형(球形)이다 지구·수성은 행성(行星)이다' '고로 모든 행성은 구형이다'라고 하는 삼단 논법의 형식으로 나타낼 수 있는 추리. 이 때, 모든 행성이 열거되었다면 위와 같은 전칭(全稱)의 결론이 유도되겠지만, 보통 귀납적 추리는 비교적 적은 사례에서 전체의 결론을 유도하기 때문에 그 결론은 개연적(蓋然的)인 것이 됨. 귀납.
귀납적 함:수【歸納的函數】[—쑤] [명]〖수〗 자연수(自然數)에서 자연수로의 함수의 하나. 함수(函數)값을 유한회(有限回)의 조작(操作)으로써 구하는 순서가 존재하는 것을 말함.
귀납 학파【歸納學派】[명]〔inductive school〕〖경〗 귀납법과 역사적 경험적 연구 방법을 경제학의 연구 방법론으로 하는 학파. ↔연역 학파(演繹學派).
귀넘어 듣다 [타][ㄷ불] 주의하지 아니하고 예사로 아무렇게나 듣다. ¶ 사람들이 보는 앞에서는 국상도감이 설치되었다는 말을 가치않은 우스갯소리쯤으로 귀넘어 듣는 체 하였으나…≪金周榮 : 客主≫. ↔귀여겨 듣
귀:녀[1]【鬼女】[명] ①여자 모양을 한 귀신. ②악귀 같은 여자. 「다.
귀:녀[2]【貴女】[一][명] ①귀한 집안에 태어난 딸. ②특별히 귀하게 대우를 받는 딸. [二][인대] '당신'의 뜻으로 여자에게 존대하는 말.
귀녕【歸寧】[명] → 귀령.
귀농【歸農】[명] ①다른 직업을 버리고 농사를 지으려고 농사터로 돌아감. ↔이농(離農). ②벼슬을 버리고 전원(田園)으로 내려가 농사를 지음. 귀경(歸耕). ——하다 [자][여불]
귀농 문학【歸農文學】[명]〖문〗 도시 생활에서 농촌으로 돌아와서 농사를 짓고 농민과 생활을 같이하는 것을 소재로 한 문학.
귀농-선【歸農線】[명] 155마일에 걸친 한국 휴전선 남쪽에 설정해 놓은 선(線). 이 선과 휴전선 사이의 농토에 출입 경작(出入耕作)·입주(入住) 경작이 행하여지고 있음.
귀뉴【龜紐】[명] 거북의 형상을 새긴 인꼭지.
귀-느래 [명] 귀가 늘어진 말.
귀다라기-소 [명] 귀다래기.
귀-다래기 [명] 귀가 작은 소. 귀다라기소.
귀단【歸斷】[명] 벌어졌던 일이 끝남. ——하다 [자][여불]
귀:-단백석【貴蛋白石】[명]〖광〗 보석의 하나. 젖빛·황색·청색을 띤 단백석으로서 탁마면(琢磨面)을 돌리면 방향에 따라 빛깔이 달라짐. 장식품으로 쓰임.
귀-담다 [—따] [타] 잊지 아니하도록 마음에 새겨 두다. ¶ 내가 한 말을 귀담아 두어라.
귀담아 듣다 [타][ㄷ불] 탐탁하게 여기어 잘 듣다.
귀:당【貴幢】[명]〖역〗 신라 때, 중요한 군관구(軍管區)에 두었던 군영(軍營)의 하나. 육정(六停)의 하나였던 상주정(上州停)을 문무왕(文武王) 13년(673)에 귀당으로 개칭한 때도 있음. ＊당(幢).
귀대【歸隊】[명] 자기의 본대(本隊)로 돌아가거나 돌아옴. ¶ ～ 신고(申告). ——하다 [자][여불]
귀대-병【歸隊兵】[명] 휴가 또는 외출로부터 귀대한 사병.
귀대야 [명]〈옛〉 귀때. ¶ 귀대야 이(匜)≪字會 中 12≫.
귀:댁【貴宅】[명]〔←귀택〕 상대편의 집안의 높임말. 귀가(貴家). ¶ 언제 ～을 방문하고 싶군요.
귀더기 [명]〈옛〉 구더기. ¶ 귀더기 져(蛆)≪字會 上 24≫.
귀더리 [명]〈방〉〖충〗 구더기(경남).
귀덕이 [명]〈옛〉 구더기. ¶ 몸이 석어 귀덕이 나거놀(體腐蛆生)≪五倫 I : 58≫.
귀:도[1]【鬼道】[명] ①〖불교〗 아귀(餓鬼)·야차(夜叉)·나찰(羅刹) 등의 세계를 말함. ②혹세 무민(惑世誣民)하는 술법. ③귀신이 다니는 길.
귀도[2]【歸途】[명] 귀로(歸路).
귀도리 [명]〈방〉〖충〗 구더기(전라·경북).
귀-돌 [명]〖건〗 석축(石築)의 모퉁이에 쌓는 돌. 코너 스톤.
귀돌와미 [명]〈옛〉 귀뚜라미. ＝귓돌와미. ¶ 귀돌와미(蛀蟋蜻蛚也)≪四聲上 66 蟋字註≫.
귀:동【貴童】[명] 특별한 사랑을 받는 아이. 귀둥이.
귀-동냥 [명] 남의 말을 귀로 얻어 들음. ¶ 학교는 다니지 않았지만 ～으로 좀 알고 있다. ——하다 [타][여불]
귀동-대동 [부] ☞ 귀둥대둥. ¶ 아직도 제 어미 젖먹던 어리광으로 ～ 지껄이는 것을 이렇게 때리실 것이 무엇 있소≪作者未詳 : 홍도화≫.
귀:-동이【貴童—】[명] ☞ 귀둥이.
귀:-동자【貴童子】[명] 특별히 귀염을 받는 아이.
귀:동자-답다【貴童子—】[형][ㅂ불] 귀여워서 특별한 사랑을 받게 생겼다.
귀:두[1]【鬼頭】[명]〖건〗 취두(鷲頭)의 한 가지. 종(宗)마루 양끝에 세운 도깨비의 머리 모양의 장식. 「부분.
귀두[2]【龜頭】[명] ①귀부(龜趺). ②〖생〗 자지의 대가리. 상사목의 바깥 쪽
귀두-고【龜頭鼓】[명]〖악〗 교방고(敎坊鼓)처럼 생긴 북. 틀에 거북의 대가리가 새겨져 있음.
귀두-염【龜頭炎】[명]〖의〗 귀두에 생기는 염증(炎症). 「증.
귀두 포피염【龜頭包皮炎】[명]〖의〗 귀두와 포피(包皮)에 생기는 급성 염
귀둥-대둥 [부] ①된 것 안 된 것을 함부로 저지르는 모양. ¶ 부인이 시속 편협하고 ～하는 사람 같으면 시앗의 종년이 와서 자기 앞에 와 그 모양으로 하면…≪李海朝 : 鬢上雪≫. ②된 소리 안 된 소리를 주책없이 지껄이는 모양. ¶ 등 뒤 개울의 덤불에서는 온갖 잡새가 ～ 멋대로 속삭이고…≪金裕貞 : 산골≫. ——하다 [자][타][여불]
귀둥대둥-이 [명] 귀둥대둥하는 사람.
귀둥-서리 [명]〈방〉 상고대.
귀:-둥이【貴—】[명] 특별히 귀염을 받는 아이. 귀동(貴童).
[귀둥이가 천둥이 된다] 귀염을 받고 자란 아이가 커서 천더기가 되는 수도 있다.
귀-뒤주 [명] 귀목 뒤주.
귀드래미 [명]〈방〉〖충〗 귀뚜라미(경상).
귀디기 [명]〈방〉〖충〗 구더기(강원·충북·경북).
귀-따갑다 [형][ㅂ불] ①소리가 날카롭게 새되어 듣기에 따가운 느낌이 있다. ②싫증나도록 여러 번 들어 듣기에 따갑다.
귀따라미 [명]〈방〉〖충〗 귀뚜라미(강원).
귀때 [명] 주전자의 부리처럼 액체를 담는 그릇에 따로 내밀어 그 구멍으로 따르게 된 부리. 주구(注口). ¶ ～ 항아리. [준]귀.

〈귀때 그릇〉

귀때 그릇 [명] 귀때가 달린 그릇.
귀-때기 [명] ①〈속〉 귀[1]❶. ② 빰따귀.
[귀때기가 떨어졌으면 이다음 와 찾지] 급히 떠날 때 하는 말.
귀때 동이 [명] 귀때가 달린 동이. 「기.
귀때 토기【—土器】[명]〖고고학〗 귀때가 달려 있는 토기. 주구(注口) 토
귀때 항아리 [명] 귀때가 달린 항아리.
귀-떨어지다 [자] 넓적한 물건의 가장자리가 이지러지다.
귀 떨어진 돈: [구] 가장자리가 떨어져 나간 돈.
귀또라미 [명]〈방〉〖충〗 귀뚜라미(경북).
귀뚜라미 [명]〖충〗 ①귀뚜라밋과에 속하는 곤충의 총칭. ②[*Scapsipedus aspersus*] 귀뚜라밋과에 속하는 곤충. 몸길이 17-21 mm 이고 온 몸이 흑갈색에 복잡한 반점이 있음. 뒷날개는 퇴화되어 미소(微小)하고 후경절(後脛節)에는 5-6개의 가시가 있음. 촉각은 몸보다 길고 꼬리 끝이 갈라졌음. 땅속에서 알로 월동하였다가 8-10월에 나타나 정원이나 논원·부엌 등에 살면서 가을을 알리듯이 밤에 '귀뚤귀뚤' 하고 욺. 한국·일본·중국 등지에 분포함. 실솔(蟋蟀). 청렬(蜻蛚). 촉직(促織). [준]귀뚜리.

〈귀뚜라미〉

[귀뚜라미 풍류하다] 게을러서 논에다 손을 대지 아니하여, 논이 거칠음을 이르는 말.
귀뚜라밋-과【—科】[명]〖충〗 [Gryllidae] 메뚜기목(目)에 속하는 한 과. 몸은 보통 원통상이고, 앞날개에는 발음기(發音器)가 있고 수컷의 앞다리에는 청기(聽器)가 있으나, 그것을 발견할 수 없는 종류도 있음. 대개 잡식성이며, 야채·과실 등을 먹어 해치기도 함. 귀뚜라미·겸정귀뚜라미·왕귀뚜라미·애귀뚜라미·풀종다리귀뚜라미·모대가리귀뚜라미 등이 이에 속함. 전세계의 열대 및 온대에 1,200여 종이 분포함.
귀뚜래미 [명]〈방〉〖충〗 귀뚜라미(경기·강원·충청·전북·경상).
귀뚜레미 [명]〈방〉〖충〗 귀뚜라미(충남·경북).
귀뚜리 [명] ↗귀뚜라미.
귀뚝 [명]〈방〉 굴뚝(전라).
귀뚤-귀뚤 [부] 귀뚜라미의 우는 소리. ——하다 [자][여불]
귀-뚫리다 [—뚤—] [자] 말귀를 알아듣게 되다.
귀-뛰 [명]〈방〉 귀때.
귀-뜨다 [자] 사람이나 동물이 난 뒤에 처음으로 듣게 되다.
귀뜨라미 [명]〈방〉〖충〗 귀뚜라미(경기·강원·충청·전라·경상).
귀뜨르미 [명]〈방〉〖충〗 귀뚜라미(경북).
귀-뜨이다 [자] 어떤 말이나 소리에 선뜻 정신이 끌리다. [준]귀띄다.
귀-띄다 [—띠—] [자] ↗귀뜨이다.
귀띔 [—띰] [명] 눈치로 알아차릴 만큼 가장 긴요한 점만 일깨워 줌. ¶ 도망가라고 ～해 주다. ——하다 [타][여불]
귀띔-질 [—띰—] [명] 귀띔을 하는 짓. ——하다 [자][타][여불]
귀래【歸來】[명] 돌아옴. ——하다 [자][여불]
귀래-가【歸來歌】[명]〖문〗 작자·제작 연대 미상의 규방(閨房) 가사의 하나. 고된 시집살이 끝에 친정에 왔다가 고향과 친지들을 다시 이별하

고 시집으로 돌아가지 아니하면 안 되는 안타까움을 노래함.

귀:려【貴慮】명 상대편의 사려(思慮)·생각의 높임말.

귀령¹【歸寧】명 〔←귀녕(歸寧)〕 시집간 딸이 친정에 부모를 뵈러 감. 근친(覲親). ——하다 자여불

귀령²【龜齡】명 거북의 나이. 곧, 장수(長壽)를 이름.

귀:령-법【歸零法】[—뻡] 명〖물〗영위법(零位法).

귀로¹【歸老】명 벼슬을 그만두고, 고향에 돌아가 노후(老後)를 보냄. 치사(致仕). ——하다 자여불

귀로²【歸路】명 돌아가는 길. 돌아오는 길. 귀도(歸途). 귀정(歸程). ¶ ~에 오르다.

귀:록【鬼錄】명 귀적(鬼籍)의 기록.

귀:루¹【鬼淚】명〖악〗거문고의 제 1 괘(棵)에서 유현(遊絃)·대현(大絃)·괘상청(棵上淸)의 줄이 걸치는 부분에 붙인 붉고 푸른 명주실. 연주할 때 줄이 괘에 마찰됨으로써 나는 잡음을 방지함.

귀루²【晷漏】명 해시계와 물시계라는 뜻으로 시각을 이르는 말.

귀:룽 명 귀룽나무의 열매.

귀:룽-나무 명〖식〗[*Prunus padus*] 장미과에 속하는 낙엽 교목. 잎은 호생하고 거꿀달걀꼴 또는 타원형임. 5월에 흰 꽃이 가지 끝에 총상(總狀) 화서로 정생하고, 달걀꼴로 둥근 핵과(核果)가 7월에 까맣게 익음. 깊은 산의 골짜기 및 개울가에 나는데, 함남북 및 일본·중국·만주·몽고·시베리아·코카서스·북미 등지에 분포함. 정원수로 심으며, 작은 가지는 약용, 과실 및 어린 잎은 식용함.

〈귀룽나무〉

귀류-법【歸謬法】[—뻡] 명 〔라 reduotio ad absurdum〕〖논·수〗 어떤 명제(命題)가 참임을 직접 증명하는 대신, 그 거짓 명제가 참이라는 가정에서, 결국 그것이 모순에 귀결한다는 것을 지적하여, 간접적으로 원(原)명제가 참이 아니면 안 된다는 것을 주장하는 추리 증명법. 간접 환원법(間接還元法). 배리법(背理法).

귀르셀〔Gürsel, Camal〕명〖사람〗터키의 군인·정치가. 1958년 육군 총사령관이 되고, 1960년 반정부 데모 때 사임하였으나 동년 쿠데타로 멘데레스(Menderes) 정권을 타도하고, 국가 통일 위원회의 의장·수상(首相)·대통령(1961-66) 등을 역임함. [1895-1966]

귀:리 명〖식〗[*Avena sativa*] 볏과(科)에 속하는 일년생 또는 이년생의 재배 식물. 높이 90cm 가량이고, 잎은 가늘고도 길며 칼집 형상의 엽병(葉柄)이 있고 가지가 사방으로 갈라짐. 꽃은 두어 개가 작은 수상(穗狀) 화서로 핌. 열매는 오트밀(oatmeal)로 하여 식용하고 알코올·과자의 원료 및 가축(家畜)의 사료(飼料)로 씀. 광맥(穬麥). 연맥(燕麥). 이맥(耳麥). 작맥(雀麥). *메귀리.

〈귀리〉

귀:리 국수 명 귀릿가루로 만든 국수.

귀:리-떡 명 귀리로 만든 떡.

귀:리-밥 명 귀리로 지은 밥.

귀:리 소주【—燒酒】명 귀리로 담근 술밑으로 만든 소주.

귀:리-술 명 귀리로 빚어 만든 술.

귀:리-죽【—粥】명 귀릿가루로 쑨 죽.

귀:리 풀떼기 명 귀릿가루에 청둥호박을 썰어 넣어 만든 풀떼기.

귀:린【鬼燐】명 어두운 밤에 묘지나 또는 축축한 곳에서 저절로 번쩍이는 푸른 불꽃. 도깨비불. 귀화(鬼火). 인화(燐火).

귀-마개 명 ①귀를 막는 물건. ②〖고고학〗주검을 마지막으로 손질하면서 귀를 막아 주는 대롱 모양의 옥제품(玉製品). 진(瑱)❷. 충이(充耳).

귀:마-도【貴馬島】명〖지〗전라 남도 서해상(西海上), 신안군(新安郡) 압해면(押海面) 매화리(梅花里)에 위치한 섬. [0.16km²]

귀-마루 명〖건〗지붕의 모서리에 있는 마루.

귀마루 흘림 명〖건〗귀마루의 기울어진 정도.

귀마리광 명〈방〉복사뼈(제주).

귀마 방:우【歸馬放牛】명 전쟁에 사용한 마소를 놓아 보낸다는 뜻으로, 다시는 전쟁을 하지 않는다는 말.

귀-막이 명〖역〗면류관(冕旒冠)의 양쪽으로 비녀 끝에 줄을 걸어서 늘이고 거기에 구슬을 꿰어서 귀까지 내려오게 된 물건. 진(瑱).

귀:매¹【鬼魅】명 도깨비와 두억시니.

귀매²【歸妹】명〖민〗↗귀매괘.

귀매-괘【歸妹卦】명〖민〗육십사 괘(卦)의 하나. 진괘(震卦)와 태괘(兌卦)가 거듭된 것인데, 못 위에 우뢰가 있음을 상징함. 준귀매(歸妹).

귀-매미 명〖충〗[*Ledra auditura*] 귀매밋과에 속하는 곤충. 매미 비슷한데, 몸길이는 날개 끝까지 14-18mm이며 몸빛은 대체로 흑갈색 또는 암갈색에 몸의 아래쪽과 다리는 담황갈색임. 날개는 반투명이고 흉배(胸背)에 귀 모양의 돌기(突起)가 한 쌍 있음. 활엽수(闊葉樹)의 해충(害蟲)이고 등불에도 모여듦. 한국·일본·중국·대만에도 분포함.

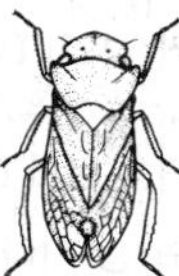

〈귀매미〉

귀매밋-과【—科】명〖충〗[Ledridae] 매미목(目)에 속하는 한 과. 귀매미가 이에 속하는데, 열대 지방에 여러 종류가 있고, 인도·오스트레일리아에도 분포함.

귀-머거리 명〔근대 : 귀머거리〕귀먹은 사람. 귀가 어두워서 소리를 잘 듣지 못하는 사람. 농자(聾者). 농혼(聾昏).

【귀머거리 삼 년이요 벙어리 삼 년이라】여자가 출가하면 매사에 흠이 많으니 귀머거리가 되고 벙어리가 되어 한 삼 년 살아야 한다는 말.

귀머리 명〈옛〉복사뼈. ¶귀머리 과(踝)《字會 上 29》.

귀머리-장군 명 연의 윗머리 양쪽 귀퉁이에 검은 부등변 삼각형을 그린 연. 삼각형에 있어서 가장 짧은 밑변의 길이는 5cm 가량, 높이 10cm 가량 되게 함.

귀머리장군 긴:코박이 명 귀머리장군에다가 너비 한 치 두 푼, 길이 두 치 닷 푼의 붉은 쪽지를 붙인 연.

귀-먹다 자 ①귀가 어두워서 소리가 잘 들리지 아니하게 되다. ②남의 말을 이해하지 못하다. ¶열 번 일러도 모르니 귀먹은 놈이지 뭐냐. ③그릇에 금이 가서 소리가 털털거리다.

【귀먹은 욕】자기가 듣지 못하는 데 남이 하여 먹는 욕. 【귀먹은 중 마 캐듯】남이 무슨 말을 하든지간에 못 들은 체하고 저 하던 일만 그대로 함을 가리키는 말. 【귀먹은 푸념】제게 대한 불평을 하는데 저는 듣지 못한다는 말.

귀먹-당수 명〈방〉귀머거리.

귀먹-댕이 명〈방〉귀머거리.

귀먹은 체 구 듣고도 듣지 않은 체. 못 들은 체.

귀먹-자가리 명〈방〉귀머거리.

귀-멀다 형 귀가 어둡다.

귀:면【鬼面】명 ①귀신의 얼굴. 귀신의 얼굴을 그린 탈. ②〖건〗사래 끝에 붙이는 귀신의 얼굴을 그린 장식.

귀:면 청동로【鬼面青銅爐】[—노] 명 고려 시대 이전에 제작된 것으로 추정되는 청동 화로. 귀면(鬼面)에 다리가 셋 달린 화로로, 모양은 향로와 같으나 구조상(構造上) 풍로(風爐) 또는 다로(茶爐)로 생각됨. 화로의 구경 13.9cm, 각 다리의 거리 12cm. 국보 제145호.

귀:명¹【貴名】명 상대방의 이름을 높이어 이르는 말. 또, 존귀한 이름. 드문 이름.

귀:명²【貴命】명 ①귀하게 될 운명. ②남의 명령을 존대하여 이르는 말. 흔히 편지 같은 데서 쓰임. ¶~을 받들겠나이다.

귀명³【歸命】명〖불교〗삼보(三寶)에 돌아가 몸과 마음을 불교에 의지함. ——하다 자여불

귀명 정례【歸命頂禮】[—녜] 명〖불교〗①귀명하여 자기 머리를 부처의 발에다 대고 하는 절. ②예불(禮佛)할 때에 부르는 말.

귀-명창【—名唱】명〈속〉소리를 많이 듣고 잘 감상할 줄 아는 사람. ↔소리명창.

귀:모¹【鬼母】명〖불교〗↗귀자모신(鬼子母神).

귀:모²【鬼謀】명 범인(凡人)으로서는 생각조차 할 수 없는 뛰어난 계략. 신기한 꾀. ¶신산(神算) ~.

귀모 토각【龜毛兎角】명 거북의 털과 토끼의 뿔이라는 뜻으로, 있을 수 없거나 아주 없음을 이르는 말.

귀목 명〔←규목(槻木)〕느티나무의 재목. ¶~ 반닫이/~ 뒤주.

귀목-나무 명〖식〗느티나무.

귀목 뒤주 명 귀목으로 만든 쌀 뒤주. 귀뒤주.

귀목 반:닫이【—半—】[—다지] 명 귀목으로 만든 반닫이.

귀:목 술심【劌目鉥心】[—씸] 명 돗바늘로 눈과 마음을 찌른다는 뜻으로, 마음과 눈을 놀라게 함. 전(轉)하여, 문장의 구상이 뛰어남을 이르는 말.

귀몽【歸夢】명 고향으로 돌아가는 꿈을 꿈. 또, 그 꿈. ——하다 자여불

귀무 가:설【歸無假說】명〔null hypothesis〕〖심〗모집단(母集團)에 대한 분포 함수(分布函數)의 형(型)이 명확하고, 그 모수(母數)만이 미지(未知)일 때에 이 모집단으로부터의 표본(標本)의 통계량이 모수를 포함하는 일정한 범위에 있다고 하는 가정. 복합(複合) 가설. *단순 가설.

귀-무덤 명 이총(耳塚).

귀:문¹【鬼門】명 ①〖불교〗귀관(鬼關). ②〖민〗귀성(鬼星)이 있는 방위. 음양가(陰陽家)들이 귀신이 드나든다고 하여 매사에 꺼리는 방위로서 동북방을 가리킴. 귀방(鬼方). ↔이귀문(裏鬼門).

귀:문²【貴門】명 ①존귀한 집안. ②남의 문중(門中)에 대한 존대말.

귀:문 금신【鬼門金神】명 귀문에 있는 금신. 금신은 백호신(白虎神)으로, 사람에게 재화(災禍)를 내린다 함.

귀문 조적【龜文鳥跡】명 거북의 등딱지 무늬와 새 발자국. 문자의 기원을 이름.

귀:물¹【鬼物】명 괴물(怪物). 도깨비.

귀:물²【貴物】명 ①귀중한 물건. ②얻기 어려운 드문 물건.

귀믿터리 명〈옛〉구레나룻. =귀믿털. ¶귀믿터리는 도로 당당이 누니 머리예 ᄀᆞᄃᆞᆨᄒᆞᆫ 거시라(鬢髮還應雪滿頭)《杜諺 XXI:33》.

귀믿털 명〈옛〉구레나룻. =귀믿터리. ¶귀믿털 슈(鬚)《類合 上 21》.

귀:밀 명〈방〉귀리.

귀-밑¹ 명 ↗귀밑때기.

귀밑² 명〈옛〉살쩍. ¶두 다봇 ᄀᆞᆮᄒᆞᆫ 귀미티오(雙蓬鬢)《杜諺 XX:16》.

귀밑-대기 명〈방〉빰따귀(함남).

귀밑-때기 명〈속〉귀 아래쪽의 뺨. 준귀밑. ¶~가 새파란 놈이 버릇이 말이 아니다.

귀밑-머리 명 앞이마의 한가운데서 좌우로 갈라 귀 뒤로 넘겨 땋은 머리.

〈귀밑머리〉

귀밑머리(를) 풀다 구 처녀 때 땋아 붙였던 귓머리를 풀어 쪽을 찌고 시집을 가다.

귀밑머리 마주 풀고 만나다 구 예식(禮式)을 갖추어 결혼하다. 처녀·총각 때에 땋던 귀밑머리를 혼례 때 풀어서 같이 상투·낭자를 쫓던 풍습에서 생긴 말.

귀밑-샘 명〖생〗'이하선(耳下腺)'의 풀어쓴 말.

귀밑-털 명 ☞살쩍❶.

귀-바리 명〖고고학〗바리의 어깨나 몸통에 귀가 달려 있는 토기(土器). 이부발(耳付鉢).

귀박 명 나무를 직사각형으로 네 귀가 지게 파서 자그마하게 만든 함지박.

귀-박쥐 명〖동〗[*Plecotus auritus ognevi*] 애기박쥣과에 속하는 동물. 전완부(前腕部)의 길이 38-43mm, 귀는 32-39mm로 토끼의 귀 모양이

며 이주(耳珠)도 김. 몸의 상면(上面)은 회갈색이고 하면은 회백색이지만 전체적으로 색채가 암색임. 겨울에는 지붕·바위·나무 구멍 속에서 군집하여 겨울잠을 자고, 여름에는 해질 무렵부터 나와 숲 사이를 천천히 날며 모기 등의 곤충을 잡아먹음. 성질은 사납고, 6-7월에 한 마리의 새끼를 낳음. 한국·만주·사할린·아무르·유럽 등지에 분포함. 검은토끼박쥐.

〈귀박쥐〉

귀발 [명] 〈바〉 귀얄.

귀-밝다 [―박―] [형] ①작게 나는 소리도 잘 구별하여 듣다. ②남이 하는 말을 잘 알아 듣다. ③정보나 소식 같은 것을 남보다 먼저 알고 있다. ¶어여쁜 계집 있다는 소문에는 귀가 썩 밝은 사람이라《李人稙: 鬼의 聲》.

귀-밝이 [―발기] [명] ↗귀밝이술.

귀밝이-술 [―발기―] [명] 〖민〗 음력 정월 보름날 아침에 귀가 밝아지라고 마시는 술. 명이주(明耳酒). 이명주(耳明酒). 청이주(聽耳酒). 치롱주(治聾酒). 총이주(聰耳酒). [준]귀밝이.

귀:방¹ 【鬼方】 [명] 〖민〗 귀문(鬼門)❷.

귀:방² 【貴邦】 [명] 귀국(貴國).

귀배 【龜背】 [명] ①거북의 등. 또, 거북의 등 모양으로 가운데가 불룩한 것. ②척추 후만(脊椎後彎)의 융기한 부분. ③곱사등이.

귀배 괄모 【龜背刮毛】 [명] 〔거북의 등에서 털을 뜯는다는 뜻으로〕 될 수 없는 것을 무리하게 구함을 이르는 말.

귀배-증 【龜背症】 [―쯩] [명] 〖한의〗 어린아이의 등뼈가 거북의 등과 같이 굽어지어 펴지 못하는 병.

귀-버리 [명] 〈방〉 〖식〗 귀리(경상).

귀범 【歸帆】 [명] 멀리 나갔던 돛단 배가 돌아옴. 또, 그 배. ↔출범(出帆). ――하다 [자][여불]

귀법¹ 【句法】 [―뻡] [명] ☞구법(句法).

귀-법² 【歸法】 [―뻡] [명] 〖수〗 ↗구귀 제법(九歸除法).

귀-벽돌 [―甓―] [명] 벽돌을 쌓을 때, 귀에 쓰기 위한 삼각형의 벽돌.

귀별 【龜鼈】 [명] 거북과 자라. 또, 거북의 무리.

귀별-류 【龜鼈類】 [명] 〖동〗 거북목.

귀:병 【鬼病】 [명] 귀신이 붙어 일어난 병.

귀:보¹ 【鬼報】 [명] 귀적(鬼籍)에 매인 죄. 귀적에 매인 보응(報應).

귀:보² 【貴報】 [명] 남이 보낸 보도(報道)나 서면(書面)의 경칭(敬稱).

귀:보³ 【貴寶】 [명] 귀중한 보배.

귀보리 [명] 〈옛·방〉 〖식〗 귀리(전라·경상). ¶귀보리(雀麥)《湯液》.

귀:복¹ 【鬼服】 [명] 〖역〗 조선 시대 때, 승문원(承文院)의 신진(新進)이 회자(回刺)할 때 해진 관디와 부서진 사모(紗帽)로 차리던 복장.

귀복² 【歸伏】 [명] 귀순(歸順)하여 항복함. ――하다 [자][여불]

귀복³ 【歸服】 [명] 귀순하여 복속(服屬)함. ――하다 [자][여불]

귀복⁴ 【歸復】 [명] 다시 돌아옴. ――하다 [자][여불]

귀복⁵ 【龜卜】 [명] 〖민〗 거북점.

귀본 【歸本】 [명] 〖불교〗 진적(眞寂)의 본원(本元)으로 돌아감. 곧, 승려(僧侶)의 죽음을 일컬음. ――하다 [자][여불]

귀:부¹ 【鬼斧】 [명] 귀신의 도끼라는 뜻으로, 신기한 연장을 일컫는 말.

귀:부² 【鬼簿】 [명] 〖불교〗 과거장(過去帳).

귀:부³ 【貴府】 [명] 귀가(貴家). 귀댁(貴宅).

귀:부⁴ 【貴富】 [명] 지위가 높고 재보(財寶)가 많음. 부귀(富貴). ――하다 [형][여불]

귀부⁵ 【歸附】 [명] 충심으로 와서 붙좇음. ――하다 [자][여불]

귀부⁶ 【龜趺】 [명] 거북 형상으로 만든 비석(碑石)의 받침돌. 신라 초기부터 쓰기 시작한 것으로, 탑골 공원의 대원각사(大圓覺寺) 터의 비(碑)나 경주(慶州) 서악(西岳)의 무열왕릉(武烈王陵)의 비 등의 것이 그 대표적임. 귀두(龜頭). *석비(石碑).

〈귀부⁶〉

귀부개 [명] 〈방〉 귀이개(경북).

귀:-부인¹ 【貴夫人】 [명] 신분이 높은 집안의 부인(夫人). 영부인(令夫人).

귀:-부인² 【貴婦人】 [명] 신분이 높은 여성. 상류(上流)의 부인.

귀불 [명] ☞ 괴불.

귀불-주머니 [―쭈―] [명] ☞ 괴불주머니.

귀:비 【貴妃】 [명] 〖역〗 ①고려 때 비빈(妃嬪)의 한 칭호. 품위(品位)는 정일품이었음. ②중국 당(唐)나라 때, 궁녀(宮女)의 칭호.

귀비개 [명] 〈방〉 귀이개(강원·경남).

귀비-탕 【歸脾湯】 [명] 〖한의〗 불면증(不眠症)·건망증(健忘症)·정충증(怔忡症)·유정(遺精)과 같은 병증에 쓰는 한약.

귀:빈 【貴賓】 [명] 귀한 손님. 귀객(貴客). 큰 손님. ¶~석/~실(室).

귀:빈-관 【貴賓館】 [명] 귀빈을 환영하여 접대하는 집이나 방.

귀:빈-석 【貴賓席】 [명] 귀빈을 모시려고 특별히 마련하여 놓은 자리.

귀:빈-실 【貴賓室】 [명] 귀빈을 모시려고 특별히 설비를 한 방.

귀:빈-차 【貴賓車】 [명] 귀빈을 태우기 위하여 특별히 마련한 차량.

귀:빈-회 【貴賓會】 [명] 귀빈을 환영하는 모임.

귀빌개 [명] 〈방〉 귀이개(강원).

귀붉다 [형] 〈옛〉 귀밝다. ¶귀볼글 총(聰)《字會 下 28》.

귀-빠지다 [자] 〈속〉 사람이 이 세상에 태어나다.

귀빠진 날 [구] 자기가 이 세상에 태어난 날, 곧 생일날.

귀뽕 [명] 〈방〉 ①귓불. ②뺨따귀.

귀-뿌리 [명] 귀가 뺨에 붙은 부분. 이근(耳根).

귀썻 [명] 〈옛〉 귀신. 도깨비. =귓것. ¶모딘 귀써신가 너겨《釋譜 XI:34》.

귀-사¹ 【―士】 [명] 장기 둘 때, 궁밭의 아래 귀퉁이에 있는 사(士).

귀:사² 【貴社】 [명] 상대편 회사의 경칭.

귀사³ 【歸思】 [명] 귀심(歸心)❷.

귀-사구 [명] 영호남에서, 논밭에 거름을 주는, 귀때 달린 나무 바가지.

귀:-사문암 【貴蛇紋岩】 [명] 〖광〗 사문암의 한 가지. 연한 검정 또는 검푸른 빛으로 반투명이며 광휘(光輝)가 있어 아름다움. 장식용·비석용·문방구용 등으로 쓰임.

귀:산¹ 【貴山】 [명] 〖사람〗 신라의 화랑. 추항(箒項)과 같이 원광 법사(圓光法師) 밑에서 세속 오계(世俗五戒)를 배웠음. 진평왕(眞平王) 24년(602)에 백제와 아막성(阿莫城)에서 싸울 때, 소감(少監)으로 출전하여 임전 무퇴(臨戰無退)를 깨닫고 최후까지 분전하다가 만신 창이(滿身瘡痍)가 되어 돌아오던 중 전사함. [?-602]

귀산² 【歸山】 [명] 산중에 있는 절이나 집 같은 곳으로 돌아감. 또, 돌아옴. ――하다 [자][여불]

귀산-곡 【歸山曲】 [명] 〖문〗 조선 시대 중기의 중 침굉(枕肱)이 지은 가사의 하나. 속세의 명리(名利)를 버리고 자연에 돌아와 청빈 낙도(淸貧樂道)하겠다는 내용. 작자의 문집 《침굉집》에 전함.

귀살머리-스럽다 [형][ㅂ불] 몹시 귀살스럽다. 귀살머리-스레 [부]

귀살머리-쩍다 [형] 몹시 귀살쩍다.

귀살-스럽다 [형][ㅂ불] 귀살쩍은 느낌이 있다. 귀살-스레 [부]

귀-살이 [명] 바둑을 둘 때, 귀에서 삶. ¶겨우 ~를 하다. ――하다 [자][여불]

귀살-쩍다 [형] ①물건이 얽히고 흩어져 뒤숭숭하다. ②일이 복잡하게 뒤얽히어 처리하기에 정신이 산란하다.

귀삼접 [명] 〈방〉 개짐.

귀:상 【貴相】 [명] 귀하게 될 상.

귀-상어 [명] 〖어〗 [*Sphyrna zygaena*] 귀상어과에 속하는 바닷물고기. 몸길이 3-4 m, 몸빛은 회청색(灰靑色)임. 머리가 양쪽으로 귀와 같이 내밀어 정자(丁字) 모양을 이루고 그 옆 쪽에 눈이 박히었음. 제1 등지느러미 및 가슴지느러미는 크며, 제2 등지느러미·배지느러미·뒷지느러미는 작음. 성질이 몹시 사나우며, 태생(胎生)하는데 한 배에 30-36 마리 가량 낳음. 온해성 어종으로 부산·목포·제주도 및 일본 남부에 흔하고 태평양·대서양의 온대와 열대 바다에 분포함. 맛이 좋음. 당목어(撞木魚). 이사(耳鯊).

〈귀상어〉

귀상어-과 【―科】 [―꽈] [명] 〖어〗 [Sphyrnidae] 악상어목(目)에 속하는 어류의 한 과. 귀상어 한 종만이 알려져 있음.

귀:상 왕조 【貴霜王朝】 [명] 〖역〗 '쿠샨 왕조(Kushan王朝)'의 한자 이름.

귀:서 【貴書】 [명] 귀함(貴函).

귀:석 【貴石】 [명] 장신구(裝身具)로서 보석 다음으로 귀하게 여기는 돌. 수정·마노(瑪瑙) 따위.

귀:-석류석 【貴石榴石】 [―뉴―] [명] 〖광〗 보석의 하나. 홍갈색·혈홍색의 아름다운 석류석으로 투명하거나 반투명하며 철을 함유함. 페루(Peru) 및 스리랑카가 중요 산지임.

귀선¹ 【歸船】 [명] ①항구에 돌아오는 배. ②배에서 내린 사람이 다시 그 배로 돌아감. ――하다 [자][여불]

귀선² 【歸線】 [명] 전기 회로를 구성하는 두 줄 이상의 도선(導線) 가운데, 전기 장치와 회로 부품(回路部品)을 거쳐 어스(earth) 쪽으로 돌아가는 선.

귀선³ 【龜船】 [명] 거북선.

귀선 유전 【歸先遺傳】 [―뉴―] [명] [atavism] 〖생〗 생물이 진화하는 과정에 있어서 한 번 나타난 형질(形質)이 후대(後代)에 가서, 이미 그 형질을 상실한 자손에게 갑자기 나타나는 유전 현상. 사람에게 꼬리가 생긴다든가 털이 많아지는 예 등이 있음. *격세 유전(隔世遺傳).

귀-설다 [형] 귀에 익지 아니하여 듣기에 서투르다.

귀:성¹ 【鬼星】 [명] 〖천〗 남방 칠수(南方七宿)의 둘째 별자리의 별들. 북동쪽에 있음. 대한절(大寒節)의 중성(中星)임. 귀수(鬼宿). [준]귀(鬼).

귀:성² 【貴姓】 [명] 희성(稀姓)보다는 많지만 귀할 정도로 드문 성(姓). 우리 나라에서는 공(孔)·변(卞)·현(玄) 등이 이에 속함. *희성(稀姓).

귀성³ 【歸性】 [명] 〖불교〗 미혹(迷惑)이 없는 본성으로 돌아감. ――하다 [자][여불]

귀성⁴ 【歸省】 [명] 객지에서 부모를 뵈러 고향에 돌아감. 귀근(歸覲). ――하다 [자][여불]

귀성⁵ 【歸城】 [명] 성으로 돌아감. 또, 성으로 돌아옴. ――하다 [자][여불]

귀성-객 【歸省客】 [명] 명절이나 방학 같은 때에 귀성(歸省)하는 여객.

귀성-거리다 [자] ☞구시렁거리다. ¶원님께 죄책을 당하겠다고 귀성거리는 사람도 없지 않았다《洪命憙: 林巨正》.

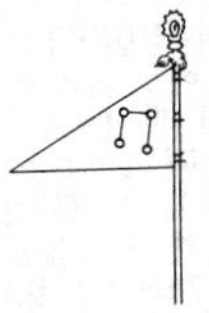
〈귀성기〉

귀:성-기 【鬼星旗】 [명] 〖역〗 귀성을 그린 의장기(儀仗旗). 고종(高宗) 때 대가(大駕)·법가의 뒤를 따랐음.

귀:성-스럽다 [형][ㅂ불] ↗귀인성스럽다. 귀:성-스레 [부]

귀성 열차 【歸省列車】 [―녈―] [명] 명절이나 방학 때에 귀성하는 여객을 위하여 특별히 운행(運行)하는 열차.

귀:성-지다 [형] 귀인성스럽게 생기다.

귀-세우다 [자] 잘 들으려고 주의를 집중하다.

귀소 본능 【歸巢本能】 [명] 〖동〗 동물이 일정한 주거·육아의 장소 등에서 멀리 다른 곳으로 갔다가도 되돌아오는 본능적인 성질. 비둘기·개·개미·벌 등에서 볼 수 있음. 귀가성. 귀소성. *귀금(歸禽).

귀속 【歸屬】 [명] ①본래의 자리에 돌아가 붙음. 붙좇음. ②〖법〗 재산 또는 권리가 특정의 주체(主體)에 속하게 됨. 예를 들면, 상속인 없는 재산은 국가에 귀속함. ¶~ 재산. ――하다 [자][여불]

귀속 농지 【歸屬農地】 [명] 〖법〗 1945년 8월 9일 이전에 일본인이 공유 또는 사유하였던 농지로서, 1948년 9월 11일 대한 민국 정부와 미국 정부 사이에 체결된 '재정 및 재산에 관한 협정'에 의하여 한국 정부에 이양된 농지. 1949년 6월 21일 농지 개혁에 의하여 농민에게 유상

(有償) 분배되었음.

귀속 재산【歸屬財産】명〖법〗①1948년 9월 11일 대한 민국 정부와 미국 정부 사이에 체결된 '재정 및 재산에 관한 협정(協定)'에 의하여 대한 민국 정부에 이양(移讓)된 재산. 곧, 1945년 8월 9일 이전에 일본인이 공유 또는 사유하였던 일체의 것을 말함. 적산(敵産). ②법률이나 계약에 의하여 귀속된 재산. 1)·2):(준)귀재(歸財).

귀속 재산 소청 심:의회【歸屬財産訴請審議會】[—/—이—] 명〖법〗재무부 장관 감독하에 귀속 재산 처리에 관한 소청을 심의 결정하는 기관.

귀속 재산 처:리법【歸屬財産處理法】[—뻡] 명〖법〗귀속 재산을 유효 적절하게 처리함으로써 산업 부흥과 국민 경제의 안정을 기함을 목적으로 제정된 법률.

귀속 지위【歸屬地位】명 사람이 태어나면서부터 자연적으로 얻게 되는 운명적인 지위.

귀속 학설【歸屬學說】명〖경〗생산재(生産材)의 가치와 가격은 생산물에 귀속된 것이라고 하는 이론. 주관적 개별적인 효용(効用) 내지는 사용 가치를 고찰(考察)의 출발점으로 하여 교환(交換) 가치·교환 가격(價格)을 인과적(因果的)으로 설명하는 오스트리아 학파의 학설임.

귀:수¹【鬼祟】명 귀신의 빌미로 나는 병.

귀:수²【鬼宿】명〖천〗①28수(宿)의 하나. 남방 칠수(南方七宿)의 둘째. 거성(距星)은 게자리의 세타성(θ星)임. ②귀성(鬼星). (준)귀(鬼).

귀수³【歸綏】명〖지〗'구이쑤이'를 우리 음으로 읽은 이름.

귀:수-왕【貴須王】명〖사람〗구수왕(仇首王).

귀-수작【—酬酌】명〈방〉귀엣말. 「여불

귀숙【歸宿】명 숙사(宿舍)로 돌아감. 또, 숙사로 돌아옴. ——-하다 자

귀순【歸順】명 ①반항심을 버리고 순종함. ②살고 싶은 나라로 찾아가 삶. *망명(亡命). ——-하다 자여불

귀순-병【歸順兵】명 귀순하여 온 병사. ¶~ 환영 대회.

귀숭 명〈방〉구유(강원).

귀:식【貴息】명 상대방의 자식을 높이어 일컫는 말.

귀:신¹【鬼神】명 ①죽은 사람의 혼령. ②눈에 보이지 않으면서 사람에게 화복(禍福)을 내려 준다고 하는 정령(精靈). 이매 망량(魑魅魍魎). ③어떤 일에 특수하게 재주가 많은 사람. 신귀(神鬼). ¶수학을 푸는 데는 ~이다. ④생김새나 주제가 몹시 사나운 사람. 1)·2):(준)신(神). *마귀.
[귀신같이 먹고 장승같이 간다] 걸음 잘 걷는 사람을 보고 하는 말. [귀신 대접하여 그른 데 있느냐] 탈이 될 만한 일에는 미리 손을 쓰는 게 좋다는 말. [귀신도 경문에 매여 산다] 귀신도 사람이 외는 경문에 불리는 셈인 것과 같이, 아무리 권세가 등등한 사람도 기를 펴지 못하는 데가 있다는 말. [귀신도 빌면 듣는다] 귀신도 빌면 소원을 들어 주는데, 하물며 인간이야 남이 자기에게 비는데 어찌 용서하지 않을 수 있느냐는 말. [귀신 듣는 데 떡 소리 못 한다] '귀신의 귀에 떡 소리 한 것과 같다'와 같은 뜻. [귀신 듣는 데 떡 소리 한다] 떡이 중요한 제물인 데서, 떡 소리를 하면 제사인 줄 알고 귀신이 나타난다는 말. [귀신보다 사람이 더 무섭다] 무엇보다 사람의 증오와 음모와 살벌이 가장 무섭다는 말. [귀신 씨나락 까먹는 소리] 조용하게 몇 사람이 수군거리는 소리를 빈정거리는 말. [귀신에 복숭아나무 방망이] 귀신이 복숭아나무 방망이를 무서워하듯이, 무엇이든 그것만 보면 꼼짝 못 하게 되는 경우를 이름. [귀신은 경문에 막히고 사람은 인정에 막힌다] 귀신은 경문에 막히지만, 사람은 제게 사정사정하는 데에 마음을 움직이어 강경한 처사를 못 함을 이르는 말. [귀신을 피하려다 호랑이를 만난다] 한 가지 재화를 피하려다 도리어 더 큰 액(厄)을 당하였다는 말. [귀신의 귀에 떡 소리 한 것 같다] 귀신이 좋아하는 떡 소리를 그 앞에서 하듯이, 사람 앞에서 그가 좋아하는 것을 이야기함을 이르는 말. ¶귀신의 귀에 떡소리 한 것같이 하늘밥도둑의 귀에 그런 말소리가 들어가면《李人稙:牡丹峯》. [귀신이 곡한다] 귀신이 곡할 만큼 신기하고 기묘하다.
귀:신도 모르다 구 귀신도 모를 만한 비밀이라는 뜻. ¶신랑이 장가를 들러 갔다가 귀신도 모르게 죽을 뻔했어《崔瓚植:金剛門》.
귀:신(이) 들리다 구 사람이 영적(靈的)·악귀적(惡鬼的) 존재에 씌다. ¶귀신 들린 사람.
귀:신(이) 씌다 구 귀신이나 신령이 사람의 몸에 들러붙다. 「는 말.

귀:신²【貴臣】명 ①지위가 높은 신하. ②상대자의 신하를 높이어 일컫

귀:신³【貴紳】명 신분이 높은 신사.

귀:신-같다【鬼神—】형 추측이나 기술·솜씨 따위가 기막히게 신통할 때 감탄조로 하는 말. ¶귀신같은 솜씨로 해치우다.

귀:신-같이【鬼神—】[—가치] 부 귀신같게.

귀:신귀-변【鬼神鬼邊】명 한자 부수(部首)의 하나. '魁'나 '魅' 등에 있어서의 '鬼'의 이름.

귀:신-날【鬼神—】명〖민〗음력 정월 열 엿샛날의 일컬음. 이날에 멀리 나다니면 귀신이 따른다는 속설(俗說)이 있어 원행(遠行)을 삼가고 집에서 쉼. 귀신 단오(鬼神端午). 「볶음. 귀신날.

귀:신 단오【鬼神端午】명〖민〗귀신날의 일컬음. 이날 밤에 굼벵이콩을

귀신-바람 명〈방〉회오리바람(경남). 「(福信)의 성명(姓名).

귀:실 복신【鬼室福信】명〖사람〗일본 사료(日本史料)에 나오는 복신

귀심【歸心】명 ①고향에 돌아가고 싶은 마음. ②진심(眞心)으로 사모(思慕)하여 붙좇음. 귀사(歸思). ——-하다 자여불

귀-싸대기 명 귀와 뺨과의 어름. ¶~를 때리다.

귀싸리 명〈방〉〖동〗볏². 「찰쌈지.

귀-쌈지 명 네모나게 만들어 아가리를 접으면 양쪽 볼이 귀가 나게 되는

귀-쑤시개 명〈방〉귀이개(충남).

귀-씻다 자〔중국 고대의 요(堯) 임금으로부터 천하를 양보하겠다는 권유를 들은 허유(許由)가, 사양하고 기산(箕山)에 숨어 영수(潁水)에서 귀를 씻었다는 고사(故事)에 유래〕들어서는 아니 될 이야기를 들은 귀를 씻어 깨끗이 하다. 세속(世俗)의 영달을 엄하게 피함의 비유.

귀-아프다 형 ①너무 시끄러워서 듣기 싫다. ②잔소리를 너무 늘어놓아 듣기 싫다. ③너무 자주 들어 싫증이 나다. ¶그 말은 귀아프도록 들었네.

귀안【歸雁】명 봄철이 되어 북국(北國)으로 돌아가는 기러기.

귀:-안정【鬼眼睛】명〖동〗우렁이❶.

귀알 명〈방〉귀얄.

귀-앓이 [—알—] 명 귓병.

귀:압【鬼魘】명 잘 때의 가위 눌림. 몽압(夢魘).

귀애기 명〈심마니〉닭.

귀:애-하다【貴愛—】타여불 귀엽게 여기어 사랑하다.

귀앵이 명〈방〉〖동〗고양이(전라).

귀야¹ 명〈방〉귀양.

귀야² 명〈옛〉귀얄. ¶귀야(糊刷)《譯語 下 14》. 「약.

귀-약【—藥】명〔근대 : 귀약〕화승총(火繩銃) 옆에 재는 화

귀약-통【—藥筩】명 귀약을 담아 두는 작은 통.

귀얄 명〔근대 : 귀야〕풀이나 옻을 칠할 때에 쓰는 기구. 돼지털이나 말총을 넓적이 묶어 만듦. 호추(糊箒). 풀끼알. 풀비.

〈귀얄〉

귀얄-자국 [—짜—] 명〖고고학〗귀얄질에 의해 토기(土器) 표면에 남은 자국. 주로 신석기 시대(新石器時代) 후기부터 청동기(青銅器) 시대에 걸친 토기에서 나타남. 찰과흔(擦過痕). 조흔(條痕).

귀얄-잡이 명 구레나룻이 많이 난 사람의 별명. 곧, '텁석부리'를 조롱하는 말.

귀얄-질 명〖고고학〗토기(土器) 표면을 고르는 수법(手法)의 하나. 얕고 거칠게 긁는 일. 찰과법(擦過法). ——-하다 타여불

귀양¹ 명〖역〗〔←귀향(歸鄕)〕고대로부터의 형벌의 하나. 조선 시대에 이르러 처음에는 방축 향리(放逐鄕里)의 뜻으로 쓰다가, 후세에 와서는 도배(徒配)·유배(流配)·찬배(竄配)·정배(定配)의 뜻으로 쓰게 됨.
[귀양이 홑벽에 가렸다] 재화(災禍)란 늘 가까운 곳에 도사리고 있으니 모든 일에 늘 조심하라는 말.
귀양(을) 가다 구 ㉠〖역〗귀양살이를 가다. ¶죄없이 ~. ㉡〈속〉도덕·의리상 잘못을 범할 때 경고하여 이르는 말. ¶형을 때리면 귀양 간다.
귀양(을) 보내다 구〖역〗귀양살이를 보내다. 어떠한 지정된 곳에 보내어 귀양살이를 하게 하다.
귀양(을) 살:다 구〖역〗귀양살이를 하다.
귀양(을) 오다 구〖역〗귀양살이를 하려고 오다.
귀양(을) 풀다 구〖역〗귀양살던 죄인을 놓아 주다.
귀양(이) 풀리다 구〖역〗귀양살이에서 풀리다.
귀양(을) 풀어 주다 구〖역〗귀양살이하던 죄인을 석방하다.

귀:양²【貴陽】명〖지〗'구이양'을 우리 음으로 읽은 이름.

귀양³【歸養】명 고향에 돌아가 어버이를 봉양함. ——-하다 자타여불

귀양-다리 명〖역〗귀양살이하는 사람을 업신여기어 일컫는 말.

귀양-살이 명〖역〗①귀양가서 부자유스럽게 지내는 생활. ②궁벽한 산촌에서 세상과 동떨어져 지내는 답답한 생활. ——-하다 자여불

귀어¹【句語】명〖언〗☞구어(句語).

귀:어²【鬼語】명 귀신(鬼神)의 말.

귀-어둡다 형ㅂ불 ①소리나 말을 잘 알아듣지 못하다. ②남의 말을 선뜻 이해하지 못하다. ③방이 쉽사리 데워지지 아니하다. ④시대에 뒤떨어져 새 소식을 잘 알지 못하다.

귀어엿 명〈옛〉귓불. 이타(耳朶). ¶귀어엿(耳朶)《漢淸文鑑 V:49》.

귀-어허지【歸於虛地】명 허사(虛事)로 돌아감. 헛노릇이 됨. ¶대공을 이루기는 커녕 까딱하면 ~가 될 모양이랍디다《玄鎭健:無影塔》. ——-하다 자여불

귀:업【貴業】명 상대편의 사업을 높이어 부르는 말.

귀에지 명〔근대 : 귀여지〕☞귀지.

귀엣-고리 명 ☞귀고리.

귀엣-말 명 남의귀 가까이에 입을 대고 소곤소곤 하는 말. 부이어(附耳語). 이어(耳語). 귓속말. ——-하다 자여불

귀엥이 명〈방〉〖동〗고양이(전라).

귀여겨 듣다 타ㄷ불 정신 차리어 듣다. ¶내 말을 귀여겨 들어라. ↔귀넘어 듣다.

귀여골 명〈옛〉귀고리. =귀역골. ¶귀여골(耳環)《齊諧物名考》.

귀-여리다 형 사람이 모자라거나 솔직해서 남의 말을 곧이듣기를 잘 하다. 잘 속아 넘어가다.

귀여ㅅ골 명〈옛〉귀고리. =귀역골·귀엿골. ¶귀여ㅅ골(耳墜)《漢淸文鑑 XI:22》.

귀:여워-하다 타여불 귀엽게 여기다.

귀여지 명〈옛〉귀에지. ¶귀여지(耳塞)《湯液》.

귀:역【鬼蜮】명 귀신과 물여우. 전(轉)하여, 음흉한 사람을 말함.

귀역골 명〈옛〉귀고리. ¶珥는 玉으로 밍ᄀᆞᆫ 귀역골이라《內訓 II:58》.

귀연【歸燕】명 보금자리로 돌아가는 제비.

귀열 명〈방〉귀얄(경기·황해·함남).

귀-열리다 자 세상 물정을 알게 되다.

귀엸골회 명〈옛〉귀고리. =귀여골·귀엿골·귀옛골회. ¶진쥬 네콤 드려 밍ᄀᆞ론 귀엸골회와(八珠環兒)《朴解 上 45》. 「다.

귀:염 명 윗사람이 아랫사람을 아끼고 기특하게 여기는 정. ¶~을 받

귀:염-둥이 명 아주 귀여운 아이. 귀염을 받는 아이. 「굴.

귀:염-성【—性】[—썽] 명 귀염받을 만한 성질이나 바탕. ¶~ 있는 얼

귀:염성-스럽다【—性—】[—썽—] 형ㅂ불 귀염성이 있어 보이다. *

귀인성스럽다. 귀:염성-스레【一性一】[一썽一] 뷔

귀:엽다 형ㅂ불 귀염성이 있어 사랑할 만하다. 예쁘다. ¶귀여운 강아지. 【귀여운 애한테는 매채를 주고 미운 애한테는 엿을 준다】 자식은 매로 가르쳐 길러야 한다는 말.

귀엿골 명〈옛〉귀고리. =귀여ㅅ골. ¶귀엿골 당(璫), 귀엿골이(珥)《字會 中 24》.

귀엿골회 명〈옛〉귀고리. =귀엸골회·귀옛골회·귀엿골. ¶호쌍 귀엿골회와 호쌍 폴쇠 다가호리라(把一對八珠環兒一對鈪兒)《朴解 上 20》.

귀영[1] 명〈방〉구유[1](황해).

귀영[2]【歸營】명 병사(兵舍)로 돌아옴, 또 돌아감. ——-하다 자여불

귀-영자【一纓子】명〖역〗구영자(鉤纓子).

귀옛골 명〈옛〉귀고리. ¶귀옛골(耳墜)《譯語 上 44》.

귀옛골회 명〈옛〉귀고리. =귀엸골회·귀엿골회·귀엿골. ¶귀옛골회(耳環)《漢鑑 XI:22》.

귀오개 명〈방〉귀이개(제주).

귀오리 명〈옛·방〉귀리. ¶귀오리(蕎麥)《痘瘡 13》.

귀옥【龜玉】명 ①점치는 데 쓰는 거북 껍데기와 구슬. ②귀중한 물건.

귀:와[1]【鬼瓦】명 귀신의 면상을 장식한 기와.

귀와[2]【歸臥】명 벼슬을 내놓고 고향으로 돌아가 은거함. ——-하다 자여불

귀:왕【鬼王】명 마귀의 왕. 사탄(Satan).

귀요[1] 명〈옛〉구유[1]. =귀유·구슈. ¶또 귀요에 쭈케 주어 잇긋 새배 다 둣게 말라(却休槽兒平直到明)《老解 上 29》.

귀요[2]〔Guyau, Marie Jean〕명〖사람〗프랑스의 철학자. 스펜서(Spencer, H.)의 진화론(進化論)을 배워 진화의 동인(動因)으로서 생(生)을 생각하였으며, 공리주의(功利主義)와 결정론적 사상에 반발하여 생명의 사회성을 강조하고, 의무나 제재(制裁)가 필요 없는 자주 연대(自主連帶)의 도덕을 설(說)하였음. [1854~88]

귀:요 정맥【貴要靜脈】명〖생〗상지 척골(上肢尺骨) 앞 쪽에 있는 피하 정맥.

귀:용【蜆蛹】명〖충〗번데기.

귀용-탕【歸茸湯】명〖한의〗당귀(當歸)와 녹용(鹿茸)만을 달인 약. 보혈(補血) 및 강심제(強心劑)로 씀.

귀우개 명〈옛·방〉귀이개(충남). ¶귀우개(耳挖子)《譯語 上 44》.

귀우리 명〈옛〉귀리. ¶귀우리(穬大麥)《字會 下 9》.

귀-우비개 명〈방〉귀이개.

귀-울다 자 귓속에서 윙윙 울리는 소리가 나다.

귀-울음 명 이명(耳鳴).

귀웅 명 통(筒)의 한 가지. 도자기를 만드는 곳에서 진흙을 담는 데 쓰는 원료로 씀.

귀웅-젖 명 젖꼭지가 옴폭 들어간 여자의 젖.

귀:원[1]【貴湲】명 흙의 한 가지. 중국 징더전(景德鎭)에서 도자기를 만드는 원료로 씀.

귀원[2]【歸元】명 이 세상을 떠나 본래 무위 열반(無爲涅槃)으로 돌아간다는 뜻. 곧, 죽음을 말함. ——-하다 자여불

귀원-성【歸原性】[一썽] 명〖동〗물고기의 습성(習性)의 한 가지. 민물에서 깨어 난 고기가 바다에 가 자라서 다시 민물로 와서 알을 낳거나 바다에서 깨어 난 물고기가 민물에서 자란 뒤, 다시 바다로 가서 알을 낳는 습성. 연어 따위에서 볼 수 있음.

귀유[1] 명〈옛〉구유[1]. =귀요[1]·구슈. ¶내 앗가 이 귀유 안해(我恰纔這槽兒裏頭)《老乞 上 31》.

귀:유[2]【鬼乳】명 마유(魔乳).

귀:유[3]【貴由】명〖사람〗원(元)나라 3대 황제인 정종(定宗). 칭기즈 칸의 손자. 오고타이의 아들. 발도(拔都)와 함께 유럽 원정군에 참가, 러시아 키예프(Kiev) 정복에 공을 세웠음. [1206~48]

귀-유(:)광【歸有光】명〖사람〗중국 명(明)나라 때의 학자. 자는 희보(熙甫), 호는 진천(震川). 문장에 뛰어나, 왕세정(王世貞) 등의 고문사(古文辭)를 배격하고 근엄한 글을 지어 명대 시문(明代詩文)의 제일인자가 됨. 왕신중(王愼中)·당순지(唐順之)와 더불어 가정(嘉靖) 3대가라 불림. 저서 《진천 문집(震川文集)》. [1506~71]

귀:유-마【鬼油麻】명〖식〗절국대.

귀융 명〈방〉구유[1](경기·강원·황해).

귀:의[1]【貴意】[一/一이] 명 상대방의 의견을 높이어 이르는 말.

귀의[2]【歸依】[一/一이] 명 ①돌아가 의지함. ②〖종〗몰아(沒我)의 지경에서 종교적 절대자(絶對者)에게 순종하고 신앙(信仰)하는 일. ③〖불교〗불교 신앙의 근본되는 신조(信條). 불타(佛陀)와 불법(佛法)과 승가(僧伽)에 의지하여 깊이 믿고 구호 시교(救護示敎)를 받는 일. ¶불교에 ~하다. *숭배(崇拜). ——-하다 자여불

귀의-법【歸依法】[一/一이一] 명〖불교〗①삼귀의(三歸依)의 하나. 불법(佛法)에 돌아가 의지함. ②귀의하는 법문(法文).

귀의-불【歸依佛】[一/一이一] 명〖불교〗①삼귀의(三歸依)의 하나. 부처에게 돌아가 의지함. ②귀의할 부처.

귀의 삼보【歸依三寶】[一/一이一] 명〖불교〗불(佛)·법(法)·승(僧)의 삼보(三寶)에 귀의하는 일. 삼귀(三歸). *귀의불(歸依佛)·귀의법·귀의승(歸依僧).

귀:의 성【鬼一聲】[一/一에一] 명〖책〗1907년 이인직(李人稙)이 지은, 신소설 초창기의 대표적 작품. 개화(開化) 사상의 개발과 계몽주의를 지향한 것임.

귀의-소【歸依所】[一/一이一] 명 귀의하는 곳.

귀의-승【歸依僧】[一/一이一] 명〖불교〗①삼귀의(三歸依)의 하나. 승가(僧伽)에 돌아가 의지함. ②귀의할 승가.

귀의-심【歸依心】[一/一이一] 명〖불교〗불교로 돌아가 의지하는 마음.

귀의-자【歸依者】[一/一이一] 명 ①돌아가 의지한 사람. ②〖불교〗불교에 돌아가 의지한 사람.

귀의-처【歸依處】[一/一이一] 명 귀의하는 곳. 귀의소(歸依所).

귀이 명〈방〉구유[1](경기).

귀이개 명〔근대 : 귀우개〕귀에지를 우비어 파내는 기구. 대개, 나무나 쇠붙이로 성냥 개비만한 크기로 숟가락 비슷하게 만듦.

귀이-변【一耳邊】명 한자 부수(部首)의 하나. '聖'이나 '聯'·'耿' 등의 '耳'의 이름.

귀이자 명〈방〉귀이개(경북).

귀:인[1]【貴人】명 ①〖역〗종일품 내명부(內命婦)의 봉작(封爵). ②신분이나 지위가 고귀한 사람. 고신(高紳). ↔천인(賤人).

귀인[2]【歸仁】명〖악〗보태평지악(保太平之樂) 11 곡 중의 셋째 곡. 가사 중에 나오는 유인지귀(維仁之歸)의 뜻에서 붙인 이름임.

귀:인-상【貴人相】명 부귀할 인상. 존귀한 상격.

귀:인-성【貴人性】[一썽] 명 타고 난 귀인다운 고상한 바탕. *귀염성.

귀:인성-스럽다【貴人性一】[一썽一] 형ㅂ불 귀인성이 있어 보이다. 준귀성스럽다. *귀염성스럽다. 귀:인성-스레【貴人性一】뷔

귀인-장【歸仁章】[一짱] 명 악장(樂章)의 이름. 종묘(宗廟) 제향(祭享) 때, 초헌(初獻)에 기명장(基命章) 다음에 아룀.

귀일【歸一】명 합침. 귀착하는 바가 같음. ——-하다 자여불

귀일 교:회【歸一敎會】명〖기독교〗동방 정교회 계통의 여러 교회. 로마 가톨릭 교회와 교류를 가지면서도 독자적인 언어·전례(典禮)·교회법을 보유함.

귀일-법【歸一法】[一뻡] 명〖수〗귀일산(歸一算).

귀일-산【歸一算】[一싼] 명〖수〗비례식(比例式)을 쓰지 않고 비례의 문제를 푸는 사칙 해법(四則解法). 비례하는 두 양(量) 중에서 갑(甲)의 단위 '1'에 대한 을(乙)의 값을 먼저 구하고 갑의 다른 값에 대한 을의 값을 계산함. 귀일법(歸一法).

귀일-성【歸一性】[一썽] 명 한 군데로 귀착하는 성질.

귀일-주의【歸一主義】[一쭈一/一쭈이] 명 위나니미슴(unanimisme).

귀임【歸任】명 임지로 돌아감. 또, 임지로 돌아옴. ——-하다 자여불

귀:자【貴子】명 ①남달리 귀염을 받는 아들. ②귀공자(貴公子).

귀:자-모【鬼子母】명〖불교〗귀자모신(鬼子母神).

귀:자모-신【鬼子母神】명〔범 Hāritī〕〖불교〗어린 아이를 품고 석류(石榴)를 쥐고 있는 야차 여신(夜叉女神)의 하나. 만 명의 아이를 낳고 양육하였다 하여 구아(求兒)·안산(安産)·부부 화합(夫婦和合)을 바라는 사람들이 기원한다고 함. 성질이 흉악하여 남의 자식을 죽여서 먹었기 때문에 석존(釋尊)이 그의 막내 자식을 숨기었더니 몹시 슬퍼하므로 훈계하여 자식을 돌려 보내고 부처에 귀의(歸依)시켰다 함. 귀자모. 준귀모(鬼母).

〈귀자모신〉

귀자미 명〈방〉귀이개(강원).

귀-잠[1] 명 아주 깊이 든 잠.

귀잠(이) 들다 구 잠이 깊이 들다.

귀잠[2] 명〈방〉귀이개(전북).

귀-잡이 명〖건〗가로재와 세로재가 맞춰지는 귀나, 보·도리 등의 가로재가 수평으로 직교(直交)하는 귀에 엇대어 안정된 삼각형 구조를 이루게 하는 부재(部材).

귀장[1]【歸裝】명 돌아갈 차비를 함. ——-하다 자여불

귀장[2]【歸葬】명 타향에서 죽은 사람의 시체를 고향에 가져와서 장사지내는 일. ——-하다 자여불

귀-장식【一裝飾】명 가구(家具)의 모서리에 겹쳐 대는 쇠장식.

귀:재【鬼才】명 세상에 드물게 뛰어난 재능(才能). 또, 그런 재능을 가진 사람.

귀재[2]【歸財】명〖법〗↗귀속 재산(歸屬財産).

귀-재다 자 혹시 잘못 들은 것이나 아닌가 하여 귀를 기울이다.

귀:저【貴著】명 상대방의 저서를 존경하여 이르는 말.

귀저구 명〈방〉기저귀(전북·경북).

귀저분-하다 형여불 ☞귀접스럽다❶.

귀:적[1]【鬼籍】명〖불교〗과거장(過去帳).

귀적[2]【歸寂】명〖불교〗승려(僧侶)의 죽음. 입적(入寂). 입멸(入滅). 원적(圓寂). 천화(遷化). ——-하다 자여불

귀적[3]【歸籍】명 복적(復籍). ——-하다 자여불

귀전[1] 명〈방〉귓전.

귀전[2]【歸田】명 관직을 물러나서 전원(田園)으로 돌아가 농사를 지음. ——-하다 자여불

귀:-전기석【貴電氣石】명 투명하고 아름다운 붉은 빛·푸른 빛 등을 발하는 전기석. 보석으로 이용됨.

귀-전복【一全鰒】명〖조개〗전복(全鰒).

귀:전-우【鬼箭羽】명〖식〗화살나무.

귀절【句節·句切·句絶】명 ☞구절(句節).

귀-점[1]【句點】명 ☞구점(句點).

귀-점[2]【龜占】명 거북점❶.

귀접-스럽다 형ㅂ불 ①추하고 지저분하다. ②사람됨이 천하고 비루하다. 귀접-스레 뷔

귀-접이 명 물건의 귀를 깎아 버리거나 접어 붙이는 일. ——-하다 타여불

귀접이 천장【一天一】명〖건〗가장자리가 꺾인 천장.

귀젓기 명〈방〉귀이개(경남).

귀정[1]【歸正】명 잘못되어 가던 일이 바른 길로 돌아옴. ¶사필(事必) ~/이번에는 내가 데리고 나서기 곧 하면 시각을 넘기지 아니하고 ~을 내고 말 터이라《李海朝 : 巢鶴嶺》. ——-하다 자여불

귀정(이) 나다 구 잘못되어 가던 일이 옳게 되어 끝나다.

귀정(을) 짓:다 구 일을 올바르게 결말짓다. ¶애령이가 도리어 필요 없는 말을 하는 것처럼 귀정지었다《朴榮濬 : 颱風地帶》.

귀정[2]【歸程】명 귀로(歸路).

귀-젖 명 ①귓속에서 고름이 나오는 귓병. 또, 그 고름. ②귀에 젖꼭지처럼 불룩 나온 군살.

귀:제[1]【貴弟】명 상대방의 동생을 높이어 일컫는 말.

귀제[2]【歸除】명〖수〗구귀 제법(九歸除法).

귀-제공【一諸貢】[명]〚건〛귀기둥 위에 짜인 제공.

귀-제비 [명]〚조〛①[*Hirundo daurica japonica*] 제빗과에 속하는 새. 날개 길이 120mm 가량이고 몸빛은 배면(背面)은 광택 있는 흑색, 허리에는 붉은 부위가 있으며, 아래는 흰데 작은 흑색 반점이 산재(散在)함. 한국·일본·중국 등지에서 번식하고 인도·미얀마 등지에서 월동함. ②명매기.

〈귀제비❶〉

귀조¹【歸朝】[명] ①외국 또는 지방으로 봉명하려 갔던 사신이 조정으로 돌아옴. ②귀국(歸國). ——하다 [자][여불]

귀조²【歸潮】[명]〚지〛썰물.

귀:족【貴族】[명] ①문벌이나 지위가 높고 봉건적인 특권을 가진 사람들. ¶ ~ 출신/~적인 취미. ②봉건 시대에 있어서 대대로 특권을 누리던 지배 계급. *평민·농노. ③상대방의 가족·민족의 존칭. ④비유적으로, 본래 서민(庶民)의 입장에 있어야 할 자가, 주어진 특권에 안주(安住)하고 있는 자. ¶ 노동 ~.

귀:족 계급【貴族階級】[명]〚사〛고대(古代) 및 중세 봉건 사회에 있어서 특권을 가진 지배층(支配層). 근대에 이르러 자유 평등 사상의 대두(擡頭)로 몇몇 나라를 예외로 하고는 귀족 계급은 몰락하였음.

귀:족 국체【貴族國體】[명] [aristocracy]〚정〛귀족이 정치상 우월한 지위를 차지하고 정권을 잡아 정치하는 국체.

귀:족 도:덕【貴族道德】[명] 군주 도덕(君主道德).

귀:족 문학【貴族文學】[명] 귀족의 생활 감정을 표현한 문학. 17세기 프랑스에서 성행하였음.

귀:족-어【貴族語】[명] 주로 귀족 계급층에서 쓰이는 언어. ↔평민어(平民語).

귀:족 예:술【貴族藝術】[—네—] [명] 귀족 계급을 상대로 한 예술. 또, 귀족 계급에 속하는 사람이 제작한 예술. ↔민중 예술(民衆藝術).

귀:족-원【貴族院】[명] ①〚역〛조선 시대 때, 귀족과 품계(品階)에 관한 사무를 맡아 보던 관청. 고종(高宗) 32년(1895)에 베풀어서 광무(光武) 4년(1900)에 돈녕원(敦寧院)으로 개칭함. ②〚정〛민의원(民議院)과 함께 양원제(兩院制)의 하나로서, 귀족을 중심으로 조직되어 있는 국회. 영국과 2차 대전 전의 일본에 있었음. ↔민의원. *상원(上院).

귀:족원 의원【貴族院議員】[명] 귀족원(貴族院)을 구성하는 의원.

귀:족-적【貴族的】[명][관] ①귀족다운 모습과 기풍(氣風). ②상류 계급의 영화(榮華)를 뽐내는 태도나 모양. 1)·2):↔평민적(平民的).

귀:족적 문학【貴族的文學】[명]〚문〛대중적인 세속성과 심각성(深刻性)은 없으나 숭고하고 순수한 정신과 인간성을 추구하여 고답적(高踏的)인 형식으로 표현하는 문학 작품 또는 문학.

귀:족 정치【貴族政治】[명]〚정〛소수(少數)의 특권 계급을 중심으로 행하여지는 정치. 아리스토크라시. ↔평민 정치(平民政治).

귀:족-제【貴族制】[명] 혈통·문벌·재산 따위에 의하여 특권을 갖는 소수의 귀족이 권력을 장악하고 지배하는 정치 체제(政治體制).

귀:족-주의【貴族主義】[—/—이] [명]〚정〛①소수의 특권 계급을 지지(支持)하거나 소수의 우수한 사람만이 문화에 참여할 수 있다고 생각하는 입장(立場). ②점잔을 빼고 고상한 체하는 모양.

귀:족 학교【貴族學校】[명] 귀족 또는 특정한 권문(權門)의 자제(子弟)들을 위하여 특별히 세워진 학교.

귀:족-화【貴族化】[명] 귀족으로 됨. 귀족과 같이 지위(地位)가 높아지거나 높아지게 함. ——하다 [자][타][여불]

귀:졸【鬼卒】[명] ①온갖 좀망한 잡귀(雜鬼). ②〚불교〛염마졸(閻魔卒).

귀종【歸從】[명] 시중들기 위하여 붙어 다님. ——하다 [타][여불]

귀죄【歸罪】[명] 죄를 남에게 전가(轉嫁)함. ——하다 [타][여불]

귀:주【鬼誅】[명]〚민〛귀신이 내리는 벌.

귀주 대:첩【龜州大捷】[명]〚역〛고려 현종 10년(1019) 고려에 침입한 거란군을 강감찬(姜邯贊) 등이 귀주, 지금의 구성(龜城)에서 크게 격파한 싸움. 구주(龜州) 대첩.

귀-주머니 [명] 네모지게 지어 아가리께로 절반을 세 골에 접어 아래의 양쪽으로 귀가 나온 주머니.

귀주-사【歸州寺】[명]〚불교〛함경 남도 함주군(咸州郡)에 있는 절. 이 태조(李太祖)가 왕이 되기 전에 독서(讀書)하던 곳임. 종전의 31본산(本山)의 하나였음.

〈귀주머니〉

귀:주-성【貴州省】[명]〚지〛구이저우 성.

귀:주-주【貴州紬】[명] 중국의 구이저우(貴州)에서 나는 명주.

귀:중¹【貴中】[명] 편지 겉봉에 받을 단체의 이름 아래에 쓰는 경어. ¶ 민중 서림 편집국 ~. *귀하(貴下).

귀:중²【貴重】[명] 진귀(珍貴)하고 중요함. 진중(珍重). ——하다 [형][여불] ——히 [부]

귀중³【歸重】[명] ①중요한 것에 좇음. ②글 속의 특히 중요한 곳. ——하다 [자][여불]

귀중중-하다 [형][여불] 매우 더럽고 지저분한 느낌이 있다. ¶ 거지들의 귀중중한 옷차림. 귀중중-히 [부]

귀:중-품【貴重品】[명] 귀중한 물품. [준]귀품(貴品).

귀:-지¹ [명] 귓구멍 속에 낀 때. 정녕(耵聹). 이구(耳垢).

귀:지²【貴地】[명] 상대자의 사는 곳을 존대하여 이르는 말. 귀처(貴處). 금지(錦地).

귀:지³【貴紙】[명] 상대방의 신문을 존대하여 이르는 말.

귀:지⁴【貴誌】[명] 상대방의 잡지(雜誌)를 존대하여 이르는 말.

귀지개 [명]〈방〉귀이개(충남·전라·경남).

귀:진¹【鬼陣】[명] 바둑의 별칭(別稱).

귀:진²【貴珍】[명] 귀하고 보배로움. 또, 그런 물건. ——하다 [형][여불]

귀진³【歸陣】[명] 진지(陣地)로 돌아옴. 또, 진지로 돌아감. ——하다 [자][여불]

귀-질기다 [형] ①감각이 둔하고 말귀가 어둡다. ②남의 말을 잘 안 듣는 상태이다.

귀:차【鬼差】[명] 귀신의 차사(差使).

귀착【歸着】[명] ①돌아가 닿음. ②의논이나 의견이 낙착됨. ¶ 의론의 ~점(點). ——하다 [자][여불]

귀착 장치【歸着裝置】[명] [homing device] ①〚항공〛항공기를 호밍 방식으로 유도하기 위한 발신기·수신기 또는 어댑터(adapter). ②텔레비전용 원격 제어 동조 모터(遠隔制御同調 motor)와 같은, 소기(所期)의 변동을 시키기 위한 이동이나 회전을 자동적으로 하게 하는 제어 장치.

귀착-점【歸着點】[명] ①돌아가 닿는 곳. ②여러 의견 끝에 낙착되는 한 점. 낙착되는 곳. 귀결점(歸結點). ¶ 의론의 ~.

귀찮다 [—찬타] [형] [↗귀치 않다] 귀엽지 않고 성가시기만 하다. ¶ 귀찮게 굴다.

귀찮아-하다 [—찬—] [타][여불] 귀찮게 여기다.

귀:찰【貴札】[명] 귀함(貴函).

귀-창 [명]〈방〉귀청.

귀:책¹【鬼責】[명] 병 중에 귀신이 집적거림. 귀침(鬼侵).

귀책²【歸責】[명]〚법〛형법상의 용어. 자유 의사(自由意思)에 의거한 행위를 그 행위자의 형사 책임으로 결부시키는 일.

귀책 사:유【歸責事由】[명] 법률상의 불이익(不利益)을 과하기 위하여 필요로 하는 주관적 요건(主觀的要件). 곧, 의사 능력(意思能力) 또는 책임 능력(責任能力)이 있고, 고의(故意) 또는 과실(過失)이 있어야 함.

귀:처【貴處】[명] 귀지(貴地).

귀:척【貴戚】[명] ①임금의 인척(姻戚). ②상대방의 친척에 대한 경칭.

귀:척 대:신【貴戚大臣】[명] 임금과 인척간이 되는 대신.

귀:천¹【貴賤】[명] ①부귀(富貴)와 빈천(貧賤). ②귀한 사람과 천한 사람. 고하(高下). ¶ 신분의 ~.

[귀천 궁달(窮達)이 수레바퀴다] 사람의 운수는 돌고 돌아 늘 변한다는 말. '흥망성쇠와 부귀 빈천이 물레바퀴 돌 듯한다'와 같은 뜻. ¶ 귀천 궁달이 수레바퀴니 혈마 어찌하오리까, 어떠하든지 날부터 살려 내오《古本 春香傳》.

귀천²【歸天】[명] 성령(性靈)이 하늘로 돌아간다는 뜻. 곧, 사람의 죽음. ——하다 [자][여불]

귀천³【歸泉】[명] 황천(黃泉)으로 돌아감. 곧, 죽음. ——하다 [자][여불]

귀:천지-별【貴賤之別】[명] 귀함과 천함의 구별.

귀-청¹ [명]〚생〛고막(鼓膜)❶. ¶ ~이 떨어지다.

귀청(을) 떼:다 [구] 울리는 소리가 귀청이 떨어져 나갈 만큼 아주 크다.

귀청²【歸廳】[명] 관청에 근무하는 사람이 관청으로 돌아감. 또, 돌아옴. ——하다 [자][여불]

귀-청구 [명]〈속〉귀청.

귀:체【貴體】[명] 편지에 쓰는 말로, 상대자의 몸을 존대하는 말. ¶ ~ 만안(萬安)하옵시며…. *존체(尊體).

귀청 [명]〈옛〉귀청¹. ¶ 쇠야지 귀청(犢子耳中塞)《救簡 Ⅲ:31》.

귀촉-도【歸蜀道】[명]〚조〛두견이.

귀촌【歸村】[명] 촌으로 돌아감. 또, 촌으로 돌아옴. ——하다 [자][여불]

귀추【歸趨】[명] 일이 되어 나가는 형편. 귀착하는 곳. 귀취(歸趣). ¶ 그 ~가 자못 주목된다.

귀:축【鬼畜】[명] ①귀신과 짐승. ②잔인(殘忍)한 짓을 하는 사람. ③은혜를 모르는 사람.

귀축축-하다 [형][여불] 하는 짓이 조촐한 맛이 없고 더럽다.

귀취【歸趣】[명] 귀추(歸趨).

귀:측【貴側】[명] 상대편을 존대하여 일컫는 말. 귀편(貴便).

귀치-않다 [—안타] [형] ☞귀찮다.

귀:침【鬼侵】[명] 귀책(鬼責).

귀:침-초【鬼針草】[명]〚식〛도깨비바늘.

귀탁¹【龜坼】[명] '균탁(龜坼)'을 잘못 읽는 말.

귀탁²【歸橐】[명] 수령(守令)이 만기가 되어 돌아갈 때에 가지고 가는 짐.

귀-탈【一頉】[명] 귓병.

귀:태¹【貴態】[명] 존귀한 자태.

귀:태²【鬼胎】[명] ①염려(念慮). 걱정함. ②〚의〛이상 임신(異常妊娠)의 하나. 자궁 속의 태아를 싸고 있는 맥락막(脈絡膜)이 비정상적으로 발육함으로써 일어나는 병. 자궁 속은 차차로 작은 주머니 같은 덩어리가 되며 가는 줄기로 연결되어 마치 포도 송이처럼 되어 태아는 전연 그 형체가 없어짐. 유산이 되며 심한 출혈로 사망하는 위험이 있음. 포상기태(胞狀奇胎). 포도상 기태.

귀:택¹【貴宅】[명] →귀댁.

귀택²【歸宅】[명] 집에 돌아감. 또, 집에 돌아옴. ——하다 [자][여불]

귀털 [명] [trichobothrium]〚생〛거미류(類)의 보각 부절(步脚跗節)에 있는, 직립한 특수 감각털.

귀토【歸土】[명] 흙으로 돌아간다는 뜻으로, 죽음을 이르는 말.

귀토지-설【龜兎之說】[명]《삼국 사기(三國史記)》에 나오는 토끼와 거북의 이야기. 후세에 다른 사람이 윤색(潤色)하여《토생원전(兎生員傳)》·《토끼의 간》·《별주부전(鼈主簿傳)》 등의 소설로 꾸몄음.

귀통이 [명]〈방〉귀퉁이.

귀퉁-머리 [명]〈비〉귀퉁이❶.

귀퉁배기 [명] 귀퉁이❶. ¶ 치수가 웬만한 사람만 같았어도 ~를 몇번 쥐어박았을 것이었다《李無影: 農民》.

귀퉁이 [명] ①귀의 언저리. ②물건의 쑥 내민 모퉁이나 뿌다구니. ¶ 책상 ~.

귀틀 [명]〚건〛①마루청을 놓기 전에 먼저 가로 세로 짜 놓는 굵은 나무. 가로 들이는 것을 '동귀틀', 세로 들이는 것을 '장귀틀'이라 함. ②천장의 주변에 있는 천장틀. ③천장의 새막이 틀 중에서 길게 된 부분.

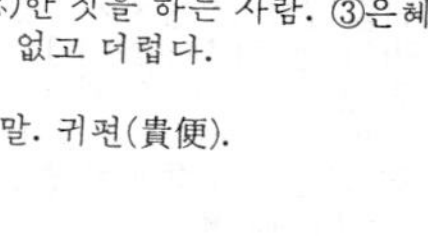

〈귀틀❶〉

귀틀-돌 [—똘] [명] 돌로 다리 등을 놓을 때 뼈대가 되도록 길게 놓은 돌.

귀틀-마루 [명] ☞우물마루.

귀틀-집 [—찝] [명]〚건〛큰 통나무를 정자형(井字形)으로 귀를 맞추어 층층이 얹고 틈을 흙으로 메워 지은 집. ¶ ~에 사는 화전민(火田民).

귀-틤 [―팀] 명 ☞귀띔. ――-하다 타여불

귀:-티 【貴―】 명 귀하게 보이는 모습이나 태도. ↔천티.

귀:판[1] 【鬼板】 명〖건〗마룻대의 양끝에 있는 귀면(鬼面)이 붙은 장식품.

귀판[2] 【龜板】 명〖한의〗거북의 배의 껍데기. 한열 왕래(寒熱往來)나 학질(瘧疾) 및 난산(難產)·설사·소아 두통(小兒頭痛) 등의 약으로 씀. 맛이 달고 짜며, 성질이 차고 독이 있음.

귀판-문 【龜判文】 명 고대 중국에서 점복(占卜)에 쓰던, 거북의 복갑(腹甲)에 새겨진 문자. *은허 문자(殷墟文字)·갑골 문자(甲骨文字).

귀패 【龜貝】 명 거북 등딱지와 조개 껍데기. 고개(古代)에 화폐로 썼음.

귀:-편 【貴便】 명 ①상대편을 높이어 하는 말로 '당신이 가는 인편'의 뜻. ②귀측(貴側).

귀-포[1] 【―包】 명 장기 둘 때에 궁(宮) 줄의 귀에 놓은 포. ¶ ~ 장기.

귀-포[2] 【―包】 명〖건〗귀기둥 위에 받친 공포(栱包).

귀-표 【―標】 명〖농〗가축(家畜)의 개체(個體)를 식별(識別)하기 위하여 그 귀에 다는 표지(標識). 털 빛·반문(斑紋) 등으로 구별할 수 없는 양이나 염소·돼지·토끼 같은 중소(中小) 가축에 많이 사용되는데, 귀걸이를 다는 법, 입묵(入墨)하는 법, 귀를 베어 상처를 내는 법의 세 가지 방법이 일반적으로 사용됨. 이표(耳票). 이어마크(earmark).

귀:품 【貴品】 명 ①↗귀중품(貴重品). ②상대방의 상품을 높여 이르는 말.

귀:하 【貴下】 一명 편지에서 상대방을 높이기 위하여 상대방 이름 밑에 붙여 쓰는 말. ¶ 김선달 ~. *족하(足下)·귀중(貴中)·앞. 二인대 상대자를 높이어 이름 대신 부르는 말. 존하(尊下). ¶~께서는 ….

귀:-하다 【貴―】 형여불 ①신분이나 지위가 높다. ¶ 귀한 가문에 태어나다. ②천하거나 흔하지 아니하다. ¶ 그것은 아주 귀해서 사기 힘들다. ③귀염을 받을 만하다. **귀:-히** 【貴―】 부 귀하게. ¶ ~ 여기다.
[귀한 것은 상량문(上樑文)] 모든 것이 다 구비되어 있는데, 한 가지가 부족함을 이르는 말. [귀한 그릇 쉬 깨진다] ㉠흔히 물건이 좋고 값진 것일수록 쉬 부서진다는 말. ㉡귀하게 태어난 사람이나 재주가 비상한 사람이 일찍 죽게 됨을 이르는 말. [귀한 자식 매로 키워라] 자식이 귀할수록, 매로 때려서라도 버릇을 잘 가르쳐야 한다는 말. [귀한 자식 매한 대 더 때리고 미운 자식 떡 한 개 더 준다] 아이들 버릇을 잘 가르치기 위해서는 아이에게 그 당장 좋게만 해 주는 것은 오히려 해롭다는 말.

귀:학 【鬼瘧】 명〖한의〗학질의 하나. 시주(尸疰)로 인하여 발열(發熱)하고 오한이 생기거나 정신이 흐려지는 병.

귀:한 【貴翰】 명 상대방의 서한에 대한 존대말. 귀함(貴函).

귀-한대 【―限大】 명〖건〗귀기둥 위에 짜인 제공(諸貢)에 45도 각도(角度)로 가로 얹은 살미.

귀:함[1] 【貴函】 명 상대자의 편지를 높이어 부르는 말. 귀간(貴簡). 귀서(貴書). 귀찰(貴札). 귀한(貴翰). 방한(芳翰). 운한(雲翰). 운함(雲函).

귀함[2] 【歸艦】 명 자기가 있는 군함으로 돌아감. 또, 돌아옴. ――-하다 자여불

귀함 명:령 【歸艦命令】 [―녕] 명 귀함하라는 명령.

귀-함지 명 함지의 하나. 굵은 통나무를 직사각형으로 기름하게 판 것으로, 양쪽에 귀가 달려 손잡이로 쓸 수 있어 편리함.

귀항[1] 【歸航】 명 배가 출발지로 돌아오는 항해. ¶ 배가 ~ 중이다. ――-하다 자여불

귀항[2] 【歸港】 명 배가 떠난 항구로 다시 돌아감, 또, 돌아옴. ――-하다 자여불

귀항[3] 【歸降】 명 싸움에 져서 적에게 귀순함. 항복. ――-하다 자여불

귀-행전 【―行纏】 명〖역〗군대에서 병사가 치던 행전. 보통 것보다 좀 좁고 아래쪽이 둥글고 두 귀가 내밀었음. ↔통행전(筒行纏).

귀향 【歸鄕】 명 ①고향으로 돌아감. 또, 돌아옴. 귀성(歸省). ②〖역〗→귀양. ――-하다 자여불

귀향-길 【歸鄕―】 [―낄] 명 고향 가는 길.

귀향 명〈옛〉귀양. ¶ 녀를 잡흄호터 귀향 왯는 仙人이라 ᄒᆞ더니라(號爾謫仙人)《初杜諺 XVI:5》/귀향 뎍(謫)《類合 下 21》.

귀:현 【貴顯】 명 지체가 높고 귀하며 벼슬과 이름이 들날림. 또, 그런 사람. 왕공(王公). ――-하다 형여불

귀:형[1] 【鬼形】 명 귀신의 형상.

귀:형[2] 【貴兄】 인대 상대방을 친근하게 높이어 일컫는 말.

귀호-곡 【歸乎曲】 명〖문〗《시용 향악보(時用鄕樂譜)》에 실려 전하는 고려 가요 '가시리'의 다른 이름.

귀호비개 명〈방〉귀이개(전북·경북).

귀호지개 명〈방〉귀이개(전라).

귀혼-일 【歸魂日】 명〖민〗사람의 나이를 간지(干支)의 팔괘(八卦)에 맞추어 선택하는 길일(吉日)의 하나.

귀:화[1] 【鬼火】 명 도깨비불. 귀린(鬼燐).

귀:화[2] 【鬼化】 명 귀신이 됨. 또, 귀신이 되게 함. ――-하다 자타여불

귀:화[3] 【鬼話】 명 ①거짓말. ②도깨비에 관한 이야기. 괴담(怪談).

귀화[4] 【歸化】 명 ①임금의 덕화(德化)에 귀순(歸順)하여 복종함. ②〖법〗다른 나라의 국적(國籍)을 얻어 그 나라의 국민이 됨. ¶ 한국에 ~한 사람. ③〖생〗생물이 본래의 자생지(自生地)에서, 인간의 매개(媒介)로 다른 지역으로 이동하여, 그 곳에서 자력(自力)으로 생존·번식하는 일.

귀화 동:물 【歸化動物】 명〖동〗본래의 서식지(棲息地)에서 인위적(人爲的)으로 옮겨져, 그 곳에서 정착(定着)하고 번식하게 된 동물. 천적(天敵)이 없으면 폭발적으로 증가하는 일이 있어, 생태계(生態系) 파괴의 우려가 많음. 우리 나라에는 식용(食用)으로 수입한 황소개구리·이스라엘잉어 등이 있음.

귀화-민 【歸化民】 명〖법〗어느 나라에 귀화한 국민.

귀:화-법 【貴化法】 [―뻡] 명 가축의 미개량종(種)을 누진 교배(累進交配)의 방법으로 개량하는 육종법(育種法). *누진 교배(累進交配).

귀화 생물 【歸化生物】 명〖생〗귀화 동물과 귀화 식물의 총칭.

귀화-성 【歸化城】 명〖지〗전의 중국 쑤이위안 성(綏遠省)의 성도(省都)로 지금의 내몽고 자치구의 주도 후허하오터(呼和浩特)의 구성(舊城). 잡곡·수피(獸皮)·수모(獸毛)·삼씨·약재 등을 산출하며 톈진(天津)·장자커우(張家口)·몽골 등과 무역(貿易)이 성함. 라마교(Lama 敎)의 큰 절이 있음.

귀화 식물 【歸化植物】 명〖식〗외국으로부터 건너와서 그 토지에 적응(適應)하여 야생하는 식물. 한국에서는 개망초·개자리·닭의덩굴·망초·미류나무·아카시아 같은 것이 있음. 도래(渡來) 식물. *귀화종.

귀화-어 【歸化魚】 명 우리 나라의 담수역(淡水域)에 정착해서 살게 된 외래종의 물고기. 향어(香魚) 따위.

귀화-인 【歸化人】 명 귀화하여 그 나라의 국적을 얻은 사람. 귀화자. 향화인(向化人).

귀화-자 【歸化者】 명 귀화인(歸化人).

귀화-종 【歸化種】 명〖생〗외국으로부터 건너와서 그 토지에 적응하여 야생하는 생물. *귀화 식물(歸化植物).

귀환 【歸還】 명 ①제 자리로 다시 돌아옴. 또, 돌아감. 환귀(還歸). ②〖전〗피드 백(feed back). ――-하다 자여불

귀환-병 【歸還兵】 명〖군〗①싸움터에서 휴가를 얻어 집에 돌아온 병사. ②외국에 출전하였다가 본국에 돌아온 병사.

귀환-자 【歸還者】 명 오랫 동안 멀리 나가 있다가 되돌아온 사람.

귀환 장:정 【歸還壯丁】 명 군대에 복무하다가 돌아온 장정.

귀환 회로 【歸還回路】 명 [feedback circuit]〖전〗전자 회로 또는 제어계(制御系)의 출력 신호의 일부를, 입력부(入力部)로 피드백시키는 회로.

귀:회 【貴會】 명 상대방의 회(會)에 대한 경칭.

귀후개 명〈방〉귀이개(충남).

귀후배 명〈방〉귀이개(경북).

귀후비 명〈방〉귀이개(경북).

귀-후비개 명〈방〉귀이개(경남·충남).

귀후-서 【歸厚署】 명〖역〗조선 시대 때, 나라의 관곽(棺槨)을 만들고 장례(葬禮)에 관한 사무를 보던 관아. 태종(太宗) 6년(1406)에 설치하여 정조(正祖) 원년(1777)에 폐하였음. 관곽색(棺槨色).

귀후지개 명〈방〉귀이개(전북·충남).

귀휘비개 명〈방〉귀이개(경기·강원·충북·경상).

귀휘지개 명〈방〉귀이개(경남).

귀휴 【歸休】 명 집에 돌아와 쉼. 특히, 근무 중인 자 또는 복역(服役) 중인 자가 일정 기간 휴가를 얻는 일. 휴귀(休歸). ――-하다 자여불

귀휴-병 【歸休兵】 명 현역 복무 중에, 한동안 군무를 떠나 귀휴를 허락받은 병사.

귀휴-제 【歸休制】 명 ①〖사〗불황기(不況期)에 기업이 그 불황을 극복하기 위하여 고용 노동자를 단기간 휴가 보내는 제도. ②〖법〗1년 이상 복역(服役)한 수형자(受刑者)로서 그 형기의 2분의 1을 경과하고 뉘우치는 빛이 뚜렷하며 행상(行狀)이 우수한 때에 형기간 중 3주일 이내의 기간 휴가 보내는 제도. 귀휴 기간은 형집행 기간에 산입(算入)됨.

귀흉 귀배 【龜胸龜背】 명 안팎 곱사등이.

귀히비 명〈방〉귀이개(경북).

귀히비개 명〈방〉귀이개(경상).

귀히비기 명〈방〉귀이개(경북).

귀히지개 명〈방〉귀이개(경남).

귃짐 명〈옛〉매의 한 종류. ¶ 귃짐(白角鷹)《字會 上 15 集字註》.

귈:[1] 명〈방〉〖식〗귀리(전라).

귈:[2] 명〈방〉귤(강원).

귈뚝 명〈방〉굴뚝(전라).

귈랑바레 증후군 【―症候群】 명 [Guillain-Barré syndrome]〖의〗급성 다발성(多發性) 신경염의 특징적인 병의 증상. 신경근(神經根)과 말초 신경이 장애를 입고 좌우 하지(下肢)에서 상지로 마비가 오며, 동통(疼痛)·지각(知覺) 이상 등을 동반함. 최악의 경우에는 호흡 장애가 옴. 예후(豫後)는 비교적 좋아 3-4주 후 서서히 회복됨. 프랑스의 신경학자 기앵(Guillain, Georges ; 1876-1961)과 바레(Barré, Jean A. ; 1880-1967)에서 유래함.

귐: 명〈방〉개암❶(경북).

귓-가 명 귀의 가장자리.
귓가로 듣다 구 귓전으로 흘려 듣다.

귓:-것 명 이름없는 '잡귀'를 낮게 이르는 말. ¶ 餓鬼ᄂᆞᆫ 주으린 귓거시라《月釋 I:46》/ 외양은 올 때는 기형괴형한 모양이 ~같이 흉악망측하여 볼 수가 없더니…《作者未詳 : 恨月》.

귓-결 명 우연히 들을 때. 우연히 듣게 된 겨를. ¶ 소문을 ~에 듣다.

귓-구녁 명〈방〉귓구멍(경상).

귓-구녕 명〈방〉귓구멍(경상).

귓-구멍 명 귀의 밖에서 귀청까지 통한 구멍. 외청도(外聽道). 이공(耳孔).
[귓구멍에 마늘 쪽 박았나] 말을 잘 알아듣지 못하는 사람에게 하는 말. [귓구멍이 나팔통 같다] 귓구멍이 크다는 말이니, 남의 말을 잘 듣는 사람을 두고 하는 말.
귓구멍이 넓다 구 남의 말을 잘 듣는 상태이다.

귓구무 명〈옛〉귓구멍. ¶ 귓구무 타(睡)《字會 上 26》.

귓-기스락 명 초가집 처마 모퉁이의 기스락. ㊅귓기슭.

귓-기슭 [―슥] 명 ↗귓기스락.

귓-달 명 연의 네 귀에 'X'자 모양으로 엇걸어서 붙이는 대오리.

귓도라미 명〈옛〉귀뚜라미. ¶ 귓도라미 실(蟋), 귓도라미 솔(蟀)《字會 上 23》.

귓도리 명〈옛〉귀뚜라미. ¶ 귓도리 뎌 귓도리 어엿브다 뎌 귓도리 어인 「귓도리 디ᄂᆞᆫ 돌 새ᄂᆞᆫ 밤에《古時調》.

귓-돈 명〖역〗전립(戰笠)의 징두리. 색실로 꿰어 단 매미나 나비 모양의 밀화(蜜花) 덩이. 영자(纓子) 위쪽에 달려 있음.

귓-돌 명 머릿돌. 「《杜諺 Ⅶ:36》.
귓돌아미 명 〈옛〉 귀뚜라미. ¶ 귓돌아미 中堂애 갓가이 와(蟋蟀近中堂)
귓돌와미 명 〈옛〉 귀뚜라미. =귀돌와미. ¶ 치윗 그려기와 귓돌와미 類라(寒雁蟋蟀類也)《楞嚴 Ⅷ:121》.
귓-등 명 귓바퀴의 바깥쪽.
귓등에 넘어가다 구 소리가 귀를 통해 들어와 분명히 들리게 되다. ¶ 날마다 와서 귓등에 넘어가지도 아니하는 말을 씩뚝꺽뚝 하다가 옥희에게 핀잔을 당하고 가더니《李海朝: 鬢上雪》.
귓등으로 듣다 구 귓전으로 듣다.
귓-머리 명 ☞귀밑머리.
귓-문【一門】명 ①귓구멍의, 바깥쪽으로 열린 쪽. 이문. ②화승총(火繩銃)의 총열에 불을 댕기는 구멍의 아가리.
귓문이 넓다 구 남의 말을 잘 듣다.
귓-바퀴 명〖생〗귀의 가장자리. 연골(軟骨)로 되어 쭈그러져 있으며 밖에서 들려 오는 소리를 귓구멍으로 들어가기 쉽게 하는 일을 함. 이각(耳殼). 이륜(耳輪). 이익(耳翼). 이개(耳介). 준귀. *외이.
귓바회 명〈옛〉귓바퀴. ¶ 넙고 기르시고 귓바회 세시며《月釋 Ⅱ:56》.
귓-밥 명〔중세: 귓밥〕①귓불의 두께. ②〈방〉귀지.
귓방-맞다 자〈방〉따귀맞다.
귓-방울 명〈방〉귓불¹.
귓-병【一病】명 귀를 앓는 여러 가지 병의 통틀어 일컬음. 귀탈. *귀
귓-봉 명〈방〉①귓불. ②뺨따귀. ㄴ앓이.
귓-불¹ 명 귓바퀴의 아래쪽으로 늘어진 살. 이수(耳垂). 이타(耳朶).
【귓불만 만진다】무슨 일을 그 이상 어떻게 해 볼 계책이 나타나지를 않아 운명만 기다린다는 뜻.
귓-불² 명 총에 화승(火繩)을 대는 신관(信管).
귓-속 명 귀의 내부(內部).
귓속-말 명 귀엣말. ¶ 무언가 ~을 주고받다. ——-하다 자여불
귓속-뼈 명〖생〗귀청과 속귀를 연결하는, 관절로 이어진 세 개의 뼈.
귓속-질 명 귀엣말로 소곤거리는 짓. ——-하다 자여불
귓-쇠 명 ①화승총의 귓불 밑에 붙은 쇠. 이금(耳金). ②기역(ㄱ)자 모양의 얇은 쇳조각의 두 끝을, 안쪽으로 두 번 꺾인 곡형(曲形)으로 오려내고 '卍'자를 새긴 장식의 한 가지.
귓-쌈 명〈비〉귀의 언저리.
귓-전 명 귓바퀴의 가. ¶ ~을 스쳐 가는 총탄.
귓전으로 듣다 구 주의를 기울이지 않고 건성으로 듣다.
귓전을 울리다 구 가까이에서 소리나는 듯 들리다.
귓-집 명 추위를 막기 위하여 귀를 덮는 기구. 모양과 만듦새가 여러 가
귕 명〈방〉구유¹(경기·강원·황해). ㄴ지임. 귀걸이.
귕:이 명〈방〉〖동〗고양이(경북).
규¹【圭】명 ①옥으로 만든 홀(笏). 위 끝은 뾰족하고 아래가 세모 혹은 네모 졌음. 옛날 중국에서 천자(天子)가 제후를 봉하거나 신을 모실 때 썼음. ②모. 귀퉁이.
규²【圭】명 성(姓)의 하나. 우리 나라에는 현존하지 아니함.
규³【奎】명〖천〗↗규성(奎星).
규⁴【規】명 ①각도기(角度器)나 컴퍼스 등의 총칭. 작도에서 원형(圓形)을 그리거나 고치는 데 씀. ②원(圓). 원형의 물건.
규⁵【睽】명〖민〗↗규괘(睽卦).
규각¹【圭角】명 ①규(圭)의 뾰족한 곳. ②물건이 서로 들어맞지 아니함. ¶ 그 편지를 사장에게로 하지 않고 일부러 사원 중 한 사람에게 보내는 이유를 ~이 없도록 하고자…《沈天風: 兄弟》. ③말이나 행동이나 또는 뜻이 남과 서로 맞지 아니함. ¶ 우리 사이에 ~이 있겠나.
규각(이) 나다 구 사물이나 뜻이 서로 맞지 아니하게 되다. ¶ 말이 앞뒤가 규각나지 않고 그럴 듯하다.
규각²【閨閣】명 금규(金閨). 「해면류.
규각 해:면류【珪角海綿類】[一뉴] 명〖동〗[Cornacuspongida] 보통
규간¹【規諫】명 옳은 도리로써 간함. ——-하다 타여불
규간²【窺間】명 기회를 엿봄. ——-하다 자여불
규개-일【圭開日】명〖민〗책력에 규(圭)와 개(開)가 겹쳐 든 날. 이 날에 아이를 배면 현인(賢人)·학자를 낳는다고 함.
규거【糾擧】명 죄를 규탄하여 드러냄. ——-하다 타여불
규격【規格】명 ①규칙과 격식. 일정한 표준. ¶ ~에 맞다. ②〖경〗공업 제품의 치수·형상·품질·수량 등에 대하여 정해진 표준. ¶ ~품/~화(化). ③일반적으로, 판단의 표준이 되는 일정한 약속. *규격 통일.
규격 통:일【規格統一】명 공업 생산품을 일정한 표준하에 통일함. 이 운동은 1901년에 영국 산업계에서 최초로 일어난 것으로, 산업 합리화 운동의 과정에서 나온 것임. ——-하다 타여불 「여불
규격 통:제【規格統制】명 공업 생산품의 규격을 통제함. ——-하다 타
규격-판【規格判】명 ①서적·장부·전표 기타 사무 용지의 크기의 기준. 국판(菊判)·사륙판(四六判) 등이 그 예임. ②정해진 일정한 양식.
규격-품【規格品】명 통일된 규격으로 만든 물건.
규격-화【規格化】명 ①공업 제품 등의 품질·형상·치수를 규격에 맞추어 통일함. 표준화. ②사상·여론(輿論) 등을 일정한 방향이나 범위에 합치시킴. ——-하다 타여불
규견【窺見】명 엿봄. 규시(窺視). ——-하다 타여불
규결¹【糾結】명 헝클어지고 얽힘. ——-하다 자여불
규결²【摎結】명 뭉치어 덩어리가 됨. ——-하다 자여불
규계【規戒】명 바르게 경계함. ——-하다 타여불
규고【叫苦】명 괴로움을 부르짖음. ——-하다 타여불
규곡【叫曲】명〖악〗부르짖기만 하여 여운이 없는 서투른 노래. 규성(叫聲).

규곤 시:의방【閨壼是議方】[一/一이一] 명〖책〗조선 현종(顯宗) 때에 이현일(李玄逸)의 어머니 안동 장씨(安東張氏)가 쓴 요리책. 집안의 딸과 며느리를 위해서 쓴 것으로, 필사본 1책.
규-공작석【珪孔雀石】명〖광〗함수(含水) 규산동(珪酸銅)으로 된 광물. 신장(腎臟) 또는 포도 같은 모양으로, 청색 또는 청록색의 지방 광택(脂肪光澤)이 있는 중요한 구리의 광석. 장식용으로 쓰임.
규곽【葵藿】명〖식〗해바라기.
규-괘【睽卦】명〖민〗육십사 괘(六十四卦)의 하나. 이괘(離卦)와 태괘(兌卦)가 거듭된 것인데, 위는 불이요, 아래는 못을 상징함. 준규(睽).
규구【規矩】명 ①그림쇠. ②↗규구 준승(規矩準繩).
규구-법【規矩法】[一뻡] 명〖수〗어떤 입체(立體)를 소용되는 형체로 만드는 법. 「사물의 준칙(準則). 준규구.
규구 준:승【規矩準繩】명 ①컴퍼스와 자와 수준기(水準器)와 먹줄. ②
규군【糾軍】명〖역〗중국의 요금(遼金) 시대로부터 원초(元初)에 이르기까지 사용되었던 군대의 호칭. 귀인(貴人)의 궁(宮)을 방위하거나 변
규규¹【叫叫】명 멀리 들리는 소리. ㄴ경(邊境)의 방위를 담당하였음.
규:규²【糾糾】명 서로 얽킨 모양. ——-하다 형여불
규규³【赳赳】명 용맹스러움. ——-하다 형여불
규규 무:부【赳赳武夫】명 용맹스러운 무사.
규기【窺基】명〖사람〗중국 당(唐)나라의 중. 법상종(法相宗)의 개조(開祖). 현장(玄奘)에게 사사(師事)하여《성유식론(成唯識論)》의 역출(譯出)에 참여함. 저서에《대승 법원 의림장(大乘法苑義林章)》·《성유식논술기(成唯識論述記)》등이 있음. 자은 대사(慈恩大師). [632-682]
규나【規那】명〖식〗규나수(規那樹).
규나-수【規那樹】명〖식〗기나수(幾那樹).
규나-염【規那塩】명〖약〗염산 퀴닌(塩酸 quinine).
규나-피【規那皮】명〖약〗기나피(幾那皮).
규내【閨內】명 규중(閨中).
규-니켈광【珪一鑛】[nickel] 명〖광〗니켈의 주요한 광석 광물. 초염기성암(超塩基性岩)의 풍화(風化)에 의해 생성하며, 라테라이트(laterite)·사문암(蛇紋岩) 속에 토상(土狀) 또는 포도상(葡萄狀)을 이루어 생산됨. 녹색 또는 백색으로, 둔(鈍)한 광택을 가지며, 부드럽고 부서지기 쉬움. 경도(硬度) 2-3, 비중 2.3-2.8. 조성(組成)은 $H_2(Ni, Mg)SiO_4 \cdot nH_2O$. 누벨칼레도니·쿠바 등이 주산지임.
규달【閨闥】명 ①침실. 특히, 여자의 침실. ②궁녀의 방.
규동-선【珪銅線】명〖전〗구리에 소량의 주석과 아연을 가하고 탈산제(脫酸劑)로서 적은 양의 규소(珪素)를 써서 만든 전선. 항장력(抗張力)이 크므로 트롤리선(trolley 線)·통신선으로 많이 씀.
규두【閨竇】명 ①작은 방문. ②가난한 사람의 거처. ③부인의 침실.
규두 대:도【圭頭大刀】명〖고고학〗칼잡이 끝부분이 각이 지면서 긴 타
규례【規例】명 일정한 규칙. ㄴ원형을 이룬 큰 칼.
규로【逵路】명 아홉 방향으로 통한 길. 큰길.
규룡【虯龍】명 용의 새끼로서, 빛이 붉고 뿔이 돋혔다는 전설 속의 동물.
규류【糾繆】명 잘못을 고침. ——-하다 자여불
규리【糾理】명 잘 보살펴 처리함. ——-하다 타여불
규면【規免】명 도면(圖免). ——-하다 타여불 「하다 타여불
규명【糾明】명 자세히 캐고 따져 사실을 밝힘. ¶ 책임을 ~하다. ——-
규모【規模·規摹】명 ①본보기. 모범. 규범(規範). ②물건의 짜임새. 구조. ¶ ~가 크다. ③씀씀이의 일정한 한도. 예산의 일정한 한도. ¶ 그 사람은 ~가 있다/금년도 예산 ~.
규목【槻木】명〖식〗느티나무. 「物).
규문¹【奎文】명〔규(奎)는 문장을 맡은 규성(奎星)의 뜻〕학문. 문물(文
규문²【糾問·糾問】명 죄를 살펴 물음. ¶ 죄상을 ~하다. ——-하다 타
규문³【閨門】명 규중(閨中). ㄴ여불
규문-주의【糾問主義】[一/一이] 명〖법〗형사 소송상, 법원이 기소(起訴)를 기다리지 않고 직권으로 직접 그 범죄인을 체포·심리·재판하는 주의. ↔탄핵주의.
규방【閨房】명 ①도장방. ②안방. ③침실. 특히, 부부의 침실. 규실(閨室). ④부부의 사이. 가정 내의 남녀의 예의 범절.
규방 가사【閨房歌辭】명〖문〗가사 문학의 일종으로, 조선 시대 후기부터 개화기에 이르기까지, 주로 양반 부녀층에 유행한 가사체 시가(歌辭體詩歌). 내용은 처음에 시집에서의 행신(行身)·예절 등을 가사체로 읊던 것이 차차 전사(傳寫)되면서, 설화(說話)·제문(祭文) 등에까지 그 범위가 확대됨.《계녀가(誡女歌)》·《규중 행실가(閨中行實歌)》·《춘유가(春遊歌)》등이 있음. 내방 가사.
규방 문학【閨房文學】명〖문〗고대 양반 부녀들의 여러 가지 생활을 그린 문학. 봉건 가족 제도하에서의 문학으로, 그 대표적인 것이 규방 가
규벌【閨閥】명 처가의 세력을 중심으로 결성된 파벌. ㄴ사(閨房歌辭)임.
규벌 정치【閨閥政治】명 처가의 세력이 중심이 되어 이루어진 정치.
규범¹【規範】명〔도 Norm〕①본보기. 모범. 규모. ②〖철〗사유(思惟)·의지(意志)·감정 등이 일정한 이상이나 목적을 이루기 위하여 마땅히 따라야 할 법칙과 원리. 논리의 진(眞), 예술의 미(美), 도덕의 선(善) 등.
규범²【閨範】명 여자의 가르침. 또, 여자가 지켜야 할 본보기.
규범 과학【規範科學】명〔normative science〕〖철〗경험 과학(經驗科學)이 단순한 사실에 관한 학문인 데 대하여 마땅히 있어야 할 규범을 세우는 학문. 논리학·윤리학·미학 등. 규범학.
규범 문법【規範文法】[一뻡] 명〔prescriptive grammar〕〖언〗언어 생활을 올바르게 하기 위하여, 규칙을 설정하고 그것을 지키도록 명령하는 문법. 대부분의 국어 문법서는 이 범주에 속함. 실용(實用) 문법. 학교(學校) 문법. ↔과학(科學) 문법.
규범 미학【規範美學】명 미(美)의 규범을 세우는 것을 목적으로 하는

미학. 방법론상(方法論上), 미학을 미적(美的) 판단의 논리학으로 보는 빈델반트(Windelband), 미의식 내용(美意識內容)의 가치 판단에 규범성을 인정하는 코엔(Cohen), 미적 규범은 심적 법칙성(心的法則性)에 있다고 하는 폴케트(Volkelt) 등의 입장이 포함됨.

규범 법칙【規範法則】명〔normative law〕〖철〗규범을 규정하는 법칙. 자연법에 대치되는 용어로서, 자연법은 사실간의 관계를 표시하며 사실인 한 이것을 이탈할 수 없으나, 규범 법칙은 그것에 배반(背反)되는 사실의 존재를 전제함. 논리에 배반되는 오류(誤謬), 도덕에 배반되는 악, 미(美)에 배반되는 추(醜) 등을 예상하는 것 등. 사실은 반드시 이 법칙에 따르는 것은 아니지만 진·선·미를 실현하려면 반드시 이 법칙에 따를 것이 요구됨. ↔존재 법칙.

규범-사【規範師】명〔범 ācārya〕〖불교〗제자의 규범이 되어 그 행위를 바로잡는 스승. 아사리(阿闍梨).

규범적 예:측 수법【規範的豫測手法】[—뻡] 명〔normative forecasting technique〕미래(未來) 예측 수법의 하나. 미래 사회의 필요·목표·가치 등의 규범적인 것을 밝힘으로써 미래의 가능성을 분석함.

규범 의:식【規範意識】명〔도 Normalbewußtsein〕〖철〗①빈델반트(Windelband)가 사용한 개념. 경험적·상대적인 평가 의식을 초월하여, 절대적·궁극적 규준(規準)인 가치를 가치로서 타당(妥當)하게 하는 의식. ②어떤 대상(對象)에 대하여 가치 판단을 내릴 때, 그 규준 또는 척도로서 전제(前提)가 되는 가치를 가치로서 타당하게 하는 의식.

규범적 책임론【規範的責任論】[—논] 명〖법〗위법 행위자의 형사 책임의 본질을, 비난(非難) 가능성이라는 규범적인 것에 구(求)하는 이론.

규범적 효:력【規範的效力】명〖법〗노동 협약 중, 노동 조건 등에 관하여 정하여진 규준이, 개개의 노동 계약에 미치는 효력. 만약 노동 계약이 그 기준에 위반될 때에는 무효가 되고 협약에 따르게 됨.

규범-학【規範學】명〖철〗규범 과학(規範科學).

규벽【圭璧】명 ①경서를 조그마하게 줄여서 박은 책. ②제후가 천자께 뵈올 때에 가지던 옥(玉).

규보【跬步】명 반걸음. 또, 반 걸음밖에 안 되는 가까운 거리. 지척.

규복【圭復】명 남에게서 온 편지를 몇 번이나 되풀이해서 읽음.

규봉【窺峰】명〖민〗풍수학의 용어. 숨어서 엿보고 있는 것같이 보이는 안산(案山). 흔히, 암산(岩山)인데 이런 산이 앞에 있으면 화(禍)를 입는다 함.

규분【糾紛】명 어지럽게 얽힘. ——하다 자여불

규사[1]【硅砂】명 석영(石英)의 작은 알맹이로 된 흰 모래. 화강암(花崗岩) 등의 풍화로 생김. 도자기·유리 제조의 원료가 됨. 차돌 모래. 석영사(石英砂).

규사[2]【窺伺】명 틈을 엿봄. ——하다 타여불

규산【珪酸·硅酸】명〔silicic acid〕〖화〗①규소와 산소와 수소의 화합물. 알칼리 규산염(塩)의 용액에 강한 산을 가하면 석출(析出)되는 교상(膠狀)의 침전물(沈澱物). 오르토(ortho) 규산인 H_4SiO_4를 비롯하여 그 축합산(縮合酸)인 $H_2SiO_3 \cdot H_2Si_2O_5 \cdot H_4Si_3O_8H_6Si_4O_{11}$ 등 종류가 많음. ②'이산화 규소(二酸化珪素)'의 속칭.

규산 광:물【珪酸鑛物】명〖광〗규산염 광물.

규산 나트륨【珪酸—】〔도 Natrium〕명〔sodium silicate〕〖화〗규산의 나트륨염(塩). 보통은 메타규산 나트륨(meta珪酸 Natrium) (Na_2SiO_3)을 가리킴. 이산화 규소(二酸化珪素)와 탄산(炭酸) 나트륨을 함께 용융(溶融)시켜 만듦. 진한 수용액은 조청과 같아 '물유리'라고 부름. 접합제·세탁 비누의 배합제 등으로 쓰임. 규산 소다(珪酸 soda).

규산 마그네슘【珪酸—】〔magnesium〕명〖화〗광물 속에 저절로 분포되어 있는 규소. 물에 녹지 않는 백색 분말로, 활석(滑石)·감람석(橄欖石)·사문석(蛇紋石) 등의 성분임.

규산 무수물【珪酸無水物】명〔silicic acid anhydride〕〖화〗'이산화 규소(二酸化珪素)'의 통칭. 무수 규산.

규산 벽돌【珪酸甓—】명 규석(珪石) 벽돌.

규산 아연광【珪酸亞鉛鑛】명〖광〗윌레마이트(willemite).

규산 알루미늄【珪酸—】〔aluminium〕명〖화〗규산염의 한 가지. 흰빛깔의 고체로서 물에 녹지 않음. 널리 암석 또는 질흙의 성분을 이루고 있음. 순수한 도토(陶土)의 주성분으로 도자기를 만드는 원료로 쓰임. 특히, 규선석(珪線石) 등이 유명함.

규산-염【珪酸塩】[—념] 명〔silicates〕〖화〗이산화 규소(珪素)와 금속 산화물과의 염(塩). 지각(地殼)의 주성분으로, 지구상에 가장 많이 존재함. 한 개의 규소가 네 개의 산소로 둘러싸인 정사면체(正四面體)의 원자단(原子團)을 기본으로 해서, 다종 다양으로 결합하여 광물이나 암석을 형성하고 있음. 일반적으로, 녹는점(點)이 높고, 융해(融解)한 것이 냉각할 때 유리로 되기 쉬움. 요업(窯業)·유리 공업 따위의 공업 원료로서 중요함.

규산염 공업【珪酸塩工業】[—념—] 명 규산염 광물을 이용하는 화학 공업. 유리·도자기·시멘트·내화물(耐火物) 등을 포함하는 요업(窯業)을 말함.

규산염 광:물【珪酸塩鑛物】[—념—] 명〖광〗규산염의 형태로 존재하는 광물. 종류가 많으며 성분(成分)은 복잡하고 암석 성분의 대부분을 차지함. 장석류(長石類)·석류석류(石榴石類)·휘석류(輝石類)·감람석(橄欖石)·제올라이트(zeolite)·운모류(雲母類) 등 규산 광물.

규산염 도료【珪酸塩塗料】[—념—] 명 도료의 일종. 용제로서 규산 나트륨을 씀. 모르타르의 도장(塗裝)에 쓰임.

규산염 시멘트【珪酸塩—】[—념—] 명〔silicate cement〕〖공〗규산 나트륨을 주성분으로 하는 접착제. 두꺼운 종이·합판 상자의 접착 등에 쓰임.

규산염 피:복 요소【珪酸塩被覆尿素】[—념—뇨—] 명〖화〗수용성(水溶性)의 규산염을 요소에 피복한 비료. 시비량(施肥量)이 적고, 비료의 유실(流失)을 방지할 수 있으며, 알칼리성이기 때문에 토양(土壤) 개량에도 효과가 있음.

규산질 비:료【珪酸質肥料】명 제철(製鐵)·제린(製燐)의 과정에서 나오는 광재(鑛滓)처럼, 규산 칼슘을 주성분으로 하는 비료. 규산은 도열병에 대한 저항성 증대 등 뼈의 증수(增收) 효과가 큼. 규산 비료.

규산 칼륨【珪酸—】명〔kalium silicate〕〖화〗규산염의 한 가지. 산화(酸化) 칼륨과 이산화 규소(二酸化珪素)가 결합한 화합물의 총칭. 물에 녹으며, 적당한 조건으로 처리하면 물유리 모양이 되고 그와 같은 성질을 나타냄. ＊물유리.

규산 칼슘【珪酸—】명〔calcium silicate〕〖화〗규산염의 한 가지. 산화(酸化) 칼슘과 이산화 규소(二酸化珪素)가 결합한 화합물. 산(酸)·알칼리(alkali)·물에 잘 작용하지 않음. 시멘트의 주성분임.

규석[1]【珪石】명〖광〗규산을 화학 성분으로 하는 광물. 수정·마노(瑪瑙)·부싯돌 등의 광물. 사기 그릇 또는 유리의 원료로 쓰.

규석[2]【鐒石】명〖광〗층샛돌.

규석 벽돌【珪石甓—】명 규석에 약간의 석회유(石灰乳)를 섞어서 구워 만든 내화(耐火) 벽돌. 제강로(製鋼爐)를 만드는 데 쓰임. 규산 벽돌.

규선-석【珪線石】명〖광〗변성암 속에 나타나는 흰 빛 기둥 또는 섬유상의 광물. 성분은 알루미늄의 규산염. 사방 정계이며 화학 성분은 홍주석(紅柱石), 남정석(藍晶石)과 같으나 결정 구조가 틀림. [Al_2SiO_5]

규성[1]【叫聲】명 ①부르짖는 소리. ②〖악〗규곡(叫曲).

규성[2]【奎星】명〖천〗이십팔 수(宿)의 열다섯째 별. 초여름에 보이는 중성(中星)으로 문운(文運)을 맡아 봄. 규수(奎宿). ㊥규(奎).

규성-기【奎星旗】명〖역〗의장기(儀仗旗)의 한 가지.

규소[1]【叫騷】명 외치며 떠듦. ——하다 자여불

규소[2]【珪素·硅素】명〔silicon〕〖화〗준금속 원소의 하나. 천연적으로는 유리 상태(遊離狀態)로 존재하지 않고 바위나 흙과 같은 광물의 주요 성분인 산화물 또는 규산염(珪酸塩)의 화합물로서 존재함. 산소 다음으로 가장 많은 원소로서 지각(地殼)의 전 중량의 4분의 1을 차지함. 벼·대나무·속새풀 등의 식물체와 털·손톱·이 등의 동물체에도 포함되어 있음. 실리콘. [14번 : Si : 28.085]

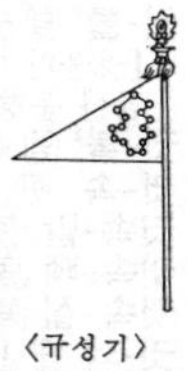

〈규성기〉

규소-강【珪素鋼】명〖화〗철에 규소를 가한 저탄소(低炭素)의 특수강(鋼). 규소를 1-4 % 포함하고 탄소·기타의 불순물이 적은 합금(合金). 모터·변압기 등 전기 기계에 사용되는 철판을 만듦.

규소 강판【珪素鋼板】명 철에 1-4 %의 규소를 섞은 규소강을 엷은 판상(板狀)으로 압연(壓延)한 것. 발전기·전동기·변압기 등의 성층 철심(成層鐵心)으로 쓰임. 전기(電氣) 철판.

규소 고무【珪素—】〔프 gomme〕명〔silicon rubber〕디메틸디클로로실란(dimethyldichlorosilane)을 가수(加水) 분해하여, 중합(重合)한 선상 고분자(線狀高分子) 화합물. 유기 과산화물(有機過酸化物)에 의하여 가황(加黃)되어 탄성체(彈性體)가 됨. 특히, 내열성(耐熱性)과 내한성(耐寒性)이 우수하여 실용 온도는 −60°C부터 200°C까지임. 고온·저온 부분의 가스켓(gasket)·전선 피복(電線被覆)·방진(防震) 고무·의료용 기구 등에 쓰임. 실리콘(silicone) 고무.

규소 산소 사:면체【珪素酸素四面體】명〖화〗규산염의 결정(結晶) 구조의 단위 SiO_4. 정(正)사면체의 중심에 규소 원소가 있고 4정점(頂點)에 산소 원자가 위치한 것. 4가(價)의 음(陰)의 하전(荷電)을 가짐.

규소 수지【珪素樹脂】명〔silicone resin〕〖화〗규소(珪素)에 탄소·수소 등의 유기물을 결합시킨 물질. −60°C부터 300°C까지의 온도 밑에서도 고도(高度)의 내열(耐熱)·내한(耐寒)·내습(耐濕)성을 가지므로 제트기(jet機)의 윤활유(潤滑油)나 전기 절연체·방수제(防水劑) 등으로 쓰임. 실리콘. 실리콘 수지.

규소-철【珪素鐵】명 규소분(珪素分)을 20-90 % 포함하는 규소와 철의 합금. 페로실리콘.

규:솔【糾率】명 규합하여 인솔함. ——하다 타여불

규수[1]【奎宿】명〖천〗이십팔 수(宿)의 하나. 규성(奎星).

규수[2]【閨秀】명 ①처녀. 색시. 규양(閨養). ②학예(學藝)에 뛰어난 여자.

규수 문학가【閨秀文學家】명 여류 문학가(女流文學家).

규수 상사곡【閨秀相思曲】명〖문〗작자·제작 연대 미상의 가사의 하나. 한 여인을 그리다 못하여 상사병으로 누운 사나이의 푸념을 읊은 노래.

규수 시인【閨秀詩人】명 여류 시인(女流詩人).

규수 작가【閨秀作家】명 여류 작가(女流作家).

규수 화:가【閨秀畫家】명 여류 화가(女流畫家).

규:슈〔九州:きゅうしゅう〕명〖지〗일본의 혼슈(本州) 및 시코쿠(四国) 섬의 서남에 위치하는 규수 섬과 부속된 여러 섬. 8현(縣)으로 나누어져 있음. 북부는 광공업, 남부는 농수산업이 성함. 혼슈와 해저(海底) 터널로 연결됨. [42,104 km²]

규승【糾繩】명 ①노를 꼼. ②법으로써 죄를 밝혀 바로잡음. ——하다 타여불

규시【窺視】명 엿봄. 규견(窺見). 규점(窺覘). 점시(覘視). ——하다 타여불

규식【規式】명 규칙과 격식.

규식지-희【規式之戲】[—히] 명〖민〗곡예적인 놀이를 뜻하며, 연극적인 놀이인 소학지희(笑謔之戲)와 구별하기 위해 《조선 왕조 실록》에 쓴 용어임. 방울놀이(弄鈴·弄丸)·줄타기(踏索·步索)·땅재주(筋斗)·솟대놀이(長竿戲)·불놀이(吐火)·어룡지희(魚龍之戲)·무동(舞童) 따위.

규실【閨室】명 ①규방(閨房)❸. ②처(妻). 아내.

규아상 명 만두피에 고기와 오이·표고 등 채소로 된 소를 넣고, 해삼(海蔘) 모양으로 주름이 지게 빚어서 찐 궁중식(宮中式) 만두. 여름의 별식(別食)임.

규암【珪岩】명〔quartzite〕규소의 성분이 많은 바위. 거의 모두 석영으로 됨.

규암 벽돌【珪岩甓—】명 규석(珪石) 벽돌.

규애【閨愛】명 딸.

규약【規約】명 ①협의(協議)에 의하여 정함. 또, 그 정한 규칙. ②단체의

내부 조직에 관한 규정(規定). ¶ ~ 위반. ――-하다 자여불

규양【閨養】명 처녀(處女). 규수(閨秀).

규연-하다【巋然―】형여불 높이 솟아서 우뚝하다. **규연-히**【巋然―】부

규염【虯髥】명 규룡(虯龍)이 도사린 것같이 꼬불꼬불한 수염.

규운¹【奎運】명 학문의 기운. 문운(文運). *규문(奎文).

규:운²【鬮韻】명 각기 다르게 운자(韻字)를 쓴 종이쪽지를 말아서 소반 위에 뿌려 놓고 둘러앉은 사람들이 임의로 한 개씩 집어 거기에 적힌 운자에 따라 정해진 시간 안에 시를 짓는 놀이.

규운-암【硅雲岩】명〖광〗화강암의 한 가지. 장석(長石)을 함유하지 아니하고 차돌과 운모를 주성분으로 함.

규원【閨怨】명 ①아내가 남편에게 버림이나 이별을 당한 원한. ②여자의 뜻을 이루지 못한 원한.

규원-가【閨怨歌】명〖문〗규중에서 속절없이 늙어 가는 여인의 정한(情恨)을 노래한 가사. 작자·제작 연대 미상이나 허 난설헌(許蘭雪軒)이 지은 것이라고도 함. 원부가(怨婦歌). 원부사(怨婦詞).

규원 사:화【揆園史話】명〖책〗조선 숙종 2년(1675)에 북애 노인(北崖老人)이 쓴 우리 나라 상고(上古) 시대의 역사책. 규원(揆園)은 지금의 북한산(北漢山) 기슭의 저자의 서재(書齋) 이름.

규유【窺窬】명 틈을 엿봄. 분수에 넘치는 일을 바라고 기회를 노림. ――-하다 자여불

규율【規律】명 ①행동의 준칙이 되는 본보기. ②일정한 질서나 차례. 기율(紀律).

규율-부【規律部】명 학교나 단체 등에서 교칙 및 단체 규칙 등에 관한 감독·시정·지도를 하는 부서.

규장【圭璋】명 ①예식 때 장식으로 쓰이는 귀한 옥(玉). ②고귀한 인품을 일컫는 말.

규장【奎章】명 천자(天子)의 시문(詩文). 또, 조칙(詔勅). 규한(奎翰).

규장-각【奎章閣】명〖역〗역대 임금의 글·글씨·고명(顧命)·유교(遺敎)·선보(璿譜)·보감(寶鑑) 등과 정조(正祖)의 어진(御眞)을 보관하던 관아. 조선 시대 정조 즉위년(卽位年)(1776)에 설치하였음. 정조가 학문을 좋아하여 이 곳에 학자를 모아서 여러 가지 사업을 하게 된 후, 정치 기관으로 변모하여 비변사(備邊司)의 권한을 빼앗아 의정부(議政府)의 기능을 발휘한 것은 유명함. 고종 31년(1894)에 궁내부(宮內府)에 두었다가 이듬해에 규장원(奎章院)이라고 고쳤고, 동 34년에 다시 본 이름으로 회복함. 융희(隆熙) 원년(1907)에 홍문관(弘文館)이 폐지된 뒤에 시강(侍講)·대찬(代撰)의 사무를 맡아 보다가 동 4년(1910)에 폐지하였음. 내각(內閣). 이문원(摛文院).

규장각 일기【章奎閣日記】명〖책〗1907년에 폐지된 비서감(祕書監)의 《비서감 일기》에 이어 국한문(國漢文) 혼용으로 기록한 규장각의 일기. 1907년 12월 1일부터 국권이 피탈된 날인 1910년 8월 29일까지의 사항이 수록되었음. 33책.

규장각-지【奎章閣志】명〖책〗조선 정조(正祖) 즉위년(卽位年)(1776)에 설치된 규장각의 제도와 의식을 각신(閣臣)이 편찬한 책. 1784년 간행. 2권 1책.

규장 광:물【珪長鑛物】명〖광〗석영(石英)·장석(長石) 등과 같은 규장질(珪長質)의 정(正)마그마성(性) 광물. 밝고 희읍스름한 색을 띰. 무색 광물. *철고토(鐵苦土) 광물. 유색(有色) 광물.

규장-암【珪長岩】명〔felsite〕〖광〗밝은 색의 세립(細粒)이며, 주로 석영·장석(長石)으로 된 화성암.

규장-원【奎章院】명〖역〗조선 고종(高宗) 32년(1895)에 규장각을 고친 이름. 동 34년에 다시 규장각으로 고쳤음.

규장 전운【奎章全韻】명〖책〗조선 정조(正祖)의 명을 받들어 규장각의 여러 신하가 편찬한 운서(韻書). 2권 1책.

규장지-보【奎章之寶】명〖역〗조선 시대 후기에 쓰인 어보(御寶)의 하나. 규장각(奎章閣)의 각신(閣臣)이 관장하여, 어제(御製)에 찍고, 또 주자소(鑄字所)에서 인쇄한 책을 하사(下賜)할 때의 내사인(內賜印)으로 사용되었음.

규장-질【珪長質】명〖광〗화성암(火成岩)의 화학 조성(組成)에서, 규소(珪素)와 알칼리 원소가 풍부하고, 철과 마그네슘이 적은 것.

규전¹【圭田】명 ①이등변 삼각형으로 된 논밭. ②수확물로 제사를 드리는 밭.

규전²【糾纏】명 서로 얽힘. ――-하다 자여불

규절【規切】명 친절히 경계하여 바로잡음. ――-하다 타여불

규점【窺覘】명 규시(窺視). ――-하다 타여불

규정¹【糾正】명 잘못을 바로잡음. ――-하다 타여불

규정²【糾正】명〖역〗①고려 때의 사헌부(司憲府)와 감찰사(監察司)의 종육품(從六品) 벼슬. ②고려 때, 내방고(內房庫)와 덕천고(德泉庫)에 둔 벼슬 이름.

규정³【規正】명 바로잡아서 고침. ――-하다 타여불

규정⁴【規定】㊀명 ①사물의 처리 방법을 일정한 형태로 결정함. 또, 그 규칙. 제식(制式). ②〖법〗법령의 조문으로서 정해 놓음. 또, 그 조문. 조례(條例)·규칙·규정과 달라 법령의 내용을 가리킴. 규제(規制). ③〖논〗한정(限定). ㊁의명 노르말¹(Normal)❷. ――-하다 타여불

규정(을) 짓:다 구 작정하다. 규정하다.

규정⁵【規程】명 ①조목을 나누어 작성해 놓은 표준. ②사람의 행동의 준칙(準則)이 되는 규칙. ③〖법〗관공서(官公署) 따위에서 사무 집행상의 준칙. ¶ 사무 ~.

규정⁶【規整】명 규율을 세워 사물을 바르게 정리함. ――-하다 타여불

규정 농도【規定濃度】명〔normality〕〖화〗노르말 농도.

규정-론【規定論】[―논] 명〔determinism〕〖철〗의지의 자유를 부정하고, 사람의 의욕·행위 또는 운명이 어떤 자기 이외의 원인에 의하여 규정된 것이며 조금도 변경할 수 없다는 학설. 결정론(決定論).

규정 명:제【規定命題】명〖논〗특수한 개념을 일반 개념에 종속시키어 단정한 명제. 이를테면, '춘원은 소설가다' 따위.

규정 문:제【規定問題】명 체조 경기의 두 과제 중의 하나. 운동·연기(演技)의 내용이 규정되어 있으며, 올림픽의 과제는 1년 전에 국제 체조 연맹에서 발표함. *자유 문제.

규정-소【糾正所】명〖역〗조선 때, 승려의 생활을 감독하던 관청. 광주(廣州) 봉은사(奉恩寺)·양주(楊州) 봉선사(奉先寺)·남한산(南漢山) 개운사(開運寺)·북한산(北漢山) 중흥사(重興寺)·수원(水原) 용주사(龍珠寺)에 둠.

규정 수소 전:극【規定水素電極】명〖전〗노르말 수소 전극.

규정-액【規定液】명〔normal solution〕〖화〗노르말액.

규정적 판단력【規定的判斷力】[―녁] 명〖철〗칸트(Kant)의 용어. 반성적 판단력에 대(對)하는 개념으로, 오성(悟性)의 보편적 개념 아래서 특수를 포섭하는 일의 판단력. 즉, 보편이 특수를 규정할 경우의 판단력. 한정적 판단력(限定的判斷力). ↔반성적(反省的) 판단력.

규정 전:류【規定電流】[―절―] 명〖물〗장치를 해치거나 위험하거나 하지 않고 안전하게 사용할 수 있는 전류의 강도(強度).

규정 종:목【規定種目】명 ①일반적으로 경기(競技)·검정(檢定) 등에서 기술이나 기능을 재기 위하여 정해진 종목. ②올림픽이나 기타 경기에서, 스키·피겨 스케이트·사격·10종 경기(十種競技)·5종 경기 따위의 경기자가 하도록 정해진 경기 종목. ↔자유(自由) 종목.

규정 주파수【規定周波數】명〖전〗전력(電力) 계통의 기준이 되는 주파수.

규정 타:석【規定打席】명 야구에서, 개인 타격 성적의 순위를 정할 때, 기준이 되는 최소 타석수.

규정 투쟁【規正鬪爭】명〖사〗노동 투쟁의 한 가지. 공무원과 같이 스트라이크가 금지되어 있는 직장에서 하루에 일할 분량(分量)만을 일하고 초과 근무는 하지 않는 일을 말함.

규제【規制】명 ①규정(規定)❷. ②규율을 세워 제한함. ¶ 법률로 ~하다. ――-하다 타여불

규제 완:화【規制緩和】명 주로 행정상의 규제나 제약을 늦추고 푸는 일.

규제적 원리【規制的原理】[―월―] 명〖철〗칸트 철학의 용어. 생물의 인식 또는 과학적 인식의 체계화에 있어서, 규제적 통제적(統制的)인 활동을 한다는 합목적성(合目的性)의 원리. 통제적(統制的) 원리.

규제 종:목【規制種目】명〖경〗주식(株式)의 거래가 투기화(投機化)할 때, 이를 억제하기 위하여 대차 담보금(貸借擔保金)이나 위탁 증거금(委託證據金)을 인상하는 따위로 규제하는 종목.

〈규제 표지〉

규제 표지【規制標識】명 교통 안전 표지(交通安全標識)의 하나. 교통 정리의 목적으로 차마(車馬) 또는 보행자에 대하여, 일정한 행동을 금지 또는 규제하는 뜻을 표시한 표지판(標識板). *지시 표지(指示標識).

규조¹【珪藻】명〖식〗규조과에 속하는 식물의 총칭. 유해(遺骸)로서 주로 세포막이 남아 규조토(珪藻土)가 됨.

규조²【閨藻】명 여자가 지은 시(詩).

규조-류【珪藻類】명〖식〗규조 식물.

규조-석【珪藻石】명〖광〗규조의 화석(化石)을 포함한 돌.

규조 식물【珪藻植物】명〖식〗〔Bacillariophyta〕엽록소(葉綠素)를 가지고 있는 조류(藻類)의 한 무리. 대부분이 단세포(單細胞)이고 세포막은 규산질(珪酸質)임. 바닷물이나 민물에 사는 대표적인 플랑크톤(plankton)으로 세계에 널리 분포하고 있음. 세포막은 서로 겹치는 두 개의 껍질을 가지고 있는데, 이 껍질이 떨어져 나가 두 개체로 분열하는 무성 생식(無性生殖)과 작은 두 개체가 접합(接合)하여 증대 포자(增大胞子)를 만드는 일종의 유성(有性) 생식으로 번식함. 규조류. 황조(黃藻) 식물. *갈조(褐藻) 식물.

규조 연:니【珪藻軟泥】명 해양 퇴적물(海洋堆積物)의 하나. 규조류의 유체(遺體)를 주성분으로 광물(鑛物)·유공충(有孔蟲) 유체 따위를 포함함. 담황색(淡黃色) 또는 회백색(灰白色)으로 한대 지방의 수심(水深) 1,000~4,000 m 부근에서 볼 수 있음.

규조-토【珪藻土】명〖광〗규조류가 쌓여 된 규질 퇴적물(珪質堆積物). 백색·회백색(灰白色)·황색 등을 띠고, 다공질(多孔質)이어서 흡수성이 풍부하며, 가볍고 무름. 해저(海底) 또는 호수·온천 등에서 산출되는데, 내화재(耐火材)·흡수제(吸收劑) 또는 폭발약을 만드는 원료나 쇠붙이를 닦는 약가루로 쓰임.

규조토 벽돌【珪藻土甓―】명 다공질(多孔質)인 규조토의 보온성(保溫性)·단열성(斷熱性)을 이용하여 만들어진 벽돌. 내화 벽돌과 더불어 주요한 노재(爐材)임. 단열(斷熱) 벽돌. *규석(珪石) 벽돌.

규죄【糾罪】명 죄상(罪狀)을 규명함. ――-하다 자여불

규준【規準】명 ①본보기가 되는 표준. 마땅히 따라야 할 규칙. 기준(基準). ②〖철〗신앙(信仰)·사유(思惟)·평가(評價)·행위 등의 마땅히 밟아야 할 범례(範例)나 규칙. 규범(規範). ③〔canon〕〖기독교〗신구약 성서의 총칭.

규중【閨中】명 부녀가 거처하는 방. 안방 속. 규문(閨門). 규합(閨閤). 규내(閨內).

규중 부인【閨中婦人】명 좀처럼 나들이를 하지 않고 안방에서 생활하고 있는 부인.

규중 여자가【閨中女子歌】[―녀―] 명〖문〗규방(閨房) 가사의 하나. 규중 여인의 교훈을 내용으로 하고 있어, 계녀 가사(戒女歌辭) 혹은 교훈가(敎訓歌)에 넣기도 함.

규중 처:녀【閨中處女】명 규중에 있는 처녀. 규중 처자.

규중 처:녀 같다 구 집 안에만 처박혀 있어 세상 물정에 어둡다.

규중 처:자【閨中處子】명 규중 처녀.

규중 칠우 쟁론기【閨中七友爭論記】[―논―] 명〖문〗조선 후기에 간행된 것으로 보이는 작자 미상의 《망로 각수기(忘老却愁記)》에 실린 한글 소설. 바늘·자·가위·인두·다리미·실·골무를 규중 여자의 일곱

벗으로 등장시켜 인간 사회의 처세술에 대한 은근한 교훈을 주고 있음.

규중 행:실가【閨中行實歌】명〖책〗작자·연대 미상의 규방 가사(閨房歌辭)의 하나. 나이찬 여자의 시집살이하는 방법을 기록한 것.

규지¹【揆地】명〖역〗의정(議政)의 지위.

규지²【窺知】명 엿보아 앎. ——-하다 타여불

규착【糾錯】명 서로 얽힘. 규전(糾纏). ——-하다 자여불

규찬【圭瓚】명〖역〗종묘(宗廟)와 문묘(文廟), 기타 나라 제사에 쓰는 제기(祭器)의 하나로, 강신(降神)할 때에 쓰는 술그릇. 옥으로 만들기도 하고 은으로 만들어 안에 도금(鍍金)을 한 것과 구리로 만든 것 등이 있음.

규찰【糾察】명 죄상(罪狀) 등을 캐어 물어 자세히 밝힘. *규문(糾問). ——-하다 타여불

〈규찬〉

규천-자【叫天子】명〖조〗종달새. 「하다 타여불

규칙¹【糾飭】명 규찰(糾察)하여 신칙(申飭)함. 자세히 따져 타이름. ——-

규칙²【規則】명 ①여러 사람이 다 같이 지키기로 작정한 법칙. 방칙(方則). ②〖법〗법의 한 형식. 국회·대법원·중앙 선거 관리 위원회 등이 각각 그 사무 처리·내부 규율(規律) 등에 관하여 제정한 규정.

규칙 동:사【規則動詞】명〖언〗규칙 용언(用言)의 한 가지. 일정한 형(形)으로, 규칙적으로 어미가 변화하는 동사. 정격(正格) 활용 동사. 바른움직씨. ↔불규칙 동사·변칙(變則) 동사.

규칙 생활【規則生活】명 규칙을 따라 절도 있게 행하는 생활.

규칙 용:언【規則用言】[—농—] 명〖언〗어간·어미에 아무런 변화 없이 원칙대로 규칙 있게 활용되는 용언. 규칙 동사와 규칙 형용사가 있음. 바른풀이씨. ↔불규칙 용언. 「있는 모양.

규칙-적【規則的】명관 일정한 규칙을 따르고 있는 모양. 질서가 잡혀

규칙 형용사【規則形容詞】명〖언〗규칙 용언의 한 가지. 일정한 형(形)으로, 규칙적으로 어미가 변화하는 형용사. 바른그림씨. ↔불규칙 형용사.

규칙 활용【規則活用】명〖언〗동사·형용사 들의 용언이 문법의 원칙대로 활용됨. 바른 끝바꿈. ↔불규칙 활용.

규탁【規度】명 계략을 씀. 꾀를 냄. ——-하다 자여불

규탄【糾彈】명 잘못이나 허물을 잡아 내어 따지고 나무람. ¶～을 받다/～ 데모. ——-하다 타여불

규토【珪土】명 석영(石英)을 주성분으로 하는 흙. 사상(砂狀)의 것은 특히 규사(珪砂)라고 함. 도자기·유리 제조의 원료로 사용됨.

규편모조-목【珪鞭毛藻目】명〖식〗[Silicoflagellales] 황색(黃色) 식물 황색 편모조류(黃色鞭毛藻類)에 속하는 한 목(目). 동물로서도 식물성(植物性) 편모충류의 한 목으로 취급됨. 윤상(輪狀)·봉상(棒狀) 따위 규산질의 껍질에 싸여 1-2 개의 편모를 가짐.

규폐¹【珪肺】명〖의〗규폐증(珪肺症).

규폐²【珪幣】명 옥과 비단의 폐백(幣帛). 큰 제사에 올림. 옥폐(玉幣).

규폐-증【珪肺症】[—쯩] 명 [silicosis]〖의〗규산(珪酸)을 고농도(高濃度)로 함유하는 분진(粉塵)을 장기간 흡입(吸入)함으로써 일어나는 만성의 폐질환. 갱부(坑夫)·석공(石工) 등에 일어나기 쉬운 직업병임. 숨이 차고 안색이 흙빛이 되어 부종(浮腫)이 생기며 식욕이 없어짐. 결핵(結核) 따위가 병발하기 쉬움. 규폐(珪肺).

규표【圭表】명 옛날, 천문 관측 기계의 하나. 태양의 그림자를 관측했음.

규피【規避】명 피할 길을 꾀함. ——-하다 타여불

규한【奎翰】명 규장(奎章).

규합¹【糾合】명 일을 꾸미려고 사람을 모음. 구합(九合). ¶동지를 ～

규합²【閨閤】명 규중(閨中). 「하다. ——-하다 타여불

규합지-신【閨閤之臣】명 근시(近侍). 곧, 잠자리를 돌봐 주는 신하.

규합 총서【閨閤叢書】명〖책〗조선 말기의 부녀자를 대상으로 한 순 국문으로 된 사전 종류. 1869년 간행되었는데, 편자는 미상임. 일상 지킬 범절을 비롯하여 약주 방문(藥酒方文)·장초법(醬醋法)·어육(魚肉)·염색법 등 다방면에 걸쳐 실려 있음.

규형【窺衡】명 ①엿보고 헤아림. ②〖역〗조선 세조(世祖) 때 만든 저앙(低昂)·고저(高低)를 보는 기계. 인지의(印地儀). ——-하다 타여불

규호-하다【叫號—】타여불 부르짖다. 외치다. 큰소리로 부르다.

규화¹【珪化】명 암석 속에 규산(珪酸)이 스며들어가는 일. 또, 생물의 유체(遺體)가 규산으로 변화하는 일. ——-하다 자여불

규화²【珪華】명 [siliceous sinter]〖광〗규산을 많이 포함한 광천(鑛泉)이 지표에 분출하여 그 분출된 구멍에 생기는 함수 규산(含水珪酸)의 침전물. 빛깔은 희거나 부유스름하고, 성분은 단백석(蛋白石)과 같음.

규화³【葵花】명〖식〗①↗촉규화(蜀葵花). ②해바라기.

규화-목【珪化木】명 [silicified wood] 지하에 묻혀 규화된 나무. 나무가 땅속에 파묻혀 규산분(珪酸分)을 함유하는 지하수의 작용으로 목질(木質)이 치환(置換)됨으로써 생김. 「素)와의 화합물(化合物).

규화-물【珪化物】명 규소와 그것보다 전기적으로 양성(陽性)인 원소(元

규화 작용【珪化作用】명〖지〗지각(地殼)의 내부로부터 상승한 열수액(熱水液)이 많은 규산(珪酸)을 용해하고 있는 경우, 모암(母岩)이 이 용액에 침투(浸透)되어 세밀한 규산질의 암석으로 변화하는 일.

규환【叫喚】명 큰소리로 부르짖음. 크게 울부짖음. 규후(叫吼). ¶아비(阿鼻) ～의 생지옥. ——-하다 자여불

규환 지옥【叫喚地獄】명〖불교〗팔대 지옥(八大地獄)의 넷째. 죄를 많이 짓고 죽은 혼이 여기에 떨어져 가마솥에서 삶기거나 불 속에 던져져 괴로움에 견디지 못하고 울부짖는다는 곳.

규회【規誨】명 따지고 가르침. ——-하다 타여불

규회 벽돌【珪灰甓—】명〖건〗점토질의 건재(建材). 규암(珪岩) 모래, 6%의 소석회(消石灰) 및 물의 혼합물을 성형(成形)하여 만든 벽돌.

규회-석【珪灰石】명 [wollastonite]〖광〗칼슘의 규산염(珪酸鹽). 짧은 기둥 모양의 결정으로 백색 유리 또는 진주와 같은 광택이 있음. 열의 변성(變成) 작용을 받은 석회암 속에서 산출함. [$CaSiO_3$]

규회철-광【珪灰鐵鑛】명〖광〗칼슘과 철의 함수 규산염(含水珪酸鹽)을 성분으로 하는 사방정계(斜方晶系)에 속하는 광물. 아금속(亞金屬) 광택이 나며 암회흑색(暗灰黑色)을 띠고 있고 불투명함.

규획【規劃】명 꾀하여 정함. ——-하다 타여불

규후【叫吼】명 울부짖음. 규환(叫喚). ——-하다 자여불

균【菌】명 ①〖식〗↗균류(菌類). ②↗세균(細菌). ③↗병균(病菌).

균개【菌蓋】명〖식〗균산(菌傘).

균-계【菌界】명〖생〗[Mycota] 생물을 5계(界)로 분류했을 때의 한 계(界). 동물·식물·원생 생물(原生生物)·모네라(Monera)와 더불어 한 계를 이룸. *균류(菌類).

균교【勻敎】명〖역〗균지(勻旨).

균-교대증【菌交代症】[—쯩] 명〖의〗항생 물질 따위 화학 요법제의 장기간 복용으로 생체(生體) 내에 균이 감소되는 대신에, 증식을 억제받던 불감수성균(不感受性菌)·내성균(耐性菌)이 증식하여 일어나는 병. 결핵의 약물 요법에 의한 칸디다증(candida症) 따위.

균근【菌根】명〖식〗균류(菌類)가 기생 또는 공생(共生)하고 있는 유관속 식물(維管束植物)의 뿌리. 균류가 주로 뿌리의 외부(外部)에 붙는 외균근(外菌根)과, 내부의 조직에까지 번식(繁殖)하는 내균근(內菌根)이 있으며, 전자는 침엽수(針葉樹)와 참나뭇과(科)에서 볼 수 있으며, 후자(後者)는 소나뭇과 따위에 많음.

균근 식물【菌根植物】명〖식〗균근을 가진 식물의 총칭.

균독【菌毒】명〖생〗독균(毒菌)에 포함되어 있는 유독 성분(有毒成分).

균등【均等】명 ①고르고 가지런하여 차별이 없음. ¶기회 ～. ②〖논〗개념이나 명제의 외형은 다르나 실제의 의미가 똑같음. '금강산'과 '한국의 최고 명산' 등. ——-하다 형여불. ——-히 부

균등 대:표제【均等代表制】명〖정〗대소 강약의 차이에 관계없이 각 구성 요소에 균등한 수의 대표를 인정하는 제도. 각 주(州) 두 명으로 되어 있는 미국의 상원 의원의 구성 방법이 이것임. ↔비례 대표제.

균등-할【均等割】명 ①균등하게 할당하는 일. 또, 그 할당. ②〖법〗지방세법상, 납세 의무자에게 균등한 액으로 부과하는 주민세. ——-하다 타여불 「여불

균등-화【均等化】명 균등하게 되거나, 균등하게 함. ——-하다 자타

균등 화:법【均等畫法】[—뻡] 명 [isometrical drawing]〖미술〗화법의 한 가지. 하나의 그림으로 입체의 모양을 분명히 나타내고 그 각 부분의 치수를 쉽게 측정할 수 있게 그리는 화법. 등각 화법(等角畫法). 균도 사영 화법(均度射影畫法).

균류【菌類】[귤—] 명 [Fungi]〖생〗①넓은 뜻으로는, 엽록소(葉綠素)를 갖지 않은 하등 식물의 총칭. 세균류(細菌類)·점균류(粘菌類)·조균류(藻菌類)·진균류(眞菌類) 등을 포함하며 다른 유기물(有機物)로부터 영양을 섭취함. 몸은 실모양의 세포 또는 균사(菌絲)로 이루어졌으며, 주로 포자(胞子)로 번식함. ②좁은 뜻으로는, 조균류·진균류, 또는 버섯류·곰팡이류만을 말함. 준균(菌).

균류-학【菌類學】[귤—] 명 균류를 연구 대상으로 하는 생물학의 한 분과. 진균류(眞菌類) 외에 세균류·변형(變形) 균류도 대상에 포함함. 현미경의 발달과 더불어 19세기 중엽 이후 급속히 발전함. 균학(菌學).

균륜【菌輪】[귤—] 명 균환(菌環).

균모【菌帽】명〖식〗균산(菌傘).

균배【均配】명 고르게 나눔. ——-하다 타여불

균배【均排】명 균등하게 안배(按排)함. 고르게 나눔. 똑같이 나눔. 균분(均分). ——-하다 타여불

균병【菌柄】명〖식〗균산(菌傘) 아래 달린 자루. 팡이자루.

균복【袀服】명 ①갖추어진 의복. ②검은 옷. 또, 군복(軍服).

균부【均賦】명 전부(田賦)를 고르게 함. ——-하다 자여불

균분【均分】명 고르게 나눔. 여럿으로 꼭 같게 가름. 균배(均排). ——-하다 타여불

균분 상속【均分相續】명〖법〗공동 분할 상속의 경우에, 그 분할의 기준이 되는 상속분(分)이 균등한 상속 형태. 평등(平等) 상속. ↔불균분(不均分) 상속.

균사【菌絲】명〖식〗곰팡이·버섯 따위 균류(菌類)의 영양체(營養體)를 이루는, 원통상(圓筒狀)의 세포가 실 모양으로 이어진 것. 외계(外界)로부터 수분이나 유기물 또는 무기물을 받아들이어 화합물을 합성하는 외에, 동식물의 조직에 침입하여 영양을 흡수함. 팡이실.

균사 다발【菌絲—】명 [rhizomorph]〖생〗많은 담자균류(擔子菌類)의 특징적인, 뿌리 모양의 구조체(構造體). 다량으로 치밀하게 뭉쳐지고 얽힌 균사로 되어 있음. 균사속(菌絲束).

균사-속【菌絲束】명 균사 다발.

균사-체【菌絲體】명 [mycelium]〖식〗버섯 따위 고등 균류의 영양체. 많은 균사가 합하여 이루어진 것임.

균산【菌傘】명〖식〗고등 균류인 버섯류의 자실체(子實體). 버섯의 위에 우산을 펼친 것처럼 된 부분. 가운데 자루가 있고 자루를 중심으로 방사상(放射狀)으로 된 주름살이 있어서 포자를 발생하거나 번식하는 작용을 함. 삿갓. 균개(菌蓋). 균모(菌帽). 버섯갓. 팡이갓.

균상【菌狀】명 버섯과 같은 모양.

균세【均勢】명 ①균등한 세력. ②〖정〗세력 균형.

균-세포【菌細胞】명 [bacteriocyte]〖생〗일부 곤충에서 볼 수 있는 특별한 지방 세포(脂肪細胞). 세균 모양의 간상물(桿狀物)이 포함되어 있는데, 이는 공생(共生)하고 있는 세균으로 보임.

균수¹【均輸】명〖역〗중국 한 무제(漢武帝) 때, 균수 평준법을 수행하던

균수²【龜手】명 거북의 등딱지처럼 얼어서 터진 손. 「벼슬 이름.

균수-법【均輸法】[―뻡] 명『역』균수 평준법.

균수 평준법【均輸平準法】[―뻡] 명『역』중국 한 무제(武帝)의 재정 정책의 하나. 각지에 균수관(均輸官), 장안(長安)에 평준관(平準官)을 두어, 가격이 싼 지방의 물자를 비싼 지방으로 옮겨 팔고, 값이 쌀 때 물자를 사 두었다가 비쌀 때 팔아 물가를 조절하였음. 균수법(均輸法).

균숙【均熟】명 고루 잘 익음. ──-하다 자여불

균습【菌褶】명『식』균산(菌傘)의 밑에 있는 방사상(放射狀)의 주름 같이 되어 있는 부분. 균사(菌絲)의 결합에 의하여 된 것이며 많은 포자낭(胞子囊)이 있어 포자를 넘. 버섯살.

균-시차【均時差】명 [equation of time]『천』 진태양시(眞太陽時)와 평균 태양시와의 차(差). 곧, 진태양과 가상(假想)의 평균 태양과의 시각(時角)의 차로서, 약 1년을 주기(週期)로 하여 복잡한 변화를 함. 시차(時差).

균심【菌蕈】명『식』버섯[1].

균-씨【菌―】명 균핵(菌核).

균안【均安】명 두루 편안함. ¶ 댁내(宅內) ~하시나이까. ──-하다 형여불

균압 결선【均壓結線】[―썬] 명 [strapping]『전』짧은 선이나 금속 조각으로 회로의 두 군데 이상을 접속하는 일.

균여【均如】명『사람』고려 광종(光宗) 때의 고승. 속성은 변(邊). 15세에 출가하여 승려가 됨. 가야산 해인사(海印寺)의 승려들이 남북악(南北嶽)으로 갈리어 화엄교(華嚴敎)의 대립이 심하였을 때, 북악의 법통으로 양파를 통합하고, 불교를 대중화하는 데 공헌함. 학덕이 높아 광종의 총애를 받았음. 그의 전기(傳記)인 ≪균여전(均如傳)≫의 제7 가행화세분(歌行化世分)에 '원왕가(願往歌)' 등 향가 11수가 실려 있어 ≪삼국 유사≫의 향가와 함께 귀한 문화재가 됨. [923-973]

균여-전【均如傳】명『책』고려 문종(文宗) 29년(1075)에 혁련정(赫連挺)이 엮은 균여 대사의 전기. 균여 대사가 지은 향가가 실려 있음. 본 이름은 ≪대화엄 수좌 원통 양중 대사 균여전(大華嚴首座圓通兩重大師均如傳)≫.

균역-법【均役法】명『역』조선 영조(英祖) 26년(1750)에 백성의 부담을 덜기 위해 만든 납세법. 종래의 양포세(良布稅)를 반으로 줄이고 나머지를 어업세(漁業稅)·염세(鹽稅)·선박세(船舶稅)·결작(結作)의 징수 등으로 보충함. 역(役)을 균등하게 한다는 뜻이었으나 실상은 양민의 부담을 줄인데 불과하고, 종래 특권층의 독점이던 어염업(漁塩業)을 국가에 전속하게 한 데에 의의가 있음.

균역-청【均役廳】명『역』조선 때, 균역법의 실시에 따른 여러 가지 사무를 맡아 보던 관아. 영조(英祖) 26년(1750)에 설치하여 동 29년에 선혜청(宣惠廳)에 합하였음.

균열[1]【均熱】명 [soaking]『공』합금, 통상 잉곳(ingot)을 녹는점(點)에 가까운 온도까지 가열하여 그 온도로 장시간 유지하여, 고화(固化)의 과정에서 생긴 편석(偏析)을 소거(消去)하는 일.

균열[2]【龜裂】명 ①거북의 등의 껍데기 모양으로 갈라져서 터짐. 균탁(龜坼). ¶ 벽에 ~이 생기다. ②사물이 갈라져 분열함. ──-하다 자여불

균열-로【均熱爐】명『공』거푸집에서 나온 강괴(鋼塊)는 표면과 내부와의 온도차가 크므로, 압연(壓延)할 수 있게 이를 가스로 가열하는 노(爐).

균열성 분:화【龜裂性噴火】[―썽―] 명『지』아이슬란드식 분화.

균염-제【均染劑】명 염색 조제(助劑)의 하나. 염색에서 골고루 염색하기 위하여 가(加)하는 조제의 총칭. 완염제(緩染劑)·분산제(分散劑)·침투제(浸透劑) 등.

균영【菌癭】명 균류(菌類) 및 세균류(細菌類)의 기생에 의하여 식물체의 일부가 이상하게 발달하여 괴상(塊狀)으로 된 부분. 기생균이 내는 대사(代謝) 물질의 자극 등에 의하여 조직이 비대(肥大)한다고 생각됨.

균온【均穩】명 두루 편안함. 흔히 편지에 씀. ¶ 온 가족이 ~ 하옵나이다. ──-하다 형여불

균-요【均窯】명 중국의 실투성(失透性) 유청색(乳青色)의 도자기의 총칭. 송(宋)나라 균주(均州)에서 나던 것이 우수하나 현재는 시대와 산지에 관계없이 관용적(慣用的)인 명칭이 되었음. 자홍색(紫紅色)의 반문이 있는 것이 진중(珍重)됨.

균율 촉매 작용【均率觸媒作用】명 [homogeneous catalysis]『화』보통, 기체 또는 액체의 단일상(單一相) 안에서 생기는 촉매 작용.

균일【均一】명 한결같이 고름. 차가 없음. 똑같음. ──-하다 형여불

균일가 판매【均一價販賣】[―까―] 명 한 가지 낮은 값으로 통일하여 판매하는 일. 주로, 생산이 중단된 제품이나 재고 상품 등을 조기에 처분하기 위하여 이용하는 판매 방법.

균일-계【均一系】명『화』어떤 물질이 단일(單一)한 모양을 하고 있는 물질계(物質系). 곧, 기체·액체·고체 중에서 처음부터 끝까지 한 가지의 형태만 가지고 있는 물질계. ↔불(不)균일계.

균일 방:사선【均一放射線】명 [homogeneous radiation]『물』방사의 모든 부분이 균일한, 즉 단일 에너지를 갖는 한 종류의 입자로 된 입자선(粒子線).

균일 상점【均一商店】명 같은 값의 여러 가지 물건을 벌여 놓고 파는 가게.

균일 요:금【均一料金】[―료―] 명 요금이 모두 같음. 또, 그 요금.

균일-제【均一制】[―쩨] 명 값이나 요금 등의 차를 두지 않고 균일하게 하는 제도.

균일 조:명【均一照明】명 영화나 텔레비전의 촬영에 있어서 세트 전체를 고르게 밝히는 조명.

균일 화학 반:응【均一化學反應】명『화』모든 조성물(組成物), 곧 반응물과 촉매가 동일상(同一相)인 화학 반응.

균자-장【均字匠】[―짜―] 명『역』조선 때 공장(工匠)의 하나. 식자할 때 활자와 활자 사이에 나무나 혹은 파지를 끼워 활자가 놀지 않게 하던 공장(工匠).

균전【均田】명 ①토지를 모두 국가에서 걷어 들여 백성들에게 고루 나눠 줌. ②『역』결세(結稅)를 고르게 하던 제도. *균전법.

균전-법【均田法】[―뻡] 명『역』중국 북위(北魏)·북주(北周) 및 당(唐)나라 때 토지를 공유(公有)로 하고 백성에게 농토를 고루 나누어 주던 제도. 당나라 고조(高祖) 때 18세 이상의 남자에게 농토 100묘(畝)를 주고 20묘를 영업전(永業田), 80묘를 구분전(口分田)으로 하여 그 사람 일대(一代)에 한하여 나누어 주었음. 균전제(均田制). *균전(均田).

균전-사【均田使】명『역』조선 때, 양전(量田)·품전(品田)에 관한 일을 감독하던 어사(御使).

균전-제【均田制】명『역』균전법.

균점【均霑】명 ①평등히 이익을 받음. 평등히 혜택을 입음. 균첨(均沾). ¶ 이익 ~. ②『법』국제법상 다른 나라와 동일한 혜택을 받음. ──-하다 타여불

균정【均整】명 균제(均齊). ──-하다 형여불

균제【均齊】명 고루 가지런함. 균정(均整). ──-하다 형여불

균제-미【均齊美】명 균형이 잡히고 잘 다듬어진 아름다움. 주로 조형 미술에서 말함.

균조[1]【均照】명 고루 비침. ──-하다 자여불

균조[2]【均調】명 똑같이 고름. 고르게 조화됨. ──-하다 형여불

균조 식물【菌藻植物】명『식』은화(隱花) 식물의 한 부문. 선태(蘚苔) 이하의 하등 식물로 균류·조류(藻類)가 포함됨.

균족【菌足】명 [hyphopodium]『생』어떤 종류의 외부 기생균에 달린, 흡수기(吸收器)를 가진 균사. 말·소·돼지 등에 생김.

균종【菌腫】명『의』세균(細菌)이 번식(繁殖)하여 생기는 혹 비슷한 것.

균주【菌株】명『생』한 종류 또는 한 계통의 세균이나 균류(菌類)를 순수하게 분리하여 배양한 것.

균-중독【菌中毒】명 독성(毒性)의 버섯을 먹고 일으키는 급성의 위장염. 침을 흘리거나 구토·설사·하혈 등을 일으키고 혼수 상태에 빠지기도 함.

균지【勻旨】명『역』의정(議政)의 지시. 균교(勻敎)도 함.

균질【均質】명 성질이 같음. 일정한 상태에 있어서는 어느 부분이나 그 성분·성질 등이 일정한 일. 등질(等質).

균질 공간【均質空間】명『건』유니버설 스페이스.

균질-권【均質圈】[―꿘] 명 [homosphere]『기상』대기 조성(大氣組成)의 일반적인 균질 정도에 따라 대기를 상하(上下)로 구분하였을 때의 밑 부분. 지표에서 약 80~100km의 대기권. ↔비(非)균질권.

균질 권:계면【均質圈界面】명 [homopause]『기상』균질권과 비균질권 사이의 천이 평면(遷移平面). 지상 약 80~90km에 존재함.

균질 대:기【均質大氣】명 [homogeneous atmosphere]『기상』밀도가 높이에 따라서 변하지 않는, 가상(假想)의 대기.

균질-로【均質爐】명 [homogeneous reactor]『공』원자로에 쓰는 핵연료와 감속재(減速材)를 균질하게 혼합하여, 연료가 감속재 속에 골고루 분산(分散)해 있는 노(爐).

균질-성【均質性】[―썽] 명『물』물질의 성질이 위치에 불구하고 일정한 일.

균질-유【均質乳】[―류] 명 저장 및 운반 중의 우유 속에 있는 지방의 분리를 막기 위하여, 우유를 85°C, 250 기압에서 두 장의 금속판 사이를 지나게 한 우유. 호모 우유.

균질-체【均質體】명『물』일정한 상태에 있어서는 어느 부분이나 물리적·화학적으로 똑같은 성질을 가지고 있는 물체.

균천【鈞天】명『천』구천(九天)의 하나. 하늘 가운데 있어 주장이 된다는 가상(假想)의 이름.

균첨【均沾】명 균점(均霑)❶. ──-하다 타여불

균체[1]【勻體】명『역』의정(議政)의 기체(氣體). 편지에 쓰는 말.

균체[2]【菌體】명 균의 몸뚱이.

균체내 독소【菌體內毒素】명 티푸스균이나 콜레라균의 독소처럼, 세균의 체내에 보유되어 균체외(菌體外)로 분비되는 일이 없는 독소. 그러나 균이 죽어서 파괴되면 독소는 균체 밖으로 유출됨. 열에 대한 저항력이 강하고 생체에 주사하여도 독소를 중화시키는 항체(抗體)가 생기지 않으며, 균체외 독소보다는 독성(毒性)이 약함. 내독소(內毒素). ↔균체외 독소.

균체 단백질【菌體蛋白質】명『생』박테리아의 몸을 만들고 있는 단백질.

균체외 독소【菌體外毒素】명 세균에 의하여 산출되며 배양지(培養地) 또는 조직 속으로 유출되는 독소. 독소 자체는 단백질이며 열에 약하고 불안정한데 독성(毒性)이 강하고, 또 강한 항원성(抗原性)이 있음. 디프테리아균 독소·파상풍균 독소 따위. 외독소(外毒素). ↔균체내 독소.

균축【勻軸】명 정치를 하는 권리.

균충-류【菌蟲類】[―뉴] 명『생』[Mycetozoa] 동물과 식물의 양쪽 성질을 나타내는 점균류(粘菌類)의 동물학적 이름. 동균류(動菌類).

균탁【龜坼】명 균열(龜裂)❶. ──-하다 자여불

균편【均偏】명 고루게 두루 미침. ──-하다 자여불

균평【均平】명 ①고루 공평함. ②고루게 평평하여 우툴두툴하지 아니함. ──-하다 형여불. ──-히 부

균학【菌學】명 균류학(菌類學).

균할【均割】명 균등하게 분할함. 똑같이 할당함. ¶ ~ 배정(配定). ──-하다 타여불

균합【均合】명 고루 합함. ──-하다 자여불

균핵【菌核】명 좋지 않은 환경에 견디기 위해, 특수한 균의 균사(菌絲)가 식물의 꽃·열매·뿌리, 때로는 유기물(有機物)에 조밀하게 집합하여 괴상(塊狀)으로 된 것. 이 상태로 인하여 오랫 동안 휴면 상태를 유지할 수 있음. 균씨.

균핵-균【菌核菌】명 균핵을 형성하는 균류(菌類).

균핵-병【菌核病】명 균핵을 이루는 균류(菌類)의 기생에 기인하는 식물병의 총칭. 과수·뽕나무·보리·채소 등에서 볼 수 있음.

균현【袀玄】명 검은 제복(祭服). 제사 때 입는 검은 옷.

균혈-증【菌血症】[―쯩] 명『의』신체의 한 국부의 1차 병소(病巢)에서 2차적으로 병원체가 혈행(血行) 중으로 옮겨 가는 증세.

균형【均衡】명 어느 한쪽으로 치우침이 없이 쪽 고름. 권도(權度).

균형 가격【均衡價格】[―까―] 명〖경〗재화나 서비스의 수요와 공급을 일치시키는 가격.
균형 계:산【均衡計算】명〖경〗패리티(parity) 계산.
균형 예:산【均衡豫算】[―네―] 명〖경〗세입·세출이 균형된 재정 상태를 나타내는 예산. ↔적자 예산.
균형 예:산 정:리【均衡豫算定理】[―네―니] 명〖경〗정부 지출과 조세(租稅)가 동시에 같은 액수만큼 증가할 때, 국민 소득이 이 지출액, 곧 조세액만큼 증가한다는 정리.
균형 이:론【均衡理論】[―니―] 명〖경〗한 경제 체계 중의 모든 재(財) 및 용역의 가격·수요·공급 등 경제적 변수(變數) 사이의 상호 관계가 서로 균형을 이루며 안정될 수 있는 조건을 주로 분석하는 경제 이론.
균형 이:자율【均衡利子率】[―니―] 명〖경〗시장(市場) 이자율과 자연(自然) 이자율이 일치하여 경제의 균형이 성립될 때의 그 이자율. 중립적(中立的) 이자율.
균형 재정【均衡財政】명〖경〗경상적(經常的) 지출과 경상적 수입이 같아서 균형이 잡힌 재정 상태. 건전(健全) 재정. ↔적자 재정(赤字財政).
균형적 정:의【均衡的正義】[―/―이] 명〖철〗아리스토텔레스의 정의의 관념. 인간 가치의 등가성(等價性)에 의한 평등을 근거로 하는 공정한 정의. 형벌과 배상(賠償)의 공정이 이에 속함. ↔배분적(配分的) 정의.
균형-타【均衡舵】명 선박에서, 균형을 잡기 위하여 타축이 타원의 앞끝에서 타판 나비의 3분의 1 내지 5분의 1 거리에 있는 키.
균형 환:율【均衡換率】명〖경〗국제 수지가 1년 또는 2년 이상의 일정한 기간 동안 균형되게 하는 환시세(換時勢).
균환【菌環】명〖생〗같은 한 종류의 버섯의 자실체(子實體)가 평지(平地)에서 환상(環狀)으로 배열하여 발생하는 현상. 고리의 크기는 해마다 커 감. 균륜(菌輪).

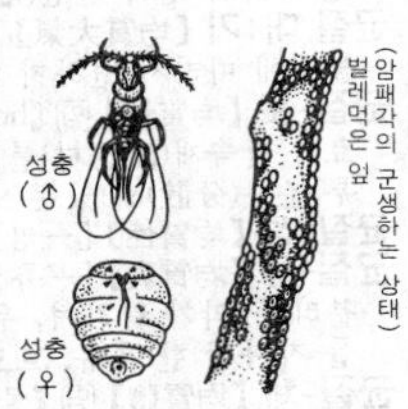
〈균환〉

귤【橘】명 귤나무의 열매. 감자(柑子)·유자(柚子) 등의 총칭. 맛이 시고 달콤함. 귤과(橘顆). 귤포(橘包). ¶ ~껍질.
귤강-다【橘薑茶】명 귤강차.
귤강-차【橘薑茶】명 귤병(橘餠)과 편강(片薑)을 넣고 끓인 차.
귤과【橘顆】명 귤나무의 열매. 귤.
귤-깍지벌레【橘―】명〖충〗[*Pseudaonidia duplex*] 사철나무깍지벌렛과에 속하는 곤충. 몸 표면에 납질(蠟質)의 분비물로 된 패각(貝殼) 모양의 각(殼)이 덮여 있음. 암컷은 직경 2-3mm인데, 원형이고 암갈색이며 다리와 날개가 없음. 수컷은 길이 1mm 내외로 가늘고 길며, 앞날개만 한 쌍 있음. 성충·유충이 모두 나무 위에 군생(群生)하며 수액을 흡수함. 귤나무·밀감나무·동백나무·차나무·배나무·철쭉나무 등에 기생함. 일본·한국에 분포함. *깍지벌레.

〈귤깍지벌레〉

귤-껍질【橘―】명 귤의 알을 까낸 뒤에 남은 부분. 귤피(橘皮).
[귤껍질 한 조각만 먹어도 동정호(洞庭湖)를 잊지 않는다]〔중국의 동정산(洞庭山)이 귤의 명산지인 데서 유래〕작은 은혜라도 잊지 아니한다는 말.
귤-나무【橘―】[―라―] 명〖식〗①[*Citrus aurantium* var. *tachibana*] 운향과의 상록 활엽 교목. 키는 2-4m 정도로, 잎은 호생하며, 타원형 또는 긴 달걀꼴인데, 톱니가 있고 혁질(革質)이며 엽액(葉腋)에는 가시가 있음. 첫 여름에 향기가 나는 흰 오판화가 피고 열매를 맺는데, 초겨울에 등황색으로 익음. 맛이 시고 달곰쌉살함. 열매 껍질은 익기 전에 말린 것을 '청피(青皮)', 익어서 말린 것을 '진피(陳皮)' 또는 '귤피(橘皮)'라 하여 약용함. *광귤나무·홍귤나무·구귤나무. ②밀감(蜜柑).
〈귤나무 ❶〉
귤록【橘綠】명 귤의 파란 빛. ¶ 등황(橙黃)~시(時).
귤병【橘餠】명 꿀이나 설탕에 조린 귤.
귤병-고【橘餠餻】명 귤병을 썰어 두어서 만든 꿀떡.
귤-빛【橘―】[―삗] 명 24색 중 순색의 하나. 주황·노랑을 합한 색. 익은 귤빛을 말함. 따뜻하고 밝으며 팽창성과 전진성이 강하고 가시도(可視度)가 높아 주의력을 환기시킴. 색상 번호 7, 명도 18, 채도 6, 기호 YO, 계통색명 황등(黃橙). 옐로 오렌지(yellow orange). 귤색.
귤빛-부전나비【橘―】[―삗―] 명〖충〗[*Japonica lutea*] 부전나빗과의 곤충. 편 날개의 길이는 36mm 내외. 수컷의 날개는 전부 황적색이고 암컷의 앞날개 끝과 뒷날개의 미상 돌기(尾狀突起) 및 항각(肛角)은 흑갈색, 날개 뒷 면은 담색에 흰 띠와 검은 반문(斑紋)이 있음. 한국·일본·만주 등지에 분포함.
귤빛-화산해면【橘―火山海綿】[―삗―] 명〖동〗[*Reniera japonica*] 게리우스과에 속하는 해면 동물의 하나. 외형(外形)은 불규칙한 각층상(殼層狀)이며, 그 표면에 많은 관상(管狀)의 돌출부(突出部)가 있고, 그 전단에 입이 있음. 몸의 표면에는 작은 융기(隆起)가 많고, 또 작은 구멍도 많이 산재함. 몸빛은 적동색이고 주대 골편은 간상체임. 해산(海產)으로 연안(沿岸)의 만조선(滿潮線) 부근 각처의 기초(磯礁)에 많이 서식함. *먹화산해면.
〈귤빛화산해면〉
귤색【橘色】[―쌕] 명 귤빛.
귤안【橘眼】명〖공〗귤피문(橘皮紋). 계피문(鷄皮紋).
귤엽【橘葉】명 귤나무의 잎사귀. 약재로 쓰임.
귤-유【橘柚】명 귤과 유자(柚子).
귤정【橘井】[―쩡] 명〔진(晉)나라 소탐(蘇耽)이 귤나무를 심고 우물을 파서 병자에게 귤나무 잎을 먹이고 우물물을 마시게 하여 병을 고치었다는 고사(故事)에서 유래〕'의사'·'의원'의 이칭.
귤-정과【橘正果】명 정과의 한 가지. 귤의 알을 꿀에 재어 두었다가 다시 꿀을 치고 끓여 낸 것.
귤주【橘酒】[―쭈] 명 귤을 넣어 빚은 술.
귤중지-락【橘中之樂】[―쭝―] 명〔중국 파공(巴邛) 사람이 뜰의 귤나무에 열린 귤을 따서 타 본즉, 두 늙은이가 그 속에서 바둑을 두고 있더라는 고사(故事)에서 유래〕바둑을 두는 즐거움.
귤포【橘包】명 ①귤. ②귤피(橘皮).
귤피【橘皮】명〖한의〗귤의 껍질. 청귤피(青橘皮)·진피(陳皮)의 두 가지가 있음. 성질은 온(溫)한데, 소화·대변·담증(痰症)·해소(咳嗽)·곽란(霍亂)·적취(積聚) 등에 효력이 있음. 귤껍질. 귤포(橘包).
귤피-문【橘皮紋】명〖공〗도자기의 잿물이 귤껍질처럼 두툴두툴하게 된 무늬. 계피문(鷄皮紋). 귤안(橘眼).
귤핵【橘核】명〖한의〗귤의 씨. 허리 아픈 데에 약으로 씀.
귤홍【橘紅】명〖한의〗귤피의 안쪽에 있는 흰 부분을 긁어낸 껍질. 귤피보다 효험이 더 많음. 홍피(紅皮).
귤화【橘花】명〖식〗귤나무의 꽃. 첫여름에 흰 빛의 오판화(五瓣花)가 핌. 찻감으로 씀. *귤화차.
귤화 위지【橘化爲枳】명〔회남(淮南)의 귤을 회북(淮北)에 옮기어 심으면 탱자가 된다는 뜻〕사람도 때와 장소에 따라 기질이 변한다는 말.
귤화-차【橘花茶】명 귤나무의 꽃을 말리었다가 물에 넣어 끓인 차.
그[1] ㊀인대 ↗그이. 그 사람. ¶ ~는 위대한 인물이다. ㊁지대 그것. ¶ ~와 같은 물건.
그[2] 관 자기로부터 조금 떨어진 곳에 있는 사물. 이미 말한 것이나 서로 이미 아는 것을 가리킬 때 쓰는 말. ¶ ~ 물건/~ 학교/~ 이야기. >고. *저·이.
[그 꼴을 보느니 신 첨지(申僉知) 신 꼴을 보겠다] 차마 눈 뜨고 볼 수 없다는 말. [그 나물에 그 밥] 서로 격이 어울리는 것끼리 짝이 됐을 경우를 두고 이르는 말.
그-간【―間】명 그 동안. 그 사이.
그-같이[―가치] 부 그 모양으로. 그렇게. *요같이·이같이·저같이.
그-거 지대인대 ↗그것. ¶ ~ 참 좋다. >고거. *요거·이거·저거.
그-건 준 그것은. ¶ ~ 잘못인데. >고건. *요건·이건·저건.
그-걸 준 그것을. >고걸. *요걸·이걸·저걸.
그-걸로 준 그것으로. >고걸로. *요걸로·이걸로·저걸로.
그-것 ㊀지대 ①자기가 있는 곳에서 조금 떨어져 있는 물건을 가리키는 말. ②이미 정하여져서 서로 이미 아는 사물을 가리키는 말. ③바로 앞에서 말한 사물을 가리키는 말. 준그·그거·거. >고것. ㊁인대 그 사람이란 뜻으로 약간 경멸적으로 쓰는 말. ¶ ~이 무얼 알까. *요것·이것·저것.
그것-참 감 어떠한 일에 대한 느낌을 나타내는 말로, '좋다·나쁘다·분하다·훌륭하다' 따위의 말이 따름. ¶ ~ 야단났군. *거참.
그-게 준 그것이. >고게. *요게·이게·저게.
그-곳 지대 ①그 장소. 거기. ②상대자가 있는 곳.
그-글피 명 글피의 다음 날.
그-까지로 부 겨우 그만한 정도로. ¶ ~ 크게 떠들다니. >고까지로. *저까지로.
그-까짓 관 겨우 그 정도의. ¶ ~ 일을 못하고. 준그깟. >고까짓. *까짓.
그깟 관 ↗그까짓. ¶ ~ 놈 없으면 그만이다.
그-끄러께 명 그러께의 전 해. 삼년 전의 해. 삼작년(三昨年).
그-끄저께 명〔근대 : 긋그적의〕그저께의 전 날. 삼작일(三昨日). 준그끄제.
그-끄제 명 ↗그끄저께.
그-나마 부 그것마저도. 그것이라도. ¶ 아들이 하난데 ~ 병신이다/남은 것이지만 ~ 필요할 때가 있을 테지. >고나마. *이나마.
그나이스트〔Gneist, Rudolf von〕명〖사람〗독일의 공법(公法)학자·정치가. 법관·베를린 대학 교수·제국 의회(帝國議會) 의원 역임. 영국 헌정사(憲政史) 연구로 유명함. 주저(主著)로는 ≪현대 영국 헌법 및 행정법≫·≪영국 헌법사≫ 등이 있음. [1816-95]
그나이제나우〔Gneisenau, August〕명〖사람〗프로이센의 장군. 1807년 대불(對佛) 전쟁에서 콜베르크(Kolberg) 요새(要塞)를 사수하여 이름을 떨치었고, 후에 슈타인(Stein), 샤른호르스트(Scharnhorst)와 더불어 프로이센군(軍)의 재건에 힘을 기울임. 나폴레옹 타도에 진력하였고, 해방 전쟁과 워털루(Waterloo) 싸움에서도 전공을 세움. 1831년 폴란드로 출전중(出戰中) 콜레라로 사망함. [1761-1831]
그나-저나 부 ↗그러나저러나.
그-날 명 그 당일. 앞에서 말한 날.
[그날의 액은 독안에 앉아도 오고야 만다] 그날의 나쁜 운수는 어떻게 해서도 피할 수 없다는 말.
그날-그날 명부 하루하루. ¶ 품을 팔아서 ~ 목숨을 이어 간다.
그날-따라 부 하필이면 그날 같은 날에. ¶ ~ 무척 더웠다.
그내 명〈방〉그네[1](충남).
그냥 명부 ①변함없이 그 모양으로. ¶ ~ 두지는 않겠다. ②그대로 줄곧. ¶ ~ 듣기만 하거라. >고냥. *저냥.
그냥-고지 명〖농〗모내기나 초벌 김맬 때, 아침 곁두리와 점심만 얻어먹고 하는 고지.
그냥-저냥 부 ☞이럭저럭.

그:네¹ 명 ①큰 나무의 가로질린 가지나, 두 기둥 위에 나무를 가로질러 두 줄을 이어 매고, 줄의 맨 아래에 밑싣개를 걸쳐 놓고 올라타 앞뒤로 움직이어 나는 기구. 또, 그 운동. 중국 한(漢)·당(唐) 때부터 있었으며, 한국에는 고려 이후에 들어온 것으로, 특히 단오절(端午節)에 부녀자가 많이 뜀. 추천(鞦韆). ②〖농〗 벼의 낟알을 훑어 내는 농구(農具)의 하나. 두툼한 나무 토막에 빗살처럼 촘촘한 쇠틀을 세우고, 네 개의 다리를 가위 다리 모양으로 박아 떠받치게 함. *벼훑이.

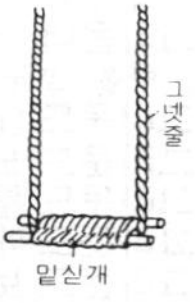

〈그네¹〉

그네(를) 뛰다 구 그네에 올라타고 앞뒤로 흔들어 날다.

그네² 인대 ↗그네들.

그네-들 인대 그 사람들. 그들. 그 편 사람들. ¶ ~ 말이 옳다. 준그네.

그:네-뛰기 명 혼자 또는 둘이서 그네에 올라타고 몸을 앞뒤로 굴리어 나는 운동.

그:넷-줄 명 그네에 늘어뜨린 밧줄.

그-녀【一女】 인대 그 여자.

그-년 인대 자기로부터 조금 떨어진 곳에 있는 '여자'를 욕되게 이르는 말. >고년. ↔그놈.

그노몬〔ㄱ gnōmōn〕 명 ①해시계의 일종. 땅에 수직으로 세운 기둥의 정오(正午) 때의 그림자의 길이를 측정하여 계절의 변화와 동지(冬至)·하지(夏至)의 날을 판단하였음. 고대 바빌로니아·이집트 등에서 사용함. ②해시계의 바늘. ③〖수〗 평행 사변형에서 한 각을 포함하는 그 닮은꼴을 떼어 낸 나머지 형상. 노몬.

그노시스〔ㄱ gnosis〕 명〖철〗〔지식(知識)의 뜻〕 종교 철학사상 그리스에서 1-2세기에 나타난 신의 인식(認識). 초감각적(超感覺的)인 신과의 융합의 체험을 가능하게 하는 신비적 직관(直觀).

그노시스-주의【一主義】〔ㄱ gnosis〕[ㅡ/ㅡ이] 명〖천주교〗 1세기 반 이후로부터 일어나 2세기에 이르러 교회에 위협을 준 지적(知的)·신비주의적(神秘主義的) 운동. 구약의 신을 비인격적(非人格的)인 관념적인 것으로 바꾸어 율법의 준수(遵守)를 배척하고 방탕한 생활을 하며 그리스도의 역사성(歷史性)을 부정하였음.

그-놈 인대지대 자기로부터 조금 떨어져 있는 사내나 어떤 작은 것을 귀엽게 또는 욕되게 이르는 말. >고놈. ↔그년.

그놈이 그놈이다 구 새 사람이 들어서도 전 사람과 다름이 없어, 실망하여 이르는 말.

그누 명〈방〉 그네¹(강원).

그느다 타 젖먹이가 대소변의 때를 찾다.

그느르다 타르불 돌보아 허물을 덮어 주고 보살피다.

그늘¹ 명 ①볕이 가리어진 곳. 음영(陰影). ¶ 나무 ~. *응달. ②불빛이 가리어진 곳. ③부모나 어느 사람이 보살피어 주는 아래. ¶ 어버이 ~이 그립다. ④드러나지 아니한 곳. ¶ ~에서 묵묵히 봉사하다.

그늘(이) 지다 구 ㉠빛이 직접 비치지 아니하다. 응달(이) 지다. ¶ 그늘진 산비탈. ㉡속에 숨어 드러나지 아니하다. ¶ 인생의 그늘진 곳. ㉢성질이 음성(陰性)으로 되다. ¶ 그녀의 얼굴은 늘 그늘져 있다.

그늘² 명〈방〉 그네¹(강원·함북).

그늘-골무꽃 명〖식〗[*Scutellaria fauriei*] 꿀풀과에 속하는 다년초. 줄기 높이 25cm 가량, 잎은 장병(長柄)인데 대생하며 모양은 달걀꼴임. 6-8월에 담홍색 꽃이 줄기 끝에 액출(腋出)하여, 이삭 모양의 총상(總狀) 화서로 피는데 꽃부리는 긴 통상 순형(筒狀脣形)을 이룸. 산지의 나무 그늘에 나는데, 경남·경기·평남·함남북 등지에 분포함.

그늘-나비 [ㅡ라ㅡ] 명〖충〗[*Lethe sicelis*] 뱀눈나빗과의 곤충. 편 날개의 길이 5-6cm이고, 몸빛은 암갈색에 앞날개는 흐린 담색의 줄이 있으며, 앞날개에 2개, 뒷날개에 6개의 뱀눈 같은 점이 있음. 나무 그늘에서 서식하는데, 한국·일본 등지에 분포함.

〈그늘나비〉

그늘-대 [ㅡ때] 명 길거리에서 장사하는 사람이 볕을 가리는 물건. 길쭉한 장대의 가는 나무때기를 열십자 모양으로 가로 지르고, 네 귀에 줄을 돌라 매어 그 위에 짚자리나 삿자리를 덮은 것.

그늘-돌쩌귀 명〖식〗[*Aconitum uchiyamai*] 성탄꽃과에 속하는 다년초. 줄기 높이 1m 가량이고, 잎은 호생하며 장병(長柄)이고, 너덧 갈래로 깊게 째져 가에 톱니가 있음. 8월에 청자색 꽃이 총상(總狀) 화서로 가지 끝에 액생(腋生) 또는 정생하고, 과실은 골돌(蓇葖)임. 산지에 나는데, 경남·강원·함북 등지에 분포함. 유독(有毒)하며, 뿌리는 약용함.

그늘 말림 명 약재(藥材) 따위를 그늘에 말림. 음건(陰乾).

그늘-바람꽃 명〖식〗[*Anemone umbrosa*] 미나리아재빗과에 속하는 다년초. 줄기 높이 18cm 가량이고 털이 있음. 근생엽(根生葉)은 가장자리가 깊이 째지고 삼출 복엽(三出複葉)임. 5월에 엽액(葉腋)에서 긴 꽃꼭지가 나와 흰 꽃이 피고, 수과(瘦果)는 타원형인데 갈퀴가 있음. 한대(寒帶) 지방에 분포함.

〈그늘바람꽃〉

그늘-사초【一莎草】 명〖식〗[*Carex lanceolata*] 방동사닛과에 속하는 다년초. 줄기는 총생하고 높이 10-30cm 가량이며, 근생엽(根生葉)은 다수 총생하고 협선형(狹線形)이며 가장자리는 까칠함. 4-6월에 3-5개의 소수(小穗)가 피는데, 선상의 긴 타원형 수술은 1개가 정생(頂生)하고 긴 타원상 원주형 암술은 2-4개가 측생함. 산지의 건조한 나무 밑에 나는데, 한국 각지 및 일본·중국·동부 시베리아에 분포함.

그늘-송이풀 명〖식〗[*Pedicularis vaniotiana*] 현삼과에 속하는 다년초. 줄기는 다소 가늘고, 잎은 대생 또는 호생하는데 긴 달걀꼴 또는 달걀꼴의 긴 타원형을 이루며 잎꼭지가 있음. 7-8월에 홍자색 꽃이 가지 끝의 포엽 사이에 총상(總狀) 화서로 피고, 달걀꼴의 긴 타원형의 삭과(蒴果)를 맺음. 깊은 산의 나무 그늘에 나는데, 경남·강원·평북·함남북 등지에 분포함.

그늘-쑥 명〖식〗[*Artemisia sylvatica*] 국화과에 속하는 다년초. 줄기 높이 1.5m 가량이고, 잎은 호생하며 장병(長柄)에 이회 우상 심렬(羽狀深裂)하는데, 열편(裂片)은 긴 타원형 또는 피침형임. 8-10월에 갈색의 두상화(頭狀花)가 줄기 끝에 드물게 핌. 산지에 나는데, 전남·강원·경기·평남북 등지에 분포함. 어린 잎은 식용함.

그늘우다 타〈옛〉 그느르다. 두호하다. ¶ 그늘울 비(庇), 그늘울 음(蔭)《類合 下 28》.

그늘집-터 [ㅡ찝ㅡ] 명〖고고학〗 바위가 돌출되어 있어, 자연적으로 비바람을 피할 수 있는 곳을 살림터로 한 유적(遺蹟). 주로 구석기 시대 사람이 살림터로 많이 사용하였으나 신석기 시대에도 간간히 사용하였음. 바위그늘 유적. 암음 유적(岩陰遺蹟).

그늘-취 명〖식〗[*Saussurea uchiyamana*] 국화과에 속하는 다년초. 줄기 높이 40cm 가량, 경엽(莖葉)은 무병(無柄)이고, 근생엽(根生葉)은 유병(有柄)이며 긴 달걀꼴 또는 타원형인데, 경엽(莖葉)은 선형(線形)임. 8-9월에 홍자색의 관상화(管狀花)가 줄기 끝에 핌. 산지에 나는데, 금강산·평북의 낭림산·함북 등지에 분포함. 어린 잎은 식용함.

그늘-흰사초【一莎草】[ㅡ힌ㅡ] 명〖식〗[*Carex planiculmis*] 방동사닛과에 속하는 다년초. 줄기 높이 60cm 가량이고, 잎은 총생하며 넓은 선형(線形)임. 5-6월에 소수(小穗)는 1-5개, 수술은 1개가 정생(頂生)하고, 암술은 1-4개가 피며, 과낭(果囊)은 달걀꼴의 넓은 타원형임. 산이나 들의 습지에 나는데, 경북·강원·평북·함북 등지에 분포함.

그늣 명〈옛〉 그릇. ¶ 몬져 호 그느슬 다 먹고(先喫一器)《東國新續 三綱孝子圖 Ⅲ:80 元良 孝友》.

그늬 명〈방〉 그네¹(충청).

그니 명〈방〉 그네¹(충남).

그니-때 명〈방〉 끼니때(경기·충남·전라).

그닐-거리다 자 ①살갗에 벌레가 살살 기는 것같이 자리자리한 느낌이 참을 수 없게 자꾸 나다. ②보기에 매우 위태롭거나 단작스러워서 마음에 자릿자릿하다. 1)·2): >가닐거리다. 그닐-그닐 부. ¶ 물결은 안타깝게도 ~ 한가히 돈을 이끌고 흐를 뿐, 아다다는 그 돈이 어서 자기의 눈앞에서 자취를 감추어 버리는 것을 보기 위하여…《桂鎔默:白痴 아다다》. ——-하다 자여불

그닐-대다 자 그닐거리다.

그늘 명〈옛〉 그늘. ¶ 부텨 건져 그눌에 물나 느는 양을 보며《警民音 6》.

그-다음 명 돌아오는 다음 차례. ¶ ~은 누구냐. 준그담. *이다음.

그다지 부 ①그렇게까지. 그러한 정도로. ¶ ~도 어려우냐/~도 내 심정을 모르느냐. ②별로. 그리. ¶ ~ 중요하지 않다. 1)·2):> 고다지. *이다지·저다지.

그닥 부 ☞그다지❷. ¶ 헤엄에 ~ 자신은 없다 / 신부와 ~ 가까운 사이는 아니다.

그닥지 부〈방〉 그다지(평안).

그단스크〔Gdańsk〕 명〖지〗 폴란드 북부, 발트 해(海)의 그단스크 만안(灣岸)의 항구 도시. 폴란드 및 다른 동(東)유럽 여러 나라의 중요한 무역항으로, 조선·기계·화학·식품 등의 공업도 행하여짐. 1361년에 한자(Hansa) 동맹에 가입, 15-17세기에는 발트 해의 곡물 무역으로 번영하였고 1919년 국제 연맹 보호하에 자유시(自由市)가 되었으나, 1939년에 독일에 합병됨. 제2차 세계 대전 이후 폴란드 영토가 되어 항만 시설을 정비함. 독일 이름은 단치히(Danzig). [469,100 명(1988)]

그단스크 만【一灣】〔Gdańsk〕 명〖지〗 발트 해(海) 남부의 반원형의 만. 폴란드 북부와 러시아 칼리닌그라드 주(Kaliningrad 州)에 둘러싸여 있음. 비스와 강(Wisła 江)이 흘러 들고 남동부에는 길이 55km에 이르는 모래톱이 있어 비스와 호(湖)를 안고 있음. 그디니아(Gdynia), 그단스크(Gdańsk) 등의 항구가 있음.

그-달 명 당삭(當朔). 전에 말하던 달. *이달.

그-담 명 ↗그 다음. *이담.

그대 인대 ①'너'라고 하기에는 거북한 자리에 쓰는 문어체(文語體)의 말. '자네'보다 좀 높인 말. ¶ ~는 누구인고? ②애인(愛人)끼리 서로 '당신'이라는 뜻으로 쓰는 말. ¶ 내 사랑하는 ~여.

그대-도록 부〈방〉 그다지.

그-대로 부 ①변하거나 더하거나 고치지 않고 전에 있던 대로. ¶ 떨어진 구두를 ~ 신고 다니느냐/문자 ~. ②그냥. ¶ 나를 보고도 ~ 지나가더라. 1)·2):>고대로.

그-대지 부〈방〉 그다지(경상).

그더듸 구〈옛〉 그 동안에. ¶ 그더듸 엇디ᄒᆞ야 下界에 ᄂᆞ려오니《松江 關東別曲》. *먿.

그-덧 명 그 사이. 잠시 동안.

그-동안 명부 그 사이.

그득 부 그득히. 그득하게. ¶ 밥을 ~ 담아라. >가득. ㅆ그뜩.

그득 차다 구 그득하게 차다. 충만(充滿)하게 되다.

그득-그득 부 각각 다 그득한 모양. ¶ 그릇마다 물이 ~ 차 있다. ㅆ그뜩그뜩. >가득가득. ——-하다 형여불. ——-히 부

그득-하다 형여불 ①분량이나 수효가 한도에 차 있다. ¶ 향기가 온 방에 ~/뒤주에 쌀이 ~. ㅆ그뜩하다. >가득하다. ②징건하다. 그득-히 부

그-들 ㊀ 인대 그 사람들. ¶ ~은 모두 학생이다. ㊁ 지대 그것들.

그들먹-하다 형여불 ①거의 그득하다. ②더뿌룩하다. 1)·2):>가들막하다.

그듸 인대〈옛〉 그대. =그더·그디. ¶ 이제 그듸ᄂᆞᆫ 므슴 슬푸믈 아나(今君抱何恨)《杜諺 XXII:55》.

그디 인대〈옛〉 그대. ¶ 그디 子息 업더니 무슷 罪오《月釋 Ⅰ:7》.

그디니아〔Gdynia〕 명〖지〗 폴란드 북부, 발트 해(海)의 그단스크 만안(灣岸)의 군항(軍港)을 겸한 무역항. 특히 석탄 선적항으로 유명함. 조선·냉동·통조림 공업 등이 성함. 본디 작은 어촌에 불과했으나, 제1차 대전 후, 그다니스크(Gdańsk)에 대항해서 항만 시설이 정비되어 큰 항구 도시로 됨. [231,000 명(1979)]

그디업다 형〈옛〉 그지없다. ¶ 人生은 有限ᄒᆞᆫ디 시름도 그디업다《松江 思美人曲》.

그딕 인대〈옛〉 그대. =그듸·그디. ¶ 그딕ᄂᆞᆫ 보디 아니 ᄒᆞᄂᆞ다(君不見)

《杜諺 Ⅷ:24》. 「¶ ~ 버릇을 고쳐라.

그-따위 ㊀명 그러한 종류. ¶ ~는 다 팔렸습니다. ㊁관 그러한 종류의

그-때 명 그 당시. 전에 말한 때. ¶ ~ 그는 다섯 살이었다.

그때-그때 부 그때마다. ¶ 일은 ~ 처리해라.

그뜩 부 그뜩이. ㄴ그득. ＞가뜩.

그뜩-그뜩 부 각각 다 그뜩한 모양. ㄴ그득그득. ＞가뜩가뜩. ──-하다 「형여불

그뜩-이 부 그뜩하게. 그뜩. ㄴ그득히. ＞가뜩이.

그뜩-하다 형여불 분량이나 수효가 한도에 더할 수 없이 꽉 차 있다. ¶ 창고에 쌀이 ~. ㄴ그득하다. ＞가뜩하다.

그라나 〔grana〕 명 『식』 고등 식물의 엽록체(葉綠體) 속에 볼 수 있는 층상(層狀)의 구조체. 엽록소가 많이 들어 있으며, 광합성(光合成) 명반응(明反應)의 주요한 부분으로 간주됨.

그라나다 〔Granada〕 명 『지』 ①스페인 남부 안달루시아(Andalucía) 지방 그라나다 주의 수도. 무어인(Moor人)의 구도(舊都)로 알함브라(Alhambra) 궁전을 비롯한 유적(遺跡)이 많음. 특히, 날씨가 좋기로 유명한 고장이며, 산물로는 올리브·곡물·직물·종이·비누 등이 남. [256,167 명(1992)] ②중미(中美) 니카라과의 니카라과 호(Nicaragua湖) 북서안에 있는 도시. 농업이 발달하여 설탕·커피·코코아의 산출이 많고, 경치가 좋음.

그라나다 왕국 【─王國】 〔Granada〕 명 기독교도의 국토 회복 운동으로 1236년 코르도바(Cordoba)가 점령당한 후, 1241년 그라나다를 수도로 하여 성립된 나스르 왕조(Nasr王朝) 이슬람교국. 13세기 후반에 번영하였으나 1492년 스페인에 멸망당함.

그라나도스 〔Granados, Enrique〕 명 『사람』 스페인의 작곡가·피아니스트. 향토색(鄕土色) 짙은 리듬에 인상파적 경향을 섞은 작풍으로 근대 스페인의 대표적 작곡가로 꼽힘. 작품에 가극 《고예스카스(Goyescas)》, 피아노곡 《스페인 무곡(舞曲)》 등이 있음. [1867-1916]

그라네 〔Granet, Marcel〕 명 『사람』 프랑스의 동양학자. 중국에 유학하고 파리 대학 교수 등을 역임함. 사회학의 관점에서 사회적 행위의 뜻을 해명했음. 《고대 중국의 제례(祭禮)와 가요(歌謠)》에서는 시경(詩經)의 연가(戀歌)를 제례에 있어서의 자유 연애의 흔적(痕跡)으로 보았음. 논문집 《중국에 대한 사회학적 연구》가 있음. [1884-1940]

그라니트 〔Granit, Ragnar〕 명 『사람』 스웨덴의 동물 생리학자. 미소전극법(微少電極法)을 이용해서 척추 동물의 단일 시신경(視神經) 섬유의 색광(色光) 자극에 대한 반응을 연구하였음. 1967년 노벨 생리 의학상 수상. [1900-]

그라데볼레 〔이 gradevole〕 명 『악』 '유쾌하게'의 뜻.

그라미시딘 〔gramicidin〕 명 『약』 토양균(土壤菌)인 바실루스 브레비스(Bacillus brevis) 균에서 얻어지는 결정상(結晶狀)·비수용성(非水溶性)의 항생 물질. 주로 그람 양성균(Gram 陽性菌)에 의해서 생기는 국부 질환의 치료에 쓰임.

그라베[1] 〔Grabbe, Christian Dietrich〕 명 『사람』 독일의 극작가. 천재적 소질을 가지면서도 이상 성격과 알코올 중독으로 가난 속에서 죽음. 《돈 후안(Don Juan)과 파우스트》 및 그 밖의 희곡은 무대 조건을 무시한 것이 많으나, 근대 리얼리즘의 선구(先驅)로 여겨짐. [1801-36]

그라베[2] 〔이 grave〕 명 『악』 '매우 느리게'·'매우 침착하게'·'장엄하게'의 뜻.

그라비어 명 〔←그래뷰어(gravure)〕 『인쇄』 사진 제판에 의해 부식한 구리판 원통(圓筒)을 사용해서 윤전 인쇄하는 오목판 인쇄법의 하나. 판면(版面)이 스크린 선에 의해 구획지어진 미세한 망점(網點)으로 이루어져 있어 잉크층(ink層)의 얇고 두꺼움에 따라 사진·그림 등의 밝고 어두움의 정도를 잘 나타냄. 다색(多色) 인쇄에 알맞고 고속·대량 인쇄에 적당하며, 셀로판·비닐·양철 등의 인쇄에도 이용됨. 사진 요판(寫眞凹版).

그라비어 인쇄 【─印刷】 명 『인쇄』 그라비어판(版)을 사용하는 인쇄.

그라스[1] 〔프 Grace〕 명 『신』 로마 신화에 나오는 우미(優美)의 여신 그라티아에(Gratiae)의 프랑스어명(語名).

그라스[2] 〔Grass, Günter〕 명 『사람』 독일의 작가. 단치히에서 출생. 포로 생활을 체험하고 파리에서 조각가로 궁핍한 생활을 한 뒤, 베를린에 정착하였음. 전쟁 중과 전후의 독일 소시민의 풍속과 정신을 풍자한 장편 소설 《양철북》(1959)으로 명성을 얻고, 《고양이와 쥐》 따위로 나치스를 탄핵하기도 하였음. 정치 문제에 적극적이고, 시·희곡 등도 많음. [1927-]

그라스만 법칙 【─法則】 〔Grassmann〕 명 1863년에 독일의 수학자·언어학자인 그라스만(Grassmann, Hermann Günther; 1809-77)이 발표한, 인도 게르만어에 있어서의 음운상(音韻上)의 이화(異化) 현상. 산스크리트와 그리스어에서는 동일 음절이 대기음(帶氣音)으로 시작되고 대기음으로 끝나거나 또는 곧장 이어지는 두 개의 음절이 모두 대기음으로 시작될 때 이화(異化)에 의하여 흔히 최초의 기음(氣音)을 잃게 된다는 법칙임.

그라우트 〔grout〕 명 ①『공』 시멘트와 물 또는 시멘트·모래·물의 혼합물. 또, 이들을 암석이나 석축의 틈 같은 곳에 압력으로 주입하는 일. ②『광』 채석(採石)할 때 나온 여러 가지 폐석(廢石). ──-하다 자여불

그라우트 주:입기 【─注入機】 명 〔grout injector〕 『공』 건성(乾性)의 그라우트와 물을 섞어, 압력을 넣어 그라우트 홀(hole)에 주입하는 기계.

그라우트 커:튼 〔grout curtain〕 명 『공』 댐(dam) 밑의 지수벽(止水壁) 또는 굴착 구역에 물의 침투나 유입을 방지하는 장벽을 만들기 위해 그라우트를 주입(注入)한 수직 구멍의 열(列).

그라우트 홀: 〔grout hole〕 명 『공』 주위의 흙이나 암석을 다지기 위해 압력을 넣어, 그라우트를 주입하는 구멍.

그라우팅 〔grouting〕 명 바위의 쪼개진 틈이나 지반(地盤)의 틈 같은 데에 양회 또는 회삼물을 다져 넣어 메우는 일.

그라운더 〔grounder〕 명 야구에서 타자가 쳐서 땅 위를 굴러가는 공. 땅볼. 포구(匍球).

그라운드 〔ground〕 명 ①운동장. ②기초(基礎). 근거.

그라운드 노이즈 〔ground noise〕 명 『지』 대지 잡음.

그라운드 룰: 〔ground rule〕 명 경기장(競技場)의 규칙.

그라운드 매너 〔ground manner〕 명 그라운드에 있어서의 선수의 태도.

그라운드 보이 〔ground boy〕 명 야구장에서, 경기 중에 경기장 안의 공을 줍거나 배트 따위를 정리하는 소년.

그라운드 스트로:크 〔ground stroke〕 명 (연식 정구·테니스에서) 일단 지상에 한 번 떨어진 공을 치는 일. 「는 방수포(防水布).

그라운드 시:트 〔ground sheet〕 명 막사(幕舍) 같은 데서 땅바닥에 까

그라운딩 〔grounding〕 명 럭비에서, 트라이할 때와 같이 공을 지면에 꽉 눌러 붙이는 일.

그라이아이 〔Graiai〕 명 『신』 〔노파의 뜻〕 그리스 신화 중의 세 자매(姉妹). 해신(海神)의 딸들로서 태어날 때부터 백발의 노파이며 한 개의 눈과 한 개의 이빨을 셋이서 돌려 가며 사용하고, 고르곤(Gorgon)을 경호하였음.

그라인 〔Grein, Jacob Thomas〕 명 『사람』 네덜란드 출신의 영국 연출가·영화 평론가. 1891년 런던에 독립 극장을 세워, 입센(Ibsen)·쇼(Shaw) 등 근대 극작가의 작품을 소개 상연함. [1862-1935]

그라인더 〔grinder〕 명 『기』 연삭기(研削機).

그라인딩 〔grinding〕 명 『기』 ①재료를 비교적 작은 입자로 파쇄하는 일. ②회전 숫돌로 가공물을 연삭(研削)하는 일.

그라인딩 밀 〔grinding mill〕 명 『기』 ①회전하는 원통형(圓筒形)의 동체(胴體)를 가진 분쇄기. 동체에 광석 등을 넣어 회전하면서 분쇄함. ②보석 세공용으로 설계된 선반(旋盤).

그라처 학파 【─學派】 〔Grazer〕 명 『심』 19세기 초에 그라츠 대학에서 심리학 및 대상론(對象論)을 연구한 학파. 마이농(Meinong, A.)을 주도자로 하여, 작용 심리학적(作用心理學的) 입장에서 표상 산출설(產出說)·복합설(複合說)을 주장하였음.

그라츠 〔Graz〕 명 『지』 오스트리아 남동부 슈타이어마르크 주(Steiermark州)의 주도(主都). 농산물을 집산하며 기계·철도 차량·유리·맥주·섬유 공업이 성함. 16세기에 창립된 대학이 있으며, 고색 창연한 르네상스식(式) 건축물이 많이 남아 있음. [237,810 명(1991)]

그라치오소 〔이 grazioso〕 명 『악』 '우아하게'의 뜻.

그라칠레 〔이 gracile〕 명 『악』 '우미(優美)하게'의 뜻.

그라쿠스 〔Gracchus〕 명 『사람』 ①〔Tiberius Sempronius G.〕 고대 로마의 정치가·호민관(護民官). 토지의 균등한 분배를 위한 법안을 통과시켜 귀족의 반감을 샀으며 재차 호민관에 출마하였다가 귀족에게 피살됨. [163-133 B.C.] ②〔Gaius Sempronius G.〕 고대 로마의 정치가. ❶의 아우. 호민관(護民官). 원로원(元老院)의 권한을 줄이고, 곡물법을 제정하여 빈민을 구제하였으며 토지법·재판법·시민권법 등의 개혁 입법도 행하였음. 로마 시민권(市民權)을 이탈리아 동맹 도시에 주려다가 로마 시민의 반대를 당하여 자살함. [153-121 B.C.]

그라탱 〔프 gratin〕 명 화이트 소스로 무친 고기·야채 등을 내열성(耐熱性)의 접시에 담고, 치즈·빵가루 등을 뿌려 오븐에 구운 요리.

그라티아이 〔Gratiae〕 명 『신』 로마 신화에 나오는 일군(一群)의 우미(優美)의 여신(女神). 그리스 신화 중의 카리테스(Charites)에 해당함.

그라프 〔도 Graf〕 명 독일의 작위(爵位)의 하나. 본시 지방 행정관의 호칭이었으며, 보통 백작(伯爵)이라 불림. 19세기 후반부터 칭호로서의 사용이 금지됨.

그라:프 난:포 【─卵胞】 〔Graaf〕 명 그라프 여포(濾胞).

그라프만 〔Grabmann, Martin〕 명 『사람』 독일의 가톨릭 신학자·철학자. 중세사(中世史) 연구가로서 저명하며 특히 토마스 아퀴나스의 연구에는 주도적 역할을 하였음. 저서에 《스콜라학적 방법의 역사》·《토마스 아퀴나스》 등이 있음. [1875-1950]

그라:프 여:포 【─濾胞】 명 〔Graafian follicle〕 『생』 〔발견자인 네덜란드의 해부학자 그라프(Graaf, R.; 1641-73)에 유래〕 난원세포(卵原細胞)를 둘러싸고 이것을 보호하며 영양을 공급하는 세포군(細胞群). 포유류에서 특히 잘 발달되었으며, 공극(空隙)을 만들어 여포액(濾胞液)을 저장함. 그라프 난포(卵胞).

그라피에 시멘트 〔grappier cement〕 명 『공』 시멘트의 일종. 소석회(消石灰)를 제조할 때 부생(副生)하는 소결(燒結)하지 않은 또는 지나치게 소결한 석회석(石灰石)을 잘게 부순 것.

그란데 강 【─江】 〔Grande〕 명 『지』 리오그란데 강. 「의 뜻.

그란디오소 〔이 grandioso〕 명 『악』 '웅대(雄大)하게'·'장쾌(壯快)하게'

그란사소디탈리아 산 【─山】 〔Gran Sasso d'Italia〕 명 『지』 이탈리아의 중앙부, 아펜니노(Appennino) 산맥의 최고봉 몬테 코르노(Monte Corno)를 포함하는 석회암으로 된 산. 고원 지대에서는 용식(溶蝕) 지형을 볼 수 있음. [2,914 m]

그란-차코 〔Gran Chaco〕 명 『지』 남아메리카 아르헨티나 북부에서 볼리비아, 파라과이에 걸치는 대평원(大平原). 안데스 산맥과 파라과이 강 유역 사이에 남북으로 뻗은 저습(低濕)한 사바나 지역으로, 여름 우기(雨期)에는 범람하고, 미개발의 산림이 많음.

그람[1] 〔Gram, Hans Christian Joachim〕 명 『사람』 덴마크의 내과의(內科醫)·세균학자. 그람 염색법을 창시하였음. [1853-1938]

그람[2] 〔Gramme, Zénobe Théophile〕 명 『사람』 벨기에의 전기 기술자. 전기학에 흥미를 갖고 1869년 처음으로 균일한 전류를 발생하는 환상 전기자(環狀電機子)를 고안하여 발전기 실용화의 단서(端緖)를 열었음. 또 최초의 실용적 직류(直流) 및 교류 발전기의 제작에 성공하여 '발전

기의 아버지'로 일컬어짐. [1826-1901]

그람 반:응【—反應】〔Gram〕 명 《의》 그람 염색법에 의하여 세균을 양성과 음성으로 분류·식별(識別)하게 하는 반응. 곧, 염색에 의해 농자색(濃紫色)으로 물드는 것을 그람 양성균, 탈색되었다가 후렴(後染)의 빛깔로 물드는 것을 그람 음성균이라 함. *그람 염색법.

그람 양성【—陽性】〔Gram〕 명 《의》 그람 반응에 의해서 자줏빛으로 염색되는 세균(細菌)의 성질. ↔그람 음성(陰性).

그람 양성균【—陽性菌】〔Gram〕 명 《의》 그람 양성의 성질을 가진 세균. 디프테리아균·결핵균·파상풍(破傷風)균·비탈저(脾脫疽)균 따위. ↔그람 음성균.

그람 염:색법【—染色法】〔Gram〕 명 《의》 세균의 감별(鑑別)에 쓰이는 염색법의 한 가지. 세균을 겐티아나 바이올렛(gentiana violet)·메틸 바이올렛(methyl violet) 등의 색소로 염색하여 요오드 또는 요오드 칼륨 용액으로 처리하여 알코올에 녹지 아니하는 요오드 색소 화합물을 균체 내에 고정하는 염색법. 덴마크의 의사 그람(Gram, H.C.J.)이 처음으로 시험하였음. *그람 반응(反應).

그람 용액【—溶液】〔Gram〕 명 《의》 그람 반응에 사용하는 요오드 용액.

그람 음성【—陰性】〔Gram〕 명 《의》 그람 반응에 의하여 염색되지 않는 세균의 성질. ↔그람 양성(Gram 陽性).

그람 음성균【—陰性菌】〔Gram〕 명 《의》 그람 음성의 성질을 가진 세균. 임질균·페스트균·콜레라균 따위. ↔그람 양성균.

그랑 명 〈방〉 내³(경남).

그랑 기뇰〔프 grand guignol〕 명 《연》 살인·강간·자살·유령 등을 주요한 요소로 하여 관객을 공포에 떨게 하고 실신시킬 것을 의도하는 단편 연극.

그랑드디상스 댐〔Grande Dixence Dam〕 명 《지》 스위스 디상스 강(江)에 있는 중력식 콘크리트 댐. 높이 284 m, 길이 700 m, 저수량 4억 m³. 중력 댐의 높이로서는 세계 최고. 1962년 완성함.

그랑드조라스 북벽【—北壁】〔Grandes Jorasses〕 명 《지》 프랑스와 이탈리아의 국경 사이에 병풍처럼 둘러쳐진 길이 1 km의 빙벽(氷壁). 직고(直高) 1,200 m, 등고(登高) 1,800 m. 1837년 처음 등정(登頂)되었으며, 1980년 우리 나라 산악인도 정복했음.

그랑드조라스 산【—山】〔Grandes Jorasses〕 명 《지》 알프스 산 가운데, 프랑스·이탈리아·스위스의 국경에 솟아 있는 몽블랑 산괴(山塊)에 있는 산. 1864년 이탈리아 쪽으로부터 남쪽 암벽을 거쳐 첫 등정(登頂)되고, 1937년에 가장 장대(壯大)한 북벽(北壁)으로부터의 등정도 성공함. [4,208 m]

그랑-생-베르나르 고개〔Grand-Saint-Bernard〕 명 《지》 이탈리아와 스위스의 국경, 몽블랑 동쪽에 있는 고개. 예로부터 중요한 교통로(交通路)였으며, 1964년 고개의 남동쪽에 길이 5.8 km의 터널이 개통함. [2,469m]

그랑 프리〔프 grand prix〕 명 대상(大賞). 최우수상(最優秀賞). ¶ ~ 수상 작품.

그랑 프리 레이스〔grand prix race〕 명 국제 자동차 연맹의 규정에 따라 포뮬러카 에프 원(Formula-car F_1)으로 하는 세계 선수권 자동차 경주. 매년 1-10월에 세계 11개국에서 개최, 그 통산(通算) 성적으로 순위를 결정함.

그래¹ ㊀ 부 '그리하여'의 뜻인 접속 부사. ¶ ~ 넌 어떻게 했니. >고래. ㊁ 준 그러하여. ¶ ~ 가지고서 우등생이 되긴 다 틀렸다. >고래. *저래.

그래² 감 ①대답하는 말로서 아랫사람에게 씀. ¶ ~ 잘 알았다. ②'아 글쎄'의 뜻으로, 남을 다잡아 꾸짖을 때 쓰는 말. ¶ ~, 그것도 모른단 말이냐?

그래-그래 감 해라할 자리에 남의 말을 반가이 수긍할 때 쓰는 말. ¶ ~ 좋다 그렇게 하자.

그래놀리스〔granolith〕 명 시멘트와 화강암(花崗岩)의 쇄석(碎石)을 섞어서 만든 포장(鋪裝)의 재료.

그래뉼러-당【—糖】 명 〔granulated sugar〕 당분(糖分) 99.8 %의 굵은 정제 설탕. 음료수·고급 과자 등의 제조에 쓰임. 굵은 설탕.

그래니트〔granite〕 명 《광》 화강암.

그래도 ㊀ 부 '그러할지라도'의 뜻인 접속 부사. ¶ ~ 내 집이 제일이다 / ~ 난 네가 좋다. >고래도. ㊁ 준 그리하여도. 그러하여도. ¶ 아무리 ~ 가망이 없다. >고래도. *이래도.

그래머〔grammar〕 명 ①문법(文法). ②문전(文典). 문법서(文法書).

그래머 스쿨:〔grammar school〕 명 영국의 중등 교육 기관의 명칭. 대학 진학을 위한 예비 교육 기관으로 그리스어·라틴어 문법을 주로 한 데서 이러한 명칭이 붙음.

그래머폰:〔gramophone〕 명 〔본디, 상표명〕 축음기(蓄音機).

그래미-상【—賞】〔Grammy〕 명 〔그래미는 축음기의 뜻인 그래머폰의 속칭(俗稱)〕 미국 레코드 예술 과학 아카데미가 포퓰러와 클래식을 통틀어 그 해의 최우수 엘피(LP)·작사(作詞)·작곡가·가수·연주자 등 레코드계(界) 65개 부문의 수상자를 선출하여 주는 상. 구식 축음기 모양의 상패를 줌. 1957년에 창설됨.

그래 봬:도 준 그러하게 보이어도. >고래 봬도. *이래 봬도.

그래뷰어〔gravure〕 명 로터리 포토그래뷰어. →그라비어.

그래서 ㊀ 부 '그렇게 하여서'의 뜻인 접속 부사. ¶ ~ 어떻게 됐소. ㊁ 준 그리하여서. 그러하여서. ¶ 늘 ~ 야단만 맞지. >고래서.

그래서-야 준 ①그러하여서야. ②그리하여서야. 1)·2):>고래서야.

그래:스 코:트〔grass court〕 명 잔디밭으로 된 테니스 코트. ↔클레이 코트.

그래스-호퍼〔grasshopper〕 명 ①메뚜기류(類)·여치류(類). ②지상 활주(地上滑走)만을 연습하는 데 쓰는 비행기. 비상력(飛翔力)이 없음. 정찰·연락기로 쓰는 것도 있음. ②《기상》 로봇(robot) 기상 관측 기계. 1956년 미국 남극 대륙 탐험기에서 남극상에 투하하여 기온을 측정한 바 있음.

그래스호퍼 퓨:즈〔grasshopper fuse〕 명 《전》 퓨즈선이 녹아서 끊어졌을 때, 경보기를 작동시키기 위한 보조 회로와 접촉되는 작은 퓨즈. 스프링이 끼여 있음.

그래야 준 그리하여야. 그러하여야. ¶ ~ 2만원도 못 된다 / 늘 ~ 칭찬을 받지. >고래야.

그래파이트〔graphite〕 명 《화》 흑연(黑鉛).

그래포스코:프〔graphoscope〕 명 《컴퓨터》 화면에 표시된 데이터를 광펜(光 pen) 따위로 수정할 수 있는 수상(受像) 장치.

그래프〔graph〕 명 ①통계의 결과를 한눈에 볼 수 있도록 나타낸 표. 그림 그래프·띠그래프·정사각형 그래프·원그래프·막대 그래프 등이 있음. 도표(圖表). ②《수》 주어진 함수(函數)가 나타내는 직선 또는 곡선. ③사진을 주로 한 잡지. 또, 화보. 「방안지(方眼紙). 모눈종이.

그래프 용:지【—用紙】〔graph〕 명 그래프를 그리는 데 사용하는 종이.

그래프트 혼:성 중합체【—混成重合體】 명 〔graft copolymer〕 《화》 줄기가 되는 선상 중합체(線狀重合體)에 다른 종류의 중합체가 가지 모양으로 화학적 결합을 한 혼성 중합체.

그래픽〔graphic〕 명 영상이나 인쇄물에 쓰는 사진·그림·도형 등 다양한 시각적 형상을 통틀어 이르는 말.

그래픽 디자이너〔graphic designer〕 명 그래픽 디자인을 전문으로 하는 사람.

그래픽 디자인〔graphic design〕 명 각종의 인쇄 기술을 통하여 복제(複製)되고 표현되는 시각(視覺) 디자인. 포스터·삽화·광고·표지 등의 평면 디자인 따위.

그래픽 아:트〔graphic art〕 명 ①평면 위에 도형을 만드는 모든 기술의 총칭. 회화·글씨·판화·인쇄 등. ②수공적(手工的)인 방법으로 만들어지고 복제(複製)할 수 있는 도형. 곧, 판화(版畫).

그래픽 패널〔graphic panel〕 명 공정 자동화(工程自動化)가 되어 있는 공장의 중앙 관리실에서 공정 전체의 상태, 각종 계기 상호 관계 등을 한눈에 볼 수 있게 하기 위해서 계기판(計器板) 위에 공정의 흐름을 그리고, 그 요소 요소에 계기·지시기(指示器)를 경보(警報) 램프·조작(操作) 램프와 함께 장치한 것.

그랜 부 그래서는. 그렇게 해서는. ¶ ~ 너무 싸서 팔지 못한다.

그랜드 그랜드 슬램〔grand grand slam〕 명 테니스에서, 그랜드 슬램을 따낸 외에 올림픽에서도 우승하는 일.

그랜드-래피즈〔Grand Rapids〕 명 《지》 미국 미시간 주 서부의 상공업 도시. 가구 제조업의 중심지로, 연 2회 전국 가구 견본시(家具見本市)가 열림. 현재 강철(鋼鐵), 자동차의 차체(車體)·부분품 등의 제조가 성함. [191,230 명(1992)]

그랜드바하마 섬〔Grand Bahama〕 명 《지》 서인도 제도의 북부, 영국 연방 바하마의 서북단에 있는 섬. 온 섬이 소나무 숲으로 덮여 있으며, 질이 좋은 목재·야채·해면(海綿) 등을 산출함.

그랜드-뱅크〔Grand Bank〕 명 《지》 북아메리카 뉴펀들랜드 동남방에 있는 세계적 대어장의 하나. 래브라도(Labrador) 한류와 멕시코 만류가 부딪는 곳에 있어 청어·대구·새우 등이 많이 잡힘.

그랜드 스타일〔grand style〕 명 《문》 고전 예술의 특징인 장대(壯大)한 격조(格調)나 형식. 또, 그런 분위기를 감각하게 하는 작품.

그랜드-스탠드〔grandstand〕 명 경마장 또는 운동장의 정면(正面)에 있는 관람석(觀覽席). 특별 관람석.

그랜드 슬램〔grand slam〕 명 ①야구에서, 만루(滿壘) 홈런. ②테니스나 골프 등에서, 한 시즌 안에 있는 모든 주요 선수권 대회에서 이기는 일.

그랜드 이펙트 머신:〔grand effect machine〕 명 《기》 젬(GEM).

그랜드 오페라〔grand opera〕 명 《악》 대화(對話)까지도 전부 노래와 음악으로 된 가극. 정가극(正歌劇). 대가극(大歌劇). *코믹 오페라.

그랜드-캐니언〔Grand Canyon〕 명 《지》 미국 유타 주로부터 애리조나 주에 걸쳐 있는 큰 계곡. 콜로라도 강이 콜로라도 대지(臺地)를 깎아서 이루었음. 깊이 1,600 m, 길이 350 km, 폭 7-29 km의 대협곡(大峽谷)으로 웅대한 절벽과 갖가지 색의 암석이 이루는 경관(景觀)은 장대(壯大)함을 극하고, 시생대(始生代)로부터의 오랜 지질(地質) 연대에 걸치는 지층이 세계에서도 가장 전형적인 층서(層序)로서 보존되어 학술적으로도 귀중한 존재임. 1919년 국립 공원으로 지정됨. 대협곡.

그랜드쿨:리 댐〔Grand Coulee Dam〕 명 《지》 미국 워싱턴 주(州)에 있는 다목적 댐. 높이 168 m, 길이 1280 m, 저수량 116억 m³의 중력댐. 컬럼비아 강 유역 최대의 댐으로 관개·발전·치수(治水)·관광 등에 이용됨. 1942년에 준공.

그랜드 투어링 카:〔grand touring car〕 명 일반 도로에서 승용차로서도 사용할 수 있게 특별히 제작된 경주용 자동차. 지 티 카(GT Car).

그랜드티턴 국립 공원【—國立公園】〔Grand Teton〕〔—님—〕 명 《지》 미국, 와이오밍 주 서북부에 있는 국립 공원. 그랜드티턴 산(山)을 비롯하여 빙하(氷河)에 덮인 고봉(高峰)이 줄지어 알프스와 같은 장관을 이룸.

그랜드 피아노〔grand piano〕 명 《악》 현(弦)을 수평으로 쳐 놓은 대형(大型)의 피아노. 다리가 셋이고 위가 평평함. 주로 연주회용임.

〈그랜드 피아노〉

그랜빌-바:커〔Granville-Barker, Harley〕 명 《사람》 영국의 배우·극작가이며 연출가. 창작으로 《숨겨진 생활》이 있으며, 연출가로서의 경험을 토대로 저술한 《셰익스피어 서론》으로 유명함. [1877-1946]

그랜트〔Grant, Ulysses Simpson〕 명 《사람》 미국의 군인·정치가. 남북전쟁(南北戰爭) 때 북군(北軍)의 총사령관으로 남군을 격파하였으며,

공화당(共和黨)에서 입후보하여 제18대 대통령이 되었음. [1822-85]

그램 〔gram, gramme〕 의명 〖수〗 CGS 단위계에서 질량(質量) 및 무게의 기본 단위. 4°C의 물 1 cm^3의 질량 및 무게를 1그램이라 함. 정확하게는 국제(國際) 킬로그램 원기(原器)의 1000분의 1의 질량. 기호는 g 또는 gr.

그램 당량【一當量】〔gram〕 〔一냥〕 명 〖화〗 수소 1.008 g 또는 산소 2분의 1 그램 원자, 즉 7.9997 g의 양과 직접 간접으로 화합하는 다른 여러 물질의 질량을 그램 단위로 표시한 수. 예를 들면, 나트륨의 1그램 당량은 22.9898 g임. *화학(化學) 당량.

그램 분자【一分子】 의명 〔gram molecule〕〖화〗 화학 물질의 분자량(量)을 그램 단위로 나타낸 양(量). 예를 들면, 수소의 1분자량은 2.016 g, 산소의 1분자량은 31.9988 g임.

그램 분자량【一分子量】 명 〔gram-molecular weight〕〖화〗 그램수로 나타낸 화합물의 분자량. 분자량은 동위 원소 탄소 12의 원자량을 12로 하여 결정함.

그램-센티미터 〔gram-centimeter〕 의명 〖물〗 CGS 중력 단위계(重力單位系)에서 에너지 단위. 1 중량 그램(重量gram)의 힘이 작용하여 길이 1센티미터만큼 움직였을 때의 일의 양과 같음. 기호는 g-cm.

그램 원자【一原子】 의명 〔gram atom〕 〖물〗 원소(元素)의 원자량 수치에 그램 단위를 붙인 것. 원자의 1몰에 대한 구칭. 수소 1그램 원자는 1.0080 g이고, 산소는 15.9994 g임. 몰(mol). 「양(量).

그램 원자량【一原子量】〔gram〕 명 〖화〗 원자량에 그램 단위를 붙인

그램 이온 〔gram ion〕 의명 〖화〗 이온의 양(量)을 나타내는 단위. 아보가드로수(Avogadro數)와 같은 수의 이온(ion) 집단(集團)의 질량(質量).

그램-중【一重】 의명 〔gram weight〕 〖물〗 중력 단위계(重力單位系)의 힘의 단위. 1그램중은 대체로 980.665 다인(dyne)임. 기호: gw. 중량그램(重量gram).

그램 칼로리 〔gram calorie〕 의명 칼로리를 킬로그램 칼로리와 구별하기 위하여 일컫는 말.

그랬다-저랬다 구 ↗그리하였다 저리하였다. *이랬다 저랬다.

그랴 감 〈방〉 그래[2]❶(전라·충청).

그랴도 부 〈방〉 그래도(전라·충청).

그러- 간 '그렇다'의 불규칙 어간. ¶ ~니/~면. >고러-. *저러-.

그러고 부 ↗그러하고. ¶ ~ 있으면 어떻게 하니/~ 보니 범인은 너로구나/~ 나는 명상에 잠겼다. >고러고. *저러고.

그러고 나서 구 그러하고 난 뒤에.

그러곰 부 〈옛〉 그렇게. ¶ ᄒᆞ면 그러곰 ᄒᆞ올가《新語 Ⅵ:16》.

그러-구러 부 우연히 그렇게 되어. ¶ 그 친구와는 ~ 친하게 되었다. *이러구러.

그러그러-하다 형여불 그렇고 그래서 별로 신기할 것이 없다. ¶ 모임에는 모두 그러그러한 친구들만 모였다/그저 그러그러한 사실세. >고러고러하다. *이러이러하다.

그러기 명 〈옛〉 기러기. ¶ ᄆᆞᆺ 그러기ᄂᆞᆫ 時節로 다ᄉᆞᆺ 몬거ᄂᆞᆯ(塞鴈與時集)《重杜諺 Ⅱ:25》.

그러기-에 부 ↗그러기 때문에. ¶ ~ 내가 뭐라고 하더냐.

그러께 명 〔근대 : 그럿긔〕 지난해의 전 해. 재작년(再昨年). 전전년(前前年). ¶ ~ 봄에도 왔었지.

그러나 ㊀부 '그렇지마는'·'그러하지만'의 뜻의 접속 부사. ¶ ~ 좀 값이 비싸다/~ 재미있는 책이다. *연이나. ㊁준 ①그러하나. ¶ 너는 ~ 난 그렇지 않다. ②그렇게 하나. ¶ 말은 ~ 속마음은 다른 것 같다. *이러나·저러나.

그러나-저러나 준 그러하나 저러하나. ¶ ~ 일은 이달 안에 끝내어야겠다/~ 이것은 네 책임이다. ㊎그나저나. *이러나저러나.

그러-내다 타 속에 깊이 들어 있는 것을 다른 물건으로 그러당기어 내다. ¶ 방고래의 재를 ~.

그러-넣다 〔一너타〕 타 사방에 흩어져 있는 것을 그러모아 넣다. ¶ 흩어진 돈을 모조리 호주머니에 ~.

그러니 ㊀부 '그러하니'의 뜻의 접속 부사. ¶ ~ 장차 이 일을 어쩌담. ㊁준 그렇게 하니. 그러하니. ¶ 형이 ~ 아우도 그러겠지/형편이 ~ 어쩌겠나. *이러니·저러니.

그러니까 ㊀부 '그러하니까'의 뜻의 접속 부사. ¶ ~ 내 말대로 해라. ㊁준 그렇게 하니까. 그러하니까. ¶ 네가 자꾸 ~ 공연히 슬퍼진다/꼴이 ~ 남들이 웃지. *이러니까·저러니까.

그러니-말리 부 그러니저러니 여러 가지로. ¶ ~ 말도 많고 시비도 많다. *그러니저러니·이러니저러니.

그러니-저러니 부 그러하다느니 저러하다느니. ¶ ~ 말만 말고 실천을 하라/~ 말이 많다. *이러니저러니.

그러다 준 그렇게 하다. ¶ ~ 다칠라. >고러다. →그리다[3]. *이러다.

그러다가 준 그렇게 하다가. >고러다가. →그리다가. *이러다가.

그러-담다 〔一따〕 타 한데 그러모아 담다.

그러-당기다 타 한데 그러모아 당기다.

그러데이션 〔gradation〕 명 〖미술〗 ①진한 색채에서 차차 흐리게 그림을 그리는 법. 바림. ②농담(濃淡). 해조(諧調).

그러-들이다 타 그러당기어 들이다.

그러루-하다 형여불 그저 그런 것들과 같다. 그렇고 그래서 별다르지 않다. >고러루하다. *이러루하다.

그러매 준 그러하매.

그러면 ㊀부 '그렇다고 하면'·'그렇게 하면'의 뜻의 접속 부사. ¶ 구하라, ~ 얻을 것이오/~ 갔다 오마. ㊁준 그렇게 하면. 그러하면. ¶ 자꾸 ~ 못 써/여럿이 다 ~ 따라야지. >고러면. ㊎그럼.

그러면 그렇지 구 결국, 생각하거나 원했던 대로 됨을 기쁘게 여겨서 하는 말. ¶ ~ 해서 안 될 리가 있나.

그러면서 ㊀부 '그렇게 하면서'의 뜻의 접속 부사. ¶ ~ 무슨 여러 소리냐. ㊁준 그렇게 하면서. 그러하면서. ¶ 말은 ~ 행동은 안 그렇다.

그러모로 부 〈옛〉 그러므로. ¶ 그러모로 君子ㅣ 술위예 이시면 방울 소리를 듣고(故君子在車則聞鸞和之聲)《小諺 Ⅲ:18》.

그러-모으다 타 흩어지어 있는 것을 그러당기어 한데 모으다. ¶ 낙엽을 ~/돈을 ~/이것저것 ~.

그러-묻다 타 흩어져 있는 것을 한데 모아 묻다. ¶ 숯불 재를 ~.

그러므로 ㊀부 '그러한 까닭으로'·'그런고로'의 뜻의 접속 부사. ¶ ~ 열심히 공부해야 돼. ㊁준 그렇게 하므로. 그러하므로. ¶ 처지가 ~ 그만두었지. >고러므로. *이러므로·저러므로.

그러-붓다 타 ㅅ불 ①그러모아 붓다. ¶ 쓰레기를 ~. ②마구 퍼부어 대다. ¶ 악담을 ~.

그러스럼-하다 형 ☞그러루하다. ¶ 상구가 그러스럼한 책을 읽고 있는 것과 그것이 무슨 속인가를 짐작하여…《李孝石 : 粉女》.

그러-안다 〔一따〕 타 두 팔로 싸잡아 껴안다. ¶ 그러안고 울다.

그러자 부 '그렇게 하자'·'그러하자'의 뜻의 접속 부사. ¶ ~ 그가 고함을 쳤다.

그러잖아도 〔一잔一〕 준 ①그러하지 아니하여도. ¶ ~ 지금 내가 가려던 참이다. ②그리하지 아니하여도. ¶ 이젠 ~ 된다. →그리잖아도. *이러잖아도.

그러-잡다 타 그러당기어 붙잡다. ¶ 잡초를 그러잡고 산을 기어 오르다.

그러저러-하다 형여불 그렇고 저렇다. ¶ 그러저러한 사연. *이러저러하다·저러저러하다.

그러-쥐다 타 그러당기어 손 안에 잡다.

그러-하다 형여불 그와 같다. >고러하다. ㊎그렇다. *저러하다.

그러하고 말:고 구 사실을 옳다고 시인할 때에 쓰는 말. ㊎그렇고말고.

그러한-즉 부 '그러하니'·'그러하니까'의 뜻의 접속 부사. ㊎그런즉·한즉.

그러ᄒᆞ긧고 부 〈옛〉 그러하도록. 그러하게 되라고. ¶ 庶幾ᄂᆞᆫ 그러ᄒᆞ긧고 ᄇᆞ라노라 ᄒᆞᄂᆞᆫ 쁘디라《釋譜 序 6》.

그러ᄒᆞ다 형 〈옛〉 그러하다. ¶ 그러티 몯ᄒᆞ면《楞嚴 Ⅰ:61》.

그럭 명 〈방〉 그릇(충북·전남·경상).

그럭-저럭 부 ①뚜렷하게 이렇다고 할 만한 것 없이. ¶ 서울에 온 지 ~ 3년이 되었다. ②어찌 된 지 모르게 되어 가는 대로. ¶ ~ 먹고 살 만하다. *이럭저럭

그런[1] 관 ↗그러한. ¶ ~ 사람/~ 사실 없다. >고런[1]. *이런[1].

그런[2] 감 놀라거나 딱한 일을 보거나 듣거나 했을 때 내는 소리. >고런[2]. *이런·저런[2].

그런-고로【一故一】 부 그러므로. 그러한 까닭으로. ¶ ~ 일은 끝난 셈이다. *이런고로.

그런단들 부 그렇게 한다고 한들. ¶ ~ 일이 제대로 되겠니.

그런-대로 부 '그러한 대로'·'그대로'의 뜻의 접속 부사. ¶ 수입은 적지만 ~ 살아나가고 있다. >고런대로. *이런대로.

그런데 부 '그러한데'의 뜻의 접속 부사. ¶ ~ 그것은 어떻게 됐지. ㊎건데.

그런듯-만듯 부 그러할 듯도 하고 그렇지 아니할 듯도 하여.

그런 양으로 〔一냥一〕 부 그러한 모양으로. 그런대로. *이런 양으로.

그런-즉 부 그러한즉. ¶ ~ 앞으로 이렇게 하자. *이런즉.

그럴 듯하다 〔一뜯一〕 형여불 ①그렇다고 할 만하다. ¶ 너의 말을 들으면 ~/그럴 듯한 의견. ②상당하여 괜찮다. 제법 훌륭하다. ¶ 그럴 듯하게 생긴 모자를 샀다/야, 그거 참 그럴 듯하구나.

그럴식 부 〈옛〉 그러므로. ¶ 그럴식 如來(故如來)《圓覺 序 6》.

그럴싸-하다 형여불 그럴 듯하다. 비슷하게 괜찮다. ¶ 아주 그럴싸하게 생겼다.

그럴씩 부 〈옛〉 그러므로. ¶ 그럴씩 見이 다며 情을 니즈면 《月釋 ⅩⅦ:36》.

그럼[1] ㊀부 '그러면'의 뜻의 접속 부사. ¶ ~ 안녕! ㊁준 그러면. ¶ 네가 ~ 나도 따라 하겠다. *이럼[1].

그럼[2] 감 그렇지. ¶ ~, 여부가 있나.

그렁 부 숨쉴 때 목구멍에 가래가 걸려 나는 소리. >가랑.

그렁-거리다 자 ↗그르렁거리다. 그렁-그렁[1] 부. ——-하다 자여불

그렁-그렁[2] 부 ①액체가 가장자리까지 괴어 거의 찰 듯 찰 듯한 모양. ¶ 눈물이 두 눈에 ~하다. ②국물은 많고 건더기가 적어서 조화되지 아니한 모양. ③물을 많이 먹어서 뱃속에 물이 가득히 괴어 있는 느낌이 있는 모양. 1)-3): ㅆ크렁크렁. >가랑가랑. ——-하다 형여불

그렁-대다 자 그렁거리다.

그렁성-저렁성 부 그런 것도 같고 저런 것도 같이 아무 대중없이. *이렁성저렁성. ——-하다 형여불

그렁성-하다 형여불 그럭저럭하다. ¶ 그렁성하느라니 그날 밤은 거진 다 밝았는데…《崔瓚植 : 雁의 聲》.

그렁이-질 명 〈방〉 글겡이질. ——-하다 타

그렁-저렁 부 〔중세 : 그렁뎌렁〕 마음을 두지 아니하는 사이에. 어떻게 되어 가는 셈인지 모르게. ¶ ~ 세월만 흐른다/시골서 ~ 입에 풀칠하고 지내지요. *이렁저렁. ——-하다 형여불

그렇게 〔一러케〕 부 ↗그러하게. ¶ ~까지 믿지는 마라/~ 큰 금액은 아니다/공부를 ~ 해서는 안 된다. >고렇게. *저렇게.

【그렇게 하면 뒷간에 옻칠을 하나】 그렇게 하면 뒷간에까지 값비싼 옻칠을 하고 살겠느냐는 말로, 심히 인색하게 굴어 재산을 모으는 사람을 비웃는 말.

그렇고 〔一러코〕 준 그러하고. ¶ 그것은 ~ 저것은 저렇다.

그렇고 그렇다 〔一러코一러타〕 구 '그렇다'를 강조하여 이르는 말. ¶ 세상이란 다 그렇고 그런 것이다/그 사람들 모두 ~.

그렇다 〔一러타〕 형ㅎ불 ↗그러하다. ¶ ~ 해서 그만둘 수도 없다/그것은 ~ 치고/~면 나도 할 말이 있지. >고렇다. *이렇다·저렇다.

그렇고 말고 〔一러코一〕 구 ↗그러하고말고. ¶ 서울은 살기 좋은가. ~.

그렇다 저렇다 〔—러타—러타〕 구 그러니저러니. ¶ ~ 통 말이 없다. *이렇다 저렇다.

그렇-듯 〔—러튿〕 부 ①↗그러하듯. ¶ 아버지가 ~ 자식들도 부지런하다. ②그렇게도 몹시. ¶ ~ 나를 생각해 주다니. 1)·2) : >고렇듯. *이렇듯·저렇듯.

그렇-듯이 〔—러틋—〕 부 ↗그러하듯이. >고렇듯이. *이렇듯이.

그렇잖다 〔—러찬타〕 형 ↗그러하지 아니하다. ¶ 그건 ~.

그렇지 〔—러치〕 ⊟감 ①'그와 같이 틀림없다'의 뜻으로 쓰는 말. ¶ ~, 이제 생각난다. >고렇지. *이렇지. ⊟준 그러하지. ¶ 그럼 ~.

그렇지-마는 〔—러치—〕 부 ↗그러하지마는. ¶ ~ 나는 못 가겠어. 준

그렇지-만 〔—러치—〕 부 ↗그렇지마는. ¶ ~ 너는 안 돼. └그렇지만.

그렇지 않다 〔—러치안타〕 구 ↗그러하지 아니하다.

그:레 명 〖건〗 기둥·재목·기와 등을 그 놓일 자리에 꼭 맞도록 따내기 위해 그 자리의 높낮이에 맞춰 그리는, 붓 노릇하는 물건. * 그무개.

그레고리[1] 〔Gregory〕 명 '그레고리우스(Gregorius)'의 영어 이름.

그레고리[2] 〔Gregory, James〕 명 〖사람〗 스코틀랜드의 수학자·물리학자. 무한 급수(無限級數)를 사용해서 적분법을 보다 깊게 연구하고 수렴(收斂)·발산(發散)의 용어(用語)를 처음 사용함. 또, 최초로 반사 망원경(反射望遠鏡)을 만들었음. [1638–75]

그레고리-력 【—曆】 명 〔Gregorian calendar〕 1582년에 로마 교황 그레고리우스 13세가 종래의 율리우스력(Julius曆)을 개량해서 제정한 태양력. 율리우스력에는 400년 동안에 윤년(閏年)을 100회 두었는데, 이것을 97회의 윤년을 두어서 태양의 위치와 책력과를 잘 맞게 하였음. 곧, 서력 기원 연수가 4로 나누어지는 해는 윤년으로 하고, 100으로는 나누어지나 400으로는 나누어지지 않는 해를 평년으로 하였음. 지금의 양력(陽曆)은 이것에 의한 것임. 그레고리우스력(曆).

그레고리 부인 【—夫人】 명 〔Gregory, Isabella Augusta〕 〖사람〗 아일랜드의 여류 극작가. 1892년에 남편과 사별하고 1898년 예이츠(Yeats)를 만난 뒤부터 문학에 흥미를 가져, 1899년에 예이츠 등과 문예 극장(文藝劇場)을 창립하고, 출세작인 《퍼지는 소문》·《감옥의 문》 등의 민중적 희곡을 발표하여 신극(新劇) 운동에 큰 공적을 남겼음. [1852–1932]

그레고리식 반:사 망:원경 【—式反射望遠鏡】 〔Gregory〕 명 반사 망원경의 하나. 대물경(對物鏡) 초점의 조금 앞에 요면(凹面)의 보조 반사경을 놓고, 그 반사광을 대물경에 뚫린 작은 구멍으로 들여다봄.

그레고리안 성:가 【—聖歌】 〔Gregorian〕 명 〖천주교〗 그레고리오 성가.

그레고리오 〔Gregorio〕 명 '그레고리우스'의 이탈리아 이름.

그레고리오 성:가 【—聖歌】 〔Gregorio〕 명 〖천주교〗 가톨릭 교회의 정식 전례 성가(典禮聖歌). 그레고리우스 1세가 각지의 예배가(禮拜歌)를 집대성(集大成)한 것으로, 본래는 라틴어 전문(典文)을 가사로 하고 전음계적인 선법(旋法)과 유동적인 리듬을 갖는 것으로 반주 없는 단선율(單旋律)의 장엄한 노래였으나, 오늘날에는 반주를 넣기도 함. 그레고리안 성가.

그레고리오스 〔Gregorios〕 명 〖사람〗 ①그리스의 신학자. 동방 교회의 4대 박사의 한 사람. 콘스탄티노플의 주교(主敎). 은퇴 후 니카이아(Nikaia) 신앙의 완성에 노력했음. 웅변가로, 시문·시·서한을 남김. [330?–390?]. ②그리스의 신학자. 동방 교회의 교부(敎父). 성(聖)바실리우스의 동생. 콘스탄티노플 공의회에서는 아리우스파(Arius派)와 싸워 정통적 삼위 일체론(三位一體論)을 변호함. 주저에 《대(大) 교리 문답서》가 있음. [332?–395?]

그레고리우스 〔라 Gregorius〕 명 로마 교황의 이름. 동명(同名)으로 전후 십여 명이 있었으나, 그 중에 1세·7세 및 13세가 가장 유명함. 그레고리오. 그레고리.

그레고리우스-력 【—曆】 〔Gregorius〕 명 그레고리력(曆).

그레고리우스 십삼세 【—十三世】 〔Gregorius〕 명 〖사람〗 229대 로마 교황. 로마법·교회법에 정통(精通)하였고, 가톨릭 부흥에 진력하고 교육 사업에 힘써 많은 학교를 세웠음. 그레고리력(曆) 제정으로 특히 유명함. [1502–85 ; 재위 1572–85]

그레고리우스 일세 【—一世】 〔Gregorius〕 〔—쎄〕 명 〖사람〗 64대 로마 교황. 로마 귀족의 출생으로, 소위 라틴 교부(Latin 敎父)의 한 사람. 교황 세습령(世襲領)의 기초를 만들고, 교황권의 정치적 지위를 수립하였으며, 특히 음악 등 문화의 장려에 힘써 '대교황(大敎皇: Gregorius Magnus)'의 칭호를 받음. [540?–604 ; 재위 590–604]

그레고리우스 칠세 【—七世】 〔Gregorius〕 〔—쎄〕 명 〖사람〗 158대 로마 교황. 수도원 출신. 사제(司祭)의 독신제(獨身制) 등 교회 규율을 제정하였음. 교황권의 확장을 꾀하다 독일 황제 하인리히 4세와 충돌하여 그를 파문(破門)하였음. [1020?–85 ; 재위 1073–85]

그레구아르 〔Grégoire, de Tours〕 명 〖사람〗 메로빙거(Merovinger) 왕조 프랑크 왕국의 역사가. 갈리아(Gallia)의 로마계(系) 귀족 출신. 클로비스(Clovis) 1세의 사후(死後), 끊임없는 정쟁(政爭)을 계속하는 조정(朝廷)의 조정자(調停者)로서 활약함. 주요 저서 《프랑크인(人)의 역사》는 경험에 의거한 귀중한 사료(史料)임. [538–594]

그레나다 〔Grenada〕 명 〖지〗 중앙 아메리카의 서인도 제도 윈드워드(Windward) 제도 최남단의 화산 나라. 인구의 95%가 아프리카 흑인이며, 카카오·바나나·목화 등을 산출함. 1498년 콜럼버스가 발견, 프랑스가 식민(植民)하다가 1762년 영령(英領)이 되었고, 1974년 2월 독립. 영연방의 일원이 됨. 동년 9월 유엔에 가입함. 수도는 세인트조지스(Saint George's). [344 km² : 90,000 명(1995 추계)]

그레데 〔Crete〕 명 〖성〗 그리스 남쪽에 있는 섬. 바울이 이 섬에 전도하러 왔었다고 함. 크레타(Kreta).

그레도 〔라 credo〕 명 〖천주교〗 신경(信經).

그레베 〔Graebe, Karl〕 명 〖사람〗 독일의 유기(有機) 화학자. 퀴논·나프탈렌 등의 축합(縮合) 고리 모양 화합물에 대해 연구하고 1868년 바이어(Baeyer) 밑에서 리버만(Liebermann)과 함께 알리자린 합성에 성공하여 독일 화학 공업 발달에 공헌함. [1841–1927]

그레셤 〔Gresham, Thomas〕 명 〖사람〗 영국의 재정가(財政家). 역대(歷代) 국왕의 재정 고문이 되어 재무·외교상 공적이 크며, 런던에 거래소와 그레셤 대학(Gresham大學)을 창립하였음. '그레셤의 법칙'의 제창자로 유명함. [1519?–79]

그레셤의 법칙 【—法則】 〔—/—에—〕 명 〔Gresham's law〕 〖경〗 16세기 영국의 재정가 그레셤이 제창한 '악화(惡貨)는 양화(良貨)를 구축한다'는 법칙. 한 나라 안에 실질 가치를 달리하고 동일한 명목 가치를 갖는 화폐가 같이 유통될 때에는 양화(良貨)는 그 자태를 감추고 지불에는 악화(惡貨)만을 쓰게 되는 경향이 있다는 법칙. 「(銀髮).

그레이[1] 〔gray, grey〕 명 ①회색. 쥐빛. ②어둑어둑함. 희미함. ③은발

그레이[2] 〔Gray, Asa〕 명 〖사람〗 미국의 식물학자. 미시간·하버드 대학 등의 교수. 진화론자로서 다위니즘에 의심을 품고 정향 진화(定向進化)를 주창하였음. 주저(主著) 《북미 식물상(植物相)의 대관(大觀)》을 비롯하여 《북미 식물 편람》·《식물학 원리》 등 많은 명저(名著)가 있음. [1810–88]

그레이[3] 〔Gray, John〕 명 〖사람〗 영국의 사회 사상가. 공상적 사회주의자 오엔(Owen R.)의 신봉자로서 《인간의 행복에 관한 어의(語義)》·《사회 제도》·《화폐의 본질과 용도》 등의 저서를 내어 사회 문제의 해결에 노력하였음. 그의 사상의 중심은 오엔주의적 협동 조합 사회인바, 부당한 사회의 개혁안으로서 노동 화폐(勞動貨幣)를 제창하였음. [1799–1850]

그레이[4] 〔Gray, Thomas〕 명 〖사람〗 영국의 시인. 그의 시는 고전적(古典的)인 격조 높은 문체로서, 장려 전아(壯麗典雅)한 미(美)를 나타내어 18세기 낭만주의에 이르는 과도기(過渡期)를 대표하고 있음. 대표작에 《묘반(墓畔)의 애가(哀歌)》가 있음. [1716–71]

그레이[5] 〔Grey, Charles〕 명 〖사람〗 영국의 정치가. 폭스(Fox J.)와 더불어 소피트(小 Pitt) 내각 반대 운동으로 알려짐. 1806년 거국 내각의 해군상(海軍相)·외상(外相)을 역임하고, 이어서 1830년 조각(組閣)에 성공, 상원(上院)의 반대를 물리치고 선거법을 개정함. [1764–1845]

그레이[6] 〔Grey, Edward〕 명 〖사람〗 영국의 정치가. 자유당에 속하며 외상(外相)을 지냄. 제1차 세계 대전 전(前)과 전시(戰時)에 걸쳐 영국의 외교를 지휘함. 삼국 협상을 추진했으며 독일이 중립국 벨기에의 침공에 대해 대독(對獨) 선전 포고(宣戰布告)를 함. [1862–1933]

그레이[7] 〔gray〕 의명 〔영국 물리학자 그레이(Gray L. H. ; 1905–1965)에서 유래〕 방사선 흡수선량의 단위. 물질 1킬로그램당 방사선으로부터 1줄(Joule)의 에너지가 흡수되었을 때의 선량. 기호 Gy.

그레이더 〔grader〕 명 토목 정지용(整地用) 기계의 하나. 비행장·도로 등의 지면(地面)을 고르는 데 쓰임. 엔진을 가진 자주식(自走式)과 트랙터에 견인(牽引)되는 것이 있음.

그레이드[1] 〔grade〕 명 ①등급. 계급. ②〖지〗 침식 작용·퇴적 작용도 하지 않은 채 물질을 흘려 보내고 있는 강바닥의 기울기. 또, 그 수면(水面)의 기울기. ③〖토〗 도로나 토지 표면(土地表面)을 일정한 물매로 고르는 일. 「안. 0.9°.

그레이드[2] 〔grade〕 의명 〖수〗 평면각의 단위. 직각의 1/100. $\pi/200$ 라디

그레이딩 〔grading〕 명 표준 치수의 본(本)을 확대 또는 축소시켜 크고 작은 구분을 매긴 여러 종류의 형지(型紙)를 만드는 일. 기성복의 수많은 치수의 본을 뜨는 데 사용되는 방법임.

그레이 마:켓 〔grey market〕 명 〈속〉 〖경〗 일종의 암시장(闇市場)으로, 상품을 암시세(闇市勢)와 공정 가격(公定價格)의 중간 가격으로 매매하는 시장. 블랙 마켓처럼 심하지 아니한 암시장을 가리킴. 회색 시장(灰色市場). * 블랙 마켓.

그레이버 〔graver〕 명 끝이 뾰족한 강철로 된 조각칼. 조판 용구(彫版用具)의 하나로 주로 강철·구리의 조판에 쓰임.

그레이브스 〔Graves, Robert〕 명 〖사람〗 영국의 시인·소설가. 처음, 전쟁시(戰爭詩)에서 차츰 환상적인 시풍으로 옮겨, 2차 대전 후 스페인에 살면서 모더니즘 운동에 참가하였음. 1961년부터 66년까지 옥스퍼드 대학 시학(詩學) 교수를 지냄. 작품에 시집 《선녀와 병정》, 소설 《로렌스(Lawrence)와 아랍인들》 등이 있음. [1895–1985]

그레이브스-병 【—病】 명 〔Graves' disease〕 〖의〗 〔1835년 이 병을 기재(記載)한 영국의 의사 그레이브스(Graves, Robert James; 1797–1853)의 이름에서 유래〕 바제도병(Basedow病)의 영국에서의 이름.

그레이비 〔gravy〕 명 서양 요리에서 쓰는 고깃국물. 소·돼지·닭 등의 고기를 구울 때 나오는 즙(汁)으로, 보통, 소금·후추 등으로 조미(調味)하여 그레이비 소스로서 요리에 곁들임.

그레이 스케일 〔gray scale〕 명 〖인쇄〗 백색과 흑색 사이의 회색 영역(領域)을 표시하기 위하여, 백색과 흑색의 비율을 변화시킨 일련의 색조(色調). 보통 10단계로 나눔.

그레이엄[1] 〔Graham, Billy〕 명 〖사람〗 미국의 전도가(傳道家). 세계 각지의 전도로 유명해짐. 한국에는 1973년과 74년에 다녀감. [1918–]

그레이엄[2] 〔Graham, Martha〕 명 〖사람〗 미국의 여류 무용가. 독자적인 창작 무용을 연구하여 근대적 감각을 담은 무용으로 모던 댄스의 제일인자가 되었음. [1894?–]

그레이엄[3] 〔Graham, Thomas〕 명 〖사람〗 영국의 화학자. 기체에 관한 '그레이엄의 법칙'을 발견함. 인산(燐酸) 등에 관한 연구도 있고, 콜로이드와 결정질(結晶質)을 처음으로 구별했음. 콜로이드 화학·물리 화학의 개척자의 한 사람임. [1894?–]

그레이엄[4] 〔Grahame, Kenneth〕 명 〖사람〗 영국의 아동 문학가. 은행에

근무하면서 즐겨 소년 문학을 써서, 아동의 세계를 묘사한 《황금 시대》·《꿈속의 날》 등으로 일약 명성을 떨치고, 강변의 작은 동물의 이야기인 《버드나무의 바람》은 동화 중에서 최고의 고전으로 유명함. [1859-1932]

그레이엄-랜드 〔Graham Land〕 명 《지》 남극 반도(南極半島) 북부의 「이름.

그레이엄의 법칙 【一法則】 [—/—에—] 명 〔Graham's law〕 《화》 ① 1831년에 영국의 화학자 그레이엄이 발견한 법칙. 기체가 용기(容器)의 작은 구멍으로부터 분출하는 속도는 그 기체의 밀도(密度)의 제곱근에 역비례하고 내외(內外)의 압력의 차의 제곱근에 비례한다는 법칙. ②기체와 액체의 확산(擴散)의 속도는 그 분자량의 제곱근에 역비례한다는 법칙.

그레이 존 무:기 【—武器】 〔gray zone〕 명 《군》 전략 무기인지 전술 무기인지 성격이 모호한 회색적(灰色的) 영역의 무기.

그레이 칼라 〔gray collar〕 명 화이트 칼라와 블루 칼라의 중간적인 성격을 띤 근로자의 총칭. 기술 혁신으로 육체 노동도 기계화하여 사무직과 생산직의 구별이 없어져 가면서 생겨난 말《컴퓨터의 오퍼레이터 따위》.

그레이트 노:던 철도 【—鐵道】 〔Great Northern〕 [—또] 명 미국의 북서단(北西端)과 이웃인 캐나다령(領)을 달리는 대륙 횡단 철도의 하나. 세인트 폴(St. Paul)·덜루스(Duluth)에서 로키 산맥을 횡단하여 스포캔(Spokane)을 경유, 시애틀·밴쿠버에 이르는 선을 기선(基線)으로 하고, 많은 지선을 가짐. 1963년말 현재, 13,220 km의 영업선을 가지고 있으며, 그 중 5,115 km 가 여객용 영업선임.

그레이트 데인 〔Great Dane〕 명 덴마크종(種)의 큰 개. 마스티프계(mastiff 系)와 그레이하운드계의 혼혈종. 어깨 높이 75 cm, 몸무게 50 kg에 이르고 꼬리는 길며 사지(四肢)는 단단한 근육질임. 털은 짧고 밀생하여 황갈색·흑색 등이고 사냥개·파수견으로 쓰임.

〈그레이트 데인〉

그레이트디바이딩 산맥 【—山脈】 명 〔Great Dividing Range〕 《지》 오스트레일리아의 북동쪽의 요크(York) 곶으로부터 동쪽 해안을 따라 배스(Bass) 해협을 거쳐 태즈메이니아(Tasmania) 섬까지 이르는 길이 3,500 km의 큰 산맥.

그레이트-배리어-리:프 〔Great Barrier Reef〕 명 대보초(大堡礁).

그레이트베어 호 【—湖】 〔Great Bear〕 명 《지》 캐나다 북서 지방 북극권(北極圈)에 있는 캐나다 최대의 호수. 일대는 툰드라와 대산림을 이루며 부근에서 우라늄을 산출했으나 1961년에 폐광(廢鑛)했음. 최대 수심은 175 m. [31,500 km²]

그레이트-베이슨 〔Great Basin〕 명 《지》 미국 서부의 거의 삼각형의 건조 유역(乾燥流域)으로 분지(盆地)임. 네바다 주의 대부분을 차지함. 우량이 적고 대부분 풀밭이어서 주로 목축업이 행하여지며 금·은·구리 등의 광물 자원이 많음. [약 520,000 km²]

그레이트-브리튼 〔Great Britain〕 명 《지》 영국 잉글랜드 제도(諸島)의 주도(主島). 행정상, 지리적으로는 잉글랜드·스코틀랜드·웨일스로 구분됨. 북아일랜드(北 Ireland)와 더불어 유나이티드 킹덤(United Kingdom)을 형성함. [229,800 km²]

그레이트브리튼-호 【—號】 〔Great Britain〕 명 항양선(航洋船)으로는 최초의 스크루 프로펠러를 갖춘 철선(鐵船). 1843년 진수(進水). 길이 96.6 m. 배수량(排水量) 3,618 t. 증기 기관 2천 마력, 속력 12 노트의 당시로는 놀라운 대형선으로, 1845년 리버풀(Liverpool)·뉴욕 사이를 처녀 항해했음.

그레이트빅토리아 사막 【—沙漠】 〔Great Victoria〕 명 《지》 오스트레일리아 남서부의 광대한 사막. 고도(高度)는 200-400 m, 폭은 약 724 km. 오스트레일리아에서 가장 건조가 심함. [329,000 km²]

그레이트샌디 사막 【—沙漠】 〔Great Sandy〕 명 《지》 오스트레일리아 북서부, 웨스턴오스트레일리아 주(州) 북쪽에 있는 사막. 동서(東西)로 약 800 km, 남북으로 약 500 km이며, 남부는 기브슨 사막으로 이어짐. 샌디 사막(Sandy 沙漠).

그레이트솔:트 호 【—湖】 〔Great Salt〕 명 《지》 미국 유타 주(Utah 州)에 있는 대염호(大塩湖). 염분(塩分)은 20-25%. 호면(湖面) 표고 1,286 m. 최대 수심(水深) 4.6-7.6 m로 호수는 1903년 완성한 철도에 의하여 남북으로 양분됨. [4,700 km²]

그레이트스모:키 산악 국립 공원 【—山岳國立公園】 〔Great Smoky〕 [—닙—] 명 《지》 미국 노스캐롤라이나와 테네시의 두 주(州)에 걸쳐 있는 국립 공원. 1930년에 지정. 산림으로 덮이고 특히 만병초가 아름다움.

그레이트슬레이브 호 【—湖】 〔Great Slave〕 명 《지》 캐나다 북서부의 큰 호수. 호면 표고 119 m로 서쪽 끝에서부터 매켄지(Mackenzie) 강이 흘러 북극해에 이름. 대빙하호(大氷河湖)의 하나로 부근은 늪지와 습지 그리고 대산림 지대임. [약 30,000 km²]

그레이트오스트레일리아 만 【—灣】 〔Great Australia〕 명 《지》 오스트레일리아 대륙 남서(南西) 해안의 폭넓은 만(灣). 동서(東西)로 약 1,000 km. 수심 200 m 이내의 대륙붕(大陸棚)에 해당되며 연안은 비(非)생산지로 양항(良港)이 없음. 인도양의 일부를 이룸.

그레이트이:스턴-호 【—號】 〔Great Eastern〕 명 1858년 영국에서 건조된 18,915톤의 대형 기선(汽船). 속력 15노트로 금광 경기(景氣)에 들뜬 오스트레일리아 항로를 위해 건조되었으나 경제적으로 실패하였으며 1888년에 해체됨.

그레이트-플레인스 〔Great Plains〕 명 《지》 북아메리카의 로키 산지(Rocky 山地)로부터 중앙 평원(中央平原) 사이에 전개된 넓은 경사(傾斜) 지역. 서쪽은 높고 동쪽은 낮으며, 나무가 없는 평원으로 방목지(放牧地)임. 석탄·석유·천연 가스의 매장량도 많음. 대평원(大平原).

그레이프 〔grape〕 명 포도의 열매. 포도나무.

그레이프 주:스 〔grape juice〕 명 포도에서 짜낸 즙.

그레이프-프루:트 〔grapefruit〕 명 《식》 서인도 원산의 귤과 교목의 과실. 담황색으로 편구형(扁球形)이며, 4-6월에 익음. 살이 부드럽고 즙이 많으며, 상쾌한 맛이 있음. 한 가지에 포도처럼 떼지어 열린 데서 이 이름이 붙음. 북아메리카와 중앙 아메리카가 주산지이며, 미국에서는 여름철 과일로서 상미(賞味)됨. ＊자몽.

그레이프프루:트-유 【—油】 〔grapefruit〕 명 감귤류의 신선한 과피(果皮)로부터 만드는 담황색의 휘발성 액체. 그레이프프루트 냄새가 남. 향신료·화장품에 쓰임.

그레이프프루:트 종자유 【—種子油】 〔grapefruits〕 명 그레이프프루트의 씨를 압착하여 만든 적갈색의 기름. 견과류(堅果類) 비슷한 방향성(芳香性)과 쓴 맛이 있음. 직물용 섬유나 가죽의 윤활제로 쓰임.

그레이프 히아신스 〔grape hyacinth〕 명 《식》 무스카리.

그레이하운드 〔greyhound〕 명 《동》 개의 한 품종. 이집트 원산으로 어깨 높이 약 70 cm, 몸이 가늘고 길며, 주력(走力)과 시력(視力)이 발달된 사냥개임.

그레이하운드 회:사 【—會社】 〔greyhound〕 명 북미(北美) 대륙의 독점적 버스 회사. 1925년 설립됨. 26개의 자(子)회사를 통해 미국·캐나다·멕시코에 걸친 16만 km의 노선을 장악하는 지주(持株) 회사로, 운수업 이외에 보험·리스 산업·식당·식품 등에도 진출하고 있음.

〈그레이하운드〉

그레인 〔grain〕 의명 야드 파운드 법의 중량 단위. 0.0648 g에 해당함.

그레인 위스키 〔grain whisky〕 명 맥아(麥芽)와 다른 곡류(穀類)를 원료로 발효시켜, 연결식(連結式) 증류기로 증류하여 만든 위스키.

그레인저 〔Granger, Stewart〕 명 《사람》 미국의 영화 배우. 런던 태생. 1933년 영국에서 무대 배우로 연기를 시작한 후 40년대 들어 인기를 모았으며 1950년에 도미(渡美)하여 제임스 메이슨과 함께 시대극 영화의 주연 배우로 명성을 얻음. 대표작은 《스카라무슈》 《소돔과 고모라》 《솔로몬 왕의 동굴》 《젠다의 죄수》 등이 있음. [1913-93]

그레인 체크 〔grain check〕 명 잔 무늬를 가로 세로로 배합해서 큰 무늬로 만든 체크 무늬. 신사복지(服地) 등에 흔히 볼 수 있음.

그:레-질 명 《건》 기둥이나 재목 같은 것에다가 그 놓일 자리의 바닥의 높낮이를 그레로써 그리는 짓. ——하다 자여불

그레코[1] 〔Greco, Emilio〕 명 《사람》 이탈리아의 조각가. 조각을 독학(獨學)으로 수업하였으며 1946년 로마에서 열린 개인전에서 인정받음. 단순화된 경쾌하고 약동적인 여성상(女性像)으로 알려짐. [1913-]

그레코[2] 〔Gréco, Juliette〕 명 《사람》 프랑스의 여성 샹송 가수. 검은 머리, 검정 복장으로 해서 파리 생제르맹데프레의 젊은 예술가들로부터 '실존주의의 여신'이라 불리며 사랑을 받음. 주위의 권유로 가수가 되어 '샹송의 여왕'이라 불림. 1952년《로망스》로 디스크 대상을 받음. [1927-]

그레코-로만 〔Greco-Roman〕 명 ①그리스와 로마의 혼합 양식(混合樣式). 특히 예술에 있어서, 그리스의 영향이 강한 로마식. ②↗그레코로만 스타일.

그레코로만 미술 【—美術】 〔Greco-Roman〕 명 《미술》 기원 전 1-3세기에 걸쳐, 로마인의 요망과 취미에 맞도록 그리스인 작자가 로마에서 제작한 그리스적 미술. 미술사상(史上) 헬레니즘 미술에 뒤이어 로마 양식의 확립과 더불어 끝남.

그레코로만-형 【—型】 명 〔Greco-Roman style〕 레슬링 경기 방식의 하나. 옛 그리스 시대부터 행해져 온 형으로, 상반신만으로 싸워야 하며, 상대의 허리 이하에 손을 대거나 발을 거는 것은 금지되어 있음. 준그레코로마. ↔프리 스타일(free style)·자유형.

그레프너 〔Gräbner, Fritz〕 명 《사람》 독일의 민족학자. 문화의 진화론에 반대하여 그 전파(傳播)를 중시하고 문화권설(文化圈說)을 성립시킴. 오세아니아와 아프리카 양지역의 수개(數個)의 문화권을 대응시켜 그것이 시간적으로 문화층(文化層)으로서 계기(繼起)함을 증명함. 저서에《민족학의 방법》이 있음. [1877-1934]

그렌빌 〔Grenville, George〕 명 《사람》 영국의 정치가. 1741년 하원 의원이 되고 1763년 수상겸 재상(財相)에 취임. 인지 조례(印紙條例)를 만들어 아메리카 식민지의 큰 반발을 샀으며 미국 독립의 요인을 낳게 했음. [1712-70]

그렌펠 〔Grenfell, Wilfred Thomason〕 명 《사람》 영국의 의사·선교사. 북해(北海)의 어업 선단(船團)에 자진하여 병원선을 이끌고 참가, 뉴펀들랜드에 복지 사업을 일으켰음. [1865-1940]

그렝이 명 〈방〉 글겡이.

그려 조 '하게'나 '하오' 또는 드물게 '합쇼' 할 자리의 종결 어미에 붙이어 느낌이나 응낙(應諾)을 나타내는 보조사. ¶훌륭합니다~/크네~/갑시다~.

그려기 명 〈옛〉 기러기. ¶그려기ᄂᆞᆫ 塞北에 ᄂᆞ로ᄆᆞᆯ ᄉᆞ랑ᄒᆞ고(鴈思飛塞北) 《金三 Ⅱ:6》.

그려도 부 〈옛〉 그래도. 오히려. ¶그려도 유(猶) 《類合 下 27》.

그려 보다[1] 타 〔↗그리어 보다〕 마음속에 생각해 보다.

그:려 보다[2] 타 〔↗그리어 보다〕 그림 등을 시험적으로 그리다.

그려ᄒᆞ다 타 〈옛〉 그리워하다. ¶讚歎ᄒᆞ니와 절ᄒᆞ니와 그려ᄒᆞ리왜 이 사ᄅᆞ미 三十劫罪ᄅᆞᆯ 건내ᄠᅱ리라 《月釋 XXI:85》.

그력 명 〈옛〉 기러기. =그려기. ¶그력 올히로 ᄒᆡ여 갓가온 이우즐 어즈러이디 아니호리라(不敎鵝鴨惱比隣) 《杜諺 XXI:3》.

그령 명 《식》 〔*Eragrostis ferruginea*〕 벼과에 속(屬)하는 다년초. 높이 60 cm 가량이고, 잎은 선형(線形)임. 8-9월에 길이 25-35 cm의

〈그령〉

긴 타원형 꽃이 원추(圓錐) 화서로 핌. 들이나 길가에 나는데, 한국 각지에 분포함. 잎은 밧줄의 대용 또는 편물용(編物用)으로 쓰임. 암크령. 지풍초(知風草).

그로¹ 〔Gros, Antoine Jean〕 [명] 『사람』 프랑스의 화가. 14세 때 다비드(David)의 제자가 되고, 1793년에 이탈리아로 갔다가 1796년부터 나폴레옹의 종군(從軍) 화가가 됨. 그동안 많은 초상화·역사화를 그리고 1811년에 판테온(Pantheon)의 천장 장식화를 그려 명성을 얻음. 말년에 우울증에 걸려 센(Seine) 강에 투신 자살하였음. 고전주의에서 낭만주의에로의 과도적 화가임. [1771-1835]

그로² [명] ↗그로테스크(grotesque).

그로-그랭 〔프 gros-grain〕 [명] 가로로 굵게 기복(起伏)이 있도록 짠 평직(平織)의 광택 있는 직물. 견직물에 많으며 장식적인 점을 살려 가운·드레스·리본 등으로 흔히 쓰임. 좁은 뜻으로는, 견직물(絹織物)만을 이름.

그로기 〔groggy〕 [명] ①권투에서, 마구 얻어맞아 힘을 못 쓰고 비틀거림. ②몹시 지치는 일.

그로닝겐 〔Groningen〕 [명] 『지』 네덜란드 북부의 도시. 북부의 상업·교통의 중심지로, 곡물(穀物)·가축의 거래 및 섬유·비료·제당(製糖) 등의 공업이 행하여짐. 네덜란드 독립 전쟁의 격전지(激戰地)임. 흐로닝겐. [170,038명(1993)]

그로메:르 〔Gromaire, Marcel〕 [명] 『사람』 프랑스의 현대 화가. 작품 내면에 드라마(drama)를 포함하는 어두운 화풍을 가지며, 농부·병사(兵士)·노동자 등의 생활을 주제로 한 강력·호방(豪放)한 작품을 내어 표현파의 대표적 화가로 뽑힘. [1892-1971]

그로미코 〔Gromyko, Andrei Andreevich〕 [명] 『사람』 소련의 정치가·외교관. 미국·영국 등지의 대사 및 유엔(UN)의 소련 대표로 수차 참석하였고 1957년부터 85년까지 외상(外相)을 지냄. [1909-89]

그로:브 전:지 【—電池】 [명] 〔Grove cell〕 일차 전지(一次電池)의 한 가지. 영국의 그로브(Grove, W.; 1811-96)가 발명함. 양극에 백금, 음극에 아연을 쓰고 여액(勵液)으로 묽은 황산, 감극제(減極劑)로 질산을 씀. 전압은 1.9볼트.

그로스 〔gross〕 [의명] 12다스. 곧, 144개.

그로:스글로크너 산 【—山】 〔Grossglockner〕 [명] 『지』 오스트리아의 최고봉. 동부 알프스에 있으며, 북쪽 비탈면에 길이 10.2km의 동(東)알프스 최대의 빙하가 있음. [3,798m]

그로스 톤 〔gross ton〕 [의명] 롱 톤(long ton).

그로즈니 〔Groznyi〕 [명] 『지』 러시아의 북(北)카프카스 지방에 있는 유전(油田) 도시. 카스피 해안으로 파이프가 통함. [364,000명(1993)]

그로테볼: 〔Grotewohl, Otto〕 [명] 『사람』 독일의 정치가. 제2차 세계대전 후 사회 민주당의 서기장(書記長)이 되고, 공산당과 합병하여 1949년 정부 수립과 더불어 동독(東獨)의 수상이 되었음. [1894-1964]

그로테스크 〔프 grotesque〕 [명] ①기괴(奇怪)하고 끔찍스러움. 엽기적(獵奇的). ②『예』 〔15세기말에 로마에서 발굴된 동굴(洞窟; grotto) 안의 벽화(壁畫)의 기괴한 장식으로부터 유래된 말〕 예술상에 나타난 괴이(怪異) 또는 과장되고 황당 무계한 괴기미(怪奇美). ¶~한 취미의 영화. [준]그로. ——-하다 [형][여불]

그로테펜트 〔Grotefend, Georg Friedrich〕 [명] 『사람』 독일의 언어학자. 신학·철학을 배우고, 이어 고전 어학을 연구하여, 설형(楔形) 문자의 해독에 성공, 고대 페르시아어 연구에 공헌함. [1775-1853]

그로투스의 연쇄 이:론 【—連鎖理論】 [—/—에—] [명] 〔Grotthuss' chain theory; 제창자인 독일의 화학자·물리학자 Christian Johann Dietrich Grotthuss(1785-1822)의 이름에서 유래〕 『전』 전해질(電解質)의 전도도(傳導度)를 설명하는 데 쓰였던 초기의 이론. 음극은 수소를, 양극은 산소를 끌어 당겨, 전해질 분자가 두 개의 전극 사이에 연쇄상(連鎖狀)으로 늘어서져서, 전극에 근접한 분자가 분해를 일으킨다고 가정(假定)되었었음.

그로:트 〔Grote, George〕 [명] 『사람』 영국의 정치가·역사가. 급진당(急進黨) 의원이며, 런던 대학 창립에 공헌함. 처음 은행원으로 출발하여 뒤에 하원 의원이 됨. 1843년 은퇴하여 고전의 연구에 몰두함. 저서 《그리스사(史)》는 저명함. [1794-1871]

그로티우스 〔Grotius, Hugo〕 [명] 『사람』 네덜란드의 법학자. 종교적인 정쟁(政爭)으로 고국에서 탈출하여 스웨덴의 주불(駐佛) 공사로 있었음. 저서 《전쟁과 평화의 법》에서 국가 이전의 자연법(自然法)을 주장하여, 근대 자연법 및 국제법(國際法)의 아버지로 불림. 저서로 《해상(海上) 자유론》·《그리스도교의 진리》가 있음. [1583-1645]

그로티우스 학파 【—學派】 〔Grotius〕 [명] 17-18세기에 있어서의 그로티우스의 정통(正統)에 속하는 국제법 학설. 또, 그 학자. 자연법 학파·실정법(實定法) 학파의 중간에 위치하며, 국제법은 자연법과 실정법으로 이루어진다고 주장함. *그로티우스.

그로페 〔Grofé, Ferde〕 [명] 『사람』 미국의 작곡가. 로스앤젤레스 교향악단의 비올라 연주자. 재즈 피아니스트·편곡가로서도 활약함. 재즈의 수법을 사용한 관현악(管絃樂) 모음곡(曲) 《그랜드 캐니언》(1931)이 널리 알려져 있음. [1892-1972]

그로피우스 〔Gropius, Walter〕 [명] 『사람』 독일의 건축가. 1919년 바이마르(Weimar)에 바우하우스(Bauhaus)를 창설하여 건축의 새로운 조형(造型)과 기능주의(機能主義)를 추진하여 국제 건축을 제창하였음. 1938년 도미하여 하버드 대학 교수로 있으면서 많은 작품을 제작하고, 《국제 건축》 등의 저작과 교육 활동을 통하여 현대 건축의 발전에 크게 이바지함. [1883-1969]

그뢰:즈 〔Greuze, Jean Baptiste〕 [명] 『사람』 프랑스의 화가. 감상적(感傷的)인 감정으로 당시의 풍속을 그렸고, 특히 로코코적 감각(rococo 的感覺)이 낳은 소녀들의 초상화는 유명함. [1725-1805]

그루¹ [一][명] 나무나 곡식 같은 것의 줄기의 아랫부분. [二][의명] ①식물, 특히 나무를 세는 말. ¶한 ~의 전나무. ②한 해에 같은 땅에 농사짓는 횟수(回數). ¶한 ~/두 ~.

그루(를) 갖추다 [구] 벼나 보리 같은 것의 이삭이 고르게 패어 가지런하다.

그루(를) 뒤다 [구] 〔중세 : 그르드위다〕 땅을 갈아 그루를 뒤었다.

그루(를) 들이다 [구] 땅을 갈아 그루를 뒤엎고 새로 곡식을 심다.

그루(를) 박다 [구] ㉠물건을 들어 머리를 땅바닥에 수직(垂直)되게 탁 놓다. ㉡연의 머리를 아래로 돌려 내려가게 하다. ㉢사람을 기를 못 펴게 압박하다.

그루(를) 앉히다 [구] 해나갈 일에 나갈 자리를 바로잡게 하다.

그루(를) 치다 [구] 그루박아 가지런하게 하다.

그루(를) 타다 [구] 한 논밭에 같은 종류의 곡식을 연거푸 심어서 그 곡식이 잘 되지 아니하다.

그루² 〔Grew, Nehemiah〕 [명] 『사람』 영국의 식물학자이며 의사. 식물 해부학(植物解剖學)의 창시자. 식물의 성(性)을 처음 발견하였다고 전해지며, 레벤후크(Leeuwenhoek)보다 조금 늦게 세포(細胞)를 확인하였음. 저서 《식물 해부학》(1682). [1641-1712]

그루-갈이 [명] 곡식 한 그루를 거두고 두 번째 짓는 농사. 이모작(二毛作). 근경(根耕). 근종(根種). ——-하다 [타][여불]

그루-되다 [자] 서너살 안짝의 어린아이가 늦되다.

그루-바꿈 [명] 윤작(輪作). ——-하다 [자][타][여불]

그루-밭 [명] 보리를 베어 내고 심는 밭.

그루-벼 [명] ①보리를 베어 낸 논에 심은 벼. ②움벼.

그루-빈대 [명] 번성기(繁盛期)가 지나 힘이 꺾일 무렵에 늦게 생긴 빈대.

그루-빼기 [명] 짚뭇이나 나무뭇 같은 것의 머리 바닥. 곧, 그루가 맞대어 이룬 바닥.

그루지야 〔Gruziya〕 [명] 『지』 흑해(黑海) 동안(東岸) 남부에 위치하는 한 공화국. 국토의 반 이상이 해발 1,000m가 넘는 산지(山地)이나 기후는 온난 다우(溫暖多雨)함. 그루지야어(語)를 사용함. 차(茶)·포도 등 농산, 소·돼지 등 축산이 있고, 망간·주석의 매장량이 많음. 철도도 발달되었고, 기계·화학·야금 공업이 행하여지며 예로부터 동서 및 남북 교통의 요지(要地)임. 주민의 대부분은 그루지야인이고 수도는 트빌리시(Tbilisi). 정식 명칭은 '그루지야 공화국(Republic of Georgia)'. [69,700km²: 5,460,000명(1995 추계)]

그루지야-어 【—語】 〔Gruziya〕 [명] 남(南)카프카스 어족(語族)에 속하는 언어. 카프카스의 여러 언어 중 가장 많이 쓰이고 그루지야 공화국 및 인접 지방에서 씀. 아르메니아(Armenia) 문자 비슷한 33자로 된 특이한 알파벳을 쓰고 있음.

그루지야-인 【—人】 〔Gruziya〕 [명] 남(南)카프카스의 주민. 그루지야 공화국에 약 260만이 거주함. 주로 농업에 종사하며 특색 있는 민족 음악과 무용을 가지고 있음.

그루-차례 【—次例】 [명] 그루갈이 횟수(回數).

그루-콩 [명] 그루갈이로 심은 콩. 두 그루째의 콩. 근태(根太). [준]글콩.

그루-터기 [명] 초목(草木)을 베어 내고 남은 뿌리와 그 부분. 벌근(伐根).

그루-테기 [명] 〈방〉 그루터기(평안).

그루-팥 [명] 그루갈이로 심은 팥. 두 그루째의 팥.

그루페 〔도 Gruppe〕 [명] 그룹(group).

그루페 사:십칠 【—四十七】 〔도 Gruppe〕 [명] 『문』 서독의 문학자 집단. 리히터(Richter, H.W.)와 그 밖의 문인들에 의하여 2차 대전 후 창간된 '절규(絕叫)'가 1947년 미점령군에 의하여 금지되었을 때, 그 때의 집필자를 중심으로 결성된 집단.

그루피 〔groupie〕 [명] 『악』 록 그룹에 열중하고 있는 반전문적(半專門的)인 10대의 소년 팬.

그룬트비: 〔Grundtvig, Nicolai Frederik Severin〕 [명] 『사람』 덴마크의 사회 사업가. 농민 교육자·시인·종교가로서 1864년 덴마크가 프로이센·오스트리아와의 전쟁에서 진 후, 전국에 산 '생활 교육'의 학교로 국민 고등 학교를 설립하고, 농촌 부흥을 위해 진력하여 덴마크의 국부(國父)로 추앙됨. [1783-1872]

그룬트-헤어샤프트 〔도 Grundherrschaft〕 [명] 『사』 넓은 뜻으로는, 서(西)유럽의 중세 봉건 사회에서의 영주(領主)의 토지 지배권, 토지 지배의 사회적·경제적 기구 및 토지 지배의 단위의 총칭. 좁은 뜻으로는, 12-14세기의 서북부·서남부 독일에서의 사법적(私法的) 지배 기구와 농민의 공조(貢租)를 바탕으로 하는 영주제(領主制) 토지 지배 형태를 말함. *장원(莊園).

그룸:드 오어 〔groomed oar〕 [명] 조정(漕艇)에서, 무게를 가볍게 하기 위하여, 흠을 판 노(櫓).

그룹:¹ 〔group〕 [명] ①집단(集團). 무리. ②분파(分派). 파. ③분단(分團).

그룹² 〔히 kerūbh〕 [명] 『성』 ①아담과 이브의 낙원 추방 후, 낙원의 문과 생명나무를 경호한 천사(天使). ②계약의 궤(櫃)의 뚜껑 곧 속죄소(贖罪所)의 양끝에 순금으로 만들어 단 날개가 돋친 사람의 형상(形像).

그룹: 다이내믹스 〔group dynamics〕 [명] 실험적 사회 과학 연구 방법의 하나. 집단 운영의 원활화(圓滑化)를 도모할 목적으로 집단이라는 장(場)을 중력의 장이나 전자기의 장처럼 힘의 작용으로 생각하여 집단 구성원(構成員)의 상호 교섭 관계에 적용하는 힘을 연구하는 사회학·심리학의 분야. 집단 역학(集團力學).

그룹: 사운드 〔group sound〕 [명] 『악』 노래하며 연주하는 3-8명의 작은 편성(編成)의 록 그룹(rock group)의 총칭(總稱).

그룹: 학습 【—學習】 〔group〕 [명] 『교』 학습 능력을 높이기 위하여 한 학급을 몇 개의 분단(分團)으로 구분하여 그 분단 단위로 각자의 개성에 따라 학습을 진행하는 방법. 학습자 상호간의 영향력을 중시함. 분단(分團) 학습. *일제(一齊) 교수.

그뤼네발트 〔Grünewald, Matthias〕 명 〖사람〗 독일의 르네상스 시대 화가. 주로 그리스도의 수난(受難)을 그려, 후기 고딕의 신비성·상징성에 르네상스적인 사실(寫實)·공간 구성(空間構成)을 가미(加味)하여 독자적 양식을 확립하였음. 대표작으로는 3층으로 된 이젠하임(Isenheim) 제단화(祭壇畫) 등이 있음. [1460-1530]

그륀베델 〔Grünwedel, Albert〕 명 〖사람〗 독일의 인도학자(印度學者)·고고학자. 1902년 인도·티베트·중앙 아시아 등지를 탐사(探査), 특히 투르판(Turfan)·쿠차(Kucha) 등지에서 초기 불교의 고문서(古文書)·유물·벽화(壁畫) 등을 발견함. [1850-1935] 「XXII:15≫.

그륜 타 〈옛〉 그린. '그리다'의 활용형. ¶ 그륜 吹角ㅅ 소리(畫角)≪杜諺

그르[1] 명 〈옛〉 그루. 그루터기. ¶ 그 粳米 거플도 나며 이운 그르히 잇거늘≪月釋 Ⅰ:45≫/그르 알(枿)≪字會 下 3≫.

그르[2] 부 〈옛〉 그릇. 잘못. ¶ 毒藥을 그르 머구니 ≪月釋 XVII:17≫/그르 아논 이ᄅᆞᆯ ᄆᆞᄅᆞ쳐 고텨시ᄂᆞᆯ≪月釋 Ⅰ:9≫.

그르노블 〔Grenoble〕 명 〖지〗 프랑스 남동부의 론(Rhône) 강 지류인 이제르(Isère) 강 기슭에 있는 상공업 도시. 알프스의 수력 발전을 이용한 화학·금속 등의 공업이 발달하였으며, 특히 장갑 제조·견직물·전기·전자 공업 등이 성함. 또한 교통·문화·관광 도시로서 유명하며 1968년 동계 올림픽이 개최되었음. [157,000 명(1982)]

그르다[1] 타 〈옛〉 풀다. 끄르다. ¶ 그를 히(解)≪類合 下 46≫/그를 셕(釋) ≪類合 下 60≫/글러보니(解下來看時)≪老解 上 25≫.

그르다[2] 형 르불 ①옳지 못하다. ¶ 옳고 그른 일. ②하는 짓이 싹수없다. ¶ 사람이 되기는 글렀다. ③될 가망이 없다. ¶ 일이 되기는 글렀다.

그르되다 자 〈옛〉 그릇되다. 잘못되다. ¶ 그르될 와(訛)≪類合 下 60≫.

그르-뜨리다 타 ☞그르치다. 「리.

그르렁 부 목구멍 안에 가래 따위가 걸려 숨쉬는 대로 가치작거리는 소

그르렁-거리다 자타 가래가 목구멍 안에 생기어 숨쉬는 대로 움직이는 소리가 자꾸 나다. 또, 그 소리를 내다. 준그렁거리다. >가르랑거리다.
그르렁-그르렁 부. ——-하다 자타여불

그르렁-대다 자타 그르렁거리다.

그르매 명 〈옛·방〉 그림자(경남). ¶ 바래 드리 비취ᄂᆞ닌 殘月ㅅ 그르매로소니(入簾殘月影)≪杜諺 Ⅱ:28≫. 「23≫.

그르메 명 〈옛〉 그림자. ¶ 世尊ㅅ 그르메 예 甘露를 쓰리어늘≪月釋 Ⅶ:

그르메너흐리 명 〈옛〉 그리마. ¶ 그르메너흐리 구(蠷)≪字會 上 22≫.

그르츠다 타 〈옛〉 그르치다. ¶ 내죠쳐 왜신ᄃᆞᆯ 엇데 性을 그르츠리오(放逐寧違性)≪杜諺 Ⅸ:24≫. 「을 ~.

그르치다 타 〔중세 : 그르츠다〕 잘못하여 일을 그릇되게 하다. ¶ 다 된 일

그르-터기 명 〈방〉 그루터기(강원·충북).

그르-테기 명 〈방〉 그루터기(경기).

그르헤 〈옛〉 그루에. '그르'의 처격형(處格形). ¶ 벼 뷘 그르헤 게ᄂᆞᆫ 어이 ᄂᆞ리ᄂᆞᆫ고≪古時調 대쵸볼 블근≫.

그르홈 타 〈옛〉 그릇함. 잘못함. '그르ᄒᆞ다'의 명사형. ¶ 글 비홈 그르호ᄆᆞ란 아ᄒᆡ 게을우믈 므더니 너기며(失學從兒懶)≪重杜諺 Ⅲ:30≫.

그르히 〈옛〉 그루가. '그르'의 주격형(主格形). ¶ 이운 그르히 잇거늘 ≪月釋 Ⅰ:45≫. 「르ᄒᆞ고(問法看詩妄)≪杜諺 Ⅸ:25≫.

그르ᄒᆞ다 타 〈옛〉 그릇하다. 잘못하다. ¶ 佛法을 묻노라ᄒᆞ야 글 보ᄆᆞᆯ 그

그륵 명 〈방〉 그릇(경상·강원·충북·전라).

그:름 명 〈방〉 그을음(경기).

그름밴지 명 〈방〉 고너리.

그름자 명 〈방〉 그림자(전북·경남).

그름재 명 〈옛·방〉 그림자(강원·전북). ¶ 혼자 뫼 그림재예 채 티ᄂᆞ니(獨鞭山影)≪百聯解 21≫. 「25≫.

그름제 명 〈옛〉 그림자. ¶ 댓그름제 서믈 쓰로ᄃᆡ(竹影掃階)≪百聯解

그릇[1] 명 ①물건을 담는 기구(器具)의 총칭. ②일에 처하는 기량(器量). ¶ 정몽주는 과연 큰 ~이었다. ③〈옛〉 세간. =그릇. ¶ 안졸 그릇 사ᄆᆞ샤(爲坐具)≪金三≫/그릇 긔(器)≪字會≫.
【그릇도 차면 넘친다; 그릇도 차면 엎질러진다】 '달도 차면 기운다'와 같은 뜻. ¶ 겨울이 가면 봄이 오고 그릇도 차면 엎질러지나니 ≪玉樓夢≫.
그릇 깨겠다 구 여자가 얌전하지 못하다는 말.

그릇[2] 부 그르게. 틀리게. ¶ 편지를 ~ 전하다. ——-하다 형여불

그릇다 타 〈옛〉 그르치다. ¶ 잇ᄂᆞᆫ 香ᄃᆞᆯ ᄒᆞᆯ 다 마타ᄀᆞᆯ 하야 그릇디 아니ᄒᆞ며≪釋譜 XIX:18≫.

그릇-되다 자 그르게 되다. 잘못 되다. 일이 틀리다. ¶ 그릇된 내용.

그릇명-밑 【一皿一】 명 한자 부수(部首)의 하나. '益'이나 '盟' 등의

그릇-박 명 밥그릇을 씻어서 담아 두는 함지박. 「'皿'의 이름.

그릇-받침 명 〖고고학〗 밑이 둥근 항아리 따위의 그릇을 올려 놓는 받침. 굽구멍이 뚫려 있음. 삼국 시대, 특히 가야·신라 지역에서 많이 나옴. 기대(器臺).

그릇벼 명 〈옛〉 가구(家具). ¶ 이 칠ᄒᆞᆫ 그릇벼(這漆器)≪老解 下 30≫.

그릇-장 【一欌】 명 그릇을 담아 두는 장(欌). *찬장(饌欌).

그릇-테 명 〖고고학〗 그릇의 아가리 부분에 씌워 두른 금속으로 된 테. 구(釦).

그릉 명 〈방〉 내[3](경남).

그릉지 명 〈방〉 그림자(경상).

그릐 명 〈옛〉 그네. ¶ 그릐(鞦韆)≪譯語 下 24≫.

그리[1] 부 그 곳으로. 그 쪽으로. ¶ ~ 가면 남대문이오. >고리[7]. *그리로.

그리[2] 부 그러하게. ¶ ~ 알고 기다려라. >고리[8].

그리게 부 '그러하기에'의 뜻의 접속 부사. ¶ ~ 내 뭐라더냐.

그리고 부 〔↗그리 하고〕 문장이나 구·절·단어 등을 연결시킬 때, '그리하여'·'또'·'및'·'와'의 뜻으로 쓰는 접속 부사. ¶ 정직하게 살아라, ~ 노력하라. 「쇼셔≪新語 Ⅲ:19≫.

그리곰 부 〈옛〉 그렇게. ¶ 이도 술이 슯ᄂᆞᆫ 일이오니 그리곰 너기디 마ᄅᆞ

그리:그 〔Grieg, Edvard Hagerup〕 명 〖사람〗 노르웨이의 작곡가. 처음에 독일에서 음악을 배우고 오슬로(Oslo)에 음악 협회를 만듦. 뒤에 이탈리아에 여행하여 리스트(Liszt)와 사귐. 주로 피아노와 성악을 위한 많은 작품을 발표, 북유럽의 지방색이 농후한 작품으로 알려짐. 주요 작품에 ≪페르 귄트(Peer Gynt)≫ 등이 있음. [1843-1907]

그리냐:르 〔Grignard, Victor〕 명 〖사람〗 프랑스의 화학자. 그리냐르 시약(Grignard 試藥)을 발견하여 유기 합성에 공헌함. 1912년 사바티에(Sabatier)와 함께 노벨 화학상을 받음. [1871-1934]

그리냐:르 시:약 【一試藥】 명 〔Grignard's reagent〕 〖화〗 순수한 에틸에테르(ethyl ether) 중에서 여러 가지 유기 할로겐 화합물과 마그네슘을 작용하여 얻는 R—Mg—X 형(型)(R는 유기 원자단, X는 할로겐)의 화합물의 에테르 용액. 프랑스의 그리냐르가 발견하였음. 극히 반응성이 풍부하고 유기 화합물 합성에 사용함.

그리니치 〔Greenwich〕 명 〖지〗 영국의 런던 시내의 동남 템스(Thames) 강 우안(右岸)에 있는 행정 구획으로, 그리니치 천문대(天文臺)가 있었던 곳. 이곳을 통과하는 경선(經線)을 본초 자오선(本初子午線)으로 정함. [212,000 명(1981)]

그리니치-시 【一時】 〔Greenwich〕 명 영국 그리니치를 지나는 자오선(子午線)을 기준으로 한 시간. 평균 태양이 이 자오선을 지나는 시간을 정오(正午)로 하고, 전세계의 지방시(地方時)·표준시(標準時)의 기준으로 함. 우리 나라의 표준 시간은 이 시간보다 9시간 앞서 있음. 세계시(世界時).

그리니치 자오선 【一子午線】 〔Greenwich〕 명 그리니치를 통과하는 자오선. 그리니치시의 기준선이며, 경도(經度) 측정의 원점임.

그리니치 천문대 【一天文臺】 〔Greenwich〕 명 본디 그리니치에 있던 천문대. 1675년에 천문 항해술(天文航海術)을 연구하기 위하여 그리니치에 창설되었는데, 1946년에 런던 시의 팽창으로 허스트먼수(Herstmonceux)로 옮겼음.

그리다[1] 타 ①보고 싶어 그리운 마음을 품다. ¶ 고향을 ~. ②사모하다. ¶ 연인(戀人)을 애타게 ~.

그:리다[2] 타 ①물건의 형상을 그와 같게 그림에 나타내다. ¶ 고양이를 ~. ②사물의 형용이나 생각을 말이나 글로 나타내다. ¶ 그 때의 정경(情景)을 말로 그려 보라/비참한 생활상을 잘 그려낸 소설.

그리다[3] 준 ←그러다.

그리다가 준 ←그러다가.

그리도 부 그렇게도. 그처럼. 그다지도. ¶ 웬 사람이 ~ 많은가.

그리도록 부 〈옛〉 그렇도록. ¶ 그리도록 너므 만히 드려 므슴ᄒᆞᆯ다(儘那偌多時多賸)≪朴解 上 20≫.

그리:드[1] 〔Greed〕 명 미국의 영화. 감독은 스트로하임(Stroheim). 물욕(物慾)에 쫓긴 한 인간이 얼마나 비참(悲慘)한 운명에 빠지는가를 처절(凄絕)히 묘사(描寫)한 미국 무성(無聲) 영화 예술의 최고봉으로 스트로하임의 철저한 리얼리즘의 대표작임. 1924년 작.

그리드[2] 〔grid〕 명 ①〖물〗 삼극 진공관(三極眞空管)의 한 극(極). 양극(陽極)과 음극(陰極)의 중간에 장치한 그물꼴의 금속인데 격자(格子)라고도 함. 전자 전류(電子電流)를 제어(制御)하는 작용을 함. ②〖전〗 축전지에서 활성 물질의 지지물(支持物) 또는 도선(導線)으로 쓰이는 구멍이 뚫린 금속판(金屬板).

그리드 검:파 【一檢波】 명 〔grid detection〕 〖물〗 진공관의 그리드 전류가 그리드 전압의 음양(陰陽)에 의하여 그 값을 달리하는 것을 이용한 검파법.

그리드글로:-관 【一管】 명 〔grid glow tube〕 〖물〗 계전용 방전관(繼電用放電管)의 하나. 소형 진공관 정도의 크기의 유리관 안에 지름 2.5cm, 길이 3cm 되는 원통형의 음극이 있어 그 중앙부에 니켈선(線) 양극과 격자(格子)가 있음. 양극과 격자간의 거리는 극히 좁으며, 양극은 대부분이 유리로 싸이어 있고, 선단만 조금 노출되어 있음. 네온 가스를 10mmHg의 압력으로 넣었음. 동작(動作) 원리는 음극과 격자간에 초기(初期) 방전을 일으키고, 이것으로부터 주방전(主放電)을 유도하는 점에 있어서는 글립 계전관과 같으나, 양극과 격자간의 거리가 아주 작아서 방전 개시 전압이 극히 크고, 더욱이 전극 배치 관계에 의하여 주(主)전극간의 전압은 격자를 띄어 놓았을 때의 방전 개시 전압 이상으로 하여도 사용할 수 있는 점이 다름.

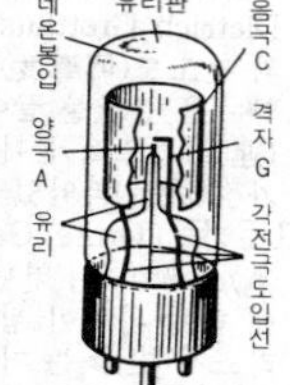

〈그리드글로관〉

그리드 금속 【一金屬】 〔grid〕 명 〖광〗 안티몬 5-12%, 경우에 따라서는 소량의 주석(朱錫)을 가한 납의 합금. 축전지의 그리드로 쓰임.

그리드 바이어스 〔grid bias〕 명 〖물〗 진공관 또는 방전관의 제어 그리드에 미리 일정한 전압을 걸어 놓고, 그것을 중심으로 그 전후의 전압으로 그리드를 조작할 때의 그 일정한 전압(電壓).

그리드 전:류 【一電流】 [一절一] 명 〔grid current〕 〖물〗 진공관의 그리드로부터 음극(陰極)을 통하여 흐르는 매우 약한 전류. 그 값은 일반 수신용(受信用) 진공관에서는 $10^{-9}-10^{-11}$A 정도로 무시할 수도 있지만 미소(微小) 전류 측정용에서는 반드시 그렇지만도 않음.

그리드 편각 【一偏角】 〔grid〕 명 〖지〗 도북(圖北)과 진북(眞北)과의 편각. 진북으로부터 동쪽·서쪽으로 측정함. 「차(角差).

그리드 편차 【一偏差】 〔grid〕 명 〖지〗 도북(圖北)과 자북(磁北)과의 각

그리드 회로 【一回路】 명 〔grid circuit〕 〖물〗 제어 그리드와 필라멘트(filament)를 도선으로 연결하면 그리드·진공·필라멘트 도선·그리드의 순서로 전류가 흐르는 회로.

그리-로 [부] '그리¹'를 강조하는 말. [준]글로. ¶ ~ 가면 학교다. >고리로.

그리마 [명] 〖동〗 그리맛과에 속하는 절지(節肢) 동물의 총칭. 몸길이는 25 mm 내외이고, 몸빛은 암황갈색에 검은 반점이 있음. 몸통 마디는 서로 접근하였고, 배판(背板)은 11개이고, 긴 다리가 15쌍 있으며 숨구멍은 체절(體節)의 제 2-8 배판(背板)에 있음. 머리에 매우 긴 한 쌍의 촉각이 있고, 곤충의 복안(複眼)과 같은 눈을 가지고 있으며, 맨 뒷발은 특히 길. 위급할 때는 보각(步脚)을 탈락하기도 하며 불유쾌한 동작을 하므로 사람들이 싫어함. 마루밑 같은 어둡고 습한 곳에서 작은 곤충을 잡아먹고 삶. 한국에는 집그리마·혹그리마 등 6종이 있으며, 일본·대만·중국 등지에도 분포함. 유연(蚰蜒). 육니(蚰蜺).

〈그리마〉

그리말디-인 【—人】〔Grimaldi〕 [명] 〖인류〗 크로마뇽인(Cro-Magnon 人)에 앞서서 그리말디 동굴에 점주(占住)했던 화석 현생 인류(化石現生人類). 그리말디 동굴은 프랑스와 이탈리아 국경 지중해 해안에 솟아 있는 낭떠러지 바우세 루세(Baoussé Roussé)의 하부에 있는 9개 동굴의 총칭인데, 1872-1901년 이 곳에서 10구 이상의 화석 인골(化石人骨)이 발견됨. 특히 1901년 동굴 중의 하나인 앙팡(Enfants) 굴의 최하부에서 발견된 노녀(老女)와 16세 전후의 소년은 상층(上層)에서 발견된 크로마뇽인의 인골(人骨)과 두드러지게 차이를 보였고 흑색(黑色) 인종적인 특징이 있음.

그리맛-과 【—科】 [명] 〖동〗 〔Scutigeridae〕 절지 동물 순각류(脣脚類)에 속하는 한 과. 지네와 가까운 종류임.

그리메 [명] 〈옛〉 그림자. ¶ 影은 그리메오 質은 웃드미라 《月釋 XVII: 58》/므거운 그리멧 이리 업스니라(無重影事)《嚴楞 X:3》.

그리멜스하우젠 〔Grimmelshausen, Hans Jakob Christoffel von〕 [명] 〖사람〗 독일의 소설가. 30년 전쟁의 전란 중에 부모를 잃고, 군인이 되어 각지로 돌아다니다 그 경험을 바탕으로 쓴 《모험가 짐플리치시무스(Der abenteuerliche Simplizissimus)》는 독일 산문 소설의 선구(先驅)로 꼽힘. [1620?-76]

그리보예도프 〔Griboedov, Aleksandr〕 [명] 〖사람〗 러시아의 극작가. 외교관으로 활약하면서 모스크바의 귀족 사회를 풍자(諷刺)해서 집필(執筆)한 희곡 《지혜의 슬픔(Gore ot uma)》은 사실주의적인 러시아 국민 연극의 기초를 이룩한 작품임. [1795-1829]　「*그림다.

그리볼써 [형] 〈옛〉 그리우므로. ¶ 므수매 그리볼 쁘들 머거 《月釋 XVII》.

그리세오-마이신 〔griseomycin〕 [명] 〖약〗 백색 결정성의 항생 물질. 스트렙토마이세스와 닮은 방선균(放線菌)에 의해 만들어짐.

그리세오-풀빈 〔griseofulvin〕 [명] 〖약〗 항(抗)곰팡이성 항생 물질. 수종의 사상균(絲狀菌)이 만듦. 경구 투여(經口投與)하면 피부 각질(角質)에 축적되어 백선증(白癬症)에 뚜렷한 효과를 보임.

그리:스¹ 〔grease〕 [명] 기계의 마찰력을 덜기 위하여 사용하는 진득진득한 윤활유(潤滑油). 액체인 윤활유에 금속의 지방산염(脂肪酸塩), 그 밖의 유기물·무기물을 균일하게 분산시켜 고체 또는 반고체 상태로 굳힌 것으로 용도가 넓음.

그리:스² 〔Greece〕 [명] 〖지〗 유럽 남동부 발칸 반도의 남단과 그 부근의 여러 섬으로 이루어진 공화국. 국토는 전반적으로 석회암의 산지(山地)와 구릉이 많고 경지(耕地)는 적음. 전형적인 지중해식 기후이며, 주민의 대부분은 그리스인(人)으로 현대 그리스어(語)를 사용함. 그리스 정교는 국교. 농업은 주로 밀·담배·포도·면화 등을 산출, 철·보크사이트·대리석 등의 광산(鑛產)도 있음. 섬유·화학 비료·제지(製紙) 등의 공업이 있으나 중공업은 부진함. 오랜 역사를 가진 나라로 1830년 오스만 제국의 지배에서 벗어나 왕국으로 독립, 1924년 공화국이 되었다가 1935년 왕정 부활, 1975년 다시 공화제를 시행함. 수도는 아테네. 정식 명칭은 '그리스 공화국(Hellenic Republic)'. [131,990 km² : 10,100,000 명(1991 추계)]

그리스³ 〔Gris, Juan〕 [명] 〖사람〗 스페인의 화가. 본명은 Jose Gonzales. 파리에서 피카소 등과 함께 퀴비슴 운동에 참가하여 진지한 태도로 시적(詩的)이고 예지(叡智)에 넘친 작품을 내었음. 석판화(石版畫)에도 뛰어나고 발레 등의 무대 장치도 하였음. [1887-1927]

그리:스 건:축 【—建築】〔Greece〕 [명] 〖건〗 신전(神殿)의 건축을 주제(主題)로 한 미술 작품으로서의 고대 그리스의 건축. 도리스식(Doris 式)·이오니아식(Ionia 式)·코린트식(Corinth 式)의 세 양식이 있음. 희랍 건축.

그리:스-교 【—教】〔Greece〕 [명] 〖종〗 그리스 교회.

그리:스 교:회 【—教會】 [명] 〔Greek Church〕 〖종〗 동(東)로마 제국의 국교(國教)로서 콘스탄티노플을 중심으로 발전한 그리스도 교회. 1054년 로마를 중심으로 하는 서방 교회와 절연(絕緣)함. 로마 교황을 승인하지 아니하고, 교회 및 의식을 중히 여기며, 상징적·신비적 경향이 강함. 러시아를 위시하여 루마니아·불가리아·그리스 등지에 신자가 많음. 1962년 현재 신자 수 약 1억 3천만 명. 희랍 교회. 정교회(正教會). 동방 교회(東方教會). 그리스 정교(正教).

그리:스-극 【—劇】〔Greece〕 [명] 〖연〗 수확(收穫)이 많기를 빌며, 재화(災禍)를 이루는 천변 지이(天變地異)를 악마의 소행이라 보고 이를 제거하기 위한 제식(祭式)에서 발전하여 나온 연극. 기원전 6세기부터 시작하였다 하며, 주신(酒神)을 숭배하는 제단(祭壇)의 둘레를 합창단(合唱團)이 노래를 부르며 원무(圓舞)를 춘다고 함. 희랍극.

그리스도 〔Christ〕 [명] 〖성〗 〔헤브루어(語) 마시아흐(māshīah)의 그리스어역(語譯)인 khrīstós가 어원(語源)〕 성유(聖油)를 머리에 부음을 받은 자의 뜻. 고대 헤브루 국가에서는 왕이 즉위할 때 왕의 머리에 기름을 부었으므로, 이스라엘을 구하기 위하여 신(神)이 보낸 장래의 왕을 뜻하였으며, 기독교에서는 인류의 죄를 속죄하기 위하여 하느님이 보낸 구세주의 뜻이 됨. 크리스트. 크라이스트. *예수·기독(基督)·예수 그리스도.

그리스도-교 【—教】〔Christ〕 [명] 기독교(基督教).

그리스도교 신화 【—教神話】〔Christ〕 [명] 기독교 신화.

그리스도 기원 【—紀元】 [명] 예수가 탄생한 해를 기점(起點)으로 하는 기원. 탄생 전은 B.C., 탄생 후는 A.D.로 표시함. 서력 기원.

그리스도의 신비체 【—神秘體】〔Christ〕〔—/—에—〕 [명] 〖천주교〗 그리스도를 머리로 하고, 천국의 성인들·세상의 신자 단체·연옥의 영혼들을 각각 개선지회(凱旋之會)·신전지회(神戰之會)·단련지회(鍛鍊之會)라 하여 이 세 교회를 그리스도의 지체(肢體)로 하는 교리(教理).

그리스도-인 【—人】〔Christ〕 [명] 기독교인(基督教人). 기독교도.

그리:스 독립 전:쟁 【—獨立戰爭】〔Greece〕〔—닙—〕 [명] 〖역〗 오스만 투르크 지배하에 있었던 그리스의 독립 전쟁. 1821년에 거병(擧兵)하여 러시아·프랑스·영국 등의 원조를 얻어 나바리노(Navarino)의 해전(海戰)에서 투르크·이집트 해군을 깨뜨리고 독립을 달성했고, 1829년 런던 회의에서 독립이 승인되었음. 희랍 독립 전쟁.

그리:스-력 【—曆】〔Greece〕 [명] 태음력(太陰曆)의 한 가지. 신월(新月)의 날로부터 한 달이 시작되며, 윤(閏)달을 제6월 다음에 두는 것은 유태력과 같으나, 한 해의 시초를 하지(夏至) 전후에 잡은 점이 다름. 8년법·메톤법(Meton 法)·칼리포스법(Kallippos 法)의 세 종류가 있음. 희랍력(希臘曆).

그리:스 문자 【—文字】〔Greece〕〔—짜〕 [명] 그리스어의 문자. 페니키아 문자에서 따 왔으며, 대문자(大文字)와 소문자(小文字)가 있음. 희랍 문자.

Α	α	알파	Ν	ν	뉴
Β	β	베타	Ξ	ξ	크시(크사이)
Γ	γ	감마	Ο	ο	오미크론
Δ	δ	델타	Π	π	파이
Ε	ε	엡실론	Ρ	ρ	로
Ζ	ζ	제타	Σ	σ	시그마
Η	η	에타	Τ	τ	타우
Θ	θ	세타	Υ	υ	입실론
Ι	ι	요타	Φ	φ	피
Κ	κ	카파	Χ	χ	키
Λ	λ	람다	Ψ	ψ	프시(프사이)
Μ	μ	뮤	Ω	ω	오메가

그리:스 비극 【—悲劇】〔Greece〕 [명] 디투람보스(dīthurambos)에 근원을 두고 기원전 6-5세기의 아테네에서 성행된 고전 연극. 그리스 신화와 영웅전을 소재로 한 운명극(運命劇)이었으나, 신과 인간의 대립·갈등을 통하여 장중한 드라마를 전개하여, 유럽 연극의 하나의 원류(源流)가 되었음. 희랍 비극.　「에 의한 선법.

그리:스 선법 【—旋法】〔Greece〕〔—뻡〕 [명] 고대 그리스의 음악 이론

그리:스 수:학 【—數學】〔Greece〕 [명] 고대 그리스에서 탈레스(Thales)·피타고라스(Pythagoras)·플라톤(Platon) 등에 의하여 발전한 수학. 주로 기하학(幾何學)의 형식을 취함. 그 집대성(集大成)인 유클리드(Euclid)의 《기하학 원본》은 오늘날에도 학문의 규범이 됨.

그리:스 신화 【—神話】〔Greece〕 [명] 기원전 12-11세기로부터 그리스 반도(半島)에 거주한 아리아 민족과 그 자손이 가졌던 신화·전설의 총칭. 주신(主神) 제우스 외에 올림포스의 신들과, 영웅을 비롯한 인간과의 관계를 이야기한 것으로, 그리스 문화의 뼈대를 이루었고, 유럽 여러 나라의 미술(美術)·문예(文藝)의 원천이 되었음. 희랍 신화.

그리:스-어 【—語】〔Greece〕 [명] 〖언〗 인도 유럽어족(語族)에 속하는 한 어파. 그리스 본토를 중심으로, 소(小)아시아의 일부, 다도해(多島海)의 여러 섬 및 이탈리아 남부에서 쓰이며, 3천 년의 역사를 가짐. 고대(古代) 그리스어는 이오니아어(Ionia 語)·아티카어(Attika 語)를 위시한 사대 방언(四大方言) 등 여러 소(小)방언으로 나뉘었으나, 중기(中期) 이후에는 고대의 아티카어를 모계(母系)로 하는 코이네(Koine)에 의하여 대체로 통일되고, 근대에는 새로이 발달한 구어(口語)도 병용(併用)되며, 이탈리아어 등의 영향이 매우 큼. 고대 그리스어는 기원전 5세기를 중심으로 호메로스의 2대 서사시(敍事詩)를 비롯한 위대한 문학 작품을 내었음. 보통 그리스어라 함은 코이네를 이름. 희랍어.

그리:스-인 【—人】〔Greece〕 [명] 오늘날의 그리스를 중심으로 하여 분포되어 있는 민족. 머리는 단두(短頭)이고, 언어는 아리안어계(Aryan 語系)에 속함. 희랍인.　「정교.

그리:스 정:교 【—正教】 [명] 〔Greek Orthodox〕 〖종〗 그리스 교회. 희랍

그리:스 제:국 【—帝國】 [명] 〔Greek Empire〕 〖역〗 동로마 제국의 일컬음. 그리스 문화(文化)가 부활하고, 그리스어(語)가 공용(公用)되었으므로 이와 같이 말함. 동로마 제국. 희랍 제국.

그리:스 철학 【—哲學】〔Greece〕 [명] 〖철〗 고대(古代) 그리스인의 철학 사상 전체의 일컬음. 기원전(紀元前) 600년경의 그리스의 식민지 특히 소아시아 서해안에서의 그리스 문화 여명기(黎明期)서부터 기원전 322년 아리스토텔레스의 죽음에 이르기까지의 시기를 포함하며, 소크라테스 이전의 자연 철학, 소크라테스를 중심으로 하는 실천 철학, 플라톤 및 아리스토텔레스의 조직적(組織的) 시대로 나눔. 희랍 철학.

그리:스-컵 〔grease cup〕 [명] 윤활유를 저장해 두었다가 조금씩 기계 부분에 공급하는 그릇.

그리:스 투르크 전:쟁 【—戰爭】 [명] 〔Greco-Turkish War〕 〖역〗 ①크레타 섬의 영유를 둘러싸고 그리스와 투르크가 싸운 전쟁. 투르크령인 크레타 섬에 사는 많은 그리스계(系) 주민이 1866년 이래 그리스에의 병합(併合)을 요구하자 1897년 그리스가 출병했으나 패전하고 크레타 섬은 투르크 주권하에서 자치가 인정됨. ②제1차 세계 대전 후, 연합국 공동 관리하에 그리스에게 점령되었던 투르크가 1920년 케말 파샤

(Kemal Pasha) 통솔 아래 궐기하여 소(小)아시아로부터 그리스를 몰아 낸 전쟁. 1923년 로잔 조약에 의해, 터키는 스미르나(Smyrna) 동부 트라키아(Thracia) 해협 지방을 회복하고 끝남.

그리:스 테이블 〔grease table〕 명 〖광〗 고체상(固體狀)의 그리스에 부착하는 성질이 있는 다이아몬드와 같은 광물을 선광(選鑛)하는 장치. 흔히 그리스·왁스를 바른 테이블을 흔들어, 그 위로 목적하는 광물을 함유하는 광니(鑛泥)를 흘려 광물을 획득함.

그리심 산 【一山】〔Gerizim〕 명 〖성〗 가나안에 있는 산. 요르단 강이 곁에 흐름. 모세(Moses)가 이스라엘 백성에게 향해 율법을 낭독하고 하느님의 축복을 선포한 성산(聖山)으로 전해 옴. [863 m]

그리어니 형 〈옛〉 그렇거니. 긍정적인 대답말. ¶ 그리어니 ᄆᆞ래ᄂᆞ니 잇ᄂᆞ니라(可知有頑的)《老解 上 6》.

그리우- 간 '그립다'의 불규칙 어간. ¶ ~니 / ~ㄴ.

그리움 명 보고 싶어 그리는 마음. 사모(思慕)의 정(情). ¶ 사무치는 ~.

그리워-지다 자 보고 싶어 그리움이 나다. ¶ 불현듯 ~.

그리워-하다 타 여불 보고 싶어하다. 사모하다. ¶ 어머니를 ~.

그리자:유 〔프 grisaille〕 명 〖미술〗 검은색, 갈색 따위 단색(單色)을 주로 하여 부조(浮彫)처럼 입체감을 나타내는 화법 및 작품. 17-18세기에 유럽에서 실내 장식화(裝飾畫)로 성행하였음. 스테인드 글라스(stained glass)·칠보화(七寶畫) 등에도 이용됨.

그리잖아도 [一잔一] 부 ←그러잖아도. *이리잖아도.

그리-저리 부 ①아무렇게나 정함없이 되는 대로. ¶ ~하다 보니 아무것도 이룬 것이 없다. ②둘 사이에 무슨 비밀이 있어 남이 알지 못하게 우물쭈물 처리하는 모양. ——-하다 자 여불

그리즐리 〔grizzly〕 명 〖광〗 광석·자갈·토사(土砂) 등을 가려내는 데 쓰이는 쳇불이 성긴 체.

그리콰-인 【一人】〔Griqua〕 명 남아프리카 공화국, 그리콸랜드 웨스트(Griqualand West)·그리콸랜드 이스트(Griqualand East)에 사는, 네덜란드에서 이주(移住)한 농부와 호텐토트(Hottentot)와의 혼혈 인종.

그리:크 〔Greek〕 명 ①그리스어(語). ②그리스인(人).

그리:크 정:교 【一正敎】〔Greek〕 명 〖종〗 그리스 정교.

그리티다 타 〈옛〉 마구 치다. 마구 때리다. ¶ 뎌 ᄆᆞ래는 學生을 다가 스승의 ᄉᆞᆲ고 그리티되 그저 젓티 아니ᄒᆞᄂᆞ니라(將那頑學生 師傅上稟了 那殺打了時)《老解 上 6》.

그리:팅 카:드 〔greeting card〕 명 인사장·연하장·크리스마스 카드 따위.

그리피사이트 〔griffithite〕 명 〖광〗 운모 모양의 광물. 마그네슘·철·칼슘 등을 함유함.

그리피스[1] 〔Griffis, William Elliot〕 명 〖사람〗 미국의 목사·동양학자. 1870년 일본에 초청되어 도쿄 대학의 전신(前身)인 가이세이(開成) 학교 등에서 이학·화학·지리학·생물학을 가르침. 1883년 조선 사절로 미국에 간 민영익(閔泳翊)·서광범(徐光範) 등과 만나 조선에 관한 연구의 필요성을 느끼고, 영어로 《은둔(隱遁)의 나라 한국》이라는 역사책을 써, 서양에서 널리 애독되었음. [1843-1928]

그리피스[2] 〔Griffith, Arthur〕 명 〖사람〗 아일랜드의 정치가. 독립 운동에 헌신, 1920년 이래 비합법 에이레(Eire) 정부의 수석으로 있었으며, 1921년 하원 의장이 되었음. [1871-1922]

그리피스[3] 〔Griffith, David Wark〕 명 〖사람〗 미국의 영화 감독. 영화의 독특한 표현 기술인 클로즈업·컷백 등을 집대성해서 영화 예술의 아버지라 불림. [1875-1948]

그리피우스 〔Gryphius, Andreas〕 명 〖사람〗 독일의 시인·극작가. 생애의 태반을 30년 전쟁으로 보냄. 독일의 '셰익스피어'라고도 불리었으며 종교적 무상감(無常感)을 기조로 한 시·소네트(sonnet)·오드(ode) 등을 남겼음. [1616-64]

그리핀 〔Griffin〕 명 상상(想像)상의 동물. 머리·앞발·날개는 독수리이고 몸통·뒷발은 사자임. 오리엔트(Orient)가 기원(起原)이고 건축의 장식, 문장(紋章) 따위에서 볼 수 있음.

그리-하다 자 여불 그렇게 하다. ¶ 그리하여 훌륭한 사람이 되었다. >고리하다.

그리한-즉 부 '그리하니, 그리하니까'의 뜻의 접속 부사. 준 한즉.

그리힐후다 자 타 〈옛〉 끼적거리다. ¶ 싸홀 그리힐후디 아니ᄒᆞ며(不畫地)《小諺 Ⅱ:64》.

그린:[1] 〔green〕 명 ①녹색. ②풀밭. 녹지(綠地). ③골프장의 잔디밭.

그린:[2] 〔Green, George〕 명 〖사람〗 영국의 수학자. 1828년 《전자기학(電磁氣學) 이론에 있어서의 수학 해석(解析)의 응용》을 자비로 출판, 여기서 퍼텐셜(potential)의 용어를 사용하여 '그린의 정리(定理)'·'그린 함수'를 도입(導入)했으나 1846년 켈빈경(Kelvin 卿)이 재간행(再刊行)할 때까지 가치를 인정받지 못했음. [1793-1841]

그린:[3] 〔Green, John Richard〕 명 〖사람〗 영국의 역사가·성직자. 1868년 신병(身病)으로 성직을 물러나 캔터베리 대주교의 저택의 도서실 사서(司書)로 역사 연구에 종사함. 주저(主著) 《영국 국민 소사(小史)》는 문학적 서술(敍述)이 뛰어남. [1837-83]

그린:[4] 〔Green, Thomas Hill〕 명 〖사람〗 영국의 철학자. 옥스퍼드(Oxford) 대학 교수. 영국 신헤겔 학파(新Hegel學派)·신칸트 학파(新Kant學派)의 대표자로, 그의 저서 《윤리학 서설》에 모든 표상(表象)에서 독립된 초시공적(超時空的) 절대 의식으로서의 정신적 원리를 상징하고, 이를 실현 완성해야 한다는 '자아 실현설(自我實現說)'의 윤리학을 창도(唱導)하였음. 그 밖에 《정치적 의무》 등이 있음. [1836-82]

그린:[5] 〔Green, William〕 명 〖사람〗 미국의 노동 운동 지도자. 광부(鑛夫) 출신. 1924년 에이 에프 엘(AFL) 회장이 됨. 1949년 에이 에프 엘을 이끌고 국제 자유 노련(勞聯)에 참가함. 전형적(典型的)인 반소(反蘇)·반공주의자이며 노사(勞使) 협조에 중점을 두었음. [1873-1952]

그린:[6] 〔Greene, Graham〕 명 〖사람〗 영국의 소설가. 가톨릭 작가로, 《제삼(第三)의 사나이》·《권력과 영광》·《사건의 핵심》 등 '쫓는 자와 쫓기는 자'의 불안과 허무를 묘사한 작품을 썼으며, 종교적·윤리적 문제를 추구함. [1904-91]

그린[7] 〔Grin, Aleksandr〕 명 〖사람〗 소련의 작가. 포(Poe)의 영향을 받아 환상적인 작풍(作風)과 엑조틱한 제재(題材)의 특이한 작품을 썼음. 너무나 환상적이어서 인정되지 않다가 전후(戰後) 재평가됨. 작품에 《돌아온 지옥》·《진홍(眞紅)의 돛대》 등이 있음. [1880-1932]

그린: 라운드 〔green round〕 명 우루과이 라운드 종결(終結) 후에 제기될 자유 무역과 환경 보호에 관한 다국간 무역 협상(多國間貿易協商).

그린:-란드 〔Greenland〕 명 〖지〗 대서양과 북극해 사이에 있는 세계 최대의 섬. 고원상(高原狀)으로 빙하가 발달하고, 협만(峽灣)이 많으며, 서해안에는 취락(聚落)이 있음. 최근 북극 공로(空路)의 요지가 되어 주목됨. 빙정석(氷晶石)·흑연 등 광산 자원이 풍부함. 주로 에스키모와 유럽 사람의 혼혈(混血)인 그린란드 사람이 수렵·수산업에 종사하고 있음. 덴마크령(領)이며 본국의 현(縣)과 동격의 자치권이 인정되고 있음. [2,175,600 km² : 60,000 명 (1995)]

그린: 레이저 〔green laser〕 명 〖물〗 522.8 nm의 녹선(綠線)을 발생시키는 헬륨(helium)과 셀레늄(selenium)을 사용한 가스 레이저. 이 파장의 빛은 해수(海水) 속을 가장 잘 투과함.

그린:-백 〔greenback〕 명 미국 본토(本土) 달러의 지폐. 뒷면이 초록색이며, 1862년에 처음 발행되었음.

그린: 베레 〔Green Beret〕 명 미국 육군의 특수 부대의 속칭. 초록색 베레모를 쓰고 있음.

그린:-벨트 〔greenbelt〕 명 〖법〗 ①개발 제한 구역. ②녹지대❶.

그린: 보:더 〔green border〕 명 〖정〗 제 2 차 세계 대전 후 독일에 있어서, 소련 점령 지대와 미국·영국·프랑스 3국 점령 지대 사이의 정치적인 구획선(區劃線).

그린:-빌 〔Greenville〕 명 〖지〗 미국 동남부, 사우스 캐롤라이나 주의 북서부, 애팔래치아 산(Appalachia 山) 기슭에 있는 공업 도시. 남부 면공업(綿工業) 중심지의 하나로 격년(隔年)으로 전남부(全南部) 직물 견본 시장(見本市場)이 열리며 모직물·농산품 가공(加工)·레이온(rayon) 등의 공업도 활발함. [59,042 명 (1992)]

그린: 오일 〔green oil〕 명 스코틀랜드의 혈암유 공업(頁岩油工業)에서 일단계 처리만 한 조제(粗製)의 오일.

그린:즈-버러 〔Greensboro〕 명 〖지〗 미국 남동부 노스 캐롤라이나 주의 북부 중앙의 도시. 보험업(保險業)·도매업의 중심지이지만, 시가(cigar)·여성용 양말·가구(家具)·도료(塗料) 공업도 성함. 주립 농공과 대학이 있음. [189,924 명 (1992)]

그린 카드 〔green card〕 명 푸른색으로 된 신분증. 일반인에 비해 우대하는 뜻이 있는 경우가 많고, 환경 관련 단체나 환경과 관련된 뜻으로도 씀.

그린: 피: 〔green fee〕 명 골프장의 코스(course) 사용료(使用料).

그린: 피:스[1] 〔green peas〕 명 완두(豌豆)의 한 품종. 열매가 초록색임. 청완두(青豌豆).

그린피스[2] 〔Greenpeace〕 명 세계적 규모의 환경 보호 단체. 과학 조사와 비폭력 직접 행동을 특징으로 함. 1971년에 설립, 본부는 암스테르담에 있음.

그린:-하우스 〔greenhouse〕 명 온실(溫室)❷.

그린: 함:수 【一函數】〔Green〕[一쑤] 명 〖수〗 어느 종류의 미분 방정식(微分方程式)을 어느 경계 조건(境界條件) 아래에서 푸는 경우에 이용되는 함수. 명칭은 영국의 수학자 그린(Green, G.)에서 유래함.

그릴 〔grill〕 명 ①즉석에서 석쇠에 구운 고기. 생선 구이. ②양식점(洋食店). 그릴룸.

그릴-룸: 〔grillroom〕 명 그릴(grill)❷.

그릴:리[1] 〔Greely, Adolphus Washington〕 명 〖사람〗 미국의 군인·탐험가(探險家). 1881년에 북극을 탐험, 당시 최북 지점에 도달하여 그린란드의 북쪽 새 땅을 발견하였음. [1844-1935]

그릴:리[2] 〔Greely, Horace〕 명 〖사람〗 미국의 저널리스트. 1834년 주간지(週刊誌) '뉴요커(New Yorker)'를, 1841년에는 '뉴욕 트리뷴(New York Tribune)'을 창간(創刊)함. 노예(奴隸) 제도에 반대하여 링컨을 지지하였으며, 1872년 자유 공화당을 조직하여 대통령 후보가 되었으나 그랜트에게 패함. [1811-72]

그릴파르처 〔Grillparzer, Franz〕 명 〖사람〗 오스트리아의 극작가. 일찍 부모와 사별하고 고학했으며, 오랜 관리 생활의 여가에 극작을 발표함. 1817년에 운명 비극 《조비(祖妣)(Die Ahnfrau)》로 성공한 이래 《자포(Sappho)》·《금양 모피(金羊毛皮)》 등을 내었으나 말년에는 희극의 실패로 은퇴하였음. [1791-1872]

그:림[1] 명 ①물건의 형상을 평면 위에 선(線) 또는 색채를 써서 나타낸 것. 회화. 회소(繪素). ②매우 아름다운 광경이나 경치의 비유.

그:림의 떡 구 그림 속의 떡은 보기만 하고 먹을 수 없다는 뜻으로, 실지로 이용할 수 없어 만족을 채울 수 없음을 가리키는 말.

그:림[2] 명 〈방〉 그을음.

그림[3] 〔Grimm〕 명 〖사람〗 ①〔Jakob Ludwig Karl G.〕 독일의 언어학자. 아우와 함께 독일 어학(語學)·전설(傳說)·신화(神話) 등의 연구에 일생을 바쳤음. 동생과 협력하여 《어린이와 가정의 동화》를 비롯하여 《독일어 대사전》 등을 편찬하였고, 단독으로 《독일 문법》도 펴냄. [1785-1863] ②〔Wilhelm Karl G.〕 ❶의 동생. 형과 협력하여 저작에 종사하였음. [1786-1859]

그:림 그래프 〔graph〕 명 그림을 그린 그래프의 한 가지. 구체적인 그림의 크기에 의하여 표시함.

그:림-글 명 상형(象形) 문자.

그:림-돈 명 〖역〗 표면의 무늬나 글씨에 채색(彩色)을 베풀었으므로, 별전(別錢)을 일컫는 딴이름.

그림 동:화 【一童話】〔Grimm〕 명 〖책〗 독일 그림 형제가 모은 민화집(民話集). 원제목은 《어린이와 가정의 동화》. 1812년 초판 간행. 240

편이 수록되어 있는데 ≪백설 공주(白雪公主)≫·≪개구리 왕자≫ 등 유명한 동화가 많음.

그:림 매김씨 명 〖언〗'성상 관형사(性狀冠形詞)'의 풀어쓴 이름.

그:림 문자【一文字】[一짜] 명 〔pictograph〕문자 발생 초기(初期)에 속하는 것으로, 그림에 의하여 의사를 표현한 수단. 상형(象形) 문자보다도 더욱 유치한 단계임.

그:림 물감 [一깜] 명 〖미술〗회화(繪畫)를 그리는 데 사용하는 색소(色素)와 고착제를 합쳐 만든 물건. 서양화·동양화 또는 수채화 물감 등이 있음. ＊물감·회구(繪具).

그:림-배 명 그림을 그려서 아름답게 꾸민 배. ＊화방(畫舫).

그:림-본【一本】[一뽄] 명 그림을 받치고 그릴 때에 쓰는 본보기 그림. 모형(模型). 분본(粉本).

그:림-쇠 명 지름이나 선(線)의 거리를 재는 기구. 규구(規矩).

그:림-씨 명 〖언〗'형용사(形容詞)'의 풀어 쓴 이름.

그림애 명 〈옛〉 그림자. ¶ 절로 그린 石屛風 그림애를 버들 삼아≪松江≫.

그:림 연:극【一演劇】[一년一] 명 딱딱한 종이에 이야기의 장면(場面)을 연속적으로 그린 그림을, 상자 모양의 틀 속에 포개어 넣어 순서대로 한 장씩 내보이면서 어린이에게 극적으로 설명하는 것. 화극(畫劇).

그:림 엽서【一葉書】[一녑一] 명 엽서의 한 가지. 뒷면에 명승 고적, 그 밖의 사진이나 그림이 있는 사제(私製) 또는 관제 우편 엽서. 관광(觀光) 여행 때에 흔히 이용함. ㊊엽서.

그:림 영화【一映畫】[一녕一] 명 움직임의 개별적인 순간을 그림으로 나타내어 그것의 시간적 움직임을 연속적으로 촬영한 영화.

그림의 법칙【一法則】〔Grimm〕[一/一에一] 명 인도유럽 조어(祖語)로부터 게르만어가 생기는 과정에서 볼 수 있는, 3 계열의 자음군(子音群)의 음운(音韻) 변화 법칙. 그림³ ❶이 1822 년에 그의 저서 ≪독일 문법≫에서 발표함.　「기.

그:림 일기【一日記】명 주로 아동들이 쓰는, 그림을 주체(主體)로 한 일

그림자 명 〔중세 : 그림제〕①햇빛이나 불빛을 가리어서 나타난 검은 형상. 음영(陰影). ②거울이나 물의 표면에 비치어 나타난 물체의 형상. ③사람의 자취. 영자(影子). ¶ ～ 하나 없다. ④주로 얼굴에 나타나는 불행·우울·근심 따위 내적 상태(內的狀態)의 반영. ¶ 그의 얼굴엔 항상 근심의 ～가 서렸다. ⑤〖물〗암체(暗體)가 광선(光線)을 가리어서 생기는 거무스름한 부분. 광체(光體)가 암체보다 작을 때는 전체가 한결같이 까맣고, 그 반대인 때는 본영(本影)과 반영(半影)이 나타남.

그림자도 없:다 구 온데간데 없다.

그림자를 감추다 구 자취를 감추어 모습을 나타내지 않다.

그림자조차 찾을 수 없:다 구 온데간데 없어 도무지 찾을 수 없다.

그림자 광륜【一光輪】[一뉸] 명 〔glory〕〖물〗특수한 경우에, 구름이나 안개 윗면에 생기는, 관측자의 그림자 주위의 동심원상(同心圓狀)의 광륜.

그림자-극【一劇】명 대사·노래·기악(器樂) 등에 맞추어, 종이·헝겊·가죽 등의 납작한 인형을 조작(操作)하여, 앞쪽의 스크린에 비치는 그 인형의 그림자를 연출하는 연극.

그림자 밟:기 [一밥一] 명 달밤에 술래가 된 사람이 다른 사람의 그림자를 밟는 어린이의 놀이.

그림자-점【一占】명 〖민〗목영 점년(木影占年).

그림재 명 〈방〉 그림자(평안·경상·전남·강원·충북).

그:림-쟁이 명 〈속〉 그림 그리기를 업(業)으로 하는 사람. 화가(畫家).

그림제 명 〈옛〉 그림자. ＝그르메. ¶ 化身이 뵈샤도 根源은 업스샤미 드라 그림제 眞實ㅅ 들 아니로미 곧ᄒ니라≪月釋 Ⅱ:55≫.

그림즈비 〔Grimsby〕명 〖지〗영국 잉글랜드 동부, 북해안의 험버(Humber) 강 어귀의 항구. 링컨셔(Lincolnshire)의 주도(州都). 세계 유수의 대어항(大漁港)으로 조선업(造船業)도 성함. [92,000 명(1981)]

그:림-책【一冊】명 ①그림을 모은 책. ②그림본으로 쓰는 책. ③그림을 주로 한 어린이용의 출판물. 만화책 같은 것. ＊만화책.

그:림-판【一版】명 〖인쇄〗활판에 쓰는, 동판·아연판·목각판 등의 총칭.

그:림-표【一表】명 그림으로 나타낸 표. 도표(圖表).

그:림-풀이 명 도해(圖解).　「青已白頭」≪杜諺 XXIV:64≫.

그림홈 〈옛〉 그림을 그림. ¶ 曹霸의 그림호믄 ᄒ마 마리 셰도다(曹霸丹

그릇ᄒ다 타 〈옛〉 그릇하다. 잘못하다. ¶ 밥 머그믈 어으름과 나줄 그르ᄒ노라(飯食錯昏晝)≪杜諺 XI:25≫.

그립 〔grip〕명 라켓·배트·골프채 등의 손잡이. 또, 그것을 잡는 방식.

그립다 형 ㅂ불 〔중세 : 그립다〕①그리는 마음이 간절하다. ¶ 그리운 내 고향/옛날이 ～. ②아쉽다. 요긴하다. ¶ 쌀밥이 ～.

그립 볼: 〔Grip Ball〕명 글러브 대신 특수 제작된 원판으로 공을 받아내는 놀이 기구의 상표명. 우리 나라 MAI사가 고안함.

그립다 형 〈옛〉 그립다. ¶ 모수매 그리본 쁘들 머거≪月釋 XVII:15≫.

그릿 〔grit〕명 연마재(研磨材)의 일종. 뾰족한 입자로 된 연삭(研削) 숫돌의 성분.

그르다¹ 타 〈옛〉 끄르다. 풀다. ＝그르다¹. ¶ 그를 히(解)≪石千 31≫.

그르다² 형 그르다². ¶ 변ᄒ야볽히게 그른길안가게≪찬양가 : 33≫.

그릇 명 〈옛〉 그릇. ¶ 또 그릇들 설어저 오라(却收拾家事來)≪老乞 上 39≫.

그릇벼 명 〈옛〉 그릇 등속. ¶ 또 사발과 그릇벼들 사쟈(再買些椀子什物)

그:마리 명 〈방〉 거머리(강원·충남·전라).　L≪老乞 下 29≫.

그-마큼 부 ↗그만큼. ＞고마큼. ＊이마큼.

그만¹ 관 ↗그만한. ¶ ～ 돈은 언제든지 가지고 다닌다. ＞고만³.

그만² 부 ①더 하지 말고 그 정도 까지만. ¶ 오늘은 ～ 하자. ②그대로 곧장. ¶ 그 말에 ～ 화를 내다. ③어쩔 도리가 없어서. ¶ ～ 울어 버렸다. 1)-3): ＞고만.

그만그만-하다 형 여불 더 크거나 작지도 않고 또는 더 많거나 적지도 않고 그저 어슷비슷하다. ¶ 그만고만한 나이의 애들. ＞고만고만하다.

그만-두다 타 ①하던 일을 그 정도에서, 하지 않고 그치다. 단념하다. ¶ 직장을 건강 관계로 ～/학교를 ～. ②할 예정이던 것을 안 하다. ¶ 비가 와서 등산을 ～. 1)·2): ㊊간두다. ＞고만두다.

그만-때 명 〈방〉 그맘때.

그만-이다 형 ①그것뿐이다. ¶ 가면 ～. ②그것으로 마지막이다. ¶ 그것만 하면 오늘은 ～. ③마음에 넉넉하다. ¶ 나는 책과 노트만 사 주시면 그만이예요. ④〈속〉 더할 나위 없다. 제일 낫다. 가장 낫다. ¶ 그 사람의 요리 솜씨는 ～.

그만-저만 부 그저 그만한 정도로. 그만한 정도로 그만. ¶ 너무 오래 하지 말고 ～ 해 두어라. ——-하다 형 여불 그저 그만한 정도이다. 정도가 그저 어슷비슷하다. ¶ 병세가 오늘도 ～.

그-만치 부 그만큼. ＞고만치. ＊이만치.

그-만큼 부 그 정도로. ¶ ～ 크다/일을 하면 ～ 돈이 생긴다/～ 타일렀건만. ㊊그마큼. ＞고만큼. ＊이만큼.

그만-하다 형 여불 ①크지도 작지도 아니하고, 또 더하지도 덜하지도 아니하고 그저 비슷하다. 웬만하다. ¶ 아버님 병환이 ～. ②웬만하다. ¶ 사업은 그저 그만합니다. ③정도나 수량이 그것만하다. ¶ 그만한 돈은 내게도 있다. 1)-3): ＞고만하다.

그맘-때 명 〔중세 : 그만빼←그+만(정도)+빼(때)〕 그 때쯤. ¶ 어제 ～/～ 꼭 한 번씩만 오너라. ＞고맘때. ＊저맘때.

그망없다 형 〈옛〉 아득하다. ¶ 그망업슬 막(漠)≪類合 下 55≫.

그:머리 명 〈방〉 거머리(경기·충청·전남·황해).

그멈 명 〈방〉 그믐(경상).

그멜린 반:응【一反應】명 〔Gmelin's test〕〖의〗독일의 생리학자인 그멜린(Gmelin, L.; 1788-1853)에 의하여 발견된 담즙 색소(膽汁色素) 빌리루빈(bilirubin)의 검출에 사용되는 반응. 아질산(亞窒酸)을 약간 포함한 질산 위에 빌리루빈의 수용액(水溶液)을 천천히 가하면, 빌리루빈은 산화되어 경계면에 그의 산화된 정도에 의해서 아래에서 위로 차례로 황적색·적색·자색·청색·녹색의 층이 생김. 녹색이 빌리루빈의 산화에 의해 생기는 빌리베르딘(Biliverdin)의 색으로, 오줌에서 빌리루빈을 검출하여 신장병(腎臟病)을 진단하는 데 쓰임.

그-모래 명 〈방〉 글피(경상).

그-모리 명 〈방〉 글피(경남).

그몸 명 〈옛〉 그믐. ¶ 네 이 둘 그몸의 北京의 갈가 가디 못홀가(你這月盡頭 到的 北京麼 到不得)≪老乞 上 1≫.

그무개 명 〖건〗목재에 금을 긋거나 표를 하는 데 쓰는 목공구. ＊그레.

〈그무개〉

그물 명 ①물고기나 날짐승 들을 잡기 위하여 실이나 노끈으로 여러 코의 구멍이 나게 얽은 물건. ¶ 새～. ②그물코와 같이 엮어 만든 물건의 총칭. 네트(net). ¶ 쇠의 ～/쇠～로 막은 울타리. ③죄인을 잡기 위해서 여러 곳에 펴 놓은 비상망(非常網). 거미줄. ¶ 범인이 ～에 걸리다. ④남을 꾀거나 해칠 교묘한 수단. ¶ 그 녀석이 쳐 놓은 ～에 걸렸다.

[그물에 든 고기] 이미 잡힌 몸이 되어 벗어날 수 없는 신세를 이름. [그물에 든 고기요 쏘아 놓은 범이라] 옴짝달싹 못하고 영락없이 죽을 지경에 빠졌다는 뜻. ¶ … 기운이 쇠진하여 칼빛치 점점 둔한지라 명장 칠인이 달려들어 싸호니 청정이 그물에 든 고기요 쏘아 놓은 범이라≪壬辰錄≫. [그물에 든 새] '그물에 든 고기'와 같은 뜻. [그물을 벗어난 새] 매우 위급한 궁지를 빠져 나와 다시 살아난 경우를 이르는 말. [그물이 삼천(三千) 코라도 벼리가 으뜸] 아무리 수가 많더라도 주장되는 것이 없으면 소용 없다는 뜻. [그물이 천 코면 걸릴 날이 있다] 준비를 든든히 하고 기다리면, 이루어질 날이 반드시 있다는 말.

그물을 던지다 구 남을 꾀거나 해치려고, 거기에 걸려 들게 기구(機構)를 얽어 놓다.

그물을 따다 구 그물에 걸린 물고기를 그물코에서 떼어 내다.

그물-강도래【一江一】명 〖충〗[*Megarcys ochracea*] 그물강도랫과에 속하는 곤충. 몸길이는 16-18 mm 이고, 두부(頭部)는 황갈색, 촉각은 흑갈색이며, 그 기부(基部)는 황색, 복부(腹部)는 흑색이나 제10-11 절은 황갈색이며, 날개는 담황색인데, 날개 끝의 시맥(翅脈)은 그물 모양임. 한국·일본·사할린·시베리아 등지에 분포함.

그물강도랫-과【一江一科】명 〖충〗[Perlodidae] 강도래목에 속하는 한 아과(亞科).

그물-거리다 자 '끄물거리다'를 가볍고 부드럽게 이르는 말. ¶ 날씨가 ～. 그물-그물 부. ——-하다 자 여불

그물 고:사【一告祀】명 〖민〗제주도의 바닷가 마을에서 봄에 멸치잡이 풍어(豐漁)를 빌어 지내는 제사. 3 년에 한 번 3 월 15 일에 지냄.

그물-눈 [一룬] 명 그물코.

그물-대다 자 그물거리다.

그물등-개미 명 〖충〗[*Pristomyrmex pungens*] 개밋과에 속하는 동물. 몸길이 3-3.5 mm 이고, 몸빛은 암갈색 또는 흑갈색에 두부·흉부 및 복부에 그물 모양의 융기(隆起)가 있음. 나무·풀의 썩은 틈, 돌밑·낙엽 밑 등에 서식하는데, 한국·일본·대만·중국 등지에 분포함.

그물-막【一膜】명 〖생〗망막(網膜).

그물망-부【一網部】명 한자 부수(部首)의 하나. '罔' 이나 '罕' 등의 '网'·'罒' 및 '冈'·'网'·'罓' 등의 이름. 모두 망(網)자의 고자(古字)임. ＊넉사밑.

그물-맥【一脈】명 〔netted venation〕〖식〗잎맥의 분포 상태가 그물처럼 엉겨 있는 형상. 쌍떡잎 식물의 잎

〈그물맥〉

맥이 이와 같음. 망상맥(網狀脈). ↔나란히맥.

그물맥-잎 【一脈】 [一닙] 명 〖식〗 잎맥이 그물처럼 엉키어 있는 잎. 배나무·벚나무 등의 잎.

그물-메기 명 〖어〗 [*Watasea sivicola*] 양메깃과에 속하는 바닷물고기. 몸길이 25cm 내외로 좀 가늘고 머리 전면에 비늘이 있음. 몸빛은 담회색으로 몸 위쪽은 그물 모양에 가까운 잔 백색 무늬가 있고, 뒷지느러미와 꼬리지느러미에 큰 갈색 무늬가 있으며, 가슴지느러미는 흰 빛에 가까움. 한국 동남해·제주도 연해 및 일본의 심해에 분포함.

그물-무늬 [一니] 명 〖고고학〗 토기 표면을 그물로 찍어서 무늬를 내는 것. 남부 지방의 빗살무늬 토기에서 볼 수 있음. 망문(網紋).

그물-바늘 명 망침(網針).

그물-베도라치 명 〖어〗 [*Dictyosoma burgeri*] 황줄베도라칫과에 속하는 바닷물고기. 몸길이 35cm 내외이고, 머리를 제외한 몸 전체에 피부 속에 매몰된 미소한 둥근 비늘이 있음. 겉몸에는 옆줄과 직각인 황색의 가로줄이 있으며, 주둥이는 짧고 입술은 큼. 몸빛은 철색(鐵色)을 띤 흑갈색이고, 등지느러미와 뒷지느러미는 꼬리지느러미에 연결되어 있음. 암초성(岩礁性) 내만(內灣)의 해조(海藻) 사이에 서식하는데 한국 연해 및 일본에 분포함.

그물-자리 명 〔라 Reticulum〕 〖천〗 남쪽 하늘에 있는 별자리. 에리다누스강자리의 남쪽에 있는데, 우리 나라에서는 보이지 않음. 소망좌(小網座). 약자 : Ret.

그물-쥐치 명 〖어〗 [*Canthidermis rotundatus*] 쥐치복과에 속하는 바닷물고기. 몸길이 30cm 내외이고, 몸의 껍질이 그물 모양으로 되어 있으며, 제2 등지느러미와 뒷지느러미는 길고 커서 대칭을 이룸. 몸빛은 자흑색에 많은 담색 반점이 산재하나 전혀 없을 때도 있음. 배지느러미는 없고 비늘은 거칢. 열대성 어족으로, 부산 및 일본 중부 이남, 중국·필리핀·하와이·동인도·인도 연해에 걸쳐 분포함. 맛이 없음.

그물-질 명 그물을 써서 고기를 잡는 일. ——하다 자 여불

그물집기 노래 명 〖악〗 좌수영(左水營) 어방(漁坊)놀이의 마무리 노래. 별뜻이 없는 구호(口號)를 주고받음.

그물-채 명 그물의 양쪽 끝에 매는 긴 대.

그물-추 【一錘】 명 그물에 매달아 그물이 물 속에 가라앉게 하는 것. 어망추(漁網錘).

그물-코 명 그물의 구멍. ¶ ～가 성기다.

그물코-쥐치 명 〖어〗 [*Rudarius ercodes*] 객주릿과에 속하는 바닷물고기. 몸길이 6cm 가량이고, 몸통이 원형에 가까운데, 몸빛은 갈색 또는 회록색이며, 체측에는 흔히 흑갈색의 다각형인 그물 모양의 무늬가 있음. 배지느러미의 가시는 움직일 수 없음. 한국 남해 및 일본 중부 이남에 분포함. 식용함.

그물-톱 명 그물을 손으로 뜰 때, 그물코의 크기를 일정하게 하는 데 쓰이는 작은 나무쪽.

그뭄 명 〈옛〉 그믐. ¶ 네 하 精誠일쎄 그무메 가 주그리라ᄒᆞ니 그무메 가 아 죽거늘《三綱 孝子 21》.

그므다 자 〈옛〉 까물어지다. 꺼지다. =그믈다. ¶ 그 ᄒᆡ 그므도록 곳블도 만나디 아니ᄒᆞ며(竟年不遭傷寒)《瘟疫方 4》.

그므록ᄒᆞ다 자 〈옛〉 거물거리다. 거무럭거리다. ¶ 프른 블도 그므록ᄒᆞ야 어득호미 ᄂᆞᆫ호ᄒᆞ도다(靑燈死分翳)《杜諺 Ⅰ:54》.

그믄뎌믄 부 〈옛〉 이만저만. ¶ 깁헤 빨거시 그믄뎌믄 ᄆᆞᄃᆞ려녀(省多少盤纏)《朴解 上 54》.

그믈 명 〈옛〉 그물. ¶ 眞珠 그므를 우희 둡습고《月釋 Ⅶ:37》.

그믈다 자 〈옛〉 까무러지다. 꺼지다. 끝나다. ¶ 가디록 새비ᄎᆞᆯ 내여 그믈 뉘를 모ᄅᆞᆫ다《古時調 鄭澈》/燈盞블 그므러 갈제 窓턱 집고《古時調》.

그믐 명 〔중세 : 그뭄(그믈다의 파생 명사)〕 ↗그믐날. ¶ 섣달 ～.

그믐-게 【一蟹】 명 음력 그믐께에 잡히는 게. *보름게.

그믐-께 명 그믐날 가까운 며칠 동안. ¶ 정월 ～.

그믐-날 명 한 달의 마지막 날. 말일(末日). ¶ 사월 ～. ㊎그믐.

그믐-달 [一딸] 명 음력으로 매월 그믐께 돋는 달. ↔초승달. *보름달. 【그믐달 보자고 초저녁부터 나선다】 지나치게 일찍 서두름의 뜻. ¶ 금분이가 마음을 엎치락뒤치락 두 가지로 먹고서 듣다가 제 옷감 끊어 준다는 말에 회가 바싹 동하여 평양집 위하는 생각이 불현듯이 나서 혼잣말로(그믐달 보자고 초저녁부터 나설까? 동방 삭이 밤 갉아먹듯 잘게 베어 먹는 것이 수지)《李海朝:鬢上雪》.

그믐-밤 [一빰] 명 음력으로 그믐날의 밤. 달이 없고 컴컴한 밤. 【그믐밤에 달이 뜨는 것과 같다】 불가능한 일임을 가리키는 말. 【그믐밤에 홍두깨 내민다】 생각지 않던 일이 갑자기 일어남을 이르는 말.

그믐 사리 명 그믐께 잡는 조기.

그믐-장 【一場】 [一짱] 명 그믐날에 서는 장.

그믐 초승 【一初一】 명 ①그믐과 초승. ②그믐께부터 다음달 초승까지의 사이. 회초간(晦初間).

그믐-치 명 음력 그믐께 내리는 비나 눈. 또, 그믐께에 비나 눈이 내림. ——하다 자 여불

그믐 칠야 【一漆夜】 명 먹을 갈아 부은 듯이 깜깜한 그믐께의 밤.

그-빨로 부 못된 버릇을 버리지 않고 그대로. ¶ ～ 굴다가는 혼날 줄 알아라.

그-사 부 〈방〉 그야(경상).

그-사이 명부 그 동안. 어느 때부터 어느 때까지의 사이. 그간. ¶ ～ 어떻게 지냈나. ㊎그새. ＞고사이.

그-새[1] 명부 ↗그사이. ＞고새.

그새[2] 부 〈방〉 벌써(충북·전라).

그스기 부 〈옛〉 그윽이. =그ᅀᅳ기. ¶ 그스기 고온양ᄒᆞ야 괴옴을 取ᄒᆞᄂᆞ니 「(陰媚取寵)《龜鑑 下 51》.

그스다 타 〈옛〉 끌다. ¶ 王ᄋᆡ 소ᄂᆞ로 ᄆᆡ야 무덦서리예 긋어다가 두리라《月釋 Ⅸ:74》/主人이 블훌 긋어낸대《三綱·烈女 15》.

그스르다 타 르불 〔중세어 '그슬다'의 방언형 '그슬다'의 변화. *머물다. 머무르다〕 불에 쬐어 거죽만 조금 타서 검게 하다.

그스름 명 〈방〉 그을음(전북·경상).

그슬다 자 〈방〉 그을다(경상).

그슬리다 ㊀ 사동 그스르도록 하다. ㊁ 피동 그스름을 당하다. 【그슬린 돼지가 달아 맨 돼지 타령한다】 제 흉은 모르고 남의 흉만 탈잡고 나무란다는 말.

그슴 명 〈옛〉 끝. 한정(限定). =그음. ¶ 壽命이 그슴 업스시니《月釋 Ⅶ:56》/一期ᄂᆞᆫ ᄒᆞᆫ 그슴이라《妙蓮 序 22》.

그시 명 〈방〉 〖동〗 거위[2](전북).

그:시랑 명 〈방〉 〖동〗 지렁이(전북).

그시럼 명 〈방〉 그을음(전북·경상).

그시름 명 〈방〉 그을음(경북).

그 식이 장식 구 변함이 없이 종전과 같이 계속하는 경우를 이르는 말. ¶ 돈푼 모아 놓으면 또 아버지처럼 양반들이 뺏어가면 ～이 될 것이다《李無影 : 農民》.

그어 타 〈옛〉 그어. '긋다'의 활용형. ¶ ᄯᅡ 그어 字 지ᅀᅮ메(畫地作字)《永嘉 下 77》.

그에 명 〈옛〉 그윽한 곳. ¶ 그에 밍ᄀᆞ노라 집지ᅀᅵ를 처섬ᄒᆞ니《月釋 Ⅰ:44》.

그ᅀᅳᆫ 형 〈옛〉 그윽한. '그ᅀᅳᆨ다'의 활용형. ¶ 그ᅀᅳᆫ ᄡᅳᆷ멧 드트른 ᄠᅥ러ᄇᆞ료미 어려우니(幽隙之塵拂之且難)《楞嚴 Ⅰ:107》.

그ᅀᅳ기 부 〈옛〉 그윽이. =그스기. ¶ 그ᅀᅳ기 스러(潛銷)《楞嚴 Ⅶ:2》.

그ᅀᅳ다 타 〈옛〉 끌다. ¶ 四天王이 술위 그ᅀᅳᆸ고《月釋 Ⅱ:35》.

그ᅀᅳ름 명 〈옛〉 그을음. =그음. ¶ 그ᅀᅳ름 ᄐᆡ(炲)《字會 下 35》.

그ᅀᅳ리다 사동 〈옛〉 그을리다. ¶ ᄂᆡ예 그ᅀᅳ린 ᄆᆡ실(烏梅)《救簡 Ⅲ:72》.

그ᅀᅳᆨ다 형 〈옛〉 그윽하다. ¶ ᄂᆞᆯ오ᄃᆡ ᄀᆞ만ᄒᆞ며 그ᅀᅳᆨ다 ᄒᆞᄂᆞ니라(云潛密)《圓覺 上 一之二 15》.

그ᅀᅳᆨᄒᆞ다 형 〈옛〉 그윽하다. ¶ 그ᅀᅳᆨᄒᆞᆫ 이ᄅᆞᆯ 엿오디 말며(不窺密)《內訓 Ⅰ:8》.

그ᅀᅳᆷ 명 〈옛〉 ①그을음. ¶ 그ᅀᅳᆷ셤(煤島)《龍歌 Ⅷ:70》. ②한정(限定). ¶ 本來 그ᅀᅳᆷ 마고미 업스니(本無限礙)《妙蓮 Ⅵ:31》.

그ᅀᅳᆷᄒᆞ다 자 〈옛〉 국한(局限)하다. ¶ 區局은 그ᅀᅳᆷᄒᆞᆯ 씨라《楞嚴 Ⅸ:51》.

그ᅀᅵ다 타 〈옛〉 기이다. 속이다. ¶ 올ᄒᆞᆫ대로 엳ᄌᆞ와사 ᄒᆞ려 그 ᅀᅵ사ᄒᆞ려(當以實告 爲當諱之)《飜小 Ⅸ:43》.

그-아레 명 〈방〉 그끄저께(경상).

그-아리 명 〈방〉 그끄저께(경남).

그악-스럽다 형 ㅂ불 그악한 데가 있다. ¶ 비가 그치면서 매미 소리가 더 그악스럽고 물소리는 더 새로웠다《朴花城 : 고개를 넘으면》. 그악-스레 부

그악-하다 형 여불 ①지나치게 심하다. 모질고 사납다. ②억척스럽고 부지런하다. ¶ 성질이 그악해서 수다 식구를 혼자서 벌어 먹인다.

그야 부 ↗그것이야. ¶ ～ 그렇겠지만.

그야-말로 부 ①말한 바와 같이 참으로. ②↗그것이야말로. ¶ ～ 한국 제일이지.

그양 부 〈방〉 그냥(함경).

그양-저양 부 〈방〉 그냥저냥(함경).

그어가다 타 〈옛〉 끌어가다. ¶ 제 술위 그어가 급데ᄒᆞ야놀(徒載而西 登第)《三綱 徐積》.

그-어간 명 〈방〉 그사이.

그어-주다 타 ①돈이나 곡식 가운데에서 마땅히 줄 것을 떼어 주다. ¶ 제 몫으로 오백만 원 그어주었다. ②(돈을) 환(換)으로 부치다. 1)·2):㊎거주다.

그여나다 자 〈옛〉 이끌려 나다. 끌려 나다. ¶ ᄂᆡ의 여희는 興이 그여나미 더으ᄂᆞ다(添余別興牽)《重杜諺 Ⅷ:46》.

그여이 부 〈방〉 기어이.

그여코 부 〈방〉 기어이.

그여히 부 〈방〉 기어이(함경). ¶ 이 천재 일시를 ～ 잃어버리실려오?

그-역 【一亦】 부 ↗그역시.

그-역시 【一亦是】 부 그것도 역시. 그 사람도 역시. ¶ ～ 별 수 없군. ㊎그역.

그예 부 마지막에 가서는 그만. 마침내. 필경. ¶ ～ 울음보를 터뜨렸다.

그 옛날 구 ①그보다 이전의 옛날. ②옛날. '그'는 어조를 고르는 말.

그우놈 자 〈옛〉 굴러 다님. '그우니다'의 명사형. =그우뉴. ¶ 그우뇨ᄆᆞᆯ 受ᄒᆞᄂᆞ니라(受輪轉)《楞嚴 Ⅰ:85》.

그우뉴 자 〈옛〉 굴러 다님. '그우니다'의 명사형. ¶ 이런ᄃᆞ로 그우뉴미 잇ᄂᆞ니라(故有輪轉)《楞嚴 Ⅰ:43》.

그우니다 자 〈옛〉 굴러 다니다. ¶ 五道애 그우녀 잢간도 쉬디 몯ᄒᆞ야《月釋 XXI:49》.

그우다 자 〈옛〉 구르다. =그울다. ¶ 本來 흘러 그우디 아니ᄒᆞ며(本不流轉)《圓覺 下 一之二 37》.

그우러디다 자 〈옛〉 굴러내리다. 구르다. ¶ 太子ㅣ 듣고 안 닶겨 ᄡᅡ해 그우러디옛더라《釋譜 Ⅺ:19》.

그우룸 자 〈옛〉 굴러 감. '그울다'의 명사형. ¶ 그우루미 일ᄯᆞᄅᆞ미니라(遂成輪轉耳)《永嘉 下 117》.

그우리다 사동 〈옛〉 구르게 하다. ¶ 轉輪은 술위를 그우릴씨니《月釋 Ⅰ:19》.

그우리왇다 타 〈옛〉 굴리다. 거꾸러뜨리다. ¶ ᄒᆞᆫ 주머귀로 化城關ᄋᆞᆯ 텨 그우리왇고(一拳打倒化城關)《金三 Ⅲ:46》. *-왇다.

그울다 자 〈옛〉 구르다. =그우다. ¶ 부텨 向ᄒᆞᅀᆞ바 더우 그울며 우더니《月釋 Ⅹ:14》.

그움 타 〈옛〉 끌음. 이끌음. '그을다'의 명사형. ¶ 믈로 ᄂᆞ려 가매 ᄇᆡ 그우믈 잇비 아니ᄒᆞ리로다(下水不勞牽)《重杜諺 Ⅱ:15》.

그위 명 〈옛〉 관청. 공(公). ¶ 그윗것과 아룸거시 제여곰 ᄯᅡ해 브터셔(公私各地着)《杜諺 Ⅶ:36》/그윗 거슬 일버서《月釋 Ⅰ:6》.

그위실 명 〈옛〉 구실❶. 벼슬. ¶ 네 百姓ᄋᆞᆫ 그위실 ᄒᆞ리와 녀름 지ᅀᅳ리와 셩냥바지와 흥졍 바지 왜라(四民士農工商)《楞嚴 Ⅲ:88》.

그윗일 명 〈옛〉 관가(官家)의 일. ¶ 親ᄒᆞᆫ 버디 그윗 일로 나갈제《圓覺 序 76》/그윗일로 녀를 當ᄒᆞ야(官事當行)《妙蓮 Ⅳ:37》.

그으기 [부] 〈옛〉 그윽이. ¶ 그으기 결(竊)《類合 下 44》.
그으다 [부] 〈옛〉 끌다. ¶ 그을 타(拖)《類合 下 46》. *그스다.
그으름 [명] 〈방〉 그을음(경기).
그윽다 [형] 〈옛〉 그윽하다. ¶ 구슰 가온ᄃᆡ 그으근 字ㅣ 잇ᄂᆞ니(珠中有隱字《重杜諺 Ⅳ:35》.
그윽-이 [부] 그윽하게. ¶ ~ 마주보며 인사성 있는 대답을 한다.
그윽-하다 [형][여불] 〔중세 : 그슥ᄒᆞ다〕 ①깊숙하고 으늑하며 고요하다. ¶ 그윽한 정취(情趣). ②뜻과 생각이 깊다. ¶ 그윽한 애정. ③느낌이 은근하다. ¶ 그윽한 매화(梅花)의 향기.
그은-송이 [명] ☞그은총이.
그은-총이 [명] 흰 바탕에 그을린 듯 얼룩이 진 말.
그을다[1] [자] 〔중세 : 그슬다〕 햇볕이나 연기 같은 것에 오랫동안 쐬어 빛이 검게 되다. ¶ 일 주일간의 해수욕에 몸이 꽤 그을었다. [준]글다.
그을다[2] [타] 〈옛〉 끌다 ¶ 그을 타(拖)《類合 下 46》.
그을리다 ㊀[사동] 그을게 하다. ¶ 천장을 ~. ㊁[피동] 그을음을 당하다. ¶ 유리 조각이 연기에 쐬어 ~.
그을음 [명] ①불이 탈 때에 불꽃과 같이 연기에 포함되어 일어나는 검은 먼지 같은 가루. 연매(煙煤). ②연기·먼지 들이 엉겨서 벽·천장 등에 앉은 검은 물건. 연재(煙滓).
그을음-병 【一病】[一뼝] [명] 〖식〗 매병(煤病).
그음 [명] 〈옛〉 한정(限定). =그슴. ¶ 오직 술을 그음 아니 ᄒᆞ샤ᄃᆡ 미란 홈애 밋게 아니 ᄒᆞ시며(唯酒無量不及亂)《小諺 Ⅲ:28》.
그의 【其矣】 [인대] 〈이두〉 그이. 그 사람.
그의내 【其矣徒】 [인대] 〈이두〉 그네들. 그 사람들.
그의들 【其矣等】 [인대] 〈이두〉 그네들. 그 사람들.
그의몸 【其矣身】 [인대] 〈이두〉 그이. 그 사람.
그의몸뿐 【其矣身㐘】 [인대] 〈이두〉 그이뿐. 그 사람뿐.
그의무리딴두 【其矣等段置】 〈이두〉 그이들도. 그 사람들도.
그이[1] [명] 〈방〉〖동〗 게[2](충청·강원·황해·함경).
그-이[2] [인대] 그 사람. ¶ 내 사랑하는 ~.
그이다 [타] 〈옛〉 기이다. 숨기다. ¶ 그일 휘(諱)《類合 下 35》.
그이-들 [인대] 그 사람들.
그ᄋᆞ기 [부] 〈옛〉 그윽히. 가만히. =그스기. ¶ 備員ᄒᆞ야 그ᄋᆞ기 袞職ᄋᆞᆯ 돕ᄉᆞ와(備員竊補袞)《重杜諺 Ⅱ:43》.
그어긔 [지대][부] 〈옛〉 거기. ¶ 그어긔 쇠 하아 쇼료 천사마 흥정ᄒᆞᄂᆞ니라《月釋 Ⅰ:24》.
그에[1] 〈옛〉 거기에. 그것에. '그'의 처격형(處格形). ¶ 그에 드리텨든 우르ᄂᆞ니라《月釋 Ⅰ:29》.
그에[2] [조] 〈옛〉 에게. ¶ 내 그에 모딜언 마ᄅᆞᆫ(於我雖不軌)《龍歌 121章》.
그-자 【一者】 [인대] '그 사람'이란 뜻으로 얕잡아 쓰는 말.
그-자리 [명] 어떤 일의 현장. 그 곳. 즉석(卽席). 즉좌(卽座). ¶ ~에서 대답하다.
그재 [명] 〈방〉 그저께(경남).
그저 [부] ①지금까지 그치지 아니하고 그대로 사뭇. ¶ 여덟 시인데 ~ 잠을 자고 있다. ②별다른 소득이나 신기한 일 없이. ¶ ~ 그렇지요 뭐. ③무조건하고. ¶ ~ 살려 주십시오/~ 시키는 대로만 하라/~ 밉기만 하다. ④아무 생각 없이. ¶ 농담으로 ~ 한 말이다. ⑤〈방〉 거저❷.
그저 그렇다 [一러타] [구] 별로 신기한 것도 없고, 내세울 것도 없는, 그런 상태이다. ¶ 요즘 재미는 ~.
그저긃픠 [명] 〈옛〉 그끄저께. ¶ 그저긃픠 오라(大前日來了)《朴解 上 51》.
그저기 [명] 〈방〉 그저께(충남).
그저께 [명] 〔근대 : 그젓긔〕 어제의 어제. 어제의 전날. 거거일(去去日). 재작일. [준]그제.
그저껫-밤 [명] 그저께의 밤. 지지난 밤.
그적[1] [명] 〈방〉 그저께(충남·전북).
그적[2] [명] 〈옛〉 그 때. ¶ 그저긧 燈照王이 普光佛을 請ᄒᆞᅀᆞᄫᅡ《月釋 Ⅰ:9》/그저긔 쌋마시 뿔마티 돋오《月釋 Ⅰ:42》.
그적-거리다 [자타] ☞끼적거리다. ㅆ끄적거리다. 그적-그적 [부]. ——-하다 [자타][여불]
그적긔 [명] 〈옛〉 그저께. ¶ 그적긔 여긔 ᄂᆞ려와《新語 Ⅰ:1》.
그적-대다 [자타] ☞끼적대다.
그적-에 [부] 그 때에. ¶ ~ 내가 말한 바와 같이. [준]그제.
그적-이다 [자타] ☞끼적이다.
그-전 【一前】 [명] ①얼마 아니 된 전날. 지난날. ¶ ~ 장관. ②퍽 오래된 지난날. 예전. ¶ ~에는 이 곳이 밭이었다. ③어떤 시기의 이전. ¶ 모레가 기한인데 ~에는 납부할 수 없다.
그정 [명] 〈방〉 벼랑(제주).
그제[1] [명] 그저께. ¶ ~ 다녀갔다.
그제[2] [명] 〈옛〉 자국. 흔적. ¶ 눈물 그제를 ᄂᆞ치 ᄀᆞᄃᆞ기 드리우노라(啼痕滿面垂)《杜諺 XI:3》.
그제[3] [준] 그적에.
그제께 [명] 〈방〉 그저께(전북).
그제-사 [부] 〈방〉 그제야.
그제-서야 [부] 〈방〉 그제야.
그제-야 [부] 그 때에야 비로소. ¶ 돈을 받더니 ~ 가더라/~ 말문을 열었다.
그-중 【一中】 [명][부] 많은 가운데. ¶ ~ 낫다.
그지[1] [명] 〈방〉 거지[1](충청).
그지[2] [명] 〈방〉 그저께(평안).
그:지[3] [명] 〈방〉 거지[1](경기·강원·충청·전라·경북).
그지[4] [명] 〈옛〉 한(限). ¶ 그지 업서 몯내 혜ᅀᆞᄫᆞᆯ 功과(無量功)《釋譜 序 1》.
그지-깔 [명] 〈방〉 거짓말(전북).
그지께 [명] 〈방〉 그저께(제주).
그지-없다 [一업一] [형] 〔중세 : 그지없다←그지+없다〕 ①끝이 없다. 한이 없다. ¶ 그지없는 바다. ②이루 다 말할 수 없다. ¶ 그지없는 어버이의 사랑/억울하기 ~.
그지-없이 [一업씨] [부] 그지없게. 한없이. 끝없이. ¶ ~ 사랑하다.
그지ᄒᆞ다 [자] 〈옛〉 한정(限定)하다. ¶ 엇뎨 可히 南과 北과ᄅᆞᆯ 그지ᄒᆞ리오(安可限南北)《杜諺 Ⅸ:17》.
그:진-말 [명] 〈방〉 거짓말(경기·강원·충청·전라·경북·제주).
그:짐-말 [명] 〈방〉 거짓말(경기·강원·충청·전라·경북·제주).
그-쪽 [명] 이미 말한 쪽이나 상대자가 짐작하고 있는 쪽.
그처디다 [자] 〈옛〉 그쳐지다. 끊어지다. ¶ 天閼ᄋᆞᆫ 그처딜씨라《月釋 17》. *그츠다.
그추다 [사동] 〈옛〉 그치게 하다. ¶ 날로 더르므로 惑 그추믈 삼고(以日損爲斷惑)《圓覺 序 84》.
그춤 [자] 〈옛〉 그침. '긏다[1]'의 명사형. ¶ 工夫ᄅᆞᆯ 그춤 업게 호리니(工夫無間斷)《蒙法 5》
그츄니 [자] 〈옛〉 그치니. '긏다[1]'의 활용형. ¶ 青楓浦애 와 비츨 그츄니(轗悼青楓浦)《杜諺 Ⅱ:24》.
그츄리라 [자] 〈옛〉 그치리라. '긏다[1]'의 활용형. ¶ 漢陰엣 機心을 기리 그츄리라(永息漢陰機)《杜諺 Ⅱ:25》.
그츠다 [자] 〈옛〉 그치다. 그만두다. 끊다. ¶ ᄀᆞᄆᆞ래 아니 그츨ᄊᆡ(旱亦不竭)《龍歌 2章》/그츨 절(絕), 그츨 단(斷). 《類合 下 12》.
그츤ᄀᆞᆷ [구] 〈옛〉 끝 되는 가의 지경(地境). ¶ 究竟法ᄋᆞᆫ 곧 道ᄋᆡ 그츤ᄀᆞᅀᅵ오(究竟法卽道之絕域)《妙蓮 Ⅰ:184》.
그츯슷 [명] 〈옛〉 그칠 사이. 쉴 사이. ¶ 하ᄂᆞᆳ 風流ㅣ 그츯슷 업스니《月釋 Ⅶ:58》.
그치누르다 [타] 〈옛〉 끊어 막다. 저지(沮止)하다. ¶ ᄒᆞ나ᄒᆞᆫ 나디 아니ᄒᆞᆫ 惡ᄋᆞᆯ 그치눌러 나디 아니케 호미오(一未生之惡遏令不生)《圓覺 上 二之二 114》/그치누를 져(沮)《類合 下 31》.
그치다[1] ㊀[자] ①계속되던 움직임이 멈추게 되다. ¶ 바람이 ~/그칠 새 없이 손님이 찾아오다. ②어떤 상태에 머무르다. ¶ 구호(口號)에 그쳐서는 안 된다. ㊁[타] 계속되는 움직임을 멈추게 하다. 하던 일을 멈추다. ¶ 울음을 ~.
그치다[2] [타] 〈옛〉 그치다. 끊다. ¶ 한비ᄅᆞᆯ 아니 그치샤(不止霖雨)《龍歌 68章》/寢食을 그쳐시니(爲之廢寢饌)《龍歌 116章》.
그치티다 [타] 〈옛〉 끊다. ¶ ᄒᆞ나ᄒᆞᆫ 法을 가졧ᄂᆞᆫ 警戒니 모딘 이ᄅᆞᆯ 그치틸씨오《釋譜 Ⅸ:4》.
그칠간-부 【一艮部】 [명] 한자 부수(部首)의 하나. '良'이나 '艱' 등의 '艮'의 이름.
그칠지-부 【一止部】 [명] 한자 부수(部首)의 하나. '正'·'武'·'歷'·'歸' 등의 '止'의 이름.
그침-표 【一標】 [명] 중지부(中止符).
그토록 [부] 〔↗그러하도록〕 그렇게까지. ¶ ~ 생각해 주시니 고맙습니다.
그트렁이 [명] 〈옛〉 끄트머리. ¶ 블 그트렁이 외(煨)《類合 下 52》.
그패 [명] 〈방〉 글피(전라).
그페 [명] 〈방〉 글피(전북).
그-편 【一便】 [명] ①그 사람의 편. ②그쪽의 편. ¶ ~에서 먼저 하시오.
그푸 [명] 〈방〉 글피(전북)
그피 [명] 〈방〉 글피(전북).
그-해 [명] 그 당년. 전에 말한 해. ¶ ~는 대풍년이었다.
극[1] 【極】 ㊀[명] ①사물이나 그 정도가 그 이상 갈 수 없는 지경. 마지막. 끝. ¶ 화가 ~에 달하다. ②〖지〗 지축(地軸)의 양단(兩端). 남극과 북극. ③〖물〗 전극(電極). ④〖물〗 자석(磁石)에서 자력이 가장 센 두 끝. 남극과 북극이 있음. ⑤〖수〗 구(球)의 대원(大圓) 및 소원(小圓)의 평면에 수직되는 지름의 양끝. ⑥〖광〗 결정학(結晶學)에서, 결정에 있어서 각각의 대칭축(對稱軸)의 끝. ⑦〖물〗 회전축 또는 대칭축이 물체의 표면을 지나는 점. ——-하다 [자타][여불] 아주 심하여 더 할 수 없는 정도에 이르다. ㊁ [수] ①재(載)의 억 배(億倍), 항하사(恒河沙)의 억분(億分)의 일의 수. 곧, 10^{88}. ②재(載)의 만 배(萬倍), 항하사(恒河沙)의 만분(萬分)의 일의 수. 곧, 10^{48}.
극[2] 【戟】 [명] ①중국 전국 시대(戰國時代)로부터 한대(漢代)에 이르는 동안에 쓰인 병기(兵器)의 하나. 은(殷)·주(周)대의 과(戈)에서 발달함. ②옛날 우리 나라에서 무기로 쓰인, 끝이 세 갈래진 긴 창(槍). 6자 정도의 나무 자루 끝에 3개의 칼날, 곧 7치 반의 원(援), 6치의 호(胡), 6치의 자(刺)가 달림. *과(戈).
극[3] 【棘】 [명] 〖어〗 물고기 등의 지느러미를 이루고 있는 단단하고 끝이 날카로운 기조(鰭條). 가시 모양임.
극[4] 【劇】 [명] ①↗연극(演劇). ②연극·희곡·유희(遊戲) 등의 총칭.
극가[1] 【克家】 [명] 집을 잘 다스림. ——-하다 [자][여불]
극가[2] 【極可】 [명] 아주 좋음. ¶ 그때 나이 십이 세로되 오히려 자색(姿色)이 ~하더니…《作者未詳 : 貨水盆》.
극가[3] 【極嘉】 [명] 언행이나 성질이 극히 아름다움. ——-하다 [형][여불]
극가[4] 【戟架】 [명] 창(槍)을 걸어 놓는 틀.
극간[1] 【極奸】 [명] 몹시 간사하고 간악(奸惡)함. ——-하다 [형][여불]
극간[2] 【極諫】 [명] 극력(極力)으로 간(諫)함. 끝까지 간함. ——-하다 [타][여불]
극간[3] 【極艱】 [명] 몹시 고생스러움. 몹시 가난함. ——-하다 [형][여불]
극간[4] 【隙間】 [명] 틈. 간극(間隙).
극간 게이지 【隙間一】 〔gauge〕 [명] '틈새 게이지'의 구용어.
극감[1] 【克堪】 [명] 능히 그 소임(所任)을 견디어 냄. ——-하다 [타][여불]
극감[2] 【剋減】 [명] 깎아 줄임. ——-하다 [타][여불]
극감[3] 【極減】 [명] 극도로 감함. ——-하다 [타][여불]
극-값 【極一】 [一갑] [명] ①〖수〗 함수의 극대값과 극소값의 총칭. 구칭 : 극치(極値). ②〖기상〗 어떤 기간, 달 또는 계절에 관측된 기후 요소의 최고값 또는 최소값.
극-거리 【極距離】 [명] 〖천〗 천구(天球) 위의 한 점과 극(極)이 이루는 각거리(角距離). 적위(赤緯)의 여각. 북극으로부터의 것을 '북극 거리'라 하고, 남극으로부터의 것을 '남극 거리'라 함.
극계 【劇界】 [명] 연극(演劇) 관계자의 사회(社會). 극단(劇壇). 극원(劇園).
극-고생 【極苦生】 [명] 극심(極甚)한 고생. 지독한 고생. ——-하다 [자][여불]
극공[1] 【隙孔】 [명] 극혈(隙穴).
극공[2] 【極恭】 [명] 극히 공손(恭遜)함. ——-하다 [형][여불]

극-공명【極功名】명 ①지극히 높은 벼슬. ②분에 넘치는 벼슬. ——-하다 자여불 높은 벼슬이 극(極)에 달하다.
극과【極果】명〖불교〗지극(至極)한 증과(證果). 대승(大乘)의 불과(佛果), 소승(小乘)의 무학과(無學果) 같은 것.
극관【極冠】명〖천〗화성(火星)의 양극(兩極) 지방에 상당하는 부분에 보이는 흰 곳. 빙설(氷雪) 지방으로 생각됨.
극관 저:기압【極冠低氣壓】명〖기상〗남북 양극 지방의 대류권(對流圈) 상층에서 볼 수 있는 저기압. 그 모양이 지표(地表) 가까운 대기(大氣)의 위쪽에 올라탄 형상(形狀)임.
극광【極光】명〖지〗오로라.
극광-극【極光極】명〔auroral poles〕극광 등빈도선(等頻度線)의 중심에 있는 지구상의 점. 지자기(地磁氣)의 자축극(磁軸極)과 비슷하게 일치함.
극광-대【極光帶】명〔auroral zone〕극광(極光) 활동이 가장 활발한 지자기극(地磁氣極) 둘레의 거의 원(圓)에 가까운 대상(帶狀)지대. 지자기극으로부터의 자기 위도(磁氣緯度) 약 20-25° 범위에 있음.
극광 등:빈도선【極光等頻度線】명〔auroral isochasm〕극광 빈도의 평균치(平均値)가 비슷한 점을 연결한 선(線).
극광 빈도【極光頻度】명〔auroral frequency〕어떤 특정한 장소에서 야간(夜間)에 극광을 볼 수 있는 비율 또는 구름이 없다고 가정(假定)할 때 볼 수 있는 비율.
극광 영역【極光領域】[-녕-] 명〔auroral region〕극광극(極光極)에서 자기 위도(磁氣緯度) 30° 안의 영역.
극괴【極怪】명 극히 괴이함. ——-하다 형여불
극구¹【極口】㊀명 갖은 말을 다함. ㊁부 온갖 말을 다하여. ¶ ~ 칭찬하다. ——-하다 자여불
극구²【隙駒】명 마치 닫는 말을 문틈으로 보는 것과 같다는 뜻으로, 세월의 흐름이 빠른 것을 일컫는 말.
극구³【劇寇】명 기세가 대단한 원수. 강포(強暴)한 구도(寇盜).
극구 광음【隙駒光陰】명 빠른 세월. ¶인생 한 시절이 ~이오이다. ——-하다 형여불 「——-하다 타여불
극구 발명【極口發明】명 온갖 말을 다하여 변명함. 극구 변명(辯明).
극구 변:명【極口辯明】명 극구 발명(極口發明). ——-하다 타여불
극구 찬:송【極口讚頌】명 몹시 칭찬함. 온갖 말로 입에 침이 마르도록 찬송함. 극구 찬양. 극구 칭찬. ——-하다 타여불
극구 찬:양【極口讚揚】명 극구 찬송. ——-하다 타여불
극구 참욕【極口慘辱】명 몹시 참혹하게 욕함. ——-하다 타여불
극구 칭찬【極口稱讚】명 극구 찬송. ——-하다 타여불
극궁【極窮】명 몹시 궁색함. ——-하다 형여불
극권【極圈】명〖지〗지구의 남극권과 북극권의 총칭. 곧, 남북 위도(緯度)로 66°33'에서 각각 남 또는 북의 지역을 일컬음. 이 권 안에서는 하루 종일 해가 뜨지 않거나 또는 지지 않는 기간이 있음.
극-궤도【極軌道】명 남북 양극(兩極) 상공을 통과하여 지구를 세로로 회전하는 궤도.
극귀【極貴】명 극히 귀함. ——-하다 형여불
극근 극검【克勤克儉】명 매우 근검(勤儉)함. ——-하다 형여불
극기¹【克己】명 ①자기의 사욕(私慾)을 이지(理智)로써 눌러 이김. 자제(自制)함. ②충격·욕망·감정 같은 것의 과도한 발동을 억제함. ——-하다 자여불
극기²【極忌】명 ①몹시 꺼림. ②극히 미워함. ——-하다 타여불
극-기단【極氣團】명〖기상〗극지방에 발생하는 한기단(寒氣團). 대륙성 북극 기단, 해양성(海洋性) 북극 기단 등.
극기-력【克己力】명 극기하는 힘.
극기-류【棘鰭類】명〖어〗[Acanthopterygii] 조기류에 속하는 한 아목(亞目). 대부분이 경골류(硬骨類)인데, 종류가 많고 형태(形態)와 습성(習性)이 서로 다름. 공통되는 점은 가슴지느러미를 제외한 다른 지느러미의 가시가 움직이지 아니하고, 배지느러미는 가슴에 가깝게 있으며, 부레는 기도(氣道)에 통하지 아니함.
극기 복례【克己復禮】[-네] 명 과도한 욕망을 누르고 예절(禮節)을 좇도록 함. 준극복(克復). ——-하다 자여불
극기-심【克己心】명 극기하는 의지(意志).
극기 온도【極期溫度】명〖물〗임계 온도(臨界溫度).
극기 전선【極氣前線】명〖지〗극전선(極前線). 한대(寒帶) 전선.
극기 주간【克己週間】명〖기독교〗구세군(救世軍)에서, 사욕(私慾)을 억누르고 겸소한 생활로써 절약하여 얻은 비용을 자선(慈善)에 제공하는 것을 목적으로 하는 주간.
극기-주의【克己主義】[-/-이] 명〖윤〗금욕주의(禁慾主義).
극기-파【克己派】명〖철〗스토아 학파(Stoa學派).
극-기후【極氣候】명〖기상〗극에서부터 대략 극권에 이르는 지역의 기후. 기온이 낮고, 강수(降水)는 거의 눈이며, 수목이 자랄 수 없음.
극난¹【克難】명 어려움을 이겨 냄. 곤란 또는 난관을 극복함. ——-하다 자여불
극난²【極難】명 극히 어려움. ——-하다 형여불
극난³【劇難】명 잘못을 논하여 심하게 비난함. ——-하다 타여불
극남【極南】명 남쪽의 맨 끝. 궁남(窮南). ↔극북(極北).
극남-노랑나비【極南—】명〖충〗[*Eurema laeta*] 흰나빗과에 속하는 곤충. 편 날개의 길이는 28-46 mm이고, 춘추형(春秋形)은 앞날개 끝이 직각으로 되고, 날개 뒷면에는 갈색 점이 많음. 하형(夏形)은 앞날개 끝이 조금 둥글고 뒷면의 갈색 점은 적음. 유충은 콩과(科) 식물의 해충임. 한국·일본에 분포함. *남방노랑나비.
극낭【極囊】명〖생〗원생(原生) 동물 포자충류(胞子蟲類) 중에서 극낭 포자충류의 포자의 한쪽 끝에 1-4개 존재하는 타원형의 세포 기관. 짝을 이루는 일이 많고 외계(外界)의 자극에 의해 극사(極絲)가 튀어나와 새 숙주(宿主)에 부착하며 분류상의 표징(標徵)이 됨. 강장(腔腸) 동물 자포(刺胞)와 유사함. 극포(極胞).
극년【極年】명〖지〗세계 각국의 지구 물리학자들이 50년에 한 번씩 1년 동안에 걸쳐서 극지방(極地方)을 공동 관측하기로 결정한 해. 제1회는 1882-83년, 제2회는 1932-33년이었는데, 제3회는 과학의 진보에 따라 50년을 줄여서 25년째인 1957-58년으로 정하고, 이 때부터 관측 범위를 전지구로 넓히는 동시에 명칭도 국제 지구 관측년으로 고쳤음. 국제(國際) 극년. 국제 지구 물리 관측년.
극년 관측【極年觀測】명〖지〗극년에 행하여지는 극지방(極地方)의 상황을 연구하기 위한 각국 학자들의 협동 관측.
극-노인【極老人】명 나이가 아주 많은 노인.
극단¹【極端】명 ①맨 끄트머리. 극점(極點). ②궁극(窮極)하여 여지가 없음. ¶생활고가 ~에 이르다. ③중용(中庸)을 잃고 한쪽으로 치우침. ¶ ~으로 흐르다. ——-하다 형여불. ——-히 부 「劇團).
극단²【劇團】명 연극을 연구·상연하기 위하여 조직한 단체. 연극단(演
극단³【劇壇】명 ①연극의 무대. ②연극인의 사회. 극계(劇界).
극단-가【極端家】명 말이나 행동이 극단적으로 흐르는 사람.
극단-론【極端論】[-논] 명 극단적인 이론. 「하는 사람.
극단론-자【極端論者】[-논-] 명 모든 사물을 극단으로 해석하여 말
극단-적【極端的】명관 몹시 한쪽으로 치우치거나 극도에 달하는 모양.
극단-주의【極端主義】[-/-이] 명 모든 언어나 행동이 극단으로 치우치는 주의. *과격파. 「——-하다 자여불
극담【劇談】명 ①쾌활한 담화. ②격렬(激烈)한 말. ③연극에 관한 담화.
극대【極大】명 ①지극히 큼. ②〖수〗함수의 국소적(局所的) 성질의 하나. 어떠한 양(量)이 일정한 법칙에 따라 늘어나가다가 더 늘 수 없는 점까지 이르렀을 때의 양. 1)·2):↔극소(極小). ——-하다 형여불
극대 규모 집적 회로【極大規模集積回路】명〖컴퓨터〗유 엘 에스 아이(ULSI).
극대-량【極大量】명 지극히 많은 양.
극대 원리【極大原理】[-월-] 명〖경〗소비자가 일정한 소득으로 만족할 극대(極大)를 추구하며, 기업이 이윤의 극대를 구하여 행동한다는 경제 행위의 가설(假說).
극대-치【極大値】명〖수〗'극댓값'의 구용어.
극대-화【極大化】명 지극히 크게 되거나 크게 함. ——-하다 자타여불
극댓-값【極大—】[-깝] 명〔maximum〕〖수〗어떤 함수(函數)의 값이 그 변수(變數)를 극히 작은 수로 증감하여도 같이 감소될 때의 함수의 값. 구용어: 극대치(値). ↔극솟값.
극도¹【極度】명 더할 수 없는 정도. ¶ ~로 흥분하다.
극도²【劇盜】명 큰 도둑. 대도(大盜). 극적(劇賊).
극도³【劇道】명 연극의 길.
극-도법【極圖法】[-뻡] 명〖지〗극에 중심을 두는 지도의 투영법(投影法).
극독【劇毒】명 극심한 독.
극독-약【劇毒藥】명〖약〗극약과 독약.
극동【極東】명 ①동쪽의 맨 끝. ↔극서(極西). ②〖지〗유럽에서 보아 동양의 동쪽 끝에 위치한 지방. 곧, 한국·중국·필리핀·일본 등. ↔근동.
극동 국제 군사 재판【極東國際軍事裁判】명〖역〗포츠담(Potsdam) 선언에 의거하여 제2차 세계 대전에 있어서의 일본의 주요 전쟁 범죄인에 대하여 행한 재판. 1946년 연합국 최고 사령관의 명령으로 도쿄에 설치, 미국·영국·중국·소련·캐나다·오스트레일리아·뉴질랜드·프랑스·인도·필리핀·네덜란드 등의 나라에서 11명의 재판관이 나와 일본 전범자(戰犯者) 도조 히데키(東条英機) 외 25명에 대한 재판을 하였음. *국제 군사 재판.
극동 방:송【極東放送】명 민영(民營) 방송의 하나. 기독교의 복음 전도를 목적으로 동양 전역을 대상으로 하여 성경·설교·찬송·음악·종교극 등을 방송함. 1954년 7월 인천에 설립. 1968년 서울로 옮김. 주파수 1188 KHz. 콜사인은 에이치 엘 케이 엑스(HLKX).
극동식 배구【極東式排球】명 9인제의 배구. 아시아 지역에서만 행해지며, 먼저 21점을 선취(先取)하는 쪽이 이김. *국제식 배구.
극동 위원회【極東委員會】명〔Far Eastern Commission〕〖정〗항복한 일본을 강화 조약이 성립될 때까지 관리하기 위하여 설정한 연합국의 최고 결정 기관. 1945년 12월에 모스크바에서 열린 미·영·소의 외상 회의의 결정에 의하여 워싱턴에 설치됨. 대일 강화 조약의 발효와 함께 자연 해소되었음.
극동 학원【極東學院】명 원동 박고원(遠東博古院).
극락【極樂】[-낙] 명 ①지극히 안락하여서 아무 걱정이 없는 경우와 처지. 또, 그런 장소. ②〖불교〗극락(極樂) 세계. 낙방(樂邦). 선소(善所). 불소(佛所). ↔지옥(地獄). *천국(天國).
극락-계【極樂界】[-낙-] 명〖불교〗↗극락 세계.
극락 구품 탱화【極樂九品幀畵】[-낙-] 명〖불교〗화면을 가로 세로로 3등분하여 아홉 부분으로 구획하여 극락 세계를 그린 그림.
극락-길【極樂—】[-낙-] 명〖불교〗①극락 세계로 가는 길. ②극락 세계로 가는 도리(道理)와 방법.
[극락길을 버리고 지옥길을 간다] 착한 일을 하지 아니하고 나쁜 짓을 하여 스스로 지옥길을 택한다는 뜻. 또, 이익이 되는 순탄한 방법을 버리고 위험하고 해로운 길을 택함을 비유하는 말.
극락 내:영도【極樂來迎圖】[-낙-] 명〖불교〗아미타 내영도.
극락-대【極樂臺】[-낙-] 명〖불교〗극락 정토(淨土)에 있다는 연화대(蓮花臺).
극락 동문【極樂東門】[-낙-] 명〖불교〗사바(娑婆) 세계의 서쪽에 동쪽을 향하여 있다는 극락 정토의 입구.
극락 만다라【極樂曼荼羅】[-낙-] 명〖불교〗극락 정토를 그림으로 나타낸 만다라. 정토 만다라(淨土曼荼羅).

극락 발원【極樂發願】[—낙—] 명 〖불교〗 극락으로 가기를 바람. ——하다 자 여불

극락 생활【極樂生活】[—낙—] 명 ①극락 정토에서의 생활. ②극히 안락한 생활. 더할 나위 없이 행복한 생활.

극락 세:계【極樂世界】[—낙—] 명 ①〖불교〗 아미타불이 살고 있는 극락 정토(淨土)의 세계. 지극히 안락하고 아무 걱정이 없어 행복한 세계. 금색 세계(金色世界). 안락 세계(安樂世界). 안양 세계(安養世界). 연화(蓮花) 세계. 극락(極樂). 준극락계(極樂界). ②사람이 죽어서 가는 지극히 안락하다는 세상. ＊천당(天堂).

극락 안양 정:토【極樂安養淨土】[—낙—] 명 〖불교〗 극락 정토(極樂淨土).

극락-어【極樂魚】[—낙—] 명 〖어〗 패러다이스 피시(paradise fish).

극락-영【極樂迎】[—낙—] 명 〖불교〗 극락 왕생(往生)을 빌고 염불(念佛)한 사람의 임종(臨終)에 극락 정토(淨土)로부터 아미타불(阿彌陀佛)이 와서 맞이하는 일.

극락 왕:생【極樂往生】[—낙—] 명 〖불교〗 ①이 세상을 떠나 죽어서 극락 정토(淨土)에 가서 다시 태어남. 정토 왕생(淨土往生). ②편안히 죽음. 왕생 극락. ——하다 자 여불

극락-원【極樂願】[—낙—] 명 〖불교〗 극락 정토에 왕생(往生)하고 싶은 소원.

극락 장:엄【極樂莊嚴】[—낙—] 명 〖불교〗 극락이 아름답게 장식되어 화려하고 엄숙함.

극락-전【極樂殿】[—낙—] 명 〖불교〗 아미타불(阿彌陀佛)을 모시어 둔 법당(法堂).

극락 접인도【極樂接引圖】[—낙—] 명 〖불교〗 아미타 내영도.

극락 정:토【極樂淨土】[—낙—] 명 〖불교〗 아미타불이 살고 있는 정토. 이 세상에서 서쪽으로 십만억의 불토(佛土)를 지나서 가면 있는데, 모든 것이 완전히 갖추어 있으며, 고환(苦患)이 없다는 안락(安樂)한 세계. 염불(念佛)을 한 사람이 죽어서 왕생하여 불과(佛果)를 얻는다고 함. 안락 정토(安樂淨土). 안락국(安樂國). 안양계(安養界). 안양 정토(安養淨土). 안양 보국(安養寶國). 서방 정토(西方淨土). 극락(極樂). 안락 세계(安樂世界). 극락 안양 정토. 극락 세계(極樂世界). 무량 청정토(無量淸淨土). 보계(寶界). 정역(淨域).

극락-조【極樂鳥】[—낙—] 명 〖조〗 풍조(風鳥).

극락조-자리【極樂鳥—】[—낙—] 명 〔라 Apus〕 〖천〗 남천(南天)에 있는 별자리. 우리 나라에서는 보이지 않음. 풍조좌(風鳥座). 약자 : Aps.

극락조-화【極樂鳥花】[—낙—] 명 〖식〗 [*Strelitzia reginae*] 파초과에 속하는 다년초. 높이는 1-2m에 이르고 뿌리는 굵으나 줄기는 없음. 잎은 근생인데 긴 타원형 또는 달걀꼴, 혁질이며 순백색의 긴 엽병(葉柄)을 합쳐 30-60cm이나, 원산지에서는 150cm에 달함. 엽병의 한쪽에는 홈이 있고 포(苞)는 녹색이며, 가장자리는 홍색을 띠고 기부(基部)에 황자색의 5-6송이가 연이어 달림. 번식은 실생(實生) 또는 분주(分株)로 하는데 주로 화분에 심음. 실생 후 5년이면 꽃이 핌. 남아프리카 희망봉(喜望峰)이 원산이며, 꽃의 생김새가 새와 비슷한 데서 이와 같이 불림.

극량【極量】[—냥] 명 ①극도의 분량. 규정한 최대의 분량. ②〖약〗 약전(藥典)에서, 극약·독약 또는 효과가 현저한 물충 약을 쓸 때의 일회(一回) 또는 일일(一日)의 제한된 분량. 중독량(中毒量)보다 항상 적음.

극려¹【克勵·剋勵】[—녀] 명 사욕을 이겨 내고 정려(精勵)함. ——하다 자 여불

극려²【極麗】[—녀] 명 더할 나위 없이 아름다움. 극미(極美). ——하다 형 여불

극력【極力】[—녁] ㊀ 명 있는 힘을 아끼지 아니하고 다함. ㊁ 부 있는 힘을 다하여. ¶ ~ 반대하다. ——하다 자 여불

극렬¹【極烈】[—녈] 명 ①극히 맹렬함. 지극히 심함. ②극히 열렬함. ——하다 형 여불. ——히 부

극렬²【劇烈】[—녈] 명 심히 맹렬함. ——하다 형 여불. ——히 부

극렬 분자【極烈分子】[—녈—] 명 사상이나 언어 행동에 극렬한 경향이 있는 분자.

극로¹【極老】[—노] 명 몹시 나이가 많음. ——하다 형 여불

극로²【劇虜】[—노] 명 강한 오랑캐. 기세가 대단한 오랑캐. 강로(強虜).

극론¹【極論】[—논] 명 ①지나치게 심한 말. 극단적인 논의. ②충분히 논의함. 극력 논함. ③극점(極點)에 이르기까지 논함. ——하다 타 여불

극론²【劇論】[—논] 명 격렬하게 논쟁하거나 의논함. 또, 그 논쟁이나 의논. ——하다 타 여불

극류【極流】[—뉴] 명 〖지〗 남북 양극 지방에서 적도 쪽으로 향하여 흐르는 한류(寒流).

극률【極律】[—뉼] 명 사형(死刑)에 해당하는 죄를 정한 법률(法律).

극리지-간【屐履之間】[—니—] 명 걸어 다니는 동안.

극면【極面】 명 〖수〗 이차 곡선에서, 어떤 점으로부터 곡면(曲面)에 그은 접선(接線)의 접점(接點) 궤적인 곡선을 지나는 평면.

극명【克明】 명 똑똑히 밝힘. 또, 똑똑히 밝혀진 모양. ¶ 인류 평등의 대의(大義)를 ~하다. ——하다 타 형 여불. ——히 부 분명히. 똑똑히.

극모¹【極帽】 명 〖생〗 성상체(星狀體).

극모²【棘毛】 명 〖동〗 환형(環形) 동물이나 윤형(輪形) 동물의 체표(體表)에 있는 강모(剛毛)보다 굵고 억센 가시. 가시털.

극목【極目】 명 ①시력(視力)을 먼 데까지 다함. 시력이 미치는 데까지 봄. ②눈으로 볼 수 있는 끝. ——하다 타 여불

극묘【極妙】 명 지극히 묘미(妙味)가 있음. 지묘(至妙). ——하다 형 여불

극무【劇務】 명 극심하게 분주한 사무. 격무(激務).

극문【劇問】 명 급히 물음. 바삐 물음. 또, 그 질문. ——하다 타 여불

극-문학【劇文學】 명 〖문〗 연극 예술을 위한 문학.

극물【劇物】 명 극약 정도의 독성(毒性)이 있는 비의약품(非醫藥品).

극미¹【極美】 명 극히 아름다움. 극려(極麗). ——하다 형 여불

극미²【極微】 명 지극히 적음. 극히 미소(微少)함. ——하다 형 여불

극미소 지진【極微小地震】 명 〔ultra microearthquake〕 〖지〗 진도(震度) 1 미만의 지진. 100만 내지 1,000만 배의 배율(倍率)의 지진계로 관측함.

극-반경【極半徑】 명 〖지〗 극반지름.

극-반지름【極半—】 명 〖지〗 지구를 회전 타원체로 보았을 때의 짧은 지름으로, 지구의 중심과 극점을 연결하는 직선의 길이를 나타냄. 극반경.

극방【劇旁】 명 세 군데로 통하는 길.

극-방사【極放射】 명 〖생〗 성상체(星狀體).

극방위 도법【極方位圖法】[—뻡] 명 지도 투영법(投影法)의 한 가지. 지구 남북극 지방을 도시(圖示)하는 데 편리함. 방위 도법.

〈극방위 도법〉

극-방정식【極方程式】 명 〖수〗 극좌표(極座標)를 써서 직선·곡선·곡면 등을 나타낸 방정식.

극번【劇繁】 명 매우 고되고 바쁨. ——하다 형 여불

극벌 원:욕【克伐怨慾】 명 이기고자 하며, 제 자랑하기를 좋아하며, 원망하고 화를 내며, 탐욕하는 네 가지 나쁜 행위.

극변¹【極邊】 명 지극히 먼 변경. 먼 변두리.

극변²【劇變】 명 급격한 변화. 급변. ——하다 자 여불

극변 원:찬【極邊遠竄】 명 먼 변경으로 귀양 보냄. ——하다 타 여불

극복¹【克服】 명 ①적을 이기어 굴복시킴. ②곤란을 이겨 내어 마음대로 함. ¶ 난관을 ~하다. ——하다 타 여불

극복²【克復】 명 ①이기어 도로 회복함. 본디의 형편으로 돌아감. 또, 돌아가게 함. ②정도(正道)로 돌아감. 또, 돌아가게 함. ③↗극기 복례(克己復禮). ——하다 자 타 여불

극본【劇本】 명 각본(脚本)❶.

극북【極北】 명 북쪽의 맨 끝. 궁북(窮北). ↔극남(極南).

극북-어【極北語】 명 〖언〗 사할린·캄차카·동북 시베리아 등지에서 쓰이는 여러 언어(言語)의 총칭. 동방파(東方派)와 서(西)방파로 대별됨.

극북-족【極北族】 명 극북 지방에서 사는 족속(族屬).

극북 지방【極北地方】 명 북극 지방(北極地方).

극비¹【極祕】 명 ↗극비밀. ¶ ~ 문서/~의 사실.

극비²【棘匕】 명 국자¹.

극비-리【極祕裡】 명 지극한 비밀 속. ¶ ~에 진행하다.

극-비밀【極祕密】 명 지극한 비밀. 준극비(極祕).

극-비칭【極卑稱】 명 〖언〗 아주낮춤.

극빈【極貧】 명 몹시 가난함. 빈소(貧素). ——하다 형 여불

극빈-자【極貧者】 명 몹시 가난한 사람. ¶ ~ 구호 대책.

극빙【極氷】 명 〔polar ice〕 〖해〗 1년 이상된 해빙(海氷). 해빙 중 가장 두꺼움.

극사¹【極死】 명 사형의 형벌에 처함. 또, 처해짐. ——하다 자 타 여불

극사²【極似】 명 몹시 닮아서 비슷함. 혹사(酷似). ——하다 형 여불

극사³【極絲】 명 〖생〗 극낭(極囊) 속에 나선상(螺線狀)으로 말려서 들어 있는 긴 실. 외계의 자극, 곧 위액(胃液)이나 장액(腸液)의 작용에 의해 튀어나와 새 숙주(宿主)에 부착함.

극사⁴【劇司】 명 바쁜 벼슬 또는 세력이 있는 벼슬.

극사 극치【極奢極侈】 명 더할 수 없이 사치함. ——하다 형 여불

극-삼각형【極三角形】 명 〔polar triangle〕 〖수〗 구면(球面) 삼각형 각 변의 두 극(極) 가운데 맞은쪽 꼭짓점과 같은 쪽에 있는 극(極)을 대원(大圓)의 호(弧)로 잡아매어서 된 구면 삼각형. ＊구면 삼각형.

극상¹【極上】 명 ①아주 위임. 막상(莫上). ②극히 상등(上等)임. 제일 좋음. 또, 그러한 물건. 난상(難上). 태상(太上).

극상²【極相】 명 〔climax〕 〖생〗 식물이 외계의 영향을 받아 점차로 변하여 가는데, 어느 일정한 기후·토양의 조건에서 최종적으로 변화하지 아니하는 식물군을 이루는 현상. 안정기(安定期).

극-상등【極上等】 명 가장 높은 등급. 최상급(最上級).

극-상품【極上品】 명 아주 좋은 물건. 최고품(最高品). 준극품(極品).

극서¹【極西】 명 서쪽의 맨 끝. ↔극동(極東).

극서²【極暑】 명 지독한 더위. 극렬한 더위. 극염(極炎).

극서³【劇暑】 명 심한 더위. 대단한 더위. 혹서(酷暑). 극염(劇炎).

극선¹【極善】 명 지극히 선량함. 지극히 좋음. ——하다 형 여불

극선²【極線】 명 〔polar〕 〖수〗 어느 한 점을 통하여 한 원뿔 곡선(曲線)의 현(弦)을 무수히 그을 때, 각 현(弦)의 양끝에서 그은 접선(接線)의 교점(交點)의 궤적(軌跡)은 일직선을 이룸. 처음 점에 대하여 이 직선을 극선, 그 처음 점을 극(極)이라 함.

극선 일지【郤詵一枝】[—찌] 명 ≪몽구(蒙求)≫의 표제(標題). 진(晉)나라의 극선이 무제(武帝)에게 대답하기를, 자기의 대책이 천하 제일이라 하나 계림(桂林)의 일지(一枝)요, 곤산(崑山)의 편옥(片玉)에 불과하다고 말한 고사(故事). ＊계림 일지(桂林一枝).

극성¹【屐聲】 명 나막신 소리. 사람의 발소리.

극성²【極性】 명 〔polarity〕 특정한 방향에 따라 그 양극단에 서로 대응하는 다른 성질을 갖는 일. 예를 들면 자석(磁石)에 남극 및 북극, 식물에서 뿌리와 줄기, 동물체에서 머리와 꼬리 같은 것이 있는 일.

극성³【極星】 명 〖천〗 천구의 극에 가장 가까운 항성(恒星). 북극은 작은곰자리의 주성(主星)을 북극성이라고 하는데, 남쪽에는 적당한 별이 없음. 북극성(北極星).

극성⁴【極盛】 명 ①몹시 왕성함. ②성질이 지독하고 과격함. ③억지세고 적극적임. ——하다 형 여불

[극성이면 필패(必敗)라] 극도로 성하게 되면 또한 반드시 그 끝은 좋지 않게 된다는 말. ¶ 어사 기가 막히고 목에 침이 바싹 말라 하는 말이 옛말에 이르기를 극성이면 필패라 하니≪古本 春香傳≫.

극성(을) 떨:다 구 극성(을) 부리다.

극성(을) 부리다 구 극성을 행동에 나타내다. 과격하거나 억세게 적극

적으로 행동하다. 극성(을) 떨다.
극성[5]【極聖】명〖불교〗더할 나위 없는 성자. 곧, 부처.
극성[6]【劇性】명 극렬(劇烈)한 성질.
극성 결합【極性結合】명〖화〗서로 극(極)이 다른 화합물에 있어서의 원자(原子) 사이의 결합. 낱낱의 원자는 양음(陽陰) 이온으로 서로 정전
극성-기【極盛期】명 한창 번성한 시기. └기력(靜電氣力)을 작용시킴.
극성-령【棘城嶺】[―녕] 명〖지〗평안 북도 희천군(熙川郡) 서면(西面)과 초산군(楚山郡) 도원면(桃源面) 사이에 있는 고개. [654 m]
극성-맞다【極盛―】형 극성스럽다. ¶ 극성맞은 여편네.
극성-병【劇性病】[―뼝] 명 지독하고 심한 병증.
극성 분자【極性分子】명〖화〗내부에서의 전하(電荷)의 분포가 고르지 못하여 전기 쌍극자(雙極子)를 가지는 분자. 물·암모니아·에탄올의 분자류(類). 유극(有極) 분자.
극성-스럽다【極盛―】형 ㅂ불 ①성질이 지독하여 간섭이나 잔소리를 심하게 하다. 극성맞다. ¶ 극성스러워 그 밑에 못 견디어 나겠다. ②극성이 있다. 극성-스레【極盛―】부 극성스럽게.
극성 위도법【極星緯度法】[―뻡] 명〖지〗극성의 고도(高度)를 재어 그 지점의 위도를 산출하는 방법. 「하다 자 여불
극성즉-패【極盛則敗】명 너무 성하면 얼마 가지 못하여 패망함. ――
극세【極細】명 극히 잚. 아주 가늚. ――-하다 형 여불
극세-말【極細末】명 지극히 곱게 빻은 가루.
극세-사【極細絲】명 0.1 데니어(denier : D) 이하의 가는 실. ＊초극
극-세포【極細胞】명〖생〗극체(極體). └세사.
극소[1]【極小】명 ①아주 작음. ②〖수〗어떤 함수(函數)의 값이 어느 일정한 법칙에 따라 변화할 때에, 점점 줄어 가다가 마지막에 더 줄어질 수 없고, 도로 늘어가려고 하는 점의 값. 1)·2:↔극대(極大). ――-하다
극소[2]【極少】명 아주 적음. ――-하다 형 여불 └형 여불
극소[3]【極所】명 끝닿은 곳. 최종점(最終點).
극소 국가【極小國家】명〔micro-state〕〖정〗면적이나 인구가 극히 작은 나라. 모나코·리히텐슈타인, 특히 최근에 독립된 서(西)사모아·나우루(Nauru)·몰디브(Maldives) 따위.
극-소량【極少量】명 아주 적은 분량.
극-소수【極少數】명 극히 적은 수.
극-소체【極小體】명〖식〗이염 소체(異染小體).
극소-치【極小値】명〖수〗'극솟값'의 구용어.
극소-화[1]【極小化】명 아주 작아지거나 작게 함. ――-하다 자 타 여불
극소-화[2]【極少化】명 아주 적어지거나 적게 함. ――-하다 자 타 여불
극솟-값【極小―】[―깝] 명〔minimum〕〖수〗어떤 함수(函數)의 값이, 그 변수(變數)가 극히 조금 증감(增減)하더라도 함께 증대할 경우의 그 때의 함수가 가지는 값. 구용어:극소치(値). ↔극댓값.
극수[1]【戟手】명 한 손을 쳐들고 한 손을 내뻗어 창처럼 하여 남을 치려고 하는 일. 일설(一說)에는 주먹을 휘두름. ――-하다 자 여불
극수[2]【極數】명〖기상〗기상 요소(氣象要素)에서, 장기간에 걸쳐 나타난 최고치 및 최저치의 총칭. 전자를 고극(高極), 후자를 저극(低極)이라
극수[3]【極髓】명 ①지극(至極). ②사물의 중심이 되는 부분. └함.
극-수찬관【克修撰官】명〖역〗고려 때, 삼품(三品) 이하의 관원이 하는 춘추관(春秋館)의 한 벼슬. 충숙왕(忠肅王) 12년(1325)에 둠.
극-순【戟盾】명 창과 방패.
극술【劇術】명〖연〗연기(演技) 또는 배우술(俳優術).
극시【劇詩】명〖문〗①연극의 요소를 품고 있는, 주로 장편의 시(詩). ②서사시·서정시와 더불어 시의 삼대 부문의 하나로 희곡(戲曲) 형식으로 지은 시. 전편(全篇)이 개개의 인물의 운문체(韻文體)의 대사(臺詞)로 구성됨. 셰익스피어·코르네유·라신(Racine)·괴테 등의 희곡 같은 것. ＊서정시·서사시. 「형 여불
극심[1]【極甚】명 극히 심함. 몹시 지독함. ¶ 생활고가 ～하다. ――-하다
극심[2]【劇甚】명 아주 심함. ――-하다 형 여불 「부
극심-스럽다[1]【極甚―】형 ㅂ불 극히 심한 듯하다. 극심-스레[1]【極甚―】
극심-스럽다[2]【劇甚―】형 ㅂ불 아주 심한 듯하다. 극심-스레[2]【劇甚―】부
극악【極惡】명 몹시 악함. 더할 수 없이 지독한 악덕(惡德). 중악(重惡). ¶ ～ 무도(無道)한 놈. ――-하다 형 여불 「도함. ――-하다 형 여불
극악 무도【極惡無道】명 지극히 악하고도 도의심이 없음. 극악하고 무
극악-인【極惡人】명 더할 수 없이 악한 사람. 중악인(重惡人).
극야【極夜】명〔polar night〕〖지〗고위도(高緯度) 지방이나 극점(極點) 지방에서 추분(秋分)부터 춘분(春分) 사이에 오랫동안 계속하여 해가 뜨지 아니하고 밤만 계속되는 동안. 극북(極北)의 스피츠베르겐(Spitsbergen)에서는 110일 가량 계속함. ↔백야(白夜).
극약【劇藥】명〖약〗표준 용량(用量)과 중독량(中毒量)의 간격이 좁기 때문에 상용량(常用量)을 지나치면 위험한 약. 산토닌·수면제 같은 것. 극제(劇劑). ＊독약(毒藥).
극양[1]【克讓】명 자기의 마음을 눌러 남에게 겸양함. ――-하다 자 여불
극양[2]【極洋】명〖지〗남극 또는 북극에 가까운 해양. ¶ ～ 어업.
극양 포:경【極洋捕鯨】명 극양에서의 모선식 포경 어업(母船式捕鯨漁
극어【劇語】명 극렬한 말. └業)을 말함.
극어-류【棘魚類】명〖동〗[Acanthodei] 어류의 한 아강(亞綱). 모두 멸종(滅種)하였으나 화석(化石)으로 발견됨.
극언【極言】명 ①있는 말을 다하여 의견을 올림. 극히 간함. ②극단적으로 말함. 통언(痛言). ¶ ～하면 그 자는 매국노다. ――-하다 자 타
극엄【極嚴】명 ①몹시 엄함. ②극히 엄숙함. ――-하다 형 여불 └여불
극역【劇逆】명 대역(大逆) 가운데 가장 흉악한 것.
극역 대:대【極逆大憝】명〖역〗임금을 죽이려고 하는 역적. 「여불
극열[1]【極熱】[―녈] 명 ①극히 심한 열. ②극히 뜨거움. ――-하다 형
극열[2]【劇熱】[―녈] 명 몹시 심한 열.
극열 지대【極熱地帶】[―녈―] 명 기온이 몹시 뜨거운 지대.
극열 지옥【極熱地獄】[―녈―] 명〖불교〗팔열(八熱) 지옥 가운데 가장 뜨거운 지옥. 곧, 무간(無間) 지옥.
극염[1]【極炎】[―념] 명 극히 심한 더위. 극서(極暑).
극염[2]【劇炎】[―념] 명 심한 더위. 극서(劇暑).
극-영화【劇映畫】[―녕―] 명〖연〗어떤 일정한 줄거리를 가진 영화. 기록 영화 등 문화 영화와 구별하여 일컫는 말. 영화(映畫).
극예【極銳】명 극히 예민함. ――-하다 형 여불 「예술.
극-예술【劇藝術】[―네―] 명 무대에서 연출되는 온갖 종류의 연극
극예술 연:구회【劇藝術研究會】[―네―련―] 명 1931년 7월에 조직된 신극 단체. 서항석(徐恒錫)·김진섭(金晋燮)·이하윤(異河潤)·이헌구(李軒求)·김광섭(金珖燮)·윤백남(尹白南) 등이 조직한 것으로, 1937년까지 실험 무대를 통하여 주로 외국 명작을 번역하여 전후 20 회의 공연을 가짐. 신극사(新劇史)에 공헌한 바 크며, 공연 작품에 《검찰관》·《애인》·《옥문(獄門)》 등이 있음.
극예술 협회【劇藝術協會】[―네―] 명 1921년, 예술 활동을 목적하여 조직한 연극 단체. 도쿄(東京) 유학생 홍해성(洪海星)·마해송(馬海松)·김수산(金水山) 등이 주동이 되어 전국을 순회 공연, 신극사상(新劇史上) 큰 공헌을 하였음. 공연 작품은 《김영일의 사(死)》·《최후의 악수》 등. 「품.
극우[1]【剋虞】명〖역〗백제 십육품 관등(十六品官等)의 제일 끝인 십육
극우[2]【極右】명 극단한 우익 사상. 또, 우익파. 극우익(極右翼). ¶ ～ 단
극우[3]【隙宇】명 빈집. └체. ↔극좌(極左).
극우[4]【劇雨】명 억수같이 쏟아지는 비.
극-우익【極右翼】명 극단적인 우익. 극우(極右). ↔극좌익(極左翼).
극-우파【極右派】명 극단적인 우파. ↔극좌파.
극-운동【極運動】명〔polar motion〕〖지〗지구의 자전축이 지구에 대하여 어느 중심 위치의 근방을 이동하는 현상. 이것은 지구의 자전축(自轉軸)이 지구에 대하여 항상 이동하고 있기 때문이며, 따라서 지구상 어느 지점에서도 위도 변화·경도 변화를 볼 수 있게 됨. 지구를 위에서 보면 지구의 북극이 시계 반대 방향으로 주기 약 430일, 반지름 약 5 m의 약간 불규칙한 회전을 함.
극원[1]【極遠】명 극히 멂. ――-하다 형 여불
극원[2]【劇園】명 극계(劇界).
극원[3]【棘菀】명〖식〗애기풀.
극월[1]【極月】명 섣달.
극월[2]【劇月】명 바쁜 달.
극위[1]【極位】명 더없는 지위. 가장 높은 지위.
극위[2]【棘圍】명〖역〗①과거 보는 장소에 일반 사람이 드나들지 못하도록 막아 놓은 울타리. ②과장(科場). ＊위극(圍棘).
극-위성【極衛星】명 남북 양극(兩極)의 상공을 통과하여 지구를 세로 선회하는 인공 위성. 미국의 디스커버러 호가 대표적임. 「타 여불
극음【劇飮】명 술 같은 것을 지나치게 마심. ＊폭음(暴飮). ――-하다
극-음악【劇音樂】명〖악〗가극(歌劇)이나 소가극(小歌劇) 등 극 형식으로 상연되는 음악. ＊극장 음악.
극-응력【極應力】[―녁] 명 물체가 견디어 낼 수 있는 극한(極限)의 응력. 파괴 응력.
극의【極意】[―/―이] 명 마음을 한 곳에만 오로지 씀. 전심(專心). ――-하다 자 여불
극-이동【極移動】명〔polar wandering〕〖지〗지구의 자전축(自轉軸)과 자극(磁極)의 지질 연대(地質年代)에서의 이동.
극인【棘人】명 부모의 상중에 있는 사람. 상제(喪制).
극자[1]【屐子】명 나막신.
극자[2]【劇子】명 연극을 하는 사람. 광대. 배우(俳優).
극-자리표【極―標】명〖수〗'극좌표(極座標)'의 풀어쓴 말.
극작【劇作】명 연극의 각본을 씀. ――-하다 타 여불
극작-가【劇作家】명 연극의 각본을 쓰는 것을 업으로 하는 사람.
극장【劇場】명 연극을 연출하거나 영화를 상영(上映)하는 곳. 연극장(演劇場). 「서 사용되는 음악. ＊극음악(劇音樂).
극장 음악【劇場音樂】명〖악〗연극이나 연예(演藝)와 관련하여 극장에
극쟁【劇爭】명 격렬하게 다툼. ――-하다 자 여불
극-저온【極低溫】명〔cryogenic temperature〕〖물〗절대 영도(絶對零度)에 가까운 극히 낮은 온도. 보통, 수소의 액화점(液化點) 이하, 혹은 헬륨이 액체상(液體狀)을 유지하는 온도. 이 온도에서는 원자의 열(熱) 운동은 정지되고 액체 헬륨의 초유동(超流動)·금속의 초전도(超電導) 따위 물성적(物性的)으로 특이한 현상이 나타남.
극저온 공학【極低溫工學】명〖공〗섭씨 영하 150도 이하 절대 영도, 곧 섭씨 영하 273도까지의 저온을 다루는 저온 공학(低溫工學). 액체 공기나 액체 수소·액체 헬륨의 제조·이용, 초전도(超電導) 현상의 연구와 이용, 초강력 전자석(超強力電磁石) 등의 이용 등에 응용됨.
극저온 저:항 송:전 케이블【極低溫抵抗送電―】명〔cryoresistive transmission line〕도체(導體)를 영하 196°C까지 차게 하여 송전하는 선로. 도선의 저항이 약 1/10로 감소하며, 송전 용량이 증가함.
극-저층수【極低層水】명〖지〗극지방의 해양에서 대류(對流)에 의하여 바다의 최심층(最深層)에 침강(沈降)한 수괴(水塊). 적도 지방을 향하여 바다 밑을 극히 느리게 유동(流動)함.
극적[1]【劇的】명 관 극을 보는 것같이 감격적·인상적인 모양. ¶ ～인 순
극적[2]【劇賊】명 큰 도둑. 극도(劇盜). └간.
극적[3]【劇敵】명 세력이 강한 적(敵). 강적(強敵).
극적 신:【劇的―】〔scene〕명 ①연극을 보는 듯한 장면. ②아주 심한

긴장이나 감격을 불러일으키는 장면.

극적 장면【劇的場面】명 극적 신(劇的 scene).

극전[1]【極傳】명 한 집안에 대대로 전하여 내려오는 물건이나 비결(祕訣) 중에서 가장 중요한 물건이나 비결.

극전[2]【劇戰】명 격렬하게 싸움. 또, 그러한 싸움. 격전(激戰). ——-하다 자여불　「선(寒帶前線).

극-전선【極前線】명〔polar front〕〖지〗극기 전선(極氣前線). 한대 전

극-전압【極電壓】명〖물〗전지(電池)의 양극(兩極)에 저항을 접속시켜 전류가 흐르고 있을 때의 양극간의 전위차(電位差). 전지의 기전력(起電力)에서 전지의 내부 저항에 의한 전위 강하(降下)를 뺀 것과 같음.

극점【極點】명 ①극도에 다다른 점. 맨 끝. 극단. ②북극점과 남극점.

극정【克定·剋定】명 적을 무찔러 나라를 평화롭고 안정되게 함. ——-

극제【劇劑】명〖약〗극약(劇藥).　ㄴ하다 타여불

극-제품【極製品】명 지극히 좋은 제품.

극젱이 명〖농〗농기의 하나. 쟁기와 비슷하나 보습 끝이 무디고 술이 곧게 내려감. 소 한 마리로 끌어 쟁기로 갈아 놓은 논밭에 골을 타거나, 흙이 얕은 논밭을 가는 데 씀.

극조【極潮】명〔pole tide〕〖지〗지구의 챈들러 요동(chandler搖動)에 의해 생기는, 이론적으로 6mm의 진폭을 갖는 조류(潮流). 주기는 428일.

극존【極尊】명 ①지위가 극히 높음. ②'임금'의 존칭. 지존(至尊). ——-하다 형여불

극-존대【極尊待】명 극진히 높이어 대접함. ——-하다 타여불

극-존칭【極尊稱】명〖언〗아주 높임.

극종[1]【克宗】명〖사람〗신라 때 거문고 대가이며, 작곡가. 귀금(貴金)의 비법을 전수한 아버지 안장(安長)에게서 금도(琴道)를 이어받고, 7곡을 창작하여 많은 후배를 양성하였음.

극종[2]【克從】명 이기어서 복종하게 함. ——-하다 타여불

극좌【極左】명 극단의 좌익 사상. 또, 좌파. ¶ ~ 세력. ↔극우.

극좌 모:험주의【極左冒險主義】[-/-이] 명〖정〗극좌적인 경향으로 흘러서 무모한 위험을 무릅쓰는 주의. 좌익 소아병(左翼小兒病).

극-좌익【極左翼】명 극단적인 좌익(左翼). 극좌(極左). ↔극우익.

극좌-적【極左的】명관 극단적으로 좌익인 모양.

극-좌파【極左派】명 가장 급진적인 좌파. ↔극우파(極右派).

극-좌표【極座標】명〔polar coordinates〕〖수〗평면상의 점의 위치를 정점(定點)에서의 거리와 방향에 따라 나타내는 좌표. 정점 O와 그것을 시발로 하는 정직선(定直線)을 그으면 임의의 점 P의 위치는 선분 OP의 길이 r, OP와 정직선이 이루는 각 θ에 의하여 결정됨. 이 r와 θ와의 짜임(r, θ)을 말함. 정점 O를 극 또는 원점, r를 동경(動徑), θ를 편각(偏角)이라 함. 마찬가지로, 공간의 점에서도 생각할 수 있음. 구좌표(球座標). 극자리표.

평면극좌표

공간극좌표

〈극좌표〉

극중[1]【極重】명 ①극히 무거움. ②병이 매우 위중함. ③범죄가 중함. ——-하다 형여불

극중[2]【劇中】명 극 속. ¶ ~ 인물.

극중-극【劇中劇】명 극 속에 나오는 극.

극중 악인【極重惡人】명 가장 중한 죄를 지은 악인.　「하다 자여불

극증【劇症】명 극렬한 증세. 급한 병.

극지[1]【極止】명 끝에 이르러 정지함. 할 수 없이 되어 정지함. ——-

극지[2]【極地】명 ①끝에 있는 땅. ②남극(南極)과 북극(北極) 지방. ¶

극지[3]【劇地】명 번화한 땅.　ㄴ~ 탐험.

극-지방【極地方】명〖지〗북극 지방과 남극 지방의 총칭.

극지-법【極地法】[-뻡] 명 등산이나 탐험을 할 때에, 우선 베이스 캠프(base camp)를 설정하고, 차차로 전진 기지(基地)를 설치하여, 목적지에 도달하는 방법.

극지 식물【極地植物】명〖식〗삼림 한계선(森林限界線)보다 고위도(高緯度)의 한대(寒帶)에 자라는 식물의 총칭. 관목(灌木)·초본(草本)·지의류(地衣類) 따위.

극지 항:법【極地航法】[-뻡] 명〔polar navigation〕〖항공〗지구의 남·북위 70° 이상의 양극지(兩極地) 부근의 항공 항법(航空航法). 이 지역에서는 지자기(地磁氣)의 편차(偏差)가 크고, 수평 분력(水平分力)이 작기 때문에 자기(磁氣) 컴퍼스는 쓸 수 없음. 그래서 주로 자이로컴퍼스(gyrocompass)로 침로(針路)를 정하고, 천체 관측으로 수정을 하

극직【劇職】명 몹시 바쁜 직무. 고되고 심한 직무.　ㄴ면서 비행함.

극진[1]【戟塵】명 전진(戰塵).

극진[2]【極盡】명 마음과 힘을 다함. ¶ ~한 대접을 받다. ——-하다 형

극진[3]【劇震】명 격심한 지진. 격진(激震).　ㄴ여불. ——-히 부

극진-미신【劇秦美新】명 왕망(王莽)이 한(漢)나라를 빼앗아 국호를 신(新)이라 하였을 때, 한나라의 신하 양웅(揚雄)이 올린 아첨하는 글의 이름. 신(新)나라의 덕을 찬양, 진(秦)나라의 횡포함을 논한 것.

극진 지두【極盡地頭】명 ①머리가 땅에 닿도록 극진히 함. ②맨 끝. 궁

극징이 명〈방〉극젱이(충청).　ㄴ극의 지점. 극단(極端). 극항(極亢).

극찬【極讚】명 극구 칭찬함. ——-하다 타여불

극참【劇驂】명 일곱 군데로 통하는 길. 칠달(七達)의 도로.

극-채색【極彩色】명 ①극히 짙은 채색. 치밀한 채색. ②화려한 복장이

극처【極處】명 궁극에 다다른 곳. 맨 끝.　ㄴ나 장식.

극천【極天】㊀명 ①천공(天空)의 최고의 곳. ②하늘에 닿음. 하늘을 능가함. ㊁부 하늘이 계속되는 한. 영구히.

극첩【克捷】명 싸움에 이김. ——-하다 자여불

극체【極體】명〔polar body〕〖동〗동물의 난모세포(卵母細胞)가 성숙 분열하여 난자가 되는 과정에서 생기는 세 개의 작은 세포. 거의 핵(核)뿐임. 극세포(極細胞).

극-초단파【極超短波】명〖전〗파장이 약 1m 이하 10cm의 헤르츠파(Hertz波). 파장이 라디오용(用) 전파와 적외선의 중간에 위치하는데, 지향성(指向性)이 예민하고 이점(利點)이 많음. 레이더용으로 사용됨. 우리 나라에서는 교육 방송에 이용됨. 마이크로파(波). *유 에이치 에프(U.H.F.).

극초단파-대【極超短波帶】명〖전〗극초단파 주파수대(周波數帶). 즉 300MHz-3ZHz의 주파수대. 약호 : UHF.

극초단파 방:송【極超短波放送】명 유 에이치 에프(U.H.F.) 방송.

극-초음속【極超音速】명〔hypersonic speed〕〖물〗음속의 약 5배 이상 되는 물체의 속도.

극-초음파【極超音波】명 500메가헤르츠(MHz)를 넘는 주파수의 음파.

극축【極軸】명〔polar axis〕〖수〗극좌표에서 평면의 점을 표시하기 위하여 각(角)을 측정하는 기준이 되는 방향을 갖는 직선.

극치[1]【克治】명 사욕(私慾)을 이겨내어 사념(邪念)을 다스림. ——-하다

극치[2]【屐齒】명 나막신의 굽.　ㄴ자여불

극치[3]【極侈】명 지극한 사치. 심한 사치. 극호사(極豪奢). ——-하다 자여불　「자연미의 ~이다.

극치[4]【極致】명 ①극단에 이름 ②더할 수 없는 풍치(風致). ¶ 금강산은

극치[5]【極値】명〖수〗'극값'의 구용어.

극친【極親】명 극히 친함. ¶ ~한 사이. ——-하다 형여불

극침【棘針】명 ①가시[1]❶. ②살을 찌르는 듯한 찬바람의 형용.

극택【極擇】명 매우 정밀하게 고름. 정선(精選). ——-하다 타여불

극터듬다[-따] 자 간신히 붙잡고 기어 오르다. ¶ 바위 너설을 극터듬어 산정에 오르다.　「형여불

극통[1]【極痛】명 ①극히 심한 고통. ②뼈에 사무치게 원통함. ——-하다

극통[2]【劇痛】명 심한 고통. 지통(至痛).

극판【極板】명〔pole plate〕〖물〗전극(電極)에 쓰이는 도체판(導體板). 또, 축전지의 전극에 쓰이는 전극판을 일컬을 때도 있음.

극-편수관【克編修官】명〖역〗고려 때, 삼품(三品) 이하의 관원이 하는 춘추관(春秋館)의 한 벼슬. 충숙왕(忠肅王) 12년(1325)에 둠.

극평【劇評】명 연극의 비평.

극포【極胞】명〖생〗극낭(極囊).

극품【極品】명 ↗극상품(極上品).

극풍【極風】명〖지〗지구의 극권내(極圈內)에 심하게 부는 동풍(東風). 지구의 자전(自轉)에 의해서 생기며 변화가 심하고 극전선(極前線)의 원천(源泉)이 됨.　「삼·광삼(光蔘) 같은 동물의 껍질.

극피【棘皮】명 겉 몸에 석회질(石灰質)의 가시가 돋친 동물의 껍질. 해

극피 동:물【棘皮動物】명〖동〗[Echinodermata] 동물계의 문(門)의 하나. 몸은 배부(背部)와 복부(腹部)로 구분되며 방사 상칭형(放射相稱形)이고 체강(體腔)이 있음. 체벽(體壁)의 피하(皮下)에 석회질의 골편(骨片) 또는 골판으로 둘러싸인 수관계(水管系)가 있어 그 안을 체액(體液)이 순환하며, 발달된 특유한 관족(管足)으로 운동함. 입은 보통 복면(腹面)에 있고 항문(肛門)은 배복(背腹)의 경계선이나 배면(背面)에 열려 있음. 자웅이체(雌雄異體)로 변태를 하며 바다에 많이 삶. 갯고사리·갯나리·광삼·불가사리·삼천발이·성게·해삼 등이 이에 속하는데, 바다나리강·해리강(海蕾綱)·바다나리강·불가사리강·거미불가사리강·성게강·해삼강 등의 7강(綱)으로 분류함.

극피-충【棘皮蟲】명〖동〗[*Echinoderes masudai*] 동문류(動吻類)에 속하는 윤형(輪形) 동물의 하나. 몸의 길이는 수 mm의 원통형이고 12개 가량의 환절(環節)이 있는데 각 절에 좌우로 극모(棘毛)가 돋음. 입은 머리 끝에 있고 주위에는 빳빳한 극모를 가지며, 꼬리 끝 항문 양쪽에는 긴 극모가 두 개 있음. 긴 인두(咽頭)가 있고 신경계·배설 기관 등이 선충류(線蟲類)와 비슷하며 자웅 동체(雌雄同體)를 이룸. 바다에서 남.

〈극피충〉

극-하다[1]【革—】자여불 병이 위급(危急)해지다. *혁하다.

극-하다[2]【極—】자여불 아주 심하여 더할 수 없는 정도에 이르다. ¶ 사치를 ~.　「값. ↔변수(變數).

극한[1]【極限】명 ①궁극(窮極)의 한계. 사물의 끝닿는 데. ②〖수〗극한

극한[2]【極寒】명 지극한 추위. 지독한 추위.

극한[3]【劇寒】명 극렬(劇烈)한 추위. 대단한 추위.

극한-값【極限—】[-깝] 명〖수〗①수열(數列)에서 n이 무한히 커질 때, a_n의 값이 어떤 일정한 값 a에 한없이 가까워지는 값. ②함수에서 독립 변수의 값이 어떤 일정한 값에 무한히 접근할 때, 거기에 대응하여 함수가 무한히 접근하는 값. 극한(極限). 구용어 : 극한치(極限値).

극한 개:념【極限概念】명〖철〗영(零)이 무한히 작은 극한으로, 원이 다각형(多角形)의 극한으로 생각되는 것과 같이, 사유(思惟)의 위에서 무한히 접근 가능하지만, 영이 무한히 작은 것이 아니고, 원이 다각형과는 다른 것과 같이, 현실에는 도달하지 못하고 도달하는 사유의 비약(飛躍)을 필요로 하며 접근 과정에 방향을 부여하는 개념. 한계 개념(限界概念).

극한 기술【極限技術】명 일상 생활에서는 경험할 수 없는 초고온·극저온·초고압·고진공·초청정(超清淨) 등의 극한 환경을 인공적으로 만들어서 이를 이용하는 첨단 과학 기술.　「기온이 낮은 기후.

극한 기후【極寒氣候】명〖기상〗수목(樹木)이 전혀 자라지 않을 정도로

극한 등:급【極限等級】명〖천〗어떤 조건 밑에서 관찰할 수 있는 가장 어두운 항성(恒星)의 밝은 정도를 나타낸 등급. 예를 들면, 육안의 극한 등급은 6등이고, 팔로마 천문대의 망원경의 그것은 22등임.

극한-법【極限法】[-뻡] 명〖철〗실험자가 일정한 방식에 따라 자극(刺戟)을 변화시켜서 피험자(被驗者)에게 주어 피험자의 판단을 요구하는 방법. 자극역(刺戟閾)·변별역(辨別閾)의 측정 등에 이용함.

극한 산:법【極限算法】[-뻡] 명〖수〗극한 개념을 포함한 산법(算法)

의 총칭. 미분(微分)이나 적분(積分) 등은 모두 극한 산법임.
극한 상황【極限狀況】명 더 이상 어쩔 수 없도록 극도에 도달한 상황. 한계 상황(限界狀況). ¶ ~ 에서의 인간 심리.
극한 설계【極限設計】명〖건〗구조물이 파괴되는 극한 상태의 응력(應力)을 대상으로 하는 설계. 구조물이 견딜 수 있는 한계 하중(荷重)을 알맞은 안전율로 구분하여 허용 하중을 구해서 각부(各部)를 설계함.
극한 전:력【極限電力】[―절―] 명 송전 계통(送電系統)이 어떤 조건하에서, 안정도(安定度)를 유지하면서 송전할 수 있는 극한의 전력.
극한-점【極限點】[―쩜] 명 [limit point]〖수〗집적점(集積點).
극한-치【極限値】명〖수〗'극한값'의 구용어.
극한 투쟁【極限鬪爭】명 어떤 목적을 관철하고자 싸울 수 있는 데까지 싸우는 일.
극항【極亢】명 궁극(窮極)해서 여지가 없음. ――-하다 형여불
극해【極害】명 지극한 해. 지독한 손해 또는 재해(災害).
극핵【極核】명 [polar nucleus]〖식〗피자(被子) 식물의 배낭 중심에 있는 두 개의 핵. 여기에 꽃가루에서 온 정핵(精核)이 수정하여 배젖이 됨.
극혈【隙穴】명 틈에 생긴 구멍 또는 틈. 극공(隙孔).
극형[1]【戟形】명〖식〗창(槍) 날처럼 된 잎의 모양. 메꽃의 잎 같은 것.
극형[2]【極刑】명 극중(極重)한 형벌. 가장 중한 형벌. 사형.
극-호사【極豪奢】명 지극한 호사. 극치(極侈). ――-하다 자여불
극호-음【極好音】명〖불교〗팔음(八音)의 하나. 맑고 아름다워 듣는 사람이 싫증이 나지 않고 모두 올바른 도(道)에 들어가게 하는 부처의 목소리.
극화[1]【劇化】명 ①사건·소설 같은 것을 극의 형식으로 각색하는 일. ②〖교〗교재(敎材)의 연극적 표현에 의한 학습. ――-하다 타여불
극화[2]【劇畫】명 ①그림 연극. ②이야기를 그림과 문장으로 엮은 읽을거리.
극-회【劇會】명 극을 하는 사람들의 모임.
극효【克孝】명 부모를 잘 섬김. ――-하다 자여불
극흉【極凶】명 ①극히 흉악함. ②참흉(慘凶). ――-하다 형여불
극희【劇戲】[―히] 명 배우의 연희(演戲). 광대가 하는 연극.
극-히【極―】부 대단히. 매우. 심히. 극도로. ¶ ~ 우수하다.
근[1]【根】명 ①부스럼 속에서 곪아 단단하게 된 망울. ¶ ~을 빼다. ②〖화〗기(基)❶. ③〖식〗뿌리. ④[root]〖수〗방정식을 만족시키는 미지수(未知數)가 차지하는 수치(數値). ⑤〖수〗승근(乘根). ⑥〖불교〗한 작용(作用)을 일으키는 강력한 힘. 육근(六根)의 원기. *육근(六根).
근[2]【筋】명〖생〗심줄. 근육(筋肉).
근[3]【勤】명 부지런한 성질. 또, 부지런함. ――-하다 형여불
근[4]【斤】의명 저울로 다는 무게의 단위. 600 g 또는 열엿 냥이 원칙이나 375 g 곧, 100 돈쭝을 한 근으로 하기도 함.
근[5]【听】의명 양지(洋紙) 한 연(連). 곧, 500장의 무게를 나타내는 단위. 파운드와 같음. ¶ 120~ 모조지.
근:[6]【近】관 어떤 말 위에 붙어서 그것에 거의 가까움을 나타내는 말. ¶ ~ 한 달 동안/~ 백 년.
근[7] 준 그는. ¶ ~ 다신 안 올 것이다/~ 그고 난 나지. *전·난.
근[8] 조 〈옛〉'는'·'은'과 같은 절대격 조사의 한 고형(古形). 모음 어미 위에서 ㄱ 첨용(添用)하면 말에 붙었음. ¶ 직와 숫근 觸이 類라(灰炭觸也)《楞嚴 Ⅷ:97》/삿근 업거니와(席子沒)《老乞上 23》.
근:가[1]【近可】명 거의 옳음. 적이 좋음. ――-하다 형여불
근:가[2]【近家】명 근처에 있는 집.
근각[1]【根脚】명〖역〗죄를 범한 사람의 생년 월일과 용모와 그의 조상(祖上)을 기록한 사항.
근각[2]【筋覺】명〖생〗↗근육 감각(筋肉感覺).
근각[3]【勤恪】명 근면하고 조신(操身)함. ――-하다 형여불
근:간[1]【近刊】명 ①최근에 출판된 간행물(刊行物). ②근일 중에 곧 출간됨. 또, 그러한 간행물. ¶ ~ 예정. 1)·2):↔기간(旣刊). ――-하다 타여불
근:간[2]【近間】명 요사이. ¶ ~의 동정(動靜).
근간[3]【根幹】명 ①뿌리와 줄기. ②근본(根本)❷.
근간[4]【勤幹】명 부지런하고 성실함. ――-하다 형여불
근간[5]【懃懇】명 매우 간절한 모양. 지성스러운 모양. ――-하다 형여불
근간-인【勤幹人】명 부지런하고 착실한 사람.
근:강【近江】명 가까이 있는 강.
근-강강【筋強剛】명〖의〗정지시(靜止時)보다 근육의 긴장도(緊張度)가 항진(亢進)한 상태. 추체로(錐體路)·추체 외로(外路)의 장애나 뇌막 자극(腦膜刺戟)·히스테리 때에 일어남.
근:개루-왕【近蓋婁王】명〖사람〗개로왕(蓋鹵王).
근거【根據】명 ①사물의 토대. ¶ 생활의 ~를 잃다. ②의론이나 의견에 그 근본이 되는 까닭. 이유(理由). ¶ ~ 없는 낭설. ③근거지. 본거(本據). 아성(牙城). ――-하다 자여불
근:-거리【近距離】명 가까운 거리. ↔원거리(遠距離).
근:거리 경:주【近距離競走】명 단거리 경주(短距離競走).
근거-지【根據地】명 ①근거로 삼은 곳. 본거지(本據地). ②〖군〗군대 운영의 한 거점(據點)으로서 수리·휴양 또는 보급 같은 것을 하는 지점.
근검【勤儉】명 부지런하고 검소함. ――-하다 형여불
근검 노작【勤儉勞作】명 부지런하고 검소하며 노력을 들여 일함.
근검 상:무【勤儉尙武】명 업무에 근실하고 검약(儉約)을 존중하며 무용(武勇)을 숭상함. ¶ ~의 기풍(氣風). ――-하다 타여불
근검 저:축【勤儉貯蓄】명 부지런하고 알뜰하게 하여서 재물을 모음.
근검 치가지본【勤儉治家之本】명 근검은 집안을 다스리는 데 근본이 됨.
근검-하다 형여불 자손이 많아서 복스럽고 위엄이 있다.
근견【覲見】명 근광(覲光). ――-하다 타여불
근:경[1]【近頃】명 요즈음.
근:경[2]【近景】명 ①가까이 보이는 경치. ②사진이나 그림에서 앞에 배치한 수목(樹木)이나 암석(岩石) 같은 것의 경관(景觀). 1)·2):↔원경(遠景).
근:경[3]【近境】명 ①가까운 곳. ②가까운 경우. ③가까운 국경이나 지경(地境).
근경[4]【根耕】명〖농〗그루갈이. 근종(根種). ――-하다 자여불
근경[5]【根莖】명 ①뿌리와 줄기. ②〖식〗뿌리줄기.
근계[1]【根系】명 근본의 계통. 근본이 되는 혈통.
근계[2]【筋瘈】명〖한의〗근육의 열(熱)로 인하여 근간 연축(筋間攣縮) 또는 동통(疼痛)을 일으키는 병. 근축증(筋搐症).
근:계[3]【謹啓】명 '삼가 아룁니다'의 뜻으로 편지 허두(虛頭)에 쓰는 말.
근:고[1]【近古】명 ①과히 멀지 않은 옛적. ②〖역〗역사상의 시대 구분의 하나로 중고(中古)와 근세(近世)와의 사이의 시기.
근고[2]【根痼】명 깊이 뿌리박혀 좀처럼 낫지 않는 고질. 숙아(宿痾).
근고[3]【勤苦】명 근로(勤勞)와 신고(辛苦). ――-하다 자여불
근:고[4]【謹告】명 삼가 아룀. 삼가 알림. ――-하다 타여불
근:고 문학【近古文學】명 고려 초에서 훈민 정음이 제정되기까지의 약 500년 동안의 문학.
근고 버력【根固―】명 수중 구조물(水中構造物)의 근부(根部)를 방호(防護)하기 위하여 물 속에 집어 넣는 돌.
근:고-사【近古史】명 근고(近古) 시대의 역사.
근곡【根穀】명 ①묵은 곡식. ②밑절미로 둔 곡식.
근골[1]【筋骨】명 ①근육과 뼈. ②체력. 신체. ¶ ~이 우람하다.
근골[2]【跟骨】명〖생〗발꿈치를 형성하는 부제형(不齊形)의 짧은 뼈. 체(體)·전돌기(前突起)·측돌기(側突起)의 세 부분으로 되었으며, 위쪽은 거골(距骨)에, 앞쪽은 고자골(股子骨)에 연결됨.
근골-형【筋骨型】명〖심〗독일의 정신 의학자 크레치머(Kretschmer)가 분류한 체형(體型)의 하나. 근골·피부가 특히 발달하고, 어깨와 가슴이 넓고 수족(手足)이 큰 형(型). 기질적으로 점착질(粘着質)인 사람에 많음. 투사형.
근공[1]【勤工】명 부지런히 공부함. ――-하다 자여불
근공[2]【勤功】명 직무에 부지런히 봉사한 공로. 근무상의 공로.
근관[1]【根冠】명〖식〗뿌리 골무.
근관[2]【根管】명 [root canal]〖생〗치근 중축(齒根中軸)에 있는 관(管) 모양의 빈 부분. 치근관(齒根管).
근관-류【筋管類】[―뉴] 명〖동〗[Myosyringata] 선충류(線蟲類)에 속하는 한 목(目). 식도(食道)는 근육질(筋肉質)인데 횡단면에 있어서 세 부분으로 나뉨. *모관류(毛管類).
근광【覲光】명 배알(拜謁)함. 근견(覲見). ――-하다 타여불
근괴【根塊】명〖식〗덩이뿌리.
근:교【近郊】명 도시의 변두리 밖에 있는 마을이나 산야. 변토(邊土). ¶ 서울 ~에 살다. ↔원교(遠郊).
근:교 계:수【近交係數】명〖동〗일반적으로 동물에 있어서 근친 교배(近親交配)가 어느 정도 행하여져 왔는가를 나타내는 계수. 개체를 형성하는 난세포(卵細胞)와 정자(精子)의 혈연적 상관(血緣的相關) 관계로 표시됨.
근:교 농업【近郊農業】명〖농〗도시 주변에서의 농업. 대(大)소비지에 가까운 고로, 채소·과실·꽃 등을 소규모 집약적(集約的)으로 재배하는 상업적(商業的) 농업. ↔원교(遠郊) 농업. *시장 원예 지대.
근:구[1]【近口】명 푸지게 먹지 아니하고 먹는 체만 함. 조금 먹음. 접구(接口). 접순(接脣). ――-하다 타여불
근구[2]【勤求】명〖불교〗불법의 교리(敎理)를 부지런히 구함. ――-하다 타여불
근구 대:법【勤求大法】명〖불교〗위대한 법 곧, 불교의 진리를 애써서 닦고자 함. ――-하다 자여불
근:구수-왕【近仇首王】명〖사람〗백제의 제14대 왕. 근초고왕(近肖古王)의 장자. 376-377년에 고구려와 싸워 이를 물리치고, 대외적으로도 중국·일본과 국교를 열어 문물을 보급시키는 데 공이 컸음. [재위 375-384]
근:-구인형【僅具人形】명 ①겨우 사람의 형상을 갖춤. ②모습만 갖추고 속이 빈 철없는 사람. ――-하다 자여불
근:국【近國】명 이웃에 있는 나라. ↔원국(遠國).
근:군지-복【近君之服】명 임금을 모실 때에 입는 옷.
근궁【芹宮】명〖역〗문묘(文廟).
근권【根圈】[―꿘] 명 [rhizosphere]〖식〗식물 뿌리 둘레 2-3 mm의 영역. 이곳에는 많은 미생물(微生物)이 살고 있는데, 토양(土壤)의 다른 부분보다 더 많이 있을 뿐만 아니라, 그 종류도 여러 가지가 있음.
근그이 부〈방〉근근이(경남).
근근[1]【筋根】명〖의〗건(腱). 또, 신경(神經).
근근[2]【勤勤】명 부지런함. ――-하다[1] 형여불
근:근[3]【近近】부 멀지 않아. 가까운 장래에. ¶ ~ 출판된다.
근:근[4]【僅僅】부 겨우. 근근이. ¶ ~ 2만 원밖에 못 돌렸다.
근근 간간【勤勤懇懇】부 매우 부지런하고 정성스러운 모양. ――-하다 형여불. ――-히 부
근:근 득생【僅僅得生】명 간신히 살아감. 겨우겨우 살아 나감. ――-하다 자여불
근:근 부지【僅僅扶持】명 겨우 배기어 감. 억지로 버티어 감. 간신히 견디어 감. ――-하다 자타여불
근:근-이【僅僅―】부 겨우. 간신히. ¶ ~ 살아가다.
근근 자자【勤勤孜孜】명 매우 부지런하고 정성(精誠)스러움. ――-하다 형여불
근근-하다[2] 형여불 좀 아픈 듯하면서 근질근질한 느낌이 있다.
근근-하다[3] 형여불 우물·못 등에 물이 가득히 괴어 있다.
근:기[1]【近畿】명 서울에서 가까운 지방. 기근(畿近). 왕기(王畿). ¶ ~ 지방.
근기[2]【根氣】명 ①사물을 참아 견디는 정신력. ②근본 되는 힘.
근기[3]【根基】명 뿌리를 잡은 터. 기초(基礎). 근저(根柢).

근기[4]【根器】 명 근성(根性)과 기량(器量).

근기[5]【根機】 명 〘불교〙 ①중생의 교법(敎法)을 받을 만한 성능(性能). ②기근(機根).

근기-국【勤耆國】 명 〘역〙 삼한(三韓) 중, 변진(弁辰) 12국(國)의 하나.

근-긴장【筋緊張】 명 근육이 수축(收縮) 상태를 오래 지속하는 일.

근내-정【根乃停】 명 〘역〙 신라 육기정(六畿停)의 하나. 중기정(中畿停).

근너 명 〈방〉 그네(충청).

근네 명 〈방〉 그네(충남·경기·강원·전북·황해).

근네 가다 타 〈방〉 건너가다(충남·전남).

근:년【近年】 명 가까운 해. 지나간 지 얼마 안되는 해. 근세(近歲). 경년(頃年). 경세(頃歲).

근념【勤念】 명 ①친절하고 정성(精誠)스럽게 돌봄. ¶ 이처럼 ~해 주니 무어라 여쭐 길이 없소이다. ②애쓰고 수고함. ——하다 타 여불

근농【勤農】 명 농사를 부지런히 함. ——하다 자 여불

근농-가【勤農家】 명 농사에 부지런한 집안. 또, 그 사람.

근니 명 〈방〉 그네(충남·전북).

근-단백질【筋蛋白質】 명 〘생〙 근장(筋漿) 안에 함유되어 있는 단백질. 미오겐(myogen)·미오신(myosin)의 두 가지가 있음.

근-담배【斤—】[—땀—] 명 〘역〙 한 근씩 달아 묶어서 팔던 살담배. 한 근이 열 엿 냥쭝인데, 담배에 한하여 스무 냥쭝으로 함.

근-담보【根擔保】 명 〘법〙 어떤 계속적인 거래 관계로부터 생기는 채권의 총계를 일정액의 범위내로 한정하여 담보하는 일. 근저당·근보증 등으로 분류됨.

근대[1] 명 〘식〙 [*Beta vulgaris* var. *cicla*] 명아줏과에 속하는 이년생 채소. 줄기는 곧고 높이 1-1.5m 가량인데 가지가 많음. 잎은 긴 달걀꼴로 다육성(多肉性)이며 밋밋함. 이른 여름에 가지 위에 황록색의 작은 꽃이 장수상(長穗狀)으로 핌. 사철 언제나 줄기와 잎을 식용함. 남유럽 원산(原産)으로 세계 각지에서 채전(菜田)에 재배함. 군달(莙薘). 첨채(菾菜). 부단초.

〈근대[1]〉

근대[2] 명 〈방〉 그네(전남·경상).

근:대[3]【近代】 명 ①얼마 지나가지 않은 가까운 시대. ②현대❶. ¶ ~적인 건축물. ③근고(近古)·근세(近世)·현대의 총칭. ④〘역〙 역사상의 시대 구분의 하나. 근세(近世)와 같은 뜻으로, 문예 부흥 이후 현대에 이르는 시대. 협의(狹義)로는 봉건 제도 폐지 이후의 시대.

근:대 건:축【近代建築】 명 ①근대 사회의 건축 전반의 총칭. ②산업 혁명 후의 공업 발전을 배경으로, 과거의 양식으로부터 독립하여 기능주의(機能主義) 등을 주창(主唱)한 근대 건축 운동에 의하여 초래(招來)된 건축. 과학적인 공학 기술을 구사(驅使)하고 공업 생산에 의한 재료를 써서 기능적 경제적으로 설계됨.

근:대 경제학【近代經濟學】 명 〘경〙 1870년대 이후에 서(西)유럽 제국과 미국에서 발달된 이론적인 경제학. 1870년초의 멩거(Menger)·제번스(Jevons)·발라(Walras) 등이 거의 때를 같이하여 한계 효용(限界效用)의 개념으로써 이론 체계를 세워, 고전학파의 객관적 입장에서 크게 전환하여, 경제 사회의 합리성의 기초를 개인의 주관적 평가에 두게 된 데 기인함. 근대 경제학의 목표는 자본주의 그 자체도 사상(捨象)하고 어떤 사회 체제에도 공통한 경제 법칙의 수립에 있음. 대표적 학파로, 한계 효용학파·오스트리아 학파·케임브리지 학파·로잔 학파가 있음.

근:대 국가【近代國家】 명 중세 말기의 전제(專制) 국가가 붕괴한 후, 근대에 성립한 중앙 집권 국가. 원칙으로 법치(法治)주의를 취하며 인간의 자유·평등·기본적 인권의 보장·의회 정치 등이 그 특징임. 국민국가가 그 전형(典型)임. 근세 국가(近世國家).

근:대 국어【近代國語】 명 〘언〙 17 세기 초부터 19 세기 말에 걸친 시기의 국어. 중세 국어의 문법 체계와 음운 체계가 많이 바뀌었음.

근:대-극【近代劇】 명 19세기 말엽 노르웨이 극작가 헨리크 입센이 제창한 사실주의(寫實主義) 문학과 함께 일어난 새로운 연극. 주로 개인주의 또는 자연주의에 입각하여 절실한 인생 문제와 사회 문제를 취급한 것이 특징임. 입센을 비롯하여 스웨덴의 스트린드베리, 영국의 쇼, 독일의 하우프트만, 러시아의 체호프 등이 대표적 작가임. ↔고전극·고대극.

근대 나물 명 근대의 잎이나 줄기를 데쳐 소금이나 초고추장에 무치어 먹는 나물. 군달채.

근대다 타 ①귀찮게 굴다. 성가시게 지근덕거리다. ②조롱하다.

근:대 도시【近代都市】 명 ①근대에 발달한 도시. ②근대적인 모습을 갖춘 도시.

근:대 모음곡【近代—曲】 명 〘악〙 모음곡의 하나. 19세기 후반 이후에 발달한 것으로, 엄격한 규칙 없이 자유로운 형식으로 된 모음곡. 대부분 표제 음악(標題音樂)으로서 작곡됨. 처음에는 주로 피아노 음악을 위해 작곡되었으나, 차츰 관현악용이 되었음. 무용 모음곡·무도 모음곡도 여기에 포함됨. 근대 조곡. *모음곡·고전 모음곡.

근:대 문학【近代文學】 명 〘문〙 15세기 문예 부흥(文藝復興)과 과학 문명이 발달된 이후에 일어난 문학. 신(神)과 운명이 주제(主題)로 되던 중세기의 문학에 대하여 현실과 사회와 인간 문제를 포착하여 사실주의에 의한 인도적(人道的) 내면의 생활을 탐구하고, 자아(自我)에 대한 자각을 하려고 하는 문학과 문학 사조 및 문학 작품. 일반적으로 낭만주의 이후의 문학.

근:대 민주 정치【近代民主政治】 명 〘책〙 영국의 정치가이며 옥스퍼드 대학의 사법(私法) 교수인 브라이스(Bryce)의 민주 정치에 관한 저서. 1921년에 간행되었음.

근:대 발라드【近代—】〔프 ballade〕 명 〘악〙 18세기 말에 나타난 독일 낭만주의의 전형적인 가곡. 단순한 선율을 되풀이하면서 장대(長大)한 이야기 형식의 줄거리를 노래함.

근:대 발레【近代—】〔프 ballet〕 명 모던 발레.

근:대-법【近代法】[—뻡] 명 〘법〙 개인주의 및 자유주의를 기조(基調)로 하는 근대의 법. 특히, 근대 경제 사회의 규제(規制)인 시민법 및 사법의 총칭. 의지(意志)주의를 채택하며, 계약 자유·소유권의 절대성·과실(過失) 책임 같은 것이 원칙이 되어 있음. *신민법.

근:대-사【近代史】 명 근대의 역사. 또, 그 역사 책.

근:대 사:상【近代思想】 명 개성을 존중하고 인권(人權)과 자유를 추구하며 서로 평화를 지향하는 사상. 우상을 파괴하고 과학 문명을 위주로 하는 근대의 사상.

근:대 사조【近代思潮】 명 근대의 사상 조류.

근:대 사회【近代社會】 명 〔modern society〕 봉건적(封建的) 신분 제도가 소멸하여 개인의 자유 및 법 앞에서의 만인 평등이 실현된 사회. 시민(市民) 사회. ↔전근대 사회.

근:대 산:업【近代産業】 명 산업 혁명 이후에 일어난 산업. 공장을 세우고 기계 기술을 도입하고 분업화한 산업 형태.

근:대-성【近代性】[—썽] 명 근대에 적합하게 발달된 경향 또는 성질.

근:대 소:설【近代小說】 명 현실과 사회와 인간 문제를 주제로 하여 사실주의(寫實主義)에 의한 인도적 내면의 생활을 탐구하고 자아(自我)에 대한 자각을 하려는 문학 사조에 따라 창작된 소설. 우리 나라에서는 이광수의 《무정》이 그 효시(嚆矢)임.

근:대-식【近代式】 명 근대의 발전 수준에 맞는 방식. ¶ ~ 건축.

근:대 오:종 경:기【近代五種競技】 명 국제 올림픽 대회의 경기 종목의 하나. 사격·수영(300m 자유형)·펜싱·승마(乘馬)·크로스컨트리의 다섯 가지 종목을 혼자서 하루 한 종목씩 5일간 하며, 각 종목마다 채점하여 종합 득점을 겨루는 경기.

근:대-요【近代謠】 명 〘악〙 신민요(新民謠).

근:대 음악【近代音樂】 명 〘악〙 근대적인 사조(思潮)를 반영하고 예술적인 의도에 의하여, 근대적인 고도의 작곡 기교(技巧)를 사용하여 창작된 음악. 19세기 말 이후 낭만파 음악에 반대하여 직관적·주지적(主知的) 경향과 새로운 음향 구성으로써 등장한 인상주의·국민주의·사실주의·표현주의·신고전주의 등 음악과 현대 음악을 가리킴.

근:대-인【近代人】 명 ①근대의 사람. ②근대 사상의 감화(感化)를 받은 사람.

근:대-적【近代的】 명관 근대의 특징이 될 만한 성질·경향이 있는 모양.

근:대 정신【近代精神】 명 휴머니즘의 입장에서 종교적 권위나 피안적(彼岸的) 정신을 부정하고, 과학적 합리주의에 의해 자연 세계를 이해하며 나아가 인간 사회에서 인격의 자율성을 관철(貫徹)하려는 정신.

근:대 정치학【近代政治學】 명 2차 대전 후에 미국을 중심으로 발달한 정치학을 마르크스주의적 정치학에 대하여 일컫는 말.

근:대 조곡【近代組曲】 명 〘악〙 근대(近代) 모음곡. *고전 모음곡.

근:대-주의【近代主義】[—/—이] 명 ①20세기 초기의 로마 구교내에서 근대 과학 사상과 고대의 교의(敎義)와를 조화시키려고 한 운동. 대표자는 프랑스의 루아지(Loisy), 영국의 티렐(Tyrrell) 등이었는데 교황 비오 10세의 탄압을 받았음. 현대주의. ②모더니즘❷.

근:대-파【近代派】 명 〘예〙 19세기 이후 낭만파 및 고전파의 예술에 반항하여 현실주의(現實主義)에 입각한 새로운 예술 운동을 한 사람들의 총칭. 사실주의·자연주의 문학, 근대극 및 인상주의(印象主義) 미술 등의 예술을 창조해 낸 사람들.

근:대-화【近代化】 명 산업·문화 기타 각 방면에 있어서 뒤떨어진 상태로부터 벗어나 진보된 상태로 되게 함. ——하다 자타 여불

근:대 화:가론【近代畫家論】 명 〔Modern Painter〕 〘책〙 영국의 미술 비평가 러스킨(Ruskin, J.)이 쓴 가장 중요한 회화론(繪畫論)의 하나. 회화는 이를 제작하는 예술가의 감정이나 사상을 전달하는 표현 형식임을 확립한 저술임. 전 5권으로 1860년에 출판되었음.

근댓-국 명 근대의 잎으로 끓인 국.

근덕-거리다 자타 전체가 좁은 진폭(振幅)으로 순하게 움직이다. 또, 움직이게 하다. ㅆ끈덕거리다·끈떡거리다. >간닥거리다. 근덕-근덕 부. ——하다 자타 여불

근덕-대다 자타 근덕거리다.

근데[1] 명 〈방〉 고무래(제주).

근데[2] 부 ↗그런데. ¶ ~ 그이가 왜 이리 안 올까/~ 말야.

근데르〔gĕnder〕 명 〘악〙 인도네시아의 철금(鐵琴). 자바 섬·발리 섬 등의 타악 합주인 '가믈란(gamelan)'에 쓰이는 주요 악기임.

근뎅-거리다 자 가늘게 붙은 물체가 좁은 진폭(振幅)으로 천천히 자꾸 움직이다. >간댕거리다. 근뎅-근뎅 부. ——하다 자 여불

근뎅-대다 자 근뎅거리다.

근뎅-이다 자 근뎅근뎅 흔들리며 움직이다. >간댕이다.

근:독【謹篤】 명 조심성이 있고 독실함. ——하다 형 여불

근:동[1]【近東】 명 〔Near East〕 〘지〙 서유럽에 가까운 동양의 여러 나라. 동양의 서쪽 부분, 곧 터키·이란·이라크·시리아·사우디아라비아·아프가니스탄의 지역. ↔극동(極東). *중동(中東).

근:동[2]【近洞】 명 가까운 이웃 동네.

근:동-염【近東塩】[—념] 명 이집트와 홍해(紅海)의 연안에서 천일 제염법(天日製塩法)으로 만든 소금.

근:동 회:의【近東會議】[—/—이] 명 〘역〙 제1차 세계 대전 후, 터키와 그리스 사이의 분요(紛擾)에 관해서 이에 밀접한 관계가 있는 영국과 프랑스가 주동(主動)이 되어 근동의 평화를 목적으로 개최하였던 회의.

근두 명 →곤두. 주의 '筋斗'로 씀은 취음.

근두-류【根頭類】 명 〘동〙 [Rhiocephala] 만각류(蔓脚類)에 속하는 한 아목(亞目). 십각류(十脚類)에 기생(寄生)하는데, 몸은 달걀꼴의 주머니로 된 부분과 여러 갈래의 기다란 실 모양의 근부(根部)로 이루어짐. 주머니에는 생식기가 있고, 근부는 숙주(宿主)의 몸 속으로 뻗어 들어가서 양분을 흡수함. 외관상, 만각류와는 아주 다르나 발생상으로 보아서 만각류에 속함.

근두-박이 명 →곤두박이.

근두-박이다 자 ☞곤두박이다.
근두박이-치다 자 ☞곤두박이치다.
근두박-질 명 ☞곤두박질. ──하다 자여불. 주의 '筋斗撲跌'로 씀은 취음(取音).
근두박질-치다 타 ☞곤두박질치다.
근두질-치다 타 ☞곤두박질치다. ¶사잇문이 별안간 펄떡 열리고 여편네가 근두질치듯 굴러 들어오다.
근두질ᄒᆞ다 자〈옛〉바로나 또는 거꾸로 함부로 뛰다. ¶근두질ᄒᆞ다(跟陡)《譯乞 下 24》.
근드기다 자〈옛〉근두박이치다. 곤두박이치다. ¶근드겨 가ᄂᆞ니라(窩到了)《老乞 下 33》.
근드렁-거리다 자 근드적거리다.
근드렁-거리다 자 가늘게 붙은 물체가 넓은 진폭(振幅)으로 천천히 자꾸 부드럽게 움직이다. >간드랑거리다. **근드렁-근드렁** 부. ──하다 자여불
근드렁-대다 자 근드렁거리다.
근드렁-타:령 【─打令】 명 몸을 가누지 못하여 근드렁거리는 것을 놓으로 하는 말.
근드적-근드적 부. ──하다 자여불
근드적-거리다 자 무엇에 의지한 물체가 근덕거리다. >간드작거리다.
근드적-대다 자 근드적거리다.
근들-거리다 자 따로 선 물체가 이리저리 자꾸 흔들리다. >간들거리다. 근들-근들 부. ──하다 자여불
근들-대다 자 근들거리다.
근듸 명〈방〉그네(전라).
근디 명〈방〉그네(충남·전북).
근-디스트로피 【筋─】〔dystrophy〕 명 《의》 골격근(骨格筋)의 진행성 위축과 근력 저하(筋力低下)를 특징으로 하는 근육의 질환.
근-때 명〈방〉끼니때(강원).
근:래 【近來】 [글─] 명 가까운 요즈음. 요사이. 만근(輓近). ¶ ~에 드문 쾌사(快事).
근량[1] 【斤兩】 [글─] 명 ①무게의 근(斤)과 양(兩). ②↗근량쭝.
근량[2] 【斤量】 [글─] 명 ①저울로 단 무게. ②무게❶. ¶ ~이 많이 나가다.
근량-쭝 【斤兩─】 [글─] 명 ①근과 냥으로 셈을 친 물건의 무게. ②물건의 무게. 준근량(斤兩).
근력 【筋力】 [글─] 명 ①근육의 힘. ②일을 능히 감당해 내는 힘. 기력(氣力). ¶ ~이 약해지다/~이 좋다. ③근육의 지속성. ¶ ~ 테스트.
근력 기중 【勤力其中】 [글─] 명 ①논밭이 적지만 농사에 힘을 씀. ②자기 사업에 힘을 씀. ──하다 자여불
근력 부:위 【勤力副尉】 [글─] 명 《역》 조선 시대 때, 종구품(從九品) 잡직(雜職)의 서반(西班)의 품계. *치력(致力) 부위.
근례[1] 【巹禮】 [글─] 명 혼인의 예식. 혼례(婚禮).
근례[2] 【覲禮】 [글─] 명 제후(諸侯)가 천자(天子)를 뵙는 의식(儀式).
근:로[1] 【近路】 [글─] 명 ①가까운 길. ②속성(速成)의 방법.
근로[2] 【勤勞】 [글─] 명 ①심신을 수고롭게 하여 일에 힘씀. ¶ ~의 존귀함. ②근무상의 노고. ③일정한 시간 동안 일정한 노무(勞務)에 종사함. ──하다 자여불
근로 감독관 【勤勞監督官】 [글─] 명 근로 조건의 기준을 확보하기 위하여 노동부 및 그 소속 기관에 둔 감독관. 임검(臨檢)·장부와 서류 제출 요구·심문·검진(檢診) 등의 권한이 있고, 근로 기준법 기타 노동 관계 법령 위반의 범죄에 대하여 사법 경찰관의 직무를 행함.
근로 감독 주사 【勤勞監督主事】 [글─] 명 행정직 국가 공무원 직급 명칭의 하나. 행정 사무관의 아래, 근로 감독 주사보의 위. 6급임.
근로 감독 주사보 【勤勞監督主事補】 [글─] 명 행정직 국가 공무원 직급 명칭의 하나. 근로 감독 주사의 아래. 7급임.
근로 계급 【勤勞階級】 [글─] 명 근로에 의한 소득으로 생활하는 계급. 봉급 생활자·농민·노동자 등의 총칭. 노동 계급.
근로 계:약 【勤勞契約】 [글─] 명 《법》 각개(各個)의 근로자와 사용자 사이에, 근로자는 사용자를 위하여 육체적·정신적 노동을 제공하고, 사용자는 그 임금을 지불할 것을 약속하는 계약. 대등한 독립자 간의 계약으로 계약 자유의 원칙에서는 민법상의 고용 계약과 구별되며, 근로 기준법 등의 보호 입법으로 계약 내용이 규제됨.
근로 구:호 【勤勞救護】 [글─] 명 근로 능력이 있는 영세민에게 취로(就勞)를 통하여 행하는 구호. *자활 지도 사업.
근로-권 【勤勞權】 [글─꿘] 명 《법》 생존권적 기본권(基本權)의 한 가지. 노동 능력을 가진 사람이 취업하지 못하는 경우에, 국가에 대하여 근로의 기회의 제공을 요구할 수 있는 권리. 노동권.
근로 기본권 【勤勞基本權】 [글─꿘] 명 《법》 근로자에게 그 생존을 확보하기 위하여 인정되는 기본권. 근로권·단결권·단체 교섭권 및 단체 행동 자유권의 총칭.
근로 기준권 【勤勞基準權】 [글─꿘] 명 《법》 근로권(勤勞權).
근로 기준법 【勤勞基準法】 [글─뻡] 명 《법》 헌법의 규정에 의거하여 근로 조건의 최저 기준을 정함으로써 근로자의 기본적 생활을 보장·향상시키며 균형 있는 국민 경제의 발전을 기함을 목적으로 하는 법률.
근로 대:중 【勤勞大衆】 [글─] 명 《사》 노동자·농민·상인·샐러리맨 등 근로에 의하여 생활하는 모든 사람.
근로-력 【勤勞力】 [글─] 명 ①《경》 생산을 목적으로 한 심신(心身)의 활동. ②수고. 노력(勞力).
근로 문:제 【勤勞問題】 [글─] 명 임금·노동 시간 등 근로 조건을 중심으로 하여 근로자와 사용자 곧 고용자 사이의 이해 관계의 대립에서 일어나는 여러 가지 문제.
근로 보:호법 【勤勞保護法】 [글─뻡] 명 《사》 넓은 뜻으로는, 근로자의 보호를 목적으로 하는 구빈(救貧)·사회 보험·실업 구제 등에 관한 법을 포함하는 모든 법규. 일반적으로는 근로 기준법·선원법(船員法) 등과 같이 근로 계약 관계에 따르는 폐해를 없애고 최저 한도의 근로 조건을 정하기 위한 법.
근로 복지 공단 【勤勞福祉公團】 [글─] 명 근로자의 업무상의 재해를 신속하고 공정하게 보상하고, 이에 필요한 보험시설을 설치·운영하며 재해 예방 기타 근로자의 복지 증진을 위한 사업을 하게 할 목적으로 설립한 공공 법인체.
근로 봉:사 【勤勞奉仕】 [글─] 명 공공을 위하여 무상(無償)으로 제공하는 근로.
근로 소:득 【勤勞所得】 [글─] 명 《경》 근로의 보수로 얻는 소득. 봉급·급료·연금·상여금 등, 개인의 근로에 의거한 소득. ↔불로 소득(不勞所得).
근로 소:득세 【勤勞所得稅】 [글─] 명 봉급·급료·세비·연금(年金)·상여금(賞與金) 같은 것에 대하여 부과되는 소득세. 급여 소득세.
근로 시간 【勤勞時間】 [글─] 명 노동 시간. 「여불
근로 역작 【勤勞力作】 [글─] 명 부지런히 힘써서 일함. ──하다 자
근로의 권리 【勤勞─權利】 [글─궐─/글─에궐─] 명 근로권.
근로의 의:무 【勤勞─義務】 [글─/글─에─] 명 국민 사대(四大) 의무의 하나. 국민은 누구나 근로를 해야 할 의무.
근로-자 【勤勞者】 [글─] 명 근로에 의하여 생활하는 사람.
근로자의 날 【勤勞者─】 [글─/글─에─] 명 노동부 주관으로, 근로자의 노고를 위로하고, 근무 의욕을 더욱 높이는 뜻에서 행사를 하는 날. 5월 1일.
근로자 재산 형성 저:축 【勤勞者財産形成貯蓄】 [글─] 명 근로자가 장기 계획을 세워 소득의 일부를 일정 기간 저축함으로써 목돈·주택·주식 등의 재산을 만들 수 있도록, 정부·저축 기관·사업주 등이 지원하여 주는 저축. 목돈 마련 저축과 증권 투자 저축이 있음. 준재산 형성 저축. *우리 사주(社株) 저축.
근로자 파:견제 【勤勞者派遣制】 [글─] 명 취업 희망자가 근로자 파견 업체와 고용 계약을 한 후, 근로자를 원하는 업체에서 일정 기간(보통 1년 미만) 파견되어 일하는 인력 수급 제도.
근로 정신 【勤勞精神】 [글─] 명 부지런히 일하는 정신.
근로 조건 【勤勞條件】 [글─껀] 명 근로자가 사용자에게 노무(勞務)를 제공하는 데 따르는 여러 가지 조건. 임금·근로 시간·작업 환경·휴가 등이 주요 조건이 됨.
근로-주의 【勤勞主義】 [글─/글─이] 명 《교》 피교육자의 자기 활동을 존중하고 작업(作業)으로써 일관하려는 학교 교육상의 한 주장. 특히 수공적(手工的) 도야(陶冶)를 존중하는 경향과 종래의 수동적 학습에 치우친 학습 교육에 반대하여 피교육자의 자기 활동을 존중하는 두 경향이 있음.

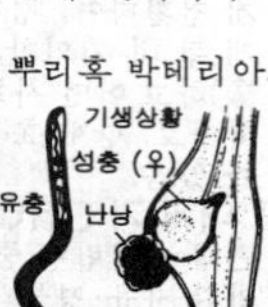

〈근로 포장〉

근로 포장 【勤勞褒章】 [글─] 명 공장·사업장 기타 직장에서 열심히 일하여 나라 발전에 크게 이바지한 행적(行績)이 뚜렷한 사람에게 주는 포장. '산업 포장'으로 바뀌었음.
근류 【根瘤】 [글─] 명 《식》 뿌리혹.
근류-균 【根瘤菌】 [글─] 명 《식》 뿌리혹 박테리아. 근류 박테리아.
근류-근 【根瘤根】 [글─] 명 《식》 뿌리혹뿌리.
근류 박테리아 【根瘤─】 [글─] 〔bacteria〕 명 《식》 뿌리혹 박테리아.
근류 선충 【根瘤線蟲】 [글─] 명 《동》 선형 동물 선충강(綱) 진(眞)선충목(目)에 속하는 선충의 총칭. 성충(成蟲)의 암컷은 서양 배와 같은 모양을 하고 몸길이 1-2mm에 이르며, 수컷은 지렁이같이 생겼는데 몸길이 1-1.5mm임. 알은 직경 0.08mm 가량의 타원형임. 한 해에 3-5회 발생하는데, 겨울에는 알 및 유충(幼蟲)의 형태로 흙 속에서 보내고, 4-5월에 활동하기 시작하여 작물의 새로 나는 뿌리의 끝에 구멍을 뚫고 들어 가서 7월경에 성숙함. 고구마·우엉·콩·강낭콩·담배·토마토·당근·오이 같은 것에 기생(寄生)하는 해충임.

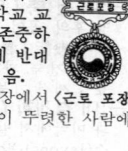

고구마 줄기의 피해
〈근류 선충〉

근류 세:균 【根瘤細菌】 [글─] 명 《식》 뿌리혹 박테리아.
근:리 【近理】 [글─] 명 이치에 거의 맞음. ¶사실 또 그게 ~한 말인 것 같아서 지레 놀란 것이 무색했다《蔡萬植 : 濁流》. ──하다 형여불
근:린 【近隣】 [글─] 명 ①가까운 이웃. ②가까운 곳. 근방(近方).
근:린 공원 【近隣公園】 [글─] 명 도시 공원법에 의거하여, 인근(隣近)의 시민들의 보건·휴양 및 정서 생활의 향상에 이바지할 목적으로 설치한 공원.
근:린 궁핍화 정책 【近隣窮乏化政策】 [글─] 명 《경》 〔영국의 여류 경제학자 J.V. 로빈슨(1903-83)이 명명한 beggar-my-neighbour policy의 역어〕 국제 수지의 개선책의 하나. 타국의 희생에 의하여 자국의 수출을 늘리고 수입을 줄여 무역 수지를 자국에 유리하게 만들어 자기 나라만 경기를 유지하고자 하는 정책. 그 수단으로서는 환절하(換切下)·임금 절하·수출 보조금에 의한 싼값으로의 수출, 관세 인상·할당제 등에 의한 수입 억제 들임.
근:린 사회 【近隣社會】 [글─] 명 《사》 사람들이 서로 얼굴을 익히 알고 공동 생활을 하는 지역 사회의 최소(最小) 단위.
근:린 주:구 【近隣住區】 [글─] 명 도시 계획에서, 도시의 구성 단위의 하나. 적절한 계획에 의해서, 거주자의 문화적인일상 생활과 사회적 생활을 확보할 수 있는 이상적 주택지의 단위. 보통, 초등 학교 하나와 점포·녹지 등의시설을 갖춘인구 1만 정도의 집합 주택 지구를 가리킴.
근막 【筋膜】 명 《생》 근육의 표면을 싸고 있는 결합조직성(結合組織性)의 얇은 막. 과도한 근육의 수축을 견제하는 작용을 함.
근만 【勤慢】 명 부지런함과 게으름. 근태(勤怠).

근만-점【勤慢點】[—쩜] 명 학교나 직장 같은 데서의 부지런함과 게으름에 대한 평점(評點).
근만-표【勤慢表】명 학교나 직장 같은 데에서, 부지런함과 게으름의 평점을 매겨 놓는 성적표.
근맥¹【根脈】명 일이 생겨난 유래.
근맥²【筋脈】명 근육과 혈맥.
근면【勤勉】명 부지런하게 힘씀. ——-하다 자형여불. ——-히 부
근면-가【勤勉家】명 부지런히 힘쓰는 사람.
근면-성【勤勉性】[—썽] 명 근면한 특성. 부지런함.
근멸【根滅】명 뿌리째 없애 버림. 완전히 없애 버림. ——-하다 타여불
근모【根毛】명〖식〗뿌리털.
근무【勤務】명 직무에 종사함. 일을 봄. 근사(勤仕). ¶ ~처/~ 시간/직장 ~/초소 ~. ——-하다 자여불
근무 공로 훈장【勤務功勞勳章】[—노—] 명 국가 안전 보장에 뚜렷한 공을 세운 사람에게 수여한 훈장. 1등 근무 공로 훈장·2등 근무 공로 훈장·3등 근무 공로 훈장·4등 근무 공로 훈장·5등 근무 공로 훈장의 5등급이 있었음. '보국 훈장(保國勳章)'으로 바뀌었음.

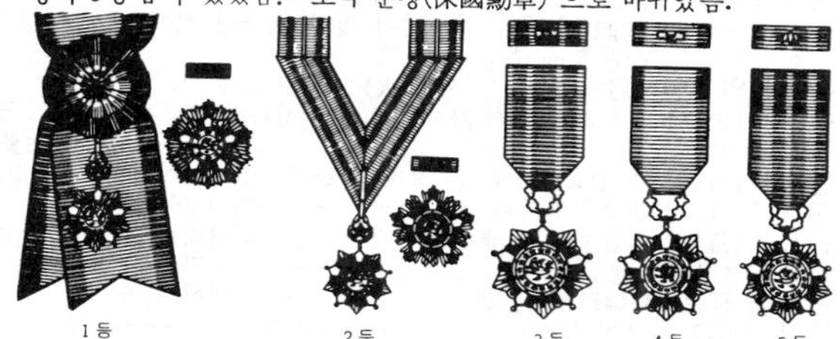

〈근무 공로 훈장〉

근무력-증【筋無力症】명〖의〗근신경(筋神經)의 장애에 의한 병. 수의근(隨意筋)이 쇠약해지기 쉬운 것이 그 특징임. 눈이나 얼굴 및 인두(咽頭)의 여러 근육에 잘 나타나는 병으로, 처음에는 눈꺼풀의 하수(下垂)와 복시(複視)의 증상이 일어나나, 말기에는 인두근 또는 호흡근의 마비로 말미암아 죽음.
근무 병력【勤務兵力】[—녁] 명〖군〗보직(補職)을 받고 근무하고 있는 병력.
근무 성적 평:정【勤務成績評定】명 공무원의 근무 성적을 평가하여 공정한 인사 관리의 기초로 삼기 위한 기록. 평정 결과는 비밀로 하며 정기(定期) 평정·수시 평정의 두 가지가 있음. *근무 평정.
근무 성적 평:정표【勤務成績評定表】명 근무 성적 평정을 위한 기록표.
근무 시간【勤務時間】명 노동(勞動) 시간.
근무 연한【勤務年限】명 어떤 직장에 적(籍)을 두고 근무한 연수(年數).
근무-자【勤務者】명 근무하는 사람.
근무-지【勤務地】명 근무하는 곳. 일을 맡은 곳.
근무지 수당【勤務地手當】명 급여(給與) 중, 특정 지역에 근무하는 자에게 지급되는 수당. 지역급(地域給). 지역 수당.
근무 평:정【勤務評定】명 인사 관리의 한 방식. 일반적으로 인사 관리의 직책을 가진 사람이 그 자료로 하기 위해, 종업원·직원 등의 노동에 대한 근무 성적을 평가하고 판정하는 일. 공무원에 대한 평정자는 피평정자(被評定者)의 상급 감독자가 되고, 확인자는 평정자의 직근(直近) 상급 감독자가 됨. *근무 성적 평정.
근:묵자-흑【近墨者黑】명 '먹을 가까이하는 사람은 검어진다'는 뜻으로, 나쁜 사람과 사귀면 그 버릇에 물들기 쉽다는 말.
근:-미래【近未來】명 비교적 가까운 미래. 100년 미만의 미래. ¶ ~ SF 소설.
근:민¹【近民】명 이웃 나라의 백성. 근변(近邊)의 국민.
근민²【勤民】명 ①부지런한 백성. ②근로 생활을 영위하는 민중.
근민³【勤敏】명 근실하고 민첩함. ——-하다 형여불
근:밀【謹密】명 조심성 있고 치밀함. 근세(謹細). ——-하다 형여불
근:반¹【近泮】명 반수(泮水)의 근처. 곧, 성균관(成均館)의 부근.
근반²【跟伴】명 주인을 모시고 떠나는 하인.
근:방¹【近方】명 근처(近處). 근린(近隣).
근:방²【近傍】명 가까운 곁. 근변(近邊).
근-방추【筋紡錘】명〖생〗횡문근(橫紋筋)의 내부에 있어서 근육의 수축 상태 같은 것을 감수(感受)하는 장치. 모양은 주위의 근섬유와 같은 방향으로 뻗은 기름한 방추형이며, 결합 조직의 막으로 싸이고, 안에는 가는 근섬유와 신경 섬유가 얽혀 있음.
근:배【謹拜】명 '삼가 절함'의 뜻으로, 편지 끝의 이름 밑에 쓰는 말.
근:백【謹白】명 삼가 아뢲. *근배(謹拜).
근:변【近邊】명 가까운 곳. 근방(近傍).
근복【筋腹】명〖생〗붉고 연하며 탄력성이 있는 근육의 가운데 부분.
근본【根本】명 ①초목의 뿌리. ②사물이 발생하는 근원. 기초. 근간(根幹). 근저(根柢). 근체(根蔕). 태시(太始). ¶ ~ 문제. ③자라온 환경과 경력. ¶사람은 ~부터가 좋아야 한다. ④원본(原本).
근본 규범【根本規範】명〔도 Grundnorm〕〖법〗실정법(實定法) 규범의 최후의 타당한 근거로 가정되는 규범. 켈젠(Kelsen)의 순수 법학에서 제창됨.
근본-법【根本法】[—뻡] 명〖법〗①일반적으로 국가의 근본적인 법. 곧 헌법(憲法). 기본법(基本法). ②근대 헌법의 역사상, 중세 말기의 등족적 군주 국가(等族的君主國家)에 있어서의 등족과 군주 또는 절대 전제(專制) 군주제에 있어서의 시민과 군주와의 사이의 계약. 곧, 시민의 권리·자유의 보장을 내용으로 하는 시민과 군주와의 사이의 계약.
근본 불교【根本佛敎】명 일반적으로는 원시 불교를 말하며, 좁은 뜻으로는 석가모니 자신의 교설(敎說)과 그 직접 제자들의 교설 및 그러한 교단(敎團).
근본 사:료【根本史料】명 사료 조사의 기초가 되는 근본 재료. 고서(古書)·유물 또는 기록 등.
근본-악【根本惡】명〔도 Radikalböse〕〖철〗칸트(Kant)의 용어로서, 자연 상태에 있는 인간이 자각하고 있는 도덕법을 떠나서 감정적인 충동에 따라 행하려는, 날 때부터 갖고 있는 악.
근본 원리【根本原理】[—월—] 명〔도 Grundprinzip; Grundsatz〕〖철〗존재 또는 인식(認識) 일반의 궁극적인 기초를 이루고, 그것을 보편적인 이론으로서 가능하게 하는 철학 상의 근본 원칙.
근본-의【根本義】[—/—이] 명 근본의 의의. 본의(本義).
근본 이:념【根本理念】명 어떤 사실의 근본적인 원리가 되는 이념.
근본-적【根本的】명관 근본인 모양.
근본적 경험론【根本的經驗論】[—논] 명〖철〗철학적 논의는 모두 경험에서 출발할 것을 요청하며, 여러 사물간의 관계는 물(物) 자체가 아니고 경험과의 관계에있어서 사실로서 기술하고, 그 경험의 여러 부분은 초월적(超越的) 기반을 필요로 하지 아니하고, 경험 자체의 연속적 구성에 의존하고 있다고 귀결(歸結)하는 인식론 및 형이상학(形而上學)의 입장. 미국의 철학자 제임스(W. James)의 《근본적 경험론 논집》에서 유래하는 입장임.
근본 정신【根本精神】명 본바탕이 되는 마음·정신.
근본-주의【根本主義】[—/—이] 명 제1차 세계 대전 후, 근대주의의 풍조에 대항하여 기독교 신앙의 근본 교리를 고수(固守)하려고, 특히 미국에서 일어난 신교(新敎)내의 보수적 운동. 펀더멘털리즘.
근본-지【根本智】명〖불교〗실지(實智).
근본 진리【根本眞理】[—질—] 명〖철〗궁극적(窮極的)이며 절대적이고 타당성이 있는 원천적인 진리.
근:봉【謹封】명 ①삼가 봉한다는 뜻으로, 편지나 소포(小包)의 겉을 봉한 자리에 쓰는 말. ②봉치 싼 보자기에 끼우는, '謹封'이라는 두 자를 쓴 종이.
근부【根部】명 ①식물의 뿌리 부분. ②건축물(建築物) 같은 것의 땅에 박혀 있는 부분.
근:비¹【近鄙】명 통속적이고 야비함. ——-하다 형여불
근비²【根肥】명〖농〗식물의 뿌리 언저리에 주는 비료.
근비³【筋痺】명〖한의〗근육이 켕기어 관절통(關節痛)이 나서 걸음을 잘 걷지 못하는 병.
근:사¹【近似】명 ①거의 같음. 비슷함. ②〈속〉그럴싸하게 괜찮음. 꽤 좋음. ¶ ~한 옷차림. ——-하다 형여불
근:사²【近事】명〖불교〗우바새(優婆塞)❷.
근:사³【近思】명(높고 먼 이상보다) 자기 주변의 가까운 곳을 생각함. ——-하다 자여불
근사⁴【勤仕】명 ①자기가 맡은 일을 힘써 함. ②근무(勤務). ——-하다 자여불
근사⁵【勤事】명 ①일에 공들임. 또, 그 일. ②〖역〗조선 시대 때 무반 잡직(武班雜職)의 종칠품의 벼슬. 파진군(破陣軍)에 속함.
근:사 계:산【近似計算】명〖수〗정확한 수치(數値)를 낼 수 없을 때에 이에 가까운 수치를 산출해 내는 일. ——-하다 타여불
근:사-녀【近事女】명〖불교〗우바이(優婆夷).
근:사-록【近思錄】명〖책〗중국 송(宋)나라 때 주자(朱子)와 그 제자인 여조겸(呂祖謙)이 함께 지은 책. 주무숙(周茂叔)·정명도(程明道)·정이천(程伊川)·장재(張載) 들의 책 속에서 일상 수양에 긴요한 장구(章句) 622 조목을 추려 내어 14 부로 분류한 14 권의 책.
근:사-모으다 타 오랫동안 힘써 은근히 공을 들이다. ¶근사를 모은 지 이태 만에 마침내 일은 공주의 뜻대로 되었다《朴鍾和 : 多情佛心》.
근:사-식【近似式】명〖수〗근삿값을 계산하는 방식의 하나.
근:사-치【近似値】명〖수〗'근삿값'의 구용어.
근산【筋疝】명〖한의〗①음경(陰莖)이 붓는 병. ②음문(陰門)이 헐어서 가려운 병.
근삽-법【根揷法】명〖농〗일년생 또는 이년생의 뿌리를 12cm 가량 되게 잘라서 땅 속에 비스듬히 묻어 두는 방식. 과수(果樹)의 대목(臺木) 양성에 이용함.
근:삿-값【近似—】[—깝] 명〖수〗근사 계산에 의해서 얻어진 수치. 예를 들면 3.1416은 원주율(π)의 근삿값으로 그 오차(誤差)는 0.0001보다 작음. 구용어 : 근사치(近似値).
근:상¹【近狀】명 요사이의 형편. 근황(近況). 근세(近勢).
근:상²【謹上】명 삼가 올림. 편지의 맨 끝에 쓰는 말.
근상-엽【根狀葉】[—녑] 명〖식〗잎이 변태하여 뿌리 모양으로 된 것. 물 속에 나는 풀 중의 부생(浮生) 식물에서 볼 수 있음.
근:생-대【近生代】명〖지〗신생대(新生代).
근생-류【根生類】[—뉴] 명〖동〗[Stolonifera] 팔방류(八放類)를 나눈 한 목(目). 이 유(類)는 바다에 나는데, 폴립(polyp)의 기부(基部)는 뿌리와 같은 형상을 이루고 있으며, 골축(骨軸)은 없거나 또는 골편(骨片)으로 되었음. 상생류(相生類).
근생-엽【根生葉】[—녑] 명〖식〗뿌리에서나 지하경(地下莖)에서 직접 땅 위에 나온 잎. 씨름꽃·연·고사리·봄맞이꽃 등에서 볼 수 있음. 뿌리잎. 준 근엽(根葉).
근:서【近西】명 서쪽에 가까운 방향.
근석 인대 ↗그 녀석. *인석·전석.
근:선【謹選】명 삼가 선택함. ——-하다 타여불

근-섬유【筋纖維】 명 〔muscle fiber〕〖생〗 동물의 근육 조직을 구성하는 세포. 내부에 수축성이 있는 근원(筋原) 섬유를 포함하여, 신경으로부터의 자극에 의하여 수축함. 민무늬근 섬유·가로무늬근 섬유의 두 가지가 있음. 근세포(筋細胞). 살올실.

평활근 심근 골격근

〈근섬유〉

근섬유-막【筋纖維膜】 명〖동〗 척추 동물의 개개(個個)의 가로무늬근 섬유속(纖維束)을 싸고 있는 얇고 투명한 막(膜). 세포막이 변질된 것으로 생각됨.

근섬유-초【筋纖維鞘】 명〖생〗 가로무늬근 섬유의 세포막. 투명하고 얇으며 초(鞘)의 바로 밑에 두 개의 핵(核)이 있음.

근성[1]【芹誠】 명 정성을 다하여 바치는 마음. 옛날에 미나리를 임금께 바친 데서 생긴 말임. 근침(芹忱).

근:성[2]【近星】 명 〔near stars〕〖천〗 태양의 근린성(近隣星). 태양으로부터 13광년 이내에 있는 22개의 별을 가리킬 때도 있음.

근성[3]【根性】 명 ①근본되는 성질. 마음의 뿌리. ②타고 난 마음보. 뿌리 박힌 성질. ¶ ~이 나쁘다/관리 ~.

근성 방어【筋性防禦】 명〖의〗 복근(腹筋)의 반사성(反射性) 긴장 상태. 복강(腹腔)내에 급성 염증(炎症)이 생긴 경우, 염증 때문에 복벽 복막(腹壁腹膜) 밑의 지각 신경이 자극되면, 반사적으로 환부(患部)의 운동 신경이 흥분하여 환부에 상당한 복근의 긴장을 증가시키는 일. 복부(腹部)의 운동을 제한하여 환부를 안정하게 보호하는 작용을 함.

근:성-점【近星點】〔—쩜〕 명〖천〗 이중성(二重星)에 있어서 두 개의 별이 가장 접근하는 점. *근일점(近日點).

근:세[1]【近世】 명 ①오래 되지 아니한 세상. ②역사적으로 고대(古代)가 아닌 가까운 시대. 중세와 현대의 중간 시대. 국사에서는 조선(朝鮮) 시대를 말함. 근대(近代).

근:세[2]【近歲】 명 근년(近年).

근:세[3]【近勢】 명 요사이의 정세(情勢)나 세력. 근상(近狀).

근:세[4]【謹細】 명 작은 일까지 삼감. 근밀(謹密). ——-하다 형 여불

근:세 건:축【近世建築】 명 건축의 역사상, 르네상스 이후의 건축의 총칭(總稱).

근:세 국가【近世國家】 명〖정〗 근대 국가(近代國家).

근:세-사【近世史】 명〖역〗 근세의 역사. 또, 그 책.

근:세 조선【近世朝鮮】 명〖역〗 고려를 이은 조선 시대 500년을 말함. 양반(兩班) 중심으로, 불교에서 유교(儒敎) 중심으로 변하여 사대적(事大的)인 봉건(封建) 사상이 왕성하였으며, 상공·예술을 멸시하며 쇄국주의(鎖國主義)를 고수(固守), 외국 문화의 수입을 막고 국내의 당쟁(黨爭)이 국민 사상에 젖었으나, 한편 한글의 창제와 측우기·활자·거북선의 발명으로 한때 자아(自我) 반성의 부흥(復興)도 있었음. ㊀ 조선.

근:세 철학【近世哲學】 명 르네상스 시기부터 20세기 초기까지의 철학. 고대 그리스 휴머니즘을 부활시킨 인간 중심의 시민 사회의 사상.

근-세포【筋細胞】 명〖생〗 ①동물의 체내(體內)에서 능동적으로 수축하는 세포의 총칭. 특히, 근조직을 구성하는 것은 길고 가는 섬유꼴이기 때문에 근섬유라 함. 근육 세포. 근섬유(根纖維). ②〔myocyte〕 해면 동물(海綿動物)에 있다고 인정되는 수축성 세포.

근:소【僅少】 명 아주 적어서 얼마 되지 못함. 수량(銖兩). ¶ ~한 차로 이기다. ——-하다 형 여불

근속【勤續】 명 근무를 한 곳에서 오래 계속함. ——-하다 자 여불

근속-급【勤續給】 명 기업체에서, 근속 기간에 대응하여 지급되는 임금(賃金) 부분. 근속급이라는 형식을 취하지 아니하고 기본급(給)의 사정(査定)시에 가산됨.

근속 연한【勤續年限】〔—년—〕 명 같은 계통의 일자리에서 계속적으로 근무한 햇수.

근-수[1]【斤數】〔—쑤〕 명 저울에 단 무게의 수.

근-수[2]【根數】〔—쑤〕 명〖수〗 근호(根號)가 붙은 수. √7 같은 것.

근수[3]【勤修】 명 힘써 닦음. ——-하다 타 여불

근수[4]【跟隨】 명 ①사람의 뒤를 따라가는 일. ②〖역〗 ↗근수노(跟隨奴). ——-하다 자 여불

근:수[5]【謹守】 명 삼가 지킴. ——-하다 타 여불

근수-노【跟隨奴】 명〖역〗 관원이 외출할 때 따라다니며 시중드는 관아의 하례(下隷). 품계(品階)에 따라 인원수(人員數)가 정해져 있음. ㊀ 근수(跟隨).

근수 병정【跟隨兵丁】 명〖역〗 관원이 외출할 때 호위하는 병정.

근-수축【筋收縮】 명〖생〗 근육이 신경의 자극 등으로 수축하는 일. 근육의 단축을 수반하는 등장성 수축(等張性收縮)과, 수반하지 아니하는 등척성 수축(等尺性收縮)이 있음.

근:숙【謹肅】 명 ①삼가 공경함. ②조심하여 자숙(自肅)함. ——-하다 자 여불

근:순【近巡】 명 ①가까이를 돌아다님. ②부근.

근:습【近習】 명 ①가까이 하여 익숙해짐. ②근신(近臣). ——-하다 타 여불

근:시[1]【近侍】 명 ①〖역〗 임금을 가까이 모시는 신하. 승지(承旨)·사관(史官) 등. ②웃어른을 가까이 모심. ——-하다 타 여불

근:시[2]【近時】 명 요사이. 이즈막.

근:시[3]【近視】 명 〔short-sightness〕〖물〗 가까운 데 것은 잘 보아도 먼 데 것은 잘 못 보는 눈. 눈의 수정체(水晶體)와 망막(網膜) 사이의 거리가 너무 멀기 때문에, 상(像)의 초점(焦點)이 망막의 가까운 앞쪽에 맺어져서 먼 데 것을 잘 못 봄. 눈동자가 너무 두두룩한 데 원인이 있음. 선천적으로 되는 수도 있으나 어릴 때부터 잔 글씨를 가까이 놓고 많이 보아서 되는 수도 있음. 상의 초점을 훨씬 뒤의 망막에 맺도록 하기 위하여 오목 렌즈의 안경을 씀. 졸보기. ↔원시(遠視).

24mm
정시안
근시안 굴절성
근시안 축성

〈근시[3]〉

근시[4]【靳施】 명 남에게 주는 것을 싫어하여 아낌. ——-하다 타 여불

근:시-경【近視鏡】 명 근시안(近視眼)에 쓰는 오목 렌즈로 만든 안경. ↔원시경(遠視鏡).

근:시-관【近侍官】 명〖역〗 고려 때, 정삼품(正三品)인 좌상시(左常侍)·우(右)상시·어사 대부(御史大夫)·육상서(六尙書)·한림 학사(翰林學士)·승지 학사(承旨學士), 종삼품인 상서 도성(尙書都省)의 좌승(左丞)·우승(右丞)의 일컬음. *종관(從官).

근:시-안【近視眼】 명 ①〖생〗 근시의 눈. 단시(短視). 졸보기눈. ↔원시안(遠視眼). ②눈앞의 일에만 구애되어 먼 앞을 짐작하는 지혜가 없음의 비유. ㊀근안(近眼).

근:시안-자【近視眼者】 명 사물을 근시안적으로 보는 사람.

근:시안-적【近視眼的】 명 관 사고력이 얕아, 사물을 극히 얕게 피상적으로만 보는 모양. ¶ ~ 주장이다.

근:시-위【近侍衛】 명〖역〗 '화아지(火兒赤)'의 고친 말.

근:신[1]【近臣】 명 임금 곁에서 가까이 모시는 신하(臣下). 시신(侍臣). 근습(近習).

「——-하다 타 여불

근:신[2]【近信】 명 ①요사이에 온 편지나 소식. ②가까이하여 신용함.

근:신[3]【謹身】 명 몸차림이나 행동을 삼감. ——-하다 자 여불

근:신[4]【謹愼】 명 ①언행을 삼가고 조심함. ②과오(過誤)에 대하여 반성하고 들어앉아 행동을 삼감. 신근(愼謹). ——-하다 자 여불

근신경 표본【筋神經標本】 명〖동〗 시체의 몸에서 떼어 낸 근신경.

근실【勤實】 명 부지런하고 착실함. ——-하다 형 여불. ——-히 부

근실-거리다 자 조금 가려운 느낌이 생기다. ¶ 근실거리는 몸으로 마구 문을 뚫고 도망질을 치라고 봄이 충동질하는 모양인가?《李孝石 : 花粉》. 근실-근실 부. ——-하다 자 여불

근실-대다 자 근실거리다.

근실-성【勤實性】〔—썽〕 명 부지런하고 성실한 성질.

근심 명 괴롭게 애를 쓰는 마음. 염려. 걱정. ¶ ~이 태산 같다/~ 걱정. ——-하다 자 타 여불

근심-거리 〔—꺼—〕 명 근심이 될 만한 일. 근심이 되는 일. 걱정거리.

근심-사【—事】 명 근심거리.

「근심사.

근심-스럽다 형 ㅂ불 근심하는 태도가 있다. 걱정스럽다. 근심-스레 부

근심-장【根深章】〔—짱〕 명〖악〗 용비 어천가 첫째 악장의 이름.

근심하다 자 타 〈옛〉 근심하다. ¶ 사ᄅᆞᆷ ᄆᆞ장 근심ᄒᆞ야 셟게ᄒᆞ다(愁殺人)《老朴集 單字解 6》.

근:안【近眼】 명 ↗근시안(近視眼). ↔원안(遠眼).

근압【根壓】 명〖식〗 초목의 뿌리가 흙 속에서 흡수한 수분을 관다발의 도관(導管)을 통하여, 줄기나 잎으로 밀어 올리는 압력. 뿌리압.

근어【根魚】 명 늘 암초 사이나 해조(海藻)가 무성한 곳에 서식(棲息)하여 그 장소에서 멀리 이동하지 아니하는 물고기.

근:언【謹言】 명 '삼가 말씀을 드림'의 뜻으로, 편지의 끝에 써서 경의를 표하는 말.

「여불. ——-히 부

근:엄【謹嚴】 명 점잖고 엄함. 긍엄(矜嚴). ¶ ~한 표정. ——-하다 형

근:업【近業】 명 ①최근에 지은 책이나 글. ②근래에 하는 사업.

근역【槿域】 명 무궁화나무가 많은 땅이라는 뜻으로, '한국'을 일컫는 말. *근화향(槿花鄕).

근역 서화징【槿域書畫徵】 명〖책〗 신라·고려·조선의 역대 서화가 1,117명의 약력과 평전(評傳)을 수록한 책. 오세창(吳世昌) 편저(編著). 1928년 출판. 1권.

근:연【近緣】 명 ①가까운 인연. ② 가까이하여 인연을 맺음. ——-하다 자 여불

「깊은 종류.

근:연-종【近緣種】 명〖생〗 생물(生物)의 분류에서, 유연(類緣) 관계가

근염【筋炎】 명 〔myositis〕〖의〗 근육이 여러 가지 화농균(化膿菌)의 전염을 받아 염증을 일으키어, 종창(腫脹)·동통(疼痛)·발열(發熱) 등의 증상을 나타내는 질환.

근엽【根葉】 명〖식〗 ①뿌리와 잎. ↔경엽(莖葉). ②↗근생엽(根生葉).

ㄴ③처음과 끝.

근엽-포【芹葉包】 명 미나리 잎 쌈.

근:영[1]【近詠】 명 최근에 지은 시가(詩歌).

근:영[2]【近影】 명 최근에 찍은 인물 사진(人物寫眞).

근영[3]【筋瘿】 명〖한의〗 힘줄이 거죽으로 드러나서 된 혹.

근왕【勤王】 명 임금을 위하여 충성을 다함. ——-하다 자 여불

근왕-병【勤王兵】 명 임금을 위하여 충성을 다하는 군사.

근외-선【菫外線】 명〖물〗 자외선(紫外線).

근:우【近憂】 명 눈앞에 닥쳐온 근심.

근우-회【槿友會】 명〖역〗 1927년 창립된 부녀 단체. 부녀의 단결과 지위 향상을 위하여, 김활란(金活蘭)·유각경(兪珏卿) 등이 중심이 되어 조직함. 신간회(新幹會)의 자매 단체로서 한때 크게 활약하였으나, 1930년 신간회의 해체와 함께 해산됨.

근-운동【筋運動】 명 ↗근육 운동(筋肉運動)❷.

근원【根源】 명 ①물이 흘러 내리는 샘 줄기의 근본. ②사물이 생기어 나는 본바탕. 근본(根本). 원본(原本). ③금실지락(琴瑟之樂).

【근원 벨 칼이 없고 근심 없앨 약이 없다】 부부간의 금실은 끊을 수 없으며, 인간 생활에 근심은 언제나 있다는 말.

근원-둥【根源—】 명 근원둥이.

근원-둥이【根源—】 명 ①화합(和合)하지 아니하던 부부가 화동되어서

낳은 아이. ②첫날밤에 배어서 낳은 아이. 근원둥.

근원 섬유【筋原纖維】명〖생〗근섬유(筋纖維)의 세포질(細胞質)을 형성하고 있는 극히 가느다란 실 같은 물질. 가로무늬근의 근섬유에는 화학적 조직과 물리적 성질이 서로 다른 두 종류의 가로 무늬가 번갈아 배열되어 있는 것이 특색임. 「근육 세포.

근원 세:포 【筋原細胞】 명 〔myoblast〕〖생〗미분화(未分化) 상태의

근원-적【根源的】명관 사물이 생겨나는 본바탕이 되는 모양. ¶~으로 과학과 기술은 다른 개념이다.

근원-지【根源地】명 사물이 생기어 나는 땅. 근원이 되는 곳.

근:위[1]【近衛】명 임금을 가까이에서 호위함.

근위[2]【筋痿】명〖한의〗간경(肝經)에 열이 나서 담즙(膽汁)이 너무 나온 까닭에, 근막(筋膜)이 마르고 입이 쓰고 힘줄이 켕기는 병.

근:위-대【近衛隊】명〖역〗궁궐(宮闕)을 호위(護衛)도 하고, 또 의장(儀仗)의 임무도 맡고 하던 군대. 보병(步兵)과 기병(騎兵)으로써 편제(編制)한 것으로 융희(隆熙) 원년(1907)에 설치하였었음.

근:위-병【近衛兵】명〖역〗임금의 호위병(護衛兵).

근위축-증【筋萎縮症】명〖의〗오랫동안 근육을 사용하지 아니하거나 또는 관절 질환·신경 질환 등에 의해서 근육이 점점 위축되는 병.

근위축성 측삭 경화증【筋萎縮性側索硬化症】[ㅡ쯩] 명 〔amyotrophic lateral sclerosis〕〖의〗운동을 관장하는 신경 뉴론이 변성(變性)하는 원인 불명의 질환. 4, 50대 남성에 많음. 점차 근력(筋力)이 쇠하고 근육이 위축되면서 팔에서 다리로 퍼지고, 마지막에 호흡 마비를 일으킴. 지각(知覺) 장애나 배뇨(排尿) 장애가 나타나는 수도 있음. 약칭: 에이 엘 에스(ALS).

근유【根由】명 근본 이유.

근육【筋肉】명〖생〗몸의 연한 부분을 이루고 있는 힘줄과 살. 내장과 혈관(血管)·골격을 싸고 있으며, 몸의 운동과 관능(官能)의 중요한 조직임. 단백질로 형성되고 지방(脂肪)·당분(糖分)·무기염류(無機塩類)를 함유하는데, 7할은 수분(水分)임. 기능으로 보아 수의근(隨意筋)에 속하는 골격근(骨格筋), 불수의근에 속하는 심장근(心臟筋)·내장근(內臟筋)이 있으며, 구조로는 가로무늬근과 민무늬근으로 분류함. 인체에는 400여 개 있음. 근(筋). 힘살.

1. 흉쇄유돌근 2. 삼각근 3. 대흉근 4. 측거근 5. 상완이두근 6. 외복사근 7. 완요근 8. 봉공근 9. 광근막장근 10. 대퇴사두근 11. 슬개인대 12. 전경골근 13. 장지신근 14. 활경근 15. (쇄골) 16. 천흉근막 17. 상완근막 18. 복직근초 19. 전완근막 20. 전장골극 21. 서혜인대 22. 난원와 23. 광근막 24. (슬개골) 25. (경골) 26. 하퇴근막 27. 항중격 28. 융추 29. 견갑극 30. 극하근막 31. 상완근막 32. 주두 33. 전완근막 34. 장골릉 35. 대퇴근막 36. 장경인대 37. 슬와 38. 하퇴근막 39. 승모근 40. 삼각근 41. 대원근 42. 상완삼두근 43. 활배근 44. 요삼각 45. 총지신근 46. 대둔근 47. 대퇴이두근 48. 반건상근 49. 반막상근 50. 비복근 51. 가자미근 52. 아킬레스건

〈근육〉

근육 감:각【筋肉感覺】명〖생〗근육의 수축·긴장의 변화 등의 내적 자극에 의하여 생기는 감각. 위치·중량·운동 등의 감각에 참여(參與)함. 척추 동물에서는 근방추(筋紡錘)가 감수(感受) 기관이 되며, 힘줄·관절에도 같은 감각이 있음. 근각(筋覺). 「하는 기관(器官).

근육-계【筋肉系】명〖생〗동물의 근육 세포·근육 조직 및 운동에 작용

근육 긴장형【筋肉緊張型】명〖심〗셀던(Sheldon)의 용어. 운동적이고 자기 표현욕이 강한 기질. ↔뇌(腦) 긴장형·내장(內臟) 긴장형.

근육 노동【筋肉勞動】명 육체를 사용하여서 하는 노동. 육체 노동. ↔정신 노동(精神勞動). ——-하다 자여불

근육 류:머티즘【筋肉ㅡ】〔rheumatism〕명〖의〗류머티즘의 한 가지. 근육에 동통(疼痛)이나 압통(壓痛)이 일어나는데 감기·습윤(濕潤)·외상 등이 원인이 됨. 급성과 만성이 있음. 급성은 발열·종기·운동 불능 따위 증상, 만성은 발열 없이 날씨 변화에 따라 동통이 이동함.

근육 세:포【筋肉細胞】명〖생〗근세포(筋細胞)❶. 「蛋白質).

근육-소【筋肉素】명〖생〗근육 속에 있는 단백질의 하나. 근단백질(筋

근육 운:동【筋肉運動】명 ①〖생〗근육의 수축(收縮)으로 행하는 운동. 후생(後生) 동물의 운동은 주로 이 운동에 의함. 편모(鞭毛) 운동·섬모(纖毛) 운동·아메바 운동에 상대하여 일컫는 말. ②근육을 발달시키고 단단하게 하기 위하여 하는 운동. 아령(啞鈴)·구간(球竿) 같은 것을 사용하여 하는 운동임. 준근운동(筋運動).

근육 조직【筋肉組織】명〖생〗근조직(筋組織).

근육 주:사【筋肉注射】명 근육 안에 약액을 주사하는 일. *피하 주사.

근육 증강제【筋肉增強劑】명 육상 경기의 투척(投擲)이나 역도에 있어서, 선수가 근력(筋力) 증강에 의한 기록 향상을 위해 쓰는 약제. 아나볼릭 스테로이드(anabolic steroid)라는 일종의 호르몬제인데, 부작용이 있어 IOC에서는 도핑(doping)의 일종으로 보고 금지하고 있으나, 검출(檢出)이 곤란하여 사용자가 끊이지 아니함.

근육-질【筋肉質】명 근육과 같이 연하면서도 질긴 성질.

근육-통【筋肉痛】명〖의〗힘살이 쑤시고 아픈 증세.

근육 효소【筋肉酵素】명〖생〗근육 단백(蛋白)의 수축(收縮)에 직접 관

근음[1]【根音】명〖악〗'밑음'의 한자 이름. 「계하는 효소.

근음[2]【筋音】명〖생〗힘줄이 오그라질 때 나는 소리. 노동을 할 때나 관절(關節)을 세게 움직일 때에 가끔 들을 수 있음.

근:읍【近邑】명 가까운 고을. 인근읍(隣近邑).

근:인[1]【近因】명 가까운 원인. ↔원인(遠因).

근:인[2]【近姻】명 가까운 인척(姻戚).

근인[3]【根因】명 근본되는 원인. 근본 원인.

근:일【近日】명 ①요사이. ②가까운 동안. ¶~ 개점(開店).

근:일-점【近日點】[ㅡ쩜] 명 〔perihelion〕〖천〗행성(行星)이나 위성(衛星)·혜성(彗星)의 궤도(軌道) 위에서 태양에 가장 가까운 점. 준근점(近點). ↔원일점(遠日點). *근성점(近星點).

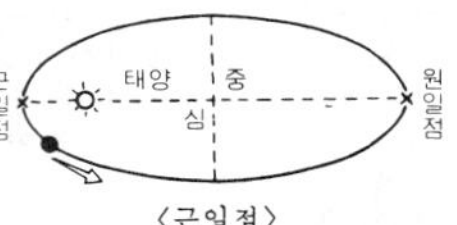

〈근일점〉

근:일점 거:리【近日點距離】[ㅡ쩜ㅡ] 명 〔perihelion distance〕〖천〗태양계 천체의 궤도 위에서의 근일점과 태양과의 거리.

근:일점 통과【近日點通過】[ㅡ쩜ㅡ] 명 〔perihelion passage〕〖천〗행성(行星)이 근일점을 통과하는 일. 또, 그 때의 시각.

근:일점 황경【近日點黃經】[ㅡ쩜ㅡ] 명〖천〗춘분점(春分點)으로부터 측정한 근일점의 황경. 「종육품 품계(品階).

근:임-랑【謹任郞】[ㅡ낭] 명〖역〗조선 시대 때 동반 잡직(東班雜職)의

근:자【近者】명 이즈막. 요사이. 이마적. 이사이. ¶~에 와서 하는 말이.

근:자오선 고도【近子午線高度】명 〔exmeridan altitude〕〖천〗관측자가 위치한 자오선 부근의 천체의 고도. 여기에 보정(補正)을 실시하여 정확한 자오선 고도를 얻음.

근:자외 복사【近紫外輻射】명 〔near-ultraviolet radiation〕〖물〗비교적 긴 파장을 갖는 자외 복사. 파장 300-400nm. ↔원(遠)자외 복사.

근:-자외선【近紫外線】명 〔near ultraviolet rays〕〖물〗자외선 가운데서 가시 광선(可視光線)에 가까운 부분으로, 파장(波長) 약 2900-3970Å의 범위를 이름. 지상(地上)에 도달하는 태양 광선에 포함되는 자외선의 부분에 상당함.

근:작【近作】명 요사이의 작품. 「음.

근잠 명 벼가 잘 여물지 아니하는 병. 이삭이 하얗게 말라고 여물지 않

근장【筋漿】명〖생〗동물의 근육 속에 포함되어 있는 끈끈한 액체. 빛깔은 대개 황색이나 갈색임.

근:장 군사【近仗軍士】명〖역〗궁문(宮門)을 경계하고 임금이 거둥할 때에 근시(近侍) 경호하는, 병조(兵曹)에 딸린 군사.

근:장 대:장군【近仗大將軍】명〖역〗고려 때의 응양군(鷹揚軍)과 용호군(龍虎軍)의 대장군.

근:장 대:호군【近仗大護軍】명〖역〗고려 때 응양군(鷹揚軍)·용호군(龍虎軍)의 대호군(大護軍). 공민왕(恭愍王) 때 근장 대장군(近仗大將軍)의 고친 이름.

근:장 상:장군【近仗上將軍】명〖역〗고려 때의 응양군(鷹揚軍)과 용호군(龍虎軍)의 상장군.

근:장 상:호군【近仗上護軍】명〖역〗고려 때 응양군(鷹揚軍)·용호군(龍虎軍)의 상호군(上護軍). 공민왕(恭愍王) 때에 근장 상장군(近仗上將軍)의 고친 이름임.

근:재【謹齋】명〖사람〗안축(安軸)의 호(號).

근:재-집【謹齋集】명〖책〗고려 충숙왕(忠肅王) 때의 근재(謹齋) 안축(安軸)의 문집(文集). 그가 지은 ≪관동 별곡(關東別曲)≫·≪죽계 별곡(竹溪別曲)≫ 등의 경기체가(景幾體歌)가 실려 있음. 조선 시대 영조(英祖) 16년(1740) 간행. 3권 2책.

근저[1]【芹菹】명 미나리 김치.

근:저[2]【近著】명 최근의 저술. 최근에 저작(著作)한 책. 「(根蔕).

근저[3]【根柢·根底】명 ①근본(根本). ②사물의 기초. 근기(根基). 근체

근-저당【根抵當】명〖법〗장래에 생겨질 채권(債權)의 담보(擔保)로서 미리 질권(質權) 혹은 저당권(抵當權)을 설정함. 또, 이것들을 설정하는 저당. ——-하다 타여불

근:적외 복사【近赤外輻射】명 〔near-infrared radiation〕〖물〗비교적 짧은 파장을 갖는 적외 복사. 파장은 약 0.75-2.5μm. 주파수 영역에서는 분자나 반도체의 저전자(低電子) 에너지 준위(準位)에 상응함. ↔원(遠)적외 복사.

근:-적외선【近赤外線】명 〔near infrared rays〕〖물〗적외선 가운데서 대체로 1-30μ의 파장(波長) 범위의 것을 이름. 분자(分子)의 회전 진동 스펙트럼은 대체로 이 범위에서 나타나기 때문에 분자 구조의 연구에는 중요한 범위임. 「자여불

근:전【近戰】명 적군에 접근하여 싸우는 일. ↔원전(遠戰). ——-하다

근전-계【筋電計】명 근육의 활동 전류를 측정·기록하는 장치. 근육에 전극(電極)을 대어서 1mmV 정도의 미소 전위(微少電位)를 도출(導出), 증폭기로 증폭한 파형(波形)을 오실로스코프로 관찰함. 근육 운동에 장애가 있는 소아 마비 등의 진단에도 쓰임.

근전-도【筋電圖】명 근육의 활동에 수반(隨伴)되어 발생하는 전류(電流)를 기록한 그림. 신경통·척수 매독 같은 병의 진단, 동작과 피로의 관계, 취업(就業) 시간의 연구 같은 것에 사용함. 일렉트로미오그램(electromyogram). 「타여불

근절[1]【根絶】명 다시 살아날 수 없게 아주 뿌리째 없애 버림. ——-하다

근절[2]【筋節】명〖생〗척추 동물의 배(胚)의 등 쪽 척추의 양쪽에 위치하여 장래 근육을 만드는 부분. 근엽(筋葉)에서 발달하여 일정한 간격을 두고 분절(分節)되어 있음. 「절랑(愼節郞).

근:절-랑【謹節郞】명〖역〗조선 때 종친(宗親)의 종오품의 품계. *신

근:점【近點】[ㅡ쩜] 명 〔near point〕 ①〖물〗눈으로 자세히 볼 수 있는 가장 가까운 거리. 건강한 사람의 눈에서는 10cm 전후에 있음. *명시(明視) 거리. ②〖천〗두 천체가 중심력(中心力)에 의한 이차 곡선(二次曲線) 운동을 하고 있을 때, 그 천체가 가장 가깝게 접근하는 점. 근일

점(近日點)·근지점(近地點) 따위. ③〖천〗↗근일점(近日點). ④〖천〗↗근지점(近地點). ⑤〔pericenter〕〖물〗 인력(引力)의 중심에 가장 가까운 궤도 상의 점. *근점 이각(近點離角).

근:점 거:리【近點距離】[—쩜—] 명〖천〗 태양(太陽)에서 근일점(近日點)까지의 거리.

근:점-년【近點年】[—쩜—] 명〖천〗 지구가 한 번 근일점(近日點)을 통과하여 다시 근일점까지 오는 동안의 시간, 또는 태양이 근지점(近地點)을 통과하여 다시 근지점까지 오는 동안의 시간. 이 시간은 365일 6시 13분 53초임. 이것이 항성년(恒星年)보다 긴 것은 근일점의 운행(運行) 때문임.

근:점-월【近點月】[—쩜—] 명〖천〗 달이 한번 근지점(近地點)을 통과하여 다시 근지점까지 오는 동안의 시간. 이 시간은 27일 13시 18분 33초 남짓함. 항성월(恒星月)보다 긴 것은 근지점의 순행(順行) 운동 때문임.

근:점 이각【近點離角】[—쩜—] 명〖천〗 태양을 한 초점(焦點)으로 하여 타원(楕圓) 등의 궤도를 그리면서 공전하는 천체에 관하여, 태양에서 보아 근일점의 방향과 천체의 방향이 이루는 각. 진근점 이각(眞近點離角). *근점(近點).

근:점 주기【近點週期】[—쩜—] 명〖천〗 위성이 근점에서 시작하여 주성(主星)의 주위를 공전(公轉)하고 다시 근점을 통과할 때까지의 시간.

근:접¹【近接】명 ①가까이 접촉함. 가까이 닿음. ②〖물〗 어떠한 물리 작용이 물체 사이에 있는 물질 매질(媒質)의 도움으로 인하여 전달되는 일. ③〔appulse〕〖천〗 천구(天球) 상에서, 어떤 천체가 다른 천체에 성식(星蝕) 등의 형태로 가까워지는 일. ——하다 자여불

근접²【根椄】명 뿌리접. ——하다 타여불

근:접 사격【近接射擊】명〖군〗 포병이 지근 거리(至近距離)에 있는 점 목표(點目標)에 대하여 하는 파괴 사격.

근:접 신:관【近接信管】명〔variable-time fuse〕 극초단파(極超短波)의 주파수 변조(周波數變調)를 사용하는 전파(電波) 신관. 목표하는 유효 거리에 도달하면 전파의 작용으로 자동 조작(操作)에 의하여 폭탄을 폭발시키는 장치. 브이티 신관(VT 信管).

근:접 쌍성【近接雙星】명〔close binary star〕〖천〗 궤도 반경(軌道半徑)이 주성(主星)이나 반성(伴星)의 반경과 같은 정도로 접근하고 있는 쌍성(雙星). 서로 영향을 끼치는 강한 인력(引力) 때문에 가스의 유출(流出)·유입(流入)이 심하여 여러 가지 복잡한 현상을 일으킴.

근:접 작용【近接作用】명〖물〗 물체 간에 작용하는 힘이 중간에 존재하는 물체나 공간(空間)을 통하여 전달되는 일. 힘이 중간의 상태에는 관계없이 순간적으로 전달되는 원격(遠隔) 작용에 대한 개념이지만, 현재에는 기본적인 힘은 모두 근접 작용으로 봄. ↔원격(遠隔) 작용.

근:접 전:술 항:공 지원【近接戰術航空支援】명〖군〗 근접 항공 지원.

근:접 지원【近接支援】명〔close support〕〖군〗 표적 또는 목표물에 대한 지원 부대의 행동으로서, 그 표적이나 목표물의 위치가 피지원 부대와 아주 가까워서 피지원 부대의 사격·이동 또는 기타의 작전을, 지원 작전 행동과 세밀히 통합하고 협조해야 하는 지원 작전.

근:접 항:공 지원【近接航空支援】명〔close air support〕〖군〗 공군이 지상군과의 긴밀한 협조 아래, 적의 병력·차량·시설물 등에 지상 소사(地上掃射)·폭격·미사일 공격 등을 하여 지상군(地上軍)에 항공 지원을 제공하는 일. 공지 협동(空地協同). 근접 전술 항공 지원.

근:접 화:기【近接火器】명〖군〗 가까운 거리에서 인마(人馬)나 적진(敵陣)의 파괴에 사용되는 화기. 기관총·박격포·수류탄 등.

근:접 효:과【近接效果】명〖전〗 고주파 전류(高周波電流)가 도체(導體)를 흐를 때에, 전류가 다른 도체에 근접한 가까운 부분으로 집중하여 흐르는 현상. *표피 효과(表皮效果).

근:정¹【謹正】명 삼가며 침착하고 올바름. ——하다 형여불

근:정²【謹呈】명 삼가 증정(贈呈)함. ——하다 타여불

근정-전【勤政殿】명〖역〗 경복궁(景福宮) 안에 있는 정전(正殿). 조선 시대 때 즉위식이나 임금이 조회(朝會)를 행하던 곳. 임진 왜란 때 불타서, 지금의 것은 고종(高宗) 4년(1867)에 다시 지은 것임.

근정 포장【勤政褒章】명 공무원과 국공영(國公營) 기업체·공공 단체·사회 단체의 직원으로서, 직무에 정려(精勵)하여 국리 민복(國利民福)에 공적이 뚜렷한 사람에게 수여하는 포장. 수(綬)는 소수(小綬)이며, 주황색 바탕 중앙에 적색 줄이 한 줄 있음.

〈근정 포장〉

근정 훈장【勤政勳章】명 군인·군무원을 제외한 공무원으로서 그 직무에 정려(精勵)하여 공적이 뚜렷한 사람에게 수여하는 훈장. 청조(靑條) 근정 훈장·황조(黃條) 근정 훈장·홍조(紅條) 근정 훈장·녹조(綠條) 근정 훈장·옥조(玉條) 근정 훈장의 5등급이 있음.

근:제【謹製】명 삼가 지음. 삼가 만듦. 또, 그 작품. ¶~품. ——하다 타여불

근:조【謹弔】명 삼가 조상(弔喪)함. ——하다 자여불

근-조직【筋組織】명〖생〗 근세포(筋細胞)가 모여서 만드는 조직. 몸과 각 장기(臟器)의 운동을 맡은 기관(器官)이며, 민무늬근과 가로무늬근이 있음. 근육 조직.

근:족【近族】명 촌수가 가까운 일가. 근친(近親).

근족충-류【根足蟲類】[—뉴] 명〖생〗[Rhizopoda] 위족류(僞足類)를 축족충류(軸足蟲類)와 함께 둘로 나누었을 때의 한 아강(亞綱). 원형질(原形質)은 외층과 내층이 뚜렷이 구별되어 있으며, 몸은 드러나고 세포막은 없으나, 혹이 있는 껍데기를 가지고 있는 것도 있으며, 아무 데나 위족(僞足)이 나와 있음. 균충류(菌蟲類)·유공충류(有孔蟲類)·아메바 등이 이에 속함.

근종¹【根腫】명 ①덩어리진 근이 박힌 부스럼. ②〖의〗 민무늬근과 가로무늬근에 생기는 부스럼.

근종²【根種】명 한번 농사지어 거둔 위에 다시 짓는 농사. 그루갈이. 근경(根耕). ——하다 자타여불

근종³【筋腫】명 근육에 생기는 종양(腫瘍). 자궁(子宮) 근종이 가장 많고, 소화관·피부·방광·난소(卵巢)에도 더러 생김.

근종⁴【跟從】명 모시고 뒤를 따라감. 수행(隨行). ——하다 타여불

근종 심장【筋腫心臟】명〖의〗 자궁(子宮) 근종 환자에게서 볼 수 있는 심장 장애. 자궁 근종의 주요 징후(徵候)인 과다 월경(過多月經)을 오랫동안 방임(放任)한 탓으로 속발(續發)하는 빈혈(貧血)에 의하여 일어남.

근:주【謹奏】명 ①삼가 아룀. ②삼가 주악(奏樂)함. ——하다 타여불

근:주자적 근:묵자흑【近朱者赤近墨者黑】구〔붉은 것에 가까이 있는 사람은 붉게 되고, 먹에 가까이 있는 사람은 검게 된다는 뜻〕 사람은 늘 그가 가까이하는 사람에 따라, 반드시 그 영향을 받아 변하게 되니 조심하라는 말.

근죽【菫竹】명〖식〗 참대.

근중【斤重】명 ①저울로 단 무게. ②무게가 많음. ③말이나 하는 짓이 무게가 있음. 진득하고 거방짐. ——하다 형여불
근중(을) 뜨다 구 남의 마음 속의 생각을 알아 보다.

근지¹ 명〈방〉 그네(전라).

근:지²【近地】명 가까운 곳에 있는 땅.

근지³【根地】명 ①깊은 근저(根柢). ②자라 온 환경과 경력.

근지⁴【勤止】명〔지(止)는 조사(助辭)〕 부지런히 힘씀. ——하다 자여불

근지⁵【靳持】명 마음이 내키지 아니하여 미루어 나감. ¶김진사 재삼 ~하다가… 이씨의 친애한 마음을 일향 거절할 수 없는 고로…《作者未詳 : 恨月》. ——하다 타여불

근-지구력【筋持久力】명 오랜 시간 동안 일정한 근력(筋力)을 지탱할 수 있는 능력. 특히, 레슬링·보트 경기에서 중요함.

근지럽다 형ㅂ불 ①조금 가렵다. 조금 가려운 느낌이 있다. >간지럽다. ②무엇이 하고 싶어서 참을 수 없을 만큼 안타깝다. ¶싸우고 싶어서 손이 근지러우냐.

근지르다 타 ☞간질이다. ¶노국 공주의 가늘게 떨리는 듯한 목소리가…… 공자 왕기의 귓바퀴를 근지른다《朴鍾和 : 多情佛心》.

근-지수【根指數】명〖수〗 근수(根數)나 근식(根式)에서 몇 승근(乘根)인가를 나타내는 수. 예컨대 $\sqrt[3]{7}$, $\sqrt[3]{x+y}$의 '3'을 말함.

근:지-점【近地點】[—쩜] 명〖천〗 ①달이 궤도 상(軌道上)에서 지구에 가장 가까운 위치. ②태양이 지구를 상대적으로 돈다고 생각한 경우, 지구와 태양과의 거리(距離)가 가장 작은 위치. 준근점(近點). ↔원지점(遠地點).

근:지점 조석【近地點潮汐】[—쩜—] 명〔perigean tide〕〖해〗 달이 근지점 가까이 있을 때의 조류(潮流). 조차(潮差)가 가장 큼.

근:지 지진【近地地震】명〖지〗 진앙(震央)의 거리로 지진을 나눌 때에 1,000 km 이내의 것을 이름. ↔원지 지진.

근:직【謹直】명 근실하고 정직함. ——하다 형여불

근진【根塵】명〖불교〗 오근(五根)과 오진(五塵).

근질-거리다 자 자꾸 근지럽다. ¶몸이~/지껄이고 싶어서 입이 근질거리더냐. >간질거리다. 근질-근질 부. ——하다 자여불

근질-대다 자 근질거리다.

근-쭝【斤—】의명〔←근중(斤重)〕 근을 단위로 하여 무게를 달 때의 단위. ¶네 ~.

근:착¹【近着】명 근래에 도착함. ——하다 자여불

근착²【根着】명 ①뿌리가 박힘. ②확실한 내력과 주소. ——하다 자여불

근착³【跟捉】명 뒤를 추적하여 체포함. ——하다 타여불

근:찬【謹撰】명 삼가 책을 찬술함. ——하다 타여불

근참【覲參】명 뵙고 참배함. ——하다 자여불

근채¹【芹菜】명〖식〗 미나리.

근채²【根菜】명 뿌리 채소.

근채-류【根菜類】명 뿌리 채소.

근:처【近處】명 가까운 곳. 근방(近方). ↔원처(遠處).
근:처에도 못 간다 구 비교가 되지 않는다. 어림도 없다.

근:척【近戚】명 가까운 친척.

근천-떨다 자〈방〉 궁상떨다.

근천-스럽다 형〈방〉 궁상스럽다. ¶볕에 탄 얼굴에 툭 불거진 광대뼈에, 근천스럽게 말라붙는 안면 근육에, 깡마른 눈정기에…《蔡萬植 : 太平天下》. 근천-스레 부

근천정-무【覲天庭舞】명〖악〗 대궐 안의 잔치 때에 추는 춤으로서 당악(唐樂)의 여악(女樂)임.

근천정-사【覲天庭詞】명〖악〗 근천정무에 부르는 가사.

근:청¹【謹請】명 삼가 청함. ——하다 타여불

근:청²【謹聽】명 삼가 들음. ——하다 타여불

근청-석【菫青石】명〖광〗 철·마그네슘·알루미늄 등이 주성분으로 된 규산(硅酸) 광물. 사방정계의 기둥 모양 또는 덩어리이며, 보랏빛 또는 잿빛으로 광택이 있음.

근체【根蔕】명 뿌리와 가지. 사물의 토대. 근저(根柢). 근본.

근:체-시【近體詩】명〖문〗 한시(漢詩)에 있어서 율시(律詩)와 절구(絕句)의 일컬음. 금체시(今體詩). ↔고체시(古體詩).

근초【筋鞘】명〖생〗 가로무늬근을 싸고 있는 얇은 막. 육막(育膜).

근:초고-왕【近肖古王】명〖사람〗 백제의 제13대 왕. 369년 고구려 고국원왕(故國原王)의 2만 군을 격파, 이어 3만 병으로 고구려에 침입, 평양성을 공격하여 고국원왕을 전사케 함. 고흥(高興) 박사에 명하여 《서기(書記)》를 편찬하게 하였음. [재위 346-374]

근촌¹【芹村】명〖사람〗 백관수(白寬洙)의 호(號).

근:촌[2]【近寸】명 가까운 촌수. ↔원촌(遠寸).

근:촌[3]【近村】명 이웃에 있는 가까운 마을. ↔원촌(遠村).

근축【根軸】명〔radical axis〕〖수〗두 원(圓)에 대하는 접선이 똑 같은 점의 궤적(軌跡)으로서 정의(定義)되는 직선.

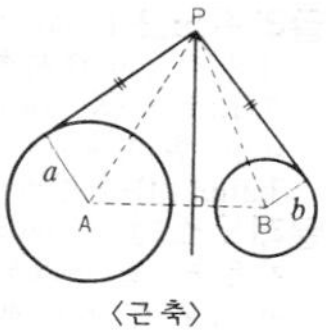

〈근축〉

근:축 광선【近軸光線】명〔paraxial ray〕〖물〗광학계(光學系)의 광축에 대하여 이루는 각(角)이 작은 광선.

근축-증【筋搐症】명〖한의〗근육에 열이 있어서 켕기고 아픈 병증. 근계(筋瘈).

근출-엽【根出葉】명〖식〗아주 짧은 줄기에서 다수의 잎이 땅에 맞닿아 뿌리에서 총생(叢生)한 것처럼 보이는 잎. 민들레 따위.

근츠다 타〈옛〉끊다. ¶손마락글 근처(斷指)《東國續三綱, 孝子圖 Ⅲ:67》/闕中 처음 몰라 근츤 고대 加ᄒᆞ야《家禮 Ⅵ:7》.

근치【根治】명 병의 뿌리를 뽑음. 병의 근본을 다스림. ——-하다 타「여불

근치다 자타〈방〉그치다[1](전라·경상).

근치적 수술【根治的手術】명〖의〗질병을 확실히 근치시키는 수술. 바제도병(Basedow病)에 갑상선 아전 적출술(甲狀腺亞全摘出術)을 행하고, 위궤양(胃潰瘍)에 위절제(胃切除)를 행하며, 급성 충수염(急性蟲垂炎)에 충수 절제(蟲垂切除)를 행하는 것은 그 예임. 원칙적으로 근치적 수술은 조기(早期) 수술이 아니면 안 됨.

근:칙[1]【謹勅】명 삼가고 경계함. ——-하다 타여불

근:칙[2]【謹飭】명 삼가 신칙(申飭)함. 공손하고 삼가서 스스로 경계함. ——-하다 타여불

근:친[1]【近親】명 성(姓)이 같은 가까운 겨레. 흔히, 팔촌 이내의 일가붙이를 이름. 근족(近族). ↔원친(遠親)·먼촌.

근친[2]【覲親】명 ①친정 어버이를 뵈옴. 귀녕(歸寧). ②〖불교〗승려(僧侶)가 속가(俗家)에 있는 어버이를 뵈옴. ——-하다 자여불

근:친 결혼【近親結婚】명 근친 사이에 하는 결혼. 일가끼리 하는 결혼. 근친혼(近親婚).

근:친 교배【近親交配】명 근친(近親) 간의 교배. 가축이나 가금(家禽)의 품종 개량에 씀.

근:친 반:응【近親反應】명〖생〗혈청학·면역학의 용어. 일반적으로 항원(抗原)과 항체(抗體) 사이에는 엄밀한 특이성(特異性)이 존재하는데, 두세 개의 항원(抗原)에서만은 그것이 유래(由來)하는 개체(個體)의 생물학적 근친 관계로 인하여 생기는 항체(抗體) 간에 얼마간의 공통 반응이 존재하는 일.「(相避).

근:친 상간【近親相姦】명 근친 사이의 남녀가 간음(姦淫)하는 일. 상피

근:친-자【近親者】명 근친 관계가 있는 사람. 혈연이 가까운 사람.

근:친-조【近親調】명〖음〗관계조(關係調).

근:친-혼【近親婚】명 근친 결혼.

근침【芹忱】명 근성(芹誠).

근칭[1]【斤秤】명 백근(百斤)까지 달 수 있는 큰 저울. 대칭(大秤).

근:칭[2]【近稱】명〖언〗자기에게 가까이 있는 사물·방향·처소(處所)에 쓰는 대명사(代名詞). 가까운 가리킴. ↔원칭(遠稱).

근타[1] 자〈옛〉끊어지다. ¶大川 바다 한 가온대 一千石 시른 비에 櫓도 일코 닷도 일코 龍總도 근코 돗대도 것고《古時調 나모도 바히》.

근타[2]【勤惰】명 근태(勤怠).

근타-부【勤惰簿】명 출석부(出席簿) 또는 출근부(出勤簿).

근:탄[1]【近彈】명〖군〗목표보다 가까운 곳에 떨어진 사탄(射彈) 또는 폭탄. ↔원탄(遠彈).

근탄[2]【根炭】명 나무 뿌리를 구워 만든 숯. 등걸숯

근태[1]【根太】명 그루갈이로 심은 콩. 두 그루째의 콩. 그루콩.

근태[2]【勤怠】명 ①근면(勤勉)함과 태만(怠慢)함. 근실함과 게으름. 근타(勤惰). 근만(勤慢). ②출근(出勤)과 결근(缺勤).

근통【筋痛】명 근육의 동통(疼痛).

근포【跟捕】명 죄인을 수탐(搜探)하여 좇아가서 잡음. ¶그때 …해외에 나갔던 사람이라면 곡직을 불문하고 모조리 ~를 하여 옥속에서 썩이지 아니하면…《李海朝: 九疑山》. ——-하다 타여불

근표【根表】명〖수〗'제곱근표'의 구용어.

근-표본【筋標本】명 생체의 몸에서 산 채로 떼어 낸 근육.

근-풀이【斤—】명 ①물건을 저울로 달아서 근(斤)으로 팖. 해근(解斤). ②물건 한 근에 값이 얼마씩 치었나 풀어 보는 일. ——-하다 타여불

근피[1]【根皮】명 나무 뿌리의 껍질. 뿌리껍질.

근피[2]【跟皮】명 신 뒤축 안에 대어서 꾸미는 가죽 오리.

근:하【謹賀】명 삼가 축하함. 공하(恭賀). ——-하다 타여불

근:-하다【勤—】형여불 부지런하다.

근:하 신년【謹賀新年】명 삼가 새해를 축하한다는 뜻으로, 새해의 복을 비는 인사의 말. 공하(恭賀) 신년. 공하 신희(新禧).

근학【勤學】명 학문에 힘씀. 부지런히 공부함. ——-하다 자타여불

근:함【謹緘】명 '삼가 편지를 봉함'의 뜻으로, 편지 겉봉의 봉한 자리에 쓰는 말.

근:해【近海】명 육지에 가까운 바다. ↔원해·외해(外海).

근:해 소:유설【近海所有說】명〖법〗육지에 가까운 바다는 그 육지를 소유하는 나라의 영역이라고 하는 학설.

근:해-어【近海魚】명〖어〗근해에서 나는 물고기. 부어(浮魚)·근어(根魚)·저어(底魚)의 세 종류로 구별함. ↔원해어(遠海魚).

근:해 어선【近海漁船】명 근해 어로(漁撈)에 쓰이는 어선. ↔원양 어선(遠洋漁船).

근:해 어업【近海漁業】명 육지에 가까운 바다에서 물고기를 잡는 어업. 연해 어업(沿海漁業). ↔원양 어업(遠洋漁業).

근:해 포:경【近海捕鯨】명 근해에 출어(出漁)하는 고래잡이.

근:해 항:로【近海航路】[—노] 명〖법〗선박(船舶) 안전법에 정해져 있는 근해의 항로(航路). 연해(沿海) 항로보다 한층 더 확대한 것.

근:해 항:행【近海航行】명 근해 항로(航路)로 배를 타고 감. ——-하다 자여불

근:행[1]【近幸】명 ①가까이하여 귀여워함. ②가까이하여 귀염을 받는 사람.

근행[2]【勤行】명〖불교〗불전(佛前)에서 독경(讀經)·회향(回向)하는 일. ——-하다 자여불

근행[3]【覲行】명 어버이를 뵈오러 가는 여행. ——-하다 자여불

근허【靳許】명 허가를 얼른 하지 아니하고 미루어 감. ——-하다 자타여불

근현【覲見】명 (웃사람을) 찾아가서 만나 뵘. 알현(謁見). 근광(覲光). 「——-하다 타여불

근-형질【筋形質】명〖생〗두 근원 섬유(筋原纖維) 사이에 있는 반유동성(半流動性)의 물질. 육형질(肉形質).

근호【根號】명〖수〗승근(乘根)을 보이는 기호. 곧, '√‾'를 이름.

근:화[1]【近火】명 가까운 곳에서 일어난 불.

근화[2]【槿花】명〖식〗무궁화(無窮花). 무궁화 나무.

근:화[3]【謹話】명 삼가 말씀함. 또, 그 말. ——-하다 자타여불

근화-시【槿花詩】명 무궁화를 읊은 노래.

근화 악부【槿花樂府】명〖책〗편자 미상의 시가집(詩歌集)의 하나. 조선 정조 3년(1779) 혹은 헌종 5년(1839)에 편찬된 것으로 보임. 시조 394 수, 가사 7 편이 주제별로 수록되어 있음. 필사본(筆寫本)임.

근화-향【槿花鄕】명 무궁화가 아름답게 피는 향토. 곧, 한국을 일컫는 말. 근역(槿域).

근:황【近況】명 요사이의 형편. 근상(近狀). ¶회사의 ~ 설명.

근후[1]【勤厚】명 근면(勤勉)하고 온후(溫厚)함. ——-하다 형여불

근:후[2]【謹厚】명 조심스럽고 온후함. ¶~한 인격자. ——-하다 형여불

귿 명〈옛〉끝. ¶처엄과 귿과롤 다시곰 드듸면(始末覆躡)《圓覺 上 一之一 69》/귿 말(末)《類合 下 63》/귿 초(梢)《字會 下 4》.

귿다 타〈옛〉끊다. ¶저즌 고기란 니로 귿고 ᄆᆞ른 고기란 니로 귿디 아니ᄒᆞ며(濡肉齒決 乾肉不齒決)《小諺 Ⅲ:27》.

귿ᄇᆞᄅᆞ다 형〈옛〉끝이 빨다. 첨예(尖銳)하다. ¶거스리 녀매 믌겨리 귿ᄇᆞᄅᆞ도다(逆行波浪慳)《重杜諺 Ⅱ:22》.

귿섈다 형〈옛〉끝이 빨다. ¶귿섈 쳠(尖)《類合 下 53》.

귿업다 형〈옛〉그지없다. ¶귿업시 미쳐 ᄃᆞᄅᆞ니(無狀狂走)《圓覺序 46》.

귿업시 부〈옛〉끝없이. 한없이. ¶아니한 ᄉᆞ시에 귿업시 種種 올마 改호ᄆᆞᆯ 보리니…귿업시 說法호ᄃᆡ(少選 無端 種種遷改…無端說法)《楞嚴 Ⅸ:63》.

글[1] 명 ①여러 말이 모여 하나의 완전한 감상·경험 및 여러 현상을 나타낸 것의 총칭. 문장. ¶~은 마음의 눈을 뜨게 한다. *글월. ②말을 글자로 나타낸 적발. ¶~ 모르는 눈 뜬 장님. ③↗글공부❶. ¶~ 못한 놈 서럽다. ——-하다 자여불

【글 못한 놈 붓 고른다】'선무당이 장고 탓한다'와 같은 뜻. 【글 속에도 글 있고 말 속에도 말 있다】내용(內容)에 또 그 속 내용이 들어 있다는 말. 【글에 미친 송 생원(宋生員)】다른 일은 돌보지 아니하고 다만 글만 읽고 있는 사람을 비웃는 말. 【글은 기성명(記姓名)이면 족하다】중국 초(楚) 나라의 항우(項羽)가 한 말로, 글공부를 많이 할 필요가 없다는 뜻. 【글 잘 쓰는 사람은 필묵을 탓 안 한다】미숙한 사람이 연장을 탓할 때 이르는 말.

글[2] 조〈옛〉'를'·'을'과 같은 목적격 조사의 한 고형(古形). 모음 어미 위에서 ㄱ 첨용(添用)하던 말에 붙었음. ¶년글 주리여(肯他人錫)《龍歌 20章》/ᄂᆞᆷ글 ᄀᆞᄅᆞ치기 ᄒᆞ야(敎授)《飜小 Ⅸ:27》.

글[3] 준 그를. ¶~ 찾아라.

글-감 [—깜] 명 글을 쓰는 데 있어서의 재료.

글거리 명〈방〉그루터기(강원).

글겅-거리다 자 ↗글그렁거리다. 글겅-글겅 부. ——-하다 자여불

글겅-대다 자 글겅거리다.

글겅이[1] 명 말이나 소의 털을 빗기는, 쇠로 만든 빗 모양의 기구.

글겅이[2] 명〈방〉고무래(전남).

글겅이-질 명 ①말이나 소의 털을 글겅이로 빗기는 짓. ②지방 관리나 세력 있는 자가 약자의 재물을 긁어 먹는 짓. ——-하다 자타여불

글게[1] 명〈방〉글겅이.

글게[2] 명〈옛〉대패. ¶글게 포(鉋)《字會 中 26》.

글겡이 명〈방〉①글겅이[1]. ②갈퀴(경북).

글-공부【—工夫】[—꽁—] 명 ①글을 익히거나 배우는 일. ②글의 내용은 익히지 아니하고 형식적으로 하는 공부. ——-하다 자여불

글-구【—句】[—꾸] 명 ☞글귀[2].

글-구멍 [—꾸—] 명 글을 잘하는 지혜나 소질의 주머니. ¶~이 커서 아는 것이 많고 외기도 잘 한다.

글-귀[1] [—뀌] 명 글구멍.

글귀(가) 밝다 구 글을 배울 때 이해가 빠르다.

글귀(가) 어둡다 구 글을 배울 때 이해가 더디다.

글귀(가) 트이다 구 글을 배울 때 제대로 이해하게 되다.

글-귀[2]【—句】[—뀌] 명 시문(詩文)의 토막토막 끊어진 구절(句節). 문구.

글그렁-거리다 자 거칠게 자꾸 그르렁거리다. >갈그랑거리다. 준글겅거리다. 글그렁-글그렁 부. ——-하다 자여불

글그렁-대다 자 글그렁거리다.

글기 명〈방〉그루(함경).

글깅이 명〈방〉글겅이.

글는 타〈옛〉끓는. '글타'의 활용형. ¶罪人ᄋᆞᆯ 글는 가마애 드리티ᄂᆞ니라《月釋 Ⅰ:29》.

글:다[1] 쟈 ↗그을다.
글:다[2] 혱 〈방〉 걸다[2].
글단【契丹】[—딴] 몡 『역』 거란(契丹).
글뎨 몡 〈옛〉 제목(題目). ¶ 글뎨(題目)《同文 上 42》.
글-동무 [—똥—] 몡 같은 곳에서 공부하는 동무. 글동접. 동접(同接). 동창(同窓). 학우(學友).
글-동접【—同接】[—똥—] 몡 글동무. 동접(同接). 동창(同窓).
글돌이다 타 〈옛〉 끌어 당기다. ¶ 옷기슬 글돌이야 죽지 아니호니를 뉘웃노니(牽裾恨不死)《杜諺 XIII:33》.
글떼기 몡 〈방〉 그루터기(경북).
글라디올러스 〔gladiolus〕 몡 『식』 [*Gladiolus lemoinei*] 붓꽃과에 속하는 다년초. 지상에 구경(球莖)이 있으며, 잎은 검상(劍狀)으로 창포(菖蒲)와 비슷함. 여름에 잎 사이에서 1m 가량의 긴 화경(花莖)이 나와 깔때기 모양의 꽃이 수상(穗狀)으로 피는데, 백색·적색·황색·자색 등이 있음. 꽃이 떨어지면 긴 타원형의 삭과(蒴果)를 맺음. 관상용임. 지중해 연안 및 남아프리카 원산으로, 2,500여 종의 품종이 재배됨. 당창포(唐菖蒲).

〈글라디올러스〉

글라스 〔glass〕 몡 ①유리. ②유리로 만든 컵.
글라스노스트 〔러 glasnost'〕 몡 정보 공개(情報公開). '널리 개방하다'의 뜻으로 쓰임.
글라스 라이닝 〔glass lining〕 몡 유리질(質)로 금속 표면에 내식성(耐蝕性)을 부여하는 일. 소감식(燒嵌式)과 법랑식(琺瑯式)이 있음. 전자(前者)는 금속 용기 안에 유리 용기를 끼우고, 유리의 연화점(軟化點) 정도로 노내(爐內)에서 가열하여 밀착(密着)시켜 내장(內裝)하는 것이고, 후자는 규산(珪酸) 60% 이상을 함유하는 유약(釉藥)을 써서, 보통의 법랑보다 높은 온도로 구워 냄. 모두 내식성을 필요로 하는 화학 장치 등에 이용됨.
글라스 반:도체【—半導體】〔glass〕 몡 셀렌·비소(砒素)·게르마늄·텔루르·황(黃) 등의 반도체를 혼합하여 만든 비결정질(非結晶質) 물질.
글라스 블록 〔glass block〕 몡 속이 빈, 유리로 만든 건축용 블록. 채광(採光)·단열(斷熱)·방음(防音) 등을 위하여, 벽 또는 도로(道路)로 나온 지하실 천장에 이용함.
글라스 스테이지 〔glass stage〕 몡 유리로 천장을 만든, 영화나 사진 촬영용(撮影用)의 건물. 무대의 광원(光源)을 태양 광선에 의존하던 영화 촬영의 초기에 쓰였음. ↔다크 스테이지.
글라스 울: 〔glass wool〕 몡 유리솜.
글라스-워:크 〔glasswork〕 몡 ①영화 촬영시, 유리에 그린 건물·풍경 등을 실지 장면과 합성하여, 실경(實景)과 같은 효과로 화면을 만드는 특수 촬영. ②유리 제조업.
글라스 파이버 〔glass fiber〕 몡 유리 섬유.
글라스파이버 폴: 〔glassfiber pole〕 몡 특수 유리 섬유로 만든, 장대높이뛰기의 장대. 대나무나 스틸 폴보다 탄력성이 큼.
글라스 펜 〔glass pen〕 몡 유리로 만든 펜.
글라우디오 〔Claudius〕 몡 『성』 ①〔Tiberius Claudius Drusus Nero Germanicus〕고대 로마의 황제(皇帝). 넷째 처(妻) 아그리피나(Agrippina)의 가봉자(加俸子)인 네로(Nero)를 후계자로 선정했음. 치세 중 유태인들을 쫓아냈다고 함. 클라우디우스 일세(一世). [10 B.C.-A.D.54; 재위 41-54]. ②〔Marcus Aurelius Claudius Gothicus〕로마의 황제(皇帝). 군인으로 여러 전쟁에 대승. 추천되어 제위에 올랐음. 클라우디우스 이세(二世). [214-270; 재위 268-270]
글라우버 〔Glauber, Johann Rudolf〕 몡 『사람』 독일의 화학자·약사(藥師). 글라우버염(鹽)(황산나트륨의 10수염(水鹽))의 발견자로 널리 알려져 있음. [1604-1668]
글라우버-염【—鹽】 몡 〔Glaubers salt ; 독일의 화학자 글라우버의 이름에서 유래〕『화』 황산(黃酸) 나트륨의 십수화물(十水化物). 32.4℃에서 결정수(結晶水)에 녹으며 글리세린에도 녹음. 이뇨제(利尿劑)로 쓰임. 망초(芒硝). [$Na_2SO_4 \cdot 10\,H_2O$] *황산 나트륨.
글라이더 〔glider〕 몡 『항공』 발동기가 없는 항공기. 활공(滑空)하거나 바람을 타고 나는 항공기로서, 출발시는 밧줄로 걸어 자동차나 비행기로 잡아당기어 끎. 19세기 말 독일의 릴리엔탈(Lilienthal)에 의하여 발명되었음. 운동용·훈련용으로는 초보·중급·고급의 세 가지 종류가 있음. 활공기(滑空機). *프라이머리·소러(soarer).

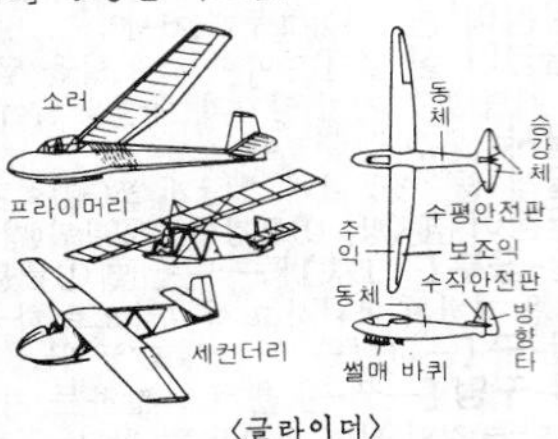

〈글라이더〉

글라이더 경:기【—競技】〔glider〕 몡 글라이더를 조종하여 활공(滑空) 거리·활공 속도·획득 고도(獲得高度)·절대 고도 등을 다투는 경기. 글라이더의 스포츠화(化)는 1920년경 독일에서 시작되어, 제2차 세계 대전 이후 각국에서 눈부시게 발전하였음.
글라이더 왁스 〔glider wax〕 몡 스키의 활강용(滑降用) 왁스.
글라이더-팔랑나비 〔glider〕 몡 『충』 [*Aeromachus inachus*] 팔랑나빗과에 속하는 곤충. 편 날개 길이는 26mm 내외이고 흑갈색이며, 앞날개 중앙에서 다소 바깥쪽에 7-8개의 백색 반문이 횡대(橫帶)를 이룸. 중앙실 끝에도 작은 백색 점무늬가 있음. 한국·일본·만주·대만·중국에 분포함.
글라이딩 〔gliding〕 몡 ①『항공』 활공(滑空). 활주(滑走). 공중 활주(空中滑走). ②둘이 하는 유희적(遊戲的) 수영(水泳).
글라주노프 〔Glazunov, Aleksandr Konstantinovich〕 몡 『사람』 러시아의 작곡가(作曲家). 국민 음악파(派) 최후의 대가로, 림스키코르사코프(Rimski-Korsakov)에게 배우고, 러시아적인 웅대한 작품을 썼음. 혁명 후 미국에 망명하였고, 파리(Paris)에서 죽음. 작품으로 발레곡(ballet 曲)·교향곡 등이 있음. [1865-1936]
글래드스턴[1] 〔Gladstone, William Ewart〕 몡 『사람』 영국의 정치가. 자유주의를 대표하는 의회 정치가로, 자유당(自由黨) 당수로서 1868년 이후 수상을 네 번 역임하였음. 재직 중 아일랜드 자치법(自治法) 통과에 노력하고, 제1차 선거법 개정에도 공헌하였음. [1809-98]
글래드스턴[2] 〔gladstone〕 몡 〔영국의 정치가 글래드스턴이 사용한 데서〕 상자 모양의 슈트 케이스(suit case)를 부드럽게 한 것 같은, 쓰기에 편리한 가방. 옛날부터 원거리(遠距離) 여행용으로 많이 써 왔음. 주로 가죽으로 만듦.

〈글래드스턴[2]〉

글래머 〔glamour〕 몡 ①여자가 육체미(肉體美)에 넘친 모양. 육감적. ②글래머 걸.
글래머 걸: 〔glamour girl〕 몡 육체적·성적 매력이 있는 여성. 글래머.
글래머-주【—株】〔glamour〕 몡 『경』 〈속〉 인기주(人氣株).
글래쇼: 〔Glashow, Sheldon Lee〕 몡 『사람』 미국의 이론 물리학자. 캘리포니아 공과 대학 교수·버클리 대학 교수·MIT 교수 역임. 소립자(素粒子)의 전자기적 연구(電磁氣的硏究)로 1979년 노벨 물리학상을 수상함. [1932-]
글래스고: 〔Glasgow〕 몡 『지』 영국 스코틀랜드 중앙부 스트래스클라이드(Strathclyde) 주에 있는 항구 도시. 부근에서 석탄이 많이 나며, 조선(造船)·제철·기계·화학·식품·섬유 등의 공업이 행하여짐. 18세기 이래 영국 식민지와의 무역으로 발전, 역사 깊은 대학·성당·미술관 등 문화 시설도 많음. [715,621명(1990)]
글램 패션 〔glam fashion〕 몡 〔글램은 glamorous의 약어〕 로큰롤(rock-and-roll)이 유행했던 1950년대의 영국 런던에서 시작된 유행(流行). 반짝반짝 빛나는 천의 좁은 바지나 환각적인 느낌을 주는 셔츠에 빨간 네커치프로 차린 섹시하고 회고적(懷古的)인 차림.
글러로 부 〈방〉 그리로. 그리(경상).
글러브 〔glove〕 몡 권투나 야구 등에서, 손에 끼는 장갑 같은 운동구(運動具). 가죽으로 만들었음.
글러-지다 쟈 ①바라던 일이 잘못 되어가다. ¶ 그 일이 글러지고 말았다. ②병이 더 악화되다.

〈글러브(야구용)〉

글레 몡 〈방〉 기저귀(경북).
글레이셔 〔glacier〕 몡 빙하(氷河).
글레이셔 공원【—公園】〔Glacier〕 몡 『지』 미국 서부 산지 북부, 미주리 강의 수원(水源) 가까이 있는 국립 공원. 각종 빙하의 흔적이 있음.
글레이저 〔Glaser, Donald Arthur〕 몡 『사람』 미국의 물리학자. 소립자(素粒子) 연구에서 새로운 입자 검출 장치의 개발을 목적으로 거품 상자를 고안하여 원자핵 반응의 연구, 신(新)소립자의 발견에 크게 공헌함. 1960년 노벨 물리학상 수상. [1926-]
글레이즈 〔glaze〕 몡 ①유약(釉藥). 잿물. ②생선을 냉동하여 보존할 때, 건조나 변질을 막기 위하여 생선 둘레에 만드는 얼음 피막(被膜).
글레이징 〔glazing〕 몡 『공』 ①유리판을 자르고 틀에 끼우는 일. ②관(管) 이음새의 납을 가열하여 반들반들하게 하는 일.
글렌첸트 〔도 glänzend〕 몡 『악』 '화려하게'의 뜻.
글렝이 몡 〈방〉 글겅이.
글로: 〔glow〕 몡 『물』 글로 방전(放電) 때에 기체가 내는 빛. 음극(陰極) 글로·양광주(陽光柱)·양극(陽極) 글로로 나뉨.
글로 조 ①그리로. ¶ 서울역을 갈려면 ~ 가시오. *절로·일로. ②그걸로. ¶ ~ 하면 안돼.
글로: 램프 〔glow lamp〕 몡 『물』 글로 스타터(glow starter).
글로리아[1] 〔라 Gloria〕 몡 『기독교』 신의 영광을 찬미한 노래.
글로리아[2] 〔gloria〕 몡 날실에 명주실, 씨실에 털실을 써서 사문직(斜紋織)으로 짠 얇은 피륙. 양산이나 양장 옷감으로 씀.
글로리 홀: 법【—法】〔glory hole〕 [—뻡] 몡 『광』 노천굴(露天掘)의 한 가지. 지하의 운반 갱도(坑道)로부터 괴상 광상(塊狀鑛床)을 꿰뚫어 지표까지 수갱(竪坑)을 판 뒤, 지표의 수갱 근처로부터 순차적으로 채굴하며, 광석은 수갱 안으로 떨어뜨려서 차에 실음. 지형이 나쁜 장소에서도 적용이 가능함.
글로: 방:전【—放電】 몡 〔glow discharge〕 『물』 진공(眞空) 방전에서 진공도(度) 1mmHg 정도의 저압 기체(低壓氣體) 중에 생기는 방전의 한 형식. 아크 방전에 비하여 발광부(發光部)의 휘도(輝度)와 방전부의 기체 온도가 낮고 방전의 전류 밀도가 작음. 기체 특유의 아름다운 빛을 내며 안정된 방전을 지속함. 네온사인·크세논(xenon) 램프·스펙트럼 관찰용의 광원(光源)과 각종 방전관(放電管)에 이용됨.
글로버:-탑【—塔】 몡 〔Glover tower〕 『화』 〔19세기 영국의 화학자 John Glover의 이름에 유래〕 황산 제조를 위한 연실법(鉛室法)에 쓰이는 탑. 이 탑 안에서 이산화 질소·이산화 황 및 공기의 혼합물이 상승 통과하여, 황산과 니트로실(nitrosyl) 황산과의 혼합물의 분무 작용(噴霧作用)을 받음.
글로:벌리즘 〔globalism〕 몡 세계를 하나의 공동체로 만들어, 환경·인구·식량·에너지 따위 문제를, 개별 국가 차원이 아닌 전 인류의 협력으로 해결하려고 하는 생각이나 운동.
글로:벌 예:산【—豫算】〔global〕 [—례—] 몡 〔global은 '지구의'·'세계적 규모의'의 뜻〕 『경』 수입 지역(輸入地域)을 지정하지 아니하고 수입업자의 희망하는 지역의 외화(外貨)를 할당하는 외화 예산.

글로불린 [globulin] 명 〖화〗 단순 단백질의 하나. 알부민과 같이 생물체에 분포되어 있음. 동물에서는 혈장(血漿)·난황(卵黃) 등에 함유되어 있으며, 식물에서는 종자에 많이 함유함. 물에는 녹지 않으나 희박한 염류 용액(塩類溶液)에는 녹음. 혈장(血漿) 중에서는 면역(免疫) 따위의 항체(抗體) 생성에 중요한 구실을 함. 구소(球素),

글로뷸 [grobule] 명 〖천〗 원형 또는 원에 가까운 타원형의 작은 암흑 성운(星雲). 직경이 7,000-80,000천문 단위 정도임.

글로:브 [globe] 명 광원(光源)을 넣어 온도가 낮고 휘도(輝度)가 높은 광원을 얻기 위하여 사용되는 둥근 유리 기구. 외구(外球).

글로:브 극장 【一劇場】 명 [the Globe] 1599-1644년에 런던의 템스 강 남쪽 기슭에 있었던 극장. 셰익스피어 작품의 대부분이 초연(初演)된 극장으로 유명함.

글로비게리나 연:니 【一軟泥】 [globigerina] 명 해양 퇴적물(海洋堆積物)의 하나. 부유성 유공충(浮游性有孔蟲)의 하나인 글로비게리나의 석회질 유체(遺體)를 주성분으로 하는 해저의 진흙. 유백색·황색·갈색 등으로 특히 대서양에 널리 분포함. 구형충(球形蟲) 연니. 유공충 연니(有孔蟲軟泥).

글로빈 [globin] 명 염기성(塩基性) 단백질의 한 가지. 철을 함유하는 색소인 헴(haem)과 화합하여 헤모글로빈이 됨.

글로: 스타:터 [glow starter] 명 〖물〗 점등관(點燈管). 글로 램프.

글로스터 [Gloucester] 명 〖지〗 영국 잉글랜드 남서안에 있는 도시. 7세기부터의 고도(古都)로 681년에 지은 수도원이 있으며, 1780년 레이크스(Raikes, R.)가 세운 최초의 주일 학교가 있음. [92,000명(1981)]

글로시 [glossy] 명 사진의 확대용·밀착용의 광택 있는 인화지(印畫紙).

글로: 전:압 【一電壓】 [glow] 명 글로 방전에 걸리는 전압. 전리(電離) 전압보다는 높고, 스파크 전압보다 낮음. 전류가 어느 정도 변동해도 전압은 거의 일정함.

글로켄-슈필 [도 Glockenspiel] 명 〖악〗 철금(鐵琴).

글로키듐 [라 glochidium] 명 〖조개〗 쌍패류(雙貝類)의 돌조갯과에 속하는 담수(淡水) 조개의 유생(幼生). 어미 조개와 형태가 전혀 다를 뿐 아니라 다른 쌍패류와 같이 어미 조개로 성장하는 것이 아니고 발육 도중 변태가 심함. 두 개의 껍질과 하나의 폐각근(閉殼筋)이 있음.

〈글로키듐〉

글로: 플러그 [glow plug] 명 〖기〗 소형의 전기 가열기. 디젤 엔진의 실린더 안에 부착시켜, 공기를 예열(豫熱)시킨 다음 엔진의 시동(始動)을 걸게 됨.

글록시니아 [gloxinia] 명 〖식〗 [*Sinningia speciosa*] 시횻과에 속하는 다년생 초본. 잎은 달걀꼴로 다육(多肉)이며 벨벳 모양의 짧은 털이 있고, 15cm 가량의 화경에 백색·자색·홍색의 꽃이 핌. 브라질 원산(原產)으로 온실에서 재배함.

〈글록시니아〉

글루 [glue] 명 아교(阿膠).

글루시톨 [glucitol] 명 〖화〗 소르비톨.

글루온 [gluon] 명 〖물〗 ['풀'의 입자란 뜻] 강한 상호 작용(相互作用)을 하는 게이지 입자(gauge 粒子)의 하나. 전하(電荷)는 없고 질량(質量)은 0. 쿼크처럼 자연계에는 단독으로 존재하지 않으나 강입자(強粒子) 내부에는 다수 존재한다고 생각되고 있음. 기호는 g.

글루카곤 [glucagon] 명 〖생〗 췌장(膵臟)의 랑게르한스(Langerhans)섬에서 분비되는 호르몬. 29개의 아미노산으로 된 한 줄기의 폴리펩티드(polypeptid)로, 인슐린과는 반대로 간장(肝臟)의 글리코겐이 포도당으로 분해되는 것을 촉진하고, 혈당량(血糖量)을 상승시키는 작용을 함.

글루칸 [glucan] 명 〖화〗 디 글루코오스(D-glucose)로 된 다당류의 총칭. 전분·글리코겐·셀룰로오스·덱스트란(dextran)·리케닌(lichenin) 등을 함유함. [$(C_6H_{10}O_5)_n$]

글루코사민 [glucosamine] 명 〖화〗 아미노당(糖)의 하나. 곤충·갑각류의 체표를 싸는 키틴(chitin)의 가수 분해 생성물이며, 세균·균류의 세포막, 포유류의 다당류(多糖類) 속에서도 발견됨. [$C_6H_{13}O_5N$]

글루코시다아제 [glucosidase] 명 〖화〗 글루코사이드를 가수 분해하는 효소.

글루코시드 [glucoside] 명 〖화〗 배당체(配糖體).

글루코오스 [glucose] 명 〖화〗 포도당(葡萄糖).

글루코오스 새 합성 【一合成】 명 [gluconeogenesis] 〖화〗 동물체 내에서 탄수화물 이외의 물질, 특히 단백질이나 지방에서 글루코오스를 합성하는 일.

글루코오스 생성 【一生成】 [glucose] 명 글루코제네시스.

글루코-제네시스 [glucogenesis] 명 〖화〗 동물체 내에서, 해당 생성물(解糖生成物)로부터 글루코오스를 생성하는 일. 글루코오스 생성(生成).

글루콘-산 【一酸】 명 [gluconic acid] 〖화〗 글루코오스의 산화에 의하여 얻어지는 결정성산(結晶性酸). 금속 세척에 쓰임. [$C_6H_{12}O_7$]

글루콘산 소:다 【一酸一】 명 [sodium gluconate] 〖화〗 황색 또는 백색의 결정성 분말. 발효에 의하여 만들어짐. 식품 공업·제약 공업·금속 세척제로 쓰임. [$NaC_6H_{17}O_7$]

글루콜리피드 [glucolipid] 명 〖생·화〗 가수 분해하면 글루코오스를 생성하는 당지질(糖脂質).

글루쿠론-산 【一酸】 명 [glucuronic acid] 〖화〗 글루코오스에서 유도된 우론산(uronic acid). 식물성의 고무질(質), 헤파린, 마늘 따위에 D형으로 존재함. 녹는점(點) 150°C. 생체내에 페놀 따위 독소가 많이 들어가면 산화되어 디(D) 글루쿠론산의 배당체로서 오줌으로 배출됨.

글루크 [Gluck, Christoph Willibald von] 명 〖사람〗 독일의 가극(歌劇) 작곡가. 빈(Wien)과 파리에서 활동하였는데, 당시 푸치니 일파와 대립하여 가극을 아리아(aria) 중심으로부터 음악을 주체로 한 구조로 바꿔, 가창(歌唱)은 그의 일부에 지나지 않도록 하여 바그너(Wagner) 이전의 최대 오페라 개혁자가 됨. 작품은 ≪알체스테(Alceste)≫·≪아울리드(Aulide)의 이피게니(Iphigénie)≫ 등임. [1714-87]

글루타르-산 【一酸】 명 [glutaric acid] 〖화〗 수용성(水溶性) 결정성산. 사탕무나 양모(羊毛)의 추출물 속에 존재함. [$C_5H_8O_4$]

글루타민 [glutamine] 명 〖화〗 결정성(結晶性) 아미노산의 일종으로, 글루타민산의 유도체(誘導體). 식물체의 발아 종자(發芽種子) 속에 많이 포함되어 있으며, 단백질 중의 글루타민산의 일부는 이 형태로 존재함. [$C_5H_{10}O_3N_2$]

글루타티온 [glutathione] 명 〖화〗 황을 함유하는 글루타민산의 화합물. 생체의 결정성 폴리펩티드(結晶性 polypeptid)에서 추출(抽出)된 것. 동물체의 모든 조직에 함유되어 있어 가역적(可逆的)으로 환원되기 쉽고 조직 호흡에 관계가 있으며, 생체내(生體內)의 신진 대사(新陳代謝)에 중요한 역할을 함. [$C_{10}H_{17}N_3O_6S$]

글루탐-산 【一酸】 명 [glutamic acid] 〖화〗 아미노산(amino酸)의 한 가지. 백색 결정임. 특히, 식물성 단백질 속에 많이 함유됨. 유도체(誘導體)의 나트륨염(塩)은 화학 조미료(調味料)로 쓰임. [$C_5H_9NO_4$]

글루탐산 나트륨 【一酸一】 명 [monosodium glutamate] 〖화〗 글루탐산의 나트륨염(塩). 무색의 침상 결정(針狀結晶). 화학 조미료로 쓰이며 콩 등을 원료로 하여 만듦. 최근에는 여러 가지 합성법이 행해짐.

글루테닌 [glutenin] 명 〖화〗 밀에 함유된 글루텔린.

글루텐 [gluten] 명 〖화〗 식물의 종자 속에 있는 식물성 단백질의 혼합물. 회갈색의 점질물(粘質物)로 밀기울의 주요 성분임. 부소(麸素).

글루텔린 [glutelin] 명 〖화〗 곡류의 씨앗 속에 함유된, 열에 불안정한 단순 단백질. 묽은 산(酸)이나 묽은 알칼리(alkali)에 녹음.

글리: [glee] 명 〖악〗 반주 없는 중창곡. 주로 남성(男聲)을 위한 것으로 삼부(三部) 이상으로 구성됨.

글리 부 그르게. ¶ ~ 인도하다. ↔옳이.

글:리다 자동 ↗그울리다.

글리사드 [프 glissade] 명 등산 용어로서, 피켈·지팡이 등으로 사면(斜面)을 찍으면서 설면(雪面)을 미끄러져 내려오는 일.

글리산도 [이 glissando] 명 〖악〗 하프 등의 현악기로 비교적 넓은 음역(音域)을 급속히 미끄러지듯 연주하는 방법. 활주(滑奏).

글리세롤 [glycerol] 명 〖화〗 글리세린의 히드록시기를 제거한 화합물의 총칭.

글리세리드 [glyceride] 명 글리세린의 지방산 에스테르(脂肪酸 ester)의 총칭. 유지(油脂)의 주성분을 이룸.

글리세린 [glycerin] 명 〖화〗 지방(脂肪)으로 비누를 만들고 부산물(副產物)로서 많이 생기는 무색 투명한 점조성(粘稠性)의 액체. 맛이 달고, 약용·폭약용·공업용으로 널리 쓰이며, 피부를 부드럽게 하는 성질이 있어 화장품의 원료로도 쓰임. 감유(甘油). [$C_3H_5(OH)_3$]

글리세린 디아세테이트 명 [glycerol diacetate] 〖화〗 무색 흡습성(吸濕性)의 액체. 알코올·에테르·벤젠에 녹으며, 끓는점은 259°C. 가소제(可塑劑)·연화제(軟化劑)·용제(溶劑)로 쓰임.

글리세린 연:고 【一軟膏】 [glycerin] 명 〖약〗 글리세롤을 원료로 만든 연고.

글리슨-병 【一病】 [Glisson] [一뼝] 명 〖의〗 구루병(佝僂病). 영국의 의학자 글리슨(Glisson; 1597-1677)이 처음으로 병인(病因)을 밝힌 데서 이 이름이 있음.

글리신 [glycine] 명 〖화〗 ①감미(甘味)가 있는 무색 결정의 아미노산. 거의 모든 동물성 단백질에 함유되어 있음. 물에는 녹으나 유기 용제(有機溶劑)에는 잘 녹지 않음. 생체내(生體內)에서는 여러 가지의 대사 경로(代謝經路)에서 해독 작용, 크레아틴(creatine)이나 포르피린(Porphyrin)의 합성 등 작용을 함. 의약품·검출 시약(檢出試藥) 등에 쓰임. [$CH_2(NH_2)COOH$]. ②사진용 현상 주약(現像主藥). 백색의 유독성(有毒性) 분말. 알칼리성 용액으로서 사진 현상에 쓰임. [$C_8H_9NO_3$]

글리오톡신 [gliotoxin] 명 〖생〗 열에 불안정한 제균성(制菌性) 항생 물질. [$C_{13}H_{14}O_4N_2S_2$]

글리옥살 [glyoxal] 명 〖화〗 조해성(潮解性)의 무색 분말 또는 액체. 에틸렌 글리콜·에틸 알코올을 질산(窒酸)으로 천천히 산화(酸化)시키면, 글리콜산(酸)이나 글리옥실산(酸)과 함께 생성됨. 녹는점 15°C, 끓는점 51°C. 녹말(綠末)·셀룰로오스계 물질·단백질의 불용화(不溶化), 방부(防腐) 보존액, 무두질, 레용 방축 가공(防縮加工)에 쓰임. [$(CHO)_2$]

글리옥살라아제 [glyoxalase] 명 〖화〗 여러 종류의 조직에 존재하는 효소. 메틸글리옥살의 유산(乳酸) 변환의 촉매가 됨.

글리옥실-산 【一酸】 명 [glyoxylic acid] 〖화〗 무색의 결정. 물에 녹으며, 수중(水中)에서는 $CH(OH)_2COOH$의 형태로 존재함. 많은 식물·동물의 조직, 특히 덜 익은 과실 속에 함유됨. [CHOCOOH]

글리코- [glyco-] 두 〖화〗 ①감미(甘味)를 나타내는 화학 접두어. ②당(糖)이나 글리신에 관한 화학 접두어.

글리코:겐 [glycogen] 명 〖화·생〗 동물의 간장(肝臟)이나 근육(筋肉) 등에 함유되어 있는 함수 탄소의 한 가지. 백색·무미·무취의 분말로 식물의 녹말에 필적하는 동물의 에너지(energy) 대사에 중요한 물질임. 간장 글리코겐은 에너지 저장 물질, 근육 글리코겐은 근수축(筋收縮)의 에너지 공급원(供給源)임. 당원질(糖原質).

글리코사민 [glycosamine] 명 〖화〗 아미노당(amino糖).

글리코시다아제 [glycosidase] 명 〖화〗 배당체(配糖體)를 가수 분해하는 효소의 총칭.

글리코시드 [glycoside] 명 〖화〗 배당체(配糖體).

글리콜 [glycol] 명 〖화〗 ①↗에틸렌 글리콜. ②이가(二價) 알코올의 총칭.

글리콜-산 【一酸】 명 [glycolic acid] 〖화〗 조해성(潮解性)의 무색 엽상체(葉狀體). 알코올·에테르에 녹음. 섬유용 물감의 화학 중간체로 쓰임. [$CH_2OHCOOH$]

글리콜 에:테르 〔glycol ether〕 명 『화』 무색의 액체. 용제(溶劑)·세제(洗劑)·희석제(稀釋劑)로 쓰임.

글리: 클럽 〔glee club〕 명 『악』 ①18세기 후반에 영국에서 일어난 남성(男聲) 합창단. 주로 글리를 부른 데서 이름. ②남성 합창단의 이름. 클래식한 합창곡이나 학생가를 부르는 것으로, 주로 미국 등지의 대학·고등 학교에 이 이름을 붙인 합창단이 많음.

글린카 〔Glinka, Mikhail Ivanovich〕 명 『사람』 러시아의 작곡가. 베를린에서 덴(Dehn)에게 사사, 대위법(對位法)을 배우고 돌아가 러시아의 국민적 음악의 창조를 강조하고, 가극 ≪황제에게 바친 목숨≫ 등을 작곡하였음. 러시아 근대 음악의 시조(始祖)로 불리며, 뒤에 그의 지시에 따라 국민 음악파(派)가 일어나게 되었음. [1804-57]

글림 계:전관 【一繼電管】〔glim〕 명 〔글림은 양초·등불의 뜻〕 전기적(電氣的) 계전기의 하나. 양극과 냉음극(冷陰極) 사이에 제어극(制禦極)을 두고, 수 mm Hg 정도의 저압(低壓)으로 아르곤을 봉해 넣은 일종의 방전관(放電管). 극히 미약한 전류로 큰 전류를 제어할 때 편리함.

(아르곤봉입 / 제어극 / 양극 / 음극 / 유리관)

(글림 계전관)

글-말 명 글에서만 쓰는 말. 예컨대, '그대'·'주소서' 같은 것. 문어(文語). ↔입말.

글-맛 [-맏] 명 어떤 문장이 가지는 독특한 운치(韻致). 또는 그런 문장을 읽을 때 느끼는 재미.

글-발 [-빨] 명 ①적어 놓은 글. ②글자의 형적(形迹). ¶~이 뚜렷하다.

글-방 【一房】 [-빵] 명 한문을 사사로이 가르치는 곳. 사숙(私塾). 서당(書堂). 서옥(書屋). 서재(書齋). 학당(學堂). 학방(學房). 서숙(書塾).

글방 물림 【一房一】 [-빵-] 명 세상 물정에 어두운 사람을 놓으로 일컫는 말. 글방 퇴물.

글방 퇴:물 【一房退物】 [-빵-] 명 글방 물림.

글-밭 명 〈방〉 그루밭.

글발 명 〈옛〉 편지. =글월❷. ¶글발로 말이 수ᄫᅳᆫ 돌(尼以巧詞)≪龍歌 26章≫. *글왈.

글속 [-쏙] 명 학문을 이해하는 정도.

글시 명 〈옛〉 글씨. ¶글시 예(隸)≪石千 21≫.

글썽 부 눈물이 그득하여 넘칠 듯한 모양. >갈쌍. ——하다 형 여불

글썽-거리다 자 눈물이 그득하여 넘칠 듯하다. >갈쌍거리다. 글썽-글썽 부. ——하다 자 형 여불

글썽-대다 자 글썽거리다.

글썽-이다 자 눈물이 그득하게 고이다. >갈쌍이다.

글쎄 감 ①이런지 저런지 확실치 않을 때 쓰는 말. ¶~ 어디 좀 더 생각해 봅시다. ②자기의 뜻을 다시 강조할 때 쓰는 말. ¶~ 그렇다니까 그러는군. ③분명하지 않아 어물어물 대답할 때 쓰는 말. ¶~ 누굴까.

글쎄-다 감 그럴 듯한데 확실한 결정을 하기 전에 아랫사람의 말 끝에 하는 말. ¶~. 네 말도 옳긴 하다만.

글쎄-올시다 감 ①'그럴 듯도 한데 잘 모르겠습니다'의 뜻. ②자기의 의사를 강조하여 말할 때, 윗사람이나 상대편에게 하는 말.

글쎄-요 감 그럴 듯한데 확실한 결정을 하거나 대답을 하기 전에, 윗사람이나 상대편에게 하는 말.

글-쓰기 명 글로 써서 나타내는 일. ¶~를 잘 하는 아이.

글-쓰다 자 문장이나 글자를 쓰다.

글쓴-이 명 글을 쓴 사람. 저자.

글씨 명 ①말을 글로 적은 표(標). 또, 그 표를 쓰는 일. ②글자.

글씨-본 【一本】 명 글씨 연습에 보고 쓰도록 만든 책.

글씨-체 【一體】 명 ①글씨를 쓰는 일정한 격식. 예를 들면, 한글의 글씨체는 궁체(宮體)가 있고, 한자(漢字)에는 전서(篆書)·예서(隸書)·해서(楷書)·행서(行書)·초서(草書)의 다섯 방식이 있음. 서체(書體). ②글자를 써 놓은 체. ¶그의 ~는 퍽 힘이 있다.

글안 【契丹】 명 『역』 거란(契丹).

글어 타 〈옛〉 끌러. '그르다''의 명사형. ¶五色 실로 우리 일후믈 미자 제 願을 일운 後에 글어사 ᄒᆞ리이다≪釋譜 IX:40≫.

글옴 타 〈옛〉 끄름. 풂음. '그르다''의 활용형. =글움². ¶엇뎨 글오ᄆᆞᆯ 알리오(何知解)≪楞嚴 V:2≫.

글왈 명 〈옛〉 ①글. ¶文은 글와리라≪訓諺 1≫/次ᄂᆞᆫ 次第혜여 글왈 밍ᄀᆞᆯ씨라≪月序 5≫. ②편지. ¶封ᄋᆞᆯ 여로니 보내온 글와리 빗나도다(開緘書札光)≪杜諺 I:46≫. *글발·글월.

글우려 타 〈옛〉 끄르려. 풀으려. '그르다''의 활용형. ¶ᄂᆞᄆᆡ 미요ᄆᆞᆯ 글우려 ᄒᆞᆯ 시(欲解他縛故)≪圓覺 下 三之一 53≫.

글움¹ 타 〈옛〉 끄름. 풂음. '그르다''의 명사형. ¶빗줄 글우믈 히ᄅᆞᆯ 아디 몯ᄒᆞ리로다(解纜不知年)≪初杜諺 VII:17≫.

글움² 형 〈옛〉 그름. 잘못. '그르다²'의 명사형. ¶이 ᄀᆞᆮᄒᆞᆫ 이ᄅᆞᆯ 如來 ᄇᆞᆯ기 보아 글우미 업건마ᄅᆞᆫ≪月釋 17≫.

글월 명 ①글. 문장. ¶두 글워ᄅᆞᆯ 어울워(妥合兩書)≪月序 12≫/編은 글월 밍ᄀᆞᆯ씨라≪月序 11≫. ②편지. ¶~ 받자옵고/글월 간(簡)≪字會 上 5≫. ③〈옛〉 글자. ¶글월 ᄌᆞ(字)≪字會 上 36≫. *글발·글왈.

글월문-부 【一文部】 명 한자 부수(部首)의 하나. '斑'이나 '斌' 등의 '文'의 이름.

글월ᄆᆞ로니 명 〈옛〉 책. 권(卷). 서적. ¶卷은 글월ᄆᆞ로니라≪月序 19≫.

글위 명 〈옛〉 그네. ¶글위 츄(鞦), 글위 천(韆)≪字會 中 19≫.

글:음 명 ↗그을음.

글-자 【一字】 [-짜] 명 사람의 말을 적는 부호. 글씨. 문자(文字).

글자-판 【一字板】 [-짜-] 명 문자판(文字板). 다이얼(dial).

글-장 【一狀】 [-짱] 명 ①『역』 과거(科擧) 때 글을 지어 올린 종이. 시권(試券). ②글이 쓰여 있는 종이.

글-재주 【一才一】 [-째-] 명 글을 잘 터득하거나 짓는 재주. 문재(文才). 문조(文藻).

글-제 【一題】 [-쩨] 명 글의 제목(題目).

글-줄 [-쭐] 명 ①글자를 쓴 줄. 가로나 세로로 연하여 쓴 글의 줄. ②약간의 학문. ¶~이나 한다고 건방지다.

글지ᅀᅵ 명 〈옛〉 ①글짓는 이. 글꾼. ¶글지ᅀᅵᄂᆞᆫ 國風을 닛놋다(詞場繼國風)≪杜諺 XXI:1≫. ②글짓기. ¶글지ᅀᅵ와 글 스기로 지븨 올아(詞翰升堂)≪初杜諺 XXV:49≫.

글지이 명 〈옛〉 ①글짓는 이. 글꾼. ¶글지이ᄂᆞᆫ 國風을 닛놋다(詞場繼國風)≪重杜諺 XXI:1≫. ②글짓기. 글짓는 일. ¶글지일 ᄆᆞᄎᆞ니 鳳이 ᄂᆞᆺᄂᆞᆫ ᄃᆞᆺ ᄒᆞ도다(章罷鳳騫騰)≪重杜諺 VIII:8≫.

글-짓기 명 작문(作文)❸.

글ᄌᆞᄀᆞᆺ 명 〈옛〉 글자 획. ¶글ᄌᆞᄀᆞᄉᆞᆯ 반ᄃᆞ시 고르고 正히 ᄒᆞ며(字畫必楷正)≪內訓 I:24≫.

글-쪽지 명 어떤 내용의 글을 적은 쪽지. 준쪽지.

글-체 【一體】 명 문체(文體)❶❷.

글초 명 〈옛〉 원고(原稿). 초고(草稿). ¶글초 고(稿)≪字會 上 35≫.

글-치레 명 글을 잘 매만져 꾸밈.

글-치장 명 ☞ 글치레.

글컹-글컹 부 〈방〉 글겅글겅.

글:콩 명 ↗그루콩.

글타 자 〈옛〉 끓다. ¶글타(沸)≪四聲 上 17≫.

글탄 명 〈방〉 끌탕(평북). ¶공연히 내일 일을 ~ 말라고 어느 눈치 빠른 어른이 타일러 놓으셨다≪李箱 : 지주회시≫.

글탈다 타 〈옛〉 끌탕하다. ¶ᄆᆞᅀᆞᄆᆞᆯ ᄀᆞᆺᄀᆞ며 ᄉᆞ랑호ᄆᆞᆯ 글탈하 四方을 기우시ᄂᆞ니라(勞心焦思補四方)≪杜諺 III:60≫.

글패 명 〈방〉 글피(전남·경남).

글페 명 〈방〉 글피(전북).

글푸 명 〈방〉 글피(전라).

글픠 명 〈옛〉 글피. ¶來日은 山行가 싀 곳다림 모릐ᄒᆞ고 降神으란 글픠ᄒᆞ리≪古時調 金裕器 오늘은≫.

글피 명 〔근대 : 글픠〕 모레의 다음 날. 삼명일(三明日).

글핏 명 〈옛〉 글피. ¶글퓌(外後日)≪齊諧物名考天文類≫.

글-하다 자 여불 공부하다. ¶글하는 학생.

글헉긔 명 〈옛〉 그러께. 재작년. ¶글헉긔(大前年)≪譯語 補 3≫.

글홈 자 〈옛〉 끓음. '글타'의 명사형. ¶넘ᄧᅵ미 ᄃᆞ외며 글호미 ᄃᆞ외오(爲洋爲沸)≪楞嚴 VIII:101≫.

글흐다 타 〈옛〉 끄르다. ¶빗줄 글후믈 히ᄅᆞᆯ 아디 몯ᄒᆞ리로다(解纜不知年)≪重杜諺 VII:17≫.

글희드렛다 자 〈옛〉 흐느적흐느적하게 되어 떨어졌다. ¶그 ᄇᆞ야미 또 쇼와 ᄆᆞᆯ와ᄅᆞᆯ 쏘아ᄂᆞᆯ 이틀나래 남지니 모미 거ᄒᆞ며 헤믈어 뼤 글희드렛거ᄂᆞᆯ 슬흐며 두리여 ᄡᅡ해 것므로 주거 가슴 두드리며 ᄆᆞ장 우러 손소 머리 쁘고≪月釋 X:24≫. *글희듣다.

글희듣다 자 〈옛〉 흐느적흐느적하게 되어 떨어지다. '글희'는 '글흐다(解)'의 부사형. '듣다'는 '떨어지다(滴)'의 뜻. ¶그 ᄇᆞ야미 또 쇼와 ᄆᆞᆯ와ᄅᆞᆯ 쏘아ᄂᆞᆯ 이틀나래 남지니 모미 거ᄒᆞ며 헤믈어 뼤 글희드렛거ᄂᆞᆯ 슬흐며 두리여 ᄡᅡ해 것므로 주거 가슴 두드리며 ᄆᆞ장 우러 손소 머리 ᄡᅳ고≪月釋 X:24≫.

글희여디다 자 〈옛〉 흐느적흐느적하게 되어 떨어지다. '글희여'는 '글흐다(解)'의 부사형. '디다'는 '떨어지다(落)'의 뜻. ¶네 활기 알파 글희여디ᄂᆞᆫ ᄃᆞᆺ거든(四肢疼痛如解落)≪救簡 I:91≫.

글히다 타 〈옛〉 끓이다. ¶無量ᄋᆞᆯ 글히며 ᄉᆞ로미 알ᄑᆞ미 기퍼 ᄎᆞ모미 어려울씨라(無量煎熬丨痛深難忍)≪楞嚴 VIII:108≫.

글-히영 명 『식』 방동사닛과에 속하는 식물. 왕골같이 생겼는데 산이나 들에 야생함.

글흔ᄆᆞ춤 명 〈옛〉 편(篇). ¶글흔ᄆᆞ춤 편(篇)≪類合 下 25≫.

긁-개 [극-] 명 ①긁는 기구. ②『고고학』 격지나 돌날에 여러 가지 잔손질을 해서 가죽·나무껍질 따위를 벗기는 데 사용한 석기(石器). 날이 곧은 것, 볼록한 것, 오목한 것이 있으며, 날의 길이가 너비에 비해서 더 길. 중기 구석기인 무스테리안기(Mousterian期)가 그 전성기임. 소기(搔器).

긁기 경도 【一硬度】 [극-] 명 〔scratch hardness〕 광물(鑛物)이나 금속(金屬)의 긁기에 대한 세기를 나타내는 척도. 광물의 경우에는 모스 경도(Mohs 硬度)에 따라 경도가 증가하는 차례로 번호를 매긴 10종류의 광물과 비교하여 결정함.

긁다 [극-] 타 ①손톱이나 칼날같이 날카롭고 긴 끝으로 바닥이나 거죽을 문지르다. ¶가려운 데를 ~. ②갈퀴 같은 것으로 거두어서 그러모으다. ¶검불을 ~. ③남을 건드려서 헐뜯다. ④약자(弱者)의 재물을 훑어 들이다. 1)-4):> 갉다.

【긁어 부스럼】 아무렇지도 않은 일을 공연히 스스로 건드려서 걱정을 일으켰을 때에 쓰는 말. 【긁은 조갑지 닳지 솥이 닳나】 솥에 누룽지를 조개 껍질로 긁어 내면 조개 껍질만 닳듯, 약한 자가 센 자에게 덤벼 보았자 이로울 것이 없다는 말.

긁빗기다 타 〈옛〉 긁어 벗기다. ¶글게로다가 긁빗기기를 乾淨히 호되(着鉋子刮的乾淨着)≪朴解 上 20≫.

긁빗다 타 〈옛〉 긁어 빗다. ¶비듬 긁빗다(刮風屑)≪譯語 上 47≫.

긁싯다 타 〈옛〉 긁어 씻다. ¶가마 긁싯고(刷了鍋着)≪老乞 上 19≫.

긁어 내다 [글거-] 타 안에 있는 물건을 긁어서 꺼내다.

긁어 당기다 [글거-] 타 긁어서 앞으로 끌어 당기다. > 갉아 당기다.

긁어 먹다 [글거-] 타 ①물건에 붙은 것을 이 혹은 칼 같은 것으로 뜯어 먹다. ②남의 재물을 좀스럽게 뜯어 먹다. 글겅이질하다. 1)·2):> 갉아 먹다.

긁어 모으다 타 [글거-] ①물건을 긁어서 한데 모이게 하다. ¶낙엽을 ~. ②부정한 방법으로 재물을 모아 들이다. ¶탐관 오리가 재물을 ~.

긁어 쥐다 [글거-] 타 잘 잡히지않는 물건을 손톱으로 긁는 것처럼 움켜 쥐다.

긁적-거리다 [극—] 타 계속해서 자꾸 긁적이다. ¶머리를 ~. > 갉작거리다. 긁적-긁적 부. ——-하다 타여불

긁적-대다 [극—] 타 긁적거리다.

긁적-이다 [극—] 타 이리저리 긁다.

긁정이 [극—] 명 ☞극젱이.

긁죽-거리다 [극—] 타 계속하여 자꾸 둔하게 긁다. > 갉죽거리다. 긁죽-긁죽 부. ——-하다 타여불

긁죽-대다 [극—] 타 긁죽거리다.

긁쥐다 타 〈옛〉 긁어 쥐다. ¶긁쥘 좌(抓)《字會 下 22》.

긁혀 미다 [글켜—] 자 긁히어서 상하거나 또는 찢어지다.

긁히다 [글키—] 피동 긁음을 당하다. ¶긁힌 자국. > 갉히다.

긆대다 타 〈옛〉 끝내다. ¶공소 긆내다(發落)《老朴集 單字解 8》.

긄출 명 〈옛〉 글의 근원. ¶긄출흔 三峽 므를 갓고로 흘리리오 붇陣은 ᄒᆞ올로 즈믄 사ᄅᆞ미 軍을 ᄡᅳ러ᄇᆞ리리로다(詞源倒流三峽水 筆陣獨掃千人軍)《杜諺 Ⅷ:30》. 「11》.

긇다¹ 자 〈옛〉 끓다❶. ¶글흘 비(沸), 글흘 곤(滾), 글흘 관(涫)《字會 下

긇다² 형 〈방〉 그르다.

금¹ 명 물건 값. 가격(價格). 값. ¶~을 매기다. ——-하다 타여불 흥정하여 물건 값을 정하다. ¶한번 금한 값은 깍지 마시오.

【금도 모르고 싸다 한다】 견식(見識)이 없으면서도 아는 체한다는 뜻.

【금 잘 치는 서순동(徐順同)이라】 서순동이라는 사람이 물가(物價)를 잘 평정(評定)하였으므로 이렇게 말하는 것으로서, 물가를 잘 정하는 사람을 두고 하는 말.

금² 명 ①구겼거나 접었거나 줄을 친 자국. ¶~을 긋다. ②갈라지지는 않고 가늘게 터지기만 한 흔적(痕迹). ¶장독에 ~이 갔다.

금:³ 명 〈방〉 그믐(경북).

금⁴【今】명 지금. 이제. 이. ↔고(古).

금⁵【金】명 ①〖화·광〗 황색(黃色)의 광택이 있는 금속 원소(元素). 질(質)이 무겁고 무르며, 연성(延性)과 전성(展性)이 풍부함. 산(酸)에 닿아도 녹지 않으며, 황(黃)에 닿아도 색이 변하지 않으나, 다만 전해기(電解器)의 양극(陽極)으로 사용할 때에 서서히 황산(黃酸) 속에서 녹고, 왕수(王水)에 녹음. 자연 유리(自然遊離) 상태로 나며, 빛이 썩 아름답고, 산출량이 적어 귀금속으로서 화폐·장식품 등에 사용됨. 광맥(鑛脈)을 이루어 돌에 박힌 것을 석금(石金)이라 하고, 광석이 무너져서 모래가 되어 물을 따라 흘러 내린 것을 사금(砂金) 또는 토금(土金)이라 함. 공업적으로는, 비중 선광법(比重選鑛法)·청화법(靑化法) 등으로 정련(精鍊)하여 얻어짐. 비중(比重)은 19.3 임. 황금(黃金). [79번: Au: 196,967]. ②〖악〗 징². ③오행(五行)의 하나. 방위(方位)로는 서쪽, 시절로는 가을, 색(色)으로는 백(白)이 됨. ④↗금요일(金曜日).

【금 방망이 우려 먹듯】 두고 두고 이용하여 쓰는 모양.

금이야 옥이야 구 애지중지 다루는 모양.

금⁶【金】명〖역〗여진족인 완안부(完顔部)의 추장(酋長) 아구다가 지금의 중국 동북부·몽고·화북(華北) 땅에 북송(北宋)과 요(遼)를 멸하고 세운 나라. 도읍은 회령(會寧), 뒤에 연경(燕京)·변경(汴京)으로 옮김. 중국적인 중앙 집권(中央集權)의 전제 정치를 행하였음. 9세(世)로써 원(元)나라 태종(太宗)에게 망하였음. [1115-1234]

금⁷【衿】명〖역〗신라 군대의 금장(襟章). 형상이 반달 같고 빛이 여러 가지 있음.

금⁸【琴】명〖악〗아악기(雅樂器)에 속하는 현악기(絃樂器)의 하나. 길이 90-120 cm, 폭 20-15 cm로, 앞판은 오동나무, 뒤판은 밤나무를 쓰고, 검은 칠을 함. 뒤판에는 향공(響孔)으로서 용지(龍池)와 봉소(鳳沼)가 있음. 줄은 일곱인데, 왼손으로 줄을 짚고 오른손으로 탐. 기러기발이 없어 줄이 팽팽하지 못해, 소리가 맑되 미약함. 슬(瑟)과 함께 아악(雅樂)의 등가(登歌)에 쓰이었으나, 지금은 연주되지 않음. 고대로, 선비들이 사념(邪念)을 버리고 마음을 바로잡는 수양으로서 탔음. 칠현금(七絃琴). 휘금(徽琴). 「하나 뿐임.

휘(徽) 견(肩) 임악(臨岳) 초미(焦尾) 용설(龍舌) 진지(軫池) 용액(龍額) 봉족(鳳足) 호진(護軫) 봉소(鳳沼) 안족(雁足) 진(軫) 용지(龍池)

〈금⁸〉

금⁹【琴】명 성(姓)의 하나. 현재 우리 나라에는 본관(本貫)은 봉화(奉化)

금¹⁰【禁】명 행동을 못하게 함. '금(禁)'은 단독으로 쓰기도 하고 어떤 한자 말 위에 쓰기도 함. ¶~입산(入山)/~출입(出入). ——-하다 타여불

금:¹¹【錦】명〖건〗금단청(錦丹靑).

금-【今】두 한자 말 위에 사용하여 '지금'의 뜻을 나타내는 말. ¶~차(次)/~번(番)/~세기. 「~/하여~.

-금¹ 미 어떤 말 아래에 달아서, 그 말을 힘주기 위하여 쓰는 말. ¶다시

-금²【金】미 ①금의 순도(純度)를 나타내는 말. 24금이 순금(純金)임. ¶24~/18~. *-성(成). ②'돈'을 나타내는 말. ¶기부~/축하~/계약~.

금가【琴歌】명 ①거문고에 맞추어 부르는 노래. 금조(琴操). ②중국 한(漢)나라의 사마 상여(司馬相如)가 거문고를 타며 탁문군(卓文君)에게 사랑을 읊은 노래.

금-가다 자 ①터져서 금이 나다. ②비유적으로, 사람의 심신(心身)의 상태에 지장이 생기다. ¶자꾸 앓으니 이젠 금이 간 모양이야. ③친한 사이가 불화(不和)하게 되다. ¶우정에 금이 가게 하다.

금-가락지【金—】명 금으로 만든 가락지. 금지환(金指環).

금-가루【金—】[—까—] 명 황금(黃金)의 가루. 금분(金粉).

금각【金閣】명 ①금으로 장식한 누각. ②아름답게 꾸민 누각.

금-각다귀【金—】명〖충〗[*Aedes vexans nipponii*] 모깃과에 속하는 곤충. 몸길이 4.4 mm, 날개 길이 4 mm 가량이고, 암컷의 몸은 흑갈색에 황백색 광택이 남. 복배(腹背) 각 절의 기부(基部)의 가로띠와 중앙선의 부정형 종반(縱斑) 및 제 6·7 절 후연의 삼각형 반문은 모두 황백색 비늘로 됨. 주간 흡혈성(吸血性)으로, 한국·일본·아무르 등지에 분포함. 금모기. 「들이 썼음.

금-각대【金角帶】명 금으로 무늬를 새겨 넣은 뿔로 만든 띠. 벼슬아치

금감【金柑】명〖식〗금귤(金橘)❶.

금갑¹【金甲】명 금속(金屬)으로 만든 갑옷.

금갑²【襟甲】명 목을 보호하는 갑옷의 하나. 경갑(頸甲)의 일부를 이룸. *쇄골갑(鎖骨甲).

금-값【金—】[—깝] 명 ①금의 값. ②금에 맞먹을 만큼 비싼 값. ¶생선 값이 ~이다.

금강¹【金剛】명 ①금속 가운데 가장 단단한 금강석의 일컬음. ②〖불교〗 대일 여래(大日如來)의 내증(內證)한 지덕(智德)이 견고하여 일체의 번뇌(煩惱)를 깨뜨릴 수 있음을 표현한 말. ③몹시 단단하여 결코 파괴되지 아니함. 또, 그런 물건. ④〖지〗금강산.

금강²【金剛】명〖사람〗후백제 견훤(甄萱)의 넷째 아들. 견훤이 그에게 위(位)를 전하려 함에 장자인 신검(神劍) 등이 시기하여 견훤을 금산사(金山寺)에 유폐하고 금강을 살해하였음.

금:-강³【錦江】명〖지〗전라 북도와 충청 남도 사이의 강. 전북 장수군(長水郡)의 소백(小白) 산맥·노령(蘆嶺) 산맥 사이에서 발원하여 남서쪽으로 흘러 전라 북도와 충청 남도와의 경계를 이루면서 황해(黃海)로 흘러듦. 상류는 산간 분지를 곡류(曲流)하여 대전 분지(大田盆地)를 형성하고 중류부에 내포 평야(內浦平野)를 이루고 하류에는 논산(論山)·강경(江景)을 거쳐 전북 평야를 형성함. [401 km]

금강 거:사【金剛居士】명〖불교〗언이 거사(彦頤居士).

금강 견고【金剛堅固】명〖불교〗금강과 같이 견고하여 무엇이든지 깨뜨리고 어떤 물건한테도 깨지지 아니함을 가리키는 말.

금강-경【金剛經】명〖불교〗↗금강 반야 바라밀경.

금강경 도:량【金剛經道場】명〖불교〗수명 장수를 빌거나 기우(祈雨), 천재 지변의 예방을 목적으로, 금강경을 독송하고 강설(講說)하는 불교의식. 고려 시대 이후 지금에 이르기까지 자주 베풀어짐. 금강 도량(金剛道場).

금강경 변:상도【金剛經變相圖】명〖불교〗금강경의 내용을 그린 그림.

금강경 삼가해【金剛經三家解】명〖책〗≪금강경 오가해(金剛經五家解)≫ 중에서 야보(冶父)의 송(頌), 종경(宗鏡)의 제강(提綱), 득통(得通)의 설의(說誼) 등 세 가지를 추려서 한글로 언해한 책. 조선 세종(世宗) 때 시작하여, 성종(成宗) 13년(1482)에 학조 대사(學祖大師)가 교정 완성함. 인본(印本) 5권 5책.

금강경 언:해【金剛經諺解】명〖책〗금강경 32 편 가운데에서 14편만을 한글로 언해한 책. 조선 시대 때, 세조(世祖)의 명(命)으로 한계희(韓繼禧)·노사신(盧思愼) 등이 금강경을 한글로 번역하여, 세조 10년(1464)에 간경도감(刊經都監)에서 간행함. 1권. 본명은 금강 반야 바라밀경 언해(金剛般若波羅密經諺解). 금강경 육조 언해(金剛經六祖諺解).

금강경 오:가해【金剛經五家解】명〖책〗금강경에 대한 부대사(傅大士)의 찬(贊)과 육조(六祖)의 구결(口訣)과 규봉(圭峰)의 찬요(纂要)와 야보(冶父)의 송(頌)과 종경(宗鏡)의 제강(提綱)을 합친 책. 2권 2책.

금강경 오:가해 설의【金剛經五家解說誼】[—/—이] 명〖책〗조선 초기의 중 함허당(涵虛堂) 득통(得通)이 지은 금강경 오가해의 해설서. 세조(世祖) 3년(1457)에, 임금이 홍준(弘濬)·신미(信眉)에게 명하여 교정·회편(會編)케 한 책.

금강경 육조 언:해【金剛經六祖諺解】명〖책〗금강경 언해.

금강-계¹【金剛戒】명〖불교〗일체의 번뇌를 깨뜨리는 계명(戒命).

금강-계²【金剛界】명〖불교〗대일 여래(大日如來)를 지덕(智德)의 방면에서 설명한 부분. ↔태장계(胎藏界).

금강 계:단【金剛戒壇】명〖역〗신라 27 대 선덕(善德) 여왕 때 만든 계단. 왕 12년(643)에 자장 율사(慈藏律師)가 당나라에서 돌아올 때 가지고 온 사리(舍利) 중의 일부를 왕과 함께 구룡연(九龍淵)에 가지고 가서 용(龍)을 위해 설법하고, 금강 계단을 만들어 안치하였는데, 지금의 것은 그 후에 많이 개축한 것임. 이 계단은 안에 사리(舍利)를 모셨으므로 일종의 탑(塔)이라고도 할 수 있음.

금강계 만다라【金剛界曼荼羅】명〖불교〗금강정경(金剛頂經)의 설(說)에 기초하여 금강계의 묘미(妙味)를 그린 만다라.

금강-고【金剛庫】명〖역〗고려 시대에 무기를 보관하던 창고.

금:강 곡지【錦江谷地】명〖지〗금강과 섬진강(蟾津江)이 마주친 금산(錦山)·무주(茂朱)·진안(鎭安)·장수(長水)군을 포함한 곡지. 내륙 지방이므로 기온의 교차(較差)가 비교적 크고, 우량도 서해안보다 훨씬 많음. 교통이 불편하여 개발이 뒤떨어졌으나 지하 자원의 개발은 급속한 발전을 이루고 있음.

금:강-교【錦江橋】명〖지〗충청 남도 공주시(公州市) 내의 금강에 가설한 교량. 1933년 11월에 개통하였음. [513 m]

금강-국수나무【金剛—】명〖식〗금강인가목.

금강-궐【金剛橛】명〖불교〗호마단(護摩壇) 사방(四方)의 기둥.

금강-급【金剛級】[—끕] 명 프로 씨름의 체급의 하나. 80 kg 이하의 체급.

금강 도:량【金剛道場】명〖불교〗금강경(金剛經) 도량.

금강 동:자【金剛童子】명〖불교〗진언종(眞言宗)에서 받드는 불법 수호신(神). 성낸 얼굴을 하고 왼손에 삼고(三鈷)를 가지고 왼발을 드는 모양을 하고 있음.

〈금강 동자〉

금강 동:자법 【金剛童子法】[一뻡] 명 〖불교〗 진언종 등에서 금강 동자를 본존(本尊)으로 하여 안산(安產) 등을 기원하는 수법(修法).

금강-력 【金剛力】[一녁] 명 〖불교〗 금강처럼 강대한 힘. 인왕력(仁王力).

금강-령 【金剛鈴】[一녕] 명 〖불교〗 수법할 때, 여러 부처를 경각(驚覺)하게 하고 환희(歡喜)하게 하기 위하여 울리는 악기. 종 모양의 방울 부분과 손잡이로 이루어지는데, 손잡이 끝의 양식에 따라 독고령(獨鈷鈴)·삼고령(三鈷鈴)·오고령(五鈷鈴)·보주령(寶珠鈴)·탑령(塔鈴)이라 일컬음.

금강-모치 【金剛一】 명 〖어〗 [*Moroco* sp.] 잉어과에 속하는 민물고기. 버들치와 비슷하나 등지느러미 기부(基部)에 검은 무늬가 있고, 몸가에는 불투명한 암색(暗色)의 세로띠가 있음. 몸길이는 만 1년에 5cm 내외, 만 2년에 7-8cm이며, 등은 황갈색, 배는 은백색임. 산란기(產卵期)는 내금강(內金剛)에서 4-5월경임. 한국 등지에 분포함.

금강-문[1] 【金剛門】 명 〖건〗 양쪽에 금강신(金剛神)을 세워 놓은 절의 문.

금강문[2] 【金剛門】 명 〖책〗 1914년에 간행된 최찬식(崔瓚植)이 지은 신소설. 인과 응보(因果應報)를 주제로 한 작품인데, 특히 금강산의 소상한 소개는 기행문(紀行文)의 구실을 함.

금강-바리 【金剛一】 명 〖어〗 [*Franzia nobilis*] 농어과에 속하는 바닷물고기. 등지느러미와 뒷지느러미의 뒤는 흑갈색을 띠며, 눈의 뒤아래쪽에서 가슴지느러미 기저(基底)의 중부를 지나는 백색선이 있음. 가슴지느러미의 상반부에 암적색의 둥근 반문이 하나 있음. 우리 나라 동남해 연안 및 일본 등지에 분포함.

금강-반 【金剛盤】 명 〖불교〗 밀교 법구(法具)의 하나. 금강령(金剛鈴)과 금강저(金剛杵)를 올려 놓는 대(臺). 금동(金銅)으로 만드는데, 모양은 대개 삼각형이며 세 개의 다리가 달림.

〈금강반〉

금강 반야경 【金剛般若經】 명 〖불교〗 ↗금강 반야 바라밀경.

금강 반야 바라밀경 【金剛般若波羅密經】 명 〖불교〗 반야, 곧 지혜의 본체는 진상 청정(眞常淸淨)하며 불변 불이(不變不移)하여 번뇌나 악마도 이것을 어지럽게 할 수 없음을 금강의 견실(堅實)함에 비유한 경문. 요진(姚秦)의 구마라습(鳩摩羅什)이 한문으로 번역한 경전. 1권. ㊥금강 반야경·금강경.

금강 반야 바라밀경 언:해 【金剛般若波羅密經諺解】 명 〖책〗 금강경 언해(金剛經諺解).

금강-번 【金剛幡】 명 〖불교〗 금강신(金剛神)을 그린 족자.

금강 별곡 【金剛別曲】 명 〖문〗 ①박순우(朴淳愚)가 조선 시대 영조 15년(1739)에 지은 가사. 금강산과 동해의 절경을 찬양하고 선인들의 업적을 흠모, 중국의 고사(故事)에 붙여 전개시킨 내용임. ②작자·제작 연대 미상의 가사의 하나. 금강산의 풍치를 주제로 함.

금강-봄맞이 【金剛一】 명 〖식〗 [*Androsace cortusaefolia*] 앵초과에 속하는 다년초. 화경(花莖) 높이는 8cm 내외이고, 잎이 뿌리에서 총생하며 장병(長柄)에 원형임. 6월에 흰 꽃이 줄기 끝에 6-7개씩 산형(繖形)으로 피고, 과실은 삭과(蒴果)임. 산지에 나는데, 강원도 금강산에 분포함. 금강봄맞이꽃.

금강-부 【金剛部】 명 〖불교〗 밀교 삼부(密敎三部)의 하나. 곧, 금강계(金剛界)의 부분을 말함.

금강-분취 【金剛一】 명 〖식〗 [*Saussurea diamantiaca*] 국화과에 속하는 다년초. 줄기 높이는 60cm 가량이고, 근생엽(根生葉)은 장병(長柄)인데 넓은 타원형 또는 달걀꼴 타원형이고, 경엽(莖葉)은 소형인데 긴 타원형 또는 피침형(披針形)임. 9월에 홍자색의 두화(頭花)가 줄기 끝에 하나씩 또는 가지 끝에 여러 개씩 피며, 모두 관상화(管狀花)이고 과실은 수과(瘦果)임. 산지에 나는데, 경기·강원·평북 등지에 분포함.

금강 불괴 【金剛不壞】 명 〖불교〗 금강과 같이 굳어서 파괴되지 아니함을 가리키는 말.

금강 불자 【金剛佛子】[一짜] 명 〖불교〗 밀교의 중이 자신을 칭하는 말.

금강-사 【金剛砂】 명 〖광〗 석류석을 가루로 만든 물건. 수정(水晶)이나 대리석(大理石) 따위를 닦는 데 쓰이며, 성냥갑에 칠하기도 함. 금강정(金剛錠). 금강찬(金剛鑽).

금강사 숫돌 【金剛砂一】 명 금강사로 만든 숫돌. 모진 것과 둥근 것이 있음. 금강지(金剛砥).

금강-삭 【金剛索】 명 〖불교〗 부동명왕(不動明王)의 왼손에 가진 노끈.

금강-산 【金剛山】 명 〖지〗 강원도의 북부에 있는 명산(名山). 흑운암(黑雲岩)과 화강암(花崗岩)으로 형성되어 있는데, 기암 괴석(奇岩怪石)이 많으며, 1만 2천 봉의 곳곳에 폭포·못·절이 있어 그 경치가 세계적으로 유명함. 철을 따라 봄에는 금강산, 여름에는 봉래산(蓬萊山), 가을에는 풍악산(楓嶽山), 겨울에는 개골산(皆骨山)이라 부르기도 함. 위치 상으로 내무(內霧)재의 서쪽을 내금강(內金剛), 동쪽을 외금강(外金剛), 바다에 솟아 있는 섬들을 해금강(海金剛)이라 부르며, 특히 외금강에는 신만물초(新萬物草)·구만물초·내만물초가 있음. [1,638m]
【금강산 그늘이 관동 팔십리】 '수양산(首陽山) 그늘이 강동(江東) 팔십리를 간다'와 같은 뜻. 【금강산도 식후경이라】 아무리 재미있는 일이라도 배가 부르고 난 뒤에 볼 일이라는 뜻. 【금강산 상상봉(上上峰)에 물 밀어 배 띄워 평지 되거든】 전혀 실현될 가망이 없는 것을 이르는 말. ¶십리 사장 세 모래가 정 맞거든 오려 하오. 금강산 상상봉에 물 밀어 배 띄어 평지 되거든 오려 하오≪古本 春香傳≫.

금강산 구룡폭 미륵불 대:각서 【金剛山九龍瀑彌勒佛大刻書】 명 1920년 외금강 구룡 폭포 옆의 절벽에 김규진(金圭鎭)이 금강산 불교도들의 부탁으로 '彌勒佛'이라고 새긴 큰 글. 서체는 예서(隷書)이고, 높이 19m, 폭 3.6m. 한국 역사상 제일 큰 글자임.

금강산-귤빛부전나비 【金剛山橘一】[一삔一] 명 〖충〗 [*Coreana micdaelis*] 부전나빗과에 속하는 나비. 날개 표면은 붉은 빛을 띤 누른 빛이며 뒷면은 다소 녹색을 띤 누른 빛임. 은빛의 반달 모양의 무늬줄이 있고 각 무늬의 바깥쪽에는 귤빛 무늬가 있음. 편 앞날개의 길이 20-22mm. 우리 나라의 중부 이북 및 중국·몽고·시베리아 등지에 분포함.

금강산-도 【金剛山圖】 명 〖미술〗 금강산의 경광(景光)을 그린 산수화(山水畫).

금강산-멸구 【金剛山一】 명 〖충〗 [*Terauchiana singularis*] 멸굿과에 속하는 곤충. 몸길이는 날개 끝까지 6.5-7mm이고 몸빛은 주로 담황색임. 두정(頭頂)은 돌출하고 날개는 크며 반투명임. 볏과(科) 식물의 해충으로, 한국·일본에 분포함. 강충이.

금강산 철도 【金剛山鐵道】[一또] 명 〖지〗 경원선(京元線) 철원역(鐵原驛)에서 갈라져 동쪽으로 향하여 김화(金化)를 지나 창도(昌道)·내금강(內金剛)에 이르는 전기(電氣) 철도. 관광(觀光) 철도로서 1919년 착공하여 1931년 7월에 개통되었음. 제2차 세계 대전 중 내금강 사이의 궤도는 철거되었음. 금강선(金剛線). [116.6 km]

금강 삼매경 【金剛三昧經】 명 〖불교〗 불경의 하나. 중국의 남북조(南北朝) 시대부터 수(隋)·당(唐)에 걸쳐 중시되었던 여러 경전(經典)의 소설(所說), 각 종(各宗)의 교리 학설을 망라한 경전. 인도의 경전이라고도 하고, 중국 당(唐)나라 중기에 중국에서 위작(僞作)된 것이라고도 하고, 신라의 원효(元曉)의 저술이라고도 함. 1권 8품(品). 이 경을 강론한 원효의 ≪금강 삼매경론(論)≫이 있음.

금강 삼매경론 【金剛三昧經論】[一논] 명 〖책〗 신라 때, 원효 대사(元曉大師)가 '금강 삼매경'을 해설한 책. 상·중·하로 나누어 대승(大乘)의 진리를 논한 것으로, 원효의 중심 사상을 엿볼 수 있음. 3권 1책. 목판본.

금강-석 【金剛石】 명 〖광〗 보석의 하나. 순수한 탄소(炭素)로 이루어져 있으며, 보통 8면체의 결정으로 되어 있는데, 진공 상태에서 2,000°C로 가열하면 석묵(石墨)이 되고 공기 중에서는 710°-900°C에서 이산화탄소를 발생하며 탐. 광물 중에서 제일 단단하고 광택이 대단히 아름답고 광선의 굴절률(屈折率)이 강하며 어두운 곳에서도 약간의 빛을 냄. 보통은 아무 빛도 없으나, 간혹 푸른빛·누른빛·초록빛·갈색을 띠고 있음. 찬석(鑽石). 다이아몬드.

금강-선 【金剛線】 명 〖지〗 금강산 철도.

금강-성 【金剛城】 명 〖문〗 실전(失傳)된 고려 시대의 가요. ≪고려사(高麗史)≫ 악지(樂志)에 노래 이름과 제작 동기가 간단히 전함. 거란(契丹) 성종(聖宗)이 개성을 침입하여 불태워 버린 궁전을 현종이 개성을 수복하여 다시 성을 쌓을 때 백성들이 이를 기뻐하여 노래한 것이라고도 하고, 혹은 몽고병의 침입을 피하여 강화도에 들어갔다가 다시 개성을 탈환하였을 때 이 노래를 지었다고도 함.

금강-수 【金剛手】 명 〖불교〗 금강신(金剛神).

금강-승 【金剛乘】 명 〖불교〗 진언 밀교(眞言密敎).

금강-신 【金剛神】 명 〖불교〗 불교의 수호신(守護神)으로서 사문(寺門)의 양쪽에 안치(安置)해 놓은 한 쌍의 화엄 신장(華嚴神將). 여래의 비밀 사적(事蹟)을 알아서 500 야차신(夜叉神)을 부림. 왼편 '밀적(密迹) 금강'은 입을 벌리고, 오른편 '나라연(那羅延) 금강'은 입을 다문 상을 하고 있음. 금강 역사(金剛力士). 인왕(仁王). 집금강(執金剛). 금강수.

〈금강아지풀〉

금강-심 【金剛心】 명 견고(堅固)하고 열렬한 신앙심.

금-강아지풀 【金一】 명 〖식〗 [*Setaria lutescens*] 볏과(科)에 속하는 일년초. 높이는 60cm 가량에 줄기는 총생(叢生)함. 잎이 호생하는데 선형(線形)이며, 엽초(葉鞘)에 털이 없음. 8월에 황금색의 원주형(圓柱形) 꽃이 밀추(密錐) 화서로 정생(頂生)하는데, 강아지풀에 비하여 총포모(總苞毛)가 조금 짧음. 들이나 황무지에 나는데, 한국 각지에 분포함. 구황(救荒) 식물로 씨를 식용함.

〈금강 야차〉

금강 야:차 【金剛夜叉】[一냐一] 명 〖불교〗 오대 명왕(五大明王)의 하나. 북방을 수호하고 악마를 항복시킴. 머리가 셋, 팔이 여섯에 활·화살·칼·고리·방울·방망이를 쥐고 있음. 금강 야차 명왕.

금강 야:차 명왕 【金剛夜叉明王】[一냐一] 명 〖불교〗 금강 야차.

금강 야:차법 【金剛夜叉法】[一냐一뻡] 명 〖불교〗 밀교(密敎)에서, 금강 야차를 본존(本尊)으로 하고 수도하는 법.

금강 역사 【金剛力士】[一녁一] 명 〖불교〗 금강신(金剛神).

금강 유정 【金剛喩定】 명 〖불교〗 모든 번뇌를 끊어 없애는 선정(禪定). 성문(聲聞)·보살이 수행(修行)을 마치고 마지막 번뇌를 끊을 때에 드는 선정을 가리킴.

금강-인가목 【金剛一】 명 〖식〗 [*Pentactina rupicola*] 조팝나뭇과에 속하는 낙엽 활엽 관목. 잎은 단엽(單葉)이고 타원형이며 앞뒤가 백색임. 7월에 복총상(複總狀) 화서로 산생(散生)함. 과실은 5개씩 나며 8월에 익음. 숲 속의 바위틈에 남. 금강산에 야생하는 한국 특산종으로 관상용(觀賞用)으로 함. 금강국수나무.

금강-자 【金剛子】 명 〖식〗 모감주나무의 열매. 염주를 만듦.

금강자 염:주 【金剛子念珠】 명 〖불교〗 금강자로 만든 염주.

금강-장 【金剛杖】 명 〖불교〗 ①수도자(修道者)나 순례자가 가지는 지팡이. 금강저(金剛杵)를 본떠서 여덟모 또는 네모지게 만들어 사람의 신장(身長)과 같은 길이로 되었음. ②금강신(金剛神)이 갖는 금강저(金剛杵).

금강 장왕 【金剛藏王】 명 〖불교〗 태장계 만다라(胎藏界曼荼羅)에 허공장 보살(虛空藏菩薩)의 지문(智門)을 표하는 보살. 몸빛이 청흑색(靑黑色)이며, 얼굴이 열여섯이고, 팔이 백여덟임.

금강-저 【金剛杵】 명 〖불교〗 외도 악마(外道惡魔)를 깨뜨리는 무기로서,

밀교(密敎)의 제불(諸佛)이 가진 법구(法具).

금강-정【金剛錠】명〖광〗금강사(金剛砂).

금강정-경【金剛頂經】명〖불교〗대일경(大日經)과 더불어 진언종(眞言宗) 교의의 중심이 되는 근본 경전(根本經典). 밀교(密敎)에서는 소실지경(蘇悉地經)을 합쳐 삼대(三大) 경전이라 함.

금강-제비꽃【金剛一】명〖식〗[*Viola diamantiaca*] 제비꽃과에 속하는 다년초. 무경성(無莖性)으로, 장병(長柄)이고 달걀꼴 심장형(心臟形)의 잎이 총생(叢生)함. 6-7월에 잎 사이로부터 나온 짧고 가는 화경(花莖)의 끝에 자색(紫色)의 꽃이 하나씩 핌. 과실은 삭과(蒴果)임. 깊은 산의 나무 밑에 나며 강원·평북 등지에 분포함.

금강-좌【金剛座】명〖불교〗석가가 보리수(菩提樹) 밑에서 성도(成道)할 때에 앉은 자리.

금강-지[1]【金剛砥】명 금강사(金剛砂) 숫돌.

금강-지[2]【金剛智】명〖불교〗밝고 날카로워 번뇌를 깨뜨릴 수 있는 지혜. 곧, 여래(如來)의 지혜.

금강-찬【金剛鑽】명〖광〗금강사(金剛砂).

금강-초롱꽃【金剛一籠一】명〖식〗[*Hanabusaya asiatica*] 초롱꽃과에 속하는 다년초. 줄기는 높이 약 30-90cm, 달걀꼴 또는 달걀꼴의 넓은 타원형의 잎이 줄기 중간에서 넷 또는 다섯이 접근하여 호생하는데, 장병(長柄)임. 8-9월에 줄기나 가지 끝에 담자색(淡紫色)의 경상화(鏡狀花)가 원추 화서(圓錐花序)로 핌. 산지에 나며, 강원·경기·함남 등지에 분포하는 한국 특산종(特産種)으로 세계에 1속(屬), 1종(種), 1변종(變種)이 있을 뿐임.

〈금개구리〉

금-개구리【金一】명〖동〗[*Rana nigromaculata chosenica*] 개구릿과에 속하는 동물. 참개구리와 비슷한데 몸길이는 85mm 내외이고 몸의 배면(背面)은 선녹색이며, 고막과 배측(背側) 피부의 주름만이 담갈색이고 복면은 일률적으로 황적색을 이룸. 눈가에 금빛의 줄이 둘려 있음. 물갈퀴는 발달하였고 명낭(鳴囊)은 없음. 한국 서남부의 평지에만 서식함. 금선와(金線蛙).

금갱【金坑】명〖광〗금을 파내는 구덩이.

〈금게〉

금-게【金一】명〖동〗[*Matuta lunaris*] 갑각류(甲殼類)에 속하는 게의 하나. 게딱지의 길이와 폭이 모두 4cm 가량인데 다리가 금빛을 띠어 아름다우며 등딱지는 원형 또는 능형(菱形) 비슷하고 암자색의 잔 점이 많이 있음. 집게발과 둘째 발이 강대하며 발에도 청자색 반점이 많음. 마디가 넓적넓적하게 발달되어 헤엄치기에 적당함. 바닷가의 모래 속에 서식하는데 일본 근해·동중국해·인도양·한국의 동해안(東海岸)에 분포함. 금발게.

금겟-과【金一科】명〖동〗[Calappidae] 절지 동물 갑각류(甲殼類) 십각목(十脚目)에 속하는 한 과. 금발게·범게가 이에 속함.

금경【金鏡】명 '달'의 이칭(異稱).

금경로-국【金莖露麴】[一노一] 명 금경로 누룩. 「룩. 금경로국.

금경로 누룩【金莖露一】[一노一] 명 녹두와 찹쌀 가루를 섞어서 만든 누

금-경축【金慶祝】명 천주 교회에서, 사제(司祭)로 서품된 지 50년 되는 해를 기리는 축하 행사.

금-계[1]【金契】[一계] 명〖역〗관부(官府)의 수요를 충족시키기 위하여 각 공계(貢契)로 하여금 필요한 물품을 바치게 하던 계의 하나. 금박(金箔)·은박(銀箔)·이금(泥金)·이은(泥銀)을 그 값어치만큼 쌀로 환산하여 나라에 바쳤음.

금계[2]【金桂】명〖식〗[*Osmanthus fragrans*] 물푸레나뭇과에 속하는 상록 교목. 중국 원산의 정원용 꽃나무. 키는 3m 쯤. 나무 껍질은 담회갈색. 잎은 대생(對生)하며 혁질로 단단하고 타원형임. 꽃은 초가을에 피는데, 엽액(葉腋)에 황금빛의 잔꽃이 많이 모여 피며 향기가 썩 좋음. 우리 나라 남부의 따뜻한 지방에서 정원수로 심으며 온실에서 분에 심어 가꾸기도 함.

〈금계[3]〉

금:계[3]【錦鷄】명〖조〗[*Chrysolophus pictus*] 꿩과에 속하는 화려한 새. 중국 원산. 꿩과 비슷하며, 수컷이 특히 아름다워 머리에 황금빛 털을 관처럼 이고 있고, 등은 녹색, 배는 빨강, 날개는 17-20cm로 남빛, 꽁지는 갈색임. 암컷은 다갈색에 검은 반점이 있음. 애완용임.

금:계[4]【禁戒】명 ①금하여 징계함. ②나쁜 일을 금지하는 계율(戒律). ——하다 타여불

금:계[5]【禁界】명 통행함을 금지하는 경계(境界).

금계-국【金鷄菊】명〖식〗[*Coreopsis Drummondii*] 국화과에 속하는 일년초 또는 이년초. 미국 텍사스 원산. 키는 30-60cm. 6-8월에 아름다운 노란 꽃이 긴 화경(花莖) 끝에 한 송이씩 달려 핌. 영명(英名)은 골든 웨이브(golden wave).

금계-랍【金鷄蠟】명〖약〗'염산 퀴닌'의 통속적인 이름. 퀴닌.

금계랍-나무【金鷄蠟一】명〖식〗기나수(幾那樹).

금계 전설【金鷄傳說】명 황금의 닭이 땅속에 묻혀 있다는 전설. 둔덕이나 성터에 이런 전설이 있음. 금계 소리를 들으면 불행하다고도 하고, 행운을 얻는다고도 함. 중국에서는 금계가 천상(天上)의 금계성(金鷄星)에 살며, 이 닭이 새벽을 알리면 천하의 닭이 이를 따라 운다고 함.

금고[1]【今古】명 이제와 예. 금석(今昔).

금고[2]【金庫】명 ①돈이나 재물을 넣어 두는 창고. ②화재나 도난을 방지하기 위하여 돈과 중요한 서류를 간수하여 보관하는 데 쓰는 쇠로 만든 궤. 돈궤. ③〖법〗현금 출납자로서의 국가 또는 공공 단체. 또, 공공 단체의 현금 출납 기관. ¶~ 출납. ④특별법에 의거하여 설립된 특수 금융 기관의 이름. 이를테면 새마을 금고·상호 신용 금고 따위.

금고[3]【金鼓】명 ①〖역〗군중(軍中)에서 호령하는 데 쓰이는 징과 북. ②〖불교〗절에서 쓰는 북 모양으로 만든 종. 금구(金口). ③종과 북. 종고(鐘鼓).

금고[4]【金膏】명 고귀한 화장품.

금:고[5]【禁錮】명 ①〖역〗죄과(罪過) 혹은 신분(身分)에 허물이 있어 벼슬에 쓰지 않음. ②〖법〗형벌의 하나. 자유형의 하나로, 단순히 교도소에 구치(拘置)될 뿐 정역(定役)이 부과(賦課)되지 아니함. 유기(有期)와 무기(無期)가 있고, 주로 사상범(思想犯)이나 과실범에 선고(宣告)됨. 금고형(禁錮刑).

금고 검:사【金庫檢査】명 국가나 관청의 금고 수지(收支)의 출납 내용을 살펴 보는 일.

금-고기[1]【金一】명 ☞금붕어.

〈금고기[2]〉

금고-기[2]【金鼓旗】명〖역〗군기(軍旗)의 하나. 누른 운문 대단(雲紋大緞) 바탕에, 가장자리와 화염(火焰)은 붉은 빛이며, 한가운데는 '金鼓' 두 글자를 검은 빛으로 새겨 붙임. 기면(旗面)은 여섯 자 평방, 깃대는 열 두 자. 영두(纓頭)·주락(珠絡)·장목이 있음. 군중(軍中)에서 취타수(吹打手)의 좌작 진퇴(坐作進退)를 지휘하는 데 씀.

금고 기관【今古奇觀】명〖책〗중국 명대(明代) 단편 소설 선집. 대부분 구어체로 쓰인 화본(話本) 형식의 작품집임. 편자·제작년 미상.

금고-문【今古文】명 경학(經學)의 금문(今文)과 고문(古文).

금:고 종신【禁錮終身】명〖역〗죄과(罪過) 혹은 신분(身分)에 허물이 있어 종신토록 벼슬길에 쓰지 아니함.

금고-주【金庫株】명〖법〗회사가 자기 주식(株式)을 취득하여 자산(資産)으로서 이것을 보유하는 경우의 주식. 우리 나라에서는 인정되지 아니함. 그러나 실제적으로 주식 시가(時價)를 유지하기 위하여 자기 회사나 같은 회사를 이용하여 간접적으로 같은 효력을 거두고 있음. 저장주(貯藏株).

금고 출납【金庫出納】[一랍] 명 금고의 돈을 출납하는 일.

금고-학파【今古學派】명 경학(經學)의 금문 학파(今文學派)와 고문 학파(古文學派).

금:고-형【禁錮刑】명〖법〗금고(禁錮).

금곡[1]【金穀】명 돈과 곡식. 전곡(錢穀).

금곡[2]【琴曲】명 거문고의 곡조.

금:곡[3]【錦曲】명 충청 남도 금산(錦山)에서 나는 곡삼(曲蔘).

금곡-릉【金谷陵】[一능] 명〖지〗홍릉(洪陵)과 유릉(裕陵)의 통칭.

금곤 복거【禽困覆車】명 [새도 위경(危境)에 빠지면 수레를 뒤엎는다는 뜻] 약자도 기운을 내면 큰 힘을 낼 수 있음의 비유.

금골【金骨】명 탈속(脫俗)한 풍골(風骨). 범상(凡常)하지 아니한 풍골.

금공【金工】명 금속 세공(細工)으로 물건을 만들거나 새기는 미술 공예(工藝). 또, 그 일에 종사하는 사람. 금장(金匠).

금공-구【金工具】명 금속 재료의 가공에 사용하는 공구. 주요한 것으로는 펀치(punch)·바이스(vice)·줄·드릴(drill)·망치·드라이버·다이스(dies)·스패너 등이 있음.

금과[1]【金銙】명 과대(銙帶)에 달린 금으로 만든 쇠.

금:과[2]【禁果】명〖종〗금단의 열매.

금과 옥조【金科玉條】명 금옥과 같이 귀중히 여기어 신봉(信奉)하는 법칙이나 규정.

금관[1]【金冠】명 ①〖역〗↗금양관(金梁冠). ②〖역〗↗황금 보관(黃金寶冠). ③금으로 만든 또는 금으로 장식한 관. ④〖의〗금으로 이의 관두(冠頭) 전체를 모자처럼 씌워서 이의 기능을 완전하게 하는 의치(義齒)의 한 가지.

금관[2]【金棺】명 ①금으로 장식한 관. ②귀비(貴妃)를 높이어 그의 '관(棺)'을 이르는 말. *재궁(梓宮).

금관[3]【金管】명 ①황금으로 만든 퉁소. ②금으로 만든 관(管).

금:관[4]【禁官】명〖역〗죄인을 다스리는 벼슬아치.

금:관[5]【錦冠】명 비단 바탕에 아름다운 무늬를 수놓은 관.

금관 가야【金官伽倻】명〖역〗육가야(六伽倻)의 하나. 지금의 김해(金海) 땅에 있었음. 전설에 의하면, 수로왕(首露王)이 후한 광무제(後漢光武帝)의 건무(建武) 18년(42)에 건국했다고 하며, 한때 육가야의 맹주(盟主)로 활약한 바 있음. 법흥왕(法興王) 19년(532)에 신라에 병합됨. 본가야(本伽倻). 가야(伽倻). 가락(駕洛). 가라(加羅). 가량(加良). 하가라(下加羅). 남가라국(南加羅國). 금관국(金官國).

금관-국【金官國】명〖역〗금관 가야(金官伽倻).

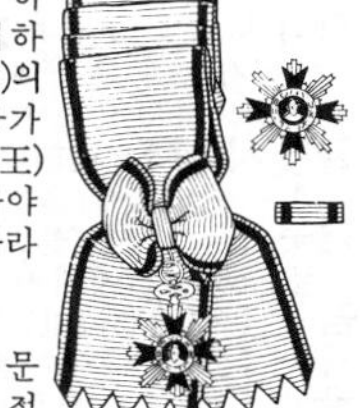
〈금관 문화 훈장〉

금관 문화 훈장【金冠文化勳章】명 제 1 등급의 문화 훈장. 수(綬)는 대수(大綬)이며, 백색 바탕에 적색 줄이 두 줄 있음. *은관(銀冠) 문화 훈장.

금:관-성【錦官城】명〖지〗중국 쓰촨 성(四川省)의 '청두(成都)'를, 이 지방의 산물(産物)인 비단을 관리하는 관(官)을 둔 데서 이르는 말. 금성(錦城).

금관 소:경【金官小京】명〖역〗신라 때, 지금의 경상 남도 김해(金海)를 일컫던 이름. 문무왕(文武王) 20년(680)에 작은 서울을 두고, 경덕왕(景德王)이 김해경(金海京)이라고 고쳤음.

금관 악기【金管樂器】명〖악〗금속제의 관악기로서 관의 한 끝으로 숨을 불어 넣어 연주자의 두 입술의 진동으로 소리가 나게 되어 있는 악기. 트럼펫·코넷 따위. 금속 관악기.

금-관자【金貫子】 명 〖역〗 금으로 만든 관자. 정종(正從) 이품 벼슬아치가 답. 정이품이 다는 것은 특히, 돌이금이라 이름. 【금관자 서슬에 큰기침한다】 나쁜 짓을 하고도 벼슬 높고 돈이 있는 유세로 도리어 큰소리를 하며 남을 야단친다는 말. ¶도적질을 하더래도 사모바람에 거드럭거리고 망나니짓을 하여도 금관자 서슬에 큰기침한다《李人稙: 銀世界》.

금관 조복【金冠朝服】 명 〖역〗 금관과 조복.

금관-총【金冠塚】 명 〖지〗 경상 북도 경주시(慶州市) 노서동(路西洞)에 있는 신라의 고분(古墳). 1921년 9월에 발굴하였는데, 순 황금의 금관을 비롯하여 황금의 허리띠·귀고리·반지와 팔찌·구슬·기물(器物)·마구(馬具) 등이 나왔음.

〈금관 조복〉

금관총 과대 및 요패【金冠塚銙帶—腰佩】 명 금관총에서 발굴된, 금판을 오려서 만든 과대(銙帶)와 요패(腰佩). 신라 초기 5-6세기경의 것으로 추정됨. 과대는 39개의 과판(銙板)과 2개의 교구(鉸具) 한 벌을 가죽 또는 섬유(纖維)로 된 띠에 꿰어 달았던것으로 추측되며, 요패는 17줄 한 벌로 과대에 매어달렸음. 과대의 총 길이 109 cm, 요패의 가장 긴 것 54.5 cm. 국립 경주 박물관 소장. 국보 제88호.

금관총 금관【金冠塚金冠】 명 금관총에서 발굴된, 금판(金板)을 오려서 만든 금관의 하나. 신라 초기 5-6세기경의 것으로 추정됨. 외관(外冠)은 금테두리 위에 나무·사슴뿔 모양의 장식 5개를 세우고 130개의 영락편(瓔珞片)과 57개의 비취 곡옥(曲玉)을 달았으며, 내관(內冠)은 삼각 능형 정자(菱形丁字) 무늬를 투각(透刻)한 금판의 관모 위에 새 날개 모양의 장식을 달고 200개의 영락편을 붙여 화려하게 감아 놓았음. 이 금관은 소박(素朴)·간아(簡雅)하면서 고대의 호화와 아름다움을 잘 나타내고 있음. 높이 44.4 cm, 직경 19 cm. 국립 중앙 박물관 소장. 국보 제87호.

「官國)을 없애고 그 곳에 둔 현(縣).

금관-현【金官縣】 명 〖역〗 신라 법흥왕(法興王) 19년(532)에 금관국(金

「광산. 금산(金山). 금점(金店).

금광¹【金光】 명 황금의 광채. 금빛.

금광²【金鑛】 명 〖광〗 ①황금을 빼 내는 광석. ②금광이 매장되어 있는

금-광맥【金鑛脈】 명 〖광〗 금을 함유하고 있는 광맥.

금광명-경【金光明經】 명 〖불교〗 법성 중도(法性中道)의 이치를 설명한 경문. 이 경문을 읽고 그대로 수행하면 여러 불보살이나 여러 하늘의 선신(善神)의 가호(加護)를 받는다고 함. 모두 4권. 중국 북량(北涼)의 담무참(曇無讖)이 한문으로 번역하였음.

금광명경 도:량【金光明經道場】 명 〖불교〗 금광명경(金光明經)을 외면서 베풀었던 호국 법회(護國法會)의 하나. 신라·고려 시대에 여러 차례 열렸음.

금광명 최:승왕경【金光明最勝王經】 명 〖불교〗 금광명경의 이역(異譯). 금광명경보다 상세함. 불타가 왕사성 영취산(王舍城靈鷲山)에서 여러 제자와 보살에게 여러 하늘 선신(善神)의 가호(加護)를 얻을 수 있는 방법을 가르친 불경. 삼론(三論)·천태(天台)·법상(法相) 등의 종파가 소의(所依)로 하는 경전. 모두 10권 31품(品). 중국 당(唐)나라 의정(義淨)이 번역하였음.

금-광상【金鑛床】 명 〖광〗 금을 함유하고 있는 광상(鑛床).

금-광석【金鑛石】 명 〖광〗 금이 들어 있는 광석.

금광-업【金鑛業】 명 금을 파내는 사업.

금광-쟁이【金鑛—】 명 금광에 들어가 금을 파내는 것을 업으로 하는 사람. 또, 금광업을 경영하는 사람.

금광-초【金光草】 명 경기도 광주(廣州)에서 나는 누른 빛의 담배.

금:패자-노래【錦掛子—】 명 〖민〗 구전(口傳) 민요의 하나. 남녀가 묻고 대답하는 형식으로 된 4·4조의 노래. 아내를 가진 젊은 남자가 남의 집 처녀를 몰래 만나려고 담장을 뛰어넘다가 잘못하여 패자를 찢었는데, 아내가 보고 캐어 물으면 무엇이라 대답할까 하고 걱정하자, 처녀가 이리저리 꾸며댈 말을 가르쳐 주고, 그래도 곧이듣지 않으면 다음 기회에 감쪽같이 꿰매 주겠다는 내용.

금괴【金塊】 명 ①금덩이. ②금화(金貨)의 지금(地金).

금괴 본위제【金塊本位制】 명 〖경〗 금본위제의 하나로, 보다 진보한 형태. 중앙 은행이 일정한 가격으로 금괴의 무제한 매매에 응함으로써 금본위제의 특성인 금과 통화(通貨)와의 연결이 유지되는 방식. 이 경우 금화(金貨)의 유통(流通)은 없음. 금지금(金地金) 본위제. *금환(金換) 본위제.

금괴 시세【金塊時勢】 명 〖경〗 금시장에서 이루어지는 금괴의 시세. 세계에서 가장 큰 금괴 시장인 런던의 자유 금시장에서는 순도 99.5% 이상, 350-430 트로이 온스(troy ounce)인 것이 거래에 적합함.

금괴 시:장【金塊市場】 명 〖경〗 세계적 화폐임과 동시에 세계적 상품인 금의 수요 공급(需要供給)이 집합하는 시장. 런던·뉴욕·봄베이 등.

금구¹【金口】 명 〖불교〗 ①황금 빛의 부처의 입. ②석가의 설법. ¶~ 옥설(玉說). ③절에서 쓰는 북 모양의 종. 금고(金鼓).

금구²【金丘】 명 〖민〗 서쪽 방향.

금구³【金句】 명 ①아름다운 구절(句節). ②훌륭한 격언(格言).

금구⁴【金釦】 명 〖미술〗 도자기의 입가를 두른 금빛의 테두리. 금릉완(金稜碗).

금구⁵【金甌】 명 ①쇠나 금으로 만든 사발 또는 단지. ②매우 단단함.

금구⁶【衾具】 명 이부자리. 금침(衾枕).

금:구⁷【禁句】 명 ①노래나 시(詩)에서 좋지 못하여 피하는 어구(語句). ②타인의 감정을 해칠 우려가 있어 말하기를 피하는 어구.

금:구⁸【噤口】 명 입을 다물고 말을 하지 아니함. ——-하다 자여불

금:구-리【噤口痢】 명 〖한의〗 이질(痢疾)로 먹지 못하는 병.

금구 목설【金口木舌】 명 언설(言說)로써 사회를 지도하는 인물.

금구 무결【金甌無缺】 명 사물이 튼튼하고 완전하여 흠이 없음. 특히, 국세(國勢)가 왕성하고 견고하여 다른 나라의 침략을 받지 아니함. ——-하다 형여불

금구 민란【金溝民亂】 [—밀—] 명 〖역〗 조선 철종(哲宗) 13년(1862)에 전라도 금구현(金溝縣), 곧 지금의 김제시(金堤市) 남부 지방의 백성이 일으킨 폭동 사건.

금구 복명【金甌覆名】 명 〔중국의 당(唐)나라 현종(玄宗)이 재상을 임명할 때 안상(案上)에 이름을 써서 금구(金甌)로 덮고 사람들에게 맞혀 보게 한 고사(故事)에서〕 새로운 재상을 임명하는 일.

금구-설【金口說】 명 〖불교〗 석가의 설교. 불타(佛陀)의 입에서 나온 귀중한 말이나 법.

「갈되 금칠을 하였음. ㊟구장(毬杖).

금-구장【金毬杖】 명 〖역〗 고려 때의 의장(儀杖)의 하나. 은(銀)구장과

금:구-증【噤口症】 [—쯩] 명 〖한의〗 선라풍(旋螺風).

금구 폐:설【金口閉舌】 명 귀중한 말을 할 수 있는 입을 다물고 침묵을 지킨다는 말.

금국 정벌론【金國征伐論】 명 〖역〗 고려 인종(仁宗) 때, 묘청(妙淸) 등에 의해 제기된, 금(金)나라 정벌에 관한 논의. 이는 당시 고려인의 적개심을 이용하여 서경 천도 운동(西京遷都運動)에 일반의 인기와 주의를 끌어 보려는 데 그 저의가 있던 것으로, 즉시 조신(朝臣)들의 강력한 반대를 받았음. 인종 4년(1129)에 난을 일으켜 권력을 잡은 이자겸(李資謙)이 금나라와 사대(事大)의 예(禮)로 국교를 맺자, 묘청에 의해 북벌론이 대두되었으나, 김부식(金富軾) 등의 반대로 실현되지 못함.

금:군【禁軍】 명 〖역〗 ①고려 때, 궁중을 지키고 임금을 호위 경비하던 군대. ②조선 시대 때, 금군청(禁軍廳) 또는 용호영(龍虎營)에 속하여 궁중을 지키고, 임금이 거둥할 때 호위 경비를 담당하던 군대의 이름. 금려(禁旅). 금병(禁兵).

「구품(從九品) 잡직(雜職)의 하나.

금:군-령【禁軍領】 [—굴—] 명 〖역〗 조선 시대에 용호영(龍虎營)의 종

금:군 별장【禁軍別將】 [—짱] 명 〖역〗 조선 시대 때, 용호영(龍虎營)의 주장(主將). 품계는 종이품 가선 대부(嘉善大夫). ㊟금별(禁別).

금:군 별장 인:기【禁軍別將認旗】 [—짱—] 명 〖역〗 조선 시대 때, 금군(禁軍)에 딸린 군기(軍旗)의 하나. 넓이가 다섯 자 평방이고, 바탕·가장자리·화염(火焰)·드림이 다 누른 빛이며 깃대는 열여덟 자임. 영두(纓頭)·주락(珠絡)·장목이 있음.

금:군 삼청【禁軍三廳】 명 〖역〗 조선 시대에 용호영(龍虎營)에 속했던 내금위(內禁衛)·겸사복(兼司僕)·우림위(羽林衛)의 통칭.

금:군 시:재【禁軍試才】 명 〖역〗 조선 시대에 금군에게 해마다 가을과 봄에 보이던 궁술(弓術)의 시험. 금군 취재(禁軍取才).

금:군-장【禁軍將】 명 〖역〗 조선 시대에 용호영(龍虎營)에 속한 무장(武將). 모두 일곱 사람으로 내금위장(內禁衛將)이 셋, 겸사복장(兼司僕將)이 둘, 우림위장(羽林衛將)이 둘임. 내금위장은 방어사(防禦使) 이상으로 하고 기타는 영장(營將) 이상이 하였음. 품계는 정삼품(正三品) 절충 장군(折衝將軍). 뒤에 내금위장이 한 사람 줄어 여섯 사람이 됨. *내금위장(內禁衛將).

금:군장 인:기【禁軍將認旗】 명 〖역〗 조선 시대에 금군(禁軍)에 딸린 군기(軍旗)의 하나. 기면(旗面)은 넉 자 평방이며 깃대는 일곱 자인데 꼭대기는 창인(鎗刃)으로 함. 번(番)에 따라 모두 빛깔을 달리하였는데, 내금위(內禁衛) 일번은 황색 바탕에 남빛 테두리, 이번은 황색 바탕에 흰 테두리, 삼번은 바탕과 테두리가 모두 황색임. 겸사복(兼司僕) 일번은 바탕과 테두리가 남색, 이번은 남색 바탕에 흰 테두리, 우림위(羽林衛) 일번은 흰 바탕에 남색 테두리, 이번은 바탕과 테두리가 모두 희고, 드림은 일곱 가지가 다 황색임.

「직(雜職)의 하나.

금:군-정【禁軍正】 명 〖역〗 조선 시대에 용호영(龍虎營)의 종팔품 잡

금:군-청【禁軍廳】 명 〖역〗 조선 시대에 금군(禁軍)의 일을 맡아 보고 숙직하던 관아의 이름. 현종(顯宗) 7년(1666) 내금위(內禁衛)·겸사복(兼司僕)·우림위(羽林衛)의 셋을 합하여 설치한 것으로, 영조(英祖) 31년(1755)에 용호영(龍虎營)이라 개칭(改稱)함. 내삼청(內三廳). *금군삼청.

금:군청 호:령기【禁軍廳號令旗】 명 〖역〗 조선 시대에 금군청에 딸린 군기(軍旗)의 하나. 기면(旗面)은 넉 자 평방이고, 바탕과 가장자리의 빛은 일곱 번(番)의 금군장 인기(禁軍將認旗)와 같이 각기 그 번의 빛깔을 따라서 달리하였음. 화염(火焰)이 있으며 깃대는 열다섯 자이고, 영두(纓頭)·주락(珠絡)·장목이 있음.

금:군 취:재【禁軍取才】 명 〖역〗 금군 시재(禁軍試才).

금:군 칠번【禁軍七番】 명 〖역〗 조선 효종(孝宗) 3년(1652)에 내금위(內禁衛)·겸사복(兼司僕)·우림위(羽林衛)의 군사(軍士)를 합하여 만든 금군 700명을 일곱으로 나눈 번(番). 내금위는 일내(一內)·이내(二內)·삼내(三內)의 세 번, 겸사복은 일겸(一兼)·이겸(二兼)의 두 번, 우림위는 일우(一羽)·이우(二羽)의 두 번으로, 각각 번갈아 번듦. *삼내(三內).

금:궁-화【禁宮花】 명 〖식〗 장구채❷.

금권¹【金券】 [—꿘] 명 ①옛날, 중국에서 천자(天子)가 하사하던 황금제(黃金製) 표. 한(漢)나라의 고조(高祖)가 공신(功臣)을 봉할 때 썼음. ②금화(金貨)와 바꿀 수 있는 지폐. ③특정한 범위 안에서 돈 대신으로 통용되는 증권.

「의 위력. 금력.

금권²【金權】 [—꿘] 명 금전을 많이 가지고 있는 데서 생기는 권력. 돈

금권 만:능【金權萬能】 [—꿘—] 명 돈만 있으면 모든 것을 다 이룰 수 있다는 말.

금권 정치【金權政治】 [—꿘—] 명 〔plutocracy〕 금전으로써 어떤 일이든 지배하려는 정치. 경제력이 있는 소수자에 의해서 행하여지는 정치. 부유(富裕) 정치.

금:궐【禁闕】 명 제왕(帝王)이 거처하는 집. 또, 그 문. 궁금(宮禁). 궁궐(宮闕). 궁위(宮闈). 대궐(大闕). 자어(紫禦).

금궤【金櫃】 명 ①금으로 장식한 궤. ②철판으로 만들어서 돈 같은 귀중한 물건을 넣어 두는 궤. 철궤(鐵櫃).

금궤 당귀산【金櫃當歸散】명〖한의〗아이 밴 여자의 원기를 보하는 약. 반산(半產)되기 쉬운 여자에게 많이 쓰는데, 허랭(虛冷)한 체질에는 좋지 아니함.
금궤 요략【金匱要略】명〖책〗중국 후한(後漢) 때의 장중경(張仲景)이 지었다는 의서(醫書). 주로 내과(內科) 잡병(雜病)의 치료법을 논하였음.
금:귀【錦歸】명 금의 환향. 금환(錦還). ——-하다 자여불
금-귀고리【金—】명 금으로 만든 귀고리.
금귀-자【金龜子】명〖충〗풍뎅이[2]❶.
금귀-충【金龜蟲】명〖충〗풍뎅이[2]❶.
금규[1]【金閨】명 ①한대(漢代)에 금마문(金馬門)의 이칭(異稱). ②'침실(寢室)'을 아름답게 이르는 말. 규각(閨閣).
금:규[2]【錦葵】명〖식〗당아욱.
금귤【金橘】명〖식〗①운향과 금귤속(屬)에 속하는 관목의 총칭. 긴금귤·영파(寧波)금귤 및 복주(福州)금귤 등이 이에 속함. 금감(金柑). 동귤(童橘). ②운향과에 속하는 상록 관목. 밀감나무와 비슷하나 높이 2m 가량이고 잎은 호생하며 넓은 타원형임. 꽃은 작은 오판화(五瓣花)가 엽액(葉腋)에서 핌. 참새알만한 구형(球形) 또는 타원형의 과실이 겨울에 익어서 봄까지 떨어지지 않는데, 단맛과 신맛이 있고 향기가 높아 삶아서 껍질째 먹거나 생식함. 통조림을 만들기도 함. 일본·중국 남방에서 생산됨. 정원수로도 심음.

〈금귤❷〉

금-극목【金克木】명〖민〗오행(五行)의 운행(運行)에서 금(金)은 목(木)을 이긴다는 뜻.
금:금【錦衾】명 비단 이불.
금급 문기【衿給文記】명〖역〗'깃급 문기'의 한자 표기(漢字表記).
금-긋다 자ㅅ불 줄을 치다. 한계를 정하다. ¶금을 긋고 경계로 삼다.
금기[1]【今期】명 이번 시기.
금-기[2]【金氣】명〖민〗가을철의 기운. 오행(五行)을 사시(四時)로 나누면 금(金)은 가을이 됨.
금기[3]【金器】명 ①황금으로 만든 기물. ②금속제(金屬製)의 기물.
금-기[4]【琴棋】명 거문고와 바둑.
금:기[5]【禁忌】명 ①꺼리어서 피함. ¶~물(物). ②〔contraindication〕〖의〗치료약·치료 방법이 목적에 맞지 아니하거나 부적절하다고 생각되는 증상·증후·상태. ——-하다 타여불
금:기[6]【錦綺】명 ①비단과 능직(綾織). ②아름다운 옷. 화려한 옷.
금기[7]【襟期】명 가슴에 깊이 품은 회포(懷抱). 금회(襟懷).
금-기-서-화【琴棋書畫】명〖미술〗속세를 떠난 경지에서 금(琴)·기(棋)·서(書)·화(畫)를 즐기는 것을 그린 동양화의 한 가지.
금-꼭지【金—】명 금빛 종이로 꼭지를 둥글게 오리어 붙인 홍초 또는 홍머리동이의 지연(紙鳶).
금-꿩의다리【金—】[—/—에—] 명〖식〗[*Thalictrum rochebrunnianum*] 미나리아재빗과의 다년초. 높이 2.4m 가량, 잎은 호생하는데 유병(有柄)이며 초엽(梢葉)은 재삼 우상 복생(再三羽狀複生)하고 소엽(小葉)은 달걀꼴임. 7-8월에 담자색(淡紫色) 꽃이 원추(圓錐) 화서로 정생(頂生) 또는 액생(腋生)함. 산지에 나는데, 강원·경기·평북 등지에 분포함.
금:-끽연【禁喫煙】명 ①담배 피우는 일을 금함. 금연(禁煙). ②피우던 담배를 끊고 피우지 아니함. 단연(斷煙). ——-하다 자여불
금-나다[1] 자 물건 값이 작정되다. 값나다.
금-나다[2] 자 물건이 구기거나 깨어져 줄이 생기다.
금-나비【金—】명 전신이 금빛인 나비.
금:난전-권【禁亂廛權】[—꿘] 명〖역〗조선 후기에 시전(市廛)이 보유한, 난전(亂廛) 행위를 규제할 수 있는 특권.
금-난초【金蘭草】명〖식〗[*Cephalanthera falcata*] 난초과에 속하는 다년초. 줄기는 방형(方形)인데 털이 없고 높이 40-80cm 가량임. 잎은 대생(對生)하며 유병(有柄)에 달걀꼴 또는 도피침형임. 5월에 짙은 황색의 꽃이 줄기 위의 잎 사이에 윤산(輪繖) 화서로 밀착하여 피고, 수과(瘦果)는 거꿀달걀꼴임. 제방(堤防)이나 길가에 나는데, 제주·경남·경북의 울릉도 및 일본에 분포함. *은난초.

〈금난초〉

금:남【禁男】명 남자의 출입을 금함. ¶~의 집. ↔금녀(禁女). ——-하다 자여불
금:남 정:맥【錦南正脈】명〖지〗우리 나라 13정맥(正脈)의 하나. 금강(錦江) 상류 지역과 만경강(萬頃江) 유역을 구분지어, 전라 북도 동쪽 산간 지방과 서해안의 호남 평야를 경계짓는 산줄기. 주화산(珠華山)에서 시작하여 대둔산(大屯山)·계룡산(鷄龍山)을 지나 부소산 조룡대(釣龍臺)에서 끝남. *금남 호남 정맥.
금:남 호남 정:맥【錦南湖南正脈】명〖지〗우리 나라 13정맥(正脈)의 하나. 백두 대간(白頭大幹)에서 갈라져 나와 금남 정맥(錦南正脈)과 호남(湖南) 정맥으로 이어지는 산줄기. 장안산(長安山)에서 시작하여 주화산(珠華山)에서 끝남. 금강 유역과 섬진강 유역의 경계를 이룸. *금북(錦北) 정맥.
금납【金納】명 조세(租稅) 같은 것을 돈으로 납부함. ↔물납(物納). ——-하다 자여불
금납-기【金納期】명 돈을 납부하는 기간.
금납-세【金納稅】명 돈으로 납부하는 세금. ↔물납세(物納稅).
금납 소:작료【金納小作料】[—뇨] 명 화폐로 지불하는 농지의 소작료. 물납(物納) 소작료보다는 역사적으로 진보된 것임.
금납-제【金納制】명 조세(租稅) 등을 돈으로 납부하는 제도. ↔물납제(物納制).
금낭[1]【金囊】명 돈주머니. 지갑.
금:낭[2]【錦囊】명 비단으로 지은 주머니.
금:낭-경【錦囊經】명〖책〗중국 당(唐)나라의 풍수 지리가(風水地理家) 곽박(郭璞)이 ≪청오경(青烏經)≫을 부연(敷衍)하여 지은 책. 2권 1책.
금:낭-화【錦囊花】명〖식〗[*Dicentra spectabilis*] 양귀비과(?)...
금:낭-채【錦囊花菜】명 지리산(智異山)에서 나는 참메늘치를 데쳐서 무친 나물.

〈금낭화〉

금-낮다 형 물건 값이 싸다. ↔금높다.
금:내【禁內】명 대궐의 안. 궐내(闕內). 궁내. 궁정. 궁중. 궐중(闕中). 금중(禁中). 액정(掖庭).
금:내 학관【禁內學官】명〖역〗고려 때, 궁궐 안에 있던 비서성(祕書省)·사관(史館)·한원(翰院)·보문각(寶文閣)·어서원(御書院)·동문원(同文院) 등의 학문 기관에 딸린 관원(官員). 이를 합하여 금내 육관(禁內六官)이라 하였고, 식목(式目)·도병마(都兵馬)·영송(迎送)에 속하는 삼관(三官)과 함께 금내 구관(禁內九官)이라 하였음.
금녀[1]【金女】명 〔금(金)은 방위로 서쪽이므로〕 '서왕모(西王母)'를 달리 이르는 말.
금:녀[2]【禁女】명 여자의 출입을 금함. ↔금남(禁男). ——-하다 자여불
금년【今年】명 올해. 당년(當年).
금년-도【今年度】명 올해의 연도. *작년도·내년도.
금년-생【今年生】명 올해에 낳은 아이. 올해에 낳은 것.
금녕 사굴【金寧蛇窟】명〖지〗제주도 북제주군 구좌읍(舊左邑) 동금녕(東金寧)에 있는 용암(熔岩) 동굴. 길이 375m, 높이 13m, 폭 10m의 천연 터널로서 천연 기념물로 지정되어 있음. 옛날에 이 굴에 사는 뱀에게 해마다 봄·가을에 처녀를 제물로 바쳤다는 전설이 있음.
금-높다 형 물건 값이 비싸다. ↔금낮다.
금-놓다[—노타] 자 물건 값의 표준을 정하다.
금눈-돔【金—】명〖어〗[*Beryx decadactylus*] 금눈돔과에 속하는 바닷물고기. 길이 35cm 가량으로, 몸은 측편(側扁)하고 눈이 고양이 눈처럼 황금색으로 빛남. 몸빛은 붉고 배 쪽은 은백색, 비늘은 크고 거칢. 심해성 어종으로 깊이 300-400m 되는 암초 사이에 사는데, 한국 동남해·일본 서부 등에 분포함.

〈금눈돔〉

금눈돔-과【金—科】[—꽈] 명〖어〗[Berycidae] 금눈돔목에 속하는 어류의 한 과. 금눈돔이 이에 속함.
금눈돔-목【金—目】명〖어〗[Berycida] 어류의 한 목. 좀 깊은 바다에서 나는데, 일반적으로 몸이 길고 대가리·눈·입이 크며, 배지느러미가 가슴에 가깝게 있음. 금눈돔과·얼게돔과·철갑둥어과 등이 이 목에 속함.
금눈-쇠올빼미【金—】명〖조〗[*Athene noctua*] 올빼밋과에 속하는 새. 올빼미 중에서 제일 작은 새로 날개의 길이 154mm 가량이고, 등은 담회갈색(淡灰褐色)이며 머리부터 후두(後頭)까지는 연회백색(軟灰白色)의 세로로 된 점이 있음. 쥐를 잡아 먹는 까닭에 익조(益鳥)임. 우는 소리는 고양이 소리와도 같고 갓난 아이 우는 소리와도 같음. 서만주·남만주·중국의 북부 및 한국의 평안 북도에 분포함. 보호조(保護鳥)임. 소금안효(小金眼梟).
금니[1]【金—】명 금으로 만든 이. 빠진 이나 사이가 벌어진 이 사이를 금으로 형을 떠서 해 박은 이. 금치(金齒). ——-하다 자여불
금니[2]【金泥】명 금박 가루를 아교풀에 갠 물건. 서화(書畫)에 씀. 이금(泥金).
금니-경【金泥經】명〖불교〗금니로 베껴 쓴 경전(經典).
금니-박이【金—】명 금니를 해 박은 사람의 별명.
금-니빨【金—】명〈속〉금니[1].
금다 타〈옛〉끊다. ¶어믜 병의 손마락굴 금다(母病斷指)≪東國新續三綱 孝子圖 Ⅲ:31≫.
금단[1]【今旦】명 오늘 아침. 금조(今朝).
금단[2]【金丹】명 신선(神仙)이 만든다는 장생 불사(長生不死)의 환약. 선단(仙丹). 단약(丹藥). 선약(仙藥).
금단[3]【金壇】명〖지〗'진단(金壇)'을 우리 음으로 읽은 이름.
금:단[4]【禁斷】명 어떠한 행위를 못하도록 엄중하게 금지함. ¶~의 열매. ——-하다 타여불
금:단[5]【錦端】명〖건〗주의(柱衣)의 가장자리를 금문(錦紋)으로 돌린 무늬.
금단-도【金丹道】명 중국에서, 금단을 연제(練製)하는 도술(道術).
금:단-방【禁斷榜】명〖불교〗절에 불사(佛事)가 있을 때, 잡인(雜人)의 출입을 금하기 위하여 붙이는 방문(榜文). 금란방(禁亂榜).
금:단의 열매【禁斷—】[—/—에—] 명〖성〗①구약 성서에 나오는, 따먹기를 금지했다는 지혜 나무의 과실. 아담과 이브가 뱀에게 유혹당하여 이것을 따먹고 에덴 동산에서 추방되었다 함. 선악과. *원죄(原罪). ②비유적으로, 엄히 금지되어 있는, 유혹적인 쾌락이나 행동.
금:단 증세【禁斷症勢】명〖의〗알코올·모르핀·니코틴 등을 상용(常用)하여 만성 중독에 걸린 사람이 이런 것의 섭취를 중단하였을 때 나타나는 정신·신체 상의 증세. 고민·불면(不眠)·환각·망상 등의 정신 증상 외에 동계(動悸)·동통(疼痛)·구토 등의 자율 신경계 증상을 나타냄. 금단 현상(禁斷現象).

금:-단청【錦丹靑】 명 〖건〗 오색(五色)으로 비단과 같이 현란(絢爛)하게 그린 단청(丹靑). 금(錦).

금-단추【金—】 명 금으로 만든 단추. 또, 금빛의 단추.

금-단 현:상【禁斷現象】 명 금단 증세.

금:달【禁闥】 명 궁중(宮中)의 합문(閤門).

금 달러 본위제【金—本位制】〔dollar〕 명 〖경〗 아이 엠 에프(IMF) 가맹국의 화폐 제도의 속칭. 이 제도에서, 가맹 각국의 통화는 금(金)에 직결되지 아니하고, 미국의 달러에 결합되어 있으며, 달러의 시세대로 금과의 교환성을 가짐. 그러나 이 금 달러 교환은 조건부임.

금-달맞이꽃【金—】 명 〖식〗 [*Oenothera odorata*] 바늘꽃과에 속하는 다년초. 줄기 높이 90cm 가량이고 잎은 호생하며 선상 피침형임. 7월에 선황색 사판화(四瓣花)가 해 질 무렵부터 피었다가 아침 햇살이 나면 황적색으로 변하면서 시듦. 과실은 삭과(蒴果)임. 남아메리카의 칠레 원산으로 관상용 재배초임. ＊달맞이꽃.

〈금달맞이꽃〉

금담[1]【金談】 명 금전에 관한 상담.

금담[2]【金潭】 명 금빛이 나는 못. 또, 깊은 못의 미칭(美稱).

금담보 차:관【金擔保借款】 명 〖경〗 각국이 보유하고 있는 금 준비(金準備)를 적당한 가격으로 평가(評價)하여, 그를 담보로 하여 이루어지는 차관.

금당【金堂】 명 〖불교〗 황금·백금을 칠하여 지은 불당(佛堂). 본존(本尊)·불상(佛像) 혹은 고승(高僧)의 영정(影幀)을 모시는 곳.

금당-도【金塘島】 명 〖지〗 전라 남도 고흥 반도(高興半島) 서남 해상의 완도군(莞島郡) 금일읍(金日邑)에 위치한 섬. [15.5km²]

금:당-산【錦塘山】 명 〖지〗 강원도 평창군(平昌郡) 대화면(大和面)에 있는 산. [1,173m]

금-닿다 [—다타] 자 ①물건의 금이 적당한 점에 미치다. ¶금이 닿아야 사지. ②물건 값이 상당하게 나가다.

금대[1]【今代】 명 지금의 시대.

금대[2]【金帶】 명 ①〖역〗 금띠❶. ②〖건〗 금띠❷.

금대[3]【金臺】 명 ①황금으로 장식한 대(臺). ②아름답게 장식한 대(臺).

금:대[4]【錦帶】 명 〖사람〗 이가환(李家煥)의 호(號).

금대[5]【襟帶】 명 ①깃과 띠. ②산천(山川)이 꼬불꼬불 둘아서 요해(要害)를 이루고 있음을 비유하는 말.

금대 석조【金臺夕照】 명 〖지〗 중국 베이징(北京)의 조양문(朝陽門) 밖에 있는 관광 명소(名所)의 하나.

금-더미【金—】[—떠—] 명 많은 금(金)이 한데 모여 쌓인 큰 덩어리.

금-덩【金—】 명 〖역〗 황금으로 호화롭게 장식한 덩.

금-덩이【金—】[—떵—] 명 황금의 덩이. 금괴(金塊).

금도[1]【金桃】 명 복숭아의 한 종류.

금도[2]【琴道】 명 거문고의 이치와 타는 법.

금도[3]【襟度】 명 남을 용납할 만한 도량(度量). ¶그때에는 남아의 ～와 아량으로, 있을 수 있는 일, 하고 도리어 제 자신을 웃어 버렸다≪安壽吉: 제 2 의 청춘≫.

금-도금【金鍍金】 명 금으로 도금함. 쇠붙이에다 금을 올림. ——-하다 자타여불

금-도끼【金—】 명 금으로 만든 도끼.

금-도심【今道心】 명 〖불교〗 새로 참예(參詣)한 도심자(道心者).

금독-전【金犢傳】 명 〖문〗 금송아지전.

금독지-행【禽犢之行】 명 〔짐승과 같은 짓이라는 뜻으로〕 일가간에 생긴 음행(淫行).

금-돈[1]【金—】 명 금으로 만든 돈. 금화(金貨).

【금돈도 안팎이 있다】 아무리 좋고 훌륭한 것도 안과 밖의 구별이 있다는 뜻.

금-돈[2]【金—】[—똔] 명 금 살돈.

금-돌【金—】[—똘] 명 〖광〗 황금(黃金)이 박혀 있는 돌. 금석(金石).

금동[1]【今冬】 명 올 겨울.

금동[2]【金童】 명 선동(仙童).

금동[3]【金銅】 명 금으로 도금(鍍金)하거나 금박(金箔)을 씌운 구리. 불상(佛像)·등롱(燈籠) 등에 쓰임.

금동[4]【琴童】 명 〖사람〗 김동인(金東仁)의 호(號).

금동 계:미명 삼존불【金銅癸未銘三尊佛】 명 〖불교〗 백제 위덕왕(威德王) 10년(563)의 것으로 추정되는, 구리로 주조(鑄造)되고 금을 도금(鍍金)한 삼존불(三尊佛). 화두형(火頭形)으로 큰 광배(光背)의 중앙에 독립된 여래형(如來形) 입상을 세우고, 좌우 양단에 협시(脇侍) 보살이 있음. 높이 17.5cm, 광배 높이 12.5cm. 국보 제72호.

금동 관음 보살 입상【金銅觀音菩薩立像】 명 〖불교〗 7세기 초기 백제의 것으로 보이는 금동으로 제작된 보살 입상. 당시 보살상의 대표적인 걸작의 하나임. 높이 15.2cm. 국보 제128호.

금동 미륵 반:가상【金銅彌勒半跏像】 명 〖불교〗 원통형 대좌(臺座) 위에 반가(半跏)한 동제(銅製)의 금도금(金鍍金) 미륵 보살상. 삼국 시대의 작품으로 봄. 1940년 평양 평천리(平川里) 유적지에서 출토. 높이 17.5cm. 국보 제118호.

금동 미륵 보살 반:가상【金銅彌勒菩薩半跏像】 명 〖불교〗 ①구리에 금을 도금(鍍金)한 삼국 시대의 불상. 사유 반가상(思惟半跏像)으로, 크기나 양식에 있어서 삼국 시대의 불상을 대표할 만한 작품임. 높이 80cm. 국보 제78호. ②상반신이 나형(裸形)으로 된 반가상(半跏像)으로 구리에 금을 도금했는데, 삼국 시대 말기의 것으로 추측됨. 면상을 비롯하여 사지(四肢)와 몸이 단순한 가운데에서도 아름다움이 엿보여 사유 반가상 중에서 대표적(代表的)인 걸작으로 꼽힘. 높이 93.5cm. 국보 제83호.

금동 보살 삼존상【金銅菩薩三尊像】 명 〖불교〗 춘천 지방에서 출토된 백제(百濟)의 작품으로 추정되는 삼존상. 엎어 놓은 반구형(半球形) 대좌 위에 보살이 있고, 좌우에 합장 배례하는 머리 깎은 비구(比丘)가 하나씩 서 있음. 뒤에는 큼직한 주형(舟形) 광배(光背)가 달렸고, 그 모든 것이 한데 붙어 하나의 주물로 된 작품임. 총높이 8.8cm. 국보 제134호.

금동 보살 입상【金銅菩薩立像】 명 〖불교〗 ①통일 신라 시대에 제작된 것으로 추정되는 금동 보살상. 금을 도금(鍍金)한 흔적만 약간 보일 뿐 동질(銅質) 바탕이 드러나서 적갈색을 보임. 원래 독존(獨尊)으로 주성(鑄成)된 것이 아니라 삼존(三尊)을 이루었던 양협시(兩脇侍) 중의 하나로 추정됨. 높이 54.5cm. 국보 제129호. ②삼국 시대 신라의 동조(銅造) 금도금(金鍍金) 보살상. 세지 보살 입상(勢至菩薩立像)으로 금동 여래 입상(金銅如來立像)의 좌협시(左脇侍)임. 높이 32cm. 국립 중앙 박물관 소장. 국보 제183호. ③7세기 초엽 신라의 동조(銅造) 금도금(金鍍金) 관음 보살 입상(觀音菩薩立像). 금동 여래(金銅如來)의 우협시(右脇侍)이며, 머리에는 화관(花冠)을 쓰고, 정면에 화불(化佛)을 갖추었음. 국보 제182호와 함께 출토된 것으로, 높이 32cm. 국립 중앙 박물관 소장. 국보 제184호.

금동-불【金銅佛】 명 금도금(金鍍金)한 주동(鑄銅)의 불상(佛像). 황금불(黃金佛)을 만들기 어려운 점과 주조(鑄造)가 용이(容易)하고도 표면상 동일한 효과가 있는 점으로, 불교 세계에서 널리 제작되고 있음.

금동 삼존불감【金銅三尊佛龕】 명 〖불교〗 동제(銅製) 금도금(金鍍金)한 삼존불(三尊佛)과 이를 안치한 불감. 고려 초기의 제작으로 추측됨. 불감은 목조 불전(木造佛殿)을 본떴으며, 감(龕) 전체(全體)의 높이 18cm, 본존불인 여래 좌상의 높이 10cm, 좌협시 보살(左脇侍菩薩)의 높이 8.1cm, 우협시(右脇侍) 보살의 높이 7.7cm임. 국보 제73호.

금동 수정 감장 촉대【金銅水晶嵌裝燭臺】 명 8세기 후반 통일 신라 시대의 촛대. 한 쌍으로 발견됨. 자수정(紫水晶)을 박아서 장식하여 화려함. 총높이 36.8cm. 국보 제174호.

금동 신묘명 삼존불【金銅辛卯銘三尊佛】 명 〖불교〗 구리에 금도금한 삼국 시대의 불상. 본존상의 높이 11.5cm, 광배 높이 15.5cm, 광배 나비 9.2cm. 황해도 곡산군(谷山郡) 화촌면(花村面) 봉산리(蓬山里)에서 1930년에 출토. 삼국 시대의 금동 일광 삼존불(金銅一光三尊佛) 중 제일 크고 뚜렷함. 현존하는 고구려 금동 불상 중 가장 현저한 유물임. 국보 제85호.

금동 여래 입상【金銅如來立像】[—녀—] 명 〖불교〗 ①8세기 통일 신라 시대의 동조(銅造) 금도금(金鍍金) 불상. 아미타 여래(阿彌陀如來) 삼존(三尊)의 주존불(主尊佛)로, 1976년 경상 북도 구미시(龜尾市) 고아면(高牙面) 봉한이동(鳳漢二洞)에서 발견됨. 높이 40.3cm. 국립 중앙 박물관 소장. 국보 제182호. ②삼국 시대의 동조(銅造) 금도금(金鍍金) 여래 입상. 1976년 경기도 양평군(楊平郡) 강상면(江上面) 신화리(新花里) 폐사지(廢寺址)에서 발견됨. 높이 30cm. 국립 중앙 박물관 소장. 국보 제186호. 양평 금동 여래 입상(楊平金銅如來立像).

금두[1]【禽痘】 명 〖조〗 조류(鳥類)의 두창. 바이러스(virus)에 의하여 새의 피부에 좁쌀 모양의 두드러진 두창이 생기는 병임.

금:두[2]【錦豆】 명 팥의 한 가지. 빛이 검붉은데 검은 점이 어룽어룽 박히고 껍질이 조금 두꺼움. 비단팥. 관두(官豆).

금두-물고기【金頭—】[—꼬—] 명 ☞ 금붕어.

【금두물고기가 용(龍)에게 덤벼든다】 제 힘에 겨운 것도 모르고 함부로 남에게 덤벼들어 화(禍)를 입는다는 말.

금등[1]【金燈】 명 금빛이 나는 등.

금등[2]【金鐙】 명 〖역〗 ↗금등자(金鐙子).

금-등롱【金燈籠】[—농] 명 〖식〗 까치무릇.

금-등자【金鐙子】 명 〖역〗 의장(儀仗)의 한 가지. 붉은 칠을 한 창대의 한 끝에 금도금(金鍍金)한 등자를 거꾸로 붙인 것. 모두 나무로 만들되 대와 맞닿은 등자 근처만 쇠로 하기도 함. 준금등(金鐙).

금등-화【金藤花】 명 〖식〗 능소화(凌霄花).

금-딱지【金—】 명 금으로 만든 몸시계의 껍데기. 금측(金側).

금-떡쑥【金—】 명 〖식〗 [*Gnaphalium hypoleucum*] 국화과에 속하는 월년초(越年草). 줄기는 높이 약 60cm이고 선형(線形)의 잎이 호생함. 8-10월에 관상화(管狀花)인 황색의 두화(頭花)가 밀방상(密房狀)으로 핌. 들에 나며, 제주·전남·경남·강원·경기·평북 등지에 분포함. 어린 잎은 식용함.

금-띠【金—】 명 ①〖역〗 정이품(正二品)의 관원(官員)이 공복(公服)에 띠던 띠. 가장자리와 띠동을 금으로 아로새겨서 꾸몄음. ②〖건〗 주의(柱衣)를 금색(金色)으로 두른 띠. 1)·2): 금대(金帶).

〈금띠❶〉

금란[1]【金蘭】 명 〔≪역경(易經)≫ 계사(繫辭)의 '二人同心其利斷金 同心之言其臭如蘭'에서 나온 말〕 친구 사이에 정의(情誼)가 매우 두터운 상태. ¶～지교(之交).

금란[2]【金蘭】[—난] 명 〖역〗 강원도 통천(通川)의 신라 시대 이름.

금란[3]【金襴】[—난] 명 ①금박(金箔)을 종이에 붙여서 가늘게 자른 평금사(平金絲). ②사(紗)나 수자(繻子) 등 비단 바탕에 호화 찬란하게 금실로 무늬를 짜 넌 직물. 흔히 스란치마의 자락 끝에 두름. 직금(織金).

금:란[4]【禁亂】[—난] 명 법령(法令)을 어기거나 어지럽히는 것을 막아서 금지함. ——-하다 타여불

금:란(이) 나다 구 〖역〗 ㉠무엇을 금제(禁制)하는 명령이 내리다. ㉡금령(禁令)을 범한 사람을 잡으려고 금란 사령(使令)이 나오다.

금:란(을) 잡다 구 〖역〗 금제(禁制)를 위반한 사람을 잡다.

금:란(이) 잡히다 ㉮ 〖역〗 금제(禁制)를 위반한 사람이 잡히다.
금:란(을) 치다 ㉮ 금제(禁制)를 위반한 사람을 모조리 잡다.

금란 가사【金襴袈裟】[—난—] 명 〖불교〗 금으로 난(襴)을 두른 가사. 또는 금란으로 만든 가사.

금란-계【金蘭契】[—난—] 명 친목(親睦)의 뜻으로, 뜻이 맞는 벗끼리 모은 계.

금:란-관【禁亂官】[—난—] 명 〖역〗 과거 볼 때 과장(科場)의 혼잡을 막기 위하여 임시로 둔 벼슬. 또, 그 관원.

금란-교【金蘭交】[—난—] 명 금란지계(金蘭之契).

금:란-군【禁亂軍】[—난—] 명 〖역〗 금란 사령(禁亂使令).

금란-굴【金襴窟】[—난—] 명 〖지〗 강원도 통천군(通川郡) 통천면의 해변, 높은 벼랑에 있는 넓고 깊은 굴.

금:란-방【禁亂榜】[—난—] 명 〖불교〗 금단방(禁斷榜).

금란-부【金蘭簿】[—난—] 명 친한 벗의 성명·주소 등을 적은 장부.

금:란 사:령【禁亂使令】[—난—] 명 〖역〗 조선 시대 금란패를 가지고 금제(禁制)를 위반한 사람을 더듬어 찾기도 하고 잡아 들이기도 하던 사령. 금란군(禁亂軍).

금란-조【金襴鳥】[—난—] 명 〖조〗 [*Pyromelana franciscana*] 베틀샛과(科)에 속하는 새. 참새만한데, 번식기에는 수컷은 적황색과 검은 빛의 아름다운 깃털이 나며, 목과 옆구리에 장식(裝飾)깃이 남. 암컷과 비(非)번식기의 수컷은 수수한 암갈색임. 아프리카 서부·동북부 원산으로, 널리 사육됨.

금란지-계【金蘭之契】[—난—] 명 ①다정한 친구 사이의 정의(情誼). ②다정한 친구 사이의 교제. 금란지의(金蘭之誼).

금란지-교【金蘭之交】[—난—] 명 금란지계.

금란지-의【金蘭之誼】[—난— / —난—이] 명 금란지계.

금:란-패【禁亂牌】[—난—] 명 〖역〗 금령(禁令)을 내릴 때에 금제 사항(禁制事項)을 적은 나무 패(牌).

금랍【金鑞】[—납] 명 〖공〗 황금과 황금을 이을 때 사용하는 물건. 금·동·은의 합금으로, 이은 곳은 황금 빛을 띰.

금랍-매【金蠟梅】[—납—] 명 〖식〗 물싸리.

금래【今來】[—내] 명 지금까지.

금래 실적【今來實績】[—내—쩍] 명 지금까지의 실제의 업적.

금:려【禁旅】[—녀] 명 〖역〗 금군(禁軍).

금:려 팔기【禁旅八旗】[—녀—] 명 〖역〗 중국의 청(淸)나라 시절에, 베이징(北京)의 황궁(皇宮)을 호위하던 금군(禁軍).

금력【金力】[—녁] 명 돈의 힘. 금전의 세력. 재력(財力). 금권.

금련 도독부【金漣都督府】[—년—] 명 〖역〗 백제가 망한 직후 당(唐)나라가 백제의 옛 땅에 설치한 5도독부의 하나. 곧 웅진(熊津)에 통합(統合)됨.

금련-보【金蓮步】[—년—] 명 미인(美人)의 걸음걸이.

금련-화【金蓮花】[—년—] 명 〖식〗 한련(旱蓮).

금:렵【禁獵】[—녑] 명 수렵(狩獵)을 금함. ——-하다 자타여불

금:렵-구【禁獵區】[—녑—] 명 수렵장(狩獵場) 안의 일정한 지역에서 수렵 조수(鳥獸)가 현저히 감소된 경우 그 보호·번식을 위하여 일정 기간 수렵을 금지하는 구역. 산림청장 또는 시장·도지사가 설정함. ＊조수 보호구.

금:렵-기【禁獵期】[—녑—] 명 사냥하는 것을 금하는 기간.

금:렵-수【禁獵獸】[—녑—] 명 사냥하여 잡지 못하게 하는 짐승. 산림청장(山林廳長)이 정함.

금:렵-조【禁獵鳥】[—녑—] 명 사냥하여 잡지 못하게 하는 새. 한국에서의 딱따구리·크낙새·두루미·백로 등. ↔엽조(獵鳥). ＊보호조.

금령[1]【金鈴】[—녕] 명 금으로 만든 방울. 금속으로 만든 방울.

금:령[2]【禁令】[—녕] 명 못 하게 금하는 명령.

금령-자【金鈴子】[—녕—] 명 〖한의〗 고련실(苦楝實).

금령-전【金鈴傳】[—녕—] 명 〖문〗 작자·창작 연대 미상의 국문본 고전소설. 하늘에서 죄를 짓고 금방울의 탈을 쓰고 태어난 용녀(龍女) 금령이, 용왕의 아들 장해룡(張海龍)을 도와 괴수를 퇴치하게 하고 부마(駙馬)가 되게 하였으며, 또한 금령은 탈을 벗고 장해룡과 가연(佳緣)을 맺는다는 내용임. 금방울전.

금령-총【金鈴塚】[—녕—] 명 경주시 노동동(路東洞)에 있는 신라 때의 고분. 1924년 발굴되었음. 일종의 적석총(積石塚)으로 주체부(主體部)는 목실(木室)·목관(木棺)으로 되어 있으나 거의 소멸되었음. 금령(金鈴)을 비롯하여 금관(金冠)·백화관(白樺冠)·칠기(漆器)·마구(馬具)·귀걸이 등이 출토되었음. 분묘의 연대는 분명하지 않으나 구조와 출토 유품(遺品)으로 보아 금관총(金冠塚)·서봉총(瑞鳳塚) 등과 같은 5세기 후반경으로 추정됨. 또, 장신구가 작은 것으로 보아 신라의 왕자의 묘로 생각됨.

금례【今隸】[—녜] 명 보통 예서(隸書)에 대하여 뒤에 완성된, 사실은 거의 같은 시기에 완성된, 새 서체인 팔분(八分). ↔고례(古隸).

금로【金爐】[—노] 명 금으로 장식하여 만든 향로.

금록-석【金綠石】[—녹—] 명 〖광〗 금록옥(金綠玉).

금록-옥【金綠玉】[—녹—] 명 〖광〗 광석의 하나. 베릴륨(beryllium)과 알루미산염으로 되어 있는데, 철분이 조금 섞여 있음. 얇은 판자 모양으로 된 결정체(結晶體)로, 광맥(鑛脈) 속에는 둥근 조각으로 박혀 있음. 빛은 황색(黃色) 또는 담녹색(淡綠色)인데, 투명(透明)한 부분은 보석으로 사용됨. 알렉산더 보석과 묘안석(猫眼石)은 이것의 변종(變種)임. 금록석(金綠石).

금룡[1]【金龍】[—뇽] 명 금빛을 칠한 용. 고적(古蹟) 같은 것에 아로새겼음.

금룡[2]【禽龍】[—뇽] 명 〖동〗 [*Iguanodon bernissartensis*] 파충강(爬蟲綱) 공룡목(恐龍目) 금룡과에 속하는 화석 동물. 몸길이 10 m 가량이며 전지(前肢)는 다섯 발가락, 후지(後肢)는 세 발가락인데, 후지로 보행했다고 상상됨. 초식성(草食性)으로, 중생대 쥐라기(Jura紀)에서 백악기(白堊紀)에 걸쳐 번영하였음. 1878년에 벨기에의 탄광에서 발굴되어 브뤼셀 박물관에 보관됨. 이구아노돈(iguanodon). ＊공룡(恐龍)·검룡(劍龍)·공조(恐鳥).

〈금룡[2]〉

금룡-사【金龍寺】[—뇽—] 명 〖불교〗 경상 북도 문경시(聞慶市) 산북면(山北面) 금룡리(金龍里) 운달산(雲達山)에 있는 직지사(直指寺)의 말사(末寺). 신라 진평왕(眞平王) 9년(587)에 운달 대사(雲達大師)가 세움. 전에는 31본산(本山)의 하나였음.

금룡-상【金龍賞】[—뇽—] 명 한국 영화계를 위하여 일생을 바친 이금룡(李錦龍)의 공로를 기념하던 상. 1955년에 설정하였으나 현재는 없음.

금루[1]【金縷】[—누] 명 금빛의 실.

금:루[2]【禁漏】[—누] 명 〖역〗 궁중(宮中)의 물시계. 궁루(宮漏).

금:루-관【禁漏官】[—누—] 명 〖역〗 조선 때 관상감(觀象監)의 한 벼슬.

금루-매【金縷梅】[—누—] 명 〖식〗 조롱나무.

금륜【金輪】[—뉸] 명 〖불교〗 삼륜(三輪)의 하나. 대지의 상층(上層)을 일컫는데, 그 밑에 수륜(水輪)이 있다고 함. 지륜(地輪).

금륜-왕【金輪王】[—뉸—] 명 〖불교〗 사륜왕(四輪王)의 하나. 전륜왕(轉輪王) 중에서 가장 지혜로운 윤왕. ＊전륜왕·은륜왕. 「호칭.

금릉【金陵】[—능] 명 〖지〗 중국 난징(南京)의 옛 이름. 춘추 시대의 호칭.

금릉-군【金陵郡】[—능—] 명 〖지〗 전에, 경상 북도의 한 군. 15면. 북은 상주군(尙州郡), 동은 선산군(善山郡), 구미시(龜尾市)와 칠곡군(漆谷郡), 서는 충청 북도의 영동군(永同郡)과 전라 북도의 무주군(茂朱郡), 남은 성주군(星州郡)과 경상 남도의 거창군(居昌郡)에 인접함. 농업이 주산업으로 쌀·보리·콩·면화·누에고치·소 등을 산출하고, 광산물로는 금·은을 산출하며, 김천(金泉) 광산·삼양(三洋) 광산·대량(大良) 광산 등이 있음. 가내 수공업으로는 창호지·면포·견직물 등을 산출함. 경부선이 동서로 횡단하고 도로망이 김천시(金泉市)를 중심으로 사방으로 통하고 있음. 명승 고적으로는 직지사(直指寺)·쌍계사(雙溪寺)·봉황대(鳳凰臺)·황학산(黃鶴山) 등이 있음. 1995년 1월, 김천시에 통합됨. [944.44 km^2 : 70,640 명(1990)]

금릉 별곡【金陵別曲】[—능—] 명 〖문〗 조선 순조 32년(1832) 문도갑(文道甲)이 지은 가사. 권복(權馥)이 김해 부사(府使)로 부임한 이래로 정사를 잘 다스려 향속(鄕俗)을 흥기(興起)시킨 공헌이 지대함을 낱낱이 예를 들어 찬양하고 이별하는 애석함을 노래함. 권복(權馥)의 유저 《곡운공 기행록(谷耘公紀行錄)》에 전함.

금릉 십이채【金陵十二釵】[—능—] 명 〖문〗 홍루몽(紅樓夢).

금릉-완【金稜碗】[—능—] 명 〖미술〗 금구(金釦).

금리[1]【金利】[—니] 명 돈의 이자. 밑천이나 꾸어 준 돈에 대한 변리.

금:리[2]【禁裏】[—니] 명 궐내(闕內).

금리 생활자【金利生活者】[—니—짜] 명 〖사〗 ①다른 직업 없이 주식 배당금, 채권, 은행 예금, 고리 대금 따위의 이자 수입으로 생활하는 사람. ②집세, 땅세, 연금 따위의 불로 소득으로 생활하는 사람.

금리 자유화【金利自由化】[—리—] 명 〖경〗 금리를 올리거나 내리거나 하는 것을 금융 시장 자율에 맡겨 조절되게 함.

금리 재정 거:래【金利裁定去來】[—니—] 명 〖경〗 두 나라 사이의 단기 금리차와 현물(現物)·선물(先物) 환시세의 차(差)의 연율(年率)은 보통 거의 일치하나, 이 관계가 무너지면 금리가 높은 쪽으로 단기 자금이 몰려 가는데, 이것을 금리 재정(裁定) 거래라 이름. 이 결과 다시 금 현물·선물 환시세의 차는 단기 금리차와 일치하게 되는데, 두 나라 사이에 걸치는 거래에서 반드시 자금 이동을 수반하는 점이 환재정(換裁定)과 다름.

금리 정책【金利政策】[—니—] 명 〖경〗 중앙 은행이 은행 이율을 변동시킴으로써 자금의 수요를 조절하고 물가나 경기를 안정시키는 정책.

금리 체계【金利體系】[—니—] 명 〖경〗 한국 은행의 공정 비율 또는 시중 은행의 대출 금리·예금 금리나 사채(社債)·금융채(金融債)의 이율 등 일련의 금리가 서로 견제하면서 일정한 비율을 보존하고 있는 체계.

금리 현:실화【金利現實化】[—니—] 명 〖경〗 사채(私債) 시장에서 유통되는 자금을 흡수하기 위하여, 이자 제한법(制限法) 등을 개정하여 금융 기관의 금리를 조절하는 조치.

금리 협정【金利協定】[—니—] 명 〖경〗 금리의 최고·최저 한도 등을 시중 은행끼리 의논하여 작정하는 민간 협정.

금:린【錦鱗】[—닌] 명 아름다운 물고기.

금:린-어【錦鱗魚】[—닌—] 명 〖어〗 쏘가리. 「이르는 말.

금:린 옥척【錦鱗玉尺】[—닌—] 명 한 자 가량 되는 물고기를 아름답게 이르는 말.

금마【金馬】 명 ①금으로 만든 말. ②금빛 나는 털을 가진 말.

금마-군【金馬郡】 명 〖역〗 전라 북도 익산시(益山市)의 신라 때 지명. ＊금마저(金馬渚).

금마-저【金馬渚】 명 〖역〗 전라 북도 익산시(益山市)의 백제 때의 이름. ＊금마군(金馬郡).

금-마타리【金—】 명 〖식〗 [*Patrinia saniculaefolia*] 마타릿과에 속하는 다년초. 줄기 높이 30 cm 가량이고 근생엽(根生葉)은 장병(長柄)인데 다소 원형이며, 경엽(莖葉)은 대생하고 무병(無柄)인데, 우상 심렬(羽狀深裂)함. 6-7월에 노란 꽃이 줄기 끝에 찬족(攢簇)하여 산방(繖房) 꽃차례로 피며, 화관(花冠)은 종 모양이고, 과실은 타원형임. 산지에 나는데, 경남·강원·경기·평북·함남북 등지에 분포함.

〈금마타리〉

금마 평야【金馬平野】명〖지〗금강(錦江)과 만경강(萬頃江)에 둘러싸여, 전라 북도 익산시(益山市)와 군산시(群山市) 일대에 발달한 비옥한 평야. *금마군(金馬郡).

금만【今晩】명 오늘 저녁. 금석(今夕).

금만-가【金滿家】명 돈이 많은 사람. 재산가.

금:망【禁網】명 법망(法網).

금:망 소활【禁網疏闊】명 법망(法網)이 허술하여 어설픔. ——-하다 형여불

금망 유리【金網琉璃】[—뉴—] 명〔wire glass〕내부(內部)에 쇠그물을 넣은 판(板) 유리. 창(窓) 유리를 비롯하여 건축 자재로 쓰임.

금-맞추다 타 물건의 값을 맞게 하다.

금매 감〈방〉글쎄(함경).

금-매화【金梅花】명〖식〗[*Trollius hondoensis*] 성탄꽃과에 속하는 다년초. 줄기 높이 60cm 가량이고, 근생엽(根生葉)은 장병(長柄), 경엽(莖葉)은 단병(短柄) 혹은 무병(無柄)임. 7-8월에 줄기 끝이나 가지 끝에 여러 개로 나온 화경(花莖)의 끝에 황색 꽃이 하나씩 피고, 과실은 골돌(蓇葖)임. 고산에 나는데, 평북·함남북 등지에 분포함. *아기금매화.

〈금매화〉

금맥【金脈】명 ①〖광〗황금의 광맥. 금줄. ②(비유적으로) 자금을 대어 주는 사람. 또, 돈을 융통해서 쓸 수 있는 연줄. 돈줄.

금-메달【金—】〔medal〕명 금으로 만든 메달. 운동 경기·기능 대회 따위에서는 1위를 한 자에게 수여함. 금패(金牌).

금-메달리스트【金—】〔medalist〕명 금메달 수상자(受賞者).

금명【今明】명 ↗금명간.

금명-간【今明間】명부 오늘이나 내일 사이. ¶~ 해결될 것이다. 준금명.

금명-년【今明年】명 금년이나 내년 사이. 금년과 명년.

금명-일【今明日】명 오늘이나 내일. 오늘과 내일.

금모1【金毛】명 금빛이 나는 털.

금모2【金帽】명〖역〗경주 천마총(天馬塚)에서 발견된 신라 때의 순금 관모(冠帽). 높이 16cm, 너비 19cm. 국보 189호.

금-모기【金—】명〖충〗금각다귀.

금-모래【金—】명〖광〗모래 흙에 섞인 금. 사금(砂金).

금:-모루【錦—】명〖건〗모루 단청(丹靑)과 금(錦) 단청을 아울러 그린 것.

금-목-수-화-토【金木水火土】명〖민〗만물을 만들어 내는 다섯 가지 원소. *오행(五行).

금-몰:【金—】〔포 mogol〕명 ①금을 도금한 장식용의 가느다란 줄. 또, 금실로 꼰 끈. 예복·견장·휘장 등의 장식용(裝飾用)임. ②금실을 가로로, 견사(絹絲)를 세로로 하여 짠 직물.

금-몸【金—】명〖불교〗금빛으로 된 부처의 몸. 금색신(金色身).

금문1【今文】명 ①한대(漢代)에 일반적으로 쓰이던 문자. 곧, 진(秦)의 시황제(始皇帝)가 정한 예서(隷書). ↔고문(古文)❸. ②지금 시대의 문사(文辭).

금문2【金文】명 옛날의 동기(銅器) 같은 금속에 새겨져 있는 명문(銘文). 조서(詔書) 따위의 미칭.

금-문3【金門】명 궁궐의 문을 달리 이르는 말.

금:문4【禁門】명 ①출입을 금지한 문. ②금궐(禁闕)의 문.

금문-가【今文家】명 ①현대의 문장을 유창하게 잘 하는 사람. ②금문학(今文學)을 전승(傳承)한 학자. ↔고문가(古文家)❶.

금문-교【金門橋】명〖지〗미국 샌프란시스코 시가와 금문 해협을 사이에 두고 대안의 오클랜드를 연결하는 강철제의 현수교(懸垂橋). 1933-37년에 완성. 골든 게이트 교(Golden Gate 橋). [2,825 m]

금문-도【金門島】명〖지〗진먼 섬.

금문무 고:문무【今文無古文無】명 지금이나 옛날의 예를 통해서 그러한 일이 도무지 없음.

금문 상:서【今文尙書】명 금문으로 쓰여진 서경(書經). 중국 진(秦)의 분서(焚書) 때, 복생(伏生)이 벽 속에 숨겨 남겼다는 경(經) 중, 한(漢)나라 초기에 29편을 찾아내어 예서(隷書)로 고쳐 쓴 것임. ↔고문(古文) 상서.

금-문자【金文字】[—짜] 명 금박을 올린 글자. 금자(金字).

금문-학【今文學】명 금문(今文)으로 쓰여진 문헌(文獻)을 연구하는 학문. ↔고문학(古文學).

금문 해:협【金門海峽】명〖지〗미국 캘리포니아 주의 서안, 샌프란시스코 만(灣)과 태평양(太平洋) 사이의 해협. 금문교(金門橋)가 놓여 있음. 길이 8km, 폭 3km. 골든 게이트(Golden Gate).

금-물1【金—】명 금빛을 내는 도료(塗料).

금:물2【禁物】명 ①법으로 매매나 사용을 금한 물건. ②해서는 안 될 것. ¶학생의 극장 출입은 ~이다.

금-물가【金物價】[—까] 명〖경〗금시세(金時勢)를 표준으로 하여 계산되는 물가.

금므슬다 자〈옛〉금가다. =금싣다. ¶금므슬 흔(釁)《類合 下52》.

금-바둑쇠【金—】명〖역〗조선 효종(孝宗) 때 북벌(北伐)의 군비로 쓰기 위하여 바둑돌처럼 만들어 두었던 금은(金銀).

금박【金箔】명 금에 약간의 은을 섞어서 두드리거나 압연하여 대단히 얇게 만든 물건. 겉치장하는 데 널리 쓰며, 한방(漢方)에서는 전광(顚狂)·경간(驚癎)에 약으로 씀. 보통 두께는 25×10^{-9}m이며, 장부처럼 25장을 한 권으로 보존함.
금박(을) 입히다 구 금박 가루를 써서 책 뚜껑이나 장식품 따위에 글자나 무늬를 놓다.

금박 검:전기【金箔檢電器】명〖물〗금속박 검전기(金屬箔檢電器).

금박-금【金箔金】명〖민〗육십 화갑자(六十花甲子)에서, 임인(壬寅) 계묘(癸卯)에 붙이는 납음(納音). 금(金)은 인묘(寅卯)에서 늙고 병든 허약한 금(金)으로 쇠퇴하는데, 다시 임계수(壬癸水)에 씻기니, 금박처럼 얇게 닳고 퍼진다는 말.

금박 댕기【金箔—】명 금박으로 수복(壽福) 등의 글자나, 꽃·나비·풀무늬 등을 올린 댕기.

금-박이【金—】명 옷감 따위에 금빛 가루로 여러 가지 무늬를 놓은 것.

금박차 훈장【金拍車勳章】명〔중세의 신분이 높은 사람이 기마(騎馬) 무장했을 때 금제 박차를 사용한 데서 온 말〕로마 교황이 주로 여러 나라의 원수(元首)·왕족·수상에게 기증하는, 등급이 없는 훈장.

금반1【今般】명 이번. ↔과반(過般).

금반2【金飯】명 좁쌀에 감초(甘草)·감국(甘菊)을 넣어서 지은 밥.

금반3【金盤】명 ①황금으로 만든 쟁반 같은 그릇. ②아름다운 쟁반.

금:-반언【禁反言】명〖법〗일단 행한 진술 또는 행위나 날인(捺印)한 증서에 대하여, 타인에게 어떤 사실의 존재를 믿게 한 이상에는 다음에 진실에 반대된다는 이유로 부인(否認)하는 것을 금하는 영미법(英美法)의 원칙. 에스토펠(estoppel).

금-반지【金斑指】명 금으로 만든 반지. 금환(金環).

금발【金髮】명 금빛 나는 누런 머리털. 블론드(blond).

금발-게【金—】명〖동〗금게.

금발 미인【金髮美人】명 머리털이 노란 서양의 미인.

금방1【金榜】명〖역〗과거(科擧)에 급제한 사람의 이름을 써서 길거리에 붙이는 글.

금:방2【禁方】명 ①아무에게나 함부로 전하지 아니하는 약방문(藥方文). 곧, 비전(祕傳)의 조제법(調劑法). 비방(祕方). ②숨겨 두고 함부로 가르쳐 주지 아니하는 술법(術法).

금방3【今方】부 이제 방금. 지금 막. 방금(方今). ¶~ 온다.
[금방 먹을 떡에도 소를 박는다] 아무리 급한 일에도 반드시 그 순서를 밟혀서 하여야 한다는 말.

금방-금방【今方今方】부 잇따라 속히.

금-방동사니【金—】명〖식〗[*Cyperus microiria*] 방동사닛과에 속하는 일년초. 뿌리는 수근(鬚根)이 총생(叢生)하고 줄기는 둔삼릉주(鈍三稜柱)로 높이 40cm 정도이며, 잎은 선형(線形)임. 꽃은 산형(繖形) 화서로 정생(頂生)하며, 산경(繖梗)은 4-5줄기임. 수상 화수(穗狀花穗)는 각 줄기 끝에 다소 두상(頭狀)으로 총생하며, 7월에 핌. 과실은 수과(瘦果)임. 밭·길가·둑 등에 나는데 한국 각지·일본·중국에 분포함. *방동사니.

〈금방동사니〉

금-방망이【金—】명〖식〗[*Senecio nemorensis*] 국화과에 속하는 다년초. 줄기 높이 90cm 가량이고, 잎은 호생하며, 단병(短柄)에 넓은 피침형 또는 타원형임. 7-8월에 다수의 황색 두화(頭花)가 복방상(複房狀) 화서로 피고, 과실은 수과(瘦果)임. 산지에 나는데, 제주·평북·함남북 및 아시아 일대와 유럽에 분포함.

금-방아【金—】명〖광〗금광(金鑛)에서, 물레방아처럼 물을 이용하여 석금(石金)을 찧는 방아.

〈금방망이〉

금방울-전【金—傳】명〖문〗금령전(金鈴傳).

금배【金盃】명 금으로 만든 잔. 금 컵(cup).

금 배제 정책【金排除政策】명〖경〗금의 국내 유입(流入)을 방지하는 정책. 급격한 유입으로 통화량이 격증(激增)하며, 경제계에 투기 경향(投機傾向)을 조장할 우려가 있을 때에 취해지며, 구체적인 조치로서 중앙 은행에 의한 금의 매입(買入) 의무 면제, 금의 자유 주조(鑄造) 정지, 금의 수입 금지 조치가 행하여짐.

금백1【金帛】명 금과 비단.

금:백2【錦伯】명〖역〗충청 감사(監司)의 별칭.

금:-뱃바닥【錦—】명〖건〗장여나 첨차(檐遮)의 뱃바닥에 금단(錦緞)처럼 5색으로 찬란히 그린 단청(丹靑).

금번【今番】명 이번. 저반(這般).

금:벌【禁伐】명 수목의 벌채(伐採)를 금함. ——-하다 자여불

금:벌-령【禁伐令】명〖법〗산림의 벌채를 금하는 법령. 임상(林相) 파괴의 현상을 방지하고 임목(林木)의 보호 육성과 산림 애호(山林愛護)를 목적으로 함.

금:벌-림【禁伐林】명 보안을 목적으로 나무베기를 금한 숲. *보안림.

금:범【錦帆】명 ①비단 돛. ②남의 승선(乘船)을 높이어 이르는 말.

금:법【禁法】[—뻡] 명 금하는 법령.

금베 명〈방〉〖충〗굼벵이(함북).

금베지 명〈방〉〖충〗굼벵이(함북).

금벽1【金碧】명 금빛과 푸른 빛. 전(轉)하여, 고운 빛깔.

금벽2【金璧】명 황금과 벽옥(璧玉).

금벽 산수【金碧山水】명〖미술〗석록(石綠)과 삼청(三靑)으로 설채(設彩)한 뒤에 이금(泥金)으로 획을 긋고 점을 찍어서 그린 산수화(山水畫). 금벽 청록 산수.

금벽 청록 산수【金碧靑綠山水】[—녹—] 명〖미술〗금벽 산수.

금:변【禁便】명 대소변(大小便) 누는 것을 금함. ——-하다 자여불

금:별【禁別】명〖역〗↗금군 별장(禁軍別將).

금병1【金甁】명 금으로 만든 병. 또, 금빛을 칠한 병.

금:병2【禁兵】명〖역〗금군(禁軍).

금병매【金甁梅】명〖책〗중국 명(明)나라 때의 장편 소설. 작자 미상. 명나라 왕세정(王世貞)의 작이라고도 함. 유탕아(遊蕩兒) 서문경(西門慶)과 그의 가족의 음탕하고 문란한 생활 상태와 당시의 부패한 사회상을 생생하게 묘사했음.

금보1【金寶】명〖역〗추상 존호(追上尊號)를 새긴 인(印).

금보2【琴譜】명〖악〗거문고의 곡조를 적은 악보(樂譜).

금-보다 자 물건의 금새가 얼마나 나가는가를 알아보다.

금-본위【金本位】명 ↗금본위 제도.

금본위 블록【金本位—】〔bloc〕명〖경〗금본위를 유지하는 여러 나라

의 일단(一團). 금 블록(金 bloc).

금본위 정지【金本位停止】명〖경〗금본위 제도에 필요한 조건을 일시적으로 버리고 그 기능을 정지시키는 일. 금태환(金兌換)의 정지나 금 수출의 금지 같은 것. 1930년대의 세계 공황 이후 거의 전세계가 이 상태에 있음.

금본위 제:도【金本位制度】명〖경〗본위(本位) 화폐의 소재(素材)로서 금을 채용한 화폐 제도. 본위 화폐 일단위(一單位)의 가치는 그것에 포함되는 금의 일정량(一定量)에 의해서 정하여짐. 은행권 또는 지폐는 금화(金貨)·금지금(金地金)·금환(金換)과 태환(兌換)됨. 금화(金貨) 단본위제·금괴(金塊) 본위제·금환(金換) 본위제의 셋으로 크게 나눌 수 있음. ㊟금본위.

금봉-금【金鋒金】명〖민〗육십 갑자(六十甲子) 병납음(並納音)에서 임신(壬申)과 계유(癸酉)의 납음. ¶임신 계유 ～.

금-봉채【金鳳釵】명 금으로 봉황(鳳凰)을 새겨서 만든 비녀.

금봉-화【金鳳花】명〖식〗봉선화.

금-뵈다 타 물건 값을 쳐 보게 하다.

금부[1]【金部】명〖악〗국악기의 분류에서, 쇠붙이의 하나. 편종(編鐘)·특종(特鐘)·요(鐃)·순(錞)·탁(鐸)·탁(鐲)·방향(方響)·향발(響鈸)·동발(銅鈸) 따위가 있음.

금부[2]【金鈇】명〖역〗의장(儀仗)의 하나. 이금(泥金)을 칠하여 만든 나무 도끼.

금:부[3]【禁府】명〖역〗↗의금부(義禁府).

금:부 나장【禁府羅將】명〖역〗의금부(義禁府)에서 죄인을 문초(問招)할 때에 매를 때리는 일을 맡아 보는 사람.

〈금부¹〉

금:부 나:취【禁府拿就】명〖역〗죄인을 의금부(義禁府)에 넣어 가둠. ——-하다 타여불

금:부 도사【禁府都事】명〖역〗의금부(義禁府)에서 일을 보던 도사(都事).

금-부어【金鮒魚】명〖어〗금붕어.

금:부-옥【禁府獄】명〖역〗조선 시대의 감옥. 의금부(義禁府)에 소속되어 관인(官人) 범죄자와 양반 계급의 범죄자를 수감하던 곳. 왕옥(王獄). 조옥(詔獄).

금부족-설【金不足說】명〖경〗1919년 세계 경제 공황의 원인에 대하여 카셀(Cassel)이 주장한 설. 즉 금의 부족으로 인한 금본위제 여러 국가의 통화 부족에 의하여 물가가 하락하고 이에 따라 산업이 파탄을 일으키며, 또한 사업 투자를 행하고 있는 은행이 파탄과 공황을 초래하게 된다는 설.

금-부처【金—】명〖불교〗황금으로 만든 부처. 또, 겉에 금빛 칠을 한 부처. 금불(金佛). 황금불(黃金佛).

금:부 취:리【禁府就理】명〖역〗죄를 범한 관원을 의금부(義禁府)의 심문(審問)에 부치던 일. ——-하다 자여불

금부-화【金芙花】명〖식〗금영화(金英花).

금-북【金—】명〖불교〗불가(佛家)에서 쓰는 악기(樂器)의 하나.

금:북 정:맥【錦北正脈】명〖지〗우리 나라 13 정맥(正脈)의 하나. 경기도 안성군(安城郡) 칠장산(七長山)에서 시작하여 금강(錦江)의 서북쪽을 지나며, 백월산(白月山)·성국산(聖國山)을 거쳐 태안(泰安) 반도의 안흥진(安興鎭)에서 끝남. 안성천(安城川)·삽교천(揷橋川)의 분수령(分水嶺)을 이루며, 남부 지방과 중부 지방의 경계가 됨. ＊한남(漢南) 금북 정맥.

금분[1]【金分】명〖광〗광석 속에 포함된 금의 분량.

금분[2]【金盆】명 ①금으로 만든 분(盆). ②'달¹❶'의 별칭(別稱).

금분[3]【金粉】명 ①금가루. ②금 빛깔이 나는 가루. ¶～을 입히다.

금분-로【金盆露】[—불—] 명 술의 한 가지.

금불【金佛】명〖불교〗금부처.

금-불여고【今不如古】명 지금이 옛날보다 못함. ——-하다 형여불

금불-초【金佛草】명〖식〗[*Inula britannica* var. *japonica*] 국화과에 속하는 다년초. 줄기 높이 30-60cm 가량이고, 잎은 호생하며 무병(無柄)에 긴 타원형 또는 피침상(披針狀) 타원형임. 7-9월에 직경 약 3cm의 황색 두화(頭花)가 총상(總狀) 화서로 핌. 들이나 밭에 나는데, 한국 각지 및 일본·중국에 분포함. 꽃은 약용하고 어린 잎은 식용함. 관상용임. 하국(夏菊). 하국꽃. 선복화(旋覆花).

〈금불초〉

금불태화 정책【金不胎化政策】명〖경〗통화(通貨) 정책의 하나. 거액의 금의 급격한 유입(流入)으로 통화가 급격히 증가하는 경우에, 금 그 자체의 유입을 방지하지 않고 다만 금의 유입과 통화 증발(增發)과의 기계적인 관계를 단절하여, 금의 유입에 의해서 직접적으로 통화가 격증하는 것을 저지(沮止) 또는 완화하기 위하여 취하는 정책.

금-붓꽃【金—】명〖식〗[*Iris savatieri*] 붓꽃과에 속하는 다년초. 근경(根莖)은 옆으로 뻗는데 수근(鬚根)이 많고, 줄기는 총생(叢生)하여 높이 10cm 가량임. 잎은 3-5개씩 근생(根生)하는데, 검상(劍狀)이며, 줄기를 싸고 있음. 4-5월에 줄기 끝에 하나씩 황색 꽃이 착생(着生)하는데, 내화개편(內花蓋片)은 도피침형(倒披針形)이고 삭과(蒴果)는 다소 구형(球形)임. 산지에 나는데, 서울 교외의 광릉(光陵)에 분포함.

〈금붓꽃〉

금-붕어【金—】명〖어〗잉어과(科)에 속하는 물고기. 붕어의 변종(變種)으로 원산지(原產地)는 중국(中國)임. 지느러미·눈·몸빛 등에 현저한 변화가 있고 대체로 아름다우며, 관상용으로 사육하는데, 화금(和金)붕어·난금(蘭金)붕어·유금(琉金)붕어·툭눈금붕어·딱부리금붕어·지금(地金)붕어·꼬리쇠붕어·쇠붕어 등의 품종(品種)이 있음. 금어(金魚). 금부어(金鮒魚).

금붕어-꽃【金—】명〖식〗금어초(金魚草).

금-붙이【金—】[—부치] 명 금으로 만든 온갖 물건.

금 블록【金—】[bloc] 명〖경〗금본위 블록(金本位 bloc).

금비[1]【金肥】명 [금전을 지불하고 사들이는 비료의 뜻] 화학(化學) 비료 및 시장 판매의 유기질 비료의 총칭.

금:비[2]【禁祕】명 ①금하여 비밀로 함. ②금중(禁中)의 비밀. ——-하다 타여불

금-비녀【金—】명 금으로 만든 비녀. 금잠(金簪). 금채(金釵).

금비라【金毘羅·金比羅】명〖불교〗[범 Kumbhīra: 악어(鰐魚)의 뜻] 천축(天竺)의 영취산(靈鷲山)에 있다는 귀신. 무장(武裝)을 하고 분노(忿怒)의 상이나 가진 것은 일정하지 않음. 약사(藥師)의 12 신장(神將)의 하나.

〈금비라〉

금비-초【金沸草】명〖식〗하국(夏菊).

금-빛【金—】[—삗] 명 황금과 같이 누르면서 광택이 있는 빛. 금색(金色). 금광(金光).

금빛-돌비늘【金—】[—삗—] 명〖광〗금빛을 띠고 있는 돌비늘의 한 가지. 금운모(金雲母).

금빛-먼지벌레【金—】[—삗—] 명〖충〗[*Pterostichus encopoleus*] 딱정벌렛과에 속하는 곤충. 몸은 길이 11mm 내외로 긴 타원형이며, 몸빛은 흑색에 녹자색 또는 적동색의 광택이 남. 촉각 기부의 3-4절은 적갈색이고 그 외는 흑갈색이며, 시초(翅鞘)의 점각 종구(點刻縱溝)는 뚜렷함. 한국·일본·시베리아에 본포함.

금빛-어리표범나비【金—豹—】[—삗—] 명〖충〗[*Euphydryas aurinia mandschurica*] 네발나빗과에 속하는 곤충. 편 날개의 길이는 20-30mm 내외이고, 몸빛은 암수 모두 갈색을 띤 동황색임. 뒷날개 표면의 외연(外緣) 가까이에 흑색 점이 나란히 있음. 한국·만주·아무르·중국에 분포함.

금빛-제비【金—】[—삗—] 명〖조〗금사연(金絲燕).

금사[1] 명〈방〉금¹(강원·전남·경북).

금사[2]【金史】명〖책〗중국 25사(史) 중의 하나로 금(金)나라의 사서. 본기(本紀) 19권, 지(志) 39권, 표(表) 4권, 열전(列傳) 74권으로 됨. 원(元)나라의 탁극탁(托克托)이 봉칙(奉勅)하여 편찬하였음.

금사[3]【金砂】명 ①금 가루. ②금빛의 모래. ③장식품에 쓰이는 금박(金箔)의 가루.

금사[4]【金莎】명〖식〗금잔디.

금사[5]【金絲】명 금실❷.

금사[6]【琴師】명〖역〗신라 시대에, 가야금을 가르치기 위하여 두었던 관원.

금사-강【金沙江】명〖지〗진사 강.

금사-도【金絲桃】명〖식〗물레나물.

금사-망【金絲網】명 금빛 나는 실로 얽어서 만든 그물.

【금사망을 썼다】무엇에 얽혀서 벗어날 수가 없음을 가리키는 말.

금사-매【金絲梅】명〖식〗[*Hypericum patulum*] 물레나물과에 속하는 반낙엽성의 작은 관목. 높이는 1m 가량, 잎은 대생하고 좁은 달걀꼴이며 잎자루가 없음. 7월경에 황색 오판화(五瓣花)가 가지 끝에 집산상(集繖狀)으로 피며, 과실은 달걀꼴인데 다섯 갈래로 째짐. 중국 원산(原產)이며 관상용으로 각지에서 널리 재배하는데, 간혹 산지에서도 볼 수 있음.

〈금사매〉

금사-연【金絲燕】명〖조〗[*Collocalia fuciphaga*] 제빗과에 속하는 제비의 한 종류. 몸은 여느 제비보다 작고 꽁지와 배 사이는 희며, 등은 금(金)실 빛의 광택이 나는 갈색(褐色)임. 물고기·해조(海藻) 같은 것을 물어다가 침을 발라서 바위 틈에 보금자리를 만들고 삶. 그 보금자리를 연와(燕窩)라 하여 중국 요리의 상등(上等) 국거리가 됨. 인도·인도차이나 반도·말레이 제도(諸島)·중국 등지에 널리 분포하며, 3-6월경 번식함. 금빛제비.

금사 오죽【金絲烏竹】명〖식〗반죽(斑竹)의 하나. 줄기가 가늘고 마디가 툭 불거졌으며 작은 점이 박히었음.

금사-작【金絲雀】명〖조〗카나리아(canaria).

금사-조【金絲鳥】명〖조〗카나리아(canaria).

금사-향【金絲香】명 향낭(香囊)의 한 가지. 은(銀)으로 두드러지게 섭새김을 하고 직사각형의 집을 만든 후에, 겉에 도금(鍍金)을 하고 그 속에 한중향(漢中香)을 넣어서 몸에 차게 되어 있음.

금:사-화[1]【禁蛇花】명〖식〗뱀이 무서워하여 멀리한다고 하는 식물.

금:사-화[2]【錦賜花】명〖역〗문과(文科)에 급제한 사람에게 왕이 내리던 비단으로 만든 꽃.

금산[1]【金山】명〖사람〗거란 유민(契丹遺民)의 추장(酋長). 대요수국(大遼收國)을 세운 야사불(耶斯不)의 아들로 추측됨. 몽골군의 습격을 받자, 걸노(乞奴) 등과 함께 고려 고종 3년(1216)에 압록강을 건너 개경(開京)까지 침공했으나,고려 장군 김취려(金就礪)에게 패하여 퇴각,걸노가 죽자 왕(王)이라 칭하다가, 동료 추장인 통고여(統古與)에게 살해당함.

금산[2]【金山】명〖광〗금을 캐내는 광산. 금광(金鑛).

금산[3]【金酸】명 [auric acid]〖화〗수산화금(水酸化金) (Ⅲ) $Au(OH)_3$의 속칭.

금:산[4]【禁山】명 함부로 나무를 베지 못하도록 국금(國禁)하는 산.

금:산[5]【錦山】명〖지〗충청 남도 금산군(錦山郡)의 군청 소재지인 읍(邑). 금산 인삼의 집산지이며, 인근에 칠백 의총(七百義塚)과 위성 통신 지구국이 있음. [21.52 km^2: 31,434 명(1990)]

금산 가리촌【金山加利村】명〖역〗신라 초엽의 육촌(六村)의 하나. 유리왕(儒理王) 9년(32)에 한기부(漢祇部)로 개칭하여, 배씨(裵氏) 성(姓)

을 사성(賜姓)하였다고 함. 지금의 경주 북천(北川) 북쪽의 백률사(柏栗寺) 부근인 것으로 추측됨. ＊육부(六部).

금:산-군【錦山郡】[명]〖지〗충청 남도의 한 군. 1읍 9면. 북은 대전 광역시 대덕구와 충북 옥천군(沃川郡), 동은 옥천군과 영동군(永同郡), 남은 전북 무주군(茂朱郡)과 진안군(鎭安郡), 서는 전북 완주군(完州郡) 및 충남 논산시(論山市)와 접해 있음. 특산물은 인삼으로, '금삼(錦蔘)'이라 하여 약재로는 가장 좋다고 함. 명소로는 보석사(寶石寺)·미륵사(彌勒寺)·태고사(太古寺)·칠백 의총(七百義塚)·이치 대첩지(梨峙大捷址)·눈벌 전적지(戰跡址)·위성 통신 지구국 등이 있음. 군청 소재지는 금산읍(錦山邑). 1963년 1월 1일 전라 북도에서 충청 남도로 편입됨. [575.26 km² : 70,831명(1996)]

금산-사【金山寺】[명]〖불교〗①전라 북도 김제시(金堤市) 금산면(金山面) 금산리(金山里)에 있는, 25교구 본사(敎區本寺)의 하나. 백제 법왕(法王) 원년(599)에 창건함. 후백제(後百濟)의 견훤(甄萱)이 아들 신검(神劍)에 의하여 유폐(幽閉)되었던 곳. 현재의 건물은 임진 왜란 후인 인조(仁祖) 4년(1626)에 재건된 것으로 3층의 미륵전(彌勒殿)은 특히 웅대하고 경내에는 예술적으로 우수한 13층탑·사리탑(舍利塔) 등이 있음. ②중국 장쑤 성(江蘇省) 전장(鎭江)의 진산 산에 있는 명찰(名刹). 동진(東晉) 시대에 건립되었음. 남조(南朝)의 양(梁)나라 이후 조정의 숭상이 두터웠고, 당송(唐宋) 이래 문인·묵객 등의 유람객이 많았음.

금산사 몽:유록【金山寺夢遊錄】[명]〖책〗조선 시대 후기의 작자 및 연대 미상의 한글체 역사 소설. 청(淸)나라 강희(康熙) 말년에 능주(凌州)의 성허(成虛)가 꿈속에서 '금산사(金山寺)'라 써 붙인 현판이 있는 선계(仙界)에 올라가, 한 고조(漢高祖)·당 태종(唐太宗)·송 태조(宋太祖)의 창업연(創業宴)을 보고, 이를 가탁하여 중국 역대 군신의 정치의 잘잘못을 담론하는 내용으로 되어 있음.

금산사 미륵전【金山寺彌勒殿】[명] 전라 북도 김제시(金堤市) 금산면(金山面) 금산사(金山寺)에 있는 미륵전. 조선 인조 13년(1635)에 건조됨. 3층의 대불전(大佛殿)으로, 외관은 삼층전(三層殿)으로 되어 있으나 내부는 맨 위층에까지 통하여 단층으로 되어 있는 팔작(八作) 지붕의 건물임. 불단 위에 금동의 미륵 삼존 입상(彌勒三尊立像)과 거대한 장륙(丈六)의 불상을 안치하였음. 국보 제62호.

금:산 싸움【錦山一】[명]〖역〗조선 선조(宣祖) 25년(1592) 8월, 옥천(沃川)의 의병장 조헌(趙憲)이 거느린 의병(義兵)과 왜군(倭軍)과의 싸움. 임진란이 교착 상태에 들어가 강화(講和)를 교섭하던 중, 왜병의 일부가 금산에 주둔하여 크게 세력을 떨치었을 때, 조헌은 승장(僧將) 영규(靈圭)와 함께 700여 명의 의병을 거느리고 금산성(錦山城) 밖 10리 되는 곳까지 진격하였으나, 왜병의 반격으로 전원이 전사하였음. 이 때 전사한 700여 의사의 무덤을 '금산 칠백 의총(錦山七百義塚)'이라 하며 순의비(殉義碑)와 종용사(從容祠)를 세워 일대를 성역화(聖域化)함.

금:산 위성 통신 지구국【錦山衛星通信地球局】[명] 위성 통신과 텔레비전 방송의 위성 중계를 위해 충청 남도 금산(錦山)에 설치된 지구국(地球局).

금산 철벽【金山鐵壁】[명] 어떤 물건이 매우 견고함을 이르는 말.

금:살 도감【禁殺都監】[명]〖역〗고려 공민왕(恭愍王) 11년(1362)에 설치한, 소나 말을 잡지 못하도록 감독하던 관아.

금:삼¹【錦蔘】[명] 충청 남도 금산군(錦山郡)에서 나는 인삼. 이 삼의 특징은 곡삼(曲蔘)이며, 품질이 좋음.

금:삼²【錦衫】[명] 비단 적삼.

금상¹【今上】[명] 현재 왕위에 앉아 있는 임금. 현왕(現王).

금상²【金賞】[명] 상의 등급을 금·은·동으로 이름지었을 때의 1등상. ＊은상(銀賞)·동상(銅賞).

금상³【金像】[명]〖불교〗금으로 만들었거나 또는 겉에만 금빛 칠을 한 사람의 형상.

금상-산【金傷散】[명]〖한의〗금창산(金瘡散).

금:상 첨화【錦上添花】[명]〔여창잉첨 금상화(麗唱仍添錦上花)라는 왕안석(王安石)의 글에서 온 말〕좋은 일에 또 좋은 일이 더함. ＊설상 가상(雪上加霜).

금상 폐:하【今上陛下】[명] 현재 집정하고 있는 황제의 존칭.

금상-학【金相學】[명] 금속 및 합금(合金)의 결정 조직(結晶組織) 및 구조와 금속의 조성(組成)·가공 상태·물성(物性) 따위와의 관련을 추구하는 학문. 광학(光學) 현미경·전자(電子) 현미경으로는 조직을, 엑스선·전자선(電子線)·중성자선 회절(中性子線回折)로는 구조를 추구함. 상변화(相變化)·상평형(相平衡)·응고(凝固)·격자(格子) 결함·전위(轉位) 따위를 연구하는데, 물리 야금학(物理冶金學)의 기초를 형성함. 금속 조직학. ＊금속 물리학.

금상 황제【今上皇帝】[명] 현재 집정(執政)하고 있는 황제.

금새¹ [명] 물건 값. 물건 값의 비싸고 싼 정도. ¶ ~를 알아보다.

금새² [부] '금세'의 잘못.

금색¹【金色】[명] 황금같이 누런 빛깔. 금빛.

금:색²【禁色】[명] ①옛날에 임금이 신하의 옷 빛깔에 대하여 제한하던 일. 황단(黃丹)·지자(支子)·빨강·파랑·자주·짙은 붉은 빛·짙은 소방(蘇芳) 빛 등의 일곱 가지를 제한하였음. ②색사(色事)를 금함. ――-하다 [자][여불]

금색 세:계【金色世界】[명]〖불교〗극락 세계❶.

금색-신【金色身】[명]〖불교〗겉에 금빛 칠을 하여 만든 부처의 몸. 금몸. [준]금신(金身).

금생¹【今生】[명]〖불교〗살아 있는 이 세상. 이승. ¶ ~에 못 다한 인연. ↔내생(來生)·전생(前生).

금생²【琴笙】[명] 거문고와 생황(笙簧).

금생³【擒生】[명] 산 채로 잡음. 생포함. 생금(生擒). ――-하다 [타][여불]

금-생수【金生水】[명]〖민〗오행설(五行說)에 나오는 상생(相生)의 하나. 금에서 수가 생함을 이름.

금서¹【琴書】[명] ①거문고와 서적. ②거문고타기와 책읽기.

금:서²【禁書】[명] 판청에서 출판·판매를 금지한 책. 금지본(禁止本).

금:서 목록【禁書目錄】[一녹] [명]〖천주교〗신도(信徒)의 신앙·도덕의 순화(純化) 향상을 방해하는 것으로서, 교회 당국이 정한 금독 도서(禁讀圖書)의 목록. 1559년에 최초로 발표됨.

금:서-성【禁書省】[명]〖역〗태봉(泰封)의 관아의 하나. 경적(經籍)과 축문(祝文)을 맡아 봄. 고려의 비서성(祕書省)과 같음.

금석¹【今夕】[명] 오늘 저녁. 금만(今晩).

금석²【今昔】[명] 지금과 옛적. 금고(今古).

금석³【金石】[명] ①금속(金屬)과 암석(岩石). 쇠붙이와 돌. 금속·광물과 비(非)금속 광물을 총칭한 옛 말. ②대단히 굳고 단단한 것. ③↗금석 문자(金石文字). ④〖광〗금이 박혀 있는 돌. 금돌.

금석(과) 같다 [구] 언약이나 교분이 깊고도 굳어서 변함이 없다.

금석⁴【琴石】[명]〖사람〗홍영식(洪英植)의 호(號).

금석 과:안록【金石過眼錄】[一녹] [명]〖책〗조선 말기에 김정희(金正喜)가 쓴 금석문(金石文)에 관한 저서. 신라 진흥왕(眞興王)의 북한산 순수비(北漢山巡狩碑)와 황초령(黃草嶺) 순수비를 판독·해설·고증한 것으로, 철종 3년(1852)에 완성함.

금석-구【金石軀】[명] 튼튼한 몸. 건강한 신체.

금석 뇌약【金石牢約】[명] 금석지약(金石之約).

금석-록【金石錄】[一녹] [명]〖책〗고려와 조선 시대에 걸친 금석문(金石文)의 탁본(拓本)을 수집한 책. 김재로(金在魯)가 엮음. 본래는 원편 226책, 속편 20책으로 모두 246책의 큰 책이었으나 모두 없어지고 현재는 39책 164종의 탁본만 있음.

금석 맹약【金石盟約】[명] 금속처럼 굳은 약속.

금석-문【金石文】[명] ↗금석 문자.

금석 문자【金石文字】[一짜] [명] 쇠로 만든 종(鐘)이나 돌로 만든 비(碑)나 그릇 같은 것에 새겨진 글자. 고대(古代)의 문화를 연구하는 데 큰 자료가 됨. [준]금석·금석문. ＊종정문(鐘鼎文).

금석 병:용기【金石併用期】[명]〖역〗신석기(新石器) 시대와 청동기(靑銅器) 시대와의 중간기. 곧, 석기와 금속기를 함께 사용하던 시기.

금석사죽 포토혁목【金石絲竹匏土革木】[명] 여덟 가지 악기. 금은 종(鐘), 석은 경(磬), 사는 현(絃), 죽은 관(管), 포는 생(笙), 토는 훈(壎), 혁은 고(鼓), 목은 축어(柷敔).

금석 상약【金石相約】[명] 쇠붙이나 돌처럼 굳고 변함없는 언약. 금석지약(金石之約).

금석-운【金石韻】[명] 종(鐘)이나 석경(石磬) 따위를 사용하는 음악의 울림. 또, 아름다운 음향.

금석-제【金石劑】[명]〖한의〗↗금석지제(金石之劑).

금석-지【金石誌】[명] 금석문(金石文)에 관하여 기재(記載)한 책.

금석지-감【今昔之感】[명] 지금과 옛적을 비교하여 생각할 때 그 차이가 심함을 보고 느끼는 정. ¶ ~을 금(禁)할 길이 없다.

금석지-계【金石之契】[명] 금석지교(金石之交).

금석지-교【金石之交】[명] 쇠나 돌처럼 굳고 변함없는 교분. 금석지계.

금석지-약【金石之約】[명] 쇠나 돌처럼 굳고 변함없는 언약. 금석 상약(金石相約). 금석 뇌약(金石牢約).

금석지-언【金石之言】[명] 교훈이 되는 귀중한 말. 격언(格言). 금언(金言).

금석지-재【金石之材】[명]〖한의〗쇠나 돌 따위로 된 약재(藥材).

금석지-전【金石之典】[명] 쇠나 돌처럼 변함없는 가치를 지닌 법전(法典).

금석지-제【金石之劑】[명]〖한의〗쇠나 돌 같은 광물질로 조제한 약제(藥劑). [준]금석제.

금석-파【金石派】[명] 중국 청대(淸代)에 금석문(金石文)의 고증(考證)을 주(主)로 한 고증학파(考證學派).

금석-학【金石學】[명] ①〔epigraphy〕금석 문자를 연구하는 학문. ②〖광〗현대의 광물학(鑛物學)에 해당하는 옛날 학문. 광물학(鑛物學).

금선¹【金仙】[명] 금빛 나는 신선의 뜻으로, '불타'의 별칭.

금선²【金線】[명] 금빛이 나는 줄. ＊금줄¹.

금선³【金扇】[명] 금박을 입힌 부채.

금선⁴【琴線】[명] ①거문고의 줄. ②마음속 깊이 간직한 다감(多感)한 감정. 감동하고 공명(共鳴)하는 마음.

금:선⁵【錦扇】[명] 비단으로 된 부채.

금선-남오리【金線藍一】[명]〖역〗가를 금선으로 한 남빛의 가는 대자(帶子).

금선-와【金線蛙】[명]〖동〗금개구리.

금선-초【金線草】[명]〖식〗'이삭여뀌'의 한자 이름.

금설【金屑】[명] 금의 가루. 금가루.

금-섭옥【金鑷玉】[명] 금으로 만들거나 겉에 금칠을 하여 섭옥잠(鑷玉簪)처럼 만든 비녀.

금성¹【金姓】[명]〖민〗오행(五行)의 금(金)에 해당하는 성(姓).

금성²【金星】[명] ①〔Venus〕〖천〗지구의 바로 안쪽에서 태양의 주위를 도는 아홉 개의 행성(行星)중의 하나. 행성 중에서 가장 찬란하게 빛나는 별로, 초저녁의 하늘에 비치면 개밥바라기·장경성(長庚星)·태백성(太白星)·혼중성(昏中星)이라 하며, 새벽 하늘에 보이면 샛별·계명성(啓明星)·명성(明星)이라 함. 지구의 크기와 거의 같은 별로 태양과의 거리는 108,160,000 km이고, 반지름은 6,096 km이며 225일만에 태양을 한 바퀴 돎. 자전 속도는 매우 느리고 질량은 지구의 0.815배, 표면 중력(重力)은 0.91배, 표면은 두꺼운 구름으로 덮이어 있어 빛의 반사율은 지구의 0.85배이며, 위성(衛星)은 없음. ②금빛 나는, 또는 금으로 만든 별 모양의 기장(記章). ¶ 태극 ~ 무공 훈장.

금성³【金城】[명] 쇠와 같이 아주 굳고 단단한 성. ¶ ~ 탕지(湯池).

금성⁴【金聲】[명] ①쇳소리. ②〖민〗관상서(觀相書)에서, 사람의 음성을 오행(五行)으로 나누어 그 중 금에 해당하는 소리.
금:성[5]【禁城】 명 왕이 거처하는 성. 궁성(宮城).
금:성[6]【禁省】 명 궁궐. 또, 그 안에 있는 관아(官衙).
금:성[7]【錦城】 명 〖지〗 ①대구 광역시 달성군(達城郡)의 옛 이름. ②신라 시대의 나주군(羅州郡)의 옛 이름.
금성 경과【金星經過】 명 〖천〗 금성이 태양과 지구 사이에 와서 태양면을 가로지르는 현상. 태양과 금성과 지구가 일직선에 있기 때문에 이처럼 보임. 243년에 네 번 일어나는 현상으로서 태양의 거리를 측정하는 좋은 기회임. *일면 통과(日面通過).
금:성-님【錦城一】 명 〖민〗 금성 대왕(大王).
금:성 대:군【錦城大君】 명 〖사람〗 조선 시대 세종(世宗)의 여섯째 아들. 휘(諱)는 유(瑜). 세조(世祖)의 아우. 사육신(死六臣)의 단종(端宗) 복위 운동에 연루되어 순흥(順興)에 유배되었다가 사사(賜死)되었음. [1426-57]
금:성 대:왕【錦城大王】 명 〖민〗 무당이 받드는 신(神)의 하나. 금성(錦城)님.
금성 옥진【金聲玉振】 명 ①시가(詩歌)나 음악의 아름다운 가락. ②언론이나 사상의 앞뒤 연락이 잘되어 세상에 널리 알리어 존중하는 바가 됨. ③지덕(智德)이 훌륭해진 것을 비유하는 말. 본디, 공자(孔子)를 찬미하던 말. ④사물을 집대성(集大成)함.
금성 천리【金城千里】 [一철一] 명 성이 튼튼하고 넓이가 천리라는 뜻으로, 중국의 진시황(秦始皇)이 그 나라의 견고함을 자랑한 말.
금성 철벽【金城鐵壁】 명 ①방비가 아주 견고한 성. 금성 탕지. ②아주 견고한 사물의 비유.
금성-초【金星草】 명 〖식〗 산 속 바위에 붙어 사는 풀. 금빛의 점이 있음. 칠성초(七星草).
금성 탐측기【金星探測機】 명 금성 및 그 주변의 우주 공간을 관측(觀測)·탐사(探査)하기 위해 발사되는 탐측기. 소련이 1961년 2월 최초로 발사를 시도하여, 금성 2호, 3호(명중(命中) 1966.3.1)에 이어 4호(착륙 1967.10.18), 5호(착륙 1969.5.16), 6호(착륙 1969.5.17)로 잇따라 성공함. 미국에서는 1962년 12월 14일 매리너(Mariner) 2호가 금성에서 34,800 km 지점을 통과하며 관측 자료를 지구로 송신(送信)하였고, 1967년 10년 19일, 5호가 금성에서 3,900 km 지점을 통과, 원격관측(遠隔觀測)에 성공함. 그 후 1989년 5월 NASA가 금성의 화산 지형을 정밀 탐측하기 위해 탐측기 마젤란(Magellan)을 발사하였고, 이 탐측기는 1990년 8월 근점(近點) 250 km에서 원점(遠點) 8,000 km까지의 금성 궤도에 돌입하여 귀중한 자료를 얻음.
금성 탕:지【金城湯池】 명 방비가 아주 견고한 성. 금성 철벽.
금세[1] 명 〈방〉 금[1](전북).
금세[2]【今世】 명 ①〖불교〗 이승. ②지금의 세상.
금세[3]【今歲】 명 올해. 금년(今年).
금세[4] 부 '금시(今時)에'의 줄어 변한 말. ¶ ~ 나갔는데요.
금-세계【今世界】 명 지금의 세계. 금세상(今世上).
금-세공【金細工】 명 금을 재료로 하는 세공.
금-세기【今世紀】 명 지금의 세기. 이 세기. ¶ ~의 위대한 시인.
금-세대【今世代】 명 오늘날의 세대. 이 세대. ¶ ~가 요구하는 정치가.
금-세상【今世上】 명 지금의 세상. 금세계(今世界).
금소【今宵】 명 오늘 밤. 금야(今夜).
금속【金屬】 명 〔metal〕〖물·화〗 일반적으로 상온(常溫)·상압(常壓)에서 불투명(不透明)한 고체로서, 금속 광택과 전성(展性)·연성(延性)을 가지며 이온화하여 양(陽)이온이 되기 쉽고, 열(熱) 및 전기의 양도체(良導體)가 되는 등의 금속 성질을 갖는 물질을 총칭함. 다만, 금속 중에서도 수은(水銀)만은 상온·상압에서 액체이며, 붕소(硼素)·안티몬 등은 금속과 비금속(非金屬)의 중간적 성질을 가진 단체(單體)로 존재함. 비중(比重) 4.0보다 무거운 것을 중금속(重金屬), 가벼운 것을 경(輕)금속이라 하며, 또 수소(水素)를 기준으로 하여 이온화 경향이 작은 것을 귀금속(貴金屬), 큰 것을 비금속(卑金屬)이라 함. 쇠붙이. ↔비금속(非金屬). *금속 원소(金屬元素).
금속 가공【金屬加工】 명 〖공〗 금속을 녹여 거푸집에 넣은 것을 압연(壓延)·단조(鍛造)·주조(鑄造) 따위 가공법에 의하여 제품을 만들어 내는 일.
금속간 화합물【金屬間化合物】 명 〔intermetallic compound〕〖화〗 두 가지 또는 그 이상의 금속 원소가 간단한 정수비(整數比)로 결합하여 성분 원소(成分元素)와 다른 새로운 성질을 갖는 화합물. 열 및 전기의 전도율(傳導率)은 성분 금속보다 나쁘며 질이 단단하고 금속으로서의 성질이 적어짐.
금속 결합【金屬結合】 명 〔metallic bond〕〖화〗 금속내에서의 원자간의 결합. 금속내에서는 하나의 원자(原子)의 가전자(價電子)는 결합을 통해서 전원자(全原子)에 의해 공유(共有)되어 있기 때문에, 전원자 사이를 자유로이 돌아다닐 수 있어, 전기·열의 전도성(傳導性)·색·광택·전연성(展延性) 등의 금속의 특성(特性)이 생김. *이온 결합(結合).
금속 공업【金屬工業】 명 야금(冶金)을 중심으로 하는 철강(鐵鋼) 및 비철(非鐵) 금속 재료의 생산 공업. 넓은 뜻으로는 금속 원재료를 원료로 하는 모든 제조업까지 포함됨.
금속 공예【金屬工藝】 명 ①금속을 가공하는 공예. ②공예품을 만들기 위한 금속 가공 기술. 이에는 주금(鑄金)·단금(鍛金)·프레스(press) 등의 기술이 이용됨.
금속 공학【金屬工學】 명 〔metallurgical engineering〕〖공〗 금속의 제련·정제·가공에 관한 이론과 기술을 연구하는 학문.
금속 공학과【金屬工學科】 명 〖교〗 대학에서, 금속 공학을 전공하는 학과.
금속-관【金屬管】 명 금속으로 만든 관(管).
금속 관:악기【金屬管樂器】 명 〖악〗 금관 악기(金管樂器).
금속 광:물【金屬鑛物】 명 ①금속 원소(元素)가 주성분인 광물. 금·은·동·철 등. ②금속을 함유하고 있는 광물. 금광(金鑛)·철광(鐵鑛) 등.
금속 광:상【金屬鑛床】 명 유용(有用)한 금속 광석을 산출하는 광상.
금속 광:석【金屬鑛石】 명 유용(有用)한 금속 원소를, 추출(抽出)의 채산한계(採算限界) 이상의 고품위(高品位)로 함유하고 있는 광석. 특히 유용한 금속 광물이 다량 포함된 것을 말함.
금속 광:업【金屬鑛業】 명 금속 광물을 채취(採取)의 주요 대상으로 하는 광업. *석유 광업·석탄 광업.
금속 광택【金屬光澤】 명 금속류의 특유한 광택. 잘 닦은 금속에서 흔히 볼 수 있으며, 황동광(黃銅鑛)·황철광(黃鐵鑛) 등에서도 이런 광택을 볼 수 있음.
금속-기【金屬器】 명 ①금속, 곧 알루미늄·놋쇠 등으로 만든 그릇. ②〖고고학〗 금제품·은제품·동제품, 구리와 주석의 합금(合金)인 청동품(青銅品), 단조(鍛造) 주조(鑄造)를 거친 철제품 등의 총칭.
금속기 시대【金屬器時代】 명 〖역〗 신석기 시대 뒤에 나타난 인류의 문화적 발전 단계. 양자의 중간에 금석 병용 시대를 두는 경우도 있음. 청동기 시대·철기 시대의 총칭.
금속 기압계【金屬氣壓計】 명 얇은 금속판이 압력에 의해 휘어지는 것을 이용한 기압계. 수은, 그 밖의 액체를 이용한 기압계에 대하여 일컫는 말. 금속 청우계(晴雨計).
금속 단백질【金屬蛋白質】 명 〔metalloprotein〕〖화〗 분자의 고유 부분으로서, 금속 원자를 함유하고 있는 단백질 효소.
금속-무【金屬霧】 명 용융염(熔融鹽) 중에 금속이 용해(鎔解) 분산(分散)한 것.
금속 물리학【金屬物理學】 명 금속의 특성에 관한 물성론적(物性論的) 고찰을 비롯하여, 금속·합금의 구조, 결정(結晶)에 관한 검토, 금속·합금의 물리적·화학적·기계적 여러 성질의 유래의 해명 등 물리적 성질을 연구하는 물리 야금학(冶金學)의 기초 부문. *금상학(金相學).
금속-박【金屬箔】 명 〔metal leaf〕 전연성(展延性)이 풍부한 금속을 얇은 종이처럼 두들기거나 눌러 편 물건.
금속박 검:전기【金屬箔檢電器】 명 〔metal leaf electroscope〕〖물〗 검전기의 하나. 유리병 속에 금속 막대기를 꽂고 그 끝에 두 장의 금속박을 늘어뜨리어 위에는 금속판을 붙였음. 대전체(帶電體)를 금속 막대기 위에 가까이 가져가면 금속박은 유도(誘導)되어 동류(同類) 전기로 반발하여 열림. 이 열리는 정도에 따라 물체의 대전(帶電) 상태를 알 수 있음. 금박(金箔) 검전기. 박검전기.

〈금속박 검전기〉

금속 발열체【金屬發熱體】 명 〖공〗 전기로(電氣爐)의 간접식 저항로(抵抗爐)의 발열체에 쓰는 금속. 니크롬선(nichrome線)·칸탈선(kanthal線)·철선(鐵線)·니켈선(nickel線) 따위 전열선(電熱線)이 쓰임.
금속 변:조기【金屬變調器】 명 금속 정류기(整流器)를 사용한 변조기의 총칭.
금속 보:온병【金屬保溫瓶】 명 〖물〗 보온병의 한 가지. 금속으로 만들어져, 내부(內部) 밑바닥에 쑥 들어간 부분이 있어 그 바깥쪽 진공면(眞空面)에 기체를 잘 흡착(吸着)하는 활성탄(活性炭)이 들어 있는데 철망으로 눌리어 있고, 저온(低溫)에서 진공 부분에 남아 있는 기체를 흡착하여 진공도(眞空度), 곧 보온병의 성능을 높이게 되어 있음. 따라서 뜨거운 물의 보온(保溫)에는 적합하지 아니하여 찬물의 보랭(保冷)에만 사용됨.

〈금속 보온병〉

금속 본위제【金屬本位制】 명 한 나라의 화폐 제도의 중심을 이루는 본위 화폐의 가치를, 금 또는 은과 같은 금속의 일정량(一定量)과 결부시키는 제도. 금본위제(金本位制)는 그 대표적인 것이며, 이 본위 금속에 의해 주조(鑄造)되는 화폐를 금속 본위 화폐라고 이름. 금속 본위 화폐가 주조되지 않거나 또는 주조되더라도 유통하고 있지 않을 경우도 있음.
금속-분【金屬粉】 명 금속을 갈아서 만든 가루. 흔히 도료(塗料)와 인쇄 잉크의 제조에 쓰임.
금속 비누【金屬一】 명 고급 지방산(脂肪酸)·수지산(樹脂酸)·나프텐산(酸) 등 알칼리 금속 이외의 금속염의 총칭. 물에 잘 녹지 않으며, 결정성(結晶性)임. 세척력이 없으며, 건조제·겔화제(Gel化劑)·안료(顔料)·방수제(防水劑)·살충제 등으로 쓰임.
금속 사:무관【金屬事務官】 명 공업직(工業職) 국가 공무원 직급 명칭의 하나. 금속 직렬(職列)에 속하며, 금속 주사(主事)의 위, 공업 서기관의 아래로 5급 공무원임.
금속상 수소화물【金屬狀水素化物】 명 〔metal-like hydride〕〖화〗 수소화물의 하나. 전이 원소(轉移元素)가 수소와 만드는 화합물. 수소 원자가 금속 격자(格子)의 틈에 침입한 구조로 되어 있어, 침입형(侵入型) 수소화물이라고 함. 불휘발성(不揮發性)으로 본래의 금속과 같은 성질을 지님. *수소화물.
금속 서기【金屬書記】 명 공업직(工業職) 국가 공무원 직급 명칭의 하나. 금속 직렬(職列)에 속하며, 금속 서기보의 위, 금속 주사보(主事補)의 아래로 8급 공무원임.
금속 서기보【金屬書記補】 명 공업직(工業職) 국가 공무원 직급 명칭의 하나. 금속 직렬(職列)에 속하며, 금속 서기의 아래로 9급 공무원임.
금속-선【金屬線】 명 금속을 선상(線狀)으로 만든 물건.
금속-설【金屬說】 명 〖경〗 금속주의(金屬主義).
금속-성[1]【金屬性】 명 ①금속에 특유한 성질. ②금속과 비슷한 성질.
금속-성[2]【金屬聲】 명 쇠붙이에서 나는 소리처럼 들리는 새된 소리. 금속음(音).
금속 수소화물【金屬水素化物】 명 〔metal hydride〕〖화〗 금속과 수소

의 화합물. 모두 고체이며 불용해성·불휘발성임.

금속 스크랩【金屬—】〔scrap〕 명 〖공〗 금속 제품의 제조 공정(工程)에서 생기는 지스러기나 금속 제품의 폐물 등으로, 당해(當該) 금속의 제련(製鍊)이나 재생의 원료로 쓰임. 철·동·알루미늄·주석 등 실용 금속 전반에 걸치나, 대표적인 것은 철설(鐵屑)임. 구리·아연·납 등도 고가(高價)이기 때문에 스크랩이 많이 쓰임. 스크랩.

금속 아:크 용접【金屬—鎔接】 명 〔metal arc welding〕〖공〗 피복(被覆)한 금속 전극을 써서 하는 아크 용접.

금속 아:크 절단【金屬—切斷】〔—딴〕 명 〔metal arc cutting〕〖공〗 전극(電極)과 금속 모재(母材) 사이를 아크의 열로 가열하여, 금속을 절단하는 일.

금속 알레르기【金屬—】〔도 Allergie〕 명 〖의〗 귀걸이·목걸이 등의 금속 액세서리나 충치의 충전용(充塡用) 아말감 등이 원인이 되는 피부 질환.

금속 알킬【金屬—】〔alkyl〕 명 〖화〗 알킬기(基)와 한 개 이상의 금속 원자와의 결합으로 생긴 유기 금속 화합물.

금속 압력계【金屬壓力計】〔—녁—〕 명 〔metallic manometer〕〖물〗 금속의 탄성(彈性)을 이용하여 만든 압력계. 절단면이 타원형인 금속제 곡관(曲管)의 한 쪽 끝을 막고 다른 쪽 끝을 압력을 측정하려는 기실(氣室)에 연결하면, 관내의 압력의 대소에 의하여 구부러지는 정도가 변하므로 이것을 톱니바퀴로 연결, 확대해서 지침(指針)을 움직여 측정함.

금속-염【金屬塩】〔—념〕 명 〖화〗 염기(塩基)와 산(酸)과의 중화(中和)에 의해 물과 함께 생기는 금속의 화합물.

금속 온도계【金屬溫度計】 명 〖물〗 금속의 열에 대한 팽창력을 이용한 온도계. 팽창 계수가 다른 금속의 띠를 접합하여 나선상으로 구부려, 온도의 변화에 의하여 구부러지는 방향을 살펴 온도를 측정함.

〈금속 온도계〉

금속 용사법【金屬熔射法】〔—뻡〕 명 용융(熔融) 금속에 압축 공기를 분사(噴射)하여 무화(霧化)함과 동시에 물체 표면에 붙게 하여서 금속 피복층(被覆層)을 형성시키는 방법. *금속 표면 처리.

금속 원소【金屬元素】 명 〔metallic element〕〖화〗 홑원소 물질로서 금속성이며 그 금속을 이루는 원소. 할로겐(halogen) 원소·비활성 기체(非活性氣體)·산소·질소 등 비금속 원소를 제외한 80여 종의 원소는 전부 금속 원소에 속함. ↔비금속 원소(非金屬元素). *금속(金屬).

금속-음【金屬音】 명 ①금속이 부딪치면서 내는 소리. ②금속성(金屬聲).

금속 이온【金屬—】〔ion〕 명 〖화〗 금속의 원자에서 생기는 이온. 모두 양(陽)이온임. 아름다운 빛깔을 띠는 것이 많음.

금속 정:류기【金屬整流器】〔—뉴—〕 명 〖물〗 반도체와 금속과의 접촉면이 가지는 정류 작용을 이용한 정류기. 결정 정류기(結晶整流器).

금속-제【金屬製】 명 쇠붙이로 만든 물건의 총칭.

금속 조직 시험【金屬組織試驗】 명 〖공〗 금속 조직의 구성을 결정하는 시험. 저배율(低倍率)·고배율의 현미경 관찰, X선 회절에 의해 행함. 시험에는 마크로 시험·미크로 시험·X선 회절이 있음.

금속 조직학【金屬組織學】 명 〔metallography〕 금상학(金相學).

금속 주사【金屬主事】 명 공업직(工業職) 국가 공무원 직급 명칭의 하나. 금속 직렬(職列)에 속하며, 금속 주사보의 위, 금속 사무관의 아래로 6급 공무원임.

금속 주사보【金屬主事補】 명 공업직(工業職) 국가 공무원 직급 명칭의 하나. 금속 직렬(職列)에 속하며, 금속 서기(書記)의 위, 금속 주사(主事)의 아래로 7급 공무원임.

금속-주의【金屬主義】〔—/—이〕 명 〔metallism〕〖경〗 화폐의 기능의 근거를 그 소재(素材), 특히 금은(金銀)의 특수성에 구하는 화폐 학설. 금속설(金屬說). ↔명목주의.

금속 진공관【金屬眞空管】 명 〖전〗 유리 대신에 강철의 합금을 사용한 진공관. 튼튼하고, 전기의 차폐(遮蔽)가 완전하며, 소형(小型)으로 만들 수 있음. 유리식인 것보다 제작이 곤란한 것이 결점임.

금속 청우계【金屬晴雨計】 명 금속 기압계(氣壓計).

금속 침투법【金屬浸透法】〔—뻡〕 명 〖공〗 시멘테이션(cementation)❶.

금속-판[1]【金屬板】 명 금속으로 만든 판상(板狀)의 것.

금속-판[2]【金屬版】 명 〖인쇄〗 동판(銅版)·아연판(亞鉛版) 등 금속으로 만든 인쇄판(印刷版).

금속-편【金屬片】 명 쇳조각❶.

금속 평판【金屬平版】 명 〖인쇄〗 금속을 판재(版材)로 한 평판.

금속 표면 처:리【金屬表面處理】 명 〖공〗 내식(耐蝕)·내열성(耐熱性)이나 미관(美觀)의 향상을 목적으로 금속 제품 표면에 행하는 처리의 총칭. 침탄(浸炭)·질화(窒化) 등의 표면 경화법(硬化法)은 제외함. 금속에 의한 피복(被覆)(도금·금속 침투법·금속 용사법(熔射法) 등), 무기물에 의한 피복(법랑(琺瑯) 라이닝 등), 도장(塗裝), 플라스틱 라이닝(plastic lining) 등의 방법이 있음.

금속-품【金屬品】 명 금속으로 만든 물품.

금속 피로【金屬疲勞】 명 금속에 반복하여 힘이 가해지면 금속 내의 원자 결정 구조에 균열이 생기고 점차 금속에 미소한 틈이 벌어져서 서서히 확대되어 끝내는 찢어지는 현상.

금속 현:미경【金屬顯微鏡】 명 반사 현미경.

금속-화【金屬化】 명 〖물〗 100만 기압(氣壓) 이상의 초고압(超高壓) 아래에서, 금속이 아닌 물질이, 상압(常壓) 아래의 금속처럼 자유 전자(自由電子)가 생겨 전류(電流)를 잘 통하게 되는 일. 또, 그렇게 하는 일. ——하다 자타여불

금속 화:폐【金屬貨幣】 명 쇠붙이로 만든 화폐. 금돈·은돈·백동돈·구리돈 등. ↔지폐(紙幣). *금속 본위제(金屬本位制).

금속 활자【金屬活字】〔—짜〕 명 〖인쇄〗 금속으로 만든 활자. 활판 인쇄에 씀. *활자.

금속-회【金屬灰】 명 금속이나 그 원광(原鑛)을 태워서 생긴 회상 물질(灰狀物質). 대부분이 금속의 산화물임.

금속 회로【金屬回路】 명 〔metallic circuit〕〖전〗 대지(大地)를 도체(導體)로 하지 않는 전선로(電線路).

금송[1]【金松】 명 〖식〗 [*Sciadopity verticillata*] 소나뭇과에 속하는 상록(常綠) 교목. 소나무와 같으나, 잎이 보통 솔잎보다 대여섯 배 더 굵음.

금:송[2]【禁松】 명 〖역〗 소나무를 베지 못하게 금함. ——하다 자여불

금:송[3]【錦松】 명 〖식〗 소나무의 한 가지. 보굿이 매우 두껍고도 험상스러워서 몇 해 자라지 아니한 것도 늙은 솔의 태(態)가 남.

금:송-군【禁松軍】 명 〖역〗 조선 시대 때, 국유 송림(國有松林)의 벌목을 금하기 위해서 둔 군사.

금송아지-전【金—傳】 명 〖문〗 작자 미상의 구(舊)소설. 불전(佛典) ≪지행록(地行錄)≫에 나오는 설화(說話)를 소재로 한 불교 소설. 상고(上古) 시대 파사국(波斯國) 왕의 세 왕후 중, 셋째 왕후만이 왕자를 낳으니 다른 두 왕후가 시기하여, 산파와 짜고 왕자를 사나운 암소에게 주었더니, 암소가 삼킨 후 잉태하여 금송아지를 낳았는데, 이 금송아지가 온갖 고난을 겪으며 방랑하다가 우전국(于闐國)의 공주와 결혼하고 나라의 왕이 되어 선정(善政)을 베풀었다는 이야기. 금송아지는 바로 석가의 전신(前身)이었다고 함. 금독전(金犢傳). 금우태자전(金牛太子傳).

금:송 자내【禁松字內】 명 〖역〗 조선 시대 때, 서울의 안팎에 있는 산림을 함부로 베지 못하게 하던 구역. 훈련도감(訓鍊都監)·금위영(禁衛營)·어영청(御營廳)·총융청(摠戎廳)의 네 영문이 나누어 맡아 보았음. 전에는 한성부(漢城府)가 맡았음.

금송-화【金松花】 명 〖식〗 [*Calendula arvensis*] 국화과에 속하는 일년초. 줄기 높이는 30 cm 가량이고, 잎은 호생하며, 긴 타원 모양의 피침형임. 7-8월에 황적색의 두화(頭花)가 정생(頂生)하고, 과실은 수과(瘦果)임. 유럽 원산으로 세계 각지에서 재배됨. 정원에 심음. 금잔화(金盞花).

〈금송화〉

금쇄동 집고【金鎖洞集古】 명 〖책〗 윤선도(尹善道) 자신이 친필로 정사(精寫)한 가첩(歌帖). 시조 3수 외에 한시가 수록됨. 총 12장.

금쇄-시【金鎖匙】 명 〖한의〗 쥐방울과에 속하는 식물의 뿌리. 성질이 차고 인후병(咽喉病)과 토제(吐劑)에 많이 씀. 당목향(唐木香). 산두근(山豆根).

금-쇠〔—쐬〕 명 널판때기에 금을 긋는 연장. 변탕를 비슷한 나무에 칼날 끝같이 된 쇠를 박아서 줄을 치게 만든 기구.

금수[1]【金數】 명 〔gold number〕〖화〗 보호 콜로이드(保護 colloid)의 보호 작용을 정량적(定量的)으로 나타낸 수(數). 지그몬디(Zsigmondy, R.)가 창안하였음.

금:수[2]【禁輸】 명 수입(輸入)이나 수출(輸出)을 금함. ¶ ~ 품목.

금:수[3]【禽獸】 명 ①날짐승과 길짐승. 곧, 모든 짐승. 조수(鳥獸). ②무례(無禮)하고 추잡한 행실을 하는 사람을 빗대어 하는 말.

금:수[4]【錦繡】 명 비단과 수를 놓은 직물.

금:수 강산【錦繡江山】 명 ①비단에 수를 놓은 듯이 아름다운 산천. ②우리 나라 삼천리 강산의 아름다움을 일컫는 말. ¶ 삼천리 ~.

금:수-같다【禽獸—】 형 인륜(人倫)이나 도덕을 짓밟고 어지럽게 하여 짐승과 다를 바가 없다. ¶ 금수 같은 놈.

금:수-같이【禽獸—】〔—가치〕 부 금수와 같게

금수 고:한【今愁古恨】 명 금인(今人)의 시름과 고인(古人)의 한(恨). 금인(今人)과 고인(古人)의 슬픔. 금인(今人)은 자기(自己), 고인(古人)은 이전(以前)에 이 땅에서 영화를 누렸던 사람들.

금:수문 고단【錦繡紋庫緞】 명 거북의 등과 비늘 형상의 무늬를 놓은 중국의 비단.

금:수 문장【錦繡文章】 명 비단에 수를 놓은 듯이 아름답고 뛰어나게 훌륭한 문장. 또, 이런 글을 잘 하는 사람.

금:수-봉【錦繡峰】 명 〖지〗 강원도 통천군(通川郡) 임남면(臨南面)에 있는 외금강(外金剛)에 속하는 산봉우리의 하나. [1,130 m]

금:수-산【錦繡山】 명 〖지〗 ①대전 광역시 대덕구(大德區)에 있는 산. 노령 산맥(蘆嶺山脈)의 첫머리 부분을 구성함. [529 m]. ②충청 북도 단양군(丹陽郡) 적성면(赤城面)과 제천시(堤川市) 수산면(水山面) 사이에 위치하는 산. 소백 산맥(小白山脈)의 첫머리 부분을 구성함. [1,016 m] ③평양(平壤) 교외에 있는 산. 이 산 위에 모란봉(牡丹峰)이 있음.

금-수송점【金輸送點】〔—쩜〕 명 〖경〗 금본위국 사이에서 환시세(換時勢)의 하락으로 환송금(換送金)에 의하는 것보다 금을 수송하는 것이 유리하게 되는 한계점. *금수입점·금수출점.

금:수 안장【錦繡鞍裝】 명 비단에 수를 놓아 아름답게 꾸민 말안장.

금:수-어-충【禽獸魚蟲】 명 새와 짐승과 물고기와 벌레. 곧, 사람이 아닌 모든 동물의 뜻.

금수 육군전【金水六君煎】 명 〖한의〗 늙은이와 양허(陽虛)의 기침과 숨찬 증세에 달여 마시는 한약.

금:수의 끽일시【錦繡衣喫一時】〔—씨/—이—씨〕 구 〔비단 옷이 한 끼 란 뜻으로〕 궁할 때에는 값진 비단도 한 끼 밥값에 불과함을 이르는 말.

금-수입점【金輸入點】 명 〔gold import point〕〖경〗 금본위국 사이에서 환시세(換時勢)의 하락으로 환송금(換送金)에 의하는 것보다 금을 수입하는 편이 유리하게 되는 한계점. ↔금수출점(金輸出點). *금(金)수송점.

금:수-장【錦繡帳】 명 비단에 수를 놓아 만든 아름다운 장막.

금:수지-장【錦繡之腸】 명 ①비단결같이 고운 마음씨. 또, 아름다운 마음씨를 지니고 있는 사람. ②시문(詩文)을 잘하고 손쉽게 가구(佳句)

를 토(吐)함을 이름.

금:수 청산【錦繡靑山】명 비단같이 아름다운 청산.

금수출 금:지【金輸出禁止】명〘경〙다른 나라에 자유로운, 또는 무제한한 금화(金貨) 및 금괴(金塊)의 수출을 법령으로 금하는 정책. 금본위제도의 기능을 정지하는 의미임. 무제한의 금수출로 인하여 수입 초과(輸入超過)나 자본 도피(資本逃避)의 폐해를 막고 국내의 금준비의 감소와 부족을 방지하며 거래 시세의 무한 저락(低落)을 가져 올 위험성을 방지하는 시세 정책의 하나임.

금-수출점【金輸出點】[—쩜] 명〔gold export point〕〘경〙금본위제(金本位制) 국가 사이에서 외화(外貨)가, 평가(平價)와 금의 현송비(現送費)의 합(合) 이상으로 높아져서 외화로 지불하는 것보다 직접 금을 현송하는 편이 유리할 경우의 환변동(換變動)의 한계. ↔금수입점. *금(金)수송점.

금수출 해:금【金輸出解禁】명 금수출 해제.

금수출 해:제【金輸出解除】명〘경〙금화나 금괴의 자유로운 수출을 금지하던 법령을 해제함. 다시 금본위제(金本位制)로 복귀하여 지폐(紙幣)를 금으로 교환시키고 그 나라의 통화(通貨)를 다시 금(金)에 결부시키는 것임. 국내적·국제적 경제상의 안정이 회복하여 금준비에 위협이 없을 때 실시함. 금수출 해금(解禁). 금해금(金解禁).

금:수-품【禁輸品】명〘경〙수출입(輸出入)이 금지된 물품.

금-수현 명〘사람〙작곡가. 부산 출생. 1940 년 일본 도쿄(東京) 동양 음악 학원 졸업, 1956 년 문교부(교육부) 편수관이 되었으며, 1970 년 음악 잡지 《월간 음악》을 창간, 한국 작곡가 협회 회장을 지냄. 작품으로 《그네》·《파랑새》, 오페라 《장보고》 등 외에 저서로 《표준 음악 사전》 등 있음. [1919-92]

금수 회:의록【禽獸會議錄】[—/—이—] 명〘책〙안국선(安國善)이 1908 년에 쓴 신소설. 동물들을 통하여 인간 사회의 모순과 비리(非理)를 풍자한 우화(寓話) 소설. 1909 년 판매 금지됨.

금슬【琴瑟】명 ①거문고와 비파. ②→금실(琴瑟).

금슬-봉【琴瑟峰】명〘지〙함경 남도 덕원군(德源郡)과 강원도 이천군(伊川郡) 사이에 있는 산. 마식령(馬息嶺) 산맥에 속함. [1,200 m]

금슬지-락【琴瑟之樂】명 →금실지락(琴瑟之樂).

금승【金蠅】명〘충〙금파리.

금승-말 명〔←금생(今生)말〕그 해에 난 말. 곧, 한 살 된 말.
【금승말 갈기 외로 질지 바로 질지 모른다】아직 어린 말의 말 갈기가 장차 어느 쪽으로 넘어질지는 모르듯, 일이 앞으로 어떻게 될는지 짐작할 수 없다는 말.

금시【今時】명부 지금. 이제의 때.

금-시계【金時計】명 금딱지로 된 시계. 금측(金側) 시계. 금시표(金時表). 금표(金表).

금시-로【今時—】부 즉시로. 지금 바로.

금시 발복【今時發福】명 당장에 복이 돌아와 부귀를 누리게 됨. ——하다 자여불

금시-작【金翅雀】명〘조〙검은방울새.

금시 작비【今是昨非】명 오늘은 옳고 어제는 그름. 곧, 과거의 잘못을 이제 비로소 깨달았다는 뜻.

금-시장【金市場】명〘경〙세계적인 화폐인 동시에 세계적인 상품인 금의 거래가 행하여지는 시장. 런던의 금시장이 유명함.

금시-조【金翅鳥】명〘불교〙가루라(迦樓羅).

금시 초견【今始初見】명 이제야 비로소 처음으로 봄.

금시 초문【今始初聞】명 이제야 비로소 처음으로 들음.

금-시표【金時表】명 금시계(金時計).

금식¹【金飾】명 황금으로 꾸밈. 또, 그 꾸민 장식. ——-하다 자타여불

금:식²【禁食】명 일정한 계율(戒律)을 지키거나 또는 어떠한 결심을 보이기 위하여 음식을 먹지 않음. 단식(斷食). ¶ ~ 기도/~ 투쟁. *절식(絕食). ——-하다 자여불

금신¹【今身】명 현세(現世)의 몸.

금신²【金身】명〘불교〙↗금색신(金色身).

금신³【金神】명〘민〙음양가가 제사 지내는 신. 이 귀신이 있는 쪽으로 집을 이사하거나, 먼 길을 떠나거나, 결혼하면 동티가 난다고 꺼림.

금싣다 자〈옛〉금가다. =금므슬다. ¶ 금시를 문(璺)《字會 下 16》.

금-실¹【金—】명 ①금·은으로 만들거나 구리 등으로 만들어 금칠을 한 철사. ②금종이를 실처럼 가늘게 오린 물건. 금사(金絲). ③〘건〙기둥머리나 들보에 그리는 무늬의 한 가지.

금실²【琴瑟】명〔←금슬(琴瑟)〕↗금실지락(琴瑟之樂). ¶ 내외간의 ~이 좋다.

금실지-락【琴瑟之樂】[—찌—] 명〔←금슬지락(琴瑟之樂)〕부부 사이의 화목한 즐거움. 준금실(琴瑟).

금심【琴心】명 ①마음을 거문고에 부침. ②부인(婦人)에 대한 애모(愛慕)의 마음.

금:심 수:구【錦心繡口】명 글을 짓는 재주가 뛰어난 사람을 칭찬하여 이르는 말.

금-싸라기【金—】명 황금(黃金)으로 된 싸라기라는 뜻으로, 귀중한 물건을 가리키는 말. ¶ ~ 땅.

금싸라기-같다【金—】형 매우 귀중하다.

금싸라기-같이【金—】[—가치] 부 매우 귀중하게.

금-쑥【金—】명〘식〙[*Artemisia aurata*] 국화과에 속하는 다년초. 줄기 높이는 30 cm 가량이고, 경엽(莖葉)은 호생하며 이회 우상 전열(二回羽狀全裂)하고 열편(裂片)은 피침형 또는 선형(線形)임. 8-9월에 구형(球形)의 황색 두화(頭花)가 선상(線狀)의 원추(圓錐) 화서로 핌. 개울이나 길가에 나는데, 백두산(白頭山)에 분포함.

금아-석【金牙石】명〘한의〙뱀이 겨울 동안 입에 물었다가 봄에 뱉어 낸 흙덩이. 모양은 총알 같으며 겉은 누르고 속은 검고 단단함. 경간(驚癎)이나 경계(驚悸) 또는 허리나 다리를 쓰지 못하는 병에 약재로 씀. 황아석(黃牙石).

금아-장【今我章】[—짱] 명 용비 어천가 제3장 제2절의 이름.

금안【金鞍】명 금으로 장식한 안장.

금:알【禁遏】명 못 하게 함. 금지(禁止). ——-하다 타여불

금알갱이-붙임【金—】[—부침] 명〘고고학〙금세공(金細工)의 한 기법. 좁쌀알 같은 금알갱이를 붙여 장식하였음. 페르시아 지방에서 성행하였으며, 우리 나라에서는 낙랑·신라 시대에 많이 쓰였음. 누금(鏤金).

금암【嶔岩】명 험한 바위.

금:압【禁壓】명 위압(威壓)하여 금함. 압력을 가하여 금지함. ——-하다 타여불

금액¹【金液】명〘공〙도자기 위에 그림이 붙게 하는 수금(水金). 염화금(塩化金) 용액을 황·테레빈유(terebin 油)와 섞은 짙은 액체. 유약(釉藥)을 칠한 위에 이것을 바르고 낮은 온도에서 구움.

금액²【金額】명 돈의 액수.

금:액³【禁掖】명 금중(禁中). 궁정. 신액(宸掖).

금액-란【金額欄】[—난] 명 금액을 기입하는 난.

금액 링크제【金額—制】〔link〕명〘경〙수입하는 상품의 금액과 수출하는 상품의 금액을 동일하게 연계시키는 무역 제도.

금액 채:권【金額債權】[—꿘] 명 지급해야 할 통화의 종류에 상관 없이 일정한 액수의 금전의 지급을 내용으로 하는 보통의 금전 채권.

금액 책임주의【金額責任主義】[—/—이] 명〔도 Summenhaftungssystem〕〘법〙선박 소유자의 책임을 항해 표준으로 하지 않고 매(每)사고에 따라 정하고 채권을 발생시킨 선박의 적량(積量) 톤수(ton 數)에 따라 물적 손해와 인적 손해에 관하여 각기 1톤당 법정액(法定額)의 비례로 산출된 금액에 그 책임을 제한하는 제도. 영국법·네덜란드법과 1957년의 선박 소유자 책임 제한 통일 조약(船舶所有者責任制限統一條約)은 이 주의에 입각하고 있음.

금액 표시 상품권【金額表示商品券】[—꿘] 명〘경〙권면(券面)에 금액을 표시한 상품권의 하나. *물품 표시 상품권·용역(用役) 표시 상품권.

금-앵자【金櫻子】명 ①〘식〙차나뭇과에 속하는 낙엽 관목. 줄기는 반만성(半蔓性)인데 가시가 많으며, 잎은 싸리 잎과 비슷하나 좀 두꺼움. 꽃은 희거나 담홍색(淡紅色)임. ②〘한의〙금앵자의 열매. 한약재로 유정(遺精)·몽설(夢泄)·유뇨(遺尿)·설사에 씀.

금야【今夜】명 오늘 밤. 금소(今宵).

금:약¹【禁約】명 하지 못하도록 단속함. ——-하다 타여불

금:약²【禁藥】명 먹기를 금하는 약.

금-약관【金約款】[—냑—] 명〘경〙장래의 화폐 가치의 변동을 예측하여 채권자의 손실을 방지할 목적으로 공채(公債)나 사채(社債)의 원금과 이자의 지불을 금화(金貨)나 금을 기초로 하여 환산한 화폐액(貨幣額)을 가지고 변제하기로 한 약정(約定).

금:양¹【禁養】명 나무나 풀 따위를 베지 못하게 말림. ——-하다 타여불

금양²【黔陽】명〘지〙검양(黔陽).

금-양관【金梁冠】[—냥—] 명〘역〙문무관(文武官)이 조복(朝服)·제복(祭服)에 갖춰 쓰던 관(冠). 앞이마에서 꼭대기까지 양(梁)이라는 흰 골이 져 있으며, 앞면(面)에 당초(唐草) 무늬를 나타낸 이금(泥金)칠을 한 그물을 대고, 역시 이금칠을 한 나무 비녀를 꽂음. 비녀에는 술 달린 긴 붉은 끈으로 닮. 조선 시대에는, 일품(一品) 관원은 오량(五梁), 이품은 사량(四梁), 삼품은 삼량(三梁), 사품에서 육품(六品)은 이량(二梁), 칠품 이하는 일량(一梁)임. 준금관(金冠)·양관(梁冠).

〈금양관〉

금:양 이:산【錦襄二山】명〘책〙보심록(報心錄).

금:양 임야【禁養林野】명〘법〙분묘(墳墓)에 속하는, 벌목(伐木)을 금하는 임야. 법률상 1정보(町步) 이내이며, 그 소유권은 제사를 주재(主宰)하는 사람이 승계함.

금양 잡록【衿陽雜錄】[—녹] 명〘책〙조선 세조(世祖) 때, 강희맹(姜希孟)이 지은 농서(農書). 1년 사절(四節)의 농사와 농작물에 대한 주의 사항을 기록한 것임. 인조(仁祖) 때 신속(申洬)이 편찬한 《농가 집성(農家集成)》 중에 들어 있음.

금어¹【金魚】명 ①〘역〙고기 모양으로 만든 금빛 주머니. 고려 때 사품(四品) 이상의 벼슬아치와 특사(特賜)받은 사람만 썼음. ②〘어〙금붕어.

금어²【金魚】명〘불교〙불상(佛像)을 그리는 사람.

금:어³【禁漁】명 수산 동식물의 번식(繁殖)과 보호를 위하여 잡지 못하게 함. ¶ ~기(期)/~구(區). *금렵(禁獵). ——-하다 자여불

금:어-구¹【禁漁具】명 어개(魚介)·해조(海藻) 등의 번식과 보호를 위하여 채집(採集)·포획(捕獲)에 사용하는 것을 금지하는 어구(漁具).

금:어-구²【禁漁區】명 어떤 특수한 물고기의 무리를 보호하기 위하여 잡지 못하게 하는 구역. 포획 금지구.

금:어-기【禁漁期】명 물고기의 번식(繁殖)을 위하여 잡지 못하게 하는 일정한 기간. 보통, 산란기(產卵期)를 금어기로 정함.

금:어-령【禁漁令】명 물고기를 번식시키기 위하여 잡지 못하게 하는 법령이나 명령.

금어 선원【金魚禪院】명〘불교〙선도(禪道)의 진리를 연구하는 방(房).

금어-조【金魚藻】명〘식〙붕어마름❶.

금어-초【金魚草】명〘식〙[*Antirrhinum majus*] 현삼과에 속하는 다년초. 높이 30-90 cm이고 잎은 호생 또는 대생하며 피침형임. 여름에서 첫가을에 걸쳐 백색·홍색·황색·자색 등의 꽃이 줄기 끝에 이삭을 이루어 피는데, 꽃부리는 굵은 통모양이며 손으로 만지면 금붕어 입처럼 뻐끔뻐끔 열림. 지중해(地中海) 원산(原產)으로 관상용임. 금붕어꽃.

〈금어초〉

금-어치【金—】명 ☞값어치. ¶그래? 상목 두 필 ~는 된다는 수작이겠다?《金周榮 : 客主》.
금언【金言】명 ①생활의 본보기로 할 만한 귀중한 내용을 가진 짧은 어구(語句). 예컨대 '진리의 길은 비좁고 곧은 것이다' 따위. ②〖불교〗부처의 입에서 나온 불멸(不滅)의 법어(法語).
금언-집【金言集】명 금언을 모아 실은 책.
금:언-패【禁言牌】명 '말하지 말라'는 뜻으로, '禁言'이라고 쓰거나 새긴 나뭇조각.
금여【金輿】명 임금이 타는 수레.
금-여고【今如古】명 금여시 고여시.
금여시 고:여시【今如是古如是】명 예나 지금이나 변함없이 꼭 같음.
금:-여지【錦荔枝】명〖식〗여주.
금:연[1]【禁煙】명 ①담배를 피우지 못하게 함. 금끽연(禁喫煙). ②담배를 피우지 않음. 단연(斷煙). ——-하다 자여불
금연[2]【嶔然】명 암석이 험하게 솟은 모양. ——-하다 형여불. ——-히 부
금:연-권【禁煙權】[—꿘] 명 남이 피우는 담배 연기의 피해에서 보호받을 사회적인 권리.
금연 증권【金緣證券】[—꿘] 명 (gilt-edged securities)〖경〗국채(國債)나 초일류 기업의 채권 따위와 같이 이자 지급이 절대로 안전한 유가 증권. 영국 정부 발행의 공채 증서의 가장자리가 금색인 데서 나온 말. 금테 증권.
금:연 파이프【禁煙—】(pipe) 명 박하 물부리.
금-연화【金蓮花】[—년—] 명〖불교〗불전에 공양하는 황금색으로 만든 연꽃.
금염【金塩】명〖화〗'염화금산 나트륨(塩化金酸 Natrium)'의 속칭.
금염화 나트륨【金塩化—】(도 Natrium) 명〖화〗염화금산 나트륨.
금염화 수소산【金塩化水素酸】명 (hydrogen chloroaurate)〖화〗염화금산(塩化金酸).
금:영[1]【禁營】명 금군(禁軍)의 군영(軍營).
금:영[2]【錦營】명〖역〗충청도 감사가 직무를 행하던 관아.
금:영 측우기【錦營測雨器】명 조선 헌종 3년(1837)에 청동으로 제작된 측우기. 1910년 당시 공주(公州) 감영(監營)에 있었으며, 유일하게 남아 있는 조선 시대 측우기임.
금영-화【金英花】명〖식〗[*Eschscholzia californica*] 양귀비과의 여러해살이풀. 높이 30-50 cm. 잎은 호생(互生)하며 엽병(葉柄)이 길고 우상(羽狀)으로 갈라짐. 8월경에 노란 꽃이 피며, 삭과(蒴果)가 달림. 북아메리카 원산(原產)임. 일년생 관상용으로 심음.
금오[1]【金吾】명〖역〗①의금부(義禁府). ②↗집금오(執金吾).
금오[2]【金烏】명 (태양 속에 세 발 가진 까마귀가 있다는 옛날 상상(想像)에서 유래) 해. 태양.
금오 당직【金吾當直】명〖역〗의금부 도사(義禁府都事)가 대궐문 근처에서 숙직(宿直)하던 일.
금오-대【金吾臺】명〖역〗고려 현종(顯宗) 5년(1014) 때의 사헌부(司憲府)의 이름. 정치를 논하고 풍속을 고치며 탄핵(彈劾)을 맡음.
금오-도【金鰲島】명〖지〗전라 남도 여수시(麗水市) 남면(南面)에 위치하는 섬. 여수 반도(麗水半島) 남쪽에 있음. 해안 일대(海岸一帶)는 넓은 간석지(干潟地)가 전개되고 기후가 따뜻하므로 김의 양식이 성함. [27 km²]
금오-랑【金吾郎】명〖역〗의금부 도사(義禁府都事).
금-오모자【金烏帽子】명〖식〗[*Opuntia microdasys*] 선인장의 일종. 멕시코 원산. 줄기는 편평한 거꿀달걀꼴에 길이는 10-15 cm이며 황금색의 가느다란 가시가 밀생(密生)함. 꽃은 심홍색임.
금오-산【金烏山】명〖지〗경상 북도 구미시(龜尾市)와 김천시(金泉市)·칠곡군(漆谷郡) 사이에 있는 산. 고려 말엽의 학자 길재(吉再)가 숨어 있던 곳으로, 그를 제사 지내던 금오 서원이 있음. [977 m]
금오 신화【金鰲新話】명〖책〗조선 세조 때에, 생육신의 한 사람인 김시습(金時習)이 한문으로 지은 전기 소설(傳奇小說). 우리 나라 소설 작품으로는 최초의 것임.
금오 옥토【金烏玉兎】명 해와 달.
금오-위【金吾衛】명〖역〗①고려 때의 육위(六衛)의 하나. 일곱 영(領)이 있으며 정삼품의 상장군(上將軍)과 종삼품의 대장군(大將軍)이 통솔함. 경찰 임무를 담당함. 뒤에 비순위(備巡衛)라고도 불렀음. ②조선 태조(太祖) 원년(1392)에 베푼 의흥 친군(義興親軍)의 십위(十衛)의 하나. 4년에 신무 시위사(神武侍衛司)로 고침.
금-옥[1]【金玉】명 ①금과 옥. ②금관자(金貫子)와 옥관자. ③금관자를 붙인 사람과 옥관자를 붙인 사람. 금옥 관자.
금:옥[2]【禁獄】명〖역〗①옥에 가두어 두던 형벌. ②옥에 가두어 두는 자유형(自由刑)의 하나. 중죄(重罪)에 과하는 형으로서, 중금옥(重禁獄)과 경(輕)금옥의 구별이 있음.
금옥 관자【金玉貫子】명 금관자와 옥관자. 또, 이를 붙인 벼슬아치. 금옥(金玉).
금옥 군자【金玉君子】명 금옥의 단단함처럼 절조(節操)가 굳은 군자.
금옥-당【金玉糖】명 우무에 설탕을 넣어 섞어서 굳힌 투명체의 과자. 여름에는 얼음에 식혀 먹음.
금옥 만:당【金玉滿堂】명 ①금관자·옥관자를 붙인 높은 벼슬아치들이 방안에 가득함. ②현명한 신하가 조정에 가득함. ——-하다 형여불
금옥-성【金玉聲】명 (금옥을 치면 아름다운 소리가 난다는 뜻에서) 훌륭한 시문(詩文)을 일컬음. 금석성(金石聲).
금옥-연【金玉緣】명〖문〗홍루몽(紅樓夢).
금옥지-세【金玉之世】명 태평 무사한 세상.
금옥지-중【金玉之重】명 극히 중요함을 비유한 말.
금옥-총【金屋寵】명 궁인(宮人)이 임금의 총애를 받는 일. 중국 한무제(漢武帝)가 아교(阿嬌)를 좋은 집에 살게 한 고사(故事)에서 나옴.
금옥 탕:창【金玉宕氅】명 금옥 관자·탕건·창의(氅衣)의 총칭. 귀인(貴人)의 복식(服飾)을 가리키는 말.
금옥 패:서【金玉敗絮】명 외면만 금옥같이 꾸미고 속은 추악함을 이르는 말.
금와【金蛙·金蝸】명〖신〗동부여(東夫餘)의 왕. 고대 난생 설화(卵生說話)상의 인물로 부여왕 해부루(解夫婁)에게 발견되어 그의 태자가 됨. 후에 하백(河伯)의 딸 유화(柳花)를 비(妃)로 삼아 고구려의 시조(始祖)인 주몽(朱蒙)을 얻음.
금와왕 설화【金蛙王說話】명〖설화〗동명왕(東明王) 건국 신화에 나오는 신화적 인물에 관한 설화. 부여왕 해부루(解夫婁)가 늙도록 자식이 없어 산천에 자식을 빌던 중, 어느 날 곤연(鯤淵)에 이르러 큰 돌 밑에서 금빛의 개구리 모양을 한 어린애를 발견, 그 아이를 데려다 해부루의 태자로 삼았으며, 해부루가 죽은 뒤에는 이 아이가 동부여왕 즉 금와왕이 되었음. 뒷날 금와왕이 하백(河伯)의 딸 유화(柳花)를 만나 데려다가 방 가운데 두었더니, 쬐는 햇볕을 받고 잉태하여 알을 낳았는데, 여기에서 주몽(朱蒙)이 나오게 되었다 함.
금왕【金旺】명〖지〗충청 북도 음성군(陰城郡)의 한 읍(邑). [71.37 km² : 14,981명(1996)]
금왕지-기【金旺之氣】명 금왕지절.
금왕지-절【金旺之節】명 오행(五行) 중에서 금기(金氣)가 왕성하는 절기. 곧, 가을을 말함. 금왕지기(金旺之氣).
금요[1]【金曜】명 ↗금요일(金曜日). 주의 주로 관형적(冠形的)으로 쓰임.
금요[2]【金鐃】명〖악〗옛날 중국의 악기. 군중(軍中)에서 북을 치는 것을 멎게 할 때 치는 작은 징. 또, 주악(奏樂)이 끝날 무렵에 치는 작은 징.
금-요일【金曜日】명 칠요일(七曜日)의 하나. 일요일로부터 여섯째 되는 날. 준금요(金曜).
금:욕[1]【衾褥】명 이불과 요.
금:욕[2]【禁慾】명 육체상의 욕망을 금함. ——-하다 자여불
금:욕 생활【禁慾生活】명 자기(自己)의 욕구를 억제하여 생활함. 흔히, 본능적 욕망을 억제할 경우를 이름.
금:욕-주의【禁慾主義】[—/—이] 명 (asceticism) ①〖종〗구제를 받기 위해서는 육체적 욕망을 금해야 한다는 주의. ②〖윤〗도덕적 생활을 성취시키기 위하여서는 육체에 관한 일체의 욕망과 명예·이익·부귀(富貴) 등을 탐(貪)하는 욕심을 금해야 한다는 주의. 수덕주의(修德主義). 극기주의(克己主義). 제욕주의(制慾主義). ↔성욕(性慾)주의.
금:욕주의-자【禁慾主義者】[—/—이—] 명 금욕주의를 주장하고 또한 이것을 실천하는 사람.
금용【金容】명〖불교〗불타(佛陀)·보살(菩薩)의 황금빛 나는 얼굴.
금우【今友】명 새로 사귄 벗.
금우-궁【金牛宮】명 (라 Taurus)〖천〗황도(黃道) 12궁(宮)의 둘째. 황도상의 경도(經度) 30°부터 60°까지의 사이를 말함. 이 중에서 제일 큰 별을 '천고(天高)'라고 부르는데, 28수(宿)의 묘수(昴宿)·필수(畢宿)가 이 궁 속에 있으며, 태양은 4월 21일경부터 5월 22일경까지 이 궁 속에 있음.
금우태자-전【金牛太子傳】명 금송아지전(傳).
금운【琴韻】명 거문고의 소리. 금음(琴音).
금-운모【金雲母】명〖광〗흑(黑)운모의 하나. 단사 정계(單斜晶系)에 속하는 육각 통상(筒狀) 또는 인상(鱗狀)의 결정. 얇게 벗길 수 있으며, 그 조각은 강인(強靭)하고 탄성(彈性)이 있음. 진주 광택(眞珠光澤)을 가졌으며 색은 황갈색·적갈색 등이 있음.
금운 서성【琴韻書聲】명 거문고 소리와 글 읽는 소리.
금원[1]【金員】명 돈의 수효.
금:원[2]【禁垣】명 대궐의 담 안. 궁성 안.
금:원[3]【禁苑】명 대궐 안에 있는 동산. 비원(祕苑). 어원(御苑). 봉원(鳳苑). 내원(內苑).
금원-산【金猿山】명〖지〗경상 남도 거창군(居昌郡)과 함양군(咸陽郡) 사이에 있는 산. 소백 산맥(小白山脈) 중에 솟아 있음. [1,353 m]
금월[1]【今月】명 이달[1].
금월[2]【金鉞】명〖역〗의장(儀仗)의 하나.

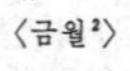
〈금월[2]〉

금월-부【金鉞斧】명〖역〗고려·조선 시대의 의장(儀仗)의 하나. 붉은 창대에 금칠한 도끼를 꿴 것. 모두 나무로 만들었음.

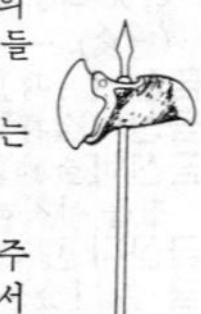
〈금월부〉

금:위【禁衛】명 금문(禁門)의 위병(衛兵). 대궐을 경호하는 군사. 금군(禁軍). 금위군.
금:위-군【禁衛軍】명〖역〗금위(禁衛).
금:위 대:장【禁衛大將】명〖역〗조선 시대 금위영의 주장(主將). 품계는 종이품 가선 대부(嘉善大夫)임. 병조 판서가 예겸(例兼)하다가, 영조(英祖) 30년(1754)에 전관(專管)을 둠. 준금장(禁將).
금:위-영【禁衛營】명〖역〗삼군문(三軍門)의 하나. 서울을 지키던 군영(軍營). 숙종(肅宗) 8년(1682)에 정초군(精抄軍)과 훈국 중부 별대(訓局中部別隊)를 합쳐 설치함. 고종(高宗) 21년(1884)에 파함.
금:육-재【禁肉齋】명 (라 Abstinentia)〖천주교〗사순절(四旬節) 매금요일과 사순절 첫 수요일에 육식(肉食)을 끊고 재계하는 일. 전례 개혁 전에는 연중(年中) 매금요일에 지켰음. 소재(小齋).
금융【金融】[—늉/—] 명 ①돈의 융통. ②〖경〗경제상 자금의 수요(需要)와 공급의 관계.
금융 감독원【金融監督院】[—늉—/—] 명 금융 감독 위원회 및 증권 선물(證券先物) 위원회의 보좌 기관. 은행, 증권 회사, 보험 회사, 종합 금융 회사, 상호 신용 금고, 신용 협동 조합, 신탁 회사, 농협·수협·축협 등의 신용 사업 부문 등 금융 기관의 업무 및 재산 상황에 대한 검사와 검사 결과에 따른 제재(制裁) 업무 등을 수행함.
금융 감독 위원회【金融監督委員會】[—늉—/—] 명 금융 감독 업무를 수행하기 위하여 국무 총리 소속하에 둔 기관. 금융 기관에 대한 감독과 관련된 규정 제정 및 개정, 금융 기관의 경영과 관련된 인허가(認許可), 금융 기관에 대한 검사(檢査)·제재(制裁)와 관련된 사항, 증권·선물 시장(先物市場)의 관리·감독 및 감시 등을 업무로 다룸.
금융 경색【金融梗塞】[—늉—/—] 명 금융 시장에서 돈의 융통이 잘 되지 아니하는 상태. 금융 핍박(逼迫).

금융-계【金融界】[—늉—/—] 명〖경〗은행·신탁·보험 회사 등 금융의 사회.

금융 계:절【金融季節】[—늉—/—] 명〖경〗금융 시장에서 매년 정시적(定時的)으로 자본 수요(資本需要)가 폭주(輻輳)하는 철.

금융 공:황【金融恐慌】[—늉—/—] 명〖경〗신용 관계의 붕괴에 의한 금융 기관의 파산(破産) 및 금융 시장의 혼란. 좁은 뜻으로는 은행(銀行) 공황의 일컬음.

금융 과:두 정치【金融寡頭政治】[—늉—/—] 명〖사〗금융 자본주의 시대에 금융을 독점한 소수(少數)의 자본가가 국민 전체의 경제를 지배하는 동시에 한 나라를 좌우하는 정치.

금융 과:두제【金融寡頭制】[—늉—/—] 명〖경〗금융 자본을 기반으로 하여 소수자(少數者)가 지배하는 정치 제도. 금융 과두 지배(支配). 금융 소수 지배제(金融少數支配制).

금융 과:두 지배【金融寡頭支配】[—늉—/—] 명〖경〗금융 과두제.

금융-권【金融圈】[—늉꿘/—꿘] 명 금융업과 관련된 기관들이 이루는 사회. ¶ ~의 입김이 거세다.

금융 기관【金融機關】[—늉—/—] 명〖경〗돈의 융통을 원만하게 하는 경제상의 기관. 은행·상호 신용 금고(相互信用金庫)·농협(農協)·수협(水協)·증권(證券) 회사·보험(保險) 회사 따위.

금융 긴축【金融緊縮】[—늉—/—] 명 경기(景氣)가 상승하고 수입 증가와 국제 수지의 악화, 물가의 현저한 상승 현상이 빚어질 때 취해지는 일련의 금융 대책으로서 보통 공정 금리 인상·지불 준비율의 인상·중앙 은행이 보유하는 증권의 매각 등의 정책을 써 금융 시장에서의 자금 조달을 억제하는 일 ↔금융 완화.

금융-단【金融團】[—늉—/—] 명 금융업의 종합체.

금융-론【金融論】[—늉논/—논] 명〖경〗금융 일반·금융 기관·금융 시장·금융 정책 등에 관한 이론적 연구를 하는 학문.

금융 모델【金融—】〔model〕[—늉—/—] 명〖경〗경제의 거시적(巨視的) 모델로서, 경제의 실물면과 화폐면의 상호 작용을 나타내는 모델.

금융 소:수 지배제【金融少數支配制】[—늉—/—] 명〖경〗금융 과두제.

금융 시세【金融時勢】[—늉—/—] 명〖경〗금융 사정에 의하여 변동하는 시세. 특히, 금융 완만·금리 저하에 의해서 주가(株價)가 오르는 시세.

금융 시:장【金融市場】[—늉—/—] 명〖경〗화폐 자본을 수요 공급(需要供給)하는 시장. 이 시장을 구성하여 자금을 공급하는 자는 은행과 그 밖의 금융 기관이고, 수요자는 산업 자본가와 상업 자본가가 대부분임. 단기(短期)·장기(長期)·국내(國內)·국제(國際) 등의 금융 시장이 있음.

금융 실명제【金融實名制】[—늉—/—] 명〖경〗은행 예금이나 증권 투자 등 금융 거래를 실제 명의(名義)로 하여야 하며, 가명(假名)이나 무기명(無記名) 거래는 인정하지 않는 제도. 합리적인 과세 기반(課稅基盤)을 마련하기 위한 것임.

금융 어음【金融—】[—늉—/—] 명〔wind bill〕〖경〗실제의 상거래에 의하여 발행된 상업 어음과는 달리 자본 금융을 목적하여 어음 관계자가 합의하여 발행하는 어음.

금융-업【金融業】[—늉—/—] 명〖경〗금융을 목적으로 하는 영업. 은행·상호 신용 금고·보험 회사 따위.

금융업-자【金融業者】[—늉—/—] 명 금융업을 하는 사람.

금융 완:만【金融緩慢】[—늉—/—] 명〖경〗금융 시장에서, 자금의 수요가 공급에 비하여 적고, 일반적으로 그 거래가 활발하지 아니한 상태. ↔금융 핍박.

금융 완:화【金融緩和】[—늉—/—] 명〖경〗경기의 후퇴를 막고 회복을 기하기 위하여 중앙 은행이 금리 정책이나 공개 시장 조작(公開市場操作) 등의 수단으로 금융 시장에서의 자금 수급 관계를 조절하여 자금 조달을 쉽게 하는 일. 또, 그런 상태로 되는 일. ↔금융 긴축.

금융 자본【金融資本】[—늉—/—] 명〖경〗①은행 자본과 산업 자본이 융합해서 산업계를 지배할 만한 지반(地盤)을 세운 독점적 거대(巨大)한 자본. ②통속적으로는 대부 자본·은행 자본을 이름.

금융 자본주의【金融資本主義】[—늉—/—이] 명〖경〗자본주의 사회에서 자본의 소유와 기능이 분화됨에 따라, 신용이 위대한 구실을 하여, 은행이 산업을 통할(統轄)하여 모든 산업 자본과 긴밀히 융합된 은행 자본을 금융 자본이 되게 하는 주의.

금융 자본형 콘체른【金融資本型—】〔도 Konzern〕[—늉—/—] 명〖경〗지주(持株) 회사가 지배 회사로서 피라미드형(pyramid 型) 지배를 전개하는 콘체른. *산업 자본형 콘체른.

금융 자산【金融資産】[—늉—/—] 명〖경〗토지·건물·기계·원재료·제품 등의 실물 자산(實物資産)에 대하여, 화폐 자산(貨幣資産) 및 화폐의 지불을 목적으로 하는 채권(債權)의 일컬음. 예금·저금·대부금·채권(債券)·주식(株式)·투자 신탁·대부(貸付) 신탁·보험 등이 포함됨.

금융 장세【金融場勢】[—늉—/—] 명〖경〗경제적인 환경이나 기업의 영업 실적 및 기업 내용과는 관계없이 풍부한 시중 자금이 주식 시장에 몰려들어 주가가 상승세를 타는 상황.

금융 정책【金融政策】[—늉—/—] 명〖경〗정부 또는 중앙 은행이 금융 시장을 통하여, 자금의 원활한 수급(需給)과 통화 가치(通貨價値)의 안정을 도모하기 위하여 행하는 정책. 공개 시장·지급 준비율(支給準備率)의 조작(操作) 등이 있음.

금융 제:도 심:의 위원회【金融制度審議委員會】[—늉—/—이—] 명 전에, 재무부 소속 기관의 하나. 금융 조직 및 금융 업무의 효율화 및 부문별 금융 체계 등에 관한 사항을 심의함. 1981년에 폐지됨.

금융 조합【金融組合】[—늉—/—] 명 농업 협동 조합·농업 은행의 전신(前身). 농업 은행의 발족에 따라 해체·흡수되었다가, 다시 농업 협동 조합으로 발전함. *농업 협동 조합.

금융-채【金融債】[—늉—/—] 명〖경〗금융 채권. ↔사업채(事業債).

금융 채:권【金融債券】[—늉—꿘/—꿘] 명〖경〗특수 금융 기관이 특별법에 따라 발행하는 채권. 그 업무의 특수성에 의하여 자금 조달의 방법으로서, 자본금의 10-20 배까지 발행할 수 있음. 우리 나라에는 산업 은행의 산업 금융 채권이 있음. 금융채.

금융 통:계【金融統計】[—늉—/—] 명 통화(通貨)에 관한 통계와 금융 기관에 관한 통계의 총칭.

금융 통화 운영 위원회【金融通貨運營委員會】[—늉—/—] 명〖법〗통화 신용에 관한 정책의 수립, 한국 은행의 업무·운영·관리의 지시 감독 등을 맡아 보는 한국 은행의 중요 기구. 금융 통화 위원회를 1968년 7월 28일에 고친 이름. 위원수는 9명. ㊟금통위(金通委).

금융 핍박【金融逼迫】[—늉—/—] 명 금융 시장에서, 자금의 수요가 공급을 상회(上廻)하여 자금 부족을 초래하는 상태. ↔금융 완만.

금융 협정【金融協定】[—늉—/—] 명〖경〗①차관(借款)의 공여(供與)·금융상의 원조 등 금융에 관한 일체의 협정. ②지불(支拂) 협정.

금융 회:사【金融會社】[—늉—/—] 명 기업이 설립·확장 따위로 장기 산업 자금을 필요로 할 경우, 그 기업의 주식·사채(社債) 따위를 인수(引受)하여 자금을 공급하는 것을 목적으로 하는 은행 이외의 회사.

금-은【金銀】명 금과 은.

금은-괴【金銀塊】명 금덩이와 은덩이.

금은-등【金銀藤】명〖식〗인동덩굴.

금은-목【金銀木】명〖식〗인동덩굴.

금은-방【金銀房】[—빵] 명 금은을 가공 매매하는 가게. 금은포.

금은 병:행 본위 제:도【金銀併行本位制度】명〖경〗금은 복본위(金銀複本位) 제도 중, 양자(兩者)의 가치 비율을 자유 시장의 결정에 맡기고 법으로 정하지는 아니하는 제도. 따라서 금물가(金物價)와 은물가(銀物價)의 비율에 항상 변동이 생김.

금은 보:물【金銀寶物】명 금은 보패(金銀寶貝).

금은 보:석【金銀寶石】명 금은과 보석.

금은 보:패【金銀寶貝】명 금·은·옥·진주 따위 귀중한 보물. 금은 보물(金銀寶物). 금은 보화(金銀寶貨). 금은 주옥(金銀珠玉).

금은 보:화【金銀寶貨】명 금은 보패(金銀寶貝).

금은 복본위 제:도【金銀複本位制度】명〖경〗금화와 은화의 두 가지를 본위화(本位貨)로 하고 다른 화폐를 보조 화폐로 하는 제도. 금과 은을 각각 자유로이 주조(鑄造)할 것을 허락하여 일반적으로 일정한 비율(比率)을 법률로써 정함.

금은-붙이【金銀—】[—부치] 명 금붙이와 은붙이.

금은 비:가【金銀比價】[—까] 명 금과 은과의 가치의 비율.

금은-상【金銀商】명 금은을 가공 매매하는 장수. 또, 그 장사.

금은 세:공【金銀細工】명 금과 은을 다루는 세공.

금은-자【金銀字】명 금니(金泥)와 은니(銀泥)로 한 줄씩 교대(交代)로 쓴 경문(經文).

금은 재보【金銀財寶】명 금은(金銀)과 보배로운 재물.

금은-전【金銀錢】명 금은화(金銀貨).

금은 주옥【金銀珠玉】명 금은 보패(金銀寶貝).

금은지-국【金銀之國】명〔≪니혼 쇼키(日本書紀)≫ 진구키(神功紀)의 '初承神敎 將授金銀之國'에서〕우리 나라를 아름답게 이른 말.

금은 파행 본위 제:도【金銀跛行本位制度】명〖경〗은본위제나 금은 본위제에서 금본위제로 변경할 때에 행하는 제도. 금과 은을 무제한 법화(法貨)로 인정하지만, 은의 자유 주조(鑄造)는 허락하지 않고 금의 자유 주조만 허락함.

금은-포【金銀鋪】명 금은방(金銀房).

금은-화[1]【金銀花】명〖한의〗인동덩굴의 꽃. 옹저(癰疽)에 내복약으로 씀.

금은-화[2]【金銀貨】명 금화와 은화. 금은전(金銀錢). 금은 화폐(金銀貨幣).

금은 화:폐【金銀貨幣】명 금은화(金銀貨). 정금[1].

금읁고 명〈옛〉금고(金庫)❶. ¶ 금읁고 탕(帑)≪字會 中 9≫.

금음[1]【琴音】명 거문고 소리. 금운(琴韻).

금음[2]【嶔崟】명 산이 솟은 모양. ——-하다 형여불. ——-히 부

금:의【錦衣】[—/—이] 명 비단옷.

금의 공자【金衣公子】[—/—이—] 명 '꾀꼬리'의 이칭(異稱).

금:의 상:경【錦衣尙褧】[—/—이—] 명 비단옷을 입고 기운 옷을 겉에 입음. 즉, 군자는 미덕이 있어도 이것을 겉에 나타내지 않는다는 말.

금:의 야:행【錦衣夜行】[—/—이—] 명〔비단옷을 입고 밤에 간다는 뜻〕아무 보람이 없는 행동의 비유. 야행 피수(夜行被繡).

금:의 옥식【錦衣玉食】[—/—이—] 명〔비단옷과 옥같이 흰 쌀밥의 뜻〕호화롭고 사치스런 의식(衣食)을 가리키는 말. 호의 호식(好衣好食).

금:의-위【錦衣衛】[—/—이—] 명〖역〗중국 명조(明朝)의 금위군(禁衛軍)의 하나. 1382년에 설치되어 황제의 호위(護衛)뿐만 아니라 정보의 수집, 죄인의 체포·신문 등 특무 기관의 역할도 담당하였음.

금:의 일식【錦衣一食】[—씩/—이—씩] 명 비단옷과 먹을 것을 바꾼다는 뜻으로, 호화로운 비단옷보다 한 그릇의 밥이 더 필요함을 이르는 말. *금수의 끽일시(錦繡衣喫一時).

금:의 주행【錦衣晝行】[—/—이—] 명 금의 환향. ——-하다 자여불

금:의 환향【錦衣還鄕】[—/—이—] 명 출세를 하고 고향에 돌아옴. 금의 주행(錦衣晝行). 의금지영(衣錦之榮). ——-하다 자여불

금-이삭【金—】[—니—] 명 다른 사람이 이미 금을 파 간 자리에서 얻은 금.

금-이종【擒而縱】명 잡을 듯하면서 놓아 줌. ↔종이금. ——-하다 타여불

금 이:중 가격제【金二重價格制】명〖경〗각국 통화 당국간의 미불(美弗)과 금과의 교환은 공정(公定)의 금 가격인 1온스당 35달러로 행하고, 런던 그 외의 자유 시장은 각국 당국이 개입하지 않고 수급 관계에 맡겨 자유로이 가격을 결정하는 제도. 1968년 3월 17일부터 실시되었는데 1978년 4월에 발표된 국제 통화 기금의 새 협정에 의해 금 평가가 폐지됨으로써 이 제도는 유명 무실화됨.
금인¹【今人】명 지금 세상의 사람. ↔고인(古人).
금인²【金人】명 ①쇠붙이로 만든 사람의 상(像). ②〖불교〗불타(佛陀).
금인³【金刃】명 ①칼. ②칼날이 있는 쇠붙이. ⌊③금빛의 불상.
금인⁴【金印】명 황금으로 만든 인(印).
금인봉 반로장【金人棒盤露章】[─발─짱] 명〖악〗악장(樂章)의 이름.
금인 칙서【金印勅書】명〖역〗황금 문서(黃金文書).
금인 헌:장【金印憲章】명 황금 문서(黃金文書).
금일¹【今日】명 오늘.
[금일 충청도 내일 경상도] 일정한 주소가 없이 방방 곡곡을 방랑한다는 뜻.
금일²【金日】명〖지〗전라 남도 완도군(莞島郡)의 한 읍(邑). 금당도(金塘島)·평일도(平日島)·생일도(生日島) 등 여러 섬으로 이루어짐. [44.54 km²: 8,388 명(1990)]
금-일봉【金一封】명 상금·기부금 등에서, 그 액수를 밝히지 않고 종이에 싸서 주는돈.
금-일월병【金日月屛】[─닐─] 명〖역〗이금(泥金)으로 해와 달을 그린 평풍. 옥좌(玉座)에 치던 것.
금일지-사【今日之事】[─찌─] 명 오늘의 일. 오늘의 사무.
금-입과【金立瓜】[─닙─] 명〖역〗의장(儀仗)의 한 가지. 붉은 막대기 꼭대기에 금칠한 참외 모양의 것을 세워 박음. *금횡과(金橫瓜).
〈금입과〉
금입-택【金入宅】명〖역〗부호 대가(富豪大家)의 뜻으로, 통일 후 신라가 한창 번성할 때 경주(慶州)에 있던 귀족의 저택(邸宅). ≪삼국 유사(三國遺事)≫에 서른 아홉의 금입택 이름이 적혀 있음.
금-잉어【金─】[─닝─] 명 금빛의 비늘이 있는 아름다운 잉어.
금자¹【今者】㊀명 지금. 요사이. 금시(今時). ㊁부 지금에 있어서.
금자²【今玆】명 금년(今年). ↔내자(內玆).
금자³【金字】명 금박(金箔)을 올리거나 이금(泥金)으로 쓴 글자. 금문자.
금자⁴【金紫】명 ①금인(金印)과 자수(紫綬). ②귀인(貴人)의 비유.
금자-가【金字家】명 옷이나 댕기·옷고름 같은 데에 덕담(德談)의 글자나 여러 가지 모양을 금박(金箔)으로 박아 주는 것을 업으로 삼는 사 ⌊람. 또, 그 집.
금자-경【金字經】명〖불교〗금자 장경.
금자 광록 대:부【金紫光祿大夫】[─녹─] 명〖역〗고려 문관(文官)의 종이품 관계(從二品官階). 충렬왕 원년(1275)에 폐하고 공민왕(恭愍王)5년(1356)에 종일품의 상(上)으로 하였다가 동 11년에 다시 폐지함.
금자-기【金字旗】[─짜─] 명〖역〗의장(儀仗)의 하나. 붉은 바탕에 '金'자를 쓰고 화염(火焰)과 기각(旗脚)을 돌렸음.
금자-둥【金子─】명 금자둥이.
금자-둥이【金子─】명 어린 아이를 '금(金)같이 귀하고 보배롭다'는 뜻으로 부르는 말. 금자둥. ¶~ 옥자둥이.
금자 숭록 대:부【金紫崇祿大夫】[─녹─] 명〖역〗고려 문관(文官)의 관계(官階). 종일품의 하(下). 공민왕(恭愍王) 5년(1356)에 정하고 11년에 폐함.
〈금자기〉
금자 장경【金字藏經】명〖불교〗금박(金箔)을 풀어서 쓴 불교의 경전. 고려 15대 숙종(肅宗) 6년(1101)의 법화경(法華經), 18대 의종(毅宗) 때의 화엄경(華嚴經) 등이 있음. 일반에도 널리 유행하여 많은 폐단이 생겼으므로 이를 금하기도 함. 금자경(金字經).
금자-탑【金字塔】명 ①피라미드(pyramid). ②길이 후세에 전하여질 만한 가치가 있는 업적(業績).
금자 흥록 대:부【金紫興祿大夫】[─녹─] 명〖역〗고려 문관(文官)의 관계(官階). 성종(成宗) 14년(995)에 대상(大相)을 이 이름으로 고쳐 정하였다가 문종(文宗)이 폐함.
금작【今作】명 옛식이 아닌 현대식의 작.
금작-자【金斫子】명〖역〗조선 시대의 의장(儀仗)의 하나. 금칠을 하고 두쪽으로 날이 있는 도끼를 붉은 창대에 뀀. 모두 나무로 만들었음.
〈금작자〉
금작-화【金雀花】명〖식〗[*Cytisus scoparius*] 콩과에 속하는 상록 관목. 높이는 1-2 m이며, 잎은 호생하고 1-3개의 소엽(小葉)으로 됨. 5월경에 엽액(葉腋)에서 노란 나비 같은 꽃이 피는데, 수술이 10개임. 고목(古木)이 되면 소엽이 퇴화(退化)하여 끈 모양으로 됨. 남부 유럽 원산(原産)인데, 관상용으로 재배함.
금작화-채【金雀花菜】명 금작화의 꽃을 소금물에 데쳐 찬물에 담갔다가 건져 짜서 소금·기름·초고추장에 무쳐 먹는 나물.
〈금작화〉
금잔【金盞】명 황금으로 만든 술잔.
금-잔디【金─】명 잡물이 없이 잘 가꾼 잔디. 가을부터 그 이듬해 봄까지는 누른 빛의 잎이 아름답게 남음. 금사(金莎).
금잔 옥대【金盞玉臺】명 ①금으로 만든 술잔과 옥으로 만든 잔대. ②〖식〗'수선화꽃'을 아름답게 일컫는 말. 금잔 은대.
금잔 은대【金盞銀臺】명 ①금으로 만든 잔과 은으로 만든 잔대. ②〖식〗금잔 옥대❷. ⌈부르던 가사의 하나.
금잔자-사【金盞子詞】명〖악〗정재(呈才) 때, 헌선도(獻仙桃) 춤에 맞춰
금잔-화【金盞花】명〖식〗금송화(金松花).
금잠【金簪】명 금비녀.
금잠-초【金簪草】명〖식〗민들레.
금:-잡인【禁雜人】명 무용자(無用者) 출입을 금함. ──하다 자여불
금장¹【金匠】명 금공(金工).
금장²【金裝】명 황금으로 장식함. ──하다 자타여불
금:장³【禁仗】명〖역〗죄인을 때리거나 찌르는 창 같은 형구(刑具).
금:장⁴【禁將】명〖역〗↗금위 대장(禁衛大將). ⌈여불
금:장⁵【禁葬】명 어떠한 곳에 송장을 묻지 못하게 금함. ──하다 자
금:장⁶【錦帳】명 비단으로 된 휘장·장막 또는 모기장. ⌈章).
금장⁷【襟章】명 군대·학생·단체원 등의 제복의 옷깃에 붙이는 휘장(徽
금:장 군사【禁仗軍士】명〖역〗궁궐을 경비하고 문에서 보초를 서서 출입을 지키는 군사.
금장-도【金粧刀】명 ①금으로 만든 장도. 노리개의 하나로 칼자루의 대강이를 동글리되 부리가 조금 내밀게 하고, 칼집의 끝은 동글리되 부리를 반대 쪽으로 내밀게 하고, 여러 가지 무늬와 꽃을 아로새김. 꽃판의 화심(花心)에는 난을 물림. ②〖역〗의장(儀仗)의 하나. 나무로 만들고, 칼집에 여러 가지 무늬를 아로새기었으며, 온 몸에 금칠을 하고 끈이 있음.
금-장식【金粧飾】명 황금으로 꾸민 장식. ──하다 자타여불
금-장이【金匠─】명 ①금은 세공인(金銀細工人)을 낮추어 이르는 말. ②〈속〉금광(金鑛)을 하는 사람.
〈금장도❷〉
[금장이 금 불리듯] 제 마음대로 남을 다루어 부림.
금:장지-지【禁葬之地】명 매장(埋葬)을 금하는 땅.
금:장-처【禁葬處】명 매장을 금하는 곳.
금장 철광【金藏鐵鑛】명 경기도 포천군 영북면(永北面)에 위치한 노천(露天) 철광산. 광상(鑛床)은 자철광(磁鐵鑛)인데 일부 지역에서는 적자철(赤磁鐵)을 형성하기도 함.
금장 한국【金帳汗國】명〖역〗창건자(創建者) 바투(Batu)의 장막(帳幕)이 황금빛이었으므로, 킵차크(Kipchak) 한국을 일컫는 딴이름.
금재【今纔】부 이제 겨우.
금저리 명〈방〉〖동〗거머리(충남·경북)
금전¹【金鈿】명 금비녀. 금채(金釵).
금전²【金錢】명 ①쇠붙이로 만든 돈. ②금화(金貨). 금폐(金幣). 재폐(財幣). 황금(黃金). ③금. 돈. ¶~ 거래.
금:전³【禁轉】명〖경〗어음·수표 등의 양도를 금함. ──하다 자여불
금:전⁴【錦殿】명 비단으로 꾸민 궁전. 훌륭한 궁전. ⌈곡(歡曲).
금전-기【金錢記】명〖문〗중국 원(元)나라의 교몽부(喬夢符)가 지은 희
금전 대:차【金錢貸借】명〖법〗당사자의 일방(一方)이 금전의 소유권을 상대방에게 이전할 것을 약정(約定)하고, 상대방은 일정한 기일에 그 금전을 반환할 것을 약정함으로써 성립하는 계약.
금:-전두【錦纏頭】명 머리에 쓰는 비단 수건.
금전 등록기【金錢登錄器】[─녹─] 명 자동적으로 금전 출납의 기록을 하는 기계. 장부 기입에 있어서의 오류(誤謬)와 오산(誤算) 및 금전 취급인의 부정 행위 등을 방지함. 캐시 레지스터(cash register).
금전 만:능【金錢萬能】명 황금 만능(黃金萬能).
금전 문:제【金錢問題】명 돈에 관한 문제.
금전 배상【金錢賠償】명 손해를 금전으로 환산하여 지불하는 손해 배상. 원상 회복(原狀回復)에 대한 것으로서, 민법은 이 방법에 의한 배상을 원칙으로 함.
금전-복【金錢卜】명 돈을 던져서 치는 점.
금:전 수표【禁轉手票】명〖경〗수표의 발행인 또는 배서인(背書人)이 배서 양도를 금한다는 뜻을 기재한 수표.
금전 신:탁【金錢信託】명〔money in trust〕신탁 은행이 위탁자(委託者)로부터 받아들인 금전을 신탁 계약에 의하여 운용하고, 신탁 기간 만기에 원금·운용 이익금을 금전으로 위탁자 또는 그 지정하는 사람에게 지급하는 신탁 방법.
금전-악【金殿樂】명〖악〗대궐 안 잔치 때에 아뢰는 악곡의 이름. 일승월항지곡(日昇月恒之曲)에 이어서 계주(繼奏)되는 관악으로, 수보록(受寶籙)·근천정(覲天庭)·하황은(荷皇恩) 등의 춤의 족도(足蹈)에 맞춤. 속칭:별우조 타령(別羽調打令).
금:전 어음【禁轉─】명〖경〗어음의 발행인 또는 배서인(背書人)이 배서 양도를 금한다는 뜻을 기재한 어음. *금전 수표.
금전 옥루【金殿玉樓】[─누] 명 규모가 크고 아름답게 지은 전각(殿閣)
금전-욕【金錢慾】[─녹] 명 돈 욕심. ⌊과 누대(樓臺).
금전-적【金錢的】명관 돈 또는 경제적인 이익에 관한 모양. ¶불황으로 ~인 곤란을 겪고 있다.
금전 증권【金錢證券】[─꿘] 명 권면(券面)에 일정액(一定額)의 금전의 지급을 받을 권리 또는 권한을 나타내는 유가(有價) 증권. 수표·어음·사채(社債) 따위.
금전-지【金箋紙】명 보자기의 네 귀에 다는 금빛이 나는 종이로 만든 장식품. 길례(吉禮)에 씀. 직각 이등변 삼각형의 금종이 두 쪽을 맞붙이되 선(線)이 제일 긴 변(邊)의 사이에 푸르거나 붉은 빛의 명주 올을 너불너불하게 물렸음. 방승(方勝).

〈금전지〉
금전지-술【金箋紙─】명 금전지에 물린 푸른 빛 또는 붉은 빛의 명주 올의 너불너불한 술.
금전 집행【金錢執行】명〖법〗금전 채권에 대한 강제 집행. ⌈권.
금전 채:권【金錢債權】[─꿘] 명 금전의 지급을 내용으로 하는 채
금전 채:권 신:탁【金錢債權信託】[─꿘─] 명 신탁 재산으로서 금전 신탁을 받아들여, 그 징수·보전을 행하는 신탁.

금전 채:무【金錢債務】명 금전을 지불 목적으로 하는 채무.

금전 출납부【金錢出納簿】[―랍―] 명 금전 출납장.

금전 출납장【金錢出納帳】[―랍―] 명 돈이 나가고 들어온 것을 적는 장부. 금전 출납부(金錢出納簿). 현금 출납장(現金出納帳).

금전 출자【金錢出資】[―짜] 명 금전으로 하는 출자. 재산 출자의 한 가지.

금전-화【金錢花】명〖식〗[*Pentapetes phoenicea*] 벽오동과에 속하는 일년생 화초. 높이 60-90 cm 가량이고 잎은 호생하는데, 창 모양의 피침형(披針形)으로 가에 톱니가 있음. 여름과 가을에 담황색 꽃이 액생(腋生)하며 낮에 피어서 다음 날 새벽에 시듦. 관상용으로 심음. 오시화(午時花).

〈금전화〉

금절[1]【金節】명〖역〗조선 시대 말기의 의장(儀仗)의 하나. 황제·황태자의 의장용으로 금월부(金鉞斧)와 표미번(豹尾旛) 다음에 금절을 두 개 세움.

금:절[2]【禁絕】명 금하여 근절함. ――하다 타여불

금점[1]【金店】명 ①황금을 파내는 곳. 금광(金鑛). 금산(金山). ②〖역〗금점에 설치한 수세(收稅)를 맡던 관청.

금점[2]【金點】[―쩜] 명〖물〗순수한 금의 녹는점. 1,063°C 임.

금점[3]【琴占】명 금(琴)을 타서 신령을 맞아 길흉을 판단하는 점.

금점-꾼【金店―】명 금광에서 일하는 사람.

금점 수세【金店收稅】명〖역〗조선 시대에 금점을 통하여 금의 채굴에 대한 세금을 부과·징수하던 일.

금점-판【金店―】명〖광〗금광(金鑛)의 일터.

금점-품【金店―】명 금광에서 하는 품팔이 노동.

금정[1]【金井】명 금정틀.
【금정(金井) 놓아 두니 여우가 지나간다】일이 낭패로 돌아갔을 때에 하는 말.

금정[2]【金正】명 가을의 신(神). 곧, 욕수(蓐收).

금정[3]【金鉦】명 ①악기의 이름. ②태양을 달리 이르는 말.

금정 광:산【金井鑛山】명〖지〗경상 북도 봉화군(奉化郡) 춘양면(春陽面)에 있는 금산.

금정-기【金井機】명 금정틀.

금정-산【金井山】명〖지〗경상 남도 양산시(梁山市)와 부산 광역시 경계에 있는 산. 산 위에 금정산성지(金井山城址)가 있음. [801 m]

금정 옥액【金精玉液】명 뛰어나게 효과가 있는 약.

금:정-조【錦靜鳥】명〖조〗[*Poephila cincta*] 단풍샛과(科)에 속하는 새. 십자매만한 크기로, 부리와 목이 검고, 머리는 파란 색, 등은 암흑색이고 나머지 부분은 암갈색임. 오스트레일리아 원산으로, 모습과 소리가 고와 널리 기름. 부리가 노란 노랑부리금정조, 부리가 노랗고 꽁지가 긴 긴꼬리금정조, 부리와 다리가 빨간 빨강부리금정조 등의 변종(變種)이 있음.

금-정책【金政策】명〖경〗금 준비의 유지, 정부에의 금 집중, 금 수출입의 제한, 금 가격의 유지, 금의 증산(增產) 따위에 관한 정책.

금정-틀【金井―】명 무덤을 팔 때에 구덩이의 길이와 넓이를 정하는 데에 쓰는 나무틀. 굵은 나무 오리로 '정(井)'자 모양으로 만들어 땅바닥에 뉘어 놓고 그 안으로 파서 구덩이를 지음. 금정(金井). 금정기(金井機).

〈금정틀〉

금제[1]【金梯】명〖지〗금강산(金剛山)의 구룡연(九龍淵)에서 비로봉(毗盧峰)으로 가는 길에 있는 높은 사닥다리.

금제[2]【金製】명 황금으로 만듦. 또, 그 물건.

금:제[3]【禁制】명 하지 못하게 말림. 결계(結界). 제금(制禁). 제계(制戒). ――하다 타여불

금제 교구【金製鉸具】명 낙랑(樂浪) 시대의 공예품으로 평양(平壤) 부근 대동강(大同江) 하류 근처에서 발굴한 허리띠의 고리 부분. 한 마리의 어미 용과 일곱 마리의 새끼 용이 부조(浮彫)로 새겨진 것으로 순금으로 되어 있음. 국립 중앙 박물관 소장. 국보 제89호.

금:제-띠【禁制―】명〖물〗금지띠.

금:제-물【禁制物】명〖법〗법령의 규정에 의하여 그 소유나 거래가 금지되어 있는 물건. 아편·외설 문서나 그림 따위. 형법상으로는 보통 금제품(禁制品)이라는 말을 씀.

금:제-선【禁制線】명〖물〗금지선(禁止線).

금제 옥회【金齏玉膾】명 생선 농어를 잘게 썰어 만든 회(膾)에 향유(香薷)의 꽃과 잎을 곁들이거나 골고루 섞은 것. 전하여, 맛 있는 요리의 일컬음.

금제 태환 이식【金製太環耳飾】명 경주시 보문동(普門洞) 고분(古墳)에서 발굴된 5-6세기 신라 시대의 순금으로 만든 귀고리. 중공(中空)으로 된 굵은 귀고리를 몸체로 해서, 수식(垂飾)이 장식되었음. 호화롭게 금을 아로새겨 만든 것으로, 신라의 대표적 유물(遺物)임. 크기 8.7 cm. 국립 중앙 박물관 소장. 국보 제90호.

금-제:품[1]【金製品】명 황금으로 만든 물품.

금:제-품[2]【禁制品】명〖법〗금제물.

금조[1]【今朝】명 오늘 아침. 금단(今旦).

금조[2]【金曹】명〖역〗고려 국초(國初)의 상서 호부(尙書戶部)의 전신(前身)인 민관(民官)에 속한 관아. 성종(成宗) 14년(995)에 상서 금부(尙書金部)로 고쳤다가 뒤에 파함.

금조[3]【禽鳥】명 날짐승. 새. ↔길짐승.

금조[4]【琴操】명 ①금가(琴歌)❶. ②〖책〗중국의 한(漢)까지의 금곡(琴曲)을 싣고 그에 관한 사실을 기록한 책. 지금 전하는 것은 모두 한의 채옹(蔡邕)이 찬(撰)하고 제(題)하였다 함.

금조[5]【琴鳥】명〖조〗[*Menura superba*] 참새목(目) 금조과에 속하는 새. 보통, 크기는 뇌조(雷鳥)만하고, 수컷의 꽁지깃은 16개인데 몹시 길고 간추려 펴면 리라 또는 가야금의 현(絃) 모양임. 목·날개·꽁지는 대개 적갈색을 띰. 오스트레일리아의 특산임.

〈금조[5]〉

금:조[6]【禁鳥】명 유익하거나 또는 아름다운 새로서, 법률로써 보호하기 위하여 잡지 못하게 된 새. 보호조.

금-조개【金―】명 ①껍데기가 금빛으로 된 조개. ②전복의 껍데기. 안바닥을 이르집어 낸 것을 '자개'라고 함. 전복갑(全鰒甲).

금조리 명〈방〉〖동〗거머리(경기).

금:족【禁足】명 ①〖불교〗결제(結制)할 때에 드나드는 것을 금하는 일. 절의 방문 밖 문지방 왼쪽에 써 붙임. ②규칙을 어긴 벌로서 외출을 금하는 일.

금:족-령【禁足令】[―녕] 명 ①규칙을 어긴 벌로서 외출을 금하는 명령. ②〖군〗군사상 비상 사태에 돌입하거나 필요할 때 장병(將兵)의 출입(出入)을 금하는 명령.

금-좀벌【金―】명〖충〗금좀벌과의 벌의 총칭. 길이 2-4 mm이며 빛은 청색·황금색 등. 날개가 작고 연문(緣紋)은 큰데, 각종 해충에 기생함. 우리 나라에는 황다리금좀벌, 바구미살이금좀벌, 배추벌레살이금좀벌 등 3종이 있음.

금좀벌-과【金―科】[―꽈] 명〖충〗[Pteromalidae] 벌목(目)에 속하는 한 과. 몸길이 2-4 mm이며, 몸빛은 금속성 청색·남색·황금색·동색 등이고 성질이 매우 활발함. 대시(大顋)에는 3-4개의 이가 있음. 흉부는 크고 중흉(中胸) 측판(側板)에는 홈이 있음. 날개는 작으나 연문(緣紋)은 크며, 모든 곤충에 기생 또는 과기생(過寄生)함. 세계적으로 공통된 한 과임.

「*종금(縱擒).

금종【擒縱】명 포로로서 사로잡음과 용서하여 놓아 줌. ¶ ~ 자재(自在).

금종 약관【金種約款】명〖법〗특정 종류의 통화(通貨)로 지급할 것을 정한 약관. 이를테면 500 원짜리의 화폐로 10,000 원을 지급할 것을 정하는 따위.

금-종이【金―】명 금박(金箔)을 붙이거나 또는 이금(泥金)을 발라 만든 종이. 금지(金紙).

「야 할 금전 채권.

금종 채:권【金種債權】[―꿘] 명〖경〗특종 통화로써 급부(給付)해

금종-충【金鐘蟲】명〖충〗방울벌레.

금주[1]【今週】명 이 주일. 이 주간. 금주일(今週日). ¶ ~말경.

금주[2]【金主】명 ①금전의 소유자. ②자금을 대는 사람. 은주(銀主).

금주[3]【琴酒】명 거문고와 술.

금:주[4]【禁酒】명 ①술을 못 먹게 금함. ¶ ~령(令). ②술을 끊고 먹지 않음. 단음(斷飮). 단주(斷酒). ¶ ~ 운동. ――하다 자여불
【금주에 누룩 흥정】쓸데 없는 수고를 할 때에 비유해서 쓰는 말.

금:주[5]【錦州】명〖지〗'진저우(錦州)'를 우리 음으로 읽은 이름.

금:주-가[1]【禁酒家】명 술을 금한 사람.

「송가의 하나.

금:주-가[2]【禁酒歌】명〖종〗금주를 권하는 가사로 된, 신교(新敎)의 찬

금:주-론【禁酒論】명 술을 먹으면 몸에 끼치는 해독이 클 뿐더러 경제상으로도 손실이 크니 술을 먹지 말자는 이론.

금주-만【金州灣】명〖지〗진저우 만(金州灣).

금:주-법【禁酒法】[―뻡] 명 ①일체의 주류를 금지한 법령. ②미국의 금주법을 말하는 것으로, 1919년에 공포됨. 동법의 완전한 실시는 매우 곤란하여 결과적으로 밀조(密造)·밀매(密賣)하는 갱(gang)을 낳게 하였으며 1933년 헌법 수정으로 폐지됨. 현재는 미시시피 주만이 주법(州法)으로 금지하고 있음.

금:주-성【錦州省】명〖지〗진저우 성.

금:주 운:동【禁酒運動】명〖사〗술의 심신(心身)에 미치는 해독의 심함을 설명하여 일반 사람에게 술을 먹지 말도록 권장하는 사회 운동. 19세기 초에 영국과 미국에서 교회의 영향 아래 일어났으며 현재는 특히 북 유럽 지방에서 성행함.

금주 잡족의 난:【金州雜族―亂】[―/―에―] 명〖역〗고려 신종(神宗) 3년(1200) 진주(晋州)의 민란과 때를 같이하여 지금의 김해(金海)인 금주(金州)에서 여진(女眞)·거란(契丹) 등의 잡족인이 일으킨 난. 그 지방 호족(豪族)에 대한 반란에서 일어난 민란으로, 토호(土豪)를 죽이는 등 기세가 대단했으나, 부수(副守) 이적유(李迪儒)의 술책에 의하여 진압되었음.

금:주-회【禁酒會】명 규약(規約)을 설정하여 금주를 실행하고 그 이점(利點)을 널리 선전하는 모임. 미국의 보스턴에 설립되었던 '미국 금주회'가 이 회의 시초임.

금죽-도【金竹島】명〖지〗전라 남도 여수시(麗水市)의 앞바다 여천군(麗川郡) 돌산면(突山面) 금죽도리(金竹島里)에 위치한 섬. [0.11 km²]

금준[1]【今俊】명〖사람〗고려 평주(平州)의 중. 여진(女眞)에 가서 금(金)나라의 시조(始祖)가 되었다 함.

금준[2]【金樽·金罇】명 금으로 만든 술통.

금-준비【金準備】명〖경〗은행권을 발행한 은행에 있어서 태환(兌換)에 응하기 위하여 금이나 지금(地金) 또는 정화(正貨)를 준비하는 일. 금화(金貨) 준비.

금준비-율【金準備率】명〖경〗은행권 또는 정부 지폐의 발행고에 대하여, 발행 은행 또는 정부가 보유하는 금화(金貨)·금지금(金地金)·금환(金換)의 총량의 비율. 금본위 제도하에서 은행권 및 지폐의 발행고를 조정하는 기준이 됨.

금-줄[1]【金―】[―쭐] 명 ①금으로 만든 시곗줄. ②금실을 꼬아서 만든 줄. ③금빛 물감이나 재료로 그은 선 *금선(金線).

금-줄[2]【金―】[―쭐] 명〖광〗금이 나는 광맥(鑛脈). 금맥(金脈).

금:-줄[3] 【禁―】 [―쭐] 명 부정(不淨)을 꺼리어 사람이 함부로 드나들지 못하도록 문이나 길 어귀에 건너맨 줄. 인(人)줄.

금줄-망둑 【金―】 명 〖어〗 [*Pterogobius virgo*] 망둑어과에 속하는 바닷물고기. 몸은 가늘고 길며 체측(體側)의 위아래 끝에 어두운 빛으로 가를 둘린 담색(淡色) 세로띠가 한 줄 있고, 배지느러미는 합쳐서 흡반(吸盤)을 형성하며, 등지느러미 및 뒷지느러미와 꼬리지느러미에도 적색·청색이 번갈아 테를 두르고 있어 몹시 아름다움. 한국의 통영(統營) 연안과 일본 남부에 분포함.

금줄-촉수 【金―觸手】 명 〖어〗 [*Pseudupeneus fraterculus*] 촉수과에 속하는 바닷물고기. 전장(全長) 30 cm. 빛깔은 갈색으로 체측(體側)에 빨강 또는 황금색의 두 개의 세로띠가 있고, 꼬리지느러미에는 한 개의 흑색의 안상반(鞍狀斑)이 있으며, 이것에 접해서 앞쪽으로, 제 2 등지느러미의 후단(後端)에 달하는 한 개의 담색반(淡色斑)이 있음. 한국·일본·아프리카·하와이 등지에 분포함.

금:중 【禁中】 명 궁궐의 안. 궁중(宮中). 금내(禁內). 궐내(闕內). 금액(禁掖). 자달(紫闥).

금-중상 【金中商】 명 금은을 팔고 사는 장사.

금즈기다 자 〈옛〉 움직이다. 꿈쩍하다. ¶ 一點은 여듧가짓 ᄇᆞᄅᆞ미 부러도 금즈기디 아니ᄒᆞ고(一點八風吹不動)《眞言勸供 供養文 43》.

금즉ᄒᆞ다 형 〈옛〉 끔찍하다. ¶ 가슴이 아죠 금즉ᄒᆞ야 펄격 쉬여 니닷다가《永言》.

금즙[1] 【金汁】 명 〖한의〗 사람의 똥과 쌀겨와 감초 가루를 섞어서 대통에 넣고 봉하여 끓는 물에 두어 시간을 끓인 물건. 기침과 감기약으로 씀. 분청(糞淸). 인중황(人中黃). 황룡탕(黃龍湯).

금:즙[2] 【禁戢】 명 하지 못하도록 금하거나 방해함. ¶ 완악한 무리가 무엇으로 징계되어서 ∼될까《洪命憙 : 林巨正》. ――하다 타여불

금-증권 【金證券】 [―꿘] 명 아무 때나 금과 태환(兌換)되는 증권을 일컬으나, 특히 미국 재무성 발행의 지폐를 가리킴. 이것은 백 퍼센트의 금 준비가 되어 있지만, 1933년 이래 금 태환은 정지되어, 연방 준비 은행만이 그 법정 준비금으로서 금증권을 보유함.

금지[1] 【金地】 명 〖불교〗 '절·사원(寺院)'의 별칭.

금지[2] 【金池】 명 ①금빛이 나는 못. ②'벼루'의 별칭.

금지[3] 【金紙】 명 금박(金箔)을 올리거나 금칠을 하여 만든 종이. 금종이.

금:지[4] 【禁止】 명 어떤 것을 말려서 못하게 함. 금알(禁遏). ¶ 출입 ∼/∼ 조항. ――하다 타여불

금:지[5] 【禁地】 명 함부로 드나들지 못하게 하는 지역.

금:지[6] 【錦地】 명 상대방의 거주지에 대한 존칭. 귀지(貴地).

금:지 관세 【禁止關稅】 명 〖경〗 금지세(禁止稅).

금:지 구역 【禁止區域】 명 함부로 드나들지 못하는 구역. ¶ 남성 ∼.

금:지-권 【禁止權】 [―꿘] 명 〖법〗 일반적으로 남에게 대하여 부작위(不作爲)를 요구할 수 있는 것을 내용으로 하는 권리. 절대권의 일면을 이루나 그 자체가 독자적 권리인 것은 아님.

금:지 규정 【禁止規定】 명 〖법〗 어떤 행위를 금지하는 단속 규정(團束規定). 금지법(禁止法).

금지금 본위제 【金地金本位制】 명 〖경〗 금괴 본위제(金塊本位制).

금:지-대 【禁止―】 명 [forbidden band] 〖물〗 고체 중에서 전자(電子)가 점(占)할 수 없는 에너지 준위(準位)의 영역. 금제(禁制) 띠.

금:지-령 【禁止令】 명 금지하는 명령. 금지하는 법령.

금:지 명:령 【禁止命令】 [―녕] 명 〖법〗 영미법(英美法)에서 일정(一定)한 행위를 하는 것을 금지하는 법원의 명령. 인정크션(injunction).

금:지-법 【禁止法】 [―뻡] 명 ①〖법〗 특정한 행위를 하지 못하도록 금지하는 법. 금지 규정(禁止規定). ¶ 독점 ∼. ②〖법〗 국제 사법(國際私法)에서, 외국법의 적용을 배제하는 법률. ③〖언〗 문법에서, 금지의 뜻을 나타내는 어법(語法).

금:지-본 【禁止本】 명 안녕 질서·양속 문란·국시 위반 등의 이유로 발매(發賣)·소지가 금지된 서적. 금서(禁書).

금:지-부득 【禁之不得】 명 금지할 수가 없음. ――하다 타여불

금:지-선 【禁止線】 명 [forbidden line] 〖물〗 원자·분자·원자핵 따위에서 어떤 에너지 상태 사이의 전이(轉移)가 일어나지 않아 보통 조건에서는 관측되지 않지만, 특수한 조건에서는 전이가 관측되는 스펙트럼선. 금제선(禁制線).

금:지-세 【禁止稅】 명 〖경〗 사실상 수입(輸入) 금지제와 같은 효과를 나타내는 보호주의 수입 관세(保護主義輸入關稅). 이것은 국내의 생산품 소비 시장을 보호하기 위하여서나 소비를 금지하기 위하여 받는 조세(租稅)임. 금지 관세(禁止關稅).

금:지-안 【禁止案】 명 어떤 일을 금지한 안건(案件).

금:지 어업 【禁止漁業】 명 수산 동식물(水産動植物)의 번식 보호(繁殖保護) 또는 어업 단속을 위하여 어업 장소·방법·시기·어선(漁船) 따위에 대하여 법률로 금지하는 일.

금:지 영업 【禁止營業】 명 공익상(公益上)·행정상·재정상의 이유에 의하여, 나라에서 금지하고 있는 영업. 매춘(賣春)·외설(猥褻) 문서나 그림의 판매, 화폐(貨幣)·지폐(紙幣)·국채 증권과 혼동하기 쉬운 것의 제조 및 판매 등.

금지 옥엽 【金枝玉葉】 명 ①임금의 자손이나 집안. ②귀여운 자손. ¶ ∼으로 자란 아이. ③아름다운 구름의 형용. 경지 옥엽(瓊枝玉葉).

금:지 처:분 【禁止處分】 명 행정 관청이 국민에게 특정한 행위를 해서는 안 됨을 명하는 행정 처분.

금지-초 【金枝草】 명 〖식〗 개자리[1]❶.

금지-편 【金枝編】 명 [The Golden Bough, a Study of Magic and Religion] 〖책〗 제임스 조지 프레이저 저(著)의 문화 인류서(文化人類書). 유럽 문명의 사료(史料)와 아프리카나 멜라네시아 등 미개 문명의 사료에 의하여 인류의 주술(呪術)과 종교 제도를 비교·연구해서 그 기원(起源)과 진화(進化)를 추구하였음. 1890-1915년 간(刊). 12권.

금-지환 【金指環】 명 금으로 만든 가락지. 금가락지. ＊금반지.

금직 【金直】 명 〖역〗 고려 때, 궁궐 문의 열쇠와 자물쇠를 맡은 벼슬아치.

금-직성 【金直星】 명 〖민〗 사람의 운명을 맡아 본다는 직성의 하나. 좋은 직성임. 9년에 한 번씩 돌아오는데, 남자는 13세에 들기 시작하여 22세에 다시 돌아오고, 여자는 14세에 수직성(水直星)이 처음 들기 시작한다고 함.

금진 【禽殄·擒殄】 명 사로잡아 죽임. ――하다 타여불

금진-강 【金津江】 명 〖지〗 함경 남도 정평군(定平郡) 고산면(高山面)에서 동해로 흐르는 강. [90 km]

금-진전 【今陳田】 명 1년 묵은 진전(陳田). ＊구진전(舊陳田).

금차 【今次】 명 이번. 금반(今般).

금차-고 【金釵股】 명 〖식〗 겨우살이덩굴. 인동덩굴.

금착 【擒捉】 명 사로잡음. 생포함. ――하다 타여불

금:찰 【錦察】 명 〖역〗 충청도 관찰사(觀察使)의 별칭. 공찰(公察).

금참 【擒斬】 명 사로잡아 베어 죽임. ――하다 타여불

금창 【金瘡】 명 금속성의 칼이나 창·화살 따위로 받은 상처.

금창-산[1] 【金昌山】 명 〖지〗 평안 북도 후창군(厚昌郡)과 자성군(慈城郡) 사이에 있는 산. [1,160 m]

금창-산[2] 【金瘡散】 명 〖한의〗 금창에 바르는 약. 나무나 풀의 잎과 줄기를 석회(石灰)에 이기어서 큰 뽕나무에 구멍을 뚫고 그 속에 넣어 뽕나무 껍질로 봉하여 두서너 달 두었다가 꺼내어 그늘에 다시 두서너 달 말리어 만듦. 금상산(金傷散). 금창약(金瘡藥).

금창 소:초 【金瘡小草】 명 〖식〗 제비꿀.

금창-약 【金瘡藥】 [―냑] 명 〖한의〗 금창산(金瘡散).

금채[1] 【金釵】 명 금으로 만든 비녀. 금비녀. 금잠(金簪).

금채[2] 【金彩】 명 채색감으로 쓰는 이금(泥金)이나 금가루.

금:채[3] 【錦采】 명 비단 옷감. 비단으로 된 채단.

금척[1] 【金尺】 명 〖악〗 몽금척(夢金尺)❷. ＊금척사(金尺詞).

금척[2] 【琴尺】 명 〖역〗 신라 때, 가야금(伽倻琴)을 타던 악공(樂工)의 하나.

금척 대:훈장 【金尺大勳章】 명 〖역〗 대한 제국 때의 훈장의 하나. 훈장 중에서 가장 높음. 황족(皇族) 및 문무관(文武官) 가운데 서성(瑞星) 대훈장을 찬 사람으로서 특별한 훈로(勳勞)가 있을 때에 특지(特旨)로 내림. ＊훈장.

〈금척 대훈장〉

금척-령 【金尺令】 [―녕] 명 〖악〗 당악 정재(唐樂呈才) 금척(金尺)에 연주되는 곡.

금척-무 【金尺舞】 명 〖악〗 궁중(宮中)의 잔치 때에 추던 춤의 하나.

금척-사 【金尺詞】 명 〖악〗 궁중의 잔치 때, 금척무에 맞추어 부르던 노래. ＊금척(金尺).

금천[1] 【今天】 명 ①금일(今日). 오늘. ②현재❶.

금천[2] 【金川】 명 〖지〗 황해도 금천군(金川郡)의 군청 소재지. 경의선(京義線) 금교역(金郊驛)의 동쪽 약 1 km 지점에 위치함. 농산물의 집산지이며 특히 콩과 담배 산지(産地)로 유명함. 동쪽에 옥녀봉(玉女峰), 서북쪽에 탄금대(彈琴臺)의 고지가 있고, 남쪽으로는 평야가 펼쳐져 있음.

금천[3] 【金天】 명 가을 하늘. 추천(秋天).

금천[4] 【金釧】 명 〖역〗 금으로 만든 팔찌.

금천-구 【衿川區】 명 〖지〗 서울 특별시의 한 구(區). 동쪽은 관악구(冠岳區), 북쪽은 구로구(九老區), 서쪽은 광명시(光明市)에 접함. 명승 고적으로는 시흥동(始興洞)의 호압사(虎壓寺) 등이 있음. 1995년 3월 구로구에서 분리되었음. [13.08 km² : 282,848 명(1996)]

금:천-군 【金川郡】 명 〖지〗 황해도의 한 군. 관내 13면. 북은 신계군(新溪郡)과 강원도 이천군(伊川郡), 동은 이천군과 철원군(鐵原郡), 남은 경기도 연천군(漣川郡)과 장단군(長湍郡) 및 개풍군(開豐郡), 서는 평산군(平山郡)에 인접함. 명승 고적은 영수사(映水寺)·민충사(愍忠寺)·원명사(圓明寺)·삼성대(三聖臺)가 있음. 군청(郡廳) 소재지는 금천(金川). [959 km²]

금철 【金鐵】 명 ①금과 철. 또는 쇠붙이의 총칭. ②견고(堅固)한 사물의 비유.

금-첩지 【金―】 명 〖역〗 순금으로 만든 첩지. 왕비나 왕실의 친척 부인이 씀. ＊은첩지·흑각 첩지.

금체[1] 【今體】 명 ①〖문〗 육조(六朝) 시대의 시문(詩文)을 고체(古體)라고 하는 데 대하여 당대(唐代) 이후의 시문을 이름. ②현재 행하여지고 있는 형식이나 체재(體裁).

금체[2] 【金體】 명 〖민〗 골상학(骨相學)에서, 인체를 오행(五行)으로 나누어 그 중에 금에 해당하는 체격.

금체-시 【今體詩】 명 〖문〗 중국의 시를 외형률(外形律)에 따라 둘로 가른 것의 하나. 사성(四聲)을 고르게 배열하여, 음성의 조화를 꾀하고 거기에 음악적인 미감(美感)을 내기 위하여 압운(押韻)과 평측(平仄) 등의 외형률을 엄격하게 한 것으로, 오언(五言)·칠언 절구(七言絶句)·율시(律詩) 등이 있음. 근체시(近體詩). ↔고체시(古體詩).

금쳐 놓다 [―노타] 타 일이 장차 어떻게 되리라고 예언(豫言)해 두다.

금초[1] 【今草】 명 진(晉)·당(唐) 이후에 쓰인 초서체(草書體). ↔장초(章草).

금:초[2] 【錦草】 명 〖식〗 비단풀.

금촌[1] 【金村】 명 〖지〗 경기도 파주군에 속했던 한 읍(邑). 현재는 파주시에 속하는 동(洞)임.

금촌[2] 【金村】 명 〖지〗 '진춘(金村)'을 우리 음으로 읽은 이름.

금촌 고:묘 【金村古墓】 명 진춘 고묘.

금-최자 【金嗺子】 명 〖악〗 나라 잔치 때에, 하황은무(荷皇恩舞)에 아뢰던 풍류의 한 가지.

금추[1] 【今秋】 명 올 가을.

금추[2] 【金秋】 명 가을. ＊금(金).

금:추[3] 【禁推】 명 〖역〗 죄인을 의금부(義禁府)에서 심문하는 일.

금:추 인원 【禁推人員】 명 〖역〗 죄인을 의금부에 구금(拘禁)하여 놓고 문초(問招)하는 사람.

금춘 【今春】 명 올 봄.

금충【禽蟲】명 새와 벌레.

금측【金側】명 금딱지.

금측 시계【金側時計】명 금시계(金時計).

금치¹【金齒】명 금니.

금:치²【禁置】명 규율을 위반한 수형자(受刑者)에 대한 무거운 징벌의 하나. 일정 기간 독거실(獨居室)에 가두어, 면회·서신 왕래·도서 열람 등을 금함. ——-하다 타여불

금-치다 타 물건의 값을 어림쳐서 부르다.

금:-치산【禁治產】명〖법〗심신 상실(心神喪失)의 상태에 있기 때문에 자기 스스로가 재산을 관리할 능력이 없는 자를 보호하기 위하여, 스스로 재산을 처분하지 못하게 하는 제도. 가정 법원은 본인, 배우자, 사촌 이내의 친족, 호주, 후견인 또는 검사의 청구에 의하여 금치산 선고를 하고, 금치산자에 후견인을 붙여 재산을 관리시킴. *한정 치산.

금:치산-자【禁治產者】명〖법〗가정 법원으로부터 금치산의 선고를 받은 법률상의 무능력자(無能力者). *한정(限定) 치산자.

금:칙【禁飭】명 금지하고 계칙(戒飭)함. ——-하다 타여불

금칠【金漆】명 금박(金箔) 가루를 아교풀에 개어 섞은 옻.

금:침【衾枕】명 이부자리와 베개. 금구(衾具). 침구(寢具).

금:침-장【衾枕欌】[-짱] 명 자릿장.

금탁¹【金柝】명〖역〗군중(軍中)에서 쓰던 징과 딱딱이.

금탁²【金鐸】명〖역〗①쇠로 만든 추(錘)를 단 큰 방울. 조선 시대에 군사(軍事)에 관한 교령(敎令)을 내릴 때 썼음. ②야경(夜警)을 할 때 쓰던 요령(搖鈴).

금탑【金塔】명〖불교〗황금으로 도금(鍍金)한 탑.

금탑 산:업 훈장【金塔產業勳章】명 제1등급의 산업 훈장. 수(綬)는 대수(大綬)이며, 하늘색임. *은탑 산업 훈장.

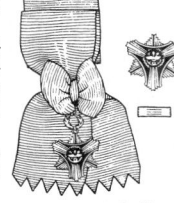

〈금탑 산업 훈장〉

금태【金胎】명〖불교〗금강(金剛)과 태장(胎藏).

금태 양:부【金胎兩部】명〖불교〗금강계(金剛界)와 태장계(胎藏界).

금-테【金—】명 금 또는 금빛나는 것으로 만든 테. ¶ ~ 안경.

금테 모자【金—帽子】명 금테를 두른 모자.

금테 안:경【金—眼鏡】명 금테로 된 안경.

금테줄-배벌【金—】명〖충〗[*Campsomeris prismatica*] 배벌과에 속하는 곤충. 암컷은 몸길이 20-25 mm이며, 몸빛은 흑색 광택에 복부는 다소 감청색(紺靑色) 광택이 남. 몸 전체에 황갈색 긴 털이 있고, 복부 제5절에는 흑갈색 털이 있음. 아시아 남부에 널리 분포함.

금테 증권【金—證券】[—꿘] 명〖경〗금연(金緣) 증권.

금통-위【金通委】명〖경〗↗금융 통화 운영 위원회(金融通貨運營委員會).

금-투기【金投機】명 [gold speculation]〖경〗금값의 상승(上昇)을 예상하여 금을 투기적으로 사는 일.

금파【金波】명 ①석양(夕陽)이나 달빛이 비치어 금빛으로 반짝거리는 물결. *은파(銀波). ②벼가 누렇게 익은 들판.

금파 귀걸이【金波—】명 금 바탕에 파란을 올려 만든 귀걸이.

금-파리【金—】명〖충〗[*Lucilia caesar*] 검정파릿과에 속하는 곤충. 몸길이 7-10 mm인데, 몸이 비대(肥大)하고 청록색과 황록색의 금속 광택이 나며, 미배판(尾背板)은 청록색의 금속성 광택이 남. 오물과 음식물에 날아와 전염병을 매개함. 전세계에 분포함. 금승(金蠅). 청승(青蠅).

〈금파리〉

금파-산【金把山】명〖지〗평안 북도 강계군(江界郡) 종서면(從西面)과 후창군(厚昌郡) 남신면(南新面)과의 경계에 있는 산. [1,318 m]

금-파오다【金—】타너라불〖민〗음력 정월 14일날 저녁에, 가난한 사람들이 부자가 되려고 부잣집 흙을 부뚜막에 바르기 위하여 몰래 부잣집 대문 안에 들어가 흙을 파오다. 옛날에는 종로 네거리에 있는 도자전(刀子廛)의 흙을 파 왔음.

금-판【金板·金版】명 금빛을 띤 금속제(金屬製)의 판. 인쇄나 사진 제법의 초기에 쓰였음.

금-팔찌【金—】명 금으로 된 팔찌.

금-패¹【金牌】명 ①〖역〗조선 시대 때, 규장각(奎章閣)의 부신(符信)으로 이금(泥金)을 발라 만든 나무 패. 규장각 출입시에 제시하던 것으로, 58개의 금패가 있었는데, 품계가 있는 관원에게는 필요치 않고 서리(書吏)나 노비(奴婢)들이 사용하였음. ②금으로 만든 상패(賞牌). 금메달.

금:패²【錦貝】명〖광〗빛깔이 누르고 투명한 호박(琥珀)의 한 가지.

금:패-령【禁牌嶺】명〖지〗함경 남도 신흥군(新興郡) 하원천면(下元川面)과 풍산군(豐山郡) 안수면(安水面) 사이에 있는 고개. [1,676 m]

금-패물【金佩物】명 ①금으로 만든 패물. ②옥(玉)을 끈에 꿴 것.

금-평가【金平價】[—까] 명〖경〗금본위제(金本位制)를 채택하고 있는 나라 사이에서의 통화의 가치 비율(價値比率). 각각 본위 화폐 1단위에 포함된 금의 순분량(純分量)의 비(比)에 따라 산출함. 법정 평가.

금폐【金幣】명 금화(金貨).

금:포【錦袍】명 비단 두루마기. 비단으로 된 도포.

금-포일【金—】명 [gold foil]〖광〗압연(壓延)이나 두드려 만든, 금박보다 두꺼운 금의 판.

금표【金表】명 금시계.

금품【金品】명 돈과 물품. ¶ ~을 수수(授受)하다.

금풍【金風】명 가을의 선선한 기운을 띤 바람. 추풍(秋風).

금풍 옥로【金風玉露】[—노] 명 가을 바람과 구슬 같은 이슬.

금-프랑【金—】[프 franc] 명〖경〗금본위 시대의 프랑 화폐.

금하¹【今夏】명 올 여름.

금:하²【錦霞】명〖사람〗신흥우(申興雨)의 호(號).

금-하다¹ 타여불 흥정하여 물건 값을 결정하다. *금.

금:-하다²【禁—】타여불 ①못하게 말리다. 금지시키다. ¶ 출입을 ~. ②웃음·눈물 따위를 참다. 억제하다. ¶ 눈물을 금하지 못하다.

금:할 길(이) 없:다 구 억제할 도리가 없다.

금:할 수(가) 없:다 구 억제할 수가 없다. ¶ 분한 마음을 금할 수 없었다.

금하-신【衿荷臣】명〖역〗신라의 위화부(位和府). 사천왕사 성전(四天王寺成典)·봉성사(奉聖寺) 성전·감은사(感恩寺) 성전·봉덕사(奉德寺) 성전·봉은사(奉恩寺) 성전의 장관. 대각간(大角干)으로부터 이찬(伊飡)까지 또는 각간(角干)으로부터 대아찬(大阿飡)까지임.

금학【琴鶴】명 거문고와 학. 둘 다 세속을 떠난 고아(高雅)한 사람이 좋아하는 것임.

금-합자보【琴合字譜】명〖악〗거문고 악보의 하나. 조선 명종(明宗) 16년(1561)에 안상(安瑺) 등이 편찬하고 선조(宣祖) 5년(1572)에 개판하였음.

금-해금【金解禁】명〖경〗일단 금지한 금의 수출을 다시 자유롭게 하는 일로 금본위제(金本位制)에의 복귀를 의미함. 금수출 해제(金輸出解除).

금-해서【金海鼠】명〖동〗광삼(光蔘).

금핵 본위 제:도【金核本位制度】명〖경〗금화를 본위 화폐로 하되, 이를 국내에는 유통시키지 아니하고, 그 대신 이에 기준을 둔 은행권·지폐·보조 화폐를 유통시키는 화폐 제도. 발행 준비로서는 금(金)·지금(地金)·금불(金拂) 외국 어음을 병비(並備)하고 태환(兌換) 청구가 있을 때는 비등(比等)하는 준비로써 교환하게 됨. 금괴(金塊) 본위 제도와 금환(金換) 본위 제도로 나뉨. *금환 본위제.

금:행 일기【錦行日記】명〖문〗조선 헌종(憲宗) 11년(1845)에 은진(恩津) 송씨(宋氏) 부인이 지은, 내방 가사집(內房歌辭集). 3·4조(調)의 양반 가사(兩班歌辭)로, 714 구(句)에 발(跋) 25 행(行)이며, 부록으로 육양가(育養歌) 57행(行)이 붙어 있음. 필사본(筆寫本) 1 책.

금:향-색【錦香色】명 붉은 빛을 띤 검누른 빛깔.

금-혁【金革】명 병기(兵器)의 총칭.

금혁지-난【金革之難】명 전쟁의 고난(苦難).

금혁지-세【金革之世】명 전란(戰亂)이 일어난 세상. 전쟁이 끊이지 아니하는 난세(亂世).

금현【琴絃】명〖악〗거문고의 줄.

금-현송【金現送】명〖경〗국제 금본위제하(金本位制下)에 있어서, 한 나라의 국제 수지(收支)가 지불 초과일 때에, 환시세(換時勢)의 저락(低落)을 방지하기 위하여 금을 외국으로 보내어 지불에 충당하는 일.

금현송-비【金現送費】명〖경〗국제간의 금현송에서, 포장비·운임·보험료, 그 밖의 여러 가지 수수료(手數料)를 포함한 비용.

금현송-점【金現送點】[—쩜] 명 [gold point]〖경〗금(金) 평가에서 운임·보험료 등과 같은 금의 현송(現送) 비용을 가감(加減)한 상하(上下)의 한계점. 곧, 금수입점(金輸入點)과 금수출점의 상하 두 개의 한계점을 가리키는데, 금본위 제도국 사이의 환(換)시세는 이 범위 안에서만 변동함.

금혈【金穴】명〖광〗금줄에 금이 박혀 있는 곳.

금형【金型】명 금속제의 거푸집.

금:형-일【禁刑日】명〖역〗①서울과 시골의 각 아문(衙門)에서 고신(拷訊)과 결벌(決罰)을 하지 아니하는 날. 대전(大殿)과 왕비(王妃)의 탄일, 왕세자 생신(生辰), 대제사(大祭祀) 및 치재(致齋)·삭망(朔望)·상하현(上下弦)·정조시일(停朝市日) 등의 날. ②사형(死刑)을 행하지 아니하는 날. 위에 모든 날과 24절기(節氣)의 날, 비가 개지 아니한 날, 날이 밝지 아니한 날 들로 정해져 있음.

금호¹【金壺】명 ①옛날의 물시계. ②금이나 은으로 만든 술병 또는 술단지.

금호²【琴湖】명〖지〗경상 북도 영천시(永川市)의 한 읍(邑). 영천시의 서남쪽에 위치함. 역(驛)이 있고, 금호강의 수리(水利)를 이용한 농산물과 사과의 산출이 많음. [51.54 km²: 13,450 명 (1996)]

금호-강【琴湖江】명〖지〗경상 북도 포항시(浦項市) 죽장면(竹長面)으로부터 영천(永川)·경산(慶山)·대구 광역시 등지를 지나서 낙동강으로 흘러 내려가는 강. [116 km]

금호-도¹【金湖島】명〖지〗①전라 남도 서남 해상(西南海上), 진도군(珍島郡) 고군면(古郡面) 금호도리(金湖島里)에 위치한 섬. [0.57 km²] ②전라 남도 남해안(南海岸), 광양군(光陽郡) 골약면(骨若面) 금호리(金湖里)에 위치했던 섬. 1985년 섬 주변의 간석지(干潟地)를 매립하여 광양 제철소의 전진 기지가 건설됨으로써 육지화되었음.

금:호-도²【錦湖島】명〖지〗전라 남도 해남군(海南郡) 산이면(山二面) 금호리(錦湖里)에 위치한 섬. 김·굴의 양식업과 마른 김, 그 밖의 수산 가공업이 발달함. [4.02 km²]

금호-문【金虎門】명〖지〗창덕궁 돈화문(敦化門)의 서쪽에 있는 작은 문.

금호문 의:거【金虎門義擧】명〖역〗1926년에 일어난 조선 총독 암살 미수 사건. 순종(純宗)의 성복제(成服祭)에 참석하는 조선 총독 사이토 마코토(齋藤實)를 죽이려고 금호문 앞에서 대기하던 송학선(宋學先)이, 경성 부의원(京城府議員)들의 차를 총독의 차로 오인(誤認)하여 살해하고, 잡혀서 사형당함.

금호 유고【琴湖遺稿】명〖책〗조선 효종(孝宗) 때 사람 금호(琴湖) 이지걸(李志傑)의 시문집(詩文集). 남구만(南九萬)·최석정(崔錫鼎)의 공편, 1712년에 출판. 5권 1책. 목판본.

금호-지【琴湖池】명〖지〗①경상 남도 진주시(晋州市) 금산면(琴山面)에 있는 못. ②경상 남도 창원시(昌原市) 동면(東面)에 있는 못.

금호 평야【琴湖平野】명〖지〗낙동강의 지류인 금호강 유역에 전개된 평야. 경상 북도 제일의 평야로, 쌀·보리·콩·사과 등을 산출함. 대구(大邱)는 그 중심지를 이루며 동해 중부선 외에도 고속 도로의 개통으로 교통도 편리함. 대구 평야(大邱平野).

금:혼【禁婚】명 ①결혼을 못 하게 금함. ②〖역〗세자(世子)·세손(世孫)의 비(妃)를 간택(揀擇)하는 동안 서민(庶民)의 결혼을 금함. ——-하다 타여불

금혼-식【金婚式】 명 〔golden wedding〕 부부(夫婦)가 결혼한 후 50주년을 기념하여 행하는 식 또는 잔치. 골든 웨딩. *은혼식(銀婚式).

〈금혼초〉

금혼-초【一草】 명 〖식〗 [*Hypocaeris ciliatus*] 꽃상추과에 속하는 다년초. 줄기 높이 30-50 cm이고 암자색에 가시털이 있음. 잎은 긴 타원형이며 거치연(鋸齒緣) 또는 모연(毛緣)임. 6-10월에 황자색의 큰 두상화(頭狀花)가 정생(頂生)하여 핌. 한국 특산으로 산이나 들에 나는데, 강원·황해·평남북·함북 등지에 분포함. 황금초(黃金草).

금홍-석【金紅石】 명 〖광〗 정방정계(正方晶系)에 속하는 기둥 모양의 결정으로 된 광석. 성분은 산화 티탄(酸化titan)이고 적갈색·황적색·청색·흑색이 있으며, 화강암·편마암 따위에 박혀 있음. 보석으로 이용함. 루틸(rutile).

금화[1]【金貨】 명 〖경〗 금으로 만든 화폐. 금전(金錢). 금폐(金幣).

금화[2]【金華】 명 〖지〗 '진화'를 우리 음으로 읽은 이름.

금:화[3]【禁火】 명 ①화재를 방지하기 위하여 불을 쓰는 것을 제한함. ②〖역〗 조선 시대 때, 방화(防火)에 대하여 규정한 병전(兵典)의 한 조목(條目). 오부(五部)의 당직 관원(當直官員)의 복무(服務)·수칙(守則) 및 백성들의 방화에 대한 지침(指針)을 규정함. ——-하다 자여불

금화-국【金貨國】 명 금화 본위(金貨本位)의 국가.

금:화 금:벌【禁火禁伐】 명 산에서 불 쓰는 것을 금하고 함부로 나무를 베지 못하게 함. ——-하다 자여불

금화 단본위제【金貨單本位制】 명 〖경〗 금화만을 본위 화폐로 하고 다른 것은 보조 화폐로 하는 제도. *은화(銀貨) 단본위제.

금:화 도감【禁火都監】 명 〖역〗 조선 세종(世宗) 8년(1426) 2월에 일어난 한성부(漢城府)의 대화(大火)를 계기로 설치한 관아. 그 해 7월에 성문 도감(城門都監)을 합치어 수성 금화 도감(修城禁火都監)으로 고침.

금:화-령【禁火令】 명 〖역〗 조선 시대 때, 실화(失火)를 방지하기 위하여 실화자(失火者)를 처벌하던 형법(刑法). 3대 태종(太宗) 17년(1417) 호조(戶曹)의 건의에 의하여 '대명률(大明律)' 실화조(失火條)에 규정된 조항을 이용 실시하였음. 「잔디를 잘 가꿈. ——-하다 자여불

금:화 벌초【禁火伐草】 명 무덤에 불조심하고 때 맞추어서 풀을 베고

금화 본위 제:도【金貨本位制度】 명 〖경〗 금화를 본위 화폐로 하는 금본위 제도의 한 가지. 금본위 제도의 가장 완전한 형태로, 금화 이외의 화폐는 보조 화폐로 하고, 금화의 주조(鑄造)·용해(鎔解)·수출이 자유로우며, 중앙 은행권은 금화와 태환(兌換)됨. *은화(銀貨) 본위 제도.

금화사 몽:유록【金華寺夢遊錄】 명 〖문〗 한문 소설의 하나. 작자·창작 연대 미상. 금산사(金山寺) 몽유록과 내용·구성이 대동 소이(大同小異)함. *금산사 몽유록.

금화 옹:자기【金畫甕瓷器】 명 〖공〗 이금(泥金)으로써 겉에 그림을 그린 도자기. 고려의 청자(靑瓷)와 중국의 백자(白瓷)·흑도(黑陶) 등이 있음. 화금 자기(畫金瓷器).

금화 유입점【金貨流入點】 명 〖경〗 정화 수입점(正貨輸入點).

금:화-조【錦華鳥】 명 〖조〗 [*Taeniopygia castanotis*] 단풍샛과(科)에 속하는 새. 날개 길이 약 5.5 cm로, 참새보다 작음. 부리와 다리는 주홍색, 뺨은 황적색을 띠며, 등은 올리브 갈색, 수컷에는 목에서 가슴에 걸쳐 희고 검은 줄무늬가 있고, 옆구리에 갈색 반점이 있음. 오스트레일리아 원산으로, 널리 각지에서 사육(飼育)됨.

금화 준:비【金貨準備】 명 〖경〗 금(金)준비.

금화-충【金花蟲】 명 〖충〗 잎벌레.

금화 터널【金化—】〔tunnel〕 명 〖지〗 서울 특별시 서대문구(西大門區) 현저동(峴底洞)과 봉원동(奉元洞)을 잇는 터널. [555 m]

금:화-판【禁火板】 명 〖역〗 조선 시대 때, 소방(消防)에 종사하는 사람에게 신분증으로 발급하던 널판. 방(坊)이나 이(里)의 통(統)을 단위로 발급하였는데, 불이 나면 이들이 주민을 인솔하여 진화(鎭火)하였음.

금환[1]【金丸】 명 〖연〗 ①신라 오기(五伎)의 하나. 여러 개의 금칠을 한 공(방울)을 공중에 던졌다 받는 곡예. *오기[1]. ②중국 한(漢)나라 때의 탈춤의 한 형식. 둥근 공 같은 것을 손에 들고 춤을 춤.

금환[2]【金環】 명 ①금으로 만든 고리. ②금반지.

금:환[3]【錦還】 명 ↗금의 환향(錦衣還鄕). 금귀(錦歸). ——-하다 자여불

금환 본위제【金換本位制】 명 〖경〗 금본위제의 한 형태. 통화(通貨) 당국이 금본위국의 통화를 일정한 환율(換率)로 무제한 매매함으로써 금본위제의 특성인 금과 통화와의 연결을 유지하는 방식. 금괴(金塊) 본위제와 더불어 금핵(金核) 본위제의 하나임. *금괴(金塊) 본위제.

금환-식【金環蝕】 명 〖천〗 일식(日蝕)의 한 종류. 달이 태양의 중앙만을 가리어서 태양 광선이 달의 주위에 고리 모양으로 보임. 고리 일식. 금환 일식. *개기식(皆旣蝕).

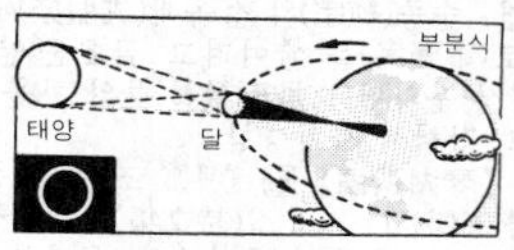

〈금환식〉

금환 일식【金環日蝕】 명 〖천〗 금환식. 「상황(上皇).

금-황제【今皇帝】 명 현재 살아서 황위(皇位)에 있는 황제. *

금황-화【金凰花】 명 〖식〗 애기미나리아재비.

금회[1]【今回】 명 이번. 지금의 회(回).

금:회[2]【襟懷】 명 가슴에 깊이 품고 있는 회포(懷抱). 금기(襟期).

금획【禽獲·擒獲】 명 사로잡음. ——-하다 타여불

금-횡과【金橫瓜】 명 〖역〗 의장(儀仗)의 한 가지. 나무로 참외 모양을 만들어서 금칠을 한 것을 붉은 막대기의 꼭대기에 가로 꿴 것. 와과(臥瓜). *금입과(金立瓜).

〈금횡과〉

금효【今曉】 명 오늘 새벽.

금후【今後】 명부 지금으로부터 뒤. ¶ ~ 5년 내지 10년.

금:훤【禁喧】 명 〖역〗 ①임금의 전좌(殿座)와 거둥 때, 함부로 들어와서 떠드는 사람을 징치(懲治)하고, 규정 이외의 하례(下隷)를 행렬(行列)에 따르게 한 관원을 논박(論駁)하여 감단(勘斷)하는 일. ②↗금훤 낭청. ——-하다 자여불 떠듦을 금하다.

금:훤 낭청【禁喧郎廳】 명 〖역〗 임금의 전좌(殿座)와 거둥 때에, 질서를 문란하게 하는 사람을 징치(懲治)하기 위하여 임시로 두는 벼슬. 병조(兵曹)의 낭관(郎官) 중에서 임명함. ㊙금훤.

금-휘[1]【金—】 명 〖건〗 무늬가 금빛으로 된 휘.

금:휘[2]【錦—】 명 〖건〗 여러 가지 빛깔로 아름답게 그린 단청 무늬의 휘.

금휘[3]【琴徽】 명 〖악〗 기러기발.

급[1]【急】 명 절박하여 지체할 겨를이 없음. ¶ 풍운(風雲)이 ~을 고(告)하다. ——-하다 형여불

급[2]【級】 ㊀ 명 ①학급·계급·등급 등을 일컫는 말. ②유도·바둑·주산·타자(打字) 등 기술에 의한 등급. 흔히, 단(段)의 아래 단계임. ¶ 바둑 5~/1~ 건축사. ③단계. 정도. ¶ 장관~ 인물/5천 톤~의 배. ④사진 식자(寫眞植字)의 글자 크기를 나타내는 단위(單位). ㊁ 의명 ①〈옛〉 목을 벤 적수(敵首)의 수(數)를 세는 말. 중국의 진(秦)나라 제도에 한 적수(敵首)를 베면 위급(位級)이 한 급씩 올랐다는 데서 온 말. ②어촌(漁村)에서 오징어 20마리를 세는 말.

급[3]【及】 부 '및'의 뜻의 접속 부사.

급-【急】 두 ①'갑자기'의 뜻을 나타내는 말. ¶ ~강하/~상승/~정거. ②'매우 빠른'의 뜻을 나타내는 말. ¶ ~회전. ③'몹시 심하'의 뜻을 나타내는 말. ¶ ~경사.

급가[1]【給暇】 명 ①휴가를 줌. ②〖역〗 조선 시대 때, 사고나 병고(病故) 또는 관혼상제에, 관리들에게 휴가를 주던 규정. 급유(給由). ——-하 「다 타여불

급가[2]【給價】 명 값을 지급(支給)함. ——-하다 자여불

급각【急刻】 명 몹시 엄함. 가각(苛刻). ——-하다 형여불

급-각도【急角度】 명 ①급한 각도. ¶ ~로 구부러지다. ②일의 방향이 갑자기 달라졌을 때 쓰는 말. ¶ ~로 변하다.

급간【急癎】 명 〖한의〗 갑자기 온 몸에 경련(痙攣)이 일어나 그 발작(發作) 상태가 반복되며 정신을 잃는 병.

급감[1]【急疳】 명 〖한의〗 마마를 앓은 뒤에 그 여독(餘毒)으로 잇몸이 헐어서 헤어지는 병. 「자타여불

급감[2]【急減】 명 급히 줆. 갑자기 삭감(削減)함. ↔급증(急增). ——-하다

급-강하【急降下】 명 ①갑자기 내림. ¶ 기온이 ~하다. ②비행기·새 등 날던 것이 거의 수직으로 급히 내려옴. ↔급상승. ——-하다 자여불

급강하 폭격【急降下爆擊】 명 〖군〗 비행기가 급강하하며 행하는 폭격.

급-개념【級概念】 명 〖논〗 일반 개념(一般概念).

급거【急遽】 부 급히 서둘러. 급작스럽게. ¶ ~ 출동(出動)하다. ——-하다 형여불. ——-히 부 「하다 형여불. ——-히 부

급격[1]【急激】 명 변화·행동 따위가 급하고도 격렬함. ¶ ~한 변화. ——

급격[2]【急擊】 명 급히 세차게 공격함. 급습. ¶ 적진을 ~하라. ——-하다 타여불

급격 물실【急擊勿失】 [—씰] 명 급히 쳐서 때를 놓치지 아니함. ——-하다 타여불

급결-제【急結劑】 [—쩨] 명 시멘트의 응고를 빨리 하기 위하여, 시멘트에 첨가하는 약제. 염화 칼슘, 기타의 염화물을 조합해서 만듦.

급경[1]【汲綆】 명 급삭(汲索).

급경[2]【急境】 명 위급(危急)한 경우. ¶ ~을 구하다.

급-경사【急傾斜】 명 몹시 비탈진 경사. 급사(急斜).

급경사-면【急傾斜面】 명 몹시 가파른 면. 급사면.

급경사-지【急傾斜地】 명 몹시 경사진 땅. 급사지(急斜地).

급-경풍【急驚風】 명 〖한의〗 갑자기 일어나는 어린 아이의 경풍. 양의학(洋醫學)의 급성 뇌막염(急性腦膜炎)에 상당함.

급고[1]【汲古】 명 고서(古書)를 탐독함. ——-하다 자여불

급고[2]【急告】 명 급히 알림. ——-하다 타여불

급고[3]【急鼓】 명 잇달아 급하게 북을 침. 또, 그 북. ——-하다 자여불

급고-각【汲古閣】 명 중국 명말(明末)의 모진(毛晉)의 서고(書庫) 이름. 장서(藏書)를 복각(復刻)하여 널리 세상에 보급시켰음.

급과【及瓜】 명 〔외가 익을 때 부임하여 이듬해 외가 익을 때 교체한다는 뜻에서〕 임기가 다됨. 교대할 시기가 됨. 해가 바뀜. ——-하다 자여불

급광-기【給鑛機】 명 〖광〗 쇄광기(碎鑛機)·선광기(選鑛機) 등에 규칙적으로 일정량(一定量)의 광석을 공급하는 장치.

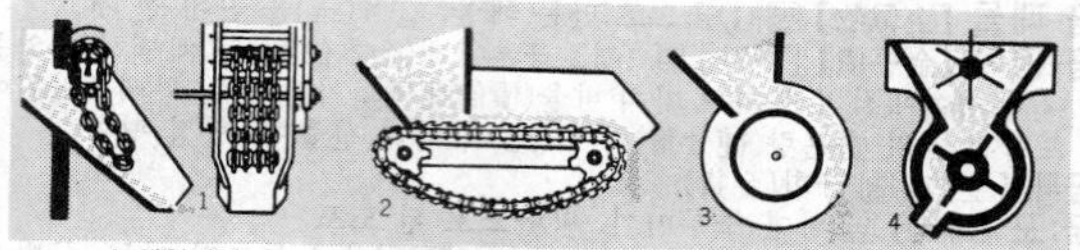

1 체인피더 2 에이프론피더 3 롤피더 4 스타피더
〈급광기〉

급구[1]【急求】 명 어떤 물건이나 사람을 급히 구함. ¶ ~, 유모. ——-하다 「타여불

급구[2]【急救】 명 급히 구원함. ——-하다 타여불

급-구배【急勾配】 명 바싹 되게 진 경사 또는 만곡(彎曲). 급경사.

급금【給金】 명 급료(給料)로서 내어 주는 돈.

급급 여율령【急急如律令】 명 〖민〗 소경이 잡귀(雜鬼)를 몰아 낼 때에 주문(呪文) 끝에 부르는 말. 빨리 가고 머물지 말라는 뜻. 원래는 중국 한(漢)나라 시대에 공문(公文)에 써서 지급(至急)·화급(火急)의 뜻을

나타내던 말임.
급급-하다[1]【汲汲─】[형][여불] 무슨 일에 마음을 쏟아 쉴 사이가 없다. 겁겁(劫劫)하다. ¶ 돈벌이에만 ~. 「다.
급급-하다[2]【岌岌─】[형][여불] ①산이 높고 깎아질리다. ②형세가 위급하
급급-하다[3]【急急─】[형][여불] 몹시 급하다. 급급-히【急急─】[부]
급기-갱【給氣坑】[명]〖광〗갱내(坑內)에 공기를 공급하는 갱도.
급기시【及其時】[부] 그때에 이르러.
급기야【及其也】[부] 결말에 가서는. 마지막에는. ¶ ~ 그는 파산하고 말
급난【急難】[명] 시급한 곤란. 급하고도 어려운 일. ㄴ았다.
급다 왕조【笈多王朝】[명]〖역〗굽타(Gupta) 왕조.
급단【急湍】[명] 물결이 빠른 여울.
급담【急談】[명] 바삐 하는 담화(談話).
급당【急幢】[명]〖역〗신라 때의 군대의 이름. 진평왕(眞平王) 27년(605)에 두었는데 금(衿)의 빛은 황록(黃綠)임.
급대【給代】[명] 다른 물건으로 대신 줌. ──-하다 [타][여불]
급도【汲道】[명] 급로(汲路).
급등【急騰】[명] 물가나 시세 따위가 갑자기 오름. ¶ 주가(株價) ~. ↔급락(急落). ──-하다 [자][여불] 「가가 ~를 보이다.
급등-세【急騰勢】[명] 물가나 시세 따위가 급등하거나 급등할 기세. ¶ 물
급락[1]【及落】[─낙] [명] 급제와 낙제. ¶ ~의 결정.
급락[2]【急落】[─낙] [명] 물가·시세 따위가 갑자기 떨어짐. ↔급등(急騰). ──-하다 [자][여불]
급랭【急冷】[─냉] [명] ①〔quenching〕〖화〗금속을 고온도(高溫度)로 가열하였다가 물 또는 기름 속에 넣어 급히 식히는 일. 경도(硬度)를 증가시키기 위하여서 함. ②급히 냉각함. ──-하다 [자][타][여불]
급량【給糧】[─냥] [명] ①식량을 지급함. ②〖역〗군인이나 선군(船軍)에게 양식을 줌. ③〖역〗왜인(倭人)이나 야인(野人)이 식량을 구걸하러 오면 양식을 주던 일. ──-하다 [자][여불]
급량-부【及梁部】[─냥─] [명]〖역〗신라 초엽 6부족의 하나. 유리왕(儒理王) 9년 (32)에 6촌을 6부(部)로 개칭할 때, 알산(閼山) 양산촌(楊山村)을 개칭한 것임. 양부(梁部).
급로【汲路】[─노] [명] 물을 길어 나르는 길. 급도(汲道).
급뢰【急瀨】[─뇌] [명] 물살이 세게 흐르는 여울.
급료【給料】[─뇨] [명] ①〖역〗요미(料米)를 줌. 요급(料給). ②사용인·노동자 등의 근로(勤勞)에 대하여 고용주가 지급하는 보수. 일급이나 월급 따위. 급여(給與). 급분(給分).
급류【急流】[─뉴] [명] ①물이 급하게 흐름. 단류. 단수(湍水). 비단(飛湍). ②↗급류수. ¶ ~에 휩쓸리다. ↔완류(緩流). ──-하다 [자][여불]
급류-수【急流水】[─뉴─] [명] 급히 흐르는 물. [준]급류(急流). ↔완류수.
급류 용:퇴【急流勇退】[─뉴─] [명] 벼슬길에서 기회를 보아 용기 있게 물러남. ──-하다 [자][여불]
급류-타기【急流─】[─뉴─] [명]〔rafting〕주로 고무 보트로 급류를 타고 강을 따라 내려가는 모험 스포츠. 미국의 그랜드캐넌과 알프스 만년설 지역, 북유럽의 빙하 지역은 급류타기의 세계적인 명소로 꼽힘.
급마【給馬】[명]〖역〗조선 시대에 외방(外方)에 공무로 나가는 관원에게 각 지방의 역원(驛院)에서 말을 지급하던 일. 나라에서 관원에게 마패(馬牌)를 주면, 지방의 역원에서는 그 마패에 규정된 대로 마필(馬匹)과 침식(寢食)을 제공하였음. 최고 일곱필까지 지급되었음.
급마 하:송【急馬下送】[명]〖역〗무슨 일이 있을 때에 지방 관원에게 말을 주어 급히 파송(派送)하는 일. ──-하다 [타][여불]
급매【急賣】[명] 물품을 급히 팖. ──-하다 [타][여불]
급명【急命】[명] 긴급한 명령.
급모【急募】[명] 급히 모집함. ¶ 사원 ~. ──-하다 [타][여불]
급몰【給沒】[명] 장물(贓物) 따위를 소유주에게 반환하거나 관(官)에서 몰수하는 일. ──-하다 [타][여불]
급무【急務】[명] 급한 일. ¶ 초미(焦眉)의 ~.
급문【及門】[명] 문하(門下)에 참여함. 문하생이 됨. ──-하다 [자][여불]
급문-생【及門生】[명] 스승에 대하여 제자가 자신을 겸손하게 이르는 말.
급박【急迫】[명] 조금의 여유도 없이 절박함. 급촉(急促). 전박(煎迫). 절박. ¶ ~한 국제 정세. ──-하다 [형][여불]. ──-히 [부]
급-배수【給排水】[명] 급수와 배수.
급벌-찬【級伐飡】[명]〖역〗신라의 17관등(官等)의 아홉째 등급. 대내마(大奈麻)의 위, 사찬(沙飡)의 아래. 육두품(六頭品)이 그 자리에 오름. 급벌한(級伐干). 급복한(級伏干). 급찬(級粲).
급벌-한【級伐干】[명]〖역〗급벌찬(級伐飡).
급변【急變】[명] ①갑자기 달라짐. 별안간 변함. ¶ 형세(形勢)가 ~하다. ②별안간 일어난 변사(變事). ¶ ~을 알리다. ──-하다 [자][타][여불]
급병【急病】[명] ①갑자기 일어난 병. ②위급한 병. 급증(急症).
급병-인【急病人】[명] 급병에 걸린 사람. 급한 환자.
급보[1]【急步】[명] 급히 걸음. 또, 그 걸음. ──-하다 [자][여불] 「하다 [타][여불]
급보[2]【急報】[명] 급히 알림. 또, 그 소식. 급한 연락. ¶ ~를 받다. ──
급보[3]【給保】[명]〖역〗조선 시대 때, 군정(軍丁)에게 보(保)를 배정하여 줌. ──-하다 [자][여불]
급복【給復】[명]〖역〗조선 시대에 복호(復戶)를 줌. 부역을 면제하여 줌.
급복-한【級伏干】[명]〖역〗급벌찬(級伐飡). ㄴ──-하다 [타][여불]
급봉【級俸】[명] 봉급의 등급.
급부[1]【汲婦】[명] 물 긷는 아낙네.
급부[2]【給付】[명] ①재물을 지급(支給)·교부(交付)함. ②〔도 Leistung〕〖법〗청구권(請求權)의 목적인 의무자의 행위. 특히 채권(債權)의 목적인 채무자의 행위. 작위(作爲)를 내용으로 하는 적극적 급부와 부작위(不作爲)를 내용으로 하는 소극적 급부를 포함함. 현행 민법이나 민사소송법은 이 말을 쓰지 아니하고 이에 갈음하여 각 경우에 따라서 이행(履行)·지급(支給)·행위 또는 급여(給與) 등의 말을 쓰고 있으며, 파산법에서는 이 말을 그대로 쓰고 있음. ¶ 반대 ~. ──-하다 [타][여불]
급부 불능【給付不能】[─릉] [명]〖법〗이행 불능(履行不能).
급부-비【給付婢】[명]〖역〗나라에서 공신(功臣)에게 내리던 계집종. 대개 모반 대역(謀反大逆)을 범한 죄인의 살아남은 여자 가족을 나라에서 몰관(沒官)하여 다시 공신에게 하사(下賜)하였음.
급부 소송【給付訴訟】[명]〖법〗이행(履行)의 소(訴).
급부 판결【給付判決】[명]〖법〗이행(履行) 판결.
급분【給分】[명] ①급여하는 금품의 분량. ②급료.
급-브레이크【急─】〔brake〕[명] 급히 거는 브레이크.
급비【給費】[명] 비용을 지급(支給)함. 비용을 줌. ──-하다 [타][여불]
급비-생【給費生】[명]〖교〗공부를 썩 잘하거나 몹시 가난하여 국가·단체·개인 등으로부터 학비의 지급을 받는 학생. ↔자비생(自費生).
급씌 [부]〈옛〉그때에. ¶ 급씌 시방 무량 셰계 불가셜 불가셜 일졔 졔블과 대보살 마하살이 다 와 모다 계샤 찬탄ᄒᆞ샤ᄃᆡ《地藏 上 4》. *쁴.
급사[1]【及瀉】[명]〖식〗쇠귀나물.
급사[2]【急死】[명] 갑자기 죽음. 돈사(頓死). 급서(急逝). ──-하다 [자][여불]
급사[3]【急使】[명] ①급한 심부름. ②급히 연락해야 할 사명을 띤 사람. 주
급사[4]【急事】[명] 급히 서둘러야 할 일. ㄴ사(走使).
급사[5]【急斜】[명] 기울어진 도가 심한 경사(傾斜). 급경사.
급사[6]【給仕】[명] 사환(使喚).
급사[7]【給使】[명]〖역〗고려 때, 액정국(掖庭局)에 속한 이속(吏屬)의 하나.
급사[8]【給砂】[명] 자동차나 철도 차량의 바퀴가 미끄러지지 않도록 도로나 레일에 모래를 뿌림. ──-하다 [자][여불]
급사[9]【給事】[명]〖역〗①고려 때의 내시부(內侍府)의 정구품 벼슬. ②고려 왕비부(王妃府)의 이속(吏屬)의 하나. ③조선 시대 때, 영흥부(永興府)·함흥부(咸興府)·평양부(平壤府)·영변 대도호부(寧邊大都護府)·경성(鏡城) 도호부·의주목(義州牧)·회령(會寧)·경원(慶源)·종성(鍾城)·온성(穩城)·부령(富寧)·경흥(慶興)·강계 도호부(江界都護府)의 전례서(典禮署)·전주국(典酒局)에 속한 동반(東班)의 종팔품의 토관(土官).
급사[10]【給賜】[명] 물건을 하사(下賜)함. ──-하다 [타][여불]
급사-랑【給事郞】[명]〖역〗고려 때의 문관(文官)의 관계(官階). 정팔품의 상(上). 문종(文宗)에서 충렬왕(忠烈王) 34년(1308)까지 있었음.
급-사면【急斜面】[명] 경사의 도가 심한 면(面). 급경사면. 「벼슬.
급사-중【給事中】[명]〖역〗고려 때, 중서 문하성(中書門下省)의 종사품
급사-지【急斜地】[명] 매우 경사진 땅. 급경사지.
급사 철도【急斜鐵道】[─또] [명] 급경사의 지세(地勢)에서 사용되는 톱니바퀴·강삭(鋼索) 등의 특별한 장치를 한 철도.
급삭【汲索】[명] 두레박줄. 급경(汲綆).
급산【急霰】[명] 갑자기 내리는 싸락눈.
급살【急煞】[명]〖민〗운수가 가장 흉악한 별.
급살(을) 맞다 [구] 별안간 죽다. 「¶ ~ 놈. *염병할.
급살(을) 맞을 [구] '별안간 죽음을 당할'의 뜻. [주의] 욕으로 쓰이는 말.
급살 김치【急煞─】[명] ☞벼락김치.
급살 장아찌【急煞─】[명] 열무나 배추잎을 절여서 당장에 먹게 만든
급살-저【急煞菹】[명] 벼락김치. ㄴ장아찌.
급살-탕【急煞湯】[명] 별안간 닥치는 재변(災變).
급상【給桑】[명] 누에에게 뽕잎을 줌. ──-하다 [자][여불] 「받침. 잠박 시렁.
급상-대【給桑臺】[명] 누에에게 뽕잎을 주려고 잠박(蠶箔)을 놓은 대. 뽕
급상-량【給桑量】[─냥] [명] 누에에게 뽕잎을 주는 분량. 「하다 [자][여불]
급-상승【急上昇】[명] 별안간 상승함. ¶ 인기가 ~하다. ↔급강하. ──
급서[1]【急書】[명] 급히 알리는 편지. 급신(急信). 급편(急便).
급서[2]【急舒】[명] 급함과 완만함. 급완(急緩). 「[여불]
급서[3]【急逝】[명] 갑자기 죽어서 세상을 떠남. 급사(急死). ──-하다 [자]
급-선무【急先務】[명] 무엇보다도 먼저 서둘러 해야 할 일. ¶ 당면한 ~.
급-선봉【急先鋒】[명] 뜻이 같은 사람의 앞장에 서서 행동이나 주장(主張)을 과격하게 함. 또, 그 사람. ¶ 노조 운동의 ~.
급-선회【急旋回】[명] 급격한 선회. 별안간 선회함. ¶ 항공기의 ~. ──-하다 [자][여불]
급설【急設】[명] 급히 서둘러서 설치함. ──-하다 [타][여불]
급성【急性】[명] ①갑자기 일어나는 성질의 병. ¶ ~ 질환. ↔만성(慢性). ②성미가 급함. 또, 그 성질.
급성 간:염【急性肝炎】[명]〖의〗바이러스에 의하여 간실질(肝實質)에 생기는 급성의 염증. 이른 봄이나 초가을에 유행성으로 발생하는 수가 많음. 38-39°C의 고열(高熱)로 식욕 부진·전신 권태(全身倦怠) 등의 징후 다음에 황달의 증세가 나타남. ↔만성(慢性) 간염.
급성 간:위축증【急性肝萎縮症】[명]〖의〗간장 조직의 급격한 파괴를 일으키는 병. 급성 간염의 경과중에 이행(移行)하는 수도 있고 약물(藥物) 또는 장내(腸內)에 발생하는 독소(毒素)로 인하여 일어나기도 하는데, 대개는 수일 이내에 죽음.
급성 골수성 백혈병【急性骨髓性白血病】[─쌩─뼝] [명]〖의〗보통 열과 함께 일어나므로 언제 발병(發病)하였는지를 알 수 있는 골수성 백혈병. 혈액상(血液像) 및 골수상에 의하여 진단됨. 경과는 발병 후 수일 내지 수주(數週)인 수도 있으나 대개는 수개월, 때로는 연여(年餘)에 걸치는 경우도 있음. 고도(高度)의 빈혈(貧血)을 일으킴. *골수성 백혈병.
급성 누:선염【急性淚腺炎】[─념] [명]〖의〗유행성 감기·성홍열(猩紅熱)·관절 류머티즘·이하선염(耳下腺炎) 등의 전염병에 속발(續發)하는 급성의 누선염. 윗 눈꺼풀을 까 뒤집으면 그 부분의 결막(結膜) 밑에 비대(肥大)한 누선을 볼 수 있음. ↔만성 누선염.

급성 방:사능증【急性放射能症】[―쯩] 명 〖의〗 원자 폭탄·수소 폭탄 또는 원자로(原子爐)의 사고로 인하여 인체에 강력한 방사능을 쏘였을 때 급성의 증상을 일으키는 상태. 고도의 방사능증은 전신 피로·탈력감(脫力感)·고열·구토·객혈(喀血)·하혈(下血) 등의 출혈증을 일으키며 1-2주내에 사망하고, 좀 가벼운 것은 머리카락이 빠지고 피부 출혈반(出血斑)·구내염(口內炎)·점액성(粘液性) 또는 혈액성의 설사, 혈액 중의 백혈구 감소 등이 일어나 그 반수는 1-3주 내에 사망함.

급성-병【急性病】[―뼝] 명 〖의〗 갑자기 일어나서 경과가 짧은 병. 급성 맹장염(盲腸炎)과 급성 복막염 따위. 급성 질환. ↔만성병.

급성 복막염【急性腹膜炎】[―념] 명 〖의〗 여러 가지 원인에 의하여 급성으로 복막에 일어나는 국한성(局限性) 또는 범발성(汎發性)인 염증. 그 원인은 대개 위(胃), 십이지장 궤양으로 인한 천공(穿孔) 또는 충수염, 장티푸스에 의한 장의 천공, 자궁외 임신의 파열(破裂) 등임.

급성 복증【急性腹症】 명 〖의〗 발증시(發症時)의 진찰로서, 수술(手術) 여부가 문제될 만큼 격통(激痛)을 일으키는 급성의 복부 질환의 총칭.

급성-사【急性死】 명 〖의〗 외관상 건강했던 사람이 전혀 예기치 않은 때에 돌연 사망하는 일. 사망의 원인이 된 병증(病症)이 본인이나 타인이 모르는 사이 진전(進展)하여 일어남. 발병(發病) 후 1주일 이내에 죽음. *돌연사.

급성 심장사【急性心臟死】 명 〖의〗 죽음이 임박한 경우에, 심장이 다른 기관(器管)보다 먼저 동작을 정지하는 상태.

급성 알코올 중독【急性―中毒】[alcohol] 명 명정(酩酊) 상태를 이름. 급성 일과성(一過性) 생리적 장애 및 정신적 장애를 일으킴.

급성-자【急性子】 명 〖한의〗 붉은 빛이 나는 작은 복숭아 씨. 어린애의 약재로 씀.

급성 전염병【急性傳染病】[―뼝] 명 〖의〗 직접 사람으로부터 사람에게 또는 간접으로 모기·이·벼룩·음식물·오물(汚物) 등을 통하여 감염하는 급성 질환(急性疾患). 병원체는 대개 세균 또는 유사 미생물임. 장티푸스·이질·콜레라·성홍열 따위.

급성 중독【急性中毒】 명 화학 물질이 짧은 기간 안에 생체(生體)에서 작용할 때, 갑자기 질병 상태가 일어나는 현상. ↔만성(慢性) 중독.

급성 질환【急性疾患】 명 〖의〗 급성병.

급성 출혈성 결막염【急性出血性結膜炎】[―썽―념] 명 [acute haemorrhagic conjunctivitis; AHC] 〖의〗 1969년 아프리카의 가나에서 새로 발생한 눈병. 눈의 결막이 갑자기 새빨개지는 병으로, 1-2주일이면 낫는데, 그 후 3-4주일이 지나 가벼운 감기 증상처럼 시작해서 수족(手足)의 마비 증상에까지 이르는 후유증이 따를 때도 있음.

급성 췌:렴【急性膵炎】 명 〖의〗 췌장 괴사(膵臟壞死).

급성 폐:렴【急性肺炎】 명 〖의〗 갑자기 심한 증상을 나타내는 폐렴.

급성 피로【急性疲勞】 명 〖의〗 일과성(一過性)의 회복하기 쉬운 피로.

급성 회백수염【急性灰白髓炎】 명 〖의〗 소아 마비.

급소[1]【急所】 명 ①신체 중에서 그 곳을 해치면 생명에 관계되는 중요한 부분. 명자리. ¶~를 때리다. ②사물의 가장 중요한 곳. 요점(要點). 긍경(肯綮). ¶~를 찌른 질문.

급소[2]【急燒】 명 급히 탐. ――-하다 자 여불

급소 화:약【急燒火藥】 명 순식간에 타버리는 화약.

급속【急速】 명 ①몹시 급함. ②몹시 빠름. ――-하다 형 여불. ――-히 부

급-속도【急速度】 명 매우 빠른 속도. ¶~로 발전하다.

급송【急送】 명 급히 서둘러 보냄. ――-하다 타 여불

급수[1]【汲水】 명 물을 길음. ¶~ 작업. ――-하다 자 여불

급수[2]【級數】 명 ①〖수〗[series] 일정한 법칙에 따라 증감(增減)하는 수를 일정한 순서로 배열한 수열(數列). 등차 급수(等差級數)·등비(等比) 급수·멱(冪) 급수·무한(無限) 급수 등이 있음. ②기술의 우열에 의한 등급. ¶바둑 ~. ③사진 식자에서 글자의 크기를 급(級)으로 나타낼 때의 숫자. 급(級). *수열(數列). 「사. ――-하다 자 여불

급수[3]【給水】 명 음용(飮用)이나 그 밖의 물을 공급함. 또, 그 물. ¶~ 공

급수 가열기【給水加熱器】 명 〖기〗 기관(汽罐)에 급수할 때, 찬물의 공급은 기관의 내력(內力)을 불균일하게 하므로, 이것을 방지하기 위하여 미리 기관 밖에서 물을 가열하는 기계. 기관에서 나오는 불필요한 가스를 이용하는 방법과 증기를 이용하는 방법이 있음.

급수 공덕【汲水功德】 명 〖불교〗 목마른 사람에게 물을 길어 주는 공덕.

급수 공사【給水工事】 명 깨끗한 식수(食水)를 공급하기 위해서 하는 공사. 수도(水道) 공사.

급수 공학【給水工學】 명 [water-supply engineering] 토목 공학의 한 분야. 물의 공급원 개발·처리·운반·배분(配分) 등에 관한 공학.

급수-관【給水管】 명 각 가정으로 물을 공급하는 상수도(上水道)의 관. ¶~이 터지다.

급수-군【汲水軍】 명 〖역〗 수영(水營)에서 물을 긷는 군사.

급수-꾼【汲水―】 명 물을 긷는 사람. 「차.

급수 낙차【給水落差】 명 물레방아의 중심에서 급수면까지의 높이의

급수-료【給水料】 명 수도료. 「用水)를 공급하는 배.

급수-선【給水船】 명 선박(船舶)에 음용수(飮用水) 또는 기관용수(機關

급수 여:과기【給水濾過器】 명 증기 기관의 급수(給水) 처리 장치의 하나. 수증기가 응축기에서 냉각되어 물이 된 것을 다시 기관(汽罐)에 급수하기 위하여 물을 깨끗하게 여과함. 「놓은 역. 급수 정거장.

급수-역【給水驛】 명 기관차에 물을 공급할 수 있는 급수탑을 설치하여

급수 역지판【給水逆止瓣】 명 〖기〗 급수 체크 밸브(check valve).

급수 연:화 장치【給水軟化裝置】 명 급수할 물에 화학 약품을 넣어 경수(硬水)를 연화하는 장치.

급수 운하【給水運河】 명 물을 공급하기 위하여 판 운하.

급수-장【給水場】 명 급수지(給水池) 및 급수 설비나 그 부속물이 있는 장소.

급수 장치【給水裝置】 명 공도(公道)에 부설한 수도 배수관으로부터 수요자(需要者)의 집안에 이르기까지의 모든 음료수 공급 장치.

급수-전【給水栓】 명 급수관의 끝에 장치하여 출수구(出水口)를 여닫는

급수 정거장【給水停車場】 명 급수역(驛). 「마개.

급수 제:한【給水制限】 명 상수도(上水道)의 저수량(貯水量)이 공급량에 비해 적을 때, 물의 공급을 시간에 따라 제한하는 일.

급수 조합【給水組合】 명 공업 용수의 급수를 받는 사람이 급수 시설이나 용수구(用水口)의 공동 설치·운용 및 요금의 공동 납입 등을 위하여 조직한 조합.

급수-지【給水池】 명 수도물을 공급하기 위하여 설치한 저수지.

급수-차【給水車】 명 가물거나 단수(斷水)되었을 때에, 음료수를 공급하기 위하여 물탱크를 장치한 차.

급수 체크 밸브【給水―】[check valve] 명 〖기〗 증기관(蒸氣管)의 급수의 역류(逆流)를 방지하기 위하여 물이 증기관으로 들어가는 부분에 설치해 놓은 밸브. 급수 역지판(逆止瓣).

급수-탑【給水塔】 명 ①물탱크로부터 직접 기관차에 급수가 되지 아니할 경우, 승강장(乘降場)이나 기타 편리한 곳에 설치한 철제(鐵製)의 탑. ②급수에 필요한 수압(水壓)을 얻기 위한 시설. 급수 지역 부근에 높은 곳이 없을 경우에 탑을 만들고 물통을 높은 곳에 설치함.

급수 탱크【給水―】[tank] 명 급수를 위한 수조(水槽). 급수차(車)·급수선(船)에 장착하거나 배수탑(配水塔) 위에 설치함.

급수 펌프【給水―】[pump] 명 보일러의 급수에 쓰는 펌프.

급-스럽다【急―】 형 ㅂ불 보기에 급하다. ¶복도를 걸어 급스럽게 뒤뜰에 내려서는 꼴이란…≪李孝石: 라오콘의 후예≫. 급-스레【急―】 부

급습【急襲】 명 ①갑자기 습격함. ②단시간에 공격을 실행함. ¶적진(敵陣)을 ~하다. ――-하다 타 여불

급식【給食】 명 ①음식을 줌. ②학교나 공장 등에서 아동이나 종업원 등에게 음식을 줌. ¶~비/~ 아동. ――-하다 자 여불

급신【急信】 명 급한 일을 알리는 통신(通信). 급편(急便). 급서(急書).

급안【急岸】 명 바다나 강의 경사가 심한 기슭.

급-암【汲黯】 명 〖사람〗 한대(漢代)의 간신(諫臣). 자(字)는 장유(長孺). 푸양(濮陽) 사람. 경제(景帝) 때에 태자 세마(太子洗馬)가 되고, 무제(武帝) 때에 둥하이(東海)의 태수(太守)를 거쳐 구경(九卿)의 반열(班列)에 올랐음. 성정(性情)이 심히 엄격하고 직간(直諫)을 잘하여 무제로부터 '사직(社稷)의 신하'라는 말을 들었음. [?-112 B.C.]

급액【給額】 명 급여하는 금액.

급양【給養】 명 ①물건을 대주며 기름. ②생존에 필요한 양식·금전·의류(衣類) 등을 공급함. ――-하다 자 타 여불

급-어성화【急於星火】 명 마치 별똥의 불빛같이 급하고 빠름.

급언【急言】 명 썩 빨리 하는 말.

급업【岌業】 명 산이 위태롭게 높음. 급급(岌岌). ――-하다 형 여불

급여【給與】 명 ①대주거나 베풀어 줌. 또, 그 물건. ②국가 또는 지방 공공 단체의 직원이 받는 봉급이나 일반 고용주가 고용인에게 지불하는 임금 등의 총칭. 급료(給料). ――-하다 타 여불

급여-금【給與金】 명 급여되는 돈. 「균 급여액.

급여 베이스【給與―】[base] 명 〖경〗 급여의 기준. 1인 1개월간의 평

급여 소:득【給與所得】 명 〖경〗 봉급·급료(給料)·임금·세비(歲費)·연금 및 상여(賞與) 등에 의한 소득. *퇴직 소득·사업(事業) 소득.

급여 소:득세【給與所得稅】 명 근로(勤勞) 소득세.

급여 체계【給與體系】 명 임금(賃金) 체계.

급열【急熱】[―녈] 명 급히 가열함. ――-하다 타 여불

급완【急緩】 명 급서(急舒). 「하다.

급용【急用】 명 ①긴급(緊急)하게 쓸 일. ②긴급한 볼일. ¶~으로 상경

급우[1]【急雨】 명 급히 퍼붓는 비. 소나기 따위.

급우[2]【級友】 명 같은 학급에서 배우는 벗. ¶열차 사고로 ~를 잃다.

급원【給源】 명 공급하여 주는 원천(源泉). 공급원. ¶비타민 A의 ~.

급유[1]【給由】 명 말미를 잠시 허락하여 줌. 여유를 줌. ――-하다 자 여불

급유[2]【給油】 명 ①기관에 가솔린 등을 보급하는 일. ¶~기. ②기계의 마찰 부분에 윤활유(潤滑油)를 공급하여 마모(磨耗)를 적게 하는 동시에 축받이 부분의 과열(過熱)을 막는 조작(操作). ――-하다 자 여불

급유-기【給油機】 명 항공(航空)중의 비행기에 가솔린을 공급하도록 특수한 장치가 된 비행기.

급유-선【給油船】 명 항해(航海)중인 다른 배에 연료유를 공급하여 주

급유-소【給油所】 명 주유소(注油所). 「는 배.

급유-함【給油艦】 명 〖군〗 항해(航海) 중에 있는 다른 군함에 연료·기계유 등의 기름을 공급하여 주는 군함. 「타 여불

급인【汲引】 명 ①물을 길어 올림. ②인재(人材)를 뽑아 씀. ――-하다

급인지-풍【急人之風】 명 남의 위급함을 구원해 주려는 의협(義俠)스러운 풍채. 또, 그 의협심.

급자【給資】 명 자본을 공급함. 비용(費用)을 냄. ――-하다 자 여불

급자기 부 생각할 사이 없이. 뜻밖에 급히. >갑자기.

급작【急作】 명 시문 따위를 짧은 시간에 급히 지음. ――-하다 타 여불

급작-스럽다 형 ㅂ불 생각할 사이도 없이 매우 급하다. >갑작스럽다.

급장[1]【急裝】 명 급하게 몸치장함. ――-하다 자 여불 「급작-스레 부

급장[2]【級長】 명 '반장(班長)❸'을 전에 일컫던 말.

급재【給災】 명 〖역〗 재해(災害)를 입은 논밭의 구실을 면제하여 주던

급쟁이 명 〖역〗 '급창(及唱)'을 속되게 일컫는 말. 「일.

급전[1]【急傳】 명 급히 전함. ――-하다 타 여불

급전[2]【急電】 명 급한 일을 알리는 전보나 전화. ¶런던 발(發) U.P.I. ~.

급전[3]【急錢】 명 급히 쓸 돈. 급한 데 필요한 돈. ¶~을 마련하다.

급전[4] 【急轉】 명 갑자기 형세가 바뀜. ——-하다 자 여불

급전[5] 【給田】 명 〖역〗 고려·조선 시대에 관청에 반급(頒給)하여 그 소출(所出)로 경비에 충당하게 한 논밭. 능침전(陵寢田)·공해전(公廨田) 등이 이에 해당함.

급전[6] 【給電】 명 전기를 각 가정이나 공장 등 실수요자(實需要者)에게 공급하는 일. ¶ ~을 중단하다. *급수(給水). ——-하다 자 여불

급전 도감 【給田都監】 명 〖역〗 고려 때, 벼슬아치에게 논밭을 나누어 주는 일을 맡아 보던 관아. 고종 44년(1257)에 설치, 공양왕(恭讓王) 4년(1392)에 폐함.

급전-사 【給田司】 명 〖역〗 조선 시대에 호조(戶曹)의 한 분장(分掌). 벼슬아치나 각 관청에 토지를 나누어 주는 일을 맡아 봄. 태조(太祖) 때에 베풀었다가 세조(世祖) 12년(1466)에 폐함.

급전-선 【給電線】 명 ①발전소·변전소 등에서 수요지(需要地)의 배전 간선(配電幹線)에 이르기까지의 전선. ②안테나와 송수신기(送受信機)를 연결하여 고주파 전력(高周波電力)을 전송(傳送)하는 선로(線路). 피더선(feeder 線).

급전 직하 【急轉直下】 명 사태·정세 따위의 변화 변전(變化變轉)이 급격함. 또, 사태가 급전하여 결말·해결이 가까워 옴. ——-하다 자 여불

급절 【急切】 명 시기나 형편이 매우 급하게 바싹 닥침. 절박(切迫). ——-하다 형 여불

급-정거 【急停車】 명 차 따위를 급히 세움. 또, 급히 섬. ——-하다 자타 여불

급-정지 【急停止】 명 급히 정지함. 급자기 멈춤. ——-하다 자타 여불

급제 【及第】 명 ①〖역〗 과거(科擧)에 합격됨. ¶ 장원 ~. ↔낙방(落榜)·하제(下第). ②시험에 합격됨. ↔낙제(落第). ——-하다 자 여불

급제-생 【及第生】 명 급제한 학생. ↔낙제생.

급제-점 【及第點】 [—쩜] 명 급제할 수 있는 기준에 이른 점수. ¶ 그만하면 ~이다. ↔낙제점.

급조[1] 【急造】 명 급히 만듦. 갑자기 만듦. ——-하다 타 여불

급조[2] 【急潮】 명 급히 흐르는 조류.

급조[3] 【急躁】 명 성미가 조급함. 조급(躁急). ——-하다 형 여불. ——-히 부

급조[4] 【給助】 명 금품(金品)을 주어 도움. ——-하다 타 여불

급족[1] 【急足】 명 급한 소식을 전하는 심부름꾼.

급족[2] 【給足】 명 충족(充足)함. ——-하다 형 여불

급주 【急走】 명 ①빨리 달아남. ②〖역〗 각 역(驛)에 배치된 주졸(走卒). ¶ ~를 사서 신발차를 후히 주어 전주로 보내십시오《金周榮：客主》. ——-하다 자 여불

급주-전 【急走田】 명 〖역〗 조선 시대 때, 역졸(驛卒)에게 급료(給料) 대신으로 주던 논밭. 「급병(急病).

급증[1] 【急症】 명 갑자기 일어나는 병. 급히 서둘러 고쳐야 할 위급한 병.

급증[2] 【急增】 명 갑자기 증가(增加)함. ¶ 인구 ~. ↔급감(急減). ——-하다 자타 여불

급진[1] 【急進】 명 ①서둘러 급히 진행함. ②급히 이상(理想)을 실현하고자 함. ¶ ~주의. 1)·2):↔점진(漸進). ——-하다 자 여불

급진[2] 【急診】 명 급병(急病) 또는 병세(病勢)가 급변하여 의사가 급히 달려가 진찰함. ——-하다 타 여불

급진 급퇴 【急進急退】 명 급히 앞으로 나아갔다가 급히 물러남. ——-하다 자 여불

급진-당 【急進黨】 명 ①〖정〗 급진주의를 표방하는 정당. 급진 정당. ②〔프 Parti Radical〕〖역〗 프랑스의 정당의 하나. 중산(中産) 계급을 주요 지반으로 하여 1875년에 조직되었으며, 뒤에 사회주의적 정책도 가미(加味)하여 여러 번 조각(組閣)하였음. 지도자는 클레망소(Clemenceau)·달라디에(Daladier, É.) 등임.

급진 사회당 【急進社會黨】 명 프랑스의 정당. 1901년 급진당과 급진 사회당이 합병하여 성립함. 중남부의 소(小)부르주아·소농민·소상인층에 세력을 가지고, 1902년에 콩브(Combes) 내각을, 1906년에 클레망소(Clemenceau) 내각을 조직함. 전후(戰後) 부르주아 자유주의의 노선을 강화하였으며, 대다수는 드골파에 속함.

급진-적 【急進的】 명관 목적·이상 등을 급격히 실현하려는 경향. 또, 다른 것보다 한층 새로운 진로를 택하고 있는 모양. ↔점진적(漸進的).

급-진전 【急進展】 명 빠른 진전. 급속도로 진전함. ——-하다 자 여불

급진 정당 【急進政黨】 명 〖정〗 현상에 불만을 가지고 미래의 개혁을 확신하는 정당의 한 유형(類型). 특히, 급격하게 사회 제도나 정치 기구를 개혁하려는 정당. 급진당.

급진-주의 【急進主義】 [—/—이] 명 〔radicalism〕 ①이상의 실현을 위해 현실의 정체(政體)나 사회 제도를 고려하지 않고 급격하게 근본적으로 변혁(變革)시키려는 주의. ↔점진주의(漸進主義)·진보주의. ②특히, 프랑스에 있어서의 좌익적 민주주의의 입장.

급진주의-자 【急進主義者】 [—/—이—] 명 급진주의를 주장하는 사람.

급진-파 【急進派】 명 이상(理想)이나 어떤 일을 급히 진행시키려는 파.

급차 【給次】 명 돈을 치러 주어야 함. 또, 그 돈.

급찬 【級飡·級粲】 명 〖역〗 ①급벌찬(級伐飡). ②고려 태조 때, 신라의 제도를 본받아 만든 관등의 하나로, 9 등급(等級) 가운데 제일 끝인 아홉째 등급.

급창 【及唱】 명 〖역〗 군아(郡衙)에서 부리는 사내종. 급쟁이.

급채 【給債】 명 돈을 빚으로 꾸어 줌. ——-하다 타 여불

급체 【急滯】 명 되게 체함. 매우 다급한 상태의 체증. *늦체하다. ——-하다 자 여불

급초 【急招】 명 급히 불러옴. ——-하다 타 여불

급촉 【急促】 명 조금의 여유도 없이 촉박함. 급박(急迫). ——-하다 형 여불

급추 【急追】 명 급하게 뒤쫓음. ——-하다 타 여불

급취 【急就】 명 〖책〗 ↗급취편(急就篇).

급취-장 【急就章】 명 〖책〗 급취편(急就篇).

급취-편 【急就篇】 명 〖책〗 중국 한(漢)나라의 사유(史游)가 편찬한 자서(字書). 물명(物名)·사람의 성(姓) 등을 죽 벌여 기록했음. 오늘날 완전히 전하는 가장 오랜 자서(字書)의 하나. 4 권 34 장(章). 급취장(急就章). ㊀급취(急就).

급침강 분지 【急沈降盆地】 명 〖지〗 침강 진도가 퇴적 진도보다 빠른 퇴적 분지.

급-커:브 【急—】 〔curve〕 명 도로 등의 굽이가 급함. 또는 그 곡선. ¶ 매상이 ~를 그리며 신장하다.

급탄 【給炭】 명 석탄·구공탄 등을 공급함. 또, 그 탄. ——-하다 자 여불

급탄-기 【給炭機】 명 스토커(stoker). 석탄 송입기(送入機).

급탄 설비 【給炭設備】 명 증기 보일러에 석탄을 공급하는 설비. 조차장(操車場)이나 기관고(機關庫) 따위에 설비되어 있음. 넓은 의미에서는, 화력 발전소에서 사용되는 저탄조(貯炭槽)·급탄기(給炭機)도 포함함.

급탄-역 【給炭驛】 [—녁] 명 기관차에 석탄을 공급할 수 있도록 설비가 되어 있는 역.

급탄 정거장 【給炭停車場】 명 급탄역(給炭驛).

급-템포 【急—】 〔tempo〕 명 ①〖악〗 템포가 빠름. ②급속하게 전개됨. ¶ 일이 ~로 진전되다.

급파 【急派】 명 급히 파견함. ¶ 사고 현장에 구조반을 ~하다. ——-하다 타 여불

급패 【給牌】 명 〖역〗 ①나라에서 신패(信牌)를 줌. ②나라에서 외방(外方)에 출사(出使)하는 관원에게 마패(馬牌)를 주던 일. ——-하다 자 여불

급편 【急便】 명 급한 일을 알리는 편지. 급히 알리는 편지. 급서(急書). 급신(急信).

급포 【及捕】 명 쫓아가서 잡음. ——-하다 타 여불

급풍 【急風】 명 돌풍(突風).

급-피치 【急—】 〔pitch〕 명 일의 능률, 운동 속도 등을 보다 빨리 함. ¶ ~를 올리다.

급-하다 【急—】 형 여불 ①바빠서 우물쭈물할 틈이 없다. ¶ 급한 일로 상경하다. ②성미가 팔팔하여 잘 참지 못하다. ¶ 그는 성질이 ~. ③병세가 위독하다. ④일이 몰리다. 급-히 【急—】 부

[급하기는 우물에 가 숭늉 달라겠다] 급한 것만 생각하고 사물의 절차를 분간 못 함을 뜻함. [급하다고 갓 쓰고 똥싸랴] ㉠아무리 급해도 예의는 지켜야 한다는 말. ㉡아무리 급해도 순서를 밟아야 한다는 말. [급하면 관세음 보살을 왼다] 중이건 속인이건 으레 급하면 관세음 보살을 외는데, 그보다는 오히려 평소에 힘쓰고 닦아서 급한 일을 당하더라도 당황하지 않게 하라는 말. [급하면 바늘 허리에 실 매어 쓸까] 아무리 급해도 순서를 밟아야 한다는 말. [급하면 부처 다리 안는다] 평소에 부지런히 하여 급한 일을 당하더라도 당황하지 말라는 뜻. [급하면 콩마당에 간수 치겠다] 성미가 몹시 급하다는 말. [급히 더운 방이 쉬 식는다] 급히 이루어 놓은 것은 영속성이 없다는 말. [급히 먹는 밥이 목이 멘다] 일을 급히 서두르면 실패한다는 뜻.

급한 불을 끄다 구 우선 절박한 문제를 처리하여 해결하다.

급행 【急行】 명 ①빨리 감. ②↗급행 열차. ¶ ~을 타다. 1)·2): ↔완행. ——-하다 자 여불

급-행군 【急行軍】 명 단시간(短時間)에 목적지에 도달하기 위하여 거의 쉬지 아니하고 한 시간에 5 km 이상씩 걷는 행군(行軍). *강행군(強行軍).

급행-권 【急行券】 [—꿘] 명 ↗급행 열차권.

급행-료 【急行料】 [—뇨] 명 〈속〉 ↗급행 요금❷.

급행 버스 【急行—】 〔bus〕 명 정해진 곳 외에는 정거하지 않고 목적지까지 달리는 버스. ¶ 이번 설에는 ~로 고향에 가자.

급행 열차 【急行列車】 [—녈—] 명 주로 장거리를 운행하며 큰 역에만 정거하며 빨리 달리는 기차. ㊀급행·급행차. ↔보통 열차·완행 열차.

급행 열차권 【急行列車券】 [—녈—꿘] 명 급행료가 가산(加算)된 열차 승차권. ㊀급행권. ↔완행 열차권.

급행 요:금 【急行料金】 [—뇨—] 명 ①급행권의 요금. 급행 열차를 타기 위하여 따로 더 내는 돈. ②〈속〉 무슨 일을 속히 처결해 달라고 부탁하는 뜻으로 그 담당자에게 비공식으로 건네는 약간의 돈. ㊀급행료.

급행-차 【急行車】 명 ↗급행 열차(急行列車). ↔완행차.

급혈 【給血】 명 수혈(輸血)에 필요한 혈액을 공급함. *헌혈(獻血)·공혈(供血). ——-하다 자 여불

급혈-자 【給血者】 [—짜] 명 수혈(輸血)용의 혈액을 공급하는 사람. 혈액형이 O형(型)인 사람은 어느 혈액형인 사람에게도 급혈할 수 있으므로 만능 급혈자(萬能給血者)라고 함.

급호 【給犒】 명 물건을 나누어 주어 군사를 위로함. 호궤(犒饋)함. ——-하다 타 여불

급화 【急火】 명 ①갑자기 일어나는 불. ②맹렬히 타는 불.

급환 【急患】 명 급병(急病)에 걸린 환자. 또, 그 병. 돈환(頓患).

급-회전 【急回轉】 명 빨리 돎. 급히 회전함. ——-하다 자타 여불

급훈 【級訓】 명 그 학급에서 특히 필요하다고 인정한 교훈. 학급 교훈. ¶ 우리 반의 ~은 진·선·미이다.

긋[1] 명 〈옛〉 글씨의 획(畫). ¶ 字 그슬 모로매 고ᄅᆞ고 正히 ᄒᆞ며(字畫必楷正)《內訓 Ⅰ:24》.

긋[2] 명 〈옛〉 끝. ¶ 入聲은 ᄲᆞᆯ리 긋 돋ᄂᆞᆫ 소리라《訓諺》.

긋[3] 부 〈옛〉 꼭. 퍽. ¶ 性覺이 긋 볼가(性覺必明) 《楞嚴 Ⅳ:12》.

긋구 명 〈옛〉 글귀. ¶ 긋긋 구(句)《字會 上 34》.

긋그시 명 〈옛〉 끝긋기. 획(畫). ¶ 글ᄌᆞ 긋그시ᄅᆞᆯ 모로매 반ᄃᆞᆨ반ᄃᆞᆨ이 정히 ᄒᆞ며(字畫必楷正)《飜小 Ⅷ:16》.

긋그적긔 명 〈옛〉 그끄저께. ¶ 긋그적긔 왓노라(大前日來了)《朴解 上 46》.

긋그제 명 〈옛〉 그끄저께. ¶ 긋그제(大前日)《齊諧物名考天文類》.

긋:기 단청 【—丹青】 명 〖건〗 페인트나 니스를 바른 위에 색줄로 그린 단청.

긋:기 뱃바닥 명 〖건〗 첨차(簷遮)·장여의 뱃바닥에 색줄을 그은 단청.

긋:기-새 명 〖건〗 색줄을 그은 선과 선과의 사이. 거풍.

긋누르다 타 〈옛〉 억누르다. 눌러 끊다. ¶ 여러 方ᄋᆡᆺ 마ᄅᆞᆯ 긋누르리니(截斷諸方舌頭) 《蒙法 33》.

긋눌롬 타 〈옛〉 억누름. 눌러 그침. 눌러 끊음. '긋누르다'의 명사형. ¶ 눈서블 바로보아 누늘 힘써 뼈 몸과 ᄆᆞᅀᆞᆷ과ᄅᆞᆯ 긋눌로ᄆᆞᆯ 모더 마롦디

니라(不要瞪眉努目遏捺身心)《蒙法 35》.

긋닛 명 〈옛〉 끊임과 이음. ¶긋닛이 업게 호리니(全無斷續)《蒙法 2》.

긋다[1] 자 〈옛〉 쉬다. 끊어지다. 그치다. ¶玉繩이 횟도라 긋고(玉繩回斷絕)《杜諺 Ⅸ:21》/疑心이 긋디 아니ᄒᆞ면(有疑不斷)《蒙法 1》.

긋:다[2] ㊀ 자 ㅅ불 비가 잠깐 그치다. ¶비가 ~. ㊁ 타 ㅅ불 비를 잠시 피하여 그치기를 기다리다. ¶처마 밑에서 비를 ~.

긋:다[3] 타 ㅅ불 ①줄을 치거나 금을 그리다. ¶열십자를 ~/경계를 ~. ②성냥 알을 황에 대고 문지르다. ¶성냥을 ~. ③외상값을 장부에 치부하다. ¶긋는 멋에 외상 먹다. ④마음 속에 정하다.

긋드리 부 〈옛〉 구태여. 반드시. ¶ᄆᆞ� 겨른 사ᄅᆞ이어든 긋드리 ᄂᆞ 브리디 아니ᄒᆞ야두 므던ᄒᆞ니라(於幼者見則 不必下可也)《呂約 23》.

긋버히다 타 〈옛〉 끊어 베다. ¶긋버힐 졀(截)《類合 下 15》/내 또 일즙 긋버히디 아녓고(我又不曾剪了稍子)《老乞 下 55》.

긋브리 부 〈옛〉 엎드려. ¶긋브리 청ᄒᆞ노니 힝니ᄒᆞ쇼셔《王郞傳 3》.

긋블다 자 〈옛〉 엎드리다. ¶萬里예 고기와 龍ㅣ 두리여 긋블오(萬里魚龍伏)《杜諺 Ⅱ:23》. 「어다가 두리라《月釋 Ⅸ:74》.

긋어 타 〈옛〉 끌어. '그스다'의 활용형. ¶곧 수츠로 ᄠᅵ야 무덦서리예 긋

긋움 타 〈옛〉 끌음. '그스다'의 명사형. ＝긋움. ¶옷기슭 긋우믈 어ᄃᆡ가 王門을 어ᄃᆞ리오(曳裾何處覓王門)《重杜諺 Ⅺ:7》.

긄다 타 〈옛〉 ①긋다. ¶소ᄂᆞ로 三軍ㅅ 양ᄌᆞᄅᆞᆯ 긄어 뵈ᄂᆞ다(手畫三軍勢)《初杜諺 ⅩⅫ:33》. ②이끌다. ¶時急히 자바 긋 긄오ᄆᆞᆯ(急執而強牽)《妙蓮 Ⅱ:202》.

긄어 타 〈옛〉 '그스다'의 활용형. ①그어. ¶소ᄂᆞ로 三軍ㅅ 양ᄌᆞᄅᆞᆯ 긄어 뵈ᄂᆞ다(手畫三軍勢)《初杜諺 ⅩⅫ:33》. ②이끌어. ¶긋 긄어 도라오거늘(強牽將還)《妙蓮 Ⅱ:200》. 「而強牽」《妙蓮 Ⅱ:202》.

긄옴 타 〈옛〉 이끌음. '그스다'의 명사형. ¶時急히 자바긋 긄오ᄆᆞᆯ(急執

긄움 타 〈옛〉 끌음. '그스다'의 명사형. ＝긋움. ¶鄒生은 옷기슭 긄우믈 앗기니라(鄒生惜曳裾)《初杜諺 ⅩⅩ:34》.

긇움 타 〈옛〉 기임. 숨김. '긇이다'의 명사형. ¶닐오ᄃᆡ 忿怒와 긇움과 慳貪과 새옴과(謂忿覆慳嫉)《圓覺 上 一之二 30》.

긇이다[1] 타 〈옛〉 기이다. 숨기다. ¶긇이디 몯ᄒᆞ야(不能隱)《內訓 Ⅱ:88》.

긇이다[2] 피동 〈옛〉 이끌리다. '긇다'의 피동형. ¶내이 여희ᄂᆞᆫ 興이 긇여나미 더으ᄂᆞ다(添余別興牽)《初杜諺 Ⅷ:46》.

긍【兢】 명 성(姓)의 하나. 우리 나라에는 현존하지 아니함.

긍:가【肯可】 명 허용함. 허가함. ——-하다 타여불

긍:각【兢恪】 명 조심하고 공근(恭謹)함. ——-하다 자여불

긍검-하다 형 〈방〉 근검하다.

긍:경[1]【肯綮】 명 〔긍(肯)은 뼈에 붙은 살, 경(綮)은 뼈와 살이 이어진 곳〕 사물의 가장 긴요한 곳을 이름. 급소(急所).

긍:경[2]【矜競】 명 재능(才能)을 자랑하며 남과 우열(優劣)을 겨룸. ——

긍:계【兢戒】 명 조심하고 경계함. ——-하다 자여불 「하다 타여불

긍:고【亘古】 명 옛날까지 걸침. ——-하다 자여불

긍:과【矜誇】 명 자랑함. ——-하다 자타여불

긍:구【兢懼】 명 삼가고 두려워함. 긍척(兢惕). ——-하다 자여불

긍:구 긍:당【肯構肯堂】 명 아비가 업(業)을 시작하고 자식이 이것을 잇는 일. ——-하다 타여불

긍:긍[1]【矜矜】 부 ①단단하고 강한 모양. ②경계하고 자중(自重)하는 모양. ——-하다 자형여불

긍:긍[2]【兢兢】 명 ↗전전 긍긍(戰戰兢兢). ——-하다 자여불

긍:긍업업-하다【兢兢業業—】 자여불 언제나 조심하여 공경하고 삼가다.

긍:낙【肯諾】 명 수긍(首肯)하여 허락함. 기꺼이 승낙함. ——-하다 타여불

긍:대【矜大】 명 젠 체하며 뽐냄. 거만함. 긍벌(矜伐). ——-하다 자여불

긍:련【矜憐】 [—년] 명 불쌍하고 가엾음. 긍측(矜惻). ——-하다 형여불. ——-히 부 「하다 자여불

긍:-만고【亙萬古】 명 만고(萬古)에 걸침. 아주 옛날까지 뻗침. ——

긍-물 명 〈방〉 국물(경북). 「히 부

긍:민[1]【矜愍】 명 불쌍하고 가엾음. 긍련(矜憐). ——-하다 형여불. ——

긍:민[2]【矜悶】 명 불쌍하게 여겨서 근심함. ——-하다 타여불

긍:벌【矜伐】 명 드러내어 자랑함. 긍대(矜大). ——-하다 타여불

긍:부【矜負】 명 재능(才能)을 자랑하고 믿음. ——-하다 자타여불

긍:분【矜奮】 명 삼가고 분발함. ——-하다 자여불

긍:사【矜肆】 명 교만하고 멋대로 행동함. 긍탄(矜誕). ——-하다 자여불

긍:서【矜恕】 명 가엾이 여기어 용서함. ——-하다 타여불

긍:수【肯首】 명 고개를 끄덕임. 옳다고 인정함. 수긍(首肯). ——-하다

긍:식【矜式】 명 모범(模範)을 보임. ——-하다 자타여불 「타여불

긍:애【矜哀】 명 불쌍히 여김. 가엾게 여김. ——-하다 타여불

긍:양【兢讓】 명 〔사람〕 신라말에서 고려초의 중. 속성은 왕(王)씨. 어려서 출가하여 신라 효공왕(孝恭王) 3년(899)에 13세의 몸으로 입당(入唐)하여 구법(求法)하고 24년 만에 귀국함. 고려 제4대 광종(光宗)은 그에게 정도(政道)를 자문(諮問)하였음. 정진 대사(靜眞大師). 증공 대사(證空大師). [878-956]

긍어 타 〈옛〉 ①그어. 그리어. ＝긄어❶. ¶소ᄂᆞ로 三軍ㅅ 양ᄌᆞᄅᆞᆯ 긍어뵈ᄂᆞ다(手畫三軍勢)《重杜諺 ⅩⅫ:33》. ②끌어. 이끌어. ＝긄어❷. ¶天河ᄅᆞᆯ 긍어다가(挽天河)《重杜諺 Ⅳ:19》.

긍:엄【矜嚴】 명 조심성 있고 엄숙함. 근엄(謹嚴). ——-하다 형여불

긍:용【矜勇】 명 스스로 용감함을 자랑함. ——-하다 자여불

긍움 타 〈옛〉 끌음. ＝긄움. ¶鄒生은 옷기슭 긍우믈 앗기니라(鄒生惜曳裾)《重杜諺 ⅩⅩ:34》.

긍:육【矜育】 명 가엾게 여기어 기름. ——-하다 타여불

긍:의【肯意】 [—/—이] 명 수긍(首肯)하는 의사. 기꺼이 승낙하는 뜻.

긍이 명 보리를 베기 전에 보리밭 사이 골에 목화(木花)·콩·조 따위를 심는 일.

긍:장【矜莊】 명 조심성 있고 엄숙함. ——-하다 형여불

긍:정【肯定】 명 ①그러하다고 인정함. 그러하다고 승인함. ¶자기 과오를 ~하다. ②〖논〗 판단(判斷)에 있어서, 문제가 되고 있는 주어와 술어의 관계를 그대로 시인(是認)하는 일. 또, 어떤 판단 내지 명제(命題)의 타당성을 승인하는 일. ↔부정(否定). ——-하다 타여불

긍:정 명:제【肯定命題】 명 〖논〗 주어(主語)와 서술어(敍述語)와의 일치를 제시(提示)하는 명제. '모든 갑(甲)은 을(乙)이다'라는 전칭(全稱) 긍정 명제와, '어떤 갑은 을이다'라는 특칭(特稱) 긍정 명제를 말함. 적극 명제(積極命題).

긍:정-문【肯定文】 명 〖언〗 문장의 서술 형식의 하나. '…은 …이다'라고 긍정적인 뜻을 나타내는 문장.

긍:정 소구【肯定訴求】 명 〔positive appeal〕 〖광고〗 광고 상품의 특징·편익점(便益點)을 긍정적인 면이나 상황과 연관시켜 소구(訴求)하는 일. ↔부정(否定) 소구. 「다. ↔부정적(否定的).

긍:정-적【肯定的】 명관 긍정함. 긍정하는 모양. ¶~인 태도를 보이

긍:정적 개:념【肯定的概念】 명 〖논〗 어떤 성질이나 상태의 존재를 긍정적으로 나타내는 개념. 무식에 대한 지식, 불행에 대한 행복 따위. 적극적 개념. ↔부정적 개념.

긍:정적 부:정식【肯定的否定式】 명 〖논〗 소전제(小前提)에 있어서, 대전제의 선언지(選言肢) 중 어느 것을 긍정하고 결론은 부정이 되는 삼단 논법의 하나. ↔부정적 긍정식.

긍:정 판단【肯定判斷】 명 〖논〗 주개념(主概念)과 빈개념(賓概念)의 일치한 관계를 승인하는 판단. '소금은 짜다'·'육지(陸地)는 바다보다 좁다' 따위. 적극적 판단. ↔부정 판단(否定判斷).

긍:조【矜躁】 명 교만하고 조급함. ——-하다 형여불

긍:종【肯從】 명 즐기어 좇음. ——-하다 타여불

긍:지[1]【肯志】 명 찬성하는 뜻. 「¶~를 가지다.

긍:지[2]【矜持】 명 믿는 바가 있어서 스스로 자랑하는 마음. 프라이드.

긍:척【兢惕】 명 경계하고 두려워함. 긍구(兢懼). ——-하다 타여불

긍:측【矜惻】 명 불쌍하고 가엾음. 긍련(矜憐). ——-하다 형여불. ——

긍:타【矜惰】 명 교만하고 게으름. ——-하다 형여불 「히 부

긍:탄【矜誕】 명 교만하고 방자(放恣)하게 행동함. 긍사(矜肆). ——-하

긍:태【矜泰】 명 교만하고 뽐냄. ——-하다 자여불 「다 자여불

긍:-하다【亙—】 자여불 뻗치다. 걸치다.

긍:황【兢惶】 명 삼가고 두려워함. ——-하다 자여불

긍:휼【矜恤】 명 불쌍히 여김. 가엾게 여겨 구휼(救恤)함. ——-하다 타여불. ——-히 부. ¶~ 여기다.

긏 명 〈옛〉 끝. ¶사ᄅᆞᄆᆡ 나히 그지 업시 오라더니《月釋 Ⅰ:46》.

긏다 ㊀ 자 〈옛〉 그치다. 끊어지다. ¶ᄉᆡ미 기픈 므른 ᄀᆞᄆᆞ래 아니 그츨ᄊᆡ(源遠之水旱亦不渴)《龍歌 2章》. ㊁ 타 끊다. ¶써ᄅᆞᆯ 그처 骨髓 내오《月釋 ⅩⅪ:218》/댓 불휘ᄅᆞᆯ 긋노라(斷竹根)《杜諺 ⅩⅩⅤ:19》.

긑 명 〈옛〉 끝. ¶이 소리ᄂᆞᆫ 혓그티 웃닛머리예 다ᄂᆞ니라《訓諺》.

긔:[1] 명 〈방〉 게(경기·황해·강원·충청).

긔[2] ㊀ 불대 〈옛〉 그것이. ¶님금 ᄆᆞᅀᆞ미 긔 아니 어리시니(維君之心不其爲癡)《龍歌 39章》. ㊁ 인대 〈옛〉 그이. ¶그립고 아쉬운 마음에 햄

긔:[3] 준 그이. ¶~가 누구요. 「여 긘가 하노라《古時調》.

-긔 어미 〈옛〉 -게. ¶世尊하 이 日月도 어루 떠러디긔 ᄒᆞ며 須彌山도 어루 기울의 ᄒᆞ려니와《月釋 Ⅹ:46》. *-의.

긔걸 명 〈옛〉 명령. ¶아바ᇝ 긔걸로 종宗친親돌로 사沙몬門이 ᄃᆞ외니《月印 上 47》. 「《內訓 Ⅱ:38》.

긔걸ᄒᆞ다 타 〈옛〉 명령하다. 제어하다. ¶종돌ᄒᆞᆯ 긔걸ᄒᆞ시니(勅制僮御)

긔다 타 〈옛〉 기다. ¶긔ᄂᆞᆫ 거시며 ᄂᆞᄂᆞᆫ 거시며《月釋 Ⅰ:11》.

긔디 명 〈옛〉 기록. ¶긔디 긔(記)《類合 下 17》.

긔디ᄒᆞ다 타 〈옛〉 기록하다. ¶맛당히 깁히 긔디홀셔니라(宜深誌之)《內訓 Ⅰ:26》.

긔려기 명 〈옛〉 기러기². ＝그력. ¶긔려기 홍(鴻), 긔려기 안(雁)《字會 上 15》.

긔롱 명 〈옛〉 기롱(譏弄). ¶우ᄒᆞ론 陛下로 아ᄅᆞ며 어엿비 너기시논 긔롱 잇고(上令陛下 有幸私之譏)《內訓 Ⅱ 下 11》.

긔리라 〈옛〉 그것이라. ¶ᄃᆞ려보며 조ᄒᆞᆫ 情을 니ᄌᆞ면 勝妙ᄒᆞᆫ 境이 거름마다 다 긔리라《月釋 ⅩⅦ:35》.

긔별 명 〈옛〉 기별. 소식. ¶셔블 긔벼를 알씨(詗此京耗)《龍歌 35章》.

긔쏭 부 〈옛〉 그까짓. 그따위. ¶ᄆᆞ을 비 긔쏭 언마 오리 雨裝直領 내지 마라《永言》.

긔수-채:다 자 〈방〉 낌새채다.

긔수ᄒᆞ다 타 〈옛〉 알리다. 연락짓다. ¶뎨 긔수홀디 긔수티아니ᄒᆞ고(他保也不保)《朴解》. 「《救方 下 27》.

긔시다 사동 〈옛〉 갈리다. ¶ᄆᆞᆯ타 디니와 술위예 긔시니와(落馬車轢)

긔여ᄒᆞ니다 자 〈옛〉 기어 다니다. ¶摩睺羅伽ᄂᆞᆫ 큰 빗바다ᄋᆞ로 긔여ᄒᆞᄂᆞᄂᆞ다 혼 ᄠᅳ디니 큰 ᄇᆡ얌神靈이라《月釋 Ⅰ:15》.

긔연 명 〈옛〉 기틀. ¶몸 해홀 긔연은 녀식에셔 디나니 업고(害身之機無過女色)《自警 56》.

긔운 명 〈옛〉 기운. ¶하ᄂᆞᆯ쌋 靈ᄒᆞᆫ 긔운을 투며(稟天地之靈)《內訓 2》.

긔이다 타 〈옛〉 기이다. 속이다. ¶안즉 긔윰만 ᄀᆞᄐᆞ디 몯ᄒᆞ니라 ᄒᆞ여ᄂᆞᆯ(不如姑諱之)《飜小 Ⅸ:43》.

긔저리다 타 〈옛〉 어지르다. ¶性眞을 긔저려 ᄒᆞ나히 몯 ᄃᆞ외게 ᄒᆞ며(汨亂性眞莫得而一)《楞嚴 Ⅹ:3》.

긔지 명 〈옛〉 기약. ¶期ᄂᆞᆫ 긔지오《月序 19》.

괴지ᄒᆞ다 짜 〈옛〉 기약하다. 기필(期必)하다. ¶ ᄆᆞᄉᆞᆷ 다보ᄆᆞᆯ 닐웛ᄆᆞ장 괴지ᄒᆞ야(期致盡心)《月序 20》.　「譜 Ⅸ:2》.

-괴코져 어미 〈옛〉 -게 하고자. ¶ 믈읫 有情을 利益괴코져 ᄒᆞ노이다《釋

괴ᄒᆞ다 타 〈옛〉 술을 쉬이 괴게 하다. ¶ 괴홀 범(醱)《字會 下 12》.

귓귓ᄒᆞ다 형 〈옛〉 깨끗하다. ¶ 고기알 ᄀᆞᆮ티 고로고 귓귓ᄒᆞ거니와(魚子兒似匀淨的)《老乞 下 56》.

귓동 관 〈옛〉 그까짓. ¶ 浮虛코 성거올 쓴 아마도 西楚覇王 귓동 天下야 어드나 못 어드나 千里馬 絕代佳人을 눌을 주고 니건이《海謠》.

귓발 명 〈옛〉 깃발. ¶ 귓발 유(斿), 귓발 류(旒)《字會 下 15》.

기[1] 명 〈방〉 게(강원·충북·전라·경상).

기[2] 명 〈방〉 겨(경북).

기:[3] 명 〈방〉 궤(櫃)(경상).

기[4] 【己】 명 〖민〗 천간(天干)의 여섯째.

기[5] 【忌】 명 기중(忌中). 상중(喪中).

기[6] 【杞】 명 〖지〗 '치(杞)'를 우리 음으로 읽은 이름.

기[7] 【岐】 명 〖역〗 문음무(文蔭武) 출신 외의 기예(技藝)로써 임관된 각류(各流)의 출신의 한 가지. 천문관(天文官)·금루관(禁漏官)·화원(畫員)·녹사(錄事)·사자관(寫字官)·역관(譯官)·명과학(命課學)·치종 교수(治腫敎授)·율원(律員) 등을 말함.

기[8] 【奇】 명 기괴함. 진기(珍奇)함. ──-하다 형여불. ──-히 부

기[9] 【奇】 명 성(姓)의 하나. 현재 우리 나라에는 본관이 행주(幸州) 하나뿐임.

기[10] 【祈】 명 성(姓)의 하나. 우리 나라에는 현존하지 아니함.

기[11] 【紀】 명 ①기록. ②법칙. ③도의(道義). ④목성(木星)이 그 궤도(軌道)를 일주(一周)하는 시간을 일컬음. 중국에서는 12년임. ⑤〖문〗 기전체(紀傳體) 역사에서, 제왕의 사적(事跡)을 기록한 글.

기[12] 【氣】 명 ①옛날 중국에서 15일을 일기(一期)로 하는 명칭. 이것을 삼분(三分)하여 그 하나를 후(候)라 하였음. ②〖철〗 동양 철학에서, 만물을 생성하는 근원(根元)의 세기(勢氣). ③생활·활동의 힘. ¶ ~가 왕성하다. ④있는 힘의 전부. ¶ ~를 쓰다. ⑤인간의 정신 활동. 정신력. ⑥숨쉴 때에 나오는 기운. ¶ ~가 막히다. ⑦뻗어 나가는 기운. 또, 왕성한 정신. ¶ ~가 푹 죽다/~를 펴지 못하다/~를 꺾다. ⑧객기로 쓰는 기운. ¶ ~가 과하다. ⑨막연한 전체적인 느낌. 분위기. ¶ 살벌한 ~.
　기가 꺾이다 구 기세가 수그러지다.
　기가 나다 구 의욕이 일거나 기세가 오르다. ¶ 기가 나서 덤벼들다.
　기가 질리다 구 두려워하여 기가 꺾이거나 위축되다.
　기를 못 펴다 구 ㉠억눌리어 심기를 펴지 못하다. ㉡곤경에서 벗어나지 못하다.
　기를 살리다 구 기를 펴고 뽐내도록 만들다. ¶ 놈들의 기를 더 이상 살려 준다면 우리는 앞으로 찍소리 못하게 될 것이다.

기[13] 【起】 명 한시(漢詩)의 처음의 구(句). *기승전결(起承轉結).

기[14] 【起】 명 성(姓)의 하나. 우리 나라에는 현존(現存)하지 아니함.

기[15] 【記】 명 〖문〗 문체(文體)의 하나. 사적(事蹟)과 경치(景致)를 적은 글.

기[16] 【基】 ㊀명 〔atom group〕〖화〗 화학 반응에서 다른 화합물로 변화할 때 마치 한 원자(原子)와 같은 작용을 하는 원자의 집단. 질산기·황산기·메틸기(methyl 基)·히드록시기(基) 따위. 원자단(原子團). 라디칼. ㊁의명 묘석(墓石)·탑(塔)·큰 기계 따위를 세는 데 쓰는 단위. ¶ 비석 3~/발전기 5~.

기[17] 【期】 명 시절(時節). 시기. 기한.

기[18] 【箕】 명 〖천〗 ↗기성(箕星).

기[19] 【箕】 명 성(姓)의 하나. 현재 우리 나라에는 본관이 행주(幸州) 하나뿐임.

기[20] 【旗】 명 ①헝겊이나 종이 같은 데에 무슨 글자·그림·부호·빛깔 따위를 잘 보이도록 그리거나 써서 막대 같은 것에 달아 특정한 뜻을 나타내는 표상(表象)으로 쓰는 물건의 총칭. 국기(國旗)·군기(軍旗) 따위. 여괴(旟旝). ②조선 후기의 군제(軍制)에서 3-5 대(隊)로 이루어진 하부(下部) 군사 조직 단위. 인원은 50인 내외. *기총(旗摠). ③〖역〗 옛 몽고의 정치 군사 단위. 원래는 유목(遊牧)의 집단이어서 일정한 지역을 점령하고 있었음. *팔기(八旗).
　【기 들고 북 치기】 일이 낭패되어 희망이 없다는 말.

기[21] 【冀】 명 ①〖역〗 중국 춘추 시대의 나라 이름. 진(晉)나라에 멸망됨. ②〖지〗 허베이 성(河北省)의 딴이름.

기[22] 【器】 명 ①〖불교〗 교법(敎法)을 믿고, 이를 실제로 수도(修道)할 수 있는 기량(器量). ②인물 또는 재능(才能).

기[23] 【機】 명 〖불교〗 교법(敎法)에 의하여 격발(激發)되어서 활동하는 심기(心機) 또는 교법을 위하여 격발되는 심기.

기[24] 【璣】 명 〖천〗 북두 칠성(北斗七星)의 셋째 별. 천기(天璣).

기[25] 【錡】 명 발이 셋 달린 우묵한 솥의 하나.

기[26] 【夔】 명 〖역〗 외발 가진 짐승 모양으로 만든 그릇의 이름.

기[27] 【騎】 의명 말탄 사람의 수효를 세는 말.

-기- 미 흔히 ㄴ·ㅁ·ㅅ·ㅈ·ㅊ·ㅌ 등의 받침을 가진 어간(語幹)에 붙어 타동사를 피(被)동사나 사(使)동사로, 자동사를 사동사로 만드는 어간 형성 접미사. ¶ 안~다/찢~다/쫓~다/신~다/넘~다/벗~다/맡~다/남~다/숨~다/옮~다/웃~다. *-구-·-리-·-이-·-히-.

-기[1] 【紀】 미 〔period〕〖지〗 지질(地質) 시대 구분의 단위. 대(代)의 아래, 세(世)의 위임. ¶ 쥐라~.

-기[2] 【氣】 미 '느낌'·'기운'의 뜻을 나타내는 말. ¶ 찬~/시장~.

-기[3] 【基】 미 유기(有機) 화합물의 구성 성분인 원자단의 명칭으로 쓰이는 말. ¶ 작용(作用)~/메틸~/히드록시~. *라디칼.

-기[4] 【記】 미 어떤 말 아래 붙어 기록의 뜻을 나타내는 말. ¶ 체험~.

-기[5] 【期】 미 ①일정한 기간씩 반복되는 일의 그 한 과정. ¶ 제3~ 수료생. ②어떤 시기를 몇으로 구분한 그 하나. ¶ 후반~ 결산. ③〖지〗 지질학적인 연대 구분의 최소 단위. 세(世)를 구분한 것. 기에 상당하는 지질 계통은 계(階).

-기[6] 【器】 미 ①기계(器械)나 기구(器具)의 뜻을 나타내는 말. ¶ 세면(洗面)~/증류(蒸溜)~/각도(角度) ~. ②생물체의 한 기관을 나타내는 말. ¶ 비뇨~/생식~/호흡~.

-기[7] 【機】 미 ①기계나 장치의 뜻을 나타내는 말. ¶ 세탁~/발전~. ②어떤 명사 아래 붙어서 항공기를 나타냄. ¶ 여객~/폭격~/제트~.

-기[8] 어미 '이다' 또는 용언의 어간에 붙어 명사 구실을 하게 하는 명사형 어미. ¶ 읽~/쓰~/먹~/잠자~/웃입~/크~/ 딴 사람이~를 바란다. 　└ *-ㅁ[2]·-음.

기:가[1] 【妓家】 명 기생(妓生)집.

기가[2] 【起家】 명 ①기울어진 집안을 다시 일으킴. ②벼슬 자리에 천거되어 입신 출세함. ──-하다 자여불

기가[3] 【寄豭】 명 〔豭는 수퇘지의 뜻〕 남편이 유부녀(有夫女)와 간통함. ──-하다 자여불

기가[4] 〔giga〕 관 10억 배(倍)의 뜻. 10^9. 기호는 G. ¶ ~ 전자 볼트. *게브(Gev).

-기가 무섭게 구 '-자 마자 곧'의 뜻. ¶ 말이 떨어지~ 말대꾸를 하다.

-기가 바쁘게 구 동사 어간에 붙어서, '그렇게 하자 마자 기다렸다는 듯이 곧'의 뜻을 나타내는 말. ¶ 일어나~ 뒷산에 오른다.

기가-바이트 〔gigabyte〕 의명 〖컴퓨터〗 데이터의 용량을 나타내는 단위. 1기가바이트는 10^9 바이트임.

기가스 〔그 Gigās〕 명 〖신〗 그리스 신화에서, 우라노스(Uranos)가 아들에 의해 성기(性器)가 잘렸을 때 흘린 피와 대지(大地)의 여신(女神)인 가이아(Gaia) 사이에서 태어난 거인 신족(巨人神族). 제우스를 필두로 하는 여러 신에게 패전하여 그리스 본토(本土)와 이탈리아에 있는 화산(火山)에 묻힘. 기간테스(Gigantes)의 단수형임. 영어로는 자이언트(Giant). *기간토마키아(Gigantomachia).

기가 전:자 볼트 【一電子一】 의명 〔giga electron volt〕〖물〗 10억 전자볼트. 기호는 GeV. 게브. 제브. 빌리언 일렉트론 볼트.

기각[1] 【忌刻】 명 남의 재능을 시기하여 각박하게 굶. ──-하다 자여불

기:각[2] 【枳殼】 명 〖한의〗 탱자를 썰어 말린 약재. 위장을 맑게 하고 대변을 순하게 하는 효과가 있음. 적취(積聚)·창증(脹症)·치질에도 쓰임.

기각[3] 【掎角】 명 ①앞뒤 서로 응(應)하여 적을 견제(牽制)함. ②두 영웅이 각각 한쪽에 의지하여 서로 버팀. ──-하다 자여불

기각[4] 【基脚】 명 〖식〗 잎사귀의 몸이 잎꼭지에 붙은 부분.

기각[5] 【棄却】 명 ①버리고 쓰지 아니함. ②〖법〗 소송(訴訟) 관계인이 법원에 대하여 어떤 청구의 신청(申請)을 하였을 때 법원이 그 적법(適法) 여부를 심리하고 그 이유가 없는 것이나, 절차가 틀린 것이나, 기간을 경과한 것 등을 도로 물리치는 일. ¶ ~ 결정/항소(抗訴) ~/상고(上告) ~. *각하(却下). ──-하다 타여불

기각[6] 【旗脚】 명 깃발❷.

기각[7] 【綺閣】 명 아름다운 누각.

기각[8] 【觭角】 명 하나는 위로 솟고 하나는 아래로 처진 뿔.

기각[9] 【鰭脚】 명 〖동〗 기각류(類) 포유 동물의 다리. 지느러미처럼 되어 헤엄치기에 알맞음.

기각-류 【鰭脚類】 〔一뉴〕 명 〖동〗 〔Pinnipedia〕 식육류(食肉類)를 분류한 아목의 하나. 이 유(類)는 바다에서 살기에 알맞게 체형이 여러 가지로 변화되었음. 네 발은 짧고 넓으며, 모두 뒤쪽으로 향하고 지느러미 형상을 이루었는데 다섯 발가락에는 물갈퀴가 있음. 대가리가 작고, 귓바퀴가 작거나 아주 없기도 함. 물개·해상·바닷개·강치 등이 이에 속함. 해생 식육류(海生食肉類).

기각지-세 【掎角之勢】 명 ①사슴을 잡을 때 뒷발을 잡고 뿔을 잡는다는 뜻으로, 앞뒤에서 적을 몰아치는 데에 비유하는 말. ②양웅(兩雄)이 할거하여 서로 세력을 다투는 형세. 의각지세(犄角之勢).

기간[1] 【其間】 명 그 사이. 그 동안.

기간[2] 【起墾】 명 거친 땅을 개간하여 논밭을 만듦. 개간(開墾). ──-하다 타여불

기간[3] 【基幹】 명 ①근본의 줄거리. 본바탕이 되는 줄기. ②중심이 되는 것. 또, 그 인물. ¶ ~ 산업.

기간[4] 【旣刊】 명 이미 간행됨. 또, 그 책. ¶ ~ 출판물. ↔근간(近刊)·미간(未刊).

기간[5] 【旣墾】 명 이미 개간됨. ──-하다 자여불

기간[6] 【期間】 명 어느 일정한 시기에서 어떤 다른 일정한 시기까지의 사이. 어떤 동안. ¶ 유효 ~/공사 ~.

기간[7] 【幾諫】 명 노여움을 사지 아니하도록 조금씩 차차로 간함. ──-하다 타여불

기간[8] 【旗竿】 명 깃대[2].

기간 계:산 【期間計算】 명 〖경〗 기업에 있어서 일 년 혹은 6개월이라는 임의의 기간을 설정하여 그 기간에 속하는 수익과 이것에 대응하는 비용의 계산을 행하는 일.

기간-급 【期間給】 명 〖경〗 일의 분량·성과에 관계없이, 그 노동한 기간에 따라서 지급되는 임금. 시간급·일급·주급·월급·연봉 따위.

기간 단체 【基幹團體】 명 같은 계통에 속한 여러 단체 가운데 그 모체(母體)가 되는 단체.

기간 보:험 【期間保險】 명 〖경〗 보험자가 담보하는 기간이 일정되어 있는 보험.

기간 분석 【期間分析】 명 〖경〗 경제 변동을 기간으로 구획·분석하여 관념적 모형으로 나타내는 방법의 하나.

기간 산:업 【基幹產業】 명 〔key industry〕〖경〗 일반 산업의 성쇠(盛衰)에 중대한 관련을 갖는 중요 산업. 비료 공업·시멘트 공업·탄광업·제철 공업·기계 공업 따위. 기초 산업(基礎產業).

기간 손:익 계:산 【期間損益計算】 명 〖경〗 기업이 일정한 기간을 정하여 그 기간내의 손익을 계산하는 일. 또, 그 제도.

기간 요원 【基幹要員】 〔一뇨一〕 명 어떤 기관의 기간이 되는 임원(任員).

기간-지 【旣墾地】 명 이미 개간하여 놓은 땅. ↔미간지(未墾地).

기간토마키아 〔그 Gigantomachia〕 명 〖신〗 그리스 신화의, 기가스족(Gigas族)과 제우스를 비롯한 올림푸스 신들과의 싸움. 인간이 가담한

편이 이긴다는 신탁(神托)에 의하여 영웅 헤라클레스가 제우스편을 들어 활약했음. 조각(彫刻)의 제재(題材)가 되기도 함.

기간토프테리스〔Gigantopteris〕명 고생대 석탄기(古生代石炭紀)말에서 페름기 중기까지 번성한 양치(羊齒) 모양의 화석 식물. 단엽 또는 복엽으로 잎꼭지는 없음. 잎의 주위는 톱니 모양이고 주맥(主脈)에서 측맥(側脈)이 평행으로 나와 세맥(細脈)을 가짐. 중국·한국에서 말라카·수마트라·뉴기니까지 널리 분포함.

기간토피테쿠스〔Gigantopithecus〕명 화석(化石) 인류의 하나. 1935년, 독일의 고고학자 쾨니히스발트(Koenigswald)가 홍콩의 한 약방에서 세 개의 거대한 구치(臼齒)를 발견, 기간토피테쿠스 블라키(Gigantopithecus blacki)라 명명(命名)한 데서 생긴 이름.

기간 통화【基幹通貨】명〔key currency〕〖경〗국제간의 각종 거래 결제(決濟)에 금(金)의 대체물(代替物)로서 사용할 수 있는 특정국의 통화. 현재는 달러와 파운드가 이에 해당함. 기축(基軸) 통화.

기갈【飢渴】명 배가 고프고 목이 마름. 굶주림과 목마름.
【기갈이 감식(甘食)】'시장이 반찬'과 같은 뜻. 【기갈 든 놈은 돌담장조차도 부순다】사람이 몹시 굶주리면 상식으로는 도저히 생각할 수 없는 일까지도 능히 저지른다는 말.
기갈(이) 들다 구 심히 굶주려 허기지다.

기갈 요법【飢渴療法】[―료뻡] 명〖의〗포르할트(Vorhald)가 제창한 단식(斷食)·단수(斷水) 요법. 중증(重症)의 급성 신염(腎炎) 등에서 고도의 부종(浮腫)·혈뇨(血尿)·고혈압 등에 이용되는 옹호(擁護) 요법. 발병(發病) 당초의 3-5일간, 하루 한 컵 정도의 차(茶)와 과일 한 개 정도로 신장의 부담을 덜어 주면 소변이 순조롭고 부종이 내려 편하게 됨.

기갈 임:금【飢渴賃金】명 겨우 살아갈 수 있을 정도의, 아주 싼 임금.

기갈 자심【飢渴滋甚】명 굶주림이 차차 더 심하여지는 모양. ――하다 형여불

기갈-통【飢渴痛】명〖의〗공복시에 배 윗부분 특히, 위유문(胃幽門)부에 오는 통증. 식후 3-6시간 지나서 옴. 십이지장 궤양·위염·담낭염에 많음. 「'사관'으로 바뀌었음.

기감[1]【技監】명 전의 기술계 국가 공무원 직급 명칭의 하나. 지금은 '이

기감[2]【氣疳】명〖한의〗어린 아이의 허파에 생긴 감병(疳病). 폐감(肺疳). 「――하다 자여불

기감[3]【機感】명〖불교〗중생이 불보살의 능력을 감지(感知)하는 일.

기갑【機甲】명 전차·장갑차 등의 기계력으로 무장하는 일. ¶ ～ 부대.

기갑-병【機甲兵】명 기갑 부대의, 기갑 장비에 딸린 병사.

기갑 부대【機甲部隊】명 기계화 부대와 장갑 부대의 총칭. 전차·장갑차 따위로 편성됨.

기갑 사단【機甲師團】명 기갑 부대로써 편성한 사단.

기갑 전:격전【機甲電擊戰】명 대규모의 탱크 사단의 집단을 동원하여 행하는 전격적인 진공(進攻) 작전.

기갑 학교【機甲學校】명〖군〗↗육군 기갑 학교.

기강【紀綱】명 ①기율과 법강. ¶ ～ 확립. ②정치의 대강(大綱).

기강지-복【紀綱之僕】명 나라 일을 잘 다스릴 만한 사람.

기개[1]【氣槪】명 씩씩한 기상(氣象)과 꿋꿋한 절개. 기절(氣節). ¶ 사나이의 ～.

기개[2]【幾箇】명 몇 개.

기-개세【氣蓋世】명 기세가 대단하여 세상 사람을 압도함. ¶ 역발산

기객[1]【寄客】명 기식(寄食)하는 손님. 「(力拔山) ～의 장사(壯士).

기객[2]【棋客·碁客】명 바둑이나 장기를 두는 사람. 기사(棋士).

기:객[3]【嗜客】명 어느 것에 대하여 몹시 즐기는 사람.

기거[1]【起居】명 ①날마다 지내는 몸의 형편. 또, 먹고 자고 하는 따위 일상 생활. 동정(動靜). ¶ ～ 동작/기숙사에서 ～를 같이 하다. ②영접할 때 일어남. ――하다 자여불 「다 자여불

기거[2]【寄居】명 덧붙어서 삶. 기식(寄食). ¶ 친구 집에 ～하다. ――하

기거[3]【基據】명 터전을 닦음. 또, 그 터전. ――하다 타여불

기거[4]【箕踞】명 두 다리를 뻗고 기대어 앉음. ――하다 자여불

기거 동:작【起居動作】명 사람의 살아가는 모든 동작. 기거 동정(起居動靜). 용지(容止). 좌작 진퇴(坐作進退). 좌작.

기거 동:정【起居動靜】명 기거 동작(起居動作).

기거-랑【起居郞】명〖역〗고려 때, 중서 문하성(中書門下省)의 한 벼슬. 간관(諫官)의 하나. 종오품(從五品)이었는데 공민왕 5년(1356)에 정오품(正五品)으로 올림.

기거 만:복【起居萬福】명 서간문(書簡文)에 쓰이는 말. 상대방의 무사함을 축하하는 말. 「자유스러운 생활을 이름.

기거 무시【起居無時】명 자기 마음대로 일어나고 자고 하는 속박 없는

기거 사인【起居舍人】명〖역〗고려 때, 중서 문하성(中書門下省)의 한 벼슬. 간관(諫官)의 하나. 종오품(從五品)이었는데 공민왕 5년(1356)에 정오품(正五品)으로 올림.

기거-주【起居注】명〖역〗①고려 때, 중서 문하성(中書門下省)의 한 벼슬. 간관(諫官)의 하나. 종오품이었는데 공민왕 5년(1356)에 정오품으로 올림. ②중국에서 사관(史官)이 천자의 언행을 기록한 글.

기거-충【寄居蟲】명〖동〗갑각류(甲殼類) 중, 십각류(十脚類)에 속하는 절지 동물. 크고 작은 한 쌍의 살과 길고 짧은 네 쌍의 발이 있으며, 소라·게 껍질 속에 붙어 삶. 속살이 같은 것.

기건-재【氣乾材】명 공기 중에서 말린 재목.

기건-토【氣乾土】명 공기 중에서 자연 건조의 상태에 있는 흙. 습윤토(濕潤土)에 대하여 이름. 공기 건조토.

기걸【奇傑】명 기상이나 풍채가 기이한 호걸.

기걸-스럽다【奇傑―】형ㅂ불 풍채가 기이하고 호걸다운 데가 있어 보이다. 기걸-스레【奇傑―】부 기걸스럽게.

기걸-하다【奇傑―】형여불 기이할 정도로 뛰어나다. ¶ 기걸한 기상으로 그들의 마음을 서늘하게 하는 터이다《張德祚：狂風》.

기겁 명 갑자기 몹시 놀라거나 겁에 질리어 숨이 막히는 듯한 소리를 지름. ¶ ～을 하고 놀라다. ――하다 자여불

기게【起揭】명〈이두〉주창(主唱).

기격[1]【氣格】명 ①마음과 뼈대. ②기품(氣品)의 품격(品格).

기격[2]【基格】명 기본이 되는 격식.

기견【起見】명 처음의 의견.

기견을랑【只見乙良】〈이두〉이견을안(是在乙良). 「와 결구(結句).

기결[1]【起結】명 ①시작과 결과. 처음과 끝. ②한시(漢詩)에서 기구(起句)

기결[2]【氣結】명〖한의〗목구멍에 가래가 붙어서 답답해하는 병증.

기결[3]【旣決】명 ①이미 결정함. ②〖법〗재판의 판결이 이미 확정됨. 기재(旣裁). ↔미결(未決). ――하다 타여불

기결-감【旣決監】명 기결수(旣決囚)를 가두어 두는 곳. 기결사(旣決舍).

기결-사【旣決舍】[―싸] 명 기결감(旣決監). 「↔구치감(拘置監).

기결-수【旣決囚】[―쑤] 명 확정 판결에 의하여 형(刑)이 집행되어 자유의 구속을 받고 있는 사람. ↔미결수. 주의 행형법에서는 수형자(受

기결-안【旣決案】명 이미 결정된 안건. 「刑者)라 이름.

기경[1]【奇經】명〖한의〗인체의 각 기관의 활동을 연락·조절·통제(統制)하는 작용에 관계된 경락(經絡). 독맥(督脈)·임맥(任脈)·충맥(衝脈)·대맥(帶脈)·음유맥(陰維脈)·양유맥(陽維脈)·음교맥(陰蹻脈)·양교맥(陽蹻脈)의 여덟이므로 '기경 팔맥'이라고도 함. *대맥(帶脈).

기경[2]【奇警】명 ①뛰어나게 현명함. ②기발(奇拔). ――하다 형여불

기경[3]【起耕】명 ①논밭을 갊. ②묵은 땅이나 생땅을 갈아 일으켜 논밭

기경[4]【氣莖】명〖식〗지상경(地上莖). 「을 만듦. ――하다 타여불

기경[5]【機警】명 예민하고 민첩함. ――하다 형여불

기경-법【起耕法】[―뻡] 명 논밭을 가는 방법.

기경-성【氣硬性】[―썽] 명 공기 중에서만 굳어지는 성질. 건조한 데서 경화(硬化)하는 성질. ↔수경성(水硬性).

기-경-정-결【起景情結】명 시에 있어서 네 절(節)의 이름. 모두(冒頭)를 '기', 그 모두의 뜻을 대받아 문을 아름답게 표현하는 것을 '경', 셋째로 사색으로 들어가는 것을 '정', 거두어 끝을 맺는 것을 '결'이라 함. *기승전결(起承轉結).

기경 팔맥【奇經八脈】명〖한의〗기경(奇經).

기계[1]【奇計】명 기묘한 꾀. 기묘한 계획.

기계[2]【氣界】명 기권(氣圈).

기계[3]【棋界·碁界】명 장기나 바둑을 즐기는 사람들의 세계. 기단(棋壇).

기계[4]【器械】명 ①그릇·연장·기구(器具) 등의 통칭. ②구조가 간단하며 제조나 생산을 목적으로 하지 아니하고 사용하는 제구. 의료 기계나 물리 화학의 실험용 기계 등. ③기계(機械)❶.

기계[5]【機械】명 ①동력 장치를 부착하고 작업을 하는 도구. 원동(原動)·전도(傳導)·작업(作業)의 세 기구(機構)로 됨. 기계(器械). ②비유적으로, 자기 의사가 아닌 남의 의사에 따라 행동하는 일이나 그 사람. 또, 융통성이 없는 사람. ③〈비〉소매치기들의 은어(隱語)로, 손 또는 직접 손을 대어 훔치는 일꾼의 일컬음. 「하다 타여불

기계 가공【機械加工】명 손으로 하지 않고 기계로 가공하는 일. ――

기계 가공 응:력【機械加工應力】[―녁] 명〔machining stress〕〖야금〗기계 가공으로 생기는 공작물 중의 잔류(殘留) 응력.

기계-간【機械間】[―깬―] 명 기계를 차리어 놓은 곳. 「(炭素鋼).

기계-강【機械鋼】명〖광〗탄소 함유량이 0.2-0.3%인 보통의 탄소강

기계-공【機械工】명〖공〗기계의 조립이나 수리를 하는 사람.

기계 공업【機械工業】명 ①공작 기계나 단압(鍛壓) 기계를 사용하여, 각종 기계나 부품을 제작하는 공업. ②기계를 사용하여 물건을 생산하는 공업. 준기공(機工). ↔수공업.

기계 공용【機械功用】명 기계의 공효적(功效的)인 용도.

기계 공장【機械工場】명 ①기계를 제작하는 공장. ②기계를 사용하여 물품을 생산하는 공장.

기계 공학【機械工學】명〔mechanical engineering〕공학의 한 부문. 물리학·역학 등을 기초로, 기계의 설계법·사용법·성능 따위를 연구하는 학문. 「구함. 준기계과.

기계 공학과【機械工學科】명〖교〗공과 대학의 한 과. 기계 공학을 연

기계-과【機械科】[―꽈] 명〖교〗①공업 고등 학교에 있는 한 과. 일반 기계에 대한 이론과 학술을 습득함. ②↗기계 공학과.

기계-관[1]【機械館】명 기계가 설치된 건물.

기계-관[2]【機械觀】명〖철〗기계론(機械論)❶.

기계 교:정【機械校正】명〖인쇄〗기계준(機械準).

기계 국수【機械―】명 손으로 쳐서 만들지 아니하고 기계에 걸어서 만든 국수. ↔수타(手打) 국수.

기계-기【機械機】명〖공〗↗기계 직기(機械織機).

기계 기름【機械―】명 기계유(機械油).

기계-끌【機械―】명〖공〗기계 장치가 되어 동력으로 구멍을 파는 끌.

기계 날염【機械捺染】명 날염법의 하나. 그라비아 인쇄 방식으로 행하는 날염법인데, 색 잉크를 부착시킨 판동(版胴)과 압동(壓胴)과의 사이에 천을 통과시켜 색무늬를 프린트하고, 여기에 날염 처리를 행하여 마무리함. 제품은 프린트천이라 함.

기계 냉:동【機械冷凍】명 냉매(冷媒)를 사용하는 열역학적 냉동 과정에 기계식 압축기를 써서 열을 제거하는 일.

기계 레이스【機械―】〔lace〕명 기계로 만들어진 여러 가지 레이스의 총칭. 수공(手工) 레이스에 대하여 이름.

기계-력【機械力】명 ①기계의 힘. ②기계에 의한 작용. 기계가 일하는 능력. ③고체 또는 유체(流體)의 접촉으로 전해지는 힘.

기계-론【機械論】명〔mechanism〕①〖철〗모든 생성 변화를 물질적·기계적인 법칙에 따라 설명하려는 이론. 기계관. 기제론(機制論). ↔목적론. ②〖생〗생체를 기계의 구성과 동일하게 보는 입장. 즉, 생물 현상을 모든 물리 화학적 법칙에 환원하여 설명하려는 입장. 기계설.

기계론적 세:계관【機械論的世界觀】명〖철〗기계론에 의하여 모든 우주(宇宙) 현상을 설명하려는 세계관. ↔목적론적 세계관.

기계론적 유물론【機械論的唯物論】명 기계적 유물론.

기계 문명【機械文明】명 18세기 후반의 산업 혁명 이후, 기계의 발달로 대량 생산이 행하여져 진보 발전한 근대 문명의 한 면(面)을 말함.

기계-미【機械美】명 기계가 가지는 기능성(機能性)·합리성 따위에 의하여 생겨나는 미(美). 1920년대 미국에서 공업 디자인이 급속도로 발달하여, 그 기계가 가지는 직선과 원(圓)의 추상적인 형태·리듬감이 거꾸로 화가를 자극하여 컴퍼스나 자를 이용한 그림을 낳게 했음.

기계 미술【機械美術】명〖미술〗기계의 기능 형태에서 새로운 미를 발견하여 기계에서도 예술성을 찾아 내고자 하는 현대 미술의 한 방향.

기계 방아【機械一】명 동력 기계로 움직이게 한 방아.

기계 번역【機械飜譯】명〔mechanical translation〕컴퓨터 등을 주체(主體)로 하는 번역 기계의 조작에 의하여, 어떤 나라의 국어를 딴 외국어로 번역하는 일.

기계 보:험【機械保險】명〖경〗손해 보험의 하나. 보험의 목적인 기계 또는 기계 설비가 여러 가지 자연적·인위적·돌발적 사고로 말미암아 파손되었을 때의 손해를 메우기 위한 보험.

기계-사[1]【機械司】명〖역〗조선 고종(高宗) 17년(1880)에 설치된 통리기무 아문(統理機務衙門)의 십이사(十二司)의 하나. 각종 기계의 제작과 관리를 맡음. 이듬해 폐지됨.

기계-사[2]【機械絲】명 원동력을 쓰는 제사(製絲) 기계로 만든 실.

기계 사:무관【機械事務官】명 공업직(工業職) 국가 공무원 직급 명칭의 하나. 기계 직렬(職列)에 속하며, 기계 주사(主事)의 위, 공업 서기관의 아래로 5급 공무원임.

기계 사:무소【機械事務所】명 기계·냉난방 장치·급유(給油)·계량기 설비의 검사·수선·관리에 관한 업무를 분장(分掌)하는 지방 철도청 소속의 현업(現業) 기관.

기계 서기【機械書記】명 공업직(工業職) 국가 공무원 직급 명칭의 하나. 기계 직렬(職列)에 속하며, 기계 서기보의 위, 기계 주사보의 아래로 8급 공무원임.

기계 서기보【機械書記補】명 공업직(工業職) 국가 공무원 직급 명칭의 하나. 기계 직렬(職列)에 속하며, 기계 서기의 아래로 9급 공무원임.

기계-선【機械船】명〔service module〕아폴로 우주선 가운데 사람이 타지 않는 기계 장치 부분. 사령선(司令船) 하부에 연결된 원통형(圓筒形)의 부분으로, 비행중의 궤도 수정·궤도 진입·탈출 등을 위한 주(主) 엔진 외에 연료·전원(電源)·산소 등이 적재됨. 사령선과 합쳐서 모선(母船)을 형성하며, 지구로 돌아올 때 대기권(大氣圈)으로 재돌입하기 전에 절단되어 버려짐.

기계-설【機械說】명〖생〗기계론❷.

기계 설계【機械設計】명 기계의 개발·설계·가공 등을 위하여 과학이나 발명을 응용하는 일.

기계 세:탁【機械洗濯】명 손빨래에 대해 기계로 세탁하는 일. ——-하다 타여불

기계 수뢰【機械水雷】명〖군〗다량의 폭약을 넣어 이것을 일정한 수면 밑에 설치해 놓고 함선(艦船)이 이것을 건드리면 폭발하여 파괴·침몰시키는 수뢰. 방어(防禦) 수뢰. 부설(敷設) 수뢰. ㊎기뢰(機雷).

기계-술【機械術】명 기계에 관한 기술.

기계 시계【機械時計】명 해시계·물시계·모래 시계 등에 대하여, 중력이나 태엽을 원동력으로 하고 흔들이 또는 유사의 진동의 등시성(等時性)을 이용한 시계를 말함. 사용 목적이나 형태 등에 의하여 회중 시계·팔뚝 시계·탁상 시계·괘종 시계·수정(水晶) 시계·크로노미터(chronometer)·스톱 워치·천문 시계(天文時計) 등으로 구분하며, 그 밖에 전자(電子)나 원자(原子)를 이용한 것도 있음.

기계 시대【機械時代】명 18세기 중엽의 산업 혁명(產業革命)의 결과로 산업의 압도적인 부분을 기계가 떠맡게 된 시대.

기계 식자【機械植字】명 모노타이프·라이노타이프·인터타이프 등의 자동 주식기(鑄植機)에 의한 식자. ＊냉식자(冷植字).

기계 신:관【機械信管】명〖군〗시계처럼 용수철로 움직이는 시계 장치로 된 신관. 고사포(高射砲) 탄환에 씀. 시계(時計) 신관.

기계-실【機械室】명 기계를 설치한 방. 기계가 있는 방.

기계-어【機械語】명〔machine language〕컴퓨터에서 사용되는 정보의 표현 방식, 즉 컴퓨터가 그대로 이해하는 프로그래밍 언어의 하나. 0과 1의 두 숫자(數字)를 짝맞추어 표현함.

기계 역학【機械力學】명〖물〗기계 각 부분에 작용하는 힘과 각 부분의 운동과의 관계를 연구하는 학문.

기계 요법【機械療法】〔一뻡〕명〖의〗물리 요법의 하나. 구축(拘縮)이나 마비된 근(筋)에 보행기(步行器)·신전기(伸展器) 따위를 사용하여 견인 신장(牽引伸張)·강제 운동 등의 외력(外力)을 가하여 실시하는 치료법.

기계 요소【機械要素】명〔machine element〕각종 나사의 부품이나 톱니바퀴·벨트·스프링 등과 같이, 여러 가지 기계에 공통으로 쓰이는 기본적인 부품.

기계-원【機械員】명 기계직 기능 공무원 직급 명칭의 하나. 기계장(長)의 아래. 8급·9급·10급의 세 등급이 있음.

기계-유【機械油】명〔machine oil〕기계에 치는 기름. 기계의 마찰열(摩擦熱)의 발생을 방지하고, 기계의 운전을 부드럽게 하기 위하여 기계의 각 부분, 특히 마찰부에 칠함. 기계 기름.

기계유 유제【機械油乳劑】명 기계유에 크레졸(cresol)·비누 등의 유화제(乳化劑)를 배합한 약제(藥劑). 개각충(介殼蟲) 등의 구축제(驅逐劑)로 쓰임.

기계 인형【機械人形】명 눈·손·발 등이 움직이게 만들어진 기계 장치의 인형.

기계 자:수【機械刺繡】명 미싱 따위 기계로 하는 자수. 엠브로이더(embroider).

기계-장【機械長】명 기계직 기능 공무원 직급 명칭의 하나. 기계원(機械員)의 위. 6급·7급의 두 등급이 있음.

기계 장치【機械裝置】명 기계를 설비하는 일. 또, 그 장치. ——-하다 자여불

기계-적【機械的】명관 ①기계 장치로 일을 하는 모양. ②기계에 관한 모양. 기계 방면에 관한 모양. ③비유적으로, 기계와 같은 모양. 자기 의사가 아닌 남의 의사에 따라 움직이듯 행동하는 모양. 모든 일을 미리 정한 방식대로 일률적으로 처리하는 모양. 또, 인간미(人間味)가 없는 모양. 비개성적(非個性的)임. ¶ ~인 사고 방식.

기계적 감:각【機械的感覺】명〖심〗기계적 변형(變形)이 자극(刺戟)이 되어 일어나는 감각의 총칭. 촉각·압각(壓覺)·평형(平衡) 감각·청각 및 운동·위치·힘의 감각 등이 이에 속함.

기계적 노동【機械的勞動】명 정신을 많이 쓰지 아니하고 다만 기계적으로 하는 노동.

기계적 미분 해:석기【機械的微分解析機】명〖전〗표면 접촉으로 운동을 전달하는 기계 부품으로 조립한, 미분 방정식을 풀기 위한 아날로그 계산기.

기계적 성:질【機械的性質】명 주로, 역학적(力學的)인 관점에서 본 물질의 성질. 하중(荷重)에 대한 물체의 변형·진동(振動)·재료 역학적인 성질 등에 대하여 이름.

기계적 소화【機械的消化】명〖생〗동물이 섭취한 먹이를 잘게 부수고 효소(酵素)와 잘 섞어 주는 작용. ＊화학적 소화.

기계적 에너지【機械的一】〔energy〕명〖물〗역학적(力學的) 에너지.

기계적 연대【機械的連帶】명〔프 solidarité mécanique〕〖사〗프랑스의 사회학자 뒤르켐(Durkheim)의 용어. 한 사회의 전체 성원(成員)이 유사(類似) 또는 공통의 관념과 양식 밑에 행동하며 전체의 공통 의식이 개인의 의식을 압도하고 지배하는 사회적 결합 상태 또는 사회적 관계. 개인의 인격의 발달은 낮으며 무기물(無機物)의 분자처럼 활동하고 있어 전체 속에 기계적으로 흡수됨. ↔유기적(有機的) 연대.

기계적 유물론【機械的唯物論】명〔mechanical materialism〕〖철〗목적 개념을 배척하고 세계와 사물의 모든 생성 변화 과정을 물질적·기계적 인과 관계에 의하여 설명하려는 입장. 대표자는 데모크리토스(Demokritos)·홉스(Hobbes, Thomas ; 1588-1679)·가생디(Gassendi, Pierre ; 1592-1655)·디드로(Diderot, Denis ; 1713-84) 등. 기계론적 유물론.

기계적 인과【機械的因果】명〖철〗맹목적·필연적·물리적 인과.

기계적 자:극【機械的刺戟】명 생물체에 기구나 어떤 물체를 대어서 일으키는 자극으로, 전기·열·화학적 자극에 상대되는 말. 역학적 자극.

기계적 정:류기【機械的整流機】〔一뉴一〕명〖전〗정류가 동기 진동자(同期振動子)와 같은 기계적 작용으로 행하여지는 정류기.

기계 제:도【機械製圖】명〔mechanical drawing〕기계나 그 부품(部品)의 구조·배치·치수·사용 재료·공작 과정(工作過程) 등을 투영도(投影圖)로써 도시하는 일. 또, 그 작업의 총칭.

기계 제:사【機械製絲】명 제사 기계로 실을 잣는 일. 또, 그 실.

기계 제:품【機械製品】명 기계를 사용하여 만든 물건.

기계 조직【機械組織】명〖식〗식물체를 기계적으로 떠받치는 세포군(細胞群). 후막(厚膜) 세포나 후각(厚角) 세포 등으로, 뿌리에서는 중심부, 줄기나 잎에서는 주변부에 발달하고, 대부분 목질화(木質化)하여 두껍게 됨.

기계 종횡【奇計縱橫】명 교묘한 꾀를 마음대로 부림.

기계 주사【機械主事】명 공업직(工業職) 국가 공무원 직급 명칭의 하나. 기계 직렬(職列)에 속하며, 기계 주사보의 위, 기계 사무관의 아래로 6급 공무원임.

기계 주사보【機械主事補】명 공업직(工業職) 국가 공무원 직급 명칭의 하나. 기계 직렬(職列)에 속하며, 기계 서기의 위, 기계 주사의 아래로 7급 공무원임.

기계-준【機械準】명〖인쇄〗교정(校正)을 마친 인쇄물을 기계에 올리어 인쇄하기 전에 다시 한 번 마지막으로 보는 교정. 기계 교정.

기계지-심【機械之心】명 책략을 꾸미는 마음. 기심(機心).

기계 직기【機械織機】명 기계력(機械力)을 이용한 직기. ㊎기계기(機械機). ↔수직기(手織機).

기계 진:동【機械振動】명〔mechanical vibration〕〖물〗기계 및 구조물에 자연히 발생하는 바람직하지 않은 운동.

기계 착유【機械搾乳】명 우유를 착유기로 짜는 일.

기계 체조【器械體操】명 철봉(鐵棒)·평행봉·이단 평행봉·링·평균대·안마(鞍馬)·뜀틀 등의 기구를 사용하는 체조. ↔맨손 체조. ＊기구 체조.

기계-총【機械一】명〈속〉〖의〗두부 백선(頭部白癬).

기계 충전【機械充塡】명 광산이나 탄광(炭鑛)의 공동(空洞)에 기계력으로 토사(土沙)나 폐석(廢石)을 메우는 일.

기계-칼【機械一】명 기계 장치로 된 칼. 「제재기(製材機).

기계-톱【機械一】명〖공〗발동기로 돌리는 톱. 둥근톱·띠톱 등이 있음.

기계-통【機械一】명〖기〗자전거의 제동기(制動機). 속도를 조절 또는 제지(制止)하는 장치로 자전거의 뒷바퀴에 있음. 코스터 브레이크(coaster brake).

기계 투표【機械投票】명 투표기에 의해 행하는 투표. 또, 그 방법. 투표의 비밀 보장, 계표(計票)의 신속·정확 등을 기할 수 있는 장점이 있음.

기계 파:괴 운:동【機械破壞運動】명〖역〗18세기 후반에 영국에서 산업 혁명에 이어 일어난 노동자의 운동. 산업 혁명으로 많은 실업자가 생기자 이들은 자기의 생활 곤란이 기계가 발달한 탓이라고 생각하고

파과 운동을 일으켰음.

기계 펄프【機械一】〔pulp〕명 펄프 원료를 기계의 힘으로 처리하여 섬유와 섬유를 접착하고 있는 리그닌층(lignin層)을 파괴하여 펄프화(化)한 것. 쇄목(碎木) 펄프와 같은 뜻으로 쓰이기도 하나, 아스플룬드(Asplund) 펄프나 폭렬법(爆裂法)으로 만든 펄프가 포함되는 것이 정확함. 펄프의 수율(收率)은 90% 이상으로 높으나 품질은 화학 펄프보다 떨어짐. 메커니컬(mechanical) 펄프. ＊화학 펄프.

기계 편물【機械編物】명 기계를 이용하여 뜨게질을 하는 일. 또, 그 제품.

기계 프레스【機械一】〔press〕명 기계적 수단으로 슬라이드(slide)를 조작하는 프레스.

기계-학[1]【氣界學】명〖기상〗기권학(氣圈學).

기계-학[2]【機械學】명 '기계 공학'의 구칭.

기계-화【機械化】명 ①산업에 기계를 도입(導入)하여 인간 또는 동물의 노력(勞力)을 감소하게 함. ¶ 농업의 ~. ②〖군〗인마(人馬) 등을 기계의 힘으로 대체하여 군대의 기동력(機動力)을 높이는 일. ¶ ~ 부대. ③사람의 언행(言行)이 외부의 압력에 좌우되어 자주성(自主性)을 잃고 기계적으로 됨. ——-하다 자타여불

기계화 농업【機械化農業】명 농업 생산을 하는 데 있어서, 인력이나 축력(畜力)을 사용하지 아니하고, 순수한 기계의 힘을 비는 농업 방법.

기계화 부대【機械化部隊】명〖군〗전차·장갑차·자주포 따위로 편성된 전투 부대. 신속한 기동성·기습성, 강력한 화력, 엄호(掩護)의 확실함에 그 특징이 있음.

기계화 회:계【機械化會計】명 기계를 매개로 하여 이루어지는 회계 사무 및 그 체계.

기계 효:율【機械效率】명〔mechanical efficiency〕〖물〗①기계의 출력(出力)과 공급된 에너지, 곧 입력(入力)과의 비. 이 값이 1에 가까울수록 효율이 좋음. ②내연 기관에서, 연소 현상에 의하여 실린더내의 피스톤에 실제로 행하여지는 단위 시간당의 일을 지시 마력(指示馬力), 지시 마력에서 마찰에 의한 손실을 뺀 실제의 기관 출력을 실질 마력(實質馬力)이라 할 때, 실질 마력을 지시 마력으로 나눈 값.

기고[1]【忌故】명 기제(忌祭)를 지냄.

기고[2]【奇古】명 기이하고 고아(古雅)함. ——-하다 형여불

기고[3]【奇觚】명 희귀한 책. 진귀한 서책.

기고[4]【起稿】명 원고를 쓰기 시작함. ↔탈고(脫稿). ——-하다 자타여불

기고[5]【氣高】명 ①맑게 갠 하늘이 높고 푸름. ②기격(氣格)이 높음. ——-하다 형여불

기고[6]【寄稿】명 신문이나 잡지 같은 데에 원고를 보냄. 또, 그 원고. 기서(寄書). ¶지방지(地方紙)에 ~하다. ——-하다 자타여불

기고[7]【旗鼓】명 ①〖역〗군기(軍旗)와 북. ②병력과 군세(軍勢).

기고[8]【箕姑】명 키를 가지고 점(占)을 치던 일. 옛날 중국 오(吳)나라 때의 정월놀이의 하나였음. 기복(箕卜).

기고[9]【騎鼓】명 싸움터에서 쓰는 북.

기고[10]【夔鼓】명 동해의 유파산(流波山)에 산다는 전설 상의 짐승의 이름. 또, 그 가죽으로 만들었다는 북.

기고-가【寄稿家】명 기고하는 사람. 기고자(寄稿者). 기서가(寄書家).

기고 만:장【氣高萬丈】명 일이 뜻대로 잘될 때에 기꺼워하는 모양이나 또는 성을 낼 때에, 그 기운이 펄펄 나는 모양. ——-하다 형여불

기고 상당【旗鼓相當】명 ①적(敵)과 승패를 결함. ②피아(彼我)의 군세(軍勢)가 엇비슷함.

기고-자【寄稿者】명 기고가(寄稿家).

기곡[1]【奇曲】명 진기한 곡. 뛰어난 음악.

기곡[2]【技曲】명 곡예(曲藝)의 기술.

기곡[3]【祈穀】명 풍년이 되기를 빎. ——-하다 자여불

기곡[4]【綺穀】명 무늬가 있는 얇은 명주.

기곡 대:제【祈穀大祭】명〖역〗정월 첫 신일(辛日)에, 그 해의 풍년을 빌던 나라의 제사. 흔히, 임금이 친히 지냄. 준기곡제.

기곡-제【祈穀祭】명〖역〗↗기곡 대제.

기곤【飢困】명 굶주리어 고달픔. ——-하다 형여불

기골[1]【肌骨】명 살과 뼈대.

기골[2]【奇骨】명 ①뛰어난 골격. ②기력이 왕성한 성격. 또, 그 사람.

기골[3]【氣骨】명 ①기혈(氣血)과 골격. ¶ ~이 장대하다. ②씩씩한 의기.

기골[4]【寄骨】명 어지간한 의기.

기골 장:대【氣骨壯大】명 기골이 건장(健壯)하고 큼. 기혈(氣血)과 뼈대가 굳세고 큼직함. ——-하다 형여불

기공[1]【技工】명 ①손으로 가공(加工)하는 기술. ②솜씨. ③능숙한 기술자.

기:공[2]【妓工】명〖역〗궁중(宮中)에서 음악 가무(歌舞)를 하는 창기(唱妓)와 이에 딸린 남악인(男樂人).

기공[3]【紀功·記功】명 공로를 기념함. ——-하다 자여불

기공[4]【奇功】명 기이한 공로. 기이하고 뛰어난 공로.

기공[5]【起工】명 공사를 시작함. 착공(着工). ¶ ~식. ↔준공. ——-하다 타여불

기공[6]【氣功】명 기해 단전(氣海丹田)의 공력(功力)이란 뜻으로, 단전 호흡(丹田呼吸)을 일컫는 딴이름.

기공[7]【氣孔】명 ①〖충〗곤충류의 몸뚱이 옆에 있어서 호흡 작용을 하는 구멍. 기문(氣門). ②〖식〗식물의 잎이나 줄기의 겉껍질에 있는 작은 구멍. 탄소(炭素) 동화 작용을 하며 몸속의 수분과 탄산 가스의 증산(蒸散)을 조절함. 숨구멍. ③〔vesicle〕〖지〗용암이 고결(固結)할 때, 기포(氣泡)가 빠지지 않고 그대로 있다가 생긴 용암 속의 빈 구멍.

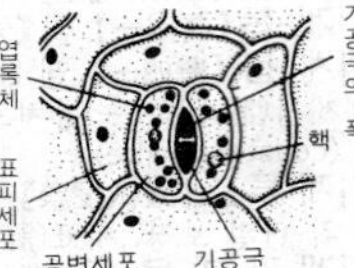

〈기공[7]❷〉

기공[8]【寄公】명 나라를 잃고 몸을 남의 나라에 의탁한 임금. 우공(寓公).

기공[9]【機工】명 ↗기계 공업.

기공 강근지친【期功强近之親】명 기공친(期功親). ＊강근지친.

기공-국【紀功局】명〖역〗조선 고종(高宗) 21년(1894)에 충훈부(忠勳府)를 고친 이름. 그 후 광무(光武) 3년(1899)에 다시 고치어 표훈원(表勳院)이라 하였음.

기공-률【氣孔率】〔-뉼〕명 해면상(海綿狀)의 재료 또는 가루·입자의 퇴적(堆積)과 같은 다공질(多孔質)의 재료를 취급할 때에 그 공격(空隔)의 다소를 표시하는 양.

기공 모:세포【氣孔母細胞】명〖생〗기공의 공변(孔邊) 세포의 모체가 되는 세포. 분열로서 공변 세포만을 만드는 형식과 그 밖에 조세포(助細胞)를 만드는 형식이 있음.

기공-비【紀功碑】명 공훈을 길이 기념하려고 세우는 비.

기공-사【紀功詞】명 공훈을 적은 문구. 공훈을 기념하는 글.

기공-식【起工式】명 어떤 공사를 시작할 때에 하는 의식. ↔준공식.

기공 증산【氣孔蒸散】명〖식〗관다발 식물의 증산 작용에서, 기공을 통하여 행하여지는 증산.

기공-친【期功親·朞功親】명 기복(期服)·공복(功服)을 입는 친척. 기공강근지친(期功强近之親).

기과【記過】명 ①글로 써서 적음. ②기억한 일. ③예전에, 작은 잘못에 대하여 견책하고 문부에 적어 두던 일. ¶관정 야료한 것을 중책한 뒤에 ~로 일을 결처하였다≪洪命憙 : 林巨正≫. ——-하다 타여불

기관[1]【技官】명 특별한 학술 기예를 장려하는 관리(官吏)의 명칭.

기관[2]【汽管】명 증기(蒸氣)를 보내는, 속이 빈 둥근 쇠통.

기:관[3]【妓館】명 기생이 있는 요릿집.

기관[4]【汽罐】명 밀폐(密閉)된 강판제(鋼板製)의 용기내(容器內)에서, 물을 끓이어 증발시켜, 높은 온도·높은 압력의 증기(蒸氣)를 발생시키는 장치. 증기관(蒸氣罐). 보일러(boiler). ¶~실.

기관[5]【奇觀】명 기이한 광경. 매우 훌륭한 경치.

기관[6]【記官】명〖역〗①고려 때 중서 문화성(中書門下省)·삼사(三司)·중추원(中樞院)·상서 도성(尙書都省)·상서 육부(尙書六部)·사헌대(司憲臺)·한림원(翰林院)·사관(史館)과 기타 여러 관부(官府)에 두었던 이속. 기록(記錄)을 맡음. ②조선 시대 때 지방 아전의 한 이름.

기관[7]【氣管】명 ①〖생〗숨쉴 때에 공기가 통하는 기둥꼴의 관. 후두(喉頭)의 아래쪽, 식도(食道)의 앞쪽에 있는데, 아래 끝이 두 갈래의 기관지(氣管支)로 째져서 허파에 잇닿아 있음. 숨통. ②〖충〗곤충류의 체표(體表)에 있는 기공(氣孔)으로부터 조직 세부로 통하는 호흡기의 관.

기관[8]【旗官】명〖역〗군대의 기를 들고 다니던 병졸.

기관[9]【器官】명〖생〗생물체를 구성하고 일정한 모양과 특정한 생리 기능을 갖는 것의 총칭. 대부분의 동물에서는 한 가지 또는 여러 가지의 조직이 모여 신경계·호흡계 등의 기관계를 이룸. 단세포(單細胞)의 원생(原生) 동물에도 볼 수 있으나 세포자신의 분화(分化)에 의한 것으로, 특히 세포 기관(細胞器官)이라 함. 식물의 경우 하등(下等) 식물에는 그 분화가 보이지 아니하나, 고등 식물에서는 뿌리·줄기·잎·꽃 등이 있음. ¶호흡 ~/소화 ~.

기관[10]【機關】명 ①활동의 장치를 갖춘 기계. ②어떠한 에너지를 활동시키게 장치한 기계의 총칭. 증기 기관·수력 기관·내연 기관 등. 엔진. ③개인이나 단체의 어떠한 목적을 이루는 수단으로서 설치한 조직(組織). ¶금융 ~/보도 ~. ④〖법〗법인(法人)의 의사를 결정하고 그것을 집행하는 지위에 있는 개인 또는 집단. 그 형태나 성격에 따라 사인(私人) 기관과 국가 기관, 합의(合議) 기관과 단독(單獨) 기관, 의결(議決) 기관과 집행(執行) 기관 등으로 나뉨.

기관-계[1]【氣管系】명〔tracheal system〕〖충〗곤충류나 거미류 등의 유기관류(有氣管類)에서 볼 수 있는 기관 및 기관 아가미·폐낭(肺囊) 등의 호흡 기관(呼吸器官)을 이름.

기관-계[2]【器官系】명〔organ system〕〖동〗동물체에 있어서 어떤 특정의 생리 기능을 행하고 있는 기관의 집단(集團). 소화기계(消化器系)·신경계(神經系)·호흡기계(呼吸器系) 따위.

기관-고【機關庫】명 기관차를 두어 두는 차고(車庫). 또, 기관차의 보관자나 종업원의 근무 장소.

기관-구【機關區】명 '기관차 사무소'의 구칭. 기관차를 주로 한 동력차(動力車)를 수용(收容)·관리·운용하던 철도의 현업 부문(現業部門).

기관 단총【機關短銃】명〔submachine-gun〕주로 근거리 전투에서 쓰이는 개인 화기의 한 가지. 구조는 기관총과 같으나 어깨 또는 허리에 대고 쏠 수 있도록 만든 가벼운 자동식 또는 반자동식 단총임.

기관 동:물【氣管動物】명〖동〗[Draceata] 절지(節肢) 동물의 한 아문(亞門). 그 대부분이 공기 중에서 살며, 호흡기는 기관 또는 폐장(肺臟)이고, 촉각(觸角)은 한 쌍이 있거나 아주 없기도 함. 무각류(無角類)가 이에 속함.

기관-병【機關兵】명〖군〗군함의 기관 운전, 기관(汽罐) 및 전체 기계를 취급하는 해군 사병.

기관 보:험【汽罐保險】명〖경〗보일러(boiler)의 파열이나 압궤(壓潰)로 인하여 생긴 손해를 보전(補塡)하는 보험.

기관-사[1]【汽罐士】명 보일러를 취급하는 기술자.

기관-사[2]【機關士】명 열차·선박·항공기 등의 기관을 취급하는 사람. 또, 그것을 운전하는 사람. 기관수.

기관사-실【機關士室】명 기관사가 작업하는 곳. 또, 그 방.

기관 사이클【機關一】명〔engine cycle〕〖물〗열을 일로 바꾸는 사이클에서의 열역학적(熱力學的) 변화.

기관-선【機關禪】명〖불교〗단계(段階)를 베풀어 깨달음의 경지에 이르게 하는 선풍(禪風).

기관 소송【機關訴訟】명〖법〗행정 소송의 하나. 국가 또는 공공 단체의 기관 상호간에, 권한의 존부(存否) 또는 행사에 관하여 쟁송(爭訟)

하는 소송. ＊기관 쟁의.

기관-수【機關手】 명 열차·선박·항공기 등의 기관을 맡아보는 기술원. 기관사.

기관 수뢰【機關水雷】 명 〖군〗 기계(機械) 수뢰.

기관 신문【機關新聞】 명 어떤 개인이나 사회 단체·문화 단체 또는 정당이 그들의 목적을 수행하는 데 필요하거나 이익이 되는 보도·언론(言論)을 널리 펴기 위하여 발간하는 신문. 기관지(紙). ↔독립 신문.

기관-실[1]【汽罐室】 명 ①기관을 장치하여 놓은 방. ②배 안에 증기 기관을 장치하여 놓은 간. 흔히, 가운데 쪽의 선창(船艙) 안 기기실(汽機室)의 앞쪽에 있음.

기관-실[2]【機關室】 명 ①공장 등에서 주요 원동기를 설치한 방. ②기관차·선박·항공기 등에서 추진기(推進機)를 설비한 방. ③발전·난방·냉방·환기·급수 등의 기관을 설치한 방.

기관-원【機關員】 명 ①선박직(船舶職) 기능 공무원 직급 명칭의 하나. 기관장(機關長)의 아래. 8급·9급·10급의 세 등급이 있음. ②〈속〉 정보 기관의 종사자.

기관 원기【器官原基】 명 〖생〗 원기(原基).

기관 위임【機關委任】 명 〖법〗 국가가 지방 자치 단체의 기관에 사무를 위임하는 일.

기관 위임 사:무【機關委任事務】 명 〖법〗 서울 특별시장·도지사·시읍면장 등의 지방 자치 단체의 기관에 위임되는 국가의 사무.

기관-자【器官子】 명 〖생〗 세포 기관(細胞器官).

기관 잡지【機關雜誌】 명 어떤 사회 단체 또는 정당이 그의 정신을 널리 펴기 위하여 만들어 내는 잡지. 기관지(誌).

기관-장【機關長】 명 ①기관을 부리고 고치는 일을 하는 사람들의 우두머리. ②어떤 목적을 위하여 설치된 시설이나 단체의 장(長). ③선박직(船舶職) 기능 공무원 직급 명칭의 하나. 기관원(機關員)의 위. 6급·7급·8급의 세 등급이 있음.

기관 쟁의【機關爭議】[－/－이] 명 〖법〗 행정 기관 상호간에 일어나는 쟁의. 주요 권한 또는 그 행사에 관한 것으로, 보통은 상급 관청에서 재정(裁定)되나 특히 법률에 규정이 있는 경우에는 법원에 제소하기도 함. ＊기관 소송.

기관 절개술【氣管切開術】 명 〖의〗 목 부분의 기관을 절개하여 호흡 곤란을 치료하는 수술. 후두(喉頭) 등의 폐색시(閉塞時)에 행함.

기관 제:동【機關制動】 명 엔진 브레이크.

기관 조직학【器官組織學】 명 〖동〗 각 기관에 있어서의 조직의 배열 및 조직을 구성하는 여러 요소에 관하여 연구하는 조직학의 한 부문. 현미경적 해부학(顯微鏡的解剖學).

1. 기관
2. 동맥 상기관 지지(支枝)
3. 전기관 지지
4. 설골(舌骨)
5. 설골 갑상막
6. 갑상 연골
7. 윤상 연골
8. 기관지
9. 기관 분기부(分岐部)
10. 전기관 지지
11. 후기관 지지

〈기관지[1]〉

기관-지[1]【氣管支】 명 〖생〗 심장의 상후방(上後方)에서 둘로 나뉘고 그 끝은 나뭇 가지 모양으로 갈라져 있으며, 폐포(肺胞)에 이르는 기관의 분기점으로부터 폐포까지의 부분. 왼쪽 기관지는 다시 두 갈래, 오른쪽 기관지는 세 갈래로 갈라졌음.

기관-지[2]【機關紙】 명 기관 신문. ＊대변지(代辯紙).

기관-지[3]【機關誌】 명 기관 잡지.

기관지-경【氣管支鏡】 명 〔bronchoscope〕〖의〗 기관지경 검사에 사용되는 직달경(直達鏡). 가장 많이 쓰이는 잭슨형(Jackson型)은 금속성 중공관(中空管) 끝에 조명용(照明用) 전구가 있고, 위쪽에 꼭지가 있으며, 관 앞 벽에 객담 흡인용(喀痰吸引用)의 가는 부관(副管)이 있고, 뒤쪽에 전로(電路)가 있음.

기관지경 검:사【氣管支鏡檢査】 명 〔bronchoscopy〕〖의〗 적당한 국소 마취(局所麻醉)를 시킨 뒤, 기관지경을 기관이나 기관지에 삽입하여 내부의 상황을 검사하는 일. 종전에는 이물 제거(異物除去)에 응용되었으나, 차차 폐결핵 및 폐암 등의 물리적 검사에도 응용하게 되었음.

〈기관지경〉

기관지-병【氣管支病】[－뼝] 명 〖의〗 기관지에 생기는 질병(疾病)의 총칭.

기관지 선종【氣管支腺腫】 명 〖의〗 기관지에 생기는, 악성도(惡性度)가 낮은 또는 잠재성의 악성 종양.

기관지-암【氣管支癌】 명 〖의〗 기관지에 발생하는 암. 흔히 대(大)기관지의 점막선(粘膜腺)으로부터 발생하는 것으로, 원인은 확실하지 아니하나 방사능 물질·담배·기름·연기와 밀접한 관계가 있다고 생각됨. 기침이 나며 호흡이 곤란하고 가슴이 아픈데 흔히 40세 이상의 남자가 잘 걸림.

기관지-염【氣管支炎】 명 〖의〗 기관지에 생기는 염증. 열과 오한(惡寒)이 나고 기관 안이 쑤시고 아프며 기침이 심하고 가래가 생기는데, 흔히 감기가 원인이 됨. 그 증세에 따라, 급성·만성·부패성·섬유소성 등으로 분류함. 기관지 카타르(catarrh).

기관지 천:식【氣管支喘息】 명 〖의〗 알레르기 또는 세균으로 기관지강(腔)이 협소화하여 호흡 곤란을 일으키는 증상. 기관지 점막(粘膜)의 종창(腫脹), 점액의 분비 고진(高進), 기관지벽 평활근(平滑筋)의 수축이 원인이 됨. 알레르기성인 경우는 체질적 기초 위에 특수한 꽃가루·먼지 등을 흡입하여 발생하고 대기 오염으로 악화됨. ＊천식.

기관지 카타르【氣管支一】〔catarrh〕 명 〖의〗 기관지염(氣管支炎).

기관지 폐:렴【氣管支肺炎】 명 〖의〗 기관지염이 폐포(肺胞)에 파급되어 생기는 폐의 염증. 해소가 심하며 객담(喀痰)은 점액(粘液)이 농성(膿性)임. 카타르성 폐렴. 소엽성 폐렴(小葉性肺炎).

기관지 협착증【氣管支狹窄症】 명 〖의〗 기관지 내(內)의 이물(異物) 또는 기관지의 주위에 있는 기관의 질환이 원인으로 기관지가 좁아지는 병증.

기관지 확장증【氣管支擴張症】[－쯩] 명 〖의〗 만성(慢性) 기관지염·백일해·홍역 등에서 기침을 오래 하면 기관지 주위가 위축하게 되며 둥글고 길게 또는 주머니처럼 커져서 그 속에 세균이 머물어 염증을 일으키는 병.

기관-차【機關車】 명 객차(客車)·화차(貨車)를 끄는 철도 차량의 원동력이 되는 차량. 증기 기관차·전기 기관차·디젤(Diesel) 기관차 등이 있음. 로커모티브(locomotive). ＊동차(動車).

기관차 사:무소【機關車事務所】 명 동력차(動力車)의 운전과, 동력차·난방차(暖房車) 및 기중기(起重機)의 정비(整備)·운영을 비롯해서 동력차의 사고 복구에 관한 업무를 분장하는, 지방 철도청 소속의 현업(現業) 기관.

기관차 회행선【機關車回行線】 명 열차의 출발선 및 도착선과 기관고(機關庫) 및 급탄수선(給炭水線) 사이에 기관차의 자유로운 출입을 방해하지 않기 위하여, 기관차만을 달리게 할 목적으로 설치한 선로. 회기선(回機線).

기관-총【機關銃】 명 〔machine-gun〕 자동적으로 탄환을 장전(裝塡) 발사하는 소구경(小口徑)의 화기(火器). 경기관총과 중기관총이 있음. 또, 그 형식(型式)에 따라서 수냉식(水冷式)과 공랭식(空冷式)으로 구분함. ㊀기총(機銃).

기관총 부대【機關銃部隊】 명 〖군〗 기관총으로 장비되고, 기관총으로써 전투 임무를 수행하는 부대.

기관 카테:터【氣管一】〔도 Katheter〕 명 〖의〗 분만 직후, 신생아의 기도(氣道) 안에 들어 있는 양수(羊水)·점액·태변 등의 이물을 제거하는 데 사용하는 의료 기구. 두꺼운 유리관의 양단에 외경(外徑) 5-6 mm 정도의 고무관을 달고 고무관의 한 쪽 끝을 기도 안에 넣고 다른 한쪽으로 빨아 내게 되어 있음.

〈기관 카테터〉

기관 투자【機關投資】 명 〖경〗 은행이나 법인 등이 행하는 투자.

기관 투자가【機關投資家】 명 〔institutional investor〕〖경〗 유가 증권에 대한 투자를 주요 업무의 하나로 하는 법인. 은행·생명 보험 회사·투자 회사 등. 1930년대 이후 주로, 미국에서 발전하였음. ↔개인 투자가.

기관-포【機關砲】 명 〖군〗 방아쇠를 당기고 있으면 자동적으로 계속해서 장전 발사되는 포. 주로 항공기용 또는 고사용(高射用)으로 씀. 구경(口徑)은 20 mm 이상임. ㊀기포(機砲).

기관-학【器官學】 명 〖생〗 형태학(形態學)의 한 분과. 생물체 기관의 구조 및 기관 상호의 관계를 연구 대상으로 하는 학문. 스위스의 식물학자 칸돌(Candolle, Augustin Pyrame ; 1778-1841)이 명명함.

기관 형성【器官形成】 명 〖생〗 개체 발생(個體發生)에서, 기관이 배엽(胚葉)에서 원기(原基)의 상태를 거쳐 구조 기능이 완성되기까지의 여러 과정.

기관 효:율【機關效率】 명 〔engine efficiency〕〖기〗 엔진에 공급된 에너지와 엔진에서 내보내는 에너지의 비.

기광[1]【氣狂】 명 극성스레 마구 날뛰는 행동이나 기세.

기광[2]【欺誑】 명 얼을 빼어 속임. ――-하다 타여불

기-괘청【岐棵淸】 명 〖악〗 거문고의 다섯째 줄의 이름. ＊무현(武絃).

기괴[1] 명 〈옛〉 옥의 티. ¶ 기괴 하(瑕)《字會 下 6》.

기괴[2]【奇怪】 명 이상야릇함. 괴기(怪奇). ――-하다 형여불

기괴[3]【氣塊】 명 ①기단(氣團). ②같은 성질의, 공기의 작은 덩어리.

기괴 망측【奇怪罔測】 명 기괴하고 망측함. 기괴하기가 이루 말할 수 없음. ――-하다 형여불

기괴 천만【奇怪千萬】 명 이상야릇하기 짝이 없음. ――-하다 형여불

기교[1]【技巧】 명 ①솜씨가 아주 묘함. 또, 그 솜씨. ②문예·미술에 있어 제작·표현상의 수단이나 수완. 테크닉. ――-하다 형여불

기교[2]【奇巧】 명 기이하고 공교함. ――-하다 형여불

기교[3]【奇矯】 명 언행(言行)이 괴이하고 익살스러움. ――-하다 형여불

기교[4]【基教】 명 ↗기독교.

기교[5]【機巧】 명 ①잔꾀와 솜씨가 매우 공교로움. ②여러 가지 재지(才智)를 짜냄. ――-하다 형여불

기교[6]【譏校】 명 〖역〗 ↗기찰 포교(譏察捕校).

기교-가【技巧家】 명 기교에 뛰어난 사람. 또, 기교에만 전념(專念)하는 사람.

기교-면【技巧面】 명 기교의 측면.

기교-적【技巧的】 명관 기교에만 흐름. 기교를 충분히 사용하고 있는 모양.

기교-체【技巧體】 명 〖문〗 문장 표현에서 용어(用語)에 고심(苦心)하며 표현을 정교히 한 문체(文體).

기교-파【技巧派】 명 〖문〗 반자연주의(反自然主義)의 입장에서 제재(題材)를 채택하고 작품의 내용보다도 표현의 아름다움을 이루기에 전력을 기울이는 예술 지상주의적 작가의 유파(流派).

기구[1]【奇句】 명 기발한 글귀.

기구[2]【祈求】 명 ①원(願)하는 바가 실현되도록 빌고 바람. 기원(祈願). 발원(發願). ②〖천주교〗 '기도(祈禱)'의 구용어. ――-하다 타여불

기:구[3]【枳椇】 명 ①〖식〗 호깨나무. ②〖한의〗 호깨나무의 열매. 맛은 단데, 주독(酒毒)을 풀며 대소변을 통하는 데 씀. 계거자(鷄距子).

기구[4]【起句】 명 ①시나 문장의 첫 구. 수구(首句). ②한시(漢詩)의 첫 구. 기승전결(起承轉結)의 기(起)에 상당하는 구.

기구[5]【氣毬】 명 고려 때 운동 기구의 한 가지. 겨죽을 가죽으로 둥글게

만들고 속에 돼지 오줌통을 넣고 바람을 채워서 발로 차던 공.

기구[6]【氣球】명 고무액을 발라 공기가 통하지 아니하는 큰 주머니에 수소나 헬륨 등 공기보다 가벼운 기체를 넣어서 부양력(浮揚力)을 이용하여 공중에 높이 올라가게 된 물건. 기상(氣象) 관측·광고·군용(軍用) 등으로 쓰임. 경기구(輕氣球). 풍선(風船).

안전판 기낭 보급통

A.안전판삭(安全瓣索)
B.인열판삭(引裂瓣索)
C.인열판
D.모래 밸러스트
E.자기(自記) 고도계
F.고도계
G.승강도계(昇降度計)
H. 착륙삭(索)
I. 통기(通氣) 조정삭
〈기구[6]〉

기:구[7]【耆耉】명 〔기(耆)는 예순 살, 구(耉)는 아흔 살의 뜻〕 늙은이. 노인.

기:구[8]【耆舊】명 ①매우 늙은 사람. ②나이 많은 친구.

기구[9]【飢口】명 기아에 허덕이는 가구(家口).

기구[10]【寄口】명 남의 집에 붙어 사는 사람.

기구[11]【崎嶇】명 ①산길이 험함. 기험(崎險). ②팔자가 험악하고 사나움. ¶팔자가 ~하다. ——하다 형여불

기구[12]【箕裘】명 부조(父祖)의 가업(家業)을 계승함.

기구[13]【器具】명 ①세간·그릇·연장 등의 총칭. ¶ 부엌 ~/체조 ~. ②살림살이가 골고루 갖추어져 있는 터전. ¶ ~ 없는 살림이라도 재미를 붙여라. ③간단한 구조의 기계. ¶ 실험 ~/전기 ~.
기구(를) 부리다 구 온갖 기구를 있는 대로 써서 가즈러운 체를 하다.

기구[14]【機具】명 기계와 기구. ¶ 농(農)~.

기구[15]【機構】명 ①얽어 잡은 구조. ②기계 따위의 내부 구조. 부분이 모여서 기계적으로 활동하고 있는 것. ¶ 인체의 ~. ③많은 사람들이 모여 사회적인 일을 할 때 등의 일 또는 부서(部署) 등의 조직. 또, 활동 단위로서의 조직체. 기제(機制). ¶ 세계 보건 ~/~ 개혁.

기구 관측【氣球觀測】명 『기상』 기구를 올리거나 기구를 타고 행하는 상층 기류(上層氣流)의 관측.

기구-대【氣球隊】명 『군』 군용 기구를 취급하는 부대.

기구 망측【崎嶇罔測】명 ①운수가 사납기 짝이 없음. ②산길이 험하기 짝이 없음. ——하다 형여불 「기도 함.

기구-맥【氣口脈】명 『한의』 팔목에서 뛰는 맥. 오른편 팔목 맥을 이르

기구 위성【氣球衛星】명 궤도에 들어간 뒤 가스로 부풀게 하는 기구형(型)의 인공 위성. 경량(輕量)으로 거대한 표면적을 갖게 할 수 있으며, 통신 대기 밀도의 측정을 임무로 하는 것 등이 이에 속함. 풍선 위성(風船衛星).

기구-있다 형 의식(儀式)이 예법대로 갖추어 있다. ¶ 장돌림의 지체로 기구있는 집의 별당아씨를 넘볼 입장도 아닌 터에…《金周榮 : 客主》.

기구-주의【器具主義】[-/-이] 명 〔Instrumentalism〕『철』 미국 철학자 듀이(Dewey)가 제창한 설. 사유(思惟)는 인간의 욕구를 실현하기 위한 수단·기구이며, 의지가 사유를 써서 목적을 달성한다고 하는 주장. 인스트루멘털리즘. 개념 도구설(槪念道具說).

기구지-업【箕裘之業】명 선대(先代)로부터 전하여 내려 오는 사업.

기구 체조【器具體操】명 아령(啞鈴)·곤봉(棍棒) 등의 기구를 쓰는 체조. ↔맨손 체조. *기계 체조.

기구-학【機構學】명 기계 공학의 한 분과. 재료의 강도(強度)·변형(變形)·파괴 등, 재료 역학적인 관계를 무시하고 이상화(理想化)된 재료를 사용하여 기하학적 조건을 충족시키는 범위내에서 기계의 짜임새나 상대 운동을 연구하려고 하는 학문.

기구 험:로【崎嶇險路】[-노] 명 아주 험악한 산길. 「국면(局面).

기국[1]【碁局·棊局·棋局】명 ①바둑 또는 장기 판. ②바둑이나 장기의

기국[2]【旗國】명 『해』 선박이 게양할 국기의 소속국. 곧, 선박의 본국(本國). *기국법(旗國法).

기국[3]【器局】명 사람의 도량(度量)과 재간(才幹).

기국-다【杞菊茶】명 산국화(山菊花)·구기자(枸杞子)·검은깨·작설(雀舌) 등을 곱게 갈아 소금을 친 뒤에 타락(駝酪)을 붓고 달인 차.

기국-법【旗國法】명 『법』 선박(船舶)이 게양하는 권리를 가진 국기 소속국(所屬國)의 법률. 곧, 그 선박의 본국법. 국제 사법상(私法上) 해상(海商) 관계의 문제에 대하여 준거법(準據法)으로 택하는 경우가 많음. 국기법(國旗法). 선적국법(船籍國法).

기국별 차별 대:우【旗國別差別待遇】명 『해』 자국(自國) 해운의 보호 육성을 목적으로 법률 및 그 밖의 방법에 의하여 외국선에 대해서 차별 대우를 하는 해운 보호 정책.

기국-주의【旗國主義】[-/-이] 명 〔maritime flag state〕 공해 상의 선박은 그 선박의 소속국, 즉 그 선박이 등록되고, 그 국기를 걸고 있는 나라만이 관할권을 갖는다는 국제법 상의 일반 원칙.

기군【欺君】명 ↗기군 망상(欺君罔上). ——하다 자여불

기군 망상【欺君罔上】명 임금을 속임. 준기군(欺君). ——하다 자여불

기굴【奇崛】명 외모(外貌)가 기괴하고 뛰어남. ——하다 형여불

기궁[1]【奇窮】명 몹시 궁함. ——하다 형여불

기궁[2]【饑窮】명 굶주려 고생함. ——하다 자여불

기권[1]【氣圈】명 [-꿘] 명 〔atmosphere〕『기상』 대기권(大氣圈)을 수권(水圈)·암석권(岩石圈)에 대하여 일컫는 말. 그 폭이 1,000km 가량인데, 지구 표면 부근에서는 질소 4, 산소 1의 기체로 되고, 그 이상에는 수소·헬륨(helium)이 많으며, 80km 이상은 전리권(電離圈)을 형성함. 기계(氣界). *수권(水圈)·암석권(岩石圈).

기권[2]【棄權】[-꿘] 명 권리를 버리고 행사하지 아니함. 흔히, 투표·의결(議決) 또는 경기 출전 등에 대해서 씀. ¶ ~승(勝). ——하다 자여불

기권-자【棄權者】[-꿘-] 명 투표·의결 또는 경기 출전 등에서 자기 권리를 포기하고 행사하지 않는 사람. ¶ ~ 속출.

기권-학【氣圈學】[-꿘-] 명 『기상』 공기의 성질·압력·습도 등과 이에 수반하는 여러 현상을 연구하는 학문. 기계학(氣界學).

기궐[1]【氣厥】명 『한의』 기혈(氣血)이 없어지고 사기(邪氣)가 위로 떠올라서 머리가 몹시 아픈 병.

기궐[2]【剞劂】명 나무판에 새김. 인쇄에 부침. 침재(鋟梓). ——하다 타 「여불

기궐-씨【剞劂氏】명 판목(版木)을 파는 사람.

기궤[1]【奇詭】명 기괴(奇怪)함. ——하다 형여불

기궤[2]【起跪】명 일어섬과 꿇어앉음.

기균【氣菌】명 〔도 Luftkeime〕 공기 속에 들어 있는 세균. 사람이 밀집하는 도시·공장 지대에 많고 산·바다·극지(極地)에 적음. 대개 기균은 비병원성균(非病源性菌)임. 기중 미생물(氣中微生物).

기그〔gig〕명 군함·선박에 비치하는, 길이 11-32 피트 가량의 구급용(救急用) 단정(端艇).

기극[1]【忌克】명 남의 재능을 시새워 그보다 나으려고 다툼. ——하다 타여불

기극[2]【紀極】명 끝. 마지막. 종국(終極).

기근[1]【氣根】명 『식』 땅 속에 있지 아니하고 공기 중에 노출(露出)되어 있는 변태근(變態根). 대개 지상경(地上莖)에서 생성하며 공기·양분을 섭취함. 옥수수·석곡(石斛)·풍란(風蘭) 등에서 볼 수 있음. 공기뿌리.

〈기근[1]〉

기근[2]【基根】명 근본. 기본(基本).

기근[3]【畿近】명 ①경기도 부근. ②서울 부근. 근기(近畿).

기근[4]【機根】명 『불교』 중생(衆生)의 심중에 본래부터 가지고 있어 부처의 교화(敎化)에 의해서 발동하는 능력. 가르침의 대상(對象)으로서의, 그 가르침을 받은 사람의 능력·소질. 근기(根機).

기근[5]【飢饉·饑饉】명 ①흉년으로 인하여 곡식이 부족함. 먹을 양식이 없어 백성들이 굶주림. 기황(饑荒). ②비유적으로, 최소한의 수요에도 따르지 못할 만큼 부족한 현상. ¶ 물 ~.

기근 수출【飢饉輸出】명 『경』 기아(飢餓) 수출.

기근-자【飢饉者】명 양식이 없어 굶주리는 사람.

기근 천:지【飢饉荐至】명 흉년이 거듭 일어남. ——하다 자여불

기금【基金】명 ①어떤 목적을 위하여 모아서 준비해 놓은 자금. ¶ ~을 마련하다. ②『경』 특정한 사업의 경제적 기초가 되는 재산. 재단 법인(財團法人)을 설립하는 기부(寄附) 재산 따위. ③특정한 사업의 활동·운영에 제공하는 자금. 주식 회사의 자본금 따위. 예본금(豫本金).

기급[1]【企及】명 ①계획을 세워 노력하여 따라감. ②맞먹음. 엇비슷함. ——하다 타여불

기급[2]【氣急】명 ☞기겁.

기급 절사【氣急絶死】[-싸] 명 놀라서 까무러침. ¶그 말을 듣자 그 자리에 ~를 하다. ——하다 자여불

기기[1] 명 〈방〉 ①고기[1](경상). ②물고기(경상).

기기[2]【汽機】명 증기(蒸氣) 에너지를 기계적 에너지로 변환시키는 기계 「장치.

기기[3]【奇技】명 기묘한 기술.

기기[4]【奇奇】명 몹시 기이함. 매우 이상 야릇함. ¶ ~한 형상. ——하다 「형여불

기기[5]【奇觭】명 『어』 홀지느러미. ↔우기(偶觭).

기기[6]【起期】명 ①사물이 시작되는 시기. ②기간 등의 기산점이 되는 「시기.

기기[7]【旣記】명 이미 기록함. ——하다 타여불

기기[8]【攲器】명 기울게 만든 그릇.

기기[9]【期期】명 〔'期'는 '必'의 뜻. 중국 전한(前漢)의 주창(周昌)이 말더듬이로 황제 앞에서 '臣期期知其不可'라고 더듬었다는 고사에서 유래〕 말을 더듬는 모양.

기기[10]【碁器】명 바둑 돌을 넣어 두는 그릇.

기기[11]【器機·機器】명 기구·기계(器械)와 기계(機械)의 총칭.

기기[12]【跂跂】명 결름발이.

기기[13]【蟹蟹】명 굳세고 용감함. ——하다 형여불 「말.

기기[14]【騏驥】명 ①썩 빨리 달리는 말. ②현인(賢人)을 비유하여 일컫는

기기 괴괴【奇奇怪怪】명 매우 기이하고 괴상함. 몹시 이상 야릇함. ——하다 형여불

기기-국【機器局】명 『역』 무기(武器)를 만들던 관아. 조선 고종 21년(1884)에 군기시(軍器寺)를 고쳐 일컫다가 31년에 폐함.

기기 도설【奇器圖說】명 『책』 청(淸)나라의 유취본(類聚本) ≪고금 도서 집성(古今圖書集成)≫에 포함되어 있는 서양 기계 기술에 관한 책.

기기 묘:묘【奇奇妙妙】명 매우 기묘함. ——하다 형여불

기기-실【汽機室】명 선체내(船體內) 또는 공장내에서 왕복식 증기 기관·증기 터빈 등의 기기(汽機)를 장치해 놓은 방.

기기-창【機器廠】명 『역』 조선 고종(高宗) 24년(1887)에 신식 기계를 만들려고 설치한 관청. 1894년의 동학(東學) 농민 운동과 청일 전쟁 「으로 폐함.

기꺼우- 간 '기껍다'의 불규칙 어간. ¶ ~ㄴ/~니.

기꺼움 명 기꺼운 느낌.

기꺼워-하다 자여불 기껍게 여기다. 기꺼운 감을 가지다. 준기꺼하다.

기꺼이 부 기껍게. 기쁘게. ¶ ~ 허락하다.

기꺼-하다 자여불 ↗기꺼워하다.

기껍다 형ㅂ불 은근히 맘 속으로 기쁘게 여기다. 「껏.

기:-껏 부 힘이 미치는 한껏. 힘을 다하여. ¶ ~ 한다는 짓이. *고작·힘

기:껏-해야 부 기껏 많이 한다고 하여도. ¶ ~ 오늘은 반밖에 못 한다.

기-꼭지【旗―】명 깃대의 꼭대기의 꾸밈새. 창목·창인(槍刃)·연(蓮)봉의 세 가지가 있음. 위의 두 가지는 주로 군기(軍旗)에 쓰고, 끝의 것은 흔히 의장기(儀仗旗) 또는 일반(一般)으로 쓰임.

기끈 부 〈방〉 기껏.

기:나-긴 관 매우 긴. 긴긴. ¶ ~ 세월.

기:나리 명〖민〗 황해도와 평안도 일부에서 부르는 민요(民謠)의 하나.

기나-수【幾那樹】명〖식〗[*Cinchona succirubra*] 꼭두서닛과에 속하는 상록 교목 또는 관목. 높이 25m 가량이고, 잎은 대생하며 타원형임. 꽃은 담홍색(淡紅色)이며, 원추(圓錐) 화서로 피는데 향기가 있음. 열매는 기름한 삭과(蒴果)임. 나무 껍질을 '기나피(皮)'라고 하는데, 분말(粉末)·탕제(湯劑) 및 정기제(丁幾劑)로서 고미 건위(苦味健胃) 강장약으로 쓰고, '키니네'를 만들어 말라리아 치료 및 해열제(解熱劑)로 씀. 남아메리카의 안데스 산맥(Andes山脈) 지대인 페루·볼리비아 원산(原産)으로 자바·실론 등에서 재배함. 규나(規那). 규나수(規那樹). 금계랍나무. 키나(china).

〈기나수〉

기나-염【幾那塩】명〖약〗 키나염(kina塩).

기나 정기【幾那丁幾】명〖약〗 키나 정기(kina丁幾).

기나-피【幾那皮】명〖약〗 기나수(幾那樹)의 속 껍질을 건조(乾燥)한 것. 겉쪽은 회갈색 또는 적갈색으로 길게 쭉쭉 째지기 쉽고 맛은 몹시 씀. 키나알칼로이드가 많이 있어 키니네 제조의 원료로 쓰며, 건위 강장약(健胃強壯藥)으로 씀. 규나피(規那皮).

기남【奇男】명 기남자(奇男子).

기남 숙녀【奇男淑女】명 남달리 재주가 뛰어난 남자와, 교양과 품격을 갖춘 여자.

기-남자【奇男子】명 재주가 뛰어난 사내. 기남(奇男).

기낭【氣囊】명 ①〖생〗 조류의 흉부(胸部)와 복부(腹部)에 있어 폐(肺)와 연락된 주머니. 그 안에 공기를 드나들게 하여 몸의 무게를 증감시키는 작용을 함. 공기주머니. ②일반적으로, 동물체에 부속(附屬)되어 있는 주머니. ③기구(氣球) 등의 가스를 넣어 두는 주머니.

1. 경부의 기낭
2. 쇄골 사이의 기낭
3. 전흉부의 기낭
4. 후흉부의 기낭
5. 복부의 기낭

〈기낭❶〉

기내¹【畿內】명 ①나라의 서울을 중심으로 하여 사방으로 벋어 나간 가까운 행정 구역. 기전(畿甸). ②경기도(京畿道) 안.

기내²【機內】명 항공기의 안.

기내-식【機內食】명 여객기(旅客機)의 승객에게 비행중에 제공하는 식사와 음료수.

기내 통신【機內通信】명 [intercommunication] 항공기 안에서 서로 다른 부서(部署)의 승무원과 주고받는 통신.

기네스 [Guinness, Alec] 명〖사람〗 영국의 영화 배우. 메이크업(make-up)에 능하여 '천의 얼굴을 가진 사나이'로 이름이 났으며, 1957년 《콰이 강(Kwai江)의 다리》로 아카데미 주연상을 받았음. [1914-]

기네스 북 명 [Guinness Book of Records] 영국의 맥주(麥酒) 회사 기네스가 해마다 발행하는 세계 기록집(世界記錄集).

기:녀¹【妓女】명 ①〖역〗 의약(醫藥)·침구(鍼灸)·재봉(裁縫)·가무(歌舞) 등을 배워 익히던 관비(官婢)의 총칭. 여기(女妓). 연화(煙花). ②기생(妓生)❶.

기녀²【機女】명 베짜는 여자. 직녀(織女).

기년¹【祈年】명 풍년이 들기를 빎. ——하다 자여불

기년²【紀年】명 기원(紀元)으로부터 셈한 햇수.

기:년³【耆年】명 예순 살 이상의 나이. 예순 살이 넘은 나이. 기로(耆老).

기년⁴【幾年】명 몇 해.

기년⁵【期年】명 ①한 돌이 되는 해. ②기한이 된 해.

기년⁶【朞年】명 ①↗기년복(朞年服). ②한 돌이 되는 해.

기년⁷【饑年】명 흉년이 들어 백성이 굶주린 해. 흉년.

기년-명【紀年銘】명 제작·사용(使用) 등의 연시(年時)를 기입한 비(碑)·기물(器物)의 명문(銘文).

기년-법【紀年法】[—뻡] 명 나라나 민족의 경과하는 햇수를 계산할 때에 어떤 기산(起算)의 해를 정하여 이것을 기원으로 햇수를 세는 방법.

기년-복【朞年服】명 장기(杖朞)와 부장기(不杖朞)의 일컬음. 준기년(朞年)·기복(朞服).

기년 아람【紀年兒覽】명〖책〗 조선 영조(英祖) 때, 이만운(李萬運)이 학동(學童)의 편람(便覽)에 이바지하려고 널리 사승(史乘)에서 역대 연혁(沿革)·제왕 통계(帝王統系) 등을 간명하게 편찬한 책. 정조(正祖) 때 이덕무(李德懋)·이만운(李萬運)이 정정하였음. 8권 5책.

기년-제【朞年祭】명 소상(小祥).

기년-체【紀年體】명 편년체(編年體).

기년체 사:기【紀年體史記】명 연대기(年代記).

기년-학【紀年學】명 연대학(年代學).

기념¹【祈念】명 기원(祈願)하는 마음.

기념²【紀念·記念】명 어떤 일을 오래도록 잊지 아니함. 훗날의 추억으로 남김. 또, 그 물건. ¶～ 행사/결혼 ～. ——하다 타여불

기념-관【紀念館·記念館】명 어떤 뜻깊은 일이나 위인 등을 기념하기 위하여 세운 집. 여러 가지 자료나 유품 등을 진열하여 둠. ¶유관순 ～.

기념 논문집【紀念論文集·記念論文集】명 개인 또는 단체가 어떤 일을 기념하기 위하여 관계자가 기고(寄稿)한 논문을 모아서 출판한 책. ¶김 박사 회갑(回甲) ～.

기념 대:회【紀念大會·記念大會】명 어떠한 일을 기념하기 위하여 행하는 대회. ¶삼일절 ～.

기념-물【紀念物·記念物】명 ①기념이 되는 물건. ②문화재 보호법상의 문화재의 하나. 역사상·학술상 가치가 큰 사적지(史蹟地), 경승지(景勝地), 동물·식물·광물·동굴 따위. ¶천연 ～. ③기념품.

기념 박물관【紀念博物館·記念博物館】명 어떤 일이나 업적을 기념하기 위하여 세운 박물관.

기념-비【紀念碑·記念碑】명 어떠한 일을 기념하기 위하여 세운 비.

기념비-적【紀念碑的·記念碑的】명관 어떤 일을 기념할 만한 가치가 있는 모양. ¶～인 업적.

기념-사【紀念辭·記念辭】명 기념의 뜻을 표하는 말이나 글.

기념 사:업【紀念事業·記念事業】명 어떠한 일이나 위인 등을 기념하기 위하여 벌이는 사업.

기념 사진【紀念寫眞·記念寫眞】명 어떤 일을 기념하기 위하여 찍는 사진.

기념-상【紀念像·記念像】명 어떤 사람의 공적을 기념하거나 또는 어떤 행사(行事) 등을 기념하여 세운 상(像).

기념 스탬프【紀念—·記念—】[stamp] 명 ①국가적 사건을 기념하기 위하여 만든 우편의 소인(消印). ②관광지에서 그 지방의 승경(勝景)을 파서 관광객에게 기념으로 찍어 주는 도장. 준스탬프.

기념-식【紀念式·記念式】명 어떠한 일을 기념하기 위하여 행하는 의식.

기념 식수【紀念植樹·記念植樹】명 어떠한 일을 기념하기 위하여 나무를 심는 일.

기념 식전【紀念式典·記念式典】명 어떠한 일을 기념하기 위한 식전.

기념 엽서【紀念葉書·記念葉書】[—녑—] 명 어떠한 일을 기념하기 위하여 발행하는 엽서.

기념 우표【紀念郵票·記念郵票】명 어떠한 일을 기념하기 위하여 발행하는 우표.

기념-일【紀念日·記念日】명 어떠한 일을 기념하는 날. ¶개교 ～.

기념-장【紀念章·記念章】명 어떠한 기념을 표하여, 그 일에 관계한 사람에게 주는 휘장(徽章). ¶참전(參戰) ～. 준기장.

기념-절【紀念節·記念節】명 기념일.

기념-제【紀念祭·記念祭】명 어떠한 기념을 위한 축제(祝祭)나 추도제.

기념 주:화【紀念鑄貨·記念鑄貨】명 무슨 사건이나 행사에 즈음하여, 그것을 기념하기 위해서 특별히 발행하는 주화.

기념-탑【紀念塔·記念塔】명 어떠한 일을 길이 기념하기 위하여 세운 탑.

기념-패【紀念牌·記念牌】명 어떤 일을 기념하기 위하여 만든 패.

기념-품【紀念品·記念品】명 기념으로 주고받는 물건. 기념물.

기념 행사【紀念行事·記念行事】명 어떤 일을 기념하기 위하여 거행하는 행사. 흔히, 체육 대회·강연회·좌담회·전시회 따위를 행함.

기념-호【紀念號·記念號】명 어떠한 일을 기념하기 위하여 발행하는 신문이나 잡지의 특집호.

기념-회【紀念會·記念會】명 어떤 일을 기념하기 위하여 여는 모임.

기뇨【起鬧】명 야단을 일으킴. 싸움을 시작함. 기요(起擾). 작나(作拏). 작뇨(作鬧). 작요(作擾). ——하다 자여불

기뇰 [프 guignol] 명 끈을 쓰지 아니하고 직접 손가락을 써서 놀리는 인형극(人形劇). 1795년 프랑스의 로랑 무르케(Laurent Mourquet)가 창시(創始)하였음.

기누다 타 〈방〉 겨누다(경상).

기는-줄기 명〖식〗 포복경(匍匐莖).

기능¹【技能】명 기술상의 재능(才能). 기량(技倆). ¶～직/～공.

기능²【器能】명 기량(器量)과 재능.

기능³【機能】명 ①목적에 따라 분화(分化)한 작용(作用)·활동(活動). ↔실체(實體). ②어떠한 기관이 그 권한 안에서 활동할 수 있는 능력.

기능 개:념【機能槪念】명〖철〗 설명(說明) 개념.

기능 검:사【技能檢査】명 [technical ability test]〖심〗 적성(適性) 검사의 하나로서 특수 성능(性能)·기능을 조사하는 검사. 일정한 직업·직무에 취업하기에 적합한 성능·지식·기술을 갖고 있는가를 검사함. 구체적인 일의 모델을 만들어 검사하는 것과 손과 손가락의 움직임이나, 운동의 속도 등 개개의 성능(性能)을 검사하는 것도 있음.

기능-공【技能工】명 ①기능이 있는 직공. ②기능계의 기술 자격을 취득한 사람. ¶～ 양성(養成).

기능 노동【技能勞動】명 기능을 요(要)하는 노동.

기능 대학【技能大學】명 국가 기술 자격법에 의한 기능장(技能長)을 양성(養成)하기 위하여 설립된 대학. 수업 연한은 2년임.

기능-미【機能美】명 실용품(實用品)으로 만들어진 물건이 그 기능을 충분히 발휘함으로써 나타내는 아름다움.

기능 부표【機能符標】명〖악〗 기능표(機能標).

기능 분석【機能分析】명 [functional analysis]〖경〗 한 나라 경제가 어떻게 운영되고 어떠한 기능을 발휘하는가를 분석하는 일. 이를테면, 일정한 소비 성향(消費性向)이나 소득 분배가 그 나라 경제에 대해 어떠한 작용을 하는가를 분석하는 따위. 이와는 달리 한 나라 경제의 구조를 분석하는 것은 구조(構造) 분석이라 함.

기능-사【技能士】명 국가 기술 자격법 소정의 기능계 기술 자격 검정에 합격한 사람에게 주어지는 칭호. 1급과 2급의 두 등급이 있으며, 1급은 2급의 자격을 취득한 후 3년 이상 실무에 종사한 사람, 전문 대학 이상 졸업자, 국제 기능 올림픽 대회에서 입상한 사람이 검정 시험 응시 자격이 있고, 2급과 기능사보는 자격 제한이 없음. *기능장.

기능사-보【技能士補】명 국가 기술 자격법 소정의 기능계 기술 자격 검정에 합격한 사람에게 주어지는 칭호. 기능계 기술 자격 등급의 최하위 등급임. *기능사·기능장.

기능 사회【機能社會】명〖사〗 종교·정치·경제 등의 어떤 일정한 사회적 기능을 다하기 위하여 형성·존재하는 정당·교회·학교 등의 목적 사회. 기능 집단.

기능-성【機能性】[—썽] 명 ①기계 등의 작용·활동의 정도. ¶～이 뛰어나다. ②〖의〗 기질적(器質的)인 병변(病變) 없이 증상을 일으키는 상태. ↔기질성(器質性).

기능성 식품【機能性食品】[—썽—] 명 영양(營養) 이외에 어떤 생리 작용을 나타내는 기능이 있는 식품. 식물 섬유(食物纖維) 따위.

기능 습득자【技能習得者】명 기능의 수습 과정에 있는 근로자. 견습공(見習工)·양성공 따위. 혹사(酷使)의 금지, 가사(家事) 등 기능 습득과 무관한 일에의 종사 금지 등, 법으로 특별 보호함.

기능-신【機能神】명〖종〗 특정한 기능을 맡고 있는 신. 자연의 작은 부

분에 배당되어 있는 신이나 특정한 직업·결혼·출생·사망·가옥 등을 맡고 있는 신을 이름.

기능 심리학【機能心理學】[—니—] 명 〔functional psychology〕〖심〗 정신 현상의 생리적 측면, 특히 환경에 대한 생물체의 순응(順應)을 중시(重視)하는 미국의 듀이(Dewey, J.)·에인젤(Angell, J. R.) 등의 입장. 구성(構成) 심리학에 대한 말. 기능적 심리학. 기능주의 심리학. 작용 심리학. *기능주의.

기능-어【機能語】 명 〖언〗 실질적인 의미 내용은 거의 없고, 말과 말, 글과 글 사이에 문법적인 관계를 나타내는 말. 조사(助詞)·전치사(前置詞)·접속사(接續詞) 등.

기:능 올림픽【技能—】〔Olympic〕 명 '국제 기능 올림픽 대회'의 속칭.

기능 원자단【機能原子團】 명 〖화〗 유기 화합물의 분자 구조(分子構造)에 있어서, 하나의 동족렬(同族列)의 각각에 공통이고 그 동족렬의 화학적 특성이 나타나 있는 원자단 또는 결합 양식.

기능 이:론【機能理論】[—니—] 명 〖악〗 유기적인 관계를 맺고 있는 화음(和音)의 기능을 밝히고 그것의 조화를 이룩하려는 이론.

기능-장【技能長】 명 기능사 1급 자격 취득 후 기능 대학을 졸업하고, 당해 기술 분야에서 7년 이상 실무에 종사한 사람으로서 국가 기술 자격법에 따른 소정 검정에 합격한 사람에게 주는 칭호. *기능사.

기능 장:려법【技能奬勵法】[—녀뻡] 명 〖법〗 국민에게 기능 습득을 장려하고 기능의 향상을 촉진하는 동시에 기능인이 긍지와 자부심을 가지고 맡은 분야에 정진(精進)하도록 하며, 기능인의 경제적·사회적 지위 향상에 이바지하게 할 목적으로 제정된 법률.

기능 장애【機能障礙】 명 해부학적(解剖學的)으로는 이상이 없으나 생활 기능에 장애를 일으키는 병. 정신 이상 따위.

기능-적[1]【技能的】 명관 기능을 소유하거나 기능을 필요로 하는 모양.

기능-적[2]【機能的】 명관 전체를 구성하는 기관(器官)·기계·기관(機關)의 각 부분이 능력을 유효하게 발휘하여 활동하는 모양. ¶ ~인 설계 / 기계를 ~으로 배치하다.

기능적 사회 집단【機能的社會集團】 명 〖사〗 사회 집단의 하나. 특정한 기능을 행하기 위하여 의식적으로 만들어진 집단. 국가·기업체·조합·정당·문화 단체 같은 것. 기능적 집단. *기초적 사회 집단.

기능적 약시【機能的弱視】 명 〖의〗 특별히 기질적 질환(器質的疾患)이 없는데도 교정 시력(矯正視力)이 좋지 않은 상태. 굴절 이상(屈折異常)이나 사시(斜視), 선천성 백내장(先天性白內障) 등 시성 자극(視性刺戟)의 장애에 의해 유유아기(乳幼兒期)에 시각(視覺)의 발달이 억제된 결과 일어나는 상태임.

기능적 집단【機能的集團】 명 〖사〗 기능적 사회 집단.

기능적 채:색【機能的彩色】 명 실내(室內)의 벽·천장이나 그 밖의 가구(家具)나 기계류(機械類) 등에 채색을 함에 있어서, 단순한 미(美)나 취미에 의하여 행하는 것이 아니고 그 방의 쓰임새나 색채가 갖는 생리적·심리적 효과를 고려해서 합리적으로 채색하는 일.

기능 조직【機能組織】 명 〔functional organization〕〖경〗 분담된 일을 기능별로 전문화·분업화시켜 전문마다 다른 관리자가 작업자를 전문적으로 지휘 감독하는 조직. 과학적 관리법의 창안자 테일러(Taylor, F. W.)가 라인(line) 조직의 결함을 시정하기 위해 제창한 것임.

기능-주의【機能主義】[— / —이] 명 〔functionalism〕 ①〖철〗 존재를 어떤 실체로서 생각지 않고 그것을 단지 그 기능(機能)에 있어서만 있는 것이라고 보는 인식론(認識論)·방법론적 입장. *기능(機能) 학파. ②〖건〗 근대 건축 이론의 하나. 건축·공예(工藝) 등의 형태·재료 등은 모름지기 그것들이 갖는 기능에 따라 설계되어야 한다고 하는 주장. *기능주의 건축. ③〖심〗 심리학에서, 의식(意識) 내지 심적(心的) 활동을, 오로지 환경에의 적응 기능으로 파악, 연구하여야 한다는 생각. 유기체(有機體)의 환경과의 생물학적 관련을 중시(重視)하는 미국 심리학의 주장임. *기능 심리학.

기능주의 건:축【機能主義建築】[— / —이—] 명 건축의 모든 부분은 그 목적과 기능에 따라 설계되어야 한다고 하는 근대 건축의 대표적인 사조. 구조·재료의 경제성과 역학적 합리성, 건물의 합목적성, 장식적 부속물의 배제 등이 특징임. 20세기 초두에 프랑스 르 코르뷔지에(Le Corbusier), 독일의 그로피우스(Gropius, F.G.), 미국의 설리번(Sullivan, L. H.) 등이 제창 전개하였음. *기능주의❷.

기능주의 심리학【機能主義心理學】[—니— / —이—니—] 명 〖심〗 기능 심리학.

기능-직【技能職】 명 기능의 소유를 요하는 직업이나 직책. ¶ ~ 공무원.

기능직 공무원【技能職公務員】 명 공무원 분류의 하나. 경력직(經歷職) 공무원의 한 갈래로, 기능적인 업무를 담당하며, 그 기능별로 세분되는 공무원.

기능 집단【機能集團】 명 〖사〗 기능 사회.

기능-키【機能—】〔key〕 명 타자기나 컴퓨터 키보드에서 숫자나 문자를 누르는 것이 아닌, 동작 지시에 사용되는 키.

기능-표【機能標】 명 〔functional marks〕〖악〗 양악(洋樂)의 기능 화성(和聲)에서 쓰이는 생략 기호. 으뜸 화음을 T, 딸림 화음을 D, 버금딸림 화음을 S로 표기함. 독일의 음악 학자 리만(Riemann, Hugo)이 고안함. 기능 부표(符標).

기능 학과【技能學科】 명 음악·미술 등과 같이 기술상의 재능을 필요로 하는 학과.

기능 학파【機能學派】 명 〔functional school〕 문화 인류학 또는 민족학의 한 학파. 문화의 전체 구조에 있어서 각각의 기능을 밝힐 것을 강조하였음. 영국의 말리노프스키(Malinowski, K.)와 래드클리프 브라운(Radcliffe-Brwon A. R.) 등에 의하여 주창됨.

기능 화성【機能和聲】 명 〔functional harmony〕〖악〗 서양 음악의 용어로, 장조(長調)·단조(短調)의 구별이 뚜렷했던 18~19세기의 조성적(調性的) 음악에서 가락의 중심은 그 음계의 으뜸음으로 보고 으뜸 화음(和音)·딸림 화음·버금딸림 화음의 세 화음의 기능을 중시(重視)하는 화성 이론.

기능 훈:련【機能訓練】[—훌—] 명 심신 장애자의 기능을 회복시키는 훈련.

기니[1]〔Guinea〕 명 〖지〗 ①아프리카 서부, 대서양안(大西洋岸) 지역의 총칭. 북은 모로코 남부의 세네갈 강(Senegal江)으로부터 남은 앙고라 남부의 쿠네네 강(Cunene江)에 이르는 해안 지방으로, 상(上)기니와 하(下)기니로 나뉨. 세계 다우지(多雨地)의 하나로, 기온이 높고 밀림(密林)이 무성하며, 야수(野獸)가 많음. 주로 영국·프랑스 등의 식민지였음. 좁게 기니 만(灣)에 면하는 지역을 말할 때도 있음. ②아프리카 서해안의 한 공화국. 북·동·남쪽은 세네갈(Senegal)·기니비사우(Guinea Bissau)·말리(Mali)·라이베리아(Liberia) 등 6개국에 둘러싸이어 있으며, 서부는 고온 다습한 해안 평야, 동부는 구릉성(丘陵性)의 사바나(savanna), 남부는 열대 우림(熱帶雨林)으로 덮인 산지(山地)임. 농업이 주산업이며, 고무·커피·바나나·상아(象牙) 등을 생산 수출하며, 철광석(鐵鑛石)·보크사이트·다이아몬드 등의 채굴(採掘)이 성함. 1958년에 프랑스 공동체를 이탈, 독립하였음. 수도는 코나크리(Conakry). 정식 명칭은 '기니 공화국(Republic of Guinea)'. [245,857 km^2 : 5,750,000명(1990)]

기니[2]〔Guinea〕 명의명 〔처음에 기니에서 나는 금으로 주조하였던 데서〕 17세기 후반부터 19세기 초두에 걸쳐 사용하던 영국의 금화. 또, 그 화폐 단위. 21실링에 상당함. 현재는 쓰지 아니함.

기니 만【—灣】〔Guinea〕 명 〖지〗 아프리카의 중부 서해안에 있는 만. 중세(中世) 이래, 만안(灣岸)의 각지에서 유럽의 무역상(貿易商)이 활동하여 거래된 상품명을 따서, 노예 해안·황금 해안·상아(象牙) 해안 등의 별명으로 일컬어짐.

기니-비사우〔Guinea-Bissau〕 명 〖지〗 아프리카 서쪽 끝, 대서양 연안의 공화국. 국토의 대부분이 늪지와 관목 숲임. 공용어는 포르투갈어(語). 땅콩·쌀·코코아를 약간 산출함. 15세기 이래 포르투갈의 지배 아래 있다가 1974년 독립함. 수도는 비사우(Bissau). 정식 명칭은 '기니 비사우 공화국(Republic of Guinea Bissau)'. [36,125 km^2 : 960,000명(1990 추계)]

기니-인【—人】〔Guinea〕 명 〖인류〗 아프리카 니그로의 한 종족. 기니의 산림 지대에 삶. 다리가 짧고 키가 작음.

기니-피그〔guinea pig〕 명 〖동〗 [*Cavia porcellus*] 쥐목(目)에 속하는 작은 짐승. 쥐와 비슷한 축양(畜養) 동물로 몸길이 25 cm 가량에 꼬리는 없고, 몸빛은 순백색·갈색·흑색 바탕에 담황색의 무늬를 띤 것 등 여러 가지가 있음. 귀는 둥글고 짧으며, 앞다리에는 네 개, 뒷다리에는 세 개의 발가락이 있음. 한 해에 두세 번 2~8마리씩의 새끼를 낳음. 식물질(植物質)을 먹음. 페루 원산(原産)으로 생물학·의학의 실험용 또는 애완용으로 세계 각지에서 기름. 속칭(俗稱)은 '모르모트'. 천축서(天竺鼠). *마멋.

〈기니피그〉

기니 해:류【—海流】〔Guinea〕 명 〖지〗 아프리카 서해안, 대서양의 기니 만(灣)을 동쪽으로 흐르는 난류. 적도 역류(赤道逆流)의 하나임.

기닉【饑溺】 명 굶주림과 물에 빠져 헤어나지 못함. 곧, 백성의 질고(疾苦)의 비유. ——하다 자여불

기다[1]【幾多】 명 얼마쯤 되는 그 수량. 여럿.

기다[2] 자 ①가슴과 배를 아래로 향하고, 팔과 다리를 놀려 앞으로 가다. ②엎드리어서 허위적거리고 나가다. ③남에게 억눌려 비굴하게 행동하다.

[기는 놈 위에 나는 놈이 있다] 잘하는 사람 위에는 더 잘하는 사람이 있다는 말. [기도 못하고 뛰려 한다; 기도 못하는 게 날려 한다] 자기 실력 이상의 일을 하려고 하는 사람을 조롱하는 말.

기다[3] 자 〈옛〉 길어지다. 자라다. =길다[1]. ¶ 뒷뫼희엄 기는 약을 언제 키려 ᄒᆞᄂᆞ니《古時調》.

기:다[4] 타 ↗기이다.

기:다[5] 타 〈방〉 게우다(충남·전남).

기:다[6] 타 〈방〉 깁다(경기).

기:다[7] 형 〈방〉 길다[3](경북).

기다[8] 준 그것이다. 「준기닿다.

기:다랗다 [—라타] 형ㅎ불 〔←길다랗다〕 매우 길다. 생각보다 퍽 길다.

기다리다 타 ①사람이나 때가 옴을 바라다. ¶ 봄을 ~/친구를 ~. ②기한을 물려서 유예해 주다. ¶ 하루만 더 기다려 주셔요.

기:다마-하다 형여불 퍽 기다랗다. 무던히 길다. 준기다맣다·기닿다.

기:다맣다 [—마타] 형ㅎ불 ↗기다마하다.

기단[1]【氣短】 명 ①기력이 미약함. ②생김생김이 세차지 못함. ③숨쉬는 시간이 짧음. ——하다 형여불

기단[2]【起單】 명 〖불교〗 선종(禪宗)에서 중이 절을 떠나는 일. 추단(抽單).

기단[3]【起端】 명 발단(發端).

기단[4]【氣團】 명 〖기상〗 수평 방향으로 온도·습도 등이 어디나 대개 같게 넓은 범위에 걸쳐서 퍼져 있는 공기의 덩이. 발생지에 따라 적도(赤道) 기단·열대 기단·한대 기단·북극 기단, 대륙이나 해양인가에 따라 대륙 기단·해양 기단 등으로 분류됨. 기괴(氣塊). *기권(氣圈).

기단[5]【基壇】 명 〖건〗 집의 터전이 되는 단.

기단[6]【棋壇】 명 기계[3](棋界).

기단 기후학【氣團氣候學】 명 〔air-mass climatology〕 종관 기후학(綜觀氣候學)의 한 분야. 기후 표현법의 하나로, 기단의 출현 빈도와 그 성질로 나타냄.

기단 발원지【氣團發源地】 명 〖기상〗 공기의 덩이가 장기간 머물러 있으면, 특징적인 온도·습도의 성질을 줄 수 있는 광대한 지역.

기단-석【基壇石】 명 〖건〗 기단을 쌓는 돌.

기단성 강:수【氣團性降水】[—썽—] 명 〔air-mass precipitation〕『기상』 전선(前線)이나 지형이 높지 않은 곳에서, 기단 안의 습도 분포와 온도 분포만의 원인으로 생긴 강수.

기단성 소나기【氣團性—】[—썽—] 명『기상』 불안정한 기단 안에서, 국지적 대류(局地的對流)로 일어나는 소나기. 가장 일반적인 기단성 강수임.

기달【氣疸】 명『한의』 달병(疸病).

기달리다 타〈방〉 기다리다(경기·강원·충남·전라).

기담1【奇談·奇譚】 명 기이한 이야기. 이상 야릇하고도 재미나는 이야기. 기화(奇話). *괴담(怪談).

기담2【氣痰】 명『한의』 칠정(七情)이 울결(鬱結)하여, 가래가 목에 걸리어서 뱉고 삼키기가 곤란하며, 가슴이 답답하고 괴로운 병.

기담 괴:설【奇談怪說】 명 기이하고 괴상한 이야기와 논설.

기담 수록【奇談隨錄】 명『책』《정상국전(鄭相國傳)》·《진포수전(陳砲手傳)》·《고총각전(高總角傳)》·《한량전(閑良傳)》 등과 항간에 떠돌아다니는 기사 이문(奇事異聞) 등을 수록한 기담집. 조선 성종(成宗) 때 출판함. 1책. 사본(寫本).

기담 총서【奇談叢書】 명 기담을 한데 모아 엮은 책.

기답【起畓】 명 토지를 일구어 논을 만듦. 작답(作畓). ——하다 자타여불

기:당1【耆堂】 명『역』 기로소(耆老所)의 당상(堂上).

기당2【幾堂】 명『사람』 현상윤(玄相允)의 호(號).

기당구 명〈방〉 길이.

기:닿다 [—다타] 형ㅎ불 ①↗기다랗다. ②↗기다마하다.

기:대1 명『민』 ①무동(舞童)을 따라다니는 계집. ②무당이 굿하는 데 여러 가지의 음악을 맡는 사람.

기대2【企待】 명 어떠한 일이 이루어지기를 바라고 기다림. ——하다 타여불

기대3【期待】 명 어느 때로 기약하여 성취(成就)를 바람. 예기하고 기다림. 기망(期望). ¶ ~에 어긋나다. ——하다 타여불

기대4【旗帶】 명 기(旗)드림.

기대5【器臺】 명『고고학』 '그릇 받침'의 구용어.

기대6【機臺】 명 기계를 올려 놓는 대.

기대7【騎隊】 명 ↗기병대(騎兵隊).

기대 가:능성【期待可能性】[—썽] 명『법』 행위를 한 당시에 행위자에게 합법적인 행위가 되었다고 기대되어지는 가능성. 안락사(安樂死)를 살인죄로 취급하지 아니하는 일 등.

기대-감【期待感】 명 예기하여 바라고 기다리는 심정.

기-대강이【旗—】 명 ☞기(旗)꼭지.

기대-권【期待權】[—꿘] 명『법』 장래에 일정한 사실이 발생하면 일정한 법률적 이익을 받을 수 있다는 기대나 희망을 내용으로 하는 권리. 상속권·조건부 권리 등. 희망권(希望權).

기대 금액【期待金額】 명『수』 일정한 매수가 정해진 제비나 추첨권에서 각 등급의 매수에 대응하는 상금이 있을 때, 그 중 한 장을 뽑아서 기대되는 상금액을 이름. 이 금액은 각 상금에다 그 상금을 탈 확률을 곱하여 합한 금액과 같음. 기망 금액(期望金額).

기:대다 자타 ①몸을 의지하여 실리다. ¶ 벽에 ~/몸을 ~. ②남을 의지하여 희망을 붙이다. ¶ 부모에게 ~.

기대리다 타〈방〉 기다리다(전남·경상).

기:대 서다 자 몸을 벽이나 서 있는 나무 같은 것에 의지하여 서다.

기-대(:)승【奇大升】 명『사람』 조선 선조(宣祖) 때의 성리학자(性理學者). 자는 명언(明彦), 호는 고봉(高峰). 행주(幸州) 사람. 이퇴계(李退溪)와 성리학 문답을 하여 더욱 학설을 명확히 하였음. 선조 초에 벼슬을 하여 대사간(大司諫)으로 혁신적인 정치를 하고자 하다가 뜻을 이루지 못하고 벼슬을 그만둠. 시호는 문헌(文憲). [1527-72]

기:대 앉다 [—안따] 자 벽 같은 곳에 몸을 의지하고 앉다.

기대-어 명『어』 귀상어.

기대-치【期待值】 명『수』 '기댓값'의 구용어.

기-대(:)항【奇大恒】 명『사람』 조선 명종(明宗) 때의 문신. 자는 가구(可久). 행주(幸州) 사람. 권신(權臣) 이량(李樑)이 사화(士禍)를 일으키려 하자 그의 죄상을 상소하고, 이를 묵살하려던 사헌부를 탄핵, 그 일당을 모두 처단하고 대사헌·한성부 판윤(漢城府判尹)에 올랐음. [1519-64]

기댓-값【期待—】[—깝] 명『수』 평균값의 하나. 확률변수 X가 값 x, y……를 각각 확률 p, q……로 취할 때, X에 대하여 $px+qy+$……의 값을 말함. 구용어: 기대치(期待值)·기망치(期望值).

기더구 명〈방〉『충』 구더기(경북).

기더리 명〈방〉 ①『충』 구더기(경상). ②굼벵이(경남).

기:덕【耆德】 명 나이 많고 덕이 높은 사람.

기데기 명〈방〉『충』 구더기(경북).

기도1【企圖】 명 일을 꾸며 내려고 꾀함. 계도(計圖). ¶ 자살을 ~하다. ——하다 타여불

기도2【奇道】 명 기발한 방법.

기도3【祈禱】 명 ①신명(神明)에게 복을 비는 일. ②『불교』 불보살(佛菩薩)에게 이레나 스무 이레 또는 백 날이나 천 날의 기한을 정하고 정성을 들여서 빎. ③『천주교』 마음을 드려 천주에게 향함. 천주를 흠숭 사례(欽崇謝禮)하여 자신이나 딴 사람에게 필요한 각종 은혜를 구함. 묵상(默想) 기도와 염경(念經) 기도의 두 가지가 있음. 오라티오(oratio). ④『기독교』 하느님에게 예수의 이름으로 감사와 찬미와 희구(希求)를 드려 비는 일. 묵상(默想) 기도와 통성(通聲) 기도가 있음. ⑤『천도교』 수도(修道) 방법의 한 가지. 심고(心告)·송주(誦呪)·묵념 등을 통틀어 일컬음. ——하다 자여불

기도4【氣度】 명 동물의 몸에서 순환(循環)되는 기운.

기도5【氣道】 명『동』 육상 척추 동물(陸上脊椎動物)에서, 폐에 유입(流入)하는 공기의 통로(通路). 입·비공(鼻孔)·인두(咽頭)·후두(喉頭)·기관(氣管)·기관지의 부분 등.

기도6【幾度】 명 몇 번. 기번(幾番).

기도7【碁道·棋道】 명 ①바둑·장기를 두는 데 있어서의 예절. ¶ ~에 어긋나다. ②바둑·장기의 기예(技藝).

기도8【期圖】 명 기약하여 꾀함. ——하다 타여불

기-도9【箕島】 명『지』 전라 남도 서해상(西海上), 신안군(新安郡) 신의면(新衣面) 상하태리(上下台里)에 위치한 섬. [0.24 km² : 84 명(1984)]

기도10【冀圖】 명 바라는 것이 있어 이루려고 꾀함. ——하다 타여불

기도11〔일 木戶: きど〕 명 극장이나 영화관 등의 흥행장에 설치된 관객의 출입구. 또, 그 흥행장의 출입구를 지키는 사람.

기도(를) 보다 구 흥행장의 출입구를 지키다.

기도-가【祈禱歌】 명 기도할 때 부르는 노래.

기도 감:염【氣道感染】 명『의』 기침·재채기·담화(談話) 같은 것을 할 때 병원체가 침이나 가래와 섞여 공기 중에 날아 흩어져, 이것을 흡입함으로써 코나 인두(咽頭) 같은 상기도(上氣道) 점막(粘膜)에 감염되는 일. 홍역·백일해·유행성 감기·디프테리아 같은 것이 이에 속함. 비말 흡입 감염(飛沫吸入感染). *경구 감염(經口感染).

기도로다 타〈옛〉 기다리다. ¶ 文義를 辨경호물 기도로디 아니셔 《家禮 Ⅵ:9》.

기도-문【祈禱文】 명 ①기도의 내용을 적은 글. ②『기독교』 주기도문(主祈禱文). ③『천주교』 기도할 때 외는 글. '경문(經文)'의 고친 말.

기도-미【祈禱米】 명『천도교』 교인이 시일(侍日)마다 각기 자기 집에서 밤 아홉 시에 청수(淸水)와 오 홉의 쌀을 받들고 천덕 사은(天德師恩)을 생각하며 이 쌀을 모았다가 상하기(上下期)로 거두어서 교회비에 쓰는 쌀. *성미(誠米)·헌미(獻米).

기도 법사【祈禱法師】 명『불교』 남의 기도를 맡아서 대리로 하는 중.

기도-서【祈禱書】 명『천주교』 교회에서 제의식(祭儀式)의 집행을 위하여 규준(規準)으로 정해진 식의 순서·성구(聖句)·기도문 등을 수록한 책. ¶ 가톨릭 ~.

기도-원【祈禱院】 명 특별한 목적으로 기도를 드리기 위하여 세운 종교 시설.

기도-회【祈禱會】 명『종』 기도를 하기 위한 모임. ¶ 조찬(朝餐) ~.

기독【基督】 명 '그리스도'의 음역(音譯).

기독 가:현설【基督假現說】 명 〔Docetism〕『기독교』 그리스도의 인격에 관한 이단적(異端的) 견해의 한 가지. 그들은 물질을 본래 악(惡)이라고 보기 때문에 하느님의 아들인 그리스도는 사람으로 태어났으나 물질적인 육체와 결합할 수 없으므로 오직 외관상(外觀上) 육체의 형자(形姿)를 취하였음에 불과하다고 주장함. 그노시스파(Gnosis派)와 카타리파(Cathari派)가 이 설의 대표임. 기독 환영설(基督幻影說). 준가현설.

기독 강:탄절【基督降誕節】 명 크리스마스(Christmas).

기독 강:탄제【基督降誕祭】 명 크리스마스(Christmas).

기독-교【基督敎】 명 예수 그리스도의 인격과 교훈(敎訓)을 중심으로 하는 종교. 천지 만물을 창조(創造)한 유일신(唯一神)을 하느님으로 하고, 그 독생자 예수 그리스도를 구세주(救世主)로 믿으며, 그리스도의 속죄(贖罪)와 신앙과 사랑의 모범에 추종하여 영혼의 구원을 따름. 팔레스타인에서 일어나 로마 제국의 국교가 되었고, 다시 페르시아·인도·중국 등지에 전하여졌는데, 8세기에 동방 고대 헬레니즘의 전통 위에서는 '그리스 정교회(正敎會)'가 갈려 나간 후, '로마 가톨릭 교회'는 다시 16세기 종교 개혁에 의하여 구교(舊敎), 곧 '천주교(天主敎)'와 '신교(新敎)'로 분리되어, 현재 이 세 교회가 대립되어 있음. 우리 나라에서는, 특히 신교를 '기독교'라고도 함. 그리스도교. 준기교(基敎). *천주교(天主敎)·예수교.

기독교 강요【基督敎綱要】 명 〔라 Christianae Religionis Institutio〕『책』 프랑스의 종교 개혁자 칼뱅(Calvin)이 지은 신학서(神學書). 십계명(十誡命)·사도 신경(使徒信經)·주기도문 등 기독교 교리(敎理)를 해설함. 종교 개혁의 근본 사상을 나타냄. 1559년 결정판이 간행됨.

기독교 고고학【基督敎考古學】 명 고고학의 한 분과(分科). 기독교에 관계가 깊은 유물·유적 등을 연구함.

기독교 교:리【基督敎敎理】 명 기독교에 있어서의 교리.

기독교-국【基督敎國】 명 국민의 대다수가 기독교를 신봉하는 나라.

기독교 그노시스파【基督敎—派】〔gnosis〕 명 1세기말에서 2세기의 기독교 초창기에 그노시스주의(gnosis主義)를 신봉하던 일파. 교회로부터 이단시(異端視)되어 추방되었음. *그노시스주의.

기독교-도【基督敎徒】 명 기독교의 신도(信徒). 크리스천. 그리스도인(人).

기독교 미술【基督敎美術】 명『미술』 기독교의 예배·사상과 결부된 미술. 4세기초에 로마 제국에서 기독교를 국교(國敎)로 지정함으로써 급속히 발달하여 중세 미술의 주류를 이룸. 교회 미술.

기독교 민주당【基督敎民主黨】 명『정』 주로 제2차 세계 대전 후에 프랑스·독일·이탈리아·벨기에·네덜란드 등 유럽 각국에 결성된 정당들의 이름. 대개 가톨릭교의 세력을 기반으로 하며, 중간파적 색채를 띰. 준기민당(基民黨).

기독교 민주 동맹【基督敎民主同盟】 명 1945년, 이전(以前)의 중앙당(中央黨)을 모체로 하여 결성된 독일의 정당. 아데나워(Adenauer)를 당수로 추대하여 서독에서 일관하여 지배 정당의 위치에 있었음. 2차 대전 후의 부흥을 추진한 공적이 큼.

기독교 방:송【基督敎放送】 명 1954년 12월에 기독교의 선교를 목적으로 개설된 한국 최초의 민간 방송. 기독교 중앙 방송(HLKY) 밑에 부산·대구·광주·이리 등지에 네트워크를 가지고 있음. 통상 명칭은 시 비 에스(C.B.S.).

기독교 변:증론【基督敎辨證論】[—논] 명 〔Christian Apologetics〕 기독교에 반대하는 인생관·세계관에 대하여 기독교의 진리를 변증하며 그 신앙의 특질을 밝히려는 신학의 한 부문.

기독교 사회주의【基督敎社會主義】[—/—이] 명 기독교의 정신을

기본으로 하여 사회 개량을 도모하는 주의. 마르크스의 유물 사관(唯物史觀)과 계급 투쟁·폭력 혁명을 배척하고, 원시 기독교 교회가 실천한 형제애의 원리를 현대적으로 재생시키어 가장 적빈(赤貧)한 계급을 구제하고, 협조주의(協調主義)의 이상을 실현하려는 이념. 이 주의는 1848년 영국의 목사 모리스(Maurice, F. D.)·킹즐리(Kingsley, Charles) 등이 주장하여 독일·프랑스·이탈리아·벨기에 등지에 퍼짐.

기독교 신화【基督敎神話】[명] 성경에 나타난 천지 삼라 만상의 창조, 인류의 창조, 그 밖의 여러 가지에 대한 신화. 예수교 신화.

기독교 여자 청년회 【基督敎女子青年會】[명]〔Young Women's Christian Association〕기독교주의를 중심으로 하는 여자 청년의 단체. 여성의 영성(靈性)·지식·체육의 진보를 꾀하며, 사회 사업에 진력함. 1855년에 처음으로 영국에 창립되고, 우리 나라에는 1922년에 설치되었음. 약칭: 와이 더블류 시 에이(Y.W.C.A.).

기독교 음악【基督敎音樂】[명] 기독교에 의하여 발달한 예배·전례용(典禮用)의 음악. 또, 기독교 신앙에 관한 내용을 가진 음악. 그레고리오 성가(Gregorio 聖歌)·레퀴엠(Requiem)·미사곡·찬송가 외에 전례극(典禮劇)·기적극(奇跡劇) 등을 포함함.

기독교-인【基督敎人】[명] 기독교를 믿는 사람. 예수교인. 기독교도. 크리스천.

기독교 정수【基督敎精髓】[명]〔ㅍ Le génie du Christianisme〕〖책〗 프랑스의 작가 샤토브리앙(Chateaubriand)이 지은 종교서(宗敎書). 교의(敎義)와 이론, 기독교 시학(詩學), 미술과 문학, 예배의 4부로 나누어 기독교와 예술이나 도덕과의 관계를 정서적(情緖的)으로 논술함. 1802년 발행. 전 5권.

기독교주의 학교【基督敎主義學校】[ㅡ/ㅡ이ㅡ] [명] 기독교회나 기독교도가 그 신앙에 바탕을 두고 일반 교육을 실시하는 학교. 크리스천 스쿨. 미션 스쿨.

기독교 청년회 【基督敎青年會】[명]〔Young Men's Christian Association〕기독교주의를 중심으로 하는 남자 청년의 단체. 영성(靈性)·지식·체육의 향상을 도모하며, 사회 죄악과 싸워 청년의 유혹을 방지하는 데 진력함. 1844년에 영국 사람 윌리엄스(Williams, G.)가 런던에 처음 창립하였으며, 우리 나라에는 1903년에 설치되었음. 약칭: 와이 엠 시 에이(Y.M.C.A.).

기독교학-과【基督敎學科】[명]〖교〗대학에서, 기독교에 관한 학문을 전공하는 학과. *신학과.

기독교 호:교가【基督敎護敎家】[명] 기독교가 합리적이며 도덕적임을 변명한 기독교 저작가(著作家).

기독교-회 【基督敎會】[명] 기독교를 신봉하는 사람의 교단(敎團)의 총칭. *교회(敎會).

기독 단성설【基督單性說】[명]〔Monophysitism〕〖기독교〗예수 그리스도는 신성(神性)과 인성(人性)이 완전히 일체로서 복합된 단일성을 갖는다고 주장하는 설. 일성론(一性論). [준]단성설. ↔기독 양성설.

기독 단의설【基督單意說】[ㅡ/ㅡ이ㅡ] [명]〔Monotheletism〕〖기독교〗 그리스도가 단성(單性)이므로 그의 신인적(神人的) 의지는 두 개로 나누어질 수 없다는 설. ↔기독 양의설(兩意說).

기독-론【基督論】[ㅡ논] [명]〔Christology〕〖기독교〗 기독교 신학(神學)의 한 부문. 예수의 인격에 있어서의 인성(人性)과 신성(神性)과의 관계를 논하는 학문. 예수의 인격에 대한 관념 중 하느님의 아들·구세주(救世主)·로고스(logos)의 사상이 중요한 대상이 됨. 기독학.

기독 양:성설【基督兩性說】[명]〔Dyophysitism〕〖기독교〗예수 그리스도 안에는 신성(神性)과 인성(人性)이 함께 존재한다고 주장하는 설. ↔기독 단성설(基督單性說).

기독 양:의설【基督兩意說】[ㅡ/ㅡ이ㅡ] [명]〖기독교〗〔Dyotheletism〕 예수 그리스도가 신인(神人) 양성을 구비하므로 신적(神的)·인적(人的) 두 개의 의지를 갖는다고 주장하는 설. ↔기독 단의설(單意說).

기독 우회【基督友會】[명] 퀘이커파(Quaker 派).

기독 유자설【基督猶子說】[명]〔Adoptionism〕〖기독교〗 그리스도의 신성(神性)에 관한 이단(異端)으로, 초기 기독교의 기독론(基督論)에 있어서, 예수는 신적 영(神的靈)의 힘으로 출생한, 영에 충만(充滿)한 사람이라고 주장하며, 본래의 신이 아니고 신의 양자(養子)라고 하는 설.

기독-학【基督學】[명]〖기독교〗기독론(基督論).

기독 환:영설【基督幻影說】[명]〖기독교〗기독 가현설(基督假現說).

기돌오다 [타]〈옛〉기다리다. =기돌오다. ¶ 므스ᄒᆞ라 너를 기돌오료(要甚麼等你)≪老乞 下 18≫.

기동[1] [명]〈옛·방〉기둥(경상). ¶ 木香기동(木香停柱)≪朴解 上 60≫.

기동[2]【奇童】[명] 매우 약고 꾀와 재주가 많은 아이.

기동[3]【起動】[명] ①몸을 일으키어 움직임. ¶ ~을 못 하는 환자. ②↗기거 동작(起居動作). ③시동(始動). ——-하다 [자][여불]

기동[4]【機動】[명] ①조직적이며 기민한 행동. ②〖군〗교전(交戰) 전후 또는 교전시에 전술(戰術)·전략상(戰略上) 행하는 군대의 병력 이동 및 부서 변동을 위한 이동. ¶ ~ 연습/~ 타격대.

기동[5]【饑凍】[명] 배고픔과 추위에 떪. ——-하다 [자][여불]

기동 계:획【機動計劃】[명]〖군〗지정된 목표를 점령하기 위하여 부대가 수행할 전술적인 계획.

기동-관 【技同官】[명] 〖역〗조선 시대 과거에 종사하던 관리. 과거 때 응시자가 바친 시(詩)·부(賦)·표(表)·책(策) 등의 시험 답안지를 분류하여 정리하는 일을 맡아 보았는데, 성균관원 중에서 임명했음.

기동-기【起動器】[명] 직류 전동기(直流電動機)를 안전하게 시동(始動)시키기 위한 부속 장치. 정지(停止)하고 있는 전동기에 갑자기 전류의 전전압(全電壓)을 가하면, 과대한 전류가 흘러 기계를 태울 염려가 있으므로, 보통 저항기(抵抗器)를 통하여 전압을 가하고, 전동기가 돌아서 반기동(反起動)이 생김에 이르러 점점 저항을 감소시켜, 전류의 전전압을 가하도록 사용하는 저항기. 시동기(始動機).

기동-대【機動隊】[명] ↗경찰 기동대.

기동-력[1]【起動力】[ㅡ녁] [명] 활동을 일으키는 힘.

기동-력[2]【機動力】[ㅡ녁] [명] 전술적(戰術的)으로 행동할 수 있는 능력. 전하여, 일반적으로 상황에 따라 재빠르게 활동할 수 있는 능력.

기동-만【碁洞灣】[명]〖지〗함경 북도 동북쪽 동해안의 청진(淸津)과 용저만(龍渚灣) 사이에 있는 만.

기동-반【機動盤】[명]〔maneuvering board〕〖군〗함대(艦隊)의 진형(陣型)을 이루고 있는 각 함정(艦艇)의 상대 운동과 상대 속도를 산출하여 자기 배의 기동 침로(針路)·속도 또는 시간을 확인하는 기구. 점위 유지(占位維持)와 기동법에 중요함.

기동 방어【機動防禦】[명]〔mobile defense〕〖군〗한 지역 또는 진지를 방어하는데 있어서, 적에 대한 선제(先制)를 얻기 위하여 화망(火網)을 구성하고, 지형을 이용함과 동시에 기동성을 발휘하여서 행하는 방어.

기동 부대【機動部隊】[명]〔maneuvering force〕〖군〗기동력이 높은 유격 부대. 본디, 일정한 담당 구역 없이, 자유로이 행동하여 작전하는 특별 임무 부대의 뜻. 육전(陸戰)에서는, 작전의 요점 또는 측배(側背)에 기동적으로 행동하는 전차화(戰車化) 내지 차량화(車輛化)한 부대, 공수 또는 해상 수송에 의해 급속히 먼 거리의 전장으로 파견할 수 있는 부대, 해전(海戰)에서는 항공 모함을 중심으로 하여 순양함·구축함 등으로 편성되고 항공전을 주임무로 하는 고속 함대를 가리킴.

기동-선【機動船】[명] 증기 기관·전력(電力) 기관 또는 내화식(內火式) 기관을 장치하여 그 동력으로 달리는, 배수량 100톤 이상인 배. 장치하는 기관에 따라 기선·전동선(電動船)·내화선(內火船)으로 나뉨.

기동-성【機動性】[ㅡ썽] [명]〔mobility〕〖군〗전략·전술의 요구에 응(應)한 군대의 재빠른 행동성.

기동 수사대【機動搜查隊】[명] 통신 지령실(通信指令室)과의 무선 연락 시설과, 자동차·오토바이 등 근대적인 장비를 갖춘 형사 경찰대.

기동 스위치【起動ㅡ】〔switch〕[명] 시동(始動) 스위치.

기동 연:습【機動演習】[ㅡ넌ㅡ] [명]〖군〗기동 훈련.

기동 작전【機動作戰】[명]〖군〗군대의 기동력을 이용하여 하는 작전.

기동 장치【起動裝置】[명] 전기 기기(機器)의 운전을 시작하는 데 필요한 장치. 전동기(電動機) 등.

기동 장치포【機動裝置砲】[명] 주퇴기(駐退機)·복좌기(復坐機) 등을 장치하여 기동적 동력(機動的動力)을 빌려서 사용하는 대포.

기동 저:항기【起動抵抗器】[명]〖물〗전동기 등을 기동시키는 경우에 쓰이는 가감 저항기(加減抵抗器).

기동-적【機動的】[명][관] 기동성 있게 행동하는 모양.

기동적 동:인【機動的動因】[명]〖사〗사회 진화(進化)에 있어서 감정과 같은 맹목적 추진력을 말함.

기동-전【機動戰】[명]〔mobile warfare〕〖군〗높은 기동력과 화력 및 지형의 이용 등으로, 선제(先制)를 획득·견지하려고 쌍방이 이동을 하면서 전개하는 전투 형태. 이동전.

기동 전:동기【起動電動機】[명]〖기〗스스로 기동하지 아니하는 회전기(廻轉機)나 기관을 기동시킬 때 쓰이는 보조(補助) 전동기.

기동 전:략【機動戰略】[ㅡ절ㅡ] [명]〖군〗전술 기기(機器)의 기동성을 효과적으로 사용하는 전략.

기동-질【起動質】[명]〖화〗어떤 화학 반응에 있어서, 반응 물질 또는 촉매의 활성을 증대시켜, 반응을 일어나기 쉽게 하는 물질.

기동-차【汽動車】[명] 기관에 석탄을 쓰지 아니하고, 전기나 석유 또는 휘발유를 사용하는 동력 기관을 장치하여 운행하는 객차.

기동 타:격 부대【機動打擊部隊】[명]〔mobile striking force〕〖군〗공격 개시일에 어떠한 지역에서도 또는 공격 개시일 후 즉각적으로 이용할 수 있는, 모든 구성 부대에서 차출된 전투 및 지원 부대를 포함한 일반 예비대의 일부.

기동 함:대【機動艦隊】[명]〔task fleet〕〖군〗특정한 주요 임무나 계속적인 임무의 수행을 위하여 필요한 함정(艦艇) 또는 항공기로 구성된 기동 해군 부대.

기동 핵탄두 미사일 【機動核彈頭ㅡ】 [명] 〔Maneuverable Re-entry Vehicle〕〖군〗대기권(大氣圈)에 재돌입(再突入)할 때, 운동 능력에 의하여, 요격 미사일을 피하고, 종말 유도(終末誘導)로 탄착 정도(彈着精度)를 높이고 있는 핵탄두 미사일. 엠 에이 아르 브이(MaRV).

기동 훈:련【機動訓練】[ㅡ훌ㅡ] [명]〖군〗군(軍)에서 교육의 실적(實績)을 시험하기 위하여 실시하는 종합 훈련의 한 가지. 기동 연습.

기두[1]【起頭】[명] ①글의 첫머리. ②일의 처음. ③중병의 돌림. 중병이 차차 낫기 시작함. ——-하다 [자][여불] 중병이 돌리다.

기두[2]【箕斗】[명] ①기수(箕宿)와 두수(斗宿)의 두 별. ②사람의 지문(指紋). 나선형으로 된 것을 두(斗)라 하고 그렇지 아니한 것을 기(箕)라 함.

기두[3]【旗頭】[명] ①기를 드는 사람. 기수(旗手). ②기의 꼭대기.

기두[4]【魌頭】[명]〖역〗나례(儺禮)에 쓰던, 네 눈이 달린 귀신(鬼神)의 탈.

기두르다 [타][르불]〈방〉기다리다.

기둥 [명] ①〖건〗건축물의 칸살을 표준하여 주춧돌 위에 세워서, 보·도리 같은 것을 받치는 나무. 주(柱). ②어떤 물건을 버티는 나무. ③장(欌)·농장(籠欌) 같은 것의 네 귀에 선 나무. ④한 집이나 한 단체 또는 나라의 의지가 될 만한 가장 중요한 사람의 비유. ¶ 한 집안의 ~. ⑤〖수〗단일 폐곡선(閉曲線)의 영역을 그 평면에 수직인 방향으로 평행 이동할 때, 그 지나간 자리에 생기는 입체. 도(壔).
【기둥보다 서까래가 더 굵다.】 주(主)되는 것과 그에 따른 것이 뒤바뀌어 사리(事理)에 어긋난다는 말. 【기둥을 치면 들보가 운다】 '변죽을 치면 복판이 운다'와 같은 뜻.

기둥-감 [ㅡ깜] [명] ①집의 기둥을 만드는 재료. ②한 집안이나 한 단체 또는 나라의 의지가 될 만한 사람. *동량(棟樑).

기둥-구멍 [ㅡ꾸ㅡ] [명]〖고고학〗움집터의 바닥이나 어깨 부분에 기둥을 세우기 위해 판 구멍. 주혈(柱穴). 주공(柱孔). *움집터.
기둥-나누기 [명]〖건〗기둥을 벽 또는 공간에 적당한 간격으로 배치하는 일. 일반적으로 목조는 약 2m, 철골 또는 철근 콘크리트는 약 6m.
기둥 머리 [명] 기둥의 맨 위. ↔기둥 뿌리.
기둥-면【一面】[명] ①〖수〗정방향(定方向)의 직선이 정곡선(定曲線)과 교차하면서 움직일 때에 그리는 면. 이 때에 동(動)직선을 모선(母線), 정곡선을 도선(導線)이라고 함. 주면(柱面). 도면(壔面). ②〔prism face〕〖물〗결정축(結晶軸)의 하나에 평행하여 다른 두 축의 한쪽 또는 양쪽에 교차하는 결정면(結晶面). 주면(柱面).

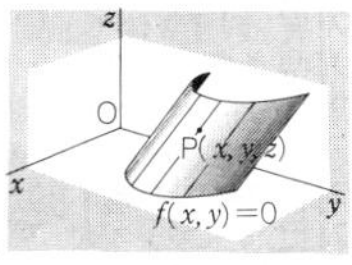

〈기둥면❶〉

기둥-목【一木】[명] 기둥감이 될 만한 크고 굵은 나무.
기둥-몸 [명]〖건〗기둥의 중간 부분.
기둥 뿌리 [명]〖건〗기둥의 맨 밑. 주각(柱脚). ↔기둥 머리.
기둥 사이 [명]〖건〗기둥과 기둥 사이. 또, 그 거리.
기둥 서방【一書房】[명] 기생이나 창기(娼妓)를 데리고 살며, 영업을 시키는 사내. 기부(妓夫). 포주(抱主).
기둥이 [명]〈심마니〉가랑이가 둘로 갈라진 산삼(山蔘).
기둥-저리 [명]〈심마니〉다리.
기둥-체【一體】[명]〖수〗모기둥❷.
기드룸 [타]〈옛〉기다림. '기드리다'의 명사형. ¶ 또 ᄆᆞᅀᆞᆷ 가져 아롬 기드료미 몯ᄒᆞ리며(却不得將心待悟)《蒙法 14》.
기드리 [명]〈방〉〖충〗구더기(경남).
기드리다 [타]〈옛〉기다리다. ¶ 보리라 기드리시니(欲見以俟)《龍歌 19章》/我后를 기드리ᅀᆞᄫᅡ(奚徯我后)《龍歌 10章》.
기-드림【旗一】[명]〖역〗사명기(司命旗)·인기(認旗)·몸기 등의 중요한 기의 깃발과 함께 그 위에 다는 좁고 긴 기엽(旗葉). 기대(旗帶). 기류(旗旒). [준]드림.
기드온〔Gideon〕[명]〖성〗고대 이스라엘을 통치한 열여섯 사사(士師)의 한 사람. 미디안인(Midian人)의 침입을 막아 내어 이스라엘 민족에게 30년간의 평화를 가져왔으며, 또 발(Baal)의 제단을 파괴하였음.
기득【旣得】[명] 이미 얻음. 이미 취득(取得)함. ↔미득(未得). ——-하다 [타][여불]
기득-권【旣得權】[명]〖법〗특정한 자연인(自然人) 또는 법인(法人)이 정당한 절차를 밟아 이미 법규(法規)에 의하여 얻은 권리.
기들리다 [타]〈방〉기다리다(경북).
기들오다 [타]〈옛〉기다리다. ¶ 고기를 그므레 자보믈 기들오노라(待魚「罾)《杜諺 XX:24》.
기들우다 [타]〈옛〉기다리다. =기돌오다. ¶ ᄆᆞᅀᆞᄆᆞᆯ 가져 아로ᄆᆞᆯ 기들우디 마롤디니라(不得 將心待悟)《蒙法 5》.
기디기 [명]〈방〉〖충〗구더기(경북).
기딩스〔Giddings, Franklin Henry〕[명]〖사람〗미국의 사회학자. 사회의 본질을 동류 의식(同類意識)에 두고, 후에 행동 심리학에 의하여 사회 복수(複數) 행동설을 제창했음. 주저에 《사회학 원리》·《인간 사회의 과학적 연구》 등이 있음. [1855-1931]
기ᄃᆞ리다 [타]〈옛〉기다리다. ¶ 내 길흘조차 날호여 녀여 기ᄃᆞ려 오노라 ᄒᆞ니(我沿路上慢慢的行着等候來)《老乞 上 1》.
기돌오다 [타]〈옛〉기다리다. =기들우다. ¶ 내 그저 예셔 기돌오리라(我只這裏等)《老乞下 1》.
기때 [명]〈방〉귀때.
기또래미 [명]〈방〉〖충〗귀뚜라미(전남·경남).
기뚜라미 [명]〈방〉〖충〗귀뚜라미(전남·경상).
기뚜래미 [명]〈방〉〖충〗귀뚜라미(전남).
기뚜리 [명]〈방〉〖충〗귀뚜라미.
기뚝 [명]〈방〉굴뚝(전남).
기뜨라미 [명]〈방〉〖충〗귀뚜라미(전남).
기뜨래미 [명]〈방〉〖충〗귀뚜라미(경남).
기뜩-하다 [형][여불] ☞기특하다.
기라【綺羅】[명] ①무늬 놓은 비단과 얇은 비단. ②화려한 옷. 화려한 것. 또, 화려한 옷을 입은 사람.
기라-성【綺羅星】[명] 밤하늘에 반짝이는 무수한 별. 또, 밝은 것이나, 신분이 높은 사람들이 많이 모여 있을 때, 그들을 비유하여 일컫는 말. ¶ 현관(顯官)들이 ~처럼 늘어서다. 「하는 무리들 가운데.
기라 총중【綺羅叢中】[명][부] ①상류 여성들 가운데. ②호화로운 생활을
기라 홍군【綺羅紅裙】[명] 화려하게 꾸며 입은 여자를 일컫는 말.
기랄 [명]〈방〉계란(경북).
기래【起來】[명] 일어나 옴. ——-하다 [자][여불]
기래기 [명]〈방〉〖조〗기러기²(전남).
기략【機略】[명] 임기 응변의 계략. 기모(機謀). ¶ ~ 종횡/~이 뛰어나다.
기량¹【技倆·伎倆】[명] 기능(技能). ¶ ~을 연마하다.
기량²【氣量】[명] ①기체의 양. ②기상(氣象)과 도량(度量).
기량³【器量】[명] 사람의 덕량(德量)과 재능(才能). 기국(器局).
기러구 [명]〈방〉〖조〗기러기²(경북).
기러기¹ [명]〈방〉길이¹(경기·전북).
기러기² [명]〖조〗오릿과의 기러기속(屬)에 속하는 물새의 총칭. 가을에 오고 봄에 가는 철새들인데, 우는 소리가 처량한 심정을 일으켜 시(詩)로 많이 읊음. 쇠기러기·흰기러기·큰기러기 등이 있음. 신금(信禽). 삭금(朔禽). 양조(陽鳥). 상신(霜信). 이계조(二季鳥).
【기러기는 백 년의 수(壽)를 갖는다】천한 새도 그만큼 오래 사는 것이니, 천히 알고 함부로 굴면 안 된다는 뜻.
기러기 불렀다 [구] '기러기 펄펄 날아 갔다'라는 노래를 불렀다는 뜻으로, 사람이 멀리 도망가 버렸음을 빗대어 이르는 말.
기러기 한평생 [구] 철새처럼 떠돌아다녀, 고생이 장차 끝이 없을 생애.
기러기-목【一目】[명]〖조〗〔Anserida〕조류(鳥類)의 한 목. 오릿과 등이 이에 속함. 안압목(雁鴨目). 흉봉목(胸峰目).
기러기-발 [명]〖악〗가야금 등 현악기(絃樂器)의 줄을 고르는 제구. 단단한 나무로 기러기의 발 모양 비슷이 만들어서 줄의 밑을 괴는데, 이것을 위쪽으로 밀어 올렸다 아래쪽으로 내리밀었다 하여 줄의 소리를 고름. 금휘(琴徽). 안족(雁足). 안주(雁柱).
기러기-아범 [명]〈방〉기럭아비. 「(雁脯).
기러기-포【一脯】[명] 기러기 고기를 소금에 절였다가 말린 조각. 안포
기러나다 [자]〈옛〉자라나다. ¶ 明妃ㅣ 기러난 村이 오히려 잇도다(生長「明妃尙有村)《杜諺 Ⅲ:68》.
기럭-기럭 [부] 기러기의 우는 소리.
기럭-새 [명]〈방〉〖조〗기러기²(경남).
기럭-아범 [명]〈방〉기럭아비. 「사람. 안부(雁夫).
기럭-아비 [명] 전안(奠雁)할 때 기러기를 들고 신랑(新郞) 앞에 서서 가는
기럭지 [명]〈방〉길이¹(경기·강원·충북·경북·황해).
기럼 [명]〈방〉기름.
기럼자 [명]〈방〉그림자.
기렁 [명]〈방〉간장¹(강원).
기렁이 [명]〈방〉〖동〗지렁이.
기레 [명]〈방〉〖생〗지라(황해).
기레기¹ [명]〈방〉〖조〗기러기²(경기·강원·충청·전라·경상·제주).
기레기² [명]〈방〉길이¹(경기·충북·전북).
기레리기 [명]〈방〉〖조〗기러기²(경남).
기려¹【奇麗】[명] 뛰어나게 아름다움. ——-하다 [형][여불]
기려²【綺麗】[명] 얼룩 무늬가 있어 곱고 아름다움. ——-하다 [형][여불]
기려³【羈旅·羇旅】[명] 나그네. 객지에 머물러 있는 나그네.
기려 수필【騎驢隨筆】[명]〖책〗대한 제국 말기로부터 8·15 해방까지의 애국 지사들의 사적을 수집·수록한 책. 병인 양요(丙寅洋擾) 때 순사(殉死)한 이시원(李是遠)을 비롯하여 239명의 항일 투사(抗日鬪士)와, 대한 민국 임시 정부·공산당·고려 혁명당(高麗革命黨)·6·10 만세 사건·광주 학생 사건 등, 단체와 사건에 대해서 자세히 썼음. 경상 북도 영주(榮州)의 기려자(騎驢子) 송상도(宋相燾)가 지음. 1955년 국사 편찬 위원회 간행. 국판 434면.
기려 승교【騎驢乘轎】[명]〖역〗조선 시대에 교마(轎馬)에 관한 제도. 종일품(從一品) 이상과 기로소(耆老所)의 당상관(堂上官)은 평교자(平轎子)를 타고, 이품 이상은 초헌(軺軒)을 타며, 관찰사(觀察使)와 종이품 이상의 관리가 성 밖에 나갈 때는 쌍마교(雙馬轎)를 타고, 승지(承旨)를 지낸 자는 비록 수령(守令)이 되더라도 쌍마교를 탔음. 그 외의 관리들은 등급에 따라서 안장의 모양을 달리하여 말이나 노새를 탔음. 그런데 헌종(憲宗) 때 이 제도가 문란해져 하급 관리들이나 일반 서민들까지 말이나 노새를 타지 아니하고 가마를 탔으므로, 당시 우의정 조인영(趙寅永)의 진언에 의하여 이것을 금지토록 하였음.
기력¹【汽力】[명] 증기의 힘. 증기 기관의 출력. 증기력.
기력²【氣力】[명] ①정신과 육체의 힘. 정력(精力). ¶ ~이 왕성하다. ②〖물〗압착(壓搾)한 공기의 힘.
기력³【棋力·碁力】[명] 바둑이나 장기의 솜씨. ¶ ~ 향상.
기력⁴【棋歷·碁歷】[명] 바둑이나 장기의 경력. ¶ 짧은 ~으로 입단(入段)하다.
기력⁵【機力】[명] 기계의 힘.
기력 발전【汽力發電】[一쩐] [명] 화력 발전.
기련 산맥【祁連山脈】[명]〖지〗치롄 산맥.
기렴【箕斂】[명] 조세(租稅)를 가혹하게 받아들임. 가렴(苛斂).
기령【奇零·畸零】[명] 수의 단위 이하. 소수점(小數點) 이하의 수. 끝수.
기령-척【奇零尺】[명] 작은 치수를 재는 데 쓰이는 작은 눈금. 보통, 자에 장치되어 있음.
기례【起例】[명] 유례(類例)를 설명함. ——-하다 [자][여불]
기로¹【岐路】[명] ①갈림길. 지도(枝道). ②비유적으로, 사물의 본줄기가 아닌 지엽(枝葉)의 길. ¶ 이야기가 ~로 빗나가다. ③비유적으로, 어떤 길을 택할 것인가를 결정짓지 않으면 안 될 시점(時點). ¶ 운명의 ~/생사의 ~.
기로에 서다 [구] 어느 것을 택할 것인가, 그 판단에 갈피를 못 잡을 중대한 입장에 놓이다.
기:로²【耆老】[명] 예순 살 이상의 노인.
-기로 [어미] ①까닭이나 조건으로 말할 때 쓰는 연결 어미. ¶ 오래 있다가는 배가 고프겠~ 미리 와 버렸소. ②'아무리 …다 하더라도'의 뜻으로 쓰는 연결 어미. ¶ 제가 유명한 작가~ 그리 도도할 수 있을까/아무리 독서가 좋~ 밤을 새울까.
기:로-과【耆老科】[명]〖역〗조선 시대 때, 예순 살이 넘은 노인 선비에게만 보이던 과거. 영조(英祖) 32년(1756)에 처음 둠.
-기로서 [어미] ↗-기로서니.
-기로서니 [어미] '-기로'를 힘차게 말하는 어미. ¶ 철없는 아이~ 이토록 부모의 속을 썩일까/구름이야 끼었~ 설마 비야 오랴. [준]-기로서.
-기로선들 [어미] '-기로서니'를 힘차게 말하는 어미. ¶ 아무리 돈이 많~ 그렇게 도도하다니.
기:로-소【耆老所】[명]〖역〗조선 시대에 춘추(春秋)가 높은 임금이나 일흔 살이 넘은 문관(文官)의 정이품(正二品) 이상 되는 노인이 들어가서 대우 받던 곳. 태조(太祖) 3년(1394)에 창설되었는데 이 곳의 영수각(靈壽閣)에는 그들의 초상(肖像)을 걸어 둠. 기사(耆社). 기소(耆所). 치사(致仕) 기로소.
기:로소 당상【耆老所堂上】[명]〖역〗기로소의 당상관. [준]기당(耆堂).
기:로-회【耆老會】[명]〖역〗①고려 신종(神宗)·희종(熙宗) 때 문하 시랑

(門下侍郞)을 지낸 최당(崔讜)을 중심으로 최선(崔詵)·장백목(張白牧) 등이 소요 자적(逍遙自適)을 목적으로 만든 모임. 당시 사람들은 기로회를 가리켜 지상선(地上仙)들이라고 하였음. ②고려 고종(高宗) 때 유자량(庾資諒)이 퇴직한 재상들과 만든 불교 교유(交遊) 단체.

기록【記錄】명 ①후일(後日)까지 남길 필요가 있는 사항을 적는 일. 또, 그 서류. 서록(書錄). ②경기 따위의 성적·결과. 특히, 그 최고의 것. 레코드. ¶ ~을 깨뜨리다/세계 ~. ③〖전자〗신호·음·데이터 등의 정보를 장래에 참조·재생하기 위하여 보존하는 방법. 레코드·자기 테이프(磁氣 tape) 녹음·복사·사진 등이 있음. ——-하다 타여불

기록-계¹【記錄係】명 기록을 담당한 계.

기록-계²【記錄計】명 기록 계기(計器).

기록 계:기【記錄計器】명 온도·습도·압력·진동·회전 속도·전기 등 각종 측정량을 그에 비례하는 적당한 양으로 변환(變換)시켜, 테이프나 화면에 기록하는 계측기(計測器)의 총칭. 미세한 변화량을 기계적·광학적(光學的)·전기적인 방법으로, 펜·인자(印字)·천공 기구(穿孔機構)에 전달하여 기록함. 기록계. 리코더(recorder). ↔지시(指示) 계기·적산(積算) 계기.

기록-관【記錄管】명〖전〗축적관(蓄積管). 기억관(記憶管).

기록-국【記錄局】명〖역〗조선 시대말, 의정부·내각(內閣)·외무 아문(外務衙門)·탁지 아문(度支衙門) 및 원수부(元帥府)의 한 국. 행정 및 통계 사무를 맡아 보았음.

기록-기【記錄機】명 어떠한 시간이나 속력 같은 것을 자동적으로 기록하는 기계 장치. 리코더(recorder).

기록 돌파【記錄突破】명 레코드 브레이킹(record breaking).

기록-문【記錄文】명 사실을 기록한 글.

기록 문학【記錄文學】명〔documental literature〕〖문〗사실의 기록적 요소(要素)가 대단히 강한 문학 작품. 보고(報告) 문학. 르포르타주(reportage).

기록 보:유자【記錄保有者】명 기록 보지자(保持者).

기록 보:지자【記錄保持者】명 레코드 홀더(record holder).

기록 사진【記錄寫眞】명 미적(美的) 효과를 고려하지 아니하고 다만 기록을 위하여 만든 사진. *예술 사진.

기록식 압력계【記錄式壓力計】[—녁—] 명〖공〗가동(稼動) 중인 기계의 압력 변화를 시계 장치 따위로 오랫동안 기록할 수 있는 압력계.

기록 영화【記錄映畫】[—녕—] 명 실제의 상황이나 자연 현상을 기록한 영화. 다큐멘터리 영화.

기록-원【記錄員】명 기록을 맡아 보는 사람. 기록자.

기록-자【記錄者】명 기록원.

기록-적【記錄的】명관 기록되어 후세(後世)에 전하여질 만한 모양. ¶ ~인 대풍년.

기록-화【記錄畫】명〖미술〗전개된 어떤 사실을 회화 형식(繪畫形式)으로 묘사한 그림.

기론¹【奇論】명 ①기특한 언론. 신기한 이론. ②기괴(奇怪)한 언론.

기론²【起論】명 논의를 일으킴. ——-하다 자여불

기롭다 형〈방〉괴롭다(경상).

기롱¹【欺弄】명 속이어 농락함. ——-하다 타여불

기롱²【譏弄】명 희롱함. 실없는 말로 농락함. ——-하다 타여불

기롱-지거리【譏弄—】[—찌—] 명 ①기롱하는 짓. ②☞ 농지거리. ——-하다 자타여불

기뢰【機雷】명 ↗기계 수뢰. ¶ ~를 제거하다.

기뢰 보:화【琦賂寶貨】명 기이한 미옥(美玉)의 선물.

기뢰-원【機雷原】명〖군〗기뢰의 집단 부설 해면(集團敷設海面).

기뢰-정【機雷艇】명〖군〗기뢰를 부설하거나 소해(掃海)하는 함정.

기뢰 탐지기【機雷探知機】명 부설한 기뢰의 위치를 탐지하는 데 쓰는 전기 또는 자기(磁氣) 장치.

기료【祈療】명 기도와 치료.

기룜 타〈옛〉기림. '기리다¹'의 명사형. ¶ 할암과 기룜(毁譽)≪圓覺 上 二之一 12≫.

기룡-문【夔龍紋】명 중국 옛 동기(銅器) 등에서 볼 수 있는 무늬. 기봉(夔鳳)의 몸뚱이가 길게 되어 용과 같이 생긴 것. 용과 다른 점은 몸뚱이 상부가 퇴화(退化)하여 작은 날개를 가진 점임.

1 2 3 4

1-3은 은(殷)에서 서주(西周) 전기의 것. 4는 은(殷)과 주(周) 시대의 것.
〈기룡문〉

기:루【妓樓】명 창기(娼妓)와 노는 집. 청루(靑樓). 창루(娼樓). 취루(翠樓). 홍규(紅閨).

기루다 타〈방〉기르다(경상).

기루-왕【己婁王】명〖사람〗백제의 제3대 왕. 다루왕(多婁王)의 맏아들. 신라와 화친을 맺었는데, 125년 신라와 말갈(靺鞨)의 침입을 받자 일본에 원병을 청하기도 하였음. [?-128; 재위 77-128]

기:류¹【妓流】명 기생들의 동류(同流). ¶ ~의 작품.

기류²【杞柳】명〖식〗고리버들.

기류³【氣流】명 ①〖기상〗대기 중에 일어나는 공기의 흐름. 바람과 같지만 주로 고공(高空)의 바람이나 상승 또는 하강하는 공기의 흐름을 가리킴. ②항공기나 그 밖의 것이 높은 공중에서 일으킨 바람.

기류⁴【氣類】명 마음이 맞는 사람. 의기(意氣)가 투합(投合)하는 사람.

기류⁵【寄留】명 ①남의 집에나 다른 곳에 머물러 삶. ②〖법〗본적지 밖에서 머물러 있음. ¶ ~지(地). ——-하다 자여불

기류⁶【旗旒】명 기(旗)드림.

기류 건조【氣流乾燥】명 입상(粒狀)의 물체를 고속(高速) 기류 중에 부유(浮遊)시켜서 건조하는 방법.

기류 건조기【氣流乾燥機】명〖기〗건조할 물건을 고속 고온의 건조 기체 속에 공급하여, 공기 수송과 같은 상태로 하여 건조시키는 기계.

기류 신:호【旗旒信號】명 깃발을 짝 맞추어 배와 배 사이 또는 배와 육지 사이에 교환하는 신호. 알파벳 기(旗) 26, 숫자기(數字旗) 10, 대표기(代表旗) 3, 회답기(回答旗) 1, 총 40개의 깃발이 있음.

기류-자【寄留者】명 기류하는 사람.

기류-지【寄留地】명 기류하는 곳.

기류-형【氣流型】명 유선형(流線型).

기륜【機輪】명 기계 바퀴.

기륨 타〈옛〉기림. 칭찬함. '기리다¹'의 명사형. ¶ 기륨 어두믈 붓그리고(慙取譽)≪初杜諺 XXV:20≫.

기륭【基隆】명〖지〗중국의 '지룽'을 우리 음으로 읽은 이름.

기르 부〈옛〉장차. ¶ 裴行儉이 닐오ᄃᆡ 기르 크게 도욀 사ᄅᆞᄆᆞᆫ 도국과 슬거오미 몬졔오(裴行儉曰 士之致遠 先器識)≪飜小 X:11≫.

기르다¹ 자〈옛〉크다. 자라다. ¶ 아ᄃᆞ리나 ᄯᆞ리어나 어딘 殃報ᄅᆞᆯ 곧 버서 安樂ᄒᆞ야 수비 길어 목수미 增長ᄒᆞ리니≪月釋 XXI:97≫.

기르다² 타르불 ①동·식물에 영양분을 섭취시켜 자라게 하거나, 목숨을 이어 가게 하다. ¶ 닭을 ~. ②육체나 정신의 도움이 될 것을 주어 쇠하여지지 아니하게 하다. ¶ 체력을 ~. ③버릇·병 따위를 방치하여 더 심하게 하다. ¶ 못된 버릇을 길러서는 안 돼. ④머리나 수염 같은 것을 자라게 내버려 두다. ¶ 구레나룻을 ~.
[기르던 개에게 다리를 물렸다; 기른 개가 아들 부랄 잘라 먹는다] 은혜를 베푼 사람으로부터 큰 화를 입는다.

기르마 명〈옛〉길마. 안장. ¶ 기르마 안(鞍)≪字會 中 27≫/아직 기르마 벗기디 말라(且休摘了鞍子)≪老乞 上 62≫.

기르마가지 명〈옛〉길맛가지. ¶ 기르마가지(鞍橋)≪漢淸 V:23≫.

기르마지타 자〈옛〉길마짓다. =기르마지ᄒᆞ다. ¶ 손 오면 亭子앤 기르마지ᄒᆞᆫ ᄆᆞ리 긋고(客亭鞍馬絶)≪杜諺 XXIV:47≫.

기르마지ᄒᆞ다 자〈옛〉길마짓다. =기르마지타. ¶ 기르마지ᄒᆞᆯ 피(鞁)≪字會 下 20≫.

기르매 명〈방〉길마.

기르스레 부 기르스름하게. ——-하다 형여불

기르스름-하다 형여불〔길다의 파생어〕기름하게 생기다.

기:르케〔Gierke, Otto Friedrich von〕명〖사람〗독일의 법학자. 게르만법(German法)의 연구로 단체법(團體法) 이론을 수립하였음. 저서에 ≪독일 단체법론≫·≪독일 사법론≫ 등이 있음. [1841-1921]

기를란다요〔Ghirlandajo, Domenico di Tommaso Bigordi〕명〖사람〗이탈리아의 르네상스 초기의 대표적 화가. 미켈란젤로의 스승으로 그 이름이 널리 알려짐. 작풍은 철저한 사실주의이며, 대표작으로 ≪성(聖)프란체스코전(傳)≫·≪성모 마리아와 세례자(洗禮者) 요한≫ 등이 있음. [1449-94].

기름 명 ①대개 동물의 살·뼈·가죽에 엉기어 있기도 하고, 식물의 씨에서 짜내기도 하며, 땅 속에서 채취하기도 하는 물질. 특히, 지방(脂肪)을 제외한 액상(液狀)의 것을 일컬음. 보통 온도에서 물보다 가볍고 불을 붙이면 잘 탐. 식물성의 것을 식물유(植物油), 동물에서 얻는 것을 동물유(動物油), 광물로서 땅 속에서 떠 내는 것을 광물유(鑛物油)라고 함. 일반으로 식용·등화용·의약용·화장용·화학용·기계용·연료용 등으로 용도가 매우 넓음. ②↗참기름. ③↗머릿기름. ④기계에 치는 기름. 기계유. ⑤석유. 가솔린. ⑥개기름.
[기름 먹어 본 개같이] 한 번 맛을 본 후로는 그 맛을 못잊어 자꾸 또 하고 싶어하는 모양. [기름 먹인 가죽이 부드럽다] 뇌물(賂物)을 써서 통해 놓으면 일이 순조롭게 된다는 말. [기름을 엎지르고 깨를 줍는다] 큰 이익은 잃어버리고 대신 보잘것없는 작은 이(利)를 구한다는 말.

기름(을) 먹이다 구 종이·헝겊 따위에 들기름·니스 같은 기름을 발라 그 속까지 배어 들게 하거나, 표면에 기름의 막(膜)을 만들다.

기름(을) 짜 내는 듯 구 정신적으로 괴로움의 비유.

기름(을) 짜다 구 ㉠콩·참깨·들깨 등을 짓이겨서 기름이 나오도록 하다. ㉡〈속〉착취하다. ㉢많은 사람이 한군데 몰려서 밀고 밀리어 부대끼다. ¶ 모여선 사람들이 비켜서기는 고사하고 사람끼리 기름을 짜고 서서, 뒤에 선 사람은 앞사람을 밀고≪李人稙: 銀世界≫.

기름(을) 치다 구 ㉠기계 등의 마찰을 덜기 위하여, 윤활유 따위를 기계에 넣다. ㉡〈속〉뇌물을 써서 일이 원활하게 처리되도록 하다.

기름-가자미 명〖어〗[*Glyptocephalus stelleri*] 붕넙칫과에 속하는 바닷물고기. 몸길이 40cm 가량인데 몸은 타원형이고 머리는 짧음. 눈은 몸의 오른쪽에 있으며, 주둥이는 작고도 몹시 짧음. 몸빛은 유안측(有眼側)이 암갈색이고 무안측이 백색임. 몸에는 점액(粘液)이 많아 끈끈하며, 옆줄은 거의 직선을 이루고 가슴지느러미 끝은 검음. 동해 북부에서는 300m 이상의 깊은 바다에 서식하는데, 한국 연해·일본 북부에 분포함. 맛이 좋지 못함.

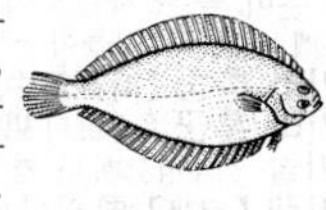
〈기름가자미〉

기름-감 [—깜] 명 깨·땅콩·아주까리·해바라기 등 채유(採油)를 위한 공예 작물.

기름갓 명〈옛〉홀떼기. ¶ 기름갓 막(膜)≪字會 上 38≫.

기름-거르개 명〔oil filter〕순환(循環)하는 기계유(機械油) 속에서 금속 입자(金屬粒子)나 열분해물(熱分解物)을 제거하기 위한 필터. 자동차의 오일 윤활계(潤滑系) 등에 쓰임.

기름-걸레 명 ①기름을 닦아 내는 걸레. ②기름칠을 해서 닦는 걸레.

기름-고무〔프 gomme〕명〔oil rubber〕건성유(乾性油)에 열을 가하여 진득진득하게 되었을 때, 질산(窒酸)으로 산화(酸化)하여, 묽은 알칼리로써 중화(中和)한 고무. 고무 대용품으로 쓰임.

기름 구멍 [—꾸—] 명 ①〖생〗지방선(脂肪腺). ②재봉틀 같은 기계가 잘 돌아가게 하기 위하여 기름을 넣도록 만든 구멍.

기름-기【—氣】[—끼] 명 ①기름 덩이가 많이 섞인 고기. ②물건에 묻거나 섞이어 있는 기름의 분자. ¶ ~가 없다. ③윤택한 기운. ¶ 얼굴에 ~가 돌다.

기름기름-하다 형여불 여럿이 모두 기름하다. >갸름갸름하다.
기름-나물 명〖식〗[*Peucedanum terebinthaceum*] 미나릿과에 속하는 다년초. 줄기 높이 90cm 가량이고, 잎은 호생하는데 장병(長柄)이고, 다소 줄기를 싸고 있음. 7-9월에 줄기 끝과 가지 끝에 많은 흰 꽃이 복산형(複繖形) 화서로 피며 과실은 타원형임. 산이나 들에 나는데 거의 한국 각지에 분포함. 어린 잎은 구황 식물(救荒植物)로서 먹음.
기름-내 명 기름에서 나는 냄새.
기름-때 명 기름이 묻고 그 위에 먼지가 앉아 된 때.
기름-떡 명 참깨나 들깨 같은 기름 재료를 찧어, 시루에 쪄서 기름을 짤 보자기에 싼 덩어리. 이것을 기름틀로 짜서 기름을 냄.
【기름떡 먹기】 매우 쉽고도 즐거운 일이라는 말.
기름-매미 명〖충〗유지매미.
기름 방울 [—빵—] 명 기름으로 이루어진 방울. 유적(油滴).
기름-병 【—甁】[—뼝] 명 기름을 담아 놓고 쓰는 병.
기름 복자 명 기름을 될 때 쓰는 그릇. 준복자.
기름-불 [—뿔] 명 ①기름을 태울 때 나는 불. ②기름을 써서 등을 켜는 불. 유등(油燈). ＊등잔불.
기름 비:중계 【—比重計】 명〔oleometer〕 ①기름의 비중을 재는 장치. ②물질 속에 함유된 기름을 재는 장치.
기름-빤지 명〖어〗고너리.
기름-상어 명〖어〗곱상어.
기름-새 명〖식〗[*Eccoilopus cotulifer*] 볏과(科)에 속하는 다년초. 높이 1.5m 가량이고 잎은 길이 60cm, 폭 2cm 정도의 선상 피침형(線狀披針形)인데 근생(根生) 또는 줄기에 호생함. 꽃은 8-9월에 산만(散漫)한 원추 화서(圓錐花序)로 핌. 포(苞)는 다갈색(茶褐色)이며 흰 털과 긴 가시가 있고, 과실은 영과(穎果)임. 산기슭 숲 속에 나는데 제주도·경기도 및 일본 등지에 분포함.

〈기름새〉

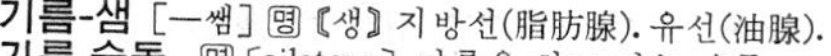

기름-샘 [—쌤] 명〖생〗지방선(脂肪腺). 유선(油腺).
기름 숫돌 명〔oilstone〕 기름을 치고 가는 숫돌.
기름-야자 【—椰子】[—냐—] 명〖식〗[*Elaesis guineensis*] 야자과에 속하는 상록 교목. 높이 20m 가량이고 잎은 긴 우상 복엽이며 암수 꽃이 별도의 원추 화서로 핌. 과실은 길이 4cm 가량의 달걀꼴이고 세 개의 흑색 종자가 들어 있음. 과피(果皮)의 기름은 비누 원료, 배유(胚乳)는 식용, 종자의 기름은 마가린의 원료(原料)로 쓰임. 말레이 군도에 주로 분포함.
기름-약 【—藥】[—냑] 명 유제(油劑).
기름-오동 【—梧桐】 명〖식〗유동(油桐).
기름-옷 명 기름때가 묻은 옷.

〈기름야자〉

기름-쟁이 명〖어〗기름종개.
기름-종개 명〖어〗[*Cobitis taenia*] 기름종갯과에 속하는 민물고기. 몸길이 10-15cm 가량, 몸빛은 상아색(象牙色) 바탕에 암갈색의 세로띠 혹은 무늬가 있으며, 머리 양쪽에는 주둥이 끝에서 눈을 지나 후두부에 이르는 비스듬한 암색 띠가 있음. 한국의 하천과 일본·중국 등에 널리 분포함. 기름쟁이. 줄미꾸라지.

〈기름종개〉

기름종갯-과 【—科】 명〖어〗[Cobitidae] 잉어목(目)에 속하는 어류의 한 과(科). 기름종개·미꾸라지종개 따위가 있음.
기름-종이 명 기름을 먹인 종이. 유지(油紙).
기름-줄 [—쭐] 명 기름떡을 짜기 전에 빈틈 없이 둘러 감는 굵은 줄. 이 줄을 감은 다음에 기름틀에 올려 놓음.
기름-지느러미 명〖어〗물고기 지느러미의 하나. 줄기 없이 육질상(肉質狀)으로 되어 있는 지느러미. 등지느러미와 꼬리지느러미의 사이에 있는 작은 돌기(突起)로, 은어·송어 따위에서 볼 수 있음.
기름-지다 형 ①기름이 많이 끼어 있다. ②살에 기름이 많다. ③땅이 걸다. ¶기름진 우리 강산.
기름 지옥 【—地獄】 명〖불교〗죄를 많이 짓고 죽은 사람의 혼을 끓는 기름이 들어 있는 가마에 넣는다고 하는 지옥.
기름-질 【—質】 명 지방질(脂肪質).
기름-채 명 ↗기름챗날.
기름-챗날 명 기름틀에 붙어 있는 제구. 머리 틀에 떡판을 걸쳐 놓고 기름떡을 올려 놓은 다음, 그것을 덮어 눌러 기름을 짜는 길고 두꺼운 널판. 준기름채·챗날.
기름-체 명 기름을 받아 거르는 체.
기름-칠 【—漆】 명 기름을 칠하는 일. ——-하다 자여불
「태(油太).
기름-콩 명 콩나물을 기르는 자디잔 흰 콩. 유태(油太).
기름-태 【—太】 명〈방〉기름콩.
기름-통¹ 【—桶】 명 기름을 담아 두고 쓰는 통.
기름-통² 【—筒】 명 연장을 닦는 헝겊에 기름을 묻혀 넣어서 쓰는 마디진 대토막.
기름-틀 명 콩·참깨·들깨 같은 식물을 원료로 하여 기름을 짜는 틀. 유자기(油榨器).

기름떡 기름채 떡판 기름줄 기름통

〈기름틀〉

기름 펌프 〔pump〕 명 ①고도(高度)의 진공(眞空)을 만들기 위한 펌프. 피스톤 펌프 형식과 회전 펌프 형식 등이 있으며, 기름의 증기류(蒸氣流)에 의해 공기를 뽑아 내도록 되어 있음. ②배나 자동차의 엔진 등에 송유용(送油用)으로 사용되는 펌프. 흔히, 톱니바퀴 펌프에 많이 사용됨. 송유 펌프.
기름-하다 형여불 좀 길게 생기다. >갸름하다. ＊길쭉하다·길쯤하다.
기름-혹 명〖생〗살 속에 기름 덩이로 된 혹. 지류(脂瘤).
기릉 명〈방〉간장¹(경남).

기릐 명〈옛〉길이. =기릐. ¶기릐 ᄒᆞᆫ 丈이에ᄒᆞ고≪月釋 X:119≫.
기리¹ 명〈옛〉길이(長). ¶羅睺阿脩羅王ᄋᆞᆫ 本來ㅅ 몺기리 七百由旬이오≪釋譜 XIII:9≫.
기:리² 명〈방〉〖식〗귀리(전남·경북).
기리³ 【奇利】 명 뜻하지 아니한 이익.
기리⁴ 【肌理】 명 살결.
기리⁵ 【棋理】 명 바둑이나 장기에서, 두는 수의 좋고 나쁨을 판단하는 이치.
기리⁶ 【機利】 명 기회를 틈타 얻는 이익.
기리⁷ 부〈옛〉길이. ¶究竟ᄒᆞ야 기리 寂滅호미 涅槃이라≪月釋 XIII:49≫.
기리기¹ 명〈방〉〖조〗기러기²(경상).
기리기² 명〈방〉길이(충남).
기리다¹ 타 좋은 점이나 잘하는 일을 추어서 말하다. 찬사(讚辭)를 드리다. ¶스승의 은덕을 ～.
기리다² 타〈방〉그리다².
기리매¹ 명〈방〉길마.
기리매² 명〈방〉그림자.
기리시마 산 【—山】〔霧島:きりしま〕 명〖지〗일본 미야자키(宮崎)·가고시마(鹿児島) 두 현에 걸친 화산군(火山群). 기리시마 산맥(霧島山脈) 중의 주봉으로 국립 공원으로 되어 있음. 산중에 몇 개의 온천이 있음. [1,700m]
기리에 〔그 Kyrie〕 명〖천주교〗'주여 우리를 불쌍히 여기소서'의 뜻을 갖는 기도문. 미사 경전 가운데 유일한 그리스말 기도문으로 세 번을 거듭 외워, 삼위 일체인 천주에게 빎.
기리혀다 타〈옛〉연장하다. ¶아비 병드러거ᄂᆞᆯ ᄯᅩᆼ을 맏보고 단지ᄒᆞ야 뼈 나오니 즉시 됴하 열ᄒᆡ를 기리혀 죽거ᄂᆞᆯ(父病嘗糞斷指以進即愈延十年而歿)≪東國新續三綱 孝子圖 V:80≫.
기린¹ 【騏驎】 명 하루에 천리(千里)를 달린다는 말. 준마(駿馬).
기린² 【麒麟】 명 ①〖동〗[*Giraffa camelopardalis*] 우제목(偶蹄目) 기린과에 속하는 동물. 포유 동물 중 가장 키가 커서 어깨 높이 3m, 머리 끝까지의 높이 6m나 됨. 앞이마에는 뿔 같은 혹이 있는데, 후두부에 한 쌍이 더 있어 모두 다섯 개의 뿔이 있는 것도 있음. 몸의 각부는 사슴과 비슷하나 목과 네 다리가 길고 꼬리는 쇠꼬리 같음. 몸의 털은 짧고 빛은 회색 내지 담황갈색 바탕에 암갈색의 큰 반점이 있음. 초원 지대에 10-20 마리씩 떼지어 살며, 나뭇잎·과실 특히 아카시아 잎과 줄기를 주식(主食)으로 함. 걸을 때 같은 쪽 전후지(前後肢)를 함께 떼 놓는 것이 특징임. 한 마리의 새끼를 낳음. 울지는 못함. 아프리카의 특산종임. 지라프(giraffe). 타마(駝馬). ②〖민〗성인(聖人)이 이 세상에 나기 전에 나타난다고 하는 상상(想像)의 동물. 산 풀을 밟지 아니하고 생물을 먹지 아니하는 어진 짐승으로, 형상은 사슴의 몸에, 소의 꼬리, 이리의 이마, 말굽을 가지며, 머리에는 살로 된 뿔이 하나 남. 털은 오색이고 배의 털은 누름. 용(龍)·거북·봉황과 함께 사령(四靈)이라 하며, 상서(祥瑞)로운 짐승으로 침. ③〖천〗기린자리.

〈기린²❶〉

【기린은 잠자고 스라소니가 춤춘다】 성인(聖人)은 깊숙이 들어앉아 활동을 아니하고, 간악하고 무능한 사람이 날친다는 말.

〈기린²❷〉

기린-각 【麒麟閣】 명 중국 전한(前漢)의 무제(武帝)가 기린을 잡을 때에 세운 누각(樓閣). 선제(宣帝)가 공신(功臣) 11명의 상(像)을 그리어 이 각상(閣上)에 걸었음.
기린-갈 【麒麟竭】 명 ①〖식〗[*Daemonorops draco*] 야자과에 속하는 등본(藤本) 식물. 줄기는 지름 2-4cm 가량으로 길게 벋으며, 덩굴의 외면(外面)에는 껍질이 비늘같이 달라붙어서 붉은 빛깔의 진이 나옴. 붉은 빛깔의 열매는 윤이 나며 둥글고 비늘과 같이 된 껍질에 싸여, 그 속에 한 개의 씨가 들어 있으며 익으면 붉은 나무진을 분비함. 그 진을 안료(顔料)·지혈제(止血劑)로 쓰고 줄기는 지팡이 같은 기구를 만드는 데 씀. 남양 수마트라의 삼림 소택지(森林沼澤地)에 저절로 남. ②〖한의〗기린갈의 열매에서 뽑아 낸 붉은 빛깔의 수지(樹脂). 굳히면 아교(阿膠)와 비슷하며, 악창(惡瘡)·개선(疥癬)·금창(金瘡) 등의 약재로 쓰임. 기린혈(麒麟血). 혈갈(血竭).
기린-과 【麒麟科】[—꽈] 명〖동〗[Giraffidae] 우제목(偶蹄目)에 속하는 포유 동물의 한 과. 목과 다리가 길고 이마 위에는 작은 뿔이 있음. 현재 2 속, 3 종, 16 아종이 알려져 있음.
기린-기 【麒麟旗】 명〖역〗의장(儀仗)의 한 가지. 흰 바탕에 기린과 운기(雲氣)를 그리고 가장자리에 청색·적색·황색·백색의 네 가지 화염(火焰)과 기각(旗脚)을 붙인 기.

〈기린기〉

기린-도¹ 【麒麟島】 명〖지〗황해도 옹진 반도(甕津半島) 서쪽에 있는 섬. 연안 일대에서 조기의 어획이 많음. [7.39km²]
기린-도² 【麒麟圖】 명〖미술〗기린을 소재로 해서 그린 그림.
기린-산 【麒麟山】 명〖지〗함경 남도 신흥군(新興郡) 신흥면에 있는 산. 부전령(赴戰嶺) 산맥에 속함. [1,351m]
기린-아 【麒麟兒】 명 재주와 지혜가 비상한 아이를 귀엽게 일컫는 말. 용구(龍駒).
기린-자리 【麒麟—】 명〔라 Camelopardalis〕〖천〗북쪽 하늘의 별자리. 밝은 항성(恒星)이 없고 눈에 잘 띄지 않으며, 2월 상순 저녁때 남중(南中)하지만 하늘의 북극에 가까우므로, 북반구(北半球)에서는 거의 1년 내내 볼 수 있음.

기린-초【麒麟草】 명 〖식〗 [*Sedum kamtschaticum*] 돌나물과에 속하는 다년초. 근경(根莖)은 비후(肥厚)하며, 줄기는 족생(簇生)하는데 원기둥꼴이고 높이 30cm 가량임. 녹색(綠色)의 잎은 대개 호생하며, 거꿀달걀꼴 또는 긴 타원형을 이루며 육질(肉質)임. 6-7월에 노란 오판화(五瓣花)가 산방상 취산(繖房狀聚繖) 화서로 정생하고 골돌과(蓇葖果)는 익으면 별 모양으로 갈라짐. 산이나 들의 바위 위에 나는데, 경기·함남 및 일본 등지에 분포함. 어린 싹은 데쳐 어 식용함.

〈기린초〉

기린-하늘나방【麒麟—】[—라—] 명 〖충〗 [*Lophopteryx capucina giraffina*] 하늘나방과에 속하는 곤충. 편 날개의 길이는 44mm 내외, 몸빛은 적갈색 또는 자색을 띤 적갈색이며, 복부는 갈색 또는 회갈색인데, 앞날개의 외연(外緣) 중앙이 함입하여 물결 모양을 이룸. 유충은 자작나무·보리수 등의 잎의 해충임. 한국에도 분포함.

기린-혈【麒麟血】 명 ①기린갈(麒麟竭)❷. ②〔dragon's blood〕 용혈수(龍血樹)의 열매에서 짜 낸 붉은 빛깔의 수지(樹脂). 착색제(着色劑)·방식제(防蝕劑)로 쓰임.

기린 흉배【麒麟胸背】 명 〖역〗 조선 시대에 대군(大君)이 붙이는 흉배. 기린과 구름 무늬를 수놓음. 말기에는 대원군(大院君)도 이 흉배를 사용함.

기림¹ 명 칭찬하는 일.

기림² 명 〈방〉 그림.

기림³ 명 〈방〉 기름(경북).

기림⁴【氣痳】 명 〖한의〗 임질(淋疾)의 한 가지. 배꼽 밑이 뻐근하고 오줌이 잘 통하지 아니하며 가끔 지리다가 말다가 하는 병.

기림-사【祇林寺】 명 〖불교〗 경상 북도 경주시(慶州市) 양북면(陽北面) 호암리(虎巖里) 함월산(含月山)에 있는 절. 불국사(佛國寺)의 말사(末寺)임. 신라 선덕 여왕(善德女王) 12년(643)에 광유 대사(光有大師)가 세움.

기림-왕【基臨王】 명 〖사람〗 신라의 제15대 왕. 성은 석(昔). 조분왕(助賁王)의 손자. 이찬(伊飡) 걸숙(乞淑)의 아들임. 왕 3년(300)에 왜국과 교빙(交聘)하였으며, 비열홀(比列忽)에 행행(行幸)하여 백성 중에 가난한 자를 위로하였음. 307년 국호를 '신라'로 정함. 기림 이사금(基臨尼師今). [?-310; 재위 298-310]

기림 이사금【基臨尼師今】 명 〖사람〗 기림왕.

기림자 명 〈방〉 그림자(강원·전라·경남).

기립【起立】 명 일어나서 섬. ——-하다 자여불

기립성 단백뇨증【起立性蛋白尿症】[—쯩] 명 〖의〗 누워 있거나 잠잘 때는 오줌에 단백이 나오지 않으나, 갑자기 일어서든가 하면 단백이 나오는 병증. 학동기(學童期)에서 사춘기에 걸쳐 신경질적인 어린이에게 많음.

기립성 조절 장애【起立性調節障礙】 명 〖의〗 급히 일어서면 어지러우며 오래 서 있으면 넘어지기도 하고, 또 차멀미를 곧잘 하는 병. 저혈압인 사람에게 많음.

기르다 타 〈옛〉 기르다. ¶아바님 날 나흐시고 어마님 날 기르시니《古時調 鄭澈》.

기르마 명 〈옛〉 길마. 안장. ¶기르말 밧기시니(解鞍而息)《龍歌 58章》.

기르마가지 명 〈옛〉 길맛가지. ¶기르마가지(鞍橋子)《老乞 下 27》.

기르마짓다 자 〈옛〉 길마짓다. ¶믈 기르마짓노라ㅎ면(鞁了馬時)《老乞 上 34》.

기룸 명 〈옛〉 기름. ¶모매 香기룸 ㅂㄹ며《釋譜 Ⅵ:10》.

기릐 명 〈옛〉 길이. =기릐. ¶혼 발 기릐예 두 쓸이오(一托來長的兩箇機角)《朴解 下 46》.

기마【騎馬】 명 말을 탐. 또, 타는 말. ——-하다 자여불

기마-객【騎馬客】 명 말을 탄 사람.

기마 격구【騎馬擊毬】 명 〖역〗 격구❶.

기마 경:찰【騎馬警察】 명 말을 타고 직무(職務)를 수행(遂行)하는 경찰.

기마 경:찰대【騎馬警察隊】[—때] 명 말을 타고 직무를 수행하는 경찰대. 준기마대(騎馬隊).

기마-대【騎馬隊】 명 ①군대의 말을 타는 부대. ②↗기마 경찰대.

기:마리 명 〈방〉 〖동〗 거머리(강원).

기마 민족【騎馬民族】 명 〖역〗 기마에 의해 활동·생활한 민족. 주로 유라시아의 초원 지대(草原地帶)에서 유목·약탈·정복·교역 등을 하였음. 스키타이족·흉노족 등.

기마 민족설【騎馬民族說】 명 〖역〗 일본 고대 국가의 기원(起源)에 관한 학설. 4세기 중엽에 조선(朝鮮)서 아시아 북방의 말탄 민족이 일본 규슈(九州)로 건너가 지배하고, 5세기에는 본토로 진출하여 원주민을 몰아내고 새 왕조를 세웠다고 함. 1948년에 일본의 고고학자 에가미 나미오(江上波夫) 등이 발표함.

기마-병【騎馬兵】 명 기병(騎兵)❶.

기마 순경【騎馬巡警】 명 기마 경찰대의 순경.

기마-술【騎馬術】 명 말 타는 기술. 승마술(乘馬術).

기마 욕솔노【騎馬欲率奴】[—로] 명 말 타면 경마 잡히고 싶다는 뜻으로, 사람의 욕심이 끝이 없음의 비유. *득롱 망촉(得隴望蜀).

기마 인물 도상【騎馬人物陶像】 명 도제(陶製) 기마 인물상.

기마-전【騎馬戰】 명 ①말을 타고 하는 전쟁. 기전(騎戰). ②2-3명으로 말이 되어 한 사람을 그 위에 태운 몇 패가 편을 갈라, 위에 탄 사람을 떨어뜨리거나 모자를 빼앗는 놀이.

기마 행렬【騎馬行列】[—녈] 명 말을 타고 하는 행렬. 기마대가 이룬 행렬.

기마-화【騎馬靴】 명 말을 탈 때에 신는 신.

기-막히다【氣—】 ㊀ 자 숨이 막히다. 기절하다. ㊁ 형 ①어떠한 일이 하도 어이없거나 엄청나서 질릴 정도이다. ¶기가 막혀 말을 못 하겠다. ②너무 놀라 어찌할 바를 모르다. ③어떻다고 말할 수 없을 만큼 좋거나 정도가 높다. ¶맛이 기가 막힌다/기막히게 훌륭한 작품.

기만¹【奇巒】 명 이상 야릇한 산봉우리.

기만²【欺瞞】 명 남을 속임. 기망(欺罔). ——-하다 타여불

기만³【期滿】 명 만기(滿期).

기만⁴【幾萬】 명 몇 만. ¶모인 사람이 ~은 될거요.

기만 득면【期滿得免】 명 일정한 기한이 차서 의무가 면제(免除)됨. *소멸 시효(消滅時効).

기만 면:제【期滿免除】 명 〖법〗 '소멸 시효(消滅時効)'를 민법 제정(制定) 이전에 일컫던 말.

기만-성【欺瞞性】[—썽] 명 기만하는 성질. 남을 잘 속이는 습성(習性).

기만 수봉【奇巒秀峰】 명 기이하고 빼어난 산.

기만-술【欺瞞術】 명 남을 그럴 듯하게 속여 넘기는 술책.

기만-적【欺瞞的】 명관 남을 그럴 듯하게 속여 넘기는 모양. ¶~ 언사(言辭).

기만 정책【欺瞞政策】 명 속임수로 하는 정치의 책략.

기만-책【欺瞞策】 명 속임수로 하는 술책.

기만 행위【欺瞞行爲】 명 속이는 행위. 속임수.

기말¹【期末】 명 어느 기간의 끝. 특히, 회계상·학교 운용상의 기간의 끝. ↔기초(期初)·기수(期首).

기말²【記末】 인대 자기보다 지위가 낮은 사람에 대하여, 자기를 낮추어 부르는 대명사. 편지에 씀.

기말 금융【期末金融】[—/—늉] 명 상반기말(末)이나 하반기말의 금융.

기말 수당【期末手當】 명 회계상·운영상의 결산 때, 그 사업 단체에 소속하는 사람에게 본래의 급료 외에 주어지는 특별 급여. 상여(賞與).

기말 시험【期末試驗】 명 중·고등 학교 등에서 각 학기의 마지막에 보이는 시험.

기말 회:계【期末會計】 명 〖경〗 어느 일정한 기간의 끝에 물품·대금의 수불 등을 행하는 일.

기:망¹【企望】 명 어떠한 일이 이루어지기를 바람. 기앙(企仰). ——-하다 타여불

기망²【祈望】 명 빌고 바람. ——-하다 타여불

기망³【既望】 명 음력으로 매월 열엿샛날. 십육야(十六夜). 또, 그 날 밤의 달. 생백(生魄).

기망⁴【欺罔】 명 남을 그럴 듯하게 속임. 사람으로 하여금 착오(錯誤)를 일으키게 함. 기만(欺瞞). 무망(誣罔). ——-하다 타여불

기망⁵【幾望】 명 음력 매달 열나흗날 밤. 또, 그 날 밤의 달.

기망⁶【期望】 명 기대(期待). ——-하다 타여불

기망⁷【器望】 명 재주와 지혜가 출중(出衆)하다는 평판.

기망⁸【冀望】 명 희망(希望). 기원(冀願). ——-하다 타여불

기망 금액【期望金額】 명 〖수〗 기대 금액(期待金額).

기망-치【期望値】 명 〖수〗 '기댓값'의 구용어.

기맥¹【奇脈】 명 〖의〗 호흡에 의하여 맥박의 크기가 변하며, 심호흡(深呼吸)에 의하여 맥이 작아지거나 소실(消失)되는 부정맥(不整脈)의 하나. 심막(心膜) 유착 등으로 말미암아 일어남.

기맥²【氣脈】 명 ①〖한의〗 기혈(氣血)과 맥락(脈絡). ②기미(氣味)가 서로 통함. 또, 서로 통하는 낌새. ¶~을 통하다/시종이며 내시들은 이 ~을 알고 목숨을 보전할 양으로 서로 떼밀고 짓밟아 가며 …달아난다《朴鍾和: 錦衫의 피》.

기맥 상통【氣脈相通】 명 마음과 뜻이 서로 통함. ——-하다 자여불

기먹-쟁이 명 〈방〉 귀머거리(경상·함경).

기메 미술관【—美術館】〔프 Guimet〕 명 프랑스 파리에 있는 국립 박물관. 1879년 실업가 기메(Guimet, Émile)의 수집품으로 리옹(Lyon)에 미술관을 개관하여 1885년 파리로 이전하였고, 1928년 국립 미술관이 되었음. 1945년 루브르(Louvre) 박물관의 동양 관계 작품을 이관하여 동양 및 이집트 등 지역의 미술품을 소장하고 있음. 한국실에는 고려자기, 신라의 금관 및 금제 귀고리 등 장식품을 비롯하여, 고려와 조선 시대의 각종 미술품이 전시되고 있음.

기:면¹【嗜眠】 명 〖의〗 고열(高熱)이거나 고도의 쇠약, 기면성 뇌염 등으로 말미암아 외계(外界)의 자극에 응하는 힘이 약해져서, 아주 수면 상태에 들어가는 일.

기면²【旗面】 명 깃발❶.

기:면성 뇌염【嗜眠性腦炎】[—썽—] 명 〖의〗 유행성(流行性) 뇌염의 한 가지. 그 주증상(主症狀)은 고열(高熱)로 갑자기 발생하며 두통(頭痛)·전신 권태·구토(嘔吐) 등이 일어나고, 깊은 수면 상태로 들어가 음식물을 입에 넣어 주면 먹으면서 자는 수가 많이 있음. 주로 12월부터 이듬해 3월에 걸치어 유행하며, 청장년(青壯年)에 많고 사망률은 비교적 낮음.

기멸【起滅】 명 일어남과 쇠멸함. 나타남과 사라짐. 시작함과 끝남. ——-하다 자여불

기명¹【忌明】 명 기일(忌日)이 끝남. 꺼리어하는 일이 그침. ——-하다 자여불

기:명²【妓名】 명 본명 외에 기생으로서 가지는 딴 이름.

기명³【記名】 명 성명을 적음. ↔무기명(無記名). ——-하다 자여불

기명⁴【記銘】 명 〔impression〕 〖심〗 기억의 첫째 과정으로, 새로 생긴 경험을 뇌리(腦裏)에 새기는 일. 특히 긴 언어적 재료(言語的材料)를 반복에 의하여 올바르게 기억하는 일. ——-하다 타여불

기명⁵【寄命】 명 ①정치를 위임(委任)함. ②생명을 맡김. ③현세(現世)에 잠시 맡긴 목숨. ——-하다 자여불

기명⁶【基命】 명 〖악〗 종묘 제례악(宗廟祭禮樂)인 보태평지악(保太平之樂)의 둘째 곡. 초헌(初獻)의 헌례(獻禮)에 연주됨.

기명⁷【器皿】 명 살림에 쓰는 그릇붙이. 기물(器物).

기명 공채【記名公債】 명 〖경〗 권리자(權利者)의 이름을 공채 원부(公債原簿) 및 증권면(證券面)에 기입한 공채.

기명 기사【記名記事】 명 서명 기사.

기명 날인【記名捺印】 명 자기의 성명을 기재하고 자기의 도장을 찍음. 「서명 날인.

기명-도【器皿圖】 명 〖미술〗 진귀(珍貴)한 옛날 그릇을 그린 그림.

기명-력【記銘力】[—녁] 명 새로운 경험 소재를 뇌리에 새기는 능력. 곧, 기억상(記憶像)을 구성하는 힘.

기명-물【器皿—】 명 〈방〉 개숫물.

기명 사채【記名社債】 명 〖경〗 권리자가 확정된 사채. 즉, 채권자의 명칭

을 증권상에 기재한 사채.

기명 소:지인 출급식 수표【記名所持人出給式手票】 명〔경〕 소지인 출급식 수표.

기명-식【記名式】 명 증권(證券)에 권리자(權利者)의 성명이나 상호(商號)를 또는 투표지에 투표하는 사람의 성명을 적는 방식. ↔무기명식.

기명식 배:서【記名式背書】 명〔법〕 수표·어음에서, 피배서인을 지정하는 외에 배서인의 서명을 필요로 하는 배서. 배서의 연월일의 기재는 일반적으로 불필요함. 정식 배서·완전 배서. ↔백지식 배서·무기명식 배서.

기명식 선하 증권【記名式船荷證券】[—꿘] 명〔해〕 하수인(荷受人)을 특정한 선하 증권. *지시식(指示式) 선하 증권.

기명식 소:지인 출급식 증권【記名式所持人出給式證券】[—꿘] 명〔경〕 선택 무기명식 증권(選擇無記名式證券).

기명식 어음【記名式—】 명〔경〕 특정인이 권리자(權利者)로서, 그 성명 또는 상호(商號)가 권면에 기재되어 있는 어음.

기명 악기【氣鳴樂器】 명〔악〕 악기 분류의 하나. 공기의 진동이 중심이 되어 소리를 내는 악기. 나팔·피리·백파이프·파이프 오르간·오카리나·클라리넷·오보에·트럼펫 따위의 관악기의 일컬음. *전명(電鳴) 악기.

기명-자【記名者】 명 장부나 서면 등에 기재 또는 등기(登記)된 성명·상호(商號)의 본인.

기명-장【基命章】[—짱] 명〔악〕 악장(樂章)의 이름. 이성계(李成桂)의 고조부(高祖父)인 목조(穆祖)가 알동(斡東: 지금의 경흥(慶興))으로 옮겨 살던 때의 모양을 그린 종묘 제례악인데, 제향에 초례를 올릴 때 아뢰었음.

기명 절지【器皿折枝】[—찌] 명〔미술〕 여러 가지 그릇붙이와 화초의 가지를 섞어서 그린 그림.

기명 조인【記名調印】 명 ①서명 날인(署名捺印). ②〔정〕 조약 체결에 임한 전권(全權)이 공적(公的) 자격으로 서명 날인하여 조약의 체결 완료의 증거로 함. ——-하다 자여불

기명 주권【記名株券】[—꿘] 명〔경〕 주주(株主)의 이름을 권면(券面)에 적어 밝힌 주권. ↔무기명 주권(無記名株券).

기명 증권【記名證券】[—꿘] 명〔경〕 기명식의 증권. 어떠한 특정인이 권리자로서 적히어 있는 증권. ↔무기명 증권.

기명 채:권【記名債券】[—꿘] 명〔경〕 기명식으로 된 채권. 채권자의 이름을 권면(券面)에 표시한 채권. ↔무기명 채권.

기명 투표【記名投票】 명 투표하는 사람의 이름을 투표지에 적어 밝히는 투표.

기모[1]【奇謀】 명 기이한 꾀. 신기한 꾀.

기모[2]【起毛】 명 직물이나 털실로 짠 것의 표면의 섬유를 풀어서 보풀이 일게 함. ——-하다 자여불

기모[3]【氣貌】 명 풍채와 용모.

기모[4]【機謀】 명 기략(機略).

기모-근【起毛筋】 명〔생〕 포유류(哺乳類)의 피부의 모발에 붙어 있는 미소(微小)한 근육. 추위나 교감(交感) 신경의 자극으로 수축하며 모발을 직립(直立)시키고, 사람의 경우 소름이 끼치게 함. 사람 이외는 체온 조절에 관계됨. 입모근(立毛筋).

기모-기【起毛機】 명 직물의 마지막 공정(工程)에서, 표면이나 뒷면의 털을 일으키는 기계.

기모 비:계【奇謀祕計】 명 신기로운 꾀와 남이 알 수 없는 비밀의 계략(計略).

기모 직물【起毛織物】 명 표면에 기모 공정(工程)을 베푼 직물. 플란넬·빌로드 등.

기:몽[1]【耆蒙】 명 늙은이와 어린이. 노유(老幼).

기몽[2]【綺夢】 명 화려한 꿈.

기묘[1]【己卯】 명〔민〕 육십 갑자(六十甲子)의 열여섯째.

기묘[2]【奇妙】 명 기이하고 묘함. ¶ ~한 풍습. ——-하다 형여불. ——-히 부

기묘 과옥【己卯科獄】 명〔역〕 조선 19대 숙종 25년(1699)에 과거의 부정으로 일어난 의옥 사건. 단종(端宗) 복위(復位)를 경하(慶賀)하기 위하여 증광과(增廣科)를 실시하였는데, 이 때 부동 역서(符同易書), 곧 시험지 바꿔치기와 고군(雇軍)을 바꾸어 세우는 등 시험 과정에서 부정이 적발되어, 서리(書吏)·서원(書員)과 대리로 고군을 선 관련자들이 추방 또는 충군(充軍)되었음.

기묘-록【己卯錄】 명〔책〕 기묘 제현전(己卯諸賢傳).

기묘 명신【己卯名臣】 명〔역〕 조선 중종(中宗) 14년(1519)의 기묘 사화(己卯士禍) 때 화를 입은 신하들. 기묘 명현(名賢).

기묘 명현【己卯名賢】 명〔역〕 기묘 명신(名臣).

기묘 사:화【己卯士禍】 명〔역〕 조선 중종(中宗) 14년(1519)에 일어난 사화(士禍). 홍경주(洪景舟)·남곤(南袞) 등 수구파(守舊派)가 이상 정치(理想政治)를 주장하던 조광조(趙光祖)·김정(金淨) 등 연소 신진파(新進派)를 사사(賜死) 또는 유배(流配)시킨 사건.

기묘-자【己卯字】 명 조선 중종(中宗) 14년(1519)에, 궁중에 책사(册肆)를 새로 설치하고 소격서(昭格署)에 있는 놋그릇과 폐사(廢寺)에 남아 있는 유기종(鍮器鐘)을 전부 모아 만든 활자.

기묘 제현전【己卯諸賢傳】 명〔책〕 조선 연산군(燕山君) 4년(1498) 무오 사화(戊午士禍)로부터 중종(中宗) 14년(1519) 기묘(己卯)에 이르는 동안의 당쟁(黨爭)에 관계된 2백여 명의 선비를 열거(列擧)한 책. 김육(金堉)의 저서(著書)임. 1 책. 목판본. 기묘록.

기묘 천:과【己卯薦科】 명〔역〕 현량과(賢良科).

기:무[1]【妓舞】 명 기생이 추는 춤.

기무[2]【起舞】 명 ①서서 춤을 춤. ②즐거이 분발함. ——-하다 자여불

기무[3]【欺誣】 명 속임. ——-하다 타여불

기무[4]【機務】 명 ①근본되는 일. ②기밀(機密)한 정무(政務).

기무-사【機務司】 명〔군〕 ↗국군 기무 사령부(國軍機務司令部).

기무 사령관【機務司令官】 명 ↗국군 기무 사령관.

기무 사령부【機務司令部】 명 ↗국군 기무 사령부.

기무-처【機務處】 명〔역〕 ↗군국 기무처(軍國機務處).

기문[1]【祁門】 명〔지〕 '치먼(祁門)'을 우리 음으로 읽은 이름.

기문[2]【奇文】 명 기묘한 글.

기문[3]【奇門】 명 술수(術數). 십간(十干) 중 을(乙)·병(丙)·정(丁)을 삼기(三奇)로 하고, 휴(休)·생(生)·상(傷)·두(杜)·경(景)·사(死)·경(驚)·개(開)를 팔문(八門)으로 한 까닭에 이름. ¶ ~ 둔갑(遁甲).

기문[4]【奇聞】 명 이상한 소문.

기문[5]【記文】 명 기록한 문서.

기문[6]【記問】 명 단순히 서적을 읽어 암기(暗記)하고 있을 뿐으로, 그 지식을 조금도 활용하지 아니하는 일. ——-하다 자여불

기문[7]【氣門】 명〔충〕 절지(節肢) 동물의 숨쉬는 구멍. 대개는 메뚜기·매미·나비·벌 등의 복절(腹節)에서 볼 수 있으며, 체절(體節)에 한 쌍씩 있는데, 속으로 숨통과 이어져 있음. 기공(氣孔). 숨문. 숨구멍. *기관(氣管).

〈기문[7]〉

기문[8]【期門】 명〔역〕 ①중국 후한(後漢) 때의 천자(天子)의 호위병. ②군문(軍門)❶.

기문[9]【旗門】 명〔운〕 스키에서, 알파인(alpine) 경기를 할 때 코스를 설정하기 위해 세운 기. 코스는 일정한 규정이 없으며 주최자가 마음대로 설정할 수 있음. 대개 오픈 게이트를 비롯한 9개 종류가 있음.

기문 둔:갑【奇門遁甲】 명 기문(奇門)과 둔갑(遁甲).

기문 벽서【奇文僻書】 명 이상한 글과 괴벽한 책.

기문지-학【記問之學】 명 단순히 고서(古書)를 읽고 외기만 할 뿐 제대로 이해하지 못하는 학문.

기물[1]【己物】 명 자기의 물건.

기:물[2]【妓物】 명 ↗기생 퇴물(妓生退物).

기물[3]【忌物】 명〔종〕 원시 종교적 의미를 가진 금기(禁忌). 이유의 순(純)·불순(不純)을 묻지 아니하고, 접촉하거나 말하거나 범(犯)하면 재해(災害)를 주는 힘을 가지고 있다고 생각되는 물건. 일정한 무기(武器)·피·시체(屍體)·여자 등.

기물[4]【奇物】 명 이상한 물건.

기물[5]【棄物】 명 ①버릴 물건. 버린 물건. ②쓰지 못할 물건.

기물[6]【器物】 명 기명(器皿).

기물-답다【器物—】 형ㅂ불 좋은 기물로서 쓰일 만한 가치가 있다.

기물 손:괴죄【器物損壞罪】[—쬐] 명〔법〕 타인의 물건을 손괴하여 그 효용(効用)을 해(害)함으로써 성립되는 죄.

기믜 명〈옛〉 기미. ¶ 기믜 하(瑕)《字會 下 16》.

기미[1] 명 병이나 또는 심한 피로움으로 인하여 얼굴에 끼는 검은 기운의 흠. 간증(馯䵴). 간반(肝斑).

　기미(가) 끼:다 구 얼굴에 기미가 나다.

기미[2] 명〈방〉 얼레빗(경상).

기미[3]【己未】 명〔민〕 육십 갑자(六十甲子)의 쉰여섯째.

기미[4]【氣味】 명 ①냄새와 맛. 취미(臭味). ②심기와 취미. ③〔한의〕 약의 성질과 효능을 판단하는 기준.

　기미를 보다 구〈궁중〉 임금에게 올리는 수라나 탕제 같은 것을, 상궁이 먼저 시식(試食)하여 독이 들어 있는지의 여부를 살피어 보다.

기미[5]【幾微·機微】 명 낌새. ¶ 도망칠 ~가 보인다.

　기미(를) 채다 구 기미를 알아차리다. 낌새채다.

기미[6]【期米】 명 ↗정기미(定期米).

기미[7]【綺靡】 명 화려함. 화미(華美)함. ——-하다 형여불

기미[8]【機尾】 명 항공기의 뒷부분. ↔기수(機首).

기미[9]【羈縻·覊縻】 명 ①굴레를 씌우는 일. ②굴레 씌우듯 자유를 속박하는 일. 기반(羈絆).

기미[10]【驥尾】 명 준마(駿馬)의 꼬리. 준마의 뒤.

기미-국【羈縻國】 명 속국(屬國).

기미 독립 운:동【己未獨立運動】[—닙—] 명〔역〕 삼일 운동(三一運動). 기미 운동.

기미 상적【氣味相適】 명 마음과 취미가 서로 맞음. 기미 상합(氣味相合). ——-하다 자여불

기미 상합【氣味相合】 명 기미 상적(氣味相適). ——-하다 자여불

기미 시:장【期米市場】 명 기미 거래를 하는 시장.

기미 운:동【己未運動】 명〔삼일 운동이 일어났던 1919년의 간지(干支)가 기미년(己未年)이므로〕 '삼일 운동'의 딴 일컬음.

기미-장【期米場】 명 미곡 거래에서, 장래의 일정한 기간을 수도 기일(受渡期日)로 정한, 일종의 선물 거래(先物去來)를 하는 장소.

기민[1]【機敏】 명 날새고 재빠름. ¶ ~한 행동. ——-하다 형여불

기민[2]【饑民】 명 굶주리는 백성.

　기민(을) 먹이다 구 굶주리는 백성에게 관청·단체 혹은 개인이 곡식을 거저 나누어 주다.

　기민(을) 주다 구〈방〉 기민(을) 먹이다.

기민-당【基民黨】 명〔정〕 ↗기독교 민주당.

기민-성【機敏性】[—썽] 명 눈치가 빠르고 민첩한 성질.

기민 혜:할【機敏慧黠】 명 눈치 빠르고 약삭빠름. 민첩 혜할.

기밀[1]【氣密】 명 밀폐되어 기체가 통하지 않음. 또, 기계 따위가 외부 기압의 영향을 받지 않음. ——-하다 형여불

기밀[2]【機密】 명 대단히 중요하고 비밀한 일. 특히, 정치·군사상 중요한 비밀. ¶ ~ 누설. ——-하다 형여불. ——-히 부

기밀 근:신【機密近臣】 명 기밀에 참여하는 신하.

기밀 누:설죄【機密漏泄罪】[—루—쬐] 명〔법〕 정치상이나 군사상의 기밀을 드러내서 외국 또는 적군(敵軍)에 알려 준 범죄.

기밀 문서【機密文書】 명 기밀한 내용을 기록한 서류.

기밀-복【氣密服】 명 성층권(成層圈)을 비행할 때 입는 비행복. 몸의 표면 둘레를 일정한 기압으로 유지시키는 역할을 함.

기밀-비【機密費】 명 ①지출(支出)의 내용을 명시하지 아니하고 기밀한 일에 쓰는 비용. 특히 정부·군부에서 기밀의 사항에 쓰는 비용. ②〔법〕 그 사용이 주임자(主任者)의 재량에 맡겨진 금전. 특별 판공비 따위.

기밀 시험【氣密試驗】 명 용기(容器)나 함선(艦船) 및 건조물(建造物)의 구획(區劃)의 유체(流體)에 대한 밀폐도(密閉度)나 내압 강도(耐壓強

度)를 확인하기 위하여, 공기 같은 가스체(gas體)를 사용해서 가압(加壓)하는 시험. 「와의 연락을 완전히 차단한 방.

기밀-실[1]【氣密室】[명] 고압 실험이나 저압 실험 등을 위하여, 외기(外氣)

기밀-실[2]【機密室】[명] 중요하고 비밀한 일을 취급·보관하여, 아무나 함부로 드나들지 못하게 하는 방. 「갖춘 장치.

기밀 장치【氣密裝置】[명] 외부 기압의 영향을 받지 못하게 밀폐 구조를

기박[1]【奇薄】[명] 운수가 사납고 복이 없음. ¶ ~한 여인. ——하다 [형][여불]

기박[2]【棋博】[명] 장기와 바둑. 「다지다.

기반[1]【基盤】[명] 기초가 될 만한 지반. 기본이 되는 자리. ¶ 출세의 ~을

기반[2]【碁盤】[명] 바둑판. 「를 구속하는 일. 기미(羈縻).

기반[3]【羈絆】[명] ①굴레. 또, 굴레를 씌우는 일. ②굴레를 씌우듯이 자유

기반 예:술【羈絆藝術】[—녜—] [명] 효용(効用) 예술.

기반-암【基盤岩】[명]『지』①화성암이나 변성암의 복합 암체. 퇴적층에 의해 고르지 않게 되어 있음. ②퇴적층의 밑. 모호로비치치 불연속면 위에 있는 지각(地殼)의 층. ③지표에 노출되어 있거나, 미고결(未固結) 퇴적물로 덮이어 있는 고결암(固結岩). 「령(司令).

기-받이【旗—】[—바지] [명] 농악대에서, 농기(農旗)의 기수(旗手). *사

기발[1]【奇拔】[명] 유달리 뛰어남. 엉뚱하고 기묘할 정도로 우수함. 기경(奇警). ¶ ~한 고안(考案)/~한 추리(推理). ——하다 [형][여불]

기발[2]【旣發】[명] 일이 이미 일어남. ↔미발(未發)❷.

기발[3]【騎撥】[명]『역』조선 선조(宣祖) 때에 둔 파발(擺撥)의 하나. 말을 타고 급한 공문(公文)을 전하여 보내던 일. 기발망은 주로 북쪽과의 긴밀한 통신을 위한 것으로, 모화관(慕華館)의 경영참(京營站)에서 의주(義州) 소관참(所串站)까지 38참을 두었음. 배지(陪持). *보발(步撥).

기발-하다【起發—】[자][여불] 어린아이가 기어다니기를 시작하다.

기방[1]【奇方】[명] ①기이한 방법. 신비한 방술(方術). ②진귀한 약의 조제

기:방[2]【妓房】[명] ↗기생방. 「법. 신통한 효험이 있는 처방.

기방[3]【譏謗】[명] 남을 헐뜯어서 말함. 비방(誹謗). ——하다 [타][여불]

기배【譏排】[명] 꾸짖고 밀어 냄. ——하다 [타][여불]

기백[1]【岐伯】[명] 천사(天師)❸.

기백[2]【氣魄】[명] 씩씩한 기상과 진취성이 있는 정신.

기백[3]【幾百】[명] 몇 백. 「箕伯).

기백[4]【箕伯】[명]『역』'평안도 관찰사(觀察使)'의 아칭(雅稱). 서기백(西

기백[5]【畿伯】[명]『역』'경기도 관찰사'의 아칭(雅稱). 기찰(畿察).

기백-산【箕白山】[명]『지』경상 남도 함양군(咸陽郡) 안의면(安義面)에

기번[1]【幾番】[명] 몇 번. 「있는 산. 소백 산맥에 속함. [1,331 m]

기번[2]【旗幡】[명] 위의(威儀)를 갖추려고 쓰는 갖가지 기(旗).

기번[3]〔gibbon〕[명]『동』긴팔원숭이❷.

기번[4]〔Gibbon, Edward〕[명]『사람』영국의 역사가. 프랑스·이탈리아를 편력 후, 자료를 종합하여 저술에 종사하였음. 《로마 제국 흥망사》 6권이 유명함. [1737-94]

기범-선【機帆船】[명] 기관과 돛을 함께 장치한 비교적 작은 배.

기범 연:의【箕範衍義】[—년—/—년이] [명]『책』기자(箕子)의 '홍범구주(洪範九疇)'를 부연한 책. 이원곤(李源坤) 편. 조선 철종 원년(1850) 간행. 10 권 4 책. 활자본.

기법[1]【奇法】[—뻡] [명] 기이한 방법. 신기한 수법.

기법[2]【技法】[—뻡] [명] 예술이나 스포츠 따위에서, 그 하는 방법이나 기교. 수법(手法). ¶ 창작 ~/경영 ~.

기법[3]【機法】[명]『불교』중생의 믿는 마음과 부처의 구원하는 법.

기법 불이【機法不二】[명]『불교』중생의 믿는 마음과 불타(佛陀)의 구원하는 법이 서로 다른 것이 아니요, 실상은 하나라는 뜻.

기벨린 당【—黨】〔이 Ghibelline〕[명] 중세 말기, 신성 로마 황제와 로마 교황의 대립 시대의 황제 지지파. 겔프(Guelf) 당과 대립함. 독일의 봉건 귀족, 북이탈리아의 비스콘티가(Visconti家) 등 부유 시민층에 세력을 떨쳤음. 14세기 이후에는 이탈리아 여러 도시(都市)에서의 정권 쟁탈의 한 당파를 뜻하게 되었음. *겔프 당. 「우는 ~이 있다.

기벽[1]【奇癖】[명] 이상 야릇한 버릇. 남보다 매우 다른 버릇. ¶ 술마시면

기벽[2]【氣癖】[명] 남에게 지거나 굽히지 아니하려는 성질.

기벽[3]【器壁】[명] 기구의 벽. 「는 성벽(性癖).

기:벽[4]【嗜僻·嗜癖】[명] 편벽되게 즐기는 버릇. 어느 사물을 특히 좋아하

기변[1]【奇變】[명] ①뜻밖의 난리. ②기이하게 변함. ——하다 [자][여불]

기변[2]【機變】[명] 때에 따라 변함. 임기 응변. ——하다 [자][여불]

기변-가【機變家】[명] 때에 따라 사고 방식과 태도가 잘 변하는 사람. 임기 응변에 능한 사람. 「——하다 [자][여불]

기변 백출【機變百出】[명] 때에 따르고 변에 응하여 온갖 수를 나타냄.

기변지-교【機變之巧】[명] 그때 그때 때에 따라 쓰는 교묘한 수단.

기별[1]【奇別·寄別】[명] ①『역』승정원(承政院)에서 처리한 일을 날마다 아침에 적어서 반포(頒布)하는 일. 또, 그 적은 종이. 기별지(奇別紙). 난보(爛報). 조보(朝報). 조지(朝紙). ②소식을 전함. 또, 통지함. ——하다 [타][여불]

기별[2]【記別】[명]『불교』부처가 제자들의 미래(未來)에 받을 불과(佛果)를 예언하는 일. 성불(成佛)의 예언. 「을 돌리던 사람.

기별 군사【奇別軍士】[명]『역』승정원(承政院)에서 반포(頒布)하는 기별

기별-꾼【奇別—·寄別—】[명] 기별하는 사람. 소식을 전하여 주는 사람.

기별 서리【奇別書吏】[명]『역』승정원(承政院)에서 반포(頒布)하는 기별

기별-지【奇別紙】[—찌] [명]『역』기별(奇別·寄別)❶. 「을 쓰던 사람.

기병[1]【奇兵】[명] 적을 기습하는 군대. ↔정병(正兵).

기병[2]【奇病】[명] 기이한 병. ¶ 의사도 모르는 ~.

기병[3]【起兵】[명] 군사를 일으킴. 흥사(興師). ——하다 [자][여불]

기병[4]【氣病】[명] 기분이 울적하거나 근심 걱정으로 생기는 병.

기:병[5]【魃病】[—뼝] [명]『한의』임신한 어머니의 젖을 먹고 몸이 파리하여지는 어린 아이의 병.

기병[6]【旗兵】[명]『역』중국 청조(淸朝)의 팔기(八旗)의 병사.

기병[7]【騎兵】[명] ①『군』말을 타고 전투를 하는 군사(軍士). 기마병(騎馬兵). 기졸(騎卒). ②『역』용호영(龍虎營)과 훈련 도감(訓鍊都監)과 금위영(禁衛營)과 어영청(御營廳)에 속하는 말탄 군사. 말타고 환도 차고, 활을 메고 도리깨를 가진 군사인데, 용호영은 '금군(禁軍)'이라 하고, 훈련 도감은 '마병(馬兵)'이라 하며, 금위영과 어영청은 '기사(騎士)'라 하였음. 마군(馬軍).

기병-대【騎兵隊】[명] 기병으로 편성한 부대. 마대(馬隊). [준]기대(騎隊).

기병-창【騎兵槍】[명] 기병이 사용하는 창. 창대는 곧고 창끝은 혀끝같이 생겼으며 삼각 또는 사각으로 되었음.

기보[1]【祈報】[명] 춘기(春祈)와 추보(秋報)의 제사. 봄에 풍년을 기원하고 가을에 풍년에 보답하는 제사. 또, 비를 비는 제사와 그 응험(應驗)이 있을 때 신에 보답하는 제사.

기보[2]【記譜】[명] 악보를 기록함. ——하다 [자][여불]

기보[3]【旣報】[명] 이미 알림. 또, 그 보도나 보고. ——하다 [타][여불]

기보[4]【棋譜·碁譜】[명] ①바둑두는 법을 적은 책. ②장기·바둑의 대국(對局) 내용을 기호로 기록(記錄)한 것.

기보-기【記步器】[명]『기』계보기(計步器).

기-보리[명]〈방〉『식』귀리(전남·경북).

기보-법【記譜法】[—뻡] [명]『악』음악의 발표·보존·연주·학습 등의 목적으로 일정한 약속 아래, 기호를 써서 악곡을 기록하는 방법.

기복[1]【忌服】[명] 근친(近親)의 상(喪)을 만나 상제로서 일을 봄. 복기(服忌). ——하다 [자][여불]

기복[2]【奇服】[명] 기이한 옷차림. 이복(異服).

기복[3]【奇福】[명] 뜻밖의 복. 요행(僥倖).

기복[4]【祈福】[명] 복을 빎. ¶ ~ 벽사(辟邪). ——하다 [자][여불]

기복[5]【起伏】[명] ①일어났다 엎드렸다 함. ②임금께 상주(上奏)할 때에 먼저 일어섰다가 다시 몸을 굽힘. ③지세(地勢)가 높아졌다 낮아졌다 함. ¶ ~이 심한 땅. 높낮이. ④세력이 강해졌다 약해졌다 함. 성쇠(盛衰). ¶ ~이 많은 인생. ⑤『문』수사법(修辭法)의 하나. 비슷한 반복중에 변화를 갖게 하는 일. ¶ ~이 있는 문장. ——하다 [자][여불]

기복[6]【起復】[명] ↗기복 출사(起復出仕). ——하다 [자][여불]

기복[7]【起福】[명] 행복을 구하여 일으킴. ——하다 [자][여불]

기복[8]【氣腹】[명]『의』인공 기복.

기복[9]【飢腹】[명] 배가 몹시 고픔.

기복[10]【朞服】[명] ↗기년복(朞年服).

기복[11]【箕卜】[명] 기고(箕姑).

기복 도:량【祈福道場】[명]『불교』왕의 탄생일에 만수 무강과 국가의 발전을 부처에게 비는 고려 때의 법회(法會). 「양.

기복-량【起伏量】[—냥] [명]『지』일정한 땅의 높낮이의 차를 나타내는

기복 신:앙【祈福信仰】[명] 복을 기원함을 목적으로 믿는 미신적인 신앙.

기-복염거【驥服鹽車】[명]〔천리마가 헛되이 소금 수레를 끈다는 뜻으로〕유능한 현사(賢士)가 천한 일에 종사함의 비유.

기복 출사【起復出仕】[—싸] [명] 부모의 상중(喪中)에 벼슬에 나아감. 기복 행공(起復行公). 탈정(奪情). 탈정 종공(奪情從公). [준]기복(起復). ——하다 [자][여불]

기-복판【旗腹板】[명] 드림이 있는 기(旗)의 주체(主體)가 되는 기폭.

기본【基本】[명] 사물의 근본. 사물의 판단, 행동 또는 존재의 근거가 되는 바탕. ¶ ~ 동작/~ 조건.

기본 개:념【基本槪念】[명] 사물의 판단, 행동, 존재의 근거가 되는 개념.

기본 과업【基本課業】[명] 근본이 되는 과업. 「련 등.

기본 교:련【基本敎練】[명] 근본이 되는 교련. 각개(各個) 교련·소대 교

기본 교:리【基本敎理】[명]『종』근본이 되는 종교상의 이치.

기본-권【基本權】[—꿘] [명]『법』기본적 인권.

기본-금【基本金】[명] 기금(基金).

기본-급【基本給】[명] 임금(賃金)의 기본이 되는 급료. 여러 수당(手當)을 제외한 근무 자체에 대한 본래의 급여를 이르며, 여러 수당·상여금·퇴직금 따위의 산정(算定) 기준이 됨. 본봉. 본급. 기본 봉급. *수당.

기본 단위【基本單位】[명]〔fundamental unit〕『물』물리적 양(量)의 여러 단위의 가장 기초가 되는 단위. 한국에서는 길이는 미터(m), 질량(質量)은 킬로그램(kg), 시간은 초(s), 온도는 켈빈(K), 물질량은 몰(mol), 광도(光度)는 칸델라(cd), 전류(電流)는 암페어(A)로 규정하고 있음. ↔유도 단위. *실용 단위.

기본 대:형【基本隊形】[명]『군』군대 훈련(訓鍊)에서, 정규 제식(定規制式) 훈련의 기본이 되는 여러 대형.

기본-도【基本圖】[명]〔base map〕기초적인 사항을 나타내는 지도. 일반적으로, 지리적·지형적 자료가 비교를 위하여 부가됨.

기본 동:작【基本動作】[명] 여러 동작 중에서 기본이 되는 동작.

기본 모:음【基本母音】[명]〔cardinal vowel〕『언』모음 측정 및 기술(記述)의 기준이 되는 여덟 개의 모음. 다니엘 존스(Daniel Jones)가 처음 정한 것으로, 'i·e·ɛ·a·ɑ·ɔ·o·u'로 표시함.

기본 미가【基本米價】[—까] [명] 패리티(parity) 계산이라든가 생산비 및 소득 보상 방식에 의하여 산출된 미가(米價).

기본-법[1]【寄本法】[—뻡] [명]『미술』목기법(木寄法).

기본-법[2]【基本法】[—뻡] [명]『법』근본법(根本法)❶.

기본 법칙【基本法則】[명] 자연 현상을 지배하는 기본적인 법칙. 뉴턴의 운동의 법칙, 만유 인력의 법칙, 쿨롱의 법칙, 전자 유도(電磁誘導)의 법칙 따위 다방면의 현상에 대하여 보편적으로 성립하는 것.

기본 병과【基本兵科】[—꽈] [명]『군』군의 병과 구분의 하나. 군(軍) 편제상 기본이 되는 병과. 육군에는 보병·기갑·포병·공병·통신·항공·

화학·병기·병참·수송·부관·헌병·경리·정훈 병과가, 해군에는 함정·해병·항공·통신·병기·보급·경리·시설·조함(造艦)·정훈·관리 분석·정보·교육 병과가, 공군에는 조종·항법·방공포·관제·정보·항공 정비·무장·통신·기상·시설·안전·보급·경리·인사 행정·수송·정훈·보안·교육·헌병·전산·화학 병과가 있음. ＊특수 병과.

기본 봉:급【基本俸給】명 기본급.

기본 사료【基本飼料】명 소·말 등에 주는 사료의 대부분을 차지하는 섬유성의 목초(牧草)·짚 따위.

기본 상수【基本常數】명〖물〗물질의 종류에 관계없이 기본이 되는 물리(物理) 상수. 만유 인력(萬有引力) 상수, 진공중(眞空中)의 광속도(光速度) 등. 물질 상수에 대하여 이름.

기본 설계【基本設計】명 건축·조선(造船)·도시 계획 등에서, 구상(構想)과 예산에 의한 약설계(略設計)에 따라 기본 사항을 검토해서 작성된 것. 평면도·입면도·전개도(展開圖)·단면도 등이 있고 공사비의 개산(概算)이 명확해서 실시(實施) 설계의 근본이 됨.

기본 소:체【基本小體】명〖생〗어떤 종류의 바이러스(virus)에 감염(感染)한 조직의 세포내에서 볼 수 있는 과립상(顆粒狀)의 소체.

기본-수【基本數】명 ①〔수〕기수(基數)➊. ②〔basic number〕〖생〗세포핵(細胞核)에 있는 염색체(染色體) 안에서 형태적으로나 기능적으로도 기본이 되는 최소의 염색체의 수. 염색체 수는 생물의 종(種)에 따라 일정하며, 일반적으로 정자(精子)나 난(卵) 등 배우자(配偶子)의 염색체 수와 같음. n으로 나타냄. ＊핵상(核相).

기본 수:사【基本數詞】명〔cardinal numeral〕〖언〗어떤 사물의 수를 나타내는 수사. 하나, 둘, 셋 등. ↔서(序)수사. ＊양(量)수사.

기본 수준선【基本水準線】명 기준선(基準線)➋.

기본 어음【基本一】명〖경〗법정 형식(法定形式)을 구비하고 발행되며, 어음 관계에 있어서의 장래의 발전의 기초가 되는 원형(原型)인 어음. 필수(必須) 기재 사항 곧, 어음 문구(文句)·어음 금액·어음 당사자 등의 기재가 확정되어 있고, 이것을 기초로 하여 배서(背書)·인수(引受)·보증(保證) 따위의 어음 행위가 이루어짐.

기본 어:휘【基本語彙】명〔basic vocabulary〕〖언〗사용 빈도수(頻度數)의 조사에 의하여 얻어지는, 생활하는 데 특히 필요하다고 생각되는 어휘. 또, 언어 연대학에서 기본 자료로 설정된 일정한 수의 어휘.

기본 연:습【基本練習】[―년―] 명 어떠한 일의 기본이 되는 연습.

기본-열【基本列】[―녈] 명〖수〗수열(數列)의 하나. 항(項)의 번호가 커짐에 따라 항과 항의 차가 0에 가까워지는 수열. 코시열(列).

기본 요금【基本料金】[―뇨―] 명 설비 용량(容量) 원가 요소에 해당하는 요금. 이를테면 전기 요금에 있어서의 사용한 전력량(電力量)에 관계없이 계량 등수(燈數) 또는 kW에 따라 일정액이 징수되는 요금 따위.

기본 위치【基本位置】명〖악〗'밑자리'의 한자 이름.

기본-율【基本律】[―뉼] 명〖악〗근본이 되는 운율(韻律).

기본-음【基本音】명 ①〖물〗물체가 그 고유 진동에 의하여 음(音)을 발생할 경우, 가장 진동수(振動數)가 적은 음을 이름. 기음(基音). 원음(原音). ②〔fundamental sound〕〖언〗복합음(複合音)에 있어 진동수가 가장 적은 단순음(單純音)으로 배음(倍音)의 기준이 되는 음. ③〖악〗원음(原音)➍.

기본 입자【基本粒子】명〔fundamental particle〕〖물〗현재 물질을 구성하고 있는 가장 기본적인 입자로 생각되는 6종의 쿼크(quark)·경입자(輕粒子) 및 이들 사이에서 작용하는 힘을 매개하는 게이지(gauge) 입자 등 소립자(素粒子)의 총칭. 이외에 히그스(Higgs) 입자·액시온(axion) 등 가상(假想) 입자의 존재도 고려되고 있음. ＊소립자.

기본 자:세【基本姿勢】명 기본이 되는 자세.

기본 자유【基本自由】명 근본이 되는 자유의 권리. ＊기본적 인권.

기본 작도【基本作圖】명〖수〗작도제(作圖題)를 풀 때에 쓰는 기본적인 작도. 주어진 선분(線分)의 수직 이등분선(二等分線)을 긋는 일, 주어진 점(點)에서 주어진 직선에 수선(垂線)을 긋는 일 등 모두 12개가 있음.

기본 재산【基本財産】명〖경〗①어떠한 사업의 기본이 되는 재산. 곧, 수익(收益)을 위하여 설치하고, 또 수익만을 위하여 지출되는 부동산(不動産)·유가 증권(有價證券)·예금(預金) 등의 재산. ②재단 법인의 운영의 기본이 되는 재산. ③지방 자치 단체가 수익을 목적으로 유지하는 재산.

기본-적【基本的】명관 사물의 기본이 되는 성질을 가지고 있는 모양. ¶「~인 문제/~ 인권.

기본적 명:제【基本的命題】명〖논〗직접적인 지각(知覺) 및 감각 소여(感覺所與)를 명제의 형식으로 정식화(定式化)한 것.

기본적 소비재【基本的消費材】명 옷가지나 일용품 같은 생활 필수품으로서의 소비재.

기본적 요구【基本的要求】[―뇨―] 명〖심〗개체나 종족의 유지(維持) 또는 생장에 있어서 불가결인 것을 구하는 요구. 경험이나 훈련을 하지 아니하여도 선천적(先天的)·생물적(生物的)으로 요구됨. 음식물 등을 먹으려는 것 또는 활동·수면·호흡·성(性)·체온 조절(體溫調節)·포유(哺乳)·배설(排泄) 등. 기본적 욕구.

기본적 욕구【基本的慾求】[―뇩―] 명〖심〗기본적 요구.

기본적 인권【基本的人權】[―꿘] 명〖사〗인간이 인간으로서 살아 나가기 위하여 불가결한 기본적인 권리. 우리 나라 헌법에서는 신체의 자유, 종교의 자유, 언론·출판·집회·결사의 자유, 사유 재산권의 보장 등이 기본적 인권으로 되고 있음. 기본권(基本權).

기본 조직【基本組織】명〖식〗고등 식물의 표피(表皮)·관다발 이외의 조직의 총칭. 생리적으로는 엽록소를 함유하여 광합성을 행하는 조직, 녹말을 저장하는 조직, 수분·당분(糖分)을 함유하는 조직 등이 있고, 형태적으로는 유조직(柔組織)·후막(厚膜) 조직 등으로 나뉨.

기본 조직계【基本組織系】명〖식〗고등 식물의 조직계인 표피계(表皮系)와 관다발계(系) 이외의 부분의 총칭.

기본-종【基本種】명〖생〗돌연 변이(突然變異)에 의하여 생겼다고 생각되는 기본적 분류 단위(分類單位). 생물의 어떤 종(種)을 다시 세분(細分)하여 유전적 조직이 상이(相異)한 군(群)으로 나눈 종(種).

기본 진:동【基本振動】명〔fundamental vibration〕〖물〗탄성체(彈性體)에서 일어나는 고유(固有) 진동 가운데서 진동수가 제일 작은 진동. 원진동(原振動).

기본-체【基本體】명〖생〗일부 담자균(擔子菌) 중에서, 담포자체(擔胞子體)의 중앙부에 있는 포자 형성 조직.

기본 체조【基本體操】명 덴마크 체조.

기본 측량【基本測量】[―냥] 명〖법〗모든 측량 가운데 기초가 되는 측량으로서, 건설부 장관의 명을 받아 국립 지리원(國立地理院)이 실시하는 측량. 삼각(三角) 측량·다각(多角) 측량·수준(水準) 측량·지형(地形) 측량 등이 있음. ＊공공(公共) 측량.

기본-파【基本波】명 기본 주파수(周波數)의 사인파(sine波). ＊고조파(高調波).

기본 학과【基本學科】명 여러 학과의 기본이 되는 학과. 초등 교육에 있어서 국어·산수·사회 생활 등.

기본-형【基本形】명 ①기본이 되는 형. 기형(基形). ②〖광〗결정계(結晶系)에 있어서, 세 축(軸)을 각각 단위의 길이로 자른, 각 면(面)으로 이루어진 결정. 기체(基體). ③〔basic form〕〖언〗활용하는 단어에 있어서, 활용형의 기본이 되는 형태. 어간에 어미 '-다'를 붙이어 나타냄. 원형(原形).

기본 형태【基本形態】명 기본이 되는 모양. 본허울.

기봉[1]【奇峰】명 이상하게 생긴 산봉우리.

기봉[2]【起峰】명 여러 산봉우리 가운데 높이 솟은 봉우리.

기봉[3]【機峰】명〖지〗경상 북도 청송군(靑松郡)과 포항시(浦項市) 사이에 있는 산. 태백 산맥의 남단에 위치함. [880 m]

기봉[4]【機鋒】명 예봉(銳鋒)➊.

기봉-경【夔鳳鏡】명 중국 고대의 금속 거울의 하나. 상상(想像)의 영조(靈鳥)인 기봉 두 마리가 마주 보게 새긴 무늬가 있음. 후한(後漢)부터 육조(六朝) 시대까지 쓰임.

기봉-문【夔鳳紋】명 중국의 옛 동기(銅器) 등에서 볼 수 있는, 기봉을 나타낸 무늬. 뿔이나 날개의 모양이 새와 비슷함.

1. 은대(殷代)
2. 은주 시대(殷周時代)
3. 주대(周代)
4. 서주 전기(西周前期)

〈기봉문〉

기봉 소:설【奇逢小說】명〖문〗우연과 요행을 주제(主題)로 한 소설.

기부[1]【肌膚】명 사람이나 동물의 몸을 싸고 있는 살가죽 또는 살.

기:부[2]【妓夫】명 기둥 서방.

기부[3]【起仆】명 일어섰다 넘어졌다 함. ――하다 자여불

기부[4]【記付】명 사무를 인계할 때에 중기(重記)에 기록함. ――하다 타여불

기부[5]【記府】명 전날의 기록을 보관하여 두는 창고.

기부[6]【記簿】명 장부(帳簿). 노트.

기부[7]【欺負】명 속여 배반함. ――하다 자여불

기부[8]【寄附】명 어떠한 일에 보조의 목적으로 금품을 내어 줌. 특히, 공공(公共) 사업이나 교회·사원 등에 금품을 자진하여 내는 일. ――하다 타여불

기부[9]【基部】명 기초가 되는 부분.

기-부[10]【箕否】명〖역〗기자(箕子)의 후손(後孫)이라고 하여 동방에 있어 조선후(朝鮮侯)라 일컫다가 뒤에 왕이라 하였다는 사람.

기부[11]【機婦】명 베 짜는 여자. 기녀(機女).

기부-금【寄附金】명 기부하는 돈. 출연금(出捐金).

기부 금품 모집 금:지법【寄附金品募集禁止法】[―뻡] 명〖법〗기부 금품의 모집을 금지하여 국민의 재산권을 보장함을 목적으로 하는 법률.

기부러-지다 자〈방〉기울어지다(경남).

기부 심:사 위원회【寄附審査委員會】명〖법〗기부 금품 모집 금지법의 규정에 의한 기부 금품 모집 허가 신청을 심사하기 위하여, 내무부·각 도·서울 특별시 및 직할시에 둔 위원회.

기부 예:약【寄附豫約】명 기부할 것을 미리 약속함. ――하다 자여불

기부-자【寄附者】명 금품을 기부한 사람.

기부-장【寄附帳】[―짱] 명 기부에 관한 것을 적는 장부.

기부 재산【寄附財産】명 공공 또는 자선 사업 따위를 돕고자 자진하여 내놓는 금품.

기-부족【氣不足】명〖한의〗기력이 부족하여 생기는 병. 상기 부족·중기 부족·하기 부족의 구별이 있음. 상기 부족에는 뇌의 작용이 충분하지 못하여, 이명(耳鳴)·두부 경사(頭部傾斜)·시력 장애(視力障礙)가 생기고, 중기가 부족하면 대소변에 이상이 일어나며 복명(腹鳴)이 생기고, 하기가 부족하면 하지의 마비 궐랭(瘚痺厥冷)이 일어남.

기부 행위【寄附行爲】명〖법〗일정한 재산을 무상으로 제공하여 재단 법인(財團法人)을 설립하는 행위.

기북【冀北】명〖지〗중국 기주(冀州)의 북부. 지금의 허베이 성(河北省)의 땅으로, 양마(良馬)의 명산지로 유명함.

기분[1]【氣分】명 ①어떤 기간 동안 지속(持續)되는 비교적 약한 감정 상태. 감정(感情). ¶ 날이 개니 ~ 마저 좋아진다. ②분위기➋. ¶ 축제(祝祭) ~. ③〖한의〗혈기(血氣)에 대하여 원기(元氣)의 방면을 가리키는 말.

기분[2]【箕畚】명 키와 삼태기.

기분[3]【機分】명 ①사람의 됨됨이. ②기운(機運). 시세(時勢).

기분-극【氣分劇】명〖연〗특수한 분위기를 무대 위에 나타냄을 주안(主眼)으로 하는 연극.

기분 묘:사【氣分描寫】명〖문〗어떠한 사물의 장면을 묘사하는 데 장면

의 사실 묘사보다도 그 장면의 분위기, 곧 그 장면에 흐르는 기분을 서정적으로 또는 상징적으로 그려 내는 일.

기분 이변성 정신병질 【氣分易變性精神病質】 [―썽―뼝―] 명 《의》 기분이 자주 변하기 쉽고, 폭음·낭비·배회(徘徊) 등의 충동적 행위로 내달리기 쉬운 정신병질의 한 유형. *폭발성(爆發性) 정신병질.

기분-적 【氣分的】 명관 그때 그때 마음 내키는 대로 행동하는 모양. ¶ ～인 행동.

기분-파 【氣分派】 명 기분에 좌우되어 움직이는 사람. 기분에 따라서 행동하는 사람.

기불 【旣拂】 명 이미 지불함. 이미 끝난 지불. ――-하다 타여불

기불-금 【旣拂金】 명 이미 지불한 돈.

기-불택식 【飢不擇食·饑不擇食】 명 ①굶주린 사람은 먹을 것을 가리지 아니함. ②전(轉)하여, 빈곤한 사람은 사소한 은혜에도 감격함.

기브스 〔Gibbs, Josiah Willard〕 명 《사람》 미국의 물리학자·화학자. 예일(Yale) 대학 교수. 열역학(熱力學)의 화학에의 응용을 연구해 1874년 《불균일 물질계(不均一物質系)의 평형(平衡)》이란 논문을 발표하였음. 또 《통계 역학의 기본 원리》를 내어 고전적 통계 역학을 완성하였음. [1839-1903]

기브-앤드-테이크 〔give-and-take〕 명 ①교환함. 서로 주고받음. ②공평한 거래. 스스로 상대에게 이익을 주고 그 대신 상대로부터 이익을 얻어 냄.

기브-업 〔give-up〕 명 레슬링 따위에서, 선수가 시합에 졌음을 인정하는 일. 단념함. 항복함.

기브 웨이 〔give way〕 명 조정(漕艇) 경기에서, 출발시에 정지된 상태에서 갑자기 노를 저으면 동요가 심하므로, 처음 한두 번은 서서히 젓는 일. 또, 이와 같은 동작의 구령.

기블다 자 〈옛〉 기울다. ¶ 月斜 得二吉卜格大《譯語》.

기비[1] 【肌痺】 명 《한의》 살가죽의 감각이 마비되고, 살가죽의 전체가 아픈 병.

기비[2] 【基肥】 명 《농》 파종(播種)·이앙(移秧) 또는 식수(植樹)를 하기 전에 주는 거름. 지효성(遲效性)이 있는 인분·퇴비 등을 사용함. 밑거름.

기뻐-하다 자타여불 ①기쁘게 여기다. ②반가워하다.

기쁘다 형 마음에 즐거운 느낌이 나다. ↔슬프다.

기쁨 명 ①마음이 즐거움. 기쁜 마음이나 느낌. ②반가움. ¶ ～의 눈물.

기써 타 〈옛〉 기뻐하여. '깃그다'의 활용형. ¶ 하놀콰 神靈괘 기써 브룸 비룰 時節로ᄒ야 百姓이 가ᄉ며더라《釋譜 XI:36》.

기사[1] 【己巳】 명 《민》 육십 갑자(六十甲子)의 여섯째.

기사[2] 【技士】 명 ①전의 국가 공무원(公務員)의 직급 명칭의 하나. 지금은 '주사'로 바뀌었음. ②국가 기술 자격법 소정의 기술계 기술 자격 검정에 합격한 사람에게 주어지는 칭호. 1급과 2급의 두 등급이 있으며, 1급은 기사 2급 자격 취득 후 2년 이상 실무에 종사한 사람, 대학 졸업자, 초급 대학·실업 고등 전문 학교·전문 학교 졸업자 등이, 2급은 기능장·기능사 1급의 자격이 있는 사람, 초급 대학·실업 고등 전문 학교·전문 학교·전문 대학 졸업자 등이 검정 시험 응시 자격이 있음. *기술사·기능장. ③↗운전 기사(運轉技士).

기사[3] 【忌事】 명 꺼리어 싫어하는 일.

기사[4] 【技師】 명 ①관청이나 회사 등에서 전문 지식을 요하는 특별한 기술 업무를 맡아 보는 사람. ②전문 기술을 직업으로 하는 사람.

기사[5] 【奇士】 명 기이한 재주를 가진 선비.

기사[6] 【奇事】 명 기이한 일.

기사[7] 【奇思】 명 기이한 생각.

기사[8] 【起死】 명 다 죽어가는 병자를 다시 소생시킴. ¶ ～ 회생(回生). ――-하다 자여불

기:사[9] 【耆社】 명 《역》 기로소(耆老所).

기사[10] 【記事】 명 ①사실을 적음. 또, 그 글. ②신문·잡지 등에 기록된 사실. 또, 그 글. ③↗기사문. ④《역》 고려 사헌부(司憲府)·전의시(典儀寺)·연경궁 제거사(延慶宮提擧司) 등 각 관아의 이속(吏屬). 기록(記錄)을 맡음. ⑤《역》 대한 제국 때, 제실 제도 정리국(帝室制度整理局)의 한 벼슬.

기사[11] 【記寫】 명 기록하여 씀. 적어 씀. ――-하다 타여불

기사[12] 【棋士】 명 바둑이나 장기를 잘 두는 사람. 보통, 직업으로서 전문으로 바둑을 두는 사람을 이름. ¶ 전문 ～.

기사[13] 【幾死】 명 거의 다 죽게 됨. ――-하다 자여불

기사[14] 【欺詐】 명 남을 속임. 사기(詐欺). ――-하다 타여불

기사[15] 【碁師】 명 바둑의 스승.

기사[16] 【機事】 명 ①일을 꾀함. 교묘한 행위. ②기밀한 일.

기사[17] 【機詐】 명 무슨 일을 꾀어 속임. ――-하다 자여불

기사[18] 【騎士】 명 ①말을 탄 무사. ②《역》 금위영(禁衛營)과 어영청(御營廳)의 말 탄 군사. ③《역》 12-13세기에 걸쳐 전성기를 이루었던 유럽의 무인(武人)의 이름. 양가(良家)의 자제로 영주(領主)를 섬기고 무예(武藝)를 닦아 충의(忠義)·염치(廉恥)·인협(仁俠)을 숭상하여 기사 정신(騎士精神)을 발휘하는 것을 본분으로 하였음. 십자군(十字軍) 시대에 가장 왕성하였으나 17세기에 이르러 점차 쇠퇴하였음. 나이트(knight). *기사도(騎士道).

기사[19] 【騎射】 명 ①말을 타고서 활을 쏘는 일. ②《역》 조선 시대 때, 무과(武科) 초시(初試) 및 복시(覆試)에 과하는 무예의 하나. 35보(步) 간격으로 세워 놓은 지름 1자의 둥근 표적 5개를, 말을 타고 달리면서 연하여 활로 쏘아 맞히는 일. *기추(騎芻).

기사[20] 【饑死·飢死】 명 굶어 죽음. 아사(餓死). ――-하다 자여불

기사[21] 【蘄蛇】 명 《동》 산무애뱀.

기사-관 【記事官】 명 《역》 조선 시대 때, 춘추관(春秋館)에 두었던 벼슬. 정육품에서 정구품까지 있음.

기사 광:고 【記事廣告】 명 물건의 용도·효능(効能)을 기사체(記事體)로 써서 소개하는 광고. 기사체(記事體) 광고.

기사-궁 【騎射宮】 명 《천》 황도 12 궁의 제9궁인 '인마궁(人馬宮)'의 별칭.

기사-극 【騎士劇】 명 《연》 독일에서 18세기 후반에 나타난 기사도를 주제(主題)로 한 연극.

기사 근:생 【幾死僅生】 명 거의 죽을 뻔하였다가 겨우 살아남. ――-하다 자여불

기:사 노:인 【耆社老人】 명 《역》 기로소(耆老所)에 들어갈 노인.

기사-단 【騎士團】 명 기사 수도회.

기사-당 【騎士黨】 명 〔Cavaliers〕 《역》 영국 청교도 혁명기(淸敎徒革命期)로부터 왕정 복고기(王政復古期)까지의 왕당파(王黨派)의 별칭. 1642년 내란이 발생하였을 때 찰스 일세(Charles Ⅰ)를 지지한 사람들의 일컬음. *원두당(圓頭黨).

기:사 당상 【耆社堂上】 명 《역》 기로소(耆老所)의 당상.

기사-도 【騎士道】 명 기사 계급의 성립에 의하여 이루어진 무사의 윤리(倫理). 용맹·경신(敬神)·예절·염치·인협(仁俠)·충성·부녀(婦女) 숭배·노약(老弱) 보호 등의 덕(德)을 이상으로 함. 기사 정신.

기사-문 【記事文】 명 《문》 사실의 성질·형상·효용(効用) 등을 보고 들은 그대로 적은 글. 기실문(記實文). 준기사.

기사 본말체 【紀事本末體】 명 연대(年代)나 인물에 중점을 두지 아니하고 사건에 중점을 두고, 그 원인·경과·결과를 기술하는 역사 서술의 한 문체. *편년체(編年體)·기전체(紀傳體).

기사 수도회 【騎士修道會】 명 십자군(十字軍) 시대에 기사도 정신과 수도회 정신을 결합하여 탄생한 수도회. 중세 기사도를 발휘하여 비(非) 신도와의 싸움에 임하였으므로 십자군 전쟁 종료와 더불어 쇠멸하였음. 종교 기사단(宗敎騎士團). 기사단.

기사 식당 【技士食堂】 명 자동차 운전 기사를 주요 대상으로 하는 식당. 주로 한식(韓食)을 팖.

기사-원 【記事員】 명 《역》 대한 제국 때, 양지 아문(量地衙門)과 지계 아문(地契衙門)의 한 벼슬.

기사 이:적 【奇事異蹟】 명 기이한 사적(事蹟).

기사 작법 【記事作法】 명 기사를 쓰는 방법.

기사-장 【騎士將】 명 《역》 금위영(禁衛營)과 어영청(御營廳)의 정삼품 벼슬.

기사 전:쟁 【騎士戰爭】 명 〔도 Ritterkrieg〕 《역》 독일 농민 전쟁 직전인 1522-23년에 걸쳐, 라인(Rhein) 지방의 기사들이 군제(軍制)의 변화, 상업·화폐 경제의 발달, 제후(諸侯)의 권력 증대 및 종교 개혁 운동에 자극을 받아 일으킨 반란.

기사 정신 【騎士精神】 명 기사도.

기:사 제신 생시장 【耆社諸臣生諡狀】 명 《책》 조선 영조(英祖) 49년(1773)에, 나이 80세에 달하는 기사의 노신들 자신이 지은 시장을 수록한 책. 1책. 사본.

기사 중 광:고 【記事中廣告】 명 신문 용어. 신문의 기사란 중에 있는 광고. 광고란의 광고보다 요금이 비쌈.

기:사-지 【耆社志】 명 《책》 조선 헌종(憲宗) 15년(1849)에 판서 홍경모(洪敬謨)가 기사(耆社)에 입사하면서, 기사가 설치된 유래와, 이태조(李太祖)가 입사한데서부터 450여 년간의 여러 가지 사적과 조례를 기록한 책. 19권 8책.

기사지-경 【幾死之境】 명 거의 죽게 된 지경.

기사-체 【記事體】 명 《문》 기사문을 쓰는 체제.

기사체 광:고 【記事體廣告】 명 기사 광고.

기사 환:국 【己巳換局】 명 《역》 조선 숙종(肅宗) 15년(1689)에 희빈 장씨(禧嬪張氏) 소생의 아들을 세자로 삼으려는 숙종에 반대한 송시열(宋時烈) 등 서인(西人)이, 이를 지지한 남인(南人)에 의하여 패배당하고 정권이 서인에서 남인으로 바뀐 일. *갑술 옥사(甲戌獄事).

기사 회생 【起死回生】 명 중병으로 죽을 뻔하다가 도로 살아나 회복함. ――-하다 자여불

기사회생-반 【起死回生飯】 명 생쌀을 자루에 담아 설렁탕 가마 속에 넣어서 끓인 밥. 중병 치른 사람이 먹으면 소복(蘇復)이 잘 됨.

기삭 【幾朔】 명 몇 달. ¶ ～이 지난 후에.

기산[1] 【岐山】 명 《지》 '치산[1](岐山)'을 우리 음으로 읽은 이름.

기산[2] 【祁山】 명 《지》 '치산[2](祁山)'을 우리 음으로 읽은 이름.

기산[3] 【起算】 명 언제부터 또는 어디서부터 계산하기를 시작함. ¶ 1일부터 ～해서 이자를 계산하다. ――-하다 타여불

기산[4] 【氣疝】 명 《한의》 산증(疝症)의 한 가지. 아랫배가 붓고 아픈 병.

기산[5] 【箕山】 명 《사람》 김준근(金俊根)의 호.

기산[6] 【箕山】 명 《지》 '지산(箕山)'을 우리 음으로 읽은 이름.

기산[7] 【譏訕】 명 남을 헐어서 말함. ――-하다 타여불

기산-꽃차례 【岐繖―】 명 《식》 유한(有限)꽃차례 중 취산(聚繖) 꽃차례의 한 가지. 꽃대의 꼭대기에 한 개의 꽃이 있고, 그 꽃의 아래에 두 개의 꽃꼭지가 생기어 그 꼭대기마다 꽃이 달리고, 또 그 꽃 아래에 두 개의 꽃꼭지가 생기어 여러 층으로 된 것. 별꽃 따위. 기산(岐繖) 화서.

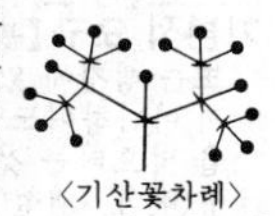

〈기산꽃차례〉

기산-일 【起算日】 명 기간을 계산하기 시작한 첫째 날. 「↔만료점.

기산-점 【起算點】 [―쩜] 명 기산을 시작한 시점(時點)이나 지점(地點).

기산지-절 【箕山之節】 명 〔허유(許由)가 기산에 숨어서 요(堯)의 양위(讓位)를 받지 아니하고 절조를 지켰다는 고사에서〕 굳은 절개.

기산지-지 【箕山之志】 명 〔허유(許由)가 요(堯) 임금이 자기에게 천하를 양보하려고 한다는 소리를 듣고 기산으로 숨고 영수(潁水)에서 귀를 씻었다는 고사에서〕 은둔(隱遁)하는 고결(高潔)한 뜻.

기산 화서 【岐繖花序】 명 《식》 기산꽃차례.

기-삼연 【奇參衍】 명 《사람》 대한 제국의 의병장(將). 호는 성재(省齋). 전남 장성(長城) 출생. 건양(建陽) 원년(1896) 장성에서 의병을 일으켜,

광무 6년(1902)에 체포되어 평리원(平理院)에 수감중 탈옥함. 융희 원년(1907)에 다시 장성에서 의병을 모아, 호남 지구 의병 대장으로서 고창(高敞) 문수사(文殊寺)에서 일본군을 무찌르고 연승했으나, 담양(潭陽) 추월산(秋月山)에서 패하여, 체포되어 총살됨. [? -1908]

기삿-거리【記事—】 명 기사화할 수 있는 소재.

기상[1]【奇相】 명 기이한 인상(人相). 보기 드문 인상.

기상[2]【奇想】 명 좀처럼 추측할 수 없는 기발한 생각. ¶ ~ 천외(天外).

기상[3]【起床】 명 잠을 깨어 자리에서 일어남. 기침(起寢). ¶ ~ 나팔. ↔ 취상(就床). ──하다 자여불

기상[4]【氣相】 명 기색(氣色)❶.

기상[5]【氣相】 명 기체상.

기상[6]【氣象】 명 ①타고난 성정(性情). 기질(氣質). 의기(意氣). ¶ 격렬(激烈)한 ~. ②대자연의 모양. 또, 풍취(風趣). ③대기(大氣)의 여러 현상. 대기 가운데서 일어나는 모든 물리적 현상이나 일기의 상태. 곧, 더위·추위·청우(晴雨) 등 천후의 상태. 천상(天象). ＊수상(水象)·지상(地象).

기상[7]【氣像】 명 사람이 타고난 마음씨와 겉으로 드러난 의용(儀容).

기상[8]【機上】 명 비행기의 안. 또, 비행기에 타고 있음. ¶ ~에 오르다.

기상[9]【禨祥】 명 빌미와 상서(祥瑞). 신(神)이 내리는 화복(禍福).

기상[10]【鰭狀】 명 지느러미와 같은 형상.

기상 개:황【氣象槪況】 명 한 지방을 중심으로 부근 전반에 걸친 개괄적 기상의 상황.

기상 경:보【氣象警報】 명 〖기상〗 폭풍우·태풍·큰비·큰눈·이상 건조 등의 기상 현상으로 인하여 커다란 재해(災害)가 예상될 때, 공지(公知)시키기 위하여 발하는 경보.

기상-곡【綺想曲·奇想曲】 명 〖악〗 '카프리치오(capriccio)'의 역어(譯語).

기상 관측【氣象觀測】 명 〖기상〗 대기의 상태, 혹은 대기 중에서 일어나는 모든 현상을 알기 위하여, 기압·기온·습도·바람·구름 등의 기상 요소를 측정하는 행위. 대상의 장소에 따라, 지상(地上) 기상 관측·상층 기류(上層氣流) 관측·해상 기상 관측 등으로 나뉘고, 응용 목적에 따라, 통보(通報) 관측·항공 기상 관측·농업 기상 관측·수문(水文) 기상 관측·기후 관측, 학술·연구를 위한 관측으로 나뉨. ¶ ~망(網).

기상 관측선【氣象觀測船】 명 〖기상〗 해양(海洋) 관측선의 하나. 해상에 있어서의 기상 관측을 맡아 보는 배. 정점(定點) 관측과 아울러 해상을 이동하면서 관측하기도 함. ＊해양 관측.

기상 관측소【氣象觀測所】 명 〖기상〗 지방 기상청(氣象廳)의 하부 조직으로, 관할 구역에 대한 기상 관측, 기상 예보의 통보, 기상 자료 통계, 기상에 관한 증명 및 상담 업무 등을 하는 기관. ＊측후소.

기상 광학【氣象光學】 명 〖기상〗 대기 중의 광학(光學) 현상을 연구하는 기상학의 한 분과. 대기 중의 빛의 굴절(屈折)에 의한 현상, 박명(薄明) 현상, 빛의 산란(散亂) 현상·인간의 주관이나 착각에 의한 현상인 신기루(蜃氣樓)·무지개·놀·무리·브로켄 현상(Brocken現象) 등을 연구함.

기상구[1] 명 〈방〉 기저귀.

기상-구[2]【氣象區】 명 〖기상〗 ①기상의 공통성에 따라 나눈 지리(地理) 상의 구역. ②각지의 지방 기상청(氣象廳)이나 기상 관측소가 책임을 지고 담당하는 일정 구역.

기상기 명 〈방〉 기저귀.

기상 기호【氣象記號】 명 〖기상〗 기상을 표시하는 특정한 부호.

일기 기호		풍력 계급			
		풍력		풍속(매초:m)	기호
○	맑음	0	고요	0.0~0.2	◎
◑	갬	1	실바람	0.3~1.5	◎
◐	흐릿함	2	남실바람	1.6~3.3	5 knots
●	흐림	3	산들바람	3.4~5.4	10 knots
•	비	4	건들바람	5.5~7.9	15 knots
✳	눈	5	흔들바람	8.0~10.7	20 knots
	진눈깨비	6	된바람	10.8~13.8	25 knots
	싸라기	7	센바람	13.9~17.1	30 knots
▲	우박	8	큰바람	17.2~20.7	35 knots
	뇌우	9	큰센바람	20.8~24.4	45 knots
	풍진(風塵)	10	노대바람	24.5~28.4	50 knots
≡	안개	11	왕바람	28.5~32.6	60 knots
	눈보라	12	싹쓸바람	32.7 이상	70 knots
∞	연무				

한랭 전선	폐색 전선
온난 전선	정체 전선

〈기상 기호〉

기상 나팔【起床喇叭】 명 군대 등에서, 아침에 잠자리에서 일어나라고 부는 나팔.

기상-대【氣象臺】 명 ①지방 기상청 소속 하의 기상 관서(官署). 관할 구역 내의 기상 관측·기상 예보·기후 자료 통계·기상에 관한 증명 및 상담 업무를 맡아 봄. ＊고층 기상대·해양 기상대. ②↗중앙 기상대.

기상-도【氣象圖】 명 기상을 알리는 지도. 일기도(日氣圖)는 이의 하나.

기상 동:역학【氣象動力學】[—녁—] 명 유체(流體) 역학의 기초 방정식을 기초로 하여, 대기 중의 운동 일반을 논하는 기상학의 한 분과.

기상 레이더【氣象—】〔radar〕 명 〖기상〗 극초단파(極超短波)를 지향성(指向性) 안테나로 발사하고, 그 전파가 우운(雨雲)에 충돌하여 되돌아오는 반사파(反射波)를 수신하여, 태풍이나 큰비 따위의 전선(前線)의 기구(機構)나 이동 상황을 파악하는 장치. 현재 레이더 관측망의 정비로 뇌우(雷雨) 등 국지적(局地的)인 비는 물론, 태풍의 진도 예보 등에도 정밀도가 크게 향상되었음.

기상 로봇【氣象—】〔robot〕 명 기상 데이터를 자동적으로 측정·송신하는 장치. 고지나 벽지·극지·해양 등 관측 요원이 살기 어려운 곳에 둠. 강풍·저온 등 모진 조건에도 견디며, 장기간 보수·관리를 하지 않아도 기능 유지가 되어야 함.

기상 로켓【氣象—】〔rocket〕 명 〖기상〗 고층 기상(高層氣象)을 관측하기 위하여 온도·풍속·풍향·밀도·우주선·지자기(地磁氣) 등의 변화 상황을 지상(地上)에 보내는, 발신 장비를 갖춘 로켓.

기상 모델【氣象—】〔model〕 명 〖기상〗 고성능(高性能) 컴퓨터를 써서 대기의 여러 가지 운동을 모의 실험(模擬實驗)할 때, 기초가 되는 지구 대기의 이론적 모델. 이 모델에 대한 수치(數値) 실험은 지구 대기 개발 계획의 중요한 항목이 되어 있음. 3주간의 장기 예보를 수치 예보의 수법에 의하여 완성하는 것이 당면의 목표로 되어 있음.

기상 무선【氣象無線】 명 〖기상〗 ①기상 관측에 쓰이는 무선 통신. 무선기를 적재한 기구(氣球)를 띄워 상공의 기상을 관측하여 자동적으로 송신해 오는 라디오존데(Radiosonde), 구름의 분포 사진을 자동 송신하는 기상 위성, 레이더에 의하여 구름·비·태풍 따위를 관측하는 기상 레이더 따위. ＊에이 티 피(A.T.P.). ②일반적인 무선 통신과 같은 방식으로 관계 기관 서로가 행하는 기상 정보의 교환 및 일기 예보의 방송 따위의 이름.

기상 방:송【氣象放送】 명 기상(氣象) 상황에 대하여, 라디오·텔레비전에서 정시(定時)에 하는 일기 해설.

기상-병【氣象病】[—뼝] 명 기상의 변화와 밀접한 관계가 있다고 생각되는 병증상(病症狀)의 총칭. 신경통·류머티즘·기관지 천식 등.

기상 보:고【氣象報告】 명 기상 관서(官署)에서 기상에 관한 모든 사항에 대하여 하는 보고.

기상 사:무관【氣象事務官】 명 물리직(物理職) 국가 공무원 직급 명칭의 하나. 기상 직렬(職列)에 속하며, 기상 주사(主事)의 위, 기상 서기관(書記官)의 아래로 5급 공무원임.

기상 서기【氣象書記】 명 물리직(物理職) 국가 공무원 직급 명칭의 하나. 기상 직렬(職列)에 속하며, 기상 서기보(書記補)의 위 기상 주사보(主事補)의 아래로 8급 공무원임.

기상 서기관【氣象書記官】 명 물리직(物理職) 국가 공무원 직급 명칭의 하나. 기상 직렬(職列)에 속하며, 기상 사무관(事務官)의 위, 물리 부이사관(副理事官)의 아래로 4급 공무원임.

기상 서기보【氣象書記補】 명 물리직(物理職) 국가 공무원 직급 명칭의 하나. 기상 직렬(職列)에 속하며, 기상 서기(書記)의 아래로 9급 공무원임.

기상 신:호 표지【氣象信號標識】 명 〖기상〗 일기 예보·기상 주의보·기상 경보 등을 알리기 위한 신호 표지. 빛깔이나 모양으로 구별한 깃발·등불·종·사이렌 등이 쓰임. 예보 경보 표지.

기상 업무법【氣象業務法】[—뻡] 명 〖법〗 기상 업무에 관한 기본적 사항을 정하여 기상 업무의 건전한 발전을 기하도록 함으로써 재해의 예방, 교통 안전의 확보, 산업의 진흥 등 공공의 복리 증진에 이바지하는 동시에 기상 업무에 관한 국제적 협조의 증진을 도모함을 목적으로 제정된 법률.

기상 역학【氣象力學】[—녁—] 명 〖기상〗 기상 정역학(靜力學)·기상 열역학(熱力學)·기상 동역학 등을 기초로 하여 기상 현상을 설명하는 학문으로 이론적 기상학의 중심적 분야임.

기상 열역학【氣象熱力學】[—녈력—] 명 〖기상〗 대기(大氣) 중에 있어서의 기압(氣壓)·기온·밀도·습도(濕度) 등에 관한 열적(熱的) 상태 및 그 변화를 열역학의 제1, 제2 법칙에 의하여 논하는 기상학의 한 분과.

기상 영복 도:량【祈祥迎福道場】 명 〖불교〗 고려 시대에, 왕의 생일에 왕의 복을 비는 법회.

기상 예:보【氣象豫報】 명 기상 개황이나 각 지방의 일기·폭풍 경보·해상 기상 예보 등을 매일 신문·방송을 통해서 일반에게 알림. 또, 그 보도.

기상 요소【氣象要素】[—뇨—] 명 〖기상〗 기후 요소(氣候要素).

기상 위성【氣象衛星】 명 〔meteorological satellite〕 〖기상〗 지구상의 기상 상태를 관측하기 위한 인공 위성. 장기 예보·태풍의 진로 등을 아는 데 큰 역할을 함. 미국의 타이로스(TIROS) 위성·님버스(Nimbus) 위성·에사(ESSA) 위성 등이 이에 속함.

기상 음향학【氣象音響學】 명 〖기상〗 뇌명(雷鳴)이나 바람 소리 따위의 기상적 원인으로 발생하는 소리, 곧 음파(音波)의 기상학적 법칙 등 대기(大氣) 속의 음향 현상을 다루는 물리 기상학의 한 분야.

기상 자료【氣象資料】 명 대기에 관한 실측(實測) 자료. 특히 바람·온도·공기 밀도에 관한 자료.

기상 재해【氣象災害】 명 풍해·홍수·눈사태·가뭄·벼락 등 기상으로 인하여 일어나는 재해. 자연 재해의 거의 대부분을 차지함.

기상 전:기【氣象電氣】 명 〖기상〗 대기(大氣) 속에 존재하는 전기장(電氣場)·전위 경도(電位傾度)·이온(ion)·대기 중을 흐르는 전류(電流) 등 대기 중에서 일어나는 여러 가지 전기 현상의 총칭. 대기 전기.

기상 전:기학【氣象電氣學】 명 〖기상〗 기상 전기 가운데 특히 기상과 관계가 깊은 현상을 연구하는 기상학의 한 분과. 대기 전기학.

기상 전:보【氣象電報】 명 전국 각지의 관측소가 매일 기상 관측의 데이터를 중앙 기상대로 보고하던 전보. 이것을 기초로 일기도(日氣圖)등이 만들어졌음. ＊기상 국보.

기상 정보【氣象情報】 명 〖기상〗 태풍이나 발달한 저기압 또는 큰눈·큰비·저온(低溫) 등의 기상 주의보나 기상 경보 등을 알리고, 이에 따르는 기상 현상과 실황(實況)의 해설.

기상 정찰【氣象偵察】 명 〖기상〗 특정 지역의 기상학적·수리학적(水理

學的)·지리학적 성질에 관한 자료를 입수하기 위하여 하는 조사.

기상 제:어【氣象制御】명〔weather modification〕〖기상〗기상이나 기후를 인공적으로 변화시켜서 재해를 경감하거나 또는 기상을 이용하려고 하는 일. 인공 강우(降雨)·인공 강설(降雪), 태풍이 해상에 있는 동안에 이를 소멸시키려는 일 따위. 기상 조절.

기상-조【氣象潮】명〖지〗기온·바람·기압 등의 변화, 곧 기상적인 원인으로 말미암은 해면의 오르내림. 규칙적인 것과 불규칙적인 것이 있는데 규칙적인 것은 하루·반년·1년의 주기를 가지며, 1년을 주기로 하는 것이 가장 조차(潮差)가 큼. 태풍 때의 고조(高潮)는 불규칙한 기상조의 하나임. ↔천체조(天體潮).

기상 조절【氣象調節】명〖기상〗기상 제어.

기상 주사【氣象主事】명 물리직(物理職) 국가 공무원 직급 명칭의 하나. 기상 직렬(職列)에 속하며, 기상 주사보(主事補)의 위, 기상 사무관(事務官)의 아래로 6급 공무원임.

기상 주사보【氣象主事補】명 물리직(物理職) 국가 공무원 직급 명칭의 하나. 기상 직렬(職列)에 속하며, 기상 서기(書記)의 위, 기상 주사(主事)의 아래로 7급 공무원임.

기상 주:의보【氣象注意報】[—/—이—] 명〖기상〗풍우·강풍·대우(大雨)·이상 건조(異常乾燥) 등의 기상 현상에 의하여 다소의 피해가 있으리라고 예상될 때, 공지(公知)시키기 위하여 발하는 예보(豫報).

기상 증명【氣象證明】명〖기상〗기상 관서에서 관공서(官公署)나 일반의 의뢰에 응해서 관측 기록(觀測記錄)·예보(豫報)·경보(警報) 등의 기록에 의하여 과거의 기상에 관하여 증명하여 주는 일.

기상 천외【奇想天外】명〔↗기상낙천외(奇想落天外)〕보통으로는 생각할 수 없는 기발한 일. 또, 그런 모양.

기상-청【氣象廳】명 과학 기술부 장관에 속하여, 기상에 관한 사무를 관장하는 중앙 행정 기관. 지방 하부 조직으로 부산·광주·대전·강릉에 지방 기상청을 둠. 1990년 중앙 기상대에서 승격함.

기상 측기【氣象測器】명〖기상〗기상·지상(地象)·수상(水象)을 관측하는 기계·기구 및 장치. 특수 목적 이외의 기상 측기는 기상청의 검정을 받아야 함.

기상 크로마토그래피【氣相—】〔chromatography〕명〖화〗가스 크로마토그래피.

기상 통보【氣象通報】명 기상 관서(官署)가 일반 또는 특정 기관이나 단체에게 기상에 관한 각종 정보나 예보를 알리는 일. 간단한 일기도(日氣圖)를 만들 수 있도록 신문이나 라디오로 알림. 또, 그 보도. ¶어업~.

기상 통신【氣象通信】명 시시 각각으로 변화하는 자연 현상을 상대로 하는 기상 업무에 관하여, 각 기상 관서(官署) 및 외국의 기상 관서와 연락을 취하는 일.

기상 통지 전:보【氣象通知電報】명 기상 관서(官署)가 기상 주의보나 기상 경보를 발할 때마다 가까운 전신국이나 우체국에 통지하면, 그 곳에 요금을 미리 내놓고 신청한 사람에게 그 경보나 주의보(注意報)를 알려 주는 전보.

기상 특보【氣象特報】명 기상에 급격한 변화가 예상될 때나, 폭풍우 같은 것이 접근할 때, 기상청에서 보도하는 특별한 예보.

기상-학【氣象學】명〔meteorology〕행성의 대기 중의 기상 현상을 연구하는 학문의 총칭. 종래에는 지구의 대기만이 연구 대상이었으나 현재는 화성(火星)이나 금성(金星) 따위의 대기도 연구 대상이 되고 있음. 천기학(天氣學).

기상학-과【氣象學科】명〖교〗대학에서, 기상학을 전공하는 학과. *천문학과(天文學科).

기:색¹【枳塞】명 사정으로 인하여 벼슬 길에 나가지 못함. ——-하다 자 여불

기색²【起色】명 어떤 일이 일어날 동정(動靜).

기색³【氣色】명 ①희로 애락(喜怒哀樂)의 감정의 작용으로 얼굴에 나타나는 기분과 얼굴 색. 기상(氣相). ¶노한 ~/당황한 ~이 보이다. ②〖한의〗얼굴에 나타난 감정의 변화.

기색을 살피다 구 기분이나 안색을 살펴보다.

기색⁴【氣塞】명〖한의〗정신 작용의 과격(過激)으로 기운이 막히는 병. 중기(中氣). ——-하다 자 여불

기색⁵【基色】명 분해할 수 없으며 모든 색의 기본이 되는 색. 빛에서는 홍(紅)·녹(綠)·청자(青紫), 색료(色料)에서는 황(黃)·적자(赤紫)·청록(青綠), 일반적으로는 홍·황·청의 세 가지 빛깔. 원색(原色). *삼원색(三原色).

기색⁶【饑色·飢色】명 굶주려서 배고픈 기가 있는 얼굴 빛.

기색 혼절【氣塞昏絕】명 숨이 막혀 까무러침. ——-하다 자 여불

기:생¹【妓生】명 ①잔치나 술자리에서 노래나 춤 또는 풍류를 가지고 흥을 돋는 것을 업으로 삼는 계집. 기녀(妓女). 예기(藝妓). ②울긋불긋하여 아름다운 것을 비유하는 말. ¶~나비.

【기생 자리 저고리】기생의 잠옷은 기름때가 묻고 분 냄새가 나서 더러우니, 외모가 단정치 못하고 말씨가 간사스러운 사람을 조롱하는 말.

【기생 죽은 넋】㉠다 낡아 못 쓰게 되었어도 아직 볼품은 있다는 말. ㉡게을러빠지고 모양만 내는 사람을 놀리는 말.

기생²【寄生】명 ①〔parasitism〕〖생〗어떤 생물이 다른 생물의 체표(體表)나 체내(體內)에 부착하여 영양을 섭취하며 생활하는 일. 기생하는 정도에 따라 반기생(半寄生)과 전기생(全寄生), 기주(寄主)의 부착 부분에 따라 외부(外部) 기생과 내부(內部) 기생으로 구분함. *기생충·기생 식물. ②자기 스스로의 힘으로 생활을 못 하고 다른 사람의 힘을 빌려 생활하는 일. 우생(寓生). ——-하다 자 여불

기생 갑각류【寄生甲殼類】[—뉴] 명〖동〗다른 동물에 기생하여 양분을 섭취하는 갑각류의 총칭.

기생 거:세【寄生去勢】명〖생〗어떤 종류의 동물이 그것에 기생하는 다른 동물로 인하여 성소(性巢)가 파괴되어 2차 성징(性徵) 또는 생식 능력이 퇴화하거나 없어지는 현상.

기생 계급【寄生階級】명 사회의 보호가 없이는 살기 어렵거나, 살아갈 수 없는 계급. 범죄 상습자(犯罪常習者)·불구 폐질자(不具廢疾者) 등.

기생-근【寄生根】명〖식〗다른 식물체내(植物體內)에 침입하여 그 양분을 섭취하는 기생(寄生) 식물의 뿌리. 겨우살이·새삼의 뿌리 등. 기생뿌리. 더부살이뿌리.

〈기생근〉

기:생-나비【妓生—】명〖충〗[*Leptidea amurensis*] 흰나비과에 속하는 곤충. 편 날개의 길이 42-56 mm 내외. 암컷은 수컷에 비하여 날개 끝에 회색 무늬가 연(連)하고 암회색의 줄무늬가 많음. 춘형(春形)의 뒷날개 뒷면에는 암회색 인분(鱗粉)이 많고 하형(夏形)에는 적음. 한국·만주·아무르·중국·일본·시베리아·유럽 등지에 분포함.

〈기생나비〉

기:생 도가【妓生都家】명 잔칫집이나 요정 등에서 부르면 가려고 기생들이 모여 있는 집.

기생 동:물【寄生動物】명〖동〗다른 동물체에 일정 기간 또는 종생(終生)토록 기생하여, 그 동물에서 양분을 흡수하여 사는 동물. *기생충.

기생-류【寄生類】[—뉴] 명〖동〗[Parasitica] 요각류(撓脚類)를 분류한 아목(亞目)의 하나. 바다에서 나는 물고기의 입·조름·피부 등에 기생하는 데, 그 체제에 있어서 변화가 심함. 유충은 독립 생활을 함. 관구류(管口類). *새미류(鰓尾類).

기:생-매미【妓生—】명〖충〗애매미.

기생-목【寄生木】명〖식〗겨우살이²❶.

기생-물【寄生物】명 ↗기생 생물.

기:생-방【妓生房】명〖역〗기생의 집. 고려 때부터 기생이 교방(教坊)에 딸렸고, 뒤에는 약방(藥房)과 상방(尙房)에 딸렸으므로 방의 이름이 붙게 되었음. ㊀기방(妓房).

기생-벌【寄生—】명〖충〗유충(幼蟲)이 다른 곤충에 기생하는 벌의 총칭. 맵시벌과(科)·말총벌과·배벌과·말벌과 등이 이에 속함. 기생봉. 더부살이벌.

기생-봉【寄生蜂】명〖충〗기생벌.

기생-뿌리【寄生—】명〖식〗기생근(寄生根).

기생 생물【寄生生物】명 기생 생활을 하는 생물. 기생 식물과 기생 동물의 총칭. ㊀기생물.

기생성 복행진【寄生性匐行疹】[—썽—] 명〖의〗백선균(白癬菌)에 의하여 일어나는 전염성 피부병의 총칭. 피부가 벗겨져 떨어짐.

기생 식물¹【氣生植物】명〖식〗나무나 바위에 붙어서 대기(大氣) 중으로부터 양분을 흡수하여 생활하는 식물의 총칭. 기근(氣根)에는 저수(貯水) 장치가 있고 더러 엽록소(葉綠素)를 포함하는 것도 있음. 기생(寄生) 식물과 다른 점은 양분을 그 식물체로부터 섭취하지 아니함. 습한 곳에 많이 나는데, 석곡(石斛)·풍란(風蘭) 등 난초과 식물, 양치류(羊齒類)·지의류(地衣類) 등에 많음. 공기(空氣) 식물. 수상(樹上) 식물. 착생(着生) 식물.

기생 식물²【寄生植物】명〖식〗다른 생물체에서 기생 생활을 하는 식물의 총칭. 박테리아 및 세균(細菌)·균류(菌類)와 같이 산 동식물 기주(寄主)에 기생하는 활물(活物) 기생 식물, 고초균(枯草菌)·세균의 일부와 같이 시체 그 밖의 부패물·유기물(有機物)에 기생하는 사물(死物) 기생 식물이 있음. 또 엽록소(葉綠素)를 갖지 않아 전혀 광합성(光合成)을 하지 못하고 다른 생물체에 기생하여 그로부터 양분을 섭취하는 전(全)기생 식물, '겨우살이'처럼 엽록소가 있으면서 만 나무에 붙어 기주(寄主)로부터 수분(水分)·영양 염류(榮養塩類) 등을 섭취하면서 광합성을 하는 반(半)기생 식물로도 구분함.

〈기생 식물²〉

기:생-여뀌【妓生—】명〖식〗[*Persicaria viscosa*] 마디풀과에 속하는 일년초. 전체에 긴 털 및 선모(腺毛)가 났으며 방향성(芳香性)임. 줄기 높이는 1.5m 가량이고 더러는 홍색을 띰. 잎은 호생하고 잎꼭지가 있으며, 초상 탁엽(鞘狀托葉)은 원통상임. 6-9월에 홍색 꽃이 수상(穗狀) 화서로 가지 끝에 정생(頂生)하며, 과실은 수과(瘦果)임. 들에나 못가에 나는데, 거의 한국 각지에 분포함. 향료(香料)로 씀.

〈기생여뀌〉

기:생 오라비【妓生—】명 ①기생의 오빠나 동생. ②화려하게 차려 입거나 몸시 모양을 내고 다니는 남자. 기생 오빠.

기:생 오라비 같다 구 빤들빤들하게 모양을 내고 다니는 남자를 천대하여 이르는 말.

기:생-왕거미【妓生王—】명〖동〗[*Araneus cornutus*] 호랑거밋과에 속하는 절지 동물. 몸길이는 암컷이 8-13 mm, 수컷이 5-9 mm 내외임. 다리의 상면은 갈색이고 하면은 담황색이며 각 절의 말단에는 농갈색의 고리 무늬가 있음. 복부는 황갈색 또는 회황색이고, 중앙에는 농갈색의 엽상반(葉狀斑)이 있음. 평야·산지에 서식하는데, 한국·일본·만주·중국 등지에 분포함.

기생-음【寄生音】명〔parasiting sound〕〖언〗한 단어나 어떤 음소군(音素群)의 내부에 조음(調音)상의 편의를 위하여 우발적으로 생긴 음.

기생-인【起生因】명〖철〗동력인(動力因).

기생-자【寄生者】명 제 스스로 살지 못하고 다른 생물로부터 양분을 섭취하고 사는 생물. 세균은 가장 보편적인 기생자임.

기:생-잠자리【妓生—】명〖충〗실잠자리.

기:생 재:상【妓生宰相】명〈속〉기생으로서 정삼품(正三品)이 된 사람을 꼬집어 이르는 말.

기생 진:동【寄生振動】[명]〖전〗진공관(眞空管)을 사용한 전기 회로에 있어서, 목적의 증폭이나 발진 주파수(發振周波數)와는 전혀 무관계한 주파수로 발생하는 진동. 「또, 그런 술집. 청루(青樓).

기:생-집【妓生―】[―찝][명] ①기생이 사는 집. ②기생이 있는 유흥장.

기:생-첩【妓生妾】[명] 기생 출신의 첩.

기생체 색전증【寄生體塞栓症】[―쯩][명]〖의〗기생체가 숙주(宿主)의 체내에 침입한 후, 혈행(血行)을 이용하여 기생 부위로 도달하는 도중에 정착하여 일어나는 색전증. *세균 색전증·가스 색전증.

기:생-초【妓生草】[명]〖식〗[*Coreopsis tinctoria*] 국화과에 속하는 일년 또는 이년초. 높이 33-100cm이고 줄기가 여러 갈래임. 잎은 가늘게 이회 우상 분열(二回羽狀分裂)하여 대생함. 6월에 선황색에 적갈색 무늬가 있는 두화(頭花)가 가는 꽃줄기 끝에 피고, 설상화(舌狀花)는 7-8개로 아름다움. 북아메리카 원산(原産)으로 정원에 심는 관상초임.

〈기생초〉

기생-충【寄生蟲】[명] ①〖동〗다른 생물에 일정 기간 또는 종생(終生)토록 기생하며, 그로부터 영양분을 섭취하고 사는 동물의 총칭. 인체(人體)에 기생하는 것으로는 이·벼룩 같이 피부에 기생하는 외부 기생충과, 회충·십이지장충·촌충 같이 소화기(消化器)·혈관 등의 기관(器官)에 기생하는 내부 기생충이 있으며, 선충류(線蟲類)·흡충류(吸蟲類)·촌충류(寸蟲類) 등 하등(下等) 동물에 많음. *기생 동물. ②남에게 의지하여 살아가는 사람을 욕으로 일컫는 말. ¶사회의 ~.

기생충-병【寄生蟲病】[―뼝][명] 회충·십이지장충 등 기생충의 기생으로 생기는 병. 기생충증(症).

기생충성 빈혈【寄生蟲性貧血】[―썽―][명]〖의〗장내(腸內) 기생충, 곧 십이지장충(十二指腸蟲)·촌충, 소아(小兒)에서는 회충·요충으로 인하여, 만성(慢性)의 출혈(出血) 또는 충체(蟲體)로부터의 중독성(中毒性) 물질의 생성(生成)으로 일어나는 빈혈.

기생충-적【寄生蟲的】[명][관] 아무 일도 하지 아니하고 남에게 덧붙어 사는 기생충과 같은 모양. ¶~ 존재.

기생충-증【寄生蟲症】[―쯩][명] 기생충병.

기생충-학【寄生蟲學】[명] [parasitology]〖생〗기생충에 관하여 연구하는 생물학의 한 분야. 「되는 상태.

기생충혈-증【寄生蟲血症】[―쯩][명]〖의〗혈액 속에서 기생충이 검출

기:생-타:령【妓生打令】[명]〖민〗구한말 개화 이후에 생긴 서울 지방의 잡가. 사설을 빠른 박자로 부른 소리 곡조임.

기:생 퇴:물【妓生退物】[명] 전에 기생 노릇을 하였으나 현재는 기생이 아닌 계집. [준]기물(妓物).

기생-파리【寄生―】[명]〖충〗유충(幼蟲)이 다른 곤충의 체내 또는 소내(巢內)에 기생하고, 그 숙주(宿主)로부터 영양을 흡수하는 파리의 총칭. 검정머리기생파리·왕기생파리 따위. 해충의 천적(天敵)이 되는 것도 많음.

기생파릿-과【寄生―科】[명]〖충〗[Tachinidae] 파리목(目)에 속하는 한 과. 음침한 흑색·갈색에 엷은 반문(斑紋)이 있으며, 털이나 극모(棘毛)가 있음. 거의 모든 곤충에 기생(寄生)하며, 전세계에 5,000여종이 분포함.

기생 화:구【寄生火口】[명]〖지〗측화구(側火口).

기생 화:산【寄生火山】[명]〖지〗한 화산의 중턱이나 기슭에 새로 분화(噴火)하여 생긴 화산. 측화산(側火山).

기서¹【奇書】[명] 기이한 내용의 책.

기서²【奇瑞】[명] 기이한 서조(瑞兆).

기서³【祈誓】[명] 기원(祈願)하여 맹세함. ――하다 [타][여불]

기서⁴【氣序】[명] 절기(節氣)의 바뀌는 순서.

기서⁵【起誓】[명] 맹세를 함. ――하다 [타][여불]

기서⁶【寄書】[명] ①편지를 부침. 또, 그 편지. ②기고(寄稿). ――하다 [타][여불]

기서-가【寄書家】[명] 기고가(寄稿家).

기서-란【寄書欄】[명] 투고란(投稿欄).

기서 유역【氣序流易】[명] 계절의 차례가 흘러 바뀜. *세서 천역(歲序遷易).

기서-인【寄書人】[명] 기서자(寄書者).

기서-자【寄書者】[명] 편지를 부친 사람. 기서인(寄書人).

기석¹【奇石】[명] 기묘하게 생긴 돌.

기석²【碁石·棋石】[명] 바둑돌❶.

기석-금【碁石金】[명] 바둑돌 모양으로 만든 금. 원시적 화폐의 하나.

기선¹【汽船】[명] ①증기력(蒸氣力)으로 추진시켜 운행하는 배의 총칭. 윤선(輪船)·증기선(蒸氣船)·화륜선(火輪船) 등. ②추진 기관(推進機關)으로서 내연(內燃) 기관 또는 전동(電動) 기관 등 기계력에 의하여 추진하는 배의 총칭. 즉, 증기(蒸氣)의 사용 여부에 관계 없이 기계력에 의하여 운항되는 모든 대형 선박. 증기선.

기선²【岐線】[명] 분기선(分岐線).

기선³【基線】[명] ①〖지·수〗삼각 측량을 할 때 삼각형의 변(邊)의 길이를 산출하는 데 기준(基準)이 되는 지상(地上)의 일직선. 기준선(基準線). ②〖수〗투영 화법(投影畫法)에 있어서, 직립(直立) 투영면·수평 투영면과의 교선을 나타내기 위하여 화면 중앙에 그어지는 직선. ③간선(幹線). ④〖법〗영해(領海)의 폭(幅)을 측량할 때 기준이 되는 선. 일반적으로, 연안국(沿岸國)의 공인(公認)된 대축척 해도(大縮尺海圖)에 기재되어 있는 연안의 저조선(低潮線)을 말함.

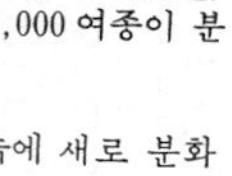
〈기선³❶〉

기-선⁴【琦善】[명]〖사람〗중국 청(淸)나라의 정치가. 만주(滿洲) 출신으로 1840년 임칙서(林則徐)에 이어 흠차 대신(欽差大臣)이 됨. 아편 전쟁 해결에 노력하였으며, 엘리엇(Elliot)과의 가조약(假條約)으로 파면 유죄(流罪)되었다가 뒤에 복직하여 태평 천국(太平天國) 토벌 중에 전사함. [?-1854]

기선⁵【機先】[명] ①어떤 일이 바야흐로 일어나기 직전. ②남보다 먼저 약삭빠르게 일을 처리함. 선손을 씀. 이니셔티브(initiative). ¶~을 제(制)하다. ――하다 [자][여불]

기선⁶【機船】[명] ↗발동기선.

기선-군【騎船軍】[명]〖역〗여말 선초(麗末鮮初)의 수군(水軍)의 일컬음. 선군(船軍). *병선군(兵船軍).

기선 시대【汽船時代】[명] 범선(帆船) 시대의 다음으로 증기선(蒸氣船)을 수상 교통의 주요 수단으로 하던 시대. 1807년 풀턴(Fulton, R.)이 기선을 발명한 후로부터 내연(內燃) 기관 등에 의하여 추진되는 선박이 운항되기까지의 시대.

기선 우체국【汽船郵遞局】[명] 항해(航海)하고 있는 기선 안에 있는 우체국. 우체국원을 배에 태워, 배 닿는 곳의 우체국과의 연락 또는 선원이나 선객의 우편물 취급 등 우편에 관한 모든 사무를 맡아 봄.

기선 측량【基線測量】[―냥][명] 삼각 측량에 있어서 기본적인 방법. 기준이 되는 선분(線分)을 정하고 그 길이와 방위각(方位角)을 정확히 측정하여 이것을 모든 측량이나 계산의 기초로 함.

기선 회:사【汽船會社】[명] 상선 회사(商船會社).

기설¹[명]〈방〉산기슭(경북).

기설²【奇說】[명] 기묘한 설.

기설³【既設】[명] 이미 설립해 놓음. 이미 설치함. ↔미설(未設). ――하다 [자][여불]

기설-제【祈雪祭】[―쩨][명]〖역〗납평(臘平) 이전에 눈이 오지 아니할 때에 눈이 오기를 빌던 나라의 제사. 고려 때부터 행하여 오던 의식으로, 소사(小祀)에 속하는 길례(吉禮)임.

기성¹【奇聲】[명] 기묘한 소리. ¶~을 지르다.

기성²【記性】[명] 기억을 잘하는 재주.

기성³【氣成】[명]〖지〗①마그마에서 방산(放散)된 고온 기체(高溫氣體)를 중개로, 암석 등이 형성되는 일. ②응결·풍화 및 화산의 증기(蒸氣) 등으로 생성된 물질이 퇴적하여, 암석·광물·퇴적물을 만드는 일. 눈도 포함됨.

기성⁴【氣性】[명] 기질(氣質)❶.

기성⁵【氣盛】[명] 기력이 왕성함. ――하다 [형][여불]

기성⁶【既成】[명] ①신주(神主)를 만듦. ②벌써 이루어짐. 이미 어떤 지위·자격을 형성함. 이성(已成). ¶~ 작가/~ 세대(世代). ③이미 만들어져 있음. ¶~품. 2)·3):↔미성(未成). ――하다 [타][여불]

기성⁷【期成】[명] 어떠한 일을 꼭 기약하여 이룸. ――하다 [타][여불]

기성⁸【棋聖·碁聖】[명] 바둑이나 장기의 뛰어난 명수.

기성⁹【箕星】[명]〖천〗이십팔 수(二十八宿)의 일곱째 별. 하지절(夏至節)의 중성(中星). [준]기(箕).

기성¹⁰【箕城】[명]〖지〗'평양(平壤)'의 고칭.

기성¹¹【騎省】[명]〖역〗병조¹(兵曹)❷.

기성 관념【既成觀念】[명] 이미 이루어진 생각.

기성 광:물【氣成鑛物】[명]〖광〗기성 작용에 의하여 생성된 광물.

기성 광:상【氣成鑛床】[명]〖광〗기성 작용에 의하여 생긴 광상. 마그마가 고결(固結)하여 암석이 될 때, 암석 속에 섞이지 않고 남은 고온(高溫)의 휘발성 성분이 부근의 암석과 화학 반응을 일으켜 이루어진 광상. 전기석(電氣石)·형석(螢石)·홍운모(紅雲母) 따위가 산출됨.

기성-기¹【氣成期】[명] 마그마가 대부분 고결(固結)하였을 때 방출되는 고온(高溫)의 가스에 의하여, 기성 작용(氣成作用)이 행해지는 시기. 열기기(熱氣期).

기성-기²【箕星旗】[명]〖역〗의장기(儀仗旗)의 한 가지.

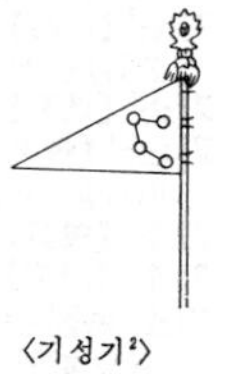
〈기성기²〉

기성 도:덕【既成道德】[명] [positive morals] 현실적으로 사회 일반에 통용(通用)되고 있는 도덕적 판단이나 관습(慣習).

기성 동맹【期成同盟】[명] 어떤 일을 꼭 이루기 위하여 뜻이 같은 사람들이 조직한 동맹.

기-성명【記姓名】[명] ①성과 이름을 적음. ②겨우 이름 글자만 적을 수 있다는 뜻으로, 학식이 없음을 가리키는 말. ――하다 [자][여불]

기성 문단【既成文壇】[명] 이미 형성되어 있는 문인(文人)의 사회.

기성 변:성 작용【氣成變成作用】[명] [pneumatolytic metamorphism]〖지〗마그마성 가스의 화학 작용에 의한 접촉 변성 작용.

기성 별곡【箕城別曲】[명]〖문〗조선 중기(中期)의 국한문 혼용체의 가사. 고도(古都) 평양을 중심으로 역사적 인물·경승을 노래함. 지은이는 이제까지 백광훈(白光勳)으로 알려져 왔으나, 최근 선조 때의 학자 백광홍(白光弘)이라는 설이 있음. *관서 별곡(關西別曲).

기성-복【既成服】[명] 주문 받지 아니하고 미리 지어 파는 의복. 레디 투 웨어(ready-to-wear).

기성 사:실【既成事實】[명] 이미 이루어진 사실.

기성 세:대【既成世代】[명] ①현재 사회에서 활동하고 있는 세대. ②나이를 먹은 세대.

기성 세:력【既成勢力】[명] 이미 이루어진 권세와 힘. ↔신진 세력.

기성 쇄:설물【氣成碎屑物】[명] 대기(大氣)에 의한 풍화 작용으로 그 자리에서 파쇄(破碎)된 암편(岩片).

기성 쇄:설암【氣成碎屑岩】[명]〖광〗재배열(再配列)하지 않고 재결합(再結合)한 기성 쇄설물로 된 암석.

기:성 안:혼【技成眼昏】[명] 재주를 익혔더니 눈이 어두워졌다는 뜻으로, 좋은 것이 소용이 없게 되었음을 가리키는 말.

기성-암¹【氣成岩】[명]〖지〗풍성암(風成岩).

기성-암²【基性岩】[명]〖광〗염기성암(塩基性岩).

기성 원인【期成原因】[명] 특정의 결과가 반드시 나타나게 되는 원인.

기성 작가【既成作家】[명] 이미 문단에서 작가로 이름난 사람. ↔신진 작가(新進作家).

기성 작용【氣成作用】[명] [pneumatolysis]〖광〗마그마가 고결(固結)한

다음, 각종 중금속(重金屬)의 할로겐 화합물(Halogen化合物)을 포함하는 고온(高溫)의 기체상 물질(氣體狀物質)이 암석과 반응하여 광상(鑛床)을 만드는 작용.

기성 정당【旣成政黨】명 〖정〗 신흥(新興)의 정당에 대하여 재래의 정당.

기성 조건【旣成條件】[-껀] 명 〖법〗 가장(假裝) 조건의 하나. 그 성부(成否)가 법률 행위 당시에, 이미 확정되어 있는 조건. 이를테면 어제 집의 닭이 알을 낳았다면 1000원을 주겠다는 따위 조건. 조건이 이미 성취된 경우, 그것이 정지(停止)조건이라면 무조건이 되고 해제(解除)조건이라면 무효가 됨. 기정 조건(旣定條件).

기성 종교【旣成宗敎】명 이미 성립되어 존재하는 종교. ↔신흥 종교.

기성-품【旣成品】명 이미 만들어진 물건. 또, 미리 만들어 놓고 파는 물건. 기제품(旣製品). ↔미성품(未成品)·주문품(注文品).

기성-화【旣成靴】명 미리 지어 놓고 파는 양화.

기성-회【期成會】명 어떤 일을 이루고자 뜻을 같이하는 사람들이 조직한 모임. ¶ ~비.

기세[1]【氣勢】명 ①의기가 장한 형세. 남이 보기에 두려워할 만한 힘. 세염(勢焰). ¶ ~가 등등하다. ②형세❷. ③〖경〗 증권 용어로, 실제 거래는 없으면서 값만 형성되는 일.
기세(를) 부리다 구 남에게 대하여 자기의 기세를 드러내서 쓰다.
기세(를) 피우다 구 기세(를) 부리다.

기세[2]【幾歲】명 몇 해.

기세[3]【棄世】명 ①세상을 버림. 윗사람의 죽음에 대하여 씀. 별세(別世). 하세(下世). ②세상을 멀리하여 초탈함. ——-하다 자여불

기세[4]【碁勢·棋勢】명 바둑·장기에서, 어떠한 국면의 형세.

기세[5]【欺世】명 세상을 속임. ——-하다 자여불

기세[6]【饑歲】명 흉년(凶年).

기-세간【器世間】명 〖불교〗 사람이 사는 세상. 기세계(器世界).

기-세계【器世界】명 〖불교〗 기세간(器世間).

기세 도명【欺世盜名】명 세상 사람을 속이고 허명(虛名)을 드러냄. ——-하다 자여불

기-세배【旗歲拜】명 〖민〗 전라도 지방에서, 음력 정월 보름날에 행하던 놀음놀이의 하나. 각 부락의 농기(農旗)를 선두로 농악대가 일정한 장소에 모여, 농기가 만들어진 연차(年次)의 차례로 형제(兄弟)의 차서(次序)를 매기고, 아우 부락이 형 부락의 농기에 대하여 세배를 드린 다음, 농악을 연주하고 술과 음식으로 하루를 즐김. 농기 세배. 농기맞이. ——-하다 형여불

기세 양:난【其勢兩難】명 이리할 수도 없고 저리할 수도 없음. ——-하다 형여불

기세-요【饑歲謠】명 〖문〗 고산(孤山) 윤선도(尹善道)가 지은 《산중신곡(山中新曲)》의 하나로, 단형 시조(單形時調). 흉년이 들어 환자(還子)를 타먹는 백성들을 비호한 내용.

기:세 은둔【棄世隱遁】명 세상을 멀리하고 숨어 지냄. ——-하다 자여불

기:소[1]【耆所】명 〖역〗 기로소(耆老所).

기:소[2]【起訴】명 ①소송(訴訟)을 일으킴. 기송(起訟). ②〖법〗 검사가 공소(公訴)를 제기함. ¶ 살인 혐의로 ~하다. ——-하다 타여불

기소[3]【欺笑】명 깔보고 웃음. 업신여기어 비웃음. ——-하다 타여불

기:소[4]【嗜素】명 식물(食物)에 향료(香料)를 넣어, 입 안을 자극해서 분비(分泌)를 촉진시키고, 장(腸)의 운동을 돕는 식료(食料).

기소[5]【機素】명 〖기〗 기계의 요소.

기소[6]【譏笑】명 비방하여 웃음. ——-하다 타여불

기소 독점주의【起訴獨占主義】[-/-이] 명 〖법〗 공소권(公訴權)을 검사(檢事)에게만 인정하는 주의.

기소 명:령【起訴命令】[-녕] 명 〖법〗 본안 소송(本案訴訟)의 계속(係屬) 전에 가압류(假押留)나 가처분(假處分)의 명령이 발부되었을 경우, 명령을 발한 법원이 채무자의 신청에 의하여 채권자에게 기간을 정하여 본안 소송의 제기(提起)를 명하는 결정. 제소 명령(提訴命令).

기소 배:심【起訴陪審】명 〖법〗 대배심(大陪審).

기소 법정주의【起訴法定主義】[-/-이] 명 〖법〗 형사 소송법상 공소(公訴) 여부에 대하여 검사의 재량(裁量)을 인정하지 아니하고 범죄의 객관적 혐의가 있고 또 소송 조건이 구비되었을 때는 반드시 기소해야 하는 의무를 지닌 주의.

기소 유예【起訴猶豫】명 〖법〗 범인의 성격·연령·환경·범죄의 경중(輕重)·정상(情狀) 및 범죄 후의 정황(情況)에 따라 소추(訴追)를 필요로 하지 아니할 때, 검사가 공소를 제기하지 아니하는 일. ——-하다 타여불

기소-장【起訴狀】[-짱] 명 〖법〗 공소장(公訴狀).

기소 편의주의【起訴便宜主義】[-/-이-/-이] 명 〖법〗 형사 소송법상 공소 제기에 대하여 검사의 재량을 허락하고 불기소를 인정하는 제도.

기속[1]【羈束】명 ①얽어 매어 묶음. ②강제적으로 속박하여 자유를 박탈함. ——-하다 타여불

기속[2]【羈屬】명 어떤 것에 얽매임. ——-하다 자여불

기속-력【羈束力】[-녁] 명 〖법〗 재판은 재판을 한 법원이 스스로 취소할 수 없고, 그 존재·내용을 존중하여야 한다는 구속력.

기속 재량【羈束裁量】명 〖법〗 법에 기속된 행정 관청의 재량. 곧, 법규(法規) 재량. ↔편의(便宜) 재량. *자유 재량.

기속 처:분【羈束處分】명 〖법〗 법규를 집행하는 데 있어서, 행정청의 재량을 참작하지 아니하고, 법규에 정하여 있는 바를 그대로 구체화하는 처분. ↔재량(裁量) 처분.

기솔【騎率】명 말을 타고 종자(從者)를 거느림. ——-하다 타여불

기송[1]【起送】명 ①사람을 보냄. ②〖역〗 죄인을 호송(護送)함. ——-하다 타여불

기송[2]【起訟】명 〖법〗 기소(起訴)❶. ——-하다 타여불

기송[3]【記誦】명 ①기억하여 외움. ②외우고 읽을 뿐으로, 이해·실천하지 아니하려는 일. 또, 실제와 먼 학문. ——-하다 타여불

기송[4]【寄送】명 물건을 부쳐 보냄. ——-하다 타여불

기송-관【氣送管】명 에어 슈터(air shooter).

기송-사【譏訟司】명 〖역〗 통리 기무 아문(統理機務衙門)의 예속 기관인 12사(司) 중의 하나. 사법·소송에 관한 일을 관장하였음.

기쇠【氣衰】명 ①〖한의〗 기(氣)가 허약함. ②기운이 줄어서 쇠약해짐. ——-하다 형자여불

기수[1] 명 〈궁중〉 이불. 임금 및 그 직계에 씀.
기수(를) 배설(排設)하다 구 〈궁중〉 이부자리를 깔다.

기수[2]【技手】명 '기원(技員)'의 구칭.

기수[3]【汽水】명 〖지〗 바닷물과 민물의 혼합에 의하여 염분이 적은 물. 곧, 하구부(河口部)에 있는 해수(海水)로서 염분의 변화가 심한 것이 특징임. ¶ ~호(湖).

기수[4]【忌數】명 꺼리어 싫어하는 숫자. 4 같은 수.

기수[5]【奇樹】명 모양·가지 등이 이상하게 생긴 나무.

기수[6]【奇數】명 홀수. ↔우수(偶數).

기수[7]【奇獸】명 기이한 짐승.

기수[8]【其數】명 그 수. ¶ 부지(不知) ~.

기수[9]【起首】명 어떤 사실의 시초. 근원(根源).

기수[10]【起溲】명 기주(起酒).

기수[11]【氣嗽】명 〖한의〗 칠정(七情)이 울결(鬱結)하여 가래가 목구멍에 걸려서, 서상(絮狀) 또는 매핵상(梅核狀)이 되어, 뱉고 삼키기가 거북하면서 나는 기침. 특히 여자에게 많음.

기수[12]【氣數】명 저절로 돌아가는 그 몸의 길흉(吉凶)·화복(禍福)의 운수.

기수[13]【基數】명 〖수〗 ①〔cardinal number〕 1·2·7·15 등과 같이 물건의 집합에 있어서 낱개의 많고 적음을 나타내는 자연수(自然數). 개수(個數). 기본수(基本數). *서수(序數). ②〔fundamental number〕 어떤 기수법(記數法) 체계의 기초로서, 각기 독립된 기호가 주어지는 한 짝의 정수(整數). 이를테면 십진법(十進法)에 있어서의 0, 1, 2, …9의 열 개의 수. ③〔cardinal number, potency power〕 집합의 원소의 개수. 농도(濃度).

기수[14]【淇水】명 〖지〗 '치수이(淇水)'를 우리 음으로 읽은 이름.

기수[15]【旣遂】명 ①이미 일을 끝냄. 목적한 것을 다 이룸. ②〖법〗 일정한 행위가 일정한 범죄의 구성 요건(要件)을 충족할 정황을 성립시킴. ¶ ~범/~죄. 1)·2):↔미수(未遂). ——-하다 타여불

기수[16]【期首】명 어떤 기간의 처음. ↔기말(期末).

기수[17]【幾數】명 낌새. ¶ 인마가 들어오는 ~에 정침 안에 있던 홍선이 쪽문을 열고 내다보았다《金東仁 : 雲峴宮의 봄》.
기수(를) 채다 구 낌새 채다.

기수[18]【期數】명 〖수〗 이자를 계산할 때에 대차(貸借)의 기간수(期間數).

기수[19]【琪樹】명 옥(玉)과 같이 아름다운 나무. 수목(樹木)에 대한 미칭.

기수[20]【旗手】명 ①기를 가지고 신호를 일삼는 사람. ②〖군〗 군기(軍旗)를 드는 사람. ③〖역〗 기를 드는 군병(軍兵). 또, 기를 받는 사람. 순령수(巡令手). ④어떤 운동·활동 등에서, 대표 따위로서 앞장을 서서 향도하는 사람. 기두(旗頭). ¶ 신문학 운동의 ~.

기수[21]【箕宿】명 〖천〗 이십팔 수(二十八宿)의 하나. 사수(射手)자리 동쪽에 있음.

기수[22]【機首】명 비행기의 앞머리. ¶ ~를 남으로 돌리다.

기수[23]【機數】명 비행기의 수. *대수(臺數).

기수[24]【騎手】명 ①말을 타는 사람. ②경마(競馬)에 출장하여 말을 타는 사람.

기수[25]【羈愁】명 객지에서 느끼는 시름. 여수(旅愁). 객수(客愁).

기수-건【旗手巾】명 〖역〗 관원(官員)의 행차에 영기(令旗)를 든 기수가 쓰는 건(巾).

기수-범【旣遂犯】명 〖법〗 범죄의 구성 요건을 완전히 구비하고 실현한 범죄. 또, 그 범인. ↔미수범(未遂犯).

기수-법【記數法】[-뻡] 명 숫자로 수를 기입하는 법. 옛날에는 개개의 수에 하나씩 숫자를 썼으나 현재는 십진법(十進法) 등으로 한정된 개수의 숫자로 모든 수를 나타내고 있음.

기수 분리기【汽水分離器】[-불-] 명 수증기 속에 포함되어 있는 물방울을 제거하는 장치. 증기 기관에서는 증기를 매우 작은 구멍을 통하게 하여 물방울을 구멍의 벽에 부착(付着)시키든가 또는 나선(螺旋) 모양의 통로를 지나게 하여 원심(遠心) 작용에 의하여 물방울이 튀어 흩어지게 함. 스팀 세퍼레이터(steam separator).

기수-사【基數詞】명 수량을 셀 때에 쓰는 수사.

기수 생물【汽水生物】명 기수에서 사는 생물. 갯지렁이·빙어·숭어·뱀장어 등.

기수 성층【汽水成層】명 해수와 담수(淡水)가 합치는 지역에 퇴적(堆積)한 지층(地層). 하구(河口)·만(灣) 또는 빙하(氷河)가 바다와 만나는 곳에서 볼 수 있음. 일반적으로, 발견되는 화석(化石)은 종류가 적으며, 같은 종류의 개체수(個體數)가 많은 것이 특징임. 반함 반담층(半鹹半淡層).

기수 소:관【氣數所關】명 운수 소관(運數所關).

기수 양:식【汽水養殖】명 하구(河口)·내만(內灣) 따위 염분이 적은 수역에서 행하는 양식. 김·굴 따위를 양식함.

기수-어【汽水魚】명 강 어귀에 사는 물고기. 뱀장어·숭어·빙어·뱅어 따위.

기수 영:창지곡【基壽永昌之曲】명 〖악〗 '낙양춘(洛陽春)'의 아명(雅名).

기수 우:상 복엽【奇數羽狀複葉】명 〖식〗 엽추(葉椎)의 좌우에 몇 쌍의 소엽(小葉)이 짝을 이루어 달리고, 정단(頂端)이 한 개의 소엽으로 끝나는 우상 복엽. 등나무·조피나무 등의 잎 따위. 홀수깃꼴겹잎.

기수-죄【旣遂罪】[-쬐] 명 〖법〗 범죄 행위의 착수·실행을 거쳐 구성 요건을 충실하게 한 범죄. ↔미수죄.

기수-증【氣水症】[-쯩] 명 〖한의〗 대장(大腸)의 탈로 부종(浮腫)의 증감이 심한 십수증(十水症)의 하나.

기수-청【旗手廳】명 〖역〗 영문(營門)의 제조(提調)나 대장의 집에 기수가 와서 있는 곳.

기수-호【汽水湖】명 〖지〗 해안에 있어, 해수와 담수(淡水)가 섞여 어느

정도의 농도(濃度)의 염분을 포함하고 있는 호수.

기:숙[1]【耆宿】 명 늙어서 덕망과 경험이 많은 사람. 노성(老成)한 사람. ¶ 법조계의 ~.

기숙[2]【寄宿】 명 ①자기의 집이 아닌 딴 집에 몸을 붙여 기거함. ②학생·회사원 등이 학교나 회사 등의 숙사에서 기거함. ——-하다 자 여불

기숙[3]【機熟】 명 일의 형세가 충분히 정비됨. ——-하다 자 여불

기숙-료【寄宿寮】[—뇨] 명 기숙사(寄宿舍).

기숙-사【寄宿舍】 명 학교나 공장 같은 기관에 딸려 있어 학생이나 직원에게 저렴한 숙식(宿食)을 제공하는 시설. 기숙료(寄宿寮). ¶ ~ 생활.

기숙-생【寄宿生】 명 학교의 기숙사에서 기숙하는 학생. ↔통학생.

기숙 학교【寄宿學校】 명 〖교〗 아동이나 학생을 기숙사에 수용하여 교사의 지도·감독하에 공동 생활을 시키는 학교. 집단 생활을 통하여 언어지는 교육 효과를 목적함.

기-순열【奇順列】 명 〖수〗 '홀순열'의 구용어. ↔우순열(偶順列).

기술[1]【技術】 명 ①공예(工藝)의 재주. 기예(技藝). ②학문으로 배운 이론을 실지로 응용하는 재주. ¶ ~ 분야. ③〔technique〕 과학을 실지로 응용하여 인류가 자연을 인간 생활에 유용하도록 개변(改變)하며 가공(加工)하는 재주. ¶ ~ 혁신/과학 ~. ④물건을 취급하거나 일을 처리하는 방법이나 수단. 솜씨.

기술[2]【奇術】 명 ①기묘한 재주. ②눈속임을 잘하는, 재미있는 재주. 요술(妖術).

기술[3]【記述】 명 ①문장으로 기록하며 진술함. ②〔description〕 사물의 특징을 있는 그대로 표시함. 사물의 특질적 징표(特質的徵表)를 완전하게 충분히 조직하여 열거(列擧)함. ——-하다 타 여불

기술[4]【旣述】 명 이미 기술(記述)함. ¶ ~한 바와 같이. ——-하다 타 여불

기술-가【技術家】 명 기술자(技術者).

기술 개:념【記述概念】 명 〖심〗 일정한 현상이나 사상(事象)의 특성 또는 징표(徵表)를 서술하는 개념.

기술 개발【技術開發】 명 산업 기술의 연구와 그 성과를 이용하여, 재료·제품·장치 시스템·공정(工程) 등 생산에 적용될 수 있는 새로운 방법을 찾아 내는 활동.

기술 개발 촉진법【技術開發促進法】[—뻡] 명 〖법〗 산업 기술의 자주적 개발과 도입, 기술의 소화·개량을 촉진, 그 성과를 보급하여 기업의 국제 경쟁력을 강화, 국민 경제 발전에 기여함을 목적으로 하는 법률.

기술 고등 고시【技術高等考試】 명 5급 공무원 공개 경쟁 채용 시험의 하나. 약사(藥事)·공업·광무·농림·물리·의무·보건·선박·수산·시설·통신·항공·수로직(水路職) 등 기술직에 종사할 공무원 임용(任用)에 실시함.

기술-공【技術工】 명 기계 등을 수리·제작하는 기술을 가진 기능공(技能工).

기술 공:포증【技術恐怖症】[—쯩] 명 〔technophobia〕 과학 기술이 사회나 환경에 미치는 나쁜 영향을 두려워하는 일.

기술-과【技術科】[—꽈] 명 생활에 필요한 기초적 기술의 습득, 근대 기술에 관한 이해, 기본적 태도 등을 기르기 위한 중·고교 교과(敎科)의 하나.

기술-관【技術官】 명 〖역〗 조선 시대 때, 역학(譯學)·의학·음양학(陰陽學)·율학(律學)·산학(算學)·도화(圖畫)·도교(道敎)·이문(吏文)·사자(寫字) 등 기술직을 맡던 관원. 중인(中人)으로서, 정삼품(正三品) 당하관(堂下官)이 한품(限品)이었음.

기술 교:범【技術敎範】 명 〔technical manual〕 〖군〗 상세한 기술적(技術的) 자료를 내용으로 하는 출판물. 장비품의 운용·취급·조작·정비·수리에 관계되는 모든 것이 수록되어 있음. 티 엠(TM).

기술 교:육【技術敎育】 명 생산을 위한 기술과 기술학의 기초를 습득시키기 위한 교육. 과학·공학의 응용이 교육의 핵심이 되고 있으나 기술의 습득을 포함하는 경우도 있음. 산업 발전에 따라 발전하였고 학교·노동 행정 기관·기업 등에서 실시되고 있음.

기술-대【技術隊】[—때] 명 기술자들로 이룬 대.

기술 도:입【技術導入】 명 산업의 근대화나 경제 발전을 도모하기 위하여 기존(旣存) 기술을 외국으로부터 받아들이는 일. ——-하다 자 여불

기술-론【技術論】 명 기술의 본질에 관한 철학적·인식론적(認識論的) 이론.

기술 문법【記述文法】[—뻡] 명 〔descriptive grammar〕 〖언〗 문법 현상을 있는 그대로 기술하는 일. 흔히 어느 지방의 한 시대의 문법 현상을 기술의 대상으로 함. 기술 문전(記述文典). ↔설명 문법.

기술 문전【記述文典】 명 〖언〗 기술 문법. ↔설명 문전(說明文典).

기술 병과【技術兵科】[—꽈] 명 〖군〗 전투 부대의 기술 행정을 지원하는 병과. 화학·병기·병참·의무 및 수송 등이 있음. ↔전투 병과.

기술-사[1]【技術士】[—싸] 명 기계·항공·건축·금속·화공·전기·전자·통신·선박·섬유·광업 및 기타 산업과 밀접한 관련이 있는 기술 분야에 있어서, 고도(高度)의 전문 지식과 실무 경험에 입각한 응용 능력이 있는 사람. 국가 기술 자격법에 의거한 기술 자격 검정 시험에 의하여 공인(公認)됨. *기사❷.

기술-사[2]【奇術師】[—싸] 명 기술(奇術)을 부리는 사람. 요술쟁이.

기술 수출【技術輸出】 명 국내에서 발명·발견·완성된 기술을 외국에 제공하고 그 대가(代價)를 받는 일. 협의(狹義)로는 기술 원조만을 가리키나, 광의(廣義)로는 플랜트 수출(plant 輸出)의 일부를 구성함.

기술 신:용 보증 기금【技術信用保證基金】 명 〖경〗 신기술 사업 금융 지원에 관한 법률에 의거, 담보 능력이 미약한 기업의 채무를 보증하여 기업의 자금 융통을 원활하게 하기 위하여 설립된 법인. 기본 재산의 관리, 기술 신용 보증, 일반 신용 보증, 기업에 대한 경영 지도, 신용 조사, 구상권(求償權) 행사, 신용 보증 제도의 조사·연구 등의 업무를 행함.

기술 신화【記述神話】 명 〖문〗 주로 자연적 문화적 사상(事象)의 양상(樣相)이나 활동을 서술하는 신화. ↔해명(解明) 신화.

기술 신화학【記述神話學】 명 〖문〗 신화를 기술하고 그것을 기초로 하여 분류와 체계화를 주안(主眼)으로 하는 신화학. ↔해석(解釋) 신화학.

기술 심리학【記述心理學】[—니—] 명 〖심〗 요해(了解) 심리학.

기술 언어학【記述言語學】 명 〔descriptive linguistics〕 〖언〗 언어학의 한 분야. 어떤 지역의 어느 한 시기의 언어를 역사적인 고려(考慮)를 하지 않고, 체계적으로 기술하고자 하는 학문.

기술 용:역【技術用役】[—룡—] 명 타인의 위탁에 의하여 고도의 과학 기술을 응용하여 사업 및 시설물의 계획·연구·설계·분석·조사·시험·평가·지도·시운전 등을 하여 주는 일.

기술 용:역 육성법【技術用役育成法】[—룡—뻡] 명 〖법〗 국내 기술 용역업체의 건전한 육성과 국내 기술 수준의 향상을 도모함으로써 국민 경제 발전에 기여함을 목적으로 한 법률.

기술-원【技術員】 명 기술에 관한 직무에 종사하는 사람.

기술 원:조【技術援助】 명 ①공업 소유권을 비롯한 기술에 관한 지식·실용 신안(實用新案) 특허 등을 유상·무상으로 양도(讓渡)·전수(傳授)하고, 사용권의 설정과 공장 경영에 관한 기술적 지도 따위를 함으로써 다른 사업자를 원조하는 일. ②선진 국가가 개발 도상국에 대하여 그 나라의 발전에 필요한 기술을 제공하는 일. ——-하다 자 여불

기술 음악【記述音樂】 명 〖악〗 표제(標題) 음악의 한 가지. 어떤 사건이나 광경을 음악 또는 음향으로써 묘사한 것.

기술 이전【技術移轉】 명 한 나라나 기업이 가지고 있는 기술을 다른 나라 기업에 제공해 주는 일.

기술-자【技術者】[—짜] 명 기술을 가진 사람. 기술을 업으로 삼는 사람. 기술가(技術家).

기술 장비【技術裝備】 명 기술적인 장치와 설비.

기술-적[1]【技術的】[—쩍] 명 관 ①과학의 응용면에 관계가 있는 모양. ②본질적·원리적인 것이 아닌 실제 운용·운영면에만 관계되는 모양.

기술-적[2]【記述的】[—쩍] 명 관 기술(記述)에 관한 모양.

기술적 과학【記述的科學】[—쩍—] 명 〔descriptive science〕 자연 현상을 관찰하며, 그 특성을 기술하고, 이에 의해서 대상을 분류하는 것을 주로 하는 과학. 동물학·식물학·광물학 등. ↔설명적 과학.

기술적 법규【技術的法規】[—쩍—] 명 〖법〗 기술상의 요청, 기타의 이유로 윤리적 색채보다도 기술적 색채가 강한 법규. ↔윤리적 법규.

기술적 분업【技術的分業】[—쩍—] 명 각개의 기업(企業) 상의 기술을 분담하는 기업. *사회적 분업.

기술 전:자 시대【技術電子時代】 명 테크네트로닉 시대.

기술 점검【技術點檢】 명 계속 사용 여부 및 수리의 필요성 등을 판단하기 위하여 하는 기계의 점검.

기술 정보【技術情報】 명 ①〖공〗 연구·개발·공학·시험·평가·생산·조업 및 기계의 사용·보전에 관한 정보. 과학 정보를 포함함. ②〖군〗 전쟁에 실제로 이용할 수 있거나 이용하려고 하는 외국 또는 적국의 기술 개발에 관한 정보.

기술 정:비【技術整備】 명 기계에 대한 기술적 요구에 맞도록 일정한 손질을 하는 일.

기술 제휴【技術提携】 명 기업이, 국외의 기업과 특허나 생산 기술을 서로 제공하여 협력하는 일. 유상·무상이 있으며, 기술 도입과는 별도로 행하는 경우도 있음.

기술 직원【技術職員】 명 특수한 전문 기술, 특히 자연 과학 계통의 학술 경험을 요하는 부문에 종사하는 직원. ↔사무 직원(事務職員).

기술-진【技術陣】[—찐] 명 기술 계통의 진용.

기술 진용【技術陣容】 명 ①기술자의 배치된 형편. ②기술계의 형편.

기술 집약형 산:업【技術集約型産業】 명 〖경〗 노동 집약형 산업 가운데 필요로 하는, 기술 수준이 높고 기술 혁신의 속도도 빠른 기계 산업. *노동 집약형 산업(勞動集約型産業).

기술 천문학【記述天文學】 명 도표나 언어를 주로 사용하여, 알기 쉽게 기술되는 천문학.

기술 통:계학【記述統計學】 명 추계학(推計學)과 아울러 수리(數理) 통계학을 구성하는 학문. 대량(大量) 관찰법에서 얻은 자료를 정리하여 그 내용을 특징짓는 각종 수치를 산출하여 그것에 의하여 관찰된 집단의 성질을 기술함.

기술 평:가【技術評價】[—까] 명 〖공〗 원료·기계 또는 시스템의 기술적인 적부성(適否性)을 판정하는 연구 조사.

기술-학【記述學】 명 진리나 법칙을 기술하는 학문.

기술 학교【技術學校】 명 〖교〗 직업 학교의 한 가지. 국민 생활에 필요한 직업의 지식과 기술을 연마하는 학교. 초등 학교·공민 학교를 졸업한 자가 입학하며, 수업 연한은 1-3년임. *고등 기술 학교.

기술 혁명【技術革命】 명 〖경〗 기술 혁신❶.

기술 혁신【技術革新】 명 ①〔innovation〕 〖경〗 획기적인 새로운 기술 도입으로 인하여 일어나는 경제 구조 등의 변혁을 이르며, 제2차 세계 대전 이후, 원자력의 이용, 석유 화학의 응용, 오토메이션의 발달, 컴퓨터 발달 등이 가져온 경제의 상승 경향은 그 대표적인 예임. 기술 혁명. ②생산 기술이 획기적으로 혁신되는 일.

기술-화【技術化】 명 점점 기술적인 것으로 발달함. ——-하다 자 타 여불

기슷-잇[—닏] 명 〈궁중〉 금침을 덮는 흰 보자(褓子).

기숭 명 〈방〉 구유(강원).

기숭어-목【鰭崇魚目】 명 〖어〗 [Polynemida] 경골어류(硬骨魚類)의 한 목. 날가지숭어과(科)가 이에 속함.

기스락 명 ①기슭의 가장자리. ②초가의 처마 끝.

기스락-물 명 〈방〉 낙숫물.

기스랑 명 〈방〉 기스락.

기스-면 [중 鷄絲麵] 명 썩 가늘게 뽑은 밀국수를 닭고기 삶은 국물에 만, 중국식 국수.

기슬[1] 명 〈방〉 산기슭(전라·경상).

기슬2【蟣蝨】명〔충〕이3❷.
기슬기 명〈방〉산기슭(충남).
기슬지-류【蟣虱之類】[—찌—] 명 서캐와 이 같은 것이라는 뜻으로, 비천한 사람을 업신여기어 일컫는 말.
기슬카리 명〈방〉기스락.
기슭[—슥] 명〔중세: 기슭〕비탈진 곳의 끝 자리. ¶산 ~/처마 ~.
기슭-믈 명〈방·옛〉낙수물. ¶기슭믈 류(溜)《字會 下 18》.
기슭집 명〈옛〉행랑(行廊). ¶기슭집 무(廡)《類合 下 36》.
기슴 명〈옛〉기음1. =기슴. ¶三業 기슴울 미오매 百福 바티 茂盛ᄒᆞᄂᆞ니라《龜鑑 下 39》.
기슴-매다 자〈방〉김매다(함북).
기습1【奇習】명 ①기이한 풍습. ②이상스러운 습관이나 버릇.
기습2【奇襲】명 기묘한 꾀로 적이 모르게 갑자기 습격함. ¶적진(敵陣)을 ~하다. ——하다 타여불
기습3【氣習】명 풍기(風氣)와 습관(習慣). 풍습(風習). 행습(行習).
기승1【奇勝】명 기묘한 경치. ¶천하의 ~.
기-승2【起承】명 한시(漢詩)의 기구(起句)와 승구(承句). 절구(絕句)에서는 제1구(句)와 제2구임.
기승3【氣勝】명 억척스럽고 굳세어서 좀처럼 남에게 굴하지 아니함. 또, 그러한 기습(氣習). ¶유자애에게서 받은 모욕은 ~하기 짝이 없는 백은주의 골수에 사무쳤다《安壽吉: 제 2 의 청춘》. ——하다 형여불
기승(을) 떨:다 구 기승스러운 행동을 많이 하다.
기승(을) 부리다 구 기승스러운 성미를 행동으로 나타내다. 기승(을) 피우다.
기승(을) 피우다 구 기승(을) 부리다.
기승4【騎乘】명 ①말을 탐. ②수레에 탐. ——하다 자여불
기승-스럽다【氣勝—】형ㅂ불 기승한 성질이 얼굴이나 외모에 나타나 보이다. 기승한 태도가 있다. 기승-스레【氣勝—】부
기-승-전:-결【起承轉結】명〔문〕시문(詩文)을 짓는 격식. 시의 처음을 기(起)라 하고, 처음의 뜻을 받아 쓰는 것을 승(承)이라 하고, 중간에 뜻을 한 번 바꾸는 것을 전(轉)이라 하고, 전편(全編)을 거두어서 맺는 것을 결(結)이라 함. 기승전락(起承轉落). 기승전합(起承轉合).
기-승-전:-락【起承轉落】[—절—] 명〔문〕기승전결(起承轉結).
기-승-전:-합【起承轉合】명〔문〕기승전결(起承轉結).
기시1【其時】명 그때.
기시2【棄市】명 옛날 중국의 형벌의 한 가지. 죄인의 목을 베어 죽이고 그 시체를 길거리에 내어 버림. ——하다 타여불
기시3〔Gish, Lillian Diana〕명〔사람〕미국의 무대·영화 여우(女優). 오하이오 주 스프링필드에서 출생. 5 세에 첫 무대에 섰으며, 그리피스(Griffith. D.W.) 감독에게 발탁되어 1912 년 무성 영화 《보이지 않는 적(敵)》으로 데뷔, 《국가의 탄생》·《인톨러런스》에서 쾌활하고 강인한 여성상(女性像)으로 팬의 사랑을 받음. 이후 《꺾어진 꽃들》·《폭풍우의 고아》·《용서받지 못할 자》 등 1987 년 《8월의 고래들》에 이르기까지 100 편 이상의 영화에 출연했음. 1930 년대에는 브로드웨이에서 연극 활동을 했음. [1896-1993]
기시-감【既視感】명〔심〕기억의 오류(誤謬)의 특수한 형태로, 지금 보고 있는 것은 전부가 과거의 어느 때에 체험한 것과 같으나 그것이 언제였던가는 알지 못하는 의식. ↔미시감(未視感).
기시-기【記時器】명 전화의 통화 시간을 기록하는 기계. 타임 리코더.
기시 노부스케〔岸信介: きしのぶすけ〕명〔사람〕일본의 정치가. 1940년 도조 내각(東条內閣)의 상상(商相)을 지냈고, 제2차 대전 후 공직에서 추방되었다가 정계에 복귀, 1957년 자유 민주당 총재와 수상(首相)을 역임하였음. 친한파(親韓派)의 한 사람으로, 중의원(衆議院) 의원이며 자유 민주당(自由民主黨) 고문이었음. [1896-1986]
기시다 타〈방〉기이다.
기시 착오【記時錯誤】명 아나크로니즘(anachronism)❷.
기식1【氣息】명 호흡(呼吸)의 기운.
기식2【寄食】명 남의 집에 붙어서 얻어먹음. 탁식. ¶친척 집에 ~하다. ——하다 자여불
기식3【器識】명 기량(器量)과 견식(見識).
기식-답【既蝕畓】명 이미 유수(流水)의 침식(浸蝕)을 받은 논.
기식 엄:엄【氣息奄奄】명 호흡이 힘이 없어 끊어지려 함. ——하다 형여불
기-식우【氣食牛】명 소를 삼킬 만한 큰 기상.
기식-자【寄食者】명 기식하는 사람. 식객(食客).
기식-전【既蝕田】명 이미 유수(流水)의 침식(浸蝕)을 받은 밭.
기:신1 명〈방〉귀신1(鬼神)(전남·경상).
기신2【己身】명 자신(自身).
기신3【忌辰】명 '기일(忌日)'을 높여 부르는 말. 기신일(忌辰日).
기-신4【紀信】명〔사람〕중국 한(漢)나라 국초의 무장(武將). 초(楚)나라 군사가 한왕(漢王)을 포위하였을 때, 거짓 한왕인 체하고 항복하여 한왕을 도망하게 하고, 자기는 초왕(楚王)에게 잡혀가 불에 태워 죽임을 당하였음. 생몰 연대 미상.
기신5【起身】명 ①몸을 일으킴. ¶~도 못 할 지경이다. ②몸을 빼쳐 관계를 끊음. ——하다 자여불
기신6【氣神】명 기력과 정신.
기신7【旗身】명 기의 구성에 있어서 그 주체(主體)가 되는 부분. 깃발.
기신-거리다 자 게으르거나 약한 사람이 힘없이 동작하다. >개신거리다. 기신-기신 부. ¶~ 비탈길을 올라가다/ 아직껏 비굴한 웃음을 얼굴에 띠워가지고 ~ 권문들을 찾아다니던 것은 단지 홍선의 호신책이 아니었던가?《金東仁: 雲峴宮의 봄》. ——하다 자여불
기신-대다 자 기신거리다.
기신 도:량【忌辰道場】명〔불교〕왕실에서 왕이나 왕비의 기일에 지내는 법회. 신라·고려·조선 초기에 베풀어졌음. 휘신 도량(諱辰道場).
기신-론【起信論】[—논] 명〔불교〕↗대승 기신론(大乘起信論).
기신-바람 명〈방〉회오리바람(경북).
기신-없다【氣神—】[—업—] 형 기력과 정신이 온전하지 못하다.
기신-없이【氣神—】[—업씨] 부 기신 없게. ¶보리밭에 북을 주던 박첨지는 ~ 괭이질을 하던 손을 쉬고……《沈熏: 常綠樹》.
기신-일【忌辰日】명 기신(忌辰).
기신-제【忌晨祭】명 존족친(尊族親)이 기일(忌日)에 하는 유교식(儒教式) 제사.
기-신호【旗信號】명 기를 사용하여 통신하는 신호. 수기(手旗) 신호·군기 신호 등이 있음.
기실1 명〈방〉산기슭(경기).
기실2【其實】一 명 그 사실. 그 실상. 二 부 사실상으로. ¶~ 나쁜 짓은 안 했다.
기:실3【枳實】명〔한의〕미숙한 탱자를 썰어 말리어 만든 약재. 성질은 약간 차고 대변을 통하는 효능이 있고 적취(積聚)를 다스림.
기실4【氣室】명 ①〔식〕식물의 기공(氣孔) 아래 있는 공변 세포(孔邊細胞) 사이의 공실(空室). 기공 간극(間隙). ②〔식〕태류(苔類)의 엽상체(葉狀體)의 표피(表皮) 밑의 비어 있는 곳. ③〔식〕선류(蘚類)의 솔이끼류의 포자낭(胞子囊)의 가운데에 분화(分化)하여 포자실(胞子室)을 둘러싸고 있는 세포 간극(間隙). ④물을 뿜어 내는 관(管)과 펌프 사이의 원통상의 공실(空室). ⑤〔조〕조류(鳥類)의 알의 난각막(卵殼膜)의 일부가 두 장으로 나뉘어 생긴 공간.
기실5【記室】명〔역〕조선 시대 때, 기록에 관한 사무를 맡아 보던 사람.
기실6【記實】명 사실을 기록함. ——하다 자여불
기실-문【記實文】명〔문〕기사문(記事文).
기실 참군【記實參軍】명〔역〕고려 때 개성부(開城府)·세자부(世子府)·왕자부(王子府) 등의 정칠품(正七品) 벼슬. 충렬왕(忠烈王) 34년(1308)에 두었음.
기심1 명〈방〉기음1.
기심2【己心】명 자기의 마음.
기심3【欺心】명 자기의 양심을 속임. 자기의 마음을 속임. ——하다 자여불
기심4【機心】명 기회를 보고 움직이는 마음. 기계지심(機械之心).
기심-매다 자〈방〉김매다(경기·충청·경상).
기십【幾十】명 몇 십.
기-십만【幾十萬】명 몇 십만. ¶~의 돈.
기싱〔Gissing, George Robert〕명〔사람〕영국의 소설가. 실생활의 불행한 경험에서 음울과 암울(暗鬱)의 기분에 찬 여러 작품을 내었음. 만년에 자서전적인《헨리 라이크로프트(Henry Ryecroft)의 수기》에서 격조(格調) 높은 걸작을 보이고, 평론《디킨스론(Dickens 論)》과 함께 크게 평가됨. [1857-1903]
기-쓰다【氣—】자타 있는 기운을 다 내다. ¶기를 쓰고 뒤를 좇다.
기쌋바 자〈옛〉기뻐하와. =깃사와. '깃다'의 활용형. ¶衆生돌히 머리조ᅀᆞᆸ고 기쌋바《月釋 Ⅱ:51》.
기슴 명〈옛〉기음1. ¶노내 기슴미 기어 나돌ᄒᆞ야 브리듯 ᄒᆞ니라《月釋 X:19》.
기슴민다 자〈옛〉기음 매다. ¶기슴밀 운(耘)《字會 下 5》.
기아1 명〈방〉기와(경북·강원).
기아2【棄兒】명 마땅히 부양할 의무가 있는 사람이 남 몰래 아이를 내다 버림. 또, 그 아이. 유아(遺兒). ——하다 자여불
기아3【飢餓·饑餓】명 굶주림.
기아4【畸兒】명 기형아(畸形兒).
기아나〔Guiana〕명〔지〕남아메리카 북동부 해안에 있는 지방. 서(西)로부터 가이아나(Guyana), 수리남(Surinam), 프랑스령(領) 기아나로 3분됨. 설탕·코코아·커피 등을 산출하며 세계적인 보크사이트(bauxite)의 산지임. 광의(廣義)로는 베네수엘라, 브라질의 북부를 포함하는 지방의 이름임. [450,000 km²]
기아나 고지【—高地】〔Guiana〕명〔지〕남아메리카 대륙 기아나 지방의 남부에 있는 구릉성(丘陵性) 고지. 순상지(楯狀地)로서 베네수엘라 동부에서 가이아나를 횡단함. 대부분이 미개발이며, 지하 자원이 풍부함. 최고봉은 표고 2,810 m 의 로라이마(Roraima). 기아나 산지(山地).
기아나 산지【—山地】〔Guiana〕명〔지〕기아나 고지(高地).
기아다 타〈방〉게우다(경남).
기아 동맹【飢餓同盟】명〔사〕헝거 스트라이크. *단식 동맹(斷食同盟).
기아 부종【飢餓浮腫】명〔의〕장기간에 걸친 영양의 질적·양적 부족이 원인이 되어 일어난다고 생각되는 부종. 혈액 중의 단백질의 함유량이 감소되는 것으로 단백질 부족에 의한 저단백혈증(低蛋白血症)이 주요 원인이 됨.
기아선-상【飢餓線上】명 기아의 지경. 굶주리는 고비. ¶~에서 허덕이다.
기아 수출【飢餓輸出】명〔경〕외화 획득을 목표로 국민 생활을 되도록 희생하고 국내 소비를 억제하여 외국으로의 수출을 강행하는 일. 기근 수출(飢饉輸出).
기아-열【飢餓熱】명〔의〕신생아 일과성열(新生兒一過性熱).
기아 요법【飢餓療法】[—뻡] 명〔의〕일정한 시간 동안 굶음으로써 생기는 기아 현상을 응용한 질병 치료법. 당뇨병(糖尿病)·소화 불량증에 응용됨. 절식(節食) 요법.
기아 임:금【飢餓賃金】명〔사〕굶어 죽지 아니할 정도밖에는 지불하지 아니하는 품삯. 겨우 생활이나 할 수 있을 정도의 노동 임금.
기아지-경【飢餓之境】명 굶주리는 지경.
기아-형【畸兒形】명 이상하게 생긴 아이의 형태.
기:악1【伎樂】명〔연〕백제 사람 미마지(味摩之)가 중국 남조(南朝) 오(吳)에서 배워 와 일본에 전했다는 가면극.
기:악2【妓樂】명 ①기생과 풍류. ②기생의 풍류.
기악3【器樂】명〔악〕주로 악기를 사용하여 연주하는 음악. 연주자의 수에 따라 독주(獨奏)·이중주(二重奏)·삼중주(三重奏) 또는 합주(合奏)로 나뉘고, 표현 형식에 따라 교향곡·협주곡(協奏曲)·소나타·실내악곡(室內樂曲) 등으로 구분됨. ↔성악(聲樂).
기악-곡【器樂曲】명〔악〕기악을 하기 위하여 지어진 곡.

기:안[1]【妓案】명〖역〗관가(官家)에서 기생의 이름을 기록하여 둔 책.
기안[2]【奇案】명 기묘한 안.
기안[3]【氣岸】명 성질이 오안(傲岸)함. ¶장교와 사령들이 꺽정이의 ~에 눌려서 말 한마디 못하고…≪洪命憙 : 林巨正≫. ――-하다 형여불
기안[4]【起案】명 문안(文案)을 기초(起草)함. 안을 세움. ¶공문(公文)을 ㄴ~하다. ――-하다 타여불
기안[5]【鰭雁】명 작은 기러기.
기안-목【基眼目】[―뉵] 명〖동〗[Basommatophora] 복족강(腹足綱)에 속하는 한 목(目). 대개 돌돌 말린 껍데기가 있고 한 쌍의 촉각이 있으며, 툭 비어지게 자루가 없는 눈이 있음. 명주우렁이 등이 이에 속함.
기암:[1] 명〈방〉개암❶(경남). ㄴ*병안류(柄眼類).
기암[2]【奇岩】명 기이한 모양을 한 바위. 괴암(怪岩).
기암[3]【基岩】명 구축물(構築物)의 기초 지반(基礎地盤)을 구성하는 암석 또는 암석층.
기암-곡【倚嵒曲】명〖악〗신라 옥보고(玉寶高)가 지은 거문고 곡의 하나.
기암 괴:석【奇岩怪石】명 기묘한 바위와 괴상스럽게 생긴 돌.
기암 절벽【奇岩絕壁】명 기이한 모양의 바위와 깎아지른 낭떠러지. [기암 절벽 천층석(千層石)이 눈비 맞아 썩어지거든] 도무지 실현될 가능성이 없는 일을 이름. ¶기암 절벽 천층석이 눈비 맞아 썩어지거든 오려 하오. 용마 갈기 사이에 뿔 나거든 오려 하오 ≪古本 春香傳≫.
기압[1]【汽壓】명〖물〗증기 기관(蒸氣汽罐)에서 발생한 증기의 압력. *증기압(蒸氣壓).
기압[2]【氣壓】명〖물〗대기(大氣)의 압력. 대기가 지구의 인력으로 인하여 끌리어 지구 표면에 생기는 압력. 지면의 높고 낮음에 따라 그 압력이 같지 아니함. 북위(北緯) 45°의 바다에서, 0°C인 온도하에 높이 760 mm 되는 수은주(水銀柱) 밑에 작용하는 압력을 1기압이라 함. 1기압은 1,013.25 헥토파스칼과 같으며, 지면에서 10 m 높아짐에 따라 약 1.2 헥토파스칼씩 낮아짐. 기호는 atm. 대기압(大氣壓).
기압 경도【氣壓傾度】명〔pressure gradient〕〖기상〗어떤 지역 안의 임의(任意)의 한 지점을 지나는 등압선(等壓線)으로부터 다음 등압선에 이르는 최단(最短) 거리와 두 등압선의 시도(示度)의 차와의 비(比). 보통, 적도(赤道)에서 경도(經度) 1도에 상당하는 약 111 km를 일정(一定) 거리로 잡고, 기압차를 헥토파스칼로 나타냄.
기압 경도력【氣壓傾度力】명〔pressure gradient-force〕〖기상〗대기 중에서의 기압차에 의한 힘. 보통, 수평 성분의 힘만을 가리킴. 기압력.
기압 경향【氣壓傾向】명〔pressure tendency〕〖기상〗세 시간 또는 관측이 끝나는 어떤 특정 시간 안의 대기압 변화의 성질 및 그 양(量).
기압-계[1]【汽壓計】명〖물〗증기(蒸氣)의 압력을 측정하는 계기(計器).
기압-계[2]【氣壓計】명〔atmospheric barometer〕〖물〗한 지점에서의 기압을 재는 계기. 수은(水銀) 기압계가 주로 쓰이며, 그 밖에 금속(金屬) 기압계도 있음. 바로미터(barometer). 검압계(檢壓計). 청우계(晴雨計).
기압-골【氣壓―】명〔trough〕〖기상〗기상도에서, 저기압 중심에서 길쭉하게 V자 또는 U자 꼴로 벋은 저압부(低壓部). 남북 방향으로 벋는 일이 많으며, 일반적으로 이 골의 동쪽은 날씨가 나쁨. ↔기압 마루.
기압 기관【氣壓機關】명〖기〗공기 기관(空氣機關).
기압-력【氣壓力】[―녁] 명〖기상〗기압 경도력.
기압 마루【氣壓―】명〔ridge〕〖기상〗등압선(等壓線) 형식의 하나. 고기압의 중심에서 길쭉하게 벋은 고압부(高壓部). 상공(上空)의 편서풍대(偏西風帶)에서는 거의 남북으로 벋고 기압골과 번갈아 나란히 동진(東進)하며 그 동쪽의 지상에 이동성 고기압을 동반할 때가 많음. 고기압의 확장이라고도 함. 기압의 능선(稜線). ↔기압골.
기압 배:치【氣壓配置】명〖기상〗대기의 유동에 있어 어느 지방의 고기압과 저기압의 배치 상태. 전형적인 기압 배치는 서고 동저(西高東低)의 동계형(冬季型)과 남고 북저(南高北低)의 하계형(夏季型)이 있음.
기압 비약선【氣壓飛躍線】명〔pressure jump line〕〖기상〗기압의 급격한 상승을 나타내는 빠르게 움직이는 선. 통과 전보다 통과 후에 기압이 상승함. 적당한 습도 조건에서는 뇌우(雷雨)와 같은 급격한 불안정을 나타냄. 「하여 작동하는 스위치.
기압 스위치【氣壓―】명〔barometric switch〕〖공〗대기압의 변화에 의
기압의 능선【氣壓―稜線】[―/―에―] 명〖기상〗기압(氣壓) 마루.
기압 중심【氣壓中心】명〔pressure center〕①기상도(氣象圖) 상에서 기압이 극대(極大) 또는 극소(極小)가 되는 점. 즉, 저기압 또는 고기압의 중심. ②저기압성(性) 또는 고기압성 순환(循環)의 중심.
기압 측정법【氣壓測定法】[―뻡] 명〔barometry〕〖공〗대기압의 측정에 관한 학문. 특히 여러 형태의 기압계의 오차를 확인하고 보정(補正)하는 방법을 다룸.
기압-파【氣壓波】명〖물〗기압이 변화하는 경우, 높은 곳과 낮은 곳에서 나타나는 시각이 지역에 따라 늦고 빨라져 기압의 폭이 증감하여 전달되어 가는 현상.
기압-형【氣壓型】명 기압 배치의 형. *기압 배치.
기앗-밥 명〈방〉지부지기.
기앙【企仰】명 기망(企望). ――-하다 타여불
기애[1] 명〈방〉기와(평북).
기:애[2]【枳礙】명 심한 장애(障礙).
기:애[3]【耆艾】명 노인(老人).
기애기 명〈심마니〉닭.
기야 명〈방〉기와.
기약[1]【奇藥】명 신기한 약. 기이하게 잘 듣는 약.
기약[2]【氣弱】명 기운이 약함. ――-하다 형여불
기약[3]【棄約】명 약속을 지키지 아니함. 약속을 버림. ――-하다 자여불
기약[4]【既約】명 ①이미 되어 있는 약속. ②〖수〗분수 또는 분수식의 약분이 되어 있는 것. 분수의 분모·분자가 1 이외의 공약수(公約數)를 갖지 아니하는 일. ↔가약(可約).
기약[5]【期約】명 때를 정하여 약속함. ¶재회를 ~하다. ――-하다 타여불
기약 분수【既約分數】[―쑤] 명〖수〗분모와 분자가 1 이외의 공약수가 없어서 그 이상 약분이 되지 아니하는 분수. 줄인 분수. ↔가약 분수(可約分數).
기양[1]【技癢】명 재주를 가지고도 쓸 길이 없어서 마음이 간질간질함.
기양[2]【祈禳】명 재앙은 가고 복이 오라고 신명에 비는 일. ――-하다 자ㄴ여불
기양[3]【飢穰】명 풍년과 흉년. 풍흉(豐凶).
기양[4] 부〈방〉그냥.
기양-감 명〈방〉고욤(전남). 「하는 일.
기양 소:치【技癢所致】명 기양이 빚어낸 일. 기양증을 참지 못하여
기양-증【技癢症】[―쯩] 명 재주를 가지고도 쓸 길이 없어서 마음이 ㄴ간질간질한 증세.
기양-하다 타〈방〉겨냥하다(경북).
기어[1]【奇語】명 기이한 말. 이상한 말. 기언(奇言).
기어[2]【寄語】명 말을 부치어 보냄. 기언(寄言). ――-하다 자여불
기어[3]【旗魚】명〖어〗청새치.
기어[4]【綺語】명 ①교묘하게 잘 꾸며 대는 말. ②〖불교〗십악(十惡)의 하나. 진실을 속이고, 교묘하게 꾸미어 낸 말. 허식(虛飾)이 있는 말. ③아름다운 말. 신문이나 소설 등에서 묘하게 수식하여 표현한 말. 기언 ㄴ(綺言).
기어[5]【騎馭】명 말을 다룸. ――-하다 자여불
기어[6]〔gear〕명〖기〗①톱니바퀴. ②회전 속도(回轉速度)를 톱니바퀴의 변환(變換)에 의하여 변동시키는 장치. 주로 원동기로부터 발생하는 출력의 회전수를 변화시키는 데 사용함. 자동차 등에 사용되고 있음. ¶변속 ~/후진 ~/~를 넣다.
기어-가다 자타〈거라불〉기어서 앞으로 나아가다. ¶엉금엉금 ~.
기어-들다 자 ①몰래 들어오거나 들어가다. ¶구멍으로 ~. ②움츠리며 들어가다. ¶기어드는 목소리.
기어식 선반【―式旋盤】〔gear〕명〖기〗회전을 변속(變速)시킬 수 있는 기어 장치가 달린 선반.
기어식 직립 드릴링 머신【―式直立―】〔gear, drilling machine〕[―닙―] 명〖기〗몇 개의 기어를 맞물려 단계적으로 회전 속도를 바꾸는 장치가 달린 드릴링 머신. 나사깎기도 할 수 있는데, 이송(移送) 운동은 주축(主軸)의 회전 운동에 의하여 이루어지며, 일반적으로 역전(逆轉) 장치가 되어 있음.
기어-오다 자타〈너라불〉기어서 이리로 오다.
기어-오르다 一 타〈르불〉기어서 높은 곳으로 가다. ¶굴뚝을 기어올라 청소하다. 二 자〈르불〉상대방이 너그러운 것을 기화로, 우줄대거나 분수에 넘치는 짓을 하다. ¶버릇없이 어른에게 기어오르는 놈.
기어 오일〔gear oil〕명 톱니바퀴 부분에 쓰이는 윤활유. 적당한 점성(粘性)·유성(油性)·안전성 등이 있어서 마모(磨耗)·발열(發熱)을 막음.
기어-이【期於―】부 ①꼭. 틀림없이. 기어코. ¶~ 성사시키고야 말겠다. ②마침내. ¶그 일이 ~ 끝났군.
기어 커팅 머신〔gear cutting machine〕명〖기〗허브(hub)를 사용하여 톱니를 깎는 공작 기계. 스퍼 기어(spur gear)·헬리컬 기어(helical gear)·웜 기어(worm gear)·스플라인축(spline軸) 등의 기어를 깎는 데 ㄴ널리 쓰임.
기어-코【期於―】부 기어이❶.
기어 펌프 명〔gear pump〕기어의 회전에 따라 펌프 작용을 하는 기계. 한 쌍의 톱니바퀴에 의해 액체나 바람을 보내는 회전 펌프의 일종.
기:억[1]【岐嶷】명 어릴 때부터 지덕(智德)이 뛰어남. ――-하다 형여불
기억[2]【記憶】명 ①어떠한 일을 마음 속에 간직하여 잊지 아니함. ¶~ 상실. ②〔memory〕〖심〗선행(先行)의 경험·운동·작용에 의하여 조건(條件)지어진 후속(後續)의 경험·운동·작용의 총칭. ③〖심〗이미 경험된 자극(刺戟) 상태를 부분적인 반복에 대하여 감응(感應)시키는 과정(過程). ④〖컴퓨터〗필요한 정보를 필요한 동안 수용하여 두는 일. ――-하다 타여불
기억 과:잉【記憶過剩】명〔hypermnesia〕〖심〗어린 아이 때의 경험 등 기억될 수 없는 것이 정신병 또는 꿈 같은 데서 재현(再現)하는 상태.
기억-관【記憶管】명〔memory tube〕기록관(記錄管). 축적관(蓄積管).
기억-력【記憶力】[―녁] 명 기억하는 능력. 또, 그 작용. 지닐총(聰).
기억 매체【記憶媒體】명〔storage medium〕〖컴퓨터〗데이터가 복사되고 어느 기간까지 보존되며, 또 완전하게 처음 그대로의 데이터를 얻을 수 있도록 하는 테이프나 천공 카드의 매체나 장치. 테이프는 소거(消去)가 가능하나 천공(穿孔) 카드는 소거가 불가능함.
기억-법【記憶法】명 기억술. 「물질.
기억 물질【記憶物質】[―찔] 명 뇌 안에 있어, 기억을 일으키게 하는
기억 상실【記憶喪失】명 머리의 타박(打撲)이나 약물 중독 때문에, 그 이전의 어느 기간의 기억을 잃어버리는 일.
기억-색【記憶色】명〔memory color〕〖심〗사람에게 미리 고정 관념으로 인식되어 있는 빛깔. 검정은 어두움을, 수풀은 녹색을 생각하는 따위.
기억 소자【記憶素子】명〔storage cell〕〖컴퓨터〗컴퓨터의 기억 장치를 구성하는 소자. 자기 박막 메모리(磁氣薄膜 memory)·자기 코어(磁氣 core) 메모리 등.
기억-술【記憶術】명 기억하는 기술. 어떠한 일을 그에 관련된 다른 일에 연결시켜서 기계적으로 기억을 빨리, 그리고 쉽게 하는 방법. 기억법(記憶法).
기억 실험법【記憶實驗法】[―뻡] 명〖심〗기명(記銘)의 경과나 파지량(把持量), 기억 흔적(痕跡)의 변용(變容), 기타 기억에 관한 모든 현상을 객관적 또는 양적으로 취급하기 위하여 안출된 방법의 총칭.
기억 용량【記憶容量】[―농냥] 명〔storage capacity〕〖컴퓨터〗컴퓨터

의 기억 장치에 얼마만큼 기억시킬 수 있는가를 나타내는 수치. 보통 어(語 : word)·바이트·비트 등의 단위로 나타냄.
기억 장소 위치【記憶場所位置】명〔memory location〕〖컴퓨터〗내부 기억 장치 속에서 하나의 워드(word)가 차지하는 장소. 이 장소에는 고유의 주소가 부여되어 있음.
기억 장애【記憶障礙】명〖심〗기억 능력에 생기는 장애. 알코올 중독·노인성 치매(老人性癡呆) 따위에서 볼 수 있는 기명력(記銘力)의 장애와 주로 두부 외상(外傷) 따위에서 볼 수 있는 재생 추상(再生追想) 장애가 있음.
기억 장치【記憶裝置】명〔memory〕〖컴퓨터〗컴퓨터의 구성 요소로, 수치·데이터·명령 등을 기억시켜, 필요한 때 이용할 수 있도록 한 장치. 주(主)기억 장치와 보조 기억 장치로 구분됨.
기억 착오【記憶錯誤】명〖심〗①경험한 일이 없는 것을 과거에 기억한 것처럼 잘못 생각하는 일. 이를테면 한 번도 와 보지 않은 곳을 와 본 일이 있는 것처럼 느끼는 일 같은 것. ②기억 장애의 하나로 상기(想起)한 기억 내용이 실제와 다름에도 그것을 사실이라 믿고 있는 상태.
기억-형【記憶型】명〔memory of type〕〖심〗골턴(Galton F.)이 분류한 기억 심상(心像)의 형태. 사물의 구체적 이미지(image)를 상기(想起)시키는 사물 표상형(表象型)과, 이름·언어적 표현을 재생시키는 언어 표상형으로 구분됨. 표상형(表象型).
기억-화【記憶畫】명 일찍이 본 것을 기억으로 그린 그림. 회화(繪畫) 교육의 한 영역임.
기억 흔적【記憶痕迹】명〔memory trace〕〖심〗고의로 잊으려고 애쓰지만 잊혀지지 않는 일. 이와 같은 상태가 계속되면 신경증적 갈등이 생김.
기언[1]【奇言】명 기어(奇語).
기언[2]【寄言】명 ①기어(寄語). ②시어(詩語)에서, 말 한 마디 보내어 각성(覺醒)시킨다는 뜻으로 쓰는 말. ——하다 자여불
기언[3]【棋諺·碁諺】명 바둑에 관한 속담. '호구(虎口)되는 곳이 급소다'·'붙이거든 젖혀라' 따위.
기언[4]【綺言】명 기어(綺語).
기엄: 명〈방〉개암❶(경남).
기엄-기엄 부 가만가만 기어 가는 모양. ——하다 자여불
기업[1]【企業】명 ①어떠한 사업을 계획함. 또, 그 사업. ②〖경〗사회의 생산 단위(生產單位)로서 생산·판매·서비스 등의 경제 활동을 계속하여 행하는 조직체. 기업의 종류는 그 관점에 따라서 공기업(公企業)과 사기업(私企業), 개인 기업과 단체 기업, 대기업(大企業)과 중소 기업(中小企業) 또는 생산 기업·상업 기업·농업 기업·금융 기업 등으로 나뉨. ——하다 타여불
기업[2]【起業】명 사업을 새로 일으킴. 창업(創業). ——하다 타여불
기업[3]【基業】명 ①기초가 되는 사업. ②대대로 전하여 오는 사업과 재산.
기업[4]【機業】명 직조하는 사업. 틀을 써서 피륙을 짜내는 사업.
기업-가[1]【企業家】명〖경〗기업에 자본을 대고 그 기업의 경영을 담당하는 사람. ¶ ~의 자세.
기업-가[2]【起業家】명〖경〗사업을 계획하여 그 발기인이 되어, 회사를 설립하는 것을 업으로 삼는 사람. 기업자(起業者).
기업-가[3]【機業家】명 직조업(織造業)을 경영하는 사람.
기업간 신:용【企業間信用】명〖경〗기업 상호간의 대차(貸借). 어음 지급·외상 매입 따위 형태로 나타남.
기업 결합【企業結合】명〖경〗고도(高度)로 발달한 자본주의 경제에 있어서, 경쟁의 제한, 시장의 독점·조절, 경영의 합리화 또는 단순한 금융 기술적 연계(連繫)를 목적으로 개개의 기업들이 모이어 이룬 여러 가지 조직의 총칭. 카르텔·트러스트·콘체른 등. 기업 연합. 기업 집중(集中).
기업 경제【企業經濟】명〖경〗기업체가 주체가 되어 이루어지는 경제.
기업 계:열【企業系列】명〖경〗대기업을 중심으로 하는 동계(同系) 및 그 밖의 관계 기업 등의 종적(縱的)인 지배적 관계나 횡적인 연결.
기업 계:열화【企業系列化】명〖경〗자본의 집중 현상으로 말미암은 중소 기업의 도산(倒產)을 방지하기 위하여, 대기업과 중소 기업이 생산·판매 등에서 서로 관계를 맺어 돕는 체제(體制).
기업 공개【企業公開】명〖경〗증권 거래법에 의거, 주식 회사가 주식을 일반 투자자에게 공모하거나, 대주주가 소유하고 있는 주식의 일부를 매출하여 다수의 주주에게 주식이 분산되도록 하는 일.
기업 공시【企業公示】명〖경〗투자자(投資者)의 투자 판단을 돕기 위해, 당해(當該) 주식을 발행한 회사에 대한 필요한 정보를 투자자에게 공개하는 일.
기업 공채【起業公債】명〖경〗국가 또는 공공 단체가 사업을 처음으로 시작할 때에 드는 자금을 조달하기 위하여 모집하는 공채. 철도 공채 따위.
기업 광:고【企業廣告】명〔institutional advertising〕기업의 경영 방침이나 업적 등을 일반 대중에게 전함으로써 기업의 입장이나 현상(現狀)을 이해하도록 하는 동시에 기업에 대한 호의(好意)나 기업 이미지를 조성하려는 목적의 광고. *상품 광고·산업 광고.
기업-권【企業權】명〖법〗①다수의 권리 의무 및 사실 관계로 이루어진 객관적 기업 전반(全般)에 걸쳐 존재하며, 일괄하여 담보로 제공할 수 있는 권리. 기업 담보권과 재단(財團) 담보의 경우에 인정됨. ②영업적 조직체에 대한 일종의 지배권. 기업 재산과 기업 활동 자체를 포함하며 기업권에 대한 침해가 있을 때는 손해 배상 청구권이 발생함. 영업권.
기업 그룹【企業—】〔group〕명 기업 집단(集團).
기업 금융【企業金融】[—/—늉]명〖경〗기업이 사업을 경영하는 데 필요한 자금을 여러 가지 방법으로 조달(調達)하는 일. 또, 그 자금의 수요 공급(需要供給)의 관계. 자본(資本) 금융. *소비(消費) 금융.
기업 기금【起業基金】명 새로운 사업을 일으키는 데 필요한 기본금.
기업내 교:육【企業內教育】명 기업에 소속하는 자를 대상으로 행하는 교육·훈련. 신입 사원 교육·기능자 양성 교육, 관리자 및 감독자를 대상으로 하는 관리·감독자 훈련 등이 있음.
기업내 실업【企業內失業】명 잠재 실업(潛在失業).
기업 담보【企業擔保】명〖경〗기업에 필요한 자금을 조달하기 위하여 주식 회사의 총재산을 일괄하여 담보로 제공하는 일.
기업 담보권【企業擔保權】[—꿘] 명〖경〗주식 회사의 사채(社債)를 담보로 하기 위하여 회사의 총재산을 일괄하여 담보의 목적으로 하는 물권(物權). *기업권.
기업 독점권【企業獨占權】[—꿘] 명〖법〗어떤 종류의 사업이 법률상 국가의 독점에 속하는 경우에 그 국가의 권리.
기업 민주화【企業民主化】명〖경〗기업을 특정한 배타적(排他的) 독점으로부터 해방시켜, 각 기업이 공정하게 경쟁하고, 공정하게 소유권을 취득하며, 공정한 경영에의 관여(關與)가 보증되도록 하는 경제 민주화의 한 가지.
기업별 조합【企業別組合】명〖사〗개별적인 기업·사업소의 종업원만으로 조직하는 노동 조합. *산업별 조합(產業別組合).
기업 보:험【企業保險】명〖경〗기업에 관련하여 체결하는 보험. 선박·화물에 대한 해상 보험이나, 공장·창고·큰 점포 등에 대한 화재 보험 같은 것. ↔가계(家計) 보험.
기업 소:득【企業所得】명〖경〗기업가가 경영 활동에서 얻는 이익. 곧, 총수입에서 생산비를 빼낸 잔액임.
기업 수익【企業收益】명〖경〗기업이 자산(資產)의 운용 등에서 얻는 수입.
기업-식【起業式】명 새로 사업을 일으키는 것을 축하하는 의식.
기업-심【企業心】명 기업을 경영하려는 정신.
기업 연금【企業年金】[—년—] 명 민간 기업이 그 종업원에게 지급하기 위하여 독자적으로 설치한 사적(私的) 연금 제도. 또, 그 연금. 기업의 노무(勞務) 관리 시책(施策)의 하나임.
기업 연합【企業聯合】[—년—] 명〖경〗①기업 결합. ②카르텔(Kartell).
기업-열【企業熱】[—녈] 명 기업에 대한 의욕과 열성.
기업 예:산【企業豫算】[—녜—] 명〖경〗기업의 이익(利益) 계획에 입각한 업무 전반에 걸친 행동 목표를 상세한 회계 수치로 나타낸 것. 손익(損益) 예산·재무 예산·변동 예산 등으로 된 종합 예산으로 입안(立案)·편성·시달되어 각 부문에 대한 통제 활동에 사용됨. *예산 통제.
기업 예:산 회:계법【企業豫算會計法】[—녜—뻡] 명〖법〗기업 형태로 운영되는 정부 사업의 합리적 경영을 위하여 그의 예산과 회계를 통일적으로 규제한 법률.
기업용 재산【企業用財產】[—뇽—] 명〖법〗국유 재산 중 행정 재산에 속하는 것으로 국가에서 경영하는 기업 또는 그 기업에 종사하는 직원의 거주용으로 사용하거나 사용하기로 한 재산. *공공용 재산.
기업의 사회적 책임【企業—社會的責任】[—/—에—] 명 기업이 사회에 대하여 일정한 행동을 취해야 할 책임. 생산의 효율적 수행을 위한 사회성(社會性), 공공(公共) 질서의 준수와 일반에게 누(累)를 끼쳐서는 아니될 공공성, 이해(利害) 관계자의 집단 전체의 이익을 증대시킬 공익성(公益性) 등으로 나뉨.
기업 이:득[1]【企業利得】[—니—] 명〖경〗기업 소득의 일부. 기업가가 애쓴 데 대한 보수, 기업의 위험에 대한 보상(報償) 등으로 얻은 이익들을 포함한 순이익.
기업 이:득[2]【起業利得】[—니—] 명〖경〗기업 설립(企業設立)에 의하여 생긴 이득. 유망(有望)한 기업을 창립한 경우, 주식의 실제 불입액이 주식액면을 초과하는 경우에 그 초과에 의하여 얻는 이득.
기업 이:론【企業理論】[—니—] 명〖경〗기업의 경제 활동을 체계적으로 설명하는 이론. 기업 활동의 경제적인 면에 그 주안점을 둠.
기업 인턴:제【企業—制】〔intern〕명〖경〗기업이 대학 졸업 예정자 중에서, 대학의 추천을 받은 일정한 수의 입사 희망자를 일정한 기일 동안 실습 사원으로 근무하게 한 다음, 그 가운데에서 적격자를 정식 직원으로 선발하는 직원 채용 제도.
기업-자[1]【企業者】명〖경〗기업가(企業家).
기업-자[2]【起業者】명〖경〗기업가(起業家).
기업 자본【企業資本】명〖경〗기업에 투하(投下)된 총자본. 기업주 자신이 투자한 자기 자본과 차입(借入)한 타인 자본을 포함함.
기업적 목축【企業的牧畜】명〖경〗19세기 이래 신대륙(新大陸)의 광대한 초원(草原)에 대자본을 투자, 세계 시장을 배경으로 하여 발전한 목축 형식.
기업 정:비【企業整備】명〖경〗①기업의 합리화를 도모하는 일. ②국가의 통제에 의하여 산업과 기업을 정비·정리하여 재편성하는 일. 곧, 제한된 자금·자재(資材)·노력(勞力) 등을 국가의 필요한 중점적 기업에 집중하는 대신 비중점 기업을 축소·폐쇄·전환하는 일.
기업 제휴【企業提携】명〖경〗판매·제품 개발·투자 등 여러 가지 기업 활동 부문에서 기업끼리 제휴하는 일.
기업 조합【企業組合】명〖경〗협동 조합의 하나. 조합 스스로 주체가 되어 상업·공업·광업·운송업·서비스업 그 밖의 사업을 행하는 조합. 조합원은 독립한 사업가의 자격을 잃음.
기업-주【企業主】명 어떤 기업의 소유자.
기업 진단【企業診斷】명〖경〗기업의 경영 내용을 조사·분석하여 불건전한 부분을 발견하고 건전화(健全化) 방책을 지적하는 일. 경영 컨설테이션(consultation).
기업 진단원【企業診斷員】명〖경〗'비즈니스 닥터'의 역어(譯語).
기업 집단【企業集團】명〖경〗거대한 기업체끼리 자금 조달이나 기술의 관련(關連) 등을 통하여 계열화된 집단. 기업 그룹(group).
기업 집중【企業集中】명〖경〗기업 결합(企業結合).

기업 참여【企業參與】명 〖경〗 주식 회사 제도에 있어서, 주식의 취득에 의하여 한 기업이 다른 기업을 지배하는 방법.

기업 책임【企業責任】명 〖경〗 무과실(無過失) 책임의 하나로, 기업가의 기업 활동에 의한 사고 등으로 그 종업원 또는 외부의 제삼자에게 끼친 손해에 대하여 배상하는 책임.

기업-체【企業體】명 어떠한 기업의 주체(主體). 사업을 진행하는 업체.

기업 통:제【企業統制】명 〖경〗 ①기업 독점(獨占)에 대하여 국가가 권력으로써 계획적으로 하는 통제. ②트러스트(trust)·카르텔(Kartell) 등의 독점 기업이, 그 위력(威力)을 발휘하기 위하여 하는 자발적(自發的)인 통제.

기업 합동【企業合同】명 〖경〗 트러스트(trust).

기업 합리화【企業合理化】[―니―] 명 생산 설비나 노동력의 낭비를 없애고 기업의 이윤을 높이려는 일.

기업 합병【企業合併】명 〖경〗 회사와 회사가 합병 통합하는 일. 시장 점유율(占有率)을 확대·독점화하기 위해, 같은 계열의 기업을 합병하는 경우와, 한 기업이 경영 부진(不振)에 빠져 유력 기업과 합병하는 경우 등 여러 가지가 있음.

기업 행동【企業行動】명 〔business behaviour〕〖경〗 기업의 투자·생산·판매·구입(購入) 등의 각 면에 걸치는 활동 및 그 활동이 미치는 다면적(多面的)인 영향의 총칭.

기업 형태【企業形態】명 〖경〗 기업의 형태. 어떠한 기업의 자본 형성·경영 등 그 기업의 주체 구성(主體構成)의 양식(樣式). 소유의 체제상(體制上)으로 구별하여, 사유(私有) 기업·공유(公有) 기업·공사 공유(公私共有) 기업의 세 가지가 있음.

기업-화【企業化】명 기업의 형태를 갖추어 조직함. ――-하다 자타여불

기업 회:계【企業會計】명 〖경〗 기업의 경영 성적과 재정 상태를 표시하기 위하여, 자산(資産)·부채(負債)·자본의 변동을 기록·분류·총괄하는 계산 체계.

기업 회:계 원칙【企業會計原則】〖경〗 기업 회계 관습 중에서 일반적으로 타당하다고 인정된 것을 기업 회계 처리 방법의 기준으로 정한 것. 일반 원칙·손익 계산서·대차 대조표를 원칙으로 이루어져 있으며, 기업의 회계 감사, 공인 회계사의 재무 감사의 기준이 됨.

-기에 어미 ①용언의 어간에 붙어서 원인·이유를 표시하는 연결 어미. -길래. ¶ 힘이 장사이~ 쉽게 이겼다 / 클 것 같~ 줄였다. ②용언의 어간 또는 선어말 어미에 붙어 '-관데'의 뜻을 나타내는 연결 어미. ¶ 자네가 뭐~ 대드느냐 / 뭣을 했~ 손이 그 모양이냐.

기에레크〔Gierek, Edward〕명 〖사람〗 폴란드의 정치가. 1931년에 프랑스 공산당에 가입, 제2차 대전중에는 벨기에의 폴란드인 저항 조직을 지도하였으며, 1948년에 귀국하여 1959년 폴란드 통일 노동자당(統一勞動者黨) 정치 국원, 1970년 당 제1 서기가 되었으며, 1980년 실각함. [1913-]

-기에-망정이지 어미 용언의 어간에 붙어서 원인이나 이유를 들어, 다행히 그러하기에 괜찮다는 뜻으로 쓰이는 연결 어미. ¶ 말 잘하는 변호사~ 꼼짝 없이 당할 뻔했다 / 비가 오~ 너무 가물어서 큰일 날 뻔했소.

기엘레루프〔Gjellerup, Karl〕명 〖사람〗 덴마크의 작가. 자연주의적 작풍으로, 인도 사상에 접근하였으며, 1917년 폰토피단(Pontoppidan)과 함께 노벨 문학상을 받았음. 대표작으로 ≪이상가(理想家)≫·≪미나(Minna)≫ 등이 있음. [1857-1919]

기여¹【其餘】명 그 나머지. 그 이외. 이여(爾餘).

기여²【寄與】명 ①부치어 줌. 보내 줌. ②이바지하여 줌. 공헌(貢獻). ¶ 국가에 ~하는 바 크다. ――-하다 자타여불

기여-금【寄與金】명 〖법〗 연금(年金) 급여(給與)에 소요되는 비용으로 공무원이 부담하는 금액.

기여 보:비【寄與補裨】명 이익을 주고 모자람을 덞. ――-하다 자여불

기여 입다 타 〈방〉 껴입다(전북).

기역¹ 명 〖언〗 한글 자모 'ㄱ'의 이름.

기역²【氣逆】명 〖한의〗 뱃속의 기운이 위로 치밀어 오르는 병. 가슴이 답답하고 뻑적지근하며, 두통이 나고 목이 마르며, 숨이 차고 손발이 차짐.

기역³【飢疫】명 굶주림과 역병(疫病).

기역⁴【其亦】부 ↗기역시(其亦是).

기역-니은 명 ①'ㄱ'과 'ㄴ'. ②'한글'을 일컫는 말. ¶ ~도 모르는 사람.

기역니은-순【―順】명 어떠한 차례를 'ㄱㄴㄷ…'의 자모 차례에 따라서 매기는 순서. ㄱㄴ순(順). 자모순(字母順). *가나다순.

기-역시【其亦是】부 그것도 또. 그것도 이것과 똑같이. 준기역(其亦).

기역-자【―字】명 한글 자모 'ㄱ'을 이르는 말. ㄱ자(字).
【기역자 왼 다리도 못 그린다】 아주 무식함을 이르는 말.
기역자를 긋:다 구 획연(畫然)히 금을 그어 결정하다.

기역자-자【―字―】명 곱자. ㄱ자 자.

기역자-집【―字―】명 'ㄱ'자 모양으로 지은 집. 곡자(曲字)집. ㄱ자집.

기역자-홈【―字―】명 나무 그릇을 짜는 데에 'ㄱ'자 모양으로 파낸 홈.

기:연¹【妓筵】명 기생들이 나와 있는 자리.

기연²【奇緣】명 기이한 인연. 이상한 인연.

기연³【起緣】명 연기(緣起).

기연⁴【頎然】명 키가 크고 인품이 있음. ――-하다 형여불

기연⁵【棄捐】명 ①자기의 재물을 내어서 남을 도와 줌. ②버리고 쓰지 아니함. ――-하다 타여불

기연⁶【機緣】명 ①어떠한 기회와 인연. ②〖불교〗 부처의 교화(敎化)를 받을 만한 인연의 기틀.

기연⁷【期然】부 결(決)하고 꼭.

기연가-미연가【其然―未然―】부 그런지 그렇지 아니한지 분명하지 아니한 모양. ¶ ~할 때에는 사전을 보라 / 나는 지금 배고픈 것까지도 ~ 잊어버리고 어름어름하던 차다≪李箱 : 날개≫. 준기연 미연. ――-하다 형여불

기연-금【棄捐金】명 기연하는 돈. 남을 도와 주기 위하여 내놓는 돈.

기연 미:연【其然未然】부 ↗기연가미연가. ¶ 고연히 사사망념(私思妄念)으로 ~하여 아니 날 생각이 없는 중…≪作者未詳 : 貨水盆≫. ――-하다 형여불

기연-사【譏沿司】명 〖역〗 조선 고종(高宗) 17년(1880)에 설치하였던 통리 기무 아문(統理機務衙門)의 부속 관청의 하나. 각 해안과 항구에 왕래하는 배를 검사하는 일을 맡았음.

기연 장:자【頎然長者】명 풍채와 생김생김이 뛰어나고 점잖은 사람.

기연-히【期然―】부 꼭 그렇게. 기필하여 꼭 그렇게.

기열【奇列】명 기수가 되는 열.

기염¹ 명 〈방〉 개암❶(경상).

기염²【氣焰】명 대단한 기세. 굉장한 호기(豪氣). ¶ ~을 토하다.

기염³【綺艶】명 화려함. 화미(華美)함. ¶ ~한 시체(詩體). ――-하다 타여불

기염 만:장【氣焰萬丈】명 기세나 호기가 굉장하게 높음.

기엽¹【氣葉】명 〖식〗 수중(水中)에서 나와 공중에서 작용을 영위하는 수초(水草)의 잎. 보통 수중의 잎과는 그 형상이 다름.

기엽²【旗葉】명 깃발❶.

기영¹【奇穎】명 뛰어나게 영리함. ――-하다 형여불

기:영²【耆英】명 〖사람〗 중국 청조(淸朝)의 종실(宗室). 정치가로 중국 국민의 배외(排外) 운동 탄압자. 아편 전쟁(阿片戰爭) 때 성경(盛京) 장군, 1842년 광주(廣州) 장군, 후에 흠차 대신(欽差大臣)이 되어 영국과 난징(南京) 및 호문채(虎門寨) 양조약을 조인하였음. 1858년 톈진 조약(天津條約) 때 당시 흠차 대신 계량(桂良)과 감정 대립으로 칙명(勅命)을 배반하고 동년 6월에 자살하였음. [1787-1858]

기영³【氣瘿】명 〖한의〗 근심과 걱정으로 생기는 혹.

기영⁴【旗影】명 기의 모습. 또, 그 그림자.

기영⁵【箕營】명 평안도 감영(監營)을 예스럽게 일컫는 말. 패영(浿營).

기영⁶【畿營】명 경기도 감영(監營)을 예스럽게 일컫는 말.

기영⁷【機影】명 날고 있는 비행기의 모습. 또, 그 그림자. ¶ 구름 속에 ~을 감추다.

기예¹【伎藝】명 유예(遊藝).

기예²【技藝】명 기술상의 재주와 솜씨. ¶ ~를 닦다.

기예³【氣銳】명 기백(氣魄)이 날카로움. ¶ 신진 ~의 인사(人士). ――-하다 형여불

기예-천【伎藝天】명 〖불교〗 마혜 수라천(摩醯首羅天)의 머리에서 화생(化生)한 천녀(天女). 용모가 단정하며, 복덕(福德)과 기예(伎藝)를 수호한다 함.

〈기예천〉

기오¹ 명 〈방〉 〖조〗 거위¹(경남).

기오²【忌惡】명 꺼리고 미워함. 싫어하고 미워함. ――-하다 타여불

기오되 〈이두〉 이오되(是乎矣).

기오리 명 〈방〉 〖조〗 거위¹(경상).

기옥¹【起屋】명 집을 세움. ――-하다 자여불

기옥²【起獄】명 소송을 일으킴. 소송을 하여 형벌을 밝힘. ――-하다 자여불

기온【氣溫】명 대기(大氣)의 온도. 기상학에서는 보통 바람이 잘 통하는 그늘진 지면(地面)으로부터 1.5m 높이의 대기의 온도를 그때 그 지점의 온도로 함.

기온 감:률【氣溫減率】[―뉼] 명 〖지〗 기온은 상공(上空)으로 올라갈수록 저하(低下)되는 것이 보통이며, 이때의 단위 높이에 대한 기온의 저하하는 율을 말함. 때와 장소에 따라 다르나 100m 고도차(高度差)에 대하여 0.5°-0.6°C 정도씩 저하함. 기온 체감률.

기온 역전층【氣溫逆轉層】명 〖기상〗 역전층❷.

기온의 일교차【氣溫―日較差】[―/―에―] 명 〖기상〗 하룻동안의 최고 기온과 최저 기온과의 차. 일교차는 위도(緯度)나 해안으로부터의 거리·날씨·지형(地形) 등에 따라 다름.

기온 체감률【氣溫遞減率】[―뉼] 명 〖기상〗 기온 감률.

기온-파【氣溫波】명 〖기상〗 기온의 변화가 물결 모양으로 퍼져 나가는 현상.

기온 편차【氣溫偏差】명 〖기상〗 관측하는 지점의 온도와 같은 위도상(上)에 있는 다른 지점의 공정(公定) 온도와의 차.

기옴미다 자 〈옛〉 기음 매다. ¶ 기옴밀 운(耘)≪類合 下 7≫.

기옷ᄒᆞ다 자 〈옛〉 기웃하다. 기울어지다. ¶ 기옷ᄒᆞᆫ 느솟는 믌겨를 소다디어 흘려 가놋다(欹斜激浪輸)≪重杜諺 Ⅱ:7≫.

기와¹ 명 차진 흙이나 시멘트 같은 것으로 구워 만든 지붕을 이는 물건. 한국 기와에는 수키와·암키와의 구별이 있음. *개와.
【기와 한 장 아껴서 대들보 썩힌다】 기와 한 장을 아끼다가 대들보를 썩히듯이, 조그마한 것을 아끼다가 큰 손해를 봄을 이르는 말.

기와²【起臥】명 일어남과 누움. ――-하다 자여불

기와-골 명 기와의 모양. 기와와 같은 모양.

기와라 명부 〈방〉 기왕(旣往).

기와-막【―幕】명 기와를 만드는 곳.

기와-밟기〔―밥―〕명 〖민〗 경상 북도 의성(義城)에서 행해지는 놋다리밟기의 이름.

기와-밥 명 〈방〉 〖식〗 바위솔.

기와와-부【―瓦部】명 한자 부수(部首)의 하나. '甁'이나 '甕' 등의 '瓦'의 이름.

기와-장이【―匠―】명 기와를 이는 일을 업으로 삼는 사람. 개장(蓋匠). 와장(瓦匠).

기와-집 명 지붕을 기와로 인 집. 와가(瓦家). 와옥(瓦屋).
【기와집 물려 준 자손은 제사를 두 번 지내야 한다】 초가집 지붕 이기가 귀찮고 힘든 데서 나온 말. 【기와집에 옻칠하고 사나】 배우 인색하게 재산을 모으는 사람을 핀잔하는 말. 【기와집이면 다 사창(社倉)인가】 겉이 훌륭하다고 하여 그 내용도 다 훌륭하지는 못하다는 말.

기완¹【奇玩】명 기이한 노리개.

기:완²【嗜玩】명 좋아하여 완롱(玩弄)함. ――-하다 타여불

기완[3]【器玩】 명 완상(玩賞)하기 위하여 비치하는 기구나 골동품(骨董品) 같은 것.

기왓-가마 명 〖건〗 기와를 구워 내는 아궁이.

기왓-고랑 명 〖건〗 기와집 지붕에 빗물이 잘 흘러 내리도록 된 고랑. 와구(瓦溝). ㉠기왓골. ↔기왓등.

기왓-골 명 ↗기왓고랑.

기왓-굴 명 〈방〉 기왓가마.

기왓-등 명 〖건〗 처마로부터 마루에 이르는 수키와 줄기의 등. ↔기왓고랑.

기왓-장 【ㅡ張】 명 기와의 낱 장.

기왓장-꿇림 [ㅡ꿀ㅡ] 명 기왓장을 깨 놓은 위에 꿇어 앉히고 고통을 주던 사형(私刑).

기왕 【旣往】 ㊀ 명 이전(以前). 그 전. ¶ ~지사 / ~의 잘잘못은 가리지 말고. ㊁ 부 ①이미. 벌써. ②이왕에. ¶ ~ 가려면 빨리 떠나라.

기왕-력 【旣往歷】 [ㅡ녁] 명 〔anamnesis〕 〖의〗 의사가 초진(初診)할 때 묻는, 환자의 병력(病歷). 곧, 과거에 앓았던 질병·상해의 종류·경중과, 유전성·선천성 질환 등의 유무 등에 관한 정보.

기왕 반:응 【旣往反應】 명 〔anamnestic response〕 〖의〗 특이한 항원(抗原)을 자주 접촉한 결과 생기는 강한 반응. 보통은 급속히 나타나지만, 수년 후에도 나타날 수 있음.

기왕 불구 【旣往不咎】 명 이왕 지난 일은 탓하지 아니함. ＊이왕지사 물구(已往之事勿咎).

기왕-에 【旣往ㅡ】 부 이왕(已往)에. ¶ ~ 탄로 난 사실.

기왕-이면 【旣往ㅡ】 부 이왕이면. ¶ ~ 나도 끼워 주렴.

기왕-증 【旣往症】 [ㅡ쯩] 명 환자가 지금까지 경험한 질병.

기왕지-사 【旣往之事】 명 이왕에 지난 일. 이미 지난 일. ¶ ~ 그렇게 된 바에야.

기외[1] 【忌畏】 명 꺼리고 두려워함. ——-하다 타 여불

기외[2] 【其外】 명 그 밖. 기타.

기외 수축 【期外收縮】 명 〖의〗 심장의 일부에 이상 자극(異常刺戟)이 형성되어, 정맥동(靜脈洞)에 기인하는 정규(正規)의 박동(搏動) 이외에 다른 박동이 끼어 들어가는 일. 발생 부위에 따라 동성(洞性)·심방성(心房性)·방실성(房室性)·심실성(心室性)으로 구분됨. 젊은이에 많고 흥분·피로·흡연·음주·과식(過食)·변비(便秘) 등에 의하여 유발되며, 또 급성 류머티즘·판상 동맥 경화·심근 경색(心筋梗塞)·고혈압 등의 심장 혈관 계통의 질환이 원인이 되기도 함. 흔히 불안감과 심계 항진(心悸亢進)을 호소하는 수가 많음.

기요[1] 【紀要】 명 ①대학·연구소 등에서 간행하는 연구 논문을 실은 정기 간행물. ②요강(要綱)·요령(要領)을 적어 놓은 것. 「여불

기요[2] 【起擾】 명 소란을 일으킴. 기뇨(起鬧). 자요(滋擾). ——-하다 자

기요[3] [프 guyot] 명 〖지〗 통상, 200 m보다 깊은, 꼭대기가 넓고 평탄한 해산(海山)이나 해구(海丘). 보통 수심(水深) 1000-2000 m의 경우가 많음. 평정 해산(平頂海山).

기요맹[1] 〔Guillaumin, Emile〕 명 〖사람〗 프랑스의 소설가·시인. 농민 작가로 사회주의에 가담. 농민의 생활을 강력히 묘사함. 대표작으로는 《정원의 풍경》·《어떤 농민의 생활》·《나의 수확》 등이 있음. [1874-1940]

기요맹[2] 〔Guillaumin, Jean-Baptiste Armand〕 명 〖사람〗 프랑스의 화가. 파리 태생. 인상주의 운동 그룹의 한 사람으로, 피사로(Pissarro)의 친구. 1863년의 '낙선자 전람회', 1874년의 '익명 예술가 협회 전람회'에도 출품. 파리의 거리를 자주 그렸으나, 청(青)과 초록을 주로 한 전원 풍경화로 더 알려짐. [1841-1927]

기-요통 【氣腰痛】 명 〖한의〗 기혈이 쇠약하여 허리가 아픈 병증.

기요틴 〔프 guillotine〕 명 1789년 프랑스의 의사 기요틴(Guillotine, J.J.)이 발명한 사형 집행의 단두대. 두 개의 기둥이 나란히 서 있고 그 사이에 날이 비스듬한 도끼 같은 칼이 달려 있어, 그 아래 사형수를 눕히고 사형 집행자가 끈을 잡아당기면 그 칼이 낙하하여 사형수의 목을 자르게 되어 있음. 길로틴. ＊단두대.

칼

〈기요틴〉

기:욕 【嗜慾】 명 기호(嗜好)의 욕심. 즐겨하고 좋아하는 욕심.

기욤 〔Guillaume, Charles Edouard〕 명 〖사람〗 프랑스의 물리학자. 스위스에서 태어나 취리히 공과 대학을 나온 후, 1883년 국제 도량형국(度量衡局)에 근무, 온도 측정에 관해서 연구, 1897년 불변강(不變鋼) 인바(invar)를 발명 그 응용에 대한 연구도 함. 1920년 노벨 물리학상을 수상함. [1861-1938]

기욤 드 로리스 〔Guillaume de Lorris〕 명 〖사람〗 13세기 전반의 프랑스 시인. 교양이 넘친 사교인이며 궁정풍 문학을 몸에 지니고 중세(中世) 연애의 이상을 문학화하는 데 공헌하였음. 《장미 이야기》의 전반(前半)의 작자. [?-1235?]

기용[1] 【起用】 명 ①어떠한 사람을 높은 벼슬에 올려 씀. ¶ 공장장으로 ~하다. ②면직(免職)이나 휴직(休職)된 사람을 다시 관직에 일으켜 씀. ——-하다 타 여불

기용[2] 【氣勇】 명 일을 하는 데 겁이 없고 과단성이 있음. 용감함. ——-하다 형 여불

기용[3] 【機勇】 명 기모(機謀)와 용기.

기우[1] 명 〈방〉 〖조〗 거위[1](전남·경상).

기우[2] 【忌ㅡ】 명 〈방〉 기휘(忌諱). ——-하다 타

기우[3] 【杞憂】 명 〔중국의 기(杞)나라 사람이 하늘이 무너져 내려앉지 않을까 걱정했다는 고사에서〕 장래의 일에 대한 쓸데없는 군걱정. ¶ ~에 지나지 않다.

기우[4] 【奇偶】 명 〖수〗 기수(奇數)와 우수(偶數). 「여불

기우[5] 【奇遇】 명 기이한 인연으로 만남. 이상하게 만남. ——-하다 자타

기우[6] 【祈雨】 명 비 오기를 빎. 청우(請雨). ¶ ~제(祭). ——-하다 자 여불

기우[7] 【氣宇】 명 기개(氣槪)와 도량(度量).

기우[8] 【基宇】 명 근본(根本). 기원(基源).

기우[9] 【寄寓】 명 다른 곳에 한때 임시로 거처함. 기주(寄住). ——-하다 자 여불

기우[10] 【器宇】 명 기량(器量).

기우[11] 【羇寓】 명 타향에 우거(寓居)함. ——-하다 자 여불

기:우[12] 부 〈방〉 겨우(전북·경북).

기우다[1] 타 〈방〉 게우다(충남·전남·경상).

기우다[2] 타 〈방〉 기이다.

기우다[3] 타 〈방〉 깁다.

기우-단 【祈雨壇】 명 〖역〗 하지(夏至)가 지나도록 비가 오지 아니할 때에 기우제를 지내기 위해 마련한 단. 우사단(雩祀壇).

기우 도:량 【祈雨道場】 명 〖불교〗 날이 가물 때에 용왕 운우경(龍王雲雨經)을 읽으면서 비 오기를 비는 법회. 용왕 도량(龍王道場).

기우듬-하다 형 여불 조금 기웃하다. ㅆ끼우듬하다. >갸우듬하다. 기우듬-히 부

기우뚱 부 물체가 한쪽으로 기우듬하게 기울어진 모양. ¶ 파도에 배가 ~하다. ㅆ끼우뚱. >갸우뚱. ——-하다 자타 형 여불

기우뚱-거리다 ㊀ 자 물체가 이쪽저쪽으로 기울어지게 흔들리다. ㅆ끼우뚱거리다. >갸우뚱거리다. ㊁ 타 물체를 이쪽저쪽으로 기울어지게 흔들다. ㅆ끼우뚱거리다. >갸우뚱거리다. **기우뚱-기우뚱** 부. ——-하다 자타 형 여불

기우뚱-대다 자타 기우뚱거리다.

기우로 부 〈옛〉 기울게. ¶ 白日은 또 기우로 비취놋다(白日亦偏照) 《杜諺 I:47》.

기우루 부 〈옛〉 기울게. ¶ 조코져 호터 기우루 더러우며(欲潔而偏染) 《楞嚴 Ⅶ:3》.

기우루ᄒᆞ다 타 〈옛〉 기울게 하다. ¶ 上天이 기우루ᄒᆞ샤미 업서(上天無偏頗) 《重杜諺 Ⅶ:34》. 「간대 《南明 上 30》.

기우리다 타 〈옛〉 기울이다. ¶ 子貢이 술위 투고 蓋 기우려 原憲 보라

기-우(:)만 【奇宇萬】 명 〖사람〗 대한 제국의 항일 의병장(義兵將). 자는 회일(會一). 호는 송사(松沙). 장성(長城) 출신으로 고종 18년(1881) 참봉(參奉)으로 있다가 김평묵(金平默) 등과 함께 유생(儒生)을 이끌고 정부의 행정 개혁을 요구하는 만인소(萬人疏)를 올리어 호남 소수(湖南疏首)로 불리었음. 1895년 민비(閔妃)가 시해(弑害)되자 의병을 일으켜 활동하다가 목포(木浦)·서울 등지에서 복역(服役)하였으며, 끝내 일화(日貨)를 배척하고 세금을 거부하는 등 항일 운동을 계속하였음. 저서 《송사집(松沙集)》. [1838-1916]

기우시 부 〈옛〉 기웃이. 곁따라. ¶ 나비 놀내 드르볼 기우시 놀라(側驚猿 「猱) 《杜諺 I:58》.

기우-제 【祈雨祭】 명 〖역〗 하지(夏至)가 지나도록 비가 오지 않을 때에 비를 비는 제사. 나라에서나 각 고을 또는 각 마을에서 행하는데 서울에서는 첫 번은 삼각산(三角山)·목멱산(木覓山)·한강(漢江), 둘째 번은 용산강(龍山江)·저자도(楮子島), 셋째 번은 산천 우사단(山川雩祀壇), 넷째 번은 사직(社稷)·북교(北郊), 다섯째 번은 종묘(宗廟)에서, 여섯째 번은 다시 삼각산·목멱산·한강, 일곱째 번은 용산강·저자도, 여덟째 번은 산천 우사단, 아홉째 번은 북교·모화관(慕華館), 열째 번은 사직·경회루(慶會樓), 열한째 번은 종묘·춘당대(春塘臺), 열두째 번은 오방 토룡 제단(五方土龍祭壇)에서 행하였음. 수제사(水祭祀). 한제(旱祭).

기우지개 명 〈방〉 귀이개(전남).

기우트다 형 〈옛〉 사벽(邪辟)하다. ¶ 게으르며 기우튼 긔운을 모매 두디 아니ᄒᆞ며(惰慢邪辟之氣) 《內訓 I:12》.

기운[1] 명 ①하늘과 땅 사이에 가득히 차서 온갖 물건이 나고 자라는 힘의 근원. ②생물이 자라 움직이는 힘. 원기 따위. ③오관(五官)에 부딪쳐서 있는 줄은 알겠으나 눈에 띄어서 보이지는 아니하는 물건. ¶ 독한 ~/매운 ~. ④명교간에 안부를 묻는 말. ⑤힘❶. ¶ ~깨나 쓰겠다. [기운이 세면 소가 왕 노릇할까; 기운이 세면 장수 노릇하나] 지략(智略) 없이 힘만 가지고는 대중을 통어(統御)할 수 없다는 말.

기운[2] 【奇雲】 명 이상한 모양의 구름.

기운[3] 【起雲】 명 〖건〗 운문(雲紋)의 한 가지.

기운[4] 【起運】 명 〖역〗 명청(明淸) 시대의 중국에서, 지방 관청이 수납(收納)한 조세(租稅)를 중앙 정부나 상급 지방 관청에 수송하던 일.

기운[5] 【氣運】 명 시세가 돌아가는 형편.

기운[6] 【氣韻】 명 문장이나 서화(書畫)의 아담한 멋.

기운[7] 【機運】 명 기회와 시운. ¶ ~이 무르익다.

기운기-밑 【ㅡ氣ㅡ】 명 한자 부수(部首)의 하나. '氣'나 '氛' 등의 '气'의 이름.

기운-봉 【氣雲峰】 명 〖지〗 함경 북도 명천군(明川郡) 상우북면(上雩北面)과 길주군(吉州郡) 양사면(暘社面) 사이에 있는 산. [1,668 m]

기운 생동 【氣韻生動】 명 기품(氣品)이 넘쳐 있음. 뛰어난 예술품에 대하여 이르는 말.

기운-차다 형 기운이 세차다.

기울[1] 명 밀이나 귀리 등의 가루를 쳐내고 남은 속 껍질. ¶ 밀~.

기울[2] 명 〈방〉 ①〖조〗 거위[1](경상). ②겨울[1](경북).

기울[3] 【氣鬱】 명 ①〖한의〗 마음이 울적하여 가슴이 아픈 병. 기울증(症). ¶ ~병(病). ②십기가 우울하여 개운하지 아니함. ——-하다 형 여불

기울-기 명 〖수〗 직선이 x축(軸)과 이루는 각(角)의 탄젠트. 구배(勾配).

기울기-표 【ㅡ標】 명 구배표(勾配標).

기울다 ㊀ 형 ①비스듬하여 한쪽이 낮다. ¶ 한쪽으로 기운 배. ㅆ끼울다. >갸울다. ②다른 것과 비교하여 그것보다 못하다. ¶ 힘이 기운 학생 / 짝이 ~. ㊁ 자 ①한 편으로 쏠리다. ¶ 배가 기울었다. ㅆ끼울다. >갸울다. ②해나 달이 져 가다. 이지러지다. ¶ 달이 기울기 시작했다 / 달도 차면 기운다. ③형세가 불리해지다. 쇠퇴하다. ¶ 국운이 ~. ④그러한 경향을 띠다. ¶ 고전주의로 기운 사람.

기울루다 형 〈방〉 게으르다(전남).

기울어-뜨리다 타 힘있게 기울이다. ㅆ끼울어뜨리다. >갸울어뜨리다.

기울어-지다 자 기울게 되다. ㅆ끼울어지다. >갸울어지다.

기울어-치다 타 〈방〉 기울어뜨리다.

기울어-트리다 타 기울어뜨리다.

기울이기 명 유도에서, 상대방을 메치기 쉬운 자세로 만드는 재주.

기울-이다 타 [←기울-+-이-(사동)+-다] ①선(線)이나 면(面) 같은 것의 방향을 일정한 기준으로부터 쏠리게 하다. 비스듬히 되게 하다. ②어떤 방향으로 향하게 하다. ¶귀를 ~ / 주의(注意)를 ~. ③남기지 아니하고 총동원하다. ¶온 정신을 ~ / 국력(國力)을 기울인 대역사(大役事). ④형세를 불리하게 하다. 멸망시키다. ¶나라를 기울인 미색(美色). ⑤그릇을 비스듬하게 하여 안에 있는 술 따위를 마시다. ¶친구와 다정하게 잔을 ~. ㅆ끼울이다. >갸울이다.

기울-증【氣鬱症】[—쯩] 명 〖한의〗 가슴 속이 답답하여 아픔을 느끼는 병증. 기울(氣鬱).

기움-말 명 〖언〗 보충어(補充語). 보어(補語).

기움-자리 명 〖언〗 '보격(補格)'의 풀어 쓴 이름.

기움자리-토씨 명 〖언〗 '보격 조사'의 풀어 쓴 이름.

기움-질 명 해진 곳을 조각을 대어 깁는 일. ——-하다 자여불

기웃 부 무엇을 보려고 고개를 기울이는 모양. ¶부엌 문간에서 ~ 안을 들여다보다. ㅆ끼웃. >갸웃. ——-하다¹ 자타여불

기웃-거리다 자타 ['기웃'은 동사 '기울'의 상징 부사] 무엇을 보려고 자꾸 고개를 기울이다. ¶남의 집안을 ~. ㅆ끼웃거리다. >갸웃거리다. 기웃-기웃 부. ——-하다 자타여불

기웃-대다 자타 기웃거리다.

기웃-이 부 기웃하게. ¶얼굴을 … 모로 접치고 누워 있는 석란의 얼굴을 ~ 들여다보았다《朴花城 : 벼랑에 피는 꽃》. ㅆ끼웃이. >갸웃이.

기웃-하다² ㊀ 형여불 조금 기울어져 있다. ㅆ끼웃하다². >갸웃하다². ㊁ 타 조금 기울이다. ㅆ끼웃하다². >갸웃하다².

기원¹【技員】 명 전의 국가 공무원 직급 명칭의 하나. 지금은 '서기(書記)'로 바뀌었음.

기원²【祈願】 명 바라는 일이 이루어지기를 빎. ——-하다 타여불

기원³【紀元】 명 ①나라를 세운 첫 해. ②연대(年代)를 계산하는 데 기초가 되는 해. 현재 세계 대부분의 국가에서는 서력 기원을 쓰고 있음.

기원⁴【起原·起源】 명 사물이 생긴 근원. 남상(濫觴). 원류(源流). 발상(發祥). ——-하다 자여불 사물의 근원이 생기다.

기원⁵【祇園】 명 〖불교〗 인도 기타 태자(祇陀太子)의 동산과 숲. 기타림(祇陀林). *기원 정사(祇園精舍).

기원⁶【基源】 명 어떤 사건이나 원인의 첫머리.

기원⁷【棋院】 명 ①바둑의 전문가가 조직하는 단체. 또, 그 집합소. ②바둑을 즐기는 사람들에게 바둑 시설이나 장소를 제공하는 일을 업으로 삼는 곳.

기원⁸【冀願】 명 바라고 원함. 희망. 기망(冀望). 희원(希願). ——-하다 타여불

기원-보【技員補】 명 전의 국가 공무원 직급 명칭의 하나. 지금은 '서기보'로 바뀌었음.

기원-사【祈願詞】 명 기원하는 글이나 말.

기원-장【淇園長】 명 [기원은 중국 허난 성(河南省) 치 현(淇縣) 서북쪽의 동산 이름. 대나무가 남] '대나무'의 별칭.

기원-전【紀元前】 명 ①개국(開國)하기 전. ②서력 기원이 시작하기 전. B.C.의 기호로 나타냄.

기원 정사【祇園精舍】 명 〖불교〗 옛날 중인도(中印度) 마가다국(Magadha 國) 사위성(舍衛城) 남쪽에 있던 절. 수달 장자(須達長者)가 석가(釋迦)와 그 제자(弟子)를 위하여 세움. 일곱 층의 가람(伽藍)이 있어 지극히 장려(壯麗)하였다 함. *기타림(祇陀林)·서다림(逝多林).

기원-제【祈願祭】 명 〖종〗 특별한 은혜를 구하여 드리는 제사. 기우제(祈雨祭) 같은 것.

기원-후【紀元後】 명 ①개국한 이후. ②서력 기원이 시작한 이후. 곧, 예수 강탄(降誕) 이후. A.D.의 기호로 나타냄.

기월¹【忌月】 명 ①기일(忌日)이 들어 있는 달. ②일을 하는 데 꺼려 피해야 할 달. 음력 9월의 일컬음.

기월²【幾月】 명 몇 달.

기월³【期月】 명 ①온 한 달. 꼭 한 달. ②12개월. 1년간.

기위¹【奇偉】 명 뛰어나게 훌륭함. ——-하다 형여불

기위²【奇瑋】 명 기이하고 아름다움. ——-하다 형여불

기위³【既爲】 부 벌써. 이미.

기유¹ 명 〈방〉 구유.

기유²【己有】 명 자기 소유의 물건.

기유³【己酉】 명 〖민〗 육십 갑자(六十甲子)의 마흔여섯째.

기:유⁴【耆儒】 명 늙은 유자(儒者).

기:유⁵【覬覦】 명 분수에 넘치는, 당치않은 일을 바람. 아랫사람으로서 바라서는 아니될 일을 바람. ——-하다 자여불

기유 각서【己酉覺書】 명 〖역〗 1909년 7월 12일 당시의 총리 대신 이완용(李完用)과 제2대 통감 소네 아라스케(曾禰荒助) 사이에 교환된 것으로 사법권의 위임에 관한 협약(協約). 이로 인하여, 법부(法部)와 재판소는 폐지되고 통감부의 사법청(司法廳)에 이관(移管)됨. 이 협약은 국권 피탈의 전초 공작이었음.

기유맹 [Guillemin, Roger] 명 〖사람〗 프랑스 태생의 미국 의사. 1949년 의사가 되어 1953년까지 캐나다의 몬트리올에서 한스 셀라이 박사와 함께 일했으며, 그 후 미국 휴스턴 베일러 의과 대학을 거쳐 1970년 캘리포니아 주 샌디에이고의 솔크 의과 대학 교수로 취임, 1973년 학장으로 승진함. 각종 호르몬 방출 인자(因子)를 규명·정제하고 황체(黃體) 형성 호르몬 방출 인자, 소마토스타틴(somatostatin) 등을 단리(單離), 구조를 결정하는 등의 공으로, 섈리(Schally, A.V.)와 함께 1977년 노벨 생리 의학상을 수상함. [1924—]

기유 조약【己酉條約】 명 〖역〗 임진 왜란(壬辰倭亂) 후 일본과 국교(國交)가 회복되자 광해군 원년(1609)에 쓰시마 도주(対馬島主)와의 사이에 맺은 조약. 앞서의 임신(壬申)·계해(癸亥)의 두 조약보다 쓰시마에 더 불리하여 세견선(歲遣船)을 20척으로 규정하고 기타 사신(使臣)의 접대·대우·벌칙(罰則) 등을 정하였으며 11 조목으로 되어 있음.

기-윤【紀昀】 명 〖사람〗 중국 청대(淸代)의 학자. 자는 효람(曉嵐) 또는 춘범(春帆). 호는 석운(石雲). 허베이 성(河北省) 시안 현(獻縣) 사람. 건륭제(乾隆帝)의 명에 의하여 ≪사고 전서(四庫全書)≫의 편찬과 그 총목 해제(總目解題)인 ≪사고 전서 총목 제요(提要)≫의 편저에 중심적 역할을 함. 저서에 ≪관미 초당 필기(關微草堂筆記)≫가 있음. [1724-1805]

기율【紀律】 명 일정한 질서. 여러 사람의 행위의 표준이 될 만한 질서. 규율(規律). ¶ ~이 해이되다. ㊟율(律).

기윰 타 〈옛〉 속임. '그이다'의 명사형. ¶宗臣의 아쳐러 기유미 災害니라(宗臣忌諱災)《杜諺 Ⅲ:10》.

기으다 형 〈옛〉 깃다. 거하다. 논밭에 잡풀이 어우러지게 많이 나다. ¶수프리 기으면 새 가미 잇고(林茂鳥有歸)《杜諺 Ⅲ:58》.

기으르다 명 〈방〉 게으르다(강원·충북).

기은¹【祈恩】 명 〖역〗 조선 시대 때 함흥(咸興)의 선원전(璿源殿)에서 의장(儀仗)을 엄하게 하고 무당·광대를 불러 악기(樂器)를 갖추어 울리며 왕가(王家)의 복을 빌던 행사.

기은²【欺隱】 명 속이어 숨김. ——-하다 타여불

기은³【棄恩】 명 〖불교〗 은애(恩愛)를 버리고 속세에 대한 집착(執着)을 끊고 진여(眞如)의 길에 들어가는 일. ——-하다 자여불

기은⁴ 형 〈옛〉 깃은. 논밭에 잡풀이 무성한. ¶플 기은 따히 노하(草地裏撒)《老乞 下 41》.

기은 도감【祈恩都監】 명 〖역〗 ↗별례 기은 도감(別例祈恩都監).

기:을르다 명 〈방〉 게으르다(경기·강원·충북·경북).

기음¹ 명 ☞김².

기음²【記音】 명 소리의 진동하는 모양을 그려 표시함. ——-하다 자타여불

기음³【氣音】 명 〖언〗 평음(平音)에 'ㅎ'을 더 작용하여 거세게 나는 소리. ㅊ·ㅋ·ㅌ·ㅍ·ㅎ과 같은 음. 거센 소리. 격음(激音).

기음⁴【基音】 명 ①〖물〗 기본음❶. ②〖악〗 '바탕음'의 한자 이름.

기음⁵【崎崟】 명 험준한 산봉우리.

기음-기【記音器】 명 소리의 진동하는 모양을 그리어 나타내는 장치.

기음 문자【記音文字】[—짜] 명 〖언〗 표음 문자(表音文字).

기음-약【—藥】[—냑] 명 제초약(除草藥).

기음-풀 명 〈방〉 〖식〗 피².

기의¹【氣意】 [—/—이] 명 기분.

기의²【起意】 [—/—이] 명 생각을 일으킴. 생각하기 시작함. ——-하다 자여불

기의³【起義】 [—/—이] 명 ①의례(義例)를 세움. ②의병(義兵)을 일으킴. ——-하다 자여불

기의⁴【機宜】 [—/—이] 명 시기와 형편에 알맞음. 시기에 적합함. 시의(時宜).

기의⁵【譏議】 [—/—이] 명 기평(譏評). ——-하다 타여불

기:이¹【岐貳】 명 의논이 같지 아니하고 여러 갈래가 짐. ——-하다 형여불

기이²【奇異】 명 기괴하고 이상함. ——-하다 형여불. ——-히 부

기이³【期頤】 명 백 살의 나이.

기이⁴【既已】 부 이미.

기이다 타 남에게 일을 알리지 아니하다. 일이 드러나지 아니하도록 하다. 남의 눈을 피하다. ¶안왔으니까 안왔다지 온 걸 내가 기일 까닭이 있소?《洪命憙 : 林巨正》. ㊟기다.

기이 반:도【—半島】 [紀伊 : きい] 명 〖지〗 일본 긴키(近畿) 지방의 남부, 태평양에 돌출한 일본 최대의 반도. 임업·수산업이 주업이며, 관광자원이 풍부함.

기이지-수【期頤之壽】 명 나이가 백 살이나 되는 상수(上壽).

기익【機翼】 명 항공기의 날개. 날개.

기인¹【奇人】 명 기이한 사람. 성질·언행이 보통 사람과 달라 이상야릇한 사람. 기인(畸人).

기인²【其人】 명 〖역〗 신라 때부터 지방 자치 세력의 유력자로 중앙에 뽑혀 와 볼모로 있으면서 그 고을 행정의 고문(顧問)을 맡아 보던 사람. 신라·고려 초에 지방 자치 세력을 누르기 위하여 둔 것인데, 고려 성종(成宗) 이후 중앙 집권이 강화되면서 지방 세력은 향리(鄕吏)라는 이름으로 중앙의 이속격(吏屬格)으로 떨어지게 되고, 향리에서 나오는 기인(其人)도 따라서 그 신분(身分)이 차츰 떨어지게 됨. 문종(文宗) 때에 오면 기인에게 역(役)이 과(課)하여짐으로써 종래의 볼모로서의 의의(意義)를 잃게 되고 충렬왕(忠烈王) 이후에는 궁실 조영(宮室造營)의 역부(役夫)로 노예와 다름없는 고역(苦役)에 역사(役使)됨. 조선 시대에 들어서도 궁중(宮中)에서 노예와 같이 여러 가지 고역에 역사되다가 태종(太宗) 9년(1409) 이후에는 주로 소목(燒木)을 바치는 역을 지게 되었는데, 이 일은 광해군 때 대동법(大同法)이 실시되어 기인의 역이 혁파(革罷)되기까지 계속함. *기인계(其人契).

기인³【起因】 명 일이 일어나는 원인. 일이 일어나는 이유. ——-하다 자여불

기인⁴【飢人】 명 굶주린 사람. 배고픈 사람. 기자(飢者).

기인⁵【基因】 명 근본적 원인. 어떠한 기초를 인연함. ——-하다 자여불

기인⁶【欺人】 명 사람을 속임. ——-하다 자여불

기인⁷【幾人】 명 몇 사람.

기인⁸【棄人】 명 ①병으로 또는 상도(常道)에서 벗어난 짓을 하여 버림받은 사람. ②폐인(廢人)❷.

기인⁹【旗人】 명 〖역〗 중국 청나라 때 만주(滿洲) 사람의 일컬음. 처음에는 네 기(旗)로 나뉘었다가 뒤에 늘려 여덟 기가 되었는데, 백성을 이 기에 갈라 붙여서 거느리게 하였음. 기족(旗族). *팔기(八旗).

기인¹⁰【畸人】 명 ①기인(奇人). ②불구자.

기인-계【其人契】[—게] 명 〖역〗 조선 시대 때, 땔나무와 숯을 공물(貢物)로 바치기 위하여 만든 계. *기인(其人).

기인 문기【其人文記】명〖역〗조선 시대 후기에, 관부(官府)에 시탄(柴炭)을 납품하는 공인(貢人)의 권리를 매매하는 문서.

기인 여옥【其人如玉】명 여옥 기인(如玉其人).

기인 제:도【其人制度】명〖역〗기인(其人).

기인 취:물【欺人取物】명 기인 편재(欺人騙財). ——-하다 자여불

기인 편재【欺人騙財】명 사람을 속이고 재물을 빼앗음. 기인 취물(欺人取物). 준기편(欺騙). ——-하다 자여불

기일[1]【忌日】명 사람이 죽은 날. 제삿날. 기신(忌辰). 명일(命日).

기일[2]【奇一】명〖사람〗'게일(Gale)'의 한국식 이름.

기일[3]【奇日】명〖민〗기수의 날. 짝이 맞지 아니한 수의 날. 1일·3일·13일·25일 등. 척일(隻日).

기일[4]【期日】명 ①작정한 날짜. 정한 날짜. ②〖법〗어느 행위가 이루어지고 또는 어느 사실이 일어나는 시점(時點). 소송법상(訴訟法上)으로는 법원이나 소송 당사자 또는 그 소송에 관계되는 증인·감정인(鑑定人)이 회합하여 소송 행위를 하는 특정의 날짜. *기일(期日)하다.

기일[5]【幾日】명 며칠. 몇 날.

기일-하다【期日—】타여불 날짜를 기약하다.

기입【記入】명 적어 넣음. ——-하다 타여불

기입 공채【記入公債】명〖경〗권리자의 성명을 공채 원부 및 증권에 기입한 공채.

기입-란【記入欄】[—난] 명 써 넣는 난.

기:-입다 타〈방〉껴입다(경상).

기입 등기【記入登記】명〖법〗부동산 등기 절차에 있어서의 등기의 하나. 새로운 등기 원인의 발생으로 등기부에 기입하는 등기. 소유권 보전(所有權保全) 등기·소유권 이전 등기·저당권 설정(抵當權設定) 등기 등.

기입-장【記入帳】명 적어 넣는 책. 또, 공책.

기옴ᄆᆡ다 자〈옛〉기음 매다. ¶그ᄃᆡ의 기옴ᄆᆡ기 廢ᄒᆞ고 오ᄆᆞᆯ 붓그리노라(媿子廢鋤來)《重杜諺 XII:37》.

기자[1]【忌恣】명 투기심(妬忌心)이 많고 방자함. ——-하다 형여불

기자[2]【奇字】명 ①보통과 다른 훌륭한 글자. ②육체서(六體書)의 하나. 글자의 체가 소전(小篆) 비슷하나 조금 다름.

기자[3]【祈子】명〖민〗자식을 배게 해 달라고 산천(山川)이나 신(神)에게 빎. ——-하다 자여불

기자[4]【記者】명 ①문서를 기초(起草)하는 사람. ②신문·잡지 등의 기사를 집필하거나 편집하는 사람. 라이터(writer). ¶민완(敏腕) ~.

기자[5]【飢者】명 기인(飢人).

기자[6]【棊子】명 바둑. 바둑돌.

기자[7]【箕子】명〖사람〗전설 상의 기자 조선(箕子朝鮮)의 시조. 중국 은(殷)나라 주(紂)의 친척. 사기(史記)와 한서(漢書)에 의하면 나라가 망하여 조선에 들어와 예의·전잠(田蠶)·방직(紡織)과 팔조(八條)의 교(敎)를 가르쳤다 함. 진(晉)의 두예(杜預)의 주(註)에는 기자의 묘가 양(梁)나라 몽현(蒙縣)에 있다 하였으며, 최근에는 기자 동래설(東來說)을 부정하는 논의가 지배적임.

기자[8]【譏刺】명 허물을 비웃고 비꼼. ——-하다 타여불

기자[9][Giza] 명〖지〗기제(Gizeh).

기자 감식【飢者甘食】명 굶주려 배고픈 사람은 음식을 가리지 아니하고 달게 먹는다는 말.

기자-단【記者團】명 같은 지방이나 부처(部處)의 기사를 취재하는 기자들로 이루어진 단체. 기자 클럽. ¶종군(從軍) ~.

기자 동래설【箕子東來說】[—내—] 명〖역〗단군 조선에 이어 은(殷)나라 기자가 동쪽으로 와서 조선에서 왕 노릇을 하였다는 설.

기자-력【起磁力】명〖물〗자기를 생기게 하는 힘 또는 작용.

기자-릉【箕子陵】명〖지〗평양 을밀대(乙密臺) 아래에 있는 기자의 묘. 800여 년 전 고려 숙종(肅宗)이 이를 모시었고, 조선 성종(成宗) 때에 중수(重修)한 것이라 함. 기자묘(箕子墓).

기자-묘【箕子墓】명 기자릉(箕子陵).

기자-사【箕子祠】명〖역〗기자의 위패(位牌)를 모신 사당. 조선 숙종(肅宗) 7년(1102)에 건립. 평양시(平壤市) 기자리 기자릉 앞에 있음. 광해군(光海君) 4년(1612) 4월 '숭인전(崇仁殿)'이란 이름을 붙였음.

기자-상【祈子床】명 아이 얻기를 빌어 산신(產神)에게 올리는 제물상(祭物床).

기자-실【記者室】명 관공서 등에 마련되어 있는 취재 기자들의 대기실.

기자-암【祈子岩】명 아들 낳기를 빌 때 그 대상이 되는 바위. *기자(祈子).

기자 외:기【箕子外記】명〖책〗기자 동천(東遷) 이래의 사적을 적은 책. 서명응(徐命膺) 저. 상·중·하 3편으로 되어 있음. 1776년 출판. 3권 1책. 목판본.

기자 용문【驥子龍文】명 [중국 북조 시대 배선명(裵宣明)의 두 아들인 경란(景鸞)과 경홍(景鴻)이 모두 뛰어난 재주가 있어 경란을 '기자', 경홍을 '용문'이라 이른 데서 온 말] 훌륭한 자제(子弟)를 가리켜 이르는 말.

기자-장【箕子杖】명〖역〗기자의 유물로서 전하여 오는 지팡이.

기-자재【機資材】명 기계·기구류와 자재.

기자 정전【箕子井田】명〖역〗중국, 주(周)나라에서 시행되었다고 하는 토지 제도. 은(殷)나라 때 기자가 사용하였다고 하는 농지 분배 방법으로, 1리(里) 4방(方) 9백 묘(畝)의 토지를 9등분한 하나의 단위가 되는 9전(田)의 형태를 정(井)자로 표시하였기 때문에 이 이름이 붙여짐. *정전법(井田法).

기자 조선【箕子朝鮮】명〖역〗속설(俗說)에 기자(箕子)와 그 자손들이 단군 조선의 뒤를 이어 다스렸다고 하는 시대의 국호.

기자-지【箕子志】명〖책〗①기자의 실기(實記). 처음에 윤두수(尹斗壽)가 지은 후 이이(李珥)가 《기자 실기》를 썼는데, 광해군(光海君) 때 평양(平壤) 인사들이 이 둘을 합편하고, 다시 다른 이의 저술도 첨부하여 만든 것. 5권 1책. 인본. ②조선 선조(宣祖) 때의 영상(領相) 윤두수의 《기자지》 2권의 부족된 곳을 보충한 책. 고종(高宗) 16년(1879)에 정인기(鄭璘基) 등이 편찬 간행. 9권 3책. 인본.

기자 클럽【記者—】[club] 명 기자단(記者團).

기자 팔조교【箕子八條敎】[—쪼—] 명〖역〗범금 팔조(犯禁八條).

기-자헌【奇自獻】명〖사람〗조선 선조(宣祖) 때의 상신(相臣). 자는 사정(士靖), 호는 만전(晩全). 행주(幸州) 사람. 선조 37년(1604)에 영의정이 되고, 광해군(光海君)이 영창 대군(永昌大君)을 살해할 때에 반대하다가 제주(濟州)에 10년간 귀양살았으며, 인조(仁祖) 때의 이괄(李适)의 난 때 자처(自處)하였음. [1562-1624]

기작지 명〈방〉길이(황해).

기잠【起蠶】명 외피(外皮)를 갓 벗은 누에 새끼.

기-잡이【旗—】명 기를 드는 사람.

기장[1] 명〖식〗[*Panicum miliaceum*] 볏과(科)에 속하는 일년초. 수수와 비슷한데, 높이 1-1.6 m이고, 잎은 호생하며 넓은 선형(線形)으로 길이 30 cm 가량임. 여름에 원추(圓錐) 화서로 작은 화수(花穗)가 많이 붙어 피고 이삭은 9-10월에 익으며 아래로 늘어짐. 밭에 심는데, 유사전(有史前)부터 유럽·아시아·이집트 등지에서 재배했으며, 중국·만주 등지에 많음. 열매는 '황실(黃實)'이라고도 하는데 담황색이고 떡·술·빵·과자 등의 원료 및 가축의 사료(飼料)로 씀. 나서(糯黍).

〈기장¹〉

기장[2] 명 옷 따위의 길이. ¶치마 ~이 짧다.

기장[3]【技匠】명 기술을 가진 사람.

기장[4]【記章】명 ↗기념장(記念章).

기장[5]【記帳】명 장부를 기록함. 또, 그 장부. ——-하다 타여불

기장[6]【飢腸】명 굶주린 창자. 배고픈 속.

기장[7]【寄藏】명〖법〗'장물 보관'의 구형법상(舊刑法上)의 용어. ——-하다 타여불

기장[8]【旣張】명 이미 벌여 놓음.

기장[9]【旗章】명 국기·군함기·군기·교기 등의 총칭. 깃발. 기표(旗標).

기장[10]【器仗】명 병기(兵器)와 의장(儀仗).

기장[11]【機長】명 항공기의 승무원을 지휘 감독하며 이륙하여 착륙하기까지 그 항공기의 운항(運航)과 안전에 대한 책임을 지는 사람. 조종사를 겸하기도 함.

기장[12]【機張】명〖지〗부산 광역시(釜山廣域市) 기장군(機張郡)의 한 읍(邑). 광역시의 북동부에 있고, 동해에 임해 있음. 죽성리(竹城里)에 임진 왜란 때 왜장(倭將) 구로다 나가마사(黑田長政)가 지은 순 일본식 석성(石城)이 남아 있으며, 천연 기념물로 지정된 오골계(烏骨鷄)가 유명함. 1981년에 읍으로 승격됨. [39.05 km² : 34,583 명(1996)]

기장[13]【騎將】명 말 탄 장수.

기장 공:제액【記帳控除額】명〖법〗소득세법·영업세법상(上), 일기장 의무자가 일기장을 비치 기장한 때에 공제하는 금액. 산출 세액에서 그 장부에 의하여 계산된 과세 표준액에 대하여 세율을 곱한 금액의 100분의 10에 해당하는 금액.

기장구 명〈방〉기저귀.

기장 국수 명 기장쌀 가루와 밀가루를 섞어 반죽하여 만든 국수.

기장-달팽이 명〖조개〗[*Gastrodontella multivolvis*] 밤달팽잇과에 속하는 달팽이의 하나. 패각(貝殼)은 낮은 원뿔꼴로서 높이 1.5 mm, 직경 2 mm 내외이고 나층(螺層)은 6-7개, 껍질은 반투명(半透明)이고 담황회색임. 표면에는 두세 개의 백색 방사선(放射線)이 있음. 육지에 서식하는데, 한국·일본에 분포함. 수수고둥.

기장-도【—島】명〖지〗경기도의 서해상(西海上), 강화군(江華郡) 삼산면(三山面) 하리(下里)에 위치한 섬. 석모도(席毛島)의 서북쪽 6 km 지점에 있음. [0.091 km²]

기장-밥 명 쌀에 기장을 섞거나, 기장만으로 지은 밥.

기장서-부【—黍部】명 한자 부수(部首)의 하나. '黎'·'黏' 등의 '黍'의 이름.

기장 신고【記帳申告】명〖법〗세법(稅法)에 따라 기장을 비치하여, 신고 기간내에 기장에 의하여 하는 신고.

기장-쌀 명 찧어서 껍데기를 벗긴 기장 열매.

기장 의:무【記帳義務】명〖법〗세무 행정을 합리화하고 정확한 과세 자료를 포착하기 위하여 납세 의무자로 하여금 거래 사실을 기장하게 하는 의무. 복식 부기·간이 장부·일기장 따위의 기장으로 나누어짐.

기장 인절미 명 기장쌀로 만든 인절미.

기장 전병【—煎餠】명 찰기장 가루로 만든 전병.

기장-제【記帳制】명〖법〗기업의 실적·거래 사실을 장부에 기재하여 과세의 근거를 마련하며, 세무 행정의 민주화와 상호 신뢰의 세제(稅制) 운용을 하기 위한 제도.

기장-증【記章證】[—쯩] 명 기장을 주는 증명서.

기장지-무【旣張之舞】명 이미 벌린 춤이란 뜻으로, 이미 시작한 일이니 중간에 그만둘 수 없다는 말. 벌린춤. ¶그리고 저러고 ~가 되었은즉 내가 고만두고 싶어도 고만둘 수 없다《崔瓚植 : 능라도》.

기장-차다 형 물건이 곧고도 길다. 썩 길다.

기장 명〈옛〉기장. =기장이. ¶기장 바ᄇᆞᆯ 머구ᄃᆡ 져로 말며(飯黍毋以箸)《內訓 I:3》/기장이 離離ᄒᆞ리라(黍離離)《南明 上 17》.

기장이 명〈옛〉기장. =기장. ¶기장이(黃米)《四聲 上 33 黍字註》.

기재[1]【企齋】명〖사람〗신광한(申光漢)의 호(號).

기재[2]【奇才】명 아주 뛰어난 재주. 또, 그런 사람. ¶보기 드문 ~.

기재[3]【記載】명 적어서 올림. 적어 놓음. 등재(登載). ¶~ 사항/불실(不實) ~. ——-하다 타여불

기재[4]【寄齋】명 ①〖역〗기재생(寄齋生)이 기숙(寄宿)한다는 뜻으로, '하재(下齋)'를 일컫는 말. ②〖사람〗박동량(朴東亮)의 호(號).

기재[5]【旣裁】명 기결(旣決).

기재[6]【棋才】명 장기·바둑을 잘 두는 재능.

기재[7]【器才】명 기량(器量)과 재기(才氣).

기재[8]【器材】명 기구와 재료.

기재[9]【器財】명 기물(器物). 도구.

기재[10]【機才】명 기민(機敏)한 재주. 임기 응변의 재기(才氣).

기재[11]【機材】명 기계의 재료. 또, 기계류나 재료.

기재 사:초【寄齋史草】명〖책〗조선 인조(仁祖) 때의 문신 기재(寄齋) 박동량(朴東亮)이 지은, 임진 왜란 전후의 사초. 신묘 임진 사초(辛卯壬辰史草).

기재-생【寄齋生】명〖역〗성균관의 하재(下齋)에 거처하는 유학(幼學)들. 동서재(東西齋)에 각각 10명씩이었음. ↔거재생(居齋生).

기재 잡기【寄齋雜記】명〖책〗조선 시대 초기부터 명종(明宗)에 이르는 역대의 야사(野史). 인조(仁祖) 때의 문신 기재(寄齋) 박동량(朴東亮) 저. ≪대동 야승(大東野乘)≫에 수록되어 널리 알려짐. 3권. 사본.

기-재-주-색【氣財酒色】명 화투나 골패(骨牌) 같은 것으로 그 날 운수(運數)를 점치는 네 가지 운수인 기운·재물·술·여색을 이르는 말. 패를 뗄 때에 떨어진 짝들을 차례로 같은 수효로 넷으로 나누어 각각 패를 지어 그 끗수의 다과(多寡)로 운수를 점침.

기저[1]【基底】명 ①기초가 되는 밑바닥. ②〖수〗저면(底面).

기저[2]【機杼】명 ①베틀. ②연구(硏究), 특히 문장을 짓는 연구를 이름. *기저 일가(機杼一家).

기저구 명〈방〉기저귀(경기·강원·충북·전라·경상).

기저-국【己抵國】명〖역〗국명(國名). 삼한 시대(三韓時代) 경상 북도 안동(安東) 부근에 있던 변진(弁辰)의 일부. 12국으로 되었음.

기저귀 명 젖먹이의 대소변을 받아 내는 헝겊.

기저기 명〈방〉기저귀(경북).

기저-막【基底膜】명〖생〗①내이(內耳)에 있는 달팽이 세관(細管)의 하측(下側)의 막. 고실계(鼓室階)에 접하며, 그 밖에 외(外)림프에 의한 음파의 진동을 코르티기(Corti 器)에 전하는 일을 함. ②상피(上皮)와 그 밑에 있는 결합 조직 사이에 있는 엷은 막.

기저 상태【基底狀態】명〖물〗바닥 상태.

기저 세:포【基底細胞】명〖생〗상피(上皮) 조직의 심부(深部). 곧, 결합(結合) 조직의 층과 접하는 곳에 있는 높이가 낮은 상피 세포. 보충 세포(補充細胞).

기저 세:포암종【基底細胞癌腫】명〔basal-cell carcinoma〕〖의〗국부에 침입하고 있다가 드물게 전이(轉移)하여 표피(表皮)에 생기는 모반(母班) 모양의 종양.

기저 역암【基底礫岩】명〔basal conglomerate〕상하(上下) 두 개의 지층이 부정합(不整合)으로 겹쳐 있을 때, 경계면의 상부에 퇴적(堆積)해 있는 역암층. 지각 변동에 의하여 묵은 지층이 융기하여 침식을 받고 다시 침강(沈降)하여 생김. 그 지반에 융기·침강 따위의 지질 변동이 있었음을 증명함.

기저 유량【基底流量】명〔base flow〕하천 유역에서, 하천에 유입(流入)하는 지하수 기원(起源)의 물 유출량.

기저 일가【機杼一家】명〔기저(機杼)는 방직(紡織) 기구〕독특하고 훌륭한 문장·언론(言論) 등을 지어 내는 일. ——-하다 자여불

기저-체【基底體】명〔basal body〕〖생〗섬모(纖毛). 편모(鞭毛) 형성을 유도하는 세포내의 기관(器官).

기적[1]【汽笛】명 기차나 기선 같은 것의 신호(信號) 장치. 또, 그 소리.

기:적[2]【妓籍】명 ①기생(妓生)의 적(籍). ②기생의 세계. ¶몸은 비록 ~에 있으나.

기적[3]【奇績】명 세상에 드문 신기로운 공적.

기적[4]【奇蹟】명 ①상식으로는 생각할 수 없는 신비로운 현상(現象). 신이 보여 주는 뜻밖의 힘. 또, 그것이 일어난 장소. ¶라인 강의 ~. ②〔miracle〕〖기독교〗사건 또는 행동 속에 작용하는 초자연적인 성스러운 힘의 구체적 표현을 말함. 신앙자(信仰者)는 그것에 의해 신의 계시를 받아들임. 이적(異蹟). ¶~이 일어나다.

기적[5]【奇籍】명 기이한 책. 신기한 책.

기적[6]【紀績】명 공적을 잊지 않고 기념함. ——-하다 자여불

기적[7]【記績】명 공적을 기록함. ——-하다 자여불

기적[8]【棋敵·碁敵】명 바둑이나 장기 두는 사람끼리 서로 맞서는 적수. ¶그 사람은 나의 ~이다.

기적-극【奇蹟劇】명〖연〗12세기경부터 14세기경까지 영국·프랑스 등지(等地)에서 유행하던 종교극. 그리스도 또는 사도(使徒)·성자(聖者) 등이 행한 기적 또는 사적(事跡)을 주제로 하였음. *성사극(聖事劇).

기적-비【紀績碑】명 오래도록 공적을 기념하기 위하여 세운 비.

기적-적【奇蹟的】명관 아주 기적에 가까운 모양. ¶~으로 살아났다.

기적-표【汽笛標】명 진행하는 열차의 승무원(乘務員)에 대해 기적을 울릴 위치를 지시하는 표지. 횡단 보도·굴 또는 모퉁이 따위의 위험한 곳에 세움.

기전[1]【其前】명 이전. 그전.

기전[2]【紀傳】명 어떠한 인물의 전기(傳記)를 적은 기록.

기전[3]【記傳】명 역사 및 전기(傳記). 또, 기전(紀傳)으로 만듦.

기전[4]【起電】명 전기를 일으킴. ——-하다 자여불

기전[5]【氣轉】명 대기(大氣)의 변화.

기전[6]【棋戰】명 바둑 또는 장기의 승부를 겨루는 일. ¶명인 ~.

기전[7]【畿甸】명 기내(畿內). 서울 부근.

기전[8]【騎戰】명 말을 타고 하는 싸움. 기마전(騎馬戰).

기전-고【箕田攷】명〖책〗기자의 정전(井田)에 대한 제가(諸家)의 연구를 모은 책. 조선 정조(正祖) 때 이가환(李家煥)·이의준(李義駿) 공편. 1책. 활자본.

기전-기【起電機】명〔electrostatic generator〕〖물〗정전기 유도(靜電氣誘導)를 이용하여 전기(電氣)를 일으키는 기계. 마찰(摩擦) 기전기·유도(誘導) 기전기·전기 쟁반 등이 있음.

기전-력【起電力】[―녁] 명〔electromotive force〕〖물〗전류를 일으키는 작용. 전위(電位)가 서로 다른 두 점(點) 사이에 양전기(陽電氣)는 고전위(高電位)의 쪽으로, 음전기(陰電氣)는 이와 반대의 방향으로 이동하려고 하는데, 이 전위의 차(差)가 전기를 움직이는 원인이 되며, 이것을 두 점 사이에 작용하는 '기전력'이라 함. 실용(實用) 단위는 볼트(volt). 동전력(動電力).

기-전류【基電流】[―절―] 명〔rheobase〕〖생〗갑자기 전류를 흐르게 했을 때, 조직에 자극이 일어날 수 있는 최소의 정상 전류 강도(定常電流強度).

기전-체【紀傳體】명〖역〗역사 편찬의 한 체재. 군주(君主)의 전기(傳記)인 본기(本紀), 신하들의 개인 전기인 열전(列傳), 통치 제도·문물·경제·자연 현상 등의 기록인 지(志), 각종 연대표인 표(表)를 갖춤. 사마천(司馬遷)의 사기(史記)에서 비롯함. *기사 본말체(紀事本末體)·편년체(編年體).

기절[1]【奇絶】명 아주 신기함. 썩 기이함. ——-하다 형여불

기절[2]【奇節】명 기이한 절조. 뛰어난 정조(貞操).

기절[3]【氣絶】명 ①병든 사람이 숨이 끊어져 죽음. ②한때 정신을 잃음. 실신(失神). ③깜짝 놀라 숨이 막힐 지경이 됨. ——-하다 자여불

기절[4]【氣節】명 ①기개(氣槪)와 절조(節操). ②기후(氣候).

기절[5]【基節】명 ①〖식〗식물 줄기의 밑동을 이룬 마디. 밑마디. ②〖동〗절지 동물·곤충의 다리 밑동의 마디. 여기서 동부(胴部)와 접합함. 밑마디.

기절[6]【期節】명 시절(時節). 계절(季節).

기절[7]【棄絶】명〖천주교〗파문[2](破門). ——-하다 타여불

기절 낙담【氣絶落膽】[―락―] 명 몹시 놀라서 정신을 잃음. ——-하다 자여불

기절-벌【棄絶罰】명〖천주교〗교회에서 축출(逐出)을 당하는 벌. 파문벌(破門罰).

기절-초풍【氣絶―風】명 몹시 놀라서 기절할 만큼 질겁함. ——-하다 자여불

기점[1]【起點】[―쩜] 명 시작하는 곳. 일어나는 점. ¶철도의 ~.

기점[2]【基點】[―쩜] 명 ①기본이 되는 지점. 밑점. ②〖공〗측량을 시작하는 점. ③〖군〗포사격에서 거리 및 방향 수정의 기준점으로 사용하는 목표 지역내의 저명한 지점.

기점 조사【起點調査】[―쩜―] 명 오 디(OD) 조사.

기정[1] 명〈방〉증편.

기정[2]【汽艇】명 증기 기관으로 달리는 비교적 작은 배. 론치(launch).

기정[3]【技正】명 전의 기술계 국가 공무원 직급 명칭의 하나. 지금은 '서기관'으로 바뀌었음.

기-정[4]【奇正】명 권변(權變)과 정리(正理).

기정[5]【氣精】명 정력(精力). 기력(氣力).

기정[6]【起程】명 길을 떠남. 길에 오름. ——-하다 자여불

기정[7]【旣定】명 이미 정함. 미리 작정함. ¶~ 사실. ——-하다 타여불

기정[8]【欺情】명 겉으로만 꾸미고 속은 드러내지 않음. ——-하다 자여불

기정[9]【旗亭】명 술집. 주점. 전(轉)하여, 요릿집. 여관.

기-정맥【奇靜脈】명〖생〗가슴 오른편에 있는 정맥.

기정 방침【旣定方針】명 이미 결정된 방침. ¶~대로 밀고 가다.

기정-비【旣定費】명〖경〗법령 또는 계약에 의해서 국가가 지출 의무를 지고 국회가 자유로 변경할 수 없는 경비. 확정비(確定費). 기정 세출(旣定歲出). ↔자유비(自由費).

기정 사:실【旣定事實】명 이미 정하여진 사실.

기정 세:입【旣定歲入】명〖법〗법률이나 명령으로써 이미 그 액수를 결정한 세입. 전년도의 예산에서 쓰고 남은 액수를 세입으로 잡는 일.

기정 세:출【旣定歲出】명〖법〗기정비(旣定費).

기정 예:산【旣定豫算】[―네―] 명〖법〗의회를 통과하여 이미 확정된 예산.

기정-원【技情院】명 ↗산업 기술 정보원.

기정 조건【旣定條件】[―껀] 명〖법〗기성 조건(旣成條件).

기-정(:)진【奇正鎭】명〖사람〗조선 고종(高宗) 때의 성리학자(性理學者). 자는 대중(大中), 호는 노사(蘆沙). 행주(幸州) 사람. 8, 9세 때부터 경사(經史)에 통하였고 성학(性學)에 전심한 후, 순조(純祖) 31년(1831)에 사마시(司馬試)에 급제하여 호조 참판(戶曹參判)을 지냄. 문집 ≪노사집(蘆沙集)≫을 남김. [1798-1876]

기제[1]【忌祭】명 해마다 죽은 날에 지내는 제사. 기제사(忌祭祀).

기제[2]【旣製】명 주문에 의하여 만드는 것이 아니고, 미리 상품으로서 만들어져 있는 일. 기성(旣成). ¶~품.

기제[3]【旣濟】명 ①처리 중인 일이 이미 이루어져 끝남. ↔미제(未濟). ②〖민〗↗기제괘(旣濟卦). ——-하다 자여불

기제[4]【機制】명 기구(機構)❸.

기제[5]〔Gizeh〕명〖지〗이집트의 북동부, 나일 강의 서쪽 기슭에 있는 고도(古都). 기제 주(州)의 주도(州都). 서쪽으로 약 8km 지점에 고대 이집트 왕국 시대의 거대한 피라미드군(群)과 스핑크스 등이 있어 관광지로서도 유명함. 기자(Giza). [2,096,000명(1991)]

기제-괘【旣濟卦】명〖민〗육십사 괘(六十四卦)의 하나. 감괘(坎卦)와 이괘(離卦)가 거듭된 것인데, 물이 불 위에 있음을 상징(象徵)함. ㊟기제(旣濟).

기제기 명〈방〉기저귀(경기).

기제-론【機制論】명〖철〗기계론(機械論)❶.

기제-류【奇蹄類】명〖동〗[Perissodactyla] 포유류(哺乳類)에 속하는 동물의 한 목(目). 네 발의 셋째 발가락이 모두 현저하게 발달하고 나머지는 모두 퇴화(退化)하였음. 반추(反芻)를 하지 아니하며 위(胃)는 하나뿐이고 맹장(盲腸)이 큼. 말·코뿔소 등. 단제류(單蹄類). *우제류(偶蹄類).

기-제사【忌祭祀】명 기제(忌祭).

기:제킹〔Gieseking, Walter〕명〖사람〗독일의 피아니스트. 현대 최고

피아노 연주가의 한 사람으로 드뷔시(Debussy)·모차르트(Mozart) 등의 해석으로 유명하며 고전적 성향의 연주로서 독자적 양식을 세웠음. [1895-1956]

기제-품【既製品】명 기성품(既成品).

기조¹【基調】명 ①〖악〗주조(主調). ②사상·학설·정책 등의 기본적 경향. ¶ 휴머니즘을 ~로 한 문학/~ 연설.

기조²【騎曹】명〖역〗병조¹(兵曹)❷.

기조³【鰭條】명〖어〗물고기의 지느러미를 형성하고 그 뼈가 되는 줄기.

기조⁴〔Guizot, François Pierre Guillaume〕명〖사람〗프랑스의 정치가·역사가. 자유주의자로서 부르봉 왕조(Bourbon 王朝)의 정치에 반대해, 루이 필리프(Louis Philippe)를 도와 그의 내상(內相)·외상(外相) 등을 역임, 1840년에 수상이 되었음. 정치에서 실각 후, 저술에 전념하였는데, 저서 중 특히 ≪영국 혁명사≫·≪프랑스 문명사≫ 등이 유명하며, 소위 역사학파(歷史學派)의 시초(始初)를 이루었음. [1787-1874]

기조-력【起潮力】명〔tidal force〕〖지〗조수(潮水)와 석수(汐水) 및 조류(潮流)를 일으키는 힘. 지구의 달을 향한 점과 정 반대쪽의 해면이 높게 되어 시간과 함께 위치가 변경되면 해면(海面)의 높이가 변화함으로써 생김. 이 기조력은 달의 인력과 지구의 원심력의 합성(合成)에 기인하는 것으로 태양도 같은 작용을 하나, 태양의 기조력은 달의 약 절반밖에 되지 아니함. 조석력(潮汐力).

기조 연:설【基調演說】명〔keynote speech〕〖정〗①미국의 각 정당의 대통령 후보자 지명 대회에서 당의 기본 정책을 설명하는 연설. ②국회에서의 정당 대표, 유엔(UN) 총회 등의 국제 회의에서의 각국 대표의 기본 정책 연설.

기족¹【旗族】명 중국 청(淸)나라 때의 만주족(滿洲族)의 일컬음. 기인(旗人).

기족²【驥足】명 준마의 주력(走力)이란 뜻으로, 재주가 뛰어난 사람을 가리키는 말.

기존【既存】명 이미 존재함. ¶ ~ 세력/~ 시설. ——하다 자여불

기졸¹【旗卒】명 기(旗)를 드는 병졸.

기졸²【騎卒】명 ①〖군〗기병(騎兵)❶. ②기병과 보졸(步卒).

기종¹【氣腫】명 ①〖의〗조직 내에 공기가 침입하여 팽창 또는 확대된 상태. ②〔emphysema〕〖의〗폐 질환의 하나. 폐의 과팽창(過膨脹)과 기포(氣胞)의 파괴를 특징으로 함.

기종²【機種】명 ①항공기의 종류. ②기계의 종류.

기종³【騎從】명 말을 타고 따라감. 또, 그 사람. ——하다 타여불

기종-저【氣腫疽】명〖동〗소의 전염병의 하나. 유럽의 알프스 지방, 한국의 산악 지대에서 많이 발생하며 기종을 일으키는 것이 특징임.

기좌¹【技佐】명 전의 국가 공무원 직급 명칭의 하나. 지금은 '사무관'으로 바뀌었음.

기좌²【起坐】명 사람을 맞을 때에 예의로서 먼저 일어났다가 앉음. ——하다 자여불

기좌³【箕坐】명 두 다리를 앞으로 뻗고 펄썩 앉음. ——하다 자여불

기좌 호흡【起坐呼吸】명〖의〗천식(喘息)이 있을 때 또는 심장병이 있을 때에 드러누워서는 호흡하기가 곤란하여 일어나 앉거나 서서 하는 호흡.

기죠구 명〈방〉기저귀(경북).

기주¹【沂州】명〖지〗'이저우(沂州)'를 우리 음으로 읽은 이름.

기주²【忌酒】명 술을 싫어함. 술 먹기를 피함. ——하다 자여불

기주³【記主】명〖불교〗뛰어난 저술(著述)을 하였거나 또는 조사(祖師)의 저술을 주석(註釋)한 사람을 높이어 일컫는 말.

기주⁴【記注】명 언어와 동작을 그대로 기록함. ——하다 타여불

기주⁵【起主】명〖역〗조선 시대에, 지주(地主)를 양안(量案)에 기록할 때의 표시. 양안에 있어서의 기주의 표시는 2품 이상의 관리는 모성(某姓)·모직(某職)·모노(某奴)로, 3품 이하는 성명 및 노명(奴名)을, 평민은 성명을, 공사천(公私賤)은 이름만을 표시하였음.

기주⁶【起酒】명 ①술이 괴어 오름. ②증편 같은 것을 만들 때에, 술을 부어서 부풀어 오르게 함. 기수(起溲). ¶ ~떡. ——하다 자타여불

기주⁷【氣柱】명〖물〗공기 기둥.

기주⁸【基主】명〖민〗집터의 수호신(守護神).

기주⁹【寄主】명〖생〗숙주(宿主).

기주¹⁰【寄住】명 기우(寄寓). ——하다 자여불

기:주¹¹【嗜酒】명 술을 좋아함. 술 마시기를 즐김. ——하다 자여불

기주¹²【箕疇】명 중국 은(殷)나라의 기자(箕子)가 연술(演述)하여 주(周)나라 무왕(武王)에게 전한 홍범 구주(洪範九疇).

기주¹³【冀州】명〖지〗①중국 우공(禹貢) 9주(州)의 하나. 중국 전설 상의 황제 요(堯)·순(舜)·우(禹) 등이 이 곳을 도읍으로 삼았다고 함. 그 지역은 대략 지금의 산시 성(山西省)에 해당함. ②한(漢)나라 12주 자사부(刺史部)의 하나. 지역은 대략 지금의 허베이 성(河北省) 남부에 해당함. ③허난 성(河南省) 허베이 도(河北道)의 남동부에 있는 도시. 삼국 시대의 위(魏)나라 때부터의 도시로, 지금의 지 현(冀縣)임.

기주¹⁴【夔州】명〖지〗'쿠이저우(夔州)'를 우리 음으로 읽은 이름.

기주개 명〈방〉기저귀(경상).

기주-관【記注官】명〖역〗조선 시대 때, 춘추관(春秋館)의 정·종오품(正從五品)의 한 벼슬.

기주구 명〈방〉기저귀(경상).

기주기 명〈방〉기저귀(경상).

기주-떡【起酒—】명〈방〉증편.

기주 식물【寄主植物】명〖식〗기생(寄生) 식물의 기주가 되는 식물.

기:주-증【嗜酒症】[—쯩] 명〖의〗걱정거리나 울적함을 잊으려고 알코올류(類)를 마시던 것이 버릇이 되어 주기적으로 울적하면 알코올류를 마시는 증상.

기주 진:동【氣柱振動】명〖악〗관악기 등의 관 속의 공기의 진동.

기죽【騎竹】명 죽마(竹馬)를 탐. ——하다 자여불

기-죽다【氣—】자 기세가 꺾이어 약해지다.

기준¹【奇峻】명 산이 기이하고 높음. ——하다 형여불

기-준²【奇遵】명〖사람〗조선 중종(中宗) 때의 학자. 자는 경중(敬仲). 호는 복재(服齋). 행주(幸州) 사람. 중종 9년(1514) 문과에 급제. 응교(應敎)를 지냄. 기묘 사화(己卯士禍)에 관련되어 아산(牙山)·온성(穩城) 등지로 귀양가던 중 사사(賜死)함. 시호는 문민(文愍). [1492-1521]

기준³【基準】명 ①기본이 되는 표준. ②〔norm〕〖철〗착하고 악하고, 아름답고 추한 것 등을 평가하는 기본적 표준. ③〖공〗각도·높이·속도·거리 측정 때, 기준이 되는 방향이나 수준 또는 위치. ¶ ~점.

기-준⁴【箕準】명〖사람〗기자 조선 최후의 왕. 기자(箕子)의 41대손이라 함. 기부(箕否)의 아들. 연(燕)의 위만(衛滿)이 망명하여 패수(浿水)를 건너 반병(藩屏)이 되고자 청하매, 준이 허락했더니, 위만은 계교를 써서 준을 쳐 나라를 빼앗음. 준은 남쪽으로 달아나 금마군(金馬郡), 곧 지금의 전라 북도 익산군에 자리잡고, 한왕(韓王)이라 칭하여 마한(馬韓)의 시조가 되었다고 함.

기준-계【基準系】명〖심〗우리들이 사물이나 사변(事變)을 지각(知覺)할 때에 그것에 관련되어 있는, 현재 또는 과거의 특정한 사물·사변에 관련시켜 지각하거나 판단·평가하는데, 이 때의 사물과 사변을 말함.

기준내 임:금【基準內賃金】명〖경〗기준 임금(基準賃金). ↔기준외(基準外) 임금.

기준-도【基準圖】명 물체의 기준이 되는 도면.

기준-량【基準量】[—냥] 명 기준으로 삼는 양.

기준-면【基準面】명 ①높낮이를 비교할 때의 기준이 되는 면. ②산이나 육지의 높이, 바다나 호소(湖沼)의 깊이 등을 재는 기준이 되는 면. *조위(潮位) 기준면.

기준 방향【基準方向】명 다른 방향과 비교하는 데 기준이 되는 방향.

기준 사이클【基準—】〔cycle〕명 랭킨 사이클(Rankine cycle).

기준 상세도【基準詳細圖】명〖건〗건물의 가장 기준이 되는 부분의 상세도.

기준-선【基準線】명 ①건축물이나 공작물 등의 설계·가공에서 치수 비율·위치 표시 등을 할 때의 기준이 되는 선. ②토목 공사의 고저(高低) 측량에서, 지표(地表)의 종단면(縱斷面)에 상정(想定)한 기준이 되는 선. 기선(基線). 기본 수준선(基本水準線).

기준-성【箕準城】명〖지〗전라 북도 익산시 금마면 용혁산(龍革山) 꼭대기에 있는 성. 기자 조선 최후의 준왕(準王)이 남천(南遷)하여 왕이 된 마한국(馬韓國)의 고지(故地).

기준-시【基準時】명〖경〗통계 용어. 시간의 순서로 배열한 통계 숫자를 지수(指數)의 형태로 나타낼 때, 비교의 출발점으로서 선택된 시기.

기준 시가【基準時價】[—까] 명 국세청에서 양도세나 상속세를 부과(賦課)하는 기준으로 삼기 위해 토지·건물 및 골프 회원권 등을 대상으로 고시한 값. 토지는 공시 지가를 그대로 준용하고, 건물 등은 국세청장이 고시함. 시가(時價)의 60%선이 보통임. *과세 표준 시가.

기준-식【基準食】명 영양 소요량에 따른 식사.

기준 예:산【基準豫算】[—네—] 명〖경〗표준(標準) 예산.

기준외 임:금【基準外賃金】명〖법〗일정한 노동 시간 이외의 초과 노동에 대한 수당 또는 일정한 조건을 넘은 특별 노동에 대한 임금 등과 같이 매월 또는 매일 변할 수 있는 임금. ↔기준 임금·기준내 임금.

기준-일【基準日】명 회사가 주주 명부의 기재에 따라 주주 또는 질권자(質權者)로서 권리를 행사할 사람을 확정하기 위해서 설정하는 일정일(一定日). 기준일을 정할 때는 공고하여야 함.

기준 임:금【基準賃金】명〖법〗매월 또는 매일, 일정한 노동 시간 또는 일의 양에 대하여 원칙으로 반드시 지급되어야 할 임금. 기본급·가족 수당 같은 것. 기준내(內) 임금. ↔기준외(基準外) 임금.

기준 전:압【基準電壓】명〖전〗비교를 하기 위해 쓰이는 교류 전압. 보통, 교류 회로에서 동상(同相)·역상(逆相)인가의 입상(立相) 조건을 구별하는 데에 쓰임.

기준-점【基準點】[—쩜] 명 계산·측정·포사격의 기준이 되는 점.

기준 주파수【基準周波數】명〖전〗할당 주파수에 대하여 고정되어 특정한 위치에 있는 주파수.

기준-지【基準地】명〖경〗통계(統計) 용어. 장소에 의하여 배열한 통계 숫자를 지수(指數)로 나타낼 때, 비교의 출발점이 되는 지역.

기준 지가 고:시제【基準地價告示制】[—까—] 명〖법〗어떤 특정 지역의 표준 지가를 건설부 장관이 조사하여 고시하는 제도.

기준 참즉【奇峻嶄崱】명 산이 기이하게 높고 가파름. ——하다 형여불

기준-층【基準層】명〖건〗고층 건축 등의 평면 계획에서, 각 층 모두 같은 평면을 이룬 층. 이때에, 그 하나를 기준층 평면이라 일컬음. 특히, 사무소·아파트 건축 등에 많음.

기준층 평면도【基準層平面圖】명〖건〗기준층의 평면 설계도. 동일한 평면을 갖는 층이 여러 층으로 되는 건축에 있어, 그 층들을 대표하는 층의 평면도를 이름.

기준 타:원체【基準楕圓體】명〖지〗수준 측량(水準測量) 때에 기준으로 하는 지구 타원체. 크기와 모양을 같게 하는 경우에도 위치의 선정법(選定法)은 나라에 따라 다름. *지구 타원체.

기준-틀【基準—】명〔reference frame〕〖물〗사상(事象)에 대한 위치와 시각(時刻)을 결정하기 위하여 쓰이는 좌표계(座標系).

기준 표본【基準標本】명〖생〗생물학에서, 신종(新種)을 기재할 때에 기본적 재료로서 쓰이는 표본.

기준 허용량【基準許容量】[—냥] 명 방사선·유해 물질 등의 독작용(毒作用)을 인간이 견디어 낼 수 있는 한계량.

기준-화【基準化】명 모두를 일정한 기준에 들어맞게 하는 일. ——하다 자타여불

기준화 작용【基準化作用】명〖지〗각종의 침식(浸蝕) 작용이 낮은 위치에 있는 침식 기준면(基準面)을 향하여 지표(地表)를 파내리는 결과, 지표의 기복(起伏)이 일시적으로 커지나 점점 감소하여 드디어 기준면

에 일치하는 평탄한 면이 됨. 이와 같이 침식력이 지표면을 낮게 하여 침식 기준면에 가깝게 하는 작용을 일컬음. 평탄화(平坦化) 작용. 준평원화(準平原化) 작용.
기준 환:율【基準換率】명〔basic rate of exchange〕〖경〗외환 시세 가운데, 특정국 통화와의 관계가, 다른 외환 시세의 산정 기준이 되는 환율. 예를 들어, 원이 달러와 링크되어 있을 경우에는 원 대(對) 달러 환율이 기준 환율이 됨.
기중[1]【忌中】명 상중(喪中)의 뜻으로, 초상(初喪) 때에 일컫는 말. 거우(居憂).
기중[2]【其中】명 그 가운데. 그 속.
기중[3]【期中】명 기일 안. 기한 안.
기중[4]【綦重】명 긴중(緊重). ──-하다 형여불
기중[5]【器重】명 그 재기(才器)를 중하게 여김. ──-하다 타여불
기중 균사체【氣中菌絲體】명〔aerial mycelium〕〖생〗기질(基質)의 표면보다 위로 자라는 균사의 덩이.
기중-기【起重機】명〖공〗①무거운 물건을 들어 올리거나 내리거나 또는 수평(水平)으로 이동시키는 기계. 그 동력(動力)의 장치와 형식에 따라 여러 종류가 있음. 크레인(crane). 리프트(lift). *거중기(擧重機). ②지브 기중기.
기중기-선【起重機船】명 기중기를 장치하여 무거운 물건을 운반하는 부력(浮力)이 큰 배. 조선소(造船所)에서 함선의 의장(艤裝)·수리(修理) 등에 사용함.
기증[1]【忌憎】명 싫어하고 미워함. ──-하다 타여불
기증[2]【寄贈】명 물품을 보내어 증정(贈呈)함. 증정. 증여(贈與). 증기(贈寄). ¶도서관에 책을 ~하다. ──-하다 타여불
기증-자【寄贈者】명 기증한 사람.
기증-품【寄贈品】명 기증하는 물품.
기지[1]【忌地】명〖농〗그루타는 땅. ¶~성(性).
기지[2]【奇地】명 신기한 땅.
기지[3]【奇智】명 기발하고 특출한 지혜.
기지[4]【氣志】명 의기와 의지.
기지[5]【記識】명 기록함. 적음. ──-하다 타여불
기지[6]【基地】명 ①〖군〗군대의 보급(補給)·수송(輸送)·통신·항공 등의 기점(基點)이 되는 곳. ¶보급 ~. ②행동 반경이 넓은 지역 등에서의 출동 근거지. ¶탐험 ~. ③터전.
기지[7]【基趾·基址】명 터전. 토대. 기초.
기지[8]【既知】명 이미 앎. 전부터 앎. ¶~의 사실. ↔미지(未知). ──-하다 타여불
기지[9]【旗地】명〖역〗중국의 청조(淸朝) 때에 팔기(八旗)에 분급(分給)한 토지.
기지[10]【機智】명 그때그때의 경우에 따라서 움직이는 지혜. 재치. 재치있게 변통하는 슬기. 즉지(卽智). 재치. 위트(wit). 에스프리(esprit).
기:지개[1] 명 운동 부족으로 생기는 피곤을 덜기 위하여 혈액 순환과 근육 긴장을 목적으로 몸을 쭉 펴고 팔다리를 뻗는 짓. *흠신(欠伸). ──-하다 자여불
기:지개(를) 켜다 관 기지개를 하다.
기지개[2] 명〈방〉①귀이개(전남). ②기저귀(경상).
기지게 명〈옛〉기지개. ¶기지게 신(伸)《字會 上 30》.
기지 공:여국【基地供與國】명 어떤 나라에 군사 기지를 공여하는 나라.
기지랑-물 명 ☞지지랑물.
기지리 명〈방〉기저귀(경북).
기지-망【基地網】명 여러 곳에 벌여 놓은 기지가 그물코처럼 분포하고 있음의 비유.
기:지바 명〈방〉계집아이(강원·경북)
기지 부대【基地部隊】명〖군〗작전 기지(作戰基地)에 기지의 관리와 작전 수행의 안전을 위하여 배치한 부대.
기지 사:경【幾至死境】명 거의 죽을 지경에 이름. ──-하다 자여불
기지 사령부【基地司令部】명〔base command〕〖군〗단일 지휘관 밑에 편성되어 있는 한 개 또는 여러 개의 기지를 내포하는 지역.
기지-수【既知數】명 ①〖수〗방정식(方程式)에서 이미 그 수치(數値)를 알고 있는 수. 또, 주어진 것으로 가정한 수. ↔미지수(未知數). ②일일이 추측(推測)할 수 있는 일. ¶그 음흉한 속셈은 벌써부터 ~다.
기지 안전 보:위 구역【基地安全保衛區域】명〖군〗군(軍)의 작전 기지(作戰基地)의 안전 보위를 위한 구역.
기지 전:대【基地戰隊】명〖군〗비행단의 독립적 기능 발휘와 전투 전대의 임무 수행을 보조하기 위해 비행단에 소속되는 공군 부대의 하나.
기지-창【基地廠】명〔base depot〕〖군〗군에 필요한 보급품 등의 조달·정비·저장·분배 등의 사항을 관장(管掌)하는 부대의 명칭. ¶병참 ~.
기지-촌【基地村】명 군대의 기지를 중심으로 형성된 마을.
기직[1] 명 왕골 껍질이나 부들 잎을 짚에 싸서 엮은 돗자리. 눈이 굵고 겉으로 드러나 날이 드물게 박임.
기직[2]【機織】명 ①기계나 베틀로 베를 짬. ②기계로 짠 베. ──-하다 자여불
기직 자리 명 초석(草席).
기진[1]【氣盡】명 기운이 다함. ¶~하여 주저앉다. ──-하다 자여불
기진[2]【寄進】명 물품을 기부하여 바침. ──-하다 타여불
기진-기【記振器】명〖전〗오실로그래프(oscillograph).
기진 맥진【氣盡脈盡】명 기운과 정력(精力)이 다함. 기진 역진(氣盡力盡). ──-하다 자여불
기진-물【寄進物】명 기진하는 물품.
기진 역진【氣盡力盡】[─녁─] 명 기진 맥진. ──-하다 자여불
기질[1]【奇疾】명 원인 모를 이상스러운 병.
기질[2]【氣質】명 ①기력과 체질. 기성(氣性). 기상(氣象). ②〖심〗인간의 성격을 특징지을 수 있는 감정 경향. 다혈질(多血質)·신경질(神經質)·담즙질(膽汁質)·점액질(粘液質)의 네 가지가 있음. 유전(遺傳) 또는 체질에 따라서 같지 아니함. ③정주학파(程朱學派)의 학설에 있어서, 본연(本然)의 성(性)에 대하여 혈기(血氣)에 의해서 후천적(後天的)으로 생기는 성질.
기질[3]【基質】명〖생〗①〔substrate〕효소와 작용하여 화학 반응을 일으키는 물질을 일컫는 말. 이를테면, 녹말은 아밀라아제의 기질임. ②〔matrix〕세포(細胞)의 배경(背景)을 이루고 세포를 그 안에 싸고 있는 세포간(間) 물질.
기질[4]【器質】명 타고난 재능이 있는 바탕.
기질성 정신병【器質性精神病】[─썽─뼝] 명 뇌의 기질(器質) 장애로 생기는 정신병. 노인성 치매(痴呆)·뇌매독·만성 알코올 중독 등이 있음.
기질-화【器質化】명〖생〗몸 밖에서 몸 안으로 들어온 무생물(無生物)이 결합 혈관(結合血管)에 의하여 융해·흡수되어 배제되는 과정. 곧, 생체(生體)가 유해(有害)한 물질에 대하여 취하는 합목적적(合目的的)인 작업 중 최후의 단계.
기:집 명〈방〉계집(전라·경상·충북·강원·경기·황해).
기ᄌ 명〈옛〉개발사슴. ¶흰 기ᄌ 피 훠(白鹿皮靴)《老解 下 47》.
기차[1]【汽車】명 ①증기 기관차로 객차·화차를 견인(牽引)하고 궤도를 달리는 열차. 또, 그 기관차. 증기 기관은 1814년에 영국의 스티븐슨이 발명하였음. 증기차(蒸氣車). 화차(火車). ②열차(列車)의 속칭으로, 특히 장거리 열차를 일컫는 경우가 많음. ¶~ 시간표.
기차[2]【其次】명 그 다음.
기차[3]【氣差】명〖천〗대기차(大氣差).
기차[4]【幾次】명 몇 번. 몇 차례.
기차-놀이【汽車─】명 아이들의 놀이의 하나. 여럿이서 종렬(縱列)로 서서, 앞의 사람의 어깨나 허리를 잡거나 또는 끝을 맺은 새끼줄 속에 들어가기도 하여 연결한 기차의 흉내를 하며 노는 일. 또, 그 놀이.
기-차다【氣─】형 ①하도 같잖고 어이가 없어 말이 안 나오다. ¶기가 차서 말을 못하겠다. ②기운에 지나치다. 힘에 과하다.
기차 선로【汽車線路】[─설─] 명 기찻길.
기차 우체국【汽車郵遞局】명 전에, 운행중의 기차내에서 우편 사무를 맡아 보던 곳. 우체국원이 타고 정거하는 곳의 우체국과의 우편 사무 또는 승객들의 통신 사무를 맡아 봄.
기차-표【汽車票】명 기차를 타는 표. *승차권.
기착【寄着】명 배·비행기 따위가 목적지로 가는 도중 잠시 어떤 곳에 들름. ──-하다 자여불
기착-지【寄着地】명 목적지로 가는 도중 잠시 들르는 곳.
기찰[1]【箕察】명〖역〗평안도의 관찰사(觀察使)를 일컫는 말. 기백(箕伯).
기찰[2]【畿察】명〖역〗경기도의 관찰사(觀察使)를 일컫는 말. 기백(畿伯). 수찰(水察). 화찰(華察).
기찰[3]【譏察】명 비밀히 탐사(探査)함. 넌지시 탐사함. ──-하다 타여불
기찰 군관【譏察軍官】명〖역〗조선 시대 때, 죄인의 탐정 수사에 종사하던 포도청(捕盜廳)의 한 벼슬. 기찰 포교.
기찰 포:교【譏察捕校】명〖역〗기찰 군관(譏察軍官). 준기교(譏校).
기참【譏讒】명 헐뜯어 참소함. ──-하다 타여불
기찻-길【汽車─】명 기차가 달리는 길. 기차 선로(汽車線路).
기찻-삯【汽車─】[─삭] 명 철도를 이용하는 데 드는 운임의 속칭.
기창[1]【氣脹】명〖한의〗칠정(七情)이 울결하여 배 안에 가스가 잔뜩 차서 몸이 붓고 팔 다리가 여위는 병.
기창[2]【起瘡】명 마마의 꽃이 솟은 뒤에 부르틈. ──-하다 자여불
기창[3]【旗槍】명〖역〗①고려 때 의장(儀仗)의 하나. ②누른 빛 혹은 붉은 빛의 작은 기를 단 창(槍). 창날은 아홉 치, 창자루는 아홉 자였음. 속칭은 단창(短槍). ③십팔기(十八技)·무예 이십사반(武藝二十四般)의 하나. 단창을 가지고 하는 무예(武藝)로 용약 재연(龍躍在淵) 등 여러 가지 세(勢)가 있음.
기창[4]【機窓】명 비행기의 창. ¶~ 밖으로 푸른 바다가 보이다.
기창[5]【騎槍】명 ①기병이 쓰는 긴 창. ②〖역〗무예 이십사반의 하나. 무과(武科)의 초시(初試) 및 복시(覆試)에 과하는 무예이기도 하였음. 25 보(步) 간격으로 세워 놓은 짚인형 세 개를, 말을 타고 달리면서 무게 30 근(斤), 길이 15 자 5 치의 긴 창으로 연하여 찌르게 하였음.
〈기창[3]❷〉
기창 교전【騎槍交戰】명〖역〗조선 명종 때의 무술 시험의 하나. 관무재 초시(觀武才初試)에, 두 사람이 말을 타고 창으로 교전함.
기채【起債】명 ①빚을 얻음. ②〖경〗국가 및 기타의 공공(公共) 단체가 자기의 채무로서 공채(公債)를 모집함. ──-하다 자여불
기채 시:장【起債市場】명〖경〗공사채(公社債)의 발행자와 인수자의 결합에 의하여 채권 발행을 가능하게 하는 추상적인 자본 시장. 기채자(起債者)·국가·지방 자치 단체와 주로 증권 회사 등과의 결합 관계.
기책【奇策】명 기묘한 계책. 다른 사람이 흔히 생각할 수 없는 꾀.
기처[1]【其處】명 그 곳.
기처[2]【棄妻】명〖역〗조선 시대에, 칠거지악(七去之惡)에 의하여 아내를 일방적으로 이혼하는 일. ──-하다 자여불
기처-권【棄妻權】[─꿘] 명 남편이 자유로이 자기의 처를 버릴 수 있는 권리.
기척[1] 명 있는 줄을 알 만한 소리나 자취. ¶방 안에 인~이 있다.
기척도 없:다 관 형적이나 소리도 없다. ¶기척도 없이 누워 있다/일을 여축없이 그리고 기척없이 성사시킬 자신이 있나?《金周榮 : 客主》.
기척[2]【棄擲】명 던져 버림. 던진 채 버려 둠. ──-하다 타여불
기천[1]【氣喘】명〖한의〗가슴이 답답하고 숨이 차며 목구멍에서 가래 소리가 나는 병.
기천[2]【欺天】명〖천도교〗사계명(四戒命) 중의 하나. 한울님을 속이는 일.
기천[3]【幾千】명 몇 천.
기철[1]【忌鐵】명〖한의〗약재가 그 성질을 따라서 시우쇠·무쇠 등의 쇠를 꺼림. ──-하다 자여불
기-철[2]【奇轍】명〖사람〗고려 공민왕(恭愍王) 때의 역신(逆臣). 원나라 순제(順帝)의 둘째 황후(皇后)의 오라비. 공민왕에게 칭신(稱臣)하지

아니하고 반역하였으므로, 동왕 6년(1357)에 궁중에 불리어 들어가 곡연(曲宴) 석상에서 격살당함. [?-1357]

기:첩[1]【妓妾】 명 기생을 첩으로 삼은 그 첩. 기생첩.

기첩[2]【奇捷】 명 뜻하지 아니한 승리.

기청[1]【祈請】 명 기원하여 바람. ——하다 타여불

기청[2]【起請】 명 〖불교〗 서원(誓願)을 세우고, 부처와 보살에게 가피(加被)를 청하는 일. ——하다 타여불

기청-문【起請文】 명 선언·서약을 행할 때에 사용하는 문서. 신불에게 맹세하는 뜻을 표시한 것으로, 제문(祭文)·고문(告文)·신문(神文)·서사(誓詞)·서지(誓紙)·서서(誓書) 등이 있음.

기청-제【祈晴祭】 명 〖역〗 입추(立秋) 뒤까지 장마가 질 때에 날이 개기를 비는 나라의 제사. 영제(禜祭).

기체[1]【氣滯】 명 〖한의〗 ①기도(氣度)가 순하지 못하여 생기는 병. 흔히 뱃속에 가스가 많이 생겨서 도포증(倒飽症)이 일어나며, 몸의 상부에서 생기면 가슴이 거북하고, 중부에서 생기면 가슴과 배가 아프고, 하부에 생기면 요통(腰痛)·산통(疝痛)이 일어남. 기통(氣痛). ②마음이 펴이지 아니하여 생기는 체증(滯症).

기체[2]【氣體】 명 기력과 체후(體候). 웃어른에게 올리는 편지에서 문안할 때에 쓰는 말. 기후(氣候). *기체후(氣體候).

기체[3]【氣體】 명 〔gas〕 〖물·화〗 물질의 삼체(三體)의 하나. 분자(分子)의 사이에 응집력(凝集力)이 미치지 못할 만큼 분자의 거리가 멀어서 각 분자가 자유로 유동(流動)하므로 일정한 형상과 부피를 갖지 못함. 가스체(gas體).

기체[4]【基體】 명 ①〖철〗 어떤 변화·운동 또는 활동이 일어나는 장소로서의 질료적 지반(質料的地盤) 또는 실체(實體). 히포케이메논. ②〖광〗 기본형❷.

기체[5]【機體】 명 ①기계의 바탕. ②비행기의 동체(胴體). 또, 비행기의 발동기 이외의 부분.

기체 교환【氣體交換】 명 가스 교환.

기체 냉:각식 원자로【氣體冷却式原子爐】 명 이산화 탄소와 같은 중성자(中性子)의 흡수가 적은 기체를 냉각재(冷却材)로 쓴 원자로. 가스 냉각형 원자로.

기체-론【氣體論】 명 〖물〗 기체가 여러 방향과 여러 속도로 운동하고 있는 수많은 분자(分子)로 성립되어 있는 것이라고 생각하고, 이러한 기체의 성질, 그에 관한 현상과 분자 운동을 기초로 하여 통계 역학적(統計力學的)으로 논(論)하는 학설. 19세기 후반(後半)에 일어났음. 기체 분자 운동론(氣體分子運動論). 기체 운동론(氣體運動論).

기체 메이저【氣體—】 명 〔gas maser〕 〖물〗 마이크로파(波)가 암모니아와 같은 기체 분자와 상호 작용하여 증폭되는 메이저. 극히 안정된 발진기(發振器)에 응용됨.

기체 반:응의 법칙【氣體反應—法則】[—/—에—] 명 〖물〗 수종(數種)의 기체 사이에 화학 변화가 일어날 때에 서로 반응하는 기체의 부피와 생성 기체의 부피의 비(比)는, 동온(同溫)·동압(同壓) 아래서는 간단한 정수비(整數比)를 나타낸다는 법칙. 기체 용적의 법칙. 게이 뤼삭의 제2 법칙(第二法則).

기체 방:전【氣體放電】 명 〔gas discharge〕 〖전〗 전자(電子)와 기체 분자의 충돌로 생성된 이온쌍(雙)의 운동에 따라 일어나는 기체 중의 전기전도(電氣傳導). 가스 방전.

기체 베어링【氣體—】〔bearing〕 명 〖공〗 기체로 윤활(潤滑)되는, 저널 베어링 따위의 베어링.

기체 분석【氣體分析】 명 〖화〗 기체의 혼합물을 분석하여 그 성분을 정성(定性) 또는 정량(定量)하는 화학 분석. 가스 분석.

기체 분자수의 법칙【氣體分子數—法則】[—/—에—] 명 〖물〗 아보가드로(Avogadro)의 가설(假說).

기체 분자 운:동론【氣體分子運動論】[—논] 명 〖물〗 기체론(氣體論).

기체 산:란【氣體散亂】[—살—] 명 진공관 안의 기체에 의한 전자나 입자 빔의 산란. 가스 산란.

기체-상【氣體相】 명 물질이 기체 상태에 있을 때의 상(相). 기체를 하나의 상으로서 취급할 경우의 일컬음. 기상(氣相). *고체상(固體相)·액체상(液體相).

기체 상수【氣體常數】 명 〔gas constant〕 〖물〗 보일샤를의 법칙에 의한 이상 기체(理想氣體)의 상태 방정식(狀態方程式) $pV=RT$ (p는 기체의 압력, V는 1몰의 기체의 체적, T는 절대 온도임)에 의하여 정의되는 비례 상수 R를 이름. 기체의 종류와는 관계없이, $8.3143\pm0.0012\,J\cdot mol^{-1}K^{-1}$의 값을 가짐. 보통 기체 상수.

기체 수소화물【氣體水素化物】 명 〖화〗 〔gaseous hydride〕 수소화물의 일종. 붕소(硼素) 및 주기율표의 4B-7B족(族) 원소와 수소의 화합물. 대부분 공유 결합성 분자(共有結合性分子)로 되어 있으며 분자내 결합은 강하고 분자 사이의 상호 작용은 약함. 녹는점·끓는점은 낮음. 보란·메탄 등이 있음. 가스 수소화물. 휘발성 수소화물. *수소화물.

기체 압력계【氣體壓力計】[—녁—] 명 〔gas manometer〕 〖공〗 두 가지 기체의 압력차를 측정하는 계기(計器). 보통 U자형 관(管)의 액면(液面) 높이의 차를 측정함.

기체 역학【氣體力學】 명 〔gas dynamics〕 〖기상〗 운동에 의하여 생기는 열작용을 고려한, 기체의 운동과 그 원인에 대하여 연구하는 학문.

기체 연료【氣體燃料】[—열—] 명 가스 연료.

기체 온도계【氣體溫度計】 명 〔gas thermometer〕 〖물〗 역학식 온도계의 한 가지. 체적을 일정하게 보유하면 기체의 압력이 온도에 따라서 변하는 일을 이용한 정적(定積) 기체 온도계와, 압력을 일정하게 보유하면 기체의 부피가 온도에 따라서 변하는 일을 이용한 정압(定壓) 기체 온도계의 구별이 있음. 모두 사용법이 번잡하므로 거의 실용되지 아니함. 가스 온도계. 기체 한란계.

기체 용적의 법칙【氣體容積—法則】[—/—에—] 명 〖물〗 기체 반응의 법칙.

기체 운:동론【氣體運動論】[—논] 명 〖물〗 기체론(氣體論).

기체 원:심 분리법【氣體遠心分離法】[—불—뻡] 명 〔gas centrifuge process〕 농축 우라늄 제조법의 하나. 천연 우라늄을 육플루오르화 우라늄으로 바꾸어 원심 분리기에 넣은 다음, 초고속으로 회전하여 원심력의 차(差)로 우라늄 235와 우라늄 238을 분리 추출(抽出)함. 가스 원심 분리법.

기체의 부력【氣體—浮力】[—/—에—] 명 〖물〗 기체도 액체와 같이 그 가운데에 있는 물체를 그것과 같은 부피의 기체 무게와 동일한 힘을 가지고 위로 뜨게 하는 힘.

기체 전:지【氣體電池】 명 〖물〗 기체의 전극 두 개를 맞추어 만든 전지. 산소(酸素)·염소(塩素) 등으로 전극(電極)을 만든 전지. 가스 전지.

기-체조【旗體操】 명 양손에 하나씩 작은 기를 들고 하는 체조.

기체 증배【氣體增倍】 명 〔gas magnification〕 〖전자〗 광전관(光電管) 안의 가스의 전리(電離)에 의한 전류(電流)의 증가. 가스 증배.

기체 증폭률【氣體增幅率】[—뉼] 명 비례 계수관 또는 이온화 상자에 있어서, 1차 이온화에 따라 유효 부피 속에 만들어진 전하(電荷)와 집전극(集電極)에 몰린 전하와의 비. 가스 증폭률.

기체 촬영법【氣體撮影法】[—뻡] 명 대상으로 하는 물체의 주위에 기체를 주입(注入)하여 대조(對照)를 명확히 하는 엑스선(X線) 촬영법.

기체 폭탄【氣體爆彈】 명 〔Fuel Air Explosive; FAE〕 〖군〗 기화(氣化) 폭탄.

기체 한란계【氣體寒暖計】[—할—] 명 기체 온도계.

기체 확산법【氣體擴散法】[—뻡] 명 〔gaseous diffusion process〕 농축 우라늄 제조법의 하나. 천연 우라늄을 가스상(gas狀)의 육플루오르화(六Fluor化) 우라늄으로 바꾸어 이를 펌프로 가스 확산실(擴散室)에 보내 가볍고 작아 확산 속도가 빠른 우라늄 235를 회수함. 이 확산을 되풀이하면 우라늄 235의 함유율이 높아짐. 가스 확산법.

기체-후【氣體候】 명 기력(氣力)과 체후. '기체(氣體)'를 높이어 이르는 말. ¶ ~ 일향 만강하옵시고.

기:초[1]【芰草】 명 〖식〗 단너삼.

기초[2]【奇草】 명 이상한 풀.

기초[3]【奇峭】 명 산이 기이하고 가파름. ——하다 형여불

기초[4]【起草】 명 글의 초안(草案)을 잡음. 출초(出草). 준초(草). ——하다 타여불

기초[5]【基礎】 명 ①사물의 밑바탕. 근본(根本). 근기(根基). ¶ ~ 지식. ②〖토〗 건물·다리·탑 같은 건조물(建造物)이나 안벽(岸壁)·방파제(防波堤)와 같은 구축물(構築物)의 무게를 받치기 위하여 만든 바닥. *토대.

기초[6]【期初】 명 어느 기간·기한의 처음. ↔기말(期末).

기초[7]【騎哨】 명 기병(騎兵)인 초병(哨兵). 말을 탄 초병.

기초-공【基礎工】 명 〖토〗 기초 공사.

기초 공사【基礎工事】 명 〖토〗 건설 공사에서 구조물(構造物)의 기초나 지반(地盤)의 축조에 관련되는 공사. 기초공(基礎工).

기초 공작【基礎工作】 명 어떤 일을 진행함에 있어서 그 토대가 되는 공작.

기초 공:제【基礎控除】 명 과세(課稅) 소득 금액을 산정할 때, 총소득 금액에서 일정한 금액을 공제하는 일.

기초 과학【基礎科學】 명 넓은 범위에 걸친 자연 개발 또는 각종 산업 기술 발전의 기초가 되는 자연 과학 및 사회 과학. 흔히, 자연 과학 분야를 가리키는 경우가 많음.

기초 대:사【基礎代謝】 명 〔basal metabolism〕 〖생〗 생물체가 생명을 유지해 나가는 데 필요한 최소 한도의 에너지 교체. *에너지 대사율.

기초 대:사량【基礎代謝量】 명 전날 저녁 식사 후부터 아무것도 먹지 않은 채, 다음날 아침 조용히 누운 상태에서 소비되는 칼로리. 대개 성인 남자는 하루 1,400 칼로리 안팎임.

기초 대:사율【基礎代謝率】 명 〔basal metabolic rate; BMR〕 〖생〗 기초 대사 상태 밑에서 단위 시간당 이용되는 에너지의 양. 한 시간당 몸 표면의 $1\,m^2$당 또는 몸무게 1kg당의 칼로리로 나타냄.

기초-도【基礎圖】 명 구조물 또는 기계의 기초 공사를 위하여 작성하는 도면. *배치도(配置圖).

기초 마취【基礎痲醉】 명 〖의〗 전신(全身) 마취나 국소(局所) 마취를 할 때에, 주(主)마취에 앞서 여러 가지 방법으로 행하는 준비 마취. 이에 의하여 주마취에 의한 전신 마취를 용이하게 할 수 있으며 마취약 사용량이 절약됨.

기초 버력【基礎—】 명 〖토〗 다리를 놓을 때에 물 속에 기초를 만들기 위하여 집어 넣는 돌.

기초 볼트【基礎—】〔bolt〕 명 건축에 있어서나 또는 기계를 설치할 때 콘크리트 바닥에 묻어 기계를 고착시키는 볼트. 앵커 볼트.

〈기초 볼트〉

기초 사회【基礎社會】 명 〖사〗 일상 생활에서의 필요를 충족하기 위하여 서로 의존하고, 또 근접한 곳에 거주하는 가족 및 기타 사회 단위(社會單位)의 조직체.

기초 산:업【基礎產業】 명 일반 산업의 기초가 되는 산업. 철강업, 석유·전력·석탄 등의 에너지 산업, 차량·산업 기계·공작 기계 등의 기계 공업, 그 밖의 주요 화학 공업 등. 또, 철도·해운 등의 주요 운수 산업을 포함하여 말할 때도 있음. 기간(基幹) 산업.

기초 생산【基礎生產】 명 〖생〗 무기(無機)의 영양 염류(營養塩類)가 태양 광선에 의해 동화(同化)되어 하등 조류(下等藻類) 등의 유기물(有機物)이 만들어지는 일. 바다에서는 기초 생산된 하등 생물에 이어, 동물 플랑크톤(plankton)에서 어류(魚類)로의 생산 단계가 진행되어 수산 생물 자원이 생겨나게 됨.

기초 성표【基礎星表】 명 〖천〗 종합(綜合) 성표.

기초 소재 산:업【基礎素材産業】 명 산업 활동의 기반이 되는 철강·비철금속 등의 소재 산업.

기초 시계【記秒時計】 명 초시계(秒時計).

기초 식품【基礎食品】 명 단백질·탄수화물·지방질·비타민C·카로틴·무기질 등 매일 필요로 하는 영양소(營養素)를 각각 포함하는 여섯 종류의 식품군(食品群).

기초 신학【基礎神學】 명 호교학(護敎學). 「뽑아낸 최소한의 어휘.

기초 어:휘【基礎語彙】 명 〖언〗 그것만으로 모든 표현이 될 수 있도록

기초 연:구【基礎硏究】 명 〖공〗 과학적 지식 향상을 도모하기 위한 기초적·이론적·실험적 연구. 곧, 실제에 응용하는 것을 직접 목적으로 하지 않는 연구.

기초 운:동【基礎運動】 명 경기에서 갖추어야 할 자연스러운 유연 체조(柔軟體操). 「위원.

기초 위원【起草委員】 명 문안(文案)을 기초하기 위하여 선임(選任)된

기초 의학【基礎醫學】 명 〖의〗 인체의 구조와 병의 성립(成立)에 관한 원리를 배우는 학문. 해부학·생리학·생화학(生化學)·병리학·세균학·약리학 등이 포함됨.

기초 의회【基礎議會】 명 지방 자치법에 의하여 시·군·구 등의 각 기초 자치 단체에 구성되는 의회. 해당 자치 단체의 심의와 의결권 행사·조례 제정·행정 사무 감시·청원 처리 등의 기능을 가짐. 우리 나라에서는 1991년 처음으로 국민 투표에 의해 개원함. ＊지방 의회.

기초-자【起草者】 명 글의 초안을 잡는 사람.

기초 작업【基礎作業】 명 본래의 큰일을 위해 먼저 하는, 가장 바탕이

기초-적【基礎的】 명관 사물의 밑바탕이 되는 모양. 」되는 일.

기초적 사회 집단【基礎的社會集團】 명 〖사〗 사회 집단의 하나. 혈연(血緣)이나 지연(地緣)을 근거로 하여 자생적(自生的)으로 성립한 집단. 가족·친족·지역 사회·민족 등. ＊기능적 사회 집단.

기초 청려【奇峭淸麗】 [-녀] 명 산이 가파르고 기이하며, 맑고 아름다움. ——-하다 형여불

기초 체온【基礎體溫】 명 〖생〗 정상(正常)의 수면을 취하고 아침에 눈을 뜬 직후의 체온. 이때의 체온은 개인에 있어서 일정하며 난소 호르몬의 작용에 의하여 변동하므로 여성의 배란일(排卵日) 따위를 알기 위해 응용됨.

기초 체온법【基礎體溫法】 [-뻡] 명 〖생〗 수태 조절(受胎調節)의 한 방법. 기초 체온을 재어서 수태기를 알고 수태 조절을 함. 저온기(低溫期)의 마지막 날이 배란일(排卵日)임.

기초 학력【基礎學力】 [-녁] 명 학습의 발전에 필요한 학력. 학습의 초기 단계에 습득이 요구되는 능력. 이를테면, 읽기·쓰기·계산하는 능력 등.

기초 화장품【基礎化粧品】 명 피부의 기능을 돕고 살갗을 깨끗하게 하는 등, 건강하고 아름다운 피부를 가꾸기 위한 화장품. 영양 크림·미용액·화장수 따위.

기초 훈:련【基礎訓鍊】 [-훌-] 명 ①실무를 배워 익히는 데 기본이 되는 훈련. ②무예(武藝)의 가르침을 받아 단련하는 데 기본이 되는 훈련.

기총¹【旗摠¹】 명 〖역〗 조선 시대 후기에, 하부(下部) 군사 조직 단위인 기(旗)의 장(長). 잡직(雜職)으로 정 8 품임.

기총²【機銃】 명 〖군〗 ↗기관총(機關銃).

기총³【騎銃】 명 〖군〗 기병이 가지는 작은 총. 기병총.

기총 소:사【機銃掃射】 명 〖군〗 지상 목표에 대하여 항공기로부터 기관총으로 비질하듯이 내쏨. ——-하다 자여불

기추¹【機樞】 명 추기(樞機).

기추²【騎芻】 명 〖역〗 조선 시대 후기에, 무과(武科) 초시(初試)에 과하는 무예의 하나. 전기(前期)의 기사(騎射) 대신 실시되었음. 20보(步) 간격으로 세워 놓은 짚인형 다섯 개를, 말을 타고 달리면서 연하여 활로 쏘아 맞히게 함.

기추-놓다 구 말을 타고 활을 쏘다. 「었던 고랑.

기추 고랑【騎芻-】 명 옛날에, 기병이 말 달리기를 익히려고 파서 만들

기추-산【騎騶山】 명 〖지〗 황해도 곡산군(谷山郡)에 있는 산. 언진 산맥(彦眞山脈)에 속하며, 예성강(禮成江)의 수원지를 이룸. [1,142 m]

기축¹【己丑】 명 〖민〗 육십 갑자(六十甲子)의 스물여섯째.

기축²【祈祝】 명 빌고 축원(祝願)함. ——-하다 타여불

기축³【氣縮】 명 무서워서 몸을 움츠림. ——-하다 자여불

기축⁴【基軸】 명 사상(思想)이나 조직 등의, 토대·중심이 되는 긴요한 곳.

기축⁵【機軸】 명 ①활동의 중심이 되는 긴요한 곳. ②마룻대. ③새로 생각하여 낸 사물의 방법. ¶ 신~. ④시문(詩文)의 체재(體裁).

기축년의 참:어【己丑年-讖語】 [-/-에-] 명 〖역〗 조선 선조 22년(1589), 기축년을 전후하여 민간에 널리 유포되었던 국가 운명에 관한 예언. 조선 왕조가 망하고 정씨(鄭氏) 왕조가 일어난다는 목자망 전읍흥(木子亡奠邑興)의 설, 전주 왕기설(全州王氣說), 뽕나무에 말갈기가 나면 그 집에 왕이 난다는 설, 계룡산 정씨 도읍설(鷄龍山鄭氏都邑說) 등, 조선 왕조가 정씨의 혁명을 만난다는 일종의 운명론(運命論)의 각각 다른 표현이며, 정여립(鄭汝立)의 역모(逆謀)도 이것을 배경으로 하고 있음.

기축-병【起縮病】 명 〖충〗 누에 새끼가 잠에서 깬 후, 살갗이 거멓게 되고 주름이 잡히며 움츠러드는 병. 여름·가을 누에에 많음.

기축 옥사【己丑獄事】 명 〖역〗 조선 선조(宣祖) 22년(1589), 정여립(鄭汝立)의 모반(謀反)을 계기로 일어난 옥사. 정여립이 고향에서 불평객(不平客)들을 모아 정권을 잡기 위해 대동계(大同契)를 조직하여 군사 훈련을 하였으나 사전(事前)에 탄로되어 일당(一黨)이 체포·처형되고, 이로부터 동인(東人)이 몰락하기 시작, 호남(湖南) 출신의 관직 등용은 어렵게 되어 한때는 전라도를 반역향(反逆鄕)이라고 부르게 되었음.

기축 통화【基軸通貨】 명 〔key currency〕 국제간(國際間)의 결제(決濟)에 금(金)의 대체물(代替物)로 사용할 수 있는 특정국(特定國)의 통화(通貨). 미국의 달러·영국의 파운드 따위. 기간(基幹) 통화.

기출【己出】 명 자기가 낳은 자식.

기춤 명 〈옛〉 기침. =기춤·기츰. ¶ 하외욤ᄒᆞ며 기지게ᄒᆞ며 기춤호ᄆᆞᆯ(欲伸謦咳)≪金三 Ⅱ:11≫.

기취¹【崎嘴】 명 물가의 언덕이 날카롭게 뾰족 튀어나온 곳.

기취²【旣娶】 명 이미 장가듦. ↔미취(未娶)·미성취(未成娶).

기취³【箕箒】 명 쓰레받기와 비.

기취를 받들다 구 처첩이 되어 남편을 섬기다. 건즐을 받들다. ¶ 내가 비록 자격은 부족하나 기취를 받들고자 하니…≪崔瓚植 : 능라도≫.

기취-첩【箕箒妾】 명 〔기취는 쓰레받기와 비의 뜻〕 물을 뿌리고 비로 쓰는 일을 맡은 아내라는 뜻으로, 아내의 스스로의 겸칭(謙稱).

기츰 명 〈옛·방〉 기침. =기춤·기춤. ¶ 기츰 히(咳)≪字會 中 33≫.

기층¹【氣層】 명 〖물〗 대기(大氣)의 층. 등압면(等壓面)에 대하여 조사해 보면 대기는 수평 층상(水平層相)으로 되어 있다는 생각에서 나온 명칭. 엄밀히 말하면 다소의 경사(傾斜)가 있으며 이것을 기층 경사라 함.

기층²【基層】 명 ①사물의 근저(根底)에 가로놓이듯이 존재하여 그것을 지탱하고 있는 존재. 기반(基盤). ②〖지〗 토양(土壤)의 단면(斷面) 형태의 하나. 표토(表土) 밑에 있어서 토양의 모재(母材)가 되는 층. 암석으로 이루어지고 풍화 작용을 덜 받은 것. 저층(底層). 모암(母岩). ③도로(道路)의 아스팔트 포장에서 노면(路面)의 표층 밑에 있어서 표층과 일체가 되어 하중(荷重)을 노상(路床)에 전하는 부분.

기층 문화【基層文化】 명 민족 문화의 기층을 이루는, 전승적(傳承的)인 성질이 강한 생활 문화. 서민적인 문화.

기치¹【氣痔】 명 〖한의〗 정신이 흥분되어서 부어 오르고 아픈 치질의 한

기치²【棊峙】 명 죽 벌이어 섬. ——-하다 자여불 」가지.

기치³【棄置】 명 버리어 둠. ——-하다 타여불

기치⁴【旗幟】 명 ①군중(軍中)에서 쓰는 기. ¶ ~ 창검(槍劍). ②태도나 행동을 구별하는 표. 즉, 어떤 목적을 위해 표명(表明)하는 태도나 주장. ¶ 자유의 ~를 높이 들다. ③기의 표지(標識).

기치다 타 〈옛〉 끼치다². 남기다. =기티다. ¶ 알 사ᄅᆞᄆᆡ 우우믈 기칠가 전노라(恐貽識者嗤)≪杜諺 Ⅵ:44≫.

기치 선명【旗幟鮮明】 명 태도나 언행이 뚜렷함. ——-하다 형여불

기치 창검【旗幟槍劍】 명 군중(軍中)에서 쓰는 기·창·칼 등의 총칭.

기친【朞親】 명 〖역〗 조선 시대 때, 만 1년의 복상(服喪)을 하는 사이의 친족. 중자녀(衆子女)·맏며느리·장손(長孫)·장증손(長曾孫)·장현손(長玄孫)·형제 자매·백숙부모(伯叔父母)·조카·조카딸 따위.

기침¹ 명 ①후두(喉頭)·기관(氣管) 등의 점막에 분포된 미주 신경(迷走神經)의 자극에 의하여 반사적으로 일어나는 강한 호흡. 해수(咳嗽). ②목구멍에 걸린 가래를 떼려고 하거나 또는 인기척을 낼 때에 갑자기 터져 나오게 하는 숨소리. ——-하다 자여불

[기침에 재채기] ㉠일이 공교롭게 되었음을 이르는 말. ㉡일마다 공교롭게도 마가 끼어 낭패 봄을 이르는 말. ¶ 고비에 인삼이요 계란에 유골이요 마디에 옹이요 기침에 재채기요 하품에 폐기로≪古本 春香傳≫. 「자여불

기침²【起枕】 명 자고 일어남. 잠이 깨어 잠자리에서 일어남. ——-하다

기침³【起寢】 명 ①기상(起床). ↔취침. ②〖불교〗 절에서 밤중에 종을 치고 대중(大衆)을 모아 부처에게 예배하는 일. ——-하다 자여불

기침-병【-病】 [-뼝] 명 〖한의〗 기침을 몹시 하는 병. 해수병(咳嗽病). 해병(咳病). 「기침종(起寢鐘).

기침-쇠【起寢-】 [-쐬] 명 〖불교〗 아침에 일어날 때에 절에서 치는 종.

기침-종【起寢鐘】 명 〖불교〗 기침(起寢)쇠.

기춤 명 〈옛〉 기침. =기춤·기츰. ¶ 이 닐온 오장이 안흐로 샹ᄒᆞ야 밧ᄀᆞ로 응ᄒᆞᆫ 기춤이ᄂᆞᆼ이다(此謂五臟內膓外應之咥也)≪馬經 下 57≫.

기타¹【其他】 명 그 밖. 그 밖의 또 다른 것. ¶ ~ 사항. 주의 부사적으로도 쓰임.

기타²〔guitar〕 명 〖악〗 현악기(絃樂器)의 한 가지. '8'자 모양의 나무로 만든 공명(共鳴) 통과 자루로 이루어지는데, 여섯 줄을 벌이어 매었음. 옆으로 비스듬히 끼어, 왼손으로 지판(指板) 위의 금속제 프렛 부위(部位)를 누르고 오른손 손가락으로 줄을 튕겨 연주함. 독주 또는 반주용.

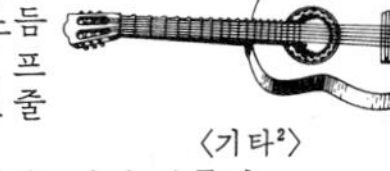

〈기타²〉

기타:리스트〔guitarist〕 명 기타를 치는 사람. 기타 연주자.

기타-림【祇陀林】 명 〖불교〗 ①기원(祇園). ②기원 정사(祇園精舍).

기타 소:득【其他所得】 명 〖경〗 소득세법상, 과세 소득의 발생 상태에 따른 분류로서 일시적인 수입. 상금·사례금·복권 당첨금·보상금 따위.

기타자토 시바사부로:〔北里柴三郞: きたざとしばさぶろう〕 명 〖사람〗 일본의 세균학자. 구마모토 현(熊本縣) 출생. 독일로 건너가 코흐(Koch)에게 사사(師事)하여 세균학을 연구, 혈청 요법을 발견하고 또 결핵균·파상풍균(破傷風菌)의 배양 등에 성공하였음. 일본 의사회장 등을 역임함. [1852-1931]

기타카미 강【-江】〔北上: きたかみ〕 명 〖지〗 일본 이와테 현(岩手縣) 중부 기타카미 산지(北上山地)·오우(奥羽) 산지 사이를 남쪽으로 흘러 태평양으로 들어가는 강. [251 km]

기타카미 산맥【-山脈】〔北上: きたかみ〕 명 〖지〗 일본 이와테 현(岩手縣) 동부의 산맥. 작은 기복 산지(起伏山地)임.

기타큐:슈〔北九州〕 명 〖지〗 일본 규슈(九州) 북동부 후쿠오카 현(福岡縣)에 있는 중화학 공업이 발달한 해안 도시. [481.85 km² : 1,023,917 명(1990)]

기타 태자【祇陀太子】명 〖불교〗 마갈타국 파사닉왕(波斯匿王)의 태자. 기타림(祇陀林)의 임자. 수달 장자(須達長者)와 함께 기원 정사(祇園精舍)를 세웠음. 서다(誓多).

기탁【寄託】명 ①부탁하여 맡기어 둠. ②〖법〗 '임치(任置)'의 구민법상(舊民法上)의 용어(用語). ③〔deposit〕 여러 나라 사이의 조약인 경우, 조약을 체결한 장소가 속하는 나라의 외무부(外務部)에 비준서(批准書)를 맡기는 일. 국제 연합 주최로 체결된 조약은 국제 연합 사무국에 기탁됨. ——-하다 타여불

기탁-물【寄託物】명 ①맡겨 둔 물건. ②〖법〗 '임치물(任置物)'의 구민법상(舊民法上)의 용어(用語).

기탁-자【寄託者】명 〖법〗 '임치인(任置人)'의 구민법상(舊民法上)의 용어(用語).

기탁 증서【寄託證書】명 〖법〗 '임치 증서(任置證書)'의 구민법상(舊民法上)의 용어(用語).

기탄【忌憚】명 어렵게 여기어 꺼림. ——-하다 타여불

기탄-없이【忌憚—】〔—업씨〕 부 꺼림없이. 아무런 꺼리낌도 없이. ¶ ~ 말하게.

기태[1]【奇態】명 괴상한 모양. 기이한 형태.

기태[2]【氣態】명 〖물〗 물질이 기체(氣體)로서 존재하는 상태. 물질의 기체로서의 상태.

기-태기 명 〈방〉 빰따귀(경북).

기태 이:상【奇態異常】명 온갖 이상한 모양.

기택【起宅】명 저택(邸宅)을 이룸. ——-하다 자여불

기통[1]【汽筒·汽筩·氣筒】명 〖기〗 실린더(cylinder). ¶6 ~ 자동차.

기통[2]【氣痛】명 〖한의〗 기체(氣滯)❶.

기튬 타 〈옛〉 끼침. 남김. ¶ 보샤물 기튜미 업스샤 추자 술표물 더으디 아니ᄒᆞ실씨니(所覽無遺不加尋伺)≪永嘉 序 6≫. *기틈·깉다.

기트다 자타 〈옛〉 남다. 끼치다. ¶ 목숨 기트리잇가(性命奚遺)≪龍歌 51章≫/遺는 기틀씨라≪月序 19≫. *깉다.

기트리〔Guitry, Sacha〕 명 〖사람〗 러시아 출생의 프랑스 극작가·배우. 무대에 서면서 40여 편의 소설·희곡 등을 발표하였는데, 그의 화려한 무대 기교와 살롱 취미(salon 趣味)·병적인 감상 등은 현대 프랑스 극단(劇壇)의 가장 특색있는 경향을 대표하고 있음. [1885-1957]

기-트림 명 〈방〉 트림. ——-하다 자

기특-하다【奇特—】형여불 말이나 행동이 기이하고 귀염성이 있다. 신통하다. ¶ 기특한 아이. 기특-히【奇特—】 부

기튼 자타 〈옛〉 끼친. 남은. '깉다'의 활용형. ¶感遇ㅣ 기튼 編이 잇ᄂᆞ니라(感遇有遺編)≪杜諺 Ⅲ:65≫.

기틀 명 어떠한 일의 가장 중요한 고비.
 기틀(이) 잡히다 구 어떤 일의 가장 중요한 부분이 제 기능을 발휘할 수 있게 되다.

기틈 자타 〈옛〉 남음. 끼침. '깉다'의 명사형. ¶ 건네여 기틈 업스샤몰 술오딕 普ㅣ오(濟無遺曰普)≪圓覺 上 一之二 68≫.

기티다 타 〈옛〉 남기다. 끼치다[2]. =기치다. ¶기틸 유(遺)≪類合 下 13≫/宗臣의 기틴 얼구리(宗臣遺像)≪杜諺 Ⅵ:32≫.

기ᄐᆞ다 자타 〈옛〉 남다. 끼치다. ¶ 孑遺는 半맛 몸가지니도 기ᄐᆞ니 업닷 마리니 此는 言軍中에 擧無遺策也ㅣ라≪杜諺 XXII: 22≫. *깉다.

기파[1]【氣波】명 〖물〗 공기의 층(層)이 여러 겹으로 거듭하여 서로 움직일 때에, 각 층의 경계면에 일어나는 공기의 파동(波動).

기:파[2]【耆婆】명 〔범 Jívaka〕 〖불교〗 고대 인도의 명의(名醫). 중국의 편작(扁鵲)과 같이 치는 사람으로, 석가의 제자였음.

기판[1] 명 〔←喫飯〕 〖불교〗 절에서 밥이 되었다고 대중에게 알리기 위하여 종이나 목탁(木鐸)을 치는 일. 끽반(喫飯).

기판[2]【起板】명 〖불교〗 불공(佛供)이나 예불(禮佛)이나 식사를 할 때에 미리 쇠를 다섯 번 치는 일.

기판[3]【基板】명 전자 부품을 조립하는 프린트판(板). 또, 집적 회로(集積回路)를 배선(配線)하는 실리콘 결정판(結晶板).

기판[4]【旗瓣】명 〖식〗 콩과 식물의 접형 화관(蝶形花冠)의 한가운데에 있는 화판(花瓣).

기판[5]【騎判】명 〖역〗 병조 판서(兵曹判書).

기판-력【旣判力】〔—녁〕 명 〖법〗 ①재판의 내용인 구체적 판단이, 이후의 소송(訴訟)에 있어서 법원 및 당사자를 구속(拘束)하고, 이에 어긋나는 판단이나 주장을 할 수 없는 효력. ②형사 소송법상, 유죄·무죄의 실체 판결(實體判決) 및 면소의 판결이 형식적으로 확정되는 일.

기판 목탁 명 〔←喫飯木鐸〕 〖불교〗 절에서 대중에게 밥이 되었다고 알리기 위하여 치는 목탁.

기판-종 명 〔←喫飯鐘〕 〖불교〗 절에서 대중에게 밥이 되었다고 알리기 위하여 치는 종.

기패-관【旗牌官】명 〖역〗 조선 시대 때, 훈련 도감(訓鍊都監)·금위영(禁衛營)을 비롯한 각 군영에 속하는 품외(品外)의 하급 사관(士官)의 하나. 군기(軍旗)에 관한 일을 맡음.

기펜의 역설【—逆說】〔—/—에—〕 명 〔Giffen's paradox〕 〖경〗 〔기펜은 이 사례(事例)의 발견자인 영국의 재정가(財政家) Sir Robert Giffen (1837-1910)〕 한 재화(財貨)의 가격의 하락(下落)이 그 재화의 수요 감퇴(需要減退)를 가져오는 현상. *기펜재(財).

기펜-재【—財】명 〔Giffen's goods〕 〖경〗 기펜의 역설(逆說) 현상을 나타내는 재화(財貨). * 하급재(下級財).

기-펴다【氣—】자 ①마음을 놓다. 심기(心氣)가 훨씬 펴이다. ②어려운 지경에서 벗어나다. 곤경에서 벗어나 마음이 편하여지다. ¶ 기펴고 살아보자.

기편【欺騙】명 ↗기인 편재(欺人騙財). ——-하다 타여불

기평[1]【棊枰】명 바둑판.

기평[2]【譏評】명 나무라면서 평론(評論)함. 기의(譏議). ——-하다 타여불

기폐【起廢】명 면관(免官)된 사람을 다시 벼슬에 씀. ——-하다 타여불

기포[1]【起包】명 〖역〗 조선 시대 말기 고종(高宗) 31년(1894)의 동학 농민 운동(東學農民運動) 때, 농민 등이 동학(東學)의 포(包)의 조직을 중심으로 하여 봉기(蜂起)한 일. ——-하다 자여불

기포[2]【起泡】명 거품이 일어남. 거품을 일게 함. ——-하다 자타여불

기포[3]【氣泡】명 ①유리나 액체 같은 속에 공기나 다른 기체가 들어가 둥그런 형상을 하고 있는 것. 거품. ②〖공〗 교반(攪拌)·통기(通氣)·비등 또는 다른 화학 반응의 결과로 공기·액체 계면(界面)에 비교적 안정된 거품을 만드는 일. 선광(選鑛) 작업에 응용됨.

기포[4]【氣胞】명 ①〖생〗 허파 속의 가는 기관 끝에 있는 작은 주머니. 그물 모양의 모세 혈관이 분포해 있으며 밖의 공기와 혈액 안의 가스와의 교환(交換) 작용을 함. 폐포(肺胞). ②〖어〗 물고기의 부레.

기포[5]【氣砲】명 압축 공기의 힘으로 탄알을 발사하는 장치의 포.

기-포[6]【飢飽】명 배고픔과 배부름.

기포[7]【棊布】명 바둑판에 놓인 바둑돌과 같이 여기저기 무수히 흩어져 있음.

기포[8]【機砲】명 ↗기관포(機關砲).

기포[9]【騎砲】명 기병(騎兵)이 사용하는 야포(野砲).

기포[10]【譏捕】명 〖역〗 조선 시대 때, 강도나 절도를 탐색하여 체포하던 일. 오군문(五軍門)·포도청(捕盜廳)에서 기포를 관장하였음.

기포 계:산법【氣泡計算法】〔—뻡〕 명 〖생〗 탄소 동화 작용의 정도를 측정하는 방법. 수초(水草)를 유리 그릇에 넣고 햇빛을 쬐어, 탄소 동화 작용을 일으키게 하고, 줄기의 벤 자리로부터 나오는 산소의 양을 시험관에 포집(捕集)하여 측정함.

기포-관【氣泡管】명 유리관에 알코올과 소량의 공기를 넣어 봉한 것. 가늘고 긴 관과 원형의 관이 있음. 경위의(經緯儀)·수준기(水準器) 등 측량용 기구에 널리 이용됨.

기포-병[1]【氣泡病】〔—뼝〕 명 물고기의 병의 하나. 물 속에 용해되어 있는 질소 등의 과잉으로 지느러미·두부(頭部) 따위의 피하(皮下)에 기포가 생기는 병. 병세가 진전하면 혈행(血行)의 장애(障礙) 따위로 죽음. 우물물에 기인하는 경우가 많음. 가스병(gas病).

기포-병[2]【騎砲兵】명 〖군〗 독립한 기병단(騎兵團)에 속하는 야포병(野砲兵). 기포(騎砲)를 쏘는 병정.

기포 상자【氣泡箱子】명 〖물〗 방사선 검출 장치의 하나. 액체 헬륨·액체 수소 따위의 과열 액체를 가득 채운 상자로, 그 속으로 하전 입자(荷電粒子)를 통과시키면 전리 작용(電離作用)에 의한 비등(沸騰)이 일어나, 통과한 자리에 거품의 열(列)이 생겨 비적(飛跡)을 얻을 수 있음. 이것을 사진 촬영하여 관찰함. 1952 년 미국의 물리학자 글레이저(Glaser, D.A.)가 발명하였음. 윌슨(Wilson)의 안개 상자보다 밀도가 높기 때문에 많은 반응을 관측할 수 있고, 고속 입자(高速粒子)를 포착하기 쉬워 한때 널리 쓰였음. 거품 상자.

기포-성【起泡性】〔—썽〕 명 액체를 그릇에 넣고 흔들면 거품이 일어나는데, 그 일어나는 정도에 관한 성질.

기포 소화기【氣泡消火器】명 포말 소화기.

기포 수준기【氣泡水準器】명 〔spirit level〕 〖물〗 측량구(測量具)의 하나. 기포관내의 기포의 중심을 표면의 눈금의 중심에 맞추어 수평선 또는 수평면을 구하는 기구. *수준기.

기포 유리【氣泡琉璃】명 〔foam glass〕 〖물〗 '거품유리'의 구용어.

기포 육분의【氣泡六分儀】〔—/—이〕 명 〔bubble sextant〕 〖물〗 수평면을 지시하는 기포 수준기 또는 알코올 수준기를 갖춘 육분의.

기포-제【起泡劑】명 액체 중에 안정된 거품을 발생시키기 위하여 첨가하는 물질. 비누·합성 세제(合成洗劑) 등. 거품제. *발포제(發泡劑).

기포-체【氣泡體】명 〔float〕 〖생〗 외양성(外洋性) 식물·동물이 갖는, 공기가 찬 주머니의 일반적 명칭. 생물의 몸체를 뜨게 하는 작용을 함.

기포 콘크리:트【氣泡—】명 〔aerated concrete〕 화학 반응으로 가스를 발생하도록 첨가제(添加劑)를 더하여 만든 콘크리트. 발포 기체(發泡氣體)는 콘크리트의 밀도(密度)를 줄이고 단열성(斷熱性)을 높임.

기폭[1]【起爆】명 화약이 압력이나 열 같은 에너지의 충동을 받아, 폭발 반응을 일으키는 최초의 현상. ¶ ~ 장치.

기폭[2]【旗幅】명 ①깃발❶. ②깃발의 나비.

기폭-관【起爆管】명 스퀴브(squib).

기폭-약【起爆藥】〔—냑〕 명 〖화〗 조그마한 충격·마찰 또는 점화(點火)에 의하여 용이하게 폭발되는 성질을 갖고, 발사약(發射藥)·파괴약 등의 폭발을 유기(誘起)하는 화약. 뇌홍(雷汞)·뇌은(雷銀) 등. 기폭제.

기폭입해파리-목【旗幅—目】명 〖동〗 [Semestomiae] 해파리강(綱)에 속하는 한 목(目). 대개 몸이 크고, 입의 개구부(開口部)는 간단하고 주복각(主輻角)은 발달하여 큰 막상(膜狀)의 구완(口腕)이 되며, 촉수(觸手)는 중공(中空)으로 길고 산연(傘緣)에는 감각기(感覺器)가 달려 있음.

기폭-제【起爆劑】명 ①기폭약(起爆藥). ②비유적으로, 어떤 사건의 결정적인 계기.

기폭 회로【起爆回路】명 〔shot-firing circuit〕 〖전〗 폭약을 폭발시킬 때, 폭발 장치로부터 기폭 케이블(起爆 cable)·뇌관선(雷管線)을 지나 뇌관에까지 흐르는 전류 경로(電流經路).

기표[1]【奇表】명 이상한 현상(現象). 또, 기괴한 용모.

기표[2]【記表】명 〖언〗 시니피앙(signifiant).

기표[3]【記票】명 투표 용지에 기입함. ——-하다 자여불

기표[4]【記標】명 표적.

기표[5]【旗標】명 기장(旗章).

기표-소【記票所】명 투표장에서 기표하도록 특별히 마련한 곳.

기푸다 형 〈방〉 깊다(경기·강원·충북·전북·경상).

기품[1]【奇品】명 진기(珍奇)한 물품. 기이하고 썩 드문 물건.

기품[2]【氣品】명 ①기질(氣質)의 품위(品位). ¶ 점잖은 ~. ②고상한 성품. ¶ ~ 있는 사람.

기품[3]【氣稟】명 기질과 품성(稟性). 타고난 기질과 성품(性品). ¶ 강직한 ~.

기품지-성【氣稟之性】명 〖철〗 인간의 성질을 본연지성(本然之性)과 기품지성(氣稟之性)의 두 가지로 나눈 중에서 타고난 기질과 성품을

가리킴. ↔본연지성.

기풍[1]【祈豐】명〖민〗음력 정월에서 2월에 걸쳐, 그 해에 풍년이 들기를 바라 점치며 빌던 행사의 총칭.

기풍[2]【氣風】명 ①기상(氣象)과 풍채. 기질. ¶호방(豪放)한 ~. ②어느 집단이나 지역내의 사람들의 공통적인 기질. ¶서울 사람의 ~.

기풍[3]【棋風·碁風】명 바둑이나 장기를 둘 때의 기사(棋士)의 독특한 수법.

기풍[4]【譏諷】명 넌지시 비꼼. ——-하다 타여불

기프다 형〈방〉깊다(경기·강원·충북·전북·경상).

기프트〔gift〕명 ①선물. ②증여. 선사.

기프트 숍〔gift shop〕명 주로 외국인을 상대로 하는 토산물(土産物) 상점.

기프트 아이템〔gift item〕명 새로운 유행 상품(流行商品). 특수한 고가품(高價品).

기프트 체크〔gift cheque〕명 은행에서 취급하는 증답용(贈答用) 수표(手票). *상품권(商品券).

기픠 명〈옛〉깊이[1]. ¶기픠 여틔 기니 댜르니 되디 몯ㅎ리라(深淺長短不可量)≪朴解 上 67≫.

기피[1]【忌避】명 ①꺼리어 피함. ¶병역 ~. ②〖법〗소송(訴訟) 사건에 있어서, 법관이 소송 관계인과 어떤 특수한 관계가 있거나 또는 다른 사정으로 편벽된 재판을 할 우려가 있을 경우에 소송 당사자가 그 법관의 직무 집행을 거절하는 일. ¶심판부 ~. ——-하다 타여불

기피[2] 부〈옛〉깊이[2]. ¶라羅운雲이 롤 기피 マ초시니≪月印 上 50≫.

기피 관계【忌避關係】명〔avoilance relationship〕〖사〗특정한 사회에서 상대와의 절친한 행동이 금지되어 있는 관계. 한 남자와 그의 장모, 아버지와 아들 등의 관계에서 볼 수 있음. ↔농담 관계.

기-피다[1]【氣—】자〈방〉기펴다.

기피다[2] 타〈옛〉깊게 하다. ¶녀토시고 또 기피시니(旣淺又深)≪龍歌 20章≫.

기피 물질【忌避物質】[—찔] 명 냄새로 동물을 가까이하지 못하게 하거나, 맛을 통해 섭취할 수 없게 하는 물질.

기피-자【忌避者】명 ①기피한 사람. ②특히, 병역 기피자. ¶~ 단속.

기피-제【忌避劑】명〖약〗곤충이나 작은 동물 따위가 몰려들지 못하게 하는 작용을 가진 약제. 곤충 기피제가 일반적으로 가장 많이 쓰임.

기필[1]【起筆】명 붓을 들고 쓰기 시작함. ↔각필(擱筆). ——-하다 타여불

기필[2]【期必】명 확정(確定)하여 틀림이 없음. 꼭 되기를 기약(期約)함. ——-하다 타여불

기필-코【期必—】부 어김없이. 반드시. 꼭. ¶우리는 ~ 이길 것이다.

기핍[1]【氣乏】명 기력이 부족함. 기력이 없어짐. ——-하다 형여불

기핍[2]【飢乏】명 기근이 들어 먹을 것이 결핍함. ——-하다 자여불

기하[1]【基下】명〖역〗발해(渤海) 때, 상류 계급에서 임금을 부르던 칭호.

기하[2]【幾何】명 ①얼마. ②〖수〗↗기하학.

기하[3]【旗下】명 ①깃발의 밑. ②휘하(麾下).

기하[4]【記下】인대 ↗기하생(記下生).

기하 공리【幾何公理】[—니] 명〖수〗기하학에서만 쓰는 공리. '두 점을 지나는 직선은 한 개다' 등.

기하 광학【幾何光學】명〔geometrical optics〕〖물〗광학의 한 부문. 빛은 같은 매질(媒質) 안에서는 직진(直進)하고, 다른 매질의 경계면에서는 반사 및 굴절을 하므로 그 진로(進路)를 기하학적으로 논정하는 학문. 실제 문제로서는, 렌즈의 조성(組成)에 의한 광학 계기(光學計器)의 설계를 논함. ↔물리 광학.

기하 광학적 착시【幾何光學的錯視】명〔geometrical optical illusion〕〖심〗기하학적 도형(圖形) 속에서, 자 또는 각도기(角度器)로 잰 객관적인 크기나 방향과는 다르게 감각되는 착시. *착시도(錯視圖).

기하 급수【幾何級數】명〖수〗등비 급수(等比級數).

기하 급수적【幾何級數的】명관 어떤 사물·사상(事象)이 항상 전의 경우의 몇 배를 곱한 수로 느는, 곧 기하 급수와 같이 증가하는 경향에 있는 모양. ¶~으로 늘어나는 인구.

기-하다[1]【基—】자여불 기초를 두다.

기-하다[2]【機—】자여불 기회를 잡다. 기회를 만나다.

기-하다[3]【忌—】타여불 꺼리고 싫어하다. 피하다.

기-하다[4]【記—】타여불 기입(記入)하다. 기록하다.

기-하다[5]【期—】타여불 ①기한을 정하다. 기일을 정하다. ¶우기를 기하여 철수한다. ②어떤 일이 이루어지도록 힘을 들이다. ¶완벽을 ~.

기-하다[6]【奇—】형여불 이상하다. 신기하다. 기묘하다. 기-히【奇—】부 *가독부(可毒夫).

기하-생【記下生】인대 자기보다 계급·신분이 조금 높은 사람에게 대하여, 자기를 겸칭하는 자칭 대명사(自稱代名詞). 준기하(記下).

기하 수:열【幾何數列】명 등비(等比) 수열.

기하 원본【幾何原本】명〖책〗이마두(利瑪竇)가 중국에 와서 유클리드(Euclid) 기하학을 한문으로 번역한 책. 1605년에 베이징(北京)에서 여섯권으로 간행되었음.

기하 이:성【幾何異性】명〖화〗입체 이성의 한 가지. 유기 화합물에서 이중 결합의 양측(兩側)의 원자에 결합하고 있는 원자 또는 원자단의 공간적 배치를 달리함으로써 생기는 이성.

기하 평균【幾何平均】명〖수〗n개의 정수(正數) $a_1, a_2 \cdots a_n$의 상승적(相乘積)의 n승근(乘根). 곧 $\sqrt[n]{a_1a_2\cdots a_n}$. 평균. 상승 평균(相乘平均). ↔산술(算術) 평균.

기하-학【幾何學】명〖수〗물건의 형상·크기·위치 그 밖에 일반 공간(空間)에 관한 성질을 연구하는 수학의 한 부문. 그 방법·대상(對象)·공리 체계(公理體系)에 따라서 입체 기하학·평면 기하학·해석 기하학 등으로 구별됨. 준기하(幾何).

기하학 양식【幾何學樣式】[—냥—] 명〖미술〗넓은 뜻으로는, 기하학적 무늬를 사용한 원시적 미술을 말하나, 엄밀하게는 기원전 8-9세기에 아티카(Attica)를 중심으로 그리스 각지에 전개된 그리스 미술의 그것을 가리킴. 안정과 긴장이 가미되고 구성적(構成的)이며 능형(菱形)·삼각형·십자(十字) 무늬·뇌문(雷紋)·창살 무늬·동심원(同心圓)·파상문(波狀紋) 등의 기하학적 무늬가 즐겨 사용되고, 그 밖에 동물·인간 생활 등도 극히 추상적으로 도식화(圖式化)되어 있는 것이 특징임.

기하학 원본【幾何學原本】명〔Stoicheia〕〖책〗유클리드(Euclid)가 헬레니즘(Hellenism) 시대의 수학자·철학자들이 공동 연구하여 얻은 체계적 논술의 방법, 곧, 아리스토텔레스의≪오르가논(Organon)≫에 기술된 공리적(公理的) 방법을 가지고 저술한 13권의 수학책.

기하학-적【幾何學的】명관 기하학에 관한 모양. 기하학 특유의 상태.

기하학적 무늬【幾何學的—】[—니] 명 동물 무늬·식물 무늬에 대하여 직선이나 곡선의 교착(交錯)으로 이루어지는 추상적인 무늬. 직선에는 수직선(垂直線)·수평선(水平線)·사선(斜線)·점선(點線)·파선(破線) 등이 있고, 곡선에는 원호(圓弧)·타원호(楕圓弧)·파선(波線)·나선(螺線)·포물선(抛物線) 등이 있어, 직선을 이으면 평행(平行) 무늬, 파선을 이으면 파상(波狀) 무늬 등 여러 가지의 무늬를 짤 수 있으며, 편물(編物)·직물(織物)·그림·문찰 그 밖의 무늬를 짜는 데 많이 쓰임. *동물 무늬·식물 무늬.

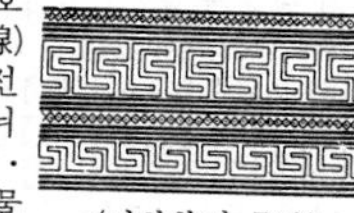

〈기하학적 무늬〉

기하학적 수:론【幾何學的數論】명 수(數)의 순서쌍 집합(順序雙集合)의 기하학적 성질을 조사하고, 수 사이의 관계를 연구하는 수론(數論)의 한 분야.

기하학적 작도【幾何學的作圖】명 곧은 자와 컴퍼스만을 사용하여, 직선과 원으로만 그리는 작도.

기하학적 정신【幾何學的精神】명〖철〗파스칼의 용어. 기하학에 있어서, 소수의 직관적(直觀的) 원리로부터 출발하여 추론(推論)을 계속해 가는 정신. 인간을 인간 세계 속에서 보는 섬세의 정신에 상대되는 말임. ↔섬세(纖細)의 정신(精神).

기하학적 정원【幾何學的庭園】명 형식 정원(形式庭園).

기하학적 추상【幾何學的抽象】명 추상 예술의 한 계통. 기하학 형태만으로 구성된 작품. 입체주의(立體主義)에서 생긴 것으로, 제2차 대전 전의 추상주의의 주류를 이룸.

기하 화:법【幾何畫法】[—뻡] 명〖미술〗기하학의 원리를 따라 물체의 형상을 그리는 방법. 제도의 세밀성을 주안(主眼)으로 함.

기학[1]【氣瘧】명〖한의〗만성(慢性)으로 되기 전의 학질(瘧疾). 늘 경미(輕微)한 오한(惡寒)과 신열(身熱)이 있음. 노학(勞瘧).

기:학[2]【嗜虐】명 잔학(殘虐)한 일을 즐김.

기:학-적【嗜虐的】명관 즐겨 잔학한 행위를 하는 모양. ¶~ 취미.

기:학-증【嗜虐症】명 이상(異常) 성욕의 한 가지. 성 대상(性對象)에 대하여 고통을 주어 자신의 성적 쾌감을 얻는 증상. 가학 기애(加虐嗜愛). 사디즘.

기한[1]【祁寒】명 지독한 추위.

기한[2]【飢寒】명 배고프고 추움. 의식(衣食)의 결핍을 이름. ¶~에 떠는 난민(難民).

기한[3]【期限】명 ①미리 한정(限定)한 시기. 한기(限期). 준한(限). ②어느 때까지를 기약함. ③〖법〗법률 행위로서 발생하는 채무(債務)의 이행(履行) 또는 법률 행위의 효력의 소멸(消滅)을 제한하는 객관적(客觀的) 확정 사실. ——-하다 타여불

기한 도:골【飢寒到骨】명 기한(飢寒)이 뼈 속까지 이름. 극심한 기한.

기한-부【期限附】명 어떠한 일에 대하여 언제까지의 기한을 붙임.

기한부 권리【期限附權利】[—궐—] 명〖법〗기한이 차기 전에 당사자의 한 쪽이 가지는, '기한이 차면 일정한 이익을 받을 것'이라는 기대권(期待權)의 도래로 인하여 권리를 얻는 자 및 종기(終期)의 도래로 권리를 회복하는 자의 지위 등을 말함. *조건부 권리.

기한부 어음【期限附—】명〖경〗유전스 빌(usance bill).

기한부 채:권【期限附債權】[—꿘] 명〖경〗채무 이행에 관하여 기한이 정해져 있는 채권.

기한-제【起寒劑】명〖화〗한제(寒劑).

기한후 배:서【期限後背書】명〖경〗어음에서는, 지급 거절 증서(支給拒絕證書) 작성 후 또는 지급 거절 증서 작성 기간 경과 후에 행하여진 배서. 수표에서는, 거절 증서 혹은 이와 동일한 효력을 가지는 선언의 작성 후 또는 제시(提示) 기간 경과 후에 행하여진 배서. 지명 채권 양도(指名債權讓渡)의 효력을 가질 뿐임. 후배서(後背書).

기함[1]【記含】명 기억(記憶).

기함[2]【起陷】명 위로 솟음과 밑으로 우묵하게 빠짐.

기함[3]【氣陷】①기력이 없어서 폭 가라앉음. ②갑자기 심하게 아프거나 놀라서 소리를 지르며 넋을 잃음. ¶~하여 통곡하는 어린 왕을 애처로운 듯이 모신다≪張德祚 : 狂風≫. ——-하다 자여불

기함[4]【旗艦】명〖군〗함대의 사령관이 탑승한 군함. 마스트에다 지휘관의 관등(官等)에 상당한 기(旗)를 달게 되어 있음. 사령선(司令船).

기-함수[1]【奇函數】[—쑤] 명〖수〗항등적(恒等的)으로 $f(-x)=-f(x)$라 하는 관계를 만족시키는 함수. 홀함수. *우(偶)함수.

기-함수[2]【基函數】[—쑤] 명〖수〗원시(原始) 함수.

기합【氣合】명 ①호흡(呼吸)이 맞음. ②정신을 신체에 나타내어 어떤 일을 하는 기세. 또, 그 때에 지르는 소리. ③〈속〉군대·학교 등 단체적 훈련을 하는 곳에서 잘못한 사람을 단련시키는 뜻에서, 육체적 또는 정신적으로 고통을 주어 응징(膺懲)하는 일. ¶단체 ~을 받다.

기합-술【氣合術】명 기합을 응용하여 행하는 일종의 정신적 술법이나 정신 요법.

기항[1]【寄航】명 항해 중(航海中)인 배가 항구에 들름. ——-하다 자여불

기항[2]【寄港】명 배가 항구에 들름. ——-하다 자여불

기항-지【寄港地】명 기항하는 항구.

기해[1]【己亥】명〖민〗육십 갑자(六十甲子)의 서른여섯째.

기해[2]【氣海】명 ①대기(大氣)를 바다에 비유하여 일컫는 말. ②〖한의〗

배꼽 아래 한 치쯤 되는 곳. 하단전(下丹田).

기해 교:난【己亥教難】명『역』기해 박해(迫害).

기해 단전【氣海丹田】명『한의』배꼽 아래 하복부의 부분. 기해와 단전이 합친 곳.

기해 동정【己亥東征】명『역』조선 세종(世宗) 1년(1419) 기해(己亥)년 6월에, 이종무(李從茂)를 삼군 도체찰사(三軍都體察使), 유정현(柳廷顯)을 삼도 도통사(三道都統使)로 하여 삼남(三南)의 병선 270척, 병사 17,000여로써 왜구(倭寇)의 근거지인 쓰시마(対馬)섬을 정복한 일. 기해 왜역(倭役).

기해 박해【己亥迫害】명『역』조선 헌종(憲宗) 5년(1839) 기해년의 천주교 박해(迫害) 사건. 헌종 2년에 비밀히 입국하여 서울에서 포교(布敎)하던 프랑스인 신부 정아각백(鄭牙各伯; Chaistun Jacobus)·나백다록(羅伯多祿; Maubant Petres)·범세형(范世亨; Imbert Laurent)이 관헌(官憲)에 발각되어 교도(敎徒) 70여 명과 함께 잡히어 죽음. 기해 사옥(己亥邪獄). 기해 교난(己亥敎難).

기해 사옥【己亥邪獄】명『역』기해 박해(己亥迫害).

기해 왜역【己亥倭役】명『역』기해 동정(東征).

기해 일기【己亥日記】명『책』조선 24대 헌종(憲宗) 5년(1839) 기해년에 천주교도(天主教徒)를 박해(迫害)하던 때, 순교자(殉教者)의 전기(傳記)를 모은 책. 당시 조선 교구(教區) 주교였던 앵베르(Imbert)가 한양 교회장이던 현석문(玄錫文)에게 부탁, 수록한 것인데, 그 후 개판(改版)·정정(訂正)·증보(增補)되었음. 전부 한글로 쓰여져 있음.

기행[1]【奇行·琦行】명 기이한 행동.

기행[2]【紀行】명『문』여행하는 동안에 보고 듣고 느낀 것을 적은 문장이나 책. *기행문.

기행 가사【紀行歌辭】명『문』기행문의 형식을 취한 가사의 총칭. 여행에서의 견문·사건·감상 등을 사실적으로 담은 것으로 《관동 별곡》·《일동 장유가(日東壯遊歌)》·《연행가(燕行歌)》 등이 이에 속함.

기-행렬【旗行列】[-녈] 명 환영 또는 축하를 할 때에, 기를 든 많은 사람이 열을 지어 돌아다니는 일. ——-하다 자여불

기행-문【紀行文】명『문』여행중의 보고 듣고 느낀 바를 기술한 문장. 일기체·편지 형식·수필·보고 형식 등으로 씀. 기행. *여행기(旅行記).

기행 문학【紀行文學】명『문』여행중에 보고 듣고 일어난 일·감상 등을 주제로 한 문학.

기허[1]【氣虛】명『한의』원기가 허약함. ¶ ~증(症). ——-하다 형여불

기허[2]【幾許】명 얼마.

기허 담:성【氣虛痰盛】명『한의』기가 허하고 담(痰)이 성함.

기허-증【氣虛症】[-쯩] 명『한의』기허를 일으키는 증상.

기험【崎險】명 ①기구(崎嶇)❶❷. ②성질이 그늘지고 험상스러움. ——-하다 형여불

기-현상【奇現象】명 기이한 현상.

기혈【氣血】명『한의』원기와 피.

기혈 쌍보【氣血雙補】명 약을 먹어 원기와 피를 다 보함. ——-하다 타여불

기혐【忌嫌】명 꺼리고 싫어함. 꺼리고 의심함. ——-하다 타여불

기협【氣俠】명 호탕한 기상. 용맹스러운 마음. 협기(俠氣).

기형[1]【奇形】명 괴이한 형체.

기형[2]【基形】명 기본형(基本形)❶.

기형[3]【畸形·奇型】명 [malformation]『생』보통 일반의 정상적(正常的)인 체제(體制)와는 다른 생물의 형태. 즉 쌍두(雙頭)·쌍미(雙尾)·과잉지(過剩肢)·언청이·육손 등. 유전 형질(遺傳形質)에 의한 선천적인 것과 외부 조건에 의한 후천적인 것 등이 있음.

기형[4]【機形】명 비행기의 모양.

기형[5]【譏詗】명 염탐함. 비밀히 엿봄. ——-하다 타여불

기형 괴:상【奇形怪狀】명 이상 야릇한 형상.

기형-물【奇形物】명 기괴하게 생긴 물체.

기형-설【基型說】명『화』화합물의 구조에 관하여 제출된 초기의 학설. 무수하고 복잡한 화합물을 비교적 소수의 기본형의 화합물에 관련시켜 분류할 수 있다고 하는 설.

기형-아【畸形兒】명 발육 부전(發育不全)이나 어떠한 장애로, 보통으로 성장한 아이들과는 다른 형체의 아이. 또, 일반적으로 이상적(異常的)이며 불완전한 형태나 사태를 비유적으로 이르기도 함. 기아(畸兒). ¶ 쌍두(雙頭)의 ~.

기형-어【畸形魚】명『어』발생 도중에 여러 가지 원인으로 정상 어류(魚類)와 다른 형태로 생겨난 물고기.

기형-자【畸形者】명 기형의 체구(體軀)를 한 사람. 불구자(不具者).

기형-적【畸形的】명관 기이한 모양. 기형으로 된 모양. ¶ ~ 현상(現象).

기형-종【畸形腫】명『의』내배엽·중배엽·외배엽의 삼배엽성(三胚葉性) 성분이 혼합되어 있는 혼합 종양(腫瘍). 연골(軟骨)·뼈·신경 조직이 점막 상피(粘膜上皮)나 피부 상피와 혼합하고 있는 미숙형(未熟型)의 기형종과 뇌나 갑상선(甲狀腺) 및 뇌(腦) 등의 각종 장기(臟器)가 불완전하게 하나의 덩어리를 이루고 있는 성숙형(成熟型)의 기형종이 있음.

기형-학【畸形學】명 [teratology]『생』기형을 연구 대상으로 하는 생물학의 한 분과. 유전학(遺傳學)·실험 발생학(實驗發生學) 등의 분석 방법을 채용하여, 기형의 원인 발생 등을 연구함.

기형-화【畸形化】명 기형이 되게 하거나 기형으로 됨. ——-하다 자타여불

기호[1]【記號】명 ①일정한 내용을 표시하기 위한 문자·표장(標章)·부호 따위. 또, 그것으로 나타내는 일. 특히 문자와 구별하여 부호류를 일컬을 경우도 있음. ②명칭. 표제(表題). ③개념(概念)·수식(數式)·명제(命題)·추론(推論) 등을 글로 써서 나타내기 위하여 쓰이는 부호. 문자·숫자(數字)·+·-·∴·∵·괄호·구두점(句讀點) 따위. ④『법』사인(私人) 또는 관청이 어떤 목적으로 물품에 찍는 표장(標章). ⑤『전』전신 전송(電信電送) 때의 회로가 닫힌 상태. 이 기간에 신호가 전달됨.

기:호[2]【嗜好】명 즐기고 좋아함. ¶ ~ 식품. ——-하다 타여불

기호[3]【旗號】명 ①기의 신호(信號). ②기의 표장(標章).

기호[4]【畿湖】명『지』한국 서쪽 중앙부를 차지하고 있는 경기도·황해도 남부·충청 남도 북부를 포함한 지역. 동으로 관동 지방과 접경하며, 서쪽에 황해의 경기만(京畿灣), 남쪽에 차령(車嶺) 산맥으로 호남(湖南) 지방과 경계하고, 북에 멸악(滅惡) 산맥으로 관서(關西) 지방과 경계함.

기호[5]【饑戶】명 흉년에 굶는 집.

기호-가【奇好家】명 기이한 기호(嗜好)를 지닌 사람.

기호 논리학【記號論理學】[-놀-] 명 [symbolic logic]『논』대수학(代數學)에서처럼, 기호를 활용하여 논리의 구조(構造)를 밝히려고 하는 학문적 분야. *수리(數理) 논리학·수학적 논리학·기호적 논리학.

기호-론【記號論】명 [semiotics]『언』간단한 신호에서부터 복잡한 언어에 이르는 모든 기호에 대한 일반적 이론과 그 응용을 연구하는 과학의 총칭. 일반적으로 기호와 그것을 사용하는 사람과의 관계를 취급하는 실용론(實用論), 기호와 기호의 대상과의 관계를 취급하는 의미론(意味論), 기호와 기호와의 관계를 취급하는 통사론(統辭論)의 3면의 연구를 종합하는 과학을 이름.

기:호료 식물【嗜好料植物】명『식』당료(糖料)·음료(飲料)·향신료(香辛料)·끽연료(喫煙料) 등 기호품을 채취하는 식물. 기호 식물.

기:호료 작물【嗜好料作物】명『농』차(茶)·담배·커피(coffee) 등 기호품을 생산하는 작물. 열대 원주민(熱帶原住民)들에 의하여 처음으로 이용되었는데, 구미(歐美)에 알려지게 되어 그 사용이 급증(急增)하였음. 재배의 적지(適地)는 열대 및 아열대(亞熱帶)이지만, 차·담배는 온대(溫帶)에서도 널리 재배되고 있음. 기호 작물.

기호 망면【幾乎忘面】명 거의 잊어버린 얼굴.

기호 문자【記號文字】[-짜] 명 기호로 된 문자. ↔회화(繪畫) 문자.

기:호-물【嗜好物】명 기호품.

기호 배:선【記號配線】명 [symbolic wiring] 수신기의 배선을 표시함에 있어서, 정해진 기호로 표시하는 방법. 배선을 간단히 표시할 수 있기 때문에 편리하며, 라디오의 배선도(配線圖)는 이 기호로 나타냄.

기호-설【記號說】명『철』인식론(認識論)상의 현상론(現象論)의 하나. 지식은 실제를 모사(模寫)하는 것이 아니고, 실제의 기호 또는 대표라고 하는 설.

기:호 식물【嗜好植物】명『식』기호료 식물.

기:호 식품【嗜好食品】명 기호품(嗜好品).

기호-어【記號語】명 [symbolic language]『컴퓨터』프로그래밍 언어의 하나. 기계어(機械語)에 있어서의 숫자(數字)의 연결을 기호(記號)로 바꾸고, 기계어의 여러 개의 명령(命令)을 뭉뚱그려 하나의 명령으로 한 것.

기:호 음료【嗜好飲料】[-뇨] 명 기호품 중에서 특히 액체 상태로 되어 있어 마실 수 있게 된 물건. 커피·술·차·코코아 등.

기:호 작물【嗜好作物】명『농』기호료 작물.

기호적 논리학【記號的論理學】[-놀-] 명『논』기호 논리학.

기호 지방【畿湖地方】명 경기도 및 황해도 남부와 충청 남도 북부 지방.

기호지-세【騎虎之勢】명 범을 타고 달리는 듯한 기세. 곧, 중도에서 그만둘 수 없는 형세.

기호 투표【記號投票】명 선거의 투표 방법의 하나. 투표 용지에 기록된 후보자(候補者)의 번호에 기호를 그려서 하는 투표.

기호-파【記號波】명 [working wave] 무선 전신에 있어서, 부호 부분을 송신할 때의 발사 전파.

기호-표【記號票】명 선거 때의 선전용 소형 인쇄물. 후보자의 이름·기호·선거구만을 기재함.

기:호-품【嗜好品】명 ①영양소(營養素)는 아니지만 향미(香味)가 있어, 입에 쾌감을 주고 필요한 흥분을 일으키는 음식물. 술·차·커피·담배·마늘·파·후추·생강 등. 기호물. 기호 식품. ②취미로 즐기고 좋아하는 물품. 장난감·보석·골동품 따위. 기호물.

기호 학파【畿湖學派】명 조선 14대 선조(宣祖) 이후에 율곡(栗谷) 이이(李珥)를 조종(祖宗)으로 한 성리학(性理學)의 한 파. 조헌(趙憲)·김상헌(金尙憲)·김장생(金長生)·송시열(宋時烈)·권상하(權尙夏)·김창집(金昌集) 등 기호의 서인(西人)이 따름. 이황(李滉)의 영남(嶺南) 학파와 쌍벽을 이룸.

기호 화:폐【記號貨幣】명 [representative money]『경』명목(名目) 가치가 소재(素材)의 실질(實質)보다 큰 화폐. 불환 지폐(不換紙幣)나 보조 화폐를 이루는 소액(小額)의 주화(鑄貨)가 이에 해당함. 명목 화폐. 대용(代用) 화폐. 대표 화폐. 신용 화폐.

기호 활자【記號活字】[-짜] 명 특수한 어휘를 대용(代用) 혹은 생략하기 위하여 도형(圖形)·문자·부호 등으로 된 활자. 종류로는 수학 기호·종교 기호·화폐 기호·상용(商用) 기호·약의학(藥醫學) 기호·전기 기호·생물 기호·천체(天體) 기호·기상(氣象) 기호 등이 있음.

기혹【欺惑】명 속여서 미혹(迷惑)하게 함. ——-하다 타여불

기혼[1]【既婚】명 이미 혼인을 하였음. ↔미혼. ——-하다 자여불

기혼[2] [Gihon] 명『성』①강(江)의 이름. 아담이 죄를 짓기 전에 살던 에덴 동산에서 흘러나간 네 강줄기 중의 하나. ②예루살렘 동쪽 성 밖의 기드론 계곡(溪谷)에 있던 샘의 이름. 솔로몬이 여기서 기름 부음을 받았다고 전해짐.

기혼-자【既婚者】명 이미 혼인을 한 사람. ↔미혼자.

기화[1] 명 〈방〉 성냥.

기화[2] 명 〈방〉 기와[1](경기).

기화[3]【己和】명『사람』조선 시대의 중. 무학(無學)의 후계자. 속성은 유(劉). 법명은 득통(得通), 호는 함허(涵虛). 21세에 출가, 세종(世宗)의 명에 의하여 대자사(大慈寺)에 머물러 선비 대비(先妣大妃)의 명복을 빌었음. 유자(儒者)의 불교 배척에 대항하여 《현정론(顯正論)》

을 지어 불교의 국가적 의의를 천명하였음. 이 밖에 ≪원각경소(圓覺經疏)≫ 3권, ≪금강경 오가해 설의(金剛經五家解說誼)≫ 등의 저서가 있음. [1376-1433]

기화[4]【奇花】 명 진귀(珍貴)한 꽃. 기이한 꽃.

기화[5]【奇貨】 명 ①진기(珍奇)한 보화(寶貨). ②못되게 이용하는 기회. ¶ 사람이 없는 틈을 ~로 도둑이 들어오다.

기화[6]【奇話】 명 기담(奇談).

기화[7]【奇禍】 명 뜻밖에 당하는 재난(災難).

기화[8]【氣化】 명 〔vaporization〕〖물〗 ①액체가 열을 받아 비등(沸騰) 증발하여 기체로 바뀌는 현상. ②승화(昇華)❶. ——-하다 자타여불

기화[9]【起畫】 명〖건〗 단청(丹靑)을 할 때에 채색(彩色)을 다하고, 맨 나중에 먹으로 줄을 그리어, 이 빛과 저 빛의 구별이 나게 하는 일. 계화(界畫). ——-하다 타여불

기화[10]【琪花】 명 아름답고 고운 꽃. ¶ ~ 요초(瑤草).

기화[11]【機化】 명 ↗기계화(機械化). ——-하다 자타여불

기화 가:거【奇貨可居】 명 진귀한 물건이니 사두었다 뒤에 이득을 얻도록 하여야 한다는 뜻으로, 좋은 기회를 놓치지 말라는 말. ¶ 그놈을 데려다가 장두를 삼고 명색이 대장이라 하니, 그 총각놈은 그것을 ~로 알고 늙은 어미를 데리고 철가도주를 하여 폭도촌으로 이사를 한 후… ≪崔瓚植 : 春夢≫.

기화-기【氣化器】 명〖기〗 가솔린 기관에서, 가솔린의 휘발성을 이용해서 가솔린을 공기와 적당히 섞어 폭발성의 혼합 가스로 만들어, 실린더 안에 공급하는 가스 발생 장치. 항공기용·자동차용·선박용 등 용도에 따라 여러 가지가 있음. 카뷰레터(carbureter).

기화리 명 〈방〉 기울[1].

기화성 방수제【氣化性防銹劑】〔—썽—〕 명 〔vapor phase inhabitor〕 상온(常溫)에서 승화(昇華)하여 금속 표면에 흡착 피막(吸着被膜)을 형성함으로써 녹의 발생 방지에 효과가 있는 것의 총칭. 일반적으로 종이에 합침(合浸)시켜, 금속 제품을 싸는 방수 포장(防銹包裝)의 재료로 씀. 가장 널리 사용되는 철제품용은 유기 아민(有機 amine)의 아질산염(亞窒酸塩)이며, 대표적인 것은 디시클로 헥실아민(dicyclo hexylamine) 아질산염임. 약칭: 브이 피 아이(V.P.I.).

기화-열【氣化熱】 명 〔heat of vaporization〕〖물〗 액체가 기화할 때 외부로부터 흡수하는 열량. 보통, 일정 온도에서 1그램의 물질을 기화시키는 데 필요한 열량으로 나타냄. 증발열.

기화 요초【琪花瑤草】 명 아름다운 꽃과 풀. ¶ ~가 만발하다.

기화 이:초【奇花異草】 명 흔하지 아니하고 이상스러운 꽃과 풀.

기화-전【起火箭】 명 신호 또는 불놀이에 쓰는 폭발물을 장치한 화살. 신기전(神機箭).

기화 폭탄【氣化爆彈】 명 〔fuel air explosive〕〖군〗 휘발성 탄화 수소(揮發性炭化水素)를 작약(炸藥)으로 한 폭탄. 에어로졸 상태로 하여 폭발시키면, 같은 중량(重量)의 TNT 폭약의 일곱 배의 파괴 효과가 있다고 함. 기체 폭탄. ＊충격 폭탄.

기환[1]【奇幻】 명 ①기묘한 변화. ②기괴한 환술(幻術). ③이상한 허깨비.

기환[2]【綺紈】 명 고운 비단.

기환-가【綺紈家】 명 부귀(富貴)한 집. 또, 부귀하여 곱고 값진 옷을 입은 사람.

기환 공자【綺紈公子】 명 부귀한 집의 자제. 기환 자제.

기환 자제【綺紈子弟】 명 부귀한 집안의 자제. 기환 공자. 환과(紈袴) 자제.

기황【飢荒】 명 굶주림. 기근(飢饉).

기-황후【奇皇后】 명〖사람〗 중국 원(元)나라 순제(順帝)의 황후. 고려 자오(子敖)의 딸. 몽고에 들어가 1333년 고려인 내시(內侍)의 힘으로 원실(元室)의 궁녀가 되고, 1340년에 황후가 되어 실권을 장악, 30년 동안 권세를 부려 고려에 큰 영향을 주었음. 생몰년 미상.

기회[1]【幾回】 명 몇 번. 몇 차례.

기회[2]【期會】 명 정기의 집회.

기회[3]【機會】 명 ①어떤 일을 하여 나아가는 데에 가장 알맞은 고비. 시기(時機). 찬스. ¶ 절호의 ~/~를 엿보다. ②기대하던 그 때. ¶ 셈평 펴일 ~가 없다.

기회 균등【機會均等】 명 ①어떠한 사람에게 하는 대우를 다른 일반에게도 같이 함. ②외교 정책에 있어서, 통상(通商)·사업 경영 등에 관하여 어떤 나라에 준 대우를 다른 국가에도 줌.

기회 균등주의【機會均等主義】〔—/—이〕 명 ①국적에 입각한 차별적 대우를 배척하여, 모든 국민이 통상이나 다른 사항에 관하여, 균등한 이익을 얻을 수 있도록 경쟁의 기회를 주자는 외교(外交) 정책상의 주의. ②〖법〗 모든 국민이 사회의 모든 방면에 있어서, 성능(性能)을 발휘하여 권리를 획득(獲得)할 수 있는 기회를 평등하게 주어 공평을 기하려는 주의. 교육의 기회 균등·경제적 활동의 기회 균등 등.

기회-범【機會犯】 명〖법〗 우발범(偶發犯).

기회 비:용【機會費用】 명 〔opportunity cost〕〖경〗 직접적인 비용은 지출되지 않으나, 돈을 벌 수 있는 기회를 포기함으로써 일정한 금액을 잃고 있는 경우와 같은 무형(無形)의 부담(負擔)을 이르는 말.

기회-시【機會詩】 명〖문〗 ①괴테의 용어. 공사(公私)의 경사(慶事)와 흉사(凶事)를 읊은 시. ②시인의 마음에 진감(震憾)한 체험을 읊은 시.

기회 원가【機會原價】〔—까〕 명〖경〗 회계 용어. 특정한 생산 수단 아래서, 두 종의 용도 중 그 어느 한 편을 배제(排除)하는 결과, 단념(斷念)되는 이익의 평가액(評價額).

기회 원인【機會原因】 명〖철〗 진정한 원인이 아니고 운동을 일으킬 정도의 단순한 기회로서의 원인. 우인(偶因). 기회인(機會因).

기회 원인론【機會原因論】〔—논〕 명 〔occasionalism〕〖철〗 17세기 네덜란드의 철학자 필링크스(Geulincx)가 주창한 것으로, 모든 개별적 원인은 기회(機會)에 불과하며 그 진정한 원인은 신(神)에게 있다는 설(說). 예를 들면, 모든 육체적 과정은 그에 대응(對應)하는 심적 과정이 생기는 기회가 되며, 반대로 모든 심적 과정은 그에 대응하는 육체적 과정이 생기는 기회가 되는 것처럼, 심신(心身)의 상호 관계는 참다운 원인으로서의 신(神)에 의하여 규제(規制)되어 있다고 하는 것임. 우인론(偶因論).

기회-인【機會因】 명〖철〗 기회 원인(原因).

기회-주의【機會主義】〔—/—이〕 명 어떤 일에 있어서 종국(終局)의 목표를 위하여 철저하게 못 하고, 정세에 따라서 기회를 관망하며 편의적으로 행동하는 경향. 이론의 결핍과 행동의 돌변이 그의 특징임.

기회주의-자【機會主義者】〔—/—이—〕 명 일정한 주견(主見)이 없이, 그때 그때의 형편에 따라, 되는 대로 행동하는 사람.

기획【企畫·企劃】 명 일을 계획함. ¶ ~실(室). ——-하다 타여불

기획 재정부【企劃財政部】 명 중앙 행정 기관의 하나. 경제·재정 정책의 수립과 조정, 예산·기금의 편성과 집행, 화폐·외환·국고·정부 회계·국가 채무 등에 관한 사무를 맡아봄.

기효【奇効】 명 기이한 효능(効能). 뛰어난 효능.

기효 신서【紀効新書】 명〖책〗 중국 명(明)나라 척계광(戚繼光)이 지은 병서(兵書). 왜구(倭寇)가 한창 명나라 연해(沿海)를 침범할 때, 척계광이 저장 성(浙江省)에서 새로운 진법(陣法)을 마련하여 왜구의 격퇴에 많은 효험(効驗)을 보았는데, 이 경험을 토대로 하여 엮은 병서임. 임진 왜란 때, 선조(宣祖)가 이 책을 구득하여 훈련 도감(訓鍊都監)을 두고 삼수(三手)를 조직하였음.

기효 신서 절요【紀効新書節要】 명〖책〗 왜구 방어법(倭寇防禦法)을 쓴 병서(兵書). ≪기효 신서≫에서 복잡한 것은 잘라 내고 요점을 뽑아서 엮었음. 1책. 사본.

기후[1]〔岐阜:ぎふ〕 명〖지〗 일본 기후 현(岐阜縣) 서남부의 시. 현청 소재지. 방직·기계·기구·제재 및 목제품 공업이 성하며, 특산물은 우산과 초롱·부채 따위. [407,786명(1996)]

기후[2]【其後】 명 그 뒤. 그 후. 궐후(厥後). 이후(爾後). ¶ ~ 10년.

기후[3]【祈候】 명〖역〗 고려 때, 각문(閣門)의 정칠품 벼슬.

기후[4]【氣候】 명 ①〔기(氣)는 15일, 후(候)는 5일〕 1년의 24 기와 72 후를 통틀어 일컬음. 기절(氣節). ②〖지〗 대기(大氣)의 변동과 수륙(水陸)의 형세에 따라 생기는 조습(燥濕)·청우(晴雨)·한서(寒暑) 등의 현상. 바다의 기후와 육지의 기후가 다름. 풍후(風候). 천후(天候).

기후[5]【氣候】 명 기체(氣體).

기후-계【氣候界】 명〖지〗 두 기후의 경계. 경계는 산맥으로 이루어지는 경우가 많음.

기후-구【氣候區】 명 〔climatic region〕〖지〗 기후대를 다시 세분(細分)하여 같은 기후의 구(區)로 구분한 것.

기후 구분【氣候區分】 명 〔climatic division〕〖지〗 세계 각지의 기후를 공통점이나 특성에 따라, 기후대·기후구로 분류한 것. 대표적인 것으로는 기온과 식물상(植物相)에 의한 쾨펜(Köppen)의 기후 분류가 있음.

기후 단구【氣候段丘】 명 〔climatic terrace〕〖지〗 기후의 변화로 말미암은 하천(河川)의 수량(水量)이 운반하는 토사(土砂)의 양(量) 등의 변화로 이루어진 하안 단구(河岸段丘).

기후-대【氣候帶】 명 〔climatic zone〕〖지〗 지구상 기후의 특성이 공통한 지대. 열대·아열대·온대·아한대(亞寒帶)·한대(寒帶)가 있음.

기후-도【氣候圖】 명〖지〗 기후의 지리적 분포를 백지도(白地圖) 위에 표시한 도표. 등온선도(等溫線圖)·등우량선도(等雨量線圖)·등압선도(等壓線圖)·등습도선도(等濕度線圖)·등운량선도(等雲量線圖) 등이 있음.

기후 변:화【氣候變化】 명〖지〗 동일 지역에서의 장기간을 척도로 한 기후의 변화. 수십 년에서 수만 년에 걸치는 빙하기(氷河期)나 간빙기(間氷期) 따위 변화가 대상이 됨. ＊이상 기상(異常氣象).

기후 병:리학【氣候病理學】〔—니—〕 명 〔climatopathology〕 질병을 자연 환경과 관련시켜 연구하는 학문.

기후 분류【氣候分類】〔—불—〕 명〖지〗 기후 요소의 유사한 지역을 묶어서 기후대나 기후형으로 분류하는 일. 분류 기준에는 위도·온도·식물상(植物相)·우량(雨量)에 의하는 것과 여러 가지 요소를 가감한 것 등이 있음.

기후 순:응【氣候順應】 명 기후 순화(氣候馴化).

기후 순:화【氣候馴化】 명 기후가 다른 토지에 이주(移住)하였을 때, 신체나 정신이 그 기후에 맞게 순화하는 일. 기후 순응.

기후 요법【氣候療法】〔—뻡〕 명〖의〗 인체에 미치는 기후의 영향을 이용하는 요법. 일반적으로 산악(山岳) 기후는 빈혈이나 결핵에 적합하고, 해안 기후는 알레르기성 질환·류머티즘성 질환·구루병(佝僂病) 등에 적합함. 기후의 자극성을 이용하는 것이므로 삼출성 폐결핵(滲出性肺結核), 정신 흥분 상태에는 부적합함. 근년에는 기관지 천식 따위에 대한 인공 기후실도 이용되고 있음. ＊전지(轉地) 요법.

기후 요소【氣候要素】 명〖기상〗 기상 상태를 나타내는 데 중요한 관측 사항. 보통, 일기도(日氣圖)에 기입되는 기압·일조(日照)·풍향(風向)·풍속·운량(雲量)·운형(雲形)·기온·습도·강수량·시정(視程) 따위가 주요소임. 대기 중의 진애량(塵埃量)과 자외선의 강도 따위의 통계 자료도 이에 들어감. 기상 요소(氣象要素).

기후 인자【氣候因子】 명〖기상〗 기후 요소의 지리적 분포(分布)를 지배하는 지리적(地理的)·물리적 인자. 즉, 위도(緯度)·표고(標高)·해륙(海陸)의 분포·해류(海流)·토질 따위. 기상 인자(氣象因子).

기후적 토양대【氣候的土壤帶】 명〖지〗 기후대에 대응하여 일정한 토양형이 띠 모양으로 분포되어 있는 지대.

기후 조절【氣候調節】 명 생활·생산 활동에 유리하도록 기후를 조절하는 일. 사철의 의복·냉난방(冷暖房)·환기·채광 따위는 넓은 의미의 기후 조절이며, 방풍림·방상림(防霜林)·방무림(防霧林)·간석(干潟)·관개(灌漑)·대기 오염의 배출 규제(排出規制)나 녹화 계획을 포함한 도시 계획 실시 따위도 있음.

기후 조절림【氣候調節林】 명 국지적(局地的)인 기후의 변화를 인위적

(人爲的)으로 조절하기 위하여 만든 숲. 방설림(防雪林)·방풍림(防風林)·방사림(防砂林) 따위.

기후 주기【氣候週期】명〔climatic cycle〕〖기상〗규칙성 있게 재발(再發)하는 기후의 장기적 사이클. 엄밀하게는 주기적이 아님.

기후-지【氣候誌】명 각 지역에 있어서의 현실의 기후 상태를 기술한 기록.

기후 지형학【氣候地形學】명〖지〗지구 과학(地球科學)의 한 분과. 현재나 과거의 기후 조건에 의한 외작용(外作用)의 성질과 그로써 형성되는 지형(地形)과의 관계를 연구하는 학문. 빙하기(氷河期)의 연구 따위. 지사적(地史的)인 배경을 중시(重視)함.

기후-표【氣候表】명〖지〗각지의 기후 자료를 표시한 것. 각 기후 요소와 평균치, 변동도(變動度), 재현(再現) 기간, 극치(極値)와 기일(起日), 강설기(降雪期) 따위, 용도에 따라 여러 가지 기후표가 있음.

기후-풍【氣候風】명〖지〗계절풍(季節風).

기후-학【氣候學】명〖기상〗기후를 대상으로 하는 지구 과학의 한 분과. 기후지(氣候誌), 기후표(氣候表)의 작성, 기후의 분류와 그 분포의 조사, 기후의 형성 과정의 연구 따위를 행하는 학문. 규모와 취급 방법과 응용면에 따라 여러 부문으로 나뉨.

기후 현【一縣】〔岐阜:ぎふ〕명〖지〗일본 중부 지방의 현. 14시 17군. 북부는 산지로 적설(積雪)이 많고 각 하천에는 발전소가 있음. 목재·목탄·납·도기(陶器)가 유명함. [10,598 km^2: 2,105,598 명(1996)]

기후-형【氣候型】명〖기상〗세계 각지의 기후를 공통된 성질에 의하여 분류한 것. 해양(海洋) 기후·해안 기후·대륙 기후·사막 기후·산악(山岳) 기후·고산(高山) 기후·열대 기후·온대 기후·한대 기후 따위.

기훈【氣暈】명〖한의〗칠정(七情)을 과로(過勞)하여 현기(眩氣)가 나고 게거품을 흘리면서 윗 눈시울이 아파서 눈을 잘 뜨지 못하는 병.

기휘【忌諱】명 ①꺼리어 싫어함. ¶~에 저촉되다. ②두려워 피함. →기우. ——하다 타여불

기흉【氣胸】명〔pneumothorax〕〖의〗①결핵성(結核性) 파괴(破壞) 등의 원인으로 폐의 표면에 구멍이 생기어, 외기(外氣)가 음압(陰壓)인 늑막강(肋膜腔)으로 들어가서 양압(陽壓)의 상태가 되는 일. 이때 폐는 작게 수축됨. ②↗인공 기흉(人工氣胸).

기흉 요법【氣胸療法】[—뇨뻡] 명〖의〗흉막강(胸膜腔) 속에 공기를 넣어 결핵에 걸린 폐를 수축시키어 결핵의 치유(治癒)를 촉진하는 치료법. 인공 기흉 요법.

기흘【齮齕】명 서로 시새워서 미워함. ——하다 타여불

긴¹ 명〈옛〉끈. ¶긴 슈(綏), 긴 영(纓)《字會 中 23》.

긴:² 명 윷놀이에서 자기의 말이 남의 말을 좇아 잡을 수 있는 길의 거리. ¶갯~/걸~.

긴가민가-하다 형여불 ↗기연가미연가하다. ¶긴가민가하여, 자세히 보았다.

긴간¹【緊幹】명 ↗긴간사(緊幹事).

긴간²【緊簡】명 긴찰(緊札).

긴간-사【緊幹事】명 매우 긴요한 볼일. 준긴간(緊幹).

긴:-개싱아 명〖식〗[*Pleuropteropyrum ajanense*] 마디풀과에 속하는 다년초. 줄기 높이 60 cm 가량이고, 잎은 호생하며 거의 무병(無柄)에 피침형임. 7-8월에 녹백색의 꽃이 줄기 끝과 가지 끝에 총상(總狀) 화서로 피고, 과실은 수과(瘦果)임. 산지에 나는데 부전(赴戰) 고원에 분포함.

긴객【緊客】명 긴한 손님.

긴경【緊徑】명 좋은 인편(人便).

긴:-경마 명 의식(儀式)에 쓰는 말에 다는 긴 고삐. 좌견(左牽).

긴관【緊關】명 ①긴절(緊切)한 관계. 아주 절실한 관계. ②긴관사. ¶마침 ~의 일이 있어 황주에서 자고, 오늘 아침에 평양까지 왔더니…《鮮于日: 杜鵑聲》.

긴관-사【緊關事】명 긴요하고 절실한 일.

긴급【緊急】명 ①일이 긴요하고도 급함. 중대하고도 급함. ¶~한 일. ②현악기(絃樂器)의 줄이 되고 팽팽함. ——하다 형여불. ——히 부

긴급 관세【緊急關稅】명〔emergency tariff〕〖경〗외국에서 값이 싼 물품이 과도하게 수입되어, 국내의 동종(同種) 산업이 중대한 손해를 입게 되는 긴급 사태에 대하여, 그 방위 수단으로서 채용되는 관세.

긴급 관세 제:도【緊急關稅制度】명〖경〗정책상, 긴급한 사태가 발생하였을 때, 국내 산업의 보호를 목적으로 정부가 단독적으로 관세에 관한 긴급 조치를 취하는 제도.

긴급 구속【緊急拘束】명〖법〗피의자(被疑者)가 중죄(重罪)를 범했다고 인정되는 경우 또는 증거 인멸(湮滅)이나 도망·도피의 우려가 있을 경우, 그 밖에 긴급을 요하여 구속 영장을 신청할 여유가 없을 경우에, 검사 또는 사법 경찰관이 법원이 발행한 구속 영장 없이 피의자의 신체를 구속하는 일.

긴급-권【緊急權】명〖법〗한 나라의 급박한 위험을 피하기 위하여, 다른 나라의 권리 또는 이익을 침해할 수 있는 국제법상의 권리.

긴급 동:의【緊急動議】[—/—이] 명 아주 긴요하고도 급한 의안(議案)을 내세워, 예정하였던 다른 의안을 제쳐놓고라도 먼저 처리하도록 내는 동의. ——하다 자여불

긴급 명:령【緊急命令】[—녕] 명 ①긴급을 요할 때 발하는 특별한 명령. ②〖법〗국가의 안위(安危)에 관계되는 중대한 교전 상태에 있어서, 국가를 보위(保衛)하기 위하여 긴급한 조치가 필요하고 국회의 집회가 불가능한 때 대통령이 발하는 명령. 이 명령은 법률의 효력을 가지며 국회의 승인을 얻어야 함.

긴급 반:응【緊急反應】명〖생〗놀라거나 성내거나, 그 밖의 신체적인 비상 자극에 의하여 일어나는, 교감(交感) 신경계·부신 수질(副腎髓質)의 아드레날린(Adrenalin) 분비(分泌)가 따르는 활동.

긴급 발진【緊急發進】[—찐] 명〔scramble〕〖군〗국적(國籍) 불명의 항공기가 자국 영공(領空)을 침입하였을 때, 요격기(邀擊機)가 긴급 출격 명령을 받고 최단 시간내에 이륙(離陸)하는 일.

긴급 방위【緊急防衛】명〖법〗정당 방위(正當防衛).

긴급 사:태【緊急事態】명 ①급박한 위험이 발생한 상황. ②〖법〗대규모의 재해(災害) 또는 소란(騷亂) 등과 같이 긴급을 요하는 사태.

긴급 상태【緊急狀態】명 ①긴급을 요하는 상태. ②〖법〗긴급 피난 또는 정당 방위(正當防衛)를 성립시키는 상태. ③〖법〗국제법에서 긴급권을 발동시킬 수 있는 상태.

긴급 수입【緊急輸入】명〖경〗수요 공급(需要供給)의 긴장을 완화하기 위하여 긴급 조치로서 행하는 수입.

긴급 수입 제:한【緊急輸入制限】명〖경〗특정(特定) 상품의 수입 급증(急增)으로 국내 산업이 심한 피해를 입을 우려가 있을 때, 수입 수량 제한이나 관세 인상 등 수입 제한 조치를 취하는 일.

긴급 자동차【緊急自動車】명 도로 교통법상, 긴급한 용무로 운행할 경우, 다른 차량에 대한 우선 통행(優先通行)이 인정되고, 속도 및 앞지르기의 제한을 받지 않는 자동차. 소방차·구급차 및 범죄 수사·교통 단속·부대 이동 등에 사용되는 자동차 따위.

긴급 재정 경제 명:령【緊急財政經濟命令】[—녕] 명〖법〗국회의 집회를 기다릴 시간적 여유가 없을 때에 한해 대통령이 긴급 재정 경제 처분의 실효성을 뒷받침하기 위해 발하는 법률의 효력을 가진 명령.

긴급 재정 경제 처:분【緊急財政經濟處分】명〖법〗내우·외환·천재·지변 등 중대한 재정·경제상의 위기 때에 대통령이 국가의 안전 보장이나 공공의 안녕 질서를 유지하기 위해 행하는 긴급 처분.

긴급 조정【緊急調停】명 노동 쟁의 조정법에서, 쟁의가 공익에 관계되거나 국민 경제를 해치거나 국민의 일상 생활을 위태롭게 할 경우에 노동부 장관이 중앙 노동 위원회의 의견을 듣고 조정 결정을 내려 쟁의를 중지시키는 일. 이 결정이 내리면 20일 이내에는 쟁의 행위를 재개할 수 없게 됨.

긴급 조치【緊急措置】명 ①긴급한 대책을 요하는 돌발 사태 등에 즈음하여 취하는 조치. ②〖법〗유신 헌법(維新憲法)에서, 국가의 안전 보장이나 공공의 안녕 질서가 중대한 위협을 받을 우려가 있을 때, 국정 전반에 걸쳐 대통령이 취하는 조치. 국민의 자유나 권리의 일부를 제한하거나, 정부·국회·법원의 활동의 일부를 제한할 수 있음.

긴급 질문【緊急質問】명 긴급을 요하는 경우, 국회의 의결에 따라 구두(口頭)로 할 것을 인정받는 질문.

긴급 체포【緊急逮捕】명 긴급 구속(拘束).

긴급 타:격 부대【緊急打擊部隊】명〖군〗군사 정책상 필요한 때에, 즉시 적절한 행동을 취할 수 있도록 배치된 전략(戰略) 예비 부대. 항공 모함 중심의 기동대(機動隊)가 이에 속함.

긴급 통신【緊急通信】명〖해〗기관 고장에 의한 항행의 불능·급환자·익사자의 발생 등에 행하는 신호. 부호는 주파수 500 kc로 XXX를 세 번 되풀이함. *조난(遭難) 통신·안전 통신.

긴급 통화【緊急通貨】명〖경〗정상적인 통화 발행 당국에 의하여, 정상적인 방법으로 공급되는 통화만으로는 일반의 수요(需要)를 충족(充足)할 수 없는 경우에, 후일 정화(正貨)와 상환(相換)할 것을 예정하고, 다른 기관에 의하여 응급적으로 발행되는 임시 통화. 긴급 화폐.

긴급 통화 조치【緊急通貨措置】명 ①1953년 2월 15일 대통령령 13호로서 단행된 통화 개혁(通貨改革). 종전의 원화(圓貨) 체제를 환화(圜貨) 체제로 하고, 통화의 대외 가치의 안정을 지향하여 100원을 1환으로 명목을 바꿈. ②1962년 6월 9일 긴급 통화 조치법에 의하여 단행된 통화 개혁. 경제 개발 5개년 계획의 수행을 목적으로 종전의 환화(圜貨) 체제를 원화 체제로 하고, 10환을 1원으로 명목을 바꿈.

긴급 피:난【緊急避難】명 ①급히 서둘러서 피난함. ②〖법〗형법상, 자기나 또는 타인의 생명·신체·재산 등에 대한 현재의 위난(危難)을 피하기 위해서, 부득이 행한 가해 행위. 그 행위로부터 발생한 피해가 피하고자 한 피해의 정도를 넘지 않는 한 처벌되지 않음. 정당 행위. ③〖법〗민법상, 타인의 물건으로 말미암아 발생한 급박한 위난을 피하기 위하여, 그 물건을 손괴하는 일. 손해 배상의 책임이 없음.

긴급 행위【緊急行爲】명〖법〗①국제법에서, 긴급권의 발동에 의거하여 행하여진 행위를 일컬음. ②국가 기관의 도움을 받을 틈이 없는 긴박(緊迫)한 침해에 대하여, 자기 스스로 자기를 구하기 위하여 취하는 행위. 정당 방위·긴급 피난 등.

긴급 화:폐【緊急貨幣】명〖경〗긴급 통화.

긴급 회:의【緊急會議】[—/—이] 명 긴급한 일을 의논하기 위하여 여는 회의.

긴:-긴 관 ↗기나긴. ¶~ 겨울 밤.

긴:긴-날 명 낮이 밤보다 훨씬 긴 날. 길고 긴 날.

긴:긴-낮 명 밤보다 훨씬 더 긴 낮. 기나긴 낮.

긴:긴-밤 명 길고 긴 밤. 낮보다 훨씬 더 긴 밤. ¶동지 섣달 ~.

긴:긴-해 명 길고 긴 해. 길고 긴 낮.

긴:-김승 명〈방〉긴짐승.

긴:-꼬리 명〖충〗[*Oecanthus longicauda*] 귀뚜라밋과에 속하는 곤충. 몸길이 11.5-15.5 mm이고, 몸빛은 담황록색 또는 황갈색인데, 두부는 가늘고 길며 갈색이고, 앞날개는 얇고 무색 반투명, 뒷날개는 미상(尾狀)임. 보통, 수풀 속에서 '투루루'하고 길게 계속하여 욺. 일본 전국 및 한국에 분포함.

〈긴꼬리〉

긴:꼬리-꿩 명〖조〗[*Syrmaticus reevesii*] 꿩과에 속하는 새. 머리는 백색인데, 양쪽 눈을 중심으로 흑색의 띠가 있음. 몸과 꽁지는 황색에 흑색의 비늘 모양의 반문이 있음. 수컷의 꼬리가 긴 것으로 유명한데, 2 m에 달하는 것도 있음. 중국의 중부 고산(高山) 산림 지대(山林地帶)에만 분포함.

〈긴꼬리꿩〉

긴:꼬리-닭 [—닥] 명 〖조〗 꿩과에 속하는 닭의 한 품종. 꼬리가 매우 길. 얼굴·목·배면(背面)은 흑색,복부(腹部)는 회백색이며, 날개의 외부면(外部面)과 꽁지의 대부분은 아름다운 담청색인데, 주둥이·다리는 누른빛, 눈은 붉은빛임. 대개 털빛이 갈색이나, 개량하여 현재는 백색·백등색(白藤色)·갈색 종 등이 있음. 꽁지는 매년 갈지 않고, 한 해에 75-90 cm 가량 자라서 3년 후면 3-6 m 이상이 됨. 산란수(産卵數)는 한 해에 60개 가량임. 고기는 별로 맛이 없음. 일본 고치 현(高知縣)의 원산인데, 온순(溫順)하고 취소성(就巢性)이 있어서 애완용으로 기름. 꼬리긴닭. 장미계(長尾鷄).

〈긴꼬리닭〉

긴:꼬리-딱새 명 〖조〗 삼광조(三光鳥).

긴:꼬리-부전나비 명 〖충〗 [*Araragi enthea*] 부전나빗과에 속하는 곤충. 편 날개 길이 30 mm 내외이고, 날개는 암흑색이며, 수컷의 중실(中室) 바깥쪽 앞쪽에는 백색 무늬가 두 개 있음. 뒷날개의 미상 돌기(尾狀突起)는 흑색이고, 그 말단은 백색, 날개 뒷면은 백색에 회색 무늬가 있고, 항각(肛角)에 등황색 무늬가 있음. 한국에도 분포함.

긴:꼬리-뾰족맵시벌 명 〖충〗 [*Acrocicnus ambulator*] 맵시벌과에 속하는 곤충. 암컷은 길이가 17 mm 가량이고, 몸은 대체로 흑색이며, 후흉배 위에 네 개의 황백색 반문이 있고, 촉각은 적갈색인데 중앙에 황백색 부분이 있음. 날개는 담황갈색이며, 산란관(産卵管)은 7 mm 임. 호리병벌류의 유충에 기생함. 한국·일본·중국 등지에 분포함.

긴:꼬리-산누에나방 [—山—] 명 〖충〗 [*Actias artemis*] 산누에나방과에 속한 곤충. 편 날개의 길이 10-11 cm. 뒷날개의 끝이 길게 꼬리 모양으로 늘어졌으며 빛깔은 전체가 백색임. 앞뒷날개의 중앙에 각각 담홍색의 작은 무늬가 한 개씩 있음. 애벌레는 사과·배·오리나무의 해충이며, 6-8월에 산간을 날아다님. 우리 나라·일본 등지에 분포함.

긴:꼬리-쌕쌔기 명 〖충〗 [*Conocephalus gladiatus*] 여칫과에 속하는 곤충. 몸길이 15-20 mm 이고 몸빛은 녹색이며, 전흉배에 흑갈색 세로 줄이 있음. 앞날개는 회황색이며 뒷날개보다 짧고, 각 복절(腹節) 후연(後緣)은 암갈색임. 암컷의 미절(尾節) 양측에는 흑색 반문이 있고 산란관(産卵管)은 몸길이보다 길. 한국에도 분포함.

긴:꼬리-오리 명 〖조〗 '고방오리'를 꼬리가 긴 데서 일컫는 이름.

긴:꼬리-원숭이 명 〖동〗 ①긴꼬리원숭잇과에 속하는 원숭이의 총칭. ②[*Cercopithecus aethiops*] 긴꼬리원숭잇과에 속하는 원숭이의 하나. 몸은 중형(中形)으로 좀 가는데, 주둥이는 짧고 꼬리가 몹시 길. 털빛은 회백색, 성질은 온순하여 곡예(曲藝)에 잘 길듦. 열대 아프리카에 분포함. 장미원(長尾猿).

〈긴꼬리원숭이❷〉

긴:꼬리원숭잇-과 [—科] 명 〖동〗 [Cercopithecinae] 협비 원류(狹鼻猿類)에 속하는 한 과.

긴:꼬리-제비나비 명 〖충〗 [*Papilio macilentus*] 호랑나빗과에 속하는 곤충. 편 날개 길이 90-140 mm 이고 하형(夏形)의 앞날개와 연은 춘형(春形)에 비하여 안쪽으로 구부러졌음. 뒷날개의 7-8실(室)에 걸쳐 발달한 황색 무늬가 있고, 날개 꼬리는 특별히 길. 한국·중국·일본 등지에 분포함.

긴:꼬리-홍양지니 [—紅—] 명 〖조〗 [*Uragus sibiricus*] 참샛과에 속하는 작은 새. 날개 길이 65 mm 가량. 이마와 눈 언저리는 짙은 홍색, 허리 아래는 담홍색, 위쪽은 회갈색이고, 등에는 검은 반점이 있고 날개에는 두 개의 흰 줄이 있음. 한국·일본·만주·동부 시베리아 등지에서 번식하고 겨울에 남쪽으로 날아가 월동함. 아름답고 우는 소리가 고와 농조(籠鳥)로 기름. 연지무늬양지니.

〈긴꼬리홍양지니〉

긴나라 [緊那羅] 명 〔범 kiṃnara〕〖불교〗 인도 신화(神話)의 반신(半神). 팔부중(八部衆)의 하나. 그 모양은 사람의 머리에 새의 몸 또는 말의 머리에 사람의 몸인데, 두 손으로 북을 치며 입으로 젓대를 분다 함. 인비인(人非人).

긴:나무좀-과 [—科] [—꽈] 명 〖충〗 [Platypodidae] 딱정벌레목에 속하는 한 과. 몸은 미소 또는 소형이고 원통상(圓筒狀)이며, 두부의 폭은 전흉과 같거나 또는 넓음. 부절(跗節) 제1절의 길이는 그 밖의 절의 합(合)과 거의 같음. 균류(菌類)가 있는 고목(古木)이나 쇠약한 나무 속에 서식함. 전세계에 300여 종이 분포함.

긴:-난봉가 [—歌] 명 〖악〗 서도 민요의 하나. 길게 뽑아 부름. 황해도 지방의 난봉가 가운데 가장 오래된 것으로, 간결하고 밝은 느낌을 주는 노래임. 잦은 난봉가·개성 난봉가·숙천(肅川) 난봉가 등이 이에서 파생됨.

긴:날 명 〈방〉 긴등.

긴:날개멸굿-과 [—科] 명 〖충〗 [Derbidae] 매미목(目)에 속하는 한 과. 대체로 작고 연약한데, 두부(頭部)는 흉부보다 좁고, 주둥이가 짧으며 때로는 흔적만이 있음. 앞날개는 가늘고 길지만 폭이 넓은 종류도 있음. 뒷날개는 짧고, 날개의 둔부(臀部)에는 망목맥(網目脈)이 없음. 주로 열대 지방에 많이 분포함.

긴:날개-여치 명 〖충〗 [*Gampsocleis ussuriensis*] 여칫과에 속하는 곤충. 철써기와 비슷하나 몸의 크기는 작아서 길이 28-45 mm이고, 몸빛은 녹색 또는 황갈색이며, 앞날개의 종맥(縱脈)은 흑갈색임. 전흉배(前胸背)의 제 2 횡구(橫溝)는 'U'자 모양이고 수컷의 꽁무니에는 한 개의 돌기(突起)가 있음. 여름에 나타나 수컷은 크게 울. 한국·일본·중국 등지(等地)에 분포함. 괄괄아(聒聒兒). 씨르래기. 혜고(蟪蛄). 철각(鐵脚). 종사(螽斯). 방직랑(紡織娘).

긴내 부 〈방〉 그냥.

긴:-네모꼴 명 〖수〗 직사각형(直四角形).

긴노라 타 〈옛〉 기뻐하노라. ¶ 鮫鱗ㅣ 업수믈 깃간 긴노라(暫喜息鮫鱗) 《杜諺 X:43》. *깃다.

긴:노린잿-과 [—科] 명 〖충〗 [Lygaeidae] 매미목(目)에 속하는 한 과. 몸은 긴 타원형이고, 촉각과 구문(口吻)은 4절이며, 앞다리가 포획각(捕獲脚)인 종류도 있음. 부절은 3절이며 반시초(半翅鞘)에 긴 조상부(爪狀部)가 있음. 대부분이 초식성(草食性)이나 육식성(肉食性)인 종류도 있음. 전세계에 200여 종이 분포함.

긴뇌 [緊腦] 명 긴장한 두뇌. 곧, 아주 단단한 마음.

긴다 타 〈방〉 깁다(강원).

긴:다리침파릿-과 [—針—科] 명 〖충〗 [Dexiidae] 파리목(目)에 속하는 한 과. 침파릿과와 비슷하나 촉각(觸角)이 복안(複眼) 중앙 또는 그 밑에 있는 것으로써 구별됨. 유충은 딱정벌레·나비류의 내부에 기생함.

긴달래 명 〈방〉 진달래.

긴담 [緊談] 명 ①긴요한 이야기. ②긴급한 이야기.

긴:-담배풀 명 〖식〗 [*Carpesium divaricatum*] 국화과에 속하는 다년초. 줄기 높이 30-60 cm이고, 잎은 호생하며 막질(膜質)이고, 밑의 잎은 장병(長柄)에 심형(心形) 혹은 넓은 달걀꼴임. 8-10월에 황색 두화(頭花)가 가지 끝에 핌. 산이나 들에 나는데, 일본 각지·중국 대륙·오키나와·대만·한국 각지에 분포함. 어린 잎은 식용하고, 꽃이 붙은 엽경(葉莖)은 약용함.

〈긴담배풀〉

긴:당이 명 〈심마니〉 〖동〗 뱀.

긴:-대 명 장죽(長竹).

긴:-대답 [—對答] 명 '예'의 소리를 길게 내어 하는 대답. ¶ 사령들이 ~하고 나온다. ——-하다 자 여불

긴:댕이 명 〈심마니〉 〖동〗 뱀.

긴:-도 [—島] 명 〖지〗 장도(長島).

긴:-둥근꼴 명 〖수〗 타원형(楕圓形).

긴:-등 명 기다란 언덕의 등. 길게 뻗어 나간 언덕의 등.

긴디다 타 〈방〉 견디다(경남).

긴람 [緊纜] [길—] 명 벌이줄을 꽉 졸라맴. ——-하다 타 여불

긴-막긴 [緊莫緊] 명 더할 나위 없이 긴요함. 아주 썩 긴요함. ——-하다 형 여불

긴:-말 명 길게 늘어놓는 말. 장황한 이야기. ——-하다 자 여불

긴:말할 것 없:다 구 이러니 저러니 여러 말 길게 늘어놓을 것 없다.

긴:-맛 명 〖조개〗 [*Solen strictus*] 긴맛과에 속하는 조개. 몸은 원기둥꼴로 길이 124 mm, 높이 16 mm, 폭 12 mm 내외임. 몸빛은 황갈색에 매끈매끈한 각피(殼皮)가 덮여 있고 강한 광택이 나고 내면은 회백색임. 좌우에 양각(兩殼)이 밀폐(密閉)하지 않고 전후 양끝을 조금 벌려, 앞에는 큰 발을 내놓고 뒤쪽에는 수관(水管)을 내놓음. 4-5월에 산란함. 조류(潮流)가 다소 급한 얕은 바다의 모래 밑 30 cm 가량에 서식함. 한국·일본에 분포함. 살은 보드랍고 맛이 좋아 가리맛살과 함께 식용하며, 낚싯밥으로도 씀. 구신(狗腎)맛. 마도패(馬刀貝). 죽정(竹蟶). 죽합(竹蛤). 맛조개. 준맛.

〈긴맛〉

긴:맛-과 [—科] 명 〖조개〗 [Solenidae] 연체 동물 진정판새류에 속하는 한 과. 가리맛·긴맛 등이 이에 속함.

긴:-맛살 명 〖조개〗 맛조개.

긴:-몰개 명 〖어〗 [*Gnathopogon machimae*] 잉어과에 속하는 민물고기. 몸길이 10 cm 가량이고, 몸빛은 은색인데, 등은 암색이고, 배는 흰 빛이며, 체측 상하 근육층의 경계에 피하를 따라서 암색의 세로띠가 있음. 새우·곤충 등을 포식함. 하천과 호수·못 등의 수조(水藻) 사이에 서식하는데, 한국 서남부 및 동부 이남에 분포함. 맛이 있음.

긴무 [緊務] 명 긴요한 볼일.

긴:무늬-왕잠자리 [—王—] [—니—] 명 〖충〗 [*Aeschnophlebia longistigma*] 왕잠자릿과의 곤충. 복부의 길이와 뒷날개의 길이는 각각 45 mm 내외이며,두부는 황록색이고 이마의 'T'자형 무늬는 흑색임. 흉부의 앞쪽에 넓은 흑대(黑帶)가 셋 있음.복부(腹部)는 황록색이고 두 개의 검은 줄무늬가 있음. 한국에도 분포함.

〈긴무늬왕잠자리〉

긴:-미꾸리낚시 명 〖식〗 [*Persicaria hastato-sagittata*] 마디풀과의 일년초. 줄기는 가늘고 높이 80 cm 내외임. 잎은 호생하고 유병(有柄)에 피침형인데, 초상 탁엽(鞘狀托葉)은 긴 원통형이고 막질(膜質)임. 9-10월에 두형(頭形) 또는 타원형의 담홍색 꽃이 수상 화서(穗狀花序)로 피고, 과실은 수과(瘦果)임. 물가에 나는데, 경남 지방에 분포함.

긴밀 [緊密] 명 ①가까이 바싹 들러붙어서 버성기지 아니함. 굳고 빽빽함. ¶ ~한 연락. ②아주 엄밀(嚴密)함. ——-하다 형 여불. ——-히 부

긴밀-도 [緊密度] [—또] 명 긴밀한 정도.

긴박[1] [緊迫] 명 몹시 급박함. 아주 절박(切迫)함. ¶ ~해진 극동 정세. ——-하다 형 여불

긴박[2] [緊縛] 명 꼼짝 못하게 바싹 얽어 동임. ——-하다 타 여불

긴박-감 [緊迫感] 명 몹시 긴장되고 급한 느낌.

긴:-반날개 [—半—] 명 〖충〗 [*Lathrolium dignum*] 반날갯과에 속하

는 곤충. 몸길이 9mm 내외이고,몸빛은 광택 있는 흑색에 촉각과 날개는 적갈색, 다리는 황갈색, 그 기절(基節)은 농적갈색임. 물가 또는 낙엽 밑에 서식하는데, 한국·일본·사할린·대만 등지에 분포함.

긴:-반지름【—半—】 명 〖수〗 타원의 중심에서 그 둘레에 이르는 가장 긴 거리. 장반경(長半徑). ↔짧은반지름.

긴:발톱-할미새 명 〖조〗 할미샛과에 속하는 흰눈썹긴발톱할미새·북방긴발톱할미새의 총칭.

긴:배-검정잎벌 [—닙—] 명 〖충〗 [*Tenthredo hilaris*] 잎벌과의 곤충. 암컷의 몸길이 15mm 내외이고, 몸빛은 흑색에 흉배(胸背)에는 황색부가 약간 있고, 각 복배절(腹背節)의 양측은 백색임. 촉각은 대부분이 흑색이고 제 2-4절은 적갈색임. 수컷은 복배면(腹背面)의 중앙과 복면이 황갈색임. 한국·일본에 분포함.

긴:-배벌 명 〖충〗 [*Campsomeris schulthessi*] 배벌과에 속하는 곤충. 암컷의 몸길이 26-30mm이고, 몸빛은 흑색에 광택이 나며, 복부(腹部) 제 1-4절 후연(後緣)의 흑색 반문은 중앙이 중단되는 것도 있으며, 담황갈색의 털이 있음. 흉부(胸部) 배판의 주위에는 황갈색의 털이 밀생함. 한국·일본·중국 등지에 분포함.

긴:-베개 명 길게 만든 큰 베개. 부부가 함께 잘 때 벰.

긴:-병【—病】 명 오래 된 병. 오래도록 앓는 병. 장병(長病).

【긴병에 효자 없다】 무슨 일이거나 너무 오래 끌고 가면 그 일에 대한 성의(誠意)가 풀린다는 말.

긴:-병꽃풀 명 〖식〗 [*Glechoma hederacea* var. *longituba*] 꿀풀과에 속하는 다년초. 줄기 높이 50cm 가량이며 비스듬히 섬. 장병(長柄)의 잎은 대생, 달걀꼴 또는 신장상 원형임. 4-5월에 담자색(淡紫色) 꽃이 줄기 끝 엽액(葉腋)에 윤생(輪生)하고 과실은 수과(瘦果)임. 산야(山野)에 나는데, 중부 이북에 분포함. *적설초(積雪草).

긴:별-식물【—植物】 명 〖식〗 장일(長日) 식물.

긴:보-오량【—五樑】 명 〖건〗 중간에 기둥이 없이 긴 보 위에 오량으로 꾸민 지붕틀.

긴-불긴【緊不緊】 명 긴함과 긴하지 아니함.

긴불긴-간에【緊不緊間—】 부 긴요하든지 아니하든지 상관없이.

긴:-뼈 명 〖생〗 장골(長骨).

긴사【緊紗】 명 곱고 얇은 비단.

긴:-사상자【—蛇床子】 명 〖식〗 [*Osmorhiza aristata*] 미나릿과에 속하는 다년초. 줄기 높이 60cm 내외로, 잎은 호생하고, 3 출(出) 2 회(回) 우상 전열(羽狀全裂) 또는 심렬(深裂)하는데, 열편(裂片)은 긴 타원형 또는 거꿀달걀꼴임. 6-7월에 흰 꽃이 줄기 끝과 가지 끝에 복산형 화서(複繖形花序)로 피는데, 과실은 길고 가늚. 산지의 숲 밑에 나는데, 거의 한국 각지에 분포함.

긴:-사설【—辭說】 명 긴 말. 수다스럽게 늘어놓는 말.

긴:-산꼬리풀【—山—】 명 〖식〗 [*Veronica pseudolongifolia*] 현삼과에 속한 다년초. 줄기 높이 1m이상임. 잎은 대생(對生)하거나 서너 잎이 윤생(輪生)하고 단병(短柄)인데, 달걀꼴의 긴 타원형 또는 피침형(披針形)임. 7-8월에 줄기 끝과 가지 끝에 벽색(碧色)의 꽃이 총상 화서(總狀花序)로 핌. 삭과(蒴果)는 납작함. 경남·경기·평북·함남북 등지의 산지에 분포함.

긴:-산보리고둥【—山—】 명 〖조개〗 [*Opeas pyrgula*] 보리밥고둥과에 속하는 연체 동물. 패각(貝殼)은 우선(右旋) 탑상(塔狀)인데 높이 7mm, 지름 2mm 내외임. 나층(螺層)은 일곱 내외이며 각정(殼頂)은 둔함. 껍질은 백색 반투명이며, 표면에 생장맥(生長脈)이 있고 입은 달걀꼴임. 달팽이 비슷하며 평야의 관목(灌木)·풀뿌리 밑에서 서식함. 한국·일본·대만 등지에 분포함.

〈긴산보리고둥〉

긴:-살 명 ↗불기 긴살.

긴:-소리 명 길게 내는 소리. 길게 빼어 뻗치는 소리.

긴:소리-표【—標】 명 〖언〗 '장음부(長音符)❶'의 풀어 쓴 말.

긴:-소매 명 팔꿈치 아래까지 오는 긴 소매. 또, 그런 옷. 긴팔. *반소매.

긴속【緊束】 명 꽉 졸라 묶음. 또, 단단히 구속함. ——하다 타여불

긴:-송곳벌 명 〖충〗 [*Xeris spectrum*] 송곳벌과에 속하는 곤충. 암컷의 몸길이 25mm 내외이고, 몸빛은 흑색인데 후두 양측의 타원문, 전흉배판(前胸背板)의 양측연(兩側緣), 기절(基節) 들을 제외한 다리의 앞 및 산란초(產卵鞘)의 일부는 황갈색임. 아시아·유럽에 분포함.

긴:수염-고래【—鬚髥—】 명 〖동〗 [*Balaenoptera physalus*] 긴수염고랫과에 속하는 고래. 몸길이 20-22m 가량으로, 등의 뒤쪽 지느러미는 작음. 등은 흑색, 배는 백색, 그 외는 청회색임. 임신 기간 11-12 개월. 기운을 뿜을 때는 날카로운 소리가 나며, 떼를 지어 다니는 성질이 있음. 몸에는 기름이 많으며, 고기는 먹기도 함. 남빙양(南氷洋)과 북태평양 근해의 북반구(北半球)에 분포함. 한국 동해에도 남. 장수경(長鬚鯨). 큰고래.

〈긴수염고래〉

긴:수염고랫-과【—科】 명 〖동〗 [Balaenopteridae] 수경류(鬚鯨類)에 속하는 한 과. 남빙양(南氷洋)·북반구(北半球)에서 잡히는 고래의 50%를 차지함. 큰고래과.

긴:수염-대벌레【—鬚髥—】 명 〖충〗 [*Phraortes illepidus*] 대벌렛과에 속하는 곤충. 대벌레와 비슷한데 몸길이는 70-100mm이고 암컷의 두정(頭頂)에 가시가 없고 수컷의 꼬리털은 만곡(彎曲)하지 않았으므로 쉽게 구별(區別)됨. 가죽나무의 잎을 갉아 먹음. 한국·일본·대만 등지에 분포함. 수염대벌레.

긴:수염-박쥐【—鬚髥—】 명 〖동〗 털보박쥐.

긴:수염-우단풍뎅이【—鬚髥羽緞—】 명 〖충〗 [*Serica boops*] 풍뎅잇과에 속하는 곤충. 몸길이는 6-9.5mm이며 몸은 긴 달걀꼴에 황색 내지 암갈색이고 시초(翅鞘)에는 흑색 무늬가 나열(羅列)함. 숲 속의 흙 속에 서식하는데, 한국·일본·사할린에 분포함. 수염우단풍뎅이.

긴순【緊脣】 명 〖한의〗 견순(繭脣).

긴실【緊實】 명 아주 긴하고 절실함. ——하다 형여불

긴:썩덩벌렛-과【—科】 명 〖충〗 [Serropalpidae] 딱정벌레목(目)에 속하는 한 과. 몸은 소형 또는 중형이며, 촉각은 10-11마디임. 버섯·고목·나무 껍질 밑 또는 꽃에 모임. 주로 양북구(兩北區)에 500여 종이 분포함.

긴:-아리랑 명 〖악〗 경기 민요의 하나. 임을 그리는 내용으로, 중모리 장단으로 매우 길고 느리게 뽑는 아리랑의 하나.

긴:아리-타:령【—打令】 명 〖악〗 서도 민요의 하나. 평안도 용강(龍岡)·강서(江西) 지방의 소리로, 서해 바닷가에서 조개를 잡으면서 부르던 것이라 함. 장단 없이, 목청을 뽑아 청승스럽게 부름.

긴:-앞꾸밈음【—音】 명 [long appoggiatura] 〖악〗 주음부(主音符)의 앞에 그 절반의 길이로 전타음(前打音)을 나타내는 작은 음부. 18세기 경에는 많이 쓰였으나 현재는 거의 쓰이지 않음. 장전타음(長前打音). *앞꾸밈음.

긴:-양지꽃【—陽地—】 [—냥—] 명 〖식〗 좀양지꽃.

긴:-어리하늘소 [—쏘] 명 〖충〗 청색하늘소붙이.

긴:-업【—業】 명 〖민〗 업왕(業王)으로 모신 구렁이.

긴:-염불【—念佛】 [—념—] 명 〖악〗 삼현 육각(三絃六角) 악기 편성에 의한 무용 음악. 춤의 반주로 쓰임. 염불 타령(念佛打令). 헌천수(獻天壽).

긴:-영산【—靈山】 [—녕—] 명 〖악〗 노래 곡조의 한 가지.

긴:-영창【—映窓】 [—녕—] 명 길게 만든 장지. 장영창(長映窓).

긴:-오이풀 명 〖식〗 [*Sanguisorba rectispica*] 집신나뭇과에 속하는 다년초. 줄기 높이 1m 가량이고, 유병(有柄)의 잎이 호생하는데, 기수 우상 복생(奇數羽狀複生)하며, 소엽(小葉)은 5-9개이며 선상(線狀)의 긴 타원형임. 8-9월에 원기둥꼴의 홍자색 꽃이 수상 화서(穗狀花序)로 피고, 과실은 수과(瘦果)임. 산지에 나는데, 충북의 속리산에 분포함.

긴요【緊要】 명 매우 필요함. 아주 필요하고 중요함. ——하다 형여불

긴용【緊用】 명 긴요하게 씀. ——하다 타여불 ㄴ——히 부

긴:-의대【—衣襨】 명 〈궁중〉 소매가 좁은 네 폭의 장의(長衣).

긴:잎-곰취 [—닙—] 명 〖식〗 [*Ligularia pulchra*] 국화과에 속하는 다년초. 줄기 높이 1m 가량이고, 근생엽(根生葉)은 장병(長柄)에 신장상 타원형인데 경엽(莖葉)은 무병(無柄)임. 7-9월에 황색 두화(頭花)가 총상(總狀) 화서로 피고, 과실은 수과(瘦果)임. 깊은 산에 나는데, 함남북 등지에 분포함. 어린 잎은 식용함.

긴:잎-금강분취【—金剛—】 [—닙—] 명 〖식〗 [*Saussurea diamantiaca* var. *longifolia*] 국화과에 속하는 다년초. 줄기 높이 50cm 가량이고, 장병(長柄)의 근생엽(根生葉)은 긴 타원형 또는 달걀꼴의 긴 타원형이고, 경엽(莖葉)은 긴 타원형 또는 피침형임. 8-9월에 자홍색의 관상화(管狀花)가 가지 끝에 피고, 과실은 수과(瘦果)임. 산지에 나는데, 평북·함북 등지에 분포함.

긴:잎-느티나무 [—닙—] 명 〖식〗 [*Zelkova serrata* var. *longifolia*] 느릅나뭇과에 속하는 낙엽 활엽 교목. 잎은 달걀꼴의 긴 타원형 또는 피침형. 꽃은 자웅 잡가(雌雄雜家)이며 4-5월에 취산 화서(聚繖花序)로 핌. 과실은 핵과로서 가지런하지 아니한 구형, 10월에 익음. 어린 잎은식용함. 느티나무에 비해 잎은 좁고 긺. 마을 부근에 야생하는데, 경남의 함양(咸陽)·통영(統營) 및 강원도 통천(通川) 등지에 분포함.

긴:잎-다정큼나무 [—닙—] 명 〖식〗 [*Rhaphiolepis liukiuensis*] 능금나뭇과에 속하는 상록 활엽 관목. 잎은 긴 타원형 또는 피침형인데, 표면은 윤(潤)이 남. 여름에 꽃이 원추 화서(圓錐花序)로 피고, 가을에 이과(梨果)가 흑색으로 익음. 해변의 산록(山麓)에 나는데, 전남 및 일본에 분포함. 관상용임.

긴:잎-모시풀 [—닙—] 명 〖식〗 [*Duretia sieboldiana*] 쐐기풀과에 속하는 다년초. 줄기는 방주형(方柱形)에 높이 2m 가량이며, 장병(長柄)의 잎이 대생(對生)하는데 타원형 또는 달걀꼴 피침형임. 자웅 이가(雌雄二家)이며, 6-7월에 담녹색의 꽃이 수상(穗狀) 화서로 액출(腋出)하며 과실은 수과(瘦果)임. 산이나 들에 나는데, 제주·전남·전북·경기 등지에 분포함. 껍질은 섬유용이며 질이 강인(強靭)함.

긴:잎-별꽃 [—닙—] 명 〖식〗 [*Stellaria longifolia*] 너도개미자릿과에 속하는 다년초. 줄기는 총생(叢生)하는데 높이 30cm 가량이고, 선형(線形)의 잎이 대생(對生)함. 5-7월에 흰 꽃이 취산 화서(聚繖花序)로 가지 끝에 정생(頂生)하며, 과실은 삭과(蒴果)임. 들에 나는데, 경기·평북·함북 등지에 분포함.

긴:잎-사시나무 [—닙—] 명 〖식〗 [*Populus davidiana* for. *laticuneata*] 버드나뭇과의 낙엽 활엽 교목. 잎은 달걀꼴 타원형에 파도 모양의 톱니가 있고 잎꼭지는 긺. 꽃은 자웅 이가(雌雄異家)로서 유제화서(葇荑花序)로 4-5월에 잎보다 앞서 핌. 과실은 삭과(蒴果)로 5-6월에 익음. 산중턱 이하에 나며, 황해도·평북 등지에 분포함.

긴:잎-산조팝나무【—山—】 [—닙—] 명 〖식〗 [*Spiraea pseudocrenata*] 조팝나뭇과에 속하는 낙엽 활엽 관목. 잎은 긴 타원형임. 봄에 흰 꽃이 산방 화서(繖房花序)로 핌. 과실은 소형이고 가을에 익음. 산기슭의 양지나 산허리의 바위 위에 나는데, 평북 및 함북의 명천(明川) 등지에 분포함. 관상용으로 심어 가꿈.

긴:잎-장대【—長—】 [—닙—때] 명 〖식〗 [*Arabis longuifolia*] 겨잣과에 속하는 월년초. 줄기 높이 70cm 가량이고 근생엽은 총생(叢生)하고, 경엽(莖葉)은 호생하며, 긴 타원형 또는 피침형임. 4-5월에 흰 꽃이 총상 화서(總狀花序)로 정생(頂生)하며, 과실은 장각(長角)임. 산이나 들에 나는데, 함북 지방에 분포함.

긴:잎-제비꽃 [―닙―] 명 〖식〗 [*Viola ovato-oblonga*] 제비꽃과에 속하는 다년초. 유경성(有莖性)이며, 줄기 높이 17 cm 내외임. 장병(長柄)의 잎이 호생하며 심장 모양의 긴 달걀꼴 또는 삼각상(三角狀) 달걀꼴임. 4-5월에 흰 꽃이 줄기 위에 액생, 좌우 상칭(左右相稱)으로 피고, 과실은 삭과임. 산과 들에 나는데 제주·전남·경북 등지에 분포함.

긴:잎-질경이 [―닙―] 명 〖식〗 [*Plantago sibirica*] 질경잇과에 속하는 다년초. 잎은 뿌리에서 총생하는데, 7 cm 가량의 장병(長柄)이 있고 엽신(葉身)은 20 cm 내외로 피침상 긴 타원형임. 5-6월에 흰 꽃이 수상화서(穗狀花序)로 밀착(密着)하여 피는데 화관(花冠)은 누두상(漏斗狀)이며 화경(花梗)은 90 cm 임. 삭과(蒴果)는 방추형(紡錘形), 종자는 네 개가 들어있음. 바닷가나 들에 나는데, 울릉도·원산 등지에 분포함.

긴:잎-회양목 [―닙―] 명 〖식〗 [*Buxus koreana* var. *elongata*] 회양목과에 속하는 상록 활엽 관목. 잎은 선상(線狀) 타원형, 뒷면에 약간의 털이 있음. 꽃은 자웅 일가(雌雄一家)로 담황색이며 4월에 피고, 과실은 삭과(蒴果)로서 구형(球形)임. 산지의 암석지에 나며 충남의 안면도(安眠島) 및 경기도 관악산 등지에 분포함. 가지 및 잎은 약용함.

긴자 〔銀座: ぎんざ〕 명 〖지〗 일본 도쿄(東京) 중앙부에 있는 약 1 km 에 달하는 번화가. 고급 소매상·백화점이 집결되어 있으며, 일본 유행의 첨단을 걷고 있는 곳임.

긴:-작 명 긴 화살. ↔짧은작.

긴:-잡가 【―雜歌】 명 〖악〗 가사(歌詞)가 모두 길다는 뜻으로 이르는 '십이 잡가(十二雜歌)'의 딴이름.

긴장¹ 명 〈방〉 김장.

긴장² 【緊張】 명 ①마음을 가다듬어 정신을 바짝 차림. ¶ ~이 풀리다. ②죄여져 있음. 팽팽하게 켕기어 느슨하지 아니함. ③피차의 관계가 악화하여 금시 분쟁이 일어날 듯한 상황에 있는 일. ¶ 국제 ~. ④〖생〗 근육의 지속적인 수축(收縮) 상태. 강직(強直)과는 달라서, 단일 자극에 의하여 일어나며 에너지의 소모는 거의 없음. 따라서, 쉽게 피로하게 되지 아니함. ⑤〖심〗 ㉠행동에의 준비 상태가 가지는 심리적 성질. ㉡일종의 감정 상태. 고도의 정신 활동을 가능하게 하고 주의(注意)의 집중을 요하는 일. ――-하다 자 여불

긴장 감:각 【緊張感覺】 명 근육 및 힘줄의 긴장으로 생기는 감각.

긴장 감:정 【緊張感情】 명 〖심〗 주의나 기대(期待)에 수반되는 감정.

긴장-도 【緊張度】 명 긴장한 정도.

긴장-리 【緊張裡】 [―니] 명 긴장을 하고 있는 가운데.

긴장-미 【緊張味】 명 긴장한 느낌.

긴장-병 【緊張病】 [―뼝] 명 〖의〗 정신 분열의 한 병형(病型). 파과병(破瓜病)보다 비교적 급성으로 발병하여, 경과 중에 긴장성 혼미(昏迷)와 흥분(興奮)이 주기적으로 번갈아 나타남이 특징인데, 혼미기(昏迷期)에는 거절 증상(拒絕症狀), 의사 발동(意思發動)의 감소, 무표정·근긴장(筋緊張) 등을 볼 수 있고, 흥분기에는 다변(多辯), 무목적 행동의 빈번한 계속, 활발한 환각(幻覺) 등의 이상 증상을 볼 수 있음. ＊망상 치매(妄想癡呆).

긴장성 경련 【緊張性痙攣】 [―썽 ―녀] 명 〖의〗 강직성 경련.

긴장-형 【緊張型】 명 〖의〗 정신 분열병의 한 병형(病型). 차갑고 굳은 표정으로 이상하고 부자연스러운 자세나 태도를 취하여, 갑자기 큰소리를 지르거나 난폭한 짓을 하는 증상을 특징으로 함.

긴절 【緊切】 명 긴요하고 절실함. 아주 필요하고 중요함. 긴착(緊着). 절긴(切緊). ――-하다 형 여불. ――-히 부

긴:-제비꿀 명 〖식〗 [*Thesium longifolium*] 단향과(檀香科)에 속하는 다년생의 반기생초(半寄生草). 줄기는 높이 30 cm 내외이고, 다른 풀 뿌리에 기생함. 선형(線形)의 잎이 호생하고, 7-8월에 담녹색 꽃이 잎 사이의 짧은 가지에 정생(頂生)함. 과실은 구형(球形). 고산에 나며 백두산에 분포함.

긴:조롱-딱정벌레 명 〖충〗 긴조롱먼지벌레.

긴:조롱-먼지벌레 명 〖충〗 [*Scarites pacificus*] 딱정벌렛과에 속하는 갑충(甲蟲). 몸길이 19 mm 내외이고, 몸빛은 광택 있는 흑색인데, 수염과 촉각은 적갈색이며 부절(跗節)은 암적갈색임. 시초(翅鞘)의 종구(縱溝)는 얕고 점각(點刻)은 뚜렷하지 아니함. 대개 진흙 속에 사는데, 한국·일본·중국·대만·만주 등지에 분포함. 긴조롱딱정벌레.

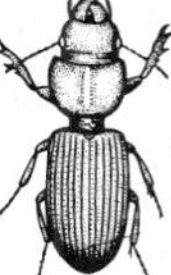
〈긴조롱먼지벌레〉

긴:-조지 명 〈방〉 국수.

긴중 【緊重】 명 긴요하고 중대함. 기중(綦重). ――-하다 형 여불

긴:-쥐치 명 〖어〗 말쥐치.

긴즈버:그 〔Ginsburg, Allen〕 명 〖사람〗 미국의 시인. 과격한 반습속적(反習俗的) 작품으로 인하여 소송 사건으로 번진 시집 《짖다, 기타(Howl and Other Poems)》로 비트족(beat 族)의 대표적 시인으로 지목됨. [1926-]

긴즈부르그 〔Ginzburg, Carlo〕 명 〖사람〗 이탈리아의 역사가. 민중사(民衆史)와 생활사를 중시하며, 중세기 말의 마녀(魔女)·이단 심문(異端審問) 연구로 유명함. 주저로 《밤의 결전(決戰)》·《치즈와 구더기》·《피에로에 관한 조사》 등이 있음. 미술사(美術史)와 문예 비평 관계의 저서도 있음. [1939-]

긴:-지름 명 〖수〗 타원(楕圓) 안의 가장 긴 지름. 그 위에 중심과 두 초점이 있음. 장경(長徑). 장축(長軸). ↔짧은지름.

긴:-짐승 명 뱀·구렁이 같은 동물의 총칭.

긴착 【緊着】 명 긴절(緊切). ――-하다 형 여불

긴-찮다 【緊―】 [―찬타] 형 긴하지 아니하다.

긴-찮이 【緊―】 [―찬―] 부 긴하지 아니하게. 「긴간(緊簡).

긴찰¹ 【緊札】 명 거절하기가 매우 어려운 긴요(緊要)한 부탁을 한 편지.

긴찰² 【緊紮】 명 ①몹시 덤빔. 급히 함. ②단단히 묶어서 죔. ③몹시 부대낌. ――-하다 자 타 여불

긴청 【緊請】 명 꼭 들어 주어야 할 요긴한 부탁. ――-하다 자 여불

긴:-촉¹ 명 〖건〗 촉이 긴 장부촉의 한 가지. ↔단촉.

〈긴촉¹〉

긴촉² 【緊囑】 명 긴탁(緊託). ――-하다 타 여불

긴:-촌충 【―寸蟲】 명 〖동〗 광절 열두 촌충(廣節裂頭寸蟲).

긴축 【緊縮】 명 ①바짝 줄임. ②〖정〗 재정(財政)의 기초를 안정시키기 위하여 지출을 바짝 줄이는 일. ＊긴축 정책. ――-하다 타 여불

긴축 예:산 【緊縮豫算】 [―네―] 명 〖경〗 경비를 절약하여 규모를 될 수 있는 한 압축한 예산.

긴축 재정 【緊縮財政】 명 〖경〗 경제의 안정, 주로 인플레이션 억제를 위하여 국가 또는 지방 자치 단체에서 지출의 삭감, 공채(公債)의 정리 등으로 예산 규모를 축소시킨 재정. 행정 정리, 공공 사업의 연기·중단, 급여폭(給與幅)의 정체(停滯)·인하(引下) 등을 실시함. ＊긴축 정책.

긴축 정책 【緊縮政策】 명 〖정〗 국가의 재정 기초를 튼튼히 만들 목적으로, 신규의 사업을 벌이지 아니하고 하던 사업까지도 중지시키어 바짝 줄이는 정책. ＊긴축 재정.

긴:-치마 명 ①발등까지 내려오는 치마. ↔짧은 치마. ②옛날에 여자의 맨 겉에 입던 치마.

긴:-칼 명 〖고고학〗 무기로 쓰이던 길고 큰 칼. 태도(太刀). 대도(大刀).

긴과 〈옛〉 끈과. '긴¹'의 공동격형(共同格形). ¶ 긴과 안 흘 거시오(做帶子和裏兒)《朴解 上 48》.

긴탁 【緊託】 명 긴요한 부탁. 거절하기 어려운 청탁(請託). 긴촉(緊囑). ――-하다 타 여불

긴:-파람 명 긴 휘파람.

긴:-팔 명 긴 옷소매. 또, 그런 옷. 긴소매.

긴:팔-원숭이 명 〖동〗 ①팔이 몹시 긴 원숭이 종류. 동남 아시아에 여러 종이 있음. ②[*Hylobates lar*] 원숭잇과에 속하는 원숭이의 하나. 몸길이 75 cm 이하이고 몸빛은 흑색·황백색의 것이 있고 손과 얼굴의 주위는 언제나 흼. 전지(前肢)가 몹시 길며 후지(後肢)로는 걷기도 함. 산림에 군생(群生)하며 과실·잎·어린 싹·곤충·거미·새 알 따위를 먹음. 미얀마·타이·수마트라의 특산종임. 기번(gibbon).

〈긴팔원숭이❶〉

긴-하다 【緊―】 형 여불 ①쓰기에 매우 긴요하다. 소홀하지 아니하다. ¶ 긴한 물건. ②세력가(勢力家)에 가장 가깝다. **긴-히** 【緊―】 부. ¶ ~ 부탁할 일이 있다.

긴:허리-꽃등에 명 〖충〗 [*Zelima longa*] 꽃등엣과에 속하는 곤충. 몸길이 15-17 mm 이고, 몸빛은 흑색인데, 두정(頭頂) 돌기의 앞에 백색 가루로 된 삼각형 무늬가 두 개 있고, 어깨의 안쪽에 백색 무늬가 있으며 복부는 가늘고 깂. 한국·일본에 분포함.

긴헐 【緊歇】 명 소용됨과 소용되지 못함. →긴흘.

긴:-호랑거미 명 〖동〗 [*Argiope bruennichii*] 호랑거밋과에 속하는 거미의 하나. 등에 넓적한 얼룩 줄무늬가 있는 작은 거미로, 등은 낮고 편평하며, 배는 길고 큼. 얼룩줄거미. 반지주(斑蜘蛛).

긴흘¹ 명 〈옛〉 대자(帶子). ¶ 골흠及 긴흘(皆曰帶子)《字會 中 23》.

긴흘² 【緊歇】 명 ←긴헐.

긴히 〈옛〉 끈이. '긴¹'의 주격형(主格形). ¶ 金印과 블근 긴히 프른 보미 비취엿도다(金章紫綬照青春)《初杜諺 XXI:12》.

긴ᄒᆞ로 〈옛〉 끈으로. '긴¹'의 조격형(造格形). ¶ 그낤바미 치맛 긴ᄒᆞ로 목 미야 주그니라(是夕解裙帶自經獄中死)《三綱 烈女 李氏 縊獄》.

긴홀 〈옛〉 끈을. '긴¹'의 목적격형. ¶ 病ᄒᆞᆫ 모몰 扶持ᄒᆞ야셔 印ㅅ 긴홀 드리오고(扶病垂朱紱)《初杜諺 X:14》.

긷 명 〈옛〉 기둥. ¶ 긷爲柱《解例》/柱ᄂᆞᆫ 기디라《月釋 XXI:75》.

긷기다 타 〈옛〉 기쁘게 하다. =깃기다. ¶ 그 ᄆᆞᅀᆞᆷ 긷김으로 힘ᄡᅥ ᄒᆞ더라(務悅其心)《東國續三綱 孝子圖 Ⅳ:75》.

긷:다 타 ㄷ불 우물이나 내 같은 데에서 물을 퍼서 그릇에 담다. 또, 담아 가져오다. ¶ 물을 ~.

긷불휘 명 〈옛〉 기둥 뿌리. ¶ 긷 불휘 서거 ᄒᆞ야디며(柱根腐敗)《妙蓮 Ⅱ: 56》.

길¹ 명 ①사람·비행기·배·차 등이 왕래하는 곳. 통행하는 곳. ②사람으로서 지켜야 할 도리. ＊도⁷. ③도중(途中). ¶ 오는 ~에 만났다. ④여정(旅程). 행정(行程). ¶ 먼 ~을 떠나다. ⑤방법. 수단. ¶ 살자니 그 ~밖에 없다. ⑥방면. 분야. ¶ 그 ~에 통달한 사람. ⑦〖성〗 천국(天國)에 가는 신앙상의 도리. ¶ ~ 잃은 죄인/나는 ~이요 진리다.

【길 닦아 놓으니까 거지가 먼저 지나간다; 길 닦아 놓으니까 미친 년이 먼저 지나간다】 정성껏 공들여 이루어 놓은 일이 그만 보람없이 되었음을 이르는 말. 【길로 가라 하니까 뫼로 간다】 타인의 지시나 윗사람의 명령을 어긴다는 뜻. 【길 아래 돌부처】 아무 관계없는 듯이 무심히 지켜 보기만 한다는 말. 【길 아래 돌부처도 돌아앉는다】 남편이 첩을 얻으면 아무리 온순한 아내라도 골을 낸다는 말. 【길은 갈 탓, 말은 할 탓】 같은 말이라도 하기에 따라서 상대방에게 주는 영향이 다르다는 말. 【길을 두고 뫼로 갈까】 평탄한 길을 두고 험한 산으로 가느냐의 뜻이니, 더 편리한 곳이 있는데도 불구하고 불편한 곳으로 간다는 말. 【길을 떠나려거든 눈썹도 빼어 놓고 가라】 여행을 떠날 때는 될 수 있는 한 짐은 덜고 나서라는 말. 【길을 무서워하면 범을 만난다】 항상 겁이 많고 무서움을 타는 사람은 그만큼 실지로 무서운 일을 당하게 된다는 말. 【길을 알면 앞서 가라】 어떤 일에 자신이 있으면 주저 말고 하라는 말. 【길이 아니거든 가지를 말고 말이 아니거든 듣지를 말라】 언행(言行)을 소홀히 하지 말고 정도(正道)에 벗어나는 일은 처음부터 하지 말라는 말. 【길이 없으니 한 길을 걷고 물이 없으니 한 물을 먹는다】 달

리 도리가 없어 본의는 아니지만 할 수 없이 일을 같이 한다는 말.
길을 뚫다 구 방도를 찾아내다.
길을 재촉하다 구 서둘러서 빨리 길을 가다.
길이 바쁘다 구 목적지까지 빨리 도착해야 할 형편이다.
길이 붙:다 구 걸음이 더디지 않아 빨리 갈 수 있다.
길이 없:다 구 도리나 방법이 없다. 주의 관형사형 전성 어미 '-ㄹ', '-을' 밑에 쓰임. ¶ 위풍을 찾을 길이 없었다.
길이 열리다 구 해결 방도가 생겨 나다. 진로를 방해하는 것이 없어져 나아가기 쉽게 되다. 장래의 운이 트이다.

길[2] 명 ①물건에 손질을 잘하여 생기는 윤기. ¶ ~이 나다. ②짐승을 잘 가르쳐서 부리거나 이용하기 좋게 된 버릇. ¶ 개를 ~을 들이다. ③어떤 일에 익숙하게 된 솜씨.

길:[3] 명 물건의 품질의 좋고 낮은 등급. ¶ 윗~/아랫~. 「數)의 차례.

길[4] 명 〔←질(帙)〕 ①권수가 여러 권으로 된 책의 한 벌. ②책의 권수(卷

길:[5] 명 〈옛〉 길이. ¶ 넙마다 너븨와 길왜 다 스믈 다섯 由旬이오 《月釋 Ⅷ:12》/길와 너븨왜 二百 쉰 由旬이라 《月釋 Ⅷ:18》.

길[6] 명 〈옛〉 길미. 이자(利子). ¶ 믿과 길헤 여듧량 은에(本利八兩銀子) 《朴解 上 34》.

길:[7] 명 저고리나 두루마기 같은 웃옷의 섶과 무 사이에 있어서 그 옷의 주체(主體)가 되는 넓고 큰 폭.

길:[8] 명 〈방〉 긴[2]. 「하나뿐임.

길[9] 【吉】 명 성(姓)의 하나. 현재 우리 나라에는 본관(本貫)이 해평(海平)

길:[10] 의명 ①사람의 키의 한 길이. ¶ 열 ~ 물 속. ②길이의 단위(單位). 여덟 자 혹은 열 자임.

길- 간 '긷다'의 불규칙 어간. ¶ 물을 ~어 오다/~으니.

길-가 [-까] 명 길의 곁. 길의 양쪽 옆. 노변(路邊). 노방(路傍).
【길가에 집짓기】 '작사 도방(作舍道傍)'과 같은 뜻.

길가-나무 [-까-] 명 가로수(街路樹).

길가메시 〔Gilgamesh〕 명 〖사람〗 고대 오리엔트에서 가장 널리 유포(流布)된 영웅 서사시의 주인공. 이 시는 수메르어판(Sumer 語版) 이외에 많은 번역이 보급됨. 근래에 새 원본(原本)과 새 사료(史料)의 발견으로 원사(原史) 시대에 실재했던 지배자로서 역사성을 인정받게 됨.

길가메시 서:사시 【-敍事詩】 〔Gilgamesh〕 명 〖문〗 고대 바빌로니아의 영웅 서사시. 기원전 24세기경 성립, 오리엔트의 여러 민족에게 전해졌는데 길가메시를 주인공으로 하는 12 편의 사시(史詩)임.

길갈 〔Gilgal〕 명 〖성〗 ①여리고(Jericho)에서 동으로 3 km 지점에 있는 땅. 이스라엘 민족이 나라 안에 들어갈 때에 처음으로 장막(帳幕)을 쳤고, 광야(曠野)에서 출생한 사람들이 할례(割禮)를 행하였으며, 사울 왕이 즉위한 것을 포고(布告)하고, 다윗 왕이 유태인들에게 환영받은 곳임. ②사무엘이 순회 방문한 도시. 엘리야·엘리사가 선지자(先知者)를 양성하였으며 큰 성소(聖所)가 있었음.

길-갈래 명 〖광〗 이리저리 통하여 있는 광산 구덩이의 길. 갱도(坑道).

길갓-집 [-갇-] 명 길에 면한 집.

길강 【蛣蜣】 명 〖충〗 말똥구리.

길-강도 【-強盜】 [-깡-] 명 노상(路上) 강도.

길거 【拮据】 명 ①손과 눈이 함께 동작함. 여기저기 다니면서 쉴 사이 없이 일을 함. ②갑이 을로부터 받을 돈을 병에게 넘기어 줌. ——-하다 자타 여불

길-거리 [-꺼-] 명 사람이 많이 다니는 번화한 길. 이리저리 통한 길. 「가항(街巷). 준거리.

길거 민면 【拮据黽勉】 명 몹시 힘써서 일함. ——-하다 자 여불

길경[1] 【吉慶】 명 즐겁고 경사스러운 일. 축하할 만한 일.

길경[2] 【桔梗·吉更】 명 〖식〗 도라지.

길경 생채 【桔梗生菜】 명 도랒 생채.

길경이 명 〈방〉 질경이.

길경 자:반 【桔梗佐飯】 명 도랒 자반.

길경-장 【桔梗醬】 명 도라지로 담근 간장.

길경 전:유어 【桔梗煎油魚】 명 도랒 저냐.

길경 정:과 【桔梗正果】 명 도랒 정과.

길경-찬 【吉慶讚】 명 〖불교〗 밀교(密敎)에서 전법 관정(傳法灌頂)할 때 법을 받는 사람이 각위(覺位)에 오름을 경사롭게 찬탄하는 노래. 팔상 성도찬(八相成道讚).

길경-채 【桔梗菜】 명 도랒 나물.

길경-탕 【桔梗湯】 명 〖한의〗 해수(咳嗽)·천식·폐농양(肺膿瘍) 등 호흡기 질환에 쓰는 탕제.

길고 【桔槹】 명 두레박. 두레박틀.

길:고 길다 형 아주 길다. 몹시 길다. ¶ 길고 긴 겨울 밤.

길괘 【吉卦】 [-꽤] 명 길한 점괘. ↔흉괘(凶卦).

길:구드 〔Gielgud, Arthur John〕 명 〖사람〗 영국의 배우. 왕립 연극 아카데미에서 수학(修學), 17세에 올드 비크(Old Vic)에 데뷔, 햄릿역(役)으로 정평을 얻고, 같은 역에 수백회나 출연함. 영화에도 출연하였으며, 영국 극단(劇壇)의 중심 인물로 꼽혔음. [1904-46]

길국 【鴶鵴】 명 〖조〗 뻐꾸기❶.

길-군악 【-軍樂】 [-꾼-] 명 ①〖악〗 절화(折花)의 속칭(俗稱). ②〖문〗 조선 시대 십이 가사(十二歌詞)의 하나. 행군악(行軍樂). 노요곡(路謠曲).

길군악 칠채 【-軍樂七-】 [-꾼-] 명 〖악〗 경기도와 강원도 서부, 충청도 북부 지방 농악 장단의 하나. 징이 한 장단에 일곱 점 들어가는 장단으로, 매우 빠른 3 박과 2 박의 혼합으로 이루어짐.

길굴 【佶屈】 명 ↗길굴 오아(佶屈聱牙). ——-하다 형 여불

길굴 오아 【佶屈聱牙】 명 글 뜻이 어려워서 매우 읽기가 거북함. 준길굴(佶屈). ——-하다 형 여불

길굼-턱 명 길이 굽는 턱.

길궐 【蛣蟩】 명 〖충〗 장구벌레.

길금[1] 명 〈방〉 엿기름.

길금[2] 【吉金】 명 ①솥·술그릇 등을 만드는 구리. ②질이 좋은 쇠.

길금-가루 명 〈방〉 엿기름 가루.

길금-콩 명 〈방〉 기름콩.

길기 명 〈방〉 길이.

길기트 〔Gilgit〕 명 〖지〗 카라코람(Karakoram) 산맥 서부, 카슈미르(Kashmir) 북서부에 있는 파키스탄의 도시. 인더스 강 지류인 길기트 강의 연안에 위치하며 동서 교통의 요소로 알려진 길기트 지구의 중심임. 불교 유적이 많음.

길:길-이 부 ①물건 같은 것이 높이 쌓인 모양. ¶ ~ 쌓이다. ②성이 나서 높이 뛰는 모양. ¶ ~ 뛰다. ③풀이나 나무 같은 것이 높이 자란 모양. ¶ ~ 자라다.

길-김금 명 〈방〉 길짐승.

길-꾼 명 노름 같은 데에 길이 익어 잘하는 사람의 별명.

길-나다[1] [-라-] 자 ①버릇이나 습관이 되어 버리다. ②윤기가 나다. ¶ 자주 닦아 ~.

길나다[2] 자 〈옛〉 길 떠나다. ¶ 동당 갈제 가난호여 길나디 몯호엿거놀(赴擧貧不能上道) 《二倫 40》.

길-나장이 【-羅將-】 [-라-] 명 ①〖역〗 수령이 외출할 때 길을 인도하던 나장. 갓을 쓰고 짙은 옥색 철릭을 입되, 두 앞자락을 뒤로 걷쳐 매고 거기에 큰 방울을 하나나 둘 혹은 셋을 달고 걸어감. ②별로 볼 일도 없이 길로 돌아다니는 사람의 별명. *길라잡이.

길년 【吉年】 [-련] 명 결혼하기 좋은 남녀의 나이. 결혼하기 좋은 연운(年運). *상년(祥年).

길-놀이 [-롤-] 명 탈춤놀이나 민속놀이 또는 마을굿에 앞서 마을을 돌아 공연 장소까지 가면서 벌이는 놀이. 거리굿.

길-눈[1] [-룬] 명 길을 찾아가는 정신.
길눈(이) 밝다 구 한두 번 가 본 길을 잊지 않고 잘 찾아가다.
길눈(이) 어둡다 구 한두 번 가 본 길을 잊고 잘 찾아가지 못하다.

길:-눈[2] [-룬] 명 거의 한 길이나 되게 많이 온 눈.

길다[1] 자 〈옛〉 크다. 자라다. =기다[3]. ¶ 젓 머기며 飮食 머겨 길어(乳哺飮食養育漸漸成長) 《圓覺 上 一之一 3》.

길다[2] 타 〈방〉 긷다.

길:다[3] 형 ①짧지 아니하다. 두 끝이 서로 멀다. ¶ 긴 머리. ②동안이 뜨다. 시간이 오래다. ¶ 긴 세월.
【길고 짧은 것은 대어 보아야 안다】 대소(大小)·우열(優劣)은 짐작이나 말보다는 실지로 겨루거나 체험(體驗)해 보아야 안다는 말.
길:게 늘어놓다 구 (글 또는 말에서) 줄거리나 골자가 없이 길게 말하다.

길:-다랗다 [-라타] 형 ㅎ불 →기다랗다.

길-닦기 명 무너진 길을 고치어 닦는 일. 치도(治道). ——-하다 자 여불

길-닦음 명 〖민〗 진도 씻김굿에서, 죽은 이의 이승에서의 모든 한을 풀고 극락으로 가도록 길을 닦아 주는 대목의 굿.

길-닿다 [-다타] 자 어떤 일을 하기 위한 관계가 얻어지다.

길더 〔guilder〕 의명 네덜란드의 화폐 단위. 굴덴(gulden). 기호:G.

길-독 【-毒】 [-똑] 명 노독(路毒).

길:-동그랗다 [-라타] 형 ㅎ불 기름하고 동그랗다. <길둥그렇다.

길:-동글다 형 기름하고 동글다. <길둥글다.

길-동무 [-똥-] 명 길을 함께 가는 동무. 또, 같은 길을 가는 사람. 길벗. 동행 친구(同行親舊). ——-하다 자 여불 길동무가 되어 동행하다.

길-둑사초 【-莎草】 [-뚝-] 명 〖식〗 [*Carex bostrichostigma*] 방동사니과에 속하는 다년초. 줄기는 총생(叢生)하고 높이 50 cm 가량임. 선형(線形)의 잎은 호생하는데 줄기보다 짧고 폭은 3-6 mm 임. 소수(小穗)는 6-8 개로 선상(線狀)의 긴 타원형이고 웅수(雄穗)는 정생(頂生)하며 자수(雌穗)는 측생(側生)하여 4-6월에 피고 과낭(果囊)은 피침형임. 산이나 들의 길가에 나는데 거의 한국 각지에 분포함.

길:-둥그렇다 [-러타] 형 ㅎ불 기름하고 둥그렇다. >길동그랗다.

길:-둥글다 형 기름하고 둥글다. 기름하게 둥글다. >길동글다.

길드 〔guild〕 명 〖사〗 11세기 이후 서(西)유럽의 각 도시에서 발달한 상공업자의 상호 부조적(相互扶助的) 동업 조합. 왕권 또는 영주권(領主權)에 대항하고 그 차별을 배격하며, 동업자간의 무통제(無統制)와 자유 경쟁의 폐를 방지하고 공동의 목적을 수행하기 위하여 조직한 우의 단체(友誼團體). 상인(商人) 길드와 수공업 길드의 구별이 있었으나 산업 혁명의 진전에 따라 거의 쇠퇴함.

길드 사회주의 【-社會主義】 [-/-이] 명 〔guild socialism〕 〖사〗 20 세기 초기, 영국에서 일어났던 사회주의의 한 입장. 생디칼리슴(syndicalisme)과 국가 사회주의를 절충한 개량주의로서 임금 제도를 철폐하고 민주적 국가주의 속에 직능별(職能別) 조합, 즉 교회·노동 조합·소비 조합 등을 포괄하는 전국적 길드를 설치하고 생산을 관리하려고 하였음. 길드 소셜리즘.

길드 소:셜리즘 〔guild socialism〕 명 〖사〗 길드 사회주의.

길-들다 자 ①그릇 또는 세간 같은 물건에 손질을 잘하여 윤기가 나다. ¶ 잘 길든 장판/길이 들어 빤짝빤짝하다. ②짐승을 잘 가르쳐서 사람의 말을 잘 듣고 부리기가 편리하게 되다. ③서투르던 일이 익숙하게 되다. ¶ 이제 그 일에 길이 들었다.

길-들이다 타 ①그릇 또는 세간 같은 물건에 손질을 잘하여 윤기가 나게 하다. ②짐승을 잘 가르쳐 사람의 말을 잘 듣고 부리기가 좋게 만들다. ③서투르던 솜씨를 익숙하게 하다.

길:디-길다 형 매우 길다. 썩 길다.

길딩 메탈 〔gilding metal〕 명 〖광〗 구리 90 %, 아연 10 %의 구리 합금. 소총탄의 약협·뇌관, 포탄의 탄대(彈帶)에 쓰임.

길-떠나다 자 어떤 먼 곳으로 출발하다. 여행길에 오르다.

길라-잡이 명 〔←길나장이〕 길을 인도하는 사람. 길앞잡이. 준길잡이.

길래 부 오래도록. 영원히. 길게 내쳐서. ¶ 나쁜 버릇을 ～ 가져서는 안 된다/궐자의 첩실이 ～ 가만 있지는 않을 모양이던데요?《金周榮 : 客主》.

-길래 어미 '-기에'를 구어적으로 이르는 말.

길랴크〔Gilyak〕 명 『인류』 '니브히(Nivkhi)'의 구칭.

길랴크-어【一語】〔Gilyak〕 명 『언』 시베리아 어군(語群)인 극북어(極北語)에 속하는 언어. 아무르 강(江) 하류 유역·사할린 북부 등의 니브히(길랴크족(族)) 사이에서 쓰임. 니브히어.

길러낸 사위 구 제 일은 도무지 처리할 줄 모르고 못난 짓만 하는 사람을 농으로 이르는 말. *가르친 사위.

-길레 어미 〈방〉 -길래❶❷.

길레스피〔Gillespie, Dizzy〕 명 『사람』 미국의 흑인 재즈 트럼펫 연주가. 비밥 재즈의 아버지로 불림. 10대 중반 이후 직업 연주가로 나서 뉴욕 할렘의 나이트 클럽에서 활동하기 시작함. 1940년대 재즈 색소폰 연주가인 찰리 파커와 비밥(bebop) 재즈를 도입, 모던 재즈의 기초를 닦음. 《만테카》·《튀니지아의 밤》 등 작곡도 있음. [1917-]

길렐리스〔Gilel's, Emil'〕 명 『사람』 소련의 피아니스트. 1933년의 제1회 전(全)소련 음악 콩쿠르에서 우승. 완벽한 기교(技巧)와 산뜻한 서정성(抒情性)을 갖추고 구미(歐美) 여러 나라에서 연주 활동을 계속함. 모스크바 음악원 교수. [1916-85]

길례[1]【吉例】 명 좋은 전례(前例).

길례[2]【吉禮】 명 『역』 ①대사(大祀)·중사·소사 등 나라 제사의 모든 예절. ②관례(冠禮)나 혼례 등의 경사스러운 예식.

길례 요람【吉禮要覽】 명 『책』 조선 고종 7년(1870) 흥선(興宣) 대원군 이하응(李昰應)이, 대군(大君)·왕자·공주·옹주·군주(郡主)·현주(縣主) 등의 관혼(冠婚)의 의절(儀節)에 관한 사항을 편찬한 책. 2권 2책. 사본.

길로틴〔guillotine〕 명 '기요틴(guillotine)'의 영어 이름.

길르다[1] 타 〈방〉 기르다(경기·강원·충청·전북·황해).

길:르다[2] 형 〈방〉 게으르다(경기·강원).

길르앗〔Gilead〕 명 『성』 요르단 강 동쪽 지방. 산악 지대에 성이 있고 12지파(支派) 중의 길르앗 지파가 살던 땅임.

길리기아〔Cilicia〕 명 『성』 소(小)아시아 동남쪽에 있는 로마의 한 고을. 이곳에 있는 다소 성(城)은 사도(使徒) 바울의 고향임.

길리다 피동 남에게 기름을 받다.

길림【吉林】 명 『지』 '지린(吉林)'을 우리 음으로 읽은 이름.

길림-성【吉林省】 명 『지』 지린 성(吉林省).

길마 명 짐을 실으려고 소의 등에 얹는 안장.
【길마 무거워 소 드러누울까】 일을 당하여 힘이 부족할까 두려워 말라는 말.
길마(를) 지우다 구 길마를 마소의 등에 얹다.
길마(를) 짓:다 구 '길마 지우다'의 예스러운 말.

길마-도【吉馬島】 명 『지』 전라 남도 서남 해상(西南海上), 진도군(珍島郡) 조도면(鳥島面) 창리(倉里)에 있는 섬. [0.07km²]

길마-머리 명 길마의 맨 위.

길마 상처【一傷處】 명 길맛가지에 눌리고 비비어져서 소나 말의 등에 난 상처.

〈길마〉

길마-재 명 『지』 '무악재'의 본이름.

길맛-가지 명 ①길마에 세 모로 선 'ㅅ'자 모양으로 구부러진 나무. ②구부러진 나뭇가지·막댓가지 같은 것.

길맛가지-나무 명 『식』 [*Lonicera harai*] 인동과에 속하는 낙엽 활엽 관목. 줄기의 수(髓)는 백색이고 잎은 타원형 또는 거꿀달걀꼴임. 꽃은 3월에 쌍생(雙生)하여 피고, 장과(漿果)가 가을에 빨갛게 익음. 산록(山麓) 양지의 바위 틈에 나는데 거의 한국 각지에 분포함.

길명【吉命】 명 좋은 운명.

길명 지구대【吉明地溝帶】 명 『지』 함경 북도 길주(吉州)와 명천(明川) 사이를 중심으로, 남으로는 성진(城津), 북으로는 온성(穩城)에 이르는 지역에 이루어진 좁고 긴 구렁. 길주 명천(吉州明川) 지구대.

길-모【吉模】 명 『사람』 길모어의 한국명.

길모어〔Gilmore, George W.〕 명 『사람』 미국의 북감리교(北監理教) 목사. 영국 런던 출생. 조선 고종 22년(1886) 신학문의 교사로 미국 정부의 추천을 받아 조선에 와서 육영 공원(育英公院) 설립에 힘써 1889년까지 교사로 재직함. 한국명은 길모(吉模). [1858-?]

길-모퉁이 명 길이 구부러지거나 꺾어져 돌아간 자리.

길-목[1] 명 ①길의 중요로운 어귀. ¶학교로 가는 ～. ②큰길에서 작은 길로 드는 목.

길-목[2] 명 뻗침대 끝의 고리와 몸체에 박힌 두 배목의 구멍이 통하여, 자물쇠를 걸게 된 구멍.

길목[3] 명 ① ↗길목 버선. ②〈방〉 감발.

길목 버선 명 먼 길을 가는 데 신는 허름한 버선. 준길목.

길몽【吉夢】 명 좋은 조짐이 되는 꿈. 상몽(祥夢). ↔흉몽(凶夢)·악몽(惡夢).

길몽-가【吉夢歌】 명 『문』 한평중(韓平仲)이 지은 가사. 제작 연대 미상. 맹자(孟子)의 도를 사모하고 그의 학문을 숭상한 나머지 꿈을 빌려 그와 대화를 나누는 대목과 작자의 염원을 읊음.

길:-물 명 깊이가 한 길이나 되는 물.

길미 명 빚돈에 대하여 덧붙여 느는 돈. 이식(利息). 이자(利子). 변리(邊利). 이전(利錢).

길-바닥 [一빠一] 명 ①길의 표면. 노면(路面). ②길 가운데. ¶～에서 서성거리다.

길-바로 부 길을 옳게 잡아들어서.

길반이 명 〈방〉 키다리.

길배【吉拜】 명 구배(九拜)의 한 가지. 한 번 절하고 다시 조아려 절함. ——하다 자여불

길버:트[1]〔Gilbert, Walter〕 명 미국의 생화학자. 하버드 대학 교수. 미생물에서의 유전 인자(遺傳因子)의 구조와 기능을 해독(解讀)하는 방법을 구명한 공로로, 1980년 버그(Berg, P.)·생어(Sanger, F.)와 공동으로 노벨 화학상을 수상함. [1932-]

길버:트[2]〔Gilbert, William〕 명 『사람』 영국의 물리학자. 엘리자베스(Elizabeth) 1세의 시의(侍醫). 전기(電氣)에 처음으로 '일렉트릭스(electrics)'란 말을 썼으며, 또한 지구가 하나의 큰 자석(磁石)임을 밝혀 지자기학(地磁氣學)의 기초를 열었음. 기자력(起磁力)의 C.G.S. 단위 길버트는 그의 이름에서 딴 것임. [1540-1603]

길버:트[3]〔Gilbert, William Schwenck〕 명 『사람』 영국의 극작가. 작곡가인 설리반(Sullivan)과 손잡고 많은 오페레타를 만듦. 유명한 것은 《군함 피나포(Pinafore)》·《페이션스(Patience)》·《미카도(The Mikado)》·《곤돌리에(The Gondoliers)》 등. [1836-1911]

길버:트[4]〔gilbert〕 의명 『물』 기자력(起磁力) 및 자위(磁位)의 CGS 단위 또는 가우스 단위. 1길버트는 $10/4\pi$ A(암페어 횟수)에 상당함. 기호는 Gb. *길버트[2].

길버:트 엘리스 제도【一諸島】 명 〔Gilbert & Ellice Islands〕 『지』 길버트 제도(諸島).

길버:트 제도【一諸島】 명 〔Gilbert Islands〕 『지』 서태평양 마셜 제도의 남동쪽, 적도(赤道) 상에 있는 16개의 산호섬. 1787년 영국 선장 길버트가 발견, 1892년 영국령이 되었고, 1979년 7월 피닉스 제도와 함께 키리바시(Kiribati) 공화국으로 독립함. 주도(主島)는 타라와(Tarawa) 섬. 코프라와 진주조개를 산출함. [265 km²]

길-벌레 [一뻘一] 명 기어 다니는 벌레. ↔날벌레.

길-벗 [一뻗] 명 길동무.

길보【吉報】 명 좋은 소식. ¶～를 기다리다. ↔악보(惡報)·흉보(凶報).

길보아〔Gilboa〕 명 『성』 이사갈 지방 요르단 강 서쪽에 있는 산. 이스라엘 초대의 왕 사울과 그의 아들 요나단이 여기에서 블레셋 사람에게 패하여 전사(戰死)하였음. [520m]

길복[1]【吉卜】 명 좋은 점. 점을 친 결과가 길(吉)로 나온 점.

길복[2]【吉服】 명 ①삼년상(三年喪)을 마친 뒤에 입는 보통 옷. ②혼인 때 신랑 신부가 입는 옷.

길복 벗김【吉服一】 명 관디 벗김.

길-봇짐【一褓一】 명 먼길을 떠날 때에 꾸미는 봇짐.

길봉-산【吉峯山】 명 『지』 평안 북도 초산군(楚山郡)과 벽동군(碧潼郡) 사이에 있는 산. [1,017m]

길브레스〔Gilbreth, Frank Bunker〕 명 『사람』 미국의 공장 관리 기사(技師). 테일러(Taylor F.W.)와 함께 과학적 관리법을 창안하였으며 특히 동작 연구의 방법을 창안하였음. *서블리그. [1868-1924]

길비【吉妃】 명 좋은 비(妃).

길사[1]【吉士】 [一싸] 명 ①아름다운 선비. 선비를 좋게 이르는 말. ②운수가 트인 사람.

길사[2]【吉士】 [一싸] 명 『역』 신라 17관등(官等)의 열넷째 위계(位階). 사지(舍知)의 아래, 대오(大烏)의 위. 사두품(四頭品)의 관등(官等)임. 계지(稽知). 길차(吉次).

길사[3]【吉事】 [一싸] 명 좋은 일. 관례(冠禮)·혼례(婚禮) 같은 행사.

길산-도【吉山島】 [一싼一] 명 『지』 충청 남도의 서해상(西海上), 보령시(保寧市) 오천면(鰲川面) 녹도리(鹿島里)에 위치한 섬. [0.93km²]

길상[1]【吉上】 [一쌍] 명 더없이 길함. ——하다 형여불

길상[2]【吉相】 [一쌍] 명 복을 많이 받을 상격(相格).

길상[3]【吉祥】 [一쌍] 명 운수가 좋을 조짐. 경사가 날 조짐. 상서(祥瑞). 선상(善祥).

길상-과【吉祥果】 [一쌍一] 명 『불교』 길상천(吉祥天)의 어머니인 귀자모신(鬼子母神)이 손에 가진 과실로, 석류(石榴)의 열매.

길상 금강【吉祥金剛】 [一쌍一] 명 『불교』 '문수 보살(文殊菩薩)'의 딴 이름.

길상-단【吉祥緞】 [一쌍一] 명 중국에서 만든 비단의 한 가지.

길상-도【吉祥圖】 [一쌍一] 명 『미술』 부귀 영화와 행복 등의 염원을 의탁(依託)하여 나타낸 그림. 십장생도(十長生圖)·일월 산수도(日月山水圖)·백동자도(百童子圖)·송학도(松鶴圖)·수성 노인도(壽星老人圖)·군선 경수도(群仙慶壽圖) 따위.

길상-사【吉祥紗】 [一쌍一] 명 중국에서 나는 생견(生絹)으로 짠 옷감의 한 가지.

길상 선:사【吉祥善事】 [一쌍一] 명 더할 수 없이 기쁘고 좋은 일. 썩 좋은 일.

길상-좌【吉祥坐】 [一쌍一] 명 『불교』 결가부좌(結跏趺坐)의 한 가지. 왼발을 오른쪽 넓적다리 위에 놓은 다음에 오른발을 왼쪽 넓적다리에 놓음. *항마좌(降魔坐). ——하다 자여불

길상-천【吉祥天】 [一쌍一] 명 『불교』 ↗길상 천녀.

길상 천녀【吉祥天女】 [一쌍一] 명 〔Srimakadevi〕 『불교』 중생에게 복덕(福德)을 주는 여신. 아버지는 덕차가(德叉迦), 어머니는 귀자모(鬼子母). 비사문천(毘沙門天)의 비(妃). 그 상은 용모 단정하며 천의(天衣)를 입고, 보관(寶冠)을 쓰고 왼손에 여의주(如意珠)를 받들고 있다 함. 공덕 천녀(功德天女). 준길상천(吉祥天).

〈길상 천녀〉

길상 천녀법【吉祥天女法】 [一쌍一뻡] 명 『불교』 밀교(密敎)에서, 길상 천녀를 본존(本尊)으로 하여 복덕(福德)을 비는 수행법.

길상-초【吉祥草】 [一쌍一] 명 『식』 [*Reineckia carnea*] 백합과에 속하는 상록 다년초. 줄기는 땅으로 뻗으며, 넓은 선형(線形)의 잎이 더부룩하게 나는데 길이 10-40cm임. 여름에 잎 사이에서 화축(花軸)이 나와 담자색의 꽃이 총상(總狀) 화서로 피고, 열매는 붉은데 마르면 검음. 나무 밑이나 그늘에 나며 관상용으로 심음. 가정에 길사(吉事)가 있을 때에 꽃이 핀다고 하여 이름지었음.

〈길상초〉

길상 해:운【吉祥海雲】 [一쌍一] 명 『불교』 석가 여

래의 가슴에 있는 '만(卍)'자의 모양을 한 상(相). 인도에서 전해 오는 길상의 표상(表象)으로 공덕원만(功德圓滿)의 뜻임. 보통, '가슴만'이라고 함. *만(卍).

길상 회:과【吉祥悔過】[—쌍—] 명 〖불교〗 정월 초하룻날에 길상천을 본존으로 하여 그 해의 풍년과 길함을 기원하는 일.

길서【吉瑞】[—써] 명 운수가 좋을 조짐.

길-선(:)주【吉善宙】 명 〖사람〗 독립 운동가·목사. 평안 남도 출생. 1897년에 안창호(安昌浩) 등과 함께 독립 협회 평양 지부를 조직하고, 그 후 평양 숭실(崇實) 중학교를 설립하여 교육 사업에 진력하다가 1919년 삼일 운동에 기독교 대표로 참가하였음. [1869-1935]

길성¹【吉姓】[—썽] 명 예전에, 서로 혼인 관계를 즐겨 맺는 성씨(姓氏).

길성²【吉星】[—썽] 명 〖민〗 길하고 상서로운 별. 이 별이 비치는 곳에는 길한 일이 있다 함. ↔흉성(凶星).

길-섶 [—썹] 명 길의 가장자리. ¶ ~에 주저앉다.

길세 [—쎄] 명 〈방〉 날씨.

길-속 [—쏙] 명 전문적인 일의 속내. ¶ 안 해 본 일이라 ~을 모른다.

길-손 [—쏜] 명 먼 길을 가는 나그네. 여객(旅客).

길수【吉首】[—쑤] 명 〖지〗 '지서우(吉首)'를 우리 음으로 읽은 이름.

길시¹ 명 〈옛〉 길이. 기장. ¶ 길시 무(袤)《類合 下 62》.

길시²【吉時】[—씨] 명 운이 좋은 시각. 좋은 때.

길신【吉辰】[—씬] 명 ①길한 시절. ②좋은 날. 원신(元辰). 길일(吉日).

길쌈 명 동식물의 섬유를 가공하여 피륙을 짜 이루기까지의 모든 수공(手工)의 일. *방적(紡績). ——하다 자 여불 낳이하다.

【길쌈 잘하는 첩】 길쌈 잘하는 첩이 어디 있으랴 하는 뜻으로, 괴리(乖離)한 현상을 이르는 말.

길쌈 노래 명 〖문〗 한국 부요(婦謠)를 대표하는 내방 문학(內房文學)의 하나로, 길쌈할 때 부르는 노래. 물레노래·베틀가·삼삼기노래 등은 모두 이에 속함.

길씨 명 〈방〉 길이(경북).

길안【吉安】 명 〖지〗 '지안(吉安)'을 우리 음으로 읽은 이름.

길알외다 자 〈옛〉 길을 알리다. 길 인도(引導)하다. 안내하다. ¶ 길알욀 도(導)《類合 下 8》.

길-앞잡이 명 ①길라잡이. ②〖충〗 길앞잡잇과에 속하는 곤충의 총칭. 반모(斑蝥·盤蝥). 반묘(斑猫). 가뢰. ③〖충〗 [*Cicindela chinensis*] 길앞잡잇과에 속하는 곤충. 몸길이 20 mm 내외이고, 몸빛은 금록색 및 농자색(濃紫色)으로 아름답고, 시초(翅鞘)는 농자색에 적록색과 황백색의 무늬가 있으며 흉측(胸側)에는 백색의 긴 털이 많음. 복안(複眼)이 돌출하고 다리가 길며, 경쾌하게 보행(步行) 또는 비행(飛行)함. 농작물의 해충으로 한국·일본·중국 등에 분포함.

〈길앞잡이〉

길앞잡잇-과【—科】 명 〖충〗 [Cicindelidae] 딱정벌레목(目)에 속하는 한 과. 몸은 편평하고 거의 원통형이며 위턱이 길게 나와 만곡(彎曲)하였으며, 복안(複眼)이 툭 튀어 나왔음. 촉각은 실 모양이고 11절. 유충은 땅속에서 작은 동물을 포식하며 성충은 산간에서 지상(地上) 또는 수상(樹上) 생활을 함. 비단길앞잡이·깔따귀길앞잡이·강변길앞잡이·산길앞잡이·쇠길앞잡이 등 전세계에 2,000여 종이 분포함.

길어 〈옛〉 ⊟자 커서. 자라서. '기르다²'의 활용형. ¶ 내 겨른 뻐브터 길어 사롬드외야《釋譜 XI:27》. ⊟타 길러. '기르다²'의 활용형. ¶ 젖 머기며 飮食 머겨 길어(乳哺飮食養育漸漸成長出身入仕)《圓覺 上 一之一 111》.

길-어깨 명 갓길.

길어내다 타 〈옛〉 길러내다. ¶ 仙人이 술보디 大王하 이 南堀ㅅ 仙人이 흔 쁘롤 길어 내니《釋譜 XI:27》.

길:어-지다 자 길게 되다.

길억지 명 〈방〉 길이.

길엉이 명 〈방〉 지렁이.

길연【吉宴】 명 상서로운 연회.

길-옆 [—렵] 명 길의 옆. 길가. 노방(路傍).

길오넙다 구 〈옛〉 길고 넓다. ¶ 혜 길오 너브샤 구민 니르리 노출 다 두프시며《月釋 Ⅱ:41》.

길옥【吉玉】 명 좋은 옥. 상서로운 옥.

길-요강【—尿綱】[—료—] 명 말이나 가마를 타고 여행할 때에 가지고 다니는 놋요강.

길우다 타 〈옛〉 기르다. ¶ 여러 惡올 길우고(增長衆惡)《永嘉 上 45》.

길운【吉運】 명 좋은 운수. ↔액운(厄運).

길월【吉月】 명 좋은 달. 영월(令月).

길이¹ 명 ①한 끝에서 다른 한 끝까지의 거리. 긴 정도. 장(長). ②어떤 때로부터 다른 때까지의 동안. ¶ 낮의 ~가 길어졌다.

길:이² 부 오랜 세월이 지나도록. ¶ 선생님의 은혜를 ~ 못 잊겠다.

길:이-길이 부 영원히. ¶ ~ 빛나리.

길이다 타 〈옛〉 길리다. 길게 하다. ¶ 우믌 므를 흔 루 五百디위옴 길이 더시니《月釋 Ⅷ:91》.

길이모 쌓기 [—싸키] 명 〖건〗 벽돌의 길이모를 표면(表面)에 가로 쌓는 일. 장방적(長方積).

길-이불 [—리—] 명 여행할 때에 가지고 다니기 편리하게 만든 얇고 가벼운 이불.

길이 이음 명 〖건〗 목재를 길게 잇는 방법. 접수(接手).

길인【吉人】 명 성정(性情)이 바르고, 복스럽게 생기고, 팔자가 좋은 사람.

길일【吉日】 명 좋은 날. 길한 날. 가신(佳辰). 길신(吉辰). 영일(令日). ↔악일·흉일(凶日).

길잃은-새 [—일—] 명 '미조(迷鳥)'의 풀어 쓴 말.

길잡다 자 〈옛〉 길을 인도하다. ¶ 하놀 풍류 虛空애 ᄀ독ᄒ야 곳비 비흐며 香 퓌우고 길잡숩거니 미조쫍거니ᄒ야 느려오더라《釋譜 XI:13》.

길-잡이 명 ①길을 찾아 나갈 수 있는 목표(目標)가 되는 사물(事物). ¶ 소나무를 ~로 삼고. ②↗길라잡이. ¶ 등산의 ~.

길잡이-책【—冊】 명 길잡이가 되는 책. ¶ 영어 정복의 ~.

길장¹【吉仗】[—짱] 명 〖역〗 가례(嘉禮)·의식(儀式)에 쓰는 모든 의장(儀仗).

길장²【吉藏】[—짱] 명 〖사람〗 중국 수(隋)나라의 가상 대사(嘉祥大師). 삼대 법사의 한 사람. 고구려 승려. 승랑 대사(僧朗大師)의 제자. 공관(空觀) 불교의 권위자로 삼론종(三論宗)을 대성했음. 저서로는 《삼론 현의(三論玄義)》·《대승 현론(大乘玄論)》·《중론소(中論疏)》·《백론소(百論疏)》·《법화 의기(法華義記)》 등이 있음. [549-623]

길:장-부【—長部】[—짱—] 명 한자 부수(部首)의 하나. '镸'이나 '镻' 등의 '镸'의 이름. 주의 '镸'은 '長'의 고자(古字)임.

길-재【吉再】[—째] 명 〖사람〗 고려 말엽(末葉)의 유학자(儒學者). 자는 재부(再夫), 호는 야은(冶隱) 또는 금오산(金鰲山). 목은(牧隱)·포은(圃隱)·양촌(陽村) 등의 문하에서 성리학(性理學)을 공부함. 우왕(禑王) 말년에 성균관 박사가 되어 태학(太學)의 유생을 교도함. 고려 삼은(三隱)의 한 사람. 시호는 충절(忠節). [1353-1419]

길제【吉祭】[—쩨] 명 담제(禫祭)를 지낸 다음달에 지내는 제사. 상주(喪主)는 그 다음날부터 상복을 벗고 평상복을 입을 수 있음.

길-제사【—祭祀】[—쩨—] 명 〖민〗 포수가 사냥 갈 때 산신(山神)에게 지내는 제사.

길조¹【吉弔】[—쪼] 명 〖민〗 용사(龍蛇)의 한 가지. 뱀의 대가리에 거북의 몸을 하고 물 위 또는 나무 위에 살며, 그 침에서 자초화(紫梢花)가 난다고 하는 전설상의 동물.

길조²【吉兆】[—쪼] 명 좋은 일이 있을 조짐. 길징(吉徵). 경조(慶兆). 상부(祥符). 휴조(休兆). 휴상(休祥). ↔흉조(凶兆).

길조³【吉鳥】[—쪼] 명 사람에게 어떤 길한 일이 생김을 미리 알려 준다는 새. 이를테면, 까치 따위.

길주【吉州】[—쭈] 명 〖지〗 함경 북도 길주군의 군청 소재지.

길주-군【吉州郡】[—쭈—] 명 〖지〗 함경 북도의 한 군. 북은 무산군(茂山郡)과 경성군(鏡城郡), 동은 명천군(明川郡), 남은 바다와 성진군(城津郡), 서는 함경 남도 단천군(端川郡)과 갑산군(甲山郡)에 접함. 주요 산물은 쌀·콩·보리·조·피·수수 등이며 명승 고적은 보현사(普賢寺)·남대계(南大溪)·두류산(頭流山) 등이 있음. [1,376 km²]

길주 명천 지구대【吉州明川地溝帶】[—쭈—] 명 〖지〗 길명 지구대(吉明地溝帶).

길주-요【吉州窯】[—쭈—] 명 지저우 요(吉州窯).

길주 평야【吉州平野】[—쭈—] 명 〖지〗 함경 북도의 길명 지구대(吉明地溝帶)를 남류하는 길주 남대천(南大川) 유역에 전개된 평야. 중심지 길주는 농산물·농우(農牛)의 집산지이며 동해안과 고원 지방의 연락지를 이루고, 펄프·제지·제재 공업이 성함.

길-줄고기 [—쭐—] 명 〖어〗 [*Podothecus gilberti*] 날개줄고깃과에 속하는 바닷물고기. 구각(口角)에 촉수(觸鬚)가 있는데 비교적 작고 가늘며, 위턱에는 거의 이가 없음. 배지느러미는 아주 짧고 꼬리자루의 골판(骨板)의 거의 전부가 가시 하나씩을 갖춤. 한국 동해안·일본·캄차카에 분포함.

길중-봉【吉仲峰】[—쫑—] 명 〖지〗 평안 북도 후창군(厚昌郡) 칠평면(七平面)에 있는 산봉. [1,394 m]

길즈기 부 〈옛〉 길직이. ¶ 불휘 길즈기 나거든(根出稍長)《救簡 Ⅲ:18》.

길-즉대흉【吉則大凶】 명 〖민〗 점괘(占卦)·사주(四柱) 풀이·토정 비결(土亭祕訣) 등에 나타난 신수(身數)가 썩 좋을 때는 오히려 정반대로 대흉(大凶)하다는 말. ↔흉즉대길(凶則大吉).

길지【吉地】[—찌] 명 지덕(地德)이 좋은 집터나 묏자리.

길-짐 [—찜] 명 〖역〗 길 근처에 사는 백성들이 서로 번갈아 가면서 지어 나르던 관가(官家)의 짐.

길-짐승 [—찜—] 명 기어 다니는 짐승의 총칭. 주수(走獸). ↔날짐승.

길징【吉徵】[—찡] 명 길조(吉兆).

길짱귀 명 〈방〉 〖식〗 질경이.

길쭉-길쭉 부 여럿이 모두 길쭉한 모양. >갈쭉갈쭉. ——하다 형 여불

길쭉-바구미 명 〖충〗 ①[*Lixus impressiventris*] 바구밋과에 속하는 곤충. 몸길이 10-12 mm 내외, 몸빛은 검은데, 흰 털과 노란 가루가 덮이고, 각 시초(翅鞘)에는 열 줄의 점각(點刻)이 있음. 한국·일본·만주 등지에 분포함. 별배바구미. ②흰띠길쭉바구미.

길쭉-방아벌레 명 〖충〗 [*Neotrichophorus plebejus*] 방아벌렛과에 속하는 곤충. 몸길이 11-15 mm이며, 몸빛은 암갈색에 갈색 털이 있고, 촉각·입·전배판(前背板)의 후연(後緣)·다리·몸의 하면은 적갈색임. 엉겅퀴의 잎에 있음. 한국·일본·대만 등지에 분포함.

길쭉-벌레 명 〖충〗 [*Trachypholis variegata*] 길쭉벌렛과의 곤충. 몸은 검고 가늘고 긴 타원형이며, 두부가 큼. 버섯·낙엽·나무껍질 밑에 삶.

길쭉벌렛-과【—科】 명 〖충〗 [Colydiidae] 딱정벌레목(目)에 속하는 한 과(科). 몸은 미소(微小) 또는 중형이며 가늘고 긴 타원형의 갑충(甲蟲)임. 촉각은 구간상(球桿狀)이며, 두부는 크고, 드물게 전흉(前胸) 속에 있음. 부절(跗節)은 4절로, 복부의 복판(腹板)은 다섯 개임. 버섯·낙엽·나무 껍질 밑에 서식함. 전세계에 700여 종이 분포함.

길쭉-스레 부 길쭉스름하게 >갈쭉스레. ——하다 형 여불

길쭉스름-하다 형 여불 조금 길쭉하다. >갈쭉스름하다.

길쭉-이 부 길쭉하게. >갈쭉이.

길쭉-하다 형 여불 좀 길다. >갈쭉하다. *기름하다·길쯤하다·길찍하다.

길쯔막-하다 형 여불 넉넉하게 길쯤하다. >갈쯔막하다.

길쯤-길쯤 부 여럿이 모두 길쯤한 모양. >갈쯤갈쯤. ——하다 형 여불

길쯤-이 부 길쯤하게. >갈쯤이.

길쯤-하다 형 여불 꽤 기름하다. >갈쯤하다. *길쭉하다·길찍하다.

길찍-길찍 부 여럿이 모두 길찍한 모양. >갈찍갈찍. ——하다 형 여불

길찍-이 부 길찍하게. >갈찍이.

길찍-하다 형 여불 꽤 길다. >갈찍하다. *기름하다·길쭉하다.

길차【吉次】명〖역〗길사(吉士). *계지(稽知). 「찬 숲 속.
길:-차다 형 ①아주 미끈하게 길다. ②나무가 우거지어 깊숙하다. ¶길
길-책【一冊】명 ←질책(帙冊).
길-처 명 가는 길의 근처 지방(地方). ¶그 ~는 발이 설다. 「청(椽廳).
길-청【一廳】명〖역〗군아(郡衙)에서 아전이 집무하던 곳. 작청(作廳). 연
길체 명 한쪽으로 구석진 자리. 한모퉁이. ¶저 ~에 가서 앉아라.
길초【一草】명〈방〉〖식〗쥐오줌풀.
길초-산【一草酸】명 발레르산(酸).
길치 명 남도에서 나는 황소. 살지고 윤택하나 억세지 못함.
길카리 명 가깝지 아니한, 동성(同姓)과 이성(異姓)의 친족(親族).
길콰〈옛〉길과. '길¹'의 공동격형(共同格形). ¶시냇믈 뷘 묏길콰 섭나모 門 늘근 나모 셋는 므술해(澗水空山道柴門老樹村)≪初杜諺 Ⅷ:47≫.
길-타령【一打令】명〖악〗'일승 월항지곡(日昇月恒之曲)'의 속칭(俗稱).
길-턱 명〈속〉과속 방지턱.
길트〔gilt〕명 금가루. 금박(金箔).
길트-타이프〔gilt-type〕명 두꺼운 종이 위에 금박(金箔)을 바르고 감광약(感光藥)을 도포(塗布)한 인화지에 밀착한 사진.
길트-톱〔gilt-top〕명 책의 도련을 친 윗머리에만 칠한 도금(鍍金). 천금(天金).
길패【吉貝】명〖식〗목화(木花)❷.
길편-하다 형 여불 펀펀하고 넓다. ¶길편한 벌판.
길-품 명 남의 갈 길을 대신 가고 삯을 받는 일.
길품(을) 팔다 구 ㉠남의 갈 길을 대신 가 주고 삯을 받다. ㉡아무 보람이 없이 헛길만 걷다. 「삯. 보행전.
길품-삯[—싹] 명 남의 급한 일로 먼 길을 심부름 가고 보수로 받는
길하【吉河】명〔'길(吉)한 강'이라는 뜻으로〕'갠지스 강'의 딴이름.
길-하다【吉—】형 여불 인연이 썩 좋다. 일이 상서롭다. 「여불
길항【拮抗】명 서로 버티고 대항함. 맞버팀. 힐항(頡頏). ——-하다 자
길항-근【拮抗筋】명〖생〗서로 반대되는 작용을 동시에 행하는 근육. 곧, 한쪽이 수축하면 한쪽은 신장(伸張)하는 한 쌍의 근육. ↔공력근(共力筋)·협력근.
길항 작용【拮抗作用】명〖생〗①생체에 약물(藥物)을 투여했을 때에, 다른 약물의 존재에 의하여 그 작용의 일부 또는 전부가 감쇄(減殺)되는 약물의 작용. ②여러 종류의 균이 혼재(混在)해 있을 때, 그 중 어떤 균의 발육 조건이 자기에게 적합하여 증식(增殖)하는 한편, 다른 종류의 균에는 불리한 영향을 끼쳐 그 발육을 억제하는 작용. 대항 작용.
길항 지대【拮抗地帶】명〔countervailing industrial zone〕수도권에 집중되는 인구 및 사업체의 유입을 막고 이를 유인해 내기 위하여 일정 지역에 조성하는 공업 지구. 금융·세제(稅制)나 사회 간접 자본, 생활 기반 시설 등에서 특혜가 주어짐.
길행【吉行】명 경사스러운 일에 감.
길헤〈옛〉길에. '길¹'의 처격형(處格形). ¶玄黃筐篚로 길헤 ㅂ라ᄉᆞᄫᆞ니(玄黃筐篚于路迎候)≪龍歌 10章≫.
길혀 명〈방〉〖생〗지라. 「다 자 여불
길-호사【一豪奢】명 장가나 시집갈 때에 버젓하게 갖추고 감. ——-하
길혼【吉婚】명 가운(家運)이 융성해지고 자손이 번창해지는 혼인.
길회-선【吉會線】명〖지〗만주의 지린(吉林)에서 함경 북도 회령(會寧)까지의 철도선(鐵道線). 「吉).
길-흉【吉凶】명 좋은 일과 언짢은 일. 행복과 재앙. 식모(息耗). 흉길(凶
길흉 화:복【吉凶禍福】명 길흉과 화복. ¶~을 점치다.
길흐로〈옛〉길로. '길¹'의 조격형(造格形). ¶몃길흐로 시미 ᄂᆞ몰 바톨 저지ᄂᆞ뇨(幾道泉澆圃)≪初杜諺 Ⅶ:39≫.
길흔〈옛〉길은. '길¹'의 절대격형(絶對格形). ¶길흔 下牢ㅣ 千里나 ᄒᆞ도다(道里下牢千)≪初杜諺 XX:6≫.
길희〈옛〉길의. '길¹'의 소유격형(所有格形). ¶ᄀᆞᄅᆞᆷ 길희 갓가오믈 니기 아라(熟知江路近)≪初杜諺 Ⅶ:9≫.
길히〈옛〉길이. '길¹'의 주격형(主格形). ¶西ㅅ녀크로 가ᄂᆞᆫ 술위예브터 길히 다ᄅᆞ니(西轅自玆異)≪杜諺 Ⅰ:34≫.
길홀〈옛〉길을. '길¹'의 목적격형. ¶네 ᄀᆞᆺ 버텅길홀(四邊階道)≪阿彌 7≫.
긼ᄀᆞᇫ 명〈옛〉길가. ¶긼ᄀᆞᇫ애 百姓이(路傍田叟)≪龍歌 57章≫.
김:[1] 명 ①〖식〗[*Porphyra tenera*] 홍조류(紅藻類)에 속하는 해초(海草). 길이 10-15cm 가량이고, 가장자리는 밋밋하나 주름이 져 있음. 빛은 검은 자주빛 또는 붉은 자주빛인데, 자웅 동주(雌雄同株)이며 자성(雌性) 생식부는 농색(濃色)이고 웅성(雄性) 생식부는 담색(淡色)임. 한국의 남해·황해 연안의 물속·바위 등에 이끼 모양으로 붙어 많이 남. 식용으로 널리 양식(養殖)함. 오징어·한천과 함께 우리 나라의 주요 수출(輸出) 수산물의 하나임. 감태(甘苔). 청태(青苔). 해의(海衣). 해태(海苔). ②종이처럼 얇게 떠서 말린 김. 불에 구워서 먹음. 건태(乾苔).

〈김¹❶〉

김:[2] 명〖농〗논밭에 난 잡풀.
김(을) 매:다 구 논밭의 잡풀을 뽑거나 흙으로 묻어 버리다.
【김 매는 데 주인은 아흔아홉 몫을 맨다】남을 부려서 하는 일에는 주인만 애쓴다는 말.
김:[3] 명 ①물이 끓는 기운. 곧, 액체가 높은 열(熱)을 만나서 기체로 변한 것. ¶~이 무럭무럭 나다. ②숨쉴 때에 입으로부터 나오는 더운 기운. ¶입~. ③음식의 냄새. 또, 그 맛. ¶~ 빠진 맥주.
【김 안 나는 숭늉이 덥다】물이 끓는점을 넘으면 김은 안 나나 덥기는 극도로 더우니, 사람도 공연히 떠벌리는 사람은 그리 무섭지 않고 침묵을 지키고 있는 사람이 도리어 무섭다는 말.
김[4]【金】명 성(姓)의 하나. 현재 우리 나라에는 김해·경주·광산(光山)·안동(安東)·강릉(江陵)·연안(延安)·의성(義城)·고령(高靈)·선산(善山)·청풍(淸風) 등 37개의 본관(本貫)이 있음.
【김씨가 먹고 이씨가 취한다】좋지 않은 결과에 대하여는 남에게 책임을 지운다는 말. 【김씨가 한몫 끼지 않은 우물은 없다】김씨 성을 가진 사람이 많다는 말.
김부귀 사:촌 구〔김부귀는 예전에 키 크기로 유명한 사람의 이름〕키가 큰 사람을 놓으로 이르는 말. 「내자.
김:[5] 의명 어떤 일의 기회나 그 바람. ¶홧 ~에 술마신다/시작한 ~에 끝
김-가(:)기【金可紀】명〖사람〗신라 문성왕(文聖王) 때의 학자. 당(唐)나라에 유학, 빈공과(賓貢科)에 급제하여 이름을 떨쳤으며, 당나라 종남산(終南山) 자오곡(子午谷)에 은둔하면서 선경(仙經)·도덕경(道德經)을 연구하였음. [?-859]
김-가진【金嘉鎭】명〖사람〗조선 시대 후기의 정치가·항일(抗日) 독립투사. 호는 동농(東農). 안동(安東) 사람. 고종 25년(1888) 주일본 판사대신(駐日本辦事大臣)으로 주재, 귀국 후 대한 협회 회장을 역임함. 한일 합방 후 독립 운동에 투신, 대동단(大同團) 고문을 거쳐 1920년 상해로 망명하여 임시 정부 요인으로 활약하다가 병사하였음. 한학(漢學)에 능통하고, 서예(書藝)에도 뛰어났음. [1846-1922]
김-간【金榦】명〖사람〗조선 시대 중기의 학자·문신(文臣). 청풍(淸風) 사람. 자는 직경(直卿), 호는 후재(厚齋). 박세채(朴世采)·송시열(宋時烈)의 문인(門人)으로, 예학(禮學)에 조예가 깊은 당시의 문장가. 학행(學行)으로 천거되어 영조(英祖) 때에 대사헌(大司憲)·우참찬(右參贊)에 이름. 각 문집에 흩어져 있는 선인(先人)들의 예설(禮說)을 모아 ≪동유 예설(東儒禮說)≫을 편찬함. 문집에 ≪후재집(厚齋集)≫이 있음. 시호는 문경(文敬). [1646-1732]
김-감【金勘】명〖사람〗조선 시대 초기의 문신. 자는 자헌(子獻), 호는 일재(一齋)·선동(仙洞). 연안(延安) 사람. 성종 20년(1489) 식년 문과(式年文科)에 을과(乙科)로 급제, 연산군 10년(1504)에 대제학(大提學), 1506년 좌찬성(左贊成) 겸 예조 판서에 오름. 이어 우의정에 임명되었으나 사퇴하고, 중종 반정(中宗反正)에 가담, 병조 판서가 됨. 문장에 뛰어남. 시호는 문경(文敬). [1466-1509]
김-개남【金開男】명〖사람〗동학 농민 운동의 주동자의 한 사람. 전봉준(全琫準) 다음가는 남접(南接)의 지도자로서, 동란 때 전봉준과 합세하여 세력을 확장해 가던 중, 초토사(招討使) 홍계훈(洪啓薰)과 타협하여 군(軍)을 해산함. 이어, 청국(淸國)·일본이 개입하자, 다시 기포(起包)하여 동학 군정(軍政)을 실시하였으며, 1894년 우금치(牛金峙) 전투, 금구(金溝)·청주전(淸州戰)에서 패배, 12월 태인(泰仁)에서 체포되어 전주 감영(監營)에서 효수(梟首)당함. [?-1894]
김-개(:)시【金介屎】명〖사람〗조선 광해군 때의 상궁(尙宮). 광해군의 총애를 받아, 국정에 관여하여 권신 이이첨(李爾瞻)과 쌍벽을 이루었으며, 매관 매직(賣官賣職)을 일삼았음. 인조 반정(仁祖反正)으로 참수(斬首)됨. [?-1623]
김-경(:)서【金景瑞】명〖사람〗조선 시대 중기의 무장(武將). 초명(初名)은 응서(應瑞), 자는 성보(聖甫). 김해 사람. 임진 왜란 때 공을 세웠고, 후금(後金)을 치기 위해, 명(明)나라의 원병(援兵)으로서, 강홍립(姜弘立)의 부원수(副元帥)로 출정(出征)하여 강홍립이 항복할 때 함께 포로가 되었으나, 적정(敵情)을 기록, 본국에 보내고자 하다가 강홍립의 고발로 사형당함. 후에 우의정에 증직(贈職)됨. [1564-1624]
김-경(:)손【金慶孫】명〖사람〗고려 고종 때의 장군. 경주(慶州) 사람. 고종 18년(1231) 정주 분도 장군(靜州分道將軍)으로서 몽골군의 침입을 결사대 12명으로 격퇴하였음. 고종 24년(1237)에는 전라도 지휘사(指揮使)가 되어 역적 이연년(李延年) 일당을 소탕함. 뒤에 추밀원 부사(樞密院副使)가 되었으나, 최항(崔沆)의 시기(猜忌)로 백령도(白翎島)에 유배, 바다에 던져져서 죽었음. [?-1251]
김-경(:)식【金瓊植】명〖사람〗조선 시대 말 개화기(開化期)의 학자. 시대적 풍조에 따라 외국 서적을 많이 번역하여 종합 잡지에 연재하였음. 생몰 연대 미상.
김-경(:)징【金慶徵】명〖사람〗조선 인조 때의 문신. 자는 선응(善應). 순천(順天) 사람. 승평 부원군(昇平府院君) 유(瑬)의 외아들. 인조 반정의 공으로 정사 공신(靖社功臣)에 한성부 판윤(漢城府判尹)을 지냈으며, 병자 호란 때 강도 검찰사(江都檢察使)로 있었는데 강화가 함락되자 수비에 소홀했다는 대간(臺諫)의 탄핵(彈劾)으로 사사(賜死)됨. [1589-1637]
김-경(:)탁【金敬琢】명〖사람〗학자. 평남 중화(中和) 출생. 중국 대학(中國大學) 철학과를 졸업하고, 서울 대학교 강사를 거쳐 고려 대학교 교수를 역임하였음. 저서에 ≪중국 철학 사상사≫·≪율곡(栗谷)의 연구≫ 등이 있음. [1906-70]
김-경(:)태【金敬泰】명〖사람〗항일 독립 운동가. 충남 청양(青陽) 출신. 1913년 광복회(光復會)를 조직, 충청도에서 독립 운동 자금을 모으는 등 활약을 하던 중, 동지의 배반으로 일경(日警)에 체포되어 사형당함. [?-1921]
김-계(:)선【金桂善】명〖사람〗국악인(國樂人). 호는 죽농(竹濃). 서울 출신. 대금(大琴)의 명수로, 주전원(主殿院)·장악원(掌樂院) 내취(內吹) 및 이왕직(李王職) 아악수(雅樂手)로 있었음. [1891-1943]
김-계(:)휘【金繼輝】명〖사람〗조선 선조(宣祖) 때의 대사헌(大司憲). 자(字)는 중회(重晦), 호는 황강(黃岡). 광주(光州) 사람. 명종(明宗) 때에 김홍도(金弘度)의 일파로서 쫓겨났으나 복직, 부승지·전한 직제학(典翰直提學)을 역임함. 선조 14년(1581) 종계 변무(宗系辨誣)를 위한 주청사(奏請使)로 북경(北京)에 갔다 와 예조 판서·경연관(經筵官)이 됨. [1526-82]
김-공량【金公諒】[—냥] 명〖사람〗조선 선조의 총애를 받던 인빈(仁嬪) 김씨의 오빠. 세자 책봉 문제로 정철(鄭澈)을 몰아냈으며, 내수사 별

좌(內需司別坐)로 있을 때 임진 왜란이 터지자, 백성들의 항의로 개성에서 선조가 처형의 명을 내리자 강원도로 도피함. 생몰 연대 미상.

김-공정【金公鼎】명〖사람〗고려 인종(仁宗) 때의 명의(名醫). 묘청(妙淸)의 난 때 공을 세움. 생몰 연대 미상.

김-관보【金官寶】명〖사람〗항일 독립 투사. 일명 병률(炳律)·병삼(炳三). 호는 석산(石山). 평북 초산 출신. 1920년 만주로 이주하여, 김좌진(金佐鎭) 휘하에서 활동, 국내를 왕래하며 군자금 모집 및 적 기관 습격 공작에 참가, 1924년에는 압록강에서 총독 순시선(總督巡視船) 아스카마루(飛鳥丸)를 저격함. 이 해 말 국내에 잠입 활동중, 일본 경찰에 발각되어 총격전을 벌이다가 전사함. [1882-1925]

김-광균【金光均】명〖사람〗시인. 경기도 개성(開城)출신. 호는 우두(雨杜). 개성 상업 학교를 졸업하고, 1937년 '자오선(子午線)' 동인(同人)으로 활동하며 시단(詩壇)에 등장, ≪와사등(瓦斯燈)≫ ≪기항지(寄港地)≫ ≪황혼가(黃昏歌)≫ ≪임진화(壬辰花)≫ 등의 시집을 펴내 모더니즘 시운동의 주동자로서 시(詩)의 회화적(繪畫的) 기법과 세련된 시적 구조(詩的構造)로 현대시의 지평을 넓힘. 1951년 이후에는 건설 회사를 경영하여 실업인으로서 변신하였음. [1914-93]

김-광섭【金珖燮】명〖사람〗시인. 호는 이산(怡山). 함경 북도 경성(鏡城) 출생. 1932년 일본 와세다 대학 영문과 졸업. ≪동경(憧憬)≫·≪마음≫·≪해바라기≫·≪성북동 비둘기≫ 등 시집을 통해 주지적(主知的) 시인으로 알려졌음. [1904-77]

김-광욱【金光煜】명〖사람〗조선 인조 때의 문신. 자는 회이(晦而), 호는 죽소(竹所). 안동 사람. 광해군 7년(1615) 폐모론(廢母論) 때, 정청(庭請)에 참여하지 않아 삭직당함. 인조 반정(仁祖反正)으로 복관(復官)되어 형조 판서·경기 감사(京畿監司)를 거쳐 좌참찬(左參贊)에 이름. 시조 22수가 전함. 시호는 문정(文貞). [1580-1656]

김-광주【金光洲】명〖사람〗소설가. 수원 태생. 중국 상해(上海)에서 수학. 중국 문학을 국내에 소개하는 한편, 단편 ≪밤이 깊어 갈 때≫ 등을 발표하면서 소설을 쓰기 시작함. 대표작으로 ≪악야(惡夜)≫·≪석방인(釋放人)≫ 등이 있음. [1910-73]

김-굉집【金宏集】명〖사람〗김홍집(金弘集)의 초명(初名).

김-굉필【金宏弼】명〖사람〗조선 성종(成宗) 때의 성리학자(性理學者). 실천 궁행(實踐躬行)의 정신으로 행동한 조선 시대 오현(五賢)의 한 사람. 자는 대유(大猷), 호는 사옹(蓑翁)·한훤당(寒暄堂). 서흥(瑞興) 사람. 김종직(金宗直)의 문하(門下). 연산군 4년(1498) 무오 사화(戊午士禍)에 관련되어 희천(熙川)으로 귀양갔다가 조광조(趙光祖)에게 자기의 학문을 전해 주었으며, 연산군 10년 갑자 사화 때 처형되었음. 저서로 ≪가범(家範)≫·≪경현록(景賢錄)≫ 등이 있음. 문묘(文廟)에 배향(配享)됨. 시호는 문경(文敬). [1454-1504]

김-교(:)신【金敎臣】명〖사람〗종교인·교육자. 함흥(咸興) 출생. 도쿄 고등 사범을 졸업하고 경기(京畿)·양정(養正) 중학에서 박물학(博物學)을 강의하였으며, ≪성서 조선(聖書朝鮮)≫을 발간, 독립 정신을 고취하여 소위 '성서 조선 사건'으로 서대문 형무소에 수감됨. 제2차 세계 대전 때에는 흥남 비료 공장에서 강제 노동에 종사하면서 신앙·독립 정신을 계몽하다가 병사하였음. [1901-45]

김-교(:)제【金敎濟】명〖사람〗개화기의 신소설 작가. 호는 아속(啞俗). 이인직(李人稙)이 상편만 쓴 ≪치악산(雉岳山)≫ 하편(下篇)을 써서 완성함. 이 밖에 ≪모란화(牡丹花)≫·≪지장 보살(地藏菩薩)≫ 등의 작품을 남김. 생몰 연대 미상.

김-교(:)헌【金敎獻】명〖사람〗대종교(大倧敎)의 제2대 교주(敎主). 대사성(大司成)·규장각(奎章閣) 부제학(副提學)을 지냈음. 1916년 나철(羅喆)의 교통(敎統)을 이어 제2대 교주가 되어, 만주로 총본사(總本司)를 옮겨 독립 운동에 참가함. [1868-1923]

김-구[1]【金九】명〖사람〗독립 운동가·정치가. 호는 백범(白凡). 해주 출생. 젊었을 때부터 일제(日帝)에 항거하여 여러 번 투옥(投獄)되었음. 삼일 운동 후 중국 상해로 망명하여, 1940년 임시 정부를 통솔하여 충칭(重慶)으로 옮기고, 광복군을 조직함. 1944년 임시 정부 주석이 됨. 1945년 환국하여, 한국 독립당 위원장으로 재임시 암살당함. 저서에 ≪백범 일지(白凡逸志)≫가 있음. [1876-1949]

김-구[2]【金坵】명〖사람〗고려 말기의 문신. 자는 차산(次山), 호는 지포(止浦). 부령(扶寧) 사람. 벼슬은 제주 부사(濟州府使)·예부 시랑(禮部侍郎) 등을 역임. 베이징(北京) 기행문(紀行文)인 ≪북정록(北征錄)≫, 문집으로 ≪지포집(止浦集)≫ 등이 있음. 시호는 문정(文貞). [1211-78]

김-구[3]【金絿】명〖사람〗조선 중종(中宗) 때의 학자이며 서도가(書道家). 자는 대유(大柔), 호는 자암(自庵). 광주(光州) 사람. 김굉필(金宏弼)의 문인. 중종 때 등제하여 부제학(副提學)을 지냄. 조광조(趙光祖)의 일파로서 기묘 사화(己卯士禍) 때 쫓겨 남. 조선 초기 4대 서예가로 꼽히며, 서울 인수방(仁壽坊)에 살았으므로, 그의 서체를 인수체(仁壽體)라 일컬음. 저서로는 ≪자암집(自庵集)≫이 있음. [1488-1533]

김-구[4]【金鉤】명〖사람〗조선 시대 초기의 문신·학자. 자는 직지(直之), 호는 귀산(歸山). 아산(牙山) 사람. 상주 목사(尙州牧使)·대사성(大司成)·대제학(大提學)을 거쳐 판중추부사(判中樞府事)에 이르러 치사(致仕)함. 세종의 명을 받아 ≪사서(四書)≫를 언해하고, 세조 때에는 ≪초학 자회(初學字會)≫를 언해함. 시호는 문장(文長). [?-1462]

김-구용【金九容】명〖사람〗고려 공민왕(恭愍王) 때의 학자. 자는 경지(敬之), 호는 척약재(惕若齋). 안동 사람. 시(詩)로 유명하였으며, 문집에 ≪척약재집(惕若齋集)≫이 있음. [1338-84]

김-구주【金龜柱】명〖사람〗조선 영조(英祖) 때의 벽파(僻派)의 영수(領袖). 경주(慶州) 사람. 누이가 영조의 계비(繼妃)가 됨에 음보(蔭補)로 좌승지(左承旨)에 오르고, 사도 세자를 무고하여 죽이는 한편, 시파(時派)의 영수 영의정 홍봉한(洪鳳漢)을 퇴직시켰음. 왕세손(王世孫) 곧, 정조(正祖)가 즉위하자, 흑산도로 유배됨. [?-1786]

김:-국[—꾹] 명 김을 장국에 넣고 끓인 국.

김-국광【金國光】명〖사람〗조선 시대 초기의 상신(相臣). 자는 관경(觀卿), 호는 서석(瑞石). 광산(光山) 사람. 이시애(李施愛)의 난을 평정, 좌찬성(左贊成)이 되었으며, 세조가 죽자 신숙주(申叔舟)와 함께 원상(院相)으로서 서정(庶政)을 맡아 좌의정에 오름. 세조의 명으로 ≪경국대전(經國大典)≫을 편찬하였음. 시호는 정정(丁靖). [1415-80]

김-귀(:)영【金貴榮】명〖사람〗조선 시대 중기의 문신. 자는 현경(顯卿), 호는 동원(東園). 상주(尙州) 사람. 부제학(副提學)을 거쳐 이조 판서를 여덟 번, 사신으로 베이징(北京) 내왕이 아홉 번, 대제학(大提學)을 여섯 번 지내고 선조 14년(1581)에 우의정에 오름. 임진 왜란 때 임해군(臨海君)을 모시고 함경도로 피난, 회령 부사(會寧府使) 국경인(鞠景仁)의 반역으로 포박(捕縛)당해 가토 기요마사(加藤清正)에 넘겨진 후, 가토의 화의(和議)를 전하러 선조에 파견되었다가 희천(熙川)에 유배되어 죽음. [1520-93]

김-규식【金奎植】명〖사람〗독립 운동가·정치가. 호는 우사(尤史). 서울 태생. 미국 유학 후 귀국하였다가, 경술 국치(國恥) 이후 다시 망명하였음. 상하이 임시 정부 요직으로 있으면서 한때 중국 베이진(北津) 대학 영문학 교수로 있었으며, 광복 후 군정하(軍政下)의 민주 의원(民主議院) 부주석·입법 의원 의장 등을 역임하였음. 6·25 전쟁 때 납북되어 만포진(滿浦鎭)에서 병사함. [1877-1950]

김-규진【金圭鎭】명〖사람〗근대 서화가(書畫家). 자는 용삼(容三), 호는 해강(海崗). 남평(南平) 사람. 서화 연구회를 창설하여 근대 한국 서화 미술 발전에 공헌하였음. 그림은 사군자(四君子)를 잘하였으며, 산수화로는 창덕궁 희정당(熙政堂)의 벽화가 유명함. 저서로≪해강 난죽보(海崗蘭竹譜)≫·≪서법 진결(書法眞訣)≫ 등이 있음. [1868-1933]

김-극성【金克成】명〖사람〗조선 시대 전기의 문신. 자는 성지(成之), 호는 청라(青蘿)·우정(憂亭). 광주(光州) 사람. 1506년 중종 반정(中宗反正)에 참여, 뒤에 김안로(金安老)의 모함으로 흥덕(興德)에 유배되었다가, 김안로의 사사(賜死) 후 중종 32년(1537) 찬성·우의정을 거쳐 영의정에 이름. 시호는 충정(忠貞). [1474-1540]

김-근【金覲】명〖사람〗고려 중기의 한문학자. 부식(富軾)의 아버지. 그의 시문(詩文)은 중국 송(宋)나라에서도 칭찬을 받음. 선종(宣宗) 때 벼슬이 예부 시랑(禮部侍郎)을 거쳐 국자 좨주 좌간의 대부(國子祭酒左諫議大夫)에 이르렀음. 생몰 연대 미상.

김-근형【金根瀅】명〖사람〗독립 운동가. 평양 출신. 신민회(新民會)의 공보 기관인 태극 서관(太極書舘)을 경영하다가 1911년 105인 사건에 관련, 왜경의 고문으로 죽음. [?-1911]

김-기림【金起林】명〖사람〗시인·영문학자. 호는 편석촌(片石村). 함경 북도 성진(城津) 출생. 일본 도호쿠(東北) 대학 영문과 졸업. 귀국한 후 조선 일보 학예부장(學藝部長)을 지내고, 1933년 ≪구인회(九人會)≫에 참여함. 주지주의(主知主義) 시를 도입(導入)·창작하고, 과학적 방법에 의한 시학(詩學)의 정립(定立)에 노력함. 6·25 때 납북(拉北)됨. 시집에 ≪기상도(氣象圖)≫, ≪바다와 나비≫, 평론에 ≪시론(詩論)≫ 등이 있음. [1908-?]

김-기수[1]【金琪洙】명〖사람〗대금(大笒) 연주가·작곡가. 서울 출생. 이왕직(李王職) 아악부원(雅樂部員) 양성소 졸업. 국립 국악원장, 국립 국악 고등 학교 교장 등을 역임함. 종묘 제례악(宗廟祭禮樂) 및 처용무(處容舞)의 예능(藝能) 보유자로 지정됨. [1917-86]

김-기수[2]【金綺秀】명〖사람〗조선 시대 말기의 문신. 자는 계지(季芝), 호는 창산(蒼山). 연안(延安) 사람. 병자 수호 조약(丙子修好條約) 체결 후 예조 참의(禮曹參議)로서 수신사(修信使)가 되어 일본에 다녀와서 쓴 수기 ≪일동기유(日東記游)≫·≪수신사 일기(日記)≫는 일본에 대한 새로운 인식과 신사 유람단 파견의 계기가 되었음. 고종 18년(1881) 대사성(大司成)이 됨. 명필(名筆)로도 이름이 있음. [1832-?]

김-기창【金基昶】명〖사람〗현대의 한국화가. 호(號)는 운보(雲甫). 서울 출생. 7세 때 병으로 청각(聽覺)을 잃었으나 어머니의 도움으로 17세에 이당(以堂) 김은호(金殷鎬) 화백 밑에서 그림을 배워 1931년 18세의 나이로 ≪판상도무(板上跳舞)≫로 조선 미술 전람회에 입선하였고, 이후 4회 연속 입선, 4회 연속 특선이라는 기록을 세워 한국의 대표적 화가로 인정받았음. 특히 산수(山水)·인물·화조(花鳥)·풍속 등에 능하였고 대표작으로는 ≪가을≫·≪보리 타작≫·≪군마도(群馬圖)≫·≪달밤≫ 등이 있음. [1913-2001]

「수학(修學) 연한 9개년.

김나지움〔도 Gymnasium〕명〖교〗독일에 있어서의 고등 학교의 일종.

김-난순【金蘭淳】명〖사람〗조선 시대 후기의 문신(文臣)·서예가(書藝家). 자(字)는 사의(士猗), 호(號)는 벽곡(碧谷). 안동(安東) 사람. 순조 13년(1813)에 증광 문과(增廣文科)에 장원, 사간·대사헌을 거쳐 이조 판서에 이름. 문장과 글씨에 뛰어남. 시호는 효문(孝文). [1781-1851]

김-남천【金南天】명〖사람〗소설가·평론가. 본명은 효식(孝植). 평안남도 성천(成川) 출생. 일본 호세이(法政) 대학 중퇴. 1927년 카프(KAPF)에 가담, 사회주의적 리얼리즘을 추구함. 1947년 월북하여, 남로당계(南勞黨系) 제거 때 사형됨. 장편 소설 ≪대하(大河)≫ 외에 창작집 ≪삼일 운동≫·≪맥(麥)≫ 등이 있음. [1911-53]

김:-내기 명〖생〗증산 작용(蒸散作用).

김-내성【金來成】명〖사람〗소설가. 호는 아인(雅人). 평양 태생. 일본 와세다 대학(早稻田大學) 독문과 졸업. ≪마인(魔人)≫·≪백가면(白假面)≫·≪태풍(颱風)≫·≪진주탑(眞珠塔)≫·≪청춘 극장≫·≪실낙원(失樂園)의 별≫ 등을 발표하여 탐정 소설가·대중 소설가·번안 소설가로서의 기반을 굳힘. [1909-57]

김-녹주【金綠珠】명〖사람〗판소리 명창. 경상 남도 김해(金海) 출생. 김정문(金正文)에게 소리를 배워, ≪춘향가≫ 특히 어사또가 춘향의 집

에 당도한 대목과 《사랑가》·《육자배기》를 잘 불렀음. [1896-1923]

김-농【金農】명〖사람〗중국 청(淸)나라의 문인·화가. 양주 팔괴(揚州八怪)의 한 사람. 자는 수문(壽門), 호는 동심(冬心). 저장(浙江) 사람. 젊었을 때는 시인·묵객들과 어울려 시작으로 소일, 60세 전후부터 산수(山水)·화과(花果)·말·불상 등을 그렸음. 서(書)·전각(篆刻)에도 능함. 저서에 《동심 화매 제기(冬心畫梅題記)》 등이 있음. [1687-1763]

김-뉴【金紐】명〖사람〗조선 시대 초기의 문신. 자는 자고(子固), 호는 금헌(琴軒). 세조 때 별시 문과(別試文科)에 급제, 경국 대전 중의 이전(吏典)을 수교(讐校)함. 이조 참판에 오름. 시(詩)·서(書)·금(琴)에 뛰어나 삼절(三絕)로 일컬어짐. [1420-?]

김-달순【金達淳】[—쑨] 명〖사람〗조선 시대 후기의 상신(相臣). 자는 도이(道爾), 호는 일청(一靑). 안동(安東) 사람. 안동 김씨 세도가 확립되자 벽파(僻派)로서 우의정이 되었으나, 사도 세자를 옹호하는 시파(時派)의 탄핵을 받고 유배, 사사(賜死)되었음. [1760-1806]

김-담【金淡】명〖사람〗조선 시대 초기의 명신. 자는 거원(巨源). 예안(禮安) 사람. 세종 때 우리 나라를 기준으로 한 최초의 역법(曆法)인《칠정산(七政算)》을 엮음. 시호는 문절(文節). [1416-64]

김-대(:)건【金大建】명〖사람〗우리 나라 최초의 천주교 신부. 성인(聖人). 충남 내포(內浦) 출생. 헌종(憲宗) 2년(1836) 영세(領洗)하고 세례명은 '안드레아'. 중국 마카오에 건너가 신학을 공부하고, 1845년 2월에 중국 상하이(上海)에서 한국인 최초의 신부가 됨. 그해에 프랑스인 페레올(Ferréol, J.J.J.B.) 주교·다블뤼(Daveluy, M.N.A.) 주교와 함께 강계(江界)에 잠입, 포교하다가 순교함. 1925년 복자(福者)로 시복(諡福)되고, 1984년 성인위(聖人位)에 오름. 한국 전체 성직단(聖職團)의 수호(守護) 성인이 됨. [1822-46]

김-대(:)문【金大問】명〖사람〗신라 성덕왕(聖德王) 때의 귀족·학자. 저서로는 《계림 잡전(鷄林雜傳)》·《고승전(高僧傳)》·《화랑 세기(花郞世紀)》·《한산기(漢山記)》 등 많으나, 후일 김부식의 '삼국 사기' 편찬에 귀중한 사료가 되었을 뿐, 지금 전해진 것은 하나도 없음. 성덕왕 3년(704) 한산주 도독(漢山州都督)을 지냄. 생몰 연대 미상.

김-대(:)성【金大城】명〖사람〗신라 경덕왕 때의 재상. 경덕왕 10년(751)에 자기 부모의 장수(長壽)와 국가의 평안을 위하여 경주 불국사·석불사(石佛寺)의 창건(創建)을 발원(發願), 설계·건축·조각 등 전반에 걸쳐 관여하여, 사후에 조정에 의해서 완성됨. [700-774]

김-대(:)현【金大賢】명〖사람〗작곡가. 함남 홍남 출신. 1942년 일본 제국 음악 학교 작곡과 졸업. 55년 서라벌 예술 대학 강사를 비롯하여 경희대 음대·숙대 음대·중앙대 예대 등의 교수를 지냄. 여러 작곡집 외에 오페라 《콩쥐 팥쥐》와 교향시곡 등을 남김. [1917-85]

김-덕령【金德齡】[—녕] 명〖사람〗임진 왜란 때의 의병장. 자는 경수(景樹). 광주 태생. 성혼(成渾)의 문인. 선조(宣祖) 25년(1592)에 조정에서 종군(從軍)의 명령이 내려 호익 장군(虎翼將軍)의 호를 받고, 이듬해 의병을 모아 권율(權慄)의 휘하에서 진해(鎭海)·고성(固城)을 방어한 후, 의병장 곽재우(郭再祐)와 협력, 적의 대군을 무찌름. 뒤에 이몽학(李夢鶴)의 반란 때, 무고로 옥사함. 시호는 충장(忠壯). [1567-96]

김덕령-전【金德齡傳】[—녕—] 명〖문〗작자·연대 미상의 고전 소설. 임진 왜란 때 전라도 광주에서 기병(起兵)한 의병장(義兵將) 김덕령 장군의 생애와 무용담(武勇譚)을 주로 한 전기 소설임.

김-덕성【金德成】명〖사람〗조선 시대 후기의 화가. 자는 여삼(汝三), 호는 현은(玄隱). 경주(慶州) 사람. 첨사(僉使)를 지냄. 신장(神將)을 잘 그렸으며, 유작으로는 《뇌공도(雷公圖)》가 있음. [1729-97]

김-도(:)수【金道洙】명〖사람〗조선 영조 때의 사람. 호는 춘주(春洲). 청풍(淸風) 사람. 지례 현감(知禮縣監)을 지냄. 문집으로 《창선 감의록(彰善感義錄)》이 있다고 하나 확실하지 아니함. [?-1742]

김-도(:)연【金度演】명〖사람〗정치가. 호는 상산(常山). 경기도 김포(金浦) 출생. 연희(延禧) 전문 학교 강사를 거쳐, 입법 의원·제헌 국회 의원과 초대 재무부 장관을 역임하고, 3·4·5·6대 국회 의원을 지냄. 한일 협정의 국회 비준을 반대하고 의원직을 사퇴하였음. [1894-1967]

김-도(:)원【金道源】명〖사람〗독립 운동가. 평북 선천(宣川) 태생. 3·1운동 후 보합단(普合團)을 조직, 군자금을 상해 임시 정부로 보내고, 1920년 보합단 특파대장으로 서울에 잠입 활약하다가, 밀고에 의해서 왜경(倭警)에 잡혀 서대문 형무소에서 옥사함. [?-1920]

김-도(:)태【金道泰】명〖사람〗교육자. 평북 정주(定州) 태생. 3·1운동 때 이승훈(李昇薰)과 민족 대표 48인의 한 사람으로 만세 시위에 참가함. 광복 후, 고등 고시 위원·서울 대학교·이화 여자 대학교 강사를 거쳐 서울 여자 상업 학교 교장 재임중 사망하였음. [1891-1956]

김-돈【金墩】명〖사람〗조선 세종(世宗) 때의 천문학자. 간의대(簡儀臺)·보루각(報漏閣) 등을 만들고, 천문 기상학의 발전을 위해 많은 공을 세웠음. 벼슬은 직제학(直提學)·이조 판서에 이름. [1385-1440]

김-돈희【金敦熙】[—히] 명〖사람〗서예가. 자(字)는 공숙(公叔), 호는 성당(惺堂), 안진경(顔眞卿)·황정견(黃庭堅)의 서를 배워, 예서(隸書)에 일가를 이룸. [1871-1936]

김-동명【金東鳴】명〖사람〗시인·정치 평론가. 호는 초허(超虛). 강원도 명주(溟州) 출생. 일본 아오야마 학원(青山學院) 신학과(神學科)를 졸업하고, 광복 후 조선 민주당 정치부장·이화 여자 대학교 교수·참의원(參議員)을 역임하였음. 작품으로는 《파초(芭蕉)》·《진주만》 등과 평론 《적(敵)과 동지》 등이 있음. [1900-68]

김-동삼【金東三】명〖사람〗독립 운동가. 본명은 긍식(肯植), 자는 한경(漢卿)·성지(省之), 호는 일송(一松). 의성(義城) 사람. 1910년 나라가 망하자 만주로 망명, 이시영(李始榮), 이동녕(李東寧), 김좌진(金佐鎭), 유동열(柳東悅) 등과 함께 활약하다가, 1929년 만주에서 체포되어, 서울 마포 형무소에서 복역중 옥사함. [1878-1937]

김-동성【金東成】명〖사람〗언론인. 호는 천리구(千里駒). 경기도 개성(開城) 출생. 1920년 동아 일보 창간 사원으로 입사, 해외 특파원으로 주재하였으며, 조선 일보 편집국장을 지냄. 광복 후 합동 통신사를 설립하였음. 초대 공보처장을 거쳐, 1951년에 국회 부의장, 1960년 민의원 사무처장을 역임하였음. 저서에 《신문학》·《한영 사전》 등이 있음. [1890-1969]

김-동심【金冬心】명〖사람〗중국 청대(淸代)의 화가·서가(書家)·시인. 이름은 농(農), 자는 수문(壽門). 동심은 호(號). 저장성(浙江省) 항현(杭縣) 사람. 매·죽·산수·도석(道釋)을 특기로 하여, 남화(南畫)의 형식에 얽매이지 않는 자유로운 화풍으로 양주 팔괴(揚州八怪)의 한 사람으로 일컬어짐. [1687-1763]

김-동인【金東仁】명〖사람〗소설가. 아호는 금동(琴童). 평남 태생. 일본 가와바타 미술 학교(川端美術學校)에서 수학함. 최초의 단편 작가로서 1918년 2월에 순문예지《창조(創造)》를 발간, 신문학 개척 이래 30년간 문학에만 정진하였음. 단편 《약한 자의 슬픔》·《배따라기》·《감자》·《광염 소나타》 등으로 간결하고 현대적인 문체로 문장 혁신에 공헌하였으며, 사실주의적 수법과 지상주의를 표방함. 장편으로 《수양 대군》·《운현궁의 봄》 등이 있음. [1900-51]

김-동화【金東華】명〖사람〗불교학자. 경상 북도 금릉(金陵) 출생. 일본 릿쇼(立正) 대학 종교학과를 졸업하고, 동국 대학 교수·총장·대학원장을 역임하고, 불교 태고종 종정(宗正)을 지냄. 저서로 《불교학 개론》·《원시 불교 사상론》·《한국 역대 고승전》 등. [1902-80]

김-동환【金東煥】명〖사람〗시인. 호는 파인(巴人). 함북 경성(鏡城) 태생. 1925년 우리 나라 최초의 서사시(敍事詩) 《국경의 밤》을 발표, 신경향파로서 향토적·애국적 색채가 짙은 서정시를 많이 썼으며, 시집으로는 《승천(昇天)하는 청춘》·《해당화》 등이 있음. 1929년 월간지 삼천리(三千里)를 창간 주재함. 6·25 전쟁 때 납북되었음. [1901-?]

김-두량【金斗樑】명〖사람〗조선 시대 중기의 화가. 자는 도경(道卿), 호는 남리(南里) 또는 운천(芸泉). 화원(畫員)으로 도화서 별제(圖畫署別提)를 지냄. 산수·인물·풍속·신장(神將) 등을 잘 그렸음. [1696-1763]

김-두성【金斗性·金斗星】명〖사람〗조선 시대 중기의 가인(歌人). 숙종 때 경정산 가단(敬亭山歌壇)의 한 사람. 시조 19수가 《해동 가요(海東歌謠)》에 전함. 생몰 연대 미상.

김-두헌【金斗憲】명〖사람〗윤리학자. 1929년 일본 도쿄(東京) 대학을 나온 후, 이화 여전(梨花女專)을 시작으로 각 대학에서 교편을 잡았고 숙명 여대·전북 대학 총장 등을 지냄. 저서에 《윤리학 개론》·《서양 윤리학사》 등이 있음. [1903-81]

김-득신[1]【金得臣】명〖사람〗조선 숙종(肅宗) 때의 문학자. 호는 백곡(栢谷). 특히 시(詩)에 능하였음. [1604-84]

김-득신[2]【金得臣】명〖사람〗조선 후기의 화가. 자(字)는 현보(賢輔). 호는 긍재(兢齋). 개성 사람. 인물화를 잘 그렸음. 현재(玄齋)·겸재(謙齋)와 더불어 영조 때의 삼재(三齋)로 불렸음. [1754-1822]

김-락【金樂】[—낙] 명〖사람〗고려의 개국 공신(開國功臣). 927년 대량성(大良城) 지금의 합천(陜川)을 쳐서 언고, 이해 공산(公山) 지금의 대구 전투에서 견훤(甄萱)에게 포위된 태조를 대장 신숭겸(申崇謙)과 함께 구하고 전사함. 태조는 지묘사(智妙寺)를 짓고 그의 명복을 빌었으며, 후에 예종(睿宗)은 그와 신숭겸을 추도하여 《도이장가(悼二將歌)》를 지었음. 시호는 장절(壯節). [?-927]

김량-천【金良川】[—냥—] 명〖지〗경기도 용인시 수여면(水餘面)에서 시작하여 용인·광주 등지를 거쳐 한강으로 들어가는 내. [49.5km]

김-류【金瑬】[—뉴] 명〖사람〗조선 인조(仁祖) 때의 공신(功臣). 자(字)는 관옥(冠玉), 호는 북저(北渚). 순천(順天) 사람. 김여물(金汝岉)의 아들. 인조 반정(仁祖反正) 때 공을 세워, 정사 공신(靖社功臣)이 됨. 병자 호란 때에는 영의정으로서, 화의를 주장함. 문장에 능하고 명필로도 이름이 남. 시호는 문충(文忠). [1571-1648]

김-륵【金玏】[—늑] 명〖사람〗조선 시대 중기의 문신. 자는 희옥(希玉), 호는 백암(栢巖). 예안(禮安) 사람. 이황(李滉)의 문하. 임진란 때 영남의 민심을 수습함. 대사헌(大司憲)이 됨. 시호는 민절(敏節). [1540-1616]

김-립【金笠】[—닙] 명〖사람〗'김삿갓'의 한자식 일컬음.

김-마리아【金瑪利亞】명〖사람〗독립 운동가. 장연(長淵) 출신. 광무 10년(1906) 서울의 정신 여학교(貞信女學校)를 졸업한 뒤 일본 도쿄의 메지로(目白) 여자 학원 전문부에서 수학하고 1919년 귀국, 전라·경상·황해도를 순회하며 독립 사상을 고취하다가 일본 경찰에 체포됨. 다시 대한 애국 부인회 회장으로 활약하던 중 체포되어, 병(病) 보석중에 중국 상해로 탈출, 임시 정부 요원으로 활약하였으며, 1923년 미국으로 건너가 파크 대학 사회학과를 졸업하고, 1932년 귀국, 원산(元山) 마르다 윌슨 신학원(神學院) 교사로 근무중 병사함. [1891-1945]

김만경 평야【金萬頃平野】명〖지〗김제시(金堤市)을 중심으로 만경강(萬頃江) 유역 일대에 펼쳐진 평야라는 뜻에서 일컫는 김제 평야(金堤平野)의 다른 이름.

김-만(:)기【金萬基】명〖사람〗조선 숙종의 국구(國舅). 자(字)는 영숙(永淑), 호는 서석(瑞石). 광성 부원군(光城府院君). 영돈령부사(領敦寧府事) 겸 대제학(大提學)을 지냄. 시호는 문충(文忠). [1633-87]

김-만(:)중【金萬重】명〖사람〗조선 숙종(肅宗) 때의 판서(判書)·문학자. 자는 중숙(重叔), 호는 서포(西浦). 전남 광산(光山) 사람. 한글 소설 문학의 선구자. 효성(孝誠)이 지극하였다 함. 저서로는 《구운몽(九雲夢)》·《사씨 남정기(謝氏南征記)》·《서포 만필(西浦漫筆)》 등이 있음. 시호는 문효(文孝). [1637-92]

김-말봉【金末峰】명〖사람〗현대의 여류 소설가. 경상 남도 밀양(密陽) 출생. 일본 도시샤(同志社) 여자 전문 학교 영문과 졸업. 1935년에 장편 《밀림》으로 등장하여 《찔레꽃》·《푸른 날개》 등 많은 대중 소

설을 내었음. [1901-61]

김:-매기 명 논이나 밭에 나는 잡초를 뽑는 일. 제초(除草).

김:매기-틀 명 〖농〗 제초기(除草器).

김:-매다 자 ↗기음 매다.

김-매(:)순 【金邁淳】 명 〖사람〗 조선 시대 후기의 학자·문신. 자는 덕수(德叟), 호는 대산(臺山). 정조 19년(1795) 정시 문과(庭試文科)에 급제, 벼슬은 예조 참판·강화 유수 등을 역임함. 시문에 능하여, ≪삼한 의열녀전 서(三韓義烈女傳序)≫는 최고의 절조(絕調)라고 칭송을 받음. 이밖에 저서로 ≪열양 세시기(冽陽歲時記)≫ 등이 있음. 시호는 문청(文淸). [1776-1840]

김-명 【金明】 명 〖사람〗 신라 제44대 왕인 민애왕(閔哀王). 흥덕왕(興德王)이 승하하자, 시중(侍中)인 그는 김제륭(金悌隆)을 희강왕(僖康王)으로 내세우고 자기는 상대등(上大等)이 되어 정권을 잡더니, 3 년 후에 왕을 죽게 하고 스스로 왕이 되었음. [?-839]

김-명국 【金明國】 명 〖사람〗 조선 인조 때의 화가(畫家). 자는 천여(天汝), 호는 연담(蓮潭) 또는 취옹(醉翁). 안산(安山) 사람. 인물·산수·달마(達磨) 등을 잘 그렸음. 생몰 연대 미상.

김-명순 【金明淳】 명 〖사람〗 여류 소설가·시인. 호는 탄실(彈實). 1917년 잡지 '청춘(青春)'에 단편 소설 ≪의문의 소녀≫를 발표하여 문단에 등장, 단편 ≪칠면조(七面鳥)≫·≪꿈 묻는 날 밤≫ 등 심리 묘사와 지적(知的)인 사고를 특색으로 하는 작품을 썼음. 연애로 정신 이상이 되어 죽었다고 전해짐. [1896-?]

김-명(:)원 【金命元】 명 〖사람〗 조선 선조(宣祖) 때의 상신(相臣). 자는 응순(應順), 호는 주은(酒隱). 경주 사람. 임진 왜란 때 도원수(都元帥), 선조 34년(1601)에 좌의정이 됨. 시호는 충익(忠翼). [1534-1602]

김:-무침 명 김을 구워서 부스러뜨려 양념을 쳐서 무친 반찬.

김-묵수 【金默壽】 명 〖사람〗 조선 시대 중기의 가인(歌人). 자는 시경(始慶). 경정산 가단(敬亭山歌壇)의 한 사람. 노래에 능하고 글씨를 잘 썼음. ≪청구 가요(青丘歌謠)≫·≪청구 영언≫ 등의 가곡집에 8수의 시조 작품이 전함. 생몰 연대 미상.

김-문 【金汶】 명 〖사람〗 조선 세종(世宗) 때의 학자. 호는 서헌(西軒). 경서(經書)와 자사(子史)에 능함. 왕명을 받아 동료 학자들과 함께 ≪의방 유취(醫方類聚)≫ 편찬에 종사하여 365 권을 완성하고, 뒤에 역시 왕명으로 ≪사정전 훈의(思政殿訓義)≫를 편찬함. [?-1448]

김-문근 【金汶根】 명 〖사람〗 조선 철종(哲宗)의 국구(國舅). 영은부원군(永恩府院君). 안동 사람. 철종 때 세도 재상(勢道宰相)으로서, 영돈령부사(領敦寧府事)에 이름. 시호는 충순(忠純). [1801-63]

김-문기 【金文起】 명 〖사람〗 조선 시대 초기의 문신이며 단종 충신(端宗忠臣)의 한 사람. 초명(初名)은 효기(孝起), 자는 여공(汝恭), 호는 백촌(白村). 본관(本貫)은 김녕(金寧). 함길도(咸吉道) 관찰사·이조 판서를 지냄. 세조 2년(1456) 단종 복위 모의에 가담, 사육신과 함께 살해됨. 시호는 충의(忠毅). [1399-1456]

김-민순 【金敏淳】 명 〖사람〗 조선 시대 말기의 가객(歌客). 자는 진여(眞如), 호는 매옹(梅翁)·매월 송풍(梅月松風). 강릉 사람. 음사(蔭士)로 현감을 지냄. ≪청구 영언(青丘永言)≫에 사설 시조(辭說時調) 3 수를 포함하여 시조 15 수가 전함. 생몰 연대 미상.

김-반 【金泮】 명 〖사람〗 조선 시대 초기의 학자. 자는 사원(詞源), 호는 송정(松亭). 문하에서 많은 명사가 났음. 벼슬은 세종 때 대사성(大司成)에 이름. 김구(金鉤)·김말(金末)과 함께 경학 삼김(經學三金)이라 불렀음. 생몰 연대 미상.

김:-반대기 명 김 온장을 네 골로 접고, 된 찹쌀 가루 죽을 한 쪽에 발라 서 말린 뒤에 기름에 튀긴 반찬.

김:-발 [─빨] 명 김을 부착시키기 위해 바다 속에 세워 두는 발. 대나무를 쪼개어 엮기도 하고, 나일론 실로 그물처럼 얽기도 함.

김:-밥 [─빱] 명 ①김으로 밥을 말아 싸서 만든 음식. ②김초밥.

김-방경 【金方慶】 명 〖사람〗 고려 고종(高宗) 때의 명신(名臣). 자는 본연(本然). 경순왕(敬順王)의 원손(遠孫). 삼별초(三別抄)의 난 때 진도(珍島)를 평정하였으며, 몽고의 원군(援軍)으로 일본 정벌에 참가하였으나 실패함. 시호는 충렬(忠烈). [1212-1300]

김-범부 【金凡父】 명 〖사람〗 동양 철학자. 본명은 정설(鼎卨). 경주(慶州) 출신. 일본 도요(東洋) 대학에서 동양 철학을 전공, 귀국 후 8·15까지 산사(山寺)를 역방하며 불교 철학 연구에 몰입함. 한시(漢詩)에도 조예가 깊었음. 국회 의원을 지냄. [1897-1966]

김-범(:)우 【金範禹】 명 〖사람〗 우리 나라 최초의 천주교 순교자. 세례명은 도마. 조선 정조(正祖) 9년(1785) 이승훈(李承薰) 등 남인(南人) 학자 수십 명과 서울 명례방(明禮坊)의 자기 집에서 예배보다가 발각되어, 다른 사람은 방면되고 중인(中人) 신분인 그만 혼자 단양(丹陽)으로 유배 가던 중, 고문 상처로 죽음. [?-1787]

김-법린 【金法麟】 [─닌] 명 〖사람〗 정치가·학자. 호는 범산(梵山). 경북 영천 출생. 3·1운동 때 불교계 만세 독립 시위 운동에 참가하고 불교 강의를 하면서 독립 정신을 고취, 해방 후 불교 중앙 총무원장으로 불교 혁신에 노력하였음. 문교부 장관·원자력원장·동국 대학 총장을 역임함. [1899-1964]

김-병(:)국 【金炳國】 명 〖사람〗 조선 고종 때의 문신. 자(字)는 경용(景用), 호는 영어(穎漁). 안동 사람. 병학(炳學)의 아우. 안동 김씨의 세도 하에 대사성(大司成)에 특진(特進), 예조·병조·호조·이조 판서를 역임하고, 고종 21년(1884) 영의정에 이름. 대원군의 쇄국 정치에 동조하였음. 시호는 충문(忠文). [1825-1904]

김-병(:)기 【金炳冀】 명 〖사람〗 조선 고종 때의 권신(權臣). 자는 성존(聖存), 호는 사영(思穎). 안동(安東) 사람. 좌근(佐根)에게 입양(入養), 훈련 대장·이조·공조·형조·예조 판서 등을 두루 역임하고, 대원군 집정으로 일시 거세되었으나, 다시 좌찬성(左贊成)에 올랐음. 시호는 문헌(文獻). [1818-75]

김-병(:)로 【金炳魯】 [─노] 명 〖사람〗 현대의 법학자·정치가. 호는 가인(街人). 본관은 울산(蔚山). 전북 순창 출신. 일본 메이지(明治) 대학을 졸업하고 1919년에 변호사로서 개업, 1927년 신간회(新幹會)의 중앙 집행 위원장이 됨. 광복 후, 한민당(韓民黨) 창설에 참여하고, 1948-57년 대법원장을 지냄. [1887-1964]

김-병(:)시 【金炳始】 명 〖사람〗 조선 고종 때의 문신. 자는 성초(聲初), 호는 용암(蓉庵). 안동 사람. 응근(應根)의 아들. 대원군 집정 후에 이조·호조 판서를 역임하고, 갑신 정변(甲申政變) 후로는 개화당을 몰아내고 전권 대신(全權大臣)으로 이탈리아·영국·러시아와 수호(修好) 통상 조약을 맺고 후에 영의정에 오름. 시호는 충문(忠文). [1832-98]

김-병(:)연 【金炳淵】 명 〖사람〗 조선 철종 때의 방랑(放浪) 시인. 자는 성심(性深), 호는 난고(蘭皐). 조부인 선천 부사(宣川府使) 김익순(金益淳)이 홍경래의 난 때 항복하여 가문이 적몰된 것에 굴욕을 느껴, 머리에 삿갓을 쓰고 죽장을 짚고 각지로 방랑하며 기경(奇驚)한 시구(詩句)와 풍자시(諷刺詩)를 많이 남김. 속칭 김 삿갓. [1807-63]

김-병(:)조 【金秉祚】 명 〖사람〗 독립 운동가·목사. 33인 중의 한 사람. 평북 출신. 기독교 대표로 3·1 운동에 참가하였고, 뒤에 상해 임시 정부 요인(要人)으로 항일 운동을 계속하였음. 만주에서 ≪대동 역사(大東歷史)≫·≪독립 혈사(獨立血史)≫를 간행하고, '한족 신문(韓族新聞)'을 간행하였음. 광복 후, 조만식(曺晩植)과 함께 조선 민주당을 창설, 반공 의거(反共義擧)를 위한 비밀 결사를 조직하여 피체, 시베리아로 유배되어 죽음. [1876-1947]

김-병(:)학 【金炳學】 명 〖사람〗 조선 시대 후기의 상신(相臣). 자는 경교(景敎), 호는 영초(穎樵). 대원군의 집권으로 안동 김씨가 대부분 거세되었으나, 평소에 대원군과 가까워 이조 판서·좌의정에 승진, ≪대전회통(大典會通)≫을 완성함. 보수파로서 천주교 탄압을 주장함. 시호는 문헌(文獻). [1821-79]

김-보(:)근 【金輔根】 명 〖사람〗 조선 시대 후기의 척신(戚臣). 자는 중필(仲弼), 호는 삼송(三松). 안동 사람. 철종 때 안동 김씨의 세도 정치로 병조·이조 판서, 경기도 관찰사로 있다가, 대원군의 집권으로 축출됨. 시호는 문헌(文憲). [1803-69]

김-보(:)당 【金甫當】 명 〖사람〗 고려 명종 때의 장군. 동북면 병마사(東北面兵馬使)로서, 앞서 쿠데타로 정권을 잡은 정중부(鄭仲夫) 일당을 몰아내고 전왕 의종(毅宗)을 옹립하고자 거사(擧事), 전왕을 받들고 경주(慶州)에 옹거하였으나 실패하여 잡혀 죽음. [?-1173]

김-보(:)현 【金輔鉉】 명 〖사람〗 조선 고종(高宗) 때의 문신. 자는 공필(公弼), 호는 난재(蘭齋). 광산(光山) 사람. 대원군에 의해 추방된 뒤, 곧 민씨(閔氏)의 패가 되어, 경기 관찰사가 되었으나, 임오 군란 때 난군(亂軍)에게 피살됨. 시호는 문충(文忠). [1826-82]

김-복진 【金復鎭】 명 〖사람〗 현대의 조각가(彫刻家). 일본 도쿄(東京) 미술 학교 졸업. 극단 토월회(土月會)의 창립에도 관여하고, 조선 미술 학원을 창립함. [1901-41]

김-복한 【金福漢】 명 〖사람〗 대한 제국(帝國)의 의사(義士). 자는 원오(元五), 호는 지산(志山). 안동 사람. 고종(高宗) 29년(1892) 별시 문과(別試文科)에 급제, 승지(承旨)로 오름. 민비(閔妃)가 시해되자 낙향(落鄕), 광무(光武) 10년(1906) 홍주(洪州)에서 의병을 일으켰으나 실패하고 1919년 유림(儒林) 대표로 파리 강화 회의에 독립 청원서를 발송하고 체포되어 서대문 감옥에서 옥사함. [1860- ?]

김:-볶짐 명 김으로 잣을 싸서 기름에 지진 반찬.

김-봉(:)모 【金鳳毛】 명 〖사람〗 고려의 문신. 계림(鷄林) 사람. 외국어에 능해 금나라 사신이 오면 관반(館伴)이 되어 접대하고, 나라의 연향 대례(宴享大禮)가 있으면 예를 맡아 보았음. 시호는 정평(靖平). [? -1209]

김-봉휴 【金封休】 명 〖사람〗 신라 말기의 문신. 경순왕 9년(935) 시랑(侍郞)으로 있으면서 왕명으로 고려에 항복하겠다는 국서(國書)를 고려 태조 왕건에게 전하였음.

김:-부각 명 김에 찹쌀 가루 죽을 발라 말린 반찬.

김부 대:왕 【金傅大王】 명 〖사람〗 신라 경순왕(敬順王)의 시호를 올리기 전의 칭호.

김-부(:)식 【金富軾】 명 〖사람〗 고려 인종(仁宗) 때의 학자·정치가. 자는 입지(立之), 호는 뇌천(雷川). 경주 사람. 근(覲)의 아들. 묘청(妙淸)의 난(亂)에 원수(元帥)로서 이를 평정하여 수충 정난 정국 공신(輸忠定難靖國功臣)의 호를 받음. 인종의 명을 받아 1145년에 삼국 사기(三國史記)를 엮음. 시호는 문열(文烈). [1075-1151]

김-부(:)의 【金富儀】 [─/─이] 명 〖사람〗 고려 때의 학자. 초명은 부철(富轍). 자는 자유(子由). 김부식의 아우. 관은 지추밀원사(知樞密院事)까지 지냄. 묘청(妙淸)의 난 때, 출정하여 난을 평정하고 금대(金帶)를 하사받음. 시문(詩文)에도 능함. 시호는 문의(文懿). [1079-1136]

김-부(:)일 【金富佾】 명 〖사람〗 고려 예종(睿宗) 때의 학자. 자는 천여(天與). 김 부식의 형. 경주 사람. 추밀원사(樞密院使)를 따라 송(宋)나라에 사행(使行), 명문(名文)으로 이름을 날림. 벼슬이 직학사(直學士)를 거쳐 중서 시랑 동중서 문하 평장사(中書侍郎同中書門下平章事)에 이름. 시호는 문간(文簡). [1071-1132]

김:-빠지다 자 더운 김이나 냄새·기운이 빠져 없어지다.

김-사란 【金思蘭】 명 〖사람〗 신라 성덕왕 때의 왕족. 중국 당나라에 가 태복 원외경(太僕員外卿)의 벼슬을 지내고, 성덕왕 31년(732) 발해가 당나라 등주(登州)를 침공하자 당나라 명으로 귀국, 발해 공격의 군사를 징발하여 갔음.

김-사목 【金思穆】 명 〖사람〗 조선 순조(純祖) 때의 상신(相臣). 자(字)는 백심(伯深), 호는 운소(雲巢). 경주 사람. 벼슬이 대사성(大司成)을 거쳐 형조·이조·예조 판서를 지낸 뒤, 우의정·좌의정·영중추부사(領中樞府事)에 이름. 시호는 경헌(敬獻). [1740-1829]

김사미의 난: 【金沙彌―亂】 [―/―에―] 명 〖역〗 고려 19대 명종 23년(1193)에 경상도 운문산에서 김사미가 일으킨 반란. 신라의 부흥을 표방하여 신라의 유민(遺民)들이 김사미를 중심으로 반란을 일으켰으나, 이듬해 상장군(上將軍) 최인(崔仁)에게 진압되었음.

김-사(:)형 【金士衡】 명 〖사람〗 조선 시대 초의 정치가. 자는 평보(平甫), 호는 낙포(洛圃). 안동(安東) 사람. 고려 공민왕 때 밀직사(密直司)로 대사헌(大司憲)을 겸하다가, 이성계(李成桂)를 받들어 건국에 공을 쌓아 일등 공신이 되고, 벼슬은 좌의정(左議政)에 이르렀음. 시호는 익원(翼元). [1333-1407]

김-삼현 【金三賢】 명 〖사람〗 조선 숙종(肅宗) 때의 가객(歌客). 벼슬이 절충 장군(折衝將軍)에 이르렀으나, 강호(江湖)에 은거하여 시를 지으며 소일함. 그의 시조 여섯 수가 《청구 영언(靑丘永言)》·《가곡 원류(歌曲源流)》·《해동 가요(海東歌謠)》 등에 실리어 전함. 작품은 명랑하고 낙천적임.

김 삿갓 【金―】 명 〖사람〗 '김병연(金炳淵)'의 속칭(俗稱).

김-상기 【金庠基】 명 〖사람〗 사학가. 호는 동빈(東濱). 전라 북도 김제(金堤) 출생. 일본 와세다(早稻田) 대학 사학과 졸업. 이화 여전(梨花女專)·서울 대학교 문리대 교수 등을 역임함. 저서에 《동방 문화사 교류 논고(交流論攷)》·《고려 시대사(史)》 등이 있음. [1901-77]

김-상리 【金相离】 [―니] 명 〖사람〗 조선 시대 후기의 학자. 자는 이흡(而洽), 호는 송와(松窩). 함경도 출생. 학문으로 천거되어 예빈시(禮賓寺)의 주부(主簿)를 지냄. 만년에는 고향에서 후진을 양성함. 저서에 《송와집(松窩集)》이 있음. [1732-1806]

김-상복 【金相福】 명 〖사람〗 조선 시대 중기의 문신. 자는 중수(仲叟), 호는 자연(自然). 광산(光山) 사람. 벽파(僻派)로서, 영조 51년(1775) 영조가 세손(世孫)에게 정무(政務)를 대리시키고자 할 때 반대하여, 공주(公州)로 귀양갔다가 이듬해에 풀림. 시호는 문헌(文憲). [1714-82]

김-상숙 【金相肅】 명 〖사람〗 조선 영조 때의 문장가·서가(書家). 자는 계윤(季潤), 호는 배와(坏窩) 또는 초루(草樓). 김상복(金相福)의 아우. 벼슬은 동지중추부사(同知中樞府事)에 이름. [1717-92]

김-상옥 【金相玉】 명 〖사람〗 독립 운동가. 서울 출생. 1920년에 상해(上海)로 망명, 그 후 국내에 잠입, 독립 자금을 조달해서 상해로 전달함. 1923년에, 종로 경찰서에 폭탄을 던져 다수의 일인 경찰을 죽이고 피하였으나, 나중에 발각되어 격전 끝에 자결하였음. [1890-1923]

김-상(:)용[1] 【金尙容】 명 〖사람〗 조선 인조 때의 상신(相臣). 자는 경택(景擇), 호는 선원(仙源). 안동 사람. 좌의정 김상헌(金尙憲)의 형. 벼슬이 우의정에 이름. 병자 호란 때, 왕족을 모시고 강화로 건너갔다가 강화성이 함락되자 화약에 불을 질러 자결함. 시조 작품으로 《오륜가(五倫歌)》 5편, 《훈계 자손가(訓戒子孫歌)》 9편 등이 전함. 시호는 문충(文忠). [1561-1637]

김-상(:)용[2] 【金尙鎔】 명 〖사람〗 현대의 시인. 호는 월파(月坡). '문장(文章)'지(誌)에 우수(憂愁)와 동양적 체념이 깃들인 관조적(觀照的) 서정시를 발표, 창작 활동을 함. 이화 여자 대학 교수를 지냄. 시집으로 《망향(望鄕)》이 있음. [1902-51]

김-상(:)철 【金尙喆】 명 〖사람〗 조선 영조(英祖) 때의 상신(相臣). 자는 사보(士保), 호는 화서(華西). 강릉 사람. 영조 46년(1770)에 왕에 건의, 《동국 문헌 비고(東國文獻備考)》를 편찬하게 하고, 그 이듬해에는 《신묘 중광록(辛卯重光錄)》을 편찬 간행하였으며, 영조 51년(1775)에 영의정이 되었음. 시호는 충익(忠翼). [1712-91]

김-상(:)헌 【金尙憲】 명 〖사람〗 조선 인조(仁祖) 때의 문신·학자. 자는 숙도(叔度), 호는 청음(淸陰) 또는 석실 산인(石室山人). 안동 사람. 인조 때, 대제학(大提學)·이조·예조·공조·형조 판서를 역임함. 병자 호란(丙子胡亂)에 척화(斥和)를 주장하여 3년간 선양(瀋陽)에 잡혀가서 갇혔음. 귀국 후 좌의정을 지냄. 명필로 이름이 나 동기창체(董其昌體)를 잘 썼음. 《청구 영언》 등 가곡집에 시조 4수가 있음. 시호는 문정(文正). [1570-1652]

김-상(:)혁 【金尙爀】 명 〖사람〗 조선 철종 때의 수학자. 실학파(實學派)의 학자로 서양(西洋) 수학을 국내에 소개 보급하였음. 저서에 《산술 관견(算術管見)》이 있음.

김:-새다 자 ①김이 새어 나가서 없어지다. 김이 빠지다. ②〈속〉 흥이 깨지다. 맥이 빠져 싱겁게 되다.

김생[1] 명 〈방〉 짐승.

김-생[2] 【金生】 명 〖사람〗 신라의 명필로, 성덕왕(聖德王) 때의 중. 자는 지서(知瑞), 별명은 구(玖). 나이 80이 되어도 붓을 놓지 않았으며, 예서(隸書)·초서(草書)를 가장 잘 써서 해동(海東)의 서성(書聖)으로 일컬어짐. [711-791]

김-석문 【金錫文】 명 〖사람〗 조선 숙종 때의 성리학자(性理學者). 자는 병여(炳如), 호는 대곡(大谷). 청풍(淸風) 사람. 역학(易學)에 조예가 깊어 《역학 도해(易學圖解)》를 저술하였으며, 숙종 때 유일(遺逸)로 천거되어, 통천 군수(通川郡守) 등을 지냈음.

김-석주 【金錫胄】 명 〖사람〗 조선 숙종(肅宗) 때의 상신(相臣). 자(字)는 사백(斯白), 호는 식암(息庵). 청풍(淸風) 사람. 육(堉)의 손자. 우의정을 지냈음. 음험한 수법으로 남인(南人)의 타도를 획책했다 하여, 같은 서인(西人)인 소장파의 반감을 사서, 노론(老論)·소론(少論) 분열의 원인의 하나가 됨. 시호는 문충(文忠). [1634-84]

김-석준 【金奭準】 명 〖사람〗 조선 시대 후기의 서가(書家). 자는 희보(姬保), 호는 소당(小棠). 선산(善山) 사람. 북조풍(北朝風)의 예서(隸書)를 잘 썼으며, 지두서(指頭書)에 능함. [1831-1915]

김-석진 【金奭鎭】 명 〖사람〗 조선 시대 후기의 문신·의열사(義烈士). 자는 경소(景召), 호는 오천(梧泉). 지평(持平)·사성(司成)·사간(司諫) 등 청요직(淸要職)을 거쳐, 형조 판서·비서원경(祕書院卿) 등을 역임. 을사 조약이 체결되자 조약에 찬성 날인한 오적신(五賊臣)의 처형을 주장하고, 한일 합방이 되자 음독 자살했음. [1843-1910]

김-석창 【金碩昌】 명 〖사람〗 조선 시대 말기 고종·순종 때의 명창(名唱). 충청도 출신. 특히, 춘향가(春香歌)를 잘 불렀음.

김-석희 【金奭熙】 [―히] 명 〖사람〗 근대의 화가. 호는 금원(琴園). 인물·산수와 절지(折枝)에 능함. [1852-1926]

김성 【金城】 명 〖지〗 강원도 철원군(鐵原郡)에 있는 읍. 높이 320m의 고지에 있으며 금강산 전기 철도의 요역(要驛)임. 망간·담배·삐·꿀 등을 산출하는데 김성 연초가 특히 유명함.

김-성곤 【金成坤】 명 〖사람〗 실업가·정치가. 호는 성곡(省谷). 경북 달성(達城) 출생. 보성 전문 학교를 졸업하고, 금성 방직·동양 통신 사장을 거쳐, 국회 의원·공화당 중앙 위원회 의장을 지냄. [1913-75]

김-성근 【金聲根】 명 〖사람〗 조선 시대 후기의 문신·서가(書家). 자는 중원(仲遠), 호는 해사(海士). 안동 사람. 동학 혁명 때 전라도 관찰사가 되고, 의정부 찬정(議政府贊政)·홍문관 학사(弘文館學士)를 거쳐, 탁지부 대신(度支部大臣)을 지냄. 청렴 결백하고, 서예에 뛰어나 미남궁체(米南宮體)를 잘 썼음. [1835-1918]

김-성(:)기 【金聖器】 명 〖사람〗 조선 영조 때의 금객(琴客). 호는 조은(釣隱) 또는 어은(漁隱). 평민 출신으로 거문고를 배웠으며, 퉁소·비파·가창(歌唱)에도 능함. 시조를 잘 지어 《강호가(江湖歌)》 5수 등이 《해동 가요》에 실려 있음.

김-성(:)수 【金性洙】 명 〖사람〗 정치가·교육가. 호는 인촌(仁村). 호남(湖南)의 거부의 아들로 태어나, 일본 와세다(早稻田) 대학을 졸업. 1915년 중앙 학교를 인수, 1919년에 경성 방직 회사를 설립, 1929년 동아 일보를 창간, 1932년 보성 전문 학교를 경영함. 해방 후 1946년에 한국 민주당 위원장, 1949년 민주 국민당 취고 위원 등을 역임하고, 1950년에 제2대 부통령에 당선(當選), 이듬해 사임하였음. [1891-1955]

김-성숙 【金星淑】 명 〖사람〗 독립 운동가. 평북 철산(鐵山) 출생. 중국 광둥 성(廣東省) 중산 대학(中山大學)을 졸업하고 독립 운동에 투신, 중국으로 망명하여 임시 정부 국무 위원으로 활약하다가, 해방 후 귀국하였음. [1898-1969]

김-성식 【金成植】 명 〖사람〗 사학자. 호는 약전(藥田). 평남 평원(平原) 출신. 1935년 일본 규슈(九州) 대학 법문학부 졸업. 1946년부터 73년까지 고려대 문리대 교수를 지냄. 저서에 《대학사》·《일제하 한국 학생 운동사》·《루터 연구》·《안정의 논리》 외에 다수의 수필집이 있음. [1908-86]

김-성(:)응 【金聖應】 명 〖사람〗 조선 영조 때의 무신. 자(字)는 군서(君瑞). 청풍(淸風) 사람. 고부 군수(古阜郡守)·내시야(內試射)를 거쳐 어영 대장(御營大將)·병조 판서에 이름. 공평 무사하게 구악을 개혁, 서정을 일신함. 판의금부사(判義禁府事)에 특진되어 재삼 사퇴를 청하였으나 허락을 받지 못하고 국사에 시달리다가 죽음. [1699-1764]

김-성일 【金誠一】 명 〖사람〗 조선 선조 때의 문신·학자. 자는 사순(士純), 호는 학봉(鶴峰). 이황(李滉)의 문인(門人). 선조 23년(1590) 통신 부사(通信副使)로서 정사(正使) 황윤길(黃允吉)과 함께 일본에 건너가 동인(東人)의 입장에서 일본의 침략의 우려가 없다고 보고함. 임진 왜란이 일어나자 잘못 보고한 책임으로 처벌이 논의되었으나, 유성룡(柳成龍)의 변호로 화를 면함. 경상 우도 관찰사를 역임함. [1538-93]

김-성(:)탄 【金聖嘆】 명 〖사람〗 중국 청(淸)나라 초기의 문예 비평가. 장쑤(江蘇) 출생. 본성(本姓)은 장(張)씨, 이름은 채(采)인데, 김(金)으로 개성(改姓)하였음. 소설·사곡(詞曲)의 평해(評解)를 잘 했음. 반역죄로 처형됨. [?-1661]

김-세(:)렴 【金世濂】 명 〖사람〗 조선 인조(仁祖) 때의 명신. 자는 도렴(道濂). 호는 동명(東溟). 선산(善山) 사람. 대사헌·도승지를 거쳐 호조 판서를 역임함. 성품이 정중하였으며, 문장에 능하고 시에 조예가 깊었음. 시호는 문강(文康). [1593-1646]

김-세(:)중 【金世中】 명 〖사람〗 조각가. 경기도 안성(安城) 출생. 서울 대학교 미술 대학을 졸업, 서울 대학교 미술 대학 학장, 국립 현대 미술관장을 역임함. 저서에 《희랍 조각 연구》가 있고, 작품으로는 《충무공 동상(銅像)》, 미국의 《우정의 종》, 《세종 대왕 동상》 등이 있음. [1928-86]

김-소(:)운 【金素雲】 명 〖사람〗 시인·수필가. 부산(釜山) 출생. 《조선 민요집》·《조선 시집》 등 한국 문학을 일본에 소개함. 수필집 《목근통신(木槿通信)》 등이 있음. [1907-81]

김-소(:)월 【金素月】 명 〖사람〗 시인. 평북 정주(定州) 출생. 본명은 정식(廷湜). 김안서(金岸曙)의 영향을 받아 시단에 등장하여, 민요적인 서정시에 천재적인 재질을 보였으나, 요절(夭折)하였음. 시집으로 《진달래꽃》·《소월 시집》 등이 있음. [1903-34]

김-소행 【金紹行】 명 〖사람〗 조선 철종 때의 문인. 자는 평중(平仲), 호는 죽계(竹溪). 평생을 벼슬하지 아니하고 은사(隱士)로 끝마침. 창작에 《삼한 습유(三韓拾遺)》가 있음. [1765-1859]

김-속명 【金續命】 명 〖사람〗 고려 공민왕 때의 문신. 1364년 경상도 도순문사(都巡問使)가 되어 진해현(鎭海縣)에 침공한 왜군 3천여 명을 격파하였음. 감찰 집의(監察執義)·삼사 우사(三司右使)로 있으면서, 권력에 굴하지 아니하고 규탄에 힘써서 주위의 미움을 받던 중, 반야(般若)의 사건에 실언하여, 처형을 겨우 면하고 유배되었음. 시호는 충간(忠簡). [?-1386]

김-수 【金睟】 명 〖사람〗 조선 선조 때의 명신. 자(字)는 자앙(子昻), 호는 몽촌(夢村). 안동 사람. 홍문관 교리로 있을 때, 십구사략(十九史略)을 개수하여 주(注)를 첨입하였음. 경상도 관찰사·부제학·대사헌, 병조·이조·호조 판서 등을 지냄. 시호는 소의(昭懿). [1537-1615]

김-수강 【金守剛】 명 〖사람〗 고려 고종 때의 문신. 시어사(侍御史) 때, 몽고군의 침입으로 강화(江華)에 천도(遷都) 중, 사신(使臣)으로 몽고에 들어가 철병(撤兵)하게 함. 후에 벼슬이 중서 사인(中書舍人)에 이름.

김-수근【金壽根】 명〖사람〗 건축가. 서울 출생. 서울 대학교 건축 공학과 재학 중 6·25를 맞아 중퇴, 일본 도쿄(東京) 예술 대학 건축과에서 수학함. 1959년 남산 국회 의사당 현상 모집에 1등으로 당선하여 건축계에 데뷔, 자유 센터·타워 호텔·국립 부여 박물관, 그리고 서울 아시아 경기 대회와 서울 올림픽 대회의 중요 시설 등을 설계하고, 1960년 건축 관계 월간 잡지 《공간(空間)》을 창간함. [1931-86]

김-수동【金壽童】 명〖사람〗 조선 중종 때의 영의정. 자는 미수(眉叟), 호는 만보당(晩保堂). 안동 사람. 재치가 많아 연산군(燕山君) 폭정(暴政) 때 많은 문신들의 화를 면하게 하였음. 중종 반정(中宗反正)에 참여, 재상에 오름. 예서를 잘 썼음. 시호는 문경(文敬). [1457-1512]

김-수령【金壽寧】 명〖사람〗 조선 시대 초기의 문신. 자는 이수(頤叟), 호는 소양당(素養堂). 안동(安東) 사람. 단종 때 집현전 부수찬(集賢殿副修撰)에서 시작하여, 성종 때 대사간·공조 참판(工曹參判)에 이름. 경사(經史)에 밝음. 세조 9년(1463) 양성지(梁誠之)·서거정(徐居正) 등과 《동국 통감(東國通鑑)》을 편찬함. 시호는 문도(文悼). [1437-73]

김-수로【金首露】 명〖사람〗 수로왕(首露王)의 성명.

김-수문【金秀文】 명〖사람〗 조선 명종(明宗) 때의 무신. 자(字)는 성장(成章). 독서를 즐겼으며, 명종 10년(1555)에 왜구가 제주도에 침입하였을 때 크게 승리하고, 선조 1년(1568) 평안 병사로 서해평(西海坪)의 야인(野人)을 멀리 쫓아 북변 방위에 많은 공을 세움. [?-1568]

김-수민【金秀敏】 명〖사람〗 조선 시대 말기의 의병장. 경기 장단(長湍) 출생. 융희 1년(1907) 십삼도 총도독(十三道總都督)으로 의병을 모집, 일본군을 공격하였으며, 화약·탄약 만드는 기술도 특출하였음. 항일 투쟁중 체포되어 옥중 자결하였음. [?-1908]

김-수영【金洙暎】 명〖사람〗 시인. 서울 출생. 일본 도쿄 상대(商大) 중퇴. 모더니스트로 각광(脚光)을 받아, 지성과 감성의 조화를 이룬 작품으로 평가를 받음. 시집 《달나라의 장난》 외에 평론도 발표했음. 윤화(輪禍)로 사망함. [1921-68]

김-수온【金守溫】 명〖사람〗 조선 세조(世祖)·성종(成宗) 때의 문신·학자. 자는 문량(文良), 호는 괴애(乖崖). 영동 사람. 고승(高僧) 신미(信眉)의 아우. 세종 27년(1445) 승문원 교리(承文院校理)로서 《의방 유취(醫方類聚)》 편찬에 참여하고, 벼슬이 공조 판서·영중추부사(領中樞府事)에 이름. 사서 오경의 구결(口訣)을 정하고, 명황 계감(明皇誡鑑)을 국역하였음. 불교에 조예가 깊어 금강경(金剛經) 등 불경을 국역·간행하는 데 공이 큼. 시호는 문평(文平). [1409-81]

김-수장【金壽長】 명〖사람〗 조선 영조 때의 뛰어난 가인(歌人). 자는 자평(子平), 호는 노가재(老歌齋). 숙종 때 병조(兵曹)의 서리(書吏)를 지냄. 영조 22년(1746)부터 46년(1770)에 이르기까지 시가집 《해동가요(海東歌謠)》를 편찬하였는데, 그 속에 그의 사실적인 서경시(敍景詩) 작품 117수가 수록되어 있음. [1690-?]

김-수증【金壽增】 명〖사람〗 조선 시대 후기의 정치가·문장가. 자는 연지(延之), 호는 곡운(谷雲). 안동 사람. 김상헌(尙憲)의 손자. 김수흥(壽興)의 형. 원래 성품이 조용하고 독서를 즐겼으며, 동생 수항(壽恒)·수흥(壽興)이 귀양가자 벼슬을 사퇴하고 산 속에서 세상을 개탄하면서 은거함. [1624-1701]

김-수철【金秀哲】 명〖사람〗 조선 시대 말기의 화가. 자는 사앙(士盎), 호는 북산(北山). 분성(盆城) 사람. 특이한 화풍으로 산수·화훼(花卉) 등을 잘 그렸음. 생몰년 미상.

김-수항【金壽恒】 명〖사람〗 조선 시대 후기의 상신. 자는 구지(久之), 호는 문곡(文谷). 안동 사람. 김상헌(尙憲)의 손자, 김수흥(壽興)의 아우. 서인(西人)으로서, 숙종 6년(1680)에 경신 대출척(庚申大黜陟)으로 남인(南人)이 실각하자, 영의정이 되어, 노론(老論)에 소속되어 윤증(尹拯)의 죄를 엄히 다스렸으나, 기사 환국(己巳換局) 때 진도(珍島)에 유배된 후 사사됨. 전서(篆書)를 잘 썼음. 시호는 문충(文忠). [1629-89]

김-수홍【金壽弘】 명〖사람〗 조선 숙종 때의 문신. 안동(安東) 사람. 김상용(金尙容)의 손자. 음보(蔭補)로 지돈령부사(知敦寧府事)를 지냈으며, 자의 대비(慈懿大妃) 복상 문제(服喪問題)와 청·명나라 연호 사용 문제로 서인(西人) 송시열(宋時烈)과 반목하였음. [1601-81]

김-수흥【金壽興】 명〖사람〗 조선 숙종 때의 정치가. 자는 기지(起之), 호는 퇴우당(退憂堂). 김상헌(金尙憲)의 손자, 김수항의 형. 기사 환국(己巳換局) 때, 왕세자 계승 문제로 송시열(宋時烈)과 함께 몰리어 귀양간 땅에서 죽음. 시호는 문익(文翼). [1926-90]

김-숙자【金叔滋】 명〖사람〗 조선 세종(世宗) 때의 학자. 자는 자배(子培), 호는 강호 산인(江湖散人). 선산(善山) 사람. 조선 초기의 거유(巨儒)로 길재(吉再)의 학통(學統)을 계승하여 정주학(程朱學)을 발전시킴. 세조가 즉위하자 벼슬을 버리고, 밀양(密陽)에 돌아가 후진 양성에 전념하였음. 시호는 문강(文康). [1389-1456]

김-순(:)남【金順男】 명〖사람〗 작곡가. 서울 출생. 일본 도쿄(東京) 제국 음악 학교 졸업. 러시아 국민주의(國民主義) 음악의 기법(技法)을 수용하여 작곡함. 해방 후, 민족 음계(音階)에 바탕을 둔 가곡(歌曲) 《산유화(山有花)》·《초혼(招魂)》·《진달래꽃》 등을 발표하여 대중적인 가곡의 표본으로 평가되었음. 1948년 월북(越北)함. [1917-?]

김-순(:)명【金順命】 명〖사람〗 조선 세조 때 문신. 자는 거이(居易). 청풍(淸風) 사람. 이시애(李施愛)의 난을 평정하는 데 공을 세우고, 관은 참판(參判)·황해도 관찰사에 이름. 시호는 공양(恭襄). [1435-87]

김-순의【金循義】 [-/-이] 명〖사람〗 조선 시대 초기의 의관(醫官). 문종·단종·세조의 삼대(三代)를 모신 전의(典醫). 세종 27년(1445)에 《의방 유취(醫方類聚)》의 편찬에 참여하고, 세종 29년에는 김의손(金義孫)과 함께 《침구 택일(鍼灸擇日)》을 편저함. 이 외 저서로 《식료 찬요(食療纂要)》가 있음.

김승 명 〈방〉 짐승.

김-승주【金承霔】 명〖사람〗 고려·조선 때의 무신. 여수(麗水) 사람. 창왕 원년(1389) 풍주(豐州)의 수령으로 왜구(倭寇) 격퇴에 공을 세움. 조선 건국 후, 중추원 부사(中樞院副使)·경상도 병마 도절제사·동북면 병마 도절제사(兵馬都節制使)·평양 부윤(府尹) 등을 역임, 태종 때 병조 판서가 됨. 시호는 양경(襄景). [1354-1424]

김-승학【金承學】 명〖사람〗 항일 독립 투사. 자는 우경(愚敬), 호는 희산(希山). 배천(白川) 사람. 의주(義州) 출신. 한성 고등 사범 학교를 졸업, 교육계에 종사하던 중, 1907년 정미 조약(丁未條約)이 체결되자, 반대 운동을 벌이다가 체포되어 복역함. 국권 피탈 후 만주로 망명, 대한 독립단을 조직, 상해 임시 정부에서 항일 독립 운동을 전개함. 광복 후 귀국하여 독립 신문 사장, 《한국 독립 운동사》 편찬 위원장, 한국 독립당 등에서 요인으로 활약함. [1881-1964]

김-승호【金勝鎬】 명〖사람〗 배우. 본명은 김해수(金海壽). 동양 극장(東洋劇場)·신협(新協) 등 극단에서 활약, 영화 《자유 만세(自由萬歲)》로 영화 배우로 전신, 중후(重厚)한 연기로 밑바닥 인생의 애환(哀歡)을 표현하였음. [1918-68]

김-시【金禔】 명〖사람〗 조선 시대 중기의 화가. 자는 계수(季綏), 호는 양송당(養松堂)·양송헌(養松軒) 또는 취면(醉眠). 연안 사람. 김안로(金安老)의 아들. 인물·산수·우마·초충(草蟲) 등을 잘 그렸음. 당시 최립(崔笠)의 문장, 한석봉의 글씨와 함께 그의 그림을 삼절(三絶)이라 일컬음. [1524-93]

김-시민【金時敏】 명〖사람〗 조선 선조 때의 무장. 자는 면오(勉吾). 안동(安東) 사람. 임진 왜란 때, 진주 판관(晋州判官)으로 왜군을 격파하여 영남 우도 병마 절도사(嶺南右道兵馬節度使)로 특진, 진주성을 고수하다가 전사하였음. 시호는 충무(忠武). [1544-92]

김-시습【金時習】 명〖사람〗 조선 단종(端宗) 때의 생육신의 한 사람. 자는 열경(悅卿), 호는 매월당(梅月堂) 또는 동봉(東峰). 강릉(江陵) 사람. 21세 때 단종이 양위(讓位)함을 듣고 중이 되어, 시(詩)로써 자기의 불우와 세상의 불우함을 읊었으며, 금오산(金鰲山)에 들어가 《금오 신화(金鰲新話)》를 지었음. 성종(成宗) 12년(1481) 환속(還俗)함. 시호는 청간(淸簡). [1435-93]

김-시양【金時讓】 명〖사람〗 조선 인조 때의 문신. 초명은 시언(時言), 자는 자중(子中). 호는 하담(荷潭). 안동 사람. 인조 때 병조 판서·이조 판서·팔도 도원수(都元帥)·사도 체찰사(四道體察使) 등을 지내고 청백리(淸白吏)로 뽑히었음. 만년에 안질(眼疾)로 맹인(盲人)이 됨. 시호는 충익(忠翼). [1581-1643]

김-시찬【金時粲】 명〖사람〗 조선 영조 때의 문신. 자는 치명(穉明), 호는 초천(苕川). 안동 사람. 노론(老論)에 속하여, 조태구(趙泰耉) 등 소론(少論) 일파의 처벌을 요구했다가 탕평책(蕩平策)을 반대한다 하여 유배(流配)되었음. 뒤에 풀려, 대사간(大司諫)·부제학(副提學)을 역임하였음. 시호는 충정(忠正). [1700-67]

김-시(:)현【金始顯】 명〖사람〗 항일 독립 투사·정치가. 자는 구화(九和), 호는 하구(河求)·학우(鶴右). 일본 메이지(明治) 대학 법학부 졸업. 3·1 운동 후 만주로 가서 의열단(義烈團)에 가입, 국내와 만주·중국을 왕래하며 독립 운동에 활약, 여러 차례 옥고(獄苦)를 치름. 광복 후 귀국하여 민주 국민당(民主國民黨) 고문·국회 의원을 지냈는데, 1952년 이승만(李承晩) 대통령을 암살하려다 실패, 복역중 4·19 혁명으로 석방됨. [1883-1966]

김-식[1]【金埴】 명〖사람〗 조선 시대 중기의 화가. 자는 중후(中厚), 호는 퇴촌(退村)·죽서(竹西). 연안(延安) 사람. 선산(善山) 출신. 김시(金禔)의 종손. 현종(顯宗) 때 찰방(察訪) 벼슬을 지냄. 산수를 잘 그렸고, 특히 소를 잘 그리기로 유명함. [1579-1662]

김-식[2]【金湜】 명〖사람〗 조선 중종(中宗) 때의 성리학자(性理學者). 자는 노천(老泉), 호는 정우당(淨友堂) 또는 사서(沙西). 청풍(淸風) 사람. 조광조(趙光祖)의 동지였는데, 남곤(南袞) 일파가 기묘 사화(己卯士禍)를 일으키자, 거창(居昌)에 도피, '군신 천세의(君臣千歲義)'라는 시를 짓고 자살함. 기묘 팔현(己卯八賢)의 한 사람으로 일컬어짐. 시호는 문의(文毅). [1482-1520]

김-신(:)국【金藎國】 명〖사람〗 조선 광해군(光海君) 때의 익사 공신(翼社功臣). 자는 경진(景進), 호는 후추(後瘳). 청풍(淸風) 사람. 인조 반정 후 훈작(勳爵)을 삭제당했다가, 정묘 호란(丁卯胡亂)에 호조 판서로 후금(後金)과의 화약을 논정(論定)했고, 병자 호란 때에는 끝까지 싸울 것을 주장했음. 볼모로 가는 소현 세자(昭顯世子)의 이사(貳師)로 선양(瀋陽)에 배종(陪從)하고, 인조 18년(1640) 귀국하여 기로소(耆老所)에 듦. [1572-1657]

김신부부-전【金申夫婦傳】 명〖문〗 조선 정조(正祖) 때에, 이덕무(李德懋)가 엮은 한문 소설. 노총각 김희집(金禧集)과 노처녀 신씨(申氏)가 국가의 구제책에 힘입어 결혼한다는 이야기. 이것을 희곡으로 꾸민 것이 《동상기(東廂記)》임.

김신선-전【金神仙傳】 명〖문〗 조선 정조 때에, 박지원(朴趾源)이 지은 한문 소설. 박지원이 병중에 있을 때, 벽을 향하여 수도하며 낟알을 먹지 아니하고 솔잎·대추·밤 따위로 연명하면서 신선의 이름을 얻은 김홍기(金弘基)란 사람을 한 번 만나고자 하였으나 끝내 못 만났다는 이야기. 《연암 외전(燕巖外傳)》에 실려 있음.

김심 명 〈방〉 점심.

김:-쌈 명 김으로 싸 먹는 쌈.

김씨 세:효도【金氏世孝圖】 명〖책〗 조선 철종 때의 효자 김윤광(金潤光)과 그 아들 석기(碩基)의 행적을 적은 책. 석기의 동생 석봉(碩奉)이 그들의 효행을 한문과 한글로 쓰고 그림을 넣어 간행함. 1권.

김-안국【金安國】 명〖사람〗 조선 중종(中宗) 때의 명현(名賢). 자는 국경(國卿), 호는 모재(慕齋). 의성(義城) 사람. 박학 능문(博學能文)

한 성리학자(性理學者)로서, 천문 지리에도 정통하였음. 김굉필(金宏弼)의 문인(門人). 조광조(趙光祖)와 함께 지치주의(至治主義)를 주장했으나, 급격한 개혁에는 반대했음. 경상 감사로 있을 때 향교(鄕校)에 소학(小學)을 나누어 주어 가르치게 하고, 농서(農書)·잠서(蠶書)의 언해와 ≪벽온방(辟瘟方)≫·≪창진방(瘡疹方)≫ 등을 간행 보급하였음. 저서에 ≪동몽 선습(童蒙先習)≫·≪이륜 행실록(二倫行實錄)≫ 등이 있음. 시호는 문경(文敬). [1478-1543]

김-안로【金安老】[—알—] 명〖사람〗조선 중종 때의 권신(權臣). 자는 이숙(頤叔), 호는 희락당(希樂堂)·용천(龍泉) 또는 퇴재(退齋). 연안(延安) 사람. 좌의정까지 지냄. 여러 번 대옥(大獄)을 일으키어, 자기의 반대파들을 내쫓고 왕실의 지친(至親)까지 주찬(誅竄)하여, 당시 허항(許沆)·채무택(蔡無擇)과 함께 정유 삼흉(丁酉三凶)이라 하였음. 후에 사사(賜死)됨. [1481-1553]

김-알지【金閼智】[—찌] 명〖사람〗신라 시대, 경주 김씨의 시조. 탈해왕(脫解王) 9년(65)에 금성(金城) 서쪽 시림(始林) 숲의 나무 끝에 걸려 있던 금궤(金櫃)에서 나왔다 함. 그의 7세손 미추(味鄒)가 신라 왕실의 외손으로 임금이 되었음. [65-?]

김-암【金巖】명〖사람〗신라의 대아찬(大阿湌). 김유신의 증손(曾孫). 사천 대박사(司天大博士). 당나라에 유학, 음양학을 연구하고 둔갑법(遁甲法)을 배워 점복술(占卜術)과 은형술(隱形術)에 뛰어나고, 방술(方術)과 병법에 능하였음. 혜공왕 15년(779) 일본에 사신으로 가서 많은 공을 세웠음. 생몰년 미상.

김-약로【金若魯】[—노] 명〖사람〗조선 영조 때의 상신(相臣). 자는 이민(而敏), 호는 만휴당(晩休堂). 청풍 사람. 김유(金楺)의 아들. 육조 판서를 두루 거치고 우의정과 좌의정이 됨. 시호는 충정(忠正). [1694-1753]

김-약연【金躍淵】명〖사람〗독립 운동가·교육자. 호는 규암(圭巖). 함북 회령(會寧) 출신. 광무(光武) 3년(1890) 간도(間島)로 이사하여, 융희(隆熙) 2년(1908) 명동 서숙(明東書塾)을 설립, 교육 사업에 종사함. 만년에는 장로회(長老會) 목사가 되어 전도 사업에 힘씀. [1868-1942]

김-약온【金若溫】명〖사람〗고려 중기의 능신(能臣). 초명(初名)은 의문(義文). 자는 극유(克柔). 광양(光陽) 사람. 벼슬이 문하 시중(門下侍中)에 이르렀어도 청렴하게 일생을 보냈음. 시호는 사정(思靖). [1059-1140]

김-양【金陽】명〖사람〗신라 신무왕(神武王) 때의 공신. 자는 위흔(魏昕). 태종 무열왕(太宗武烈王)의 9대손. 궁복(弓福)과 결탁하여 민애왕(閔哀王) 2년(839)에 왕을 죽이고 신무왕(神武王)을 세움. 신무왕이 죽자 문성왕(文聖王)을 옹립, 주요 벼슬을 두루 거침. [808-857]

김-양기【金良驥】명〖사람〗조선 시대 후기의 화가. 자는 천리(千里), 호는 긍원(肯園). 김해 사람. 김홍도(金弘道)의 아들. 화원(畫員)으로서, 산수와 옥목(屋木)을 잘 그렸음.

김-양상【金良相】명〖사람〗신라 '선덕왕(宣德王)'의 성명.

김-양행【金亮行】명〖사람〗조선 정조(正祖) 때의 문신. 자는 자정(子靜), 호는 지암(止庵). 김수항(金壽恒)의 증손. 경전(經典)에 통달, 학행(學行)으로 천거되어 형조 참판에 이름. 시호는 문간(文簡). [?-1779]

김-억【金億】명〖사람〗시인. 호는 안서(岸曙). 평북 정주(定州) 출생. 일본 게이오(慶応) 대학 문과 중퇴. '창조'·'폐허'의 동인으로, 투르게네프의 상징주의 시를 번역 소개하여, 신시(新詩)의 선구자적 역할을 하였으며, 후기에는 서정적인 민요풍의 시를 썼음. 1922년 김소월(金素月)을 문단에 소개함. 우리 나라에서 처음으로 에스페란토를 연구함. 시집 ≪금모래≫·≪안서 시집≫과 번역 시집 ≪오뇌(懊惱)의 무도(舞蹈)≫ 등이 있음. 6·25 전쟁 때 납북되었음. [1893-?]

김-언(ː)기【金彦璣】명〖사람〗조선 선조(宣祖) 때의 학자. 자는 중온(仲昷), 호는 유일재(唯一齋). 광산(光山) 사람. 이황(李滉)의 문인. 후진 양성에 힘써 많은 학자를 길러 냄. [1520-88]

김-언(ː)수【金彦壽】명〖사람〗조선 선조·인조 때의 무신. 자는 명수(命叟). 연안(延安) 사람. 1597년 정유 재란(丁酉再亂) 때 적군을 부산포까지 추격함. 인조 5년(1627) 정묘 호란(丁卯胡亂) 때 동영장(東營將)으로 안주성(安州城)을 수비하다가 분신(焚身) 자결함. [1574-1627]

김-여(ː)물【金汝岉】명〖사람〗조선 선조 때의 충신. 자는 사수(士秀), 호는 피구자(披裘子)·외암(畏菴). 순천(順天) 사람. 김류(金瑬)의 아버지. 의주 목사(義州牧使)로 있을 때, 서인(西人) 정철(鄭澈)의 당으로 몰려 파직됨. 임진 왜란 때 도순변사(都巡邊使)의 부장(副將)으로, 신립(申砬)과 함께 충주(忠州) 방어에 나서, 적군을 막지 못하고 탄금대(彈琴臺)에서 전사하였음. 시호는 장의(壯毅). [1548-92]

김-연(ː)광【金鍊光】명〖사람〗조선 선조 때의 문신. 자(字)는 언정(彦精), 호는 송암(松巖). 김해 사람. 김이상(金履祥)의 아들. 평창 군수(平昌郡守) 때 임진 왜란을 맞았는데, 적군이 강원도에 쳐들어오자 군사·관리가 모두 도망쳤으나 홀로 정좌한 채 참살당함. 박학하고 시문에 능함. 저서에 ≪송암 시고(松巖詩稿)≫ 한 권이 전함. [1524-92]

김-연수【金秊洙】명〖사람〗실업인(實業人). 김성수(金性洙)의 친동생. 호(號)는 수당(秀堂). 1920년 경성 방직(京城紡織)을 세워 삼양(三養) 그룹을 일으킴. [1896-1979]

김-영[1]【金瑛】명〖사람〗조선 시대 후기의 화가. 자는 성원(聲遠), 호는 춘방(春舫). 분성(盆城) 사람. 산수화를 잘 그렸음. 시도 잘 지어, 대개 그림에 자제(自題)했음. [1837-?]

김-영[2]【金煐·金鍈】명〖사람〗조선 시대 후기의 무신·가인(歌人). 자는 경명(景明). 정조 때 무과(武科)에 급제, 순조 때 벼슬이 형조 판서에 오름. ≪청구 영언(靑丘永言)≫ 등의 가집에 작품 7수가 전함.

김-영(ː)랑【金永郎】[—낭] 명〖사람〗시인. 본명 윤식(允植). 전남 강진 출생. '문예 월간(文藝月刊)'·'시원(詩苑)' 등을 통해 한국적 정서가 담긴 서정시를 많이 발표함. 광복 후 공보처 출판국장을 지냈고, 민족주의 진영에서 문화 운동에 진력하다가, 6·25 전쟁 때 사망함. 시집에 ≪영랑 시집≫·≪영랑 시선(詩選)≫ 등이 있음. [1902-50]

김-영(ː)석【金永錫】명〖사람〗고려의 문신. 명주(溟州) 사람. 김인존(金仁存)의 아들. 중서 시랑 평장사(中書侍郞平章事)·상서 좌복야(尙書左僕射)·동로 병마사(東路兵馬使) 등을 역임함. 신라와 중국 송(宋)나라의 의서(醫書)를 참작하여 일반의 이해에 편리하게 ≪제중 입효방(濟衆立効方)≫을 편술함. [1079-1167]

김-영(ː)수【金永壽】명〖사람〗소설가·극작가. 서울 출생. 1938년 일본 와세다 대학(早稻田大學) 영문과를 중퇴. 1934년 동아 일보에 희곡 ≪동맥(動脈)≫이, 1939년 조선 일보에 소설 ≪소복(素服)≫이 당선된 이래, 희곡·소설 등 많은 작품 활동을 하였음. 대표작으로는 소설 ≪파도(波濤)≫와 희곡 ≪혈맥(血脈)≫ 등이 있음. [1911-77]

김-영제【金甯濟】명〖사람〗국악사(國樂師). 호는 괴정(槐庭). 충북 괴산(槐山) 출신. 15세에 장악원 전악(掌樂院典樂)이 되어, 1928년 제4대 아악사장(雅樂師長)이 됨. 가야금 전공으로, 편보(編譜)와 악기 개량, 악률(樂律)의 개청에 공이 큼. 승무(僧舞)도 부활시킴. [1883-1954]

김-영(ː)후【金永煦】명〖사람〗고려 말기의 문신. 호는 온재(穩齋). 안동 사람. 충숙왕 때 삼사 우윤(三司右尹)이 되고, 1343년 충혜왕이 원나라에 잡혀 갈 때 백관이 모두 도망갔으나 홀로 목숨을 걸고 호위(護衛), 후에 우정승·좌정승을 역임함. 시호는 정간(貞簡). [1262-1361]

김-옥균【金玉均】명〖사람〗조선 시대 말기의 정치가. 자는 백온(伯溫), 호는 고균(古筠) 또는 고우(古愚). 오경석(吳慶錫)에게 신학문을 배움. 고종 18년(1881) 일본에 건너가 문화와 제도를 시찰하고, 귀국하여 독립당을 조직하는 한편, 갑신 정변(甲申政變)을 일으켜 신정부를 수립하였으나, 실패하여 일본으로 망명하였고, 다시 중국 상해로 건너갔다가, 자객 홍종우(洪鍾宇)에게 암살됨. 시호는 충달(忠達). [1851-94]

김-완규【金完圭】명〖사람〗독립 운동가. 호는 송암(松巖). 서울 출생. 국권 피탈 후 천도교(天道教)에 입교하여, 3·1 운동 때 33인의 한 사람으로 서명하여 투옥됨. 천도교 도사(道師)로서 종교 활동과 국민 운동을 계속하였음. [1877-1949]

김-용(ː)겸【金用謙】명〖사람〗조선 정조(正祖) 때의 명유(名儒). 자는 제대(濟大), 호는 교교재(嘐嘐齋). 안동 사람. 벼슬이 공조 판서에 이름. 박학 다식하고 언행이 정직하며 덕망이 높았음. [1702-89]

김-용기【金容基】명〖사람〗농민 운동가·교육자. 호는 일가(一家). 경기도 양주(楊州) 출생. 양주 광동(廣東) 학교 졸업. 경기도 광주에 가나안 농장을 설립하고 이상 농촌(理想農村)을 지향하는 한편 가나안 농군 학교를 설립하는 등 농촌 지도자 양성에 주력함. [1912-88]

김-용호【金容浩】명〖사람〗시인. 호는 학산(鶴山)·야돈(野豚)·추강(秋江). 마산(馬山) 출생. 일본 메이지(明治) 대학 전문부 법과 졸업. 기자(記者) 생활을 하다가 단국(檀國) 대학교 국문과 교수를 지냄. 1930년에 ≪춘원(春怨)≫으로 시단에 등장, 장시(長詩) ≪낙동강(洛東江)≫, 서사시집 ≪남해 찬가(南海讚歌)≫·≪날개≫ 등이 있음. [1912-73]

김-우규【金友奎】명〖사람〗조선 영조 때의 가인(歌人). 자는 성백(聖伯). 경정산 가단(敬亭山歌壇)의 한 사람. 김수장(金壽長)과 교분이 두터웠음. 어릴 때부터 호방(豪放)하고 가곡에 뛰어나 명창으로 이름남. ≪해동 가요≫에 시조 11수가 전함. [1691-?]

김-우명【金佑明】명〖사람〗조선 현종(顯宗)의 국구(國舅). 자는 이정(以定). 김육(金堉)의 아들. 청풍 부원군(清風府院君). 서인 송시열(宋時烈)과 대립, 한당(漢黨)의 중진이 됨. 시호는 충익(忠翼). [1619-75]

김-우(ː)옹【金宇顒】명〖사람〗조선 선조(宣祖) 때의 명신. 자는 숙부(肅夫), 호는 동강(東岡). 의성(義城) 사람. 조식(曺植)의 문인. 대사성(大司成)을 거쳐 대사헌(大司憲)이 됨. 동인(東人)으로 기축 옥사(己丑獄事) 때 귀양갔고, 임진 왜란 때 석방됨. 배소(配所)에서 ≪속강목(續綱目)≫15권을 찬(撰)함. 시호는 문정(文貞). [1540-1603]

김-우진【金祐鎭】명〖사람〗극작가. 호는 초성(焦星) 또는 수산(水山). 강원도 정선(旌善) 출생. 일본 와세다(早稻田) 대학 영문과 졸업. 1920년에 조명희(趙明熙)·홍해성(洪海星) 등과 극예술 협회(劇藝術協會)를 조직하여 순회 공연을 함. 1926년 가수 윤심덕(尹心悳)과 현해탄에서 정사(情死)함. 표현주의(表現主義)를 직접 작품으로 실현한 3막 7장의 ≪난파(難破)≫와 3막짜리 ≪산돼지≫ 등을 남김. [1897-1926]

김-우징【金祐徵】명〖사람〗신라 '신무왕(神武王)'의 성명.

김-우(ː)항【金宇杭】명〖사람〗조선 시대 후기의 문신. 자는 제중(濟仲), 호는 갑봉(甲峰)·좌은(坐隱). 김해 사람. 형조·병조 판서, 좌참찬, 우의정을 지냄. 경종 2년(1722) 김일경(金一鏡)의 사친 추존론(私親追尊論)에 반대, 신임 사화 때 화를 입음. 시호는 충정(忠靖). [1649-1723]

김-운파【金雲坡】명〖사람〗범패(梵唄) 승려. 본명은 점석(點錫). 오랫동안 봉원사(奉元寺) 주지를 지냄. 이월하(李月河)에게 사사(師事)하여 짓소리를 많이 기억하고 있었음. [1907-73]

김-원룡【金元龍】[—월—] 명〖사람〗고고학자·미술사학자. 평북 태천(泰川) 출생. 호는 삼불(三佛). 1945년 경성 제대(京城帝大) 사학과를 졸업, 1959년 미국 뉴욕 대학에서 문학 박사 학위를 취득한 뒤, 서울대에서 국내 첫 고고학 교수, 국립 박물관장, 문화재 위원장 등을 역임함. 1971년에 공주(公州) 무령왕릉(武寧王陵), 1980년에 전곡리(全谷里) 구석기 유적 등의 발굴을 주도하고, 고고학의 편년 체계로서 원삼국(原三國) 개념을 정립시킴. 저서로 ≪한국 고고학 개설≫·≪신판 한국 미술사≫ 등이 있음. [1922-93]

김-원명【金元命】명〖사람〗고려 공민왕(恭愍王) 때의 무신(武臣). 속명(續命)의 형. 1363년 전해에 개경을 수복한 공으로 1등 공신에 올라, 밀직 부사(密直副使)·밀직사(密直使)를 역임, 수성 분의 공신(輸誠奮義功臣)이 됨. 신돈(辛旽)이 집권하자, 삼사 좌사(三司左使)·응양군 상호군(鷹揚軍上護軍)에 올라 팔위(八衛) 42도부(都府)의 병권(兵權)을 장악하였으나, 신돈을 제거하려다 발각되어 영덕(盈德)으로 유배된 후 살

해되었음. [?-1370]

김-원범【金元範】 명〔사람〕 조선 시대 말기의 항일 의병장. 광주(光州) 출신. 1906년 형(兄) 원국(元國)과 무등산(無等山)에서 의병을 일으켜 이듬해 광주 일본군 수비대와 교전 끝에 40여 명을 사살했음. 1908년 호남 의병 대장 조경환(曺京煥)과 합세하여 일본군과 교전, 대장을 사살하였고, 1909년 전해산(全海山)과 합동, 무등산 전투에서 일본군에게 체포되어 자결하였음. [?-1909]

김-원벽【金元璧】 명〔사람〕 항일 독립 투사. 황해도 안악(安岳) 출신. 목사의 아들로 태어나, 연희 전문(延禧專門)에 재학중, 3·1운동 때 민족 대표 48인의 한 사람으로 만세 운동을 지도, 체포되어 2년형을 선고받았음. [1894-1928]

김-원봉【金元鳳】 명〔사람〕 고려 공민왕(恭愍王) 때의 무신(武臣). 공민왕 5년(1356), 동북면 병마 부사(東北面兵馬副使)로 병마사 유인우(柳仁雨)와 함께 쌍성(雙城) 등지를 수복하고, 기철(奇轍) 일파를 숙청한 공으로 2등 공신에 올랐음. 1359년 서북면 병마 도지휘사(西北面兵馬都指揮使)로 있을 때 홍건적(紅巾賊)의 급습을 받아 전사함. [?-1359]

김-원상【金元祥】 명〔사람〕 고려 때의 문신. 충렬왕 때 문과에 급제, 지신사(知申事)·좌승지(左承旨) 등을 역임함. 가요 ≪태평곡(太平曲)≫을 지었다 하나, 가사는 전하지 아니함. 시호는 문광(文匡). [?-1339]

김원-전【金圓傳】 명〔문〕 조선 시대 때의 괴담(怪談) 소설. 작자와 저작 연대 미상. 김원이 타고난 괴상한 형태에서 10년 만에 벗어나, 그 탈을 벗고는 가지가지의 고행(苦行)·기행(奇行)을 겪은 뒤, 마침내 공주와 결혼하게 된다는 이야기.

김-원준【金元俊】 명〔사람〕 고려 고종 때의 문신. 고종 45년(1258)에 유치(柳璥) 등과 함께 최의(崔竩)의 무단 정권을 타도, 왕권을 회복시킴. 추밀원 부사(樞密院副使)·시중(侍中)이 되고 해양후(海陽侯)에 피봉(被封)됨. 사재(私財)를 풀어 굶주린 백성들을 구제하여 인망이 있었으나 반대파의 탄핵으로 일파가 같이 잡혀 죽음.

김-원행【金元行】 명〔사람〕 조선 영조(英祖) 때의 학자. 자는 백춘(伯春), 호는 미호(渼湖). 안동 사람. 김창협(金昌協)의 손자. 신임 사화(辛壬士禍)로 일가가 모두 유배되었을 때 요행히 모면하여, 학문에만 힘씀. 뒤에 공조 참의·성균 좨주(成均祭酒) 등에 임명되었으나 취임하지 아니하였음. 시호는 문경(文敬). [1702-72]

김-위(:)제【金謂磾】 명〔사람〕 고려 숙종왕(肅宗王) 때의 술가. 숙종 1년(1096) 도선(道詵)의 도참설(圖讖說)을 들어 남경(南京: 漢陽)에 도읍을 옮기도록 주장함으로써 왕으로 하여금 친히 남경의 지세를 보게 하고, 숙종 6년 남경 개창 도감(南京開創都監)을 두게 하여 공사를 시작, 숙종 9년에 궁궐의 낙성을 보게 됨.

김-유[1]【金庾】 명〔사람〕 고려 공민왕 때의 무신. 김해 사람. 공민왕 11년(1362) 홍건적(紅巾賊)을 대파, 이듬해 서울을 수복, 이해 김용(金鏞)의 난(興天寺의 변)을 평정하여 1등 공신이 됨. 1367년 반란을 일으킨 탐라(耽羅)의 목호(牧胡)를 토벌하고, 1374년에 경상도에 침입한 왜구(倭寇)를 격퇴함. 이후 유배(流配)를 되풀이하다가 우왕 12년(1386) 순천(順川)으로 유배가던 도중 경천역(敬天驛)에서 죽음. [?-1386]

김-유[2]【金楺】 명〔사람〕 조선 숙종 때의 학자. 자는 사직(士直), 호는 검재(儉齋). 청풍(淸風) 사람. 송시열(宋時烈)의 문인으로, 이조 참판·대제학을 지냈으며, ≪동국 여지 승람(東國輿地勝覽)≫을 증보(增補)하였음. 시호는 문경(文敬). [1653-1719]

김-유근【金逌根】 명〔사람〕 조선 순조(純祖) 때의 권신(權臣). 자(字)는 경선(景先), 호는 황산(黃山). 안동 사람. 아버지 김조순이 죽은 후 국가의 권력을 잡아, 벼슬이 판돈령부사(判敦寧府事)에 이르렀음. 글씨·그림·시에 뛰어났으며, 특히 바위 그림을 잘 그렸음. [1785-1840]

김-유(:)기【金裕器】 명〔사람〕 조선 숙종 때의 가인(歌人). 자는 대재(大哉). 유명한 창곡가(唱曲家)로 김천택(金天澤)과 친교하였으며, 그의 시조 8수가 ≪해동 가요(海東歌謠)≫에 실려 있음.

김-유(:)성【金有聲】 명〔사람〕 조선 시대 후기의 화가. 자는 중옥(仲玉), 호는 서암(西巖). 김해 사람. 화원(畫員)으로, 영조 39년(1763) 통신사 조엄(趙曮) 일행의 수행원으로 일본에 다녀왔으며, 벼슬은 첨절제사(僉節制使)까지 지냄. 산수화에 뛰어났는데, 필치가 온건하고 정묘함. [1725-?]

김-유신【金庾信】 명〔사람〕 삼국 통일의 위업을 완성한 신라의 명장(名將). 김수로왕의 12대손. 15세 때 화랑(花郞)이 되어 무열왕(武烈王) 7년(660)에 5만 군을 인솔하여 소정방(蘇定方)의 13만 군대와 함께 백제를 멸망시키고, 문무왕(文武王) 8년(668) 고구려를 토평(討平)하였음. 태대각간(太大角干)의 지위에 올랐고, 당나라 군사를 축출하여 대동강 이남의 고구려 고토를 도로 찾음. [595-673]

김유신 묘【金庾信墓】 명〔지〕 경상 북도 경주시(慶州市) 충효동(忠孝洞)에 있는 김유신의 무덤. 원형 토분(圓形土墳)이며, 호석(護石)으로 12 방위(方位), 주석(柱石)에 십이지 신상(十二支神像)을 새겼음. 사적(史蹟) 제21호.

김유신-전【金庾信傳】 명〔문〕 조선 시대에 지은, 김유신 장군을 모델로 한 전기체 소설. 작자·연대는 미상임.

김-유(:)정【金裕貞】 명〔사람〕 소설가. 춘천 출생. 연희 전문 학교 문과 중퇴. 구인회(九人會)에 참여하여, 2년간의 짧은 문단 생활을 통하여 30여 편의 단편 소설을 발표함. 농촌과 도시의 토속적(土俗的)인 인간상을 다루었는데, 요설체(饒舌體)의 문장으로 묘사와 어휘의 구사(驅使)에 능했음. 작품집에 ≪동백꽃≫이 있음. [1908-37]

김-육【金堉】 명〔사람〕 조선 효종 때의 영의정·학자. 자는 백후(伯厚), 호는 잠곡(潛谷). 청풍(淸風) 사람. 충청 감사로 있을 때 대동법(大同法)을 실시하도록 상소(上疏)하고, 영상(領相)이 된 후에 이에 대한 절목(節目)을 작성하여 정부에 바치었으며, 먼저 호서(湖西) 지방에 단행하여 성공하였음. 학문에 조예가 깊어, 그 중에도 경세(經世)에 뛰어나, ≪구황 촬요(救荒撮要)≫·≪벽온방(辟瘟方)≫을 저술 간행하고, 특히 서양 역법(曆法)을 잘 알아 시헌력(時憲曆)을 시행했음. 시호는 문정(文貞). [1580-1658]

김-윤(:)겸【金允謙】 명〔사람〕 조선 시대 후기의 화가. 자는 극양(克讓), 호는 진재(眞宰). 안동 사람. 창업(昌業)의 아들. 벼슬은 찰방(察訪)에 이르렀고, 풍속도(風俗圖)에 뛰어났음. [1711-?]

김-윤(:)경【金允經】 명〔사람〕 국어학자. 호는 한결. 경기도 광주 태생. 연희 전문(延禧專門), 일본 릿쿄(立敎) 대학 사학과 졸업. 조선어 학회(朝鮮語學會) 사건으로 피검되어 기소 유예로 석방됨. 광복 후에는 연희 전문 학교(延禧專門學校) 교수·동 대학원장 등을 지냄. 저서 ≪조선 문자 급(及) 어학사≫는 우리 문자와 어학 발달을 고찰한 대저(大著)임. [1894-1969]

김-윤(:)식【金允植】 명〔사람〕 조선 고종(高宗) 때의 학자·정치가. 자는 순경(洵卿), 호는 운양(雲養). 청풍(淸風) 사람. 온건 개화파에 속하여, 갑오 경장 후 외부 대신을 지냄. 을미(乙未) 사건에 관련하여 10년간 귀양살이함. 김가진(金嘉鎭) 등과 흥사단(興士團)을 조직하고, 대동 학회(大東學會)·기호 학회(畿湖學會)에도 참여하였음. 3·1 운동이 일어나자 조선 총독에게 조선 독립 청원서를 내어, 체포되어 일본 작위(爵位)를 박탈당했음. 구한말의 손꼽히는 문장가로, 저서에 ≪음청사(陰晴史)≫·≪운양집(雲養集)≫ 등이 있음. [1835-1922]

김-윤(:)중【金允中】 명〔사람〕 신라 김유신(金庾信)의 맏손자. 성덕왕(聖德王) 32년(733), 동생 윤문(允文) 등 세 장수와 함께 당(唐)나라의 청으로 발해(渤海)를 치러 갔다가 성과 없이 철수함.

김-윤(:)후【金允侯】 명〔사람〕 고려 고종 때의 승장(僧將). 백현원(白峴院)의 중으로, 몽골이 침입했을 때 몽골 장군 살례탑(撒禮塔)을 죽이고 처인성(處仁城)을 사수하였으며, 충주 산성 방호 별감(忠州山城防護別監)이 되어 70여 일 동안의 전투 끝에 몽골군을 격퇴함. 뒤에 추밀원 부사(樞密院副使)·수사공 우복야(守司空右僕射)를 지냈음.

김-은호【金殷鎬】 명〔사람〕 동양화가. 호(號)는 이당(以堂). 인천(仁川) 출생. 1924년 일본 도쿄(東京) 미술 학교 동양화과 졸업, 1936년부터 후소회(後素會)를 조직하여 후진 양성(養成)에 힘씀. 인물·화조(花鳥)에 뛰어나, 조선 고종(高宗)·순종(純宗)의 어진(御眞)과 ≪승무(僧舞)≫·≪풍악 추명(楓岳秋明)≫·≪매란방(梅蘭房)≫ 등의 대표작을 남김. [1892-1979]

김-응(:)기【金應箕】 명〔사람〕 조선 중종(中宗) 때의 상신(相臣). 자는 백춘(伯春), 호는 병암(屛菴). 선산(善山) 사람. 중종 11년(1516) 좌의정이 되고, 중종 13년에 영중추부사(領中樞府事)를 지냄. 박학 다식하여 천문·지리·산수(算數)의 학문까지 정통하고, 성리학자(性理學者)로서도 유명함. 시호는 문대(文戴). [1455-1519]

김-응(:)남【金應南】 명〔사람〕 조선 선조 때의 상신(相臣). 자는 중숙(重叔), 호는 두암(斗巖). 원주(原州) 사람. 이율곡(李栗谷)과 함께 동서 당쟁(東西黨爭)의 양당 합작 추진에 노력하였으며, 좌의정으로서 유성룡(柳成龍)과 잘 협력, 선정을 베풀었음. 시호는 충정(忠靖). [1546-98]

김-응(:)원【金應元】 명〔사람〕 조선 고종(高宗) 때의 서화가. 호(號)는 소호(小湖). 글씨는 행서(行書)와 예서(隸書)를 잘 썼으며, 그림은 묵란(墨蘭)을 전문으로 그렸음. [1855-1921]

김-응(:)조【金應祖】 명〔사람〕 조선 인조 때의 문신. 자는 효징(孝徵), 호는 학사(鶴沙)·아헌(啞軒). 풍산(豐山) 사람. 광해군의 난정(亂政)을 보고 대과(大科) 응시를 포기했다가, 인조가 즉위하자 삼분모 회록법(三分耗會錄法)을 제안, 청나라 사신 접대 재원(財源)을 염출하고, 만년에 대사간·한성부 우윤(漢城府右尹)을 지냈음. [1587-1667]

김-응(:)하【金應河】 명〔사람〕 조선 광해군(光海君) 때의 무장. 자는 경의(景義). 안동(安東) 사람. 철원(鐵原) 출신. 광해군 11년(1619)에 도원수 강홍립(姜弘立)과 같이 만주의 건주위(建州衛)를 치러 출정하였다가 강홍립은 항복하였으되, 홀로 수병(手兵) 3천을 거느리고 역전(力戰)하여 진몰(陣沒)하였음. 시호는 충무(忠武). [1580-1619]

김-응(:)환【金應煥】 명〔사람〕 조선 정조 때의 화가. 자는 영수(永受), 호는 복헌(復軒). 개성 사람. 벼슬이 상의원 별제(尙衣院別提)에 이름. 정조(正祖) 12년(1788) 왕명으로 금강산(金剛山) 안팎의 경치를 묘사했고, 다음해 또 명을 받아 지도(地圖)를 베끼러 일본에 몰래 건너가려다가 병으로 겨우 부산까지 가서 죽었음. [1742-89]

김-의(:)진【金義珍】 명〔사람〕 고려 전기의 문신. 문종 19년(1065) 참지정사(參知政事)로 지공거(知貢擧)가 되고, 평장사(平章事)에 이름. 12공도(公徒)의 하나인 양신공도(良愼公徒)를 양성함. 시호는 양신(良愼). [?-1070]

김:의-털[―/―에―] 명〔식〕 [*Festuca ovina* var. *vulgaris*] 볏과(科)에 속하는 다년초. 줄기와 잎이 다수 총생하고 줄기는 잎보다 길어 30-50cm임. 잎은 침형인데 백록색으로 강질(剛質)이며, 솔잎과 비슷하고, 초엽(梢葉)은 막질(膜質)임. 꽃은 정생(頂生)하며 수양 화총(穗樣花叢)을 이루고 7-8월에 핌. 소나무숲 속에 나는데, 전남북·경남북·경기 등지에 분포함.

〈김의털〉

김-이【金怡】 명〔사람〕 고려 말기의 문신. 춘양 김씨(春陽金氏)의 시조. 초명은 지정(之琔). 자는 열심(悅心). 장흥부(長興府) 수령으로 있을 때인 1290년 합단(哈丹)이 침입했어도 부민에게 농사를 짓게 하여 인근 주군(州郡)까지 기아를 면하게 하였음. 1292년 내시(內侍)가 되었는데 왕 부자(父子)를 이간시키려는 간신배들을 제거하는 데 공을 세웠음. 충숙왕 13년(1326)에 첨의 정승(僉議政丞), 이듬해 중찬(中贊)이 됨. 시호는 광정(匡定). [1265-1327]

김-이(:)교【金履喬】 명〔사람〕 조선 순조 때의 상신(相臣). 자는 공세

(公世), 호는 죽리(竹里). 안동 사람. 통신사(通信使)로 일본에 다녀왔음. 한성 부윤, 평안도 관찰사, 이조·병조·형조·공조·예조 판서 등을 역임하고, 순조 31년(1831) 우의정이 되어 국정(國政)을 도맡았음. 글씨를 잘 썼음. 시호는 문정(文貞). [1764-1832]

김-이(ː)상【金履祥】명〖사람〗중국 송말(宋末) 원초(元初)의 유학자(儒學者). 자는 길보(吉父), 호는 인산(仁山). 정주학(程朱學)에 정통하였음. 송나라가 망한 후에는 진화산(金華山)에 은퇴, 후학을 가르침. 저서에 《통감 전편(通鑑前編)》·《상서 표주(尙書表注)》·《대학 장구 소의(大學章句疏義)》 등이 있음. 시호는 문안(文安). [1232-1303]

김-이(ː)석【金利錫】명〖사람〗소설가. 평양 출신. 연희 전문학교 중퇴, 1930년대에 문예 동인지 '단층(斷層)'의 동인으로 작품을 발표함. 불우한 사람들의 따뜻한 인정 세계에 애수(哀愁)를 담아 호소하는 작품을 썼음. 1957년 단편집 《실비명(失碑銘)》으로 제4회 아시아 자유 문학상 수상. [1914-64]

김-이(ː)재【金履載】명〖사람〗조선 헌종 때의 문신. 자는 공후(公厚), 호는 강우(江右). 안동(安東) 사람. 김이교(金履喬)의 아우. 개성부 유수(開城府留守) 때 《중경지(中京誌)》를 편찬, 판의금부사(判義禁府事)를 거쳐 이조 판서를 지냄. 시호는 문간(文簡). [1767-1847]

김-익¹【金熤】명〖사람〗조선 정조 때의 상신(相臣). 자는 광중(光仲), 호는 죽하(竹下). 연안(延安) 사람. 대사헌을 거쳐, 예조 판서로 동지사(冬至使)가 되어 청나라에 다녀온 후 영의정에 올랐음. 시호는 문정(文貞). [1723-90]

김-익²【金瀷】명〖사람〗조선 시대 후기의 학자. 자는 이정(而靜), 호는 정일 우수(精一迂叟). 부안(扶安) 사람. 호남(湖南)의 거유(巨儒)로, 초야(草野)에 묻혀 학문 연구에 전심, 많은 학자를 배출함. [1746-1809]

김-익겸【金益兼】명〖사람〗조선 인조 때의 문신. 자는 여남(汝南). 광산(光山) 사람. 장생(長生)의 손자. 인조 14년(1636) 후금(後金)이 국호를 청(淸)으로 고치자, 승인을 반대하고 후금의 사신 용골대(龍骨大)의 주살(誅殺)을 상소함. 그 해 겨울 병자 호란이 일어나 남한산성이 포위되자 강화(江華)로 가서 성을 사수하다가 김상용(金尙容)과 함께 분신(焚身) 자결함. 시호는 충정(忠正). [1614-36]

김-익달【金益達】명〖사람〗출판인. 경상 북도 상주(尙州) 출생. 일본 와세다(早稻田) 대학 전문부 상업과 2년 수료. 1945년 대양(大洋) 출판사 설립, 1952년 학원사(學園社)로 개칭(改稱)하여, 중고생을 위한 잡지 《학원(學園)》, 여성지 《여원(女苑)》, 대입(大入) 수험지 《진학(進學)》, 농민 계몽지 《농원(農園)》 등을 창간함. 또 우리 나라 최초의 백과 사전 《세계 대백과 사전》을 펴냄. 1952년 학원 장학회(奬學會)를 설립하여 장학 사업을 벌임. [1916-85]

김-익렴【金益廉】[一념] 명〖사람〗조선 현종 때 문신. 자는 원명(遠明), 호는 적곡(赤谷). 광산(光山) 사람. 현종 5년(1664)에 혜성(慧星)의 변이 있자 《역대 요성록(歷代妖星錄)》을 편찬, 왕에게 바쳤음. 사간(司諫)을 지냈음. [1622-?]

김-익상【金益相】명〖사람〗독립 운동가. 일찌기 철혈단(鐵血團)에 가입, 총독부 비서실에 투탄(投彈)하고, 또 상해에서 일본 육군 대장 다나카 기이치(田中義一)를 권총으로 사격, 폭탄을 던졌으나 실패하고 투옥되었으며, 출옥 후에 일본 형사에게 암살당함. [1895-1922]

김-익훈【金益勳】명〖사람〗조선 숙종(肅宗) 때의 노론(老論)의 거두. 자는 무숙(懋叔), 호는 광남(光南). 김장생(金長生)의 손자. 경신 대출척(庚申大黜陟)의 주동 역할을 하고, 후에 남인을 전부 없애고자 허새(許璽)·허영(許瑛) 등 남인을 사실 무근한 죄로 죽였음. 어영 대장(御營大將)으로 있을 때, 기사 환국(己巳換局)으로 남인(南人)이 정권을 잡자, 투옥되어 고문으로 죽음. 시호는 충헌(忠獻). [1619-89]

김-인겸【金仁謙】명〖사람〗조선 숙종(肅宗) 때의 문인. 안동 사람. 영조(英祖) 39년(1763)에 일본 통신사 조엄(趙曮)의 삼방 서기(三房書記)로 따라갔으며, 그때에 보고 느낀 것을 쓴 《일동 장유가(日東壯遊歌)》가 있음. [1707-?]

김-인경【金仁鏡】명〖사람〗고려 중기의 학자·정치가. 초명(初名)은 양경(良鏡). 경주 사람. 고종(高宗) 6년(1219)에 조충(趙冲)이 강동성(江東城)의 거란(契丹)을 토벌할 때, 판관(判官)으로 종군하여 공을 세움. 벼슬이 중서 시랑 평장사(中書侍郞平章事)에 이름. 예서를 잘 썼음. 시호는 정숙(貞肅). [?-1236]

김-인문【金仁問】명〖사람〗신라의 장군·외교가. 자는 인수(仁壽). 태종 무열왕의 둘째 아들. 무열왕이 백제를 치고자 할 때 당나라로 파견되어 나당(羅唐) 연합군의 조직에 성공함. 삼국 통일 후에도 당에 남아 국교를 조절하였고, 당나라의 보국 대장군(輔國大將軍) 상주국(上柱國)에 올라, 당경(唐京)에서 죽음. 전후 일곱 차례 당나라에 들어가고, 모두 22년간이나 당조(唐朝)에 숙위(宿衛)함. 유학(儒學)의 대가로 이름이 나고, 향악(鄕樂)·예서(隸書)에도 능함. [629-694]

김-인전【金仁全】명〖사람〗독립 운동가. 충남 서천(舒川) 출신. 1920년 중국 상하이(上海)로 망명하여 대한 민국 임시 정부 의정원의 부의장을 지내고, 1921년 임시 정부 국무원 학무 총장 대리, 1922년 제4대 의정원 의장을 지냄. 한편 동지들과 한국 노병회(勞兵會)를 결성하였고 뒤에 대한 적십자회의 상의원으로서 임시 정부를 지원함. 사후 상하이의 만국 공원에 안장되었다가 1993년 8월 유해가 봉환되어 국립 묘지에 묻힘. [1876-1923]

김-인존【金仁存】명〖사람〗고려 예종(睿宗) 때의 문신·학자. 초명은 연(緣), 자는 처후(處厚). 선종(宣宗)에서 인종(仁宗)까지 다섯 임금을 섬겨 혁혁한 공을 쌓음. 학문과 문장이 뛰어나 인종 때 임금에게 논어(論語)를 진강(進講)하였음. 음양 지리에 관한 여러 책을 가려 뽑아 《해동 비록(海東秘錄)》을 산정(刪定)하고, 박승중(朴昇中) 등과 《시정책요(時政策要)》·《정관정요주(貞觀政要註)》를 찬진(撰進)함. 시호는 문성(文成). [?-1127]

김인향-전【金仁香傳】명〖문〗조선 시대 후기의 작품으로 짐작되는 작자 불명의 한글 소설. 《장화 홍련전》의 번안인 것 같음.

김-인후【金麟厚】명〖사람〗조선 시대 중기의 문신·학자. 자는 후지(厚之), 호는 하서(河西). 울산(蔚山) 사람. 김안국(金安國)의 제자. 중종 때에 부수찬(副修撰)·현령(縣令)을 지냈으나, 을사 사화(乙巳士禍)가 일어나자, 병을 이유로 고향에 돌아가 성리학(性理學)을 연구하였음. 천문·지리·의약·산수·율력(律曆)에도 정통함. 문묘(文廟)에 배향(配享)됨. 시호는 문정(文正). [1510-60]

김-일경【金一鏡】명〖사람〗조선 숙종 때의 소론(少論)의 거두. 자는 인감(人鑑), 호는 아계(丫溪). 광주(光州) 사람. 왕세제(王世弟)인 영조의 대리 청정(聽政)을 반대하고 노론(老論)을 모함, 신임 사화(辛壬士禍)를 일으켜 노론 4대신을 죽이고 이조 판서에 올랐으나, 영조 즉위 후 참형당하였음. [1662-1724]

김-일손【金馹孫】[一쏜] 명〖사람〗조선 연산군(燕山君) 때의 학자. 자(字)는 계운(季雲), 호는 탁영자(濯纓子). 김종직(金宗直)의 제자. 춘추관 기사관(記事官)으로 《성종 실록(成宗實錄)》을 편찬할 때 실록 당상관(堂上官) 이극돈(李克墩)의 나쁜 일을 그대로 쓰고 세조(世祖)의 사실을 저훼(抵毁)한 김종직의 《조의제문(弔義帝文)》을 실었다 하여, 무오 사화(戊午士禍) 때 처형되었음. 시호는 문민(文愍). [1464-98]

김-일엽【金一葉】명〖사람〗여류 시인. 여승(女僧). 본명은 원주(元周). 평안 남도 평강 태생. 일본에 유학하고 신문학(新文學) 운동과 여성 운동에 활약하다가 결혼에 실패, 입산(入山)하여 수덕사(修德寺) 견성암(見性庵)에 있었음. 입산 후의 사색과 불심(佛心)을 쓴 수필집 《청춘을 불사르고》·《어느 수도인의 회상》 등을 발간하였음 [1896-1971]

김ː-자반【一佐飯】명 김에 간장·고추 가루 따위 양념을 발라 말린 반찬. 감태 자반(甘苔佐飯).

김-자수【金子粹·金自粹】명〖사람〗고려 우왕 때의 문신. 자는 순중(純仲), 호는 상촌(桑村). 경주 사람. 공양왕 때 대사성(大司成)·세자 좌보덕(左輔德)을 역임, 뒤에 형조 판서에 이름. 고려가 망하자 안동에 은거, 조선 태종이 형조 판서로 불렀으나 거절하고 고려가 망한 것을 비관, 자결함. 생몰년 미상.

김-자점【金自點】명〖사람〗조선 시대 인조 반정 때의 공신(功臣). 자는 성지(成之), 호는 낙서(洛西). 낙당(洛黨)의 영수(領袖)로서, 관은 영의정까지 올랐음. 그 후 효종(孝宗)이 청(淸)나라를 치려 한다는 사실을 청나라에 밀고하여, 역모(逆謀)로서 주살당함. [?-1651]

김장 명 겨울부터 봄까지 먹기 위하여 김치·깍두기·동치미 등을 입동(立冬) 전후에 한번에 많이 담가 두는 일. 또, 그 담근 것. 진장(陳藏). 침장(沈藏). ——하다 자여불

김장-감 [一깜] 명 김장에 쓰는 채소. 배추·무 따위.

김장-값 [一깝] 명 ①김장거리를 사는 돈. ②김장하는 데 드는 경비.

김장-독 [一똑] 명 김장을 해서 담아 두는 독.

김장-때 명 김장할 시기. 곧, 입동의 전후.

김장 배ː추 명 김장 담그는 데 쓰는 결구(結球) 배추.

김-장생【金長生】명〖사람〗조선 시대 중기의 예학자(禮學者). 자는 희원(希元), 호는 사계(沙溪). 광산(光山) 사람. 송익필(宋翼弼)과 율곡(栗谷)의 제자로, 송시열(宋時烈)의 스승. 선조 35년(1602) 청백리(淸白吏)로 녹선(錄選)됨. 인조 때 공조 참의(工曹參議)·행호군(行護軍)을 거쳐, 형조 참판에 임명되었으나 받지 아니함. 예론(禮論)을 깊이 연구, 조선 예학의 태두로 예학파의 주류를 형성함. 저서에 《의례 문해(疑禮問解)》·《서소 잡록(書疏雜錄)》 등이 있음. 문묘(文廟)에 배향(配享)됨. 시호는 문원(文元). [1548-1631]

김-장순【金長淳】명〖사람〗조선 영조(英祖) 때의 독농가(篤農家). 일본에 통신사로 갔던 조엄(趙曮)이 가져온 고구마 재배에 노력, 그 경험을 기초로 《감저 신보(甘藷新譜)》를 저술하고, 그 전파에 공헌함.

김장-철 명 김장을 담글 철, 곧 늦가을과 초겨울.

김장-파 명 김장에 쓰려고, 뿌리를 심어서 기른 파. 보통 파보다 맛이 독함. 자총(慈葱).

김장 한국【金長汗國】명〖역〗킵차크 한국.

김-재(ː)로【金在魯】명〖사람〗조선 영조(英祖) 때의 상신(相臣). 자는 중례(仲禮), 호는 청사(晴沙) 또는 허주자(虛舟子). 청풍(淸風) 사람. 신임 사화(辛壬士禍)로 위리 안치(圍籬安置)가 되었으나, 영조가 즉위하자 풀려, 영의정에 오름. 충순 청빈(忠順淸貧)한 재상이었음. 시호는 충정(忠靖). [1682-1759]

김-재(ː)육【金在堉】명〖사람〗조선 고종 때의 학자. 자는 우홍(宇洪), 호는 운고(雲皐). 김해 사람. 평생을 학문으로 보냈으며, 80세에 노인직으로 동지중추부사(同知中樞府事)가 됨. 저서에 《운고집》, 한문 소설 《육미당기(六美堂記)》 등이 있음. [1808-93]

김-재(ː)준【金在俊】명〖사람〗목사. 함경 북도 경흥(慶興) 출생. 호는 장공(長空). 1928년 일본 아오야마(青山) 학원 신학부, 1929년 미국 프린스턴 신학교를 각각 졸업, 1937년 목사가 됨. 1945년 경동(京東) 교회 설립, 1953년 한국 기독교 장로교를 창설함. 1961년 한신대(韓神大) 학장 재직 중 긴급 조치령에 의하여 학장을 사임함. 국제 엠네스티 한국 위원회 이사장, 민주 수호 국민 협의회 의장 등을 역임함. 저서에 자서전 《범용기(凡庸記)》를 비롯해 《낙수(落穗)》·《계시(啓示)와 증언》 등이 있음. [1901-87]

김-재(ː)찬【金載瓚】명〖사람〗조선 순조(純祖) 때의 상신(相臣). 자는 국보(國寶), 호는 해석(海石). 연안(延安) 사람. 익(熤)의 아들. 10년 동안 영의정으로 있으면서, 당시 기근과 병혁(兵革)으로 인하여 혼란된 세태를 평안하게 하였음. 시호는 문충(文忠). [1746-1827]

김-재(ː)철【金在喆】명〖사람〗국문학자. 호는 노정(蘆汀). 충청 북도 괴산(槐山) 출생. 경성 제국 대학 조선 문학과 졸업. 평양(平壤) 사범

학교에서 교편을 잡고 있던 중 죽음. ≪조선 연극사(朝鮮演劇史)≫는 우리 나라 연극사 연구의 선구적 업적으로 평가됨. [1907-32]

김-저【金佇】명〖사람〗 고려 우왕 때의 무장. 시중(侍中) 최영(崔瑩)의 생질로 그의 수족처럼 활약, 이성계(李成桂)를 죽이려고 모의하다가 순군옥(巡軍獄)에 갇혔음. [? -1389]

김-전[1]【金詮】명〖사람〗 조선 중종(中宗) 때의 상신(相臣). 자는 중륜(仲倫), 호는 나헌(懶軒)·능인(能人). 연안(延安) 사람. 1518년 ≪속동문선(續東文選)≫을 왕에게 찬진(撰進)하고, 이듬해 기묘 사화(己卯士禍)를 일으켰음. 중종 15년(1520)에 영의정에 오름. 시호는 충정(忠貞). [1458-1523]

김-전[2]【金琠】명〖사람〗 고려 공양왕 때의 전의 부정(典醫副正). 배불론(排佛論)이 일어났을 때 불교를 변호하여 박초(朴礎) 등 유신(儒臣)으로부터 비난을 받음. 그는 불법의 폐해와 승려의 타락을 시인하면서, 그 것을 고쳐 참된 불도를 재건하도록 주장하였음.

김-정【金淨】명〖사람〗 조선 중종(中宗) 때의 정치가·문장가. 자는 원충(元冲), 호는 충암(冲菴). 경주 사람. 형조 판서와 예문관 제학을 겸하여, 조광조(趙光祖)와 더불어 지치주의(至治主義)의 실현을 위해, 미신 타파와 향약(鄕約)의 전국적 시행 등 업적을 남겼음. 기묘 사화(己卯士禍)에 사사(賜死)됨. 시문과 그림에 능하였음. 시호는 문간(文簡). [1486-1521]

김-정(:)구【金鼎九】명〖사람〗 조선 연산군 때의 가객(歌客). 자는 덕보(德甫). 안동 사람. 노래와 시조를 잘 하였음. 시조 ≪백로가(白鷺歌)≫는 정몽주(鄭夢周)의 어머니의 작이라고도. 하나 ≪약파 만록(藥波漫錄)≫에 한역(漢譯)된 것으로 보아 그의 작품(作品)으로 추단(推斷)된다고도 함.

김-정(:)국【金正國】명〖사람〗조선 시대 중기의 문장가·정치가. 자는 국필(國弼), 호는 사재(思齋). 의성(義城) 사람. 김안국(安國)의 아우. 김굉필(金宏弼)의 문인(門人). 기묘 사화(己卯士禍) 때 삭직(削職)되었으나, 뒤에 복관, 예조·병조·형조의 참판을 지냄. 시호(諡號)는 문목(文穆). [1485-1541]

김-정(:)근【金定根】명〖사람〗 조선 철종·고종 때의 명창(名唱). 진양조의 창시자 성옥(成玉)의 아들. 강경(江景) 출신. 판소리·무숙이타령으로 이름을 떨치고, 시조와 음률에도 뛰어났음. '상궁접'이라는 새로운 곡조를 창시하고, 이동백(李東伯) 등 우수한 제자를 양성함. 생몰 연대 미상.

김-정렬【金貞烈】[—녈] 명〖사람〗 군인·정치가. 서울 출생. 일본 육군 사관 학교 졸업, 1949년 초대 공군 참모 총장 역임. 57년부터 국방부 장관·민주 공화당 의장·주미 대사·국정 자문 위원 등을 지내고 87-88년 국무 총리를 지냄. [1917-92]

김-정혜【金貞蕙】명〖사람〗 여류 교육가. 경기도 출신. 본성(本姓)은 남원(南原) 양씨(梁氏). 1908년 개성 송계 학당(松桂學堂)을 인수, 정화(貞和) 여자 상업 고등 학교를 설립함. 장례식은 개성군 사회장(社會葬)으로 거행됨. [1868-1915]

김-정(:)호【金正浩·金正皥】명〖사람〗 조선 시대 말기의 지리학자. 자는 백원(伯元), 호는 고산자(古山子). 청도(淸道) 사람. 황해도 출생. 독학으로 조선 지도의 제작에 뜻을 두어 30여 년 동안 방방 곡곡을 걸어다니며 실측(實測) 조사하여 ≪대동여 지도(大東輿地圖)≫를 완성, 철종(哲宗) 12년(1861) 손수 그려서 각판(刻板)을 간행하고, ≪대동 지지(大東地志)≫ 32권 15책을 이룩함. 이 밖에 ≪지구도(地球圖)≫도 제작했다 함. [? -1864]

김-정환【金貞桓】명〖사람〗 무대 미술가(舞臺美術家). 서울 출생. 도쿄(東京) 미술 학교를 졸업하고 1947년 이후 무대 장치에 종사했으며, 서울 대학교·동국 대학교 교수 등을 역임함. 예술원 회원. [1911-73]

김-정(:)희【金正喜】[—히] 명〖사람〗 조선 헌종 때의 문신이며 서법(書法)의 대가. 자는 원춘(元春), 호는 완당(阮堂) 또는 추사(秋史). 경주(慶州) 사람. 벼슬이 대사성(大司成)·이조 참판(參判)까지 이름. 학문 연구에 실사 구시(實事求是)를 주장하였으며, 고증학(考證學)·금석학(金石學)에 밝았고, 추사체(秋史體)를 대성하여 특히, 예서(隸書)를 잘 하였음. 그림은 죽란(竹蘭)과 산수(山水)를 그렸음. 북한산(北漢山) 비봉(碑峰)의 비석(碑石)이 진흥왕 순수비(眞興王巡狩碑)임을 고증했음. [1786-1856]

김-제[1]【金悌】명〖사람〗 고려 문종 때의 문신. 문종 25년(1071) 중국 송나라와 국교가 재개되자 일행 110명을 이끌고 송나라에 갔으며 이 때 수행원이던 박인량(朴仁亮) 등과 도중에서 화창(和唱)한 시 70편으로 ≪서상 잡영(西上雜詠≫을 편찬함. 이부 상서 참지정사(吏部尚書參知政事)를 거쳐 태자 태보(太子太保)에 이름.

김제[2]【金堤】명〖지〗 전라 북도의 한 시(市). 1읍(邑) 14면(面) 7동(洞). 북쪽은 만경강(萬頃江) 및 그 하구를 경계로 군산시(群山市)·익산시(益山市), 동쪽은 전주시(全州市)·완주군(完州郡), 남쪽은 정읍시(井邑市)·부안군(扶安郡), 서쪽은 부안군과 서해(西海)에 접함. 농업이 성하며 명승 고적은 금산사(金山寺)·만경 평야(萬頃平野)·벽골제(碧骨堤)·흥복사(興福寺)·대율 저수지(大栗貯水池) 등이 있음. 1995년 1월, 김제군과 통합, 개편됨. [545.46 km^2 : 128,363 명(1996)]

김-제(:)갑【金悌甲】명〖사람〗 조선 명종·선조 때의 문신·의사(義士). 자는 순초(順初), 호는 의재(毅齋). 안동 사람. 이황(李滉)의 문인. 임진 왜란 때 원주 목사(原州牧使)로서 왜군이 쳐들어오자 관(官)·의병(義兵)을 이끌고 싸우다가 전사함. 시호는 문숙(文肅). [1525-1592]

김-제(:)겸【金濟謙】명〖사람〗 조선 숙종 때의 문신. 자는 필형(必亨), 호는 죽취(竹醉). 안동 사람. 창집(昌集)의 아들. 벼슬이 우부승지(右副承旨)에 이르렀으나, 신임 사화(辛壬士禍) 때 부령(富寧)에 이배(移配) 후 사형됨. 신임 사화로 죽은 3학사(學士)의 한 사람임. 시호는 충민(忠愍). [1680-1722]

김제-군【金堤郡】명〖지〗 전라 북도에 속했던 군. 1995년 1월, 김제시에 통합됨.

김-제(:)남【金悌男】명〖사람〗 조선 선조의 국구(國舅). 자는 공언(恭彥). 연안(延安) 사람. 전(詮)의 증손. 광해군 때 이이첨(李爾瞻) 등에 의해 영창 대군(永昌大君) 추대 음모의 무고를 받고, 자택에서 사사(賜死)되었음. 아들 셋도 화를 입었고, 부인은 제주도에 위리 안치(圍籬安置)됨. 연흥 부원군(延興府院君). 시호는 의민(懿愍). [1562-1613]

김제 벽골제비【金堤碧骨堤碑】명〖역〗 전라 북도 김제시 부량면(扶梁面)에 있는 비석. 삼국 시대 관개용(灌漑用) 저수지로 쓰이던 벽골제의 둑을 조선 세종(世宗) 15년(1433)에 보수한 기념비. 음기(陰記)에 의하면, 태종 때의 벽골제 보수 공사에 관계한 박습(朴習)의 12대손 박상화(朴尙和) 등이 숙종 10년(1684)에 중건한 것이라 함. '호남(湖南)'이라는 지방 이름은 이 저수지 이남이라는 뜻임.

김제 평야【金堤平野】명〖지〗 전라 북도 김제시(金堤市)를 중심으로 만경강(萬頃江) 유역 일대에 펼쳐진 평야. 한국 최대의 곡창 지대를 이룸. 중심지는 김제시(市).

김-조【金銚】명〖사람〗 조선 세종 때의 명신. 초명(初名)은 빈(鑌). 자는 자화(子和), 호는 졸재(拙齋). 김해 사람. 직제학(直提學)으로 있을 때 간의대(簡儀臺)를 참장(參掌), 자격루(自擊漏)를 만들어 왕의 칭찬을 받음. 벼슬이 예조 판서에 오름. 시호는 공간(恭簡). [? -1455]

김-조근【金祖根】명〖사람〗 조선 헌종의 국구(國舅). 자는 백술(伯述), 호는 자오(紫塢). 안동(安東) 사람. 음보(蔭補)로 영돈령부사(領敦寧府事)에 올라, 왕실 외척으로서 안동 김씨(金氏) 세도의 기반을 마련하였음. 영흥 부원군(永興府院君). 시호는 효간(孝簡). [? -1844]

김-조(:)성【金肇盛】명〖사람〗 연극인. 호는 춘광(春光). 황해도 해주(海州) 출신. 우미관(優美館)의 주임 변사(主任辯士)를 지내고, 영화 ≪춘향전≫·≪흥부전≫ 등의 주역을 맡음. 1937년 극단 예원좌(藝苑座)를 조직, ≪아리랑≫·≪춘색시≫·≪안중근 사기(史記)≫ 등을 공연함. 특히, 직접 각본을 쓴 ≪검사(檢事)와 여선생(女先生)≫이 유명함. [1901-50]

김-조순【金祖淳】명〖사람〗 조선 시대 후기의 정치가. 초명은 낙순(洛淳). 자는 사원(士源), 호는 풍고(楓皐). 순조(純祖)의 국구(國舅)로 영안 부원군(永安府院君). 철종 때 안동 김씨의 척리(戚里) 정치의 시초로서, 30년 간 임금을 보좌하였음. 문장에 능하고 대나무를 잘 그렸음. 시호는 충문(忠文). [1765-1831]

김-종문【金宗文】명〖사람〗 시인. 평양(平壤) 출신. 일본 도쿄(東京)의 아테네 프랑세를 졸업, 국방부 정훈국장(國防部政訓局長)을 역임하여 육군 소장(陸軍少將)으로 예편함. 1948년부터 시(詩)를 발표, ≪벽≫·≪불안한 토요일≫·≪신시집≫ 등을 남김. [1919-81]

김-종서【金宗瑞】명〖사람〗 조선 단종(端宗) 때의 충신. 자는 국경(國卿), 호는 절재(節齋). 순천(順天) 사람. 세종(世宗)의 지우(知遇)를 얻음. 북쪽 육진(六鎭)을 개척하였고 그 공로로 문종(文宗) 때 우의정이 되었으며, 고명(顧命)으로 단종 때 좌의정이 됨. 수양 대군에 의해 두 아들과 함께 격살되어 효시(梟示)됨. ≪고려사(高麗史)≫의 개찬(改撰)과 ≪고려사 절요(節要)≫의 편찬을 총관(總管)함. 시조 2수가 전함. 시호는 충익(忠翼). [1390-1453]

김-종정【金鍾正】명〖사람〗 조선 정조 때의 문신. 자는 백강(伯剛), 호는 운계(雲溪). 청풍(淸風) 사람. 이조 판서 때 홍국영(洪國榮)과 반목, 실각하여 뒤에 다시 복관하여 한성 판윤(判尹)이 됨. 당시 천변(天變)이 있자 임금에게 7조의 대책을 건의하였음. 시호는 청헌(淸獻). [1722-87]

김-종직【金宗直】명〖사람〗 조선 성종(成宗) 때의 유종(儒宗). 자(字)는 계온(季昷), 호는 점필재(佔畢齋). 선산(善山) 사람. 고려 야은(冶隱)의 학통을 이어 많은 제자를 길러 내어, 나중에 영남(嶺南) 학파의 대표가 됨. 성종 때 형조 판서에 이름. 총재관(摠裁官)으로서 ≪동국 여지 승람(東國輿地勝覽)≫을 증수(增修)함. 그의 ≪조의제문(弔義帝文)≫이 뒷날의 무오 사화(戊午史禍)의 원인이 됨. 시호는 문충(文忠). [1431-92]

김-종후【金鍾厚】명〖사람〗 조선 정조 때의 성리학자·문신. 자(字)는 백고(伯高), 호는 목암(木庵). 민우수(閔遇洙)의 문인. 벼슬은 자의(諮議)에 이름. 문집 ≪가례 편람(家禮便覽)≫등. [?-1780]

김-좌(:)근【金左根】명〖사람〗 조선 철종 때의 영의정. 자는 경은(景隱), 호는 하옥(荷屋). 안동(安東) 사람. 조순(祖淳)의 아들. 왕실의 척속(戚屬)으로 안동 김씨의 중추적 인물로서 세도를 누렸음. 시호는 충익(忠翼). [1797-1869]

김-좌(:)명【金佐明】명〖사람〗 조선 현종 때의 문신. 자(字)는 일정(一正), 호는 귀계(歸溪)·귀천(歸川). 청풍(淸風) 사람. 육(堉)의 아들. 병조 판서로 군율을 바로잡아 병기·군량을 충실히 하고, 군사 훈련을 엄격히 실시하였음. 글씨에도 능하였음. 시호는 충숙(忠肅). [1616-71]

김-좌(:)진【金佐鎭】명〖사람〗 독립 운동가·장군. 호는 백야(白冶). 홍성(洪城) 출신. 3·1운동 때 만주에 들어가 북로 군정서(北路軍政署)를 조직하고 총사령(總司令)이 되어, 사관 양성소를 설립, 군대를 양성함. 1920년 청산리(靑山里) 작전에서 일본군을 대파하였음. 뒤에 공산당원에게 저격당함. [1889-1930]

김-주정【金周鼎】명〖사람〗 고려 충렬왕(忠烈王)의 모신(謀臣). 광산(光山) 사람. 충렬왕의 수행원으로 원나라에 들어가, 원의 군대의 본국 주둔을 철수하게 하고, 또 다루가치(達魯花赤)도 없애도록 하였음. 시호는 문숙(文肅). [? -1290]

김-준[1]【金俊】명〖사람〗 고려 원종 때의 무신. 초명은 인준(仁俊). 활을 잘 쏘는 호걸로서, 고종 45년(1258) 최의(崔竩)의 무단 정권을 타도 1등 공신이 됨. 교정 별감(敎定別監)·시중(侍中)이 되어 권세를 잡고 부

귀를 누림. 후에 원종(元宗)의 미움을 받아 살해됨. [?-1268]

김-준²【金浚】명〖사람〗조선 인조 때의 문신. 광해군의 난정(亂政)을 보고 낙향, 인조 반정 후 여러 벼슬을 역임함. 정묘 호란(丁卯胡亂) 때 안주 목사 겸 방어사를 지냈고, 안주성이 함락되자 처자와 함께 분신 자결함. 시호는 장무(壯武). [1582-1627]

김-준³【金準】명〖사람〗대한 제국 때의 항일 의병장. 호는 죽봉(竹峰). 나주(羅州) 출신. 1906년 나주에서 의병을 모집, 고창(高敞)·광주(光州) 등지에서 활약하다가 나주에서 전사함. [?-1907]

김-준(:)근【金俊根】명〖사람〗조선 말엽의 풍속화가. 호는 기산(箕山). 1886년 부산 초량(草梁)에 살면서 고종(高宗)의 초청으로 내한한 독일 제독(提督) 슈펠트(shufeldt, R. W.)의 딸에게 우리 나라의 민속과 풍속을 그려 줌. 또, 선교사 게일(Gale, J. S.)을 따라 원산(元山)에 가서 《천로 역정(天路歷程)》의 삽화를 그림. 그의 작품이 독일 함부르크 민족학(民族學) 박물관에 소장되어 있음. 생몰년 미상.

김-준(:)명【金俊明】명〖사람〗중국 명(明)나라의 문인(文人). 자는 효장(孝章), 호는 경암(耿菴) 또는 불매 도인(不寐道人). 강소 오현(江蘇吳縣) 사람. 시가(詩歌)와 고문(古文)에 뛰어났고, 산수(山水)·죽석(竹石), 특히 묵매(墨梅)에 비상하였음.

김-준(:)민【金俊民】명〖사람〗조선 선조 때의 무장. 임진 왜란 때 거제 현령(巨濟縣令)으로 의병장이 되어, 김천일(金千鎰)의 휘하에서 진주성(晋州城)의 동문을 고수하다가 전사하였음. [? -1593]

김-준(:)연【金俊淵】명〖사람〗정치가. 호는 낭산(朗山). 전남 영암(靈巖) 출생으로, 일본 도쿄 대학(東京大學)을 졸업, 1937년 동아 일보 주필로 있다가 일장기 말소 사건(日章旗抹消事件)으로 사직함. 해방 후 정계에 투신, 국회 의원·법무부 장관을 역임하였음. 1957년 통일당(統一黨) 창당. 1967년 민중당 총재로 대통령에 출마하였음. [1895-1971]

김-줄 [一쭐] 명〖광〗☞ 낌줄.

김-중(:)열【金重說】[一녈] 명〖사람〗조선 영조 때의 가객(歌客). 자는 사순(士淳). 경정산 가단(敬亭山歌壇)의 한 사람. 김성기(金聖器)에게서 거문고와 퉁소를 배워 높은 경지를 이룩하고, 시조에 새로운 경지를 개척함. 《해동 가요》에 시조 3수가 전함. 생몰년 미상.

김-지남【金指南】명〖사람〗조선 숙종 때의 역관(譯官). 자는 계명(季明), 호는 광천(廣川). 우봉(牛峰) 사람. 중국 청나라에 다녀와서 《신전 자초방(新傳煮硝方)》을 저술하고, 《통문관지(通文館志)》를 편찬하여 대외 관계를 이해하는 데 주요한 자료를 남겼음. 지중추부사(知中樞府事)를 지냈음. [1654-?]

김-지대【金之岱】명〖사람〗고려 고종 때의 문인. 초명은 중룡(仲龍). 청도 김씨(清道金氏)의 시조. 시문에 능했으며, 관리로서 정치를 잘하고 몽고 침략군을 방어하는 데 공이 컸음. 벼슬이 정당 문학 이부 상서(政堂文學吏部尚書)·중서 시랑 평장사(中書侍郎平章事)에 이름. 그의 시 약간 편이 《동문선(東文選)》에 전함. 시호는 영헌(英憲). [1190-1266]

김-지섭【金祉燮】명〖사람〗독립 운동가. 자는 위경(衛卿), 호는 추강(秋岡). 풍산(豐山) 사람. 경상 북도 안동(安東) 출생. 중국에 망명하여 의열단(義烈團)에 가입(加入), 1924년 도쿄(東京) 궁성(宮城)의 니주바시(二重橋)에 폭탄을 던지고 현장에서 체포되어 형무소에서 병사하였음. [1884-1928]

김지 이:지 명 〔←金的李的〕 성명이 분명하지 아니한 사람을 셀 때 쓰는 말. ¶ 방에 ~ 여럿이 있다/저 한 대로 바로 말을 아니하고 ~ 남을 업고 들어가면 다른 사람은 입이 없나? 《作者未詳 : 홍도화》.

김-지정【金志貞】명〖사람〗신라의 왕족. 780년 반란을 일으켜 왕궁을 포위하고, 혜공왕(惠恭王)과 왕후를 죽였으나, 상대등(上大等) 김양상(金良相), 이찬(伊湌) 김경신(金敬信) 등에게 패하여 죽었음. [?-780]

김지정의 난:【金志貞一亂】[一/一에一] 명〖역〗신라 혜공왕 16년(780)에 신라 왕족 김지정이 일으킨 반란. 혜공왕이 유흥만을 일삼아 나라의 기강은 문란하고 사직이 위태로웠으므로, 김지정이 임금과 왕비를 죽였으나 반란은 곧 평정되고 김양상(金良相)이 왕위에 오름.

김직재의 옥【金直哉一獄】[一/一에一] 명〖역〗조선 광해군 때에 일어난 옥사(獄事). 광해군 4년(1612)에 봉산(鳳山) 군수 신률(申慄)이 병조(兵曹)의 문서를 위조해 사용하다 붙들린 김경립(金景立)이란 자를 문초하자, 성균관 학유(成均館學諭)로 있는 김직재 부자가 모반(謀叛)을 계획한다고 무고하여, 순화군(順和君)의 양자인 진릉군(晋陵君) 등 100여 명의 소북파(小北派)가 처벌을 당하였음. 소북파를 제거하기 위한 대북파(大北派)의 조작된 옥사였음.

김-진(:)섭【金晋燮】명〖사람〗수필가. 호는 청천(聽川). 경북 안동(安東) 출생. 일본 호세이 대학(法政大學) 독일 문학과 졸업. 해외 문학을 번역 소개하고 '극예술(劇藝術) 연구회'를 조직, 외국의 근대극을 번역·상연하여 신극 운동을 전개하였음. 서울 대학교·성균관 대학 교수 역임. 서구(西歐) 수필의 영향을 받았으며, 수필집으로 《인생 예찬》·《생활인의 철학》·《교양의 문학》 등이 있음. 6·25 때 납북되었음. [1906-?]

김진옥-전【金振玉傳】명〖문〗작자·연대 미상(未詳)의 조선 시대 때의 소설. 중국 명(明)나라 때 난리로 부친을 잃은 김진옥이 무술과 도술(道術)을 배워 한림 학사가 되었는데, 그 간의 전쟁에 공을 세운 무용담(武勇譚)과 고생한 이야기를 내용으로 하고 있음.

김-진(:)태【金振泰】명〖사람〗조선 영조(英祖) 때의 가객(歌客). 경정산 가단(敬亭山歌壇)의 한 사람. 속세에 때묻지 아니한 선경(仙境)을 노래한 시조 26수가 《해동 가요》에 전함. 생몰년 미상.

김-진(:)하【金振夏】명〖사람〗조선 영조 때의 역관(譯官). 청학(淸學)·청어(淸語)에 능했으며, 어린이의 청학 공부를 위해 《소아론(小兒論)》을 편집 간행함. 생몰년 미상.

김-진(:)형【金鎭衡】명〖사람〗조선 시대 후기의 문신. 자는 덕종(德種). 의성(義城) 사람. 철종 원년(1850) 교리(校理)가 되어 이조 판서 서기순(徐箕淳)을 탄핵하다가 명천(明川)에 귀양갔는데 거기서 《북천가(北遷歌)》를 지음. 고종 원년(1864)에 시폐(時弊)를 상소했다가 조대비(趙大妃)의 비위에 거슬려 전라도 고금도(古今島)에 유배됨. [1801-?]

김-진(:)흥【金振興】명〖사람〗조선 시대 중기의 서예가(書藝家). 자는 흥지(興之), 호는 송계(松溪). 선산(善山) 사람. 효종 5년(1654) 역과(譯科)에 급제, 벼슬이 호군(護軍)에 이름. 어려서부터 여이징(呂爾徵)에게 전서(篆書)와 주서(籒書)를 배워, 38체(體)를 통달하여 전서가(篆書家)로 이름을 떨침. 《대학 장구(大學章句)》·《전해 심경(篆海心鏡)》을 지음. [1621-?]

김-질¹【金質】명〖사람〗조선 명종 때의 학자·효자. 자는 문소(文素), 호는 영모당(永慕堂). 안동 사람. 복중(福重)의 아들. 지극한 효자로 부친상을 당하자 제사 때 꿩이 부엌으로 날아들어 이를 제물로 썼다 하며, 제사에 쓸 간장을 쥐가 흐려 놓아서 통곡했더니 밤새 쥐가 떼를 지어 장독 아래에 모여 죽었다 하며, 48세에 모친상을 당하여 여막(廬幕)에 있는데, 밤새 한 길이 넘게 눈이 내렸으나, 여막 둘레만 내리지 아니하여 이에 탄복한 사람들이 그 곳을 제청산(祭廳山)이라 불렀다 함. 사후 고향에 효자 정문(旌門)이 세워짐. [1496-1561]

김-질²【金礩】명〖사람〗조선 성종(成宗) 때의 공신. 자는 가안(可安), 호는 쌍곡(雙谷). 안동(安東) 사람. 성삼문(成三問) 등과 단종(端宗)의 복위(復位)를 꾀하다 배신하고 고변(告變), 뒤에 우의정·좌의정을 역임하고, 세조(世祖)가 죽자 원상(院相)이 되어 서정(庶政)을 처리함. 시호는 문정(文靖). [1422-1478]

김-집【金集】명〖사람〗조선 효종(孝宗) 때의 예학자(禮學者). 자(字)는 사강(士剛), 호는 신독재(愼獨齋). 광산(光山) 사람. 김장생(金長生)의 아들. 효종 때 이조 판서가 되었으나, 훈신(勳臣) 김자점(金自點)의 북벌(北伐) 계획 밀고로 정국(政局)이 어지러워지자, 낙향하여 예학을 연구하며 제자를 양성하였음. 문묘(文廟)에 배향(配享)됨. 시호는 문경(文敬). [1574-1656]

김-찬【金瓚】명〖사람〗조선 시대 중기의 문신. 자는 숙진(叔珍), 호는 눌암(訥庵). 안동(安東) 사람. 임진 왜란 때 대사헌(大司憲)으로서 선조를 호종(扈從), 반대파인 동인(東人) 이산해(李山海)의 실책을 탄핵하여 파직시킴. 선조 27년(1594) 접반사(接伴使)로서 중국 명나라 지원군의 인도(引導), 일본군과의 강화 회담에 크게 활약함. 경제 정책의 전문가이자 명문장가였음. 시호는 효헌(孝獻). [1543-99]

김:-찬국 [一꾹] 명 맑은 간장 물에 초를 치고 김을 구워 부스러뜨려서 넣은 찬국.

김-창균【金昌均】명〖사람〗항일 독립 투사. 1922년 만주로 망명, 대한 독립단의 백광운(白狂雲) 부대에 가담하여 국내의 일본인 주재소의 습격, 공금(公金) 탈취, 통신망 파괴, 악질 밀정(密偵)의 제거 등 많은 활약을 함. 1924년 5월에는 사이토(齋藤) 총독의 압록강 순시선(巡視船)을 습격했으나 실패, 그 후 계속 활동하다가 체포되어 무기 징역으로 복역중 옥사함. [1892-1929]

김-창근【金昌根】명〖사람〗항일 독립 투사. 1926년 상해(上海)에서 독립 운동 단체인 병인 의용대(丙寅義勇隊)에 가입, 임시 정부의 지시로 조선 공산당 청년 동맹을 해산하게 하고, 상해 일본 총영사관에 폭탄을 던짐. 그 후 맹혈단(猛血團)에 가담, 10여 명의 단원과 일본 총영사관을 습격하러 들어가다가 체포되어 사형당함. [?-1937]

김-창록【金昌錄】[一녹] 명〖사람〗조선 철종·고종 때의 명창(名唱). 전북 고창(高敞) 출신. 동편조(東便調)의 명창으로 《심청가》로 유명함. 《산유화(山有花)》의 창을 작곡함. 생몰년 미상.

김-창룡【金昌龍】[一뇽] 명〖사람〗조선 고종 때의 명창. 충남 서천(舒川) 출신. 정근(定根)의 아들. 어려서 부친에게 판소리를 배우다가 이날치(李捺致)에게 사사(師事), 판소리로 일가(一家)를 이루고, 연흥사(延興社) 창립, 조선 성악 연구회 참여, 창극의 보급과 후진 양성에 노력함. 특히 《적벽가(赤壁歌)》에 뛰어났음. [1872-?]

김-창숙【金昌淑】명〖사람〗독립 운동가·유학자·정치가. 자는 문좌(文佐), 호는 심산(心山). 의성(義城) 사람. 경북 성주(星州) 출생. 상해로 망명, 임시 정부 의정원 부의장, 광복 후 민주 의원을 역임함. 이승만(李承晩) 정권에 항거, 부정 선거를 규탄하며 유교 정신의 재현을 위하여 힘씀. 성균관 대학을 창립, 초대 학장에 취임하였음. [1879-1962]

김-창식【金昌植】명〖사람〗최초의 기독교 목사(牧師). 황해도 수안(遂安) 출신. 올링거(Olinger) 선교사에게 신학(神學)을 배워, 1901년 목사가 되고 1906년 평양 지방 감리사(監理師), 1921년 해주 지방 감리사가 됨. 평생에 48개 처의 교회를 세움. [1857-1929]

김-창업【金昌業】명〖사람〗조선 숙종(肅宗) 때의 학자. 자는 대유(大有), 호는 노가재(老稼齋). 수항(壽恒)의 넷째 아들, 창집(昌集)의 아우. 중국 북경에 갔다 온 기행문(紀行文) 《연행록(燕行錄)》이 있음. 그림에도 뛰어남. [1658-1721]

김-창조【金昌祖】명〖사람〗조선 고종 때의 국악인(國樂人). 가야금 산조(散調)의 창시자이며, 모든 악기에 능통하고 특히, 해금(奚琴)은 입신(入神)의 경지에 들었다 함. [1865-1919]

김-창집【金昌集】명〖사람〗조선 숙종과 경종 때의 문신으로 노론 사대신(老論四大臣)의 한 사람. 자는 여성(汝成), 호는 몽와(夢窩). 안동 사람. 수항(壽恒)의 맏아들. 영의정을 지냄. 숙종이 죽은 뒤 원상(院相)으로 서정(庶政)을 처리하고 경종(景宗)의 세제(世弟)로 영조(英祖)를 책봉(冊封)케 하고, 이어 세제의 대리 청정(聽政)을 시행케 함. 소론(少論)인 김일경(金一鏡) 등의 고발로 신임 사화(辛壬士禍)에 걸려 거제도(巨濟島)에 위리 안치(圍籬安置)되었다가, 이듬해 사사(賜死)됨. 시호는 충헌(忠獻). [1648-1722]

김-창하【金昌河】명〖사람〗조선 순조 때의 악사(樂師). 가야금과 춤의 대가. 익종(翼宗)의 세자 시절에 악단 '구후관(九猴官)'을 조직하고 구후 감관(九猴監官)이 되어 때때로 어전 연주를 하였음. 순조(純祖) 망오순(望五旬)에 축하 진연 정재(祝賀進宴呈才)로 세자를 도와 많은 정재(呈才)를 지었음. 생몰년 미상.

김-창협【金昌協】 명 〖사람〗 조선 숙종(肅宗) 때의 학자. 자는 중화(仲和), 호는 농암(農巖). 안동(安東) 사람. 수항(壽恒)의 둘째 아들. 대사성(大司成)·청풍 부사(淸風府使) 등을 역임했으나, 기사 환국(己巳換局) 때 은거, 성리학을 연구하며 여생을 보냄. 문장에 능하고 글씨도 잘 썼음. 문집 ≪농암집≫이 있음. 시호는 문간(文簡). [1651-1708]

김-창환【金昌煥】 명 〖사람〗 조선 고종 때의 명창(名唱). 전남 나주(羅州) 출생. 이날치(李捺致) 이후 서파 법통(西派法統)을 홀로 이음. 고종의 총애를 받아 의관(議官)이 되었으며, 융희 원년(1907) 원각사(圓覺寺) 주석이 되고, 뒤에 협률사(協律社)를 조직함. ≪흥부가≫ 중의 '제비 노정기(路程記)'에 뛰어났음. [1854-1927]

김-창흡【金昌翕】 명 〖사람〗 조선 숙종(肅宗) 때의 학자. 자는 자익(子益), 호는 삼연(三淵). 영의정 수항(壽恒)의 셋째 아들. 이단상(李端相)의 제자. 성리학에 능하여, 형 농암(農巖) 김창협과 더불어 율곡 이후의 대학자로 명성이 높았음. 형 창협이 호론(湖論)인데 반해 낙론(洛論)에 속함. 기사 환국(己巳換局) 때 아버지가 사사(賜死)되자 영평(永平)에 은거, 조정의 부름을 거절함. 저서에 ≪삼연집(三淵集)≫이 있음. 시호는 문강(文康). [1653-1722]

김-처(:)선【金處善】 명 〖사람〗 조선 연산군 때의 환관(宦官). 연산군이 궁중에서 처용희(處容戱)를 벌여 음란하게 굴자, 이를 간(諫)하여, 연산군에 의하여 다리와 혀를 잘림. [?-1505]

김천【金泉】 명 〖지〗 경상 북도의 한 시(市). 1읍(邑) 14면(面) 13동(洞). 북쪽은 상주시(尙州市), 동쪽은 구미시(龜尾市), 서쪽은 충청 북도의 영동군(永同郡)과 전라 북도의 무주군(茂朱郡), 남쪽은 성주군(星州郡)과 경상 남도의 거창군(居昌郡)에 접함. 농업이 주산업이며 광산물로는 금·은을 산출함. 명승 고적으로는 원계 서원(遠溪書院)·직지사(直指寺)·쌍계사(雙溪寺)·봉황대(鳳凰臺)·황학산(黃鶴山) 등이 있음. 1995년 1월, 금릉군을 통합, 개편됨. [1,009.49 km²: 151,595명(1996)]

김천-군【金泉郡】 명 〖지〗 '금릉군(金陵郡)'의 구명(舊名).

김천 분지【金泉盆地】 명 〖지〗 추풍령(秋風嶺) 동남 기슭의 화강암 지대에 발달한 침식 분지(浸蝕盆地). 중심지는 김천시(金泉市).

김-천일【金千鎰】 명 〖사람〗 조선 선조(宣祖) 때의 의병장. 자는 사중(士重), 호는 건재(健齋). 언양(彥陽) 사람. 임진 삼장사(壬辰三壯士)의 한 사람으로, 임진 왜란이 일어나자 나주(羅州)에서 의병을 일으켜, 양화도(陽花渡)에서 대승하고, 진주(晋州) 싸움에서 성이 함락되자 자결하였음. 시호는 문열(文烈). [1537-93]

김-천택【金天澤】 명 〖사람〗 조선 영조(英祖) 때의 가인(歌人). 자(字)는 백함(伯涵), 호는 남파(南波). 평민 출신의 가객으로, 창곡(唱曲)에 뛰어났으며, 김수장(金壽長) 등과 더불어 경정산 가단(敬亭山歌壇)에서 후진을 양성함. 영조 4년(1728)에 ≪청구 영언(靑丘永言)≫을 편찬하였으며, 그의 단가(短歌) 57 수가 ≪해동 가요(海東歌謠)≫에, 30 수가 진본(珍本) ≪청구 영언≫에 수록되었음. 생몰년 미상.

김첨지 감투【金僉知―】 명 ①무엇이든지 도깨비 장난같이 없어지기 잘한다는 말. ②격에 맞지 않는 자에게 벼슬 자리를 맡겼음을 이르는 말.

김-초【金貂】 명 〖사람〗 고려 공양왕 때 성균 박사(成均博士). 배불론자(排佛論者)로 왕의 숭불 사상을 통박, 중들을 본업 환속(還俗)하게 하고, 오교 양종(五敎兩宗)을 파하는 등 상소를 올려, 왕의 노여움을 샀으나 정몽주의 변호로 죽음을 면하였음. 생몰년 미상.

김-초향【金礎香】 명 〖사람〗 구한말의 여류 명창(名唱). 1913년 서울 광무대(光武臺) 극장에 출연하여 이름을 날림. 김창환(金昌煥)·송만갑(宋萬甲)의 지도를 받아, 특히 ≪흥부가≫에 뛰어났음. [1899-?]

김-춘추【金春秋】 명 〖사람〗 '무열왕(武烈王)'의 이름.

김-춘택【金春澤】 명 〖사람〗 조선 숙종 때의 문인. 자는 백우(伯雨), 호는 북헌(北軒). 광산(光山) 사람. 김만중(金萬重)의 종손(從孫). 시와 글씨에 뛰어났으며, ≪구운몽(九雲夢)≫과 ≪사씨 남정기(謝氏南征記)≫를 한역(漢譯)함. 저서로는 ≪북헌집(北軒集)≫이 있고, 작품으로는 ≪별사미인곡(別思美人曲)≫ 등이 있음. 글씨에도 뛰어났음. 시호는 충문(忠文). [1670-1717]

김-충선【金忠善】 명 〖사람〗 조선 선조 때의 귀화인(歸化人). 본명은 사야가(沙也可), 자(字)는 선지(善之), 호는 모하당(慕夏堂). 임진 왜란 때 가토 기요마사(加藤清正)의 선봉장(先鋒將)으로 3천 군사를 이끌고 내침했으나 경상 우병사(慶尙右兵使) 박진(朴晋)에게 귀부(歸附), 그와 협력하여 누차 전공을 세워 성명을 하사받고 자헌 대부(資憲大夫)·정헌 대부(正憲大夫)에 올랐음. 이후 정유 재란(丁酉再亂), 이괄의 난, 병자 호란 때에 많은 전공을 세움. 저서로 ≪모하당 문집≫이 있고, 가사 작품으로 ≪모하당 술회록(慕夏堂述懷錄)≫이 전함. [1571-1642]

김취경-전【金就景傳】 명 〖문〗 작자·창작 연대 미상의 고전 소설의 하나. 국문본. 배경은 고구려 시대 평안도 숙천(肅川). 계모의 학대에 못 이겨 쫓겨난 취경이 산 속에서 무술을 배워 백제의 침공에 처해 위기에 빠진 국왕을 구하고 높은 벼슬을 하며 다시 행복한 가정을 이룩한다는 이야기.

김-취(:)려【金就礪】 명 〖사람〗 고려 고종(高宗) 때의 장군. 언양(彥陽) 사람. 고종 3년(1216)에 후군 병마사(後軍兵馬使)로 거란군(契丹軍)을 삭주(朔州)에서 무찌르고, 고종 5년에는 강동성(江東城)에서 쳐부수어 거란의 침입을 막음. 한순(韓恂) 등이 의주(義州)에서 일으킨 반란을 평정함. 벼슬이 수태위 중서 시랑 평장사 판병부사(守太尉中書侍郞平章事判兵部事)에 이름. 성미가 곧고 청백(清白)하며 싸움에 기발한 계교를 많이 꾸며 공을 세웠음. 시호는 위열(威烈). [?-1234]

김-취(:)문【金就文】 명 〖사람〗 조선 명종 때의 문신. 자(字)는 문지(文之), 호는 구암(久庵). 선산(善山) 사람. 지방 수령으로 전전하다가 명종 때 청백리(清白吏)에 녹선(錄選)됨. 벼슬이 대사간(大司諫)에 이름. 시호는 문간(文簡). [1509-70]

김치[1] 명 무·배추·오이 같은 야채를 소금에 절인 다음 깨끗이 씻어 두고, 마늘·파·생강·젓갈·깨소금·갓 따위로 양념을 만들어 함께 버무려 넣고 익힌 반찬. 침채(沈菜). ¶배추 ~.

김-치[2]【金峙】 명 〖사람〗 고려·조선 시대의 문신. 자는 기보(基甫). 선산(善山) 사람. 길재(吉再)의 문인. 김해 부사(金海府使)에서 사직, 후진 양성에 전심함. 학문을 연마, 문명(文名)을 떨쳤으며, 명유(名儒) 김종직(金宗直)도 그 문하에서 배출됨. 효행(孝行)으로 정문(旌門)이 세워짐.

김치-말이 명 김칫국에 만 밥이나 국수 따위.

김-치(:)양【金致陽】 명 〖사람〗 고려 목종 때의 권신(權臣). 동주(洞州) 사람. 헌애 왕후(獻哀王后)의 외척. 천추 태후(千秋太后) 곧 헌애 왕후의 총애를 얻어, 우복야(右僕射)로 전횡(專橫)을 일삼고 목종을 해하려다가, 강 조(康兆)의 정변으로 처형되었음. [?-1009]

김-치(:)인【金致仁】 명 〖사람〗 조선 영조(英祖)·정조(正祖) 때의 상신(相臣). 자는 공서(公恕), 호는 고정(古亭). 청풍(清風) 사람. 재로(在魯)의 아들. ≪대전 통편(大典通編)≫ 편찬을 총재하고, 당쟁(黨爭)의 조정에 힘씀. 벼슬이 영의정에 오름. 시호는 헌숙(憲肅). [1716-1790]

김치 주저리 명 청이 달린 채로 소금에 절여 담근 배추 김치 또는 무 김치의 잎.

김치-죽【―粥】 명 김치를 물에 담가 우렸다가 잘게 썰어 넣고 쑨 죽.

김치 찌개 명 김치를 넣고 만든 찌개.

김칫-거리 명 김치를 담글 재료. 무·배추 따위.

김칫-국 명 ①김치의 국물. ②김치를 넣고 끓인 국.

[김칫국부터 마신다] 상대편의 속도 모르고 제 짐작으로 지레 그렇게 될 것으로 믿고 행동함을 이르는 말. *'떡 줄 사람은 아무 말도 없는데 김칫국부터 마신다.' [김칫국 채어 먹은 거지 떨듯 한다] 남들은 그다지 추워하지도 않는데 저 혼자 추워서 덜덜 떨고 있는 사람을 보고 이르는 말.

김칫국 먹고 수염 쓴다 구 실속은 없으면서 겉으로만 잘난 체, 있는 체한다는 말.

김칫-독 명 김치를 담아 두는 독.

김칫-돌 명 김치를 독에 담가 놓고 그 김치를 눌러 놓는 돌.

김칫-보 명 주발 모양으로 생겼으나 훨씬 작은 그릇으로 김치를 담아 먹는 그릇.

김칫-소 명 김치를 담그기 위해서 파·젓갈·무채 따위의 고명을 고춧가루에 버무리어, 절인 배추의 속갈피에 넣는 소.

김-태석[1]【金台錫】 명 〖사람〗 서가(書家). 호는 성재(惺齋). 경주 사람. 일찍이 중국·일본 등에 왕래했고, 서도와 전각(篆刻)을 잘 하였음. 중국에 가서는 위안 스카이(袁世凱)의 옥새(玉璽)를 새겼고, 그의 서예 고문(書藝顧問)을 지냈음. 해서(楷書)는 안진경체(顏眞卿體)를 따랐음. [1857-1953]

김-태석[2]【金兌錫】 명 〖사람〗 조선 영조 때의 가인(歌人). 자는 덕이(德而). 경정산 가단(敬亭山歌壇)의 한 사람으로, 창가(唱歌)·작시(作詩)에 뛰어났음. 김천택(金天澤)·김수장(金壽長)을 계승하였음. ≪청구 가요(靑丘歌謠)≫에 시조 2 수가 전함.

김태자-전【金太子傳】 명 〖문〗 작자·창작 연대 미상의 고전 소설의 하나. 6회의 국문 장회(章回) 소설. 신라 소성왕(昭聖王)의 태자 소선(簫仙)이 서형(庶兄)의 시기(猜忌)로 말미암아 눈이 멀었는데, 그 후 중국 당나라에 가서 백 소저(白小姐)와 만나고 눈을 뜨게 되어 여섯 부인을 데리고 귀국, 서형을 회개시키고 왕이 되어 잘 살다가 함께 승천(昇天)했다는 이야기.

김-태준【金台俊】 명 〖사람〗 국문학자. 평안 북도 운산(雲山) 출생. 경성 제국 대학 문과 졸업. 대표적인 저서 ≪조선 소설사(朝鮮小說史)≫·≪조선 한문학사(朝鮮漢文學史)≫는 그 뒤의 국문학사 집필자에게 많은 영향을 미침. 1944년 중국 옌안(延安)으로 갔다가 돌아와 남로당(南勞黨) 문교부장으로 있을 때 사형(死刑)됨. [1905-50]

김-태현【金台鉉】 명 〖사람〗 고려 때의 학자. 자는 불기(不器). 광산(光山) 사람. 충렬왕 28년(1302), 동 32년에 원나라에 가서 원제(元帝)로부터 그의 충성됨을 인정받고, 왕의 부자간을 이간시키려는 도당들의 흉모를 밝히고 돌아와 벼슬이 판삼사사(判三司事)·중찬(中贊)에 이름. 동인(東人)의 시문(詩文)을 수집하여 ≪동국 문감(東國文鑑)≫을 만들었음. 시호는 문정(文正). [1261-1330]

김-택영【金澤榮】 명 〖사람〗 조선 시대 말기의 지사(志士). 자는 우림(于霖), 호는 창강(滄江). 화개(花開) 사람. 광무(光武) 7년(1870)에 ≪문헌비고(文獻備考)≫를 증수(增修)할 때 편찬 위원이 됨. 융희(隆熙) 2년(1908) 중국으로 망명, 장건(張謇)에게 의탁하여 ≪한국 소사(韓國小史)≫ 등을 편찬하고, ≪삼국 사기(三國史記)≫를 교정(校正)함. 고시(古詩)에 뛰어나, 문장과 학문으로 중국에서 이름을 떨침. [1850-1927]

김-통정【金通精】 명 〖사람〗 고려 원종 때의 반장(叛將). 삼별초(三別抄)의 장수로, 배중손(裵仲孫)과 함께 개경 환도를 반대, 원·고려에 대항하다가 탐라(耽羅)로 후퇴, 재기(再起)를 꾀하던 중, 김방경(金方慶)의 공략(攻略)으로 자살하였음. [?-1273]

김-팔봉【金八峰】 명 〖사람〗 소설가·문학 평론가. 본명은 기진(基鎭). 충청 북도 청원(清原) 출생. 일본 릿쿄(立敎) 대학 영문과 중퇴. 1922년 이서구(李瑞求) 등과 토월회(土月會)를 조직, 박종화(朴鍾和) 등의 ≪백조(白潮)≫ 동인(同人)으로 활약하였으며, 카프(KAPF) 발기인으로 프로 문학의 이론적 지도자로 활동하였음. 매일 신보(每日申報)·중외 일보(中外日報) 등에서 기자로 재직하였으며, 6·25 때 공산군에게 체포되어 사형 선고를 받았으나 구사 일생으로 살아남. 장편 소설 ≪해조음(海潮音)≫·≪통일 천하(統一天下)≫ 등이 있음. [1903-85]

김-평묵【金平默】명〖사람〗조선 고종 때의 학자. 자(字)는 치장(稚章), 호는 중암(重菴). 청풍(淸風) 사람. 이항로(李恒老)의 문인. 고종 18년(1881) 영남 유생(嶺南儒生) 1만여 명의 척사 위정(斥邪衛正) 운동을 후원했으며, 그 해 7월 척양 척왜(斥洋斥倭)의 상소로 말미암아 섬에 유배됨. 흥선 대원군이 집권하자 풀려남. 고종 11년(1874) 스승의 《화서 아언(華西雅言)》을 편집·간행함. 시호는 문의(文懿). [1819-88]

김포【金浦】명〖지〗경기도의 한 시(市). 6 면(面) 3 동(洞). 북쪽은 개풍군(開豐郡)과 한강(漢江), 남쪽은 부천시(富川市)와 인천 광역시, 동쪽은 파주시(坡州市)·고양시(高陽市)와 한강, 서쪽은 강화군(江華郡)과 바다에 접함. 김포 평야에서 쌀·보리·콩 등의 곡물이 나며, 그외 광산·임산·수산·축산 등이 있음. 명승 고적으로는 용화사(龍華寺), 장릉(章陵), 봉릉사(奉陵寺)·문수산성(文殊山城)·문수사(文殊寺)·약사암(藥師庵) 등이 있음. 1998년 4월 김포군이 시로 개편됨. [276.59 km^2 : 108,386 명(1996)]

김포 국제 공항【金浦國際空港】명 서울 특별시 강서구 공항동(洞)에 위치한 우리 나라 최대의 국제 공항. 1948년 국내 정기 항로용의 비행장으로 개설되어, 1958 년 국제 공항으로 지정됨.

김포-군【金浦郡】명〖지〗경기도에 속해던 군. 1998년 4월, 김포시로 개편됨.

김포-선【金浦線】명〖지〗경인선의 부천에서 김포에 이르는 철도. 1951 년 8 월 준공되어 화물 전용으로 사용되다가 1980년 8월 폐쇄됨. [9.2km]

김포 평야【金浦平野】명〖지〗한강 하류 서쪽 연안 지대에 위치하며 김포지역에 전개된 평야. 땅이 비옥하고 경작지가 넓으며 관개 시설이 편리하여 미작(米作) 지대를 이루고 있고, 강화도(江華島)와 함께 인삼 재배지로도 이름이 있음. 지하 자원으로는 무연탄·토탄(土炭) 등이 산출됨. 중심지는 김포.

김학공-전【金鶴公傳】명〖책〗조선 시대 후기의 작자 미상의 구소설. 중국 송(宋)나라의 재상의 아들 김학공이 재산을 노리고 모해(謀害)하려는 종에게 복수(復讐)하는 것을 주제로 한 작품임.

김-한(:)록【金漢祿】[ㅡ할ㅡ] 명〖사람〗조선 영조 때의 척신(戚臣). 자는 여수(汝綏), 호는 한간(寒澗). 경주 사람. 서산 출신. 한원진(韓元震)의 제자로, 성리학(性理學)에 밝은 노론(老論) 벽파(僻派)의 영수로 장헌 세자(莊獻世子)를 모함하여 죽이게 하고, 정조(正祖)의 계위(繼位)도 방해하였음. 생몰년 미상.

김해【金海】명〖지〗경상 남도의 한 시(市). 1 읍(邑) 7 면(面) 10 동(洞). 북쪽은 밀양시(密陽市)·양산군(梁山郡)·낙동강(洛東江), 동쪽은 양산군·부산 광역시, 남쪽은 바다와 창원시(昌原市), 서쪽은 창원시에 접함. 쌀·보리·밀·콩·면화 등이 나며, 수산·축산·임산 등이 있음. 옛날 가야국(伽倻國)의 수도로, 김수로왕릉(金首露王陵) 부근에 많은 조개더미가 있는데, 철기 시대의 유물로서 유명함. 명승 고적으로는 허후릉(許后陵)·노적봉(露積峯)·무척산(無隻山) 등이 있음. 1995 년 5 월, 김해군과 통합, 개편됨. [463.33 km^2 : 263,354 명(1996)]

김해-경[1]【金海京】명〖역〗'금관 소경(金官小京)'의 뒷이름.

김-해(:)경[2]【金海卿】명〖사람〗이상(李箱)의 본명(本名).

김해 국제 공항【金海國際空港】명〖지〗부산 광역시 강서구(江西區) 대저(大渚) 2 동에 있는 국제 공항. 1940 년 초 일본 육군 비행장으로 닦아 부산 수영(水營) 비행장으로 출발, 1950 년 6·25 때 임시 국제 공항으로 지정되었다가 1963 년에 국제 공항으로 승격되었으며, 1976 년에 김해로 이전되었음.

김해-군【金海郡】명〖지〗경상 남도에 속했던 군. 1995년 5월, 김해시에 통합됨.

김-해(:)송【金海松】명〖사람〗대중 가요 작곡가. 본명은 송규(松圭). 충남 공주(公州) 출생. 가수 이난영(李蘭影)의 남편. 평양의 숭실(崇實) 전문 학교에서 음악부원으로 활동, 하와이안 기타를 독학(獨學)하여 서울에서 대중 음악계에 투신함. 《연락선은 떠난다》·《한많은 단발령(斷髮嶺)》 등으로 크게 성공하였으며, 광복 후에는 KPK 악단(樂團)을 조직하여 민요를 재즈풍으로 편곡하여 연주함. 주요 작품으로 위의 작품 외에 《선창(船艙)》·《울어라 은방울》 등이 있음. 6·25 때 납북(拉北)됨. [1910-?]

김해식 토기【金海式土器】명〖고고학〗초기 철기 시대에서 원삼국(原三國) 시대에 걸쳐 만들어진 토기. 토기의 겉면을 무늬가 새겨진 두들개로 두드려 삿무늬, 새끼무늬, 문살무늬 등이 나타난 토기가 대부분이지만 무늬가 없는 것도 있음. 경상 남도의 남해안 김해(金海) 등지의 조개더미에서 발굴됨.

김해-쌀【金海ㅡ】명 경상 남도 김해 평야에서 나는 쌀.

김해 오:광대【金海五廣大】명〖민〗경상 남도 김해시 가락면(駕洛面)에서 음력 정월 대보름날 밤에 연희(演戲)되던 탈놀이.

김해 패:총【金海貝塚】명 경상 남도 김해시 봉황동에 있는 조개더미. 동서(東西) 길이 120 m, 남북 너비 30 m, 높이 6 m 정도. 1907 년에 발굴되었는데, 석기(石器)는 거의 발견되지 아니하고 토기(土器)와 철기(鐵器)가 발견되어 철기 시대의 조개더미로 추정됨. 특히, 왕망(王莽) 시대의 화천(貨泉)과 탄화(炭化)된 쌀낟알이 나와 연대(年代) 고증과 도작사(稻作史) 연구에 귀중한 자료를 제공하였음. 정식 명칭은 '김해 회현리(會峴里) 패총'임. 사적 제 2 호.

김해 평야【金海平野】명〖지〗낙동강(洛東江) 하류에 발달된 평야. 경남 평야의 일부를 차지하며, 김해·구포(龜浦) 등지를 중심으로 배·사과·복숭아 등의 과수 원예 농업이 성함. 특히 김해 일대는 낙동강 하류에 전개된 충적 분지로 영남 지방의 최대 미작(米作) 지대를 이룸.

김-헌【金獻】명〖사람〗대종교(大倧敎) 제2대 교주. 독립 운동가. 본명은 교헌(敎獻). 경주(慶州) 사람. 예조 참의(禮曹參議)·대사성(大司成)을 거쳐 규장각 부제학에 오름. 1916년에 교주 나철(羅喆)의 교통(敎統)을 계승, 일제의 탄압을 피해 총본사를 서울에서 만주로 옮기고 독립 운동을 전개, 3·1운동 후 수만의 교도(敎徒)가 일본군에 학살되자 비분하여 죽었음. [1868-1923]

김-헌(:)창【金憲昌】명〖사람〗신라의 반신(叛臣). 장안국(長安國)의 임금. 선덕왕(宣德王)이 죽은 후, 부친 주원(周元)이 임금이 될 뻔하다가 성취 못하매, 불만을 품고 공주(公州)에서 반란을 일으켜 국호(國號)를 장안이라 하고 연호를 경운(慶雲)이라 하여 칭왕(稱王)하였으나 헌덕왕에게 패망하였음. [? -822]

김-현(:)승【金顯承】명〖사람〗시인. 호는 남풍(南風). 전남 광주 출생. 초기에 《황혼》·《새벽 교실》 등을 발표, 일제 하에서의 민족의 강인한 의지를 나타내었으며, 후기에 와서는 《병》·《절대 고독》 등 역작을 발표, 기독교적·청교도적 신앙 세계를 표현하였음. [1913-75]

김-협【金協】명〖사람〗조선 선조 때의 학자·의관(醫官). 자는 길보(吉甫), 호는 충효당(忠孝堂). 유성룡(柳成龍)의 문인. 임진 왜란 때 종군하여 화전(火箭)을 연구, 병기로 사용케 했음. 의학에 정통하여 선조의 시의(侍醫)로 있었음. 생몰년 미상.

김-홍도【金弘道】명〖사람〗조선 영조(英祖) 때의 서화가(書畫家). 자는 사능(士能), 호는 단원(檀園) 또는 단구(丹邱)·서호(西湖)·고면 거사(高眠居士). 김해(金海) 사람. 궁중에 출사(出仕)하여 임금의 총애를 받고, 산수화·인물화·신선화·불화(佛畫)·풍속화에 모두 능하여 정묘한 필치로 많은 그림을 그렸음. [1760-?]

김-홍일【金弘壹】명〖사람〗정치가·군인. 평안 북도 용천(龍川) 출신. 중국 구이저우(貴州) 육군 강무 학교(講武學校)를 나와, 광복군(光復軍) 참모장(參謀長)을 지냄. 광복 후에는 5 군단장(軍團長) 등을 역임하고, 주중 대사(駐中大使)·외무부 장관·신민당(新民黨) 당수 등으로서 정치에 참여했음. [1898-1980]

김-홍집【金弘集】명〖사람〗조선 시대 말엽의 정치가. 초명은 굉집(宏集). 자는 경능(敬能), 호는 도원(道園). 경주 사람. 임오 군란(壬午軍亂) 후에 한국 전권 부관(全權副官)으로 제물포 조약(濟物浦條約)을 체결, 갑오 개혁 때에 내각 총리 대신이 됨. 과격한 개혁과 아관 파천(俄館播遷) 등으로 군중들에 의하여 살해됨. 시호는 충헌(忠獻). [1842-96]

김화【金化】명〖지〗강원도 철원군(鐵原郡)의 한 읍. 고원성(高原性)의 김화 분지(盆地)에 위치하며 배후는 험한 산악 지대로, 6·25 당시는 소위 '철의 삼각 지대'의 하나로 알려졌었음. 부근은 담배·콩 등의 농산물과 황화철(黃化鐵)의 산지로 유명함. [88.17 km^2 : 4,185 명(1996)]

김화 광:산【金化鑛山】명〖지〗강원도 김화군 기오면(岐梧面) 학방리(鶴芳里)에 있는 황화철(黃化鐵) 광산.

김화-군【金化郡】명〖지〗강원도의 한 군. 북은 회양군(淮陽郡), 동은 양구군(楊口郡), 남은 화천군(華川郡), 서는 평강군(平康郡)·철원군(鐵原郡)에 접함. 쌀·콩·보리·팥·옥수수 등의 농산물(農産物)이 있으며 광산·임산(林産) 등이 있음. 명승 고적으로는 용해 폭포(龍海瀑布)·구단발령·협속 대강(峽束大江)·만경산성(萬景山城)·남산성·보리진(菩提津) 등이 있음.

김화 분지【金化盆地】명〖지〗강원도 서북부 추가령 지구대(楸哥嶺地溝帶) 내에 위치하는 산간 분지. 황화철광(黃化鐵鑛)·중석·중정석 등의 광산이 있음. 중심지는 김화(金化).

김-환기【金煥基】명〖사람〗서양 화가. 호는 수화(樹話). 전남 무안(務安) 출생. 프랑스 파리에 유학하고, 서울 대학교 교수를 거쳐, 1961년에 홍익 대학장·미술 협회 이사장을 역임함. [1913-74]

김-환태【金煥泰】명〖사람〗문학 평론가. 일본 규슈(九州) 대학 영문과 졸업. 1934년경부터 문학 평론을 쓰기 시작, 순수 문학을 표방하며, 주로 '문장(文章)'지(誌)를 통해 활동함 [1909-36]

김-활란【金活蘭】명〖사람〗여류 교육가. 인천 출신. 1918년 이화 여전(梨花女專)을 거쳐 미국 웨슬리언 대학, 보스턴 대학원을 졸업. 1945년-61년 이화 여자 대학교 총장, 1950년 공보처장 등을 역임함. 1963년 막사이사이 상을 수상함. [1899-1970]

김-황원【金黃元】명〖사람〗고려 때의 문신·시인. 자는 천민(天民). 광양(光陽) 사람. 예부시랑(禮部侍郞)·한림 학사(翰林學士) 등 벼슬을 역임. 고시(古詩)로는 해동 제일(海東第一)로 일컬어짐. 시호(諡號)는 문간(文簡). [1045-1117]

김-효(:)원【金孝元】명〖사람〗조선 선조(宣祖) 때의 동인(東人)의 중심 인물. 자는 인백(仁伯), 호는 성암(省庵). 선산(善山) 사람. 조식(曺植)·이황(李滉)의 문인. 왕실의 인척이 되며, 구세력인 심의겸(沈義謙)과 대립, 당쟁(黨爭)의 근원이 됨. [1532-90]

김-후(:)신【金厚臣】명〖사람〗조선 시대 후기의 화가. 호는 이재(彝齋). 국립 박물관에 소장된 그의 작품 《노추저 야압도(蘆秋渚野鴨圖)》는 필치가 정묘하고 온화하며 색채가 아름답기로 유명함.

김-휴【金烋】명〖사람〗조선 인조 때의 문인. 자는 겸가(謙可), 호는 한계정(寒溪亭)·경와(敬窩). 과거 응시를 포기하고 초야에서 학문에만 힘씀. 저서로는 시문집 《경와집(敬窩集)》 4책과 《해동 문헌 총록(海東文獻總錄)》이 전함. [1597-1639]

김-흥근【金興根】명〖사람〗조선 철종 때의 상신(相臣). 자는 기경(起卿), 호는 유관(游觀). 안동(安東) 사람. 지실록사(知實錄事)로 《철종 실록》을 편찬하였으며, 안동 김씨 세도의 배경으로 방자한 행동을 하여 한때 광양(光陽)으로 유배되었음. 뒤에 영의정이 됨. 시호(諡號)는 충문(忠文). [1796-1870]

김-흥락【金興洛】[ㅡ낙] 명〖사람〗조선 시대 후기의 학자·문신. 호는 서산(西山). 유치명(柳致明)의 문인. 영남 유림(嶺南儒林)의 대가로, 유일(遺逸)로 천거되어 승지(承旨)에 이름. [1827-99]

김-희선【金希善】[ㅡ히ㅡ] 명〖사람〗조선 개국초(開國初)의 의료 의학자·문신. 태조 2년(1393)에 전라도 안렴사(按廉使)로 있으면서 각도에 의학원(醫學院)의 설치를 건책하고 의학서를 편술함. 벼슬이 호조 판서에 오름. 시호는 원정(元靖). [? -1408]

김-희제【金希磾】[—히—] 명 〖사람〗 고려 고종 때의 장군. 충청도 안찰사를 거쳐 장군이 되고, 고종 10년(1223) 금나라 우가하(于哥下)가 침입하자 의주 분도 장군(義州分道將軍)으로서 이를 격퇴하였고, 고종 13년(1226) 서북면 병마 부사(西北面兵馬副使)로서 의주(義州)·정주(靜州)에 침입한 우가하 군대를 쫓아 압록강을 건너 석성(石城)까지 추격, 항복을 받았음. [?-1227]

깁: 명 명주 실로 바탕을 좀 거칠게 짠 비단. 사(紗)붙이와 견(絹) 등. 사「라(紗羅).

깁누비다 타 〈옛〉 깁고 누비다. ¶ 깁누뷰를 請ᄒᆞ더니(請補綴)《內訓 I : 45》.

깁:다 타 ㅂ불 해진 곳에 조각을 대고 꿰매다. ¶ 해진 옷을 ~.

깁:-바탕 명 ①서화에 쓰는 깁. ②깁에 그린 그림. 또, 그 글씨.

깁보타다 타 〈옛〉 기워 보태다. ¶ 綱縫은 깁보탈 시라《內訓 2 下 40》.

깁보태다 자타 〈옛〉 기워 보태다. 더해지다. ¶ 물러와ᄂᆞᆫ 허믈 깁 보태욤을 싱각ᄒᆞ야(退思補過)《小諺 Ⅱ:42》.

깁:-부채 명 흰 깁을 발라 만든 부채. 소선(素扇).

깁섯다 타 〈옛〉 깁, 곧 비단 짜듯이 이리저리 얼기설기 섞다. ¶ 諸輪을 깁섯ᄃᆞ시(諸輪綺互)《圓覺 序 60》.「《妙蓮 Ⅱ:243》.

깁소옴쇼 명 〈옛〉 비단 솜 요. ¶ 깁소옴쇼ᄅᆞᆯ 가졸블더라(則譬繪纊絪褥)

깁수위다 형 〈옛〉 깊숙하다. =깁스위다. ¶ 퍼러ᄒᆞ야 天理 또 깁수위도다(蒼蒼理又玄)《杜諺 XX:19》.

깁스 〔도 Gips〕 명 ①석고(石膏). ②↗깁스 붕대(繃帶).

깁스 베드 〔도 Gips+bed〕 명 카리에스 환자(患者)에게 쓰이는 깁스제(製)의 베드.

깁스 붕대【—繃帶】〔도 Gips〕 명 〖의〗 석고 가루를 포함하고 있는 붕대. 뼈·관절 등의 질환이나 골절(骨折)·관절염 등 환부(患部)의 안정(安靜)과 어느 정도의 고정(固定)을 위하여 감음. 준깁스(Gips).

깁스위다 형 〈옛〉 깊숙하다. =깁수위다. ¶ 北極을 配對ᄒᆞᆫ 玄都ㅣ 깁스위니(配極玄都閟)《杜諺 Ⅵ:26》.

깁스-코르셋 〔도 Gipskorsett〕 명 깁스로 원형(原形)을 뜨고, 이것으로 가죽·플라스틱·금속 등의 재료를 써서 성형(成形)한 갑옷 모양으로 만든 물건. 주로 척추 카리에스·척추 골절 등의 치료에 씀.

깁:-실 명 비단실.

깁:-옷 명 비단옷.

깁즈기 부 〈옛〉 깊숙히. ¶ 마지란 거슨 ᄆᆞ장 자가 깁즈기 이셔(廐子最小隱隱)《痘瘡集要 下 68》.

깁:-창【—窓】 명 깁으로 바른 창.

깁:-체 명 깁으로 쳇불을 메운 체. 견사(絹篩).

깃¹ 명 외양간·마구간·닭의 둥우리 같은 데에 까는 짚이나 마른 풀.

깃² 명 새 날개에 달린 털. 우모(羽毛). 깃털.

【깃 없는 어린 새 그 몸을 보전치 못한다】 나이 어린 아이는 부모의 보호를 받지 않으면 자라나기 어렵다는 말. ¶ 깃 없는 어린 새가 그 몸을 보전치 못한다 하니 어미 없는 어린애가 어찌 장면을 부지하랴《謝氏南征記》.

깃³ 명 화살의 깃간 도피(桃皮) 아래에 세 갈래로 붙인 새 날개의 털. 꿩털로 함.

깃⁴ 명 ↗옷깃. ¶ 양복 ~/~을 여미다.

깃⁵ 명 ↗부싯깃.

깃⁶ 명 각기 앞으로 돌아오는 몫. 자기가 차지할 물건.

깃⁷ 명 〈옛〉 기저귀. ¶ 우희 두어 깃 쐴오(上頭鋪兩三箇襁子)《朴解 上 56》.

깃⁸ 명 〈옛·방〉 새집. 보금자리. ¶ 깃爲巢《訓例》.

깃⁹【衿】 명 〈이두〉 깃⁶.

깃-가지 명 우지(羽枝).

깃-간【—間】 명 화살의 깃을 붙인 사이.

깃간 각명【—間刻銘】 명 '각명(刻銘)'을 똑똑하게 이르는 말.

깃간 도피【—間桃皮】 명 화살의 오늬 아래로부터 깃 위까지를 싼 복숭아나무의 껍질.

깃간 마디【—間—】 명 화살의 깃이 붙은 아랫 마디.

깃거 자타 〈옛〉 기뻐하여. '깃다²'의 활용형. ¶ 깃거 미칠 ᄃᆞᆺ 호라(喜欲狂)《重杜諺 Ⅲ:24》.

깃거ᄒᆞ다 자타 〈옛〉 기뻐하다. ¶ 諸天이 듣ᄌᆞᆸ고 다 깃거 ᄒᆞ더라《月釋 Ⅱ:17》.

깃-것 명 〈방〉 깃옷.

깃게 자타 〈옛〉 기뻐하게. '깃다²'의 활용형. ¶ 南녁 늘그닐 惠愛ᄒᆞ야 깃게 ᄒᆞᆫ 나몬 恩波ᄅᆞᆯ 내 늘근 모매 밋게 ᄒᆞ라(惠愛南翁悅餘波及老身)《杜諺 XXⅢ:38》.「《老解 上 50》.

깃게이다 형 〈옛〉 기쁩니다. 고맙습니다. ¶ ᄆᆞ장 깃게이다(多謝多謝)

깃-고대 명 옷의 깃을 붙이는 자리. 두어깨 솔 사이로서 목 뒤에 닿는 곳. 준고대.

깃-광목【—廣木】 명 누이지 아니한 생광목.

깃교리라 타 〈옛〉 기쁘게 하리라. 기쁘게 하려고. '깃기다'의 활용형. ¶ 야耶슈輸를 깃교리라 쉰아히 出出家ᄒᆞ니《月印 上 53》.

깃구멍 막히다 자 〈속〉 기막히다.

깃굼 명 〈옛〉 기쁨. 기꺼움. ¶ 내 盛코 ᄂᆞᄆᆡ 衰커든 깃구믈(己盛他衰則喜)《圓覺 下 三之一 64》.

깃그다 자타 〈옛〉 기뻐하다. ¶ 卽日에 깃그시니(卽日懌之)《龍歌 27章》.

깃-급【—給】 명 〖역〗 아버지가 생시(生時)에 자녀에게 재산의 깃, 곧 몫을 나누어 줌.

깃급 문기【—給文記】 명 〖역〗 깃급의 내용을 적은 문서(文書). 금급 문기(衿給文記).

깃-기¹【—記】 명 〖역〗 ①지주(地主)의 이름과 조세액(租稅額)을 적은 장부. ②자손이 재산을 상속(相續)할 몫을 적은 서류.

깃기²【衿記】 명 〈이두〉 깃기¹❷.

깃기다 타 〈옛〉 기쁘게 하다. ¶ 衆生 깃규ᄆᆞᆯ 爲ᄒᆞᆫ 젼ᄎᆞ로(爲悅衆生故)「《妙蓮 Ⅵ:111》.

깃기엣다 자 〈옛〉 깃들이어 있다. ¶ 어득ᄒᆞᆫ더 곳다온 고지 깃기엣도다(地淸棲暗芳)《杜諺 Ⅸ:20》.

깃깃다 자 〈옛〉 깃들이다. =깃깄다. ¶ ᄒᆞᆫ 가지예 깃기서 便安히 잇도다(息一枝安)《杜諺 Ⅵ:16》.

깃깄다 자 〈옛〉 깃들이다. =깃깃다. ¶ ᄀᆞᆫ히 뭀ᄆᆞ니 어득ᄒᆞᆫ더 곳다온 고지 깃기엣도다(地淸棲暗芳)《初杜諺 Ⅸ:20》.

깃-꼬리 명 겉섶 위에 앞깃이 놓이는 부분의 일부.

깃꼴-겹잎 [—닙] 명 〖식〗 '우상 복엽(羽狀複葉)'의 풀어쓴 말.

깃꼴-맥【—脈】 명 〖식〗 '우상맥(羽狀脈)'의 풀어쓴 말.

깃꼴-잎 [—립] 명 〖식〗 '우상엽(羽狀葉)'의 풀어쓴 말.

깃꼴-홑잎 [—닙] 명 〖식〗 '우상 단엽(羽狀單葉)'의 풀어쓴 말.

깃다¹ 자 논밭에 잡풀이 어우러지게 많이 나다. 무성하다.

깃다² 자타 〈옛〉 기뻐하다. ¶ 비로서 드르히 훤호ᄆᆞᆯ 깃노라(始喜原野闊)《杜諺 I :36》.

깃다³ 자 〈옛〉 기침하다. ¶ 폐로 깃는 형상은 기춤홈애 숨쉴 저귀 소릭 이시며(肺腔之狀 咥而喘息有音)《馬經 下 56》.

깃다⁴ 타 〈옛〉 긷다(汲). ¶ 내 믈 깃기 닉디 몯호라(我不慣打水)《老乞 上 31》.

깃-다듬다 [—따] 자 새의 털을 가지런하게 쓸어 주다. 또, 새가 제 날개의 털을 부리로 가지런하게 하다.

깃-달이 명 ①옷깃을 다는 일. ②옷깃을 단 솜씨.

깃-당목【—唐木】 명 바래지 아니한 채로의 당목.

깃-대¹ 명 〖조〗 우간(羽幹).「¶ ~를 세우다. ②〈속〉 기(旗).

깃-대²【旗—】 명 ①기를 달아매는 줄기의 나무. 기간(旗竿). 번간(幡竿).

깃대-춤【旗—】 명 농악에서, 농기(農旗)를 흔들며 추는 춤.

깃동-잠자리 명 〖충〗 [*Sympetrum infuscatum*] 잠자릿과에 속하는 곤충. 복부(腹部)의 길이 26 mm, 뒷날개의 길이 33 mm 가량인데, 중흉부(中胸部)는 적갈색 또는 황색이고 흉부의 측면은 갈색 또는 황색에 석 줄의 흑조(黑條)가 있음. 복부는 홍색 또는 등색이고, 암컷에는 흑색 조반(條斑)이 있음. 7-9월에 날아다님. 한국에도 분포(分布)함. 난장이잠자리.

깃득【衿得】 명 〈이두〉 친족(親族)으로부터 유산(遺産)의 몫을 받음.

깃-들이다 자 ①짐승이 보금자리를 만들어 그 속에 들어 살다. ②속에 머물러 살다. 또, 자리잡다. ¶ 건전한 정신은 건전한 육체에 깃들인다.

깃둔 관 〈옛〉 그러한. ¶ 잠싸간 니믈 녀겨 깃둔 열명 길헤 자라 오리잇가《樂詞 履霜曲》.

깃-머리 명 소의 양(䑋)에 붙은 좁고 두꺼운 고기. 양즙이나 회깟에 씀.

깃-목【—木】 명 바래지 아니한 채로의 무명베.

깃-무늬 [—니] 명 〖고고학〗 새의 깃털 모양으로 된 무늬. 신라(新羅)와 가야 토기(伽倻土器)에서 많이 볼 수 있음. 우상문(羽狀文). 수지문(樹枝文).

깃바대 명 〈옛〉 등바대. ¶ 깃바대 탁(袥)《字會 中 23》.

깃-발【旗—】 명 ①깃대에 달린, 천이나 종이로 된 부분. 곧, 기가 바람에 날리어 흔들리는 부분으로, 그 모양은 정사각형·직사각형 또는 삼각형 등 여러 가지가 있음. 기면(旗面). 기신(旗身). 기엽(旗葉). 기폭(旗幅). ②기의 깃대 반대 쪽 위아래 두 끝에 불꽃처럼 붙인 긴 오리. 위·가운데·아래 세 가닥으로 하기도 함. 기각(旗脚). 화염(火焰).

깃발(을) 꽂다 구 위세를 보이다. 개가를 올리다

깃발(을) 날리다 구 ㉠의기가 양양하다. 기세가 등등하다. ㉡보아란 듯이 우쭐거리다.

깃-베 명 〈방〉 생모시.

깃-봉【旗—】 명 기(旗)의 연(蓮)봉.

깃붐 명 〈옛〉 기쁨. ¶ 利益ᄃᆞ외여 깃부믈 뵈야《釋譜 XIX:3》. *깃브다.

깃브다 형 〈옛〉 기쁘다. ¶ 또 깃븐 ᄆᆞᅀᆞᆷ 내디 마롬디어다(亦莫生喜心)《蒙法 18》/ 깃브다구쥬왕되니 셰샹님금왓네《찬양가 : 53》.

깃비 부 〈옛〉 기쁘게. ¶ 時節ㅅ 비를 깃비 느리와《釋譜 XⅢ:7》.

깃숩다 자타 〈옛〉 기뻐하옵다. ¶ 賀禮ᄂᆞᆫ 깃ᄉᆞ바이다 ᄒᆞ야 禮數ᄒᆞᆯ 씨라《釋譜 XI:30》. *깃다·-숩다.

깃-세포【—細胞】 명 〖생〗 동정 세포.

깃-옷 [기돋] 명 ①졸곡(卒哭) 때까지 입는 생무명의 상복. ②우의(羽衣).

깃우-부【—羽部】 [긴—] 명 한자 부수(部首)의 하나. '翁'·'翊'·'翠' 등의 '羽'의 이름.

깃-저고리 명 깃을 달지 아니하고 지은 갓난애의 저고리. 산의(產衣). 배내옷. 배냇저고리.

깃-주다 자 외양간·마구간 같은 데에 짚 또는 마른 풀 등을 자리로 깔아 주다.

깃-촉 명 깃의 아래 쪽에 있는 강경(強硬)한 축(軸). 속이 비고 거의 반원통상이며, 위 쪽은 우축(羽軸)과 연결되고 밑은 피부 속에 들어가 있음.

깃촉

〈깃촉〉

깃-털 명 ①깃과 털. ②깃에 붙어 있는 새의 털. 깃. 우모(羽毛).

깃털 이불 [—리—] 명 솜 대신 새의 깃털을 속에 넣은 이불.

깃티다 타 〈옛〉 남기다. =기티다. ¶ ᄒᆞᆫ 아기시를 위ᄒᆞ오샤 깃틴 사름을 다 셜리 죽게 마오쇼셔《癸丑日記 Ⅱ:172》.

깃-펜 〔pen〕 명 옛날에 깃을 깎아서 만들어 쓰던 펜.

깃ᄒᆞ다 자 〈옛〉 깃들이다. ¶ 미햇 사름은 半만 깃ᄒᆞ야 사ᄂᆞᆺ다(野人半巢居)《杜諺 I :31》.

깄다 자타 〈옛〉 기뻐하다. ¶ 命世才ᄅᆞᆯ 卽日에 깃그시니(命世之才卽日擇之)《龍歌 27章》.

깃다¹ 자 〈옛〉 깃들이다. =깃깃다. ¶ 기슬 서(棲)《字會 下 7》.

깃다² 자 〈옛〉 깃다¹. 무성하다. ¶ 門 앏길헤 플 기여쇼ᄆᆞᆯ 므던히 너기노니(門逕從榛草)《初杜諺 X:16》.

〈깃펜〉

깅엄 〔gingham〕 명 면직물(綿織物)의 하나. 굵은 실로 격자 무늬를 넣어서 짠 무명. 여성복이나 아동복에 쓰임.

깅이 명〈방〉게²(제주).

깆 명〈옛〉깃. 옷깃. ¶ 먼 더 가매 다시 옷기ᄌᆞᆯ 눈물로 저지노라(適遠更霑襟)《杜諺 Ⅱ:26》.

깇다 타 ('기침'과만 결합하여) 기침을 하다. ¶ 기침을 ~.

깉다 자〈옛〉남다. ¶ 목숨 기트리잇가(性命奚遺)《龍歌 51章》.

깊다 형 ①겉에서 속까지 또는 위에서 아래까지의 사이가 멀다. 얕지 아니하다. ¶ 깊은 바다/골짜기가 ~. ②학문과 지식이 많다. ¶ 문학에 깊은 조예가 있다. ③심지(心志)가 듬쑥하다. ¶ 생각이 ~. ④사귄 정분이 두텁다. ¶ 우정이 깊은 사이/깊은 관계. ⑤이슥하다. ¶ 밤이 ~. ⑥계절 따위가 완숙하다. ¶ 가을도 깊었읍니다. 1)-4):↔얕다.
【깊고 얕은 물은 건너 보아야 한다】 직접 겪어 보아야 알 수 있으며, 사람도 실제로 사귀어 보아야 알 수 있다는 말 【깊은 산에서 목마르다고 하면 호랑이를 만난다】 물을 찾기가 힘든 깊은 산에서는, 목이 마르다고 하지 말라고 경계하는 말.

깊-다랗다 [—라타] 형 ㅎ불 매우 깊다.

깊다래-지다 자 깊다랗게 되다.

깊-드리 명 깊은 바닥에 박힌 논. 바닥이 깊은 논.

깊디-깊다 형 아주 깊다. 썩 깊다.

깊숙-이 부 깊숙하게. ¶ 모자를 ~ 눌러 쓰다.

깊숙-하다 형 여불 깊고 으슥하다. ¶ 깊숙한 곳에 돈을 감추다.

깊은 뿌리 명 땅 속 깊이 박힌 뿌리.

깊은 사랑【—舍廊】 명 여러 사람이 모여 놀게 만든 움과 같은 방.

깊은-숨 명 심호흡.

깊이¹ 명 ①겉에서 속까지의 길이. ¶ 바다의 ~. ②생각·지식·도량·내용 등의 깊은 정도. ¶ ~가 없는 문장.

깊이² 부 ①깊게. 깊도록. ¶ ~ 사과하다. ②잘. 자세히. ¶ 내용은 ~ 모르지만.

깊이-갈이 명 논이나 밭을 깊이 갊. 심경(深耕). ——하다 타 여불

깊이-게이지 명 〔depth gauge〕『기』 기계 부분(部分)의 구멍이나 홈 등의 깊이를 측정하는 기구.

〈깊이게이지〉

깊이-깊이 부 아주 깊게. ¶ 가슴 속에 ~ 간직한 사랑.

깊직-하다 형〈방〉깊숙하다.

ᄀᆞᄂᆞ도다 형〈옛〉가늘도다. 'ᄀᆞᄂᆞᆯ도다'의 'ㄷ' 위에서 'ㄹ' 탈락형(脫落形). ¶ ᄀᆞᄅᆞᆷ 우흿 ᄀᆞᄂᆞᆫ 보리ᄂᆞᆫ 또 ᄀᆞᄂᆞ도다(江上細麥復纖纖)《杜諺 Ⅹ:8》.

ᄀᆞᄂᆞᄅᆞᆷ 형〈옛〉가늚. 'ᄀᆞᄂᆞᆯ다'의 명사형(名詞形). ¶ 몰애 ᄀᆞᄂᆞ로미 ᄀᆞᄅᆞ ᄀᆞᄂᆞᄅᆞᆷ ᄀᆞᆮᄒᆞᆯ시(沙細如麵細故)《圓覺 上 二之二 154》.

ᄀᆞᄂᆞ리 부〈옛〉가늘게. ¶ ᄀᆞᄂᆞ리 봇ᄋᆞᆫ 旃檀沉水香ᄃᆞᆯᄒᆞᆯ 비흐며《月釋 XVII:36》.

ᄀᆞᄂᆞᆯ 명〈옛〉그늘. ¶ ᄀᆞᄂᆞᆯ ᄀᆞ료미(陰翳)《妙蓮 Ⅵ:165》.

ᄀᆞᄂᆞᆯ다 형〈옛〉가늘다. ¶ 纖ᄋᆞᆫ ᄀᆞᄂᆞᆯ 씨오《楞嚴 Ⅲ:73》.

ᄀᆞᄂᆞᆯ지다 자〈옛〉그늘지다. ¶ ᄀᆞᄂᆞᆯ진딧 고깃 무저게 日光 비취욤 업스면(陰處肉團無日光照)《圓覺 上 二之二 27》.

ᄀᆞᄂᆞᆯ해 〈옛〉그늘에. 'ᄀᆞᄂᆞᆯ'의 처격형(處格形). ¶ 긴 솘 ᄀᆞᄂᆞᆯ해 도ᄐᆞ랏 디퍼 ᄃᆞᆫ니고(杖藜長松陰)《初杜諺 Ⅶ:24》.

ᄀᆞᄂᆞᆯ히 〈옛〉그늘이. 'ᄀᆞᄂᆞᆯ'의 주격형(主格形). ¶ ᄀᆞᄂᆞᆯ히 녀부를 니ᄅᆞ시니라《月釋 XVIII:26》.

ᄀᆞ다 타〈옛〉갈다. 대신하다. 'ᄀᆞᆯ다'의 'ㄷ' 위에서 'ㄹ' 탈락형(脫落形). ¶ 벼슬 ᄀᆞ다(替代)《譯語 上 13》.

ᄀᆞ다듬다 타〈옛〉가다듬다. =ᄀᆞ다ᄃᆞᆷ다. ¶ 슬금슬금 ᄀᆞ다듬아 밤 시도록 가ᄂᆞᆫ 길의《參禪曲 6》.

ᄀᆞ다ᄃᆞᆷ다 타〈옛〉가다듬다. =ᄀᆞ다듬다. ¶ 時節 거리추믈 일ᄌᆞᆨ ᄀᆞ다ᄃᆞ마 잇도다(濟時曾琢磨)《杜諺 XXIII:18》.

ᄀᆞ득이 부〈옛〉가득히. =ᄀᆞᄃᆞ기. ¶ ᄒᆞᆫ잔 ᄀᆞ득이 먹고(滿飮一盞)《老乞 上 58》.

ᄀᆞ득ᄒᆞ다 형〈옛〉가득하다. =ᄀᆞᄃᆞᆨᄒᆞ다. ¶ 쑥ᄀᆞᄐᆞᆫ 머리예 니 ᄀᆞ득ᄒᆞ엿더라(蓬頭滿蝨)《東國新續三綱 孝子圖 Ⅲ:82 世麟居廬》/ 쥬의얼골뵈오면은 ᄀᆞ득한ᄉᆞ랑쑨《찬양가:44》.

ᄀᆞᄃᆞ기 부〈옛〉가득히. =ᄀᆞ득이. ¶ 食庫ㅣ ᄀᆞᄃᆞ기 넘쪄고《月釋 Ⅸ:38》.

ᄀᆞᄃᆞᆨᄒᆞ다 형〈옛〉가득하다. =가득ᄒᆞ다. ¶ 歡呼之聲이 道上애 ᄀᆞᄃᆞᆨᄒᆞ니(歡呼之聲 道上洋溢)《龍歌 41章》.

ᄀᆞᄃᆡᆨᄒᆞ다 형〈옛〉가득하다. =ᄀᆞᄃᆞᆨᄒᆞ다. ¶ 倉애 法喜食이 ᄀᆞᄃᆡᆨᄒᆞ고(倉盈法喜之食)《妙蓮 Ⅱ:187》.

ᄀᆞ라곰 부〈옛〉번갈아. ¶ 힘센 사ᄅᆞᄆᆞ로 ᄀᆞ라곰 동의 병ᄒᆞᆫ닐 업고…두 사ᄅᆞ미 ᄀᆞ라곰 소ᄂᆞᆯ 뙤야(令有力人背負病人…令二人更迭炙手)《救簡 Ⅰ:65》. *-곰.

ᄀᆞ라닙다 타〈옛〉갈아 입다. 바꾸어 입다. ¶ 오슬 ᄀᆞ라니브라 ᄒᆞ야든《家禮 Ⅱ:21》.

ᄀᆞ라티다 타〈옛〉후려치다. ¶ 또 ᄂᆞᆫ 벌어질 잡노라 사ᄅᆞᄆᆞᆯ ᄀᆞ라티ᄂᆞ다(更接飛蟲打著人)《杜諺 Ⅹ:7》.

ᄀᆞ락 명〈옛〉가락. ¶ 다ᄉᆞᆺ 밧ᄀᆞ락(五爪)《朴解 上 14》.

ᄀᆞ람 부〈옛〉번갈아. ¶ 사ᄅᆞ미 서르 ᄀᆞ람 더운 소ᄂᆞ로 비ᄅᆞᆯ 눌러(令人更迭以熱手按腹)《救簡 Ⅰ:66》.

ᄀᆞ람내다 타〈옛〉갈음하여 내다. ¶ 겨집종 두어흘 서ᄅᆞ ᄀᆞ람내야 뵈니《太平廣記 Ⅰ:39》.

ᄀᆞ람불다 타〈옛〉갈음하여 불다. ¶ 두어 사ᄅᆞ미 서르 ᄀᆞ람부러(數人更互吹之)《救簡 Ⅰ:46》.

ᄀᆞ람ᄒᆞ다 자타〈옛〉갈음하다. ¶ 사ᄅᆞᄆᆞᆯ ᄀᆞ람ᄒᆞ라(易人爲之)《救方 上 10》.

ᄀᆞ랍다 형〈옛〉가렵다. ¶ 모ᄃᆞᆫ 알ᄑᆞ며 ᄀᆞ라오며 허는 병이(諸痛痒瘡瘍)《痘瘡集要 上 1》.

ᄀᆞ랏 명〈옛〉가라지. ¶ ᄀᆞ랏 랑(稂), ᄀᆞ랏 유(莠)《字會 上 9》.

ᄀᆞ랑비 명〈옛〉가랑비. =ᄀᆞᄅᆞ비. ¶ ᄀᆞ랑비(濛鬆雨)《譯語 上 2》.

ᄀᆞ래 명〈옛〉가래³. ¶ ᄀᆞ래爲楸《訓例 25》/ᄀᆞ래 추(楸)《字會 上 11》.

ᄀᆞ래나모 명〈옛〉가래나무. ¶ ᄀᆞ래나모 지(梓)《字會 上 11》.

ᄀᆞ래다 타〈옛〉가래다. 갈개꾼의 행동을 하다. ¶ 漢ㅅ 아ᄒᆡ들은 ᄀᆞ장 ᄀᆞ래거니와(漢兒小廝們十分頑)《老乞 上 6》.

ᄀᆞ래올 명〈옛〉땅 이름. 'ᄀᆞ래골'의 'ㄱ'이 모음 사이에서 탈락(脫落)한 어형(語形). ¶ ᄀᆞ래올(楸洞)《龍歌 Ⅹ:19》.

ᄀᆞ래춤 명〈옛〉가래침. ¶ ᄀᆞ래춤과 곳믈와 고롬과(唾涕膿)《圓覺 上 二之二 27》.

ᄀᆞ랍다 형〈옛〉가렵다. ¶ 쟝ᄎᆞᆺ ᄀᆞ랴올 증이 나리라(將發痒也)《痘瘡集要 下 9》.

ᄀᆞ렵다 형〈옛〉가렵다. ¶ 내 옴 알파 ᄀᆞ려옴을 당티못ᄒᆞ니(我害疥痒當不的)《朴解 下 6》.

ᄀᆞ로¹ 명〈옛〉가루. ¶ 감초 ᄀᆞ로(甘草末)《痘方 19》.

ᄀᆞ로² 부〈옛〉가로¹. ¶ ᄀᆞ로 디나 셰디낫듕의 주근 후면 내 아드냐《古時調》.

ᄀᆞ로ᄃᆡ 불자〈옛〉가로되. =ᄀᆞᆯ오ᄃᆡ. ¶ 曰은 ᄀᆞ로ᄃᆡ ᄒᆞ논 ᄠᅳ디라《釋譜 序 4》.

ᄀᆞ론 부〈옛〉이른바. 말하자면. =ᄀᆞᆯ온. ¶ ᄒᆞᆫ나ᄒᆞᆫ ᄀᆞ론 덕과 업과로 서ᄅᆞ 권호미오(一曰 德業相勸)《呂約 1》.

ᄀᆞ룜 자타〈옛〉가림. 'ᄀᆞ리다'의 명사형. ¶ 가ᄆᆞᆯ 조차 ᄀᆞ룜 업수미(隨往無礙)《楞嚴 Ⅲ:88》.

ᄀᆞ르 부〈옛〉가로¹. =ᄀᆞᄅᆞ². ¶ ᄀᆞ르 ᄡᅳ혀치다(橫擊)《漢淸 Ⅳ:35》.

ᄀᆞ릅져 타〈옛〉가로채어. ¶ ᄀᆞ릅져 말ᄒᆞ다(橫挿語)《漢淸 Ⅶ:12》.

ᄀᆞ리 부〈옛〉가리우게. 가리어. ¶ 陰은 ᄀᆞ리 두플씨니《月釋 Ⅰ:35》.

ᄀᆞ리다¹ 자〈옛〉갈리다. ¶ ᄒᆞ나ᄒᆞᆫ ᄀᆞ리고 ᄒᆞ나ᄒᆞᆫ 등 헐고(一箇磨硯 一箇打破脊梁)《老乞 下 9》.

ᄀᆞ리다² 자타〈옛〉가리다. ¶ 블고미 無量世界ᄅᆞᆯ 비취여 ᄀᆞ린ᄃᆡ 업고《月釋 Ⅸ:10》.

ᄀᆞ리둡다 타〈옛〉가리어 덮다. ¶ 陰은 ᄀᆞ리두플씨니 ᄒᆞ논일이쇼ᄆᆞᆯ 모도아 眞實ㅅ性을 ᄀᆞ리둡다ᄒᆞ논 ᄠᅳ디라《月釋 Ⅰ:35》.

ᄀᆞ리둪다 타〈옛〉가리어 덮다. ¶ 모ᄃᆞᆫ 사ᄅᆞᄆᆞᆯ ᄀᆞ리두프니 곳과 여름괘《釋譜 Ⅵ:30》.

ᄀᆞ리ᄫᅳ다 타〈옛〉가리우다. ¶ 사ᄅᆞ미게론 더러본 서근 내ᄅᆞᆯ ᄀᆞ리ᄫᅳ며 가야미 머구믈 免ᄒᆞ야《月釋 XVIII:39》.

ᄀᆞ리ᄢᅵ다 타〈옛〉가리우다. 가리끼다. ¶ 힛光ᄋᆞᆯ ᄀᆞ리ᄢᅵ시니《月釋 Ⅱ:75》.

ᄀᆞ리ᄣᅳ다 타〈옛〉가리어 뜨다. ¶ 바ᄇᆞ란 雲子ㅣ 히니ᄅᆞᆯ ᄀᆞ리ᄣᅳ고(飯抄雲子白)《初杜諺 XV:54》.

ᄀᆞ리얼다 자〈옛〉가리어 얼다. ¶ 앏여흘 ᄀᆞ리어러 獨木橋 빗겻ᄂᆞᆫᄃᆡ《松江, 星山別曲》.

ᄀᆞ리오다 타〈옛〉가리우다. ¶ 榿林이 ᄒᆡᄅᆞᆯ ᄀᆞ리오니(榿林礙日)《初杜諺 Ⅶ:1》.

ᄀᆞ리왇다 자타〈옛〉가리다. ¶ ᄒᆡ로 ᄀᆞ리와ᄃᆞᆫ 日蝕ᄒᆞᄂᆞ니라《釋譜 XIII:10》.

ᄀᆞ리왓다 자타〈옛〉가리다. ¶ 이 嶺ㅣ 울어러 干犯ᄒᆞ얀 ᄒᆡᄅᆞᆯ ᄀᆞ리왓고(仰干塞大明)《重杜諺 Ⅰ:27》.

ᄀᆞ리우다 타〈옛〉가리우다. ¶ ᄇᆞᄅᆞᆷ과 벼를 ᄀᆞ리우디 몯ᄒᆞ거늘(不蔽風日)《飜小 Ⅸ:33》.

ᄀᆞ리치다 타〈옛〉후려치다. =ᄀᆞ리티다. ¶ 飄飄히 ᄂᆞ라셔 ᄀᆞ리츄믈 됴히커ᄂᆞᆯ(飄飄搏擊便)《重杜諺 Ⅲ:26》.

ᄀᆞ리텨ᄇᆞ리다 타〈옛〉후리쳐 버리다. ¶ ᄑᆞ른 뷘 ᄡᅡ해 魍魎ᄋᆞᄅᆞᆫ ᄀᆞ리텨 ᄇᆞ리고(翠虛捎魍魎)《初杜諺 XX:21》.

ᄀᆞ리티다 타〈옛〉겁탈하다. 공략(攻略)하다. 치다. =후리다·ᄀᆞ리치다·ᄀᆞᄅᆞ티다. ¶ 盜賊의 ᄀᆞ리튜미 官吏의 붓그리논 배니라(剽劫吏耶所羞)《杜諺 XXII:37》.

ᄀᆞ리호다 타〈옛〉가리우다. ¶ ᄒᆞᆫ 註애 車ㅣ 行ᄒᆞᆯ제 가져 ᄡᅥ곰 車ᄅᆞᆯ ᄀᆞ리호고 임의 무ᄃᆞ매 壙中애 셰워 柩ᄅᆞᆯ ᄀᆞ리호ᄂᆞ니라《家禮 11》.

ᄀᆞ림ᄌᆞ 명〈옛〉가리마. ¶ ᄀᆞ림ᄌᆞ(頭髮分道)《漢淸 Ⅴ:48》.

ᄀᆞᄅᆞ¹ 명〈옛〉가루. =ᄀᆞᆯ². ¶ ᄀᆞᄅᆞ 면(麵), ᄀᆞᄅᆞ 말(麩), ᄀᆞᄅᆞ 설(糏)《字會 中 22》.

ᄀᆞᄅᆞ² 부〈옛〉가로¹. =ᄀᆞ르. ¶ 關은 門의 ᄀᆞᄅᆞ디ᄅᆞᄂᆞᆫ 남기오《妙蓮 Ⅳ:130》.

ᄀᆞᄅᆞ- 간〈옛〉'ᄀᆞᆯ오ᄃᆡ'·'ᄀᆞᆯᄋᆞ샤ᄃᆡ'의 어간(語幹). ¶ ᄀᆞᄅᆞ 왈(曰)《類合 安心寺板 8》.

ᄀᆞᄅᆞ다¹ 타〈옛〉가르다. ¶ 그 칼ᄒᆞᆯ 아사 스스로 멱 디ᄅᆞ니 도적이 ᄀᆞᆯ나ᄠᅳᄌᆞ니라(奪其刀自剄賊節解臠之)《東國新續三綱 烈女圖 Ⅴ:85 朴氏自剄》.

ᄀᆞᄅᆞ다² 타〈옛〉가로지르다. ¶ 술의 앏히 ᄀᆞᄅᆞᆫ 남글 고마온 일 잇거든 굽어 딥픔이라《明宗版 小諺 Ⅲ:16》.

ᄀᆞᄅᆞ디다 피동〈옛〉가로질리다. ¶ ᄆᆞ리 ᄎᆞ고 긴 어름ㅣ ᄀᆞᄅᆞ데시니(水寒長氷橫)《杜諺 Ⅰ:17》.

ᄀᆞᄅᆞ디르다 타〈옛〉가로지르다. ¶ 뎌른 묏고ᄅᆡ ᄀᆞᄅᆞ딜엣ᄂᆞ니(架短壑)《杜諺 Ⅹ:28》.

ᄀᆞᄅᆞ디ᄅᆞ다 타〈옛〉가로지르다. ¶ 關은 門의 ᄀᆞᄅᆞ디ᄅᆞᄂᆞᆫ 남기오《妙蓮 Ⅳ:130》.

ᄀᆞᄅᆞ딜이다 피동〈옛〉가로질리다. ¶ 긴 ᄇᆞᄅᆞᆷ애 노ᄑᆞᆫ 믌겨리 ᄀᆞᄅᆞ딜엿ᄂᆞ니(長風駕高浪)《杜諺 Ⅰ:32》.

ᄀᆞᄅᆞ비 명〈옛〉가랑비. =ᄀᆞ랑비. ¶ 눉므리 ᄀᆞᄅᆞ비 ᄀᆞᆮ티 ᄂᆞ리다《月釋 Ⅰ:36》.

ᄀᆞᄅᆞ샤ᄃᆡ 불자〈옛〉가라사대. =ᄀᆞᆯᄋᆞ샤ᄃᆡ. ¶ 젼교ᄒᆞ샤 ᄀᆞᄅᆞ샤ᄃᆡ(傳曰)《字恤 1》.

ᄀᆞᄅᆞ셔다 자〈옛〉가려 서다. 가리고 서다. ¶ 옷 ᄆᆞ티들며 발 구르고 길헤 ᄀᆞᄅᆞ셔셔 우ᄂᆞ니(牽衣頓足欄道哭一欄은 遮欄也ㅣ라)《杜諺Ⅳ:1》.

ᄀᆞᄅᆞ춈 타〈옛〉가르침. 'ᄀᆞᄅᆞ치다'의 명사형. ¶ 고티디 몯호미 ᄀᆞᄅᆞ쵸미 常이오《月釋 Ⅷ:24》.

ᄀᆞᄅᆞ치다 타〈옛〉①가르치다. =ᄀᆞᆯᄋᆞ치다. ¶ 訓은 ᄀᆞᄅᆞ칠 씨오《訓諺》/ 일ᄉᆡᆼ어련일당ᄒᆞ면 나갈길을ᄀᆞᄅᆞ치니《찬양가:15》. ②가리키다. ¶ ᄂᆞᆯ ᄀᆞᄅᆞ치ᄂᆞᆫ 솏가라ᄀᆞᆯ 보고《月序 22》.

ᄀᆞᄅᆞ초다 자타〈옛〉대신하다. ¶ ᄀᆞᄅᆞ촐 ᄃᆡ(代)《字會 中 1》.

ᄀᆞᄅᆞ티다 타〈옛〉후리어서 치다. =ᄀᆞ리티다. ¶ ᄀᆞᄅᆞᄆᆞᆯ ᄀᆞᄅᆞ텨 數百 고기ᄅᆞᆯ ᄒᆞᆫ버네 ᄢᅦ텨 내놋다(截江一擁數百鱗)《初杜諺 XVI:62》.

ᄀᆞᄅᆞᆶ 명〈옛〉강(江). ¶ ᄆᆡ햇 두듥과 ᄀᆞᄅᆞᆶ 蒲애 ᄀᆞᄉᆡ 나ᄂᆞ니(側生野岸及江蒲)《初杜諺 XV:21》.

ᄀᆞᄅᆞᆷ 명〈옛〉강(江). 호수. ¶ ᄀᆞᄅᆞ매 ᄇᆡ 업거늘(河無舟矣)《龍歌 20章》.

ᄀᆞᄅᆞᆷ길 명 〈옛〉 갈림길. ¶ ᄀᆞᄅᆞᆷ길 어귀(岔路口)《漢淸 Ⅸ:23》.

ᄀᆞᄅᆞᆷᄒᆞ다 자타 〈옛〉 대신하다. 갈음하다. ¶ 사ᄅᆞᄆᆞᆯ ᄀᆞᄅᆞᆷᄒᆞ시며 쇼를 건네샤ᄃᆡ(代人濟牛)《楞嚴 Ⅴ:69》.

ᄀᆞ만이 부 〈옛〉 가만히. =ᄀᆞᄆᆞ니·ᄀᆞ만히. ¶ 皇后ㅣ ᄀᆞ만이 ᄒᆞᆫ 宮娥ᄅᆞᆯ 브려(皇后暗使一箇宮娥)《朴解 中 21》.

ᄀᆞ만히 부 〈옛〉 가만히. =ᄀᆞ만이·ᄀᆞᄆᆞ니. ¶ ᄀᆞ만히 ᄉᆡᆼ각ᄒᆞ오ᄃᆡ(默思)《常解 4》.

ᄀᆞ만ᄒᆞ다 형 〈옛〉 은밀(隱密)하다. ¶ ᄀᆞ만ᄒᆞᆫ 하리 날로 들여(漸漬日聞)《內訓 Ⅲ:44》.

ᄀᆞ만ᄒᆞᆫ 형 〈옛〉 은연(隱然)한. ¶ 아모란 ᄀᆞ만ᄒᆞᆫ 보람이 잇고 인은 업ᄂᆞ니(有甚暗記沒印)《朴解 下 55》.

ᄀᆞ무다 자 〈옛〉 가물다. ¶ ᄀᆞ무다(天旱)《同文 上 5》.

ᄀᆞ믈다 자 〈옛〉 가물다. =ᄀᆞᄆᆞᆯ다. ¶ 올히 하ᄂᆞᆯ이 ᄀᆞᄆᆞ라(今年天旱)《朴解 中 35》.

ᄀᆞᄆᆞ니 부 〈옛〉 가만히. =ᄀᆞ만이·ᄀᆞ만히. ¶ 오직 ᄒᆞ니거나 ᄀᆞᄆᆞ니 잇거나(但動中靜中)《蒙法 5》.

ᄀᆞᄆᆞ리티다 자 〈옛〉 까무라치다. ¶ 열이 발ᄒᆞᆯ제 놀라 ᄀᆞᄆᆞ리티ᄂᆞ니ᄂᆞᆫ(發熱時發驚者)《痘瘡集要 上 64》.

ᄀᆞᄆᆞᆫᄒᆞ다 형 〈옛〉 가만하다. ¶ ᄀᆞᄆᆞᆫᄒᆞᆫ ᄇᆞᄅᆞ미 부니 微妙ᄒᆞᆫ 소리 나더라《月釋 XXI:209》.

ᄀᆞᄆᆞᆫᄒᆞᆫ ᄇᆞᄅᆞᆷ 명 〈옛〉 미풍(微風). ¶ ᄀᆞᄆᆞᆫᄒᆞᆫ ᄇᆞᄅᆞ미 나고(微風出)《楞嚴 Ⅲ:86》.

ᄀᆞᄆᆞᆯ 명 〈옛〉 가물음. 가뭄. ¶ ᄉᆡ미 기픈 므른 ᄀᆞᄆᆞ래 아니 그츨ᄊᆡ(源遠之水 旱亦不竭)《龍歌 2章》.

ᄀᆞᄆᆞᆯ다 형 〈옛〉 가물다. =ᄀᆞ믈다. ¶ ᄀᆞ장 ᄀᆞᄆᆞᆯ어놀(太旱)《內訓 Ⅱ:45》.

ᄀᆞᄆᆞᆺ[1] 명 〈옛〉 신골. ¶ ᄀᆞᄆᆞᆺ 훤(楦)《字會 中 23》.

ᄀᆞᄆᆞᆺ[2] 〈옛〉 가물의. 'ᄀᆞᄆᆞᆯ'의 소유격형. ¶ 驕陽은 녀름 ᄀᆞᄆᆞᆺ 陽ㄱ라《杜諺 XV:2》.

ᄀᆞᄫᆞ다 자 〈옛〉 괴다[1]. =ᄀᆞ오다. ¶ ᄇᆞᄅᆞ미 아니 닐면 믈담곰 거시 업스릴ᄊᆡ 風輪이 닐어늘 므리 디니 風輪에 담겨 므리 ᄀᆞᄇᆡᆺ더니라《月釋 Ⅰ:39》.

ᄀᆞᄇᆡᆺ다 자 〈옛〉 괴어 있다. ¶ ᄇᆞᄅᆞ미 아니 닐면 믈 담곰 거시 업스릴ᄊᆡ 風輪이 닐어늘 므리 디니 風輪에 담겨 므리 ᄀᆞᄇᆡᆺ더니라《月釋 Ⅰ:39》.

ᄀᆞᄫᆞᆯ 명 〈옛〉 고을. ¶ 조ᄀᆞᄫᆞᆯ(栗村)《龍歌 Ⅱ:22》.

ᄀᆞᄉᆞ라기 명 〈옛〉 까끄라기. =ᄀᆞᅀᆞ라기. ¶ 겻보리ᄅᆞᆯ ᄀᆞᄉᆞ라기 업시ᄒᆞ고(皮麥去芒)《新救荒撮要 8》.

ᄀᆞᄉᆞᆯ 명 〈옛〉 가을. =ᄀᆞᅀᆞᆯ. ¶ 보ᄆᆡ 다 내야 녀르메 길어 ᄀᆞᄉᆞᆯ히 다 結實히와 겨스레 다 ᄀᆞᆷ초와《七大 13》.

ᄀᆞᅀᆡ 명 〈옛〉 가위[1]. ¶ ᄀᆞᅀᆡ 젼(剪)《字會 中 14》.

ᄀᆞᅀᆞ라기 명 〈옛〉 까끄라기. =ᄀᆞᄉᆞ라기·ᄀᆞᄋᆞ라기. ¶ ᄀᆞᅀᆞ라기를 더러 ᄇᆞ리니 볏나치 븕도다(除芒子粒紅)《初杜諺 Ⅶ:18》.

ᄀᆞᅀᆞ말다 타 〈옛〉 가말다. =ᄀᆞᄋᆞ말다. ¶ 뫼히며 ᄀᆞᄅᆞᄆᆞᆯ ᄀᆞᅀᆞ마라(宰割山河)《內訓 Ⅲ:52》.

ᄀᆞᅀᆞᆯ 명 〈옛〉 가을. =ᄀᆞᄉᆞᆯ·ᄀᆞᄋᆞᆯ. ¶ 八月ᄋᆞᆫ ᄀᆞᅀᆞᆳ 中이라(八月秋之中)《楞嚴 Ⅶ:13》/ᄀᆞᅀᆞᆯ히 洞庭엣 돌히 ᄆᆞᄅᆞ고(秋枯洞庭石)《杜諺 Ⅷ:5》.

ᄀᆞᅀᆞᆯ히 〈옛〉 가을이. 'ᄀᆞᅀᆞᆯ'의 주격형(主格形). ¶ 城闕애 ᄀᆞᅀᆞᆯ히 나거늘 畫角ㅅ 소리 슬프도다(城闕秋生畫角哀)《初杜諺 Ⅶ:3》.

ᄀᆞᅀᆞᆯᄒᆞᆯ 〈옛〉 가을을. 'ᄀᆞᅀᆞᆯ'의 목적격형(目的格形). ¶ 水國ㅅ ᄀᆞᅀᆞᆯᄒᆞᆯ 아ᅀᆞ라히 슬노라(遙悲水國秋)《初杜諺 XXⅢ:37》.

ᄀᆞᅀᆞᆯᄒᆡ 〈옛〉 가을에. ¶ 녀르메 盛코 ᄀᆞᅀᆞᆯᄒᆡ 듀믈 알며(悟夏茂而秋落)《永嘉 下 44》.

ᄀᆞᅀᆞᆷ 명 〈옛〉 감[2]❶. 재료. =ᄀᆞᄋᆞᆷ·ᄀᆞ음. ¶ 今俗語料爲 ᄀᆞᅀᆞᆷ《四聲 下18》.

ᄀᆞᅀᆞᆷ아논디라 타 〈옛〉 가마는지라. 재량(裁量)하는지라. 'ᄀᆞᅀᆞᆷ알다'의 활용형. ¶ 가온ᄃᆡ 이셔 飮啖ᄋᆞᆯ ᄀᆞᅀᆞᆷ아논디라(主中饋)《內訓 Ⅱ:15》.

ᄀᆞᅀᆞᆷ알다 타 〈옛〉 가말다. =ᄀᆞᄋᆞᆷ알다·ᄀᆞ으말다. ¶ 사ᄅᆞᄆᆡ 목수믈 ᄀᆞᅀᆞᆷ알며《月釋 XXI:133》.

ᄀᆞ애 명 〈옛〉 가위[1]. ¶ ᄀᆞ애 일ᄇᆡᆨ ᄌᆞᄅᆞ(剪子一百把)《老乞 下 62》.

ᄀᆞ오누르다 자 〈옛〉 가위누르다. =ᄀᆞ오누ᄅᆞ다. ¶ 사ᄅᆞᄆᆞᆯ ᄀᆞ오누르던 젼ᄎᆞ로(魘人故)《楞嚴 Ⅷ: 121》/魘은 ᄀᆞ오누르ᄂᆞᆫ 귓거시라《楞嚴 Ⅷ: 116》.

ᄀᆞ오누ᄅᆞ다 자 〈옛〉 가위누르다. =ᄀᆞ오누르다. ¶ 厭은 ᄀᆞ오누ᄅᆞᆯ 씨오《月釋 Ⅸ:58》.

ᄀᆞ오다 자 〈옛〉 괴다[1]. =ᄀᆞᄫᆞ다. ¶ 솝 궁근 남긔 ᄀᆞ온 믈(樹空中水)《救簡 Ⅵ:85》.

ᄀᆞ올 명 〈옛〉 고을. ¶ 아ᄆᆞ란 ᄆᆞᅀᆞᆯ히어나 자시어나 ᄀᆞ올히어나 나라히어나 뷘 수프리어나《月釋 Ⅸ:61》.

ᄀᆞ올해 〈옛〉 고을에. 'ᄀᆞ올'의 처격형(處格形). ¶ 二百 ᄀᆞ올해(二百州)《重杜諺 Ⅳ:2》.

ᄀᆞ올흘 〈옛〉 고을을. 'ᄀᆞ올'의 목적격형(目的格形). ¶ ᄀᆞ올ᄒᆞᆯ 거느려든 곧 비치 업고(領郡輒無色)《杜諺 Ⅴ:15》.

ᄀᆞ올희 〈옛〉 고을에. 'ᄀᆞ올'의 처격형(處格形). ¶ ᄀᆞ올희 갈저기어든 다 말ᄉᆞ미 잇도다(之官皆有詞)《重杜諺 Ⅴ:15》.

ᄀᆞ올히 〈옛〉 고을이. 'ᄀᆞ올'의 주격형(主格形). ¶ 세 ᄀᆞ올히 犬戎의게 ᄢᅥ뎌시니(三州陷犬戎)《重杜諺 Ⅴ:48》.

ᄀᆞ올ᄒᆞ로 〈옛〉 고을로. 'ᄀᆞ올'의 향진격형(向進格形). ¶ 나그내 ᄠᅳ데 다ᄅᆞᆫ ᄀᆞ올ᄒᆞ로 가노니(客情投異縣)《杜諺 XXI:18》.

ᄀᆞ올ᄒᆞᆯ 〈옛〉 고을을. 'ᄀᆞ올'의 목적격형. ¶ 湖南애 믈 지엣ᄂᆞᆫ ᄀᆞ올ᄒᆞᆯ 便安케 ᄒᆞ리로소니(湖南安背水)《杜諺 XXⅢ:7》.

ᄀᆞ올ᄒᆡ 〈옛〉 고을에. 'ᄀᆞ올'의 처격형(處格形). ¶ ᄀᆞ올ᄒᆞᆯ 從ᄒᆞ야 ᄀᆞ올ᄒᆡ 가며(從邑至邑)《妙蓮 Ⅱ:236》.

ᄀᆞ외 명 〈옛〉 아랫도리 옷. 치마. ¶ 니벗ᄂᆞᆫ 옷 ᄀᆞ외로 두프면(可以着衣裳蓋覆)《佛頂 中 7》.

ᄀᆞ으말다 타 〈옛〉 가말다. 관리(管理)하다. =ᄀᆞᄋᆞᆷ알다·ᄀᆞᅀᆞᆷ알다. ¶ 馬草ᄀᆞ으마ᄂᆞᆫ 이(管草的). 냥식 ᄀᆞ으마ᄂᆞᆫ 이(管粮的). 料 ᄀᆞ으마ᄂᆞᆫ 이(管料的)《譯語 補 18》.

ᄀᆞ을ᄒᆞ다 타 〈옛〉 경계(境界)짓다. 구별하다. ¶ 水賊만ᄂᆞᆫ 都沙工의 안과 엇그제 님 여흰 내 안히사 엇다가 ᄀᆞ을ᄒᆞ리오《古時調》.

ᄀᆞ음 명 〈옛〉 감[2]❶. =ᄀᆞᅀᆞᆷ. ¶ 이 비단 ᄒᆞᆫ 疋이 큰 옷 ᄀᆞ음 두ᄫᅵ이 넉넉ᄒᆞ니(這是幾丈一疋呢)《朴新解 Ⅰ:16》.

ᄀᆞ음알다 타 〈옛〉 가말다. 관리(管理)하다. =ᄀᆞᄋᆞᆷ알다. ¶ 儀仗 ᄀᆞ음아ᄂᆞᆫ 마ᄋᆞᆯ(鑾儀衛)《譯語 補 8》.

ᄀᆞᄋᆞ라기 명 〈옛〉 까끄라기. =ᄀᆞᅀᆞ라기. ¶ ᄀᆞᄋᆞ라기ᄅᆞᆯ 더러ᄇᆞ리니 볏나치 븕도다(除芒子粒紅)《重杜諺 Ⅶ:18》.

ᄀᆞᄋᆞ로 부 〈옛〉 가에서. 가로. 옆으로. ¶ 妖怪ᄒᆞᆫ 氣運 훤히 업서 가믈 ᄀᆞᄋᆞ로 아노라(旁覺妙氣豁)《重杜諺 Ⅰ:7》.

ᄀᆞᄋᆞ말다 타 〈옛〉 가말다. =ᄀᆞᅀᆞ말다. ¶ 群公이 各各 마ᄋᆞᄅᆞᆯ ᄀᆞᄋᆞ마랏도다(群公各典司)《重杜諺 Ⅲ:4》.

ᄀᆞᄋᆞᆯ 명 〈옛〉 가을. =ᄀᆞᅀᆞᆯ. ¶ 노ᄑᆞᆫ ᄀᆞᄋᆞᆯ히 ᄆᆞ리 ᄉᆞᆯ지고 健壯ᄒᆞ거ᄂᆞᆯ(高秋馬肥健)《重杜諺 Ⅹ:36》/ᄀᆞᄋᆞᆯ 츄(秋)《類合 上 2, 石千 2》.

ᄀᆞᄋᆞᆯᄒᆞᆯ 〈옛〉 가을을. 'ᄀᆞᄋᆞᆯ'의 목적격형(目的格形). ¶ 늘거가매 ᄀᆞᄋᆞᆯᄒᆞᆯ 슬허셔 고돌파 내 ᄆᆞᄋᆞᄆᆞᆯ 어위키ᄒᆞ노니(老去悲秋強自寬)《重杜諺 Ⅺ:33》.

ᄀᆞᄋᆞᆯᄒᆡ 〈옛〉 가을에. ¶ 노ᄑᆞᆫ ᄀᆞᄋᆞᆯᄒᆡ 그륜 부체ᄅᆞᆯ ᄀᆞᆷ초고(高秋收畫扇)《重杜諺 Ⅹ:36》.

ᄀᆞᄋᆞᆷ 명 〈옛〉 감[2]❶. 재료(材料). =ᄀᆞᅀᆞᆷ. ¶ ᄀᆞᄋᆞᆷ이 다 잇ᄂᆞ냐(木植都有麼)《朴解 下 12》.

ᄀᆞᄋᆞᆷ아ᄂᆞ니 타 〈옛〉 가마느니. 재량(裁量)하느니. 관리(管理)하느니. 'ᄀᆞᄋᆞᆷ알다'의 활용형. ¶ 폴 님재 즈름갑슬 ᄀᆞᄋᆞᆷ아ᄂᆞ니(賣主管牙錢)《老乞 下 16》.

ᄀᆞᄋᆞᆷ아ᄂᆞᆫ 타 〈옛〉 가마는. 재량(裁量)하는. 관리(管理)하는. 'ᄀᆞᄋᆞᆷ알다'의 활용형. ¶ 또 內部에 술 ᄀᆞᄋᆞᆷ아ᄂᆞᆫ 官人들의(又內府管酒的官人們)《朴解 上 2》.

ᄀᆞᄋᆞᆷ알다 타 〈옛〉 가말다. 맡아 다스리다. =ᄀᆞᅀᆞᆷ알다·ᄀᆞ으말다·ᄀᆞ음알다. ¶ 어귀예 ᄂᆞᄅᆞ ᄀᆞᄋᆞᆷ아ᄂᆞᆫ 구의(守口子渡江處官司)《老乞 上 46》.

ᄀᆞ장[1] 부 〈옛〉 가장. 자못. ¶ ᄆᆞᅀᆞ매 ᄀᆞ장 설버《月釋 XⅦ:21》.

ᄀᆞ장[2] 조 〈옛〉 까지. ¶ ᄆᆞᅀᆞᆷ 다ᄫᆞᄆᆞᆯ 닐웛ᄀᆞ장 긔지ᄒᆞ야(期致盡心)《月釋 序 20》.

ᄀᆞ장홈 자 〈옛〉 극진함. 'ᄀᆞ장ᄒᆞ다'의 명사형. ¶ 즐거우미 ᄀᆞ장호매 머리 셰요ᄆᆞᆯ 슬노니(樂極傷頭白)《初杜諺 XXI:30》.

ᄀᆞ장ᄒᆞ다 타 〈옛〉 끝까지 하다. 마음대로 하다. ¶ 究ᄂᆞᆫ ᄀᆞ장ᄒᆞᆯ 씨라《月序 21》/婬亂ᄒᆞᆫ 樂ᄋᆞᆯ ᄀᆞ장ᄒᆞ야(恣婬樂)《楞嚴 Ⅸ:113》.

ᄀᆞ재 부 〈옛〉 가장. 매우. ¶ ᄀᆞ재 극(極)《字會 下 35》/諸佛ㅅ ᄀᆞ재 조ᄒᆞᆫ ᄇᆞᆯᄀᆞᆫ ᄆᆞᅀᆞ미시며(諸佛勝淨明心)《牧訣 20》.

ᄀᆞ좀 형 〈옛〉 갖음. 'ᄀᆞᆽ다'의 명사형. ¶ 諸德은 ᄀᆞ조미 別錄ᄀᆞᆮ다 ᄒᆞ니라(諸德具如別錄)《圓覺 上 一之二 21》.

ᄀᆞ즉이 부 〈옛〉 가지런히. ¶ 禮義廉恥로 ᄀᆞ즉이 네엿신이《古時調 朱義植》.

ᄀᆞ즉ᄒᆞ다 형 〈옛〉 가지런하다. 정제(整齊)하다. ¶ 큰 福이 하ᄂᆞᆯ과 ᄀᆞ즉ᄒᆞ야(洪福齊天)《朴解 上 1》/집이 ᄀᆞ즉ᄒᆞᆫ 후에 나라히 다ᄉᆞᆫ다 ᄒᆞ니라(家齊而後國治)《朴解 中 45》.

ᄀᆞ지 조 〈옛〉 까지. ¶ 廣이 幅ᄀᆞ지 ᄒᆞ야 다ᄉᆞᆺ자히라《家禮 Ⅴ:11》.

ᄀᆞ지다 타 〈옛〉 가지다. ¶ 生死 두字ᄅᆞᆯ ᄀᆞ져 니마해 두워(持生死二字釘在額上)《法語 7》.

ᄀᆞᄌᆞ기 부 〈옛〉 가지런히. =ᄀᆞ즉이. ¶ 光明이 ᄀᆞᄌᆞ기 等ᄒᆞ며(光明齊等)《金剛 序 7》.

ᄀᆞᄌᆞ기ᄒᆞ다 타 〈옛〉 가지런히 하다. 정제(整齊)하다. ¶ 物理ᄅᆞᆯ 곧 難히 아라 ᄀᆞᄌᆞ기ᄒᆞᆯ 거시로다(物理直難齊)《杜諺 Ⅲ:20》.

ᄀᆞᄌᆞ니 명 〈옛〉 갖은 이. 갖춘 사람. ¶ 婆羅門ᄋᆞᆯ ᄃᆞ려 닐오ᄃᆡ 어듸아 됴ᄒᆞᆫ ᄯᆞ리 양ᄌᆞ ᄀᆞᄌᆞ니 잇거뇨《釋譜 Ⅵ:13》. *ᄀᆞᆽ다[4].

ᄀᆞᄌᆞ론이 부 〈옛〉 가지런히. ¶ ᄀᆞᄌᆞ론이 平ᄒᆞ야 저울대 ᄀᆞᆮ티야《家禮 Ⅰ:44》.

ᄀᆞᄌᆞ론케 ᄒᆞ다 타 〈옛〉 가지런하게 하다. ¶ 박은 남그로 더블어 ᄀᆞᄌᆞ론케 ᄒᆞ고(與植木齊)《火砲解 26》.

ᄀᆞᄌᆞᆨ다 형 〈옛〉 가지런하다. =ᄀᆞ즉ᄒᆞ다. ¶ 어디롬과 어류미 ᄀᆞᄌᆞᆨ디 아니ᄒᆞᆯᄉᆡ(賢愚不齊故)《圓覺 序 74》.

ᄀᆞᄌᆞᆨ이 부 〈옛〉 가지런히. =ᄀᆞᄌᆞ기. ¶ ᄒᆞᆫ번 더브러 ᄀᆞᄌᆞᆨ이 ᄒᆞ면(一與之齊)《內訓 Ⅰ:63》.

ᄀᆞᄌᆞᆨ이ᄒᆞ다 타 〈옛〉 가지런히 하다. 정제(整齊)하다. ¶ 다 ᄡᅥ 몸ᄋᆞᆯ 닷ᄀᆞ며 집을 ᄀᆞᄌᆞᆨ이ᄒᆞ며 나라ᄒᆞᆯ 다ᄉᆞ리며 天下ᄅᆞᆯ 平히 ᄒᆞᆯ 근본을 ᄒᆞᄂᆞᆫ 배니(皆所以爲修身齊家治國平天下之事)《小學書題 1》.

ᄀᆞᄌᆞᆨᄒᆞ다 형 〈옛〉 가지런하다. =ᄀᆞᄌᆞᆨ다. ¶ 우리 무리 ᄒᆞ마 니러가 엇게 서르 ᄀᆞᄌᆞᆨᄒᆞ도다(我曹已到肩相齊)《杜諺 Ⅷ:27》.

ᄀᆞᄌᆞᆫ 형 〈옛〉 갖은(具). 'ᄀᆞᆽ다'의 활용형. ¶ 功德이 ᄀᆞᄌᆞᆫ ᄆᆞ리니《月釋 Ⅱ:42》.

ᄀᆞ쳔 명 〈옛〉 개천. ¶ 혹 ᄀᆞ쳔을 츠디 아녀 더러운 긔운이 사ᄅᆞᆷ의게 ᄡᅩ이거나(或溝渠不泄穢惡不修薰蒸而成者)《辟瘟新方 1》.

ᄀᆞ초 부 〈옛〉 갖추. =ᄀᆞᆺ초. ¶ 花香伎樂ᄋᆞᆯ ᄆᆞᅀᆞᆷ조초 ᄀᆞ초 얻긔 호리라《月釋 Ⅸ:26》/ 태산ᄀᆞᆮᄒᆞᆫ 흉ᄒᆞᆫ 형벌 ᄀᆞ초ᄀᆞ초 다격그니《찬양가 : 113》.

ᄀᆞ초ᄀᆞ독ᄒᆞ다 형 〈옛〉 원만하다. ¶ 幡과 蓋와 풍류 花香이 ᄀᆞ초 ᄀᆞ독하며《月釋 Ⅱ:28》.

ᄀᆞ초다 타 〈옛〉 ①갖추다. =ᄀᆞ초ᄒᆞ다·ᄀᆞᆺ초다. ¶ 쥬찬을 ᄀᆞ초아 아비 셤기ᄃᆞᆺ ᄒᆞ더니(具酒饌如事父)《五倫 Ⅰ:65》. ②감추다. 간직하다. =ᄀᆞᆺ초다·ᄀᆞᆷ초다. ¶ 큰 화리 常例 아니샤 언ᄌᆞ바 ᄀᆞ초ᅀᆞᄫᅡ(大弧匪常 得言藏之)《龍歌 27章》.

ᄀᆞ초아 타 〈옛〉 ①갖추어. 'ᄀᆞ초다'의 활용형. ¶ 되 征伐호ᄆᆞᆯ ᄀᆞ초아 ᄒᆞ놋다(備征狄)《杜諺 Ⅶ:25》. ② 감추어. 간직하여. ¶ 기피 ᄀᆞ초아 뒷다가 늘그니를 주ᄂᆞᆫ 거시어ᄂᆞᆯ(深藏供老宿)《杜諺 Ⅸ:23》.

ᄀᆞ초ᄒᆞ다 타 〈옛〉 갖추다. =ᄀᆞ초다. ¶ 죠ᄒᆡ와 부들 ᄀᆞ초ᄒᆞ고(具紙筆)《杜諺 XXⅤ:35》.

ᄀᆞ치 부조 〈옛〉 같이. =ᄀᆞ티·ᄀᆞᆮ히. ¶ 이ᄀᆞ치 ᄒᆞ기ᄅᆞᆯ 세번 ᄒᆞᄂᆞ니라《武藝圖譜 22》.

ᄀᆞ티 부조 〈옛〉 같이. =ᄀᆞ치·ᄀᆞᆮ히. ¶ ᄡᅡᆺ마시 ᄲᅮᆯ ᄀᆞ티 돌오《月釋 Ⅰ:42》.

마ᄐᆞ다 형 〈옛〉 같다. =ᄀᆞᆮ다·ᄀᆞᆮᄒᆞ다. ¶감ᄑᆞ른 瑠璃ㅅ 마ᄐᆞ시며《月釋 Ⅱ:55》.

마ᄐᆞ실ᄊᆡ 형 〈옛〉 같으시매. 'ᄀᆞᆮ다'의 활용형. ¶始終이 마ᄐᆞ실ᄊᆡ(始終如一)《龍歌 79章》.

ᄀᆞᆫ 명 〈옛〉 간¹. ¶ᄀᆞᆫ저릴 엄(醃)《字會 下 12》.

ᄀᆞᆫ구 명 〈옛〉 간구². ¶례비당에모혀셔 셩령의ᄀᆞᆫ구하셰《찬양가:12》.

ᄀᆞᆫ나희 명 〈옛〉 갈보. =ᄀᆞᆫ나ᄒᆡ. ¶또 건ᄂᆡ ᄀᆞᆫ나희 집의 가(又常到婊子家裏去)《老乞 下 46》.

ᄀᆞᆫ나ᄒᆡ 명 〈옛〉 갈보. 계집아이. =간나히. ¶ᄀᆞᆫ나ᄒᆡ(養漢的)《同文 上 14》.

ᄀᆞᆫ댱 명 〈옛〉 간장. ¶됴흔 ᄀᆞᆫ댱을 올히 ᄆᆞ촘내 어들ᄃᆡ 업더니(好淸醬今年竟沒處尋)《朴新解 Ⅱ:26》.

ᄀᆞᆫ슈 명 〈옛〉 간수². ¶ᄀᆞᆫ슈 로(滷)《字會 中 22》.

ᄀᆞᆫ쟝 명 〈옛〉 간장. ¶醬쟝 俗呼甛醬 ᄃᆞᆫ쟝 醬油 ᄀᆞᆫ쟝《字會 中 21》.

ᄀᆞᆫ저리다 타 〈옛〉 소금으로 절이다. ¶ᄀᆞᆫ저릴 엄(醃)《字會 下 12》.

ᄀᆞᆫ초다 타 〈옛〉 감추다. =마초다. ¶ᄀᆞᆫ초며 나토ᄆᆞᆯ ᄒᆞᆫ가지로 ᄒᆞ며(隱現同時)《野雲 67》.

ᄀᆞᆮ 조 〈옛〉 같이. ¶하ᄂᆞᆳ 벼리 눈 ᄀᆞᆮ 디니이다(天星散落如雪)《龍歌 50章》.

ᄀᆞᆮ가 부 〈옛〉 따라서. ¶善慧 드르시고 ᄎᆞ기 너겨 곳 잇ᄂᆞᆫ ᄯᅡᄒᆞᆯ ᄀᆞᆮ가 가시다가《月釋 Ⅰ:9》.

ᄀᆞᆮ가지이다 자 〈옛〉 같아지고자 하나이다. ¶이젯 世尊 ᄀᆞᆮ가지이다《月釋 Ⅱ:9》.

ᄀᆞᆮ다 형 〈옛〉 같다. =ᄀᆞᆮᄒᆞ다·마ᄐᆞ다. ¶이 ᄀᆞᆮ다 이 ᄀᆞᆮ다(如是如是)《金剛 77》.

ᄀᆞᆮ봄 명 〈옛〉 괴로움. 가쁨. ¶ᄠᅳ든 決定호ᄃᆡ 軍務에 ᄀᆞᆮ보매 모미 죽도다(志決身殲軍務勞)《杜諺 Ⅵ:32》.

ᄀᆞᆮᄇᆞ다 형 〈옛〉 가쁘다. 괴롭다. ¶邪僞히 나ᄆᆞᆫ 利를 어두미 아니 ᄀᆞᆮᄇᆞ녀(邪贏無乃勞)《杜諺 Ⅲ:56》.

ᄀᆞᆮ지다 형 〈옛〉 가에 위치하다. ¶마로ᄃᆡ 녜 겨집이 ᄌᆞ식 ᄇᆡ여실제 잘제 기우리디 아니ᄒᆞ며 안ᄌᆞ매 ᄀᆞᆮ지디 아니ᄒᆞ며(曰 古者婦人姙子 寢不側坐不邊)《小諺 Ⅰ:2》.

ᄀᆞᆮ초 부 〈옛〉 갖추. 갖게. =마초. ¶귀ᄉᆡ 보면 바로 ᄀᆞᆮ초 펴니(鬼使具陳所見)《王郎傳 5》.

ᄀᆞᆮ초다 타 〈옛〉 갖추다. =마초다. ¶올ᄒᆞ며 외며 利ᄒᆞ며 害로옴ᄋᆞᆯ ᄀᆞᆮ초와 ᄉᆞᆯ와(具是非利害而白之)《小諺 Ⅴ:36》.

ᄀᆞᆮ토니 형 〈옛〉 같으니. 'ᄀᆞᆮ다'의 활용형. ¶내 얼구른 본ᄃᆡ로 ᄒᆞᆰ과 나모 ᄀᆞᆮ토니(形骸元土木)《杜諺 Ⅱ:15》.

ᄀᆞᆮ홈 형 〈옛〉 같음. 'ᄀᆞᆮ다'의 명사형. ¶이 ᄀᆞᆮ호ᄆᆞᆯ 내 드ᄌᆞᄫᆞ니(如是我聞ᄒᆞᅀᆞᄫᆞ니)《阿彌 2》.

ᄀᆞᆮ히 부조 〈옛〉 같이. 함께. =마티·마치. ¶事相 數量 ᄀᆞᆮ히 아로미 일후미 如量智니 곧 權智라《般若 59》.

ᄀᆞᆮᄒᆞ다 형 〈옛〉 같다. =ᄀᆞᆮ다·마ᄐᆞ다. ¶東海ㅅ ᄀᆞᅀᅵ 져재 ᄀᆞᆮᄒᆞ니(東海之濱如市之從)《龍歌 6章》/모미 瑠璃 ᄀᆞᆮᄒᆞ야《月釋 Ⅳ:14》.

ᄀᆞᆯ¹ 명 〈옛〉 갈대. ¶ᄀᆞᆯ 爲蘆《訓例》/ᄀᆞᆯ 곳과 누뉫 ᄃᆞᆯ와로(蘆花雪月)《金三 Ⅱ:61》/ᄀᆞᆯ 가(葭), ᄀᆞᆯ 위(葦), ᄀᆞᆯ 로(蘆)《字會 上 8》.

ᄀᆞᆯ² 명 〈옛〉 가루. =ᄀᆞᄅᆞ¹. ¶沉香 ᄀᆞᆯᄋᆞ로《月釋 Ⅱ:29》.

ᄀᆞᆯ- 간 〈옛〉 'ᄀᆞᆯ오ᄃᆡ'·'ᄀᆞᆯᄋᆞ샤ᄃᆡ'의 어간. ¶ᄀᆞᆯ 왈(曰)《石千 安心寺板 5》.

ᄀᆞᆯ가마괴 명 〈옛〉 갈가마귀. =ᄀᆞᆯ아마괴. ¶ᄀᆞᆯ가마괴 아(鴉)《字會 上 16》/ᄀᆞᆯ가마괴(寒鴉)《譯語 下 26》.

ᄀᆞᆯ거믜 명 〈옛〉 갈거미. ¶ᄀᆞᆯ거믜 쇼(蠨), ᄀᆞᆯ거믜 쵸(蛸)《字會 上 21》.

ᄀᆞᆯ겨티다 타 〈옛〉 갈겨 치다. 후려치다. ¶또 ᄒᆞᆫ번 ᄀᆞᆯ겨티거든《武藝圖譜 31》.

ᄀᆞᆯ기다 타 〈옛〉 갈기다. ¶다 관원ᄃᆞᆯ히 ᄀᆞᆯ겨 더도다(都是官人們剋減了)《朴解 上 40》.

ᄀᆞᆯ다¹ 타 〈옛〉 갈다¹. ¶나랏 일훔 ᄀᆞᄅᆞ시니(事改國號)《龍歌 85章》.

ᄀᆞᆯ다² 타 〈옛〉 갈다². ¶ᄀᆞᆯ 뢰(擂), ᄀᆞᆯ 연(硏)《字會 下 12》.

ᄀᆞᆯ래다 자 〈옛〉 서로 치며 장난하다. ¶우리 내히 ᄀᆞᆯ래라 가쟈(咱河裏浪蕩去來)《朴解 中 56》.

ᄀᆞᆯ리 〈옛〉 가루가. 'ᄀᆞᆯ²'의 주격형. ¶두 山이 어우러 ᄀᆞ라 ᄀᆞᆯ리 ᄃᆞ외ᄂᆞ니라《月釋 Ⅰ:29》.

ᄀᆞᆯᄅᆞᆯ 〈옛〉 가루를. 'ᄀᆞᄅᆞ¹'의 목적격형. ¶미리 ᄡᆞᆯ을 ᄲᅥ허 ᄀᆞᆯᄅᆞᆯ ᄆᆡᆼᄃᆞ라 믈을 버므려두어《太平廣記 Ⅰ:11》.

ᄀᆞᆯᄅᆡ 〈옛〉 가루의. 'ᄀᆞᆯ²'의 소유격형. ¶서근 ᄀᆞᆯᄅᆡ 써 밍글라(打着三斤麵的餠着)《老乞 上18》.

ᄀᆞᆯ마들다 자 〈옛〉 갈마들다. ¶두 발로 ᄀᆞᆯ마드려 뛰노타(雙腿換跳)《漢淸 Ⅵ:60》.

ᄀᆞᆯ며긔 명 〈옛〉 갈매기. =ᄀᆞᆯ며기. ¶ᄀᆞᆯ며긔(江鷗)《四聲 下 7》.

ᄀᆞᆯ며기 명 〈옛〉 갈매기. =ᄀᆞᆯ며긔. ¶녜는 믈 우흿 ᄀᆞᆯ며기 ᄀᆞᆮ더니(昔如水上鷗)《杜諺 XXI:38》.

ᄀᆞᆯᄆᆞ드리다 타 〈옛〉 갈마들이다. ¶兄弟와 밋 賓이 ᄀᆞᆯᄆᆞ드려 서ᄅᆞ 獻ᄒᆞ며《家禮 Ⅹ:20》.

ᄀᆞᆯ비 명 〈옛〉 갈피¹. 겹¹. ¶界는 ᄀᆞᅀᅵ라 ᄒᆞ며 ᄀᆞᆯ비라 ᄒᆞᄂᆞᆫ 마리니《月釋 Ⅰ:32》.

ᄀᆞᆯ바 타 〈옛〉 나란히 하여. 'ᄀᆞᆲ다'의 활용형. ¶ᄀᆞᆯ바 쓰면 虯뀨ᇴ봉 字ᄍᆞᆼ 처ᅀᅥᆷ 펴아나ᄂᆞᆫ 소리 ᄀᆞᄐᆞ니라《訓諺》.

ᄀᆞᆯ바쓰다 타 〈옛〉 나란히 아울러 쓰다. ¶並書는 ᄀᆞᆯ바쓸 씨라《訓諺 8》.

ᄀᆞᆯᄫᅵ리 명 〈옛〉 가룰 이. 견줄 이.=ᄀᆞᆯ오리. ¶天人世間애 ᄀᆞᆯᄫᅵ리 업스샤다 ᄒᆞ더라《月釋 XXI:222》.

ᄀᆞᆯᄫᅧ며 타 〈옛〉 맞서서 견주며. 가루며. 'ᄀᆞᆲ다'의 활용형. ¶能히 須彌ᄅᆞᆯ ᄀᆞᆯᄫᅧ며《月釋 XXI:78》.

ᄀᆞᆯ아마괴 명 〈옛〉 갈가마귀. =ᄀᆞᆯ가마괴. ¶鶋今俗呼寒鴉 ᄀᆞᆯ아마괴《四聲 上 29》.

ᄀᆞᆯ오기 명 〈옛〉 쌍둥이. ¶ᄀᆞᆯ오기 산(孿)《字會 上 33》.

ᄀᆞᆯ오니 명 〈옛〉 겨눌 이. 대적할 사람. ¶비치 노파 ᄀᆞᆯ오니 업스니(符彩高無敵)《杜諺 Ⅷ:26》.

ᄀᆞᆯ오다 자타 〈옛〉 함께 나란히 하다. 맞서서 견주다. =ᄀᆞᆲ다 ¶敢히 ᄀᆞᆯ와 안디 말올ᄶᅵ니라(不敢並坐)《內訓 Ⅰ:46》.

ᄀᆞᆯ오ᄃᆡ 불자 〈옛〉 가로되. =ᄀᆞ로ᄃᆡ. ¶湯誓애 ᄀᆞᆯ오ᄃᆡ 이 日은 어늬제 喪ᄒᆞᆯ고(湯誓曰 時日害喪)《孟諺 梁惠王 上》.

ᄀᆞᆯ오리 명 〈옛〉 가룰 이. 가룰 사람. 대적할 사람. =ᄀᆞᆯᄫᅵ리. ¶일후미 가ᄌᆞᆯ벼 ᄀᆞᆯ오리 업슨 呪ㅣ라(名無等等呪)《般若 62》.

ᄀᆞᆯ온 부 〈옛〉 이른바. =ᄀᆞ론. ¶ᄀᆞᆯ온 자밧ᄂᆞᆫ 덛덛ᄒᆞᆫ 거시라(曰秉彝)《小諺題 2》.

ᄀᆞᆯ외다 자 〈옛〉 덤비다. 침범하다. ¶狄人이 ᄀᆞᆯ외어늘(狄人于侵)《龍歌 4章》/ᄆᆞ리 ᄀᆞᆯ외오니 블근 ᄯᆞ미 ᄠᅳᆮ고(馬嬌朱汗落)《杜諺 XIII:36》.

ᄀᆞᆯ이다 ㊀ 사동 〈옛〉 갈리다³. ¶엇뎨 오래 ᄀᆞᆯ이ᄂᆞ뇨(如何久磨礪)《杜諺 XXII:33》. ㊁ 피동 〈옛〉 갈리다³. ¶金甲이 서르 ᄀᆞᆯ이ᄂᆞ니 靑衿 니브니ᄂᆞᆫ ᄒᆞᆫ골ᄋᆞ티 憔悴ᄒᆞ니라(金甲相排蕩 靑衿一憔悴)《初杜諺 Ⅵ:21》.

ᄀᆞᆯ이막다 타 〈옛〉 가리어 막다. ¶廳堂 ᄉᆞ이예 잇다감 댱으로 ᄀᆞᆯ이막아 자며 쉴 쳐소를 밍ᄀᆞ라(廳堂間 往往幃幔隔障 爲寢息之所)《小諺 Ⅵ:77》.

ᄀᆞᆯᄋᆞ로 〈옛〉 가루로. ¶沉香ᄀᆞᆯᄋᆞ로《月釋 Ⅱ:29》. *ᄀᆞᆯ².

ᄀᆞᆯᄋᆞ샤ᄃᆡ 불자 〈옛〉 가라사대. =ᄀᆞᄅᆞ샤ᄃᆡ. ¶子ㅣ ᄀᆞᆯᄋᆞ샤ᄃᆡ 管仲의 그르시 小ᄒᆞ다(子曰管仲之器小哉)《論諺 八佾》.

ᄀᆞᆯᄋᆞ치다 타 〈옛〉 가르치다. =ᄀᆞᄅᆞ치다. ¶이 글은 곳 ᄉᆞ나희와 겨집을 ᄀᆞᆯᄋᆞ치ᄂᆞᆫ 종요로운 글이니(是書 卽敎訓男女之要書)《小諺 序 3》.

ᄀᆞᆯᄋᆡ지 부 〈옛〉 똑똑이. 분명히. ¶너희ᄃᆞᆯ호로 三身을 보아 ᄀᆞᆯᄋᆡ지 自性을 제 알에 호리니 다 내 닐오ᄆᆞᆯ 조ᄎᆞ라(令汝等 見三身 了然自悟自性 總隨我道)《六祖 中 35》.

ᄀᆞᆯ청 명 〈옛〉 갈청. 갈대의 속꺼풀. ¶ᄀᆞᆯ청 부(莩)《字會 下 6》.

ᄀᆞᆯ포 부 〈옛〉 겹으로. 거푸. 거듭. ¶나ᄇᆞᆫ ᄀᆞᆯ포 ᄃᆞ렷도다(獼猴疊疊懸)《杜諺 XX:2》/徧計ᄅᆞᆯ ᄀᆞᆯ포 ᄲᅥ르샤(疊拂徧計)《楞嚴 Ⅱ:60》.

ᄀᆞᆯ품 명 〈옛〉 갈품. ¶손ᄋᆞ란 ᄀᆞᆯ품 두어 닙히더니(損以蘆花絮)《五倫 Ⅰ:2》.

ᄀᆞᆯ피 명 〈옛〉 갈피¹. 겹¹. ¶ᄒᆞᆫ ᄀᆞᆯ피라(一重)《語錄 10》.

ᄀᆞᆯᄑᆞ다 자타 〈옛〉 겹치다. ¶열히 百애 ᄀᆞᆯᄑᆞ며(十疊百)《楞嚴 Ⅳ:96》.

ᄀᆞᆯ희다 타 〈옛〉 가래다. 가르다². =ᄀᆞᆯ히다. ¶내 온 형과 ᄒᆞᆫ가지로 가 ᄀᆞᆯ희여 사미 됴타(我同大哥去揀着買好麼)《朴新解 Ⅰ:31》.

ᄀᆞᆯᄒᆞ다 타 〈옛〉 가리다². ¶이러ᄐᆞ시 種種 音聲을 ᄀᆞᆯᄒᆞ요ᄃᆡ 耳根은 허디 아니ᄒᆞ리라《釋譜 XIX:16》.

ᄀᆞᆯᄒᆞ야 타 〈옛〉 가리어. 'ᄀᆞᆯᄒᆞ다'의 활용형. ¶精明淨妙見元을 ᄀᆞᆯᄒᆞ야 내야(析出精明淨妙見元)《楞嚴 Ⅱ:42》.

ᄀᆞᆯᄒᆞᆯ 〈옛〉 갈대를. 'ᄀᆞᆯ¹'의 목적격형. ¶ᄀᆞᆯᄒᆞᆯ 버히고 ᄒᆞ여곰 마초리라(具…刈蒹葭使)《東國三綱 忠臣圖》.

ᄀᆞᆯ히나다 자 〈옛〉 갈라지다. 갈리어 나다. ¶숁가락 文이 ᄀᆞᆯ히나시며 셜흔닐굽차힌·숁그미 ᄀᆞᆯ히나고《月釋 Ⅱ:57》.

ᄀᆞᆯ히내 부 〈옛〉 분별하여. ¶ᄂᆞᆷ 위ᄒᆞ야 ᄀᆞᆯ히내 니르며《釋譜 XIX:8》.

ᄀᆞᆯ히다 타 〈옛〉 ①가리다. 선택하다. ¶太子ᄅᆞᆯ 하ᄂᆞᆯ히 ᄀᆞᆯᄒᆡ샤(維周太子維天擇兮)《龍歌 8章》. ②분별하다. 구별하다. =ᄀᆞᆯ희다. ¶別은 ᄀᆞᆯᄒᆡᆯ 씨라《訓諺》.

ᄀᆞᆯ히디비 타 〈옛〉 가리지마는. 'ᄀᆞᆯ히다'의 활용형. ¶正定中에 受用ᄒᆞ논 法을 닐어 邪受에 ᄀᆞᆯ히디비 梵語三昧 이엣 마래 正受ㅣ라호미 아니라《月釋 XVIII:68》. *-디비.

ᄀᆞᆯ히ᄡᅳ다 타 〈옛〉 가리다. 분별하다. ¶大抵ᄒᆞᆫᄃᆡ 機니주믄 이 부텨의 道ㅣ오 ᄀᆞᆯ히ᄡᅮ믄 이 魔의 境界ㅣ라(大抵忘機 是佛道 分別 是魔境)《龜鑑 上 7》.

ᄀᆞᆯ히욤 타 〈옛〉 분별(分別)함. 'ᄀᆞᆯ히다'의 명사형. ¶齒頭와 正齒왜 ᄀᆞᆯᄒᆡ요미 잇ᄂᆞ니《訓諺》.

ᄀᆞᆯ히이시니 타 〈옛〉 가리어 내시니. 'ᄀᆞᆯ히어시니'의 오각(誤刻). ¶하ᄂᆞᆯ히 ᄀᆞᆯ히이시니(天方擇矣)《龍歌 21章》. *-어시니.

ᄀᆞᆯ히집다 타 〈옛〉 갈라 내다. ¶后ㅣ ᄀᆞᆯ히집어 理에 맛게 ᄒᆞ샤(后輒分解趣理)《內訓 Ⅱ:39》.

ᄀᆞᆰ다 타 〈옛〉 갉다. ¶ᄒᆞᆫ량 반을 웃거플 ᄀᆞᆯ가 앗고(一兩半刮去)《救簡 Ⅰ:21》.

ᄀᆞᆰ이다 타 〈옛〉 갈기다. ¶모롬이 머리 털을 딕어 ᄭᅳᆫ흔 거시 칼을 써 ᄀᆞᆰ인ᄃᆞᆺᄒᆞ고(必須斫斷頭髮如用刀剪者)《無寃錄 Ⅲ:36》.

ᄀᆞᆲ 명 〈옛〉 겹¹. 거듭. ¶다ᄉᆞᆺ ᄀᆞᆯ비 흐리니라(五疊渾濁)《楞嚴 Ⅳ:81》.

ᄀᆞᆲᄀᆞᆲ히 부 〈옛〉 겹겹이. ¶네짯句ᄂᆞᆫ 師子ㅣ 一一터럭 가온ᄃᆡ 다 師子ㅣ 나ᄐᆞ니 ᄒᆞᆫ 터럭 師子ㅣ 여러 터럭에 다 들며 여러 터럭 師子ㅣ ᄒᆞᆫ 터럭의 다 드러 ᄀᆞᆲᄀᆞᆲ히 서르 비취여 ᄒᆞ나콰 여러쾌 마룜업서 두 面ㅅ거우룻 像이 ᄀᆞᆲᄀᆞᆲ히 섯거 비취니 華嚴 事事ㅣ 마룜 업슨 法界라《南明 上 76》.

ᄀᆞᆲ다 타 〈옛〉 함께 나란히 하다. =ᄀᆞᆯ오다·ᄀᆞᆲ다. ¶ᄇᆞᆯ셔 부텨ᄭᅴ ᄀᆞᆲ건마ᄅᆞᆫ(已侔佛)《楞嚴 Ⅰ:36》.

ᄀᆞᆲ지다 자 〈옛〉 함께 넘어지다. ¶ᄀᆞᆲ지다(二人齊倒)《漢淸 Ⅳ:50》.

ᄀᆞᆲᄒᆞ다 자타 〈옛〉 겹치다. =ᄀᆞᆯᄒᆞ다¹. ¶百이 千에 ᄀᆞᆲᄒᆞ야 千二百이 이니(百疊千 成千二百)《楞嚴 Ⅳ:96》.

ᄀᆞᆯᄫ다 타 〈옛〉 함께 나란히 하다. =ᄀᆞᆲ다. ¶並書는 ᄀᆞᆯ바 쓸 씨라《訓諺》.

ᄀᆞᆳ대 명 〈옛〉 갈대. ¶ᄀᆞᆳ대(蘆管)《救簡 Ⅰ:59》.

ᄀᆞᆷ다¹ 타 〈옛〉 감다¹. ¶누늘 ᄠᅳ거나 ᄀᆞᆷ거나 ᄒᆞ야도《月釋 Ⅷ:8》.

ᄀᆞᆷ다² 타 〈옛〉 감다². ¶沐浴 ᄀᆞ마《釋譜 Ⅸ:23》.

ᄀᆞᆷ쟉ᄒᆞ다 타 〈옛〉 깜짝하다. =ᄀᆞᆷ즉ᄒᆞ다. ¶눈 ᄀᆞᆷ쟉ᄒᆞᆯ ᄉᆞ이에 ᄒᆞᆫ 마쟝 큰 금 빗ᄎᆡ 鯉魚를 낙가내니(斷眼間釣出箇老大金色鯉魚)《朴新解 Ⅲ:50》.

ᄀᆞᆷ즉 부 〈옛〉 깜짝. ¶슈고홈이 심의 샹ᄒᆞ면 ᄀᆞᆷ즉 놀라고(勞傷心怔忡驚悸)《馬經 上 38》.

ᄀᆞᆷᄌᆞ기다 자 〈옛〉 깜작이다. =ᄀᆞᆷ즉다. ¶누늘 자조 ᄀᆞᆷᄌᆞ기며《月釋 Ⅱ:13》/눈 ᄀᆞᆷᄌᆞ길 슌(瞬)《字會 下 28》.

ᄀᆞᆷ즉다 자 〈옛〉 깜작이다. =ᄀᆞᆷᄌᆞ기다. ¶ᄒᆞᆫ ᄆᆞᅀᆞ모로 밤낫 닐웨를 ᄀᆞᆷ즉도 아니ᄒᆞ야 보ᅀᆞᄫᆞ시며《月釋 Ⅰ:52》.

ᄀᆞᆷ즉이다 타 〈옛〉 깜작이다. ¶눈 ᄀᆞᆷ즉일 ᄉᆞ이예 니그리라(斷眼熟了)《朴解 下 44》.

ᄀᆞᆷ즉ᄒᆞ다 타 〈옛〉 깜작이다. =ᄀᆞᆷ쟉ᄒᆞ다. ¶瞬은 눈 ᄒᆞᆫ번 ᄀᆞᆷ즉ᄒᆞᆯ ᄊᆞᅀᅵ오《妙蓮 Ⅵ:101》.

ᄀᆞᆷ초다 타 〈옛〉 감추다.=마초다. ¶노픈 ᄆᆞᅀᆞᆯᄒᆡ 그륜 부체ᄅᆞᆯ ᄀᆞᆷ초고(高秋收畵扇)《杜諺 Ⅹ:36》/날ᄀᆞᆷ초아열린반셕 날ᄀᆞᆷ초아쥽소셔《찬양가:36》.

ᄀᆞᆸᄀᆞᆸᄒᆞ다 형 〈옛〉 갑갑하다. ¶긔운이 올라 ᄀᆞᆸᄀᆞᆸᄒᆞ고(上氣急)《痘瘡集要 上 57》.

ᄀᆞᆸ다 자〈옛〉 괴다¹. ¶ 耶輸ㅣ 드르신대 믈 ᄀᆞᆸ고 蓮이 프니《月印 上 22》/좁 자ᄉᆞᆸ제 봉鳳凰流ㅣ 마바ᄉᆞᆸ더니《月印 上 43》. 「3》.
ᄀᆞᆸ작도이 부〈옛〉 갑자기. ¶ 빅셩이 ᄀᆞᆸ작도이 주그리 이시면《家禮 Ⅴ:
ᄀᆞᆺ¹ 명〈옛〉 가². =ᄀᆞᇫ. ¶ 無邊은 ᄀᆞᆺ 업슬씨라《月釋 Ⅷ:39》.
ᄀᆞᆺ² 부〈옛〉 갓¹³. 겨우. ¶ ᄀᆞᆺ 눈두베 므거본돌 아라든(纔覺眼皮重)《蒙法 2》/赤子ᄂᆞᆫ ᄀᆞᆺ 난 아히라《楞嚴 Ⅳ:68》.
ᄀᆞᆺ가 자〈옛〉 가빠하여. 'ᄀᆞᆺ다¹'의 활용형. ¶ 사ᄅᆞ미 이제 ᄀᆞᆺ가 病ᄒᆞ고 버미 하도다(人今罷病虎縱橫)《杜諺 Ⅲ:34》. 「14》.
ᄀᆞᆺ가ᄒᆞ다 자〈옛〉 가빠하다. ¶ 뎌른 나래 ᄀᆞᆺ가ᄒᆞ다니(倦日短)《杜諺 Ⅸ:
ᄀᆞᆺ갯다 자〈옛〉 가빠했다. 'ᄀᆞᆺ다¹'의 활용형. ¶ 西京은 온번사호매 ᄀᆞᆺ갯고(西京疲百戰)《杜諺 Ⅹ:9》.
ᄀᆞᆺ고다 타〈옛〉 가쁘게 하다. ¶ 筋骨올 몬져 ᄀᆞᆺ고사(先勞筋骨)《龍歌 114章》/이 菩薩올 ᄀᆞᆺ고아《月釋 XXI:117》.
ᄀᆞᆺ고샤 자〈옛〉 가쁘게 하시어. 괴롭게 하시어. 'ᄀᆞᆺ다¹'의 활용형. ¶ 大業을 ᄂᆞ리오리라 筋骨올 몬져 ᄀᆞᆺ고샤(天欲降大業迺先勞筋骨)《龍歌 114章》.
ᄀᆞᆺ곰 부〈옛〉 가끔. 때때로. ¶ ᄀᆞᆺ곰 사 ᄀᆞᆺ곰 먹다(旋買旋喫)《譯語 下 53》.
ᄀᆞᆺ그리 부〈옛〉 가쁘게. ¶ 나ᄅᆞᆯ 보숩게 ᄒᆞ쇼셔 ᄀᆞᆺ그리 念ᄒᆞ난 저긔《釋譜 Ⅵ:40》. 「《初杜諺 XV:21》. *ᄀᆞᆺ다¹.
ᄀᆞᆺ기다 자〈옛〉 가쁘게 하다. ¶ 사ᄅᆞᄆᆞᆯ ᄀᆞᆺ기며 ᄆᆞᄅᆞᆯ 害ᄒᆞ야(勞人害馬)
ᄀᆞᆺ마며 자〈옛〉 가빠하며. 'ᄀᆞᆺ다¹'의 활용형. ¶ ᄆᆞᅀᆞᄆᆞᆯ ᄀᆞᆺ마며 ᄉᆞ랑호ᄆᆞᆯ 글탈하 四方올 기우시ᄂᆞ니라(勞心焦思補四方)《杜諺 Ⅲ:60》.
ᄀᆞᆺ마지 부〈옛〉 깨끗이. ¶ 믄득 ᄀᆞᆺ마지ᄒᆞ야(便著精)《蒙法 2》.
ᄀᆞᆺᄀᆞᆺ 부 가지가지로. ¶ 진휼청 낭관이 그 슬쩌고 여위기를 보고 그 브즈런ᄒᆞ고 게으르기를 슬펴 잘못ᄒᆞᆫ 고직이와 잘못ᄒᆞᆫ 젓어미ᄂᆞᆫ ᄀᆞᆺᄀᆞᆺ 경칙ᄒᆞ오되(該廳郞官審其肥瘠察其勤慢不善饋粥之庫直不善飼乳之女人這這警責白乎矣)《字恤 8》.
ᄀᆞᆺᄀᆞᆺ거든 형〈옛〉 깨끗하거든. 깨끗하면. 'ᄀᆞᆺᄀᆞᆺᄒᆞ다'의 활용형. ¶ 누니 ᄀᆞᆺᄀᆞᆺ거든 또 안자(眼頭淸明又去坐)《蒙法 3》. 「法 3》.
ᄀᆞᆺᄀᆞᆺ다 형〈옛〉 깨끗하다. =ᄀᆞᆺᄀᆞᆺᄒᆞ다. ¶ 누니 ᄀᆞᆺᄀᆞᆺ거든(眼頭淸明)《蒙
ᄀᆞᆺᄀᆞᆺᄒᆞ다 형〈옛〉 깨끗하다. =ᄀᆞᆺᄀᆞᆺ다. ¶ 淸風은 ᄆᆞᆰ고 ᄀᆞᆺᄀᆞᆺᄒᆞᆫ ᄇᆞᄅᆞ미라《月釋 Ⅷ:8》/ᄀᆞᅀᆞᆳ 비치 正히 ᄀᆞᆺᄀᆞᆺᄒᆞ도다(秋色正蕭灑)《杜諺 Ⅵ:1》.
ᄀᆞᆺ나다 자〈옛〉 갓나다. ¶ ᄀᆞᆺ난 벌에를 죽이디 아니ᄒᆞ며(啓蟄不殺)《小諺 Ⅳ:42》.
ᄀᆞᆺ다¹ 자〈옛〉 가빠하다. =ᄀᆞᇧ다. ¶ 그 ᄆᆞ리 ᄀᆞᆺ디 아니ᄒᆞ며《月釋 Ⅰ:28》.
ᄀᆞᆺ다² 타〈옛〉 끊다. =ᄀᆞᇫ다. ¶ 羅漢ᄃᆞᆯ히 彈指홇 ᄉᆞᅀᅵ예 바ᄅᆞ래 가아 香木ᄋᆞᆯ 즉자히 도라오ᄂᆞᆯ《月釋 Ⅹ:13》.
ᄀᆞᆺ다³ 형〈옛〉 같다. ¶ 네 닐오미 맛치 내 뜻과 ᄀᆞᆺ다(你說的恰私我意同)《老解 上 10》/이런 우믈 ᄀᆞᆺ디 아니니(不似這般井)《老乞 上 32》/눈믈비록비ᄀᆞᆺᄒᆞ나 쥬은혜못갑네《찬양가 : 28》.
ᄀᆞᆺ다⁴ 형〈옛〉 갖다. ¶ 倫羅國 婆羅門 迦葉이 三十二相이 ᄀᆞᆺ고 글도 만히 알며《釋譜 Ⅵ:12》.
ᄀᆞᆺ득의 부〈옛〉 가뜩이. 가뜩이나. ¶ ᄀᆞᆺ득의 다 석어 스러딘 肝腸이 이 밤 새오기 어려웨라《古時調》.
ᄀᆞᆺ바ᄒᆞ다 자〈옛〉 가빠하다. ¶ 늘근 나해 歲時예 ᄃᆞᆫ녀 ᄀᆞᆺ바ᄒᆞ노라(衰年歲時倦)《杜諺 Ⅰ:24》. 「라(覺身勞)《初杜諺 Ⅷ:58》.
ᄀᆞᆺ봄 형〈옛〉 가쁨. 피로(疲勞). 'ᄀᆞᆺᄇᆞ다'의 명사형. ¶ ᄆᆞ미 ᄀᆞᆺᄇᆞᆷ올 아노
ᄀᆞᆺ브다 형〈옛〉 가쁘다. =ᄀᆞᆺᄇᆞ다. ¶ 빅셩이 ᄀᆞᆺ브면 싱각ᄒᆞᄂᆞ니(民勞則思)《小諺 Ⅳ:45》. 「勞萬里廻)《杜諺 Ⅴ:23》.
ᄀᆞᆺ비 부〈옛〉 가쁘게. ¶ 使者ㅣ ᄒᆞᆫ갓 ᄀᆞᆺ비 萬里예셔 도라오ᄂᆞ다(使者徒
ᄀᆞᆺ비다 타〈옛〉 가쁘게 하다. ¶ 사ᄅᆞᄆᆞᆯ ᄀᆞᆺ비며 ᄆᆞᄅᆞᆯ 害ᄒᆞ야 翠眉ᄅᆞᆯ 爲ᄒᆞ야 어더 오놋다(勞人害馬翠眉須)《重杜諺 XV:21》.
ᄀᆞᆺᄇᆞ다 형〈옛〉 가쁘다. =ᄀᆞᆺ브다. ¶ ᄆᆞᅀᆞ미 ᄒᆞ다가 잇버 ᄀᆞᆺᄇᆞ거든(心若疲倦)《圓覺 下 一之一 62》. 「Ⅷ:32》.
ᄀᆞᆺ불기 명〈옛〉 막 밝을 무렵. ¶ ᄀᆞᆺ불기예 나귀 타나(平明跨驢出)《杜諺
ᄀᆞᆺ치 부〈옛〉 같이. ¶ 하ᄂᆞᆯ집에 ᄀᆞᆺ치가오《찬양가 : 21》.
ᄀᆞᇧ다 자〈옛〉 가빠하다. 괴로워하다. =ᄀᆞᆺ다¹. ¶ 뎌른 나래 ᄀᆞᆺ가ᄒᆞ다니(倦日短)《杜諺 Ⅳ:14》. 「Ⅹ:13》.
ᄀᆞᇫ 명〈옛〉 가². =ᄀᆞᆺ¹. ¶ 邊은 ᄀᆞᅀᅵ라《月釋 Ⅰ:1》.
ᄀᆞᇫ다 타〈옛〉 끊다. =ᄀᆞᆺ다². ¶ 牛頭栴檀 種種 香木ᄋᆞᆯ ᄀᆞᅀᅡ오라《月釋
ᄀᆞᅀᅢ 명〈옛〉 가위¹. ¶ 치운 젯 오슬 곧마다 ᄀᆞᅀᅢ와 자콰로 지소ᄆᆞᆯ 뵈아ᄂᆞ니(寒衣處處催刀尺)《初杜諺 Ⅹ:33》. 「18》.
ᄀᆞᆽ다 형〈옛〉 갖다. 골고루 다 있다. ¶ 世間애 ᄡᅳᆯ 거시 ᄀᆞᄌᆞ며《月釋 Ⅺ:
ᄀᆞᇀ다 형〈옛〉 같다. ¶ 如는 ᄀᆞᄐᆞᆯ 씨라《訓諺》.
ᄀᆡ개이다 자〈옛〉 개개다. ¶ 그저 ᄉᆞ리여 사ᄅᆞᆷ의게 ᄀᆡ개이지 말라(不要只管磨人了)《朴新解 Ⅲ:2》.
ᄀᆡ구리밥 명〈옛〉 개구리밥. ¶ ᄀᆡ구리밥(浮萍草)《方藥 26》.
ᄀᆡ마 명〈옛〉 가마솥. ¶ 몬져 촐 우켓 딥흘 ᄀᆡ마에 므르녹게 달힌 후에(先以糯桿於鍋中濃煎)《救荒 8》.
ᄀᆡ얌 명〈옛〉 개암. ¶ ᄀᆡ얌(榛)《方藥 41》.
ᄀᆡ자ᄒᆞ다 형〈옛〉 개제(愷悌)하다. ¶ ᄀᆡ자ᄒᆞ다(俊美)《同文 上 17》.
ᄀᆡᄌᆞᄒᆞ다 형〈옛〉 개제(愷悌)하다. ¶ ᄀᆡᄌᆞᄒᆞ다(麗)《漢淸 Ⅵ:2》.
ᄀᆡ천 명〈옛〉 개천. ¶ ᄀᆡ천에 써러디 죽은거슨(落渠死)《無冤錄 Ⅲ:10》.
ᄀᆡᆨ 명〈옛〉 보습. ¶ ᄀᆡᆨ 루(耬)《字會 中 17》. 「《古時調 鄭澈》.
ᄀᆡᆨ드롬 자〈옛〉 객증(客症) 들림. ¶ 이 몸 ᄀᆡᆨ드로미 처엄브터 이러홀가
ᄀᆡᆺᄀᆡᆺ다¹ 타〈옛〉 깨닫다. ¶ ᄀᆡᆺᄀᆡᆺ성(惺)《類合 下 37》.
ᄀᆡᆺᄀᆡᆺ다² 형〈옛〉 깨끗하다. ¶ ᄀᆡᆺᄀᆡᆺ다(精彩)《語錄 12》.
ᄀᆡᆼ【羹】 명〈옛〉 국. ¶ 돌기 ᄆᆞᆫ가빗닙 ᄒᆞᆫ근을 ᄆᆞᄂᆞᆯ애 사ᄒᆞ라 쟝국의 달혀 ᄀᆡᆼ 밍ᄀᆞ라 머그라(雞腸葉一斤細切以豉汁煮作羹食之)《救簡 385》.
ㄲ [쌍기역] 〖언〗 ①목젖으로 콧길을 막으면서 목청을 닫고, 혀뿌리로 뒷입천장을 닫았다가 뗄 때에 나는 소리. ②ㄱ의 된소리.

까 조〈방〉 와(경북).
까고리 명〈방〉〖동〗 개구리(경북).
까구리 명〈방〉〖동〗 개구리(경기·강원·경상).
까그매 명〈방〉 까마귀(충남).
까까 명〈소아〉 과자.
까까롭다 형〈방〉 까다롭다(경상).
까까-머리 명 머리를 짱그리 깎은 모양. 또, 그런 사람. 중대가리. ¶ 머리를 깎고 ~ 중이 되다.
까까-중 명 ①중대가리. ②까까머리인 중.
까:깽이 명〈방〉 까끄라기(경기).
까꼬랭이 명〈방〉 갈고랑이(경남).
까꼬리 명〈방〉 갈고리(전라).
까꾸랭이 명〈방〉 갈고랑이(경상).
까꾸러-뜨리다 타 까꾸러지게 하다. ㅅ가꾸러뜨리다. <꺼꾸러뜨리다.
까꾸러-지다 자 ①까꾸로 넘어지거나 엎어지다. ②〈속〉 죽다. ③〈속〉 실패하다. 1)-3) : ㅅ가꾸러지다. <꺼꾸러지다.
까꾸러-트리다 타 까꾸러뜨리다.
까꾸로 부 차례나 방향이 반대로 바뀌게. ㅅ가꾸로. <꺼꾸로.
까꾸리¹ 명〈방〉 갈퀴(경상).
까꾸리² 명〈방〉 갈고기(경기·경북·전북).
까꿀루 부〈방〉 까꾸로.
까꿍 감 어린 아기를 어르는 소리.
까:뀌 명 〔근대 : 갓귀〕 ①외손으로 찍어 나무를 깎는 연장. *자귀. ②〖고고학〗 한쪽 방향에서만 여러 번 떼어 내어 끝 부분에 가로날을 만든 돌연장. 날의 모양은 직선 또는 오목함.

〈까뀌❶〉

까:뀌-질 명 나무를 까뀌로 찍어서 깎아 내는 짓. ——하다 자여불
까끄라기 명 벼·보리 등의 수염. 또, 그 도막난 동강. 망각. 준까라기·까락. <꺼끄러기. *가시랭이.
까끄랍다 형ㅂ불 ☞깔끄럽다.
까끄랑-낫 명〈방〉 왜낫(강원).
까끄래기 명〈방〉 까끄라기(경북).
까끄래미 명〈방〉 까끄라기(강원).
까끄랭이 명〈방〉 까끄라기(강원·경북).
까끄러기 명〈방〉 까끄라기.
까끄럽다¹ 형〈방〉 깔끄럽다.
까끄럽다² 형〈방〉 까다롭다(경남).
까끄막 명〈방〉 벼랑(전남).
까끌-까끌 부 ☞깔끔깔끔. ——하다 형여불
까끔¹ 명〈방〉 말림갓.
까끔² 부〈방〉 가끔.
까:끼 명〈방〉 갈기²(경북).
까끼-춤 명 ☞깨끼춤.
까나리 명〖어〗 [*Ammodytes personatus*] 까나릿과에 속하는 바닷물고기. 몸은 가늘고 길며 그 길이는 15-20 cm 내외인데 배지느러미가 없고 비스듬히 벋은 153개의 주름이 있음. 등 쪽에 하나의 옆줄이 있고 배 쪽에는 하나의 주름이 있음. 등은 회갈색, 배는 은백색임. 모래 속에 숨어서 사는데, 한국 전연해 특히 황해에 많으며, 알래스카·시베리아의 남쪽·미국·일본 등지에 분포함. 한국에서는 거의 건제품(乾製品)으로서 이용함.

〈까나리〉

까나릿-과【一科】 명〖어〗 [Ammodytidae] 농어목에 속하는 어류의 한 과. 한국에서는 까나리·양미리 등이 이에 속함.
까-놓다 [—노타] 타 ①마음 속의 비밀을 숨김없이 털어놓다. ¶ 까놓고 말하면. ②껍질·껍데기를 까서 놓다.
까놓고 말:하다 구 숨김없이 노골적으로 말하다.
까다¹ 一자 몸의 살이나 재물 따위가 줄다. ¶ 며칠 앓더니 살이 몹시 깠구나. 二타 ①재물을 축내다. ¶ 살림을 ~. ②미리 쓴 것을 받을 것에서 빼다. ¶ 이자를 까고 주다.
까다² 타 ①속엣 것을 드러내려고 그 껍질을 벗기다. ¶ 밤을 ~. ②알을 부화(孵化)하다. ¶ 암탉이 병아리를 ~. ③〈속〉 새끼를 낳다. ④〈속〉 남을 치거나 패다. ¶ 정강이를 ~. ⑤〈속〉 술병 따위를 마개를 따고 마시다. ¶ 소주병을 ~. ⑥결함을 들추어서 비난·공격하다. ¶ 정부를 호되게 ~.
[까기 전에 병아리부터 세지 마라] 이루어지기도 전에 그 이득을 셈하거나, 그것으로 다른 예산을 세우거나 하지 말라는 말.
까다³ 一자 실천은 없고 입만 잘 놀리다. 말만 앞세워 입을 놀리다. ¶ 경만 까는 녀석. 二형 실속없이 입만 놀리는 버릇이 있다. ¶ 입만 깐 녀석.
까다닥 부 ①어떤 단단한 물체를 이룬 작은 부분이 떨어져 나가거나 빠져 나가는 소리. ②단단한 물체를 서로 세게 비빌 때 나는 소리. ——하다 형여불
까:다럽다 형〈방〉 까다롭다(충남·전남).
까:다로우- 간 '까다롭다'의 불규칙 어간. ¶ ~ㄴ/~며.
까:다로-이 부 까다롭게. ¶ ~ 굴다.
까:다롭다 형ㅂ불 ①낱낱이 간섭하려는 태도가 있다. ¶ 사사 건건 까다롭게 간섭하다. ②일의 조건 따위가 복잡하거나 엄격하여 맞추기가 힘든 상태에 있다. 별스럽게 까탈이 많다. ¶ 몹시 귀찮고 까다로운 일/계산이 ~. ③성미가 너그럽지 못하다. ¶ 식성이 ~.
까닥 부 고개를 앞으로 가벼이 꺾어 움직이는 모양. ㅆ까딱❶. <끄덕. ——하다 타여불 「까닥-까닥¹ 부. ——하다¹ 자여불
까닥-거리다¹ 자 ①좋아서 까불다. ②분수없이 경솔하게 젠 체하다.
까닥-거리다² 타 머리를 가볍게 자꾸 앞뒤로 꺾어 움직이다. ㅆ까딱거

리다¹. <끄덕거리다. 까닥-까닥² [부]. ——-하다² [타][여불]
까닥-까닥³ [부] 물기 있는 물체의 거죽이 약간 마른 모양. ㅅ가닥가닥². <꺼덕꺼덕. ——-하다³ [형][여불]
까닥-대다 [자] 까닥거리다¹·².
까닥-스럽다 [형] 〈방〉 까다롭다(전남).
까닥-이다 [타] 머리를 앞뒤로 가볍게 흔들다. ㅆ까딱이다. <끄덕이다.
까달-시럽다 [형] 〈방〉 까다롭다(강원·경북).
까닭 [─닥] [一][명] ①이유. 곡절. ¶~없이 싫어한다. ②연고. 연유. ¶~이 붙은 물건. ③일의 근본. [二][의명] 때문. ¶그 ~에.
까닭-수 【─數】 [─닥─] [명] 까닭의 수효. ¶~가 많다.
까닭-스럽다 [─닥─] [형] ☞ 까다롭다.
까닭-표 [─닥─] [명] 이유표(理由標).
까대기 [명] 담벼락에 임시로 붙여서 만든 의지간의 건조물.
까댁 [부] 머리를 앞으로 조금 공교하게 움직이는 모양. ㅆ까땍. <끄덱. ——-하다 [타][여불]
까댁-거리다 [타] 공교하게 머리를 까닥거리다. ㅆ까땍거리다. <끄덱거리다. 까댁-까댁 [부]. ——-하다 [타][여불]
까댁-대다 [타] 까댁거리다.
까댁-이다 [타] 공교하게 머리를 까닥하다. ㅆ까땍이다. <끄덱이다.
까도리 [명] 〈방〉 까투리(제주).
까:두룹다 [형] 〈방〉 까다롭다(강원·전남).
까-뒤집다 [타] ①벗겨서 뒤집다. ②〈속〉 눈을 부릅뜨다. ¶눈을 까뒤집고 덤비는구나.
까-뒤집히다 [一][자] 눈이 껄떡하게 되다. [二][피동] 까뒤집음을 당하다.
까드락-거리다 [자] 무례하고 경솔하게 행동하다. ¶협이와 윤이는 물을 철벅철벅하며 까드락거린다《李光洙 : 사랑》. [준]까들거리다. ㅅ가드락거리다. <꺼드럭거리다. 까드락-까드락 [부]. ——-하다 [자][여불]
까드락-대다 [자] 까드락거리다.
까드벼-지다 [자] 〈방〉 까뒤집히다.
까득 [부] 〈방〉 가득.
까득-까득 [부] 〈방〉 까닥까닥.
까들-거리다 [자] ↗까드락거리다. ¶바로 눈앞에서 여인이 까들거리면서 웃었다《洪性裕 : 사랑과 죽음의 세월》. ㅅ가들거리다. <꺼들거리다. 까들-까들 [부]. ——-하다 [자][여불]
까들-대다 [자] 까들거리다.
까들막-거리다 [자] 신이 나서 버릇없이 매우 경솔하고 교만하게 행동하다. ㅅ가들막거리다. <꺼들먹거리다. 까들막-까들막 [부] ——-하다 [자][여불]
까들막-대다 [자] 까들막거리다.
까딱 [부] ①고개를 앞으로 가벼이 꺾어 움직이는 모양. ¶고개를 ~ 한다. ㅅ까닥. <끄떡. ②잘못 변동할지도 모르는 모양. 자칫. ¶~ 실수하면. *까땍. ③조금 움직이는 모양. 미동하는 모양. ¶~도 않는다. <끄떡. ——-하다 [타][여불]
까딱-거리다¹ [타] 고개를 자꾸 세게 앞으로 꺾어 움직이다. ㅅ까닥거리다². <끄떡거리다. 까딱-까딱¹ [부]. ——-하다¹ [타][여불]
까딱-거리다² [자] ↗까뜨락거리다. <꺼떡거리다. 까딱-까딱² [부]. ——-하다² [자][여불]
까딱-대다 [자][타] 까딱거리다¹·².
까딱-수 【─手】 [명] 바둑이나 장기 등에서 요행을 바라는 얕은 수.
까딱-없다 [─업─] [형] 조금의 변동(變動)도 없다. 잘못 변동될 염려가 조금도 없다. ¶아무리 덤벼도 ~. <끄떡없다. *까땍없다.
까딱-없이 [─업씨] [부] 까딱없게.
까딱-이다 [타] 머리를 앞뒤로 가볍게 꺾어 움직이다. ㅅ까닥이다. <끄떡이다.
까딱-하면 [부] 조금이라도 그르치면. 자칫하면. ¶~ 미끄러지겠다.
까땍 [부] ①고개를 앞으로 조금 공교하게 움직이는 모양. ㅅ까댁. <끄떽. ②조금이라도 잘못 공교롭게 변동하는 모양. ¶아직은 나타난 증거 거리가 없으니까 내버려 두고 눈치만 본다마는, ~만 하여보아라《李海朝 : 雨中行人》. *까딱. ——-하다 [타][여불]
까땍-거리다 [타] 공교하게 머리를 까딱거리다. ㅅ까댁거리다. <끄떽거리다. 까땍-까땍 [부]. ¶인사말 한마디 없이 머리만 까땍까땍하다. ——-하다 [타][여불]
까땍-대다 [타] 까땍거리다.
까땍-없다 [─업─] [형] 아무런 조그만 변동도 없다. ¶그쯤으로는 ~. <끄떽없다. *까딱없다.
까땍-없이 [─업씨] [부] 까땍없게.
까땍-이다 [타] 공교하게 머리를 까땍하다. ㅅ까댁이다. <끄떽이다.
까땍-하면 [부] ☞ 까딱하면.
까뜨락-거리다 [자] 신이 나서 몹시 경망하게 행동하다. [준]까딱거리다. <꺼뜨럭거리다. 까뜨락-까뜨락 [부]. ——-하다 [자][여불]
까뜨락-대다 [자] 까뜨락거리다.
까라기 [명] ↗까끄라기.
까라기-벼 [명] 까끄라기가 유달리 길게 붙은 벼.
까라-앉다 [자] 〈방〉 가라앉다. ¶……물 밑에 깊숙이 까라앉아 버렸겠죠?《鄭飛石 : 愛情無限》
까라-지다 [자] 〔중세 : ᄭᅡ라디다〕 기운이 풀어져 축 늘어지다. ¶몸이 ~.
까:락 [명] ① ↗까끄라기. ②〈방〉 가시랭이(경기).
까락지 [명] 〈방〉 가락지.
까:랍다 [형] 〈방〉 까다롭다(전남).
까랑 [명] 〈방〉 〖충〗 개똥벌레(전남).
까랑탱 [명] 〈방〉 꼬리(경북).
까:래기 [명] 〈방〉 까라기(경기·경북).
까랭이 [명] 〈방〉 〖충〗 ①개똥벌레(경남). ②잠자리.
까르르 [부] 여러 사람이 한꺼번에 자지러지게 웃는 소리. 또, 그 모양. ¶소녀들이 ~ 웃음을 터뜨린다.
까르륵 [부] 젖먹이가 자지러지게 우는 소리. ¶길림은 허영의 얼굴을 보기가 무섭게 ~ 막히도록 운다《李光洙 : 사랑》. ——-하다 [자][여불]
까르륵-거리다 [자] 젖먹이가 자꾸 자지러지게 울다. 까르륵-까르륵 [부]. ——-하다 [자][여불]
까르륵-대다 [자] 까르륵거리다.
까리¹ [명] 〈방〉 〖충〗 개똥벌레(황해).
까리² [명] 〈방〉 가루¹(경북).
까:리³ [명] 〈속〉 일정한 직업이 없이 길거리에서 방랑하는 부랑패.
까:리⁴ [명] 〈방〉 〖식〗 파리(전남·경북).
까리마 〔아랍 kalima'〕 [명] 〖이슬람〗 선서(宣誓). 신앙의 고백(告白).
까:마- [간] '까맣다'의 불규칙 어간. ¶~ㄴ/~ㅂ니다.
까마구 [명] 〈방〉 〖조〗 까마귀(경기·강원·충청·전라·경상).
까마귀 [명] ①〖조〗 까마귓과 까마귀속(屬)에 속하는 새의 총칭. 갈가마귀·당까마귀·큰부리까마귀·까마귀 등이 있음. 어미새에 먹이를 물어다 준다고 하여 '반포조(反哺鳥)' 또는 '효조(孝鳥)'라고 함. 울음 소리가 흉측하여 '사망(死亡)'의 전조(前兆)로 전세계에 널리 알려져 있음. 자오(慈烏). 자조(慈鳥). 한아(寒鴉). ②〖조〗 [*Corvus corone corone*] 까마귓과에 속하는 새의 하나. 날개 길이 33 cm, 꽁지 20 cm, 부리 4.5–6.3 cm 가량이고 몸빛은 전체가 검고 광택이 있으며, 부리도 검고 가늚. 명관(鳴管)이 발달되지 않아 '가가'하고 소리를 내며 큰부리까마귀보다 탁음(濁音)임. 흔히 인가(人家) 부근·들·산에 살며, 옥수수 등 곡식을 해치므로 농업상의 해조(害鳥)이나, 숲의 해충을 포식하므로 익조(益鳥)도 됨. 한국·일본·중국 및 유럽에 분포함. ③몹시 까맣게 된 것을 이르는 말. ¶~발/~손.

〈까마귀❷〉

[까마귀가 검기로 마음도 검겠나; 까마귀가 검어도 살은 아니 검다] ㉠겉 모양은 허술하고 지저분하여도 속 마음은 깨끗하고 훌륭하다는 말. ㉡사람을 평할 때는 겉 모양만 보고 할 것이 아니라는 말. [까마귀가 까치 집을 뺏는다] 서로 비슷하게 생긴 것을 빙자하여 남의 것을 빼앗는다는 말. [까마귀가 메밀을 마다 한다] 특별히 즐기던 음식을 어쩌다 거절할 때 이르는 말. [까마귀가 알 물어다 감추듯 한다] 까마귀가 알을 물어다 감추되 나중에는 어디에다 두었는지 모르므로, 잊기를 잘하는 사람을 보고 하는 말. [까마귀가 오디를 마다 한다] '까마귀가 메밀을 마다 한다'와 같은 뜻. [까마귀 게발 던지듯] 볼일 다 보았다고 내던져져서, 외롭게 된 모양. [까마귀 고기를 먹었나] 건망증(健忘症)이 있거나 잘 잊어버리는 사람을 조롱하여 이르는 말. [까마귀 날자 배 떨어진다] 아무 관계없이 한 일이 마침 어떤 다른 일과 공교롭게 때가 같아 어떤 관계가 있는 것처럼 의심을 받게 됨을 비유하는 말. 오비이락(烏飛梨落). [까마귀는 검어도 살은 희다] 외모는 잘 생기지 못하였으나 마음씨는 좋다는 말. 겉만 보고 속을 평할 것이 아니라는 뜻. [까마귀도 내 땅 까마귀라면 반갑다] 고향의 것이라면 다 좋고, 객지(客地)에서 고향 사람을 만나면 더욱 반갑다는 말. [까마귀 떡 감추듯] '까마귀가 알 물어다 감추듯 한다'와 같은 뜻. [까마귀 떼 다니듯] 불길한 느낌을 주는 사람들이 떼지어 다님을 이르는 말. ¶있는 것은 일본 군사뿐이라 그 군사들이 까마귀 떼 다니듯 하며《李人稙 : 血의 淚》. [까마귀 똥도 약이라니까 물에 깔긴다] 흔하던 까마귀 똥도 긴하게 약에 쓰려니까, 물에 깔기는 바람에 구할 수 없게 되었다는 말. *개똥도 약에 쓰려면 없다. [까마귀 똥 헤치듯] 일을 잘못하는 모양. [까마귀 모르는 제사] 반포(反哺)로 이름난 까마귀도 모르는, 자손이 없는 제사를 일컫는 말. [까마귀 열 소리에 한 마디 신통한 소리 없다] 미운 사람이 하는 일은 하나부터 열까지 다 밉다는 말. [까마귀 짖어 범 죽으랴] 사소한 방자가 있더라도 큰일에는 아무 영향이 없다는 말. [까마귀 학이 되랴] 아무리 애를 써도 타고난 본바탕대로밖에는 되지 않는다는 말. ¶까마귀 학이 되고 각관 기생 열녀 되랴《古本 春香傳》.
까마귀 밥이 되다 [구] 주인 없는 시체가 되어 버려진다는 말.
까마귀 아래턱이 떨어질 소리 [구] 상대방으로부터 천만 부당한 말을 들었을 경우에 어처구니없어 그런 소리 말라고 하는 말.
까마귀-머루 [명] 〖식〗 [*Vitis thunbergii*] 포도과에 속하는 만성 식물(蔓性植物). 봄에 숙근(宿根)에서 싹이 나며 자웅 이주(雌雄異株)임. 잎은 호생하며 포도와 비슷하나 작음. 여름에 옅은 황록색의 오판화(五瓣花)가 복총상(複總狀) 화서로 핌. 열매는 검은 자주빛이고 포도와 같이 맛이 시며, 식용 및 양조용(釀造用)임. 산야에 나는데, 한국 각지 및 대만·중국·일본 등지에 분포함. 영욱(蘡薁).

〈까마귀머루〉

까마귀-밤나방 [명] 〖충〗 [*Amphipyra corvina*] 밤나방과에 속하는 곤충. 편 날개의 길이 46–48 mm 이고 몸빛은 흑색에 다소 자갈색을 띠며, 앞날개에는 반문이 없는데 뒷날개는 적갈색이며 그 외연은 담흑색을 이룸. 유충은 장미·삼 등의 해충임. 한국에도 분포함.
까마귀-밥 [명] 음력 정월 보름날에 까마귀에 제사지내는 잡곡밥.
까마귀밥-나무 [명] 〖식〗 백당나무.
까마귀밥-여름나무 [─녀─] [명] 〖식〗 [*Ribes fasciculatum*] 범의귓과에 속하는 낙엽 관목. 높이 1 m 가량이고, 줄기는 가느다라며 약간 만성(蔓性)임. 잎은 짧은 가지에 밀생(密生)하고 장형(掌形)인데 3–5개로 째지고, 열편(裂片)은 가에 톱니가 있음. 자웅 이주(雌雄異株)로 봄에 황록색의 꽃이 정생(頂生)하고,

〈까마귀밥 여름나무〉

길이 8mm 정도의 과실은 넓은 타원형을 이루며 가을에 빨갛게 익어 아름다움. 산지에 나는데, 한국·일본 등지에 분포함. 관상용으로 심음.

까마귀-베개 [명] 〖식〗 [*Rhamnella franguloides*] 갈매나뭇과에 속하는 낙엽 활엽의 교목. 잎은 달걀꼴의 긴 타원형임. 6월에 녹황색의 꽃이 엽액에서 나와 취산(聚繖) 화서로 피고, 핵과(核果)는 긴 타원형으로 누른빛인데 익으면 꺼멓게 됨. 들에 나는데, 전라 남북도 및 일본·중국 등지에 분포함.

〈까마귀베개〉

까마귀-사촌【一四寸】[명] 〈속〉 때가 시꺼멓게 끼어서 매우 더러운 사람.

까마귀-자리 [명] 〔라 Corvus〕〖천〗 처녀자리의 남서쪽에 있는 별자리. 늦은 봄의 저녁에 남중(南中)함.

까마귀-쪽나무 [명] 〖식〗 [*Fiwa japonica*] 녹나뭇과에 속하는 상록 활엽 교목. 잎은 긴 타원형인데 톱니가 없고 잎 뒤에 갈색의 털이 났음. 자웅 이가(雌雄異家)인데 10월에 흰빛의 꽃이 엽액에 산형(繖形) 화서로 핌. 과실은 장과(漿果)이고 타원형으로 다음해 10월에 자색(紫色)으로 익음. 바닷가나 산록(山麓)에 야생하는데 경상·제주·거문도(巨文島) 및 일본 등지에 분포함. 관상용으로 심음.

까마귓-과【一科】[명] 〖조〗 [Corvidae] 참새목(目)에 속하는 한 과. 몸빛은 대체로 흑색 또는 흑색에 백색 반점이 있는 것이 많음. 자웅 동색(雌雄同色)이고 번식기에는 나뭇가지나 나무 구멍에 둥지를 지음. 썩은 동물·물고기·쥐·개구리·과실 등을 먹는 잡식성(雜食性)이고, 청록은 녹색에다 짙은 반점이 있는 알을 한배에 4-5개 혹은 7-9개 낳음. 까마귀속(屬)과 까치속(屬) 등으로 구분함. 뉴질랜드를 제외한 전세계에 300여 종이 분포함.

까마기 [명] 〈방〉 〖조〗 까마귀(경기·충남·전남·경상).

까마득-하다 [형][여불] ↗까마아득하다. ㅗ가마득하다. 까마득-히 [부]

까마말쑥-하다 [형][여불] 까맣고 말쑥하다. ㅗ가마말쑥하다. 〈꺼머멀쑥하다.

까마무트름-하다 [형][여불] 얼굴이 까맣고 두툼하고 토실토실하다. ㅗ가마무트름하다. 〈꺼머무트름하다.

까마반드르-하다 [형][여불] 까맣고 반드르르하다. ㅗ가마반드르하다. 〈꺼머번드르하다.

까마반지르-하다 [형][여불] 까맣고 반지르르하다. ㅗ가마반지르하다. 〈꺼머번지르하다.

까마아득-하다 [형][여불] ①아주 멀어서 까맣게 아득하다. ¶바다 건너 수평선이 ~. ②오래 되어서 아주 까맣게 아득하다. ¶까마아득한 옛날에. [준]까마득하다. ㅗ가마아득하다. 까마아득-히 [부]

까마-종이 [명] 〖식〗 [*Solanum nigrum*] 가짓과에 속하는 일년초. 줄기는 높이 90cm 정도이며 잎은 호생하고 잎꼭지가 있는데, 달걀꼴 또는 타원형을 이룸. 5-7월에 잎 사이의 줄기에서 장경(長梗)이 나와 흰 꽃이 취산(聚繖) 화서로 피고 둥근 장과(漿果)를 맺음. 산이나 들에 나며 한국 각지에 분포함. 과실은 먹으며, 줄기·잎과 함께 약으로 씀. 용규(龍葵).

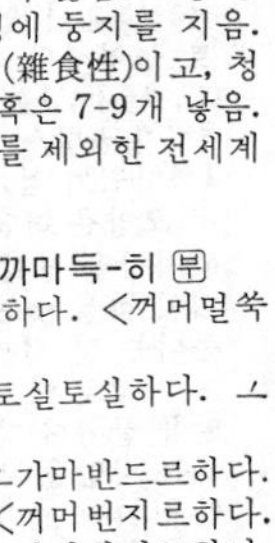
〈까마종이〉

까마-중 [명] 〈방〉 〖식〗 까마종이.

까막- [부] 어떤 명사 앞에 붙어 그 물건이 검거나 검은 빛에 가까운 빛깔을 띠었음을 나타내는 말. ㅗ가막-.

까막-거리다 [一][자] 등불 같은 것이 되풀이하여 사라지려다가 일어났다가 하다. 꺼질 듯 말 듯하다. 〈끄먹거리다. [二][타] 눈을 감았다 떴다 하다. 〈끄먹거리다. 까막-까막 [부]. ——-하다 [자][타][여불]

까막-과부【一寡婦】[명] 망문 과부(望門寡婦).

까막-관자【一貫子】[명] 〖역〗 ①당상관(堂上官) 아닌 벼슬아치나 일반 백성이 쓰던 뿔관자. ②당상관이 아닌 벼슬아치를 농으로 일컫는 말.

까막-까치 [명] 까마귀와 까치. 오작(烏鵲). ¶해 저문 하늘 ~조차 날지 않는 눈 내리는 모래 사장《朴鍾和 : 多情佛心》.
[까막까치도 집이 있다] 집 없는 처지를 한탄하는 말.

까막-까치밥나무 [명] 〖식〗 [*Ribes ussuriense*] 까치밥나뭇과에 속하는 낙엽 활엽 관목. 잎은 거의 오각형인데 세 갈래로 얕게 찢어지고 양면에 짧은 털 또는 지점(脂點)이 있음. 꽃은 총상(總狀) 화서이고 과실은 가을에 까맣게 익음. 고원의 숲 속에 나며, 함북에 야생하고 우수리 및 사할린 등지에 분포함. 과실은 식용함.

까막-깨 [명] 〈방〉 주근깨(경북).

까막-끼 [명] 〈방〉 주근깨(경상).

까막-눈 [명] 글을 볼 줄 모르는 무식한 사람의 눈.

까막눈-이 [명] 글을 볼 줄 모르는 무식한 사람. 문맹(文盲). 몰자한(沒字漢).

까막-대다 [자][타] 까막거리다.

까막-딱찌 [명] 〈방〉 주근깨(경상).

까막-머리 [명] 봇줄을 매기 위하여 성에 끝에 박은 비녀 모양의 나무.

까막바늘-까치밥나무 [명] 〖식〗 [*Ribes horridum*] 까치밥나뭇과에 속하는 낙엽 활엽 관목. 줄기에 바늘 모양의 가시가 밀생(密生)하고, 잎은 장형(掌形)인데 5-7갈래로 째졌음. 꽃은 봄에 총상(總狀) 화서로 피고 장과(漿果)는 선모(腺毛)가 밀생하여 가을에 까맣게 익음. 고산의 숲 속에 나는데, 함북 및 만주·사할린 등지에 분포함. 과실은 식용함.

까막-배자 [명] 〖역〗 지방의 세력 있는 토호(土豪)가 상민(常民)의 돈을 착취하기 위하여 호출할 때 먹빛 인장을 찍어 보내는 패지(牌旨).

까막-세장 [명] 〈방〉 윗세장.

까막-잡기 [명] 술래된 사람이 눈을 수건 같은 것으로 가리고 다른 사람을 잡는 놀이. 잡힌 사람이 그 다음의 술래가 됨. *술래잡기. ——-하다 [자][여불]

까막-잡이 [명] 〈방〉 까막잡기.

까막-저구리 [명] 〈방〉 〖조〗 까막딱따구리.

까만-딱찌 [명] 〈방〉 주근깨(경북).

까망 [명] ☞깜장.

까망-딱찌 [명] 〈방〉 주근깨(경남).

까망-이 [명] ☞깜장이

까:맣다¹ [一마타] [형][ㅎ불] 아주 검다. 매우 검다. ㅗ가맣다. 〈꺼멓다.

까:맣다² [一마타] [형][ㅎ불] ①아주 멀어서 아득하다. 멀어서 눈이 미치지 아니하다. ②도무지 기억이 없다. ¶까맣게 잊어버리고 있었구나. 1)·2):ㅗ가맣다.
까:맣게 기다리다 [구] 애타게 기다리다.
까:맣게 모르다 [구] 전혀 모르다. ¶숙자를 못 만났더라면 옥련의 행실을 까맣게 모를 뻔했구려《李人稙:牡丹峰》.
까:맣게 잊다 [구] 아주 잊다. 완전히 잊다.

까매 [명] 〈방〉 가마⁴(경남).

까:매-지다 [자] 까맣게 되다. ¶빛이 ~. ㅗ가매지다. 〈꺼메지다.

까-먹다 [타] ①껍데기를 벗기고 먹다. 깨뜨리어 먹다. ¶밤을 ~. ②〈속〉 도시락의 뚜껑을 열고 도시락밥을 먹다. ③밑천을 다 없애다. ¶본전을 다 ~. ④어떤 일을 잊어버리다. ¶배운 것을 다 ~/약속을 ~. ⑤군것질하다.

까무끄름-하다 [형][여불] 어둡게 까무스름하다. ㅗ가무끄름하다. 〈꺼무끄름하다.

까-무느다 [타] ☞ 까뭉개다.

까무대대-하다 [형][여불] 천격스럽게 까무스름하다. ㅗ가무대대하다. 〈꺼무데데하다.

까무댕댕-하다 [형][여불] 격에 어울리지 아니하게 까무스름하다. ㅗ가무댕댕하다. 〈꺼무뎅뎅하다.

까무-딱찌 [명] 〈방〉 주근깨(경상).

까무러-뜨리다 [一][자] 몹시 까무러지다. [二][타] 까무러치게 하다.

까무러-지다 [자] 정신이 까물까물하여지다. ㅗ가무러지다.

까무러-치다 [자] ①한때 숨이 끊어지고 정신을 잃다. 기절하다. ¶비보를 듣고 ~. ㅗ가무러치다. ②연탄(煉炭)이 타다 말고 갑자기 불이 꺼져 꺼멓게 죽다.

까무러-트리다 [자][타] 까무러뜨리다.

까무레-하다 [형][여불] 엷게 까무스름하다. ㅗ가무레하다. 〈꺼무레하다.

까무숙숙-하다 [형][여불] 수수하게 까무스름하다. ㅗ가무숙숙하다.

까무-스레 [부] 까무스름하게. ㅗ가무스레. 꺼무스레. ——-하다 [형][여불] 까무스름하다.

까무스름-하다 [형][여불] 조금 깜다. [준]까뭇하다. ㅗ가무스름하다. 〈꺼무스름하다.

까무잡잡-하다 [형][여불] 납작스름한 얼굴이 곱지 않게 까무스름하다. ㅗ가무잡잡하다. 〈꺼무접접하다.

까무족족-하다 [형][여불] 좁다란 얼굴이 맑지 아니하게 까무스름하다. ㅗ가무족족하다. 〈꺼무죽죽하다.

까무촉촉-하다 [형][여불] 빛이 깜고 촉촉하다. 〈꺼무축축하다.

까무총총-하다 [형][여불] 빛이 깜고 총총하다. 〈꺼무충충하다.

까무칙칙-하다 [형][여불] 깜은 빛으로 곱지 않게 짙다. ㅗ가무칙칙하다. 〈꺼무칙칙하다.

까무퇴퇴-하다 [형][여불] 무디고 흐릿하게 까무스름하다. ㅗ가무퇴퇴하다. 〈꺼무튀튀하다.

까묵-깨 [명] 〈방〉 주근깨(전라·경남).

까문-끼 [명] 〈방〉 주근깨(경상).

까물-거리다 [자] ①희미한 불빛이 사라질 듯 말 듯하다. ②멀리 있는 물건이 보일 듯 말 듯하다. ③정신이 희미하여 의식이 있는 등 만 등하다. 1)-3):ㅗ가물거리다. 〈꺼물거리다. 까물-까물 [부]. ——-하다 [자][여불]

까물-대다 [자] 까물거리다.

까물-쓰다 [자] 〈방〉 까무러치다.

까뭇-하다 [형][여불] ↗까무스름하다. ㅗ가뭇하다. 〈꺼뭇하다. 까뭇-까뭇 [부]. ——-하다 [형][여불]

까-뭉개다 [타] 높은 데를 파서 깎아 내리다. ¶언덕을 ~.

까-뭉기다 [타] 〈방〉 까무느다.

까믄-딱찌 [명] 〈방〉 주근깨(경상).

까-바치다 [타] 〈비〉 비밀을 속속들이 드러내어 일러 주다.

까박¹ [명] 〈방〉 말대꾸. ——-하다 [자]

까박² [부] 〈방〉 깜박.

까-발기다 [타] ☞까발리다.

까-발리다 [타] 겉엣 것을 벌려 젖히고 속에 든 것을 활짝 드러내다. ¶밤송이를 ~.

까부-댕이 [명] 〈방〉 대님(경남).

까부라-뜨리다 [타] 까부라지게 하다. 〈꺼부러뜨리다.

까부라-지다¹ [자] ①물건의 운두 등이 차차 줄어지다. ②힘이 빠져 몸이 고부라지다. 1)·2): 〈꺼부러지다.

까부라-지다² [형] 마음과 성정이 바르지 아니하다. ¶"맹인들은 정도의 차는 있지만 모두 다소 날이 서 있지 않으면 까부라져 있지요."《韓戊淑 : 어둠에 갇힌 불꽃들》.

까부러-지다 [자] ☞까부라지다¹

까부르다 [타][르불] ①곡식에 섞인 겨·티 같은 것을 키에 담아, 위아래로 부치어 날려 보내다. [준]까불다. ②〈방〉 까불리다¹.

까-부수다 [타] ①주먹이나 연장으로 쳐서 부수다. ¶바위를 ~. ②〈속〉 까다² ④의 힘줌말.

까분다리 [명] 〈방〉 〖동〗 진드기(경남).

까불-거리다 [자][타] 늘 경망하게 까불다. ㅗ가불거리다. 〈꺼불거리다. 까불-까불 [부]. ——-하다 [자][타][여불]

까불다 [一][자] ①행동을 경망하게 하다. ②몹시 아래위로 흔들리다. 1)·2): 〈꺼불다. [二][타] ①몹시 아래위로 흔들다. 〈꺼불다. ②↗까부르다❶.

까불-대다 [자][타] 까불거리다.

까불-땡이 [명] 〈방〉 대님(경북).

까불랑-거리다 [자][타] 〈방〉 까불거리다.

까불리다¹ [타] 재물을 함부로 흩어 없애 버리다.

까불리다[2] [一] [피동] 까부름을 당하다. [二] [사동] 까부르게 하다.
까불-이 [명] 몹시 방정맞게 까부는 사람의 별명.
까붐-질 [명] 곡식 같은 것을 키로 부쳐 잡것을 날리어 내는 동작. 키질. ——-하다 [자][여불]
까-붙이다 [—부치—] [타] ☞까뒤집다. ¶너무 취해도 말하기가 곤란할 터이니 미리 까붙이는 것이 좋겠다고 본론을 꺼내었다《李浩哲 : 深淺圖》.
까새 [명]〈방〉가위[1](경북).
까수나 [명]〈방〉계집애.
까스〔gas〕[명] ☞가스.
까스라기 [명] ☞가시랭이.
까스락 [명]〈방〉까끄라기(경기·전남).
까스래기 [명]〈방〉까끄라기(강원·충북).
까스랭이 [명]〈방〉까끄라기(전북).
까슬-까슬 [부] ①성질이 꽤 까다로워서 순탄하지 아니한 모양. ②기름기가 없이 살결이 보드랍지 못한 모양. ③베옷이나 어떤 물건의 거죽이 매끄럽지 아니하고 깔깔한 모양. 1)-3): ㅅ가슬가슬. <꺼슬꺼슬. ——-하다 [형][여불]
까시 [명]〈방〉①가시. ②까끄라기(강원·충남·전북).
까시게 [명]〈방〉가위[1](경북).
까시-나무 [명]〈방〉〖식〗가시나무(경기·강원·충청·전라·경상).
까시-낭구 [명]〈방〉〖식〗가시나무(경기·강원·충청·전라·경상).
까시-낭그 [명]〈방〉〖식〗가시나무(경기·강원·충청·전라·경상).
까시뎅이 [명]〈방〉까끄라기(전북).
까시라기 [명]〈방〉가시랭이.
까시락 [명]〈방〉까끄라기(전남).
까시랑치 [명]〈방〉까끄라기(전남).
까시랑쿠 [명]〈방〉까끄라기(충남).
까시랑-풀 [명]〈방〉까끄라기(충남).
까시랭이 [명]〈방〉①가시랭이. ②까끄라기(충북·전남).
까시름 [명]〈방〉까끄라기(전남).
까시버시 [명]〈방〉가시버시.
까시쟁이 [명]〈방〉까끄라기(전북).
까실-까실 [부] ☞까슬까슬. ¶나이 젊고 혈기 있는 그 자질들은 ~해서 당최 말을 들어먹지 않는다《沈熏 : 常綠樹》. ——-하다 [형][여불]
까실-쑥부쟁이 [명]〖식〗[*Aster ageratoides* var. *genuinus*] 국화과에 속하는 다년초. 지하경(地下莖)이 뻗어 번식하고, 줄기는 곧으며 높이 30-60 cm 정도임. 잎은 다수 호생하고 넓은 피침형인데 톱니가 있으며, 기부(基部)에 가까운 엽맥(葉脈)은 뚜렷함. 8-10월에 두화(頭花)가 정생(頂生)하는데, 자주빛의 설상화(舌狀花), 황색의 관상화(管狀花)가 산방(繖房) 화서로 피고, 흰 관모(冠毛) 있는 수과(瘦果)를 맺음. 산이나 들에 나는데, 한국 각지 및 일본 등지에 분포함. 어린 잎은 식용함.

〈까실쑥부쟁이〉

까옥 [부] 까마귀의 우는 소리. [준]깍. ——-하다 [자][여불]
까옥-거리다 [자] 까마귀가 까옥 소리를 자꾸 내다. 까옥-까옥 [부]. ——-하다 [자][여불]
까옥-대다 [자] 까옥거리다.
까우치 [명]〈방〉까끄라기(강원).
까욱-거리다 [자] ☞까옥거리다. ¶추녀 끝에 저녁 까마귀 구슬피 까욱거릴 때까지《張德祚 : 狂風》.
까운데 [명]〈방〉가운데(경남).
까자구 [명]〈방〉〖동〗가재[1](경북).
까자미 [명]〈방〉〖어〗가자미(경북).
까자-발리다 [자]〈방〉지껄이다.
까장[1] [부]〈방〉기껏.
까장[2] [조]〈방〉까지[2].
까장[3]【念丁】[조]〈이두〉까지[3]. *까지(己只·所只).
까:재 [명]〈방〉〖동〗가재[1](충북·전라·경상).
까재미 [명]〈방〉〖어〗가자미(충북·경북).
까재비 [명]〈방〉〖어〗가자미(경남).
까저오다 [타]〈방〉가져오다(경북).
까정 [조]〈방〉까지[2].
까:제 [명]〈방〉〖동〗가재[1](강원·충북·경북).
까죽 [명]〈방〉가죽[1](전라·경상).
까죽-거리다 [자]〈방〉깐죽거리다(경상).
까지[1] [명]〈방〉〖식〗가지[1](전라·경상·함경).
까:지[2] [명]〈방〉〖동〗가재[1](전라·경상).
까지[3] [조] ①동작이나 상태가 계속하여 미침을 나타내는 보조사. ¶할 수 있는 데~ 해 보겠다. ②시간 또는 공간의 한도를 나타내는 보조사. ¶점심 때~/서울에서 부산~. ③'다시 그 위에 더하여'의 뜻을 나타내는 보조사. ¶길이 바쁜데 차(車)~ 고장났다/옷을 입어~ 보고 안 산다.
까지[4]【所只·己只】[조]〈이두〉까지[3].
까지-가자미 [명]〖어〗[*Lepidopsetta bilineata*] 붕넙칫과에 속하는 바닷물고기. 몸길이 30 cm 가량에 난원형이고, 입은 작고, 눈은 몸 우측에 있음. 유안측(有眼側)은 빗비늘이고, 무안측(無眼側)은 둥근 비늘임. 등·배 양끝에 따라서 흰 빛 무늬가 4-6개 있음. 해안 부근에 서식하는데, 한국 동해와 일본 서북부·쿠릴 열도(Kuril 列島)·사할린 연해·오호츠크 해 및 북미 태평양안에 분포함.
까-지다 [자] ①껍데기나 옷이 벗겨지다. ¶무릎이 ~. ②몸의 살이나 재물이 줄게 되다. ③닳고 닳아 지나치게 약다. ¶알로 까진 녀석.
까지-돔 [명]〖어〗[*Gymnocranius griseus*] 황돔과에 속하는 바닷물고기. 몸은 타원형으로 길이 37 cm 가량인데, 등 쪽이 조금 솟아 있음. 몸빛은 자청색에 배 쪽은 담색, 머리 위 쪽은 흑색이고 눈 아래 쪽에서 배 쪽으로 비스듬히 두 줄의 흑갈색 띠가 있음. 머리 위에는 비늘이 없으며, 어금니가 없고 앞에 몇 개의 강한 송곳니가 있음. 한국 남해 및 제주·일본·중국·필리핀·동인도 제도 연해에 분포함. 여름에 맛이 좋음.

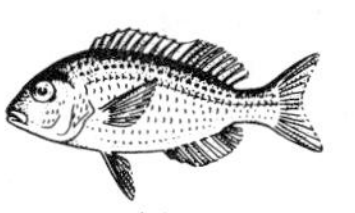
〈까지돔〉

까-지르다 [자][르불]〈속〉주책없이 싸대다. 싸지르다[1]. ¶웬 사무가 그리 바빠서 빌 노다지 말구 까질른다니?《李無影 : 三年》.
까지매기 [명]〈방〉〖어〗가자미(경상).
까지미 [명]〈방〉〖어〗가자미(경상).
까지-양태 [명]〖어〗[*Cociella crocodila*] 양탯과에 속하는 바닷물고기. 몸은 가늘고 둥글며, 길이 24 cm 가량임. 몸빛은 붉은 빛을 띤 갈색으로 자색에 가깝고, 배 쪽은 흰 빛인데 몸 위 쪽과 머리에 둥근 흑점이 밀포(密布)되어 있으며, 제2 등지느러미·뒷지느러미·꼬리지느러미에 검은 점이 있음. 한국 남해, 특히 부산에 많고, 일본·중국·대만·필리핀·말레이 군도에까지 분포함.
까짓 [관]〈비〉↗그까짓. ¶~ 놈/~ 것 문제 없다.
-까짓 [미] 어떠한 대명사에 붙이어 멸시하는 의미에서 '…만한 정도의'의 뜻을 나타내는 말. ¶그~/저~/네~ 놈 따위.
까:짜 올리다 [타] 추어 올리면서 남을 놀리다. *쏠까스르다.
까:챙이 [명]〈방〉〖조〗까치[1](강원·경북).
까추리 [명]〈방〉〖조〗까투리(경북).
까출-없다 [형]〈방〉깔축없다.
까츠락 [명]〈방〉까끄라기(전남).
까:치[1] [명]〖조〗[*Pica pica serica*] 까마귓과 까치속(屬)에 속하는 새. 날개 길이 20-22 cm, 꽁지 24 cm 가량이며, 몸빛은 머리와 배면(背面)이 광택 있는 흑색이고, 허리에는 회백색의 띠가 하나 있음. 어깨 깃은 순백색이며 꽁지는 녹색의 광택이 남. 가슴은 백색, 부리·다리는 흑색임. 높은 나무 위에 마른 나뭇가지로 둥근 둥지를 짓고, 2-5월에 5-6개의 알을 낳음. 과실·곤충을 먹으며 인가(人家)·촌락 부근에 서식하는데 한국에서 건너가 일본에도 번식되었으며 유럽·아시아 중북부·북미에 널리 분포함. 숲의 해충을 포식하는 익조(益鳥)이고, 동양에서는 이 새가 가까이 와서 울면 길조(吉兆)라 하여 반가운 새로 여김. 우리 나라의 국조(國鳥)로 정해짐. 희작(喜鵲).

〈까치[1]〉

【까치 뱃바닥 같다】너무 풍을 치고 흰소리 잘 하는 사람을 놀리는 말.
【까치집에 비둘기 들어 있다】남의 집에 들어가서 주인 행세한다는 말. ¶말이 서씨 집을 빌어 들었지, 실상은 까치집에 비둘기 들어 있듯 김씨가 자기집같이 들어 있고서 일순은 식객(食客)같이 붙여 있는 터이다《李人稙 : 牡丹峰》.
까치[2] [의명] ☞개비[1].
까:치 걸음 [명] 두 발을 모두어 뛰어 조촘거리는 종종걸음.
까:치-고들빼기 [명]〖식〗[*Lactuca chelidoniifolia*] 꽃상춧과에 속하는 일년초. 줄기 높이 6-30 cm 이고, 잎은 막질(膜質)에 우상 전열(羽狀全裂)하며 열편(裂片)은 다시 째져서 잎 뒤가 백색을 띰. 9-10월에 황색의 작은 두화(頭花)가 총상(總狀) 화서로 피고 수과(瘦果)를 맺음. 산지의 나무 그늘에 나는데, 한국 각지에 분포함. 어린 잎은 식용함.

〈까치고들빼기〉

까:치구멍-집 [—찝] [명] 경상 북도 안동·영양·청송·영덕·울진·봉화 등지에서, 지붕 용마루의 양쪽 합각에 공기 유통(流通)을 위한 까치구멍 같은 둥근 구멍이 있는 초가집.
까:치 구이 [명] 까치의 살을 얇게 베어서 구운 음식.
까:치-깨 [명]〖식〗[*Corchoropsis psilocarpa*] 벽오동과에 속하는 일년초. 줄기는 원주형이며 높이 90 cm 내외, 잎은 유병(有柄)에 달걀꼴임. 6-9월에 황색의 꽃이 피고, 과실은 삭과(蒴果)임. 산이나 들에 나는데 한국 각지에 분포함.
까:치-놀 [명] 석양에 멀리 바라다보이는 바다의 수평선에서 희번덕거리는 놀.
까:치-눈 [명] 발가락 밑바닥에 접힌 금이 터져 갈라진 자리.

〈까치깨〉

까:치-다리 [명] ①☞까치발❶. ¶조성준이 ~를 꼬고 앉아 임시낭패한 표정을 짓고 있는데…《金周榮 : 客主》. ②〈방〉〖식〗애기똥풀.
까:치-독사【—毒蛇】[명]〈방〉〖동〗살무사.
까:치 두루마기 [명] 까치 설빔으로 입는 오색으로 지은 두루마기.
까치래기 [명]〈방〉까끄라기(경기).
까치랭이 [명]〈방〉가시랭이.
까:치-무릇 [명]〖식〗[*Amana edulis*] 백합과에 속하는 숙근초(宿根草). 봄에 수선화 비슷한 두 개의 긴 선형(線形)의 잎이 남. 4-5월에 잎 사이에서 나온 꽃꼭지의 꼭대기에 넓은 종형(鐘形)의 흰 꽃이 피고, 삭과(蒴果)는 거꿀달걀꼴임. 들에 나는데 제주 및 전남의 백양산과 경기도 광능에 분포함. 달걀꼴의 인경(鱗莖)에서는 전분을 채취하여 식용·약용하며 뿌리는 식용함. 산자고(山茈菰). 금등롱(金燈籠).

〈까치무릇〉

까:치 박공【—膊栱】[명]〖건〗대마루의 양쪽 머리에 'ㅅ'자 모양으로

붙인 널빤지.

까:치-박달 명〖식〗[*Carpinus cordata*] 자작나뭇과에 속하는 낙엽 활엽 교목. 잎은 호생하고 타원형 또는 달걀꼴에 톱니가 있으며, 측맥(側脈)이 고르게 있음. 꽃은 자웅 일가(雌雄一家)로 5월에 피고, 견과(堅果)는 10월에 익음. 골짜기 사이의 부식지(腐植地)에 나는데, 전남 및 일본·중국·만주·우수리 등지에 분포함. 재목이 단단하여 건축(建築)·기구(器具)의 재료, 농구(農具)의 자루 및 장작으로 쓰임.

〈까치박달〉

까:치-발 명 ①〖건〗선반의 널빤지를 받치기 위하여 버티어 놓는 직각(直角) 삼각형으로 된 물건. ②〖식〗[*Bidens parviflora*] 국화과에 속하는 일년초. 줄기의 높이 70 cm 가량이고, 잎은 수회 우상 심렬(數回羽狀深裂)하며 열편(裂片)은 선형(線形) 내지 피침형(披針形)임. 8-9월에 황색의 두화(頭花)가 소방상 원추(疎房狀圓錐) 화서로 피고, 과실은 수과(瘦果)임. 들에 나는데 한국 각지에 분포함. 잎과 줄기는 약용 및 식용함.

까:치발 신:호기【一信號機】명 기둥에 붙인 가로대가 올라갔다 내려갔다 하는 신호에 의해서, 열차(列車)에 운전 조건을 지시하는 장치.

까:치-밥 명 까치가 쪼아 먹게 나무에 하나만 남겨 두는 감 열매.

까:치밥-나무 명〖식〗[*Ribes mandshurica* var. *villosum*] 까치밥나뭇과에 속하는 낙엽 활엽 관목. 잎은 세 갈래로 얕게 째지고 잎 뒤에 잔털이 났음. 꽃은 봄에 총상(總狀) 화서로 피며 과실은 장과(漿果)로 가을에 검붉게 익음. 깊은 산의 숲 속에 나는데, 전북·경남·강원도 이북 및 만주 등지에 분포함.

까:치-복 명〖어〗[*Sphoeroide xanthopterus*] 참복과의 바닷물고기. 몸길이 70 cm 가량이고 몸빛은 등은 청색, 배는 백색이며, 체측 등 쪽 가슴지느러미 뒤 쪽에 서너 줄의 비스듬한 흑색 띠가 있고, 그 뒤로석 줄의 흑색 가로띠가 있음. 각 지느러미는 선황색이고 배 쪽의 가시는 등 쪽의 가시보다 날카로움. 한국 남해 및 일본 중부 이남에 분포함. 특히 황해 앞바다에서 많이 잡히는데, 간장에 강렬한 독(毒)이 있고 알집 및 배에 약한 독이 있음.

〈까치복〉

까:치-볶음 명 까치 고기를 양념하여 볶은 음식.

까:치-불 명〈방〉반딧불.

까:치-살무사 명〖동〗살무사.

까:치-상어 명〖어〗[*Triakis scyllia*] 참상어과에 속하는 바닷물고기. 별상어와 비슷하나 몸길이 60 cm 가량이고, 머리와 꼬리가 편평하며 주둥이가 뭉뚝함. 몸은 엷은 자흑색에 열 줄 가량의 가로띠와 불규칙한 작은 점이 많이 있음. 태생어(胎生魚)로 한 배에 20마리 내외를 낳음. 연안의 해초 사이에서 사는데, 한국 전연해·일본 중부 이남 및 인도양에 분포함. 식용함.

까:치-선【一扇】명 부채의 하나. 위·아래·왼편·오른편의 네 구역이 되게 'X'자 형으로 나누어, 붉은 빛·노란 빛·푸른 빛 등을 칠하고 중앙은 태극(太極) 모양을 넣음. 태극선(太極扇). *색선(色扇).

〈까치선〉

까:치 설:날〔一랄〕명〈소아〉설날의 전날. 곧, 섣달 그믐날.

까:치 설:빔 명 까치 설날에 아이들이 입는 설빔.

까:치-수염【一鬚髥】명〖식〗[*Lysimachia barystachys*] 앵초과에 속하는 다년초. 줄기는 높이 30-70 cm 이고, 잎은 호생(互生)하며 선상(線狀)의 긴 타원형임. 6-8월에 백색의 꽃이 총상(總狀) 화서로 줄기 끝에 피고, 삭과(蒴果)를 맺음. 들에 나는데, 한국 각지에 분포함. 어린 잎은 식용함.

까:치-오리 명〈방〉〖조〗농병아리.

까:치-옷 명〈방〉때때옷.

까치작-거리다 자 자꾸 남의 일에 방해되게 여기저기 걸리고 닿치다. ㅅ가치작거리다. <꺼치적거리다. 까치작-까치작 부. ——-하다 자여불

〈까치수염〉

까치작-대다 자 까치작거리다.

까:치 저고리 명〈소아〉어린 아이들이 까치 설빔으로 입는 오색으로 지은 저고리. *색동 저고리.

까:치-전【一傳】명〖책〗작자·연대 미상(未詳)인 고소설(古小說). 까치가 새 보금자리를 짓고 낙성연(落成宴)을 베푸는데, 초청을 받지 못한 비둘기가 까치를 죽이자, 비둘기의 뇌물(賂物)을 받은 두꺼비가 거짓 증언하여 비둘기는 풀려나지만, 암행 어사(暗行御史)가 된 난조(鸞鳥) 난춘이가 사실을 바로잡아 비둘기에게 보복하고, 과부 암까치는 부귀(富貴)를 누리며 산다는 줄거리.

까:치-콩 명〖식〗[*Dolichos lablab*] 콩과에 속하는 일년생 만초(蔓草). 잎은 호생하며 삼출(三出) 복엽(複葉)인데, 끝이 빨고 넓은 달걀꼴임. 여름에 엽액(葉腋)에서 꽃꼭지가 나와 흰빛 또는 자주빛의 나비 모양의 꽃이 총상(總狀) 화서로 핌. 열매는 가늘고 긴 깍지 속에 들어 있음. 열대 지방의 원산(原產)으로 세계 각지에서 재배함. 어린 때에는 열매의 꼬투리째 식용함. 작두(鵲豆).

〈까치콩〉

까:치 호:랑이【一虎狼一】명 민화의 화제(畫題)의 하나. 소나무 가지에 앉은 까치와 이를 바라보는 호랑이를 그린 그림. 정초에 문배(門排)로서 쓰였음. 작호도(鵲虎圖).

까칠-까칠 부 반드럽지 않은 모양. ¶ ~한 촉감. ㅅ가칠가칠. <꺼칠꺼칠. ——-하다 형여불

까칠-복 명〖어〗[*Sphoeroide stictonotus*] 참복과의 바닷물고기. 체형은 곤봉상으로 머리 부근은 두껍고, 꼬리 쪽은 가늘고 긴데, 몸빛은 등쪽이 암청색, 배 쪽은 흼. 목에서 가슴지느러미 아래 쪽을 지나 꼬리 자루 후단까지 뚜렷한 노란빛 가로띠가 있고, 뒷지느러미는 황색으로 끝에 흑점이 있으며, 등 쪽과 배 쪽에 약한 가시가 산재함. 한국 중부 이남 및 일본 전연안에 분포함. 난소와 간장에 맹독이 있음.

까칠-하다 형여불 몸이 야위어 살갗이나 털이 매우 거칠고 기름기가 없다. ¶ 얼굴이~. ㅅ가칠하다. <꺼칠하다.

까칫-거리다 자 작고 단단한 것이 조금씩 날카롭게 살에 닿아 걸리다. ㅅ가칫거리다. <꺼칫거리다. 까칫-까칫 부. ——-하다 자여불

까칫-대다 자 까칫거리다.

까칫-하다 형여불 야위고 윤기가 없어 몹시 앙그러지지 못하다. ㅅ가칫하다. <꺼칫하다.

까칭이 명〈방〉〖조〗까치[1](경북).

까:타롭다 형〈방〉까다롭다(전라).

까탁스럽다 형〈방〉까다롭다(전라).

까탄 명〈방〉까닭.

까탈 명 일이 잘 안 되도록 몹시 방해하는 조건. ㅅ가탈.

까탈(을) 부리다 구 일이 잘 안 되도록 방해하는 조건을 만들어 내다.

까탈-나다 자 까탈이 터져서 고장이 나다.

까탈다 형〈방〉까다롭다(경남).

까탈-스럽다 형ㅂ불 ☞ 까다롭다.

까탈-지다 자 까다로운 조건이 생기다. ㅅ가탈지다.

까토리 명〈방〉까투리(강원·충북·전북·경상).

까투리 명〖조〗암꿩. ↔장끼.

【까투리 북한(北漢) 다녀 온 셈이다】보기는 보았으나 무엇이 무엇인지 그 내용을 알 수 없음을 이르는 말. *하룻 망아지 서울 다녀오듯.

까투리-타:령【一打令】명〖악〗남도 민요의 하나. 각 도의 명산을 찾아 까투리 사냥을 하는 내용임.

까트리 명〈방〉까투리(경북).

까파르다 형〈방〉가파르다.

까팡-돈 명 까팡이로 동그랗게 돈 모양같이 만든 아이들의 장난감.

까팡이 명 질그릇의 깨어진 조각.

까풀 명 여러 겹으로 된 껍질이나 껍데기의 겨지. ¶ 눈~. <꺼풀[1].

까풀-지다 자 까풀을 이루다. <꺼풀지다.

까피르〔아랍 kāfir〕명〖이슬람〗비신자(非信者). 알라의 은혜를 부정하는 사람.

깍 부 ↗까옥.

깍개 명〈방〉가위[1](강원).

깍:-깍 부 ↗까옥까옥. ——-하다 자여불

깍:깍-거리다 자 까마귀나 까치가 자꾸 심하게 울다.

깍:깍-대다 자 깍깍거리다.

깍다귀 명〈방〉①깍지[1]. ②〖충〗각다귀.

깍대기 명〈방〉깍지[1].

깍데이 명〈방〉깍두기(경남).

깍두기 명 무를 밤알만하게 모나게 썰어서, 붉은 날고추를 이긴 것이나 고춧가루에 버무린 뒤에 새우젓·파·마늘·참깨 등의 양념을 넣어 담근 김치. 홍저(紅菹).

깍두기 찌개 명 깍두기에 고기를 넣어 끓인 찌개.

깍둑-거리다 타 고르지 아니하고 크고 작게 함부로 대중없이 썰다. <꺽둑거리다. 깍둑-깍둑 부. ——-하다 타여불

깍둑-대다 타 깍둑거리다.

깍둑-썰기 명 야채를 써는 방법의 하나. 가로 평면으로 자르고 이를 다시 몇 조각으로 평행하게 자르는 것으로, 대략 직육면체(直六面體)의 모양이 되며, 주로 무 깍두기에 많이 쓰임. *통째썰기·다지기.

깍듯-이 부 깍듯하게. 극진히. ¶ ~ 인사하다.

깍듯-하다 형여불 예의 범절의 태도가 극진하다.

깍때기 명〈방〉깍두기(강원·충청·전라·경상).

깍떼기 명〈방〉깍두기(충남·경상).

깍뚜기 명 ☞ 깍두기.

깍뛰기 명〈방〉깍두기(충남).

깍띠기 명〈방〉깍두기(경기·충북·경북).

깍장이 명〈방〉깍쟁이[1]❷.

깍쟁이[1] 명 ①〈심마니〉담뱃대. ②인색하고 이기(利己)에 밝은 사람. 몸집이 작고 얄밉게 약바른 사람. 색부(嗇夫).

깍:쟁이[2] 명〈방〉①종지[1](전라·경남). ②갈퀴(강원).

깍정이 명 ①〖식〗참나무·떡갈나무 등의 열매의 밑받침. 총포(總苞)의 변형된 것임. 각두(殼斗). ②〈방〉종지[1]. ③어린 땅꾼. 재리[2]. ④ ☞ 깍쟁이[1]❷.

깍지[1] 명 ①콩 같은 것의 알맹이를 까낸 꼬투리. ②〈방〉껍질.

깍지[2] 명 활 쏠 때 시위를 잡아 당기는 엄지손가락의 아랫마디에 끼는 기구. 뿔로 대통 모양으로 만듦. 각지(角指).

깍지(를) 끼다 구 열 손가락을 서로 엇결리게 바짝 맞추어 끼다.

깍지(를) 떼:다 구 깍지를 낀 엄지손가락으로 팽팽하게 당긴, 화살을 메운 시위를 놓다. 깍짓손 떼다.

〈깍지[2]〉

깍지[3] 명〈방〉갈기[2](경상).

깍:지[4] 명〈방〉갈퀴(강원·경북).

깍지-걸이 명 깍지끼는 짓. ——-하다 자여불

깍지-벌레 명〖충〗몸이 깍지 모양이고 납질(蠟質)로 싸인 곤충의 총칭. 과수(果樹)·원예 식물의 해충임. 귤깍지벌레·사과깍지벌레·소나무깍지벌레 등이 이에 속하며, 랙깍지벌레·백랍(白蠟)벌레 등 2-3 종의 익충(益蟲)도 있음. 개각충(介殼蟲). 패각충(貝殼蟲).

깍지 연:귀 명〖건〗모서리를 모지게 엇베어 맞춘 연귀.

깍짓-동 [명] ①콩이나 팥의 깍지를 많이 묶어 세운 동. ②몹시 뚱뚱한 사람의 몸집을 비유하는 말. ¶ ~만한 사람이 온다/나루질에는 손방인 유필호 외에는 세 사람이 ~ 같은 장골들이라…《金周榮 : 客主》.

깍짓-방 【一房】 [명] 콩깍지를 넣어 두는 방.

깍짓-손 [명] 깍지를 낀 손. 활시위를 잡아 당기는 손.

깍짓손(을) 떼:다 [구] 깍지(를) 떼다.

깍짓손 꾸미 [명] 깍지를 낀 손의 팔꿈치.

깍짓손 회목 [명] 깍지를 낀 손의 팔회목.

깍징이 [명] 〈방〉 종지(전북).

깎기-접 【一椄·一接】 [명] 〖식·농〗 접(椄)붙이기의 한 가지. 대목(臺木)을 가로질러 그 피부(皮部)와 재질(材質)과의 사이를 세로 가르고 이에다 접수(椄穗)의 밑을 깎은 것을 붙이어 이 두 개의 발생층(發生層)을 밀접시키고 짚으로 감아서 접수의 끝이 약간 나오도록 흙으로 덮어 둠. 짜개접(椄). 절접(切椄). ＊가지접.

깎-낫 [명] 홍두깨나 방망이 같은 것을 깎는 데 쓰는 낫.

깎는 작용 【一作用】 [명] 〖지〗 침식 작용(浸蝕作用).

깎다 [타] ①날붙이로 물건을 얇게 떼어 내다. ¶ 연필을 ~. ②털·머리 따위를 잘라 내다. ¶ 머리 깎은 중. ③값을 덜다. 덜어 줄이다. 삭감하다. ¶ 값을 ~/예산을 ~. ④체면이나 명예를 상하다. ¶ 아비의 낯을 ~. ⑤주었던 벼슬을 빼앗다. ¶ 벼슬을 ~. ⑥테니스·탁구·축구 따위에서, 공을 치거나 차거나 할 때에 라켓이나 발을 어느 한 옆으로 대어서 공이 뱅글뱅글 돌게 하다. ¶ 공을 깎아 치다.

【깎은 밤 같다】 외양이 말쑥하고 똑똑한 사람을 이르는 말. ＊씻은 배추 줄거리 같다. 씻은 쌀 알 같다.

깎-사 【一師】 [명] 〈속〉 이발사(理髮師).

깎아-지르다 [타][르불] 반듯하게 깎아 가로 세우다.

깎아지른 듯하다 [형][여불] 깎아 세운 듯이 몹시 험하다. ¶ 깎아지른 듯한 벼랑.

깎은 새서방 【一書房】 [명] 헌칠하고 미끈하여 풍신이 좋은 청년.

깎은 서방님 【一書房一】 [명] 깎은 새서방.

깎은 선비 [명] 말쑥하고 단정하게 차린 선비.

깎음-질 [명] 〖공〗 나무 같은 것을 잘 다듬어 깎는 일. ——-하다 [자][여불]

깎이다 [一][피동] 깎음을 당하다. ¶ 바위가 비바람에 ~/체면을 ~/예산이 ~. [二][사동] 깎게 하다. ¶ 머리를 ~.

깎인-면 【一面】 [명] 〖고고학〗 격지의 손질된 면. 결정면(結晶面).

깐: [명] 〔←간[2]〕 일의 형편이나 기회에 대하여 속으로 헤아리는 가늠. ¶ 제 ~에는 잘한 줄 안다 / 자기가 한 ~이 있으니까 별안간에 얼굴빛이 변하여지며 비쓱 돌아서더니…《作者未詳 : 水溢瀧》.

깐깐-스럽다 [형][ㅂ불] 성미가 보기에 깐깐하다. **깐깐-스레** [부]

깐깐-오월 【一五月】 [명] 음력 오월은 깐깐하게도 지루하게 지나간다는 말.

깐깐-이 [명] 성질이 깐작깐작한 사람을 일컫는 말.

깐깐-하다 [형][여불] ①질기게 차지다. ¶ 억만 사람을 희생한대도 그대로 깐깐하게 하고 싶은 노릇은 다 해보려 하였다《朴鍾和 : 錦衫의 피》. ②성질이 깐질기어 사근사근한 맛이 없다. 1)·2): <끈끈하다. **깐깐-히** [부]

깐닥-거리다 [자][타] 가로 조금씩 좀 세게 움직이거나 또는 움직이게 하다. ㅅ간닥거리다. ㅆ깐딱거리다. <끈덕거리다. **깐닥-깐닥** [부]. ——-하다 [자][타][여불]

깐닥-대다 [자][타] 깐닥거리다.

깐닥-하면 [부] 〈방〉 까딱하면.

깐-돌 [명] 〖고고학〗 집터나 무덤의 바닥·둘레에 한두 겹 얇게 깐 돌. 부석(敷石).

깐동-그리다 [타] 깐동하게 수습하다. ㅅ간동그리다. <껀둥그리다.

깐동-깐동 [부] 연해 깐동그리는 모양. ㅅ간동간동. <껀둥껀둥.

깐동-하다 [형][여불] 흐트러짐이 없이 하나로 정돈되어 매우 단출하다. ㅅ간동하다. <껀둥하다. **깐동-히** [부]

깐디기 [명] 〈방〉 깜부기(경북).

깐딱 [부] 〈방〉 까딱.

깐딱-거리다 [자][타] 가로 조금씩 세차게 움직이거나 움직이게 하다. ㅅ간닥거리다·깐닥거리다. <끈떡거리다. **깐딱-깐딱** [부]. ——-하다 [자][타][여불]

깐딱-대다 [자][타] 깐딱거리다.

깐-보다 [一] [자] 마음 속으로 가늠하다. 속을 떠보다. ¶ 깐보고 대하다/깐보고 일을 하다. [二] [타] 〈방〉 깔보다.

깐실-깐실 [부] 살살 남의 비위를 맞추어 가면서 몹시 간사를 부리는 모양. ㅅ간실간실. ——-하다 [자][여불]

깐작-거리다 [자] ①깐깐하여 자꾸 짝짝 달라붙다. ②성질이 깐질기어 관계한 일에 안차게 갉작거리다. 1)·2): <끈적거리다. **깐작-깐작** [부]. ——-하다 [자][여불]

깐작-대다 [자] 깐작거리다.

깐작-이다 [자] 안차게 달라붙다. <끈적이다.

깐장-하다 [형] 〈방〉 깡충하다.

깐족-거리다 [자] 자꾸 깐족이다.

깐족-이다 [자] 쓸데없는 말을 수다스럽고 밉살스럽게 지껄이며 질기둥이같이 짓궂게 이죽거리다.

깐중이 [부] 〈방〉 가지런히(경북).

깐-지다 [형] 성질이 깐깐하고 다라지다. <끈지다.

깐-질기다 [형] 깐깐하고 질기다. <끈질기다.

깐질-깐질 [부] 말이나 행동으로 자꾸 남의 마음을 간지럽게 하는 모양. ㅅ간질간질. ——-하다[1] [자][여불]

깐질깐질-하다[2] [형][여불] 매우 깐질기다. <끈질끈질하다.

깐채이 [명] 〈방〉 〖조〗 까치[1](경상).

깐챙이 [명] 〈방〉 〖조〗 까치[1](경상).

깐추렝이 [부] 〈방〉 가지런히(경북).

깐추루미 [부] 〈방〉 가지런히(경북).

깐추리 [부] 〈방〉 가지런히(경북).

깐충이 [부] 〈방〉 가지런히(경북).

깐:치 [명] 〈방〉 〖조〗 까치[1](전라·경상).

깐풍기 〔중 干烹鷄〕 [명] 토막쳐서 간한 닭고기에 녹말을 묻혀 튀겨 낸 다음, 고추·마늘·파를 썰어 섞은 양념 초간장을 위에 끼얹은 중국 요리.

깔 [명] 〈방〉 꼴[2](충청·전라·함경).

-깔 [미] 겉으로 나타나는 성질·기세·색택(色澤). ¶ 때~/빛~/성~.

깔개[1] [명] 〔'깔다'의 파생 명사〕 눕거나 앉을 곳에 까는 물건.

깔개[2] [명] 〈방〉 갈기[2](경기).

깔고리 [명] 〈방〉 갈고리(전북).

깔구리 [명] 〈방〉 ①갈고리(강원·충청). ②갈퀴(경남).

깔기[1] [명] 〈방〉 갈기[2](경북).

깔:기[2] [명] 〈방〉 갈퀴(제주).

깔기다 [타] 여기저기 함부로 내어 쏟다. ¶ 오줌을 함부로 ~.

깔깔 [부] 큰 목소리로 못 참을 듯이 웃는 소리. <껄껄.

깔깔-거리다 [자] 되바라진 큰 목소리로 자꾸 웃다. <껄껄거리다.

깔깔-대다 [자] 깔깔거리다.

깔깔-매미 [명] 〈방〉 〖충〗 깽깽매미.

깔깔 웃:다 [자] 깔깔 소리를 내어 웃다. <껄껄 웃다.

깔깔-이 [명] ①〈속〉 조젯(georgette). ②〈은〉 은행에서 갓나온 새 돈.

깔깔-하다 [형][여불] ①물건의 거죽이 메마르고 거세어서 반드럽지 못하다. 또, 그런 느낌이 들다. ¶ 혓바닥이 ~. <껄껄하다[1]. ②마음이 맑고 곧고 깨끗하다. <끌끌하다.

깔꾸랭이 [명] 〈방〉 갈고랑이(충북·경상).

깔꾸리 [명] 〈방〉 ①갈고리(경기·충북·전라). ②갈퀴(경상).

깔끄랑-벼 [명] 잘 몽글리지 아니하여 까끄라기가 많이 섞인 벼. <껄끄렁벼.

깔끄랑-보리 [명] 잘 몽글리지 아니하여 까끄라기가 많이 섞인 보리. <껄끄렁보리.

깔끄래기 [명] 〈방〉 까끄라기(경기).

깔끄럽다 [형][ㅂ불] ①까끄라기 같은 것이 몸에 붙어서 살이 따끔거리다. ②깔깔하여 미끄럽지 아니하다. 1)·2): <껄끄럽다.

깔끄레-하다 [형] 〈방〉 개운하다(경남).

깔끔-거리다 [자] 깔끄럽게 가치작거리고 따끔거리다. <껄끔거리다. **깔끔-깔끔** [부]. ——-하다 [자][여불]

깔끔-대다 [자] 깔끔거리다.

깔끔-하다 [형][여불] 마음이나 솜씨 따위가 깔밋하고 매끈하다. ¶ 깔끔한 성미. <끌끔하다. **깔끔-히** [부]

깔끼 [명] 〈방〉 갈퀴(경북).

깔다 [타] ①밑에 펴 놓다. 바닥에 펴 놓다. ¶ 자리를 ~. ②타고 앉다. ¶ 베개를 깔고 앉다. ③바탕이 되게 하다. ¶ 강렬한 리얼리즘을 저변에 ~. ④돈이나 곡식 같은 것을 여러 군데 빌려 주어 놓다. ¶ 외상을 ~. ⑤마땅히 해야 할 일을 처리하지 아니하고 그대로 묵히다. ¶ 서류를 깔고 앉아 처리하지 않다. ⑥꼼짝 못 하게 남을 억누르다. ¶ 남을 너무 깔고 뭉개지 마시오.

깔-담살이 [一땀一] [명] 〈방〉 꼴머슴.

깔-돌 [一똘] [명] 실내나 현관 등에 장식으로 까는 돌.

깔따구 [명] 〈방〉 〖충〗 ①눈에놀이. ②〖충〗 각다귀.

깔따구-길앞잡이 [명] 〖충〗 [*Cicindela gracilis*] 길앞잡잇과에 속하는 곤충. 몸길이 11 mm 내외이고, 머리는 흑색, 날개는 흑갈색에 외연 중앙의 긴 무늬와 날개 끝의 물방울 무늬는 황백색, 안 쪽의 긴 타원형 무늬는 적갈색임. 한국에도 분포함.

깔따구-하늘소 [一쏘] [명] 〖충〗 [*Distenia gracilis*] 하늘솟과에 속하는 곤충. 몸길이 20–32 mm, 몸빛은 흑갈색에 회황색 털이 덮이고, 전배판(前背板)의 양쪽에 큰 가시 같은 돌기(突起)가 있으며, 시초(翅鞘)의 기반부(基半部)에는 점각(點刻)이 있음. 유충은 상수리나무의 썩은 곳에 기생함. 한국에도 분포함.

깔따기 [명] 〈방〉 깔때기❶❷❸.

깔딱 [부] ①물 따위의 액체를 겨우 조금 삼키는 소리. ②곧 숨이 넘어갈 듯이 끊어졌다 이어졌다 하는 모양. ③팔팔하고 얇은 물체가 뒤집힐 때 나는 소리. 1)-3): <껄떡. ④ ☞ 딸꾹. ——-하다[1] [자][타][여불]

깔딱-거리다 [一][자] ①기력이 없어 입술을 다물지 못하고 겨우 혓몸만 약간 움직이어 목구멍의 액체를 조금씩 삼킬 때 소리가 자꾸 나다. ②얇고 팔팔한 물체의 바닥이 반복하여 뒤집힐 때 소리가 자꾸 나다. 1)·2): <껄떡거리다. ③ ☞ 딸꾹거리다. [二] [타] 약한 숨을 끊어질듯 말듯하게 겨우겨우 끌어가다. 또, 그런 소리를 자꾸 내다. ¶ 숨을 ~. <껄떡거리다. **깔딱-깔딱** [부]. ——-하다 [자][타][여불]

깔딱-대다 [자][타] 깔딱거리다.

깔딱스럽다 [형] 〈방〉 까다롭다(전남·경남).

깔딱-질 [명] 〈방〉 딸꾹질. ——-하다 [자]

깔:딱-하다[2] [형][여불] ①얼이 빠지다. ②배가 고프거나 피로하여 눈꺼풀이 위로 치붙고 눈알이 푹 들어가다. 1)·2): <껄떡하다[2].

깔때기 [명] ①〖역〗 금부(禁府)의 나장(羅將), 형조(刑曹)의 패두(牌頭) 또는 의식(儀式)을 차릴 때의 뇌자(牢子)들이 머리에 쓰는 건(巾)의 한 가지. 두꺼운 종이로 판을 세워 붙이고, 전체에 검은 칠을 하였음. 깔때기 전건(戰巾). ②〖역〗 유지(油紙)로 접어 만든 표주박의 한 가지. 접어 놓은 모양이 부채꼴로 꼭대기에 고달이를 달아 끈을 꿰어 차게 되었는데, 군병들이 차고 다니면서 물 먹는 데 씀. 군지(軍持). ③나팔꽃 모양으로 된, 밑에 구멍이 뚫린 그릇. 물이나 기름 같은 것을 아가리 좁은 그릇에 부을 때 씀. 누두(漏斗). ④군뢰복다기.

〈깔때기❶〉 〈깔때기❸〉

깔때기-꽃부리 [명] 〖식〗 누두상 화관(漏斗狀花冠).

깔때기 전:건 【一戰巾】 [명] 〖역〗 깔때기❶를 전건(戰巾)의 하나로서 일컫는 말.

깔-뚜데기 [명] 〈방〉 기저귀(경북).

깔-뜨다 [타] 눈을 아래쪽으로 내려 뜨다.

깔락-질 [명] 〈방〉 앙감질. ——-하다 [자]

깔리다[1] ㊀ 자 흩어지다. 펴 놓은 것처럼 되다. ¶ 밤하늘에 깔린 별들/둑이 터져 모래가 논 바닥에 ~. ㊁ 피동 밑에 펴 놓음을 당하다. ¶ 밑에 깔린 사람.

깔리다[2] 타 〈방〉 깔기다.

깔-머슴 명 〈방〉 꼴머슴.

깔물 명 〈방〉 갈물.

깔밋-잖다 [—잔타] 형 깔밋하지 아니하다.

깔밋-하다 형여불 간단하고 아담하며 깨끗하다. ¶ 새로 산 집이 크지는 않으나 ~. <끌밋하다.

깔방-니 명 〈방〉 가랑니.

깔-방석 【—方席】 명 까는 방석.

깔-보다 타 남을 업신여기어 호락호락하게 보다. 넘보다. ¶ 돈이 없다고 ~.

깔-색 【—色】 [—쌕] 명 ①물건의 빛깔. ②품질의 맵시나 바탕.

깔아 뭉개다 타 ①깔고 눌러 뭉개다. ②어떤 일이나 사실을 이내 처리하지 아니하고 질질 끌거나 또는 숨기거나 알리지 아니하다. ¶ 비위 사실을 ~. ③아주 억눌러 버리거나 억제하여 없애다. ¶ 상대방을 ~.

깔-유리 【—琉璃】 [—류—] 명 현미경의 대물(對物) 렌즈 아래에 끼워 받치는 유리 조각으로 된 판. 받침유리. 슬라이드 글라스(slide glass). ↔덮개유리.

깔이 명 ☞ 까리[3].

깔-종 [—쫑] 명 〔공〕 미리 정한 무게의 금속 세공품을 만들 때, 그 재료의 무게에서 얼마나 까야 될 것인을 미리 셈잡는 종작.

깔종(을) 잡다 구 깔종을 헤아려 셈잡다.

깔중이 명 〈방〉 가지런히(충북).

깔짝-거리다[1] 자 썩 얇고 너무 뻣기가 센 물체가 가벼이 앞뒤로 반복하여 뒤집히면서 자꾸 소리가 나다. 깔짝-깔짝[1] 부 ——하다[1] 자여불

깔짝-거리다[2] 타 갉아 따짝거리다. ¶ 쥐가 판자를 ~. <끌쩍거리다.

깔짝-깔짝[2] 부. ——하다[2] 타여불

깔짝-대다 자 깔짝거리다[1·2].

깔째 명 〈방〉 꼴찌.

깔쭈기 명 ☞ 깔쭉이.

깔쭉-거리다 자 거칠고 세게 깔끔거리다. <껄쭉거리다. 깔쭉-깔쭉 부. ——하다 자여불

깔쭉-대다 자 깔쭉거리다.

깔쭉-이 명 가장자리를 톱니처럼 깔쭉깔쭉하게 만든 주화(鑄貨)를 일컫는 말.

깔찌 명 밑에 깔아 괴는 물건.

깔-창 명 신 속에 덧깐다는 뜻으로 안창을 일컫는 말.

깔챙이 명 〈방〉 까끄라기(경기·강원).

깔축-없다 [—업—] 형 조금도 축남이나 버릴 것이 없다. 여축없다. 깔축-없이 [—업씨] 부. ¶ 쑤한은 다급한 김에 와 놓고는 자신의 위신을 ~ 세우려고 한다《孫章純 : 한국인》.

깔치[1] 명 〈비〉 ①여자. 특히, 처녀. ②걸 프렌드(girl friend). 1)·2):↔놈팡이❸.

깔치[2] 명 〈방〉 까끄라기(경기·강원).

깔치[3] 명 〈방〉 〔어〕 갈치(전남·경남).

깔코리 명 〈방〉 갈고리(경기).

깔쿠랭이 명 〈방〉 갈고랑이(충남·전북)

깔쿠리 명 〈방〉 갈고리(경기·충북·전라).

깔크막 명 〈방〉 가풀막.

깔키 명 〈방〉 갈퀴(충북·전남·경남).

깜 명 〈방〉 감[2]❶(전남·경북).

깜깜 명 아무것도 알지 못하는 상태. ——하다[1] 형여불

깜깜 밤중이다 구 까맣게 모르고 있다.

깜깜이다 구 전혀 모르고 있다. ¶ 사건의 내용 같은 것은 ~.

깜깜 무소식 【—無消息】 명 깜깜하게 소식이 없음. ¶ 떠난 후로는 ~이다.

깜깜 부지 【—不知】 명 깜깜하게 아무것도 모름.

깜깜 소식 【—消息】 명 ①아주 오래 되도록 아무 소식이 없는 상태를 말함. ㅅ감감 소식. ②무슨 일을 깜깜하게 모르는 일.

깜깜-하다[2] 형여불 ①몹시 어둡다. <껌껌하다❶. ②정보나 소식 따위를 아주 모르고 있다. ¶ 소식이 ~. ③그 분야에 대해 전혀 지식이 없다. ¶ 공업 분야에 대해서는 깜깜합니다. 1)-3):ㅆ캄캄하다.

깜냥 명 일을 해내는 얼마간의 힘. ¶ 제 ~에 무얼 하겠다고/제 ~에 번즈레한 칠을 해 내어 걸은 사치스러운 간판들《李箱 : 終生記》.

깜냥 없:다 구 ☞종작없다. ¶ 그 깜냥 없는 아이가 혼자서 맨주먹으루 사령 예닐곱 놈과 마주 싸웠답니다《洪命熹 : 林巨正》.

깜냥깜냥-이 부 저마다의 깜냥대로.

깜:다[1] [—따] 타 〈방〉 ①감다[2]. ②감다[3].

깜:다[2] [—따] 형 빛깔이 아주 감다. ㅅ감다[4]. <껌다.

깜둥 부 빛이 깜은. ㅅ감둥. <껌둥.

깜둥-개 명 털빛이 까만 개. <껌둥개.

깜둥-이 명 ①살빛이 까만 사람을 이르는 말. ②흑인을 낮추어 이르는 말. ③깜둥개를 귀엽게 이르는 말. 1)-3): <껌둥이.

깜디기 명 〈방〉 깜부기(경남).

깜뚜라지 명 〈방〉 까마종이.

깜박 부 ①등불이나 별 같은 것이 잠깐 흐리어졌다가 밝아지는 모양. <끔벅. ②정신이 잠깐 흐리어졌다가 밝아지는 모양. ③눈을 잠깐 감았다가 뜨는 모양. 1)-3):ㅆ깜빡. <끔벅. ——하다 자타여불

깜박-거리다 자타 자꾸 깜박하다. ㅆ깜빡거리다. <끔벅거리다. 깜박-깜박 부. ——하다 자타여불

깜박-대다 자타 깜박거리다.

깜박-불 명 숯불 같은 것을 피울 때에 꺼질 듯 깜박거리는 불.

깜박-이 명 〈속〉 자동차 따위의 점멸등(點滅燈).

깜박-이다 ㊀ 자 등불이나 별 같은 밝은 물체가 잠깐 어두워졌다가 밝아지다. ㅆ깜빡이다. <끔벅이다. ㊁ 타 작은 눈을 잠깐 감았다가 뜨다. ㅆ깜빡이다. <끔벅이다.

깜:-밥 명 〈방〉 눌은밥(전라).

깜방-같이 [—가치] 부 ☞ 감쪽같이. ¶ 없는 그림자를 있다고 해서 ~ 속아 가지고《玄鎭健 : 無影塔》.

깜배기 명 〈방〉 깜부기(경기·강원·충청·전남·경상).

깜뱅이 명 〈방〉 깜부기(경남).

깜버기 명 〈방〉 깜부기(경북).

깜베기 명 〈방〉 깜부기(충청·전북·경남).

깜벵이 명 〈방〉 깜부기(경남).

깜보기 명 〈방〉 ①꽁초. ②깜부기.

깜보기-불 명 〈방〉 깜부기불.

깜복 명 〈방〉 깜부기(전남).

깜뵈기 명 〈방〉 깜부기(경북).

깜부기 명 ①깜부깃병에 걸려 까맣게 된 이삭. 흑수(黑穗). *맥각(麥角)·맥각병(麥角病). ②얼굴 빛이 까만 사람의 별명. ③↗깜부기숯. ④〈방〉 꽁초.

깜부기-균 【—菌】 명 〔식〕 반담자균류(半擔子菌類) 흑수균과에 속하는 균의 총칭. 벼과(科) 식물을 비롯한 고등 식물의 체내에 기생(寄生)하는데 균사(菌絲)가 증식하고 세포에서 양분을 흡수함. 내부에 짙은 흑색의 포자퇴(胞子堆)를 조성하여 식물의 꽃이나 자방(子房)이 검게 변함. *Sphacelotheca, Ustilago, Sorosporium, Tilletia* 등의 여러 속(屬)이 있음. 흑수균.

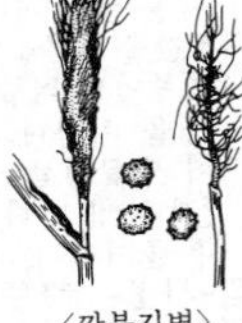
〈깜부깃병〉

깜부기-불 명 불꽃 없이 거의 꺼지어 들어가는 불.

깜부기-숯 명 줄거리 나무를 때고 난 뒤에 꺼서 만든 숯. 준깜부기.

깜부깃-병 【—病】 명 〔식〕 곡식의 이삭이 깜부기균에 의하여 검게 되어 깜부기가 되는 병. 보리·밀·옥수수·조 등의 이삭·씨알에 생겨 큰 해를 끼침. 흑수병(黑穗病). *맥각병(麥角病).

깜북 명 〈방〉 깜부기.

깜뷔기 명 〈방〉 깜부기(강원).

깜비기 명 〈방〉 ①깜부기(충남·전북·경상). ②누룽지(경기).

깜비역 명 〈방〉 깜부기(제주).

깜빙이 명 〈방〉 깜부기(경상).

깜빡 부 ①등불이나 별 같은 것이 잠깐 흐리어졌다가 밝아지는 모양. <끔뻑. ②정신이 잠깐 흐리어졌다가 밝아지는 모양. ③눈을 잠깐 감았다가 뜨는 모양. ¶ ~ 졸다. 1)-3):ㅅ깜박. <끔뻑. ——하다 자타여불

깜빡-거리다 자타 자꾸 깜박하다. ㅅ깜박거리다. <끔뻑거리다. 깜빡-깜빡 부. ——하다 자타여불

깜빡-대다 자타 깜빡거리다.

깜빡-이다 ㊀ 자 등불이나 별빛 같은 것이 어두워졌다 밝아지다. ㅅ깜박이다. <끔뻑이다. ㊁ 타 작은 눈을 잠깐 감았다가 뜨다. ㅅ깜박이다. <끔뻑이다.

깜-씨 【—氏】 명 〈속〉 얼굴이 까만 사람. 주로, 남자에 대하여 이름.

깜작 부 눈을 잠깐 감았다가 뜨는 모양. ㅆ깜짝[1]. <끔적[1]. ——하다 자타여불

깜작-거리다 타 눈을 떴다 감았다 여러 번 계속 하다. ㅆ깜짝거리다[1] <끔적거리다. 깜작-깜작[1] 부. ——하다[1] 타여불

깜작-깜작[2] 부 까만 점이 잘게 여기저기 박이어 있는 모양. ㅅ감작감작. <껌적껌적. ——하다[2] 형여불

깜작-대다 타 깜작거리다.

깜작-이 명 ↗눈깜작이.

깜작-이다 타 눈을 잠깐씩 감았다가 뜨다. ㅆ깜짝이다. <끔적이다.

깜장 명 까만 물감이나 빛. ㅅ감장. <껌정.

깜장-이 명 깜장 빛의 물건. ㅅ감장이. <껌정이.

깜정 명 ☞깜장. ¶ ~ 통치마.

깜짜기 명 〈방〉 깜장.

깜짝[1] 부 눈을 잠깐 감았다가 뜨는 모양. ㅅ깜작. <끔쩍[1]. ——하다[1] 자타여불

깜짝[2] 부 갑자기 놀라는 모양. ¶ ~ 놀라다. <끔쩍[2]. ——하다[2] 자여불

깜짝-거리다[1] 타 눈을 떴다 감았다 여러 번 계속하다. ㅅ깜작거리다. <끔쩍거리다[1]. 깜짝-깜짝[1] 부. ——하다[1] 타여불

깜짝-거리다[2] 자 자꾸 갑자기 놀라다. <끔쩍거리다[2]. 깜짝-깜짝[2] 부. ——하다[2] 자여불

깜짝-대다 자타 깜짝거리다[1·2].

깜짝-야 감 ↗깜짝이야. ¶ 아이구 ~.

깜짝-이 명 ↗눈깜짝이.

깜짝-이다 타 눈을 잠깐씩 감았다가 뜨다. ㅅ깜작이다. <끔쩍이다.

깜짝-이야 감 깜짝 놀랐을 때에 나오는 소리. 준깜짝야.

깜찌기[1] 명 ↗깜찌기실.

깜찌기[2] 부 〈방〉 몹시. 대단히.

깜찌기-실 명 아주 가늘고도 질긴 실. 준깜찌기.

깜찍-스럽다 형ㅂ불 보기에 깜찍하게 느끼어지다. 깜찍-스레 부

깜찍-이 부 깜찍하게. <끔찍이.

깜찍-하다 형여불 ①몸집이나 나이에 비하여 매우 영악하다. ¶ 깜찍한 아이. ②몹시 단작스럽다.

깜파리 명 〈방〉 까팡이.

깜팡-돈 명 〈방〉 까팡돈.

깜팡이 명 〈방〉 까팡이.

깜팽 명 〈방〉 까팡이.

깜피기 명 〈방〉 깜부기(경남).

깝닥 명 〈방〉 깝대기.

깝대기 명 ①달걀·조개·밤 같은 것들의 겉을 싼 단단한 물질. ②알몸을 빼어 낸 겉의 물건. 1)·2): <껍데기.

깝대기(를) 벗기다 구 ①입고 있는 옷을 강제로 벗기어 빼앗다. ②가진 것을 홀랑 빼앗다.

깝댕이 명 〈방〉 대님(경남).

깝바 〔ㅅ capa〕 명 〔천주교〕 ☞ 카파.

깝살리다 타 ①찾아온 사람을 만나지 아니하고 보내다. ②재물을 흐지

부지 다 없애다. ¶ 그 알뜰한 살림이나마 다 내놓고 … 팔아라, 먹자, 하고 있는 대로 깝살리는 것이 능사라,…≪廉想涉 : 萬歲前≫. ③기회 따위를 놓치다.

깝신-거리다 자타 채신없이 까불거리다. ¶ ~가 큰 코 다치겠다. <껍신거리다. 깝신-깝신 부. ——-하다 자타여불

깝신-대다 자타 깝신거리다.

깝작-거리다 자타 방정맞게 까불거리다. <껍적거리다. 깝작-깝작 부. ——-하다 자타여불

깝작-대다 자타 깝작거리다.

깝죽-거리다 자타 ①신이 나서 방정맞게 까불거리다. ②잘난 체하다. 1)·2): <껍죽거리다. 깝죽-깝죽 부. ¶ 젊은 청년 하나이 문 앞에 섰다가 저쪽 강단으로 ~하고 간다≪羅稻香 : 幻戲≫. ——-하다 자타여불

깝죽-대다 자타 깝죽거리다.

깝죽-새 명 〈방〉〖조〗종다리.

깝줄 명 〈방〉 깝질.

깝질 명 딱딱하지 아니한 물체의 겉을 싼 질긴 물질의 켜. <껍질.

깟-깟 부 까치의 우는 소리. ——-하다 자여불

깡[1] 명〖광〗'뇌관(雷管)'을 광원(鑛員)들이 일컫는 말. ¶ ~집게.

깡[2] 명 〈속〉 ↗깡다구.

깡으로 구 〈속〉 매나니로 억지스럽게.

깡그러-뜨리다 타 '깡그리다'의 힘줌말.

깡그러-트리다 타 깡그러뜨리다.

깡그리 부 조금도 남김없이 온통. ¶ ~ 먹어 치우다/어릴 적 일을 ~ 잊어버리다.

깡그리다 타 일을 수습하여 끝을 마무르다.

깡깜-하다 형여불 ☞깜깜하다.

깡깡-거리다 자타 〈방〉 꽝꽝거리다.

깡깡-이 명〖악〗악기의 소리가 코먹은 소리와 같으므로 일컫는, 해금(奚琴)의 속칭(俗稱).

깡낭 명 〈방〉 옥수수(경북).

깡냉이 명 〈방〉 옥수수(전라·경남).

깡녹 명 〈방〉〖동〗사슴(제주).

깡다구 명 〈속〉 악착같이 버티는 힘. 억지스럽게 버티어 밀고 나가는 오기(傲氣) 준 깡.

깡다구 부리다 구 악착같이 버티다.

깡다구 세:다 구 고집하고 버티는 힘이 대단하고 악착같다.

깡-다구니 명 〈속〉 깡다구.

깡동-치마 명 예전에 여자들이 입던 짧은 치마.

깡동-하다 형여불 ☞깡똥하다.

깡똥 부 버릇없이 경솔하게 뛰는 모양. ∠강동. <껑똥.

깡똥-거리다 자 채신없이 자꾸 가볍게 뛰다. ∠강동거리다. <껑똥거리다. 깡똥-깡똥 부. ——-하다 자여불

깡똥-대다 자 깡똥거리다.

깡똥-이 명 〈방〉〖어〗짱뚱어.

깡똥-젓 명 〈방〉 개구리젓.

깡똥-하다 형여불 아랫도리가 너무 드러날 정도로, 겉에 입은 것이 짧다. ∠강동하다. <껑뚱하다.

깡뚱-거리다 자 ☞깡똥거리다. 깡뚱-깡뚱 부. ——-하다 자여불

깡뚱이 명 〈방〉〖어〗짱뚱어.

깡뚱-하다 형여불 ☞깡똥하다.

깡-마르다 형르불 몸에 살기가 없이 바싹 마르다. ¶ 깡마른 체격. *강마르다.

깡-물리다 자〖광〗뇌관(雷管)을 도화선(導火線)에 연결시키다.

깡-밥 명 〈방〉 눌은밥(전북).

깡-보리밥 명 ☞꽁보리밥.

깡술 명 ☞강술.

깡스 〔중 槓子〕 명 마작에서, 같은 패 넷을 모은 짝.

깡아리 명 〈방〉 ①광주리(전북). ②〖식〗파리(경남).

깡운 명 〈방〉 강운(江韻).

깡저리 명 〈방〉 광주리(전남).

깡주리 명 〈방〉 광주리(전남).

깡지리 명 〈방〉 광주리(전남).

깡-집게 명〖광〗뇌관(雷管)과 도화선(導火線)을 연결하는 데 쓰는 집게.

깡짱 부 짧은 다리로 힘차게 뛰는 모양. ∠강장. ≕깡창. <껑쩡.

깡짱-거리다 자 짧은 다리로 자꾸 힘있게 내뛰다. ∠강장거리다. ≕깡창거리다. <껑쩡거리다. 깡짱-깡짱 부. ——-하다 자여불

깡짱-대다 자 깡짱거리다.

깡쫑 부 짧은 다리로 힘있게 솟구어 뛰는 모양. ∠강종. ≕깡충. <껑쫑.

깡쫑-거리다 자 짧은 다리로 자꾸 힘있게 솟구어 뛰다. ∠강종거리다. ≕깡충거리다. <껑쫑거리다. 깡쫑-깡쫑 부. ——-하다 자여불

깡쫑-대다 자 깡쫑거리다.

깡창 부 짧은 다리로 방정맞게 뛰는 모양. ∠강장. ≕깡짱. <껑청.

깡창-거리다 자 짧은 다리로 채신머리없게 자꾸 뛰다. ∠강장거리다. ≕깡짱거리다. <껑청거리다. 깡창-깡창 부. ——-하다 자여불

깡창-대다 자 깡창거리다.

깡총 부 ☞깡충.

깡총-거리다 자 ☞깡충거리다.

깡총-대다 자 ☞깡충대다.

깡총-하다 형여불 키가 작은 사람이 다리가 길다. <껑충하다.

깡충 부 짧은 다리로 자꾸 힘있게 솟구어 뛰는 모양. ∠강종. ≕깡쫑. <껑충❶.

깡충-거리다 자 짧은 다리로 자꾸 힘있게 솟구어 뛰다. ∠강종거리다. ≕깡쫑거리다. <껑충거리다. 깡충-깡충 부. ¶ ~ 뛰어가다. ——-하다 자여불

깡충-거미 명〖동〗[*Menemerus confusus*] 깡충거밋과에 속하는 거미. 몸길이는 암컷이 10 mm, 수컷이 7 mm 내외임. 몸빛은 회색에 흑색을 띠며 복부·두흉부의 각 배면(背面)에 흰 줄무늬가 있으며, 은빛의 털과 바늘이 많음. 여덟 개의 단안(單眼)이 석 줄로 있어 거리 40 cm 가량의 먹이를 판별한다 하며, 거미줄을 치지 않고 인가의 판자·벽에 붙은 파리·곤충 등을 뛰어가서 잡아먹음. 한국 및 일본 등지에 분포함. 파리잡이거미. *불개미거미.

〈깡충거미〉

깡충거밋-과【一科】명〖동〗[Salticidae] 거미강 거미목(目)에 속하는 한 과. 파리·곤충 등을 발견하면 곧 뛰어가서 급히 잡아먹으며, 높은 곳에서 이동할 때는 복단부(腹端部)에서 실을 빼어 높은 공중을 나는 것처럼 함. 전세계에 350여 속(屬)이 분포함.

깡충-대다 자 깡충거리다.

깡충-하다 형여불 ☞깡총하다.

깡탕 명 〈방〉 껍질.

깡통 명 ①통조림 통의 빈 양철 그릇. ②〈속〉 통조림. 또, 통조림의 통. ③〈속〉 아는 것이 없이 머리가 텅 빈 사람. ¶ 저런 ~은 처음 봤다.

깡통(을) 차다 구 빌어 먹는 신세가 되다.

깡통 계:좌【一計座】명〖경〗〈속〉 증권사로부터 융자해 사들인 주식이나, 대주(貸株)하여 판 주식의 시가 총액(時價總額)이 증거금을 밑도는 계좌. 담보 부족 계좌.

깡통-따개 명 통조림의 깡통을 뜯어 여는 데 쓰는 도구. 오프너(opener).

깡패【一牌】명 〔←갱패(gang 牌)〕〈속〉 폭력으로써 행패를 일삼는 무리. 어깨. 불량자.

깨 명 ①〖식〗참깨·들깨의 통칭. ②참깨의 씨.

깨가 쏟아지다 구 특히 부부 사이가, 오붓하여 몹시 재미가 난다는 말.

깨-강정 명 볶은 흰 깨를 묻힌 강정. 지마(芝麻) 강정.

깨개갱 부 개가 지르는 소리. ——-하다 자여불

깨갱 부 강아지가 아파서 지르는 소리. <끼깅. ——-하다 자여불

깨갱-거리다 자 강아지가 잇따라 깨갱 소리를 내다. <끼깅거리다. 깨갱-깨갱 부. ——-하다 자여불

깨갱-대다 자 깨갱거리다.

깨고락지 명 〈방〉〖동〗개구리(전라·충청).

깨고랑 명 〈방〉 개울(전남).

깨고래기 명 〈방〉〖동〗개구리(전라·충청).

깨고리 명 〈방〉〖동〗개구리(경기·전라·경상).

깨-고물 명 참깨 특히 검은 깨를 볶아 빻아서 만든 고물. 임자말(荏子末).

깨골 명 〈방〉 개울(전남)

깨골창 명 〈방〉 개울(전남).

깨곰 명 〈방〉 개암❶(전북·경상).

깨구락지 명 〈방〉〖동〗개구리(강원·충남·전라).

깨구래기 명 〈방〉〖동〗개구리(충남·전북).

깨구랭이 명 〈방〉〖동〗개구리(경북).

깨구리 명 〈방〉〖동〗개구리(경기·경상·전라·충청·강원).

깨굴창 명 〈방〉 개울(전남).

깨금 명 〈방〉 개암❶(강원·충청·전라·경상).

깨금-발 명 한 발을 들고 한발로 섬. 또는 그런 자세. 깨끼발.

깨까달-스럽다 형 〈방〉 까다롭다(경북).

깨까드랍다 형 〈방〉 까다롭다(경남).

깨까드럽다 형 〈방〉 까다롭다(충남·경남).

깨깔스럽다 형 〈방〉 까다롭다(경북).

깨깨[1] 부 몹시 여위어 마른 모양. ¶ 오래 앓고 난 사람같이 ~ 말랐다.

깨:깨[2] 부 어린아이가 듣기 싫게 우는 소리.

깨깨-송꾸락 명 〈방〉 새끼손가락(전남).

깨:꺼름 명 ☞앙감질. ——-하다 자

깨꼬눈이 명 〈방〉 애꾸눈이(황해).

깨꼬리 명 〈방〉〖동〗개구리(경남).

깨-꽃 명〖식〗샐비어(salvia).

깨꾸지 명 〈방〉 깻묵.

깨끄랍다 형 〈방〉 까다롭다(경상).

깨끄럽다 형 〈방〉 까다롭다(경북).

깨끄름-하다 형 〈방〉 꺼림하다(전남·경남).

깨끔 명 〈방〉 개암❶(전북).

깨끔발-싸움 명 〈방〉 닭싸움.

깨끔-스럽다 형ㅂ불 깨끗하고 아담스럽다. 깨끔-스레 부

깨:끔-질 명 〈방〉 앙감질. ——-하다 자

깨끔-찮다 [一찬타] 형 ↗깨끔하지 아니하다.

깨끔-하다 형여불 깨끗하고 아담하다. ¶ 방이 ~. 깨끔-히 부

깨끗다 형 ↗깨끗하다.

깨끗-이 부 깨끗하게.

깨끗-잖다 [一잔타] 형 ↗깨끗하지 아니하다.

깨끗-하다 형여불 ①맑고 정하다. 더럽지 않다. ¶ 깨끗한 마음/깨끗한 물. ②잘 정리되거나 정돈되어 있다. 또, 단정하다. ¶ 깨끗한 방/깨끗한 원고/깨끗한 옷매무새. ③정정 당당하다. ¶ 깨끗한 승부. ④아무 것도 없이 텅 비다. ¶ 밥 그릇을 깨끗이 비웠다. ⑤빛깔 따위가 선명하고 아름답다. ¶ 깨끗한 하늘/깨끗한 빛깔. ⑥결백하다. ¶ 나는 ~. ⑦병 같은 것이 나아서 완전하다. 말짱하다.

깨끗한 핵무기【一核武器】명 핵분열 반응에 의한 방사성 생성물을 적게 발생시키는 핵무기. 현재로는 수소 폭탄도 기폭(起爆) 때문에 핵분열이 불가피하므로 방사성 생성물을 전연 발생시키지 아니하는 것은 없음. 위력의 증가에 비하여 방사성 생성물의 양의 증가가 비교적 적

은 것을 이름.
깨끼 명 ①사(紗)붙이 옷감으로 안팎을 곱솔로 박아 솔기를 곱게 오리어 내어 옷을 짓는 일. ②↗깨끼옷.
깨끼-겹저고리 명 깨끼저고리.
깨끼-바지 명 깨끼옷으로 된 바지.
깨끼-발 명 깨금발.
깨끼-옷 명 옷의 안팎 솔기를 곱솔로 박아 지은 사(紗)붙이의 겹옷. 젊은 호사바치가 첫여름에 입음. ㊂깨끼.
깨끼-저고리 명 깨끼옷으로 된 저고리. 깨끼겹저고리.
깨끼-춤 명 난봉꾼이 술좌석 같은 데서 멋을 들이어 추는 춤의 한 가지.
-깨나 미 '어느 정도는'의 뜻. ¶돈~ 있겠다.
깨:-나다 자 ↗깨어나다.
깨나른-하다 형여불 기운이 없어 늘쩍지근하고 내키는 마음이 적다. <께느른하다.
깨나리 명〈방〉〖어〗양미리.
깨:다¹ ㊀ 자 ①잠이나 취한 술 기운이 저절로 사라져 정신이 맑아지다. ¶술이 ~. ②듣고 보고 배워 지혜가 열리다. ¶깬 사람. ㊁ 타 ①자던 잠을 그치다. ¶천둥 소리에 잠을 ~. ②↗깨우다.
깨다² 타 ①단단한 물체를 조각이 나게 하다. ¶유리창을 ~. ②일을 중간에서 못 이루게 하다. ¶계(契)를 ~/산통 ~/약속을 ~. ③어려운 벽을 뚫다. ¶세계 기록을 ~.
깨:다³ 피동 ①알이 깜을 당하다. ②살이나 재물 같은 것이 줄게 되다. ③〈속〉남에게 치거나 팸을 당하다.
깨다⁴ 사동 알을 까게 하다.
깨다롭다 형〈방〉까다롭다(경상).
깨다리 명〈방〉〖식〗누리장나무.
깨다시긴날개-멸구 명〖충〗[*Pamendanga rubilin*] 멸굿과에 속하는 곤충. 작고 연약하며 몸길이는 3.5-4mm, 시단(翅端)까지는 9-10mm임. 몸빛은 담황색인데, 날개는 유백색이고, 반투명에 담갈색의 구름 무늬가 있고 뒷날개도 유백색(乳白色)에 담갈색의 무늬가 있음. 한국·대만·일본 등지에 분포함. 날개강충이.

〈깨다시긴 날개멸구〉

깨다시-꽃게 명〖동〗[*Ovalipes punctatus*] 꽃겟과에 속하는 연체 동물(軟體動物). 등딱지의 길이 45mm, 폭 56mm 가량이고, 두흉갑(頭胸甲)은 부채 모양이며, 표면에 털이 없고 작은 과립(顆粒)이 덮여 있음. 전측연(前側緣)과 이마에는 각각 다섯 개의 삼각치(三角齒)가 있음. 전 세계에 분포함.
깨-다식【—茶食】 명 깨를 꿀이나 조청에 반죽하여 다식판에다 박아 낸 다식. *흑임자(黑荏子) 다식.
깨단-하다 타여불 오래 생각되지 아니하던 것을 어떤 실마리로 인하여 환하게 깨닫다.
깨닫다 타ㄷ불 ①깨치어 환하게 알아 내다. ②몰랐던 사정 따위를 알아채다. ¶잘못을 ~. ③감각 따위를 느끼거나 알게 되다. ¶위기를 ~.
깨달- 간 '깨닫다'의 불규칙 어간. ¶~아/~으니.
깨달은-이 명〖불교〗각자(覺者)❷.
깨달음 명 ①이해함. 알게 됨. 또, 알아차림. ②〖불교〗미혹(迷惑)에서 헤어나 진리(眞理)를 터득함. ¶~의 경지에 이른 고승.
깨동 명〈방〉개암❶(경남).
깨-두드리다 타 두드리어 깨뜨리다. ㅆ깨뚜드리다.
깨드득 부 단단한 물체가 외부의 강한 힘에 눌리어 깨지는 소리. ——하다 자여불
깨드랍다 형〈방〉까다롭다(제주).
깨-떡 명 떡가루를 시루에 안치고 깨를 덮어서 찐 시루떡. 호마병(胡麻餠).
깨똥-벌 명〈방〉〖충〗개똥벌레(전북).
깨똥-벌거지 명〈방〉〖충〗개똥벌레(전북·경남).
깨똥-불 명〈방〉반딧불(전북).
깨똥-파리 명〈방〉〖충〗개똥벌레(황해).
깨-뚜드리다 타 뚜드리어 깨뜨리다. ㅅ깨두드리다.
깨뜨러-지다 자 '깨지다'의 힘줌말.
깨-뜨리다 타 '깨다²'의 힘줌말.
깨뜰-배기 명〈방〉〖충〗개똥벌레.
깨띠-벌기 명〈방〉〖충〗개똥벌레(평안).
깨랑-창 명〈방〉개골창.
깨름-하다 형〈방〉꺼림하다(전남·경남).
깨림-하다 형〈방〉꺼림하다(전남·경상).
깨:말 명〈방〉개암❶(함경).
깨목 명〈방〉깜부기(전남·경남).
깨-몽둥이 명〈방〉깨엿.
깨무래기 명〈방〉깜부기(전북).
깨물다 타 위아랫니가 맞닿도록 세게 물다. 깨지게 물다. ¶혀를 ~/조심스럽게 한숨을 깨무는 것을 자주 알아차릴 수 있었다《辛相雄 : 배회》.
깨:미 명〈방〉①〖충〗개미²(전남·경남). ②개암❶(함경).
깨-바심 명〈방〉깨고물.
깨반-하다 형〈방〉개운하다(경상).
깨배다 타〈방〉깨우다.
깨-보송이 명〈방〉깨소금.
깨-보숭이 명 ①들깨의 꽃송이와 찹쌀 가루를 버무리어서 기름에 튀긴 반찬. ② ☞깨소금. ③ ☞깨고물.
깨-부수다 타 ①깨어서 부수다. ②무슨 일을 이룩하지 못하도록 방해하다.
깨분-하다 형〈방〉개운하다(경상).
깨빈-하다 형〈방〉개운하다(경북).
깨삐 명〈방〉고삐(전남).
깨-새 명〖조〗☞박새².
깨-설기 명 ☞깨떡.
깨-소금 명 참깨를 볶아 소금을 치고 빻은 양념.
깨소금 맛 구 남의 불행이 통쾌하고 고소하다는 말.
깨-송이 명〈방〉깨보숭이.
깨-씹다 타 ☞되씹다. ¶제손으로 다 해주고 난 지금에 와서 그야말로 계집애같이 또 깨씹고 하면 뭘 하는 거냐《李周洪 : 신화》.
깨-알 명 깨씨의 낟알.
깨알 같다 형 깨알처럼 아주 잘게 보이다. ¶깨알 같은 글씨.
깨알-같이 [—가치] 부 깨알처럼. 깨알 같게.
깨알-물방개 명〖충〗[*Laccophilus difficilis*] 물방갯과에 속하는 곤충. 몸길이 4-5mm이고, 몸빛은 황갈색으로 시초(翅鞘)는 암황갈색 또는 칙칙한 갈색이며, 촉각·수염 및 몸의 하면과 다리는 황색임. 못이나 늪에 서식하는데, 한국·일본·중국에 분포함.
깨알-소금쟁이 명〖충〗[*Microvelia douglasi*] 깨알소금쟁잇과에 속하는 곤충. 몸길이 1.8-2mm이고, 몸빛은 흑색 또는 갈색이며, 반시초(半翅鞘)의 시맥(翅脈)은 암갈색, 바탕은 백색과 담갈색이 섞이어 있음. 날개가 없는 개체도 있음. 못이나 괸 물 위에 군서(群棲)하는데, 한국·일본에 분포함.
깨알소금쟁잇-과【—科】 명〖충〗[Veliidae] 매미목(目)에 속(屬)하는 한 과. 전흉배판의 어깨가 넓고 뒷다리의 퇴절(腿節)이 꼬리 끝까지 달하지 아니함. 수서(水棲) 곤충임.
깨암 명〈방〉개암❶(경상).
깨앙 명〈방〉개암❶(경북).
깨애리 명〈방〉꾸러미.
깨앨타 형〈방〉게으르다(경남).
깨양 명〈방〉개암❶(경상).
깨어-나다 자 ①잠이나 꿈 속에서 평시로 돌아오다. ¶꿈에서 ~. ②마취·혼절(昏絶) 등으로 잃었던 의식을 회복하다. ¶술에서 ~. ③방탕한 사람이 올바른 마음으로 돌아오다. ④변하였던 빛이 본색을 나타내다. ⑤미개한 상태에서 문명한 상태로 되다. ㊂깨나다.
깨어-지다 자 ①단단한 물건이 부딪치어 쪼개지거나 갈라지다. ¶그릇이 ~. ②일이 틀어지다. ¶혼담(婚談)이 ~/균형이 ~. ③얻어맞거나 부딪쳐 상처를 입다. ¶이마가 ~. ④어떤 난관이나 기록 따위가 돌파되다. ¶한 시간대의 벽이 ~/세 시간의 최장 기록이 ~. ⑤〈속〉패배하다. ¶농구 시합에서 A팀이 B팀에 ~. ㊂깨지다.
[깨어진 그릇 맞추기] 한번 그릇된 일은 다시 본래대로 돌리려고 애써도 불가능하다는 말. [깨어진 냄비와 꿰맨 뚜껑] 각각 한 가지씩 허물이 있어 피차에 흉볼 수 없이 된 사이.
깨어진 그릇 구 다시 어떻게 수습할 수 없게 망그러진 사태를 이르는 말.
깨-엿 명 볶은 깨를 거죽에 묻힌 엿.
깨오락지 명〈방〉〖동〗개구리(전라).
깨온-하다 형〈방〉개운하다(경남).
깨우다 타 잠이나 술에서 깨게 하다. ¶두들겨 ~. ㊂깨다.
깨우치다 타 모르는 사리를 깨닫게 하여 주다. ¶문맹인(文盲人)에게 한글을 ~.
깨운-하다 형〈방〉개운하다(충청·전북·경상).
깨울 명〈방〉개울(전남).
깨울창 명〈방〉개울(전북).
깨이 명〈방〉팽이¹(경상).
깨이다¹ 자〈방〉깨다²❶❷.
깨이다² 자〈방〉①깎이다. ②줄어지다.
깨이다³ ㊀ 피동 ①자다가 깨움을 당하다. ¶잠에서 ~. ② ☞깨다³. ㊁ 사동 ☞깨다⁴.
깨인-자갈 명〖건〗잘게 깬 자갈돌. 콘크리트용으로 쓰임.
깨인-하다 형〈방〉개운하다(경북).
깨-자반【—佐飯】 명〈방〉깨보숭이.
깨작-거리다¹ 자타 글씨를 정신들이지 아니하고 쓰기 싫어서 억지로 자꾸 쓰다. <끼적거리다. 깨작-깨작¹ 부. ——하다¹ 자타여불
깨작-거리다² 타 ↗깨지락거리다. <께적거리다. 깨작-깨작² 부. ——하다² 타여불
깨작-대다 타 깨작거리다¹·².
깨작-이다 자타 글씨를 정신들이지 아니하고 쓰기 싫어서 억지로 쓰다. <끼적이다.
깨적-거리다 타 깨작거리다¹·². 깨적-깨적 부. ——하다 타여불
깨적-대다 타 깨적거리다.
깨접다 형〈방〉가깝다(전남).
깨-주무이 명〈방〉호주머니(경남).
깨-죽【—粥】 명 껍질을 벗긴 참깨에 찹쌀을 섞어 갈아서 쑨 죽. 호마죽(胡麻粥).
깨죽-거리다 ㊀ 자 불평스러운 말로 자꾸 되씹어 종알거리다. <께죽거리다. ㊁ 타 음식을 먹기 싫은 태도로 자꾸 되씹다. <께죽거리다. 깨죽-깨죽 부. ——하다 자타여불
깨죽-대다 자타 깨죽거리다.
깨:-지다 자 ↗깨어지다.
깨지락-거리다 자타 먹는 것이나 하는 것에 정신을 온전히 쓰지 아니하고 마음에 들지 아니하는 것처럼 게을리하다. ㊂깨작거리다·깨질거리다. <께지럭거리다. 깨지락-깨지락 부. ——하다 자타여불
깨지락-대다 자타 깨지락거리다.
깨지-벌기 명〈방〉〖충〗개똥벌레.
깨질-거리다 자타 ↗깨지락거리다. 깨질-깨질 부. ——하다 자타여불
깨질-대다 타 깨질거리다.
깨찌-버리 명〈방〉〖충〗개똥벌레.
깨-춤 명 깨가 톡톡 튀듯, 몸피 작은 사람이 까불어대는 짓의 비유.
깨춤(을) 추다 구 몸피 작은 사람이 톡톡 까불어대다. ¶천지를 모르고 깨춤을 추는군.
깨치다¹ 타 깨달아 사물의 이치를 알게 되다.
깨치다² 타 ☞깨뜨리다.
깨토리 명〈방〉까투리(전북).
깨-트리다 타 깨뜨리다.

깨-편 명 〈방〉 깨떡.

깨-풀 명 〖식〗 [*Acalypha australis*] 깨풀과에 속하는 일년초. 줄기 높이 30cm 내외이고, 잎은 호생하여 팽나무 잎 비슷하고 유병(有柄)에 달걀꼴의 긴 타원형 또는 난상 피침형(披針形)임. 7-8월에 자웅 일가(雌雄一家)로 된 갈색의 꽃이 수상(穗狀) 화서로 액출(腋出)하고, 과실은 삭과(蒴果)임. 논밭이나 길가에 나는데 한국·일본 및 동부 아시아의 온대에 분포함. 어린 잎은 식용함. 철현채(鐵莧菜).

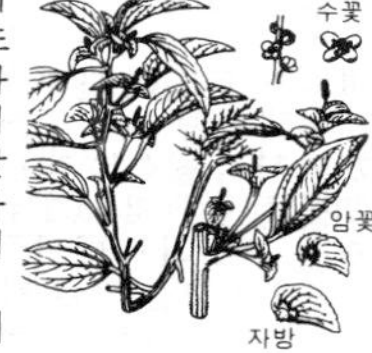

〈깨풀〉

깨풀-과【─科】 [─꽈] 명 〖식〗 [Acalyphaceae] 쌍자엽 식물에 속하는 한 과. 깨풀·산쪽풀 등이 있음.

꺅 부 급소(急所)에 충격을 받아 갑자기 되게 지르는 소리. <끽. ──하다 자여불

꺅-꺅 부 꺅꺅거리는 소리. <끽끽. ──하다 자여불

꺅꺅-거리다 자 '꺅' 소리를 자꾸 내다. <끽끽거리다.

꺅꺅-대다 자 꺅꺅거리다.

꺅-소리 명 다소라도 반항하는 소리. 다음에 반드시 부정(否定)이나 금지하는 말이 따름. ¶ ~ 못 하다/~ 마라. <끽소리. *꽥소리.
꺅소리(도) 못: 하다 구 한 마디 반항하는 소리도 못 지르다.

깰깩-거리다 자 목구멍이 버찼다가 터져 깰깩 소리를 자꾸 내다. <낄끽거리다. 깰깩-깰깩 부. ──하다 자여불

깰깩-대다 자 깰깩거리다.

깰-깰 부 깰깰거리는 소리. ㅆ캘캘. <낄낄. ──하다 자여불

깰깰-거리다 자 입 밖으로 내지 않으려고 애쓰면서 입 속으로 자꾸 새된 소리를 내며 웃다. ㅆ캘캘거리다. <낄낄거리다.

깰깰-대다 자 깰깰거리다.

깰:받다 형 〈방〉 게으르다(경상).

깸: 명 〈방〉 개암❷(함경).

깸치 명 〈방〉 개미[1].

깻-국 명 참깨를 갈아서 그 국물에 갖은 고명을 하여 만든 음식. 지마 냉탕(芝麻冷湯).

깻날 같다 형 〈방〉 깨알 같다.

깻-묵 명 기름을 짜낸 깨의 찌끼. 유박(油粕). 탈지박.
【깻묵에도 씨가 있다】 없을 듯한 곳에도 혹 있을 수 있다는 말.

깻묵-내 명 깻묵에서 나는 냄새.

깻박-치다 타 주로 잣단 물건이 담긴 그릇을 떨어뜨리어 속엣것이 산산이 흩어지게 만들다.

깻-송이 명 깨의 이삭.

깻-잎 [─닙] 명 깨의 잎사귀.

깻잎-쌈 [─닙─] 명 들깨 잎에 밥을 싸 먹는 쌈. 어린 들깨 잎을 날것으로 또는 쪄서 싸 먹거나, 고추장이나 된장에 담가 두었다가 먹기도 함.

깻지버리 명 〈방〉 〖충〗 개똥벌레(함경).

깽 부 몹시 아프거나, 무엇에 부대끼거나 하여 강한 힘을 쓸 때 내는 소리. <낑.

깽그리 부 〈방〉 깡그리.

깽-깽[1] 부 깽깽거리는 소리. <낑낑·끙끙 ──하다 자여불

깽깽[2] 부 ☞깨깨[2].

깽깽-거리다 자 ①몹시 아프거나 부대끼거나 하여 자꾸 강한 힘을 쓸 때, 잇따라 깽 소리를 내다. <낑낑거리다·끙끙거리다. ②강아지 따위가 자꾸 깽깽 소리를 내다.

깽깽-대다 자 깽깽거리다.

깽깽-매미 명 〖충〗 [*Tibicen japonicus*] 매밋과에 속하는 곤충. 몸길이 40-43mm이고, 몸빛은 흑색에 황록색 또는 적갈색의 반문이 있고, 복부 하면은 대부분이 황갈색임. 7-8월에 나와 산지(山地)에 서식하며 '기야 기야' 하고 욺. 한국에도 분포함. 깽깽이.

〈깽깽매미〉

깽깽이[1] 명 〖충〗 깽깽매미.

깽깽-이[2] 명 〈속〉 '-ㄴ다니까'의 뜻으로 '-ㄴ단깽'이라는 사투리를 쓴다하여 전라도 사람을 놀리는 별명.

깽깽이-풀 명 〖식〗 [*Plagiorhegma dubium*] 매자나뭇과에 속하는 다년초. 지상경(地上莖)이 없고 단경(短莖)은 땅으로 뻗으며, 주근(主根)은 경질(硬質)인데 수근(鬚根)이 많음. 잎은 총생(叢生)하며, 잎꼭지는 길이 2.5cm로 단엽(單葉)임. 잎이 피기 전에 뿌리에서 한두 개의 화경(花莖)이 나와 4-5월에 자홍색의 꽃이 줄기 끝에 한 송이씩 피고, 열매는 삭과(蒴果)임. 산지에 나는데, 한국 중부 이북 등지에 분포함. 뿌리는 약용함. 조황련(朝黃蓮).

〈깽깽이풀〉

깽비리 명 〈속〉 ①작은 사람이나 어린아이들을 낮추어서 이르는 말. ②하찮것 없는 사람을 이르는 말. ¶ ~ 같은 놈이 덤벼든다.

깽이 명 〈방〉 괭이(전남·경상).

꺄:룩 부 무엇을 내다보거나, 목구멍에 걸린 것을 삼키려 할 때, 목을 길게 빼어 앞으로 쑥 내미는 모양. <끼룩[2]. ──하다 타여불

꺄:룩-거리다 자타 무엇을 내다 보거나, 목구멍에 걸린 것을 삼키려 할 때 목을 길게 빼어 앞으로 자꾸 내밀다. <끼룩거리다[2]. 꺄룩-꺄룩 부. ──하다 자타여불

꺄:룩-대다 자타 꺄룩거리다.

꺄우듬-하다 형여불 조금 꺄웃하다. ㄴ갸우듬하다. <끼우듬하다. 꺄우듬-히 부

꺄우뚱 부 물체가 한쪽으로 꺄우듬히 기울어진 모양. ㄴ갸우뚱. <끼우뚱. ──하다 자타형여불

꺄우뚱-거리다 ㊀ 자 몸이나 물체가 이쪽저쪽으로 기울어지게 흔들리다. ㄴ갸우뚱거리다. <끼우뚱거리다. ㊁ 타 몸이나 물체를 이쪽저쪽으로 기울어지게 흔들다. ㄴ갸우뚱거리다. <끼우뚱거리다. 꺄우뚱-꺄우뚱 부. ──하다 자타여불

꺄우뚱-대다 자타 꺄우뚱거리다.

꺄우스름-하다 형여불 꺄웃한 듯하다. ㄴ갸우스름하다. <끼우스름하다. 꺄우스름-히 부

꺄울다 자형 수평이 아니 되고 한 편이 조금 갸울다. ㄴ갸울다. <끼울다.

꺄울어-뜨리다 타 힘있게 꺄울이다. ㄴ갸울어뜨리다. <끼울어뜨리다.

꺄울어-지다 자 한쪽으로 조금 꺄울게 되다. ㄴ갸울어지다. <끼울어지다.

꺄울어-트리다 타 꺄울어뜨리다.

꺄울이다 타 꺄울게 하다. ㄴ갸울이다. <끼울이다.

꺄웃 부 고개를 조금 꺄울이는 모양. 또, 조금 꺄운 모양. ㄴ갸웃. <끼웃. ──하다[1] 자타여불

꺄웃-거리다 자타 무엇을 보려고 자꾸 고개를 갸울거나 고개를 갸울이다. ㄴ갸웃거리다. <끼웃거리다. 꺄웃-꺄웃 부. ──하다 자타여불

꺄웃-대다 자타 꺄웃거리다.

꺄웃-이 부 꺄웃하게. ㄴ갸웃이. <끼웃이.

꺄웃-하다[2] ㊀ 타여불 조금 갸울이다. ㄴ갸웃하다[2]. <끼웃하다[2]. ㊁ 형여불 조금 갸울어져 있다. ㄴ갸웃하다[2]. <끼웃하다[2].

꺅: 부 ①위급할 때 놀라서 부르짖는 소리. ¶ ~ 소리를 치고 죽다. ②먹은 음식이 목까지 찬 모양. ──하다 자여불

꺅:-꺅 부 짐승 같은 것이 죽게 될 때 잇따라 지르는 소리. ──하다 자여불

꺅:꺅-거리다 자 짐승이 죽게 될 때 괴로워서 꺅꺅 소리를 자꾸 내다.

꺅:꺅-대다 자 꺅꺅거리다.

꺅-도요 명 〖조〗 [*Capella gallinago gallinago*] 도욧과에 속하는 새. 날개 길이 13cm 가량이고 부리는 5-7cm로 몹시 긺. 몸빛은 배면(背面)에 흑색에 황갈색·적갈색의 반문(斑紋)이 있고, 하면(下面)은 백색·갈색의 반문이 있음. 머리는 흑갈색에 담황갈색의 띠무늬가 길이로 세 줄 있음. 4-5월과 9-10월에 큰 떼를 지어 날아 와서 논·연못가에서 살며, 두세 마리씩 나뉘어 갈대밭이나 벼 그루에 숨어 다니며, 지렁이·곤충·잡초의 씨 등을 찾아 먹음. 동부 시베리아·베링·캄차카에서 번식하고 한국·중국·일본·말레이·인도·아프리카 등지에서 월동함. 고기 맛이 썩 좋아 야조(野鳥) 중에 가장 중요한 엽조(獵鳥)임. 메추라기도요. 전휼(田鷸).

〈꺅도요〉

꺅-소리 명 ☞꽥소리.
꺅소리 못: 하다 구 ☞꽥소리 못 하다.

꺅-차다 자 먹은 음식이 목까지 꽉 차다. *꽉 차다.

꺌:-꺌 부 암탉·갈매기 따위가 목청이 터질 듯 지르는 소리. ㄴ갈갈.

꺌:꺌-거리다 자 암탉이나 갈매기 따위가 새되게 우짖는 소리를 자꾸 내다. ㄴ갈갈거리다.

꺍-하다 [꺅카─] 형여불 ①더 들어갈 수 없다. 능준하다. ②더 먹을 수 없이 부르다.

꺼 준 ①'끄다'의 활용(活用)된 '끄어'의 준말. ¶ 불을 ~라. ②'끗다'의 불규칙 활용된 '끄어'의 준말. ¶ 이리로 ~ 오너라.

꺼:갱이 명 〈방〉 〖동〗 지렁이(경상).

꺼귀-꺼귀 부 입을 천천히 놀리며 무엇을 씹는 꼴. ¶ 어떤 장교는 입에 음식을 ~ 씹으며 나왔다《洪命憙: 林巨正》.

꺼:깨이 명 〈방〉 〖동〗 ①지렁이(경북). ②거위[2](경북).

꺼깽이 명 〈방〉 〖동〗 ①지렁이(경북). ②거위[2](경북).

꺼:껭이 명 〈방〉 〖동〗 거위[2](경북).

꺼꾸러-뜨리다 타 ☞거꾸러뜨리다.

꺼꾸러-지다 자 ①꺼꾸로 넘어지거나 엎어지다. ②〈속〉 죽다. ③〈속〉 실패하다. 1)-3): ㄴ거꾸러지다. >까꾸러지다.

꺼꾸로 부 차례나 방향이 반대로 바뀌게. ㄴ거꾸로. >까꾸로

꺼꾸루 부 〈방〉 거꾸로.

꺼:꾸리 명 〈방〉 〖동〗 지렁이(경북).

꺼꾸지 명 〈방〉 꺾꽂이.

꺼꿀루 부 〈방〉 거꾸로.

꺼:꿍이 명 〈방〉 〖동〗 지렁이(경상).

꺼:꿩이 명 〈방〉 〖동〗 지렁이(경북).

꺼끄랭이 명 〈방〉 까끄라기(강원).

꺼끄러기 명 벼나 보리 등의 수염 또는 그 동강. 준꺼러기·꺼럭. >까끄라기.

꺼끄러미 명 〈방〉 꺼끄러기.

꺼끄럽다 형ㅂ불 ☞껄끄럽다.

꺼끌-꺼끌 부 ☞껄끔껄끔. ──하다 자여불

꺼끌-복 명 〖어〗 [*Tetraodon aerostaticus*] 참복과에 속하는 바닷물고기. 몸 전체에 센 가시가 있는데, 몸빛은 암갈색(暗褐色)으로, 등 쪽과 꼬리지느러미에는 눈알보다 작은 대소의 검은 반점이 많음. 배 쪽은 백색으로 흑색대(黑色帶)가 세로로 있고, 항문과 배 쪽의 가시는 검음. 부산에 흔하고, 일본 중부 이남·중국 남해·동인도에까지 분포함.

꺼끔-하다 타 〈방〉 꺼림하다(강원).

꺼끙-그리다 타 겉곡을 방아에 조금 쓿어 내다.

꺼:내다 타 〔←끄어내다〕 ①끌어서 밖으로 내다. ¶ 돈을 ~. ②이야기 따위를 시작하다. ¶ 천천히 말을 꺼내기 시작했다.

꺼:-내리다 타 〔←끄어내리다〕 끌어서 아래로 내리다.

꺼:-다리다 타 〈방〉 꺼당기다.

꺼:-당기다 타 〔←끄어당기다〕 끌어서 앞으로 당기다.

꺼덕-꺼덕 부 물기가 거의 말라 가는 모양. 꾸덕꾸덕. ¶ 빨래가 ~ 마르다. ㄴ거덕거덕. >까닥까닥[3]. ──하다 형여불

꺼덕-치다 형 모양이 상스럽거나 거칠어 몹시 어울리지 아니하다. ㄴ거덕치다.

꺼:-두르다 타르불 ①끌어 잡고 함부로 휘두르다. ②움켜 잡고 함부로 휘두르다. ¶ 머리채를 잡고 ~. 준꺼둘다.

꺼:-둘다 타 ↗꺼두르다.
꺼:-둘리다 피동 남에게 꺼두름을 당하다. ¶ 멱살이 ~.
꺼드럭-거리다 자 몹시 경솔하고 무례하며 방자(放恣)하게 행동하다. 준꺼들거리다. ㅅ거드럭거리다. >까드락거리다. 꺼드럭-꺼드럭 부. ──-하다 자여불
꺼드럭-대다 자 꺼드럭거리다.
꺼득-꺼득 부 〈방〉 꺼떡꺼떡. ──-하다 형
꺼들-거리다 자 ↗꺼드럭거리다. ¶ 버릇없이 ~. ㅅ거들거리다. >까들거리다. 꺼들-꺼들 부. ──-하다 자여불
꺼:-들다 타 〔←끄어들다〕 끌어서 추켜들다.
꺼들-대다 자 꺼들거리다.
꺼:-들리다 피동 꺼듦을 당하다. 꺼둘리다. ¶ 머리채를 ~/즉시 포교들더러 끌어내다 두라고 일러서 서림이는 …다시 꺼들려 나왔다《洪命憙 : 林巨正》.
꺼들먹-거리다 자 신이 나서 호기롭고 교만하게 행동하다. ㅅ거들먹거리다. >까들막거리다. 꺼들먹-꺼들먹 부. ──-하다 자여불
꺼들먹-대다 자 꺼들먹거리다.
꺼:-들이다 타 〔←끄어들이다〕 끌어서 안으로 들이다.
꺼떡-거리다 자 ↗꺼뜨럭거리다. 꺼떡-꺼떡 부. ──-하다 자여불
꺼떡-대다 자 꺼떡거리다.
꺼뜨럭-거리다 자 신이 나서 건방지게 행동하다. 준꺼떡거리다. ㅅ거드럭거리다. >까뜨락거리다. 꺼뜨럭-꺼뜨럭 부. ──-하다 자여불
꺼뜨럭-대다 자 꺼뜨럭거리다.
꺼-뜨리다 타 불을 잘못하여 꺼지게 하다. ¶ 난롯불을 ~.
꺼러기¹ 명 〈방〉 껑거리.
꺼:러기² 명 ↗꺼끄러기.
꺼러 매다 타 〈방〉 꿰매다.
꺼럭¹ 명 〈방〉 ①까끄라기(전북). ②털(제주).
꺼:럭² 명 ↗꺼끄러기.
꺼레-질 명 〈방〉 〖농〗 걸기질.
꺼룸-하다 형 〈방〉 꺼림하다(충북).
꺼름-하다 형 〈방〉 꺼림하다(충남·전라).
꺼:리 명 〈방〉 껑거리.
꺼:리다 타 해될까 하여 싫어하다. ¶ 그는 사람이 찾아가는 것을 꺼린다.
꺼림직-하다 형여불 ☞꺼림칙하다.
꺼림칙-이 부 꺼림칙하게.
꺼림칙-하다 형여불 매우 꺼림하다.
꺼림-하다 형여불 마음에 뉘우쳐지는 언짢은 느낌이 있다. 께름하다. ¶ 꺼림한 것을 먹다.
꺼머멀쑥-하다 형여불 꺼멓고 멀쑥하다. ㅅ거머멀쑥하다. >까마말쑥하다.
꺼머무트름-하다 형여불 얼굴이 조금 검고 투실투실하다. ㅅ거머무트름하다. >까마무트름하다.
꺼머번드르-하다 형여불 꺼멓고 번드르르하다. ㅅ거머번드르하다. >까마반드르하다.
꺼머번지르-하다 형여불 꺼멓고 번지르르하다. ㅅ거머번지르하다. >까마반지르하다.
꺼먹- 두 ☞까막-.
꺼먹-꺼먹 부 〈방〉 끄먹끄먹. ──-하다 자타
꺼먹-깨 명 〈방〉 주근깨(충남·경남).
꺼멍¹ 명관 〈방〉 껌정.
꺼멍² 명 〈방〉 그을음(전북·경북).
꺼멍이 명 〈방〉 껌정이.
꺼:멓다 〔-머타〕 형ㅎ불 정도가 조금 지나치게 검다. ㅅ거멓다. >까맣다¹.
꺼:메-지다 자 빛이 꺼멓게 되다. ㅅ거메지다. >까매지다.
꺼무끄름-하다 형여불 어둡게 조금 검다. ㅅ거무끄름하다. >까무끄름하다.
꺼무데데-하다 형여불 품격이 천하게 꺼무스름하다. ㅅ거무데데하다. >까무대대하다.
꺼무뎅뎅-하다 형여불 격에 맞지 아니하게 꺼무스름하다. ㅅ거무뎅뎅하다. >까무댕댕하다.
꺼무레-하다 형여불 엷게 꺼무스름하다. ㅅ거무레하다. >까무레하다.
꺼무-스레 부 꺼무스름하게. ──-하다 형여불
꺼무스름-하다 형여불 조금 껌다. 조금 껌은 기가 나다. 준꺼뭇하다. ㅅ거무스름하다. >까무스름하다.
꺼무접접-하다 형여불 넓적한 얼굴이 곱지 않게 꺼무스름하다. ㅅ거무접접하다. >까무잡잡하다.
꺼무죽죽-하다 형여불 고르지 못하고 우중충하게 꺼무스름하다. ㅅ거무죽죽하다. >까무족족하다.
꺼무축축-하다 형여불 축축하고 꺼무스름하다. ㅅ거무축축하다. >까무촉촉하다.
꺼무충충-하다 형여불 충충하고 검다. ㅅ거무충충하다. >까무총총하다.
꺼무칙칙-하다 형여불 빛깔이 칙칙하게 검다. ㅅ거무칙칙하다. <까무칙칙하다.
꺼무튀튀-하다 형여불 흐리터분하게 꺼무스름하다. ㅅ거무튀튀하다. >까무퇴퇴하다.
꺼물-거리다 자 ①희미한 불빛이 사라질 듯 말 듯하다. ②멀리 있는 물건이 보일 듯 말 듯하다. ③정신이 희미하여 의식이 있는 둥 만 둥하다. 1)-3): ㅅ거물거리다. >까물거리다. 꺼물-꺼물 부. ──-하다 자여불
꺼물-대다 자 꺼물거리다.
꺼뭇-꺼뭇 부 점점이 껌은 모양. ㅅ거뭇거뭇. >까뭇까뭇. ──-하다 형여불
꺼뭇-하다 형여불 ↗꺼무스름하다. ㅅ거뭇하다. >까뭇하다.
꺼믄-깨 명 〈방〉 주근깨(경상).
꺼벅-거리다 자 '꾸벅거리다'의 홍보는 말. 꺼벅-꺼벅 부. ──-하다 자여불
꺼벅-대다 자 꺼벅거리다.
꺼:벙-이 명 꺼벙한 사람.
꺼:벙-하다 형여불 허위대는 크나 째이지 아니하고 엉성하다.

꺼:병이 명 ①꿩의 어린 새끼. ②외양이 잘 어울리지 아니하고 거칠게 생긴 사람.
꺼부러-뜨리다 타 꺼부러지게 하다. >까부라뜨리다.
꺼부러-지다 자 ①물건의 운두 같은 것이 차차 줄어지다. ②생기가 빠져서 몸이 구부러지다. 1)·2): >까부라지다¹.
꺼부러-트리다 타 꺼부러뜨리다.
꺼부레기 명 〈방〉 검불(경남).
꺼부지기 명 〈방〉 검불(경남).
꺼불 명 〈방〉 검불(경남).
꺼불-거리다 자타 자꾸 몹시 거령스럽게 까불다. ㅅ거불거리다. >까불거리다. 꺼불-꺼불 부. ¶ 헤드라이트가 차체의 요동으로 ~ 춤을 추었다《洪盛原 : 폭군》. ──-하다 자타여불
꺼불다 ㊀ 자 ①위아래로 느릿느릿 흔들리다. ②격에 맞지 아니하게 멋없이 경솔하게 행동하다. 1)·2): >까불다. ㊁ 타 위아래로 느릿느릿 흔들다. >까불다.
꺼불-대다 자타 꺼불거리다.
꺼:생이 명 〈방〉 〖동〗 ①회충(충남·전남). ②지렁이(전라).
꺼셍이 명 〈방〉 〖동〗 지렁이(전라).
꺼스라기 명 〈방〉 까끄라기(전남).
꺼스락 명 〈방〉 까끄라기(전남).
꺼스랑치 명 〈방〉 〖동〗 회충(전남).
꺼스러기 명 〈방〉 거스러미.
꺼스렁이 명 〈방〉 거스러미.
꺼스름 명 〈방〉 그을음(전남).
꺼슬-꺼슬 부 ①성질이 거친 모양. ②살결이 기름기가 없이 거친 모양. ③어떤 물건의 거죽이 매끄럽지 아니하고 매우 거친 모양. ¶ ~한 베옷. 1)-3): ㅅ거슬거슬. >까슬까슬. ──-하다 형여불
꺼시 명 〈방〉 〖동〗 회충(전북).
꺼시락 명 〈방〉 까끄라기(전남).
꺼시랑 명 〈방〉 〖동〗 회충(전북).
꺼시랑이 명 〈방〉 〖동〗 회충(전남).
꺼시랑치 명 〈방〉 〖동〗 거위²(전남).
꺼시랭이 명 〈방〉 〖동〗 ①지렁이(전남·경남). ②회충(전라).
꺼시러기 명 〈방〉 거스러미.
꺼시럼 명 〈방〉 그을음(경상).
꺼시렁이 명 〈방〉 거스러미.
꺼시름 명 〈방〉 그을음(경상).
꺼시이 명 〈방〉 〖동〗 ①지렁이(경남). ②회충(경상).
꺼실-꺼실 부 ☞꺼슬꺼슬. ──-하다 형여불
꺼싱이 명 〈방〉 〖동〗 ① 지렁이(경상). ②회충(경상).
꺼:-오다 타너라불 〔←끄어오다〕 앞으로 끌어서 오게 하다.
꺼:-올리다 타 〔←끄어올리다〕 당겨서 위로 올리다.
꺼위 명 〈방〉 〖조〗 거위¹(경기).
꺼이-꺼이 부 목을 놓아 통곡하는 소리나 모양. ¶ ~ 울다. *끄이끄이.
꺼입다 타 〈방〉 껴입다(경상).
꺼저기 명 〈방〉 거적.
꺼적 명 〈방〉 거적.
꺼정 조 〈방〉 까지.
꺼죽 명 〈방〉 거죽(전남·경상).
꺼지 조 〈방〉 까지.
꺼지다¹ 자 〔중세 : ᄢᅥ디다. *'ᄢᅥ'는 ᄡ-+-어〕 ①불 따위가 사라져 없어지다. ¶ 전등불이 ~. ②거품 따위가 스러지거나 가라앉다 ¶ 거품이 ~. ③노여움 따위가 진정되다. ¶ 분이 ~. ④목숨 따위가 끊어지다. ⑤〈속〉 흔히 명령형으로 쓰여, 눈앞에서 사라지다. ¶ 꺼져, 이 녀석아.
꺼지다² 자 ①겉이 우묵하게 들어가다. ¶ 배가 ~. ②바닥이 내려앉아 빠지다. ¶ 땅이 ~/방바닥이 ~.
꺼짓-부레기 명 〈방〉 거짓말(함남).
꺼짓-부리 명 〈방〉 거짓말(함남).
꺼치다 명 〈방〉 그치다(경상).
꺼치렁이 명 ☞거치렁이.
꺼치적-거리다 자 움직이는 곳에 방해스럽게 자꾸 여기저기 걸리고 닿치다. ㅅ거치적거리다. >까치작거리다. 꺼치적-꺼치적 부. ──-하다 자여불
꺼치적-대다 자 꺼치적거리다.
꺼칠-꺼칠 부 반드럽지 아니한 모양. ㅅ거칠거칠. >까칠까칠. ──-하다 형여불
꺼:칠-하다 형여불 살이 빠져 피부나 털에 윤기가 없다. ¶ 살갗이 ~. ㅅ거칠하다. >까칠하다.
꺼칫-거리다 자 촉각(觸覺)에 조금씩 거칠게 걸리다. ㅅ거칫거리다. >까칫거리다. 꺼칫-꺼칫 부. ──-하다 자여불
꺼칫-대다 자 꺼칫거리다.
꺼칫-하다 형여불 엉성하다. 여위고 윤기(潤氣)가 없어 앙그러지지 못하다. ㅅ거칫하다. >까칫하다.
꺼-트리다 타 꺼뜨리다.
꺼펑이 명 어떠한 물건 위에 덧씌워서 덮거나 가린 물건의 통칭.
꺼풀¹ 명 〔중세 : 거플←겊+-을〕 ①여러 겹으로 된 껍질이나 껍데기의 층(層). >까풀. ②〈방〉 껍질(경기·전남·경북).
꺼풀² 명 〈방〉 검불(경기·경남).
꺼풀-지다 자 껍질이나 껍데기 등이 뭉치어져서 꺼풀을 이루다. >까풀지다.
꺼품 명 〈방〉 거품(경기·강원·경상).
꺽: 부 ①트림하는 소리. ②〈방〉 꽉.
꺽꺽¹ 부 트림을 자꾸 할 때 나는 소리.
꺽:-꺽² 부 장끼의 울음 소리.
꺽꺽-거리다¹ 자 연해 꺽꺽 트림을 하다.
꺽:꺽-거리다² 자 장끼가 연해 꺽꺽 울다.

꺽꺽-대다[1] [자] 꺽꺽거리다[1].
꺽:꺽-대다[2] [자] 꺽꺽거리다[2].
꺽:꺽-푸드덕 [부] 장끼가 울며 홰치는 소리.
[꺽꺽푸드덕 장끼 갈 제 아로롱 까토리 따라가듯] 둘이 서로 붙어 다니며 떨어지지 아니함을 이름. ¶ 꺽꺽푸드덕 장끼 갈 제 아로롱 까토리 따라가듯 녹수 갈 제 원앙 가고 청개고리 소년 갈 제 실뱀 따라가고≪古本 春香傳≫.
꺽:꺽-푸드득 [부] ☞ 꺽꺽푸드덕.
꺽꺽-하다 [형][여불] 품질이나 성질이 억세어서 부드러운 맛이 없다.
꺽다리 [명] ↗키꺽다리.
꺽두 [명] ↗꺽두기[1]❷.
꺽두기[1] [명] ①〈속〉 아이들이나 여자들이 신는, 당혜(唐鞋) 본으로 되고 기름에 결은 가죽신. ②〈비〉 나막신. [준]꺽두.
꺽두기[2] [명] 〈방〉〘어〙 꺽저기.
꺽둑-거리다 [타] 잘고 굵음이 고르지 않게 함부로 썰다. >깍둑거리다.
꺽둑-대다 [타] 꺽둑거리다. 꺽둑-꺽둑 [부]. ——-하다 [타][여불]
꺽새 [명] 〈방〉〘식〙 억새(경기).
꺽-세다 [형] 꺾쇠 모양으로 껑껑하게 생기고 힘이 세다. ¶ 점잖으나마 꺽세디꺽센 목소리.
꺽저기 [명] 〘어〙 ① [*Coreoperca kawamebari*] 농어과에 속하는 민물고기. 쏘가리와 비슷하나 좀 작아 몸길이 15cm 내외이고, 몸빛은 갈색 바탕에 적색 가로줄이 있어 고움. 한국 서남해·동해 남부에 주입하는 하천에 분포함. 맛이 좋음. 선가어(船可魚). [준]꺽지. ②〈방〉 볼락.

〈꺽저기❶〉

[꺽저기 탕에 개구리 죽는다] 국을 끓이려고 꺽저기를 잡을 때, 개구리도 잡혀 죽는다는 뜻으로 아무 까닭 없이 억울하게 희생된다는 말.
꺽정이 [명] 〘어〙 ①[*Trachydermus fasciatus*] 둑중갯과에 속하는 물고기. 몸길이 15cm 내외이고, 머리는 평평함. 입이 크며 비늘이 작고 아가미 뚜껑에 네 개의 가시가 있는데 맨 위의 것이 가장 큼. 몸빛은 황적갈색을 띤 담갈색으로, 폭 넓은 네 개의 가로띠가 있고, 배 쪽은 흼. 한국 서해에 주입하는 하천의 하류, 중국·일본의 규슈 등지에 분포함. 식용함. ②〈방〉 꺽저기❶.

〈꺽정이❶〉

꺽죽-거리다 [자] 혼자 잘난 듯이 몸을 흔들며 떠들다. ¶ 여기까지 꺽죽거리며 따라온 여삼은 김계남 포에 배속이 되었다≪劉賢鍾 : 들꽃≫.
꺽죽-대다 [자] 꺽죽거리다.
꺽지 [명] 〘어〙 ①[*Coreoperca herzi*] 농어과에 속하는 민물고기. 몸길이 25cm 가량, 몸빛은 회갈색 바탕에 7-8개의 폭 넓은 짙은 빛깔의 가로띠가 있음. 보통, 수명은 5-6년 이상임. 하천의 중류(中流)에 군서(群棲)하며, 새우·곤충 등을 포식하는데, 한국 낙동강에서 압록강까지의 황해 및 남해에 주입하는 각 하천에 분포함. 맛이 있음. ②↗꺽저기❶.
꺽지다 [형] 억세고 용감하고 과단성이 있다.
꺽짓-손 [명] 억세어서 호락호락하지 아니한 수단.
꺽짓손(이) 세:다 [구] 사람을 휘어잡고 어려운 일을 감당할 만한 수단이 있다.
꺾-괄호【—括弧】[명] 〘인쇄〙 꺾쇠 묶음.
꺾-기 [명] ①유도에서, 상대방의 관절을 꺾거나 비틀어서 움직이지 못하게 하는 기술. ②〘경〙〈속〉 금융기관이 자금을 고객에게 빌려주면서 그 중의 일부를 예금하도록 하는 일.
꺾-꽂이 [명] 식물의 줄기나 가지를 잘라 흙에 꽂아서 살게 하는 일. 삽목(揷木). *휘묻이. ——-하다 [타][여불]

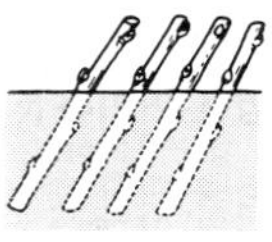
〈꺾꽂이〉

꺾꽂이-묘【—苗】[명] 삽목묘(揷木苗).
꺾꽂이-순 [명] 〘식〙 꺾꽂이할 목적으로 식물체(植物體)로부터 잘라 내어 접붙이도록 만든 순. 삽수(揷穗).
꺾는-목 [명] 〘악〙 전라도 민요·판소리·시나위·산조(散調) 따위에서, 본디 음보다 높이 낸 다음 끌어내리는 소리. 바탕음으로부터 5도 위의 음에서 하행(下行)할 때 많이 나옴. 아악곡(雅樂曲)의 퇴성(退聲)에 비교됨. 꺾는 소리. 상(上)퇴성.
꺾다 [타] 〔중세 : 겄다〕 ①나무의 가지 같은 것을 휘어 부러뜨리다. ¶ 꽃 가지를 ~. ②방향을 직각으로 돌리어 바꾸다. ¶ 핸들을 ~. ③접어 겹치다. ¶ 꺾어 넣다. ④제대로 말을 못하게 하거나 기운을 못 펴게 하다. ¶ 남의 기를 ~. ⑤마음을 굽히다. ¶ 고집을 ~. ⑥〘광〙 채광(採鑛)하는 데 그 경영 방법 또는 작업 방법을 변경하다.
꺾-대 [명] 외상을 치부하느라 싸릿대를 꺾어서 만드는 셈대.
꺾-쇠 [명] ㄷ'자 모양으로 된 쇠토막. 잇댄 두 개의 나무 같은 것을 벌어지지 아니하게 하는 데 씀. 설자(楔子).

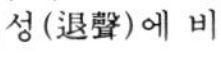
〈꺾쇠〉

꺾쇠 괄호【—括弧】[명] 〘인쇄〙 꺾쇠 묶음.
꺾쇠 구멍 [명] 꺾쇠를 박는 구멍.
꺾쇠 묶음 [명] 〘인쇄〙 〔 〕 모양의 묶음표. 수학(數學)에서 '대괄호(大括弧)'라 함. 꺾괄호. 꺾쇠 괄호. 각괄호(角括弧).
꺾쇠 치다 [타] 〈방〉 꺾자 치다.
꺾어 내다 [타] 나뭇 가지 같은 것을 휘어 부러뜨려 가리어 내다.
꺾어-지다 [자] ①부러져 동강이 나다. ②종이 같은 것이 모지게 접히다.
꺾은금 그:림표【—表】[명] 〘수〙 꺾은선 그래프.
꺾은-선【—線】[명] 〘수〙 여러 가지 길이와 방향을 가진 선분(線分)을 순차로 접선(接線)하여 얻어지는 선. 절선(折線).
꺾은선 그래프【—線—】〔graph〕 [명] 〘수〙 막대 그래프의 끝을 꺾은선으로 연결한 그래프. 시간의 경과에 따르는 양(量)의 변화 상태를 나타내는 데 편리함. 꺾은금 그림표. 절선(折線) 그래프.
꺾은-채 [명] 가마 같은 것의 채의 앞뒤에 가로지른 나무. *장채.
꺾음-살풀이 [명] 〘악〙 살풀이제 장단의 하나. 느리게 시작해서 나중에는 매우 빨라짐.
꺾이다 [피동] 꺾음을 당하다. ¶ 한번 혼나더니 기가 꺾이었다.
꺾임-꺾임 [부] 이리저리 꺾인 모양.
꺾임-새 [명] 꺾인 모양새.
꺾임-천장【—天—】[명] 〘고고학〙 양쪽 긴 벽 위에서 안쪽으로 비스듬히 돌을 올리고 다시 그 위에 수평되게 판돌을 얹은 천장.
꺾-자【—字】[명] ①〈폐〉 증서(證書) 같은 중요한 문서의 여백(餘白)이 있을 때에 '이상(以上)'의 뜻으로 쓰는 'ㄱ'자 모양의 부호(符號). ②글의 어떠한 줄이나 글자를 지워 버리기 위하여 그리는 줄.
꺾자 놓다 [구] 꺾자(를) 치다㉡.
꺾자(를) 치다 [구] ㉠〈폐〉 증서 같은 것의 중요 문서 여백에 꺾자를 그리다. ㉡글에서, 글줄이나 글자를 지워 버리기 위하여 꺾자를 그리다. 꺾자 놓다. ¶ 내가 다시 나타날 줄 알고 있었더냐, 아니면 아예 꺾자를 치고 있었더냐≪金周榮 : 客主≫.
꺾-창【—槍】[명] 〘고고학〙 ①무기의 한 가지. 한두 개의 가지가 있는 창. 과(戈). ②동과(銅戈).
껀둥-그리다 [타] 껀둥하게 수습하다. ㅅ건둥그리다. >깐둥그리다.
껀둥-껀둥 [부] 연해 껀둥그리는 모양. ㅅ건둥건둥. >깐둥깐둥.
껀둥-하다 [형][여불] 흐트러짐이 없이 잘 정돈되어 매우 헌칠하다. ㅅ건둥하다. >깐둥하다. 껀둥-히 [부]
껀떡-하면 [부] 〈방〉 걸핏하면.
껀정-이 [명] 〈방〉 껑충이.
껀정-하다 [형] 〈방〉 껑충하다.
껀터구 [명] 〈방〉 허물.
껄:갱이 [명] 〈방〉〘동〙 지렁이(경북).
껄거리 [명] 〈방〉 껑거리.
껄-그물 [—ㄲ—] [명] 〈방〉 망령그물.
껄:깨이 [명] 〈방〉〘동〙 회충(경북).
껄:깽이 [명] 〈방〉〘동〙 ①지렁이(경북·충북). ② 회충(경북).
껄껄 [부] ①우렁찬 목소리로 웃는 소리. >깔깔. ②〈방〉 꺽꺽.
껄껄 웃:다 [구] 껄껄 소리를 내어 웃다. >깔깔 웃다.
껄껄 웃음 [구] 껄껄 웃는 웃음.
껄껄-거리다 [자] 우렁찬 목소리로 못 참을 듯이 자꾸 웃다. >깔깔거리다.
껄껄-대다 [자] 껄껄거리다.
껄껄이-풀 [명] 〘식〙 [*Hieracium coreanum*] 꽃상춧과에 속하는 월년초(越年草). 줄기 높이 30~60cm 가량, 근생엽(根生葉)은 장병(長柄), 경엽(莖葉)은 무병(無柄)이며 긴 타원형임. 7-9월에 황색의 두상화(頭狀花)가 가지 끝에 달리는데 변화(邊花)는 설상화(舌狀花), 심화(心花)는 관상화(管狀花)이며, 과실은 수과(瘦果)임. 산지에 나는데 부전(赴戰)고원·백두산에 분포함. 어린 잎은 식용함.
껄껄-하다 [형][여불] ①물건의 거죽이 메마르고 거세어 반드럽지 못하다. 또, 그런 느낌이 들다.>깔깔하다. ②사람의 성미가 거세어서 부드럽지 못하다.
껄:께이 [명] 〈방〉〘동〙 지렁이(경북).
껄:꾕이 [명] 〈방〉〘동〙 지렁이(경북).
껄꾸리 [명] 〈방〉 갈고리(전남).
껄끄랭이 [명] 〈방〉 까끄라기(강원).
껄끄럽다 [형][ㅂ불] ①꺼끄러기 같은 것이 몸에 붙어서 살이 따끔거리다. ②껄껄하여 미끄럽지 못하다. 1)·2):>깔끄럽다. ③무난하거나 원만하지 못하다.
껄끄렁-베 [명] 올이 굵어서 바탕이 껄껄한 베.
껄끄렁-벼 [명] 잘 몽글리지 아니하여 꺼끄러기가 많이 섞인 벼. >깔끄랑벼.
껄끄렁-보리 [명] 잘 몽글리지 아니하여 꺼끄러기가 많이 섞인 보리.>깔끄랑보리.
껄끄렁이 [명] 〈방〉 꺼끄러기.
껄끔-거리다 [자] 껄끄럽고 뜨끔거리다. >깔끔거리다. 껄끔-껄끔 [부]. ——-하다 [자][여불]
껄끔-대다 [자] 껄끔거리다.
껄떡 [부] ①기력이 없어 입술을 다물지 못하고 겨우 혓몸만 약간 움직이어, 목구멍의 액체(液體)를 조금 삼키는 소리. ②곧 숨이 넘어갈 듯이 끊어졌다 이어졌다 하는 숨소리. ③생철 조각 또는 두꺼운 종이 같은 것의 얇고 빳빳한 물체의 바닥이 뒤집힐 때 나는 소리. 1)-3):>깔딱. ——-하다[1] [자타][여불]
껄떡-거리다 [一][자] ①기력이 없어 입술을 다물지 못하고 겨우 혓몸만 약간 움직이어 목구멍의 액체를 넘기는 소리가 나다. ②빳빳하고 얇은 물체의 바닥이 뒤집히는 소리가 나다. 1)·2):>깔딱거리다. ③〈방〉 걸근거리다. [二][타] 약한 숨을 끊어질 듯 말 듯하게 겨우겨우 끌어가다. 또, 그런 소리를 자꾸 내다. ¶ 숨을 ~. >깔딱거리다. 껄떡-껄떡 [부]. ——-하다 [자타][여불]
껄떡-대다 [자타] 껄떡거리다.
껄떡-이 [명] 음식이나 재물을 보고 함부로 욕심부리는 사람.
껄떡-이다 [자타] 껄떡거리다. ¶ 울음을 그치려고 애를 쓰면서도 말소리는 여전히 껄떡인다≪玄鎭健 : 無影塔≫.
껄떡-하다[2] [형][여불] ①피로하거나 병이 났을 때에, 눈 껍질이 걷어 달리고 눈알이 우묵하다. ②얼이 빠지다. 1)·2):>깔딱하다[2].
껄떼기[1] [명] 〘어〙 농어의 새끼.
껄떼기[2] [명] 〈방〉 딸꾹질.
껄뚱-아기 [명] 아직 어린 티를 벗지 못한 아이. ¶ 학교에 다녀왔니, 우리 ~.
껄럭껄럭-하다 [형] 〈방〉 껄렁껄렁하다.
껄렁껄렁-하다 [형][여불] 아주 탐탁하지 못하여 끌답지 아니하다. [준]껄렁하다.
껄렁-이 [명] 됨됨이나 하는 것이 껄렁껄렁한 사람.

껄렁-패【一牌】 명 껄렁껄렁한 사람의 무리.
껄렁-하다 형여불 ↗껄렁껄렁하다.
껄:리다 피동 〈방〉 끌리다.
껄:-머리 명 구식 혼인 때에, 신부 머리에 크게 땋아 그 위에 화잠을 꽂고, 늘여 대는 덧머리. 신부가 문에 들어설 때부터 대청에 오르는 동안 수종하는 사람이 받들어 대고 따라감.
껄뱅이 명 〈방〉 거지¹(경남).
껄:-영창【一映窓】〔-령-〕 명 〈방〉 끌영창.
껄쩍지근-하다 형 〈방〉 ①꺼림하다(전라). ②께적지근하다.
껄쭉-거리다 자 거칠고 세게 껄끔거리다. ＞깔쭉거리다. 껄쭉-껄쭉 부. └──-하다 자여불
껄쭉-대다 자 껄쭉거리다.
껄:채 명 〈방〉 머리채.
껄치 명 〖어〗 구굴무치.
껌: 명 〔chewing gum〕 삼키지 않고 씹기만 하는 과자. 입 안에서 얼마 동안 씹은 뒤에 고무 모양의 찌끼를 뱉어 버림. 사포딜라(sapodilla)의 수액(樹液) 치클이나 합성 수지에 당분·박하·향료 등을 가하여 맛을 낸 것. 1880년경 미국인이 발명함. 원말은 '추잉 검'.
껌걸-이 명 〈방〉 껑거리.
껌구다 타 〈방〉 검기다¹.
껌껌 나라 명 아주 껌껌하게 어두운 곳. ¶서울도 골목은 ~다.
껌껌-하다 형여불 〔'껌껌'은 '검검(←검+검)'의 센말〕 ①아주 어둡다. ¶껌껌한 골목. ＞깜깜하다. ②마음이 결백하지 못하다. ¶속이 껌껌한 사람. 1)·2):쓰컴컴하다.
껌:다〔-따〕 형 매우 검다. 스검다². ＞깜다².
껌뎅 명 〈방〉 그을음(전남).
껌뎅-약【一藥】〔-냑〕 명 〈방〉 아편.
껌둥- 관 빛이 껌은. 스검둥. ＞깜둥.
껌둥-개 명 털 빛이 꺼먼 개. 스검둥개. ＞깜둥개.
껌둥-이 명 ①피부가 꺼먼 사람을 놀림조로 이르는 말. ②'껌둥개'를 귀엽게 이르는 말. ③〈속〉 흑인. 1)-3):스검둥이. ＞깜둥이.
껌벅 부 끔벅.
껌벅-거리다 자타 끔벅거리다. 껌벅-껌벅 부. ──-하다 자타여불
껌벅-대다 자타 껌벅거리다.
껌벅-이다 자타 끔벅이다.
껌부기 명 〈방〉 깜부기(경상).
껌부락지 명 〈방〉 검불(경북).
껌부래기 명 〈방〉 검불(전남).
껌부재기 명 〈방〉 검불(강원).
껌장 명 〈방〉그을음(전남).
껌적-껌적 부 껌은 점이 굵게 여기저기 박이어 있는 모양. 스검적검적. ＞깜작깜작². ──-하다 형여불
껌정 명 꺼먼 빛이나 물감. 스검정. ＞깜장.
껌정-소 명 털 빛이 꺼먼 소.
껌정-이 명 껌정 빛의 물건. 스검정이. ＞깜장이.
껌직-하다 형 〈방〉 꺼림하다(경남).
껍닥 명 〈방〉 껍데기.
껍대기 명 〈방〉 껍데기(경기·강원·충청·전라·경상).
껍더기 명 〈방〉 껍데기
껍덕 명 〈방〉 껍데기.
껍덕지 명 〈방〉 껍데기.
껍데기 명 ①달걀·조개·단단한 과실 같은 것의 겉을 싼 단단한 물질. 각(殼). ¶겉~. ②속에 무엇을 채우고 그 겉을 싼 것. 이불~. 1)·2): ＞깝대기. ③화투에서, 끗수가 없는 화투장. 홑껍데기.
껍디 명 〈방〉 껍데기(경상).
껍디기 명 〈방〉 껍데기(경기·강원·충북·경상).
껍딩이 명 〈방〉 껍데기(경남).
껍따기 명 〈방〉 껍데기(전남).
껍딱 명 〈방〉 ①가죽¹(전라). ②껍데기(전라). ③겉(전남).
껍떠기 명 〈방〉 껍데기(경상).
껍떡 명 〈방〉 껍데기(전남).
껍떼기 명 〈방〉 겉(충남·전라·경남).
껍띠기 명 〈방〉 겉(경상).
껍신-거리다 자타 채신없이 꺼불거리다. ＞깝신거리다. 껍신-껍신 부. ──-하다 자타여불
껍신-대다 자타 껍신거리다.
껍적-거리다 자타 방정맞게 함부로 꺼불거리다.＞깝작거리다. 껍적-껍적 부. ──-하다 자타여불
껍적-대다 자타 껍적거리다.
껍주리 명 〈방〉 껍질.
껍죽 명 〈방〉 껍질(제주).
껍죽-거리다 자타 ①신이 나서 방정맞게 함부로 꺼불거리다. ②잘난 체하다. 1)·2):＞깝죽거리다. 껍죽-껍죽 부. ──-하다 자타여불
껍죽-대다 자타 껍죽거리다.
껍줄 명 〈방〉 껍질.
껍지 명 〈방〉 껍질.
껍질 명 〔근대 : 겁딜〕 딱딱하지 아니한 무른 물체의 거죽을 싸고 있는 질긴 물질의 켜. ¶사과 ~. ＞깝질.
【껍질 상치 않게 호랑이를 잡을까】 호랑이 가죽을 상하지 않고서 호랑이를 잡을 수 없다는 뜻으로, 힘들여 애쓴 다음에야 그 일을 이룰 수가 있다는 말. 【껍질 없는 털이 있을까】 '뿌리없는 나무가 없다'와 같은 뜻.
껍질-눈〔-룬〕 명 〖식〗 수목(樹木)의 껍질에 나는 눈. 피목(皮目).
껍질-막【一膜】 명 피막(皮膜).
껍질-박이 명 나무가 상하여 껍질이 벗겨졌을 때에, 그 껍질의 한 부분이 속으로 말려들면서 아물어 자란 부분.
껍질-켜 명 표피층(表皮層).
껍찌 명 〈방〉 껍질(경상).
-껏 미 ①명사 아래 붙어 '있는 대로 다하여', '한도까지'의 뜻을 나타내는 부사를 이루는 말. ¶정성~/힘~/욕심~. ②때를 나타내는 일부 부사에 붙어 '그 때까지'의 뜻을 나타내는 부사를 이루는 말. ¶아직~/여태~/이때~.
껏겅이 명 〈방〉 〖동〗 지렁이(경상).
껏구리 명 〈방〉 〖동〗 지렁이(경상).
껏두기 명 〈방〉 나막신(황해·평안).
껏-보리 명 〈방〉 〖식〗 귀리(전남).
껏지-버리 명 〈방〉 〖충〗 개똥벌레(함남).
껑¹ 명 〈속〉 거짓말. ¶~을 까다.
껑² 명 〈방〉 〖조〗 꿩(전남·경상).
껑거리 명 길마를 얹을 때에 소의 궁둥이에 막대를 가로 대고, 그 두 끝에 줄을 매어 길마 뒷가지에 좌우로 잡아매게 된 물건.
껑거리-끈 명 껑거리 막대의 두 끝에 맨 줄.
껑거리 막대 명 껑거리 끈에 매어 소의 궁둥이에 대는 막대.
껑-까다 자 〈속〉 거짓말을 하다.
껑껌-하다 형 〈방〉 껌껌하다.
껑껑 부 개가 몹시 짖는 소리.
껑더리-되다 자 오랫 동안 병을 앓거나 또는 심한 고생을 겪고 난 뒤에, 몹시 파리하여 뼈가 엉성하게 되다. 스겅더리되다.
껑뚱 부 치신머리 없이 가볍게 뛰는 모양. 스겅둥. ＞깡똥.
껑뚱-거리다 자 채신머리 없이 자꾸 가볍게 뛰다. 스겅둥거리다. ＞깡똥거리다. 껑뚱-껑뚱 부. ──-하다 자여불
껑뚱-대다 자 껑뚱거리다.
껑뚱-하다 형여불 아랫도리가 너무 드러날 정도로, 겉에 입은 옷이 짧다. ¶치마가 ~. 스겅둥하다. ＞깡똥하다.
껑지다 타 〈방〉 건지다.
껑짜-치다 형 면목이 없다. 열없고 어색하여 매우 거북하다.
껑쩡 부 긴 다리로 힘있게 내어 뛰는 모양. 스겅정. 쓰껑청. ＞깡짱.
껑쩡-거리다 자 긴 다리로 자꾸 힘있게 내어 뛰면서 걷다. 스겅정거리다. 쓰껑청거리다. ＞깡짱거리다. 껑쩡-껑쩡 부. ──-하다 자여불
껑쩡-대다 자 껑쩡거리다.
껑쭝 부 긴 다리로 힘있게 솟구어 뛰는 모양. 스겅중. 쓰껑충. ＞깡쫑.
껑쭝-거리다 자 긴 다리로 자꾸 힘있게 솟구어 뛰면서 걷다. 스겅중거리다. 쓰껑충거리다. ＞깡쫑거리다. 껑쭝-껑쭝 부. ──-하다 자여불
껑쭝-대다 자 껑쭝거리다.
껑청 부 긴 다리로 신이 나서 뛰는 모양. 스겅정. 쓰껑쩡. ＞깡창.
껑청-거리다 자 긴 다리로 신이 나서 자꾸 내어 뛰면서 걷다. 스겅정거리다. 쓰껑쩡거리다. ＞깡창거리다. 껑청-껑청 부. ──-하다 자여불
껑청-대다 자 껑청거리다.
껑충 부 ①신이 나서 긴 다리로 솟구어 뛰는 모양. 스겅중. 쓰껑쭝. ＞깡총. ②일정한 순서나 단계를 대번에 많이 걸러뛰는 모양. ¶쌀 값이 세 곱이나 ~ 뛰었다.
껑충-거리다 자 신이 나서 긴 다리로 자꾸 위로 솟구어 뛰면서 걷다. 스겅중거리다. 쓰껑쭝거리다. ＞깡총거리다. 껑충-껑충 부.──-하다 자여불
껑충-대다 자 껑충거리다.
껑충-이 명 키가 껑충하게 크고 마음이 허황한 사람.
껑충-하다 형여불 키 큰 사람이 다리가 길다. ＞깡총하다.
껑치 명 〈방〉 껑거리.
껑-하다 자여불 개가 '껑' 하고 코를 울리어 짖다.
꽃 명 〈방〉 겉(경남).
껕 명 〈방〉 겉(전남·경남).
께¹ 명 〈방〉 〖동〗 게².
께² 명 〈방〉 〖식〗 깨(전남).
께³ 조 '에게'의 높임말. ¶형님~ 드리겠다.
-께¹ 미 어떤 때나 곳을 중심잡아 그 가까운 무렵의 범위. ¶그믐~ 오너라/남대문~쯤 갔을 거다.
-께² 어미 '-ㄹ게'를 어리숭하게 나타내는 말. ¶다녀 오~ 기다려라/이제부터는 잘하~. *-ㄹ게·-으께.
께기¹ 명 〈방〉 고기¹(전남).
께기² 명 〈심마니〉 닭.
께까다롭다 형 〈방〉 까다롭다(경남).
께까드럽다 형 〈방〉 까다롭다(경남).
께께 명 영계 수컷이 우는 소리.
께꾸룸-하다 형 〈방〉 꺼림하다(충북·전북·경남).
께끄름-하다 형여불 께적지근하고 꺼림하여 마음이 내키지 아니하다. ¶남의 옷이라 입기가 ~. 준께끔하다. 께끄름-히 부
께끔-하다 형여불 ↗께끄름하다. 께끔-히 부
께끼-꾼 명 연자매로 곡식을 찧을 때 넉가래로 곡식을 뒤집는 사람.
께끼다 타 ①절구질할 때 확의 가로 솟아오르는 것을 안으로 쓸어 넣다. ②노래나 말을 할 때 옆의 사람이 도와서 잘 어울리게 하다. ③음식을 먹을 때, 순하게 넘어가지 않고 자꾸 목에서 걸리다.
께낑-꾼 명 〖민〗 어둥이놀이에서 주역(主役)인 어둥이의 상대역으로 나와 재담을 하는 호랑이.
께냉이 명 〈방〉 〖동〗 고양이(경남).

께느른-하다 [형][여불] 기운이 없어 늘쩍지근하고 내키는 마음이 적다. ¶ 께느른한 봄날. >깨나른하다.
께:다 [타] 〈방〉 꿰다(충남·전라·경상).
께룸-하다 [형] 〈방〉 꺼림하다(강원·경북).
께름칙-하다 [형][여불] ☞꺼림칙하다.
께름-하다 [형][여불] 꺼림하다.
께리빼이 [명] 〈방〉 고삐(충남).
께림-하다 [형] 〈방〉 꺼림하다(경기·강원·충청·경상).
께묵 [명] 〖식〗 [*Hololeion maximowiczii*] 국화과에 속(屬)하는 다년초. 줄기는 곧고 하나씩이며, 경엽(莖葉)은 드문드문 호생하고 선상 피침형(線狀披針形)임. 맨 아래의 잎에는 잎자루가 있고 끝이 뾰족하나, 위엣 잎은 엽병이 없음. 8-10월에 황색의 방화(房花)가 피며, 과실은 수과(瘦果)임. 들에 나는데 한국 각지에 분포함. 이른 봄에 잎과 줄기는 식용함.
께병이 [명] 〈방〉 꺼병이.
께빼이 [명] 〈방〉 고삐(충남).
께서 [조] ①'가'·'이'의 높임말인 주격 조사. ¶ 아버지~ 하신 말씀/선생님~ 야단을 치셨다. ②보조사 '는'·'도'·'만'·'야' 등의 앞에 붙여 존경하는 뜻을 나타나게 하는 보조사. ¶ 춘부장~는 안녕하신가/공자님~도 말씀하시기를. [참고] 뒤에 오는 서술어에는 선어말 어미 '-시-'가 옴.
께얼배기 [명] 〈방〉 게으름뱅이.
께오서 [조] ☞께옵서.
께옵서 [조] '께서'의 존대말. ¶ 할아버지~ 하신 말씀.
께우다 [타] 〈방〉 게우다(경남).
께울루다 [형] 〈방〉 게으르다(전남).
께울르다 [형] 〈방〉 게으르다(전북).
께울-배기 [명] 〈방〉 게으름뱅이(경상).
께울창 [명] 〈방〉 개울(전남).
께으르다 [형] 〈방〉 게으르다(경북).
께을다 [형] 〈방〉 게으르다(경남).
께-입다 [타] 〈방〉 껴입다(경기·강원).
께저분-하다 [형][여불] 매우 거칠고 지저분하다. ㅅ게저분하다.
께적-거리다 [자][타] ↗께지럭거리다. >깨작거리다². 께적-께적 [부]. ——-하다 [자][타][여불]
께적-대다 [자][타] 께적거리다.
께적지근-하다 [형][여불] 마음에 매우 깔끔하지 못함을 느끼다. ㅅ게적지근하다. 께적지근-히 [부]
께죽-거리다 ㊀ [자] 못마땅하게 여기어 자꾸 중얼거리다. >깨죽거리다. ㊁ [타] 음식을 먹기 싫은 듯이 자꾸 되씹다. >깨죽거리다. 께죽-께죽 [부]. ——-하다 [자][타][여불]
께죽-대다 [자][타] 께죽거리다.
께지럭-거리다 [자][타] 무엇을 하는 짓이나 먹는 동작이 탐탁하지 아니하다. [준]께적거리다·께질거리다. >깨지락거리다. 께지럭-께지럭[부]. ——-하다 [자][타][여불]
께지럭-대다 [자][타] 께지럭거리다.
께질-거리다 [자][타] ↗께지럭거리다. 께질-께질 [부]. ——-하다 [자][타][여불]
께질-대다 [자][타] 께질거리다.
껙껙 [부] 함부로 마구 지르는 소리. ——-하다 [자][여불]
껜 [준] 조사의 '께'와 '는'이 합하여 된 준말. ¶ 형님~ 드리지 않았다.
-껜 [준] 접미어 '-께'와 조사 '는'이 합하여 된 준말. ¶ 이달 보름~ 틀림없이 주겠다.
껜네 [부] 〈방〉 늘. 항상.
껠:베르다 [형] 〈방〉 게으르다(경북).
껠:타 [형] 〈방〉 게으르다(경남).
껨불 [명] 〈방〉 검불(충남·전라·경상).
껭이 [명] 〈방〉 팽이(경상).
껴-들다 [타] ①팔로 끼어서 들다. ¶ 가방을 ~. ②두 물건을 한데 껴서 들다. ③남의 일이나 말에 옆에서 대들어 참견하다. ¶ 남이 말하는 데 껴들지 마라.
껴묻-거리 [명] 〖고고학〗 시체와 함께 묻는 패물이나 그릇 및 연장들. 부장품(副葬品).
껴묻거리 상자 【—箱子】 [명] 〖고고학〗 무덤 속에 껴묻거리를 따로 넣어 두는 나무 상자. 부장품 수장궤(副葬品收藏櫃).
껴-묻기 [명] 〖고고학〗 시체와 함께 패물·그릇·연장 따위를 묻는 일. 부장(副葬).
껴-묻다 [자] ①묻은 위에 다시 더 묻다. ②같이 끼어 덧붙다. '껴묻어'로 활용되어 쓰임. ¶ 내 책이 자네한테 껴묻어 가지 않았나.
껴-안다 [—따] [타] ①두 팔로 끼어서 안다. ¶ 어린 아이를 ~. ②혼자서 여러 가지 일을 안아 맡다. ¶ 일을 혼자서 껴안지 말고 나누어 해라.
껴-입다 [타] 옷을 입은 위에 또 덧입다. ¶ 내복을 ~.
껴-잡다 [타] ①끼어서 잡다. ②한데 몰아서 잡다.
꼉낭 [명] 〈방〉 뒷간(평북).
꼐집다 [타] 〈방〉 꼬집다.
-꼬 [어미] 〈방〉 -고(경상).
꼬기-꼬기 [부] 헝겊이나 종이를 몹시 비비고 주무른 모양. ¶ 지폐를 주머니에 ~ 쑤셔넣다. ——-하다 [형][여불]
꼬기다 ㊀ [타] 몹시 비비어 금이 나게 하다. ㅅ고기다. <꾸기다². ㊁ [자] 꼬김살이 생기다. ㅅ고기다. <꾸기다².
꼬기작-거리다 [타] 꼬김살이 많이 나게 자꾸 꼬기다. ¶ 종이를 ~. ㅅ고기작거리다. <꾸기적거리다. 꼬기작-꼬기작 [부]. ——-하다 [타][여불]
꼬기작-대다 [타] 꼬기작거리다.
꼬김-살 [—쌀] [명] 꼬기어서 생긴 금. ㅅ고김살. <꾸김살.
꼬깃-거리다 [타] 꼬김살이 많이 나게 사정 없이 마구 꼬기다. ㅅ고깃거리다. <꾸깃거리다. 꼬깃-꼬깃[1] [부] ——-하다 [타][여불]
꼬깃-꼬깃² [부] 꼬기어서 금이 많이 난 모양. ㅅ고깃고깃. <꾸깃꾸깃². ——-하다 [형][여불]
꼬깃-대다 [타] 꼬깃거리다.
꼬:까 [명] 〈소아〉 때때.
꼬까다롭다 [형] 〈방〉 까다롭다(경남).
꼬:까-신 [명] 〈소아〉 때때신.
꼬:까-옷 [명] 〈소아〉 때때옷.
꼬:까-참새 [명] 〖조〗 [*Emberiza rutila*] 참샛과에 속하는 새. 몸길이 13 cm. 몸빛은 고운 적갈색을 띠며 배는 노랑. 나그네새로 우리 나라에는 10월경 남행(南行) 길에 떼지어 날아오는데 강변의 갈대숲이나 산기슭의 관목림·옥수수밭 등지에서 볼 수 있음. 5-6월의 북행(北行) 때에는 우리 나라를 거치지 아니함.
꼬깔 [명] ☞ 고깔.
꼬깜 [명] ☞ 곶감.
꼬깝다 [형][ㅂ불] 야속한 느낌이 있다. ¶ 꼬깝게 생각지 말게. ㅅ고깝다.
꼬-깡이 [명] 〈방〉 곡괭이(경기·경북).
꼬깨 [명] 〈방〉 꽃개.
꼬깨끼다 [피동] 〈방〉 곱꺾이다.
꼬-깨이 [명] 〈방〉 곡괭이(전남·경남).
꼬-깽이 [명] 〈방〉 ①곡괭이(경기·강원·충북·전라·경상). ②갈고랑이(경북).
꼬꺼럽다 [형] 〈방〉 까다롭다(경상).
꼬껀이 [명] 〈방〉 곡괭이.
꼬-껭이 [명] 〈방〉 곡괭이(전남·경남).
꼬꼬 ㊀ [명] 〈소아〉 닭. ¶ ~가 운다. ㊁ [부] 암탉이 우는 소리.
꼬꼬-닭 [—닥] [명] 〈소아〉 꼬꼬하고 우는 닭.
꼬꼬댁 [부] 암탉이 놀랐거나 알을 낳은 뒤에 우는 소리. ——-하다 [자][여불]
꼬꼬댁-거리다 [자] 닭이 놀라거나 또는 암탉이 알을 낳은 뒤에 자꾸 꼬꼬댁하다. 꼬꼬댁-꼬꼬댁 [부]. ——-하다 [자][여불]
꼬꼬댁-대다 [자] 꼬꼬댁거리다.
꼬꼬마 [명] ①〖역〗 군졸의 벙거지에 꽂던 붉은 털. ②실 끝에 새 털이나 종이 오리를 매어 바람에 날리는 아이들 장난감.
꼬꼬마리 [명] 〈방〉 꼬꼬마.
꼬괭 [명] 〈방〉 곡괭이(경북).
꼬끼오 ㊀ [명] 〈소아〉 닭. ㊁ [부] ↗꼬끼오.
꼬꾸라-뜨리다 [타] 꼬꾸라져 쓰러지게 하다. ㅅ고꾸라뜨리다.
꼬꾸라-지다 [자] 꼬부라져 쓰러지다. ㅅ고꾸라지다.
꼬꾸라-트리다 [타] 꼬꾸라뜨리다.
꼬꾸마 [명] 〈방〉 꼬꼬마.
꼬끄랍다 [형] 〈방〉 까다롭다(경북).
꼬끄럽다 [형] 〈방〉 까다롭다(경북).
꼬끼댁 [부] ☞꼬꼬댁. ——-하다 [자][여불]
꼬끼오 [부] 수탉의 우는 소리. [준]꼬꾜. ——-하다 [자][여불]
꼬내기 [명] 〈방〉 〖동〗 고양이(경상).
꼬내다 [타] 〈방〉 겨누다(경남).
꼬내이 [명] 〈방〉 〖동〗 고양이(경북).
꼬누다 [타] 〈방〉 ①겨누다(충남·전라·경남). ②겨냥하다(경남).
꼬느다 [타] ①무거운 물건의 한쪽 끝을 번쩍 들어 무엇을 겨누고 내뻗치다. ②바싹 정신을 차리어 가지고 벼르다. ¶ 꼬느기만 하여서 소용이 있느냐. ③꿇다.
꼬느-질 [명] 꼬느는 짓. ——-하다 [자][타][여불]
꼬니 [명] 〈방〉 고누.
꼬:다 [타] 〔중세 : 꼬다〕 ①여러 가닥을 한데 비비어 풀어지지 아니하도록 서로 엇감아 한 줄이 되게 하다. ¶ 새끼를 ~. ②몸이 불편하거나 어떤 일에 싫증이 났을 때 다리나 팔이나 몸을 바로 가지지 못하고 뒤틀다. ③↗비꼬다.
【꼬기는 칠팔월 수수 잎 꼬이듯】 ㉠심술이 사납고 마음이 토라진 사람을 이르는 말. ㉡의사 표시를 솔직하게 하지 아니하고 우물쭈물함을 이르는 말.
꼬다케 [부] 불이 너무 세지도 아니하고, 꺼지지도 아니한 채, 고스란히 붙어 있는 모양. ¶ 화롯불이 밤새 ~ 있다.
꼬대기다 [자] 〈방〉 까불다.
꼬댕이 [명] 〈방〉 산봉우리(강원).
꼬도리 [명] 〈방〉 〖어〗 고등어(경남).
꼬도박 [명] 〈방〉 조롱박(경북).
꼬독-개지 [명] 〈방〉 버들개지.
꼬독-꼬독 [부] 〈방〉 뽀독뽀독. ——-하다 [형]
꼬돌-꼬돌 [부] 〈방〉 꼬들꼬들. ——-하다 [형]
꼬두래미 [명] 〈방〉 고드름(충북·경북).
꼬두룸 [명] 〈방〉 고드름(전남).
꼬두리 [명] 〈방〉 〖어〗 고등어(경남).
꼬두박 [명] 〈방〉 조롱박(경남).
꼬두-밥 [명] 〈방〉 고두밥(강원·경상).
꼬둘꼬둘-하다 [형] 〈방〉 꼬들꼬들하다.
꼬:드기다 [타] ①연을 높이 오르도록 얼레를 한 손에 쥐고, 다른 손으로 연줄을 잡아 잦히다. ②남의 마음을 부추기어 움직이게 하다. ¶ 싸움을 하라고 ~.
꼬드래미 [명] 〈방〉 고드름.
꼬드러-지다 [자] 물기가 몹시 말라서 빳빳하게 되다. ㅅ고드러지다. <꾸드러지다.
꼬드르 [명] 〈방〉 고드름.
꼬드리 [명] 〈방〉 〖어〗 고등어(경남).
꼬들-꼬들 [부] 밥알이 속은 무르고 겉은 오돌오돌한 모양. ㅅ고들고들. <꾸들꾸들. ——-하다 [형][여불]
꼬등 [명] 맨 처음으로 나오는 차례.
꼬등각씨 [명] 〈방〉 〖동〗 노래기[1](경북).
꼬등애 [명] 〈방〉 〖어〗 고등어(경북).
꼬등어 [명] 〈방〉 〖어〗 고등어(경북).

꼬등에 명 〈방〉〖어〗 고등어(경북).
꼬뜨이기 명 〈방〉〖동〗 꿀뚜기(경남).
꼬라구니 명 〈방〉 꼬락서니.
꼬라-박다 타 ①거꾸로 내리박다. ②밑천 따위를 헛되이 날리다.
꼬라비 명 ☞꼴찌.
꼬라지 명 〈방〉 ①꼬락서니. ②성질(性質).
꼬락서니 명 〈속〉 〔←꼴+-악서니〕 꼴¹. ¶ 그 ~ 보기 싫다.
꼬랑 명 〈방〉 도랑¹(전라·경남·제주).
꼬랑-내 명 〈방〉 고린내(경남).
꼬랑-대기 명 〈방〉 꼬랑이.
꼬랑-댕이 명 〈방〉 꼬리(전남·경상·함남).
꼬랑데이 명 〈방〉 꼬리¹(경남·평안).
꼬랑뎅이 명 〈방〉 꼬리¹(경남·평안).
꼬랑이 명 〈속〉 꼬리¹.
꼬랑지 명 〈속〉 〔←꼬리+-앙지〕 꽁지.
꼬랑-창 명 〈방〉 ①내³. ②도랑¹(전남).
꼬래 명 〈방〉 꼬리¹.
꼬래기 명 〈방〉 꼬리¹.
꼬래이 명 〈방〉 꼬리¹(경남).
꼬랭기 명 〈방〉 꼬리¹(함남).
꼬랭이 명 ☞꼬랑이.
꼬랭지 명 〈방〉 꼬리¹(평북).
꼬록 명 〈방〉〖동〗 꼴뚜기(전북).
꼬르 부 〈방〉 꼬르륵❷.
꼬르르 부 ☞꼬르륵.
꼬르륵 부 ①뱃속이 끓어 오르거나 대롱 속에 있는 담뱃진이 끓는 소리. ②닭이 놀랐을 때 내는 소리. ③물이나 술 등이 작은 구멍으로 간신히 솟아나는 소리. <꾸르륵. ――-하다 자여불
꼬르륵-거리다 자 꼬르륵하는 소리가 잇따라 자꾸 나다. <꾸르륵거리다. 꼬르륵-꼬르륵 부. ――-하다 자여불
꼬르륵-대다 자 꼬르륵거리다.
꼬리¹ 명 ①동물의 꽁무니에 가늘고 길게 내민 부분. ¶ 말~/개~. ↔머리. *꽁지. ②무·배추 따위의 가는 뿌리. ¶ 배추~. ③〖악〗 음표의 대 끝에 달린 낚싯 바늘 모양의 부분. 이 꼬리가 하나일 경우는 8분 음표, 둘은 16분 음표, 셋은 32분 음표임. 부미(符尾). ↔머리.
【꼬리 먼저 친 개가 밥은 나중 먹는다】 남보다 먼저 서둘고 나서면 도리어 남보다 뒤떨어지는 수가 있음을 이르는 말.
꼬리(가) 길:다 구 ㉠못된 짓을 오래 두고 계속하다. ㉡방문을 꼭 닫지 아니하고 나가는 사람을 나무라는 말.
【꼬리가 길면 밟힌다】 나쁜 짓을 오래 두고 여러 번 계속하면 종래에는 들키고 만다는 뜻. *고삐가 길면 밟힌다.
꼬리(를) 감추다 구 자취를 감추다. 숨다. 사라지다.
꼬리(를) 달다 구 ㉠더 보태어 말하다. ㉡조건을 붙이다. ¶ 사사건건 ~.
꼬리(를) 물다 구 끊일 사이 없이 계속되다. ¶ 사고가 꼬리를 물고 일어나다.
꼬리(를) 밟히다 구 행적(行蹟)을 들키다.
꼬리(를) 사리다 구 만일을 경계하여 꽁무니를 빼고 회피하다.
꼬리(를) 잇:다 구 뒤따라 계속되다. 꼬리를 물다. ¶ 자동차 행렬이 ~.
꼬리(를) 잡다 구 약점을 잡다. ¶ 꼬리 잡힐 말은 하지 않도록 조심해라.
꼬리(를) 치다 구 ㉠꼬리를 좌우로 흔들다. ㉡〈속〉 유혹(誘惑)하다. 아양을 떨다. ¶ 여자가 ~.
꼬리² 명 〈방〉 고리¹(경기·강원·전남·경상).
꼬리-거미 명 〖동〗 [*Ariamnes cylindrogaster*] 꼬리거밋과(科)에 속하는 거미의 하나. 몸길이 18-27 mm 내외, 몸에는 한 쌍의 폐기문(肺氣門)과 한 개의 기관(氣管)·기문(氣門)이 있고, 몸빛은 청색임. 소나무·삼목(杉木) 등의 잎에 집을 짓고 사는데, 한국·일본에 분포함. 쇠꼬리거미.
꼬리-겨우살이 명 〖식〗 [*Hyphear tanakae*] 참나무겨우살잇과에 속하는 상록 기생(常綠寄生)의 관목. 잎은 대생하며 넓은 타원형 또는 긴 타원형이고 잎 뒤에 털이 없음. 6월에 황색의 꽃이 하나씩 정생(頂生)하여 수상(穗狀) 화서로 피고, 과실은 9월에 익음. 흔히 밤나무나 참나무류에 기생하는데, 경북의 영주(榮州) 및 강원도 설악산(雪嶽山)과 태백산(太白山) 및 일본에 분포함.
꼬리-고사리 명 〖식〗 [*Asplenium incisum*] 꼬리고사릿과에 속하는 다년생 상록 양치류(羊齒類). 높이 35cm 가량이며, 근경(根莖)은 옆으로 뻗고 수근(鬚根)이 많음. 잎은 총생(叢生)하고 엽면(葉面)은 혁질(革質)로 긴 도피침형이고, 잎 뒤에 있는 자낭(子囊)은 적갈색인데 열편 중맥(裂片中脈)에 따라 측맥(側脈)에 측생함. 산이나 들에 나는데, 한국·일본·캄차카 등지에 분포함.
꼬리고사릿-과 【—科】 명 〖식〗 [Aspidiaceae] 진정양치류(眞正羊齒類)에 속하는 한 과. 개고사리·거미일엽초·꼬리고사리·면마(綿馬)별고사리·섬고사리·참진고사리 등 9 속(屬) 720 여 종이 있음.
꼬리 곰:탕 【—湯】 명 쇠꼬리를 토막쳐서 넣고 끓인 곰탕.
꼬리-구더기 명 〖충〗 꽃등에의 유충. 꼬리에 돌기(突起)가 있음.
꼬리-구름 명 〔virga〕 〖기상〗 색다른 운형(雲形)의 하나. 구름으로부터 비가 내려도 도중에 빗방울이 증발하여 버려 땅에 이르지 아니하며, 옆에서 보면 꼬리를 끄는 것처럼 보임. 고적운(高積雲)·고층운(高層雲)에서 생기기 쉬움.
꼬리-기름상어 명 〖어〗 [*Heptranchias perlo*] 신락상어과에 속하는 바닷물고기. 몸은 아주 길고 둥글며, 주둥이가 돌출되어 있음. 몸빛은 등 쪽이 암회색, 배 쪽이 담색으로 눈은 크며 분수공(噴水孔)은 눈과 아가미 구멍 중간에 위치함. 심해성·난태생(卵胎生)으로, 부산·제주도 서남쪽에서 많이 잡히며 일본 중부 이남에도 분포함.
꼬리긴-닭 [—닥] 명 〖조〗 긴꼬리닭.
꼬리-깃 명 ☞꽁지깃.
꼬리-끝 명 꼬리의 끄트머리.
꼬리-나비 명 〖충〗 꼬리명주나비.
꼬리-날개 명 미익(尾翼).
꼬리-대기 명 골패 노름의 한 가지.
꼬리-돔 명 〖어〗 [*Etelis carbunculus*] 퉁돔과에 속하는 바닷물고기. 몸길이 1m에 달하는 대형어로 몸은 방추형, 꼬리 부분은 가늘고 길며 눈은 큼. 몸빛은 등 쪽이 선홍색(鮮紅色), 옆줄 아래 쪽은 담색으로 은백색 광택이 나며 양턱과 두개골에 이가 있음. 열대성 어족으로, 한국 남부·일본 중부 이남·하와이·동인도 제도·서인도 제도 등지에 널리 분포함.

〈꼬리돔〉

꼬리-등뼈 명 〖생〗 ☞꽁무니뼈.
꼬리-말 명 책의 끝에 그 내용의 대강이나 그에 관계된 사항을 간단히 적은 글. 권말기(卷末記). 권미언(卷尾言). ↔머리말.
꼬리-말발도리 명 〖식〗 [*Deutzia paniculata*] 고광나뭇과에 속하는 낙엽 활엽 관목. 높이 2m 가량이고, 잎은 타원형 또는 거꿀달걀꼴 타원형임. 4-5월에 꽃이 원추(圓錐) 화서로 가지 끝에 피고, 삭과(蒴果)는 9월에 익음. 골짜기의 바위틈에 나는데, 경남북 및 함남의 원산(元山) 등지에 분포함. 관상용임.
꼬리-명주나비 【—明紬—】 명 〖충〗 [*Sericinus telamon*] 호랑나빗과에 속하는 곤충. 편 날개의 길이 50-76 mm이고, 앞날개의 밑에 흑갈색의 삼각형 무늬가 있는 것과 없는 것이 있으며, 날개에 흑갈색 무늬가 많은 것과 적은 것, 뒷날개의 7실(室)의 흑색 무늬 속에 주홍색 무늬가 있는 것과 없는 것 등 여러 가지가 있음. 암컷은 흑색 바탕이고, 뒷날개에는 꼬리가 있음. 한국 북부·만주·아무르·중국·사할린·시베리아 등지에 분포함. 꼬리나비. 양산박(梁山泊).
꼬리-민태 【—民太】 명 〖어〗 [*Coelorhynchus japonicus*] 민태과에 속하는 바닷물고기. 몸길이 45 cm 내외이고, 몸빛은 암갈색이며 지느러미는 흑색임. 주둥이는 돌출되어 있고 턱에 한 개의 수염이 있음. 머리 위에 비늘이 있고 제2 등지느러미 기부와 옆줄 사이에 6-7 줄의 비늘이 있음. 심해성(深海性) 어종으로 한국 동해 남부 및 남해·일본·중국 이남에 분포함.
〈꼬리민태〉
꼬리-박각시 명 〖충〗 [*Macroglossum stellatarum*] 박각싯과에 속하는 곤충. 벌과 비슷한데 몸길이 26 mm, 편 날개 길이 48-50 mm이고, 몸빛은 암회갈색인데 앞날개는 내횡선(內橫線)에서 안쪽으로 다소 암색(暗色)임. 내외횡선(內外橫線)은 흑색이며 뒷날개는 갈등색이고 기부(基部)와 외연(外緣)은 암갈색임. 복단(腹端)에 털뭉치가 있음. 여름에 출현하는데, 꽃에 모여서 꿀을 빨아 먹고, 성충으로 월동함. 유충은 봉자채(蓬子菜)의 풀잎을 갉아 먹음. 한국·중국·일본·인도 유럽에 분포함. 떡풍이.
〈꼬리박각시〉
꼬리-밤나비 명 〖충〗 ☞두줄제비나방붙이.
꼬리방 명 〈방〉 꼴찌.
꼬리-별 명 〖천〗 혜성(彗星)❶.
꼬리-보 명 〖건〗 한쪽 끝이 휘어서 도리에 닿는 보.
꼬리-뼈 명 〖생〗 미골(尾骨).
꼬리-새 명 〖식〗 [*Bromus remotiflorus*] 볏과에 속하는 다년초. 줄기 높이 60-100 cm이고, 잎은 길이 25-40 cm의 선형(線形)을 이루며, 줄기와 함께 연모(軟毛)가 많음. 6-7 월에 길이 20-30 cm의 꽃이삭이 원추 화서(圓錐花序)로 줄기 끝에 피며, 소수(小穗)는 6-10 개의 잔 꽃을 붙이며, 열매에는 수염이 길게 있음. 산지나 언덕에 나는데, 한국·일본·중국 등지에 분포(分布)함. 이삭참새귀리.
〈꼬리새〉
꼬리-자루 명 〖어〗 뒷지느러미 최후의 지느러미살의 기저(基底)와 꼬리지느러미 기저 사이의 부분. 꼬리자루의 높이는 꼬리자루의 가장 낮은 부분의 수직고(垂直高)를 말함.
꼬리-잡기 명 〖민〗 예전부터 내려오는 유희의 하나. 두 편으로 나눠 앞사람의 허리를 잡고 상대편의 맨 뒤에 있는 사람을 붙잡으면 이김. ――-하다 자여불
꼬리좀벌-과 【—科】 [—꽈] 명 〖충〗 [Torymidae] 벌목(目)에 속하는 한 과. 몸빛은 금속적 색채이고, 산란관(産卵管)이 가늘고 길며, 보통 정상적인 다리와 다소 긴 전흉배판(前胸背板)을 가짐. 벌·파리류의 유충 또는 사마귀류의 알에 기생하는 종류도 있음.
꼬리-지느러미 명 〖어〗 물고기의 꼬리 끝에 있는 지느러미. 보통 상하동형(上下同形)이며 배의 키와 같은 작용을 함. 미기(尾鰭).
꼬리-치 명 〖어〗 [*Ateleopus japonicus*] 꼬리칫과에 속하는 바닷물고기. 몸길이 50 cm 가량이고, 몸은 부드럽고 반투명(半透明)이며, 입은 배 쪽에 있고 배지느러미는 항문에 달함. 몸빛은 회갈색, 머리는 갈색, 등지느러미와 가슴지느러미는 흑색, 뒷지느러미·꼬리지느러미는 회갈색임. 근해성(近海性) 어종으로 한국 황해 연해(沿海), 일본 중부 이남에 분포함.
꼬리-치레 명 〖조〗 [*Rhopaphilus pekinensis pekinensis*] 꼬리치렛과에 속하는 새. 날개 길이 60 mm 내외이고 몸의 상부는 토회색(土灰色)과 밤색이며, 이마에서 허리에 이르기까지 암갈색의 세로 무늬가 있음. 하

면은 백색, 중앙의 꽁지는 흑갈색이고, 그 외의 것은 흑갈색·회색·백색으로 됨. 몽고·만주·한국 등지에 분포함.

꼬리치레-도롱뇽 명〖동〗[*Onychodactylus fischeri*] 도롱뇽과에 속하는 동물. 몸길이 15cm, 꼬리 8-9cm 내외인데, 몸은 가늘고 길며 머리는 작고 눈은 돌출하였음. 몸빛은 대체로 적갈색이나, 배면(背面)에 암갈색의 반점(斑點)이 산재하는데 때로는 연속되어 세로띠를 이루는 것도 있으며, 몸의 측면은 자갈색임. 생식기(生殖期)에만 흑색의 발톱이 생김. 5-8월에 5-7개의 알을 낳음. 고산(高山) 지대의 계류(溪流) 부근 숲 속에 살며 밤에 나와 바위 밑·풀밭·땅 속의 곤충이나 거미 또는 작은 고기 등을 포식함. 어릴 때는 급류(急流)의 물 속에 삶. 난낭(卵囊)은 정력제(精力劑)로 어린이의 약에 씀. 한국의 특산종으로 일본에도 분포함. 발톱도롱뇽.

〈꼬리치레 도롱뇽〉

꼬리치레-맵시벌 명〖충〗[*Thalessa citraria*] 맵시벌과에 속하는 곤충. 암컷은 몸길이 20mm 가량이고, 몸은 대체로 적갈색에 황색 반문(斑紋)이 있음. 복배(腹背)의 제2절 기부 및 후연의 양측문과 제 3-6절 양측은 타원상이고 반문은 황색이며, 산란관은 적갈색인데 몸길이보다 길. 한국·일본 등지에 분포함.

〈꼬리치레 맵시벌〉

꼬리치렛-과【一科】명〖조〗[Timaliidae] 새강(綱) 참새목(目)에 속하는 한 과. 소형 또는 중형의 조류로서, 몸빛은 대체로 자웅이 동색임. 한 배에 2-6개의 대적색(帶赤色)·자색·밤색의 반문(斑紋)이 있는 감람색·갈색·백색 등의 알을 낳음. 잡식성(雜食性)임. 구세계(舊世界)의 열대·아열대에 분포함. 꼬리치레가 이에 속함.

꼬리-치마 명 '풀치마'를 달리 이르는 말.

꼬리치-목【一目】명〖어〗[Ateleopida] 어류의 한 목. 이 목에 속하는 것으로 꼬리칫과(科) 하나가 알려져 있음. 각 지느러미에는 가시가 없는 것이 특징임.

꼬리칫-과【一科】명〖어〗[Ateleopidae] 꼬리치목(目)에 속하는 어류의 한 과. 꼬리치 1종만이 한국에 알려져 있음.

꼬리-털 명 짐승의 꼬리의 털. 미모(尾毛).

꼬리-표【一票】명 물건을 철도·배·비행기 편으로 부칠 때 목적지나 보내는 사람의 주소 성명을 적어 그 물건에 달아 매는 쪽지.

꼬리표(가) 붙다 구 어떤 인물이나 사물에 좋지 않은 평가가 내려지다.

꼬리-풀 명〖식〗[*Veronica angustifolia*] 현삼과에 속하는 다년초. 줄기 높이 80cm 가량이고, 잎은 대생 또는 호생하는데, 무병(無柄)이고, 피침형(披針形) 또는 선상(線狀) 피침형임. 7-8월에 벽자색 꽃이 총상(總狀) 화서로 줄기 끝과 가지 끝에 피고 삭과(蒴果)는 편원형(扁圓形)임. 산이나 들에 나는데 한국 각지에 분포함.

꼬리하루살잇-과【一科】명〖충〗[Ecdyuridae] 하루살이목(目)에 속하는 한 과. 유충은 몸과 다리가 넓적하고 머리는 크며 아가미는 잎모양임. 흐르는 물 속·호수 등에 서식함. 성충의 시맥(翅脈)은 발달하고 두 개의 미사(尾絲)가 있음. 구북구(舊北區)·신북구·인도·오스트레일리아 등에 분포함.

꼬마 명 ①소형(小型)으로 된 조그마한 것. ¶ ~ 전등/~ 자동차. ②〈속〉 어린 아이. ¶ 우리집 ~. ③↗꼬마둥이.

꼬마-꽃등에 명〖충〗[*Sphaerophoria menthastri*] 꽃등엣과에 속하는 곤충. 몸길이 8-9mm이고 몸빛은 흑색이며 수컷은 황적색을 띰. 암컷은 제1절을 제외한 복부 각 마디에 황색 또는 황적색의 가로띠가 있고, 수컷의 제3절 이하의 가로띠는 흔적적(痕跡的)임. 한국·일본 등지에 분포함.

꼬마-달재 명〖어〗[*Lepidotrigla guntheri*] 양성댓과에 속하는 바닷물고기. 몸길이 18cm 가량이고 머리는 짧고 둥글며 몸빛은 자주빛을 띤 회색으로, 배 아래쪽은 백색이고 체측에 주홍색 구름 모양의 무늬가 있음. 가슴지느러미는 녹회색을 띠고, 꼬리지느러미는 황백색임. 눈 앞에 작은 가시 두 개가 있음. 한국 전연해(全沿海) 및 일본 중부 이남의 깊은 바다에 분포함.

꼬마-도요 명〖조〗[*Lymnocryptes minima*] 도욧과에 속하는 새. 날개 길이 100mm 내외인데, 등과 어깨깃의 흑색부는 금속 녹색의 광택이 나며, 가슴과 겨드랑이는 회황백색에 적갈색을 띠고 암갈색의 반문이 있음. 꽁지깃은 12개. 유럽·북아시아에서 번식하고, 지중해·동아프리카·인도·중국 남부에서 월동함.

꼬마-두드럭고둥 명〖조개〗 대수리.

꼬마-둥이 명 키나 몸집이 남달리 작은 사람의 별명. 준꼬마.

꼬마-물떼새 명〖조〗[*Charadrius dubius curonicus*] 물떼샛과에 속하는 새. 첫째 줄 날개깃의 가운데는 흰 색이고 나머지는 갈색임. 등쪽은 연한 갈색, 허리와 꽁지 위의 덮깃은 암색임. 날개 길이 107-115cm, 꽁지 길이 54-60cm, 바닷가·하천·호수 등지에 살며 4-7월에 3-4개의 알을 낳으며 주로 곤충을 잡아 먹음. 철새의 하나로 여름새이며, 유럽·아시아·한국·일본·뉴기니 등지에 분포함.

꼬마-물방개 명〖충〗[*Cybister tripunctatus*] 물방갯과에 속하는 갑충. 몸길이 27mm 가량이고 몸빛은 담황갈색이며 두부(頭部)의 대부분과 전배판(前背板)의 전·후연과 시초(翅鞘)의 반문은 암갈색 또는 흑갈색임. 촉각은 암갈색이고 그 기반은 담황갈색이며, 다리도 담황갈색임. 못·늪 또는 웅덩이에 서식하는데, 한국·일본·대만·중국 등지에 분포함. 물방개와 함께 중국 등에서 기름에 튀기어 식용하기도 함. 선두리. 애물방개.

꼬마-부전나비 명〖충〗[*Cupido minimus*] 부전나빗과에 속하는 곤충. 수컷의 편 날개 길이는 14mm 가량인데, 암수 다 같이 날개 표면은 검은 갈색, 뒷면은 검은 회색임. 날개 중앙에서 외연으로 조그마한 검은 점의 줄이 있음. 한국·아무르·중국·시베리아·유럽 등지에 분포함.

꼬마-불나방【一라一】명〖충〗 흰불나방.

꼬마-씨우렁이 명〖조개〗 쇠우렁이.

꼬마-잎 명〖식〗 복엽(複葉)을 이루는 낱낱의 작은 잎. 소엽(小葉).

꼬마 자동차【一自動車】명 소형(小型)의 자동차.

꼬마-잠자리 명〖충〗[*Nannophya pygmaea*] 잠자릿과에 속하는 곤충. 복부의 길이 13mm, 뒷날개는 14-15mm 내외임. 잠자리 중 가장 작은 종류로서, 두흉부는 흑색이고 복부는 굵고 거의 흑색이며, 제 2-6절에는 황색과 갈색의 가로줄이 있음. 속리산(俗離山)에서 채집되었음.

〈꼬마잠자리〉

꼬마 전:등【一電燈】명 조그만 전등.

꼬마 전:등알【一電燈一】명 소형의 전구(電球).

꼬마-줄물방개 명〖충〗[*Hydaticus grammicus*] 물방갯과에 속하는 곤충. 몸길이 10mm 가량이고 배면(背面)은 담황갈색이며 후두(後頭)는 흑색임. 시초(翅鞘)에는 새로로 된 줄무늬가 여러 개 있으며, 몸의 하면(下面)은 담적갈색임. 연못·늪의 물에 서식하는데, 한국·일본·중국·유럽에 분포함. 별줄물방개.

〈꼬마줄물방개〉

꼬마 진공관【一眞空管】명 소형 라디오·텔레비전 등에 사용되는 초단파용의 작은 진공관. 엠 티관(MT管).

꼬마-집게벌레 명〖충〗[*Labia curvicauda*] 꼬마집게벌렛과에 속하는 곤충. 몸길이 4-5mm이며 몸빛은 적갈색에 머리는 암흑색, 촉각은 실 모양이며 13절 이상이고 황갈색임. 수컷은 집게가 만곡하고 길며, 암컷은 삼각형임. 다리는 황갈색이며 퇴절의 기부는 암갈색임. 한국·일본·대만 등지에 분포함.

꼬마집게벌렛-과【一科】명〖충〗[Labiidae] 집게벌레목(目)에 속하는 한 과. 촉각은 10-20절 또는 25절이고, 부절(跗節)의 제2절 등은 모두 원통형임. 꼬마집게벌레·왕집게벌레 등이 이에 속함. 전세계에 분포함.

꼬마-촌충【一寸蟲】명〖동〗[*Hymenolepis nana*] 진정 촌충류에 속하는 촌충(寸蟲)의 하나. 몸길이 1-4.5cm, 폭 0.5-0.9mm로 백색 대상(帶狀)이며 많은 편절(片節)로 이루어짐. 각 편절은 옆으로 넓고, 한 쌍의 자성(雌性) 생식기와 세 개의 정소(精巢)가 있는 고환(睾丸)이 있음. 두부(頭部)는 뭉뚝하고 작은 구형(球形)을 이루는데 네 개의 빨판이 있고, 이마에는 20-30개의 작은 갈고리가 한 줄로 윤생(輪生)했음. 알은 직경 30-47μ의 원형 또는 타원형인데, 음식물에 섞여 체내에 들어가 소장 점막(小腸粘膜) 속에서 유충(幼蟲)이 됨. 특히 소아(小兒)에게 감염하는데, 정도가 심하면 장염·빈혈 등의 증상이 일어남. 쥐벼룩이 중간 숙주(中間宿主)인 것을 실험으로 증명했음. 뭉뚝촌충. 왜소조충(矮小條蟲).

〈꼬마 촌충〉

꼬마-칡범잠자리【一칙一】명〖충〗[*Nihonogomphus minor*] 부채장수잠자릿과에 속하는 곤충. 복부의 길이 34-35mm, 뒷날개 28-30mm 가량인데 흉부는 녹색이며, 중앙과 측면에 흑색조(黑色條)가 있음. 복부 배면(背面)은 흑색이고, 정중선(正中線)에 병행하여 각 절에 황록색 반문이 있음. 날개 기부는 담황색, 전연맥(前緣脈)은 황백색이며 연문(緣紋)은 담갈색임. 한국 특산종임.

꼬마-표범나비【一豹一】명〖충〗[*Argynnis selenis*] 네발나빗과에 속하는 곤충. 편 날개 길이 40mm 내외. 뒷날개 뒷면의 밑과 중앙 및 외연에 은빛 무늬가 있음. 한국·만주·아무르 등지에 분포함.

꼬마-피안다미조개 명〖조개〗 새꼬막.

꼬마-하루살이 명〖충〗[*Baetis thermicus*] 꼬마하루살잇과에 속하는 곤충. 몸길이 6.5-9.5mm, 앞날개 7-10mm이고, 몸빛은 대체로 황색에 흉배는 자갈색, 다리는 황백색이며 날개는 투명함. 시맥(翅脈)은 호박색, 복부 제2-6절은 황백색이며 반투명임. 제7-10절은 황토색이고 불투명하며 각 절 후연은 갈색임. 한국·일본·사할린 등지에 분포함.

꼬마하루살잇-과【一科】명〖충〗[Baetidae] 하루살이목(目)에 속하는 한 과. 유충(幼蟲)은 폭포(瀑布)·난류수(暖流水)·진흙 속·수생 식물 속에 서식함. 성충의 날개는 적은 횡맥(橫脈)을 가지고 뒷날개는 없는 종류도 있음. 미사(尾絲)는 미모(尾毛)뿐이며 두 개임. 수컷의 파악기(把握器)는 3-4절임. 전세계에 분포함.

꼬마-횟대 명〖어〗[*Cottiusculus gonez*] 둑중갯과에 속하는 바닷물고기. 머리와 몸 앞쪽은 종편(縱扁)하고 몸빛은 위쪽은 담갈색에 세 개의 까만 가로띠가 있고 아래쪽은 흰 바탕에 불규칙한 암색 무늬가 있음. 한국 동해 북부·블라디보스토크 등지에 분포함.

꼬막 명〖조개〗[*Anadara granosa bisennensis*] 돌조갯과에 속하는 바닷물조개. 패각(貝殼)의 길이 50mm, 폭 35mm의 둥근 부채꼴이며, 방사륵(放射肋)은 부챗살 모양으로 17-20개 있고 늑상(肋上)에는 작은 결절(結節)이 있으며, 흑색의 인대(靭帶)는 능형임. 9-10월에 산란하며 모래 진흙 속에 삶. 한국·일본의 남부에 나며 원종(原種)은 대만·중국·인도에 분포함. 살이 연하고 맛이 좋아 요리에 씀. 강요주(江瑤珠). 괴륙(魁陸). 괴합(魁蛤). 복로(伏老). 와룡자(瓦龍子). 살조개. 와룡자(瓦壟子).

〈꼬막〉

꼬막-회【一膾】명 전라 남도 향토 음식의 하나. 굵은 꼬막을 살짝 데쳐 알맞은 크기로 썰어 초고추장에 찍어 먹는 회.

꼬망지 명〈방〉①꼴찌. ②꼬리.

꼬매다 타〈방〉깁다(강원).

꼬맹이 명 ☞ 꼬마둥이.

꼬맹이-술 [명] 〖민〗 호남 지방에서, 나이어린 농부(農夫)들이 성인(成人)이 되었음을 인정받기 위해 농사철에 앞서 마을 어른들에게 대접하는 술.
꼬무락-거리다 [자][타] 몸 따위를 좀스럽고 둔하게 자꾸 움직이다. ㅅ고무락거리다. <꾸무럭거리다. 꼬무락-꼬무락 [부]. ——-하다 [자][타][여불]
꼬무락-대다 [자][타] 꼬무락거리다.
꼬물 [명] ☞고물. ¶여편네와 담쌓은 사람이라 여편네가 없다고 ~도 쓸쓸할 까닭이 없지마는…≪洪命憙 : 林巨正≫.
꼬물-거리다 [자][타] ①몸을 몹시 좀스럽고 무겁게 자꾸 움직이다. ②몹시 좀스럽고 게으르게 행동하다. ¶시간 없다는데 뭘 그렇게 꼬물거리느냐. 1)·2):ㅅ고물거리다. <꾸물거리다. 꼬물-꼬물 [부]. ——-하다 [자][타][여불]
꼬물-대다 [자][타] 꼬물거리다.
꼬물치 [명] 〈방〉 〖충〗 장구벌레.
꼬바기 [부] ☞꼬박이. ¶유보화는 삼년을 ~ 여기만 있었고 도영혜 역시 오년째나 여기 있게 된 셈이었다≪崔貞熙 : 녹색의 문≫.
꼬바리 [명] 〈방〉 꼴찌.
꼬박¹ [부] 의식하며 고대로 끝끝내 기다리거나 밤을 새우는 모양. ¶~ 사흘을 굶었다. ㅆ꼬빡¹.
꼬박² [부] ①졸거나 절할 때에 머리와 몸을 앞으로 숙였다가 드는 모양. ②순간적으로 잠이 드는 모양. ¶~ 잠이 들었었다. 1)·2) : ㅆ꼬빡². <꾸벅. ——-하다 [타][여변]
꼬박-거리다 [타] 졸거나 절할 때에 머리와 몸을 연해 숙였다가 들다. ㅆ꼬빡거리다. <꾸벅거리다. 꼬박-꼬박¹ [부]. ——-하다 [타][여불]
꼬박-꼬박² [부] ①어김없이 순종하는 모양. ¶집세를 다달이 ~ 다 물다. *또박또박. ②몹시 기다리는 모양. ¶몇 년을 두고 ~ 기다렸다. 1)·2): <꾸벅꾸벅². ——-하다 [타][여불]
꼬박-대다 [타] 꼬박거리다.
꼬박-이 [부] 꼬박¹.
꼬박-이다 [타] 졸거나 절을 할 때에 머리와 몸을 앞으로 숙였다가 들다. ㅆ꼬빡이다. <꾸벅이다.
꼬부라-들다 [자] 안쪽으로 옥아 들다. ㅅ고부라들다. <꾸부러들다.
꼬부라-뜨리다 [타] 몹시 꼬부라지게 하다. '꼬부리다'의 힘줌말. ㅅ고부라뜨리다. <꾸부러뜨리다.
꼬부라-지다¹ [자] 한 쪽으로 옥아 들다. ¶혀가 ~. ㅅ고부라지다. <꾸부러지다.
꼬부라-지다² [형] 심정이 바르지 아니하다. ¶마음이 ~.
꼬부라-트리다 [타] 꼬부라뜨리다.
꼬부랑 글자【一字】[一짜] [명] ①모양 없이 겨우 서투르게 쓴 글씨. ②〈속〉 서양 글자.
꼬부랑-길 [一낄] [명] 꼬부라진 길. ㅅ고부랑길 <꾸부렁길.
꼬부랑-꼬부랑 [부] 여러 곳이 꼬부랑한 모양. ㅅ고부랑고부랑. <꾸부렁꾸부렁. ——-하다 [형][여불]
꼬부랑 늙은이 [一늘근一] [명] 허리가 꼬부라진 늙은이.
꼬부랑다리-장님지네 [명] 〖동〗 [*Cryptops japonicus*] 장님지네과에 속하는 절지 동물. 몸길이 20mm 내외, 몸빛은 황색인데 몸의 표면에는 자모(刺毛)가 산재하였음. 다리는 21쌍이고, 눈은 없으며 촉각은 17마디로 됨. 한국·만주·일본 등지의 높은 산에 서식함.
꼬부랑-말 [명] 〈속〉 서양(西洋)말. ¶혀도 잘 돌아가지 않는 ~을 써부렁거린다.
꼬부랑-이 [명] ①꼬부라진 물건. ㅅ고부랑이. <꾸부렁이. ②허리가 꼬부라진 사람. ③마음에 불평이 있어 항상 엇나가는 사람.
꼬부랑 자:지 [명] 끝이 꼬부라진 자지. 흔히, 장난으로 이르는 말.
【꼬부랑 자지 제 발등에 오줌 눈다】 ㉠어리석은 사람은 자기에게 해로운 일만 한다는 말. ㉡제가 받는 벌이나 재화는 결국 제게 원인이 있다는 말.
꼬부랑-하다 [형][여불] 안으로 옥아 들어 굽다. ㅅ고부랑하다. <꾸부렁하다.
꼬부랑 할미 [명] 허리가 꼬부라진 노파(老婆).
꼬부랑 할아범 [명] 허리가 꼬부라진 할아범.
꼬부리다 [타] 바싹 옥아 들게 한쪽으로 세게 굽히다. ㅅ고부리다. <꾸부리다.
꼬부-스레 [부] 꼬부스름하게. ㅅ 고부스레. <꾸부스레. ——-하다 [형][여불]
꼬부스름-하다 [형][여불] 매우 곱은 듯하다. [준]꼬부슴하다. ㅅ고부스름하다. <꾸부스름하다. 꼬부스름-히 [부]
꼬부슴-하다 [형][여불] ↗꼬부스름하다. ㅅ고부슴하다. <꾸부슴하다. 꼬부슴-히 [부]
꼬부장-꼬부장 [부] 여러 곳이 꼬부장한 모양. ㅅ고부장고부장. <꾸부정꾸부정. ——-하다 [형][여불]
꼬부장-이 [명] 〈방〉 꼬부랑이.
꼬부장-하다 [형][여불] ①매우 휘움하게 곱다. <꾸부정하다. ②불평을 가지고 있다. 토라져 있다. ¶그 일이 있고 늘 마음이 ~. 1)·2):ㅅ고부장하다. 꼬부장-히 [부]
꼬불-거리다 [자] 이리저리 꼬부라지다. ㅅ고불거리다. <꾸불거리다. 꼬불-꼬불 [부]. ——-하다¹ [자][여불]
꼬불꼬불-하다² [형][여불] 이리저리 꼬부라진 모양이다. ㅅ고불고불하다. <꾸불꾸불하다.
꼬불-대다 [자] 꼬불거리다.
꼬불탕-꼬불탕 [부] 여러 곳이 꼬불탕한 모양. ㅅ고불탕고불탕. <꾸불텅꾸불텅. ——-하다 [형][여불]
꼬불탕-하다 [형][여불] 굽이가 나슨하게 꼬부라지다. ㅅ고불탕하다. <꾸불텅하다. ——-하다 [형][여불]
꼬불통-하다 [형][여불] ☞ 꼬불탕하다.
꼬붓-꼬붓 [부] 여러 곳이 다 꼬붓한 모양. ㅅ고붓고붓. <꾸붓꾸붓. ——-하다 [형][여불]
꼬붓-이 [부] 꼬붓하게. ㅅ고붓이. >꾸붓이.
꼬붓-하다 [형][여불] 조금 꼬부라지다. ㅅ고붓하다. <꾸붓하다.
꼬빡¹ [부] 어떤 상태를 끝까지 고스란히 계속하는 모양. ¶밤을 ~ 새우다/~ 서서 왔다. ㅅ꼬박¹.
꼬빡² [부] ①졸거나 절할 때에 머리와 몸을 세게 숙였다가 드는 모양. ㅅ꼬박². <꾸뻑. ②순간적으로 잠이 푹 드는 모양. ¶자동차 소리도 못 듣고 ~ 잠이 들었었다. 1)·2)ㅅ꼬박². ——-하다 [타][여불]
꼬빡-거리다 [타] 졸거나 절할 때에 머리와 몸을 여러 번 자꾸 숙였다가 들다. ㅅ꼬박거리다. <꾸뻑거리다. 꼬빡-꼬빡 [부]. ——-하다 [타][여불]
꼬빡-대다 [타] 꼬빡거리다.
꼬빡-연【一鳶】[一년] [명] 연의 한 가지. 가오리 모양으로 만들어 꼬리를 길게 달아 띄우는데, 오를 때 머리가 꼬빡꼬빡함. *가오리연.
꼬빡-이다 [타] 졸거나 절을 할 때에 머리와 몸을 앞으로 숙였다가 들다. ㅅ꼬박이다. <꾸뻑이다.
꼬빼 [명] 〈방〉 고삐(충남).
꼬뺑이 [명] 〈방〉 고삐(충청·전북·경상).
꼬뼁이 [명] 〈방〉 고삐(경남).
꼬삐 [명] 〈방〉 고삐(충북·강원·전북·경북).
꼬사리 [명] 〈방〉 〖식〗 고사리.
꼬소롬-하다 [형] 〈방〉 고소하다(경남).
꼬소-하다 [형] 〈방〉 고소하다(강원·충남·경상).
꼬솜-하다 [형] 〈방〉 고소하다(전북·경남).
꼬수룸-하다 [형] 〈방〉 고소하다(전남).
꼬수-하다 [형] 〈방〉 고소하다(전남).
꼬숩다 [형] 〈방〉 고소하다(전라).
꼬스름-하다 [형] 〈방〉 고소하다(전남).
꼬습다 [형] 〈방〉 고소하다(전라).
꼬시다¹ [타] 〈속〉 꾀다³. ¶어린 아이를 ~.
꼬시다² [형] 〈방〉 고소하다(강원·전남·경상).
꼬시락-머리 [명] 〈방〉 고수머리.
꼬시람-하다 [형] 〈방〉 고소하다(전남).
꼬시랑-거리다 [자] 〈방〉 고시랑거리다.
꼬시래기 [명] 〖식〗 [*Gracilaria confervoides*] 꼬시래깃과에 속하는 홍조류(紅藻類)의 하나. 줄기는 산발한 머리 같으며 높이 20-30cm 인데 원주형에 불규칙한 가지가 나고 자갈색 또는 황색을 띠며 연골질(軟骨質)임. 끓이면 암녹색으로 변함. 낭과(囊果)는 사상체(絲狀體)의 전면(全面)에 나는데 반구상이며 사분 포자(四分胞子)도 형성함. 난해(暖海)의 얕은 바다 정수(靜水)에 남. 한천(寒天)을 만들 때에 우뭇가사리와 섞어 사용함. 비타민 C가 함유되고 점료(粘料)로 씀. 강리(江籬).

〈꼬시래기〉

꼬시럼-하다 [형] 〈방〉 고소하다(전남).
꼬시레 [명] 〈방〉 고수레¹.
꼬시-하다 [형] 〈방〉 고소하다(경북).
꼬실-꼬실 [부] 〈방〉 고슬고슬. ——-하다 [형]
꼬아-뜨기 [명] 뜨개질의 기법(技法)의 하나. 밧줄 꼬는 형태로 뜨는 일.
꼬아리 [부] 〈방〉 〖식〗 파리(전북·경상).
꼬아-바치다 [타] ☞까바치다.
꼬약-꼬약 [부] 좁은 데로 많은 것이 자꾸 몰려드는 모양. <꾸역꾸역.
꼬염꼬염-하다 [타] 〈방〉 피음피음하다.
꼬이다¹ [자] ①일이 제대로 순순히 되지 아니하다. ¶일이 ~. ②뒤틀리다. ③얽히다. [준]꾀다.
꼬이다² [피동] 꼼을 당하다. 꼬아지다. ¶밧줄이 ~. [준]꾀다.
꼬인-결 [명] 〖건〗 비비 꼬인 모양으로 나타난 나뭇결.
꼬장가리 [명] 〈방〉 꼬챙이(경남).
꼬장개이 [명] 〈방〉 꼬챙이(경북).
꼬장-꼬장 [부] ①가늘고 긴 물건 같은 것이 휘지 아니하고 곧은 모양. ¶~한 회초리. ②노인이 허리도 굽지 아니하고 몸이 튼튼한 모양. ¶칠십 노인이 ~하다. ③마음이나 성미가 곧고 꿋꿋한 모양. ¶워낙 ~한 성격이라서. 1)-3) : <꾸정꾸정. ——-하다 [형][여불]
꼬장-떡 [명] 함경도 향토 음식의 하나. 조를 가루내어 더운물로 반죽하여 길쭉하게 빚어서 가랑잎에 싼 다음 쪄 낸 떡.
꼬장-나비 [명] 〖충〗 큰멋쟁이나비.
꼬장-쟁이 [명] 꼬장꼬장한 사람.
꼬장-주 [명] 〈방〉 고쟁이²(경상).
꼬장-주우 [명] 〈방〉 고쟁이²(경상).
꼬장-중외 [명] 〈방〉 고쟁이²(전북).
꼬장-중우 [명] 〈방〉 고쟁이²(전북·경상).
꼬장중이 [명] 〈방〉 고쟁이²(충남·전북).
꼬장카리 [명] 〈방〉 꼬챙이(경남).
꼬재이 [명] 〈방〉 꼬챙이(경북).
꼬쟁이 [명] 〈방〉 ①꼬챙이. ②고쟁이(충남·전라·경상).
꼬쟁-중우 [명] 〈방〉 고쟁이²(전북).
꼬정-꼬정 [부] 〈방〉 꼬장꼬장. ——-하다 [형]
꼬제이 [명] 〈방〉 꼬챙이(경남).
꼬지¹ [명] 〈방〉 ①고지¹. ②꼬치¹.
꼬지² [명] 〈방〉 〖식〗 꽃(함경).
꼬지랑-물 [명] 〈방〉 고지랑물.
꼬직 [명] ←고딕(Gothic).
꼬질-꼬질¹ [부] ①몹시 뒤틀어지고 꼬불꼬불한 모양. ②옷이나 몸에 때가 많이 낀 모양. ¶옷에 때가 ~하구나. ——-하다 [형][여불]
꼬질-꼬질² [부] 〈방〉 꼬치꼬치❷.
꼬집다 [타] ①손가락이나 손톱으로 살이나 살껍질을 집어 뜯거나 비틀다. ②남의 약점을 비꼬아서 말하다. 남의 감정을 날카롭게 건드리다. ¶남을 너무 꼬집지 마시오. ③분명하게 드러내어 지적하다. ¶딱 꼬집어 말할 수는 없지만.
꼬집어 말:하다 [구] ㉠비밀 따위를 들추어 내어 빗대어서 말하다. ¶남의 약점을 ~. ㉡분명하게 꼭 집어서 말하다.
꼬집-히다 [피동] 꼬집음을 당하다. ¶허벅지를 ~/꼬집힐 말은 삼가라.

꼬창-모 명 논 바닥에 물이 지적지적하고 흙이 좀 굳어서 꼬챙이로 구멍을 뚫으면서 심는 모.

꼬창이 명 ☞ 꼬챙이.

꼬챙이 명 ①가늘고 길쭉한 나무·대·쇠 등의 끝을 뾰족하게 한 물건. 준 꼬치. ②〈속〉 고급 안경(眼鏡). 소매치기의 은어(隱語).
[꼬챙이는 타고 고기는 설었다] 꼭 되어야 할 것은 안 되고, 그렇게 되면 안 될 것은 된 경우에 이르는 말.
고챙이가 있는 소리 구 가시가 돋친 말.

꼬챙이-질 명 〈방〉 고자질. ——-하다 자

꼬초 명 〈방〉 〖식〗 고추¹(충남·전북·경북).

꼬추 명 〈방〉 ①〖식〗 고추¹(경기·강원·충청·전라·경상). ②고치(경기·충남·전라).

꼬치¹ 명 ① ↗꼬챙이. ②곤약·생선묵·유부 등을 꼬챙이에 꿰어 끓는 장국에 넣어 익힌 일본식 음식. 오뎅. ¶ ~ 안주. ③꼬챙이에 꿴 음식물의 총칭.

꼬치² 명 ①〖식〗 고추¹. ②고치¹.

꼬치³ 명 〈방〉 〖식〗 꽃(함남).

꼬치-고기 명 〖어〗 [*Sphyraena pinguis*] 꼬치고깃과에 속하는 바닷물고기. 몸길이는 35 cm 가량인데, 머리가 작고, 등은 회갈황색, 배 쪽은 은백색이며 꼬리지느러미는 암회색, 딴 지느러미는 담황색임. 한국 중남부 해안·일본 중부 이남에 분포함. 사어(梭魚).

〈꼬치고기〉

꼬치고깃-과 【一科】 명 〖어〗 [Sphyraenidae] 숭어목에 속하는 어류의 한 과. 창꼬치·꼬치고기·애꼬치 등이 이에 속함.

꼬치-꼬치 부 ①몸이 매우 여위어서 꼬챙이같이 마른 모양. ¶ ~ 말랐다. ②끝까지 샅샅이 따지고 캐어 묻는 모양. ¶ ~ 캐묻다. *미주알고주알.

꼬치-동자개 명 〖어〗 [*Coreobagrus brevicorpus*] 동자갯과에 속하는 민물고기. 몸길이 6-9 cm 이고 몸빛은 담황색 바탕에 다갈색의 큰 무늬가 있고, 머리·등지느러미 아래·기름지느러미 아래와 꼬리자루에 네 개의 구름 모양의 폭 넓은 가로띠가 흩어져 있음. 퍽 드문 어종으로 금강(錦江) 및 낙동강의 비교적 상류에만 분포함.

꼬치 백반 【一白飯】 명 꼬치를 반찬으로 한 백반.

꼬치-삼치 명 〖어〗 [*Acanthocybium solandri*] 동갈삼칫과에 속하는 바닷물고기. 몸길이 1.5 m 가량이고, 삼치 비슷하나 가늘고 몸빛은 등 쪽이 남청색이고, 어릴 때는 체측에 약 30 줄의 짙은 세로줄이 있으며 지느러미는 흑색임. 열대성으로, 한국 서남부·제주도 연해·일본·대만·필리핀 등지에 분포함. 떼를 짓지 아니하고 물 표면에 살며 탐식성(貪食性) 어종임. 삼치보다 맛이 좋음.

〈꼬치삼치〉

꼬치 안주 【一按酒】 명 꼬치로 된 술안주.

꼬치-장 【一醬】 명 〈방〉 고추장(경상).

꼬치-초 【一草】 명 〈방〉 권연초(卷煙草).

꼬타리 명 〈방〉 꼬투리.

꼬토리 명 〈방〉 꼬투리.

꼬투리 명 〔중세 : 고토리〕 ①↗담배 꼬투리. ②〖식〗 콩과(科) 식물의 열매를 싸고 있는 껍질. 익으면 벌어져 씨를 쏟아 냄. 협(莢). 협과(莢果). ③사건이 일어나는 근본. ¶ 그 일의 ~를 캐라.

〈꼬투리❷〉

꼬투리 식물 【一植物】 명 〖식〗 유협 식물.

꼬팽이 명 〈방〉 고삐(경북).

꼬푸리다 타 몸을 앞으로 꼬부리다. ㅅ고푸리다. <꾸푸리다.

꼬피 명 〈방〉 고삐(경북).

꼭 부 ①지긋이 힘을 주어 세게 누르거나 조르는 모양. ¶ ~ 붙잡고 있어라. ②지긋이 힘을 주어 고통을 참고 견디는 모양. ¶ ~ 참다. ③어김없이. 반드시. 틀림없이. ¶ ~ 맞는 옷/~ 참석해 주세요. *똑³. ④꼼짝 않는 모양. 단단히 들어 박히거나 숨는 모양. ¶ ~ 숨어 있어라/방에 ~ 들어 박히다. 1)·2): <꾹.

꼭-갈치 명 〖어〗 [*Malthopsis lutea*] 부칫과에 속하는 바닷물고기. 몸길이 6 cm 내외이고, 머리는 삼각형인데 폭이 길이보다 넓고 이마에 돌기(突起)가 있으며, 머리와 체부에는 큰 골판(骨板)이 불규칙하게 산재함. 몸빛은 회색으로 담갈색의 무늬가 있음. 아가미는 양쪽에 두 개가 있고 입은 작고 머리 아래쪽에 있음. 온대와 열대의 심해에 서식하는데, 한국 남해·일본 등지에 분포함.

꼭감 명 〈방〉 곶감.

꼭-깽이 명 〈방〉 ①갈고랑이(강원). ②곡괭이(경기·강원·충북·전남·경상).

꼭-꼭¹ 부 ①지긋이 힘을 주어 누르거나 조르는 것을 더 세게 하는 모양. ¶ ~ 짜라. ②무엇을 자꾸 찌르는 모양. ¶ ~ 찌르다. 1)·2): <꾹꾹¹. ③어김없이 완전하게. ¶ 약속은 ~ 지킨다. ④꽁꽁²❸. ¶ ~ 숨어라 머리카락 보인다.

꼭:-꼭² 부 암탉의 안는 소리. ——-하다 자|여불

꼭:꼭-거리다 자 꼭꼭 소리를 연해 내다.

꼭꼭대 부 〈방〉 꼬꼬댁.

꼭:꼭-대다 자 꼭꼭거리다.

꼭-꽹이 명 〈방〉 곡괭이(경기·강원·충남·전북·경상).

꼭-뀅이 명 〈방〉 곡괭이(경기·강원·충북·경상).

꼭다기 명 〈방〉 꼭대기.

꼭대기 명 ①제일 위쪽. ¶ 산 ~. ②여러 사람의 우두머리. 두목. ③〈방〉 산봉우리(경기·강원·충북·전라·경상).

꼭뎅이 명 〈방〉 산봉우리(경남).

꼭두¹ 명 〈방〉 허깨비.

꼭두² 명 〈방〉 꼭뒤❶.

꼭두-각시 명 ①여러 가지 이상야릇한 탈을 씌운 인형. 괴뢰(傀儡). ②기괴한 탈을 쓰고 노는 계집. ③주체성(主體性) 없이 남의 조종을 받고 행동하는 자(者)의 비유. 괴뢰(傀儡). 망석중이.

꼭두각시-놀이 명 ①〖연〗 우리 나라 전래의 민속 인형극. 무대 위에 여러 인형을 번갈아 내세우고, 무대 뒤에서 조종하여 동작하게 하고, 그것에 맞추어 말을 하는 연극. 주로 남사당패들이 '덜미'라 하여 많이 연희(演戱)하였으며, 보통 7-10 막으로 되어 있는데 박첨지(朴僉知) 일가의 파탄과 구원을 내용으로 함. 괴뢰희(傀儡戱). ②주동적으로 움직이지 못하고 남의 의사에 따라서만 하는 일. ——-하다 자|여불

꼭두각시-전 【一傳】 명 〖문〗 작가·연대 미상의 구소설. 조선 숙종(肅宗) 때에 전라도 무주(茂朱)에 사는 노처녀 꼭두각시는, 병신에다 백발이 성성한 노신랑에게 시집가서 남편을 섬기며 자녀도 낳고 부자가 되어 잘 살았다는 줄거리. 가사(歌辭)인 《노처녀가》를 소설화한 것임.

꼭두-군사 【一軍士】 명 ①〖연〗 꼭두각시놀이에 나오는 군사(軍士). ②기동성(機動性)이 없는 군졸(軍卒)의 비유.

꼭두-극 【一劇】 명 ①인형극. ②인간의 신체의 움직임을 다른 물체를 통하여 변형시켜서 표현하는 물체극.

꼭두-놀리다 자 꼭두각시를 놀리다.

꼭두-덩이 명 〈방〉 세섯덩이.

꼭두-마리 명 〈방〉 꼭지마리.

꼭두-머리 명 ①시간적으로 일의 가장 처음. ② ☞ 꼭대기❶. ¶ 잡목이 많아 ~가 누렁누렁 단풍이 들기 시작한 고무재 산마루를 가리키면서, ㄴ…《吳永壽 : 머루》.

꼭두배기 명 〈방〉 산봉우리(경북).

꼭두-상투 명 〈방〉 꼭뒤상투.

꼭두-새벽 명 ①날이 막 밝아 올 때. 첫새벽. ②아주 이른 새벽. 꼭두식전(食前). ¶ ~부터 수선을 떨다.

꼭두서니 명 ①〖식〗 [*Rubia akane*] 꼭두서닛과에 속하는 다년생 만초(蔓草). 수근(鬚根)은 비대(肥大)하고 황적색이며 줄기는 방형(方形)으로 가시가 있음. 잎은 네 개가 윤생(輪生)하는데 장병(長柄)이고, 심장형 또는 긴 달걀꼴임. 7-8월에 노란 꽃이 액출(腋出) 또는 정생하여 원추상 취산(聚繖) 화서로 피고, 장과(漿果)에는 검은 씨가 있음. 산·들에 나는데 한국 각지에 분포함. 뿌리는 물감 또는 진통제로 쓰고, 어린잎은 식용함. 모수(茅蒐). 천초(茜草). 과산룡(過山龍). ②꼭두서니를 원료로 하여 만든 빨간 물감. 또, 그 빛깔.

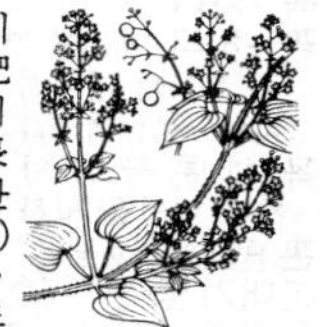
〈꼭두서니❶〉

꼭두서닛-과 【一科】 명 〖식〗 [Rubiaceae] 현화(顯花) 식물 쌍자엽문(雙子葉門)에 속하는 한 과. 전세계에 343 속(屬) 4,500여 종, 한국에는 꼭두서니·덤불꼭두서니·낚시돌풀·솔나물·갈퀴덩굴 등의 40여 종이 분포함.

꼭두-쇠 명 〖민〗 걸립패·남사당 들의 우두머리.

꼭두-식전 【一食前】 명 꼭두새벽❷.

꼭두-표 【一表】 명 〈방〉 꼭지표.

꼭둑-각시 명 ☞ 꼭두각시.

꼭둑각시-전 【一傳】 명 〖문〗 ☞ 꼭두각시전.

꼭뒤 명 〔중세 : 곡뒤〕 ①뒤통수의 한 가운데. ¶ 분이 ~까지 나서 덤비다《洪命憙 : 林巨正》. ②활의 도고지 붙은 뒤.
[꼭뒤에 부은 물이 발뒤꿈치로 내린다] ㉠사람의 불미(不美)한 행동은 곧 아랫사람에게 영향을 끼친다는 말. ㉡조상의 유풍(遺風)이 자손의 관습을 이루게 된다는 말.
꼭뒤가 세 : 뼘 구 거만을 피우는 모양. ¶ 하인청에서 꼭뒤가 세 뼘씩이나 되는 하인들이 나서면서《李人稙:鬼의 聲》.
꼭뒤(를) 누르다 구 ㉠위의 힘이 아래를 누르다. ㉡위에 있는 세력이나 권력이 아래에 있는 사람의 의사를 억누르다.
꼭뒤(를) 눌리다 구 ㉠남의 꼭뒤누름을 당하다. ㉡압제를 당하다. ㉢남에게 앞을 빼앗기다.
꼭뒤(를) 지르다 구 ㉠압제하다. ㉡앞장을 질러 가로차다.
꼭뒤(를) 질리다 구 꼭뒤지름을 당하다.

꼭뒤-상투 명 뒤통수의 한가운데에 틀어 짠 상투.

꼭뒤-잡이 명 뒤통수를 중심으로 머리나 깃고대를 잡아채는 짓. ——하다 타|여불

꼭뒤-짚기 명 씨름에서, 상대의 바깥다리를 피하면서 오른손으로 뒷덜미를 손으로 누르고 다리 샅바를 쥔 손을 틀면서 오른쪽으로 돌려 넘어뜨리는 혼합 기술의 하나.

꼭디 명 〈방〉 꼭대기.

꼭때기 명 〈방〉 용마루(충북).

꼭사리 명 〈방〉 〖어〗 송사리(전남).

꼭쇠 명 〈방〉 구두쇠.

꼭지 ㊀명 〔근대 : 곡지〕 ①나무의 잎사귀나 열매를 지탱하는 줄기. ¶ 호박 ~. ②그릇 뚜껑의 손잡이. ¶ 냄비 ~. ③〖고고학〗 구리 거울에 붙은 혹 모양의 돌기(突起). 유(鈕). ④지연(紙鳶) 머리의 가운데에 붙인 표. ¶ ~연. ⑤도리깨의 자루 머리에 꿰어, 열을 걸어 돌게 하는 나무 비녀. ⑥거지나 딴꾼의 우두머리. *꼭대기. ㊁의명 모숨을 지어 잡아맨 긴 물건을 세는 말. ¶ 미역 세 ~ / 다리 한 ~.
꼭지가 물렀다 구 기회가 완전히 무르익었다.
꼭지를 따다 구 처음으로 시작하다.

꼭지-각 【一角】 명 〖수〗 삼각형의 밑변에 대하는 각. 정각(頂角).

꼭지-고광나무 명 〖식〗 [*Philadelphus mandshuricus*] 고광나뭇과에 속하는 낙엽 활엽 관목. 잎은 달걀꼴 또는 타원형임. 4-5월에 흰 꽃이 총상(總狀) 화서로 피고, 삭과(蒴果)는 9월에 익음. 골짜기에 나는데, 충북 및 경기도 광릉 등지에 분포함. 관상용. 어린 잎은 식용함.

꼭지-눈 명 〖식〗 끝눈.
꼭지다 타 〈방〉 쪽지다.
꼭지-도둑 명 혼인 때에, 신랑을 따라가는 아이 종.
꼭지-도적【一盜賊】명 꼭지도둑.
꼭지-딴 명 딴꾼의 우두머리. ¶내 진작부터 근본은 서울 오간수다리 밑에 득실거리는 깍정이들의 ~이었소《金周榮 : 客主》.

〈꼭지눈〉

꼭지-마리 명 물레를 돌리는 손잡이.
꼭지-미역 명 낱올로 된 것을 꼭지를 지은 미역.
꼭지-쇠 명 〈방〉 꼭지딴.
꼭지-숟가락 명 숟가락총 끝에 동그란 꼭지가 달린 숟가락. ㊎꼭지숟갈.
꼭지-숟갈 명 ↗꼭지숟가락.
꼭지-연【一鳶】명 꼭지가 붙은 연.
꼭지-윤노리나무 명 〖식〗 [*Pourthiaea longipes*] 능금나뭇과에 속하는 낙엽 활엽의 작은 교목. 잎은 긴 거꿀달걀꼴임. 5월에 흰 꽃이 복산방(複繖房) 화서로 가지 끝에 피고, 이과(梨果)는 10월에 약간 붉게 익음. 숲 속에 나는데, 전남 완도(莞島) 및 전북·경남 등지에 분포함. 신탄재(薪炭材)로 씀.
꼭지-잡이 명 〖고고학〗 토기(土器)의 아가리 아래나 몸 윗부분에 젖꼭지처럼 붙은 작은 돌기(突起). 꼭지손잡이. 유두형 파수(流頭形把手).
꼭지-표【一表】명 몸시계의 한 가지. 태엽 감는 장치가 머리에 있음.
꼭짓-점【一點】명 ①맨 꼭대기가 되는 점. ②〖수〗 각(角)을 이루고 있는 두 직선이 만나는 점. 다면체(多面體)의 세 개 이상의 면(面)이 만난 점. 뿔면(面)의 각 능선(稜線)이 만난 점. 정점(頂點).
꼭짓-집 명 빨래터에서 빨래를 삶아 주고 꼭지 수효대로 삯을 받던 집.
꼭:-차다 자 빈틈없이 가득 차다.
꼭:-하다 형여불 변통성이 없이 정직하고 고지식하다. ¶그 집네도 마음을 꼭하게 잡아서 남의 사내의 얼굴도 바로 거들떠보지를 아니하는 처지니…《作者未詳 : 산천초목》.
꼭-히 부 꼭. ¶나 같은 장돌림을 은밀히 불러냈을 땐 ~ 피치 못할 사정이 있었을 법하구료《金周榮 : 客主》.
꼰 명 〈방〉 고누.
꼰대기 명 〈방〉 〖충〗 번데기[1](전남·경북).
꼰데 명 〈속〉 아버지나 선생을 뜻하는 학생의 은어(隱語). *꼰데기.
꼰데기 명 〈방〉 〖충〗 번데기[1](전남·경상).
꼰도기 명 〈방〉 〖충〗 번데기[1].
꼰디 명 〈방〉 〖충〗 번데기[1](경북).
꼰디기 명 〈방〉 〖충〗 번데기[1].
꼰:-무늬 [一니] 명 〖고고학〗 새끼줄 모양의 무늬. 낙승문(絡繩文). 승문(繩文). 승목문(繩目文).
꼰으다 타 〈방〉 꼲다.
꼰:줄-말조개 명 〖조개〗 [*Unio douglasiae ploculosus*] 석패(石貝)과에 속하는 조개의 하나. 한국의 특산종임.
꼰지다 타 〈방〉 이기다[1].
꼰질꼰질-하다 형여불 하는 것이 너무 꼼꼼하고 찬찬하여 갑갑하다.
꼰치 명 〈방〉 〖충〗 누에(경상).
꼲다 [꼰타] 타 〔중세 : 고노다〕 잘잘못을 살피어 정(定)하다. ¶글을 ~.
꼳대미 명 〈방〉 대님(전라).
꼴[1] 명 〔중세 : 꼴〕 사물의 생김새나 됨됨이. ¶~사납다.
【꼴 같지 않은 말은 이도 들쳐 보지 않는다】 겉 모양이 제대로 생기지 않은 말은 나이를 세려고 이를 들쳐보지도 않고 살 생각도 하지 않는다 함이니, 외모와 언동이 점잖지 못한 자는 자세히 알아볼 필요도 없다는 말. 【꼴 보고 이름짓는다; 꼴 보고 이름짓고 체수(體數) 맞춰 옷 마른다】 격에 맞게, 어울리게 행동을 하라는 말. 【꼴에 수캐라고 다리 들고 오줌 눈다】 되지 못한 자가 나서서 젠체함을 비꼬는 말.
꼴에 군:밤 사 먹겠다 구 몰골이 길가에서 군밤이나 사 먹을 정도로 허술하다.
꼴[2] 명 〔중세 : 꼴〕 말이나 소에게 먹이는 풀. *목초(牧草).
【꼴을 베어 신을 삼겠다】 은혜를 잊지 아니하고 보답하겠다는 말. '결초 보은(結草報恩)'과 같은 뜻.
-꼴[1] 미 물건의 값 밑에 붙이어 그 물건을 낱개로 따진 값을 나타내는 말. ¶한 개에 백 원~이다.
-꼴[2] 미 도형(圖形)의 모양을 나타내는 말. 형(形). ¶네모~/원뿔~.
꼴-간【一間】[一깐] 명 말이나 소의 먹이인 꼴을 두는 곳.
꼴-값 [一깝] 명 〈속〉 '얼굴값'을 좋지 못한 뜻으로 낮잡아 이르는 말. ¶~ 한답시고 젠체하네. ——-하다 자여불
꼴-같잖다 [一잔타] 형 생김새나 됨됨이가 같잖다. ¶꼴같잖게 그게 무슨 짓이냐.
꼴까닥 부 적은 액체 따위가 목구멍이나 좁은 구멍으로 한꺼번에 넘어가는 소리. 또는, 그 모양. <꿀꺼덕. ——-하다 자여불
꼴까닥-거리다 자 자꾸 꼴까닥하다. <꿀꺼덕거리다. **꼴까닥-꼴까닥** 부. ——-하다 자여불
꼴까닥-대다 자 꼴까닥거리다.
꼴깍 부 ①적은 물이나 침이 목이나 병목같이 좁은 데를 지날 때, 한번 힘들이어 꺾어 넘어가는 소리. ㅆ꼴칵. ②분함을 억지로 참는 모양. 1)·2) : <꿀꺽. ③〈속〉 갑자기 숨을 거두는 모양. ¶~ 숨이 넘어가다. ——-하다 자타여불
꼴깍-거리다 자타 자꾸 꼴깍이다. <꿀꺽거리다. **꼴깍-꼴깍** 부. ——-하다 자타여불
꼴깍-대다 자타 꼴깍거리다.
꼴깍-이다 一자 적은 물이나 침이 목이나 병목같이 좁은 데를 지날 때 한번 힘들여 꺾어 넘어가는 소리가 나다. ㅆ꼴칵이다. <꿀꺽이다. 二타 적은 물이나 침을 목이나 병목같이 좁은 데를 지날 때 한번 힘들여 꺾어 넘기는 소리를 내다. ㅆ꼴칵이다. <꿀꺽이다.

꼴꼴[1] 부 물 같은 것이 가는 줄기로 몰리어, 기울고 굽이친 데를 조금씩 흐르는 소리. ㅆ콜콜. <꿀꿀[1]. ——-하다[1] 자여불
꼴-꼴[2] 부 돼지 새끼가 우는 소리. <꿀꿀[2].
꼴꼴-거리다[1] 자 자꾸 꼴꼴하다. ㅆ콜콜거리다. <꿀꿀거리다[1].
꼴꼴-거리다[2] 자 돼지가 자꾸 꼴꼴 소리를 내다. <꿀꿀거리다[2].
꼴꼴-대다 자 꼴꼴거리다[1·2].
꼴꼴-맞다 형 시답잖고 꼴꼴한 데가 있다.
꼴꼴-하다[2] 형여불 풀기가 조금 뻣뻣하다.
꼴꼴-하다[3] 형여불 용렬하고 시답잖다. ¶돈을 처들이고 그 꼴꼴한 대학에 다니느냐.
꼴-꾼 명 꼴을 베는 사람.
꼴다 타 자지를 꼴리게 하다.
꼴-답잖다 [一잔타] 형 꼴이 보기에 흉하다.
꼴드마리 명 〈방〉 바디집비녀.
꼴-등【一等】[一뜽] 명 〈속〉 등수(等數)의 맨 끝. *꼴찌.
꼴딱 부 ①목구멍으로 한꺼번에 힘차게 삼키는 소리. <꿀떡. ②해가 서쪽으로 완전히 지는 모양. ¶해가 ~ 넘어가다. ③전혀 먹지 아니하고 굶는 모양. ¶사흘을 ~ 굶다. ——-하다 자여불
꼴딱-거리다 자 자꾸 꼴딱하다. <꿀떡거리다.
꼴딱-꼴딱 부 ①꼴딱거리는 소리. ②그릇에 담긴 물이 조금씩 넘치는 모양. ——-하다 자여불
꼴딱-대다 자 꼴딱거리다.
꼴때기 명 〈방〉 〖동〗 꼴뚜기(경기·강원·충남·전남).
꼴떼기 명 〈방〉 〖동〗 꼴뚜기(강원·충남·전북).
꼴또기 명 〈방〉 〖동〗 꼴뚜기.
꼴-또랑 명 〈방〉 고랑[1](경상).
꼴똑-하다 형 〈방〉 가득하다. 담뿍하다.
꼴뚜기 명 〖동〗 [*Octopus ochellatus*] 낙짓과에 속하는 연체 동물의 하나. 소형(小形)의 낙지로서 몸길이는 다리 끝까지 24 cm 내외이고, 몸에는 둥근 혹 모양의 돌기가 밀생하였으며 눈의 주위에는 몇 개의 살가시가 있음. 몸빛은 회색을 띤 적갈색인데, 눈 앞에는 한 개의 황금색의 큰 안점(眼點)이 있음. 여덟 개의 다리에는 두 줄의 흡반(吸盤)이 있고, 길이는 거의 다 같으며 동부(胴部)의 두 배 가량임. 산란기는 3월이며 성숙할 시기에는 난소(卵巢)가 밥알 모양으로 되므로 '반초(飯蛸)'라고도 함. 내만(內灣)의 얕은 모래땅에 서식하는데, 한국·홋카이도·일본·중국 남부 등지에 분포함. 산란 전이 맛이 좋음. 골독어(骨獨魚). 망조어(望潮魚). 장어(鱆魚).

〈꼴뚜기〉

꼴뚜기 구이 명 마른 꼴뚜기를 토막쳐서 양념하여 구운 것.
꼴뚜기 백숙【一白熟】명 생선 꼴뚜기를 잘라서 데친 것.
꼴뚜기 어채【一魚菜】명 꼴뚜기를 토막쳐서 녹말을 묻히어 물에 데친 것.
꼴뚜기 장수 명 ①꼴뚜기를 파는 사람. ②거액의 밑천을 다 털어 없애고 가난하게 사는 사람.
꼴뚜기-젓 명 꼴뚜기로 담근 젓.
꼴뚜기-질 명 남을 욕하는 짓의 하나. 가운뎃손가락만을 펴고 다른 손가락은 꼬부리어 남의 앞에 내미는 짓. ——-하다 자여불
꼴뚜기 찌개 명 꼴뚜기를 넣어 만든 찌개.
꼴뜨기 명 〈방〉 〖동〗 꼴뚜기(전남).
꼴띠 명 〈방〉 〖동〗 꼴뚜기(경남).
꼴띠기 명 〈방〉 〖동〗 꼴뚜기(경기·충청·전라·경상).
꼴락서니 명 〈방〉 꼬락서니.
꼴랑 부 ①통에 다 차지 아니한 액체를 흔들 때 나는 소리. ②착 붙지 아니하고 들떠서 부푼 모양. 1)·2):ㅆ콜랑. <꿀렁. ——-하다 자여불
꼴랑-거리다 자 ①통 속에 가득히 차지 아니한 액체가 출렁이는 소리가 자꾸 나다. ②착 달라붙지 아니하고 부풀어서 들썩들썩하다. 1)·2): ㅆ콜랑거리다. <꿀렁거리다. **꼴랑-꼴랑** 부. ——-하다 자여불
꼴랑-대다 자 꼴랑거리다.
꼴랑지 명 〈방〉 꼬리(전남·제주).
꼴랭이 명 〈방〉 꼬리(제주).
꼴레미 명 〈방〉 ①꼴[1]. ②몰골.
꼴리다 자 ①생식기가 성욕(性慾)으로 인하여 충혈(充血)되다. ②성질이 불끈 일어나다. ¶배알이 ~.
꼴리는 대로 하다 구 제 마음 내키는 대로 하다.
꼴-망태【一網一】명 꼴을 담는 망태기.
꼴-머슴 명 땔감이나 꼴을 베어 오며 집안의 잔일을 보살피는 머슴.
꼴목 명 〈방〉 골목(경남).
꼴목재기 명 〈방〉 꼬락서니.
꼴-바꿈 명 '변형(變形)❶'의 풀어쓴 말. ——-하다 자타여불
꼴-배 명 소나 말 같은 것이 꼴을 먹어 불룩하여진 배.
꼴-보다 타 겉 모양을 살펴보다. ¶꼴을 보니 일은 글렀다/꼴보기 싫은 녀석.
꼴부리 명 〈방〉 〖동〗 고둥(경북).
꼴-불견【一不見】명 모양이나 하는 짓이 같잖거나 우스워서 차마 볼 수가 없음.
꼴-사납다 형ㅂ불 모양이나 하는 짓이 보기에 흉하다.
꼴-싸다 타 포목(布木)의 양쪽 길이가 꼭 같게 세로 접다.
꼴재기 명 〈방〉 골짜기❶(전남·경상).
꼴-좋다 [一조타] 형 꼴불견이다. 꼴사납다. 반어적(反語的) 표현으로 쓰임.
꼴-짐 [一찜] 명 소나 말 따위의 꼴을 싣거나 꾸린 짐.
꼴짝[1] 명 〈방〉 골짜기❶(전라·경상).
꼴짝[2] 부 ①질거나 끈기 있는 물건을 주무르거나 밟을 때에 나는 소리. ②눈물을 조금씩 짜내는 모양. 1)·2):<꿀쩍. ——-하다 자타여불
꼴짝-거리다 자타 자꾸 꼴짝하다. <꿀쩍거리다. **꼴짝-꼴짝** 부. ——-하다 자타여불
꼴짝-대다 자타 꼴짝거리다.
꼴찌 명 순서(順序)로 쳐서 맨 끝. ¶맨 ~로 합격하다.

꼴찌락 부 적은 물에 많은 물건을 넣고 힘들게 주무르거나 문질러 빠는 모양. <꿀찌럭. ——-하다 자여불

꼴찌락-거리다 자 계속하여 꼴찌락하다. <꿀찌럭거리다. 꼴찌락-꼴찌락 부. ——-하다 자여불

꼴찌락-대다 자 꼴찌락거리다.

꼴착 명 〈방〉 골짜기❶(전라).

꼴창이 명 〈방〉 도랑¹(전북).

꼴칵 부 물 같은 것이 목이나 좁은 병목을 힘드리어 넘어갈 때 나는 소리. ㅆ꼴깍. <꿀컥. ——-하다 자여불

꼴-튕이 명 〈방〉 꼬락서니.

꼴-풀 명 '꼴²'을 분명히 이르는 말.

꼴-하늘지기 명 〖식〗[*Fimbristylis subbispicata*] 방동사닛과에 속하는 다년초. 줄기는 총생(叢生)하며 높이 10-50 cm이고 뿌리에 강한 수근(鬚根)이 있으며, 가늘고 긴 근생엽(根生葉)이 있음. 5-6월경에 길이 18-30 cm의 화경(花梗)이 나와 그 끝에 달걀꼴 타원형으로 녹갈색의 화수(花穗)가 피고, 수과(瘦果)는 길이 1.2 mm 가량의 편평한 거꿀달걀꼴임. 산야의 습지에 나는데, 제주·경남·강원·경기 및 일본·중국·인도 등지에 분포함.

〈꼴하늘지기〉

꼴-흉내말 명 〖언〗 '의태어(擬態語)'의 풀어쓴 말.

꼼꼼-쟁이 명 ①일을 차근차근 빈틈없이 잘하는 사람. ②일을 너무 굼뜨게 하는 사람을 조롱하여 일컫는 말.

꼼꼼-하다 형여불 성질이나 하는 행동이 찬찬하고 자세하여 빈틈이 없다. 꼼꼼-히 부

꼼:-바르다 형르불 도량(度量)이 좁고 인색하여 박하다.

꼼:바리 명 꼼바른 사람의 별명.

꼼보 명 〈방〉 곰보(충남·전남·경상).

꼼-수 명 쩨쩨한 수단이나 방법. ¶ 바둑에서 ~를 쓰다.

꼼실-거리다 자 자지레한 벌레가 좀스럽게 자꾸 움직이다. ㅅ곰실거리다. <꿈실거리다. 꼼실-꼼실 부. ——-하다 자여불

꼼실-대다 자 꼼실거리다.

꼼작 부 좀 크고 세게 곰작하는 모양. ㅅ곰작. ㅆ꼼짝. <꿈적. ——-하다 자타여불

꼼작-거리다 자타 자꾸 꼼작하다. ¶ 벌레들이 자꾸 ~. ㅅ곰작거리다. ㅆ꼼짝거리다. <꿈적거리다. 꼼작-꼼작 부. ——-하다 자타여불

꼼작-대다 자타 꼼작거리다.

꼼작-이다 자타 약하고 느리게 움직이다. ¶ 그렇게 꼼작이지 말고 좀 빨리 해 치워라. ㅆ꼼짝이다. <꿈적이다.

꼼쥐 명 〈방〉 꼼바리.

꼼쥐-스럽다 형 〈방〉 꼼바르다.

꼼지락 부 몸을 가볍게 움직이는 모양. 준꼼질. ㅅ곰지락. <꿈지럭. ——-하다 자타여불

꼼지락-거리다 자타 자꾸 꼼지락하다. 준꼼질거리다. ㅅ곰지락거리다. <꿈지럭거리다. 꼼지락-꼼지락 부. ——-하다 자타여불

꼼지락-대다 자타 꼼지락거리다

꼼질 부 ↗꼼지락. ㅅ곰질. <꿈질. ——-하다 자타여불

꼼질-거리다 자타 ↗꼼지락거리다. ㅅ곰질거리다. <꿈질거리다. 꼼질-꼼질 부. ——-하다 자타여불

꼼질-대다 자타 꼼질거리다.

꼼짝 부 약하고 게으르게 움직이는 모양. ¶ ~ 말고 있거라. ㅅ곰작·꼼작. <꿈쩍. ——-하다 자타여불

꼼짝-거리다 자타 자꾸 꼼짝하다. ㅅ곰작거리다·꼼작거리다. <꿈쩍거리다. 꼼짝-꼼짝 부. ——-하다 자타여불

꼼짝-달싹 부 조금 움직이는 모양. ——-하다 자여불

꼼짝달싹 못: 하다 구 꼼짝할 정도나 달싹할 정도로도 움직이지 못하다. 전혀 움직이지 못하다. ¶ 꼼짝달싹 못 하는 만원 버스 속.

꼼짝-대다 자타 꼼짝거리다.

꼼짝 못: 하다 구 ①몸을 조금도 움직이지 못하다. ¶ 선 채로 ~. ②곤경에서 벗어나지 못하여 어찌할 수가 없다. 또, 권세나 힘에 눌려 기를 못 펴다. ¶ 꼼짝 못 하고 당했다. 1)·2): <꿈쩍 못 하다.

꼼짝 부득【—不得】명 곤경에 빠지어 꼼짝할 수 없음. 동탄 부득(動彈不得).

꼼짝 아니하다 구 몸을 조금도 움직이지 아니하다. 어떤 속에 죽치고서 활동하지 아니하다. ¶ 벌레가 죽은 체하고 꼼짝 아니한다/방 안에 틀어박혀 꼼짝 않는다.

꼼짝-없다 [—업—] 형 ①꼼짝할 수가 없다. 또, 조금도 움직이는 기색이 없다. <꿈쩍없다. ②어떻게 손을 쓸 수가 없다.

꼼짝-없이 [—업씨] 부 꼼짝할 수 없이. ¶ ~ 붙잡히게 되었다.

꼼짝-이다 자타 약하고 둔하게 움직이다. ㅅ꼼작이다. <꿈쩍이다.

꼼치¹ 명 ①작은 것. ②적은 것.

꼼치² 명 〖어〗[*Liparis tanakai*] 꼼칫과에 속하는 바닷물고기. 몸길이 36-45 cm이고, 몸이 대단히 부드럽고 무른 것이 특징임. 배지느러미는 흡반화되어 있고, 머리는 폭이 넓으며 몸빛은 청색 또는 자담갈색에 꼬리지느러미 중앙부에 하나의 백색 무늬가 있음. 등지느러미·뒷지느러미·꼬리지느러미는 연속되어 있으나 그 연속부의 연변에 분명한 결각(缺刻)이 있음. 겨울철에 산란함. 한국 동남 연해 및 일본 중부 이북에 분포함. 식용 또는 비료로 이용됨.

〈꼼치²〉

꼼틀 부 몸을 이리저리 꼬부리어 움직이는 모양. ㅅ곰틀. <꿈틀. ——-하다 자타여불

꼼틀-거리다 자타 자꾸 꼼틀하다. ㅅ곰틀거리다. <꿈틀거리다. 꼼틀-꼼틀 부. ——-하다 자타여불

꼼틀-대다 자타 꼼틀거리다.

꼽꼽-쟁이 명 성질이 꽤 잘고 촉촉한 사람.

꼽꼽-하다 형여불 조금 촉촉하다. <꿉꿉하다.

꼽다 타 〔중세 : 곱다〕 ①수를 세려고 손가락을 하나씩 꼬부리다. ¶ 손꼽아 기다리다. ②쳐주다. 지목하다. ¶ 첫손으로 꼽는 수재다.

꼽댕이 명 〈방〉 ①곱사등이. ②대님.

꼽-들다 자 ☞접어들다❷. ¶ 그대로 돌쳐서서 ×교 방향으로 꼽들었다 ≪廉想涉 : 萬歲前≫.

꼽등이 명 ①〖충〗 꼽등잇과에 속하는 곤충의 총칭. ②〖충〗[*Diestrammena apicalis*] 꼽등잇과에 속하는 곤충의 하나. 알락꼽등이와 비슷한데, 몸길이 17-20 mm이고, 몸빛은 황갈색 내지 암갈색이며 흉배(胸背)와 복부(腹部)에 황갈색의 반점(斑點)이 있음. 촉각은 대단히 길어서 95 mm 가량이고 특히 등이 꼽추처럼 몹시 꼬부라져서 궁상(穹狀)으로 융기(隆起)하였음. 날개는 퇴화(退化)하여 없으며 후지(後肢)는 길고 강대하여 잘 뜀. 산란관은 검상(劍狀)임. 야간에 곤충·거미 등의 사체(死體)를 먹음. 부엌·마루밑 등의 습지에 서식하는데, 한국 및 전세계에 분포함. 조계(竈鷄). 조마(竈馬). 왕뚱이. ③〈방〉 곱사등이.

꼽등잇-과【—科】명 〖충〗[Stenopelmatidae] 메뚜기목(目)에 속(屬)하는 한 과. 보통, 날개가 없으나 짧은 날개 또는 드물게 긴 날개가 있는 종류도 있음. 몸의 전체가 꼽추 모양으로 만곡되었고 청기(聽器)는 없음. 주로 야간 활동성이며 전세계에 300여 종, 한국에는 꼽등이·알락꼽·장수꼽등이 따위 종류가 있음.

꼽보 명 〈방〉 곱사등이(전북).

꼽사등-이 명 ☞곱사등이.

꼽-사리 명 〈속〉 남이 벌여 놓은 판에 거저 끼어드는 일.

꼽사리-꾼 명 〈속〉 남이 벌여 놓은 판에 거저 끼어드는 사람.

꼽사리-끼다 자 남이 벌여 놓은 판에 거저 끼어들다.

꼽새 명 〈방〉 곱사등이.

꼽새-돔 명 〖어〗[*Hapalogenys nigripinnis*] 하스돔과에 속하는 바닷물고기. 몸길이 60 cm 가량이고, 턱 부분에 세 개의 작은 구멍이 있고 촉수(觸鬚)가 밀생하며 비늘은 아주 큼. 몸빛은 회갈색으로 체측에 불분명한 두 줄의 흑색 띠가 있으며, 배지느러미는 아주 길어서 항문에 달함. 한국 남부 다도해 이남과 일본 중부 이남에 분포함. 식용함.

〈꼽새돔〉

꼽실 부 남에게 아첨하는 뜻으로 머리와 허리를 숙이는 모양. ㅅ곱실. <꿉실. ——-하다 자타여불

꼽실-거리다 자타 남에게 아첨하는 뜻으로 머리와 허리를 자꾸 숙이다. ㅅ곱실거리다. <꿉실거리다. 꼽실-꼽실 부. ——-하다 자타여불

꼽실-대다 자타 꼽실거리다.

꼽싸 명 〈방〉 곱사등이(경기·충청·전라·경상).

꼽싸동-이 명 〈방〉 곱사등이(전북).

꼽쌔 명 〈방〉 곱사등이(경기·충청·전라·경상).

꼽쌔등-이 명 〈방〉 곱사등이(경기).

꼽쌔디 명 〈방〉 곱사등이(경북).

꼽쌔딩-이 명 〈방〉 곱사등이(경북).

꼽자기 명 〈방〉 꼽재기.

꼽작 부 너무 황송하여 급한 마음으로 상대방 앞에 머리를 숙이고 동시에 몸을 굽히는 모양. ㅅ곱작. <꿉적. ——-하다 자타여불

꼽작-거리다 자타 머리와 몸을 자꾸 꼽작꼽작 숙이다. ㅅ곱작거리다. <꿉적거리다. 꼽작-꼽작 부. ——-하다 자타여불

꼽작-대다 자타 꼽작거리다.

꼽장-골 명 가죽신의 골 종류의 한 가지. 앞 부리가 번쩍 들리고 그 끝이 굽었음.

꼽장-떡 명 〈비〉 산병. 곡병(曲餠).

꼽장-선【—扇】명 쥘부채의 하나. 겉살의 사북 근처에 굽은 뼈나 검은 나무 쪽을 붙여서 만듦. 곡두선(曲頭扇).

꼽장이 명 〈방〉 곱사등이.

꼽재기 명 ①때나 먼지 같은 더러운 물건. ¶ 눈 ~. ②작은 사물을 가리키는 말.

꼽쟁이¹ 명 〈방〉 곱사등이.

꼽쟁이² 명 〈심마니〉 담뱃대.

꼽추 명 곱사등이.

꼽추-등에 명 〖충〗[*Philopota aenea*] 꼽추등엣과에 속하는 곤충. 몸길이 6-8 mm, 몸빛은 흑색에 약간 청색 또는 남색을 띰. 주둥이는 길고 담황색이며, 흉배(胸背)의 배면(背面)이 융기(隆起)하여 꼽추 모양이며 갈색 미모(微毛)가 밀생함. 다리는 담황색, 퇴절·기절 및 경절의 하면은 황갈색임. 한국·일본 등지에 분포함.

꼽추등엣-과【—科】명 〖충〗[Acroceridae] 파리목(目)에 속(屬)하는 한 과. 몸빛은 둔색(鈍色)·선명색·금속성 청색·남색·황금색이 보통이고 대체로 털이 있음. 단안(單眼)은 2-3개이고 촉각은 2-3 절인데, 흉부와 복부는 둥글고, 미단(尾端)에는 두 개의 긴 가시가 있음. 전세계에 200여 종이 분포함.

꼽치다 타 ①반으로 접어 한데 합치다. ②갑절을 하다. 1)·2): ㅅ곱치다

꼽히다 피동 꼽음을 당하다. ¶ 제1인자로 꼽히는 실력자.

꼿¹ 명 〈방〉 〖식〗 꽃(경기·충청·전북·제주).

꼿²【串】명 〈이두〉 ①꼬챙이. ②곶·갑(岬).

꼿꼿-이 부 꼿꼿하게.

꼿꼿-하다 형여불 〔근대 : 옷옷ᄒᆞ다〕 ①단단하고 길쭉한 것이 굽은 데가 없이 쭉 바르다. ②배반하거나 뜻을 포기하는 일이 없이 굳세다. ¶ 꼿꼿한 기질. ③융통성이 없고 곧기만 하다. ¶ 사람이 너무 꼿꼿하기만 해서 같이 일해나가기가 쉽지 않겠다. ④어려운 일을 당하여 꼼짝할 수 없다. 1)-2) : <꿋꿋하다.

[꼿꼿하기는 개구리 삼킨 뱀] 고집이 센 사람을 이름. [꼿꼿하기는 서서 똥 누겠다] 고집이 지나치게 세거나, 자기만 옳다고 남을 받아들이

지 아니하는 사람을 이름.

꿋대미 명 〈방〉 대님(전라).

꽁 명 〈방〉 〖조〗 꿩(경기·강원·전남·경상·함남).

꽁거리 명 〈방〉 껑거리.

꽁기 명 〈방〉 공기(空氣).

꽁깽이 명 〈방〉 맹꽁이.

꽁꼼-하다 형여불 ☞꼼꼼하다. 「하다 자여불

꽁:-꽁[1] 부 되게 앓는 소리. 또, 아픈 것을 참는 신음 소리. <꿍꿍[1]. ——

꽁꽁[2] 부 ①물체가 단단히 언 모양. ¶물이 ~ 얼었다. ②매우 단단하게 죄어 묶거나 꾸리는 모양. ¶~ 묶어라. ③보이지 아니하게 단단히 숨는 모양. 꼭꼭. ¶~ 숨어라 머리카락 보인다.

꽁:꽁-거리다 자 자꾸 꽁꽁 소리를 내다. <꿍꿍거리다.

꽁:꽁-대다 자 꽁꽁거리다.

꽁-다리 명 짤막하게 남은 동강이나 끄트머리. ¶연필 ~.

꽁당이 명 〈방〉 꼬랑이.

꽁당지 명 〈방〉 꼬랑지.

꽁대 명 〈방〉 꼬랑이(함남).

꽁대기 명 〈방〉 꼬랑이(경상·함남).

꽁대이 명 〈방〉 꼬랑이(경북).

꽁댕이 명 〈방〉 꼬랑이(강원·전북·함남·평남).

꽁무니 명 〔근대 : 꽁뭉이〕 ①〖동〗 짐승이나 새의 등마루뼈의 끝진 곳. ②엉덩이를 중심으로 한 몸의 뒷부분. ¶~에 권총을 차다. ③뒤. 뒤꽁무니. ¶여자 ~만 좇아다닌다./ ~에서 졸졸 따라온다. ④끝.

꽁무니를 따라 다니다 구 (주로, 이끗을 바라고) 부지런히 바싹 붙어 따라다니다. ¶열바람 맞은 자는 물색없이 여학도 꽁무니를 슬슬 따라다니는 인물도 있어≪崔瓚植:金剛門≫.

꽁무니(를) 빼:다 구 힘에 겹거나 두려워하여 관계된 일에서 슬그머니 물러나다.

꽁무니(를) 사리다 구 슬그머니 피하려 하거나 달아나려 하다.

꽁무니 바람 명 뒤에서 불어 오는 바람.

꽁무니-뼈 명 〖생〗 미저골(尾骶骨).

꽁무니-지느러미 명 〖어〗 뒷지느러미.

꽁미 명 〈방〉 엉덩이(함남).

꽁바기 명 〈방〉 공바기.

꽁-보리밥 명 보리쌀로만 지은 밥. 곱삶이.

꽁-생원【一生員】명 매사에 꽁한 사람을 조롱하는 말.

꽁수[1] 명 연의 가운데 구멍 밑의 부분.

꽁수[2] 명 ☞꼼수.

꽁숫-구멍 명 연의 가운데 구멍 아래쪽의 꽁숫달 양쪽에 바싹 뚫어서 연 줄을 꿰게 만든 작은 구멍.

꽁숫-달 명 연을 만들 때에 가운데에 길이로 붙이는 작은 대.

꽁숫-줄 명 연의 꽁숫구멍에 꿰어서 꽁숫달에다 잡아매어, 비스듬하게 올라와 가운데 줄과 한 군데 모이는 줄.

꽁아리 명 〈방〉 〖식〗 꽈리(함경).

꽁알-거리다 자 못마땅하여 자꾸 종알거리다. <꿍얼거리다. 꽁알-꽁알 부. ——하다 자여불

꽁알-대다 자 꽁알거리다.

꽁이 명 〈방〉 팽이(전라).

꽁자리 명 〈방〉 공바기.

꽁지 명 새의 꽁무니에 달린 길다란 깃. 미우(尾羽). *꼬리.

[꽁지 빠진 새 같다] 꼴이 초라하다는 말.

꽁지-가오리 명 〖어〗 [*Dasyatis kuhlii*] 색가오릿과에 속하는 바닷물고기. 체반(體盤)의 등 쪽은 적색인데 가장자리는 암흑색이고 배 쪽은 백색임. 몸은 거의 밋밋하고 체반의 척중선(脊中線)에 따라서 뒤쪽으로 향한 한 줄의 가시가 있음. 주둥이는 짧으며 아래턱에 두 개의 촉수상 돌기가 있음. 한국 서남 연해 특히, 목포·제주도에 흔하고 일본 홋카이도 이남에서 인도양에까지 분포함.

꽁지-깃 명 ①새의 꽁지의 깃. ②미우(尾羽).

꽁지다 타 〈방〉 쪽지다. 「생긴 나무때기.

꽁지-머리 명 도래나 물레의 손잡이 따위와 같이 머리가 북방망이처럼

꽁지-바람 명 ☞꽁무니바람.

꽁지-벌레 명 ①〖충〗 왕파리의 유충(幼蟲). 여름에 뒷간 같은 데서 생기는데, 꼬리가 길고 발이 없음. 분충(糞蟲). 천장자(天蟟子). ②마음씨가 못된 사람의 비유.

꽁지-별 명 ☞살별.

꽁지-부리 명 배의 꼬리. 고물. 선미(船尾).

꽁지-양태 명 〖어〗 [*Calliurichthys japonicus*] 동갈양탯과에 속하는 바닷물고기. 몸길이 30 cm 내외로 종편(縱扁)한데, 입이 작으며 꼬리지느러미가 아주 길고 특히 수컷이 더 긺. 몸빛은 등 쪽이 담회색으로 불명백한 갈색 무늬가 산재함. 뒷지느러미의 하반부는 희고, 그 외는 흑색이며 꼬리지느러미의 하면도 흑색임. 한국 남부 연해·일본 중부 이남 및 동지나해 등에 분포함. 식용함.

〈꽁지양태〉

꽁짓-점【一點】명 〖인쇄〗 가로쓰기 글의 구두점(句讀點)의 하나로 또는 자릿수가 많은 아라비아 숫자에서 편의상 세 자리마다 찍는 데 쓰는 부호인 반점. 곧 ','의 인쇄상의 이름.

꽁짜 명 ☞공짜.

꽁초【一草】명 피우다 남은 담배 꼬투리.

꽁:치[1] 명 〖어〗 [*Cololabis saira*] 침어과에 속하는 바닷물고기. 몸길이 30 cm 가량으로, 측편(側扁)하며 양턱이 부리 모양으로 삐죽 나왔음. 가슴지느러미와 배지느러미는 아주 작음. 몸빛은 등 쪽이 흑청색, 배 쪽이 은백색임. 5-8월에 산란함. 냉수성(冷水性) 어종으로, 한국 전연해 및 일본에 분포함. 맛이 좋아 중요한 통조림 원료임. 추광어(秋光魚). 추도어(秋刀魚).

〈꽁치[1]〉

꽁치[2] 명 〈방〉 ①공것. ②꽁초.

꽁:치-아재비 명 〖어〗 [*Tylosurus annulatus*] 동갈칫과에 속하는 바닷물고기. 대형의 꽁치로서 꼬리지느러미 후연은 두 가닥으로 되어 있고, 꼬리자루 양쪽에 융기선(隆起線)이 있으며 양턱은 짧고 강하며 위턱의 송곳니는 앞쪽으로 굽었음. 특히 원산·마산·제주도 등지에 흔하며 일본 남부해에서 동인도 제도에까지 분포함.

꽁:-하다 형여불 말이 없고 마음이 좁아 무슨 일을 잊지 아니하고 속으로 언짢아하다. ¶꽁한 사람. *꿍하다. 「보내는 내기.

꽂개 명 아이들 놀이의 한 가지. 나무 막대기를 진흙에 꽂아 깊이 들여

꽂다 타 〔중세 : 곶다〕 ①박아 세우거나 찔러 넣다. ¶산정(山頂)에 태극기를 ~/화병에 꽃을 ~. ②꼭 끼워져 있게 하다. ¶비녀를 머리에 ~. ③가로 지르다. ④ ↗뒤꽂다. ⑤거꾸로 박히게 하다. ¶힘껏 메어 ~.

꽂아-바치다 타 〈방〉 까바치다.

꽂아-칼 감 〖군〗 총검이나 총에 꽂으라는 구령.

꽂을-대 [一때] 명 〖군〗 총이나 포에 화약을 재거나, 총열 안을 닦는 데에 쓰는 쇠꼬챙이.

꽂이 명 ☞꼬챙이.

-꽂이 미 명사에 붙어 쓰이어, 무엇을 꽂아 두는 기구·장치의 뜻을 나타내는 말. ¶책~.

꽂히다 피동 ①꽂음을 당하다. 박아 세움을 당하다. ②틈에 끼워 있게 되다. ③가로 질리다.

꽃 명 〔중세 : 곶〕 ①〖식〗 현화 식물의 유성 생식 기관. 형상과 색채가 다종 다양하여 각각 그 특징을 나타냄. 구조상 긴요(緊要) 기관인 꽃술과 보조 기관인 화피(花被)의 두 부분으로 되어 있음. 꽃술은 수술과 암술이 있는데 둘 다 가진 것을 양성화(兩性花), 그 중 하나만 가진 것을 단성화(單性花)라 함. 화피는 내부를 보호하고 또 벌레를 꾀는 것으로 꽃받침과 꽃부리로 구분됨. 대개 화밀(花蜜)·화분(花粉)·방향(芳香)이 있음. 수분(受粉)에 따라 풍매화(風媒花)·충매화(蟲媒花) 등이 있음. *가과(假果). ②꽃이 핀 나뭇가지. 또, 관상용의 꽃이 피는 식물. ③아름다운 계집. 미인(美人). ④아름답고 화려(華麗)한 일. ¶~ 같은 시절. ⑤번영하고 영화스러운 일. ¶그 집 안에 ~이 피었다. ⑥평판이 좋고 인기 있는 일. ¶직장의 ~. ⑦홍역 따위를 앓을 때, 살갗에 좁쌀처럼 내돋는 것.

[꽃 본 나비 담 넘어가랴] 그리운 사람을 본 이가 그냥 지나쳐 가 버릴 리는 없다는 말. ¶물 본 기러기 산 넘어가며 꽃 본 나비가 담 넘어갈가≪歌詞:엮음 수심가≫. [꽃 본 나비 물 본 기러기] 남녀간 정이 깊어 떨어지지 못하는 즐거움을 비유한 말. [꽃 본 나비 불을 헤아리랴] 남녀간의 정이 깊으면 비록 죽을 위험이 있다 하더라도 찾아 갈이 즐김을 이르는 말. ¶꽃 본 나비 불을 헤아리며 물 본 기러기 어옹을 두려할까≪장끼전≫. [꽃 없는 나비] 보람 없고 쓸데없게 된 처지를 이름. ¶물 없는 기러기요 꽃 없는 나비로다≪歌詞:斷腸離別曲≫. [꽃은 꽃이라도 호박꽃이라] 못 생긴 여자란 뜻. [꽃은 목화가 제일이다] 목화는 겉보기는 별것 없어도 그 용도가 긴요하다는 뜻으로, 외모는 어떻든간에 실익(實益)만 있으면 된다는 말. [꽃이라도 십일홍(十日紅) 되면 오던 봉접(蜂蝶)도 아니 온다] 세도가 좋을 때에는 늘 찾아오던 사람이 이 편이 영락(零落)하게 되면 들여다도 안 본다는 말. ¶낡이라도 고목이 되면 오든 새도 아니 오고 꽃이라도 십일홍 되면 오든 봉접도 아니 오고≪歌詞:엮음수심가≫. [꽃이 좋아야 나비가 모인다] ㉠가지고 있는 상품이 좋아야 손님이 많다는 말. ㉡이 편이 좋아야 좋은 결혼 상대를 구할 수 있다는 말. *내 딸이 고와야 사위를 고른다.

꽃-가게 명 조화(造花)나 생화를 파는 가게. 꽃방. 꽃집. 화원(花園). 화방(花房).

꽃-가루 명 〖식〗 '화분(花粉)'의 풀어쓴 말.

꽃가루-관【一管】명 〖식〗 '화분관(花粉管)'의 풀어쓴 말.

꽃가루-받이 [一바지] 명 〖식〗 '수분(受粉)'의 풀어쓴 말.

꽃가루 분석【一分析】명 〖기상·식〗 고고학 및 고기후학(古氣候學)의 연구 수단. 습기(濕氣) 있는 들판의 이탄층(泥炭層)에 들어 있는 꽃가루나 포자(胞子)의 화석(化石)을 층서별(層序別)로 검경(檢鏡) 조사하여, 그의 소장(消長)을 앎으로써 과거의 식물의 종류 및 자연 환경 기후의 변천을 추정(推定)하는 일.

꽃가루-주머니 명 〖식〗 꽃밥.

꽃가룻-병【一病】명 〖식〗 [pollinosis] 〖의〗 어떤 종류의 꽃가루를 흡입(吸入)함으로써 일어나는 알레르기성 염증(炎症). 비염(鼻炎)·천식(喘息)·결막염(結膜炎)·재채기를 수반함. 때로는 가벼운 두통·호흡 곤란을 일으키기도 함. 화분병(花粉病). 화분증(花粉症). 고초열(枯草熱). 알레르기성 비염(鼻炎).

꽃-가마 명 꽃으로 꾸민 가마.

꽃-가지 명 꽃이 달린 가지.

꽃-개똥벌레 명 〖충〗 꽃반딧불이.

꽃-개회나무 명 〖식〗 [*Syringa formosissima*] 물푸레나뭇과에 속하는 낙엽 활엽 관목. 잎은 톱니 없는 타원형 또는 긴 달걀꼴 7-8월에 짙은 적자색 또는 보랏빛 꽃이 원추(圓錐) 화서로 피고, 삭과(蒴果)는 10월에 익음. 산복(山腹) 이상에 나는데 경상·강원·황해·평안·함경 등지에 분포함. 관상용임.

꽃-갯길경 명 〖식〗 [*Limonium sinuatum*] 갯길경잇과에 속하는 1년초. 원산지는 지중해 연안이며 화단의 가장자리에 심거나 꽃꽂이용으로 많이 가꿈. 키는 50-70 cm. 근생엽(根生葉)은 우상(羽狀)으로 갈라지거나 약간 불규칙한 물결 모양으로 갈라짐. 상부의 잎은 점점 작아져서 선상 피침형(線狀披針形)을 이루는데, 전체에 성긴 털이 나 있음. 7-8월에 줄기 끝에 노란 잔 꽃이 한쪽으로 치우친 수상(穗狀) 화서로 핌.

꽃-거미 명 〖동〗 꽃게거미.

꽃-게 명 〖동〗 [*Portunus trituberculatus*] 꽃겟과에 속하는 게의 하나. 갑장(甲長)은 7cm, 폭은 15cm 내외이고 몸빛은 두흉갑(頭胸甲)과 네째 다리는 푸른 빛을 띤 암자색 바탕에 흰 구름무늬가 있어서 아름다움. 장절(長節) 내연에는 네 개의 가시가 있음. 집게발이 강대하고 멀리 이동(移動)도 하며 6-7월에 알을 낳음. 얕은 바다의 모래땅에 군서(群棲) 생활을 하는데, 한국·일본·중국 등지에 분포함. 식용으로 함. 유모(蝤蛑). 화해(花蟹).

〈꽃게〉

꽃-게거미 명 〖동〗 [*Misumenops tricuspidata*] 게거밋과에 속하는 절지(節肢) 동물. 몸길이 3-8mm 내외이고, 암컷의 두흉부는 황록색, 수컷은 황갈색에 한 쌍의 흑갈색 세로무늬가 있음. 여덟 개의 눈 주위는 백색이고 복부의 색채와 무늬는 변이(變異)가 심함. 정원·노상·산지의 나뭇잎 특히 꽃에 많이 모이고 주간 활동성임. 한국에도 분포함. 꽃거미.

꽃-계란 【—鷄卵】 명 삶은 달걀을 반으로 썰고, 단면(斷面)의 흰자를 에어 꽃처럼 보기 좋게 꾸민 것.

꽃-고비 명 〖식〗 [*Polemonium racemosum*] 꽃고빗과에 속하는 다년초. 줄기 높이 60-90cm 가량인데 잎은 호생하며 기수 우상 복엽(奇數羽狀複葉)이고, 소엽(小葉)은 피침형 또는 달걀꼴의 피침형(披針形)임. 6-8월에 자색 또는 백색의 꽃이 밀추(密錐) 화서로 많이 피고, 삭과(蒴果)는 9월에 익음. 산지에 나는데, 평북·함남북 등지에 분포함. 화총(花葱). 화인(花葱).

〈꽃고비〉

꽃고빗-과 【—科】 명 〖식〗 [Polemoniaceae] 쌍자엽(雙子葉) 식물 합판화구(合瓣花區)에 속하는 한 과. 이 과는 초본(草本), 극히 드물게 반관목(半灌木) 또는 아교목(亞喬木)으로 10 속(屬) 200여 종이 북미(北美) 서부에 많은데 한국에는 꽃고비의 1 속(屬) 1 종(種)만이 분포함.

꽃-구경 명 ①만발한 꽃을 보고 즐기는 일. 꽃을 관상(觀賞)함. 방화(訪花). ②〈속〉 미녀(美女)를 즐겨 봄. ——-하다 자여불

【꽃구경도 식후사(食後事)】 '금강산도 식후경이라'와 같은 뜻.

꽃-구름 명 여러 가지 빛깔로 아롱진 아름다운 구름. 채운(彩雲).

꽃-국 명 용수 안에 괸 술의 웃국.

꽃-귀신 【—鬼神】 명 〖민〗 어린 아이가 죽어서 된 귀신. 화귀(花鬼).

꽃-길 명 꽃이 피어 있거나 꽃으로 꾸민 길.

꽃-꼭지 명 〖식〗 '화경(花梗)'의 풀어쓴 말.

꽃-꽂이 명 화초나 나무의 가지를 화기(花器)에 꽂아 자연미를 나타내는 기법(技法). ¶ ~ 강습회.

꽃-꿩의다리 [—/—에—] 명 〖식〗 [*Thalictrum petaloideum*] 미나리아재빗과의 다년초. 높이 1m 내외이고, 잎은 삼회 삼출(三回三出) 복엽이며, 소엽(小葉)은 다소 원형이고 끝이 3-5갈래로 얕게 째졌음. 5-7월에 흰 꽃이 방상(房狀)의 원추(圓錐) 화서로 정생함. 산지에 나는데, 전남의 여수(麗水) 흥국사(興國寺)에 분포함.

꽃끈-무늬 [—니] 명 〖고고학〗 꽃을 끈으로 이어 매어 놓은 것 같은 무늬. 통일 신라 시대의 뼈단지의 겉면 장식으로 많이 이용됨. 화승문(花繩文).

꽃-나무 명 ①꽃이 피는 나무. 화목(花木). 화수(花樹). ②화초(花草)를 잘못 이르는 말.

꽃-나비 명 〖민〗 호남 지방에서, 농악대의 무동(舞童)을 귀엽게 이르는 말.

꽃-노래 명 〖악〗 민요의 하나. 여러 가지 이름난 꽃의 이름을 들어 그 특징과 인간사(人間事)를 비유하여 부른 노래. 처녀 또는 시집간 딸이 친정 부모의 생신날을 맞아 말미를 받아 친정에 돌아가 경축하면서 부르기도 하고 또는 봄철에 아낙네들이 동산에 봄놀이하면서 부르기도 함.

꽃노래-굿 명 〖민〗 '강릉 단오제'나 '동해안 별신굿'의 제차(第次)의 하나. 굿의 후반부에 하는 놀이로서, 무녀(巫女)들이 제상(祭床)에 진열된 지화(紙花)를 양손에 들고 원 모양을 그리며 춤추며 노래함.

꽃-놀이 명 ①꽃을 찾아다니며 보고 즐기는 놀이. 화유(花遊). ②꽃 피는 봄철에 산과 들에 나가 노는 일. ——-하다 자여불

꽃놀이-패 【—覇】 명 (바둑에서) 한 편은 패(敗)하면 큰 손실을 입고, 상대편은 패해도 별 상관이 없는, 일방적인 패.

꽃-눈 명 〖식〗 자라서 꽃이 필 눈. 화아(花芽). *잎눈

꽃-다대 명 〈방〉 〖식〗 꽃받침.

꽃-다발 명 생화 또는 조화(造花)를 모아 만든 다발. 화속(花束).

꽃다우- 간 '꽃답다'의 불규칙 어간. ¶ ~ㄴ/~니/~며.

꽃-다지[1] 명 〖식〗 오이·가지 등의 맨 처음의 열매.

꽃다지[2] 명 〖식〗 [*Draba nemorosa* var. *hebecarpa*] 겨잣과에 속하는 이년초. 줄기 높이 20-30cm이고 전체에 짧은 털이 빽빽하게 남. 근생엽(根生葉)은 넓고 총생(叢生)하나 경엽(莖葉)은 좁고 가늘며 호생함. 4-6월에 노란 십자화(十字花)가 잎 사이에서 나온 화경(花莖) 끝에 총상(總狀)으로 피고, 과실은 길이 5-8mm의 타원형의 편평한 단각과(短角果)임. 산·논·밭에 나는데, 한국 각지 및 일본 등지에 분포함. 어린 잎은 식용함.

〈꽃다지[2]〉

꽃-달임 명 진달래나 국화가 필 때 그 꽃을 따서 적을 부치거나 떡에 넣거나 하여 여럿이 모여 먹는 놀이. ¶ 지금쯤 여항의 아녀자들은 ~들 가겠지요《金周榮 : 客主》. ——-하다 자여불

꽃-답다 형ㅂ불 ①꽃과 같이 아름답다. ¶ 꽃다운 나이. ②꽃으로서의 아름다움을 갖추고 있다.

꽃-당근 【—唐根】 명 당근을 얄팍하게 썰고 가를 에어 꽃처럼 보기 좋게 꾸민 것.

꽃-당혜 【—唐鞋】 명 여러 가지로 빛깔을 넣어 만든 어린 아이의 마른 신.

꽃-대 명 〖식〗 '화축(花軸)'의 풀어쓴 말.

꽃-대님 명 ☞색대님.

꽃대-신 명 〈방〉 꽃당혜.

꽃-덮이 명 〖식〗 '화피(花被)'의 풀어쓴 말.

꽃덮이-꽃 명 〖식〗 '유피화(有被花)'의 풀어쓴 말.

꽃-도미 명 〖어〗 ①꽃돔. ②붉돔.

꽃-돔 명 〖어〗 [*Sacura margaritacea*] 농어과에 속하는 바닷물고기. 몸길이 20cm 가량이고, 몸은 달걀꼴에 측편하며, 후두부가 솟아 있음. 주둥이가 짧고 둔하며 눈이 큰데 몸빛은 고운 선홍색이며 배 쪽은 담색임. 체측에 부정형(不定形)의 두 줄의 유백색 무늬가 있는데 암컷은 노랑 빛이 강하며 흰 무늬가 없고 등지느러미 가시 뒤쪽에 하나의 큰 흑갈색 무늬가 있음. 온대성 어종으로 한국 남부·일본 중부 이남 등지에 분포함. 꽃도미.

꽃-돗자리 명 꽃무늬를 놓아 짠 돗자리. 화문석. ㊀꽃자리. *등메.

꽃동-멸 명 〖어〗 [*Synodus variegatus*] 매퉁잇과에 속하는 바닷물고기. 몸이 둥글고 길며 머리는 크고 종편한데 주둥이가 뾰족함. 몸빛은 고운 암갈색 바탕에 체측 중앙에 적갈색의 불규칙한 무늬가 있고 배쪽은 흼. 한국 남부해·제주도 연해·일본 중부 이남·중국 동해·서태평양 등지에 분포함. 맛은 매퉁이만 못함.

〈꽃동멸〉

꽃-동산 명 아름다운 꽃으로 덮인 동산. 화원(花園).

꽃등[1] 명 맨 처음. *선등(先等).

꽃-등[2] 【—燈】 명 꽃무늬가 있는 종이 등.

꽃-등에 명 〖충〗 ①꽃등엣과에 속하는 곤충의 총칭. ②[*Eristalomyia tenax*] 꽃등엣과에 속하는 곤충. 몸길이 14-15mm, 몸빛은 흑갈색, 복부는 황적색 또는 적갈색인데 둘째 마디에는 'I'형, 수컷의 셋째 마디에는 'ㅗ'형의 흑색 무늬가 있으며, 암컷의 세째 마디에는 황적색의 가로띠가 있고 그 이하는 흑색임. 유충은 오물(汚物) 또는 더러운 물에 살며 미상 돌기(尾狀突起)가 있어 '꼬리구더기'라고 함. 성충으로 월동함. 집파리와 함께 위생 해충의 하나로 전세계에 분포함. 화맹.

〈꽃등에❷〉

꽃등엣-과 【—科】 명 〖충〗 [Syrphidae] 꽃파리목(目)에 속(屬)하는 한 과. 몸은 소형 또는 대형이며, 털이 있는 종류도 있음. 촉각은 3절이고 복부는 4-7절이며 날개는 크고 경맥과 중맥 사이에 의맥(擬脈)이 있는 것이 현저한 특징임. 성충은 농작물과 기타 식물의 화분(花粉)을 매개(媒介)함. 검정넓적꽃등에·꽃등에·꼬마꽃등에·왕꽃등에 등 전세계에 4,000여 종이 분포함.

꽃때-옷 명 〈방〉 때때옷.

꽃-떨기 명 꽃의 떨기. 화총(花叢). 꽃포기.

꽃-뚜껑 명 〖식〗 '화개(花蓋)'의 풀어쓴 말.

꽃-마리 명 〖식〗 [*Trigonotis peduncularis*] 지칫과에 속하는 월년초(越年草). 줄기 높이 20-30cm 내외이고 흰 빛의 잔털이 났음. 근생엽(根生葉)은 장병(長柄)인데 총생(叢生)하고 달걀꼴이며, 경엽(莖葉)은 호생하고 긴 달걀꼴임. 4-7월에 담남색 꽃이 총상(總狀) 화서로 피고, 과실은 소견과(小堅果)임. 들이나 길가에 나는데, 한국·일본 및 아시아 온대 지방에 분포함.

〈꽃마리〉

꽃-마아리 명 〈방〉 꽃망울(경북).

꽃-마우라지 명 〈방〉 꽃망울(황해).

꽃-마울 명 〈방〉 꽃망울(함남).

꽃-마차 【—馬車】 명 꽃 또는 그 밖의 여러 가지 장식품으로 아름답게 꾸민 마차.

꽃-말 명 꽃에다가 그 특질에 의하여 상징적 의미를 부여한 말. 예를 들면 장미는 순애(純愛), 월계수는 영광을 나타내는 따위. 화사(花詞).

꽃-망아리 명 〈방〉 꽃망울(경북).

꽃-망우랭이 명 〈방〉 꽃망울(강원).

꽃-망우리 명 〈방〉 꽃망울(함남·평북).

꽃-망울 명 어린 꽃봉오리.

꽃-맞이 명 〖민〗 꽃 필 때에 하는 굿. ——-하다 자여불

꽃-매아리 명 〈방〉 꽃망울(경북).

꽃-맹아리 명 〈방〉 꽃망울(경북).

꽃-맺이 명 꽃이 진 뒤에 바로 맺히는 열매.

꽃-모 명 꽃의 묘목(苗木).

꽃-모종 【—種】 명 화초 모종. ——-하다 자타여불

꽃-몽아리 명 〈방〉 꽃망울(경남).

꽃-몽오리 명 〈방〉 꽃망울(경기·충남·경남).

꽃-몽울 명 〈방〉 꽃망울(경남).

꽃-무늬 [—니] 명 꽃 모양의 무늬. 화문(花紋). ¶ ~를 수놓다.

꽃-무지 명 〖충〗 ①풍뎅잇과 꽃무지 아과(亞科)에 속하는 애기꽃무지·털숭이꽃무지 등의 총칭. ②[*Cetonia pilifera*] 풍뎅잇과에 속하는 갑충. 몸길이 15mm 가량이고 몸빛은 녹색에 백색 반문(斑紋)이 있고 온몸에 갈색 털이 있음. 성충은 4-5월에 발생하여 수액·과실·꽃에 모이고, 유충은 땅속에서 부식토(腐植土)를 먹음. 일본·류큐·열대 지방에 분포함. 꽃붙이. *검정꽃무지.

〈꽃무지❷〉

꽃-물 명 곰국·설렁탕 등의 진한 국물.

꽃-바구니 명 화초를 따서 넣거나 꽃가지를 담는 바구니.

꽃-바닥 명 꽃받침 속의 바닥.

꽃-바람 명 꽃 필 무렵에 부는 바람.

꽃-바지 명 〖식〗 [*Bothriospermum tenellum*] 지칫과에 속하는 일년 또는 이년초. 높이 20-60 cm이고, 전주(全株)에 모용(毛茸)이 있음. 잎은 잎자루가 있고 달걀꼴의 타원형임. 5-9월에 흰 빛을 띤 작은 꽃이 총상(總狀) 화서로 피고, 분과(分果)는 타원형임. 꽃마리와 비슷하나 근생엽(根生葉)이 단병(短柄)인 것이 다름. 들이나 길가에 나는데 제주·진주·가야산 및 홋카이도·일본 등지의 동부 아시아에 분포함.

〈꽃바지〉

꽃-반딧불이 명 〖충〗 [*Lucidina biplagiata*] 반딧불잇과에 속하는 곤충. 몸길이 7-10 mm이고, 몸빛은 흑색에 흑색 털이 덮이고, 전배판(前背板)의 두 무늬와 복부 말단의 이절(二節)은 담홍색임. 5-6월에 출현하여, 꽃·풀숲에 서식하는데 한국·일본·사할린 등지에 분포함. 꽃개똥벌레.

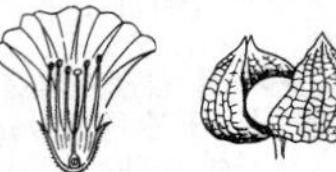

꽃-받침 명 〖식〗 꽃의 보호 기관(保護器官)의 하나. 꽃잎을 받치고 있는데 녹색이나 갈색임. 악(萼). 외화개(外花蓋).

〈꽃받침〉

꽃발-게 명 〖동〗 농게.

꽃-밥 명 〖식〗 꽃의 한 기관(器官). 수술 끝에 붙어서 화분(花粉)을 만드는 주머니 모양의 부분. 약(葯). 약포(葯胞). 꽃가루주머니.

꽃-방 【—房】 명 꽃가게. 화방(花房).

꽃-방굴 명 〈방〉 꽃봉오리(강원).

꽃-방망이 명 꽃가지 여러 개를 긴 꼬챙이에 둥글고 길게 둘러 묶어 방망이같이 만든 것. 아이들이 가지고 놂.

꽃-방석 【—方席】 명 ①꽃무늬를 놓아 짠 왕골 방석. ②수방석.

꽃-방우지 명 〈방〉 꽃봉오리(평북).

꽃-방울 명 〈방〉 꽃봉오리.

꽃-밭 명 ①꽃이 많이 피어 있는 곳. 화원(花園). ②〈속〉 미인 또는 여자들이 많이 모이어 있는 곳. ¶ ~에서 놀다.

꽃밭에 불지른다 ㊀ ㉠풍류를 모르는 짓을 한다는 말. ㉡인정 사정 없는 처사(處事)를 한다는 말. ㉢한창 행복할 때 재액(災厄)이 들이닥친다는 말.

꽃-배 명 꽃이나 그 밖의 여러 가지 것으로 아름답게 꾸민 배.

꽃-뱀 명 〈속〉 남자에게 접근하여 짐짓 몸을 맡기고 금품을 우려내는 「여자.

꽃-버들 명 〖식〗 [*Salix stipularis*] 버드나뭇과에 속하는 낙엽 활엽의 작은 교목. 잎은 선상 피침형이고 거의 톱니가 없으며 잎 뒤에 백색의 견모(堅毛)가 밀포(密布)함. 자웅 이가(異家)인데 3-4월에 수술이 두 개인 꽃이 유제(柔荑) 화서로 피고, 삭과(蒴果)는 5월에 익음. 개울가에 나는데, 한국 북부·유럽 및 동부 아시아 등지에 분포함. 관상용임.

꽃-벼룩 명 〖충〗 [*Mordella aculeata*] 꽃벼룩과에 속하는 갑충(甲蟲). 몸길이 3-5.5 mm이고, 몸빛은 흑색인데 촉각 기부·전경절 등은 황갈색, 배면(背面)의 털은 흑자색임. 수컷의 미절판(尾節板)은 미절의 2.5배, 암컷은 2배 가량임. 꽃에 모이는데, 한국·일본·사할린·시베리아·유럽 등지에 분포함. 화조(花蚤).

꽃벼룩-과 【—科】 명 〖충〗 [Mordellidae] 딱정벌레목(目)에 속하는 한 과. 전신에 견사(絹糸)상 미모(微毛)가 밀생함. 촉각은 11절 또는 드물게 10절. 유충은 대부분이 균류(菌類)가 기생하고 있는 고목 속에 서식함. 전세계에 800여 종이 분포함.

꽃-병 【—瓶】 명 꽃을 꽂아 두는 병. 화병(花瓶). 화담(花壜). 화항(花缸).

꽃-보듸 명 〈방〉 꽃봉오리(함북).

꽃-보무라지 명 〈방〉 꽃봉오리(함남).

꽃-보무래기 명 〈방〉 꽃봉오리(함남).

꽃-봉 명 ①↗꽃봉오리. ②부녀의 머리에 꽂는 장식품.

꽃-봉다리 명 〈방〉 꽃봉오리(전남·황해).

꽃-봉아리 명 〈방〉 꽃봉오리(전남·경북·황해·평북).

꽃-봉오라지 명 〈방〉 꽃봉오리(경기).

꽃-봉오리 명 〖식〗 ①맺히어 아직 피지 아니한 꽃. 화뢰(花蕾). 화봉(花峰). ㊌꽃봉·봉오리. ②희망에 가득 찬 젊은이를 비유하여 이르는 말. ¶ 인생의 ~.

꽃-봉우리 명 〈방〉 꽃봉오리(강원·충남·전남).

꽃-봉자리 명 〈방〉 꽃봉오리.

꽃-봉지 명 〈방〉 꽃봉오리(전라).

꽃-봉투 【—封套】 명 아름다운 그림이나 꽃무늬를 그린 봉투.

꽃-부들기 명 〈방〉 꽃봉오리(함북).

꽃-부등 명 〈방〉 꽃봉오리(함북).

꽃-부듸 명 〈방〉 꽃봉오리(함북).

꽃-부틩이 명 〈방〉 꽃봉오리(함북).

꽃-부라지 명 〈방〉 꽃봉오리.

꽃-부러지 명 〈방〉 꽃봉오리(함남).

꽃-부리 명 [corolla] 〖식〗 꽃을 보호하는 꽃덮이의 내류(內輪)으로서 갖가지의 빛깔을 띠며, 꽃의 가장 고운 부분. 여러 조각의 꽃잎으로 됨. 화관(花冠).

꽃-분 【—盆】 명 화분(花盆).

꽃-불 명 ①이글이글 타오르는 파란 불. ②흑색 화약에 철분(鐵粉) 따위를 섞어 통에 넣고 점화하여 공중 높이 올리는 불. 연화(煙火). 야주(夜珠). ¶ ~ 놀이.

꽃-붙이 【—부치】 명 〖충〗 꽃무지.

꽃-살문 【—門】 명 〖건〗 문살에 꽃무늬를 놓아 만든 문.

꽃-삽 【—鍤】 명 꽃 따위를 이식하거나 매만져 가꾸는 데 쓰이는 작은 삽.

〈꽃삽〉

꽃-상여 【—喪輿】 명 꽃으로 치레한 상여.

꽃상춧-과 【—科】 명 〖식〗 [Cichoriaceae] 쌍자엽 식물에 속하는 한 과. 금혼초·씀바귀·쇠채·쇠서나물 등이 이에 속함.

꽃-새암 명 ☞꽃샘.

꽃-샘 명 봄철 꽃이 필 무렵의 추위. 화투연(花妬娟). ——-하다 자여불

꽃샘-바람 명 이른봄, 꽃 필 무렵에 부는 쌀쌀한 바람.

꽃샘 잎샘 [—닙—] 명 봄철, 꽃과 잎이 필 무렵의 추위. ——-하다 자여불

[꽃샘 잎샘에 반늙은이 얼어 죽는다] 삼사월 꽃 피고 잎 날 때에 일기가 춥다 하여 이르는 말. *보리 누름에 선늙은이 얼어 죽는다.

꽃샘-추위 명 '꽃샘'을 추위로서 똑똑히 일컫는 말.

꽃-소금 명 간장을 담글 때, 위로 뜬 메주 덩이에 뿌리는 소금.

꽃-솎아내기 명 과수(果樹)·야채·화초의 재배에 있어서 한 개체가 갖는 꽃의 수를 제한하기 위하여 꽃을 솎아 주는 일. 과수나 꽃의 크기 및 품질을 향상시키기 위한 것임. 적화. ——-하다 자여불

꽃-소주 【—燒酒】 명 소주를 고아서 꽃등으로 받은 진한 소주.

꽃-솔 명 〈방〉 꽃술.

꽃-송이 명 꽃꼭지 위로 붙은 꽃 전부의 일컬음.

꽃-수 【—繡】 명 여러 가지 꽃을 본떠서 놓은 수.

꽃-수레 명 꽃이나 그 밖의 여러 가지 것으로 아름답게 꾸민 수레.

꽃-수염 【—鬚髥】 명 〈방〉 꽃술.

꽃-술 명 〖식〗 꽃의 수꽃술과 암꽃술. 화예(花蘂).

꽃-숭이 명 〈방〉 꽃송이.

꽃-시계 【—時計】 명 ①식물의 종류에 따라 꽃이 피고 오므라드는 시간이 다름을 이용하여, 그런 식물을 골라서 개화(開花)하는 시각의 순서로 심은 화단. 근년에는 기계로 시계 바늘을 돌리고 문자판에 해당되는 곳에 갖가지 화초를 심는 경우가 있음. ②〈소아〉 시계 바늘이 도는 것처럼 해를 따라 꽃의 방향을 돌리는 데서, 해바라기를 이르는 말.

꽃-식물 【—植物】 명 〖식〗 현화 식물(顯花植物). ↔민꽃 식물.

꽃-신 명 ① ☞꽃당혜. ②꽃 모양이나 그 밖에 여러 가지 빛깔로 예쁘게 꾸민 신발. 흔히, 계집아이들이 신음.

꽃-실 명 〖식〗 '화사(花絲)'의 풀어쓴 말.

꽃-싸리 명 〖식〗 [*Lespedeza macrocarpa*] 콩과에 속하는 낙엽 활엽 관목. 잎은 삼출(三出) 복엽(複葉)이고 장병(長柄)이며, 소엽(小葉)은 타원형 또는 거꿀달걀꼴인데 톱니가 없음. 7월에 짙은 자주빛 꽃이 총상(總狀) 화서로 액생(腋生)하고, 협과(莢果)는 10월에 익음. 산지에 나는데, 경북 성주(星州) 및 중국 만주에 분포함. 재목은 신탄재(薪炭材), 수피(樹皮)는 섬유용임.

꽃-쌈 명 ①꽃으로 내기하는 장난의 한 가지. 각색 꽃을 뜯어 가지고, 그 수효의 많고 적음으로 이기고 짐을 가리는 장난. ②꽃으로 내기하는 장난의 한 가지. 무슨 꽃의 전체나 혹은 꽃술을 뜯어 가지고, 맞걸어 당기어 떨어지고 아니 떨어짐으로 이기고 짐을 가리는 장난. 화전(花戰). ——-하다 자여불

꽃-씨 명 화초의 씨앗.

꽃-아까시나무 명 〖식〗 [*Robinia hispida*] 콩과에 속하는 낙엽 관목. 북아메리카 원산의 관상 식물로 정원에 많이 심음. 키는 1m에 달하지만, 아까시나무 접목한 것은 3m까지 자람. 아까시나무 비슷하며 장지(長枝)·꽃차례·잎자루 따위에 적갈색의 가시 같은 강모(剛毛)가 밀생하고 봄부터 초여름에 걸쳐 담홍색의 꽃이 총상 꽃차례로 아름답게 핌. 우리 나라에서는 열매를 맺는 일이 드묾. 로비니아.

꽃-아나나스 〔ananas〕 명 〖식〗 [*Tillandsia lindeniana*] 아나나스과에 속하는 상록 관상 식물. 남미 에콰도르 및 페루 지방 원산. 보통 온실에서 분에 재배하는데 아나나스과 중 가장 크고 아름다운 꽃이 핌. 줄기가 없고 땅 언저리에서 40-60개의 잎이 총생하여 사방으로 퍼짐. 잎은 선형(線形)이며 길이는 20-30 cm 인데 이면(裏面) 기부에 갈홍색의 얼룩점이 있음. 꽃은 가는 꽃줄기 끝에 15-20 cm의 수상 화서로 달리는데, 이 화서에는 커다란 붉은 빛의 아름다운 포(苞)가 두 줄로 겹쳐 기와 모양으로 배열되어 있고, 각 포(苞) 사이로부터 지름 3-5 cm의 아름다운 청자색 꽃이 피어 포(苞) 밖으로 빠져 나옴. 꽃의 수명은 2-3일. 1963년 우리 나라에 들어옴.

꽃-양배추 【—洋—】 [—냥—] 명 〖식〗 [*Brassica oleracea* var. *acephala*] 겨잣과에 속하는 일년초. 양배추의 한 변종으로, 잎은 오글오글하고 녹색과 붉은 자줏빛·젖빛 등이 잘 조화되어 있어 아름다움. 원산지는 유럽이며 일본에서 개량함. 관상용이며 식용도 함. 모란채.

〈꽃양배추〉

꽃-양산조개 【—陽傘—】 [—냥—] 명 〖조개〗 애기삿갓조개.

꽃-여뀌 [—녀—] 명 〖식〗 [*Persicaria conspicua*] 마디풀과에 속하는 다년초. 근경(根莖)이 뻗어서 번식하며, 줄기는 가늘고 마디가 있음. 잎은 호생하고 잎자루가 있으며, 초상 탁엽(鞘狀托葉)은 원통형(圓筒形)임. 6-7월에 줄기 끝과 가지 끝에 자웅 이가(雌雄異家)로 된 홍색의 꽃이 수상(穗狀) 화서로 피고, 과실은 수과(瘦果)임. 물가에 나는데, 전남·경기 등지에 분포함.

〈꽃여뀌〉

꽃-이끼 [—니—] 명 〖식〗 [*Cladonia rangiferina*] 꽃이낏과에 속하는 관목(灌木) 모양의 지의(地衣). 높은 산의 맨땅과 습한 벌판에 흔히 나는데 온몸이 회색임. 작은 가지가 많고, 가지 끝은 한쪽으로 기울어졌으며 쓴맛이 있음. 자기(子器)는 꼭지에 나고 반구상(半球狀)이며 암갈색임.

꽃-이삭 [—니—] 명 〖식〗 이삭 모양으로 된 화서(花序). 수상(穗狀) 화서·총상(總狀) 화서 따위를 말하며, 특히 볏과(科) 등의 화서를 이름.

꽃-이슬 [—니—] 명 꽃에 앉은 이슬.

꽃-일다 [—닐—] 자 화학적 작용이나 발효의 과정 따위에 있어서, 한창 순화된 현상이 나타나 보이다. 「(花層).

꽃-잎 [—닙] 명 〖식〗 꽃부리의 낱 조각. 화엽(花葉). 화판(花瓣). 화순

꽃-자동차 【—自動車】 명 경축(慶祝)·기념(記念) 행사 때에, 차량(車輛) 언저리에 꽃이나 전등 기타 장식물 등으로 아름답게 꾸민 자동차.

꽃-자루 명 〖식〗 꽃이 달리는 짧은 가지. 꽃꼭지. 화경(花梗). 화병(花柄).

꽃-자리[1] 명 ① ↗꽃돗자리. ②나무의 꽃이 떨어진 자국.

꽃-자리[2] 명 〖어〗 [*Caprodon longimanus*] 농어과에 속하는 바닷물고기. 몸길이 50 cm 가량이고, 몸은 타원형에 측편(側扁)하며, 몸빛은 선홍색인데, 배 쪽은 엷은 황색을 띰. 몸의 등지느러미 살 밑에 3-4개의 부정형의 흑갈색 무늬가 한 줄로 있음. 한국 남해·제주도 연해·일본 중부 이남·대만·중국 및 하와이 등지에 분포함.

꽃-잔 【—盞】 명 〖식〗 〈방〉 꽃받침.

꽃-전 【—煎】 명 ①찹쌀 가루를 반죽하여 꽃 모양으로 만들어 지진 부꾸미. ②부꾸미에 대추와 진달래 꽃잎이나 국화 꽃잎을 붙인 떡. 화전.

꽃-전차 【—電車】 명 경축(慶祝)·기념(記念) 행사 때에, 차량(車輛) 둘레에 꽃이나 전등 기타 장식물로 아름답게 꾸민 전차.

꽃-주일 【—主日】 명 〖기독교〗 아이들을 위하여 특별히 예배 보는 날. 6월의 첫 주일.

꽃-줄기 명 〖식〗 '화경(花莖)'의 풀어 쓴 말.

꽃-지짐 명 꽃잎을 섞어 만든 전병·저냐·누름적 등의 음식.

꽃-집 명 꽃을 파는 집, 곧 꽃가게. 「자동차.

꽃-차 【—車】 명 꽃이나 전등 장식물로 아름답게 꾸민 차. ＊꽃전차·꽃

꽃-차례 명 〖식〗 꽃이 줄기나 가지에 배열(排列)되는 그 모양. 또, 꽃을 붙인 줄기나 가지. 개화 순위(開花順位)의 방향에 따라 무한(無限)꽃차례와 유한(有限)꽃차례의 둘로 크게 나눔. 화서(花序).

〈꽃창포〉

꽃-창포 【—菖蒲】 명 〖식〗 [*Iris ensata* var. *spontanea*] 붓꽃과에 속하는 다년초. 높이 80-150 cm 가량이며, 잎은 두 줄로 호생하고 칼 모양인데 가운데 엽맥(葉脈)이 있음. 6-7월에 자색 또는 홍자색(紅紫色)의 아름다운 꽃이 핌. 삭과(蒴果)는 긴 타원형이고, 세 조각으로 열개(裂開)하며 종자는 갈색임. 산야의 습지(濕地)에 나는데, 제주·전남·경남·강원·경기·평북·함남북 등지에 분포함. 원예 품종(園藝品種)으로 중국·일본·시베리아 등지에 1,000여 종이 있음. 마린(馬藺). 타래붓꽃.

꽃-철 명 꽃 피는 계절.

꽃-턱 명 〖식〗 ☞화탁(花托).

꽃턱-잎 [—닙] 명 〖식〗 '포(苞)'의 풀어 쓴 말.

꽃-파랑이 명 〖식〗 '화청소(花青素)'의 풀어 쓴 말.

꽃-파리 명 〖충〗 [*Pegomyia hyoscyami*] 꽃파릿과에 속하는 곤충. 집파리와 비슷한데 몸길이 5-7 mm 이고, 흉부는 회갈색이며, 흉배에는 세 개의 세로줄이 있고, 두 줄의 중자모(中刺毛)가 있으며, 복부 제1-3절은 반투명한 황색이고, 배면(背面) 각 절의 중앙에서 후연에 걸쳐 삼각형의 흑반(黑斑)이 있음. 암컷의 복부는 전부 암회색임. 유충은 부패한 동식물·오물(汚物)을 먹고, 성충은 꽃에 모임. 위생(衛生) 해충이며, 세계 공통종임.

꽃파릿-과 【—科】 명 〖충〗 [Anthomyiidae] 파리목(目)에 속(屬)하는 한 과. 몸은 가늘고 극모(棘毛)가 있음. 보통, 흑색·회색 또는 암황색의 활발한 종류임. 촉각 극모는 나체(裸體)이고 털이 있으며 깃털 모양임. 복부는 보통 4-5절로 되어 있고, 구문(口吻)은 육질(肉質)임. 유충은 똥이나 부패한 동식물질을 먹음. 위생(衛生) 해충 또는 재배(栽培) 식물의 해충이며, 집파리와 가까운 종류임.

꽃-판 【—瓣】 명 〖식〗 꽃잎. 화판(花瓣).

꽃-팔랑나비 명 〖충〗 [*Hesperia florinda*] 팔랑나빗과에 속하는 곤충. 편 날개의 길이 30 mm 내외, 수컷의 날개는 등황색에 중앙실 밑에 검은 줄이 있고 외연은 흑색이며, 암컷은 암갈색에 황색 방형의 문열(紋列)이 있음. 한국·일본·만주 등지에 분포함.

꽃-포기 명 꽃떨기.

꽃-피다 자 ①어떤 현상이 활짝 드러나다. ¶ 한바탕 웃음이 꽃피고 있을 때. ②어떤 현상이 번영되다. ¶ 민족 문화가 꽃피게 힘쓰자.

꽃-피우다 사동 ①어떤 현상이 활짝 드러나게 하다. ¶ 추억담을 ～. ②어떤 현상을 번영되게 하다. ¶ 문명의 역사를 ～.

꽃-하늘지기 명 〖식〗 [*Bulbostylis tenuissima*] 방동사닛과에 속하는 일년초. 줄기는 실 모양이고 다수 총생(叢生)하며 높이 30 cm 가량임. 잎도 뿌리에서 다수 총생하고 실 모양임. 7-8월에 단생(單生) 또는 복생(複生)의 꽃이 산형(繖形) 화서로 정생(頂生)하는데, 소수(小穗)는 달걀꼴에 다갈색이며, 영(穎)도 달걀꼴이고, 과실은 수과(瘦果)임. 산이나 들의 풀밭에 나는데, 제주·경남·강원·경기·함북 등지에 분포함.

〈꽃하늘지기〉

꽃-향기 【—香氣】 명 꽃에서 풍기는 향기.

꽃-향유 【—香薷】 명 〖식〗 [*Elsholtzia splendens*] 꿀풀과에 속하는 일년초. 줄기는 방형(方形)이며 높이 60 cm 가량인데, 잎은 대생하며 장병(長柄)에 긴 달걀꼴 또는 긴 타원형임. 9월에 줄기 끝과 가지 끝에 보랏빛 꽃이 수상 화서로 피고, 과실은 수과(瘦果)임. 산이나 들에 나는데, 한국 중부 이남에 분포함. 약용함.

꽃-황새냉이 명 〖식〗 [*Cardamine amaraeformis*] 겨잣과에 속하는 다년초. 줄기 높이 20 cm 가량이고, 근생엽(根生葉)은 족생(簇生)하며 경엽(莖葉)은 기수 우엽(奇數羽狀)하고 열편(裂片)은 피침형임. 5-7월에 백색 또는 홍자색 꽃이 총상(總狀) 화서로 정생(頂生)하여 피고, 과실은 장각(長角)임. 산지의 골짜기에 나는데, 경남북·강원·경기·평북·함남북 등지에 분포함. 어린 잎은 식용함. ＊황새냉이.

끝 명 〈방〉 꽃(경상).

파:루 명 〈방〉 〖식〗 파리(충남).

콰르르 부 물이 좁은 구멍으로 급히 쏟아지는 소리. 또, 그 모양. ㅆ콰르르. ——하다 자 여불

콰르릉 부 폭발물 따위가 터질 때나 천둥 소리가 요란스럽고 웅숭깊게 울리어 나는 소리. ㅆ콰르릉. ——하다 자 여불

콰르릉-거리다 자타 연해 콰르릉 소리가 나다. 연해 콰르릉 소리를 내다. ㅆ콰르릉거리다. 콰르릉-콰르릉 부. ——하다 자타 여불

콰르릉-대다 자타 콰르릉거리다.

콰:리 명 [근대: 쏘아리] ①〖식〗 [*Physalis alkekengi* var. *francheti*] 가짓과에 속하는 다년초. 줄기 높이 90 cm 가량이고, 잎은 쌍생하며 유병에 달걀꼴 타원형임. 6-7월에 황백색 꽃이 엽액(葉腋)에 하나씩 달리어 피고, 과실은 장과(漿果)임. 인가 부근에 심는데, 한국 각지 및 일본·중국에 분포함. 관상용이며, 뿌리는 산장(酸漿)이라 하여 약용하고, 과실은 '꽈리'라 하는데 발갛게 익으면 씨를 빼 내어 아이들이 입에 넣어 부는 놀잇감으로 씀. 등롱초(燈籠草). 산장(酸漿). 왕모주(王母珠). 홍고랑(紅姑娘). ②〖의〗 손·발바닥의 살이 꽈리처럼 부푼 현상. 수포(水疱).

〈꽈리❶〉

꽈:리-고추 명 〖식〗 피망의 한 품종으로, 작고 가름한 고추의 일컬음. 조림용으로 쓰임.

꽈:리 정:과 【—正果】 명 익은 꽈리를 꿀에 잰 음식.

꽈:리-허리노린재 명 〖충〗 [*Acanthocoris sordidus*] 허리노린잿과에 속하는 곤충. 몸길이 11-12 mm 이고, 몸빛은 일률적으로 흑갈색이며, 표면에는 짧은 강모(剛毛)가 밀생함. 정중선(正中線)을 따라 담색의 세로띠가 있음. 꽈리·토마토·감자·나팔꽃의 해충으로, 한국·일본·대만 등지에 분포함.

꽈배기 명 ①유밀과(油蜜菓)의 한 가지. 밀가루 따위를 반죽하여, 엿가락처럼 가늘고 길게 늘여, 두 가닥으로 꽈서 기름에 튀겨 낸 과자. ②〈속〉 '사물(事物)을 비꼬아서 말하기 좋아하는 사람'의 비유.

꽉 부 ①힘을 드리어 누르거나 묶는 모양. ¶ ～ 묶어라/손을 ～ 쥐다. ②가득히 찬 모양. ¶ 가방에 ～ 채우다/방에 연기가 ～ 찼다. ③괴로움을 굳이 참고 견디는 모양. ¶ 아픔을 ～ 누르다.

꽉-꽉 부 ①잔뜩 힘을 들여서 여러 번 단단히 누르거나 묶는 모양. ¶ ～ 묶어라. ②모두 다 가득히 찬 모양. ¶ 고리짝마다 ～ 찼다.

꽉지[1] 명 〈방〉 팽이(황해·함경).

꽉:지[2] 명 〈방〉 갈퀴(경북).

꽉-차다 자 가득 차다. ¶ 구경꾼으로 꽉찼다.

꽐: 명 〈방〉 〖식〗 꽈리(전라).

꽐꽐 부 좁은 구멍으로 많은 액체가 급히 쏟아지는 소리. 또, 그 모양. ㅆ콸콸. <펄펄. ——하다 자 여불

꽐꽐-거리다 자 물이 좁은 구멍으로 자꾸 꽐꽐 흐르는 소리가 나다. ㅆ콸콸거리다. <펄펄거리다.

꽐꽐-대다 자 꽐꽐거리다.

꽐:래 명 〖조개〗 〈방〉 고둥(충청).

꽝[1] 명 〈속〉 제비뽑기 등에서 맞히지 못하여 배당이 없는 것. ¶ 제비뽑기에서 ～이 나오다.

꽝[2] 명 〈방〉 뼈(제주).

꽝[3] 부 ①대포나 큰 총을 쏘거나 폭발물이 터질 때 울리는 소리. ②좀 무겁고 딱딱한 물건이 되게 떨어지거나 부딪쳐서 울리는 소리. 1)·2): ㅆ쾅. ——하다 자타 여불

꽝-꽝 부 단단한 물건이 연해 떨어지거나 부딪치며 나는 소리. 또, 세차게 연해 나는 총포의 소리. ㅅ광광. ㅆ쾅쾅. ——하다 자타 여불

꽝꽝-거리다 자타 자꾸 꽝꽝 소리가 나다. 또, 자꾸 꽝꽝 소리를 내다. ㅅ광광거리다. ㅆ쾅쾅거리다.

꽝꽝-나무 명 〖식〗 [*Ilex crenata* var. *microphylla*] 감탕나뭇과에 속하는 상록 활엽 관목. 높이 7-8 m 이고, 잎은 호생하며 거꿀달걀꼴 혹은 넓은 타원형임. 6월에 백록색의 잔 꽃이 자웅 이가(雌雄異家)로 피는데, 암꽃은 단립(單立), 수꽃은 족생(簇生)함. 핵과(核果)는 구형(球形)이며, 10월에 까맣게 익음. 산록(山麓)에 나는데, 제주도·거제도·보길도(甫吉島)·전북의 변산(邊山) 및 일본·오키나와·사할린 등지에 분포함. 재목은 판목(版木)이나 인재(印材) 및 빗을 만드는 데 쓰며, 정원수로 심음.

〈꽝꽝나무〉

꽝꽝-대다 자타 꽝꽝거리다.

꽝쇠 명 〈방〉 꽹과리.

꽝아리 명 〈방〉 광주리(전북).

꽝어리 명 〈방〉 광주리(전북).

꽝우리 명 〈방〉 광주리(충남·전북).

꽝주 명 〈방〉 광주리(충남).

꽝주리 명 〈방〉 광주리(충청·전라).

꽝지리 명 〈방〉 광주리(전남·경북).

꽝탱이 명 〈방〉 고갱이.

꽤[1] 명 〈방〉 오얏.

꽤[2] 명 〈방〉 〖식〗 깨(충남·전라·제주).

꽤[3] 부 ①비교적. 매우. ¶ ～ 길다. ②제법. 자못. 어지간히. ¶ ～ 재미있다. ③생각한 것보다는 좀 심한 정도로. ¶ ～ 까다롭다.

꽤기 명 ↗새꽤기.

꽥꼬리 명 〈방〉 〔동〕 개구리.
꽥내-보다 타 〈방〉 노리다.
꽥:리 명 〈방〉 〔식〕 꽈리(강원).
꽥: 부 성날 때, 남을 겁나게 또는 놀라게 할 때 또는 갑자기 몸에 충격을 받았을 때 목청을 높여 지르는 소리. <켁. ——-하다 자 여불
꽥:-꽥 부 꽥꽥거리는 소리. <켁켁. ——-하다 자 여불
꽥:꽥-거리다 자 '꽥' 소리를 연해 자꾸 내다. <켁켁거리다.
꽥:꽥-대다 자 꽥꽥거리다.
꽥:꽥-이 명 '툭하면 꽥꽥거리는 이'를 홀하게 이르는 말.
꽥:꽥 지르다 자 르불 자꾸 '꽥꽥' 소리를 지르다. <켁켁 지르다.
꽥:-지르다 자 르불 '꽥' 소리를 지르다. <켁지르다.
꽨-듯싶다 형 젠체하는 태도가 있다.
꽬띠 명 〈방〉 허리띠.
꽹 부 꽹과리를 치는 소리. ——-하다[1] 자 여불
꽹과리 명 〔악〕 소금(小金)을 농악기(農樂器)로서 일컫는 이름. 손잡이를 홍사(紅絲) 끈으로 만들며, '꽹' 소리가 높게 남. 농악(農樂)을 칠 때는 상쇠잡이가 되어, 시작과 끝 장단(長短)의 가락을 조절 인도함. 또, 북과 함께 굿에도 쓰임. 동고(銅鼓). 쟁(錚).

〈꽹과리〉

꽹그랑 부 꽹과리 따위를 쳐서 나는 소리. ——-하다 자타 여불
꽹그랑-거리다 자타 꽹그랑 소리가 잇따라 나다. 또는 소리를 연해 내다. 꽹그랑-꽹그랑 부. ——-하다 자타 여불
꽹그랑-꽹꽹깽 부 꽹과리를 마구 치는 소리.
꽹그랑-대다 자타 꽹그랑거리다.
꽹-꽹 부 꽹과리를 연해 치는 소리. ——-하다 자타 여불
꽹꽹-거리다 자타 '꽹꽹' 소리가 자꾸 나다.
꽹꽹-대다 자타 꽹꽹거리다.
꽹-나무 명 〔식〕 [*Vaccinium koreanum*] 석남과에 속하는 낙엽 활엽 관목. 잎은 타원형 또는 넓은 피침형임. 여름철에 분홍색 꽃이 두세 개씩 늘어져서 총상(總狀) 화서로 정생(頂生)하여 피고, 장과(漿果)는 가을에 빨갛게 익음. 산의 중복 이상에 나는데, 한국 각지·일본에 분포함. 과실은 식용함. 산앵두나무.

〈꽹나무〉

꽹매기 명 〈방〉 꽹과리.
꽹매-깽깽깽 부 ☞ 꽹그랑꽹꽹깽.
꽹매꿍-꽹매꿍 부 ☞ 꽹그랑꽹꽹깽.
꽹:이[1] 명 〈방〉 팽이[1](전북·경상·황해).
꽹이[2] 명 〈방〉 〔동〕 고양이(경남).
꽹지 명 〈방〉 〔동〕 고양이.
꽹-하다[2] 형 여불 물체가 더할 수 없이 맑고 투명하여, 환히 비치어 보이다. ㅅ팽하다.
꾀[1] 명 일을 배우 잘 꾸며 내는 묘한 생각. 계모(計謀). 계책(計策). 모책(謀策). ¶ ~가 많은 사람. ——-하다 타 여불 ①계획하다. 도모하다. ②뭣을 하려고 노력하다. ③서로 의논하다.
 꾀(가) 나다 구 싫증이 나다.
꾀[2] 명 〈방〉 〔식〕 깨.
꾀- 부 어떠한 명사 위에 붙어서 그것이 거짓임을 나타내는 말. ¶ ~병/~잠/~배.
꾀가롭다 형 〈방〉 까다롭다(경북).
꾀고롭다 형 〈방〉 까다롭다(경북).
꾀-까다롭다 형 ㅂ불 몹시 야릇하게 까다롭다. ¶ 꾀까다롭게 굴다. ㅅ괴까다롭다. 꾀-까다로이 부
꾀-까닭스럽다 [―닥―] 형 ㅂ불 야릇하고 괴상하여 매우 까닭스럽다. ㅅ괴까닭스럽다. 꾀-까닭스레 부
꾀까드랍다 형 〈방〉 까다롭다(충남·경남).
꾀꼬롬-하다 형 〈방〉 꺼림하다(경남).
꾀꼬리 명 〔조〕 [*Oriolus chinensis diffusus*] 꾀꼬릿과에 속하는 새. 휘파람새와 비슷한데 날개 길이 15cm, 부리는 3.3cm 가량임. 몸빛은 주로 황색이고 부리 뒤부터 눈의 선단에 걸친 두정(頭頂)에 흑색 띠가 있으며, 꼬리와 날개끝은 흑색이나 선단은 황색임. 산림에 서식하며 '꾀꼴꾀꼴'하고 매우 고운 소리로 아름답게 울어, 예로부터 시문(詩文)에 많이 인용됨. 산림의 해충을 포식하는 익조(益鳥)로, 한국·중국·대만·인도 등지에 분포함. 금의 공자(金衣公子). 창경(鶬鶊). 황리(黃鸝). 황작(黃雀). 황조(黃鳥). 황공(黃公). 황앵(黃鶯). *휘파람새.

〈꾀꼬리〉

꾀꼬리-상모 [―象毛] 명 〔민〕 농악에서, 상쇠가 부포를 좌우로 흔들어서 8자 모양으로 돌리는 동작.
꾀꼬리-참외 명 〔식〕 참외의 한 종류. 빛이 황색임.
꾀꼬릿-과 [―科] 명 〔조〕 [Oriolidae] 참새목(目)에 속(屬)하는 한 과. 몸빛은 적·흑·황색 등으로 극히 아름다움. 주로 산림 지대에서 서식하며 번식기에는 나뭇가지에 술잔 모양의 보금자리를 만들고 백색 또는 살색 바탕에 갈색의 반점이 있는 알을 한 배에 3-5 개 낳음. 구세계(舊世界)에만 70여 종이 분포함.
꾀꼴 부 꾀꼬리가 우는 외마디 소리.
꾀꼴-꾀꼴 부 꾀꼬리가 연해 우는 소리. ——-하다 자 여불
꾀:꾀[1] 부 얼굴이 바싹 마른 모양. ¶ 오랫 동안 앓아서 ~ 말랐다.
꾀꾀[2] 부 〈방〉 꼬끼요.
꾀꾀-로 부 가끔가끔 남이 보지 아니하는 틈을 타서 살그머니. ¶ ~ 편지를 쓴다/부모 몰래 ~ 빠져나가 주야를 불관하고 오입에 종사하니…≪作者未詳 : 話中話≫.
꾀:다[1] 자 ①벌레 같은 것이 수없이 모여들어 뒤끓다. ¶ 구더기가 ~. ②사람들이 한 곳에 많이 모여들다. ¶ 구경꾼이 ~.
꾀:다[2] ㊀ 자 ↗꼬이다[1]. ㊁ 피동 ↗꼬이다[2].
꾀:다[3] 타 달콤한 말이나 그럴 듯한 것으로 남을 속이어 제게 이롭게 끌다. ¶ 돈 많은 과부를 꾀어 결혼하다.
꾀:다[4] 타 〈방〉 꿰다(경기).
꾀-돌이 명 꾀가 많아 귀염성이 있는 어린아이. *꾀보.
꾀-똥 명 짐짓 누는 체하는 똥.
꾀-뚫다 타 〈방〉 꿰뚫다.
꾀:리 명 〈방〉 〔식〕 꽈리(강원).
꾀-바르다 형 르불 ①약삭빠르다. ②어려운 일을 잘 피하거나 약게 처리하는 꾀가 많다. ③그럴 듯하게 핑계를 잘 대는 재주가 있다.
꾀방 명 〈방〉 꿰방.
꾀-배 명 짐짓 앓는 체하는 배앓이.
꾀-병 [―病] 명 거짓 꾸미는 병. 짐짓 앓는 체하는 병. 사병(詐病). 양병(佯病). 작병(作病). 허병(虛病). ¶ ~을 앓다. ——-하다 자 여불
 [꾀병에 말라 죽겠다] 꾀를 부리어 일을 하지 않으려는 사람을 두고 빈정거리는 말.
꾀-보 명 꾀가 많은 사람. 또, 꾀만 부리는 사람. 꾀쟁이. 꾀자기.
꾀-부리다 자 다른 일을 핑계하여 할 일을 아니 하거나, 하는 일에서 어려운 것과 책임을 살살 피하여 제게 이롭게만 하다. 꾀쓰다.
꾀-붕장어 [―長魚] 명 〔어〕 [*Anago anago*] 먹붕장어과에 속하는 물고기. 붕장어와 비슷하나 몸길이 60cm 가량이며, 입이 작고 눈 뒤쪽에 서로 떨어진 상하 두 개의 농갈색 반점이 있는 것이 특징임. 배지느러미가 없으며 눈은 커서 주둥이 길이와 같고 몸빛은 담갈색에 은빛임. 담수(淡水)가 섞이는 내만(內灣)에 서식하는데, 한국 남부 및 일본에 분포함. 붕어지.

〈꾀붕장어〉

꾀삐 명 〈방〉 고삐(전남).
꾀솜-꾀솜 부 〈방〉 꾀음꾀음. ¶ 꾀솜꾀솜하여 물어볼까≪洪命憙 : 林巨正≫. ——-하다 타 여불
꾀송-꾀송 부 〈방〉 꾀음꾀음.
꾀숭-꾀숭 부 〈방〉 꾀음꾀음.
꾀-쓰다 자 ①일이 쉽게 잘 되도록 지혜를 내어서 하다. ②꾀를 부리다. ¶ 꾀쓰지 말고 부지런히 해라.
꾀양 명 〈방〉 개암❶(경북).
꾀어-내다 타 제게 이롭도록 꾀를 써서 사람을 어느 자리나 직장에서 나오게 하다. ¶ 다방으로 ~.
꾀음-꾀음 부 달콤한 말로 남을 꾀어 호리는 모양. ¶ 네 소원대로 말대답을 하여 ~ 속을 좀 뽑아보겠다≪李海朝 : 巢鶴嶺≫. 준꾐꾐. ——-하다 타 여불
꾀이다[1] 타 〈방〉 꾀다[3].
꾀이다[2] 타 〈방〉 꿰다(경기).
꾀이다[3] 피동 남에게 꾐을 당하다.
꾀-자기 명 잔꾀가 많은 사람. 꾀보.
꾀-잠 명 거짓으로 자는 체하는 잠.
꾀-장 명 〔건〕 분합 위에 있는 창.
꾀-장어 [―長魚] 명 〔어〕 [*Paramyxine atami*] 꾀장어과에 속하는 바닷물고기. 몸길이 50cm 내외이고, 몸빛은 암자색인데 몸의 양쪽에 여섯 개의 아가미 구멍이 접근하여 있음. 한국 동해 남부 및 남해의 깊은 곳에 분포함. 여름철에 간장과 심장이 맛이 좋고 낚싯밥으로 쓰임.
꾀장어-과 [―長魚科] 명 [―꽈] 〔어〕 [Paramyxinidae] 먹장어목(目)에 속하는 한 과. 먹장어·꾀장어가 이에 속함.
꾀-장이 명 ☞ 꾀쟁이.
꾀장-주 명 〈방〉 고쟁이[1](경상).
꾀-쟁이 명 꾀보.
꾀죄죄-하다 형 여불 매우 꾀죄하다. ¶ 꾀죄죄한 옷차림.
꾀죄-하다 형 여불 ①입은 옷이 풀이 죽고 때가 묻어 더럽다. ②마음이 시원하지 아니하고 착살스럽다.
꾀주주-하다 형 〈방〉 꾀죄죄하다.
꾀-중방 [―中枋] 명 〔건〕 대청과 방 사이에 있어 마루 귀틀이 끼이는 인방(引枋).
꾀집다 타 〈방〉 꼬집다.
꾀-퉁이 명 〈속〉 꾀자기.
꾀-피우다 자 잔재주를 부리어, 제게만 이롭도록 갖은 수단을 다 쓰다. *꾀부리다·잔꾀 피우다.
꾀-하다 타 여불 ①계획하다. ¶ 못된 짓을 ~/음모를 ~. ②뭣을 하려고 노력하다. ③서로 의논하다.
꾐:[1] 명 남을 꾀어 속이거나 부추기는 일. ¶ ~에 빠지다.
꾐:[2] 명 〈방〉 고욤.
꾐:-기전기 [―起電機] 명 유도 기전기(誘導起電機).
꾐:-꾐 부 ↗꾀음꾀음. ——-하다 타 여불
꾐:-동전력 [―動電力] [―절―] 명 유도 동전력(誘導動電力).
꾐:-등불 [―燈―] [―뿔] 명 ↗벌레 꾐등불.
꾐:-수 명 거짓으로 달래어 제게만 이롭도록 하는 수단. ¶ ~에 빠지다.
꾐:-약 [―藥] [―냑] 명 유충제(誘蟲劑).
꾐:-질 명 거짓으로 달래어 제게만 이롭도록 하는 짓. ——-하다 자타 여불
꾐:-코일 [coil] 명 〔전〕 유도(誘導) 코일.
꾓-배 명 〈방〉 꾀배.
꾓-병 [―病] 명 〈방〉 꾀병.
꾕매기 명 〈방〉 꽹과리.
꾕이 명 〈방〉 팽이(경기·충청·전남·경상).
꾸겨지다 피동 ↗구기어지다.

꾸구름-쌀 명 〈방〉 주름살(경북).
꾸구리 명 〖어〗 [*Gobiobotia macrocephalus*] 돌상어과에 속하는 민물고기. 형태·습성이 학술상 진기한 물고기인데, 몸길이 6-10cm이고, 몸빛은 적색 바탕에 황색이고 배 쪽은 담색임. 돌이 많은 상류의 여울에서 사는데 동작이 빠름. 한강 수계(漢江水系)에서만 알려져 있어, 한국 특산종이라고 볼 수 있음.
꾸기다[1] 자 일마다 어그러지고, 살림이 꼬이어서 구차하게 되다. ㅅ구기다[2].
꾸기다[2] ㊀ 타 비비거나 우그러뜨리어 구김살을 생기게 하다. ¶옷을 ~. ㅅ구기다[3]. >꼬기다. ㊁ 자 꾸김살이 생기다. ㅅ구기다[3]. >꼬기다.
꾸기적-거리다 타 몹시 우그러뜨리어 꾸기다. ㅅ구기적거리다. >꼬기작거리다. **꾸기적-꾸기적** 부. ——-하다 타여불
꾸기적-대다 타 꾸기적거리다.
꾸김 명 ↗꾸김살.
꾸김-살 [—쌀] 명 꾸기어서 생긴 금. ㊈꾸김. ㅅ구김살. >꼬김살.
꾸김살-없다 [—쌀업—] 형 숨기거나 음험한 데가 없이 정정 당당하다. ㅅ구김살없다. ㊈꾸김없다.
꾸김살-없이 [—쌀업씨] 부 꾸김살없게.
꾸김-없다 [—업—] 형 숨기거나 음험한 데가 없이 정정 당당하다.
꾸김-없이 [—업씨] 부 꾸김없게.
꾸깃-거리다 타 꾸김살투성이가 되어 못 쓰도록 마구 우그러뜨리다. ㅅ구깃거리다. >꼬깃거리다. **꾸깃-꾸깃**[1] 부. ——-하다[1] 타여불
꾸깃-꾸깃[2] 부 꾸기어 금이 많은 모양. ㅅ구깃구깃[2]. >꼬깃꼬깃[2]. ——-하다[2] 형여불
꾸깃-대다 타 꾸깃거리다.
꾸꾸기 명 〈방〉 〖조〗 ①뻐꾸기. ②두견이.
꾸꾸꾸 부 비둘기나 닭 같은 것이 우는 소리. ㅅ구구구.
꾸다[1] 타 〔중세 : 우다〕 꿈을 보다.
꾸다[2] 타 〔중세 : 뿌다〕 ①남의 것을 뒤에 도로 갚을 조건으로 잠시 빌려 쓰다. ¶돈을 ~. ② ☞ 뀌다[2].
[**꾸어다 놓은 보릿 자루**] 웃고 떠드는 축에서 혼자 묵묵히 앉아만 있어 서로 어울리지 못하는 사람을 가리키는 말. [**꾸어 온 조상은 자기네 자손부터 돕는다**] 이름난 사람을 꾸어다 자기네 조상처럼 섬겨 봤자 하등 소용이 없다는 말.
꾼 값은 말 닷 되 구 한 말을 꾸어 쓰면 한 말 닷 되를 갚아야 한다는 말.
꾸:다[3] 타 〈방〉 굽다[1](강원·충북·전남·경상).
꾸덕-꾸덕 부 물기 있는 물체의 거죽이 약간 마른 모양. 꺼덕꺼덕. ㅅ구덕구덕. ——-하다 형여불
꾸데기 명 〈방〉 구덩이(전북).
꾸뎅이 명 〈방〉 구덩이(경남).
꾸둑-꾸둑 부 〈방〉 꾸덕꾸덕. ——-하다 형
꾸드러-지다 자 말라서 뻣뻣하게 굳다. ㅅ구드러지다. >꼬드러지다.
꾸들-꾸들 부 밥알 같은 것이 푹 무르지 아니하여 좀 오돌오돌한 모양. ㅅ구들구들. >꼬들꼬들. ——-하다 형여불
꾸들배미 명 〈방〉 〖충〗 귀뚜라미(경남).
꾸뜨래미 명 〈방〉 〖충〗 귀뚜라미(경남).
-꾸러기 미 〔근대 : 우럭이〕 어떤 명사 밑에 붙어서 그 명사가 가지는 뜻의 사물이나 버릇이 많은 사람을 나타내는 말. ¶이~/심술~/잠~.
꾸러미 ㊀명 〔'꾸리다'의 파생 명사〕 ①꾸리어 뭉치어서 싼 물건. ¶이삿짐 ~. ②달걀을 10 개씩 싼 것처럼 짚으로 길게 묶어 중간 중간 동인 것. ㊁의명 ①물건의 꾸러미를 세는 단위. ¶달걀 세 ~/다섯 ~의 소포. ②이 말을 단위로 쓰는 명사 아래에 붙어 약간의 수를 나타냄. ¶사과 ~나 사 가자.
[**꾸러미에 단 장(醬) 들었다**] 겉모양은 흉하나 속은 훌륭하다는 뜻.
꾸럼지 명 〈방〉 꾸러미.
꾸려 매다 타 꾸리어서 매다. ¶이사짐을 ~.
꾸르르 부 〈방〉 꾸르륵.
꾸르륵 부 ①뱃속이나 대통의 진 등이 끓는 소리. ②닭이 놀라서 지르는 소리. ③작은 병의 입이나 또는 구멍에서 물이 가까스로 나올 때 나는 소리. 1)-3): >꼬르륵. 「꾸르륵 부. ——-하다 자여변
꾸르륵-거리다 자 자꾸 꾸르륵 소리가 나다. >꼬르륵거리다. **꾸르륵-꾸르륵-대다** 자 꾸르륵거리다.
꾸리[1] ㊀명 〔근대 : 우리〕 실을 감은 뭉치. ㊁의명 실 따위를 감은 뭉치를 세는 단위. ¶실 열 ~.
꾸리[2] 명 소의 앞다리 무릎 위쪽으로 붙은 살덩이.
꾸리[3] 명 〈방〉 구리[1](전남·경상).
꾸리다 타 〔중세 : 꾀리다〕 ①짐이나 물건 등을 싸서 묶다. ②일을 갈망하다. 일을 처리하여 추진시키다. ¶살림을 꾸리어 나가다. ③겉모양이 나게 만들다.
꾸리미 명 〈방〉 꾸러미.
꾸리-쇠 명 〈방〉 구리[1].
꾸리-쎄 명 〈방〉 구리[1](전남).
꾸매다 타 〈방〉 깁다(전남·경상).
꾸메다 타 〈방〉 깁다(충북).
꾸며-내다 타 꾸미어서 내놓다. 조작하다.
꾸며-대다 타 그럴 듯하게 꾸미어서 대다.
꾸무럭-거리다 자타 몸을 느리게 비틀면서 이리저리 자꾸 움직이다. ㅅ구무럭거리다. >꼬무락거리다. **꾸무럭-꾸무럭** 부. ——-하다 자타여불
꾸무럭-대다 자타 꾸무럭거리다.
꾸무자 명 〈방〉 〖어〗 뱀장어(경남).
꾸물-거리다 자타 ①몸을 느리게 비틀면서 이리저리 자꾸 움직이다. ㅅ구물거리다. ②굼뜨고 게으르게 행동하다. ¶뭘 그리 꾸물거리느냐. 1)·2): >꼬물거리다. **꾸물-꾸물** 부. ——-하다 자타여불
꾸물-대다 자타 꾸물거리다.
꾸미 명 쇠고기의 작은 조각. 국·찌개 같은 데에 쓰는 것. 고기 꾸미.
꾸미-개 명 옷·돗자리·망건 등의 가장자리를 여미기 위하여 꾸미는 물건. 장신구(裝身具). 장식(裝飾).
꾸미 고기 명 찌개나 국에 넣어 잘 끓인 고기 조각.
꾸미기 체조 【—體操】 명 두 사람 이상의 인원이 협동해서 통일된 강한 힘을 발휘하여 같은 자세나 다른 자세를 한데 묶어서 하나의 집단적인 구성을 이루는 과정에서, 보다 훌륭한 아름다움을 나타내려는 운동.
꾸미다 타 〔중세 : 우미다〕 ①끝을 마무르다. ②물건을 모양나게 잘 만들다. ③실제로 없는 것을 거짓으로 둘러대거나 만들다. ④지어서 만들다. ¶서류를~. ⑤꾀하다. ¶음모를 ~.
꾸미 장수 명 꾸미 거리를 이고 다니며 파는 여자 장수.
꾸민-잠 【—簪】 명 구슬을 박은 비녀의 하나. 둥근 복판에 은으로 용수철을 만들어 그 위에 떨새를 앉히어 흔들리게 하고, 또 거미발을 여러 낱을 만들어 진주(眞珠)·청강석(靑剛石)·산호(珊瑚) 등을 끼.
꾸민 족두리 명 족두리의 한 가지. 옥판(玉板)을 밑에 받치고 산호(珊瑚) 구슬·밀화(蜜花) 구슬·진주(眞珠)를 꿰어 만든 상투가 한복판에 있음. ↔민족두리.
꾸밈 명 ①끝을 잘 만듦. ②겉모양을 보기 좋게 만듦. ③거짓으로 속이기 위하여 만듦.
꾸밈-구슬 명 장식을 위해 다는 구슬. 식옥(飾玉).
꾸밈-말 명 〖언〗 '수식어(修飾語)'의 풀어쓴 말.
꾸밈-새 명 꾸민 모양새. 꾸민 자태.
꾸밈-음 【—音】 명 〔ornaments〕 〖악〗 악곡(樂曲)에 쾌미감(快美感)을 주기 위하여 음표 또는 꾸밈표에 의하여 꾸며내는 음. 꾸밈음을 내기 위한 표로는 작은 음표를 쓰는 것과 글자나 그림을 쓰는 것도 있음. 장식음(裝飾音).
꾸벅 부 졸거나 절할 때에 머리와 몸을 앞으로 숙이었다가 드는 모양. ㅆ꾸뻑. >꼬박[2]. ——-하다 타여불
꾸벅-거리다 타 졸거나 절할 때에 머리와 몸을 자꾸 꾸벅이다. ㅆ꾸뻑거리다. >꼬박거리다. **꾸벅-꾸벅**[1] 부. ——-하다 타여불
꾸벅-꾸벅[2] 부 ①시키는 대로 순종하는 모양. ㅆ꾸뻑꾸뻑[2]. ②몹시 기다리는 모양. 1)·2): >꼬박꼬박[2]. ——-하다 타여불
꾸벅-대다 타 꾸벅거리다.
꾸벅-이다 타 졸거나 절할 때에 머리와 몸을 앞으로 숙이었다가 들다. 「ㅆ꾸뻑이다. >꼬박이다.
꾸부러-들다 자 안쪽으로 옥아들다. ㅅ구부러들다. >꼬부라들다.
꾸부러-뜨리다 타 '꾸부리다'의 힘줌말. ㅅ구부러뜨리다. >꼬부라뜨리다.
꾸부러-지다 자 매우 구부러지다. ㅅ구부러지다. >꼬부라지다[1].
꾸부러-치다 타 〈방〉 꾸부러뜨리다.
꾸부러-트리다 타 꾸부러뜨리다.
꾸부렁-길 [—낄] 명 꾸부러진 길. ㅅ구부렁길. >꼬부랑길.
꾸부렁-꾸부렁 부 여러 곳이 꾸부렁한 모양. ㅅ구부렁구부렁. >꼬부랑꼬부랑. ——-하다 형여불
꾸부렁-이 명 꾸부러진 물건. ㅅ구부렁이. >꼬부랑이[1].
꾸부렁-하다 형여불 안으로 옥아들어 굽다. ㅅ구부렁하다. >꼬부랑하다.
[**꾸부렁한 나무도 선산을 지킨다**] 굽은 나무는 베어 가지 않기 때문에 나중까지 남아서 도리어 중요한 구실을 한다 함이니, 일견(一見) 못난 듯이 보이는 사람이나 물건이 도리어 쓸모있음을 이르는 말.
꾸부리다 타 한쪽으로 굽히다. ㅅ구부리다. >꼬부리다.
꾸부-스레 부 꾸부스름하게. ㅅ구부스레. >꼬부스레. ——-하다 형여불
꾸부스름-하다 형여불 조금 굽은 듯하다. ㊈꾸부슴하다. ㅅ구부스름하다. >꼬부스름하다. **꾸부스름-히** 부 「**꾸부슴-히** 부
꾸부슴-하다 형여불 ↗꾸부스름하다. ㅅ구부슴하다. >꼬부슴하다.
꾸부정-꾸부정 부 여러 곳이 꾸부정한 모양. ㅅ구부정구부정. >꼬부장꼬부장. ——-하다 형여불
꾸부정-하다 형여불 안으로 옥아들어 굽다. ㅅ구부정하다. >꼬부장하다. **꾸부정-히** 부
꾸불-거리다 자 이리저리 자꾸 꾸부러지다. ㅅ구불거리다. >꼬불거리다. **꾸불-꾸불** 부 ——-하다[1] 자여불
꾸불꾸불-하다[2] 형여불 연달아 이리저리 꾸부렁하다. ㅅ구불구불하다. >꼬불꼬불하다.
꾸불-대다 자 꾸불거리다.
꾸불텅-꾸불텅 부 여러 곳이 모두 꾸불텅한 모양. ㅅ구불텅구불텅. >꼬불탕꼬불탕. ——-하다 형여불
꾸불텅-하다 형여불 몹시 구불텅하다. ㅅ구불텅하다. >꼬불탕하다.
꾸불퉁-꾸불퉁 부 ☞ 꾸불텅꾸불텅. ——-하다 형여불
꾸불퉁-하다 형여불 ☞ 꾸불텅하다.
꾸붓-꾸붓 부 여러 곳이 다 꾸붓한 모양. ㅅ구붓구붓. >꼬붓꼬붓. ——-하다 형여불
꾸붓-이 부 꾸붓하게. ㅅ구붓이. >꼬붓이.
꾸붓-하다 형여불 조금 굽다. ㅅ구붓하다. >꼬붓하다.
꾸뻑 부 졸거나 절을 할 때에, 머리와 몸을 앞으로 숙이었다가 드는 모양. ㅅ꾸벅. >꼬빡[2]. ——-하다 타여불
꾸뻑-거리다 타 졸거나 절할 때에, 머리와 몸을 계속하여 숙이었다가 들다. ㅅ꾸벅거리다. >꼬빡거리다. **꾸뻑-꾸뻑**[1] 부. ——-하다 타여불
꾸뻑-꾸뻑[2] 부 시키는 대로 순종하는 모양. ㅅ꾸벅꾸벅[2]. >꼬빡꼬빡[2]. ——-하다 타여불
꾸뻑-대다 타 꾸뻑거리다.
꾸뻑-이다 타 졸거나 절할 때에, 머리와 몸을 앞으로 숙이었다가 들다. ㅅ꾸벅이다. >꼬빡이다.
꾸석 명 〈방〉 구석(전남·경북).
꾸석-때기 명 〈방〉 구석(전남).
꾸시렁-거리다 자 〈방〉 고시랑거리다.

꾸실-꾸실 부 〈방〉 구슬구슬. ——-하다 형

꾸엉 명 〈방〉 〖조〗 꿩(전남·경남·황해).

꾸역-꾸역 부 ①한군데로 많은 물건이나 사람이 자꾸 몰려 오거나 들어오는 모양. ¶ 사람이 ~ 모인다. >꼬약꼬약. ②밥이나 음식을 한꺼번에 많이 입에 넣고 먹는 모양. ¶ 저 혼자 밥을 ~ 먹고 있다. 「다.

꾸이다 ㊀자 꿈에 나타나다. ㊁타 다음에 받기로 하고 빌려 주다. 준뀌

꾸정-꾸정 부 ①회초리 같은 가늘고 긴 물건이 굽지 아니하고 곧은 모양. ②노인의 허리가 굽지 아니하고 꼿꼿하며 건장한 모양. ③마음이나 성미가 곧고 꿋꿋한 모양. 1)-3):>꼬장꼬장. ——-하다 형 여불

꾸정-나무 명 〈방〉 〖식〗 굴피나무.

꾸정-모기 명 〖충〗 ①꾸정모깃과에 속하는 곤충의 총칭. ②[*Tipula aino*] 꾸정모깃과에 속하는 모기의 하나. 몸길이는 14-18mm이고, 날개 길이 18-20mm임. 몸빛은 대체로 회갈색이며, 복부(腹部)의 측면은 흑갈색이고 날개는 투명하나 갈색을 띠고, 특히 전연(前緣)은 뚜렷한 담갈색임. 입·촉각은 누렇고 다리는 길며 누른 바탕에 흑갈색 무늬가 있음. 유충은 '며루'라고 하는데, 몸길이 25mm 가량이고 흙빛 원통형의 구더기 모양임. 논밭에서 벼·보리의 뿌리를 잘라 먹는 해충임. 한국·일본·중국 등지에 분포함. 대문(大蚊). 아이노각다귀. *각다귀.

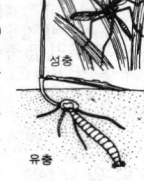

성충 유충

〈꾸정모기②〉

꾸정모깃-과 【—科】 명 〖충〗 [Tipulidae] 파리목(目)에 속하는 한 과. 모기와 비슷한데 대형(大形)으로 다리가 길고 가늘며 몸빛은 흑색·갈색·등황색·회색 등에 반문(斑紋)이 있고 날개에는 구름 무늬가 있음. 촉각은 톱·빗 모양이고 유충은 구더기 모양임. 물 속·땅 위 또는 습기 있는 부패 식물(植物) 등에서 서식함. 꾸정모기·섬꾸정모기·좀잠자리꾸정모기·줄꾸정모기 등이 있음.

꾸준-하다 형 여불 쉼없이 부지런하고 끈기 있다. ¶ 꾸준한 성격. 꾸준-히 부 ¶ 시종 ~ 일하다/성적이 ~ 상위에 속한다. 「타 여불

꾸중 명 〔중세 : 구죵. 근대 : 구즁. 쑤중〕 '꾸지람'의 높임말. ——-하다

꾸중(을) 듣다 구 웃어른에게서 꾸지람을 듣다. ¶ 아버지한테서 ~.

꾸지 명 옛날에 병기(兵器)를 꾸민 붉은 털.

꾸지-나무 명 〖식〗 [*Broussonetia papyrifera*] 뽕나뭇과에 속하는 낙엽 활엽의 작은 교목. 닥나무와 비슷한데 높이 10m 가량이고, 잎은 호생하며 넓은 달걀꼴에 단모(短毛)가 밀생하고 단병(短柄)임. 5-6월에 자웅 일가(雌雄一家)로 담녹색의 작은 꽃이 액생(腋生)하는데 수꽃이삭은 원기둥꼴로 늘어지고, 암꽃이삭은 구형(球形)임. 핵과(核果)는 9월에 빨갛게 익음. 산록의 양지 및 밭에 야생 또는 재배하는데, 거의 한국 각지 및 일본·대만·중국·인도 등지에 분포함. 수피(樹皮)는 제지용(製紙用), 과실은 식용·약용, 어린 잎은 식용함.

〈꾸지나무〉

꾸지람 명 아랫사람의 잘못을 꾸짖는 말. ——-하다 타 여불

꾸지램 명 〈방〉 꾸지람(경북). ——-하다 타

꾸지럼 명 〈방〉 꾸지람(전라·경상).

꾸지렁-물 명 〈방〉 고지랑물.

꾸지름 명 〈방〉 꾸지람(경상·전북). ——-하다 타

꾸지-뽕 명 〖식〗 꾸지뽕나무의 잎.

꾸지뽕-나무 명 〖식〗 [*Cudrania tricuspidata*] 뽕나뭇과에 속하는 낙엽 활엽 교목. 잎은 능상(菱狀) 달걀꼴인데 흔히 세 갈래로 째지고, 톱니가 없으며 잎 뒤에 털이 났음. 자웅 이가(雌雄異家)로 6월에 꽃이 두상 화서(頭狀花序)로 피는데 수꽃이삭은 긴 타원형이며 장과(漿果)는 9-10월에 붉게 익음. 산록(山麓)의 양지 및 촌락 부근에 나는데, 한국 중부 이남·일본·중국에 분포함. 목공재(木工材)·신탄재(薪炭材)로 쓰고, 잎은 양잠 사료(飼料)이며, 과실은 식용함.

〈꾸지뽕나무〉

꾸짖다 타 〔중세 : 구짖다〕 잘못을 나무라고 훈계하다. ¶ 아이를 ~.

꾸푸리다 타 몸을 앞으로 꾸부리다. ㅅ구푸리다. >꼬푸리다.

꾹 부 ①물건을 굳게 누르거나 조르는 모양. ¶ ~ 누르다. ②괴로움을 참고 견디는 모양. ¶ 모욕을 ~ 참고 견디다. 1)·2):>꼭.

꾹-꾹¹ 부 ①무엇을 많이 담으려고 자꾸 누르는 모양. ②무엇을 자꾸 찌르는 모양. ③무엇을 힘주어 조르는 모양. 1)-3):>꼭꼭¹.

꾹-꾹² 부 비둘기 울음 소리.

꾹다 형 〈방〉 굵다(전남).

꾹저구 명 〖어〗 [*Chaenogobius urotaenia*] 망둥어과에 속하는 민물고기. 몸의 길이 12cm 내외인데 몸은 측편(側扁)하고, 주둥이 부분은 종편(縱扁)함. 눈이 작고 비늘도 작음. 몸빛은 황갈색인데 등지러미와 꼬리지느러미에 검은 무늬가 많음. 원산·부산·청진 및 일본 등지에 분포함. 산란기는 5-6월경이고 호안(湖岸)에 서식함.

꾹저구-탕 【—湯】 명 꾹저구로 끓인 매운탕.

꾼 명 ↗길꾼.

-꾼 미 ①어떤 일을 전문적·습관적으로 하는 사람의 뜻. ¶ 씨름~/장사~. ②그 일에 모이는 사람의 뜻. ¶ 장~/구경~.

꾿다 ㊀ 자 〈방〉 굳다¹㊀. ㊁ 형 〈방〉 굳다²㊀.

꿀¹ 명 〔중세 : 뿔〕 꿀벌이 꽃에서 따다가 저장해 둔 먹이. 투명한 것과 누런 것이 있으며, 끈끈한 액체(液體)로, 그 성분은 대부분이 당분(糖分)임. 식용·약용으로 쓰이고 특히 한방에서는 위(胃)를 편하게 하고 대변을 순하게 하는 약제로 씀. 봉밀(蜂蜜). 청밀(淸蜜).

[꿀도 약이라면 쓰다] 자기에게 이로운 충고를 싫어한다는 말. [꿀 먹은 벙어리요 침 먹은 지네라] 무슨 일에 대한 내용이나 가슴에 맺힌 서러움을 남 앞에 말하지 아니하거나, 못하는 사람을 조롱하는 말. [꿀보다 약과가 달다] 주객이 전도되어 사리에 어긋남을 이르는 말. [꿀은 달아도 벌은 쏜다] 좋은 것은 수고없이는 얻을 수 없다는 말. [꿀은 적어도 약과(藥果)만 달면 쓴다] ㉠비록 자본(資本)은 적어도 이익만 얻으면 된다는 말. ㉡수단은 다르더라도 목적만 이루면 된다는 말.

꿀² 명 〈방〉 굴(경남).

꿀³ 명 〈방〉 〖동〗 굴¹(전남·경남).

꿀-가르개 명 벌의 집이나, 벌통에서 꿀을 채취하는 데 쓰는 기구.

꿀-같다 형 아주 달거나 달콤하다. ¶ 꿀같은 신혼 생활의 나날들.

꿀-같이 [—가치] 부 꿀같게. ¶ ~ 달콤했던 신혼 여행.

꿀-곽 [—꽉] 명 채취한 꿀을 담는 그릇. 보통 통나무를 파서 만듦.

꿀기다 자 〈방〉 꿀리다.

꿀꺼덕 부 액체 따위가 목구멍이나 좁은 구멍으로 힘들여 넘어가는 소리. 또는, 그 모양. >꼴까닥. ——-하다 자 여불

꿀꺼덕-거리다 자 자꾸 꿀꺼덕하다. >꼴까닥거리다. 꿀꺼덕-꿀꺼덕

꿀꺼덕-대다 자 꿀꺼덕거리다. ㄴ부. ——-하다 자 여불

꿀꺽 부 ①물 같은 액체가 한꺼번에 목구멍이나, 좁은 통로로 넘어갈 때 나는 소리. ¶ 물을 ~ 마시다. ㅆ꿀컥. ②격심한 흥분을 참는 모양. ¶ ~ 참다. 1)·2):>꼴깍. ——-하다 자 여불 꿀꺽 소리가 나다.

꿀꺽-거리다 자 자꾸 꿀꺽하다. <꼴깍거리다. 꿀꺽-꿀꺽 부 ¶ 술을 ~ 마시다. ——-하다 자 여불

꿀꺽-대다 자 꿀꺽거리다.

꿀꾸리 명 ☞ 꿀꿀이.

꿀꿀¹ 부 물 같은 액체가 가는 줄기로 몰리어 비스듬히 굽이친 곳을 흐르는 소리. ㅆ쿨쿨. >꼴꼴¹. ——-하다 자 여불

꿀-꿀² 부 돼지의 우는 소리. >꼴꼴². ——-하다 자 여불

꿀꿀-거리다¹ 자 물 같은 액체가 가는 줄기로 몰리어서 바닥이 기울고 굽이진 곳을 흐르다. ㅆ쿨쿨거리다¹. >꼴꼴거리다¹.

꿀꿀-거리다² 자 돼지가 자꾸 꿀꿀 소리를 내다. >꼴꼴거리다².

꿀꿀-대다 자 꿀꿀거리다¹·².

꿀꿀-이 명 욕심이 많고 던적스러운 사람의 비유. 꿀돼지.

꿀꿀이-바구미 명 〖충〗 [*Curculio dentipes*] 바구밋과에 속하는 곤충. 몸길이 7-9mm이고, 몸빛은 흑갈색 또는 적갈색에 회황색의 인모(鱗毛)가 밀생하고, 시초(翅鞘)에도 회황색과 갈색 인모가 났으나 불투명하며 파상(波狀)의 불규칙한 반문(斑紋)이 있음. 주둥이는 가늘고 길쭉한데 중간에 촉각이 좌우로 길게 났음. 유충은 '밤벌레'라고 하는데, 몸길이는 12mm 가량임. 두부(頭部)는 적갈색으로 비대(肥大)하여 토실토실하며, 특히 밤 등의 과실(果實) 속에 굴 모양으로 뚫고 들어가서 파먹다가 땅속에 집을 짓고 월동(越冬)함. 대개 5-10월에 번데기가 된 후 2주일 만에 성충이 되어 8-9월에 날아다님. 한국·일본·중국·시베리아 등지에 분포함.

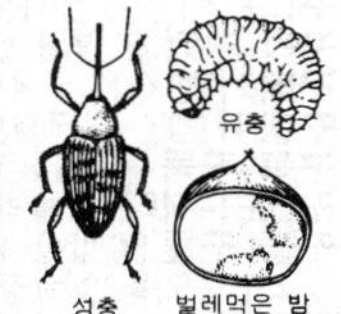

〈꿀꿀이바구미〉

꿀꿀이-죽 【—粥】 명 여러 가지 먹다 남은 음식의 찌꺼기를 한데 섞어 끓인 죽.

꿀-내기 [—래—] 명 활 쏠 때에 못 맞힌 이가 맞힌 이에게 고개를 숙여 예를 하는 내기. 사원(射員)들이 활을 한 순(巡)씩 번갈아 쏘는데, 못 맞히면 꿇어앉고, 맞히면 일어서기를 되풀이하여, 다섯째 대를 맞힌 이에게 못 맞힌 이가 '활량 고두(叩頭)하오' 하고 고개 숙여 예를 함

꿀다래미 명 〈방〉 〖충〗 귀뚜라미(경북).

꿀-단지 [—딴—] 명 꿀을 넣어 두는 단지.

[꿀단지 겉 핥는다] 내용이나 참뜻을 모르면서 아는 체한다는 말. *수박 겉 핥기.

꿀-돼지 [—뙈—] 명 꿀꿀이.

꿀-떡¹ 명 ①떡가루에 꿀 혹은 설탕 물을 내리어서 밤·대추·잣·석이·표고 등을 섞어 뿌리고 켜를 지어 찐 떡. ②꿀 혹은 설탕을 섞어서 만든 떡의 총칭.

꿀떡² 명 〈방〉 굴뚝(경상).

꿀떡³ 부 음식이나 약을 목구멍으로 한꺼번에 힘을 주어 삼키는 모양. >꼴딱. ——-하다 자 여불

꿀떡-같다 형 〈방〉 굴뚝 같다.

꿀떡-거리다 자 자꾸 계속하여 꿀떡하며 삼키다. >꼴딱거리다. 꿀떡-꿀떡 부. ¶ 유보화는 얼굴 그대로 눈물을 ~ 삼키면서 주인 여자를 쳐다보았다《崔貞熙 : 녹색의 문》. ——-하다 자 여불

꿀떡-대다 자 꿀떡거리다.

꿀뚜래미 명 〈방〉 〖충〗 귀뚜라미(경남).

꿀뚝 명 〈방〉 굴뚝(경상).

꿀뜨럭-꿀뜨럭 부 〈방〉 꿀떡꿀떡.

꿀렁 부 ①물 같은 것이 병이나 통 속에 가득 차지 아니하여 흔들리어 나는 소리. ②척 들러붙지 아니하고 들떠서 크게 부푼 모양. 1)·2):ㅆ쿨렁. >꼴랑. ——-하다 자 여불

꿀렁-거리다 자 ①물 같은 것이 자꾸 꿀렁 소리를 내며 흔들리다. ②착 달라붙지 아니하고 들떠 부풀어서 들썩들썩하다. 1)·2):ㅆ쿨렁거리다. >꼴랑거리다. 꿀렁-꿀렁 부. ——-하다 자 여불

꿀렁-대다 자 꿀렁거리다.

꿀렁-하다 ㊀자 여불 ①물 따위가 병이나 통 속에 꽉 차지 않아서 흔들려 소리가 나다. ②척 들러붙지 않고 들떠서 크게 부풀다. 1)·2): 쿨렁하다. >꼴랑하다. ㊁형 여불 척 들러붙지 않고 들떠서 크게 부풀어 있다. ㅆ쿨렁하다. >꼴랑하다.

꿀로-고기 명 〈방〉 〖어〗 달강어(達江魚).

꿀리다 자 ①구김살이 잡히다. ②한쪽이 잘 붙지 아니하고 들뜨다. ③수

게 되다. ¶살림이 ~. ③자기의 흠이 드러날까 보아 마음이 켕기다. ④힘이나 능력(能力)이 남에게 눌리다. ¶힘에 꿀려서 꼼짝을 못 한다.

꿀-맛 명 ①꿀의 단맛. ②꿀처럼 단맛.

꿀-물 명 꿀을 타서 달게 한 물. 밀수(蜜水).

꿀-밤[1] 명 〈방〉 굴밤.

꿀-밤[2] 명 〈속〉 주먹 끝으로 가볍게 머리를 때리는 짓.

꿀밤(을) 먹다 구 머리에 꿀밤을 맞다.

꿀-밥 명 꿀을 섞은 밥.

꿀-방울 [—빵—] 명 떨어져 나온 꿀의 작은 덩이.

꿀-벌 명 〖충〗 ①꿀벌과 아피스속(Apis 屬)에 속하는 벌의 총칭. 전세계에 대표적인 것은 인도 최대종(印度最大種)·인도 최소종(最小種)·서양종·동양종의 네 종이 있는데, 보통 서양종을 일컬음. ② [*Apis indica*] 꿀벌과에 속하는 동양종의 벌. 몸길이 14mm, 편 날개 24mm 가량이고, 두 개의 위턱과 구문(口吻)이 있어서 꿀을 빨 때는 관상(管狀)이 됨. 몸빛은 배면(背面)은 암갈색, 날개는 투명한 회색임. 한 마리의 여왕(女王)벌과 소수의 수펄이 있고, 그 외는 수만 마리가 모두 일벌로 규율 있는 사회 생활을 함. 여왕벌은 5-6월에 산란하며 1년간에 20여 만 개를 낳는데, 그 중 한 개만이 자성란(雌性卵)임. 일벌은 모두 암펄이나 생식력(生殖力)이 없고 육아(育兒)·영소(營巢)·꿀의 채집 등을 하는데, 독침(毒針)이 있고 수명은 40일간이나 겨울에는 5-6개월임. 수펄은 4-6월경의 번식기에 단위 생식(單爲生殖)에 의하여 발생하고 교미(交尾) 1개월 후에 죽음. 원산지는 아프리카·유럽이고, 대표적인 품종은 황색계의 이탈리안(Italian), 흑색계의 카니올란(Carniolan)·코카시안(Caucasian)·게르만(German) 등의 네 종이 있으며, 한국에는 이 밖의 야생종(野生種)도 있음. 모두가 채밀용(採蜜用)으로 사육(飼育)하는데 화분(花粉)을 매개하는 익충(益蟲)임. 밀봉(蜜蜂). 참벌. 황봉(黃蜂). ㊟벌.

〈꿀벌❷(일벌)〉

꿀벌-과【—科】 [—꽈] 명 〖충〗 [Apidae] 벌목에 속하는 한 과. 몸길이는 8-21mm이고 몸빛은 대체로 흑색 또는 갈색에 털이 밀생함. 뒷다리 제1절은 넓적하여 꿀을 모으기에 적당함. 사회성(社會性)인 곤충이며 여왕벌·수펄·일벌의 세 종류로 구분됨. 일벌은 복부선(腹部腺)에서 납질물(蠟質物)을 분비하며 수지(樹脂)·꽃의 꿀을 채집함. 이 과에는 4,000여 년 전부터 인류에 유용한 꿀벌 등이 속함.

꿀벌-붙이 [—부치] 명 〖충〗 [*Colletes collaris*] 꿀벌붙잇과에 속하는 곤충. 암컷은 몸길이가 12mm 내외이고 몸은 흑색이며, 두부와 흉부에는 황백색의 털이 밀생함. 앞 쪽의 배면(背面)에는 흑갈색의 털이 혼생하고, 복부 제1 배판과 각 복판에 황백색의 털이 있음. 아시아·유럽에 분포함.

꿀벌붙잇-과【—科】 [—부칟—] 명 〖충〗 [Colletidae] 벌목에 속(屬)하는 한 과. 빛은 대체로 흑색이며 때로는 금속색(金屬色)이고, 촉각은 12-13절이며, 단안(單眼)은 두정(頭頂)에 거의 직선으로 배열하였음. 후경절(後頸節)에 한 개의 큰 가시가 있음. 모래땅이나 진흙 속에 집을 짓고, 때로는 대군(大群)을 이루지만 단서성(單棲性)임. 전세계에 수백 종이 분포함.

꿀-범벅 명 꿀을 섞은 범벅.

꿀-새 명 〖조〗 벌새.

꿀-샘 명 〔nectary〕 〖식〗 단맛이 있는 액즙(液汁)을 분비하는 꽃이나 잎의 조직(組織) 또는 기관(器官). 밀조(蜜槽). 밀선(蜜腺).

〈꿀샘〉

꿀샘 식물【—植物】 명 〖식〗 꿀샘을 가진 식물. 잎이나 잎겨드랑이·잎자루·턱잎·꽃 등에 꿀을 내어, 개미·벌·진딧물 같은 곤충을 모여 들게 하여 수분(受粉)하거나 해충(害蟲)을 방지함. 밀선 식물(蜜腺植物).

꿀-설기 명 〈방〉 꿀떡❶.

꿀-수박 명 꼭지를 둥글게 오려 내고 설탕과 얼음을 집어 넣은 수박. 서과청(西瓜淸).

꿀-주머니 명 〖식〗 거(距)❶.

꿀쩍 부 ①질거나 끈기 있는 물건을 주무르거나 밟을 때에 나는 소리. ②눈물을 조금씩 짜내어 씉는 모양. 1)·2):>꼴짝. ——-하다 자타 여불

꿀쩍-거리다 자타 ①질거나 끈기 있는 물건을 주무르거나 밟을 때에 연하여 꿀쩍 소리가 나다. 또, 연하여 꿀쩍 소리를 내다. ②눈물을 자꾸 조금씩 짜 내어 씉다. 1)·2):>꼴짝거리다. **꿀쩍-꿀쩍** 부. ——-하다 자타 여불

꿀쩍-대다 자타 꿀쩍거리다.

꿀찌럭 부 매우 진 물건이나 끈기 있는 물건을 주무르거나 밟을 때 또는 병 속 같은 데에 든 액체가 세차게 흔들릴 때에 나는 소리. >꼴찌락. ——-하다 자 여불

꿀찌럭-거리다 자 자꾸 꿀찌럭 소리가 나다. >꼴찌락거리다. **꿀찌럭-꿀찌럭** 부. ——-하다 자 여불

꿀찌럭-대다 자 꿀찌럭거리다.

꿀-칼 명 벌집에서 꿀을 떠 내는 칼. *꿀가르개

꿀컥 부 목구멍으로 한꺼번에 급히 음식물을 넘기는 소리. ¶~ 삼키다. ㅆ꿀꺽. >꼴칵. ——-하다 자 여불

꿀컥-거리다 자타 목구멍으로 한꺼번에 급히 음식물이 넘어가는 소리가 연해 나다. 또, 연해 음식물을 넘기는 소리를 내다. ㅆ꿀꺽거리다. >꼴칵거리다. **꿀컥-꿀컥** 부. ——-하다 자타 여불

꿀컥-대다 자타 꿀컥거리다.

꿀-팥 명 껍질 벗긴 팥을 시루에 쪄 낸 뒤에 어레미에 걸러 꿀을 치고 뭉근한 불에 볶아서 적갈색이 되게 한 물건. 떡고물이나 소로 씀.

꿀-편 명 〈방〉 꿀떡❶.

꿀-풀 명 〖식〗 [*Prunella asiatica*] 꿀풀과에 속하는 다년초. 줄기는 방형(方形)이며, 높이 30cm 가량임. 잎은 대생하고 유병(有柄)이며, 긴 달걀꼴 또는 긴 타원상 피침형임. 5-7월에 줄기 위에 짧은 원기둥꼴 화수(花穗)가 정생(頂生)하여 자색의 꽃이 핌. 들에 나는데, 한국 각지에 분포함. 한방에서 전초(全草)를 '화하고초(花夏枯草)'라 하여 약용으로 쓰고, 어린 잎은 식용함. 서주하고초(徐州夏枯草).

〈꿀풀〉

꿀풀-과【—科】 [—꽈] 명 〖식〗 [Labiatae] 쌍자엽 식물에 속하는 한 과. 초본(草本)이 많고 드물게 관목(灌木)도 있는데, 온대·열대에 많고 한대에는 드묾. 전세계에 150 속(屬), 3,000여 종, 한국에는 골무꽃·금난초·깨나물·방아풀·박하·꿀풀·광대수염·익모초·차조기 등의 40 속, 120여 종이 분포함.

꿇다 [꿀타] 타 〔중세 : 꿀다〕 ①무릎을 구부려 바닥에 대다. ②자기가 마땅히 할 차례에 못 하고 거르다.

꿇리다 [꿀—] ㊀사동 ①무릎을 꿇게 하다. ②아무 소리도 못 하게 억지로 누르다. ③억지로 복종하게 하다. ㊁피동 꿇음을 당하다.

꿇-앉다 [꿀안따] 자 ↗꿇어앉다.

꿇-앉히다 [꿀안치—] 타 ↗꿇어앉히다.

꿇어-앉다 [꿀—안따] 자 무릎을 꿇고 앉다. 궤좌(跪坐)하다. ㊟꿇앉다.

꿇어-앉히다 [꿀—안치—] 타 꿇어앉게 하다. ㊟꿇앉히다.

꿈 명 ①잠자는 중에 생시와 마찬가지로 여러 가지 사물을 보는 일. 곧, 시각적(視覺的) 때로는 청각적(聽覺的)인 체험을 하는 현상. 숙면(熟眠) 전후에 많으며, 신체 내에서 생성한 내부 감각적 자극(刺戟) 내지는 전일(前日)의 흥분의 잔존(殘存)에 기인된다고 함. 정신 분석학에서는 내적 정신 현상의 투영(投影)으로 보고 꿈을 분석하여 정신 요법에 이용함. ②덧없음. 존재가 확실하지 못함. 몽환(夢幻). 미몽(迷夢). ③희망(希望)❶. ¶~은 사라지고. ④이상(理想)❶. ¶~이 큰 젊은이.

[꿈보다 해몽이 좋다] ㉠기본이 되는 소재(素材)는 그다지 좋지 못한데 가공 장식을 잘하였음을 이르는 말. ㉡좋고 나쁨은 풀이하기에 달렸다는 말. **[꿈에 떡 맛보듯]** '꿈에 서방맞은 격'과 같은 뜻. **[꿈에 본 돈이다; 꿈에 본 천량 같다]** 아무리 좋아도 손에 넣을 수 없다는 말. **[꿈에 사위 본듯]** 무엇인가 한 일이 분명치 않다는 말. **[꿈에 서방맞은 격]** ㉠도무지 마음에 흡족하지 않은 모양. ㉡분명하지 못한 모양. **[꿈은 아무렇게 꾸어도 해몽만 잘 하여라]** 일의 곡직(曲直)은 헤아리지 말고 좋은 도리만 행하라는 말. **[꿈을 꾸어야 임을 보지]** 원인없는 결과는 있을 수 없다는 말. *하늘을 보아야 별을 따지.

꿈도 꾸기 전에 해:몽 구 어떻게 될지도 모르는 일을 가지고 미리부터 제멋대로 상상하고 기대한다는 말.

꿈 밖이다 구 꿈에도 생각지 아니한 뜻밖의 일이다.

꿈에도 생각지 못:하다 구 전혀 생각지 못했다는 말.

꿈에도 없:었다 구 생각조차 해 본 일이 없었다.

꿈인지 생시인지 구 ㉠뜻밖의 일에 부딪쳐 어쩔 줄 모를 때를 가리킴. ㉡간절히 바라던 일이 뜻밖에 이루어져 꿈같이 여겨지는 것을 이름.

꿈-같다 형 ①일이 하도 기이하여 현실이 아닌 것 같다. *꿈결같다. ¶꿈같은 이야기다. ②지나간 일이나 앞으로 닥쳐올 일이 오래고 멀어서 아득하다.

꿈-같이 [—가치] 부 꿈같게.

꿈-결 [—껼] 명 ①꿈을 꾸는 동안. ②덧없이 지나가는 동안.

꿈결-같다 [—껼—] 형 세월의 흐름이 허무하게 빠르다. *꿈같다.

꿈결-같이 [—껼가치] 부 꿈결같게.

꿈결-에 [—껼—] 부 ①꿈꾸는 결에. ②덧없이 빠르게. ¶~ 흘러간 세월.

꿈-길 [—낄] 명 꿈속에서 이루어져 나가는 일의 경과.

꿈-꾸다 자타 ①자는 동안에 꿈이 보이다. ②속으로 은근히 바라거나 뜻을 세우다.

꿈꾼 셈:이라 구 뜻하지 않은 좋은 일이 생겨, 신기하고 놀랍다.

꿈-나라 명 ①환상적인 세계. ②'잠'을 이르는 말. 수향(睡鄕). ¶~로 가다.

꿈-땜 명 좋거나 궂은 꿈의 조짐을 현실로 때우는 일. ——-하다 자 여불

꿈-속 [—쏙] 명 ①꿈을 꾸는 가운데. 몽중(夢中). ②어떠한 일에 열중하여 다른 일은 잊은 채 멍한 상태.

꿈실-거리다 자 작은 벌레 같은 것이 굼뜨게 자꾸 움직이다. ㅅ굼실거리다. >꼼실거리다. **꿈실-꿈실** 부. ——-하다 자 여불

꿈실-대다 자 꿈실거리다.

꿈-에도 부 '조금도'·'전혀'의 뜻. 부정적인 말이 뒤따름. ¶~ 생각하지 못할 일.

꿈의 해:석【—解釋】 [—/—에—] 명 〔도 Die Traumdeutung〕 〖책〗 프로이트(Freud, S.)가 지은 심리학서(書). 꿈은 원망(願望)의 충족을 목적하는 잠재 의식이 상징화(化)·시각상화(視覺像化)·변장(變裝)·왜곡(歪曲)되어 의식화(意識化)된 것이라고 규정함. 정신 분석의 입문서(入門書)로서 알려짐.

꿈-자리 명 꿈에 나타난 사실. 앞일의 길흉을 판단할 수 있는 짐작이 됨. 몽조(夢兆).

[꿈자리가 사납다] 일마다 잘 되질 않고 몹시 번거로움을 일컫는 말.

꿈적 부 둔하게 한 번 움직이는 모양. ㅅ굼적. ㅆ꿈쩍. >꼼작. ——-하다 자타 여불

꿈적-거리다 자타 둔하게 자꾸 움직이다. ㅅ굼적거리다. ㅆ꿈쩍거리다. >꼼작거리다. **꿈적-꿈적** 부. ——-하다 자타 여불

꿈적-대다 자타 꿈적거리다.

꿈적-이다 자타 몸을 굼닐어서 굼뜨게 움직이다. ㅆ꿈쩍이다. >꼼작이다.

꿈지러기 명 음식물에서 생긴 '구더기'를 일컫는 변말.

꿈지럭 [부] 둔하고도 느리게 움직이는 모양. [준]꿈질. ㅅ굼지럭.>꼼지락. ——-하다 [자][타][여불]
꿈지럭-거리다 [자][타] 둔하고도 느리게 연하여 움직이다. [준]꿈질거리다. ㅅ굼지럭거리다. >꼼지락거리다. **꿈지럭-꿈지럭** [부]. ——-하다 [자][타][여불]
꿈지럭-대다 [자][타] 꿈지럭거리다.
꿈질 [부] ↗꿈지럭. ㅅ굼질. >꼼질. ——-하다 [자][타][여불]
꿈질-거리다 [자][타] ↗꿈지럭거리다. ㅅ굼질거리다. >꼼질거리다. **꿈질-꿈질** [부]. ——-하다 [자][타][여불]
꿈질-대다 [자][타] 꿈질거리다.
꿈쩍 [부] 크고 둔하게 움직이는 모양. ¶～ 말고 가만 있어라. ㅅ굼적·꿈적.>꼼짝. ——-하다 [자][타][여불]
꿈쩍-거리다 [자][타] 작고 둔하게 자꾸 움직이다. ㅅ굼적거리다·꿈적거리다. >꼼짝거리다. **꿈쩍-꿈쩍** [부]. ——-하다 [자][타][여불]
꿈쩍-대다 [자][타] 꿈쩍거리다.
꿈쩍 못: 하다 [구] 꿈쩍거리지 못하다. 힘이나 위세에 눌리어 기를 펴지 못하다. ¶권력 앞에는 ～. >꼼짝 못 하다.
꿈쩍-없다 [—업—] [형] 조금도 움직이는 기색이 없다. 그대로 있을 뿐이고 변동되지 아니하다. >꼼짝없다.
꿈쩍-없이 [—업씨] [부] 꿈쩍없게. ¶～ 앉아 있다.
꿈쩍-이다 [자][타] 크고 둔하게 움직이다. ㅅ꿈적이다. >꼼짝이다.
꿈쩍-하면 [부] 조금이라도 움직이면. ¶～ 가만 안 두겠다. >꼼짝하면.
꿈틀 [부] 몸을 이리저리 꾸부리어 움직이는 모양. ㅅ굼틀. >꼼틀. ——-하다 [자][타][여불]
꿈틀-거리다 [자][타] 몸을 이리저리 꾸부리어 자꾸 움직이다. ㅅ굼틀거리다. >꼼틀거리다. **꿈틀-꿈틀** [부]. ——-하다 [자][타][여불]
꿈틀-대다 [자][타] 꿈틀거리다.
꿉꿉-하다 [형][여불] 조금 축축하다. ¶옷이 이슬에 젖어 ～. >꼽꼽하다.
꿉슬 [부] 〈방〉 꿉실.
꿉실 [부] 남의 비위를 맞추느라고 머리와 몸을 꾸부리는 모양. ㅅ굽실.>꼽실. ——-하다 [자][타][여불]
꿉실-거리다 [자][타] 남의 비위를 맞추느라고 자꾸 몸을 꾸부리다. ㅅ굽실거리다. >꼽실거리다. **꿉실-꿉실** [부]. ——-하다 [자][타][여불]
꿉실-대다 [자][타] 꿉실거리다.
꿉적 [부] 머리를 숙이고 허리를 굽히는 모양. ㅅ굽적. >꼽작. ——-하다 [자][타][여불]
꿉적-거리다 [자][타] 잇따라 여러 번 꿉적하다. ㅅ굽적거리다.>꼽작거리다. **꿉적-꿉적** [부]. ¶언제까지든지 함부로 휘뿌리는 대로 ～하고 요보란 소리만 들으려우?≪廉想涉 : 萬歲前≫. ——-하다 [자][타][여불]
꿉적-대다 [자][타] 꿉적거리다.
꿋꿋-이 [부] 꿋꿋하게.
꿋꿋-하다 [형][여불] ①힘이 세고 단단하다. ②성질이 엄격하다. ¶꿋꿋한 성격. ③흔들리거나 구부러지지 않고 쪽 바르다. 1)-3):>꼿꼿하다.
꿍 [부] ①무거운 것이 땅에 떨어져 울려 나는 소리. ②북 소리. ③멀리서 대포(大砲)가 울리는 소리. 1)-3):ㅆ쿵. ——-하다 [자][여불]
꿍-꽝 [부] ①대포(大砲)나 북의 소리가 크고 작게 섞바뀌어 나는 소리. ②마룻 바닥 따위를 여럿이 급히 구를 때 요란스럽게 울리는 소리. ③단단하고 큰 물건이 서로 부딪칠 때 요란하게 나는 소리. 1)-3):ㅆ쿵쾅. ——-하다 [자][여불]
꿍꽝-거리다 [자] 꿍꽝 소리가 잇따라 요란히 나다. ㅆ쿵쾅거리다. **꿍꽝-꿍꽝** [부]. ——-하다 [자][여불]
꿍꽝-대다 [자] 꿍꽝거리다.
꿍꿍[1] [부] 되게 아프거나 괴로울 때 내는 소리. ¶병으로 ～ 앓다.>꽁꽁[1].
꿍-꿍[2] [부] ①무거운 것이 잇따라 떨어질 때 울리는 소리. ②총포(銃砲)나 큰 북이 잇따라 울리어 나는 소리. 1)·2):ㅆ쿵쿵. ——-하다 [자][여불]
꿍꿍-거리다[1] [자] 되게 아프거나 괴로워서 자꾸 꿍꿍 소리를 내다. ¶말도 못 하고 혼자 ～. >꽁꽁거리다.
꿍꿍-거리다[2] [자] 총포(銃砲)나 북의 꿍꿍 소리가 자꾸 나다. ㅆ쿵쿵거리다.
꿍꿍-대다 [자] 꿍꿍거리다[1·2].
꿍꿍이 [명] ↗꿍꿍이셈.
꿍꿍이-셈 [명] 남에게 드러내지 아니하고 속으로만 우물쭈물하는 셈속. [준]꿍꿍이.
꿍꿍이-속 [명] 아주 모를 수작. ¶무슨 ～인지 알 수 없다.
꿍꿍이-수작 [명] 속을 알 수 없는 모호한 수작.
꿍얼-거리다 [자] 못마땅하여 자꾸 중얼거리다. >꽁알거리다. **꿍얼-꿍얼** [부]. ——-하다 [자][여불]
꿍얼-대다 [자] 꿍얼거리다.
꿍지다 [타] 〈방〉 꾸리다.
꿍:-하다 [형][여불] 마음에 언짢고 못마땅하여 말도 아니하고 덤덤히 있다. *꽁하다.
꿔르르 [부] 깊고 좁은 곳으로 물이 급히 쏟아지는 소리. 또, 그 모양. ㅆ쿼르르. >꽈르르. ——-하다 [자][여불]
꿜깽이 [명] 〈방〉 〖동〗 지렁이(경북).
꿜꿜 [부] 물 같은 것이 좁은 통로로 한꺼번에 쏟아지는 소리. ㅆ쿨쿨. >꽐꽐. ——-하다 [자][여불]
꿜꿜-거리다 [자] 자꾸 꿜꿜 소리를 내며 쏟아지다. ㅆ쿨쿨거리다. >꽐꽐거리다.
꿜꿜-대다 [자] 꿜꿜거리다.
꿩 [명] 〖조〗 ①꿩과·들꿩과에 속하는 새의 총칭. 꿩·북꿩 등이 있음. ②[*Phasianus colchicus karpowi*] 꿩과에 속하는 새의 하나. 닭과 비슷하나 날개 길이는 수컷이 23 cm, 암컷은 20 cm 가량이고, 꽁지는 수컷이 65 cm 가량임. 몸빛은 대체로 적갈색에 복잡한 반문이 있음. 수컷은 '장끼'라고 하며, 대형(大形)인데 꽁지가 길고 아름다우며, 보통 목에 백색 띠의 윤문(輪紋)이 있음. 암컷은 '까투리'라고 하며 수컷보다 소형(小形)인데 온몸이 담황갈색에 담흑색의 잔 반문이 있고 꽁지가 짧고 아름답지 못함. 산과 들이나 밭 등에 사는 유조(留鳥)로서 4-7월에 나무 밑·풀숲에 집을 짓고, 6-12 개의 알을 낳고 품음. 풀씨·곤충 등을 먹고 수컹은 크게 욺. 한국의 특산종이며 만주·몽고·일본 등지에도 분포함. 중요한 엽조(獵鳥)임. 산계(山鷄). 산량(山梁). 야계(野鷄). 화충(華蟲). 제주(濟州)꿩. 원금(原禽).

〈꿩❷〉

[꿩 구워 먹은 자리] 어떠한 일의 흔적이 전혀 없음을 이르는 말. [꿩 놓친 매] 헐떡이며 분해하는 모양. [꿩 대신 닭] 적당한 것이 없을 때 비슷한 것으로 대신함을 이르는 말. [꿩 먹고 알 먹는다] 한 가지 일에 두 가지 이상의 이익을 본다는 뜻. 일석 이조(一石二鳥). [꿩 새끼 제 길로 찾아든다] 남의 자식 애써 키워 봤자 끝내는 제 낳은 부모를 찾아 간다는 말. [꿩은 머리만 풀에 감춘다] 몸은 완전히 숨기지 못하고 숨었다고 안심하다가 발각됨을 이르는 말. [꿩 잃고 매 잃는 셈] 하려던 일은 못 이루고, 도리어 제것만 손해 본다는 말. [꿩 잡는 것이 매] 꿩을 잡지 않으면 매라고 할 수 없듯이, 실지로 제 구실을 해야 명실상부(名實相符)하다는 말. ¶꿩 잡는 것이 매라고, 병 고치는 것이 의원이지≪李人稙:牧丹峰≫.
꿩-고비 [명] 〖식〗 [*Osmunda cinnamomea*] 고빗과에 속하는 다년생 양치(羊齒) 식물. 근경(根莖)은 굵고 지름이 5-8 cm에 이름. 잎은 직립(直立)한 긴 타원형이며 길이 30-60 cm, 폭 10-25 cm임. 산지 및 습지에 군생(群生)하는데, 전라도·경상도를 제외한 전국에 분포함. 잎꼭지는 식용함.
꿩-과 【一科】 [—꽈] [명] 〖조〗 [Phasianidae] 닭목(目)에 속하는 한 과. 소·중·대형의 조류로서 수컷의 몸빛은 화려하고, 번식기에는 얼굴에 있는 육질부가 붉어지며 암컷은 곱지 않고 반점이 많음. 숲이나 들에 서식하며 풀숲·나무 밑에 둥지를 짓고 한 배에 6-12 개의 담갈색·감람색 알을 낳음. 모두 엽조(獵鳥) 또는 사조(飼鳥)임. 꿩·메추라기·북꿩 등이 이에 속하며 전세계에 270여 종이 분포함.
꿩-국 [—꾹] [명] 꿩 고기로 끓인 장국. 치탕(雉湯).
꿩-김치 [명] 꿩을 삶은 물과 동치미 국물을 섞은 것에, 삶은 꿩의 고기를 넣은 음식. 치저(雉菹).
꿩-닭 [—닥] [명] 털빛이 꿩 같은 닭. 치계(雉鷄).
꿩-마농 [명] 〈방〉 〖식〗 달래[1](제주).
꿩-망태 【一網—】 [명] 사냥꾼이 꿩을 잡아서 넣는 망태.
꿩-알 [명] 꿩의 알.
꿩의-다리 [—/—에—] [명] 〖식〗 [*Thalictrum aquilegifolium* var. *japonica*] 미나리아재빗과의 다년초. 높이는 1m 내외인데, 잎은 호생하고 재삼 우상 복생(再三羽狀複生)하며 소엽(小葉)은 세 개로 째짐. 6월에 엷은 녹색의 꽃이 산방상 원추(繖房狀圓錐) 화서로 정생(頂生)하고 과실은 수과(瘦果)임. 산지에 나는데 한국·일본 및 아한대(亞寒帶) 등 각지에 분포하며 어린 잎의 줄기는 식용함. 잎이 찢어진 모양이 삼지구엽초(三枝九葉草)와 비슷하므로 음양곽(淫羊藿)의 위품(僞品)으로 쓰임.

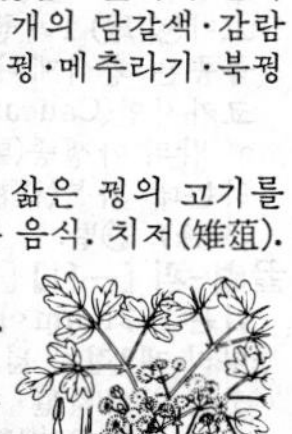
〈꿩의다리〉

꿩의다리-아재비 [—/—에—] [명] 〖식〗 [*Caulophyllum robustum*] 매자나뭇과에 속하는 다년초. 근경(根莖)은 다소 비후(肥厚)하고 가로 뻗으며 수근(鬚根)이 많고, 줄기는 높이 60 cm 가량임. 잎은 호생하고 장병(長柄)이며, 장상(掌狀)으로 째지고 잎 뒤가 분처럼 흼. 6-7월에 녹황색의 꽃이 원추(圓錐) 화서로 정생(頂生)하여 피고, 과실은 장과(漿果) 비슷함. 깊은 산의 숲 밑에 나는데, 경기·강원·평북 등지에 분포함.

〈꿩의다리아재비〉

꿩의바람-꽃 [—/—에—] [명] 〖식〗 [*Anemone raddeana*] 미나리아재빗과의 다년초. 근경(根莖)은 가로 뻗고, 줄기는 높이 15 cm 내외임. 잎은 근생(根生)하고 엽상포(葉狀苞)는 세 조각인데 줄기 끝에 정생(頂生)함. 4-6월에 자색을 띤 흰 꽃이 화판 없이 하나씩 정생(頂生)하고, 과실은 수과(瘦果)임. 산지의 숲 밑에 나는데, 한국의 중부 이북 및 일본 중부 이북 등지에 분포함.
꿩의-밥 [—/—에—] [명] 〖식〗 [*Luzula capitata*] 골풀과에 속하는 다년초. 줄기는 총생하고 높이는 30 cm 가량, 근생엽(根生葉)은 총생, 경엽(莖葉)은 호생하며 선형(線形)임. 5-6월에 흑갈색의 꽃이 두상(頭狀) 화서로 정생(頂生)하여 피고, 과실은 삭과(蒴果)임. 들의 황지(荒地)에 나는데, 한국 각지 및 일본 등지에 분포함.

〈꿩의바람꽃〉

〈꿩의밥〉

꿩의-비름 [—/—에—] [명] 〖식〗 [*Sedum alboroseum*] 돌나물과에 속하는 다년초. 전체가 분백(粉白)색이며, 줄기는 원기둥 모양에 높이는 50 cm 가량임. 잎은 대생·호생하며, 단병(短柄)에 타원형 또는 거꿀달걀꼴로 육질(肉質)임. 8-9월에 붉은 빛을 띤 흰 꽃이 산방상(繖房狀) 취산(聚繖) 화서로 정생(頂生)하고, 과실은 골돌(蓇葖)임. 산지에 나는데, 전북·충북·경기·평북 등지에 분포함. 경천(景天). 불지갑(佛指甲). 신화(愼火).

〈꿩의비름〉

꿩-잡이 [명] ①꿩을 잡는 일. 꿩 사냥. ②꿩을 잡는 사람. ——-하다 [자][여불]
꿰: [명] 〈방〉 궤(櫃)(전남·경남).
꿰:다 [타] 〔중세 : 뻬다. 근대 : 쒜다〕 ①구멍으로 실이나 끈 같은 것을 이쪽에서 저 쪽으로 나가게 하다. ¶바늘에 실을 ～. ②가운데를 뚫고 이쪽에서 저 쪽으로 나가게 꽂다. ¶꿰미에 ～. ③옷을 입거나, 신을 신다. ¶소매에 팔을 ～. ④일의 사정이나 내용 따위를 자세히 알고 있다.

꿰:-들다 타 ①꼬챙이 같은 것으로 물건을 꿰어서 쳐들다. ¶ 생선을 꿰들고 가다. ②남의 허물을 들추어 내다.
꿰:디다 자 〈방〉 꿰지다(평안).
꿰:-뚫다 [—뚤타] 타 ①이 쪽에서 저 쪽까지 꿰어서 뚫다. ¶ 총알이 벽을 ~. ②거죽에서 속에까지 꿰어서 통하게 하다. ¶ 마음 속을 꿰뚫어 보다. ③일을 속속들이 잘 알고 있다. ¶ 그 일에 대하여서는 아주 꿰뚫고 있다.
꿰:-뜨리다 타 문질러서 해지게 하다. 해뜨리어 구멍이 나게 하다.
꿰:-매다 타 ①해지거나 뚫어진 자리를 바느질하여 깁다. 또, 조각을 대고 얽다. ¶ 양말을 ~. ②벌어져서 거두기 어려운 일을 매만져 탈이 없도록 만들다. ③말막음하다.
꿰:맴-질 명 옷 같은 것을, 해지거나 뚫어진 자리를 바늘로 깁는 짓. ——하다 자여불
꿰:미 명 〔'꿰다'의 파생 명사〕 ①구멍 뚫린 물건을 꿰어 묶는 노끈 등속. 민(緡). ②노끈 같은 것으로 꿰어 놓은 분량(分量). ¶ 엽전 열 냥씩을 한 ~로 묶다.
꿰방 명 〖건〗 기둥의 중방 구멍이나 문짝에 문살 구멍 같은 것을 아주 내 뚫은 구멍.
꿰어-뜨리다 타 〈방〉 꿰뜨리다.
꿰어미 명 〈방〉 꿰미.
꿰어-지다 자 〈방〉 꿰지다.
꿰이다 ㊀ 피동 꿴을 당하다. ㊁ 타 〈방〉 꿰다(충남).
꿰장 명 〈방〉 꿰방.
꿰정꿰정-하다 형 〈방〉 꾸정꾸정하다.
꿰:-지다 자 ①내미는 힘으로 약한 부분이 미어져 나가다. ¶ 자루가 꿰지도록 담다. ②제 안에서 탈이 생기어 해져 버리다. ③틀어막았던 곳이 밀리어 터지다. ④잘못되거나 비뚤어지다. ¶ 심사가 ~.
꿰:-지르다 타르불 '신다'·'입다'의 낮은말.
꿰:-찌르다 타르불 〔중세 : 뻬드르다←뻬다+디르다〕 힘차게 속으로 들여 밀어 찌르다.
꿰:-차다 타 ①끈으로 꿰어서 허리춤이나 영덩이에 매어 달다. ¶ 열쇠 꾸러미를 ~. ②〈속〉 제 것으로 만들다. 데리다.
꿰:-트리다 타 꿰뜨리다.
꽥 부 성이 나거나 남을 놀래려고 할 때 갑자기 높게 지르는 소리. >꽥. 「——하다 자여불
꽥-꽥 부 ①꽥 소리를 연해 지르는 소리. >꽥꽥. ②구역이 나서 무엇을 자꾸 토하는 소리. 또는, 그 모양. ——하다 자여불
꽥꽥-거리다 자 꽥꽥 소리를 연하여 내다. >꽥꽥거리다.
꽥꽥-대다 자 꽥꽥거리다. 「>꽥꽥 지르다.
꽥꽥 지르다 자르불 큰소리로 급히 부르다. 별안간 소리를 크게 지르다.
꽥-지르다 자르불 꽥하는 소리를 내다. >꽥지르다.
꿸:-중방【—中枋】 명 〖건〗 마룻 귀틀의 촉이 끼이는 하인방(下引枋).
꿸:-대 [—때] 명 주판의 알을 꿴, 가는 세로대.
꿸:지 명 〈방〉 꿰미.
꿩이 명 〈방〉 팽이(전라·경상·충청·황해).
뀌:다[1] 자타 ↗꾸이다.
뀌:다[2] 타 방귀를 내어 보내다.
뀌:다[3] 타 〈방〉 꿰다(경기·강원·충청·전라·경상).
뀌들기 명 〈방〉〖충〗 귀뚜라미.
뀌뚜래미 명 〈방〉〖충〗 귀뚜라미(전남·경북).
뀌뜨라미 명 〈방〉〖충〗 귀뚜라미(경상).
뀌뜨래미 명 〈방〉〖충〗 귀뚜라미(전북·경남).
뀌메다 타 〈방〉 깁다(충북).
뀌멜-때기 명 〈방〉 뺨따귀(함남).
뀌미다 타 〈방〉 꾸미다.
뀌어 주다 타 돈 따위를 나중에 받기로 하고 빌려 주다.
뀌역-뀌역 부 〈방〉 꾸역꾸역.
뀌우다 타 〈방〉 꾸이다.
뀌이다 타 〈방〉 꿰다(충북).
뀌:짝 명 〈방〉 궤(櫃)(경북).
뀔마늘 명 〈방〉〖식〗 달래.
끄- 간 '끗다'의 불규칙 어간. ¶ ~어/~으니.
끄:깽이 명 〈방〉〖동〗 지렁이(충북·전북).
끄께이 명 〈방〉〖동〗 거위[2](충북).
끄나겡이 명 〈방〉 끈.
끄나불 명 ☞ 끄나풀.
끄나팔 명 〈방〉 끄나풀(경기·전라).
끄나푸리 명 〈방〉 끄나풀(경북).
끄나풀 명 ①길지 아니한 끈의 나부랑이. ②형사·악당 같은 사람의 명령을 받고 그들의 일을 보좌해 주고 얻어먹는 사람.
끄내기 명 〈방〉 끈(경기·경상).
끄내끼 명 〈방〉 끈. 끄나불(경상·충남).
끄-내리다 타 〈방〉 꺼내리다.
끄내키 명 〈방〉 끈. 끄나불(경북).
끄냉이 명 〈방〉 끈(경기·충남).
끄느름-하다 형여불 ①날이 흐리어 어둠침침하다. ②아궁이에 타는 불이 약하다. 끄느름-히 부
끄니 명 〈방〉 끼니.
끄니다 타 〈방〉 끄르다.
끄다 타 〔중세 : 띄다〕 ①타는 불을 못 타게 하다. ②전기 장치에 전기가 통하지 아니하게 스위치를 돌리다. ¶ 라디오를 ~. ③엉기어 덩어리로 된 물건을 깨어 헤뜨리다. ¶ 얼음을 ~. ④빚 등을 가리다. ¶ 다달이 빚을 꺼나가다.
끄대기 명 〈방〉 끄덩이.
끄대다 자 〈방〉 끄지르다.
끄덕 부 고개를 앞으로 가볍게 숙이었다가 드는 모양. ㅆ끄떡. >까닥. 「——하다 자타여불
끄덕-거리다 자타 잇따라 끄덕이다. ㅆ끄떡거리다. >까닥거리다[2]. 끄덕-끄덕 부. ——하다 자타여불
끄덕-대다 자타 끄덕거리다.
끄덕-이다 ㊀자 물체가 앞으로 꺾여 움직이다. ㅆ끄덕이다. >까닥이다. ㊁타 머리를 앞으로 꺾어 움직이다. ㅆ끄떡이다. >까닥이다.
끄덩이 명 ①머리털의 끝. ¶ 머리 ~를 잡고 싸우다. ②실의 뭉친 끝. 끄덩이(를) 잡다 구 머리털을 움켜 쥐어 잡다. 「타여불
끄덱 부 머리를 공교하게 움직이는 모양. ㅆ끄떽. >까댁. ——하다 자
끄덱-거리다 자타 연달아 끄덱이다. ㅆ끄떽거리다. >까댁거리다. 끄덱-끄덱 부. ¶ 막쇠는 연하여 고개를 끄덱끄덱하면서 입맛이 썩 붙는 모양이라《作者未詳 : 金菊花》. ——하다 자타여불
끄덱-대다 자타 끄덱거리다.
끄덱-이다 ㊀자 한쪽으로 공교하게 움직이다. ㅆ끄떽이다. >까댁이다. ㊁타 머리를 공교하게 움직이다. ㅆ끄떽이다. >까댁이다.
끄-두르다 타 〈방〉 꺼두르다.
끄득-끄득 부 〈방〉 꺼덕꺼덕.
끄-들다 타 〈방〉 꺼들다.
끄-들이다 타 〈방〉 꺼들이다.
끄떡 부 ①고개를 앞으로 세게 꺾어 움직이는 모양. ㅅ끄덕. ②조금 움직이는 모양. 미동하는 모양. 1)·2):>까딱. *끄떽. ——하다 자타여불
끄떡-거리다 자타 잇따라 끄떡이다. ㅅ끄덕거리다. >까딱거리다[1]. 끄떡-끄떡 부. ——하다 자타여불
끄떡-대다 자타 끄떡거리다.
끄떡-없다 [—업—] 형 조금도 움직이지 아니하다. 아무런 장애도 되지 아니하다. ¶ 어떤 난관이 닥쳐도 ~. >까딱없다. *끄떽없다.
끄떡-없이 [—업씨] 부 끄떡없게. ¶ ~ 앉아 있다.
끄떡-이다 ㊀자 물체가 앞으로 세게 꺾여 움직이다. ㅅ끄덕이다. >까딱이다. ㊁타 머리를 앞으로 세게 꺾어 움직이다. ㅅ끄덕이다. >까딱이다.
끄떽 부 고개를 앞으로 공교하게 조금 움직이는 모양. ㅅ끄덱. >까땍. ——하다 타여불
끄떽-거리다 타 머리를 세게 끄덱거리다. ㅅ끄덱거리다. >까땍거리다. 끄떽-끄떽 부. ——하다 타여불
끄떽-대다 타 끄떽거리다.
끄떽-없다 [—업—] 형 어떤 일의 변동에 조금도 흔들리지 아니하다. >까땍없다. *끄떡없다.
끄떽-없이 [—업씨] 부 끄떽없게.
끄떽-이다 타 공교하게 머리를 끄떡이다. ㅅ끄덱이다. >까땍이다.
끄러미 명 〈방〉 꾸러미.
끄럼지 명 〈방〉 꾸러미.
끄레발 명 단정(端正)하지 못한 몸차림. 헙수룩한 모양.
끄레-질 명 〈방〉 걸기질.
끄르다 타르변 〔중세 : 그르다〕 ①맺은 것이나 맨 것을 풀다. ¶ 짐을 ~. ②잠근 것을 열다. ¶ 단추를 ~.
끄르떼기 명 〈방〉 그루터기(경북).
끄르륵 부 트림하는 소리. ——하다 자여불
끄르륵-거리다 자 자꾸 끄르륵 소리로 트림을 하다. 끄르륵-끄르륵 부. ——하다 자여불
끄르륵-대다 자 끄르륵거리다.
끄르탕 명 〈방〉 끌탕.
끄르터기 명 〈방〉 그루터기.
끄르테기 명 〈방〉 그루터기(경기·강원).
끄:름 명 〈방〉 그을음(경기·강원·충청·전북·경북).
끄름-하다 형 〈방〉 꺼림하다(강원·충청·경북).
끄리 명 〖어〗 [*Opsariichthys bidens*] 잉어과에 속하는 민물고기. 몸길이는 30cm 이상에 달하는 은빛의 물고기인데 구열(口列)이 '山'자 모양으로 되어 있어 다른 고기와 구별하기 쉬움. 성질은 활발하나 포악하고 곤충·갑각류(甲殼類)의 유충 등을 먹음. 낙동강(洛東江) 이서(以西) 압록강(鴨綠江)까지의 하천, 특히 한강 수계(漢江水系)에 많음.

〈끄리〉

끄리다[1] 타 〈방〉 꾸리다.
끄:리다[2] 타 〈방〉 꺼리다.
끄:림 명 〈방〉 그을음(경기·강원·충북).
끄림직-하다 형 〈방〉 꺼림하다(강원).
끄막-하다 형 〈방〉 뜨막하다.
끄먹-거리다 ㊀자 등잔불 같은 것이 꺼질 듯 말 듯하다. >까막거리다. ㊁타 눈을 감았다 떴다 하다. >까막거리다. 끄먹-끄먹 부. ¶ 승재는 마치 어른한테 꾸지람을 듣고 있는 아이 같이 큰 눈을 ~하고 있다가 겨우 발명을 한다는 것이…《蔡萬植 : 濁流》. ——하다 자타여불
끄먹-대다 자타 끄먹거리다.
끄무러-지다 자 ①구름이 끼어 날이 차차 흐려지다. ②마음이 우울해지다.
끄무레-하다 형여불 구름이 끼어 날이 칙칙하다. ¶ 날씨가 ~.
끄물-거리다 자 날이 개었다 흐렸다 하다. 끄물-끄물 부. ——하다 자여불
끄물-대다 자 끄물거리다.
끄:생이 명 〈방〉〖동〗 지렁이(전북).
끄석-신 명 〈방〉 베틀신.
끄스래미 명 〈방〉 그을음(강원).
끄스러미 명 〈방〉 그을음(경북).
끄스럼 명 〈방〉 그을음(전남·경북).
끄스레미 명 〈방〉 그을음(경북).

끄스르미 명 〈방〉 그을음(경북).
끄스름 명 〈방〉 그을음.
끄슬리다 ㊀ 사동 〈방〉 그을리다. ㊁ 사동피동 ☞ 그슬리다.
끄시락 명 〈방〉 까끄라기(전남).
끄시람 명 〈방〉 그을음(전남).
끄시랑[1] 명 〈방〉 〖동〗 거위[2](전북).
끄시랑[2] 명 〈방〉 〖동〗 지렁이(전북).
끄시럼 명 〈방〉 그을음.
끄시르다 〈방〉 ㊀ 사동피동 그슬리다. ㊁ 사동 그을리다.
끄시름 명 〈방〉 그을음(충남·전라·경상).
끄실리다 사동 〈방〉 그을리다.
끄실묵 명 〈방〉 그을음(전북).
끄어-내다 타 →꺼내다.
끄어-내리다 타 →꺼내리다.
끄어-당기다 타 →꺼당기다.
끄어-들다 타 →꺼들다.
끄어-들이다 타 →꺼들이다.
끄어-오다 타너라불 →꺼오다.
끄어-올리다 타 →꺼올리다.
끄-올리다 타 〈방〉 꺼올리다.
끄으렁 명 〈방〉 그을음(충남).
끄으름 명 〈방〉 그을음(충남).
끄을다[1] 자 ☞그을다.
끄을다[2] 타 〈방〉 끌다.
끄이-끄이 부 흐느끼며 우는 소리나 모양. ¶～ 울다.
끄적-거리다 자타 끼적거리다. **끄적-끄적** 부. ——-하다 자타여불
끄적-대다 타 끄적거리다.
끄적-이다 타 끼적이다.
끄정 조 〈방〉 까지.
끄-지르다 자르불 〈속〉 주책없이 싸대다. >까지르다.
끄집다 타 끌어서 집다. 집어서 끌다.
끄집어-내다 타 ①속에 든 것을 끄집어서 밖으로 내다. ¶서랍에서 서류를 ～. ②이야기 같은 것을 시작하다. ¶그런 말은 끄집어내지 말라.
끄집어-당기다 타 끄집어서 앞으로 당기다.
끄집어-들이다 타 끄집어서 안으로 들이다.
끄치다 자타 ☞그치다.
끄타리 명 〈방〉 끄트머리.
끄트러기 명 〔'끝'의 파생 명사〕 ①쓰고 남은 자질구레한 물건. ②깎아 내거나 끊어 내고 처진 자질구레한 나뭇조각.
끄트리 명 〈방〉 그루터기(충북).
끄트머리 명 〔'끝'의 파생 명사〕 ①맨 끝이 되는 부분. ②일의 실마리. 단서(端緖).
끄틀 명 〈방〉 그루터기(경기).
끅: 부 트림을 거칠게 하는 소리. ——-하다 자여불
끅:-끅 부 트림을 자꾸 거칠게 하는 소리. ——-하다 자여불
끅:끅-거리다 자 잇따라 끅끅하다.
끅:끅-대다 자 끅끅거리다.
끈 명 〔중세 : 긶〕 ①실·헝겊 오리·가죽 오리·종이 오리 같은 것으로 만든 가늘고 긴 물건. 실보다는 굵고, 밧줄·띠보다는 가는 것을 말함. 매거나 묶거나 또는 잇는 데 등에 씀. ②옷이나 보자기 같은 데에 처음부터 붙어서 그 자체(自體)를 잡아 매는 데 쓰는 물건. ③벌잇줄. 살아갈 길. ④의뢰할 만한 연줄. ¶그 집에 ～을 대다.
끈-기 【一氣】 명 ①끈끈한 기운. 단단하여 질기고 차진 기운. ¶쑨 지 오래 된 풀이어서 ～가 없다. ②참을성이 있어 꾸준히 이어 가는 기질. ¶～ 있게 잘 버티어 나가다.
끈깽이 명 〈방〉 〖동〗 회충(충청).
끈끈-막 【一膜】 명 〖생〗 점막(粘膜). 호막(糊膜).
끈끈-액 【一液】 명 〖생〗 점액(粘液).
끈끈-이 명 작은 새나 벌레를 잡는 데 쓰는 끈끈한 물질.
끈끈이-귀개 명 〖식〗 [*Drosera nipponica*] 끈끈이귀갯과에 속하는 다년초(多年草). 식충 식물(食蟲植物)로서 뿌리는 직경 6mm 가량의 구상 괴경(球狀塊莖)이며, 줄기 높이는 15-30cm 내외임. 잎은 호생하고 초승달 또는 반원형인데 선모(腺毛)가 밀생하고 점액(粘液)을 분비하여 벌레를 잡음. 6월에 흰 꽃이 줄기 끝과 가지 끝에 총상(總狀) 화서로 오전에 피었다가 오후 2시경에는 오므림. 과실은 삭과(蒴果)임. 들에 나는데, 전남 진도(珍島) 및 일본의 규슈(九州) 등지에 분포함.

〈끈끈이귀개〉

끈끈이귀갯-과 【一科】 명 〖식〗 [Droseraceae] 이판화류(離瓣花類)에 속하는 한 과. 습지(濕地)에 나는데, 전세계에 90여 종, 한국에는 끈끈이귀개·끈끈이주걱의 두 종이 분포함.
끈끈이-대나물 명 〖식〗 [*Silene armeria*] 너도개미자릿과에 속하는 일년 또는 월년초(越年草). 전체가 분처럼 희고 줄기는 높이 50cm 가량인데, 상부의 경절(莖節) 밑에 점액(粘液)을 분비하는 부분이 있음. 잎은 대생(對生)하고 무병(無柄)이며, 달걀꼴 또는 달걀 모양의 피침형임. 6-8월에 홍색 또는 백색의 꽃이 취산(聚繖) 화서로 피고, 과실은 삭과(蒴果)임. 유럽 원산(原産)으로 정원(庭園)이나 바닷가에 나는데, 관상용(觀賞用)임.

〈끈끈이대나물〉

끈끈이-여뀌 명 〖식〗 [*Persicaria viscofera*] 마디풀과에 속하는 일년초. 줄기 높이는 60cm 가량이고 상부의 마디 사이는 화경(花莖)과 함께 점액(粘液)을 분비함. 잎은 호생하고 잎자루가 있으며 초상 탁엽(鞘狀托葉)은 원통형임. 7-8월에 녹백색 또는 엷은 홍색의 꽃이 가지 끝에 수상(穗狀) 화서로 피고, 과실은 수과(瘦果)임. 산이나 들에 나는데, 한국 각지에 분포함.

〈끈끈이여뀌〉

끈끈이-장구채 명 〖식〗 [*Silene koreana*] 너도개미자릿과에 속하는 일년초. 줄기는 총생하며 높이는 90cm 가량이고, 상부 및 화경(花莖)에서는 점액(粘液)을 분비함. 잎은 호생하고 근생엽(根生葉)은 유병(有柄), 경엽(莖葉)은 무병(無柄)임. 7-8월에 흰 꽃이 줄기 끝과 가지 끝에 다소 윤상(輪狀)으로 밀집(密集)하여 피고, 과실은 삭과(蒴果)임. 산이나 들에 나는데, 한국의 중부 이북에 분포함.
끈끈이-주걱 명 〖식〗 [*Drosera rotundifolia*] 끈끈이귀갯과에 속하는 다년초. 식충 식물(食蟲植物)로서 화경(花莖)의 높이는 약 23cm임. 잎은 뿌리에서 총생하고 장병(長柄)이며 주걱 모양임. 엽면(葉面)에는 엷은 홍자색의 선모(腺毛)가 밀포(密布)하는데 적은 점액(粘液)을 분비하여 벌레를 잡음. 7월에 흰 꽃이 수상(穗狀) 모양의 총상(總狀) 화서로 정생(頂生)하고, 과실은 삭과(蒴果)임. 산이나 들의 양지바른 습지에 나는데, 강원·경기·함북 및 홋카이도·북반구의 아한대(亞寒帶)에 분포함. 모드라기풀. 모전태(毛氈苔).

확대한 잎

〈끈끈이주걱〉

끈끈-하다 형여불 ①잘 떨어지지 아니하고 차지다. ②성질이 검질겨서 싹싹한 맛이 없다. 1)·2):>깐깐하다. **끈끈-히** 부. ¶왜 이리 ～ 묻나? 동성 연애 할라나배《金東仁 : 金姸實傳》.
끈나발 명 〈방〉 끈. 끄나풀(경기).
끈나팔 명 〈방〉 끈. 끄나풀(경기·강원·충남·전북).
끈나풀 명 〈방〉 끄나풀(경기·강원·충북·전북·경북).
끈내기 명 〈방〉 끈(충남).
끈내끼 명 〈방〉 끈(충남·전북·경남).
끈다발 명 〈방〉 끄나풀(전라).
끈다불 명 〈방〉 끄나풀(경상).
끈덕-거리다 자타 전체가 좁은 진폭(振幅)으로 가볍게 자꾸 움직이다. 또, 그렇게 움직이게 하다. ㅅ근덕거리다. ㅆ끈떡거리다. >깐닥거리다. **끈덕-끈덕** 부. ——-하다 자타여불
끈덕-대다 자타 끈덕거리다.
끈덕-지다 형 일을 꾸준히 하여 끈기가 있다. ¶끈덕지게 굴다.
끈드러기 명 〈방〉 끄트러기.
끈드럼 명 〈방〉 그을음.
끈드름 명 〈방〉 그을음(경남).
끈떡-거리다 자타 전체가 좁은 진폭으로 세게 연하여 움직이거나, 움직이게 하다. ㅅ근떡거리다·끈덕거리다. >깐딱거리다. **끈떡-끈떡** 부. ——-하다 자타여불
끈떡-대다 자타 끈떡거리다.
끈떡-없다 형 〈방〉 끄떡없다.
끈-떨어지다 자 ①붙었던 끈이 끊어져서 따로 나다. ②붙이어 살아가던 길이 끊어지다. 밥줄이 끊어지다. ¶홍수가 해방과 함께 끈 떨어진 뒷박이 되자 모두 모르는 체 외면을 했다《李無影 : 三年》. ③〈속〉 위신(威信)에 손상을 입다.
[끈떨어진 뒤웅박; 끈떨어진 망석중이] 의지할 데가 없어진 처지를 이름.
끈-말 명 〖식〗 [*Chorda filum*] 갈조류(褐藻類)의 바닷말. 몸은 긴 끈 모양이고, 속이 비었으며 길이는 1-2m임. 겉면에는 털이 많고 빛깔은 흑갈색임. 다소 깊은 바다에 나는데, 식용하거나 차(茶) 대용으로 씀.
끈-목 명 여러 올의 실로 짠 끈의 총칭. 대님·허리띠·주머니끈 같은 것.
끈-벌레 명 〖충〗 유충(紐蟲).
끈-붙다 자 일자리를 얻어 살아갈 길이 생기다.
끈-붙들다 자 살아갈 길을 얻어 붙들다.
끈-붙이다 [一부치一] 타 살아갈 방도를 마련하여 주다.
끈-숯 명 〈방〉 뜬숯.
끈적-거리다 자 ①끈끈하여 자꾸 척척 들러붙다. ②성질이 검질기어서 한 번 관계한 일에서 손을 떼지 아니하고 자꾸 긁적거리다. 1)·2):>깐작거리다.
끈적끈적-하다 ㊀자여불 끈적거리다. >깐작깐작하다. ㊁형여불 ①척척 들러붙어 끈끈하다. ②자꾸 검질기게 굴어 성질이 끈끈하다. >깐작깐작하다.
끈적-대다 자 끈적거리다.
끈적-이다 자 끈끈하여 잘 달라붙다. >깐작이다.
끈지다 형 끈기가 있다. 단념하지 아니하고 버티어 가는 힘이 있다. >깐지다.
끈-질기다 형 끈적끈적하여 질기다. ¶끈질기게 조르다. >깐질기다.
끈질끈질-하다 형여불 매우 끈기 있게 질기다. >깐질깐질하다[2].
끈치다 자타 〈방〉 그치다[1].
끈-치레 명 옛날에, 허리띠 등 끈목으로 몸을 가꾸는 짓. ¶귀인(貴人)들의 한복의 멋인 ～.
끈치-톱 명 나무의 결을 가로 자르는 톱.
끈타발 명 〈방〉 끈. 끄나불(충남·전남).
끈타불 명 〈방〉 끈(강원·경남).
끈테기 명 〈방〉 끈(전북·경상).
끈:히 부 끈끈한 고집으로 끊이지 아니하고 연해 연방. 끈질기게.

끊기다 [끈키—] 피동 끊음을 당하다. ¶ 돈줄이 ~.
끊는-목 [끈—] 명 〖악〗 판소리 창법에서, 예민하고 날카롭게 맺어 끊는 목소리.
끊다 [끈타] 타 〔중세 : 긏다〕 ①한 줄로 연하였던 것을 잘라 내다. ¶ 테이프를 ~. ②교제나 관계를 그치다. ¶ 교제를 ~. ③가로질러서 가다. 횡단하다. ¶ 행렬을 끊고 건너가다. ④먹던 것을 아니 먹다. ¶ 담배를 ~. ⑤길 또는 적의 퇴로 등을 막다. 차단하다. ¶ 적의 보급로를 ~. ⑥말을 마디 있게 자르다. ¶ 말을 딱딱 끊어서 해라. ⑦하던 것을 중도에서 그만두다. ¶ 말을 ~/전화를 ~. ⑧목숨을 없애 버리다. ¶ 제 목숨을 스스로 ~. ⑨옷감을 돈을 주고 사다. ¶ 혼숫감을 ~. ⑩기차표·배표 등을 사다. ¶ 차표를 ~. ⑪수표나 어음 같은 것을 발행하다. ¶ 전표를 ~.
끊어-뜨리다 [끈—] 타 ①한 줄로 연하였던 것을 나누어서 떨어지게 하다. ②잇대어 있는 것을 떨어져 있게 만들다.
끊어 말다 [끈—] 타 일의 얼마를 잘라서 떼어 맡다.
끊어 주다 [끈—] 타 치러 줄 셈을 떼어서 내주다.
끊어-지다 [끈—] 자 끊은 상태로 되다.
끊어-치다 타 〈방〉 끊어뜨리다.
끊어-트리다 [끈—] 타 끊어뜨리다.
끊은 뿌리 [끈—] 명 목재(木材)의 나뭇결을 직각으로 잘라 끊은 끝.
끊음-음【—音】 [끈—] 명 〖악〗 음악을 연주할 때, 음을 한 음 한 음씩 끊는 일. 스타카토. 단음(斷音).
끊음-질 [끈—] 명 나전 칠기(螺鈿漆器)의 무늬놓는 기법(技法)의 하나. 실같이 가늘게 켠 자개를 칼끝으로 눌러 끊어서 붙이는 일.
끊음-표【—標】 [끈—] 명 〖악〗 음을 한 음 한 음씩 끊어서 연주함을 나타내는 기호. 단음 기호(斷音記號). 스타카토.
끊이다 [끈—] 자 ①끊어지게 되다. ②물건이나 일의 뒤가 달리어 없이 되다.
끊임-없다 [끈—업—] 형 잇대어 떨어지지 않다. 꾸준하다. ¶ 끊임없는 노력.
끊임-없이 [끈—업씨] 부 끊임없게. ¶ ~ 밀려 오는 파도.
끊치다 자 〈방〉 ①끊어지다. ②그치다.
끌¹ 명 〔중세 : 䤨〕 나무에 구멍을 파거나 다듬는 데에 쓰는 연장. 폭이 좁고 긴 쇠의 날을 세워 위에는 나무로머리를 만들어 망치로 때리어 구멍을 팜.
끌² 명 〈방〉 ①그루¹㊀. ②대우¹.
끌:³ 부 트림을 하는 소리. ——-하다 자여불

〈끌¹〉

끌:개 명 ①무거운 물건을 실어 나르는 기구의 하나. 두 개의 길쭉한 나무판을 잇대어 밧줄을 얼러 꿰고, 앞에서 밧줄을 끌면, 나무판 아래에 괸 산륜(散輪)이 구르면서 나무판이 옮겨짐. ②〈방〉 흙을 부수거나 고르는 데 쓰는 '고무래'.
끌거리 명 〈방〉 그루터기(강원).
끌-구멍 [—꾸—] 명 목재(木材)에 다른 나무를 끼우기 위하여 끌로 판 구멍.
끌:-그물 [—끄—] 명 물 속에 넣고 끌어당기어 물고기를 잡는 그물의 총칭. 예망(曳網).
끌:기 명 〖컴퓨터〗 마우스의 단추를 누른 채 커서를 한 지점에서 다른 지점으로 옮긴 다음, 단추에서 손을 떼는 동작. 드래그(drag).
끌-깨 명 〈방〉 대우깨.
끌:깽이 명 〈방〉〖동〗 지렁이(경북).
끌꺽 부 먹은 것이 잘 내리지 않아 트림이 나오는 소리. ——-하다 자여불
끌꺽-거리다 자 먹은 것이 잘 내리지 않아 트림이 자주 나다. 끌꺽-끌꺽 부. ——-하다 자여불
끌꺽-대다 자 끌꺽거리다.
끌끌¹ 부감 ①마땅치 않아 혀를 차는 소리. ②트림을 하는 소리. ——-하다 자여불
끌:-끌² 부 '끄르륵끄르륵'이 줄어 변한 말. ——-하다 자여불
끌끌-하다 형여불 마음이 맑고 바르고 깨끗하다. >깔깔하다❷.
끌끔-하다 형여불 마음이나 솜씨 따위가 끌끌하고 미끈하다. >깔끔하다. 끌끔-히 부
끌:-낚시 [—락—] 명 트롤링.
끌:다 타 〔중세 : 그스다〕 ①바닥에 댄 채 잡아당기다. ¶ 화로를 끌면 방바닥이 상한다. ②자기 쪽으로 강제로 오게 하다. ¶ 그 놈을 이리 끌고 오너라. ③치마나 바지 끝을 땅에 늘어뜨리고 가다. ¶ 치맛 자락을 끌고 가는 여인. ④선(線)이나 관 또는 홈을 파서 더 길게 연락하다. ¶ 전기를 ~ / 수도를 ~. ⑤꾀어 자기 쪽으로 오게 하다. ¶ 손님을 ~. ⑥인기나 주의를 집중하게 하다. ¶ 이목을 ~. ⑦차를 운전하다. ¶ 택시를 ~. ⑧시간을 미루다. ¶ 너무 시간을 끌지 말아라. ⑨↗이끌다. *끗다.
끌뜨: 명 〈방〉 그루터기(경상).
끌띠기 명 〈방〉 그루터기(경상).
끌러-지다 자 매어 놓은 것이 풀어지다. ¶ 밧줄이 ~.
끌:려-가다 자거라불 〔↗끌리어가다〕 억지로 상대방 쪽으로 딸리어 가다. ¶ 경찰서로 ~.
끌:려-들다 자 〔↗끌리어들다〕 안으로 끌리어 들다.
끌르다 타 〈방〉 끄르다.
끌:리다 ㊀피동 ①저쪽으로 잡아당김을 받다. ②옷같이 늘어진 부분이 바닥에 쓸리다. ¶ 치마가 ~. ③남의 꾐에 빠져 따라가다. ④날짜가 차일피일 지체되다. ㊁사동 끌게 하다. ¶ 유모차를 ~.
끌밋끌밋-하다 형 여럿이 끌밋하다. ¶ 박의관 집에는 끌밋끌밋한 아들들뿐이다《李無影 : 農民》.
끌밋-하다 형여불 밋밋하고 깨끗하며, 미끈하고 시원하다. 키가 크고 헌칠하다. >깔밋하다.
끌-박다 타 〈방〉 그루박다.
끌-밥 [—빱] 명 끌로 파낸 나무 부스러기.
끌-방망이 [—빵—] 명 끌 머리를 치는 나무 방망이.

〈끌방망이〉

끌:-신 [—씬] 명 〈방〉 베틀신.
끌:-안다 [—따] 타 ↗끌어안다.
끌:어-내다 타 끌어서 밖으로 내다.
끌:어-내리다 타 끌어서 아래로 내리다. ↔끌어올리다.
끌:어-넣다 [—너타] 타 잡아당기어 안으로 집어 넣다.
끌:어-당기다 타 끌어서 앞으로 당기다.
끌:어-대다 타 ①돈 같은 것을 여기저기서 끌어다가 뒤를 대다. ②끌어다가 맞대다.
끌:어-들이다 타 ①끌어서 안으로 들이다. ¶ 전기를 ~. ②꾀어서 자기 쪽으로 오게 하다. ¶ 자본가를 ~/그를 회원으로 ~.
끌:어-매다 타 각 조각을 끌어 한데 묶어 꿰매다.
끌어-쓰다 타 원용(援用)하다.
끌:어-안다 [—따] 타 두 팔로 가슴에 당기어 껴안다.
끌:어-올리다 타 ①끌어서 위로 올리다. ↔끌어내리다. ②좋은 지위로 잡아당기어 주다. ¶ 부장으로 ~.
끌:-영창【—映窓】 [—령—] 명 한 짝을 젖히면 다른 한 짝에 붙어 가지고 함께 열리는 영창. 두 짝 사이에 돌쩌귀를 박고 한 짝의 가에 또 돌쩌귀를 박아서 문설주에 어울러 박게 됨.
끌:이-막대 명 〈방〉 물추리막대.
끌:-쟁기 명 〈방〉 극젱이.
끌:-줄 [—쭐] 명 물체를 매거나 달거나 하여 끄는 줄. 예삭(曳索).
끌-질 명 끌로 구멍을 파거나 그 속을 따 내는 일. ——-하다 자여불
끌쩍-거리다 타 긁어 뜯적거리다. >깔짝거리다². 끌쩍-끌쩍 부. ——-하다 타여불
끌쩍-대다 타 끌쩍거리다.
끌:-채 명 멍에목에 가로 대도록 만든 긴 채. 수레의 양쪽에 댐. 수레 채.
끌-콩 명 〈방〉 대우콩.
끌탕 명 〔근대 : 쓸탄〕 속을 태우는 걱정. ¶ 내게 끌려서 그럭저럭 그대루 지내셨지만 노상 ~이셨네《洪命憙 : 林巨正》. ——-하다 타여불
끌탱이 명 〈방〉 그루터기(전남).
끌턱 명 〈방〉 그루터기(강원).
끌텅 명 〈방〉 그루터기(전남).
끌텅이 명 〈방〉 그루터기.
끌테기 명 〈방〉 그루터기(경북).
끌텡이 명 〈방〉 그루터기(강원).
끌-파다 자 〈방〉 대우 파다.
끌-팥 명 〈방〉 대우팥.
끎끎 부 〈방〉 흑흑.
끎:-음【—音】 [끔—] 명 〖악〗 딸림음이나 으뜸음이, 다른 성부(聲部)의 화성(和聲)가기에 관계가 없는 모양으로 길게 끌게 될 때를 이름. 대개의 경우 오르간곡(曲) 등에서 낮은음에 나타남. 지속음(持續音).
끓는-점【—點】 [끌른—] 명 〖물·화〗 액체가 끓는 온도. 1기압에 있어서의 물의 끓는점은 100°C. 비등점. ↔어는점.
끓는점 오름【—點—】 [끌른—] 명 〔boiling point elevation〕 〖물〗 불휘발성(不揮發性)의 용질(溶質)이 녹아 들어가면 용매(溶媒)만일 때보다 끓는점이 상승하는 현상. 용액(溶液)이 되었을 때 용매의 증기압(蒸氣壓)이 낮아지는 것이 원인임. 비등점 상승.
끓는점 오름법【—點—法】 [끌른—뻡] 명 〔ebullioscopy〕 〖화〗 용질(溶質)의 분자량(分子量)을 측정하는 방법. 용액(溶液)의 끓는점은 용질의 몰농도(mol 濃度)에 비례하여 순용매(純溶媒)의 끓는점보다 더 오르는 것을 이용한 방법. 비등점 상승법.
끓다 [끌타] 자 〔중세 : 긇다〕 ①물이 뜨거워져서 부글부글 솟아오르다. ②썩 지나치게 뜨거워지다. ¶ 방이 절절 ~. ③화가 나서 목이 타는 듯하다. ④병으로 해서 뱃속에서 소리가 나다. ⑤가래가 목구멍 속에 붙어서 숨 쉬는 대로 소리가 나다. ⑥많이 모이어 우글우글하다. ¶ 구더기가 ~. ⑦감정·정열 따위가 솟아 나다. ¶ 젊은 피가 끓는다.
[끓는 국에 국자 휘젓는다] '불난 데 부채질한다'와 같은 뜻. [끓는 국에 맛 모른다] '뜨거운 국에 맛 모른다'와 같은 뜻. [끓는 물에 냉수 부은 것 같다] 여러 사람이 북적거리다가 갑자기 조용해짐을 이르는 말.
끓어-오다 [끌—] 자 끓기 시작하다.
끓어-오르다 [끌—] 자르불 ①그릇의 물이 끓어서 넘으려고 올라오다. ②열정(熱情)·격정(激情) 따위가 솟아나다. ¶ 정열이 ~.
끓을-탕 명 〈방〉 끌탕.
끓이다 [끌—] 타 ①끓게 하다. ¶ 물은 끓여 먹어야 좋다. ②음식을 익히다. ¶ 쌀이 없어 밥도 못 ~. ③걱정을 지나치게 하며 속을 태우다. ¶ 너무 속을 끓여서 병이 났다.
끔벅 부 ①별이나 등불 등이 잠깐 어두워졌다 밝아지는 모양. ②눈을 잠깐 감았다 뜨는 모양. 1)·2): ㅆ끔뻑. >깜박. ——-하다 자타여불
끔벅-거리다 자타 연해 끔벅이다. ㅆ끔뻑거리다. >깜박거리다 . 끔벅-끔벅 부. ——-하다 자타여불
끔벅-대다 자타 끔벅거리다.
끔벅-이다 ㊀자 뻔히 보이는 물체가 잠깐 어두워졌다가 밝아지다. ㅆ끔뻑이다. >깜박이다. ㊁타 큰 눈을 잠깐 감았다가 뜨다. ㅆ끔뻑이다. >깜박이다.
끔뻑 부 ①별이나 등불 등이 잠깐 세게 어두워졌다 밝아지는 모양. ②눈을 잠깐 감았다 뜨는 모양. 1)·2): ㄴ끔벅. >깜빡. ——-하다 자타여불
끔뻑-거리다 자타 연해 끔뻑이다. ㄴ끔벅거리다. >깜빡거리다. 끔뻑-끔뻑 부. ——-하다 자타여불
끔뻑-대다 자타 끔뻑거리다.
끔뻑-이다 ㊀자 뻔히 보이는 물체가 잠깐 세게 어두워졌다가 밝아지다. ㄴ끔벅이다. >깜빡이다. ㊁타 큰 눈을 잠깐 감았다가 뜨다. ㄴ끔벅이다. >깜빡이다.

끔이-딸 명 〈방〉 〖식〗 덩굴딸기(강원). 「타여불

끔적 부 큰 눈을 잠깐 감았다가 뜨는 모양. ㅆ끔쩍¹. >깜작. ——-하다

끔적-거리다 타 연해 끔적이다. ㅆ끔쩍거리다. >깜작거리다. **끔적-끔**

끔적-대다 타 끔적거리다. ㄴ적 부. ——-하다 타여불

끔적-이 명 ↗눈끔적이.

끔적-이다 타 큰 눈을 잠깐 감았다가 뜨다. ㅆ끔쩍이다. >깜작이다.

끔쩍¹ 부 큰 눈을 잠깐 세게 감았다가 뜨는 모양. ㄴ끔적. >깜짝¹. ——-하다 타여불

끔쩍² 부 갑자기 놀라는 모양. >깜짝². ——-하다 자여불

끔쩍-거리다¹ 타 연해 끔쩍이다. ㄴ끔적거리다.>깜짝거리다¹. **끔쩍-끔쩍¹** 부. ——-하다 타여불 「——-하다 자여불

끔쩍-거리다² 자 자꾸 갑자기 놀라다. >깜짝거리다². **끔쩍-끔쩍²** 부.

끔쩍-대다 자타 끔쩍거리다¹·².

끔쩍-이 명 ↗눈끔적이. 「다.

끔쩍-이다 타 큰 눈을 잠깐 세게 감았다가 뜨다. ㄴ끔적이다. >깜짝이

끔찍끔찍-하다 형여불 몹시 참혹함을 느끼어 소름이 끼칠 정도로 놀랄 만하다. 「찍-스레 부

끔찍-스럽다 형ㅂ불 끔찍하게 느끼어지다. ¶ 끔찍스런 교통 사고. 끔

끔찍-이 부 끔찍하게. 몹시. 매우. ¶ ~ 좋아한다. >깜찍이.

끔찍-하다 형여불 ①지독하게 크거나, 많거나, 참혹하여 놀랄 만하다. ¶ 끔찍한 살인 사건. ②매우 극진하다. ¶ 끔찍한 대접을 받다.

끔:-하다 형 〈방〉 뜸하다.

끗 의명 ①접쳐서 파는 피륙의 접은 곱이를 세는 단위. ¶ 비단 열 ~. ②노름 등에서 셈치는 점수. ¶ 아홉 ~은 가보다.

끗끗이 부 〈방〉 끝끝내. 「＊끌다.

끗:다 타 ㅅ불 잡아 쥐고 자리를 다른 곳으로 옮기게 하다. ¶ 밧줄을 ~.

끗-발 명 노름 따위에서, 좋은 끗수가 연하여 나오는 기세.

끗발(이) 세:다 구 ㉠노름 따위에서, 재수가 좋아, 좋은 끗수가 연해 나오다. ㉡세도나 기세가 당당하다. 끗발(이) 좋다.

끗발(이) 없:다 구 내세울 만한 세력이나 힘이 없다.

끗발(이) 좋:다 구 끗발(이) 세다.

끗-보리 명 〈방〉 겉보리.

끗-수 【—數】 명 끗의 수.

끗-창 명 짓고땡에서, 석 장으로 짓고 나머지 두 장의 끗수를 합한 수.

끙 부 힘드는 일에 곤란을 겪거나, 앓을 때 내는 소리. ——-하다 자여불

끙게 명 씨를 뿌린 뒤에 씨앗이 흙에 덮이게 하는 농구(農具). 가마때기에 두 가닥의 줄을 매고 위에 뗏장을 놓고 끎.

끙-끙 부 끙끙거리는 소리. ¶ ~ 앓다. >깽깽·낑낑. ——-하다 자여불

끙끙-거리다 자 앓거나 힘드는 일에 부대끼어 자꾸 끙 소리를 내다. >깽깽거리다·낑낑거리다.

끙끙-대다 자 끙끙거리다.

끙짜 놓다 [—노타] 자 불쾌하게 생각하다. 즐겨서 듣지 아니하다.

끝¹ 명 〔중세 : 긑〕 ①물건의 가운데에서 가장 먼 곳. 또, 보다 가느다란 쪽이나 내민 쪽의 마지막 부분. 선단. ¶ 칼 ~/ 발 ~에서 머리 ~까지. ②시간적·공간적으로 이어져 있는 사물·행동·상태 따위의 맨 마지막. 또, 그 다음이나 결과. ¶ ~없는 사막/일 ~을 깨끗이 해야지/오랜 교제 ~에 결혼하다. ③차례의 끝찌. ¶ ~으로 입장하다/ ~에서 세 번째. ④〖언〗 '어미(語尾)'의 풀어 쓴 말. ＊끄트머리.

[끝 부러진 송곳] 쓸모가 없어진 존재.

끝² 의명 ☞끗.

끝-가지 명 〖언〗 '접미사(接尾辭)'의 풀어 쓴 말.

끝간-데 명 끝이 되는 데. ¶ ~를 모르다.

끝-갈망 명 일의 뒤끝을 수습하는 일. ——-하다 타여불

끝갈색-흰가지나방 【—褐色—】 [—쌕힌—] 명 〖충〗 [*Spilopera debilis*] 자나방과에 속하는 곤충. 편 날개 길이 32-42 mm, 몸빛은 회황색임. 날개에는 암회색의 비늘이 있고, 앞날개의 내외 횡선(內外橫線)은 황색이며, 날개의 상부에 진한 갈색 무늬가 한 개 있음. 뒷날개의 외횡선도 황갈색임. 한국에도 분포함.

끝-걷기 명 〖건〗 서까래 끝을 훑어 깎는 일. ——-하다 자타여불

끝검은-날도래 명 〖충〗 [*Phryganea japonica*] 날도랫과에 속하는 곤충. 몸길이 18-25 mm, 편 날개 길이 50-60 mm 임. 두흉부는 암갈색에 갈색 털이 밀생하고, 복부는 황갈색이며, 앞날개는 회갈색에 갈색 반문이 산재(散在)하고, 뒷날개는 농황색인데 끝이 넓고 흑색임. 한국·일본 등지에 분포함.

끝검은-말매미충 【—蟲】 명 〖충〗 [*Cicadella ferruginea*] 말매미충과에 속하는 곤충. 대형의 멸구로서 몸길이 13 mm 내외이고 몸빛은 황록색임. 두정(頭頂)에 타원형의 흑색 무늬가 있고 전흉배에는 세 개의 흑색 원문(圓紋)이 있으며 소순판(小楯板)에도 한 개의 흑색 원문이 있음. 시초(翅鞘)는 등황색이고 다리는 대체로 흑색임. 특히 성충으로 월동하며 멸구와 함께 벼·과수의 큰 해충임. 한국·일본·중국·대만 등지에 분포함. 말멸구.

끝검은-매미충 【—蟲】 명 〖충〗 [*Nephotettix bipunctatus cincticeps*] 말멸굿과의 곤충. 소형의 매미충으로서 수컷은 몸길이 4-5 mm, 암컷은 6 mm 내외로 몸은 작은 매미와 비슷한데 몸빛과 시초(翅鞘)는 선녹색(鮮綠色)이며, 수컷의 날개 끝은 흑색임. 몸의 하면은 수컷은 검고, 암컷은 담황색이며 유충은 회색 내지 담흑갈색으로 길고 복부의 끝이 몹시 가늘며 유충으로 월동함. 1년에 5회 발생하는데, 2회째의 성충은 모판 또는 모심은 직후의 벼에 모여 황위병(黃萎病)·위축병(萎縮病)을 매개하여 벼의 큰 해충임. 일본·대만·중국 등지에 분포함. 말멸구.

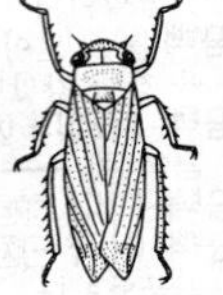
〈끝검은매미충〉

끝검은-메뚜기 명 〖충〗 [*Mecostethus magister*] 메뚜깃과에 속하는 곤충. 몸길이 32-45 mm, 몸빛은 황록색 또는 황갈색, 촉각은 적갈색, 전흉배(前胸背)는 갈색 또는 흑갈색이며, 옆 쪽에 두 개의 황록색 무늬가 있음. 수컷의 날개 끝은 노랗고 후퇴절(後腿節)과 경절에 흑갈색 반문이 있음. 한국에도 분포함.

끝검정-꽃등에 명 〖충〗 [*Leucozona lucorum*] 꽃등엣과에 속하는 곤충. 몸길이 11 mm 내외, 몸빛은 흑색에 광택이 나고, 흉배(胸背)의 측면은 황회색이 가로 덮이었으며, 복부 각 마디의 기부에 접하여 각각 한 쌍의 적색의 반원(半圓) 반문이 있음. 한국·일본·사할린·대만·유럽 등지에 분포함.

〈끝검정꽃등에〉

끝-구 【—句】 명 ①시조(時調) 끝 장(章)의 맨 끝 구절. ②귀글의 맨 끝의 구. ③결구(結句). 낙구(落句).

끝-귀 【—句】 명 끝구(句).

끝-기도 【—祈禱】 명 가톨릭에서, 자기 전에 하는 하루의 마지막 기도.

끝끝-내 부 '끝내'의 힘줌말. ¶ ~ 버티다.

끝-나다 자 ①일이 다 이루어지다. ¶ 공사가 ~. ②시간적·공간적으로 이어져 있던 것이 없어지다. ¶ 방학이 ~/일과가 ~.

끝-내 부 ①끝까지. 내내. ¶ ~ 버티다. ②마침내. 드디어. ¶ ~ 이루고야 말았다.

끝-내기 명 ①어떤 일의 끝을 맺는 일. ＊끝마감. ②바둑을 둘 때에, 끝판에 가서 끝마감으로 서로 놓는 일. ——-하다 자여불

끝-내다 타 ①일이 다 이루어지게 하다. 일을 끝마치다. ②시간적·공간적으로 이어져 있던 것을 없어지게 하다. ¶ 수업을 ~.

끝-단 명 옷감의 끝에 이어서 댄 단.

끝-단속 【—團束】 명 일의 끝을 다잡음. ——-하다 자여불

끝-닿다 [—다타] 자 맨 끝까지 다다르다.

끝-닿소리 [—다쏘—] 명 〖언〗 '종자음(終子音)'의 풀어 쓴 말.

끝-대 명 끼워 잇는 낚싯대의 끝도막으로, 낚싯줄을 매는 대. 「(殘金).

끝-돈 명 물건 값의 나머지를, 끝으로 마저 치르는 돈. 끝전(錢). 잔금

끝-동 명 ①옷 소매의 끝에 이어서 댄 동. ②두절목(頭切木).

끝동-부리 [—뿌—] 명 〖건〗 원목(圓木)의 끄트머리 쪽을 잘라 낸 끝. ↔밑동부리.

끝-마감 명 끝을 막는 일. 사물을 완전히 끝마치는 일. ＊끝내기. ——

끝-마무르다 타르불 ☞끝마무리하다. ㄴ하다 타여불

끝-마무리 명 일의 뒤끝을 수습하여 맺는 일. ——-하다 타여불

끝-마치다 타 일을 끝내어 마치다. ¶ 작업을 ~.

끝-막다 타 일의 끝을 내서 더할 나위가 없이 하다.

끝-막음 명 일의 끝을 내어 완전히 맺음. 종결(終結). ——-하다 타여불

끝-말에 【—末—】 부 ☞맨 나중에. 마지막으로.

끝-맺다 타 일을 회동그랗게 끝내다.

끝-머리 명 끝이 되는 부분. 맨 끝. ↔첫머리.

끝무늬-애기자나방 [—니—] 명 〖충〗 [*Pylargosceles steganioides*] 자나방과에 속하는 곤충. 편 날개의 길이는 18-26 mm, 몸빛은 회갈색, 앞날개의 앞 가장자리는 등갈색임. 내횡선(內橫線)은 톱날 또는 물결 모양이며, 외(外)횡선은 물결 모양임. 뒷날개에는 내횡선이 없음. 유충은 장미 같은 식물의 해충임. 한국에도 분포함. 두줄애기나방.

끝-물 명 과실(果實)·푸성귀 또는 해산물(海產物) 같은 것의 맨 나중에 나오는 차례. ¶ 딸기도 ~이 되니 맛이 없다. ↔만물.

끝-바꿈 명 〖언〗 ↗씨끝바꿈.

끝-반지 명 노느매기하는 데 맨 끝판의 차례.

끝빨간-실잠자리 명 〖충〗 [*Agriocnemis selenion*] 실잠자릿과에 속하는 곤충. 배의 길이 22 mm, 뒷날개 15 mm 내외임. 수컷은 몸 전반부에 황록색에 흑색의 반문이 있고, 후반부는 등적색인데, 복배(腹背) 제3절 기부까지 흑색임. 암컷은 온 몸이 등황색인 것과 녹색 바탕에 등에 검은 줄이 있는 것이 있음. 한국에도 분포함.

끝-빨다 형 ①끝이 뾰족하다. ②집안이 쇠하여 가다.

끝-소리 명 〖언〗 한 음절(音節)에서 맨 나중에 나는 소리. '달'에 있어서의 'ㄹ' 같은 것. 받침 소리. 말음(末音). 종성(終聲). ↔ 첫소리.

끝소리 규칙 【—規則】 명 〖언〗 국어에서 한 음절의 끝소리가 제 음가(音價)를 발휘하지 아니하는 것에 관한 법칙. ㉠ㄱ·ㄷ·ㅂ·ㅋ·ㅌ·ㅍ 등의 파열음(破裂音)이나, ㅈ·ㅊ 등의 파찰음(破擦音)을 받침으로 가진 말이, 그 말만으로 끝나거나 자음(子音)에 접속될 경우에는 파열되지 아니하고 폐쇄 상태로 정지함. 예를 들면 부엌(→부억)·꽃(→꼳)·앞집(→압집)·높다(→놉다)의 경우. ㉡마찰음이 끝소리가 될 때는 그 말만으로 끝나거나 ㄱ·ㄷ·ㅂ·ㅈ 등 이외의 자음에 접속될 경우에는 폐쇄음으로 변함. 예를 들면 맛(→맏)·좋소(→존소) 등의 경우. ㉢'ㄹ'로 끝나거나 자음에 접속될 경우에는 'l'음으로 발음됨. 예를 들면 물·찰떡 등의 경우. ㉣종속적 관계를 가진 말의 모음이 계속될 때 모든 받침은 원음가대로 나타남. 예를 들면 맏이·꽃이·받아서·꺾어서의 경우. ㉤ㅋ·ㅌ·ㅍ 등의 기음(氣音)이나 ㅈ·ㅊ 등의 파찰음(破擦音)이나 ㅅ 등의 마찰음(摩擦音)으로 된 받침 아래 대립적(對立的) 관계를 가진 말의 모음이 올 때는 각각 평음(平音)이나 파열음(破裂音)으로 변음됨. 예를 들면 부엌안(→부억안)·젖어머니(→절어머니)·꽃 아래(→꼳 아래)·첫아들(→철아들) 등의 경우. ㉥ㄱ·ㄴ·ㄷ·ㄹ·ㅁ·ㅂ으로 된 받침은 대립적 관계를 가진 모음이 계속될 경우에도 원음가대로 발음됨. 말음 법칙. 받침 법칙.

끝-손질 명 일의 마지막 손질. ——-하다 자타여불

끝-수 【—數】 명 〖수〗 끝자리에 있는 수(數). 단수(端數).

생각한다는 말. 【나갔던 며느리 효도한다】 한번 싫어서 나갔다가 다시 들어온 며느리가, 시부모에게 효도를 극진히 한다 함이니, 곧 그리 기대하지 아니했던 사람이, 뜻밖에 좋은 일을 한다는 말. 【나갔던 상주(喪主) 제상 엎지른다】 제가 해야 할 일은 변변히 못하는 사람이, 도리어 방해만 놓고 다닌다는 말. 【나갔던 상주(喪主) 제청(祭廳)에 달려들듯】 볼일로 나갔던 상주가 제일(祭日)을 잊어버리고 있다가 돌아와, 허둥지둥 제청으로 달려들 듯이, 마음의 준비 없이 일을 당하여 몹시 급하게 서두른다는 말. 【나갔던 파리 왱왱거린다】 밖에 나가 있던 사람이 집 안에 들어와 공연히 떠든다는 뜻으로, 아무런 공로도 없는 자가 공연히 참견하여 떠들 때 쓰는 말.

나가-동그라지다 자 뒤로 물러가면서 넘어져 구르다. 준나동그라지다. <나가둥그러지다.

나가-둥그러지다 자 뒤로 물러가면서 넘어져 둥그러지다. 준나둥그러지다. >나가동그라지다.

나가-떨어지다 자 ①섰던 곳에서 뒤로 물러가면서 되게 넘어지다. ¶ 얼음판에 ~. ②〈속〉 심신(心身)이 녹초가 되다. ¶ 그까짓 술에 ~니. ③〈속〉 크게 실패하다. 실패하여 떨어져 나가다. ¶ 사업에 손을 댔다가 그만 나가떨어졌다.

나가르주나 〔범 Nāgārjuna〕 명 〖불교〗 '용수(龍樹)'의 본이름.

나가보디 〔범 Nāgabodhi〕 명 〖불교〗 '용지(龍智)'의 본이름.

나가비 명〈방〉 나그네.

나가-빼드러지다 자 ①뒤로 물러나면서 넘어져, 몸을 뻗고 일어나지 못하다. ②〈속〉 죽다.

나가사키 〔長崎: ながさき〕 명 〖지〗 일본 나가사키 현 남부의 시. 현청 소재지. 기계·기구 공업이 성함. 쇄국 시대(鎖國時代)의 외국 무역·외국 문화 흡수의 중심지로서 이국적(異國的)인 색채를 가짐. 1945년 8월 9일 히로시마 다음으로 미국 제2의 원자탄이 투하되었던 곳. 전후(戰後), 조선(造船)·전기(電機)·제강 등의 큰 공장이 들어서고, 수산 가공·식품 공업이 성함. [445,538 명(1990)]

나가사키 현 【一縣】 〔長崎: ながさき〕 명 〖지〗 일본 규슈(九州) 서북부의 현. 8시(市), 9군. 해양성 기후로 온난(溫暖)하며, 바다에 면하고 있어, 어업과 진주 양식이 성함. 쌀·보리·고구마를 산출하며 귤의 재배도 성함. 조선·기계·금속·식품 공업이 발달하고, 특히, 나가사키·사세보(佐世保)의 조선 공업은 큰 비중을 차지함. 현청 소재지는 나가사키 시(長崎市). [4,088 km²: 1,580,949 명(1990)]

나가세나 〔범 Nagasena〕 명 〖사람〗 '나선(那先)'의 본이름.

나가시[1] 명 〖역〗 공청이나 동네에서 각 집에 부담시키던 공전(公錢). *낫².

나가시[2] 〔일 ながし〕 명〈속〉 택시가 돌아다니면서 탈 손님을 구하는 일. 또, 그 택시. 특히, 영업용 이외의 차량이, 불법으로 영업 행위를 하는 일. ——-하다 자여불

나가-쓰러지다 자 ①물러나가면서 쓰러지다. ②되게 쓰러지다.

나가-자빠지다 자 ①섰던 곳에서 물러가면서 뒤로 넘어지다. ②하던 일이 손해될까 염려하거나 계속할 힘이 모자라거나 하여, 관계를 끊고 손을 떼다. ¶ 빚을 지고 ~. 준 나자빠지다.

나:가 제족 【一諸族】 〔Naga〕 명 인도 북동부(北東部) 아삼 주(Assam 州) 나가 구릉(Naga 丘陵) 지구 주민의 대부분을 차지하는 부족. 언어는 티베트버마 어족(語族)의 나가쿠키어(Naga-Kuki 語)에 속함. 코냐크(Konyak)를 중심으로 하는 동부군(東部群)과 안가미(Angami)를 중심으로 하는 서부군(西部群)으로 나누어짐. 전자는 타로(taro) 토란을 재배하고, 후자는 계단식 수도(水稻) 경작을 행함.

나각 【螺角】 명 〖악〗 소라²❷.

나간-에 【那間一】 부 ①언제쯤에나. ②그 동안에.

나:감 【拿勘】 명 〖역〗 나처(拿處). ——-하다 타여불

나개비 명〈방〉 나그네.

나갯더시니 자〈옛〉 나가 있으시더니. 나가셨더니. '나다²'의 활용형. ¶ 셔블 도ᄌᆞ기 드러 님그미 나갯더시니(寇賊入京天子出外) ≪龍歌 49章≫. *-더시니.

나거사 자〈옛〉 나가서야. '나다²'의 활용형. ¶ 밀므리 사ᄋᆞ리로ᄃᆡ 나거ᅀᅡ ᄌᆞᄆᆞ니이다(不潮三日 迨其出矣 江沙洒沒) ≪龍歌 67章≫.

나:겁 【懦怯·懦怯】 명 마음이 약하고 겁이 많음. ——-하다 형여불. ——-히 부

나:-결절 【癩結節】 〔一쩔〕 명 〖의〗 나병에 특유한 한국성(限局性)의 육아종(肉芽腫). 혈관의 주위에, 쌀알 크기에서 손가락 끝 크기로 융기(隆起)함. 얼굴·비강(鼻腔)·안결막(眼結膜)·고환(睾丸)·난소(卵巢)·간(肝) 등에 생김.

나경 【蘿徑】 명 덩굴이 무성한 소로(小路).

나계[1] 【螺階】 명 〖건〗 나사 층층대.

나계[2] 【螺髻】 명 ①소라 껍데기 모양으로 만든 애들의 북상투. ②높고 푸른 산을 형용하는 말. ③〖불교〗 부처의 머리털. 나발(螺髮). ④〖불교〗 '범천(梵天)'이나 '바라문(婆羅門)'을 달리 부르는 말.

나계시다 자〈옛〉 나가 계시다. 즉위하시다. 거둥하시다. ¶ 聖人니 나계오스 大綱을 발희시미 ≪古時調 永言≫.

나고르노-카라바흐 〔Nagorno-Karabakh〕 명 〖지〗 아제르바이잔 공화국 서남부에 위치한 자치구. 총인구의 76 %가 기독교도인 아르메니아인이어서 회교도인 아제르바이잔 인과 인종·종교·영토 등의 분쟁이 1988 년 이래 계속되고 있음. 삼림(森林) 지역이면서도 쿠라강의 수리(水利)로 밀·옥수수·보리·기장 등 곡식이 많이 나며 가축 사육도 성함. 주도는 스테파나케르트임. [4,400 km²]

나고야 〔名古屋: なごや〕 명 〖지〗 일본 아이치 현(愛知縣)의 현청 소재지. 수륙 교통의 요충지이며, 고베(神戶)·요코하마(橫濱)와 더불어 3대 무역항으로 꼽힘. 일본의 4대 공업 지대의 하나인 주쿄(中京) 공업 지대의 중심으로, 기계·수송 장비·섬유·식품 등의 공업이 성함. [2,154,664 명(1990)]

-나고야 어미〈옛〉 -는구나. ¶ 기러기 뗏는 밧긔 못보던 뫼 뵈나고야 ≪古時調 尹善道≫.

나고야-종 【一種】 〔名古屋: なごや〕 명 닭의 품종의 하나. 일본의 재래종과 코친종(Cochin 種)을 교배(交配)하여 만든 육란(肉卵) 겸용종(兼用種). 몸이 튼튼하고 털빛은 황갈색(黃褐色)임. 1년에 평균 140-150 개의 알을 낳음.

〈나고야종〉

나공 【囉嗊】 명 〖악〗 옛날 노래 곡조 이름의 하나.

나-관중 【羅貫中】 명 〖사람〗 중국 원말(元末)·명초(明初)의 소설가. 본명(本名)은 본(本). 관중은 자(字)임. ≪수호전(水滸傳)≫의 작자라는 설도 있는데, 이 밖에도 ≪삼국지 연의(三國志演義)≫·≪수당지전(隋唐志傳)≫·≪잔당 오대지 연의(殘唐五代志演義)≫·≪평요전(平妖傳)≫·≪송태조 용호 풍운회(宋太祖龍虎風雲會)≫ 등의 희곡과 통속 소설이 전함. 생몰년 미상.

나괴 명〈옛〉 나귀. ¶ 이 도적 화냥년의 난 나괴삐야(這賊養漢生的小驢精) ≪朴解 下 26≫.

나구 명〈방〉 〖동〗 당나귀(전라).

나구 까지 명〈방〉 나뭇가지.

나구재 명〈방〉 〖동〗 당나귀(함경).

나:국 【拿鞫】 명 죄인을 잡아다 국문(鞫問)함. ——-하다 타여불

나군 【羅裙】 명 얇은 비단 치마. 나상(羅裳).

나-굴다 자 ①이리저리 아무렇게나 마구 뒹굴다. ¶ 여기저기 나굴고 있는 돌멩이. ②건사해야 할 물건이 마구 버려져 뒹굴다.

나귀 명 〖동〗 〔중세: 나귀, 라귀〕 ↗당나귀.

【나귀는 샌님만 섬긴다】 보잘것없는 사람도 제가 지닌 지조(志操)는 지킨다는 말. 【나귀는 샌님만 업신여긴다】 제게 만만해 보이는 사람에게는 별 까닭도 없이 함부로 군다는 말. 【나귀 샌님 쳐다보듯】 눈을 치떠서 말똥말똥 쳐다본다는 말. 【나귀에 짐을 지고 타나 싣고 타나】 나귀를 타면서, 짐을 나귀 등에 실으면 더 무거울 것이라고 제가 지고 타나 그것은 그대로 싣고 가는 것과 다름이 없다는 뜻으로, 이러나저러나 결과에 있어서는 같다는 말.

나귀-쇠 명 남사당 가운데 악기나 인형 등을 지고 다니는 이의 변말.

나:균 【癩菌】 명 〖의〗 [*Mycobacterium leprae*] 나병의 병원균. 그람 염색 양성(陽性)·항산성(抗酸性)·비운동성(非運動性)의 간균(桿菌)으로, 결핵균과 비슷한 성질이 있는데, 전염력이 극히 약하고 동물에 대한 병원성도 약함. 1874 년 노르웨이의 한센(Hansen, A.G.H.)에 의하여 나병 환자의 염증(炎症) 조직(組織)에서 발견되었는데, 인공(人工) 배양법이 확립되지 않아 연구가 진척되지 않고 있음. *한센병.

나그내[1] 명〈방〉 손님마마(함남).

나그내[2] 명〈옛〉 나그네. =나그ᄂᆡ. ¶ 잇ᄂᆞᆫ 나그내 傳호ᄃᆡ(有客傳) ≪杜諺 XXI:1≫.

나그네 명 〔중세: 나그내〕 ①제 고장을 떠나서 객지(客地)에 있는 사람. ¶ 정처 없는 ~. ②여행 중에 있는 사람. 여객(旅客). 여인(旅人). 행객(行客). 행려(行旅). 객려(客旅). ③남자 어른을 '사람'의 뜻으로 홀대하여 이르는 말. ¶ 젊은 ~.

【나그네 귀는 간짓대귀】 나그네는 얻어듣는 것이 많다는 말. 【나그네 먹던 김칫국도 먹자니 더럽고 남 주자니 아깝다】 저는 그다지 가지고 싶지도 아니한 물건이나마 남에게 주기는 싫다는 말. 【나그네 보내고 점심(點心) 한다】 ㉠인색한 사람이 겉으로 말로만 대접하는 체함을 이르는 말. ㉡경우를 바로 알아차려서 일을 치르지 못함을 이름. 【나그네 주인 쫓는 격】 주객이 전도된다는 말.

나그네 이:상(世上) 구 무상(無常)한 이 세상.

나그네-새 명 북쪽 번식지로부터 남쪽 월동지(越冬地)로 왕복하는 도중, 봄·가을 두 차례 한 지방을 통과하는 철새.

나그넷-길 명 여행을 하는 길. ¶ ~에 오르다 / ~을 떠나다.

나그ᄂᆡ 명〈옛〉 나그네. =나그내². ¶ 나그ᄂᆡ네(客人們) ≪老乞 上 18≫ / 너 나그ᄂᆡ들흔(你客人們) ≪老乞 下 54≫.

나:그푸르 〔Nagpur〕 명 〖지〗 인도의 마하라슈트라 주(Maharashtra 州)의 주도(州都). 나그푸르 평야의 중앙에 있는 철도의 중심지로, 면화 산출이 많고 방적업이 성함. 18세기 나그푸르 왕국의 수도였다가 1853년 영국령이 되었었음. [1,297,977 명(1981)]

나근-거리다 자 길고 가느다란 물건이 힘없이 흔들거리다. <느근거리다. 나근-나근 부. ——-하다 자여불

나근-대다 자 나근거리다.

나긋나긋-이 부 나긋나긋하게. 준낫낫이.

나긋나긋-하다 형여불 ①음식이 연하다. ②살결이 매끈하고 보드랍다. ③감촉이 매우 부드럽고 연하다. 문장이나 말이 부드러워 감칠맛이 있다. ④사람을 응대하는 태도가 친절하고 부드럽다. ¶ 나긋나긋한 여자. 준낫낫하다.

나긋-이 부 나긋하게. ¶ 흰 이를 내다보이며 ~ 웃고 보니 더 한층 아름다웠다 ≪李無影: 흙의 노래≫.

나긋-하다 형여불 ①보드랍고 연하다. ②대하는 태도가 상냥하고 친절하다.

나기[1] 【羅綺】 명 ①곱고 아름다운 비단. 기라(綺羅). ②아름다운 의복.

나기[2] 【邏騎】 명 순라 도는 기병(騎兵).

나기[3] 【落只】 미 〈이두〉 -지기¹.

-나기 미 ☞ -내기².

나기브 〔Naguib, Mohammed〕 명 〖사람〗 이집트의 군인·정치가. 1952 년 군부(軍部) 쿠데타를 일으켜, 파루크 왕(Farouk 王)을 추방하고 새 헌법을 발포, 대통령·수상(首相)을 역임하였으나, 나세르(Nasser)와

대립하여 실각함. [1901-84]

나기ᄒᆞ다 자 〈옛〉 내기하다. ¶ 나기 ᄒᆞᆯ 도(賭) ≪字會 下 22≫.

나깃-하다 형 여불 ☞ 나긋하다.

나마내 명 〈옛〉 나그네. =나가니. ¶ 나마내 사ᄅᆞ매(旅泊之人) ≪楞嚴 Ⅳ:77≫.

나깨¹ 명 메밀의 속껍질.

나:-깨² 명 ↗나이깨. ¶ ~나 먹은 사람이.

나깨-떡 명 메밀의 속껍질로 만든 개떡.

나깨 만두【—饅頭】 명 메밀의 속껍질로 빚은 만두.

나깨미 명 〈방〉 나깨¹.

나깨 수제비 명 체에 친 메밀의 속껍질을 반죽하여, 끓는 장국에 굵게 썰어 넣고 익힌 수제비.

나깨쫄 명 〈방〉 내³(경상).

나꾸다 타 〈방〉 낚다(경상).

나:-꾸러기 명 겉으로 보기보다 나이가 많은 사람을 낮추어 이르는 말.

나끈 명 〈방〉 노끈.

나나¹【NANA】 명 〔North American Newspaper Alliance〕 북아메리카 신문 연맹(北美新聞聯盟). 또, 그 회원제 특약 통신사. 1922년 뉴욕 타임스 등 독립된 10 지(紙)를 회원으로 하여 창립됨. 뉴스 이외에도, 논평·읽을거리 등의 서명 원고(署名原稿)에 특색이 있음.

나나² 〔프 Nana〕 명 『문』 졸라(Zola)의 소설. 1879년에 씀. 성적 매력을 지닌 여배우 나나에게 빠진 호색가들이, 차례차례 파산·투옥·자살의 판국에 몰리는 과정을 뛰어난 사실적 수법으로 묘사한 걸작임.

나나니 명 『충』 〔*Ammophila infesta*〕 구멍벌과에 속하는 곤충. 몸길이는 수컷이 25mm, 암컷이 20mm 정도임. 몸빛은 흑색에 날개는 투명하며 조금 누른 빛이 있고, 허리는 실같이 가늘고 긴데, 두 마디로 되고 배의 셋째 마디는 적갈색(赤褐色)을 띰. 여름에 땅을 파서 그 속에 집을 짓고 벌레를 잡아 모아, 유충의 먹이로 함. 한국·일본·사할린에 분포함. 과라(蜾蠃). 세요봉(細腰蜂). 열옹(蠮螉). 포로(蒲盧). 나나니벌.

〈자벌레를 나르는 나나니〉

나나니-등에 명 『충』 〔*Cephenius nitobei*〕 재니등에과에 속하는 곤충. 몸길이는 13-15mm이고 몸은 가늘고 길며 털이 없음. 몸빛은 흑색에, 복부(腹部)는 황갈색이고 전흉(前胸) 측연(側緣)에는 한 줄의 황대(黃帶), 흉배(胸背) 측연에는 횡문(橫紋) 셋이 종렬하였음. 촉각의 제1절은 황색이고, 제2절은 흑색임. 한국·일본 등지에 분포함. *등에.

나나니-벌 명 『충』 〔근대 : 나나니벌〕 나나니.

나나니벌-과【—科】〔—꽈〕 명 『충』 구멍벌과(科).

나나이-어【—語】〔Nanai〕 명 『언』 만주 골리드족의 언어로서 골리드어(語)(Gol'dskii)라고도 함. 퉁구스(Tungus) 어군의 남방파에 속함.

나나지-성【儺儺之聲】 명 푸닥거리하는 소리.

나날 명 매일. 하루하루. ¶ 바쁜 ~을 보내다.

나날-이 부 날마다. 매일(每日). 날로. 일일(日日). ¶ ~ 발전하는 과학.

나남【羅南】 명 『지』 함경 북도 청진시(清津市)의 한 구역. 경성(鏡城) 동북쪽에 있으며, 부근에 주을 온천(朱乙溫泉)이 있음. 도청 소재지였으나 1941년에 청진에 병합됨.

나남-치【羅南—】 명 쇠살쭈의 은어(隱語)로, 함경 남도 나남(羅南) 지방의 소. 다리가 짧고 몸집이 큰 비육우(肥肉牛)임.

나노 타 〈옛〉 나누어. ¶ 말만ᄒᆞᆫ 草屋에 집덕석 나노 덥고 ≪古時調 永言≫.

나노-〔nano-〕 접 미터법의 여러 단위의 이름 위에 붙여, 10억분의 1 곧 10^{-9} 배를 나타내는 말. 기호:n. ¶ 3 ~퀴리/~세컨드.

나:농【懶農】 명 농사일을 태만히 함. 태농(怠農). ——하다 자 여불

-나뇨 어미 〈옛〉 -았느뇨. ¶ 바미 가다가 귓것과 모딘 즁싱이 므싀엽도소니 므스라 바미 나오나뇨 ᄒᆞ야 ≪釋譜 Ⅵ:19≫. *-거뇨.

나누-기 명 『수』 나누는 일. 제(除). 제법(除法). ↔곱하기. ——하다 자타 여불

나누다 타 〔중세 : 난호다〕 ①둘 또는 그 이상으로 가르다. ¶ 돈을 ~. ②따로따로 구별하다. ¶ 생물을 동물과 식물로 ~. ③서로 분배하다. ¶ 유산을 ~. ④『수』 나눗셈을 하다. ⑤음식 따위를 함께 먹다. ¶ 술이나 한 잔 나눕시다. ⑥말이나 이야기를 주고받다. ¶ 이야기를 ~. ⑦즐거움이나 고생 등을 함께 하다. ¶ 슬픔을 ~. ⑧같은 핏줄을 받다. ¶ 피를 나눈 형제. 1)-3):↔합치다.

나누-메기 명 〈방〉 노느매기. ——하다 타

나누어-떨어지다 자 나눗셈에서, 한 정수(整數)를 다른 정수로 나눌 때, 그 몫이 정수가 되고 남음이 없게 되다.

나누어-떨어짐 명 『수』 한 정수(整數)를 다른 정수로 나눌 때, 그 몫이 정수가 되고 남음이 없게 되는 일. 정제(整除).

나누어 주다 타 몫을 지어서 갈라 주다. 분배하여 주다. 준나눠 주다.

나누어-지다 자 ①서로 떨어지다. ②구별되다. ③『수』 어떤 수가 몇 개의 똑같은 몫으로 갈라지다.

나누이다 피동 나누어지다. 준나뉘다.

나눗-셈 명 『수』 어떤 수로 다른 수를 나누기하는 셈. 제산(除算). 제법(除法). ↔곱셈. ——하다 자타 여불

나눗셈-법【—法】〔—뻡〕 명 『수』 나눗셈의 셈법. ↔곱셈법.

나눗셈-표【—標】 명 『수』 나눗셈의 기호. '÷'의 일컬음. 제호(除號). ↔곱셈표.

나눗-수【—數】 명 『수』 어떤 수를 나누는 수. 제수(除數). *곱수·나뉨수.

나눠 준 나누어. ¶ ~ 가지다.

나눠-살기 명 『생』 분서(分棲).

나눠 주다 타 나누어 주다.

나뉘다 준 나누이다.

나뉨-수【—數】〔—쑤〕 명 『수』 어떤 수로 나눔을 당하는 수. 피제수(被除數). *나눗수·곱하임수.

나는-고기 명 〈방〉 날치³.

나는-다람쥐 명 〈방〉 날다람쥐.

-나늘 어미 〈옛〉 -거늘. =-나ᄂᆞᆯ. ¶ 띄업슨 손이 오나늘 갓 버슨 主人이 마져 ≪古時調 永言≫.

-나니 어미 〈옛〉 -느니❶. =-ᄂᆞ니¹. ¶ 각시네 꽃을 보소 피는 듯 이우나니 옥 같은 얼굴인들 청춘에 매양일가 ≪古時調 李鼎輔≫.

나니-가【羅尼歌】 명 작자·연대·가사 미상의 신라 노래. 51대 진성 여왕이 즉위하자, 그의 유모 부호 부인(鳧好夫人)이 총신(寵臣)들과 모의하여 권세를 잡고 나라를 뒤흔들 때에, 다라니(陀羅尼)의 은어로 이 노래를 지어, 항간에 퍼지게 하였다 하나 확실하지 않음.

나니다 자 〈옛〉 나다니다. ¶ 내 나니거든 ≪杜諺 Ⅰ:2≫.

나닐다 자 날며 오락가락하다. ¶ 꽃 사이를 나니는 나비.

-나ᄂᆞᆯ 어미 〈옛〉 -거늘. '오다'에만 연결됨. =-나늘. ¶ ᄆᆞ리사ᄅᆞᆯ마자 馬厩에 드러오나ᄂᆞᆯ(我馬帶矢 于厩猝來) ≪龍歌 109章≫. *-나시ᄂᆞᆯ.

나다¹ 거라불 ⊟자 〔중세 : 나다〕 ①사물이 생겨 이루어지다. ¶ 병이 ~/이가 ~/길이 ~/소리가 ~/새싹이 ~/맛이 ~/냄새가 ~/동티가 ~. ②밖으로 드러나다. 감정·기분 따위가 일다. ¶ 화가 ~/시골티가 ~/이름이 ~/신이 ~/바람이 ~/생각이 ~. ③밖으로 흘러나오다. ¶ 눈물이 ~/땀이 ~/샘이 ~. ④물품이 시장에 나오다. ¶ 벌써 햅쌀이 났어. ⑤어떠한 결과가 되다. ¶ 결딴 ~/동이 ~/윷이 ~/끝장 ~/들통이~. ⑥〈속〉 잘나다. ¶ 그 사람은 역시 난 사람이야. ⑦산출하다. ¶ 금이 나는 광산. ⑧게재(揭載)되다. ¶ 신문에 ~. ⑨태어나다. 출생하다. 나이를 먹다. ¶ 내가 난 해/다섯 살 난 아이. ⑩공간·시간적으로 비게 되다. 사용해 오던 물건이 놀다. ¶ 틈이 ~/자리가 ~/기계가 ~. ⑪더해지다. 새로 솟다. ¶ 속력이 ~/힘이 ~. ⑫ 어떤 현상이 나타나다. ¶ 약효가 ~/능률이 ~/철이 ~. ⑬ 어떤 존재가 나타나다. ¶ 열녀가 ~/장군이 ~/혼처가 ~.

⊟타 ①동안을 지내다. ¶ 겨울을 ~/1년을 ~. ②나가거나 나오다.

⊟보동 ①동사의 어미 '-아'나 '-어'의 아래에 붙어서, 그 동작이 계속됨을 나타내는 말. ¶ 차차 자라나면 알게 된다/손에 익어~. ②동사의 어미 '-고'의 아래에 쓰이어, 그 동작의 완료를 나타내는 말. ¶ 큰 시련을 겪고 ~/밥을 먹고 나니 배가 부르군.

【나는 놈마다 장군(將軍)이다】 어떤 집안에 큰 인물이 잇따라 날 때 하는 말. 【날 때 궂은 아이가 죽을 때도 궂게 죽는다】 흔히, 해산할 때 힘들고 어려웠던 아이는, 죽을 때도 어렵게 죽는다 하여 이르는 말. 【날 문은 낮아도 들 문은 높다】 마음에 안 맞는다고 그 집에서 뛰쳐 나와 버리기는 쉽지만, 다시 되돌아가 들어가기는 어렵다는 말.

나는 사람 드는 사람 구 출입하는 사람.

나다² 자 〈옛〉 ①나가다. 나오다. ¶ ᄠᅳᆷ 몰라 몬 나니(莫測不出) ≪龍歌 60章≫. ②되다. 이르다. ¶ 三月 나며 開ᄒᆞᆫ 아으 滿春 ᄃᆞᆯ욋고지여 ≪樂範≫.

-나다¹ 미 ①심리와 관련되는 일부 명사 뒤에 붙어, 그 말이 뜻하는 바가 생김을 나타냄. ¶ 생각~/성~/심술~. ②일부 명사 뒤에 붙어, 그러한 상태로 되거나 그러한 현상이 일어남을 뜻함. ¶ 고장~/병~/야단~.

-나다² 미 〈옛〉 -았다. '오다'에만 쓰임. ¶ 이 등잔ᄲᅳᆯ 오나다(這的燈來了) ≪杜諺 Ⅷ:66≫. *-거다.

-나다³ 어미 〈옛〉 -ᄂᆞ다². -는구나. =-ᄂᆞ다. ¶ 無情히 서는 바회 有情하야 보이나다 ≪古時調 朴仁老≫.

나다나다 자 〈옛〉 나타나다. =나담나다. ¶ 顯은 번드기 나다날씨라 ≪月釋 Ⅹ:12≫.

나다나엘〔Nathanael〕 명 『성』 예수의 12 제자 중의 한 사람. * 바르톨로뮤(Bartholomaew)·바돌로매.

나-다니다 자타 밖으로 나가 여기저기 돌아다니다.

나다르〔Nadar〕 명 『사람』 프랑스의 사진가. 파리 태생. 본명은 Félix Tournachon. 초상 사진가로서 고티에·보들레르 등 당시의 명사들의 초상을 많이 남겼으며, 1863년에는 기구(氣球)를 타고 세계 최초로 공중 촬영을 하였음. [1820-1910]

나-다배지다 자 〈방〉 나가자빠지다(함경).

나다분-하다 형 여불 ①여럿이 뒤숭숭하게 뒤섞이어서 갈피를 잡을 수 없이 지저분하다. ②말이 갈피를 잡을 수 없이 길다. 1)·2): <너더분하다. 나다분-히 부

나다잇다 자 〈옛〉 나타나 있다. =나댓다. ¶ 現在ᄂᆞᆫ 나다잇ᄂᆞᆫ 뉘오 ≪月釋 Ⅱ:二十一之一≫.

나닥-나닥 부 여기저기 여러 군데 기웠거나 촘촘히 덧붙어 있는 모양. ¶ 비록 몸엔 ~ 기운 누더기를 걸쳤을망정. <너덕너덕. ——하다 형 여불

나단¹【羅緞】 명 무명실과 주란사실을 섞어서 짠 피륙.

나단²〔Nathan〕 명 『성』 다윗왕(王)의 고문(顧問)으로, 그의 신앙 생활에 좋은 충고를 한 선지자(先知者). 솔로몬의 등극에도 힘이 컸음.

나단 탕:병【糯團湯餅】 명 찹쌀 가루를 반죽한 것에다, 갖은 나물과 고기에 양념을 쳐서 익힌 것으로 소를 넣고, 끓는 장국에 삶은 음식.

나달 명 나흘이나 닷새쯤. 사오 일(四五日). ¶ 한 ~ 걸렸다.

나달-거리다 자 ①여러 가닥이 늘어져 흔들리다. ②주제넘은 말과 짓을 야단스럽게 하다. 1)·2): ㅆ나달거리다. <너덜거리다. 나달-나달 부. ——하다 자 형 여불

나달-대다 자 나달거리다.

나담나다 자 〈옛〉 나타나다. =나다나다. ¶ 顯現은 나담날씨오 ≪月釋 Ⅹ:49≫.

나당【羅唐】 명 『역』 신라(新羅)와 중국 당(唐)나라의 합칭(合稱). *나제(羅濟).

나당 전:쟁【羅唐戰爭】 명 『역』 신라 문무왕(文武王) 때, 한반도(韓半島) 지배의 야욕을 품고 공격해 온, 당(唐)나라 설인귀(薛仁貴) 부대를 신라가 금강(錦江) 하구 기벌포(伎伐浦)에서 격퇴한 전쟁.

나:대【挪貸】 명 꾸어 온 것을 다시 다른 사람에게 빌려 줌. ——하다 타 여불

나-대다 자 ①깝신거리고 나다니다. 경망히 나다니다. ②나부대다. ¶ 네가 왜 어른 앞에 나대니. 「盤」.

나-대반【羅大盤】 명 나주(羅州)의 특산물인 큰 소반. *나주반(羅州盤).

나:-대접【—待接】 명 ↗나이 대접. ¶ 첫째로는 늙은이에 대한 ~으로,

둘째로는 그의 위풍과 언사에 사람을 누르는 무엇이 있음을 보아서…《李光洙 : 異次頓의 死》. ──-하다 짜(여불)

나:-대지【裸垈地】명 담이나 건물이 없는 빈 대지.

나댓다 짜〈옛〉나타나 있다. =나다잇다. ¶술 못고 갈홀 고자시니 肝膽이 나댓도소니(酒闌揷劍肝膽露)《杜諺 V:39》.

나-댕기다 짜 ☞ 나다니다. ¶밤낮없이 나댕기면 고단해서 어떡허우《鄭飛石 : 薔薇의 季節》.

나데:주딘〔Nadezhdin, Nikolai Ivanovich〕명〖사람〗러시아의 평론가·역사가. 1831년 잡지 '텔레스코프'를 발간. 필화를 입어 유형되었는데, 돌아와 문학상의 이상주의 운동을 지도, 사회적 평론을 썼음. 〔1804-56〕

나:도【糯稻】명〖식〗찰벼.

나도-감 명〈방〉〖식〗고욤(전남).

나도-국수나무 명〖식〗[*Neillia uyekii*] 조팝나뭇과에 속하는 낙엽 관목. 높이 1.5m 가량이고 잎은 달걀꼴에 잎꼭지가 짧음. 봄에 흰 오판화(五瓣花)가 가지 끝에 정생(頂生)하여 총상(總狀) 화서로 피고, 과실은 달걀꼴에 선모(腺毛)가 밀생하고 9월에 익음. 한국 특산으로, 산기슭의 양지나 골짜기에 나는데, 전남·충북·강원·경기·평안 등지에 분포함. 관상용·신탄재임.

나도-그늘사초【一莎草】명〖식〗[*Carex koreana*] 방동사닛과에 속하는 다년초. 줄기는 높이 7cm 가량이고, 잎은 총생(叢生)하며 선형(線形)인데 줄기보다 다소 짧고, 폭은 3mm 내외임. 소수(小穗)는 2-3 개이고 수술은 하나인데 정생(頂生)하며, 암술은 1-2개가 측생하며 5월에 핌. 과실은 수과(瘦果)임. 산지에 나는데, 경남·평북·함남북에 분포함.

나도-냉이 명〖식〗[*Barbarea sibilica*] 겨잣과에 속하는 이년초. 줄기는 높이 80cm 가량이고, 근생엽(根生葉)은 총생하며, 장병(長柄)이고, 줄기의 잎은 호생하며 거의 무병(無柄)임. 5-6월에 황색 꽃이 총상(總狀) 화서로 정생하며, 과실은 장각(長角)임. 들에 나는데, 한국 각지에 분포함. 어린 싹은 식용함.

나도-닭의덩굴〔一달기一〕명〖식〗[*Bilderdykia convolvulus*] 마디풀과에 속하는 일년생 만초(一年生蔓草). 줄기는 길이 1m 가량이고, 잎은 호생하며, 심형(心形) 또는 피침상의 심형이고, 초상 탁엽(鞘狀托葉)은 짧은 통형(筒形)임. 7-8월에 담녹색의 꽃이 총상(總狀) 화서로 피고, 과실은 수과(瘦果)임. 유럽 원산의 귀화(歸化) 식물로서 들에 나는데, 제주·함남·함북 등지에 분포함. 딸기메밀덩굴. 모밀덩굴.

나도-댑싸리 명〖식〗[*Axyris amaranthoides*] 명아줏과에 속하는 일년초. 줄기는 높이 80cm 가량임. 잎은 어긋나고 장병(長柄)이며, 달걀꼴 피침형 또는 피침형임. 7-8월에 담녹색의 꽃이 핌. 산지에 나는데, 평북·함남 등지에 분포함.

나도-딸기광이 명〖식〗[*Cinna latifolia*] 볏과에 속하는 다년초. 높이 80-120cm, 잎은 가는데 길고 뾰족하며 평행맥(平行脈)이 있고, 두 종렬(縱列)로 배열됨. 8-9월에 수상(穗狀) 화서로 흰빛을 띠며 한 개의 꽃으로 된 것이 많이 모여서 원추 화서를 이룸. 높은 산에 나는데, 금강산·평북 후창(厚昌)·함북 무산(茂山)에 분포함. 이삭조.

나도-물통이 명〖식〗[*Nanocnide japonica*] 쐐기풀과에 속하는 다년초. 줄기는 높이 20cm 가량임. 잎은 어긋나고 장병(長柄)이며, 삼각형 또는 마름모꼴의 달걀꼴임. 7-8월에 줄기 끝에 자웅 일가(雌雄一家)로 된 담녹색의 작은 꽃이 피고, 과실은 포과(胞果)임. 산록의 응달에 나는데, 제주·전남의 백양산(白羊山) 및 일본에 분포함. 며래. 산귀래(山歸來). 토비해(土萆薢).

〈나도물통이〉

나도-미꾸리 명〖식〗[*Persicaria maackiana*] 마디풀과에 속하는 일년초. 줄기는 직립하고, 가늘고 긴데 높이 80cm에 달하며, 잎자루와 함께 하향(下向)으로 가시가 났음. 잎은 호생하며 극형(戟形)인데, 초상 탁엽(鞘狀托葉)은 원형임. 7-9월에 빨간 두상화(頭狀花)가 피고, 과실은 수과(瘦果)임. 들이나 물가에 나는데, 경남·경기·함북 등지에 분포함.

나도-바람꽃 명〖식〗[*Enemion leveilleanum*] 성탄꽃과에 속하는 숙근초(宿根草). 근경은 짧고 다수의 수근(鬚根)이 있음. 줄기는 연약하고 높이 25cm 내외임. 근생엽(根生葉)은 장병(長柄), 경엽(莖葉)은 단병(短柄)인데, 삼출하였음. 5-6월에 엽상포(葉狀苞)의 중심에서 산형상(繖形狀)으로 나온 4-5 줄기의 긴 화병(花柄) 끝에 흰 꽃이 각각 한 송이씩 피고, 과실은 골돌(蓇葖)임. 산지의 응달에 나는데, 한국 중부 이북에 분포함.

〈나도박달〉

나도-박달 명〖식〗[*Acer triflorum*] 단풍과에 속하는 낙엽 활엽 교목. 잎은 세 잎이 복생(複生)하며 소엽은 피침형 또는 타원형임. 5월에 자웅 이가(雌雄二家)의 꽃이 핌. 과실은 시과(翅果)로, 9월에 익음. 한국 각지 및 만주에 분포함. 기구(器具)나 신탄재(薪炭材)로 쓰임. 복자기.

나도밤-나무 명〖식〗[*Meliosma myriantha*] 나도밤나뭇과에 속하는 낙엽 활엽 교목(喬木). 잎은 타원형 또는 거꿀달걀꼴의 긴 타원형임. 6월에 황백색의 꽃이 원추(圓錐) 화서로 정생하며, 지름 4mm의 핵과(核果)는 9월에 붉게 익음. 골짜기에 나는데, 한국의 중부 이남 및 일본에 분포함. 정원수(庭園樹)로 심음.

〈나도밤나무〉

나도밤나뭇-과【一科】명〖식〗[Sabiaceae] 쌍자엽(雙子葉) 식물의 이판화류(離瓣花類)에 속하는 한 과. 전세계에 70여 종, 한국에는 나도밤나무·합다리나무의 두 종이 분포함.

나도-방동사니 명〖식〗[*Juncellus nipponicus*] 방동사닛과에 속하는 일년초. 줄기는 둔삼릉주(鈍三稜柱)이고, 높이는 30cm 가량임. 잎은 근생(根生)하고 협선형(狹線形)임. 꽃은 8-9월에 산형(繖形) 화서로 피고 과실은 수과(瘦果)임. 들의 습지에 나는데, 제주·충북·경기·평북 등지에 분포함. *너도방동사니.

나도-벌사초【一莎草】명〖식〗[*Carex gibba*] 방동사닛과에 속하는 다년초. 줄기는 능주(稜柱)이며 총생하고, 높이 60cm 가량임. 잎은 호생하고, 선형(線形)이며 줄기보다 짧거나 혹은 길고 폭은 4mm 내외임. 소수(小穗)는 4-20개이고 양성(兩性)인데, 수꽃이삭은 하단에, 다른 것은 암꽃이삭이며 타원형으로 5-6월에 핌. 과낭(果囊)은 편평한 달걀꼴임. 낮은 땅의 길가, 수풀가의 습지(濕地)에 나는데, 제주·전남·경남·충북 등지에 분포함.

나도-범:의귀〔一/一에一〕명〖식〗[*Mitella nuda*] 범의귓과에 속하는 다년초. 화경(花莖)의 높이는 15-20cm이고, 근생엽(根生葉)은 장병(長柄)에 심장상 원형임. 꽃은 총상(總狀) 화서로 피고, 과실은 삭과(蒴果)인데, 7월에 익음. 함남의 산지에 남.

나도-생강【一生薑】명〖식〗[*Pollia japonica*] 닭의장풀과에 속하는 다년초. 근경(根莖)은 백색인데, 가로로 뻗으며, 줄기는 백색이고 마디에서 수근(鬚根)이 나오며, 화경(花莖)과 같이 높이는 70cm 내외임. 잎은 호생하고 넓으며 긴 타원상 피침형(披針形)인데, 길이는 30cm 내외이고 평행맥(平行脈)이 있음. 7-8월에 흰 꽃이 원추상 취산(圓錐狀聚繖) 화서로 정생(頂生)하여 피고, 과실은 삭과(蒴果)인데, 작은 구형(球形)으로 남빛이며, 말라도 열개(裂開)하지 아니함. 산이나 들에 나는데, 제주도에 분포함.

〈나도생강〉

나도-송이풀 명〖식〗[*Phtheirospermum japonicum*] 현삼과(玄蔘科)에 속하는 반기생의 일년초. 줄기는 높이가 60cm 가량이며 잎은 대생하는데, 유병(有柄)이며 빛은 자색이고 달걀꼴에 우상(羽狀)으로 깊이 째졌음. 8-9월에, 담자색 꽃이 가지 끝에 액출(腋出)하여 피고, 화관(花冠)은 통상 순형(筒狀脣形)이며, 삭과(蒴果)는 달걀꼴임. 산이나 들의 양지에 나는데, 한국 각지에 분포함.

〈나도송이풀〉

나도-수영 명〖식〗[*Oxyria digyna*] 마디풀과에 속하는 다년초. 줄기는 높이 20cm 가량이고, 근생엽은 총생(叢生)하며 극히 장병(長柄)이고 심형(心形) 또는 신형(腎形)임. 경엽은 보통 퇴화하여 막질의 탁엽(托葉)만 남아 있음. 8월에 홍록색의 꽃이 복총상(複總狀) 화서로 정생하여 피며, 과실은 수과(瘦果)임. 높은 산에 나는데, 백두산·일본 및 아시아·유럽·북미에 분포함.

나도-승마【一升麻】명〖식〗[*Kirengeshoma coreana*] 나도승마과에 속하는 다년초. 줄기는 원주형이고, 높이는 60cm 가량임. 잎은 대생하고 장병(長柄)이며 손바닥 모양으로 5-6 갈래로 얕게 째졌으며, 길이와 폭이 약 15cm 가량임. 8-9월에 담황색 꽃이 취산(聚繖) 화서로 정생하고 과실은 삭과(蒴果)임. 산지에 나는데, 전남 백운산(白雲山)에 분포함.

〈나도승마〉

나도승마-과【一升麻科】〔一꽈〕명〖식〗[Kirengeshomaceae] 쌍자엽 식물 이판화류(離瓣花類)에 속하는 한 과. 나도승마 1종만이 한국에 분포함.

나도-양지꽃【一陽地一】명〖식〗[*Waldsteinia ternata*] 장미과에 속하는 다년초. 근경은 땅으로 벋으며, 잎은 뿌리로부터 2-3 개가 총생하며 장병(長柄)에 삼출(三出)하고, 소엽(小葉)은 거꿀달걀꼴임. 7-8월에 황색의 꽃이 잎 사이로부터 길이 10-15cm의 화경(花莖)에 2-3 송이씩 정생(頂生)하고, 과실은 수과(瘦果)임. 깊은 산의 숲 속에 나는데, 경북·강원·평남·평북·함남·함북 등지에 분포함.

나도-은조롱【一銀一】명〖식〗[*Marsdenia tomentosa*] 박주가릿과에 속하는 다년생 상록초. 줄기는 강장하며 하부는 목질이고 상부는 녹색의 초질(草質)이며, 높이 1-3m로서 잎은 대생하고 원형임. 7-8월에 연은 황백색 꽃이 엽액(葉腋)에 산형상(繖形狀)으로 피고, 과실은 골돌(蓇葖)임. 산지에 나는데, 전남 거문도에 분포함.

나도-파초일엽【一芭蕉一葉】명〖식〗골고사리.

나도-하수오【一何首烏】명〖식〗[*Pleuropterus ciliinervis*] 마디풀과의 다년초. 뿌리는 다소 비후하고 경질임. 줄기는 만상(蔓狀)이고, 길이 2m 이상에 홍색을 띠고 마디는 환상(環狀)임. 잎은 호생하고 장병(長柄)이며, 삼각상의 달걀꼴 또는 긴 달걀꼴이고, 초상 탁엽(鞘狀托葉)은 막질(膜質)임. 6-7월에 총상(總狀) 화서로 된 원추 화수(圓錐花穗)가 정생(頂生) 또는 액생(腋生)하여 백색으로 피고, 과실은 수과(瘦果)임. 산지에 나는데, 전남·경북·강원·평북 등지에 분포함.

나-도향【羅稻香】명〖사람〗소설가. 서울 태생. 본명은 경손(慶孫). 일명 빈(彬). 한국 신문학사상의 낭만주의 운동을 일으키었고, 후기에는 객관적 사실주의적인 경향으로 흐름. 작품에 《젊은이의 시절》·《물레방아》·《벙어리 삼룡이》 등이 있음. 〔1902-26〕

나도-황기【一黃芪】명〖식〗[*Hedysarum setigerum*] 콩과에 속하는 다년초. 줄기는 높이 70cm 내외이고, 잎은 호생하며 기수 우상 복생(奇數羽狀複生)하고, 6-10쌍의 소엽은 달걀꼴의 긴 타원형 또는 피침형임. 7-8월에 황색의 꽃이 총상 화서로 줄기 끝이나, 가지 끝에 정생(頂生)하여 피고, 과실은 협과(莢果)임. 산지에 나는데, 평북·함남에 분포함.

나도-히초미 명〖식〗[*Polystichum polyblepharum*] 꼬리고사릿과에 속

하는 다년생 양치류(羊齒類). 잎의 길이 90 cm 가량이고, 우상 복엽(羽狀複葉)으로 잎꼭지와 엽병(葉柄)에는 다갈색의 인편(鱗片)이 밀생하고, 자낭군(子囊群)은 원형(圓形)의 피막(被膜)을 갖추고 있음. 산지에 나는데, 제주도에 분포함.

나-돌다 자 ①↗나돌아다니다. ②소문이나 어떤 물건 따위가 여기저기 나타나거나 퍼지다. ¶ 가짜가 ~/유언 비어가 ~.

나-돌아다니다 자타 여기저기 나가 돌아다니다. 준나돌다.

나-동그라지다 자 ↗나가 동그라지다.

나:-두창【癩頭瘡】명〖한의〗머리에 나는 부스럼의 한 가지. 그 모양이 문둥병 비슷함. 백독두창(白禿頭瘡).

나-둥그러지다 자 ↗나가 둥그러지다.

나-뒤쳐지다 자 별안간에 뒤쳐지다. 냅다 뒤쳐지다.

나-뒹굴다 자 ①뒤로 물러나면서 넘어져 뒹굴다. ②이리저리 되는대로 막 뒹굴다. ③여기저기 무질서하게 널리어 있다. ¶ 길가에 나뒹굴고 있는 돌멩이.

나드락-나드락 부〈방〉나닥나닥.

나드리 명〈방〉나루¹(충청·강원·황해).

-나든 어미〈옛〉-거든. =-나둔. ¶ 네 漢ㅅ 使者를 조차 즈믄 무팃 珍寶를 가져 오나든(舊隨漢使千堆寶)《重杜諺 V:21》.

나든뻬 구〈옛〉나타난 때에. ¶ 自然히 나든 뻬 니르러는(自然現前時)《蒙法 4》. *낟다.

나들 명〈방〉나루¹(경상·강원·함경).

나들-거리다 자〈방〉까불다(평안).

나-들다 자 ↗드나들다. ¶ 술집에 자주 ~.

나들-목 명 인터체인지.

나들이 명 곧 돌아올 생각을 하고 가까운 곳에 잠시 나가는 일. 흔히, 부녀자에게 쓰는 말. ¶ 봄~. *출입(出入). ——하다 자여불

나들이 고누 명 열두 밭 고누에서, 나며 들며 고누가 되는 일.

나들이-옷 명 나들이할 때에 입는 옷. 외출복.

나들잇-벌 명 나들이할 때 입는 좋은 옷과 신들. 난벌.

나:디르 샤:〔Nadir Shah〕명〖사람〗페르시아의 아프샤르(Afshar) 왕조의 창건자. 페르시아 전토와 아프가니스탄을 지배하에 넣고, 인도·중앙 아시아·메소포타미아·터키 등을 침공하였음. 군사적인 천재였으나, 동족에 의하여 암살됨. [1688-1747; 재위 1736-47]

-나든 어미〈옛〉-거든. '오다'에만 연결됨. =-나든. ¶ 하늘해셔 飮食이 自然히 오나든 夫人이 좌시고《月釋 Ⅱ:25》. *-나시든.

나돈다 자〈옛〉내달다. ¶ 미쳐 나돈고져ᄒᆞ는 병(發狂欲走)《救簡 Ⅰ:99》.

나돌 명〈옛〉날과 달. 세월. =날돌. ¶ 蕭洒히 나돌 보내오져 호미(蕭洒送日月)《杜諺 Ⅱ:33》.

나-따나 조〈방〉나마⁵(경상).

-나-따나 어미〈방〉-나마(경상).

나:-떡 명 ↗나이떡.

나라¹ 명〔중세: 나라ㅎ←나(땅)+ㄹㅎ(지방)〕①국가. ¶ 이런 건 ~에서 처리할 문제다. ②어떠한 특수한 사물의 세계. ¶ 별~/달~/꿈~.

[나라가 없어 진상(進上)하나] 나라님에게 무엇이 없어서 진상하는 것이 아니라는 말. 남에게 무엇을 주려는데, 상대가 있다고 사양할 때 하는 말. [나라가 편해야 신하가 편타] 나라님이 편해야 그 밑의 신하들도 마음 편히 지낼 수 있다는 말. [나라 고금(雇金)도 잘라먹는다] 사람이 지나치게 이기적이고 욕심이 사나워, 뻔뻔스럽고 염치없는 짓을 한다는 말. [나라 상감님도 늙은이 대접은 한다] 노인은 우대를 해야 한다는 말.

나라²〔奈良: なら〕명〖지〗일본 나라 현(奈良縣)의 현청 소재지. 일본 역사상 나라 시대의 서울로서, 고적이 많은 문화 관광 도시임. 현 시가지는 고도(古都)의 북동 교외에서 발달함. 필묵(筆墨)과 나라즈케(奈良漬)라 불리는 부식물(副食物) 등 전통적인 특산품이 산출되며, 근대 공업으로 전기(電機)·플라스틱·염직(染織)·식료품 등의 공업이 행하여짐. [350,053 명(1990)]

-나라 어미〈방〉-너라(평안).

나라-굿 명〖민〗예전에, 해마다 정월 대보름을 전후하여, 국태 민안(國泰民安)을 빌어, 각 지방별로 국무당(國巫—)에 의하여 벌여지던 굿.

나라 글자【—字】[—짜] 명 한 나라의 문자. 국자(國字).

나라-꽃 명 나라를 상징하는 꽃. 한국의 무궁화 등. 국화(國花).

나라-님 명 나라의 임자라는 뜻으로, 임금을 이르는 말. 국주(國主). 군부(君父). 군상(君上). 군주(君主). 주상(主上).

[나라님이 약(藥) 없어 죽나] ㉠제아무리 좋은 약을 쓰고 극진한 간호를 하여도 죽으려면 죽는 것이요, 약을 아니 쓰고 내버려 두어도, 살려면 나아서 일어난다는 말. ㉡약도 변변히 못 써보고 죽게 했다고 서러워하는 사람에 대하여, 위로하는 말.

나라-말 명 국어¹(國語)❶❷.

나라미¹ 명〖어〗물고기의 가슴지느러미의 통칭.

나라미² 명〈방〉길이.

나라-밖 명 국외(國外). ↔나라안.

나라뜰 명〈옛〉조정(朝廷). ¶ 나라뜰 뎡(廷)《類合 下 23》.

나라-안 명 국내(國內). ↔나라밖.

나라안 사:회【—社會】명 국내 사회.

나라연【那羅延】명〔범 Nārāyaṇa〕〖불교〗큰 힘을 가지고 있는 인도의 옛 신(神). 제석천(帝釋天)의 권속(眷屬)으로 불법(佛法)을 지키는 신인데, 집금강(執金剛)의 하나이며, 밀적(密迹) 금강과 함께 이천(二天)이라고 함. 나라연 금강(金剛). 나라연천(天).

〈나라연〉

나라연 금강【那羅延金剛】명〖불교〗나라연(那羅延).

나라연-천【那羅延天】명〖불교〗나라연(那羅延).

나라 이름 명 나라의 이름. 국명(國名). 국호(國號).

나라-지다 자 기운이 풀리어 온 몸이 나른하여지다. <늘어지다.

나라콰 〈옛〉나라와. '나라¹'의 공동격형(共同格形). ¶ 됴ᄒᆞᆫ 나라콰 宮殿과《釋譜 XIII:20》.

나라타:주〔프 narratage〕명〔narration 과 montage 의 합성어〕영화에서, 주인공에게 회상(回想)하는 형식으로 과거의 사건을 이야기하게 하면서, 화면을 구성하여 가는 표현 수법.

나라토 〈옛〉나라도. ¶ 나라토 부듸티 몯ᄒᆞᆯ 일은 公木을 端端이 골회자 니르시미《新語 Ⅳ:25》. *나라¹·토⁷.

나라해 〈옛〉나라에. '나라¹'의 처격형(處格形). =나라히. ¶ 如來하 우리 나라해 오샤 衆生이 邪曲을 덜에 ᄒᆞ쇼셔《釋譜 Ⅵ:22》.

나라 현【—縣】〔奈良: なら〕명〖지〗일본 혼슈 중부 지방의 현. 9 시, 8 군. 내륙성 기후형(內陸性氣候型)이며 강우량이 적으나 예로부터 우수한 미작지(米作地)임. 근교(近郊) 농업·미작·특산품 공업이 성하며, 제재(製材)도 활발하고, 방적·전기 기계·고무 등 공업도 행함. 야마토(大和)·아스카(飛鳥)·나라(奈良) 문화의 발상지로서, 고분(古墳)·제릉(帝陵)·사적(史蹟)·명승·고미술(古美術) 등이 많음. 현청 소재지는 나라 시(市). [3,690 km² : 1,377,226 명(1990)]

나라히 〈옛〉나라가. '나라¹'의 주격형(主格形). ¶ 聖子ㅣ 三讓이시나 五百年 나라히 漢陽애 올ᄆᆞ니이다(維我聖子 三讓雖堅 五百年邦 漢陽是遷)《龍歌 14章》.

나라ᄒᆞᆫ 〈옛〉나라는. 나랄은. ¶ 子息으란 孝道ᄅᆞᆯ 勸ᄒᆞ시고 나라ᄒᆞᆫ 大平을 勸ᄒᆞ시고《月釋 Ⅷ:29》. *나라¹·ᄒᆞᆫ.

나라ᄒᆞ로 〈옛〉나라로. ¶ 아ᄃᆞᆯ 당가 드리고 제 나라ᄒᆞ로 갈쩌긔《釋譜 Ⅵ:22》. *나라¹·ᄒᆞ로².

나라ᄒᆞᆯ 〈옛〉나라를. '나라¹'의 목적격형. ¶ 나라ᄒᆞᆯ 기우리ᄂᆞ니라(傾邦國)《杜諺 XXV:43》.

나라히 〈옛〉나라에. '나라¹'의 처격형(處格形). =나라해. ¶ 雍州ㅣ 원錢明逸이 그 일을 나라히 알외오온대(雍守錢明逸以事聞)《飜小 Ⅸ:35》.

나락¹ 명〈방〉〖식〗벼¹(경상·전라·충청·강원).

[나락 까먹기 게 까먹기] 보기와는 달리, 먹어 보면 헤픈 것을 이르는 말.

나락²【奈落·那落】명〔범 Naraka〕①〖불교〗지옥(地獄)❶. ②벗어나기 어려운 절망적 상황을 비유하여 이르는 말. ¶ 절망의 ~에 떨어지다.

나락³【羅絡】명 얽음. 감아서 뭉뚱그림. ——하다 타여불

나락가【那落迦】명〔범 Naraka〕〖불교〗지옥(地獄)❶.

나락-가래 명〈방〉낟가리(경북).

나락-가리 명〈방〉낟가리(충북·전북·경상).

나락 뒤주 명 벼를 갈무리하기 위하여 널빤지·짚·대나무 따위로 둘러막고 지붕에는 짚이나 기와를 덮은 시설(施設). 보통, 마당 한 귀퉁이에 세움.

나락-둥게 명〈방〉등겨(경북).

나락-베눌 명〈방〉낟가리(전북).

나락-벼까리 명〈방〉낟가리(경북).

나락-비까리 명〈방〉낟가리(경상).

나락-비눌 명〈방〉낟가리(전북).

나락-삐까리 명〈방〉낟가리(경상).

나락-쉬염 명〈방〉까끄라기(충남).

나락-저 명〈방〉왕겨(경북).

나락-쭉대기 명〈방〉왕겨(경북).

나란-하다 형여불 여럿의 줄지어 있는 모양이 고르고 가지런하다. 나란-히 부

나란한-조【—調】명〖악〗평행조(平行調).

나란히-고래 명 나란히 놓여 있는 방고래.

나란히-금 명〖수〗평행선(平行線). 평행 직선.

나란히-꼴 명 ①〖수〗평행 사변형(平行四邊形). ②〖언〗'대등형(對等形)'의 풀어쓴 이름.

나란히-마디 명〖언〗'대등절(對等節)'의 풀어 쓴 이름.

나란히-맥【—脈】명〖식〗식물에 있어서, 잎자루에서 잎 끝에까지 서로 평행하고 있는 잎맥. 가장 대표적인 것은 화본과(禾本科)·붓꽃과·난초과 등의 식물. 평행맥(平行脈). 병행맥(並行脈). ↔그물맥.

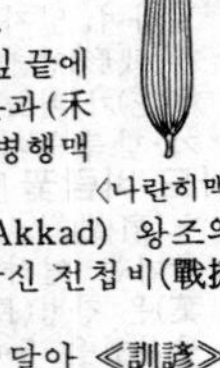
〈나란히맥〉

나:람-신〔Naram-Sin〕명〖사람〗바빌로니아 아카드(Akkad) 왕조의 왕. 바빌로니아를 통일, 엘람(Elam)을 정복하였음. 나람신 전첩비(戰捷碑)는 아카드 예술을 대표하는 일품(逸品)임.

나랏-돈 명 국고금(國庫金).

나랏 말씀 명〈옛〉나라말. 국어(國語). 우리 나라의 말. ¶ 나랏 말ᄊᆞ미 中國에 달아《訓諺》.

나랏-무당【—巫—】명〖역〗왕실(王室)의 굿을 도맡아하던 무당. 국무당(國巫—).

나랏-사람 명 국인(國人).

나랏천 명〈옛〉나라의 천량. 나라의 재산. =나랏쳔. ¶ 나랏쳔 일버사 정精舍ᄅᆞᆯ 디나가니.《月印 上 2》.

나래¹ 명 배를 젓는 연장. 노와 비슷하나 짧으며, 두 개로 양편을 저음.

나래² 명〔근대: ᄂᆞ래〕〖농〗논·밭을 골라 반반하게 하는 데 쓰는 농기구. 써레와 비슷하나 아래에, 발 대신에 널빤지를 가로 대어, 자갈이나 흙 같은 것을 밀어 냄.

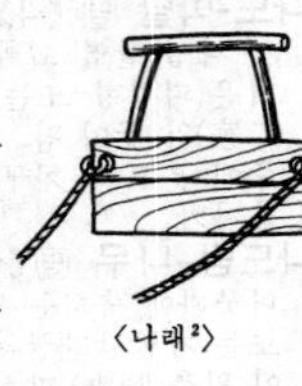
〈나래²〉

나래³ 명 날개¹❶❷.

나래(를) 펴다 구 날개(를) 펴다.

나래⁴ 명〈방〉이엉(함경).

나래⁵ 명〈방〉나중¹(함경).

나:래⁶【拿來】명 죄인을 잡아 옴. 나치(拿致). ——하다 타여불

나래-꽃 명〈방〉〖식〗개나리꽃(전남·경남).

나래-꾼 명 나래질을 하는 사람.

나래미 명 〈방〉〖어〗 나라미[1].

나래-반쪽고사리 【—半—】 명 〖식〗 반쪽고사리.

나래-완두 【—豌豆】 명 〖식〗 [*Vicia hirticalycina*] 콩과에 속하는 다년초. 줄기 높이는 40cm 가량으로, 잎은 호생하고 우상 복엽(羽狀複葉)이며, 소엽(小葉)은 3-5쌍인데 난상의 긴 타원형 또는 선상(線狀) 피침형임. 6월에 자색 꽃이 액출(腋出)하고 과실은 협과(莢果)임. 들에 나는데, 전남·경남에 분포함.

나래-질 명 나래로 논밭을 고르는 일. ——-하다 타여불

〈나래회나무〉

나래-치기 명 나래로 땅을 반반하게 고르며 흙을 부스러뜨리는 일.

나래-회나무 명 〖식〗 [*Turibana macroptera*] 노박덩굴과에 속하는 낙엽 활엽 관목. 잎은 거꿀달걀꼴의 타원형임. 꽃은 6-7월에 취산(聚繖) 화서로 피고, 삭과는 10월에 익음. 산기슭·골짜기에 나는데, 한국·중국에 분포함. 정원수로 심음.

나려 【騾驢】 명 노새와 나귀.

나려 이:두 【羅麗吏讀】 명 〖책〗 조선 정조(正祖) 때 사람인 이의봉(李義鳳)이 지은 《고금 석림(古今釋林)》의 부록. 신라·고려 시대에 쓰이던 이두를 자수(字數)에 따라 분류하였음.

나력 【瘰癧】 명 〖한의〗 경부 림프선(頸部 lymph 腺)의 만성(慢性) 종창(腫脹). 결핵성의 것과 그렇지 아니한 것의 두 가지로 구별함. 결핵성의 것은 시초에 여러 개의 크고 작은 멍울이 생기는데, 동통(疼痛)을 느끼지 않으나, 곧 곪아 피부에 미홍(微紅)을 나타내며, 나중에는 밖으로 결핵성 농즙(膿汁)을 분비하게 됨. 결핵성 경부 림프선염. 경선 결핵(頸腺結核). 서루(鼠瘻). ＊연주창(連珠瘡).

나력-루 【瘰癧瘻】 [—누] 명 〖한의〗 감루(疳瘻)의 한 가지. 목에 결핵성 림프선 염이 생겨, 종기가 난 자리에 구멍이 뚫려, 늘 고름이 나는 병.

나력-창 【瘰癧瘡】 명 〖한의〗 나력이 심하여 헐어 터진 헌데.

나련-하다 형 〈방〉 나른하다.

나렷-하다 형여불 ☞ 나른하다. ¶ 사람의 마음을 나렷한 향수 밑바닥으로 이끌어 가다《朴鍾和 : 錦衫의 피》.

나:례 【儺禮】 명 〖역〗 고려 정종(靖宗) 이후, 음력 섣달 그믐 밤에 민가와 궁중에서 마귀와 사신(邪神)을 쫓기 위하여 베풀던 의식. 원래, 중국의 주(周)나라 때부터 유래된 풍습으로, 새해의 악귀를 쫓을 목적으로 행해졌는데, 차츰 중국 칙사(勅使)의 영접, 왕의 행행(行幸), 인산(因山) 때에도 앞길의 잡귀를 물리치는 뜻으로 행해졌음. 나의(儺儀).

나:례-가 【儺禮歌】 명 〖악〗 삼국 시대로부터 역귀(疫鬼) 쫓기를 빌 때, 무당들이 부르던 소리의 하나.

나:례 도감 【儺禮都監】 명 〖역〗 나례를 행하는 일을 맡은 임시의 관아. 조선 인조(仁祖) 때에 폐지하고, 뒤에 관상감(觀象監)에서 그 일을 맡아보았음.

나로 명 〈방〉 나루[1].

나로:드니키 〔러 Narodniki〕 명 〖사〗 19세기 후반부터 20세기 초반에 걸쳐, 러시아의 자본주의를 비판하고, 혁명적인 정치·문학 운동에 참여한 급진적 지식 계급(急進的知識階級). 농민 사회주의(農民社會主義)를 주장하여 농민의 계몽에 힘썼으나, 테러 행위 등을 자행하여 탄압받았으며, 레닌 등의 비판도 받아, 영향력을 잃었음. ＊브나로드 운동.

나로여 부 〈옛〉 천천히. =날호여. ¶ 나로여 셔(徐) 《倭解 下 41》.

나록 【羅祿】 명 〖식〗 벼[1].

나롬 명 〈옛〉 나룻. ¶ 나롯 슈(鬚), 나롯 염(髯) 《倭解 上 17》.

나롯 명 〈방〉 나룻.

나:롱 명 〈방〉 나농(懶農).

나:룡 【懶龍】 명 〖민〗 높고 낮음과 굽음이 심하지 아니한 산줄기.

나루[1] 명 〔중세 : ᄂᆞᄅᆞ〕 ①강가나 냇가 또는 좁은 바다 목의 배가 건너다니는 일정한 곳. 강구(江口). 도구(渡口). 도두(渡頭). 도진(渡津). 진도(津渡). 진두(津頭). ②↗나룻배.

【나루 건너 배 타기】 ㉠무슨 일에나 순서가 있어, 건너뛰어서는 할 수 없다는 말. ㉡가까운 데 것을 버리고 먼 데 것을 취한다는 말.

나루[2] 【覶縷】 명 말이 자세하고 수다함. ——-하다 형여불

나루매 명 〈방〉〖어〗 벵어(함경·강원).

나루-지기 명 나루터지기.

나루-질 명 나룻배를 부리는 일. ——-하다 자여불

나루-채 명 〖농〗 써레 몽둥이 앞 면(面)의 양쪽에, 앞으로 뻗어 나오게 박은 나무. 길이는 75cm쯤 되며, 그 두 끝에 봇줄을 맴.

나루-터 명 나룻배로 건너다니는 곳. 도선장(渡船場).

나루터-지기 명 나루터를 지키는 사람. 나루지기.

나루-턱 명 ①나룻배가 들어 닿는 일정한 자리. ②〈방〉 나루[1](충북).

나루토 〔鳴門 : なると〕 명 〖지〗 일본 도쿠시마 현(德島縣) 동북단 나루토 해협(海峽)에 면한 도시. 1947년 시(市)로 승격하였는데, 제염업(製塩業)·메리야스 공업 따위가 성함. [65,318 명(1990)]

나루토 해:협 【—海峽】 〔鳴門 : なると〕 명 〖지〗 일본 도쿠시마 현(德島縣)의 동북단과 아와지(淡路) 섬 사이의 해협. 폭 1,400m 가량. 조수 간만(潮水干滿)에 의하여 이 곳을 통과하는 급류(急流)가 소용돌이를 이루기 때문에 항행하기 어려운 곳임. 세도 나이카이(瀨戶內海) 국립 공원에 포함됨.

나룩 명 〈방〉〖식〗 벼[1](강원·황해).

나룩-체 명 〈방〉 왕겨(제주).

나룻 명 ①입가·턱·뺨에 난 털의 통칭. 수염(鬚髯). ②↗구레나룻.

【나룻이 석 자라도 먹어야 샌님】 풍채(風采)를 돌보아, 체면 차리고 먹지 않다가는 배가 고파서 아무 일도 못한다는 말. 수염이 대 자라도 먹어야 양반.

나룻-가 명 나루터의 근처.

나룻거 명 〈방〉 나루[1](함경).

나룻-목 명 나룻배가 늘 건너다니는 물목.

나룻-배 명 나루를 건너다니는 배. 도선(渡船). 진선(津船).

나르다 타(르불) 물건을 다른 데로 옮기다. 운반하다. ¶ 석탄을 ~.

나르마다 강 【—江】 〔Narmada〕 명 〖지〗 나르바다 강.

나르바다 강 【—江】 〔Narbada〕 명 〖지〗 인도 북부, 마디아 프라데시 주 캄베이 만(Cambay 灣)으로 흐르는 강. 하류(下流)에서만 배의 항진이 가능한 힌두교(敎)의 성하(聖河)인데, 전원(電源) 개발이 진행되고 있음. 나르마다 강. [1,300km]

나르바에스 〔Narváez, Ramón María〕 명 〖사람〗 스페인의 군인·정치가. 카를리스타(Carlista) 전쟁에서 이사벨라(Isabella) 2세를 지지하였고, 후에 에스파르테로(Espartero)의 독재에 항거하여 군반란에 성공함. 1844-1846년 수상. 1847년 재(再)집권하였는데, 그의 보수(保守) 반동성 때문에 섭정(攝政) 마리아 크리스티나 파(María Cristina 派)와 대립하였음. [1800-68]

나:르비크 〔Narvik〕 명 〖지〗 노르웨이 북부의 항구. 로포텐 제도(Lofoten 諸島)를 전면에 둔 베스트 만(Vest 灣) 안의 부동항(不凍港). 스웨덴 북부의 철광석의 적출지(積出地)이며, 로포텐 제도 부근의 어업의 근거지임. [18,864 명(1985)]

나:르세스 〔Narses〕 명 〖사람〗 동(東)로마 제국 시대의 장군. 유스티니아누스(Justinianus) 황제의 환관(宦官)으로 있으면서 니카(Nika)의 반란을 진압, 동고트(東 Goths) 왕국을 정복하고, 이어 프랑크족(Frank 族)을 격파, 이탈리아의 총독이 됨. [478?-568?]

나르시스 〔프 Narcisse〕 명 〖신〗 그리스 신화 중의 미소년(美少年). 에코(Echo)의 사랑에 응하지 않았기 때문에 네메시스(Nemesis)의 벌을 받아, 호수에 비치는 아름다운 제 모습에 도취한 듯 바라보다가, 빠져 죽어서 수선화(水仙花)가 되었다 함. 나르키소스(Narkissos).

나르시시스트 〔narcissist〕 명 자기 도취형의 사람. 잘난 체하는 사람.

나르시시즘 〔narcissism〕 명 〔그리스 신화의 미소년(美少年) 나르시스(Narcisse)에서 유래한 말〕 정신 분석학의 용어로, 자기의 신체에 성적(性的) 흥분을 느끼는 일종의 자기 색정(自己色情). 초기의 성적 발달의 한 단계임. 자기 도취·자의식 과잉(自意識過剩)의 상징으로서 문학적으로도 쓰임. 자기 도취증(自己陶醉症).

나르코틴 〔narcotine〕 명 알칼로이드의 일종. 아편(阿片) 속에 모르핀(morphine) 다음으로 많이 함유되어 있음. 방열제·진통제 등에 쓰임. [$C_{22}H_{23}O_7N$]

나르콜렙시 〔narcolepsy〕 명 〖의〗 발작적으로 참기 어려운 졸음과 탈력감(脫力感)이 오고, 깊은 수면 상태에 빠지는 것을 주증상으로 하는 질환. 수면 발작은 수 분 내지 수십 분에 그치고, 곧 자연 상태의 잠에서 깨었을 때와 같은 상태로 돌아옴. 다른 질환과 함께 오는 유사형도 있음. 수면 발작병.

나르키소스 〔그 Narkissos〕 명 〖신〗 나르시스.

나른-하다 형여불 ①몸이 고단하여 힘이 없다. 날연(苶然)하다. ＊날짝지근하다. ¶ 봄이 되니 몸이 ~. ②힘없이 보드랍다. <느른하다. 나른-히 부. ¶ ~ 맥이 풀려 오다.

나름 의명 명사나 동사 아래에 쓰이어, 그 됨됨이나 하기에 달림을 나타내는 말. ¶ 사람 ~/일 ~/할 ~/볼 ~/자기 ~의 해석.

나릅 명 소·말·개 같은 것의 네 살의 나이를 일컫는 말.

나릇 명 〔중세 : ᄂᆞᄅᆞᆺ〕 수레의 양쪽에 있는 긴 채.

나릇-걸이 명 멍에의 양 끝에 나릇을 거는 부분.

나릉 【羅綾】 명 능라(綾羅).

나리[1] 명 〔중세 : 나리〕 〖식〗 ①백합(百合). ②↗참나리.

나리[2] 명 〈옛·방〉 나루. 내. =ᄂᆞᄅᆞ. ¶ 正月ㅅ 나릿므른 아으 어져 녹져 ᄒᆞ논ᄃᆡ 《樂範 動動》.

나:리[3] 명 ①〖역〗 아랫사람이 당하관(堂下官)을 높이어 부르던 말. ②〖역〗 왕자(王子)에 대한 존칭. ③저보다 지체 높은 사람, 곧 권세 있는 사람을 높여 이르던 말. ¶ 군수 ~.

나리[4] 【那裏】 명 ①어느 곳. 나변(那邊). ②저 곳.

나리[5] 【棗梩】 명 들것.

나리[6] 부 〈방〉 내리[3].

나리-꽃[1] 명 〈방〉〖식〗 개나리꽃(충남·전라·경상·함남·평북).

나리-꽃[2] 명 〖식〗 나리의 꽃. 백합화(百合花).

나리다 자타 〈방〉 내리다[1].

나:리-마님 명 '나리[3]'의 존칭.

나리미 명 〈방〉〖어〗 나라미[1].

나리 분지 【羅里盆地】 명 〖지〗 경상 북도 울릉군 북면(北面) 나리동(羅里洞) 일대의 분지. 울릉도에서 유일한 분지임.

나립 【羅立】 명 벌이어 늘어섬. ——-하다 자여불

나릿가 명 〈방〉 나루[1](강원).

나릿것 명 〈방〉 나루[1].

나릿-나릿 부 ①하는 일이나 짓이 재지 못하고 더딘 모양. ②눈이나 사이가 죄어 있지 아니하고 성기거나 뜬 모양. 1)·2): <느릿느릿. ——-하다 형여불

나릿천 명 〈옛〉 나라의 천량. 나라의 재산. =나랏천. ¶ 나릿천 일버사 《月釋 Ⅰ:15》.

나릿-하다 [—리타—] 형여불 동작이 재지 못하고 좀 느린 듯하다. ＊느릿하다.

나마[1] 【奈麻】 명 〖역〗 신라 17관등(官等)의 열 한째 위계(位階). 나마에는 중(重)나마에서 칠중(七重) 나마까지 7계급이 있었음. 대나마(大奈麻)의 아래, 대사(大舍)의 위임. 오두품(五頭品)이 오름. 나말(奈末).

나마² 【喇嘛】 명 〖불교〗 라마(Lama).
나:마³ 【裸馬】 명 안장을 얹지 아니한 말.
나:마⁴ 【羅馬】 명 〖지〗 '로마(Roma)'의 음역(音譯).
나마⁵ 【蘿藦】 명 〖식〗 박주가리¹.
나마⁶ 의명 남짓.
나마⁷ 조 받침 없는 체언에 붙어, 만족하지 못함을 참고 아쉬운 대로 함을 나타내는 보조사. ¶ 너~ 훌륭하게 돼라. *이나마.
-나마 어미 받침 없는 용언의 어간(語幹)에 붙어, '-지만'의 뜻을 나타내는 연결 어미. ¶ 동냥은 못 주~ 쪽박을 깨지 마오/좋지 못하~ 받으시오. *-으나마.
나마가다 타 〈옛〉 넘어가다. ¶ 우룸 쏘리 증게 나마가며 王이 ᄐᆞ샤 나시면 《月釋 Ⅰ:28》. *남다².
나마-교¹ 【喇嘛教】 명 〖불교〗 라마교.
나마-교² 【羅馬教】 명 '로마교'의 음역.
나마-깨 명 〈방〉 나막신(충남·전라).
-나 마:나 구 받침 없는 어간에 붙어, '그것이거나 아니거나 매한가지'·'그렇게 하거나 아니하거나' 또는 '그리하거나 아니하거나 매한가지'의 뜻을 나타내는 말. ¶ 부자~ 돈을 쓸 데가 없으니/찬성이~ 첫째 투표권도 없다/보~. *-으나 마나.
나마니 【羅馬尼】 명 〖지〗 '루마니아'의 음역(音譯).
나마리 명 〈방〉 〖충〗 잠자리²(충북).
나마-승 【喇嘛僧】 명 〖불교〗 라마교의 중. 라마승.
나마-자 【蘿藦子】 명 〖식〗 새박¹.
나마지 명 〈방〉 나머지.
나막개 명 〈방〉 나막신(전라·경상·충청).
나막-신 명 〔근대 : 남악신(←나모+신)〕 앞뒤에 높은 굽이 있어, 진 땅에서 신게 된 나무로 파서 만든 신. 목극(木屐). 목리(木履). 목혜(木鞋).

〈나막신〉

[나막신 신고 대동선(大同船) 쫓아간다] 터무니없는 짓을 함에 이르는 말.
나:만¹ 【懶慢】 명 게으름. 태만함. ──하다 형 여불
나만² 【蘿蔓】 명 〖식〗 담쟁이덩굴.
나-만(:)갑 【羅萬甲】 명 〖사람〗 조선 인조(仁祖) 때의 명신. 자는 몽뢰(夢賚). 호는 구포(鷗浦). 나주(羅州) 사람. 병자 호란(丙子胡亂) 때의 공조 참의(工曹參議)로서, 남한산성(南漢山城)에서 농성할 때 부족한 식량을 절도 있게 배급하여 명성이 높음. [1592-1642]
나말¹ 명 〈방〉 나무람(전남).
나:말² 【奈末】 명 〖역〗 나마(奈麻).
나망 【羅網】 명 ①새를 잡는 그물. ②〖불교〗 보주(寶珠)를 엮어서 만들어, 불전(佛前)을 장식한 그물.
나망지-조 【羅網之鳥】 명 그물에 걸린 새의 뜻으로, 조심하지 않아 실패하고 나서 후회하여도 소용없다는 말.
나:맥 【裸麥】 명 쌀보리.
나머지 명 〔근대 : 남아지('남다'의 파생 명사)〕 ①어떠한 한도에 차고 남은 부분. 서여(緖餘). 여분. 잉여. ¶ ~ 물건. ②마치지 못한 부분. ¶ ~ 일은 내일 합시다. ③어떤 일의 결과. ¶ 호사를 극한 ~/감격한 ~ 흐느껴 울다. ④〖수〗 나눗셈에서, 나누어 뚝 떨어지지 않고 남는 수. 잉여. *우수리.
나머지 정:리 【─定理】 [─니] 명 〖수〗 x의 정식(整式) $f(x)$를 일차식 $x-a$로 나누었을 때의 나머지는 $f(a)$와 같다는 정리. 특히, $f(a)=0$이면 $f(x)$는 $x-a$를 인수(因數)로 가짐. 잉여(剩餘) 정리.
나:면 【懶眠】 명 게을러 잠. 타면(惰眠). ──하다 자 여불
나모¹ 명 〈옛〉 나무¹. 단독으로 쓰이거나, '와'·'도' 등 조사 앞에 쓰임. ¶ 나모 목(木), 나모 슈(樹) 《字會 下 3》. *낢.
나모² 【螺毛】 명 〖불교〗 석가 여래의 삼십 이 상호(三十二相好)의 한 가지. 머리털이 나상(螺狀)으로 꼬불꼬불함을 말함. 나발(螺髮).
나모격지 명 〈옛〉 나막신. ¶ 나모격지(木屐) 《四聲 下 48》.
나모께 명 〈방〉 나막신(충청).
나모믿 명 〈옛〉 나무밑동. ¶ 나모믿 듀(株) 《類合 下 50》.
나모뷔다 자 〈옛〉 나무 베다. 나무하다. ¶ 나모뷜 쵸(樵) 《字會 中 2》.
나모빨기 명 〈옛〉 나무딸기. 고무딸기. =나모뿔기. ¶ 나모빨기(覆盆子) 《湯液 卷二》. 「《方藥 41》.
나모뿔기 명 〈옛〉 나무딸기. 고무딸기. =나모빨기. ¶ 나모뿔기(覆盆子)
나모쥬게 명 〈옛〉 나무 주걱. =나모죽. ¶ 나모쥬게(榪杓) 《朴解 中 11》.
나모죽 명 〈옛〉 나무 주걱. =나모쥬게. ¶ 나모 쥭작(杓) 《字會 中 19》.
나-목 【羅牧】 명 〖사람〗 중국 청(淸)나라 초기의 화가. 자는 반우(飯牛). 장시성(江西省) 닝도(寧都) 사람으로, 황자구(黃子久)와 동기창(董其昌)의 중간 화파(畫派)인 강서파(江西派)를 창시, 해서(楷書)를 잘 썼고, 제다(製茶)에도 조예가 깊었음. 나반우(羅飯牛). [1622-?]
나목-신 명 〈방〉 나막신(전북·함남).
나 몰라라 구 '나 몰라라고'의 뜻. ¶ ~ 방관할 수 없다.
나못근 명 〈옛〉 나무 끝. ¶ 나못근 표(標) 《類合 下 38》/나못근 쵸(杪) 《類合 下 57》.
나무¹ 명 〔중세 : 나모〕 ①〖식〗 줄기나 가지가 목질로 된 다년생 식물. 관목과 교목(喬木)의 총칭. ②집을 짓거나 물건을 만드는 데 쓰는 재목. ③ ↗땔나무.
[나무는 큰 나무 덕을 못 보아도 사람은 큰 사람의 덕을 본다] ㉠큰 사람한테서는 역시 음으로나 양으로나 덕을 입게 된다는 말. ㉡남의 혜택을 입어 성공하였을 때 쓰는 말. [나무도 달라서 층암 절벽(層岩絕壁)에 선다] 어떠한 생각이 있어서 남을 의지함을 가리키는 말. [나무 도둑과 숟가락 도둑은 간 곳마다 있다] 남의 산의 나무를 베는 일이나, 큰일 때 숟가락 없어지는 일은 항용 있는 일이라는 말. [나무도 쓸 만한 것이 먼저 베인다] '곧은 나무 먼저 베인다'와 같은 뜻. [나무도 크게 자라야 소를 맬 수 있다] 완전해야만 쓸모가 있다는 말. [나무 뚝배기 쇠양푼 될까] 바탕이 나쁜 자가 훌륭하게 변할 수 없다는 말. [나무에도 못 대고 돌에도 못 댄다] 의뢰할 곳이 없음을 가리키는 말. [나무에 오르라 하고 흔드는 격] 일부러 남을 위험한 곳이나 불행한 경지에 빠지게 함을 이르는 말. [나무에 잘 오르는 놈이 떨어져 죽고 헤엄 잘 치는 놈이 빠져 죽는다] 사람이 흔히 그 재주에 죽는다는 말.
나무 끝에 새:같다 구 오래 머물러 있지 못할 위태위태한 자리나 상태에 있다.
나무(를) 하다 구 산에나 들에 가서 땔나무를 장만하다.
나무² 【†南無】 명 〔범 Namas:돌아가 의지함의 뜻〕 〖불교〗 부처나 경문(經文) 이름의 앞에 붙이어, 절대적인 믿음을 표시하는 말. ¶ ~ 아미타불/~ 삼보(三寶).
나무-가래 명 〈방〉 넉가래.
나무-가위 명 나뭇가지를 자르는 데 쓰는 큰 가위. 전정(剪定) 가위.
나무 거울 명 외양은 그럴 듯하나, 실제로는 아무 소용도 없는 사람이나 물건을 가리키는 말.
나무-거죽 명 〖건〗 나무겉.
나무-겉 명 〖건〗 널빤지의 양면(兩面) 중, 나무 껍질에 가까운 쪽의 면(面). 나무거죽. ↔나무속.
나무 공이 명 나무로 만든 공이.
[나무 공이 등 맞춘 것 같다] 서로 상반(相反)됨을 이르는 말.
나무 괭이 명 나무로 만든 괭이.
나무-굼벵이 명 〖충〗 하늘솟과에 속하는 유충의 총칭. 나무에 기생하는 하늘소가 나무 속에 알을 깐 것인데, 몸이 굼벵이 비슷하나 좀 가늘고, 주둥이가 단단하여 나무 속을 파먹어 들어가면서 삶. 그 기생하는 식물의 종류에 따라, 뽕나무굼벵이·사과나무굼벵이·포도나무굼벵이 등으로 구분함. 한약재(韓藥材)로 쓰이는 것이 많음. 구절충(九節蟲). 목두충(木蠹蟲). 추제(蝤蠐).
나무 귀명 정례 【†南無歸命頂禮】 [─네] 명 〖불교〗 〔'나무(南無)'라고 외면서 부처의 발에 머리를 대고 예배한다는 뜻〕 신명(身命)을 바치어 부처 또는 보살에 귀의함을 표시하는 말.
나무 귀:신 【─鬼神】 명 나무에 붙어 있다는 귀신. 목신(木神).
나무 그릇 명 나무로 만든 그릇. 목기(木器).
나무그림자-점 【─占】 명 〖민〗 목영 점년(木影占年).
나무-깨 명 〈방〉 나막신(충청·전북·경남).
나무-깽이 명 나뭇가지의 짤막한 토막.
나무-껍질 명 나무의 껍질. 수피(樹皮).
나무-꾼 명 산이나 들에 나가 땔나무를 하는 사람. 목객(木客). 초군(樵軍). 초부(樵夫). 초인(樵人). 초자(樵子).
나무꾼과 선녀 【─仙女】 명 〖민〗 한 나무꾼이 사슴의 은혜 갚음으로 맺게 된 선녀와의 이야기를 내용으로 하는 설화(說話).
나무꾼 소리 명 〖악〗 나무꾼들이 나무하면서 부르는 노래. 초부가(樵夫歌).
나무-높이 명 수고(樹高).
나무-눈 명 나뭇가지에 싹이 나는 보풀보풀한 부분.
나무눈-하늘나방 명 〖충〗 [*Dicranura vinula*] 하늘나방과에 속하는 곤충. 편 날개의 길이 55-70mm이고 몸빛은 회백색이며, 앞날개 기반부(基半部)에는 흑색 반점(斑點)으로 된 횡선(橫線)이 몇 개 있고, 외반부(外半部)의 각 시맥(翅脈) 사이에 나무눈 모양 또는 파상(波狀)의 흑색 줄이 둘 있음. 유충은 버드나무·황철나무 등의 잎의 해충으로, 한국·일본·시베리아·유럽에 분포함.

〈나무눈하늘나방〉

나무-늘보 명 〖동〗 [*Choloepus didactylus*] 나무늘봇과에 속하는 짐승의 하나. 원숭이와 비슷한데, 두동(頭胴)의 길이 70cm 가량이고, 온 몸에 녹갈색의 털이 있고 머리는 둥글며, 주둥이가 뭉뚝하고 목은 짧으며 경추(頸椎)는 일곱 개임. 몸통은 비교적 가늘고 꼬리는 겉에서는 보이지 않음. 네 다리는 길고 그 끝에 푸른 회색의 낫 모양의 큰 발톱이 있는데, 앞다리의 발가락은 두 개, 뒷다리의 것은 세 개임. 이는 수가 적고 불완전함. 열대의 밀림 속에서 흔히 나무에 매달려, 나뭇잎·과실을 따먹으며 사는데 동작이 매우 느림. 남미(南美)에 분포함.

〈나무늘보〉

나무늘봇-과 【─科】 명 〖동〗 [Bradypodidae] 척추 동물(脊椎動物) 빈치류(貧齒類)에 속하는 한 과. 사지(四肢)는 길고 발가락이 전지(前肢)에 두 세 개, 후지(後肢)에 세 개 있고 경추(頸椎)는 6-9 개 있음. 이는 윗니가 다섯 쌍, 아랫니가 네 쌍 있으나 법랑질이 없음. 한배에 한 마리의 새끼를 낳으며, 몸빛은 보호색임. 남아메리카에 2 속(屬) 수종(數種)이 분포함.
나무 다리¹ 명 나무로 놓은 다리. 목교(木橋).
나무 다리² 명 다리를 잘린 불구자의 다리에, 나무로 만들어 대어, 이것에 의지해서 걸어다니도록 된 물건. *의족(義足).
나무 달굿대 명 나무로 만든 달굿대. 목저(木杵).
나무-도시락 명 매우 얇게 켠 널을 접어 만든 도시락.
나무-딸기 명 〖식〗 ①[*Rubus idaeus*] 장미과에 속하는 낙엽 활엽의 관목. 가시가 밀생하고, 잎은 3-5 개가 복생함. 여름에 백색의 꽃이 산방(繖房) 화서로 핌. 과실군(果實群)은 구형이며 털이 많고, 가을에 빨갛게 익음. 산이나 들 및 화전 지대에 흔히 남. 과실은 식용. 경북·황해·평남·함남·함북 및 일본·만주·아무르·사할린에 분포함. ②나무에서 나는 딸기의 총칭. ③〈방〉 고무딸기.

〈나무딸기❶〉

나무-때기 명 조그마한 나뭇조각.
[나무때기 시집 보낸 것 같다] 미련하고 시원치 아니하여서, 무슨 일을

맡겨도 제대로 하지 못한다는 말.

나무-떡데기 명 〈방〉 〖조〗 딱따구리(경상).

나무라다 타 〔중세 : 나므라다〕 ①잘못함을 가볍게 꾸짖어 알아듣도록 말하다. ¶ 아들의 잘못을 ~. ②흠을 지적하여 말하다. ¶ 나무랄 데 없는 인물/나무랄 데 없는 작품.

나무람 명 나무라는 말. 나무라는 일. 초책(誚責). ——-하다 타여불

나무래다 타 ☞ 나무라다.

나무리다 타 〈방〉 나무라다(함경·경기).

나무 막대기 명 나무로 된 막대기.

나무 말미 명 오랜 장마가 잠깐 개어, 풋나무를 말릴 만한 겨를.

나무-모 명 모로 쓸 나무. 묘목(苗木).

나무모-밭 명 묘목(苗木)을 심은 밭. *묘포(苗圃).

나무목-변 【一木邊】 명 한자 부수(部首)의 하나. '東'이나 '梅' 등의 '木'의 이름.

나무-못 명 나무로 만든 못. 목정(木釘).

나무밑쑤시깃-과 【一科】 명 〖충〗 [Nitidulidae] 딱정벌레목(目)에 속하는 한 과. 몸은 미소(微小) 내지 소형(小形)임. 보통 시초(翅鞘)는 짧고 복부 말단 2절은 나출(裸出)하였으며, 촉각은 짧고 11절이며 곤봉상(棍棒狀)임. 부절(跗節)은 4-5 절, 복부는 5 절임. 성충과 유충이 모두 썩은 것을 파먹으며, 과실·곡물·개미집·고목의 나무 껍질 속 등에 서식함. 전세계에 2,500여 종이 분포함.

나무-발바리 명 〖조〗 [*Certhia familiaris orientalis*] 나무발바릿과에 속하는 새. 날개 길이 65 mm, 꽁지 63 mm, 부리 14 mm 가량임. 등은 엷은 회갈색에 희읍스름한 세로줄의 무늬가 있고, 허리는 엷은 연피색(軟皮色)을 띠고, 꽁지는 안팎이 빳빳하며 끝이 뾰족함. 3-5월에 너덧 개의 알을 낳음. 나무에 잘 기어다니면서, 벌레를 잡아먹는 익조(益鳥)임. 유럽·아시아·북아메리카 등지에 분포하는데, 작고 아름다우므로 가정에서도 기름.

〈나무발바리〉

나무발바릿-과 【一科】 명 〖조〗 [Certhiidae] 참새목(目)에 속(屬)하는 한 과. 소형의 조류로서 배면(背面)은 대체로 갈색·적갈색·백색 등의 세반(細斑)으로 되고, 하면은 백색임. 숲 속에서 곤충·거미 등을 잡아먹음. 번식기에는 나무의 갈라진 틈에 둥지를 짓고, 한배에 백색 알을 5-9개 낳음. 남아메리카·뉴질랜드·마다가스카르를 제외한 전세계에 30여 종이 분포함.

나무-배 명 나무로 만든 배. 목선(木船).

나무벌-과 【一科】 [一꽈] 명 〖충〗 [Caphidae] 벌목(目)에 속하는 곤충의 한 과. 몸은 가늘고 길며, 흑색 바탕에 노란 대문(帶紋)과 그 외의 반문이 있음. 두부는 크고 촉각은 선상(線狀)이며, 전흉배판(前胸背板)은 길고 복부는 다소 한쪽으로 치우쳤음. 알은 주로 화본과(禾本科) 식물의 초류(草類) 또는 관목·교목 속에 낳음. 검정나무벌 등이 이에 속함.

나무 부처 명 〖불교〗 나무로 만든 부처.

나무 뿌리 명 나무의 뿌리. 목근(木根).

나무 삼보 【†南無三寶】 명 〖불교〗 불(佛)·법(法)·승(僧)의 삼보에 귀의(歸依)하는 일.

나무 상자 【一箱子】 명 나무로 만든 상자. 목상자(木箱子).

나무-새[1] 명 여러 가지 땔나무의 총칭.

나무-새[2] 명 나무숲.

나무새[3] 명 〈방〉 ①남새[1]. ②남우세.

나무-생쥐 명 〖동〗 [*Mus takagii*] 쥣과에 속하는 들쥐의 한 종류. 몸은 작고 나무에 잘 오르며, 물에서 헤엄을 잘 치는 특성이 있음. 한국의 특산(特產)임.

나무-속 명 ①나무를 가로 잘랐을 때, 그 자른 면(面)의 중심부에 있는 연하고 보풀보풀한 부분. ②널빤지의 양쪽 면(面) 중, 나무의 중심부에 가까운 쪽. ↔나무겉.

나무-쇠시랑 명 〈방〉 발고무래.

나무쇠-싸움 명 〖민〗 주로, 경상도·함경도 지방에서 상원(上元)날 또는 입춘(立春)날에 행하던, 농경 의례적(農耕儀禮的)인 놀이의 하나. 동네 장정들이 동서(東西) 두 진영(陣營)으로 편을 갈라, 각각 나무로 만든 소를 가지고 출진(出陣)하여 싸워서, 승부를 가리는 놀이. 경상 남도 영산(靈山)에서는 지금도 행하여짐. 쇠머리대기.

나무-숲 명 나무가 우거진 숲. 나무새.

나무-시집보내기 명 〖민〗 가수(嫁樹).

나무-신 명 〈방〉 나막신(함경·전라·경상·충청·황해).

나무쑤시깃-과 【一科】 명 〖충〗 [Helotidae] 딱정벌레목(目)에 속하는 한 과. 몸은 대체로 납작하고 타원형임. 촉각(觸角)은 짧고 3-4절이며 구간상(球桿狀)이고 부절(跗節)은 모두 5절임. 각 시초(翅鞘)에는 두 개의 백색 또는 황색의 납질(臘質) 얼룩무늬가 있음. 인도·말레이·동부 아프리카·아시아 등지에 80여 종이 분포함.

나무 아미타 【†南無阿彌陀】 명 〖불교〗 ↗나무 아미타불.

나무 아미타불 【†南無阿彌陀佛】 명 〔범 namo' mitāyusebuddhāya〕 ①〖불교〗 아미타불에 귀의(歸依)한다는 뜻으로, 염불(念佛)하는 소리. 준나무 아미타. ②공들여 해 놓은 일이 허사가 됨을 이르는 말. ¶ 십년 공부 ~.

나무-잔 【一盞】 명 나무로 만든 잔. 목배(木杯).

나무 장수 명 땔나무를 파는 것으로 업을 삼는 사람.

나무 접시 명 나무로 만든 접시.

【나무 접시 놋접시 될까】 도저히 좋게 변할 수 없는 일이나 사람을 이르는 말.

나무 젓가락 명 나무로 만든 젓가락. 목저(木箸).

나무 조롱 명 〖민〗 나무를 파서 만들거나 박으로 만든 조롱. 여름에 더위가 심할 때나 병이 났을 때 만들어, 청색·홍색·황색을 칠한 것 세 개를 색실로 꿰어 허리에 차고 다니다가 정월 열나흗날 밤에 떼어 돈 한 푼을 매어서 길가에 버리면 일년 동안 액을 면하게 되고, 그 조롱을 주워 간 사람이 액을 물려받아 가게 된다고 함. 목호로(木胡盧).

나무-좀 명 〖충〗 ①나무좀과에 속하는 곤충의 총칭. ②나무에 붙어 사는 나무굼벵이·가루좀 등의 총칭. 준좀.

나무좀-과 【一科】 [一꽈] 명 〖충〗 [Ipidae] 딱정벌레목(目)에 속하는 한 과. 몸은 미소(微小) 내지 소형의 원통형이며, 머리는 둥근데 평시에는 앞가슴에 감추어 둠. 촉각은 11-22절이고 말단의 3-4절은 구간상(球桿狀)으로 됨. 부절(跗節)은 5절이고 복판(腹板)은 5-6절임. 유충·성충이 모두 수목 속에 서식하는, 산림의 해충으로는 가장 대표적인 것이며, 전세계에 1,200여 종이 분포함. 섬나무좀·개나무좀 등이 이에 속함.

나무 주걱 명 나무로 만든 주걱.

나무 주추 명 나무로 놓은 주추. 목주초(木柱礎).

나무 줄기 명 목경(木莖).

나무 지저귀 명 깎아 낸 나무의 부스러기.

나무-진디 명 〖충〗 나무진딧과에 속하는 곤충의 총칭. 나무의 종류에 따라 많은 종류가 있는데, 나무의 가지나 잎에 엉기어 붙어서 진을 빨아먹는 해충임. 목슬(木蝨).

나무진딧-과 【一科】 명 〖충〗 [Psyllidae] 매미목(目)에 속하는 한 과.

나무-질[1] 명 〈방〉 소로(小路)(강원·전북·경상).

나무-질[2] 【一質】 명 〖식〗 나무의 살을 이룬 물질. 목질(木質).

나무질-뿌리 【一質一】 명 〖식〗 많은 나무질을 포함한 단단한 나무 뿌리. 목질근(木質根).

나무-집 명 담배통이나 물부리 또는 물미 같은 것에 나무나 설대를 맞추어 끼는 곳.

나무 집게 명 나무로 만든 집게. 화학 실험용 기구로 쓰임.

나무-쪽 명 나무의 조각.

나무-칼 명 ①나무로 만든 칼. ②나무로 칼 모양으로 만든 물건.

【나무칼로 귀를 베어도 모르겠다】 어떠한 일에 몹시 골몰하여 여념(餘念)이 없음을 이르는 말.

나무-캥거루: 〔kangaroo〕 명 〖동〗 [*Dendrolagus ursinus*] 캥거루의 한 종류. 뉴기니의 산림에 사는데, 몸길이 53 cm, 꼬리 길이 59 cm. 앞뒤의 발 길이는 거의 같고 발톱은 날카로움. 나무 위에서의 동작은 민첩하고 18 m 높이에서도 내리뜀. 네 다리는 검은 빛에 가깝고, 꼬리는 진한 흑색, 얼굴은 대백색(帶白色)임. 나무 열매·잎·고사리 등을 먹음.

나무 타:르 명 〔wood tar〕 〖화〗 나무를 건류하여 얻은, 흑색 또는 갈색의 진득진득한 타르. 성분은 아세트산(酸)·알코올·페놀·물·중유·나무피치(pitch) 등임. 연료·도료로 이용되며, 또 정제하여 약용 크레오소트 등을 얻음. 목(木)타르. 우드 타르.

나무 토막 명 나무의 토막.

나무-통 【一桶】 명 나무로 만든 통. 목통(木桶).

나무-틀 명 ①나무로 만든 틀. ②나무로 된 기계.

나무 판자 【一板子】 명 널빤지. 판자.

나무-패 【一牌】 명 나무를 깎아서 만든 패.

나무-호박 명 〈방〉 절구(함경).

나무 흙손 [一흑一] 명 나무로 만든 흙손.

나묵-대기 명 〈방〉 나무때기.

나묵-신 명 〈방〉 나막신(경상·전라·함경·충북).

나:문[1] 【拿問】 명 죄인을 잡아다가 죄상(罪狀)을 신문함. ——-하다 타여불

나문[2] 【羅紋】 명 얇은 비단의 무늬.

나문-재 명 〖식〗 [*Suaeda glauca*] 명아줏과에 속하는 일년초. 줄기는 원추형이고 높이는 약 1 m에 달함. 잎은 호생하고 다수 밀생했으며, 수선형(瘦線形)임. 7-8월에 녹황색의 꽃이, 가지 끝의 잎 사이에 한두 개씩 피고, 과실은 포과(胞果)임. 해변의 모래땅에 나는데, 제주·경기·황해·평남 등지에 분포함. 어린 잎은 식용함.

〈나문재〉

나문-재기 명 〈방〉 〖식〗 나문재.

나문재 나물 명 나문재의 연한 잎을 데쳐서 양념에 무친 나물.

나물[1] 명 〔중세 : ᄂᆞᄆᆞᆶ〕 ①먹을 수 있는 풀이나 나뭇잎의 총칭. 또, 그것을 조미(調味)하여 무친 반찬. ②채소 또는 잘게 썬 오이·호박 들을 조미하여 무친 반찬. ¶ 오이 ~/무 ~.

나물[2] 명 〈방〉 나무람(전남).

나물-국 [一꾹] 명 나물을 넣고 끓인 국.

나물-밥 명 나물을 섞어서 지은 밥. 돈채반(頓菜飯).

나물-발 명 〈방〉 남새밭(함경).

【나물밭에 똥 한번 눈 개는 장 저 개 저 개 한다】 나물밭에 어쩌다 한번 똥 눈 개는 늘 저 개 저 개 하고 지목(指目)을 받는다는 뜻이니, 한번 실수하면 늘 남의 의심을 받게 된다는 말.

나물 범벅 명 곡식을 가루로 한 것에, 나물을 넣어서 풀처럼 쑨 음식.

나뭇 의명 ☞ 남짓. ¶ 맨 나중에 뽑히고 또 뽑힌 낭도는 스무 ~에 불과하였다《玄鎭健 : 無影塔》.

나뭇-가지 명 나무의 가지.

나뭇-간 【一間】 명 땔나무를 쌓아 두는 곳간.

나뭇-갓 명 나무를 기르고 가꾸는 말림갓. 시장(柴場).

나뭇-개비 명 나무의 가늘고 길게 쪼개진 조각.

나뭇-결 명 목재(木材)의 종단면(縱斷面)에 연륜(年輪)·섬유(纖維)·도관(導管) 들의 배열에 의하여 나타난 무늬. 목리(木理). 목성(木性).

나뭇-고갱이 명 나무 줄기 속에 박힌 심. 목심(木心). 수심(樹心).

나뭇-광 명 땔나무를 쌓아 두는 광.

나뭇-길 명 나무꾼들이 다니는 좁은 산길. 초경(樵逕). 초로(樵路).

나뭇-단 명 단으로 묶어 놓은 땔나무.

나뭇-더미 명 나무를 많이 쌓아서 가려 놓은 더미.

나뭇-동 명 나무를 큼직하게 묶어 놓은 덩이.

나뭇-등걸 명 줄기를 베어낸 나무의 밑동.

나뭇-바리 [명] 마소에 실은, 나무의 짐바리.
나뭇-잎 [—닙] [명] 나무의 잎.
나뭇-재 [명] 나무를 태운 재. 목회(木灰).
나뭇-조각 [명] 나무를 작게 쪼갠 조각.
나뭇-진 【—津】 [명] 수지(樹脂).
나뭇-질 [명] 〈방〉 소로(小路)(강원·전북·경상).
나뭇-짐 [명] 나무를 짊은 짐.
나므라다 [타] 〈옛〉 나무라다. 책망하다. =나므라다. ¶이 활을 네 또 간대로 흔나므라다(這弓你却是胡駁彈)≪老乞 下 28≫.
나:미 【糯米】 [명] 찹쌀.
나:미-반 【糯米飯】 [명] 찹쌀밥.
나미비아 〔Namibia〕 [명] 〖지〗 구(舊)독일령(領) '서남(西南) 아프리카'의 새로운 호칭. 아프리카 남쪽, 대서양 연안에 위치하고 있음. 1920년, 남(南)아프리카의 위임 통치령(委任統治領). 1966년 국제 연합(國際聯合)에 의하여 '나미비아'라고 개명(改名)되었고, 1990년 공화국으로 독립함. 건조 대지(乾燥臺地)로, 다이아몬드·납·구리·철광(鐵鑛) 등을 풍부하게 산출하며, 목축을 함. 수도는 빈트후크(Windhoek). [825,118 km²: 1,540,000명(1995 추계)]
나므 [명] 〈옛〉 나머지. ¶나므 다른 연괴 업수면(餘無他故) ≪無寃錄 Ⅲ:33≫. 「라거니와≪月釋 XXI:39≫.
나므라다 [타] 〈옛〉 나무라다. 책망하다. =나므라다. ¶三寶를 허러 나므
나므티다 [타] 〈옛〉 넘어뜨려 치다. 쳐 넘어뜨리다. ¶太子는 호오사象을 나므티며 바드시고 ≪月印 上 15≫.
나바:라 〔Navarra〕 [명] 〖지〗 〔구릉(丘陵)에 숨겨진 분지의 뜻〕 스페인의 동북 피레네 산맥의 기슭 지방. 구릉 지대는 숲·목장을 이루며, 저지(低地)에서는 곡물과 과실을 산출함. [10,422km²: 522,500명(1986)]
나바:라 왕국 【—王國】 〔Navarra〕 [명] 〖역〗 이베리아 반도(Iberia半島) 북쪽, 스페인과 프랑스에 걸친 중세의 소(小)왕국. 905년 건국(建國). 1076년 아라곤(Aragon)에 병합되었다가 1134년에 독립함. 스페인 쪽은 1512년 카스티아(Castilla)의 페르난도 5세(Fernando V)에 빼앗겼으나, 프랑스 쪽은 부르봉 왕조의 창립 때까지 존속되었음. 1593년, 프랑스에 병합되었음.
나바리:논 해:전 【—海戰】 〔Navarinon〕 [명] 〖역〗 그리스 독립 전쟁 중인 1827년, 영국·러시아·프랑스의 함대가 그리스를 포위한 터키·이집트 함대를 펠로폰네소스(Peloponnesos) 반도 남서쪽의 나바리논의 앞바다에서 격파한 해전. 이로써 터키는 그리스의 독립을 승인하였음.
나바호:-족 【—族】 〔Navajo〕 [명] 미국의 뉴멕시코·애리조나·유타 주(州)에 분포하는 아메리카 인디언의 한 종족. 미국 안에서는 최대의 종족으로 3개 주 안의 보호지(保護地)에 약 7만 명이 살고 있으며, 그 밖에 총인원 약 9만 명(1960년)이 있음. 은세공(銀細工)에 뛰어나고 이토(泥土)와 목제(木製) 있고, 오두막에서 생활함. 60개의 모계 씨족(母系氏族)으로 구성되어 있고, 여러 가지 민속 무용(民俗舞踊)을 갖고 있음. 나바호족(Navaho族).
나:박 【懦薄】 [명] 마음이 약하고 덕이 박함. ——-하다 [형][여불]
나박-김치 [명] ①무를 얇고 네모지게 썰어서 절인 뒤에, 고추·파·마늘·미나리 들을 넣고 국물을 부어, 익힌 김치. 나복저(蘿菖菹). ②〈방〉깍두기(경북).
나박-신 [명] 〈방〉 나막신(경기·강원·전남·경상).
나박지¹ [명] 〈방〉 〖충〗 나비(평안).
나박지² [명] 〈방〉 나배기(평안).
나-반우 【羅飯牛】 [명] 〖사람〗 '나목(羅牧)'을 자(字)로 일컫는 말.
나반 존자 【那畔尊者】 [명] 〖불교〗 옛날 존자. 천태산(天台山)에서 혼자 도를 닦아 연각(緣覺)에 이르렀으므로, 세상에서 '독성(獨聖)'이라 칭함. 독성각(獨聖閣)에 모심.
나발¹ 【喇叭】 [명] 〔←나팔〕 〖악〗 옛날 국악기의 한 가지. 쇠붙이로 긴 대롱같이 만들되, 위가 빨고 끝이 퍼지게 되었음. 군중(軍中)에서 호령이나 신호하는 데 씀. 나팔(喇叭). 태평소(太平簫). *대각(大角)·천아성(天鵝聲).

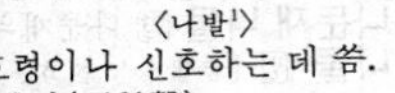

〈나발¹〉

나발(을) 불:다 [구] '나팔(을) 불다'를 가볍게 이르는 말. *나팔.
나발² 【螺髮】 [명] 〖불교〗 나상(螺狀)으로 된 부처의 두발(頭髮). 나계(螺髻). 나모(螺毛).
「라ㅡ] [부]. ——-하다 [자][여불]
나발-거리다 [자] 〈속〉 말을 가볍고 수다스럽게 지껄이다. 나발-나발 [ㅡ
나발-꽃 [명] 〖식〗 ☞ 나팔꽃.
나발-대 [—때] [명] ①나발의 몸체. ②돼지의 입과 코가 달린 부리.
나발-대다 [자] 나발거리다.
나발-도 【羅發島】 [—또] [명] 〖지〗 전라 남도의 남해상(南海上), 여수시(麗水市) 남면(南面) 두라리(斗羅里)에 위치한 섬. [0.12 km²]
나발-수 【—手】 [명] 〖역〗 취타수(吹打手)의 하나. 군중(軍中)에서 나발을 부는 사람.
나발-충 【喇叭蟲】 [명] 〖동〗 나팔벌레.
나:밤 〔nabam〕 [명] 〔disodium ethylene-bis-dithiocarbamate〕 〖화〗 농업용 살균제의 하나. 백색 결정으로, 보리·감자의 역병(疫病), 오이의 탄저병(炭疽病) 등의 병독 방제(病毒防除)에 사용함.
나방 [명] 〖충〗 ①나비목(目) 나방 아목(亞目)에 속하는 곤충의 총칭. 나비와 비슷한데, 몸이 비대하고 촉각이 사상(絲狀)·우상(羽狀)·빗·톱 모양이며, 대개 야간 활동성이고, 정지할 때는 비스듬하거나 수평으로 날개를 편 채 쉬는 것 등이 다름. 유충은 털이 났으며 대부분 식물의 잎·줄기 등을 갉아먹어, 농업·임업·채소 등의 해충이나, 누에나방 등은 익충임. 고치를 만들고 완전 변태를 함. 전세계에 수만 종이 있는데, 170여 과(科)로 분류됨. ②나비.

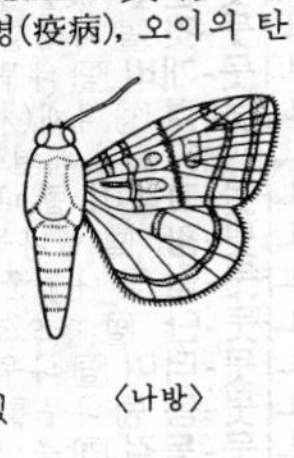

〈나방〉

나방-꾐 등 【—燈】 [명] 유아등(誘蛾燈).
나방-내기 [명] 〖충〗 발아(發蛾).
나방살이-맵시벌 [명] 〖충〗 [*Amblyteles vadatorium*] 맵시벌과에 속하는 벌의 하나. 암컷은 몸의 길이 14mm 가량이고, 머리와 흉부는 흑색이며, 소순판(小楯板)은 황색임. 제2·3 복절(腹節) 및 기부를 제외한 부분은 황적색이고, 제3 복절의 기부와 제1 복절 그리고 제4 복절 이하는 흑색이며, 후연(後緣)은 백황색임. 한국·일본에 분포함. 순무밤나방의 유충에 기생함.

〈나방살이맵시벌〉

나방 아목 【—亞目】 [명] 〖충〗 [Heterocera] 나비목(目)에 속하는 한 아목. 아류(蛾類). *나방.
나방이 [명] 〖충〗 ①나방. ②나비.
나방-파리 [명] 〖충〗 [*Psychoda alternata*] 나방파릿과에 속하는 곤충. 몸의 길이는 1.5-2mm임. 빛은 회갈색이며, 회색의 긴 강모(剛毛)가 밀생(密生)함. 날개의 외형은 방추형(紡錘形)이며 선단이 뾰족하고 빛은 회백색인데, 반투명(半透明)임. 각 시맥(翅脈)에도 회색 강모가 났음. 시맥 말단부에는 예닐곱 개의 흑색 반문이 있음. 한국·일본·유럽 등지에 분포함.
나방파릿-과 【—科】 [명] 〖충〗 [Psychodidae] 파리목(目)에 속(屬)하는 한 과. 크기는 보통이고, 털과 인모(鱗毛)로 덮여 있음. 갈색 날개에 반문이 있는 종류도 있음. 단안(單眼)은 없고 촉각은 12-16 절이고, 윤모(輪毛)가 있음. 복부는 6-8 절이며 원통상임. 수서성(水棲性)의 종류는 가슴에 흡반(吸盤)이 있는 종류도 있음. 습기 많은 곳에 서식하는데, 전세계에 300여 종이 분포함.
나배¹ 【螺杯】 [명] 앵무조개 껍데기로 만든 술잔.
나배² 【羅拜】 [명] 여럿이 늘어서서 함께 절함. ——-하다 [자][여불]
나-배기 [명] ↗나이배기.
나배-도 【羅拜島】 [명] 〖지〗 전라 남도(全羅南道)의 서남해상(西南海上), 진도군(珍島郡) 조도면(鳥島面) 나배도리(羅拜島里)를 이루는 섬. [1.44 km²: 314명(1984)]
나-백다록 【羅伯多祿】 [명] 〖사람〗 '모방(Maubant)'의 한국식 이름.
나뱃뱃-이 [부] 나뱃뱃하게. <녀벳벳이.
나뱃뱃-하다 [형][여불] 작은 얼굴이 나부죽하고 덕이 있어 보이다. <녀벳벳하다.
나뱅이 [명] 〈방〉 〖충〗 ①나비(경상·경기·강원). ②나방.
나-번득이다 [자] 제 체하고 함부로 덤비다. ¶포교놈들 나번득이게 될 것은 정한 일인데…. 「에 있는지.
나벵이 [명] 〈방〉 〖충〗 나비(경북).
나변 【那邊】 [명] ①그 곳. 거기. ②어느 곳. 어디. 나리(那裏). ¶이유가 ～
나볃나볃디 [부] 〈옛〉 나붓나붓이. ¶나볃나볃디 사ᄒᆞ라(切作片子) ≪救簡 Ⅰ:8≫.
나볏-이 [부] 나볏하게. <녀볏이.
나볏-하다 [형][여불] 매우 떳떳하고 의젓하다. <녀볏하다.
나:병¹ 【糯餠】 [명] 찰떡.
나:병² 【癩病】 [명] 〖의〗 문둥병. 한센병(Hansen病). 개라(疥癩).
나:병 요양소 【癩病療養所】 [명] 나병 환자의 구호와 요양을 목적하여, 국가에서 세운 의료 기관. 나요양소.
나:-병원 【癩病院】 [명] ①나환자를 위한 의료 시설. ②↗국립 나병원.
나:병-자 【癩病者】 [명] 문둥이.
나:병-환 【癩病患】 [명] ↗나병 환자.
나:병 환:자 【癩病患者】 [명] 나병에 걸린 사람. 문둥이. [준]나병환.
나보코프 〔Nabokov, Vladimir Vladimirovich〕 [명] 〖사람〗 미국의 작가. 러시아의 귀족 출신으로, 1940년 미국으로 이주하였고, 대학에서 러시아 문학을 강의하면서 소설·시·번역물 등을 발표함. 중년의 망명가가 조숙한 소녀에게 쏟는 정열을 그린 ≪롤리타(Lolita)≫는 커다란 반향(反響)을 일으켰음. 나비의 수집가로도 유명함. [1899-1977]
나보폴라사르 〔Nabopolassar〕 [명] 〖사람〗 신(新)바빌로니아 초대의 왕. 네부카드네자르(Nebuchadnezzar) 2세의 부왕(父王). 메디아(Media)와 연합하여 기원전 612년 니네베(Nineveh)를 공략, 아시리아 제국을 멸망시키고, 4국 대립 시대를 엶. [재위 625-605 B.C.]
나복¹ 【羅卜】 [명] 〖불교〗 목건련(目犍連).
나복² 【蘿菖】 [명] 〖식〗 무. 「쓰임. 내복자(萊菔子).
나복-자 【蘿菖子】 [명] 〖한의〗 무씨. 건위제(健胃劑)·치담제(治痰劑)로
나복자-유 【蘿菖子油】 [명] 무씨 기름.
나복자-죽 【蘿菖子粥】 [명] 무씨 삶은 물에 멥쌀을 넣어 쑨 죽.
나복-저 【蘿菖菹】 [명] 나박김치.
나복-죽 【蘿菖粥】 [명] 멥쌀죽에, 삶은 무를 잘게 썰어 넣은 죽. 무죽.
나복-채 【蘿菖菜】 [명] 무 나물.
나복 탕:단 【蘿菖湯團】 [명] 가늘게 썬 무를 삶아서 물에 우려내어 짜서 말렸다가, 장을 치고 파를 넣어서 주무른 다음에, 잘게 썬 흰떡을 섞어서, 기름에 지지고 끓는 물에 버무려 만든 음식. 흔히 겨울철에 먹음.
나뵈 [명] 〈옛〉 나비². =나뷔·나븨·나비¹. ¶몰애 더우니 브ᄅᆞᆷ맷 나뵈 ᄂᆞ죽ᄒᆞ고(沙暖低風蝶) ≪初杜諺 XXⅢ:20≫.
나부¹ [명] 〈방〉 〖충〗 나비(전라·경상).
나:부² 【裸婦】 [명] 벌거벗은 여자. ¶～상(像).
나:부³ 【懦夫】 [명] ①겁이 많은 사내. 겁부(怯夫). ②게으른 사람.
나부⁴ 【羅府】 [명] 〖지〗 '로스앤젤레스(Los Angeles)'의 음역(音譯).
나부⁵ 【羅浮】 [명] 〖지〗 뤄푸 산.
나부끼다 [자] 〔중세: 나봇기다〕 얇고 가벼운 피륙이나 종이 같은 것이, 바람을 받아서 날리어 흔들리다. ¶태극기가 창공에 ～.
나부-대다 [자] 조신(操身)하지 못하고, 철없이 납신거리다.
나부대대-하다 [형][여불] 얼굴이 동그스름하고 나부죽하다. [준]납대대하다. <너부데데하다.
나부라기 [명] ☞ 나부랭이.

나부라-지다 (자) 힘없이 바닥에 까부라져 늘어지다. <너부러지다.
나부랑납작-이 (부) 나부랑납작하게. <너부렁넓적이.
나부랑납작-하다 (형)(여불) 높낮이가 없이 평평히 퍼진 듯하게 납작하다. <너부렁넓적하다.
나부래기 (명) 〈방〉 나부랭이(평안).
나부랭이 (명) ①실·헝겊·종이 따위의 자질구레한 오라기.¶ 종이 ～. <너부렁이. ②하찮은 존재를 일컫는 말. ¶ 깡패 ～/세간 ～/친척 ～.
나부리 (명) 〈방〉 놀[4](경상·강원).
나부시 (부) ①천천히 땅으로 내려오는 모양. ②고개를 숙이고 공손하게, 가만히 앉거나 엎드리는 모양. 1)·2): <너부시.
나부죽-다리 (명) 〈방〉 넓적다리(경북).
나부죽-이 (부) ①나부죽하게. ¶ ～ 생긴 얼굴. ②공손한 태도로 찬찬히 엎드리는 모양. ¶ ～ 절을 하다/두 어깨를 ～ 엎드려 왕의 옆을 향하여 국궁하고 사뿟이 일어나 두어 걸음 뒤로 물러섰다≪朴鍾和 : 錦衫의 피≫. 1)·2): <너부죽이. 「죽하다.
나부죽-하다 (형)(여불) 얇거나 얕은 물체가 넓고 평평한 듯하다. <너부
나북-천 【羅北川】 (명) 〖지〗 함경 북도 경성군(鏡城郡) 용성면(龍城面)에 ㄴ서 동해로 들어가는 강. [42.6km]
나분-대다 (자) 〈방〉 나부대다.
나분지 (명) 〈방〉 〖어〗 부시리.
나분-하다 (형)(여불) 낮게 날아 땅에 가깝다. 나분-히 (부)
나불 (명) 〈방〉 놀[4](강원).
나불-거리다 (자) ①보드랍게 나붓거리다. ㅆ나풀거리다. <너불거리다. ②경솔하게 입을 놀리다. 나불-나불 (부). ——-하다 (자)(여불)
나불-대다 (자) 나불거리다.
나불-도 【羅佛島】 [—또] (명) 〖지〗 전라 남도의 서해안(西海岸), 영암군(靈岩郡) 삼호면(三湖面) 나불리(羅佛里)에 위치했던 섬. 1980년 목포(木浦) 하구언(河口堰) 공사로 바다에 잠김. [0.34km²]
나붓-거리다 (자) 자꾸 나부끼어 흔들리다. <너붓거리다. 나붓-나붓 (부). ㄴ——-하다 (자)(여불)
나붓나붓-이 (부) 나붓나붓하게.
나붓-대다 (자) 나붓거리다.
나붓-이 (부) 좀 나부죽하게.
나붓-하다 (형)(여불) 좀 나부죽하다. ¶ 자리에서 벌떡 일어나, 나붓하게 고개를 숙이며 인사를 했다≪洪性裕 : 사랑과 죽음의 세월≫. <너붓하다.
나붕이 (명) 〈방〉 〖충〗 나비[2](강원). 「스터가 ～.
나-붙다 (자) 어떠한 데의 밖에 나와 붙여지다. ¶ 벽보판에 여러 가지 포
나뷔 (명) 〈옛〉 나비[2]. ＝나뵈·나븨·나비[1]. ¶ 나뷔야 靑山 가쟈 범나뷔 너도 가쟈≪古時調 金絿≫.
나블루스 [Nablus] (명) 〖지〗 요르단 서부의 도시. 예루살렘의 북서쪽 약 50km, 팔레스타인 중부 산지(山地)에 있음. 옛날에는 네아폴리스라 불리었고, 도시가 위치한 계곡은 물도 풍부(豐富)하여 농업에 적합함. [44,200명(1971 추계)]
나븨 (명) 〈옛〉 나비[2]. ＝나뵈·나뷔·나비[1]. ¶ 숫보고 춤 츄는 나븨를 다잡 「으려 ᄒᆞ더라≪古時調 永言≫.
나비[1] (명) [‘너비’의 작은 말] 피륙·종이 같은 것의 너비. 광(廣). 너비. 폭.
나비[2] (명) [중세 : 나비] 〖충〗 나비목 나비아목에 속하는 곤충의 총칭. 가슴에 두 쌍의 큰 엽상(葉狀)의 막질(膜質) 날개가 있는데 겉에 인분(鱗粉)이 밀포(密布)되고 아름다운 색채의 반문(斑紋)을 나타냄. 복안(複眼)은 두 개 있으며 입은 대롱과 같이 긴 관형(管形)으로 꿀을 빨아 먹기에 알맞게 생겼으며 사용하지 않을 때는 말아 둠. 유충(幼蟲)은 단모(短毛)가 있고 몸빛은 녹색이며 채소·나무·풀잎을 갉아먹는 해충임. 고치를 만들지 않고 번데기가 되었다가 성충(成蟲)으로 완전 변태함. ‘나방’과 다른 점은 촉각이 곤봉상이고 주간 활동성이며, 정지할 때는 대개 날개를 등 위에 합쳐 곧추 세움. 봄·여름·가을에 나타나 월동(越冬)하는 것도 있음. 북극·남극 지방을 제외한 전세계에 1만여 종이 분포함. 접아(蝶兒). 협접(蛺蝶). 호접(蝴蝶). ＊나방.
나비[3] (명) 고양이를 부를 때 쓰는 말. ¶ ～야 쥐 잡아라.
나비[4] [아랍 nabī] (명) 〖이슬람〗 예언자.
나비[5] 〈옛〉 원숭이가. ‘납[2]’의 주격형(主格形). ¶ 나비 우러도 ᄀᆞ올 눉므리 업고(猿鳴秋淚缺) ≪杜諺 Ⅲ:54≫.
나비-가오리 (명) 〖어〗 [*Gymnura japonica*] 색가오릿과에 속하는 바닷물고기. 몸의 길이 약 65cm로 폭이 훨씬 넓어 길이의 2배 가량 되는데, 주둥이는 아주 짧음. 몸빛은 흑갈색이며 꼬리 부분은 백색 바탕에 여덟 줄 가량의 흑색 가로띠가 있음. 몸이 원활하고 꼬리지느러미와 등지느러미는 없으나 꼬리의 등 쪽에 짧은 가시가 하나 있음. 온대성 태생어로 한국 서남해·일본 중부 이남·남중국해에 분포함. 식용함.

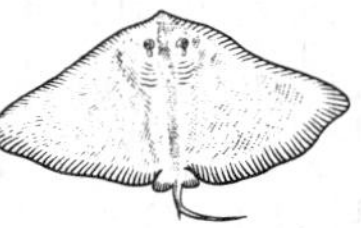
〈나비가오리〉

나비-고기 (명) 〖어〗 [*Chaetodon collaris*] 나비고깃과에 속하는 바닷물고기. 몸의 길이는 17cm 내외인데 심히 측편(側扁)하고, 주둥이가 돌출하였으며 입은 작고 뾰족하며 머리도 작음. 몸빛은 황갈색 바탕에, 등지느러미 앞쪽에서 눈을 지나 후부(喉部)로 향한 폭 넓은 흑갈색 가로띠가 있고, 꼬리지느러미 뒤끝은 백색이며 등과 등지느러미 연변에 폭이 좁은 검은 띠가 있고 배지느러미는 황색임. 등지느러미 중앙에 눈알 크기의 흑점이 있음. 온대성 연안 어종으로 한국 남해·일본 중부 이남 및 동중국해 연안에 분포함.

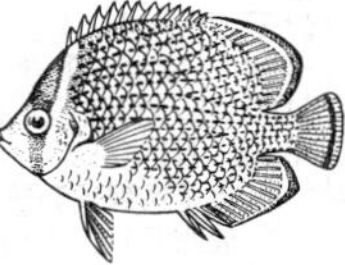
〈나비고기〉

나비고깃-과 【—科】 (명) 〖어〗 [Chaetodontidae] 농어목(目)에 속하는 어류(魚類)의 한 과. 이 과에는 청줄돔·세동가리돔·나비고기·나비돔·두동가리돔 등이 있는데, 대개 이가 강모상(剛毛狀)으로 밀생하고 비늘은 보통 빗비늘임.

나비-꽃 (명) 〖식〗 나비꽃부리의 꽃. 콩이나 팥 따위의 노곳. 접형화(蝶形花).
나비-꽃부리 (명) 〖식〗 접형 화관(蝶形花冠).
나비-나물 (명) 〖식〗 [*Vicia unijuga*] 콩과에 속하는 다년초. 줄기의 높이는 40-60cm 가량임. 잎은 한 마디에서 두 개씩 나고 탁엽(托葉)은 작은 모양이지만 현저함. 여름·가을에 꼭대기의 엽액(葉腋)에서 짧고 붉은 자줏빛의 나비 모양의 꽃이 총상(總狀) 화서로 핌. 산과 들에 나는데, 한국 각지에 분포함. 어린 잎과 줄기는 먹음.

〈나비나물〉

나비-난초 【—蘭草】 (명) 〖식〗 [*Orchis rupestris*] 난초과에 속하는 다년초. 높이는 10-20cm 가량임. 잎은 두서너 개가 있으며 선상 피침형(線狀披針形)으로 끝이 뾰. 6-7월에 담홍자색(淡紅紫色)의 꽃이 정생(頂生)하여 총상(總狀) 화서로 핌. 뿌리는 타원형의 다육근(多肉根)과 약간의 수근(鬚根)으로 됨. 줄기는 밑동에 암자색의 작은 점이 많은데, 깊은 산에 남. 석란(石蘭).

〈나비난초〉

나비날도랫-과 【—科】 (명) 〖충〗 [Leptoceridae] 날도래목(目)에 속하는 한 과. 몸은 미모(微毛)로 덮이고 촉각(觸角)이 발달하여 몸길이의 수 배에 달하는 종류도 있음. 유충은 연충형(蠕蟲形)이며 후두선(喉頭腺)이 한 쌍 있음. 괸 물·흐르는 물에 서식하고 식물질을 먹음. 전세계에 180여 종이 분포함.
나비-내기 (명) 누에씨를 받기 위해 고치에서 나비를 나오게 하는 일.
나비 넥타이 [necktie] (명) 늘어뜨리는 부분이 없고 나비 모양으로 맺는 넥타이. 보 넥타이(bow necktie). 보 타이(bow tie).
나비-돔 (명) 〖어〗 [*Chaetodon nippon*] 나비고깃과에 속하는 바닷물고기. 몸의 길이는 15cm 내외임. 등지느러미 가시부에서 꼬리자루를 지나 뒷지느러미에 이르는 폭 넓은 흑띠가 있는데 몸빛은 회황색이고 머리는 회갈색이며 꼬리지느러미는 선황색으로 그 뒤끝은 흼. 한국 통영·일본에 분포함.
나비 매듭 (명) 국화 매듭의 응용(應用)으로, 나비가 날개를 펼친 것 같은 모양의 매듭. 노리개·벽걸이·주머니끈·목걸이 등에 쓰임.
나비-목 【—目】 (명) 〖충〗 [Lepidoptera] 유시 아강(有翅亞綱)에 속하는 곤충의 한 목(目). 두 쌍의 날개가 있으며 온 몸이 분(粉)과 같은 작은 비늘로 덮여 있음. 나비 아목(亞目)·나방 아목의 두 가지로 크게 분류하는데, 모두 60여 과(科)가 있음. 인시류(鱗翅類).
나비-물 (명) 가로 쫙 퍼지게 끼얹는 물.
나비 부인 【—夫人】 (명) 〖연〗 오페라 ‘마담 버터플라이(Madame Butterfly)’의 역어.
나비살이-고치벌 (명) 〖충〗 배추벌레고치벌.
나비살이-금좀벌 【—金—】 (명) 〖충〗 [*Pteromalus puparum*] 금좀벌과에 속하는 곤충. 암컷의 몸길이는 3mm 가량임. 몸빛은 흑색에 남색 광택이 나고 복부의 기부는 청색 광택이 남. 날개는 투명하고, 경절(脛節)·부절(跗節)은 담황갈색이고 그 외는 흑갈색임. 나비류의 번데기에 기생하는데, 한국·일본·유럽에 분포함.
나비 삼작 【—三作】 (명) 옥(玉)으로 나비 모양을 만들어 단 삼작 노리개.
나비 수염 【—鬚髯】 (명) 코밑 수염의 한 가지. 양쪽으로 갈라져서 위로 꼬부라지게 한 것.
나비 아목 【—亞目】 (명) 〖충〗 [*Rhopalocea*] 나비목에 속하는 한 아목. ＊나비[2].
나비은장-이음 【—隱—】 (명) 〖건〗 길이이음의 한 가지. 나비 모양의 은장을 가지고 목재를 길게 이음.

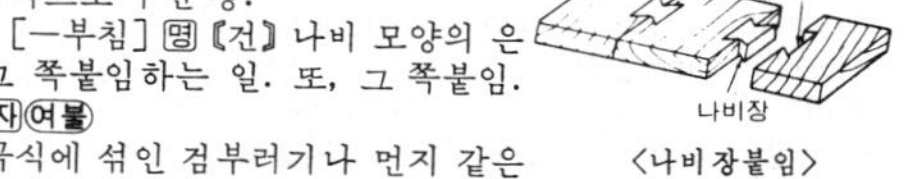
〈나비은장이음〉

나비-잠[1] (명) 갓난 아이가 반듯이 누워 두 팔을 머리 위에 벌리고 자는 잠.
나비-잠[2] 【—簪】 (명) 나비 모양으로 만든 비녀. 새색시가 예장(禮裝)할 때 머리에 덧꽂음. 접잠(蝶簪).
나비-잠자리 (명) 〖충〗 [*Rhyothemis fuligirosa*] 잠자릿과에 속하는 곤충. 몸은 퍽 여리고 복부의 길이는 22mm, 편 날개 75mm 가량이며, 몸과 날개는 대부분 검은 빛인데 광택이 나며 복안은 적갈색임. 여름철에 논 위 같은 곳을 나비처럼 펄럭펄럭 나는 것이 특색임. 한국·중국·일본에 분포함.
〈나비잠자리〉
나비-장[1] (명) 〖건〗 재목을 서로 이을 때 쓰는 나비 모양의 나뭇조각.
나비-장[2] 【—欌】 (명) 주로 날개를 편 나비 모양 무늬의 쇠장식으로 꾸민 장.
나비장-붙임 [—부침] (명) 〖건〗 나비 모양의 은장을 가지고 쪽붙임하는 일. 또, 그 쪽붙임. ——-하다 (자)(여불)
나비장 홈
나비장
〈나비장붙임〉
나비-질 (명) 곡식에 섞인 검부러기나 먼지 같은 것을 날리려고, 키로 부쳐 바람을 내거나, 기직 따위를 반으로 접어서 삽에 끼고 나비 날개 치듯 부쳐 바람을 내는 것. ——-하다 (자)(타)(여불)
나비-춤 (명) ①나비가 춤을 추듯이 날개를 치며 날아다니는 짓. ②소매가 큰, 긴 옷을 입고 나비가 나는 모양처럼 추는 승무(僧舞). 접무(蝶舞).
나비-치다 (자)(타) 나비질을 하여 검부러기나 먼지를 날리다.
나비-파 【—派】 (명) [프 Nabis] 〖미술〗 19세기 말기에 고갱(Gauguin)의 영향을 받아 모인 젊은 화가들의 그룹. 1890년경부터 세뤼지에(Sérusier, Paul;1863-1927)를 중심으로 일어났으며, 고갱의 작품을 하나의 계시로 받아들여서 화면 그 자체를 창조로 생각하였고, 평면적·장식적인 구성을 중시하였음.
나-빈 【羅彬】 (명) 〖사람〗 나도향(羅稻香)의 필명(筆名).
나빈손 【羅賓孫】 (명) 〖문〗 ‘로빈슨 크루소’의 개화기(開化期) 때의 한자

표기.

나-빙【羅聘】명〖사람〗중국 청나라 때의 화가. 양주 팔괴(揚州八怪)의 한 사람. 호는 양봉(兩峰) 또는 화지사승(花之寺僧). 안후이 성(安徽省)에 태어나 장쑤(江蘇)로 옮김. 동심(冬心) 김농(金農)에 사사(師事)하여 흑매·화초·도석 인물(道釋人物) 등을 잘 그렸음. [1733-99]

나본 〈옛〉원숭이는. '납²'의 절대격형(絶對格形). ¶ 믌돌근 雙雙이 춤 츠고 나본 굴포 돌엿도다(獨鶴雙雙舞獼猴壘壘懸)≪初杜諺 XX:2≫.

나봇기다 자〈옛〉나부끼다. ¶ ᄀᆞᄅᆞᆷ 구루미 누네 어즈러이 나봇기놋다(江雲亂眼飄)≪杜諺 XII:30≫.

나비¹ 명〈옛〉나비². =나뵈·나븨·나뷔. ¶ 나비 협(蛺), 나비 뎝(蝶) ≪字會 上 21≫/힌나비 깃거ᄒᆞ고≪杜諺 XXI:6≫.

나빋² 〈옛〉원숭이의. '납²'의 소유격형(所有格形). ¶ 似量이 나빋 ᄆᆞᅀᆞᆷ 봄놀이고(似量騰於猿心)≪圓覺 序 64≫.

나빠-지다 자 나쁘게 되다.

나뿌다 형 ☞나쁘다.

나쁘다¹ 형〔중세 : 낟ㅂ다〕①좋지 아니하다. 흉하다. ¶ 모양이 ~/머리가 ~. ②해롭다. ¶ 건강에 ~. ③착하지 아니하다. 악하다. ¶ 나쁜 성질. [나쁜 소문은 빨리 퍼진다] 남을 칭찬하는 말보다 헐고 깎는 나쁜 말을 더 많이 하는 것이 인지상정이므로, 나쁜 일일수록, 숨기려 해도 금세 세상에 널리 퍼진다는 말. [나쁜 풀은 빨리 자란다] 별로 긴요하지 아니한 것이 먼저 나설 때 쓰는 말.

나쁘다² 형 양이 차지 아니하다. 부족하다. ¶ 밥은 좀 나쁘게 먹는 것이 좋다. [나쁜 술 먹기는 정승 하기보다 어렵다] 음식, 특히 술은 배에 차지 아니하게 알맞게 짐작해서 먹기가 어렵다는 말.

나삐 부 나쁘게. ¶ 남을 ~ 여기다.

나삐 보다 구 ㉠좋지 않게 보다. 나쁘게 보다. ㉡업신여겨 넘보다.

나삐 알:다 구 ㉠좋지 않게 알다. 나쁘게 알다. ㉡업신여기고 낮게 생각하다.

나삐 여기다 구 ㉠좋지 않게 여기다. 나쁘게 여기다. ㉡업신여기고 낮게 치다.

나사¹【羅紗】명〔포 raxa〕두껍고 쫀쫀한 모직물(毛織物)의 한 가지. 양털 또는 거기에 무명·명주·인조견사 등을 섞어서 짠 것으로, 양복감으로 많이 씀. *나⁴(羅).

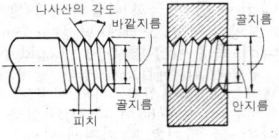

나사²【螺絲】명 ①소라처럼 빙빙 비틀리어 고랑이 진 형상의 물건. 못처럼 되어 들어가는 구실을 하는 것을 '수나사'라 하고, 이것을 받는 구실을 하는 것을 '암나사'라 함. ②↗나사못.

〈나사²❶〉

나사³【NASA】명〔National Aeronautics and Space Administration의 약칭〕미국 국립 항공 우주국(美國國立航空宇宙局). 미국의 우주 개발의 일원화(一元化)를 위해서, 1958년에 설립된 미국의 군사용을 제외한 우주 계획의 총촉진 기관(總促進機關). 케네디 우주 센터·마셜 우주 비행 센터·존슨 유인(有人) 우주 비행 센터 따위의 여러 시설과 거대한 연구 개발 기관을 보유하나 아폴로 계획 이후에는 규모가 축소되고 있음.

나사-골:【螺絲—】명 나사의 고랑이 진 부분. 나사의 홈. ↔나사산.

나사-꼴【螺絲—】명 나선상(螺旋狀).

나사-돌리개【螺絲—】명 나사못을 틀어 돌려서 박거나 빼는 기구. 드라이버(driver).

나사렛〔Nazareth〕명〖성〗팔레스타인의 갈릴리(Galilee) 중남부의 구릉(丘陵)에 있는 작은 도시. 기독교 성지(聖地)의 하나. 예수가 세례를 받을 때까지 약 30년간 성가족(聖家族)이 살던 예수의 고향으로, 당시의 교통의 요지였음. [44,800명(1983 추계)]

나사렛 사:람〔Nazareth〕명〖기독교〗①구약에서는 신에게 몸을 바쳐 금욕 생활을 할 것을 맹세한 사람. 머리를 길게 기르고 술을 금하여 순결을 숭상하였음. 신약에서는 예수 및 그 제자인 기독교도들을 일컫는 말. ②외교도(外敎徒)들이 기독교도들을 멸시하여 이르는 말.

나사렛 예:수〔Nazareth〕〔—예—〕명〖성〗고향인 나사렛에서 30세까지 지낸 예수를, 특히 인간성·역사성으로 보아 이르는 말.

나사렛-파【—派】〔Nazareth〕명 ①〖종〗4세기경, 시리아에 퍼졌던 유태인계 그리스도교도의 한 교단(敎團). 유태교적 요소를 가졌으며 아람어로 쓰인 ≪나사렛 사람의 복음서≫를 경전으로 하였음. ②〔도 Nazarener〕〖미술〗19세기 독일의 낭만파의 화가 그룹. 아카데믹하여 표현이 빈약한 고전주의(古典主義)에 대한 반발에서 르네상스에의 복귀(復歸)를 제창함. 로마의 황폐한 성당 안에 틀어박혀 수도사(修道士)와 같은 엄한 공동 생활을 보냈음. 오베르벡(Overbeck)·코르넬리우스(Cornelius)·샤도(Schadow) 등이 대표적 화가임.

나사로〔Lazarus〕명〔하느님께서 구원하시다의 뜻〕〖성〗①베다니(Bethany)의 사람으로 마르다(Martha)와 마리아(Maria)의 동생. 예수와는 친면이 있는 사람인데, 죽은 지 나흘이 되어 이미 몸에서 썩은 냄새가 날 때 예수가 회생(回生)시켜 주었다 함. ②신약 성서에 나오는 인물로, 간난과 고통의 생활을 하다가 죽어서 천사의 품에 안기는 비유로 나오는 사람의 이름.

나:사-류【裸蛇類】명〖동〗〔Gymnophiona〕양서류(兩棲類) 중 무족류(無足類)에 속하는 한 목(目). 네 발과 비늘이 없으며, 열대 지방의 습지에 삶. 난생(卵生) 또는 태생(胎生)이며, 새끼 시절에는 세 쌍의 겉지느러미가 있음. 무족류(無足類).

나사르〔NASARR〕명〔North American Searching and Ranging Radar의 약칭〕항공기에 장치된 사격 관제 장치. 싣고 있는 미사일이나 기관총 따위의 조준(照準) 사격 통제를 자동적으로 함.

나-사(:)림【羅士琳】명〖사람〗중국의 수학자. 그의 수학은 주로 고산법(古算法)을 발양하는 데 있음. 저서 ≪주인전(疇人傳)≫·≪속주인전(續疇人傳)≫. [1788-1858]

나사-마름【螺絲—】명〖식〗나사말.

나사-말【螺絲—】명〖식〗[*Vallisneria asiatica*] 자라풀과에 속하는 다년초. 근경(根莖)은 가로 벋으며 잎은 길이 30-70cm 가량으로, 총생(叢生)하는데 가장자리에는 가는 톱니가 있음. 자웅 이주(雌雄異株)로 여름·가을에 담녹색의 암꽃이 나사 모양으로 핀, 실같이 가늘고 긴 화병(花柄) 끝에 단생(單生)하여 수면(水面)에 뜨는데, 수꽃은 많으며 물 속의 포(苞) 안에서 핌. 과실은 선형임. 못·웅덩이·흐르는 물 속에 서식하는데, 제주·강원·경기·황해·평남 및 일본 등지에 분포함. 이와 비슷한 *V. spiralis*는 유럽 원산으로 열대어(熱帶魚)의 수초(水草)로 삼음. 나사마름.

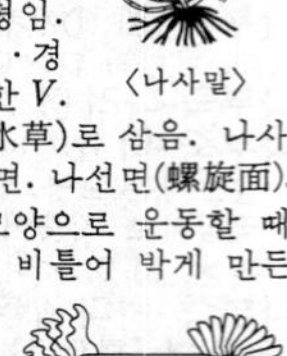

〈나사말〉

나사-면【螺絲面】명〖수〗하나의 곡선이 나사선 모양으로 운동할 때 그리는 곡면. 나선면(螺旋面).

나사-못【螺絲—】명 몸의 거죽이 나선상으로 되어 비틀어 박게 만든 못. 나사정(螺絲釘). 준나사(螺絲).

나사못 게이지【螺絲—】〔gauge〕명 나사못의 크기를 검사하는 기계. 대소 여러 가지의 표준형을 한데 모아 만든 것으로 검사할 나사못을 끼어 맞추어 그 크기를 잼.

〈나사못 게이지〉

나사-붙다 자〈방〉다가붙다(함경).

나사-산【螺絲山】명 나사의 솟아 나온 부분. ↔나사골.

나사-선【螺絲線】명〖수〗①평면상에 있어서 소용돌이 모양의 곡선. ②공간에 있어서의 나사(螺絲) 모양의 곡선.

나사선 운:동【螺絲線運動】명〖수〗하나의 축(軸)의 둘레를 일정한 속도로 회전하면서 축방향(軸方向)으로 이동하는 운동. 나선(螺線) 운동.

나사선 펌프【螺絲線—】〔pump〕명 원통형의 케이스에 내접(內接)하여 나사꼴의 회전자(回轉子)를 회전시켜 축방향(軸方向)으로 액체를 보내는 펌프. 나선 양수기.

나사선 프로펠러【螺絲線—】〔propeller〕명 일반 동력선에 쓰이는 추진기. 서너 장의 금속제 날개로 이루어지며, 동력축(動力軸)의 회전에 따라 물 속에서 돌며 배에 추진력을 부여함. 나선 추진기.

나사선 프로펠러선【螺絲線—船】〔propeller〕명 나사선 프로펠러를 추진기로 장치한 배. 나선 기선.

나사 송:곳【螺絲—】명 끝이 나사 모양으로 비비 틀리게 만든 송곳. 도래 송곳.

나사-앉다 자〈방〉다가앉다(함경).

나사우〔Nassau〕명〖지〗라인 강과 그 지류인 란 강(Lahn江) 사이에 있는 비옥한 농업·삼림 지대. 라인 포도주의 산지로 유명하며, 주도(主都)는 비스바덴. 1866년 보오(普墺) 전쟁에서 프로이센에 합병되었으나, 현재는 대부분이 헤센 주(Hessen 州)에 속함.

나사-점【羅紗店】명 나사를 팔거나, 나사로 옷을 지어서 파는 상점.

나사-정【螺絲釘】명 나사못.

나사-조개【螺絲—】명〖조개〗권패(卷貝).

나사-지【羅紗紙】명 나사나 털실의 나부랭이를 기계로 두드려 풀어서, 지료 섬유(紙料纖維)를 섞고, 다시 접착제(粘着劑)를 가하여 만든 나사 비슷한 두꺼운 종이. 벽지 등으로 씀.

나사 층층대【螺絲層層臺】명〖건〗나사 모양으로 되어 빙빙 돌아서 올라가는 층층대. 양식 고층 건물에서 흔히 볼 수 있음. 나계(螺階). 나선계단(螺旋階段). 나선 층층대.

나사 컨베이어【螺絲—】〔conveyer〕명 컨베이어의 일종. 원통(圓筒) 안의 나사체가 회전하여, 가루로 된 물질을 보내는 장치. 스크루 컨베이어(screw conveyer).

나사콤〔NASAKOM〕명〔Nasional(민족), Agama(종교), Komunis(공산)의 두문자〕인도네시아의 전(前)대통령 수카르노의 정치 이념인 '교도(敎導) 민주주의'를 떠받치던 체제(體制). 1959년 이후 국민당을 비롯한 10개 정당의 통일 전선으로서 출발했으나, 1965년의 '9월 30일 사건'으로 붕괴했음.

나사 톱니바퀴【螺絲—】명 두 개의 축(軸)이 평행하지 아니한 경우에 쓰이는 톱니바퀴. 톱니가 나사처럼 되었음.

〈나사 톱니바퀴〉

나:-산병【糯散餠】명 차산병.

나삼【羅衫】명 ①사(紗)로 만든 적삼. *나⁴(羅). ②혼례 때 신부가 활옷을 벗고 입는 예복. 연두 깁에 자주 깃을 달고, 소매는 색동으로 만듦.

나:상¹【裸像】명 나체상.

나상²【螺狀】명 나선상(螺旋狀).

나상³【羅裳】명 가볍고 엷은 비단으로 만든 치마. 나군(羅裙).

나상개 명〈방〉〖식〗냉이(전남).

나상구 명〈방〉〖식〗냉이(전라).

나-상배【羅常培】명〖사람〗뤄창페이.

나상이 명〈방〉〖식〗냉이(충청·경남).

나새 명〈방〉〖식〗냉이(전남).

나:새-류【裸鰓類】명〖동〗[Nudibranchia] 복족류(腹足類)에 속하는 후새목(後鰓目)의 한 아목(亞目). 이에 속하는 연체(軟體) 동물은 유시(幼時)에 그 몸에 나사 모양의 패각(貝殼)을 지니고 그 속에 들어가 사는데, 다 자란 뒤에는 없어짐. 이차적(二次的)으로 생긴 조름으로써 숨을 쉬는데, 그 조름은 꽁무니의 둘레나 또는 몸의 등에 늘어서 있거나 외투막의 가장자리에 있음.

나새이 명〈방〉〖식〗냉이(충청·경상).

나:색¹ 명 ☞내색. ——하다 자여불

나색²【羅索】명〖사람〗'루소'의 개화기(開化期) 때의 한자 표기.

나생이 명〈방〉〖식〗냉이(경기·강원·충북·전남·경상).

나:서【糯黍】명 기장¹.

나-서다 ㊀ 자 ①앞으로 나와서 서다. 어떤 곳으로 나오다. ¶ 앞으로 ~. *들어서다. ②구하던 사람이나 사물이 나타나다. ¶ 동업자가 ~/일자리가 ~/혼처가 ~. ③어떤 일을 적극적으로 또는 직업적으로 시작하다. ¶ 발벗고 ~/정치가로 ~. ④어떠한 데에 나타나서 그 일을 가로맡거나 간섭하다. ¶ 남의 일에 나서지 마시오. ㊁ 타 떠나다. 출발하다. ¶ 집을 ~.

나-석주【羅錫疇】명『사람』독립 운동가. 열사(烈士). 평남 출생. 1926년 12월 28일에 동양 척식 회사(東洋拓殖會社)와 식산 은행(殖産銀行)에 폭탄을 던지고 자결하였음. [1892-1926]

나선[1]【那先】명『사람』〔Nagasena: 나가서나(那伽犀那)의 약음(略音)〕 기원 전 2세기경의 중부 인도의 중. 20세 때 교법을 배워 나한도(羅漢道)를 득하여 불법(佛法)을 선양하였음. 소승(小乘)에서 대승에로의 과도기적인 대승 사상을 널리 전파함.

나:선[2]【裸跣】명 벌거벗은 몸과 벗은 발.

나:선[3]【裸線】명 거죽에 아무 것도 싸지 아니하여, 쇠줄이 그대로 드러난 전선(電線). 알줄.

나선[4]【螺旋】명 나사 모양으로 된 줄. 또, 그 형상.

나선[5]【螺線】명『수』'나사선(螺絲線)'의 구용어.

나선[6]【羅扇】명 얇은 비단으로 만든 부채.

나선 계단【螺旋階段】명『건』나사 층층대.

나선 공:진기【螺旋共振器】명〔helical resonator〕『전자』나선상의 내부 도체(內部導體)를 가진 공동(空洞) 공진기.

나선관식 열교환기【螺旋管式熱交換器】명〔spiral-tube heat exchanger〕『공』동일 중심(同一中心)에 나선상으로 감긴 코일군(coil 群)으로 된 향류(向流) 열교환기. 공기 분리 장치의 저온(低溫) 열교환에 쓰임.

나선-균【螺旋菌】명『의』나선상균(螺旋狀菌).

나선균-과【螺旋菌科】[-꽈] 명『식』은화(隱花) 식물에 속하는 열식균류(裂殖菌類)의 한 과. 암수의 구별이 없고, 포자(胞子)가 분열하여 번식하는 균류임. 매독균·재귀열(再歸熱)균 따위.

나선-기【螺旋器】명 코르티 기관(器官).

나선 기선【螺旋汽船】명 나사선 프로펠러선.

나선-대【螺旋帶】명『의』붕대 감는 방법의 하나. 처음에 감은 부분을 차례로 3분의 1, 3분의 2 또는 2분의 1씩 덮어 싸면서 감아 나감. 주행대(走行帶).

나선-면【螺旋面】명『수』'나사면'의 구용어.

나선-사【螺旋絲】명『생』핵(核) 속에 있는 사상(絲狀)의 물질. 핵분열이 시작되면 그 주위에 기질(基質)을 붙여 염색체(染色體)가 됨.

나선-상【螺旋狀】명 나사 모양으로 빙빙 틀리어 돌아간 형상. 나사꼴. 나상(螺狀). 나선형.

나선상-균【螺旋狀菌】명『의』나사 모양의 형태를 가지는 대형(大形)의 세균. 50 내외의 회전을 가지고 있는 것도 있음. 끝에 편모(鞭毛)가 있고 매우 활발하게 운동함. 병원성(病原性)의 것과 그렇지 아니한 것의 두 가지가 있는데, 병원성인 것에는 바일병(Weil 病)·매독·재귀열(再歸熱) 등의 병원균이 있음. 나선균.

나선선로【螺旋線路】[-설-] 명〔helical line〕『전기』나선 모양의 내부 도체를 가진 전송 선로(傳送線路).

나선 성운【螺旋星雲】명〔spiral nebula〕『천』나선 은하.

나선-식【螺旋式】명 나선 모양으로 된 형식.

나선 압착기【螺旋壓搾器】명 스크루 프레스.

나선 양수기【螺旋揚水機】명 나사선 펌프.

나선 운:동【螺線運動】명『수』'나사선 운동'의 구용어.

나선 은하【螺旋銀河】명〔spiral galaxy〕『천』은하의 한 형(型). 은하의 중심인 핵(核)에서 나선 방향으로 별들이 밖으로 팔처럼 분포하고 있는 은하. 정상 나선 은하와 막대 나선 은하로 대별하며, 그 크기는 10-30 킬로파섹(kiloparsec) 정도이고 질량은 태양의 10^9-10^{11} 배임. 우리 은하나 안드로메다(Andromeda) 은하도 나선 은하임. *불규칙 은하.

나선 정벌【羅禪征伐】명『역』〔나선(羅禪)은 러시아의 음역(音譯)〕 조선 효종 때, 중국 청(淸) 나라를 도와 러시아를 친 싸움. 효종 5년(1654)에 병마 우후(兵馬虞候) 변급(邊岌)을 대장으로 조총군(鳥銃軍) 150명을 보내, 호통(好通)에서 러시아군을 격파했고, 효종 9년에는 신유(申瀏)를 대장으로 조총군 200여 명을 보내, 청군과 함께 헤이룽 강(黑龍江)에서 러시아 함선 10여 척을 소각, 격퇴함.

나선 추진기【螺旋推進器】명〔screw propeller〕『기』나사선 프로펠러.

나선 층층대【螺旋層層臺】명 나사 층층대.

나선-형【螺旋形】명 나선상.

나선형 터널【螺旋形—】〔tunnel〕명 루프식(loop 式) 터널.

나:성[1]【懶性】명 게으른 성질.

나성[2]【羅星】명 죽 늘어선 별.

나성[3]【羅城】명 ①성의 외곽(外郭). ②외성(外城).

나성[4]【羅城】명『지』'로스앤젤레스'의 음역.

나세 명〈방〉『식』냉이(전라).

나세르〔Nasser, Gamal Abdel〕명『사람』이집트의 정치가. 육군 중령으로 1952년 군부(軍部) 쿠데타에 참여하고, 1954년 수상 나기브(Naguib)를 추방하여 1956년 이집트 대통령에 당선되었으며, 1958년 시리아(Syria)를 합병하여 통일 아랍 공화국의 대통령이 됨. 외국 자본의 국유화, 농지 개혁 등 많은 사회주의 개혁을 단행하였으며, 아랍 제국(諸國)에 대해서도 지도권을 행사하였으나, 1961년의 시리아 쿠데타, 1967년의 중동 전쟁에서의 패배로 대통령직을 사임함. [1918-70]

나세르-주의【—主義】[-/-이]〔Nasser〕명『정』나세르가 1956년 대통령에 취임한 뒤 추진했던 기본 정책. 아랍 민족주의를 기조(基調)로 하여, 사회주의 체제·반(反)시오니즘·비(非)동맹 중립주의 등을 내용으로 함. 나세리즘.

나세리즘〔Nasserism〕명『정』나세르주의.

나셀〔프 nacelle〕명 ①기구(氣球)에 매단 채롱같이 생긴 물건. ②비행선(飛行船)의 선실(船室). ③비행기의 발동기를 싣는 부분.

나소〔Nassau〕명『지』바하마(Bahama)의 수도(首都). 바하마 제도 뉴프로비던스(New Providence) 섬 북동안(北東岸)에 있는 항구 도시. 미국 플로리다(Florida) 반도의 마이애미와의 연락이 편리하며, 시설을 잘 갖춘 겨울철의 휴양지이기도 함. 미국의 남북 전쟁 당시는 남군의 보급 기지였음. [172,196 명(1991)]

나:속【糯粟】명『식』차조.

나:속-반【糯粟飯】명 차조밥.

나솔【奈率】명『역』백제 십육품 관등(官等)의 여섯째 등급.

나솟다 자〈옛〉솟아나다. ¶ 일홈이 後世예 나솟ᄂᆞ니라(名揚於後世)《三略 下 13》.

나:수[1]【拿囚】명 죄인을 잡아 가둠. ——하다 타여불

나수[2]【羅袖】명 얇은 비단옷의 소매.

나수[3]【鑼手】명『역』취타수(吹打手)의 하나. 군중(軍中)에서 나(鑼)를 치는 사람.

나수[4] 부〈방〉나우[2](함경·충청·전라).

나수다 타 ①내어서 드리다. ②높은 자리로 나아가게 하다.

나수렝이 명〈방〉『식』냉이(경상).

나-수연【羅壽淵】명『사람』조선 시대 말 개화기의 언론인. 호는 소봉(小蓬). 광무(光武) 2년(1898)에 남궁억(南宮檍)과 함께 황성 신문(皇城新聞)을 발간하였음. [1861-1926]

나수티온〔Nasution, Abdul Haris〕명『사람』인도네시아의 군인. 독립 후에는 육군 참모장·국방상·국가 치안상·잠정 국민 협의회 의장을 역임. 1965년의 '9월 30일 사건' 때 수카르노 추방에 이바지함. [1918-]

나:순-류【裸脣類】[-뉴] 명『동』〔Gymnolaemata〕 외항류(外肛類)의 한 목(目). 출아법(出芽法)에 의하여 번식하며 대개 군체(群體)를 이루는 작은 벌레임. 민물·짠물에 다 사는데, 총담(總擔)의 촉수(觸手)는 원형으로 배열되고, 충실(蟲室)을 덮은 껍질은 각질(角質)·석회질 또는 교질(膠質)인데, 암초·해초·조개 등에 붙어 있음.

나숭개 명〈방〉『식』냉이(충청·전라·경상).

나스댕이 명〈방〉『식』냉이(경남).

나스르르-하다 형여불 털이나 풀 같은 가늘고 짧은 것이 매우 보드랍고 성기며 가지런해 보이다. <너스르르하다.

나스 산【—山】〔那須:なす〕명『지』일본 도치기(栃木)·후쿠시마(福島) 두 현(縣) 경계에 있는 활화산(活火山). [1,917m]

나스 온천【—溫泉】〔那須:なす〕명『지』일본 도치기 현(栃木縣) 나스 산(山)의 동남 기슭에 있는 온천군(群).

나스카 문화【—文化】〔Nazca〕명 안데스 문명 고전기(古典期)의 문화. 페루 남부의 나스카 하곡(河谷)에서 번성하여, 토기·직물·금속 공예에 뛰어난 유산을 남기었음. 자갈을 박은 거대한 지상 그림과 '나무 스톤헨지'로 유명함.

나스티카〔범 Nastika〕명〔이단자의 뜻〕인도에서 베다(Veda)의 권위를 인정하지 아니하는 학자의 지칭. 특히, 10세기경 베단타(Vedanta) 학파에서 당시의 학설을 분류할 때에 자설의 근거를 베다에 두지 아니하는 학파를 이름.

나스 화:산맥【—火山脈】〔那須:なす〕명『지』일본 간토(關東) 북부로부터 홋카이도(北海道)의 서안에 걸쳐 남북으로 향하는 대(大)화산맥. 나스(那須)·아사마(淺間)의 두 활화산이 있음.

나슨-하다 형여불 ①늘어져 헐겁다. ②마음이 풀어져 긴장됨이 없다. 1)·2): <느슨하다. 나슨-히 부

나슬나슬-하다 형여불 털이나 풀 같은 가늘고 짧은 것이 보드랍고 성기다. <너슬너슬하다. 나슬나슬-히 부

나습【羅什】명『사람』〔↗구마라습(鳩摩羅什)〕 나집.

나습 삼장【羅什三藏】명 '구마라습(鳩摩羅什)'의 이칭(異稱).

나승개 명〈방〉『식』냉이(충청·경상·전라).

나승갱이 명〈방〉『식』냉이(충청).

나시 명〈방〉『식』냉이(충청·전라·경상·함경).

나시갱이 명〈방〉『식』냉이(경남).

-나시놀 어미〈옛〉-시거늘. ¶ 分身地藏이 다 모다 오나시놀《月釋 XXI:3》. *-나놀.

-나시든 어미〈옛〉-시거든. ¶ 西에 오나시든 東鄙 ᄇᆞ라ᄉᆞᄫᆞ니(我西日來 東鄙佇望)《龍歌 38章》.

나시랭이 명〈방〉『식』냉이(경남).

나시렝이 명〈방〉『식』냉이(경상).

나:시크〔Nasik〕명『지』인도 중서부, 뭄바이 북동쪽에 있는 도시. 고다바리 강(Godavari 江)에 면한 교통의 요지로, 면화·쌀 등 농산물 거래의 중심지임. 힌두교의 순례지이며, 불교의 석굴 사원군(石窟寺院群)으로도 유명함. [646,896 명(1991)]

나:신【裸身】명 벌거벗은 몸. 나체.

나:신-상【裸身像】명 나체상.

나싫돌 구〈옛〉나실 줄을. ¶ 一千世尊이 나싫돌 아니《月釋 I:21》.

나싱개 명〈방〉『식』냉이(충청·전라).

나싱갱이 명〈방〉『식』냉이(충청).

나싱이 명〈방〉『식』냉이(충청·경상).

나-싸대다 자 나가서 싸대다. ¶ 왜 그리 나싸대느냐.

나:쎄 명 어느 정도로 먹은 나이. ¶ 그 ~에 그게 무슨 짓이람 / 춘추가 …70 줄에 드시게 되니 이루 다 총찰은 하실 수 없는 ~다《朴鍾和: 錦衫의 피》.

나쓰메 소:세키〔夏目漱石: なつめそうせき〕명『사람』일본의 소설가. 도쿄(東京) 출생. 영국에 유학하여 영문학을 전공하였으며, 근대 소설의 형체(形體)를 확립한 메이지(明治) 시대의 대표적 작가임. 작품에《나는 고양이로다》·《도련님》등 소설 외에, 평론으로《문학론》등이 있음. [1867-1916]

나ᅀᅡ가다 자 〈옛〉 나아가다. ¶ ᄒᆞᄫᅡᅀᅡ 나ᅀᅡ가샤(輕騎獨詣)≪龍歌 35章≫.

나ᅀᅡ빈홈 타 〈옛〉 나가서 배움. ¶ 나ᅀᅡ빈호ᄆᆞᆯ 가비야이 너기며 슬희여 ᄒᆞ리와(輕厭進習者)≪圓覺 上 一之一 90≫. ＊나ᅀᆞ다·빈호다.

나ᅀᅡ오다 자 〈옛〉 나아오다. 가까이 오다. ¶ 나ᅀᅡ오던덴 목숨 기트리잇가(如其進犯性命奚遺)≪龍歌 51章≫. 「Ⅵ:20≫.

나소 부 〈옛〉 나아가. ¶ 向ᄒᆞᅀᆞᄫᅡ ᄒᆞᆫ거름 나소 거름만 몯ᄒᆞ니라≪釋譜

나소다 타 〈옛〉 나수다. 높은 자리로 나아가게 하다. ¶ 이고ᄃᆞᆯ 나소리니≪月釋≫/마자 나소아놀(迎進之)≪內訓 Ⅱ:21≫.

나소믈림 자 〈옛〉 진퇴(進退). 나아감과 물러남. ¶ 權은 저울ᄃᆞ림쇠니 ᄒᆞ고대 固執디 아니ᄒᆞ야 나소믈림ᄒᆞ야 맛긔 홀씨오≪釋譜 Ⅷ:38≫.

나소오다 타 〈옛〉 대접하다. ¶ 네 나를 나소와 더르게ᄒᆞ야 다고려(你饋我饋短些)≪朴解 上 18≫. 「니라(不復求進也)≪妙蓮 Ⅱ:180≫.

나솜¹ 자 〈옛〉 나아감. '나소다'의 명사형. ¶ ᄂᆞ외야 나소ᄆᆞᆯ 求티 아니ᄒᆞ

나솜² 자 〈옛〉 나음. '낫다³'의 명사형. ¶ 火化호미 나소미 ᄀᆞᆮ디 몯ᄒᆞ며(不若火化之愈矣)≪妙蓮 Ⅵ:155≫.

나시 명 〈옛〉 냉이. ¶ ᄃᆞ로미 나시 ᄀᆞᆮ도다(甘如薺)≪杜諺 Ⅷ:18≫.

나ᅀᆞ다 〈옛〉 ㊀ 자 나아가다. =나ᅀᆞ다. ¶ 나ᅀᆞ면 어루 큰 法 니르며(進可語大)≪妙蓮 Ⅱ:216≫. ＊낫다³. ㊁ 타 드리다. 진상(進上)하다. ¶ 十二月ㅅ 부ᄂᆞᆫ 다ᄆᆞ로 갓곤 아으 나ᄋᆞᆯ 盤잇 져다호라≪樂範≫.

나ᅀᆞ리 명 〈옛〉 나리³. ¶ 進賜 나ᅀᆞ리 堂下官尊稱也≪吏讀≫.

나:아【裸芽】 명 『식』 여름눈.

나아-가다 자 거라불 ①앞으로 향하여 가다. ¶ 힘차게 ~. ②병이나 하는 일이 점점 좋아지다. ¶ 얼굴이 점점 나아가는군. ③일이 점점 되어 가다. 진전하다. ¶ 영어 공부는 몇 과나 나아갔느냐. ④높은 자리로 향해 가다. ¶ 어른 앞에 ~. 준나가다.

나아바리【進使內】〈이두〉 나아가 움직이는. 행동하는.

나아바리다가【進使內如可】〈이두〉 나아갔으나. 「잘 되어 오다.

나아-오다 자 너라불 ①뒤에서 앞으로 차츰차츰 가까이 오다. ②점점

나아-지다 자 차차 잘 되어 가다. 좋아지다. ¶ 형편이 ~/얼굴이 ~.

나:안【裸眼】 명 안경을 쓰지 아니한 맨눈.

나:안 시:력【裸眼視力】 명 5 미터의 거리에서 육안으로 시력 검사표를 바르게 볼 수 있는 최소의 지표(指標)의 값.

나:암【懦闇】 명 나약하고 어리석음. ——-하다 형 여불

나암나암 부 〈옛〉 차츰차츰. ¶ 효도로ᄡᅥ ᄒᆞ야 나암나암 다ᄉᆞ라(以孝烝烝乂)≪小諺 Ⅳ:7≫. 「국민성. ——-하다 형 여불

나:약【懦弱·儒弱】 명 의지(意志)가 굳세지 못함. 타약(惰弱). ¶ ~한

나:약-성【懦弱性】 명 나약한 성질.

나-양(:)봉【羅兩峰】 명 『사람』 중국 청(淸)나라 건륭 때의 화가 나빙(羅聘)을 호(號)로써 일컫는 이름.

나-엎어지다 자 갑자기 엎어지다.

나:열¹【懦劣】 명 〔←나렬〕 나약하고 용렬함. ——-하다 형 여불

나열²【羅列】 명 〔←나렬〕 ①죽 벌이어 놓음. ¶ 어려운 단어만 ~한 문장. ②나란히 열(列)을 지음. 나진(羅陳). 노열(臚列). ——-하다 자타 여불

나:엽【裸葉】 명 『식』 양치류(羊齒類) 등에서 자낭군(子囊群)이 없는 잎. [영양엽(營養葉). ↔포자엽.

나예【儺藝】 명 『연』 산대놀음.

나-오다 ㊀ 자 너라불 ①안에서 밖으로 오다. ¶ 방에서 ~. ↔들어가다. ②속에서 바깥으로 나타나다. ¶ 피가 ~/싹이 ~. ③어떠한 데에 나타나다. 그 모습을 나타내다. ¶ 시장에 나온 물건/영화에 나오는 사람들/공석상에 ~. ④생산되다. 산출되다. ¶ 그 회사에서 나오는 상품/미국서 나오는 물건. ⑤어떠한 근원(根源)에서 일어나다. 발생하다. ¶ 그건 어디서 나온 얘기요/그 말은 신화에서 나왔소. ⑥있던 곳에서 다른 곳으로 옮기다. 사직(辭職)하여 그만두다. ¶ 기숙사에서 나오겠다/그 회사에서 나온 지 두 달 되었다. ⑦태도를 취하여 겉으로 드러내다. ¶ 거치른 언동으로 ~. ⑧일터로 일하러 오다. ¶ 직장에 ~. ⑨앞으로 내밀다. ¶ 배가 나온 사람/이마가 나온 아이. ⑩투신하다. 진출하다. ¶ 정계에 나온 지 겨우 1년. ⑪감정·표정 따위가 겉으로 나타내어지다. ¶ 코웃음이 ~/울음이 ~/어디서 그런 말이 나오니. ⑫출생하다. 태어나다. ¶ 내가 세상에 나온 지도 30년. ⑬발견되다. ¶ 없어졌던 지갑이 ~. ㊁ 타 너라불 ①어떤 곳을 벗어나다. ¶ 집을 ~. ②졸업하다. ¶ 일류 대학을 ~. ③직장을 그만두다. ¶ 회사를 나와 쉬고 있다. 【나올 적에 봤더면 짚신짝으로 틀어막을걸】 지지리 못난 사람을 보고 하는 말.

나오랑이 명 〈방〉 놀⁴(경상).

나-오르다 자 르불 소문 같은 것이 퍼져 자꾸 오르내리다.

나오리 명 〈방〉 놀⁴(경상·함경).

나오혀다 타 〈옛〉 인접(引接)하다. ¶ 모든 션비ᄅᆞᆯ 나오혀 告ᄒᆞ야 ᄀᆞᆯ오ᄃᆡ(引諸生告之曰)≪小諺 Ⅵ:7≫.

나온 관 〈옛〉 즐거운. =라온. ¶ 나온 君子ㅣ여 福과 履ㅣ 綏之ᄒᆞ놋다(樂只君子福履綏之)≪詩諺 Ⅰ:5≫.

나올【羅兀】 명 '너울¹❶'의 취음(取音).

나옹¹【奈翁】 명 '나폴레옹'을 한자식으로 쓰는 말.

나옹²【懶翁】 명 『사람』 혜근(惠勤)의 법호(法號).

나왕【羅王】 명 『식』 〔←라완(lauan)〕 용뇌향과(龍腦香科)에 속하는 큰 교목. 또, 그 재목. 필리핀·인도·인도네시아·말레이지아 등에서 산출되는데 백(白)나왕·적(赤)나왕 등 여러 종류가 있음. 잎은 혁질 전연(革質全緣)으로 호생(互生)하며, 꽃은 대형의 오판화인데 방향(芳香)이 있음. 재목은 회백색·연붉은 색 또는 엷은 갈색으로, 강도(強度)는 높지 아니하나 균질(均質)이고 가공·세공하기 쉬우므로 기구·가구·건축 용재 등으로 쓰이며, 천연 수지(樹脂) 다마르(dammar)를 산출함.

나:-요양소【癩療養所】 명 나환자를 수용·치료하는 곳. 나병 요양소.

나:용【挪用】 명 돈이나 물건을 일시 돌려 씀. ——-하다 타 여불

나-용선【裸傭船】 명 선박(船舶)만의 임대차(賃貸借). 선원(船員)을 포함하여 임대하는 정기(定期) 용선 계약에 대비하여 일컫는 말.

나-용환【羅龍煥】 명 『사람』 독립 운동가. 3·1 운동 때, 33인의 한 사람. 평남 출신으로 1894년 동학 혁명(東學革命)에도 참가하였음. [1863-1936]

나우¹ 의명 〈방〉 나위³(평안).

나우² 부 좀 많게. 정도가 좀 낫게. ¶ 몹시 시장하니 밥을 ~ 담아라/~ 접대하여라 / 짧은 해에 길은 ~걸어서 연천읍 이십여리 밖에 와 자고 …≪洪命憙 : 林巨正≫.

나우루 〔Nauru〕 명 『지』 태평양 중부의 나우루 섬을 차지하는 공화국. 1888년 독일령이 되었으며, 제1차 세계 대전 후 영국·오스트레일리아·뉴질랜드 세 나라의 공동 신탁 통치령이었다가 제2차 대전 후에 국제 연합의 신탁 통치를 받음. 1968년에 독립, 세계에서 제일 작은 공화국(共和國)이 됨. 인광석(燐鑛石)의 산출이 많음. 정식 명칭은 '나우르 공화국(Republic of Nauru)'. [21.05 km² : 9,000 명(1990)]

나우루 섬 〔Nauru〕 명 『지』 태평양 중부, 적도 직하에 있는 융기(隆起) 산호초의 섬. 1798년에 발견된 섬으로, 섬 중앙에 전체 섬의 5분의 4를 차지하는 인광상(燐鑛床)이 있고, 그것을 둘러싼 비옥한 연안부(沿岸部)가 주민들의 주거 지대임. 주민의 반수는 폴리네시아 계통의 나우루인(人). 전도(全島)를 나우루 공화국이 차지함. 인(燐)은 연간 15만 톤 이상을 수출함.

나우리 명 〈방〉 놀²(경북).

나우만¹ 〔Naumann, Einar〕 명 『사람』 스웨덴의 호소학자(湖沼學者). 룬트 대학 교수. 1920년경 독일의 티네만과 함께 종합 호소학의 체계를 세움. 1922년에 이론 응용 육수학 국제 연맹(理論應用陸水學國際聯盟)을 설립. 이후, 호소 표식(標式) 연구의 보급에 힘씀. [1891-1934]

나우만² 〔Naumann, Hans〕 명 『사람』 독일의 문학사가(文學史家)·민속학자. 사회를 비개인적(非個人的)·원시적·전이론적 하층(下層)과, 개인적·이론적 상층의 두 층으로 구별함. 저서에 ≪독일 민속학 강요≫·≪원시 공동체 문화≫·≪상층·하층의 언어적 관계≫ 등이 있음. [1886-1951]

나우만³ 〔Naumann, Joseph Friedrich〕 명 『사람』 독일의 정치가. 목사 출신으로 기독교 사회 운동에 종사한 후 1896년 국민 사회 연맹을 설립하였으나 총선거에 패하여 진보 인민당에 가입하고, 제1차 대전 중 독일이 영도하는 '중앙 유럽 경제 공동체'의 구상을 발표함. 독일 혁명 후, 1918년 독일 민주당을 창립, 이듬해 당수가 됨. [1860-1919]

나우엘 우아피 〔Nahuel Huapí〕 명 『지』 남미(南美) 아르헨티나 남서부, 칠레와의 국경에 가까운 안데스 산중의 호수(湖水). 호면 표고(湖面標高) 767 m, 최심(最深) 438 m. 빙하호(氷河湖)이며 부근은 국립 공원임. 피서지로서 유명함. [544 km²]

나-운규【羅雲奎】 명 『사람』 영화 연출가·배우. 호는 춘사(春史). 함경북도 회령(會寧) 출신. 23세 때부터 영화계에 투신한 한국 영화의 선구자임. 감독과 주역을 맡은 천재로서, 작품은 ≪금붕어≫·≪벙어리 삼룡이≫·≪아리랑≫ 등 다수임. [1902-37]

나-운영【羅運榮】 명 『사람』 작곡가. 서울출생. 중앙 고보(中央高普)를 거쳐 일본 도쿄(東京) 데이코쿠(帝國) 음악 학교에서 음악 수업을 마치고 1943 년에 귀국, 중앙 여전(中央女專)·연세대(延世大) 교수, 음대 학장으로서 음악 교육에 종사함. ≪달밤≫ ≪접동새≫ ≪가려나≫ 등 다수의 가곡(歌曲)과 오페라 ≪에밀레종≫과 교향곡, 협주곡 등을 남김. 평생을 서양 음악의 토착화 작업에 바쳐, 토착 창송가 1 천여곡을 작곡 [함. [1922-93]

나울 명 〈방〉 놀⁴(경북).

나울-거리다 ㊀ 자 ①큰 물결이 굽이지어 흐르거나 움직이다. ②작은 나뭇잎이나 풀잎 따위가 춤추듯이 바람에 나부끼다. 1)·2): <너울거리다. ㊁ 타 팔이나 날개 같은 것을 보드랍게 굽이지어 움직이다. <너울거리다. 나울-나울 [—라—] 부. ——-하다 자타 여불

나울-대다 타 나울거리다.

나월【蘿月】 명 여라(女蘿)의 덩굴에 걸리어 보이는 달.

나위¹【那威】 명 『지』 '노르웨이(Norway)'의 취음(取音).

나위²【羅幃】 명 엷은 비단으로 만든 포장. 「다/말할 ~ 없다.

나위³ 의명 더할 수 있는 여유 또는 하여야 할 필요. 여지. ¶ 더할 ~ 없

나유타【那由他】 수 ①아승기(阿僧祇)의 억 배(億倍), 불가사의(不可思議)의 억분(億分)의 일의 수. 곧 10^{112} 또는 10^{72}. ②아승기의 만배(萬倍), 불가사의의 만분(萬分)의 일의 수. 곧, 10^{60}.

나으리【進賜】 명 〈이두〉 나리³.

나음【囉音】 명 『의』 '라셀(Rassel)'의 한자어.

나의¹【羅衣】 [—/—이] 명 얇은 비단 옷.

나의²【儺儀】 [—/—이] 명 ①『역』 나례(儺禮). ②『민』 제주도의 풍습으로 행하여지는 하나의 의식(儀式). 어디든지 나무와 돌이 있는 곳에 신사(神祠)를 베풀고 설날부터 대보름까지 무당이 역신(疫神)을 막는다는 뜻으로 신의 둑(纛)을 높이 들어 징고(鉦鼓)를 앞세우며 동네로 들어오면 주민들은 재전(財錢)을 거두어 냄. ③『연』 산대놀음.

나의 투쟁【—鬪爭】 [—/—에—] 명 〔도 Mein Kampf〕 『책』 히틀러(Hitler)의 저서. 뮌헨 폭동 실패 후, 옥중에서 구술한 것을 헤스(Hess, R.) 등이 기록한 것임. 제1권은 1925년, 제2권은 1927년에 출판되었음. 반(反)유태주의·반민주주의를 주장하고, 동(東)유럽 정복과 게르만 민족 생활권의 획득이라는 정치 강령을 명시한, 나치즘의 성전(聖典)이었음.

나이¹ 명 〔중세 : 나ㅎ〕 사람·생물이 세상에 나서 지낸 햇수. 연령. 치산(齒算). 준나.
【나이 덕이나 입자】 낫살이나 먹은 사람을 대접하여 달라는 말. 【나이 젊은 말이 먼저 시집간다】 ㉠나이 적은 사람이 시집가기 쉽다는 말. ㉡젊은 사람이 사회에 잘 쓰인다는 말. 【나이 차 미운 계집 없다】 무엇이

나 한창 필 때는 좋게 보인다는 말.
나이(가) 들다 구 나이를 먹다. 많은 나이에 달하다.
나이(를) 먹다 구 나이가 많아지다. ¶ 나이 먹은 신랑.
나이(가) 아깝다 구 말이나 하는 짓이 그 나이에 어울리지 아니하게 유치하다. 「녀.
나이(가) 차다 구 적령(適齡)에 이르다. 혼기(婚期)가 되다. ¶ 나이찬 처
나이² 명 〈옛·방〉〖식〗냉이. ¶ 나이 셩이 온ᄒᆞ여(薺菜性溫)≪救荒 補遺方 14≫. *나싀.
나이³ 명 〈방〉 무명¹.
나:이⁴【挪移】명 돈이나 물건을 일시 융통함. ——-하다 타여불
-나이까 어미 동사 및 '있다·없다·계시다·안 계시다'의 어간에 붙어, '하소서'체에서 현재의 동작을 묻는 종결 어미. ¶ 언제 가시~/계시~/그럴 수는 없~. *-오니까·-으오니까.
나이-깨 명 어느 정도 나우 먹은 나이를 낮추어 이르는 말. ¶ ~나 먹은 사람이 부끄럽지도 아니한가. ㊀나깨.
-나이다 어미 동사 및 '있다·없다·계시다·안 계시다'의 어간에 붙어, '하소서'체에서 현재의 동작을 설명하거나 대답하는 종결 어미. ¶ 공부를 하~/아버지께선 집에 계시~. *-오이다.
나이 대:접【一待接】명 나이 많은 이를 대접하여 받드는 일. ㊀나대접. 「——-하다 자여불
나이두〔Naidu, Sarojini〕명〖사람〗인도(印度)의 여류 시인·사회 운동가·정치가. 많은 영어 시집을 발표하였음. 국민 회의파(國民會議派)에 참가하여 회의파 최초의 여성 의장을 맡기도 하고 여성 해방 운동에도 참여함. 저서에 ≪금색(金色)의 입구≫·≪부러진 날개≫ 등이 있음. [1879-1949]
나이드라지드〔Nydrazid〕명〖약〗결핵의 화학 요법제(化學療法劑) 이소니코틴산(isonicotin酸) 히드라지드(hydrazide)의 상표명(商標名). 아이나(INAH).
나이-떡 명 정월 보름에 숟가락으로 식구의 나이 수효대로 쌀을 떠서 만드는 떡. 액(厄)막이로 해서 먹음. ㊀나떡.
나이로비〔Nairobi〕명〖지〗케냐(Kenya)의 수도. 동(東)아프리카의 적도(赤道)에 걸쳐 있으나, 내륙의 고원(高原)에 위치하여 기후는 온화하며 문화 도시를 이룸. 농업 지대의 중심이며, 식품 가공·제지(製紙)·피혁(皮革)·기계 수리 등의 공업도 행하여짐. 국제 공항과 나이로비 국립 공원이 있음. [1,100,000 명(1990)]
나이로비 국립 공원【一國立公園】[一닙一]〔Nairobi〕명〖지〗나이로비 교외에 있는 야생 동물 공원. 면적 약 114 km² 로 1946년에 창설됨. 대부분이 초원(草原)으로, 코끼리·사자·기린 등의 야생 동물을 자연 상태에서 볼 수 있음.
나이만〔Naiman〕명 10-13세기에 알타이 산맥 지방과 그 서쪽에서 활약한 터키계(系)의 유목민. 칭기즈 칸에 대항하다가 패하고 1204년 서쪽으로 옮기었으나 1218년 몽골에 의하여 토멸되었음. 내만(乃蠻).
나이-배기 명 외모보다 실제로 더 나이 많은 사람을 얕잡아 이르는 말.
나이-별【一別】명 나이에 따른 구별. 연령별. ㄴ㊀나배기.
나이브〔프 naïve〕명 소박함. 천진(天眞)함. ——-하다 형여불
나이서〔Neisser, Albert Ludwig Siegmund〕명〖사람〗독일의 피부·성병학자. 1879년 나균(癩菌)을 발견하였으며, 그 밖에 바서만(Wassermann)과 공동으로 매독 혈청(梅毒血淸) 진단법을 고안함. [1855-1916]
나이세 강【一江】〔Neisse〕명〖지〗①체코(Czech) 북서부 산지에서 발원(發源), 폴란드·독일 국경을 북쪽으로 흘러 구벤(Guben) 북방 15 km에서 오데르(Oder) 강에 합류함. 포츠담 회담에서 독일·폴란드의 국경선으로 정해진 오데르 나이세선(線)을 이룸. [256 km] ②체코의 중북부(中北部) 산지에서 발원, 폴란드 영내를 북동쪽으로 흘러 오데르 강에 합류함. 글라처나이세(Glatzer Neisse). [196 km]
나이스〔nice〕명 ①좋음. 훌륭함. ¶ ~ 볼. ②정묘함. ③맛좋음. ④재미좋음. ⑤아름다움. 예쁨. ¶ ~ 걸.
나이스타틴〔nystatin〕명〖약〗☞ 니스타틴.
나이스 플레이〔nice play〕명 ①훌륭한 솜씨나 재주. ②좋은 연기. ③훌륭한 경기.
나이아가라 강【一江】〔Niagara〕명〖지〗미국과 캐나다의 국경에 있는 강. 이리 호(Erie湖)로부터 온타리오 호(Ontario湖)로 흘러들어감. [53 km]
나이아가라 운:동【一運動】〔Niagara〕명 현대 미국에 있어서의 선구적인 흑인 해방 운동. 1905년 나이아가라 폭포에 가까운 캐나다령(領) 포트이리(Port Erie)에 젊은 흑인 지식인들이 모여, 모든 흑인들에게 차별 반대 운동을 전개할 것을 촉구하는 선언문을 발표했으나, 그 후 대중적 기반을 잃어 1909년경 활동이 정지됨.
나이아가라 폭포【一瀑布】〔Niagara〕명〖지〗북미(北美) 나이아가라 강(江)에 흐르는 세계 최대의 폭포. 고트(Goat) 섬에서 둘로 갈라졌는데 하나는 캐나다 폭포로서 너비 약 900 m, 높이 48 m 가량이고, 또 하나는 미국 폭포로 너비 약 200 m, 높이 51 m 가량임. 캐나다 폭포가 수량(水量)이 많고 장관(壯觀)임. 수세(水勢)로 벼랑이 깎이어 폭포가 해마다 후퇴함. 이 일대는 양국의 국립 공원임.
나이아가라 폴:스〔Niagara Falls〕명〖지〗①미국 뉴욕 주(州) 북서부, 나이아가라 폭포의 하류 우안(右岸)에 있는 도시. 캐나다의 나이아가라 폴스와 두 개의 다리로 연결됨. 풍부한 전력을 사용하여, 화학·펄프·식품 가공·기계 공업이 성함. [71,384 명(1980)] ②캐나다 동남부, 나이아가라 폭포의 하류 좌안(左岸)에 있는 도시. 큰 수력 발전소가 있으며, 펄프·식품 가공·기계 공업이 성함. [70,960 명(1981)]
나이아스〔Naias〕명〖신〗그리스 신화에서, 하천(河川)·샘의 여신(女神). 물의 요정(妖精).
나이아신〔Niacin〕명〖약〗☞ 니아신.
나이오비〔Niobe〕명〖신〗'니오베(Niobe)'의 영어명.
나이저 강【一江】〔Niger〕명〖지〗서아프리카 시에라리온(Sierra Leone)에서 발원, 말리·니제르·나이지리아를 통하여 기니 만으로 들어가는 강. 아프리카 제3의 큰 강임. [4,185 km]
나이지리아〔Nigeria〕명〖지〗아프리카 서부, 기니 만(灣)에 면한 연방 공화국. 열대 기후로 습윤(濕潤)하나 북부는 건조함. 공용어는 영어이나, 주요 부족의 고유 언어도 쓰임. 농업이 주로 카카오·야자유(油)·땅콩·면화 등을 산출함. 주석·석유·석탄·탄탈(tantal)·금(金) 등의 광산물도 산출하고, 양조·시멘트·담배 등의 공업도 행하여짐. 영국의 식민지, 영연방내의 자치 공화국을 거쳐 1960년 독립함. 수도는 아부자(Abuja). 정식 명칭은 '나이지리아 연방 공화국(Federal Republic of Nigeria)'. [923,768 km² : 123,779,000 명(1991 추계)]
나이키:〔Nike〕명 ①〖신〗'니케(Nike)'의 영어명. ②〖군〗미군의 지대공(地對空) 미사일의 주력(主力)을 이루는 유도탄. 지상에서 레이더(radar)로 유도하는 커맨드(command) 방식임. 나이키 에이잭스·나이키 허큘리스·나이키 지우스 등이 있음.
나이키:-에이잭스〔Nike-Ajax〕명〖군〗미국에서 개발한 지대공(地對空) 미사일의 하나. 전장(全長) 6.4 m, 중량 1000 kg, 속도 마하 2.5, 사정(射程)은 50 km.
나이키:-지우스〔Nike-Zeus〕명〖군〗미육군이 대륙간 탄도탄이나 중거리 탄도탄의 요격용(邀擊用)으로 개발한 미사일. 사정(射程)은 약 380 km, 속도는 마하 4로 추정되며, 핵탄두(核彈頭)를 장비함. 고체(固體) 추진제를 사용함.
나이키:-허:큘리스〔Nike-Hercules〕명〖군〗미국에서 개발한 지대공(地對空) 미사일의 하나. 전장(全長) 12.4 m, 직경 61 cm, 중량 4,000 kg, 속도 마하 3.5, 사정(射程)은 160 km이나 개량형은 210 km에 이름. 핵탄두 장비가 가능하며 고체(固體) 추진제를 사용함.
나이터〔night+er〕명 야간 경기. 주로, 야구 경기를 말함. *나이트 게임.
나이-테 명〖식〗쌍자엽식물(雙子葉植物)·나자 식물(裸子植物) 등의 줄기나 뿌리의 횡단면(橫斷面)에 보이는 바퀴 모양의 둥근 테. 봄에 생긴 목질부(木質部)는 많고 무르며, 가을에 생긴 목질부는 적고 치밀하므로, 그 사이에 해마다 층이 생기게 되는데, 그 수로써 나무의 나이를 알 수가 있음. 물고기의 비늘, 짐승의 이 같은 것에도 나이테가 있음. 목리(木理). 나이 바퀴. 연륜(年輪).

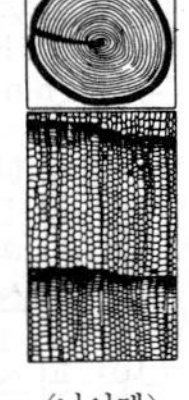
〈나이테〉

나이테 분석【一分析】명 나무의 나이테를 분석하여 과거의 기후를 추정(推定)하는 고기후학(古氣候學)의 한 방법. 나이테의 폭은 토양·수령(樹齡) 등 기후 이외의 인자(因子)에도 좌우(左右)되기 때문에 분석에는 신중을 요함.
나이테 연대 측정법【一年代測定法】[一뻡] 명〔dendrochronology〕〖고고학〗나무의 나이테를 연구하여 고고학적 유적의 연대를 측정하는 방법. 1929년 더글러스(Douglass, A. E.)가 나무에 나타나는 나이테를 중심으로 나무의 나이와 기후 조건을 밝힌 것을 계기로 최근에는 방사성 탄소 연대 측정의 보정(補正)과 기후 관계 연구에 쓰이고 있음. 연륜 연대 측정법(年輪年代測定法).
나이트¹〔knight〕명 ①기사(騎士)❸. ②영국에서 왕실이나 국가에 대한 공로자에게 주는 작위(爵位). 배러닛(baronet)의 아래. 일대(一代)에 한하며, 서(Sir)라는 칭호가 허용됨. ③체스의 말의 하나. 말대가리 모양으로 되어 있으며, 팔방으로 한 간씩 건너뛰어서 감.
나이트²〔Knight, Thomas Andrew〕명〖사람〗영국의 식물학자·원예학자. 식물의 뿌리에 관하여 그 향지성(向地性)·향습성(向濕性) 등을 확인했으며, 향일성(向日性)을 확정(確定)함. [1758-1838]
나이트³〔night〕명 밤. 야간(夜間).
나이트-가운〔nightgown〕명 나이트드레스.
나이트 게임〔night game〕명 야간 경기. *나이터.
나이트-드레스〔nightdress〕명 여자나 아이들이 밤에 잠옷 위에 입는 길고 가벼운 겉옷. 잠잘 때나 화장(化粧)할 때에 입음. 나이트가운.
나이트 래치〔night latch〕명 방문에 다는 빗장의 하나. 방에서는 손잡이로, 밖에서는 열쇠로 여닫음.
나이트로민〔nitromin〕명〖화〗나이트로젠 머스터드 비(nitrogen mustard B)의 산화물(酸化物). 백색 결정(結晶). 제암제(制癌劑)로서 백혈병(白血病)·림프 육종(肉腫)·호지킨(Hodgkin)병 등에 사용됨. 부작용은 나이트로젠 머스터드보다 작음. [$(ClCH_2CH_2)_2(CH_3)NO \cdot HCl$]
〈나이트드레스〉
나이트로젠 머스터:드〔nitrogen mustard〕명〖화〗머스터드 가스(mustard gas)의 황(黃) 원자를 질소 원자로 바꾸어 놓은 물질. 2차 대전 중 미국에서 독가스로서 연구되었으나 그 작용 기구가 세포 분열에 이상을 준다는 것이 알려지면서 제암(制癌) 및 악성 종양(腫瘍)의 치료에 사용되기 시작하였는데, 부작용 때문에 최근에는 쓰이지 아니함. 질소 이페리트(窒素 Yperit).
나이트 쇼:〔night show〕명 연예(演藝)·영화 등의 야간 흥행(夜間興行).
나이트-캡〔nightcap〕명 ①잠잘 때에, 머리가 헝클어지지 아니하도록 쓰는, 털실로 짠 모자. ②밤에 자기 전에 마시는 술.
나이트 크림〔night cream〕명 밤에 자기 전에 바르는 영양 크림.
나이트 클럽〔night club〕명 야간의 사교 클럽. 특히, 술과 댄스·음악을 즐기기 위하여 남녀가 동반하는 고급 음식점. *카바레(cabaret).
나이트 테이블〔night table〕명 침대 옆에 놓는 작은 테이블.
나이-티 명 자기 나이에 어울리는 언행의 태도.
나이팅게일¹〔nightingale〕명〖조〗[*Luscinia megarhyncha*] 지빠귀과

에 속하는 작은 새. 꾀꼬리와 비슷한데 몸길이 17 cm, 날개 길이 8.5cm 가량으로 등은 적회색(赤灰色), 배는 황회색(黃灰色), 허리·꽁지는 어두운 적갈색임. 봄·여름의 이른 아침이나 저녁 때 또는 달밝은 밤에 아름답게 울어 널리 알려져 있음. 땅 위 가까이에 집을 짓고 5-6개의 알을 낳으며, 지렁이·곤충·식물의 열매를 먹고 삶. 집에서도 기름. 유럽 중남부의 숲 속에 서식하는데, 한국·일본에는 적음. 밤꾀꼬리.

〈나이팅게일¹〉

나이팅게일² 〔Nightingale, Florence〕 명 『사람』 영국의 간호원. 1854년 크림(Krym) 전쟁 때 최초의 종군(從軍) 간호원으로 지원하여 활약, '크림의 천사'로 불림. 1860년 간호 학교를 개설하고, 간호 사업과 간호법 개선에 크게 공헌함. 그의 업적을 기리어 나이팅게일 기장이 제정됨. [1820-1910]

나이팅게일 기장 【一記章】 〔Nightingale〕 명 나이팅게일상(賞) 수상자에게 주는 메달.

나이팅게일-상 【一賞】 〔Nightingale〕 명 훌륭한 간호원에 대하여, 국제 적십자사가 수여하는 상. 1920년에 나이팅게일을 기념하기 위하여 제정되었고, 각국 적십자사의 추천에 의해서 2년마다 나이팅게일의 생일인 5월 12일에 발표함.

나이프 〔knife〕 명 ①서양식 작은 칼. ¶ 잭 ～. ②주머니 「칼.

나이프 리지 〔knife ridge〕 명 나이프 에지.

나이프 스위치 〔knife switch〕 명 『전』 수동(手動) 스위치의 하나. 600V 이하의 전기 회로(電氣回路)의 개폐에 사용하는 칼날처럼 생긴 개폐기.

〈나이프 스위치〉

나이프 에지 〔knife edge〕 명 칼날같이 날카롭게 된 산의 능선. 나이프 「리지.

나:인¹ 명 『역』 〔←내인(內人)〕 고려·조선 시대, 궁궐(宮闕) 안에서 대전(大殿)·내전(內殿)을 가까이 모시던 내명부(內命婦)의 총칭. 궁녀. 궁인(宮人). 여관(女官). 여시(女侍).

나:인² 【拿引】 명 나치(拿致). ――하다 타여불

나인³ 〔도 Nein〕 명 아님. 부정(否定). 노(no).

나인⁴ 〔nine〕 명 ①아홉. 아홉 개. ②아홉 명의 한 패. ③야구에서, 한 팀. 9명의 선수로 한 팀이 조직됨.

나-인영 【羅寅永】 명 『사람』 나철(羅喆)의 초명(初名).

나인-장 【拿人狀】 [―짱] 명 죄인의 인치를 명하는 서류. ¶ 왕자룡의 형수 월교와 시비 앵심에게 ～을 발송하였더라 《崔瓚植 : 桃花園》.

나인틴: 스 홀: 〔nineteenth hole〕 명 골프 클럽 안의 바(bar). 골프에서 18홀의 1라운드를 끝내고 한잔 하는 데서 유래됨.

나인-핀스 〔ninepins〕 명 11세기경 독일 교회에서 시작된 실내 경기. 병 모양으로 된 9개의 곤봉을 세워 놓고 공을 굴려서 이것을 넘어뜨림. 네덜란드를 거쳐 미국으로 전해져서, 현재의 '볼링'이 됨. 구주희(九柱戲).

나-인협 【羅仁協】 명 『사람』 3·1 운동 때의 민족 대표 33인의 한 사람. 평남 성천(成川) 출생. 동학 농민 운동에 참가하였으며 1919년 3·1 운동에 참가하여 2년간 옥고(獄苦)를 치름. 뒤에 천도교 도사(道師)로 교도를 지도함. [1870-1951]

나일 강 【一江】 〔Nile〕 명 『지』 아프리카 북동부를 흐르는 세계 제1의 큰 강. 빅토리아 호(Victoria 湖)에서 발원(發源)하는 본류(本流)를 백(白)나일, 아비시니아(Abyssinia) 고원을 수원(水源)으로 하는 지류를 청(靑)나일이라 부르는데, 수단(Sudan)의 수도 하르툼(Khartoum) 부근에서 합류하여 누비아(Nubia) 사막과 이집트의 리비아 사막을 관류(貫流)하면서 지중해로 흐름. 그 유역은 세계 최고(最古)의 문명 발상지(發祥地)임. 예로부터 은혜를 베풀어 주는 신(神)으로서 숭앙을 받고 '이집트의 어머니'라 불리어 옴. [6,671km]

나일로트-족 【一族】 〔Nilot〕 명 ☞ 닐로트 족.

나일론 〔nylon〕 명 합성 섬유의 한 가지. 탄소·수소·질소 등을 원료로 하여 짠 섬유 형성능(形成能)이 있는 폴리아미드(polyamide)의 일반적 명칭. 미국 듀폰(Du Pont) 회사의 캐러더스(Carothers; 1896-1937)가 발명하여 최초의 합성 섬유로 발표되고, 1937년 특허를 얻음. 종래의 인조 섬유보다 훨씬 질기어, 꺾고 휘고 마찰하여도 견디는 힘이 큼. 가볍고 부드럽고 탄력성이 강하며, 습기를 빨아들이는 힘이 적고 약품에 잘 견디므로, 단독 또는 혼방으로 양말·옷감·어망 등을 만들며, 플라스틱 성형품(成形品)으로서 무음(無音) 톱니바퀴·베어링·캠(cam) 등 기계 부품에도 사용됨.

나일론 수지 【一樹脂】 〔nylon〕 명 합성 폴리아미드(polyamide)를 주성분으로 하는 수지(樹脂). 톱니바퀴·파스너(fastener)·인공 피혁 따위에 이용함. 폴리아미드 수지.

나일-악어 【一鰐魚】 〔Nile〕 명 『동』 [*Crocodylus niloticus*] 악어과에 속하는 대형 악어. 몸길이는 보통 3.7-4.9m인데 7m에 달하는 것도 있음. 머리는 삼각형으로 주둥이의 길이는 그 기부(基部)의 폭의 1.5배 이상이 됨. 몸은 인판(鱗板)으로 덮이고, 몸빛은 암회청색(暗灰靑色)임. 강가의 모래 속에 20-90개의 알을 낳고 40일 만에 부화하며, 먹이는 500g 이하의 작은 동물을 주로 하는데, 가끔 사람을 해치는 일도 있음. 고대 이집트에서는 신(神)으로 받들었으나 지금은 잡아서 껍질을 벗기어 방패 등으로 씀. 아프리카의 나일강·마다가스카르·코모로(Comoro) 제도 등지에 분포함.

〈나일악어〉

나:입 【拿入】 명 죄인을 법정으로 잡아들이는 일. ――하다 타여불

나잇-값 [―깝] 명 나이에 어울리는 말이나 행동. ¶ ～도 못한다.

나잇-살 명 '지긋한 나이'를 얕잡아 일컫는 말. ¶ ～이나 먹은 사람이 그게 무슨 짓이오. 준낫살.

나ᄋᆞ다 자 〈옛〉 나아가다. ＝나ᅀᆞ다❷·낫다³. ¶ 德이여 福이라 호ᄂᆞᆯ 나ᄋᆞ라 오소이다 아으 動動다리 《樂範》. 「五日」《阿彌 17》.

나올 명 〈옛〉 나흘. ¶ 사ᄋᆞ리어나 나ᄋᆞ리어나 다ᄊᆡ어나(若三日若四日若

나자 【儺者】 명 『역』 나례(儺禮)를 거행하는 방상시(方相氏)·초라니·진자(侲子)·지군(持軍)·소매(小梅) 등의 통칭.

나:자-기 【裸子器】 명 『생』 자낭균류(子囊菌類)의 생식 기관의 하나. 명상(皿狀)·원반상(圓盤狀) 또는 배상(杯狀)으로, 개구부(開口部)가 크게 열려 반상(盤狀)이 되고, 자실층(子實層)이 넓게 노출한 것. 지의류(地衣類)에서는 이런 모양이 분류의 중요한 특징이 되고 있음.

나:자-류 【裸子類】 명 『동』 [Gymnoblastea] 강장(腔腸) 동물 히드로충강(hydro 蟲綱)에 속하는 한 목(目). 세대 교번(世代交番)이 뚜렷하고, 히드로 합체(合體)를 이룸. 히드로협(莢)과 생식협(生殖莢)은 없음.

나-자빠지다 자 ↗나가자빠지다.

나자스-말 〔라 Najas〕 명 『식』 [*Najas graminea*] 나자스말과에 속하는 일년초. 줄기는 길이가 30cm, 하부에 수근(鬚根)이 나옴. 잎은 선형이고, 길이 1-3cm임. 9월에 자웅 일가(雌雄一家)의 담녹색 꽃이 액생(腋生)하는데, 암수꽃 모두 나생(裸生)함. 과실은 긴 타원형임. 못·도랑·무논에 나는데, 충북·강원·경기·황해도에 분포함.

나:자 식물 【裸子植物】 명 『식』 겉씨 식물.

나:자 식물 시대 【裸子植物時代】 명 『지』 겉씨 식물 시대.

나:자와 사:자 【裸者一死者】 명 〔The Naked and the Dead〕 『책』 메일러(Mailer, N.)의 장편 소설. 제2차 세계 대전 중 남태평양의 고도(孤島)에서의 미군 기동 부대와 일본군의 전투를 통하여, 전장(戰場)의 처참함과 황폐하여지는 인간상을 대담한 즉물적(卽物的)인 터치로 그림.

나자프 〔Najaf〕 명 『지』 안나자프.

나잘 의명 〈방〉 나절²(충청·경상).

나:장¹ 【裸葬】 명 장사지낼 때 관(棺)을 쓰지 아니하였거나, 또 썼더라도 하관(下棺)할 때에 관을 물려 내고 송장만을 묻는 일. ――하다 타 「여불

나장² 【螺匠】 명 『역』 〈이두〉 나장(羅將).

나장³ 【羅將】 명 『역』 ①조선 시대, 의금부(義禁府)의 하례(下隷). 칠반 천역(七般賤役)의 하나로, 죄인을 문초할 때, 매 때리는 구실을 맡음. ②조선 시대, 군아(郡衙)의 사령(使令)의 하나.

나:-전¹ 【一錢】 명 『민』 신이나 부처에게 복을 빌 때, 그 사람의 나이 수효대로 놓는 돈. 「어 장식한 공예품. 자개.

나전² 【螺鈿】 명 『공』 광채가 나는 자개 조각을 여러 형상으로 박아 붙이

나전³ 【羅甸】 명 『지』 '라틴(Latin)'의 취음(取音).

나전 단화 금수문경 【螺鈿團花禽獸文鏡】 명 배면(背面)에 나전과 호박(琥珀)으로 산악(山岳)·금수·화문(花文)을 배치하고 그 공간에는 칠(漆)로써 세청석(細靑石)을 화려하게 메꾼 백통 거울. 지름 18.6cm, 두께 0.6cm. 국보 제140호. 통일 신라 시대의 유물.

나전 목기 【螺鈿木器】 명 금조개의 썬 조각을 여러 모양으로 박아 붙이 「어 장식한 나무로 만든 공예품.

나:-전병 【糯煎餠】 명 차전병❶.

나전-어 【羅甸語】 명 『언』 '라틴어(Latin 語)'의 취음(取音).

나전-초 【羅氈草】 명 『식』 고슴도치풀.

나전 칠기 【螺鈿漆器】 명 옻칠한 기물(器物)에 진주광(眞珠光)이 나는 자개 조각을 여러 가지 모양으로 박아 붙이어 장식한 공예품. 경상 남도 충무(忠武)에서 나는 것이 유명하며, 우리 나라 특산품으로, 궤(櫃)·옷장·탁자(卓子)·연상(硯箱)·밥상 등이 있음. ＊자개 그릇.

나절¹ 【羅切】 명 『불교』 마라(摩羅)를 끊는다는 뜻으로, 음욕(淫慾)을 없애기 위하여 음경(陰莖)을 끊어 버리는 일.

나절² 의명 하루 낮의 대략 절반 되는 동안. ¶ 아침 ～/저녁 ～/반 ～.

나절-가웃 의명 ①하루 낮의 사분의 삼쯤 되는 동안. ② ☞ 반나절.

나정 【蘿井】 명 『역』 신라 시조 박혁거세가 나온 알이 그 곁에 있었다고 전하는, 담쟁이덩굴로 덮인 우물. 경주(慶州) 양산(楊山)에 있었다 함.

나제 【羅濟】 명 『역』 신라와 백제의 합칭(合稱). ＊나당(羅唐).

나제 동맹 【羅濟同盟】 명 『역』 백제 동성왕(東成王) 7년(485)부터 성왕(聖王) 31년(553)까지, 신라와 백제가 고구려의 남진(南進)을 막고자 맺은 동맹(同盟). 신라 진흥왕(眞興王) 14년(553)에 백제가 탈환했던 한강 하류 지역 6군의 땅을 신라가 빼앗아 한강 유역을 완전히 점령하매, 동맹이 깨짐.

나제 통문 【羅濟通門】 명 『지』 전라 북도 무주군(茂朱郡) 설천면(雪川面)과 무풍리(茂豐里) 사이를 가로지른 암벽(岩壁)을 뚫은 굴문(窟門). 예전에 신라와 백제의 경계였다고 함. 무주 구천동(九千洞)의 입구를 이룸.

나조 명 〈옛·방〉 저녁. ＝나죄. ¶ ᄇᆞᄅᆞᆷ맷 믌겨리 아ᄎᆞᆷ 나조히 없도다(風浪無晨暮) 《杜諺 XXI:38》.

나조기 〔중 辣子鷄〕 명 토막친 닭고기에 녹말을 묻혀 튀긴 다음, 고추·마늘·파·생강을 볶아 섞고, 녹말을 물에 풀어 넣어 익힌 중국 요리.

나조-반 【一盤】 명 나좃쟁반.

나조ㅅ겻 명 〈옛〉 저녁 나절. ¶ 나조ㅅ겻(傍午) 《漢淸 Ⅰ:27》.

나조히 〈옛〉 저녁이. '나조'의 주격형(主格形). ¶ 나조히 ᄆᆞᆺ도록 刀와를 티ᄂᆞ니(竟夕擊刀斗) 《杜諺 X:20》.

나조ᄒᆞᆫ 〈옛〉 저녁은. '나조'의 절대격형. ¶ 歡樂ᄒᆞ던 나조ᄒᆞᆫ 노ᄑᆞᆫ ᄀᆞᅀᆞᆯ히 서늘ᄒᆞᆫ 氣運이 ᄆᆞᆰ더라(初歡夕高秋爽氣澄) 《初杜諺 Ⅷ:9》.

나조ᄒᆞᆯ 〈옛〉 저녁을. '나조'의 목적격형. ¶ ᄀᆞᅀᆞᆯ 슬호ᄆᆞᆯ 나조ᄒᆞᆯ 向ᄒᆞ야 ᄆᆞᆺ노라(悲秋向夕終) 《初杜諺 X:38》. 「杜諺 Ⅶ:7》.

나조히 〈옛〉 저녁에. ¶ 幽深ᄒᆞᆫ 남ᄀᆞᆫ 나조히 고지 하도다(幽樹晚多花) 《初

나졸¹ 【羅卒】 명 『역』 조선 시대 군아(郡衙)에 딸렸던 군뢰(軍牢)·사령(使令)의 총칭. 주로 죄인을 문초할 때 곤장으로 때리는 역을 맡음.

나졸² 【邏卒】 명 『역』 조선 시대 포도청(捕盜廳)에 딸리어 자기가 맡

은 구역 안을 순라(巡邏)하던 병졸.

나좃-대 [명] 갈대나 새나무를 한 자쯤 잘라 묶어, 기름을 붓고 붉은 종이로 싸서 초처럼 불을 켜는 물건. 납채(納采) 때에 색시 집에서 씀.

나좃-쟁반 【一錚盤】 [명] 나좃대를 받치어 놓는 쟁반. 나조반.

나:종 [명] 〈방〉 나중[1].

나죄 [명] 〈옛〉 저녁. =나조. ¶ 나죄 어드우면 夢이니(夕暮則夢)《楞嚴 X:3》/나죄 셕(夕)《字會 上 2》.

나좟히 [명] 〈옛〉 석양(夕陽). 저녁 해. ¶ 나좟히예 巴蜀이 幽僻ᄒᆞ니(暮景巴蜀僻)《杜諺 Ⅷ:16》.

나죵내 [부] 〈옛〉 내내. 끝끝내. ¶ 나죵내 봉양 몯ᄒᆞᆫ 일이 ᄒᆞᆫᄒᆞ다ᄒᆞ고(恨不終養)《東國新續三綱 烈女 Ⅱ:26》.

나죵애 [부] 〈옛〉 나중에. ¶ 나죵애(到頭)《老朴 單字解 7》.

나주[1] 【螺舟】 [명] 소라 껍데기 모양으로 만든 배. 물 속으로 다니어도 물이 스며들지 아니하는데, 중국 진시황(秦始皇) 때에 있었다 함.

나주[2] 【羅州】 [명] 〖지〗 전라 남도의 한 시(市). 1읍(邑) 12면(面) 11동(洞). 영산강 중류, 전남(全南) 평야에 자리잡고 있는데, 북쪽은 광주(光州) 광역시, 동쪽은 화순군(和順郡), 남쪽은 장흥군(長興郡)과 영암군(靈岩郡), 서쪽은 무안군(務安郡)과 함평군(咸平郡)에 접함. 각종 농산과 배·복숭아 등의 과실 재배와 죽세공이 유명함. 명승 고적으로 운흥사(雲興寺) 및 불회사(佛會寺)의 돌장승, 반남면(潘南面)의 고분군(古墳群), 봉황면(鳳凰面)의 칠불 석상(七佛石像) 및 석불 입상(石佛立像) 등이 있음. 1981년 7월 나주군(羅州郡) 나주읍(羅州邑)과 영산포읍(榮山浦邑)이 합병하여 금성시(金城市)로 되었다가 1986년 나주시로 이름이 바뀌고, 1995년 1월 나주군을 통합, 개편됨. [603.66 km^2 : 116,156명(1996)]

나주 괘:서의 변 【羅州掛書一變】 [一/一에一] [명] 〖역〗 조선 영조 31년(1755)에 김일경(金一鏡)의 옥사(獄事) 때 연좌하여 죽은 윤취상(尹就商)의 아들 윤지(尹志)가 나주 객관(客館)에 붙인 불온(不穩) 벽서로 인해 소론(少論)이 화를 당한 사건. 윤지를 주동으로 하여 그의 아들 윤광철(尹光哲)·나주 목사 이하징(李夏徵) 등 소론 일파의 반역 음모가 드러나, 모두 주살(誅殺)되고, 이후 소론의 세력이 쇠퇴하게 됨. 을해옥사(乙亥獄事). 윤지(尹志)의 난(亂).

나주-군 【羅州郡】 [명] 〖지〗 전라 남도에 속했던 군. 1995년 1월, 나주시에 통합됨.

나주-댐 【羅州一】 〔dam〕 [명] 〖지〗 전라 남도 나주군 다도면(茶島面) 대초리(大草里)에 있는 관개용수 댐. 높이 31 m, 길이 496 m, 저수 용량(貯水容量) 9,120 만m^3. 1976 년에 준공됨.

나주 들:노래 【羅州一】 [一로一] [명] 〖악〗 전라 남도 나주 지방에서 논일을 하면서 부르는 농요(農謠). 《모찌기 소리》·《모심기 소리》·《논매기 소리》·《장원(壯元)질 소리》의 순서로 부름.

나주-반 【羅州盤】 [명] 전라 남도 나주 지방에서 나는 소반. 은행나무나 피나무로 반면(盤面)을 삼고, 다리는 버드나무나 소나무를 씀. 전을 따로 물리되, 네 귀가 모졌으며, 반면 밑에 운각(雲脚)을 붙이고, 중대(中帶)는 중간에 한 층뿐임. 네 다리는 대개 개다리, 팽이다리, 호족(虎足)으로 함. *해주반.

나주 평야 【羅州平野】 [명] 〖지〗 전남 평야.

나준-녘 [명] 〈방〉 저녁때(명안).

나:중[1] [명][부] 〔중세 : 내종(乃終)〕 얼마 지난 뒤. 먼저 할 일을 한 다음. 내종(乃終). ¶ ~ 온 사람/~에 보세/그것은 ~에 하여라. ↔먼저.

【나중 꿀 한 식기(食器) 먹기보다도 당장의 엿 한 가락이 더 달다】 눈앞에 보이지 아니하는 장래의 막연한 희망을 가지기보다, 작더라도 당장 눈앞에 있는 이로움을 택하는 편이 더 낫다는 말. 【나중 난 뿔이 우뚝하다】 후배가 선배보다 나을 때에 이르는 말.

나:중에야 삼수 갑산(三水甲山)을 갈지라도 [구] 일의 결과가 최악의 경우에 이를지라도 우선은 해 볼 대로 해 본다는 뜻.

나중[2] 【那中】 [명] 그 속. 그 곳.

나즈막-하다 [형][여불] ☞ 나지막하다.

나즉-나즉 [부] ☞ 나직나직. ──하다 [형][여불]

나즉-이 [부] ☞ 나직이.

나즉-하다 [형][여불] ☞ 나직하다.

나:지[1] 【裸地】 [명] 맨땅. 알땅.

나지[2] 【NADGE】 [명] 〔NATO Air Defence Ground Environment의 약칭〕 〖군〗 나토 가맹국인 노르웨이부터 터키에 걸치는 전자 방공 방위 체계(電子防空防衛體系). 이탈리아·서독·프랑스·벨기에·덴마크·그리스·터키 등에 배치된 80 개의 레이더 기지를 기반으로 하여, 침입하는 폭격기의 탐지·식별·추격 및 요격기·지대공 미사일의 관제를 행함.

-나지라 [어미] 〈옛〉 -아지라. ¶ 누의 지븨 잠싼 녀려오나지라 ᄒᆞ야놀(請暫詣妹家)《三綱 奧二免禍》.

나지리 [부] 자기보다 품이 낮게. 경멸하여. ¶ 남을 ~ 여기다.

나지리 보다 [구] 남을 업신여기어 낮게 보다.

나지리 여기다 [구] 남을 업신여기다. 낮게 여기다.

나지막-이 [부] 나지막하게.

나지막-하다 [형][여불] 매우 나직하다. 꽤 나직하다. ¶ 나지막한 목소리/나지막한 초가집.

나지-밥 [명] 〈방〉 점심(點心)(전북).

나직 【羅織】 [명] 없는 죄를 얽어서 꾸며 만듦. ──하다 [타][여불]

나직-나직 [부] 다 나직하게. ↔높직높직. ──하다 [형][여불]

나직나직-이 [부] 나직나직하게. ↔높직높직이.

나직-이 [부] 나직하게. ↔높직이.

나직-하다 [형][여불] 〔중세 : ᄂᆞᄌᆞᆨᄒᆞ다〕 소리나 위치 같은 것이 조금 낮다. ¶ 나직한 목소리/나직한 언덕. ↔높직하다.

나진[1] 【羅津】 [명] 〖지〗 함경 북도의 한 시(市). 항구 도시임. 경흥군(慶興郡)의 서남부 나진만의 동쪽에 위치하고 있으며 만구(灣口)에는 대초도(大草島)가 가로놓이어 동남풍을 막고 있음. 근해에는 좋은 어장(漁場)이 있어, 연어·송어·청어·대구·명태·해삼·굴 등이 생산되며, 조선업(造船業)·수산 가공이 행해짐.

나진[2] 【羅陳】 [명] 나열(羅列)❷. ──하다 [타][여불]

나진-만 【羅津灣】 [명] 〖지〗 함경 북도 동해안에 있는 만. 나진항(羅津港)이 안에 있음.

나-진(:)옥 【羅振玉】 [명] 〖사람〗 '뤄 전위(羅振玉)'를 우리음으로 읽은 이름.

나집 【羅什】 [명] 〖사람〗 ↗구마라집.

나집 삼장 【羅什三藏】 [명] '구마라집(鳩摩羅什)'의 이칭(異稱).

나쪼다 [자] 어른 앞에 나아오다.

나차-녀 【羅叉女】 [명] 〖불교〗 나찰녀(羅刹女).

나찰 【羅刹】 [명] 〔범 rākṣasa〕 〖불교〗 악한 귀신의 하나. 사람을 잡아먹으며, 지옥에서 죄인을 못살게 군다고 함. 후에, 전(轉)하여서 불교의 수호신이 됨.

나찰-국 【羅刹國】 [명] 〖불교〗 나찰 나라.

나찰귀-국 【羅刹鬼國】 [명] 〖불교〗 나찰 나라.

〈나찰천〉

나찰 나라 【羅刹一】 [一라一] [명] 〖불교〗 나찰들이 사는 세계. 식인귀(食人鬼)들이 산다는 나라. 나찰국. 나찰귀국.

나찰-녀 【羅刹女】 [一려] [명] 〖불교〗 나찰의 여성. 사람의 고기를 즐기어 먹는 여자 귀신으로, 해도(海島) 중에 산다 함. 나차녀. 나찰사.

나찰-사 【羅刹私】 [명] 〔범 Rākṣasī〕 〖불교〗 나찰녀(羅刹女).

나찰-천 【羅刹天】 [명] 〔범 Nirṛti〕 〖불교〗 팔방천(八方天)·십이천(十二天)의 하나. 남서(南西)를 수호하며, 파괴·멸망을 맡은 신(神). 백사자(白獅子)를 타고 갑옷을 입고 오른손에 칼을 들고 왼손은 두 손가락을 펴고 있음.

나창[1] 【癩瘡】 [명] 〖의〗 나병(癩病)의 부스럼.

나창[2] 【羅窓】 [명] 〖사람〗 중국 송대(宋代)의 화승(畫僧). 중국의 화가전(畫家傳)인 《도회 보감(圖繪寶鑑)》에 의하면 목계(牧谿)가 연 서호(西湖)의 육통사(六通寺)에 살던 중으로, 목계와 비슷한 화풍(畫風)이었다 함.

나:처 【拿處】 [명] 〖역〗 중죄범(重罪犯)을 의금부(義禁府)로 잡아들이어 조처함. 나감(拿勘). ──하다 [타][여불]

나-철 【羅喆】 [명] 〖사람〗 단군교(檀君敎)의 창시자. 초명(初名)은 인영(寅永), 호는 홍암(弘巖). 광무(光武) 11년(1907)에 당시의 오적(五賊)을 죽이고자 하다가 뜻을 이루지 못함. 경술 국치(庚戌國恥) 후에 민족 의식을 고취하기 위하여 단군교를 창시하였음. [1863-1916]

나:체 【裸體】 [명] 벌거벗은 몸. 알몸. 나신(裸身). 누드. ¶ ~주의자.

나:체 사진 【裸體寫眞】 [명] 나체의 인물을 촬영한 사진.

나:체-상 【裸體像】 [명] 〖미술〗 나체를 표현한 형상. 나상. 나신상. 누드(nude).

나:체 쇼: 【裸體一】 〔show〕 [명] 누드 쇼(nude show).

나:체주의-자 【裸體主義者】 [一/一이一] [명] 누디스트(nudist).

나:체-화 【裸體畫】 [명] 〖미술〗 나체를 주제로 하여 그린 그림.

나:출 【裸出】 [명] ①밖으로 드러남. ②살이 드러남. ──하다 [자][여불]

나:충 【裸蟲】 [명] 〖충〗 털·날개 따위가 없는 벌레의 총칭.

나:취 【拿就】 [명] 죄인을 붙잡는 일. 잡아가는 일. ──하다 [타][여불]

나:치[1] 【拿致】 [명] 죄인을 인치(引致)하는 일. 나인(拿引). 나래(拿來). ──하다 [타][여불]

나치[2] 〔도 Nazi〕 [명] ①나치스(Nazis)의 당원. 나치스트(Nazist). ②↗나치스.

나치-도 【羅致島】 [명] 〖지〗 충청 남도의 서해상(西海上), 태안군(泰安郡) 안면읍(安眠邑) 승언리(承彥里)에 위치한 섬. 안면도(安眠島)의 서쪽에 있음. [0.3 km^2]

나치 돌격대 【一突擊隊】 [명] 〔도 Sturmabteilung der NSDAP〕 나치스 조직의 하나. 처음은 당(黨)의 집회(集會)를 보호하는 정리대(整理隊)였으나, 1921년 이후 반(半)군사적 단체에서 대중 조직으로 발전하고, 1934년 이후부터 군사 예비 교육 조직이 되었음. 약칭 : 에스 아(SA).

나치스 〔도 Nazis〕 [명] 〔Nationalsozialistische Deutsche Arbeiterpartei의 약칭〕 독일·오스트리아 등지에서 조직된 파시스트 당. 1919년 독일 노동당으로 뮌헨에서 결성되어 다음해 2월 당강령을 정한 후 4월에 국민 사회주의 독일 노동당(國民社會主義獨逸勞動黨)으로 개칭(改稱)함. 1923년 뮌헨 봉기(蜂起)에 실패하여 해산하였는데, 1925년 재건된 다음 급속히 당세를 확대하여 국수주의(國粹主義)·사회주의의 슬로건을 내걸고 독점 자본과 결탁하여, 1933년 정권을 획득하였고, 이듬해 히틀러가 총통(總統)이 되었음. 그 후는 의회 정치의 부정(否定), 노동조합의 탄압, 유태인의 추방 등을 강행하고, 대외적으로는 침략 전쟁을 개시하여 드디어 제2차 세계 대전을 일으켰음. 1945년 패전 후 해산되어 최고 지도자들은 뉘른베르크(Nürnberg)의 국제 군사 재판에 의하여 처형되었음. 국가 사회주의 독일 노동당. 국민 사회주의 독일 노동당. [준]나치. *제삼 제국(第三帝國).

나치스 문학 【一文學】 〔도 Nazis〕 [명] 〖문〗 독일에서 나치스 전성 시대에 일어난 애국주의 또는 조국 지상주의의 문학.

나치즘 〔Nazism〕 [명] 〔도 Nationalsozialismus의 약칭〕 나치스의 정치 사상. 또, 그 정치 체제. 전체주의나 편협한 민족주의 따위.

나친 [명] 〈옛〉 〔중세 몽골어 lačin(새매 剌臣). 투르크어 lačin. *현대 몽골어 način〕 난추니. ¶ 나친(鴉鶻)《字會 上 15》.

나침 【羅針】 [명] 지남침(指南針).

나침-로 【羅針路】 [一노] [명] 〖항공〗 항공기의 축선(軸線)과 항공기의 자기 컴퍼스(磁氣 compass)의 북(北)과의 교각(交角).

나침-반 【羅針盤】 [명] 〖물〗 자침(磁針)이 남북을 가리키는 특성(特性)을 이용하여 만든 나침의(羅針儀)의 한 가지. [준]침반(針盤).

나침반-자리 【羅針盤一】 [명] 〔라 Pyxis〕 〖천〗 3월 하순, 저녁때 남쪽 하늘에 낮게 보이는 별자리. 아르고(Argo)자리를 넷으로 나눈 것 중의 하나임.

나침 방위 【羅針方位】 [명] 〖지〗 나침이 가리키는 남북선(南北線)을 기준으로 하여 정하여진 방위.

나침-의【羅針儀】[-/-이] 명〖물〗선박·항공기의 방향과 위치를 정하는 기본적인 항법 계기(航法計器). 북을 0°로 하고 전체의 둘레를 360°로 구분함. 자기 컴퍼스(磁氣 compass)·자이로컴퍼스(gyrocompass)·라디오 컴퍼스 등이 있음. 컴퍼스.

나침 자오선【羅針子午線】명〖지〗나침의의 자침(磁針)의 축(軸)을 지나간 평면상의 선. 곧 나침의가 가리키는 남북선. 자기(磁氣) 자오선.

나콘-랏차시마〔Nakhon Ratchasima〕명〖지〗타이의 동부, 코랏 고원(Khorat 高原) 남부, 메콩 강(Mekong 江) 지류(支流)인 문 강(Mun 江)의 상류에 임한 도시. 북부 국경 농카이(Nong Khai)에의 철도 분기점으로, 쌀·옥수수·담배의 거래지임. 주민 중에는 화교(華僑)가 많음. 구명은 코랏(Khorat). [200,000 명(1985 추계)]

나콘-시-탐마라트〔Nakhon Si Thammarat〕명〖지〗타이의 남부, 말레이 반도 중북부(中北部)의 시암 만안(Siam 灣岸)에 있는 도시. 해산물·코프라 등을 수출하며 은세공(銀細工)이 성함. 와트마하타트 따위의 오랜 사원이 있음. 구명은 리고르(Ligor). [72,065 명(1985)]

나쿠루〔Nakuru〕명〖지〗케냐 서부, 나쿠루 호(Nakuru 湖)의 북안(北岸), 표고 약 1,850 m의 고원상(高原上)의 도시. 나이로비의 북서 약 140 km 지점이며 철도로써 이어지고 있음. 농업·목축업의 중심지이며 관광·요양지로서도 알리어짐. [101,700 명(1984)]

나크샤트라〔범 nakṣatra〕명〖천〗인도에서 쓰이고 있는 이십 팔 수(二十八宿). 중국의 이십 팔 수와 비슷하며, 기원 전 13세기경에 이미 쓰이고 있었던 것으로 추측됨.

나크 합금【-合金】〔nak〕명〖화〗나트륨과 칼륨의 합금. 78% 칼륨의 최저 녹는점에서 공정 조성(共晶組成)된 합금으로, 원자로 냉각용의 액체 금속으로 쓰임.

나:타[1]【懶惰】명 나태(懶怠). ——하다 형여불

나타[2]〔Natta, Giulio〕명〖사람〗이탈리아의 화학자. 고분자(高分子) 연구에 종사, 폴리프로필렌(polypropylene) 등의 합성 섬유와 합성 고무 제법(製法)을 발명함. 1963년 노벨 화학상을 수상함. [1903-79]

나타[3] 자 〈옛〉 나타나. '낟다'의 활용형. ¶ 功이 ᄒᆞ마 나타(功用旣著)≪圓覺 序 24≫. 「印 上 9≫.

나타[4] 타 〈옛〉 낳다[1]. ¶ 아ᄃᆞᆯ 나ᄒᆞ며 져諸석釋 아ᄃᆞᆯ도 또 나니이다≪月

나타[5] 타 〈옛〉 낳다[2]. ¶ 白越은 플로 나ᄒᆞᆫ 뵈라 ≪內訓Ⅱ 上 48≫.

나타-나다 자 〔중세 : 나타나다 ←낟+아+나다. 나다나다 ←낟+아+나다〕 ①나와서 눈에 뜨이다. ¶ 하늘에 별이 ~/성과(成果)가 ~. ②일이 드러나서 알게 되다. 겉으로 드러나다. ¶ 본성이 ~/그 정경이 글에 잘 나타나 있다. ③생겨나다. 발생하다. ¶ 새로운 상품이 ~.

나타-내다 타 나타나게 하다. ¶ 기쁨을 얼굴에 ~/생각을 말로써 ~.

나타냄-말 명 〖악〗충분한 곡상(曲想)을 표현하기 위하여 악상(樂想)의 성격, 곡의 일반적 진행 양식 등을 전달하는 뉘앙스를 나타내는 표어. 발상 표어(發想標語). *나타냄표.

표어	발음	뜻
alla	알라	…풍(風)으로
ben	벤	충분히
con	콘	…으로써
sempre	셈프레	항상
simile	시밀레	동양(同樣)으로
alla marcia	알라 마르치아	행진곡풍으로
alla polacca	알라 폴라카	폴로네즈풍으로
alla turca	알라 투르카	터키풍으로
amabile	아마빌레	사랑스럽게, 귀엽게
appassionato	아파시오나토	정열적으로
ben marcato	벤 마르카토	충분히 힘차게
ben tenuto	벤 테누토	충분히 음을 갖고서
brillante	브릴란테	화려하게
calmando	칼만도	고요히
cantabile	칸타빌레	노래하는 듯이
capriccioso	카프리치오소	기분나는 대로
con amore	콘 아모레	애정을 가지고
con brio	콘 브리오	활발하게
con fuoco	콘 푸오코	열정을 가지고
con moto	콘 모토	감동을 가지고
con sentimento	콘 센티멘토	감정을 가지고
con spirito	콘 스피리토	활발하게
dolce	돌체	아름답게
doloroso	돌로로소	비통하게
espressivo	에스프레시보	표정을 넣어
furioso	푸리오소	야성적으로 격렬히
giocoso	지오코소	즐겁게
grazioso	그라치오소	우아하게
lamentoso	라멘토소	슬프게
marciale	마르치알레	행진곡풍으로
misterioso	미스테리오소	신비적으로
pastorale	파스토랄레	전원풍(田園風)으로
religioso	렐리지오소	종교적인 기분으로
scherzando	스케르찬도	경쾌하고 익살맞게
semplice	셈플리체	소박하게
soave	소아베	사랑스럽고 부드럽게
sotto voce	소토 보체	다소 약한 소리로
spiritoso	스피리토소	활기 있고 격렬하게
tranquillo	트란퀼로	잔잔하게

나타냄-표【-標】명〔expression mark〕〖악〗곡의 표현을 작곡자의 생각대로 연주하도록, 연주에 있어서 발상을 지시하기 위하여 악보에 기입한 여러 가지 표. 발상 기호(發想記號).

나:타-심【懶惰心】명 나태심(懶怠心).

나탈[1]〔Natal〕명〖지〗브라질 북동부, 리우그란데두노르테 주(Rio Grande do Norte 州)의 주도(州都). 대서양에 면한 항구 도시로, 면화(綿花)·사탕·피혁·카르나우바납(carnauba 蠟)·소금 등을 수출함. 아프리카에 가장 가까운 위치에 있으므로 대서양 횡단 항공로의 국제 공항이 있음. 16세기말에 창건함. [376,552 명(1980)]

나탈-거리다 자 ①여러 가닥이 어지럽게 늘어져 흔들거리다. ②주제넘은 말과 짓을 야단스럽게 하다. 1)·2):∠나달거리다. <너털거리다. 나탈-나탈 부. ——하다 자여불

나탈-대다 자 나탈거리다.

나탈 주【-州】〔Natal〕명〖지〗남아 공화국의 동쪽에 있는 주. 인도양에 면하며, 구릉지(丘陵地)와 해안 평야로 이루어졌음. 온난한 기후로 주산물은 사탕수수 등의 농산물인데, 석탄과 금·은 등의 광산물도 풍부하여 더반(Durban)을 중심으로 야금(冶金)·화학·섬유 공업이 행해짐. 주민은 대다수가 흑인임. 주도(州都)는 피터마리츠버그(Pietermaritzburg). [86,976 km²: 6,098,480 명(1980)]

나:태【懶怠】명 느리고 게으름. 나타(懶惰). ——하다 형여불

나:태-성【懶怠性】[-썽] 명 나태한 성질.

나:태-심【懶怠心】명 게으른 마음. 나타심.

나토【NATO】명〔North Atlantic Treaty Organization의 약칭〕〖정〗북대서양 조약에 따라 조직된 집단 방위 체제. 최초의 가맹국은 미국을 비롯한 12개국이었으나 후에 그리스 등 3개국이 추가로 가입하였음. 최고 결정 기관은 전가맹국 외상으로 구성되는 이사회이며, 그 밑에 보조 기관으로서의 상설 이사회·재정 경제 위원회·방위 생산 위원회·군사 위원회·핵방위 문제 위원회 등이 있음. 벨기에의 브뤼셀(Brussel) 근교에 있는 카스토에는 군사 위원회 지휘하에 유럽 연합군 최고 사령부를 두어 북유럽·중부 유럽·남유럽·영국 지구(地區)의 네 사령부가 있으며, 해군의 대서양 연합군 최고 사령부와 해협(海峽) 사령부·미국 캐나다 지구 방위 계획 위원회가 있음. 사무국은 처음에 파리에 있다가 프랑스가 군사 기구에서 탈퇴함에 따라 1967년 4월 이후는 브뤼셀로 옮겼음. 1974년 그리스도 군사 기구에서 탈퇴함. 북대서양 조약 기구. *바르샤바 조약 기구.

나토다 타 〈옛〉 나타내다. ¶ 現은 나톨씨니 몰ᄀᆞᆫ 거우루 ᄀᆞᆮᄒᆞ야 여러 가짓 양ᄌᆞᄅᆞᆯ 잘 나톨씨라≪月釋 Ⅰ:34≫/인제는 도리어 이 몸의 죄를 나토려 들어?≪李光洙 : 異次頓의 死≫.

나토르프〔Natorp, Paul Gerhard〕명〖사람〗독일의 철학자·교육학자. 코엔(Cohen)과 함께 신칸트파(新 Kant 派)인 마르부르크 학파(Marburg 學派)의 대표자임. 윤리학·교육학·역사·철학에 있어서 사회주의의 이상주의화를 창도하였으며, 칸트의 비판적 관념론의 입장에서 정밀 과학의 성과(成果)를 체계화하려 하였음. [1854-1924]

나토-에이【NATO-A】명〖군〗나토(NATO) 가맹국 사이의 연락 유지를 목적으로 1970년 3월 20일에 미국이 쏘아 올린 군사용 통신 위성.

나투나 제도【-諸島】〔Natuna〕명〖지〗인도네시아 서부의 섬들. 남중국해 남쪽, 보르네오 북안(北岸)과 말레이 반도 사이에 있음. 주도(主島)인 대(大)나투나 섬을 비롯, 북(北)나투나·남(南)나투나 등의 여러 섬으로 이루어짐. 행정 상으로는 수마트라 섬의 리아우 주(Riau 州)에 속함. 말레이족(族)이 살고 있으며, 어업(漁業)이 주업(主業)임. [2,113 km²]

나투프 문화【-文化】〔Natuf〕명 팔레스타인을 중심으로 홍적세(洪積世) 말기에 번영한 중석기(中石器) 시대 문화. 예루살렘 북서쪽의 와덴나투프(Wad'en-Natuf)에서 발견됨. 문화의 주인공은 지중해 인종으로, 세석기(細石器)와 골각기(骨角器)가 발달되었음. 4기(期)로 나누이며 제3·제4기에는 획득(獲得) 경제에서 생산(生産) 경제로 이행(移行)한 징후가 나타나고 있음.

나트〔Nat, Yves〕명〖사람〗프랑스의 피아니스트. 파리 음악원 교수를 지냄. 독일 음악, 특히 베토벤·슈만 음악 연주에 능하였음. [1890-1956]

나트롤라이트〔natrolite〕명〖광〗소다 비석(soda 沸石).

나트륨〔도 Natrium〕명〖화〗알칼리 금속 원소의 하나. 은백색의 연한 금속으로, 등축 정계(等軸晶系)이며, 산소와 화합하기 쉽고 습기 있는 공기 중에서는 그 표면에 수산화 나트륨을 생성하고 광택을 잃음. 또한 물과 맹렬히 작용하여 수소를 만들므로 석유 또는 액체 파라핀 속에 저장함. 지각(地殼) 중에서는 규산염(珪酸塩)으로, 바닷물 중에서는 소금으로서 많이 함유되어 있으며, 소금 또는 가성 소다를 용해하여 전기 분해로 얻어짐. 1807년 영국의 데이비(Davy, H.)가 발견함. 원자로의 냉각재(冷却材)나 환원제·합금 원소·촉매(觸媒) 등에 널리 쓰임. 소듐(sodium). [11번 : Na : 22.9898]

나트륨-등【-燈】〔도 Natrium〕명 나트륨 램프.

나트륨 램프〔도 Natrium+lamp〕명 원통형 유리관 안에 비활성 가스와 나트륨을 넣은 램프. 방전시키면 나트륨이 강한 황색의 단색광(單色光)을 발하며, 그 스펙트럼(spectrum)은 거의 두 개의 선으로 된 휘선(輝線) 스펙트럼이므로 광원(光源)으로서 효율이 극히 좋음. 고속도로의 조명용 광원(光源)에 이용됨. 나트륨등(燈).

나트륨-메톡시드〔도 Natriummethoxyd〕명〖화〗메틸 알코올의 히드록시기의 수소를 나트륨으로 치환(置換)한 화합물. 백색·무정형(無定形)의 분말. 산소와 반응하기 쉬우며 물에 의해 분해함. [CH_3ONa]

나트륨 비누〔도 Natrium〕명 금속(金屬) 비누의 하나. 유기산(有機酸)의 나트륨을 수용성 금속염(水溶性金屬塩)과 복분해적(復分解的)으로 반응시켜서 만듦. 윤활유와 함께 그리스(grease)의 원료로 쓰임.

나트륨-아말감〔도 Natriumamalgam〕명〖화〗나트륨과 수은과의 합

금. 나트륨이 3%까지 들어 있는 것은 산화(酸化)하기 어려우므로 환원제(還元劑)로 쓰임.

나트륨-아미드 〔도 Natriumamid〕 명 〖화〗 300-350°C의 고온에서 금속 나트륨에 암모니아를 작용시켜 얻은 무색 결정성의 물질. 물에 용해하면 암모니아와 수산화 나트륨으로 분해하며, 압력이 줄면 승화함. 인디고(indigo)의 제조 및 환원·축합제(縮合劑)로 쓰임. [$NaNH_2$]

나트륨-아세틸리드 〔도 Natriumacetylid〕 명 〖화〗 탄화(炭化) 나트륨.

나트륨-알코올라트 〔도 Natriumalkoholat〕 명 〖화〗 알코올의 히드록시기의 수소를 나트륨으로 치환(置換)한 화합물. 나트륨에톡시드·나트륨메톡시드 등.

나트륨-에톡시드 〔도 Natriumäthoxyd〕 명 〖화〗 에틸알코올의 히드록시기의 수소를 나트륨으로 치환(置換)한 화합물. 흡습성(吸濕性)의 백색 분말. 유기 합성(有機合成)의 축합제(縮合劑)·환원제·촉매 등에 쓰임. [C_2H_5ONa]

나트륨 유리 【—琉璃】 〔도 Natrium〕 〔—뉴—〕 명 〖화〗 약간 청록색을 띤 녹기 쉬운 유리.

나트륨 장:석 【—長石】 〔도 Natrium〕 명 〔albite;Ab〕 〖광〗 사장석의 하나. 나트륨이 풍부하며 칼슘은 적음. 삼사 정계(三斜晶系)에 속하고 화성암이나 변성암에 함유됨. 조장석(曹長石). [$NaAlSi_3O_8$]

나트 회로 【—回路】 〔NOT〕 명 부정(否定) 회로.

나-틀 명 베실을 뽑아 날아 내는 기구.

나틀다 형 〈옛〉 나이 들다. 나이많다. ¶ 智慧 기프며 나틀며 힝뎍 조ᄒᆞ며 ≪月釋 Ⅱ:23≫.

나틈 공법 【NATM工法】 [—뻡] 명 〔NATM은 new Austrian tunneling method의 약자〕 〖토〗 지하에서 흙·암석 등을 발파·굴착 등으로 뚫은 뒤 무너지기 전에 콘크리트를 벽에 뿌려 굳히는 공법. ＊가물막이 공법.

나티 명 ①짐승 모양을 한 일종의 귀신. ②검붉은 곰.

나티-상 【—相】 명 귀신같이 망측하고 무시무시한 얼굴.

나:티아-샤:스트라 〔범 Nātya-śāstra〕 명 〖책〗 고대(古代) 인도의 연극론서(演劇論書). 바라타작(Bhārata 作)이라고 전하나, 완성 연대는 불명함. 산스크리트 연극에 관한 이론을 36장에 나누어 논하고 있음.

나티에 〔Nattier, Jean Marc〕 명 〖사람〗 프랑스 로코코의 대표적 초상화가. 파리 태생. 밝고 우아한 색채로 궁정(宮廷)의 여성들을 그렸음. 모델에게 다이아나(Diana)나 님프의 분장을 시켜 신화화(神話畫)의 분위기를 내었음. 대표작으로 ≪플로라(Flora)로 분장한 앙리에트 부인≫이 있음. [1685-1766]

나ᄐᆞ리라 자 〈옛〉 나타나리라. '낱다'의 활용형. ¶ 自然히 話頭ㅣ 나ᄐᆞ리라(自然話頭現前)≪蒙法 8≫.

나ᄐᆞ면 자 〈옛〉 나타나면. '낱다'의 활용형. ¶ 알ᄫᅵ 나ᄐᆞ면(現前)≪永嘉 下 20≫.

나파래미 명 〈방〉 날파람(함경).

나파륜 【拿破崙】 명 〖사람〗 '나폴레옹(Napoléon)'의 취음(取音).

나팔 【喇叭】 명 〖악〗 ①금속으로 만든 관악기(管樂器)의 한 종류. 군대가 행진할 때 불며, 모양은 여러 가지이나 대개 몸통을 꼬부려 감아 짧게 만듦. ②〈속〉 끝이 나팔꽃 모양으로 된 금관 악기(金管樂器)의 총칭. ③〈속〉 나팔꽃 모양의 확성기. ④→나발[1].

〈나팔❶〉

나팔(을) 불:다 구 ㉠나팔로 소리를 내다. ㉡〈속〉 술 같은 것을 병째로 마시다. 병나발불다. ㉢〈속〉 어린애가 큰 소리로 울거나 외치다. ㉣〈속〉 어떤 사실을 크게 떠들어 선전하다.

나팔-거리다 자 가볍게 흔들리어 나붓거리다. <너펄거리다. 나팔-나팔 부. ——-하다 자여불

나팔-관 【喇叭管】 명 〖생〗 ①중이(中耳)의 고실(鼓室)로부터 조금 아래로 향하여 인두(咽頭)까지 길게 통한 관(管). 인두에서 넓고 크게 벌어졌음. ②난소(卵巢)에서 나온 난자(卵子)를 자궁(子宮)에 보내는 관(管). 성인(成人)은 길며 약 10cm로, 자궁 양쪽에 있는 자궁 광간막(廣間膜)이라는 복막(腹膜)의 벽(襞) 위쪽을 지남. 자궁쪽은 좁으며, 바깥쪽은 차츰 넓고 깔때기 모양으로 되어 화판(花瓣)처럼 벌어졌음. 난관(卵管). 수란관(輸卵管). 알관. 팔로피우스관(管).

나팔관-염 【喇叭管炎】 [—념] 명 〖의〗 세균 감염(細菌感染)에 의한 자궁(子宮) 나팔관의 염증. 임질균·결핵균·화농균(化膿菌) 같은 것으로 인하여 생기는 병인데, 임질균이나 화농균일 때는 그 증상이 급성이며, 열이 나고 아랫배의 한쪽이나 양쪽이 발작적(發作的)으로 아프고, 구토(嘔吐)가 일어나며, 결핵균일 때는 만성 증상을 나타냄. 월경이 불순하고 나팔관의 두 쪽이 다 탈이 났을 때는 임신하지 못하며, 유산(流產)·조산(早產)·나팔관 임신의 원인이 되고, 난소염(卵巢炎)이 병발(併發)함. 난관염(卵管炎). 수란관염(輸卵管炎).

나팔관 임:신 【喇叭管妊娠】 명 〖생〗 수정란(受精卵)이 나팔관부에 착상(着床)하여 이루어지는 임신. 자궁외(子宮外) 임신 중 가장 많은 것으로, 나팔관에 통과 장애가 있을 때 발생됨. 나팔관을 척출(剔出)하지 아니하면 생명이 위험함. 난관 임신.

나팔-꽃 【喇叭—】 명 〖식〗 [*Pharbitis nil*] 메꽃과에 속하는 일년생 만초. 줄기는 2m에 달함. 잎은 호생하고 장병(長柄)인데, 심형(心形)이고 세 갈래로 갈라졌음. 7-8월에 두형 화관(頭形花冠)의 남자색 또는 백색·홍색·회색 등의 꽃이 액출(腋出)하는데, 아침 일찍이 피었다가 낮에는 오므라듦. 과실은 삭과(蒴果)로 구형(球形)이고 여섯 개의 종자가 들어 있음. 열대 아시아 원산(原產)인데, 관상용으로 재배함. 종자는 약으로 씀. 견우(牽牛). 견우화(牽牛花). 구이초(狗耳草). 분증초(盆甑草). 천가(天茄).

〈나팔꽃〉

나팔-대다 자 나팔거리다.

나팔 바지 【喇叭—】 명 아랫단이 나팔처럼 퍼져 있는 양복 바지.

나팔-벌레 【喇叭—】 명 〖동〗 [*Stentor polymorphus*] 나팔벌렛과에 속하는 원생(原生) 동물의 하나. 몸은 원뿔형 또는 나팔 모양으로 길이 0.5mm가량임. 몸빛은 무색이나 적색·갈색·녹색·청색 등의 것도 있으며 대핵(大核)은 한 개의 연주상(連珠狀)이고, 소핵(小核)은 입상(粒狀)으로 여러 개임. 수축성(收縮性)이 있으며 몸 표면에는 섬모(纖毛)가 있고 다른 물건에 부착하기도 함. 더러운 만구(灣溝)의 갇힌 물에서 유영(游泳)하며 미생물을 포식하고 생활함. 나발충. 나팔충.

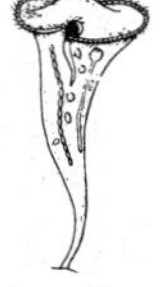
〈나팔벌레〉

나팔-수 【喇叭手】 명 나팔을 부는 사람.

나팔-수선화 【喇叭水仙花】 명 〖식〗 [*Narcissus pseudo-narcissus*] 수선화과에 속하는 다년초. 줄기는 높이 20-40cm이며, 지하에 달걀꼴의 인경(鱗莖)이 있음. 잎은 5-6매로 총생(叢生)하며, 검상(劍狀)의 선형(線形)인데, 길이는 40cm이고 회록색(灰綠色)을 띰. 이른 봄 잎 사이로 나온 꽃줄기 끝에 대형의 꽃이 한 송이 수평 또는 비스듬히 위를 향해 핌. 화관(花冠)은 담녹색(淡綠色)으로 종형(鐘形)이며, 끝이 크게 여섯 갈래로 갈라져 있는데, 이 안에 있는 부(副)화관은 짙은 황색 또는 등황색의 큰 나팔 모양임. 유럽 원산으로, 관상용임.

나팔-충 【喇叭蟲】 명 〖동〗 나팔벌레.

나평 명 〈옛〉 납평(臘平). 납일. ¶ 나평 납(臘)≪字會 上 2≫.

나:포[1] 【拿捕】 명 ①죄인을 붙잡는 일. ②〖법〗 전시(戰時)에 교전국(交戰國)의 군함이 적국 또는 중립국의 선박을 자기의 지배하에 두는 행위. 나포 절차의 일부로, 군함으로부터 승무원을 선박에 파견하여 그 지휘를 받게 하거나 또는 선박의 국기를 내리게 하여 군함을 수행(隨行)하게 함으로써 행해짐. ——-하다 타여불

나포[2] 【羅布】 명 죽 늘어서서 포진(布陣)함. ——-하다 자여불

나:-포도 【癩葡萄】 명 〖식〗 여주[1].

나:포-선 【拿捕船】 명 나포한 배.

나폴레옹[1] 〔Napoléon〕 명 〖사람〗 ①나폴레옹 1세. 나파륜. 나옹(奈翁). ②나폴레옹 3세.

나폴레옹[2] 〔프 napoléon〕 명 ①서양 카드 놀이의 한 가지. 나폴레옹편과 연합군 편이 딴 카드의 다소(多少)를 겨룸. ②나폴레옹 1세 또는 나폴레옹 3세의 초상이 새겨진 20 프랑 금화(金貨). ③고급 코냑(cognac)의 상품명의 하나.

나폴레옹 법전 【—法典】 명 〔프 Code Napoléon〕 〖법〗 나폴레옹 1세의 명으로 편찬된 민법·민사 소송법·상법·형법·형사 소송법 등의 5법전. 보통 이중 프랑스 민법만을 가리키는데, 이 호칭은 1807년 프랑스 민법의 정식 칭호로 사용되었으나, 현재는 정식으로 쓰이지 아니함. 특히 민법은 근대 시민 사회 원리를 성문화시킨 획기적인 것으로, 이후 여러 나라에 영향을 미쳤음. 프랑스 민법.

나폴레옹 삼세 【—三世】 〔Napoléon Ⅲ〕 명 〖사람〗 프랑스의 황제. 나폴레옹 1세의 조카. 성명은 Charles Louis Napoléon Bonaparte. 흔히 루이 나폴레옹(Louis Napoléon)으로 불림. 2월 혁명 후 대통령에 당선되어 1852년 제위(帝位)에 올랐음. 크림 전쟁·이탈리아의 독립 원조 등으로 세력을 떨쳤으나 보불(普佛) 전쟁에 패하여 퇴위한 후 영국에 망명하여 죽음. [1808-73; 재위 1852-70]

나폴레옹 일세 【——世】 〔Napoléon Ⅰ〕 [—쎄] 명 〖사람〗 프랑스의 황제. 성명은 Napoléon Bonaparte. 이탈리아계(系) 지주인 보나파르트가(Bonaparte家) 출신으로, 코르시카(Corsica) 섬 출생. 포병 장교로서 프랑스 혁명에 참가한 후 두각을 나타내어 1804년 제1 통령(統領)에 취임하여 군사 독재의 길을 텄음. 신헌법을 제정하고 나폴레옹 법전(法典)의 편수(編修)와 여러 제도의 개혁을 행하고 그 해 제위(帝位)에 올라 제1 제정(帝政)을 수립하였음. 이어 유럽 대륙을 정복, 계속 세력을 떨쳤으나 대영(對英) 대륙 봉쇄와 러시아 원정에 실패하여 1814년 퇴위, 엘바(Elba) 섬에 유배됨. 이듬해 귀국하여 백일 천하(百日天下)를 실현시켰으나 워털루(Waterloo)에서 연합군에게 패하여, 세인트헬레나(St. Helena) 섬에 귀양가서 죽음. 나옹(奈翁). [1769-1821; 재위 1804-15]

나폴레옹 전:쟁 【—戰爭】 〔Napoléon〕 명 〖역〗 나폴레옹 1세가 치른 유럽 정복(征服) 전쟁. 대상은 영국·러시아·이탈리아·오스트리아·프로이센·스페인·포르투갈에 이름. 프랑스 혁명의 결과로 생긴 독립 농민이 애국적인 국민군으로서 활약함. 이 전쟁은 전쟁을 통한 혁명 이념의 타국에의 전파와 동시에 프랑스 경제의 시장(市場) 확대의 요구도 곁부되어 있었음.

나폴레옹 칼라 〔Napoléon+collar〕 명 나폴레옹 시대의 남자 복장의 웃깃 형(型). 폭넓은 라펠(lapel)이 달려, 꺾는 데가 있으면서 세우게 된 웃깃. 현재도 흔히 코트에서 쓰이고 있음.

나폴리 〔Napoli〕 명 〖지〗 이탈리아 남서쪽 티레니아 해(Tyrrhenia海)의 나폴리 만(灣)에 면한 상공업 도시. 경치가 매우 좋아서 세계 3대 미항(美港)의 하나로 손꼽힘. 캄파니아(Campania) 평야의 농산물을 집산 가공하는 이외에 섬유·화학·조선(造船)·차량 공업이 행해지며, 포도주·올리브유의 수출이 많음. 1282년 이래 나폴리 왕국의 수도였고, 동쪽에 베수비오(Vesuvio) 화산이 솟아 있음. 네이플스(Naples). [1,206,955명(1985)]

나폴리 만 【—灣】 〔Napoli〕 명 〖지〗 이탈리아 반도의 서안(西岸)에 있는 만. 대략 반원형(半圓形)임. 북안(北岸)에 나폴리 시가 있고 동쪽에 활화산(活火山) 베수비오(Vesuvio)가 있어 그 경치가 매우 아름다움.

나폴리 악파 【—樂派】 〔Napoli〕 명 〖악〗 17세기말부터 18세기 전반에 걸쳐 이탈리아의 나폴리를 중심으로 활약한 가극 작곡가의 한 파. 스카를라티(Scarlatti, A.)가 베네치아(Venezia) 악파의 영향을 받아 창도(唱導)하였으며, 레시타티브(recitative)와 아리아(aria)의 뚜렷한 분리, 벨칸토 창법의 발달 등 근대 이탈리아 오페라의 형식을 확립함.

나폴리 왕국 【—王國】 〔Napoli〕 명 〖역〗 1282년 앙주가(Anjou家)의 샤

를(Charles)이 시칠리아(Sicilia)를 잃고, 남이탈리아 부분만을 영유(領有)함으로써 이룩된 왕국. 14세기 전반이 최성기(最盛期)로, 겔프 당(Guelf 黨)에 속함. 1435년 앙주가가 단절된 후 시칠리아 왕국과 합병됨. 프랑스 혁명기로부터 나폴레옹 체제기에 걸쳐 한때 분리되었다가 1815년 다시 시칠리아 왕국과 합병되고, 1861년 이후 신생 이탈리아 왕국에 통합됨.

나푼 [부] 가볍게 나붓거리는 모양. <너푼.

나푼-거리다 [자] 바람에 날려 가볍게 자주 흔들리다. <너푼거리다. 나푼-나푼 [부]. ——-하다 [자][여불]

나푼-대다 [자] 나푼거리다.

나풀-거리다 [자] 바람에 날려 거세게 자주 흔들리다. ㅅ나불거리다. <너풀거리다. 나풀-나풀 [부]. ——-하다 [자][여불]

나풀-대다 [자] 나풀거리다.

나프타 〔naphtha〕 [명] 〖화〗 석유·콜타르(coaltar)·함유 셰일(含油 shale) 등을 증류하여 얻어지는, 끓는점이 낮은 탄화 수소의 혼합물로 이루어진 기름. 녹는점이 낮은 경질(輕質) 나프타는 석유 화학용과 도시(都市) 가스에 대량으로 쓰이며, 중질(重質) 나프타는 리포밍(reforming)에 의하여 자동차 가솔린의 조합(調合) 원료로 쓰임. 석뇌유(石腦油). 석정(石精). 나프타 기름.

나프타 기름 〔naphtha〕 [명] 〖화〗 나프타.

나프타 분해 【一分解】 〔naphtha〕 [명] 〖화〗 나프타를 가열·분해하여, 에틸렌(ethylene)·프로필렌(propylene)·부틸렌(butylene)·부타디엔(butadiene)·방향족 탄화 수소(芳香族炭化水素) 등을 만드는 일.

나프탈렌 〔naphthalene〕 [명] 〖화〗 방향족 탄화 수소의 하나. 콜타르(coaltar)를 높은 온도에서 증류하고 냉각 결정법에 의하여 분리시킨, 백색 또는 무색의 단사 정계(單斜晶系)의 비늘 모양의 결정체. 독특한 냄새가 있고 상온에서 서서히 승화하며, 알코올 등에 녹음. 염료 중간체(染料中間體)·살충제·폭약·플라스틱·용제(溶劑)·세정제(洗淨劑) 등의 유기(有機) 합성 원료로 널리 쓰임. [$C_{10}H_8$]

나프텐 〔naphthene〕 [명] 〖화〗 '시클로파라핀(cycloparaffin)'을 석유 공업에서 일컫는 말.

나프톨 〔naphthol〕 [명] ①〖화〗 나프탈렌 중의 수소(水素)의 하나가 히드록시기(基)와 치환(置換)된 화합물, 알파(α) 나프톨과 베타(β) 나프톨의 두 이성체(異性體)가 있는데, 둘 다 무색·단사 정계(單斜晶系)의 결정체임. 디아조늄(diazonium) 화합물과 아조(azo) 물감을 만들므로 염료 중간체로 중용됨. 베타 나프톨은 극약임. 옥시나프탈린(oxynaphthalin). [$C_{10}H_7OH$] ②나프톨로 만든 아조 물감으로 물들인 옷감.

나프톨 염:료 【一染料】 〔naphthol〕 [一렴뇨] [명] 물에 녹지 않는 아조(azo) 물감의 일군(一群). 이 물감만으로 섬유에 염색되지 않기 때문에 섬유상에서 불용성(不溶性) 색소를 합성하는 수단을 써서 염색함. 면류(綿類)의 염색에 적당하고 햇빛이나 세탁에도 잘 바래지 아니함.

나프티오메이트 〔naphthiomate〕 [명] 〖약〗 합성 무좀약. 외용약(外用藥)이며 부작용이 없어 국제적인 평가가 높음.

나프틸-아민 〔naphthylamine〕 [명] 〖화〗 나프톨과 함께 아조(azo) 물감의 중간체의 하나. 알파(α)·베타(β)의 두 이성체(異性體)가 있음. 알파 나프틸아민은 녹는점 49.2°-49.3°C, 끓는점 299.4°-299.7°C이며 물에는 잘 녹지 아니하나 에틸 알코올에 잘 녹음. 아질산(亞窒酸)에 의해 디아조늄염(diazonium 塩)을 만듦. 알파 니트로 나프탈렌의 환원(還元)에 의해 얻어짐. 베타 나프틸아민은 녹는점 110.1°C, 끓는점 306.1°C로서 물에 잘 녹음. 베타 나프톨과 암모니아·아황산 암모니움을 가열하여 얻음. 어느 것이나 아조 물감의 원료로서 중요함.

나프팍토스 〔Návpaktos〕 [명] 〖지〗 그리스의 코린트 만(Corinth 灣)과 파트라스 만(Patras 灣)을 잇는 해협에 면한 항구 도시. 1571년의 레판토 해전(Lepanto 海戰)으로 유명함. 이탈리아 이름은 레판토. [3,101명(1967)]

나하 〔那覇:なは〕 [명] 〖지〗 일본 오키나와 현(沖縄縣)의 현청 소재지. 오키나와 섬 남쪽, 동중국해에 면한 해항. 옛날부터 류큐(琉球)의 수도인 슈리(首里)의 외항으로 발전하였음. 제2차 대전 후 미군정이 실시되다가 1972년 일본에 복귀됨. 행정(行政)·상공업(商工業)·교통의 중심지로 토산품(土産品)인 소주와 염직물(染織物)·파나마모·칠기 등의 특산품이 나옴. [303,674명(1985)]

나하다 [형] 〈옛〉 나이 많다. ¶ 風物에 나한 사르미 슬프도다(風物長年悲)《杜諺 XXII:12》.

나하스 파샤 〔Nahas Pasha, Mustafa al-〕 [명] 〖사람〗 이집트의 정치가. 제1차 세계 대전 직후, 와프드 당(Wafd 黨) 결성에 참여, 반영(反英) 독립 운동을 지도함. 1927년에 당수, 1928년 이후 다섯 차례에 걸쳐 수상을 역임, 영국-이집트 조약을 파기하였음. 1952년 이집트 혁명 후에 은퇴함. [1876-1965]

나하추 【納哈出】 [명] 〖사람〗 중국 원(元)·명(明)나라의 무장(武將). 선양(瀋陽)을 중심으로 세력을 떨쳐, 고려 공민왕(恭愍王) 11년(1362) 삼살(三撒) 곧 지금의 북청(北靑), 홀면(忽面) 곧 지금의 홍원(洪原) 등지로 침입해 왔으나, 이성계(李成桂)에게 패하고, 말을 왕과 이성계에게 바치고 화친(和親)을 맺음. 뒤에 명(明)나라에 투항(投降), 해서후(海西侯)에 봉해짐. [?-1381]

나하티갈 〔Nachtigal, Gustav〕 [명] 〖사람〗 나흐티갈.

나한 【羅漢】 [명] 〖불교〗 ↗아라한(阿羅漢). ¶ 십육 ～/오백 ～.
[나한에도 모래 먹는 나한이 있다] 나한 중에도 공양(供養)을 받지 못하여 모래를 먹는 나한이 있듯이, 높은 지위에 있는 사람이라도 고생하는 사람이 있다는 뜻.

나한-도 【羅漢圖】 [명] 〖불교〗 나한(羅漢)을 그린 그림.

나한-봉 【羅漢峰】 [명] 〖지〗 서울 북쪽에 있는 삼각산(三角山)의 한 봉우리. [600 m]

나한-전 【羅漢殿】 [명] 〖불교〗 십육 나한이나 오백 나한을 받들어 모신 집.

나할 〔Nahal〕 [명] 개척(開拓) 사업에도 종사하는 이스라엘군의 전투 부대. 또, 그 개척지.

나해¹ 【螺醢】 [명] 소라젓.

나해² 〈옛〉 나이에. ¶ 늘근 나해 기장ᄋᆞ로 술 비주믈 뵈야고(衰年催釀黍)《重杜諺 Ⅲ:25》. *나¹.

나헤: [감] 장치기할 때에 공이 금 밖으로 나가면 지르는 소리.

나-혜(:)석 【羅蕙錫】 [명] 〖사람〗 여류 서양화가. 호는 정월(晶月). 경기도 수원 출생. 일본 도쿄 여자 미술 학교를 졸업. 1921년 여류 화가로서 최초의 개인전을 엶. 단편 소설도 썼음. 이혼을 하는 등, 양로원에서 불우한 만년을 보냈음. [1896-1949]

나홋카 〔Nakhodka〕 [명] 〖지〗 러시아의 연해주(沿海州), 동해 연안 남부, 표트르 대제 만(Pyotr 大帝灣)에 면한 항구 도시. 제2차 세계 대전중에 건설되었으며, 시베리아 철도 지선의 종점으로, 또 부동(不凍)의 무역항으로서 발전함. [150,000명(1985) 추계)]

나-홍선 【羅洪先】 [명] 〖사람〗 중국 명(明)나라 학자. 자는 달부(達夫). 호는 염암(念菴). 길수(吉水) 사람으로 얼마 동안 관직을 지내다가 귀향하여 천문·지리·예악(禮樂)·전장(典章)·전진 공수(戰陣攻守) 등을 배우고, 말년에 산중에서 좌선(坐禪)하였음. 저서에 《동유기(冬遊記)》·《염암집(念菴集)》 등이 있음. [1504-64]

나화¹ [명] 〈옛〉 밀수제비. ¶ 나화 박(餺), 나화 탁(飥)《字會 上 33》.

나:화² 【裸花】 [명] 〔naked flower〕 〖식〗 화관(花冠)과 꽃받침이 없는 불완전한 꽃. 무피화(無被花). ↔양피화(兩被花). *단피화(單被花).

나화³ 【羅花】 [명] 비단으로 만든 조화(造花).

나-화랑 【羅花郞】 [명] 〖사람〗 대중 가요 작곡가. 본명은 조광환(曺曠煥), 김천(金泉) 출생. 일본 도쿄(東京)의 주오(中央) 음악 학교에서 바이올린을 배우고, 1942년 포리돌 레코드사(社)에 입사, 처녀작 《삼각산(三角山) 손님》이 히트함. 6·25 때 육군 군예대(軍藝隊)에 참여, 수복(收復) 이후 KBS 경음악단 지휘자로 활약함. 《도라지 맘보》·《열아홉 순정》·《이정표(里程標)》·《뽕 따러 가세》 등 600여 곡을 작곡함. [1921-83]

나:-환자 【癩患者】 [명] 나병에 걸린 환자.

나:획 【拿獲】 [명] 죄인을 잡거나 그 사람의 물건을 빼앗음. ——-하다 [타][여불]

나횟대 [명] 〖어〗 [*Ceratocottus diceraus namiyei*] 둑중갯과에 속하는 바닷물고기. 몸길이 약 30 cm인데 머리는 골판(骨板)으로 되어 있어 여무지고 크며, 몸 뒤쪽은 가늚. 몸빛은 회갈색인데 배 쪽은 황색이고 체측(體側)에 넉 줄의 흑갈색 가로 띠가 있으며, 등 쪽에는 작은 암갈색 점이 조밀하게 분포함. 꼬리지느러미에는 석 줄의 흑색 가로 띠가 있음. 한국 동남해 연해·일본 동북 지방 이남·사할린 연해 등에 분포함. 횟대.

나후 【羅睺】 [명] 〔범 Rāhu〕 ①〖민〗 구성(九星)의 하나. 해·달을 가리어 일식(日蝕)이나 월식(月蝕)을 일으킨다 함. 인도의 전설로서는 나후 아수라왕(羅睺阿修羅王)을 가리킴. 나후성(羅睺星). ②〖불교〗 ↗나후라(羅睺羅).

나후라 【羅睺羅】 [명] 〔범 Rāhula〕 〖불교〗 석가의 맏아들. 모태(母胎) 안에 6년 동안 있다가 석가가 성도(成道)한 날 밤에 태어났다고 하며, 열다섯살에 출가(出家)하여 중이 되었고, 사리불(舍利弗)에게 배워, 밀행(密行) 제일로써 석존(釋尊) 십대 제자(十大弟子) 중의 한 사람이 됨. 나후라 존자(尊者). [준]나후(羅睺).

나후라다 【羅睺羅多】 [명] 〖불교〗 16대 조사(祖師)의 이름. 석가의 제16대 제자로서, 가나데바(迦那提婆)의 전법(傳法)을 받은 제16세(世) 존자(尊者). 가비라 나라 사람. 입적(入寂)할 때, 승가난제(僧伽難提)에게 전법함.

나후라 존자 【羅睺羅尊者】 [명] 〖불교〗 '나후라'의 존칭.

나후-성 【羅睺星】 [명] 〖민〗 나후(羅睺)❶.

나후 아수라왕 【羅睺阿修羅王】 [명] 〔범 Rāhuasura〕 인도 사아수라(四阿修羅)의 하나. 신장(身長)이 칠백 유순(由旬)이며, 그 손으로 일월(日月)을 가려 빛을 막아 일식(日蝕)과 월식(月蝕)을 일으킨다고 함.

나후 직성 【羅睺直星】 [명] 〖민〗 제웅 직성.

나훔 〔Nahum〕 [명] 〖성〗 기원전 7세기경의, 유대의 소선지자(小先知者)의 한 사람.

나훔-서 【一書】 〔Nahum〕 [명] 〖성〗 구약 중의 한 편. 나훔의 예언을 기록한 것으로 이스라엘의 원수인 아시리아(Assyria)의 수도 니느웨의 멸망을 예언하였음. 그 시적(詩的) 표현과 멋진 만가(挽歌)로써 구약 중의 일편(逸篇)으로 꼽힘.

나흐티갈 〔Nachtigal, Gustav〕 [명] 〖사람〗 독일의 아프리카 탐험가. 처음에는 군의관을 지냄. 프로이센 왕으로부터 현재의 나이지리아 북동부인 보르누(Bornu)의 술탄(sultan)에게 보내는 선물을 위탁받고 1869년 아프리카 내륙으로 출발하여 사하라·티베스티 산지(Tibesti 山地)·차드 호(Chad 湖)·와다이(Wadai) 등지를 거쳐 이집트에 도착하였다가 1875년 독일로 돌아왔음. [1834-85]

나흗-날 [명] ①↗초나흗날. ②넷째의 날. [준]나흘.

나흘¹ [명] 〔중세 : 나ᄋᆞᆯ〕 ①네 날. ②↗나흗날.

나흘² 〈옛〉 나이를. =나ᄒᆞᆯ. ¶ 네 ᄆᆞᆯ 나흘 모ᄅᆞᄂᆞᆫ 둣ᄒᆞ다(你敢不理會的馬歲)《老乞 下 7》.

나:흘마 【癩疙痲】 [명] 〖동〗 두꺼비.

나-흠순 【羅欽順】 [명] 〖사람〗 중국 명(明)나라의 유학자. 자는 윤승(允升), 호는 정암(整菴). 장시 성(江西省) 길주(吉州)의 태화(泰和) 사람. 벼슬은 이부 상서(吏部尙書)를 지냈음. 정주(程朱)의 설을 기본으로 하여, 일원기설(一元氣說)을 주장하고, 이일 분수설(理一分殊說)을 이루었음. 저서는 《곤지기(困知記)》·《나정암집(羅整菴集)》 등이 있음. [1465-1547]

나히¹ [명] 〈옛·방〉 나이¹. ¶ 이제 나히 늙고(今年老)《五倫 Ⅱ:18》.

나히² [명] 〈옛〉 냉이. ¶ 나히(薺菜)《譯語 下 11》. *나ᅀᅵ.

나히³ 〈옛〉 나이가. '나¹'의 주격형(主格形). ¶ 나히 侵逼ᄒᆞ야 허리와 허튀왜 衰殘ᄒᆞ니(年侵腰脚衰)《杜諺 Ⅸ:15》.

나히다 타 〈옛〉 낳게 하다. 조산(助產)하다. ¶ 나히ᄂᆞᆫ 사ᄅᆞ미 날회여 아기 발ᄋᆞᆯ 미러 ᄒᆞᆫ 겨ᄐᆞ로 바ᄅᆞ 티왇고(收生者徐徐推其足就一邊直上)≪胎產集要 23≫.

나히모프 〔Nakhimov, Pavel Stepanovich〕 명 〖사람〗 러시아의 제독. 크림 전쟁 때 터키 함대(艦隊)를 격파하였음. [1802-55]

나ᄒᆞ로 〈옛〉 나이로. '나¹'의 조격형(造格形). ¶ 나ᄒᆞ로 兄이라 推尊ᄒᆞ몰 더러요니(年事推兄忝)≪杜諺 XXIII:34≫.

나ᄒᆞᆫ 〈옛〉 나이는. '나¹'의 절대격형(絕對格形). ¶ 내 나ᄒᆞᆫ 늙고(我年老大)≪妙蓮 II:213≫.

나ᄒᆞᆯ 〈옛〉 나이를. '나¹'의 목적격형. =나흘². ¶ 너희 무른 어루 나ᄒᆞᆯ 닛고 사괴욜디로다(爾輩可忘年)≪杜諺 XXII:10≫.

낙¹ 명 〈옛〉 구실. 세. 조세(租稅). ¶ 낙 셰(稅)≪石千 28≫.

낙²【絡】 명 성(姓)의 하나. 우리 나라에는 현존(現存)하지 아니함.

낙³【樂】 명 ①즐거움. 재미. ¶ 인생의 ～. ②위안이 되는 일. ¶ 자식을 ～으로 삼고 사오. ↔고(苦).

낙⁴【駱】 명 〖동〗 가리온.

낙가¹【落痂】 명 〖의〗 마마나 헌 데가 다 나아서 딱지가 떨어짐. 또, 그 딱지. ——-하다 자 여불

낙가²【落價】 명 ①값이 떨어짐. ②값을 깎음. ——-하다 자 타 여불

낙각¹【落角】 명 봄 또는 겨울에 밑동으로부터 탈락(脫落)된 사슴의 다 자란 각질(角質)의 뿔. 뿔이 떨어져 나간 후 비로드 모양의 털이 난, 피부로 된 녹용(鹿茸)이 새로 돋아나고, 충분히 성장하면 표피(表皮)는 고사(枯死)하여 벗겨지며 각질의 뿔인 녹각(鹿角)이 됨.

낙각²【落角】 명 탄환 등 낙하하는 물체의 낙하점에 있어서의, 탄도 접선(彈道接線)과 지평선이 이루는 각.

낙각³【犖确】 명 산에 큰 돌이 많은 모양.

낙간【落簡】 명 책의 원문이 일부 빠짐. ——-하다 자 여불

낙강【樂康】 명 즐겁고 편안함. 안락(安樂). ——-하다 형 여불

낙강-군【落講軍】 명 〖역〗 조선 인조(仁祖) 5년(1627)에 군정(軍丁)의 감소를 보충하기 위하여 본디 군역(軍役)에 나가지 아니하던 교생(校生)·원생(院生)으로서 대소과(大小科)에 낙제한 사람을 군적(軍籍)에 넣어 포(布)를 내게 하던 군대.

낙거【絡車】 명 실을 감는 얼레.

낙거로 명 〈옛〉 낚싯거루. ¶ 중거로며 낙거로를≪漢陽歌≫.

낙-거미 명 〈방〉 〖동〗 납거미.

낙경¹【洛京】 명 〖지〗 '뤄양(洛陽)'의 옛이름.

낙경²【樂境】 명 낙지(樂地). ↔고경(苦境).

낙곡【落穀】 명 땅에 흘러 떨어진 곡물(穀物)의 알.

낙공【落空】 명 계획이 실패로 돌아감. ——-하다 자 여불

낙과¹【落果】 명 과실이 발육 도중에 나무에서 떨어짐. 또, 그 열매. ——-하다 자 여불

낙과²【落科】 명 ①과거에 떨어짐. ②패소(敗訴)함. ——-하다 자 여불

낙관¹【落款】 명 〔중국 고동기(古銅器)의 각명(刻銘)에서 음각(陰刻)을 관(款), 양각(陽刻)을 지(識)라고 한 데서 유래됨〕 글씨나 그림에 필자가 스스로 자기 이름이나 호를 쓰고 도장을 찍는 일. 관지(款識). 인기(印記). ——-하다 자 여불

낙관²【樂觀】 명 모든 사물의 형편을 좋게 봄. 장래의 진전을 밝고 희망적으로 관측함. ↔비관(悲觀). ——-하다 자 타 여불

낙관-론【樂觀論】 [—논] 명 사물의 밝은 면(面)을 보고 앞길에 대하여 희망을 가지는 이론·입장. ↔비관론(悲觀論).

낙관론-자【樂觀論者】 [—논—] 명 모든 사물을 낙관적으로만 생각하는 사람. ↔비관론자.

낙관-적【樂觀的】 명 관 사물의 진전을 밝고 희망적으로 내다보는 모양. ↔비관적.

낙관-주의【樂觀主義】 [—/—이] 명 낙천주의(樂天主義).

낙교【洛橋】 명 〖역〗 중국 허난 성(河南省) 뤄양 시(洛陽市)의 서남, 뤄수이 강(洛水)에 걸린 톈진 교(天津橋)를 이름. 수(隋)나라 양제(煬帝)의 조영(造營)이라 전함.

낙구¹【落句】 명 〖문〗 시부(詩賦)의 끝 구절. 끝구.

낙구²【落球】 명 야구에서, 받은 공을 떨어뜨림. ——-하다 자 여불

낙구적 표현【落句的表現】 명 〖문〗 끝구를 따로 떼어서 하는 표현. 향가(鄕歌) 같은 데서 볼 수 있음.

낙권【落券】 명 〖역〗 과거에 불합격한 사람의 답안지(答案紙).

낙길【落—】 명 〔←낙질(落帙)〕 여러 권으로 한 길이 되는 책에서 빠진 권이 있어서 모자라는 일.

낙낙【諾諾】 명 남의 말을 잘 좇는 모양.

낙낙-하다 형 여불 크기·수효·부피·무게 같은 것이 조금 남음이 있다. ¶ 허리통을 좀 낙낙하게 지어 주시오. <넉넉하다. **낙낙-히** 부. ¶ 옷을 ～ 입다.

낙남【落南】 명 서울 사람이 남쪽 지방으로 이사(移徙)하여 감. ——-하다 자 여불

낙남 정:맥【洛南正脈】 명 〖지〗 13 정맥(正脈)의 하나. 지리산의 영신봉(靈神峰)에서 김해(金海) 분성산(盆城山)에 이르는 낙동강 남쪽 산맥의 옛이름.

낙노-국【樂奴國】 명 〖역〗 변진(弁辰)의 한 나라. 경상 남도 하동군(河東郡) 악양면(岳陽面) 지방에 있던 부족 국가(部族國家).

낙농【酪農】 명 농업 경영 형태의 일종. 소나 염소 등을 길러 그 젖을 짜거나, 또는 그 젖으로 버터(butter)·치즈(cheese)·연유(煉乳) 같은 유제품(乳製品)을 만들며, 한편 그 소나 염소의 분뇨(糞尿)로 경지(耕地)의 비옥(肥沃)을 꾀하여 유기적으로 경영하는 농업. 특히 스위스·덴마크·네팔 등이 발달되어 있음. ¶ ～가(家).

낙농 기계【酪農機械】 명 〔dairy machinery〕 우유나 유제품의 제조·가공에 사용되는 기계.

낙농 산:물【酪農產物】 명 낙산물(酪產物).

낙농 세:균학【酪農細菌學】 명 버터·치즈 기타 낙농 제품의 제조 보존 및 우유와 그 제품의 공중 위생적 연구를 주로 하는 세균학.

낙농-업【酪農業】 명 낙농.

낙농-장【酪農場】 명 〔dairy〕 〖농〗 우유의 생산을 위한 농장.

낙농 제:품【酪農製品】 명 〔dairy product〕 우유 또는 유제품으로 만든 식품.

낙농 진:흥법【酪農振興法】 [—뻡] 명 〖법〗 낙농을 진흥하여 농촌 경제의 향상과 발전을 기함을 목적으로 제정된 법.

낙농-품【酪農品】 명 우유로부터 생산되는 모든 제품. 곧, 버터·치즈·연유·분유 따위.

낙농학-과【酪農學科】 명 대학에서, 낙농에 관한 학문을 전공하는 학과.

낙담【落膽】 명 ①잔뜩 바라던 일이 뜻대로 되지 않아 마음이 몹시 상함. 실망함. ¶ ～하지 말게. ②너무 놀라서 간이 떨어지는 듯함. ——-하다 자 여불

낙담 상혼【落膽喪魂】 명 몹시 낙담하여 넋을 잃음. 상혼 낙담(喪魂落膽). ——-하다 자 여불

낙당【洛黨】 명 〖역〗 ①조선 인조 말년(仁祖末年)의 서인(西人)의 한 분파. 낙흥 부원군(洛興府院君) 김자점(金自點)을 중심으로 이루어진 당파. 김류(金瑬)가 주장(主掌)하던 공서(功西)가 김자점과 원두표(元斗杓)의 불화(不和)로 낙당·원당(原黨)으로 갈라진 것의 하나임. 효종(孝宗) 원년(1650) 김자점의 멸망과 함께 없어짐. *원당. ②중국 송(宋)나라 철종(哲宗) 때의 당파. 소식(蘇軾)의 촉당(蜀黨), 유지(劉摯)의 삭당(朔黨)과 함께 조신 삼당(朝臣三黨)의 하나로, 정이(程頤)가 주동이며, 세 당은 서로 격렬한 정쟁(政爭)을 벌였음.

낙도【落島】 명 외따로 떨어져 있는 섬. ¶ ～의 어린이들.

낙도-가【樂道歌】 명 〖문〗 작자·창작 연대 미상의 가사의 하나. 속세를 떠나 불도(佛道)에 전심하는 즐거움을 노래한 것임. ≪고가요 집주(古歌謠集註)≫에 전함.

낙동-강【洛東江】 명 〖지〗 우리 나라 5대강의 하나. 태백산(太白山) 북쪽의 함백산(咸白山)에서 발원하여 남류(南流)하다가 안동(安東) 부근에서 서쪽으로 굽어 예천군(醴泉郡) 용궁(龍宮) 부근에서 다시 남류(南流)하고 지류(支流)인 내천강(乃川江)·금호강(琴湖江)·황강(黃江)·남강(南江)과 합류하여 양산(梁山)과 김해(金海)를 지나 남해로 들어감. 유역은 땅이 기름져 농산물이 많이 나며, 수운도 매우 편리함. 유역 면적은 23,860 km². [525.15 km]

【낙동강 오리알】 여지없이 처량하게 된 신세. 【낙동강 오리알 떨어지듯 한다】 남의 것을 떼어먹고 가뭇없이 없어졌다는 말. 【낙동강 잉어가 뛰니까 사랑방 목침이 뛴다; 낙동강 잉어가 뛰니 부엌에 있는 부지깽이도 뛴다】 '망둥이가 뛰니까 전라도 빗자루도 뛴다'와 같은 뜻.

낙동강 대:교【洛東江大橋】 명 〖지〗 부산 광역시 북구(北區) 감전동(甘田洞)과 북구 대저(大猪) 2동을 연결하여 낙동강 위에 놓인 다리. 부마고속 도로(釜馬高速道路)에 있는 우리 나라에서 가장 긴 도로교(道路橋)임. 1981 년 준공. [1,765 m]

낙동 정:맥【洛東正脈】 명 〖지〗 13 정맥(正脈)의 하나. 강원도 태백시(太白市)의 구봉산(九峰山)에서 부산 다대포(多大浦)의 몰운대(沒雲臺)에 이르는 산줄기의 이름. 경상 남북도의 동해안과 낙동강 유역의 내륙을 가르는 분수령 산맥임. 태백 산맥의 남부에 해당함.

낙등【落等】 명 등급이 떨어짐. 또, 등급에서 떨어짐. ——-하다 자 여불

낙ᄃᆡ 명 〈옛〉 낚싯대. =낛대. ¶ 有斐君子들아 낙ᄃᆡ ᄒᆞ나 빌려ᄉᆞ라≪蘆溪 陋巷詞≫/낙ᄃᆡ을 둘러메고 紅蓼을 헤혀도러≪蘆溪 莎堤曲≫.

낙따리 명 〈방〉 벼랑(경기).

낙락¹【犖犖】 [—낙] 명 ①분명한 모양. ②뛰어난 모양. 탁월한 모양. ——-하다 형 여불

낙락²【樂樂】 [—낙] 명 대단히 즐거운 모양. ¶ 희희(喜喜) ～.

낙락 난합【落落難合】 [—낙—] 명 여기저기 흩어져 서로 모이기가 어려움. ——-하다 형 여불

낙락 장송【落落長松】 [—낙—] 명 가지가 축축 길게 늘어지고 키가 큰 소나무.

【낙락 장송도 근본은 종자】 ㉠아무리 훌륭한 사람이라도 처음은 다 같은 범인(凡人)이지만, 노력과 재질의 발휘로 그렇게 되었다는 말. ㉡대단한 일도 그 처음 시작은 아주 보잘것없음을 이르는 말.

낙락-하다【落落—】 [—낙—] 형 여불 ①아래로 축축 늘어지다. ②사이가 여기저기 떨어져 있다. ③남과 서로 어울리지 아니하다. ④작은 일에 얽매이지 아니하고 대범하다. **낙락-히**【落落—】 부

낙랑【樂浪】 [—낭] 명 〖역〗 한사군(漢四郡)의 하나. 지금의 청천강 이남 황해도 자비령(慈悲嶺) 이북 땅에 둠. 기원전 108년에 베풀어졌져 그 뒤 여러 번 변천을 거듭하다가 미천왕(美川王) 14년(313)에 고구려에 병합되었음. 낙랑군. 악랑(樂浪).

낙랑 고:분【樂浪古墳】 [—낭—] 명 〖역〗 평양 근교와 황해도에 있는 낙랑 시대의 무덤. 평양 근방 토성리(土城里)를 중심으로 동서 약 20리, 남북 약 10리에 걸쳐 1,400여 기(基)의 고분이 있으며, 황해도에도 무수히 산재(散在)함. 이들 고분은 그 구조에 따라 목곽분(木槨墳)과 전곽분(塼槨墳)으로 대별되는데, 여기서 동기(銅器)·옥기(玉器)·토기·도기(陶器)·목기(木器)·철기(鐵器)·칠기(漆器)·장신구(裝身具) 등의 부장품(副葬品)이 출토되어 당시의 문화를 엿볼 수 있음.

낙랑 공주【樂浪公主】 [—낭—] 명 〖사람〗 ①고려 태조 왕건의 맏딸. 신라 경순왕(敬順王)이 고려에 귀속(歸屬)하매 경순왕의 아내가 되었음. 일명 신란궁 부인(神鸞宮夫人)으로, 혼전(婚前)에는 안정 숙의 공주(安貞淑儀公主)라 하였음. ②낙랑의 태수(太守) 최리(崔理)의 딸. *자명고(自鳴鼓).

낙랑-군【樂浪郡】 [—낭—] 명 〖역〗 낙랑.

낙랑 문화【樂浪文化】 [—낭—] 명 〖역〗 기원전 108년부터 기원 후 313년까지 약 400년 간에 걸쳐 낙랑에서 발달한 문화. 대동강 유역 일대에 위치했던 낙랑은 설치된 이래 큰 변혁을 치르지 아니하고 존속하면서 한대(漢代)의 문물(文物)을 다량으로 옮겨 놓아 문화가 크게 융성하여 한사군(漢四郡)에서 중추적 역할을 담당하였음. 특히 높은 수준의 금속 문화는 주위의 토착 사회(土着社會)와 일본에까지 영향을 주었음.

낙랑 와당【樂浪瓦當】[—낭—] 명〖역〗낙랑 시대의 기와. 한(漢)나라의 것을 본뜬것으로 우리 나라의 가장 오래 된 기와임. 무늬 기와와 글자 기와로 나뉨. 둘레가 두껍고 중앙의 원형(圓形)을 중심으로 줄 넷을 그어 와당면(瓦當面)을 넷으로 구분하고 그 공간에 무늬·글자를 새겨 넣었음. 주로 대동강 남안(南岸)의 토성벽(土城壁)에서 발견됨.

낙랑 토성【樂浪土城】[—낭—] 명〖역〗평안 남도 대동군(大同郡) 대동면 토성리(土城里)에 있는 토성. 낙랑군의 군치지(郡治址)인 듯하며 모양은 사각형이고 동서는 약 660m, 남북은 약 700m임. 성루(城壘)는 석장(石牆)으로 둘러쌓인 흔적이 남아 있음. 낙랑 태수의 봉니(封泥)와 낙랑 예관(禮官)의 와당(瓦當)·와전(瓦塼)·동촉(銅鏃)·동정(銅鼎)·고전(古錢) 및 주형(鑄型) 등, 한(漢)나라 때의 유물이 많이 발견되었음.

낙론【洛論】[—논] 명〖역〗조선 후기 성리학파(性理學派) 가운데 기호학파(畿湖學派)의 한 파. 권상하(權尙夏)의 문인(門人) 이간(李柬)이 심성론(心性論)에 있어서, 금수(禽獸)도 인간과 마찬가지로 오상(五常)의 성(性)을 구비(具備)한다고 주장하면서, 이간을 중심으로 이에 동조한 경기도 출신의 김창흡(金昌翕)·이재(李縡)·어유봉(魚有鳳) 등이 형성한 파. ↔호론(湖論).

낙뢰【落雷】[—뇌] 명 벼락이 떨어짐. 또, 그 벼락. 뇌운(雷雲)과 지표의 물체와의 사이에 생기는 방전현상이며, 일반적으로 평지에서는 수목·탑 등의 돌출부에 생기는데, 생물의 살상(殺傷)과 화재 등의 위험이 따르기도 함. 벼락. ——-하다 자여불

낙루¹【落淚】[—누] 명 눈물을 떨어뜨림. 또, 그 눈물. 타루(墮淚). ——-하다 자여불

낙루²【落漏】[—누] 명 기록이나 물건에서 있어야 할 것이 자리에서 빠짐. 누락(漏落). 타루(墮漏). ——-하다 자여불

낙마¹【落馬】명 탔던 말에서 떨어짐. ——-하다 자여불

낙마²【駱馬】명 라마³(llama).

낙막¹【落寞】명 마음이 쓸쓸함. ——-하다 형여불

낙막²【落漠】명 근거나 조리가 불충분함. 불확실함. ——-하다 형여불

낙-막락【樂莫樂】[—낙] 명 그 이상 없는 즐거움.

낙망【落望】명 ①희망이 없어짐. ②희망을 잃음. 실망함. ——-하다 자타여불

낙매【落梅】명 떨어지는 매화.

낙맥【絡脈】명 맥락(脈絡)❶.

낙면【落綿】명 제사(製絲) 과정에서 생기는 지스러기 솜.

낙면-사【落綿絲】명 낙면이 들어 있는 품질이 낮은 면사.

낙명¹【落名】명 명성이나 명예가 떨어짐. ——-하다 자여불

낙명²【落命】명 생명을 잃음. 죽음. ——-하다 자여불

낙목【落木】명 잎이 진 나무.

낙목 공산【落木空山】명 나뭇잎이 다 져서 텅 비고 쓸쓸한 산.

낙미지-액【落眉之厄】명 눈앞에 닥친 재앙. ¶이시종은 뜻밖에~을 당하여 가족이 모두 노숙하게 된 경위에 있으니 어찌 먼 길을 떠날 수 있으리요≪崔瓚植: 秋月色≫.

낙민-가【樂民歌】명〖문〗조선 시대 가사(歌辭)의 하나. 작자·제작 연대 미상. 부귀 영화를 멀리하고 강호(江湖)에 파묻혀 유유 자적(悠悠自適)하는 심회를 읊었으며, 현실 도피와 낙천적인 내용이 담겨 있음. 모두 120구. ≪청구 영언(靑丘永言)≫에 전함.

낙민-송【樂民頌】명〖문〗조선 시대 말기의 가사(歌辭). 작자·제작 연대 미상. 원자(元子)의 탄생을 계기로 왕실(王室)의 융창을 노래함.

낙민지-학【洛閩之學】명〖역〗정주(程朱)의 학(學). 정호(程顥)·정이(程頤)는 뤄양(洛陽) 사람이고, 주자(朱子)는 민중(閩中), 곧 지금의 푸젠 성(福建省) 사람인 데서 일컬어짐.

낙박【落泊】명 영락(零落). ——-하다 자여불

낙반【落磐·落盤】명〖광〗광산·토목 공사장 등에서, 갱내의 암석(岩石)이나 토사(土砂)가 무너져 떨어짐. ¶~ 사고. ——-하다 자여불

낙발【落髮】명 머리를 깎음. ——-하다 자여불

낙발 위승【落髮爲僧】명 삭발 위승(削髮爲僧). ——-하다 자여불

낙방¹【落榜】명〖역〗과거에 떨어짐. 낙제(落第). ¶~한 선비. ↔급제(及第)❶. ——-하다 자여불

낙방²【樂邦】명 ①안락한 방토(邦土). 낙토(樂土). ②〖불교〗극락(極樂).

낙방 거:자【落榜擧子】명 ①과거에 떨어진 선비. ②〈속〉무슨 일에 성공하지 못한 사람.

낙백【落魄】명 ①넋을 잃음. ②'낙탁(落魄)'의 잘못. ——-하다 자여불

낙범【落帆】명 돛을 내림. ——-하다 자여불

낙법【落法】명 유도(柔道) 등에서, 다치지 아니하고 넘어지는 방법. ¶~을 익히다.

낙복-지【落幅紙】명〖역〗과거에 떨어진 사람의 글장.

낙본【落本】명 본전(本錢)을 밑짐. 손해를 봄. 실본(失本). ——-하다 자여불

낙봉【駱峯】명〖사람〗신광한(申光漢)의 호(號).

낙부【諾否】명 승낙함과 승낙하지 아니함. ¶~를 묻다.

낙빈-가【樂貧歌】명〖문〗≪청구 영언(靑丘永言)≫에 실리어 있는 가사 이름. 이황(李滉) 또는 이이(李珥)의 작이라 하나, 확실하지 아니함. 속세를 떠나 고향의 자연 속에서 자적(自適)하는 정상을 표현함. 낙빈사(樂貧辭) 또는 강촌사(江村辭)라고도 함.

낙-빈기【駱賓基】명〖사람〗'뤄 빈지(駱賓基)'를 우리 음으로 읽은 이름.

낙-빈왕【駱賓王】명〖사람〗중국 당(唐)나라 측천 무후(則天武后) 때의 시인. 7세 때부터 시를 지었는데, 왕발(王勃)·양형(楊炯)·노조린(盧照鄰) 들과 함께 초당(初唐)의 사걸(四傑)이라 일컬어짐. 작품에 ≪제경편(帝京篇)≫·≪낙승집(駱丞集)≫ 등이 있음. [650-684]

낙새 명〈옛〉낚싯대. =낙대·낙되·낫대. ¶秋江 붉은 돌에 一葉舟 혼자 저어 낙새를 떨쳐든이 ≪古時調≫.

낙사¹【洛師】명〖지〗뤄양(洛陽).

낙사²【落仕】명 낙직(落職). ——-하다 자여불

낙사³【樂事】명 즐거운 일. 재미 붙일 만한 일.

낙산¹【落山】명〖광〗광석을 채광장(採鑛場)에서 도광장(搗鑛場)으로 운반함. ——-하다 타여불

낙산²【酪酸】명 〔butyric acid〕〖화〗'부티르산'의 구칭.

낙-산³【駱山】명〖지〗서울 동대문(東大門)에서 동소문(東小門)에 걸쳐 있는 산의 이름. 산의 중앙부가 낙타의 등과 비슷함.

낙산-균【酪酸菌】명 '부티르산균'의 구칭.

낙-산물【酪産物】명 소나 염소의 젖을 짜서 이를 원료로 제조한 산물. 낙농(酪農) 산물.

낙산-사【洛山寺】명〖불교〗강원도 양양군(襄陽郡) 강현면(降峴面) 전진리(前津里)에 있는 총무원(總務院) 직할 사찰. 관동 팔경(關東八景)의 하나. 신라 문무왕(文武王) 11년(671) 의상 대사(義湘大師)에 의하여 창건되었음. 6·25 전쟁 때 타 버리고 1953년에 재건되었으며, 절 주위에 7층 석탑과 공중 사리탑(空中舍利塔) 등이 있음.

낙산사 칠층 석탑【洛山寺七層石塔】명〖역〗낙산사(洛山寺)에 있는 석탑. 조선 세조(世祖) 13년(1467)에 건립되었음. 모양은 방형(方形)이고 금동제(金銅製)의 상륜(相輪)에서 당시 양식의 특색을 엿볼 수 있음. 배불(排佛) 정책 하에서 지어진 석탑이어서 당시의 석탑을 알아보는 귀중한 자료임.

낙살【烙殺】명 단근질하여 죽임. ——-하다 타여불

낙상【落傷】명 높은 곳에서 떨어지거나 넘어져서 다침. 또, 그 상처. ¶~을 입다. ——-하다 자여불

낙새미 명〈방〉〖어〗가자미(경남).

낙생-영【洛生詠】명〖문〗영가(詠歌)의 일종. 옛날, 뤄양(洛陽) 서생(書生)들의 음영(吟詠)의 성조(聲調). 동진(東晉)의 명사(名士)가 즐겨 지었음.

낙서¹【洛西】명〖사람〗김자점(金自點)의 호(號).

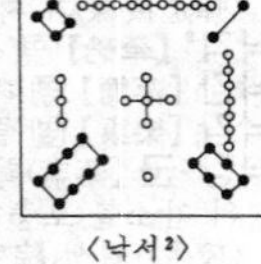

〈낙서²〉

낙서²【洛書】명 옛날 중국 하(夏)나라의 우(禹)임금이 치수(治水)할 때, 낙수(洛水)에서 나온 신귀(神龜)의 등에 있었다고 하는 마흔 다섯 점의 글씨. ≪서경(書經)≫의 홍범 구주(洪範九疇)는 이 낙서의 이치에 의하여 만든 것이라 하며, 팔괘(八卦)의 법도 여기서 나왔다 함. *하도(河圖).

낙서³【落書】명 ①책을 베낄 때 잘못하여 글자를 빠뜨리고 씀. ②장난으로 아무 데나 함부로 글자나 그림을 그림. 또, 그 글자나 그림. 낙필(落筆). ——-하다 자여불

낙석¹【絡石】명〖식〗①담쟁이덩굴. ②마삭줄. 마삭나무.

낙석²【落石】명 ①산 위나 벼랑 따위에서 돌이 떨어짐. 또, 그 돌. ②필법(筆法)의 하나. 돌이 떨어져 나오는 것같이 운필(運筆)함. ——-하다 자여불

낙선【落選】명 ①선거에서 떨어짐. ¶차점(次點)으로 ~하다. ↔당선(當選). ②출품한 작품 같은 것이 심사에서 떨어짐. ↔입선(入選)·당선(當選). ——-하다 자여불

낙선 애:재【樂善愛才】명 착한 일을 즐기고 재치를 사랑함. ——-하다 자여불

낙선 의원【落選議員】명 ①낙선된 전직 의원. ②〈속〉의원에 출마하였다가 낙선된 사람을 대접하여 혹은 빈정대어 일컫는 말.

낙선-인【落選人】명 선거에서 떨어진 사람. 출품한 작품 따위가 낙선된 사람. 낙선자. ↔당선인.

낙선-자【落選者】명 낙선인.

낙선-전【落選展】명 〔프 Salon des Refusés〕〖미술〗프랑스에서, 1863년 나폴레옹 3세에 의하여, 관전(官展)에서 낙선한 미술 작품을 모아 전시한 전람회. 마네(Manet, E.)의 ≪풀밭 위에서의 식사≫ 등이 출품되어 커다란 반향을 불러일으켰으며 인상주의 탄생의 계기가 되었음.

낙설【落屑】명〖의〗표피(表皮)의 각질층(角質層)이 크고 작은 각질의 조각이 되어 떨어지는 현상.

낙성¹【洛城】명〖지〗'뤄청(洛城)'을 우리 음으로 읽은 이름.

낙성²【落成】명 공사의 목적물이 완성됨. 공사의 목적물을 완성함. 준공(竣工). ——-하다 자타여불

낙성³【落城】명 성이 함락됨. ——-하다 자여불

낙성 계:약【諾成契約】명〖법〗당사자 상호간의 합의(合意)만으로 이루어지는 계약. 매매·도급·고용 등의 계약. ↔요물 계약(要物契約).

낙성-대【落星垈】명〖지〗서울 특별시 관악구(冠岳區) 봉천동(奉天洞)에 있는, 고려의 명장 강감찬(姜邯贊)의 출생지. 사리탑식(舍利塔式) 석탑이 남아 있음. 하늘에서 큰 별이 떨어진 날 강감찬 장군이 태어났다 하여 이 이름이 있음.

낙성 비룡【洛城飛龍】명〖책〗작자·제작 연대 미상의 고전 소설의 하나. 국문본. 배경은 중국 명(明)나라, 노비의 속량(贖良)과 상업의 의의를 다루었음.

낙성-식【落成式】명 낙성을 축하하는 의식.

낙성-연【落成宴】명 낙성을 축하하는 연회.

낙세¹【落勢】명 물가(物價) 같은 것이 떨어질 기세. 내림세. ↔등세(騰勢)·등귀세(騰貴勢).

낙세²【樂歲】명 풍년이 들어 즐거운 해.

낙소【酪素】명〖화〗카세인.

낙소스 섬 〔Naxos〕명〖지〗에게 해(Aegae海) 중앙부, 그리스의 키클라데스(Kyklades) 제도(諸島) 중 최대의 섬. 가장 높은 곳은 표고(標高) 1,002m로, 대리석·포도·올리브를 생산함. 테세우스(Theseus)가 아리아드네(Ariadne)를 이 섬에 버리고 간 신화(神話)가 전해짐. 고대 그리스의 디오니소스(Dionysos) 신앙의 중심지였으며, 16세기 후반부터 그리스 독립까지 터키령(領)이었음. [438 km²: 14,210명(1971)]

낙속【落速】명 낙체(落體)가 떨어지는 속도.

낙송¹【洛誦】명 글을 되풀이하여 소리 내어 읽음. ——-하다 타여불

낙송²【落訟】명 패소(敗訴). ——-하다 자여불

낙송자 칭원【落訟者稱冤】명 송사에 진 사람이 원통함을 들어서 말함. 곧 사리에 닿지 아니하는 억지 변명을 하는 것을 비유하는 말.

낙수¹ 명〈방〉낚시(경상).

낙수[2]【洛水·雒水】명〖지〗'뤄수이(洛水)'를 우리 음으로 읽은 이름.
낙수[3]【落水】명 낙숫물.
낙수[4]【落手】명 ①손에 넣음. 입수(入手)함. ②받음. ――-하다 타 여불
낙수[5]【落穗】명 ① 추수(秋收) 후 땅에 떨어진 이삭. ②일을 치르고 난 뒷이야기.
낙수[6]【樂受】명〖불교〗삼수(三受)의 하나. 심신(心身)의 열락(悅樂)에 대한 감각(感覺). *불고 불락수(不苦不樂受).
낙수[7]【樂修】명〖불교〗삼수(三修)의 하나. 열반(涅槃)의 낙을 보는 것.
낙수 고랑【落水―】명 ①낙숫물에 팬 고랑. ②지붕 위에 빗물이 흐르게 된 고랑.
낙수-받이【落水―】[―바지] 명 낙숫물이 떨어지는 곳. 또, 낙숫물을 받는 그릇.
낙수-빱 명〈방〉미끼(전라·경북).
낙숫-물【落水―】명 처마 끝에서 떨어지는 빗물이나 눈석임물. 또, 고드름이 녹은 물. 낙수(落水). 옥류수(屋霤水). ¶~ 소리.
[낙숫물이 댓돌을 뚫는다] 작은 힘이라도 끈기 있게 계속하면 성공한다는 말.
낙승[1]【落僧】명 타락한 승려. 파계승(破戒僧).
낙승[2]【樂勝】명 힘 안 들이고 이김. 수월하게 이김. ↔신승(辛勝). ――-하다 자 여불
낙시-밥 명〈방〉미끼(경기·전북·경북).
낙시-장【樂是章】[―짱] 명〖악〗악장(樂章)의 이름. 조선 고종(高宗)의 50세 된 잔치 때에 아뢰었음.
낙시-조【樂時調】명〖악〗조선 시대에 향악(鄕樂) 악조(樂調)의 이름. 우조(右調)에 비해 낮은 음을 중심음으로 삼는 조(調). 임진 왜란 후에는, 임종(林鐘)을 중심음으로 삼은 평조(平調)라는 선법명(旋法名)과 같은 뜻으로 쓰였으나, 오늘날에는 쓰이지 않음. 좌조(左調).
낙심【落心】명 바라던 일을 이루지 못하여 마음이 상함. ¶실격(失格)하여 ~하다. ――-하다 자 여불
낙심 천만【落心千萬】명 극도로 낙심함. ――-하다 자 여불
낙악【落萼】명 꽃잎과 함께 떨어지는 꽃받침.
낙안【落雁】명 하늘을 날다가 땅에 내려앉은 기러기.
낙안-봉【落雁峰】명〖지〗함경 남도 영흥군(永興郡)에 있는 산. [1,324 m]
낙약【諾約】명 계약(契約)의 신청을 승낙함. ――-하다 자 여불
낙약-자【諾約者】명〖법〗①로마법(Roma法)에 있어서, 문답(問答) 계약에 의하는 채무자(債務者). ②제삼자를 위해서 하는 계약에 있어서, 제삼자에 대하여 채무를 부담하는 사람. 1)·2):↔요약자(要約者).
낙양[1] 명〖건〗기둥의 위쪽 측면(側面)과 뜬 창방의 밑에 돌려 붙인 파련각(波蓮刻)의 장식.
낙양[2]【洛陽】명〖지〗'뤄양(洛陽)'을 우리 음으로 읽은 이름.
낙양의 지가(紙價)를 올리다 [―까―/―에―까―] 구 〔진(晋)나라의 좌사(左思)가 ≪삼도부(三都賦)≫를 지었을 때 낙양 사람들이 다투어 이것을 베낀 까닭에 당시 낙양의 종잇값이 갑자기 올랐다는 고사(故事)에서 나온 말〕 저서(著書)가 호평(好評)을 받아 매우 잘 팔림을 이르는 말. 낙양 지귀(洛陽紙貴).
낙양[3]【落陽】명 석양(夕陽)❶.
낙양 가람기【洛陽伽藍記】명〖책〗중국 뤄양의 여러 절에 관한 전설·고적(古跡)을 집록(輯錄)한 책. 북위(北魏)의 양현지(楊衒之)가 찬(撰)하여 6세기 중기에 완성하였음. 6권.
낙양 삼사기【洛陽三士記】명〖책〗삼설기(三說記).
낙양 유적【洛陽遺跡】명〖역〗뤄양 유적.
낙양 지귀【洛陽紙貴】명 '낙양의 지가(紙價)를 올리다'의 뜻.
낙양-춘【洛陽春】명〖악〗문묘 제향(文廟祭享) 때 아뢰던 제례 아악(祭禮雅樂)의 하나. 중국 주(周)나라의 아악을 본뜬 것이라 함. 아명(雅名)은 기수 영창지곡(基壽永昌之曲).
낙양-화【洛陽花】명〖식〗'모란(牡丹)'의 별칭.
낙언【諾言】명 승낙하는 말.
낙역 부절【絡繹不絶】명 연락 부절(連絡不絶). ¶유인재자(遊人才子)의 거마가 ~하다. ――-하다 자 여불
낙역-하다【絡繹―】형 여불 왕래(往來)가 끊임이 없다.
낙엽【落葉】명 ①나뭇잎이 떨어짐. 또, 그 나뭇잎. ②고등 식물에서 잎이 말라서 떨어지는 현상. 낙엽기(期)에 엽편(葉片) 또는 잎꼭지의 기부(基部)에 이층(離層)이 형성되고 물질의 유통이 잘 안 되어 떨어져 나가는데, 대개 그에 앞서 엽록소가 파괴되어 단풍이 드는 일이 많음. 환경 조건 등 외부 요인과 체내 조건 등 내부 요인으로 인함.
낙엽 관목【落葉灌木】명〖식〗가을에 잎이 떨어져서 겨울을 나는 관목. 진달래·앵도나무 따위. 갈잎떨기나무.
낙엽 교목【落葉喬木】명〖식〗가을에 잎이 떨어져서 겨울을 나는 교목. 참나무·밤나무 따위. 갈잎큰키나무.
낙엽-림【落葉林】[―님] 명 낙엽수림.
낙엽-목【落葉木】명〖식〗낙엽수.
낙엽-색【落葉色】명 낙엽과 같은 빛. 흙빛에 황적색을 띤 빛.
낙엽-성【落葉性】명〖식〗목본(木本) 식물에서, 겨울이나 건기(乾期)에 눈을 싸고 있는 인엽(鱗葉) 등 특수한 것을 제외한 모든 잎을 떨어뜨리는 성질. 상록수·초본(草本) 식물에도 낙엽 현상은 있으나 그 경우는 낙엽성이라고 하지 않으며 이와는 다름.
낙엽 소:관목【落葉小灌木】명〖식〗가을에 잎이 떨어져서 겨울을 나는 작은 관목. 갈잎작은떨기나무.
낙엽 소:교목【落葉小喬木】명〖식〗가을에 잎이 떨어져서 겨울을 나는 작은 교목. 복숭아나무·매화나무 따위. 갈잎작은키나무.

〈낙엽송〉

낙엽-송【落葉松】명〖식〗[*Larix kaempferi*] 전나뭇과에 속하는 낙엽 침엽 교목(喬木). 줄기 높이 30 m, 직경 1 m가량 되는 것도 있음. 잎은 침형(針形)이고 산생(散生)하거나 총생(叢生)함. 꽃은 자웅 일가(雌雄一家)로 5월에 피는데, 수꽃 이삭은 긴 타원형이고 암꽃이삭은 넓은 달걀꼴임. 과실은 구과(毬果)인데, 다갈색으로 9-10월에 익음. 인공림(人工林)으로 산지에 심으며, 건축재·침목(枕木)·전주(電柱)·펄프(pulp)·선박재(船舶材)나 그 밖에 정원수(庭園樹)·분재(盆栽) 등으로 씀. 경북·충남·황해·평북 및 일본·중국·유럽·북미 등지에 분포함.
낙엽-수【落葉樹】명〖식〗성장(成長)한 잎이 1년 이내에 고사(枯死)하고 일정한 휴면(休眠) 기간이 지난 뒤에 다시 새 잎이 나오는 나무. 주로 온대 지방이나 열대의 건우기(乾雨期)가 뚜렷한 지역에서의 수림(樹林)의 주요 구성 수종(樹種)임. 갈잎나무. 낙엽목. ↔상록수(常綠樹).
낙엽수-림【落葉樹林】명〖지〗낙엽수로 이루어진 숲. 온대(溫帶)의 저지대(低地帶)와 아열대의 고지(高地)나 열대의 건기(乾期)가 있는 곳에 형성됨. 낙엽림.
낙엽 활엽수림【落葉闊葉樹林】명〖지〗낙엽 활엽수로 된 수림. 고유의 낙엽기(落葉期)가 있으며, 온대 지방에서는 가을에, 열대 지방에서는 건기(乾期) 전에 잎이 떨어짐.
낙영[1]【落英】명 떨어진 꽃. 낙화(落花).
낙영[2]【落影】명 낙일(落日).
낙영[3]【落瓔】명 연(輦) 같은 데에 드림으로서 장식한 주렴(珠簾).
낙오【落伍】명 ①대오(隊伍)에서 뒤떨어짐. ②사회나 시대의 진보에 뒤떨어짐. ――-하다 자 여불
낙오-병【落伍兵】명〖군〗낙오된 병사.
낙오-자【落伍者】명 낙오된 사람. ¶인생의 ~.
낙외【洛外】명 낙양(洛陽)의 시외(市外). 서울 밖. ↔낙중(洛中).
낙원【樂園】명 ①안락하게 살 수 있는 즐거운 곳. ¶지상의 ~. ②인간 세상을 떠난 안락한 곳. 극락. 낙지(樂地). 천국. 파라다이스.
낙월【落月】명 서쪽에 지는 달.
낙월 옥량【落月屋梁】[―냥] 명〔벗의 꿈을 꾸고 깨어 보니 지는 달이 지붕을 비추고 있더라는 두 보(杜甫)의 시에서〕 벗을 생각하는 심정이 간절함을 이름.
낙위[1]【絡緯】명〖충〗베짱이.
낙위[2]【諾威】명〖지〗'노르웨이(Norway)'의 취음(取音).
낙위지-사【樂爲之事】명 ①즐거워서 하는 일. ②즐거움으로 삼는 일.
낙유[1]【酪乳】명〔butter milk〕탈지유(脫脂乳)에 유산균(乳酸菌)을 넣어 유산 발효를 한 우유. 치료 식이(食餌)로 많이 쓰임.
낙유[2]【諾唯】명 남의 말에 승낙하는 대답.
낙유-원[1]【樂遊苑】명〖지〗①중국 장쑤 성(江蘇省) 난징 시(南京市)의 남쪽에 있는 원(苑)의 이름. 남송(南宋)의 태조(太祖)가 조영(造營)하였음. ②낙유원(樂遊原).
낙유-원[2]【樂遊原】명〖지〗중국 당대(唐代)에, 장안성(長安城) 안의 남쪽에 있었던 언덕. 한(漢) 이래의 오랜 능(陵)이 있으며, 성내를 한눈으로 볼 수 있는 유락지(遊樂地)였음. 낙유원(樂遊苑).
낙은 별곡【樂隱別曲】명〖문〗조선 숙종(肅宗)·영조(英祖) 때의 문인(文人) 남도진(南道振)이 지은 가사. 경기도 용문산(龍門山) 북록(北麓)의 낙은암(樂隱岩)을 배경으로 일곡 팔경(逸谷八景)을 노래하면서 자신의 한거(閑居)하는 심회를 나타냄. 필사본(筆寫本)임.
낙읍【洛邑】명〖지〗뤄양(洛陽).
낙의【諾意】[―/―이] 명 승낙하는 뜻. 승낙의 의사.
낙이【樂易】명 마음이 즐겁고 편안함. ――-하다 형 여불
낙인【烙印】명 ①불에 달구어 찍는 쇠도장. 화인(火印). 소인(燒印). 불도장. ②다시 씻기 어려운 불명예스러운 이름.
낙인(을) 찍다 구 ㉠불에 달군 쇠도장을 찍다. ㉡그러하다고 확실히 규정짓다. ¶배신자라고 ~.
낙일[1]【落日】명 서쪽에 지는 해. 낙영(落影).
낙일[2]【樂佚】명 즐거이 놂. ――-하다 자 여불
낙자[1] 명〈방〉〖동〗낙지(전남).
낙자[2]【洛子】명〖불교〗가사(袈裟)의 한 가지.
낙자[3]【落字】명 빠진 글자. 탈자(脫字).
낙자-없다 [―업―] 형〈방〉영락없다(평안).
낙자-없이 [―업씨] 부〈방〉영락없이(평안).
낙장[1]【落張】명 ①책의 빠진 책장. 낙정(落丁). ¶~이 있는 책. ②화투나 투전 따위에서, 이미 판에 내어 놓은 팻장. ――-하다 자 여불
낙장[2]【酪漿】명 소나 양의 젖.
낙장-거리 명 팔·다리를 쭉 벌리고 뒤로 벌떡 나자빠짐. <넉장거리.
낙장-본【落張本】명 한 책에서 책 장수(張數) 또는 책 면수(面數)가 떨어지거나 빠진 것.
낙장 불입【落張不入】명 화투나 투전 같은 것을 할 때, 한번 바닥에 내어 놓은 팻장은 다시 집어 들이지 못한다는 규정.
낙적【落籍】명 ①호적부·학적부 등에서 빠짐. ②기적(妓籍)에서 기생의 몸을 빼. ――-하다 자 타 여불
낙전[1]【落箭】명 쏜 화살이 제대로 가지 못하고 도중에서 떨어짐. 또, 그 화살. ――-하다 자 여불
낙전[2]【樂戰】명 수월한 싸움. ¶~ 낙승. ↔고전(苦戰). *선전(善戰).
낙전[3]【落錢】명 ①거스름돈을 내주지 않아, 수중에 떨어진 우수리 돈. ②공중 전화기에 넣은 동전에서 통화료를 공제하고 남은 돈.
낙점【落點】명〖역〗관원을 선임할 때에 삼망(三望)의 후보자 가운데 한 사람의 이름 위에 임금이 친히 점을 찍어서 뽑음. ――-하다 타 여불
낙점 불입【落點不入】명 바둑에서, 일단 놓은 돌은 다시 집어 들이지

못한다는 규칙.

낙정【落丁】명 낙장(落張)❶.

낙정-미【落庭米】명 ①마되질을 하다가 땅에 떨어진 곡식. ②변변하지 못한, 나머지 물건. ③고생 끝에 얻어 걸린 차지. ④〖역〗조선 시대에, 조선(漕船)에 세곡(稅穀)을 실을 때나 세곡을 거두어 들일 때에, 땅에 흘러 떨어지는 곡식을 보충할 목적으로 징수하던 부가세(附加稅).

낙정 하:석【落穽下石】명 함정에 빠진 사람에게 돌을 떨어뜨린다는 뜻으로, 곤경에 빠진 사람을 구해 주기는커녕 도리어 해롭게 함을 이르는 말.

낙제¹【絡蹄】명〖동〗낙지¹.

낙제²【落第】명 ①낙방(落榜). ↔급제(及第)❶. ②시험에 떨어짐. 불합격(不合格). ③성적이 나빠서 상급 학교나 윗학년에 진학 또는 진급 못 하는 일. ——-하다 자여불

낙제-생【落第生】명 낙제한 학생. ↔급제생.

낙제-점【落第點】[-쩜] 명 낙제할 점수. 일정한 기준 이하의 득점(得點). ↔급제점(及第點).

낙-제품【酪製品】명 우유나 양젖을 원료로 하여 만든 제품의 총칭. 버터·치즈 따위.

낙조¹【落照】명 저녁 햇빛. 석양(夕陽).

낙조²【落潮】명 썰물. ↔창조(漲潮).

낙조-류【落潮流】명 [ebb current]〖해〗낙조 때의 조수의 흐름.

낙종¹【落種】명 논밭에 씨를 떨어뜨리어 심음. *파종(播種). ——-하다 자여불

낙종²【樂從】명 즐거이 순종함. ——-하다 타여불

낙종³【諾從】명 응낙하여 좇음. ——-하다 타여불

낙종-물【落種—】명 못자리 때를 맞추어 오는 봄비.

낙주 명〈방〉〖동〗낙지¹(전남·경남).

낙죽【烙竹】명 뜨거운 쇠붙이로 지져서 여러 가지 모양을 그린 대.

낙죽-붓【烙竹—】명 붓대에 불에 달군 인두로 지진 무늬로 낸 붓.

낙죽 장도【烙竹粧刀】명 칼집과 자루에 낙죽(烙竹) 세공을 베푼 장도.

낙줄 명〈옛〉낚싯줄. =낛줄. ¶아래로 낙줄와 낛미느를 쁘려나 귿 헌디 업더라(向下裏定鉤線鬚而出並無所損)≪救方 上 48≫.

낙중【洛中】명 낙양(洛陽)의 시중(市中). 서울 안. ↔낙외(洛外).

낙지¹ 명〖동〗[*Octopus vulgaris*] 낙짓과에 속하는 연체 동물(軟體動物)의 하나. 몸길이는 발끝까지 60-75 cm 가량이고, 여덟 개의 발은 길이가 거의 같은데 동부(胴部)의 3배 가량임. 앞의 둥근 부분과 발과의 사이의 눈이 있는 두부(頭部)에서 발이 나서 두족류(頭足類)라고 함. 몸빛은 회색에 자갈색(紫褐色)이나 주위의 빛에 따라 재빨리 변색함. 피부는 거칠고 발에는 혹 모양의 흡반(吸盤)이 있으며, 눈 주위에 살가시가 있고 첫째 발은 매우 길고 셋째 발은 생식물(生殖物)을 운반함. 봄과 첫여름에 알주머니가 있는 알을 해조(海藻) 등에 낳음. 해안의 바위 사이에 숨어 있다가 밤에 나와 새우·게·굴·조개·물고기 등을 포식하며, 적(敵)에게 먹물을 뿜고 도망침. 양식 패류(養殖貝類)에 해를 끼침. 한국과 일본 연안 및 태평양(太平洋)·홍해(紅海)·지중해(地中海)·유럽·북해·서인도 제도에 분포함. 맛이 좋음. 낙제(絡蹄). 석거(石距). 소팔초어(小八梢魚). 장거(章擧). 장어(章魚). 초어(梢魚·蛸魚·鮹魚). 해초자(海蛸子).

〈낙지¹〉

낙지(를) 팔다 구〈속〉남이 알아듣지 못하게 불평 섞인 말을 중얼거리다.

낙지²【落地】명 세상에 태어남. ——-하다 자여불

낙지³【落枝】명 축 늘어진 나뭇가지.

낙지⁴【樂地】명 괴로움 없이 즐겁게 살 수 있는 땅. 낙경(樂境). 낙토(樂土). 낙원(樂園). 낙천지(樂天地).

낙지-가【樂志歌】명〖문〗조선 성종(成宗) 때, 양녕 대군(讓寧大君)의 증손(曾孫)인 이서(李緖)가 지은 가사. 담주(潭州)에 한거(閑居)하면서 그 곳의 순후한 미풍 양속과 빼어난 경치를 읊고, 부귀 영달을 버리고 후진(後進) 양성을 하면서 태평 성대가 오기를 기원한 노래.

낙지-다리 명〖식〗[*Penthorum chinense*] 낙지다릿과에 속하는 다년초. 줄기는 원기둥꼴이고, 높이는 70 cm 가량이며, 잎은 호생하고 좁은 피침형임. 7월에 황백색 꽃이 가지 끝에 정생(頂生)하여 낙지의 다리처럼 총상(總狀) 화서로 피고, 과실은 삭과(蒴果)임. 들의 습지에 나는데, 한국·중국·일본에 분포함. 어린 싹은 식용함.

〈낙지다리〉

낙지다릿-과【—科】명〖식〗[Penthoraceae] 쌍자엽(雙子葉) 식물 이판화구(離瓣花區)에 속하는 한 과.

낙지발-송장개구리 명〖동〗조선산개구리.

낙지발-술 명 몇 가닥의 끈목을 한데 묶어, 낙지발처럼 생긴 술.

낙지 백숙【—白熟】명 낙지의 껍질을 벗기고 고락을 빼어, 끓는 물에 살짝 데쳐 낸 음식.

낙지 볶음 명 토막토막 자른 낙지를 고추장과 갖은 양념으로 버무리어 국물없이 볶은 음식.

낙지 어채【—魚菜】명 낙지를 짧게 잘라 녹말을 묻혀서, 끓는 물에 데쳐 낸 음식.

낙지 이:전【落地以前】명 탄생하기 전. 낙지 전.

낙지 이:후【落地以後】명부 탄생한 후. 낙지 후.

낙지 저:냐 명 낙지를 짧게 잘라서 소금을 뿌렸다가 밀가루를 묻혀 달걀을 씌워서 지진 음식.

낙지-적【—炙】명 낙지에 장·이긴 파·기름·깨소금을 치고 버무려 꼬챙이에 꿰어서 살짝 구운 음식.

낙지-전【落地前】명 낙지 이전(落地以前).

낙지-젓 명 낙지로 담근 젓.

낙지-초【落地初】명 탄생 후 처음.

낙지-회【—膾】명 낙지를 살짝 데쳐 썰어서 초고추장에 찍어 먹는 회.

낙지-후【落地後】명부 낙지 이후(落地以後).

낙직【落職】명 벼슬 자리에서 떨어짐. 낙사(落仕). ——-하다 자여불

낙진【落塵】명 [fallout] 죽음의 재.

낙질【落帙】명 →낙길.

낙질-본【落帙本】명 한 질을 이루고 있는 책에서 권책수(卷冊數)가 빠진 것. ↔완질본(完帙本).

낙짓-과【—科】명〖동〗[Octopodae] 두족류 팔각목(八脚目)에 속하는 연체(軟體) 동물의 한 과. 오징어과(科)와 비슷한데 발이 여덟 개이고 지느러미·흡반(吸盤)의 자루와 단단한 껍질 등이 없음. 낙지·문어·꼴뚜기 등이 이에 속함. *오징어과.

낙짜 명〈방〉〖동〗낙지¹(전남).

낙차¹【落叉】명 [범 laksa]〖불교〗①구지(俱胝)의 백분의 일. 곧, 십만(十萬). ②큰 수(數).

낙차²【落差】명 ①〖물〗떨어지거나 흐르는 물의 높낮이의 차. 이 높낮이의 차(差)에서 생기는 위치 에너지의 차를 수력 발전 등에 이용함. 특히 유효(有效) 낙차에 대하여, 자연(自然) 낙차·총(總)낙차라고도 함. ②전(轉)하여, 일반적으로 고저(高低)의 차를 이름. ¶~ 큰 투구(投球). ③[throw]〖지〗단층상(斷層上)의 경사 격리(傾斜隔離)의 수직 성분. 또, 임의(任意)의 단층상의 수직 이동의 양(量).

낙착【落着】명 일이 결말이 남. 결정됨. ——-하다 자여불

낙찰【落札】명〖경〗경쟁 입찰에서, 입찰한 물건이 자기 수중(手中)에 떨어짐. 입찰한 결과 그 권리를 얻음. ——-하다 타여불

낙찰 가격【落札價格】[—까—] 명〖경〗낙찰된 가격.

낙찰-계【落札契】명 경쟁 입찰의 형식을 취하는 계의 방법의 하나. 낙찰자가 곗돈을 타고, 낙찰 금액에서 남은 액수는 앞으로 탈 사람들에게 분배됨.

낙찰-자【落札者】[—짜] 명〖경〗낙찰한 사람.

낙척【落拓】명 불우한 환경에 빠짐. 척락(拓落). ——-하다 자여불

낙천¹【落薦】명 천거(薦擧) 또는 추천에 들지 못하고 떨어짐. ¶~자(者).

낙천²【樂天】명 세상과 인생을 즐겁게 생각함. ——-하다 자여불

낙천-가【樂天家】명 ①인생을 즐겁게 생각하는 사람. ↔염세가(厭世家). ②자기의 환경을 달갑게 여기어 악착스럽지 아니한 사람.

낙천-관【樂天觀】명〖철〗①낙천주의. ②사물(事物)을 낙천적으로 생각하는 정신의 경향. 1)·2):↔염세관(厭世觀).

낙천 등운【落泉登雲】명〖문〗조선 시대 말기의 소설. 시정(市井) 풍속과 결부된 영웅 소설. 작가·제작 연대 미상. 국문본.

낙천-론【樂天論】[-논] 명 이 세상의 악(惡)은 인정하나, 인생 전체의 가치로서는 현실이 최량(最良)의 세계나 인생이라고 생각하는 이론·입장. 낙천설(樂天說).

낙천 생활【樂天生活】명 세상을 즐겁게 여기어 악착스럽지 아니하게 사는 생활.

낙천-설【樂天說】명〖철〗낙천론(樂天論).

낙천-적【樂天的】명관 인생이나 어떤 사태에 대하여 걱정하지 아니하고 낙관(樂觀)하고 있는 모양. 낙천인 모양. ↔염세적.

낙천-주의【樂天主義】[-/-이] 명 [optimism]〖철〗세상과 인생을 진·선·미, 곧 가치 있는 것으로 긍정하는 세계관(世界觀) 또는 인생관. 악(惡)과 반가치(反價値)의 존재를 인정하면서도, 그것은 진·선·미에 비해 극히 적은 것이라 하여 이 세상을 있을 수 있는 것 중에서 가장 선량(善良)한 것이라고 보는 사고(思考) 태도. 철학사(哲學史)에서는 라이프니츠(Leibniz, G. W.)의 모나드설(monad說)이 대표적임. 낙관주의(樂觀主義). 낙천관(樂天觀). ↔염세주의(厭世主義).

낙천주의-자【樂天主義者】[-/-이-] 명 ①낙천주의를 주장하는 사람. ②낙천적 생활(樂天的生活)을 하는 사람. 1)·2):↔염세주의자.

낙천-지【樂天地】명 낙토(樂土).

낙첨【落籤】명 제비뽑기에서 뽑히지 않음. ——-하다 자여불

낙체【落體】명 ①떨어지는 물체. ②[falling body]〖물〗중력(重力)에 의하여 땅에 떨어지는 물체. 공기의 저항(抵抗)을 무시할 수 있을 때에는, 모든 낙체는 동일한 가속도(加速度)로 떨어짐.

낙총【落葱】명〖식〗실파.

낙추-자【落箒子】명〖한의〗지부자(地膚子).

낙축【落軸】명〖역〗과거(科擧)에 떨어진 사람의 답안지를 열 장씩 묶어 놓은 축.

낙춘-가【樂春歌】명〖문〗작자·제작 연대 미상의 규방(閨房) 가사의 하나. 봄의 자연을 즐기는 내용.

낙치【落齒】명 늙어서 이가 빠짐. ——-하다 자여불

낙-치다【烙—】타 ☞ 낙인(을) 찍다.

낙치 부:생【落齒復生】명 노인들의 빠진 이가 다시 남. ——-하다 자여불

낙타【駱駝·駱駞】명 ①〖동〗낙타과에 속하는 단봉 낙타와 쌍봉 낙타의 통칭. 목과 발이 길며, 등에 큰 혹 모양의 육봉(肉峰)이 있어 여기에 지방을 저장하여 수일간의 음식물 결핍에 견디며, 콧구멍이 자유롭게 개폐되는 등, 사막(沙漠) 생활에 잘 적응하는 중요한 가축임. 초식성(草食性)으로 힘이 세고 온순하며, 승용(乘用)·운반용 이외에 고기·젖·털이 유용하게 쓰임. 약대. 타마(駝馬). 탁타(橐駝). ②낙타에서 뽑은 가늘고 곱슬곱슬하며 노랗거나 갈색인 털. 또, 그것으로 만든 옷감. 목도리·담요·방한용(防寒用) 내복 등에 쓰임.

[낙타가 바늘 구멍 찾는 격] 아주 찾기 어려운 것을 비유하는 말.

낙타-과【駱駝科】[-꽈] 명〖동〗[Camelidae] 핵각 아목(核脚亞目)에 속(屬)하는 우제류(偶蹄類)의 한 과. 낙타와 라마(llama)가 이에 속함. 다리가 길고 발굽이 둘로 갈라지며 위(胃)는 삼실(三室)로 이루어지는데 제1위(胃)에 물을 저장할 수 있음.

낙타-색【駱駝色】명 낙타의 털과 같은 빛깔. 엷은 다갈색(茶褐色). 베이지(beige).

낙타-지【駱駝地】명 캠릿(camlet).

낙타-털【駱駝—】명 [camel's hair]〖공〗박트리아(Bactria) 지방의 낙타에서 얻어지는 고급 동물 섬유. 캐멀 헤어.

낙탁【落魄】명 세력이나 살림 따위가 아주 보잘것없게 됨. 영락(零落). *낙백(落魄). ——-하다 자여불

낙태【落胎】명〖의〗①태아가 달이 차기 전에 죽어서 나옴. 유산(流産). ②태아를 인위적(人爲的)으로 모체(母體)로부터 분리시킴. 또, 그 태아. 반산(半産). 타태(墮胎). ¶ ~ 수술. ——-하다 자여불
【낙태한 고양이 상】얼굴을 잔뜩 찌푸리고 있음을 비유한 말.

낙태-죄【落胎罪】[-쬐] 명〖법〗발육의 정도를 불문하고 태아(胎兒)를 모체 내에서 죽이거나, 조산(早産)시킴으로써 성립하는 죄.

낙토【樂土】명 낙지(樂地).

낙판【落板】명 윷놀이 따위에서, 판 밖에 윷가락이 떨어지는 일. 이런 때는 무효가 됨. ——-하다 자여불

낙폭【落幅】명 값이 떨어진 폭.

낙필【落筆】명 ①붓을 들어 쓰기 시작함. 또, 서화(書畫)를 씀. ②낙서(落書)❷. ——-하다 자여불

낙하[1]【洛河】명〖지〗'뤄허'를 우리 음으로 읽은 이름.

낙하[2]【落下】명 높은 데서 낮은 데로 떨어짐. ——-하다 자여불

낙하[3]【落霞】명 낮게 들인 저녁놀.

낙하 각도【落下角度】명〔angle of fall〕〖물〗낙하선(落下線)과 궤적 기준선(軌跡基準線)이 낙하점에서 이루는 세로 방향의 각도.

낙하 구배【落下勾配】명〔slope of fall〕〖물〗발사체(發射體)의 낙하와 수평 방향의 움직임 사이의 비(比). 낙하 각도(落下角度)의 탄젠트와 같음.

낙-하다【烙—】타여불 ①달군 쇠붙이로 지지어 그림을 그리다. ② ☞ 낙인(을) 찍다.

낙하-산【落下傘】명 항공기에서 사람이나 물건이 안전하게 땅 위에 떨어지도록 하는 데 쓰는 기구. 명주·나일론 등으로 만들며, 많은 밧줄이 달린 우산 같은 것인데, 그 속에 공기를 받아, 떨어지는 물체의 속도를 느리게 함. 종래에는 긴급 탈출에만 쓰이다가, 오늘날에는 인원·물자의 대량 투하, 스카이 다이빙, 인공 위성의 회수(回收), 제트기 착륙 후의 제동(制動) 등에도 쓰임. 파라슈트(parachute).

낙하산 부대【落下傘部隊】명〖군〗항공기로 수송되어 낙하산을 타고 적의 후방 등에 내려서 지상 전투에 참가하는 부대. *공수(空輸) 부대.

낙하 상한각【落下像限角】명〔quadrant angle of fall〕〖물〗수준점(水準點)에 있어서의, 수평면과 발사물(發射物)의 낙하선(落下線)이 이루는 각.

낙하-선【落下線】명〔line of fall〕〖물〗수준점(水準點)에 있어서의 탄도(彈道)의 접선(接線).

낙하 운:동【落下運動】명〖물〗중력(重力)의 작용을 받아, 물체가 지구의 중심을 향하여 낙하하는 운동.

낙하-율【落下律】명〔law of falling〕〖물〗물체의 낙하에 관한 정률(定律). 어떤 물체도 진공(眞空) 속에서는 같은 속도로 떨어지고, 물체가 낙하하는 거리는 그 시간의 제곱에 비례하며, 낙하하는 속도는 그 거리의 제곱근(根)에 비례함.

낙하-점【落下點】[-쩜] 명 물체가 떨어지는 지점. 또, 떨어진 지점.

낙하 지점【落下地點】명 낙하점.

낙하 착륙【落下着陸】[-눅] 명〔hard landing〕〖항공〗월면(月面)에의 충돌과 같이 감속(減速) 없이 행하여지는 착륙.

낙학【洛學】명 송학(宋學)의 한 파. 정호(程顥)·정이(程頤) 형제의 학파를, 그 출신지가 뤄양(洛陽)인 데서 일컬음. 성명(性命)·이기(理氣)의 설(說)을 주로 하며, 남송(南宋)의 주자(朱子)에 의하여 대성(大成)됨.

낙한【落汗】명〖한의〗열병에 땀을 흘려 열이 내림. ——-하다 자여불

낙함【落頷】명〖의〗아래턱이 어긋나서 위아랫니가 맞지 않는 일.

낙향[1]【落鄕】명 서울에서 시골로 거처를 옮기거나 이사함. ——-하다 자여불

낙향[2]【樂鄕】명 낙지(樂地). 낙토(樂土).

낙혈【咯血】명〖의〗'각혈(咯血)'의 잘못.

낙형【烙刑】명 단근질하여 벌함. 또, 그 형벌. 단근질. ——-하다 타여불

낙혼【落婚】명 강혼(降婚). ——-하다 자여불

낙홍【落紅】명 ①낙화(落花). ②단풍이 떨어짐. ——-하다 자여불

낙화[1]【洛花】명 '모란(牡丹)'의 별칭(別稱).

낙화[2]【烙畫】명〖미술〗인두 같은 것으로 지져서 그린 그림. 인두그림.

낙화[3]【落火】명 불놀이 따위에서, 떨어지는 불. ¶ ~술(術).

낙화[4]【落花·落華】명 꽃이 떨어짐. 또, 그 꽃. 낙영(落英). 낙홍(落紅). ——-하다 자여불
낙화 난상지(難上枝) 구〔한 번 진 꽃은 다시 필 수 없다는 뜻으로〕한 번 저지른 일은 다시 전 상태로 돌이킬 수 없음.

낙화-놀이【落花—】명〖민〗조선 시대에, 선비들이 뱃놀이나 시회(詩會) 때, 또는 사월 초파일, 대보름밤 등에 하던 불꽃놀이. 낙화유(落花遊). 줄불놀이.

낙화-생【落花生】명〖식〗'땅콩'을 식물, 곧 풀로서 일컫는 말.

낙화생-유【落花生油】명 땅콩을 압착하여 만든 불건성유(不乾性油). 좋은 것은 무색 또는 담황색이며 무취(無臭)임. 주성분은 올레인산(olein酸)·팔미틴산(palmitin酸)·스테아린산(stearin酸) 등으로, 식용·섬유 공업·비누 제조·윤활유용(潤滑油用) 등에 쓰임.

낙화 시절【落花時節】명 늦은 봄철.

낙화-암【落花岩】명〖지〗충남 부여(扶餘) 백마강(白馬江)에 잇닿은 부소산(扶蘇山)의 서쪽 끝에 절벽을 이룬 큰 바위. 백제(百濟)가 망할 때, 삼천 궁녀가 이 바위에서 백마강에 몸을 던졌다는 전설이 있음.

낙화-유【落花遊】명〖민〗낙화놀이.

낙화 유수【落花流水】명 ①떨어지는 꽃과 흐르는 물. 전하여, 가는 봄의 경치, 또는 널리 쇠패 영락(衰敗零落)의 뜻으로도 쓰임. ②낙화에 정이 있으면 유수 또한 정이 있어 그것을 띄워서 떠내려 보낸다는 뜻으로, 곧 남녀 사이에는 서로 생각하는 정이 있다는 비유. ③〖춤〗춘앵전·처용무에서, 두 팔을 좌우로 한 번씩 뿌리는 동작.

낙화-풍【落花風】명 꽃을 지게 하는 바람.

낙후【落後】명 뒤떨어짐. ¶ ~ 지역. ——-하다 자여불

낙후-감【落後感】명 사회적인 지위나 지식의 정도가 남보다 뒤졌다고 느끼며 초조해하는 감정.

낙휘【落暉】명 거의 져가는 햇발. 낙일(落日).

낙희【樂戲】[-히] 명 즐겁게 놂. ——-하다 자여불

낚-거루 명 ↗낚싯거루.

낚다 타 ①낚시로 고기를 잡다. ¶ 월척(越尺)을 ~. ②꾀를 써서 이름을 얻다. ¶ 명성(名聲)을 낚기 위한 수단. ③〈속〉이성(異性)을 꾀다. ¶ 계집을 ~.

낚-대 명 ↗낚싯대.

낚-배 명 ↗낚싯배.

낚시 명 ①미끼를 꿰어 물고기를 낚는 작은 바늘로 된 갈고랑이. 조구(釣鉤). 조침(釣針). ②↗낚시질. ——-하다 자여불
【낚시 바늘에 걸린 생선】죽을 수를 당해 어쩔 수 없이 된 경우를 이름.
낚시(를) 던지다 구 어떤 간교한 목적을 달성하기 위한 수단을 쓰다.

낚시-걸이[1] 명 ①무엇을 남에게 먼저 조금 주고, 그 대신으로 나중에 많은 이익을 얻으려고 꾀하는 짓. ②씨름에서, 자기의 다리로 상대방의 다리를 걸어 당기어 넘어뜨리는 일. 안으로 거는 것을 안낚시걸이, 밖으로 거는 것을 바깥 낚시걸이라 함. ——-하다 자타여불

낚시-걸이[2] 명〖농〗보통 쓰는 낚시 모양의 호미. *등자걸이.

낚시-고사리 명〖식〗[*Polystichum craspedosorum*] 꼬리고사릿과에 속하는 다년초. 근경(根莖)은 짧고 높이 10-20 cm, 잎은 일회 우상 복엽(一回羽狀複葉)으로서 몇 개가 더부룩하게 땅에서 남. 가운뎃것은 끝이 길게 실 모양으로 뻗고 그 끝에 작은 싹이 낚시 모양으로 나는 것이 특성임. 막질(膜質)의 갈색 인모(鱗毛)가 밀생하고, 적당한 때에 자낭(子囊)이 잎의 앞 가장자리에 한 줄로 남. 산의 바위틈에 나는데, 한국·일본·중국·시베리아에 분포함.

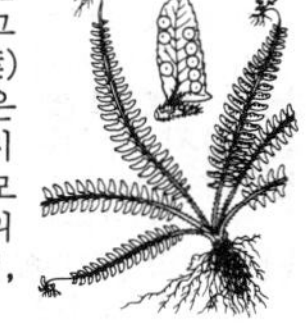
〈낚시고사리〉

낚시-꾼 명 ①낚시질을 하는 사람. ②낚시질을 업으로 삼는 사람. 조사(釣師).

낚시 도:구【—道具】명 낚시질할 때 쓰는 여러 가지 기구. 낚싯대·낚싯줄·낚시 바늘·낚시찌·낚싯봉 따위.

낚시 도래 명 낚싯줄이 꼬이지 않고 자유로이 돌 수 있게 연결하는 도래. 준도래.

낚시-돌풀 명〖식〗[*Oldenlandia crassifolia*] 꼭두서닛과에 속하는 다년초. 줄기는 총생하고 액질(液質)이며, 높이 10-15 cm 가량임. 잎은 대생하고 유병(有柄)이며 타원상의 거꿀달걀꼴 또는 긴 타원형임. 6-7월에 백색 또는 자색의 꽃이 취산(聚繖) 화서로 정생(頂生)하고, 삭과(蒴果)는 반구형(半球形)임. 해변의 바위 위에 나는데, 제주·전남의 거문도(巨文島)에 분포함.

낚시 어업【—漁業】명 낚시로 물고기를 잡는 어업. 오징어·민어·방어·다랑어·가다랭이 따위를 낚음.

낚시-오랑캐꽃 명〖식〗낚시제비꽃.

낚시-제비꽃 명〖식〗[*Viola grypoceras*] 제비꽃과에 속하는 다년초. 줄기는 총생하고 높이 20-30 cm 가량임. 근엽(根葉)은 총생, 경엽(莖葉)은 호생하고 모두 장병(長柄)에 심장형임. 3-4월에 좌우 상칭(左右相稱)의 작은 자색 꽃이 줄기의 하부로부터 액출(腋出)하여 피고, 과실은 삭과(蒴果)임. 들에나 길가에 나는데, 제주·전남·충남·경북 및 일본·중국에 분포함. 낚시오랑캐꽃.

〈낚시제비꽃〉

낚시-질 명 낚시로 물고기를 낚는 짓. 준낚시. ——-하다 자여불

낚시-찌 명 낚싯줄에 매어 물 위에 동동 뜨게 하여, 고기가 낚시를 물면 곧 알 수 있도록, 나무나 뼈로 만든 가벼운 물건. 부자(浮子). 준찌.

낚시-채비 명 낚싯대에 갖추어 매다는 줄·바늘·찌·미끼 따위의 물건.

낚시-태【—太】명 낚시질로 잡은 명태.

낚시-터 명 낚시질하는 곳. 어기(魚磯). 조기(釣磯). 조대(釣臺).

낚싯-거루 명 낚시질하는 데 쓰는 작은 배. 어주(漁舟). 준낚거루.

낚싯-대 명 낚싯줄을 매는 가늘고 긴 대. 대나무·금속·글라스 파이버 등으로 만듦. 조간(釣竿). 준낚대.

낚싯-바늘 명〈속〉낚시.

낚싯-밥 명 물고기가 물도록 낚시 끝에 꿰는 미끼. 미끼. 조이(釣餌). 구이(鉤餌).

낚싯-배 명 낚시질하는 데 쓰이는 작은 배. 조선(釣船). 조정(釣艇). 준낚배.

낚싯-봉 명 낚시가 물 속에 가라앉도록 낚싯줄 끝에 맨, 돌이나 납 조각.

낚싯-줄 명 낚시를 매어 단 줄. 삼실·견사(絹絲)·나일론·말총·와이어 등으로 만듦. 조사(釣絲).

낚아-채다 타 물고기를 낚듯이 잡아채다.

낚이다 피동 낚아지다.

낛[1] 명〈옛〉①낚시. ¶ 낛 爲釣《訓例 合字解》. ②갈고랑이. ¶ 낛 구(鉤)《字會 中 15》.

낛[2] 명〈옛〉구실. 납세(納稅). ¶ 그제사 낛 바도ᄆᆞᆯ ᄒᆞ니 그럴ᄊᆡ 일후믈 刹利利라 ᄒᆞᄂᆞ니라《月釋 I:46》/낛 셰(稅)《千字 28》.

낛다 타〈옛〉낚다. =낫다[4]·낡다. ¶ ᄒᆞᆫ 고기 낛ᄂᆞᆫ ᄇᆡ로다(一釣舟)《杜諺 XXI:16》.

낛대 명〈옛〉낚싯대. =낙ᄃᆡ·낙ᄯᆡ·낫대. ¶ ᄒᆞ올로 낛대ᄅᆞᆯ 자바 ᄆᆞᄎᆞ매 머리 가리니(獨把漁竿終遠去)《杜諺 XXI:17》.

낛밥 명〈옛〉낚싯밥. 미끼. ¶ 시ᄅᆞᆯ 니어 곳다온 낛바ᄇᆞᆯ 드리우고(接縷垂芳餌)《杜諺 X:6》.

낛줄 명〈옛〉낚싯줄. =낙줄. ¶ 江漢애 낛줄 드리워 고기 낛ᄂᆞ니 잇더라 니ᄅᆞ디 말라(勿云江漢有垂綸)《杜諺 XXI:13》.

난:[1]【卵】명 노리개·반지·비녀 등 장식품의 거미발 속에 물리어 박는 보석·진주(眞珠) 등의 통칭.

〈난[1]〉

난:[2]【亂】명 ↗난리(亂離).

[난 나는 해 과거(科擧)했다] ㉠오래 바라고 애써 한 일이 공교로운 방해가 들어 아무 소용 없게 됨을 이름. ㉡제가 한 일을 자랑삼아 이야기하나, 그것은 아무데도 흔적이 없으니 말할 거리도 못 된다고 핀잔주는 말.

난[3]【難】 명 성(姓)의 하나. 우리 나라에는 현존하지 않음.

난[4]【蘭】 명 〖식〗 ↗난초.

난[5]【欄】 명 책장이나 신문 지면의 가장자리를 둘러서 박은 선. 또, 그 안 부분. ¶ ~외에 여백이 많다.

난[6]【襴】 명 〖불교〗 가사(袈裟)의 선.

난[7]【鸞】 명 ①난조(鸞鳥). ②난령(鸞鈴).

난[8] 준 나는. ¶ ~ 가오/~ 싫어.

난[9]【蘭】 준 〖지〗 화란(和蘭). ¶ ~령(領).

난-【難】 두 어떤 명사 앞에 붙어서 '어려운'의 뜻을 나타내는 말. ¶ ~공사/~문제.

-난[1]【難】 미 어떤 명사 아래에 붙어서 '어렵다'는 뜻을 나타내는 말. ¶ 구인(求人)~/생활~.

-난[2]【欄】 미 신문·잡지 편집 상의 일 구분. 또, 일정한 지면(紙面). ¶ 가십~/어린이~. * -란[3].

난:가[1]【亂家】 명 화목하지 못하고 소란한 집안.

난가[2]【難家】 명 형세가 어려운 집안.

난:가[3]【爛柯】 명 〔진(晉)나라의 왕질(王質)이라는 나무꾼이 신안(信安)의 석실산(石室山)에서 두 동자(童子)가 바둑 두는 것을 만나 이를 보고 있는 동안에 도끼 자루가 썩어 버렸고, 마을에 돌아가 보니 아는 사람은 다 죽었더라는 ≪술이기(述異記)≫의 고사에서〕 '바둑'의 별칭. 또, 바둑 두는 재미. 전(轉)하여, 놀이에 시간 가는 줄 모르고 열중함.

난가[4]【鸞駕】 명 연(輦).

난:가지-락【爛柯之樂】 명 바둑의 재미.

난:각【卵殼】 명 알의 껍데기. 알을 둘러싸는 맨 바깥 층의 막(膜)에 석회 등이 침착하여 굳어진 것. 알껍데기.

난:각-막【卵殼膜】 명 〖생〗 ①척추 동물의 알의 난각 내면(內面)에 밀착(密着)되어 있는 난막(卵膜). 수란관(輸卵管) 속에서 분비됨. ②갑각류(甲殼類)인 물벼룩 따위에 있는, 내구란(耐久卵)의 외면(外面)을 싸는 키틴질(chitin 質)의 껍데기. 난각막에는 각종의 고유한 외형과 무늬가 있으며 분류의 기준이 됨.

난:각-선【卵殼腺】 명 〔shell gland〕 〖생〗 조류(鳥類)나 파충류의 수란관(輸卵管)에서 난각을 분비하는 선(腺).

난간[1]【闌干】 명 ①종횡으로 어지럽게 흩어지는 모양. ②눈물이 많이 흐르는 모양. ③별빛·달빛 등이 고운 모양.

난간[2]【難艱】 명 간난(艱難). ——-하다 형여불

난간[3]【欄干·欄杆】 명 〖건〗 층계나 다리 등의 가장자리에 종횡(縱橫)으로 나무나 쇠를 건너 세워 놓은 살. 사람이 떨어지는 것을 막고 또한 장식으로도 삼음. 난함(欄檻). ¶ ~에 기대다.

난간 궁창【欄干—】 명 〖건〗 난간 동자(欄干童子) 사이에 막아 끼운 널. 난간 청판.

난간 동:자【欄干童子】 명 〖건〗 난간에 간막이한 작은 기둥.

난간 마루【欄干—】 명 〖건〗 난간을 세운 마루.

난간 매듭【欄干—】 명 가로 긴 난간 모양의 매듭의 하나.

난간 법수【欄干法首】 명 〖건〗 난간의 양쪽 끝에 크게 세운 동자 기둥의 머리.

난:간-전【煖肝煎】 명 〖한의〗 하초(下焦)가 냉한 사람의 산증(疝症)에 쓰는 약.

난간 청판【欄干廳板】 명 〖건〗 난간 궁창.

난간 하엽【欄干荷葉】 명 〖건〗 계자각(鷄子脚) 위쪽의 원죽(圓竹)을 받치는 연엽각(蓮葉刻).

난감【難堪】 명 견디어 내기 어려움. ¶ ~한 일. ——-하다 형여불. ——-히 부

난:갑【卵甲】 명 계란의 흰자를 재료로 하여 만든 별갑(鼈甲)의 모조품.

난:개【爛開】 명 꽃이 한창 흐무러지게 핌. 난발(爛發). ——-하다 자여불

난객【蘭客】 명 좋은 친구. 양우(良友).

난거【鸞車】 명 임금의 수레. 난가(鸞駕).

난-거지 명 ↗난거지 든부자. ↔든거지.

난거지 든부자【—富者】 명 겉으로는 거지꼴이지만 실상은 돈냥이 있는 형편. 또, 그런 사람. ↔난부자 든거지·든거지 난부자. 준난거지.

난건【難件】 [—껀] 명 해내기 어려운 일. 처리하기 곤란한 사건.

난:격【亂擊】 명 ①피아(彼我)가 뒤섞이어 공격함. ②겨냥없이 마구 쏨. 난사(亂射). ——-하다 자타여불

난겻 부 〈옛〉 다투어. 겨루어. ¶ 識境이 난겻 뮈여 나거든(識境競動)≪月序 3≫.

난겻기 명 〈옛〉 겨룸. 경쟁하기. ¶ 王이 난겻기로 ᄃ토거늘≪釋譜 Ⅵ:7≫.

난경[1]【難經】 명 〖책〗 중국 고대의 의서(醫書). 한의학의 근본이 되는 황제 내경(皇帝內經)과 소문 영추(素問靈樞) 가운데 골자만을 추려서 알기 쉽게 풀이한 것으로 진(秦)나라의 명의(名醫) 편작(扁鵲)이 지은 것으로 알려짐. 전(全) 2권.

난경[2]【難境】 명 곤란한 경우. 곤경(困境). ¶ ~에 처하다.

난경[3]【鸞鏡】 명 난조(鸞鳥)를 뒷면에 새긴 거울. 또, 널리 거울의 일컬음.

난:계[1]【亂階】 명 어지러워지는 단서(端緖).

난계[2]【蘭契】 명 난교(蘭交).

난계[3]【蘭溪】 명 〖사람〗 박연(朴堧)의 호(號).

난계 유고【蘭溪遺稿】 명 〖책〗 조선 세종(世宗) 때의 악성(樂聖)인 난계 박연(朴堧)의 시문집(詩文集). 그 가운데 39편의 상소(上疏)는 악률(樂律)에 관한 것이 많음.

난고【蘭膏】 명 좋은 향기가 나는 기름.

난곡【難曲】 명 연주하기 어려운 곡조. 난해(難解)한 곡.

난:공[1]【亂供】 명 죄인이 심문을 받을 때 거짓말로 꾸며댐. 난초(亂招). ——-하다 자여불

난공[2]【難攻】 명 공격하기 어려움.

난공[3]【蘭貢】 명 〖지〗 '랑군(Rangoon)'의 음역(音譯).

난공 불락【難攻不落】 명 공격하기가 어려워 좀처럼 함락(陷落)되지 아니함. ¶ ~의 성(城).

난-공사【難工事】 명 장애물이 많아서 일하기가 퍽 힘드는 공사.

난:관[1]【卵管】 명 〖생〗 수란관(輸卵管). ↔정관(精管).

난관[2]【難關】 명 ①지나기가 어려운 목. ②해내기 힘든 일의 고비. ¶ ~에 봉착하다.

난:관 결찰술【卵管結紮術】 명 〖의〗 난관 압좌법.

난:관 압좌법【卵管壓挫法】 [—뻡] 명 〖의〗 1919년에 마들레네르(Madlener)가 창시한 여성에 대한 대표적인 불임법. 개복(開腹)하거나 질(膣)의 일부를 절개하여 난관의 중앙 부분을 핀셋으로 집어 난관 복막과 함께 압좌하여 굵은 비단실로 잡아맴. 난관 결찰술(結紮術).

난:관-염【卵管炎】 [—념] 명 〖의〗 나팔관염(喇叭管炎).

난:관 임:신【卵管姙娠】 명 〖의〗 수정란(受精卵)이 난관에 착상(着床)하여 된 임신. 자궁외(子宮外) 임신의 대표적인 예임. 나팔관 임신.

난:관 조:영법【卵管造影法】 [—뻡] 명 〖의〗 자궁을 통해서 난관 안에 도관(導管)으로 X선 조영제를 주입(注入)하고 촬영하여 난관의 형태적 변화나 병적 변화를 진단하는 방법.

난괄【難恝】 명 괄대(恝待)하기 어려움. ¶ 화란을 만나 여기에 왔다가 여러 동포 자매의 성대한 환영을 받고 그 후의를 ~하며…≪金敎濟：牧丹花≫. ——-하다 형여불

난괄-처【難恝處】 명 괄대(恝待)하기 어려운 자리.

난:괴[1]【卵塊】 명 〖생〗 어류(魚類)·양서류(兩棲類)·곤충류 등의 알의 덩어리. 산란(產卵)된 알이 난막(卵膜) 따위에 의하여 한 덩어리가 된 것.

난:괴[2]【亂魁】 명 반란(反亂)의 괴수(魁首).

난:교[1]【亂交】 명 상대를 가리지 않고 성교(性交)함. ——-하다 자여불

난:교[2]【亂攪】 명 ①어지러워 시끄러움. ②어지럽혀 시끄럽게 함. ——-하다 자타여불

난교[3]【蘭交】 명 난(蘭)의 향기처럼 아름다운 교제라는 뜻으로, 친밀한 사람들의 사귐. 난계(蘭契).

난:구[1]【卵球】 명 〖생〗 난세포(卵細胞).

난구[2]【難句】 명 이해하기 어려운 문구.

난구[3]【難球】 명 야구·테니스·탁구 등에서, 잡기 어렵거나 되받아치기 어려운 공.

난:국[1]【亂局】 명 어지러운 판국.

난:국[2]【亂國】 명 어지러운 나라. 질서가 문란한 나라. 난방(亂邦).

난:국[3]【暖國】 명 따뜻한 나라. ↔한국(寒國).

난국[4]【難局】 명 어려운 판국(版局). ¶ ~을 타개하다.

난-국[5]【蘭菊】 명 난초와 국화.

난:군[1]【亂君】 명 무도(無道)한 임금. 폭군(暴君).

난:군[2]【亂軍】 명 ①기율(紀律)이 없는 군대. ②반란군.

난:굴【亂掘】 명 함부로 팜. ——-하다 타여불

난규【蘭閨】 명 ①좋은 향기가 나는 침실. 곧, 후비(后妃)의 침실. 난성(蘭省). ②미인(美人)의 침실. 난방(蘭房).

난:기[1]【卵期】 명 〖생〗 ↗산란기(產卵期).

난:기[2]【亂氣】 명 어지러운 감정.

난:기[3]【暖氣·煖氣】 명 따뜻한 기운.

난기[4]【蘭氣】 명 난초의 향기.

난기[5]【鸞旗】 명 천자(天子)의 기(旗). 난령(鸞鈴)으로 장식되어 있음.

〈난기[5]〉

난:-기단【暖氣團】 명 〖기상〗 따뜻한 지방에서 발생하여 한랭한 지방으로 이동해 온 기단. 층운(層雲)·안개 등을 동반할 때가 많음. ↔한기단(寒氣團).

난:-기류【亂氣流】 명 〖기상〗 방향과 속도가 불규칙하게 변동하면서 흐르는 기류. 지물(地物)의 요철(凹凸)에 따라 일어나는 역학적 난기류, 고르지 못한 가열(加熱)로 일어나는 열적(熱的) 난기류, 비행기의 항로에 생기는 인공(人工) 난기류, 제트 기류의 근처에 생기는 청천(晴天)의 난기류 등으로 구분됨.

난나치 부 〈옛〉 낱낱이. ¶ 난나치(箇箇)≪老朴 單字解 3≫.

난:낭【卵囊】 명 〖생〗 두껍고 튼튼한 난막(卵膜). 바다에서 나는 고둥류(類)에 있음.

난내【欄內】 명 난(欄)의 안. ↔난외(欄外).

난:니-류【亂泥流】 명 〖지〗 해저(海底)의 미처 굳지 못한 퇴적물이 한꺼번에 해저 사면(斜面)을 미끄러져 떨어지는 현상. 이로 인하여, 해저에 깊은 골짜기가 패거나, 해저 전선이 절단됨. 혼탁류(混濁流).

난닝〔南寧〕 명 〖지〗 중국 광시장족(廣西壯族) 자치구(自治區)의 주도(主都). 주장 강(珠江) 상류의 개항장으로, 수운(水運)과 공로의 교통이 편리하며, 라이무 철도(來睦鐵道)는 베트남으로 직통함. 금속·기계·식품 공업 등이 발달함. 남녕(南寧).

난다-긴다-하다 자여불 재주나 행동이 매우 민첩하고 비상한 데가 있다. ¶ 난다긴다하는 사람.

난다데비 산【—山】〔Nanda Devi〕 명 〖지〗 인도, 가르왈 히말라야(Garhwal Himalaya)의 최고봉. 꼭대기에는 주위 110 km의 타원형 요지(凹地)가 있음. 1936년 영미 합동 원정대(英美合同遠征隊)가 등정(登頂)하였는데, 1950년 안나푸르나(Annapurna)를 정복할 때까지 인류가 도달한 최고 지점이었음. [7,817 m]

난다 왕조【—王朝】〔Nanda〕 명 〖역〗 고대 인도의 왕조(王朝). 기원전 5-4세기 마가다 국(Magadha 國)에 군림했으나, 기원전 320년 마우리아(Maurya) 왕조의 시조 찬드라굽타(Chandragupta)에게 망했음.

난달 명 ①길이 여러 곬으로 통한 곳. ②고누에서, 나들이 고누가 되는 밭.

난:당[1]【亂黨】 명 난리를 일으키는 무리.

난당[2]【難當】 명 대적하기 어려움. 당해 내기 어려움. ¶ 갈 수두 없구 묵을 수두 없구 난당한 일이구려≪洪命憙：林巨正≫. ——-하다 형여불

난:대[1]【暖帶】 명 〖지〗 열대와 온대의 중간에 걸치어 있어, 그 기후가 따뜻한 지대. 평균 온도 13°-20°C 가량임.

난대[2]【蘭臺】 명 〖역〗 ①중국 초왕(楚王)의 궁전 이름. ②중국 후한(後

漢)의 비서(祕書)의 벼슬. ③중국 한대(漢代)의 제실(帝室)의 문고(文庫). ④'어사대(御史臺)'의 딴이름.

난:대-림【暖帶林】명 난대 지방에 번식하는 삼림. 상록성의 활엽 교목림으로 온대림의 남쪽에 위치함. 아열대림(亞熱帶林).

난-데 명 타지방. ¶ 만만한 ~사람을 보면 겁인놈과 짜고 포목을 잠매하는 척하고선 들이닥쳐서 물화를 적몰하고…《金周榮 : 客主》.

난:데-없다 [—업—] 형 별안간에 나와 나온 데를 알 수가 없다. ¶ 난데없는 일이 툭 터지다.

난:데-없이 [—업씨] 부 난데없게. ¶ ~ 나타나다.

난:도¹【亂刀】명 칼로 함부로 벰. 칼로 잘게 다짐. ——하다 타여불

난:도²【亂擣】명 함부로 찧음. 짓이김. ——하다 타여불

난도³【難度】명 어려움의 정도. ¶ ~ 높은 재간/고(高)~.

난:도⁴【鑾刀】명《역》종묘(宗廟) 제사 때에 쓸 희생(犧牲)을 잡는 칼. 칼날의 끝과 등에 작은 방울이 달렸음.

〈난도⁴〉

난:도-질【亂刀—】명 칼로 마구 베는 짓. 칼로 잘게 다지는 짓. ¶ 고기를 ~하여 볶다. ——하다 타여불

난독【難讀】명 읽기 어려움. ——하다 형여불

난:돌【煖堗】명 따뜻한 구들방.

난:동¹【亂動】명 문란하게 행동함. 또, 그런 행동. ¶ ~ 분자/~을 부리다. ——하다 자여불

난:동²【暖冬】명 따뜻한 겨울. 춥지 않은 겨울. ¶ 이상(異常) ~.

난두【欄頭】명《역》연행사(燕行使) 일행의 물자를 도맡아 대던 상인.

난득【難得】명 얻기 어려움. ——하다 형여불

난득지-물【難得之物】명 매우 얻기 어려운 물건.

난든-벌 명 외출할 때 입는 옷과 집에서 입는 옷.

난든-집 명 손에 익숙한 재주. 익숙한 솜씨. ¶ ~이라 잠깐이면 끝낸다.
난든집(이) 나다 구 손에 익숙하여지다.

난-들 명 마을에서 멀리 떨어진 넓은 들.

난등¹ 명《불교》연꽃이나 모란꽃 따위를 만들어 불상(佛像) 머리 위나 영단(靈壇) 위에 둘러 장식하는 꽃뭉치.

난등²【蘭燈】명 아름다운 등롱(燈籠).

-난디 어미〈옛〉-ㄴ지. ¶ ᄒᆞ마 漢앳 ᄃᆞ를 ᄇᆞ리고 오난디 머니(已去漢月遠)《重杜諺 V:28》.

난디-나무 명〈방〉《식》분디나무.

난딱 부 냉큼 딱. ¶ ~ 들어서 내동댕이치다. <넌떡.

난:렴【亂簾】[날—] 명 달로 엮어 만든 발.

난령¹【蘭領】[날—] 명 네덜란드의 영유 또는 영토.

난령²【鸞鈴】[날—] 명 옛날, 중국에서 임금의 수레나 깃발에 달던 방울. 난조(鸞鳥)의 울음 소리에 비긴 것이라고 함. 난(鸞).

난령 기아나【蘭領—】[날—]〔Guiana〕명《지》더치 기아나.

난령 동인도【蘭領東印度】[날—] 명《지》네덜란드령(領) 인도.

난령 서인도【蘭領西印度】[날—] 명《지》서인도 제도(西印度諸島)의 앤틸리스 제도에 있는 네덜란드 자치령.

난령 인도【蘭領印度】[날—] 명《역》말레이 군도 및 뉴기니 섬 중의 옛 네덜란드령의 총칭. 제2차 세계 대전 후 인도네시아 공화국으로 독립함. 일반적으로 난령 동인도라 부름. 준난인(蘭印).

난:로¹【煖爐】[날—] 명 불을 피워 방 안을 덥게 하기 위하여 방 안에 놓는 기구나 장치. 장작·석탄·석유·가스·전기 등을 연료로 씀.

난로²【難路】[날—] 명 악도(惡道)❶.

난로³【鸞輅】[날—] 명 난가(鸞駕).

난:로-회【煖爐會】[날—] 명 ①화롯불에 여러 가지 음식을 지지고 구워 먹는 모임. ②《역》음력 시월경 흔히 초하룻날에 여러 사람이 한 자리에 모여 음식을 만들어 술을 마시는 모임.

난:롯-가【煖爐—】[날로까] 명 난로의 주위. ¶ ~에 앉아 불을 쬐다.

난:롯-불【煖爐—】[날로뿔] 명 난로에 피워 놓은 불. ¶ ~을 지피다.

난:류¹【暖流】[날—] 명《지》열대·아열대에서 발원(發源)하여 고위도(高緯度) 지방으로 흘러가는 고온(高溫)의 해류. 남색을 띠며 투명하고 염분(塩分)이 많으며 플랑크톤은 적음. 흑조(黑潮)·멕시코 만류 따위. 더운 무대. ↔한류(寒流).

난:류²【亂流】[날—] 명 ①《기상》지면에 따라 바람이 불 때, 지형의 영향과 공기의 마찰 등으로 일어나는 무수한 작은 소용돌이. ②《지》선상지(扇狀地)나 넓은 골짜기 같은 데서 물 속의 퇴적물(堆積物)의 방해를 받아서 물이 복잡하게 흐르게 되는 현상. 홍수가 있을 때마다 유로(流路)가 변경됨. ③《물》각 점에서의 속도의 크기와 방향이 시간적으로 변동하는 유체(流體)의 흐름.

난:류³【亂類】[날—] 명 불법한 짓을 함부로 하는 무리.

난:류-권【亂流圈】[날—꿘] 명《기상》종종 난류가 나타나는 대기(大氣)의 영역.

난:류-성【暖流性】[날—썽] 명 난류에 적응하는 성질.

난:류성 어류【暖流性魚類】[날—썽—] 명 해양 속에서 그 호적(好適) 수온이 10°-30°C 사이에 드는 어류. 고등어·전광어·상어·조기 따위.

난:륜【亂倫】[날—] 명 윤리를 어지럽힘. 인륜에 어긋남. 주로 남녀 관계에 대해서 말함. ——하다 자여불

난릉【蘭陵】[날—] 명《지》대아장(臺兒莊).

난릉-왕【蘭陵王】[날—] 명《역》무악(舞樂)의 이름. 중국 북제(北齊)의 난릉 왕인 장공(長恭)이 5백 기(騎)를 이끌고 주(周)나라 군사를 금용성(金墉城) 아래서 격파한 일을 표현한 것. 능왕(陵王).

난:리¹【亂理】[날—] 명 어지러워진 사리(事理). 또, 도리를 어지럽힘. ——하다 자여불

난:리²【亂離】[날—] 명 전쟁이나 분쟁·재해 따위로 세상이 소란하고 질서가 어지러워진 사태. ¶ ~가 나다/물~. 준난(亂).

난:리-판【亂離—】[날—] 명 난리가 일어난 판국.

난:립【亂立】[날—] 명 ①난잡하게 늘어섬. ②한꺼번에 많은 사람이 후보자로 나섬. ——하다 자여불

난령【南嶺】명《지》중국 남부의 동서에 걸쳐 있는 일련의 산계(山系). 남령(南嶺).

난:마【亂麻】명 어지럽게 뒤얽힌 삼의 가닥이라는 뜻으로, 어지럽게 얽히어 정돈되지 아니한 사물의 비유. ¶ 쾌도(快刀) ~.

난:막【卵膜】명《생》알을 싸고 있는 비세포성(非細胞性) 피막(被膜). 태아를 싼 얇은 막을 일컫는 경우도 있음. 알막.

난:막-배【卵幕杯】명《공》단피요(蛋皮窯)의 한 가지로서, 달걀 껍질과 같이 얇고 희며 투명한 술잔. 중국 명나라 만력(萬曆) 때, 부량(浮梁)의 오십구(吳十九)가 만든 것으로 무게는 1.5g 가량임.

난:만【爛漫】명 ①꽃이 만발하여 화려함. ¶ 백화(百花) ~. ②화려한 광채가 넘쳐 흐르는 모양. 선명히 나타나는 모양. ¶ 천진 ~. ③많이 흩어지어 성(盛)함. ——하다 형여불. ——히 부

난:만 동귀【爛漫同歸】명 부정한 일에 함께 어울려서 한통이 됨. ——하다 자여불

난:만 상의【爛漫相議】[— / —이] 명 오래 두고 여러 번 충분히 의논함. ——하다 타여불

난망¹【難忘】명 잊기 어려움. 잊지 못함. ¶ 백골(白骨) ~.

난망²【難望】명 바라기 어려움. 바라지 못함. ¶ 기대(期待) ~.

난망지-은【難忘之恩】명 잊지 못할 은혜. 큰 은덕.

난-매【蘭梅】명 난초와 매화.

난:맥【亂脈】명 흩어져서 질서나 체계가 서지 않은 일. ¶ ~상.

난면【難免】명 면하기 어려움. 벗기 어려움. ——하다 형여불

난:명【亂命】명 숨이 넘어가면서 정신없이 하는 유언. ¶ 선노야의 상기를 기다릴 것 없다 하심은 임종시의 ~이라, 어찌 ~을 봉행하자고 인가 예절에 어그러짐을 행하리오?《李海朝 : 昭陽亭》. ↔치명(治命).

난명지-안【難明之案】명 변명하기 어려운 사건.

난:모【暖帽】명 추위를 막기 위한 방한모(防寒帽)의 총칭. 아얌·조바위·굴레·남바위·만선두리·휘항(揮項)·풍차·볼끼 등이 있음. 난이(暖耳). 피견(披肩).

난:목【一木】명 외올베.

난:무【亂舞】명 ①어지럽게 춤춤. 또, 그러한 춤. ¶ 광희(狂喜) ~하다. ②함부로 날뜀. ¶ 폭력 ~. ——하다 자여불

난:문¹【卵門】명《생》난막(卵膜)에 있는 작은 구멍. 수정(受精)할 때 정자(精子)의 통로가 되는 경우가 많음. 식물의 주공(珠孔)에 해당됨.

난문²【難文】명 이해하기 어려운 문장. 난문장(難文章).

난문³【難問】명 ①대답하기 어려운 질문. ¶ ~ 난제(難題). ②↗난문제(難問題).

난:-문갑【亂文匣】명 문짝과 서랍과 선반을 다양하게 혼합하여 만든 문갑. *책(冊)문갑.

난-문장【難文章】명 난문(難文).

난-문제【難問題】명 어려운 문제. 준난문(難問).

난물【難物】명 처치하거나 다루기가 어려운 물건이나 사람.

난:민¹【亂民】명 무리를 지어 나라의 안녕 질서를 어지럽게 하는 백성.

난민²【難民】명 ①전쟁이나 천재 지변(天災地變)으로 곤경에 빠진 백성. 이재민(罹災民). ¶ ~ 구제. ②전화(戰禍)나 정변(政變)을 피해서 다른 나라나 다른 지방으로 가는 망명자(亡命者) 또는 피난민. ¶ ~ 수용소. ③생활이 곤궁한 백성. 궁민(窮民).

난민 조약【難民條約】명〔Convention Relating to the Status of Refugees〕《국제법》난민을 통상(通常)의 외국인과 구별하여 특별히 보호하고 여러 가지 권리를 인정할 것을 규정한 조약. 난민을 적극적으로 수용(受容)할 의무는 없지만, 불법 입국한 난민일지라도 일정한 조건을 채우면 형벌을 과하지 않도록 하고 있음.

난-바다 명 육지에서 멀리 떨어진 넓은 바다. 원해(遠海). ¶ ~에 떠 있는 배.

난박【難駁】명 비난하고 반박함. ——하다 타여불

난밖 사람 명 난 곳 밖의 다른 곳 사람이나 다른 계층의 사람. ¶ 나이도 알맞고 ~이 아닌 서방이 좋지 않으냐?《洪命憙 : 林巨正》.

난:-반사【亂反射】명〔irregular reflection〕《물》겉면에 빛의 파장(波長) 정도 크기의 작은 요철(凹凸)이 무수히 있는 물체에 빛이 부딪쳐서 사방 팔방으로 흩어지는 반사. 여러 가지 물체가 서로 다른 위치에 있는 많은 사람에게 동시에 보이는 것은 빛이 난반사하기 때문임. 이때 반사하는 그 빛을 산광(散光)이라 함. *산광(散光). ——하다 자여불

〈난반사〉

난:발¹【亂發】명 ①활·총·대포 따위를 함부로 발사함. 난사(亂射). ②증명서나 증권(證券) 따위를 함부로 발행함. 남발(濫發). ¶ 자격증을 ~하다. ③해서는 아니 될 말을 함부로 떠벌림. ——하다 타여불

난:발²【亂髮】명 ①엉크러진 머리털. ②사람의 저절로 빠진 머리털.

난:발³【爛發】명 난개(爛開). ¶ 백화 ~의 계절. ——하다 자여불

난:발-회【亂髮灰】명《한의》저절로 빠진 사람의 머리털을 불에 태워서 만든 재. 고약의 원료나 지혈제(止血劑)로 쓰이고, 또, 어린 아이의 경련이나 열·임질(淋疾)·대소변의 불통 등에 약으로 쓰임. 혈여(血餘).

난:방¹【亂邦】명 난국(亂國).

난:방²【煖房·暖房】명 건물 전체 또는 방안을 덥게 하는 일. 또, 덥게 한 방. ↔냉방(冷房). *난방 장치.

난방³【蘭芳】명 ①난초의 향기. ②미덕(美德)을 비유하는 말.

난방⁴【蘭房】명 ①깨끗하고 좋은 향기가 나는 방. 난실(蘭室). ②미인의 침실. 난규(蘭閨). 난실(蘭室).

난:방 보일러【煖房—】〔boiler〕명 온수(溫水)나 증기에 의한 난방법에서, 열원(熱源)인 온수나 증기를 공급하기 위하여 사용하는 보일러.

난:방 시:설【煖房施設】명 난방 장치.

난:방-원【煖房員】명 기계직 기능 공무원. 6급·7급·8급·9급·10급의 다섯 등급이 있음.

난:방 장치【煖房裝置】명 방안을 덥게 하는 장치의 총칭. 화로·난로·벽

난로·구들 등의 직접 실내를 덥게 하는 장치를 개별 난방 장치라 하고, 한 곳에서 데운 더운물이나 증기를 각 방의 방열기(放熱器)에 보내어 방안을 덥게 하는 장치를 집중 난방 장치라 함. 난방 시설. 온방 장치. ＊센트럴 히팅(central heating).

난-발 명 지정한 범위 밖의 바다. 난장.

난:백【卵白】명〖생〗알의 흰자위. ↔난황(卵黃).

난:백 감:광액【卵白感光液】명 달걀 흰자위의 단백질과 중크롬산 암모늄(重chrome酸ammonium)을 물에 녹여서 만든 감광액.

난:백-막【卵白膜】명 난백의 얇은 막. 흰자막.

난:백-분【卵白粉】명 흰자 가루.

난:백-색【卵白色】명 보유스름하게 흰 빛.

난:백-소【卵白素】명 흰자 가루.

난:백-수【卵白水】명 끓인 물을 식히어 달걀 흰자위를 넣고 휘저어 귤즙(橘汁)이나 레몬즙과 설탕을 타서 만든 음료(飮料).

난:백 알부민【卵白一】명〔egg albumin〕〖화〗흰자위의 주요 성분을 이루는 단백질. 보통은 흰자질의 약 70%를 점하는 오브알부민(ovalbumin)을 가리킴. 난(卵)알부민.

난:백 평판【卵白平版】명〖인쇄〗난백 감광액을 사용하여 제판한 평판.

난-번【一番】명 당직(當直) 따위를 마치고 나오는 번. ↔든번.

난-벌 명 외출할 때에 신는 신이나 옷 따위의 총칭. 나들잇벌. ↔든벌.

난변【欄邊】명 난간의 근처.

난병【難病】명 낫기 어려운 병. 고치기 어려운 병. 난증(難症).

난보[1]【難保】명 ①간직하기 어려움. ②보호하기 어려움. ——-하다 타여불

난:보[2]【爛報】명〖역〗기별(奇別)❶. ——-하다 타여불

난보지-경【難保之境】명 보호하기 어려운 지경.

난복-지름 명〈방〉석유[1](石油)(함북).

난봉[1] 명 허랑 방탕한 짓. 또, 그러한 사람. ＊왈자(曰者).
[난봉 자식이 마음 잡아야 사흘이다] 본성이 그른 사람은 아무리 마음을 바로잡는대야 오래 가지 못함을 이르는 말.
난봉(이) 나다[1] 구 허랑 방탕한 짓을 하게 되다.
난봉(을) 부리다 구 허랑 방탕한 짓을 함부로 하다.
난봉(을) 피우다 구 난봉을 함부로 부리다.

난:봉[2]【亂峰】명 여기저기 마구 솟아 있는 산봉우리.

난봉[3]【難峰】명 오르기 어려운 산.

난봉[4]【難捧】명 꾸어 준 돈이나 물건을 도로 받기가 어려움.
난봉(이) 나다[2] 구 꾸어 준 돈이나 물건을 못 받게 되다.

난봉[5]【鸞鳳】명 ①난조(鸞鳥)와 봉황(鳳凰). ②영준(英俊)한 선비의 비유. ③군자(君子)의 비유. ④부부(夫婦)나 친구 사이에 맺은 정분(情分)의 비유.

난봉-가【一歌】명〖악〗황해도 지방에 많은 민요. 긴 난봉가·잦은 난봉가·숙천(肅川) 난봉가·사설(辭說) 난봉가 등이 있음.

난봉 공:작【鸞鳳孔雀】명 난봉과 공작새.

난봉-꾼 명 허랑 방탕한 짓을 하는 사람. 난봉쟁이. 유랑(劉郞).

난봉-선【鸞鳳扇】명〖역〗복판에 난조(鸞鳥)와 봉황을 그린 부채 모양의 의장기(儀仗旗).

〈난봉선〉

난봉-쟁이 명 난봉꾼.

난봉-지름 명〈방〉석유[1](石油)(함북).

난:부[1]【懶夫】명 게으른 남자.

난:부[2]【懶婦】명 게으른 여자.

난-부자【一富者】명 ↗난부자 든거지.

난부자 든가난【一富者一】명 난부자 든거지.

난부자 든거지【一富者一】명 겉으로는 부자 같으나 실속 살림은 거지와 다름없는 형편. 또 그런 사람. 준난부자. ↔난거지 든부자·든부자 난거지.

난:분【卵粉】명 달걀을 말려서 가루로 만든 식료품.

난:분분-하다【亂紛紛一】형여불 눈이나 꽃잎 같은 것이 흩날리어 어지럽다. ¶ 백설(白雪)이 난분분하니 필똥말똥하여라. 난:분분-히【亂紛紛一】부

난:-분할【卵分割】명〖생〗난할(卵割).

난:비【亂飛】명 어지럽게 날아다님. ——-하다 자여불

난:사[1]【亂射】명 활이나 총 같은 것을 함부로 갈겨 쏨. 난격(亂擊). ¶ 기관총을 ~하다. ——-하다 타여불

난:사[2]【亂辭】명 ①한시(漢詩)의 끝에 적은 한 편(篇)의 대의(大意)를 총괄(總括)하여 이르는 말. ②조리가 닿지 않는 난잡한 말.

난사[3]【難事】명 곤란한 일. 처리하기 어려운 사건.

난사[4]【難思】명〖불교〗불법이 넓고 깊어 헤아리기 어려움. 부처의 가르침을 찬탄(讚嘆)하는 말. 난사의(難思議).

난:사[5]【爛死】명 화상(火傷)을 입어 죽음. ——-하다 자여불

난사[6]【蘭麝】명 난초와 사향(麝香)의 향기. 향기가 높은 것의 비유.

난사-광【難思光】명〖불교〗아미타불이 가진 광명의 덕을 열 둘로 세는 것 중의 하나. 또, 그 부처. ＊난사광불(難思光佛).

난사광-불【難思光佛】명〖불교〗아미타불의 딴이름인 열 두 광불의 하나. 아미타불이 가지는 열 둘의 빛의 덕상(德相) 가운데 부처가 아니고는 추량(推量)할 수 없는 빛의 덕이라는 데서 이름.

난사 군도【一群島】〔南沙〕명〖지〗남중국해(南中國海)의 인도차이나 반도와 필리핀 제도(諸島) 사이에 있는 암초군(岩礁群). 구아노(guano)·열대 과실·바다거북 등이 산출됨. ＊신남 군도.

난-사람 명 출중하게 뛰어나거나 잘난 사람. ¶ 과연, 그는 ~이다.

난사-젓 명 양미리 새끼로 담근 젓.

난-사초【一沙草】명〖식〗[*Carex lasiolepis*] 방동사닛과에 속하는 다년초. 줄기는 불명한 삼릉주(三稜柱)이며 총생하고, 높이는 15cm 가량임. 잎은 뿌리에서 총생하며 넓은 선형(線形)인데 줄기보다 길게 나왔으며, 폭은 3-7mm이고 길이는 10-20cm임. 꽃은 4-5월에 피는데 화총(花叢)은 정생(頂生)하고 상부는 수술이 1개로 타원형이고, 하부는 암술이 1-2개이며 긴 타원상(楕圓狀) 달걀꼴임. 과낭(果囊)은 삼릉(三稜) 거꿀달걀꼴의 긴 타원형임. 산이나 들에 나는데, 제주·강원·경기도에 분포함.

난:산[1]【亂山】명 높낮이가 고르지 않게 어지러이 솟은 산들.

난산[2]【難産】명 ①〖의〗순조롭지 아니하게 아이를 낳음. 또, 그러한 해산(解産). ↔순산(順産). ②일이 어려워 잘 이루어지지 아니함. ¶ ~이었던 거국 내각. ——-하다 자타여불

난삼【襴衫】명〖역〗생원·진사에 합격된 때에 입던 예복. 녹색이나 검은 빛의 단령(團領)에 각기 같은 빛의 선을 둘렀음.

〈난삼〉

난삽【難澁】명 어렵고 빡빡하여 순조롭지 아니함. ¶ ~한 문장. ——-하다 형여불. ——-히 부

난:상[1]【卵狀】명 달걀 모양. 난형(卵形).

난:상[2]【亂想】명 두서없는 생각. 부질없는 생각. 엉뚱한 생각.

난상[3]【難上】명 물품이 더할 수 없이 좋은 것. 극상(極上).

난:상[4]【爛商】명 잘 의논함. ——-하다 타여불

난:상 공론【爛商公論】[-논] 명 여러 사람이 모여 잘 의논함. ——-하다 타여불

난:상 숙의【爛商熟議】[-/-이] 명 난상 토의(爛商討議). ——-하다 타여불

난:상 토의【爛商討議】[-/-이] 명 낱낱이 들어 잘 토의함. 난상 숙의. 준난의(爛議). ——-하다 타여불

난:색[1]【暖色】명〖미술〗보기에 따스한 기분을 주는 빛. 곧, 노랑·빨강·주황 등의 색채. 온색(溫色). 웜 컬러(warm color). ↔한색(寒色).

난색[2]【難色】명 ①난처한 기색. ②비난하려고 하는 낯빛.

난:색-천【卵色天】명 달걀 빛깔의 하늘. 우기(雨氣)를 띤 누르스름한 하늘.

난:생【卵生】명〖생〗알을 낳아 새끼를 까는 일. 원생(原生) 동물이나 포유류(哺乳類) 이외의 동물은 대부분이 이에 속함. ↔태생(胎生). ——-하다 자여불

난:생 동:물【卵生動物】명〖동〗물고기·새 등과 같이 알에서 새끼가 나오는 동물. ↔태생(胎生) 동물.

난:생 설화【卵生說話】명〖역〗영웅이나 위대한 지도자에게 초인적인 권위를 부여하고자 그들의 탄생을 알에서 나왔다고 하는 민족 설화. 신라의 박혁거세(朴赫居世), 고구려의 주몽(朱蒙) 등. 동북 아시아 지역 민족에 많음.

난생이 명〈방〉〖식〗냉이(경상·제주).

난:생 처음【一生一】명부 세상에 태어나 뒤로 처음. ¶ ~ 느껴 본 사랑. ＊낙지초(落地初).

난:생 후:【一生後】명부 세상에 태어난 이후. 낙지 이후(落地以後). 낙지후(落地後). ¶ 이런 망신은 ~ 처음이다.

난서【蘭嶼】명〖지〗홍두서(紅頭嶼).

난:선[1]【亂線】명 어지럽게 엉킨 줄.

난선[2]【難船】명 배가 풍파를 만나 항행(航行)하기 곤란하고 선체(船體)가 파손되거나 전복되는 일. 또, 그 배. 난주(難舟). ——-하다 자여불

난선 신:호【難船信號】명 위험한 처지에 빠진 선박이 육지나 다른 선박에 대해 구조를 요청할 때 쓰는 신호. 발화(發火)·음향·무선 등의 방법이 있음. ＊조난 신호(遭難信號).

난선-자【難船者】명 난선을 당한 사람.

난선 제:주도 난파기【蘭船濟州島難破記】명〖책〗하멜 표류기.

난선 화:물【難船貨物】명 난선으로 인하여 투기(投棄)되거나 또는 유출 표류한 적하(積荷). 난선물(難船物).

난설헌-집【蘭雪軒集】명〖책〗조선 선조(宣祖) 때의 여류(女流) 시인 허난설헌(許蘭雪軒)의 문집(文集). 동생 허균(許筠)이 엮음.

난성【蘭省】명〖역〗①중국 진(秦)나라 때 '상서성(尙書省)'의 이명(異名). ②후비(后妃)의 침실. 난규(蘭閨).

난:세【亂世】명 어지러운 세상. 전란(戰亂)을 만난 세상. ¶ ~의 영웅. ↔치세(治世).

난:-세포【卵細胞】명〖생〗자성(雌性)의 생식(生殖) 세포. 웅성(雄性)의 생식 세포보다는 크며 운동성이 없음. 수정 후 발달하여 배(胚)를 형성함. 알세포. 난구(卵球). 난주(卵珠). ↔정세포(精細胞).

난센〔Nansen, Fridtjof〕명〖사람〗노르웨이의 탐험가·정치가. 1893-1896년에 걸쳐 북극을 탐험하여 당시로서는 최북점(最北點)에 도달하였음. 제1차 세계 대전 후에는 전쟁 포로의 교환, 러시아 기근(饑饉)의 구제 등에 진력하여, 1922년 노벨 평화상을 수상함. [1861-1930]

난센스〔nonsense〕명 ①무의미. 또, 그러한 언행. ②어리석고 가소로움. 또, 그러한 언행. ③쓸데없는 것. ④엉터리.

난센스 문학【一文學】〔nonsense〕명 시시껄렁한 내용을 재미있게 쓴 웃음거리 문학.

난센스 보이〔nonsense＋boy〕명 악의가 없으며, 보기만 해도 웃음이 터지게 생긴 청년.

난센스 북〔nonsense book〕명 황당 무계한 내용으로 사람을 즐겁게 웃기는 오락책.

난센스 코미디〔nonsense comedy〕명 관객을 웃기기를 위주로 하는 엉터리 희극.

난:소[1]【卵巢】명〖생〗동물의 자성(雌性) 생식 기관의 일부. 난자(卵子)를 만들어 내고 또 호르몬을 분비(分泌)함. 사람은 자궁(子宮) 뒤쪽의 수란관(輸卵管) 끝에 붙어 있으며, 편평하고 알과 같이 둥글며 장밋빛임. 알집. 자실(子室). ↔정소(精巢).

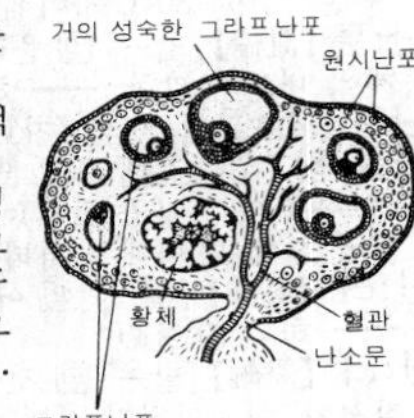

〈난소[1]〉

난소[2]【難所】명 험하고 가파른 곳. 왕래가 곤란한 곳.

난:소 기능 부전증【卵巢機能不全症】[-쯩] 명〔ovarian insufficiency〕『의』 난소의 기능 부전으로 인한 병증. 무월경(無月經)·과소 월경 또는 기능 이상성 자궁 출혈(子宮出血) 등으로 이어짐.

난:소 낭종【卵巢囊腫】명『의』 난소에 생기는 낭종. 둥글고 잘 움직이는 혹 같은 것으로, 보통 통증은 없으나 경염전(莖捻轉)을 일으키면 심한 통증이 있고, 때때로 악성화함. 치료는 절제 수술에 의함.

난:소 상:체【卵巢上體】명『생』 부난소(副卵巢). 「많음.

난:소-암【卵巢癌】명『의』 난소에 발생하는 암. 고령(高齡)의 여성에

난:소-염【卵巢炎】명『의』 난소에 생기는 염증(炎症). 임균(淋菌)·화농균(化膿菌)·결핵균 등에 의하여 일어나며, 또 내장의 질환에 의한 혈행 장애(血行障礙)가 원인이 됨. 만성과 급성이 있으며, 급성은 발열(發熱)을 수반하고, 왕왕 나팔관염을 병발하며, 격렬한 동통(疼痛)이 있음. 만성의 경우에는 하복부에 중압감(重壓感) 혹은 동통을 느끼며, 불임(不妊)의 원인이 됨.

난:소 종:양【卵巢腫瘍】명『의』 난소에 생기는 종양. 거의가 양성(良性)이지만 악성(惡性)도 있음. 전신 증상(全身症狀)은 별로 없으나 주먹만한 크기의 종류(腫瘤)가 복벽(腹壁) 위에서 만져질 때가 있음. 어쩌다 경염전(莖捻轉)을 일으키면 격통(激痛)이 남. 악성의 것은 암이 많으며, 전이소(轉移巢)가 생김.

난:소 호르몬【卵巢—】〔hormone〕명『생』 난소에서 분비되는 호르몬의 총칭. 여포(濾胞) 등에서 만들어지는 발정(發情) 호르몬과 황체(黃體)에서 만들어지는 황체 호르몬의 두 가지가 있으며, 뇌하수체(腦下垂體) 호르몬과 복잡한 관계를 가지면서, 자성(雌性)의 생리 기능을 조

난:속【亂俗】명 풍속을 문란하게 함. ——-하다 자 여불 ⌊절함.

난:수[1]【亂手】명『경』 증권 시장(證券市場) 용어로, 입회(立會) 중에 별안간 엉뚱한 값을 부르며 손을 내흔들어 시장을 어지럽게 하는 일. 이러한 때는 시장(市場) 질서를 유지하기 위해 일시 입회 정지를 하는 것

난:수[2]【亂首】명 난적(亂賊)의 괴수(魁首). ⌊이 관례임.

난수 국방【蘭秀菊芳】명 난초와 국화의 향기.

난:수-표【亂數表】명 0에서 9까지의 숫자를 각 숫자가 나오는 율이 같도록 아주 무질서하게 배열한 표. 통계 조사에서 표본을 무작위(無作爲)로 가려낸다든가 암호 통신 등에 이용함.

난:숙【爛熟】명 ①무르녹게 익음. ②더할 수 없이 충분히 발달함. ¶ ～한 문화. ③사물을 잘 체득하여 모든 일에 숙달(熟達)함. 숙란(熟爛). ——-하다 자 여불

난:숙-기【爛熟期】명 난숙하는 시기. 성숙된 시기.

난쉥이 명〈방〉『식』 냉이(경상).

난승-지【難勝地】명『불교』 보살의 수행(修行) 계위(戒位) 가운데서 십지(十地)의 제5위. 삼계(三界)의 무명(無明)과 의혹이 일체(一切) 공(空)이 되는 경지라고 하며, 일체의 법에 통달한다고 함.

난시[1] 명〈방〉『식』 냉이(제주).

난:시[2]【亂時】명 세상이 어지러운 시대.

난:시[3]【亂視】명〔astigmatism〕『의』 눈의 굴절 이상(屈折異常)의 한 가지. 각막(角膜)의 만곡(彎曲), 때로는 수정체(水晶體)의 구면(球面)이 바른 구면이 아니기 때문에 밖에서 들어오는 광선이 한 점에 모이지 아니하여 물체가 바로 보이지 아니함. 원기둥 렌즈로 조절할 수 있는 것을 정난시(正亂視), 조절할 수 없는 것을 부정 난시(不正亂視)라 함.

난:시-안【亂視眼】명『의』 난시로 인하여 잘 보이지 않는 눈.

난-시청【難視聽】명 산이나 건물 따위의 장애로 방송 전파가 텔레비전 수상기에 잘 잡히지 않아 보고 듣기가 어려움.

난시청 지역【難視聽地域】명 산이나 골짜기, 낙도(落島), 고압전선(高壓電線) 또는 고층 빌딩 등 여러 가지 장애물로 인하여 텔레비전의 수상 상태가 양호하지 않은 지역.

난:신[1]【亂臣】명 ①나라를 어지럽게 하는 신하. ¶ ～ 역적(逆賊). ②난세(亂世)의 충신(忠臣).

난신[2]【難信】명『불교』 불법은 세상의 상식으로는 믿을 수 없는 깊고 미묘한 가르침이라는 말. 특히, 법화경(法華經)의 설법과, 범부(凡夫)가 즉시 성불(成佛)한다고 하는 타력 염불(他力念佛)에 대해 이름.

난:신 적자【亂臣賊子】명 난신과 적자.

난:실[1]【暖室】명 ①따뜻한 방. ②온실(溫室)❶.

난실[2]【蘭室】명 ①난방(蘭房)❶❷. ②난초를 가꾸는 온실.

난:심【亂心】명 어지러운 마음.

난:아【亂鴉】명 질서없이 뒤섞이어 나는 까마귀. 「하다 자 여불

난:안[1]【赧顔】명 창피하거나 부끄러워 얼굴을 붉힘. 또, 그 얼굴. ——-

난안[2]【難安】명 마음놓기가 어려움. ——-하다 형 여불. ——-히 부

난:-알부민【卵—】〔albumin〕명『화』 난백(卵白) 알부민.

난애【蘭艾】명 ①난초와 쑥. ②군자(君子)와 소인(小人).

난:앵【亂鶯】명 여기저기서 우는 꾀꼬리. 「말.

난야【蘭若】명〔범 aranya〕『불교』 고요한 곳이란 뜻으로, 절을 이르는

난양〔南陽〕명『지』 중국 허난 성(河南省) 서남부의 도시. 난양 분지(盆地)의 중심임. 춘추(春秋) 시대 이후로 전략상의 요지임. 부근의 밀·옥수수 등을 집산하며, 특산물은 고치. 남양. [282,000명(1984)]

난어【難語】명 어려운 말. 알기 힘든 말. ¶ ～를 나열하다.

난:언[1]【亂言】명 난폭하거나 난잡한 말.

난언[2]【難言】명 말하기 어려움. ——-하다 형 여불

난언[3]【蘭言】명 뜻이 서로 맞는 말. 친우(親友)의 말.

난언지-지【難言之地】명 말하기 곤란한 경우.

난업【難業】명 곤란한 사업. 경영하기 어려운 사업.

난여【鸞輿】명 연(輦).

난:역[1]【暖域】명『기상』 발달기에 있는 온대 저기압의 내부에서 온난전선(溫暖前線)의 뒤쪽, 한랭 전선의 앞쪽에 있는 삼각형의 지역. 이곳에서는 공기가 상대적으로 가장 따뜻함.

난:역[2]【亂逆】명 모반(謀叛). 반역(反逆). ——-하다 자 여불

난역[3]【難役】명 어려운 역할이나 구실.

난:연【爛然】명 ①밝은 모양. ②빛나는 모양. ③고운 모양. 찬란한 모양. ——-하다 형 여불 「질을 가진 재료.

난연 재료【難燃材料】명 난연 합판·난연 플라스틱 등 잘 타지 않는 성

난:연-하다【赧然—】형 여불 부끄러워 얼굴이 붉다. 난:연-히【赧然—】

난:열【暖熱】명 따뜻한 열. ⌊부

난엽【蘭葉】명 난초의 잎.

난:옥【亂獄】명 부정한 옥사(獄事). 불공평한 재판.

난외【欄外】명 ①신문·서적 등의 본문(本文)의, 기사(記事)를 둘러싼 줄의 바깥. ¶ ～에 여백을 두다. ↔난내(欄內). ②난간(欄干)의 바깥.

난외-주【欄外註】명 난외에 다는 각주(脚註)·두주(頭註)·표주(標註) 등의 총칭.

난:용【亂用】명 함부로 씀. 남용(濫用). ——-하다 타 여불 「용종.

난:용-종【卵用種】명 알을 낳게 함을 목적으로 기르는 닭의 품종. ↔육

난:운[1]【亂雲】명 ①『기상』 '난층운(亂層雲)'의 구칭. ②어지러이 뒤섞여 떠도는 구름.

난운[2]【難韻】명 한시(漢詩)를 지을 때 쓰이는 운목(韻目)의 글자가 적어서 운을 다는 데 고심함. 또, 그 운. 험운(險韻).

난:원-공【卵圓孔】명『생』 태아의 심장의 좌우 양방간(兩房間)에 통하는 구멍. 출생 뒤에는 닫혀 있으나, 선천성 심장 질환(心臟疾患)으로 난원공 개재(開在)를 나타내는 일이 있음.

난:-원세포【卵原細胞】명〔oogonia〕『생』 동물의 암컷의 배우자(配偶子)를 만드는 근원이 되는 세포. ↔정원세포(精原細胞).

난:원-창【卵圓窓】명『생』 전정창(前庭窓).

난:원-형【卵圓形】명 달걀처럼 한쪽이 갸름하게 둥근 모양. *타원형

난월【蘭月】명 음력 7월의 이칭. 난추(蘭秋). ⌊(楕圓形).

난웨이 섬〔南威島〕명『지』 남중국해(南中國海)의 난사 군도(南沙群島)에 속하는 섬.

난:육【卵育】명 어미 닭이 알을 품어 기르듯이, 사람을 품에 안아서 기름. 난익(卵翼). ——-하다 타 여불

난:의[1]【暖衣·煖衣】[-/-이] 명 ①따뜻한 옷. ②의복을 충분히 입어 몸을 따뜻이 함.

난의[2]【難義】[-/-이] 명 이해하기 어려운 뜻.

난의[3]【難疑】[-/-이] 명 어렵고 의심스러운 일.

난:의[4]【爛議】[-/-이] 명 ↗난상 토의(爛商討議). ——-하다 타 여불

난의 문:답【難疑問答】[-/-이-] 명 어렵고 의심스러운 일을 서로 묻고 대답함. ——-하다 자 여불

난:의 포:식【暖衣飽食】[-/-이-] 명 따뜻이 입고 실컷 먹음. 잘입고 잘먹음. 준 난포(暖飽). ——-하다 자 여불

난이[1]【暖耳】명 난모(暖帽).

난이[2]【難易】명 어려움과 쉬움. ¶ ～의 차(差)는 있으나.

난이-도【難易度】명 어려움과 쉬움의 정도.

난이 이:도【難易二道】명『불교』 난행도(難行道)와 이행도(易行道)의 두 가지. 전자는 자력으로 득도하는 수행을 하는 입장인 데 대하여, 후자는 부처의 힘에 의지하여 득도하려는 입장임.

난:익【卵翼】명 난육(卵育). ——-하다 타 여불

난:인[1]【亂人】명 ①나라를 어지럽게 하거나, 소동을 일으키는 사람. 반역하는 사람. ②미친 사람.

난인[2]【蘭印】명『지』 ↗난령 인도(蘭領印度).

난:입[1]【亂入】명 어지럽게 함부로 들어가거나 들어옴. ¶ 데모대가 의사당에 ～하다. ——-하다 자 여불 「여불

난:입[2]【闌入·欄入】명 함부로 뛰어들어감. 천입(擅入). ——-하다 자

난:자[1]【卵子】명 ①『생』 성숙한 난세포(卵細胞). ↔정자(精子). ②『식』 배주(胚珠).

난:자[2]【亂刺】명 아무데나 마구 찌름. ——-하다 타 여불

난자[3]【難字】명 어려운 글자.

난:자-법【亂刺法】[-뻡] 명『의』 무수한 소절개(小切開)를 피부 및 점막(粘膜)의 표층부(表層部)에 가하는 소수술(小手術). 부종(浮腫)·피하 기종(皮下氣腫) 등의 경우에 행함.

난:작[1]【亂斫】명 ①잘게 쪼갬. ②쇠 연장으로 마구 찍음. ——-하다 타

난:작[2]【爛嚼】명 음식을 잘 씹음. ——-하다 타 여불 ⌊여불

난작-거리다 자 썩거나 삭아서 힘없이 처지다. <는적거리다. 난작-난작 부. ——-하다 자 여불

난작-대다 자 난작거리다.

난:잡【亂雜】명 ①조촐하지 못하고 너저분함. ②뒤섞여 질서가 없음. 문란하고 복잡함. ¶ ～한 행동. ——-하다 형 여불. ——-히 부 「부

난:잡-스럽다【亂雜—】형 ㅂ불 보기에 난잡하다. 난:잡-스레【亂雜—】

난장[1] 명 ①『광』 굴이나 구덩이 속에 들어가서 하는 허드렛일. ②난밭.

난-장[2]【—場】명 정해진 장날 외에 특별히 며칠간 터놓은 장.

난:장[3]【亂杖】명 ①『역』 장형(杖刑)에서 마구 때리는 매. ②마구 때리는 매.

난:장(을) 맞다 구 ㉠『역』 장형(杖刑)을 당하다. ㉡마구 얻어맞다.

난:장(을) 맞을 구 '난장을 맞을 만한'의 뜻으로, 못마땅하여 저주하

난:장(을) 치다[1] 구 함부로 마구 때리다. ⌊는 말. ¶ ～ 놈.

난:장(을) 칠 구 '난장을 칠 만한'의 뜻으로, 사물이 못마땅하여 저주하는 말. ¶ ～ 비는 왜 이리 자꾸 오누. *난장(을) 맞을.

난:장[4]【亂帳】명 책의 페이지 순서가 잘못 철하여진 일. 또, 그 페이지.

난:장[5]【亂將】명 무능한 장수. ⌊*낙장(落張).

난:장[6]【亂場】명 ①『역』 과거를 보는 마당에서 선비들이 떠들어대는 판.

②↗난장판.
난:장(을) 치다² 구 함부로 마구 떠들다.
난장⁷【蘭章】명 ①훌륭한 문장. ②남의 편지의 경칭(敬稱).
난장⁸【蘭槳】명 목란(木蘭)으로 만든 아름다운 노.
난장-개【亂場—】명 난장판에서 마구 얻어맞은 개. 싸움판에서 늘씬하도록 얻어맞은 꼴. ¶지난번에는 저의 패만 ~가 되도록 얻어맞았는데…《洪命憙 : 林巨正》.
난장-꾼 명〖광〗굴이나, 구덩이 속에 들어가서 허드렛일을 하는 사람.
난장-난장 부〈방〉난작난작.
난장-이 명 ☞난쟁이.
난:장-질【亂杖—】명 아무데나 마구 때리는 짓. ——-하다 타여불
난:장-초【爛腸草】명〖식〗추해당(秋海棠).
난:장-판【亂場—】명 여러 사람이 어지러이 뒤섞여 마구 떠들어대거나 뒤죽박죽이 된 판. ¶회의가 ~이 되다. 준난장(亂場).
난:장-패【亂場—】명 남들의 판에 끼어 난장판을 이루는 무리.
난:쟁-이 명〔근대 : 난장이〕①기형적으로 키가 작은 사람. 왜인(矮人). 왜자(矮者). 주유(侏儒). ②키가 작은 사람을 놓으로 이르는 말. 작다리. ↔키다리.
[난쟁이 교자꾼 참여하듯] 자기 분수에 맞지 않는 일에 주제넘게 참여함을 이르는 말.
난쟁이-나무 명〖식〗키가 아주 작은 좀나무. 소관목(小灌木).
난쟁이-바위솔 명〖식〗[*Meterostachys sikokiana*] 돌나물과에 속하는 다년초. 꽃줄기는 총생하여 높이 12cm 가량이고, 잎은 줄기 끝에 족생하며, 선형 또는 선상(線狀)으로 된 주걱 모양임. 8-9월에 백색 또는 홍색의 꽃이 산형(繖形) 화서로 정생(頂生)하여 피고, 과실은 골돌(蓇葖)임. 깊은 산의 산복에 나는데, 제주·전남 완도·경남·충북 속리산·강원·함북에 분포함.
난쟁이-버들 명〖식〗[*Salix orthostemma*] 버들과에 속하는 낙엽 활엽 관목. 잎은 넓은 피침형 또는 긴 타원상 거꿀달걀꼴임. 봄에 자웅 이가(雌雄二家)로 된 꽃이 유제(柔荑) 화서로 피는데 암꽃이삭은 길고 곧으며, 수꽃이삭은 수술이 두 개이고, 삭과(蒴果)는 여름에 익음. 산꼭대기 부근에 나는데, 평북·함남·함북의 북설령(北雪嶺)·관모봉(冠帽峰)·남포태산(南胞胎山)의 특산종임. 관상용임.

〈난쟁이바위솔〉

난쟁이-잠자리 명〖충〗깃동잠자리.
난쟁이-패랭이꽃 명〖식〗[*Dianthus morii*] 너도개미자릿과에 속하는 다년초. 줄기는 높이 10cm 내외임. 잎은 대생(對生)하고 선형임. 8-9월에 엷은 자색의 꽃이 줄기 끝에 하나씩 달리어 피고, 과실은 삭과(蒴果)임. 고산의 산복(山腹)에 나는데, 백두산에 분포함. 관상용으로 심음.

〈난쟁이버들〉

난:적【亂賊】명 세상을 어지럽히는 도둑.
난:전¹【亂前】명 난리가 일어나기 전. ↔난후(亂後).
난:전²【亂戰】명 피아(彼我)가 뒤섞여 싸우는 혼란한 싸움. 난투(亂鬪). 혼전(混戰). ¶~을 벌이다. ——-하다 자여불
난:전³【亂廛】명〖역〗육주비전(六注比廛)에서 파는 물건을 몰래 파는 가게.
난:전 몰리듯 한다 구 마구 몰아쳐서, 사람이 정신을 차리지 못하게 되는 것을 비유하는 말.
난:전(을) 치다 구〖역〗육주비전에 속하여 있는 군졸들이 난전을 단속하여, 물품을 빼앗고, 사람을 잡아가다.
난:전 치듯 한다 구 마구 단속하여 닥치는 대로 물건을 압수하는 모양.
난전⁴【難戰】명 곤란을 무릅쓰고 싸우는 싸움. 고전(苦戰). ——-하다 자여불
난전⁵【蘭田】명 난초 밭. 난포(蘭圃).
난전⁶【蘭殿】명 황후의 궁전.
난전⁷【鑾殿】명 천자(天子)의 궁전.
난점【難點】[—쩜] 명 곤란한 점. 처리하기 어려운 점.
난:정¹【亂政】명 어지러운 정치.
난정²【難定】명 정하기 어려움. ¶비위(脾胃) ~. ——-하다 형여불
난정³【蘭亭】명〖지〗중국 저장 성(浙江省) 동북부 사오싱 시(紹興市)의 서남, 란주(蘭渚)에 있던 정자(亭子)의 이름. *난정회(蘭亭會).
난정-기【蘭亭記】명 '난정집서(蘭亭集序)'의 잘못.
난:정-소【卵精巢】명〖생〗동일한 생식 기관이 난자와 정자를 만들 때의 그 생식 기관(生殖器管)의 이름. 연체 동물 복족류(腹足類)에서 볼 수 있음. 양성선(兩性腺).
난:정소성 반:음양【卵精巢性半陰陽】[—썽—] 명〔ovotesticular hermaphroditism〕〖의〗반음양의 보기 드문 형태의 하나. 난정소가 한쪽 또는 양쪽에 존재함.
난정집-서【蘭亭集序】명 문장(文章) 이름. 중국 진(晉)의 왕희지(王羲之)가 난정회(蘭亭會)의 시집(詩集)에 쓴 서(序). *난정회(蘭亭會).
난정-첩【蘭亭帖】명 법첩(法帖)의 이름. 중국 진(晉)나라의 왕희지(王羲之)가 난정집서(蘭亭集序)를 짓고, 스스로 잠견지(蠶繭紙)에 서수필(鼠鬚筆)로 쓴 것. 22행(行), 324글자. 절세의 가품(佳品)이라 함. 원본은 당(唐)의 태종(太宗)의 소능(昭陵)에 부장(副葬)하였다고 전해짐. 계첩(禊帖). *난정집서(蘭亭集序).
난정-회【蘭亭會】명〖역〗중국 진(晉)나라 목제(穆帝) 영화(永和) 9년(353) 3월 3일에 당시의 명사(名士) 왕희지(王羲之)·손탁(孫綽)·사안(謝安) 등 41명이 난정에 모여서 곡수(曲水)에 잔을 띄워 계연(禊宴)을 베풀며 시를 지어 읊은 모임.

난제【難題】명 ①어려운 문제. ②어려운 일. 처리하기가 난처한 일.
난젠-완쯔〔중 南煎丸子〕명 곱게 다진 돼지고기를 둥글게 빚어 콩기름 두른 프라이팬에 구운 다음, 파·마늘·고기를 썰어 넣어 익히고 녹말을 풀어 위에 얹은 중국 요리.
난젱이 명〈방〉〖식〗냉이(제주).
난:조¹【亂調】명 ①상태·상황 등이 흐트러짐. ¶투수가 ~를 보이다. ②〖경〗시세 변동이 심함.
난조²【攔阻】명 가로막음. ——-하다 타여불
난조³【鸞鳥】명〖신〗중국 전설에 나오는 상상(想像)의 새. 모양은 닭과 비슷한데, 깃은 붉은 빛에 오채(五彩)가 섞이어 있고, 그 소리는 오음(五音)에 해당한다고 함. 난(鸞).

〈난조³〉

난:종【亂鐘】명 연달아 치는 종. 마구 치는 종소리.
난:좌【亂坐】명 무질서하고 난잡하게 앉음. ——-하다 자여불
난:주¹【卵珠】명〖생〗난세포(卵細胞).
난:주²【亂酒】명 ①과음해서 행동이 난잡해짐. ②술자리에서 어지럽게 음주함.
난주³【難舟】명 난선(難船).
난주⁴【蘭州】명〖지〗'란저우(蘭州)'를 우리 음으로 읽은 이름.
난주⁵【蘭鑄】명〖어〗금붕어의 하나. 몸이 둥글고, 등은 넓적하며 배는 불룩함. 몸빛은 온 몸이 황금색에 붉은 빛을 띠고 있음. 특징은 지느러미가 작고, 등지느러미가 없으며, 또 일정한 시기가 오면 두부(頭部)에 사자 머리 모양의 혹이 생겨, 사자 머리로 불림. 고급(高級) 금붕어인데, 몸이 약하여 사육(飼育)하기가 힘듦.
난주⁶【欒州】명〖지〗'롼저우(欒州)'를 우리 음으로 읽은 이름.
난죽【蘭竹】명 ①난초와 대. ②〖미술〗동양화의 화제(畫題)로서, 난초의 곡선(曲線)에 대나무의 직선을 조화시킨 그림. 묵화(墨畫)에 많음.
난:중¹【亂中】명 난리가 한창 벌어진 동안. 난리 가운데.
난중²【難重】명 매우 어렵고도 중함. 중난(重難). ——-하다 형여불
난:중 일기【亂中日記】명〖책〗임진 왜란 때 충무공(忠武公) 이순신(李舜臣) 장군이 진중(陣中)에서 적은 일기. 선조(宣祖) 25년(1592) 5월 1일부터 동 31년(1598) 9월 17일까지의 기록. ≪난중 일기 초(草)≫ 7책, ≪서간첩(書簡帖)≫ 1책, ≪임진 장초(壬辰狀草)≫ 1책, 모두 9책이 국보 제76호로 지정되어, 충남 아산(牙山) 현충사(顯忠祠)에 보관되어 있음.
난:중 잡록【亂中雜錄】[—녹] 명〖책〗조선 선조(宣祖)·인조(仁祖) 때의 유학자이며 전라 남도 남원(南原)의 의병장(義兵將) 조경남(趙慶男)이 지은, 임진 왜란으로부터 병자 호란에 이르는 57년간의 일기체 기록. 문장에 이두(吏讀)를 사용한 것이 특색임. 필사본 11권.
난중지-난【難中之難】명 어려움 가운데서도 가장 어려움.
난중지-난사【難中之難事】명 어려운 일 가운데서도 가장 어려운 일.
난증【難症】[—쯩] 명 낫기 어려운 병증. 고치기 어려운 병증. 난병(難病).
난:지¹【暖地】명 따뜻한 곳. 따뜻한 지방. ↔한지(寒地).
난지²【蘭芝】명 ①난초와 영지(靈芝). ②아름다운 것의 비유.
난지-도【蘭芝島】명〖지〗서울 특별시 마포구(麻浦區) 상암동(上岩洞), 한강(漢江) 하류 북쪽 연안에 발달한 범람원(氾濫原). 쓰레기 처리장으로 쓰였음.
난지락-거리다 자 속은 조금 굳고 겉은 징그럽게 물크러질 정도로 난작거리다. <는지럭거리다. 난지락-난지락 부. ——-하다 자여불
난지락-대다 자 난지락거리다.
난:진【亂眞】명 ①가짜와 진짜. ②가짜와 진짜를 서로 구별하지 못하도록 꾸며 놓는 일.
난질¹ 명 여자가 정분(情分)난 남자와 놀아나거나 함께 도망가는 일. ¶~쟁이. ——-하다 자여불
난질 가다 구 난질을 하다.
난:-질²【卵質】명〔ooplasm〕〖생〗알 또는 난모세포(卵母細胞)의 세포질(細胞質).
난:질³【亂帙】명 난잡하게 늘어놓은 책.
난질-거리다 자 물크러져 흐늘거리다. <는질거리다. 난질-난질 부. ——-하다 자여불
난질-대다 자 난질거리다.
난징〔南京〕명〖지〗양쯔 강의 하류 연안에 있는 도시로, 장쑤 성(江蘇省)의 성도. 예로부터 강남(江南)에 있어서의 정치·군사의 요지였으며, 1928년 국민 정부가 수도로 정한 후 급격히 발전, 중국의 정치·군사·교통·문화·교육의 대중심지가 되었음. 예로부터 여러 왕조의 도읍지가 되었으므로 명승 고적이 많으며, 화학·기계·철강·식품 가공 등의 공업도 성함. 한경(漢京). 남경. [2,090,204명(1990)]
난징 국민 정부【—國民政府】〔중 南京〕명〖역〗광둥(廣東)을 거점(據點)으로 하는 국민 혁명군이 북벌(北伐)에 성공한 1927년 4월, 장제스(蔣介石)를 중심으로 하여 조직된 정부. 국민당 좌파(左派)인 우한(武漢) 정부에 상대하여 일컫는 이름. 동년 8월 양(兩)정부의 합체(合體) 이후, 중화 민국의 중앙 정부가 되었음.
난징 사:건【—事件】〔중 南京〕[—껀] 명〖역〗① 1927년 3월 27일, 국민 혁명군에 쫓긴 북방의 군벌(軍閥)이 난징에서 철퇴하면서, 열강(列強)의 거류민(居留民), 영사관(領事館)을 약탈하였다는 것을 구실로, 영국·미국의 군함이 난징을 포격한 사건. 사상자 2천. ② 1937년 12월 13일, 일본군이 난징을 점령 입성하여, 약탈 폭행을 가하고 시민 30만 명을 학살한 사건. 난징 학살 사건(南京虐殺事件). 남경 사건(南京事件).
난징 조약【—條約】〔중 南京〕명〖역〗아편 전쟁의 종결을 위하여 1842년 8월 난징에서 영국과 청국(清國) 사이에 맺어진 조약. 홍콩을 영국에 할양(割讓)하고 상하이(上海)·광둥(廣東) 등의 다섯 항구를 개방하고 전비(戰費) 배상금의 지불을 약속함. 남경 조약(南京條約).
난징 학살 사:건【—虐殺事件】〔중 南京〕[—껀] 명〖역〗난징 사건❷.
난짝 부 ☞답삭. ¶상관의 명령이야. ~ 옮겨. 안 들어? ≪鄭乙炳 : 개새끼들≫.
난창〔南昌〕명〖지〗중국 장시 성(江西省)의 성도(省都). 포양호(鄱陽

湖)에 가까우며 전국 유수의 상업 도시로 쌀·보리·목재·도자기·종이·마포(麻布)의 집산지임. 남창(南昌). 딴이름 : 예장(豫章)·홍주(洪州). [1,089,000 명(1984)]

난창-강【瀾滄江】명〖지〗란창 강.

난창 폭동【一暴動】〔중 南昌〕명〖역〗중국 공산당에 의한 첫 무장 봉기(蜂起) 사건. 국공 분리(國共分離)로 우한 정부(武漢政府)에서 물러난 공산군은 1927년 8월 1일 난창을 공격하여 혁명 위원회를 조직했으나, 국민당군의 포위 공격을 받아 점령 5일 만에 광저우(廣州)로 철퇴함. 중국에서는 이 날을 건군(建軍) 기념일로 삼고 있음. 남창 폭동.

난처【難處】명 ①험난한 곳. ②처지가 어려움. ¶ ~한 경우. ③처치하기가 어려움. ¶ ~한 일이 생기다. ——-하다 형여불

난청【難聽】명 ①〖의〗청각 기관의 장애(障礙)로 말미암아 청력(聽力)이 저하 또는 소실되어 있는 상태. 고도의 난청이 귀머거리임. ¶ 노인성 ~. ②라디오 따위가, 잘 들리지 아니함. ¶ ~ 지역.

난청-아【難聽兒】명 귀머거리는 아니지만 청력(聽力) 장애 때문에 학교에서 보통의 방법으로는 교육을 받기 곤란한 아동.

난:초[1]【亂招】명 죄인이 신문에 대하여 함부로 꾸며대는 공초(供招). 난공(亂供).

난:초[2]【亂草】명 ①난잡하게 쓴 초서(草書). ②함부로 쓴 초고(草稿).

난초[3]【蘭草】명〖식〗난초과에 속하는 금난초·은난초·나리난초·새우난초·병아리난초·약난초·으름난초 등의 총칭. 국향(國香). 준난(蘭). 【난초 불 붙으니 혜초(惠草) 탄식한다】동류(同類)의 괴로움과 슬픔을 같이 괴로워하고 슬퍼한다는 말.

난초[4]【蘭蕉】명〖식〗칸나(canna).

난초-과【蘭草科】[一꽈] 명〖식〗[Orchidaceae] 단자엽(單子葉) 식물에 속하는 한 과. 다년생 초본으로, 원산(原産)은 열대 지방이며, 관상용으로 재배하는 것이 많음. 꽃잎은 석 장씩 피며, 자방(子房)은 아래에 붙고, 수술과 암술은 서로 합쳐 붙어 있으며, 향기가 높음. 열대와 온대에 15,000여 종, 한국에는 난초·보춘화·개불알꽃·석곡·풍란·전마 등의 60여 종이 분포함.

난초-장【蘭草欌】명 주로 난초 무늬의 쇠장식을 사용하여 만든 장.

난촌【難村】명 논·밭이 황폐한 가난한 마을.

난총[1]【蘭葱】명〖식〗부추.

난총[2]【蘭叢】명 난초의 숲.

난:추[1]【亂抽】명 책을 손에 닿는 대로 아무것이나 뽑음. ——-하다 자여불

난추[2]【蘭秋】명 음력 7월의 이칭. 난월(蘭月).

난:추니 명〖조〗'새매'의 수컷. 아골(鴉鶻). ↔익더귀.

난충〔南充〕명〖지〗중국 쓰촨 성(四川省) 중부의 도시. 자링 강(嘉陵江)과 청완 공로(成萬公路)가 만나는 곳임. 동계(冬季) 선박 운항의 종점이며 제사업과 견직물업이 성함. 남충. 구명은 안한(安漢) 또는 순경(順慶). [232,000 명(1984)]

난:취【爛醉】명 술에 흠뻑 취함. ——-하다 자여불

난측【難測】명 ①측량하기 어려움. ②헤아리기 어려움. ——-하다 형여불

난:층 쌓음【亂層一】[一싸一] 명〖건〗크고 작은 돌로 층(層)을 흐트러지게 쌓는 일. ——-하다 타여불

난:층-운【亂層雲】명〔nimbostratus〕〖기상〗보통, 비구름이라고 하는 부정형의 구름. 하층운(下層雲)에 속하는 구름으로, 고층운(高層雲)의 아래, 층적운(層積雲)의 위에 있으며, 뚜렷한 윤곽이 없이 온통 하늘을 뒤덮는 짙은 먹구름으로, 높이는 2km 정도임. 비·눈을 내림. 기호는 Ns. 속칭은 비구름. 비층구름. *비구름·난운(亂雲).

난치【難治】명 병이나 나쁜 버릇을 고치기 어려움. ¶ ~의 병. ——-하다 형여불

난치-병【難治病】[一뼝] 명 고치기 어려운 병.

난-침모【一針母】명 주인집에 들어가 있지 않은 침모. ↔든침모.

난:타[1]【亂打】명 ①함부로 마구 때림. ¶ 얼굴을 ~하다. ②테니스·탁구 따위에서, 카운트나 서브 없이 연습하는 일. ——-하다 타여불

난타[2]【難陀】명〖불교〗①석가(釋迦)의 이복 동생(異腹同生). 석가가 성도(成道)한 뒤 출가하였는데, 처가 그리워서 법복(法服)을 벗으려고 하였으나, 기서(奇瑞)를 만나 귀불(歸佛)하여, 아라한과(阿羅漢果)를 얻었음. 손타라 난타(孫陀羅難陀). ②불제자(佛弟子)의 한 사람. 본래 목양자(牧羊者)였기 때문에, 손타라 난타(孫陀羅難陀)와 구별하여 목우 난타(牧牛難陀)라 함. ③6세기경 인도의 불교 학자로 유식 십대 논사(唯識十大論師)의 한 사람. ④팔대 용왕(八大龍王)의 하나. 발난타(跋難陀)의 형제. 호법(護法)의 용신(龍神)으로 머리에 일곱 용두(龍頭)가 있음. ⑤빈자(貧者)의 일등(一燈)을 바쳐서 유명한, 가난한 여인의 이름.

〈난타[2]❹〉

난:타[3]【嬾惰】명 나타(懶惰). ——-하다 형여불

난:탑【卵塔·蘭塔】명〖불교〗사각(四角) 또는 팔각의 대좌(臺座) 위에 달걀꼴의 탑신(塔身)을 세운 탑파(塔婆). 흔히 선승(禪僧)의 묘표(墓標)로 쓰임. 무봉탑(無縫塔).

난:-태생【卵胎生】명〔ovoviviparity〕〖생〗모체내(母體內)에서 알이 수정(受精)은 하나, 태반(胎盤)이라는 특수 기관이 없어 모체에서 영양을 취하지 아니하고 난황(卵黃)을 영양으로 하여 발육, 어느 시기에 모체 밖으로 나오는 태생. 바닷망성어나 살무사 같은 것이 이러함.

〈난탑〉

난티잎-개암나무 명〖식〗[*Corylus heterophylla*] 개암나뭇과에 속하는 낙엽 활엽 관목. 잎은 넓은 거꿀달걀꼴인데, 거의 세 갈래로 찢어졌고, 결각상(缺刻狀)의 톱니가 있으며, 잎자루에는 선상모(腺狀毛)가 났음. 자웅 일가(雌雄一家)로 3월에 꽃이 피는데, 수꽃이삭은 원기둥꼴이고 늘어졌으며, 암꽃이삭은 달걀꼴임. 과실은 견과(堅果)로 10월에 익으며, 식용 및 약용함. 산록 양지에 나는데, 한국 각지 및 일본·중국에 분포함. 나무는 신탄재로 쓰임.

난:투【亂鬪】명 서로 치고 받으며 어지러이 싸움. 또, 그러한 싸움. ——-하다 자여불

난:투-극【亂鬪劇】명 ①〖연〗난투 장면이 있는 극. ②난투가 벌어진 극적 장면. ¶ 노상에서 ~을 벌이다.

난티-나무 명〖식〗[*Ulmus laciniata*] 느릅나뭇과에 속하는 낙엽 활엽 교목. 잎은 긴 타원 모양의 거꿀달걀꼴임. 4-5월에 담황록색 꽃이 취산(聚繖) 화서로 총생하여 피고, 길이 15mm의 시과(翅果)는 5-6월에 익음. 산허리 이하의 골짜기에 나는데, 거의 한국 각지 및 일본·사할린·중국·만주에 분포함. 나무는 기구·신탄재, 수피(樹皮)는 섬유용·약용 또는 어린 잎과 함께 식용함. 산유(山楡).

〈난티나무〉

난:파[1]【暖波】명〖기상〗대기 속에서 일어나 움직여 나가는 따뜻한 공기의 줄기. 한파(寒波)와의 사이에 엄밀한 온도의 한계가 없음. 온파(溫波). ↔한파(寒波).

난파[2]【難破】명 배가 항행(航行)하다가 폭풍이나 그 밖의 악천후(惡天候)로 말미암아 파선하는 일. ——-하다 자여불

난파-선【難破船】명 항행중 폭풍우나 그 밖의 장애로 파괴된 배.

난:판-본【亂版本】명〖인쇄〗한 책 안에 목판과 활자판이 섞여 있거나, 동일한 목판본 또는 활자본이라 할지라도 판식·자체·자양(字樣) 등이 다른 판이 조잡하게 섞여 있는 책.

난:패【爛敗】명 썩어 문드러짐. 난부(爛腐). ——-하다 자여불

난편【難便】명 편리하지 아니함. ——-하다 형여불

난:편 발생【卵片發生】[一쌩] 명〔merogony〕〖생〗난핵(卵核)을 파괴하거나 제거한 난자에 정자가 침입하여 배(胚)가 발생하는 현상. 동정 생식(童貞生殖). 난편(卵片) 생식.

난:편 생식【卵片生殖】명〖생〗난편(卵片) 발생.

난:포[1]【卵胞】명〖생〗난소 속에서 알이 만들어질 때, 알의 주위를 싸는 여러 세포로 된 주머니. 여기에서 여성 호르몬이 만들어짐. 여포(濾胞).

난:포[2]【亂暴】명 →난폭(亂暴). ——-하다 형여불

난:포[3]【暖飽】명 ↗난의 포식(暖衣飽食).

난포[4]【蘭圃】명 난초 밭. 난전(蘭田).

난:포 성숙 호르몬【卵胞成熟一】〔hormone〕명〖생〗난포 자극 호르몬.

난:포 자:극 호르몬【卵胞刺戟一】명〔follicle stimulating hormone〕〖생〗뇌하수체 전엽체(前葉體)에서 분비되는 생식선(生殖腺) 자극 호르몬의 하나. 자성(雌性) 동물의 난포의 발육·성숙을 촉진하고 난소의 무게를 증가시킴. 난포 성숙 호르몬. 여포(濾胞) 성숙 호르몬.

난:포 호르몬【卵胞一】〔hormone〕명〖생〗발정(發情) 호르몬. 여포(濾胞) 호르몬.

난:폭【亂暴】명〔←난포(亂暴)〕무법하게 거칠고 사나움. ¶ ~한 행동. ——-하다 형여불. ——-히 부

난:풍[1]【暖風】명 따뜻한 바람.

난풍[2]【難風】명 항행하는 배의 진행을 방해하는 폭풍.

난피【一皮】명〈방〉발피(潑皮).

난:필【亂筆】명 ①함부로 끼적거리어 어지럽게 쓴 글씨. ②자기가 쓴 글씨를 겸손하게 이르는 말. ¶ ~을 용서하십시오.

난핑〔南平〕명〖지〗중국 푸젠 성(福建省) 중부 민장 강(閩江) 상류의 가장 큰 도시. 좋은 하항(河港)을 이루어 수륙 교통의 요지임. 차·지류(紙類)·목재·죽순(竹筍)의 집산지임. 남평. 구명은 연평(延平). [415,000 명(1984)]

난:-하다[1]【亂一】형여불 ①질서가 없고 난잡하다. ②빛깔이나 무늬 등이 지나치게 드러나 눈에 거슬리다. ¶ 옷을 난하게 차려 입다.

난-하다[2]【難一】형여불 ①어렵다. 힘들다. ②↗곤란하다.

난하이〔南海〕명〖지〗전에 중국에서, 중국 대륙 남쪽의 바다와 그 연안 지방을 일컫던 말. 또, 중국에서 남쪽으로 해로(海路)에 의하여 도달할 수 있었던 동남 아시아·남아시아·서남 아시아나 동아프리카 연해 제도(諸島)를 가리키기도 하였음. 현재는 전자(前者)의 뜻으로 쓰이어 남중국해를 지칭함. 남해.

난한【瀾汗】명 물결이 길게 굽이치는 모양.

난:할【卵割】명〔cleavage〕〖생〗단세포(單細胞)의 수정란(受精卵)이 분열하는 현상. 난분할(卵分割).

난:할-면【卵割面】명〖동〗난할된 할구(割球)와 할구의 경계면.

난:할-핵【卵割核】명〔cleavage nucleus〕〖생〗웅성 전핵(雄性前核)과 자성 전핵(雌性前核)이 융합해서 형성된 접합체의 핵(核).

난함【欄檻】명 난간(欄干).

난:합【卵盒】명 알합(盒).

난항【難航】명 ①폭풍우나 파도로 말미암은 어려운 항행. ②일이 순조롭게 되어 가지 아니함의 비유. ¶ 협상은 ~을 거듭했다.

난항 신:호【難航信號】명〖항해〗난항의 선박(船舶)이 다른 배 또는 육지로부터의 구조를 구하기 위하여 보내는 신호.

난:해[1]【卵醢】명 알젓❶.

난:해[2]【暖海】명 난대(暖帶) 지방의 바다. 따뜻한 바다.

난해[3]【難解】명 알기 어려움. 해석하기 어려움. 풀기 어려움. ¶ ~한 시(詩). ↔이해(易解). ——-하다 형여불

난해 난입【難解難入】명〖불교〗가르치는 바가 이해하기 어렵고, 또 그 속에 들어가기가 힘듦. 법화경(法華經)의 뜻이 심오(深奧)하여 깨치기 어렵다는 말.

난해-성【難解性】[一썽] 명 난해한 성질. 또, 그러한 요소. ¶ 현대시(詩)의 ~.

난:핵【卵核】명〖생〗성숙 난세포(卵細胞)의 핵. 극체 방출(極體放出) 후에 성숙란(成熟卵)에 존속하는 핵으로서, 수정(受精)할 때 정자(精子)의 핵과 융합함.

난:행[1]【亂行】명 ①난폭한 행동. ②음란한 소행. 추행. ¶ 집단 ~. ——-하다 자여불

난행[2]【難行】명 ①실행하기 어려움. ②〖불교〗 지극히 고된 수행. 1)·2): ↔이행(易行). ——-하다 형자여불 「행(修行).

난행 고행【難行苦行】명 난행과 고행. 여러 가지 고난을 참고 하는 수

난행-도【難行道】명〖불교〗 제 힘으로 수행하여 도를 깨닫는 길에 이 「르는 방법. ↔이행도(易行道).

난향【蘭香】명 난초의 향기.

난험【難險】명 험난(險難). ——-하다 형여불

난:형【卵形】명 ①달걀 모양. 난상(卵狀). ②〖식〗 잎 모양의 한 가지. 달걀을 세로 자른 면과 같이 한 쪽이 넓고 갸름하게 둥근 모양. 달걀꼴.

난:형 곡선【卵形曲線】명〖수〗 '달걀꼴 곡선'의 구용어.

난형 난제【難兄難弟】명 누구를 형이라 아우라 하기 어렵다는 뜻으로, 두 사물의 낫고 못함을 분간하기 어려울 때 비유하는 말. ¶ ~의 실력.

난혜-질【蘭蕙質】명 여자의 아름다움을 이름.

난호다 타〈옛〉 나누다. ＝논호다. ¶ 뭅은 난호아 졔여곰 녈씨라《釋譜 ⅩⅢ:37》.

난호-어【蘭胡魚】명〖어〗 망둑어.

난:혼【亂婚】명〔promiscuity〕 원시 사회에서 부부 관계를 정하지 아니하고 동물적으로 행하여졌다고 생각되는 결혼. 잡혼(雜婚).

난:화[1]【亂花】명 어지러이 핀 꽃.

난:화[2]【暖和】명 기후 등이 따뜻하고 화창함. ——-하다 형여불

난화[3]【難化】명 교화(敎化)하기 어려움. ——-하다 형여불

난화[4]【蘭花】명 난초의 꽃.

난화-주【蘭花酒】명 난초꽃을 달이어 그 즙을 넣고 담근 술.

난화지-맹【難化之氓】명 교화(敎化)시키기 어려운 백성. 난화지민.

난화지-물【難化之物】명 교화시키기 힘든 동물이나 사람.

난화지-민【難化之民】명 난화지맹(難化之氓).

난:황【卵黃】명〖생〗 노른자위. ↔난백(卵白).

난:황-낭【卵黃囊】명〖생〗 동물의 알이 수정하여 배(胚)가 발생할 때 난황의 덩어리를 휩싸는 내배엽(內胚葉)의 주머니. 배(胚)의 체내에 발달하는 소화관(管)과 이 난황낭은 직접 연결되어 있음.

난:황 동:맥【卵黃動脈】명〔vitelline artery〕〖생〗 척추 동물의 배(胚) 발생 초기에, 원시 동맥(原始動脈)과 난황낭(卵黃囊) 사이에 있는 동맥.

난:황-막【卵黃膜】명〖생〗 직접으로 난세포(卵細胞)를 둘러싸는 얇은 막. 성게알에서는 미수정란(未受精卵)에 보이는 막을 이르며, 알이 수정하면 표층 과립(表層顆粒)과 합쳐져 수정막을 형성함. 노른자막.

난:황-분【卵黃粉】명 알의 노른자위를 말려서 만든 가루. 노른자가루.

난:황-색【卵黃色】명 노른자위의 빛깔과 같은 빛. 「분말 계란.

난:황-선【卵黃腺】명〖생〗 ①양서류(兩棲類)의 낭배 복측부(囊胚腹側部)에서 원장강(原腸腔) 안에 돌출하여, 그 기저부(基底部)를 이루는 세포군(群). 다량의 난황을 함유한 세포군으로 이루어짐. ②편형(扁形) 동물에 있는 한 쌍의 수란관(輸卵管)을 따라 다수(多數) 딸려 있는 선(腺). 난황이 결핍된 배(胚)세포에 영양을 주는 난황 세포를 만들며, 이들은 생식강(生殖腔) 안에서 난각(卵殼)에 둘러싸여 복합란(複合卵)이 됨. 「(腸)을 연결하는 관(管).

난:황 장관【卵黃腸管】명〖동〗 포유류(哺乳類)의 난황낭과 태아의 장

난:황 정맥【卵黃靜脈】명〔vitelline vein〕〖생〗 척추 동물의 배(胚)에서 난황낭(卵黃囊)과 정맥동(靜脈洞)을 이어 주는 배의 정맥. 그 기시부(基始部)는 융합해서 문맥(門脈)이 됨.

난:황-질【卵黃質】명〔deutoplasm〕〖생〗 난세포 가운데의 영양성(營養性) 난황립(卵黃粒).

난:후【亂後】명 난리가 끝난 뒤. 전란(戰亂)의 뒤. ↔난전(亂前).

난후-군【攔後軍】명〖역〗 부대의 후미(後尾)를 경비하는 군대.

난후 별대【攔後別隊】[—때] 명〖역〗 조선 시대 정조(正祖) 때에 있었던 난후군(攔後軍)의 특별한 부대. 마병(馬兵)의 한 초(哨)를 둘로 나누어 반(半)은 가전(駕前)에, 반은 가후(駕後)에 두었다가 뒤에 합하여 한 초를 둠. 이 부대의 전립(戰笠)의 전우(轉羽)는 누른 빛이었음.

난후 별대기【攔後別隊旗】[—때—] 명〖역〗 난후 별대(攔後別隊)를 호령하는 기(旗). 바탕과 가장자리가 모두 누른 빛인데, 기면(旗面)은 평방(平方) 석 자, 깃대 길이는 열 다섯 자였음.

난후-사【攔後士】명〖역〗 조선 시대 각 영문에 딸린 무직(武職)의 하나. 행진(行陣)할 때에 끝머리를 지킴.

난후-초【攔後哨】명〖역〗 조선 시대 후기에, 훈련 도감(訓鍊都監)에 설치되었던 특수 부대. 행진(行陣)할 때에 끝머리를 지키고, 또 도제조(都提調) 등 고관을 호위함.

낟:[1] 명 곡식의 알.

낟[2] 명〈옛〉 곡식. ¶ 낟 爲穀《訓例》/낟 곡(穀)《字會 下 3》.

낟[3] 명〈옛〉 낫[1]. ¶ 호미도 놀히언마ᄅᆞᄂᆞᆫ 낟ᄀᆞ티 들리도 업스니이다《樂詞 思母曲》/낟 爲鎌《訓例》.

낟:-가리 명 낟알이 붙은 채로 있는 곡식을 많이 쌓은 큰 더미.

낟:가릿-대 명〖민〗 음력 정월 열사흗 날 풍년을 비는 뜻으로 농가의 뜰에 만들어 놓는 낟가리의 모작(模作). 흔히, 긴 소나무를 뜰에 꽂아 만드는데, 다음달 초하룻날에 뽑아 없앰. 「前)《蒙法 16》.

낟다 자〈옛〉 나타나다. ＝날다·낫다[2]. ¶ 自然히 알퓌 나ᄃᆞ리니(自然現

낟만 명〈옛〉 한낮. ＝낫만. ¶ 낟만흠애 미처 또 니ᄅᆞ샤(及日中又至)《明宗版 小諺 Ⅳ:11》.

낟ᄇᆞ다 형〈옛〉 나쁘다[1]. ＝낟ᄇᆞ다. ¶ 아수이바도ᄆᆞᆯ 낟븐 일 업더니(養弟勤劇無所不知)《三綱》.

낟비 부〈옛〉 나삐. 나쁘게. ¶ 德 심고ᄆᆞᆯ ᄒᆞ나 낟비 너기샤《月釋 Ⅹ:4》.

낟ᄇᆞ다 형〈옛〉 나쁘다[2]. ＝낟ᄇᆞ다. ¶ 無盡ᄒᆞᆫ 證 거시 다 낟ᄇᆞᆫ 줄 업긔 호리라《月釋 Ⅸ:15》. 「하나라도 아껴라. ③밥알.

낟:-알 명 ①껍질을 벗기지 않은 곡식의 알맹이. 곡식의 씨. ②쌀알. ¶ ~

낟:알-기 [—끼] 명 밥·죽·미음 같은 곡식 성분으로 된 음식의 적은 분량. 마땅히 먹어야 할 것을 안 먹거나 못 먹는 경우에 씀. 곡기(穀氣). ¶ 배탈이 나서 이틀을 ~도 못 했다.

날[1] 명 ①하룻동안. 곧, 자정(子正)으로부터 다음 자정까지의 사이. ②↗날씨. ¶ ~이 좋건 나쁘건. ③↗날짜. ¶ ~을 잡다. ④경우. 때. ¶ 성사되는 ~에는 한턱 내지.

[날 받아 놓은 색시 같다] 바깥 출입을 아니 하고 집에만 있는 사람을 이르는 말. [날 샌 올빼미 신세] 외롭고 의지할 곳 없는 사람을 이르는 말. [날은 좋아 잘 웃는다마는 동남풍(東南風)에 잇속이 건다] 의지가 약하고 무슨 일에나 걸핏하면 싱겁게 잘 웃는 무능한 사람을 두고 이르는 말. [날이 못 되어 이루어졌다] 일을 빨리 끝마치었을 때 이르는 말.

날[2] 명 칼이나 가위 또는 그 밖의 연장에 있어서, 물건을 베고 찍고 깎고 하는 가장 날카로운 부분. ¶ 대팻~/~이 무디다.

[날 잡은 놈이 자루 잡은 놈을 당하랴] 월등하게 유리한 조건에 있는 자를 이겨 내기는 어렵다는 말.

날[3] 명 피륙·자리·가마니 같은 것을 짜거나, 짚신·미투리 같은 것을 삼거나 할 때, 세로 놓인 실·노끈·새끼 등. ↔씨.

날:[4] 준 나를. ¶ ~ 따르라.

날- 두 ①어떠한 명사 앞에 붙어 그 물건을 익히거나 말리거나 가공하지 않았음을 나타내는 말. ¶ ~고기 / ~가죽 / ~감자. ＊생-. ②'지독한, 악랄한'의 뜻을 나타내는 말. ¶ ~강도 / ~도둑놈 / ~불한당. ③'뜻밖의'의 뜻을 나타내는 말. ¶ ~벼락.

날-가루 명 ①익히지 아니한 곡식을 빻은 가루. ②〈방〉 생무지.

날-가리다 자 날받다.

날가미 명〈방〉〖어〗 나라미[1].

날-가죽 명 무두질하지 아니한 동물의 가죽. 생피(生皮).

날가지 명〈방〉〖어〗 나라미[1].

날가지-숭어 명〖어〗[*Polydactylus plebejus*] 날가지숭엇과에 속하는 바닷물고기. 몸의 길이는 25 cm 내외로 머리는 작고 긴 타원형인데, 입은 아래쪽에 있으며, 몹시 크고, 아래턱은 위턱에 비하여 아주 작고 짧음. 몸빛은 등 쪽이 회청색이고, 배 쪽은 은백색이며, 배지느러미 외의 각 지느러미는 흑색임. 온해성 연안어(沿岸魚)로, 한국 중남부·일본 중남부·남태평양에 분포함. 식용함.

〈날가지숭어〉

날가지숭엇-과【—科】[—꽈] 명〖어〗[Polynemidae] 날가지숭어 아목(亞目)에 속하는 과. 한국에는 날가지숭어 하나만 알려져 있음.

날-간【—肝】명 날것 그대로의 간.

날-갈이 명 하루에 갈 만한 밭의 넓이. ¶ 근근히 화전 ~나 파서 지내는 터이기로 말일세《李海朝 : 雨中行人》.

날-감 명 익지 아니하였거나 우리지 아니한 감.

날-강도【—強盜】명 아주 뻔뻔스러운 강도. ¶ 이런 ~ 같은 놈. ＊날도둑놈·불한당.

날강목 명 ①〖광〗 광물(鑛物)을 캐낼 때에 조금도 얻는 바가 없게 된 헛일. ¶ ~을 치다. ②헛수고.

날개[1] 명〔중세 : ᄂᆞᆯ개, ᄂᆞᆯ애(동사 'ᄂᆞᆯ다'의 파생 명사)〕 ①〖생〗 새나 곤충이 날 때에 펴는 부분. 시익(翅翼). ②비행기의 동체(胴體) 양쪽에 뻗쳐 공중에 뜨도록 된 넓은 조각. 기익(機翼). ③회전축에 붙어서 도는 넓은 조각. ¶ 선풍기의 ~ / 추진기의 ~. ④식물의 씨에 붙어 바람에 날리도록 된 부분. ¶ 열매에 붙은 ~로 번식한다.

[날개 부러진 매] 기운을 못 쓰는 신세(身勢)가 되었음을 이르는 말. [날개 없는 봉황(鳳凰)] 아무데도 쓸데없고 보람 없게 된 처지를 이름.

날개(가) 돋치다 구 ㉠상품 등이 시세를 만나 재빨리 팔리다. ㉡의기가 치솟다.

날개(를) 펴다 구 기세 따위를 힘차게 펼치다.

날-개[2] [—깨] 명 윷판의 쨀밭 다음의 둘째 밭.

날개[3] 명〈방〉 이엉(함경).

날개-강충이 명〖충〗 깨다시긴날개멸구.

날개-골 명〖식〗 ↗날개골풀.

날개-골풀 명〖식〗[*Juncus alatus*] 골풀과에 속하는 다년초. 줄기는 총생(叢生)하고, 높이는 50 cm 가량이며, 잎은 칼 모양의 선형(線形)임. 꽃은 6-7월에 취산 화서로 줄기 끝에 정생(頂生)하고, 과실은 삭과(蒴果)임. 밭이나 들의 습지에 나는데, 제주·전남·경남 및 일본에 분포함. ㉥날개골.

〈날개골풀〉

날개-다랑어【—魚】명〖어〗[*Germo alalunge*] 고등엇과에 속하는 바닷물고기. 몸의 길이는 1 m 가량으로, 가슴지느러미가 심히 길며, 그 끝이 등지느러미와 뒷지느러미의 앞쪽에 달함. 몸빛은 등 쪽이 암청색, 배 쪽이 백색이며, 살은 담색임. 회유성·온수성 어종으로, 한국 동해에는 귀하고 서남해에 서식하는데, 일본 태평양 연해·중국·하와이·미국 서해안에 분포함. 다랑어 종류 중에서 가장 맛이 좋고 통조림의 원료로 쓰임.

〈날개다랑어〉

날개-망둑 명〖어〗[*Rhinogobius gymnauchen*] 망둑엇과에 속하는 바닷물고기. 몸의 길이는 7 cm 정도로 몸과 머리는 가늘고 길며 주둥이는 뾰족함. 몸빛은 담갈색인데 체측에 분명치 않은 다섯 개의 갈색 무늬가 있으며, 제2 등지느러미에도 반문이 많고, 그 연변은 암갈색임. 꼬리지느러미 연변은 대부분 암갈색임. 머리에는 비늘이 없고, 좌우의 배지느러미는 결합해서 흡반을 형성함. 한국 서남부 연해·일본 동북지방 이남·필리핀 등에 분포함.

날개-맥【—脈】명〖충〗 시맥(翅脈).

날개-멸 명 〖어〗 [*Bregmaceros japonicus*] 날개멸과에 속하는 바닷물고기. 몸길이는 8cm 가량인데 가늘고 길며, 제 1 등지느러미는 머리 꼭대기에서 시작하여 긴 실 모양으로 됨. 몸빛은 짙은 자갈색이며 등지느러미·가슴지느러미 및 꼬리지느러미는 암색이고 배지느러미와 뒷지느러미는 담색임. 한국의 포항(浦項) 및 일본에서 채집된 보고가 있는데 그다지 흔하지 아니함.

날개멸-과 【一科】 [一꽈] 명 〖어〗 [Bregmacerotidae] 대구목(目)에 속하는 어류의 한 과. 날개멸 1종이 알려져 있음.

날개무늬-잎벌 명 [一니一] 〖충〗 [*Tenthredo providens*] 잎벌과에 속하는 곤충. 암컷의 몸길이는 15mm 내외, 몸빛은 대체로 흑색, 흉배(胸背) 주위에 있는 무늬와 제 1-4 복절(腹節)의 대부분은 황색이고, 앞날개 및 앞 연맥(緣脈)과 연문(緣紋)은 황갈색임. 그 외의 시맥은 대부분 암갈색임. 한국·일본에 분포함.

날개-바퀴 명 회전부(回轉部)의 둘레에 단 날개 모양의 물건.

날개-열매 명 〖식〗 열매 껍질이 자라 날개처럼 되어서 흩어지기에 편리하게 된 열매. 단풍 열매 따위. 시과(翅果). 익과(翼果).

날개-옷 명 새의 깃으로 만든 가볍고 고운 옷. 신선이 입는다 함. 우의(羽衣).

날개-잠자리 명 〖충〗 [*Tramea virginia*] 잠자릿과에 속하는 곤충. 복부(腹部)의 길이 33mm, 뒷날개 45mm 가량이고, 몸빛은 등황색에 복부는 등색이고, 말단의 세 마디는 배면(背面)이 흑색이며 날개는 등갈색임. 뒷날개는 특히 기부가 넓고 짙은 등갈색이며, 연문(緣紋)도 등갈색임. 한국에도 분포함.

날개-주벅치 명 〖어〗 [*Pempheris japonicus*] 주벅칫과에 속하는 바닷물고기. 주벅치와 비슷하나 옆줄이 등지느러미 후방에서 만곡되어 있음. 배지느러미와 뒷지느러미는 희고, 기타 지느러미는 검음. 한국의 부산(釜山), 일본의 중부 이남에 많이 분포함.

날개-줄고기 명 〖어〗 [*Podothecus sachi*] 날개줄고깃과에 속하는 바닷물고기. 몸은 가늘고 길며, 꼬리자루도 긴데 아래턱은 짧고, 입이 배 쪽에 있음. 몸빛은 암회갈색이고, 배 쪽은 담색인데 각 지느러미 연변은 흑색임. 한국 동해와 일본 동북·홋카이도 연해에 분포함. 식용함.

〈날개줄고기〉

날개줄고깃-과 【一科】 명 〖어〗 [Agonidae] 둑중개목(目)에 속하는 어류(魚類)의 한 과. 흙줄고기·네줄고기·고양이고기·잔줄고기·갈기고기·날개줄고기·길줄고기·실줄고기·말락줄고기 등이 이 과에 속함.

날개-집 명 〖건〗 주되는 집채의 좌우로 부속 건물이 죽 뻗친 집.

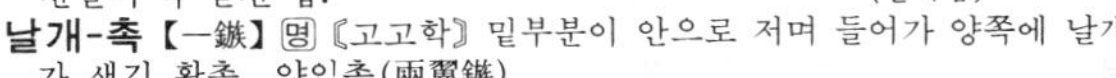

〈날개집〉

날개-촉 【一鏃】 명 〖고고학〗 밑부분이 안으로 저며 들어가 양쪽에 날개가 생긴 활촉. 양익촉(兩翼鏃).

날개-타:령 【一打令】 명 〖악〗 남도 민요의 하나. 춘향전을 비롯하여, 천자 뒤풀이·건드렁타령·강산 풍월 등에서 몇 대목을 끌어다 엮은 것.

날개-털 명 날짐승의 날개에 난 털. 우모(羽毛).

날개-횟대 명 〖어〗 [*Blepsias cirrhosus draciscus*] 둑중갯과에 속하는 바닷물고기. 몸길이 20cm 내외이고 몸빛은 등 쪽은 암갈색에 여러 개의 갈색 가로띠가 있으며, 복면(腹面)은 담색임. 머리 위에 여러 개의 촉수상 피질(皮質) 돌기가 있고, 피부에는 작은 가시가 밀포함. 한국 동해 및 일본 북부 연해에 분포함.

날갯-부출 명 〈방〉 날개¹(함경).

날갯-죽지 명 ①날개가 몸에 붙어 있는 뿌리의 부분. ②〈속〉 날개¹.

날-걸 [一껄] 명 윷판의 쨀밭 다음의 셋째 밭. 세뿔.

날-것 명 익히거나 말리거나 가공하지 아니한 물건. ¶ ~은 먹지 말자. *생(生)것.

날-고구마 명 익히지 아니한 고구마.

날-고기 명 익히거나 가공하지 아니한 고기. 생(生)고기. 생육(生肉). [날고기 보고 침 안 뱉는 이 없고, 익은 고기 보고 침 안 삼키는 이 없다] 고기는 익혀서 먹어야 맛이 있다는 뜻.

날고 뛰다 자 ①날뛰다. ②갖은 재주를 다 부리다.

날-고추 명 말리지 아니한 고추. 익히지 아니한 풋고추.

날-고치 명 삶지 아니한 고치.

날-공전 【一工錢】 명 날로 쳐 주는 공전. *날삯.

날구 명 〈방〉 나루¹(함경).

날구다 타 〈방〉 날리다(경상·함경).

날-굴 명 〈방〉 생굴.

날-궂이 명 ①충청도에서, 날씨가 궂어지도록 방자하는 짓. ¶ 미친 년이 빨래를 들고 개천에 나가 ~를 하니 어둡기 전에 비가 오겠군. ②충청도에서 궂은 날에 집안에서 노닥거리다가 먹을거리를 장만하여 시간을 보내는 일.

날-귀 [一뀌] 명 대패나 끌 같은 것의 날 끝의 양쪽 모.

날그 명 〈방〉 벼¹.

날근-변 【一斤邊】 명 한자 부수(部首)의 하나. '斬'이나 '斷'등의 '斤'의 이름.

날-금 명 〖지〗 경선(經線). ↔씨금.

날기¹ 명 〈방〉 벼¹.

날기² 명 〈방〉 내기¹(황해).

날-기와 명 굽지 아니한 기와.

날-김치 명 덜 익어서 풋내가 나는 김치. 생김치.

날-꾼 명 〈방〉 생무지.

날꾼-하다 형 〈방〉 나른하다(함경).

날-나다 [一라一] 자 짚신 따위가 닳아서 날이 보인다는 뜻으로, 일이 거덜남을 이르는 말.

날다¹ ㊀ 자 〔중세 : ᄂᆞᆯ다〕 ①새·곤충 등이 날개를 움직이거나, 비행기 등이 동력과 부력(浮力)으로 공중에 떠서 움직이다. ¶ 하늘 높이 ~. ②매우 빠른 동작으로 움직이다. 또, 빠른 동작으로 뛰어 달아나다. ¶ 한숨에 집으로 날아왔다/번개처럼 날아드는 주먹. ③바람에 흩날리다. ¶ 나는 구름. ④재빠르게 공중으로 몸을 솟구치다. ¶ 재빨리 훽 날아 바위에 오르다. ⑤〈속〉 어떤 좌석·모임 등에서 도중에 빠져 나가다. ¶ 혼자 날았다. ⑥〈속〉 범인이 기미를 채고 피해 달아나다. 줄행랑치다. ¶ 범인은 멀리 날았다. ㊁ 타 어떤 곳을 공중에 떠서 가다. ¶ 비행기가 하늘을 ~/높은 산 위를 나는 새.

[나는 놈 위에 타는 놈 있다] 아무리 재주가 있다고 해도 그보다 더 나은 사람이 있으며, 위에는 위가 있는 것이므로 너무 자랑하지 말라는 말. [나는 새도 깃을 쳐야 날아간다] 무슨 일이든지 그 순서를 밟아 나가야만 목적을 달성할 수 있다는 말. [나는 새도 떨어뜨린다] 권세가 당당하다는 말. [나는 새도 움직여야 한다] 아무리 급한 일이라도 준비가 없이는 아니된다는 말. [나는 새에게 여기 앉아라 저기 앉아라 할 수 없다] 제 뜻대로 날아다니는 새를 이편의 생각대로 움직이게 할 수는 없다 함이니, 저마다 의지가 있는 사람의 자유를 구속할 수는 없다는 말. [날면 기는 것이 능하지 못하다] 여러 가지 능한 재주가 겸하여 있기 어렵다는 말.

날다² 자 ①빛깔이 바래어 없어지다. ¶ 색이 ~. ②냄새가 흩어져 없어지다. ¶ 옷에 친 향수가 다 ~.

날다³ 타 ①솜으로 실을 만들다. ②피륙이나 돗자리 같은 것을 짜려고 틀에 날을 간고르게 벌여 치다.

날-다람쥐 [一따一] 명 〖동〗 ①다람쥣과(科) 날다람쥐속(屬)과 하늘다람쥐속(屬)에 속하는 동물의 총칭. 청서(靑鼠). 오서(鼯鼠). 이서(鼯鼠). ②[*Petaurista leucogenys hintoni*] 날다람쥣과에 속하는 동물. 몸길이 35-48cm, 꼬리 28-39cm이며, 머리는 둥글고, 꼬리에 긴 털이 술 모양으로 났음. 앞뒤 발 사이에는 몸의 피부가 축 늘어져서 된 피막(皮膜)이 있어 이것을 펴서 나뭇가지와 가지 사이를 100m 이상 활공(滑空)할 수 있음. 형태와 습성이 하늘다람쥐와 비슷한데 훨씬 크고, 얼굴에 흰 무늬가 있으며 등의 털빛은 엷은 다갈색임. 숲속에 서식하는데 한국·일본·유럽·아시아 남부·오스트레일리아에 분포함.

〈날다람쥐❷〉

날다람쥣-과 【一科】 [一따一] 명 〖동〗 [Pteromyidae] 토끼목(目)에 속(屬)하는 한 과. 북반구의 온열대(溫熱帶)에 널리 분포하는데, 한국·만주·유럽·아시아·오스트레일리아 등에 날다람쥐속(屬)과 하늘다람쥐속의 2속(屬) 6종(種)이 있음.

날-단거리 [一딴一] 명 풀이나 나뭇가지 같은 것을 베는 대로 곧 묶어 말린 땔나무.

날-담비 명 〖동〗 목도리담비.

날-도¹ [一또] 명 윷놀이에서 쨀밭의 다음 밭.

날-도² 【一度】 명 〖지〗 경도(經度)❷. ↔씨도.

날-도둑놈 명 뻔뻔하게 남의 재물을 아무 거리낌없이 함부로 빼앗아 먹는 놈. 생도둑. *날강도.

날도둑-질 명 남의 재물을 아무 거리낌없이 함부로 빼앗는 짓. ——-하다 타 여불

날-도래 명 〖충〗 ①날도랫과에 속하는 곤충의 총칭. ②[*Neuronia regina*] 날도랫과에 속하는 곤충의 하나. 몸길이 2.1-6.2cm, 편 날개 길이 5.2-6.2cm임. 모기와 비슷한데 두흉부(頭胸部)는 흑색에 황갈색의 강모(剛毛)가 났으며, 복부(腹部)는 흑색, 앞날개는 반투명이고 유백색(乳白色)에 흑갈색의 반문(斑紋)이 많이 있음. 뒷날개도 반투명에 백색이고, 외면에 황백색 반문이 있음. 유충(幼蟲)은 '물여우'라고 하는데, 몸길이 2-6cm에 원통형이며, 흉부(胸部)가 3절(節), 발이 세 쌍, 물 속에 살면서 사립(砂粒)·고엽(枯葉)·수초(水草) 등을 견사(絹絲)로 얽어 배어 분비액으로 원통상 또는 편평한 실고치의 집을 만들고, 앞뒤에 개구(開口)해서 복부(腹部)로 파상(波狀) 운동을 일으켜 집과 함께 떠돌아다니면서 작은 곤충을 잡아먹음. 봄과 여름에 우화(羽化)하며, 완전 변태를 하고, 여름밤 등불에 날아듦. 한국·시베리아·사할린 등에 분포함. 물여우나비. 사슬아(沙蝨蛾). 석두아(石蠹蛾). 석봉(石蜂). 석잠아(石蠶蛾).

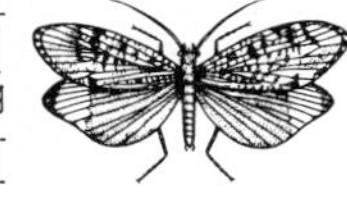

〈날도래❷〉

날도래-목 【一目】 명 〖충〗 [Trichoptera] 곤충류(昆蟲類)에 속하는 한 목(目). 날개는 두 쌍이 있으며, 횡맥(橫脈)이 적고, 가는 털로 덮이어 있음. 촉각(觸角)은 편상(鞭狀)이며, 유충(幼蟲)은 '물여우'라고 하는데 담수(淡水)에서 모래알이나 티끌 등으로 집을 짓고 삶. 날도랫과(科) 등이 이에 속함. 모시류(毛翅類).

날도랫-과 【一科】 명 〖충〗 [Phryganeidae] 날도래목(目)에 속하는 한 과. 괸 물 또는 흐르는 물 속에서 나뭇잎이나 가지로 집을 짓고 서식(棲息)함. 전세계에 70여 종이 분포함.

날-도마뱀 명 〖동〗 [*Draco volans maculatus*] 날도마뱀과에 속하는 파충류(爬蟲類)의 하나. 몸길이 15-20cm, 꼬리 13cm 가량이고 체측(體側)의 후부(後部)에 5-6쌍의 늑골(肋骨)이 발달하여 적(赤)·청(靑)의 익상막(翼狀膜)이 있어서 날아다님. 몸의 배면(背面)은 황갈색으로 금속성 광택이 나고, 검은 반점이 있음. 곤충을 포식하고, 땅 속 굴에 2-5개의 알을 낳음. 산림의 나무 위에 서식하는데, 중국 남부·말레이 반도·베트남·타이 등지에 분포함.

〈날도마뱀〉

날-들다 자 눈이나 비가 개고 날씨가 좋아지다. ¶ 날들면 떠나지.

날돌 명 〈옛〉 날과 달. 세월. =나돌. ¶ 담겨 무텩슈매 날ᄃ리 돋놋다(沉埋日月奔)《杜諺 Ⅷ:15》.

날땅-패【一牌】 명 ☞ 짠지패. ¶ 맨 ~같이만 보여서 눈에 차는 게 있어야지《李鳳九 : 旅愁》.

날-떠퀴 명 〖민〗 그날의 운수.

날-뛰다 자 ①날듯이 껑충껑충 높이 뛰다. ¶ 기뻐 ~. ②매우 거칠고 세차게 행동하다. ¶ 미친 듯이 ~/날뛰는 폭력배.

날뛸-판 명 감정의 격동으로 어찌할 줄 모르고 막 날뛰는 판국.

날라리 명 ①〖악〗 악기에서 울려 나오는 소리로 일컫는 태평소(太平簫)의 속칭(俗稱). ②〈속〉 기둥 서방의 은어(隱語). ③언행이 어설프고 들떠서 미덥지 못한 사람을 낮추어 일컫는 말. ④↗찌날라리.

날라리-꽃등에 명 〖충〗 [*Epistrophe blateatus*] 꽃등엣과에 속하는 곤충. 몸길이 11 mm 내외이고, 몸빛은 대체로 황색이며, 날개는 흑색, 복부는 황색, 제1 마디는 동흑색(銅黑色)이며, 제2-4 마디의 후연(後緣)에는 흑색 띠가 있고, 전연(前緣) 가까이에는 흑색의 횡선(橫線)이 있는데, 첫째 것의 중앙에는 큰 무늬가 하나 있음. 한국·일본에 분포함.

날라리-보따리 명 〈방〉 괴나리봇짐(충청).

날라리-줄 [一쭐] 명 찌날라리를 낚시찌의 몸통 끝에 연결하는 줄.

날란다 〔Nālandā〕 명 〖지〗 인도의 불교 유적. 옛 마가다 국(國)의 수도. 왕사성(王舍城)과 비하르(Bihar)의 중간, 지금의 비하르 주(州) 바르가온(Bargaon)에 있는, 동서 250 m, 남북 500 m의 광대한 지역임. 아쇼카(Aśoka)왕이 8개의 절을 건립한 데서 비롯되었다고 하나, 대규모의 학문사(學問寺)가 된 것은 5세기경인 듯함. 7세기에는 8개의 대승원(大僧院) 외에 불탑(佛塔) 등이 세워져 광대한 가람(伽藍)을 형성, 대승 불교의 중심지가 되어, 멀리 중국·동남 아시아에서 유학(留學)하는 승려가 적지 않았음. 12세기 말에 이슬람군(軍)에 의하여 파괴될 때까지 계속되었음. 한명(漢名)은 나란타(那爛陀).

날래 부 〈방〉 빨리(평안·함경). 「사람.

날래다 형 〔중세 : 놀나다〕 움직임이 나는 듯이 기운차고 빠르다. ¶ 날랜 【날랜 장수 목 베는 칼은 있어도 윤기(倫紀) 베는 칼은 없다】 인륜(人倫) 관계는 끊을래야 끊을 수 없다는 말.

날랠용-자【一勇字】 [一룡짜] 명 ①한자의 '勇'자. ②〖역〗 군뢰복다기 또는 지방 군뢰(軍牢)의 벙거지의 앞에 붙이는 꾸밈새. 얇은 주석 조각으로 만든 한자의 '勇'자로서 길이는 9 cm 쯤이고, 넓이는 7 cm 쯤 됨.

날려는 〈옛〉 날더러는. ¶ 날러는 엇더 살라ᄒ고 ᄇ리고 가시리잇고《樂詞 가시리》.

날려 보내다 타 〔↗날리어 보내다〕 ①날벌레나 새를 쫓아 버리거나 또는 잡았다가 놓아 주다. ¶ 잡았던 새를 ~. ②가벼운 물건을 바람을 내어 멀리 날아가게 하다. ③살림이나 밑천을 다 없애 버리다. ¶ 그 많은 재산을 술로 ~.

날-력【一曆】 명 〈방〉 일력(日曆).

날:렵-하다 형 여불 날래고 슬기롭다. ¶ 날렵한 행동. 날:렵-히 부

날로¹ 부 날것인 채로. ¶ 생선을 ~ 먹다. *생(生)으로.

날로² 부 날이 갈수록. 나날이. ¶ ~ 심해 가다/~ 발전하는 서울.

날로-배기 명 〈방〉 생무지.

날름 부 ①혀가 입 밖으로 빨리 나왔다 들어가는 모양. ②손을 빨리 내밀어 날쌔게 가지는 모양. ¶ 고기를 ~ 집어먹다. 〈늘름·널름. ——하다 자타 여불

날름-거리다 자타 ①혀나 손을 날쌔게 연해 내었다 들였다 하다. ¶ 뱀이 혀를 ~. ②남의 것을 탐내어 자꾸 고개를 내밀고 노리다. 〈늘름거리다·널름거리다. 날름-날름 부. ¶ ~ 집어먹다. ——하다 자타 여불

날름-대다 자타 날름거리다.

날름-막【一膜】 명 〖생〗 판막(瓣膜).

날름-쇠 명 ①총의 방아쇠를 걸었다가 떨어뜨리는 쇠. ②물건을 퉁겨지게 하기 위하여 장치한 강철로 만든 쇠. ③무자위의 아래위 부분에 있는 판(瓣). 「름을 ~/한때 날리던 배우.

날리다¹ 자타 〈속〉 명성 같은 것을 드날리게 하다. 명성을 떨치다. ¶ 이

날리다² 타 ①공중으로 날게 하다. ¶ 연을 ~/홍련을 ~. ②짐짓 놓아 달아나게 하다. ¶ 새를 공중에 ~. ③지녔던 것을 헛되게 잃어 버리다. ¶ 재산을 ~. ④공을 들이지 아니하고 되는 대로 손싸게 해 치우다. ¶ 일을 ~.

날리다³ 피동 공중으로 날게 함을 당하다. ¶ 재가 바람에 ~.

날림 명 공을 들이지 아니하고 아무렇게나 날려서 하는 일. 또, 그 물건. ¶ ~ 공사/~ 집/~ 글씨. *막춤.

날림-치 명 날림으로 만든 물건.

날-마다 명부 그날그날. 매일매일. 일일(日日).

날망 명 〈방〉 마루❷.

날-망둑 명 〖어〗 [*Chaenogobius annularis*] 망둑엇과에 속하는 민물고기. 몸길이 7 cm 가량인데 가늘고 길며, 후두부(後頭部)에서 급히 등 쪽이 솟았고, 주둥이는 가늘고 길며 뾰족함. 몸빛은 갈색 바탕에 몇 줄의 담황색 가로띠가 있으나, 죽은 뒤에는 불명해짐. 다소 조수(潮水)가 혼입하는 하구(河口)·내만(內灣)에 사는데, 한국 중부 이북의 하천 및 일본 북부에 분포함. 「당이 이르는 말.

날-망제 명 〖민〗 사람이 죽은 뒤에 지노귀새남을 하지 못한 혼령을 무

날-매퉁이 명 〖어〗 [*Saurida elongata*] 매퉁잇과에 속하는 바닷물고기. 몸은 매퉁이와 비슷한데, 등지느러미의 가장 긴 연조(軟條)는 두부(頭部)보다 길고 구개골(口蓋骨)의 바깥 치대(齒帶)는 매퉁이와 같음. 한국의 부산·인천 등 서·남 연해와 일본의 남해에 분포함.

날맹이 명 〈방〉 산봉우리(충북·전북).

날-목【一木】 명 마르지 아니한 나무. 생나무.

날무지 명 〈방〉 생무지.

날-물 명 ①나가는 물. ②☞ 썰물. 「章》.

날믈 명 〈옛〉 큰물. 홍수(洪水). ¶ 날므를 외오시니(迺回漲洋)《龍歌 68

날-밑 명 칼날과 칼자루와의 사이에 끼워서 칼자루를 쥐는 한계를 삼으며, 또 손을 보호하는 테.

날-바늘 명 실을 꿰지 아니한 바늘. 맨 바늘.

날-바닥 명 〈방〉 맨바닥(충청·전라).

날바람-잡다 자 바람이 들어 허랑하게 함부로 쏘다니다. ¶ "시생이 오늘에 이르기까지 상리와 이문만을 쫓았던 터로 날바람 잡힌 놈처럼 길미를 겨냥할 수 없는 일에 거금을 내어놓기는 처음이군요."《金周榮 : 客主》.

날반【糲飯】 명 애벌 찧은 쌀로 지은 밥. 탈속반(脫粟飯).

날-반죽 명 찬물로 하는 떡 반죽. ——-하다 타 여불

날-받다 자 관혼 상제(冠婚喪祭)나 이사할 때, 길일(吉日)을 택하기 위하여 날을 가리어 정하다. ¶ 날받아 고사를 지내다.

날-밤¹ 명 부질없이 새우는 밤.

날밤(을) 새:다 구 ↗날밤(을) 새우다.

날밤(을) 새우다 구 부질없이 뜬눈으로 밤을 밝히다. ㊟날밤(을) 새다.

날-밤² 명 익히거나 말리지 아니한 날것대로의 밤. 생률(生栗). 생밤.

날밤-집 [一찝] 명 밤을 새면서 파는 선술집.

날-밭 [一빹] 명 윷판에 말이 나가는 맨 끝의 밭.

날-벌레 [一뻘一] 명 날아다니는 벌레. 비충(飛蟲). ↔길벌레.

날-벼 명 갓 베어 내어 마르지 아니한 벼.

날-벼락 명 생벼락.

날벼락(을) 맞다 구 의외의 재난을 당하다.

날-변【一邊】 [一뼌] 명 날수로 셈하는 변리. 일변(日邊). ¶ ~으로 빚을

날-보리 명 갓 베어 내어 마르지 아니한 보리. 「얻다. ↔달변.

날-부일 명부 〈방〉 날마다(함경).

날-불한당【一不汗黨】 명 겉으로는 의젓이 굴며 남의 재물을 함부로 빼앗아 먹는 무리. ¶ ~ 같은 놈.

날-붙이 [一부치] 명 날이 서 있는 연장의 총칭. 칼·낫·도끼 따위.

날-비 명 우산이나 가리개 같은 것으로 가리지 않고 직접 맞는 비. ¶ ~를 맞다.

날비-부【一飛部】 [一삐一] 명 한자 부수(部首)의 하나. '飜'이나 '飜' 등의 '飛'의 이름.

날-빙어 명 〖어〗 [*Hypomesus japonicus*] 바다빙어과에 속하는 바닷물고기. 몸은 빙어와 비슷한데, 등지느러미가 10줄, 둔부에 12-13줄의 지느러미가 있음. 한국 동해안 북부와 일본 북부 해안에 분포함.

날-빛 [一삧] 명 ①햇빛을 받아서 나는 온 세상의 빛. ②☞햇빛.

날-사리 명 조기 떼가 바닷가 가까이에 와서 알을 낳은 후, 먼 바다로 나가는 일. 또, 그때.

날-사이 [一싸一] 명 지난 며칠 동안. 일래(日來). ㊟날새. 주의 부사적(副詞的)으로도 쓰임.

날-삯 [一싹] 명 날로 쳐 주는 품삯. ¶ ~꾼. *날공전.

날삯-꾼 [一싹一] 명 날삯을 받고 일하는 일꾼.

날-삼 명 '생마(生麻)'의 순 우리말 이름.

날-상가【一喪家】 명 아직 장사를 치르지 아니한 초상집.

날-상제【一喪制】 명 초종(初終) 범절을 다 치르지 아니한 상제.

날-새 [一쌔] 명 ↗날사이. ¶ ~ 안녕하셨습니까. 주의 부사적(副詞的)으 「로도 쓰임.

날샐-녘 명 날이 샐 무렵. ¶ ~에 집을 나오다.

날생-부【一生部】 [一쌩一] 명 한자 부수(部首)의 하나. '産'이나 '甦' 「등의 '生'의 이름.

날생이 명 〈방〉 〖식〗 냉이(경상).

날-서다 자 연장의 날이 날카롭게 되다.

날-성수【一星數】 [一썽一] 명 〖민〗 그 날의 운수. 일수(日數). ㊟날수.

날-세우다 자 연장의 날을 날카롭게 하다.

날셔이고 자 〈옛〉 났구나. ¶ 느저 날셔이고 太古 적을 못 보완다《古時調 申欽》. 「여불

날-소일【一消日】 명 할 일 없이 그날그날을 지냄. 해소일. ——-하다 자

날-송장 명 ①죽은 지 오래지 아니한 송장. ②염습(殮襲)을 아니한 송장.

날-수【一數】 [一쑤] 명 ①날의 수효. ¶ 건축에 상당한 ~가 걸렸다. ②〖민〗 ↗날성수. ¶ ~를 보다/~가 나쁘다.

날-수수 명 갓 베어 내어 마르지 아니한 수수. 또, 익히지 않은 수수.

날-숨 [一쑴] 명 내쉬는 숨. ↔들숨.

날-실¹ 명 삶지 아니한 실.

날-실² 명 피륙의 날을 이룬 실. 경사(經絲). ↔씨실.

날-쌀 명 익히지 아니한 쌀. *생쌀.

날쌍-날쌍 부 모두 날쌍한 모양. 〈늘썽늘썽. ——-하다 형 여불

날쌍-하다 형 여불 짜이거나 엮인 물건의 사이가 좀 뜨다. 〈늘썽하다.

날쌔기 명 〖어〗 [*Rachycentron canadum*] 날쌔깃과에 속하는 바닷물고기. 몸은 기름하고 머리는 종편(縱扁)하여 폭이 넓고, 눈은 작으며, 아래턱은 위턱보다 돌출하고, 양턱에 심히 넓고 뾰족한 융모상(絨毛狀) 치대(齒帶)가 있음. 꼬리지느러미는 두 가닥으로 되어 있고, 상엽(上葉)이 하엽보다 길. 몸빛은 등 쪽이 회갈색이고, 배 쪽은 담색(淡色)임. 몸이 강하고 민첩하여 탐식성의 대형어로 연안 근처에 서식하는데, 한국 남부 연해·일본 남부·동중국해·인도양 및 대서양의 열대부에 널리 분포함.

〈날쌔기〉

날쌔깃-과【一科】 명 〖어〗 [Rachycentridae] 농어목(目)에 속하는 어류의 한 과. 날쌔기 1종이 한국 연해에 분포함.

날쌔다 형 동작이 날래고 재빠르다. ¶ 아주 날쌘 녀석.

날씨¹ 명 그날의 기상 상태. 일기(日氣). ¶ 좋은 ~/궂은 ~. ㊟날.

날-씨² 명 ①베의 날과 씨. ②〖지〗↗날씨금. ③〖지〗↗날씨도(度).
날씨-금 명〖지〗날금과 씨금. 경위선(經緯線). ㈜날씨.
날씨-도【一度】명〖지〗날도와 씨도. 경도와 위도. 경위도(經緯度). ㈜「날씨.
날씬-날씬 부 모두 날씬한 모양. <늘씬늘씬. ——-하다 형여불
날씬-하다 형여불 허리가 가늘고 키가 호리호리하여 맵시 있어 보이다. ¶그 여자는 몸매가 ~. <늘씬하다. 날씬-히 부
날아-가다 ㊀자거라불 ①공중을 날면서 가다. ¶새가 하늘 높이 ~. ②갑자기 날리어 떨어져 나가다. ¶목이 ~. ③허망하게 흩어져 없어지다. ¶가진 돈이 몽땅 ~. ㊁타거라불 어떤 곳을 날면서 가다. ¶들판 위를 날아가는 새떼.
날아 놓다 [—노타] 타 여러 사람이 낼 돈의 액수를 배정하다.
날아-다니다 자타 날면서 이리저리 다니다. ¶여러 나라 항공기가 날아다니는 동남아 항로 / 꽃밭을 이리저리 날아다니는 벌떼들.
날아-들다 자 ①공중에 떠서 안으로 들다. ¶집 안에 날아든 새끼참새. ②뜻하지 않은 것이 난데없이 닥쳐들다. ¶난데없이 비보(悲報)가 ~.
날아-오다 ㊀자너라불 공중에 떠서 오다. 날면서 오다. ¶시커멓게 메뚜기떼가 ~. ㊁타너라불 어떤 곳을 날면서 오다. ¶비바람 속을 날아온 여객기.
날-아편【一阿片】명 생(生)아편.
날연-하다【苶然一】형여불 몸이 노곤하여 기운이 없다. 나른하다. ¶사지가 날연하고 정신이 출몰하여 말도 할 수 없으나…《崔瓚植 : 金剛門》.
날염【捺染】명 피륙 같은 것에 무늬를 물들이는 방법의 하나. 무늬를 새긴 얇은 본을 대고 풀을 섞은 물감을 발라서 물을 들임.¶~ 공장/~ 한 천. ——-하다 타여불
날염-공【捺染工】명 염색 공장에서 날염하는 직공.
날염-기【捺染機】명 날염하는 기계. 무늬의 본을 새긴 롤(roll)을 사용하는 롤 날염기가 가장 많고, 그 밖에 등사판 인쇄 비슷한 스크린 날염기, 사진적(寫眞的) 방법에 의한 감광(感光) 날염기 등도 있음.
날오 명〈옛〉나룻배. ¶津船曰捏傲《熱河日記 還燕道中錄》.
날옷 명〈옛〉나룻. ¶날옷 슈(鬚), 날옷 념(髥)《類合 9》.
날옺 명〈옛〉나룻. ¶브레 날오지 븓거늘(火焚其鬚)《飜小 IX:79》.
날유【捋乳】명 젖을 짬. ——-하다 자여불
날-윷 [—륟] 명 윷놀이판의 쨀밭 다음의 넷째 밭.
날이-불치【涅而不緇】명 검게 물들여도 검게 되지 아니한다는 뜻으로, 어진 사람이 쉽사리 악(惡)에 물들지 아니함을 이르는 말. ——-하다 자여불
날인【捺印】명 도장을 찍음. 날장(捺章). ¶서명 ~. ——-하다 자여불
날인 증서【捺印證書】명〖법〗영미법(英美法)에서, 서명·날인되고 또 인도(引渡)된 증서. 법률 행위 특히 부동산의 양도(讓渡)·임대차(賃貸借)에 있어서는 불가결함.
날-일 [—릴] 명 날삯을 받고 하는 일. 「의 이름.
날일-변【一日邊】명 한자 부수(部首)의 하나. '明'이나 '晴' 등의 '日'
날-입 [—립] 명 대팻날과 나무의 사이. 곧, 대팻밥이 들어오는 자리.
날: 잡아 잡수 한다 구 마음대로 하고 싶은 대로 하라고 상대방에게 제몸을 내어 놓는다.
날장【捺章】[—짱] 명 날인(捺印). ——-하다 자여불
날-장구 [—짱—] 명 일 없이 치는 장구.
날-장판【一壯版】명 기름에 결지 아니한 날종이로 바른 장판.
날쟁이 명〈방〉나루채.
날-전복【一全鰒】명 익히지 아니한 전복.
날조【捏造】[—쪼] 명 무실(無實)한 일을 사실처럼 꾸밈.¶~ 기사(記事). ——-하다 타여불 「전설(傳說).
날조-설【捏造說】[—쪼—] 명 ①날조한 학설. ②날조된 풍설(風說)이나
날-종이 명 기름에 결은 종이에 대하여, 기름에 결지 아니한 종이.
날-줄 명 ①피륙의 날. ②〖지〗경선(經線). 1)·2):↔씨줄.
날-짐승 [—찜—] 명 날아다니는 짐승. 곧, 새의 종류. 조류(鳥類). 금조(禽鳥). 비금(飛禽). ↔길짐승.
날짜¹ 명 ①어떤 일에 소요되는 날의 수효. 시일(時日). ¶~가 많이 걸렸다. ②작정한 날. ¶결혼식 ~는 언제요. ③날의 차례. ¶~ 가는 줄도 모르겠다. 일자(日字). ㈜날.
날짜² 명 ①익히거나 말리거나 가공하지 아니한 그대로의 것. ¶고기를 ~로 먹다. *생(生)짜. ②일에 익숙하지 못한 사람.
날짜 변:경선【一變更線】명〖지〗지구 위의 각지(各地)의 지방시(地方時)는 경도(經度)에 따라 다르므로 동서(東西)를 왕래(往來)하는 사람이 사용하는 날짜를 일치시키기 위하여 정해 놓은 선(線). 경도(經度) 180도의 자오선(子午線)을 기준으로 해서 남북 양극(兩極)을 연결하여 이 선을 동쪽에서 서쪽으로 넘으면 1일을 건너 뛰고, 서쪽에서 동쪽으로 넘으면 그 날을 다시 한 번 되풀이함. 일부(日附) 변경선.
날짜 표시【一表示】명 [dating] 식품(食品) 기타의 상품(商品)에 제조 연월일을 명시(明示)하는 일.
날짝-거리다 자타〈방〉날짱거리다. 날짝-날짝 부. ——-하다 자타
날짝지근-하다 형여불 몹시 나른하다. <늘쩍지근하다.
날짱-거리다 자타 무슨 행동을 쉬엄쉬엄 느리게 하다. <늘쩡거리다. 날짱-날짱 부. ——-하다 자타여불
날짱-대다 자타 날짱거리다.
날-쭈 명〈방〉날틀❶.
날찌 명 뱃간에 까는, 엮은 나뭇가지. 「이 톡톡하다.
날찍 명 일에서 생기는 이익. 소득(所得). 소리(所利). ¶이번 일에는 ~
날찐 명〖조〗야생(野生)의 매. 길들지 아니한 매. ↔수진.
날치¹ 명 ①날아가는 새를 쏘아 잡는 짓. ②매우 동작이 빠르고 날쌤의 비유. ③↗날치꾼.
날-치² 명 날마다 이자를 갚는 빚. *장치³.
날치³ 명〖어〗[*Prognichthys agoo*] 상날칫과에 속하는 바닷물고기. 몸의 길이 30-40cm 가량이고, 입은 작은데 가늘고 작은 이를 갖추었음. 눈은 매우 크며, 가슴지느러미가 대단히 커서 마치 날개 모양을 이루어 공중을 비행하는 데 알맞음. 꼬리지느러미는 두 가닥으로 째졌는데 하엽(下葉)이 더 길. 몸빛은 등 쪽이 흑청색, 배 쪽이 백색임. 온해성(溫海性) 어종으로 해상을 나는데 한번 나는 거리는 약 10m 가량임. 한국 중남부 연해·일본 중부 이남·동중국해·대만에 분포함. 식용임. 비어(飛魚).

〈날치³〉

날치-구이 명 날치를 토막쳐서 기름과 간장을 발라 구운 반찬. 비어구(飛魚炙).
날-치기 명 남의 물건을 날쌔게 채뜨려 가는 짓. 또, 그런 도둑. ¶돈 가방을 ~당하다. *소매치기·들치기. ——-하다 타여불
날치기-꾼 명 날치기를 상습적으로 하는 사람. 「치.
날치-꾼 명 날아가는 새를 쏘아 떨어뜨리는 재주가 있는 사냥꾼. ㈜날
날치다¹ 자 날뛰어 짐짓 기세를 떨치다.
날치다² 타 ☞날치기하다. ¶만년필이나 론손 라이터를 날쳐다가 왕초 몰래 똘만이들끼리 팔아먹던…《宋炳洙 : 쇼리 킴》. 「남쪽에 있음.
날치-자리 명 [라 Volans]〖천〗남천(南天)에 있는 작은 성좌. 용자리의
날카롭다 형ㅂ불 [중세 : 놀갑다] ①날붙이나 송곳 등의 끝이 뾰족하거나 서슬이 서 있다. 예리(銳利)하다. ②날렵하고 영민하다. ¶날카로운 감각/날카로운 판단력/머리가 ~. ③기세가 놀랍다. 힘차고 억세다. ¶날카로운 반박/날카로운 질문 공세. ④성격이 편협하여 걸핏하면 반발을 하거나, 신경질적인 데가 있다. ¶신경이 ~. 날카로-이 부
날캉-거리다 자 흠씬 물러서 저절로 축축 처지게 되다. <늘컹거리다. 날캉-날캉 부. ——-하다 자형여불
날캉-대다 자 날캉거리다. 「다.
날캉-하다 형여불 너무 물러서 저절로 늘어져 처질 듯하다. <늘컹하
날큰-거리다 자 물러서 늘어지는 느낌이 있다. <늘큰거리다. 날큰-날큰 부. ——-하다 자형여불
날큰-대다 자 날큰거리다.
날큰-하다 형여불 물러서 늘어질 듯하다. <늘큰하다. 날큰-히 부
날타리 명〈방〉〖충〗하루살이(충청).
날탕 명 아무 것도 없는 사람. ¶~이 장사를 하겠다니 우습다.
날탕-패【一牌】명〈방〉〖민〗짠지패(평안).
날-틀 명 ①베를 짤 때 날을 바로잡는 기구. 구멍 열 개가 있어 가락 열 개를 꿰게 되었음. ②'비행기(飛行機)'의 풀어쓴 말.
날-파람 명 ①빠르게 지나가는 서슬에 나는 바람. ②열쌘 기세.
날파람-둥이 명 주책없이 싸다니는 사람.
날-파랭이 명〈방〉〖충〗하루살이(경남).
날-파리 명〈방〉〖충〗하루살이(충청·전북·경상).
날-판【一板】명 벌통 앞의 꿀벌이 드나드는 구멍에 잇대어 놓는 판.
날팔【喇叭】명〖악〗→나팔.
날-포 명 [중세 : 날포←날+포(중세어 '프다'의 어간에 접미사 '오'가 붙은 부사). *돌포. 히포] 하루 이상이 걸치어진 동안. *달포·해포.
날-포랭이 명〈방〉〖충〗하루살이(경남).
날-포리 명〈방〉〖충〗하루살이(경상).
날푸 명〈방〉날포.
날-품 명 날삯을 받고 하는 품팔이 일. *달품.
날품(을) 팔다 구 날삯을 받고 날일을 하다. 「다 자여불
날품-팔이 명 ①날품을 파는 일. 일용(日傭). ②↗날품팔이꾼. ——-하
날품팔이-꾼 명 날삯을 받고 품팔이 일을 하는 사람. ㈜날품팔이.
날피¹ 명 가난하고 허랑한 사람.
날피² 명〈방〉〖농〗보습¹.
날-피리 명 급히 쫓길 때 물 위로 뛰어오르며 도망가는 피라미.
날현인【捺絃引】명〖문〗신라 진평왕(眞平王) 때 담수(淡水)가 지었다고 하는 가사(歌詞). 자세히 전하여지고 있지 않음.
날호야 부〈옛〉더디게. 천천히. =나로여·날호여·날회야. ¶날호야 거러(徐步)《楞嚴 I:34》.
날호여 부〈옛〉천천히. 더디게. =날호야. ¶내 길흘 조차 날호여 녀여 기드려 오노라 한니(我沿路上慢慢的行着等候來)《老乞 上 1》.
날혹ᄌᆞᄂᆞ기 부〈옛〉찬찬히. ¶날혹ᄌᆞᄂᆞ기 글어 ᄂᆞ리와(緩緩解下)《救簡 I:59》.
날혹ᄌᆞ녹ᄒᆞ다 형〈옛〉찬찬하고 한가하다. =날혹ᄌᆞ녹ᄒᆞ다. ¶날혹ᄌᆞ녹ᄒᆞ야 能ᄒᆞᆫ 이리 잇ᄂᆞ니라(逍遙有能事)《杜諺 XVII:25》.
날-홈 명 대팻날이 끼어 있는 홈.
날회다 형〈옛〉천천하다. 더디다. ¶아직 날회라 ᄒᆞ더니 과연 덕지 뻐러딘 후의(徐徐果於落痂之後)《痘方 12》/날횔 셔(徐)《類合 下 17》.
날회야 부〈옛〉천천히. 더디게. =날호야. ¶날회야 ᄒᆞ면 話頭롤 니저(緩則忘却話頭)《蒙法 23》. 「去怕甚麼)《老乞 上 28》.
날회여 부〈옛〉천천히. 더디게. ¶날회여 간들 므서시 저프리오(慢慢的
날혹ᄌᆞ녹ᄒᆞ다 형〈옛〉찬찬하고 한가하다. =날혹ᄌᆞ녹ᄒᆞ다. ¶날혹ᄌᆞ녹ᄒᆞᆫ 힌 鳳이 양지오(威遲白鳳態)《杜諺 XVI:34》.
낡 명〈방〉나무¹(함경).
낡다 [낙—] 형 [중세 : 놁다] ①물건이 오래 되어 삭아 헐다. ¶낡은 옷/ 낡은 모자. ②구식(舊式)이 되어 새롭지 못하다. ¶낡은 사상.
【낡은 존위(尊位) 댁네 보리밥은 잘 해】가난한 살림에 보리밥만 지어

먹었으므로, 보리밥만은 잘 짓는다 함이니, 다른 것은 못해도 무엇 한 가지만은 익숙하게 잘한다 할 때 이르는 말.

낡아-빠지다 [날가—] 형 매우 낡아서 쓸모없이 되다.

낡은-이 [날근—] 명 '늙은이'를 얕잡아, 또는 농으로 일컫는 말.

남[1] 명 ①나 밖의 다른 사람. 타인(他人). ¶ ~의 집/~의 일에 간섭하다. ②일가 친척이 아닌 사람. ③관계가 없거나 관계를 끊은 사람. ¶ 이혼했으니 이제 그는 ~이다. ④〖철〗'나[1]' 이외의 일체(一切)의 것. 비아(非我). 1)·4):↔나.

[남 눈 똥에 주저앉고 애매한 두꺼비 떡돌에 치인다] 남이 저지른 잘못에 죄 없는 사람이 애매하게 해를 입게 된다는 말. [남 떡 먹는데 팥고물 떨어지는 걱정한다] 남의 일에 쓸데없이 걱정을 할 때 이르는 말. [남을 물에 넣으려면 저 먼저 물에 들어간다] '남잡이가 제잡이'와 같은 뜻. [남의 것을 마 베어 먹듯 한다] 남의 재물을 거리낌없이 막 훔치거나 뺏어감을 이르는 말. [남의 고기 한 점 먹고 내 고기 열 점 준다] 남의 것으로 적은 이익을 얻으면 나중에 큰 손해를 본다는 말. [남의 고기 한 점이 내 고기 열 점보다 낫다] 자기 것은 두고 욕심사납게 남의 것을 공연히 탐냄을 이르는 말. [남의 눈에 눈물 내면 제 눈에는 피가 난다] 남에게 모질고 악한 짓을 하면 반드시 저는 그보다도 더한 죄벌을 받게 된다는 말. [남의 눈에서 피 내리면 내 눈에서 고름이 나야 한다] 남을 해치려는 사람은 반드시 저부터 먼저 해를 당하게 된다는 말. [남의 다리 긁는다; 남의 다리에 행전 친다] 자기를 위하여 한 일이 뜻밖에 남을 위하여 한 일이 되었거나, 또는 남이 할 일을 공연히 자기 일로 알고 한다는 말. [남의 돈 천냥이 내 돈 한푼만 못하다] 아무리 적고 보잘것 없는 것이라도 제가 직접 가지고 있는 것이 낫다는 말. [남의 떡에 설 쇤다] 남의 덕택으로 형편 좋게 일을 성취한다는 말. [남의 떡 함지에 넘어진다] 조심성이 없거나 비위가 좋은 사람을 이를 때 쓰는 말. [남의 말 다 들으면 목에 칼 벗을 날이 없다] 남의 말을 곧이듣고 또 순종만 하면 낭패보는 일이 많으니, 꼭 들어야 할 말만 들으라는 말. [남의 말도 석달] 소문은 시일이 지나면 흐지부지 없어진다는 말. [남의 말이라면 쌍지팡이 짚고 나선다] 남에게 걸핏하면 시비를 잘 걸고 나서는 사람을 이름. [남의 말하기는 식은 죽 먹기] 남의 허물을 찾아 내어 말하기는 지극히 쉬운 일이라는 말. [남의 바지 입고 새 벤다] '남의 떡에 설 쇤다'와 같은 뜻. [남의 발에 감발한다; 남의 발에 버선 신긴다] 자기에게 긴요한 일을 한다고 한 것이 우연히 남을 위하는 일을 하였다는 말. [남의 밥 보고 장 떠 먹는다] ㉠아무 상관도 없는 남의 일을, 공연히 미리부터 서둘러 좋아한다는 말. ㉡남의 것을 턱없이 바란다는 말. [남의 밥에 든 콩이 굵어 보인다] 남이 가진 것은 자기 것보다 더 좋아 보인다 함이니, 욕심이 많은 것을 이르는 말. [남의 집에 가서 일을 해 주고 먹고 사는 것은 매의 밥은 맵고도 짜다] 남의 집에 가서 일을 해 주고 먹고 사는 것은 매우 고생스럽고 어려운 일이라는 말. [남의 복(福)은 끌로도 못 판다] 남이 잘 되는 것을 공연히 시기하여도, 그 복을 없애 버리지는 못하는 것이니, 그와 같은 생각은 말라는 말. [남의 불에 게 잡는다] '남의 떡에 설 쇤다'와 같은 뜻. [남의 사돈이야 가거나 말거나] 자기에게는 아무런 이해 관계가 없어 상관할 필요가 없는 경우에 이르는 말. [남의 사정 보다가 갈보 난다] 너무 남의 사정만 보아 주어서는 아니 된다는 말. [남의 생손은 제 살의 티눈만도 못하다] '남의 염병이 내 고뿔만 못하다'와 같은 뜻. [남의 소 들고 뛰는 건 구경거리] 자기에게 이해관계가 없는 것은 그것이 불행한 경우라도 재미있게 구경한다는 말. [남의 속에 있는 글도 배운다] 남의 속에 있는, 눈으로 볼 수 없는 글도 배우거든, 하물며 직접 하는 것을 보고 못할 리가 있겠느냐는 말. [남의 손의 떡은 커 보인다] 남이 가진 것은 자기 것보다 더 좋아 보인다는 뜻으로, 욕심이 많음을 이르는 말. [남의 술에 삼십리 간다] 자기는 가고 싶은 마음이 없으나 남의 권유로 뜻하지 않은 곳에 왔음을 이르는 말. [남의 싸움에 칼 빼기] 자기에게 상관없는 일에 공연히 성미 급하게 참여한다는 말. [남의 아이 이름 내가 어이 짓나] 남의 어려운 일을 난들 어이할 수 있으랴는 말. [남의 염병이 내 고뿔만 못하다] ㉠남의 큰 걱정이나 위험보다 제 작은 근심거리가 더 절박하게 느껴진다는 말. ㉡자기의 어려움은 작은 것이라도 중대하게 생각하고 남의 큰 위험은 조금치도 동정하지 아니하는 자기 본위의 행동을 이르는 말. [남의 옷 얻어 입으면 걸레감만 남고 남의 서방 얻어 가면 송장 치레만 한다] 남의 입던 헌옷을 얻어 입으면 곧 해어져 못 입게 되고, 나이 많은 남자에게 개가(改嫁)하여 사노라면 얼마 가지 아니하여 사별(死別)하는 것이니, 남의 옷 얻어 입기와 남의 서방 얻어 살기란 할 짓이 아니라는 말. [남의 일은 오뉴월에도 손이 시리다] 남의 일 하기 싫음을 이르는 말. [남의 일을 보아 주려거든 삼 년내 보아 주어라] 남을 도와 주려거든 끝까지 철저히 하라는 말. 여기서 삼 년이라 함은 상가의 일을 보아 주려면 삼년상이 날 때까지 보아 주어야 한다는 데서 유래함. [남의 자식 흉보지 말고 내자식 가르쳐라] 남을 흉보기 전에 그것을 거울삼아 제 잘못을 뉘우치고 고치라는 말. [남의 잔치에 감 놓아라 배 놓아라 한다] 남의 일에 부당한 간섭을 함을 이르는 말. [남의 장단에 춤춘다] 관계없는 남의 일에 관심을 가지는 사람이나 넋 빠진 사람을 두고 이르는 말. [남의 제사에 감 놓아라 배 놓아라 한다] '남의 잔치에 감 놓아라 배놓아라 한다'와 같은 뜻. [남의 제삿날도 우기겠다] '남의 친기(親忌)도 우기겠다'와 같은 뜻. [남의 종이 되거들랑 서울 양반 종이 되고 남의 딸이 되거들랑 시정 딸 되라] 돈 많고 잘 사는 집에 붙이거나 태어나야 복을 받을 수 있다는 말. [남의 집 불 구경 않는 군자(君子) 없다] 인간의 행동이란 도덕적인 관념보다도 흥미적인 관점에 더 많이 지배된다는 말. [남의 집 제사에 절하기] 상관 없는 남의 일에 참여하여 헛수고만 한다는 말. [남의 참견 말고 제 발등의 불끄지] 남의 일에 공연히 참견하지 말고 제 일이나 충실히 하라는 말. [남의 초상에 단지] '남의 친환에 단지'와 같은 뜻. [남의 친기(親忌)도 우기겠다] 남의 친기의 날도 아니라고 우기겠다 함이니, 곧 억지 고집을 잘 부리는 사람을 이르는 말. [남의 친환(親患)에 단지(斷指)] 남의 일에 공연히 끔찍스레 걱정을 하고 참견함을 이르는 말. [남의 팔매에 밤 줍는다] '남의 떡에 설 쇤다'와 같은 뜻. [남의 흉이 한 가지면 제 흉은 열 가지] 자기는 더 많은 결점을 가졌으면서도 남의 한 가지 흉을 들추어 나쁘게 말함을 이르는 말. [남이 나를 저버리거든 차라리 내 먼저 남을 저버리라] 남이 나를 배반하려 하거든, 오히려 이쪽에서 먼저 그를 버리는 것이 상책(上策)이라는 말. [남이 놓은 것은 소도 못 찾는다] 남이 어떤 장소에 놓아 둔 물건은 소처럼 큰 것일지라도 찾기 힘들다는 말. [남이 눈 똥에 주저앉는다] '남 눈 똥에 주저앉고 애매한 두꺼비 떡돌에 치인다'와 같은 뜻. [남이 서울 간다니 저도 간단다] 남이 한다고 덩달아 덤빔을 이르는 말. [남이야 내 상전(上典)을 두려워할까] 내가 공경하고 두려워하는 사람이라도 남은 그리 대단하게 생각하지 않는다는 말. [남이야 전봇대로 이빨을 쑤시거나 말거나; 남이야 지게 지고 제사를 지내건 말건] 남의 일에 상관 말라는 말. [남이 은장도(銀粧刀)를 차니 나는 식칼을 낀다] 남이 노리개로 은장도 차는 것을 보고, 저도 식칼을 끼고 나선다는 뜻으로, 일의 경위와 시비 곡절도 모르고 남이 하는 대로 그저 따라 한다는 말. [남이 장 간다고 하니 거름 지고 나선다] 남이 무슨 일을 한다고 하면 덩달아 모방하는 사람을 이르는 말. [남이 장에 간다고 하니 무릎에 망건 씐다] 남이 한다고 덩달아 저도 하려고 급히 서두른다는 말. [남이 장에 간다니까 씨 오쟁이 떼어 지고 간다] 남이 장에 간다고, 저도 덩달아 나서는데, 팔러 갈 것이 없어 종자를 넣어 둔 오쟁이나마 떼어서 지고 나선다는 뜻이니, 남의 행동에 따라 움직이는 사람을 두고 이르는 말. [남이 친 장단에 궁둥이춤 춘다] 줏대없이 행동하거나 관계없는 남의 일에 덩달아 행동하는 사람을 두고 이르는 말. [남 잡이가 제 잡이] 죄 없는 남을 트집잡아서 모함하려는 사람은 도리어 자기가 해를 당한다는 말. ¶ 흥, 남 잡이 저 잡이라더니 그 말이 똑 옳군≪李海朝:鬢上雪≫. [남 지은 글로 과거한다] 남의 수고에 편승하여 이득을 얻는다는 말. [남 켠 횃불에 조개 잡듯] 남의 물건을 이용하여 제일을 하면서, 거기서 난 이익도 제가 차지한다는 말.

남[2] 명 〈방〉 나무[1](제주).

남[3] 【男】 명 ①사나이. ¶ 삼~ 이녀(三男二女). ↔여(女). ②↗남작(男爵).

남[4] 【南】 명 ↗남쪽. ¶ ~으로 피난 가다.

남[5] 【南】 명 성(姓)의 하나. 현재 우리 나라에는, 영양(英陽)·의령(宜寧)·고성(固城)·남원(南原)의 4개 본관이 있음.

남[6] 【娚】 명 〈이두〉 처남(妻男).

남[7] 【藍】 명 ①〖식〗 쪽[4]. ②↗남빛.

남- 【男】 투 어떤 명사의 앞에 붙이어 사내의 뜻을 나타내는 말. ¶ ~동생/~학생.

남가[1] 【南柯】 명 남쪽으로 난 나뭇가지.

남가[2] 【南家】 명 마작(麻雀)할 때에, 남쪽에 있어서 북가(北家)와 대면하는 사람. ↔북가(北家).

남가-기 【南柯記】 명 〖문〗 중국 당(唐)나라 때에 이공좌(李公佐)가 쓴 소설. 동평(東平)의 순우분(淳于棼)이 홰나무 밑에서 낮잠을 자다가, 꿈에 대괴안국(大槐安國)의 왕의 사위가 되어 20년 동안 남가군(南柯郡)의 태수로서 지극한 영화를 누렸는데, 꿈을 깨어 나무 밑을 보니 두 개의 개미굴이 있어, 하나에는 왕개미가 살고 있고 하나는 남쪽으로 난 나뭇가지 쪽을 향하고 있더라는 줄거리임. *남가 일몽.

남가라-국 【南加羅國】 명 〖역〗 금관 가야(金官伽倻).

남가-몽 【南柯夢】 명 남가 일몽(南柯一夢). *황량몽(黃粱夢).

남가 일몽 【南柯一夢】 명 〔중국 당(唐)나라 때의 소설 '남가기(南柯記)'에서 유래한 말〕 꿈. 또, 꿈과 같이 헛된 한때의 부귀와 영화. 남가지몽. 남가몽. 괴안몽(槐安夢).

남가지 명 〈방〉 나무.

남가지-몽 【南柯之夢】 명 남가 일몽(南柯一夢).

남간 【南間】 명 〖역〗 조선 시대에, 의금부(義禁府) 안의 남쪽에 있던 기결수, 특히 사형수를 가두어 두던 옥사(獄舍). *서간(西間).

남-감자 【南甘—】 명 〈방〉 〖식〗 고구마.

남-감저 【南甘藷】 명 〖식〗 고구마.

남감저-당 【南甘藷糖】 명 고구마엿.

남-강[1] 【南江】 명 〖지〗 ①강원도 고성군(高城郡) 서면(西面)에서 동해(東海)로 들어가는 강. [77.2km] ②경상 남도 함양군(咸陽郡) 서상면(西上面)에서 시작하여 산청(山淸)·진주(晋州)·함안(咸安)·의령(宜寧) 등지를 지나서 낙동강(洛東江)으로 들어가는 강. [186.3km] ③평안 남도 양덕군(陽德郡) 온천면(溫泉面)에서 시작하여 성천(成川)·강동(江東)·곡산(谷山)·중화(中和)·수안(遂安) 등지를 지나서 대동강(大同江)으로 들어가는 강. [193.2km]

남강[2] 【南岡】 명 〖사람〗 이승훈(李昇薰)의 호(號).

남강 댐 【南江—】 〔dam〕 명 〖지〗 경상 남도 진주시(晋州市)에 있는 사력(砂礫) 댐. 남강 유역의 농업 용수, 진주시의 식수 및 공업 용수의 원천이며, 1만 2,600kw 출력의 수력 발전소가 있음. 1970년 12월에 완공됨.

남거[1] 【南去】 명 남쪽으로 떠남. 「타 여불」

남:거[2] 【濫擧】 명 사람을 가리지 아니하고 마구 천거하여 씀. ——-하다

남건 【男建】 명 〖사람〗 고구려 말기의 재상. 연개소문(淵蓋蘇文)의 둘째 아들. 남생(男生)의 아우. 형을 몰아 내고 대막리지(大莫離支)가 됨. 형제간의 세력 다툼이 고구려 멸망의 한 원인이 됨.

남경[1] 【男莖】 명 〖생〗 남자의 생식기. 자지. 음경(陰莖). 남근(男根).

남경[2] 【南京】 명 〖역〗 고려 때 중경(中京)·동경(東京)·서경(西京)과 더불어 사경(四京)의 하나. 곧, 지금의 서울.

남경[3] 【南京】 명 〖지〗 '난징(南京)'을 우리 음으로 읽은 이름.

남경 국민 정부 【南京國民政府】 명 〖역〗 난징 국민 정부.

남경 목면 【南京木綿】 명 중국산 면직물의 한 가지. 굵은 면사제(綿絲製)의 평직 면포(平織綿布)인데, 난징 지방에서 산출됨.

남경 북완【南梗北頑】명 옛날, 우리 나라의 근심거리로 되어 있던 남쪽의 일본과 북쪽의 야인(野人)을 일컫던 말.
남경 사:건【南京事件】[—껀] 명 《역》 난징 사건.
남경 조약【南京條約】명 《역》 난징 조약.
남경 학살 사:건【南京虐殺事件】[—껀] 명 《역》 난징 사건❷.
남경-황【南京黃】명 《공》 중국 청조(淸朝)의 다채유(多彩釉)의 한 가지. 푸른 빛이 도는 금갈색(金褐色)의 잿물 빛임.
남경 황로【南京黃櫨】[—노] 명 《식》 오구목(烏臼木).
남계[1]【男系】명 가계(家系)에서, 남자의 계통. ↔여계(女系).
남계[2]【南界】명 《생》 동물 지리학상의 구역으로서, 오스트레일리아·뉴질랜드·뉴기니·서남 태평양의 제도(諸島)를 포함함. 단공류(單孔類)·유대류(有袋類) 등의 짐승과 화식조(火食鳥)·에뮤(emeu)·극락조(極樂鳥)·키위(kiwi) 등의 특이한 조류가 삶. ↔북계(北界).
남계[3]【南溪】명 《사람》 박세채(朴世采)의 호(號).
남계 가족【男系家族】명 《사》 부계(父系) 가족.
남계 서원【藍溪書院】명 《역》 경상 남도 함양(咸陽)에 있던 서원의 하나. 조선 명종(明宗) 7년(1552)에 정여창(鄭汝昌)을 향사(享祀)하기 위하여 세웠으며, 선조(宣祖) 40년(1607)에 사액(賜額)하였고, 후에 정온(鄭蘊)·강익(姜翼)도 함께 제사함.
남-계(:)우【南啓宇】명 《사람》 조선 말기의 화가. 자(字)는 일소(逸少). 호는 일호(一濠). 의령(宜寧) 사람. 벼슬은 도정(都正)을 지냄. 나비를 전문으로 그려 세상에서는 남호접(南胡蝶)이라고 불렀음. [1811-88]
남계원 칠층 석탑【南溪院七層石塔】명 《불교》 경기도 개성시 덕암동(德岩洞)에 있었던 고려 시대의 7층 화강암(花崗岩) 석탑. 고려 석탑의 양식(樣式)을 가장 잘 나타낸 예로서, 장중 웅건(莊重雄健)한 기품을 지님. 1915년 경복궁으로 이건(移建). 높이 7.54 m. 국보 제100호.
남계-친【男系親】명 남계의 친족.
남계 혈족【男系血族】[—쪽] 명 《법》 친족 상호간의 혈통 관계가 남자만에 의하여 연결되는 친계(親系). 민법상으로는 부계 혈족과 같은 뜻으로 쓰임. 「——-하다 자여불
남고【覽古】명 고적을 찾아보고 그 당시의 일을 회상함. 방고(訪古).
남고 북저【南高北低】명 《기상》 여름에 많은 기압 배치(氣壓配置) 상태의 이름. 일본의 남방 해상에서는 북태평양 고기압이 있어 기압이 높고, 동해 북부로부터 대륙 방면의 기압은 낮은 현상. 여름형 기압 배치.
남고지-봉【南高支峰】명 《지》 함경 북도 무산군(茂山郡) 서하면(西下面)과 연상면(延上面) 사이에 있는 산봉우리. [1,191 m]
남곡【南曲】명 《문》 중국 희곡(戲曲)의 하나. 원말(元末)에, 남쪽의 저장(浙江) 부근에서 시작하여, 명대(明代)에 이르러 북곡(北曲)을 압도하고 융성하였음. 해염강(海塩腔)·여요강(餘姚腔)·과양강(戈陽腔)·곤산강(崑山腔) 등의 파가 있음. 비파기(琵琶記)는 그 대표작이며, 북곡의 서상기(西廂記)와 병칭(並稱)됨. 명곡(明曲). 「[1,487 m]
남곡-봉【南谷峰】명 《지》 평안 남도 영원군(寧遠郡)에 있는 산봉우리.
남-곤(:)【南袞】명 《사람》 조선 중종(中宗) 때의 문신(文臣). 자(字)는 사화(士華). 호는 지정(止亭). 의령(宜寧) 사람. 성종(成宗) 25년(1494) 문과에 급제, 기묘 사화(己卯士禍) 때에 예조 판서로 있으면서 조광조(趙光祖) 이하 여러 선비를 모함하여 죽임. [1471-1527]
남공【男工】명 남자 직공. ↔여공(女工).
남-공철【南公轍】명 《사람》 조선 후기의 문장가·정치가. 자(字)는 원평(元平). 호는 사영(思穎). 의령(宜寧) 사람. 사신으로 북경에 가 문명(文名)을 떨침. 벼슬이 영의정에 이름. 시호는 문헌(文憲). [1760-1840]
남과【南瓜】명 《식》 호박❶. 「쓰임.
남과-인【南瓜仁】명 《한의》 '호박씨'를 약재로서 일컫는 말. 구충제로
남-관[1]【南寬】명 《사람》 서양화가. 경상 북도 청송(靑松) 사람. 1935년 일본의 다이헤이요(太平洋) 미술 학교 졸업. 해방 후 54년 도불(渡佛)하여 그림 수업을 쌓고, 68년 귀국, 홍익 대학교 교수 등을 지냄. 생명의 영원성을 세련된 색채에 담아 추상 표현주의(抽象表現主義)의 흐름을 나타냄. 작품의 대부분이 파리 퐁피두 센터, 룩셈부르크 국립 박물관 등에 소장되어 있음. [1911-90]
남관[2]【南關】명 《지》 관남(關南).
남관[3]【覽觀】명 구경함. 관람(觀覽). ——-하다 타여불
남:광【嵐光】명 산기(山氣)가 발하여 빛을 냄.
남교【南郊】명 서울 남대문 밖.
남구[1] 명 〈방〉 나무[1].
남-구[2]【南歐】명 《지》 유럽의 남부. 이탈리아·프랑스 남부·스페인·포르투갈·그리스 등지를 이름. 남유럽. ↔북구.
남구다 타 〈방〉 남기다(경상).
남-구만【南九萬】명 《사람》 조선 숙종(肅宗) 때의 소론(少論)의 거두. 자(字)는 설로(雪路). 호는 약천(藥泉). 의령(宜寧) 사람. 우의정·좌의정·영의정을 역임하였음. 시호는 문충(文忠). [1629-1711]
남구 문학【南歐文學】명 《문》 남유럽 문학.
남국【南國】명 남쪽 나라. ↔북국(北國).
남국-적【南國的】명관 남국다운 모양. 남국에 관한 모양. ¶ ~ 특질.
남국 정서【南國情緖】명 남쪽 나라의 정서. 남쪽 나라에 특유한 밝고 자극적이며, 정열적 풍광(風光)이 자아내는 기분이나 분위기.
남군【南軍】명 ①남쪽에 위치한 군대. ②《역》 미국의 남북 전쟁 때의 남쪽 군대. 1)·2):↔북군.
남군다 타 〈방〉 남기다(경북).
남궁[1]【南宮】명 성(姓)의 하나. 현재 우리 나라에는 본관이 함열(咸悅) 하나뿐임.
남궁[2]【南宮】명 《역》 조선 시대 '예조(禮曹)'의 별칭.
남궁-벽【南宮璧】명 《사람》 시인. 평북 출신. '창조(創造)'·'폐허(廢墟)' 등의 문예지를 통하여 1920년 전후에 작품을 발표한 인도주의적 시인임. [1895-1922]
남궁-억【南宮檍】명 《사람》 언론인. 호는 한서(翰西). 1898년 9월, '황성 신문(皇城新聞)'이 발간되자 사장에 취임, 교육과 사회 사업에 진력하였음. [1863-1939]
남귤 북지【南橘北枳】명 〔강남(江南)의 귤을 강북(江北)에 심으면 탱자가 된다는 뜻〕 사람은 거처(居處)에 따라, 그 환경의 지배를 받아 악하게도 되고 착하게도 된다는 말.
남극【南極】명 ①《물》 지남철이 가리키는 남쪽 끝. 에스극(S極). ②《지》 지축(地軸)의 남쪽 끝. ③《천》 지축의 남단(南端)의 연장이 천구(天球)와 마주치는 곳. 남극점. ↔북극.
남극 거:리【南極距離】명 《천》 천구(天球)에 있어서, 남극으로부터 어떤 한 천체까지의 각거리(角距離). ↔북극 거리.
남극-계【南極界】명 《생》 ①식물구계(植物區系)의 하나. 남극 대륙과 그 주변의 섬, 파타고니아, 뉴질랜드의 남서부가 포함됨. 식물의 종류는 적으나 특이한 것이 많음. ②해상 동물(海上動物) 생물 분포의 지리학상의 한 구분. 남위(南緯) 40도 이남의 해양과 남극 대륙을 포함한 지역. 동물의 종류는 적어, 바다표범·고래 등의 포유류와 펭귄이 살고 있으며, 그 외에 특수한 조개류가 극히 많음. 남극구. ↔북극계.
남극 관측【南極觀測】명 《지》 국제 지구 관측년에, 여러 나라가 공동으로 남극에서 우주선(宇宙線)·전리층(電離層) 등과 같은 특별한 자연 현상을 관측하는 일.
남극 관측 기지【南極觀測基地】명 남극 관측을 하기 위해, 남극 대륙에 설치한 기지. 남극 기지.
남극-광【南極光】명 〔aurora australis〕 《지》 남쪽에 나타나는 극광. ↔북극광.
남극-구【南極區】명 《생》 남극계.
남극-권【南極圈】명 《지》 남극을 중심으로 하여 남위(南緯) 66°33′의 지점을 연결한 위선(緯線) 또는 그 이남의 땅. 일몰(日沒) 현상이 없이 낮만 계속되는 날이 동지(冬至)를 전후해서 1일 이상, 일출(日出) 현상이 없이 밤만 계속되는 날이 하지(夏至)를 전후해서 1일 이상 있는데, 이 일수(日數)는 남극에 가까워질수록 증가하며, 남극에서는 반년 간은 내리 낮, 반년 간은 내리 밤이 계속됨. ↔북극권(北極圈).
남극 기단【南極氣團】명 남극 대륙과 그 둘레의 빙산(氷山) 위에서 형성되는 공기의 덩이. 맑고 몹시 찬 것이 특징임.
남극 기지【南極基地】명 남극 관측 기지.
남극 노:인【南極老人】명 《민》 남극성의 화신(化身). 나타나면 치안(治安), 나타나지 아니하면 전란(戰亂)이 있다고 함.
남극 노:인성【南極老人星】명 《천》 남극성. 준노인성(老人星).
남극-대【南極帶】명 〔Antarctic Zone〕 《지》 남극권 한계선(南極圈限界線) 즉, 남위(南緯) 66°33′과 남극점 사이의 지역.
남극 대:륙【南極大陸】명 《지》 남극을 중심으로 하는 광대한 대륙. 기후가 한랭(寒冷)하며 거주인은 없음. 육상 또는 주위에 펭귄·바다표범·고래 등이 살며, 식물은 지의류(地衣類)만 있음. [13,600,000 km²]
남극 대:륙 평화 이:용 조약【南極大陸平和利用條約】명 남극 조약(南極條約). 「남극 대륙 평화 이용 조약.
남극 반:도【南極半島】명 《지》 남극 대륙의 서경(西經) 60-70°에서 북으로 뻗은 반도. 드레이크 해협(Drake 海峽)을 사이에 두고 남(南)아메리카 대륙과 대함.
남극 부인【南極夫人】명 '서왕모(西王母)'의 넷째 딸.
남극-성【南極星】명 《천》 남극 부근의 하늘에 있는 별. 광도(光度)는 겨우 6등(等)임. 중국에서는 사람의 수명을 맡아 보는 별이라 하여 이것을 보면 오래 산다고 함. 남극 노인성. 노인성(老人星). 카노푸스.
남극 수렴대【南極收斂帶】명 〔Antarctic Convergence〕 《해》 아열대수(亞熱帶水)와 아남극수(亞南極水) 사이의 경계(境界)를 지어 주는 극해양 전선(極海洋前線). 남극 전선(南極前線).
남극-양【南極洋】명 《지》 남극해.
남극 자:원 조약【南極資源條約】명 1978년 2월 오스트레일리아의 수도 캔버라에서 미국·소련·프랑스·일본 등 13개국이 체결한 조약. 고래·바다표범을 제외한 남극의 어업 자원, 특히 크릴(krill)의 합리적 이용과 보존을 목적으로 함. 정식으로는 '남극 해양 생물 자원의 보존에 관한 조약'.
남극 전선【南極前線】명 ①〔Southern Polar Front〕 《해》 남극 수렴대(南極收斂帶). ②〔antarctic front〕 《기상》 남극 대륙상의 남극 기단(南極氣團)과 해양상의 한대 기단(寒帶氣團)과의 사이의 반영속적(半永續的)인 전선(前線). 북반구의 북극 전선과 비교됨.
남극-점【南極點】명 남극.
남극 조약【南極條約】명 남극 지역의 군사적 이용을 금지하고 과학적 조사의 자유와 국제 협력을 용이하게 하기 위해서, 남극 지역의 영유권에 관한 각국의 주장을 동결하고 정치적 분쟁이 일어나지 않도록 하는 조치 등을 규정한 조약. 1959년 12월에 조인됨. 남극 대륙과 그 주변의 섬들은 현재 지구상에서 유일하게 그 영유가 확정되지 않은 지역임.
남극-주【南極洲】명 《지》 남극 지방.
남극 지방【南極地方】명 《지》 남극 대륙과 그 부근의 섬들. 곧, 남극을 둘러싼 지역의 일대. 남극주(南極洲). ↔북극 지방.
남극 탐험【南極探險】명 남극 지방에 가서 남극 그 자체를 조사·연구하는 탐험. 1772년 이래 여러 번 시도되었는데, 1911년 노르웨이의 아문센(Amundsen)이 처음 극지 도달에 성공하고, 1933년 이후 세 번에 걸친 미국 버드 소장(Byrd 少將)의 비행기에 의한 탐험 조사에 이어 각국의 극지 탐험대가 많은 과학적 조사를 함.
남극-해【南極海】명 〔Antarctic Ocean〕 《지》 남극권내(南極圈內)에 있는 해양의 총칭. 사철 얼음에 덮여 있음. 남극양(南極洋). 남빙양(南氷洋). 남빙해(南氷海).
남극 환류【南極環流】[—활—] 명 《지》 남위 50-60° 부근에서, 남극 대륙의 주위를 서(西)에서 동(東)으로 향해 흐르는 해류.
남근【男根】명 《생》 남경(男莖).

남근 숭배【男根崇拜】명 생식기 숭배의 일종. 자연히 남근같이 생긴 돌이나 나무, 또는 인공으로 남근같이 만든 것을, 생산(生産)의 신(神) 또는 개운(開運)의 신으로 숭배하는 원시 신앙의 한 형태.
남근-형【男根形】명 자지 모양으로 만든 주물(呪物). 미개한 사회에서 액막이로 지니던 물건임.
「釋 XVII:25》.
남긔〈옛〉나무에. '나모[1]'의 처격형(處格形). ¶ ᄒᆞᆫ 남긔 ᄒᆞᆫ 臺러니《月
남긔셔〈옛〉나무에서. '나모[1]'의 처격형(處格形). ¶ ᄒᆞ다가 남긔셔 낧딘
ㄴ댄(若生於木)《楞嚴 Ⅲ:25》.
남기[1] 명〈방〉나무[1].
「며《月釋 Ⅱ:29》.
남:기[2]【嵐氣】명 이내[1].
남기[3]〈옛〉나무가. '나모[1]'의 주격형(主格形). ¶ 보ᄇᆡ예 남기 느러니 셔
남기다 타 〔'남다'의 사동사〕 ①처져 있게 하다. ¶고향에 처자를 ~. ② 남아 있게 하다. ¶용돈을 ~/이름을 후세에 ~. ③이익을 보게 하다. ¶ 본전의 갑절을 ~.
남기 북두【南箕北斗】명 남쪽의 기성(箕星)은 쌀을 까불지 못하고 북두성(北斗星)은 쌀을 되지 못한다는 뜻에서, 유명 무실함을 이르는 말.
남기-정【南畿停】명〖역〗도품혜정(道品兮停).
남김-없이[一업씨] 부 하나도 빼어 놓음이 없이 죄다. 여유를 남기지 않고 있는 대로 모두.
남ᄀᆞ란〈옛〉나물랑. 나무는. ¶ ᄡᆞᄒᆞᆫ 그릇 모ᄀᆡ 두고 남ᄀᆞ란 내 모ᄀᆡ 두어 둘히 어우러 精舍 ᄆᆡᆼᄀᆞ라《釋譜 Ⅵ:26》.
남ᄀᆞ로〈옛〉나무로. '나모[1]'의 조격형(造格形). ¶ 模ᄂᆞᆫ 法이니 남ᄀᆞ로 본 ᄆᆡᆼᄀᆞᆯ 씨라《月釋 XVII:54》.
남ᄀᆞᆫ〈옛〉나무는. '나모[1]'의 절대격형(絕對格形). ¶ 불휘 기픈 남ᄀᆞᆫ(根
「章》.
深之木)《龍歌 2章》.
남ᄀᆞᆯ〈옛〉나무를. '나모[1]'의 목적격형. ¶ 빗근 남ᄀᆞᆯ(于彼橫木)《龍歌 86
남ᄀᆡ〈옛〉나무에. '나모[1]'의 처격형(處格形). ¶ 남ᄀᆡ 모ᄆᆞᆯ 께ᄉᆞᄫᅡ 뒷더
「고…《洪命憙 : 林巨正》.
니《月釋 Ⅰ:6》.
남-나중 부 남보다 나중에. ¶도망하는 군사를 금지하려다가 ~ 도망하
남-날개 명 사냥꾼이 가지고 다니는 화약·탄알 등을 넣는 그릇의 총칭.
남-남 명 서로 아무런 관계가 없는 남과 남.
남남-끼리 부 서로 아무런 관계가 없는 사람들끼리.
「는 바람.
남-남동【南南東】명 남쪽과 남동쪽 사이의 방향.
남남동-풍【南南東風】명〖기상〗남쪽과 남동쪽과의 사이에서 불어오
남남 문:제【南南問題】명 대체로 지구의 남쪽에 위치하는 도상국들 가운데 비교적 부유한 나라와 최빈국(最貧國) 사이의 모순이나 대립. 한 나라 안의 부유층과 빈곤층의 대립 문제를 가리키기도 함. *남북 문제.
남남 북녀【南男北女】명 우리 나라에서, 남쪽 지방은 남자가, 북쪽 지방은 여자가 아름답다는 말.
남-남서【南南西】명 남쪽과 남서쪽 사이의 방향.
남남서-풍【南南西風】명〖기상〗남남서쪽에서 불어오는 바람.
남남-하다【喃喃一】형여불 혀를 빨리 놀리어 알아들을 수 없이 재잘거리다.
「기술 협력.
남남 협력【南南協力】[一녁] 명 도상국들 사이의 지역 경제 협력이나
남-녀【男女】명 남자와 여자.
남녀 고용 평등법【男女雇傭平等法】[一뻡] 명〖법〗헌법의 평등 이념에 따라 고용에 있어서 남녀의 평등한 기회 및 대우를 보장하는 한편 모성(母性)을 보호하고 직업 능력을 개발하여 근로 여성의 지위 향상과 복지 증진을 위하여 제정된 법률.
남녀 공:학【男女共學】명〖교〗남자와 여자가 같은 학교 또는 같은 학급에서 배움. 코에듀케이션(coeducation). ——-하다 자여불
남녀 관계【男女關係】명 남자와 여자가 이성으로서 맺어지는 관계.
남녀 교제【男女交際】명 남자와 여자가 서로 사귀는 일.
남녀-궁【男女宮】명 십이궁(十二宮)의 하나. 자녀에 관한 운수를 점치는 기본 자리로, 눈 아래 옴폭 들어간 곳을 말함.
남녀 노:소【男女老少】명 남자와 여자와 늙은이와 젊은이. 곧, 모든 사
남녀 동권【男女同權】[一꿘] 명 ↗남녀 동등권(男女同等權). ㄴ람.
남녀 동권주의【男女同權主義】[一꿘一/一꿘一이] 명 페미니즘(feminism).
남녀 동등【男女同等】명 남성과 여성의 지위는 모든 부문에 걸치어 높고 낮음의 차이 없이 같음.
남녀 동등권【男女同等權】[一꿘] 명 사회적으로나 법률적으로, 남녀 사이에 차별이 없이 인정되는 동등한 권리. 준남녀 동권(男女同權).
남녀-별【男女別】명 남자와 여자의 구별. ¶ ~ 좌석.
남녀 상열지사【男女相悅之詞】[一찌一] 명〖문〗《가시리》·《서경별곡(西京別曲)》 등 남녀의 애정을 주제로 한 고려 가사를 조선 시대의 한학자(漢學者)들이 업신여겨 부른 말.
남녀-악【男女樂】명〖악〗남악과 여악.
남녀 유:별【男女有別】명 남자와 여자 사이에는 분별이 있어야 한다는 말. *부부 유별. ——-하다 형여불
남녀-종【男女一】명 사내종과 계집종.
남녀-추니【男女一】명 남자와 여자의 생식기를 둘 다 가지고 있는 사람. 반음양(半陰陽). *어지자지.
남녀 칠세 부동석【男女七歲不同席】[一쎄一] 명 〔예기(禮記) 내칙편(內則篇)에 나오는 말〕 중국의 옛 도덕에서, 일곱 살만 되면 남녀 구별을 엄히 하여야 한다는 말.
남녀 평등【男女平等】명 남녀 동등.
남녀 평등권【男女平等權】[一꿘] 명 남녀 동등권.
남녀 혼:합 호르몬【男女混合一】〔hormone〕 명 남성 호르몬과 여성 호르몬을 일정한 비율로 혼합한 호르몬. 여성의 월경 곤란, 남성의 성기능 감퇴를 치료하는 데 쓰임.

남념-시【藍念詩】명〖악〗정재(呈才) 때 부르던 가사 이름. 육화대(六花隊) 춤에 맞추어 부름.
남녕【南寧】명〖지〗'난닝(南寧)'을 우리 음으로 읽은 이름.
남-녘【南一】명 남쪽. 남쪽 방면. 남방(南方). ↔북녘.
남노【男奴】명 사내종. ↔여비(女婢).
남:다[1] [一따] 자 〔중세 : 남다〕 ①어떤 한도를 넘어 더 있다. 너무 많이 있다. ¶용돈이 ~. ↔모자라다. ②따로 처져 있다. ¶ 끝까지 ~. ③뒤에까지 전하다. ¶ 역사에 길이 ~. ④이익을 보다. ¶ 크게 남는 장사. ↔밑지다.
남다[2] 자타〈옛〉넘다. ¶ 빗근 남ᄀᆞᆯ ᄂᆞ라 나마시니(于彼橫木又飛越兮)《龍歌 86章》/百年이 ᄒᆞ마 半이 나ᄆᆞ니(百年已過半)《杜諺 XXI:19》.
남-다르다 형르불 다른 사람과는 유별히 다르다. ¶ 남다른 데가 있다.
남단[1]【南端】명 남쪽 끝. ¶ 제주도는 한반도의 ~에 있다. ↔북단(北端).
남단[2]【南壇】명〖역〗↗남방 토룡단(南方土龍壇).
남단-부【南端部】명 남쪽 끝 부분. ¶ 섬의 ~에 등대가 있다. ↔북단부.
남-달리 부 다른 사람과는 다르게. 남다르게. ¶ 그는 ~ 키가 크다.
남-당[1]【南唐】명〖역〗중국의 오대 십국(五代十國) 중의 하나. 서지고(徐知誥)가 오(吳)나라를 쳐서 없애고 세운 나라. 금릉(金陵)에 도읍하였음. 지금의 장쑤(江蘇)·안후이(安徽)·푸젠(福建)·장시(江西) 등지에 해당하는데, 3대(代) 39년을 누리다가 송(宋)나라에게 멸망됨. 준당(唐). [937-975]
남당[2]【南堂】명〖역〗삼국 시대 초기의 정청(政廳). 신라와 백제가 국가 체제를 갖추면서 부족 집회소가 변한 것임. 도당(都堂).
남당-서【南唐書】명〖책〗①남당의 역사를 적은 책. 송(宋)나라 육유(陸游)가 지은 것으로 18권. ②남당의 시화(詩話)·소설(小說) 등을 적은 책. 중국의 마령(馬令)이 지은 것으로 30권.
남대[1]【南帶】명〖생〗식물상(植物相)에 의하여 분류한 식물대(植物帶)를 구분할 때의 식물구계계(植物區系界)의 하나. 오스트레일리아·뉴질랜드·아프리카 남단·남아메리카 남단을 포함하는 지대. 분류 방법에 따라 오스트레일리아계(界)·남극계(南極界)·희망봉계(喜望峰界)로 각각 독립한 식물구계계로 보는 경우도 있음. 야자류·목본성(木本性) 양치 식물, 그 밖에 각종 원예(園藝) 식물의 원산지로 특징 있는 식물상을 보이는데, 오스트레일리아구(區)·뉴질랜드구·남아프리카 온대구(溫帶區)·남아메리카 온대구 등으로 구분됨. *북대(北帶)·구열대구(舊熱帶區)·신열대구(新熱帶區).
남대[2]【南臺】명〖역〗조선 시대 학문과 덕이 뛰어나 이조(吏曹)에서 사헌부(司憲府) 대관(臺官)으로 천거된 사람.
남-대되 부 남들은 죄다. 사람마다. 남과 같이.
남-대문【南大門】명〖지〗'숭례문(崇禮門)'을 남쪽에 있는 큰 문이란 뜻으로 일컫는 별칭. *동대문.
남대문 구멍 같다 구 매우 큰 구멍을 이르는 말.
남대문 봉:도【南大門奉導】명〖역〗거가(車駕)가 남대문으로 들어올 때 하는 봉도(奉導). 선전관(宣傳官)이 '명금 이하(鳴金二下) 대취타(大吹打)하오' 하면 이에 응하여 '숭례문외(崇禮門外)요, 유마(留馬) 취타(吹打), 취품(吹稟)하오. 선전관 지도(指導), 견마부(牽馬夫) 예시위(詣侍衛)'라고 부름. *동대문 봉도.
남대문 시:장【南大門市場】명〖지〗서울 특별시 중구(中區) 남창동(南倉洞)에 있는 우리 나라 최고(最古)·최대의 종합 상설(常設) 시장. 1만여 개의 관허(官許) 상점과 1,600개를 웃도는 노점상(露店商)으로 구성됨. 1,700 가지 이상의 다양한 상품이 전국을 대상으로 거래되고 있음.
남대문 입납【南大門入納】명 ①주소 불명한 편지나, 이름도 모르고 집을 찾는 일을 조롱하는 말. ¶ 맘이 없는 건 아니지만 ~이지, 이 넓은 장안에서 어디가 찾는단 말이요《李無影 : 三年》. ②요령을 알 수 없는 말.
남대-봉【南臺峰】명〖지〗강원도 원주시(原州市) 판부면(板富面)과 영월군(寧越郡) 수주면(水周面)과의 경계에 있는 산. [1,182 m]
남-대천【南大川】명〖지〗①함경 북도 길주군(吉州郡) 고두산(高頭山)과 남설령(南雪嶺) 남쪽 계곡에서 발원(發源)하여 길주 명천 지구대(地溝帶)를 따라 동남류(東南流)하다가 동해로 흘러 드는 강. [99 km] ②강원도 평강군(平康郡)의 북동부 검불령(劍佛嶺)에서 발원(發源)하여 북쪽으로 흐르다가 용지천(龍池川)·풍남천(風南川)·남산천(南山川)을 합류하여 안변 평야(安邊平野)를 이루면서 동해로 흘러 들어가는 하천(河川). [82.0 km] ③함경 남도 북청군(北青郡) 이곡면(泥谷面)에서 발원하여 군의 대부분을 유역으로 하면서 남쪽으로 흘러 동해로 흘러 들어가는 하천. [65.0 km] ④강원도 강릉시(江陵市)를 흘러 동해로 들어가는 하천. [51.3 km] ⑤강원도 김화군(金化郡) 금성면(金城面) 어천리(漁川里)의 수리봉에서 발원(發源)하여 철원군(鐵原郡) 일대를 북류(北流)하다가 한탄강(漢灘江)으로 흘러 들어가는 하천. [43.6 km] ⑥전라 북도 무주군(茂朱郡)의 동부를 북서류(北西流)하는 금강(錦江)의 지류(支流). [10.0 km]
남도[1]【南都】명 남쪽 지방의 도시.
남도[2]【南渡】명 강을 건너 남쪽으로 감. ——-하다 자여불
남도[3]【南道】명 ①경기도 이남의 땅. 곧, 충청·경상·전라의 3도를 가리킴. 남로(南路). 남중(南中). ②〖대종교〗백두산 이남의 땅, 곧, 한반도를 가리키는 말. 1)·2):↔북도(北道).
남도-굿거리【南道一】명〖악〗전라도 지방에서 풍류(風流)나 삼현 육각(三絃六角)으로 쓰이는 굿거리.
남도 들:노래【南道一】[一로一] 명〖악〗진도(珍島) 들노래.
남도리기-새 명〈방〉〖조〗딱따구리(제주).
남도 민요【南道民謠】명〖악〗전라도에서 불리어지는 민요. 육자배기·흥타령·진도 아리랑·강강수월래 등이 유명함.

남도 병마 절도사【南道兵馬節度使】[—또—] [명]〖역〗남병사(南兵使).
남도-소리【南道—】[명]〖악〗전라도와 경상도 및 충청도 일부 지방의 민간에서 불리는 민속 성악의 총칭. 판소리를 주축(主軸)으로 하여 단가(短歌)·민요·잡가·노동요 등이 포함됨. 남도창(南道唱).
남도 어:족【南島語族】[명]〔Austronesian language〕〖언〗인도양·태평양에 걸쳐 널리 분포하고 있는 어족. 멜라네시아(Melanesia)·인도네시아·폴리네시아의 세 파(派)로 대별함. 말라요 폴리네시아 어족.
남도 입창【南道立唱】[명]〖악〗선소리로 부르는 남도 잡가. '보렴(報念)'·'화초 사거리'의 차례로 부름. *남도 좌창(坐唱).
남도 잡가【南道雜歌】[명]〖악〗잡가(雜歌) 가운데, 주로 전라도 지역에서 불려 온 소리. 남도 좌창(坐唱)과 남도 입창(立唱)으로 나뉨. 억양(抑揚)이 분명한 것이 특징임. *서도(西道) 잡가.
남도 좌:창【南道坐唱】[명]〖악〗앉은소리로 부르는 남도 잡가. *남도 입창(立唱).
남-도(:)진【南道振】[명]〖사람〗조선 숙종·영조 때의 문인. 자(字)는 중옥(仲玉), 호는 농환재(弄丸齋). 벼슬을 싫어하여 용문산(龍門山) 아래에서 은거(隱居)하며 일생을 마친 은일지사(隱逸之士). 저술에 힘써 ≪낙은 별곡(樂隱別曲)≫ 등 여러 저서를 남김. [1674-1735]
남도-창【南道唱】[명]〖악〗①남도소리. ②판소리.
남독[1]【南瀆】[명]〖역〗나라에서 위하는 사독(四瀆)의 하나로, 한강(漢江)을 일컫던 말. *사독(四瀆).
남:독[2]【濫讀】[명]순서·방법 및 체계를 세우거나 내용을 음미 검토하지 아니하고, 마구 읽음. ——-하다 [타][여불]
남돈 북점【南頓北漸】[명]〖불교〗선종(禪宗)에서, 남종(南宗)은 돈오(頓悟)의 선(禪)을, 북종(北宗)은 점오(漸悟)의 선을 편 일.
남동【南東】[명]동쪽과 남쪽 사이의 방향. 동남(東南).
남동-광【藍銅鑛】[명]〔azurite, blue copper ore〕〖광〗동광석(銅鑛石)의 하나. 탄산동(炭酸銅)을 주성분으로 함. 공작석(孔雀石)과 함께 나는데, 푸르고 유리와 같은 빛깔이 있으며, 갸름하거나 넓적하게 결정하여 있음. 채료(彩料)의 원료로 쓰임. 아주라이트. [$Cu_3(OHCO_3)_2$]
남동 무:역풍【南東貿易風】[명]남반구에 있어서의 무역풍. 풍향은 남동.
남동-미남【南東微南】[명]동쪽과 남쪽의 중간에서 약간 남쪽으로 기울어진 쪽.
「어진 쪽.
남동-미동【南東微東】[명]동쪽과 남쪽의 중간에서 약간 동쪽으로 기울
남-동생【男同生】[명]남자 동생. ↔여동생.
남동 임해 공업 지역 [명]【南東臨海工業地域】〖지〗남동 해안의 영일만(迎日灣)에서 광양만(光陽灣)에 이르는 해안을 따라 띠모양으로 형성된 공업 지대. 부산(釜山)·포항(浦項)·울산(蔚山)·마산(馬山)·여천(麗川) 등의 항구 도시를 중심으로 발달된 중화학(重化學) 공업 지대임.
남동-풍【南東風】[명]남동쪽에서 북서쪽으로 부는 바람. 동남풍(東南風).
남두【南斗】[명]〖천〗남두 육성(南斗六星).
남두 육성【南斗六星】[명]〖천〗궁수(弓手)자리의 일부에 상당하는 국자 모양을 한, 여섯 개의 별의 중국 명칭. 남두(南斗). 두성(斗星).
남등【南藤】[명]〖식〗마가목.
남등-주【南藤酒】[명]마가목의 껍질 또는 과실을 달이어 즙을 내서 그 물에 담근 술. 약으로 쓰이는데, 풍(風)과 냉(冷)에 좋으며 비통(痺痛)을 억제하고 허리와 다리를 튼튼하게 한다 함.
남려【南呂】[—녀] [명] ①〖악〗육려(六呂)의 다섯째로 십이율(十二律)의 열 째 계단의 소리. ②〖민〗유(酉)의 방위(方位). 곧 서쪽. ③음력 8월의 별칭.
남려-궁【南呂宮】[—녀—] [명]〖역〗문묘악(文廟樂)의 15궁(宮)의 하나.
남령【南嶺】[—녕] [명]〖지〗'난링(南嶺)'을 우리 음으로 읽은 이름.
남로【南路】[—노] [명] 남도(南道)❶.
남록【南麓】[—녹] [명] 남쪽 기슭.
남료【南鐐】[—뇨] [명] ①질이 좋은 은(銀). ②은(銀)의 딴이름. 또, 은화(銀貨).
남:루【襤褸】[—누] [명] ①누더기. ¶ ~를 걸치다. ②옷 같은 것이 해지고 낡아서 너절함. ¶ ~한 옷차림. ——-하다 [형][여불]. ——-히 [부]
남릉[1]【南陵】[—능] [명]〖지〗중국 한대(漢代)에 지금의 산시 성(陝西省) 장안현(長安縣)의 동남에 설치되었던 현의 이름. 현내에는 한(漢)나라의 박태후(薄太后)의 능이 있음.
남릉[2]【南陵】[—능] [명]〖지〗중국 양대(梁代)에 지금의 안후이 성(安徽省)의 남서부, 우후 시(蕪湖市)의 남쪽에 설치되었던 현의 이름.
남-마구리【南—】[명]〖광〗남북으로 뚫린 구덩이의 남쪽 마구리. ↔북
남만[1]【南滿】[명]〖지〗↗남만주(南滿洲). ↔북만(北滿). ㄴ마구리.
남만[2]【南蠻】[명]사이(四夷)의 하나. 옛날 중국에서, 중국 남쪽의 여러 족속(族屬)을 부르던 말. 만(蠻). 남이(南夷). 융만(戎蠻). ↔북적(北狄).
남만 격설【南蠻鴃舌】[명] ①남방의 미개한 민족들이 알아들을 수 없게 지껄이는 말. ②알아들을 수 없게 함부로 지껄이는 말.
남만 북적【南蠻北狄】[명]남만과 북적. 곧, 남쪽과 북쪽에 있는 오랑캐. 옛날 중국에서, 거란·몽골·인도 지나 등의 여러 족속을 가리키던 말.
남-만주【南滿洲】[명]〖지〗중국 만주의 남부. 궁주령(公主嶺) 부근에서부터 남쪽의 땅. [준]남만(南滿). ↔북만주(北滿洲).
남만주 철도【南滿洲鐵道】[—또] [명]〖지〗장대 철도(長大鐵道)의 일본이 운영했던 1908-1945년 동안의 이름. [준]만철(滿鐵).
남매【娚妹·男妹】[명] ①오라비와 누이. ②오라비와 누이의 관계. 오누
남매-간【娚妹間·男妹間】[명] 오라비와 누이 사이. ㄴ이.
남매-덤【娚妹—·男妹—】[명] 자반 고등어 따위의 배때기에 덤으로 끼워 놓는 두 마리의 새끼 자반. *서방덤.
남매-죽【娚妹粥·男妹粥】[명] 수수에 칼제비를 넣어 쑨 죽.
남면【南面】[명] ①남쪽으로 향함. ②〖역〗임금이 앉는 자리의 방향. ③각 군(郡)의 남쪽에 있는 면. ——-하다 [자][여불]
남면 북양【南綿北羊】[명]1930년대 우가키(宇垣) 총독 시대의 시책으로, 남쪽에서는 목화 재배, 북쪽에서는 면양 기르기를 장려하느라고 쓰던
남면지-덕【南面之德】[명] 군주(君主)로서의 덕. ㄴ말.
남면지-위【南面之位】[명] 군주(君主)의 지위.
남명[1]【南明】[명]〖역〗1645년에 중국 명조(明朝)가 멸망한 후 명실(明室)의 계통을 잇는 여러 왕이 화중(華中) 또는 화난(華南)에서 4대에 걸쳐 제위(帝位)에 올라 지방 정권(地方政權)으로서 명맥(命脈)을 이었던 시
남명[2]【南冥】[명]〖사람〗조식(曺植)의 호(號). ㄴ대. [1645-62]
남명[3]【南溟】[명] 남쪽에 있다는 큰 바다.
남명-가【南冥歌】[명] 조선 시대 명종(明宗) 때, 성리학자(性理學者) 조식(曺植)이 지은 가사. 17세기경에 된 것으로, 가사는 전하지 않으나 ≪지봉 유설(芝峯類說)≫에 가사명(歌詞名)만 전함.
남명집 언:해【南明集諺解】[명]〖책〗성종(成宗) 13년(1482)에 간행된 책. 원명은 ≪영가 증도가 남명 계송 언해(永嘉證道歌南明繼頌諺解)≫. 중국 당(唐)나라 때 영가 대사(永嘉大師)가 지은 ≪증도가(證道歌)≫를 남명천 선사(南明泉禪師)가 이은 320편의 불가(佛歌). 세종 대왕이 30여 수를 한글로 옮기고, 그 나머지를 수양 대군을 시키어 옮기게 한 것임.
남-모르다 [자][르불] 남이 알지 못하다. 혼자만 은밀히 알다. ¶ 남모르는 괴로움 / 남모르게 만나다.
남-몰래 [부] 남이 모르게. ¶ ~ 일을 꾸미다. 「廟).
남묘【南廟】[명]〖지〗서울 남대문 밖에 있는 관왕묘(關王廟). *동묘(東
남무[1]【男舞】[명] 기생 등이 남색(藍色)의 창의(氅衣)를 입고 추는 춤. ↔
남무[2]【南無】[관]〖불교〗나무(南無). ㄴ여무(女舞).
남문【南門】[명] 남쪽에 있는 문.
남문안-장【南門—場】[—짱] [명]〈속〉서울의 남대문의 동쪽에 있는 남대문 시장(市場)의 속칭. 신창(新倉)안장.
남미【南美】[명]〖지〗'남아메리카(南America)'의 음역. 「메리카 대륙.
남미 대:륙【南美大陸】[명]〖지〗파나마 지협(Panama 地峽) 이남의 남아
남-미동【南微東】[명] 남쪽에서 약간 동쪽으로 기울어진 쪽. ↔북미서.
남-미서【南微西】[명] 남쪽에서 약간 서쪽으로 기울어진 쪽. ↔북미동.
남-미주【南美洲】[명]〖지〗'남아메리카주'의 음역.
남바위 [명] 추울 때 머리에 쓰는 방한구. 모양은 풍뎅이와 비슷하나 그 가장자리 둘레에 나비 5cm 가량의 털가죽을 붙였음.

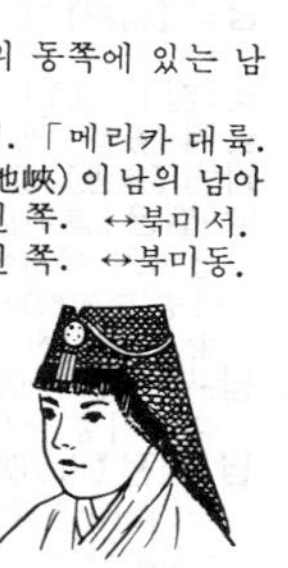
〈남바위〉

남박-신 [명]〈방〉나막신(황해).
남반[1]【南半】[명] 어떤 지역을 남북으로 나누었을 때 남쪽의 반. ↔북반.
남반[2]【南班】[명]〖역〗①고려 때 액정국(掖庭局)과 내시부(內侍府)의 벼슬아치의 호칭. 동서 양반(東西兩班)에 다음가는 반열(班列)로 그 벼슬도 칠품(七品)에 한하였으나, 의종(毅宗) 이후 환관(宦官)의 득세로 차츰 세력을 쥐게 되었음. ②조선 시대 정조(正祖) 무렵에 성균관(成均館)에 수용된 서출(庶出)의 생원(生員)·진사(進士). 식사 때, 일반 생원(生員)이 식당(食堂)의 동헌(東軒), 진사(進士)가 서헌(西軒)에 자리를 잡는데 대해, 이들은 남헌(南軒)에 들어가 앉음.
남-반구【南半球】[명]〖지〗적도(赤道)를 경계로 지구(地球)를 둘로 나눈 경우의 남쪽 부분. ↔북반구(北半球). 「분. ↔북반부(北半部).
남반-부【南半部】[명] 어떤 지역을 남북으로 나누었을 때 남쪽 절반 부
남발[1]【南撥】[명]〖역〗조선 시대 서울서 광주(廣州)·충주(忠州)를 거쳐 동래(東萊)까지 충청도·경상도 지방에 이르는 파발(擺撥)의 통신망(通信網). 보발(步撥)이 이용됨. *서발(西撥)·북발(北撥).
남:발[2]【濫發】[명] 함부로 마구 발행하거나 발포(發布)·발사(發射)함. ¶ 법령(法令)을 ~하다 / 지폐(紙幣)의 ~은 인플레의 원인이다 / 총을 ~하다. ——-하다 [타][여불] 「초.
남방【南方】[명] ①남쪽. ②남녘. ③남쪽 지방. 1)-3):↔북방. ④↗남방 셔
남방 기점【南方基點】[—쩜] [명]〔south point〕〖천〗천구상(天球上)의 가상점(假想點)의 하나. 자오선과 지평선의 교점(交點).
남방-노랑나비【南方—】[명]〖충〗[*Eurema hecabe*] 흰나빗과에 속하는 나비. 편 날개의 길이 34-54mm, 몸길이 15mm 가량임. 몸빛은 황색인데 하형(夏型)은 앞날개 외연(外緣)에 흑색 띠가 있고 내면(內面)의 잔무늬는 뚜렷하지 않게 흩어져 있으며, 춘추형(春秋型)은 앞날개 끝에만 검은 점이 있고 내면의 점무늬도 뚜렷함. 개체 변이(個體變異)가 심한 종류로서 한 해에 수회(數回) 발생하며 추형(秋型)은 성충으로 월동함. 유충은 콩과(科) 식물의 잎을 갉아먹는 해충임. 남방 일대 및 한국·만주·중국·일본·대만 등지에 분포함. 진노랑나비. 황접(黃蝶). [준]노랑나비. *극남노랑나비.

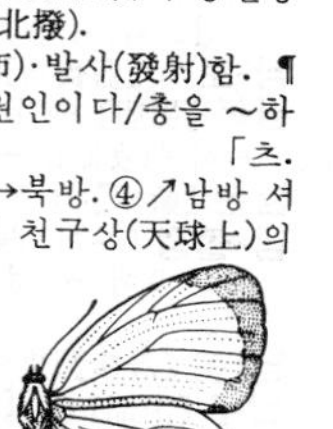
〈남방노랑나비〉

남방 무구 세:계【南方無垢世界】[명]〖불교〗무구 세계(無垢世界).
남방-부전나비【南方—】[명]〖충〗[*Zizeeria maha*] 부전나빗과에 속하는 나비. 수컷의 편 날개의 길이는 26mm 이고, 날개의 표면은 연한 암자색(暗紫色)이며 주위는 넓게 암흑색을 띠고, 뒷면의 무늬는 작고 모두 검음. 한국·일본 등지에 분포함.
남방 불교【南方佛敎】[명]〖불교〗동남 아시아 지역의 불교. 아소카왕(王) 이후, 지금의 인도 남부·스리랑카·미얀마·타이·인도네시아·라오스 등 여러 곳에 전파한 불교. 대개 소승(小乘)에 속함. ↔북방 불교.

〈남방부전나비〉

남방사 주전대【藍紡紗紬纏帶】명〖역〗벼슬아치들의 옷에 두르던, 남빛 비단으로 만든 띠.
남방 셔츠【南方—】〔shirt〕명 알로하 셔츠. 오픈 셔츠. ㊌남방.
남-방아 명 제주도에 특유한 나무 방아통. 네모지고 나지막한 받침 위에 직경 70-150 cm 가량의 함지박 모양의 나무통을 붙인 그릇. 여기에 직경 20 cm, 깊이 20 cm 가량의 돌절구를 끼워 넣고 나무 공이로 곡식을 찧음.
남방 여왕【南方女王】[—녀—] 명〖성〗기원전 10세기에 유대왕 솔로몬(Solomon)의 지혜와 영광을 보고자 왔던 아라비아의 여왕.
남방-제비나비【南方—】명〖충〗[*Papilio demetrius*] 호랑나빗과에 속하는 나비. 편 날개의 길이는 108-140 mm이고 수컷의 뒷날개 전연(前緣)에는 황색 무늬가 있으며, 암컷에는 주홍색의 반달 무늬가 많음. 날개 꼬리는 타종(他種)에 비하여 짧고 그 길이에 다소 변이(變異)가 있음. 한국·만주·중국·일본·대만에 분포함.
남방지-강【南方之強】명 인내(忍耐)의 힘으로 사람을 이겨낸다는 뜻이니, 곧 군자(君子)의 용기를 말함.
남방 토룡단【南方土龍壇】명〖역〗오방 토룡제(五方土龍祭)를 지내는 제단의 하나. 서울 남산의 남쪽 기슭, 한강 북쪽에 있었음. ㊌남단(南壇).
남방 화:주【南方化主】명〖불교〗남방에서 중생을 교화 인도하는 주인이라는 뜻으로, 지장 보살(地藏菩薩)을 가리키는 말.
남-배우【男俳優】명 남자 배우. ㊌남우(男優). ↔여배우.
남벌¹【南伐】명 무력으로 남부 지방을 침. ↔북벌(北伐). ——-하다 자여불
남:벌²【濫伐】명 나무를 함부로 마구 베어냄. ¶수목의 ~을 금함. ——-하다 타여불
남:벌³【濫罰】명 이유 없이 함부로 벌 주는 일. ↔남상(濫賞). ——-하다 타여불
남범【南犯】명〖역〗양안(量案)에서 어떤 논이나 밭이 그 앞 번호의 논이나 밭의 남쪽에 있음을 일컫는 말.
남:법【濫法】[—뻡] 명 법을 어지럽게 함. ——-하다 자여불
남벽【藍碧】명 짙은 푸른 빛.
남변【南邊】명 남쪽 가. ↔북변.
남-별궁【南別宮】명〖역〗조선 시대, 지금의 서울 소공동(小公洞) 조선 호텔 자리에 두었던 별궁. 선조(宣祖) 26년(1593)에 명장(明將) 이여송(李如松)이 여기에 주둔하게 되자, 나중에는 중국 사신의 여사(旅舍)로 쓰이게 되었음.
남-별영【南別營】명〖역〗조선 시대 금위영(禁衛營)의 분영(分營). 지금의 서울 묵정동(墨井洞)에 있었음.
남-별전【南別殿】[—쩐] 명〖역〗조선 시대의 태조(太祖)·세조(世祖)·숙종(肅宗)·영조(英祖)·순조(純祖)의 영정(影幀)을 모신 전각(殿閣). 영희전(永禧殿)의 먼저 이름으로, 서울 남부(南部)에 있었음. ㊌남전(南殿).
남-병(:)길【南秉吉】명〖사람〗조선 시대 말기의 대표적 수학자. 초명(初名)은 상길(相吉). 자는 자상(子裳), 호는 육일재(六一齋). 남병철(南秉哲)의 아우. 벼슬은 예조 판서에 이름. 천문학에도 정통하여 《시헌 기요(時憲紀要)》·《성경(星經)》을 편찬하였음. [1820-69]
남-병사【南兵使】명〖역〗남병영(南兵營)의 병마 절도사. 종이품의 외직(外職) 무관임. 남도 병마 절도사. *북병사(北兵使).
남병-산【南屛山】명〖지〗강원도 평창군(平昌郡)에 있는 산. [1,150 m]
남-병영【南兵營】명〖역〗조선 시대 때, 함경도의 남도 병영(南道兵營). 지금의 북청(北青)에 있었으며, 병마 절도사(兵馬節度使)가 맡아 지키었음. *북병영(北兵營).
남-병(:)철【南秉哲】명〖사람〗조선 철종(哲宗) 때의 대제학(大提學). 자는 자명(子明). 호는 규재(圭齋). 의령(宜寧) 사람임. 산학(算學)을 잘하였으며, 수륜 지구의(水輪地球儀)를 만듦. 시호는 문정(文貞). [1817-63]
남-보석【藍寶石】명 터키석(石).
남복【男服】명 ①남자의 옷. ②여자가 남자와 같이 차릴 때에 입는 옷. ↔여복(女服). ——-하다 자여불 계집이 사내의 옷을 입다.
남본【藍本】명 원본(原本). 원전(原典).
남-볼정[—쩡] 명 남을 대하여 볼 면목. 체면(體面). ¶패리(悖理)한 심지를 품어 ~ 없던 여자가 심지를 고쳐 잡은 결과일 뿐…《金周榮 : 客主》.
남:봉【濫捧】명 수량을 함부로 더 받음. ——-하다 타여불
남부【南部】명 ①남쪽의 부분. ②〖역〗서울 안의 구역을 다섯 부(部)로 나누었던 그 하나로서, 남쪽의 구역. 또, 그 구역을 관할하던 관아(官衙). ③〖역〗관노부(灌奴部). 1)-3): ↔북부(北部).
남-부끄러이 부 남부끄럽게.
남-부끄럽다 형(ㅂ불) 창피하여 남을 대하기가 부끄럽다. ¶남부끄러워 말도 못 하겠다.
남-부럽다 형(ㅂ불) 남의 훌륭한 점을 보고 그와 같이 되고 싶다.
남-부럽잖다[—잔타] 형〔↗남부럽지 않다〕형편이 좋아서 남이 부럽지 않을 만하다. ¶남부럽잖게 살고 있다.
남-부여【南夫餘·南扶餘】명〖역〗①한때 백제가 쓰던 국호(國號). 성왕(聖王) 16년(538) 도읍(都邑)을 웅진(熊津)에서 사비(泗沘)로 옮기고, 그 국호를 일시 '남부여'라 하였음. ②충청 남도 부여(扶餘)의 옛이름.
남부 여대【男負女戴】명 남자는 지고 여자는 이고 감. 곧, 가난한 사람이 떠돌아다니면서 삶을 이르는 말. ——-하다 자여불
남북【南北】명 ①남쪽과 북쪽. 일횡(日橫). ②머리통의 앞과 뒤. ③변태적으로 또는 격에 맞지 아니하게 툭 내민 부분.
남북(이) 나다 구 ㉠머리통의 앞뒤가 툭 내밀다. ㉡변태적으로 또는 격에 맞지 아니하게 한군데가 툭 내밀다.
남북 고위급 회:담【南北高位級會談】명 남북한의 정치 문제를 해결하기 위한 남북한 총리의 회담. 1990 년 9 월 4-7 일 서울에서의 제 1 차 회담을 시발로 서울과 평양에서 번갈아 열리고 있음.
남북 공:동 선언【南北共同宣言】명 2000 년 6 월의 남북 정상 회담에서 채택한 5 개항의 선언. 첫째 자주적인 통일 문제 해결, 둘째 남측의 '연합제'와 북측의 '낮은 단계의 연방제'의 공통성 인정, 셋째 2000 년 8 월 15 일의 이산 가족·친족 방문단 교환 및 미전향 장기수 송환 문제 처리, 넷째 경제 협력을 통한 상호 신뢰성 제고(提高), 다섯째 위 합의 사항 실천을 위한 당국자 사이의 대화 촉진과 김정일 위원장의 서울 답방(答訪) 등 내용이 포함됨.
남북 공:동 성명【南北共同聲明】명 칠사(七四) 공동 성명.
남북국 시대【南北國時代】명〖역〗한국사(韓國史)의 시대 구분의 하나. 남쪽에 통일 신라, 북쪽에 발해(渤海)가 양립(兩立)해 있던 시대.
남북-극【南北極】명〖지〗남극과 북극.
남북 대:화 사:무국【南北對話事務局】명 통일부 장관 소속하의 기관. 남북 대화에 관한 기획 및 대책 수립, 남북 대화의 운영, 남북간의 교류·협력과 관련된 대화 및 접촉 지원, 남북 대화에 관한 홍보·정보의 수집·분석 및 처리의 사무를 관장함.
남북-로【南北路】[—노] 명 남북으로 뻗은 길.
남북-맥【南北脈】명〖광〗주향(走向)이 남북으로 뻗은 광맥. 남북줄.
남북 문:제¹【南北問題】명 남한과 북한 사이의 현안(懸案) 문제.
남북 문:제²【南北問題】명 주로 북반구에 속하는 선진국과 남반구에 속하는 저개발국(低開發國) 사이의 정치적·경제적 문제의 포괄적 호칭.
남북-사【南北司】명〖역〗남사(南司)와 북사(北司). 중국 당(唐)나라 때, 재상(宰相)을 남사(南司), 환관(宦官)을 북사(北司)라고 일컬었음.
남북 적십자 회:담【南北赤十字會談】명 남북 이산 가족들의 인간적 고통을 해소하고 그들의 재결합을 주선하기 위한 남북한 적십자 간의 회담. 1971 년 8 월 12 일 대한 적십자사 최두선(崔斗善) 총재의 제의로 제 1 차 본회담이 1972 년 8 월 29 -9 월 2 일 평양에서 열린 것을 시발로 평양과 서울에서 번갈아 열림.
남북 전:쟁【南北戰爭】명〔Civil War〕〖역〗노예 제도의 존속(存續)을 주장하는 남부와, 그 폐지를 주장하는 북부와의 사이에 일어난 미국의 내전(內戰). 북부는 상공업을 경영하는 사람들이 많고, 남부는 지주와 그 노예들이 많았으므로 정책도 북부는 자유 노동과 중앙 집권주의(中央集權主義) 및 보호 무역(保護貿易)을 주장하였고, 남부는 노예 제도와 지방 분권주의(地方分權主義) 및 자유 무역을 고집하다가 1860년 공화당의 링컨(Lincoln)이 대통령으로 당선되자 이듬해인 1861년 전쟁이 시작되어 5년 동안의 격전 끝에 1865년 남부의 항복으로 끝났음. 북부의 승리로, 합중국의 통일이 유지되고 노예 해방도 달성됨.
남북 정상 회:담【南北頂上會談】명 2000 년 6 월 13 일-15 일 사이에 평양에서 열린 남한의 김대중 대통령과 북한의 김정일 국방 위원장과의 회담. 한반도 분단 이후 최초의 정상 회담으로 5 개항의 공동 선언을 채택함.
남북-조【南北朝】명〖역〗남조(南朝)와 북조(北朝).
남북조 시대【南北朝時代】명〖역〗①신라 효소왕(孝昭王) 8년(699) 곧 발해(渤海) 태조(太祖) 천통(天統) 원년으로부터 신라 경애왕(景哀王) 3년(926), 곧 발해 애왕(哀王) 26년까지의 226년 동안. ②중국의 송(宋)나라 무제(武帝)가 건국한 영초(永初) 1년(420)부터 수(隋)나라의 문제(文帝)가 통일하게 된 개황(開皇) 9년(589)까지 남북이 대립하였던 두 왕조의 시대. 곧 한인(漢人)의 남조인 송(宋)·제(齊)·양(梁)·진(陳)과 선비족(鮮卑族)의 북조인 후위(後魏)·북위(北魏)·동위(東魏)·서위(西魏)·북제(北齊)·북주(北周)의 시대의 통칭. ③일본에서, 1336년 고다이고(後醍醐) 천황이 교토(京都)의 거처로부터 신기(神器)를 가지고 요시노(吉野)로 옮겨 간 이후, 남조(南朝)의 고가메야마(後亀山) 천황이 1392년에 교토로 다시 돌아가 북조(北朝)의 고코마쓰(後小松) 천황에게 양위(讓位)하여 통일된 황통(皇統)으로 합치기까지의 57 년 동안의 시대. 요시노조 시대(吉野朝時代).
남북 조절 위원회【南北調節委員會】명 1972년 '조국의 자주적 평화통일'을 이룩하기 위한 원칙을 성실히 이행하기 위하여 발족된 대한민국과 북한(北韓)과의 공동 위원회. 이 위원회의 제1차 회의는 1972년 11월 30일 서울에서, 제2차 회의는 1973년 3월 14일 평양에서 각각 개최되었음.
남북-줄【南北—】명〖광〗남북맥(脈).
남북-촌【南北村】명 남촌과 북촌.
남북촌 편사【南北村便射】명〖역〗조선 시대 고종(高宗) 13년(1876)에 실시한 편사의 한 가지. 서울 동대문에서 서대문까지 큰길을 갈라서 길 남쪽에 사는 사원(射員)은 남촌 편이 되고, 북쪽에 사는 사원은 북쪽 편이 되어 활 쏘는 재주를 겨루었음.
남북 통:일【南北統一】명 ①남부와 북부 지방을 합쳐 하나로 함. ②제 2차 세계 대전의 종식과 함께 38도선으로 양단되어 있는 남한과 북한을 통일하여 한 국가로 만드는 일. ㊌통일. ——-하다 자여불
남북-학【南北學】명 중국 남북조(南北朝) 시대의 학파(學派). 남학(南學)인 남조(南朝)는 문학·예술을 숭상하였고, 북학(北學)인 북조(北朝)는 경학(經學)을 숭상하여 각각 특색 있는 학풍을 이루었음.
남북 협력 기금【南北協力基金】[—녁—] 명 1990 년 남북 협력 기금법에 의하여 남북한 간의 각종 교류를 지원하기 위하여 조성된 기금.
남북 협상【南北協商】명〖역〗1948년 4월 19일부터 수일간 평양에서 열린, 남한의 일부 정치가와 북한 대표 간의 정치적 회합. 남한만의 총선거를 반대한 김구(金九)·김규식(金奎植)·조소앙(趙素昂) 등이 북한 공산주의자와의 협상을 통하여 통일을 모색하고자 하였으나, 공산주의자들의 정치 선전에 이용당하였을 뿐 소득없이 협상은 결렬됨.
남북 회:담【南北會談】명 남북한 간에 이루어지는 여러 회담의 통칭. 남북 적십자 회담·남북 고위급 회담 따위.
남:분【濫分】명 분수에 넘침. ——-하다 형여불
남비¹ 명 ☞냄비.
남:비²【濫費】명 재물을 함부로 소비함. 낭비. ——-하다 타여불
남비니-원【藍毘尼園】명〔범 Lumbinēvana〕〖불교〗가비라위(迦毘羅

衛) 나라에 있던 원림(苑林). 석가는 그의 생모(生母) 마야 부인(摩耶夫人)이 산기(產期)가 가까워 생가(生家)로 돌아가는 도중, 이 원림의 무우수(無憂樹) 밑에서 휴식할 때 강탄(降誕)하였다 함. 그 구지(舊址)는 지금의 네팔(Nepal)의 타라이 지방임. 룸비니.

남비 징청【攬轡澄淸】[명] 고삐를 잡아 천하를 맑게 한다는 뜻이니, 곧 관리가 되어 천하의 폐해를 바로잡으려는 큰 뜻.

남빙-양【南氷洋】[명]〖지〗 남극해(南極海).

남빙-해【南氷海】[명]〖지〗 남극해(南極海).

남-빛【藍—】[—삗] [명] 푸른 빛과 자줏빛과의 중간으로, 하늘빛보다 짙은 빛깔. 남색(藍色). 쪽빛. [준]남(藍). *감색(紺色).

남빛-꽃하늘소 [—삗—쏘] [명]〖충〗[*Acmaeops minuta*] 하늘소과에 속하는 곤충. 몸빛은 흑록색이며 단단한데, 촉각과 다리는 흑람색(黑藍色), 몸길이가 15mm 쯤 됨. 나무의 줄기를 갉아먹는 해충임.

남삐 [명]〈방〉〖식〗 무¹(제주).

남사【南史】[명]〖책〗 중국의 정사(正史). 이십 오사(二十五史)의 하나. 당(唐)나라의 이연수(李延壽)가 지은 남조(南朝)의 송(宋)·제(齊)·양(梁)·진(陳) 네 나라의 170 년 동안의 사실을 적은 역사책으로, 10본기(本紀)와 70열전(列傳)의 80권으로 되어 있음.

남-사고【南師古】[명]〖사람〗 조선 명종(明宗) 때의 예언자. 호는 격암(格菴). 의령(宜寧) 사람. 풍수(風水)·천문(天文)·복서(卜筮)·상법(相法)의 비결에 환하여서 말을 하면 반드시 들어맞았다 함.

【남사고 허행(虛行)】 자기 자신의 운명도 점치지 못하고 남사고가 해마다 과거 시험에 허행(虛行)한 사실을 들어, 같은 점쟁이의 한 사람이 남사고를 사헌부(司憲府)에 혹세 무민(惑世誣民)한다고 무고(誣告)한 고사(故事). 전(轉)하여, 동료 사이에 모함하는 일을 이름.

남사 군도【南沙群島】[명]〖지〗 난사 군도.

남-사당【男寺黨】[명]〖민〗 사당(寺黨) 복색을 하고 이곳저곳 떠돌아다니면서 소리나 춤을 팔고 사당처럼 노는 사내.

남사당-패【男寺黨牌】[명]〖민〗 남사당의 무리.

남사-스럽다 [형][ㅂ불] 남우세스럽다.

남산¹【男產】[명]〖사람〗 고구려 말기의 중신. 연개소문(淵蓋蘇文)의 셋째 아들. 남생(男生)·남건(男建)의 아우.

남산²【南山】[명] 남쪽에 있는 산.

남산³【南山】[명]〖지〗 ①서울 중앙에 있는 목멱산(木覓山)의 속칭. 인왕산(仁王山)·북악산(北岳山)·낙산(駱山) 등과 더불어 서울 분지를 둘러싼 자연의 방벽이며 옛 서울 남방의 성벽은 남산을 중심으로 축조되었음. 인경산(引慶山). [260m] ②경기도 개성시(開城市) 남쪽에 있는 산. [178m] ③함경 남도 북청군(北靑郡)에 있는 산. [1,047m]

【남산 봉화(烽火) 들 제 인경 치고, 사대문(四大門) 열 제 순라군(巡邏軍)이 제격이라】 두 가지가 서로 잘 어울려 격(格)에 맞는다는 말. 【남산 소나무를 다 주어도 서캐조롱 장사를 하겠다】 남산의 그 많은 소나무를 다 주어도 고작해야 서캐조롱 장사밖에는 못할 만큼 소견(所見)이 옹졸하고 좁다는 말. 【남산에서 돌팔매질을 하면 김씨나 이씨 집 마당에 떨어진다】 한국 사람의 성(姓)에 김씨나 이씨가 많다는 말.

남산골 딸깍발이【南山—】[—꼴—] [명] 〔옛날 서울 남산골에 살던 선비들이 가난하여 흔히 나막신을 신고 다닌 데서 온 말〕 가난한 선비를 농으로나 비웃어 이르는 말.

남산골 샌:님【南山—】[—꼴—] [명] 가난하면서도 자존심만 강한 선비를 비웃어 이르는 말.

【남산골 샌님은 뒤지하고 담뱃대만 들면 나막신 신고도 동대문까지 간다】 의관(衣冠)을 제대로 갖추지 아니하고 외출할 때 이르는 말. 【남산골 샌님이 망해도 걸음 걷는 보수는 남는다】 남산골 샌님이 망하여 아무것도 없으나 그 특이한 걸음걸이만은 남는다는 말이니, 사람의 습벽(習癖)이란 없어지지 아니한다는 말. 【남산골 샌님이 역적(逆賊) 바라듯 한다】 ㉠가난한 사람이 엉뚱한 일을 바란다는 말. ㉡불우한 처지에 있는 사람은 늘 불평이 많다는 말.

남산-도【南山徒】[명]〖역〗 고려 사학(私學) 십이도(十二徒)의 하나. 좨주(祭酒)인 김상빈(金尙賓)이 세웠음.

남산-봉【南山峰】[명]〖지〗 함경 남도 풍산군(豐山郡)과 북청군(北靑郡) 사이에 있는 산봉우리. [1,684m]

남산-수【南山壽】[명] 〔시경(詩經)의 소아(小雅), 천보(天保)의 편(篇)에 있는 말〕 종남산(終南山)이 무너지지 아니하고 한없이 이 세상에 있듯이, 한이 없는 수명. 장수(長壽)를 축원하는 말.

남산-제비꽃【南山—】[명]〖식〗[*Viola chaerophylloides*] 제비꽃과에 속하는 다년초. 무경성(無莖性)인데, 긴 꼭지의 잎은 뿌리로부터 총생(叢生)하며 세 갈래로 째져서 새발 모양을 이루고 열편(裂片)은 다시 날개같이 갈라져 피침형 또는 넓은 달걀꼴의 모양을 보임. 4-6월에 잎 사이에서 나온 여러 줄기 끝에 흰 꽃이 하나씩 피고, 삭과(蒴果)를 맺음. 산지에 나는데, 한국 각지에 분포함.

남산-종【南山宗】[명]〖불교〗 중국 당(唐)나라 태종(太宗) 때에, 장안(長安)의 종남산(終南山)에 살던 남산 율사(南山律師) 도선(道宣)이 창시한 사분율종(四分律宗)의 한 파. 우리 나라에는 도선(道宣)의 제자인, 신라 선덕 여왕 때의 자장 율사(慈藏律師)가 개종(開宗)함. 계율종(戒律宗).

남산-호【南山虎】[명] 〔중국의 남산에 사는 호랑이가 사납다는 옛이야기에서 나온 말〕 사나운 호랑이.

남:살【濫殺】[명] 사람을 함부로 죽임. ——-하다 [타][여불] 「하다.

남삼-하다【襤䅟—】[형][여불] 숱이 많은 머리채가 흩어져 내려 치렁치렁

남상¹【男相】[명] 남자의 상격(相格)같이 생긴 여자의 얼굴. ↔여상(女相). 남상(을) 지르다 [구] 여자가 사내 얼굴처럼 생기다.

남상²【男像】[명] 그림이나 조각(彫刻)에 있어서, 남자의 형상.

남상³【南牀·南床】[명]〖역〗 조선 시대 홍문관(弘文館) 정자(正字)의 별호. 홍문관원의 좌차(坐次)에 정자가 남쪽 상에 자리잡게 되므로 이 이름이 생기었음. *동벽(東壁). 「하다 [타][여불]

남:상⁴【濫賞】[명] 가리지 아니하고 함부로 상을 줌. ↔남벌(濫罰). ——-

남:상⁵【濫觴】[명] 〔양쯔 강(揚子江) 같은 대하(大河)도 근원은 잔을 띄울 만한 세류(細流)라는 뜻에서〕 사물(事物)의 처음. 시작(始作). 기원(起源). 연원(淵源). ¶ 우편 제도의 ～.

남상-거리다 [자] 욕심이 나서 목을 길게 빼어 늘이고 좀 얄밉게 자꾸 넘어다보다. <넘성거리다. 남상-남상 [부]. ——-하다 [자][여불]

남상-단【南廂壇】[명]〖역〗 태봉(泰封)의 관아(官衙) 이름. 고려의 '장작감(將作監)'과 같음.

남상-대다 [자] 남상거리다.

남상-주【男像柱】[명] 남성의 조상(彫像)을 건축물의 기둥으로 사용한 것. 주로, 고대 그리스에서 아틀라스(Atlas)의 형상을 따서 만듦.

남상-지르다【男相—】[자] 여자가 사내 얼굴처럼 생기다. ¶ 두 딸 중에서 골격이 우람하여 숙성해 보이는 맏이가 봉삼의 의표를 눈여겨 보더니 물었다≪金周榮 : 客主≫.

남상-하다 [타][여불] 얄미운 태도로 한번 넘어다보다. <넘성하다.

남새¹ [명] 〔중세 : ᄂᆞᄆᆞ새←ᄂᆞᄆᆞᆯ+새〕 심어서 가꾸는 나물. 무·배추·미나리 따위. 채마(菜麻). *채소(菜蔬).

남새² [명]〈방〉 ①남우세. ②냄새(경상). ——-하다 [자]

남새-밭 [명] 남새를 심는 밭. 채소밭. 채마전(菜麻田). 채전(菜田). 전포(田圃). 채원(菜園). 포전(圃田).

남색¹【男色】[명] 계간(鷄姦). 비역. ↔여색(女色).

남색²【藍色】[명] ①남빛. ②↗남색짜리.

남색 식물【藍色植物】[명]〖식〗 남조류(藍藻類)의 식물계(植物界)의 한 문(門)으로서의 일컬음. 남조 식물. *남조류.

남색-짜리【藍色—】[명] 머리를 쪽찌고 남색 치마를 입은 나이 스물 안팎의 새색시. [준]남색(藍色). ↔홍색짜리.

남생【男生】[명]〖사람〗 고구려 말기의 재상. 연개소문(淵蓋蘇文)의 맏아들. 아버지를 이어 대막리지(大莫離支)가 되었으나, 아우 남건(男建)·남산(男產)에게 쫓겨나서, 아들 헌성(獻誠)을 당(唐)나라에 보내어, 당나라에 항복함.

남생이 [명]〖동〗[*Geoclemys reevesii*] 남생잇과에 속하는 민물 동물. 거북과 비슷한데 배갑(背甲)의 길이가 18cm 가량이고 등은 평평하며 매우 굳은 딱지로 되어 있고, 그 가운데로 불룩한 줄이 꼬리 쪽에서 목에까지 뻗어 있음. 몸빛은 흑갈색인데 배딱지는 황갈색에 흑갈색 무늬가 있고, 중앙판(中央板)은 다섯 개, 측판(側板)은 네 쌍임. 목은 측면에 황색 선문(線紋)이 있고 긴데 항상 오그리고 있음. 눈은 은백색임. 어릴 때는 온 몸에 누른 빛의 얼룩 무늬가 있으나 늙어지면 없어져서 모두 검은 빛으로 변함. 네 다리에 각각 다섯 개의 발가락이 있으며 발가락 사이에 물갈퀴가 있음. 냇가나 연못에서 물고기·조개·물벌레 따위를 잡아먹으며, 6월에 4-6개의 알을 낳음. 한국·대마도(對馬島)·중국·일본에 분포함. 수귀(水龜). 석귀(石龜). 진귀(秦龜).

〈남생이〉

【남생이 등에 풀쐐기 쐼 같다】 남생이의 등이 단단하여 풀쐐기가 쏘아도 아무렇지 않듯이, 작은 것이 큰 것을 건드려도 아무런 해(害)도 끼치지 못한다는 말. 【남생이 등에 활 쏘기】 ㉠매우 어려운 일을 하려고 함을 이르는 말. ㉡해를 끼치려고 하나 끄떡없음을 이르는 말.

남생이-돼지벌레 [명]〖충〗 남생이잎벌레.

남생이-잎벌레 [명]〖충〗[*Cassida nebulosa*] 잎벌렛과에 속하는 곤충. 몸의 길이 7mm 내외이고, 긴 달걀꼴이며 배면(背面)은 회백색 내지 황갈색, 복면은 흑색임. 시초(翅鞘)에는 아홉 줄의 점각(點刻)·세로줄과 일정하지 아니한 흑색 무늬가 있음. 사탕무 등의 잎을 먹는 해충임. 한국에도 분포함. 남생이돼지벌레.

〈남생이잎벌레〉

남생잇-과【—科】[명]〖동〗[Testudinidae] 거북목(目)에 속하는 한 과. 육지·민물·짠물에 다 사는데, 난생(卵生)임.

남샹 [명]〈옛〉 남생이. ¶ 남샹 爲龜≪訓例≫.

남서¹【南西】[명] 남쪽과 서쪽의 중간 방위. 서남(西南). ↔북동. *방위¹.

남서²【南署】[명]〖역〗 조선 말기에, 서울에 있던 오부(五部)의 하나인, 남부를 관할하던 경찰서. 고종(高宗) 32년(1895)에 두어 융희(隆熙) 4년(1910)에 폐지하였음. ↔북서(北署).

남서-미남【南西微南】[명] 남서쪽에서 약간 남쪽으로 기울어진 방위. 곧 남남서와 남서의 중간. 「서남서와 남서의 중간.

남서-미서【南西微西】[명] 남서쪽에서 약간 서쪽으로 기울어진 방위. 곧,

남서-풍【南西風】[명] 남서쪽에서 북동쪽으로 부는 바람. 서남풍.

남서-향【南西向】[명] 서남향(西南向).

남선【南鮮】[명]〖지〗↗남조선. ↔북선(北鮮).

남선 북마【南船北馬】[명] 〔중국의 남쪽은 강이 많아서 배를 이용하고 북쪽은 산과 사막이 많으므로 말을 이용한다는 뜻에서〕 늘 여기저기 쉴 새 없이 여행하거나 돌아다님을 이르는 말. 북마 남선(北馬南船).

남-선생【男先生】[명] 남자 선생. ↔여선생.

남선 항:로【南線航路】[—노] [명]〖역〗 고려 때 중국에 내왕하던 항로의 하나. 예성강에서 서해안의 자연도(紫燕島) 곧 지금의 인천(仁川), 고군산(古群山), 죽도(竹島), 흑산도(黑山島)를 거쳐 서남쪽으로 바다를 건너 중국 저장 성(浙江省) 명주(明州) 곧 지금의 닝보(寧波)에 이르는 항로. 명주(明州) 항로. *북선(北線) 항로.

남섬부-주【南贍浮洲】[명]〖불교〗 염부제(閻浮提).

남섬-석【藍閃石】[명]〖광〗 각섬석의 하나. 쪽빛 또는 푸른빛의 반투명 유리 광택이 나는 단사 정계 결정(單斜晶系結晶)으로, 나트륨·알루미

늄·마그네슘의 규산염 광물임.

남섬 편:암【藍閃片岩】[명]〖광〗 남섬석(藍閃石)과 석영(石英)을 주성분으로 한 결정(結晶) 편암. 높은 압력과 비교적 낮은 온도에서 생성(生成)된 변성암임.

남섭 [명]〈방〉 잎[1](제주).

남성[1]【男性】[명] ①남자. ②남자의 성질 또는 체질. ③〖언〗 일부 외국어 문법에서, 단어를 성(性)에 따라 구별하는 말. ¶ ~ 명사. 1)-3):↔여성(女性).

남성[2]【男聲】[명] ①남자의 목소리. ②〖악〗 성악의 남자의 성부(聲部). 곧 테너·바리톤·베이스. ¶ ~ 사중창. 1)·2):↔여성(女聲).

남성[3]【南星】[명]〖식〗 ↗천남성(天南星).

남성 과학【男性科學】[명]〖의〗 '앤드롤러지'의 역어(譯語).

남성-관【男性觀】[명] 여성들의 남성에 대하여 갖는 어떤 견해. ↔여성관.

남성-국【南星麴】[명]〖한의〗 생강즙과 백반(白礬)과 천남성(天南星)을 섞어서 만든 누룩. 치담(治痰)·치풍(治風)에 씀.

남성 대:명사【男性代名詞】[명]〖언〗 일부 외국어 문법에서, 성(性)에 따라 갈라 놓은 대명사 중 남성에 속하는 것. ↔여성 대명사.

남성-마침【男性—】[명]〖악〗 마침꼴 중에서 최후의 으뜸삼화음(三和音)이 마디의 제일 강박(強拍)에 있는 마침. ↔여성 마침.

남성 명사【男性名詞】[명]〖언〗 일부 외국어 문법에서, 성(性)에 따라 갈라 놓은 명사 중 남성에 속하는 것. ↔여성 명사.

남성-미【男性美】[명] 성질·체질 등에 있어서 남성 특유의 아름다움. 남자다운 미(美). ↔여성미.

남성-부【男聲部】[명]〖악〗 혼성(混聲) 합창에서 테너·바리톤·베이스 따위 남성(男聲)에 의해서 불리어지는 성부(聲部).

남성-시【南省試】[명]〖역〗 국자감이 처음에 개성의 도성(都城) 남쪽에 있었으므로 일컫는, 국자감시(國子監試)의 딴이름.

남성용 필【男性用—】〔pill〕[명]〖약〗 남성용의 먹는 피임약의 하나. 목화(木花)의 뿌리나 줄기·씨에서 추출한 페놀계(phenol系) 물질로서, 하루에 20 mg 씩 2,3 개월간 복용하면 정자(精子)가 사멸하는데, 복용을 중지하면 약 1년 후에 정자가 회생한다고 함. 효율 99.89 %. 중국에서 개발됨.

남성이 [명]〈방〉〖동〗 남생이.

남성-적【男性的】[명][관] 남성다운 성질을 가진 모양. ↔여성적.

남성 중창【男聲重唱】[명]〖악〗 남자들이 부르는 중창.

남성-지다【男性—】[형] 여자가 남자의 성질과 비슷하다.

남성 합창【男聲合唱】[명]〖악〗 남자만으로 하는 합창.

남성 합창단【男聲合唱團】[명]〖악〗 남성만으로 된 합창단. 리더타펠(Liedertafel).

남성 호르몬【男性—】〔hormone〕[명]〖생〗 남성의 정소(精巢)에서 분비되는 호르몬. 고환(睾丸) 호르몬·테스토스테론(testosterone)을 주성분으로 함. 부신 피질계(副腎皮質系)의 안드로스테론(androsterone)과 함께 정낭(精囊)·전립선(前立腺)·음경(陰莖)의 발달 촉진, 수염·변성(變聲)의 발현(發現) 등 남성의 1·2차 성징(性徵)을 지배함. ↔여성 호르몬.

남성 화장품【男性化粧品】[명] 남성을 대상으로 하여 특별히 만든 화장품. 면도 후에 바르는 스킨 로션 따위.

남세 [명] ↗남우세. ——하다 [자][여불]

남세-스럽다 [형][ㅂ불] ↗남우세스럽다. 남세-스레 [부]

남셰틀랜드 제도【南—諸島】〔Shetland〕[명]〖지〗 사우스 셰틀랜드.

남소[1]【南小】[명]〖역〗 남인(南人)과 소북(小北)의 병칭.

남:소[2]【濫訴】[명] 함부로 소송을 일으킴. ——하다 [자][여불]

남-소:문【南小門】[명]〖역〗 조선 시대 초기에 광희문(光熙門) 남쪽, 남산 봉수대(烽燧臺) 동쪽에 있었던 소문(小門). 예종(睿宗) 1년(1469), 음양가(陰陽家)의 주장으로 폐문됨.

남소-성【南蘇城】[명]〖역〗 압록강 이북에 있었던 금주(金州) 지방의 옛 이름.

남-소:영【南小營】[명]〖역〗 조선 시대 어영청(御營廳)의 분영(分營). 서울 장충단(奬忠壇)의 남소문(南小門) 옆에 있었음.

남손【男孫】[명] 손자(孫子). ↔여손(女孫).

남송【南宋】[명]〖역〗 북송(北宋)이 금(金)나라에게 중원(中原)을 빼앗기고 그 마지막 황제 흠종(欽宗)의 아우 고종(高宗)이 남쪽으로 도망, 항저우(杭州)에 도읍하여 세운 나라. 9 세(世) 152 년 만에 원(元)나라에 망함. [1127-1279]

남송-도【南松島】[명]〖지〗 강원도 북동 해상, 휴전선 이북 통천군(通川郡)에 있는 섬. 개첨도(介瞻島)·간도(間島) 등과 함께 삼도(三島)라 함. 연안 일대는 관북 어장(關北漁場)의 연속으로, 명태·정어리의 어획이 많음. [0.15km²]

남수[1]【男囚】[명] 남자 죄수. ↔여수(女囚).

남수[2]【藍水】[명] ①남빛의 물. ②〖지〗 '란수이(藍水)'를 우리 음으로 읽은 이름.

남수[3]【藍綬】[명] 남빛의 인(印)끈. 남빛의 수(綬).

남순 동:자【南巡童子】[명]〖불교〗 관세음 보살의 왼쪽에 있는 보처존(補處尊).

남-술【男—】[명] 남자가 쓰는 숟가락. ↔여(女)술.

남-스님【男—】[명]〖불교〗 남승(男僧)의 존칭. ↔여(女)스님.

남-스란치마【藍—】[명] 남빛의 비단 치마. 명주로 하면 폭이 열두 폭, 길이 아홉 자 정도로 만들며 치마 끝에 직금(織金)을 둘러 댐.

남승[1]【男僧】[명]〖불교〗 남자 중. ↔여승(女僧)·이승(尼僧).

남승[2]【覽勝】[명] 좋은 경치, 좋은 곳을 구경함. ——하다 [자][여불]

남승도 놀이【覽勝圖—】[명]〖민〗 명승지(名勝地)를 적어 놓은 놀이판을 놓고 주사위를 던져 나오는 끗수대로 유람을 다니는 놀이.

남-시:전【南市典】[명]〖역〗 신라 때 서울의 시장(市場) 일을 맡아 보던 관아의 하나. 효소왕(孝昭王) 4년(695)에 둠. ＊동시전(東市典).

남:식【濫食】[명] 함부로 먹음. ——하다 [타][여불]

남신 [명]〈방〉 나막신(제주).

남-신기【藍神旗】[명]〖역〗 조선 시대 진영(陣營)의 동방에 세우던 중오방기(中五方旗)의 하나. 다섯 자 평방에 바탕은 남빛, 가장자리와 화염(火焰)은 검은빛이고, 기폭에는 온원수(溫元帥)라 부르는 신장(神將)과 공중으로 떠오르는 구름을 그리었음. 깃대 길이는 열다섯 자. 영두(纓頭)·주락(珠絡)·장목 등이 있음. ＊신기(神旗).

남실【藍實】[명]〖한의〗 쪽의 씨. 약으로 씀.

남실-거리다 [자] ①욕심이 생기어서 목을 쑥 빼어 늘이고 슬그머니 자꾸 넘겨다보다. ②물결이나 긴 혓바닥이 무엇을 삼키려는 듯이 나울거리다. 1)·2): <넘실거리다. 남실-남실 [부]. ——하다 [자][여불]

남실-대다 [자] 남실거리다.

남실-바람 [명]〖기상〗 풍력 계급의 하나. 초속 1.6-3.3미터로 부는 바람. 「경풍(輕風). ＊풍력 계급.

남십자-성【南十字星】[명]〖천〗 남십자자리에 있는 $\alpha \cdot \beta \cdot \gamma \cdot \Delta$의 네 개 별. '十'모양으로 대각으로 보임.

남십자-자리【南十字—】[명]〔라 Crux〕〖천〗 센타우루스(Centaurus)자리의 남쪽에 있는 별자리. 은하의 중심에 있으며, 휘성(輝星)이 많고, 수성(首星) 이하의 네 별이 아름다운 十자를 이루고 있음. 백조(白鳥)자리의 북십자에 대하여, 남십자라고 이름. 약자 Cru. ＊남십자성. 북(北)십자자리.

남-씨【南—】[명]〖지〗 남위(南緯).

남씨-금【南—】[명]〖지〗 남위선(南緯線). ↔북씨금.

남아[1]【男兒】[명] ①남자 아이. ¶ ~를 출산했다. ↔여아(女兒). ②남자다운 남자. 대장부. ¶ ~ 일언 중천금(一言重千金).

남아[2]【南阿】[명]〖지〗 ↗남아프리카.

남아[3] [의명] ☞ 나마[5]. ¶이러구러 열흘 ~를 보내었다.

남아 돌:다 [자] 사람이나 물건이 아주 흔해서, 여분이 많다. ¶남아도는 인원.

남-아메리카【南—】〔America〕[명]〖지〗 아메리카의 남부. 남미(南美).

남아메리카 온대구【南—溫帶區】〔America〕[명]〖식〗 남대(南帶)에 속하는 식물구계(植物區系)의 하나. 남미의 남단, 곧 남브라질·아르헨티나·우루과이 등을 포함하는 지역으로, 남양노송나무 종류가 많으며, 감자의 원종(原種)이 이 지역에 있음. ＊오스트레일리아구.

남-아메리카주【南—洲】〔America〕[명]〖지〗 육대주의 하나. 파나마 지협(地峽)에 의하여 북아메리카주와 구분되는 직각 삼각형 모양의 대륙. 16세기에는 동부는 포르투갈, 기타는 스페인의 식민지였으나, 19세기 전반부터 대부분이 잇달아 독립국이 되었음. 서부의 태평양 연안을 안데스 산맥이 남북으로 뻗고, 북부의 기아나 고지(Guiana 高地)와 중서부의 브라질 고지 사이에는 아마존 강 유역의 광대한 대평원이 펼쳐지며, 중남부의 브라질 고지와 안데스 산맥 사이의 라 플라타 강(La Plata 江) 유역에는 팜파스(pampas) 초원이 있음. 기후는 북부의 적도 지대의 열대 우림(雨林) 기후, 중앙부의 사바나(savanna) 기후, 남서부 대서양 연안의 온대 다우(多雨) 기후 등 다양하고, 미개지는 아직도 넓음. 남미주(南美洲). [17,818,500 km²]

남아불리가 연방【南阿弗利加聯邦】[명]〖지〗 '남아프리카 연방'의 취음(取音). [준] 남아 연방(南阿聯邦).

남아 수독 오:거서【男兒須讀五車書】[구] 남자는 모름지기 수레 다섯에 실을 만한 많은 책을 읽어야 한다는 뜻.

남아 연방【南阿聯邦】[명]〖지〗 ↗남아불리가 연방.

남아 일언 중:천금【男兒一言重千金】[구] 남자의 말 한 마디는 천금과 같이 무겁고 가치가 있다는 말.

남아 전:쟁【南阿戰爭】[명]〖역〗 보어 전쟁.

남-아프리카【南—】〔Africa〕[명]〖지〗 아프리카의 남부. [준]남아(南阿).

남아프리카 공:화국【南—共和國】[명]〔Republic of South Africa〕〖지〗아프리카의 남단에 있는 공화국. 1961년까지는 영연방(英聯邦) 내의 남아프리카 연방이었음. 나미비아(Namibia)·보츠와나(Botswana)·짐바브웨(Zimbabwe)·모잠비크(Mozambique)와 접경, 아프리카에서 가장 발달한 공업국이며, 국토 태반이 반건조 또는 건조 기후이나 남쪽 끝 부분은 지중해식 기후로 인구가 조밀하며, 철강·기계·식품 가공·섬유·정유(精油) 등의 공업이 발달하고 옥수수·밀·감자·오렌지류·사탕수수·소·양 등의 농축산물도 산출함. 또, 다이아몬드·우라늄·망간 등을 산출하고, 특히 세계 제일의 산금국(産金國)으로 유명함. 철저한 인종 차별 정책 때문에 대부분의 아프리카 제국(諸國)과 적대 관계에 있으며, 국제 정치상 고립되었으나 1991년 아파르트헤이트 정책을 포기함. 수도는 프리토리아(Pretoria). [1,221,037 km² : 35,280,000 명 (1991 추계)]

남아프리카 연방【南—聯邦】[명]〔Union of South Africa〕〖지〗 남아프리카 공화국의 전신으로, 1910년에 성립한 영국의 자치령. 1961년 독립하여 남아프리카 공화국이 됨. 남아 연방.

남아프리카 온대구【南—溫帶區】〔Africa〕[명]〖지〗 남대(南帶)에 속하는 식물 구계(區界)의 하나. 남아프리카 남단, 희망봉 지방을 차지하는 지역으로 은엽수(銀葉樹)·노회(蘆薈) 종류가 많으며, 프리지어·글라디올러스·군자란(君子蘭)·아마릴리스 등 원예품으로 재배되는 식물 중에 이곳의 원산인 것이 많음. ＊남아메리카 온대구.

남악[1]【男樂】[명]〖역〗 외진연(外進宴)을 베풀 때 무동(舞童)에게 시키던 정재(呈才). ↔여악(女樂).

남악[2]【南岳】[명]〖지〗 중국 오악(五岳)의 하나인 '형산(衡山)'의 별칭.

남악[3]【南嶽】[명]〖사람〗 유희(柳僖)의 호(號).

남:악[4]【濫惡】[명] 함부로 만들어 질이 나쁨. ——하다 [형][여불]

남안【南岸】[명] 남쪽의 강 안(江岸)이나 해안(海岸).

남양[1]【南洋】[명]〖지〗 ①〔South Sea〕 태평양의 적도를 경계로 하여 그 남북에 걸쳐 있는 미크로네시아의 마리아나·마셜·캐롤라인·팔라우의 여러 군도와, 필리핀·술라웨시·보르네오·수마트라를 포함한 지역의 총칭. ②서양에서, 태평양을 이르는 말. ③중국에서, 양쯔강 이남의 해안 지방을 이르는 말.

남양[2]【南陽】[명]〖지〗①함경 북도 최북단 온성군(穩城郡)에 있는 북한 철도의 요역(要驛)으로, 만주 간도(間島) 지방에 들어가는 요지. 투먼(圖們)을 통하여 만주의 창투선(長圖線)·투자선(圖佳線)과 연락됨. 목재를 산출함. ②경기도 화성군(華城郡)에 있는 염전(塩田) 지대. 서해안 남양만에 위치함.

【남양 원님 굴 회(膾) 마시듯】㉠눈 깜짝할 사이에 다 먹어 치움을 이르는 말. ㉡일을 단숨에 마친다는 말.

남양[3]【南陽】[명]〖지〗'난양(南陽)'을 우리 음으로 읽은 이름.

남양 군도【南洋群島】[명]〖지〗남양에 산재하는 많은 섬들. 마리아나·팔라우·캐롤라인·마셜 등의 여러 군도로 나누임. 1919년 일본의 위임 통치령이 되었으나, 제2차 대전 후 1947년부터 미국의 단독 신탁 통치령으로 되어, 태평양 제도 지역이라 이름. 남양 제도. [2,149 km²]

남양 대:신【南洋大臣】[명]〖역〗중국 청(淸)나라의 관명(官名). 양강 총독(兩江總督)의 겸무(兼務)로, 상하이·창장강(長江) 일대와 푸젠(福建) 지방의 외국과의 통상 사무를 총리(總理)하고, 남양 수사(南洋水師)를 통독(統督)하였음.

남양-만【南陽灣】[명]〖지〗경기도 경기만(京畿灣) 남동쪽에 있는 만. 북쪽에 남양면(南陽面)이 있음.

남양 방조제【南陽防潮堤】[명]〖지〗경기도 화성군(華城郡)과 평택시(平澤市)의 경계 지역인 분양만(汾陽灣)의 만구(灣口)를 막은 방조제. 1974 년 준공. ＊남양호(湖).

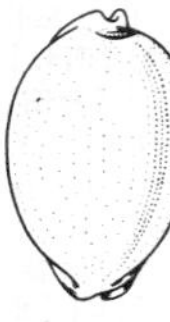
〈남양보배고둥〉

남양-보:배고둥【南洋―】[명]〖조개〗[*Callistocypraea aurantium*] 보배고둥과에 속하는 고둥의 하나. 패각(貝殼)의 길이 100 mm, 폭 65 mm, 높이 53 mm의 대형종(大形種)으로 배면(背面)은 등황색, 나탑(螺塔)과 구부(口部)는 황백색·등적색임. 남양을 중심으로 중부 태평양의 특산종(特産種)으로 토인(土人)들은 지금도 존중하여 깊이 간직한다고 함. 예전에는 수백금을 주고 매매하였다 함.

남양 시집【南陽詩集】[명]〖책〗고려 고종(高宗) 때의 문인 백분화(白賁華)의 시집. 현존하는 문집 중에서 가장 오래 된 것의 하나임.

남양 제도【南洋諸島】[명]〖지〗남양 군도.

남양 제도 신:탁 통:치령【南洋諸島信託統治領】[명]〔U. S. Pacific Island〕〖지〗미크로네시아의 마리아나(Mariana)·캐롤라인(Caroline)·마셜(Marshall)의 3군도(群島)로 이루어지며, 1947년부터 미국의 신탁 통치령. 신탁 통치가 끝나는 1981년에 북(北) 마리아나 연방·미크로네시아 연방·마셜·팔라우의 네 지역으로 나뉘어 자치권(自治權)을 획득함.

남-양주【南楊州】[명]〖지〗경기도의 한 시(市). 3 읍(邑) 6 면(面) 6 동(洞). 동쪽은 가평군(加平郡)과 양평군(楊平郡), 서쪽은 서울 특별시와 구리시(九里市), 남쪽은 광주군(廣州郡), 북쪽은 포천군(抱川郡)과 의정부시(議政府市)에 접함. 명승 고적으로는 수락산(水落山), 흥국사(興國寺)·팔당(八堂)·동구릉(東九陵)·광릉(光陵)·금곡릉(金谷陵) 등이 있음. 1995년 1월, 남양주군과 미금시(渼金市)를 통합, 개편됨. [465.34 km² : 237,224 명(1996)]

남양주-군【南楊州郡】[명]〖지〗경기도에 속했던 군. 1980년 4월에 새로 설치된 군이었으나, 1995년 1월, 미금시(渼金市)와 통합하여 남양주시로 개편됨.

남양 토인【南洋土人】[명] 남양 제도(諸島)의 토착인(土着人).

남양-호【南陽湖】[명]〖지〗남양 방조제(南陽防潮堤)의 조성(造成)으로 이룩된 인공 담수호(人工淡水湖).

남:어【纜魚】[명]〖어〗오징어.

남어-좌【南魚座】[명]〖천〗남쪽물고기자리.

남-여[1]【南閭】[명]〖사람〗고조선 시대에, 예맥(濊貊)의 족장(族長). 중국의 한서(漢書)와 후한서(後漢書)에, 고조선의 우거왕(右渠王)을 배반하고, 한(漢)나라 요동군(遼東郡)에 가서 내속(內屬)하였다는 기록이 보임.

〈남여²〉

남여[2]【籃輿】[명] 의자 비슷하고 위를 덮지 아니한 작은 승교(乘轎).

남여 완:보【籃輿緩步】[명] 남여를 타고 천천히 감. ――-하다 [자][여불]

남연【南燕】[명]〖역〗중국 오호(五胡) 십육국(十六國) 중의 하나. 선비(鮮卑)의 모용덕(慕容德)이 지금의 허난성(河南省) 활현(滑縣)에 세운 나라. 2 세(世) 13 년 동안 누리고 동진(東晉)의 장수 유유(劉裕)에게 망함. [398-410]

남-염부제【南閻浮提】[명]〖불교〗염부제(閻浮提). 수미산(須彌山) 남쪽에 있기 때문에 부르는 말.

남-염부주【南閻浮洲】[명]〖불교〗염부제(閻浮提).

남염부주-지【南炎浮洲志】[명]〖책〗조선 시대 김시습(金時習)이 지은 한문 단편 소설. 부처를 믿지 아니하던 박생(朴生)이 염부주(炎浮洲)에 다녀와서 우주를 달관(達觀)한다는 내용으로, 그의 단편 소설집 《금오 신화(金鰲新話)》에 실려 전함.

남영[1]【南營】[명]〖역〗①친군영(親軍營)의 하나. 조선 고종(高宗) 24년(1887)에 대구(大邱)에 두었다가 31년에 폐하였음. ②창덕궁(昌德宮) 정문 앞에 있던 훈련 도감(訓鍊都監)의 분영(分營). ③경희궁(慶熙宮)의 남쪽에 있던 금위영(禁衛營)의 분영.

남-영[2]【藍瑛】[명]〖사람〗중국 명말(明末)·청초(淸初)의 화가. 자(字)는 전숙(田叔). 저장(浙江) 사람. 남북 양송(兩宋)의 경향을 합하여 새 화풍을 개척, 인물·화조(花鳥)를 잘 그렸음. [1585-1664]

남-영(:)로【南永魯】[―노][명]〖사람〗조선 시대 후기의 문인. 호는 담초(潭樵). 여러 차례 과거에 낙방한 울분을 달래기 위하여, 방대한 소설 《옥련몽(玉蓮夢)》을 지은 것으로 알려짐. 산수화에도 능하였음. [1810-58]

남영-사【南營使】[명]〖역〗조선 시대 말 친군영(親軍營)에 속했던 남영의 으뜸가는 벼슬. 경상도 관찰사(觀察使)가 이것을 겸하였음.

남예【南裔】[명] 남쪽의 변지(邊地). 남쪽 끝의 땅.

남-예멘【南―】〔Yemen〕[명]〖지〗예전의 예멘 인민 민주 공화국의 통칭(通稱). ＊북예멘.

〈남오미자〉

남-오미자【南五味子】[명]〖식〗[*Kadsura japonica*] 오미자과에 속하는 상록 활엽 만목(蔓木). 잎은 넓은 달걀꼴 또는 타원형으로 광택이 남. 3-4월에 엷은 황백색 꽃이 가지 사이에 하나씩 핌. 과실은 장과(漿果)로 작은 구형이며 총생(叢生)하는데, 가을에 빨갛게 익음. 산기슭의 양지에 나는데 제주도·해남(海南) 및 일본·대만에 분포함. 관상용·제지용으로 사용함.

남옥【藍玉】[명]〖광〗애쿼머린.

남-옥저【南沃沮】[명]〖역〗지금의 함경 남도에 있던 옛 부족. 그저 옥저라고 부르기도 하는데, 함경 북도 방면에 있던 북옥저에 대하여 일컬음. 30년경 한(漢)의 낙랑군(樂浪郡)에서 독립하였다가 뒤에 다시 고구려에 예속됨. 동예(東濊).

남-온대【南溫帶】[명]〔South temperate zone〕〖지〗남회귀선(南回歸線)과 남극권(南極圈) 사이의 지역. ↔북온대.

남와【南鍋】[명] 냄비.

남왜 북로【南倭北虜】[―노][명] 15-16세기에 명(明)나라를 괴롭힌, 남쪽의 왜구(倭寇)와 북쪽의 몽고 여러 부족을 중국에서 부르던 말.

남:요【攬要】[명] 요점(要點)을 추림. ――-하다 [자][여불]

남:용【濫用】[명] 함부로 씀. ¶ 직권 ～. ――-하다 [타][여불]

남-용익【南龍翼】[명]〖사람〗조선 숙종(肅宗) 때의 이조 판서. 자(字)는 운경(雲卿). 호는 호곡(壺谷). 숙종 15년(1689) 원자 정호(元子定號) 문제가 발생하자 제일 먼저 반대한 죄로 명천에 귀양가서 그 곳에서 죽음. 문집에 《호곡집(壺谷集)》이 있음. [1628-92]

남우[1]【男優】[명] 남자 배우. ¶ ～ 주연상. ↔여우(女優).

남:우[2]【濫竽】[명] 남취(濫吹).

남-우세 [명] 남에게 웃음과 조롱을 받게 됨. [준]남세. ――-하다 [자][여불]

남우세-스럽다 [형][ㅂ불] 남에게 조롱과 웃음을 받을 만하다. [준]남세스럽다. **남우세-스레** [부] [준]남세스레.

남-우:후【南虞候】[명]〖역〗남행(南行)의 우후.

남-움직씨 [명]〖언〗'타동사(他動詞)'의 풀어쓴 이름.

남원[1]【南元】[명]〖지〗제주도 남제주군(南濟州郡)의 한 읍(邑). 서귀포시의 동쪽 동중국해에 면함. 귤밭이 많음. [188.36 km² : 21,002 명(1996)]

남원[2]【南苑】[명]〖역〗중국의 수(隋)·당(唐)대에, 장안(長安)의 남동(南東), 곡강(曲江)의 남쪽에 있던 부용원(芙容苑)의 이칭(異稱).

남원[3]【南原】[명]〖지〗전라 북도의 한 시(市). 1 읍(邑) 15 면(面) 9 동(洞). 북쪽은 임실군(任實郡)과 장수군(長水郡), 동쪽은 경상 남도 함양군(咸陽郡)과 하동군(河東郡), 남쪽은 전라 남도 구례군(求禮郡)과 곡성군(谷城郡), 서쪽은 순창군(淳昌郡)과 임실군(任實郡)에 접함. 농업·임업·축산업 등이 성함. 명승 고적으로는 남원성터·교룡산성(蛟龍山城)·광한루(廣寒樓)·오작교(烏鵲橋)·춘향사(春香祠)·용담(龍潭) 석탑·원천(源川) 폭포·실상사(實相寺) 등이 있음. 1995년 1월 남원군과 통합, 개편됨. [752.02 km² : 109,146 명(1996)]

남원-경【南原京】[명]〖역〗신라 오소경(五小京)의 하나로 지금의 전라 북도 남원(南原). 신문왕(神文王) 5년(685)에 두었음.

남원-군【南原郡】[명]〖지〗전라 북도에 속했던 군. 1995년 1월, 남원시에 통합됨.

남원-부채【南原―】[명] 남원 및 전주(全州) 특산(特産)의 부채. 살이 튼튼하며 색채가 아름답고, 풍류미(風流美)가 풍부한 것이 그 특색임.

남원 분지【南原盆地】[명]〖지〗전라 북도의 남동부 섬진강(蟾津江) 상류에 의하여 개석(開析)된 분지. 남원이 중심지임.

남월【南越】[명]〖역〗중국 한(漢)나라 초기에 지금의 광둥(廣東)·광시(廣西) 지방에 있던 나라. 광둥성 룽촨(龍川)의 장관(長官)이었던 조타(趙佗)가 한 고조(高祖)에 의하여 왕으로 봉(封)해진 후, 5 대 93 년간 계속되다가 한 무제(武帝)에 의하여 멸망하였음. [203-111 B.C.]

남위【南緯】[명]〖지〗적도(赤道) 이남의 위도(緯度). 적도를 0도로 하여 남극(南極)의 90 도에 이름. 남씨. ↔북위(北緯).

남위-도【南威島】[명]〖지〗난웨이 섬.

남위-선【南緯線】[명]〖지〗적도 이남의 위선. 남씨금. ↔북위선.

남-유다르다【―類―】[―뉴―][형][르불] ☞ 유다르다.

남-유달리【―類―】[―뉴―][부] ☞ 유달리.

남-유:럽【南―】〔Europe〕[명]〖지〗남부 유럽. 남구(南歐).

남유럽 문학【南―文學】〔Europe〕[명]〖문〗이탈리아를 중심으로 한 유럽 남쪽 여러 나라의 문학. 낭만적이고 정열적인 것이 그 특색임. 남구 문학. ↔북유럽 문학·남구 문학.

남-유(:)용【南有容】[명]〖사람〗조선 영조(英祖) 때의 대제학(大提學). 자(字)는 덕재(德哉). 호는 뇌연(雷淵). 의령(宜寧) 사람. 문장과 시에 뛰어나 오랫동안 세자 시강원(世子侍講院)에 있었음. [1698-1773]

남윤-전【南胤傳】[명]〖책〗작자·창작 연대 미상의 고전 소설의 하나. 국문본. 결혼 초야에 임진 왜란을 만난 남윤이 왜군의 포로가 되어 온갖 고생을 겪다가 왜국 공주와 결혼하여 탈출하는 이야기와, 남윤의 가족에 대한 이야기가 그 내용임. 지리적 배경은 우리 나라·일본·중국.

남-은【南誾】[명]〖사람〗조선의 개국 공신(開國功臣). 의령(宜寧) 사람. 고려말 이성계(李成桂)의 위화도 회군(威化島回軍)에 동조하고, 이성계를 추대, 조선을 개국하였으나 제1차 왕자의 난 때 방원(芳遠)

에게 살해되었음. [?-1398]
-남은 미 십단위(十單位)의 수를 나타내는 몇몇 우리 말에 붙어 '남짓'의
뜻의 관형사를 만드는 말. ¶ 여~/스무~/쉰~.
남:음【濫飮】명 마구 마심. 과도하게 마심. ——-하다 타여불
남:의[1]【襤衣】[—/—이] 명 남루한 의복.
남의[2]【他矣·佗矣】〈이두〉 남의. 다른 사람의.
남의-나이[—/—에—] 명 환갑이 지난 뒤의 나이를 일컫는 말. 「하다.
남의-눈[—/—에—] 명 여러 사람의 시선(視線). 이목(耳目). ¶ ~을 피
남의-달[—/—에—] 명 아이를 밴 부인이 해산할 달로 치는 그 다음달.
남의달 잡다 구 아이를 남의달에 낳게 되다.
남의-사【藍衣社】[—/—이—] 명 1930-40년대의 중국에서, 장제스계
(蔣介石系)의 정치 결사(政治結社). 정칭(正稱)은 부흥사(復興社)이나
남색의 옷을 입었기 때문에 이렇게 이름. 반장(反蔣) 운동의 박멸(撲
滅)을 목적으로, 진입부(陳立夫)·진과부(陳果夫)의 시시 단(CC團)에
서 비롯하여 1932 년에 결성되었는데, 1948년 해체됨.
남의살-같다 [—/—에—] 형 피부의 감각이 도무지 없다.
남의조로【他條以】〈이두〉 다른 것으로.
남의집 살:다 [—/—에—] 자 남의집 일을 하여 주며 그 집에 살다.
남의집-살이[—/—에—] 명 남의집 사는 일. 또, 그 사람. ——-하다
ㄴ자여불
남이[1]【南夷】명 남만(南蠻).
남-이[2]【南怡】명 〖사람〗 조선 세조(世祖) 때의 장군. 의령(宜寧) 사
람. 태종(太宗)의 외증손으로 이시애(李施愛)의 난에 용명을 날리고,
28 세 때 병조 판서를 지냈으나, 유자광(柳子光)의 무고로 예종(睿宗)
즉위년(1468)에 옥사(獄事)로 죽었음. [1441-68]
남-이(:)공【南以恭】명〖사람〗 광해군(光海君) 때의 소북(小北)의 거두(巨
頭). 자는 자안(子安). 호는 설사(雪簑). 의령(宜寧) 사람. 관은 이조 판
서. 권모 술수가 능한 사람으로 당론을 좋아했음. 인조(仁祖) 15년(1637)
청나라에 가질(假質)을 보낸 죄로 파직됨. [1565-1640]
남이-섬【南怡—】명 〖지〗 강원도 춘천시(春川市) 남산면 서천리(西川
里) 북한강(北漢江) 유역의 작은 섬. 경기도 가평(加平)에서 가까운 유
원지(遊園地)이며 남이 장군의 묘가 있음.
남-이(:)웅【南以雄】명 〖사람〗 조선 인조(仁祖) 때의 상신(相臣). 자
는 적만(敵萬). 호는 시북(市北). 의령(宜寧) 사람. 인조 24년(1646)에
좌의정이 되었음. 이괄(李适)의 난(亂)에 공을 이루어 춘성군(春城君)
으로 피봉됨. [1575-1648]
남-이(:)흥【南以興】명 〖사람〗 조선 인조(仁祖) 때의 명신. 호는 성
은(城隱). 의령(宜寧) 사람. 이괄(李适)의 난에 중군으로서 적을 격파한
공으로 의춘군(宜春君)으로 피봉됨. 인조 5년(1627) 후금(後金)의 입
구(入寇) 때에 평안 감사로 있다가 자결함. [1540-1627]
남인[1]【南人】명 〖역〗 ①사색 당파(四色黨派)의 하나. 이산해(李山海)를
중심으로 한 북인에 대하여, 유성룡(柳成龍)을 중심으로 한 당파. 오
인(午人). *당론(黨論). ②중국의 금(金)·원(元)나라 때, 송(宋)나라의
유민(遺民)의 호칭. 특히, 원나라에서는 남송(南宋) 치하에 있었던 강
남(江南) 주민을 일컬었는데, 이들의 사회적 지위는 가장 낮았음. ③남
남인[2]【欖仁】명 감람나무 열매의 씨. ㄴ쪽에 사는 사람. 남국인.
남인맞다 자 〈옛〉 시집가다. ¶ 남인마좀 가(嫁)《類合 安心社板 21》.
남-인수【南仁樹】명 〖사람〗 대중 가요 가수. 본명은 강문수(姜文秀).
진주(晋州) 출생. 1938 년 《애수(哀愁)의 소야곡(小夜曲)》으로 이름을
날렸으며, 6·25 때 정훈국(政訓局) 문예(文藝) 중대 소속으로 활약, 환
도(還都) 이후 가요계의 제 1 인자가 됨. 《가거라 삼팔선》·《낙화 유
수(落花流水)》·《꼬집힌 풋사랑》·《이별(離別)의 부산 정거장》 등
1 천여 곡을 취입(吹入)함. [1918-62]
남인종 명 〈옛〉 사내종. ¶ 남인종 노(奴)《類合 上 20》.
남자【男子】명 ①남성인 사람. 사나이. 한자(漢子). ↔여자. ②사내다운
사내. 사나이. ¶ 과연 ~로군.
[남자가 상처하는 것은 과거할 신수라야 한다] 남자가 상처해서 다시
장가드는 것도 하나의 복이라는 말. [남자가 죽어도 전장(戰場)에 가서
죽어라] 비겁하고 뜻 없는 개죽음을 하지 말라고 경고하는 말. [남자
셋이 모이면 없는 게 없다] 남자 서넛이 모이면 무슨 일이든 해낼 수
있다는 말.
남자 결사【男子結社】[—싸] 명 전세계에 걸쳐 미개 사회에 존재하는
특정한 남자만을 성원(成員)으로 하여 조직되는 비밀 결사의 하나. 주
로 모권제(母權制) 밑에서의 부자연한 여성 지배에 대한 반발로서 발생
한 것임.
남-자극【南磁極】명 남반구(南半球)에서, 지자기(地磁氣)의 복각(伏
角)이 90°의 지점. 자남극(磁南極). 「다. 사나이답다.
남자-답다【男子—】형 ㅂ불 남자로서의 씩씩하고 강한 기개(氣槪)가 있
남자리 명 〈방〉〖충〗 잠자리[2](경상·충청).
남자-색【藍紫色】명 남빛을 띤 보랏빛.
남자-석【男子席】명 남자들만이 앉도록 따로 정해 놓은 자리.
남자-용【男子用】명 남자의 소용.
남작[1]【男爵】명 〖역〗 오등작(五等爵)에서 맨 끝의 작위(爵位). 준남(男).
남작[2]【南鵲】명 집의 남쪽에 있는 나무 위에 집을 짓고 사는 까치. 좋은
징조를 보인다 함. 「——-하다 타여불
남:작[3]【濫作】명 글이나 시 따위를 함부로 많이 지어 냄. ¶ 시(詩)의 ~.
남장[1]【男裝】명 여자가 남자처럼 차림. ↔여장(女裝). ——-하다 자여불
남:장[2]【濫杖】명 규정 이외에 매를 더 때림. 또, 그 매. ——-하다 타여불
남장 미인【男裝美人】명 남장을 한 아름다운 여자.
남장-사【南長寺】명 〖불교〗 경상 북도 상주시(尙州市) 남원동(南院洞)
노음산(露陰山)에 있는 절. 직지사(直指寺)의 말사(末寺). 신라 흥덕왕
(興德王) 7 년(832) 진감 국사(眞鑑國師)가 창건(創建)하여 장백사(長柏
寺)라 하였으며, 고려 명종(明宗) 16 년(1186) 각원(覺圓)이 지금의 터
에 옮겨 남장사라 하였음. 1978 년 영산전(靈山殿)의 주불(主佛)과 16 나
한상(羅漢像)을 조성할 때 석가모니불의 진신사리(眞身舍利) 4 과(顆)와
칠보류(七寶類)가 발견됨. 보물(寶物)인 관음선원(觀音禪院) 목각탱(木
남저지 명 〈방〉 나머지(경상). ㄴ刻幀)과 보광전(普光殿) 목각탱이 있음.
남적【南賊】명〖역〗 고려 중엽, 충청도·경상도 등 남부 지방에서 민란(民
亂)을 일으킨 무리의 총칭. 그 당시 잇달은 무신(武臣)들의 난 이후, 사
회가 불안하고 정치가 혼란한 틈을 타서, 각지에서 농민과 노예들이 계
급 타파와 무신 정권의 타도를 부르짖으며 반란을 일으켰는데, 그 대
표적인 것으로 19대 명종(明宗) 때 일어난 석영사(石令史)의 난, 망이
(亡伊)의 난, 김사미(金沙彌)의 난 등이 있음. 그러나 이들은 훈련과
조직이 없었으며 함부로 약탈·살인 등을 일삼아 일반의 호응을 얻지
못하여 모두 실패함.
남적도 해:류【南赤道海流】명 〖지〗 태평양·인도양·대서양의 각각 남
위 10도 부근을 동에서 서로 흐르는 해류. ↔북적도 해류.
남전[1]【南泉】명 〖사람〗 중국 당(唐)나라 때의 선승(禪僧). 성은 왕씨(王
氏). 정주(鄭州) 출신. 법명은 보원(普願). 마조 도일(馬祖道一)의 제
자로, 남전에 선원(禪院)을 짓고 30년 동안 제자를 키워 조주 종심(趙
州從諗)과 같은 고승(高僧)이 나왔고 신라의 구산 조사(九山祖師)의 한
사람인 도윤(道允)도 여기에서 배움. [748-834]
남전[2]【南殿】명 〖역〗 ↗남별전(南別殿).
남전[3]【藍田】명 〖지〗 ①중국 진대(秦代), 현재의 산시 성(陝西省) 시안
(西安) 시의 남동에 설치되었던 현의 이름. ②중국 산시 성(陝西省) 남
전현의 남동쪽에 있던 관문(關門)의 이름. 본디 이름은 요관(嶢關). ③
란텐 산(藍田山).
남전[3]【藍靛】명 남청(藍靑).
남-전대【藍纏帶】명 〖역〗 남전대띠.
남-전대띠【藍纏帶—】명 〖역〗 남색의 전대띠. 남전대.
남전-대:장경【南傳大藏經】명 〖책〗 팔리어(Pāli 語)로 쓰여진 불교 성
전(聖典)의 총칭. 인도로부터 스리랑카(Sri Lanka) 상좌부(上座部)에
전해진 것으로, 스리랑카·타이 등 남부(南部) 불교권에서 쓰이고 있음.
남전 북답【南田北畓】명 소유한 논밭이 여기저기 흩어져 있음을 이르
는 말.
남전 원인【藍田原人】명 〖인류〗 홍적세 중기(洪積世中期)의 화석 인류
(化石人類)의 하나. 1963-64년에 중국 산시성(陝西省) 남전현(縣)에서
발굴되었음. 베이징 원인(原人)보다 조금 오래된 원인이라 함.
남전 참:묘【南泉斬猫】명 〖불교〗 선종(禪宗)의 공안(公案)의 하나. 중국
당나라 때의 선승(禪僧) 남전 보원(南泉普願)이 고양이 새끼의 불성(佛
性)의 유무(有無)를 놓고 논쟁하다가, 고양이 새끼를 참하였다는 고사
(故事)에서 이름. 「서 교차하는 점. ↔북점(北點).
남점【南點】[—쩜] 명 〖천〗 하늘의 자오선(子午線)과 지평선이 남쪽에
남정[1]【男丁】명 열 다섯 살 이상의 장정(壯丁)이 된 남자.
남정[2]【男情】명 남자의 정. 남자의 정욕.
남정[3]【南征】명 남쪽을 정벌함. ↔북벌. ——-하다 자여불
남정[4]【南庭】명 ①남쪽의 뜰. ②〖역〗 성균관 안에 있는 명륜당(明倫堂)
의 남쪽 뜰. 승학시(陞學試)를 보는 선비가 앉던 곳.
남정-계【南定系】명 〖공〗 중국 송(宋)나라 때, 남정요(南定窯)의 후기에
속하는 도자기(陶瓷器) 제조의 기술상의 한 파.
남정-네【男丁—】명 하류(下流)의 여자, 특히 화류계의 여자가 사내들
을 일컫는 말. 「——-하다 자여불
남정 북벌【南征北伐】명 남쪽을 정복(征服)하고 북쪽을 토벌(討伐)함.
[남정 북벌 명장 믿듯] 전적으로 기대하고 의지함을 놀리는 말.
남정-석【藍晶石】명 〖광〗 삼사 정계(三斜晶系)에 속하는 규산 광물(硅
酸鑛物). 편마암(片麻岩)과 결정 편암(結晶片岩) 속에 섞이어 있으며,
빛깔은 남청색 또는 백색이고 반투명(半透明)이며 유리 광택이 있음.
결정면의 방향에 따라 경도(硬度)가 다르기 때문에 이경석(二硬石)이
라고도 함. 「아 만든 사기 그릇.
남정-요【南定窯】명 〖공〗 중국 남송(南宋) 후에 정주요(定州窯)를 본받
남제[1]【南帝】명 〖역〗 중국 남조(南朝)의 황제.
남제[2]【南齊】명 〖역〗 중국 남북조 시대에 소도성(蕭道成)이 송(宋)나라
순제(順帝)의 선위(禪位)를 받아 세운 나라. 난징에 도읍하고 양쯔 강·
주장(珠江) 강의 연안 지방을 차지하였는데, 7 대 23 년 만에 양(梁)나라
무제(武帝)에게 선위(禪位)함. [479-502] *제(齊).
남:제[3]【濫製】명 ①허름하게 아무렇게나 만듦. 조제(粗製). ②품질은 생
각하지 않고 그저 많이 만들어냄. 남조(濫造). ——-하다 타여불
남제-서【南齊書】명 〖책〗 25 사(史)의 하나. 중국 양(梁)나라 소자현(蕭
子顯)이 남제의 역사를 적은 책. 59 권.
남제주-군【南濟州郡】명 〖지〗 제주도의 한 군. 관내 3 읍 2 면 3 출장소.
군청 소재지는 서귀포시. 주요 어항으로는 모슬포(摹瑟浦)·표선(表善)·
성산포(城山浦)가 있음. 근해(近海)에서 고등어·도미·조기·전복·다시
마 등이 나며, 특히 해녀(海女)로 유명함. 명승지로서 천제연(天帝淵)
폭포·한라산·백록담(白鹿潭) 등이 있음. [614.70 km^2 : 79,804 명
(1996)]
남조[1]【南詔】명 〖역〗 중국 당(唐)나라 때, 지금의 윈난성(雲南省) 다리
(大理)를 중심으로 하여 티베트·버마족이 7 세기 중엽에 세운 왕국. 당
나라 현종(玄宗) 때에 부족을 통일하여 대리국(大理國)을 세우고 제호
(帝號)까지 일컬었으나, 902년 왕위를 빼앗기고 멸망함.
남조[2]【南朝】명 〖역〗 ①한 나라가 남북으로 갈라졌을 때의 남쪽 나라의
조정(朝廷). ②중국의 왕조 이름. 동진(東晉)이 망한 후, 화난(華南)에
한족(漢族)이 세운 송·제·양·진(宋·齊·梁·陳) 네 나라의 총칭. [420-589]
③일본 남북조 시대에 요시노(吉野)에 있던 조정. 1)-3):↔북조(北朝).

남:조³【濫造】명 남제(濫製). ——-하다 타여불

남조⁴【藍藻】명〖생〗남조류.

남조-류【藍藻類】명〖생〗[Cyanophyta] 모네라계(Monera界)의 하등 조류(下等藻類)로 원핵 생물(原核生物)의 하나. 식물(植物)로 분류될 때는 남조 식물문(藍藻植物門)을 구성함. 세포 안에 엽록소(葉綠素) 에이(a)·남조소(藍藻素)를 가지고 있어 청록색 또는 남색을 띰. 습지·물속 등에 나며 꽤 높은 온도의 온천수에도 생기며 광합성(光合成)을 함. 염주말·흔들말 등이 있음. 남조. 분열조(分裂藻). 열조(裂藻).

남-조선【南朝鮮】명〖지〗남한. 준남선. ↔북조선.

남조선 과:도 입법 의원【南朝鮮過渡立法議院】명 미군정(美軍政) 시대의 입법 기관. 미군정 법령 118호에 따라 1946년 12월 12일, 민선·관선 각각 45명씩 합계 90명의 의원으로 개원식을 거행하고, 의장으로 김규식(金奎植)을 선출함. 1948년 5월에 해산함.

남조선 과:도 정부【南朝鮮過渡政府】명 8·15 해방 후, 미군정청(美軍政廳)이 장악한 행정권을 우리에게 이양한 잠정적인 정부라는 뜻으로 부른 이름. 민정 장관에 안재홍(安在鴻)이 임명되고, 행정권을 이양받았으나, 사실상 미군의 자문 기관에 머물렀음. 1948년 8월 15일 정식 대한 민국 정부가 수립됨에 따라 발전적으로 해소됨.

남조-소【藍藻素】명〖생〗남조·홍조(紅藻) 따위 조류(藻類)에 들어 있는 청색의 색소 단백질. 조류의 광합성에 있어 빛에너지를 흡수하여 클로로필 a에 전하는 역할을 함. 피코시아닌(phycocyanin).

남조 식물【藍藻植物】명〖식〗남색(藍色) 식물.

남조:지아 섬【南—】〔Georgia〕명〖지〗남대서양 포클랜드 제도의 동쪽 약 1,300 km에 있는 영국령의 섬. 기후는 한랭하며 해상에는 강렬한 편서풍이 불고 있음. 여름 인구는 약 1,400명. 길이 160 km, 최대 폭 30 km. [3,756 km²]

남존 여비【男尊女卑】[—녀—] 명 사회적 지위가 남자는 높고 귀하며 여자는 낮고 천하다는 말. ¶ ∼의 사상. ↔여존 남비(女尊男卑).

남-종¹【男—】명 ☞사내종. ↔여종.

남종²【南宗】명 ①〖미술〗중국 당나라의 왕유(王維)를 원조로 하는 화가의 일파. *남종화(南宗畫). ②〖불교〗중국 선종(禪宗)의 한 파. 홍인(弘忍)의 제자인 혜능(慧能)을 개조(開祖)로 함. 주로 교외 별전(敎外別傳)·불립 문자(不立文字)·이심 전심(以心傳心)의 법을 세워서 오로지 선정(禪定)만을 닦아 불리(佛理)에 맥진(驀進)할 것과, 돈오주의(頓悟主義)를 주장함. 선종은 오대(五代)에 이르러서 오가(五家)로 나누어지고 송나라 때에 다시 두 파가 벌어지면서부터 북종(北宗)에 대신하여 선종의 정통(正統)이 되었음.

남-종삼【南鍾三】명〖사람〗조선 철종(哲宗) 때의 천주교 신자. 자(字)는 증오(曾五). 세례명은 장 남(Jean Nam). 천주교를 정식으로 인정받고자 책동하다가 1866년에 이선이(李先伊)의 고발로 프랑스 선교사 9명과 함께 피살되어 병인 양요(丙寅洋擾)의 원인을 만들었음. [1817-66]

남종-화【南宗畫】명〖미술〗남종에서 숭상하는 그림. 흔히 수묵(水墨)과 담채(淡彩)로써 산수(山水)를 그리며 가볍고 아담하나 표현이 정확하지 아니하고, 주관적 사실(寫實)을 존중하며 획과 색채를 곱게 하지 아니하고 그림으로서의 운의(韻意)만을 주로 하는 것이 특징임. 작가에 문인·학자가 많음. 우리 나라 조선 시대의 그림은 대개 이에 해당함. 준남화(南畫). ↔북종화.

남좌 여우【男左女右】명〖민〗음양설에, 왼쪽이 양이고 오른쪽은 음이라 하여, 남자는 왼쪽이 중하고, 여자는 오른쪽이 중하다는 말. 이런 뜻에서 맥·손금·자리 같은 것도 여자는 오른쪽을, 남자는 왼쪽을 취함.

남주 북병【南酒北餠】명 옛날 서울 남촌(南村)은 술 맛이 좋았고 북촌은 떡 맛이 좋았다는 말.

남-주빈【男主賓】명 남자 주빈.

남-주작【南朱雀】명〖민〗'주작(朱雀)'을 분명히 일컫는 말. 주작은 남쪽에 위치하기 때문임. ↔북현무(北玄武).

남중¹【南中】명 남도(南道)❶. ¶ ∼ 각처에 있는 친구에게와 우리 종씨께까지 미리 편지를 하여…≪李海朝 : 花世界≫.

남중²【南中】명〖천〗천체가 자오선(子午線)을 통과하는 일. 천체의 높이는 이때가 가장 높게 됨. 자오선 통과. ¶ 태양(太陽)이 ∼할 때. ——-하다 자여불

남중 고도【南中高度】명〖천〗자오선 고도(子午線高度).

남-중국【南中國】명〖지〗중국의 푸젠(福建)·장시(江西)·후난(湖南)·광시(廣西)·광둥(廣東) 여러 성(省)의 속칭. 화난(華南).

남중국-해【南中國海】명〖지〗중국 본토·대만·인도 차이나 반도·필리핀 제도·보르네오 섬에 둘러싸인 해역(海域). 중국에서는 남해(南海)라고 함. 주로 대륙붕(大陸棚)을 형성하고, 계절풍이 세고 산호초가 많음. 트롤 어업의 좋은 어장(漁場)임. 남지나해. [4,700,000 km²]

남중-부【南中部】명 ①남부와 중부. ②남부의 중앙.

남중-일색【男中一色】[—쌕] 명 남자의 얼굴이 썩 뛰어나게 잘 생김. 또, 그러한 사람.

남즉ᄒᆞ다 형〈옛〉남짓하다. ¶ 三十里 남즉ᄒᆞᆫ 싸히 잇ᄂᆞᆫ돗ᄒᆞ다(敢有三十里多地)≪老乞 上 53≫.

남지¹【南支】명〖지〗↗남지나.

남지²【南至】명 '동지(冬至)'의 별칭. 추분(秋分)부터 태양이 남쪽으로 돌아서 동지에는 그 극(極)에 이르기 때문에 일컫는 말. ↔북지(北至).

남지³【南旨】명〖지〗경상 남도 창녕군(昌寧郡)의 한 읍. 군의 남부에 위치하여 낙동강(洛東江)에 임함. [55.28 km² : 13,115명(1996)]

남지⁴【南枝】명 ①남쪽으로 벋은 나뭇가지. ②일찍 피는 매화(梅花)의 가지.

남지⁵【藍紙】명 닭의장풀의 꽃을 짜낸 남색의 물을 들인 종이. 옛날 사경(寫經)·사본용(寫本用) 등에 썼음.

남지-교【南旨橋】명〖지〗경상 남도 창녕군(昌寧郡) 남지읍의 낙동강 중류의 다리. 산업·교통의 중요한 위치를 점함. [340 m]

남-지나【南支那】명〖지〗남중국. 준남지(南支).

남지나-해【南支那海】명〖지〗남중국해.

남지 춘신【南枝春信】명 동양화의 화제(畫題)의 하나. 매화는 봄에 남쪽 가지에서부터 꽃을 피운다는 데서, 매화를 그린 것을 말함.

남:직【濫職】명 분수에 넘치는 벼슬.

남진¹ 명〈옛〉남자. 남편. ¶ 남진과 겨집괘 골히요미 이시며(夫婦有別)≪內訓 Ⅰ:3≫.

남진²【南辰】명 남쪽에 보이는 별.

남진³【南進】명 ①남쪽으로 진출함. ↔북진(北進). ②남하(南下). ——-하다 자여불

남진겨집 명〈옛〉①사내와 계집. ¶ 남진겨지비 업고≪月釋 Ⅰ:42≫. ②부부(夫婦). ¶ 머리터리롤 미자 남진 겨지비 ᄃᆞ외요니(結髮爲夫婦)≪杜諺 Ⅷ:67≫.

「말썽이 없나?"≪洪命憙 : 林巨正≫.

남진-계집 명 내외를 갖춘 남의 집 하인. ¶ "그것들 ∼ 사이는 어떤고?

남진동셰 명〈옛〉사내 동서. ¶ 남진동셰(連妗)≪四聲 下 72≫.

남진어리 명〈옛〉서방질. ¶ 제 그 남진어리ᄒᆞᄂᆞᆫ 겨지비(他那養漢的老婆)≪朴解 上 35≫.

남진얼다 자〈옛〉시집가다. ¶ 남진어러 ᄌᆞ식 업더니(嫁未有子)≪飜小 Ⅸ:55≫.

남진얼이다 타〈옛〉시집보내다. ¶ 겨집 남진 얼이며 남진 겨집 얼이며(嫁女婚男)≪佛頂 上 3≫.

남진죵 명〈옛〉사내종. ¶ 남진죵 노(奴)≪字會 上 33≫.

남짓 의명〔중세 : 남ᄌᆞᆺᄒᆞ다. 남ᄌᆞᆨᄒᆞ다〕크기나 수효나 부피 따위가 어느 한도에서 조금 더 됨을 나타내는 말. ¶ 일 년 ∼ 사이에 몰라보게 자랐군/천 명 ∼한 학생. ——-하다 형여불

남짓-이 부 남짓하게.

남:징【濫徵】명 함부로 징수함. ——-하다 타여불

남ᄌᆞᆨ다 형〈옛〉남짓하다. ¶ ᄒᆡ히 남ᄌᆞᆨ고 父母ㅣ 븟그려 도라오라 ᄒᆞ니라(歲餘父母慚而還之)≪三綱 孝子≫.

남ᄌᆞᆨᄒᆞ다 형〈옛〉남짓하다. ¶ 기리 열자 남ᄌᆞᆨᄒᆞ니≪月釋 Ⅰ:6≫.

남ᄌᆞᆺᄒᆞ다 형〈옛〉남짓하다. ¶ 附子 므긔 닐굽돈 남ᄌᆞᆺᄒᆞ닐 炮ᄒᆞ야 니겨(附子重七錢許炮熟)≪救方 上 38≫.

남-쪽【南—】명 남극(南極)을 가리키는 쪽. 동쪽을 향하여 오른쪽. 남방(南方). 서문(暑門). 준남(南). ↔북쪽.

남쪽물고기-자리【南—】[—꼬—] 명〔라 Piscis Austrinus〕〖천〗10월 중순의 저녁, 남쪽 하늘에 보이는 별자리. 물병자리의 남쪽에 있음. 수성(首星) 포말하우트(Fomalhaut)는 항해자(航海者)가 존경하는, 적황색의 광도(光度) 1.3등성(等星)임. 약자 PsA. 남어좌(南魚座).

남쪽삼각형-자리【南—三角形—】명〔라 Triangulum Australe〕〖천〗남천(南天)에 있는 별자리. 제단(祭壇)자리 남쪽의 은하(銀河) 가운데 있음. α, β, γ성이 삼각형을 그림. 약자 TrA.

남쪽왕관-자리【南—王冠—】명〔라 Corona Austrina〕〖천〗8월 하순의 저녁, 남천(南天)에 나지막이 보이는 작은 별자리. 5-6개의 별이 작은 반원을 그림. 그리스 신화에서는 디오니소스(Dionysos)가 아리아드네(Ariadne)에게 준 왕관을 상징함. 약자 CrA.

남차 바르와 산【—山】〔Namcha Barwa〕명〖지〗중국 시짱(西藏) 자치구의 동쪽, 히말라야(Himalaya) 산맥의 동쪽 끝에 있는 고산(高山). 미답(未踏)임. [7,756 m]

남창¹【男唱】명〖악〗여자가 남자 목소리로 부르는 노래. ↔여창.

남창²【男娼】명 남색(男色) 파는 것을 업으로 하는 남자. *면².

남창³【南窓】명 남쪽으로 난 창. ↔북창(北窓).

남창⁴【南昌】명〖지〗'난창(南昌)'을 우리 음으로 읽은 이름.

남창⁵【南倉】명〖역〗①금위영(禁衛營)에 속하는 창고. 남별영(南別營)의 남쪽에 있었음. ②어영청(御營廳)에 속하는 창고.

남창⁶【南滄】명〖사람〗손진태(孫晉泰)의 호(號).

남창 여수【男唱女隨】명 남자가 앞에 나서서 서두르고 여자는 그저 따라서 함. ↔여창 남수(女唱男隨). *부창 부수(夫唱婦隨).

남창 폭동【南昌暴動】명〖역〗난창 폭동.

남천¹【南天】명 ①남쪽 하늘. ②〖천〗수대(獸帶) 남쪽의 하늘. 1)·2):↔북천(北天).

남천²【南天】명〖식〗↗남천촉(南天燭).

남천-정【南川停】명〖역〗①신라 때, 육정(六停)의 하나인 한산정(漢山停)의 전신이던 신주정(新州停)을 진흥왕(眞興王) 29년(568)에 파하고 지금의 이천(利川) 땅에 두었던 군영(軍營). 진평왕(眞平王) 26년(604)에 정(停)을 다시 북한산주(北漢山州)에 옮기고 한산정으로 고침. ②신라의 삼국 통일 초기에 베푼 십정(十停)의 하나. 지금의 이천 땅에 두었음.

남천-죽【南天竹】명〖식〗남천촉(南天燭).

남천-촉【南天燭】명〖식〗[*Nandina domestica*] 매자나뭇과에 속하는 상록 관목. 높이 2-3 m이고, 나무 껍질은 갈색이며 재목은 노란 빛임. 잎은 호생하고 수회 우상 복엽(數回羽狀複葉)인데, 소엽은 피침형이고 톱니가 없으며 광택이 있고, 털은 없음. 초여름에 흰 빛의 작은 육판화(六瓣花)가 원추(圓錐) 화서로 피고, 지름 7-8 mm의 둥근 열매가 늦가을에서 겨울에 걸쳐 흰 빛 또는 붉은 빛으로 익음. 중국 원산(原産)으로 남방 지방에 저절로 나는데, 한국·일본에서는 뜰에 심음. 줄기·잎·열매는 약용, 재목은 건축재임. 남촉초(南燭草). 남촉목(南燭木). 문촉(文燭). 준남촉(南燭)·남천(南天).

〈남천촉〉

남-천축【南天竺】명 오천축(五天竺)의 하나. 남쪽 인도.

남-철【藍鐵】명 남빛이 나는 쇠.

남-철광【藍鐵鑛】명 철을 함유하는 광석의 하나. 단사정계(單斜晶系)의 주상 결정(柱狀結晶). 백색 또는 무색이나 공기에 접하면 남청색으로 변함.

남-철릭【藍—】명〖역〗무관의 공복(公服)의 한 가지. 당상관(堂上官)이 입었음. *철릭.

남첨【南檐】명 남쪽의 처마.

남첩【男妾】명 여자에게 얻어먹으며 잠자리 벗을 해 주는 남자. 지골로(gigolo). *놈팡이.
남-청1【男一】명 ①남자의 목청. ②남창(男唱). 1)·2):↔여(女)청.
남청2【南淸】명 청(淸)나라의 남쪽 부분. 지금의 중국 남쪽 지방을 이렇게 일컫기도 함.
남청3【藍靑】명 짙은 검푸른 빛. 깊고 맑은 물의 빛깔 따위. 남전(藍靛).
남청-색【藍靑色】명 짙고 검푸른 색채. 남청빛.
남청-소【藍靑素】명〖생〗피코시안(phycocyan).
남초1【南草】명〖식〗〔본디 남방에서 온 것이므로 난 이름〕담배.
남초2【南椒】명〖식〗초피나무.
남초 호【一湖】〔Nam Tso〕명〖지〗중국 시짱(西藏) 자치구의 동쪽에 있는 내륙 염호(塩湖). 라마교의 성지. 호면 표고 4,630 m. [2,460 km^2]
남촉【南燭】명〖식〗↗남천촉(南天燭).
남촉-목【南燭木】명〖식〗남천촉(南天燭).
남촉-반【南燭飯】명 남천촉(南天燭)의 잎을 넣고 지은 밥.
남촉-초【南燭草】명〖식〗남천촉(南天燭).
남촌【南村】명 ①남쪽에 있는 마을. ②서울 안의 남쪽에 있는 동네들.
남충【南充】명〖지〗'난충(南充)'을 우리 음으로 읽은 이름.
남:취1【嵐翠】명 푸르스름한 남기(嵐氣).
남:취2【濫吹】명〔한비자(韓非子) 내저설(內儲說)에, 제(齊)나라 선왕(宣王)이 생황(笙篁)을 즐겨 악인(樂人) 300명을 불러 이를 불게 하였던 바, 남곽(南郭)이라는 처사(處士)가 그 기예가 없이 이에 섞여 한때 속여 넘겼으나, 민왕(湣王) 때에 이르러 한 사람씩 불리자 도망했다는 고사에서〕①무능한 사람이 재능이 있는 체함. ②실력이 없는 사람이 어떤 지위에 붙어 있는 일. 남우(濫竽).
남:취3【擥取】명 손에 잡음. 잡아챔. ——하다 타여불
남측【南側】명 남쪽. ↔북측(北側).
남-치【南一】명 남쪽 지방의 산물(産物) 또는 생물(生物). ↔북(北)치.
남-치(:)근【南致勤】명〖사람〗조선 명종(明宗) 때의 판윤(判尹). 왜구(倭寇)를 치다가 실패하였으나, 임거정(林巨正)을 잡아서 공을 세웠음. [?-1570]
남-치마【藍一】명 ①남빛 치마의 통칭. ②〖역〗여자 예복의 한 가지로 남빛의 치마.
남침【南侵】명 남쪽을 침략함. ¶ 북괴의 ~. ——하다 자여불
남탕【男湯】명 남자만이 사용하는 공중 목욕탕. ↔여탕.
남태1 명〖농〗제주도에서, 흙덩이를 고르거나 씨가 바람에 날리지 않게 땅을 다지는 데 쓰는 나무로 만든 농구. 통나무 주위에 토막 나무발 30여 개를 촘촘하게 박고, 양끝 고리에 줄을 꿰어 소로 하여금 끌게 하거나 사람이 어깨에 메어 끌기도 함. 윤목(輪木).
남태2【男胎】명〖생〗사내를 낳은 후산으로 나오는 태.
남태평양 국가 회:의【南太平洋國家會議】[一/一이] 명 1970년에 창설된 남태평양 제국의 역내(域內) 협력 조직. 가맹국은 오스트레일리아·뉴질랜드·파푸아뉴기니 등 12개국.
남태평양 철도【南太平洋鐵道】[一또] 명〔Southern Pacific Lines〕〖지〗미국 대륙 횡단 철도의 하나. 샌프란시스코에서 시작하여 로스앤젤레스(Los Angeles)를 거쳐 멕시코 국경을 동으로 달려 휴스턴(Houston)을 거쳐 뉴올리언스(New Orleans)에 이름. [3,968 km]
남테미 명〈방〉검불(충북).
남토【南土】명 남쪽 땅.
남파1【南波】명〖사람〗김천택(金天澤)의 호(號).
남파2【南派】명 남쪽으로 파견함. 특히, 북한(北韓)에서 남한(南韓)으로 간첩 따위를 내려 보내는 일. ¶ ~ 간첩. ——하다 타여불
남팔 남아【南八男兒】[一람一] 명〔남팔(南八)은 중국 당(唐)나라의 남씨(南氏)의 팔남(八男)으로 태어난 남제운(南霽雲)의 일컬음. 그가 장순(張巡)과 함께 절개를 지켜 죽었던 데서〕장하고 절개 있는 대장부를 이름.
남편1【男便】명 여자의 짝이 되어 사는 남자를 그 여자에 대하여 일컫는 말. 아내의 배우자. 부(夫). ↔아내. *지아비.
【남편 덕을 못 보면 자식 덕도 못 본다】시집을 잘못 가면 평생 고생을 면하지 못한다. 【남편은 두레박 아내는 항아리】두레박이 물을 길어다 항아리에 채우듯이, 남편은 밖에서 돈을 벌어 집에 가지고 오면 아내는 그것을 잘 모으고 간직하여 치부(致富)한다는 말. 【남편을 잘못 만나면 당대 원수, 아내를 잘못 만나도 당대 원수】결혼을 잘못 하면 일생 동안 불행하다는 말.
남편2【南便】명 남쪽 편. ↔북편(北便).
남편 공경【男便恭敬】명 남편을 공손히 섬김. ——하다 자여불
남편-네【男便一】명〈방〉남정네.
남평【南平】명〖지〗'난핑(南平)'을 우리 음으로 읽은 이름.
남포1 명 도화선(導火線) 장치를 하여 폭발시킬 수 있게 된 다이너마이트.
남포2 명〔lamp〕↗남포등.
남포3【南浦】명〖지〗평안 남도의 항시(港市). 대동강의 어귀로부터 26 km 상류 우안(右岸)에 위치하는데, 관서(關西) 전역의 농업·어업·광업·공업 생산물의 집산지이고, 제련·경금속·화학·정미·양조·도자기 등의 공업이 성하며, 광석·시멘트·과실·쌀·밀 등을 수출함. 명승 고적으로는 우산장(牛山莊)·보림사(寶林寺)·용강 온천(龍岡溫泉) 등이 있음. 1945년까지는 '진남포(鎭南浦)'로 불렸음.
남포4【藍袍】명 남빛의 옷.
남포-꾼 명 남폿구멍을 뚫어, 바위를 깨뜨리는 일꾼.
남포-등【一燈】명〔lamp〕석유를 넣어 불을 켜는 등. 석유를 넣은, 병처럼 만든 것의 아가리에 심지를 꽂아, 불을 켜게 만든 것으로, 조명(照明) 효과를 높여 주고, 불이 바람에 잘 꺼지지 않게 하는 구실을 하는, 유리로 만든 등피를 끼움. 공중에 매다는 것과 놓고 켜는 것들이 있음. 양등(洋燈). 등피(燈皮). ㊥남포.

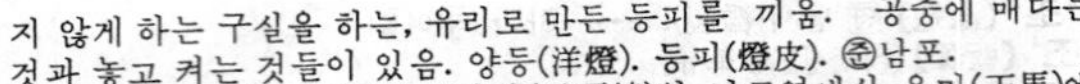
〈남포등〉

남포-선【藍浦線】명〖지〗장항선(長項線)의 남포역에서 옥마(玉馬)에 이르는 철도. 주로 무연탄 수송을 위한 화물선(貨物線)임. 1964년 12월 30일 준공. [4.3 km]
남포-질 명 남포를 폭발시켜 바위를 깨뜨리는 것. ——하다 자여불
남-포태산【南胞胎山】명〖지〗함경 남도 혜산군(惠山郡) 보천면(普天面) 북동부에 있는 산. 마천령(摩天嶺) 산맥에 속하며, 우리 나라에서 여덟번 째로 높음. 백두산과 함께 신생대 제 3-4 기에 걸쳐 분출된 화산임. [2,485 m]
남폿-구멍 명 남포를 재이려고 바위 같은 데에 뚫어 놓은 구멍.
남폿-돌 명 남포를 놓아 캐낸 석재(石材).
남폿-불 명 ①남포등에 켠 불. ②남포를 폭발시킬 때 도화선(導火線)에 붙이는 불.
남풍1【南風】명 남쪽에서 불어 오는 바람. 개풍(凱風). ↔북풍. *마파람.
남풍2【南豐】명〖지〗중국 삼국 시대의 오(吳)나라 때, 지금의 장시성(江西省) 중동부, 광창현(廣昌縣)의 동쪽에 두었던 현 이름. 여러 차례의 개폐(改廢)를 거친 뒤에 현재의 난펑(南豐)현에 이름.
남풍 불경【南風不競】명 남방(南方) 가요(歌謠)의 음조(音調)에 활기(活氣)가 없음. 전하여, 남방의 세력이 부진(不振)함을 이름.
남피 명〈방〉〖식〗무(제주).
남필【覽畢】명 다 봄. 보기를 마침. 주로, 조사 '에'가 붙어, '다 보고 나서'의 뜻으로 쓰임. ¶ 어머님께서 ~에 우시더라.
남하1【南下】명 ①남쪽을 향하여 벋어 내려감. 남진(南進). ②북쪽 나라가 남쪽 나라로 진출함. ¶ 러시아의 ~ 정책. ↔북상. ——하다 자여불
남:하2【濫下】명 관청에서 함부로 곡식이나 돈을 내줌. ——하다 타여불
남:-하다【濫一】형여불 외람(猥濫)하다.
남하석-산【南下石山】명〖지〗함경 북도 경성군(鏡城郡) 경성면(鏡城面)과 주을읍(朱乙邑) 사이에 있는 산. [1,742 m]
남학【南學】명〖역〗①서울 남쪽에 있던 사학(四學)의 하나. ②중국 남북조 때의 남조(南朝)의 학문.
남-학교【男學校】명 남자만을 가르치는 학교. ↔여학교.
남-학생【男學生】명 남자 학생. ↔여학생.
남한【南韓】명〖지〗①한강(漢江) 이남의 한국. ②중부 이남의 한국. 남선. 남조선. ③해방 후 삼팔선(三八線) 이남의 한국. 이남(以南). ④6·25 전쟁 후 휴전선 이남의 한국. 1)-4):↔북한.
남-한:강【南漢江】명〖지〗한강의 한 줄기. 강원도의 태백산 북쪽 오대산(五臺山)에서 발원하여 강원도·충청 북도를 거쳐, 경기도 남양주군(南楊州郡)에서 북한강(北漢江)과 합류함.
남-한대【南寒帶】명〖지〗지구를 기후에 따라 나눈 지대의 하나로서 남위 66.5° 이남의 남극권 지대. 이 지역에서는 반년은 낮이고, 반년은 밤이며 몹시 추움. ↔북한대.
남한-산【南漢山】명〖지〗경기도 광주(廣州)에 있는 산. 북한산(北漢山)·관악산(冠岳山) 등과 더불어 서울 분지를 이중으로 둘러싼 자연의 방벽(防壁)임. [495 m]
남한산-성【南漢山城】명〖지〗남한산에 있는 산성. 경기도 광주군(廣州郡) 중부면(中部面) 산성리(山城里)에 위치함. 병자 호란(丙子胡亂) 때 농성(籠城) 45일 만에 굴욕적인 맹약(盟約)을 한 옛 싸움터로 유명함. 현존한 성벽은 광해군(光海君) 때 시작하여 그 후 여러 차례 중수축(重修築)한 것임. 사방에 성문을 달고 장대(將臺)를 두었음. 성내에는 숭렬전(崇烈殿)·연무관(演武館)·침과정(枕戈亭)이 있고 백제의 토기·와편(瓦片)이 발견됨. 높이 7.2 m, 둘레 7.2 km임. 사적(史蹟) 57호.
남한 일기【南漢日記】명〖책〗1636년 병자 호란 때 청군(淸軍)이 남한산성에 침입하였을 당시의 일기. 석지형(石之珩)이 쓴 것을 영조(英祖) 29년(1753)에 이기진(李箕鎭)이 등사(謄寫)함. 책 끝의 호종록(扈從錄)에 영의정 김류(金瑬) 이하 수백 명의 성명을 부기(附記)함. 4권 4책. 사본.
남한 치영【南漢緇營】명〖역〗조선 인조 2년(1624) 남한산성을 개축(改築)할 때 남한산성 안에 설치한 의승군(義僧軍)의 군영(軍營).
남항1【南航】명 남쪽으로 항행함. ——하다 자여불
남항2【南港】명 남쪽 항구.
남해1【南海】명 남쪽에 있는 바다.
남해2【南海】명〖지〗경상 남도 남해군의 군청 소재지로 읍(邑). 남해도(島)의 중동부에 위치하여 서쪽으로 강진해(江津海)에 임함. 수산물 집산의 중심지로 고등어·정어리·도미 등이 산출됨. [15,284 명(1996)]
남해3【南海】명〖지〗①'난하이(南海)'를 우리 음으로 읽은 이름. ②중국 진(晉)나라에서 청(淸)나라에 이르는 동안 계속적으로 광둥(廣東) 지방에 설치되어 있었던 군(郡)·현(縣)의 이름.
남해 거서간【南解居西干】명〖사람〗남해왕(南解王).
남해 고속 도:로【南海高速道路】명〖지〗전라 남도 순천(順天)과 부산 사이를 잇는 고속 도로. 1973년 11월 14일에 개통됨. [177 km]
남해-군【南海郡】명〖지〗경상 남도의 한 군. 1읍 9면 1 출장소. 섬으로 되었는데, 북은 바다 건너 하동군(河東郡)·사천시(泗川市), 동은 바다 건너 통영시(統營市), 남은 바다, 서는 바다 건너 전라 남도의 여천군(麗川郡)과 마주 보고 있음. 쌀·보리·콩·고추 등의 농산물과 수산·축산·공산·임산 등이 성하며, 명승 고적(名勝古蹟)으로는 용문사(龍門寺)·화방사(花芳寺)·금산(錦山)·이순신비(李舜臣碑)·노량진(露梁津) 등이 있음. [356.86 km^2 : 68,394 명(1996)]
남해 대:교【南海大橋】명〖지〗경상 남도 하동군(河東郡) 금남면(金南

面) 노량리(露梁里)의 육지와, 섬인 남해군 설천면(雪川面) 노량리(露梁里) 사이를 잇는 다리. 한려 수도(閑麗水道)를 가로지르는, 한국 최초의 현수교(懸垂橋)임. 너비 12 m, 탑 높이 60 m로, 1968년 5월에 착공하여 1973년 6월에 준공됨. [660 m]

남해-도【南海島】명 〖지〗 경상 남도 남해군을 이루는 주도(主島). 부근에서 성행하는 수산업의 중심지를 이루며, 굴·김 양식업이 발달함. [297 km²: 104,169 명(1975)]

남해도 각자【南海島刻字】명 서불 제명 각자(徐市題名刻字).

남해 민란【南海民亂】[―밀―] 명 〖역〗 조선 철종(哲宗) 14년(1863), 남해 지방의 농민들이 이서(吏胥)의 주구(誅求)에 견디다 못해 일으킨 민란. 남해 7 면(面)의 농민들이 흰 수건을 매고 몽둥이를 들고 읍내의 관아(官衙)·창고를 파괴하고, 문부(文簿)와 이서의 가옥을 불사르는 등 5일 이상 소란을 피우다가, 등장(等狀)을 바친 후 해산하였음.

남해-배나무【南海―】명 〖식〗 [*Pyrus nankaiensis*] 능금나뭇과에 속하는 낙엽 활엽 교목. 잎은 달걀꼴이고 4-5월에 백색 꽃이 방상(房狀) 화서로 피며 이과(梨果)는 여름에 익음. 촌락 부근에 나는데 경남의 남해에 분포함. 나무는 기구·기계재로 쓰고, 과실은 먹음.

남해 산맥【南海山脈】명 〖지〗 영남 지방의 남해안을 동서로 달리는 구릉성(丘陵性)의 산맥. 규모가 작고 낮음.

남-해안【南海岸】명 남쪽의 해안.

남해-왕【南解王】명 〖사람〗 신라 제2대 왕. 박혁거세(朴赫居世)의 맏아들. 시조의 능을 축성하고 석탈해(昔脫解)를 사위로 맞아 대보(大輔)로 삼고 정사(政事)를 맡겼다 함. 남해 거서간(南解居西干). 남해 차차웅(次次雄). [재위 4-24]

남해 차차웅【南解次次雄】명 〖사람〗 남해왕(南解王).

남해 포말 사:건【南海泡沫事件】[―껀] 명 〖역〗 18세기초에 영국에서 일어난 투기(投機)에 얽힌 공황(恐慌). 1711년에 설립된 남해 회사(南海會社)가 1720년에 다액의 국채를 인수하는 대상(代償)으로, 스페인령(領) 아메리카와의 무역 독점권을 부여받자, 이 회사의 주가(株價)가 폭등하고, 유사한 포말 회사가 속출하였음. 이 때 정부가 단속의 손을 뻗치자 투기열은 급속히 식고, 많은 포말 회사가 파산하고, 남해 회사의 주가(株價)도 폭락하여 공황 상태를 빚었음.

남행[1]【南行】명 남쪽으로 향하여 감. ――-하다 자여불

남행[2]【南行】명 〖역〗 음직(蔭職). 문공(門功).

남:행[3]【濫行】명 난잡한 행동. 행동을 함부로 함. ――-하다 자여불

남행 북주【南行北走】명 동행 서주(東行西走). ――-하다 자여불

남행 수령【南行守令】명 〖역〗 남행 제도에 의해서 임명된 수령.

남행 열차【南行列車】[―녈―] 명 남쪽을 향하여 달려가는 열차.

남행 초사【南行初仕】명 〖역〗 남행으로 처음 벼슬길에 오름. ――-하다 자여불

남향【南向】명 남쪽으로 향함. ――-하다 자여불

남향-집【南向―】[―찝] 명 대청이 남쪽을 향하여 있는 집. ↔북향집.

남향-판【南向―】명 남쪽으로 향한 집이나 묏자리 등의 터전.

남:형【濫刑】명 가리지 아니하고 함부로 처형함. ――-하다 타여불

남-호[1]【南湖】명 〖지〗 함경 북도 부령군(富寧郡) 부거면(富巨面)에 있는 늪. [0.53 km²]

남호[2]【南湖】명 〖사람〗 정지상(鄭知常)의 호(號).

남혼【男婚】명 아들의 혼인. ↔여혼(女婚).

남혼 여가【男婚女嫁】[―녀―] 명 아들은 장가들고 딸은 시집감. ――-하다 자여불

남화[1]【南華】명 〖책〗 ↗남화 진경(南華眞經).

남화[2]【南畫】명 〖미술〗 ↗남종화(南宗畫).

남화-경【南華經】명 〖책〗 ↗남화 진경(南華眞經).

남화-장【覽火匠】명 〖공〗 도자기 가마에 때는 불의 정도를 보살피는 일을 맡아보는 사람.

남화 진경【南華眞經】명 〖책〗 중국 장주(莊周)가 지은 책인 ≪장자(莊子)≫를 높이어 당(唐)나라 현종(玄宗)이 내린 이름. 준남화경(南華經)·남화(南華).

남화 진인【南華眞人】명 〖사람〗 〔중국 당(唐)나라 현종(玄宗)이 추존(追尊)하여 내린 이름〕 장주(莊周)의 이명(異名).

남-황도【南黃道】명 〖천〗 적도에 대하여 남쪽으로 23°27′의 경사를 이루는 황도.

남-회귀선【南回歸線】명 〖천〗 적도에서 남쪽으로 23°27′ 떨어진 위선(緯線). 오스트레일리아의 북부, 아프리카의 남부, 브라질의 중앙부 등지를 지나는데, 추분(秋分)에 적도에 있던 해가 점점 남으로 향하여 이 선의 바로 위를 지나는 날이 동지(冬至)가 되며 그로부터 다시 북으로 돌아감. 별칭(別稱)은 동지선(冬至線). ↔북회귀선.

남-회인【南懷仁】명 〖사람〗 페르비스트(Verbiest, Ferdinand)의 중국식 이름.

남:획【濫獲】명 물고기·짐승을 가리지 아니하고 마구 잡음. 난획(亂獲). ¶ 치어(稚魚)의 ～. ――-하다 타여불

남-효(:)온【南孝溫】명 〖사람〗 조선 단종(端宗) 때의 생육신(生六臣)의 한 사람. 자(字)는 백공(伯恭). 호는 추강(秋江). 의령(宜寧) 사람. 김종직(金宗直)의 제자로, 세조(世祖)가 단종을 쫓아내고 왕위에 오르자 벼슬을 버리고 산수(山水)에 묻혀서 일생을 보내었음. [1444-92]

남훈 태평가【南薰太平歌】명 〖책〗 순 한글로 씌어진 가곡본(歌曲本). 시조·잡가·가사(歌辭)가 3부로 나뉘어 실려 있는데, 현존하는 시가집 중 유일한 판본(板本)임. 엮은 연대와 편자(編者)는 미상이나 순조(純祖)에서 철종(哲宗) 사이에 편찬된 것으로 추측됨.

남흔 여열【男欣女悅】명 [―녀―] 부부가 화락(和樂)함. ――-하다 형여불

낡 명 〈옛〉 나무(단독으로 안 쓰이며, '이·은·올·이' 등 조사 앞에 쓰임). ¶ 누본 남기 니러셔니이다 ≪龍歌 48章≫/木曰南記 ≪鷄類≫/물에 가 빠지거나 낡에 가 목을 매어 욕을 면하고…≪李海朝 : 昭陽亭≫. ＊나모.

[낡은 소가 다 때고 양식은 머슴이 다 먹는다] 농사를 짓는 데, 쇠죽을 쑤기에 나무가 많이 들고, 머슴을 먹이기에 양식이 많이 든다는 말.

[낡이라도 고목(枯木) 되면 오던 새도 아니 온다.] 권세가 좋을 때는 늘 찾아 오던 이도 이편의 처지가 보잘것없게 되면 한번 들여다보지도 않는다.

납[1] 명 〖화〗 ①푸르스름한 잿빛의 금속 원소. 보통의 금속 중 가장 무겁고 연하며 전성(展性)이 많아 매우 얇게 만들 수 있으나 연성(延性)이 부족하여, 가는 줄로 만들 수는 없음. 새로 깎은 자리는 반짝거리나 공기(空氣) 중에서는 급속히 녹이 나 빛이 흐려짐. 불에 잘 녹으며 열전도도(熱傳導度)·전기(電氣) 전도도는 낮음. 녹는점(點) 327.4°C, 끓는점(點) 1,750°C, 비중(比重) 11.34. 금속 그대로나 합금인 땜납 또는 화합물로서 연판(鉛板)·연관(鉛管)·연박(鉛箔)·활자 합금(活字合金) 등으로 쓰임. 연(鉛). [82번 : Pb : 207.2] ② ↗땜납.

납[2] 명 〈옛·방〉 원숭이. ¶ 납爲猿≪訓例≫/납과 새와 잇는 즈믄 비레 조브니(猿鳥千崖窄)≪杜諺 XXI : 19≫.

납[3] 명 〈옛〉 ①땜납. ¶ 납 납(鑞)≪字會 中 31≫. ②주석. ＝놋갑·듀셕. ¶ 납 셕(錫)≪字會 中 31≫.

납[4]【臘】명 ↗납일(臘日).

납[5]【蠟】명 ①고급 지방산(高級脂肪酸)과 고급 일가(一價) 알코올과의 에스테르. 동물체 또는 식물체에서 고체(固體) 또는 액체(液體)로서 채취됨. 가열하면 녹기 쉽고 타기 쉬움. 정제(精製)한 것은 백색으로 무취(無臭). 동물납·식물납, 기타 지랍(地蠟)·봉랍(封蠟)·파라핀 등이 있음. ＊동물납·식물납. ②밀랍(蜜蠟). ③백랍(白蠟)❶.

납[6]【鑞】명 땜납.

납가 도:장【納價導掌】명 〖역〗 조선 시대 후기의 도장(導掌)의 한 형태. 궁방(宮房)에 일정한 금액을 납부하고, 궁방 소속의 황무지를 개간하여, 그 수익을 독차지함.

납가새 명 〖식〗 [*Tribulus terrestris*] 납가샛과에 속하는 일년초. 높이 1 m 가량이고 잎은 대생하는데 우수 우상 복엽(偶數羽狀複葉)이며, 소엽(小葉)은 4-8 쌍으로 고르지 못한 타원형임. 7월에 노란 꽃이 잎 사이에 하나씩 달리어 피고, 과실은 과피(果皮)가 단단한데 열 개의 가시와 털이 있음. 해변의 모래땅에 나는데, 제주·전남·함북 등지에 분포함. 뿌리와 씨를 약용함. 질려(蒺藜).

〈납가새〉

납가샛-과【―科】명 〖식〗 [Zygophyllaceae] 이판화구(離瓣花區)에 속하는 한 과. 160 종이 있는데, 한국에는 납가새 한 종류만 분포함.

납가싀 명 〈옛〉 납가새. ＝납가시. ¶ 납가싀(蒺藜子)≪經驗方≫.

납가시 명 〈옛〉 납가새. ＝납가싀. ¶ 납가시(蒺藜)≪濟衆 Ⅷ : 8≫.

납거【拉去】명 잡아가 버림. ――-하다 타여불

납거믜 명 〈옛〉 납거미. ¶ 납거믜(壁蟞)≪字會 上 22≫.

납-거미 명 〖동〗 [*Uroctea compactillis*] 납거밋과에 속하는 거미. 몸길이는 수컷은 8 mm, 암컷은 10 mm 가량으로 납작하고 작음. 발은 비교적 굵고, 앞등은 암갈색에 신장형(腎臟形)이며 복부는 회백색에 달걀꼴임. 여름에 큰 방적 돌기(紡績突起)로 집 안의 벽에 둥글납작한 집을 짓고 밤에 활동하여 작은 곤충을 잡아먹음. 여름에 알을 낳고 인가(人家) 부근에 서식하며 해충을 포식하는 익충(益蟲)으로, 한국 남부·일본 등에 분포함. 거미집을 한방(漢方)에서 벽전(壁錢)이라 하여 창독(瘡毒) 지혈제로 씀. 외납거미. 벽경(壁鏡). 벽전(壁錢).

〈납거미〉

납거밋-과【―科】명 〖동〗 [Urocteidae] 거미목(目)에 속하는 한 과. 납거미가 이에 속함.

납결【臘纈·蘸纈】명 염색(染色)의 한 방법. 수지(樹脂)와 밀랍과의 융해물(融解物)로 감에 모양을 그리어 냉각(冷却)시킨 다음, 눌러서 균열(龜裂) 무늬를 만들어 물들인 뒤에, 수지와 밀랍을 떼어 내어 만드는 무늬. 넥타이 등에 쓰임.

납경【納經】명 ①추선 공양(追善供養)을 위하여, 경문(經文)을 베끼어 각처(各處)의 영장(靈場)에 바치는 일. ②순례(巡禮)를 할 때 경전(經典) 대신에 쌀이나 돈을 바치는 일. ――-하다 자여불

납고[1]【納侤】명 〖역〗 관청의 다짐에 응함. ――-하다 자여불

납고[2]【臘鼓】명 납제(臘祭)에 치는 북.

납골【納骨】명 시체를 화장(火葬)하여 그 유골(遺骨)을 그릇에 모심. 또, 유골을 납골당에 모심. ――-하다 타여불

납골-당【納骨堂】[―땅] 명 유골을 모셔 두는 곳. 준골당(骨堂).

납공【納貢】명 공물을 바침. 공납(貢納). ――-하다 타여불

납공 노비【納貢奴婢】명 〖역〗 조선 시대에, 신공(身貢)을 바치던 외거노비(外居奴婢).

납-관[1]【―管】명 연관(鉛管).

납관[2]【納款】명 ①성심으로 복종함. ②정의(情誼)를 통함. ――-하다 자여불

납관[3]【納棺】명 시체를 관에 넣음. ――-하다 타여불

납관[4]【蠟管】명 〖기〗 초기의 축음기의 녹음에 사용한, 납으로 된 원통(圓筒). 소리의 신호를 커터(cutter)로 그 표면에 새기도록 되어 있음.

납금【納金】명 돈을 바침. 또, 그 돈. ――-하다 자여불

납기【納期】명 세금·공과금 등을 바칠 시기 또는 기한.

납길【納吉】명 신랑집에서 혼인날을 받아서 신부집에 보냄. ――-하다 자여불

납녀【納女】명 〖역〗 신하가 자기 딸을 임금께 바침. ――-하다 자여불

납다[1]【臘茶】명 ①작설차(雀舌茶). ②〖약〗 납설수(臘雪水).

납다[2] 형 〈옛〉 납작하다. ¶ 납은빈(匾子船)≪漢淸 XII : 19≫.

납닥-되 명 〈방〉 모되.

납대기 명 〈방〉 모되.

납대대-하다 형여불 ↗나부대대하다. ＜넙데데하다.

납-덩이 명 납으로 된 덩어리.

납덩이 같다 ㊀ ㉠ 얼굴에 핏기가 없이 하얗게 되어 납덩이 빛깔 같다. ㉡ 몹시 피로하거나 몸이 무겁고 나른함을 비유하여 이르는 말. ¶ 몸이 ~. ㉢ 어떤 분위기가 어둡고 무거워 밝지 못함을 비유하는 말. ¶ 장내(場內)에 납덩이 같은 침묵이 흐르다.

납-도【納島】명〖지〗경상 남도의 남해상(南海上), 통영시(統營市) 욕지면(欲知面) 노대리(老大里)에 위치한 섬. [0.3 km²]

납-도리 명〖건〗모나게 만든 도리. ↔굴도리.

납도리-집 명 접시받침과 납도리로 된 집.

납돌-고개 명〖지〗경상 북도 안동시(安東市)에 있는 고개. 신석현(申石峴). [98 m]

납두【納頭】명 남에게 머리 숙여 굴복함. ──-하다 자여불

납득【納得】명 사리를 이해함. 남의 말이나 행동을 잘 알아 이해함. 심수(心受). ¶ ~할 수 있도록 설명하다 / ~이 잘 안 간다. ──-하다 타여불

납딱-바리 명〈방〉〖동〗개호주.

납-땜【鑞—】명 땜납으로 쇠붙이를 때우는 일. 땜할 자리에 용제(溶劑)로서 염화 아연이나 염화 암모늄을 바르고 구리로 만든 인두를 불에 달구어서 용제를 찍고 땜납을 묻혀서 문지르면 붙음. 용제로는 이 밖에 송진도 쓰임. ──-하다 타여불

납땜 인두【鑞—】명 납땜할 때 쓰는 인두 모양의 도구. ㊟ 땜인두·인두.

납땜-질【鑞—】명 납땜하는 일. ──-하다 자여불

납-뛰다 자〈방〉날뛰다. ¶ 허기가 져서 납뛰는 법이 산범의 코 위에 날고기도 떼어먹으러 덤빌 만치 되었던 판이라≪李海朝: 牧丹屛≫.

납량【納涼】[—냥] 명 여름에 더위를 피하여 서늘한 바람을 쐼. ¶ ~객. ──-하다 자여불

〈납땜 인두〉

납뢰【納賂】[—뇌] 명 뇌물을 바침. ──-하다 자여불

납루【蠟淚】[—누] 명 초가 불에 녹아 흘러내리는 것을 흐르는 눈물에 비긴 말. ＊촉루(燭淚).

납리¹【拉里】[—니] 명〖지〗'라리(拉里)'를 우리 음으로 읽은 이름.

납리²【納履】[—니] 명 ①신을 신음. ②발을 들여 놓음. ──-하다 자여불

납매¹【臘梅】명 섣달에 꽃이 피는 매화.

납매²【蠟梅】명〖식〗생강나무.

납물 교:생【納物校生】명〖역〗조선 시대 군역(軍役)을 면하기 위해서나 그 밖의 사유(事由)로, 지방 수령이나 향교(鄕校)에 금품을 내고, 향교에 적을 둔 학생.

납밀【蠟蜜】명 밀초.

납반【臘半】명 음력 섣달의 중간.

납배¹【拉杯】명〖공〗도자기를 만들 때 그릇 몸을 본떠 만드는 일.

납배²【納杯】명 ①종배(終杯)❶. ②술잔치를 마침. ──-하다 자여불

납배³【納拜】명 절하고 뵈옴. ──-하다 자여불

납백【納白】명 자빡.

납본【納本】명 출판물을 발행하였을 때, 그 출판물을 본보기로 관계 관청에 바침. ──-하다 타여불

납본 제:도【納本制度】명 저작권의 보호 등을 위하여 도서(圖書) 기타의 출판물을 발행할 때마다 그 본보기를 관계 관청에 납부하는 제도.

납봉【鑞封】명 구멍이나 틈을 납으로 메우는 일. ──-하다 타여불

납부【納付·納附】명 세금이나 공과금(公課金) 따위를 관계 기관에 바침. ──-하다 타여불

납부-금【納付金】명 납부하는 금액. 납입금.

납부금 제:도【納付金制度】명 정부의 인가를 요하는 행위를 하는 사람에게 대하여, 조세를 부과하지 아니하고, 그 이익금 중에서 일정한 금액을 국고(國庫)에 바치게 하는 제도.

납부 기한【納付期限】명 납부해야 할 기한. ¶ 재산세 ~이 지나다.

납부-증【納付證】[—쯩] 명 납부하였음을 증명하는 문서.

납북【拉北】명 북쪽으로 납치해 감. ¶ ~ 사건. ──-하다 타여불

납-빛【鑞—】명 푸르스름한 잿빛. 연색(鉛色).

납살¹【拉殺】명 뼈를 부러뜨려 죽임. ──-하다 타여불

납살²【拉薩】명〖지〗'라사(Lhasa)'의 취음(取音).

납상【納上】명 웃어른에게 바침. ──-하다 타여불

납석【蠟石】명〖광〗지방(脂肪) 광택 및 석랍(石蠟) 같은 촉감이 있는 암석 및 광물의 총칭. 엽랍석(葉蠟石)·활석(滑石)·동석(凍石) 같은 것. 내화물(耐火物)·도자기 등에 쓰임. 곱돌.

납석 벽돌【蠟石甓—】명〖토〗납석을 주원료로 하여 만든 내화(耐火)벽돌.

납설【臘雪】명 납일(臘日)에 내리는 눈.

납설-수【臘雪水】명〖한의〗납설(臘雪)이 녹은 물. 살충(殺蟲)·해독약(解毒藥)으로 많이 쓰임. 납다(臘茶).

납세【納稅】명 국가에 조세를 납부함. 세납(稅納). ──-하다 자여불

납세 계급 선:거【納稅階級選擧】명〖정〗등급 선거의 하나. 납세액의 다소에 따라서 선거인을 몇 계급으로 나누고, 각 계급의 선거인이 같은 수의 사람을 선거하는 일.

납세 고:지【納稅告知】명〖법〗납세 금액·납부 기일·납부 장소를 지정하여 납부를 명하는 행위.

납세 고:지서【納稅告知書】명〖법〗납세액·납부 기한 및 납세 장소를 지정하여 조세의 납부를 명령하는 문서. 고지서(告知書).

납-세:공【蠟細工】명 납을 재료로 하는 세공. 또, 그 물품.

납세 관:리인【納稅管理人】[—괄—] 명〖법〗납세 의무자가 납세지에 현재 살고 있지 아니하는 경우에, 납세지에 거주하는 사람들 가운데서 납세에 관한 사항을 처리하도록 되어 있는 사람.

납세 담보【納稅擔保】명〖법〗세수(稅收)의 확보를 위하여 관할 세무서장이 납세 의무자에게 금액·기간을 지정하여 제공하도록 명하는 담보.

납세 신고서【納稅申告書】명〖법〗신고 납세 방식에 의한 조세에 있어서, 납세자가 과세 표준(課稅標準)·세액(稅額)·계산 기초 따위를 신고하는 문서. 또, 세금의 환부(還付)를 받기 위한 신고서.

납세 신고 제:도【納稅申告制度】명〖법〗납세 의무자가 세액을 세무서에 신고하여 거기에 의거한 세금을 바치는 제도.

납세-액【納稅額】명〖법〗일정한 세율과 과세 표준에 의하여 부과된 조세의 금액. ㊟납액(納額).

납세 완납 증명서【納稅完納證明書】명〖법〗세금을 완납하였다는 증명서. 국가·공공 단체 또는 국가 관리 기관과 계약을 체결하거나 대금 지급을 받으려 할 때, 내국인(內國人)이 외국에 이주하거나 1 년 이상 체류(滯留)할 목적으로 출국하려 할 때 등에 쓰임.

납세 의:무【納稅義務】명〖법〗조세를 납부하여야 할 국민의 의무.

납세 의:무자【納稅義務者】명〖법〗각종 세법(稅法)의 규정에 따라 그 세를 바칠 의무가 있는 개인 또는 법인. 권리 능력이 없는 재단(財團)·사단(社團)을 포함함. 납세 주체(主體). 담세자(擔稅者). ㊟납세자.

납세-자【納稅者】명 ①세금을 바치는 사람. 세납자. ②↗납세 의무자.

납세 증지【納稅證紙】명〖법〗납세필 증지.

납세-지【納稅地】명 납세 의무를 이행해야 할 곳으로 지정된 장소. 개인에 있어서는 주소지, 법인에 있어서는 본점(本店) 또는 주된 사무소의 소재지.

납세 충당금【納稅充當金】명〖경〗기업 회계에서, 어느 기간에 부담하게 될 세액(稅額)을 예정하여 기간적(期間的) 비용으로 계상(計上)하는 돈.

납세필-증【納稅畢證】[—쯩] 명 납세를 마쳤다는 증서.

납세필 증지【納稅畢證紙】명 간접세 과세 물품에 대하여 납세하였음을 증명하는 증지. 그 물품에 붙임. 납세 증지.

납속【納贖】명 죄를 면하고자 금전을 바침. 속전(贖錢)을 바침. ──-하다 자여불

납속 가자【納粟加資】명〖역〗흉년과 병란(兵亂)이 있을 때 곡식을 많이 바친 사람에게 정삼품의 벼슬을 주어 포상(褒賞)하던 일. 공명첩(空名帖)과 같이 이름만의 벼슬임. ＊납속 당상.

납속 당상【納粟堂上】명〖역〗납속 가자로 된 당상.

납속 면:천【納粟免賤】명〖역〗조선 시대 때, 곡물을 납입(納入)함으로써 노비의 신분에서 벗어나던 일.

납송【蠟松】명 소나무의 송진이 많은 부분.

납수【納受】명 ①수납(受納). ②소원을 들어줌. ──-하다 타여불

납승【衲僧】명 납자(衲子).

납시구 명〈방〉〖어〗밴댕이(전라).

납시다 자 '나가시다' 또는 '나오시다'의 뜻으로 임금에게만 쓰던 말.

납신 부 남에게 굽실거리느라고 허리를 납작하게 구부리는 모양. ¶ 금시 쏟아질 폭풍우를 기다리는 마음으로 아궁 앞에 ~ 웅크리고 앉았다≪李孝石: 花粉≫. ──-하다 자타여불

납신-거리다 ㊀ 자 입을 재바르고 경망하게 놀리며 재잘거리다. ㊁ 타 굽실거리느라 연신 허리를 납작하게 구부리다. 납신-납신 부. ¶ 말을 ~ 해가다. ──-하다 자타여불

납신-대다 자타 납신거리다.

납씨-가【納氏歌】명〖문〗조선 태조(太祖) 2년(1393)에 정도전(鄭道傳)이 지은 송축가(頌祝歌)의 하나. 태조가 중국 원(元)나라의 나하추(納哈出)를 격퇴시킨 무훈을 송영(頌詠)한 것으로, 군기제(軍旗祭)인 독제(纛祭)에서 창(唱)으로 불리었음. 총 4장. ≪악장 가사(樂章歌詞)≫·≪악학 궤범(樂學軌範)≫에 전함.

납씨-곡【納氏曲】명〖악〗납씨가(納氏歌)에 곡을 붙인 제악(祭樂).

납셤ᄒᆞ다 타〈옛〉도금(鍍金)하다. ¶ 납셤홀 옥(鋈)≪字會 下 16≫.

납액【納額】명 ↗납세액(納稅額).

납약【臘藥】명〖역〗납일(臘日)에 즈음하여 임금이 근신(近臣)에게 하사하는 약의 하나. 곧, 섣달에 내의원(內醫院)에서 만든 소합원(蘇合元)·안신원(安神元)·청심원(淸心元) 같은 것. 납제(臘劑).

납양【納陽】명 볕을 함빡 쬠. ──-하다 자여불

납언【納言】명〖역〗①천자(天子)나 군주 등이 신하의 간언(諫言)을 받아들이는 일. ②중국 순(舜)나라 때의 관명. 임금의 뜻을 백성에게 선포하고, 백성의 뜻을 임금에게 상주(上奏)하던 벼슬. 타여불

납염【鑞染】명 금속으로 된 그릇에 땜납을 올림. 납의(鑞衣). ──-하다

납월【臘月】명 납일(臘日)이 드는 달, 곧 음력 섣달. 가평월(嘉平月).

납-유리【—琉璃】[—뉴—] 명〖화〗플린트 유리(flint 琉璃).

납육【臘肉】명 ①소금에 절인 돼지고기. ②〖민〗납일(臘日)에 잡은 산짐승의 고기.

납은 비 명〈옛〉납작한 배. ¶ 납은 비(扁子船)≪漢淸 Ⅻ:19≫.

납음【納音】명〖민〗육십 갑자를 궁(宮)·상(商)·각(角)·치(徵)·우(羽)의 오음(五音)에 분배하여, 십이율(十二律)에 각각 오음이 있으므로, 이를 육십 갑자에 배정하여 오행(五行)으로 나타낸 이름. 예컨대, 갑자(甲子)는 황종(黃鐘)의 상(商), 을축(乙丑)은 대려(大呂)의 상(商)이므로 금(金)으로 나타내어 갑자 을축 해중금(海中金)이라 함과 같음.

갑자 을축 해중금(甲子乙丑海中金)
병인 정묘 노중화(丙寅丁卯爐中火)
무진 기사 대림목(戊辰己巳大林木)
경오 신미 노방토(庚午辛未路傍土)
임신 계유 검봉금(壬申癸酉劍鋒金)
갑술 을해 산두화(甲戌乙亥山頭火)
병자 정축 윤하수(丙子丁丑潤下水)
무인 기묘 성두토(戊寅己卯城頭土)
경진 신사 백랍금(庚辰辛巳白蠟金)
임오 계미 양류목(壬午癸未楊柳木)
갑신 을유 정천수(甲申乙酉井泉水)
병술 정해 옥상토(丙戌丁亥屋上土)
무자 기축 벽력화(戊子己丑霹靂火)
경인 신묘 송백목(庚寅辛卯松柏木)

임진 계사 장류수(壬辰癸巳長流水)
갑오 을미 사중금(甲午乙未沙中金)
병신 정유 산하화(丙申丁酉山下火)
무술 기해 평지목(戊戌己亥平地木)
경자 신축 벽상토(庚子辛丑壁上土)
임신 계묘 금박금(壬寅癸卯金箔金)
갑진 을사 복등화(甲辰乙巳覆燈火)
병오 정미 천하수(丙午丁未天河水)
무신 기유 대역토(戊申己酉大驛土)
경술 신해 차천금(庚戌辛亥釵釧金)
임자 계축 상자목(壬子癸丑桑柘木)
갑인 을묘 대계수(甲寅乙卯大溪水)
병진 정사 사중토(丙辰丁巳沙中土)
무오 기미 천상화(戊午己未天上火)
경신 신유 석류목(庚申辛酉石榴木)
임술 계해 대해수(壬戌癸亥大海水)

납의[1]【衲衣】[—/—이] 명 중이 입는 검정옷.

납의[2]【鑞衣】[—/—이] 명 납염(鑞染). ——-하다 타여불

납의-촉【蠟衣燭】[—/—이—] 명 백랍(白蠟)을 겉에 입힌 육초.

납일[1]【納日】명 지는 해.

납일[2]【臘日】명 납향(臘享)하는 날. 동지 뒤의 셋째 술일(戌日). 조선 시대에는 동지 뒤 셋째 미일(未日)로 하였음. 납평(臘平). 준납(臘).

납입【納入】명 세금이나 공과금(公課金) 등을 바침. ¶ 회비 ~. ——-하다 타여불

납입 고:지【納入告知】명 조세 기타의 세입(歲入)에 관하여 납입할 사람에게 그 납부하여야 할 금액·기일·장소 등을 통고하는 일. 조세의 납입 고지에 한하여 특히 납세 고지라고 함. ¶ ~서(書).

납입-금【納入金】명 납부금(納付金).

납입 금액【納入金額】명 납입하는 금액.

납입 잉여금【納入剩餘金】명 〖경〗 무액면(無額面) 주식의 발행 가액 중에서 자본에 들어가지 아니하는 액수.

납입 자본【納入資本】명 〖경〗 납입을 끝낸 자본으로 사업의 경영에 활용되는 것. 곧, 회사의 실질적 자본으로서 활용되는, 주주(株主)가 실제로 납입한 자본금.

납익 명 〈옛〉 나비. ¶ 납익(蛾)≪詩傳 物名≫.

납자【衲子】명 〖불교〗 납의(衲衣)를 걸치고 돌아다니는 중. 특히 선승(禪僧)을 뜻함. 납승(衲僧).

납-자루 명 〖어〗 [*Acheilognathus intermedia*] 잉어과에 속하는 민물고기. 몸길이는 5-9cm인데 몸에는 무늬가 없고 등지느러미와 뒷지느러미는 모두 담색(淡色)임. 한국 압록강에서 낙동강에 이르기까지 각 하천에 널리 분포함. 긴 산란관(産卵管)을 갖추어 민물 조개 속에 산란하는 습성이 특징이며, 식용 가치는 적음.

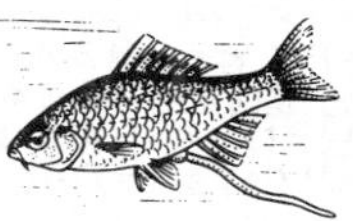
〈납자루〉

납작[1] 부 얇게 넓은 모양. <넓적.

납작[2] 부 ①말대답하거나 무엇을 받아 먹을 때 입을 재빨리 벌렸다가 닫는 모양. ②몸을 냉큼 바닥에 바짝 대고 엎드리는 모양. ¶ ~ 엎드리다. 1)-2): <넙적.

납작-감 명 〖식〗 둥글납작한 감의 한 가지. 반시(盤柹).

납작-거리다 타 ①말대답할 때나 또는 무엇을 받아 먹을 때에 입을 연해 냉큼냉큼 딱 벌렸다 닫았다 하다. ②몸을 연해 냉큼냉큼 바닥에 바짝 대고 엎드리다. 1)·2): <넙적거리다. 납작-납작[1] 부. ——-하다 타여불

납작-납작[2] 부 여럿이 모두 다 납작한 모양. <넓적넓적. ——-하다 형여불

납작납작-이 부 납작납작하게.

납작-대다 타 납작거리다.

납작-모자【—帽子】명 〈속〉 헌팅캡(hunting cap).

납작-바닥 명 〖고고학〗 평평한 토기(土器)의 밑바닥. 평저(平底).

납작-보리 명 가공하여 납작하게 누른 보리쌀. 압맥(壓麥).

납작-스레 부 납작스름하게. <넓적스레. ——-하다 형여불

납작스름-하다 형여불 약간 납작하다. <넓적스름하다. 납작스름-히 부

납작-이[1] 명 납작하게 생긴 사람의 별명. <넓적이[1].

납작-이[2] 부 납작하게. <넓적이[2].

납작이 매듭 명 매듭의 기본형(基本型)의 하나.

납작-잎벌 [—닙—] 명 〖충〗 납작잎벌과의 벌의 통칭. 산란관이 짧고, 유충에는 의각(擬脚)이 없음. 소나무·벚나무 등의 해충임.

납작잎벌-과【—科】[—닙—꽈] 명 〖충〗 [Pamphilidae] 벌목(目)에 속하는 한 과. 날개는 원시적이며 산란관(産卵管)은 짧고, 촉각의 각 마디는 길이가 거의 같음. 유충에는 의각(擬脚)이 없고, 군서성(群棲性)임. 유충 중에는 소나무·벚나무 등의 해충도 있음.

납작-천장【—天障】명 〖고고학〗 수직으로 올린 벽 위에 직접 편편한 판돌을 얹은 천장. 평천정(平天井). ＊외방무덤.

납작-코 명 콧등이 낮고 가로 퍼져 납작하게 주저앉은 코. <넓적코.

납작-파래 명 〖식〗 싱경이.

납작-하다 형여불 얇게 넓다. ¶ 납작한 얼굴/코가 납작해지다. <넓적하다.

납작-호박 명 납작스름하게 생긴 호박.

납전[1]【拉典】명 '라틴(Latin)'의 취음(取音).

납전[2]【臘前】명 납일(臘日)의 며칠 전.

납전 면:천【納錢免賤】명 〖역〗 조선 시대 돈을 치르고 노비의 신분에서 벗어나던 일. ＊납속(納粟) 면천.

납전 삼백【臘前三白】명 납일 전에 눈이 세 번 내림. 농가에서는 이것을 그 이듬해에 풍년이 들 징조로 삼음.

납전-지【鑞箋紙】명 중국산의 종이의 한 가지.

납정【拉丁·臘丁】명 '라틴(Latin)'의 취음(取音).

납제【臘劑】명 〖역〗 납약(臘藥).

납조【臘鳥】명 납일에 잡은 참새. 약으로 씀.

납죡ᄒᆞ다 형 〈옛〉 납작하다. ¶ 입 납죡ᄒᆞ다(匾嘴)≪漢淸 Ⅵ:15≫.

납주[1]【納主】명 제사가 끝난 뒤에 신주(神主)를 감실(龕室)에 모셔 들이는 일.

납주[2]【臘酒】명 노주(老酒)❶.

납죽[1] 부 갈쭉하게 넓은 모양. <넓죽.

납죽[2] 부 ①무엇을 받아 먹거나 말대답할 때, 입을 냉큼 벌렸다 닫는 모양. ②몸을 냉큼 바닥에 내리대고 엎드리는 모양. ¶ ~ 엎드려 사과하다. 1)-2): <넙죽.

납죽-거리다 타 ①무엇을 받아 먹거나 말대답할 때, 입을 냉큼냉큼 벌렸다 닫았다 하다. ②몸을 엎드리어 연해 바닥에 냉큼냉큼 납죽하게 내리대다. 1)·2): <넙죽거리다. 납죽-납죽[1] 부. ——-하다 타여불

납죽-납죽[2] 부 여럿이 모두 한결같이 납죽한 모양. <넓죽넓죽. ——-하다 형여불

납죽납죽-이 부 납죽납죽하게. <넓죽넓죽이.

납죽-대다 타 납죽거리다.

납죽-스레 부 납죽스름하게. <넓죽스레. ——-하다 형여불

납죽스름-하다 형여불 약간 납죽하다. <넓죽스름하다. 납죽스름-히 부

납죽-이[1] 명 머리나 코가 납죽하게 생긴 사람. 또, 모양이 납죽한 물건. <넓죽이[1].

납죽-이[2] 부 납죽하게. <넓죽이[2].

납죽-하다 형여불 갈쭉하게 넓다. <넓죽하다.

납-줄개 명 〖어〗 [*Rhodeus sericeus*] 잉어과에 속하는 납자루 종류의 민물고기. 몸길이는 5-10cm이며 몸빛은 등 쪽이 암청색, 배 쪽이 은백색인데 체측 후반의 중앙에 암색 세로띠가 있으며, 꼬리지느러미는 엷은 암색, 뒷지느러미의 기부는 암색, 그 외는 담색이고 배지느러미와 가슴지느러미는 담색임. 산란기가 되면 수컷의 몸빛이 아주 고와짐. 한국 동북부 하천에 분포하고 시베리아·사할린·중부 유럽에도 분포함. 관상용 어류임.

납-줄갱이 명 〖어〗 [*Pseudoperilampus suigensis*] 잉어과에 속하는 민물고기. 소형의 납자루 종류의 하나로, 몸길이 4cm 내외이며 등지느러미 기부(基部)에 흑점이 있고, 체측에 분명한 흑색 세로띠가 있음. 경기도 수원·양평, 전북 전주·만경강(萬頃江), 평남 청천강(淸川江)·대동강(大同江) 등에 분포하고 중국 산둥성(山東省)에도 분포함.

납-중독【—中毒】명 〖의〗 납의 독기(毒氣)로 인하여 생기는 중독. 급성 납중독은 급성 위장염의 증세가 생기나 극히 드묾. 만성 납중독은 극히 소량의 납을 오랫동안 계속해서 섭취(攝取)함으로써 생김. 배우·도공(塗工)·식자공(植字工)·축전지 직공 등이 흔히 걸리는데, 주된 증세로서는 입 속에 염증을 일으키며, 피부의 연색(鉛色), 적혈구의 증가, 산증(疝症), 팔 근육의 운동 마비 등이 일어나는데, 심하면 정신 장애를 일으키기도 함. 최근에는 가솔린 첨가제인 사에틸(四 ethyl) 납에 의한 중독이 주목되고 있음. 연(鉛)중독. 연독(鉛毒).

납지[1]【蠟地】명 납을 올린 듯이 광택이 있고 미끄러운 천 또는 종이 등의 지질(地質).

납지[2]【蠟紙】명 밀랍이나 백랍(白蠟) 또는 파라핀(paraffin) 등을 먹인 종이. 미지.

납지[3]【鑞紙】명 납과 주석의 합금을 얇게 종이처럼 늘인 것. 궐련이나 과자를 싸는 데 씀. 석박(錫箔). 은종이.

납지리 명 〖어〗 [*Paracheilognathus rhombea*] 잉어과에 속하는 민물고기. 큰납자루 무리의 하나로, 몸길이는 6-12cm이며, 몸은 측편하고 머리는 작으며 주둥이는 뾰족하고 비늘은 복와상(覆瓦狀)으로 밀착되었음. 몸빛은 등 쪽이 담갈색이고, 등지느러미 전방에서 꼬리자루의 등에 이르는 사이는 농갈색이며 배 쪽은 남색임. 한국 서남해에 흘러 들어가는 하천에 분포하는데, 식용함.

납질【蠟質】명 납의 바탕. 납의 성질.

납징【納徵】명 납폐(納幣). ——-하다 자여불

납채【納采】명 신랑될 사람의 집에서 신부될 사람의 집에 혼인을 청하는 의례(儀禮). 지금은 '납폐(納幣)'의 뜻으로 통용(通用)함. ——-하다 자여불

납청-장【納淸場】명 〔평안 북도 정주군(定州郡) 납청 시장에서 만드는 국수는 잘 쳐서 하였으므로 질기다는 소문에서 유래한 말〕 몹시 얻어맞거나 눌리어 납작해진 사람이나 물건의 비유.

납청장(이) 되다 구 몹시 얻어맞거나 눌리어 납작해지다.

납초【納草】명 〖역〗 조선 시대에 실록(實錄)의 근본 자료가 된 원고. 사관(史官)으로 하여금 각기 자기 직무 관계의 견문(見聞)을 두 통씩 수록(手錄)하게 하여, 원본은 춘추관(春秋館)에 올리고 부본(副本)은 각기 보관하였는데, 이 때의 춘추관에 올리는 원본을 이름. 처음에는 납초에 사관이 서명하지 아니하기로 하고 직필(直筆)시켰으나, 세조(世祖)가 이 제도를 바꿔 서명하게 한 후로는 곡필(曲筆)을 하는 폐단이 생겼음.

납촉【蠟燭】명 밀초[1].

납-축전지【—蓄電池】명 〔lead battery〕 〖물〗 묽은 황산에 이산화(二酸化)납의 양극판(陽極板)과 해면상(海綿狀) 납의 음극판을 넣은 축전지. 보통 쓰이는 축전지로 전압은 2볼트이며, 방전(放電)한 후에는 충전하여 몇 번이고 사용할 수 있음. 연축전지(鉛蓄電池).

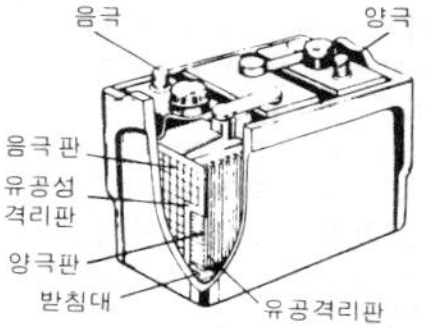

〈납축전지〉

납취【蠟嘴】명 〖조〗 쇠밀화부리.

납취-작【蠟嘴雀】명 〖조〗 쇠밀화부리.

납취-조【蠟嘴鳥】명 〖조〗 쇠밀화부리.

납치【拉致】명 강제 수단을 써서 억지로 데리고 감. ¶ ~범. ——-하다 타여불

납치 강도【拉致强盜】명 행인을 차량 안으로 유인해 들여 금품을 뺏은

뒤 한적한 곳에 내던지는 강도짓. 또, 그 강도.
납판【蠟板】명 백랍(白蠟)으로 만든 판. 녹음판·음반(音盤) 등에 쓰임.
납팔【臘八】명〖불교〗〔↗납월 팔일〕석가가 도를 이룬 날. 곧, 음력 섣달 초여드렛날.
납팔 접심【臘八接心】명〖불교〗선종 사원(禪宗寺院)에서 음력 섣달 초하룻날부터 여드렛날 새벽까지 석존이 성도(成道)한 것을 기념하기 위하여 오로지 좌선(坐禪)만을 하는 일. ——-하다 자여불
납평【臘平】명 납일(臘日). 「——-하다 자여불
납평-제【臘平祭】명〖역〗납향(臘享).
납평-치【臘平—】명 납평 때 비나 눈이 옴을 이르는 말. ＊납설(臘雪).
납폐【納幣】명〖민〗혼인 때 신랑집에서 신부집으로 보내는 폐백. 흔히 푸른 비단과 붉은 비단을 보냄. 또, 그 비단. 납징(納徵). ——-하다 자여불
납포-장【納布匠】명〖역〗조선 시대에, 베로써 세를 바치던 공장(工匠).
납품【納品】명 물품을 바침. 또, 그 물품. ¶ ～ 업자. ——-하다 자타
납함¹【吶喊】명 여러 사람이 일제히 함성을 지름. ——-하다 자여불
납함²【納啣】명 명함을 드림. ——-하다 자여불
납항【納降】명 항복하겠다는 청을 받아들임. ——-하다 자여불
납향【臘享】명〖역〗납일(臘日)에 그 한 해 동안 지은 농사 형편과 그 밖의 일을 여러 신에게 고하는 제사. 납평제(臘平祭).
납헌【納獻】명 금품을 바침. 헌납(獻納). ——-하다 타여불
납형【蠟型】명 밀랍(蜜蠟)으로 원형(原型)을 만들어 그 안팎에 고운 주형토(鑄型土)를 이겨서 발라 말린 후, 불 속에 넣어서 납을 녹여 없애고 만든 주형. 이 안에 녹인 금속을 붓고 냉각(冷却)시킨 후 틀을 떼면 기물(器物)이 생김.
납화【蠟畫】명〖미술〗고대 이집트·그리스에서 행하여지던 회화(繪畫)의 기법(技法). 백랍(白蠟)에 색채를 넣어 굳힌 고형 물감을 쇠붙이 팔레트(palette)에 녹여서 씀.
납화-부【納貨部】명〖역〗태봉(泰封)의 마을 이름. 고려 때의 대부시(大府寺)와 같음. 「는 데 쓰던 것.
납환【蠟丸】명 밀을 동그랗게 뭉쳐 그 속에 서류를 넣어 비밀로 통신하
납회【納會】명 ①그 해의 마지막 모임. ②〖경〗거래소(去來所)에서, 그 해의 마지막 입회(立會). ↔ 발회(發會).
납후【拉朽】명 썩은 것을 부순다는 뜻으로, 어떤 일이 용이함의 비유.
낫¹ 명〖농〗풀이나 나무나 곡식 같은 것을 베는 연장. 쇠로 'ㄱ'자 모양으로 만들되, 목이 휘우듬하게 굽고, 앞 몸의 안쪽에는 날이 있으며, 뒤 끝은 곧은 슴베가 있어 그 끝에 나무 자루를 박음.

〈낫¹〉

[낫 놓고 기역자도 모른다] 'ㄱ'자 모양으로 된 낫을 앞에 놓고도 그것이 ㄱ자인 줄도 모른다 함이니, 곧 아주 무식하기 짝이 없다는 뜻. [낫으로 눈을 가린다] ㉠자기의 흔적을 가리고자 하다가 가리지 못함을 이르는 말. ㉡미련하여 경우에 맞는 처신(處身)을 못한다는 말.
낫² 명〈방〉좁쌀.
낫³ 명〈옛〉낮. ¶ 낫 듀(晝), 낫 샹(晌)《字會 上 1》.
낫⁴ 명〈옛〉낱개(個). ¶ 혼낫 마티 ᄒᆞᄂᆞ다(如一顆耳)《楞嚴 Ⅱ:29》.
낫⁵ 명〈옛〉낟. ¶ 스므시 ᄇᆞ룃ᄂᆞᆫ 낫 이사ᄅᆞᆯ 보ᄂᆞᆫ듯ᄒᆞ야라(雰鬒見滯穗)《重杜諺 XII:18》. ＊낟.
낫-감기 명 →낫갱기.
낫-강치 명〈방〉낫공치.
낫-갱기 명〔←낫감기〕낫자루에 휘어 감은 쇠.
낫계다 자〈옛〉한낮이 막 지나다. ¶ 낫계어 겨히 더울 때예 미처(比及晌午剉正熱時分)《朴解 下 1》. 「後晌也)《老乞上 59》.
낫계엇다 자〈옛〉낮이 겨웠다. 낮이 좀 지났다. ¶ 날이 낫계엇다(日頭
낫계즈만 명〈옛〉한낮 겨운 때('낫'은 낮, '계'는 겹다, '즈'은 때, '만'은 한정(限定)을 가리키는 말). ¶ 오뉴월 낫계즈만 살얼음 지픠 우희《古時調 鄭澈》. ＊밤등만.
낫-공생이 명〈방〉낫공치.
낫-공치 명 낫의 슴베가 휘어 넘어가는 덜미의 두꺼운 부분.
낫구다 타〈방〉낫우다(경상).
낫글 타〈옛〉낚을. '낫다⁴'의 활용형. ¶ 낫글 됴(釣)《類合 下 7》.
낫낫-이 부 나긋하게. 나긋나긋하게.
낫낫-하다 형여불 ↗나긋나긋하다.
낫-놀 명 낫자루에 놀구멍을 꿰어 박는 쇠못. 준놀. 「히 ～.
낫:다¹ 자ㅅ불 병이나 상처 등이 없어져 그전대로 되다. ¶ 종기가 완전
낫다² 자〈옛〉나타나다. ＝난다·낟다. ¶ 옷ᄉᆞ매예 두 불도기 낫도다(衣袖露兩肘)《杜諺 Ⅱ:20》.
낫다³ 자〈옛〉나아가다. ＝나ᅀᆞ다·낟다. ¶ 能히 다시 낫디 몯ᄒᆞ리어늘사(不能復進)《妙蓮 Ⅲ:174》. ＊나ᅀᆞ다❶
낫다⁴ 타〈옛〉낚다. ¶ 飄零히 ᄃᆞᆫ노매 또 고기 낫ᄂᆞᆫ 낛주를 ᄆᆡ노라(飄零且釣緡)《杜諺 Ⅵ:31》.
낫:다⁵ 형ㅅ불 서로 견주어 좋은 점이 조금 더하다. ¶ 이 놈이 훨씬 ～/ 보다 나은 대우/그래도 죽기 보다는 ～.
낫:기는 개코가 나아 구 조금도 나을 것이 없다는 말.
낫-당개미 명〈방〉낫갱기.
낫대 명〈옛〉낚싯대. ＝낛대. ¶ 반ᄃᆞ기 두어 낫대를 시므노라(必種數竿竹)《杜諺 Ⅵ:52》.
낫-댕기 명〈방〉낫갱기.
낫드러【進只·進叱】부〈이두〉나아가.
낫드러누이온【進叱有臥乎】〈이두〉나아간.
낫드러잇견【進叱有在】〈이두〉①나아간. ②할 것. 할 만한 것.
낫드려바리【進叱使內】〈이두〉나아오게 하는.
낫드려하잇견【進叱爲有柱】〈이두〉나아간.
낫-등 명 낫의 날의 반대되는 부분.
낫ᄃᆞ라 자〈옛〉나아가 달려. '낫ᄃᆞᆮ다'의 활용형. ¶ 主簿ㅣ 낫ᄃᆞ라 닐오ᄃᆡ(主簿進曰)《飜小 X:4》.
낫ᄃᆞᆮ다 자〈옛〉나아가 달리다. 내닫다. ¶ 안답셔샤 낫ᄃᆞ라 아니샤 것ᄆᆞᄅᆞ 죽거시ᄂᆞᆯ《釋譜 XI:20, 月釋 XXI:217》.
낫만 명〈옛〉한낮. ＝낫맛. ¶ 낫만홈애 미처 또 니르르샤(及日中又至)《內訓 Ⅰ:33》. ＊밤등만. 「《杜諺 XVI:72》.
낫맛 명〈옛〉한낮. ＝낫만. ¶ 낫맛 ᄉᆡ이예 바고니를 소ᄃᆞ니(放筐亭午際)
낫맛감〈옛〉한낮쯤. ¶ 수릿날 낫맛감(五月五日 日中)《瘟疫 6》. ＊낫만.
낫-몽태 명〈방〉낫갱기.
낫-물 명〈방〉내³(함경).
낫믈 명〈옛〉곡기(穀氣). ¶ 우흔 더욱 셞ᄉᆞ오샤 낫믈을 긋치오시고《癸丑日記 Ⅰ:110》.
낫밥¹ 명〈방〉조밥.
낫-밥² 명〈방〉점심(點心)(전남).
낫부려왜라다암【務叱使內良如爲】〈이두〉나아 올 수 있게. 나아 올 수 있도록. 「的七托少些)《老乞 下 26》.
낫브다 형〈옛〉나쁘다. 부족을 느끼다. ¶ 계요 닐곱 발이 낫브다(剛口
낫:-살 명〈속〉↗나잇살. ¶ ～깨나 먹은 사람. 「들 때도 됐는데.
낫:-세 명〈속〉그만한 나이. ¶ 나도 그 ～ 때는 힘 좀 썼다/그 ～면 철이
낫싸움 명〈방〉여드름(제주).
낫 아웃〔not out〕명 야구에서, 타자(打者)가 삼진(三振)되는 때 포수가 공을 떨어뜨렸을 경우를 이름. 아웃이 아님.
낫우다 타 ☞고치다.
낫-자루 명 낫의 자루.
낫:-잡다 타 좀 넉넉하게 치다.
낫:-잡아 부 좀 넉넉하게. 낫게.
낫-질 명 낫으로 풀·나무·곡식 따위를 베는 것. ——-하다 자여불
낫-치기 명〖민〗낫을 던져 땅에 꽂기를 겨루는 초동(樵童)들의 놀이.
낫-탱개 명〈방〉낫갱기.
낫-표 명〖언〗따옴표 「 」의 이름. 세로쓰기에서 따온 말 가운데 다시 따온 말이 들어 있을 때 또는 마음 속으로 한 말을 적을 때 등에 씀. ＊겹낫표·작은 따옴표. 「雷鳴)《救簡 Ⅲ:74》.
낫후 명〈옛〉오후(午後). ¶ 낫후만ᄒᆞ야 비 안히 글흐면(至日午後腹中如
낛다 타〈옛〉낚다. ＝낫다. ¶ 져믄 아ᄃᆞᄅᆞᆫ 바ᄂᆞᄅᆞᆯ 두드려 고기 낫ᄀᆞᆯ 낙술 밍ᄀᆞᄂᆞ다(稚子敲針作釣鉤)《杜諺 Ⅶ:4》.
낛낫 명〈옛〉낱낱. ¶ 낛나치 發明ᄒᆞ시니(一一發明)《妙蓮 Ⅵ:68》.
낫다 자〈옛〉나아가다. ＝낫다³. ¶ ᄒᆞᄫᅡ 나사가샤(獨詣)《龍歌 35章》.
낭¹ 명 ☞낭떠러지. 「하나뿐임.
낭² 명〈방〉나무¹(제주).
낭:³【浪】명 성(姓)의 하나. 현재 우리 나라에는 본관(本貫)이 양주(楊州)
낭⁴【郎】명〖역〗①신라 집사성(執事省)의 벼슬. 경덕왕(景德王) 때에 사(史)를 고친 이름. ②고려 전교시(典校寺)의 벼슬. 정칠품(正七品).
낭가【娘家】명 어머니의 친정. 외가(外家).
낭가파르바트 산【—山】〔Nanga Parbat〕명〖지〗〔범어로 '벌거숭이 산'이라는 뜻〕히말라야 산맥 중의 고봉(高峰)으로 세계 제 9위. 1895년 이래 수차 실패한 끝에 1953년 7월, 독일·오스트리아 원정대가 등정에 성공함. 매우 험준하여 히말라야 등반사상 가장 비극적인 역사를 지니고 있는 산임. 파키스탄의 잠무카슈미르에 있음. [8,125 m]
낭간¹ 명〈방〉벼랑(경남).
낭간²【琅玕】명 경옥(硬玉)의 한 가지. 암록색 내지 청벽색을 발하는 반투명의 아름다운 돌. 중국에서 나는데, 고래로부터 장식에 쓰임.
낭간³【琅玕】명〖사람〗유성원(柳誠源)의 호(號).
낭:객【浪客】명 허랑하고 실속이 없는 사람.
낭게 명〈방〉나무¹(경상).
낭:고【狼顧】명 ①이리같이 뒤를 돌아다 보며 경계하고 두려워함. ②사람의 상(相)의 이름. 이리와 같이 뒤를 돌아다볼 수 있는 머리. ——-하다 자여불
낭:공 국사【朗空國師】명〖사람〗신라 효공왕(孝恭王)과 신덕왕(神德王) 때의 국사. 속성은 최(崔). 이름은 행적(行寂). 탑호(塔號)는 백월 서운(白月栖雲). 해인사(海印寺)에서 수업하고, 39세 때 당나라에 유학함. [832-916]
낭과-병【囊果病】〔—뼝〕명〖식〗자낭균의 기생으로 말미암아 자두·앵두의 어린 과실에 생기는 병. 과피(果皮)가 비대해져서 보통 2-5배가 되고 속이 비며 갈색으로 변색하여 떨어짐.
낭관【郎官】명〖역〗①조선 시대, 정랑(正郎)과 좌랑(佐郎)의 통칭. 조랑(曹郎). ②조선 시대 정오품(正五品) 통덕랑(通德郎) 이하의 당하관(堂下官)의 통칭.
낭관【郎官】명〖역〗조선 시대에, 각 관아의 당하관(堂下官)의 총칭.
낭구 명〈방〉나무¹(경기·황해·강원 평안·충청·전라). 「낭청(郎廳).
낭구다 타〈방〉남기다(경상).
낭군【郎君】명 젊은 아내가 자기 남편을 사랑스럽게 이르는 말.
낭그 명〈방〉나무¹(강원·충남·황해).
낭글 명〈방〉벼랑(경남).
낭기 명〈방〉나무¹(평안·함경·충청).
낭기-마【郎騎馬】명 혼인 때 신랑이 색시집에 타고 가는 말.
낭낭이 명〈방〉〖식〗냉이(평안).
낭달뀌 명〈방〉양지(陽地)(평안).
낭당¹【郎當】명 난당(難當). ——-하다 형여불
낭당²【郎幢】명〖역〗신라 때 군영(軍營)의 이름. 진평왕(眞平王) 47년(625)에 설치하고 문무왕(文武王) 17년(677)에 자금 서당(紫衿誓幢)으로 고침.
낭대 명〈방〉〖어〗양태.

낭도¹【郎徒】명 화랑(花郞)을 중심으로 모인 청소년의 무리.

낭:-도²【狼島】명〖지〗전라 남도의 남해상(南海上), 여천군(麗川郡) 화정면(華井面) 낭도리(狼島里)에 위치하는 섬. 근해 수산업의 중심지로 연안 일대는 김·굴의 양식업과 수산 가공업이 발달했음. [5.03 km², 1,371 명(1984)]

낭도³【囊刀】명 주머니칼.

낭:독¹【狼毒】명 ①〖식〗오독도기. ②〖한의〗오독도기의 뿌리. 적취(積聚)나 외과(外科)에 쓰이는 극렬한 약임.

낭:독²【朗讀】명 소리를 내어 읽음. ¶ 시(詩) ~. ——-하다 타여불

낭:독 연:설【朗讀演說】[—넌—] 명 미리 준비한 원고를 읽어서 연설하는 일. 또, 그 연설. ——-하다 자여불

낭:독-자【朗讀者】명 낭독하는 사람.

낭두【囊頭】명〔자루를 머리에 뒤집어 쓴다는 뜻으로〕함구(緘口)하여 돈수(頓首)한다는 뜻.

낭:득 허명【浪得虛名】명 평판은 좋으나 아무런 이득이 없는 일.

낭-떠러지 명 깎아지른 듯한 언덕. 현애(懸崖).

낭-떠러지기 명〈방〉낭떠러지(함경).

낭떠러진데 명〈방〉낭떠러지(강원).

낭:랑¹【浪浪】[—낭] 명 ①정처 없이 방랑하는 모양. ②눈물의 흐르는 모양. ③비가 계속 내리는 모양. ——-하다 형여불 ——-히 부

낭랑²【琅琅】[—낭] 명 옥이 서로 부딪쳐 울리는 소리. ——-하다 형여불.

낭:랑³【朗朗】[—낭] 명 ①빛이 매우 밝은 모양. ¶ ~한 달빛 아래. ②소리가 매우 흥겹고 명랑한 모양. 낭연(朗然). ¶ ~한 목소리. ——-하다 형여불. ——-히 부

낭랑⁴【硠硠】[—낭] 명 돌이 서로 부딪쳐 나는 소리. ——-하다 형여불

낭:려【狼戾】[—녀] 명 ①이리같이 마음이 비뚤어짐. ②낭자(狼藉). ——-하다 형여불

낭:루【狼瘻】[—누] 명〖한의〗감루(疳瘻).

낭리【囊裏】[—니] 명 주머니 속. 낭중(囊中).

낭:림-산【狼林山】[—님—] 명〖지〗평안 북도 희천군(熙川郡)과 평안 남도 영원군(寧遠郡) 사이에 있는 산. [2,014 m]

낭:림 산맥【狼林山脈】[—님—] 명〖지〗북한의 중앙을 남북으로 달리는 산맥. 2,000 m 이상의 높은 봉우리가 많으며, 함경 남도와 평안 남북도와의 경계를 이룸. 고준(高峻)하며 골짜기가 긴 까닭에 교통상 큰 장벽을 이루고 있으며, 가릉령(加陵嶺)·아득령(牙得嶺)·검산령(劍山嶺) 등 곳곳에 통로를 만들어 겨우 교통의 불편을 면하고 있음.

낭:림-투구꽃【狼林—】[—님—] 명〖식〗[*Veronica langrimsanensis*] 현삼과에 속하는 다년초. 줄기는 높이 10-20 cm 내외이고 장병(長柄)의 잎이 대생(對生)하는데 달걀꼴 또는 타원형임. 7-8월에 담자색의 꽃이 총상(總狀) 화서로 줄기 끝에 정생(頂生)하며, 과실은 삭과(蒴果)임. 산지에 나는데, 평북에 분포함.

낭:만【浪漫】명 실현성이 적고 매우 정서적이며 이상적인 상태. ¶ ~에 흐르다. ——-하다 형여불

낭:만-성【浪漫性】[—썽] 명 낭만적인 성질.

낭:만-적【浪漫的】명관 현실적이 아니고 공상적인 모양. ¶ ~인 사고방식.

낭:만-주의【浪漫主義】[—/—이] 명 18세기 말엽부터 19세기 초두에 걸쳐 독일·영국·프랑스를 중심으로 전개하여 유럽 여러 나라를 휩쓴 근대 문예 사조 및 그 운동. 고전주의(古典)와 합리주의(合理)에 반대하여 자유와 개성을 구하고 감정의 우월을 중요시하며, 개성을 강조하고 중세 문화에의 부활을 이상으로 하며, 무한한 자연에의 동경을 표출함. 로맨티시즘(romanticism).

낭:만주의 미술【浪漫主義美術】[—/—이—] 명〖미술〗정지적(靜止的)이고 질서가 잡힌 구도 속에 전려(典麗)한 미를 찾는 고전주의에 대항하여, 동적인 리듬 속에 인간 감정의 표출(表出)을 시도해 보려는 낭만파 화가들의 미술. 최초의 화가는 제리코(Géricault)이며, 가장 강렬하게 감정(感情)을 그려낸 화가는 들라크루아(Delacroix)임. *낭만주의.

낭:만주의 음악【浪漫主義音樂】[—/—이—] 명〖악〗서양 음악사상, 낭만의 발로(發露)와 심정(心情)의 주관적 표현을 중요시한 19세기 초로부터 후반에 걸친 유럽 음악. 교향시·피아노곡·가곡 등에 걸작이 많음. 선구자는 베를리오즈(Berlioz)이며, 바그너(Wagner)·쇼팽(Chopin)·슈베르트(Schubert) 등의 음악이 대표적임.

낭:만주의-적【浪漫主義的】[—/—이—] 명관 낭만주의의 특성을 가진 모양.

낭:만-파【浪漫派】명 낭만주의를 신봉하는 일파. ↔고전파.

낭묘【廊廟】명 ①조정의 대정(大政)을 보살피는 전사(殿舍). ②〖역〗의정부¹(議政府).

낭묘지-기【廊廟之器】명 묘당(廟堂)에 앉아 천하의 정무(政務)를 보살필 만한 큰 인물. 곧, 재상(宰相) 감을 일컬음.

낭묘지-지【廊廟之志】명 재상(宰相)이 되어 국정(國政)을 맡아보려는 큰 뜻.

낭무【廊廡】명 정전(正殿) 아래로 동서(東西)에 붙이어 지은 건물. 곁채.

낭:미-초【狼尾草】명〖식〗강아지풀.

낭배【囊胚】명〔gastrula〕〖동〗후생(後生) 동물의 개체 발생 초기의 한 단계. 포배(胞胚) 다음의 척추 동물에서 신경배(神經胚)에 선행(先行)하는 시기의 배. 배엽(胚葉)이 분화하여 외배엽과 내배엽의 이중의 벽(壁)으로 싸이게 됨. 원장배(原腸胚).

낭배-기【囊胚期】명〔gastrula stage〕〖동〗배엽(胚葉) 형성 과정의 하나. 포배기(胞胚期)가 지나 포배의 일부가 할강(割腔)으로 들어가 두 겹의 세포층으로 되는 시기. *낭배(囊胚).

낭:보【朗報】명 명랑한 보도. 반가운 소식. 명랑보(明朗報). ↔비보(悲報).

낭:비【浪費】명 재물이나 시간·정력 따위를 헛되이 씀. 남비(濫費). 부비(浮費). ¶ 예산을 ~하다/시간의 ~. ——-하다 타여불

낭:비-벽【浪費癖】명 낭비하는 버릇. ¶ ~이 있는 여자.

낭비-성【娘臂城】명〖지〗삼국 시대에 충북 청주(淸州)에 있던 고구려의 성(城). 신라 26대 진평왕(眞平王) 51년(629)에 신라 대장군 용춘(龍春)·서현(舒玄)이 공략하여 신라의 땅이 됨. 별칭은 '낭자곡(浪子谷)'.

낭사¹【郎舍】명〖역〗고려 문하부(門下府)의 간관(諫官).

낭:사²【浪士】명 언행이 허랑한 사람.

낭:사³【浪死】명 헛된 죽음. 보람 없이 죽음. 개죽음. ——-하다 자여불

낭사 배:수【囊砂背水】명〔전한(前漢) 때의 한신(韓信)이 시도했던 '낭사지계(囊砂之計)'와 '배수진(背水陣)'을 뜻하는 말로〕강의 상류에 토낭(土囊)을 쌓고 기다렸다가 적이 강을 건널 때 일시에 물을 터놓아 적을 크게 깬 계략과, 강이나 바다를 등지고 결사(決死)의 진(陣)을 치는 일.

낭상【囊狀】명 주머니처럼 생긴 형상.

낭상-물【囊狀物】명 주머니처럼 생긴 물체.

낭상 인대【囊狀靭帶】명〖생〗관절(關節)의 주위를 주머니처럼 둘러싸서 양 뼈 끝을 연결하는 질긴 띠. 짧은 원통형으로 그 속에는 미끄러운 액막(液膜)이 있으며, 한 뼈의 막(膜)으로부터 다른 뼈의 막까지 굳세게 걸치어 있어 관절강(關節腔)을 이룸.

낭상-충【囊狀蟲】명〖동〗편형(扁形) 동물 흡충류의 간흡충(肝吸蟲)이나 간질(肝蛭)의 발생 과정 중, 제일 중간 숙주(宿主) 안에 있는 유생(幼生)의 이름. 난원형(卵圓形) 또는 가늘고 긴 자루와 같은 모양을 하고 있으며, 소화 기관도 없고 몸의 구조는 아주 간단함. 얼마 후 체내에서 너 마리에서 수십 마리의 레디아(redia)가 생겨나 몸의 벽을 뚫고 밖으로 나옴. 스포로시스트(sporocyst).

낭서【郎署】명 중요하지 않은 공무(公務)에 종사하는 관리.

낭:석【曩昔】명 옛날. 지난번. 낭일(曩日). 낭시(曩時).

낭선¹【郎扇】명 혼인 때, 신랑이 가지는 붉은 부채.

낭:선²【狼筅】명〖역〗①무예 육기·십팔기(十八技)·무예 이십 사반의 하나. 보졸(步卒)이 낭선창(狼筅槍)을 가지고 하는 무예. ②↗낭선창(狼筅槍).

〈낭선²❶〉

낭:선-군【朗善君】명〖사람〗조선 선조(宣祖)의 손자(孫子)며, 인흥군(仁興君)의 아들. 자는 석경(碩卿). 호는 관란정(觀瀾亭). 이름은 우(俁). 문인(文人)·아객(雅客) 들과 친하여 필묵으로 세월을 보냈음. 저서에 《임지 설림(臨池說林)》·《대동금석첩(大東金石帖)》 등이 있음. [1637-93]

낭:선-창【狼筅槍】명〖역〗옛 무기의 하나. 대 또는 쇠로 만드는데 길이는 열 다섯 자, 무게는 일곱 근, 아홉 층부터 열 한 층의 가지가 달렸는데, 창대 끝과 가지 끝과 가지 안쪽에 쇠붙이로 만든 날카로운 날이 있음. 준낭선(狼筅).

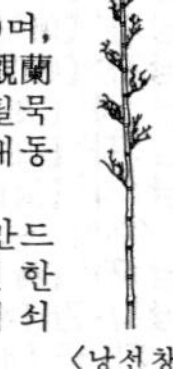

〈낭선창〉

낭:설【浪說】명 터무니없는 헛소문. 무근지설. ¶ ~을 퍼뜨리다.

낭:설 자자【浪說藉藉】명 헛소문이 뭇 사람 입에 올라 떠들썩함. ——-하다 형여불

낭섭 명〈방〉잎¹(제주).

낭:성【狼星】명〖천〗천랑성(天狼星).

낭성-대 [—때] 명〔←낭선(狼筅)〕긴 장대. 장간(長竿).

낭-세(:)령【郎世寧】명〖사람〗'카스틸리오네'의 중국 이름.

낭-세포【娘細胞】명〖생〗세포 분열에 의하여 생긴 두 개의 세포. ↔모세포(母細胞).

낭:소【朗笑】명 명랑하고 쾌활하게 웃음. ——-하다 자여불

낭속【廊屬】명 하인배(下人輩)의 총칭.

낭:송【朗誦】명 소리를 내어 글을 욈. 낭창(朗唱). ¶ 시를 ~하다. ——-하다 타여불

낭습-증【囊濕症】명〖한의〗불알이 축축한 증세.

낭:시¹【曩時】명 접때. 지난번. 낭일(曩日).

낭시²〔Nancy〕명〖지〗프랑스의 북동부 뫼르트에모젤 주(Meurthe-et-Moselle州)의 주도. 모젤 강 상류로부터 마른 운하(Marne運河)로의 분기점(分岐點)에 있음. 철강·기계·화학·섬유·피혁·식품 등의 공업이 행하여짐. 제1차 대전 때의 격전지(激戰地)임. [110,000 명(1987)]

낭:아【狼牙】명〖한의〗아자(牙子)❶.

낭:아-박【狼牙拍】명 옛날 성(城) 위나 누(樓)·선상(船上) 따위에 설치하여 적의 공격을 막는 데 쓰던 무기의 하나. 쇠못을 많이 장치하여 놓은 직사각형의 것으로 적이 성벽 등을 기어오를 때 이것을 떨어뜨려 방어함.

낭:아-채【狼牙菜】명〖식〗짚신나물.

낭:아-초【狼牙草】명〖식〗①[*Indigofera pseudo-tinctoria*] 콩과에 속하는 낙엽 활엽 관목. 높이 30-50 cm이고, 잎은 우상 복엽(羽狀複葉)인데, 잔 잎은 긴 타원형임. 여름에 백색 또는 홍자색의 꽃이 총상(總狀) 화서로 핌. 과실은 삭과(蒴果)로 선상(線狀) 원주형이며, 가을에 익음. 들에 나는데, 한국 남부·일본·중국에 분포함. 근부(根部)는 약으로 씀. ②짚신나물.

〈낭아초❶〉

낭:어【浪語】명 함부로 지껄이는 말.

낭언덕 명〈방〉벼랑(충남).

낭:연¹【狼煙·狼烟】명〔늑대의 똥을 섞어서 태우면 연기가 나부끼지 아니하고 곧게 하늘로 오른다는 데서〕봉화(烽火)를 이름.

낭연²【琅然】명 구슬이 울리는 소리. 또, 그와 같은 소리. 물소리를 형용하는 데에 쓰는 말.

낭:연³【朗然】명 낭랑(朗朗). ——-하다 형여불. ——-히 부

낭:영【朗詠】명 낭음(朗吟). ——-하다 타여불

낭:오【朗悟】명 지혜가 밝아 깨달음이 빠름. 재민(才敏). ——-하다 형여불

낭옹【囊癰】명〖한의〗불알에 나는 종기.

낭요¹【郎窯】명〖공〗중국 청(淸)나라 강희 연간(康熙年間)에 징더전(景德鎭)에서 강서 순무(江西巡撫) 낭정좌(郎廷佐)가 만든 자기(磁器)의 일종. 제홍(祭紅).

낭:요²【朗耀】명 밝고 환함. ——-하다 형여불

낭원【閬苑】명 신선(神仙)이 산다는 곳. 낭풍 요지(閬風瑤地).
낭:원 국사【朗圓國師】명『사람』신라 말엽, 고려초의 명승. 속성은 김(金). 이름은 개청(開淸). 신라 경애왕(景哀王)의 국사임.
낭:원-군【朗原君】명『사람』조선 선조(宣祖)의 손자(孫子). 인흥군(仁興君)의 아들. 이름은 간(偘). 호는 최락당(最樂堂). 일찍이 ≪선원 보략(璿源譜略)≫을 편찬, ≪영언(永言)≫이라는 가집(歌集)을 내었으나 그 중 일곱 수만이 ≪청구 영언(靑丘永言)≫·≪해동 가요(海東歌謠)≫ 등에 전할 뿐임. [1640-99]
낭:월【朗月】명 맑고 밝은 달.
낭:유[1]【浪遊】명 허랑하게 놂. ——하다 자여불
낭:유[2]【狼莠】명『식』강아지풀.
낭유[3]【稂莠】명『식』강아지풀.
낭:유 도식【浪遊徒食】명 하는 일 없이 헛되이 놀고 먹음. ——하다 자여불
낭:유-사【浪遊詞】명『문』조선 정조(正祖)·순조(純祖) 때의 문신(文臣) 이기경(李基慶)이 지은 가사. ≪벽위가(闢衛歌)≫의 하나. 도교(道敎)의 허망함과 불교의 허무함과 천주교의 괴이함을 노래하고 유교만이 참다운 삶의 본령(本領)이라고 읊음. 총 74구. 순 한글의 필사본.
낭:음【朗吟】명 소리를 높여 시 같은 것을 읊음. 낭영(朗詠). ——하다 타여불
낭이[1] 명〈옛〉냉이. =나이[2]. ¶ 낭이(薺菜)≪方藥 37≫.
낭이[2] 명〈방〉나무[1](황해·평안).
낭:인[1]【浪人】명 ①지위나 벼슬이 없이 노는 사람. ②일정한 주소가 없이 방랑 생활을 하는 사람. 낭자(浪子).
낭:인[2]【狼咽】명『의』구개(口蓋)가 찢어져, 비강(鼻腔)과 구강(口腔)이 통해 있는 선천성 기형. 포유(哺乳)·발성(發聲)이 곤란하게 됨.
낭:일【曩日】명 지난번. 접때. 낭시(曩時). 주일(疇日).
낭자[1] 명 ①여자의 예장(禮裝)에 쓰는 딴머리의 하나. 쪽찐 머리 위에 덧얹어 긴 비녀를 꽂음. ¶ 폐백을 드리기 위하여 ～를 올린 머리가 초록빛이 들도록 반반하고 매끄러운데…≪鄭然喜 : 일요일의 손님들≫. ②쪽[1]. ——하다 자여불
낭자[2]【郞―】명〈방〉낭재(郞材).
낭자[3]【郞子】명 옛날에 젊은 남자를 친밀하게 일컫던 말.
낭자[4]【娘子】명 처녀.
낭:자[5]【浪子】명 ①낭인(浪人)❷. ②주색(酒色)으로 방탕하는 자식.
낭:자[6]【狼子】명『한의』아자(牙子)❶.
낭:자[7]【狼藉】명 ①어지럽게 여기저기 흩어져 있음. 낭려(狼戾). ¶ 배반(杯盤) ～/유혈이 ～하다. ②나쁜 소문이 파다함. ——하다 형여불
낭:자[8]【曩者】명 지난번. 접때. 낭일(曩日).
낭자-관【娘子關】명『지』'냥쯔관(娘子關)'을 우리 음으로 읽은 이름.
낭자-군【娘子軍】명 ①여자로 조직된 군대. ②부녀자의 무리 및 단체.
낭자-궤【―櫃】명 여자의 예장용(禮裝用) 낭자를 넣어 두는 궤. ＊패물궤.
낭자-균【囊子菌】명『생』자낭균(子囊菌).
낭:자 야:심【狼子野心】명 ①신의(信義)가 없음을 비유한 말. ②분수에 맞지 않는 소망.
낭잣-비녀 명 낭자를 쪽찌는 크고 긴 비녀.
낭장【郞將】명『역』①고려 때 중낭장(中郞將) 다음의 정육품 무관의 벼슬. 군사 200명을 거느림. ②조선 태조(太祖) 때, 의흥 친군(義興親軍)의 십위(十衛)에 딸린 무관의 육품 벼슬.
낭장-방【郞將房】명『역』고려 때 낭장(郞將)들이 모여 군사에 관한 일을 의논하던 기관. 부대의 계열을 떠나서 계급별로 모이는 친목 단체로서, 이 외에 장군방(將軍房)·산원방(散員房)·교위방(校尉房) 등이 있었음.
낭재【郞材】명 신랑(新郞)감.
낭저[1]【廊底】명 대문간에 붙어 있는 조그만 방. 행랑(行廊).
낭저[2]【螂蛆】명 오공(蜈蚣)❷.
낭:적【浪跡】명 정처 없이 여기저기 떠돌아다닌 자취.
낭:전【浪傳】명 함부로 말을 퍼뜨림. 경솔하게 선포함. ——하다 타여불
낭:족-산【狼足山】명『지』계족산(鷄足山).
낭종【囊腫】명『의』진피(眞皮) 안에 공동(空洞)이 생기고 장액(漿液)이나 지방(脂肪)이 들어 있는 발진(發疹)의 하나. ¶ 난소 ～.
낭:중[1] 명〈방〉나중[1].
낭중[2]【郞中】명『역』①신라 집사성(執事省) 병부(兵部)·창부(倉部)의 대사(大舍). 경덕왕(景德王)이 고친 이름. ②고려 때 시랑(侍郞) 다음인 상서 도성(尙書都省)·육부(六部)·육조(六曹)의 정오품 벼슬. 뒤에 정랑(正郞) 또는 직랑(直郞)으로 여러 번 이름이 바뀜. ③고려 국초의 향리(鄕吏)의 벼슬. 대등(大等)의 다음. 고려 성종(成宗) 때에 호정(戶正)으로 고침. ④조선 연산군(燕山君) 때 남도(南道) 지방에서 남자 무당을 일컫던 말.
낭중[3]【囊中】명 주머니 속. 낭리(囊裏). ¶ ～ 무일푼.
낭중-물【囊中物】명 자기 수중에 들어 있는 물건.
낭중지-추【囊中之錐】명 주머니 속에 든 송곳이 끝이 뾰족하여 밖으로 나오는 것과 같이, 재능이 뛰어난 사람은 많은 사람 중에 섞여 있을지라도 눈에 드러난다는 뜻. 추낭(錐囊).
낭중 취:물【囊中取物】명 주머니 속에 있는 것을 꺼낸다는 뜻이니, 곧 썩 쉬운 일을 말함. 탐낭 취물(探囊取物).
낭:지【浪志】명 두서 없고 이치에 맞지 아니한 어지러운 생각. 망념(妄念).
낭지겁 명〈방〉낭떠러지.
낭:직【浪職】명 직무를 등한히 함. 또, 그런 사람. ——하다 자여불
낭:질【狼疾】명 성품이 워낙 고약하여 쉽게 반성할 수 없음을 일컫는 말.
낭-짝 명〈방〉양지(陽地)(평안).
낭:창[1]【狼瘡】명〔lupus〕『의』피부 또는 점막(粘膜)에 생기는 결핵. 허약한 소년에 많이 생기며, 비후성(肥厚性)·우췌성(疣贅性)·낙설성(落屑性) 등 여러 증상(症狀)을 나타내는데, 어느 것이나 결절(結節)·궤양(潰瘍)·반흔(瘢痕) 등의 특유한 변화가 나타남. 흔히, 얼굴 또는 목에 남.
낭:창[2]【朗唱】명 낭송(朗誦). ——하다 타여불
낭:창[3]【朗暢】명 명랑하고 창달(暢達)함. ——하다 형여불
낭창[4]【踉蹌】명 걸음걸이가 안정되지 아니함. 비틀비틀함. ——하다 형여불
낭창-거리다 자 가는 막대기나 줄 같은 것이 튀기듯 또는 나불거리듯 자꾸 휘어 흔들리다. 〈능청거리다. 낭창-낭창 부. ——하다 자여불
낭창-대다 자 낭창거리다.
낭채 명〈방〉벼랑(함남).
낭:철【朗徹】명 밝고 맑음. 비치어 보일 만큼 맑음. ——하다 형여불
낭청【郞廳】명『역』조선 시대 각 관아의 당하관(堂下官)의 총칭. 낭관(郎官).
낭청 좌:기【郞廳坐起】명 낭청이 하는 좌기. 아랫사람이 하는 처사(處事)가 윗사람보다 더 심하고 지독함을 비유한 말.
낭축【螂蹴】명『동』자벌레.
낭축-증【囊縮症】명『한의』병중이나 중병 뒤에 원기가 없고 양기가 부족하여 불알이 오그라지는 증세.
낭충[1]【娘蟲】명〔merozoit〕『생』원생(原生) 동물 포자충류(胞子蟲類)의 무성 세대(無性世代)의 증원 생식(增員生殖)에 의하여, 모개체(母個體)의 분열로 생긴 낭개체(娘個體). 말라리아 병원충(病原蟲)에서는 분열에 의해서 유리(遊離)된 낭충(娘蟲)이 다시 다른 적혈구에 침입할 때 발열(發熱)시킴.
낭충[2]【囊蟲】명『동』유구 촌충(有鉤寸蟲)이나 무구 촌충(無鉤寸蟲) 같은 것의 유충(幼蟲). 몸길이 5mm 내외로 중간 숙주(中間宿主)의 조직 속에 있는데 모양은 달걀꼴임. 최종 숙주(最終宿主)로 옮아서 성충(成蟲)이 됨.

위는 단면, 아래는 머리를 내민 낭충 〈낭충[2]〉

낭:치【狼齒】명『한의』아자(牙子)❶.
낭키 명〈방〉나무[1](경남).
낭탁【囊橐】명 자기가 차지한 물건. 자기의 차지로 만듦. ¶ 나 하나만 없애고 내 재산을 모두 ～을 하려고 나를 이 모양으로 만들어?≪李相協 : 눈물≫. ——하다 타여불
낭:탐【狼貪】명 이리와 같이 탐(貪)함. 지나치게 욕심을 냄. ——하다 자여불
낭:탕【莨菪】명『식』미치광이풀.
낭:탕-자【莨菪子】명『한의』미치광이의 씨. 그 성질이 극렬(劇烈)하고 독기가 있음. 치통(齒痛) 및 외과(外科)의 약재로 씀. 천선자(天仙子).
낭:태【浪太】명『어』양태[1].
낭:태-어【浪太魚】명『어』양태[1].
낭트〔Nantes〕명『지』프랑스 서부, 루아르 강(Loire江) 어귀에서 약 50km 상류 지점에 있는 항구 도시. 외항(外港)인 생나제르(Saint-Nazaire)로부터 외항선의 항행도 가능하여 프랑스 유수(有數)의 무역항임. 조선(造船)·기계·화학·식품 등의 공업이 행하여짐. 대학이 있으며, 15세기에 세운 성당이 있음. [237,789 명(1982)]
낭트 칙령【―勅令】〔Nantes〕[―녕] 명『역』1598년에 프랑스 왕 앙리 4세가 낭트에서 내린 칙령. 칼뱅파(Calvin派)의 신앙 자유를 허락해 신구 양파의 갈등을 완화하고자 한 조처인데, 1685년에 루이 14세에 의하여 폐기됨.
낭:파-초【狼把草】명『식』가막사리.
낭:패【狼狽】명 일이 실패로 돌아가 매우 딱하게 됨. ——하다 타여불
낭:패(를) 보다 구 낭패를 당하다.
낭포【囊胞】명『생』장기(臟器) 조직 안에 생긴, 명확한 내벽(內壁)이 있고 그 속에 액체가 들어 있는 주머니. 보통 단백질이나 지방이 들어 있으며, 투명 또는 반투명임.
낭포-신【囊胞腎】명『의』선천적인 신장(腎臟) 장애의 한 가지. 무수한 낭포가 발생하여 신장이 비대하여지고 마침내 기능이 현저하게 침해됨.
낭풍 요지【閬風瑤地】[―뇨―] 명 낭원(閬苑).
낭핍【囊乏】명 지갑이나 주머니가 텅 비어 있음. ——하다 자여불
낭핍 일전【囊乏一錢】[―쩐] 명 가진 돈이 한 푼도 없음.
낭하【廊下】명 ①행랑(行廊)❷. ②복도(複道).
낭한【廊漢】명〈속〉행랑살이하는 사람.
낭함【琅函】명 ①문서함(文書函). ②남의 편지의 경칭.
낭:항【狼抗】명 성질이 이리처럼 거칠고 사나워 마구 반항함. ——하다 자여불
낭핵【娘核】명『생』딸핵.
낭:호【狼虎】명 ①이리와 범. ②무도(無道)하고 욕심이 사나워 남을 해치는 자의 비유.
낭:화[1]【狼火】명 낭연(狼煙).
낭:화[2]【浪花】명 ①밀국수의 한 가지. 보통 국수보다 굵고 넓게 만들어 장국에 끓임. ②열매를 맺지 않는 꽃. ③파도 위로 하얗게 일어나는 물방울.
낭:화[3]【朗話】명 명랑한 이야기. 밝은 이야기.
낭히 명〈옛〉『식』냉이. =나싀. ¶ 낭히(薺菜)≪華類 47≫.
낮 명 ①해가 떠 있는 동안. ↔밤. ②↗한낮.
낮-각다귀 명『충』[*Aedes togoi*] 모깃과에 속하는 곤충. 몸길이 6mm, 날개 길이 4.4mm 가량이고, 몸빛은 흑갈색에 황백색의 광택이 나며 복배(腹背)의 제 2-7절의 기부에는 백색 가로띠가 있고 흉배(胸背)에는 흑갈색과 황백색의 협곡린(狹曲鱗)이 덮여 있음. 덤불·풀밭 속에 사는데, 낮에 사람·짐승의 피를 빨아먹는 흡혈성(吸血性)임. 필라리아증(filaria症)의 병원충을 매개하여 물린 자리가 몹시 가려움. 한국·일본·대만에 분포함. 토고모기.

〈낮각다귀〉

낮-거리 명 대낮에 하는 남녀간의 성교. ——하다 자여불
낮-것 명〈궁중〉점심.
낮것-상【―床】명〈궁중〉임금의 점심 식사를 차린 상. 평소에는 응이나 미음상을 차리고, 탄신·명절 같은 특별한 날에는 면상(麵床)을 차

림.
낮결 [명] 한낮으로부터 해지기까지의 시간을 둘로 나눈 그 전반(前半).
낮결-수라【—水剌】[명]〈궁중〉곁두리.
낮-교대【—交代】[명] 밤과 낮으로 패를 지어 교대로 일하는 경우의, 낮에 하는 당번. ↔밤교대.
낮다 [형] ①높이가 작다. ¶ 낮은 곳. ②음성이 높지 아니하다. ¶ 낮은 목소리. ③정도·지위 또는 능력·수준 따위가 아래로 되어 있다. ¶ 문화 수준이 ～. ④온도·습도·경도(硬度) 따위가 높지 아니하다. 1)-4):↔높다.
낮-대거리 [명]〖광〗광산에서 인부가 일을 밤낮으로 패를 지어 교대하는 경우의, 낮에 들어가 일을 하는 대거리. ↔밤대거리. *낮교대.
낮-도깨비 [명] ①대낮에 나타난 도깨비. 주출 망량(晝出魍魎). ②체면 없이 난잡한 짓을 하는 사람을 비유하여 일컫는 말.
낮-도둑 [명] ①대낮에 물건을 훔치는 도둑. ②체면도 염치도 없이 자기 욕심만 부리는 사람의 비유. 낮도적.
낮-도적【—盜賊】[명] 낮도둑.
낮-때 [명] 한낮을 중심으로 한 한동안. 오간(午間).
낮-말 [명] 낮에 하는 말.
【낮말은 새가 듣고 밤말은 쥐가 듣는다】㉠아무도 안 듣는 데에서라도 말조심하라는 뜻. ㉡비밀히 한 말도 반드시 남의 귀에 들어가게 된다는 말.
낮-번【—番】[명] 낮에 드는 번. ↔밤번(番).
낮-볕 [명] 대낮에 쬐는 햇볕.
낮-보다 [타] ↗낮추보다. ↔돋보다.
낮-수라【—水剌】[명]〈궁중〉점심❶.
낮-술 [명] ①낮에 먹는 술. ②낮에 파는 술.
낮아-지다 [자] 낮게 되다.
낮에 난 도깨비 [구] 인사 불성이고 체면이 없는 기괴 망측한 사람을 가리키는 말.
낮에 난 도적【—盜賊】[구] 염치 없고 탐욕스러운 사람을 이르는 말.
낮은-끎:음【—音】[—끔—] [명]〖악〗화음(和音)의 진행에 있어서, 길게 지속하는 낮은 음. 저속음(低續音).
낮은-말 [명] ①낮춤말. ②소리를 낮게 하는 말. ③천한 말.
낮은-숲 [명] 키가 작은 나무들로 된 수풀. 왜림(矮林).
낮은-음【—音】[명] 저음(低音).
낮은음자리-표【—音—標】[명]〖악〗보표(譜表)가 낮은음자리임을 나타내는 기호. 저음부 기호. 바음(音)자리표. ↔높은음자리표.

〈낮은음자리표〉

낮-일 [—닐] [명] 낮에 하는 일. ↔밤일. ——-하다 [자][여불]
【낮일할 때 찬 초갑(草匣)】군것이 붙어서 방해됨을 이르는 말.
낮-잠 [명] 낮에 자는 잠. 오수(午睡). 주침(晝寢). ↔밤잠.
낮잠 자고 있다 [구] ㉠해야 할 일은 아니하고 태평히 있다. ㉡제대로 유효하게 쓰이지 않고, 방치된 채 놓고 있다.
낮-잡다 [타] 낮게 치다. 지닌 가치보다 낮추어 보다.
낮-차【—車】[명] 낮에 다니는 차. ↔밤차.
낮-참 [명] 낮에 일하다가 점심 전후의 잠시 쉬는 동안. 또, 그 때 먹는 음식. ¶ ～에 한잠 자다.
낮추 [부] 낮게.
낮추다 [타] ①낮게 하다. ¶ 목소리를 ～/값을 ～/정도를 ～. ②말을 하대하여 쓰다. ¶ 말씀 낮추시지요.
낮추-보다 [타] 남을 업신여기어 자기보다 낮은 양으로 보다. [준]낮보다. ↔도두보다.
낮춤 [명] ①낮게 함. ②〖언〗가리키는 어떤 사물이나 사람을 낮추는 뜻으로 이르는 말씨. 1)·2):↔높임.
낮춤-말 [명]〖언〗낮춤으로 된 말. '하게' '해라' 따위. ↔높임말.
낮-후【—後】[낟—] [명] 한낮이 지난 뒤.
낯¹ [명] ①얼굴의 바닥. 얼굴. ¶ 좋은 ～으로 대하다/～을 알다. ②드러내서 남을 대할 만한 체면. 면목(面目). ¶ 볼 ～이 없다.
【낯은 알아도 마음은 모른다】사람의 마음 속은 알 수 없다는 말.
낯² [명]〈옛〉낱. ¶ 一萬 나ᄎᆞᆯ 버힐디로다(須斬萬竿)《杜諺 XXI:5》.
낯-가리다 [자] ①어린 아이가 낯선 사람을 대하기를 꺼리다. ¶ 이 애는 낯가리지 않고 아무에게나 따른다. ②무엇으로 얼굴을 막거나 덮어서 보이지 않게 하다.
낯-가림 [명] 어린 아이가 낯선 사람을 대하기 싫어하는 일. ¶ 이 아이는 ～을 한다. ——-하다 [자][타][여불]
낯-가죽 [명] ①얼굴의 겉 껍질. ②체면 차리는 감각이 있어야 할 얼굴의 껍질.
낯가죽(이) 두껍다 [구] 낯두껍다. ¶ 낯가죽이 두꺼운 사람.
낯가죽(이) 얇다 [구] 부끄럼을 잘 타다.
낯-간지러이 [부] 낯간지럽게.
낯-간지럽다 [형][ㅂ불] 다랍도록 인색하거나 간교하여 남 보기 면구스럽다. 염치없는 짓이 되어서 마음에 찔리다. ¶ 너무 칭찬을 받으니 ～.
낯-깎이다 [피동] 체면이 손상되다.
낯-꽃 [명] 얼굴에 드러난 감정의 표시. 안색(顔色). ¶ 유씨는 ～을 도로 푸느라고 …《蔡萬植：濁流》.
낯-나다 [자] ①효과가 드러나 체면이 서다. 생색이 나다. ②감·사과 등의 과실이 여물어 푸른 잎 사이에서 뚜렷이 나타나다.
낯-내다 [자] 남이 자기를 고맙게 여기도록 생색 내다. ¶ 곗(契)술로 ～.
낯-닦음 [명]〈방〉체면치레. ¶ ～으로 사양을 해 보다가 못 이기는 체하고 응낙을 하고…《蔡萬植：濁流》.
낯-두꺼이 [부] 낯두껍게.
낯-두껍다 [형][ㅂ불] 도무지 염치가 없고 뻔뻔스러우며 부끄러운 줄 모르다. 후안 무치(厚顔無恥)하다. 낯가죽 두껍다.
낯-들다 [자] 얼굴을 들고 남을 대하다. ¶ 낯들고 다닐 수가 없다.
낯-뜨겁다 [형][ㅂ불] 남 보기가 부끄러워서 얼굴이 빨개지다.
낯면-변【—面邊】[명] 한자 부수(部首)의 하나. '靦'·'靨' 등의 '面'의 이름.
낯-모르다 [자][르불] 누구인 줄 모르다.
낯-바다기 [명]〈방〉낯바대기.
낯-바닥 [명]〈속〉낯¹❶. ¶ ～이나 좀 씻고 다녀라.
낯-바대기 [명]〈속〉낯¹❶.
낯-박살【—撲殺】[명]〈방〉면박(面駁)(충청). ¶ ～을 주다/～을 시키다.
낯-배기 [명]〈속〉낯¹❶.
낯-보다 [자] 그 사람의 체면이 유지되도록 염두에 두다.
낯-부끄러이 [부] 낯부끄럽게.
낯-부끄럽다 [형][ㅂ불] 체면이 안 서서 얼굴 보이기가 부끄럽다.
낯-붉히다 [—불키—] [자] 부끄럽거나, 성이 나서 얼굴빛을 벌겋게 상기시키다.
낯-빛 [명] 얼굴빛. 안색(顔色).
낯-사대기 [명]〈방〉귀싸대기.
낯-색【—色】[명] ☞낯빛.
낯-설다 [형] ①얼굴이 익지 아니하여 어색하다. 생소하다. ¶ 낯선 사람. ②어떤 사물이 눈에 익지 아니하다. ¶ 낯선 타향. 1)·2):↔낯익다.
낯-알다 [낟—] [자] 얼굴을 분간하여 기억하다.
낯-없다 [낟업—] [형] 마음에 너무 미안하여 대할 면목이 없다.
낯-없이 [낟업씨] [부] 낯없게. 대할 면목이 없이.
낯-익다 [—닉—] [형] ①얼굴이 눈에 익숙하다. ¶ 낯익은 얼굴. ②어떤 사물이 여러 번 보아서 눈에 익어 친숙한 느낌이 있다. ¶ 낯익은 거리. 1)·2):↔낯설다.
낯-익히다 [—닉—] [타] 얼굴이 눈에 익숙하도록 여러 번 대하다.
낯-짝 [명]〈속〉낯¹❶. ¶ 무슨 ～으로.
낯-파대기 [명]〈방〉낯바대기.
낯-판 [명]〈속〉낯¹❶.
낯-판대기 [명]〈속〉낯¹❶.
낱: [명] 셀 수 있게 된 물건의 하나하나. ¶ ～으로 사다.
낱:-가락 [명] 하나하나 따로따로의 가락.
낱:-값 [낟깝] [명] 낱개의 값. 단가(單價).
낱:값-표【—表】[낟깝—] [명] 단가표(單價表).
낱:-개 [명] 따로따로의 한 개 한 개. ¶ ～로 떼어서 팔다.
낱:-개비 [명] 하나하나 따로따로의 개비. ¶ ～로 파는 담배.
낱:-권【—卷】[명] 따로따로의 한 권 한 권.
낱:-그릇 [명] 따로따로의 한 그릇.
낱:-근【—斤】[명] 따로따로의 한 근 한 근.
낱:-꼬치 [명] 하나하나 따로따로의 꼬치.
낱:-낱 [명] 개개(箇箇).
낱:낱-이 [—나치] [부] 하나하나마다. ¶ ～ 이름을 들다/죄상을 ～ 들추어 내다.
낱:-내 [명]〖언〗'음절(音節)❶'의 풀어쓴 이름.
낱:-내기 [명]〈방〉뜨내기.
낱:-냥쭝【—兩—】[명] 따로따로의 한 냥쭝.
낱:-눈 [명]〖동〗'단안(單眼)'의 풀어쓴 이름.
낱다 [자]〈옛〉나타나다. ＝낟다·낫다². ¶ 모ᅀᆞ매 疑心이 이시면 自然히 話頭ㅣ 나ᄐᆞ나리라(心中有疑 則自然話頭現前)《蒙法 8》.
낱:-단 [명] 따로따로의 한 단.
낱:-담배 [명] 목판장수 따위가 담뱃갑을 헐어서, 낱개비로 파는 담배.
낱:-덩이 [명] 따로따로의 한 덩이.
낱:-돈 [명] 돈 머리를 이루지 못한 한 푼 한 푼의 돈.
낱:-돈쭝 [명] 따로따로의 한 돈쭝.
낱:-동 [명] 따로따로의 한 동.
낱:-되 [명] 따로따로의 한 되. ¶ 쌀을 ～로 사다.
낱:-뜨기 [명] 낱개로 파는 물건.
낱:-마리 [명] 따로따로의 한 마리.
낱:-말¹ [명] 따로따로의 한 말.
낱:-말² [명]〖언〗'단어(單語)'의 풀어쓴 이름.
낱:-몸 [명]〖생〗각각 따로 존재를 가진 낱낱의 물체. 개체(個體).
낱:-뭇 [명] 하나하나 따로의 뭇.
낱:-벌 [명] 따로따로의 한 벌.
낱:-상【—床】[명] 따로따로의 한 상.
낱:-섬 [명] 따로따로의 한 섬.
낱:-셈 [명]〖수〗개수(箇數)를 하나하나 세는 셈. ——-하다 [타][여불]
낱:소리-글 [명]〖언〗'음소 문자(音素文字)'의 풀어쓴 이름.
낱:-알 [낟—] [명] 하나하나 따로따로의 알.
낱:-이삭 [—니—] [명] 따로따로의 한 이삭.
낱:-자¹ [명] 필(匹)이 아니고 자로 재어서, 한 자 한 자.
낱:-자²【—字】[명] ①낱말의 글자. ②〖언〗자모(字母).
낱:-자루 [명] 연필·붓·초 따위의 한 자루 한 자루.
낱:-잔【—盞】[명] 되나 병으로 아니하고 잔으로 한 잔 한 잔. ¶ 선술집에서는 술을 ～으로 판다.
낱:-장【—張】[명] 따로따로의 한 장.
낱:-짐 [명] 따로따로의 한 짐.
낱:-축 [명] 종이 같은 것의 하나하나의 축.
낱:-켤레 [명] 낱낱으로의 켤레.
낱-터뀌 [명]〈방〉〖민〗날떠퀴.
낱:-푼 [명] 돈을 머리를 짓지 아니하고 낱으로 한 푼 한 푼.
낱:-푼쭝 [명] 근이나 관으로 안 세고 낱으로 한 푼쭝 한 푼쭝.
낱:-흥정 [명] 도거리로 아니하고 낱으로 금을 치는 흥정. ——-하다 [타][여불]
낳다¹ [나타] [타] ①밴 아이나 새끼·알을 생리 작용에 의하여 몸 밖으로 내어 놓다. 비유적으로도 쓰임. ¶ 쌍둥이를 ～/작품을 ～/소문을 ～/비극을 ～/한국이 낳은 천재 음악가. ②자식을 두다.

[낳은 아이 아들 아니면 딸이지] 양자(兩者) 중에 하나라는 말.

놓다² [나타] 타 ①솜·털·삼껍질 같은 것으로 실을 만들다. ②실로 피륙을 짜다.

-낳이 [나—] 미 땅 이름 밑에 붙어서 그 지방에서 낳은 피륙이라는 뜻을 나타내는 말. ¶ 한산(韓山)~/강진(康津)~/안동(安東)~. *-내기².

낳이-하다 [나—] 자여불 피륙 낳는 일을 하다. 길쌈하다.

내¹ 명 물건이 탈 때에 일어나는 부옇고 내운 기운. *연기.

내² 명 ↗냄새. ¶ 탄~ 나다.

내:³ 명 시내보다 크고 강보다는 작은 물줄기. 「하나뿐임.

내⁴ 【乃】 명 성(姓)의 하나. 현재 우리 나라에는 본관(本貫)이 개성(開城)

내⁵ 【來】 명 성(姓)의 하나. 우리 나라에는 현존(現存)하지 아니함.

내⁶ 【內】 의명 '……의 범위 안'의 뜻. ¶ 이 달 ~에 / 기한 ~ / 당선권 ~.

내⁷ 一인대 주격 조사 '가' 또는 부사격 조사 '에게'의 준말 '게' 위에 쓰이는 제1인칭 대명사. ¶ ~가 먹겠다 /돈은 ~게도 있다. *나⁸. 二관 '나의'의 뜻. ¶ 그 시계는 ~ 것이다.

[내가 중이 되니 고기가 천하다] 자기가 구할 때는 없던 것이 필요하지 아니하게 되니까 갑자기 많아짐을 일컫는 말. [내 것도 내 것 네 것도 내 것] 제 것은 물론이려니와 남의 것까지도 탐내며, 남의 것을 함부로 제 것 쓰듯 함을 이름. [내 것 없어 남의 것 먹자니 말도 많다] 가난한 사람이 살아가기 위해 남에게 아쉰 소리도 하고 궁상맞게 좇아다니며 구구히 부탁도 하려니, 자연 눈치가 보이고 말썽이 많이 생긴다는 말. [내 것이 아니면 남의 밭머리 개똥도 안 줍는다] 사람됨이 매우 청렴 결백하다는 말. [내 것 잃고 내 함박 깨뜨린다] 이중(二重)의 손해를 본다는 말. [내 것 잃고 죄짓는다] 제 물건을 잃어버리면 으레 애매한 사람까지 의심하게 된다는 말. [내 고기야 날 잡아 먹어라] 일을 크게 그르쳐 자책(自責)하는 말. [내 노랑 병아리만 내라 한다] 무리하게 강청(強請)함을 가리키는 말. [내 님 보고 남의 님 보면 심화 난다] 제 님이 더 훌륭하기를 바라는 뜻에서, 잘난 남의 님을 보면 마음이 편하지 아니하다는 말. [내 돈 서 푼은 알고 남의 돈 칠 푼은 모른다] 자기 것만 소중히 여기고 남의 것은 대수롭지 아니하게 여긴다는 말로, 무엇이나 자기 중심으로 생각한다는 말. [내 딸이 고와야 사위를 고르지] 자기는 부족하고 불완전하면서 남의 완전한 것만을 구하는 것은 부당하다는 말. [내 땅 까마귀 검어도 귀엽다] ㉠제 자식은 아무리 못나도 귀엽다는 말. ㉡제가 오래 정들인 것은 무엇이나 다 좋다는 말. [내 말이 좋으니, 네 말이 좋으니 하여도 달려 보아야 안다] 실제로 시험해 보지 아니하고 탁상 공론만 하는 것은 어리석은 짓이라는 말. [내 몸이 높아지면 아래를 살펴야 한다] 윗자리에 있는 사람은 아랫사람들을 조심해야 한다는 말. [내 몸이 중이면 중의 행세를 하라] 사람은 제 신분(身分)을 지켜야 하며, 분에 어긋나는 짓을 하면 아니 된다는 말. [내 물건은 좋다 한다] 자기 것은 무엇이나 다 좋다고 주장하는 사람을 두고 이르는 말. [내 물건이 좋아야 값을 받는다] 자기의 지킬 도리를 먼저 지켜야 남에게 대우를 받는다는 말. [내 미워 기른 아기 남이 괸다] 자기가 귀찮아 미워하면서 기른 자식을 도리어 남들이 사랑한다는 말. [내 밑 들어 남 보이기] 자기 스스로 제 부족과 약점을 드러낸다는 말. [내 발등의 불을 꺼야 아비 발등의 불을 끈다] 급할 때는 누구보다도 자기의 일을 제일 먼저 한다는 말. [내 밥 먹은 개가 발뒤축을 문다] 자기의 은혜를 입은 사람이 도리어 자기를 해친다는 말. [내 배가 부르니 종의 배고픔을 모른다] 자기만 만족하면 남의 곤란함을 모른다는 말. [내 배 부르니 평안 감사가 족하(足下) 같다] 자기 배가 부르니 부러울 것이 별로 없다는 말. [내 배 부르면 종의 밥 짓지 말라 한다] ㉠자기만 알고 남에게는 조금도 이해와 동정심이 없음을 말함. ㉡복락(福樂)을 누리는 사람이 남의 불행과 근심·괴로움은 알지 못한다는 말. [내 복(福)에 난리야] 일이 잘 되어 가다가 뜻밖에 방해물이 끼어든다는 말. [내 상주 되니 개고기도 흔하다] 상주는 개고기를 못 먹는 법인데, 자기가 못 누릴 처지가 되니 그 일이 흔해져서 속상하다는 말. [내 속 짚어 남의 말 한다] 제가 그러니까 남도 그러려니 짐작하여 남의 말을 한다는 말. [내 손끝에 뜸을 떠라; 내 손톱에 장을 지져라] 무엇을 장담할 때나 강력하게 부인할 때에 쓰는 말. [내 손이 내 딸이라] 내 손으로 직접 일을 하면 남을 시킨 것보다 마음에 맞게 쉽게 된다는 말. [내 솥 팔아 남의 솥 사도 밑질 것 없다] 셈이 서로 비기어, 손해될 것이 없다. [내 앞도 못 닦는 것이 남의 걱정한다] 제 일도 제 힘으로 처리하지 못하면서 남의 일에 간섭한다는 말. [내 얼굴에 침 뱉기] 자기가 한 짓이 저를 모욕하는 결과가 된다는 말. [내 울음이 정울음이냐] ㉠진정에서 우러나는 일이 아니요, 다만 하는 체하는 일을 이르는 말. ㉡똑똑한 정신 없이 하는 일을 두고 하는 말. [내 일 바빠 한댁 방아] ㉠내 일을 하기 위하여 부득이 다른 사람의 일부터 한다는 말. ㉡일이 바쁠 때에는 제구(諸具)를 갖추지 못하고도 서둘러 한다는 말. [내 절 부처는 내가 위해야 한다] 자기가 모시는 주인은 자기가 잘 섬겨야 남도 그를 알아본다는 말. [내 칼도 남의 칼집에 들면 찾기 어렵다] 자기 물건이라도 남의 수중(手中)에 들어가면 다시 찾아 가지기 어렵다는 말. [내 코가 석자] 자기의 곤란이 심하여 남의 사정을 돌볼 겨를이 없다는 말. 오비 삼척(吾鼻三尺). [내 콩이 크니 네 콩이 크니 한다] 비슷한 것을 가지고 제 것이 낫다고 서로 다툼을 이르는 말. [내 한 급제에 선배 비장 호사한다] 내가 잘된 덕으로 엉뚱한 남이 호사한다는 말. [내 할 말을 사돈이 한다] 자기가 하려고 하는 말이나 마땅히 할 말을 도리어 남이 한다는 뜻. 나 부를 노래를 사돈집에서 부른다.

내⁸ 〈옛〉 ①나의. '나⁸'의 소유격형(所有格形). ¶ 내 님금 그리샤(我思我君) 《龍歌 50章》. ②내가. '나⁸'의 주격형. ¶ 내 나아간들 아바님이 나를 올타ᄒᆞ시니 《月釋 I:41》.

내:-¹ 부 ①밖으로 내어 보내는 동작을 나타내는 말. ¶ ~가다/~굽다/~놓다/~걸다. ↔들이-. ②'힘있게'의 뜻을 나타내는 말. ¶ ~빼다/~갈기다/~던지다.

내:-² 【內】 부 '안의, 내부의'의 뜻. ¶ ~분비 / ~출혈. 「期).

내-³ 【來】 부 앞으로 오는 뜻을 나타내는 말. ¶ ~주일(週日)/~학기(學

-내¹ 미 〈옛〉 -네. -들. ¶ 각시내 二百 셜흔 사ᄅᆞ미 《月釋 II:76》.

-내² 미 '처음부터 끝까지'의 뜻으로, 때를 나타내는 명사 밑에 붙어 부사 노릇을 하게 하는 말. ¶ 여름~ 비가 오다.

내가 【來駕】 명 '내방'의 높임말. ——하다 자여불

내:-가다 타 [↗내어가다] 안에서 밖으로 가지어 가다. ¶ 밥상을 ~. ↔들여오다.

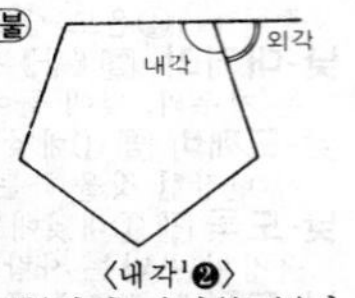

내:각¹ 【內角】 명 [수] ①한 직선이 각각 다른 점에서 두 직선과 만날 때 두 직선 안쪽으로 생기는 각. ②다각형(多角形)에 있어서 인접한 두 변이 안쪽에 만드는 모든 각. 1)·2):↔외각(外角)¹.

외각
내각
〈내각¹❷〉

내:각² 【內角】 명 야구에서, 본루(本壘)를 이분(二分)하여 타자(打者)가 서 있는 쪽. 인 코너(in corner). ¶ ~을 찌르는 공. ↔외각(外角)².

내:각³ 【內殼】 명 속 껍질. ↔외각(外殼).

내:각⁴ 【內閣】 명 ①[정] 내각 책임제하에서, 국가 행정권을 담당하는 최고 기관. 수상 및 여러 장관 또는 국무 위원으로 조직되는 합의체(合議體)임. 행정권의 행사에 관하여 의회에 책임을 짐. *국무원(國務院). ②[역] '규장각(奎章閣)'의 별칭. *외각(外閣). ③[역] 조선 시대 말에 국무 대신들로 조직된 국정(國政)을 집행하던 최고 관아. 의정부(議政府)의 한때 고친 이름. ④[역] 명(明)·청(淸) 시대에 재상(宰相)의 관서(官署)를 일컫던 말.

내:각 방:서록 【內閣訪書錄】 명 [책] 조선 시대 규장각(奎章閣)에 소장된 중국 책의 목록. 저자와 연대 미상. 경사류(經史類)와 자집류(子集類)로 나누어 책마다 편저자의 이름을 쓰고, 책의 요점과 평(評)을 간단히 붙임. 2권 1책.

내:각-본 【內閣本】 명 [역] 조선 정조(正祖) 때에 설치되었던 규장각(奎章閣)에서 간행한 책. 책의 간행은 내각인 규장각의 주관하에 외각(外閣)인 교서관(校書館)에서 이루어졌음.

내:각 불신임안 【內閣不信任案】 [—씬—] 명 [정] 내각 책임제에서, 내각을 신임하지 아니한다는 결의안. 이것이 의회에서 가결되면 내각은 의회를 해산하거나 또는 총사직해야 함. 「各司).

내:-각사 【內各司】 명 [역] 궁내(宮內)에 있던 각사(各司). ↔외각사(外

내:각 사:무처 【內閣事務處】 명 '국무원 사무처'의 고친 이름. '총무

내:각-원 【內閣員】 명 내각을 조직하는 구성 인원. 「처'의 전신.

내:각 일력 【內閣日曆】 명 [책] 조선 정조(正祖) 3년(1779)부터 고종(高宗) 20년(1883)까지 135 년간의 규장각 일기(奎章閣日記).

내:각-제 【內閣制】 명 [정] 내각 책임제.

내:각 책임제 【內閣責任制】 명 [정] 정부의 구성이 의회의 신임을 받는 것을 요건(要件)으로 하는 제도. 정부가 의회의 불신임을 받을 경우에는 총사직을 하거나, 의회를 해산시킬 수 있음. 책임 내각제. 의원 내각제(議院內閣制). ↔대통령제.

내:각 총:리 대:신 【內閣總理大臣】 [—니—] 명 ①[역] 조선 시대 말의, 내각의 수반인 대신. ②일본 등에서, 수상(首相). ㈜총리·총리 대신.

내:각-판 【內閣板】 명 [책] 조선 시대 규장각(奎章閣)에 있던 철주자(鐵鑄字)로 판을 짜서 박은 책.

내:각 회:의 【內閣會議】 [— / —이] 명 국무를 심의(審議) 결정하기 위하여 내각에서 열리는 회의. 국무 회의(國務會議). ㈜각의(閣議).

내:간¹ 【內間】 명 부녀자가 거처하는 곳. 아낙. 내정(內庭). 「간첩.

내:간² 【內間】 명 적국의 관원(官員)이나 군사(軍士)를 꾀어서 이용하는

내:간³ 【內艱】 명 모친이나 승중(承重) 조모의 상사. 내간상. 내우(內憂).

내:간⁴ 【內簡】 명 여자들끼리 주고받는 편지. 안편지. 「↔외간(外艱).

내간⁵ 【來簡】 명 내한(來翰).

내:간-상 【內艱喪】 명 내간. ↔외간상(外艱喪).

내:간-체 【內簡體】 명 ①부녀자들 사이에 오가는 편지의 글체. ②일상의 용어로써 말하듯이 써 나간 일기·수필 등의 글체.

내:-갈기다 타 ①힘껏 갈기다. ¶ 뺨을 ~. ②글씨를 공들이지 아니하고 마구 쓰다. ③힘껏 내던지다.

내:감¹ 【內感】 명 [심] ↗내부 감각(內部感覺). ↔외감(外感).

내:감² 【內監】 명 [역] ↗내시감(內侍監).

내:-감각 【內感覺】 명 [심] 내부 감각. ↔외감각(外感覺).

내:-감창 【內疳瘡】 명 [한의] 입 속 윗잇몸에 나는 종기.

내:-갑사 【內甲士】 명 [역] 조선 시대 초기의 삼군 도총제부(三軍都摠制府) 소속으로, 궁궐을 호위하는 임무를 맡았던 군사. 내갑사의 설치 시기, 구성 요소 등은 자세히 알 수 없음.

내:강¹ 【內江】 명 [지] '네이장(內江)'을 우리 음으로 읽은 이름.

내:강² 【內剛】 명 겉으로는 유순해 보이나 속마음은 굳고 단단함. ¶ 외유(外柔) ~. ——하다 형여불 「강(胸腔) 같은 것.

내:강³ 【內腔】 명 [생] 체내(體內)의 비어 있는 부분. 복강(腹腔)이나 흉

내:강 외:유 【內剛外柔】 명 외부에 나타난 면은 부드럽고 물러 보이나, 내면 곧, 마음은 강함. ↔내유 외강(內柔外剛).

내:개¹ 【內開】 명 봉함 편지의 내용.

내:개² 【內槩·內概】 명 편지 내용의 요긴한 줄거리.

내:객¹ 【內客】 명 여자 손님. 안손님.

내객² 【來客】 명 찾아온 손님.

내:-거간 【內居間】 명 [역] 객주(客主)에 전속되어, 객주에서 주관하는 화물의 매매를 흥정해 주는 거간. ↔외거간(外居間).

내거긔 〈옛〉 내게. 나에게. '나⁸'의 여격형(與格形). =나그에. ¶ 王이 ᄀᆞᆯᄋᆞ샤ᄃᆡ 쟝슈와 졍승은 내거긔 다리과 ᄑᆞᆯ ᄀᆞᄐᆞ니(王曰將相之於孤猶

股肱也)≪內訓 Ⅱ:25≫.

내: 건:너 배타기 ㊀ 순서를 뒤집어 함을 보고 이르는 말.

내: 건:너서 지팡이 ㊀ 요긴하게 쓰일 때가 지난 물건.

내:건-성【耐乾性】[—썽] 명 가뭄을 타지 아니하는 성질.

내걷다[1] 자 〈옛〉 앞서 걷다. ¶ 벋은 서르 내걷디 아니흘디니라(朋友不相踰)≪小諺 Ⅱ:64≫.

내:-걷다[2] 자 ㄷ불 앞을 향하여 걷다.

내걸 명 냇가에 작답(作畓)한 기다란 논.

내:-걸다 타 ①밖에 내어 걸다. ¶ 기를 ～. ②앞세우거나 내세우다. ¶ 요구 조건을 ～. ③목숨·명예 따위를 내어 놓다. ¶ 목숨을 내걸고 싸우다. ㊈걸다.

내겁다 형 〈방〉 냅다[1](경기).

내-것 명 나의 소유(所有)에 속하는 물건.

내:격[1]【內激】 명 〖악〗 휘파람 부는 법의 하나. 혀 놀리는 방법을 '외격(外激)'과 같이 혀를 윗니 안에 대고 두 입술을 다물며 한 귀퉁이를 보리 까끄라기 정도로 조금 열어서 기운을 통하고 소리가 그대로 안에 있게 붊. ＊외격(外激).

내격[2]【來格】 명 옴. 이름. 특히, 제사 때에 귀신이 와서 임(臨)함.

내:결【內決】 명 속으로 결정함. 내부에서 결정함. ——-하다 타여불

내:경[1]【內徑】 명 ①〖수〗'안지름'의 구용어. ②총·포신의 지름. 기물(器物)의 안쪽 치수. ¶ 포구(砲口)의 ～. 1)·2) : ↔외경(外徑).

내:경[2]【內經】 명 〖불교〗 불교의 서적. 불전(佛典). ↔외전(外典).

내:-경동맥【內頸動脈】 명 〖생〗 척추 동물에 있어서, 뇌에 혈액을 보내는 동맥의 하나. 사람의 경우는 갑상 연골(甲狀軟骨)의 위쪽 부근에서 총경동맥(總頸動脈)으로부터 갈라져 나와 인두(咽頭)의 바깥쪽을 위로 올라가 두개저(底)를 지나 두개강(腔)의 뒤 위쪽으로 굽어 들어 전대뇌동맥(前大腦動脈)·중대뇌 동맥·맥락막(脈絡膜) 동맥·후교통(後交通) 동맥으로 분기(分岐)하여 뇌에 분포함.

내:경-부【內京部】 명 〖역〗 백제 때의 관서의 하나. 22부(部)의 하나로 내관(內官)에 속하였음.

내:-경험【內經驗】 명 [inner experience] 〖철〗 개인의 의식(意識)내의 경험. ↔외경험(外經驗).

내:계【內界】 명 ①내부의 세계. 마음 속의 범위. 내면 세계. ②〖철〗 자의식(自意識)이 미치는 영역(領域). 광의(廣義)로는, 의식 영역 외에 신체(身體)까지를 포함하나, 협의(狹義)로는 의식 작용을 가리킴. ③〖불교〗 육계(六界) 중, 지(地)·수(水)·화(火)·풍(風)·공(空)의 오계(五界)를 외계(外界)라고 하는 데 대해, 제 6의 식계(識界)를 말함. 1)-3):↔외계(外界).

내:계의 재화【內界—財貨】[—/—에—] 명 형상이 없는 정신적인 재화. 지덕(知德)·예능(藝能) 등.

내:고[1]【內告】 명 사적(私的)인 통고(通告). 비공식적인 통지.

내:고[2]【內庫】 명 〖역〗 고려 때 왕궁(王宮)에 직속되어 왕실 재정(財政)을 맡던 관청의 하나. 금·은 등의 보물과 포백(布帛)을 주로 보관하였음. ＊내장택(內莊宅).

내:고[2]【內庫】 명 〖역〗 고려 때 관아의 이름.

내:고[3]【內顧】 명 ①집안 일을 살피고 돌봄. ②처자를 생각하여 걱정함. ¶ ～의 환(患). ——-하다 자여불

내:-고공【耐高空】 명 높은 공중에서 견디는 일. ¶ ～ 비행.

내:-골격【內骨格】 명 〖생〗 몸의 속 부분을 이루고 근육을 부착하게 하는 골격. 척추 동물은 이것이 가장 발달되어 있음. ↔외골격(外骨格).

내:-골종【內骨腫】[—쫑] 명 〖의〗 골조직(骨組織)에 일어나는 종양(腫瘍).

내:-곱다 자 바깥쪽으로 굽어 꺾이다. 〈내굽다. ↔들이곱다.

내:공[1]【內攻】 명 ①〖의〗 병이나 병균이 몸의 표면에 나타나지 아니하고 내부에 퍼져 내장의 여러 기관(器官)을 침범함. 특히, 종기(腫氣) 따위의 경우에 일컬음. ②정신상의 결함이나 타격이 표면에 나타나지 아니하고 속으로만 퍼짐. 내향(內向). ——-하다 자여불

내:공[2]【內空】 명 ①속이 비어 있음. ②〖불교〗 눈·귀·코·혀·몸·마음의 여섯 가지 감각 기관에 상주성(常住性)을 인정하지 아니하고 공(空)으로 돌림. ↔외공(外空).

내:공[3]【內供】 명 ①↗내공목(內供木). ②옷 안에 받치는 감. 안찝. ↔외공(外供).

내공[4]【來攻】 명 침공하여 옴. ——-하다 자여불

내공[5]【來貢】 명 외국 또는 속국의 사신(使臣)이 내조(來朝)하여 공물(貢物)을 바침. ——-하다 자여불

내:공[6]【耐空】 명 〖항공〗 착륙(着陸)하지 아니하고 그냥 뜬 채로 계속하여 비행함. ——-하다 자여불

내:공[7]【乃公】 인대 ①나. 주로 아랫사람에게 씀. ②그 사람. 저이.

내:공-목【內供木】 명 옷의 안감으로 쓰는 품질이 낮은 무명. 왜난목. ㊈내공(內供).

내:-공배【內空排】 명 바둑에서, 수상전(手相戰)에 들어간 돌들의 안쪽에 있는 공배. ＊외(外)공배.

내:과[1]【內科】[—꽈] 명 〖의·한의〗 내장의 기관에 생긴 병을 외과적 수술을 아니 하고 고치는 의술의 한 부문. 또는 그러한 치료를 하는 병원의 한 부서. 당도(當道). ↔외과(外科).

내:과[2]【內髁】 명 〖생〗 발의 안쪽에 있는 복사뼈. ↔외과(外髁).

내:과-의【內科醫】[—꽈—/—꽈이] 명 〖의〗 내과에 관한 병의 치료를 전문으로 하는 의사. ↔외과 의(外科醫).

내:과-적【內科的】[—꽈—] 명관 〖의〗 내과에 관한 모양. ¶ ～ 치료.

내:-과피【內果皮】 명 〖식〗 열매 속에서 바로 씨를 싸고 있는 껍질. 복숭아·자두의 핵(核)은 이것이 굳어진 것임. 속열매 껍질. ＊외과피(外果皮)·중과피(中果皮).

외과피
중과피
씨
내과피

〈내과피〉

내:곽【內廓】 명 안쪽 테두리. ↔외곽(外廓).

내:관[1]【內官】 명 〖역〗 ①내시(內侍). ②환관(宦官).

내:관[2]【內冠】 명 〖고고학〗 금속 또는 자작나무로 만들어 평상시에 쓰던 관모(冠帽)의 하나. 밑이 벌어지고 위가 좁은 반달 또는 사다리꼴 모양임. 내모(內帽).

내:관[3]【內棺】 명 덧널 속에 넣는 관(棺). 관을 덧널에 대하여 이르는 말.

내:관[4]【內觀】 명 ①〖불교〗 마음을 적정(寂靜)하게 하여 내심(內心)을 관찰함. 관심(觀心). ②자기의 내면(內面)을 관찰함. ③〖심〗 자기의 의식 현상(意識現象)을 의도적(意圖的) 계획적으로 관찰함. 내성(內省). ——-하다 자여불

내관[5]【來館】 명 사람이 찾아옴. 도서관·미술관·영화관 등 관(館)이라 불리는 데를 이용하기 위하여 옴. ——-하다 자여불

내관[6]【來觀】 명 와서 봄. ——-하다 타여불

내:-관골근【內髖骨筋】 명 〖생〗 관골근의 하나. 복강(腹腔)의 내부에서 시작하여 관골의 후측 벽에 이르며, 내장골근(內腸骨筋)·대요근(大腰筋)·장요근(腸腰筋)·육요근(六腰筋) 등으로 이루어짐.

내:관-법【內觀法】[—뻡] 명 〖심〗 내성법(內省法).

내:광【內光】 명 〖불교〗 심광(心光).

내:-광목【內廣木】 명 성기고 얇게 짠 광목의 일종. 옷의 안감으로 많이 사용함.

내:괘 감 내가 괴이하게 생각하였더니, 과연 그렇다는 뜻.

내:교[1]【內敎】 명 〖불교〗 불가(佛家)에서 자가(自家)의 교법인 불교를 이르는 말. 내도(內道). ↔외교(外敎).

내교[2]【來校】 명 딴 데서 학교에 옴. ¶ 장학관이 ～하다. ——-하다 자여불

내:-교섭【內交涉】 명 정식으로 교섭을 하기 전에 상대방의 의사를 알아보거나 하기 위하여 비밀리에 행하여지는 교섭. 비공식적인 교섭. ——-하다 자타여불

내:구[1]【內口】 명 〖역〗 배주(賣主)로부터 받는 객주(客主)의 구전(口錢). ↔외구(外口).

내:구[2]【內冓】 명 궁중의 깊숙한 방. 또, 그 속의 비사(祕事).

내:구[3]【內寇】 명 내부의 싸움. 국내의 반란. 내란. ↔외구(外寇).

내:구[4]【內舅】 명 외숙(外叔). 편지 같은 데에 쓰는 말.

내:구[5]【內廐】 명 〖역〗 내사복시(內司僕寺).

내구[6]【來寇】 명 도적이 와서 침범함. 또, 그 도적. ——-하다 자여불

내:구[7]【耐久】 명 오래 견디어 냄. ——-하다 자여불

내:구 경:기【耐久競技】 명 ① 마술(馬術)에서, 종합 마술의 2일째에 행하는 경기. 스피드와 지구력(持久力)의 경기로, 말에 75kg의 무게를 지워서 36km의 거리를 5구간(區間)으로 나누어 각각 다른 조건 아래서 감점법(減點法)에 의해 승부를 겨룸. ② 스키 경기에서, 30km와 50km의 두 종목을 이름. 코스는 등행(登行)·평지(平地)·활강(滑降)이 각각 3분의 1의 비율로 이루어짐.

내구다 형 〈방〉 냅다[1](함경).

내:구-란【耐久卵】 명 〖생〗 지속란(持續卵).

내구랍다 형 〈방〉 냅다[1](경북·함남).

내구래기 명 〈방〉 내[1](경상).

내구럽다 형 〈방〉 냅다[1](함경·경상).

내:구-력【耐久力】 명 오래 견딜 수 있는 힘. 오래 지속하는 힘.

내구롭다 형 〈방〉 냅다[1](함남).

내구룹다 형 〈방〉 냅다[1](강원·경상).

내구리 명 〈방〉 내[1](평안·함경).

내:구-마【內廐馬】 명 〖역〗 임금의 거둥에 쓰기 위해 내사복시(內司僕寺)에서 기르던 말.

내:구 생산재【耐久生產財】 명 장기간의 사용에 견딜 수 있는 생산재. 기계 설비 따위. ↔비(非)내구 생산재.

내:구-성【耐久性】[—썽] 명 오래 견디는 성질. ¶ ～이 강하다.

내:구 소비재【耐久消費財】 명 내구재(耐久財) 가운데에서 장기간 사용에 견딜 수 있는 소비재. 자동차·주택·전기 냉장고 등. ↔비(非)내구 소비재.

내:구 연한【耐久年限】 명 건물이나 가구 따위의 쓸 수 있는 햇수. 물리적·구조적 견지에서 이름.

내구자리 명 〈방〉 〖조〗 종달새(경상).

내:구-재【耐久財】 명 〖경〗 장기간의 사용에 견디는 재(財). 흔히 내구 소비재를 이름. ↔비내구재.

내:국[1]【內局】 명 〖역〗 내의원(內醫院).

내:국[2]【內局】 명 중앙 관청의 국(局)으로서, 장관·차관의 감독을 직접 받는 국. ↔외국(外局).

내:국[3]【內國】 명 자기 나라. 제 나라 안. 국내. ↔외국(外國).

내:국 공채【內國公債】 명 〖경〗 채권(債券)이 같은 나라 안에서 발행·지급되고, 그 나라 돈으로 표시되며, 채권자의 전부 또는 대부분이 그 나라 사람으로 되는 공채. 내국채. ㊈내채(內債). ↔외국 공채(外國公債).

내:국 관세【內國關稅】 명 〖경〗 '국내 관세(國內關稅)'를 외국에 대한 관세에 상대하여 일컫는 말. 내지(內地) 관세.

내:국 무:역【內國貿易】 명 〖경〗 국내를 영역으로 하는 통상 교역. 곧, 국내의 외국인과의 물품 매매, 본국과 식민지 사이의 통상 또는 국내의 한 지방과 타지방 사이에 행하여지는 물품의 매매 같은 것. 국내 무역. 국내 상업(國內商業). 내지(內地) 무역. ↔외국 무역.

내:국 무:역선【內國貿易船】 명 자국 내에서만 무역에 종사하며 운항(運航)하는 선박.

내:국-민【內國民】 명 내국인(內國人).

내:국민 대:우【內國民待遇】 명 내국인(內國人) 대우.

내:국-법【內國法】 명 〖법〗 외국의 법률에 상대하여 자기 나라 법률을 일컫는 말. 가령 외지(外地)나 군함 같은 데에 있는 사람이 자기 나라 법률을 말할 때 쓰는 말. ↔외국법(外國法).

내:국 법온【內局法醞】 명 멥쌀과 찹쌀을 쪄 식힌 다음, 보리와 녹두를 섞어 디딘 누룩을 넣고 담근 술. 향온주(香醞酒).

내:국 법인【內國法人】 명 〖법〗 그 나라 법에 의하여 설립되고 그 나라에 주소를 가진 법인. ↔외국 법인(外國法人).

내:국-산【內國產】 명 자기 나라의 생산품을 일컫는 말. 국내산(國內產). ↔외국산.

내:국-선【內國船】명 자기 나라에 선적(船籍)을 가진 선박.

내:국-세【內國稅】명 국내에 있는 사람 또는 물건에 부과하는 국세(國稅). 국세 중에서 관세(關稅)와 톤세(ton稅)를 제외한 것의 총칭. 국내세(國內稅).

내:국 소비세【內國消費稅】[—쎄] 명〖법〗국내 소비세.

내:국 시:장【內國市場】명 국내 시장.

내:국 신:용장【內國信用狀】[—짱] 명〖경〗국내에서 발행되는 신용장. 주로 거래선(去來先)끼리 신용 상태가 충분히 알려져 있지 아니한 때에 발행되는 화환(貨換) 신용장을 이름. 더메스틱 크레디트. 로컬 크레디트.

내:국 우편【內國郵便】명 국내 우편(國內郵便).

내:국-인【內國人】명 자기 나라 사람. 내국민. ↔외국인.

내:국인 대:우【內國人待遇】명〖정〗보통, 통상 항해 조약에 쓰이는 용어. 세금이나 재판·계약·재산권 및 법인(法人)에의 참여 등에 관하여, 외국인을 자국인과 동일하게 취급하는 일. 자국인 대우(自國人待遇). 내국민 대우(內國民待遇).

내:국-전【內國戰】명 한 나라와 그 국내의 반도(叛徒)와의 사이의 싸움. 또, 내란(內亂) 때의 전투.

내:국 정략【內國政略】[—냑] 명 나라 안을 다스리는 정치상의 계략.

내:국-제【內國製】명 외국제에 대하여 국내 제품을 일컫는 말.

내:국-채【內國債】명〖경〗나라 안에서 발행 모집되고, 그 나라의 화폐로써 표시되며, 채권자의 대부분이 그 나라 사람인 공채(公債)나 사채(社債). ↔외국채(外國債).

내:국 통신【內國通信】명 국내 통신(國內通信).

내:국 항:공기【內國航空機】명 자국(自國) 안에서만 내왕하는 항공기.

내:국 항:로【內國航路】[—노] 명 한 나라의 영토 안의 항로.

내:국 항:해【內國航海】명 자국(自國)의 하천(河川)·호소(湖沼)·운하(運河)·내해(內海) 또는 근해를 항해하는 일.

내:국화 공채【內國貨公債】명〖경〗액면 표시가 자국 화폐로 되어 있는 공채. ↔외국화 공채.

내:국 화:물【內國貨物】명 외국산 화물로서 수입 절차를 필한 화물과 내국산 화물로서 수출 절차를 취하지 아니한 화물.

내:국 화:폐【內國貨幣】명 한 나라 안에서 발행·유통되는 화폐. ↔외국 화폐.

내:국-환【內國換】명〖경〗환(換)거래에 있어서 채권 채무가 한 나라 안에서만 판제(辦濟)될 수 있는 환. ↔외국환(外國換).

내:국 회:사【內國會社】명 그 나라의 국적(國籍)을 가지고 있는 회사. ↔외국 회사(外國會社).

내:군[1]【內君】명 상대방을 높이어 그의 '부인(夫人)'을 일컫는 말.

내:군[2]【內軍】명〖역〗고려 때, 의장(儀仗)의 기물(器物)을 맡아 보던 관아. 위위시(衛尉寺)의 전 이름. 광종(光宗) 11년(960)에 장위부(掌衛部)로 고쳤다가 성종(成宗) 14년(995) 다시 위위시로 고침.

내:군-경【內軍卿】명〖역〗고려 초기의 내군(內軍)의 벼슬.

내:군 장군【內軍將軍】명〖역〗고려 초기의 내군(內軍)의 벼슬.

내굴 명〈방〉내[1](평안·함경).

내굴다 형〈방〉넓다[1](평안·함경).

내:-굽다[1] 자 바깥쪽으로 굽어 꺾이다. >내곱다. ↔들이굽다.

내굽다[2] 형〈방〉넓다[1](황해·강원·충청·경상).

내:-궁방【內弓房】명〖역〗조선 시대에, 상의원(尙衣院) 안에서 활과 화살을 만들던 곳.

내:-궁전고【內弓箭庫】명〖역〗고려 때, 궁중에서 소요되는 활·화살을 제작·보관하던 관청.

내:권【內眷】명 아내. ¶ ~들이 모여 앉아 있었다.

내:규【內規】명 내부의 규정. 한 기관 안에서만 시행되는 규정. 내칙(內則).

내그내 명〈방〉나그네.

내그랍다 형〈방〉넓다[1](경상).

내그럽다 형〈방〉넓다[1](경상·함경).

내그릅다 형〈방〉넓다[1](강원).

내그에〈옛〉내게. 나에게. '나[8]'의 여격형(與格形). =내거긔. ¶ 내그에 모딜언마ᄅᆞᆫ(於我雖不軌)≪龍歌 121章≫.

내:근[1]【內近】명 부녀자가 거처하는 방과 가까움. ——-하다 형여불

내:근[2]【內勤】명 회사나 관청 같은 곳의 구내(構內)에서만 일을 봄. ¶ ~ 사원. ↔외근(外勤). ——-하다 자여불

내금[1] 명〈방〉냄새(경상).

내:금[2]【內金】명〖법〗지불하여야 할 대금(代金)이나 보수(報酬) 가운데서 전액 지불에 앞서 지불되는 일부분의 돈.

내:-금강【內金剛】명〖지〗금강산의 원줄기가 되는 장군봉(將軍峰)·안문봉(雁門峰)·백운봉(白雲峰)이 연한 중앙 연봉(連峰)의 서쪽 부분. 장안사(長安寺)·명경대(明鏡臺)·영원암(靈源庵)·망군대(望軍臺)·삼불암(三佛庵)·표훈사(表訓寺)·정양사(正陽寺)·만폭동(萬瀑洞)·마하연(摩訶衍)·묘길사(妙吉寺)·비로봉(毗盧峰) 등의 명소가 있음.

내금-새 명〈방〉냄새(경상·충청·강원).

내:-금위【內禁衛】명〖역〗조선 시대에, 궁중을 지키고 임금을 호위(護衛)하는 금군(禁軍)의 일을 맡은 관아. 태종(太宗) 7년(1407)에 설치, 효종(孝宗) 3년(1652)에 겸사복(兼司僕)·우림위(羽林衛)를 합쳐 금군청(禁軍廳)이 됨.

내:금위-장【內禁衛將】명〖역〗내금위(內禁衛)의 으뜸 벼슬. 종이품. 수효는 세 사람. 효종(孝宗) 때 내금위가 금군청(禁軍廳)에 합쳐지면서 정삼품으로 내림. ㊀내금장(內禁將). *금군장(禁軍將).

내:금위 취:재【內禁衛取才】명〖역〗조선 시대의 무관(武官) 채용 시험의 하나. 병조(兵曹)가 도총부(都摠府)·훈련원의 당상관(堂上官) 한 사람씩과 더불어 시험을 보아 채용하던 제도. 정조(正祖) 때에 폐지됨.

내:금-장【內禁將】명〖역〗↗내금위장(內禁衛將).

내:-급사【內給事】명〖역〗①고려 전중성(殿中省)의 종육품 벼슬. ②고려 공민왕(恭愍王) 때 환관(宦官)의 벼슬.

내기[1] 명 금품을 태어 놓거나, 다른 일정한 조건 아래에서, 이기는 사람이 가지기를 다투는 짓. ¶ ~ 바둑/술~/~에 이기다. ——-하다 자여불

내기[2]【來期】명 ①기한 또는 기일이 됨. ②앞으로 올 기간. ——-하다

내:기[3]【耐飢】명 굶주림을 견디어 넘. ——-하다 자여불

-내기[1] 미 여러 사람이 널리 쓰도록 많이 만들어 내놓은 물건을 가리키는 말. ¶ 전(廛)~.

-내기[2] 미 ①어떤 말에 붙어서, 그 사람이 거기 태생(胎生)이거나 거기서 자랐음을 가리키는 말. ¶ 서울~/시골~. ②어떤 말에 붙어서, 그러한 사람임을 나타내는 말. ¶ 풋~/여간~. ③〈방〉-지기.

내김 명〈방〉냄새(경북).

내까 명〈방〉내[3](경기·강원·전라).

내까-끌뱅이 명〈방〉〖조개〗고둥(경북).

내까창 명〈방〉내[3](전북).

내깔 명〈방〉내[3](경기·충청·전라).

내:-깔기다 타 바깥쪽으로 힘차게 깔기다.

내깡 명〈방〉내[3](경북).

내깨 명〈방〉내[3](경기).

내꼬랑 명〈방〉내[3](경기).

내-꾼지다 타〈방〉내팽개치다.

내끈 명〈방〉노끈(강원).

내:나 부 ①결국은. ¶ 그도 ~ 굴복하였다. ②☞ 일껏.

내:-나로도【內羅老島】명〖지〗전라 남도의 남해상(南海上), 고흥군(高興郡) 봉래면(蓬萊面)에 위치하는 섬. 근해(近海) 수산업의 중심지임. [19 km²: 4,821 명(1985)]

내:낙【內諾】명 →내락(內諾). ——-하다 타여불

내남-없이 [—업씨] 부 나나 다른 사람이나 다 마찬가지로. ¶ ~ 다 나빴다.

내:내 부 처음부터 끝까지. 줄곧. ¶ ~ 안녕히 계십시오.

내-내년【來來年】명 후년(後年). 익익년(翌翌年).

내-내다 자 ①연기(煙氣)를 내다. ②냄새를 내다.

내내로 부〈방〉늘(함경).

내내 세:세【來來世世】명 내세(來世)의 또 다음의 내세.

내-내월【來來月】명 내달의 다음달. 담담달. 익익월(翌翌月).

내:녀【乃女】명 그이의 딸.

내년【來年】명 올해의 다음해. 명년(明年). 내세(來歲).

내:노【內奴】명〖역〗내노비(內奴婢).

내노라 하다 구 '내로라 하다'의 잘못. *로라.

내노리 명〈옛〉밖에 나가서 하는 놀이. ¶ 처ᅀᅥᄆᆡ 閔王이 내노리ᄒᆞ샤 東郭애 가시니(初閔王 出遊 至東郭)≪內訓 2 下 69≫.

내:-노비【內奴婢】명〖역〗조선 시대에, 내수사(內需司)에 속한 노비. 「내노(內奴).

내:노비-공【內奴婢貢】명〖역〗조선 시대에, 내수사(內需司) 노비 곧 내노비의 신공(身貢).

내:-농작【內農作】명〖민〗음력 정월 보름날, 궁중이나 민가에서 볏짚으로 곡식 이삭을 만들어 그 해에 풍년들기를 빌던 일. 가농작(假農作). ㊀농작(農作).

내:-농포【內農圃】명〖역〗조선 시대에, 환관(宦官)들이 궁중에 납품하기 위하여 채소를 재배하던 밭. 또, 그 관청, 창덕궁(昌德宮) 돈화문(敦化門) 밖 동편에 있었음.

내:-놓다 [—노타] 타〔↗내어놓다〕①어떤 범위 밖으로 옮겨 놓거나 꺼내 놓다. ¶ 밖으로 ~. ↔들여놓다. ②간직했던 것을 드러내 보이다. ¶ 내놓고 자랑할 것이 없다. ③가둔 사람·짐승 따위를 자유롭게 활동하도록 밖에 놓아 주다. ¶ 비둘기를 집에서 ~/감옥에서 ~. ④물건 따위를 팔려고 남에게 드러내다. ¶ 집을 ~. ⑤가진 것 또는 차지하고 있던 것을 내주다. ¶ 기부금으로 천 원을 ~/방을 내놓고 이사하다. ⑥일부를 제외하다. 빼놓다. ¶ 백 원만 내놓고 다 주었다/나를 내놓고는 모두 부자다. ⑦희생을 무릅쓰다. ¶ 목숨을 내놓고 싸우다. ⑧발표하다. ¶ 거작(巨作)을 ~.

내:다[1] 자 연기와 불꽃이 굴뚝으로 안 나가고 아궁이로 되돌아 나오다. ¶ 바람이 불어 불이 ~.

내:다[2] 타 ①안엣것을 밖으로 나오게 하다. 옮겨서 밖에 두다. ¶ 책상을 밖으로 ~. *들이다. ②세상에 드러나게 하다. ¶ 이름을 ~/소문을 ~. ③틈을 만들거나 자리를 비게 하다. ¶ 시간을 ~/방을 ~. ④발차·출발·출항시키다. ¶ 임시 열차를 ~/배를 ~. ⑤제출·출품·지불하거나 바치다. ¶ 세금을 ~/원서를 ~. ⑥출판물에 기사를 싣다. 또, 책·신문 따위를 출판 발행하다. ¶ 특종 기사를 ~/잡지를 ~. ⑦길을 새로 만들다. ¶ 길을 ~. ⑧구멍을 뚫다. ¶ 송곳으로 구멍을 ~. ⑨살림·영업 따위를 처음 차리다. ¶ 다방을 ~. ⑩편지·통지서 따위를 보내다. ¶ 독촉장을 ~. ⑪새로 더하다. ¶ 속력을 ~/힘을 ~. ⑫일어나게 하다. ¶ 먼지를 ~/소리를 ~. ⑬음식 따위를 제공하다. ¶ 저녁을 ~. ⑭빚·허가 따위를 얻다. ¶ 빚을 내어 병을 고치다. ⑮곡식을 팔다. ¶ 쌀을 내서 광목을 사다. ⑯모종을 옮겨 심다. 거름 따위를 논밭으로 옮겨 가져가 주다. ¶ 모를 ~/밭에 거름을 ~. ⑰윷놀이에서 말을 날밭 밖으로 나가게 하다. ¶ 석동무니 먼저 ~. ⑱나오게 하다. 산출하다. ¶ 많은 졸업생을 ~/많은 사상자를 냈다. ⑲어떤 상태로 만들거나 그렇게 되도록 하다. ¶ 박살을 ~.

내:다[3] 보동 동사의 어미 '-아'·'-어' 등의 밑에 쓰이어, 그 동작을 제 힘으로 능히 끝냄을 보이는 말. ¶ 끝까지 견디어 ~/참아 내고야 말겠다.

내다[4] 형〈방〉넓다[1](경상·황해).

내:다-보다 타 ①안에서 밖을 보거나, 멀리 앞을 바라보다. ¶ 창밖을 ~. ↔들여다보다. ②장차의 일을 헤아리다. ¶ 앞일을 환히 ~.

내:다-보이다 피동 ①안에 있는 것이 밖에서 보이다. ¶ 속살이 ~. *들여다보이다. ②밖에 있는 것이 안에서 바라보이다. ¶ 바다가 내다보이는 창문. ↔들여다보이다. ③장차 올 일이 헤아려지다. ¶ 놀기만 하는

녀의 앞길이 빤히 내다보인다. ㊦내다뵈다.

내:다-뵈다 피동 ↗내다보이다.

내:다지 명〔건〕기둥 같은 데에 내뚫어 판 구멍.

내:-닫다 자ㄷ불 갑자기 힘차게 앞쪽으로나 밖으로 뛰어나가다. 【내닫기는 주막 집 강아지라】누가 찾아오거나 무슨 일이 생기거나 하면 곧 뛰어나와 참견하는 사람을 두고 하는 말.

내:달[1]【內達】명 은밀히 알림. 미리 비공식으로 통보함. 또, 그 통보. ——-하다 타여불

내-달[2]【來—】명 다음달. 새달.

내:-달리다 자 힘차게 달리다.

내:담[1]【內談】명 비밀한 이야기. 또, 비밀로 이야기함. ——-하다 타여불

내담[2]【來談】명 와서 이야기함. ——-하다 타여불

내:당[1]【內堂】명 내실(內室)❶.

내:당[2]【內堂】명〔악〕시용 향악보(時用鄕樂譜)에 전하는 계면조(界面調)의 고려 속악 가사(俗樂歌詞). 작자 및 연대 미상. 원래, 내당(內堂) 또는 내불당(內佛堂)에서 무당들이 굿할 때 부르던 노래였음.

내:대[1]【內大】명〔역〕↗내부 대신(內部大臣).

내:대[2]【內帶】명〔지〕만곡(彎曲)된 산맥의 우묵하게 들어간 쪽. ↔외대(外帶).

내:-대각【內對角】명〔수〕①삼각형의 한 외각(外角)에 대하여 이웃되지 아니하는 내각(內角). ②사각형·다각형의 한 외각에 대하여 그 꼭지점(點)과 마주보는 꼭지점에서의 내각. 안맞각.

내대각 외각 내대각

〈내대각❶〉

내:-대다 타 쌀쌀하게 쏘거나 뻗대어 물리치다. ¶어른 말에 그렇게 내대는 게 아니다/왜 내가 저만 못한가! 일개 김참판의 딸로서 나를 내대나!《金宇鎭:榴花雨》. *들이대다.

내:-대신【內大臣】명〔역〕↗궁내부 대신(宮內府大臣).

내대-자【褦襶子】명 미욱하여 자기 분수를 모르는 사람.

내-더위 감〔민〕대보름날 더위 팔 때에 하는 소리. 이날 오전에는 남을 만나 그 이름을 부르더라도 대답을 안 하는데, 만일 대답만 하면 곧 '내 더위' 또는 '내덕새' 하여 대답한 사람에게 더위를 팔아 버림. *매서.

내:덕【內德】명 마음 속에 간직하고 겉으로 드러내지 아니하는 미덕.

내-덕새 감〔민〕☞내더위.

내:-던지다 타 ①힘있게 던지다. ¶화가 나서 시계를 ~. ②관계를 끊고 돌아보지 아니하다. ¶식구를 내던지고 혼자 멀리 떠나다.

내:-도[1]【內島】명〔지〕①충청 남도의 서해상(西海上), 당진군(唐津郡) 송악면(松岳面) 고대리(古垈里)에 위치하는 섬. [$0.9 km^2$:531명(1971)] ②경상 남도의 남해상(南海上), 거제군(巨濟郡) 일운면(一運面) 와현리(臥峴里)에 위치하는 섬. [$0.26 km^2$: 80명(1985)]

내:도[2]【內道】명〔불교〕불도(佛道)를 일컫는 말. 내교(內敎). ↔외도[3](外道)❹.

내도[3]【來到】명 ①와서 닿음. 내착(來着). ②기회나 시간 같은 것이 옴. ——-하다 자여불

내도[4]【來島】명 다른 곳에서 그 섬으로 옴. ——-하다 자여불

내:-도감【內都監】명〔역〕대도서(大道署).

내:도-급【內渡給】명〔경〕지출(支出)의 특례의 하나. 공사·제조 및 물품 구입(物品購入)에 대한 계약 범위 안에서의 지급 경비.

내:-도량【†內道場】명〔불교〕대궐 안에서 불도를 닦는 집. 내도장(內道場). 내원당(內願堂).

내:-도방【內都房】명〔역〕고려 때, 최이(崔怡)가, 최충헌(崔忠獻)이 조직했던 육번 도방(六番都房)을 외도방(外都房)이라 일컫은 데 대하여, 자신의 가병(家兵)으로 별도로 편성한 도방을 일컬음.

내:-도장【內道場】명〔불교〕내도량(內道場).

내:독【內毒】명 내부에 있는 독기(毒氣). 내부에 숨은 해독.

내:-독소【內毒素】명〔의〕균체내 독소(菌體內毒素). ↔외독소(外毒素).

내:-돋다 자 안에서 겉으로 또는 밖으로 돋아 나오다. ¶이마에 땀방울이 ~/홍역꽃이 ~.

내:-돌리다 타 물건을 함부로 내놓아 남의 손에 가게 하다. ¶결혼 사진을 ~.

내:동[1]【乃東】명〔식〕제비꿀.

내동[2]【來同】명 와서 모임. ——-하다 자여불

내:동[3] 부〈방〉일껏.

내:-동댕이치다 타 함부로 뿌리쳐 버리다. 힘껏 마구 내던지다. ¶모자를 방바닥에 ~.

내:-동헌【內東軒】명〔역〕내아(內衙).

내두【來頭】명 지금으로부터 닥치는 앞. 전두(前頭). ¶아무쪼록 공부를 하여 ~에 위인 걸사가 되기를 바라나이다《崔瓚植:능라도》.

내:-두다 타 바깥쪽에 두다. ¶화분을 창 밖에 ~.

내:-두드리다 타 마구 두드리다.

내:-두르다 타르불 ①이리저리 휘휘 흔들다. ¶팔을 ~. ②남을 마음 내키는 대로 이리저리 움직이게 하다. ¶며느리가 시어머니를 ~.

내두-사【來頭事】명 앞으로 닥쳐올 일. ¶동물 중에 제일 신령된 사람도 능히 ~를 모르거던 까마귀같은 미물이 어찌 사람의 길흉을 미리 알 수 있사오리까?《崔瓚植:金剛門》.

내:두 좌:평【內頭佐平】명〔역〕백제 때의 육좌평(六佐平)의 하나. 재정(財政)을 맡아 보던 장관(長官).

내:-둘리다[1] 자 정신이 아찔하여 어지러워지다. ¶맴을 돌고 나니 내둘린다.

내:-둘리다[2] 피동 내두름을 당하다.

내:-드리다 타〔↗내어 드리다〕윗사람에게 물건을 꺼내 주다.

내든【許等】어미〈이두〉-거든. -면.

내:-들다 타 ①바깥쪽으로 들다. ②사실이나 예(例)를 들어 말하다.

내:-디디다 타 ①발을 바깥쪽 또는 앞으로 밟다. ¶한 발을 ~. ↔들여디디다. ②시작하다. 착수하다. ¶정계에 발을 ~. ㊦내딛다.

내:-딛다 타 ↗내디디다.

내:떨다 타 ①붙은 것이 떨어지도록 밖으로 대고 힘있게 떨다. ②남이 붙잡지 못하도록 힘있게 뿌리치다. ¶내떨고 가신 님.

내:-떨리다 피동 내떪을 당하다.

내뚝 명〈방〉굴뚝(제주).

내:-뚫다[-뚤타] 타 이 끝에서 저 끝까지 통하게 뚫다.

내:-뚫리다[-뚤—] 피동 내뚫음을 당하다.

내:-뛰다 자 힘껏 앞으로 뛰다. 냅다 앞으로 뛰어 도망가다. 【내뛰기는 주막집 강아지라】무슨 일에나 경솔하게 잘 내뛰는 사람을 보고 일컫는 말.

내:-뜨리다 타 사정없이 힘껏 내던져 버리다. *들이뜨리다.

내:락【內諾】명〔←내낙(內諾)〕①내밀히 승낙함. ②비공식적으로 승낙함. ¶~을 얻다. ——-하다 타여불

내:란【內亂】명 ①나라 안에서 일어나는 난리. 중란(中亂). 내구(內寇). ¶소요가 ~으로 번지다. ②〔법〕한 나라 안에 있어서 두 개의 당파나 또는 정부와 반도(叛徒)와의 병력에 의한 투쟁. 국제법상의 전쟁은 아니나 교전 단체(交戰團體)의 승인을 받으면 국제법상의 전쟁이 됨.

내:란-죄【內亂罪】[—쬐] 명〔법〕정부를 쳐서 뒤집어 엎으려 하거나 국토의 한 지역을 함부로 차지하여 독립을 꾀하거나, 그 밖에 헌법(憲法)을 문란하게 하려는 목적으로 폭동을 일으킴으로써 성립하는 죄.

내:람【內覽】명 공개하지 아니하고 남몰래 봄. ——-하다 타여불

내량[1]【奈良】명〔지〕'나라(奈良)'를 우리 음으로 읽는 이름.

내:량[2]【耐量】명〔약〕약물의 한계량을 초과하여 사용하였을 경우, 중독(中毒)은 일으키지만, 죽음은 면할 수 있는 최대량. *무효량·유효량·치사량·중독량.

내레이션〔narration〕명 ①이야기함. 화술. 화법. ②라디오 프로그램의 이야기하는 부분. 또, 영화·연극 등에서, 장면의 진행에 따라서 해설하는 소리.

내레이터〔narrator, narrater〕명 영화·텔레비전·라디오·연극 등에서, 얼굴은 보이지 아니하고 해설이나 이야기를 하는 사람.

내려-가다 거라불 ㊀ 자 ①높은 곳에서 낮은 곳으로 향하여 가다. ¶산길을 ~. ②서울에서 시골로 떠나가다. ¶시골로 ~/고향으로 ~. ③음식이 소화되다. ¶점심먹은 것이 안 ~. ④값·통계 숫자·지위·온도 따위가 낮아지거나 떨어지다. ¶쌀값이 ~/기온이 ~. ⑤긴 세월을 지나서 뒷세상까지 미치다. ¶이 물건이 후세에 내려가면 골동품이 되겠지. 1)·2)·4)·5):↔올라가다. ㊁ 타 아래쪽으로 옮겨가다. ¶2층에서 책상을 ~. ↔올려 가다.

내려-긋다 타ㅅ불 자리를 아래로 낮게 잡아서 긋다. ¶선을 3cm 아래로 ~. *내리긋다.

내려-꽂다 타 ①위에서 아래로 꽂다. ¶강 스파이크를 ~. ②비행기 따위가 높은 곳에서 갑자기 아래로 내려 박히다. ¶기수(機首)를 내려 꽂으며 떨어지는 비행기.

내려-놓다[-노타] 타 위에 있는 것이나 들고 있던 것을 아래로 내리어서 놓다. ¶짐을 땅에 ~.

내려다-보다 타 ①위에서 아래를 보다. ¶비행기에서 적진을 ~. ②자기보다 한 층 낮추어 보다. 내려보다. 1)·2):↔올려다보다.

내려다-보이다 피동 밑에 있는 것이 시선(視線)을 통하여 눈에 뜨이다.

내려-두다 타 위에 있는 것을 내려서 아래에 있게 하다. ¶위칸의 것을 아래칸에 ~.

내려-디디다 타 발을 아래로 내려서 밟다.

내려-뜨리다 타 위에 놓인 것이나 손에 쥔 것을 아래로 내리어 떨어뜨리다. ¶식탁 위의 접시를 내려뜨려 깨다.

내려-보다 타 내려다보다.

내려본-각【—角】명〔수〕높은 곳에서 낮은 곳에 있는 지점(地點)을 내려다볼 때, 그 시선(視線)과 수평면(水平面)이 이루는 각. 부각(俯角). ↔올려본각.

〈내려본각〉

내려-비추다 타 ☞내리비추다.

내려-비치다 자 ☞내리비치다.

내려-서다 자 높은 곳에서 낮은 곳으로 내려와 서다.

내려-쓰다 타 모자 따위를 이마보다 아래로 내려서 쓰다. ¶중절모를 푹 ~.

내려-앉다 자[-안따] ①아래로 옮기어 앉다. ②낮은 지위의 자리에 옮기어 앉다. ③건물·다리·산 같은 것이 무너져 떨어지다. ¶천장이 ~.

내려-오다 ㊀ 자너라불 ①높은 곳에서 낮은 곳으로 향하여 오다. ¶산에서 ~/물에 떠서 ~. ②서울에서 시골로 떠나 오다. ¶서울서 ~. ③긴 세월을 지나서 오늘날까지 전하여 오다. ¶옛날부터 내려오는 가보(家寶). ④계통을 따라서 아래로 전해 오다. ¶상부에서 명령이 ~. 1)·2)·4)·↔올라오다. ㊁ 타너라불 아래쪽으로 옮겨오다. ¶2층에서 의자를 ~. ↔올려오다.

내려-제기다 타 위에서 마구 두들겨서 꺾어지거나 으스러지게 하다. ¶나무 토막을 도끼로 ~.

내려-지다 자 위에 있던 것이 아래로 떨어지다. ¶지붕에서 기왓장이 ~.

내려-지르다 자타르불 ☞내리지르다.

내려-질리다 피동 ①값이 얼마씩 싸게 치이다. ②☞내리질리다.

내려-쫓다 타 ①높은 곳에서 낮은 곳으로 향하여 쫓다. ②서울에서 시골로 쫓다. ¶지방으로 ~.

내려-찍다 타 ①날붙이를 가지고 위에서 아래로 향하여 찍다. ¶도끼로 나무를 ~. ②사진을 위에서 아래로 향하여 찍다. ¶내려찍은 사진.

내려-치다[1] 자 바람·번개 같은 것이 아래로 세차게 닥쳐오다. ¶산에서 내려치는 비바람.

내려-치다[2] 타 ①아래로 향하여 단단한 바닥에 부딪게 하다. ¶주먹으로 책상을 ~. *내리치다. ②칼 같은 것으로 무엇을 단숨에 자를 기세로 치다. ¶목을 ~.

내려-치다[3] 타 ①금이나 줄을 아래쪽에다 그리거나 나타내다. ②그물 따위를 아래쪽에다 치다. ③셈이나 값을 함부로 내려 따지다. ¶천 원짜리를 단돈 오백 원으로 ~.

내려-트리다 타 내려뜨리다.

내:력[1]【內力】명 ①〔물〕변형력(變形力). ②〔물〕물체 내부의 각 부분의

상호간에 미치는 힘. ③〖지〗 지구의 속 부분에 기원(起源)이 있어 땅의 거죽 형태를 변화시키는 힘. 화산(火山)·습곡(褶曲)·단층(斷層) 등은 이 힘에 의하여 생김. 1)-3):↔외력(外力).

내력² 【來歷】 명 ①겪어 온 자취. ¶ 자기의 ~을 들려 주다. ②내림¹. ¶ 그 병은 그 집안의 ~이다.

내:력³ 【耐力】 명 ①견디어 내는 힘. 참아 나가는 힘. ②〖공〗 공업 재료의 장력 시험(張力試驗)에서, 일정(一定)의 미소(微小)한 영구 변형(永久變形)이 생겼을 때의 변형력.

내:로 【耐勞】 명 노동(勞動)을 감내(堪耐)함. ——-하다 자여불

내로라 하다 구 바로 나다 하고 자신을 가지다. ¶ 세상에 내로라 하는 장사들.

내:료 【內僚·內寮】 명 〖역〗 궁중에서 전명(傳命) 등 잡무에 종사하는 벼슬아치의 총칭. 환관(宦官)은 이것의 대표적인 것임.

내룡 【來龍】 명 〖민〗 풍수 지리에서 쓰는 말로, 종산(宗山)에서 내려온 산줄기. 내맥(來脈).

내:륙 【內陸】 명 〖지〗 해안 지대에 대하여, 바다에서 멀리 떨어진 지대. 때로는 대륙의 뜻으로도 쓰임. ¶ ~ 지방.

내:륙 공업 지대 【內陸工業地帶】 명 바다에 면하지 않은 내륙부의 공업 지대. 흔히, 섬유·기계 공업이 발달함. ↔임해(臨海) 공업 지대.

내:륙-국 【內陸國】 명 〖지〗 정치 지리학상, 육지로 된 국경만으로 다른 나라와 접하고 해양(海洋)과 인접하지 않은 나라. 스위스·볼리비아(Bolivia)와 같은 나라.

내:륙-권 【內陸圈】 명 〖지〗 내륙의 범위 안에 든 넓은 지역.

내:륙 기후 【內陸氣候】 명 〖지〗 연교차(年較差)·일교차(日較差)가 심하고, 공기가 건조(乾燥)하여 맑으며, 비나 눈이 덜 오는 기후. 내륙성 기후. 대륙 기후. ↔해양 기후.

내:륙-도 【內陸道】 명 〖지〗 충청 북도와 같이 육지로 된 도계(道界)만으로 다른 도(道)와 접하고 해양(海洋)과 인접하지 않은 도(道).

내:륙 분지 【內陸盆地】 명 〖지〗 대륙 내부에 있는 큰 분지. 일반적으로 기후가 건조하여 하류(河流)에 의한 침식(浸蝕)이 적고, 비교적 오래 그 지형을 보존함. 티베트의 고대(高臺)나 안데스 산지의 분지 등.

내:륙-빙 【內陸氷】 명 〖지〗 ↗내륙 빙하(內陸氷河).

내:륙 빙하 【內陸氷河】 명 〖지〗 광대한 지역을 덮고 있어 서서히 변두리로 이동하는 빙체(氷體). 대륙 빙하(大陸氷河). ㊊내륙빙(內陸氷). ↔산악(山嶽) 빙하.

내:륙 사구 【內陸砂丘】 명 〖지〗 대륙 내부의 내륙 유역에 발달한 사구. 타클라마칸 사막이나 사하라 사막에 많음.

내:륙-성 【內陸性】 명 내륙적인 성질. *대륙성(大陸性).

내:륙성 기후 【內陸性氣候】 명 〖지〗 내륙 기후.

내:륙성 하류 【內陸性河流】 명 〖지〗 물이 흘러 내려가는 도중에 기후가 건조하여 건천(乾川)이 되어 버리거나, 바다보다 낮은 지역의 분지(盆地)로 흘러 들어가는 하류(河流). 내륙하(內陸河).

내:륙 수로 【內陸水路】 명 강·호수를 이용하여 드나들 수 있는 교통로. 우리 나라에서는 과거 서울·평양·강경(江景) 등이 주요 내륙 항구였으며, 특히, 낙동강은 상류 지방인 안동(安東)까지 배가 왕래하였음.

내:륙 유역 【內陸流域】 [—뉴—] 명 〔interior drainage〕 〖지〗 기후의 건조가 심한 탓으로 주위의 산지에서 흘러내리는 하천의 물이 점점 마르거나 잦아져서, 미처 바다로 들어가기 전에 없어지고 또는 분지가 깊어서 해면(海面) 이하에 있으므로 분지 속의 물이 바다로 들어가지 못하고 호수를 이루고 있는 지방. 아시아나 아프리카 내륙의 분지와 같은 곳. 이런 유역은 알칼리 토양(alkali 土壤)이 널리 분포하여 땅을 이용하기 어렵고 호수의 물은 맛이 짬.

내:륙 지방 【內陸地方】 명 대륙의 내부로 해안에서 멀리 떨어진 지방.

내:륙 탄:전 【內陸炭田】 명 〖광〗 주로 대륙 내륙의 소택지(沼澤地)에 형성된 탄전. ↔연안(沿岸) 탄전.

내:륙 평야 【內陸平野】 명 〖지〗 원래 해저(海底)였던 것이 오래 전에 융기(隆起)하여 육상으로 나타나서 이루어진 평야. *해안(海岸) 평야·호저(湖底) 평야.

내:륙-하 【內陸河】 명 〖지〗 대륙 내륙의 분지에서, 증발이 심한 탓으로 흘러든 물이 말라 버리거나 그 일부분의 물이 웅덩이에 괴거나 하는 상태의 강. 내륙성 하류(河流).

내:륙-호 【內陸湖】 명 〖지〗 내륙 유역에 있어 바깥 바다로 물이 흘러 나가는 곳이 없는 호수. 청해(青海)·사해(死海)·카스피 해 등.

내:륜-산 【內輪山】 명 〖지〗 이중 화산(二重火山)의 구화구(舊火口) 혹은 칼데라(caldera) 안에 새로 생긴 원추상(圓錐狀)의 소화산체(小火山體).

내:리¹ 【內裡】 명 마음속.

내:리² 【內裏】 명 황제의 궁전(宮殿). 대궐(大闕).

내리³ 부 ①위에서 아래로 향하여 똑바로. ¶ ~ 굴려라. ②처음부터 끝까지. 줄곧. ¶ 올 겨울은 ~ 춥다/~ 세 시간을 서 있었다.

내리- 접 ①어떤 동사나 명사 앞에 붙어서 '위에서 아래로'의 뜻을 나타내는 말. ¶ ~닫이/~사랑/~먹다. ②또, '세차게·마구'의 뜻을 나타내는 말. ¶ ~깎다.

내리-갈기다 타 위에서 아래로 후려치다.

내리-구르다 자르불 높은 곳에서 낮은 쪽으로 굴러 내리다.

내리-글씨 명 글줄을 위에서 아래로 내리쓰는 글씨. 세로 글씨. ↔가로글씨.

내리-긋다 타ㅅ불 아래쪽으로 향하여 줄을 긋다. *내려긋다.

내리기 명 〖생〗 유전(遺傳).

내리-까다 타 ①위에서 아래쪽으로 까다. ②〈속〉 헐뜯어 사정없이 공격하다.

내리-깎다 타 ①값을 사정없이 깎아 내리다. ②남의 인격이나 체면을 마구 떨어뜨리다.

내리-깔기다 타 오줌 따위를 낮은 곳으로 내쏘다.

내리-깔다 타 ①윗눈시울로 눈알을 반쯤 덮고 시선을 아래로 보내다. ②자리를 아래쪽에 깔다.

내리-내리 부 잇따라 내리. 언제까지나.

내리-누르다 타르불 ①위에서 아래로 힘을 주어 누르다. ②윗사람이 아랫사람을 꼼짝 못하도록 위세를 가하다. ¶ 부하를 내리누르려고만 하면 안 된다.

내리다¹ ㊀ 자 ①높은 데서 낮은 데로 향하여 옮다. ¶ 막이 ~/버스에서 ~/눈이 ~/열이 ~/물가가 ~. ②먹은 것이 삭아 아래로 가다. ¶ 먹은 것이 금방 ~. ③쪘던 살 같은 것이 빠지다. ¶ 살이 ~. ④신(神)이 몸에 접(接)하다. ¶ 귀신이 내리어서 병을 앓는다. ⑤뿌리가 나서 땅으로 들어가다. ¶ 뿌리가 내리어서 죽지 않는다. 1)·3):↔오르다. ㊁ 타 ①높은 데서 낮은 데로 옮기다. ¶ 시루를 선반에서 ~/막을 ~/셔터를 ~/값을 ~/임금(賃金)을 ~. ②윗사람이 아랫사람에게 주다. ¶ 임금이 신하에게 시호를 ~/벌을 ~/명령을 ~. ③결말을 짓다. ¶ 결론을 ~/판단을 ~/정의(定義)를 ~. 1)·2):↔올리다.

내리다² 형 단단한 가루나 씨알 같은 것이 몹시 작다.

내리-닫다 자ㄷ불 아래로 향하여 뛰다.

내리-닫이¹ [—다지] 명 어린 아이의 옷의 한 종류. 바지와 저고리를 한데 붙이고, 뒤를 터서 똥오줌 누기에 편리하게 만든 옷.

내리-닫이² [—다지] 명 〖건〗 두 짝의 창문이 서로 위아래로 오르내려서 여닫게 된 창.

내리떠-보다 타 ☞내립떠보다.

내리-뛰다 자 위에서 아래로 뛰어 내리다. ¶ 2층에서 ~.

내리-뜨다 타 눈을 아래로 향하여 뜨다. ↔치뜨다.

내리막 명 ①내려가는, 길이나 땅의 바닥. ②사물의 한창때가 지나 쇠퇴해 가는 판. ↔오르막.

내리막-길 명 내리막으로 된 길.

내리-매기다 타 집의 번지나 번호 등을 위에서 아래로 차례차례 매기다. ↔치매기다.

내리-먹다 자 집의 번지나 번호 등이 위에서 아래로 매기어지다. ↔치먹다.

내리-밀다 타 아래쪽으로 밀다. ↔치밀다.

내리-받다 자타 아래쪽으로 향하여 떠받아서 내리다. 아래로 향하여 맞받아 밀어 내다. ↔치받다.

내리-받이 [—바지] 명 비탈진 곳의 내려가는 아래쪽 방향. ↔치받이.

내리-보다 타 〈방〉 낮보다(평안·함경).

내리-비추다 타 위에서 아래로 비추다.

내리-비치다 자 위에서 아래로 비치다.

내리-사랑 명 손윗사람의 손아랫사람에 대한 사랑.

[내리사랑은 있어도 치사랑은 없다] ㉠윗사람은 아랫사람의 작은 과실쯤은 관대히 보아 주어야 한다는 말. ㉡윗사람이 아랫사람을 사랑하는 수는 있어도 아랫사람이 윗사람을 사랑하기는 어렵다는 말.

내리-쏘다 타 활이나 총을 위에서 아래로 쏘다.

내리-쏟다 타 액체나 낱으로 된 물건을 높은 곳에서 낮은 곳으로 한꺼번에 나오게 하다.

내리-쏟아지다 타 위에서 아래로 한꺼번에 와락 떨어지거나 몰리어 나오다.

내리-쓰기 명 글을 위에서 아래로 써 내려가는 방식. 세로쓰기. ↔가로쓰기.

내리-쓰다 타 위에서 아래쪽으로 글을 쓰다. ↔가로쓰다.

내리-외우다 타 글이나 들은 이야기 등을 줄줄 외우다.

내리우다 사동 내리게 하다.

내리-읽다 [—익—] 타 위에서 아래쪽으로 글을 읽다.

내리-지르다 ㊀ 자르불 물·바람 같은 것이 아래쪽으로 세차게 흐르거나 불다. ㊁ 타르불 발 같은 것으로 힘껏 위에서 아래로 지르다. ¶ 쓰러진 사람을 구둣발로 ~.

내리-질리다 피동 주먹·발 같은 것으로 세게 얻어맞다.

내리-쬐다 자 볕이 세차게 내리비치다. ¶ 햇볕이 쨍쨍 ~.

내리-치다 타 ①위에서 아래로 향하여 힘껏 치다. *내려치다. ②☞내리키다.

내리키다 타 ①위에 있는 것을 아래로 내려지게 하다. ②낮은 데로 옮기다.

내리-패다 타 함부로 막 때리다.

내리-퍼붓다 ㊀ 자ㅅ불 비·눈 같은 것이 계속하여 마구 오다. ㊁ 타ㅅ불 물 같은 것을 위에서 아래로 마구 쏟다.

내리-훑다 [—훌따] 타 아래쪽으로 향하여 내려가면서 훑다. ↔치훑다.

내릴-톱 명 재목을 세로 켜는 톱. ↔동가리톱.

내림¹ 명 혈통적으로 유전되어 내려오는 특성. 내력(來歷). ¶ 키가 큰 것은 그 집안의 ~이다.

내림² 명 〖건〗 건물의 정면으로 보이는 칸수. ¶ 삼간(三間) ~.

내림³ 【來臨】 명 찾아오심. 왕림(枉臨). ——-하다 자여불

내림-감성돔 명 봄에 산란(産卵)하려 뭍 근처로 올라왔다가 10월 하순경 먼 바다로 내려가는 감성돔.

내림-굿 [—굳] 명 〖민〗 무당이 되려고 할 때 신이 내리기를 비는 굿.

내림-내림 명 여러 대를 이어 내려온 내림.

내림-대 [—때] 명 〖민〗 굿할 때나 경문 읽을 때, 무당이 신내리게 하느라고 쓰는 소나무나 대나무의 가지.

내림-바탕 명 〖생〗 유전질(遺傳質).

내림-새 명 〖건〗 한 끝에 반달 모양의 혀가 붙은 암키와. 기왓고랑 끝에 낙수받이로 붙임. ↔막새. *암막새.

와당

〈내림새〉

내림-석 【來臨釋】 명 〖민〗 굿을 시작할 때, 공양을 받으라고, 무당이 신에게 비는 일.

내림-세 【—勢】 명 시세·물가가 내리는 기세. ¶ 쌀값이 ~를 보이다. 낙세. 하락세. ↔오름세.

내림-은장 【—隱—】 명 〖건〗 중방을 기둥에 가로 끼어 맞출 때나 기타의 경우에 그 끝의 주먹장을 기둥 구멍에 내려 맞추어 끼우는 방법의 하나.

내림-장 【—醬】 [—짱] 명 간장을 떠낸 뒤에 남은 된장에다 다시 물을 부어 우려낸 장. 재성장(再成醬).

내림-조【一調】[―쪼] 명〖악〗 내림표로만 나타낸 조. ↔올림조.

내림-차【一次】 명〖수〗 차수(次數)가 가장 높은 항(項)으로부터 차례로 낮은 차수의 항을 배열하는 일. 구용어 : 강멱(降冪). ↔오름차.

내림차-순【一次順】 명 ①〖수〗 다항식(多項式)에서 차수가 높은 항(項)으로부터 차례로 낮은 차의 항으로 쓰는 일. $5x^2-3x-2$ 따위. 구용어 : ↔오름차순(次順). 강멱순(降冪順). ②〖컴퓨터〗 데이터를 다시 정렬시킬 때, 큰 것부터 작은 것의 차례로 정렬시키는 것. 알파벳의 경우는 Z부터 A로, 한글의 경우는 ㅎ부터 ㄱ으로 정렬시킴.

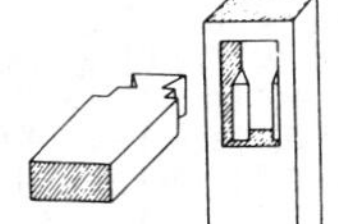

〈내림턱 열장끼움〉

내림턱 열장끼움 [―짱―] 명〖건〗 열장 장부촉을 내리끼워 맞추는 부분. 또, 그 일.

내림-표【一標】 명〖악〗 음의 높이를 본위음(本位音)보다 반음(半音) 내리는 기호. 사용되는 경우에 따라 조기호(調記號)·임시(臨時) 기호로 구분함. 부호는 '♭'임. 플랫(flat). 변기호.

내림-활 명〖악〗 운궁법(運弓法)의 하나. 현악기의 활을 활 밑으로부터 오른쪽으로 끌어 켜는 일. 일반적으로 센박(拍)에 쓰임. 구용어 : 하궁(下弓). ↔올림활.

내립떠-보다 타 〔중세 : ᄂᆞ리ᄠᅧ보다←'ᄂᆞ리다'의 동사 어간+'ᄠᅳ다'의 동사 어간+-어+보다〕 눈을 아래로 뜨고 노려보다. ↔칩떠보다.

내마【奈麻】 명〖역〗 나마(奈麻).

내:마모-성【耐磨耗性】[―썽] 명 마찰되어도 마모(磨耗)되지 아니하고 견디는 성질.

내 마신 고양이 상 구 독살이 나서 찡그린 얼굴을 형용하는 말.

내:막[1]【內幕】 명 일의 속내. 일의 비밀로 하는 내용. 셈속. 내실(內實). 속내평. ¶ 정계의 ～.

내:막[2]【內膜】 명〖생〗 체내 기관(體內器官)의 안쪽의 막.

내:만[1]【乃蠻·乃滿】 명 〔Naiman〕〖역〗 나이만.

내만[2]【奈滿】 명 〔Naiman〕〖역〗 나이만.

내만-도【一島】 명〖지〗 경상 남도의 남해상(南海上), 남해군(南海郡) 고현면(古縣面) 갈화리(葛花里)에 위치한 섬. [0.23km²]

내:-만물초【內萬物草】 명〖지〗 금강산 외금강에 있는 명소. 구만물초(九萬物草)·십만물초(十萬物草)의 뒤쪽에 있는데, 경치가 매우 기묘합. 오만물상(奧萬物相).

내:만-인【內彎刀】 명〖고고학〗 오목날.

내말【奈末】 명〖역〗 나마(奈麻).

내:-맡기다 타 남이 하는 대로 아주 맡기어 버리다. 일임(一任)하다. ¶ 운영권 일체를 ～/몸을 ～.

내:-매다 타 밖으로 내어 매다. ¶ 소를 ～.

내맥【來脈】 명 ①일이 지나온 과정. ②〖민〗 내룡(來龍).

내맥-없다 [―업―] 형 ☞ 맥없다.

내맥-없이 [―업씨] 부 ☞ 맥없이. ¶ 민우는 핏기 없는 얼굴에 눈을 ～ 치뜨고, "산지기에 순태가 발로 걷어차서…"≪吳有權 : 방앗골 혁명≫.

내:-맺히다 자 물방울 따위가 겉으로 나와 맺히다. ¶ 소녀의 오른쪽 무릎에 핏방울이 내맺혔다.

내:-먹다 타 속에 있는 것을 밖으로 집어 내어서 먹다.

내:면【內面】 명 ①물건의 안쪽. 안면(面). ②인간의 정신·심리에 관한 면. ¶ ～ 생활. 1)·2):↔외면(外面).

내:면 묘:사【內面描寫】 명〖문〗 소설 등에서 인물의 심리 또는 기분, 곧 심적 상태를 묘사하는 일. ↔외면(外面) 묘사.

내:면 생활【內面生活】 명 내적 생활(內的生活).

내:면 세:계【內面世界】 명 마음 속의 감정이나 심리. 내계(內界).

내:면 연:마반【內面硏磨盤】 명〖기〗 원통상의 물건의 내면을 연마하는 기계. 내면 연삭반.

내:면 연:삭반【內面硏削盤】 명〖기〗 내면 연마반(內面硏磨盤).

내:면-적【內面的】 명관 내부에 관한 모양. 내용이나 정신에 관한 모양. 내적(內的). ↔외면적(外面的).

내:면적 지속【內面的持續】 명〖철〗 순수(純粹) 지속.

내:명[1]【內命】 명 내밀(內密)한 명령. 공공연하지 않은 명령.

내:명[2]【內明】 명 ①겉으로는 어수룩하나 속셈은 아주 밝음. ②〖불교〗 오명(五明)의 하나. 사물의 원리를 연구하는 부문. ――-하다 형여불

내명[3]【來命】 명 직접 와서 명함. 또, 그 일의 경칭.

내-명년【來明年】 명 후년(後年).

내:-명부【內命婦】 명〖역〗 옛날 궁중에서 품위(品位)를 가진 여관(女官)들로서 빈(嬪)·귀인(貴人)·소의(昭儀)·숙의(淑儀)·소용(昭容)·숙용(淑容)·소원(昭媛)·숙원(淑媛) 등의 총칭. ↔외명부(外命婦).

내:모[1]【乃母】 ㊀명 그이의 어머니. ㊁인대 어머니가 자식에 대하여 쓰는 자칭. 곧, '이 어미'·'네 어미'의 뜻.

내:모[2]【內侮】 명 내부 사람에게서 받는 모욕. 국내(國內) 사람에게서 받는 모욕.

내:모[3]【內帽】 명〖고고학〗 내관(內冠).

내-모래 명〈방〉 글피(경상).

내-모리 명〈방〉 글피(경남).

내:목【內目】 명〖건〗 기둥의 안쪽. ↔외목(外目).

내:목 도리【內目―】 명〖건〗 포작(包作) 내부에 가로 얹힌 도리.

내:-몰다 타 ①밖으로 몰아 내쫓다. 경계선 밖으로 쫓다. 소나 말 따위를 밖으로 몰다. ↔들이몰다. ②냅다 몰다. ¶ 차를 왜 그리 갑자기 내모느냐.

내:-몰리다 피동 내몲을 당하다. *들이몰리다.

내:-몽고【內蒙古】 명〖지〗 중국의 북부, 고비 사막 이남의 땅. 1947년 자치구(自治區)가 됨. 옛 만주의 싱안성(興安省), 옛 요북성(遼北省)의 대부분, 러허성(熱河省) 서요하(西遼河) 이북, 옛 찰합이성(察哈爾省)의 남부를 제외한 전지역으로, 북·서쪽은 소련 및 몽골과 접경함. 주민은 대개 중국인과 몽골족이 유목 생활을 하며 서부에서는 목축, 동·남부에서는 농목업에 종사하고 있음. 임산 자원(林産資源)이 풍부하며 금·철·석탄·소금 등이 남. 근대 공업은 규모가 작으며, 교통은 자동차 도로가 중심이지만, 빈저우(濱洲)·지얼(集二)·징바오(京包)·바오란(包蘭)의 네 철도가 통함. 주도(主都)는 후허하오터(呼和浩特). 내몽고 자치구. [450,000 km² : 19,274,000 명(1982)]

내:몽고 자치구【內蒙古自治區】 명〖지〗 내몽고.

내:무[1]【內務】 명 ①국내의 정무(政務). ②↗내무 행정. ③↗내무부 장관. ④군대에서, 일상 생활에 관한 실내(室內)에서의 일. ¶ ～반. 1)-3): ↔외무(外務).

내:무[2]【內舞】 명〖악〗 여러 줄로 벌여서 춤출 때, 안 줄에 서서 추는 사람들.

내무[3]【萊蕪】 명 잡초가 우거지고 거친 땅.

내:무 규정【內務規程】 명 내무(內務)에 관한 규정.

내:무 내:문【乃武乃文】 명 임금의 덕을 높이고 기리는 말. 문무(文武)를 함께 갖춘다는 뜻에서 옴.

내:무 대:신【內務大臣】 명 군주제 나라의 내무성(內務省)의 장관. 그 나라의 내무 행정을 주관하고 감독함. 우리 나라의 내무부 장관과 같음.

내:무 독판【內務督辦】 명〖역〗 독판 내무부사(督辦內務府事).

내:무-반【內務班】 명〖군〗 병영(兵營) 안에서 사병 등이 내무 생활을 하는 조직의 단위(單位). 또, 그 기거(起居)하는 방. ¶ ～장.

내:무-부[1]【內務府】 명〖역〗 조선 시대 말기의 관아의 하나. 통리 군국 사무 아문(統理軍國事務衙門)을 의정부(議政府)에 합쳤다가, 뒤에 다시 독립하여 이 이름으로 고치고, 고종 31년에 이조(吏曹)와 합하여 내무 아문(內務衙門)이 되었음.

내:무-부[2]【內務部】 명 내무 행정에 관한 사무를 맡아보던 행정 각부의 하나. 1998년 2월, 총무처(總務處)와 통합, 행정 자치부(行政自治部)로 개편됨.

내:무부 장:관【內務部長官】 명 전에 내무부의 장이었던 국무 위원. 준 내무 장관·내무.

내:무 사열【內務査閱】 명〖군〗 군에서 행하는 내무 생활 전반에 관한 검열. 대개 매주 토요일에 실시함. *점검(點檢).

내:무 생활【內務生活】 명〖군〗 군인의 부대 안에서의 일상 생활.

내:무-성【內務省】 명 영국·에스파냐 등의 일반 내무 행정을 주관하는 최고 중앙 관청. 우리 나라의 내무부(內務部)와 같음.

내:무 아:문【內務衙門】 명〖역〗 내무 행정을 맡은 관아. 조선 고종(高宗) 31년(1894)에 두었다가 이듬해 내부(內部)로 고침.

내:무 위원회【內務委員會】 명 전에, 국회 상임 위원회의 하나. 1998년 명칭을 행정 자치(行政自治) 위원회로 바꿈.

내:-무주장【內無主張】 명 집안 살림을 맡아서 할 안주인이 없음. *외무주장(外無主張). ――-하다 형여불

내:무 행정【內務行政】 명〖정〗 ①국가 사회의 안녕 질서를 유지하고 국민의 복리를 증진하는 것을 목적으로 하는 행정. ②내무 대신 또는 장관이 주관하는 행정. 곧, 지방 행정·선거·치안 등에 관한 정무(政務). 준 내무(內務).

내:문[1]【內門】 명 내부에 있는 문.

내문[2]【來問】 명 와서 물어 봄. ――-하다 타여불

내:물려-쌓음 [―싸―] 명〖건〗 돌이나 벽돌 같은 것을 쌓을 때에 턱이 나오게 쌓는 일.

내:-물리다 타 어떤 한계 밖으로 내어서 물러나게 하다. ¶ 대문을 ～.

내물-왕【奈勿王】 명〖사람〗 신라 17 대 왕. 성은 김씨. 왕 9년(364) 왜병이 쳐들어왔을 때, 부현(斧峴) 동방에서 싸워 크게 이김. 이 왕 때에 처음으로 우리 나라에서 한자(漢字)를 쓰기 시작한 듯함. [재위 356-401]

내물이사금【奈勿尼師今】 명〖사람〗 내물왕.

내미 명〈방〉 냄새(경상).

내미-손 명 물건 흥정하러 온, 만만하고 어수룩하게 생긴 사람.

내:밀【內密】 명 ①감추고 숨긴 속 비밀(秘密). ②남몰래 넌지시 함. ¶～한 이야기. ――-하다 형여불. ――-히 부. ¶ ～ 이르다.

내:-밀다 ㊀자 〔←내어 밀다〕 ①한쪽 끝이 길쭉하게 나오다. ¶ 싹이 뾰족이 ～. ②한쪽으로 도드라지다. 돌출하다. ¶ 이마가 ～. ㊁타 〔←내어 밀다〕 ①안에서 앞이나 밖으로 밀다. ¶ 손을 ～. ②남에게 미루어 버리다. ¶ 그 일을 나에게 내밀면 어쩌란 말이냐. ③물리쳐 쫓아내다. ④그대로 밀다. ¶ 배짱을 ～. *들이밀다.

내:-밀리다 ㊀자 밖으로 또는 한쪽으로 쌓여 밀리다. ↔들이밀리다❶. ㊁피동 밖으로 내밂을 당하다. ↔들이밀리다.

내:밀-힘 명 ①밖으로 또는 앞으로 밀고 나아가는 힘. ②자신 있게 버티고 내세울 만한 의지.

내ᄡᅩᆾ다 타〈옛〉 내쫓다. 내어 쫓다. ¶ 三危예 내ᄡᅩᆾ첫ᄂᆞᆫ 臣下ㅣ로다(三危放逐臣)≪初杜諺 XVI:6≫.

내바호-족【一族】 〔Navaho〕 명 나바호족(Navajo族)

내:박[1]【內縛】 명〖불교〗 진언 밀교(眞言密敎)에서, 결인(結印)하는 방법의 하나. 오른쪽 손가락을 왼쪽 손가락 위에 얹고 손바닥 안에서 열 손가락을 교차시킴.

내박[2]【來泊】 명 배가 어떤 곳에 와서 정박(碇泊)함. ――-하다 자여불

내:박-근【內膊筋】 명 상박근(上膊筋)의 하나. 전박(前膊)을 구부리는 운동을 함.

내:-박차다 타 ①발길로 힘있게 밀어 차다. ②힘있게 헤쳐 물리치다. ③강경하게 거절하다.

내:-박치다 타 힘차게 집어 내던지다. ¶ 손에 가졌던 책을 ～.

내:반-고【內反股】 명〖생〗 대퇴골(大腿骨)이 골축(骨軸)과 이루는 각(角)이 비정상적(非正常的)으로 작게 된 것. 선천성(先天性)·외상성(外傷性)·구루병성(佝僂病性) 등이 있는데, 다리를 절거나 고관절통(股關節痛) 등의 증상이 있음. 치료는 수술에 의존함.

내:반-슬【內反膝】명〖의〗다리가 무릎에서 바깥쪽으로 굽어 O자형이 된, 다리의 기형. ↔외반슬(外反膝).
내:반-원【內班院】명〖역〗내시부(內侍府)❷.
내:반-족【內反足】명〖의〗발목 밑이 굽어 발바닥이 안쪽으로 향하여 있는 병. 서면 발등이 밑으로 됨. 흔히 선천성임. 내번족(內翻足).
내:반 종사【內班從事】명〖역〗고려 충렬왕(忠烈王) 34년(1308)에 액정국(掖庭局)을 고친 내알사(內謁司)에 둔 종구품 벼슬.
내:-받다 타 나가떨어지게 머리로 힘차게 받다. *들이받다.
내:발【內發】명 외부(外部)로부터의 자극 없이 내부에서 자연히 일어남. ——-하다 자여불
내:-발리다 자 ①마음이나 태도를 겉으로 드러나게 하다. ②겉으로 환히 드러나 보이다.
내-발뺌 명 자기가 어떤 일에 관계가 없음을 스스로 밝히는 일. ¶ ~을 하기 전에 반성을 먼저 하여라. ——-하다 자여불
내:-발진【內發疹】[—찐] 명〖의〗여러 질병에서 점막(粘膜)에 나타나는 발진. 홍역 초기, 입천장에 나는 붉은 반점 같은 것. 점막진(粘膜疹).
내:-밟다 [—밥—] 타 내디디다. ¶ 한 발자국 ~.
내:방[1]【內方】명 안쪽. 내부.
내:방[2]【內坊】명 태자의 비(妃)가 사는 궁전.
내:방[3]【內房】명 안방❷.
내방[4]【來訪】명 남이 찾아와 봄. 내신(來訊). ——-하다 자여불
내:방 가사【內房歌辭】명〖문〗조선 시대에, 내방의 규수 작가(閨秀作家)들이 짓고 읊어 이룩한 가사 문학(歌辭文學). 규방(閨房) 가사.
내:-방고【內房庫】명〖역〗고려 때의 마을. 충선왕(忠宣王) 때에 의성창(義成倉)으로 고쳤다가 공민왕(恭愍王) 5년(1356)에 다시 본이름으로 함.
내:방-윷【內房—】[—눋] 명 안방에서 부녀자들이 노는 윷. 산호로 만든 윷짝을 가지고 놂.
내:-배다 자 속에서 거죽으로 젖어 나오다. ¶ 속옷에 땀이 ~.
내 배 다치랴 구 누가 감히 자기를 해치겠느냐고 배짱 부리는 말.
내:-배엽【內胚葉】명〖생〗후생(後生) 동물의 발생 과정(過程) 중 원장(原腸) 형성기에 외(外)배엽에서 분리된 배엽의 하나. 배엽 중 가장 안쪽에 위치하며 소화관의 주요부를 형성하는 외에 간·이자·흉선(胸腺)·갑상선 따위의 부속선(附屬腺)으로 분화(分化)됨. 애씨속켜. ↔외배엽(外胚葉). *배엽(胚葉).
내:배엽성 기관【內胚葉性器官】명〖생〗내배엽(內胚葉)으로부터 형성된 기관. 소화기관(消化器官)·소화선·호흡 기관·내분비선 따위.
내:배엽-형【內胚葉型】명〖생〗체형(體型) 분류의 한 유형(類型). 태생기(胎生期)의 내배엽으로부터 발생하는 부분인 소화 기관(消化器官) 등이 발달한 형. 사교적·외향적이며 육체적인 향락을 구하는 타입임. 내장형(內臟型)과 상당한 관련이 있다고 함.
내:-배유【內胚乳】명〖식〗피자 식물(被子植物)의 종자의 일부. 배(胚)를 둘러싸고 있는 저장 영양(貯藏營養)이 많은 조직으로, 배가 성장할 때 영양을 공급함. 벼나 밤 같은 것의 식용하는 부분이 이에 해당함. ㊀내유(內乳). ↔외배유(外胚乳).
내백【萊伯】명〖역〗'동래 부사(東萊府使)'를 짧게 일컫는 말.
내:-백호【內白虎】명〖민〗가장 안쪽에 있는 백호. 단백호(單白虎). ↔외백호(外白虎).
내:-뱉다 타 ①입 밖으로 힘껏 뱉다. ¶ 가래침을 ~. ②마음에 내키지 아니하는 태도로 말을 툭 해 버리다. ¶ 그는 말을 내뱉듯이 하고는 가 버렸다.
내:버려 두다 타 ①건드리지 아니하고, 있는 그대로 두다. ¶ 썩는 물건을 그냥 내버려 두면 어쩌나. ②상관하거나 돌보거나 하지 않다. ¶ 울거나 말거나 내버려 두게.
내:-버리다 타 〔←내어 버리다〕폐물(廢物) 같은 것을 아주 버리다.
내:-버티다 자타 끝까지 대항하다.
내:번【耐煩】명 번거로움을 참고 견딤. ——-하다 자여불
내:번-족【內翻足】명〖의〗내반족(內反足).
내:벌【內罰】명 실패했을 때, 그 행위를 되풀이 아니하도록 자기가 자신을 책(責)함. ——-하다 자여불
내:벌-적【內罰的】[—쩍] 명관〖심〗뜻대로 되지 아니하거나 어려운 일이 생겼을 때, 자기의 책임이라고 생각하는 경향. 자벌적(自罰的). *외벌적(外罰的)·무벌적(無罰的).
내:법【內法】명〖불〗다른 종교에 대하여, 불법(佛法)을 일컫는 말. ↔외법(外法).
내:법 좌:평【內法佐平】명〖역〗백제(百濟) 때의 6좌평(佐平)의 하나. 의례(儀禮)를 맡아 보던 장관(長官).
내:벽【內壁】명 안쪽의 벽. 안벽. ↔외벽(外壁).
내:변【內變】명 ①내부의 변화. ②나라 안에서 일어난 변고(變故).
내:-변주【內邊柱】명〖건〗건물의 안둘레에 돌려 세운 기둥. 안두리기둥.
내:-병도【內並島】명〖지〗전라 남도의 서남해상(西南海上), 진도군(珍島郡) 조도면(鳥島面) 내병도리(內並島里)에 위치한 섬. [$1.03\,km^2$: 147명(1984)]
내:병-성【耐病性】[—썽] 명 병해(病害)에 대한 저항의 성질.
내:-병조【內兵曹】명〖역〗조선 시대에 궁중에서 시위(侍衛)·의장(儀仗)에 관한 사무를 맡아 보던, 병조에 딸린 관아. ↔외병조(外兵曹).
내:보[1]【內—】명 내포(內包)[1].
내:보[2]【內報】명 내밀(內密)의 보고. 내부(內部)에서 알리는 보고. ——-하다 타여불
내:보[3]【內輔】명 아내가 남편을 받들어 도와 줌. 내조(內助). ——-하다 자여불
내보[4]【來報】명 ①직접 와서 보고함. 또, 그 보고. ②내전(來電)❶. ——-하다 자타여불
내:-보내다 타 ①안에서 밖으로 나가게 하다. ②일하던 곳이나 살던 곳에서 아주 나가게 하다. ¶ 세 든 사람을 ~. 1)·2):↔들여보내다.
내:-보다 타 〔←내어 보다〕넣어 두었던 것을 꺼내어 보다.
내:복[1]【內服】명 내의(內衣). 속옷.
내:복[2]【內服】명 약을 먹음. 내용(內用). ——-하다 타여불
내:복[3]【內腹】명 내포[1](內包).
내복[4]【來伏】명 와서 굴복함. ——-하다 자여불
내복[5]【來服】명 내부(來附). 내속(來屬). ——-하다 자여불
내복[6]【來復】명 왔다갔다 함. 내왕(來往). ——-하다 자여불
내복[7]【萊菔】명〖식〗무.
내:복 백신【內服—】〔vaccine〕명〖약〗내복하는 백신. 적리(赤痢)·콜레라·티푸스 등의 예방내복 백신이 있음.
내:복-약【內服藥】[—냑] 명 내치(內治)로 쓰는 약. 내용약(內用藥). ㊀내약(內藥). ↔외용약(外用藥).
내복-자【萊菔子】명〖한의〗나복자(蘿菖子).
내:복-하다【內福—】형여불 겉보기엔 그저 그러나 속은 실하고 유복하다.
내:봉-선【內縫線】명〖식〗피자 식물(被子植物)의 암꽃술로 변한 잎의 가장자리에 해당하는 자리. ↔외봉선(外縫線).
내:봉-성【內奉省】명〖역〗태봉(泰封)의 마을. 고려의 상서성(尙書省)과 같음.
내:부[1]【乃父】㊀명 그이의 아버지. ㊁인대 아버지가 아들에 대하여 쓰는 자칭. 곧, '네 아비'·'이 아비'의 뜻. 내옹(乃翁).
내:부[2]【內附】명 ①속에 들어와 붙음. ②내응(內應). ——-하다 자여불
내:부[3]【內部】명 ①안쪽의 부분. ②어떤 조직에 속하는 범위 안. ¶ 복잡한 ~ 사정. 1)·2):↔외부(外部).
내:부[4]【內部】명〖역〗①'계루부(桂婁部)'의 별칭(別稱). ②조선 고종(高宗) 32년(1895)에 내무 아문(內務衙門)을 고친 이름. 융희(隆熙) 4년(1910)까지 있었음.
내부[5]【來附】명 와서 복종함. 귀순(歸順)함. 내복(來服). ——-하다 자여불
내:부-감【內府監】명〖역〗고려 때 궁중의 공예품(工藝品)과 보물을 맡던 관아. 충렬왕(忠烈王) 24년(1298)에 소부감(小府監)을 고친 이름인데, 충혜왕(忠惠王) 원년에 또 소부시(小府寺)로 고침.
내:부 감:각【內部感覺】명〖심〗신체 내부의 감각. 곧 운동 감각·평형(平衡) 감각·유기(有機) 감각의 총칭. 내감각(內感覺). ㊀내감(內感). ↔외부 감각.
내:부 감사【內部監査】명〖경〗기업(企業) 내부의 감사 기관(監査機關)이 행하는 감사. 회계나 업무에 있어서의 부정·오류(誤謬)의 발견과 방지(防止) 또는 경영 관리 제도의 평가(評價) 등을 목적으로 함.
내부 거:래【內部去來】명〖경〗같은 재벌 그룹에 속한 계열사끼리의 상거래. 정상적인 가격보다 높거나 낮은 가격으로 거래하는 등 불공정 거래 소지가 커서 공정 거래 위원회의 감시 대상이 됨. *내부자 거래.
내:부 견제 조직【內部牽制組織】명〖경〗회계 처리(會計處理)나 기장 절차(記帳節次)를 단독으로 한 계원에게만 관장(管掌)시키지 아니하고, 한 사람의 일이 다른 사람의 일과 상호 연결되고 대조(對照)될 수 있도록 회계 조직이나 계원을 배치하여, 기업의 계속적인 감사(監査)가 일상 업무를 수행하면서 내부적으로 행하여지도록 한 제도.
내:부 경제【內部經濟】명 영국의 경제 학자 마셜(Marshall, A.)이 생산 규모 확대에 수반하는 생산비 절감을 설명하기 위해 사용한 개념의 하나. 개개의 기업 자체가 직접 지배할 수 있는 요인, 예컨대 신기계의 도입·경영 합리화 등을 통하여 능률을 높이는 것을 말함.
내:부 광전 효:과【內部光電效果】명〖물〗광전 효과의 하나. 셀레늄(selenium)과 같은 반도체(半導體)가 빛의 투사(投射)를 받았을 때 광전자(光電子)의 방출은 없이 다만 전기 저항(抵抗)이 감소되어 전기가 잘 통하게 되는 현상. 광전도(光傳導).
내:부 기생【內部寄生】명〖생〗기생 동물(寄生動物)이 숙주(宿主)의 체강(體腔)·장·조직·세포·혈액내에 기생하는 일. ↔외부 기생.
내:부 기생충【內部寄生蟲】명〖동〗기생충의 한 가지. 동물의 체내 곧, 내장·혈관·근육 등에 기생하는 벌레. ↔외부 기생충(外部寄生蟲).
내:부 기억【內部記憶】명〔internal storage〕〖컴퓨터〗인간의 개입 없이, 자동적으로 기록·해독이 되는 기억 장치의 전체.
내:부 기억 능력【內部記憶能力】[—녁] 명〔internal storage capacity〕〖컴퓨터〗내부 기억 장치 속에 한꺼번에 기억할 수 있는 데이터의 양.
내:부 기억 장치【內部記憶裝置】명〔memory〕〖컴퓨터〗데이터를 기억하고 추출(抽出)·기록·해독하는 고속(高速)의 대용량 기억영역(大容量記憶領域).
내:부 대:신【內部大臣】명〖역〗내부의 가장 높은 장관. ㊀내대(內大).
내:-부둑시리다 타 〈방〉내부딪뜨리다.
내:-부딪다 타 나가 부딪게 하다.
내:-부딪뜨리다 타 아주 세게 부딪게 하다.
내:-부딪치다 타 '내부딪다'의 힘줌말. ㊀내붙치다.
내:-부딪트리다 타 내부딪뜨리다.
내:-부딪히다 피동 내부딪음을 당하다. '내부딪다'의 피동형.
내:부 마찰【內部摩擦】명 ①〔internal friction〕〖물〗유동체(流動體)가 그 내부에서 속도가 달라 유동체의 상호간에 작용하는 마찰. 점성(粘性)은 이 현상에서 일어남. ②내부에서의 알력(軋轢).
내:부 변형력【內部變形力】[—녁] 명 〔internal stress〕〖물〗외력(外力)에 의존하지 않는 고체(固體)내의 변형력계(系).
내:부 분열【內部分裂】명 한 개체가 내부의 불화(不和)로 인하여 여럿으로 갈라짐.
내:부-사【內府司】명〖역〗고려 충렬왕(忠烈王) 34년(1308)에 대부시(大府寺)를 고친 이름. 뒤에 다시 내부시(內府寺)·대부감(大府監)으로 여러 번 고침.

내:부-시【內府寺】명〖역〗①고려 충선왕(忠宣王) 때 내부사(內府司)를 고친 이름. 그 뒤 공민왕(恭愍王) 5년(1356)에 대부감(大府監)으로 고쳤다가 11년에 다시 본이름으로, 18년에 대부시로, 21년에 또 본이름으로 고치었음. ②조선 시대 궁중(宮中)의 재화(財貨)의 간직과 복식(服飾)·포진(鋪陳)·등촉(燈燭)의 출납(出納)에 관한 일을 맡아 보던 관아. 태조(太祖) 원년(1392)에 베풀었다가 태종(太宗) 원년(1401)에 내자시(內資寺)로 고침.

내:부 에너지【內部—】명〔internal energy〕〖물〗물체가 가지는 에너지 가운데 그 내부 상태에 의하여 정해지는 부분. 분자·원자 등 물질 구성 입자(粒子)의 운동 및 위치 에너지의 총화(總和).

내:부 연:산【內部演算】명〔internal arithmetic〕〖컴퓨터〗중앙 처리 장치(中央處理裝置) 안의 계산기 연산 장치에서 행하여지는 연산 조작(演算操作).

내:부 영력【內部營力】[—녁] 명〖지〗지진·화산 등과 같이 내부로부터의 맹렬한 운동과 작용으로 지각(地殼) 표면을 변동시키는 힘. 내적 영력(內的營力). ↔외부 영력(外部營力).

내:부 위임【內部委任】명〖법〗행정 관청이 보조 기관에 또는 상급 관청이 하급 관청에, 외부에 나타냄이 없이 내부적으로 경미(輕微)한 사무를 위임하는 일. *위임 전결(委任專決).

내:부 유보【內部留保】명〖경〗기업의 순이익에서 세금·배당금·임원 상여(任員賞與) 등 외부에 유출되는 부분을 뺀 나머지의 금액. 내부 유보로 조달된 자금에 대해서는 이자나 배당금을 지급할 필요가 없으므로 기업에 있어서 유리한 자금임. 사내 유보(社內留保).

내:부자 거:래【內部者去來】명〖경〗상장 회사(上場會社)의 임직원 또는 주요 주주가 일반 투자자들이 미처 입수하지 못한 자사(自社)의 기밀 정보를 이용하여, 자기 회사의 주식을 매매하는 일. 증권 거래법에서 금하고 있음.

내:부 잠상【內部潛像】명〖물〗사진 감광 유제층(乳劑層) 가운데의 감광 소자(感光素子)인 할로겐화은(Halogen化銀) 입자가 노광(露光)될 때, 입자의 내부에 생기는 잠상. *내부 현상(現像).

내:부 저:항【內部抵抗】명〔internal resistance〕〖물〗전지(電池)에 있어서, 내부의 음극(陰極)으로부터 양극(陽極)에 흐르는 전류에 대한 용액의 저항. 내저항(內抵抗).

내:부-적【內部的】명관 ①사물의 내부에 관계되는 모양. ②심리·감정 따위에 관한 모양. 심리적. 정신적.

내:부적 환경【內部的環境】명〖사〗외부의 물리적 환경에 대한 사회적 환경. 사회적 사실의 지배적 조건이 되며, 물적(物的)인 것과 인적(人的)인 것으로 나뉨.

내:부 지각【內部知覺】명〖철〗지각(知覺)의 주체(主體)인 자기 자신을 지각하는 일.

내:부 지향형【內部志向型】명〖사〗미국의 사회과학자 리스먼(Riesman)이 대중 사회에 있어서의 전형적인 인간 유형(類型)을 표현하기 위하여 사용한 용어로, 신념(信念)·양심 등의 내적 권위를 행동의 준칙으로 하는 형(型)을 이름. ↔외부 지향형.

내:부 진:동기【內部振動機】명〔internal vibrator〕〖기〗콘크리트를 다져 굳히기 위해서, 직접 콘크리트 위에 올려놓고 진동시키는 장치.

내:-부치다 타 부채로 불 같은 것을 바깥쪽으로 힘있게 부치다.

내:부 탄:도학【內部彈道學】명〔interior ballistics〕〖물〗총강(銃腔) 안에서의 화약의 폭발, 압력의 변화, 탄환의 움직임 등에 대해서 연구하는 학문.

내:부-파【內部波】명〖지〗바닷물의 밀도가 아래위로 급변(急變)하는 층(層) 또는 불연속면이 있을 경우에 그 불연속면에 생기는 물결. 100m 가까운 해수의 상하 운동이 일어날 때도 있음.

내:부 현:상【內部現像】명 사진 현상액에 할로겐화은(Halogen化銀) 용제(溶劑)인 아황산 나트륨이나 티오 황산 나트륨을 첨가해서 내부 잠상(潛像)을 현상하는 일. *내부 잠상.

내:부 협판【內部協辦】명〖역〗내부 대신의 다음가는 벼슬. ㈜내협(內協).

내:부 형태학【內部形態學】명 형태학의 한 분과(分科). 주로 식물에 관하여 말함. 세포의 종류·형상·배열 상태의 연구에 관하여 식물체 내부의 구조를 밝히는 학문. 식물 해부학. 식물 조직학.

내:부 혼:용형 분무기【內部混用型噴霧器】명〔internal mix atomizer〕〖기〗기체의 압력을 이용한 분무기 형식의 하나. 기체가 노즐(nozzle)을 지나 팽창하기 전에 기체와 액체를 혼합하는 형식임.

내:분¹【內分】명〖수〗하나의 선분(線分)을 그 위의 임의(任意)의 한 점을 경계로 하여 두 개의 부분으로 나누는 일. ↔외분(外分). ——-하다 타여불

내:분²【內紛】명 내부에서 일어나는 분쟁(紛爭). 내홍(內訌). ¶ 당의 ~을 수습하다.

내:분³【內憤】명 심중(心中)에 품은 분기(憤氣). 마음 속의 분노(憤怒).

내분⁴【來奔】명 도망하여 옴. ——-하다 자여불

내:분-비¹【內分比】명〖수〗어떠한 선분(線分)을 내분하였을 때 내분점에서 좌우로 갈린 선분의 길이의 비. 하나의 선분 AB상에 점 C를 취하고 $\frac{AC}{CB}=\frac{m}{n}$이면 C는 AB를 $m:n$로 내분한다고 하며, 이때의 $m:n$을 내분비라 이름. ↔외분비(外分比).

〈내분비¹〉

내:-분비²【內分泌】명〔incretion〕〖생〗몸 안에서 이루어진 특수한 생물학적 활성 물질(活性物質)이나 영양 물질, 곧 호르몬(hormone)을 도관(導管)에 의하지 아니하고 직접 내분비선이나 세포막(細胞膜)을 통하여 혈액이나 림프액(lymph液) 또는 체액(體液) 속에 보내는 작용. ↔외분비(外分泌).

내:분비 기관【內分泌器官】명〖생〗내분비선을 몸의 다른 여러 기관에 대비(對比)하여 일컫는 말.

내:분비-물【內分泌物】명〖생〗내분비 작용에 의하여 분비되는 물질. 곧, 호르몬.

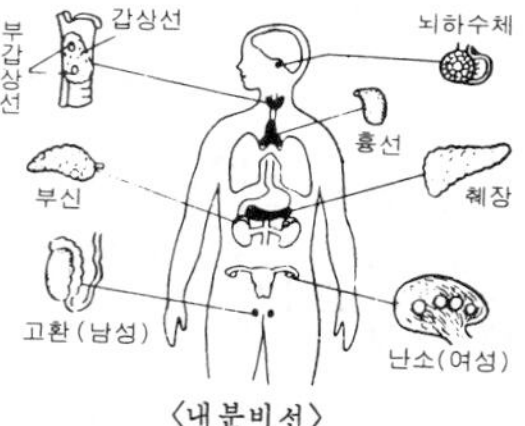

〈내분비선〉

내:분비-선【內分泌腺】명〖생〗내분비 작용을 하는 샘. 도관(導管)이 없이 분비물을 직접 몸 속이나 혈관 속에 배출(排出)하는 샘. 부신(副腎)·뇌하수체(腦下垂體)·갑상선(甲狀腺)·생식선(生殖腺) 따위를 이름. 호르몬선(腺). ↔외분비선.

내:분비 장애【內分泌障礙】명〖의〗내분비의 결핍 또는 과다로 인하여 일어나는 신체의 모든 장애.

내:분비 질환【內分泌疾患】명〖의〗내분비선의 기능 이상(異常)으로 인한 질환. 각 내분비 기관에 있어, 기능 항진증(亢進症) 및 기능 저하증이 있음.

내:분-선【內分線】명〖수〗각(角)을 내분하는 직선.

내:분-점【內分點】[—쩜] 명〖수〗한 선분을 내분하는 점. ↔외분점. *내분.

내:-붙치다 타 ↗내부딪치다.

내:불【內佛】명〖불교〗①절의 본당(本堂) 이외의 방 안에 안치한 불상. ②자기의 거실(居室)에 안치한 불상.

내:-불다 타 바깥쪽을 향하여 불다. *들이불다.

내:불-당【內佛堂】[—땅] 명〖역〗조선 세종(世宗) 30년(1448)에 세종이 경복궁(景福宮) 안에 만든 불사(佛寺).

내:-붙이다 [—부치—] 타 앞이나 밖으로 내어서 붙이다. ¶ 합격자 명단을 교문(校門) 밖에 ~.

내:비【內祕】명 ①〖불교〗외관은 성문(聲聞)의 모습이나, 안에 보살의 이타(利他)의 마음과 그 실천을 간직하고 있음. ②내부의 비밀.

내:-비치다 자 ①빛이 앞이나 밖을 향하여 비치다. ②짐짓 말을 꺼내어 조금 말하다. ¶ 글쎄 그런 말을 내비치더라.

내:빈¹【內賓】명 ①안 손님. ②〖역〗대궐 잔치에 참예(參詣)하는 명부(命婦)들.

내빈²【來賓】명 회장이나 식장 같은 곳에 공식으로 초대를 받아 찾아온 손님. ¶ ~ 축사.

내:빈³【耐貧】명 가난을 견디어 냄. ——-하다 자여불

내빈-석【來賓席】명 식장(式場) 같은 데서, 내빈을 위해 마련한 자리.

내빙【來聘】명 외국인이 예물을 가지고 찾아옴. ——-하다 자여불

내:-빙고【內氷庫】명〖역〗조선 시대에, 왕실에서 쓰는 얼음을 보관, 관리하던 궐내의 빙고. *서빙고(西氷庫).

내:빙-선【耐氷船】명 해면(海面)·수면(水面)의 빙산(氷山)에 대하여 저항력을 가지고 있는 배. *쇄빙선(碎氷船).

내:-빼다 자 〈속〉 달아나다. ㈜빼다.

내:빼-오다 자 너라불 〈속〉 달아나 빠져 나오다. 쫓기어 달아나다시피 오다.

내:-뻗다 ㊀ 자 ①뻗어 나가다. ②내처 뻗대다. ㊁ 타 바깥쪽으로 힘차게 뻗다. 바깥을 향하여 뻗치다. ¶ 팔을 힘껏 ~.

내:-뻗치다 ㊀ 자 힘차게 내뻗다. ¶ 분수(噴水)가 ~. ㊁ 타 힘차게 내뻗게 하다. ¶ 물줄기를 ~/팔을 ~.

내:-뽑다 타 ①목이나 팔을 길게 뻗다. ②소리를 높고 길게 힘껏 뽑아 올리다.

내:-뿌리다 타 나가떨어지도록 힘껏 뿌리다.

내:-뿜다 [—따] 타 밖으로 향하여 세게 뿜다. ¶ 입 안의 물을 ~.

내:사¹【內司】명〖역〗↗내수사(內需司).

내:사²【內史】명〖역〗①고려 내의성(內議省)에 속하는 벼슬. 조서(詔書) 및 궁중에서 일어나는 모든 일을 기록함. ②진한(秦漢) 시대에, 서울을 다스리던 벼슬.

내:사³【內舍】명 주로 부녀자가 거처하는 집채. 안채.

내:사⁴【內事】명 내부에 관한 일. 비밀로 덮어 두는 일.

내:사⁵【內査】명 비밀히 조사함. 내막적으로 조사함. 뒷조사. ¶ 비위(非違)를 ~하다. ——-하다 타여불

내:사⁶【內賜】명〖역〗임금이 물건을 신하에게 내림. 내하(內下). ——-하다 타여불

내사⁷【來社】명 회사나 신문사로 옴. ¶ 인사차(次) ~. ——-하다 자여불

내사⁸【來事】명 장래의 일.

내사⁹【來使】명 ①오는 사자(使者). ②와서 심부름함. ——-하다 자여불

내사¹⁰【來舍】명 와서 머무름. 와서 묵음. ——-하다 자여불

내사¹¹【來辭】명 와서 이야기함. 또 그 말.

내:-사고【內史庫】명〖역〗조선 시대에, 서울에 설치되어 있던 실록(實錄) 보관 사고(史庫). 춘추관(春秋館)에서 관장하였음.

내사니 명 〈방〉〖식〗냉이(경상·전라).

내:사-령【內史令】명〖역〗고려 때, 내사 문하성(內史門下省)의 장관(長官). 종일품. 성종(成宗) 원년(982)에 내의령(內議令)을 고친 이름. 문종(文宗) 때 다시 중서령(中書令)으로 고침.

내:-사면【內斜面】명 안쪽의 사면. 사면의 안쪽. ↔외(外)사면.

내:사 문하성【內史門下省】명〖역〗고려 성종(成宗) 원년(982)에 내의성(內議省)을 고친 이름. 서무(庶務)를 총찰(摠察)하던 최고 아문(衙門). 뒤에 중서 문하성(中書門下省)으로 고침.

내:-사복【內司僕】명〖역〗↗내사복시(內司僕寺). ↔외사복(外司僕).

내:-사복시【內司僕寺】명〖역〗조선 시대 궁내(宮內)에 따로 둔 사복시. 연여(輦輿)·승마(乘馬)를 맡아 보던 관아. 내구(內廐). ㈜내사복(內司僕)·내시(內寺).

내:사-본【內賜本】명〖역〗임금이 관아(官衙)에서 간행한 책을 백관(百官) 또는 신하에게 반사(頒賜)한 것. 책의 표지 뒷 면에는 일정한 형식의 내사기(內賜記)가 묵서(墨書)되어 있고, 권수(卷首) 첫 장에는 선사지기(宣賜之記)·규장지보(奎章之寶)·동문지보(同文之寶) 등의 인장이

적혀 있음.

내:사 사인【內史舍人】명〖역〗고려 때 내사 문하성(內史門下省)의 종사품(從四品) 벼슬. 간관(諫官)의 하나. 문종(文宗)이 중서 사인(中書舍人)으로 고침.

내:사-산【內寺山】명〖지〗평안 북도 창성군(昌城郡)에 있는 산. [1,022 m]

내:사-성【內史省】명〖역〗고려초 삼성(三省)의 하나. 내의성(內議省)을 고친 이름. 후에 중서성(中書省)으로 고침. *내사 문화성(內史門下省).

내:사 시:랑【內史侍郞】명〖역〗내사 시랑 평장사(平章事).

내:사 시:랑 동내사 문하 평장사【內史侍郞同內史門下平章事】명〖역〗내사 시랑 평장사.

내:사 시:랑 평장사【內史侍郞平章事】명〖역〗고려 때 내사 문하성(內史門下省)의 정이품 벼슬. 문하 시중(門下侍中)의 다음. 성종(成宗)이 처음 두었고, 문종(文宗)이 문하 시랑 평장사(門下侍郞平章事)로 고치고 충렬왕(忠烈王) 원년(1275)에 다시 첨의 참의사(僉議參政事)로 고쳤음. 내사 시랑(內史侍郞). 내사 시랑 동내사 문하 평장사.

내:-사옥【內史獄】명〖역〗조선 시대 내수사(內需司)에 속한 마을. 내수사에 관계 있는 죄인을 다스림. 숙종(肅宗) 때 폐함.

내:사-장【內賜藏】[-짱] 명 임금이 신하에게 하사(下賜)한 장.

내:사 정:전【內司正典】명〖역〗신라의 관아 이름. 경덕왕(景德王)이 건평성(建平省)이라 하였다가 후에 다시 본이름으로 고침.

내:사 주서【內史注書】명〖역〗고려 내사 문하성(內史門下省)의 종칠품 벼슬. 문종(文宗)이 중서 주서(中書注書)로 고침.

내:산[1]【內山】명 다른 부락 사람들을 가입시키지 아니하고 자기 부락 사람들만으로 공동 수익(共同收益)하는 산.

내:산[2]【耐酸】명 산(酸)에 잘 침식되지 아니하고 견디어 냄. ¶ ~성(性).

내:산 주:철【耐酸鑄鐵】명 내산성(耐酸性)을 높이기 위하여 니켈·규소(硅素)·크롬(chrome) 등을 첨가한 주철.

내:산 합금【耐酸合金】명〖화〗산에 용해되거나 침식(浸蝕)이 잘 안 되는 합금.

내:삼천 외:팔백【內三千外八百】명〖역〗경관(京官)이 삼천 명, 외관(外官)이 팔백 명이라는 뜻으로, 문무 백관이 의장(儀裝)을 갖추고 일당(一堂)에 모임을 일컫는 말.

내:삼-청【內三廳】명〖역〗조선 시대의 내금위(內禁衛)·겸사복(兼司僕)·우림위(羽林衛)의 총칭. 현종(顯宗) 7년(1666)에 셋을 합하여 금군영(禁軍營)을 베풀었으므로 금군영을 내삼청이라고도 함.

내:삼청 남행 취:재【內三廳南行取才】명〖역〗조선 시대에 무관 시험의 한 가지. 금군청(禁軍廳)에서 음관(蔭官)을 채용하던 시험. 시험 과목은 철전(鐵箭)·편전(片箭)·기추(騎芻)·강서(講書) 등이었음.

내:삼청 출신 취:재【內三廳出身取才】[-씬-] 명〖역〗조선 시대 무관 시험의 하나. 금군청(禁軍廳)에서 무과(武科) 시험에 합격한 사람 중, 임관되지 않은 사람을 채용하기 위해 보였음. 시험 과목은 철전(鐵箭)·강서(講書)였음.

내:삽-법【內插法】명〖수〗보간법(補間法).

내:상[1]【內相】명 ①남의 아내를 높이어 일컫는 말. 부인(夫人). ②〖역〗고려 때 지신사(知申事)와 승선(承宣)을 이르는 말. 용후(龍喉). ③〖역〗조선 시대 내부 대신(內務大臣)이나 내부 대신(內部大臣)의 약칭. ④내무 대신·내무부 장관의 약칭.

내:상[2]【內喪】명 아낙네의 상고(喪故). *내간(內艱).

내:상[3]【內傷】명〖한의〗①몸이 쇠약하여 생긴 병의 통칭. ②음식이 위(胃)에 걸려 내리지 않는 병.

내상[4]【萊商】명〖역〗↗동래 상인(東萊商人).

내:상-시【內常侍】명〖역〗고려 공민왕(恭愍王) 때, 환관(宦官)을 맡았던 관청. 내시부(內侍府).

내:새【內鰓】명〖동〗속아가미. ↔외새(外鰓).

내:색【-色】명 마음에 느낀 것을 얼굴에 나타냄. 또, 그 낯빛. ¶ 싫더라도 ~을 말아라. ——-하다 자여불

내:생[1]【內生】명 ①내부에서 생김. 체내(體內)·마음 속에서 사물이나 생각·자각 등이 생김. ¶ ~에 의해 신(神)에 도달하다. ②〖생〗포자(胞子) 같은 것이 생물체의 내부에 형성됨. ——-하다 자여불

내생[2]【來生】명〖불교〗삼생(三生)의 하나. 죽은 후에 다시 태어남. 또, 그 생애(生涯). 후생(後生). *전생(前生)·금생(今生).

내생-군【奈生郡】명〖역〗강원도 영월군(寧越郡)의 고구려 때 이름.

내:생 변:수【內生變數】명〔endogenous variable〕〖경〗상품의 가격, 거래 수량, 노동의 고용량(雇傭量)과 같은 시장에서의 수급(需給) 관계로 결정되는 경제량(經濟量). *외생 변수.

내:생 식물【內生植物】명〖식〗외떡잎 식물.

내:생 포자【內生胞子】명〖식〗포자낭(胞子囊) 안에서 이루어지는 무성(無性)의 포자. 대부분의 포자 식물에서 만들어짐. ↔외생(外生) 포자.

내:서[1]【內書】명 안편지. 내간(內簡).

내:서[2]【內書】명〖역〗교서관(校書館).

내서[3]【來書】명 내신(來信).

내:서[4]【耐暑】명 더위를 견디어 냄. ——-하다 자여불

내:서 사인【內書舍人】명〖역〗고려 공민왕(恭愍王) 11년(1362)에 중서 사인(中書舍人)을 고친 이름. 종사품. 18년에 문하 사인(門下舍人)으로 고침.

내:서-성【內書省】명〖역〗고려 국초에 경서(經書)와 축문(祝文)을 맡아 보던 관아. 성종(成宗) 14년(995)에 비서성(祕書省)으로 고치고, 충렬왕 24년(1298)에 비서감(祕書監)으로, 다시 전교시(典校寺)로 개칭함.

내:선[1]【內線】명 ①내부의 선. ②〔interphone〕구내(構內)의 전화선. 관청·회사 등의 내부간에 통하는 전화. 1)·2):↔외선(外線).

내:선[2]【內禪】명 ①내부 사람에게 양위(讓位)함. ②임금이 살아 있으면서 그 자제(子弟)에게 양위함. ↔외선(外禪).

내:선 작전【內線作戰】명〖군〗작전군(作戰軍)이 포위되거나 협공(挾攻)당할 위치에서 전투함. 또, 그 전투. ↔외선(外線) 작전.

내:섬-시【內贍寺】명〖역〗조선 시대 각 궁가(宮家)의 공상(供上) 및 이품 이상의 관원에게 주는 술과, 일본인·여진인(女眞人)에게 주는 음식·필목(疋木)을 맡아 보던 관아. 덕천고(德泉庫).

내:성[1]【內省】명 ①깊이 자기를 돌이켜봄. ②〔introspection〕〖심〗자기의 의식 경험을 관찰하는 일. 경험 과정 중에 관찰하는 것과 경험 후에 관찰하는 사후(事後) 관찰이 있음. 자기 관찰. 내관(內觀). 회성(回省). ——-하다 자여불

내:성[2]【內省】명〖역〗신라 때 서울의 대궁(大宮)·양궁(梁宮)·사량궁(沙梁宮)의 세 궁의 일을 맡던 관아. 경덕왕(景德王)이 전중성(殿中省)이라 고치었다가 뒤에 다시 이 이름으로 고침.

내:성[3]【內城】명 외성(外城)으로 둘러싸이어 있는 성. ↔외성.

내:성[4]【內聲】명〖악〗'안소리'의 한자 이름.

내성[5]【來姓】명 그 고장의 토착(土着) 성씨가 아닌, 타관(他官)에서 들어온 성씨(姓氏).

내:성[6]【耐性】명 ①곤란 따위에 견딜 수 있는 성질. ¶ 굴할 줄 모르는 ~. ②〖의〗생체가 이질(異質)의 화학적 환경에 대해 가지고 있는 저항성. 또, 병원균 따위가 일정한 약물에 대해 나타내는 저항력.

내:성-균【耐性菌】명〖생〗일반적으로, 병원(病原) 미생물로서, 치료에 쓰는 술파제(sulfa劑)나 항생 물질에 대한 저항성을 획득한 것.

내:성균-증【耐性菌症】[-쯩] 명〖의〗어떤 항균제(抗菌劑)에 대하여 저항성이 생긴 내성균에 의하여 일어난 병.

내:성-법【內省法】[-뻡] 명〔introspective method〕〖심〗심리학의 연구 방법의 하나. 자기 자신의 심리 과정(心理過程)을 자기 자신이 고찰하든가, 다른 사람들의 자기 관찰에 의한 보고(報告)를 근거로 연구를 진행시키는 방법. 내관법(內觀法).

내:성 불구【內省不疚】명 자기 자신을 돌이켜보아 부끄러움이 없음.

내:성 사신【內省私臣】명〖역〗신라 시대에 왕도(王都)의 삼궁(三宮)을 관리하는 관직. 진평왕(眞平王) 44년(622)에 두어 삼궁의 사신(私臣)을 겸하게 함.

내:성 심리학【內省心理學】[-니-] 명〖심〗의식 심리학(意識心理學).

내:성-암【內成岩】명〖지〗지구의 내부에서 일어나는 현상의 결과 생긴 암석. 변성암(變成岩)·심성암(深成岩) 등.

내:성 외:왕【內聖外王】명 안으로는 성인(聖人)이며, 밖으로는 임금의 덕을 겸비한 사람.

내:성-적【內省的】명관 겉으로 나타내지 아니하고 마음 속으로만 생각하는 모양.

내:성-천【乃城川】명〖지〗경상 북도 봉화군(奉化郡) 물야면(物野面)에서 봉화(奉化)·영주(榮州)·안동(安東) 등지를 지나서 낙동강(洛東江)으로 흐르는 강. [101.8km]

내:성 패턴【耐性—】〔pattern〕명〖의〗항생 물질에 대한 병원균의 감수성(感受性)의 패턴.

내세[1]【來世】명〖불교〗삼세(三世)의 하나. 죽은 뒤에 가서 태어나 산다는 미래의 세상. 당래(當來). 당래세(當來世). 미래세(未來世). 타세(他世). ↔현세(現世)·전세(前世).

내세[2]【來歲】명 내년(來年).

내세-관【來世觀】명〖불교〗내세(來世)에 관한 생각.

내세 사상【來世思想】명〖종〗내세(來世)에 진정한 인간의 행복과 평화가 있다는 종교적 사상.

내:-세우다 타 ①나서게 하다. ¶ 앞에 ~/후보자로 ~. ②나와서 서게 하다. ¶ 맨 앞줄에 ~. ③남이 보도록 내놓다. ¶ 간판(看板)을 ~. ④내놓고 자랑하거나 크게 평가하다. ¶ 내세울 만한 건더기가 있어야지. ⑤어떤 의견이나 문제를 내놓다. 자기의 주장이나 견해를 내놓고 주장하다. ¶ 조건을 ~.

내셍이 명〈방〉형(兄)(함경).

내셔낼리티〔nationality〕명 ①국가의 체제. 국체(國體). ②국민성. 민족성.

내셔널〔national〕명 ①국민적. 국가적. 민족적. ②국립. 국정(國定).

내셔널 갤러리〔National Gallery〕명 ①런던의 트라팔가르(Trafalgar) 광장에 있는 영국의 국립 미술관. 1824년에 설립. 18-19세기의 영국 작품과 이탈리아 르네상스의 작품을 중심으로 프랑스·네덜란드 부문의 것도 소장되어 있음. ②워싱턴에 있는 미국의 국립 미술관. 1937년에 설립. 개인 컬렉션(collection)의 잇단 기증으로 수장품(收藏品)은 그림만도 1,200점이 넘음. 특히, 미국·이탈리아·프랑스의 작품이 많음.

내셔널 게임〔national game〕명 국기(國技).

내셔널 리:그〔National League〕명 미국의 직업 야구 기구(機構)에 속(屬)하는 대(大)리그. 1903년 이래 아메리칸 리그와 함께 월드 시리즈(World Series)를 행함. 동서 양지구(東西兩地區)에 각 6개 팀이 있음. *메이저 리그.

내셔널리스트〔nationalist〕명 민족주의자. 국가주의자. 국수주의자. 국민주의자.

내셔널리제이션〔nationalization〕명 국유화. 국영화(國營化).

내셔널리즘〔nationalism〕명 국가주의·국민주의·민족주의·국수주의 등의 여러 뉘앙스가 있으며, 대체로 국가·민족의 통일 발전을 강조하는 주의 또는 운동.

내셔널 미니멈〔national minimum〕명〖사〗국가가 보장하는 국민의 최저 한도의 생활 수준. 이것이 국가의 사회적 책임이라 하여, 영국에서 1930년대 후반부터 제창된 개념임. 최저 임금제나 사회 보장 제도의 기본적 이념이 됨.

내셔널 뱅크[1]〔national bank〕명 국립 은행.

내셔널 뱅크[2]〔National Bank〕명 미국의 전국 은행(全國銀行). 1882년의 전국 은행법에 의해 조직된, 연방 정부의 인가를 받은 상업 은행임.

내셔널 아틀라스〔national atlas〕명〖지〗국토의 자연·환경·토지 이용·재해(災害)·인구·교통·자원·산업·개발·후생·문화·교육 등의 지역

적 분포 및 변화를 나타낸 지도첩(地圖帖). 국가 기관 등에 의해 편집 간행됨. 세계 100개국 이상의 나라에서 이를 제작함.

내셔널 어셈블리 〔national assembly〕 명 국회.

내셔널 인터레스트 〔national interest〕 명 국가적·국민적 입장에서 주장함으로써 얻으려고 꾀하는 국가의 이익.

내셔널 지오그래픽 매거진 〔National Geographic Magazine〕 명 〖책〗 미국의 지질학(地質學) 월간지(月刊紙). 세계적으로 권위가 있고 기사는 통속적이나 신뢰성이 높음. 1889년에 창간됨.

내셔널 캐시 레지스터 회:사【一會社】〔National Cash Register〕 명 미국 최대의 금전(金錢) 등록기 제조 회사. 근대적 경영 관리의 선구로서 유명함. 1884년에 창립됨.

내셔널 프레스 클럽 〔National Press Club〕 명 워싱턴 주재 미국 및 각국 신문·통신·방송 특파원의 친선 단체(親善團體). 방미(訪美)하는 외국 수뇌를 오찬회에 초청하여 연설을 듣고 질의 응답을 행하는 것으로도 유명하며, 윌슨 대통령 이래 미국 대통령도 입회(入會)하는 것이 항례(恒例)임.

내소【來蘇】 명 〔소(蘇)는 소식(蘇息)의 뜻〕 인자(仁者)가 와서, 백성이 그 덕(德)으로 재생(再生)한 것 같은 생각이 듦.

내:-소박【內疏薄】 명 아내가 남편을 소박함. ——-하다 자여불

내소-사【來蘇寺】 명 〖불교〗 전라 북도 부안군(扶安郡) 진서면(鎭西面) 석포리(石浦里)에 있는 선운사(禪雲寺)의 말사(末寺). 신라의 혜구 두타(惠丘頭陀)가 이 곳에 소래사(蘇來寺)를 지었던 것을 후에 내소사로 고쳤음.

내:소-산【內消散】 명 〖한의〗 급성 위염(胃炎)을 치료하는 한방약의 하나.

내:속¹【內屬】 명 ①속국이 됨. 또, 외국인이 내주(來住)하여 복종함. 내응(內應) ②〔inherence〕〖철〗 물건의 여러 성질과 그 성질들을 가지고 있다고 생각되는 실체(實體)로서의 물건과의 관계.

내속²【來屬】 명 와서 복종함. 내복(來服). ——-하다 자여불

내:손¹【乃孫】 명 그이의 손자.

내손²【來孫】 명 현손(玄孫)의 아들. 곧, 오대손(五代孫).

내:-솟다 자 위로나 바깥으로 세차게 나오다. ¶ 샘물이 ~.

내:송【內訟】 명 자신을 꾸짖어 책(責)함. ——-하다 자여불

내:수¹【內水】 명 ①나라의 영역(領域)을 이루는 수역(水域)의 하나. 바다를 제외한 나라 안의 하천·호수·운하 같은 것. ②제방(堤防)의 설비가 있는 곳에 비가 올 때에 수문(水門)이 막힌 까닭에 빠지지 못하고 괴어 있는 물. 또, 낮은 지대의 늪 같은 데에 비가 내려서 괸 물.

내:수²【內需】 명 국내에서의 수요(需要). ¶ ~용 자재(資材). ↔외수(外需).

내:수³【內竪】 명 ①궁중(宮中)의 대수롭지 않은 벼슬아치. ②내시(內侍) ❶❷.

내수⁴【奈率】 명 〖역〗 나솔(奈率).

내:수⁵【耐水】 명 물에 견디어 냄. 물이 묻어도 젖거나 배지 아니하는 일. 물에 잠겨도 변질하지 않음. ——-하다 자여불

내:수 기기【耐水機器】 명 〔immersion proof〕〖군〗 두시간 가까이, 3피트 깊이의 물 속이나 소금물 속에 잠가 둘 수가 있고, 물 속에서 꺼낸 뒤에도 곧장 정상 작동(正常作動)이 가능한 병기 기기(兵器機器).

내:-수도【內修道】 명 〖천도교〗 아낙네가 하는 특별한 수도(修道).

내:수-면【內水面】 명 하천(河川)·호소(湖沼)·운하(運河) 따위의 수면.

내:수면 어업【內水面漁業】 명 하천·호소(湖沼)에서 하는 어업.

내:수-사【內需司】 명 〖역〗 조선 시대에 대궐에서 쓰는 쌀·베·잡물(雜物)과 노비(奴婢) 등에 관한 사무를 맡아 보던 관부(官府). 세조(世祖) 12년(1466)에 내수소(內需所)의 격(格)을 올려 이 이름으로 함. ㊀내사(內司).

내:수사-옥【內需司獄】 명 〖역〗 내사옥(內司獄).

내:수사-전【內需司田】 명 〖역〗 조선 시대에 왕실 직할의 사유지(私有地). 왕실의 재정을 조달하기 위하여 내수사(內需司)에 내려 준 토지.

내:수 산:업【內需産業】 명 〖경〗 국내 시장을 중심으로 하는 산업. ↔수출 산업.

내:수-선【內水船】 명 항상 내수(內水) 구역을 항행하는 선박. ↔항해선(航海船).

내:수-성【耐水性】 〔一썽〕 명 외계(外界)로부터 침입하는 수분이나 습기를 막아 견디어 내는 성질. 파라핀(paraffin)·아마인유(亞麻仁油)·카세인(casein)·젤라틴(gelatin)·지방(脂肪) 비누·수지(樹脂) 비누 따위는 내수성을 가지고 있음.

내:수-소【內需所】 명 〖역〗 조선 시대, 내수사(內需司)의 전 이름. 세조(世祖) 12년(1466)에 내수사로 고침.

내:-수용체【內受容體】 명 〖심〗 생체(生體) 자신의 활동을 느끼는 것이 아니고, 생체 내부의 자극을 감각하여 받아들이는 곳.

내:-수장【內修粧】 명 〖건〗 집 지을 때 내부를 꾸밈. ——-하다 타여불

내:수-주【內需株】 명 〖경〗 수출과 관련 없는 내수 산업의 주식.

내:수-지【耐水紙】 명 내수력이 있도록 가공한 종이. 유지(油紙)·파라핀지(paraffin紙)·아스팔트지(asphalt紙) 등.

내:수-포【耐水布】 명 내수성(耐水性)의 가공을 한 천. *내수지(耐水紙).

내:수화 선언【內水化宣言】 명 일정 수역이 자국(自國)의 내수에 편입되어 있다는 선언.

내:-순검【內巡檢】 명 〖역〗 고려 의종(毅宗) 때 두었던, 궁중(宮中)의 순경(巡警)을 돕던 병사(兵士).

내:숭 명 〔←내흉(內凶)〕 겉으로는 온유해 보이나 속으로는 비꼬여 위험함. ——-하다 형여불 내:숭(을) 떨:다 구 몹시 내숭스러운 말이나 행동을 하다.

내:숭-스럽다 형ㅂ불 태도나 하는 짓이 내숭한 데가 있다. 내:숭-스레 부

내:-쉬다 타 숨을 밖으로 내보내다. ¶ 한숨을 ~. ↔들이쉬다.

내슈빌 〔Nashville〕 명 〖지〗 미국 테네시 주 중부 컴벌랜드 강(Cumberland江) 남안의 하항(河港). 테네시 주의 주도이며 상공업 도시임. 제화(製靴)·제분(製粉)·목재·인쇄 등의 공업이 행하여짐. 부근에 남북 전쟁의 고전장(古戰場)이 많음. 〔487,100 명(1987)〕

내습¹【來襲】 명 와서 습격함. 습격해 옴. 습래(襲來). ¶ 적기(敵機) ~. ——-하다 자타여불

내:습²【耐濕】 명 습기에 잘 견딤. ¶ ~성.

내:승【內乘】 명 〖역〗 ①고려말(末)에 승여(乘輿)를 맡은 마을. 사복시(司僕寺) 외에 궁중에 따로 둠. ②조선 시대 내사복시(內司僕寺)의 한 벼슬.

내:승 별감【內乘別監】 명 〖역〗 고려 때 내승(內乘)에 딸렸던 벼슬아치의 하나.

내:-승직【內乘直】 명 〖역〗 고려 공민왕 때의 환관(宦官)의 한 벼슬.

내:시¹【內示】 명 공표하거나 정식으로 통보하기 전에 내밀히 알림. ——-하다 타여불

내:시²【內寺】 명 〖역〗 ↗내사복시(內司僕寺).

내:시³【內侍】 명 ①〖역〗 고려 때 숙위(宿衛) 및 근시(近侍)의 임무를 맡아 보던 관원. 재예(才藝)와 용모(容貌)가 뛰어난 세족 자제(世族子弟) 또는 시문(詩文)·경문(經文)에 능통한 문신(文臣) 출신으로 임명하였으나, 의종(毅宗) 이후 특히, 원(元)나라 간섭 이후에는 환관이 이 자리를 많이 차지하게 되므로 천시(賤視)의 대상이 됨. 황문(黃門). 내관(內官). 환시(宦侍). 환자(宦者). ②〖역〗 조선 시대 환관의 별칭. 중관(中官). 혼시(閽寺). 환시(宦侍). 환자(宦者). 엄관(閹官). 황문(黃門). 엄환(閹宦). ③ 불알이 없는 남자.

내시⁴【來示】 명 ①와서 알림. ②저쪽에서 편지로 알림. ¶ 이 편지 받으시고 곧 ~하여 주시기 바랍니다. ——-하다 타여불

내시⁵ 〔Nash, Ogden〕 명 〖사람〗 미국의 시인. 제1시집 《자유스런 회전(回轉)(1931)》 이래, 가벼운 풍자(諷刺)에서 황당한 유머에 이르기까지 대량의 작품을 썼음. 작곡가 와일(Weill, K.)과의 협작(協作) 뮤지컬 《비너스의 일촉(一觸)(1943)》은 유명함. 〔1902-71〕

내시⁶ 〔Nash, Paul〕 명 〖사람〗 영국의 화가. 런던 태생. 제1차 대전에 종군하여 그린 전쟁화(戰爭畫)로 명성을 얻고, 1933년 전위 미술 단체 '유니트 원'의 결성에 참가함. 환상적이고 음산한 시적 분위기를 풍기는 풍경화·정물화를 그려서 영국에서의 쉬르레알리즘 운동의 추진자가 되었음. 〔1889-1946〕

내시⁷ 〔Nash, Thomas〕 명 〖사람〗 영국의 풍자 작가·비평가. 케임브리지 대학 졸업. 논쟁을 잘하기로 유명함. 소설 《불행한 나그네 잭 윌턴의 생애》는 디포(Defoe)에 선행하는 영국 최초의 모험 소설로서 유명함. 〔1567-1601〕

내:시-감【內侍監】 명 〖역〗 고려 공민왕(恭愍王) 때 환관(宦官)의 벼슬. ㊀내감(內監).

내:시-경【內視鏡】 명 〖의〗 신체의 내부를 보기 위한 기구의 총칭. 기관지(氣管支)경·식도(食道)경·질(膣)경·위경·복강(腹腔)경·방광경·직장경 등이 있으며 각각 그 부위의 상태를 관찰하는 동시에 병리 검사 재료를 채취하는 등 질병의 진단을 보조함.

내:시경 검:사【內視鏡檢査】 명 〖의〗 내시경을 사용하여 행하는 검사.

내:시 교:관【內侍敎官】 명 〖역〗 내시를 가르치던 종구품의 벼슬.

내:시 반:청【內視反聽】 명 자기를 반성하고 남을 꾸짖지 않음.

내:시-백【內侍伯】 명 〖역〗 고려 때, 액정국(掖庭局)의 정칠품 벼슬.

내:시-부【內侍府】 명 〖역〗 ①고려 공민왕(恭愍王) 때에 두었던 환관의 관부. 내상시(內常侍). ②조선 시대 태조 원년(1392)에 두었던 대궐 안의 감선(監膳)·전명(傳命)·수문(守門)·소제 등의 일을 맡아 보던 환관의 관부. 내반원(內班院).

내:시-사【內侍史】 명 〖역〗 고려 충렬왕(忠烈王) 24년(1298)에 사헌부(司憲府)의 시사(侍史)를 고친 이름. 종오품(從五品).

내:시-원【內侍院】 명 〖역〗 고려 때 내시(內侍)의 집무소(執務所).

내:시-위【內侍衛】 명 〖역〗 조선 시대 임금의 측근에서 시위를 맡아 보던 군대.

내:식【耐蝕】 명 금속 따위가 부식(腐蝕)에 견딤.

내:식-강【耐蝕鋼】 명 '스테인리스강(鋼)'의 구칭.

내:식-성【耐蝕性】 명 부식(腐蝕)을 잘 견디어 내는 성질. 또, 그 정도.

내:식 합금【耐蝕合金】 명 산·알칼리·물·해수(海水) 따위에 의해 부식되지 않는 합금.

내:신¹【內申】 명 ①남모르게 비밀히 상신함. ②상급 학교 진학이나 취직에 있어, 선발의 자료가 될 수 있도록 지원자의 출신 학교에서 학업 성적·품행 등을 적어 보내는 일. ——-하다 타여불

내:신²【內臣】 명 ①나라 안의 신하. ②〖역〗 임금을 가까이서 모시던 신하. 승지(承旨) 따위. ↔외신(外臣).

내:신³【內信】 명 나라나 집단 등의 내부에서 일어난 소식. ↔외신(外信).

내:신⁴【內腎】 명 〖생〗 신장. 콩팥.

내신⁵【來信】 명 남에게서 온 편지. 내서(來書). 내한(來翰).

내신⁶【來訊】 명 내방(來訪). ——-하다 자여불

내:신-서【內申書】 명 ①내신할 사항을 기록하여 보내는 서류. ②〖교〗 내신 제도에 의하여 작성해서 제출된 서류.

내:신 성적【內申成績】 명 상급 학교가 신입생을 선발하기 위하여 하급 학교로부터 받는, 입학 지원자의 성적·건강·태도·출결석 등에 관한 기록.

내:신 제:도【內申制度】 명 〖교〗 입학자 선발의 한 방법. 하급 학교의 장이 상급 학교 입학 지원자의 인물·성적 등을 지망하는 상급 학교의 장에게 내신하여, 이것을 재료로 하여 고사 선발(考査選拔)하는 제도.

내:신 좌:평【內臣佐平】 명 〖역〗 백제 때의 육좌평(六佐平)의 하나. 왕명의 출납(出納)을 맡아 보던 시중(侍中)과 같은 벼슬.

내:실¹【內室】 명 ①아낙네가 거처하는 안방. 내당(內堂). ↔사랑(舍廊)·외실(外室). ②남의 아내의 경칭(敬稱).

내:실²【內實】 명 ①내부의 실정. 내부의 실질. 내막(內幕). ②내적(內的)인 충실. ¶ ~을 기(期)하다.

내:심¹【內心】[一] [명] 속마음. 심중(心中). ¶ ~ 을 털어 놓다. [二] [부] '내심으로'의 뜻. ¶ ~ 쾌재(快哉)를 부르다.

내:심²【內心】[명] 〔inner center〕〖수〗 ①다각형(多角形)에 있어서 각 각(各角)의 이등분선(二等分線)이 함께 만나는 한 점. 특히, 삼각형에서 쓰이는 용어임. 이 점은 또이 다각형의 내접원(內接圓)의 중심(中心)이기도 함. ②사면체(四面體)의 여섯 개의 이면각(二面角)의 이등분면(二等分面)이 함께 만나는 한 점. ↔외심(外心).

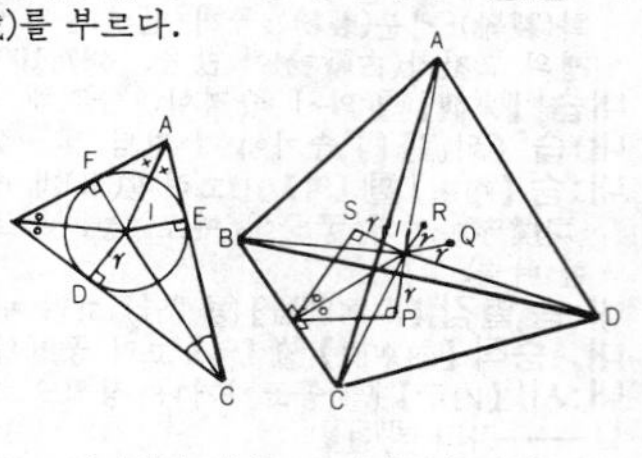

삼각형의 내심 사면체의 내심
〈내심²〉

내:심 왕실【乃心王室】[명] 마음을 왕실에 둠. 나라에 충성함.

내싸-두다 [타] 〈방〉 내버려 두다(함경). 「들이쌓다❶.

내:-쌓다 [一싸타] [타] 바깥쪽으로 나가게 쌓다. 밖에 쌓다. ¶ 담을 ~. ↔

내:-쏘다 [타] ①거리낌없이 마구 말을 쏘아 내지르다. ¶ 못하고 참아 온 말을 ~. ②화살이나 총알을 냅다 쏘다. ③안에서 밖으로 대고 쏘다. 2)·3):↔들이쏘다. 「하다.

내:-씹다 [타] 입에 든 음식이 탐탁하지 않아 삼키지는 않고 자꾸 씹기만

내:아¹【內我】[명]〖불교〗 중생의 심신(心身)에 있는 것으로 생각되는 상주(常住) 불변의 주체적 존재. 아(我).

내:아²【內衙】[명]〖역〗 지방 관청의 안채. 내동헌(內東軒).

내:-아문【內衙門】[명]〖역〗 ①통리 내무 아문(統理內務衙門). ②통리 군국 사무 아문(統理軍國事務衙門). 「안산(內案山).

내:안【內案】[명] ①외부에 발표하지 않는 내부적인 안(案). ②〖민〗 ↗내

내:-안근【內眼筋】[명]〖생〗 안구(眼球)의 내부에 있는 안근(眼筋)의 하나. 모양체근(毛樣體筋)·동공 괄약근(瞳孔括約筋)·동공 산대근(散大筋)의 세 가지가 있는데, 모두 평활근이며 자율 신경의 지배를 받음. ＊외안근(外眼筋).

내:안근 마비【內眼筋痲痺】[명]〖의〗 한 눈 또는 두 눈의 모양체근(毛樣體筋)과 동공 괄약근이 마비되어 조절 기능이 없어지고 동공이 확대되는 질환. 고기의 중독이나 뇌매독 등이 원인임. ＊외안근 마비.

내:-안산【內案山】[명]〖민〗 가장 안쪽에 있는 안산. 단안산(單案山). [준] 내안(內案). ↔외안산(外案山).

내:-앉다 [一안따] [자] 앞으로 나와 앉다. 「리를 잡게 하다.

내:-앉히다 [一안치一] [타] ①앞으로 나와 앉게 하다. ②드러내어 한 자

내:알¹【內謁】[명] ①은밀히 알현(謁見)함. 내알현. ②은밀히 알현하여 청탁함. ——하다 [타][여불]

내알²【來謁】[명] 와서 알현함. 내알현(來謁見). ——하다 [타][여불]

내:알-사【內謁司】[一싸] [명]〖역〗 고려 충렬왕(忠烈王) 34년(1308)에 액정국(掖庭局)을 고친 이름. 충선왕(忠宣王) 원년(1309)에 액정국으로 다시 고침.

내:알-자【內謁者】[一짜] [명]〖역〗 고려 액정국(掖庭局)의 종팔품(從八 「品) 벼슬.

내:알자-감【內謁者監】[一짜一] [명]〖역〗 고려 액정국(掖庭局)의 정육품 벼슬.

내:알칼리성 도료【耐一性塗料】[一썽一] [명] 〔alkali-resisting paint〕〖화〗 합성 수지류(合成樹脂類)로 만든 도료의 하나. 욕실(浴室)이나 새로 바른 콘크리트 위에 칠해도 비누화하지 않음.

내:-알현【內謁見】[명] 내알(內謁).

내:암¹【耐菴】[명]〖사람〗 강홍립(姜弘立)의 호(號).

내암²【萊菴】[명]〖사람〗 정인홍(鄭仁弘)의 호(號).

내암³【嬭巖】[명]〖한의〗 유암(乳癌).

내암-새 [명] 〈방〉 냄새(경상).

내:압【耐壓】[명] 압력에 견딤.

내:압-균【耐壓菌】[명] 〔baroduric bacteria〕〖생〗 높은 정수압(靜水壓) 조건하에서도 생존하는 세균.

내:압-병【耐壓甁】[명]〖화〗 가압(加壓)·가열(加熱)하여 화학 반응을 진행시킬 때 쓰는 유리병.

〈내압병〉

내:야【內野】[명] ①야구장에서, 본루(本壘)·1루·2루·3루를 연결한 선(線)의 구역(區域) 안. 다이아몬드(diamond). 인필드(infield). ②↗내야수. ↔외야(外野).

내:야 비구【內野飛球】[명] 야구에서, 내야수가 받을 수 있는 범위 안으로 때린 비구(飛球). 상황에 따라 인필드 플라이가 성립될 수도 있음. 내야 플라이. 「관람석.

내:야-석【內野席】[명] 야구장에서, 1루측·3루측의 본루(本壘)에 가까운

내:야-수【內野手】[명] 야구에서, 내야(內野)를 맡아 지키는 선수. 곧 1루수·2루수·3루수·유격수(遊擊手)의 총칭. 때로는 투수(投手)·포수(捕手)를 포함해서 일컫기도 함. 인필더(infielder). [준]내야. ↔외야수.

내:야 안타【內野安打】[명] 야구에서, 타자가 친 공이 내야에 떨어졌으나 주자가 아웃되지 아니한 히트. 내야 히트.

내:야 플라이【內野—】〔fly〕[명] 내야 비구(內野飛球).

내:야 히트【內野—】〔hit〕[명] 내야 안타.

내:약¹【內約】[명] 은근히 하는 약속. 내밀(內密)한 약속. ——하다 [타][여불]

내:약²【內弱】[명] ①마음과 뜻이 굳세지 못하고 약함. ②나라 안이 쇠미(衰微)하고 충실하지 못함. ——하다 [형][여불]

내:약³【內藥】[명] ①↗내복약(內服藥). ↔외약(外藥). ②처음으로 나오는 여자의 월경수(月經水).

내:약품-성【耐藥品性】[一썽] [명] 〔chemical resistance〕 화학 반응성 또는 용매 작용에 의한 손상에 강한 고체 물질의 성질.

내:약품성 자기【耐藥品性磁器】[一썽一] [명] 〔chemical stoneware〕 산이나 염기(塩基)에 강한 점토질 도기류(粘土質陶器類).

내:양【內洋】[명] 내해(內海)를 외양(外洋)에 상대하여 일컫는 말.

내:어【內語】[명]〖심〗 실제의 발성(發聲) 운동을 수반하지 않고 마음 속으로만 지껄이는 말. 묵독(默讀) 같은 데서 볼 수 있는데, 이러한 경우 혀나 인후(咽喉)에서는 미약한 운동이 일어남.

내:-어물전【內魚物廛】[명]〖역〗 조선 때, 서울 종로에 몰려 자리 잡고 있던 어물전. 청포전(靑布廛)과 함께 한 주비전(注比廛)이었고, 정조(正祖) 때 주비전에서 내치었다가 순조(純祖) 때 내외 어물전으로 한

내:역【內譯】[명] 명세(明細)❷. └주비전이 되었음. ↔외(外)어물전.

내:연¹【內宴】[명]〖역〗 ↗내진연(內進宴).

내:연²【內緣】[명] ①내밀한 연고. 은밀한 관계. 사적(私的)인 연고 관계. ②〖법〗 남녀가 결혼을 했거나 또는 그 뜻을 가지고 한 집에 살기는 하나, 아직 혼인 신고를 못한 상태. ¶ ~의 처. ③안쪽 가장자리. ↔외연(外緣).

내:연³【內燃】[명] 중유(重油)·가솔린 따위의 연료가 실린더 내부에서 폭발 연소하는 일. ——하다 [자][여불] 「하다 [자][타][여불]

내연⁴【來演】[명] 그 곳에 와서 연기(演技)하거나 연주(演奏)하는 일. ——

내:연 기관【內燃機關】[명] 〔internal-combustion engine〕〖물〗 열기관(熱機關)의 한 가지. 연료를 실린더 속에 넣고 폭발 연소(燃燒)시켜서 생긴 가스의 팽창력(膨脹力)으로 피스톤을 움직이게 하는 원동기(原動機)의 총칭. 폭발 기관(爆發機關)·세미 디젤 기관·디젤 기관의 세 가지가 있음. 연료에 따라 가스 기관·중유 기관(重油機關)이 있고 동작 방식(動作方式)에 따라 4행정(行程) 기관과 2행정(行程) 기관 등이 있음. ↔외연 기관(外燃機關).

내:연 기관차【內燃機關車】[명] 내연 기관을 원동기로 하는 기관차. 가솔린 기관차·디젤 기관차 따위.

내:연기-유【內燃機油】[명] 내연 기관의 윤활제(潤滑劑)로서 사용하는 기름. 광물성과 식물성이 있는데, 인화점(引火點)과 점성도(粘性度)가 높은 것을 필요로 함.

내:연기 전:동차【內燃機電動車】[명] 내연 기관을 동력으로 하는 철도차(鐵道車). 가솔린 엔진·디젤 엔진을 원동기로 하여 전기식(電氣式)으로 전동(傳動)·제어(制御)하는 것의 총칭.

내:연 동:차【內燃動車】[명] 내연 기관을 동력으로 하여 운전하는 철도용 차량. 가솔린카나 디젤카 등의 총칭.

내:연-산【內延山】[명]〖지〗 경상 북도 영덕군(盈德郡) 남정면(南亭面)과 포항시(浦項市) 송라면(松羅面)·죽장면(竹長面) 사이에 있는 산. 태백 산맥에 중앙(中央) 산맥에 속함. 남쪽 산허리에 보경사(寶鏡寺)가 있음. [710 m]

내:연의 처【內緣—妻】[一/一에一] [명] 내연 관계의 처.

내:열¹【內劣】[명] 겉보다 속이 좋지 아니함. ——하다 [형][여불]

내:열²【內熱】[명] 몸 안에서 빠지지 않는 악성의 열. 내공(內攻)한 열.

내:열³【內閱】[명] 은밀히 열람·검열함. 비공식으로 보거나 조사함. ——하다 [타][여불] 「냄. ¶ ~성(性).

내:열⁴【耐熱】[명] 열을 견디어 냄. 변질(變質)함이 없이 고열에 견디어

내:열-강【耐熱鋼】[명] 800-1,200°C의 고열에서도 사용할 수 있는 특수한 강철. 알루미늄·크롬 따위를 첨가한 것임.

내:열-성【耐熱性】[一썽] [명] 물질이 고열에서 변질함이 없이 잘 견디는 성질. 또, 그 정도.

내:열 유리【耐熱琉璃】[一뉴一] [명] 열팽창률이 작고 온도의 급변(急變)에도 잘 깨어지지 않는 유리. 이화학용으로 중요시됨. 석영(石英) 유리·파이렉스(pyrex) 유리 따위.

내:열 재료【耐熱材料】[명]〖공〗 고온도에서 잘 견디어 내는 내열성이 강한 재료의 총칭. 전열선(電熱線)·열교환기 재료·엔진 재료 등으로 쓰이는 내열강(鋼)·내열 합금(合金) 및 초합금(超合金) 따위.

내:열 주:철【耐熱鑄鐵】[명] 크롬·니켈 등을 각각 0.6-1.2% 가량 첨가하여 내열성을 강하게 한 주철. 난로·노(爐)에 이용됨.

내:열 합금【耐熱合金】[명] 고열에서도 항장력(抗張力)이 약해지지 아니하며, 산화 마모(酸化磨耗)가 적은 합금. 스텔라이트(stellite)·니크롬(nichrome) 따위.

내:염【內焰】[명]〖화〗 속불꽃. ↔외염(外焰).

내:염-성【耐塩性】[一썽] [명]〖화〗 소금기에 잘 견디어 내는 성질. 또, 그 정도.

내엽【來葉】[명] 후세(後世).

내:영¹【內營】[명]〖역〗 대궐 안에 있었던 병영.

내영²【來迎】[명] ①와서 맞음. ②〖불교〗 행자(行者)가 죽을 때에 부처나 보살이 나타나서 극락 정토로 맞아들임. ——하다 [타][여불]

내영 삼존【來迎三尊】[명]〖불교〗 아미타불(阿彌陀佛)과 관음(觀音)·세지(勢至)의 두 보살.

내영 인:접【來迎引接】[명]〖불교〗 부처나 보살이 내영(來迎)하여, 중생(衆生)을 극락 정토로 인도하는 일. 특히, 아미타불이 염불(念佛) 행자

내예【來裔】[명] 후세(後世)의 자손. 후손(後孫). └를 영접하는 일.

내:-오다 [타] 〔↗내어오다〕 안의 것을 밖으로 가지어 오다. ¶ 술상을 ~. ↔들여가다.

내옥 [타] 〈옛〉 내고서. '내다'의 활용형. ¶ 새롤 여러 내옥 놀マ닐 뫼화 어듸 두ᄂᆞ니오(開新合故置何許)≪杜諺 XXV:50≫.

내:온【內醞】[명] 임금이 신하에게 하사(下賜)하는 술. 법온(法醞).

내:옹¹【乃翁】[명] 내부(乃父).

내:옹²【內癰】[명] 신체의 내부에 생기는 종기.

내와듬 [자] 〈옛〉 내밀음. '내왇다'의 명사형. ¶ 반ᄃᆞ기 삼계예 머리 내와듬 어려오니라(必於三界出頭難)≪野雲 74≫.

내왇다 자 〈옛〉 내밀다. ¶ 머릿 뎡바기예 솔히 내와다≪月釋 Ⅱ:41≫.
내왕【來往】명 ①오고 감. 내복(來復). 왕래(往來). ②서로 사귀며 상종
함. ――-하다 자여불
내왕-간【來往間】명 오고 가는 편. 오고 가는 결.
내왕-꾼【來往―】명〖불교〗절에서 심부름하는 속인(俗人).
내왕-로【來往路】[―노] 명 내왕하는 길. 오고 가는 길.
내왕-인【來往人】명 내왕하는 사람. 오고 가는 사람.
내:외[1]【內外】명 ①안과 밖. 안팎. ②국내와 외국. ③부부(夫婦). ¶ 김씨
∼. ④↗내외간(內外間). 「피함. ――-하다 자여불
내:외[2]【內外】명 부녀(婦女)가 외간 남자와 바로 얼굴을 대하지 않고
내:외-간[1]【內外間】명 ①안과 밖의 사이. ②부부간. ③어떤 표준에 좀
모자라거나 넘는 정도를 뜻하는 말. ¶ 다섯 자 ∼. ㊟내외.
【내외간 싸움은 칼로 물 베기라】부부간의 싸움은 칼로 물을 베는 듯
하여 곧 다시 화합된다는 말. 【내외간은 돌아누우면 남이다】부부 사이
의 정이란 그런 것이란 말. 「간(內艱)·외간(外艱).
내:외-간[2]【內外艱】명 부모(父母)나 승중(承重) 조부모의 상(喪). *내
내:외 경제 신문【內外經濟新聞】명 서울에서 발간되는 일간 경제 신문.
1973년 12월 21일 창간하여, 80년 11월 25일 폐간 되었다가 89년 복간됨.
내:외-공【內外空】명〖불교〗눈 따위 내부의 육근(六根)과 색(色) 따위
외부의 육경(六境) 등 십이처(十二處)에 모두 아(我) 및 아(我)의 작용
이 없으며 공(空)이라는 뜻.
내:외-과【內外科】[―꽈] 명〖의〗내과(內科)와 외과(外科).
내:외과-의【內外科醫】[―꽈―/―꽈이] 명 내과 의사와 외과 의사.
내:외-국【內外國】명 제 나라와 남의 나라.
내:외 국민 평등주의【內外國民平等主義】[―/―이] 명 사법상(私法上),
내국(內國)에 있는 외국인도 내국인과 평등한 권리 능력을 가진다는 주의.
내:외-궁【內外宮】명 ①내궁과 외궁. ②부부의 궁합. ¶ ∼이 좋다.
내:외 도방【內外都房】명〖역〗고려의 무신 집권(武臣執權) 때 사병(私
兵)으로 조직된 무인(武人) 권력 기구의 하나. 최이(崔怡)가 설치한 내
도방(內都房)과 외도방(外都房), 최충헌(崔忠獻)의 육번 도방(六番都
房)의 통칭. *삼십육번 도방(三十六番都房).
내:외-분【內外―】명 내외, 곧 부부의 높임말. 외내(外內)분.
내:외 사:조【內外四祖】명 아버지·할아버지·증조부(曾祖父) 및 외조부
(外祖父)의 총칭. 「는 집. 내외 주점(內外酒店).
내:외 술집【內外―】[―찝] 명 접대부(接待婦)가 없이 술을 순배로 파
내:외 어물전【內外魚物廛】명〖역〗육주비전(六注比廛)의 하나. 조선
순조(純祖) 원년(1801)에 내어물전과 외어물전을 합친 것.
내:외-전【內外典】명〖불교〗내전(內典)과 외전(外典). 불교의 책과 불
교 이외의 책.
내:외-종【內外從】명 내종 사촌(內從四寸)과 외종 사촌. 중표 형제(中
내:외 주점【內外酒店】명 내외 술집. ⌊表兄弟).
내:외지-간【內外之間】명 남편과 아내의 사이. 부부간(夫婦間).
내:외-척【內外戚】명 내척과 외척. 곧, 본집에서 다른 성의 집으로 시집
가서 된 척당(戚黨)과, 본집에서 다른 성의 집으로 장가들어 된 척당.
내:외 합자 회:사【內外合資會社】명〔joint venture〕〖경〗외국 자본과
국내 자본과의 공동 출자로 설립 경영되는 회사.
내:외-향【內外鄕】명〖역〗임금의 외가나 왕비의 친가(親家)가 있는 곳
을 이르는 말.
내요리라 타 〈옛〉 내리라. 나게 하려고. '내다'의 활용형. ¶賢君을 내요
리라 하놀히 駙馬 달애샤(將降賢君 天誘駙馬)≪龍歌 46章≫.
내욤 타 〈옛〉 냄. '내다'의 명사형. ¶ 또 이베 내욤을 어려이 녀기던 일
을 알리로다(又難於啓齒)≪內訓 Ⅱ:97≫.
내:용[1]【內用】명 안살림의 씀씀이.
내:용[2]【內用】명 내복(內服). ¶ ∼약(藥). ――-하다 타여불
내:용[3]【內容】명 ①사물의 속내 또는 실속. 내질(內質). ②〔content〕
〖철〗의식 작용(意識作用)이나 직각(直覺) 작용에 의해서 포착된 경험.
혹은, 의식 작용에 대하여 의식에 계시(啓示)된 소여(所與)의 전체.
1)·2):↔형식(形式). 「연한(年限)/∼성(性).
내:용[4]【耐用】명 기계·시설 따위가 오랫동안 사용에 견디어 냄. ¶ ∼
내:-용골【內龍骨】명 보트에서, 배의 안쪽 용골 바로 위쪽을, 이물에서
고물에 이르기까지 용골을 따라 이어진 재목.
내:용 교:과【內容敎科】[―꽈] 명〖교〗지리·역사·물리·화학 등과
같이 지식 내용의 학습을 주로 하는 교과. 「는 최대의 힘.
내:용-력【耐容力】[―녁] 명〖의〗위(胃)에서 음식물을 소화시킬 수 있
내:용-물【內容物】명 내용이 되는 물건. 속에 든 물건.
내:용-미【內容美】명 예술품이 내포하고 있는 아름다움. 곧, 예술품이
표현하는 감정·힘 따위. ↔형식미(形式美).
내:용 심리학【內容心理學】[―니―] 명〖심〗의식의 내용만을 취급하는
심리학. 감각(感覺) 심리학·연상(聯想) 심리학 따위. 구성적 심리학.
내:용-약【內用藥】[―냑] 명 내복약(內服藥).
내:용 연수【耐用年數】[―년쑤] 명〖경〗기업이 가진 고정 자산(固定
資産)의 사용에 견딜 수 있는 기간. 감가 상각(減價償却)의 기준이 됨.
내:용의 착오【內容―錯誤】[―/―에―] 명〖법〗착오에 의한 의사 표
시 중에서, 표시(表示) 행위의 뜻과 내용을 잘못 아는 일. 예를 들면, 표
의자(表意者)가, 보증 채무(保證債務)와 연대(連帶) 채무를 같은것으로
알고, 보증인이 될 셈으로 연대 채무자가 되는 것을 승낙한 경우 따위.
내:용-재【耐用財】명 재(財)의 구분의 하나로 장기간에 걸쳐 계속 이용
되는 재. 가옥·기계·의복 따위. ↔단용재(單用財).
내:용-적【內容的】명관 내용에 관한 모양. ↔형식적(形式的).
내:용적 확정력【內容的確定力】[―녁] 명 재판이 형식적으로 확정되는
경우, 재판의 판단 내용인 일정한 법률 관계를 확정시키는 효력. 이 법
률 관계는 실체법(實體法)적인 것과 절차법(節次法)적인 것이 있음.
내:용 증명【內容證明】명〖법〗①우편물의 특수 취급 제도의 하나로,
우편물인 문서(文書)의 내용을 등본(謄本)에 의하여 증명하는 일. 문서
에 확정(確定) 날짜를 부여하고, 어떠한 내용의 문서를 냈는가를 밝힐
수 있으므로 후일(後日) 재판 따위의 증거가 됨. ②↗내용 증명 우편.
내:용 증명 우편【內容證明郵便】명〖법〗우편물의 내용을 우체국에서
서면으로 증명하여 주는 우편 제도. 또, 그 우편물. ㊟내용 증명.
내:용 표기【內容表記】명 내용을 겉에다 기록하는 일. 또, 그 기록.
내:용 표시기【內容表示器】명〔content indicator〕〖컴퓨터〗컴퓨터의
내용과 사용되는 프로그램·형식 등을 표시하는 장치.
내:용-품【內容品】명 내용이 되는 물품. 속에 들어 있는 물품.
내:우【內憂】명 ①내간(內艱). ②나라 안의 온갖 걱정. 내환(內患). ↔외
환(外患).
내:우 외:환【內憂外患】명 내우와 외환. 나라 안팎의 근심 걱정.
내움새 명 〈방〉 냄새(제주).
내웁다 형 〈방〉 냅다[1](경기·충남·전라).
내:원[1]【內苑·內園】명 궁궐 내의 정원(庭園). 금원(禁苑). ↔외원.
내:원[2]【內願】명〖역〗나라 제사 때, 궁중에서 사람을 보내어 미리 명산
대천에 제사를 지내던 일. ――-하다 자여불
내원[3]【來援】명 와서 원조함. ¶ ∼을 구하다. ――-하다 자여불
내:원-궁【內院宮】명〖불교〗도솔천(兜率天)의 내부. 곧, 미륵 보살의
내:-원당【內願堂】명〖불교〗내도량(內道場). ⌊처소.
내:원-사【內院寺】명〖불교〗경상 남도 양산군(梁山郡) 천성산(千聖山)
에 있는 절. 통도사(通度寺)의 말사(末寺)임.
내:원-서【內園署】명〖역〗고려 때, 궁중의 원예(園藝)의 일을 맡아 보
던 관아. 충렬왕 34년(1308)에 사선서(司膳署)의 관할이 됨.
내원-성【來遠城】명〖역〗고구려 때 압록강의 검동도(黔同島)에 쌓은
성(城). 뒤에, 중국 금(金)나라가 고려를 공격할 때 제일 먼저 친 성.
내원성-가【來遠城歌】명〖문〗〔내원성은 고구려 때 압록강 가의 성〕
고구려 가요. 오랑캐를 포로로 잡아 내원성에 정착시켰는데, 그 유래
를 부른 노래라고 하나, 가사와 연대·작자 모두 미상(未詳)임.
내월【來月】명 다음에 오는 달. 다음 달. 새달. ↔작월(昨月).
내:유[1]【內乳】명〖식〗↗내배유(內胚乳).
내:유[2]【內諭】명 내밀히 타이름. 또, 그 설유(說諭).
내유[3]【來由】명 유래(由來).
내유[4]【來遊】명 와서 놂. ――-하다 자여불
내유[5]【來諭】명〔주신 편지의 가르치심의 뜻〕남이 편지로 전해 온 사연
의 경칭.
내유-기【來游期】명 물고기가 알을 슬거나 먹을 것을 찾아 떼를 지어
연안으로 몰려오는 시기.
내:-유성【內遊星】명〔inferior planets〕〖천〗내행성(內行星).
내:유 외:강【內柔外剛】명 사실은 마음이 약한데도 외부에 나타난 태
도는 강하게 보이는 일. ↔내강 외유.
내윤【來胤】명 자손. 내예(來裔).
내:율【內率】명〖수〗내항(內項).
내을【奈乙】명〖역〗신라의 시조 박혁거세(朴赫居世)가 탄강(誕降)한
곳. 곧 계림(鷄林).
내음 명 향기롭거나 나쁘지 않은 냄새. ¶봄 ∼.
내음-새 명 〈방〉 냄새(경상).
내:음-성【耐陰性】[―썽] 명〖식〗숲 속 따위 어두운 곳에서도 광합성
(光合成)을 하여 독립 영양(獨立營養)을 마련할 수 있는 식물의 성질.
양치류(羊齒類)·선태류(鮮苔類) 따위에 이 성질이 강함.
내:응【內應】명 내밀히 내부에서 외부의 적과 통함. 내부(內附). 내속(內
屬). 내통(內通). ――-하다 자여불
내:-응인【內鷹人】명〖역〗궁중의 매사냥꾼.
내:의[1]【內衣】[―/―이] 명 속옷. 내복(內服). ↔외의(外衣). 「의 의향.
내:의[2]【內意】[―/―이] 명 마음속의 뜻. 공연하게 발표하지 않는 심중
내:의[3]【內醫】[―/―이] 명〖역〗내의원(內醫院)의 의관(醫官).
내의[4]【來意】[―/―이] 명 온 뜻. 오게 된 까닭. 내방(來訪)한 까닭. 또,
내의[5]【自矣·吾矣】〈이두〉 나의. ⌊보내온 의견. ¶ ∼를 말하다.
내:의-령【內議令】[―/―이―] 명〖역〗고려 내의성(內議省)의 장관.
뒤에 내사령(內史令)으로 고침.
내:의 사인【內議舍人】[―/―이―] 명〖역〗고려 문하부(門下府)의 종
사품(從四品) 벼슬. 태조(太祖) 13년(930)에 두었다가, 성종(成宗) 때 내
사 사인(內史 舍人)으로 고침.
내:의-성【內議省】[―/―이―] 명〖역〗고려초에 서무(庶務)를 총찰(摠
察)하던 관아. 성종(成宗) 원년(982)에 내사 문하성(內史門下省)으로 고침.
내:-의원【內醫院】명〖역〗조선 시대 삼의원(三醫院)의 하나. 대궐
안의 의약을 맡은 관아. 태조(太祖) 때 두었는데 고종(高宗) 32년(1895)
에 전의사(典醫司)로 고침. 상약(尙藥). 상의(常醫). 내국(內局). 약방(藥
房). 봉의(奉醫). 약원(藥院). 태의원(太醫院).
내이[1] 명 〈방〉〖식〗냉이(황해·전라).
내:이[2]【內耳】명〔internal ear〕〖생〗고막(鼓膜)의 속 부분으로, 고막의
진동(振動)을 신경에 전하는 곳. 미로(迷路). 안귀. 속귀. ↔외이(外耳).
내:이[3]【內移】명〖역〗관찰사·수령 같은 외직(外職)에서 내직, 곧 중앙
관직으로 옮아옴. 내천(內遷). ――-하다 자여불
내:이 림프【內耳―】〔lymph〕명〖생〗내이강(腔)에 가득 차 있는 림프.
고실 소골(鼓室小骨)이 고막으로부터 받은 진동을 여기에 전달함.
내:이 신경【內耳神經】명〖생〗제 8 뇌신경으로, 내이(內耳)에 분포하
는 지각 신경. 청각을 맡은 와우(蝸牛) 신경과 평형(平衡) 감각을 맡은
전정(前庭) 신경으로 구분됨.

내:이-염【內耳炎】명〖의〗내이(內耳)에 생기는 염증. 중이염(中耳炎)·뇌척수막염(腦脊髓膜炎)으로부터 속발(續發)하기도 하고, 매독(梅毒) 같은 병에서 생기기도 함. 장액성(漿液性)과 화농성(化膿性)의 두 가지가 있음. 미로염(迷路炎).

내:이-포【乃而浦】명〖역〗조선 시대 삼포(三浦)의 하나. 지금의 경상 남도 진해시 웅천동(熊川洞)에 있었음. 제포(薺浦).

내:인[1]【內人】명 ①〖역〗→나인. ②아낙네.

내:인[2]【內因】명 ①그 내부에 있는 원인. ②〖불교〗외연(外緣)이 밖으로부터의 간접적 원인인 데 대하여, 결과가 생기는 직접적인 내적(內的) 원인을 이름. ↔외인(外因)·심인(心因).

내인[3]【來人】명 오는 사람. 또, 온 사람.

내:인[4]【耐忍】명 인내(忍耐). ——하다 타여불

내:-인가【內認可】명 정식으로 인가하기 전에 비공식으로 은밀히 내리는 인가.

내인 거:객【來人去客】명 오는 사람 가는 사람. 자주 오고 가는 많은 사람들.

내:인성 정신병【內因性精神病】[—썽—뼝] 명〖의〗그 원인이 주로 개체(個體)의 내인에 있는 정신병의 총칭. 주로 청년기·갱년기(更年期)·노년기(老年期)에 많으며 정신 분열병·조울병 같은 것이 이에 속함. ↔외인성 정신병·심인성 정신병.

내:인성 천:식【內因性喘息】[—썽—] 명〔intrinsic asthma〕〖의〗기도(氣道) 감염에 의한 천식.

내:-인용부【內引用符】명 작은따옴표.

내:-인자【內因子】명〔intrinsic factor〕〖생〗위(胃)에서 생성되는 물질의 하나. 음식물 가운데의 외인자(外因子) 비타민 B_{12}와 결합해서 항빈혈 요소(抗貧血要素)를 만듦.

내일【來日】명 오늘의 바로 다음 날. 명일(明日). 명천(明天). 준낼. ↔작일(昨日).

내일 대:난【來日大難】명 장래의 대난(大難).

내임【來任】명 와서 취임(就任)함. ——하다 자여불

내:입【內入】명 ①궁중에 물건을 들임. ②갚을 돈 중에서 일부분만 먼저 들여놓음. ——하다 타여불

내:입-금【內入金】명 갚을 돈 가운데 일부분만 먼저 들여놓는 돈.

내:자[1]【乃子】명 그이의 아들. 그 아들.

내:자[2]【內子】명 ①옛날 중국에서 경대부(卿大夫)의 정실(正室)의 일컬음. ②남에게 대하여 자기의 아내를 이르는 말.

내:자[3]【內眥】명 눈초리.

내:자[4]【內資】명 국내에 있는 자본. ¶～ 동원. ↔외자(外資).

내자[5]【來者】명 찾아오는 사람. 또, 찾아온 사람.

내자 가:추(來者可追) 구 이미 지난 일은 어찌 할 수 없으나 장차의 일은 조심하여 지금까지와 같은 과실을 범하지 않을 수 있음.

내자 물거(來者勿拒) 구 오는 사람을 막지 말라는 뜻. *거자 물추(去者勿追).

내자 물거 거:자 물추(來者勿拒去者勿追) 구 오는 사람을 막지 말고, 가는 사람을 쫓지 말라는 뜻으로서, 모든 사물을 당사자의 자유 의사에 맡기라는 말.

내자 물금(來者勿禁) 구 오는 사람을 막아서는 안 된다는 뜻. *거자 막추(去者莫追).

내자 불가:대(來者不可待) 구 장래의 일은 기대할 수 없다는 뜻.

내자[6]【來玆】명 올해의 바로 다음 해. 내년. ↔금자(今玆).

내자-성【耐磁性】명 안티마그네틱(antimagnetic).

내:자-시【內資寺】명〖역〗조선 시대 대궐에서 쓰는 여러 가지 식품(食品)과 직조(織造) 및 내연(內宴)에 관한 일을 맡아 보던 관아. 태종(太宗) 원년(1401)에 내부시(內府寺)를 고친 이름. 고종(高宗) 19년(1882)에 없앰. 대관(大官). 선관(膳官).

내:장[1]【內莊·內庄】명〖역〗↗내장전(內莊田)

내:장[2]【內將】명〖역〗겸사복장(兼司僕將).

내:장[3]【內粧·內裝】명 집안의 꾸밈새. 또, 집안을 꾸밈. ¶～ 공사. ——하다 자타여불

내:장[4]【內障】명 ①〖불교〗마음 속의 번뇌의 장애. 마음을 괴롭히는 모든 욕망. ②〖의〗↗내장안(內障眼). ↔외장(外障).

내:장[5]【內藏】명 내부에 가지고 있음.

내:장[6]【內臟】명〖생〗①고등 척추 동물의 흉강(胸腔)과 복강(腹腔) 속에 있는 여러 가지 기관(器官)의 총칭. 해부학상으로 호흡기·소화기·비뇨 생식기(泌尿生殖器) 및 내분비선(內分泌腺)으로 가름. 하등 동물에 있어서는 주로 동부(胴部)에 해당하는 체내의 강소(腔所)에 있는 기관을 이름. ②내포[1](內包).

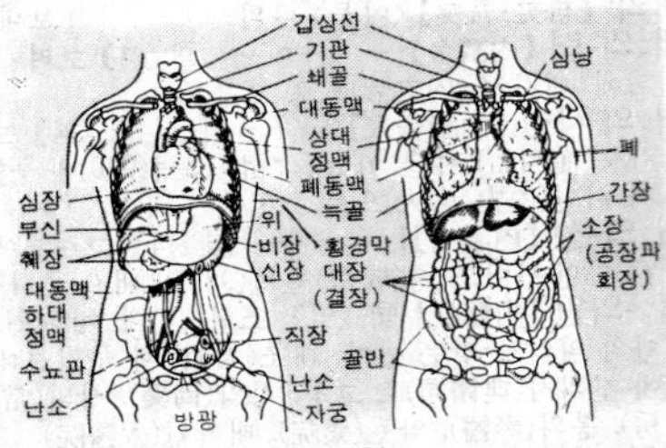

〈내장[6]❶〉

내장[7]【來場】명 골프장·경기장·전시장 등에 옴. ¶～객. ——하다 타여불

내:장 감:각【內臟感覺】명〖생〗유기 감각(有機感覺).

내:장 골격【內臟骨格】명〖생〗척추(脊椎) 동물에 있어서, 두개골(頭蓋骨)의 복측(腹側)에 소화관(管)의 처음 부분을 좌우로부터 안고 있는 몇 쌍의 활 모양의 뼈. 곧, 내장궁(弓)으로써 이루어진 골격.

내:장-궁【內臟弓】명〖생〗태아(胎兒)의 초기(初期)에 입에서 목에 걸쳐 생기는 좌우 네 쌍의 궁상(弓狀) 평행의 융기(隆起). 모든 척추 동물의 발생 초기에 볼 수 있는데 어류(魚類)의 아가미에 상당하는 구조를 가짐. 갑상선·흉선(胸腺)·상피 소체(上皮小體) 등의 내분비 기관, 턱뼈·중이(中耳) 등의 여러 뼈가 이 내장궁으로부터 생겼음. 특히 제1 내장궁을 악골궁(顎骨弓), 제 2 내장궁을 설골궁(舌骨弓)이라 하며, 제 3·제 4 내장궁을 새궁(鰓弓)이라고 함. *새궁. 내장 골격.

내:장-근【內臟筋】명〖생〗내장의 모든 기관을 이루고 있는 근육. 그 형태로는 심장근 이외는 민무늬근(筋)이며, 작용으로는 불수의근(不隨意筋)에 속함. 내장살. 내장 힘살. ↔골격근.

내:장 긴장형【內臟緊張型】명〖심〗미국의 셸든(Sheldon)의 용어. 평안(平安)을 사랑하고 명랑하며 사교적인 기질. *근육(筋肉) 긴장형·뇌(腦) 긴장형.

내:장-도【內獐島】명〖지〗평안 북도 정주군(定州郡)의 남쪽 해상에 위치한 섬. 조기가 많이 잡힘. [1.85 km²]

내:장 두개【內臟頭蓋】명 안면 두개골.

내:장 반:사【內臟反射】명〖생〗내장의 지각 신경에서 전달되는 자극이 척추의 반사 중추를 자극하여, 척추근 신경의 분야에서, 지각 이상·통증·근긴장(筋緊張)을 일으키는 일.

내:장 변:위증【內臟變位症】[—쯩] 명〖의〗내장 역위증(逆位症).

내:장-병【內臟病】[—뼝] 명 내장에 일어나는 여러 가지 병.

내:장-사[1]【內藏司】명〖역〗①왕실에 세전(世傳)하는 보물·장원(莊園) 그 밖의 재산을 관리하던 관부(官府). 조선 시대 고종(高宗) 32년(1895)에 내장원(內藏院)의 고친 이름. 광무(光武) 3년(1899)에 다시 내장원으로 고쳤음. ②광무 9년에 회계원(會計院)을 고쳐 부른 이름. 융희(隆熙) 원년(1907)에 내장원(內藏院)이라 고침.

내:장-사[2]【內藏寺】명〖불교〗전라 북도 정읍시(井邑市) 내장동(內藏洞) 내장산에 있는 절. 백양사(白羊寺)의 말사(末寺).

내:장-산【內藏山】명〖지〗전라 북도 정읍시(井邑市) 내장동(內藏洞)에 있는 명산(名山)의 하나. 금강산과 비슷하여 남금강(南金剛)이란 별칭이 있음. 산허리에는 고찰(古刹)인 내장사(內藏寺)가 있으며 봄에는 진달래, 여름에는 녹음, 가을에는 단풍으로 좋은 경승지(景勝地)를 이룸. 국립 공원의 하나. [640 m]

내:장산 국립 공원【內臟山國立公園】[—님—] 명〖지〗전라 남도의 장성군(長城郡)과 전라 북도 정읍(井邑)시, 순창(淳昌)군에 걸쳐 있는 국립 공원. 1971년 지정됨. 신선봉(神仙峰), 백학봉(白鶴峰), 상왕봉(上王峰) 등과 백암 계곡, 금선 계곡(金仙溪谷), 용수 폭포, 금강 폭포 등이 있으며, 내장사(內藏寺)와 백양사(白羊寺) 등이 유명함. [76.03 km²]

내:장-살【內臟—】명〖생〗내장근(內臟筋).

내:장 신경【內臟神經】명〖생〗교감(交感) 신경계에 속하는 복부 내장을 지배하는 신경. 혈관벽(壁)의 운동, 민무늬근의 운동, 선(腺)의 분비를 맡은 섬유(纖維)를 포함함.

내:장-안【內障眼】명〖의〗안구(眼球) 속에서 생기는 질병의 총칭. 백태가 끼거나, 안구 안의 압력이 높아서 시력을 잃거나 명암(明暗)을 가리지 못하는 등의 병. 흑내장(黑內障)·백내장(白內障)·녹내장(綠內障)의 세 가지가 있음. 준내장(內障).

내:장 역위증【內臟逆位症】[—쯩] 명〖의〗전부 또는 일부의 내장이 정상과 전혀 반대의 위치에 있는 상태. 선천성 기형(畸形)의 하나. 내장 변위증(內臟變位症). *역위(逆位).

내:장-원【內藏院】명〖역〗조선 시대 왕실에 세전(世傳)하는 보물이나 장원(莊園) 그 밖의 재산을 관리하던 관부. 고종(高宗) 32년(1895)에 설치하였는데 그 해에 내장사(內藏司)로 하였다가 광무 3년(1899)에 다시 본이름으로 고쳤음.

내:장-전【內莊田·內庄田】명〖역〗고려 때, 왕실의 비용을 마련하기 위해 왕실에서 직할하던 농토. 내장택(內莊宅)에서 관할했으며, 전국에 360개처 있었다 함. 장처전(莊處田). 준내장(內莊). *내수사전(內需司田)·창고전(倉庫田)·궁사전(宮司田).

내:-장택【內莊宅】명〖역〗고려 때 왕실 소유의 논밭과 궁중의 양식(糧食)을 관리하던 관아.

내:장택-보【內莊宅寶】명〖역〗고려 때, 내장택(內莊宅)의 경비를 마련하기 위해서 설치한 보(寶)의 하나.

내:장 하:수증【內臟下垂症】[—쯩] 명〖의〗복벽(腹壁)의 이완(弛緩)이나 장기(臟器)의 전위(轉位) 따위의 원인으로 복강(腹腔) 안의 여러 장기가 아래로 처지는 병증. 홀쭉한 여성에게 특히 많음.

내:장-학【內臟學】명〖의〗소화기·호흡기·비뇨(泌尿) 생식기 및 내분비 기관을 취급하는 해부학의 한 분야.

내:장-형【內臟型】명〖심〗내장 긴장형(內臟緊張型).

내:장 힘살【內臟—】명〖생〗내장근(內臟筋).

내:재【內在】명 ①어떤 사물이나 성질이 다른 것 속에 포함되어 있음. ↔외재(外在). ②〖철〗형이상학 및 종교 철학에 있어서, 신(神)이 세계의 본질로서 세계 속에 존재함. ③〖철〗인식론적(認識論的)인 견지에서는, 가능적 경험의 범위 안에 있음. ④〖철〗스콜라(Schola) 학자의 용어로, 정신 작용은 반드시 그 자신 속에 대상(對象)을 가지고 있음. ——하다 자여불

내:-재봉소【內裁縫所】명 부녀자가 집안에서 재봉틀을 놓고 삯바느질 같은 것을 하는 곳.

내:재 비:판【內在批判】명〖철〗내재 비평(內在批評).

내:재 비:평【內在批評】명〔immanent critique〕①〖철〗어떤 학설이나 사상에 있어서 그 전제(前提)가 되는 것을 일단 인정하고 나서 하는 비평. 내재 비판(內在批判). 내재적 비판(內在的批判). ②〖문〗문예 비평의 양식의 하나. 개개(箇箇)의 문학 작품을, 그 사회적·역사적 의의 등을 고려(考慮)하지 아니하고 주로 비평가의 인상에 의거하여 그 형식이나 기교, 내용과의 관계를 고찰하여 설정·감상하는 데 그치는 비평. 인상 비평(印象批評) 또는 감상 비평(鑑賞批評) 따위. ↔외재 비평

(外在批評).

내:재-성【內在性】[─썽] 명〖철〗어떤 사물의 속에 존재하는 성질. 내재하는 성질이나 경향. ↔초월성.

내:재성 바이러스【內在性─】〔virus〕[─썽─] 명〖생〗처음부터 세포 속의 염색체(染色體)에 포함되어 있어, 염색체의 분열과 같이 분열해서 두 개의 세포에 각각 있게 되는 바이러스. 보통때는 무해(無害)하나, X선·자외선·발암제(發癌劑) 등에 의해 자극되면 활동하기 시작함.

내:재-율【內在律】명〖문〗자유시(自由詩)나 산문시(散文詩) 등에서 문장 안에 깃들이고 있는 잠재적인 운율(韻律). ↔외형률(外形律).

내:재-인【內在因】명〔라 causa immanens〕〖철〗초월인(超越因)에 상대하여 범신론(汎神論)에서 주장하는 말로서, 원인으로서의 신은 세계 안에서 움직인다는 말.

내:재-적【內在的】명관 내재하는 성질이 있는 모양. ¶ ~인 종교.

내:재적 비:판【內在的批判】명 내재 비평(內在批評)❶.

내:재적 원리【內在的原理】명〔immanent principle〕〖철〗초월적 원리(超越的原理)에 상대하여, 다만 가능적 경험(可能的經驗)의 한계 안에서만 적용되는 원리.

내:재적 진리【內在的眞理】[─질─] 명〖철〗표상(表象) 상호간의 일치(一致)에서 성립하는 진리. 독일의 철학자 빈델반트(Windelband)의 용어. ↔ 초월적(超越的) 진리·형식적(形式的) 진리.

내:재 철학【內在哲學】명〔immanence philosophy〕〖철〗모든 현상의 실재(實在)가 모두 의식 내용(意識內容), 곧 의식에 내재하는 것으로 보아, 의식의 성질로부터 모든 것을 설명하고 그 밖의 초월적(超越的)인 것의 존재를 인정하지 아니하는 철학. 이 철학이 취급하는 재료가 경험계에 있고 모든 역설을 배척하는 점은 실증론(實證論)과 같고, 모든 사물을 의식의 성질로부터 설명하는 점으로는 의식설(意識說)과 같음.

내:쟁【內爭】명 나라나 집안 안에서 저희끼리 다툼. ──-하다 자여불

내:-저항【內抵抗】명〖물〗내부 저항. ↔외저항(外抵抗).

내:적¹【內的】[─쩍] 명관 ①사물의 내부에 관한 모양. 안쪽에 있는 모양·상태. ②정신이나 마음의 작용에 관한 모양·상태. 내면적. 내부적. ↔ 외적(外的).

내:적²【內賊·內敵】명 나라나 어떤 사회 안에 있는 도둑이나 역적. ↔외적(外賊).

내:적³【內積】명〔inner product〕〖수〗두 개의 벡터 A, B의 곱에 두 벡터 사이의 각 θ의 코사인을 곱한 양. 곧 $A \cdot B \cos\theta$. 스칼라곱.

내:적 경험【內的經驗】[─쩍─] 명〔inner experience〕〖심〗고뇌·번민 등과 같이 마음 속의 기복·파란 등을 겪어 스스로 자기의 심의(心意) 작용을 의식하게 되는 경험.

내:적 관련【內的關聯】[─쩍괄─] 명〖논〗내적 연관(內的聯關). ↔외적(外的) 관련.

내:적 모순【內的矛盾】[─쩍─] 명 모든 사물이나 현상이 가지고 있는 원래의 고유한 모순.

내:적 생활【內的生活】[─쩍─] 명 내면 생활. 정신 생활.

내:적 연관【內的聯關】[─쩍년─] 명〖논〗한 사물의 표상(表象)이 논리적으로 다른 사물의 표상을 함축(含蓄)하여 서로 관련되는 경우의 두 사물의 관계. 내적 관련(關聯). ↔외적(外的) 연관.

내:적 연합【內的聯合】[─쩍년─] 명〖심〗유사 연합(類似聯合).

내:적 영력【內的營力】[─쩍녕─] 명〖지〗내부 영력(內部營力).

내:적 요구【內的要求】[─쩍뇨─] 명 마음이나 신체의 내부에서 자연히 생기는 요구. 또, 정신상의 요구.

내:적 운:동【內的運動】[─쩍─] 명〖철〗자기(自己) 운동.

내:적 자유【內的自由】[─쩍─] 명〖심〗자유 의지. 형이상학적 자유.

내:적 지속【內的持續】[─쩍─] 명〖철〗순수 지속(純粹持續).

내:전¹【內典】명〖불교〗불교의 전적(典籍). 불경(佛經). ↔외전(外典).

내:전²【內傳】명〖역〗↗내전 소식(內傳消息).

내:전³【內殿】명 ①'왕비(王妃)'의 존칭. ②안전(殿).

내:전⁴【內電】명 나라 안에서만 주고받는 전신. ↔외전(外電).

내:전⁵【內戰】명 국내의 싸움. 특히, 내란(內亂).

내:전⁶【內轉】명 ①같은 관서 안에서 일자리를 옮김. ②지방관(地方官)에서 중앙 관직(中央官職)으로 전근함. ──-하다 자여불

내전⁷【來電】명 ①전보가 옴. 또, 온 전보. 내보(來報). ②전화가 옴. 또, 온 전화. 입전(入電). ──-하다 자여불

내:전 보살【內殿菩薩】명 알고도 모르는 체하고 가만히 있는 사람을 가리키는 말.

내:전 소식【內傳消息】명〖역〗임금이 사사로이 명령이나 소식을 전하던 일. 급한 일이 있을 때 유사(有司)를 거치지 않고 승지(承旨)의 서명으로 왕지(王旨)를 전하던 일. ㊜내전(內傳).

내:전 숭반【內殿崇班】명〖역〗고려 액정국(掖庭局)의 남반(南班)의 종칠품 벼슬.

내:-전압【耐電壓】명 전기 기계·기구 따위가 파손하지 않고 견딜 수 있는 최고의 전압.

내:절【內切】명〖수〗내접(內接). ↔외절(外切). ──-하다 자여불

내:절-원【內切圓】명〖수〗내접원(內接圓).

내점【來店】명 가게에 옴. ──-하다 자여불

내:접【內接】명〖수〗①원이나 공과 같은 곡선형 또는 곡면체의 둘레가 다각형이나 다면체의 모든 변(邊) 또는 면(面)에 접하는 일. ②다각형 또는 다면체의 모든 정점(頂點)이 곡선형이나 곡면체 또는 다각형이나 다면체의 둘레 위에 접하는 일. 곡선형 또는 곡면체끼리 서로 접할 때 그 하나가 완전히 다른 것의 내부에 있을 경우. 내절(內切). ↔외접(外接). ──-하다 자여불

내:접 다각형【內接多角形】명〖수〗원 또는 다각형에 내접하는 다각형. ↔외접(外接) 다각형.

내:접 사:각형【內接四角形】명〖수〗원 또는 다각형에 내접하는 사각형. 내접 사변형.

내:접 사:변형【內接四邊形】명〖수〗내접 사각형.

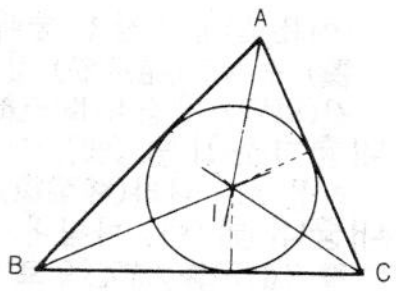

내:접 삼각형【內接三角形】명〖수〗원 또는 다각형에 내접하는 삼각형.

내:접-원【內接圓】명〖수〗다각형의 안에서 원주가 각 변에 접하는 원. 내절원(內切圓). ↔외접원(外接圓).

A B C

〈내접원〉

내:접-형【內接形】명〖수〗①한 원의 안에 있어서 그 원주(圓周)에 정점(頂點)을 둔 다각형. ②한 다각형의 안에 있어서 그 다각형의 각 변(邊)에 한 정점씩을 둔 다각형.

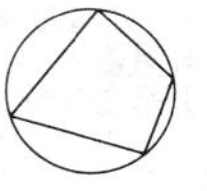

〈내접형❶〉 〈내접형❷〉

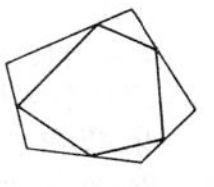

내:-젓다 타ㅅ불 ①손이나 손에 든 물건 따위를 내어 휘두르다. ¶ 팔을 ~. ②물 따위를 뒤집히게 세게 휘젓다. ③앞쪽이나 물 가운데를 향해 배의 노를 젓다.

내:정¹【內廷】명 궁궐(宮闕)의 안.

내:정²【內定】명 드러내지 않고 남모르게 작정함. ──-하다 타여불

내:정³【內政】명 ①집안의 살림살이. ②국내의 정치. ↔외정(外政). ③내무(內務)의 행정.

내:정⁴【內庭】명 ①아낙❶. ②안뜰.

내:정⁵【內情】명 안의 정세. 속 사정. ¶ ~을 살피다. ↔외정(外情).

내정⁶【來庭】명 조정(朝廷)에 와서 임금을 뵘. ──-하다 자여불

내정⁷【來情】명 장래의 사정.

내:정 간섭【內政干涉】명〖정〗한 국가 또는 수 개 국가가, 타국의 정치·외교 등에 관해서, 그 의사에 반하여 간섭하고 강압적으로 그 주권을 속박·침해하는 일. ──-하다 자여불

내:정 돌입【內庭突入】명 남의 집 안에 주인의 허락없이 불쑥 들어감. 돌입 내정(突入內庭). ──-하다 자여불

내:정 범절【內庭凡節】명 집안 살림살이의 범절.

내:정 불간섭【內政不干涉】명〖정〗일국의 국내 정치·경제·사회의 여러 문제는 그 나라 국민의 자유로운 의사로써 정해질 것이며, 다른 나라가 이에 간섭해서는 안 된다고 하는 국제법이나 국제 정치상의 원칙.

내:정-사【內廷司】명〖역〗조선 시대 궁내부(宮內府)에서 궁궐의 모든 일을 맡아 보던 관아. 광무(光武) 9년(1905)에 두었다가 융희(隆熙) 원년(1907)에 폐하였음.

내:제¹【內制】명〖역〗↗내지제고(內知制誥).

내:제²【內製】명〖역〗↗내지제교(內知製敎).

내:제³【內題】명 ①책의 안 겉장이나 본문 첫머리 등에 쓴 제목. ↔외제(外題). ②안겉장.

내:제-지【內題紙】명 안겉장.

내:조¹【乃祖】㊀명 그이의 할아버지. ㊁인대 할아버지가 손자에 대하여 쓰는 자칭. '네 할아비'의 뜻.

내:조²【內助】명 ①내부에서의 원조. ②아내가 가정에서 남편이 바깥일을 잘할 수 있도록 도와줌. 내보(內輔). ¶ ~의 공. ──-하다 자타여불

내조³【來朝】명 ①다른 나라 사람이 우리 나라에 옴. ②지방 관아에 있는 신하가 대궐에 들어와 임금을 뵘. ──-하다 자여불

내:종¹【乃終】명부 나중.

내:종²【內從】명 ↗내종 사촌(內從四寸). ↔외종(外從).

내:종³【內腫】명 ①〖의〗내장에 나는 종기. ↔외종(外腫). ②농흉(膿胸).

내:종-매【內從妹】명 내종 사촌인 누이 동생.

내:종 매부【內從妹夫】명 내종 사촌 누이의 남편.

내:종 사:촌【內從四寸】명 고모의 아들이나 딸. 고종(姑從) 사촌. ㊜내종(內從). ↔외종 사촌.

내:종-씨【內從氏】명 내종 사촌 형.

내:종-제【內從弟】명 내종 사촌 아우.

내:-종피【內種皮】명〖식〗종자(種子)의 거죽을 이루는 두 장의 피막(皮膜) 중에서 안쪽으로 있는 얇은 피막. 속씨껍질. ↔외종피(外種皮).

내:종-형【內從兄】명 내종 사촌 형.

내:종 형제【內從兄弟】명 내종 사촌 뻘 되는 형이나 아우. ↔외종 형제(外從兄弟).

내쭝 명〈옛〉나중. 끝. ¶ 처엄과 내쭝괘 져고맛 ᄉᆞ시도 업스시니라(始終無纖介之間)≪內訓 Ⅱ 上 43≫.

내쭝내 부〈옛〉처음에서 나중까지. 마침내. =내쭝애. ¶ 내쭝내 물러듀미 업수려(畢無退墮)≪楞嚴 Ⅲ:117≫/서르 傷害호ᄃᆡ 내쭝내 둘히 잇도다(相傷終兩存)≪重杜諺 Ⅵ:49≫.

내:주¹【內住】명 안에 삶. ──-하다 자여불

내:주²【內周】명 ①안쪽에서 잰 둘레. ②이중으로 둘러싼 선(線) 따위의 안쪽 부분. ↔외주(外周).

내:주³【內奏】명 임금에게 내밀히 상주(上奏)함. ──-하다 타여불

내:주⁴【內紬】명 품질이 나빠서 겨우 안감으로나 쓰이는 명주(明紬).

내주⁵【來住】명 와서 삶. ──-하다 자여불

내주⁶【來週】명 다음 주(週). 차주(次週). ↔작주(昨週).

내주⁷【來駐】명 와서 주재·주둔함. ──-하다 자여불

내:-주다 타 ①가졌던 물건을 남에게 건네어 주다. 또, 안에서 꺼내어 주다. ¶ 돈을 ~. ②차지한 자리를 비워서 남에게 넘겨 주다. ¶ 셋방을 ~.

내:-주방【內廚房】명〖역〗대비(大妃)와 중전(中殿)의 수라(水刺)를 마련하던 주방.

내:-주일【來週日】명 다음 주일. 오는 주일.

내:-주장【內主張】명 아내가 집안 일을 주장함. ──-하다 자타여불

내:-죽도【內竹島】명〖지〗전라 북도 고창군(高敞郡) 부안면(富安面) 봉암리(鳳岩里)에 위치한 서해안의 섬. [0.05 km² : 70명(1985)]

내중 명부〈방〉나중(평안).

내:-중배엽【內中胚葉】명〖생〗척추 동물의 배엽(胚葉)의 하나. 내배엽

(內胚葉)에서 생긴 중배엽(中胚葉)으로, 이 배엽에서 체강 상복(體腔上覆)·수의근(隨意筋)·심장의 근벽(筋壁)·비뇨 생식계(泌尿生殖系)의 도선(導腺)·간충직(間充織)이 형성됨.

내쭝ㄱ소리 명 〈옛〉 종성(終聲). 받침. ¶ 乃終즁ㄱ소리는 다시 첫소리를 쓰느니라(終聲復用初聲)《訓諺 11》.

내쭝내 부 〈옛〉 마침내. ═내쭝내. ¶ 내 乃내終즁내 成셩佛불호져《月釋 XXI:51》/赤心으로 처엄 보샤 遒終내 赤心이시니《龍歌 78章》.

내:증¹【內症】[-쯩] 명 체내에 생기는 병적(病的) 증세. 몸 안의 병.

내:증²【內證】명 ①내밀한 증거. ②〖불교〗남의 교시(敎示)를 받지 않고 자기 마음 속에서 불법(佛法)의 참된 진리를 체득(體得)함. 또, 그 체득. ——하다 타여불

내:지¹【內地】명 ①해안(海岸)이나 변지(邊地)에서 멀리 들어간 안쪽 지방. ②외국이나 식민지에서 자기 본국을 일컫는 말. ③한 나라의 영토 안. ④한 나라의 영토 안에서 새 영토나 섬 이외의 땅. ↔외지(外地).

내:지²【內旨】명〖역〗①임금의 은밀한 명령. 내명(內命)의 취지(趣旨). ¶ ~를 받들다. ②왕비(王妃)의 전지(傳旨). *자지(慈旨).

내:지³【內池】명 정원이나 뜰 안에 있는 작은 못.

내:지⁴【內肢】명〖생〗갑각류(甲殼類)의 부속지(附屬肢)로, 기절(基節)에서 생긴 두 개의 분지지(分枝肢) 가운데 안쪽의 것. 바깥쪽의 것은 외지(外肢)라 부르며, 연갑류(軟甲類)의 흉각(胸脚)에서는 보각(步脚)으로 되어 있음.

내:지⁵【內知】명〖문〗실전(失傳)된 신라 시대의 가요. 일상군(日上郡)의 노래. 《삼국 사기(三國史記)》 '악지(樂志)'에 이름만 전함.

내:지⁶【內智】명〖불교〗삼지(三智)의 하나. 마음속의 번뇌(煩惱)를 끊고 자기 무명(自己無明)을 깨닫는 지(智). ↔외지(外智).

내:지⁷【乃至】부 ①순서나 정도를 나타내는 데 그 아래와 위 따위를 한정하고, 그 중간은 생략할 적에 쓰는 접속 부사. ¶ 한 달 ~ 두 달. ②또는. 혹은. ¶ 서울 ~ 부산에서 많이 소비된다.

내:지 관세【內地關稅】명〖경〗내국 관세(內國關稅).

내:-지르다 타르불 ①밖으로 힘껏 지르다. ②소리 따위를 힘껏 지르다 *들이지르다. ③〈속〉똥이나 오줌을 누다. ④〈속〉낳다.

내:지 무:역【內地貿易】명〖경〗내국 무역(內國貿易).

내:지-산【內地産】명 내지에서 생산된 물품. ↔외지산(外地産). *국산품.

내:지 연장주의【內地延長主義】[-/-이] 명〖정〗식민지를 내지의 연장으로 보아 같은 법령과 정책을 베푸는 주의.

내:지 잡거【內地雜居】명 한 나라가 외국인에 대하여 거류지(居留地)의 제한없이 국내 어느 곳에서나 살도록 허가하는 일.

내:-지제고【內知制誥】명〖역〗고려 때, 내지제교(內知製敎)의 전 이름. 한림원(翰林院)·보문각(寶文閣)의 직원이 겸임한 지제고. 준내제(內制). ↔외지제고(外知制誥).

내:-지제교【內知製敎】명〖역〗①고려 때, 문한(文翰)을 맡아 보던 지제교(知製敎)의 하나로, 한림원(翰林院)·보문각(寶文閣)의 직원이 겸임한 지제교. 내지제고(內知制誥)를 고친 이름. ②조선 시대 홍문관(弘文館)의 부제학(副提學) 이하 부수찬(副修撰)에 이르는 직원이나 규장각(奎章閣)의 직제학(直提學) 이하의 직원이 겸임한 지제교. 문한(文翰)을 맡음. 준내제(內製). ↔외지제교(外知製敎).

내:지 통과세【內地通過稅】[-쎄] 명〖경〗내지 관세(內地關稅).

내:직¹【內職】명 ①부녀자로서의 직업. ②가족이 틈틈이 하는 품팔이. ③본직(本職) 이외에 갖는 생업. ④직장에 나가지 않고 집에서 할 수 있는 직업. ——하다 자여불

내:직²【內職】명〖역〗①서울 안 각 관아의 벼슬. ↔외직(外職). ②내명부(內命婦)와 외명부(外命婦)의 벼슬.

내:직-랑【內直郞】[-낭] 명〖역〗고려 때, 동궁(東宮)의 종육품 벼슬. 문종(文宗) 22년(1068)과 숙종 3년(1098)에 두었다가 예종(睿宗) 때 폐함.

내:진¹【內陳】명 ①의견 따위를 내밀히 말함. 비공식으로 진술함. 또, 그 진술. ②안쪽으로 진열(陳列)함. 또, 그 진열. ——하다 자타여불

내:진²【內診】명 여성의 내생식기(內生殖器) 또는 장내(腸內)의 진찰. ↔외진(外診). ——하다 자여불

내진³【來診】명 의사가 환자의 집에 와서 진료함. 또, 진료하러 옴. *왕진(往診).

내:진⁴【耐震】명 지진(地震)을 견디어 냄. ¶ ~력(力).

내:진 가옥【耐震家屋】명 지진을 견디어 낼 수 있는 집. 곧, 철근 콘크리트 같은 것으로 튼튼하게 지은 집.

내:진 건:축【耐震建築】명 지진을 견디어 낼 수 있는 건축. 철근 콘크리트 따위.

내:진 구조【耐震構造】명 [earthquakeproof construction]〖건〗지진력, 진동 등에 견디도록 설계된 건축물의 구조.

내:-진연【內進宴】명〖역〗내빈(內賓)을 모아 베푸는 진연(進宴). 준내연(內宴). ↔외진연(外進宴).

내:진 주지【內珍朱智】명〖사람〗이진아시(伊珍阿豉)의 다른 이름. 내진(內珍)은 이름이고, 주지(朱智)는 신지(臣智)처럼 군장(君長)의 칭호임.

내:질¹【內姪】명 처질(妻姪).

내:질²【內質】명 내부의 실질(實質). 내용.

내:-질리다 피동 내지름을 당하다.

내:-질식【內窒息】[-씩] 명〖의〗일산화탄소 질식 등에서 볼 수 있는 체내의 조직. 호흡이 저해됨으로써 일어난 산소 결핍. ↔외질식(外窒息).

내:-집단【內集團】명 [in-group]〖사〗그 구성원이 열렬한 충성을 바치고 일체감(一體感)을 가지며, 그 목적에 동일하려고 노력하는 공통된 심리를 가지는 제1차 집단이나 제2차 집단. 딴 집단에 대한 대항 의식이나 편견이 특징으로 되어 있는 심리적인 집단임. ↔외집단(外集團).

내:-쫓기다 피동 내쫓음을 당하다. ¶ 집에서 ~.

내:-쫓다 타 ①강제로 있는 자리에서 떠나게 하다. ¶ 직장에서 ~. ②밖으로 나가도록 쫓아 내다. ¶ 강아지를 ~.

내:-찌르다 타르불 안에서 밖을 향해 찌르다. 또, 세게 찌르다. ¶ 창으로 사람을 ~.

내:차¹【內次】명 문의 안으로 들어서서 의복을 갈아 입게 된 곳.

내:차²【內借】명 ①몰래 돈을 빌림. ②받을 돈의 일부를 기일(期日) 전에 받음. ——하다 타여불

내:-차다 타 ①바깥쪽을 향해서 차다. ②발길을 뻗치어 냅다 차다.

내착【來着】명 와서 도착함. 내도(來到). ——하다 자여불

내:찰【內札】명 안편지.

내참【來參】명 와서 참가함. 와서 참석함. ——하다 자여불

내참-자【來參者】명 내참한 사람. 와서 참가한 사람.

내:채【內債】명 ①〖경〗↗내국 공채(內國公債). ②비밀한 빚. ¶ ~를 지다.

내:처¹【乃妻】명 ①남의 처를 이름. ②자기의 처를 이름.

내:처²【內處】명 안방에서 거처(居處)함. ——하다 자여불

내:처³ 부 ①내친 바람에. 하는 김에 끝까지. ¶ 하던 김에 ~ 해 버리다. ②내켜.

내:처서 부 그냥 내처.

내:척【內戚】명 본집에서 다른 성의 집으로 시집가서 이루어지는 본집과의 친척 관계. ↔외척(外戚).

내:천【內遷】명〖역〗외직(外職)에서 경관직(京官職)으로 전임(轉任)하던 일. 내이(內移). ——하다 자여불

내천-부【一川部】명 한자 부수(部首)의 하나. '州'나 '巡' 등의 '巛'의 이름. '巛'은 '川'의 고자(古字).

내:첨-사【內詹事】명〖역〗고려 공민왕(恭愍王) 때 환관(宦官)의 벼슬.

내:첩【內妾】명 자기 집에 두고 있는 첩.

내청【來聽】명 와서 들음. ¶ ~ 환영. ——하다 타여불

내:-청도【內聽道】명〖생〗두개골(頭蓋骨) 가운데에 있어서 내이(內耳)와 뇌수(腦髓) 사이에 신경을 연락하여 주는 통로(通路). 곧, 측두골(側頭骨)의 추체(錐體)의 안쪽 이마 위치에 가로 뻗어서 청신경(聽神經)·안면 신경(顔面神經)·내청 동맥(內聽動脈)·내청 정맥(內聽靜脈)이 통하는 짧은 관(管). 내청문(內聽門). ↔외청도(外聽道).

내:청 동:맥【內聽動脈】명〖생〗내청도(內聽道)의 동맥. ↔내청 정맥(內聽靜脈).

내:-청룡【內靑龍】[-뇽] 명〖민〗풍수 지리설(風水地理說)에서, 주산(主山)에서 왼쪽으로 벋어나간 산줄기 중 가장 왼쪽에 있는 산줄기. 단청룡(單靑龍). ↔외청룡(外靑龍).

내:-청문【內聽門】명〖생〗내청도(內聽道).

내:-청역【內聽域】명 음(音)의 이상 전반 현상(異常傳搬現象) 가운데 음원(音源)으로부터 소리가 들리지 않게 되는 최초의 지점까지의 범위. 즉, 직달(直達) 음파가 들리는 지역. ↔외청역(外聽域).

내:청 외:탁【內淸外濁】명 속은 맑고 겉은 흐림. 난세(亂世)에 명철 보신(明哲保身)하는 방법의 하나.

내:청 정맥【內聽靜脈】명〖생〗내청도(內聽道)의 정맥. ↔내청 동맥(內聽動脈).

내:체【內遞】명〖역〗조선 시대 외직(外職)에서 내직(內職), 곧 경관직(京官職)으로 갈리는 일. *소체(召遞). ——하다 자여불

내:쳐 부 ☞ 내처³.

내:초【內鞘】명〖식〗내피(內皮)의 바로 안쪽에 있는 유조직(柔組織)의 세포층(細胞層). 고등 식물(高等植物)의 줄기 또는 뿌리에 있는데, 없는 것도 있음. 속집.

내:-초도【內草島】명〖지〗경상 남도의 남해상(南海上), 통영군(統營郡) 욕지면(欲知面) 동항리(東港里)에 위치한 섬. [0.45 km²]

내:촉【內鏃】명 화살촉이 화살대 속으로 들어가 끼어 있는 부분. ↔외촉(外鏃).

내:촌【內村】명 안마을.

내:총【內寵】명 ①궁녀(宮女)에 대한 임금의 사랑. ②굄을 받는 첩.

내추【來秋】명 돌아오는 가을. 내년 가을.

내추럴 [natural] 명 ①자연 그대로임. 자연적. 천연적. ②〖악〗제자리표. '♮'.

내추럴리스트 [naturalist] 명 자연주의자.

내추럴리즘 [naturalism] 명 자연주의.

내추럴 사이언스 [natural science] 명 자연 과학.

내추럴 실렉션 [natural selection] 명〖생〗자연 도태(自然陶汰).

내추럴 치:즈 [natural cheese] 명 잡물(雜物)을 섞거나 가공하지 않은 순수한 치즈.

내추럴 톤: [natural tone] 명 자연스러운 멋의 뜻으로, 표백(漂白)하지 않은 자연 그대로의 베·솜 등의 자연색의 아름다움을 이르는 말.

내춘【來春】명 돌아오는 봄. 내년 봄.

내:-출혈【內出血】명〖의〗조직(組織)이나 체강(體腔)·복강(腹腔)·흉강(胸腔) 등의 안에서 출혈이 일어나는 일. 피하(皮下) 출혈. ¶ 장(腸) ~. ↔외출혈.

내:취【內吹】명〖역〗↗겸내취(兼內吹).

내:측¹【內側】명 안쪽. ↔외측(外側).

내:측²【內廁】명 안뒷간.

내:층【內層】명 내부의 층(層). 안쪽의 켜. ↔외층(外層).

내:치¹【內治】명 ①내복약(內服藥)을 써서 병을 고침. ↔외치(外治). ②나라 안의 정치. ↔외치(外治)·외교(外交). ③가정을 다스림. ——하다 타여불

내:치²【內痔】명〖의〗암치질.

내:-치다¹ 타 ①못쓸 것으로 알거나 마음에 맞지 않아 물러가게 하다. 쫓아내다. 물리치다. ②들어서 냅다 던지다. 내버리다.

내치다² 자 이미 일을 시작한 바람에 더 잇따라 하다. 한결같이 죽 잇따라 하다.

내:치락-들이치락 부 ①마음이 내켰다 들이켰다 하는 변덕스러운 모양. ②병세가 더했다 덜했다 하는 모양. ——하다 자여불

내:칙¹【內則】명 내부의 규칙. 내규(內規).

내:칙²【內勅】명 내밀(內密)한 조칙(詔勅). 밀칙(密勅).

내:친【內親】명 ①아내의 친척. ②마음속으로 친하게 여김.

내:친-걸음 명 ①이왕 일을 시작한 길. ¶ ~에 이것도 마저 하자. ②이왕 나선 걸음.

내:친-김에 부 이왕 일을 시작한 바람에.

내:친-말 명 이왕 시작한 말. ¶ ~ 끝이라 다 말했다. 「(內包).
내:-칠포【內七包】명 〖건〗 공포(貢包)가 칠중첩(七重疊)으로 된 내포.
내:침¹【內寢】명 남편이 아내 방에 들어가서 잠. ──-하다 자여불
내침²【來侵】명 침입(侵入)하여 들어옴. 또, 그 일. ──-하다 자여불
내:-캘리퍼스【內─】〔calipers〕명 원통(圓筒)의 내경(內徑)을 재는 데 └쓰는 기구. ↔외(外)캘리퍼스.
내커리-옷 명 〈방〉 나들이옷(평안).
내:켜 부 내킨 바람에. 내처.
내:켜-놓다 [─노타] 타 ①앞으로 물리어 놓다. ②일정한 범위나 대상 밖으로 내놓다.
내콰 〈옛〉 내와. '내³'의 공동격형(共同格形). ¶ 내콰 묏고리 피 빗기 흐르고(川谷血橫流)《杜諺 XXII:32》.
내:키다¹ ㊀ 자 ①하고 싶은 마음이 솟아나다. ¶ 마음이 내키지 않는다. ②불길이 방고래로 들지 않고 거꾸로 아궁이로 나오다. ㊁ 타 하고 싶은 마음이 솟아나게 하다. ¶ 마음을 내키어 공부해라.
내:키다² 타 〔중세 : 내혀다〕 넓히려고 물리어 내다. ¶ 장롱(欌籠)을 내키고 책상을 들여놓다. ↔들이키다. 「일. ──-하다 자타여불
내:탁【內托】명 큰 종기를 째 후에 보약을 써서 쇠약한 몸을 회복하는
내:탄【耐彈】명 어떤 구조물(構造物)의 구조가 특별하여 탄알을 맞아도 능히 견디어 냄. ──-하다 자여불 「여불
내:탐【內探】명 내밀히 탐색함. ¶ 적정(敵情)을 ~하다. ──-하다 타
내:탕【內帑】명 〖역〗 ①↗내탕고(內帑庫). ②↗내탕금(內帑金). 「㊂내탕.
내:탕-고【內帑庫】명 〖역〗 임금의 사사(私事) 재물을 넣어 두는 곳간.
내:탕-금【內帑金】명 〖역〗 내탕고에 넣어 둔 돈. 내탕전(內帑錢). 탕전(帑錢). ㊂내탕(內帑).
내:탕-본【內帑本】명 〖역〗 내탕고(內帑庫)에서 비용을 내어 펴낸 책.
내:탕-전【內帑錢】명 〖역〗 내탕금(內帑金).
내:태-도【內台島】명 〖지〗 전라 남도의 서해상(西海上), 신안군(新安郡) 압해면(押海面) 신장리(新庄里)에 위치한 섬. [0.2km²:24명(1984)]
내토 〈옛〉 내도. '내³'의 동일격형(同一格形). ¶ 기픈 뒷 내토 뎌티 그 몰고몰 가줄비디 몯ᄒ리며(幽澗未定比其淸)《永嘉 下 77》. *내³.
내토-군【奈吐郡】명 〖역〗 충청 북도 제천군(堤川郡)의 고구려 때 명칭.
내통¹ 명 〈방〉 굴뚝(제주).
내:통²【內通】명 ①내밀히 적과 통함. 내응(內應). ②몰래 알림. ③남녀가 몰래 통함. 사통(私通). ──-하다 자타여불
내:통-포【內筒砲】명 구경(口徑)이 큰 대포의 포신(砲身) 속에 작은 구경의 포신을 넣어 작은 구경의 포탄을 장전(裝塡)해서 구경이 큰 포의 사격 연습을 경제적으로 할 수 있도록 한 포. *축사포(縮射砲).
내:-트리다 타 내뜨리다. 「티요《月釋 II:6》.
내티다 타 〈옛〉 내치다¹. ¶ 네 아ᄃ리 孝道ᄒ고 허믈 업스니 어드리 내
내:파-성【耐波性】[─썽] 명 선박의, 격랑(激浪)을 견딜 수 있는 성질.
내:파수-도【內波水島】명 〖지〗 충청 남도의 서해상(西海上), 태안군(泰安郡) 안면읍(安眠邑) 승언리(承彦里)에 딸린 섬. [0.14 km² : 3명 (1985)]
내:파-음【內破音】명 〖언〗 파열음(破裂音)이 파열되지 않고 그대로 막혀 있을 때 나는 소리. 파열음이 받침으로 쓰일 때 나는 소리임. ↔외파음.
내:판【內板】명 선체의 늑골(肋骨)의 안쪽에 붙어서 이중(二重)의 선각(船殼)을 구성하는 나무 또는 쇠의 판. ↔외판(外板).
내:-팽개치다 타 냅다 던져 버리다.
내:-퍼붓다 타ㅅ불 냅다 퍼붓다. *들이퍼붓다.
내:편¹【內篇】명 주로 중국의 서적에서, 저자(著者)의 요지(要旨)를 써놓은 부분. 다른 부분을 외편(外篇)이라 함. 《장자(莊子)》에서 그 예 └를 볼 수 있음.
내편²【來便】명 ①오는 인편. ②다음 편.
내:평¹【內─】명 일의 속 까닭. 일의 실상의 사정.
내:평²【內評】명 밖에 드러나지 아니한 평판(評判)이나 비평.
내:폐【內嬖】명 임금에게 사랑을 받는 계집.
내:폐-성【內閉性】[─썽] 명 〖심〗 자기 자신 속에 틀어박혀서 현실에 등을 돌리는 경향. 분열병자(分裂病者)의 심리적인 특질(特質)임. 자폐성(自閉性). 「보.
내:포¹【內包】명 식용으로 하는 짐승의 내장. 내복(內腹). 내장(內臟). 내
내:포²【內包】명 ①〔intention〕〖논〗 개념이 적용되는 범위. 곧, 외연(外延)에 속하는 여러 사물이 공통으로 지니는 필연적 성질의 전체. 형식 논리학상으로는 내포와 외연(外延)과는 반대 방향으로 증감(增減)함. 예를 들면 '학자'라는 개념은 철학자·문학자·과학자·경제학자 등의 학자의 전 종류를 그 외연에 포괄하는데, 학자라는 개념의 내포에 '과학을 연구하는'이라는 성질을 더 보태어 '과학자'라는 개념으로 한정하면 내포는 그만큼 증가하지만 한편으로는 철학자·문학자 등은 제외되므로 외연은 감소됨. ↔외연(外延). ②어떠한 뜻을 그 속에 포함함. ¶ 위험성을 ~한 계획. ──-하다 타여불
내:포³【內包】명 〖생〗 대뇌 반구(大腦半球)의 심부(深部)에 있는 백질부(白質部). 대뇌 피질(皮質)과 딴 뇌부(腦部) 및 척수와를 연결하고 있는 섬유의 집합으로 이루어지고 있음.
내:포⁴【內包】명 〖건〗 건물의 안쪽에 짜인 공포(貢包).
내:포⁵【內浦】명 바다나 호수가 육지로 만입(灣入)한 부분.
내:포-량【內包量】명 밀도(密度)·온도(溫度) 등과 같이 두 개 또는 그 이상의 양을 서로 보태어 합하는 것이 무의미하고, 그 양의 성질이 갖는 강도(強度)의 차로써 나타내어지는 양. ↔외연량(外延量).
내:포-제【內浦制】명 〖악〗 충청도 지방에서 특별히 부르는 시조(時調)의 창법(唱法). *경제(京制)·영제(嶺制).
내:포 평야【內浦平野】명 〖지〗 충청 남도 남부 지방을 서남방으로 흐르는 금강(錦江) 상류 지역에 전개된 평야. 예로부터 삼남 보고(三南寶庫)의 하나로 농업 지대를 이룸. 충남 평야(忠南平野).
내:폭【耐爆】명 어떤 구조물(構造物)의 구조가 특별하여 폭탄을 맞아도 능히 견디어 냄. ──-하다 자여불
내:폭-성【耐爆性】명 내연 기관(內燃機關)의 실린더(cylinder) 안에서 이상 폭발(異常爆發)을 일으키어 금속성 타음(打音)이 나는 것을 방지하기 위하여 부여한 가솔린 등의 성질. 이 척도(尺度)는 옥탄가(octane 價)로 표시함. 앤티노크성(antiknock 性).
내:폭 연료【耐爆燃料】[─녈─] 명 이상 폭발을 일으킬 염려가 적은 고옥탄가(高 octane 價)의 고급 연료.
내:폭-제【耐爆劑】명 〖화〗 가솔린에 첨가하여 내폭성을 갖게 하는 약제(藥劑). 곧, 옥탄가(octane 價)를 높이는 것으로, 사에틸(四ethyl)납·브롬화 에틸렌(Brom 化 ethylene) 등이 있음. 앤티노크.
내풀-로 부 내 마음대로. *제풀로.
내:풍【內風】명 〖한의〗 내장의 병이 생기는 원인.
내:풍 인촌【耐風燐寸】명 '딱성냥'을 전에 일컫던 말.
내:피【內皮】명 ①속껍질. 속가죽. ↔외피(外皮). ②보늬. ③〖식〗 식물 조직의 피층(皮層)과 중심주(中心柱) 사이의 한 줄의 세포층(細胞層). 뿌리에 발달하여 세포막이 두껍게 목화(木化)되어 수분이나 공기를 통하지 아니하고 보호 작용을 함. 군데군데 세포막이 얇은 통과(通過) 세포가 있어서 안팎의 연락을 함. ④〖동〗 동물의 내배엽(內胚葉) 또는 중배엽(中胚葉)에 유래하는, 기관(器官)의 안쪽을 싸고 있는 조직.
내:핍【耐乏】명 궁핍(窮乏)을 참고 견딤. ──-하다 자여불
내:핍 생활【耐乏生活】명 물자의 궁핍을 견디고 참으며 살아가는 생활.
내:핍 예:산【耐乏豫算】[─네─] 명 〖경〗 필요 불가결한 경비가 증가하여, 국민이 무거운 조세(租稅) 부담에 견뎌야 하는 예산.
내픠게 부 〈옛〉 내 피게. ¶ 뻐 그 불휘를 붓도도며 뻐 그 가지를 내픠게 ᄒ시니라(以培其根以達其支)《小學 諺解 題辭 3》.
내:하¹【內下】명 〖역〗 임금이 물건을 내리어 줌. 내사(內賜). ──-하다
내하²【奈何】명 어찌함. ¶ ~오(어찌하랴). └타여불
내하³【來夏】명 내년 여름.
내하⁴【來賀】명 와서 축하함. ──-하다 자타여불
내학【來學】명 ①스승에게 와서 배움. ②후세의 학자. 후학(後學).
내-학기【來學期】명 다음에 오는 학기.
내-학년【來學年】명 다음에 오는 학년. 다음 학년.
내한¹【來翰】명 남에게서 온 편지. 내간(來簡). 내신(來信).
내한²【來韓】명 외국인이 한국에 옴. ¶ 미국 대통령 ~. ──-하다 자여불
내:한³【耐旱】명 가뭄을 견딤. ──-하다 자여불
내:한⁴【耐寒】명 추위를 견딤. ──-하다 자여불
내:한-성【耐寒性】[─썽] 명 추위를 견디는 성질. 추위 견딤성.
내:한 행군【耐寒行軍】명 몸을 단련하고 추위를 견디는 힘을 기르기 위하여 추위를 무릅쓰고 하는 행군. ──-하다 자여불
내:한 훈:련【耐寒訓練】[─훌─] 명 몸과 마음을 단련하기 위해 추위를 무릅쓰고 하는 훈련.
내:합¹【內合】명 죽세공(竹細工)에서, 대나무의 안쪽이 겉으로 드러나게 쓰는 방식(方式). ↔외합(外合).
내:합²【內合】명 〖천〗 내행성(內行星)과 태양과의 황경(黃經)이 같아지고 내행성이 태양과 지구의 사이에 있는 경우. 곧, 내행성이 태양의 동쪽에서 서쪽으로 옮길 때의 합(合). 하합(下合). ↔외합(外合).
내:항¹【內航】명 내국 항로에서의 항행. ¶ ~선(船). ↔외항(外航).
내:항²【內港】명 〖지〗 항만(港灣)의 안쪽에 깊숙이 있어 배가 머물러 짐을 싣고 내리기에 편리한 항구. ↔외항(外港).
내:항³【內項】명 〖수〗 비례식(比例式) A:B=C:D에 있어서 안쪽에 있는 둘째 항 B 및 셋째 항 C. 내율(內率). 중항(中項). ↔외항(外項).
내항⁴【來降】명 와서 항복함. ──-하다 자여불
내항⁵【來航】명 항공기나 배로 옴. ──-하다 자여불
내:항 동:물【內肛動物】명 〖동〗 [Endoprocta] 무척추 동물의 한 문(門). 단생(單生) 또는 군체(群體)를 이루는 해산(海產)동물. 몸체는 악(萼)부와 자루 부분으로 되어 있으며, 악부의 촉수관(觸手冠)에 둘러싸여 입과 항문(肛門)이 있음. 전체 길이는 5-6mm로 주근(走根)을 내어 무성적(無性的)으로 증식(增殖)하지만, 대개는 자웅 이체(雌雄異體)임. 유생(幼生)은 트로코포어(trochophore)로 착생(着生) 후 변태하며, 세계에 약 60종이 분포하는 작은 동물군(群)임. 종래의 동물 분류에서는 전항(前肛) 동물의 한 강(綱)으로 태충류(苔蟲類)에 포함시키어 내항류(內肛類)와 외항류(外肛類)로 나누었으나, 지금은 따로 독립하여 한 문(門)을 형성함. 곡형 동물(曲形動物). 곡충류(曲蟲類). 「항선(外航船).
내:항-선【內航船】명 내국 항로(內國航路)에 취항(就航)하는 배. ↔외
내:항-성【耐航性】[─썽] 명 〔seaworthiness〕 〖항해〗 항해중에 맞닥뜨리는 어떤 상태에도 대응되는 배의 적합성. 또, 어떤 특정 항해에 대 └응하는 적합성.
내-해¹ 명 〈방〉 내것(평안).
내:해²【內海】명 ①〖지〗 육지 사이에 둘러싸이고, 해협(海峽)으로써 겨우 대양(大洋)과 통하는 바다. 홍해(紅海)·지중해(地中海) 따위. 중해(中海). ②〖법〗 둘 이상의 해협에 의하여 공해(公海)로부터 폐쇄(閉鎖)되어 있는 바다. 연안(沿岸)이 동일한 나라에 속하고 일체의 입구(入口)가 일정한 거리를 넘지 않을 때에는 내해로서 그 나라의 영해(領海)를 구성함. ↔외해(外海). ③아주 큰 호수(湖水).
내:해 경:비【內海警備】명 〖군〗 일반적으로 해안 방어 구역 안에서 작전하는 해군의 방어 초계(哨戒). 항만 방어 부대·해안 감시 체계·초계정(哨戒艇)·지원 기지(支援基地)·항공기·해안 경비대 기지(海岸警備隊基地) 등의 모든 요소가 포함됨.
내:해 문화【內海文化】명 내해를 중심으로 하여 그 연안(沿岸)에 발달한 특수한 문화. 곧, 중세기(中世紀)에 발달한 발트 해(Balt 海)·북해(北

海)·지중해(地中海) 문화 등.

내:해수-강【耐海水鋼】명 해수의 부식 작용(腐蝕作用)에 대한 내식성 「(耐蝕性)을 강화한 강재(鋼材).

내해-왕【奈解王】명〖사람〗신라의 제 10 대 왕. 209년 포상 팔국(浦上八國)의 침입을 받은 가락국(駕洛國)의 요청으로 원병을 파견, 이를 물리침. 재위 기간 중 자주 백제의 침입을 받았으나, 214년 이벌찬(伊伐飡) 이음(利音)을 시켜 백제의 사현성(沙峴城)을 공략하고, 218년에는 장산성(獐山城)에 침입한 백제군을 친히 격퇴했으며, 224년에는 이벌찬 연진(連珍)에 명하여 백제군을 봉산(峰山)에서 격파, 그 곳에 성을 쌓게 함. [?-230; 재위 195-230]

내:핵 미사일 기지【耐核—基地】〔missile〕명〔hard base〕〖군〗핵 폭발에 대한 방비가 갖추어진 미사일 발사 기지.

내:행【內行】명 ①부녀자의 여행(旅行). ¶염려 말으시고 ~이 어디쯤 오시는지, 이 앞 사두신 집으로 들어오셔서 살림을 배치하고…≪李海朝:巢鶴嶺≫. ②가정에서의 부녀자의 행실.

내:-행성【內行星】명〖천〗돌아가는 궤도가 지구 궤도의 안쪽에 있는 행성. 곧, 수성(水星)·금성(金星) 따위. 내유성(內遊星). 하유성(下遊星). 내혹성(內惑星). ↔외(外)행성.

내:향¹【內向】명 ①안쪽으로 향함. 내부로 향함. ②마음의 작용이 자기에만 향함. 내공(內攻). *내향형(內向型). ——하다 자여불

내:향²【內鄕】명〖역〗왕비(王妃)의 친가(親家)가 있는 곳. ↔외향.

내:향-성【內向性】[—썽] 명〖심〗사람의 성격 경향(傾向)의 하나. 정신 발동(發動)이 항상 주관에 치우치는 기질(氣質). 스위스의 심리학자 융(Jung)에 의하면 시적(詩的)·사색적(思索的)·비사교적(非社交的)·비활동적인 성향(性向)이 있다고 함. 대체로 기질이 약하고 소극적임. ↔외향성(外向性). *내공(內攻).

내:향-약【內向葯】[—냑] 명〖식〗측생약(側生葯)에 있어서 화사(花絲)의 안쪽에 붙어 암꽃술에 맞대어 있는 약. ↔외향약(外向葯).

내:향-지【內向枝】명〖식〗안쪽으로 향하여 뻗는 나뭇가지.

내:향-형【內向型】명〖심〗개성(個性)의 형(型)의 하나. 모든 인격 활동이 주관적으로 내부에 집중하는 형. ↔외향형. *내향성.

내:허【內虛】명 속이 공허함. 속이 빔. ——하다 형여불

내:허 외:식【內虛外飾】명 속은 비고 면치레만 함. ——하다 자여불

내헌【來獻】명 와서 바침. ——하다 타여불

내현【來現】명 와서 나타남. ——하다 자여불

내:협【內協】명〖역〗↗내부 협판(內部協辦).

내:형【乃兄】⊟명 ①그이의 형. ②자기의 형을 이르는 말. ⊟인대 형이 동생에 대하여 자신을 이르는 말.

내:-형제【內兄弟】명 ①외사촌 형제. ②아내의 형제.

내:호-도【內湖島】명〖지〗전라 남도의 서해상, 신안군(新安郡) 안좌면(安佐面) 내호리(內湖里)에 위치한 섬. [1.8km²:384명(1971)]

내:-호흡【內呼吸】명〖생〗호흡의 결과로 체액(體液)과 조직 세포 사이에 행하여지는 가스 교환. 체액이 없는 식물이나 하등 동물에는 이 구별이 없음. 속숨. 조직(組織) 호흡. ↔외(外)호흡.

내:-혹성【內惑星】명〖천〗내행성(內行星). ↔외혹성.

내:혼【內婚】명〖사〗특정한 사회 집단내의 통혼(通婚)이 의무 또는 우선(優先)인 결혼의 한 형태. 족내혼(族內婚)·형제 자매혼(兄弟姉妹婚)·지역(地域) 내혼 등이 이에 속함. ↔외혼(外婚).

내:홍【內訌】명 내부에서 저희끼리 일으키는 분쟁(紛爭). 내분(內紛).

내:화¹【內貨】명〖경〗자기 나라의 화폐(貨幣). ↔외화(外貨).

내:화²【耐火】명 불에 견딤. 용융도(熔融度)가 높아서 타지 않는 일. ——하다 자여불

내:-화개【內花蓋】명〖식〗안꽃뚜껑. ↔외화개(外花蓋).

내:화 건:축【耐火建築】명 고온(高溫)에도 잘 견디는 내화 재료를 사용한 건축.

내:화 경질 합금【耐火硬質合金】명〔refractory hard metals〕〖화〗두 종류 이상의 결정체 금속으로 구성된, 고융점(高融點)·고경도(高硬度)의 합금.

내:화 구조【耐火構造】명〖건〗불이 나도 잘 타지 아니하도록 한 건물의 구조.

내:화 금고【耐火金庫】명 불이 났을 때, 속의 물건이 불에 타지 아니하도록 내화 장치를 한 금고.

내:화 금속【耐火金屬】명〔refractory metal〕〖광〗고융점(高融點)을 가지는 내열성(耐熱性)의 금속 또는 합금.

내:화-도【耐火度】명〔refractoriness〕〖물〗내화의 정도를 나타내는 비율. 제게르추(Seger錐)의 번호 SK로 표시함. 요업상(窯業上)의 내화 재료(耐火材料)의 범위는 SK 26번(약 1580°C) 이상에 견디는 것이어야 함.

내:화 도료【耐火塗料】명 방화 도료(防火塗料).

내:화-로【耐火爐】명 내화 재료로써 고온에 견디도록 만든 노(爐).

내:화 모르타르【耐火—】〔mortar〕명〖건〗내화 벽돌을 쌓을 때, 그 접합(接合)에 사용하는 재료. 사용하는 내화 벽돌과 동질의 원료 분말에 가소성(可塑性) 점토나 물유리를 배합해서 만듦.

내:화 목재【耐火木材】명〖건〗방화제(防火劑)로 처리한 목재. 콘크리트 건축의 내부의 마루 또는 목조 건축의 외벽(外壁)에 이것을 사용함. 방화(防火) 목재.

내:화-물【耐火物】명〖공〗①고온도에 견디는 비금속 재료의 총칭. ②고온에서 사용되는 산화물이나 탄소질(炭素質) 등의 요업(窯業) 제품.

내:화물 공업【耐火物工業】명 납석(臘石)·규석(硅石)·샤모테(Schamotte) 등을 원료로 하여 내화물을 생산하는 공업.

내:화 벽돌【耐火甓—】명〖건〗내화 점토(耐火粘土)를 원료로 하여 만든 흰 빛의 벽돌. 고열(高熱)에 잘 견디므로 굴뚝의 아래쪽 내부 같은 것을 쌓는 데에 씀. 다른 내화 재료와 같이 SK 26번 이상의 내화도(度)를 가짐. 불벽돌. 내화 연와.

내:화-복【耐火服】명 석면복(石綿服).

내:화-성【耐火性】[—썽] 명 불에 견디는 성질.

내:화 연:와【耐火煉瓦】명〖건〗내화 벽돌.

내:-화영【內花穎】명〖식〗볏과의 꽃을 직접 싸는 까끄라기의 하나. 보통 과실은 내화영에 싸여 있음.

내:화 장치【耐火裝置】명 내화 재료를 써서 잘 타지 않도록 만든 장치.

내:화-재【耐火材】명 ↗내화 재료.

내:화 재료【耐火材料】명 고열(高熱)에 견디는 재료의 총칭. ㊐내화재.

내:화 점토【耐火粘土】명〖공〗고열(高熱)에 좀처럼 녹거나 타지 아니하는 흙. 도자기 가마나 내화 벽돌을 만드는 데 씀.

내:화-정【內火艇】명 내연 기관(內燃機關)으로 움직이는 작은 배.

내:화-지【耐火紙】명 ①정제(精製)한 석면 섬유(石綿纖維)에 식물 섬유를 가하여 규산(珪酸) 나트륨액(液)을 발라서 만든 종이. 불에 잘 타지 아니하므로 귀중한 서류 기록용으로 씀. ②염화 암몬(塩化 ammon)·중유(重油) 비누·칼리 등을 먹인 종이.

내:화 콘크리:트【耐火—】명〔refractory concrete〕〖공〗내열성(耐熱性)의 콘크리트. 알루미나 함량이 높은 시멘트 또는 칼슘 알루미나 시멘트에 내화성의 쇄석(碎石)을 섞어서 만듦.

내:화 페인트【耐火—】〔paint〕명〖화〗붕사(硼砂)·유리 분말 또는 규조토(珪藻土)·점토(粘土)·석면(石綿)·마그네시아 등을 물유리·비눗물 등과 함께 갠 도료(塗料).

내:환¹【內宦】명 환관(宦官).

내:환²【內患】명 ①아내의 병. ②내부의 근심. 나라 안의 걱정. 내우(內憂). ↔외환(外患).

내:황-란【內黃卵】[—난] 명〖동〗단일란(單一卵). ↔외황란(外黃卵).

내회【來會】명 ①다음으로 다가오는 모임. ②와서 만남. ③와서 회합에 참가함. ——하다 자여불

내:후【乃後】명 '너의 자손'의 뜻으로, 널리 '자손(子孫)'을 일컫는 말.

내-후년【來後年】명 후년(後年)의 다음해. 명후년. 후후년(後後年).

내:훈【內訓】명 ①내밀(內密)히 하는 훈령(訓令). ②집안의 부녀자들에 대한 훈령이나 훈시. 여훈(女訓). ③〖책〗조선 시대 성종(成宗)의 대비(大妃) 한(韓)씨가 소학(小學)·열녀(烈女)·명심 보감(明心寶鑑) 등에서 역대 후비(后妃)의 언행의 규잠(規箴)이 될 만한 것을 추려 모아 언해(諺解)를 붙여 성종 3년(1472)에 간행한 책. 3권. 어제 내훈(御製內訓).

내:휘【內諱】명 ①부인의 이름을 이름. ②국내(國內)·가내(家內)의 악(惡). 또, 그 악을 말하기를 꺼리는 일.

내:-휘두르다 타르불 밖으로 내어 마구 휘두르다. 넙다 마구 휘두르다.

내:흉【內凶】명 ☞내숭. ——하다 형여불

내:흉-스럽다【內凶—】형ㅂ불 ☞내숭스럽다.

내:-흔들다 타 밖으로 내어 흔들다. 이리저리 마구 흔들다.

내히 〈옛〉 내가. '내³'의 주격형. ¶내히 이러 바ᄅᆞ래 가ᄂᆞ니(流斯爲川于海必達)≪龍歌 2章≫.

내ᄒᆞ로 〈옛〉 내로. '내³'의 향진격형(向進格形). ¶王師ᄂᆞᆫ 여듧 내ᄒᆞ로 ᄂᆞ려가ᄂᆞᆺ다(王師下八川)≪初杜諺 XX:16≫.

내ᄒᆞᆯ 〈옛〉 내를. '내³'의 목적격형. ¶훤ᄒᆞ야 ᄆᆞᆯᄀᆞᆫ 내ᄒᆞᆯ 當ᄒᆞ얫도다(敞豁當淸川)≪杜諺 Ⅵ:36≫.

내혀다 타 〈옛〉 내다. '내다²'의 힘줌말. '내'는 '출(出)', '혀'는 '인(引)'의 뜻. ¶護持ᄒᆞᆯ ᄆᆞᅀᆞᄆᆞᆯ 내혀 ≪月釋 Ⅱ:63≫.

낸: 명 ①↗내인(內人). ②〈방〉 아내(평안).

낸내 명 〈방〉 내¹(황해·평안).

낸드〔NAND〕명〖컴퓨터〗둘 다 '참'일 때만 '거짓'이 되고 그 이외는 모두 '참'이 되는 논리 연산(論理演算). 나트(NOT)와 앤드(AND)의 결합 논리임. 부정(否定) 논리곱. 역(逆) 논리곱.

낼: 명 ↗내일(來日). ¶~ 모레.

낼:나라 명 〈심마니〉 내일. 명일(明日).

낼:모레 동동 구 준다는 약속 날짜에 안 주고 차일피일 미루기만 한다는 말.

냄¹ 명 〈방〉 남¹(경북).

냄:² 명 〈방〉 ①배웅(평안). ②냄새(경상).

냄:-내다 타 〈방〉 배웅하다(평안).

냄-들임 명 내보내고 들이고 함. ¶하인을 두어도 한 달에 두세 차례씩 ~하는 변덕으로…≪作者未詳:홍도화≫.

냄물 명 〈방〉 내³(경기·강원·충북·전라·경상).

냄비 명 솥붙이의 한 가지. 음식을 끓이는 데 쓰이며, 밑바탕보다 아가리가 벌어지고 운두가 나지막함. 뚜껑과 손잡이가 있음. 남와(南鍋).

냄비-뚜껑 명 냄비를 덮는 덮개.

냄비 만두【—饅頭】명 참기름을 바른 남비에 만두를 넣고 구운 다음에 다시 찐, 중국식 군만두.

냄:새 명 [근대: 내ᄋᆞᆷ새] ①코로 맡을 수 있는 온갖 기운. 향내·구린내 같은 것. ②풍기는 기운(氣韻). 어떤 사물·분위기 등이 가지는 색채·경향(傾向). ¶고리타분한 양반 ~. ㊐내.

냄:새(가) 나다 구 ㉠냄새가 풍겨 후감(嗅感)을 자극하다. ㉡좋지 못한 냄새가 나오다. ㉢신선하지 아니한 맛이 있다. ㉣〈속〉 싫증이 나고 물리다. ¶운전사 노릇 30년에 자동차만 보아도 냄새가 난다. ㉤〈속〉 기미(機微)가 보이다.

냄:새(를) 맡다 구 ㉠냄새를 감각하다. ㉡눈치를 채다. 낌새를 알아 차리다.

냄:새(를) 피우다 구 ㉠냄새가 나게 하다. ㉡어떤 태도나 기미를 보이다.

냄:새 감:각【—感覺】명〖생〗후각(嗅覺).

냄:새-골 명〖생〗후엽(嗅葉).

냄:새-샘 명〖생〗취선(臭腺).

냄:새 신경【—神經】명〖생〗'후신경(嗅神經)'의 풀어 쓴 말.
냄시 명〈방〉냄새(전남·경상).
냅다[1] 형ⓑ불 연기가 눈이나 목구멍을 쓰라리게 하는 기운이 있다.
[냅기는 과붓집 굴뚝이라] 과붓집에는 나무를 빼개고 말리고 할 사람이 없어서 마르지 아니한 나무를 그대로 때므로 내가 심하다는 말로서, 다른 사람보다 심히 곤란한 경우를 일컫는 말.
냅다[2] 부 몹시 세차게 빨리 하는 모양. ¶ ~ 걷어차다/~ 뛰어가다. *들입다.
냅더 부〈방〉냅다.
냅-두다 타〈소아〉↗내버려두다.
냅들다 타〈옛〉앞으로 들다. ¶ 左足을 냅드며 올흔 편으로 김초고 … 左足을 냅드며 왼편으로 칼을 드리우고 左足을 므룹쓰며 올흔 편으로 칼을 드리우고 右足을 므룹쓰며 《武藝圖譜 31》.
냅떠-서다 자 남을 앞질러 기운차게 쑥 나서다.
냅뜨다 자〔근대 : 냅드다. 내쁘다〕①일에 기운차게 앞질러 쑥 나오다. ②참견하지 않을 일에 불쑥 참견하여 나서다. ③일에 기운차게 앞질러 나설 마음이 솟아나다.
냅색〔knapsack〕명 안 쓸 때에는 접어서 주머니에 넣을 수 있는 간단한 룩색(rucksack)의 하나.
냅킨〔napkin〕명 식탁 위에 접어서 얹어 놓는 수건. 주로 양식을 먹을 때에 옷에 더러운 것이 묻지 아니하도록 가슴을 가리거나 무릎 위에 펴놓으며, 입을 닦기도 함. 종이로 만든 것도 있음.
냅킨-지【—紙】〔napkin〕명 냅킨 대신 쓰이는 고급 박엽지(薄葉紙).
냇:-가 명 냇물의 옆 언저리. 계반(溪畔). 천변(川邊).
[냇가 돌 닳듯] 사람이 세파에 시달려 눈치가 약아지고 성미가 모질어짐을 나타내는 말.
냇:-가랑 명〈방〉내[3](충청).
냇-갈 명〈방〉내[3](경기·충청·전라).
냇-갓 명〈방〉내[3](전라).
냇-개 명〈방〉내[3](황해).
냇긴 명〈방〉노끈(황해·함남·평안).
냇-내 명 연기의 냄새. 음식에 밴 연기의 냄새. ¶ 밥에서 ~가 난다.
냇다 자〈옛〉나 있다. 났다. ¶ 서르 브터 냇다가 이 世界인 後에 도로 오리니 《月釋 XXI:44》. *나다[2].
냇:돌 석기【—石器】명〖고고학〗냇가의 자갈돌로 만든 석기. 인류가 가장 손쉽게 만든 연모로서 약 500만 년 전에 이미 만들었음. 자갈돌 석기. 역석기(礫石器).
냇:-둑 명 냇가에 쌓은 둑. 천방(川防).
냇:-물 명 내에 흐르는 물. 하수(河水).
냇:-버들 명〖식〗[*Salix gilgiana*] 버드나뭇과(科)의 낙엽 활엽의 관목. 잎은 긴 피침형이고 어린 잎은 안으로 말림. 자웅 이주(雌雄異株)인데 4월에 흑색의 단성(單性)인 이삭 모양의 꽃이 유제(葇荑) 화서로 피고, 과실은 삭과(蒴果)인데, 백색으로 5월에 익음. 냇가에 나는데, 황해·평안·함경도 및 일본에 분포함. 녹비용(綠肥用)임. 하류(河柳).

〈냇버들〉

냉:【冷】명〖한의〗①아랫배가 항상 싸늘한 병. ②몸을 특히 하체를 차게 하면 발작되는 병. ③대하(帶下)❶. *백(白)대하. ——-하다 형여불 ①싸늘하다. 차다. ②〖한의〗병으로 아랫배가 차다. ③〖한의〗약재의 성질이 차다.
냉:-【冷】접두 어떤 물질(物質) 명사 위에 붙어서 그 물질을 차게 했다는 뜻으로 쓰는 말. ¶ ~사이다/~커피.
냉가리 명〈방〉내[1](평북).
냉:-가슴【冷—】명 ①〖한의〗몸을 차게 하여 생기는 가슴앓이. ②공연한 일을 가지고 썩히는 마음. 겉으로 드러내지 아니하고 혼자 속으로 끙끙거리며 걱정하는 일. ¶ 벙어리 ~.
냉:가슴-앓이【冷—】[—알—] 명 ☞ 냉가슴.
냉:각[1]【冷却】명 ①더운 물건을 차게 함. ②아주 식어서 차게 됨. ③애정·정열·흥분 등의 기분을 가라앉힘. ④〖물〗높은 방사성을 가진 물질을, 그 방사능이 원하는 수준으로 감소될 때까지 방치해 두는 일. ——-하다 자타여불
냉:각[2]【冷覺】명〖생〗피부의 표층(表層)보다 낮은 온도 자극에 의해서 피부가 느끼는 차가운 감각(感覺). 감수 기관(感受器官)은 냉점(冷點)임. 한각(寒覺). ↔온각(溫覺). *모순(矛盾) 냉각.
냉:각 곡선【冷却曲線】명〖화〗고온도의 물체가 주위에 열을 빼앗겨 온도가 내려가는 상태를 시간과 온도와의 관계로써 표시한 곡선.
냉:각 과:정【冷却過程】명〔cooling process〕〖공〗작동 유체 또는 고체가 열을 빼앗기는 물리적 과정. 액체의 증발, 기체의 팽창, 냉각액으로의 복사(輻射) 또는 열교환 등등의 작용으로 일어남.
냉:각-기[1]【冷却期】명 ↗냉각 기간.
냉:각-기[2]【冷却器】명〖기〗①〔refrigerator〕 열기관(熱機關)의 저온도원(低溫度源)을 이름. 또, 실용상 냉각 목적에 사용하는 냉동기를 이름. ②〔cooler〕기관의 과열을 방지하기 위한 공기 냉각 또는 수(水)냉각 장치를 이름. 또, 응축기(凝縮器)의 뜻으로도 쓰임.
냉:각 기간【冷却期間】명〔cooling time〕〖사〗노동 쟁의(勞動爭議) 개시 전에 설정하는 유예 기간. 쟁의 발생 신고를 노동 위원회에 한 날로부터 일반 사업에 있어서는 10일, 공익 사업에 있어서는 15일 동안인데, 이 동안에는 파업(罷業) 기타의 쟁의 행동을 하여서는 아니됨. 정쟁(政爭) 등의 일반 분쟁(紛爭)에도 쓰임. 준냉각기.
냉:각능 풍속계【冷却能風速計】명〔cooling power anemometer〕〖공〗가열 물체로부터의 열의 전달은 공기 속도의 함수라는 법칙에 의해서 제 기능을 하는 풍속계.
냉:각 법칙【冷却法則】명〔law of cooling〕〖물〗한 물체와 주위의 매질(媒質)과의 온도의 차가 별로 크지 아니할 때, 열의 복사(輻射)에 의해서 잃는 열량이나 냉각 속도는, 그 온도의 차와 비례한다는 뉴턴(Newton)의 법칙. 뉴턴의 냉각 법칙.
냉:각 변형력【冷却變形力】[—녁] 명〔cooling stress〕〖역학〗금속 따위가 냉각될 때, 불균일한 온도 분포 때문에 불균일한 수축을 일으켜서 일어나는 변형력.
냉:각 소화【冷却消火】명 연소 물체의 온도를 저하시켜서 불을 끄는 방법. ↔질식(窒息) 소화·파괴(破壞) 소화.
냉:각-수【冷却水】명 과열된 기계를 차게 식히는 물.
냉:각 시:험【冷却試驗】명〔cold test〕〖공〗어떤 종류의 기름의 특성 시험. 기름이 고체가 되는 온도를 측정함.
냉:각-액【冷却液】명〔coolant〕①기계 조작에 쓰이는 절삭용(切削用) 액체. ②발열 반응(發熱反應)의 냉매(冷媒)에 쓰이는 보통의 액체 물질. ③일반적인 냉각제의 총칭.
냉:각 장치【冷却裝置】명 ①냉각시키는 장치의 총칭. ②냉방(冷房) 장치.
냉:각-재【冷却材】명〔coolant〕〖물〗원자로 속에서 핵분열 반응으로 생긴 열을 제거하는 재료. 중수(重水)·경수(輕水)가 보통이며 금속 나트륨이 녹아서 액상(液狀)으로 된 것이나 공기·이산화탄소·헬륨(helium) 등 기체의 형태로 된 것도 있음.
냉:각-탑【冷却塔】명〖공〗화학 공업 같은 데서, 높은 곳으로부터 액체를 떨어뜨려 공기의 자연 통풍(通風) 또는 송풍기(送風機)에 의한 강제(強制) 통풍에 의하여 그 액체를 냉각시키는 장치. *냉수탑(冷水塔).
냉:각-핀【冷却—】〔fin〕명〖기〗외기(外氣)에 의하여 내부를 냉각할 때 그 표면적(表面積)을 최대 한도로 넓히어 냉각의 효과를 높이기 위하여 만들어 놓은 주름. 흔히, 공랭식 내연 기관(空冷式內燃機關)의 실린더에 사용함.
냉:각형 비행기운【冷却型飛行機雲】명〔exhaust trail〕〖기상〗항공기가 배출한 수증기가, 항적(航跡)의 공기와 혼합하여 포화(飽和)할 때 생기는 비행기운.
냉:간 가공【冷間加工】명〖공〗금속에 소성 가공(塑性加工)을 베풀 때에 재결정(再結晶) 온도보다 낮은 온도에서 하는 일. ↔열간(熱間) 가공.
냉:간 압연【冷間壓延】명〖공〗냉간 가공의 하나. 금속을 어느 온도 이하 또는 상온(常溫)에서 압연(壓延)하여 판상(板狀)·봉상(棒狀)으로 가공하는 일. 준냉연(冷延). ↔열간 압연(熱間壓延).
냉:간 압접【冷間壓接】명〖공〗압접법(壓接法)의 한 가지. 연질(軟質)의 금속을 압력만으로 또는 압력과 경미(輕微)한 가열(加熱)의 병용(併用)으로 용접시키는 방법. 알루미늄·구리·은(銀)·납 등의 금속에 이용함.
냉:간 처:리【冷間處理】명〔cold treatment〕〖야금〗−100°F의 온도에서 냉각하는 일.
냉:간 형성【冷間形成】명〔cold forming〕〖야금〗냉간에 의한 가공법의 총칭.
냉갈 명〈방〉①냉과리. ②내[1](전라).
냉:갈-령 명 몹시 인정머리없고 매정스러운 태도. ¶ ~을 부리다.
냉:갈령(을) 부리다 구 매정스러운 태도를 나타내다.
냉:감【冷疳】명〖한의〗감병(疳病)의 한 가지. 열이 나고 입이 마르고 마음이 편하지 아니하여 차가운 곳에 눕기를 좋아하며, 설사가 나고 점점 여위는 병증.
냉:감-증【冷感症】[—쯩] 명 여자의 성교욕(性交欲)이 결여된 상태. 육체적·정신적 원인으로 일어남. 불감증(不感症)과의 구별은 명확하지 아니함. 성교 무욕증(性交無欲症).
냉:감-창【冷疳瘡】명〖한의〗흔히 영양이 나쁜 어린 아이들에게 생기는 병. 처음에는 입가에 부스럼이 나서 점점 퍼지어 뼈까지 들어감.
냉거리 명〈방〉내[1](평안).
냉:건【冷乾】명 냉각(冷却)시켜서 말림. ——-하다 타여불
냉:경 주:물【冷硬鑄物】명 수레바퀴나 압연용(壓延用) 롤(roll)처럼, 거죽은 단단하고 쉬이 닳지 않으며, 안은 무르고 질긴 주물(鑄物)을 만들 경우에 거죽 부분에는 쇠로 만든 거푸집을 사용하여 주물의 냉각 속도를 빨리 하고, 안의 부분에는 모래로 만든 거푸집을 사용하여 냉각 속도를 느리게 하여 만든 주물.
냉:과[1]【冷果】명 사탕물에 절이어 냉각시킨 과실.
냉:과[2]【冷菓】명 빙과(氷菓).
냉:과리 명 덜 구워져서 연기와 냄새가 나는 숯.
냉:과-점【冷菓店】명 빙과점(氷菓店).
냉:관【冷官】명 보수가 적고, 지위가 낮은 보잘 것 없는 벼슬. 냉환(冷宦).
냉괄 명〈방〉내[1](평안).
냉:광【冷光】명 ①찬 빛. ②〔luminescence〕〖물〗온도 복사(溫度輻射) 이외의 발광 현상(發光現象). 화학 반응에 의하여 생기는 에너지가 열로 변하지 아니하고 직접 빛으로 변하여 열 없이 발광하는 현상. 화학 발광(化學發光).
냉:괴【冷塊】명 차가운 덩어리.
냉구리 명〈방〉내[1](평안).
냉:-국【冷—】[—꾹] 명 찬국.
냉:국 국수【冷—】[냉꾹—] 명 끓여서 식힌 맑은 장국에 국수를 말고 갖은 고명을 얹은 음식.
냉굴 명〈방〉내[1](함경·전남).
냉:-금전지【冷金箋紙】명 금가루를 뿌린 중국에서 나는 종이.
냉기[1] 명〈방〉나무[1](평안·함경).
냉:기[2]【冷氣】명 ①찬 기운. ②찬 공기. ③한랭(寒冷)한 기후. ↔온기(溫氣).
냉기다 타〈방〉남기다(평안·전라).
냉:-꾼 명 ☞ 내왕꾼.
냉:난【冷暖】명 차가움과 따뜻함. 식히는 일과 데우는 일.
냉:-난방【冷暖房】명 냉방과 난방. ¶ ~ 장치.

냉:난 자지【冷暖自知】명 차고 더운 것을 자기 스스로 안다는 뜻으로, 자기의 일은 남의 말을 듣지 아니하고도 자기 스스로 안다는 말.
냉냉이 명〈방〉〖식〗냉이(평안).
냉:-농양【冷膿瘍】명〖의〗한성 농양(寒性膿瘍).
냉:담[1]【冷淡】명 ①사물에 흥미나 관심을 보이지 아니함. ②동정심이 없고 불친절함. ——-하다 형여불. ——-히 부
냉:담[2]【冷痰】명〖한의〗담병(痰病)의 한 종류. 팔과 다리가 차고 마비되어서 근육이 군데군데 뭉치어 쑤시고 아픈 병. 곧, 사지(四肢)의 신경통(神經痛)과 같은 것. 한담(寒痰).
냉:대[1]【冷待】명 푸대접. ——-하다 타여불
냉:대[2]【冷帶】명〖지〗아한대(亞寒帶).
냉:돌【冷堗】명 불기없는 찬 온돌방. 냉방(冷房). 냉돌방.
냉:돌-방【冷堗房】[—빵] 명 냉돌.
냉:동【冷凍】명 냉각시켜서 얼림. ¶～ 식품. ——-하다 타여불
냉:동 건조【冷凍乾燥】명 진공(眞空) 중에서 수분(水分)을 함유한 세포를 급히 냉각하여 일단 얼려, 얼음을 승화(昇華)시켜서 건조하는 방법. 페니실린의 건조·분말 커피(粉末 coffee) 따위의 제조에 응용함. 동결 건조(凍結乾燥).
냉:동-고【冷凍庫】명 저온(低溫)에서 보존하기 위한 곳간. 냉장고에 비하여 특히 어는점 이하로 유지하는 것을 가리키는 일이 많음.
냉:동-기【冷凍機】명 가스(gas), 그 밖의 냉매(冷媒)에 의하여 낮은 온도를 얻어 액체를 냉각 또는 냉동시키는 기계의 총칭. 냉제(冷劑)로는 암모니아·이산화탄소·이산화황 등을 사용함.
냉:동기-유【冷凍機油】명〔refrigeration oil〕〖기〗수분(水分)과 납(蠟)을 완전히 제거한 광유(鑛油)의 일종. 냉동기의 윤활유로 쓰임.
냉:동-란【冷凍卵】[—난] 명 오래 저장하기 위해 냉동한 달걀. 보통, 껍질을 까서 흰자·노른자를 섞어 만든 난액(卵液)으로, 통조림을 만든 다음 −25° 내지 −30°C의 온도로 얼려서 −15°C로 저장함.
냉:동 마취【冷凍痲醉】명〖의〗사지(四肢)를 절단할 때, 절단하는 부분을 얼음에 채워 그 부분의 온도를 5°-15°C로 내려서 통각(痛覺)을 없애는 특수한 국소 마취 방법. *척추(脊椎) 마취·한랭(寒冷) 마취.
냉:동-법【冷凍法】[—뻡] 명 식품(食品)을 오래도록 신선하게 보존하거나 운반하기 위하여 얼리어서 저장하는 방법. 얼음이나 얼음과 소금과의 한제(寒劑) 또는 액체 암모니아 등을 씀.
냉:동 사이클【冷凍—】명〔refrigeration cycle〕〖열역학〗열을 냉체(冷體)로부터 흡수하여 열체(熱體)로 내보내는 열역학적 과정의 사이클.
냉:동-선【冷凍船】명 다른 어선이 잡은 어류를 인수(引受), 신선하게 시장에 공급하기 위하여 배 안에 냉장고와 동결실(凍結室)을 갖춘 배.
냉:동 쇠:고기【冷凍—】명〔frozen beef〕얼려서 보존한 쇠고기. 맛이 냉장(冷藏) 쇠고기만 못함.
냉:동 식품【冷凍食品】명 냉동하여 보존·저장하는 식품. 어개(魚介)·식육(食肉)·야채·과일·천연 과즙 등 많은 종류가 있는데 근래에는 가공 식품(加工食品)·조리 식품(調理食品)도 실용화되고 있음. 다만, 세포 조직과 단백질의 변성(變性)으로 품질이 떨어지는 수가 있음.
냉:동-실【冷凍室】명 식품을 장기간 보존하기 위하여 냉동시키는 냉장고의 한 부분.
냉:동 야:채【冷凍野菜】명 동결점(凍結點) 이하의 냉온(冷溫)으로 저장한 야채. 강낭콩·시금치·옥수수·호박 등의 저장에 이용됨.
냉:동-어【冷凍魚】명 부패를 막기 위하여 얼려서 저장한 물고기.
냉:동-업【冷凍業】명 ①제빙(製氷)·냉장(冷藏)·식료품 냉동 등 냉동기를 사용하는 영업의 총칭. ②생것의 식료품을 냉각 또는 동결(凍結)하고 냉장·보관하는 영업.
냉:동 외:과【冷凍外科】[—꽈] 명〔cryosurgery〕〖의〗동결에 의한 조직의 선택적 파괴. 액체 질소 탐침(液體窒素探針)을 파킨슨 증후군 환자의 뇌에 사용하는 경우 등이 이에 속함.
냉:동 응:축기【冷凍凝縮器】명〔refrigeration condenser〕〖기〗냉동계(冷凍系)에 있어서의 증기(蒸氣) 응축기. 여기서 냉매(冷媒)가 액화하여 주위에 열을 방산시킴.
냉:동-제【冷凍劑】명 냉동에 쓰는 한제(寒劑)나 암모니아 따위.
냉:동 제:염법【冷凍製塩法】[—뻡] 명 바닷물을 냉동한 다음 얼음을 제거하여 진한 염수(塩水)를 얻고, 이를 가열하여 식염을 만드는 방법.
냉:동-차【冷凍車】명 냉동 식품 등의 운반용으로 냉동 시설을 갖춘 트럭이나 화차.
냉:동-톤【冷凍—】명〔refrigeration ton〕〖기〗냉동 능력의 단위. 열이동 속도의 단위로서, 얼음 1미국톤을 24시간 사이에 똑같은 온도의 물로부터 만들어 내는 데 필요한 잠열(潛熱)과 같음. 약 3516.85 W에 해당함.
냉:락【冷落】[—낙] 명 ①영락(零落)하여 쓸쓸함. ②서로의 사이가 멀어져서 쓰렁쓰렁함. ¶수정이는 구참령의 ～한 대답을 듣고 한갓 세상을 버려 잊을 작정을 하여…《李海朝 : 花世界》. ——-하다 형여불
냉:랭【冷冷】[—냉] 명 ①매우 차가움. ②푸대접하는 태도가 심함. ——-하다 형여불 ——-히 부
냉:량【冷涼】[—냥] 명 약간 차갑고 서늘함. ——-하다 형여불
냉:리【冷痢】[—니] 명〖한의〗차고 습(濕)한 곳에서 몸을 함부로 굴려 배가 아프고 곱똥이 나오고 뒤가 땅기는 병. 장카타르(腸 Katarrh) 같은 병.
냉:림【冷痳】[—님] 명〖한의〗임질(痳疾)의 한 종류. 오줌을 눌 때 몸이 오슬오슬 춥고 요도(尿道)가 아픈 병.
냉:매[1]【冷媒】명 열교환기에서 열을 빼앗기 위하여 사용되는 전열(傳熱) 매체. 암모니아·프레온(freon) 등이 쓰임. ↔열매(熱媒).
냉:매[2]【冷罵】명 냉소(冷笑)하고 꾸짖음. ——-하다 타여불
냉:면【冷麪】명 찬국이나 또는 무 김치 국물 따위에 말아서 먹는 국수. 제육·편육(片肉)·배추 김치나 무 김치쪽·오이·무 생채(生菜) 따위를 섞어 말아 배를 썰어서 얹고, 알고명·잣·고춧가루를 뿌리고 겨자와 초(醋)를 침. 여름에는 얼음을 넣기도 함. 국수는 흔히 메밀 국수를 사용함. ↔온면(溫麪).
냉:반【冷飯】명 찬밥.
냉:반-단【冷飯團】명〖한의〗비해(萆薢).
냉:-받치다【冷—】자 ①몸 속에서 냉기가 올라오다. ②논바닥의 냉기가 벼에 오르다.
냉:방【冷房】명 ①찬 방. 냉실(冷室). ②방안을 차게 하는 일. ¶～ 시설. ↔난방(暖房).
냉:방-병【冷房病】[—뼝] 명〖의〗냉방으로 인하여 일어나는 병. 냉방 장치를 한 방의 안팎의 온도차가 스트레스(stress)가 되어 일어난다고 생각됨. 일반적으로 남성보다 여성에게 많음.
냉:방 부:하【冷房負荷】명〔cooling load〕〖기〗냉각 기구에 의해, 단위 시간에, 어떤 계(系)로부터 제거하지 않으면 안 되는 열에너지의 총량. 이것은 사람·기계·공정(工程)이 발하는 열량과 냉각 기계 밖에서 그 계로 유입하는 정미 열량(正味熱量)의 합과 같음.
냉:방 장치【冷房裝置】명 낮은 온도를 얻어 방안을 차갑게 하는 장치. 액체 암모니아를 기화(氣化)시켜 동시에 액화(液化)시키는 기화 압축식(壓縮式) 냉방 장치와, 산성 백토(酸性白土)를 가공하여 만든 아드솔(adsol)의 흡습성(吸濕性)을 이용하여 건조(乾燥) 공기를 만들어 이것을 냉각시킨 후에 실내에 보내는 냉방 장치가 흔히 쓰임. 냉각 장치. ——-하다 자여불
냉:-배【冷—】[—빼] 명〖한의〗냉병으로 일어나는 배앓이. 냉복통(冷腹痛).
냉:-병【冷病】[—뼝] 명〖한의〗하체(下體)를 차게 하여 생기는 병의 총칭. 장염·자궁병(子宮病) 같은 것. 냉증(冷症). *냉(冷).
냉:-복통【冷腹痛】명〖한의〗냉배.
냉:비【冷痺】명〖한의〗찬 기운 때문에 손발이 남의 살처럼 감각이 없어지는 병. 또, 그렇게 되는 일. ——-하다 자여불
냉:산의 혼【冷山—魂】[—/—에—] 명〔중국 송나라의 지사(志士) 홍호(洪皓)가 금(金)나라에 붙들려 가 3년간이나 냉산(冷山)에서 귀양살이를 하다가 겨우 살아 돌아왔으나 간신들에게 몰려 옥사한 고사에서 유래. 냉산은 중국 황룡부(黃龍府) 북쪽에 있는 산〕갖은 고생을 하며 애쓰다가 뜻을 이루지 못하고 죽은 사람.
냉:상【冷床】명 인공(人工)으로 열을 공급하지 아니하는 자연적인 묘상(苗床). ↔온상(溫床).
냉:색【冷色】명 한색(寒色).
냉:성【冷性】[—썽] 명 냉담한 성질. ↔열성(熱性).
냉:소【冷笑】명 쌀쌀한 태도로 업신여겨 비웃음. 또, 그러한 웃음. 찬웃음. ¶타인의 ～를 사다. ——-하다 자타여불
냉:수【冷水】명 데우지 아니한 맹물. 찬물. ↔온수(溫水).
[냉수도 불어 먹겠다] 지나치게 조심스럽고 세심한 사람을 두고 이르는 말. [냉수 먹고 갈비 트림 한다] 속은 아무 것도 없으면서 잘난 체, 있는 체 거드름을 피운다는 말. [냉수 먹고 된똥 누다] 아무 건더기도 없는 재료를 가지고 실속 있는 결과를 만들어 냄을 이르는 말. [냉수 먹고 이 쑤시기] 실속은 없이 겉으로만 있는 체함을 이르는 말. [냉수에 뼈 뜯이] 싱겁고 멋없는 사람을 이르는 말.
냉:수 먹고 속 차리다 구 정신 차리다.
냉:-수괴【冷水塊】명〖지〗냉수역(冷水域)을 커다란 물의 덩이로서 일컫는 딴이름.
냉:수-권【冷水圈】[—꿘] 명〔cold water sphere〕〖해〗온도가 8°C 이하의 해수(海水) 부분.
냉:수 냉:각【冷水冷却】명〔hydrocooling〕〖식품〗신선한 과실·야채 등속을, 얼음으로 차게 한 냉수에 담가서 채우는 일.
냉:수 마찰【冷水摩擦】명 찬물에 적신 수건으로 온 몸의 피부를 문질러 혈액 순환을 활발하게 하는 건강법. 피부를 튼튼히 하여 감기를 예방하며, 정신 작용을 활발하게 하는 효과가 있음. ——-하다 자여불
냉:수성 어류【冷水性魚類】[—썽—] 명 한류성 어류(寒流性魚類).
냉:수-스럽다【冷水—】형(ㅂ불) 사람이나 일이 매우 싱겁고 굵어서 아무 재미가 없다. 냉:수-스레【冷水—】부
냉:수-암【冷水岩】명〖지〗함경 남도 영흥군(永興郡) 횡천면(橫川面)에 있는 산봉우리. [1,129 m]
냉:-수역【冷水域】명〖지〗해류(海流) 사이에 생기는 해수온(海水溫)이 낮은 해역(海域). 냉수괴(冷水塊).
냉:수-욕【冷水浴】명 찬물로 목욕함. ——-하다 자여불
냉:수-탑【冷水塔】명〖공〗물을 냉각시키는 냉각탑(冷却塔).
냉:습【冷濕】명 ①차고 누짐. ②〖한의〗냉기와 습기 때문에 나는 병증. ——-하다 형여불
냉:시【冷視】명 차가운 눈초리로 봄. 멸시함. ——-하다 타여불
냉:식 석회 소:다법【冷式石灰—法】[—뻡] 명〔cold lime-soda process〕〖공〗물을 탄 석회로 처리하는 물의 연화법(軟化法). 석회는 녹아 있는 칼슘이나 마그네슘의 화합물과 반응해서 침전물을 만들며, 침전물은 제거됨.
냉:-식자【冷植字】명 사진 식자기나 타이프라이터 인자(印字)에 의한 조판(組版) 작업. *기계 식자.
냉:신【冷神】명〖생〗피부 신경이 찬 것을 감식하는 기능. ↔온신.
냉:실【冷室】명 ①찬 방. 냉방(冷房). ②냉방 장치를 한 방. ↔온실(溫室).
냉:안【冷眼】명 차가운 눈초리. 멸시하여 보는 눈.
냉:안-시【冷眼視】명 차가운 눈초리로 봄. 멸시함. ——-하다 타여불
냉:암[1]【冷菴】명〖사람〗유득공(柳得恭)의 호(號).
냉:암[2]【冷暗】명 온도가 차고 어두움. ——-하다 형여불
냉:약【冷藥】명〖한의〗환부(患部)를 냉각하는 데 쓰이는 약. 택사(澤瀉) 같은 것.

냉:어【冷語】명 냉담한 태도로 하는 말. 매정하게 하는 말. 냉화(冷話). ——-하다 자여불

냉:엄【冷嚴】명 냉정하고 엄격함. ——-하다 형여불. ——-히 부

냉:엄-법【冷罨法】[—뻡] 명《의》 냉찜질. 찬찜질. ↔온엄법(溫罨法).

냉:연¹【冷延】명 ↗냉간 압연(冷間壓延). ↔열연(熱延).

냉:연²【冷然】명 태도가 쌀쌀함. ——-하다 형여불. ——-히 부

냉:-연신【冷延伸】명 ①〔cold drawing〕《섬유》 저온에서 나일론 따위 섬유를 잡아 늘이는 일. ②〔cold stretch〕《공》 인장 강도(引張強度)를 향상시키기 위해서, 밀어 내어진 필라멘트에 실시하는 연신 조작.

냉:-열【冷熱】명 ①차가움과 더움. ②냉담(冷淡)과 열심.

냉:열 발전【冷熱發電】[—쩐] 명 프로판 가스를 이용한 발전 방식의 하나. 프로판 가스를 영하(零下) 50°C로 냉각(冷却)하여 액체로 만들었다가 다시 상온(常溫)으로 환원(還元)할 때 발생하는 강력한 팽창 에너지를 발전에 이용하는 것.

냉:열 이:용 산:업【冷熱利用產業】명《경》 액체 산소·액체 질소·액화 천연 가스 등이 갖는 방대한 기화 잠열(氣化潛熱)을 이용하는 산업. 액체 산소·액체 질소의 냉열을 이용한 냉동결법(冷凍結法) 등이 이것임.

냉:염¹【冷炎】명 〔cool flame〕《화》 보통의 화염보다 훨씬 낮은 온도에서 일어나는 약한 발광(發光) 현상. 에테르 증기(ether 蒸氣)와 산소의 혼합물을 천천히 가열할 경우 등에 볼 수 있음. 「여불

냉:염²【冷艶】명 차고 고움. 눈(雪)·오얏꽃 따위의 형용. ——-하다 형

냉:염 물감【冷染—】[—깜] 명《화》 불용성(不溶性)의 아조(azo) 물감. 디아조 반응(diazo 反應)에 의하여 섬유(纖維) 위에 색소(色素)를 발생시킴. 빙염(氷染) 물감. 아이스 물감.

냉:온【冷溫】명 ①찬 기운과 따뜻한 기운. ¶ ~ 겸용. ②찬 온도.

냉:-온대【冷溫帶】명《지》 아한대(亞寒帶).

냉:온대 대:륙 기후【冷溫帶大陸氣候】명《지》 여름에는 제법 덥고 상당한 식물 생육 기간을 갖는 기후. 겨울이 길고 강이나 호수가 얼어 버림. 냉온대 남부에서 볼 수 있음. 유라시아(Eurasia)에서는 중부 시베리아에서 만주까지, 북아메리카에서는 앨버타(Alberta)에서 뉴잉글랜드에까지 걸쳐 널리 이런 기후를 보임. 이 기후의 지방에서는 짧은 기간에 자라서 익는 농작물이나 내한성 작물(耐寒性作物)을 재배함.

냉:온-성【冷溫星】명 〔cool star〕《물》 저온의 별. 보통, 전자파(電磁波)의 적외역(赤外域)에서 관측이 가능함.

냉:우¹【冷雨】명 찬 비.

냉:우²【冷遇】명 냉담한 대우. 푸대접. ——-하다 타여불

냉:육【冷肉】명 소·돼지·닭 등의 고기를 찐 다음에 그대로 식힌 것. 콜드 미트(cold meat).

냉:-음극【冷陰極】명《물》 기체(氣體)의 전리(電離)를 이용하여, 전자류(電子流)를 끌어내도록 장치된 음극.

냉:음극-관【冷陰極管】명 〔cold-cathode tube〕《전》 냉음극 전류기·네온관·광전관(光電管) 또는 전자 조정기 등과 같이 냉음극을 가진 전자관(電子管).

냉:음극 방:출【冷陰極放出】명《전》 냉전자(冷電子) 방출.

냉이¹ 명《식》 [*Capsella Brusa-pastoris*] 겨잣과에 속하는 월년초. 줄기 높이는 50 cm 가량이고 근생엽(根生葉)은 총생(叢生)하고 유병(有柄)에 우상(羽狀)으로 깊이 째지고, 경엽(莖葉)은 무병(無柄)에 긴 타원형임. 5-6월에 흰 사판화(四瓣花)가 총상(總狀) 화서로 정생(頂生)하고, 열매는 삼릉(三稜)으로 납작함. 들에나 밭에 나는데, 한국·일본 및 북반구(北半球)의 온대 지방에 분포함. 어린 잎은 국을 끓이어 먹 └음. 제채(薺菜).

〈냉이¹〉

냉이² 명 〈방〉 나무¹(함북).

냉이-벌레 명《충》 방패벌레.

냉이-싹 명《식》 냉이의 싹. 초봄에 국을 끓여 먹음.

냉잇-국 명 냉이를 고추장이나 토장(土醬)국에 넣고 끓인 국. 제탕(薺湯).

냉:장¹【冷腸】명 차가운 창자라는 뜻에서, 애정이 없는 또는 친절하지 못한 마음을 이름. 또, 그런 사람. 박정(薄情).

냉:장²【冷藏】명 식료품(食料品)이나 약품 같은 것의 부패를 막고 또는 냉각하기 위해서 냉장고 등을 사용하여 냉온(冷溫)에서 저장하는 일. ——-하다 타여불

냉:장-고【冷藏庫】명 식품 따위를 냉각시키거나 부패를 막기 위하여 저온으로 저장하는 상자. 단열재(斷熱材)를 써서 외기(外氣)와 절연(絕緣)시키고, 전기·가스·얼음 따위로 내부를 저온으로 함.

냉:장-법【冷藏法】[—뻡] 명 식품을 0°-4°C로 저장하는 방법. 일반 식품의 단기(短期) 저장에 널리 이용됨.

냉:장 쇠:고기【冷藏—】명 〔chilled beef〕 0°C 가량의 저온으로 보존된 쇠고기. 냉동(冷凍) 쇠고기에 비해 맛이 덜 손상(損傷)됨.

냉:장 수송【冷藏輸送】명 화물의 변질·부패를 방지하기 위하여, 냉장 시설을 갖춘 냉장차 등에 의하여 수송하는 일.

냉:장-실【冷藏室】명 식품 따위를 저온(低溫)에서 저장하는 방.

냉:장-차【冷藏車】명 선어(鮮魚)·냉동 식품 등의 수송에 쓰이는 단열(斷熱) 구조의 차체(車體)를 가진 화차나 자동차. 차체는 이중 구조로 되어 있고 사이에 보랭(保冷)을 위하여 열절연재(熱絕緣材)를 시설하고 있음. 얼음 탱크를 장비한 것이나 냉동 장치를 갖춘 것도 있음.

냉:장 침산【冷藏浸酸】명 잠란(蠶卵)의 인공 부화법의 하나. 산란 후, 잠란을 20-70일쯤 냉장한 뒤, 출고(出庫)하여 염산(塩酸)에 적셔 부화시키는 일. 봄에 채종(採種)된 잠란에 행하여져서 하잠(夏蠶)·추잠(秋蠶)이 됨.

냉:재【冷材】명《한의》 찬 성질을 가진 약재(藥材). 양재(涼材). 찬약.

냉:적【冷積】명《한의》 뱃속에 냉기가 뜬뜬하게 뭉치어 아픔을 느끼는 냉병. 배 안의 종기로나 부녀자의 장관 경련(腸管痙攣)으로 말미암아 졸아들면서 뭉치는 병증.

냉:전【冷戰】명 〔cold war〕《정》 무기는 쓰지 아니하나 전쟁을 연상하게 하는 국제간의 심한 대립 항쟁(抗爭). 1947년 미국의 시사 평론가 리프먼(Lippmann)이 제 2차 세계 대전 후의 미소 관계를 표현한 말. 콜드 워(cold war). ↔열전(熱戰).

냉:전자 방:출【冷電子放出】명《전》 고체의 표면에, 전자를 밖으로 끌어내는 방향의 강한 전장(電場)이 작용하였을 때의 전자 방출. 냉음극(冷陰極) 방출. *열전자 방출.

냉:절【冷節】명 한식(寒食) 철.

냉:점【冷點】[—쩜] 명 〔cold spots〕《생》 감각점(感覺點)의 하나로 피부나 점막(粘膜)에 퍼져 있어 냉각을 느끼게 하는 점. 몸의 부분에 따라 다르지만 평균 그 밀도(密度)는 1 cm²에 6-23개 정도임. 한점(寒點). ↔온점(溫點).

냉:정¹【冷情】명 매정하고 쌀쌀함. ——-하다 형여불. ——-히 부

냉:정²【冷靜】명 감정에 흐르지 아니하여 침착하고 사물에 동(動)하지 아니함. ——-하다 형여불. ——-히 부

냉:정-스럽다【冷情—】형ㅂ불 냉정해 보이다. 냉:정-스레【冷情—】부

냉:-정창【冷疔瘡】명《한의》 피부에 좁쌀알 같은 것이 생겨 점점 곪아 퍼져 들어가서 나중에는 살과 뼈까지 범(犯)하는 종기. 결핵성(結核性) 부스럼 같은 것. 「르는 힘을 가짐. 양제(涼劑).

냉:제【冷劑】명《한의》 성질이 찬 약제. 사람의 몸의 생리적 활동을 누

냉:조¹【冷嘲】명 멸시하여 조롱함. ——-하다 타여불

냉:조²【冷竈】명 자주 밥을 짓지 못하는 구차한 집의 부뚜막.

냉:주【冷酒】명 찬 술.

냉중 명부 〈방〉 나중(황해·함경·경상).

냉:증【冷症】[—쯩] 명《한의》 냉병(冷病).

냉:-지【冷地】명 ①찬 땅. ②기후가 찬 지방이나 토질(土質)이 찬 땅.

냉:-찜질【冷—】명 아픈 곳을 차게 하여 환부(患部)의 혈관을 수축시키고, 피의 순환을 느리게 하여서 염증의 확대를 막고 진통(鎭痛)과 소염(消炎)의 효과를 얻는 찜질. 찬찜질. 냉엄법(冷罨法). ——-하다 자타

냉:차【冷茶】명 얼음을 넣거나 얼음에 채워 차게 만든 찻물. └여불

냉:채【冷菜】명 전복·해삼·닭고기 같은 것과 오이·동아·배추 같은 채소를 섞고 얼음을 넣어 차게 하여 먹는 채.

냉:처【冷處】명 찬 방에 거처함. ——-하다 자여불

냉:천¹【冷天】명 추운 날씨.

냉:천²【冷泉】명 ①찬 샘. ②온천보다 온도가 낮은 광천(鑛泉). 25°C 이하 또는 35°C 이하의 것을 가리킴. ↔온천(溫泉).

냉:철¹【冷徹】명 냉정하고 투철함. ——-하다 형여불. ——-히 부

냉철² 부 〈방〉 늘(함경).

냉초¹【—草】명《식》 [*Veronica sibirica*] 현삼과에 속하는 다년초. 줄기 높이는 1 m 내외이고, 잎은 긴 타원형 또는 피침형인데 3-8개가 윤생(輪生)함. 6-8월에 홍자색의 꽃이 총상(總狀) 화서로 줄기 끝에 피고, 과실은 삭과(蒴果)로 달걀꼴임. 산지에 나는데, 한국 중부 이북에 분포함. 뿌리는 약용, 어린 잎은 식용함.

〈냉초¹〉

냉:초²【冷峭】명 ①몹시 추움. ②하는 말이 칼날같이 준엄함. ——-하다 형여불

냉:축【冷縮】명《물》 기체를 상압(常壓) 또는 가압(加壓)하에서 냉각하여, 어떤 조건에서 액화(液化)하는 성분을 분리하는 조작(操作).

냉:-치다【冷—】자 냉병을 다스리다.

냉:침【冷浸】명 꽃으로부터 정유(精油)를 채취하는 방법의 하나. 유리판 따위의 위에, 우지(牛脂)나 올리브유(油)를 바르고, 이에 꽃잎을 붙여서 향기(香氣) 성분을 흡취(吸取)함. 그 다음 에탄올을 써서 향기의 성분과 기름을 분리하여 정유를 만듦. 공정(工程)중 가열하는 일이 없으므로 최고급의 향료를 얻을 수 있음. 장미·제비꽃 따위에 씀.

냉:-커:피【冷—】〔coffee〕명 얼음을 넣어 차게 만든 커피.

냉컨-짝 명 〈방〉 남쪽(함경·평안).

냉큼 부 앞뒤를 헤아리지 아니하고 곧. 머뭇거리지 아니하고 재빨리. 빨리. ¶ ~ 놓거라. <닁큼.

냉큼-냉큼 부 앞뒤를 돌보지 아니하고 잇따라 빨리. 머뭇거리지 아니하고 잇따라 재빨리. <닁큼닁큼.

냉:탕【冷湯】명 찬물의 탕. ↔온탕(溫湯).

냉:태 정지【冷態停止】명 〔cold shutdown〕 원자력 발전을 정지함에 있어, 원자로가 100°C 이하가 되고 노(爐) 안의 핵반응(核反應)이 완전히 정지된 상태. 「타여불

냉:평【冷評】명 ①냉소하여 평함. ②냉철한 태도로 평(評)함. ——-하다

냉:풍【冷風】명 가을이나 이른봄의 싸늘한 바람.

냉:-하다【冷—】형여불 ①싸늘하다. 차다. ②《한의》 병으로 아랫배가 차다. ③《한의》 약재의 성질이 차다.

냉:한¹【冷汗】명 식은땀❶.

냉:한²【冷寒】명 한랭(寒冷). ——-하다 형여불

냉:항【冷巷】명 쓸쓸한 길거리.

냉:해【冷害】명 ①한랭(寒冷)에 의한 피해. ②《농》 냉기(冷氣)가 보통 때보다 일찍 와서 입는 농작물의 피해. ¶ ~ 대책.

냉:혈¹【冷穴】명 땅의 냉한 습기가 찬 무덤 속.

냉:혈²【冷血】명 ①《동》 체온(體溫)이 외기(外氣)보다 낮은 일. 찬피. ↔온혈(溫血). ②《한의》 찬 기운으로 말미암아 뱃속에 뭉친 피. ③따뜻한 인정이 없음.

냉:혈 동:물【冷血動物】명 ①《동》 항온(恒溫) 동물인 포유류(哺乳類)·

조류(鳥類)를 온혈(溫血) 동물이라고 하는 데 대하여, 그 외의 변온(變溫) 동물을 말함. 좁은 뜻으로는 파충류(爬蟲類)·양서류(兩棲類)·어류(魚類)만을 가리킬 때도 있음. 체온이 사람의 체온보다 낮아 만지면 차게 느껴지는 데서 붙여진 이름임. 변온(變溫) 동물. 찬피 동물. 부정온(不定溫) 동물. ↔온혈(溫血) 동물. ②인정이 없고 냉혹한 사람의 비유.

냉혈-성【冷血性】[一썽] 명 변온성(變溫性).

냉:혈-한【冷血漢】명 인정이 없이 냉혹한 남자.

냉:혹【冷酷】명 인정이 없고 혹독함. 박정하고 가혹함. ——-하다 형여불. ——-히 부

냉:화【冷話】명 냉어(冷語). ——-하다 자여불

냉:환【冷宦】명 냉관(冷官).

냉:회【冷灰】명 불기운이 도무지 없는 차디찬 재.

냉:훈-법【冷燻法】[一뻡] 명 식품 저장법의 하나. 15°-30°C에서 수지(樹脂)가 적은 활엽수의 연기에 3-4주간 그을려서 탄소의 방부성(防腐性)을 이용하는 저장법. 마른 소시지 등이 이에 속함.

-냐 어미 '있다'·'없다'·'계시다'를 제외한 받침 없는 형용사 및 서술격 조사 '이다'의 어간에 붙어 '해라'할 자리에 묻는 뜻을 나타내는 종결 어미. ¶빛깔이 고우~/배가 고프~/그게 뭐~/오늘이 무슨 요일이~. *-느냐·-으냐·-니·-으니.

-냐고 어미 ↗-냐 하고. ¶얼마나 기쁘~ 묻더라/누구~ 묻다. *-고·-느냐고·-으냐고.

-냐는 어미 ↗-냐고 하는. ¶아프~ 물음에 머리를 끄덕이었다/무엇이~ 물음에 대답하였다. *-느냐는·-으냐는.

-냔 어미 ①↗-냐고 한. ¶얼마나 예쁘~ 찬사를 들었다/그래도 남자~ 핀잔에 화가 났다. ②↗-냐고 하는. ¶얼마나 크~ 말이다/뭐~ 말이야. *-느냔·-으냔.

냘:[1] 명〈방〉내일(경상).

-냘 어미 ↗-냐고 할. ¶설탕을 치지 않고 왜 쓰~ 수 있느냐/이제 와서 이게 친구의 도리~ 수 있어. *-느냘.

냠-냠 ⊟명〈소아〉맛있는 음식. ⊟부〈소아〉맛있는 음식을 먹으면서 내는 소리.

냠냠-거리다 자〈소아〉①맛있게 먹다. ②얌냠 소리를 자꾸 내다.

냠냠-이 명〈소아〉먹고 싶어하는 음식.

냠냠이-대다 타〈소아〉어린 아이들이 음식을 먹다. 또, 맛있게 먹다.

냠냠-하다 자여불〈소아〉①먹고 난 후에 부족하여서 입맛을 다시며 더 먹고 싶어하다. ②가지고 싶어하다.

냥【兩】의명 수사 밑에 쓰이어 돈 또는 중량의 단위를 나타내는 말. 한 냥은 한 돈의 열곱. ¶돈 열~/금 한~.

냥구다 타〈방〉남기다(경북).

냥-돈【兩一】[一똔] 명 한 냥쯤 되는 돈.

냥식 명〈옛〉양식. ¶냥식 냥(糧)《石千 35》.

냥-쭝【兩一】의명 냥의 무게. ¶은 한~.

냥쯔관【娘子關】명〔지〕중국 산시(山西)·허베이 성(河北省)의 경계를 이루는 관문. 스타이(石太) 철도가 이곳을 지나 허베이(河北) 평원에서 산시 산지로 들어감. 옛날에는 군사상의 요충(要衝)이었음.

냥창 명〈방〉벼랑(함북).

냥태 명〈방〉〔어〕양태.

너[1] 인대 친구나 손아랫사람에게 쓰는 대칭(對稱) 대명사. ↔나. 【너는 용(龍) 빼는 재주가 있느냐】뾰족한 재주도 없이 남을 흉보는 사람에게 핀잔으로 쓰는 말. 【너하고 말하느니 개하고 말하겠다】말귀를 알아듣지 못하는 상대에게 핀잔을 주는 말.

너:[2] 관 '넷'의 뜻의 관형사(冠形詞) '네'의 특별한 용법. ㄷ·ㅁ·ㅂ·ㅍ·ㅎ 등을 첫소리로 하는 명사의 앞에 쓰임. ¶~돈/~말/~발/~푼/~홉. *넉².

너가리 명〈방〉넋(함경).

너겁 명 ①괸 물 위에 떠서 몰려 있는 티끌이나 지푸라기·잎사귀 따위. ②물가에 흙이 패어 드러난 풀이나 나무의 뿌리.

너겟〔nugget〕명 뼈를 바른 닭고기에 빵가루를 입혀 기름에 튀긴 음식. 치킨 너겟. 「1」.

너고리 명〈옛〉너구리. =넝우리. ¶너고리 똥(汝古里叱同:獺糞)《牛方

너구리 명 ①〔동〕[*Nyctereutes procyonoides*] 갯과에 속하는 동아시아 특산의 동물. 몸길이 50-68cm, 꼬리 13-20cm. 체모(體毛)는 길고 황갈색이며, 등의 중앙과 어깨에는 검은 털이 많아 불명확한 십자형(十字形)을 이루고 있음. 얼굴·목·가슴 및 사지(四肢)는 흑갈색임. 여우보다 작고 살이 쪘으며, 발은 짧고 주둥이는 끝이 뾰족하며 꼬리는 뭉뚝함. 낮에는 바위나 나무 구멍 같은 곳에서 자고, 밤에 나와서 쥐·개구리·뱀·게·곤충을 잡아먹거나 과실·고구마 같은 것을 찾아 먹음. 5-6월에 바위 구멍에 4-5마리의 새끼를 낳음. 둔하여 경계심이 적고, 총에 맞으면 놀라 가사(假死) 상태를 취함. 모피는 방한용 또는 필모(筆毛)로 쓰이나, 고기는 냄새가 심해서 식용에는 그리 쓰이지 않음. 중국·한국·일본·우수리·홋카이도에 분포(分布)함. 산달(山獺). ②〈속〉규정 요금보다 싼 수수료를 받고, 차표를 사지 않은 철도 여객이 무사히 여행할 수 있도록 주선하여 주는 협잡꾼.
너구리-같다 구 사람됨이 음흉하고 능청스럽다.

〈너구리❶〉

너구리-거미 명〔동〕[*Anahita fauna*] 너구리거밋과(科)에 속하는 거미의 하나. 몸길이 7-10mm 내외이고, 두흉부(頭胸部)는 황색에 농갈색의 띠무늬가 두 개 있으며, 눈의 주위는 흑색, 복부는 대갈황색에 두 개의 흑갈색 세로 무늬와 몇 쌍의 가로 무늬가 있음. 수렵성(狩獵性)이고, 들이나 풀밭에 서식하는데, 한국·일본·대만에 분포함. 어리염낭거미.

너그-떼다 타〈방〉으르다(함경).

너그러-이 부 너그럽게. ¶~용서하다.

너그럽다 형ㅂ불 [중세: 어그럽다. 근대: 너그럽다] 마음이 넓고 크다. 「관대(寬大)하다. ↔옹졸하다.

너글너글-하다 [一러一] 형여불 마음씨가 시원스럽게 풀리고 너그럽다. ¶너글너글하게 굴다/얼굴이 돋보이는 중에 너글너글하고도 어여쁘게 보이는 두 눈.

너기다 타〈옛〉여기다. =녀기다. ¶내 百姓 어엿비 너기샤(我愛我民)《龍歌 50章》.

너기쁘다 타〈옛〉여기다. 의심하다. ¶ㅎ다가 저그나 너기쁘면 믄득 어긔리라《龜鑑 上 3》.

너깃〔nugget〕명〔광〕사금(砂金) 광산에서 산출되는 금덩어리.

너-까짓 관〈방〉네까짓.

너:께 명〈방〉지난번. 저번(평안).

너끈-하다 형여불 무엇을 하는 데 힘이 넉넉하여 여유가 있다. ¶너끈하게 턱걸이를 열 번이나 해내다. 너끈-히 부

너끔-하다 형여불 ☞누꿈하다. ¶저편 쪽에서 한동안 쌀을 파느라고 분주히 서두르던 탐삭부리 한 참봉이 가게가 너끔하니까 손바닥을 탁탁 털면서 이편으로 가까이 온다《蔡萬植: 濁流》.

너나-들이 명 서로 너니 나니하고 부르며 터놓고 지내는 사이. 이여(爾汝). ¶그와 나는 ~하는 사이다/사내는매월이와는 트고 지내는 사이인듯 ~였다《金周榮: 客主》. ——-하다 자여불

너나-없다 [一업一] 형 너나 나나 다름이 없다.

너나-없이 [一업씨] 부 너나 나나 가릴 것 없이 모두. 네오내오없이.

너나할것-없다 [一업一] 형 너는 어떠하고 나는 어떠하다고 구별하여 말할 것이 없다.

너나할것-없이 [一업씨] 부 너나할것없게. ¶~다 나쁘다.

너널 명 추울 때에 신는 커다란 솜 덧버선.

너누룩-이 부 너누룩하게. 준너눅이.

너누룩-하다 형여불 ①떠들썩하던 것이 잠시 조용하다. ②심하던 병세가 잠시 가라앉다. ¶계놈이는 겁나던 맘이 너누룩하여져서 갑이 앞에 꿇어 앉았다《洪命憙: 林巨正》. 준너눅하다.

너눅-이 부 ↗너누룩이.

너눅-하다 형여불 ↗너누룩하다.

너느 관〈방〉여느(평안).

너니룩-하다 형여불 ☞너누룩하다.

너댓 수관 ☞네댓.

너더-댓 수관 넷이나 다섯 가량. '네댓'보다 더 막연히 일컬을 때 씀. 「¶~사람 모였다.

너더댓-새 명 나흘이나 닷새 가량. '네댓새'보다 더 막연함.

너더댓-째 수 넷째나 다섯째쯤.

너더분-하다 형여불 ①여럿이 뒤섞이어서 지저분하다. ②말이 번거롭고 길다. 1)·2):>나다분하다. 너더분-히 부

너덕-너덕 부 군데군데 고르지 아니하게 깁거나 덧붙인 모양. ¶벽보가 ~붙어 있다. >나닥나닥. ——-하다 형여불

너덜[1] 명 ↗너덜겅.

너:덜[2] 인대〈방〉너희들(평안·함경).

너덜-거리다 자 ①여러 가닥이 늘어져서 자꾸 흔들리다. ②주제넘은 말과 짓을 야단스럽게 하다. 1)·2):ㅆ너털거리다. >나달거리다. 너덜-너덜 부. ——-하다 자타여불

너덜-겅 명 돌이 많이 흩어져 덮인 비탈. 준너덜.

너덜-나다 [一라一] 자 여러 가닥으로 갈기갈기 어지럽게 찢어지다.

너덜-대다 자 너덜거리다.

너덜코-박쥐 명〔동〕참관박쥐.

너덧 수관 넷 가량. ¶~개/~사람.

너덧-째 수 넷째쯤 되는 차례.

너도-개미자리 명〔식〕[*Minuartia laricina*] 너도개미자릿과에 속하는 다년초. 개미자리와 비슷한데 줄기는 족생(族生)하고 높이 3cm 가량이며, 잎은 대생하고 마디에 윤생(輪生)하며 선상(線狀) 피침형임. 7-10월에 흰 꽃이 줄기 끝에 한두 송이씩 정생(頂生)하고, 과실은 삭과(蒴果)임. 높은 산에 나는데, 백두산 등에 분포함.

너도개미자릿-과【一科】명〔식〕[Alsinaceae] 쌍자엽(雙子葉) 식물 이판 화류(離瓣花類) 중앙자류(中央子類)에 속하는 한 과. 대부분이 초본(草本)으로 전세계에 70속 1,500여 종, 한국에는 개벼룩·개별꽃·개미자리·너도개미자리·벼룩이울타리·점나도나물·덩굴별꽃·대나물·동자꽃·패랭이꽃·장구채 등 60여 종이 분포함.

너도-나도 부 서로가 뒤지거나 빠지지 아니하려고 모두. 모두들 합심하여. ¶~구호의 손길을 뻗치다.

너도-바람꽃 명〔식〕[*Eranthis stellata*] 성탄꽃과에 속하는 다년초. 바람꽃과 비슷한데 괴경(塊莖)은 구상(球狀)이고, 수염뿌리가 많이 났으며, 줄기는 높이 15cm 내외임. 근생엽(根生葉)은 장병(長柄)에 다섯 갈래로 깊이 째졌고, 경엽(莖葉)은 무병(無柄)이고 윤생(輪生)함. 4월에 포엽(苞葉)의 중심에서 화경(花莖)이 나와 그 끝에 흰 꽃이 한 송이씩 피고, 과실은 골돌(蓇葖)임. 산지의 반음지(半陰地)에 나는데, 강원·평북·함남에 분포함.

〈너도바람꽃〉

너도밤-나무 명 ①〔식〕[*Fagus multinervis*] 참나뭇과에 속하는 낙엽 활엽 교목(喬木). 잎은 달걀꼴의 타원형임. 6월에 자웅 일가(雌雄一家)의 수꽃은 액생(腋生), 암꽃은 가지 끝에 정생(頂生)하며, 견과(堅果)는 10월에 익음. 산허리에 나는데, 울릉도에 분포하는 특산종임. 건축·기구재 및 신탄재로 씀. ②집안에 장유 유서(長幼有序)가 없고 막된 경우

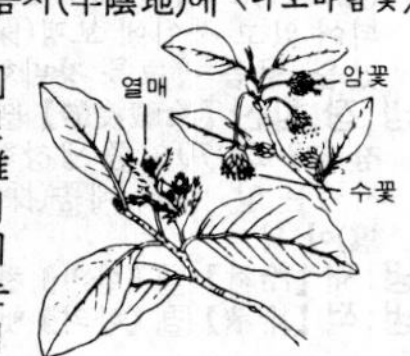

〈너도밤나무❶〉

에 이르는 말.
너도-방동사니 명 〖식〗 [*Juncellus serotinus*] 방동사닛과에 속하는 다년초. 줄기는 삼릉주(三稜柱)이고 높이는 70cm 이상임. 잎은 넓은 선형(線形)으로 길이 50-60cm임. 꽃은 7-8월에 산형(繖形) 화서로 피고, 과실은 수과(瘦果)임. 밭·늪·냇가에 나는데, 제주·강원·경기·평남·함남북에 분포함. *나도방동사니.
너도-양지꽃【一陽地一】 명 〖식〗 [*Sibbaldia coreana*] 장미과에 속하는 다년초. 줄기는 높이 3cm 가량이고 잎과 거의 같은 길이임. 잎은 근생(根生)하고 장병(長柄)에 삼출(三出)하며 소엽(小葉)은 쐐기 모양임. 7-8월에 노란 꽃이 줄기 끝에 가방상(假房狀)으로 족생(簇生)하고 과실은 수과(瘦果)임. 고산의 허리에 나는데, 제주도·백두산에 분포함.
너드럭-너드럭 부 〈방〉 너덕너덕.
-너라 어미 동사 '오다'의 어간(語幹)에 붙어 명령의 뜻을 나타내는 종결 어미. ¶이리 오~. *-거라.
너라 벗어난 끝바꿈 명 〖언〗 너라 불규칙 활용.
너라 변:칙【一變則】 명 〖언〗 ☞ 너라 불규칙 활용.
너라 불규칙 용:언【一不規則用言】[一농一] 명 〖언〗 너라 불규칙 활용을 하는 용언.
너라 불규칙 활용【一不規則活用】 명 〖언〗 직접 명령하는 동사의 어미(語尾)가 '-아라', '-어라'로 되어야 할 것이 '-너라'로 변하는 형식. '오너라' 같은 것. 너라 벗어난 끝바꿈.
너러기 명 〈방〉 자배기.
너러바회 명 〈옛〉 너럭바위. ¶그 알픠 너러바회 化龍쇠 되여세라《松江 關東別曲》.
너러-반석 명 〈방〉 너럭바위.
너러석-바위 명 〈방〉 너럭바위.
너럭-바위 명 〔중세 : 너러바회〕 넓고 평평한 바위. 넓은 반석. 반암(盤岩).
너럽-지기 명 〈방〉 〖조〗 피죽새.
너레-돌 명 〈방〉 너럭바위.
너르다 형 르불 이리저리 다 넓고 크다. 광활하다. ¶우주는 ~. ↔솔다.
너르듣다 형 〈옛〉 난만(爛漫)하다. ¶고지 너르드르니(花爛漫)《金三 Ⅱ:20》.
너르디-너르다 형 르불 더할 수 없을 만큼 매우 너르다.
너르덧다 자 〈옛〉 한창 판이 벌어졌다. 난만(爛漫)하다. ¶술이 너르덧거놀 열흿 이룰 도로혀 스랑ᄒ노니(酒闌却憶十年事)《重杜諺 Ⅺ:33》.
너르바회 명 〈옛〉 너럭바위. 반석(盤石). ¶너르바회(盤石)《漢淸文鑑 Ⅰ:41》.
너른-바지 명 여자 바지의 한 가지. 겉속곳과 같으나 밑이 막힘. 흔히, 명주붙이로 지음. 광과(廣袴).
너름-새 명 ①말이나 일을 떠벌리어서 주선하는 솜씨. ②〖악〗 발림.
너리 명 〖한의〗 잇몸이 헐어 헤어지는 병.
너리(가) 먹다 구 잇몸이 헐어 헤지어 들어가다.
너리다[1] 자 〈옛〉 폐 끼치다. ¶므슴 너릴 곳이 이시리오(有甚麽定害處)《朴解 下 28》. *널이다.
너리다[2] 형 〈방〉 넓다(경남).
너르다 형 〈옛〉 너르다. 넓다. ¶두 자히 놉고 석자히 너ᄅ니(高二尺闊三尺)《老解 上 23》/셰샹사룸싱각보다 쥬스랑너ᄅ고나《찬양가 : 11》.
너만 관 '너만한'의 준말로서 '너 같은 대수롭지 아니한'의 뜻으로 씀. ¶~ 재주야 어디 없겠느냐.
너:말 명 한 말의 네 배(倍). 사 두(四斗). *넉 되.
너머[1] 명 집·담·산·고개 같은 높은 것의 저쪽. ¶산 ~, 또 산 ~.
너머[2] 부 〈방〉 너무(평안·전라).
너머가다 자 〈옛〉 힘차게 빨리 가다. ¶너머갈 미(邁)《類合 下 4》.
너모[1] 명 〈옛〉 네모(四角). ¶너모 번득ᄒᆞᆫ 연(四方鶴兒)《朴解 上 7》.
너모[2] 부 〈옛·방〉 너무. ¶아릐과 견조면 너모 굿다(比在前忒牢壯)《老解 上 35》.
너무[1] 명 〈방〉 남[1](전남).
너무[2] 부 ①한계나 정도에 지나게. 분에 넘게. 과도하게. ¶~ 크다. ②정말로 이루 말할 수 없이. ¶~ 예뻐.
【너무 고르다가 눈먼 사위 얻는다】 너무 고르면 오히려 처지고 나쁜 것을 가지게 된다는 말. 【너무 뻗은 팔은 어깨로 찢긴다】 지나치게 선손을 써서 남을 해치려다가는 도리어 실패하게 된다는 말.
너무-나 부 '너무'의 뜻을 강조하여 쓰는 말. ¶~ 기쁜 소식.
너:무-날 명 밀물과 썰물의 차이를 볼 때, 열 사흘과 스무 여드레를 일컫는 말.
너무-너무 부 '너무'를 강조하는 말. ¶~ 좋았어.
너무-하다 형 여불 도에 지나치게 심하다. ¶그것은 너무한 처사요.
너물 명 〈방〉 나물(전라·경상·충청).
너물-거리다 자 ☞ 느물거리다. ¶입언저리에 너물거리는 웃음이 걸쳐 있었다《崔貞熙 : 續·綠色의 門》.
너므 부 〈옛〉 너무[2]. ¶놀ᄂᆞᆫ 너므 둔겁게 말오(刃兒不要忒初)《朴解 上 16》.
너므다 타 〈옛〉 넘다. 어기다. ¶阿難아 겨지비 沙門 드외오져 흟 사ᄅ문 八敬法을 너므디 아니ᄒ야《月釋 Ⅹ:20》.
너미룩내미룩-하다 타 여불 일이나 책임을 서로 떠넘기며 미루다. ¶십여 명 사람이 잠시 동안 너미룩내미룩하더니 나중에 너댓이 같이 갔다 온다고 일어서들 나갔다《洪命憙 : 林巨正》.
너벅-다리 명 〈방〉 넓적다리(충청·전라).
너벅-선【一船】 명 너비가 넓은 배. 잉박선(芿朴船).
너벅지 명 〈방〉 ①자배기. ②넓적다리(충남).
너벳벳-이 부 너벳벳하게. >나벳벳이.
너벳벳-하다 형 여불 큰 얼굴이 너부죽하고 덕스러워 보이다. ¶너벳벳한 얼굴. >나벳벳하다.
너볏-너볏 부 ☞ 너붓너붓. ¶풀 위에 누워 있으면 은근한 음악의 율동에 끌려 마음이 ~ 나부낀다《李孝石 : 들》.
너볏-이 부 너볏하게. ¶~ 행세하는 사람. >나볏이.
너볏-하다 형 여불 아주 떳떳하고 의젓하다. >나볏하다.
너부 명 〈방〉 넓이(평안).
너부데데-하다 형 여불 얼굴이 둥글번번하고 너부죽하다. 준넙데데하다. >나부대대하다.
너부러기 명 난잡하게 늘어진 물건. >나부라기.
너부러-지다 자 너부죽이 바닥에 까부라져 늘어지다. >나부라지다.
너부렁넓적-이 [一넙一] 부 너부렁넓적하게. >나부랑납작이.
너부렁넓적-하다 [一넙一] 형 여불 펑펑하게 퍼진 듯이 넓적하다. >나부랑납작하다.
너부렁이 명 ①헝겊·종이 같은 것의 자그마한 오라기. ②어떤 부류 가운데서 그리 대단할 것이 못되는 존재. ¶친척 ~. 1)·2):>나부랭이.
너부:시 부 ①사뿐히 앉거나 엎드리는 모양. ②큰 물체가 천천히 내리거나 내려앉는 모양. 1)·2):>나부시.
너부죽-이 부 ①너부죽하게. ②천천히 배를 바닥에 대고 엎드리는 모양. ¶~ 절을 한다/조행수를 보자마자 흙바닥에 턱을 깔고 ~ 엎드렸다《金周榮 : 客主》. 1)·2):>나부죽이.
너부죽-하다 형 여불 엷거나 얇은 물건이 조금 넓은 듯하다. ¶녹용점복이 봄기운을 함빡 받아 머리 위에 너부죽하게 솟아올랐다《朴鍾和 : 錦衫의 피》. >나부죽하다.
너북-선 명 〈방〉 너벅선(평안).
너북지 명 〈방〉 넓적다리(경남).
너불-거리다 자 ①연해 부드럽게 나부끼다. 쓰너풀거리다. >나불거리다. ②실없이 입을 놀려 함부로 자꾸 말하다. **너불-너불** [一러一] 부. ——하다 자여불
너불-대다 자 너불거리다.
너붐 형 〈옛〉 넓음. '넙다'의 명사형. ¶너붐과 져고미 겨시며(有廣略)《圓覺 序 6》.
너붓-거리다 자 자주 나부끼어 흔들리다. >나붓거리다. **너붓-너붓** 부. ——하다 자여불
너붓-대:다 자 ☞ 너붓거리다.
너붓-이 부 ①너붓하게. ¶토함산 너머로 ~ 내다보이는 담회색 구름장《玄鎭健 : 無影塔》. >나붓이. ② ☞ 너부시.
너붓-하다 형 여불 좀 너부죽하다. >나붓하다.
너붕지 명 〈방〉 넓적다리(경북).
너브면 형 〈옛〉 넓으면. '넙다'의 활용형. ¶너브면 옷 지으매 남음이 잇고(寬時做衣裳有餘剩)《老解 下 56》.
너브-할미 명 〈방〉 너비아니.
너븜 형 〈옛〉 넓음. '넙다'의 명사형. ¶漢의 너브미 可히 泳티 몯ᄒ며(漢之廣矣 不可泳思)《詩諺 Ⅰ:9》.
너븨 명 〈옛〉 너비. 폭. ¶너븨 연(延)《類合 15》/ᄒ 기장 너븨 分이오 돈 ᄒ나히 文이라《永嘉 上 38》/휘히 기리와 너븨왜(廓尒縱橫)《金三 Ⅱ:20》.
너비[1] 명 〔'넙다(넓다)'의 파생 명사〕 폭(幅). *나비[1].
너비[2] 부 〈옛〉 널리. 넓게. =넙이. ¶衆生올 너비 濟渡ᄒ시ᄂ니(弘濟衆生)《月序 1》.
너비-아니 명 저미어 양념해서 구운 쇠고기.
너비ᄒ다 타 〈옛〉 넓게 하다. ¶弘은 너비ᄒ논 ᄠ디라《釋譜 序 1》.
너:삼 명 〖식〗 쓴너삼·단너삼의 총칭.
너:새[1] 명 〖건〗 ①지붕의 합각머리의 양쪽으로 마루가 지게 기와를 덮은 부분. 당마루. ②지붕 이는 데 기와처럼 쓰는 얇은 돌조각. →너와.
너:새[2] 명 〖조〗 [*Otis tarda dybowskii*] 너샛과에 속하는 새. 수컷은 날개 길이 60cm, 암컷은 45cm, 꽁지는 23cm 가량이고 부리가 짧음. 머리·목은 회색, 등은 황갈색 바탕에 흑색의 횡반(橫斑)이 있으며, 날개의 중앙과 꽁지의 가장자리 및 배는 희고, 가슴은 밤색에 흑색 반점(斑點)이 있고 목에 백색의 식우(飾羽)가 있음. 모래땅·평야·논밭에 떼지어 서식하는데, 동부 시베리아·몽골·만주·한국 등지에 번식하고, 중국 중부에서 월동함. 능에. 들칠면조. 독표(獨豹). 야안(野雁). 느시.

〈너새[2]〉

너:새-기와 명 〖건〗 합각머리 너새에 얹는 암키와.
너:새-집 명 너새로 인 집. → 너와집.
너샛과【一科】 명 〖조〗 [Otididae] 두루미목(目)에 속하는 한 과. 대형의 조류로서 머리는 비교적 작고 편평하며 부리는 짧음. 수컷은 생식기(生殖期)에 목에서 가슴까지의 부분에 불룩한 후낭(喉囊)이 생김. 평야·모래땅·경지(耕地)에서 군서(群棲) 생활을 하며 초식성임. 땅을 파고 갈색 또는 녹색 바탕에 자색의 반문(斑紋)이 있는 알을 2-5개 낳음. 유럽·아시아·아프리카·오스트레일리아 등지에 30여 종이 분포함.
너:서리 〔nursery〕 명 ①아이들이 거처하는 방. 육아실. ②식물의 묘상(苗床). ③양어장(養魚場).
너:서리 스쿨 〔nursery school〕 명 유아원(幼兒園). 1909년에 영국에서 맥밀란(Mcmillan) 자매(姉妹)에 의하여 창설된 것이 그 시초임.
너:서리 테일 〔nursery tale〕 명 동화. 옛날 이야기.
너설 명 험한 바위나 돌 따위가 삐쭉삐쭉 내밀어 있는 곳.
너설개 명 〈방〉 너스레❷.
너:스 〔nurse〕 명 ①양육. 수유(授乳). ②유모. 보모. ③간호사. ④보호자. 양육자. ⑤당구에서, 계속 캐넌을 치기 위해 공을 모아 놓음. ——하다 타여불
너스래미 명 물건에 군더더기로 딸린 지느러미 비슷한 물건.
너스레 명 ①흙구덩이나 그릇의 아가리 또는 바닥에 이리저리 걸쳐 놓는 막대기. 그 위에 놓는 물건이 빠지거나 바닥에 닿지 않게 하려고 쓰는 물건. ②남을 농락하려고 늘어놓는 말이나 짓. ¶팔뚝 시계를 보고 ~를 놀며, 동혁을 반가이 맞아들인다《沈熏 : 常綠樹》/너석은 궁합이 어쩌고 ~ 비슷하게 해대던 사내의 수작이 더 괘씸하였다《姜龍俊 : 우리 회장님》.
너스레(를) 놓다 구 ㉠흙구덩이나 그릇에 너스레를 걸치다. ㉡너스레

짓을 나타내다.

너스레(를) 떨:다 구 너스레를 늘어놓다.

너스르르-하다 형여불 조금 굵고 길고 부드러운 풀이나 털 따위가 성기고 어설퍼 보이다. >나스르르하다.

너슬개 명 〈방〉 너스레❷.

너슬너슬-하다 형여불 굵고 길고 부드러운 풀이나 털 따위가 거칠게 성기다. ¶ 이맛전에 너슬너슬한 반쯤 센 머리카락. >나슬나슬하다.

너:시 명 〈방〉 〖조〗 너새². 능에.

너싱 〔nothing〕 명 ①아무것도 없음. 무(無). ②야구 따위에서, 볼카운트가 영(零). ¶ 원 ~.

너싀 명 〈옛〉 너새². 능에. ¶ 너싀 부(鴇)《字會 上 15》/너싀爲鴇《訓例 用字例》/鴇 今俗語 너싀《四聲 下 20》.

너:와 명 〖건〗 ←너새¹.

너:와-집 명 〖건〗 ←너새집.

너운너우니 부 〈옛〉 펄펄. 너펄너펄. =너운너운. ¶ 모로매 너운너우니 ᄃᆞ니리니(須要活弄)《法語 11》.

너운너운 부 〈옛〉 펄펄. 너펄너펄. =너운너우니. ¶ 너운너운 오는 구룺氣運이 ᄃᆞᆫ겁고(霏霏雲氣重)《杜諺 Ⅸ:37》.

너운너운히 부 〈옛〉 펄펄. 너펄너펄. =너운너운·너운너우니. ¶ 너운너운히 새 ᄃᆞ니는 길ᄒᆞ로 드러가(翩翩入鳥道)《初杜諺 XIX:30》.

〈너울¹❶〉

너울¹ 명 ①흑색의 얇은 깁으로 만든, 여자가 나들이할 때 또는 나인들이 내전(內殿) 거동 때에 머리에 쓰는 물건의 한 가지. 취음:'羅兀'. ②'면사포'의 잘못된 말. ③뜨거운 볕에 쬐어 시들어 늘어진 풀이나 나뭇잎.

[너울 쓴 거지] 배가 몹시 고파, 체면 차릴 여지가 없이 된 여자.

너울² 명 바다의 사나운 큰 물결.

너울-가지 명 남과 잘 사귈 수 있는 솜씨. 붙임성. 포용성.

너울-거리다 ㊀자 멀리 보이는 바다의 큰 물결이 굽이치어 흐르다. 또, 큰 나뭇잎이나 풀 같은 것이 바람에 춤추듯이 나부끼다. >나울거리다. ㊁타 팔이나 날개 같은 것을 크고 부드럽게 움직이다. ¶ 나비가 날개를 ~. >나울거리다. 너울-너울 부. ——-하다 자타여불

너울-대다 자타 너울거리다.

너울-지다 자 멀리 보이는 바다의 물결이 거칠게 넘실거리다.

너울-질 명 〖춤〗 양주 별산대놀이의 춤사위의 하나. 날아보려고 요동을 하는 시늉의 춤사위.

너의 【汝矣】 〈이두〉 너의.

너의-들 【汝矣等】 〈이두〉 너희들.

너의몸을 【汝矣身乙】 〈이두〉 너를.

너:이 ㊀명부 네 사람. ¶ ~ 오고 있다. ㊁수 넷. ¶ 남은 것은 ~다.

너 자신을 알라 구 〔Know thyself〕 남의 일보다도 우선 자기 자신을 반성하라는 뜻. 델피(Delphi)의 아폴론 신전(Apollon神殿)에 걸려 있었던 말. 소크라테스가 그의 행동의 지표로 삼았음.

너저부레-하다 형여불 ☞ 너저분하다.

너저분-하다 형여불 너절하고 지저분하다. 너저분-히 부

너절-너절 〔—러—〕 부 죽죽 처진 물건들이 너저분하게 흔들리는 모양. ——-하다 형여불

너절-하다 형여불 ①허름하고 추접스럽다. ¶ 고물상같이 ~. ②변변하지 못하다. ③품격이 낮다. ¶ 너절한 사람. 너절-히 부

너주레-하다 형여불 '너절하다'를 좀 약한 뜻으로 쓰는 말. ¶ 차림이 ~/너주레한 말을 늘어놓다.

너줄-하다 형 〈방〉 너절하다.

너줠-하다 형 〈방〉 너절하다.

너즈러-지다 자 많이 흩어져 있다. ¶ 뜰에 감나뭇잎이 너즈러져 있다.

너지 〔Nagy, Imre〕 명 〖사람〗 헝가리의 정치가. 1953년 수상이 되었으나 1955년 우익 편향(右翼偏向)이라 하여 실각(失脚)함. 1956년의 헝가리 반공 의거 때 복귀하였으나 그 뒤, 비밀리에 처형되어 국제적인 문제가 되었음. 〔1896-1958〕

너질-하다 형 〈방〉 너절하다.

너추리 명 〈심마니〉 바가지.

너출 명 〈옛·방〉 넌출. ¶ 너출 등(藤), 너출 류(藟)《字會 下 4》.

너출다 자 〈옛〉 ①넌출지다. ¶ 프른 시리 너추렛ᄂᆞᆫ ᄃᆞᆺ ᄒᆞ도다(蔓靑絲)《杜諺 Ⅸ:25》. ②뻗쳐서 옮다. ¶ 다른 사ᄅᆞᆷ의게 너출시(延及外人故)《瘟疫方 1》.

너출-모란 명 〈옛〉 넌출진 모란. ¶ 너출모란(纏枝牧丹)《老解 下 22》.

너:치 명 〈방〉 〖조〗 능에.

너클 〔knuckle〕 명 ①손가락 관절. ②조정(漕艇)에서, 고정석정(固定席艇)과 활석정(滑席艇)의 장점을 따서 만든 경조정(競漕艇). 포(four)와 식스(six)의 두 가지가 있는데, 흔히 포를 이름.

너클 볼: 〔knuckle ball〕 명 ①탁구에서, 서브할 때 공을 우그리거나 홈을 내서 불규칙하게 바운드시켜 상대편이 실수하게 하는 비열한 방법. 규칙상 금지되어 있음. ②야구에서, 투수가 손가락의 제1 관절을 공의 표면에 굽혀 세워서 던지는 볼. 거의 회전을 않는 투구로, 타자 바로 앞에서 급히 낙하함.

너클 파:트 〔knuckle part〕 명 권투에서, 상대편을 공격하는 주먹 부분. 즉, 바로 쥔 주먹의 제2 관절과 제3 관절 사이의 평평한 부분을 이름.

너클 포: 〔knuckle four〕 명 조정(漕艇)에서, 타수(舵手)가 딸린 4 인승의 규격정(規格艇).

너털-거리다 자 ①여러 가닥이 어지럽게 늘어져 자꾸 흔들거리다. ②주제넘은 짓이나 말을 야단스럽게 하다. ③너털웃음을 자꾸 웃다. 1)·2): ㅅ너덜거리다. >나탈거리다. 너털-너털 부. ——-하다 자여불

너털다 자 〈옛〉 너털거리다. 덜덜 떨리다. ¶ 목소리 쉬고 치워 너털고(聲啞寒戰)《痘瘡集要 上 31》.

너털-대다 자 너털거리다.

너털-뱅이 명 너털거리기를 좋아하는 사람을 얕잡아 일컫는 말.

너털-웃음 명 소리를 크게 내어 호기스럽게 웃는 웃음.

너테 명 얼음 위에 더끔더끔 덧얼어 붙은 얼음.

육각 너트

자루 너트 나비 너트

〈너트❶〉

너트 〔nut〕 명 ①〖기〗 볼트(bolt)에 끼어 돌려서, 물건을 움직이지 아니하도록 죄는, 쇠로 만든 공구(工具). 보통, 육각형으로 되어 있고, 내면이 나사로 되어 있음. ②〖식〗 호두·밤 등의 견과(堅果).

너트메그 〔nutmeg〕 명 육두구(肉豆蔻). 특히, 그 종자 속의 인(仁).

너티 명 〈방〉 너테(함경).

너퍼리 명 〈방〉 노파리.

너펄-거리다 자 바람에 날려 무겁게 흔들리며 너붓거리다. >나팔거리다. 너펄-너펄 부. ——-하다 자여불

너펄-대다 자 너펄거리다.

너페 명 〈심마니〉 곰.

너푼 부 가볍게 너붓거리는 모양. >나푼.

너푼-거리다 자 가볍게 흔들리어 너붓거리다. ¶ 솔밭 속에 너푼거리는 흰옷이 눈에 뜨이었다/연산의 방탕한 마음은 더욱 그칠 줄을 모르고 너푼거렸다《朴鍾和:錦衫의 피》. >나푼거리다. 너푼-너푼 부. ——-하다 자여불

너푼-대다 자 너푼거리다.

너푼-하다 자 한 번 가볍게 나부끼다. ¶ 안빈이가 정이를 피하여 달아날 때에는 흰 저고리 고름 끝이 너푼하는 것이 우스웠다《李光洙:사랑》.

너풀-거리다 자 거세게 흔들리어 너붓거리다. ㅅ너불거리다. >나풀거리다. 너풀-너풀 부. ——-하다 자여불

너풀-대다 자 너풀거리다.

너피다 타 〈옛〉 넓히다. ¶ 미러 너피면(推而廣之)《圓覺 序 4》.

너:홰 명 〈방〉 ①너새¹. ②〖조〗 너새². 능에.

너:홰-집 명 〈방〉 너와집.

너훌-거리다 자 ☞ 너울거리다. 너훌-너훌 〔—러—〕 부. ¶ 갖가지 나무들은 … 그 잎을 펴들고 ~ 바람과 아울러 산골의 향기를 자랑한다《金裕貞:산골》. ——-하다 자여불

너흘다 타 〈옛〉 널다². 물다³. 물어뜯다. 씹다. ¶ 너흘 근(齦), 너흘 흘(齕)《字會 下 14》.

너희¹ 〔—히〕 인대 '너¹'의 복수(複數). ¶ ~끼리 다녀오너라.

너희² 〈옛〉 너희가. '너희¹'의 주격형(主格形). ¶ 너희 如來 滅後에 一心ᄋᆞ로 受持讀誦ᄒᆞ며 《月釋 XVIII:11》.

너희-들 〔—히—〕 인대 너희 여럿. ¶ ~만 먹느냐.

너:히 수 〈방〉 넷(평안·함경·황해).

넉¹ 명 〈옛〉 넋. ¶ 넉 혼(魂)《字會 中 35》.

넉²: 관 수관형사 '네'의 특별 용법. ㄴ·ㄷ·ㅅ·ㅈ 등을 첫소리로 한 몇몇 말의 앞에 쓰임. ¶ ~ 냥/~ 달/~ 섬/~ 자. *너².

[넉 달 가뭄에도 하루만 더 개었으면 한다] ㉠오래 가물어서 기다리고 기다리던 비일지라도 무슨 일을 치르려면 그 비 오는 것을 싫어한다는 말. ㉡사람은 일기(日氣)에 대하여 어느 때나 자기 본위로 바란다는 말.

넉-가래 명 곡식이나 눈 같은 것을 한 곳에 밀어 모으는 데 쓰는 기구. 넓적한 나무쪽에 자루를 달았음. 목험(木杴).

[넉가래 내세우듯] 일을 변통하는 주변도 없으면서, 쓸데없는 호기(豪氣)를 부리며 고집한다는 말.

넉가래-질 명 곡식에 섞인 티끌을 날리려고 넉가래로 곡식을 떠서 바람 있는 공중에 치뿌리는 일. ——-하다 자여불

넉-걷이 〔—거지〕 명 밭에 난 오이·호박 같은 것의 덩굴을 걷어 치우는 일. ——-하다 자여불

〈넉가래〉

넉-괭이 명 괭이의 하나. 밑날 부분이 넓게 되어 흙을 파 덮는 데 씀.

-넉넉 미 -강(強). ¶ 다섯 자 여섯 치~/두 말 닷 되~. ↔-빠듯.

넉넉-이 부 〈방〉 넉넉히(평안).

넉넉-잡다 자 수량을 좀 많게 보다. ¶ 넉넉잡아 일 주일/넉넉잡고 두 말은 될 것이다.

넉넉-하다 형여불 〔중세 : 넉넉ᄒᆞ다〕 ①크기·수효·부피 따위가 모자라지 아니하고 남음이 있다. ¶ 쌀이 ~/허리통이 넉넉한 옷. >낙낙하다. ②살림살이가 유족하다. ¶ 집안이 ~. ③도량이 넓다. 넉넉-히 부

넉다 형 〈방〉 약다(평안).

넉더듬이-하다 타여불 물의 면을 세게 쳐서 고기가 뜨게 하다.

넉:-동 명 윷놀이에서, 네 개의 말. 또, 네 번째 나는 말.

[넉동 다 갔다] 윷놀이에서, 네 말이 다 났다는 말로, 일이 다 끝이 남을 이르거나, 또는 어떤 사람의 신세가 다 됨을 비유하는 말.

넉:동-내기 명 넉동을 다 내야만 이기기로 된 윷놀이.

넉:동-무니 명 윷놀이에서, 넉동을 한데 어울러 가지고 가는 말.

넉:동-사니 명 〈방〉 넉동무니(평안).

넉:동-치기 명 〈방〉 넉동내기.

넉:동-판 【—板】 명 〈방〉 윷판.

넉:되 명 한 되의 네 배(倍). 사승(四升). *너 말.

넉박-선 【—船】 명 〈방〉 너벅선.

넉:사-밑 〔—四—〕 명 한자 부수(部首)의 하나. '罪'나 '罰' 등의 '罒'의 이름. *그물망부.

넉살 명 숫기좋게 언죽번죽 구는 짓.

[넉살 좋은 강화(江華)년이다] 체면도 염치도 모르는 사람을 조롱하는 말.

넉살(을) 떨:다 구 야단스럽게 넉살을 부리다.

넉살(을) 부리다 구 넉살스러운 짓을 하다. 비위 좋게 언죽번죽하다.

넉살(이) 좋:다 ㉠ 넉살부리는 비위가 좋다.
넉살(을) 피우다 ㉠ 넉살스러운 태도를 나타내다.

넉살-스럽다 형ⓑ불 넉살 좋게 보이다. 넉살-스레 부

넉:새-베 명 석새베보다 품질이 약간 더 나은 베. 사승포(四升布). *석새베·오승포(五升布).

넉시 명 〈방〉 덩굴.

넉자 명 도장을 찍을 때에 인발이 잘 찍히도록 그 밑에 까는 폭신한 녹비.

넉:자-바기 【一字一】 명 ①네 글자로 된 말. ②네 글자로 된 시문(詩文).

넉:-장 명 ①종이같이 얇은 물건의 네 개. ②☞늑장¹.
넉:장(을) 부리다 ㉠ ☞늑장(을) 부리다.
넉:장(을) 뽑다 ㉠ 투전 같은 노름에서, 어름어름하고 석 장 외에 한 장을 더 뽑는다는 뜻으로, 분명하게 하지 않고 어물어물함을 비유하는 말.

넉:장-거리 명 네 활개를 벌리고 뒤로 벌떡 나자빠짐. ¶ 월매는 쿵하고 떡매를 떨어뜨리고는 그대로 ~를 했다《李周洪：탈선 춘향전》. >낙장거리. ——하다 자여불

넉적다 형 ☞넋없다. ¶ "그 자식은 나 잡아가거라 하구 가만히 한 자리에 서 있었단 말이냐? 그랬다면 그런 넉적은 자식이 어디 있단 말이냐?"《洪命憙：林巨正》.

넉:점박이-각시꽃하늘소 【一點一】【一쏘】 명 〖충〗 [*Omphalodera puziloi*] 하늘솟과에 속하는 곤충. 몸길이는 5-7.5mm이고 몸의 표면은 흑갈 내지 흑색이며, 전배판(前背板)의 전후 양연(兩緣)은 적갈색을 띰. 시초(翅鞘)의 회합선(會合線)과 주연(周緣)은 황갈색이고 각 시초에 황색 무늬가 둘 있음. 한국에도 분포함.

〈넉점박이각시꽃하늘소〉

넉:점박이-긴게거미 【一點一】 명 〖동〗 [*Tebellus temellus*] 게거밋과에 속하는 거미의 하나. 몸길이는 6-11mm 내외이고, 두흉부(頭胸部)는 길고 갈황색을 띠며 복부도 길고 황백색에 갈황색의 심장형 무늬와 그 양측에 암갈색의 점무늬로 된 두 쌍의 세로 무늬가 있음. 수렵성(狩獵性)이고 관목(灌木)·초원지(草原地)에 서식하는데, 한국·일본에 분포함.

넉:점박이-돼지벌레 【一點一】 명 〖충〗 넉점박이잎벌레.

넉:점박이-매미충 【一點一蟲】 명 〖충〗 [*Cicadula masatonis*] 멸매미충과에 속하는 곤충. 몸길이는 4.5mm 내외이고 몸빛은 담회황색에 두정(頭頂)에는 네 개의 흑색 무늬가 있음. 소순판(小楯板)에는 두 개의 흑문(黑紋)이 있고 시초(翅鞘)에 담회색의 조문(條紋)이 있는 것도 있으며 몸의 하면은 흑색임. 풀멸구와 함께 벼의 해충으로, 한국에도 분포함.

〈넉점박이매미충〉

넉:점박이-애매미충 【一點一蟲】 명 〖충〗 [*Erythroneura limbata*] 애매미충과에 속하는 곤충. 몸길이 2.5mm 내외이고 몸빛은 담회색에 두정(頭頂)의 양끝과 소순판(小楯板)에 각각 두 개의 흑색 무늬가 있음. 시초(翅鞘)는 반투명의 담회색이며, 몸 하면은 중흉(中胸)과 복면은 흑색임. 화본과(禾本科) 식물의 해충으로 한국에도 분포함. 애넉점박이멸구.

넉:점박이-왕거미 【一點一王一】 명 〖동〗 점왕거미.

넉:점박이-잎벌레 【一點一】 명 〖충〗 [*Clytra laeviuscula*] 잎벌렛과에 속하는 곤충. 몸길이 8-10mm이고, 몸은 가늘고 흑색이며 시초(翅鞘)는 황색에 네 개의 흑색 무늬가 있음. 촉각은 둔한 톱날 모양이고, 복면(腹面)과 다리에는 긴 회백색 털이 밀생(密生)함. 유충은 채소 등에 모이는데, 한국·일본·시베리아·유럽 등지에 분포함. 넉점박이돼지벌레.

〈넉점박이잎벌레〉

넉:점박이-잠자리 【一點一】 명 〖충〗 [*Libellula quadrimaculata*] 잠자릿과에 속하는 잠자리의 하나. 복부의 길이 29mm, 뒷날개는 36mm 내외이며, 두부는 황색, 흉부는 회황색에 두 흑조(黑條)가 있고, 복부는 굵고도 평평하며 배면(背面)은 오황색(汚黃色)임. 여섯째 마디에서 뒤로 이름에 따라 중앙 흑색부가 증가하여 열째 마디는 전부 흑색임. 한국에도 분포함.

〈넉점박이잠자리〉

넉:점-불나방 【一點一】【一라一】 명 〖충〗 [*Lithosia quadra*] 불나방과에 속하는 곤충. 편 날개의 길이는 39-46mm이고 수컷의 앞날개는 회갈색이며, 외연(外緣)은 다소 흑색을 띠고 뒷날개는 담등황색임. 암컷의 날개는 등황색이며 앞날개에 두 개의 흑색 무늬가 있음. 유충은 대체로 회색인데 선태류(蘚苔類)의 해충임. 한국·일본·중국에 분포함.

넉제기 명 〈방〉 덩굴(평안).

넉줄 명 〈방〉 덩굴(평안·황해).

넉:줄-고누 명 말밭의 줄이 가로 세로 넉 줄인 네밭고누·육밭고누의 총칭. 정자(井字)고누.

넉:줄-고사리 명 〖식〗 [*Davallia mariesii*] 고사릿과에 속하는 다년생 양치(羊齒) 식물. 근경(根莖)은 굵고 담갈색의 잔 인편(鱗片)이 밀생하며, 잎은 근경에서 번어 듬성하게 나고 엽면(葉面)은 3-4회 우상(羽狀)으로 째지고 혁질(革質)이며 길이 10-30cm임. 열편(裂片)은 긴 타원형이고 뒷면에 포자낭군이 붙어 있음. 산의 바위나 나무 위에 착생하는데, 한국·일본·중국에 분포함. 관상용으로 심음. 골쇄보(骨碎補). 석모강(石毛薑). 인초(忍草). 해주골쇄보(海州骨碎補). 호손강(胡猻薑). 후강(猴薑).

〈넉줄고사리〉

넉:줄-노랑명충나방 【一螟蟲一】【一로一】 명 〖충〗 [*Pagyda amphisalis*] 명충나방과에 속하는 나방. 편 날개의 길이는 18-24mm이고 몸빛은 황색이며 앞날개에는 등황색의가는 가로 무늬가 넉 줄, 뒷날개에는 석 줄 있음. 한국·일본·대만·중국·인도에 분포함.

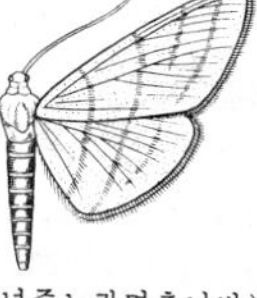
〈넉줄노랑명충나방〉

넉지 명 〈방〉 덩굴.

넉ᄌᆞ 명 〈옛〉 녁자. ¶ 仍子 넉ᄌᆞ 卽方席也《古今俗語》.

넉-터 명 '이마'의 변말.

넉-하다 형여불 ☞넉넉하다.

넉-히 부 ☞넉넉히.

넋¹ [넉] 명 ①동물의 체내에 있으면서 마음의 작용을 주재한다고 생각되는 것. 예로부터 육체가 망해도 따로이 존재를 계속한다고 생각되었음. 혼백(魂魄). ②기력(氣力). 마음. 정신(精神).

넋² 명 〈옛〉 너겁. ¶ 등 검고 술진 고기 버들 넉싀 올나괴야《海謠》.

넋건지기-굿 [넉一] 명 〖민〗 물에 빠져 죽은 사람의 넋을 건져 저승으로 보내 주는 천도(薦度)굿.

넋-놓다 [넉노타] 자 ①낙심하다. 의욕을 잃다. ②정신 나간 상태가 되다.

넋-두리 [넉一] 명 ①무당이 죽은 사람의 넋을 대신해서 하는 말. ②불만이 있을 때에 두덜거리는 말소리. ——하다 자여불

넋-들임 [넉一] 명 〖민〗 제주도에서, 넋이 나간 사람의 넋을 불러 몸에 도로 들여놓음으로써 병을 낫게 하기 위한 굿.

넋-받이 [넉바지] 명 〖민〗 교통 사고로 죽거나 물에 빠져 죽은 사람의 넋을 위로하고 집으로 데려오기 위한 앉은굿.

넋-신 【一神】[넉一] 명 혼백(魂魄). ¶ 억울한 ~을 달래고 씻겨 보내다.

넋-없다 [넉업一] 형 아무런 의식이 없이 멍하니 있다.

넋-없이 [넉업씨] 부 아무런 정신이 없이 멍하니. ¶ ~ 섰다.

넋-오르다 [넉一] 형르불 흥분하다. ¶ 상토 끝까지 골을 내어 두 눈을 부릅뜨고 두 팔뚝을 뽐내면서 넉시 올라 하는 말이《春香傳》.

넋이야 신이야 한다 [넉시一] ㉠ 잔뜩 마음에 먹었던 일을 물 퍼붓듯 수다스럽게 말하는 데에 비유하는 말.

넋-잃다 [넉일타] 자 의식을 잃다. ¶ 넋잃고 쳐다만 본다.

넌 준 너는. ¶ ~ 너고 난 나다. *널².

넌기 명 〈방〉 다른 사람(평안).

넌더리 명 소름이 끼치도록 싫은 생각. 준넌덜.
넌더리(가) 나다 ㉠ 몹시 싫증나다. 준넌덜(이) 나다.
넌더리(를) 내:다 ㉠ 몹시 성가시어 괴롭게 여기다. 준넌덜(을) 내다.
넌더리(를) 대:다 ㉠ 넌더리 나게 굴다. 준넌덜(을) 대다.

넌덕 명 너털웃음을 치며 재치 있는 말을 늘어놓는 짓.
넌덕(을) 부리다 ㉠ 넌덕스럽게 행동하다.

넌덕-스럽다 형ⓑ불 너털웃음을 치며 솜씨 있는 말을 늘어놓는 재주가 있다. *괴덕스럽다. 넌덕-스레 부

넌덜 명 ↗넌더리.
넌덜(이) 나다 ㉠ ↗넌더리(가) 나다.
넌덜(을) 내:다 ㉠ ↗넌더리(를) 내다.
넌덜(을) 대:다 ㉠ ↗넌더리(를) 대다.

넌덜-거리다 자 자꾸 넌더리대다.

넌덜-대다 자 넌덜거리다.

넌덜-머리 명 '넌더리'의 낮춤말.
넌덜머리(가) 나다 ㉠ 소름이 끼치도록 몹시 넌더리가 나다.

넌떡 부 넝큼. 썩. ¶ ~ 물러가라. <난딱.

넌-못 명 〈방〉 못³(평안).

넌서리 명 〈방〉 넌더리.

넌장 〔嫩江〕 명 〖지〗 중국 둥베이 지구(東北地區) 헤이룽장 성(黑龍江省)에 있는 강. 쑹화 강(松花江)의 지류로, 이레이후리 산(伊勒呼里山)에서 발원, 동류(東流)하여 쑹화 강에 합류함. 눈강. [1,000km]

넌주룩-하다 형 〈방〉 너누룩하다.

넌즈기 부 〈옛〉 넌지시. =넌즈시. ¶ 文寧이 사람 브려 넌즈기 니르대《三綱 烈女 11》.

「ᄉᆞ랑《珍本 永言》.

넌즈러지다 자 〈옛·방〉 너즈러지다. ¶ 九萬里長天에 넌즈러지고 남는

넌즈시 부 〈옛〉 넌지시. ¶ 넌즈시 치혀시니(薄言挈之)《龍歌 87章》.

넌즉ᄒᆞ다 형 〈옛〉 허술하다. ¶ 넌즉ᄒᆞᆫ 門 아래사(等閑門下)《南明 上 59》.

넌지시 부 〔중세：넌즈시('넌즛ᄒᆞ다' 파생 부사)〕 ①남몰래 슬그머니. ¶ ~ 돈을 쥐어 주다. ②똑바로 말하지 않고 눈치를 챌 정도로. ¶ ~ 암시하다.

넌짜-로 부 〈방〉 넌지시.

넌추리 명 〈심마니〉 바가지.

넌출 명 〖식〗 〔중세：너출〕 길게 벋어나가 너절너절하게 늘어진 줄기. 등·다래·칡 같은 것의 줄기. ¶ 저편 담 밑으로는 나팔꽃 서너 포기가 타고 올라갈 의지가 없어 땅바닥에서 ~이 헤매고 있다《蔡萬植：濁流》. *덩굴.

넌출-문 【一門】 명 넉 장의 문이 죽 잇따라 달린 문. 사출문(四出門).

넌출 소:분합 【一小分閤】 명 부엌 위에 다는 네 짝이 잇달린 분합문.

넌출-수국 【一水菊】 명 〖식〗 등수국.

넌출-월귤 【一月橘】 명 〖식〗 [*Oxycoccus palustris*] 석남과에 속하는 상록 활엽 관목. 포복생(匍匐生)이고 잎은 달걀꼴의 타원형(楕圓形)이며 톱니가 없고 잎의 뒤가 분처럼 흼. 7월에 엷은 홍색의 꽃이 가지 끝에 다섯 개씩 총상 화서(總狀花序)로 핌. 과실은 장과(漿果)이고 가을에 빨

강게 익음. 고원의 습지에 나는데, 과실은 식용함. 함북 길주군 대택(吉州郡大澤)·무산군 장지(茂山郡醬池)에 야생하며 일본·사할린에도 분포함.

넌출-지다 자 넌출이 길게 치렁치렁 늘어지다. ¶ 소위 권문세가의 잠영거족이란 것들은 원체 뿌리가 깊고 가지가 넌출지기 때문에…≪朴鍾和:多情佛心≫.

넌테 명 〈옛·방〉 너테. ¶ 넌테진 비탈(偏坡滑處)≪漢淸文鑑 I:32≫.

널:¹ 명 ①↗널빤지. ②널뛰기할 때 쓰는 널빤지. ③관(棺)이나 곽(槨)의 통칭. ④〖역〗한림(翰林)이 사초(史草)를 넣어 두던 궤(櫃). 관(棺)과 같은 크기임. 한림궤(翰林櫃).

널² 준 너를. ¶ ~ 보내겠다/바보란 ~ 두고 하는 말이다. *넌.

널:-감 [—깜] 명 ①널을 만들 재료. ②〈속〉 늙어서 죽을 때가 가까운 사람을 비유하는 말.

[널감을 장만하다] ㉠죽을 때까지 끝장을 본다는 말. ㉡걸핏하면 떼를 쓰려고 한다는 말.

널갯-박죽 명 〈방〉 고무래(함경).

널구다 타 〈방〉 넓히다(함경).

널:-기와집 명 ☞너와집.

널:-길 [—낄] 명 〖고고학〗 무덤의 입구에서 널방에 이르는 통로. 연도(羨道). *돌방 무덤.

널:다¹ 타 빨래·곡식·책 따위를 볕에 쬐거나, 드러내어 보이려고 펼치어 놓다. ¶ 빨래를 ~.

널:다² 타 쥐 같은 것이 이로 쏠아서 부스러기를 늘어놓다.

널:-다리 명 널빤지로 깔아 놓은 다리. 판교(板橋). ¶ ~에 질자박이 메어 던지는 소리를 지르매…≪李相協:눈물≫.

널:-대문 [—大門] 명 널빤지로 만든 대문.

널-도깨비 명 〈방〉 도깨비 중에서도 가장 나쁜 도깨비(평안).

[널도깨비가 복은 못 줘도 화는 준다] 사람 못 된 것은 어디를 가나 해(害)만 끼치고 다녔지 이롭게 하는 일은 없다는 말.

널:-두께 명 널빤지의 두께.

널:두께 같다 구 얇아야 될 것이 너무 두껍다.

널-따랗다 [—라타] 형 ㅎ불 생각보다 훨씬 넓다.

널:-뛰기 명 긴 널빤지의 중간을 괴어 놓고, 양쪽 끝에 한 사람씩 올라서서 번갈아 공중으로 올라갔다 내려왔다 하는, 여자들의 놀이. 오키나와(沖繩)에서도 볼 수 있고, 한국에는 고려 때부터 있었으며, 음력 정월에 많이 뜀. ——-하다 자 여불

널:뛰기-노래 명 부녀자들이 널뛰기할 때 부르던, 율동적인 구전(口傳) 민요의 하나.

널:-뛰다 자 널뛰기를 하다.

널려-지다 자 흩어지어 깔리다.

널르다 형 〈방〉 넓다(충북).

널름 부 ①혀끝을 빨리 내밀었다가 빨리 들이는 모양. ②손을 빨리 내밀어 날쌔게 가지는 모양. ¶ ~ 집어가다. 1)-2):>날름. <늘름. ③불길이 밖으로 빠르게 나왔다 들어가는 모양. ——-하다 자타 여불

널름-거리다 자타 ①혀 끝이나 손을 날쌔게 자꾸 내었다 들였다 하다. ②탐을 내어 자꾸 고개를 내밀고 엿보다. 1)-2):>날름거리다. <늘름거리다. ③불길이 밖으로 빨리 나왔다 들어갔다 하다. 널름-널름 부. ——-하다 자타 여불

널름-대다 자타 널름거리다.

널릅다 형 〈방〉 넓다(충북·전라).

널리 부 ①너르게. ¶ ~ 퍼지다/~ 알리다. ②너그럽게. ¶ ~ 용서하기 바랍니다.

널리다¹ 타 너르게 하다.

널리다² 피동 넓을 당하다.

널:-마루 명 널빤지로 깐 마루.

널:-못 명 널을 짜기 위해 쓰는 못. 관정(棺釘).

널:-무덤 명 〖고고학〗 구덩이를 파고 널에 넣은 주검을 묻는 무덤. 토광묘(土壙墓). 목관묘(木棺墓).

널:-문 [—門] 명 ①널빤지로 만든 문. ②〖고고학〗 무덤 밖에서 널길로 통하는 문(門). 연문(羨門).

널:-반자 명 널빤지로 짠 반자.

널:-받침 명 〖고고학〗 널을 받쳐 두기 위해 만든 시설. 관대(棺臺).

널:-밥 [—빱] 명 널뛰기할 때에 몸의 무겁고 가벼움에 따라 중간의 굄으로부터 각기 차지하는 널의 길이.

널:-방 [—房] 명 ①〖역〗 예문관(藝文館)의 사초(史草)를 담은 널을 두는 방. ②〖고고학〗 무덤 속의 주검이 안치(安置)되어 있는 방. 현실(玄室). 묘실(墓室).

널:-방석 [—方席] [—빵—] 명 곡식 같은 것을 너는 데 쓰기 위하여 짚으로 결은 큰 방석.

널벅지 명 〈방〉 ①넓이❶. ②자배기¹.

널부다 형 〈방〉 넓다(전남).

널부러지다 자 ☞너부러지다. ¶ 저만치 돌무덤에 봉삼이가 개차반이 된 몸뚱이로 널부러져 있었다≪金周榮:客主≫.

널브다 형 〈방〉 넓다(강원).

널브러-뜨리다 타 너저분하게 널리 이리저리 퍼뜨리다.

널브러-지다 자 널리 흩어지다. 널리 퍼지다.

널브러-트리다 타 널브러뜨리다.

널:-빈지 명 한 짝씩 끼었다 떼었다 하게 만들어진 문. 가게의 앞에 문 대신 흔히 씀. 준빈지.

널-빤대기 명 〈방〉 널빤지(경기·강원·충청).

널-빤재기 명 〈방〉 널빤지(강원).

널:-빤지 명 통나무를, 쓰일 곳에 따라 얇고 넓게, 혹은 두껍고 좁게, 길고 짧게 켜낸 조각. 준널.

널:-속 [—쏙] 명 〈방〉 널감.

널어-놓다 [—노타] 타 죽 널어서 벌여 놓다. ¶ 빨래를 ~.

널우다 타 〈옛〉 넓히다. ¶ 널울 탁(拓)≪類合 下 32≫.

널음-새 명 일이나 말을 벌여 놓는 솜씨.

널이다 타 〈옛〉 폐를 끼치다. 귀찮게 하다. ¶ 小人이 예와 널이오뎌(小人這裏攪擾了)≪老乞 上 40≫.

널이-방석 [—方席] 명 〈방〉 널방석.

널:-장 [—짱] 명 널빤지의 장. ¶ 판장을 하려면 ~깨나 들겠다.

널:-장식 [—裝飾] 명 〖고고학〗 널의 겉부분을 꾸미기 위해 붙인 금속 장식.

널:-조각 [—쪼—] 명 널빤지의 조각. 널쪽. 목판(木板).

널:-쪽 명 널조각.

널찍-널찍 부 여럿이 다 널찍하게. 널찍널찍이. ——-하다 형 여불

널찍널찍-이 부 널찍널찍.

널찍-이 부 널찍하게.

널찍-하다 형 여불 훤칠하게 넓다. ¶ 널찍한 마당.

널:-판 명 〈방〉 널빤지(경기·전라·경북).

널:-판대기 명 ☞널판때기.

널:-판때기 명 넓고 두껍고 긴 널조각. 널판자.

널:-판자 [—板子] 명 널판때기.

널:-판장 [—板牆] 명 널빤지를 대어 막은 울타리. 목판장(木板牆). 준판장.

널-판지 명 〈방〉 널빤지(경기·전남).

널판-쪽 명 〈방〉 널조각(평안).

널:-평상 [—平床] 명 널빤지로 만든 평상.

넓-가래 [넙—] 명 〈방〉 넉가래.

넓-나물 [넙—] 명 〈방〉 넘나물.

넓다 [널따] 형 ①면적이 크다. 넓이가 크다. ¶ 마당이 ~/넓은 들. ②가로다지의 거리가 크다. 폭이 길다. ¶ 넓은 길. ③마음이 너그럽다. ¶ 도량이 ~. ④사물의 범위가 크다. ¶ 넓은 의미로는. ⑤골고루 미치다. ¶ 지식이 ~. ⑥사귐이 많다. ¶ 발이 ~. 1)-6):↔좁다².

넓-다듬이 [넙—] 명 홍두깨에 올리지 아니하고, 그냥 다듬잇돌 위에 개키어 놓고 하는 다듬이. ↔홍두깨다듬이. ——-하다 타 여불

넓데데-하다 [넙—] 형 여불 ☞너부데데하다.

넓-둥글다 [넙—] 형 넓죽하고 둥글다.

넓디-넓다 [널띠널따] 형 더할 수 없이 매우 넓다.

넓삐죽-하다 [넙—] 형 여불 넓고 삐죽하다.

넓-살문 [—門] [넙—] 명 거친 널빤지로 살을 댄 창문.

넓어-지다 [널버—] 자 넓게 되다.

넓은-귀 [널븐—] 명 〖건〗 재목의 귀를 넓게 한 귀.

넓은날개-잠자리 [널븐—] 명 〖충〗 [*Tromea chinensis*] 잠자릿과에 속하는 곤충. 몸길이 50 mm, 날개 길이 96 mm 가량이고 몸빛은 황갈색에 암컷의 복면은 짙음. 두 쌍의 날개는 투명하며 조금 누른 빛이고 날개 안쪽에는 흑갈색의 큰 무늬가 있음.

넓은-다대 [널븐—] 명 결랑에 붙은 쇠고기의 한 가지. 편육에 씀.

넓은-딱지 [널븐—] 명 〖식〗 [*Potentilla nipponica*] 장미과에 속하는 다년초. 줄기는 높이 60 cm 가량, 족생(簇生)하며, 잎은 호생하고 우상 복엽(羽狀複葉)이며 소엽(小葉)은 다시 우열(羽裂)하였고 열편(裂片)은 피침형임. 7-8월에 황색 꽃이 산방상(繖房狀) 취산(聚繖) 화서로 정생(頂生)하여 피고, 과실은 수과(瘦果)임. 들에 나는데, 평북·함남에 분포함.

넓은마디-촌충 [—寸蟲] [널븐—] 명 〖동〗 [*Diphyllobothrium latum*] 열두(裂頭) 촌충과에 속하는 기생충. 몸길이 8-10 m, 성충은 폭 2-3 cm로 넓고, 머리 마디에 두 줄의 갈라진 홈이 있으며, 몸빛은 황색을 띤 회백색임. 자웅 동체로 제 1 중간 숙주(宿主)는 물벼룩, 제 2 중간 숙주는 연어·대구 등임. 각 편절에 자웅(雌雄) 생식기를 갖추고, 하루에 66마디가 발육한다 함. 사람·개·고양이 따위에 기생하며, 똥과 함께 실처럼 길게 나오기도 함. 수명 6-14 년임. 이것이 있으면 빈혈·소화불량·영양 장애 등이 일어남. 광절 열두 촌충.

〈넓은마디촌충〉

넓은외잎-쑥 [널븐—] 명 〖식〗 [*Artemisia stolonifera*] 국화과에 속하는 다년초. 줄기 높이 1 m 가량. 잎은 호생하며 달걀꼴 또는 넓은 타원형이고 거의 무병(無柄)임. 8-10월에 황갈색 두상화(頭狀花)가 줄기 위 엽액(葉腋)에 원추(圓錐) 화서로 핌. 산지에 나는데, 한국 각지에 분포함. 어린 잎은 식용함. 넓은외잎쑥.

넓은이마-홍때까치 [—紅—] [널븐—] 명 〖조〗 [*Lanius cristatus confusus*] 때까칫과에 속하는 새의 하나. 되때까치와 노랑때까치의 중간형으로 습성은 때까치와 같으며, 우수리·만주·아무르 지방에 분포하는데 우리 나라에는 평북 용암포(龍岩浦) 지방에 봄철에 날아옴. 북때까치.

넓은잎-갈퀴 [널븐닙—] 명 〖식〗 [*Vicia japonica*] 콩과에 속하는 다년생 만초(蔓草). 줄기는 족생(簇生)하며, 길이는 1 m 이상임. 잎은 호생하고 거의 무병(無柄)이며, 우상 복엽(羽狀複葉)이고 끝에 갈라진 덩굴손이 있음. 6-8월에 꽃이 액출(腋出)하여 총상 화서로 피고, 과실은 협과(莢果)임. 들에나 산기슭에 나는데, 거의 한국 각지에 분포함. 어린 잎줄기는 식용 또는 사료용(飼料用)임.

넓은잎-개수염 [—鬚髥] [널븐닙—] 명 〖식〗 [*Eriocaulon robustius*] 고위까람과에 속하는 일년초. 줄기는 족생하고 높이 6-20 cm이며 잎은 총생하고 넓은 선형(線形)으로 길이 10-20 cm, 폭 3-8 mm임. 7-8월에 백색의 반구형의 두상화(頭狀花)가 정생(頂生)함. 물가에 나는데, 제주·강원·경기·함남 및 일본에 분포함.

넓은잎-기린초 [—麒麟草] [널븐닙—] 명 〖식〗 [*Sedum ellacombianum*] 돌나뭇과에 속하는 다년초. 줄기는 족생하고 원추형이며 높이 15 cm 내외임. 잎은 호생하고 달걀꼴 또는 달걀꼴의 타원형이고 육질(肉質)임. 7-8월에 누런 꽃이 산방상(繖房狀) 취산(聚繖) 화서로 정생(頂生)하여 피고, 과실은 골돌(蓇葖)임. 산지의 바위 위에 나는데, 경남과 평남의

양덕(陽德)에 분포함.

넓은잎-딱총나무【—銃—】[널븐닙—] 명 〖식〗 [*Sambucus latipinna*] 인동과에 속하는 낙엽 활엽의 관목. 잎은 우상 복생(羽狀複生)하고 소엽(小葉)은 달걀꼴임. 5월에 황록색의 꽃이 원추(圓錐) 또는 복산방(複繖房) 화서로 정생(頂生)하고, 과실은 핵과(核果)로 9월에 붉게 익음. 산록의 습지 및 골짜기에 나는데, 거의 전국에 분포함. 가지를 건조하여 약용하며, 어린 싹은 식용, 수(髓)는 공업용임. 말오줌나무. 삭조(蒴藋). 접골목(接骨木).

〈넓은잎 딱총나무〉

넓은잎-미꾸리낚시 [널븐닙—] 명 〖식〗 [*Persicaria nipponensis*] 마디풀과에 속하는 일년초. 줄기는 가늘고 포복(匍匐)하며 50cm 가량이고 아주 작은 가시가 났음. 잎은 호생하고 유병(有柄)이며 달걀꼴 또는 긴 타원형임. 초상 탁엽(鞘狀托葉)은 길고 수염털이 났음. 8월에 담홍색 두상화가 수상(穗狀) 화서로 피고, 과실은 수과(瘦果)임. 들의 습지에 나는데, 한국 중부 이남에 분포함.

넓은잎-바늘꽃 [널븐닙—] 명 〖식〗 [*Epilobium nudicarpum*] 바늘꽃과에 속하는 다년초. 줄기 높이 30cm 가량, 잎은 대생하며 극히 단병(短柄)이고 달걀꼴의 긴 타원형임. 7월에 엷은 홍색의 꽃이 줄기 끝 잎 사이에서 하나씩 피고, 과실은 삭과(蒴果)임. 산지에 나는데, 제주·강원·평북·함북에 분포함.

넓은잎-외잎쑥 [널븐닙—] 명 〖식〗 넓은외잎쑥.

넓은잎-잔대 [널븐닙—] 명 〖식〗 [*Adenophora mandshurica*] 초롱꽃과에 속하는 다년초. 근경(根莖)은 비대하고, 줄기 높이는 90cm 내외이고 잎은 윤생(輪生)하며 달걀꼴의 타원형 또는 넓은 타원형이고 유병(有柄) 또는 무병임. 8-9월에 자색 종상화(鐘狀花)가 취산(聚繖) 화서로 줄기 끝에 정생하여 핌. 거의 한국 각지에 분포함. 뿌리는 식용함.

넓은잎-천남성【—天南星】[널븐닙—] 명 〖식〗 [*Arisaema robustum*] 천남성과에 속하는 다년초. 구경(球莖)은 구형이고 위경(僞莖)은 높이가 20cm 내외이며, 잎은 위경 끝에서 하나가 단립(單立)하고 유병(有柄)으로 길이는 30cm에 달함. 엽면(葉面)은 전열(全裂)하고 열편(裂片)은 긴 타원형 또는 거꿀달걀꼴의 긴 타원형임. 5-6월에 자웅 이가(雌雄異家)로 된 꽃이 육수(肉穗) 화서로 정생(頂生)하고 과실은 장과(漿果)임. 산지의 온습지에 나는데, 경남의 거제도와 경기도에 분포함. 독성(毒性)이 있고 구경은 약용임.

〈넓은잎천남성〉

넓은잎-피사초【—莎草】[널븐닙—] 명 〖식〗 [*Carex xiphium*] 방동사닛과에 속하는 다년초. 줄기는 삼릉주(三稜柱)이고, 높이는 25cm 가량이며, 잎은 선형(線形)이고 길이 20-30cm, 폭 2-3mm임. 꽃은 소수(小穗)로 5-6개이고, 수이삭은 두 개가 정생(頂生)하며 암이삭은 3-4개가 측생(側生)하여 6월에 핌. 과실은 영과(穎果)임. 들에 나는데, 강원도에 분포함. 민곱슬사초.

넓은잎-화살나무 [널븐닙—] 명 〖식〗 [*Euonymus alatus* var. *latifolius*] 노박덩굴과에 속하는 낙엽 활엽의 관목. 잎은 달걀꼴 또는 거의 원형이고, 5-6월에 황록색의 꽃이 취산 화서로 핌. 과실은 삭과(蒴果)로 9-10월에 익음. 산기슭에 나는데, 전남의 해남(海南)에 분포함. 가지에 나는 익상물(翼狀物)은 약용, 어린 싹은 식용임.

넓이 [널비—] 명 ①넓은 정도. 광(廣). ②〖수〗 평면 또는 구면(球面) 위의 한정된 부분의 크기. 이차원(二次元)의 공간적(空間的)인 크기. 면적.

넓이-뛰기 [널비—] 명 ☞ 멀리뛰기.

넓적 [넙—] 부 엷게 넓적한 모양.

넓적-구【—球】[넙—] 명 〖수〗 타원(楕圓)을, 그 긴지름 또는 짧은지름을 축(軸)으로 하여 한 바퀴 돌릴 때 생기는 입체. 구용어:편구(偏球).

넓적-꽃등에 [넙—] 명 〖충〗 [*Asarcina porcina*] 꽃등엣과에 속하는 등에의 하나. 몸길이 14-17mm, 몸빛은 황색에 흉배(胸背)는 광택 있는 흑색임. 복부 제1절의 중앙에 한 개의 흑색 띠가 있고, 제2절 중앙에는 한 개의 세로띠가 있으며, 각 절 후연(後緣)에는 한 개의 흑색 가로띠가 있음. 한국·일본 등지에 분포함.

〈넓적꽃등에〉

넓적꽃파릿-과【—科】[넙—] 명 〖충〗 [Phasiidae] 파리목(目)에 속하는 한 과. 보통 침파릿과와 비슷하나 복부(腹部) 하면의 측부(側部)에 간막(間膜)이 있고, 상구부(上口部)와 얼굴이 유합(癒合)되어 코 모양으로 돌출한 것으로 구별이 됨. 유충은 딱정벌레의 내부(內部)에 기생(寄生)함.

넓적-나무좀 [넙—] 명 〖충〗 [*Lyctus brunneus*] 넓적나무좀과에 속하는 곤충. 몸길이 2.2-7.0mm이고, 몸은 가늘며 편평하고 몸빛은 황갈색·갈색·적갈색 등인데 온몸에 금색 내지 황갈색의 섬모(纖毛)가 있음. 각종 건축재·가구재(家具材)·가공재(加工材) 등의 해충임. 전세계에 분포함.

〈넓적나무좀〉

넓적나무좀-과【—科】[넙—꽈] 명 〖충〗 [Lyctidae] 딱정벌레목(目)에 속하는 한 과. 몸은 미소(微小)하고, 흑색·갈색·적색 또는 황색을 띠고 있음. 촉각은 짧고 11절이며, 부절(跗節) 및 복판(腹板)은 각각 다섯 개이고 유충은 고목(古木), 특히 가구류(家具類)의 해충임. 전세계에 60여 종이 분포함.

넓적-넓적 [넙—넙—] 부 여럿이 다 넓적하게. ¶떡을 ~ 자르다. >납작납작². ——하다² 형 여불

넓적넓적-이 [넙—넙—] 부 넓적넓적하게.

넓적-노린재 [넙—] 명 〖충〗 [*Aradus lugubris*] 넓적노린잿과에 속하는 곤충. 몸길이 6mm 가량이고 몸빛은 흑색이며, 전흉배(前胸背)의 중앙에 네 개의 융기선(隆起線)이 있고, 소순판(小楯板)의 측연(側緣)과 반시초(半翅鞘)의 맥도 융기하고 결합판 후연(後緣)은 담갈색임. 장작(長斫)·고목(枯木) 등에 많이 서식하는데, 한국·일본·중국 등지에 분포함.

〈넓적노린재〉

넓적노린잿-과【—科】[넙—] 명 〖충〗 [Aradidae] 매미목(目)에 속(屬)하는 한 과. 몸은 폭이 넓고 납작한데 길이 5-10mm이고 두부는 촉각 사이로 가늘게 돌출하였고 촉각은 굵고 짧음. 복안(複眼)은 양쪽으로 돌출하여 두부 뒤쪽이 넓지 아니함. 반시초(半翅鞘)는 복부(腹部)보다 좁음. 나무 껍질이나 고목의 틈에 서식함. 전세계에 많은 종류가 분포함.

넓적-다리 [넙—] 명 오금 윗마디의 다리. 대퇴(大腿).

넓적다리-마디 [넙—] 명 〖충〗 곤충의 허벅다리 부분의 마디. 대퇴절(大腿節). 퇴절(腿節).

넓적다리-뼈 [넙—] 명 〖생〗 넓적다리의 뼈. 대퇴골(大腿骨). 비골(髀骨). *정강이뼈.

넓적다리-실잠자리 [넙—] 명 〖충〗 [*Copera annulata*] 실잠자릿과에 속하는 잠자리의 하나. 복부의 길이 35mm, 뒷날개 25mm 가량이고, 두부는 흑색인데 중앙에 황색 무늬가 여섯 개 있음. 흉부는 흑색이며 견판(肩板)에 황백색의 줄이 있고, 복부는 금속 청흑색, 측면은 황백색이고 제1-7마디의 전연(前緣)에서 각 측면을 향하여 백색 띠가 있음. 한국·일본 등지에 분포함.

〈넓적다리실잠자리〉

넓적다리-잎벌 [넙—] 명 〖충〗 [*Croesus japonicus*] 잎벌과에 속하는 벌의 하나. 암컷의 몸길이는 9mm 내외이고 몸빛은 흑색, 윗입술은 황갈색, 다리는 흑색 내지 암갈색이며 황백색의 무늬가 있고, 뒷다리는 비교적 넓적함. 유충은 오리나무 잎의 해충으로, 한국·일본·시베리아 등지에 분포함.

〈넓적다리잎벌〉

넓적다리-힘줄 [넙—쭐] 명 〖생〗 넓적다리에 딸린 힘줄. 대퇴근(大腿筋).

넓적배-쐐기노린재 [넙—] 명 〖충〗 [*Nabis apterus*] 쐐기노린잿과에 속하는 곤충. 몸의 길이 12mm 내외이고, 몸빛은 암갈색에 촉각에는 세모(細毛)가 밀생함. 반시초(半翅鞘)는 복부(腹部) 제3절(節)까지 이르고 황갈색의 구름 무늬가 있으며, 복부에는 황색의 미모(微毛)가 있음. 한국에도 분포함.

〈넓적배쐐기노린재〉

넓적-부리 [넙—] 명 〖조〗 [*Spatula clypeata*] 오릿과에 속하는 새. 날개 길이는 암컷 20cm, 수컷은 25cm 내외임. 몸빛은 수컷의 두부(頭部)는 자록색, 가슴은 순백색, 어깨 깃은 식우(飾羽)로 백색·청색·흑색으로 되고, 가운데 꽁지는 암갈색, 다리는 등황색임. 암컷은 집오리의 암컷과 비슷함. 부리는 찻숟가락 모양임. 신구(新舊) 양 세계의 중북부에서 번식하고 아프리카·인도·중국 남부·보르네오·한국·일본 등지에서 월동함.

〈넓적부리〉

넓적부리-도요 [넙—] 명 〖조〗 [*Eurynorhynchus pygmeus*] 도욧과에 속하는 새. 날개 길이 10cm 내외이고 부리가 넓적하고 선단은 마름모꼴인 것이 특이함. 배면(背面)은 흑색이며 가장자리는 황갈색 또는 적갈색이고 가슴은 금적색인데, 겨울에는 하면(下面)이 전부 백색임. 동북 시베리아에서 번식하고 일본·중국·한국에서 월동함.

〈넓적부리도요〉

넓적-비단벌레【—緋緞—】[넙—] 명 〖충〗 [*Anthaxia proteus*] 비단벌렛과에 속하는 곤충. 몸길이 3.5-5.3mm이고 몸빛은 감람녹색 내지 암동색이며 견사상(絹絲狀) 광택이 남. 유충은 소나무의 해충으로, 한국·일본·중국 등지에 분포함.

넓적-뼈 [넙—] 명 〖생〗 넓적다리뼈나 죽지뼈같이 편평하고 넓은 뼈. 편평골(偏平骨).

넓적-사슴벌레 [넙—] 명 〖충〗 [*Eurytrachellelus platymelus*] 사슴벌렛과에 속하는 곤충. 몸길이는 암컷이 30mm, 수컷이 40mm 가량으로 몸은 다소 평평하고 광택 있는 흑색이며 수컷은 큰 턱인 대시(大腮)가 전방에 집게처럼 돌출하여 뿔을 이루고 내측 기부(基部)에 큰 돌기가 한 개 있어 그 앞으로 소치(小齒)가 불규칙하게 열생(列生)함. 다리의 기부(基部)에 털뭉치가 있음. 유충은 썩은 나무에 살고 성충은 나무진을 빨아 먹고 서식하는데, 한국·일본·중국에 분포함. 넓적하늘가재.

넓적-송장벌레 [넙—] 명 〖충〗 [*Silpha perforata*] 송장벌렛과에 속하는 곤충. 풍뎅이와 비슷한데, 몸길이는 17mm 내외이고 자라 모양으로 좀 넓적함. 촉각은 곤봉형이며, 몸빛은 온 몸이 흑색이고, 수염의 말단·발톱·가시는 적갈색임. 썩은 동물의 사체(死體)에 모여들며, 건드리면 악취(惡臭)를 풍김. 한국·일본·시베리아·유럽 등지에 분포함. 자라송장벌레.

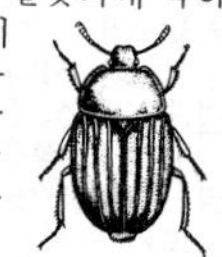
〈넓적송장벌레〉

넓적스레 [넙—] 부 좀 넓적하게. >납작스레. ——하다 형 여불

넓적스름-하다 [넙—] 형 여불 좀 넓적하다. >납작스름하다. 넓적스름-히 [넙—] 부

넓적-이¹ [넙—] 명 넓적하게 생긴 사람의 별명. >납작이¹.

넓적-이² [넙—] 부 넓적하게. >납작이².
넓적-코 [넙—] 명 콧날이 서지 아니하고 넓적하게 생긴 코. 또, 그런 코를 가진 사람. >납작코.
넓적-하늘가재 [넙—] 명 〔충〕 넓적사슴벌레.
넓적-하다 [넙—] 형여불 평평하게 넓다. 편평(扁平)하다. >납작하다.
넓죽 [넙—] 부 길쭉하게 넓은 모양. >납죽.
넓죽-넓죽 [넙—넙—] 부 여럿이 다 넓죽하게. ¶ 송편을 ~ 빚어라. >납죽납죽². ——하다 형여불
넓죽넓죽-이 [넙—넙—] 부 넓죽넓죽하게. >납죽납죽이.
넓죽-버마재비 [넙—] 명 〔충〕 '넓죽사마귀'의 속칭.
넓죽-사마귀 [넙—] 명 〔충〕 [*Hierodula patellifera*] 사마귓과에 속하는 곤충. 몸길이 55-73 mm의 작은 버마재비로 몸이 짧음. 앞다리는 넓죽하고 톱니가 있으며, 눈이 튀어나왔고, 몸빛은 녹색임. 속칭은 넓죽버마재비.
넓죽스레 [넙—] 부 좀 넓죽하게. >납죽스레. ——하다 형여불
넓죽스름-하다 [넙—] 형여불 약간 넓죽하다. >납죽스름하다. 넓죽스름-히 [넙—] 부
넓죽-이¹ [넙—] 명 얼굴이 넓죽한 사람의 별명. >납죽이¹.
넓죽-이² [넙—] 부 넓죽하게. >납죽이².
넓죽-잠자리 [넙—] 명 〔충〕 [*Lyriothemis pachygastra*] 잠자릿과에 속하는 곤충. 몸길이 52 mm, 편 날개 길이는 97 mm 가량임. 암컷은 황회색에, 가슴에는 갈색 무늬가 있고 복부(腹部)가 넓죽하며, 수컷은 비로드 모양의 검은 갈색임. 날개는 투명(透明)하고 날개 밑은 거북 껍데기 모양의 누른 빛을 띠고 있음. 들의 풀밭에 서식하는데, 한국·중국 등지에 분포함.
넓죽-하다 [넙—] 형여불 길쭉하게 넓다. >납죽하다.
넓직-하다 [넙—] 형여불 ☞널찍하다.
넓치 [넙—] 명 ☞넙치.
넓히 부 〈방〉 널리(평안).
넓히다 [널피—] 타 넓게 하다. ¶ 길을 ~/견문(見聞)을 ~.
넘 명 〈방〉 ①남¹(경상·전라·충남). ②놈¹(경상).
넘걷다 타 〈옛〉 넘어 디디다. ¶ 신을 볿디 말며 돗글 넘걷디 말며(毋踐屨毋踖席)≪小諺 Ⅲ:10≫.
넘겨다-보다 타 ①남의 것을 욕심내어 마음을 그리로 돌리다. ¶ 남의 것이니 넘겨다보지도 마라. ②고개를 들어 가리운 물건의 위를 지나서 보다. 넘어다보다. ¶ 담 너머로 ~.
넘겨-쓰다 타 남의 허물을 자기가 받아 지다. ¶ 억울하게 누명을 ~.
넘겨-씌우다 [—씨—] 타 제 허물을 남에게 넘기다. ¶ 죄를 남에게 ~.
넘겨-잡다 타 어림대고 짐작하다. 건너짚다.
넘겨-짚다 타 정확히 알지 못하고 지레 짐작하다.
넘겨-치다 타 〈방〉 넘어치다. 넘어뜨리다.
넘:고-처지다 [—꼬—] 자 이 표준에는 지나치고 저 표준에는 못 미치다. ¶ 넘고처지는 신랑감.
넘구다 타 〈옛〉 넘기다. =넘우다. ¶ 禮ᄂᆞᆫ 졀츠를 넘구디 아니ᄒᆞ며(禮不踰節)≪小諺 Ⅲ:6≫.
넘기다 ㊀ 사동 넘게 하다. ¶ 수돗물을 ~. ㊁ 타 ①낮은 데서 높은 데를 넘어가게 하다. ¶ 담 너머로 ~. ②바로 세워진 것을 쓰러뜨리다. ¶ 나무를 잘라서 ~/다리를 걸어 ~. ③나비가 있는 물건을 뒤집어서 젖히다. ¶ 책장을 ~. ④어떤 기회나 시기를 지나가게 하다. ¶ 좋은 세월을 다 넘기고 늙어서 후회한다/추운 겨울을 ~. ⑤재앙을 모면하다. ¶ 죽을 고비를 ~. ⑥권리나 책임 등을 딴 사람에게 옮겨 주다. ¶ 책임을 남에게 넘기지 마라/사건을 검찰에 ~. ⑦음식물을 목으로 넘어가게 하다. ¶ 목이 부어 물 한 방울 못 ~.
넘:-나다 자 분수에 넘치는 짓을 하다.
넘:나-들다 자타 ①어떤 한계나 경계를 넘어갔다 넘어왔다 하다. ¶ 국경을 ~. ②이리저리 들락날락하다. ¶ 쥐가 방으로 ~.
넘-나물 명 원추리의 잎과 꽃으로 무치어 먹는 나물. 광채(廣菜). 황화채(黃花菜).
넘난ᄆᆞᅀᆞᆷ 명 〈옛〉 넘쳐 나는 마음. 성욕(性慾). ¶ 술보터 情慾앳 이른 ᄆᆞᅀᆞ미 즐거버사 ᄒᆞᄂᆞ니 나ᄂᆞᆫ 이제 시르미 기퍼 넘난ᄆᆞᅀᆞ미 업수니≪月釋 Ⅱ:5≫.
넘:-내리다 자 위아래로 오르락내리락하다.
넘:너리-성 【—性】 [—썽] 명 ☞넘늘이성. ¶ 여덟 사람이 다 방에 들어와서 좌정한 뒤에 ~ 있는 신진사가 먼저 두 사람을 보고 인사를 청하였다≪洪命憙 : 林巨正≫.
넘:-노닐다 자 넘나들며 노닐다.
넘:-놀다 자 ①넘나들며 놀다. ¶ 양양한 바다에 봄바람이 넘놀다. ②새 따위가 위아래로 날다. 오르락내리락하며 날다.
넘늘-거리다 자 길게 휘늘어져 흔들거리다. ¶ 넘늘거리는 실버들. 넘늘-넘늘 [—럼—] 부. ——하다 자여불
넘:늘다 자 ①점잔을 지키면서도 언행을 흥취 있고 멋지게 하다. ② ☞넘놀다.
넘늘-대다 자 넘늘거리다.
넘:늘어-지다 자 아래로 길게 휘늘어지다.
넘:늘이-성 【—性】 [—썽] 명 점잔을 지키면서도 언행을 흥취 있고 멋지게 하는 성품.
넘ᄂᆞ물 명 〈옛〉 넘나물. ¶ 넘ᄂᆞ물 훤(萱)≪字會 上 9≫.
넘:다 [—따] ㊀ 자 ①정한 범위·수량·정도를 초월하다. ¶ 한 되가 ~/차가 밀려 고향에 가는 데 10 시간이 넘게 걸렸다. ②때가 지나가다. ¶ 나이 40이 ~/점심 때가 ~. ③칼날 따위를 지나치게 갈아 날이 한쪽으로 쏠리게 되다. ¶ 날이 한쪽으로 ~. ㊁ 타 ①이쪽에서 저쪽으로, 공중이나 물건의 위를 지나서 가다. ¶ 고개를 ~/산 넘고 물 건너 고향을 찾아가다. ②어떤 경계를 지나다. ¶ 목숨 걸고 38 선을 넘었다. ③고비를 지나다. ¶ 숱한 고비를 ~. ④건너뛰다. ¶ 줄을 ~/도랑을 ~.
넘ᄢᅲᆷ 자 〈옛〉 넘침. '넘ᄢᅵ다'의 명사형. ¶ 形體예 흘러 넘ᄢᅲ미니(流溢形體)≪楞嚴 Ⅸ:64≫.
넘ᄢᅵ다 자 〈옛〉 넘치다. =넚디다·넘ᄡᅵ다. ¶ 조티 아닌 거시 흘러 넘ᄢᅵ여(不淨流溢)≪永嘉 上 35≫.
넘버 [number] 명 ①수. 번. 번호. 등급. 차례. ¶ ~를 매기다. ②차례를 붙인 패·쪽지·표지(標識). ③차량 번호. 또, 그 번호판.
넘버링 [numbering] 명 ①번호를 매김. ②↗넘버링 머신.
넘버링 머신: [numbering machine] 명 사무용 기구의 하나. 스탬프식으로 서류에 누름에 따라, 자동적으로 차례대로의 번호가 나와서 찍히어짐. 번호기. 번호 인자기(番號印字器). 자동 기호기(自動記號器). ㊟넘버링.
〈넘버링 머신〉
넘버 원 [number one] 명 ①첫째. 제일. 으뜸. ②제1호. 제일인자. ¶ ~맨.
넘버 플레이트 [number plate] 명 차량이나 기계·기구 등의 번호를 적은 금속판.
넘:-보다 타 남을 얕잡아 낮추보다. 깔보다. ¶ 상대를 ~.
넘보라-살 명 〔물〕 '자외선(紫外線)'의 풀어쓴 말.
넘빨강-살 명 〔물〕 '적외선(赤外線)'의 풀어쓴 말.
넘ᄡᅲᆷ 자 〈옛〉 넘침. '넘ᄡᅵ다'의 명사형. ¶ 一千ᄒᆡ롤 믈 넘ᄡᅲ미 張儀樓에 갓갑디 아니ᄒᆞᄂᆞ니라 ᄒᆞᄂᆞ다(一千載泛溢不近張儀樓)≪重杜諺 Ⅲ:71≫.
넘ᄡᅵ다 자 〈옛〉 넘치다. =넚디다·넘ᄢᅵ다. ¶ 倉庫ㅣ ᄀᆞᄃᆞ기 넘ᄡᅵ고≪釋譜 Ⅸ:20≫.
넘씨다 자 〈옛〉 넘치다. =넘ᄡᅵ다. ¶ 은틱이 넘ᄡᅵ옵고(恩澤洋溢)≪字恤 4≫.
넘새 명 〈방〉 남새¹.
넘석-넘석 부 ☞넘성넘성. ¶ 마치 우리 집 구경이나 온 것처럼 부엌으로부터 광이라, 변소라, ~ 구석마다 돌아가며 살펴보구 나더니…≪桂鎔默 : 시골 노파≫.
넘석-하다 타여불 ☞넘성하다. ¶ 마침 문 앞 첫째 캠프에서 떠들썩하기에 넘석해 봤다≪宋炳洙 : 쇼리 킴≫.
넘성-거리다 자 탐이 나서 목을 길게 빼고, 자꾸 넘겨다 보다. >남상거리다. 넘성-넘성 부. ——하다 자여불
넘성-대다 자 넘성거리다.
넘성-하다 타여불 한번 넘어다보다.
넘실-거리다 자 ①남의 것에 탐이 나서 목을 길게 빼고, 슬그머니 자꾸 넘어다보다. ②바다의 물결이나 또는 혓바닥이 무엇을 삼킬 듯이 너울거리다. ¶ 물결이 ~. 1)·2):>남실거리다. 넘실-넘실 [—럼—] 부. ——하다 자여불
넘실-대다 자 넘실거리다.
넘어-가다 ㊀ 자 거라불 ①바로 선 것이 저쪽으로 쓰러지다. ¶ 짚더미가 ~. ②때나 시기가 지나가다. ¶ 점심 시간이 ~/또 한 해가 넘어가는구나. ③해나 달이 지다. ¶ 서산으로 해가 ~. ④책임·권리·관심 등이 이쪽에서 저쪽으로 옮겨가다. ¶ 소유권이 ~. ⑤속임수에 빠지다. ¶ 잔꾀에 ~/제 꾀에 제가 ~. ⑥다음 차례나 다른 경우로 옮아가다. ¶ 본론으로 ~. ⑦음식물이 목구멍을 지나가다. ¶ 밥이 ~. ㊁ 타 거라불 ①이쪽에서 저쪽으로 높은 곳이나 장벽을 지나서 가다. ¶ 국경선을 ~/고개를 ~. ②고비를 지나가다. ¶ 이 고비만 넘어가면 살 길이 있다.
넘어다-보다 타 고개를 들어 가리운 물건의 위를 지나서 보다. 넘겨다보다. ¶ 이웃집을 담 너머로 ~.
넘어-뜨리다 타 ①선 물건을 힘차게 쓰러지게 하다. ¶ 의자를 ~. ②남의 권세나 차지한 지위를 꺾다. ¶ 독재 정권을 ~.
넘어-박히다 자 되게 넘어져 속으로 들어가다. 되게 넘어져 바닥에 부딪다.
넘어-서다 타 ①어떤 물건이나 공중을 넘어서 지나다. ¶ 산을 넘어서면 마을이 있다. ②어떤 경계나 고비를 넘어서 지나다. ¶ 나이 60 고개를 ~/어려운 고비를 ~.
넘어-오다 ㊀ 자 너라불 ①선 것이 쓰러져 이쪽으로 오다. ¶ 짚더미가 ~. ②먹은 것이 입으로 도로 나오다. ¶ 먹은 것이 ~. ③책임·권리·관심 따위가 이쪽으로 옮겨오다. ¶ 재산의 소유권이 ~. ④다음 차례나 다른 경우가 옮아오다. ¶ 발언할 차례가 내게로 ~. ㊁ 타 너라불 저쪽에서 이쪽으로 넘어서 오다. ¶ 국경선을 ~/산을 ~.
넘어-지다 자 ①한쪽으로 쓰러지다. ¶ 발이 걸려 ~/말뚝에 걸려 ~. ②승부놀이에서 지거나, 어떤 싸움에서 패하다. 또, 망하거나 도산(倒產)하다. ¶ 결승전에서 ~/회사가 ~. ③쓰러져 죽다.
【넘어지면 밟지 않는다】 기운이 모자라 쓰러진 상대방에게는 더 짓밟아 고통을 주지 않는다.
넘어-치다 타 〈방〉 넘어뜨리다.
넘어-트리다 타 넘어뜨리다.
넘우다 타 〈옛〉 넘기다. =넘구다. ¶ 도라옴애 ᄢᅢ롤 넘우디 아니ᄒᆞ며(復不過時)≪小諺 Ⅱ:16≫.
넘저 【念丁】 〈이두〉 ①지나서. ②까지.
넘쩍 부 〈방〉 덥석.
넘쳐-흐르다 [—처—] 자 르불 ①액체가 가득 차서 밖으로 흘러내리다. ¶ 개천이 ~. ②어떤 느낌·기운·힘이 가득 차서 넘치다. ¶ 매력이 ~.
넘:치다 자 ①가득 차서 밖으로 흘러나오다. ¶ 강물이 ~. ②셈이나 어떤 것의 상태가 표준·정도를 지나다. ¶ 분수에 ~/기쁨에 ~.
넘통 명 〈방〉 염통(평안).
넘패 명 〈심마니〉 〔동〕 곰.
넚듐 자 〈옛〉 넘침. '넚디다'의 명사형. =넘ᄡᅲᆷ. ¶ 倉庫ㅣ 넚듀믈 가줄비니(譬倉庫盈溢)≪妙蓮 Ⅱ:218≫.
넚디다 자 〈옛〉 넘치다. =넘ᄡᅵ다·넘ᄢᅵ다. ¶ ᄀᆞᄅᆞᆷ과 우믌므리 다 넚디고≪月釋 Ⅱ:48≫.
넙 명 〈방〉 놉(강원·충북·전북).
넙가래 명 〈옛〉 넉가래. ¶ 넙가래(杴)≪物譜 下篇≫.

넙곽 명〈방〉〖식〗다시마(제주).

넙놀다 자〈옛〉넙놀다. ¶鸞鳳이며 種種 새돌히 모다 넙놀며≪月釋 Ⅱ:27≫.

넙다 형〈옛·방〉너르다. 넓다(경남·제주). ¶聲教ㅣ 너브실 씨(聲教普及)ㄴ≪龍歌 56章≫.

넙다리 명〈방〉넓적다리(경남).

넙대 명〈심마니〉〖동〗곰.

넙대기 명〈심마니〉〖동〗곰.

넙대-마니 명〈심마니〉〖동〗곰.

넙덕다리 명〈옛〉넓적다리. ¶넙덕다리(大腿)≪漢淸 Ⅴ:54≫.

넙데기 명〈심마니〉수건.

넙데데-하다 형여불 ↗너부데데하다. >납대대하다.

넙-도【一島】 명〖지〗전라 남도 완도군(莞島郡) 노화읍(蘆花邑)과 고금면(古今面)에 있는 '잉도(芿島)'의 우리말 이름.

넙떡지 명〈방〉넓적다리(전라·경상).

넙써이 부〈옛〉뻔뻔스럽게. ¶또 서르 조차가 이바디 會集ᄒᆞ며 넙써이 붓그림 업거든(又相從宴集靦然無愧)≪內訓 Ⅰ:68≫.

넙엿ᄒᆞ다 형〈옛〉널찍하다. ¶넙엿ᄒᆞ쟈 ᄒᆞ니 모난듸 ᄀᆞ일셰라≪古時調≫/ᄉᆞ랑이 엇더터니 두렷더냐 넙엿더냐≪古時調≫.

넙이 부〈옛〉넓게. =너비². ¶모든 사ᄅᆞᆷ을 넙이 ᄉᆞ랑호ᄃᆡ(汎愛衆)≪小諺 Ⅰ:16≫.

넙적 부 ①무엇을 받아 먹거나 말대답할 때 입을 냉큼 넓게 벌리었다가 닫는 모양. ¶~ 받아 먹다. ②몸을 냉큼 바닥에 펴대고 엎드리는 모양. ¶~ 엎드리다. 1)·2):>납작¹.

넙적-거리다 타 ①입을 연해 넓게 벌리었다 닫았다 하다. ②몸을 자꾸 넓적 엎드리어 바닥에 내리대다. 1)·2):>납작거리다. 넙적-넙적 부. ——-하다 타여불

넙적-다리 명 '넓적다리'의 잘못.

넙적-대다 타 넙적거리다.

넙죽 부 ①무엇을 받아 먹거나 말대답할 때 입을 냉큼 넓죽하게 벌리었다 닫는 모양. ②몸을 냉큼 바닥에 대고엎드리는 모양. 1)·2):>납죽.

넙죽-거리다 타 ①입을 연해 넙죽 벌리었다 오므렸다 하다. ②몸을 연해 넙죽 엎드리어 바닥에 내리대다. 1)·2):>납죽거리다. 넙죽-넙죽 부. ——-하다 타여불

넙죽-대다 타 넙죽거리다.

넙-차게 명〈방〉호주머니(평안).

넙치 명〖어〗[*Paralichthys olivaceus*] 가자밋과에 속하는 바닷물고기. 몸길이 30cm 가량이고 위아래로 넓적한 긴 타원형임. 두 눈은 몸의 왼쪽에 있으며, 입이 크고, 옆줄은 가슴지느러미 위쪽에서 궁상(弓狀)으로 구부러져 있음. 몸빛은 오른쪽은 암갈색, 왼쪽은 백색, 꼬리자루와 지느러미는 등황색으로 되어 있는 것이 많음. 눈 있는 편을 위로 하고 근해(近海)에서 모래 바닥에 옆으로 눕기를 잘 하는데, 겨울철에는 심해에서 서식함. 한국 전연해·일본·중국에 분포함. 광어(廣魚). 비목어(比目魚).

〈넙치〉

[넙치 눈은 작아도 먹을 것은 잘 본다] ㉠눈 작은 사람이 잘 찾아 먹을 때 놀리는 말. ㉡생김새는 무섭고 못났더라도 제 구실만 똑똑히 하면 더 바랄 것이 없다는 말.

넙치가 되도록 맞다 구 난타(亂打)를 당하다.

넙치-가자미 명〖어〗[*Laeops lanceolata*] 가자밋과에 속하는 바닷물고기. 넙치와 가자미의 중간형으로, 몸길이 10cm 내외임. 두 눈이 몸의 왼쪽에 있으며, 몸은 측편되어 얇음. 머리가 누르스름하고, 등 쪽에 5-6개의 작은 암색 무늬가 있음. 한국 남부해 및 일본 남부에 분포함.

넙치-눈이 명 ①넙치 눈과 같이 두 눈동자를 한 군데로 잘 모으는 사람. ②눈을 잘 흘기는 사람. 광어눈이.

넙치 어채【一魚菜】 명 넙치를 토막쳐서 녹말을 묻히어 끓는 물에 데친 음식.

넙치 저:냐 명 넙치의 살을 저미어서 소금을 뿌리었다가 밀가루를 묻히고 달걀을 씌워 지진 음식. 광어 전유어(廣魚煎油魚).

넙치-회【一膾】 명 넙치의 살로 만든 회.

넙칫-국 명 넙치를 토막쳐서, 장국이나 아욱을 넣은 토장에 끓인 국.

넛:- 두 아버지의 외숙이나 외숙모와 자기와의 관계를 나타낼 때 쓰는 말. ¶~손자/~할머니.

넛:-손자【一孫子】 명 누이의 손자.

넛:-할머니 명 아버지의 외숙모(外叔母). *넛할아버지.

넛할미 명〈옛〉대고모(大姑母). ¶모든 아ᄌᆞᆷ이며 넛할미 남편으란(諸姑尊姑之夫)≪小諺 Ⅵ:84≫.

넛:-할아버지 명 아버지의 외숙(外叔). *넛할머니.

넝 명〈방〉이엉(평안).

넝:감 명〈방〉영감(평안).

넝거미 명〈방〉너겁.

넝굴 명〈방〉덩굴(경상·전남).

넝-기슬매기 명〈방〉처마(평안).

넝-기슭 명〈방〉처마(평안).

넝납새 명〈방〉처마(평안).

넝마 명 낡고 해어져서 입지 못하게 된 옷 따위. 마병.

넝마-장수 명 넝마를 사다가 파는 사람.

넝마-전【一廛】 명 넝마를 파는 가게. 의전(衣廛).

넝마-주이 명 넝마나 헌 종이 등을 줍는 사람.

넝마-쪽 명 넝마의 헝겊 쪽.

넝애 명〈방〉〖건〗너새.

넝쿨 명〈방〉덩굴(경상·충청).

넝퀴 명〈방〉덩굴(충청).

넝우리 명〈옛〉수달(水獺). =너고리. ¶넝우리 달(獺), 넝우리 빈(獱)≪字會 上 18≫. *러울.

넣:다 [너타] 타 ①외부에서 내부로 들이어 보내다. ¶돈을 지갑에 ~. ②돈을 납부하거나 은행에 입금(入金)하다. ¶은행에 돈을 ~. ③수용(收容)하다. ¶강당이 커서 천 명은 넣을 수 있다. ④포함하다. ¶설탕값도 넣어서 계산해라. ⑤염두(念頭)에 두다. ¶잡념을 머리에 넣지 마라. ⑥끼우다. ¶카드를 책 갈피에 ~. ⑦단체나 학교나 직장 같은 곳에 들게 하다. ¶막내아들을 학교에 ~.

네¹ 一 인대 '너¹'의 변한 말. 주격 조사 '가'와 부사격 조사 '에게'의 준말 '게' 위에서 쓰임. ¶~가 해보아라 / 책임은 ~게 있다. 二 관 '너의'의 뜻. ¶~ 이름은 무엇이냐.

[네 각담 아니면 내 쇠뿔 부러지랴; 네 쇠뿔이 아니면 내 담 무너지랴] 다른 사람 때문에 공연히 자기가 손해를 입었음을 이르는 말. 또, 남에게 책임을 지우기 위하여 억지쓰는 말. [네 떡 내 먹었나] 자기가 하여 놓고 모르는 체함을 이르는 말. [네 떡 내 모른다] 모르는 체하고 방관(傍觀)함을 이름. [네 떡이 한 개면 내 떡이 한 개라] 오는 것이 있어야 그만큼 가는 것이 있다는 말. [네 맛도 내 맛도 없다] 도대체 아무 맛도 없다는 말. [네 병이야 낫든 안 낫든 내 약값이나 내라] 남을 위하여 한 일의 성부(成否)는 덮어놓고 그 보수만을 요구함을 이르는 말. [네 콩이 크니 내 콩이 크니 한다] 서로 비슷한 것을 가지고 제 것이 낫다고 다투는 것을 보고 이르는 말.

네² 〈옛〉①네가. '너¹'의 주격형. ¶네 이 一切諸佛菩薩와 天龍鬼神올 보ᄂᆞᆫ다≪月釋 XXI:13≫. ② 너이-. '너¹'의 서술격형(敍述格形). ¶汝ᄂᆞᆫ 네라≪月序 10≫.

네³ 수관〈옛〉네⁴. 넷. ¶네 사ᄅᆞᆷ ᄃᆞ리사(遂率四人)≪龍歌 58章≫.

네:⁴ 관 '넷'의 뜻. ¶~ 가지/~ 마리/~ 사람. *너²·넉².

네⁵ 감 ①존대할 자리에서 대답하는 말. '예' 보다 존경하는 뜻이 덜함. ¶~, 그렇습니다. ②존대할 자리에서 반문(反問)하는 말. ¶~, 무슨 말씀이신지요.

-네¹ 미 ①처지가 같은 사람들의 한 무리를 나타내는 말. 단수(單數)의 경우에도 쓰임. ¶우리~/부인~. ②어떠한 집안이나 가족의 전체를 들어서 나타내는 말. ¶이쁜이~/복동~.

-네² 어미 용언의 어간에 붙어 감동된 뜻을 나타내거나, 같은 연배나 손아랫사람에게 이를 때에 쓰는 종결 어미. ¶비가 오~/꽃이 참 곱~/자네만 믿~. *-르네·-으이.

네:-가락 명〖악〗평조(平調)와 계면조(界面調)에서, 남려(南呂)를 궁(宮)으로 하는 조(調). 사지(四指). 빗가락.

네:-가래 명〖식〗[*Marsilea quadrifolia*] 네가랫과에 속하는 다년생 수초(水草). 가는 뿌리가 벋어 나가며, 네 개의 소엽(小葉)은 '田'자 모양으로 되고 선형(扇形)에 망상맥(網狀脈)이 있으며, 잎자루의 길이는 7-20cm임. 8-10월에 엽액에 두세 개의 타원형의 낭과(囊果)를 붙이고 그 속에 포자(胞子)가 형성됨. 깊은 산의 습지 또는 물가에 나는데, 평남·함남·함북 및 일본에서 중국을 거치어 유럽·북미 등지에 널리 분포함. 초장조(酢漿藻).

〈네가래〉

네:가랫-과【一科】 명〖식〗[Marsileaceae] 고등 은화(隱花) 식물의 수서 양치류(水棲羊齒類)의 한 과. 한국에는 네가래 한 가지뿐임.

네:갈랫-길 명 네 갈래로 갈린 갈림길.

네:개의 자유【一個一自由】 [ㅡ/ㅡ에ㅡ] 명 (four freedoms) 인간이 누려야 할 네 가지 기본적 자유. 곧, 언론과 발표의 자유, 종교의 자유, 궁핍(窮乏)으로부터의 자유, 공포(恐怖)로부터의 자유. 미국 루스벨트 대통령이 1941년 1월 6일, 제74회 미국 의회에 보낸 연두 교서(年頭教書)에서 한 말인데, 뒤에 국제 연합의 세계 인권 선언의 기본이 됨. 사대 자유(四大自由).

네거 명 ↗네거티브(negative). ↔포지.

네:-거리 명 '十'자나 'X'자 모양으로 한 군데서 네 방향으로 길이 갈라져 나간 거리. 사거리. 십자로(十字路).

네거티브 (negative) 명 ①부정적. 소극적. ②사진의 원판. 음화(陰畫). 준네거. ③전기의 음극(陰極). ④수학의 음수·음량. 1)-4):↔포지티브.

네거티브 리스트 (negative list) 명〖경〗원칙적으로 수입 자유화를 채용하고 있는 나라가, 특히 수입을 규제한 상품의 품목표. 수입 제한 품목표(輸入制限品目表). ↔포지티브 리스트.

네거티브 시스템 (negative system) 명〖경〗네거티브 리스트만 미리 명시해 놓고, 그 외의 품목은 모두 그 수출입을 개방하는 무역 제도.

네거 필름 (nega+film) 명 (negative film) 음화(陰畫)를 만드는 데 쓰이는 필름.

네:-겁【一劫】 명〖불교〗사겁(四劫).

네겔리 (Nägeli, Karl Wilhelm von) 명〖사람〗스위스의 식물학자. 취리히 대학 교수. 세포막(細胞膜)의 편광(偏光) 현미경에 의한 연구로부터 세포의 미셀설(Micell說)을 주장함. 정향 진화적(定向進化的) 입장에서 다윈(Darwin)의 자연 도태설(自然淘汰說)에 대하여 비판적 태도를 취함. [1817—91]

네고 (↗negotiation) 명 수출업자가 부대(附帶) 선적 서류(船籍書類)가 첨부된 환(換)어음을 은행(銀行)에 매각(賣却)하는 일. ¶신용장에 의해 처리되고 ~된 모든 서류를 송부합니다. ——-하다 타여불

네고시 (Njegoš, Petar Petrović) 명〖사람〗몬테네그로 공국(Montenegro 公國)의 주교(主教)·왕. 19세기 세르비아의 대표적인 시인으로 ≪산(山)의 화관(花冠)≫ 등을 씀. [1813-51; 재위 1830-51]

네공: 명〖조〗←레그혼(leghorn).

네군도-단풍【一丹楓】 (negundo) 명〖식〗[*Acer negundo*] 단풍나뭇

과에 속하는 낙엽 활엽의 교목. 잎은 복생(複生)하여 3-7개가 달리었고 소엽(小葉)은 달걀꼴 또는 타원상 피침형에 톱니가 없거나 또는 고르지 아니하게 있음. 꽃은 4-5월에 총상(總狀) 화서로 피고, 과실은 시과(翅果)로 9월에 익음. 촌락 부근의 토양 깊은 곳에서 잘 생장하고 추위에 잘 견디는데, 북미 원산으로 한국 각지 및 만주 지방에도 분포함. 정원수·가로수로 심음.

네:-굽 명 말이나 소 따위의 네 발의 굽. ¶ 말은 ~을 솟구쳐 달려 나갔다.

네:굽-질 명 ①네발짐승이 네굽을 내젓는 짓. ②〈속〉 팔다리를 내저으며 몸부림치는 짓.

네:귀-쓴풀 명 〖식〗 [*Swertia tetrapetala*] 용담과에 속하는 일년초. 줄기 높이 30 cm 내외이고 잎은 대생하며 무병(無柄)에 긴 달걀꼴 또는 달걀꼴 피침형임. 7-8월에 자색 꽃이 줄기 끝에 정생하여 원추상의 취산(聚繖) 화서로 핌. 삼림이나 들에 나는데 거의 한국 각지에 분포함.

네그로 강 【—江】〔Negro〕 명 〖지〗 ①남미 아르헨티나 중남부의 강. 안데스 산맥 남부에서 시작하여 동쪽으로 흘러 대서양으로 들어감. 유역에서는 목양(牧羊)이 성함. [1,120 km] ②남미 우루과이 중앙부를 남서부로 흐르는 강. 브라질 남쪽 바제(Bagé) 부근에서 발원, 중류(中流)에 리오네그로 개발 계획으로 거대한 인공호(人工湖)가 생김. [800 km]

네그로스 섬: 〔Negros〕 명 〖지〗 필리핀 제4의 큰 섬. 농산물은 코프라·사탕·삼·담배·쌀을 주로 하며 산지(山地)에서는 티크재(teak材) 등을 산출함. 필리핀의 당업(糖業) 중심지이기도 함. 주요 도시는 북해안의 바콜로드(Bacolod)와 남동안의 두마게테(Dumaguete). [13,670 km²]

네그루 강 【—江】〔Negro〕 명 〖지〗 아마존 강의 지류(支流)의 하나. 콜롬비아 동부의 안데스 서쪽 기슭에서 발원하여 동쪽으로 흘러 마나우스(Manaus) 부근에서 아마존 강과 합류함. [2,253 km]

네그리 소:체 【—小體】 명 〔Negri's bodies; 이탈리아의 병리학자 Adelchi Negri(1876-1912)의 이름에서 유래〕 〖생〗 주로 광견병(狂犬病)에 걸린 생체의 뇌신경 세포내에서 발견되는 소체. 원형·타원형 또는 가늘고 긴 모양으로 크기는 2-10 μ 정도이며, 광견병의 병원충이라고 함.

네글리제 〔프 négligé〕 명 ①원피스 같은, 낙낙한 여성용 실내복. 또, 그런 모양의 잠옷. ②약복(略服).

네기¹ 명 〈방〉 이야기(평안).

네:기² 감 마음에 못마땅한 일이 있을 때 허텅지거리로 하는 말. ¶ ~, 빌어먹을 것.

네기다 타 〈옛〉 여기다. =녀기다. ¶ 네브터 비르수 天命을 便安히 네겨(宿昔始安命)《杜諺 Ⅱ:13》.

〈네글리제❶〉

네:기둥-안 명 ①각 궁(宮)이나 귀족의 집 속을 일컫는 말. 견여(肩輿)와 초헌(軺軒)이 드나들기 편하게 대문의 네 기둥을 특별히 높게 한 데서 온 말. ②내실(內室). 규중(閨中).

네-까짓 관 '너 따위 하찮은 것'의 뜻으로 경멸하는 말. ¶ ~ 놈이 뭘 안다고.

네네 관 〈방〉 여느(평안).

네-년 인대 〈비〉 여자를 맞대하여 욕으로 부르는 말. ↔네놈.

네-놈 인대 〈비〉 남자를 맞대하여 욕으로 부르는 말. ↔네년.

네:눈깔-잡이 명 〈속〉 안경 낀 사람.

네:눈-박이 명 양쪽 눈 위에 흰 점이 있어 얼른 보기에 눈이 넷으로 보이는 개. 네눈이.

네:눈박이-나무밑쑤시기 명 〖충〗 [*Librodor japonicus*] 나무밑쑤시깃과에 속하는 곤충. 몸길이는 12 mm 내외이고, 몸은 짧고 편평하며 몸빛은 광택 있는 흑색이고, 시초(翅鞘)에 네 개의 견아상(犬牙狀) 적색 무늬가 있음. 촉각은 적갈색이고 복부(腹部) 말단의 두 마디가 시초에서 뒤에 나타나 보임. 봄·여름에 성충·유충이 나무진·농식물의 부패 물질에 서식하는데, 한국·일본·중국·대만에 분포함.

〈네눈박이 나무밑쑤시기〉

네:눈박이-노린재 명 〖충〗 [*Homalogonia obtusa*] 노린잿과에 속하는 곤충. 몸길이는 14 mm 내외이고, 몸빛은 대체로 회갈색인데 담녹갈색에 흑색 점각(點刻)이 있음. 전흉배(前胸背)의 전측연(前側緣)은 톱니를 이루며, 전연(前緣)에 황색 점문(點紋)이 네 개 있음. 산에 서식(棲息)하는데, 한국·일본·중국·시베리아에 분포함.

네:눈박이-장님노린재 명 〖충〗 [*Trichophoroncus albinotatus*] 장님노린잿과에 속하는 곤충. 몸길이 8 mm 내외이고 몸빛은 일률적으로 흑색에 백색 무늬가 네 개 있음. 촉각 제1절은 암갈색이고, 혁질부(革質部)의 중앙과 설상부(楔狀部)에 설형(楔形)의 백색 무늬가 있음. 한국에도 분포함.

네:눈박이-하늘소 【—쏘】 명 〖충〗 [*Stenygrinum quadrinotatum*] 하늘솟과에 속하는 곤충. 몸길이 7-13 mm이고 온 몸빛이 적갈색이며, 시초(翅鞘)에는 네 개의 황색 무늬가 있고 그 주위는 암갈색이며 퇴절(腿節)은 곤봉 모양임. 밤나무 등의 꽃에 모이는데, 한국에도 분포함.

네:눈-이 명 네눈박이.

〈네눈박이하늘소〉

네다 형 〈방〉 냅다(경남).

네:-다리 명 〈속〉 뻗거나 오그리고 잘 때의 팔과 다리. ¶ ~ 쭉 뻗고 자게 됐다.

네:다리-뼈 명 〖동〗 사지골(四肢骨).

네다바이 〔일 ねたばい〕 명 가짜 돈뭉치 따위로 조직적·지능적인 함정을 파 놓고 그것을 매개로 하여 교묘하게 남을 속이어 금품을 빼앗는 짓.

네-다섯 수관 넷이나 다섯. 네댓.

네-댓 수관 넷이나 다섯. 너덧. 네다섯.

네댓-새 명 나흘이나 닷새.

네댓-째 수 네째나 또는 다섯째.

네덜란드 〔Netherlands〕 명 〖지〗 유럽 북서쪽에 있는 입헌 군주국(立憲君主國). 라인 강·마스(Maas) 강 등이 만드는 삼각주에 위치하며, 주민의 약 40 %는 신교도, 약 40 %는 가톨릭교도임. 로마 제국과 프랑크 왕국의 지배를 받았으며, 14-16세기에는 세계적인 통상 중심지였음. 1566년 합스부르크 왕가의 지배에서 벗어나 17-18세기에 융성하고, 1830년 벨기에와 분리됨. 제2차 세계 대전 때 독일군에 점령되어 전 여왕 빌헬미나와 그의 정부는 영국으로 망명, 1944년 연합국에 의하여 해방됨. 국토의 25 %는 해면(海面) 이하이며, 45 %는 사구(砂丘)인데 제방이 없으면 수몰(水沒)함. 예전부터 전래되는 섬유 공업 이외에 조선·기계·철강·전자 공업이 행해지며, 낙농과 튤립(tulip) 등 원예(園藝)가 집약 농업으로 행해짐. 정식 명칭은 '네덜란드 왕국(Kingdom of Netherlands)'. 수도는 암스테르담(Amsterdam), 왕궁과 정부는 헤이그(Hague)에 있음. 화란(和蘭). 홀란드(Holland). [41,863 km²: 15,048,000 명(1991 추계)]

네덜란드 독립 전:쟁 【—獨立戰爭】 [—닙—] 〔Netherlands〕 명 〖역〗 네덜란드가 1568-1648년에 걸치어 에스파냐의 지배에 항거하여 독립을 달성한 혁명 전쟁. 1648년 베스트팔렌(Westfalen) 조약에 의하여 네덜란드 연방 공화국이 정식 승인됨.

네덜란드 동인도 회:사 【—東印度會社】 〔Netherlands〕 명 〖역〗 1602년, 네덜란드의 인도 및 동남 아시아 각지에서의 무역 독점·권익 보호를 목적으로 하여 설립된 회사. 현재의 자카르타를 거점으로 향신료(香辛料)의 무역을 중심으로 하고, 사원에 의한 식민지 지배를 강행, 네덜란드의 동양 지배의 중심이 되었음. 18세기말부터 영국의 진출, 원주민의 반항, 사원의 부패에 의하여 급속히 쇠퇴하여 1798년 해산을 선언, 1800년 실질적으로 해체하였음.

네덜란드령 기아나 【—領—】 명 〔Netherlands Guiana〕 〖지〗 '더치 기아나'.

네덜란드령 뉴:기니 【—領—】 명 〔Netherlands New Guinea〕 〖지〗 '인도네시아령(領) 서이리안(西 Irian)'의 구칭.

네덜란드령 서인도 제도 【—領西印度諸島】 명 〔Netherlands West Indies〕 〖지〗 카리브 해(海), 베네수엘라 북쪽에 있는 네덜란드령(領)의 섬들. 쿠라사오(Curaçao)·보네르(Bonaire) 등의 섬으로 이루어짐. 1954년 자치권을 획득함. 주도(主都)는 빌렘슈타트(Wilemstad). [933 km²: 240,000 명(1975 추계)]

네덜란드 서인도 회:사 【—西印度會社】 〔Netherlands〕 명 〖역〗 네덜란드 동인도 회사를 본떠, 1617년 설립된 회사. 1621년 아메리카·아프리카에서의 무역 독점의 특허장을 얻음. 주된 활동은 포르투갈·스페인의 식민지를 습격하고 선박을 약탈하는 일이었음. 거액의 부채로 1674년 해산, 1700년 재건되었다가 자금 부족으로 1790년 다시 해산함.

네덜란드 악파 【—樂派】 〔Netherlands〕 명 〖악〗 플랑드르 악파(Flandre 樂派).

네덜란드-어 【—語】 〔Netherlands〕 명 〖언〗 인도 게르만 어족(語族)의 서(西)게르만 어파(語派)에 속하는 말. 저지(低地) 독일어의 한 파. 네덜란드 본국·벨기에·프랑스·북미·남아프리카 공화국 등지에서 쓰임.

네덜란드 연방 공:화국 【—聯邦共和國】 〔Netherlands〕 명 〖역〗 네덜란드 독립 전쟁 후, 1648년 베스트팔렌(Westfalen) 조약으로 열국(列國)으로부터 정식 독립을 승인받은 나라. 각 주(各州)는 주권을 가지며, 각 도시는 거의 완전한 자치권을 향유하였음. 17세기 중엽은 정치·경제·문화의 최성기(最盛期)였으나, 17세기 후반, 영국·프랑스와의 전쟁을 거쳐 몰락, 1795년 프랑스군의 침입으로 붕괴됨.

네덜란드 침:략 전:쟁 【—侵略戰爭】 [—냑—] 〔Netherlands〕 명 〖역〗 1672-78년 네덜란드 전쟁의 보복을 위하여, 프랑스의 루이 14세가 영국·스웨덴 등과 동맹하여 네덜란드에 침입한 전쟁. 총독 빌렘 3세는 이를 잘 막고, 또 프로이센·오스트리아·스페인과 짜고 루이 14세를 고립시키어, 네이메겐(Nijmegen)의 화약(和約)을 체결함.

네:동-가리 명 〖어〗 [*Scolopsis inermis*] 하스돔과에 속하는 바닷물고기. 몸의 길이 30 cm 가량인데 몸은 타원형으로 조금 측편하고, 입은 작고 양턱에만 작은 이가 있으며 몸에 빗비늘이 있음. 몸빛은 등 쪽은 담홍색이며, 체측(體側)에 넉 줄의 심홍색 가로띠가 있음. 각 지느러미는 황색임. 한국 서남부와 일본 중남부 연해에 분포함.

〈네동가리〉

네-뚜리 명 ①새우젓 한 독을 네 몫으로 가르는 일. 또, 그 가른 몫. ②사람이나 물건을 업신여기어 대수롭지 아니하게 보는 일. ¶ ~로 알다/며느리 아씨님이 소위 시어미를 ~로 알더니, 며느리 교전비까지 내 행실을 가르치러 드는구나《李海朝: 鳳仙花》.

네레우스 〔Nereus〕 명 〖신〗 그리스 신화의 해신(海神). 특히, 에게 해(海)의 해신. 호메로스가 '바다의 노옹(老翁)'이라 명명하였음.

네로 〔Nero〕 명 〖사람〗 고대 로마의 황제(皇帝). 정식 이름은 Nero Claudius Caesar Drusus Germanicus. 치세(治世) 초기에는 세네카(Seneca) 등의 보좌로 선정(善政)을 베풀었으나, 말기에는 그들을 물리치고 모후(母后)와 황후를 살해하였으며, 또, 로마 시에 불을 놓고 그 죄를 그리스도교도에 전가하여 대학살을 감행하고 공포 정치를 하여, 후년 반란이 일어나자 자살함. 폭군의 대명사가 됨. [37-68; 재위 54-68]

네롤리-유 【—油】 〔neroli〕 명 등화(橙花)의 기름. 등화유(橙花油).

네루¹ 명 '플란넬(flannel)'이 축약 변한 말.

네:루² 명 ←레일(rail).

네:루³ 〔Nehru, Pandit Jawaharlal〕 명 〖사람〗 인도의 정치가. 북인도 태생. 영국에 유학, 케임브리지 대학을 졸업하고, 변호사 자격을 얻은 후 귀국함. 그 후 인도 국민 회의파의 간디의 지도 밑에 독립 운동을 전

개, 1929년 회의파 대회에서 의장에 선출됨. 제2차 세계 대전 후에도 반영(反英) 독립 운동을 계속, 1947년 독립에 성공, 이후 사망할 때까지 인도 공화국 수상의 지위에 있었음. 그 동안 1955년 중국과의 평화 오원칙(平和五原則), 1955년 아시아·아프리카 회의 성공 등의 공적이 있음. [1889-1964]

네루다[1] 〔Neruda, Jan〕 명 『사람』 체코슬로바키아의 작가. 대학을 나온 후 저널리스트로서 민족 해방을 위하여 활약. 사회를 인식하는 것이 문학의 임무라고 하여 프라하의 서민 생활을 그린 단편 소설집 ≪소지구(小地區) 이야기≫·≪아라베스크≫ 등 걸작을 씀. 그 밖에 시집 ≪우주의 노래≫·≪발라드(Ballads)와 로맨스≫ 등이 있음. [1834-91]

네루다[2] 〔Neruda, Pablo〕 명 『사람』 칠레의 시인. 본명은 Naftali Ricardo Reyes Basualto. 외교관·상원 의원으로서 활약하는 한편 낭만주의적 요소와 극적 요소를 결합시킨 ≪스무 편의 사랑의 시와 한 편의 절망의 노래≫ 등을 발표함. 1944년 공산당에 입당한 후에도 ≪위대한 노래≫ 등 시집을 냄. 스페인 문학에도 영향을 끼친 전위(前衛) 시인이며, 1971년 노벨 문학상을 수상함. [1904-73]

네르갈 〔Nergal〕 명 『신』 고대 바빌로니아의 사자(死者)의 신, 역병(疫病)·파괴의 신. 저승의 여왕 에레슈키갈(Ereshkigal)을 쳐서 그녀를 왕비로 삼고 저승의 왕이 됨. 페스트의 신 남타르(Namtar)를 첫째 신하(臣下)로 하고 사자(獅子)를 상징으로 삼음.

네르바 〔Nerva, Marcus Cocceius〕 명 『사람』 로마 황제. 폭군 도미티아누스(Domitianus) 황제가 암살된 후, 원로원이 밀어 황제에 즉위함. 원로원과 협조하여 선정을 베풂. 트라야누스(Trajanus)를 양자로 하여 제위(帝位) 후계자로 삼고 오현제(五賢帝)의 시대를 엶. [30?-98]

네르발 〔Nerval, Gérard de〕 명 『사람』 프랑스의 시인. 만년에는 광기(狂氣)의 발작으로 고생하면서 시작(詩作)을 계속하다가 파리에서 자살. 꿈과 현실이 뒤섞인 작품은 현대 문학에 큰 영향을 주었음. 대표작은 ≪환상(幻想) 시집≫. [1808-55]

네르친스크 〔Nerchinsk〕 명 『지』 러시아의 시베리아 동남부 치타 주(Chita 州)의 도시. 네르차 강(Nercha 江)과 실카 강(Shilka 江)의 합류점에 가까우며, 아무르(Amur) 철도에 연함. 식품 가공·기계 수리 등의 공업이 행하여짐. 1689년 네르친스크 조약의 체결지. 17세기 중기에 요새로서 건설되고, 후에 러시아 정부의 유형지(流刑地)가 됨.

네르친스크 조약【一條約】〔Nerchinsk〕 명 『역』 1689년에 시베리아의 네르친스크에서 러시아와 중국 청나라 사이에 맺은 조약. 외싱안링(外興安嶺)과 아르군 강(Argun 江)으로 국경을 정한 조약으로, 청나라가 유럽의 나라와 맺은 최초의 조약임.

네르투스 〔Nerthus〕 명 『신』 타키투스(Tacitus)가 언급(言及)한 게르만족의 풍요의 여신. 발트 해상(海上)에 있는 한 섬의 성스러운 숲 속에 신전이 있어 격년(隔年)으로 축제가 행하여졌다고 함.

네른스트 〔Nernst, Welther Hermann〕 명 『사람』 독일의 물리 화학자. 베를린 대학 교수. 전리 용압(電離溶壓)·용해도(溶解度) 곱의 개념을 제창하였으며 반응 속도·화학 평형(化學平衡) 등 화학 열역학(熱力學)의 연구로 1920년 노벨 화학상을 수상함. [1864-1941]

네른스트 전:등【一電燈】〔Nernst〕 명 희토류 원소(稀土類元素)를 포함한 이산화 지르코늄(zirconium)을 필라멘트(filament)로 한 전등. 네른스트가 발명.

네리다 자타 〈방〉 내리다(경상·함경·충청).

네리마기 명 〈방〉 비탈(경상).

네마토다 〔Nematoda〕 명 『동』 선형 동물의 한 강(綱)인 선충류(線蟲類)의 총칭. ＊선충류.

네메시스 〔Nemesis〕 명 『신』 그리스 신화에서 율법(律法)의 여신. 신의 응보(應報)를 의인화(擬人化)한 것임. 백조(白鳥)로 변신한 제우스와 어울리어 트로이 전쟁의 원인이 되는 헬레네를 낳음.

네메아의 사자【一獅子】〔Nemea〕 [ㅡ/ㅡ에ㅡ] 명 『신』 그리스 신화 중의 헤라클레스(Heracles)가 퇴치했다는 불사신의 사자. 칼이 들어가지 아니하고 화살도 꿰뚫을 수가 없었으나 헤라클레스가 몽둥이로 죽이었다 함.

〈네메시스〉

네:-모 명 사각형의 각 모. 네 귀가 난 모. 사각(四角). 사방(四方).
네:모(가) 나다 구 네모가 지다. 모양이 사각형으로 생기다. 네모지다.

네:모-골 명 『식』 [*Eleocharis tetraquetra*] 방동사니과에 속하는 다년초. 줄기는 정사각형이며 총생(叢生)하고 높이 40 cm 이상임. 잎은 없고 화수(花穗)는 줄기 끝에 단립(單立)하고 달걀꼴의 긴 타원형이며, 화영(花穎)은 주상(舟狀) 타원형으로 7-8월에 피고, 과실은 수과(瘦果)임. 들의 습지에 나는데, 한국 각지에 분포함.

네:모-꼴 명 사각형.

네:모-도끼 명 『고고학』 자른 면이 사각형 또는 모가 죽은 사각형을 이루고 있는 도끼. 대개 청동기 시대 초기의 유물임. 사각 석부(四角石斧). 사릉 석부(四稜石斧).

네:모-무덤 명 『고고학』 평면이 사각형인 무덤. 방형분(方形墳). 방분(方墳).

네:모-뿔 명 『수』 사각뿔.

네:모 송:곳 명 둘레가 네모진 송곳.

네:모-접시 명 형태가 네모지게 생긴 접시. 사각완(四角椀).

네:모-지다 형 모양이 사각형으로 생기다. 네모 나다.

네:미 ㊀ 준 너의 어미. ㊁ 감 ①송아지를 부르는 소리. ②〈속〉 맞대하여 욕으로 쓰는 나쁜 말의 한 가지.

네미로비치-단첸코 〔Nemirovich-Danchenko, Vladimir Ivanovich〕 명 『사람』 러시아의 극작가·연출가. 일찍부터 극작가·소설가·평론가 등으로 활약. 1898년 스타니슬라프스키와 모스크바 예술 극단(藝術劇團)을 창설. 체호프·고리키 등의 창작 희곡을 공연(公演), 연극과 문학의 융합에 힘씀. 혁명 후에도 이론적 지도자로서 활약함. 저서로 ≪모스크바 예술 극단의 회상≫ 등이 있음. [1858-1943]

네바 강【一江】〔Neva〕 명 『지』 러시아 연방 서쪽을 흐르는 강. 라도가 호(Ladoga 湖)에서 발원하여 발트 해(海)의 핀란드 만(灣)에 들어감. 강 어귀의 델타 위에 페테르부르크가 있음. 백해(白海)·카스피 해와 운하로 연결됨. [74 km]

네:바늘-돌해면【一海綿】 명 『동』 [*Tethya japonica*] 테티아과(Tethya 科)에 속하는 해면(海綿) 동물. 몸은 직경 8 cm, 높이 5 cm 가량의 타원형이고, 정단(頂端)에는 원형의 입이 한 개 있으며, 하단(下端)의 중앙부에 수염 같은 많은 근모(根毛)가 있어서 다른 물체에 부착함. 몸빛은 백색 또는 회황색이고 골편(骨片)은 간상체(桿狀體)·사축체(四軸體)임. 얕은 연안(沿岸)에서 고착 생활을 함.

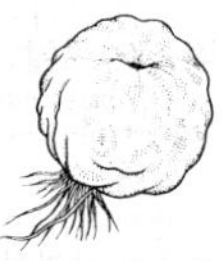

〈네바늘돌해면〉

네바다 주【一州】〔Nevada〕 명 『지』 미국 남서부의 한 주. 시에라네바다(Sierra Nevada) 산맥과 로키 산맥 사이의 분지(盆地)에 있으며 건조 기후(乾燥氣候)임. 금·은·동의 광업에 의하여 개발되었는데 근래에는 관개(灌漑)에 의하여 농목업(農牧業)이 진전되고 관광 사업이 성함. 주도는 카슨시티(Carson City). [284,624 km² : 1,201,833 명(1990)]

네:-발 명 짐승의 앞뒤의 네 개의 발. 사지(四肢).
네:발(을) 타다 구 네 발을 가진 짐승의 고기를 먹으면 두드러기가 솟아나다. ¶ 네발 타서 쇠고기도 못 먹는다.

네:발가락-도롱뇽 [ㅡ까ㅡ] 명 『동』 [*Salamandrella keyserlingii*] 도롱뇽과에 속하는 동물. 몸길이 120 mm 내외이고, 몸빛은 청갈색에 배면(背面) 중앙에 갈람 녹색의 대상(帶狀) 반문이 있고, 몸 양측에는 눈의 뒤쪽에서 꼬리까지 흑갈색의 넓은 두 종선(縱線)이 있음. 복면(腹面)은 담회색이고, 눈은 큰데 튀어나왔음. 사지는 가늘고 비교적 길며 발가락이 네 개 있는데 넓적하고 짧음. 산에 사는데, 한국·만주 등지에 분포함. 북쪽도롱뇽.

네:발-걸음 명 두 손을 바닥에 짚고 엎드리어 기는 일.

네:발나빗-과【一科】 명 『충』 [Nymphalidae] 나비목(目)에 속(屬)하는 한 과. 몸은 중형 내지 대형이고, 몸빛은 일반적으로 선명하나 경계색(警戒色) 또는 둔색(鈍色)인 것도 있음. 촉각은 구간상(球桿狀)이고, 자웅 이형(雌雄異形)임. 공작나비·들신선나비·신부나비 등이 이에 속하는데, 전세계에 4,000여 종이 분포함.

네:발-짐승 명 네 개의 발을 가진 짐승. 소·말·돼지·개 따위.

네발ᄐᆞ다 자 〈옛〉 네 발 가지다. ¶ 世間앳 네발ᄐᆞᆫ 즁ᄉᆡᆼ 中에 獅子ㅣ 위두ᄒᆞ야≪月釋 Ⅱ:38≫.

네:-방망이 명 앞뒤로 방망이 넷을 달고 여덟 사람이 메게 된 상여.

네:밭-고누 명 말밭이 넷으로 된 고누 놀이의 한 가지. 정사각형 안에 우물 정(井)자를 그은 말밭에 말을 배치하고 말을 움직여 한 줄 위에 나란히 붙은 상대편 두 말을 만나면 죽는데, 먼저 전멸하는 쪽이 짐. ＊넉줄고누.

네버 〔never〕 감 강력히 부인하는 말.

네버-마인드 〔nevermind〕 감 경기 등에서, 실수한 사람에게 '괜찮다'·'걱정 말라'의 뜻으로 격려하는 말.

네:벌-상투 명 고를 네 번 넘기어서 짜는 상투. 「갓네살 이세.

네부카드네자르 이:세【一二世】〔Nebuchadnezzar Ⅱ〕 명 『사람』 느부

네뷸러 〔nebula〕 명 『천』 성운(星雲).

네브래스카 주【一州】〔Nebraska〕 명 『지』 미국 중앙부의 한 주. 플랫강(Platte 江)이 동서로 횡단하며 동부는 옥수수 지대, 서부는 스텝(steppe)의 농목지(農牧地)임. 주된 공업은 농축산물의 가공이며, 석유도 산출함. 주도는 링컨(Lincoln). [200,018 km²: 1,598,000명(1986)]

네:-뿔 명 ☞ 낟윷.

네사 유리【一琉璃】 명 〔NESA glass〕 투명하고 전기를 통할 수 있는 유리. 표면에 산화 주석(酸化朱錫)의 엷은 막을 입힌 것으로, 텔레비전의 비디콘(vidicon)이나 면광원(面光源)의 전극으로서 또는 비행기·자동차의 방풍 유리로 쓰임. 전도(電導) 유리.

네성 명 〈방〉 뇌성. 우레(함경).

네스메야노프 〔Nesmeyanov, Aleksandr Nikolaevich〕 명 『사람』 러시아 유기 화학자. 소련 유기 화학 연구소장을 거쳐 1948년 모스크바 대학 총장, 1951년 소련 과학 아카데미 회장을 역임. 유기 금속 화학물(有機金屬化學物)에 관한 연구의 중요성을 인정, 이 분야의 개척자(開拓者)로 많은 업적을 남김. [1899-1980]

네스토르 〔Nestor〕 명 『신』 그리스 신화 중의 영웅. 노령(老齡)으로 트로이(Troy) 전쟁에 참가, 명현(明賢)한 조언으로 공을 세웠음.

네스토리우스 〔Nestorius〕 명 『사람』 고대 시리아(Syria)의 콘스탄티노플 대주교(大主敎). 네스토리우스파의 시조. 그리스도가 신성(神性)과 인간성을 따로 가진다고 주장하여 431년 에페수스(Ephesus)의 종교 회의에서 이단자(異端者)의 선고를 받았음. [?-451]

네스토리우스-파【一派】〔Nestorius〕 명 『종』 네스토리우스가 창시한 예수교의 한 파. 그리스도의 신인(神人) 양성(兩性)을 준별(峻別)하여 이단시(異端視)되었으나 그 교의(敎義)는 동방 페르시아 및 멀리 인도·중국에까지 퍼졌고, 중국에서는 경교(景敎)라 불리었음.

네스트 〔nest〕 명 보금자리. 소굴(巢窟).

네스트로이 〔Nestroy, Johann〕 명 『사람』 오스트리아의 배우·극작가. 빈(Wien)의 서민적 감각과 기지(機智)가 넘쳐 시사(時事)와 세상(世相)을 풍자하는 연극·노래로 재능을 발휘함. ≪악령(惡靈) 룸파치바가분두스(Lumpacivagabundus)≫·≪기분 전환≫ 등이 유명함. [1801-62]

네스 호【一湖】〔Ness〕 명 『지』 스코틀랜드 북부를 서남으로 횡단하는 구조곡(構造谷) 중의 빙식호(氷蝕湖). 길이 약 37 km, 폭 1,600 m, 최대 수심 약 230 m. 구조곡 중의 강·호수·운하 등을 연결하여 북해(北海)에

면한 인버네스(Inverness), 대서양 쪽의 리니 만(Linnhe灣)에 통함. 1933년 이래로 호수 속에 산다는 괴물 조사 작업이 때때로 행해짐.

네슬러 시:약【一試藥】 명 〔Nessler's reagent: 독일의 농화학자(農化學者) Julius Nessler(1827-1905)의 이름에서 유래〕『화』암모니아의 검출 또는 정량(定量)에 쓰이는 화학 시약의 하나. 요오드화 수은(Ⅱ)과 요오드화 칼륨의 착물(錯物)을 수산화칼륨 용액에 녹인 액체로, 소량의 암모니아에 의하여 주홍색 내지 적갈색의 침전물을 생성함.

네안데르탈:-인【一人】 〔도 Neanderthal〕 명 [*Homo neanderthalensis*] 화석 인류의 하나. 제4세 빙하기(氷河期)에 생존하였음. 1856년에 독일 네안데르탈의 석회동(石灰洞)에서 두개골이 발견되어 이와 같이 명명되었으며 동종의 것은 유럽 각지와 소(小)아시아에서도 발견되었음. 현존 인류와 유인원(類人猿)의 중간 형질을 갖춤.

〈네안데르탈인〉

네엘 〔Néel, Louis Eugène Félix〕 명『사람』프랑스의 물리학자. 고체 물리학에 관한 연구로 스웨덴의 알프벤(Alfven, H.)과 함께 1970년 노벨 물리학상을 받음. [1904-]

네엘-점【一點】 〔Néel〕[一쩜] 명『물』〔프랑스 물리학자 Louis Néel (1904-)의 이름에서〕반강자성체(反強磁性體)의 규칙적인 자기(磁氣) 구조가 소실하는 온도.

네오- 〔neo〕 뿌 '새로운' 또는 '현대의'의 뜻을 나타내는 접두어. 신(新)-. ¶ ~휴머니즘.

네오-나치즘 〔Neo-Nazism〕 명『정』1950년대부터 서독을 중심으로 대두하기 시작한 우익적인 사상 운동. 독일 민족의 우위(優位), 국민 공동체의 건설, 전후 체제에 대한 비판, 반공·반(反)유태주의 등을 표방하고 있음. 많은 단체가 있으나, 1964년에 결성된 독일 국가 민주당(NDP)이 중심적 존재임.

네오-내오-없이 [-업씨] 부 너나없이.

네오-다:다 〔neo-dada〕 명『미술』1957년경부터 미국의 미술계에 나타난 새로운 경향의 전위적(前衛的) 예술 운동. 다다이즘과의 연계(連繫)를 정신적 근거로 하여 발전함.

네오-다:위니즘 〔Neo-Darwinism〕 명『생』진화 학설(進化學說)의 하나. 다윈의 진화론 중에서 변이(變異)의 원인이 개체 변이(個體變異)에 있지 아니하고 자연 선택에 의한다고 주장하는 학설. 1885년에 바이스만(Weismann)에 의하여 제창되었음. 신(新)다윈설. 바이스마니즘.

네오디뮴 〔neodymium〕 명『화』희토류(稀土類) 원소의 하나. 은백색의 금속으로, 공기 중에서는 푸른 빛을 띤 회색이 됨. 연성(延性)·전성(展性)이 있고, 뜨거운 물과 반응하여 수소를 방출함. 네오딤(Neodym). [60번: Nd: 144.24]

네오딤 〔도 Neodym〕 명『화』'네오디뮴'의 독어명.

네오-라마르키즘 〔Neo-Lamarckism〕 명『생』진화 학설(進化學說)의 하나. 프랑스의 진화론자인 라마르크(Lamarck)가 주장한 용(用)·불용설(不用說)을 인정하여, 생물은 환경으로부터 크게 영향을 받아 변화하고, 그 변화는 유전하며 그것이 누적하여 생물의 진화가 일어난다는 설. 네오다위니즘에 반대하여 스펜서·코프(Cope) 등이 주장함. 신(新)라마르크설.

네오-레알리스모 〔이 neo-realismo〕 명『예』제2차 세계 대전 직후 이탈리아에서 일어난 영화 예술 운동. 로케이션 본위, 현실의 기록, 비직업 배우의 채용, 즉흥적인 연출 등이 특색이나 본시 주의로서의 주장이 있는 것이 아니었으며, 1945년에 공개된 로셀리니(Rossellini)의 작품인 《무방비 도시》를 효시(嚆矢)로 비스콘티(Visconti)의 《대지(大地)는 흔들린다》, 데 시카(De Sica)의 《자전거 도둑》 등으로 그 세계적 성가(聲價)가 결정됨. 이후 차츰 상업주의(商業主義)의 압박으로 쇠퇴하였음. 네오리얼리즘.

네오-로맨티시즘 〔Neo-Romanticism〕 명『문』신낭만주의.

네오-리얼리즘 〔Neo-Realism〕 명『예』'네오레알리스모'의 영어명.

네오-마르크시즘 〔Neo-Marxism〕 명『정』이른바 정통파 마르크시즘의 별파(別派). 특히 1930년대의 독일 프랑크푸르트 학파에 의해서 오늘날까지 계승되어 오고 있는, 마르크스와 프로이트와의 이론적 접촉을 주장하는 학파에 대한 총칭.

네오마이신 〔neomycin〕 명『약』프라디오마이신(Fradiomycin)의 상품명. 방선균(放線菌)으로부터 얻어지는 항생 물질의 일종.

네오-맬슈지어니즘 〔Neo-Malthusianism〕 명『경』신맬서스주의.

네오-머스캣 〔neo-muscat〕 명『식』포도의 중요 품종의 하나. 나무가 강하고 송이가 큼. 과실은 9월 하순경에 익으며 둥글고 황록색임.

네오-머:컨틸리즘 〔Neo-Mercantilism〕 명 신중상주의(新重商主義).

네오-멘델리즘 〔Neo-Mendelism〕 명『생』세포학의 진보에 따라 수정된 멘델의 유전 법칙. 유전자의 관련 및 교차(交叉)의 현상과 모건(Morgan)의 염색체설(染色體說), 나아가서는 염색체의 배분에 따르는 유전자 배치의 이상(異常)으로 새로운 형질이 출현된다고 하는 학설 등은 모두 이에 속함.

네오-살바르산 〔도 Neosalvarsan〕 명『약』매독의 주사용 치료제. 네오아르제노벤졸(Neo-Arsenobensol)의 상품명. 살바르산을 개량한 것으로 18-20%의 비소(砒素)를 함유함. 신 606호.

네오슈와게리나 〔라 Neoschwagerina〕 명『동』방추충(紡錘蟲)에 속하는 고생(古生) 동물의 하나. 페름기(Perm紀)에 세계적으로 번성하였다가 그 끝날 때쯤에 절멸한 유공충(有孔蟲)임.

네오-이데알리슴 〔프 néo-idéalisme〕 명『철·예』신이상주의.

네오-임프레셔니즘 〔Neo-Impressionism〕 명『예』신인상주의.

네오-콜로니얼리즘 〔neo-colonialism〕 명『정』신식민지주의(新植民地主義).

네오-클래시시즘 〔Neo-Classicism〕 명『문』신고전주의.

네오-토:미즘 〔Neo-Thomism〕 명『종』토마스 아퀴나스의 설을 부활하여 현대의 문제를 해명하고자 하는 가톨릭계의 유력한 철학 운동.

네오프렌 〔neoprene〕 명『화』미국 뒤퐁(Du Pont) 회사 제품인 합성 고무의 상품명. 천연 고무보다 우수한 점이 많고, 석유계(石油系)의 기름에 녹지 아니함.

네오-프로이디즘 〔Neo-Freudism〕 명『심』프로이트의 선천적·생물학적인 본능에 대하여 사회 문화적 조건과 성격의 형성 과정에 관하여 새로운 이론과 치료 기술을 전개한 학설. 프로이트 및 그 제자들의 정통 프로이트파에 상대하여 미국에 이주한 프롬(Fromm)·톰슨(Thompson) 등의 학자들이 주창함. 신(新)프로이트 학파.

네오-플라스티시슴 〔프 néo-plasticisme〕 명『미술』네덜란드의 몬드리안(Mondrian) 등에 의하여 시작된 기하학적 추상주의의 한 파. 또, 그 운동. 순수한 조형 회화의 운동을 정력적으로 추진하였고 20세기의 반사실적(反寫實的)인 미술 운동의 일환으로서 미술 이외에도 건축·공예 등에 큰 영향을 주었음. 신조형주의.

네오-플라토니즘 〔Neo-Platonism〕 명『철』신(新)플라톤주의.

네오-휴:머니즘 〔Neo-Humanism〕 명『철·문』신인문주의(新人文主義).

네온 〔neon〕 명 ①『화』희유 기체(稀有氣體) 원소의 하나. 대기 중에 극히 소량으로 존재하는 무색·무미·무취의 기체인데 화학적으로 불활성(不活性)임. 방전관(放電管)에 넣으면 아름다운 색을 나타내므로, 네온 전구 및 광고용 네온 사인으로 널리 응용됨. [10번: Ne: 20.183] ②『전』↗네온 사인.

네온-관【一管】 〔neon〕 명『전』네온관등(neon管燈).

네온관-등【一管燈】 〔neon〕 명『전』네온을 넣어 방전시키는 진공관. 유리관의 양끝에 전극(電極)을 봉입(封入)하고, 내부를 진공으로 하여 네온 가스를 넣었음. 네온만으로는 주황색인데, 헬륨(helium)·아르곤(argon) 또는 물방울을 넣거나 유리에 착색하면 여러 빛깔이 남. 광고용 네온 사인 등으로 쓰임. 네온관. 네온 사인관.

네온 램프 〔neon lamp〕 명『전』네온 전구(電球).

네온 방:전관【一放電管】 〔neon〕 명 네온관(neon管).

네온 사인 〔neon sign〕 명『전』네온관을 사용한 전기 사인. 유리를 필요한 모양대로 구부리고 전극을 통한 네온관을 만들어서 여러 가지 빛을 내도록 하여 광고 장식용으로 씀. ㉻네온.

네온사인-관【一管】 〔neon sign〕 명『전』네온관등.

네온 전:구【一電球】 〔neon〕 명『전』네온의 음극광(陰極光)을 사용한 엷은 빛의 방전 전구. 백열(白熱) 전구와 같은 유리구 속에 알칼리 토금속을 바른 철로 된 나선상의 전극이 두 개 맞서 있음. 침실용·표시용(表示用)으로 쓰임. 네온 램프(neon lamp).

〈네온 전구〉

네올로지 〔프 néologie〕 명 네올로지슴(néologisme).

네올로지스트 〔프 néologiste〕 명 ①신어(新語)를 창조·사용·채용(採用)하는 사람. ②신설(新說)을 창도(唱導)·지지하는 사람. ③신교의(新教義)를 주창(主唱)하는 사람.

네올로지슴 〔프 néologisme〕 명 ①신어(新語)를 창조 사용하는 일. 또, 그 신어. ②신설(新說)의 채용(採用)과 주장. ③신학상(神學上)의 신교. 네올로지(néologie).

네우마 〔라 neuma〕 명『악』서양 중세의 성가 악보(聖歌樂譜)에 쓰이던 음표. 처음에는 그대로 음표만 늘어놓다가, 15세기경에 로마 양식의 사각(四角) 음표가 완성되어 지금도 가톨릭의 전통적 성가의 악보에 쓰임.

네 윈 〔Ne Win〕 명『사람』미얀마의 군인·정치가. 2차 세계 대전 전부터 반영(反英) 독립 운동에 가담. 1958년과 1962년의 두 차례 쿠데타로 정권을 잡은 후 국가 원수인 혁명 평의회 의장과 수상·국방상·군 최고 사령관·사회주의 강령당(綱領黨) 중앙 조직 위원장을 겸함. 1974년 민정(民政) 이양으로 대통령에 취임, 81년에 사임함. [1911-]

네의: [-/-이] 갑 길게 대답하는 소리. ＊네.

네이더 〔Nader, Ralph〕 명『사람』미국의 변호사, 소비자 보호 운동 지도자. 프린스턴 대학과 하버드 대학을 졸업하였으며, 1965년 제너럴 모터스의 결함차(缺陷車)를 폭로하여 유명해짐. [1934-]

네이메헌 〔Nijmegen〕 명『지』네덜란드 동남부, 독일 국경 가까이에 있는 도시. 상업이 성하며 교통의 요지임. 또 유명한 맥주의 생산을 비롯하여 담배·금속 제품·제혁(製革) 등의 공업이 행하여지고 있음. [146,452명(1985)]

네이메헌 강:화【一講和】 〔Nijmegen〕 명『역』1678-79년에 맺어진 네덜란드 침략 전쟁 관계국간의 강화 조약. 네덜란드는 전(全)영토를 확보하고, 프랑스는 스페인령(領)의 일부와 플랑드르(Flandre) 남부의 여러 도시를 병합하며, 네덜란드에 대하여 1664년의 관세(關稅)를 적용한다는 내용으로 되어 있음.

네이벌 리뷰: 〔naval review〕 명『군』관함식(觀艦式).

네이벌 황동【一黃銅】 명 〔naval brass〕 육사(6-4) 황동의 아연 1% 이하를 주석(朱錫)으로 치환(置換)한 놋쇠. 내식성(耐蝕性)·탄성(彈性)이 증가하여 내해수성(耐海水性)이 좋아지기 때문에 선박용 기기(船舶用機器)·복수관(復水管) 등에 쓰임.

네이블 〔navel〕 명 ①배꼽. ②한가운데. 중앙. ③『식』↗네이블 오렌지.

네이블 오렌지 〔navel orange〕 명『식』〔과실의 윗부분 한가운데가 배꼽같이 튀어나와 유래된 말〕오렌지의 한 변종. 브라질 원산으로, 살은 달고 맛이 좋으며 씨가 없음. 양귤(洋橘). ㉻네이블·오렌지.

네이비 블루: 〔navy blue〕 명 ①영국 해군 제복의 감색. 다크 블루(dark blue). ②해군 수병.

네이선 〔Nathan, George Jean〕 명『사람』미국의 연극 평론가. '머큐리(Mercury)'지(誌)를 창간하여 오닐(O'Neill, E.) 등을 소개하고 예술지상적인 입장에서 인상(印象) 비평을 썼음. 대표작 《영원한 비밀》·《비평과 연극》·《입센 이후》·《국민의 오락》 등. [1882-1958]

네이선스 〔Nathans, Daniel〕 명『사람』미국의 분자 생물학자. 주로 박

테리오파지를 재료로 분자 유전학적인 연구를 함. 1978년 노벨 생리학 의학상을 받음. [1928-]

네이션[1] 〔nation〕 명 ①국민. ②국가. ③민족. 종족.

네이션[2] 〔Nation〕 명 미국의 주간지. 1865년 창간. 정치·경제 평론지로 국제적 평가가 높음.

네이장 〔內江〕 명 〖지〗 중국 쓰촨 성(四川省) 중앙에 있는 도시. 제당업(製糖業)의 중심지로서 원료인 사탕수수는 근처 퉈장 강(沱江) 유역에서 재배됨. 직물·성냥 공업이 성하고 부근에서 쌀·콩·감자·밀·오렌지 등이 산출됨. 내강.

네이즈비 전:투 【一戰鬪】 〔Naseby〕 명 〖역〗 영국의 청교도 혁명 중, 1645년 중부 잉글랜드의 네이즈비에서 의회군(議會軍)이 결정적 승리를 거둔 싸움. 크롬웰이 편성한, 철기대(鐵騎隊)를 중핵(中核)으로 하는 신식 군대가 크게 활약함.

네이처 〔nature〕 명 ①자연. 천연. ②조화(造化). ③천성. 본성.

네이처리즘 〔naturism〕 명 〖종〗 자연 숭배.

네이팜 〔napalm〕 명 ①〔aluminium salts of naphtheric and palmitic acids의 약어〕 가솔린의 젤리화제(jelly 化劑). 나프텐산(naphthen 酸) 알루미늄과 팔루미늄 비누와의 혼합물로, 소이탄(燒夷彈) 등의 폭탄 및 젤리화 연료로 쓰임. ②〖군〗 ↗네이팜 폭탄(napalm 爆彈).

네이팜-탄 【一彈】 〔napalm〕 명 〖군〗 ↗네이팜 폭탄(napalm 爆彈).

네이팜 폭탄 【一爆彈】 〔napalm〕 명 〖군〗 유지 소이탄(油脂燒夷彈)의 하나. 네이팜에 등유·석유 등을 혼합하여 만든 젤리 모양의 고성능 폭탄. ⓒ네이팜·네이팜탄.

네이프 라인 〔nape line〕 명 목덜미의 선.

네이플스 〔Naples〕 명 〖지〗 '나폴리(Napoli)'의 영어명.

네이피어[1] 〔Napier, John〕 명 〖사람〗 영국의 수학자. '로그(log)'를 발명하고 소수 기호(小數記號)를 도입하였음. [1550-1617]

네이피어[2] 〔Napier, William John〕 명 〖사람〗 영국의 군인·외교관. 초대 중국 무역 수석 감독관으로서 영국의 대(對)중국 무역의 보호 촉진에 힘썼음. [1786-1834]

네일 〔nail〕 명 손톱.

네일 에나멜 〔nail enamel〕 명 네일 폴리시.

네일 폴리시 〔nail polish〕 명 손톱에 윤기나 색채를 가하는 에나멜 상(狀)의 액체. 매니큐어. 네일 에나멜.

네임 〔name〕 명 ①이름. 명칭. ②명성(名聲). ③양품 등에 붙어 있는 판매·제조 회사 등이 만들어 붙인 헝겊 조각. 레테르. ④서적·잡지 등의 도판(圖版)의 설명문. ⑤↗네임 플레이트.

네임 밸류 〔name+value〕 명 세상에 잘 알려진 이름이 지닌 선전 가치(宣傳價值). ¶ ~가 있는 학자.

네임 플레이트 〔name plate〕 명 ①명찰. ②문패. ③간판. ⓒ네임.

네:잎-갈퀴 명 〖식〗 [*Vicia nipponica*] 콩과에 속하는 다년초. 줄기 높이 30-80 cm 가량이고, 잎은 우수(偶數) 우상 복엽(羽狀複葉)으로 소엽은 4-6개이며, 잎꼭지가 붙은 마디 밑에 탁엽(托葉) 두 개가 있음. 6-8월에 붉은 자줏빛 꽃이 총상(總狀) 화서로 엽액(葉腋)에서 나와 나비 모양으로 핌. 산에 저절로 나는데 어린 줄기는 식용함.

네:잎-갈퀴덩굴 명 〖식〗 [*Galium trachyspermum*] 꼭두서닛과에 속하는 다년초. 줄기 높이 30 cm 가량이고, 잎은 줄기의 각 마디에 정엽(正葉) 두 조각과 엽상 탁엽(葉狀托葉) 두 조각이 함께 윤상(輪狀)으로 달리었으며 모양은 달걀꼴의 긴 타원형임. 5-7월에 황록색 꽃이 원추(圓錐) 화서로 가지 끝에 정생하며, 과실은 소형(小形)이고 쌍두상(雙頭狀)임. 산이나 들에 나는데, 제주·전남·전북·경남·충남·경기·함북 등지에 분포함.

〈네잎갈퀴〉

네:잎-꽃 명 〖식〗 꽃잎이 네 개로 된 꽃. 무꽃·배추꽃 따위. 사판화(四瓣花).

네:점박이-개미 【一點一】 명 〖충〗 [*Camponotus caryae quadrinotatus*] 개밋과에 속하는 곤충. 일개미의 몸길이는 5-8 mm이고 몸빛은 대체로 흑색인데, 다리는 흑갈색이며, 복부 제1-2 뒷마디에 한 쌍의 갈백색의 원문(圓紋)이 있음. 낡은 건물의 목재 속에 영소(營巢)함. 한국·일본에 분포함.

〈네잎갈퀴덩굴〉

네:-제곱 명 〖수〗 같은 수(數)를 네 번 곱함. 또, 그렇게 해서 얻어진 수(數). 사승(四乘). ——하다 타여불

네:제곱-근 【一根】 명 〖수〗 네제곱하여 주어진 수(數)가 되는 수(數)의, 주어진 수(數)에 대한 일컬음. a를 네제곱하여 x가 되었을 때의 x에 대한 a의 일컬음. 사승근(四乘根).

네:줄-고기 명 〖어〗 [*Percis japonica*] 날개줄고깃과에 속하는 바닷물고기. 몸은 가늘고 길이 약 35 cm. 등은 담황회색(淡黃灰色), 배는 담색(淡色)이며 넓은 담갈색의 얼룩무늬가 몸 여러 곳에 흩어져 있음. 한대성어(寒帶性魚)로, 동해 북부·일본·오호츠크 해·쿠릴 열도 등의 연해에 분포함. 식용 가치는 적음.

네:줄-도마뱀 명 〖동〗 아무르장지뱀.

네:줄박이-좀꽃등에 명 〖충〗 [*Paragus quadrifasciatus*] 꽃등엣과에 속하는 곤충. 몸길이 6 mm 가량이고 몸빛은 동흑색(銅黑色)이며, 흉배(胸背)의 중앙에는 짧고 서로 떨어진 회백색의 종대(縱帶)가 두 개 있음. 복부 각 마디의 전반은 담황적색이고, 말단의 마디는 전체가 적황색임. 한국·일본 및 유럽에 분포함.

네:줄-벤자리 명 〖어〗 [*Therapon theraps*] 살벤자릿과에 속하는 바닷물고기. 몸은 방추형. 어릴 때는 몸에 3-4줄의 흑색 세로띠가 있으며, 이 띠는 성어(成魚)가 되면 소실(消失)됨. 옆줄 비늘 53-55. 서골(鋤骨) 및 구개골(口蓋骨)에는 이가 없음. 우리 나라의 남해·일본·대만 등지로부터 남양·홍해(紅海)에까지 분포함.

네즈발 〔Nezval, Vítěslav〕 명 〖사람〗 체코슬로바키아의 쉬르리얼리즘을 대표하는 시인(詩人). 시집에 ≪에디슨≫·≪이별≫·≪마농 레스코≫ 등이 있음. [1900-58]

네지드 〔Nejd〕 명 〖지〗 아라비아 반도 중앙부의 지방. 헤자즈(Hejaz)와 더불어 1927년 사우디아라비아 왕국을 형성함. 주민은 주로 아라비아족임. 거의 전지역이 사막으로 표고(標高) 800-1,600 m의 고원(高原)을 이루고 있으며, 오아시스 농업이 행하여지고 목축이 성함. 산물은 보리·밀·과실·피혁·양털 등이 있으며, 페르시아 만 방면에는 유전(油田)이 발달됨. 수도(首都)인 리야드(Riyadh)가 있음. [1,170,000 km²]

네:-째 수 ☞넷째.

네:쪽 매듭 명 매듭의 기본형(基本型)의 하나.

네찻 수 〈옛〉 넷째. ¶슬프다 네찻 놀애 블로매(鳴呼四歌兮) ≪杜諺 XXV: 28≫. ＊네[3].

네카:어 강 【一江】 〔Neckar〕 명 〖지〗 독일(獨逸) 라인 강(江) 상류의 지류(支流). 슈바르츠발트(Schwarzwald) 산지(山地) 남동쪽에서 발원하여 하이델베르크(Heidelberg) 부근에서 라인 평지(平地)로 들어가, 만하임(Mannheim)에서 라인 강에 주입(注入)됨. 슈투트가르트(Stuttgart)로부터 하류는 운하화(運河化)되어, 1,200 t까지의 선박이 항행할 수 있음. [371 km]

〈네커치프〉

네커치프 〔neckerchief〕 명 장식 또는 보온용(保溫用)으로 목에 두르는, 정사각형의 얇은 천. ＊스카프.

네케르 〔Necker, Jacques〕 명 〖사람〗 프랑스의 정치가·은행가. 루이 16세의 재무 총감(財務總監)으로 재정의 개선에 힘썼으나 귀족의 반대로 실패, 혁명을 재촉하는 결과가 되었음. [1732-1804]

네코 이:세 【一二世】 〔Necho II〕 명 〖사람〗 고대 이집트 왕조의 제26대 왕. 아시리아의 몰락 후 시리아에 출병(出兵)하였으나, 느브갓살 2세와의 카르케미시(Carchemish) 싸움에서 패하여 시리아를 잃음. 나일 강(江)과 홍해(紅海)를 연결하는 운하(運河)를 계획하였으며, 또 페니키아의 선원들에게 아프리카 주항(周航)을 명하였는데, 3년 걸리어 주항이 성공하였다고 함.

네콜림 【NECOLIM】 명 〔neo-colonialism and imperialism의 약어〕 신구(新舊) 식민지주의·제국주의의 머리글자로 된 조어(造語). 인도네시아의 전대통령 수카르노가 즐겨 썼음.

네콰 〈옛〉 넷과. '네[4]'의 공동격형(共同格形). ¶열세콰 네콰 다섯과는(十三四五) ≪圓覺 上 二之二≫.

네크라소:프[1] 〔Nekrasov, Nikolai Alekseevich〕 명 〖사람〗 러시아의 시인·저널리스트. 혁명적인 사상 경향을 가지고 잡지 '현대인'·'조국잡기(祖國雜記)'의 편집자로 활약함. 또, 민중시적(民衆詩的)인 리듬을 구사하여 러시아 농민의 운명을 노래한 장편시 ≪러시아는 누구에게 살기 좋은가≫ 외에 ≪데카브리스트의 아내≫·≪동시대인(同時代人)≫ 등으로 해방을 희구함. [1821-78]

네크라소:프[2] 〔Nekrasov, Viktor Platonovich〕 명 〖사람〗 소련의 작가. 키예프(Kiev)에서 출생. 제2차 대전의 종군 체험을 바탕으로 한 처녀작 ≪스탈린그라드의 참호(塹壕)에서≫로 전쟁 문학에 독자적(獨自的)인 경지(境地)를 엶. 이후 ≪고향의 거리에서≫, 평론(評論) ≪대양(大洋)의 양안(兩岸)에서≫ 등으로 스탈린 비판의 선두에 섬. [1911-87]

네크-라인 〔neckline〕 명 목둘레선.

네크로맨티즘 〔necromantism〕 명 강신술(降神術). 무술(巫術).

네크로포:비아 〔necrophobia〕 명 〖심〗 극단적으로 죽음을 두려워하는 정신병. 공사증(恐死症).

네크-리스 〔necklace〕 명 목걸이❷.

네크-릿 〔necklet〕 명 가늘고 간략하게 만든 네크리스.

네킹 〔necking〕 명 남녀가 서로 껴안고, 목으로부터 그 위의 범위에서 애무하는 일.

네트 〔net〕 명 ①그물. ②↗헤어네트(hairnet). ③테니스나 배구 등 구기(球技)에서 쓰이는 그물. 경기장이나 경기대의 한가운데에 가로질러 걸어서, 두 편의 경계를 이룸. 테니스 네트·탁구 네트 등. ④↗네트볼(netball). ⑤↗네트워크. ⑥정미(正味).

네트-볼: 〔netball〕 명 ①테니스·탁구·배구 등에서, 경기 중이나 서브(serve)를 넣을 때, 공이 네트에 닿아 상대편 코트에 넘어가는 일. 또, 그 공. ②야구에서, 타자(打者)가 친 볼이 빗맞아, 후면 네트에 닿는 일. ⓒ네트.

네트 아웃 〔net out〕 명 탁구·테니스 등에서, 네트에 닿은 공이 상대편 코트로 들어가지 않는 일.

네트 오:버 〔net+over〕 명 오버 네트.

네트-워:크 〔network〕 명 ①〔그물 세공의 뜻〕 라디오·텔레비전에서, 같은 프로를 여러 곳에서 동시에 방송할 수 있게 다수의 방송국을 연결한 조직. 방송망. ⓒ네트. ②오디오에서, 멀티웨이(multiway)의 각 유닛(unit)에 신호(信號)를 분배하는 대역 분할기(帶域分割器).

네트 인 〔net+in〕 명 테니스·탁구 등에서, 공이 네트에 닿고 상대편 코트에 들어가는 일. 서브 때 이외는 유효함.

네트 터치 〔net touch〕 명 테니스·배구에서, 경기 중에 몸이나 라켓이 네트에 닿는 일. 실점(失點)으로 됨. 터치 네트.

네트 톤 〔net ton〕 명 쇼트 톤(short ton).

네트 프라이스 〔net price〕 명 정가(正價).

네트 플레이 〔net play〕 명 ①테니스에서, 네트에 접근하여 하는 공격적 플레이. ②배구에서, 공이 네트에 닿게 하여 토스(toss)하는 일. 계속 2회 칠 수 있음.

네팔 〔Nepal〕 명 〖지〗 히말라야 산맥 중에 있는 작은 왕국. 주민은 주로 구르카족(Gurkha 族)임. 1816년부터 영국의 보호하에 있었으나 1923년 완전 독립이 승인되었음. 산지에는 임업·목축이 성하고 저곡(底谷)

에서는 곡류(穀類)·황마·약초 등이 산출됨. 힌두교와 불교를 믿음. 수도는 카트만두(Katmandu). 정식 명칭은 '네팔 왕국(Kingdom of Nepal)'. [140,797 km²: 19,600,000 명(1991 추계)]

네팔-어【—語】〔Nepal〕 명 18세기 네팔 왕국을 건설한 구르카족(Gurkha族)의 언어. 인도 이란 어족의 북방파(北方派)에 속함. 현재 네팔의 공용어. 네팔·시킴 등 각 민족의 공통어로서 널리 쓰임. 표준어는 카트만두 계곡(溪谷)의 방언(方言)임. 구르카어(語).

네팔 전:쟁【—戰爭】〔Nepal〕 명 1814-16년의 네팔과 영국과의 전쟁. 남부 변경을 병합한 영국과의 국경 지대의 귀속(歸屬)을 에워싼 분쟁이 발단이 됨. 네팔은 패하여 영국과 종속적인 우호 관계를 맺음.

네페르툼〔Nefertum〕 명 【신】 고대 이집트의 신(神). 프타(Ptah)의 아들. 어머니 세크메트(Sekhmet)와 더불어 멤피스(Memphis)의 삼체 일좌(三體一座)를 이룸. 그리스에서는 프로메테우스(Prometheus)와 동일시(同一視)되었음.

네포티즘〔nepotism〕 명 【정】 〔10-14세기에 로마 교황들이 자기 사생아를 네포스(nepos), 곧 조카라 하여 중용(重用)한 일에서 유래〕 자기의 일가붙이를 끌어들이어서 관직·지위·영예 등을 주는 일.

네푸드 사막【—沙漠】〔Nefud〕 명 【지】 사우디아라비아 북동부에 있는 사막. 북서쪽은 요르단, 북동쪽은 이라크까지 뻗침. 표고(標高) 1,000 m 전후의 고원 대지(高原臺地)를 이루고, 붉은 모래로 이루어짐. 5-10 m 의 높은 사구(沙丘)가 연속하고 그 사이사이에 깊은 와디(wadi)가 있음. 식물은 일년생의 관목(灌木)밖에 자라지 아니하며, 봄에는 띄엄띄엄 초원이 형성됨.

네프【NEP】 명 〔Novaya Ekonomicheskaya Politika의 약칭〕 【정】 소련이 채용했던 신경제 정책(新經濟政策). 1921-27년까지 전시(戰時) 공산주의 비상 대책에 이어, 국내 생산력 회복을 주안으로 하여 자본주의적 요소를 일시적으로 부활한 일련의 정책. 사회주의를 일보 후퇴시킨 정책으로, 1921년 레닌(Lenin)이 제창한 것임. 신경제 정책.

네프로:제〔도 Nephrose〕 명 【의】 신장 실질내(腎臟實質內) 세뇨관(細尿管)인 네프론의 퇴행 변성(退行變性)에 의하여 생기는 일종의 신장병. 부종(浮腫)·단백뇨(蛋白尿)가 주된 특징임. 신장증(腎臟症). 상피성(上皮性) 신장증.

네프론〔nephron〕 명 【생】 척추 동물의 신장(腎臟)의 개개 신소체(腎小體)와 그것에 연결되는 세뇨관(細尿管)을 합쳐서 이르는 명칭. 오줌을 만드는 기능을 영위하는데, 사람의 경우 네프론의 수는 약 200만임. 신단위(腎單位).

네프티스〔Nephthys〕 명 【신】 고대 이집트의 여신(女神). 오시리스(Osiris)의 누이로, 세트(Set)의 아내이며 아누비스(Anubis)의 어머니. 세트를 배반하고 오시리스와 이시스(Isis)를 지키어, '죽은 이의 수호자'가 됨.

네피도〔Naypyidaw〕 명 【지】 미얀마 중앙에 있는 도시로 미얀마의 수도.

네헤〈옛〉 넷에. ¶度量 네헤 노호아 ᄒᆞ나히니《楞嚴 Ⅵ:17》. *네³.

네:-활개 명 넓게 벌린 팔과 다리를 낮게 이르는 말. 넓게 벌리거나 앞뒤로 흔드는 경우에 이르는 팔과 다리. ¶~를 뻗고 자다.

네:활개(를) 치다 구 ㉠팔다리를 힘있게 휘저으며 걷다. ㉡아주 뽐내며 돌아다니거나 행동하다. ¶네활개 치고 다니다. 「Ⅰ:14》.

네활기 명〈옛〉 네활개. 사지(四肢). ¶네활기 몯ᄡᅳ며(四肢不收)《救簡

네흔〈옛〉 넷은. '네³'의 절대격형. =네흔. ¶七淨은 ᄒᆞ나흔 戒淨이오 둘흔 心淨이오 세흔 見淨이오 네흔 疑心 그츤 淨이오《永嘉 序 9》.

네흘〈옛〉 넷을. '네³'의 목적격형. ¶能히 前엣 네흘 그칠시(能止前四)《永嘉 上 93》. 「戒호미오(四則醬上慢)《永嘉 下 9》.

네흔〈옛〉 넷은. '네³'의 절대격형(絶對格形). =네흔. ¶네흔 上慢을 警

넥〔neck〕 명 ①목. ②중요한 곳. ③애로(隘路).

넥쇠〔Nexö, Martin Andersen〕 명 【사람】 덴마크의 작가. 가난한 석공(石工)의 아들로 태어나, 교사(教師)를 거쳐 작가가 됨. 노동자·농민을 그린 사회주의적 경향의 작품이 많음. 대표작은 《승리자 펠레(Pelle)》. 안데르센 넥쇠. [1869-1954]

넥스트〔next〕 명 다음. 차위(次位).

넥-웨어〔neckwear〕 명 넥타이·목도리·칼라 따위 목에 거는 물건의 총칭.

넥타〔nectar〕 명 탄산수 등, 달콤한 청량 음료. ¶사과 ~.

넥타르〔그 nektar〕 명 그리스 신화 중에서, 신(神)들이 마신다는 영주(靈酒). 마신 사람에게는 죽지 않는 힘이 생긴다 함.

넥-타이〔necktie〕 명 와이셔츠의 칼라 부분에 매어, 장식으로 하는 끈. 길게 늘이는 것과 나비 넥타이 등이 있음. 크라바트. ㊥타이.

넥타이-핀〔necktie+pin〕 명 맨 넥타이 위에 꽂는 핀. ㊥타이핀.

넥톤〔necton〕 명 【생】 플랑크톤보다 크고, 자유로이 운동할 수 있는 수중의 생물. 갓 부화한 어린 물고기가 이 범주에 속하며, 물 속에서 섭모·촉수·편모 등으로 자유로이 활동함. 유영(遊泳) 생물.

넨니〔Nenni, Pietro〕 명 【사람】 이탈리아의 정치가. 이탈리아 사회당의 지도자. 기관지 '아반티(Avanti)'의 주필을 하다가 1926년에 망명, 스페인 내란에 정치 위원으로서 참가. 제2차 대전 후 당서기장(黨書記長)·당수로서 수차 공산당과 공동 전선을 취했으나 헝가리 사건 이후 중도 좌파 정권에 입각, 외상·부수상을 역임함. [1891-1980]

넨다-하다 타 여불 어린애나 또는 아랫 사람을 사랑하여 너그럽게 대하다. ¶넨다하며 길렀더니 버릇이 없다.

넨:장 감 ↗넨장(을) 맞을·넨장(을) 칠.

넨:장(을) 맞을 구 '네 난장(亂杖)을 맞을'의 뜻으로, 욕하는 말. ¶~것/~, 내가 뭘 잘못했다고. ㊥넨장.

넨:장(을) 칠 구 '네 난장(亂杖)을 칠'의 뜻으로 욕하는 말. ¶~놈/~, 일요일도 못 쉬다니. ㊥넨장.

넨젯간 명〈방〉 방앗간(평안).

넬 명〈방〉 내일(경상).

넬레우스〔Nēleus〕 명 【신】 그리스 신화의 바다의 신. 특히, 에게 해(海)의 신. 그의 열 두 아들 가운데서 네스토르를 제외한 모두가 헤르쿨레스(Hercules)에게 살해됨.

넬슨¹〔nelson〕 명 레슬링에서, 기본적 재주 중 목조르기의 총칭. 상대편의 뒤쪽에서 겨드랑이 밑으로 팔을 넣고, 뒤통수를 지점(支點)으로 하여 목을 조름. *풀넬슨·쿼터 넬슨·하프 넬슨.

넬슨²〔Nelson〕 명 【지】 뉴질랜드 남(南) 섬의 북부에 있는 항만 도시. 통조림 공장·제재소가 있으며, 담배·과일·목재 등을 수출함. [33,304 명(1981)]

넬슨³〔Nelson, Horatio〕 명 【사람】 영국의 제독(提督). 1793년 이래 프랑스군과 각지에서 싸워, 오른눈·오른팔을 잃음. 1798년 나폴레옹의 이집트 원정 함대를 전멸시켰고, 1805년에는 프랑스·에스파냐 연합 함대를 트라팔가르 앞바다에서 격멸하고 전사하였음. [1758-1805]

넬슨 강【—江】〔Nelson〕 명 【지】 캐나다의 로키 산맥에서 발원한 서스캐처원 강(Saskatchewan江)이 위니펙 호(Winnipeg 湖)에 들어가, 그 곳으로부터 흘러 허드슨 만(Hudson 灣)에 들어가기까지의 강. 한랭지(寒冷地)의 수송로로서 중요함. [680 km]

넴초바〔Němcová, Božena〕 명 【사람】 체코슬로바키아의 여류 작가. 농촌을 무대로 한 것과 사회의 모순을 문제로 한 소설이 많으며, 대표작 《할머니》는 체코슬로바키아 국민 문학의 고전이라고 일컬어지고 있음. 그 외에 《민화집(民話集)》 등이 있으며, 여성 해방 운동에도 투신 활약함. [1820-62]

넵투누스〔Neptunus〕 명 ①【신】 로마 신화 중의 해신(海神). 그리스의 포세이돈(Poseidon)에 해당함. ②【천】 해왕성(海王星).

넵투늄〔neptunium〕 명 【화】 초(超)우라늄 원소의 하나. 1940년, 미국에서 E. M. 맥밀란 등이 우라늄에 중성자를 조사(照射)하여 처음 만든 은백색의 금속. 11개의 핵종(核種)이 있는데, 넵투늄 237은 반감기(半減期)가 약 200만 년, 넵투늄 239는 2-3일임. [93번: Np: 237]

넵투늄 계:열【—系列】〔neptunium〕 명 【화】 새로 발견된 방사성 원소의 붕괴(崩壞) 계열의 하나. 이 계열에 속하는 원소는 모두 4n+1의 질량수를 가지며, 넵투늄 237이 가장 긴 수명을 가지기 때문에 이 이름이 붙여졌음.

넵튠〔Neptune〕 명 【신】 '넵투누스(Neptunus)'의 영어명.

넷: 수 셋보다는 하나가 더 많고 다섯보다는 하나가 덜한 수. 사(四). *너²·넉²·네⁴.

넷-들이 명〈방〉 네뚜리.

넷:-째 ㊀ 수 네번째. ㊁ 명 네 개째. ¶벌써 ~ 먹고 있다.

넹큼 부 ☞ 냉큼. 「空爲有)《楞嚴 Ⅱ:106》.

-녀 어미〈옛〉 -냐. -ㄴ가. ¶곧ᄒᆞ녀 다ᄅᆞ녀 空ᄒᆞ녀 잇ᄂᆞ녀(爲同爲異爲虛

녀가다 자〈옛〉 다녀가다. ¶東녀그로 萬里예 녀가 興을 탐직ᄒᆞ녀(東行萬里堪乘興)《杜諺 Ⅶ:2》. *녀다.

녀계 명〈옛〉 창기(娼妓). 기생. ¶녀계 창(娼), 녀계 기(妓)《字會 中 3》.

녀기 명〈옛〉 여기(女妓). 기생. ¶술프는 져제 와 녀기의 집에 드러가(入酒肆妓女人家)《老乞 下 44》.

녀기다 타〈옛〉 여기다. =너기다. ¶엇던디 날 보시고 네로다 녀기실시《松江 續美人曲》. 「줄 이시랴《古時調》.

녀나믄 관〈옛〉 다른. 남은. =녀나ᄆᆞᆫ. ¶그 밧긔 녀나믄 일이야 分別홀

녀나ᄆᆞᆫ 관〈옛〉 다른. 남은. =녀나믄. ¶法會로서나 녀나ᄆᆞᆫ 고대가《月釋 XXI:45》. 「6》.

녀너 관 명〈옛〉 여느. 다른. 다른 사람. =녀느. ¶녀너 타(他)《類合 下

녀느 ㊀ 명〈옛〉 다름. 다른 사람. ¶日月의 妄이 녀느 아니라(日月妄非他也)《楞嚴 Ⅳ:23》. *녀너·녕. ㊁ 관 여느. 다른. ¶녀느 龍이 다 臣下ㅣ라《月釋 Ⅰ:24》. 「*녀느.

녀ᄂᆞ 관〈옛〉 다른. ¶녀ᄂᆞ 일은 혹 쉽거니와(他事或易)《重內訓 Ⅱ:13》.

녀다 자〈옛〉 가다. 다니다. =니다. ¶누릿 가온ᄃᆡ 나곤 몸하 ᄒᆞ올로 녀셔《樂範 動動》.

녀ᄃᆞᆷ 자〈옛〉 다님. '녀ᄃᆞ니다'의 명사형. =녀ᄃᆞᆷ. ¶길 녀ᄃᆞ뇨맨 모미 엇더ᄒᆞ뇨(跋涉體何如)《初杜諺 XX:34》.

녀돈놈 자〈옛〉 다님. '녀ᄃᆞ니다'의 명사형. =녀ᄃᆞᆷ. ¶뉘 닐오ᄃᆡ 녀ᄃᆞ뇨미 ᄂᆞᄆᆞᆯ 밋디 몯ᄒᆞᄂᆞ다 ᄒᆞᄂᆞ뇨(誰云行不逮)《初杜諺 XX:10》.

녀ᄃᆞ니다 자〈옛〉 다니다. ¶녀ᄃᆞ뇨매 ᄆᆞᅀᆞ매 어긔르추미 하니(行邁心多違)《杜諺 Ⅶ:27》.

녀러신고요 자〈옛〉 가 계신가요. 가시었는가. ¶져재 녀러신고요《樂範 井邑詞》. *녀러오다. 「디니《月釋 Ⅱ:19》.

녀러오다 자〈옛〉 갔다오다. 다녀오다. ¶斯陀含ᄋᆞᆫ ᄒᆞᆫ번 녀러오다 혼 ᄠᅳ

녀름¹ 명〈옛〉 여름. =녀ᄅᆞᆷ. ¶긴 녀ᄅᆞᆷ 江村애 일마다 幽深ᄒᆞ도다(長夏江村事事幽)《杜諺 Ⅶ:3》.

녀름² 명〈옛〉 농사(農事). ¶時節이 便安ᄒᆞ고 녀르미 ᄃᆞ외며(時而歲有)《月序 25》.

녀름됴타 형〈옛〉 농사(農事)가 잘 되다. 실념(實稔) 잘하다. ¶녀름됴홀 풍(豐)《字會 下 19》.

녀름디을 아비 명〈옛〉 농부(農夫). =녀름지슬 아비. ¶녀름디을 아비ᄂᆞᆫ 膠漆 바토ᄅᆞᆯ 슬허코(田父嗟膠漆)《重杜諺 Ⅲ:3》.

녀름디이 명〈옛〉 농사(農事). 농사짓기. ¶邊方애 監臨ᄒᆞ얫ᄂᆞᆫ 王相國의 金甲을 즐겨 술오 봄 녀름디이ᄅᆞᆯ 일사마 호ᄅᆞᆯ 져기 깃노라(稍喜臨邊王相國肯銷金甲事春農)《重杜諺 Ⅴ:46》.

녀름ᄃᆞ외다 자〈옛〉 풍년들다. ¶歲有ᄂᆞᆫ 녀름ᄃᆞ욀씨라《月序 25》.

녀름지슬 아비 명〈옛〉 농부(農夫). =녀름디을 아비. ¶녀름지슬 아비ᄂᆞᆫ 膠漆 바토ᄅᆞᆯ 슬허코(田父嗟膠漆)《初杜諺 Ⅲ:3》.

녀름지싀 명〈옛〉 농사. =녀름지이·녀ᄅᆞᆷ지이. ¶묏 시냇 구븨예셔 녀름지싀ᄒᆞ고(爲農山澗曲)《初杜諺 XXI:41》.

녀름지으리 명〈옛〉 농부. 농민. 농사지을 이. ¶ 녀름 지으리 키 傷害토다(太傷農)≪重杜諺 Ⅳ:28≫.

녀름지이 명〈옛〉 농사. 농사짓기. =녀름지싀·녀룸지이. ¶ 도로 녀름지이를 힘뻐(還力農)≪重杜諺 Ⅳ:23≫.

녀름짓다 자〈옛〉 농사짓다. =녀름짓다. ¶ 녀름 짓는 지븐 믈군 ᄀᆞ룺 고비오(田舍淸江曲)≪杜諺 Ⅶ:4≫.

녀름짓다 자〈옛〉 농사짓다. =녀름짓다. ¶ 녀름지슬 이른 ᄆᆞ슐마다 섈리ᄒᆞ고(農務村村急)≪初杜諺 Ⅹ:13≫.

녀룸 명〈옛〉 여름. =녀름¹. ¶ 여긔 올 녀룸의 하ᄂᆞᆯ히 ᄀᆞ믈고(這裏今年夏裏天旱了)≪老乞 上 47≫.

녀룸지이 명〈옛〉 농사. =녀름지싀·녀름지이. ¶ 王中이ᄂᆞᆫ 登封 사ᄅᆞ미라 지비 녀룸지이ᄒᆞ고(王中 登封人 家業農)≪續三綱 孝子≫.

녀미다 타〈옛〉 여미다. ¶ 옷깃 녀미오 길 녀매 나사가노다(斂衽就行役)≪杜諺 Ⅷ:20≫.

녀석 의명 ①남자를 욕으로 일컫는 말. ¶ 망할 ~. ②사내아이를 귀엽게 일컫는 말. ¶ 요 ~ 말하는 것 좀 봐. 1)·2):↔년¹.

녀오니 자〈옛〉 가니. '녀다'의 활용형. ¶ 南으로 녀오니 길히 더욱아니 환ᄒᆞ도다(南行道彌惡)≪杜諺 Ⅰ:20≫.

녀의 명〈궁중〉 속곳.

「Ⅸ:21≫.

녀타 타〈옛〉 넣다. =넣다. ¶ 五色 ᄂᆞᄆᆡ 녀허 조ᄒᆞᆫ 싸ᄒᆞᆯ쓰설오≪釋譜

녀토다 타〈옛〉 열게 하다. 옅이다. ¶ 녀토시고 또 기피시니(旣淺又深)≪龍歌 20章≫.

「믈 알리로다(知其水無深淺)≪永嘉 下 60≫.

녀톰 형〈옛〉 옅음. '녙다'의 명사형. =녀툼. ¶ 그 ᄆᆞ리 기프며 녀톰 업스

녀툼 형〈옛〉 옅음. '녙다'의 명사형. =녀톰. ¶ 이제 녀투미 기푸메 달오ᄆᆞᆯ 굴히실쎠(今揀淺異深)≪般若 22≫.

녀티 부〈옛〉 옅게. '녙다'의 활용형. ¶ 져고매 흐르ᄂᆞᆫ 수를 녀티 자바(淺把涓涓酒)≪初杜諺 Ⅶ:8≫.

녀편 명〈옛〉 여편네. 여인(女人). ¶ 俱夷ᄂᆞᆫ 불근 녀펴니라 ᄒᆞᄂᆞᆫ 쁘디니

녀편-네 명〈방〉 여편네(강원).

ㄴ≪月釋 Ⅰ:9≫.

녀헤두다 타〈옛〉 넣어두다. 쌓아두다. ¶ 녀헤둘 온(蘊)≪類合 下 8≫.

녀ᄒᆞ다 자〈옛〉 가다. =녀다. ¶ 비 졈으도록 녀ᄒᆞ야 ᄇᆞ리놋다(高帆終日征)≪杜諺 Ⅰ:46≫.

「4≫.

녁 의명 ①☞녘. ②〈옛〉 녘. 편. ¶ 동녁 동(東), 셧녁 셔(西)≪字會 中

년¹ 의명 ①여자를 멸시하거나 하대하여서 일컫는 말. ¶ 되지 못한 ~. ②여자 아이를 귀엽게 이르는 말. ¶ 고 ~ 참 예쁘기도 하다. 1)·2):↔놈.

년²【年】 의명 때를 재는 단위인 '해'의 뜻으로 사용하는 말. ¶ 오십 ~/서력 기원 1961~/기미(己未)~.

「*녀느.

년³ 관〈옛〉 다른. ¶ 常不輕比丘ㅣ 년 分 이시리잇가≪月釋 ⅩⅦ:132≫.

년글 〈옛〉 남을. 다른 사람을. '녀느'의 목적격형. ¶ 四海를 년글 주리여(維彼四海肯他人錫)≪龍歌 20章≫.

년기 〈옛〉 남이. 누가. '녀느'의 주격형(主格形). ¶ 半길 노핀ᄃᆞᆯ 년기 디나리잇가(雖半身高 誰得能度)≪龍歌 48章≫.

년놈 명 '연놈'의 잘못.

년대【年代】 의명 10년 단위의 햇수를 가리켜, '그 당시'·'그 즈음'의 뜻으로 쓰이는 말. ¶ 1970~.

년듸 명〈옛〉 여느 데. 다른 곳. =년딕. ¶ 이제야 도라오나니 년듸 ᄆᆞ음 마로리≪陶山≫.

「去)≪妙蓮 Ⅱ:211≫.

년ᄃᆡ 명〈옛〉 여느 데. 다른 곳. =년듸. ¶ ᄂᆞᄆᆡ 년ᄃᆡ 가디 말라(勿復餘

년뫼 명〈옛〉 여느 뫼. 다른 산. ¶ 내 님 두ᄋᆞᆸ고, 년뫼를 거로리≪樂詞 履

년밤 명〈옛〉 연밥. =녓밤. ¶ 년밤(蓮實)≪湯液≫.

「霜曲≫.

년석 의명〈방〉 녀석.

년ᄉᆞᆫ 명〈옛〉 연뿌리. ¶ 년ᄉᆞᆫ 우(藕)≪字會 上 14≫.

녀 명〈옛〉 누구. 남. ¶ 半길 노핀ᄃᆞᆯ 년기 디나리잇가(雖半身高 誰得能度)≪龍歌 48章≫. *녀느.

녓밤 명〈옛〉 연밥. =년밤. ¶ 녓밥 뎍(菂)≪訓蒙 上 12≫.

녇가온 형〈옛〉 옅은. '녇갑다'의 명사형. ¶ 녇가온 識은(淺識)≪妙蓮 Ⅱ:158≫.

「샤(引三車一門之淺)≪妙蓮 Ⅱ:2≫.

녇가옴 형〈옛〉 옅음. '녇갑다'의 명사형. ¶ 셋 술위 ᄒᆞᆫ 門 녇가오ᄆᆞᆯ 혀

녇가와 형〈옛〉 옅어. '녇갑다'의 활용형. ¶ 性 빈ᄒᆞ시 어듭고 녇가와(性習昏淺)≪妙蓮 Ⅱ:190≫.

「≪圓覺 上一之一 184≫.

녇갑다 형〈옛〉 열다. =녇갑다·녇겁다. ¶ 녇가온 識엣 무리(淺識之流)

녇갈다 형〈옛〉 옅다. =녇갑다·녇겁다. ¶ 良心을 일코 녇가ᄫᆞᆫ 닌≪月釋 ⅩⅦ:18≫.

녇겁다 형〈옛〉 열다. =녇갑다·녇갑다. ¶ 세흔 녇거오니 기픈ᄃᆡ 나사감 어려우믈 나토샤미오(三顯淺難造深)≪圓覺 上 二之三 14≫.

녇다 형〈옛〉 열다. =녙다. ¶ 世間法엣 門은 녇고 室은 기픈ᄃᆞᆫ디 아니ᄒᆞ니(不同世法 門淺室深)≪圓覺 上 一之二 105≫.

녈 자타〈옛〉 가는. 지나가는. '녀다'의 활용형. ¶ 길 녏 사ᄅᆞ미어나(行路人)≪月釋 ⅩⅩⅠ:119≫.

「셰라≪松江 關東別曲≫.

녈구름 명〈옛〉 뜬 구름. 지나가는 구름. ¶ 아마도 녈구름이 근쳐의 머믈

녈무우 명〈옛〉 열무. ¶ 오려 고기 숙고 녈무우 살졋ᄂᆞᆫ듸≪永言≫.

녈비 명〈옛〉 지나가는 비. ¶ 잠싼 긴 녈비에 道上 無源水를 반마싼 더혀 두고≪蘆溪 陋巷詞≫.

「아≪樂詞 西京別曲≫.

녈ᄇᆡ 명〈옛〉 지나가는 배. ¶ 네가 시럼난듸 몰라셔 녈ᄇᆡ예 연즌다 샤공

녈-손님 명〈옛〉 지나는 손. ¶ 新院 院主되야 녈손님 디내옵니≪海謠≫.

녈음 명〈옛〉 여름. =녀름¹. ¶ 이듬힛 녈음이 ᄀᆞ장 ᄀᆞ믈거ᄂᆞᆯ(明年夏太旱)≪重內訓 Ⅱ:40≫.

「(蘇醒漸與粥食)≪救荒 3≫.

념념으로 부〈옛〉 점차(漸次)로. ¶ 세거든 념념으로 쥭을 주어 머기라

념통 명〈옛〉 염통. ¶ 념통 심(心)≪字會 上 27≫.

녑 명〈옛〉 옆. ¶ 녑 爲脅≪訓例 合字解≫.

녑구레 명〈옛〉 옆구리. ¶ 녑구레 협(脇)≪字會 上 25≫.

녑녑-하다 형여불 ☞엽렵하다.

녑발치 명〈옛〉 갈비¹. ¶ 녑발치 륵(肋)≪字會 上 25≫.

녑팔치 명〈옛〉 갈비¹. ¶ 녑팔치(肋扇)≪老解 下 35≫.

녓곶 명〈옛〉 잇꽃. ¶ 이 紅白 녓고지러라(是紅白荷花)≪朴通事 上 70≫.

녘 의명 어떤 때의 무렵이나 또는 어떤 방향·지역(地域)을 가리키는 말. 쪽. ¶ 새벽~에/동~/아랫~.

「29≫.

녙다 형〈옛〉 열다. =녇다. ¶ 슬후미 녙디 아니ᄒᆞ니(恨不淺)≪重杜諺 Ⅵ:

녛다 타〈옛〉 넣다. =녀타. ¶ 녀허둘 온(蘊)≪類合 下 18≫.

녜¹ 명〈옛〉 옛적. 예전. ¶ 軍容이 녜와 다르샤(軍容異昔)≪龍歌 51章≫ / 녜못보던ᄉᆞ랑일세≪찬양가 : 32≫.

녜:² 감 ☞ 네⁵.

녜뉘 명〈옛〉 옛날. 옛세상. ¶ 石壁에 수멧던 녜뉫글 아니라도(岩石所匿古書緞微)≪龍歌 86章≫.

「86章≫.

녜뉫글 명〈옛〉 옛글. 옛 세상의 글. ¶ 녜뉫글 아니라도(古書緞微)≪龍歌

녜뉫시졀 명〈옛〉 옛 시절. ¶ 네 디나건 녜뉫 時節에 盟誓發願혼 이룰 혜는다 모르는다≪釋譜 Ⅵ:8≫. *뉘⁶.

「江 思美人曲≫.

녜다¹ 자〈옛〉 지내다. 가다. ¶ 平生에 願ᄒᆞ요ᄃᆡ ᄒᆞᆫᄃᆡ 녜쟈 ᄒᆞ얏더니≪松

녜다² 타〈옛〉 (지붕을) 이다. ¶ 지새 녜다(宽瓦)≪漢淸文鑑 Ⅻ:11≫.

녜로외다 형〈옛〉 예스럽다. 옛 모양이 있다. ¶ 潭州ㅅ ᄆᆞ올안히 甚히 淳朴ᄒᆞ며 녜로외니(潭府邑中甚淳古)≪杜諺 Ⅸ:31≫.

녜 룽전 〔聶榮臻〕 명〚사람〛 중국의 군인·정치가. 쓰촨 성(四川省) 출신. 프랑스에 유학(留學), 전기 기술을 배움. 1937년 제8로군 부사단장, 1949년 부총참모장(副總參謀長), 1957년 과학 기술 위원회 주임(主任)으로 핵개발(核開發)을 담당하였으며, 1967년 문화 혁명에 비판을 받았으나, 1969년에 당 중앙 위원이 되고, 1977년 중앙 정치국원, 1985년 은퇴함. [1899-1992]

「27≫.

녜리 명〈옛〉 가는 사람. ¶ 길 녜리 길ᄒᆞᆯ ᄉᆞ양ᄒᆞ며(行者讓路)≪警民編

녜ᄅᆞ외다 형〈옛〉 예스럽다. 옛 모양이 있다. ¶ 스싀로 더옥 毛髮이 녜ᄅᆞ외도다(自益毛髮古)≪杜諺 Ⅸ:9≫.

녯 관〈옛〉 옛. 옛적의. ¶ 져비ᄂᆞᆫ 녯 기세 도라오ᄆᆞᆯ ᄉᆡᇰ각ᄒᆞ놋다(燕憶舊巢歸)≪金三 Ⅱ:6≫.

「≪樂範 動動≫.

녯날 명〈옛〉 옛날. ¶ ᄆᆞᄅᆞ다 錄事니ᄆᆞᆫ 녯나ᄅᆞᆯ 닛고신뎌 아으 動動다리

노¹ 명 실·삼·종이 같은 것으로 가늘게 비비거나 꼰 줄. ¶ ~끈.

노가 실:이 되도록 구 끈질기게 조르거나 되풀이해서 말을 늘어놓는 모양.

노² 명 '북쪽'의 뱃사람 말.

「(香羅疊雪輕)≪重杜諺 Ⅺ:23≫.

노³ 명〈옛〉 깁. 비단. =로¹. ¶ 곳다온 노ᄂᆞᆫ 疊疊ᄒᆞᆫ 누니 가비야온ᄃᆞᆺ도다

노⁴【奴】 명 사내종. 공천(公賤)과 사천(私賤)의 통칭.

노⁵【弩】 명 쇠뇌.

「대원(大元) 등임.

노⁶【路】 명 성(姓)의 하나. 현재 우리 나라의 주요 본관은 태원(太原)·

노⁷【魯】 명〔역〕 중국 춘추(春秋) 시대의 열국(列國)의 하나. 주(周)의 무왕(武王)의 아우인 주공 단(周公旦)이, 무왕을 도운 공으로 곡부(曲阜)에 봉(封)함을 받은 데서 비롯해, 지금의 산둥성(山東省) 옌저우부(兗州府) 취푸 현(曲阜縣)에 도읍하였음. 기원전 249년, 경공(頃公) 때에 34 대(代) 868 년으로 초(楚)나라의 고열왕(考烈王)에게 망함.

노⁸【魯】 명 성(姓)의 하나. 현재 우리 나라의 주요 본관은 함평(咸平)·강화(江華) 등임.

노⁹【盧】 명 성(姓)의 하나. 현재 우리 나라의 주요 본관은 교하(交河)·광주(光州)·풍천(豐川) 등 16개임.

노¹⁰【櫓】 명 물을 헤치어서 배를 나아가게 하는 기구. 물 속에 들어가는 깃쪽은 주걱 비슷하게 얇고 넓적하며, 손잡이 쪽은 가늘게 생겼음. 참나무 따위로 만듦. ¶ ~를 젓다.

노손
상책
노깃
〈노¹⁰〉

노¹¹【爐】 명 ①불을 담아 두어, 덥게 하는 데나, 물건을 데우거나 끓이는 데에 쓰이는 장치. ②↗난로(暖爐). ③기관(汽罐) 같은 가마에서 연료가 타는 부분. ④금속을 가열하는 장치의 총칭. 제철용(製鐵用)의 거대한 용광로를 비롯하여, 용해로(熔解爐)·전로(轉爐)·평로(平爐)·전기로(電氣爐), 그 밖에 원자로(原子爐) 등 그 종류가 많음.

노¹²【蘆】 명 성(姓)의 하나. 우리 나라에는 현존(現存)하지 아니함.

노¹³【露】 명 ↗노서아(露西亞).

노:¹⁴ 〔no〕 명감 ①아니. 아니오. ↔예스(yes). ②거절. 부인. 부정. ↔예스. ③테니스·탁구에서, 실점(失點). 실책(失策).

노:¹⁵ 부 ↗노상. ¶ ~ 찾아오던 친구.

노-¹ 관 ↗ 놓으. ¶ ~ㄹ 자리가 마땅찮다.

노:-²【老】 접 '늙은'의 뜻으로 명사 위에 쓰이는 말. ¶ ~처녀/~총각.

-노¹【奴】 미 어떤 명사 밑에 붙어, 그런 나쁜 일 또는 천한 일을 하는 놈을 일컫는말. ¶ 매국(賣國)~/수전(守錢)~.

-노² 어미 ↗-는고. ¶ 어디로 가~. *-나²·-냐.

노가¹【奴家】 명 부인이 자기를 낮추어 일컫는 말. 천첩(賤妾).

노가²【櫓歌】 명 뱃사공들이 노를 저으면서 부르는 노래.

노가다 〔일 どかた〕 명〈속〉 토목 공사에 종사하는 막벌이 노동자.

노가다-판 〔일 どかた〕 명〈속〉 토목 공사장 등, 노가다들이 일하는 작업장.

노가다-패【一牌】 〔일 どかた〕 명〈속〉 노가다들의 무리.

노: 가:드 〔no guard〕 명 권투에서, 무방비 상태.

노가리¹ 명 ①〚농〛 씨를 흩어 뿌리는 일. 산파(散播). 흩어뿌리기. ②〈속〉 허황된 거짓말. 허풍. ――하다 타여불

노가리로 뿌리다 구 씨를 흩어 뿌리다.

노가리² 명〚어〛 명태의 새끼.

노:가자【老柯子】 명〚식〛 노간주나무.

노:-가재¹【老歌齋】 명〚사람〛 김수장(金壽長)의 호(號).

노:-가재[2]【老稼齋】명〖사람〗김창업(金昌業)의 호(號).

노:가재 가단【老歌齋歌壇】명〖역〗조선 숙종·영조 시대에 노가재(老歌齋) 김수장(金壽長)을 중심으로 형성된 가객(歌客)들의 모임.

노:가재 연행록【老稼齋燕行錄】[-녹] 명〖책〗조선 숙종(肅宗) 38년(1712)에 노가재 김창업(金昌業)이 그의 맏형인, 동지사 겸 사은사(冬至使兼謝恩使) 김창집(金昌集)을 따라 연경(燕京)에 갔을 때의 견문(見聞)을 쓴 기행문. 6권 6책.

노:가재-집【老稼齋集】명〖책〗노가재 김창업의 시집. 조선 순조 20년(1820) 간행. 맏형 김창집을 따라 연경에 갔을 때의 작품이 많이 실림. 5권 3책. 인본(印本)임.

노가주 명〖식〗노간주나무.

노가주-나무 명〖식〗노간주나무.

노가지-나무 명〈방〉〖식〗노간주나무(평안).

노:-가쿠〔일 能樂:のうがく〕명 피리·북소리에 맞추어 우타이(謠)를 부르면서 춤추듯 하는 일본 고유의 고전적 가면(假面) 악극(樂劇). 무로마치(室町) 시대 초기에 제아미(世阿彌)에 의하여 완성됨.

노각[1] 명〈옛〉사슴의 뿔. 녹각(鹿角). ¶ 노각으로 한 면합즈 일빅낫(鹿角盒兒 一百箇)《老解 下 61》.

노:각[2]【老一】명 늙어서 빛이 누렇게 된 오이.

노:각[3]【老脚】명 늙은이의 다리. 늙은이의 걸음걸이. 노족(老足).

노각-나무 명〖식〗[*Stewartia koreana*] 후피향나뭇과에 속하는 낙엽 활엽 교목. 잎은 타원형 또는 넓은 타원형이고, 6-7월에 흰 오판화(五瓣花)가 하나씩 액생(腋生)하고, 과실은 삭과(蒴果)로 10월에 익음. 산허리 이상의 산지에 나는데, 전남북·경남·평남 등지에 분포함. 관상용이며, 나무는 농구재(農具材)로 쓰임.

〈노각나무〉

노:각-나물【老一】명 오이 나물의 한 가지. 늙은 오이를 씨를 빼고 채를 쳐서 소금에 절이었다가, 기름에 볶아 양념하여 무침. 노각채. 황과채(黃瓜菜).

노각시 명〈방〉〖동〗노래기(경북).

노:각-채【老一菜】명 노각나물.

노간주-나무 명〖식〗[*Juniperus utilis*] 향나뭇과에 속하는 상록 침엽 교목(喬木). 높이는 10 m 내외이고 잎은 가는 선형(線形)인데, 세 잎이 윤생(輪生)함. 5월에 녹갈색의 꽃이 자웅 이주(雌雄異株)로 핌. 과실은 구과(球果)로, 달걀꼴의 구형이며 다음해 10월에 자흑색으로 익는데, '두송실(杜松實)'이라 하여 약용·식용·향료(香料)로 씀. 산록의 양지나 건조지에 나는데, 한국·일본·중국·몽골·만주에 분포함. 정원수·조각재(彫刻材)로 쓰임. 노가주나무. 노가주. 노가자(老柯子). 두송(杜松).

〈노간주나무〉

노감-석【爐甘石】명〖광〗황화 아연광(黃化亞鉛鑛)과 동맥광(銅脈鑛)에서 나는, 철·칼슘·마그네슘 및 적은 분량의 카드뮴이 섞이어 있는 광석. 원래는 흰빛의 직사각형 또는 육면체를 이룬 것인데, 흔히 유리 모양, 진주 광택이 나는 골패짝 모양, 종유(鐘乳) 모양, 덩어리 모양을 이룸. 때로는 갈색 또는 푸른빛을 띠는 것도 있음. 한방(韓方)에서 안약(眼藥)으로 씀. 노선생(爐先生).

노-감태기 명〈방〉노감투.

노-감투 명 노끈으로 만든 감투.

노:갑 을이【怒甲乙移】명 노갑 이을.

노:갑 이을【怒甲移乙】[-니-] 명 어떤 사람에게서 당한 노염을 딴 사람에게 화풀이함. 노갑 을이. ¶ 한씨 부인은 ~로 자기 원통한 분풀이를 수목이한테다 하느라고…《金宇鎭 : 花上雪》. ——-하다 자여불

노:-강즙【露薑汁】명〖한의〗밤이슬을 맞힌 새앙즙. 학질·한열(寒熱)에 약으로 쓰임.

노:객【老客】명 ①늙은 손님. ② '늙은이'를 얕잡아 일컫는 말.

노갱이 명〈심마니〉〖조〗까마귀.

노:거[1]【路車】명 제후(諸侯)가 타는 수레.

노:거[2]【露車】명 뚜껑이 없는 차. 무개차.

노:건[1]【老健】명 ①노인이 정력이 좋음. ②문장 등이 노련하고 힘참. ——-하다 형여불

노건[2]【駑蹇】명 말이 느리고 절룩거림. ——-하다 자여불

노:걸대【老乞大】[-때] 명〖책〗조선 시대 세종 때, 왕명으로 편찬된 중국어 학습서. 《박통사(朴通事)》와 함께 중국어 회화 학습서임. 1책.

노:걸대 신석【老乞大新釋】[-때-] 명〖책〗조선 시대 영조(英祖) 때, 역관(譯官) 변헌(邊憲)이 《노걸대》의 잘못된 곳을 바로잡은 책. 영조 37년(1761)에 간행. 1책. 목판본.

노:걸대 언:해【老乞大諺解】[-때-] 명〖책〗조선 시대 정조(正祖) 때, 이수(李洙)가 《노걸대(老乞大)》중간본(重刊本)을 언해한 책. 정조 19년(1795)에 간행됨.

노: 게임〔no+game〕명 야구에서, 경기가 무효가 되는 일.

노:격【露檄】명 봉하지 아니한 격문(檄文).

노:견[1]【怒譴】명 성내어 견책(譴責)함. ——-하다 타여불

노견[2]【勞遣】명 위로하여 보냄. ——-하다 타여불

노결【勞結】명 근심 때문에 마음이 답답함. 우울함. 울적함. ——-하다 형여불

노:겸[1]【老傔】명 늙은 청지기.

노겸[2]【勞謙】명 ①어려운 일을 맡아 애쓰면서도 겸손함. 공로가 있어도 겸손함. ②노고와 겸양. ——-하다 형여불

노:경【老境】명 늙바탕. ¶ ~에 접어들다.

노:계[1]【老鷄】명 묵은 닭.

노계[2]【蘆溪】명〖사람〗박인로(朴仁老)의 호(號).

노:계[3]【露紒】명 아무것도 쓰지 아니한 상투머리.

노계-가【蘆溪歌】명〖문〗노계 박인로(朴仁老)가 지은 시가의 하나. 조선 인조 14년(1636) 76세 때, 자신의 은거지인 경상 북도 영천시(永川市) 임고면(臨皐面)에 있는 노계의 절경과 그의 물외 생활(物外生活)을 그린 작품임.

노계 가사【蘆溪歌辭】명〖문〗조선 시대 선조(宣祖) 때의 시인, 노계 박인로(朴仁老)가 지은 가사의 총칭.

노계-집【蘆溪集】명〖책〗노계 박인로(朴仁老)의 시문집. 장가(長歌) 8편과 단가(短歌) 20여 수를 모아 엮음. 3권 2책.

노고[1] 명〈옛〉노구. 노구솥. ¶ 노고 오(鏊)《字會中 10》.

노:고[2]【老姑】명 할미. 할멈.

노:고[3]【老苦】명〖불교〗사고(四苦)의 하나. 늙어서 받는 괴로움.

노고[4]【勞苦】명 수고스럽게 애씀. 고로(苦勞). 공고(功苦). ¶ ~를 위로하다. ——-하다 자여불

노:고[5]【路鼓】명〖악〗아악기의 하나. 인제(人祭)에 쓰는 붉은 칠을 한 기름한 사면고(四面鼓). 틀에 매어 달았는데, 헌가악(軒架樂)에서, 주악(奏樂)할 때에 진고(晉鼓)와 같이 씀.

〈노고[5]〉

노:고-단【老姑壇】명〖지〗전라 남도 구례군(求禮郡) 마산면(馬山面)과 전라 북도 남원시(南原市) 산동면(山東面) 사이에 있는 산. 소백 산맥 중에 솟아 있음. [1,507 m]

노고동 명〈방〉〖조개〗고둥(경남).

노:고-산【老姑山】명〖지〗황해도 곡산군(谷山郡)에 있는 산. 곡산군의 상도면(上圖面)과 복도면(卜圖面)의 경계이며, 서남으로 달리는 언진(彥眞) 산맥 중에 솟아 있음. [1,181 m]

노고자리[1] 명〈방〉〖조〗종다리[2](경남).

노고자리[2] 명〈옛〉노구솥. ¶ 가마와 노고자리와 사발과 뎝시(鍋鐺椀楪)《老解 下 61》.

노고저리 명〈방〉〖조〗종다리[2](경남).

노고조리 명〈방〉〖조〗종다리[2](경상·충청·전라·강원).

노고지 명〈방〉〖조〗종다리[2](강원).

노고지리 명〈옛·방〉〖조〗종다리[2](경기·강원·충청·전라·경상). ¶ 동창이 밝앗느냐 노고지리 우지진다《古時調》.

노고지-새 명〈방〉〖조〗종다리[2](강원).

노:고-초【老姑草】명〖식〗할미꽃.

노:곡-현【路谷峴】명〖지〗평안 북도(平安北道) 창성군(昌城郡)에 있는 고개. [173 m]

노곤【勞困】명 피곤함. 고단함. 곤로(困勞). ——-하다 형여불 ——-히 부

노:골[1]【老骨】명 ①늙은이의 뼈. ②늙은 몸. 노구(老軀).

노:골[2]【露骨】명 ①뼈를 드러내는 일. 전사(戰死)하여 전장에 뼈를 드러내는 일. ②숨기지 아니하고, 있는 그대로 드러냄. 또, 그 모양.

노골[3]【顱骨】명〖생〗두골(頭骨). 두개골.

노: 골:[4]〔no goal〕명 농구·축구 등에서, 슛하여 골인되었으나, 슛하기 전의 반칙(反則)으로 골인이 무효가 되는 일.

노골노골-하다 형여불 ☞ 노글노글하다.

노:골 문학【露骨文學】명〖문〗남녀의 성생활(性生活)을 노골적으로 묘사한 문학 작품.

노:골-적【露骨的】[-쩍] 명관 숨기지 아니하고 있는 그대로 드러낸 모양. ¶ ~인 표현.

노:골-파【露骨派】명 예술 창작에 있어서, 성욕과 남녀 관계를 지나치게 노골적으로 표현하는 파.

노:골-화【露骨化】명 노골적이 됨. 노골적으로 함. ——-하다 자타여불

노:공[1]【老公】명 ①늙은이. ②나이 지긋한 귀인(貴人)의 존칭. ③거세(去勢)한 남자. 환관.

노공[2]【勞工】명 노동자(勞動者).

노-공필【盧公弼】명〖사람〗조선 시대 중종(中宗) 때의 명신. 자는 희량(希亮), 호는 국일재(菊逸齋). 세조 11년(1446)에 등제(登第)한 후 영중추부사(領中樞府事)까지 됨. 고사(古事)를 잘 알고 시문에 능숙하였음. 시호는 공편(恭編). [1445-1516]

노관[1]【蘆管】명 갈대잎을 말아 만든 피리. 노적(蘆笛).

노:관[2]【露館】명 아관(俄館).

노:관 파천【露館播遷】명〖역〗아관(俄館) 파천.

노:광[1]【老狂】명 늙은 나이에 상도(常道)에 벗어난 짓을 함. ——-하다 자여불

노:광[2]【露光】명 ①이슬의 빛. ②〖물〗사진에서, 렌즈로 들어오는 빛을 셔터가 열려 있는 시간만큼 감광(感光) 재료에 비추는 일.

노:교【老巧】명 오래 경험을 쌓아 사물의 처리가 교묘함. ——-하다 형여불

노구[1] 명〔근세 중국어 鑼鍋〕↗노구솥.

[노굿전에 엿 붙였나] 뜨거운 노구솥 가에 엿을 붙여 놓고 왔다면 곧 녹아 흐를 것이니 바삐 돌아가서 살펴보아야 할 일이라, 왔다가 바로 돌아가려는 사람에게 이르는 말.

노:구[2]【老狗】명 늙은 개.

노:구[3]【老嫗】명 할멈. ↔노옹(老翁).

노:구[4]【老軀】명 나이를 먹어 마음대로 움직일 수 없게 된 늙은 몸. 노체(老體). 노골(老骨).

노구[5]【爐口】명 ①돌과 흙으로 쌓은 부뚜막의 아궁이. ②용광로 따위의 아가리.

노구-거리 명 둘이 다 안으로 꼬부라졌으나 하나는 높고, 다른 하나는 낮은 쇠뿔.

노구-교【蘆溝橋】명〖지〗'루거우차오(蘆溝橋)'를 우리 음으로 읽은 이름.

노구교 사:건【蘆溝橋事件】[-껀] 명〖역〗루거우차오 사건.

노구-메 명〖민〗산천의 신령에게 제사하기 위하여, 노구솥에 지은 메밥. ¶ 용왕이 자네같이 좋은 사위를 지시해 주셨는데 ~ 한 그릇두 안 올려서야 쓰겠나《洪命憙 : 林巨正》.

노구메 정성【—精誠】명 노구메를 놓고, 산천(山川)에 기도하는 정성.

노구-솥 명 놋쇠나 구리쇠로 만든 솥. 자유로 옮기어 따로 걸고 쓰게 되었음. ㊟노구.

〈노구솥〉

노구자리 명 〈방〉〔조〕종다리²(경남).

노:구-쟁이【老嫗—】명 뚜쟁이 노릇하는 노파.

노구저리 명 〈방〉〔조〕종다리²(경상).

노구주리 명 〈방〉〔조〕종다리²(전라).

노구지 명 〈방〉〔조〕종다리²(강원).

노구지리 명 〈방〉〔조〕종다리²(전라·경상).

노구치 준〔野口遵: のぐちじゅん〕명〔사람〕일본의 실업가. 도쿄대학 전기과를 나와, 일본 질소 비료 주식 회사 사장으로 석회 질소와 황산 암모늄 제조에 성공하고, 1926년 이후 조선에 진출, 부전강(赴戰江)·장진강(長津江)·압록강의 수원(水源)을 개발하여, 그 전력으로 흥남(興南)에 조선 질소 비료 주식 회사를 건설하는 등, 만주 사변의 시류(時流)를 타고, 크게 사업을 벌임. [1873-1944]

노구치 히데요〔野口英世: のぐちひでよ〕명〔사람〕일본의 세균학자·의학 박사. 1900년 미국에 유학, 1911년에 매독 스피로헤타(Spirochaeta)의 배양에 성공하는 한편, 공수병(恐水病)·소아 마비 등의 연구에 공헌이 컸음. 아프리카에서 황열병을 연구하던 중, 감염되어 죽었음. [1876-1928]

노:국¹【老菊】명 핀 지 오래되어, 빛이 낡고 시들어가는 국화.

노국²【露國】명 노서아.

노국 공주【魯國公主】명〔사람〕노국 대장 공주(魯國大長公主).

노국 대:장 공주【魯國大長公主】명〔사람〕고려 공민왕(恭愍王)의 비(妃). 중국 원(元)나라의 종실(宗室) 위왕(魏王)의 딸로 충정왕(忠定王) 원년(1349)에 공민왕이 원에서 취(娶)한 후, 왕이 되어 고려로 데리고 왔음. 난산(難産)으로 죽었음. 노국 공주. [?-1365]

노:군【老君】명 ①'노자¹(老子)❶'의 존칭. ②'노인'에 대한 존칭.

노:굴【露掘】명〔광〕노천굴(露天掘).

노굿¹ 명 콩이나 팥 따위의 꽃.

노굿 일:다 [—닐—] 구 콩·팥 따위의 꽃이 피다.

노:-굿:²〔no-good〕명 좋지 아니함.

노:궁¹【老窮】명 가난한 늙은이.

노궁²【弩弓】명 ①대궁(大弓). 예궁(禮弓). ②석궁(石弓).

노궁³【玈弓】명 검은 빛의 활. 검은 활.

노권【勞倦】명 피로함. 피로하여 싫증을 냄. ——-하다 자여불

노권-상【勞倦傷】명〔한의〕맥이 풀리고, 열이 오르며 땀이 나는 증세. 몸이 느른하고 속이 괴로움.

노:규【露葵】명〔식〕아욱.

노:균-병【露菌病】[—뼝] 명〔농〕채소에 생기는 병. 균류(菌類)의 기생(寄生)으로 잎에 담황색 또는 갈색의 반점이 생기어, 나중에는 잎이 말라 시듦. 감람·시금치·파·오이·콩·포도 등에 일어남. 버짐병.

노그라-지다 자 ①몹시 피곤하여 힘없이 되다. ¶된 낮일에 노그라져서 함빡 단잠에 취하다. ②한군데로 마음이 쏠리어 정신을 못차리다.

노그름-하다 형여불 ①약간 노글노글하다. ②조금 묽다. 1)·2): <누그름하다. 노그름-히 부

노근¹【勞勤】명 부지런히 일함. ——-하다 자여불

노:근²【露根】명 나무의 뿌리가 지상에 나타난 부분.

노근 노골【勞筋勞骨】명 몸을 아끼지 아니하고 일에 힘씀. ——-하다 「자여불

노글노글-하다 [—로—] 형여불 ①무르녹게 노긋노긋하다. ②몸이 뼈가 없이 보들보들하다. ③마음이 유순하다. 1)-3): <누글누글하다.

노:금【露禽】명 '학(鶴)'의 딴 이름.

노급-함【弩級艦】명 1906년 영국 해군에서 건조(建造)한 드레드노트 호(Dreadnaught號)와 같은 주포력(主砲力)을 갖춘 전함(戰艦). 배수량(排水量)은 17,900톤에 300mm 포 10 문을 갖춤.

노긋-노긋 부 매우 노긋한 모양. <누긋누긋. ——-하다 형여불

노긋노긋-이 부 노긋노긋하게. <누긋누긋이.

노긋-이 부 노긋하게. <누긋이.

노긋-하다 형여불 ①물체가 메마르지 아니하고 늘품이 있게 부드럽다. ②성질이 유순하다. ③힘이 없고 나른하다. ¶오금이 노긋해 오고 뼈마디가 지근지근 쑤시었다≪鄭飛石: 靑春의 倫理≫. 1)·2): <누긋하다.

노:기¹【老妓】명 늙은 기생. ↔동기(童妓).

노:기²【老氣】명 ①노련한 기운. ②늙어서 점점 왕성하여지는 기질.

노:기³【老驥】명 ①늙은 준마(駿馬). ②나이 많은 준걸(俊傑).

노:기⁴【怒氣】명 성이 난 얼굴빛. 노색(怒色). ↔화기(和氣).

노:기⁵【路歧·路岐】명 갈림길. 기로(岐路).

노:기⁶【露氣】명 이슬 기운.

노-기남【盧基南】명〔사람〕최초의 한국인 가톨릭 주교(主教). 평안 남도 중화군(中和郡) 출생. 1930년 사제(司祭)로 서품(敍品)받아 명동(明洞) 성당 보좌 신부가 되고 1942년 주교로 승격되어 서울 교구장(教區長)으로 임명됨. 1946년 일간지 경향 신문(京鄕新聞)을 창간함. 1962년 서울 대교구장으로 임명됨과 동시에 대주교(大主教)로 승품됨. 1967년 서울 대교구장을 은퇴하고, 성(聖)나자로 마을에서 나환자들과 함께 생활하였음. [1901-84]

노기다 사동 〈옛〉녹이다. ¶얼우시고 또 노기시니(旣氷又釋)≪龍歌 20 「章≫.

노:기 등등【怒氣騰騰】명 노기가 얼굴에 가득함. ——-하다 형여불

노:기 복력【老驥伏櫪】[—녁] 명〔늙은 천리마가 헛간의 널빤지 위에서 잠을 잔다는 뜻에서〕유위(有爲)한 인물이 나이를 먹어, 뜻을 펴지 못하고 궁지에 빠짐의 비유.

노기스〔←도 Nonius〕명 '버니어 캘리퍼스(vernier calipers)'의 속칭.

노:기 충천【怒氣沖天】명 잔뜩 성이 나 있음. 성이 머리 끝까지 나 있음. ——-하다 형여불

노-깃【櫓—】명 노질할 때, 물 속에 잠기는 노의 부분.

노깡¹ 명 〈방〉노깨.

노깡²〔일 どかん〕명 〈속〉토관(土管).

노깨 명 밀가루를 뇐 찌끼.

노깽이 명 〈방〉노¹(충남).

노-끄내기 명 〈방〉노끈(경상·충남·경기).

노끄럭 명 〈방〉놋그릇(전남·경북).

노끄륵 명 〈방〉놋그릇(전남·경상).

노-끈 명 ①짧은 노의 토막. 노내끈. ②노¹.

노-끈데기 명 〈방〉노끈(전남).

노나깽이 명 〈방〉노¹(경상).

노나끈 명 〈방〉노끈. 「참고 예전에는, '놋나라'로 발음했음.

노-나라【魯—】명〔역〕중국의 '노(魯)'를 나라로서 똑똑히 일컫는 말.

노-나무 명〔식〕개오동나무.

노나풀 명 〈방〉노¹(경남).

노:-남과채【老南瓜菜】명 청둥호박나물.

노-남자【魯男子】명 여색(女色)을 좋아하지 아니하는 남자.

노:납【老衲】명 ①노승(老僧). ②노승(老僧)의 자칭(自稱).

노내각시 명 〈방〉〔동〕노래기(경상).

노내기 명 〈방〉〔동〕노래기(경기·강원·충청·전북·경상).

노내-끈 명 노끈.

노내끼 명 〈방〉노¹(전북).

노-내(:)선【勞乃宣】명〔사람〕중국 청(淸)나라 말년의 정치가·음운학자. 자는 옥초(玉初). 저장(浙江) 사람. 문자 개혁의 선구자임. 저서에 ≪등운 일득(等韻一得)≫·≪합성 간자보(合聲簡字譜)≫ 등이 있음. [1843-1927]

노냉이 명 〈방〉〔동〕노래기(경기).

노네각시 명 〈방〉〔동〕노래기(경남).

노네토〔이 nonetto〕명〔악〕구중창(九重唱). 또, 구중주(九重奏).

노네트〔nonet〕명〔악〕'노네토'의 영어. 「셔츠. ㊟노타이.

노:-넥타이〔no+necktie〕명 ①넥타이를 매지 아니함. ②↗노넥타이

노:넥타이 셔츠〔nonecktie+shirt〕명 노타이 셔츠. ㊟노넥타이.

노:녀【老女】명 늙은 여자.

노:년【老年】명 ①늙은 나이. 만년(晩年). 만모(晩暮). 만세(晩歲). 모년(暮年). 노령(老齡). ↔조년(早年). ②늙은 사람. 노창(老蒼).

노:년-곡【老年谷】명〔지〕노년기 지형에 나타나는, 곡저(谷底)의 폭이 넓고 곡벽 경사(谷壁傾斜)가 완만한 골짜기.

노:년-기【老年期】명 ①인생에 있어서의 마지막 시기. 갱년기(更年期) 이후의 노인의 시기. 이 시기에는 생리적인 모든 기능이 감쇠되고, 개성이 극히 주관화(主觀化)되어, 불안·불만·저항(抵抗)의 경향이 현저하여지며, 기억력 감퇴와 지능 수준 저하 현상이 나타남. 초로기(初老期)와 노쇠기(老衰期)의 두 시기로 구분됨. ②〔지〕지형의 침식 윤회(浸蝕輪廻)의 최종 시기. 장년기의 둥글둥글한 부드러운 산지(山地)가 침식이 계속됨에 따라, 평평하여지며 계곡의 경사는 완만하여지고, 산의 기복(起伏)이 적어져서 넓고 얕은 골짜기를 사이에 두고 구릉군(丘陵群)이 여기저기 나타나며, 강은 사행(蛇行)이 심하여져 이른바 준평원(準平原)을 형성함. *유년기(幼年期)·장년기·침식 윤회.

노:년기 지형【老年期地形】명〔지〕노년기에 생기는 지형. 동남 아시아의 해안 지대나 중국의 랴오둥(遼東) 반도·산둥(山東) 반도의 주연부(周緣部)에서 볼 수 있음. *유년기 지형·장년기 지형. 「이르는 말.

노:년성 난청【老年性難聽】[—썽—] 명〔의〕'노인성 난청'을 점잖게

노:년성 모반【老年性母斑】[—썽—] 명〔의〕노인의 얼굴이나 피부에 나타나는 모반. 대부분의 노인에게 생김. 「이르는 말.

노:년성 치매【老年性痴呆】[—썽—] 명〔의〕'노인성 치매'를 점잖게

노:년 의학【老年醫學】명〔의〕인간이 늙어감에 따라 몸 안에 일어나는 변화, 곧 가령(加齡) 현상이나 고령자(高齡者)에 종종 발생하는 질환을 연구하는 학문.

노:년 정신병【老年精神病】[—뼝] 명〔의〕노인에게 일어나는 정신 장애의 총칭. 노인성 치매(痴呆)·만발성(晩發性) 정신 분열증·노인 신경증 등이 있음.

노:년-학【老年學】명〔gerontology〕〔사〕노인의 직업 문제·사회 복지(福祉) 문제 등을 종합적으로 연구하는 학문. 노인학(老人學).

노:노¹【老奴】명 늙은 종. 노복(老僕).

노노²【呶呶】명부 변명하는 뜻으로, 여러 말을 길게 늘어놓음. ——-하다 타형여불. ——-히 부

노노 발명【呶呶發明】명 여러 말로 길게 변명함. ——-하다 타여불

노:-노법사【老老法師】명〔불교〕법사의 법사. 증조항(曾祖行)되는 법사. 「스님.

노:-노스님【老老—】명〔불교〕노스님의 스님. 증조항(曾祖行)되는

노:농¹【老農】명 ①농사에 경험이 많은 사람. 농노(農老). ②늙은 농부.

노농²【勞農】명 노동자와 농부.

노농 노서아【勞農露西亞】명〔역〕노농 정부가 지배하는 러시아. 1917년 러시아 혁명 당시 이렇게 불림.

노농-당【勞農黨】명〔사〕노동자·농민의 입장을 대표하는 정당.

노농 동맹【勞農同盟】명 노동자 계급과 농민층의 동맹. 노동자와 농민이 권력에 대하여, 그 정치적 요구를 관철하기 위하여 동맹을 맺는 일. 또, 그 동맹의 조직.

노농 정부【勞農政府】명 노동자·농민을 위주로 하는 정부. 좁은 뜻으로는 소비에트 연방 정부.

노농-주의【勞農主義】[—/—이] 명 귀족 또는 특권 계급의 전권(專

權)을 배제하고, 노동자와 농민의 이권을 옹호할 목적으로 정치를 행하려고 하는 주의.

노-놓치다 타 죄인을 잡았다가 슬그머니 놓아 보내다.

노늠 자 〈옛〉 노닐음. 한가하게 이리저리 왔다갔다하며 놂. '노니다'의 명사형. ¶ 내 龍逄과 比干과 혼디 가아 노뇨미 足ᄒᆞ이다《三綱 朱雲》.

노느깽이 명 〈방〉 노¹(충남).

노느다 타 한 가지 물건을 여러 몫으로 가르다. 준논다.

노느-매기 명 물건을 여러 몫으로 노느는 일. 분배(分配). ——-하다 타 여불

노느-몫 [—목] 명 물건을 갈라 노느는 몫.

노느-이다 피동 여러 몫으로 노늠을 당하다. 준노늬다.

노느-하다 타 〈방〉 희롱하다(함경).

노:는 계:집 명 기생·갈보·색주가 등의 총칭. 유녀(遊女). 논다니.

노늬다 [—니—] 피동 ↗노느이다.

노니¹ 형 〈옛〉 드무니. 귀하니. '노다'의 활용형.

노:니² 【老泥】 명 〔공〕 의흥 주니요(宜興朱泥窯)에서, 도자기의 거죽에 별 모양을 만드는 데에 쓰던 흙의 한 가지.

-노니 어미 〈옛〉 -나니. ¶ 새로 스믈 여듧 字ᄅᆞᆯ 밍ᄀᆞ노니《訓諺 3》.

노니기 명 〈방〉 〔동〕 노래기(경남).

노니다 자 〈옛〉 노닐다. 놀며 다니다. ¶ 請 드른 다대와 노니샤(受賂之胡與之遊行)《龍歌 52章》.

노:-닐다 자 한가하게 이리저리 거닐며 놀다.

노닐우다 타 〈옛〉 노느다. 분배하다. ¶ 나를 져기 노닐워 주고려(那與我些箇)《老解 上 48》.

-노닛가 어미 〈옛〉 -나이까. ¶ 主人이 므슴 차바ᄂᆞᆯ 손소 ᄃᆞᆫ녀 밍ᄀᆞ노닛가 太子를 請ᄒᆞᅀᆞᄫᅡ 이받ᄌᆞᄫᆞ려 ᄒᆞ노닛가 大臣ᄋᆞᆯ 請ᄒᆞ야 이바도려 ᄒᆞ노닛가《釋譜 Ⅵ:16》.

노ᄂᆞ다 형 〈옛〉 노르스름하다. ¶ 노ᄂᆞᆯ 샹(緗)《字會 下 19》.

노다 형 〈옛〉 드물다. 귀하다. ¶ 셔울 머굴 거시 노든가 흔든가(京裏喫食貴賤)《老解 上 8》.

-노다 어미 〈옛〉 -노라. -는구나. ¶ 林垌에 도라가고져 ᄒᆞ노다(向林垌)「《杜諺 Ⅵ:20》.

노:-다운 〔no+down〕 명 야구에서, 공격하는 편이 아직 하나도 아웃되지 아니함. 노 아웃. 무사(無死).

노다지¹ 명 ①〔광〕 광물이 막 쏟아져 나오는 광맥(鑛脈). 보난자(bonanza). ②한군데서 이익이 많이 쏟아져 나오는 곳. 또, 그러한 일. 노다지판.

노다지² 부 ☞ 언제나.

노다지-판 명 ①어떤 광맥에서 광물이 쏟아져 나오는 판국. ¶ 광부를 삼백여 명이나 부리는 ~인데, 매일 소출되는 금이 칠십 냥(兩)을 넘는다《金裕貞: 금따는 콩밭》. ②노다지¹❷.

노닥-거리다 자 자꾸 노닥이다. 노닥-노닥¹ 부. ——-하다¹ 자 여불

노닥-노닥² 부 낡아서 해진 자리를 붙이고 또 덧붙이거나 그렇게 기운 모양. ¶ 옷을 ~ 기웠다 / ~한 누더기를 입었다. 〈누덕누덕. ——-하다² 형 여불

[노닥노닥 기워도 마누라 장옷] 지금은 낡았지만 처음에는 마누라가 장롱에 넣어 가지고 온 것이라는 뜻으로, 본시는 소중한 물건이었다는 뜻. [노닥노닥해도 비단일세] 본바탕이 좋은 것은 낡고 헐어도, 볼품은 지니고 있다는 말.

노:-닥다리 【老—】 명 ☞ 늙다리.

노닥-대다 자 노닥거리다.

노닥-이다 자 잔재미가 있게 말을 늘어놓다.

노당 【弩幢】 명 〔역〕 ①신라 병부(兵部)의 벼슬. 노사지(弩舍知)의 다음. 경덕왕(景德王)이 소사병(小舍兵)으로 고치었다가 혜공왕(惠恭王)이 다시 본이름으로 고침. 위계(位階)는 대사(大舍)에서 조위(造位)까지. ②신라 때 쇠뇌를 쏘던 군관(軍官) 벼슬. 위계는 나마(奈麻)에서 사지(舍知)까지.

노:당-삼 【路棠蔘】 명 중국에서 나는 인삼.

노:-당익장 【老當益壯】 명 ①늙었어도 더욱 기운이 씩씩함. ②사람은 늙을수록 더욱 뜻을 굳게 해야 함. ——-하다 형 여불

노당-주 【弩幢主】 명 〔역〕 신라 호반의 벼슬. 쇠뇌 쏘는 군사를 거느림. 위계(位階)는 찬(湌)에서 사지(舍知)까지.

노:대¹ 【老大】 명 늙고 큼. 나이먹음. 한창때가 지나서 늙음. ↔소장(少壯). ——-하다 형 여불

노대² 【弩臺】 명 〔역〕 성 가운데 활을 쏘기 위하여 높게 지은 대.

노:대³ 【露臺】 명 ①서양 건축에 있어서, 2 층 이상의 방 바깥에 지붕이 없이, 높고 드러나게 지은 대(臺). 발코니(balcony). 테라스. ②연극을 하기 위하여 지붕이 없이, 판자로 깔아서 만든 대(臺). ③〔군〕 군함의 뒤에 있어, 먼 곳을 바라보게 된 대.

노:-대가 【老大家】 명 나이와 경험을 쌓은, 그 방면의 대가. ¶ 서예의 ~.

노:-대국 【老大國】 명 융성(隆盛)하던 때가 지나, 국세(國勢)가 떨치지 못하는 큰 나라.

노:대-도¹ 【老大島】 명 〔지〕 전라 남도 서해상, 목포에서 20km의 신안군(新安郡) 비금면(飛禽面) 가산리(佳山里)에 위치하는 섬의 하나. [0.66 km² : 17 명 (1984)]

노:대-도² 【路垈島】 명 〔지〕 전라 남도의 서해상(西海上), 신안군(新安郡) 압해면(押海面) 매화리(梅花里)에 위치한 섬. [0.36 km² : 88 명 (1971)]

노대-바람 명 〔기상〕 풍력 계급의 하나. 초속 24.5-28.5 미터로 부는 바람. 전강풍(全強風). ＊풍력 계급.

노:-대인 【老大人】 명 ①노인이나 장자(長者)의 존칭. ②남의 아버지의 경칭.

노:대-하다 자 〈방〉 놀치다.

노:댁 【老宅】 명 〈방〉 마누라(평안).

노:더 〔norther〕 명 〔기상〕 미국 남부·멕시코 만·중앙 아메리카 등지에, 주로 겨울철에 강한 한랭 전선(寒冷前線)이 통과한 후 불어오는 찬 북풍. 이로 말미암아 때로는 한 시간에 15°C 가량이나 온도가 내려가는 수가 있음.

노덕¹ 명 〈방〉 〔←노댁〕 마누라(함경).

노:덕² 【老德】 명 〔불교〕 '노승(老僧)'의 존칭.

노:던 주 【—州】 〔Northern〕 명 〔지〕 오스트레일리아 북중부의 주. 북부 해안에는 열대림(熱帶林)과 약간의 목장이 있을 뿐, 대부분이 건조한 황무지(荒蕪地)임. 주도는 북안의 다윈(Darwin). [1,347,500 km² : 131,000(1982 추계)]

노:던 테리토리 〔Northern Territory〕 명 〔지〕 노던 주.

노-도¹ 【櫓島】 명 〔지〕 경상 남도 남해군(南海郡) 상주면(尙州面) 양아리(良阿里)에 위치한 섬. [0.41 km² : 103 명 (1984)]

노:도² 【怒濤】 명 성난 파도. 무섭게 밀려오는 큰 물결. 노랑(怒浪). 경란(驚瀾). ¶ ~처럼 밀려오는 데모 군중.

노:도³ 【路鼗】 명 〔악〕 아악기의 한 가지. 북통을 붉게 칠한 길고 작은 북 둘을 어긋매껴 자루에 꿰었음. 북의 허리 양쪽에 긴 쇠가죽줄의 귀가 있어, 자루를 잡고 흔들면 귀가 북면에 부딪쳐서 소리가 남. 북 위 자루 꼭대기에는 활짝 핀 연꽃 위에 나는 새를 앉혔음. 인신(人神)의 제사인 선농(先農)·선잠(先蠶)·문묘(文廟)·제향(祭享)의 헌가악(軒架樂)에서 주악을 시작할 때 흔듦.

〈노도³〉

노도⁴ 【櫓棹】 명 노와 상앗대.

노:독 【路毒】 명 여로(旅路)에 시달리어 생긴 병. 길독. ¶ ~을 풀다.

노독 재:보장 조약 【露獨再保障條約】 명 〔역〕 러시아 독일 재보장 조약.

노돈 【勞頓】 명 대단히 피로함. 수고하여 지침. ——-하다 자 여불

노:돌 명 〔지〕 →노들.

노:돌-나루 [—라—] 명 〔지〕 →노들나루.

노:동¹ 【老童】 명 ①오 비(O.B). ②나이가 많은 운동 선수.

노동² 【勞動】 명 ①정신이나 몸의 힘을 써서 일을 함. 육체 노동과 정신 노동으로 구분하기도 함. ②〔labour〕〔경〕 사람이 그 생존에 필요한 물자를 얻기 위해, 손·발·두뇌 등의 활동에 의해서 노동 대상에 작용하는 일. 정신적 노동·육체적 노동, 유형적(有形的) 노동·무형적(無形的) 노동, 자유 노동·부자유(不自由) 노동, 독립적 노동·고용적 노동, 생산적 노동·비생산적 노동 등으로 구별함. ——-하다 자 여불 「②노동요.

노동-가 【勞動歌】 명 ①노동자가 노동 운동·혁명 운동 때 부르는 노래.

노동 가치설 【勞動價値說】 명 〔labour theory of value; 도 Arbeitswerttheorie〕 〔경〕 생산에 소요된 노동량(勞動量)에 따라서 상품의 가치가 결정된다고 하는 학설. 영국의 고전파(古典派)인 페티(Petty)에서 시작되어, 아담 스미스·리카도·마르크스가 이 학설을 이어받았음. 노동 가치 학설(勞動價値學說). ＊생산비설(生産費說).

노동 가치 학설 【勞動價値學說】 명 〔경〕 노동 가치설(勞動價値說).

노동 강도 【勞動強度】 명 〔intensity of labour〕 〔경〕 일정한 시간 안에 지출되는 노동량. 노동 시간이 너무 길면 이 강도가 저하되고, 노동 시간이 단축되어도 노동 강도가 증대하면 지출(支出) 노동량은 오히려 증대할 경우가 있음. 노동 밀도(密度).

노동 강화 【勞動強化】 명 〔경〕 일정한 시간 안에 노동량을 많이 내는 일. 노동 시간을 연장하는 것도 이에 포함되나, 일반적으로 단위 시간 안의 노동력을 높이는 경우를 이름. ＊노동 강도.

노동 거:래소 【勞動去來所】 명 〔경〕 노동력이 필요한 곳에 설치하여, 중개(仲介)하는 일을 맡은 노동 조합의 한 조직. 프랑스·이탈리아에서만 발달되었던 것임.

노동 경제학 【勞動經濟學】 명 〔경〕 노동 시장·임금·노동 조합 등 노동 문제를 경제학적으로 연구하는 분야. 제2차 세계 대전 후 미국에서 발전됨.

노동 계급 【勞動階級】 명 〔사〕 노동을 생업(生業)으로 하는 사람들의 계층.

노동 계:약 【勞動契約】 명 〔사〕 근로 계약.

노동 공:산주의 【勞動共産主義】 [— / —이] 명 〔사〕 생디칼리슴(syndicalisme).

노동 공:세 【勞動攻勢】 명 〔사〕 노동자가 사용자에 대해서, 자기네의 이익을 위하여 요구 조건을 내걸고 취하는 공격 태세. ↔ 자본 공세❶.

노동 공:제회 【勞動共濟會】 명 1920년에 조직된 사회 운동 단체. 회장은 박중화(朴重華). 전국적인 규모로 직장 조합을 조직, 활약하다가 1922년 노동 동맹회로 개편함. 1924년 사회주의자의 침투로 물의와 분열을 일으켜 자연히 해체됨.

노동 과:잉 【勞動過剩】 명 〔labour surplus〕 〔경〕 노동력이 수요보다 많아서 남는 상태. 실업자가 늘고 노동 조건이 나빠짐.

노동 과:정 【勞動過程】 명 〔labour's process〕 〔경〕 사람이 정신과 체력으로 자연물을 생활에 유용한 것으로 바꾸어 만드는 활동.

노동 과학 【勞動科學】 명 인간의 노동을 가장 좋은 상태에 놓이게 하는 여러 요건(要件)을 연구하는 학문. 곧 노동을 규제하는 신체적·사회적 조건을 생리(生理)·심리(心理)·위생(衛生) 등의 여러 관점에서 연구하는 학문.

노동 관계 【勞動關係】 명 〔사〕 넓은 뜻으로는 노동자로서의 생활 질서의 관계를, 일반적으로는 노동자와 사용자와의 관계를 말함.

노동 관료 【勞動官僚】 [—괄—] 명 〔사〕 노동 단체의 관료적 간부.

노동 관리 【勞動管理】 [—괄—] 명 노동자의 노동력과 일과의 여러 가지 관계를 연구하여 보다 많은 능률을 올릴 목적으로 처리하는 일.

노동-권 【勞動權】 [—꿘] 명 〔right of labour〕 〔사〕 근로권(勤勞權).

노동 귀:족 【勞動貴族】 명 〔사〕 노동자 계급 중 특권적 상층(上層) 부분에 속하는 사람. 그 기술이나 숙련에 의해 높은 임금과 특권이 부여되어, 사상이나 생활이 소부르주아화(小bourgeois化)되었음. 또, 노사 협조주의의 대조합(大組合)의 특권적 간부를 일컬을 때도 있음.

노동 금고 【勞動金庫】 명 노동 조합 또는 다른 노동자 단체가 서로 협동

하여 조직하는 금융 기관. 영리를 목적으로 하지 아니하고, 노동자 단체의 사업이나 노동자의 생활 안정을 위하여 융자(融資)함. 노동 은행.

노동 기본권【勞動基本權】[—꿘] 명 노동자의 기본적인 권리로서, 헌법상 인정된 권리. 근로권·단결권·단체 교섭권·단체 행동권을 일괄하여 일컬음.

노동 기사단【勞動騎士團】명 〔Noble Order of the Knights of Labour〕〖사〗미국의 노동 조합. 1869년, 필라델피아의 피복공(被服工)들에 의한 비밀결사로, 8 시간 노동제, 남녀의 동일 임금, 소년 노동의 금지 등을 요구함. 1879년 이후, 비밀 결사적 성격을 배제, 가입자 73만 명까지 이르렀으나, 지도자가 없어서 거의 소멸하여 1917년 미국 노동 총동맹(AFL)에 흡수됨.

노동-꾼【勞動—】명 노동하는 사람을 낮추어 일컫는 말. ¶ 막벌이 ~.

노동 능력【勞動能力】[—녁] 명 〖경〗노동력(勞動力).

노동 능률【勞動能率】[—뉼] 명 〔efficiency of labour〕〖경〗일정한 단위 시간에, 같은 양의 노동 지출에 의해 생산물을 만들 수 있는 정도.

노동 단체【勞動團體】명 노동자의 단체. 노동 조합 따위.

노동-당【勞動黨】명 〖사〗①노동자 계급의 이해를 대표하는 정당. ②〔the Labour Party〕영국 정당의 하나. 1893년 하디(Hardie, James Keir.; 1856-1915)의 제창으로, 독립 노동당·노동 조합·페이비언 협회(Fabian 協會)의 연합체로서 결성되고, 1900년에 노동 조합의 대표를 의회에 보내기 위하여, 노동자 대표 위원회를 조직, 1906년 총선거 때에 노동당이라 이름을 고쳤음. 보수당과 더불어 영국의 2대 정당을 형성하고 있음. ③〔프 Parti Ouvrier Français〕프랑스의 정당. 정치 투쟁에 의한 노동자의 해방을 위해 결성되었으나, 결국은 의회 세력의 확대를 위해, 합법적 수단에 의한 투쟁으로 일관하다가 1901년, 우익 제파(諸派)와 결합, 프랑스 사회당이 됨.

노동 대:상【勞動對象】명 인간이 노동 과정에서 작용하는 대상. 토지·산림·지하 자원 등 자연 그대로의 것과 면사(綿絲)·철강 들처럼 가공(加工)된 것이 있음.

노동-력【勞動力】[—녁] 명 〖경〗생산품을 만드는 데에 소요되는 인간의 정신적·육체적인 모든 능력. 또, 노동을 위한 일손. 노동 능력.

노동력 인구【勞動力人口】[—녁—] 명 〔labour-force population〕통계 용어로서, 14세 이상의 총인구 중 노령(老齡)·질병·불구 등으로, 노동 능력이 없는 사람 및 학생·가정 주부 등 비노동력 인구를 제외한, 취업자와 완전 실업자의 합계.

노동력화-율【勞動力化率】[—녁—] 명 〔percentage of working force〕〖경〗노동력 인구를 만 14세 이상의 생산 연령 인구로 나눈 비율.

노동-령【蘆洞嶺】[—녕] 명 〖지〗평안 북도 강계군(江界郡)과 위원군(渭原郡) 사이에 있는 재. [450 m]

노동 무정부주의【勞動無政府主義】[—/—이] 명 아나르코 생디칼리슴(anarchosyndicalisme).

노동 문:제【勞動問題】명 자본가와 노동자 사이에 일어나는 노동 조건의 개선, 노동자의 보건, 생활 향상 등에 관한 사회 문제.

노동 밀도【勞動密度】[—또] 명 〖경〗노동 강도(強度).

노동-법【勞動法】[—뻡] 명 〖법〗임금 노동자의 생활 향상을 목적으로 하는 법의 총칭. 원래, 여자 또는 나이 어린 노동자를 보호하는 데에 목적이 있었으나, 현재는 단체권(團體權)·단체 행동권(團體行動權)을 주로 하여, 노사(勞使) 관계를 합리적으로 규정하고 있음. 노동 조합법(勞動組合法)·노동 쟁의 조정법(勞動爭議調整法)·근로 기준법(勤勞基準法)·노동 위원회법(勞動委員會法) 등이 있음.

노동 보:험【勞動保險】명 〔workmen's insurance〕〖사〗사회 보험의 한 가지. 노동자가 병·부상·폐질(廢疾)·출산(出產)·노쇠(老衰) 등으로 말미암아 노동 능력을 잃거나 또는 실업(失業)으로 말미암아 노동의 기회를 잃었을 때, 그 손실을 보충하고 생활의 불안을 없애려는 보험. 대개 보험료는 국가·사업주·종업원의 공동 부담으로 하여서 강제로 가입시킴. ＊노동 재해 보상 보험.

노동 보:호법【勞動保護法】[—뻡] 명 〖법〗노동자 생활의 여러 가지 보호 조치를 강구하려는 법규의 총칭.

노동 보:호 정책【勞動保護政策】명 〖사〗노동 조건에 관한 국가적 규제(規制). 곧, 노동 보호 입법(立法)을 통하여 노동자의 보호를 도모하는 사회 정책의 한 부문.

노동-복【勞動服】명 ①노동할 때 입도록 만든 옷. ②작업복.

노동-부【勞動部】명 행정 각부의 하나. 근로 조건의 기준, 직업 안정, 직업 훈련, 실업 대책, 고용 보험, 산업 재해 보상 보험, 근로자의 복지 후생, 노사 관계의 조정 기타 노동에 관한 사무를 맡아봄.

노동부 장:관【勞動部長官】명 〖법〗중앙 관청의 하나. 노동부의 장(長)인 국무 위원.

노동 분배율【勞動分配率】명 〖경〗한 나라의 경제 또는 특정 사업이나 기업에 관하여, 그가 만들어 낸 소득 내지 부가 가치(附加價值)내에서 차지하는 임금·봉급의 비율.

노동 분쟁【勞動紛爭】명 〖사〗노동 쟁의(勞動爭議).

노동 불안【勞動不安】명 임금 저하·실업 등에 의하여, 노동자가 받게 되는 생활 불안.

노동 브로:커【勞動—】〔broker〕명 ①노동자를 선동(煽動)하여 노동 쟁의를 일으켜 놓고 노동자와 사용자와의 사이에 들어서, 그 해결에 힘써 양쪽에서 이익을 보는 사람. ②영리를 목적하는 직업 소개나 노동 공급을 허가 없이 행하는 직업. 또, 그 직업에 종사하는 사람.

노동 비:용【勞動費用】명 기업(企業)이 종업원(從業員) 1명을 고용하는 데 필요한 1년간의 비용. 현금 급여·퇴직금·복지비(福祉費)·교육 훈련비·모집비(募集費) 등을 포함함.

노동 사:회학【勞動社會學】명 〖사〗계급 및 집단으로서의 노동자와 노동 조합을 연구하는 사회학의 한 분야.

노동 삼권【勞動三權】[—꿘] 명 〖법〗노동 삼대권.

노동 삼대권【勞動三大權】[—꿘] 명 〖법〗법률상으로 보장된 노동자의 세 가지 기본 권리. 곧, 단결권(團結權)·단체 교섭권(團體交涉權)·단체 행동권(團體行動權). 노동 삼권(三權).

노동 삼법【勞動三法】[—뻡] 명 근로 기준법·노동 조합법·노동 쟁의 조정법의 총칭.

노동 생리학【勞動生理學】[—니—] 명 노동력의 소모나 피로를 방지하고 또는 노동력을 증진하여, 노동 생산성을 향상시킬 수 있는 인적 요건(人的要件)이나 작업 조건을 밝힐 목적으로, 육체적·정신적 노동과 인체의 여러 기능과의 관계를 연구하는 응용 생리학.

노동 생산력【勞動生產力】[—녁] 명 〔productivity of labour〕〖경〗단위 시간에 일정한 노동력을 들여 생산되는 생산량. 생산 능률과 달리 그 기술의 진보를 나타내는 것임.

노동 생산성【勞動生產性】[—썽] 명 〖사〗일정한 시간에 투입된 노동량과 그 성과인 생산량과의 비율.

노동 수단【勞動手段】명 생산 수단의 한 구성 요소. 인간이 노동 대상(對象)과의 사이에 개재(介在)시켜, 그 활동의 전도체(傳導體)로서 유용하게 쓰는 것. 도구·기계·노동용 건물 등.

노동 시간【勞動時間】명 〖사〗근로자가 사용자에게 고용되어 노동하는 시간. 근로 기준법은 1일 8시간, 1주 44시간을 기준으로 정하고 있음. 다만, 당사자 간의 합의에 의해서 1주일에 12시간 한도에서 연장 근로할 수 있음. 근무 시간. 근로 시간.

노동 시:장【勞動市場】명 〖사〗노동력을 둘러싼 수요와 공급이 상호 작용하고 교섭하는 관계에서 성립되는 시장. 곧, 노동력이 상품으로서 거래되는 시장.

노동 식민【勞動植民】명 〔labour colonization〕〖사〗정부나 자선 단체(慈善團體)가 실업을 구제하는 한 방법으로, 실업자를 황무지(荒蕪地)로 이민시키는 일.

노동 심리학【勞動心理學】[—니—] 명 〖심〗산업 심리학의 한 분야. 산업에 포함되는 노동 조건과 피로, 산업 사고, 직장에서의 적응, 현대 노동의 심리학적 특징, 집단 노동의 심리 등을 연구함.

노동-요【勞動謠】명 〖문〗노동을 하면서 부르는 민요. 생활상의 일정한 기능을 가진 민요의 하나로, 밭갈이나 보리 타작 등을 할 때 부르는 농업 노동요, 노젓기 등을 할 때 부르는 어업 노동요, 목도·상여 등을 메고 가며 부르는 운반 노동요, 기타 길쌈 노동요 등이 있음. 노동가. 작업요(作業謠). ＊유희요(遊戲謠)·의식요(儀式謠).

노동 운:동【勞動運動】명 〔labour movement〕〖사〗노동자가 단결함으로써 자신의 경제적·사회적 위치의 안정·향상을 확보하려는 운동. 그 운동의 형태는 노동 조합·노동자 정당에 의하여 나타남.

노동 위생【勞動衛生】명 노동자의 건강을 보전·증진하기 위한 연구 및 그 실천 활동. 노동자의 적성·노동 환경 조건·노동 시간·작업 방법·노동 재해 등을 다룸. 공장 위생. 산업 위생.

노동 위원【勞動委員】명 〖법〗노동 위원회의 위원. 중앙·지방 및 특별 위원회가 있으며, 중앙 위원회의 위원은 대통령이, 특별 위원회의 위원은 당해 주무 장관이, 지방 위원회의 위원은 서울 특별시장·직할시장·도지사 등 당해 지방 장관이 위촉하며, 임기는 3년인데 연임할 수 있음.

노동 위원회【勞動委員會】명 〖법〗①노동 행정의 민주화와 노사 관계(勞使關係)의 공정한 조정을 목적으로 설치된 기관. 사용자·근로자·공익을 대표하는 사용자 위원·근로자 위원·공익 위원 들로 구성되며, 중앙·지방 및 특별 노동 위원회로 구분함. ②국회 상임 위원회의 하나. 노동부 소관 사항을 심의함.

노동 유입률【勞動流入率】[—뉼] 명 재적(在籍) 노동자 수로 그 달의 증가한 노동자 수를 나눈 비율. ↔노동 유출률.

노동 유출률【勞動流出率】명 재적(在籍) 노동자 수로 그 달의 감소한 노동자 수를 나눈 비율. ↔노동 유입률.

노동 은행【勞動銀行】명 〔labour bank〕〖사〗노동 금고(勞動金庫).

노동 의:무【勞動義務】명 〔도 Arbeitspflicht〕〖사〗사회주의적인 견지의 개인 의무. 어떤 사람이든지 자기가 먹을 것을 벌기 위하여 일해야 한다는 의무 관념.

노동 이동【勞動移動】명 〔labour turnover〕〖사〗노동 시장에 있어서 노동자가 기업간(企業間)·산업간·직업간·지역간에서 이동하는 현상. 호경기(好景氣)에 노동력이 부족하면 이동이 늘고, 불황(不況) 따위로 노동력이 과잉되면 이동이 줆.

노동 이동률【勞動移動率】[—뉼] 명 노동 유입률과 노동 유출률을 합한 비율.

노동 인구【勞動人口】명 〖사〗생산 연령 인구 가운데, 실제 노동 시장에 나올 수 있는 인구. 노동력 인구. ↔비노동력(非勞動力) 인구.

노동-일【勞動日】명 노동자의 하루의 노동 시간. 노동자가 직장에 출근하였다가 퇴근할 때까지를 한 단위로 하여 일컫는 말.

노동 임:금【勞動賃金】명 노동에 대한 보수. 노임(勞賃). 품삯.

노동-자【勞動者】명 ①육체 노동을 해서, 그 임금으로 살아가는 사람. ②노동력을 제공하여, 그 보수로 받는 임금·급료 그 밖의 수입으로 살아가는 사람. 사무를 보는 사람도 이에 포함함. 근로자.

노동자 계급【勞動者階級】명 〖사〗노동 계급. 프롤레타리아트. ↔자본가 계급.

노동자 공:급 사:업【勞動者供給事業】명 공급 계약에 의하여 노동자를 타인에게 공급하는 영리 사업. 이것은 공급자와 노동자와 사용자 사이에 모든 관계를 설정하여, 보상(報償)을 내용으로 하는 쌍무 계약(雙務契約)에 의해서 행하여짐. 인부 공급업(人夫供給業)·인부 주선업(周旋業)·노무 공급업(勞務供給業) 등이 이에 속함.

노동자 관:리【勞動者管理】[—괄—] 명 〔worker's control〕노동자·노동 조합·공장 위원회 등이 직접 공장 및 경영을 관리하는 일.

노동자 교:육【勞動者教育】명 ①노동자에게 직업과 기술을 가르치는 교육. ②노동 운동의 투사를 기르는 교육. ③노동자의 인간적·사회적

향상을 위하여 노동자에게 실시하는 교육. 경영체나 국가 및 자치 단체가 행하는 것과 노동자 자신의 단체가 행하는 것 등이 있음.

노동자-주【勞動者株】명〖경〗종업원 지주 제도(從業員持株制度)에 의하여 근로자가 보유하는 주식. 노동주(勞動株)와 다른 점은 일반적 주식과 같이 금전의 출자(出資)에 의해서 발행되며, 그 취득(取得)에 관하여 특별한 편의가 있고, 그 처분에 관해서는 특별한 제한을 받는 때가 있는 것 등임. *노동주.

노동자 혁명【勞動者革命】명〖사〗노동자 계급이 사회주의 사회를 이룩하기 위하여 일으키는 혁명.

노동 재판소【勞動裁判所】명〖법〗①〔도 Arbeitsgericht〕노동 관계를 전속적(專屬的)으로 취급하는 특별한 법원. 독일(獨逸)에 이 제도가 있음. ②노동 사건을 처리하기 위하여 설치한 특별한 국가 기관. 프랑스의 노동 심판소, 영국의 노동 재판소 같은 것.

노동 재해【勞動災害】명〖사〗산업 재해.

노동 쟁의【勞動爭議】[ㅡ/ㅡ이] 명〖사〗노동자와 사용자 사이에 노동 조건(勞動條件)·대우 문제(待遇問題) 등을 중심으로 일어나는 다툼. 노동 분쟁(勞動紛爭). *쟁의(爭議).

노동 쟁의 조정법【勞動爭議調停法】[ㅡ뻡/ㅡ이ㅡ뻡] 명〖법〗노사(勞使) 관계의 공정한 조정을 도모하고 노동 쟁의를 예방 또는 해결함으로써 산업 평화의 유지와 국민 경제 발전에 기여함을 목적으로 하는 법률. 쟁의의 해결을 위한 조정·알선·중재를 규정함.

노동적 집약 농업【勞動的集約農業】명〖농〗일정한 면적의 땅에 자본보다 노동력을 더 들이어 짓는 농업. 우리 나라의 농업은 주로 이것임. ↔자본적 집약 농업(資本的集約農業).

노동 전수권【勞動全收權】[ㅡ꿘] 명 〔right to the whole produce of labour〕〖경〗노동에서 생기는 모든 수익(收益)을 노동자의 소유로 할 것을 주장하는 권리.

노동 전수권론【勞動全收權論】[ㅡ꿘논] 명〖경〗생산된 물건은 노동에 의해서 만들어진 것이기 때문에, 모두 노동자에게로 돌아가야 한다는 사상. 사회주의·공산주의 사상은 이것을 포함함.

노동-절【勞動節】명〖사〗①근로자의 날. ②메이 데이(May Day).

노동 정책【勞動政策】명〔labour policy〕〖정〗노동 운동·노동 조합·노동 쟁의 등 노동 조건이나 노동 문제에 대하여, 정부나 공공 단체가 취하는 정책.

노동 조건【勞動條件】[ㅡ껀] 명〖사〗①노동자와 사용자 사이에 결정짓는 임금(賃金)·노동 시간, 그 밖의 직장에서의 대우 등의 조건. ②노동 능률에 미치는 토지·건물 등의 외적(外的) 조건.

노동 조사【勞動調査】명〖사〗노동 시장·노동 시간·노동 조건·노동 임금 및 노동자의 생활 상태 등에 관한 조사. 대개 국가·연구 기관·노동 조합 등이 경제학적·사회학적·의학적·심리학적 관점(觀點)에서 행함.

노동 조약【勞動條約】명 국제 노동 조약.

노동 조정 위원회【勞動調停委員會】명 군정 법령(軍政法令)에 의해서, 노동 보호와 노동 쟁의 조정을 위하여 마련되었던 기관.

노동 조합【勞動組合】명〔trade union〕〖사〗노동자가 자주적(自主的)으로 노동 조건의 유지·개선 및 사회적 지위를 향상시키기 위하여 조직하는 단체. 노동 운동의 조직적인 기초가 됨. 직업·기업(企業)·산업별로 조직되며, 단일 조합(單一組合)과 연합체(聯合體)와의 구별이 있음. 트레이드 유니온(trade union). ㊟노조(勞組). *사용자 단체(使用者團體).

노동 조합법【勞動組合法】명〖법〗헌법에 의거하여 근로자의 자주적인 단결권·단체 교섭권과 단체 행동권을 보장하며, 근로자의 근로 조건을 유지, 개선하고 근로자의 복지를 증진시키려고 제정한 법률. 총칙 외에 노동 조합·단체 협약·부당 노동 행위 등에 관하여 규정함.

노동 조합 운:동【勞動組合運動】명〖사〗노동자가 노동 조합을 조직하고 서로 단결하여, 노동 조건의 유지·개선 및 경제적·사회적 지위의 향상을 꾀하는 운동.

노동 조합원【勞動組合員】명 노동 조합에 가입한 사람. ㊟노조원(勞組員).

노동 조합주의【勞動組合主義】[ㅡ/ㅡ이] 명〔trade unionism〕〖사〗자본주의 사회 제도를 시인하고 노동 조합의 정치적 기능을 부정하며, 사회주의 내지 공산주의를 배격·포기하는 노동 운동의 입장. 또, 그 지도 원리.

노동-주【勞動株】명〔labour stock〕〖사〗노동자 또는 종업원의 회사에 제공하는 노동력 자체를 출자로 인정하여 주는 주식. 회사의 자본을 구성하는 것은 아니지만 자본주와 같이 기업 경영이나 이익 배당에 참가할 권리가 부여됨. ↔자본주(資本株). *노동자주(株).

노동 지대【勞動地代】명〖사〗봉건 지대(封建地代)의 한 가지. 토지를 사용하고 그 보수로서 노동을 제공하여 갚는 땅값. 요역(徭役) 지대. ↔생산물 지대(生産物地代).

노동 집약형 산:업【勞動集約型産業】명〖경〗노동자 1인당의 고정 자본액으로 측정한 자본 장비율(裝備率)이 낮은 산업. 섬유·잡화 따위 경공업이나 농업·상업·서비스 산업이 이에 속함. ↔자본 집약형 산업. *기술 집약형 산업.

노동 철칙【勞動鐵則】명〖사〗임금 철칙(賃金鐵則).

노동-청【勞動廳】명 보건 사회부에 속하여 노동에 관한 사무를 관장하던 기관. 1981년 4월 8일 '노동부(勞動部)'로 승격됨.

노동 통:계【勞動統計】명〔labour statistics〕〖경〗노동하는 인간의 집단으로서의 사회를 대상으로 하는 통계의 총칭. 곧, 임금·노동 시간·노동자·생산비 지수·직업 소개소·실업(失業) 등에 관한 통계.

노동-판【勞動ㅡ】명 육체 노동자들이 일하는 곳.

노동 헌:장【勞動憲章】명 국제 노동 헌장(國際勞動憲章).

노동 협약【勞動協約】명〔labour agreement〕〖사〗노동 조합과 사용자 또는 그 단체와의 사이에 체결되는, 임금·노동 시간 그 밖의 노동 조건에 대하여 맺는 문서상의 협약. 단체 협약(團體協約).

노동 환경【勞動環境】명 노동자가 취업하는 직장의 환경 조건. 물리적 환경과 화학적 환경으로 대분되는데, 이들 물적(物的) 환경 외에 인간 관계를 포함하는 경우도 있음.

노:두¹【老杜】명〖사람〗'두보(杜甫)'의 일컬음. 두목(杜牧)을 소두(小杜)라 함에 대한 말.

노:두²【路頭】명 길거리.

노두³【蘆頭】명 인삼·사삼(沙蔘)·도라지 등의 뿌리 대가리의 부분.

노:두⁴【露頭】명 ①아무 것도 쓰지 아니한 맨대가리. 맨머리. ②〔outcrop〕〖광〗기반(基盤)의 암석(岩石)·지층(地層) 또는 광상(鑛床)이 땅거죽에 드러난 부분.

노:두구【老頭溝】명〖지〗'라오터우거우(老頭溝)'를 우리 음으로 읽은 이름.

노:두 석탄【露頭石炭】명〖광〗노두탄.

노:두-탄【露頭炭】명〖광〗땅 표면에 나와 있는 탄. 노두(露頭) 석탄.

노두-풍【顱頭風】명〖한의〗대두온(大頭瘟).

노:둔¹【老鈍】명 늙어서 언행이 둔함. 늙고 굼뜸. ——-하다 형여불

노둔²【鹵鈍·魯鈍·駑鈍】명 재주가 없고 미련함. 또, 지닐총이 여림. ——-하다 형여불

노:둔³【露臀】명 매질할 때, 바지를 내리켜서 볼기를 드러냄. 또, 드러내게 함. ——-하다 자타여불

노:둣-돌 명 말을 타거나 내릴 때에, 발돋움으로 쓰려고 대문 앞에 놓은 돌. 하마석(下馬石).

노-뒤【櫓ㅡ】명 왼쪽 뱃전. *노앞.

노듈〔nodule〕명〖광〗①퇴적암(堆積岩)의 일부분에 방해석(方解石)이나 갈철광(褐鐵鑛) 따위가 농집(濃集)해서 단괴상(團塊狀) 또는 불규칙한 형태로 결핵(結核)을 이룬 것. 내부에 화석(化石)을 함유하는 경우가 있음. ②화산암(火山岩) 속에 감람석(橄欖石)이나 휘석(輝石) 따위가 단괴상으로 집합된 것. 지하 심부(地下深部)의 물질이 마그마에 둘러싸인 것으로 생각되고 있음.

노듈러 주:철【ㅡ鑄鐵】〔nodular〕명〖화〗구상(球狀) 흑연 조직의 주철. 황(黃) 함유량이 0.02 이하의 용해 주철. 세슘(caesium) 또는 마그네슘 등을 첨가하여 급속히 냉각시켜 제조한 것인데, 성질은 강철과 흡사하나 인장력은 이의 두 배임. 2차 대전 후 영·미에서 연구됨.

노:드〔node〕명〖컴퓨터〗데이터 통신망에서, 데이터를 전송하는 통로에 접속되는 하나 이상의 기능 단위.

노-드리듯 부 빗발이 노끈을 드리운 것 같이 죽죽 쏟아지는 모양. ¶땀을 노드린 듯 뻘뻘 흘리면서 내려가 눕는 조성준에게…《金周榮: 客主》.

노:들 명〖지〗〔←노돌〕노들나루 남쪽에 있는 동네의 옛날 이름. 옛적 과천(果川) 땅으로, 지금의 서울의 노량진동(鷺梁津洞). 노량(鷺梁).

노:들-강변【ㅡ江邊】명〖악〗신민요의 하나. "노들강변 봄버들"로 시작되는 가사에 세상의 한을 물에 띄워 보내는 심정을 노래함. 장단은 세마치이며, 경쾌함.

노:들-나루 [ㅡ라ㅡ] 명〖지〗〔←노돌나루〕서울 노량진(鷺梁津)의 옛날 이름. 교통의 요소이므로 배를 두어, 오고 가는 행인을 건너게 하고, 도승(渡丞)을 두어서 이를 관리하였음. 노량도(鷺梁渡).

노디에〔Nodier, Charles〕명〖사람〗프랑스의 작가. 낭만주의의 선구자. 1823년 파리의 아르스날(Arsenal) 도서관장(圖書館長)이 되어, 그 살롱에 위고(Hugo)·라마르틴(Lamartine)·뮈세(Musset)·생트 뵈브(Sainte Beuve) 등 문학가를 모아 낭만주의 운동의 중심 인물이 됨. 환상적인 작풍으로, 《빵 부스러기의 선녀(仙女)》·《트릴비(Trilby)》가 대표작임. [1780-1844]

노라〔Nora〕명 ①입센(Ibsen)의 희곡 《인형의 집》의 여주인공. 자기를 인형처럼밖엔 사랑하지 아니하는 남편을 버리고, 해방된 새로운 생활을 찾아서 가출(家出)함. ②전(轉)하여, 신여성 곧, 개인주의적 자유를 주장하는 여자.

-노라 어미 ①자기의 동작을 격식을 차리어 말할 때의 종결 어미. ¶잘 가~ 닫지 말며《古時調》. ②각운(脚韻)을 세게 할 때에 쓰이는 어미. 어떤 사실을 선언하거나 공포할 때에 흔히 쓰임. ¶목숨이 다하도록 외치겠~/나는 이겼~. *-로라.

-노라고 어미 말하는 본인이 '…한다고' '-노라 하고'의 뜻으로 쓰는 연결 어미. ¶하~ 했는데 이 꼴이 됐소/잘 쓰~ 쓴 것이 이 모양이오.

노라기 명〈방〉〖동〗노래기.

-노라니 어미 자기의 동작을 말할 때의 연결 어미. '-려고 하니까'와 같은, 의도·원인을 합한 의미로 쓰임. ¶가~ 갑자기 비가 오더라.

-노라니까 어미 '-노라니'의 힘줌말.

노:라드【NORAD】명〖군〗〔North American Air Defence Command의 약칭〕1957년에 창설된 미국과 캐나다의 공동 방공 기구(共同防空機構). 북미 대륙 방공군 사령부(北美大陸防空軍司令部).

노라리 명〈속〉건들건들 세월을 보내는 것. ¶~로 세월을 보내다.

-노라면 어미 '…하다가 보면 언젠가는…' '계속해서 한다면'의 뜻의 연결 어미. ¶열심히 공부하~ 성공할 때가 오겠지.

노라이즘〔Noraism〕명 인습에 반항하여, 인간으로서의 여성의 해방과 독립된 지위를 확립하려고 하는 주의. 또, 그 운동. 입센의 《인형의 집》의 주인공 노라의 이름에서 유래함.

노라치【好兒哈赤】명〖사람〗↗누르하치.

[노라치 모양 헤엄은 잘 친다] 헤엄 잘 치는 사람을 두고 이르는 말.

노락 명〈방〉〖식〗벼¹(함경).

노락-쟁이 명〈방〉〖충〗노린재.

노란-묵 명 ☞ 노랑묵.

노란-빛 명 노란 빛깔. <누른빛.

노란-알 명〈방〉노른자위(경북).

노란-자 명 ☞ 노른자.

노란-자구 명〈방〉노른자위(강원).

노란-자새 명 〈방〉 노른자위(경북).
노란-자우 명 〈방〉 노른자위(충북·강원).
노란-자위 명 ☞ 노른자위.
노란-장대 [一때] 명 〖식〗 [*Sisymbrium luteum*] 겨잣과에 속하는 다년초. 줄기 높이 70cm 가량이고 거친 털이 있음. 잎은 호생하며, 안팎에 거친 털이 있고, 밑의 잎은 긴 타원형이며 위의 잎은 달걀꼴 또는 달걀꼴 피침형임. 꽃은 6월에 총상 화서로 정생(頂生)하여 황색의 꽃이 열십자꼴로 피고, 과실은 장각(長角)임. 산이나 들의 양지에 나는데, 강원·경북에 분포함.
노란-재 명 〈방〉 노른자위 (충남).
노란-저시 명 〈방〉 노른자위 (전남).
노란-접시 명 〈방〉 노른자위 (경남).
노란-젓 명 〈방〉 노른자위 (전북).
노란-조시 명 〈방〉 노른자위 (경남).
노란-창 명 〈방〉 노른자위 (경남).
노란-채 명 〈방〉 노른자위 (경북).
노란-팽나무 명 〖식〗 [*Celtis edulis*] 느릅나뭇과에 속하는 낙엽 활엽 교목. 잎은 긴 타원형이며 꽃은 아직까지 보지 못하고, 과실은 구형의 핵과(核果)이며 9월에 등황색으로 익음. 산기슭에 나고, 강원도 태기산(泰岐山), 함북 명천(明川) 등지에 분포함. 신탄재로 쓰며 과실은 먹음.
노란-해당화 【一海棠花】 명 〖식〗 [*Rosa xanthinoides*] 장미과에 속하는 낙엽 활엽의 관목. 잎은 우상 복생(羽狀複生)하고, 소엽은 타원형 또는 거꿀달걀꼴임. 꽃은 5월에 하나씩 정생하여 황색으로 핌. 과실은 아직까지 보지 못함. 경북·충북·경기·평북·함남 등지에 야생하며, 중국·몽골·투르키스탄·아프가니스탄에 분포함. 관상용으로 심음.
노:랄-병 【老辣餠】 명 찹쌀가루에 강분(薑粉)과 계핏가루를 섞어, 꿀이나 설탕에 반죽하여 만든 떡의 한 가지.
노:람-국 【怒藍國】 명 〖역〗 마한(馬韓) 54 속국의 하나.
노랑[1] 명 노란 빛이나, 노란 물감. <누렁.
노:랑[2] 【怒浪】 명 노도(怒濤).
노랑가슴-담비 명 〖동〗 [*Mustela martes*] 족제빗과에 속하는 짐승. 몸길이 68cm, 꼬리 12cm 가량이고, 몸은 암갈색과 적회색의 털이 섞이어 나며 끝이 선황색(鮮黃色) 또는 황색으로 변함. 가슴은 누르나 때때로 젖빛 또는 황백색으로 변하며, 모피(毛皮)는 질이 나쁨. 산림이나 인가 부근에서 쥐 등을 포식하는데, 한국 북부 지방·유럽·몽골·시베리아 등지에 분포함. 초서(貂鼠). *검은담비.
노랑가슴-먼지벌레 명 〖충〗 [*Lachnolebia cribricollis*] 딱정벌렛과에 속하는 곤충. 몸길이 7mm 내외이고 몸빛은 적갈색이며, 전배판(前背板) 측연(側緣)은 다소 담색(淡色)이고, 두부는 금속 광택이 있는 청록색임. 시초(翅鞘)는 적갈색의 시단(翅端)과 측연(側緣)을 제하고는 적람색 내지 녹자색임. 나뭇잎이나 풀 속에 서식하는데, 한국에도 분포함.
〈노랑가슴먼지벌레〉
노랑-가오리 명 〖어〗 [*Dasyatis akajei*] 색가오릿과에 속하는 바닷물고기. 몸의 길이 1m에 달하는데, 목이 매우 넓고 능형(菱形)이며 주둥이는 뾰족하고 눈이 작음. 몸빛은 녹갈색이고 배 끝이 노랑 빛깔임. 꼬리는 편상(鞭狀)으로 길고 등지느러미·뒷지느러미·꼬리지느러미는 없으며 꼬리에 긴 가시가 하나 있는데, 양쪽에 톱니가 있어 이에 찔리면 몹시 아프고 찔린 국부를 절제해야 하는 수도 있음. 한국 서남부해 및 남일본해에서 다산함. 새끼는 여름철에 10마리 내외를 태생하는데, 이 때 맛이 좋음.

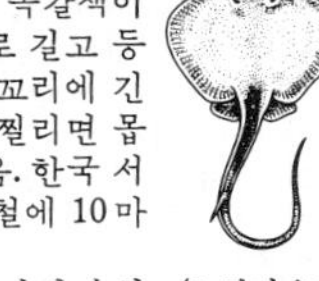
〈노랑가오리〉

노랑-가자미 명 〖어〗 [*Verasper moseri*] 붕넙칫과에 속하는 가자미의 하나. 몸은 능형(菱形) 또는 달걀꼴로 체고가 아주 큰데, 몸길이는 수컷이 30-50cm, 암컷이 70cm 내외임. 유안측(有眼側)은 암갈색 바탕에 유백색 무늬가 산재하고 무안측(無眼側)은 수컷은 황색, 암컷은 백색에 몇 줄의 흑갈색 무늬가 있으며, 등지느러미·뒷지느러미·꼬리지느러미에는 갈색의 넓은 띠 무늬가 있음. 한국 전(全)연해 및 일본에 분포함. 고기 맛은 수컷이 더 좋음.

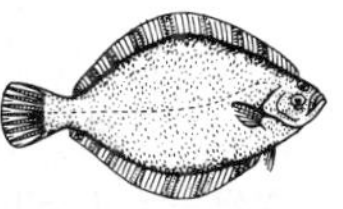
〈노랑가자미〉

노랑-각시 명 〈방〉 〖동〗 노래기(경상).
노랑-각시서대 명 〖어〗 [*Zebrias fasciatus*] 양서댓과에 속하는 바닷물고기. 머리는 비교적 작은데, 한국 부산 근해와 일본·동중국해·대만에 분포함.
노랑-갈퀴 명 〖식〗 [*Vicia venosissima*] 콩과에 속하는 다년초. 줄기의 높이 80cm 가량으로, 잎은 호생하고 유병(有柄)이며 우상 복생(羽狀複生)하고 선단에 권수(卷鬚)의 흔적이 있으며, 소엽(小葉)은 2-4쌍으로 긴 달걀꼴 또는 긴 타원형임. 6월에 자황색의 꽃이 액출(腋出)하여 총상 화서로 피며, 과실은 협과(莢果)임. 산기슭에 나는데, 경북·강원·함북도에 분포함.
노랑-감투 명 상제(喪制)의 전을 농으로 일컫는 말.
노랑-개자리 명 〖식〗 [*Medicago ruthenica*] 콩과에 속하는 다년초. 줄기 높이 60cm이고, 잎은 호생하며 유병(有柄)에 삼출(三出) 복엽이고, 소엽(小葉)은 타원형임. 7월에 노란 꽃이 액출(腋出)하여 총상 화서로 피고, 과실은 협과(莢果)임. 들에 나는데, 제주·함북 등지에 분포함. 사료용(飼料用)임.
노랑-고치벌 명 〖충〗 [*Phanerotoma flava*] 고치벌과에 속하는 벌. 암컷의 몸길이는 7mm 내외이고, 몸빛은 황적색이며, 촉각은 갈색임. 날개는 투명하고, 연문(緣紋)은 흑갈색이며 두흉복부에는 가는 주름이 있고 제1복절(腹節) 기부(基部)에는 두 개의 융기(隆起)가 있고, 복부는 3절임. 한국·일본에 분포함. 황고치벌.

〈노랑고치벌〉

노랑-꼬마가지나방 명 〖충〗 [*Cepphis advenaria*] 자벌레나방과에 속하는 곤충. 편 날개의 길이 22-28mm. 몸빛은 회황색이며, 날개에는 암색 점이 있고 내횡선(內橫線)의 안쪽과 외횡선(外橫線)의 바깥쪽 및 아외연선(亞外緣線) 부근은 희며, 각 횡선은 암색(暗色)임. 유충은 장미·버들잎 등의 해충. 한국에도 분포함.
노랑-나비 명 〖충〗 ①흰나빗과에 속하는 노랑나비의 총칭. 연주노랑나비·노랑나비·높은산노랑나비 등이 있음. 황접(黃蝶). 황호접(黃蝴蝶). ②[*Colias erate*] 흰나빗과에 속하는 곤충. 편 날개 길이는 38-66mm이고, 산지와 시기에 따라 개체 변이(個體變異)가 심한데 몸빛은 수컷은 황색, 앞뒤 날개의 외연(外緣)에 넓은 흑색 부분이 있고 그 안에 황색 무늬가 있음. 암컷은 수컷과 비슷한데 뒷날개가 암색을 띠고, 황백색과 창백색의 유전적(遺傳的) 두 형(型)이 있음. 유충으로 월동하고 한 해에 수 회 발생하여 봄·가을에 출현함. 유충은 콩과(科) 식물의 해충(害蟲)으로, 한국·만주·중국·일본·시베리아·유럽·사할린 등지에 분포함. ③↗남방노랑나비.
〈노랑나비❷〉
노랑나비-집게벌레 명 〖충〗 [*Forficula mikado*] 집게벌렛과에 속하는 곤충. 몸의 길이 12-18mm, 몸빛은 흑갈색이며 날개는 황색, 촉각은 12 절, 다리는 흑갈색, 복부의 측연(側緣)에는 주름이 있고 말단절(末端節)의 후연(後緣)에 두 개의 혹같이 나온 것이 있음. 한국·일본에 분포함.
〈노랑나비집게벌레〉
노랑-내 명 〈방〉 노린내(평안).
노랑눈박이-하늘소 [一쏘] 명 〖충〗 [*Epiglenea comes*] 하늘솟과에 속하는 곤충. 몸길이 9-11mm이고 전흉(前胸)은 흑색, 그 중앙과 양측은 담황색, 날개는 흑갈색이며 네 개의 황색 무늬와 두 줄의 황색의 세로줄이 있음. 복면(腹面)은 흑색이고 다리는 황갈색임. 애벌레는 옻나무에 구멍을 뚫음. 한국·일본에 분포함.
노랑눈-배벌 명 〖충〗 [*Scolia vittifrons*] 배벌과에 속하는 벌. 암컷의 몸길이는 25mm 내외이고, 몸빛은 흑색이며 감색(紺色)의 금속 광택이 남. 복부 제3절 양측에 황적색 반문(斑紋)이 있고, 두정(頭頂)에는 심장형의 황적색 반문이 있음. 몸에는 흑색의 가는 털이 있는데 황색부의 것은 회색임. 한국·일본에 분포함.
노랑눈썹-솔새 [一쌔] 명 〖조〗 [*Phylloscopus inornatus inornatus*] 휘파람샛과에 속하는 새. 날개 길이 50-60mm, 꽁지 길이 48mm 내외이고, 배면(背面)은 감람(橄欖) 갈색에 작은 갈색 반문이 있고, 미반(尾盤)과 몸의 하면은 황백색이며 가슴에 흑갈색의 반문이 산재(散在)하고 날개에 두 줄의 뚜렷한 가로무늬가 있으며, 부리는 암갈색임. 시베리아에서 번식하고 대만 이남에서 월동(越冬)함. 쥐발귀.

〈노랑눈썹솔새〉

노랑다리-집게벌레 명 〖충〗 [*Euborellia pallipes*] 둥근가슴집게벌렛과에 속하는 곤충. 몸길이 8-13mm 가량이고 몸빛은 흑갈색인데, 촉각은 실 모양이며 담갈색임. 몸은 16마디 이상으로 이루어졌는데 제12·13절과 다리는 담황색이며, 앞날개는 편상(片狀)이고 뒷날개는 퇴화함. 한국·일본·대만 등지에 분포함.
〈노랑다리집게벌레〉
노랑-담비 명 〖동〗 산달❷.
노랑-대합 【一大蛤】 명 〖조개〗 [*Metric petechialis*] 참조갯과에 속하는 조개의 하나. 대형의 대합으로 반문은 비교적 빈약하고 작은 무늬가 있는데, 각정부(殼頂部) 이외는 대부분이 소실(消失)되었음. 개체에 따라 색채상의 변이(變異)가 심함. 한국·중국에 흔히 분포함.
노:랑-도 【老郞島】 명 〖지〗 전라 남도의 서해상(西海上), 신안군(新安郡) 안좌면(安佐面) 박지리(朴只里)에 위치한 섬. [$0.06km^2$: 8명(1985)]
노랑-돈 명 ①노란 빛깔의 엽전. ②몹시 아끼는 돈.
노랑-돌쩌귀 명 〖식〗 백부자(白附子)❶.
노랑-등에 명 〖충〗 [*Tabanus fulvus*] 등엣과에 속하는 곤충. 몸길이 15mm 가량이고, 몸빛은 황갈색이며, 등황색(橙黃色)의 짧은 털이 밀생하고 금속 광택이 남. 복부는 등황색인데 중간에는 흑갈색의 세로줄이 있음. 한국·일본·중국·우수리·만주 등지에 분포함. 황색맹(黃色虻).

〈노랑등에〉

노랑-딱새 명 〖조〗 [*Siphia mugimaki*] 딱샛과에 속하는 새. 날개 길이 64-73mm이고 몸빛은 수컷이 등·날개·꽁지가 검고, 배 쪽은 짙은 등황색임. 날개에 흰 빛의 큰 무늬가 있는데 늙은 새는 노랑 빛을 띠기도 함. 암컷은 등이 감람 녹색이며, 허리에 넓고 푸른 띠가 있음. 한국·만주·몽골·우수리·중국에서 번식하고 말레이 반도(Malay 半島) 지방에서 월동함. 황옹(黃鶲).

〈노랑딱새〉

노랑-때까치 명 〖조〗 [*Lanius cristatus lucionensis*] 때까칫과에 속하는 새. 날개 길이 약 87mm, 꽁지는 81mm 가량이고, 등은 회갈색, 허리는 어두운 적갈색이며, 윗가슴까지는 흰색이고 그 밑으로는 붉은 색을 띤 노랑 빛임. 숲 속에 살며 개구리·벌레 등을 잡아먹는데, 한국·만주·우수리·중국 지방에 분포함. 우리 나라에서는 4월-10월 사이에 볼 수 있음.

노랑띠-배벌 명 〖충〗 [*Scolia oculata*] 배벌과에 속하는 벌의 하나. 암컷은 몸길이 18 mm 내외이고, 몸빛은 흑색에 청람색의 광택이 남. 복부 제3절(節)의 후부에 담황색의 횡반(橫斑)이 있고 몸의 황색부에는 회백색, 흑색부에는 흑갈색, 다리에는 황색의 털이 있음. 유충은 흙 속의 풍뎅이의 유충에 기생함. 한국·일본에 분포함. 황띠배벌.

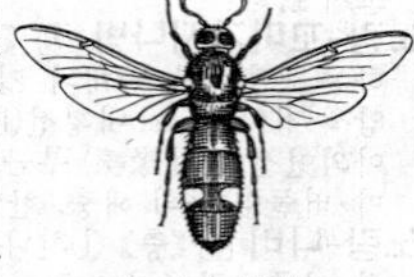
〈노랑띠배벌〉

노랑띠-좀잠자리 명 〖충〗 [*Sympetrum pedemontanum elatum*] 잠자릿과에 속하는 곤충. 몸길이 61 mm, 복부의 길이 25 mm 가량이고, 뒷날개의 길이 30 mm 가량임. 두흉부(頭胸部)는 등색이고 반문(斑紋)은 없으며, 복부는 적색 또는 등색인데 암컷에는 흑색 반문이 있음. 날개는 투명하고 결절과 시단(翅端) 사이에 갈색 띠가 있음. 한국·일본 등지에 분포함. 멧고추잠자리.

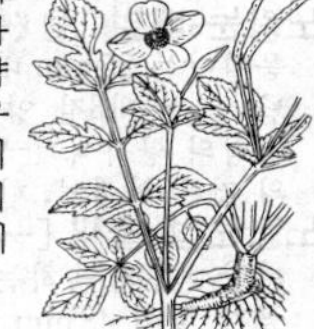
〈노랑띠좀잠자리〉

노랑-루:핀 〔Lupine〕 명 〖식〗 [*Lupinus luteus*] 루핀(Lupine)의 한 품종(品種).

노랑-만병초 【—萬病草】 명 〖식〗 [*Rhododendron chrysanthum*] 철쭉과에 속하는 상록 활엽 관목. 잎은 타원형 또는 도피침형(倒披針形)인데, 톱니가 없으며 거의 밖으로 말리고 혁질(革質)임. 여름에 노란 꽃이 정생(頂生)하여 산방(繖房) 화서로 핌. 과실은 삭과(蒴果)로 9월에 익음. 만병초와는 달리 줄기에 영존성(永存性)의 비늘 조각이 있음. 높은 산의 꼭대기 부근에 나는데, 경북·평북·함남북, 일본·캄차카·만주·우수리·서시베리아에 분포함. 관상용이며, 잎은 '만병엽(萬病葉)'이라 하여 약재로 씀.

노랑-말 명 몸빛이 노란 말.

노랑-말벌 명 〖충〗 황말벌.

노랑-말잠자리 명 〖충〗 왕잠자리.

노랑-매미꽃 명 〖식〗 [*Hylomecon japonicum*] 애기똥풀과에 속하는 다년초. 줄기의 높이 30 cm 가량이고, 줄기와 잎은 매끄러우나 엽맥 위에는 약간의 털이 있음. 근생엽(根生葉)은 잎꼭지가 긴 우상 복엽임. 4-5월에 황색 꽃이 엽맥에서 나와 피고, 과실은 길이 3-5 cm 의 원기둥꼴임. 산의 응달에 나는데, 한국 중부 이북·중국·일본에 분포함.

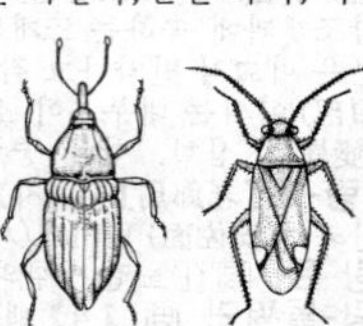
〈노랑매미꽃〉

노랑-머리 명 빛이 노란 머리. 또, 그런 사람.

노랑-명충나방 【—螟蟲—】 명 〖충〗 [*Pyrausta flavalis*] 명충나방과에 속하는 곤충. 편 날개의 길이 28 mm 내외이고, 두부·흉부는 황색, 복부는 황백색임. 날개는 황색인데, 앞날개의 내외 횡선(內外橫線)은 농색(濃色)이며, 중실(中室)과 그 밑에 녹색 환문(環紋)이 있음. 한국·중국·일본·유럽 등지에 분포함.

노랑-목 명 〈방〉 놀량목.

노랑-목도리담비 명 〖동〗 [*Charronia flavigula koreana*] 족제빗과에 속하는 동물. 몸길이 60 cm 내외이고, 몸의 상면(上面)은 엷은 핏빛이며 대백색(帶白色)의 하모(下毛)가 있고, 몸의 후반부는 암색(暗色)을 띰. 머리 안쪽과 다리 및 꼬리는 암갈색이고, 가슴은 백색이며, 몸의 하면은 흰 색을 띰. 모피는 연하고 털이 길어 썩 귀함. 산달과 함께 한국의 특산종임. * 대륙목도리담비. 목도리날담비.

노랑무늬-솔바구미 [—니—] 명 〖충〗 [*Pissodes nitidus*] 바구밋과에 속하는 곤충. 몸길이 7 mm 내외이고, 몸빛은 적갈색, 눈은 흑색, 촉각과 부절(跗節)은 흑갈색 내지 흑색이며, 날개에는 인모(鱗毛)로 된 황색과 백색의 가로띠가 있음. 소나무의 해충으로, 한국·일본에 분포함.

노랑무늬-장님노린재 [—니—] 명 〖충〗 [*Horistus gothicus*] 장님노린잿과에 속하는 곤충. 몸길이 7 mm 내외, 몸빛은 흑색, 배면(背面)에 긴 강모(剛毛)가 있음. 복안의 내측(內側), 전흉배의 측연(側緣), 혁질부(革質部)의 전연(前緣), 설상부(楔狀部) 등은 엷은 등색 또는 선등색(鮮橙色)임. 한국·일본·유럽·시베리아·사할린 등지에 분포함.

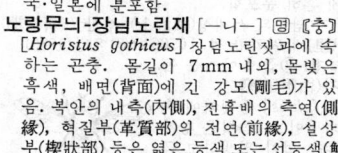

〈노랑무늬솔바구미〉 〈노랑무늬장님노린재〉

노랑-묵 명 치잣물을 타서 쑨 녹말묵.

노랑-물명나방 【—螟—】 명 〖충〗 [*Nymphula fengwhanalis*] 명나방과에 속하는 곤충. 편 날개 길이는 19 mm 내외, 몸빛은 대체로 황백색인데 날개는 황색에 백색 무늬가 있으며, 갈색의 테두리 무늬가 있음. 날개 꼭대기 부근은 희고 기부(基部)에 진한 색조(色條)가 있음. 유충은 벼의 줄기를 갉아 집을 짓고 그것을 물에 띄워 반수서(半水棲)함. 한국·일본·중국에 분포함.

노랑-물봉선화 【—鳳仙花】 명 〖식〗 [*Impatiens noli-tangere*] 봉선화과에 속하는 일년초. 줄기는 매끄러우며 다즙질(多汁質)이고, 높이는 60 cm 내외이며, 잎은 호생하는데 유병(有柄)의 타원형임. 8-9월에 노란 꽃이 줄기나 가지 끝에 정생(頂生)하여 총상 화서로 핌. 과실은 삭과(蒴果)로 홀쭉하며 양끝이 뾰족함. 산지의 습지에 나는데, 한국 각지에 분포함. 수금황(水金皇).

노랑-바대기 명 〈방〉 노랑머리(충청).

노랑-바퀴 명 〖충〗 바퀴❷.

노랑발-도요 명 〖조〗 [*Tringa incana brevipes*] 도욧과에 속하는 물새. 날개의 길이 약 13 cm, 꽁지 길이는 7 cm 내외이고, 암수가 같은 빛깔인데, 등과 날개는 암회색(暗灰色)이며 목과 가슴에는 백색에 회색 반점(斑點)이 있고, 복부(腹部)는 백색이며, 주둥이와 다리는 황색임. 시베리아 지방에서 번식하고 말레이 지방에서 월동하며, 봄·가을에는 한국에 날아오는 후조(候鳥)임. 해안(海岸)·하구(河口)·논 같은 곳에 떼지어 날아옴.

〈노랑발도요〉

노랑-방울잠자리 명 〖충〗 [*Distatomma cecilia*] 말잠자릿과에 속하는 곤충. 몸길이 31mm, 날개 길이 79 mm 가량이고, 몸빛은 황갈색이며, 날개는 투명한데, 정수리와 이마에는 '八'자 무늬가 있고 전흉배(前胸背)에 흑색 줄이 있으며, 꼬리 끝의 부속물(附屬物)은 모두 황색임. 일본·사할린에 분포함.

노랑-배자루맵시벌 명 〖충〗 [*Crematus biguttulus*] 맵시벌과에 속하는 벌. 암컷의 몸길이 9 mm 가량이고 몸빛은 황적색이며 촉각은 적갈색, 다리는 황적색이며, 날개는 투명하고 가장자리의 무늬는 적갈색임. 산란관(產卵管)은 흑색으로 4 mm 가량 됨. 명충나방류의 유충에 기생하는데, 한국·일본·중국 등지에 분포함.

노랑배-측범잠자리 [—칙—] 명 〖충〗 [*Anisogomphus coreanus*] 부채장수잠자릿과에 속하는 잠자리. 복부(腹部)의 길이는 42-45 mm, 뒷날개 36-39 mm 이며, 복부는 흑색이고, 제1절 배면(背面)에는 넓은 반달 모양의 황색 무늬가 있으며, 제3-6절 배면에는 황색 조문(條紋)이 있음. 복측(腹側)은 제2절에 큰 황색문이 있고, 제3-9절에는 황색 점문(點紋)이 있음. 한국 특산종임.

노랑-버들 명 〈방〉 〖식〗 새양버들.

노랑-벌레 명 〈방〉 〖동〗 노래기(경기).

노랑벌-하늘소 [—쏘] 명 〖충〗 [*Chlorophorus quinquefasciatas*] 하늘솟과에 속하는 곤충. 몸길이 16-17 mm 이고 몸빛은 흑색에 황색 털이 있으며, 전배판(前背板) 중앙에 날개 모양의 흑색 무늬가 있고, 날개의 기부(基部) 양측에 반환상(半環狀)의 흑색 무늬가 있으며, 그 전후에 두 줄의 흑대(黑帶)가 있고, 후반부에는 한 줄의 농갈색 띠가 있음. 한국에도 분포함.

노랑-벤자리 명 〖어〗 [*Percanthias japonicus*] 농엇과에 속하는 바닷물고기. 몸은 길이 25 cm 로, 길쭉하고 측편하며 머리는 작음. 몸빛은 등쪽이 담적색이고 배 쪽이 담황적색이며, 등지느러미와 꼬리지느러미는 선황색이고 다른 지느러미는 황적색임. 양 턱에 한 줄의 송곳니가 있으며, 위턱에는 그 안쪽에 폭이 좁은 치대(齒帶)가 있고, 두부(頭部)에 비늘이 밀생함. 한국 남부해와 일본 중부 이남에 분포함.

노랑부리-저어새 명 〖조〗 [*Platalea leucorodia major*] 따오깃과에 속하는 새. 저어새와 비슷하나 부리 모양이 기이하여 특징이 있음. 날개 길이 35-40 cm 가량이고 온 몸빛이 순백색이며, 목 앞의 깃만은 담황갈색을 띰. 부리는 회흑색이며, 모양은 상하로 평평하고 중앙이 좁으며 선단(先端)은 넓고 원형임. 볼의 나출(裸出) 부분은 노랑 빛이고, 생식기(生殖期)가 되면 관모(冠毛)가 생김. 한국의 '보호조'로서 중앙 아시아·중국·인도·아프리카 등지에 번식하고, 한국 서해안·일본·대만에서 월동(越冬)함. 가리새. * 저어새.

〈노랑부리저어새〉

노랑-실잠자리 명 〖충〗 [*Ceriagrion melanurum*] 실잠자릿과에 속하는 곤충. 복부(腹部)의 길이 30 mm, 뒷날개 20 mm 가량이며, 몸빛은 흉배(胸背)는 황록색이고 반문이 없고 복부는 선황색인데, 제7절 이하의 배면(背面)에 흑조(黑條)가 있음. 암컷은 온 몸이 녹황색이고 날개는 투명하며, 시맥(翅脈)은 흑갈색이고 연문(緣紋)은 담갈색임. 한국에도 분포함.

〈노랑쌍무늬바구미〉

노랑쌍무늬-바구미 【—雙—】 [—니—] 명 〖충〗 [*Lepyrus japonicus*] 바구밋과에 속하는 곤충. 몸길이 10mm 내외, 몸빛은 흑색이며 배면(背面)과 흉부(胸部) 하면은 황색 인모(鱗毛)로 덮였음. 전배판(前背板) 양측에는 황색털이 밀생(密生)하여 이루어진 한 줄의 종조(縱條)가 있음. 버드나무의 해충(害蟲)으로 한국에도 분포함. 촉각(觸角)은 주둥이의 앞부분 끝에 나와 있음.

노랑-쐐기나방 명 〖충〗 [*Cnidocampa flavescens*] 쐐기나방과에 속하는 곤충. 몸길이 16mm, 편 날개의 길이는 33 mm 내외이고 몸빛은 황색이며, 앞날개는 갈색을 띠고, 시정(翅頂)에서 후연(後緣)까지 달하는 두 줄의 가는 갈색 줄이 있음. 유충은 감나무 등 장미과의 과수잎의 해충임. 한국에도 분포함.

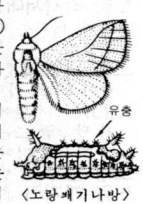

유충
〈노랑쐐기나방〉

노랑-씬벵이 명 〖어〗 [*Pterophryne histrio*] 씬벵잇과에 속하는 바닷물고기. 몸길이 12 cm 내외인데, 몸이 작고 짧으며 측편되고, 입이 위쪽으로 향하여 있음. 몸빛은 농황색 바탕에 갈색 무늬가 있는데, 체측에 흰 빛 무늬가 있는 것 또는 배 쪽에 흑색 반점이 있는 것 등이 있음. 등지느러미에 벌어진 세 개의 가시가 있으며, 비늘이 있고 아감 구멍은 썩 작아 구멍 같음. 한국 부산 연해 및 일본 중부 이남에 분포함.

〈노랑씬벵이〉

노랑알락-꽃벌 명 〖충〗 [*Nomada japonica*] 꿀벌과에 속하는 벌. 암컷의 몸길이 11-13mm이고, 몸빛은 흑색에 황색 및 적색의 반문이 있음. 복부는 흑갈색이고 각 마디의 중앙에 황색 횡반(橫斑)이 있는데, 제1·2 마디의 것은 좌우로 완전히 분리된 것도 있음. 다른 꽃벌류(類)에 기생함. 한국·일본에 분포함.

〈노랑알락꽃벌〉

노랑-애기나방 명 〖충〗 [*Amata germana*] 애기나방과에 속하는 곤충. 편 날개의 길이 30-40mm이고 복부는 등황색, 날개는 흑색이며, 앞날개에 다섯 개, 뒷날개에 한 개의 투명한 무늬가 있음. 유충은 차·귤 같은 나뭇잎의 해충임. 한국에도 분포함. 독일애기나방.

노랑-어리연꽃 【一蓮一】 명 〖식〗 [*Nymphoides peltata*] 조름나물과에 속하는 다년생 수초(水草). 줄기는 실 모양으로 길고, 잎은 장병(長柄)이며 수면에 부유(浮游)하고 넓은 타원형인데, 가장자리에 약간의 톱니가 있고, 연한 잎은 먹을 수 있음. 7-9월에 선황색의 꽃이 엽액(葉腋)에서 대생하여 산형 화서로 핌. 과실은 타원형임. 연못·개천에 나는데, 전북·경남·경기에 분포함.

〈노랑어리연꽃〉

노랑-연새 명 〖조〗 황(黃)여새.

노랑-이 명 ①노란 빛의 물건. ②털빛이 노란 개. ③도량(度量)이 좁고 인색한 사람의 별명. ¶저런 ～는 처음 보았다. 1)·2):＜누렁이.

노랑-자 명 〈방〉 노른자위 (경기·전북·경북).

노랑-자사 명 〈방〉 노른자위 (전북).

노랑-자시 명 〈방〉 노른자위 (전북).

노랑-자우 명 〈방〉 노른자위 (경기·강원·충청·경북).

노랑-자위 명 〈방〉 노른자위 (경기·충북·전북).

노랑-잠자리 명 〖충〗 [*Sympetrum croceolum*] 잠자릿과에 속하는 곤충. 복부(腹部)의 길이 26mm, 뒷날개 31mm 가량이고 몸빛은 일률적으로 등갈색이며 반문은 없음. 날개는 투명하고, 결절의 앞쪽까지는 선등색(鮮橙色)이며 전연실(前緣室)과 아전연실(亞前緣室)은 시단(翅端)까지 등색이므로, 진노랑잠자리와 구별됨. 한국·일본·만주에 분포함.

노랑-재 명 〈방〉 노른자위 (충청·전북·경북).

노랑점-나나니 【一點一】 명 〖충〗 [*Sceliphron deforme*] 나나닛과에 속하는 곤충. 암컷은 몸길이가 18-20mm이고, 몸빛은 흑색에, 두부·흉부·복부(腹部) 미단(尾端) 등에는 짧은 털이 있고, 몸의 여러 군데에 작은 황색 점무늬가 있음. 한국·일본·중국·아무르·인도 등지에 분포함.

〈노랑점나나니〉

노랑점박이-하늘소 【一點一】 [一쏘] 명 〖충〗 울도하늘소.

노랑점-쌍살벌 【一點雙一】 명 〖충〗 [*Polistes mandarinus*] 말벌과에 속하는 벌. 암컷은 몸길이가 15mm 내외이고, 몸빛은 흑색이며, 전흉부(前胸部)의 가로줄과 몸의 여러 군데에 황갈색 반문이 있고 날개·촉각은 적갈색임. 한국·일본에 분포함.

노랑-접시 명 〈방〉 노른자위(경남).

노랑-젓 명 〈방〉 노른자위(전북).

노랑-제비꽃 명 〖식〗 [*Viola xanthopetala*] 제비꽃과에 속하는 다년초. 근경(根莖)은 수근(鬚根)이 많고 백색이며 줄기는 총생하고 높이 10-18cm임. 근생엽(根生葉)은 장병(長柄), 경엽(莖葉)은 단병(短柄)인데 두세 개의 소엽(小葉)은 달걀꼴 신장형임. 4-6월에 노란 꽃이 줄기 끝의 잎 사이에 두서넛씩 좌우 상칭(左右相稱)으로 달려 피고, 과실은 삭과(蒴果)임. 산지에 나는데, 한국 각지에 분포함.

노랑-조기 명 〈방〉 〖어〗 참조기.

노랑-조시 명 〈방〉 노른자위(경상).

노랑-지빠귀 명 〖조〗 [*Turdus naumanni naumanni*] 지빠귓과에 속하는 새. 개똥지빠귀와 비슷하나 날개 길이 13cm 내외로 좀 작고 몸빛이 일반적으로 엷음. 옆구리에 밤 빛의 삼각형 무늬가 많고 목은 갈색임. 동부 시베리아·사할린에서 번식하고 헤이룽 강 지방·몽골·한국을 거쳐 남만주와 중국 중부에서 월동함.

노랑-찍찌기 명 〖충〗 [*Melampsalta pellosoma konoi*] 매밋과에 속하는 곤충. 풀매미와 비슷한데 좀 대형(大形)이고 시맥(翅脈)이 다름. 몸빛은 흑색에 노랑 무늬가 있음. 7월경에 얕은 산에 나타나서 '찍찌찍찌…'하고 욺. 홋카이도·한국 북부·만주에 분포함. ＊풀매미.

노랑-참벌 명 〖충〗 어리노랑뒝벌.

노랑-참외 명 빛이 노란 참외.

노랑-창 명 〈방〉 노른자위(전남).

노랑-촉수 【一觸鬚】 명 〖어〗 [*Upeneus bensasi*] 촉수과에 속하는 바닷물고기. 길이 20cm 가량으로 몸은 모래무지 비슷하게 가늘고 길며 측편한데, 몸빛은 등 쪽이 암적색, 옆구리는 담적색, 배 쪽은 백색임. 아래턱에 한 쌍의 노랗고 긴 수염이 있어 미각(味覺)에 극히 민감함. 5-6월에 산란하며 연안의 모래펄에 서식하는데, 한국 중남부 및 일본·대만·중국·인도·필리핀·아라비아에 분포함. 특히 겨울철 것이 맛이 좋음.

〈노랑촉수〉

노랑-태 【一太】 명 ☞ 더덕북어.

노랑턱-멧새 명 〖조〗 [*Emberiza elegans elegans*] 참샛과에 속하는 새. 날개 길이 77mm, 부리 10mm 가량이고 몸빛은 머리와 얼굴은 흑색, 목은 황색, 윗가슴은 흑색, 그 이하는 백색이며 배면(背面)은 밤색임. 암컷의 머리·얼굴·가슴은 갈색임. 들이나 낮은 산에 서식하는데, 동부 시베리아·만주·중국에서 번식하고 한국·사할린·일본 등지에서 월동함.

〈노랑턱멧새〉

노랑털-재니등에 명 〖충〗 [*Villa limbatus*] 재니등엣과에 속하는 곤충. 몸길이 11-15mm이며 몸빛은 흑색이고, 흉배(胸背)에는 흑색 단모(短毛)와 등색 인모(鱗毛)가 섞이어 났으며, 복부 각 마디의 전연(前緣) 및 측연(側緣)에는 황색 또는 등색, 말단의 두 마디에는 흑색의 털이 밀생하였음. 한국·일본·대만에 분포함.

〈노랑털재니등에〉 〈노랑테가시벌레〉

노랑테-가시벌레 명 〖충〗 [*Dactylispa angulosa*] 잎벌렛과에 속하는 곤충. 몸길이 4-4.5mm이고 몸빛은 흑색인데 전배판(前背板)과 날개에는 갈색 부분이 있음. 전배판 전연각(前緣角)에 한 쌍, 양측에 한 쌍, 날개 외연(外緣)에는 여러 개의 침상(針狀) 돌기가 있음. 한국·일본·중국·시베리아 등지에 분포함.

노랑테-먼지벌레 명 〖충〗 [*Chlaenius inops*] 딱정벌렛과에 속하는 곤충. 몸길이는 12mm 가량이고 몸의 표면은 금속 광택이 있는 녹색이며 시초(翅鞘)의 언저리·다리 등은 황갈색이고, 몸에는 황색의 짧은 털이 있음. 한국에도 분포함.

〈노랑테먼지벌레〉

노랑테-콩알물방개 명 〖충〗 [*Platambus fimbriatus*] 물방갯과에 속하는 곤충. 몸길이는 7-8mm 내외이고 몸빛은 흑색에 광택이 나는데, 두정(頭頂)의 두 개의 콩알만한 무늬는 적갈색임. 전배판(前背板)의 가장자리와 단단한 시초(翅鞘)의 시저(翅底)의 횡문(橫紋) 및 외연문(外緣紋)은 황색, 몸의 하면과 다리는 적갈색임. 논이나 웅덩이에 서식하는데, 한국·일본·만주에 분포함.

〈노랑테콩알물방개〉

노랑-투구꽃 명 〖식〗 [*Lycoctonum gmelini*] 성탄꽃과에 속하는 다년초. 줄기 높이 1m 가량이고 밑잎은 단병(短柄)에 장상(掌狀)이며 다섯 갈래로 깊게 째졌고 열편(裂片)은 거듭 가늘게 째졌음. 9월에 황색 꽃이 많이 정생(頂生)하여 총상(總狀) 화서로 피고, 과실은 골돌(蓇葖)임. 산지에 나는데, 강원·함남·함북에 분포하며 유독(有毒)함. ＊바곳.

노랑-퉁이 명 〈속〉 얼굴이 핏기 없이 누렇고 부석부석한 사람.

노랑-하늘타리 명 〖식〗 [*Trichosanthes quadricirra*] 박과에 속하는 다년생 만초(蔓草). 괴근(塊根)은 비대하고 줄기는 가늘며 권수(卷鬚)는 3-4갈래로 갈라졌음. 잎은 호생하고 유병(有柄)이며 넓은 심장형임. 7월에 자웅 이가(雌雄二家)로 된 흰 꽃이 액생(腋生)하는데, 암꽃은 하나씩 나고 수꽃은 수상(穗狀)을 이룸. 과실은 넓은 타원형이고 가을에 노랗게 익음. 산이나 들·밭둑에 나는데, 제주도에 분포함. 괴근으로는 녹말(綠末)을 만들어 식용하며 또 그 가루를 '천화분(天花粉)'이라 하고 종자는 '과루인(苽蔞仁)'이라 하여 모두 약용함.

〈노랑하늘타리〉

노랑-하늘나방 명 〖충〗 [*Ramesa straminea*] 하늘나방과에 속하는 곤충. 편 날개의 길이는 42-47mm이고 수컷의 두부(頭部)는 황갈색이며, 흉부와 복부는 회황색임. 앞날개는 황백색 또는 황색에 갈색 반문이 있고 뒷날개는 담회황색에 다소 갈색을 띠며, 암컷의 앞날개는 황색임. 한국·일본·중국에 분포함.

〈노랑하늘나방〉

노랑-하늘소붙이 [一쏘부치] 명 〖충〗 ②[*Xanthochroa luteipennis*] 하늘소붙잇과에 속하는 갑충의 하나. 몸길이 11mm 가량이고, 몸빛은 흑갈색에 촉각과 다리는 암갈색이며, 겉날개는 황색 또는 암황갈색이고, 회색의 짧은 털이 있음. 하늘소 비슷하나 그보다는 약하고 윗날개도 연약하며, 유충은 썩은 나무에 모이고, 성충은 꽃에 모이는데, 밤에 등불 밑에 모여들기도 함. 한국·일본 등지에 분포함.

노랑-할미새 명 〖조〗 [*Motacilla cinerea*] 할미샛과에 속하는 새. 참새만한데 몸빛은 황색에 부리에서 눈까지는 거무스름하고 목과 가슴은 검으며 그 아래는 선황색(鮮黃色)임. 날개는 검고, 머리에서 등까지는 녹회색임. 꼬리를 아래위로 흔들어 움직이는 습성이 있음. 물가에 살고, 곤충·지렁이·풀씨 등을 먹으며 배에 회갈색 반문이 있는 알을 4-6개 낳음. 해충을 잡아먹는 익조(益鳥)로, 한국·일본·중국 및 유럽·아프리카·알래스카 등지에 분포함.

〈노랑할미새〉

노랑허리-잠자리 명 〖충〗 [*Pseudothemis zonata*] 잠자릿과에 속하는 곤충. 복부(腹部)의 길이 30mm, 뒷날개 40mm 가량이고, 몸빛은 흑색 또는 황백색인데 암컷의 제2절(節) 배면(背面) 중앙과 제3절의 전반부는 황색이며 시맥(翅脈)과 가장자리 무늬는 흑색임. 한국에도 분포함.

노랑 회장 저고리 【一回裝一】 명 노란 바탕에 자줏빛 회장을 댄 저고리.

노랗다 [一라타] 형 ㅎ불 ①개나리꽃 같은 빛이다. 매우 노르다. ＜누렇다. ②〈속〉 매우 위축(萎縮)되거나 시들어 기세가 꺾여 있다. ¶싹수가 ～/노랗게 시들다.

노래[1] 명 ①목소리에 곡조를 붙이어 부르는 말. ②〖악〗 가곡(歌曲)·가사(歌詞)·시조(時調)와 같이, 시가(詩歌)를 얹어서 부르는 악곡(樂曲)의 일컬음. 가창(歌唱). *소리. ③시(詩)·시조 등과 같은 운문(韻文). ——-하다 자타여불 「로서 나타내다.

노래(를) 부르다 구 ㉠소리에 곡조를 붙이어 부르다. ㉡시(詩)나 시조

노:래²【老來】명 노년(老年)이 된 이래. 늘그막. 만래(晩來). ¶ 지금은 비록 이같이 빈궁할지라도 ~에는 딸의 덕에 아모 걱정 없으리라《崔瓚植 : 능라도》.

노래³【勞來】명 따라오는 사람을 위로함. 또, 위로하여 따라오게 함. ——-하다 자여불

노래-각시 명 〈방〉〖동〗 노래기(경북).

노래기¹ 명〖동〗배각류(倍脚類)에 속하는 절지(節肢) 동물의 총칭. 몸은 원통상(圓筒狀)으로 길이 3mm로부터 28mm까지 있음. 두부(頭部)와 20-30개의 환절(環節)로 된 몸통으로 구분하는데, 등은 적갈색이며 각 마디에 두 쌍의 보각(步脚)이 있음. 턱에 독선(毒腺)이 있으며, 물건에 닿으면 둥글게 말리며 체측(體側)에서 고약한 노린내가 나는 액즙(液汁)을 분비함. 그리마와 비슷한데, 기문(氣門)이 복판(腹板)에 있고, 보각이 상접(相接)한 위치에 남. *Scaphistreptus seychellarum*, *Nipponoiulus truncatus* 등 종류가 많은데, 모두 음습(陰濕)한 곳에 모이며 낙엽 등의 밑에 숨어 식물질(植物質)을 먹고 삶. 전세계에 6,500여 종이 분포하고 그리마와 함께 다족류(多足類)라고 함. 마륙(馬陸). 망나니. 마현(馬蚿). 백족충(百足蟲). 향랑각시. 환충. *지네·그리마.

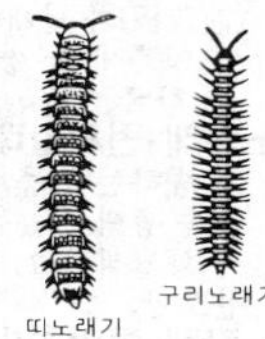

〈노래기¹〉

【노래기 족통도 없다】 노래기 발은 가늘고 아주 작은데, 살림이 빈곤하여 그와 같이 남은 것이 없게 되었다는 말. 【노래기 회(膾)도 먹겠다】 고약한 노린내가 나는 노래기의 회를 먹는다는 뜻으로, 염치도 체면도 없이 행동하는 사람을 비유하는 말. 또, 비위가 아주 좋다는 말.

노래기² 명 ①〈심마니〉 해. ②〈방〉 노¹(함남).

노래기-강【一綱】명〖동〗[Diplopoda] 절지(節肢) 동물에 속하는 한 강(綱). 머리는 분명하고 촉각은 한 쌍, 각 체절(體節)의 양쪽에 다리가 열생(列生)하는데, 수컷의 일곱째 마디의 다리는 생식기(生殖器)임. 노래기 등이 이에 속함. 배각류(倍脚類). *다족류(多足類).

노래기-벌 명〖충〗[*Cerceris harmandi*] 구멍벌과에 속(屬)하는 곤충. 암컷의 몸길이는 12-14 mm, 몸빛은 흑색에 복배(腹背) 제3절 후연(後緣)에 따라 중앙이 오목하게 들어간 횡반(橫斑)과 제4·5절 후연의 반문 및 복면(腹面) 제3절 후연의 횡반 등은 황색이며 몸에는 회갈색의 털이 남. 한국·일본 등지에 분포함.

〈노래기벌〉

노래기 부적【一符籍】명〖민〗음력 2월 초하룻날 농가에서 대청소를 하면서 노래기를 없애기 위해 붙이는 부적. 보통, '향랑 각시 속거 천리(香娘閣氏速去千里)'라고 써서 기둥·벽·서까래 등에 거꾸로 붙임.

노래끼 명 〈방〉〖동〗 노래기 (경북).

노래미 명〖어〗[*Agrammus agrammus*] 쥐노래미과에 속하는 바닷물고기. 몸길이 30-60cm이고 머리는 뾰족하며 몸빛은 황색을 띤 갈색 바탕에 암갈색의 불규칙한 무늬가 있음. 연안에 서식하는데, 한국 전 연해 및 일본 등지에 분포함. 맛이 좋아 식용함. 황석반어(黃石斑魚).

노래-방【一房】명 노래를 부를 수 있게 영상 가요 반주(映像歌謠伴奏) 시설을 해 놓은 업소. 방음(防音) 장치된 1평 남짓한 방에서 단추를 누르면 비디오 화면(畵面)에 노래 가사가 비치면서 음악 반주가 나와 그에 맞춰 노래를 부르게 됨. 노래 연습장.

노래이 명〈방〉〖동〗 노래기(경남).

노래자【老萊子】명〖사람〗공자와 같은 시대인 중국 춘추 시대의 초(楚)나라의 현인(賢人). 중국 24 효자의 한 사람. 난을 피하여 몽산(蒙山) 남쪽에서 농사를 지으면서 살았는데, 70세에 어린 아이 옷을 입고 어린애 장난을 하여서 늙은 부모를 위안하였다고 함. 저서에 《노래자(老萊子)》 15편이 있음. 생몰(生沒) 연대 미상(未詳).

노래 자:랑 명 노래 잘 부르기를 겨루는 대회. 또, 그러한 방송 프로의 하나. 노래 잔치.

노래-자이 명〖역〗신라 때에 노래를 부르는 구실아치. 가척(歌尺).

노래 잔치 명 ①노래를 부르며 노는 잔치. ②노래 자랑.

노래-쟁이 명 〈속〉 가수(歌手).

노:래-지다 자 노랗게 되다. ¶ 안색이 갑자기 ~. <누레지다.

노랙지 명 〈방〉〖동〗 노래기(전남·경북).

노랫-가락 명 ①노래의 곡조. ②〖악〗경기 민요(京畿民謠)의 하나. 본디, 무당이 부르던 소리임. 사설(辭說)은 시조(時調)를 얹어서 부름.

노랫-말 명 노래의 가사. ¶ ~을 짓다 / ~이 아름답다.

노랫-소리 명 노래를 부르는 소리.

노랭이 명〈방〉〖동〗 노래기(전북·경상).

노략【擄掠】명 떼를 지어 사람 또는 재물을 빼앗아 감. ——-하다 타여불

노략-질【擄掠一】명 노략하는 짓. ——-하다 자여불

노량¹【露梁】명〖지〗경상 남도 남해도(南海島)와 하동(河東) 사이의 나루터. 이순신 장군을 추모하는 충렬사(忠烈祠)가 있음. *노량 해전.

노량²【露梁·鷺梁】명〖지〗 노돌.

노:량³【露量】명 이슬이 맺힌 양.

노:량⁴ 부 천천히. 느릿느릿. *노량으로.

노:량-계【露量計】명 이슬의 양을 측정하는 기계(器計). 접시를 장치한 부표(浮標)나 천칭(天秤)을 이용한 것 등이 있음.

노량-도【鷺梁渡·露梁渡】명〖지〗 노돌나루.

노량-목 명 ☞ 놀량목.

노량 수도【露梁水道】명〖지〗 경상 남도 서쪽 남해도(南海島)의 북안(北岸)과 대안(對岸)인 본륙(本陸)과의 사이에 있는 좁은 수도. 이 수도를 서쪽으로 지나면 여수 해만(麗水海灣)에 이름.

노량 육신【鷺梁六臣】[—뉵—] 명〖역〗 사육신(死六臣).

노:량-으로 부 어정어정 놀아 가면서. 느릿느릿한 행동으로. ¶ 건들건들 ~ 일하다 / 시적시적 ~ 건던 걸음을 재우치고 있는 자기를 깨닫고도 숙경은 발걸음 늦추지 않았다《李無影 : 三年》.

노량-진【鷺梁津·露梁津】명〖지〗서울 특별시의 한강(漢江) 남안에 있는 지명. 강 건너 용산(龍山)과 대함. 1899년 이 곳과 인천(仁川) 사이에 우리 나라에서 처음으로 경인선(京仁線) 철도가 부설되었음. 상수도 수원지(水源池)가 있으며, 이 밖에 사육신묘(死六臣墓) 등의 고적이 있음. 옛이름은 노돌나루.

노량 해:전【鷺梁海戰】명〖역〗 조선 선조(宣祖) 31년(1598) 11월 29일 노량 앞바다에서, 이순신(李舜臣) 장군이 진린(陳璘)과 더불어 왜병과 싸운 마지막 해전. 이 해전에서 이순신 장군은 왜군이 쏜 유탄(流彈)에 맞아 전사함.

노: 런[no run] 명 야구에서 러너가 나가지 못함. 또, 나가도 득점에 연결되지 아니함. ¶ 노 히트 ~.

노레이 명 〈방〉〖동〗 노래기(경남).

노려-보다 타 ①매서운 눈초리로 쏘아보다. ¶ 무서운 눈으로 ~. ②눈독을 들이어 겨누어 보다. ¶ 고양이가 쥐를 ~. 「하다 자여불

노력¹【努力】명 힘을 들이어 애를 씀. 힘을 다함. 또, 그 들인 힘. ——-[노력은 천재를 낳 수 있어도 천재는 노력을 낳 수 없다] 무슨 일을 이루는 데는 천재보다 노력이 더 필요하다는 말.

노력²【勞力】명 ①힘을 들이어 일함. ②〖경〗생산을 위하여 힘쓰는 몸과 정신의 활동. ¶ ~을 제공하다. ——-하다 자여불

노력³【露曆】명 러시아의 책력.

노력-가【努力家】명 끈질기게 노력하는 사람.

노:력-도【老力島】명〖지〗전라 남도 남해안(南海岸), 장흥군(長興郡) 대덕읍(大德邑) 덕산리(德山里)에 위치한 섬. [0.84 km²]

노력 이전【勞力移轉】명〖경〗높은 급료의 노동자를 해고하고 낮은 급료의 노동자를 고용하여 급료를 내리는 일. ——-하다 자여불

노력적 기계【勞力的機械】명〖공〗노동자의 익숙한 기술에 갈음하는 기계. 곧, 직물 기계·방적 기계 등.

노:련【老鍊】명 오랫동안 경험을 쌓아 익숙하고 능란함. 노숙(老熟). ¶ ~한 수법 / ~한 외교가. ——-하다 형여불

노:련-가【老鍊家】명 노련한 사람.

노렴【蘆簾】명 갈대 줄기로 엮어서 만든 발.

노령¹【奴令】명〖역〗지방 관아의 관노(官奴)와 사령(使令).

노:령²【老齡】명 늙은 나이. 노년(老年). ¶ ~에도 불구하고.

노령³【蘆嶺】명〖지〗전라 북도 정읍시(井邑市)에서 전라 남도 장성(長城) 방면으로 뻗쳐 있는 재. 노령 산맥의 주봉(主峰)임. 갈재. [276 m]

노령 산맥【蘆嶺山脈】명〖지〗소백 산맥(小白山脈) 중 추풍령(秋風嶺) 부근에서 전라 남북도의 경계를 서남방으로 뻗어 내려 무안 반도(務安半島)에 이르는 산맥. 모악산(母岳山)·내장산(內藏山)·노령·서대산(西台山) 등과 진안 고원(鎭安高原)이 여기에 속하며, 대체로 낮은 노년기(老年期) 산지를 이루고 있음.

노:령-선【老齡船】명 만든 지 오래 되어 낡은 배.

노:령 연금【老齡年金】[—년—] 명〖사〗사회 보장의 일환으로, 일정한 연령에 달한 노령자에게 지급되는 연금.

노:령-함【老齡艦】명 만든 지 오래 되어 낡은 군함.

노:령화 지수【老齡化指數】명〖사〗0세부터 14세까지의 어린이 인구에 대한, 65세 이상의 노인 인구의 비율.

노로 명 〈옛〉 노루. =놀¹·노ᄅ. ¶ 노로爲獐《訓例 24》.

노:로-악【老路嶽】명〖지〗제주도 한라산에 있는 산봉우리. 화산 활동의 여력(餘力)에 의하여 산기슭에 이루어진 기생 화산(寄生火山)의 하나임. [1,070 m]

노록【勞碌】명 쉬지 아니하고 힘을 다함. 일이 잘 되도록 분주하게 돌아다님. ——-하다 자여불

노:록-도【老鹿島】명〖지〗전라 남도의 남해상(南海上), 완도군(莞島郡) 노화면(蘆花面) 등산리(登山里)에 위치한 섬. [0.18km²]

노:론¹【老論】명〖역〗조선 시대 사색(四色)의 한 당파. 숙종(肅宗) 때 송시열(宋時烈)을 중심으로 한 파로서 서인(西人)파에서 갈려 나왔음. ↔소론(少論).

노론²【魯論】명〖책〗중국의 경서(經書). 논어(論語)의 한 이본(異本). 노(魯)나라에 전해진 논어. 지금의 논어는 이 계통의 책임. 20편. *고론(古論)·제론(齊論).

노:론 사:대신【老論四大臣】명〖역〗 조선 경종(景宗) 원년(1721)에 세제(世弟)의 책봉(冊封)을 주장한 김창집(金昌集)·이이명(李頤命)·이건명(李健命)·조태채(趙泰采)의 네 대신. 소론(少論)에 쫓겨나 피살됨. ㊈사대신(四大臣). *소론 사대신(少論四大臣).

노론-자우 명 〈방〉 노른자위 (강원).

노롯 명 〈옛〉 장난의 노릇. ¶ 뫼초라기 노롯ᄒ고(要鵪鶉)《朴解 上 17》.

노롯바치 명 〈옛〉 광대. =노릇바치. ¶ 열아믄 노롯바치 집의(十數個幇閑的家裏)《老解 下 45》.

노:뢰【怒雷】명 격심한 벼락. 세찬 천둥.

노:룡-봉【老龍峰】명〖지〗함경 남도(咸鏡南道) 풍산군(豐山郡) 안산면(安山面)에 있는 산. [1,661 m]

노루¹ 명〖동〗[*Capreolus capreolus ochracea*] 사슴과 노루 아속(亞屬)에 속하는 짐승의 하나. 사슴과 비슷하나 어깨 높이 65-86cm이고 뿔은 짧고 가지가 셋이며 전지(前肢)의 장골(掌骨) 하단부(下端部)가 남아 있는 것이 다름. 몸빛은, 여름털은 호적색(狐赤色)이며 가슴·배·뒷

다리의 안쪽 및 귀의 내부는 백색이고, 겨울털은 감람갈색 또는 점토색(粘土色)을 띤 담황색이며, 꽁무니에 한 개의 큰 백색 반점(斑點)이 있음. 뿔은 11-12월에 빠졌다가 5월경에 다시 나며 하단부에는 많은 혹이 났으며, 꼬리는 흔적만 있음. 얕은 산·구릉(丘陵) 지대·숲·풀밭에 서식하며 어린 싹·잎·과실 등을 먹고, 8-11월 및 4-5월에 1-3마리의 새끼를 낳음. 몸이 아름답고 잘 놀라며 먼 데를 바라보는 버릇이 있고 잘 뜀. 한국·중국·만주·중앙 아시아·유럽에 분포함.

〈노루¹〉

[노루가 제 방귀에 놀라듯] 침착하지 아니하고 놀라기를 잘하며 겁이 많은 사람을 이르는 말. [노루 꼬리가 길면 얼마나 길까] 작은 자기 재주를 지나치게 믿는 사람을 비꼬아 이르는 말. [노루 때린 막대기] 어쩌다가 노루를 때리어 잡은 막대기를 가지면 늘 노루를 잡으려니 하는 것을 말함이니, 요행을 바라는 사람을 비유하는 말. 또, 지난날의 방법을 가지고 덮어놓고 지금에도 적용하려는 어리석음을 이르는 말. [노루 때린 막대기 세 번이나 국 끓여 먹는다] ㉠고기를 먹지 아니하던 사람이 고기맛을 보면 엉뚱한 일을 한다는 뜻으로, 정도에 벗어난 취미나 행동을 이르는 말. ㉡이미 시효(時效)가 지난 것임에도 불구하고 덮어놓고 다시 이용하려 함을 이르는 말. 또, 무엇을 두고두고 우려쓴다는 말. [노루 본 놈이 그물 짊어진다] 무슨 일이나 직접 당한 사람이 맡아 하게 마련이라는 말. [노루 뼈 우리듯 우리지 말라] 한번 보거나 들은 이야기를 두고두고 되풀이할 때 핀잔주는 말. [노루 잡기 전에 골뭇감 마련한다] 일이 되기도 전에 그 공을 논하는 사람을 비유하는 말. 또, 일을 너무 성급히 서두름을 이르는 말. *너구리 굴 보고 피물 돈 내어 쓴다. [노루 잡는 사람에 토끼가 보이나] 큰 것을 바라보는 사람은 사소한 것은 거들떠 보지도 않는다는 말. [노루 친 막대기 삼 년 우린다] '노루 때린 막대기 세 번이나 국 끓여 먹는다'와 같은 뜻. [노루 피하니 범이 온다] ㉠갈수록 더 어렵고 힘든 일이 닥침을 비유하는 말. ㉡작은 해(害)를 피하려고 하다가 도리어 더 큰 무서운 일에 부닥침을 이르는 말.

노루 잠자듯 [구] ㉠깊이 잠들지 못하고 여러 번 깨어남을 이르는 말. ㉡조금밖에 못 잤다는 말.

노:루²【老淚】[명] 늙은이의 눈물. 늙어서 기신 없이 흐르는 눈물.

노루-귀 [명]〖식〗[*Hepatica asiatica*] 미나리아재빗과에 속하는 다년초. 근경(根莖)은 마디가 있고 잎은 족생(簇生)하며, 장병(長柄)에 심장형인데 세 갈래로 얕게 째졌으며, 열편(裂片)은 달걀꼴임. 5월에 백색 또는 담홍색 꽃이, 묵은 잎 사이에서 나온 꽃줄기 끝에 피고, 수과(瘦果)를 맺음. 산지의 숲 밑에 나는데, 한국 각지에 분포함. 약재로 씀. 장이세신(獐耳細辛).

〈노루귀〉

노루-꼬리 [명] 몹시 짧은 것의 비유. ¶해가 ~만밖에 남지 아니하야 광복산까지 대어가자면 밤길을 것지 안홀 수 업섯다《李海朝:鬢上雪》/ ~만하다.

노루-막이 [명] 산의 막다른 꼭대기.

노루-목 [명] ①노루가 자주 지나가는 길목. ¶~에 덫을 놓다. ②다른 지역으로 이어지는 좁은 지역.

노루-발 [명] ①〖농〗쟁기의 볏 아래쪽에 삼각형으로 되고 삼각형 구멍이 있는 두 물건. ②〖식〗↗노루발풀. ③장족(獐足). ④〈방〉장도리(경남). ⑤재봉틀의 부품(部品)의 하나. 왼쪽의 누름대 아래에 붙어 있어, 바느질감을 살짝 눌러 고정시키는 노루의 발가락 모양의 작은 쇳조각.

노루발-과【一科】[一꽈] [명]〖식〗[Pyrolaceae] 쌍자엽 식물 합판화류(合瓣花類)에 속하는 한 과. 전세계에 40여 종, 한국에는 노루발풀·매화노루발·분홍노루발·새끼노루발 등 십여 종이 분포함.

노루발-장도리 [명] 한쪽으로는 못을 박고, 한쪽으로는 못을 빼는 데에 쓰이도록 두 개의 발가락 모양으로 만든 공구(工具). 장족(獐足) 장도리. [준]장도리.

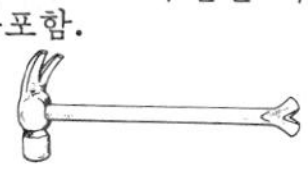
〈노루발장도리〉

노루발-풀 [명]〖식〗[*Pyrola japonica*] 노루발과에 속하는 상록 다년초. 꽃줄기는 높이 25cm 내외이고, 근생엽(根生葉)은 족생(簇生)하고 장병(長柄)인데, 원형 또는 넓은 타원형임. 6-7월에 황백색 꽃이 총상(總狀) 화서로 정생하고, 과실은 삭과(蒴果)임. 산지의 숲 밑에 나는데, 거의 한국 각지 및 일본 등지에 분포함. 관상용이며, 잎과 줄기는 지혈제(止血劑)로, 부스럼이나 독사(毒蛇)에 물린 때도 잎의 즙을 내어 바름. 녹제초(鹿蹄草). [준]노루발.

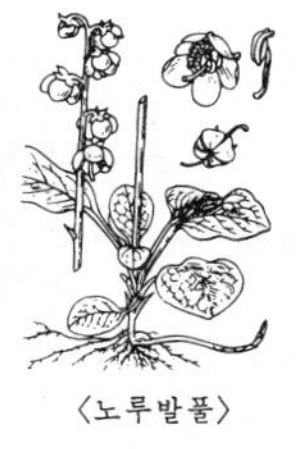
〈노루발풀〉

노루-벌 [명]〖충〗살아 있는 노루의 가죽 속에서 생기어 가죽을 뚫고 나오는 벌 모양의 날벌레. 이 벌레를 참기름에 조리어 어린아이에게 먹이면 간기(肝氣)에 좋다 함.

노루-삼 [명]〖식〗[*Actaea spicata*] 성탄꽃과에 속하는 다년초. 근경(根莖)은 짧고 통통하며 수염뿌리가 많고 줄기는 길며 높이 60cm 가량임. 잎은 호생하고 소엽(小葉)은 둥근 피침형을 이룸. 6월에 흰 꽃이 총상(總狀) 화서로 정생하여 피고 장과(漿果) 모양의 과실은 직경 5mm 가량이고 까맣게 익는데 많은 씨가 들었음. 산지의 나무 그늘에 나는데 한국 각지에 분포함.

〈노루삼〉

노루-오줌 [명]〖식〗[*Astilbe chinensis*] 범의귓과에 속하는 다년초. 줄기는 높이 70cm 가량으로 갈색의 긴 털이 있고, 잎은 2-5회 삼출(三出)하고 장병(長柄)이며, 소엽(小葉)은 긴 달걀꼴 또는 긴 타원형에 잎가에는 날카로운 톱니가 있음. 꽃은 복숭아꽃 빛깔의 오판화가 원추(圓錐) 화서로 정생하고, 과실은 삭과(蒴果)인데, 끝이 둘로 갈라짐. 큰노루오줌보다 화서가 작음. 한국 각지의 산지에 분포함.

〈노루오줌〉

노루-잠 [명] 깊이 들지 못하고 자주 깨는 잠.

[노루잠에 개꿈이라] ㉠아니꼽고 같잖은 꿈 이야기를 하는 경우에 쓰는 말. ㉡제격에 맞지 않는 말을 할 경우를 이름.

노루-종아리 [명] ①소반 다리의 아래쪽의 새김이 없이 매끈한 부분. ②문살의 가로살이 드물게 있는 부분.

노루-참나물 [명]〖식〗[*Pimpinella gustavoheziana*] 미나릿과에 속하는 다년초. 줄기는 높이 1m 가량, 잎은 호생하며 밑의 각엽(脚葉)은 장병(長柄)이고 경엽(莖葉)은 단병(短柄)인데 1-2회(回) 삼출(三出)하며, 소엽(小葉)은 긴 타원형을 이룸. 8월에 흰 꽃이 줄기 끝과 가지 끝에 복산형(複繖形) 화서로 정생하고, 긴 타원형의 과실을 맺음. 산지에 나는데, 제주도와 중부 이북 지방에 분포함.

노룸노리 [명]〈옛〉놀음놀이. ¶ᄒᆞᆫ 이리 옷밥ᄉᆞ이와 노룸노리ᄒᆞ야 즐기매 넘디 아니ᄒᆞ니라(不踰衣食之間燕遊之樂耳)《飜小 Ⅷ:13》.

노:류 장화【路柳墻花】[명] 누구든지 꺾을 수 있는 길가의 버들과 담 밑의 꽃이라는 뜻으로, 창부(娼婦)를 가리키는 말.

[노류 장화는 사람마다 꺾으려니와 산 닭 길들이기는 사람마다 어렵다] 창녀(娼女)는 아무나 건드릴 수 있으나, 자유로이 내어 기른 사람을 다시 길들이기는 매우 힘들다는 말. 「에 처함. ——-하다 [타][여불]

노륙【孥戮】[명]〖역〗연좌제(連坐制)에 의하여, 죄인의 아들을 함께 사형

노르께-하다 [형][여불] 곱지도 짙지도 않게 노르다. 노르끄레하다. <누르께하다.

노르끄레-하다 [형][여불] 노르께하다.

노르넨〔Nornen〕[명]〖신〗북유럽 신화 중의 세 여신(女神). 자매(姉妹) 사이로, 각각 과거와 현재·미래를 관장하고 운명·예언을 맡음. 단수(單數)는 노른(Norn).

노르다 [형][러불] 황금이나 놋쇠의 빛깔과 같이 노랗다. <누르다.

노르덴셸드〔Nordenskjöld, Nils Adolf Erik〕[명]〖사람〗핀란드 출생의 스웨덴 탐험가·지질학자. 1864년 스피츠베르겐(Spitsbergen) 섬을 탐험하고, 1878-80년 유럽 대륙 북방 항로를 발견함. [1832-1901]

노르디데〔Nordide〕[명] 오이로피데(Europide) 가운데 피부·머리털·홍채(虹彩)의 색이 엷고 키가 크며 머리가 길고 얼굴이 좁은 인종. 보통 북유럽에 분포하였으므로 북방 인종이라고도 함.

노르딕 종:목【一種目】[명]〔nordic events〕스키 경기 중에서 거리 경기·점프 경기·복합 경기의 세 종목의 총칭. 노르웨이를 중심으로 북(北)유럽 여러 나라에서 발달한 데서 노르드(Nord), 곧 북쪽이란 뜻의 이 명칭이 붙었음. *알펜 경기.

노르마〔러 norma〕[명]〔본래는 라틴말로, 규범·표준·모범의 뜻〕①러시아에서 개인에게 할당되는 노동의 기준량. 임금 산정의 기초가 되는 일정한 시간 안의 표준 작업량. 성별·연령·건강 상태에 따라 결정됨. ②전하여, 일반적으로 근무나 노동의 기준량.

노르만 양식【一樣式】〔Norman〕[명]〖건〗11세기초, 북(北)프랑스의 노르망디에서 일어난 건축 양식. 넓은 뜻으로는 로마네스크 양식에 포함되며 두꺼운 벽에 주름띠를 두르고 장식(裝飾) 모티프를 많이 사용하는 것이 특색임.

노르만 왕조【一王朝】〔Norman〕[명]〖역〗영국 왕조의 하나. 1066년 노르만디공(Normandy公) 윌리엄의 영국 정복 이래 1135년까지 4대에 걸쳤음. 왕권을 강화, 중앙 집권적 봉건 체제를 확립하였음.

노르만-인【一人】〔Norman〕[명]〔북방 사람의 뜻〕스칸디나비아 지방에 살던 게르만의 일족. 성격이 강인하며 항해에 능한 해양 민족으로, 8-12세기에 걸쳐 바이킹(Viking)으로서 유럽 각지에 출몰하여 해적적인 약탈을 자행하였는데, 러시아의 건국(862), 노르망디 공국(911)·노르만 왕조(1066)·나폴리 왕국(1130)의 건설 등으로 여러 나라의 역사에 많은 영향을 미치었음.

노르만 정복【一征服】〔Norman〕[명]〖역〗1066년에 노르만인이 잉글랜드를 정복한 영국사상(英國史上) 획기적 사건. 이 결과 노르만 왕조가 성립되었음.

노르말¹〔normal〕〖화〗[一][명] 접두어적으로 쓰이어, 사슬 모양 탄소 화합물(炭素化合物)의 구조식(構造式)에서 가지가 없는 노르말 사슬의 것을 이름. 기호 *n*-. [二][의명] 용량 분석에서 용액의 농도를 나타내는 단위의 하나. 1리터 속에 용질의 1g 당량(當量)을 포함하는 농도를 1노르말이라고 함. 규정(規定).

노르말²〔프 normal〕[명] 노멀(normal)❶❷❸. ——-하다 [형][여불]

노르말 농도【一濃度】〔normal〕[명]〖화〗용액 1리터 속에 녹아 있는 용질(溶質)의 g 당량수(當量數). 규정 농도.

노르말 사슬 [명]〔normal chain〕〖화〗화합물 중에서, 원자가 고리를 이루지 않고 하나의 직선상(直線狀)으로 결합한 상태. 주로 사슬 모양 화합물 중의 탄소 원자의 결합에 대하여 일컬음. 기호 *n*-를 사용하여 *n*-부탄을 노르말 부탄이라고 부름. 직쇄(直鎖).

노르말 수소 전:극【一水素電極】〔도 Normal〕[명]〖전〗흡착시킨 수소 가스의 압력을 1기압, 수소 이온의 농도를 1노르말로 하였을 때의 수소 전극. 표준(標準) 전극으로 중요함. 규정 수소 전극.

노르말-액【一液】〔도 Normal〕[명]〖화〗농도가 몇 노르말인가 정확하게 알려져 있는 시약(試藥) 용액. 용량 분석에 쓰임. 규정액. 표준액.

노르망디〔Normandie〕[명]〖지〗프랑스 북서부(北西部) 지방의 옛 주

(州)이름. 동쪽에 센 강(Seine江)이 흐르고 서쪽에는 코탕탱 반도(Cotentin半島)가 영국 해협에 돌출함. 9세기 이래 노르만인(人)이 침입하여, 10세기에 노르망디 공국이 성립. 13세기부터 프랑스 영토. 농산(農產) 및 목축을 주산업으로 하여 공업 지대를 이룸. 2차 세계 대전 말기에 연합군에 의한 노르망디 상륙 작전이 행해진 곳. [30,000 km²]

노르망디 공국【一公國】〔Normandie〕 명 〖역〗 911년 노르만의 수장(首長) 롤로(Rollo)에 의해서 시작된 노르망디 지방의 공국. 11세기 카페 왕조를 도와서 강대하여졌음. 노르만 정복(Norman 征服) 이후 주로 영령(英領)에 속하다가 1259년 프랑스에 병합됨.

노르망디 상:륙 작전【一上陸作戰】〔Normandie〕〔一뉴一〕 명 〖역〗 제2차 세계 대전말, 연합군이 감행(敢行)한 작전. 1944년 6월 6일 아이젠하워 장군 지휘 아래 함선 5,000척, 병력 20만 명이 북프랑스의 노르망디 반도에 상륙, 이로 인하여, 이른바 제2 전선(戰線)이 형성되어 전국(戰局)에 일대 전기(一大轉機)를 가져와 같은 해 8월에 파리는 해방됨.

노르무레-하다 형 여불 산뜻하지 아니하고 옅게 노르다. <누르무레하다.

노르스레 부 노르스름하게. <누르스레. ——하다 형 여불

노르스름-하다 형 여불 산뜻하고 옅게 노르다. <누르스름하다. 노르스름-히 부

노르아드레날린〔noradrenalin〕 명 〖생〗 노르에피네프린.

노르에피네프린〔norepinephrine〕 명 〖생〗 부신 수질(副腎髓質)에서 아드레날린과 함께 추출되는 호르몬. *카테콜라민.

노르웨이〔Norway〕 명 〖지〗 스칸디나비아 반도의 서부를 차지한 입헌 왕국(立憲王國). 국토는 북위 58-71°에 걸쳐 남북으로 길게 뻗고, 대부분 표고 1,000-2,000 m의 고원을 이룸. 빙하와 빙식(氷蝕)에 의한 유자곡(U字谷)이 산재하며, 북쪽에 위치하면서도 만류(灣流)의 영향을 받아 기후는 비교적 온화함. 주민은 대부분 북방 게르만계(系)의 노르웨이인(人)이며, 노르웨이어(語)를 사용함. 국토의 25%가 숲으로 덮여 임업이 성하며, 제지(製紙)·화학·기계·조선·식품 가공 등의 공업이 발달함. 어업도 성하여 대구·청어의 어획도 많음. 사회 보장 제도가 특히 발달함. 덴마크의 지배를 거쳐, 스웨덴과 동군 연합(同君聯合)을 형성하였다가 1905년 국민 투표에 의해 독립함. 수도는 오슬로(Oslo). 정식 명칭은 '노르웨이 왕국(Kingdom of Norway)'. 나위(那威). 낙위(諾威). [326,266 km² : 4,270,000 명(1991 추계)]

노르웨이식 포:경법【一式捕鯨法】〔Norway〕〔一뻡〕 명 대포로 작살을 쏘아 맞히어 고래를 잡는 방식. 1864년에 노르웨이에서 처음 고안되었으며, 이 방법으로 포획량이 비약적으로 늘어서 남획(濫獲)의 우려가 있게 되었음.

노르웨이-어【一語】〔Norway〕 명 〖언〗 인도 유럽어족의 게르만어파(語派) 북(北)게르만어군(語群)에 속하는 언어. 노르웨이 동부(東部)와 그 곳 여러 도시에서는 노르웨이식(式) 덴마크어가 사용되고, 서부와 남부에서는 고래(古來)의 노르웨이 방언(方言)에서 유래된 언어가 사용되고 있으나, 흔히 노르웨이어라고 하면 전자(前者) 중에서 수도 오슬로(Oslo)의 언어를 가리킴.

노르웨이 초석【一硝石】〔Norway〕 명 〖화〗〔노르웨이에서 공중 질소를 고정하여 처음 만들었으므로 이 이름이 있음〕 질산 칼슘.

노르쵸핑〔Norrköping〕 명 〖지〗 노르쵸핑 만(灣) 깊숙이 있는 스웨덴 제4의 항구 도시. 섬유 공업의 중심지이며 제지(製紙)·조선(造船)·면직·펄프 등의 여러 가지 공업이 성함. [119,001 명(1988)]

노:르카프 곶〔Nordkapp〕 명 〖지〗 노르웨이 최북단(最北端)에 있는 마거뢰위(Mageröy)섬 북부에 있고, 흔히 유럽의 최북점(最北點)으로 치는 곳. 5월 중순부터 7월말까지 백야(白夜)가 계속됨.

노르트라인-베스트팔:렌〔Nordrhein-Westfalen〕 명 〖지〗 독일 서부(西部)의 주(州). 1947년에 성립. 이 주에 속하는 루르(Ruhr) 지방은 독일 중공업의 중심지임. 주도는 뒤셀도르프(Düsseldorf). [34,040 km² : 17,058,000 명(1985)]

노르트-비전〔Nord-vision〕 명 스칸디나비아 3국과 핀란드·아이슬란드의 5개국을 연결한 방송 네트워크. 인터비전과는 1969년에 협정이 체결되어 프로그램 및 방송 소재의 교환을 실시하고 있음.

노르트오스트제 운하【一運河】〔Nord Ostsee〕 명 〖지〗 킬 운하(Kiel 運河).

노른-알 명 〈방〉 노른자위(제주).

노른-자 명 ↗노른자위. ↔흰자.

노른자-가루 명 난황분(卵黃粉).

노른-자구 명 〈방〉 노른자위(강원).

노른자-막【一膜】 명 〖생〗 난황막(卵黃膜).

노른-자우 명 〈방〉 노른자위(경남).

노른-자위 명 ①〖생〗 알의 흰자위에 둘러싸인 둥글고 노란 빛의 건 액체. 흰자위와 함께 배(胚)의 영양이 되는데, 레시틴(Lecithin)·지방·단백질·회분(灰分)·비타민 A를 함유하고 있음. 난황(卵黃). 단황(蛋黃). ↔흰자위. ②어떤 사물의 가장 중요한 부분을 이르는 말. 준노른자.

노른-재 명 〈방〉 노른자위(충남·경남).

노른-쟁이 명 〈방〉 노른자위(경북).

노른-조시 명 〈방〉 노른자위(경상).

노름¹ 명 재물을 걸고 주사위·골패·마작·화투·카드 따위를 써서 서로 따먹기를 내기하는 것. 도박(賭博). 도기(賭技). ——하다 자 여불 [노름 뒤는 대어도 먹는 뒤는 안 댄다] 노름을 하다 보면 따는 수도 있겠으나, 먹는 일은 한없는 일일뿐더러 없어지고 마는 것이어서 당해내지 못하므로, 가난한 사람을 먹여 살리기는 어려운 노릇이라는 말. [노름은 도깨비 살림] 도박의 성패는 도무지 예측할 수 없어, 돈이 불어갈 때는 알 수 없을 만큼 쉽게 또 크게 는다는 말. [노름은 본전에 망한다] 잃은 본전을 되찾으려는 욕망으로 자꾸 하다 보면 더욱 깊이 노름에 빠져 들게 마련이라는 말.

노름² 〔프 norme, 도 Norm〕 명 〖법〗 규범(規範). 법칙과 준칙(準則).

노름-꾼 명 노름을 일삼아 하는 사람. 도박꾼. 도박사.

노름-바지 명 〈방〉 광대. *노릇바치.

노름-방【一房】〔一빵〕 명 노름을 하는 방.

노름-빚〔一삗〕 명 노름을 하여서 진 빚.

노름-질 명 노름을 하는 짓. ——하다 자 여불

노름-판 명 노름을 하는 곳. 노름이 벌어진 곳.

노름-패【一牌】 명 노름을 일삼아 하는 사람들의 무리.

노릇 명 ①구실이 되거나, 업으로 삼는 일. ¶ 선생 ~/형 ~도 못하겠다. ②어떤 일의 딱한 처지나 형편. ¶ 기가 막힐 ~이다.

노릇-노릇 부 군데군데 노르스름한 모양. <누릇누릇. ——하다 형 여불

노릇노릇-이 부 노릇노릇하게.

노릇-하다 형 여불 노르스름하다. ¶ 벼 이삭이 ~. <누릇하다.

노릉-조시 명 〈방〉 노른자위(경남).

노리¹ 명 〈방〉〖동〗 노루(전라·제주·경상).

노리² 명 〈옛〉 놀이. ¶ 녯날 노리ᄂᆞᆫ 淫ᄒᆞᆫ 樂이라(昔日之遊 淫樂也) ≪內訓 Ⅱ 上:30≫.

노리³ 명 〈방〉 놀²(충청·평안·함경).

노:리⁴ 명 〈방〉 놀²(강원·충북·경북·함남).

노:리⁵【老吏】 명 늙은 아전.

노:리⁶【老羸】 명 늙어서 쇠약해짐. 또, 그 사람.

노리⁷【露里】 의명 러시아 이정(里程)의 단위. 1,066 m에 해당함.

노리개 명 ①금·은·주옥 등으로 만든 여자의 패물. 패물(佩物). ②심심풀이로 가지고 노는 물건. 완구(玩具). 장난감. ¶ 여자를 ~로 삼다.

노리개-보【一褓】 명 노리개를 싸서 간수하는 보자기.

노리개-첩【一妾】 명 젊고 얼굴이 아름다워서 귀엽게 데리고 노는 첩. 화초첩(花草妾).

노리갯-감 명 노리개의 대상이 될 만한 것.

노리기 명 〈방〉〖동〗 노래기(함경).

노리끼-하다 형 여불 ☞노르께하다.

노리다¹ 타 칼로 가로 갈겨 베다.

노리다² 타 ①눈에 독기를 올리어 겨누어 보다. ¶ 노려보면 어쩔 셈이냐. ②기회를 잡으려고 잔뜩 눈여겨 보다. ¶ 기회를 ~/약점을 ~.

노리다³ 형 ①털이 타는 냄새나, 노래기의 냄새가 나다. <누리다. ②마음쓰는 것이 치사스럽다. 인색하다.

노리사치계【奴唎斯致契】 명 〖사람〗 백제의 중. 성왕(聖王) 30년(552) 일본에 불상(佛像)·경론(經論)·번개(幡蓋)를 전하였음.

노리쇠-뭉치 명 〖군〗 총(銃)의 폐쇄기(閉鎖器). 총미(銃尾)의 폐쇄, 발화(發火) 및 탄피(彈皮)를 튀겨 내는 장치로 이루어짐.

노리스〔Norris, Frank〕 명 〖사람〗 미국의 작가. 졸라의 영향을 받아 대학 시절에 쓴 ≪맥티그(McTeague)≫를 1899년에 발표, 자연주의 작가로서 성공함. 미국의 자연과 경제상(相)을 다룬 3부작 ≪밀의 서사시≫에 착수하였으나, ≪옥토푸스(Octopus)≫·≪소맥 거래소≫만을 쓰고 병사하였음. [1870-1902]

노리스 댐〔Norris Dam〕 명 〖지〗 미국 테네시 주(州) 동쪽, 테네시 강 지류에 있는 댐. '테네시 강역(江域) 개발 공사'의 여러 댐 중에서 최초로 1936년에 완성된, 길이 567 m, 높이 81 m의 직선 중력식(直線重力式) 콘크리트 댐임. 저수량 32억 m³, 발전량 약 10만 kW.

노리스 라 가:디아 법【一法】〔一뻡〕 명 〔Norris-La Guardia Act〕 1932년에 제정된 미국의 노동법(勞動法). 노동자의 단결 및 쟁의 행위를 보장하기 위하여 황견 계약(黃犬契約)을 위법이라고 규정하고, 평화적 쟁의에 대한 연방 재판소의 금지 명령은 금지되어야 한다고 규정하는 등, 후일의 '와그너법(Wagner法)'의 선구가 된 노동 입법임. 제안자인 노리스(Norris, G. W.)와 라 가디아(La Guardia, F.H.)의 이름을 따서 붙인 이름. 반(反)금지 명령법(Anti-Injunction Act).

노리시〔Norrish, Ronald George Wreyford〕 명 〖사람〗 영국의 물리화학자. 케임브리지 대학 교수 역임. 단시간 펄스(短時間 pulse)에 의한 평형 상태 교란(平衡狀態攪亂)으로 초래되는 초고속(超高速) 화학 반응의 연구로, 1967년 아이겐(Eigen, M.), 포터(Porter, G.)와 더불어 노벨 화학상을 공동 수상. [1897-1978]

노리착지근-하다 형 여불 노린내가 나는 듯하다. 준노리치근하다·노착지근하다. <누리척지근하다. 노리착지근-히 부

노리치근-하다 형 여불 ↗노리착지근하다. <누리치근하다. 노리치근-히 부

노린-내 명 노래기·양·여우 등에서 나는 냄새. 전취(羶臭). <누린내. 노린내가 나도록 때리다 구 얻어맞은 사람의 코에서 노린내가 나도록 몹시 때리다.

노린-동전【一銅錢】 명 아주 작은 액수의 돈. 피천. ¶ ~ 한 푼 없다.

노린-자 명 〈방〉 노른자.

노린-자새 명 〈방〉 노른자위(경북).

노린-자우 명 〈방〉 노른자위(강원).

노린-재¹ 명 〈방〉 노른자위(충남·경북).

노린재² 명 〖충〗 ① 매미목(目)에 속하는 노린잿과(科)·넓적노린잿과·별박이노린잿과·상수리노린잿과·실노린잿과·쐐기노린잿과·허리노린잿과 등에 속하는 곤충의 총칭. 앞날개가 혁질(革質)이고, 끝부분만 막질(膜質)인 다른 매미목과 다름. 뭍에 사는 종류는 촉각이 길고, 물에 사는 종류는 촉각이 짧음. 배에 선(腺)이 있어 고약한 냄새를 내는데, 특히 육서 종류에 심함. 대체로 식물의 즙액(汁液)을 빨아먹는 것이 많아, 농작물·원예 식물의 큰 해충임. 넓적노린재처럼 썩은 나무나 버섯에 피는 것, 침노린재나 쐐기노린재처럼 동물의 체액(體液)을 빨아

먹는 것도 적지 아니함. ②특히, 노린잿과에 속하는 곤충의 총칭.

〈노린재나무〉

노린재-나무 명 〖식〗 [*Palura chinensis* var. *pilosa*] 노린재나뭇과에 속하는 낙엽 활엽의 관목 또는 작은 교목. 높이 2.5m 가량, 잎은 거꿀달걀꼴 또는 긴 거꿀달걀꼴이며 양면이 녹색에 황색을 띰. 5월에 담황색 꽃이 원추(圓錐) 화서로 정생하고, 장과(漿果)는 가을에 청람색으로 익음. 산지에 나는데, 한국 각지 및 일본·중국에 분포함. 연장의 자루·판재·지팡이·자 따위를 만드는 데 쓰임.

노린재나뭇-과【一科】명 〖식〗 [Symplocaceae] 쌍자엽문(雙子葉門) 합판화류(合瓣花類)에 속하는 한 과. 관목 혹은 교목으로 열대·아열대에 나는데 전세계에 280여 종, 한국에는 검은재나무·검노린재나무·노린재나무·섬노린재나무 등이 분포함.

노린잿-과【一科】명 〖충〗 [Pentatomidae] 매미목(目)에 속하는 한 아과(亞科). 촉각은 5절(節), 복안(複眼) 외에 단안(單眼)은 두 개 또는 없는 종류도 있음. 몸은 동그랗거나 또는 길동그란데 몸에서 고약한 냄새를 냄. 여러 가지 식물의 해충이 많음. 가위노린재·집게노린재·무당노린재·눈박이알노린재·빈대붙이·비단노린재·섬노린재 등이 있음.

노린제 명 〈방〉 〖동〗 노래기(경남).

노림【勞痳】명 〖한의〗 색(色)을 너무 써서 오줌 구멍이 바늘로 찌르듯이 아픈 임질.

노립【蘆笠】명 갈삿갓.

노릿-하다 형여불 냄새가 약간 노리다. <누릿하다.

노ᄅᆞ 명 〈옛〉 노루. =노로·놀. ¶ 노ᄅᆞ 쟝(獐), 노ᄅᆞ 균(麇)《字會 上 18》.

노ᄅᆞ다 형 〈옛〉 노랗다. ¶ 비치 노ᄅᆞ고《月釋 I:44》.

노ᄅᆞᆺ 명 〈옛〉 놀음놀이. 장난. ¶ 山行ᄋᆞᆯ ᄒᆞ거나 노ᄅᆞᄉᆞᆯ ᄒᆞ거나 《月釋 XI:58》.

노ᄅᆞᆺ노리 명 〈옛〉 소꿉장난. ¶ 孟子ㅣ져며 겨실 제 노ᄅᆞᆺ노리ᄅᆞᆯ 무덤서리옛 이ᄅᆞᆯ ᄒᆞ야(孟子之少也 嬉戲爲墓間之事)《內訓 Ⅲ:13》.

노ᄅᆞᆺ바치 명 〈옛〉 광대. ¶ 노ᄅᆞᆺ바치 우(優), 노ᄅᆞᆺ바치 령(伶)《字會 中 3》.

노마[1] 명 〈방〉 사내아이(함경).

노:마[2]【老馬】명 늙은 말.

노:마[3]【怒馬】명 ①살찐 말. ②성난 말.

노:마[4]【路馬】명 노거(路車)를 끄는 말.

노마[5]【駑馬】명 ①걸음이 느린 말. 둔한 말. ¶ ~에 채찍질하여. ②재능이 둔하고 남에게 빠지는 사람의 비유.

노:-마님【老一】명 늙은 마님을 높이어 부르는 말.

노마 십가【駑馬十駕】명 노마도 준마(駿馬)의 하룻길을 열흘에는 갈 수 있다는 뜻으로, 둔재(鈍才)도 힘쓰면 된다는 말.

노: 마:크 〔no+mark〕 명 운동 경기 등에서, 특정한 상대를 특별히 경계하거나 방어하지 아니함. 또, 그러한 상태. ¶ ~ 찬스.

노만-주의【魯漫主義】[一/一이] 명 '로맨티시즘'의 한역(漢譯).

노:망[1]【老妄】명 늙어서 망령을 부림. ¶ ~ 들리다. ——-하다 자여불

노:망(이) 나다 구 늙어서 노망기가 생기다.

노:망(이) 들다 구 노망이 생기다.

노망[2]【鹵莽】명 조략함. 거칢. ——-하다 형여불

노:망-되다【老妄一】[一뙤一] 형 늙어서 망령기가 있다.

노-망태 명 ↗노망태기.

노-망태기 명 노로 그물처럼 떠서 만든 망태기. 준노망태.

노:매【怒罵】명 성내어 욕하고 꾸짖음. ——-하다 타여불

-노매라 어미 〈옛〉 -는구나. ¶ 내의 왼 이ᄅᆞᆯ 다 닐오려 ᄒᆞ노매라 《古時調 鄭澈》.

노: 머니 〔no money〕 명 돈이 없음. 또, 그러한 상태.

노:멀 〔normal〕 명 ①규칙적임. ②정상적임. ③모범적임. ④〖화〗 노르말. 1)-3):↔애브노멀(abnormal). ——-하다 형여불

노:멀 부탄 〔normal butane〕 명 〖화〗 부탄의 이성체(異性體)의 하나. 석유의 분해 생성물(生成物)이나 천연 가스를 증류(蒸溜)하여 얻는 기체. 액화(液化)가 용이한 석유 가스로서 공업용 연료(燃料) 또는 합성 고무의 원료로 쓰임. [$CH_3CH_2CH_2CH_3$]

노:멀 부틸 알코올 〔normal butyl alcohol〕 명 〖화〗 부틸 알코올의 하나. 아세톤 부타놀(acetone butanol) 발효(醱酵) 또는 프로필렌(propylene)에서 합성함. 용제(溶劑)로서 중요하며 분석 시약(分析試藥) 또는 에스테르(ester) 원료로도 쓰임. 그냥 부틸 알코올이라고도 함.

노:멀 스쿨: 〔normal school〕 명 사범 학교.

노:멀 톤: 〔normal tone〕 명 〖연〗 하이키와 로키의 중간 정도의 영화 촬영 방법. *하이키 톤(high-key tone).

노면[1]【勞勉】명 위로하고 격려함. ——-하다 타여불

노:면[2]【路面】명 길바닥.

노:면[3]【露面】명 얼굴을 드러냄. ——-하다 자여불

노:면 보:수차【路面補修車】명 아스팔트 콘크리트를 싣고 다니며 보수 지점을 잘라 아스팔트를 살포하고, 롤러로 다져서 포장 도로를 보수하는 특수 차량.

노:면 전:차【路面電車】명 노면에 부설(敷設)된 레일 위를 달리는 전차.

노:면 표지【路面標識】명 도로 교통의 안전을 위해, 주의·규제·지시 등의 내용을 노면에 기호·문자 또는 선으로 표시하여 도로 사용자에게 알리는 표지. *주의 표지·규제 표지.

노명[1]【奴名】명 종의 이름.

노:명[2]【露命】명 이슬과 같이 덧없는 목숨. ¶ ~을 잇다.

노명 소:지【奴名所志】명 〖역〗 주인이 종의 이름으로 소지(所志)를 드림. 노명 정장(奴名呈狀). ——-하다 타여불

노명 정장【奴名呈狀】명 〖역〗 노명 소지(奴名所志). ——-하다 타여불

노:모[1]【老母】명 늙은 어머니. *존온(尊媼).

노:모[2]【老謀】명 노련한 꾀.

노모[3]【壚母】명 〖광〗 ①석영(石英)·운모(雲母) 따위의 가루나 수산화철(水酸化鐵) 등이 혼합된 점토(粘土). 황갈색을 띰. ②주형(鑄型)을 만드는 데 쓰는 흙.

노모그래프 〔nomograph〕 명 노모그램.

노모그램 〔nomogram〕 명 〖수〗 몇 개의 변수(變數)의 관계를 그래프로 나타내어 수치(數値)를 알아낼 수 있도록 만든 도표. 노모그래프(nomograph). 구용어: 계산 도표(計算圖表).

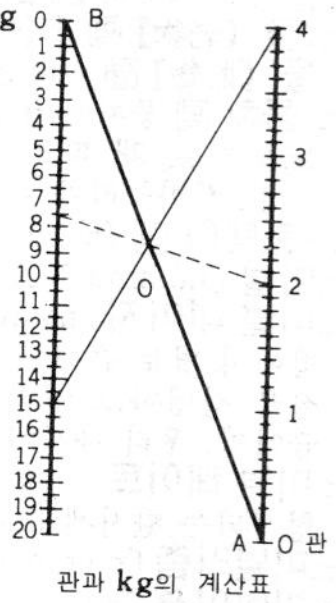

〈노모그램〉

노:모성 치매【老耄性痴呆】[一썽一] 명 〔senile dementia〕 〖의〗 노인에게 발생하는 일종의 정신병. 기억력·이해력 등이 감퇴함. 노인성 치매.

노모스[1] 〔그 nomos〕 명 〖철〗 관습·사회 제도·도덕·종교상의 규정이나 법률의 뜻. 소피스트(sophist)들은 이것을 자연과 대립되는 인위적인 것의 의미로 썼음. 이 사고 방식은 퀴닉 학파나 스토아 학파에서도 보임. ↔피시스(physis).

노모스[2] 〔그 nomos〕 명 〖역〗 고대 이집트의 주(州). 이집트어로 세페트(sepet)라 하여 운하(運河)의 양쪽 땅이라는 뜻. 상(上)이집트에 22, 하(下)이집트에 20 주(州)가 있어, 각각 수호신이 있고 통일 왕국 시대에는 경제적·종교적 단위를 이루고, 분열 시대에는 정치적으로 독립해 있었음.

노: 모어 〔no more〕 명 더 이상은 싫음. 이제 그만.

노: 모어 히로시마 〔No more Hiroshimas〕 명 〔Hiroshima는 일본 지명〕 원자 폭탄이 투하된 히로시마 시(廣島市)의 참극(慘劇)을 다시는 되풀이하지 말라는 말. 미국의 작가 허시(Hersey)의 저서 《히로시마(Hiroshima)》에서 생긴 말로 핵 실험 금지와 세계 평화를 부르짖는 호소로서 널리 퍼짐.

노:목[1]【老木】명 늙은 나무. 고목(古木). 노수(老樹).

노:목[2]【怒目】명 성난 눈.

노목[3]【蘆木】명 〖식〗 고생대(古生代) 석탄기(石炭紀)에 무성했던 거대한 목본(木本) 양치(羊齒) 식물. 모양이 속새와 비슷하나 높이 수십 미터에 이름. 그 유해(遺骸)가 석탄이 된 것임. 칼라미테스.

〈노목[3]〉

노목-산【櫓木山】명 〖지〗 강원도 정선군(旌善郡)에 있는 산. [1,150m]

노:목 시:지【怒目視之】명 성난 눈으로 봄. ——-하다 타여불

노몬 〔gnomon〕 명 '그노몬(gnōmōn)'의 영어.

노몬한 〔Nomonhan〕 명 〖지〗 중국 만주 지방의 서북부 몽골과의 국경에 가까운 할하 강변(Khalkha 江邊)의 땅.

노몬한 사:건【一事件】〔Nomonhan〕 [一껀] 명 〖역〗 1939년에, 노몬한에서 일어난 일·소 양군의 국경 분쟁. 일본군은 관동군 1만 6천 명을 동원하였는데, 공군과 기계화 부대를 동원한 소련군에 전멸에 가까운 참패를 당함. 정전 협정의 성립으로, 국경선은 대략 소련의 주장대로 확정되었음.

노무 명 〈방〉 남[1](전남).

노무[1]【勞務】명 급료(給料)를 받으려고 체력(體力) 또는 정신력을 들이는 노동 근무.

노무[2]【魯莽·鹵莽】명 성질이나 재질이 무디고 거칢. ——-하다 형여불

노무 공:급 계:약【勞務供給契約】명 〖사〗 고용·청부·위임을 포함하는 넓은 뜻의 노동 계약. 노무 주선 계약을 말할 때도 있음.

노무 공:급 청부【勞務供給請負】명 〖사〗 노동력이 필요한 곳에 노동자를 도맡아서 공급하는 일. 계약 관계, 경제상의 지배 관계 또는 사실상의 관계로 자기에게 딸린 노동자를 보내는 것을 말함.

노무 관:리【勞務管理】[一괄一] 명 〔labour management〕 〖경〗 노동자의 사용을 합리화(合理化)하고 생산성을 높이기 위하여 사용자가 행하는 관리. 인사·복리 후생·교육 및 노동 조합 대책 등을 포함함. *인사 관리.

노무-대【勞務隊】명 노무자들로써 조직된 부대.

노:-무력【老無力】명 늙어서 힘이 없음. ——-하다 형여불

노무 배상【勞務賠償】명 상대방에 끼친 손해에 대하여 금전 대신에 기술·노력 등을 제공하여 배상하는 일. 역무(役務) 배상.

노무-비【勞務費】명 사업주가 근로자의 노동에 대하여 지불하는 대가(對價)와 노무 관리를 위하여 들이는 비용의 총칭.

노무비 비:율【勞務費比率】명 〖경〗 생산 총원가에 대한 노무비의 비율.

노:-무용【老無用】명 늙어서 쓰일 곳이 없음. ——-하다 형여불

노무-자【勞務者】명 노무에 종사하는 사람.

노무 출자【勞務出資】[一짜] 명 무한 책임 사원이나 조합원이 공동의 사업 경영을 위하여 금전이나 물자를 출자하는 대신에 업무 집행, 그 밖의 노무를 제공하는 일. *신용 출자·재산 출자. ——-하다 자여불

노:무-편【老巫篇】명 〖문〗 고려 고종(高宗) 때의 문인 이규보(李奎報)가 지은 장편 고시(古詩). 작자가 개성에서 살 때, 이웃에 사는 무당이 음무(淫巫)로 타락해 버린 것을 아쉬워하며 지은 시. 《동국 이상국집(東國李相國集)》에 전함.

노문[1]【勞問】명 신하를 위문함. ——-하다 타여불

노:문[2]【路文】명 〖역〗 벼슬아치가 공무(公務)로 지방에 여행할 때는 역마(驛馬)를 사용하고 또한 지나가는 길가에 있는 군아(郡衙)에서 하루 세 차례의 식사를 해야 되므로 이를 미리 마련하게 하기 위하여 출발에 앞서 공행(公行)의 일정표(日程表)를 연도(沿道)의 각 고을에 보내는 공문(公文).

노:문(을) 놓다 구 ㉠노문을 보내다. ㉡미리 알리다.
노:문[3]【路門】명 오문(五門) 또는 삼문(三門)에서 가장 내부에 있는 궁문(宮門).
노문[4]【露文】명 러시아말로 된 글.
노물[1] 명 〈방〉 나물(전라).
노:물[2]【老物】명 ①〈속〉 늙어서 쓸모없는 사람. ②낡은 물건.
노물[3]【賂物】명 →뇌물(賂物).
노-뭉치 명 뭉치어 놓은 노.
노뭉치로 개 때리듯 구 상대의 비위를 맞춰 가며 슬슬 놀림을 이르는 말. ¶ 마누라가 이 모양으로 ~ 구참령 험담을 내어 놓는데…《李海朝 : 花世界》.
노-뭉텡이 명 〈방〉 노뭉치(평안).
노미널 〔nominal〕 명 ①명의상. 공칭상(公稱上). ②액면(額面).
노미널 대미지 〔nominal damage〕 명 〖법〗 명의상의 손해 배상금. 영국법에서 별로 손해는 없는데 권리의 침해가 있는 경우에 그 침해의 사실을 선언하고 권리의 확인을 위하여 승소자에게 인정되는 극소액의 금액임. 우리 나라에서는 인정되지 아니함.
노미널 레이트 〔nominal rate〕 명 〖경〗 두 나라 화폐의 시가(時價)에서 형성되는 환시세(換時勢). 환율(換率).
노미널리즘 〔nominalism〕 명 ①〖철〗 유명론(唯名論). 명목주의. ②〖경〗 화폐 명목주의.
노미네이션 〔nomination〕 명 ①지명(指名). ②임명(任命). ③추천.
노미네이트 〔nominate〕 명 후보(候補)로 추천 또는 지명하는 일.
노민 【勞民】 명 ①백성을 위로함. ②백성을 부림. ③지친 백성. ——-하다 자여불
-노ᄆᆡ라 어미 〈옛〉 -는구나. -구나. ¶ 秋江에 밤이 드니 물결이 ᄎᆞ노ᄆᆡ라 낙시 드리치니 고기 아니 무노ᄆᆡ라 《古時調》.
노바 〔nova〕 명 〖천〗 갑자기 밝게 빛나다가 점차 본래의 광도(光度)로 되돌아가는 항성(恒星).
노바-리스보아 〔Nova Lisboa〕 명 〖지〗 '우암보(Huambo)'의 구칭.
노바스코샤 주 【一州】〔Nova Scotia〕 명 〖지〗 캐나다 남동단(南東端)에 위치한 주(州). 양항(良港)이 많으며 어업이 성함. 주도(州都)는 핼리팩스(Halifax). [54,020 km^2: 866,100 명(1984)]
노바야젬랴 섬 〔Novaya Zemlya〕 명 〖지〗 러시아 연방, 북극해상의 큰 섬. 바렌츠 해(Barents海)와 카라 해(Kara海) 사이에 있는 남북으로 긴 섬인데, 중간을 가로지르는 아주 좁은 수로로 인해 남북의 두 섬으로 나누어짐. 석탄·구리 등이 산출됨. 16세기에 발견됨. [82,600 km^2]
노바-후타 〔Nowa Huta〕 명 〖지〗 폴란드의 남부, 비스와 강(Wisła江) 연안 근처의 공업 지구. 1949년 폴란드 최대의 철강 콤비나트, 노동자 주택 등이 건설됨. [216,500 명(1982 추계)]
노박 【魯朴】 명 어리석고 소박함. ——-하다 형여불
노박-덩굴 명 〖식〗 [*Celastrus orbiculatus*] 노박덩굴과에 속하는 낙엽 활엽의 덩굴성 관목. 잎은 타원형 또는 거의 원형임. 5월에 자웅 잡가(雌雄雜家)로 된 녹황색 꽃이 취산(聚繖) 화서로 피고, 삭과(蒴果)는 10월에 황적색으로 익음. 산이나 들의 숲 속에 나는데, 한국·일본·사할린·중국·만주에 분포함. 어린 잎은 식용, 과실은 제유용(製油用), 수피(樹皮)는 섬유용(纖維用)임.

〈노박덩굴〉

노박덩굴-과 【一科】[一꽈] 명 〖식〗 [Celastraceae] 쌍자엽(雙子葉) 식물 이판화류(離瓣花類)에 속하는 한 과. 교목(喬木) 또는 관목으로 전 세계에 460여 종, 한국에는 갈매나무·대추나무·넓은잎화살나무·노박덩굴·화살나무·섬회나무·사철나무·호깨나무 등의 20여 종이 분포함.
노-박이 명 〈방〉 ①계속해서 그 자리에 박혀 있는 일(충청). ②비나 눈 따위를 가리지 않고 줄곧 맞는 일(충청). ¶ 그 세찬 비를 ~를 해서 길을 걸었다.
노박이-로 부 계속해서 오래 붙박이로. ¶ ~ 비를 맞다.
노:박 집람 【老朴集覽】[一남] 명 〖책〗 최세진(崔世珍)이 지은 책. 《박통사 언해(朴通事諺解)》와 《노걸대 언해(老乞大諺解)》에서 어구를 뽑아 해설을 붙인 책. 활자본. 1책.
노-박히다 자 계속해서 오래 붙박히다.
노:반[1] 【路盤】 명 ①도로에 자갈·콘크리트·아스팔트(asphalt) 등을 깔아 포장하기 위해서 땅을 파고 잘 다져 놓은 지반(地盤). 노상(路床). ②철로(鐵路)의 궤도(軌道)를 부설(敷設)하기 위한, 축제(築堤) 또는 구조물(構造物)로 된 토대(土臺).

〈노반[1]❷〉

노 반[2] 【魯般】 명 〖사람〗 중국 노(魯)나라 사람. 기계를 잘 만들어, 나무로 깎은 새가 날았다고 함. 성(城)을 치는 운제(雲梯)를 만들어 유명. 후세에 공장(工匠)의 제신(祭神)이 됨. 생몰년 미상(未詳).
노:반[3] 【露盤】 명 〖건〗 불탑(佛塔) 위에 있는 상륜(相輪)의 한 부분. 모양이 네모난 기와집의 지붕 같음. 보통 이 위에 복발(覆鉢)이 있음.
노:반 공사 【路盤工事】 명 노반을 만들기 위한 공사.
노반 박사 【鑪盤博士】 명 〖역〗 백제의 주공(鑄工). 성왕(聖王) 때 일본에 노반 박사를 보냈다고 하는데, 이것은 백제의 야금술(冶金術)이 일본에 전해졌음을 말함.
노:발 대:발 【怒發大發】 명 대단히 성을 냄. 몹시 노함. ——-하다 자여불
노발:리스 〔Novalis〕 명 〖사람〗 독일의 시인·소설가. 본명 Friedrich von Hardenberg. 초기 낭만파(浪漫派)의 대표적 인물로, 연인(戀人)의 죽음을 비탄, 연인이 산다고 믿는 암흑의 세계를 동경하여 서정시 《밤의 찬가》 등 신비적 영감(靈感)에 찬 작품을 발표하였음. 이 밖에 미완성의 소설 《사이스(Sais)의 제자들》·《푸른 꽃》 등의 걸작이 있음. [1772-1801]
노:발 충관 【怒髮衝冠】 명 노한 머리털이 관을 추켜 올린다는 뜻으로, 몹시 성낸 용사(勇士)의 모양을 말함.
노:방 【路傍】 명 길 옆. 길가. *길섶.
노:방 잔읍 【路傍殘邑】 명 높은 벼슬아치를 대접하느라고 피폐하여진 큰길가의 작은 고을.
노:방 전도 【路傍傳道】 명 〖기독교〗 단체로 거리에 나가서 하는 전도. 가로(街路) 전도. ——-하다 자여불
노방주 【一紬】 명 중국에서 나오던 명주의 한 가지. 명주보다 감이 두껍고 윤이 없으며 가슬가슬함. 여자들의 여름옷에 쓰임.
노방-청 【奴房廳】 명 〖역〗 지방 관아의 관노(官奴)들이 출근하던 집.
노:방-초 【路傍草】 명 길가에 난 풀.
노:방-토 【路傍土】 명 〖민〗 육십 화갑자(六十花甲子)에 있어서, 경오(庚午) 신미(辛未)에 붙이는 납음(納音). 경신(庚辛)의 금(金)으로써 나무를 자르고 오미(午未)의 화(火)로써 불태워 없애니 넓은 길이 트인다는 말.
노배[1] 【奴輩】 명 남을 욕으로 부르는 말. 놈. 자식들.
노:배[2] 【老輩】 명 나이 많은 축. 늙은 무리.
노배기 명 〈방〉 〖동〗 노래기(경남).
노-백린 【盧伯麟】[一닌] 명 〖사람〗 황해도 출신의 독립 운동가. 호는 계원(桂園). 일본 육군 사관 학교를 졸업하고, 귀국하여 관립 무관 학교(官立武官學校)의 교장 등을 역임함. 안창호(安昌浩) 등과 신민회를 조직하였으며, 1914년 하와이에 건너가 국민 군단(國民軍團)을 창설하기도 함. 1919년 삼일 운동 때 상해 임시 정부에 가담, 군무 부장·국무 총리를 역임. [1875-1926]
노:-법사 【老法師】 명 〖불교〗 법사(法師)의 법사, 곧 조항(祖行)되는 법사. 법옹사(法翁師).
노-벙거지 명 노끈으로 만든 벙거지.
노:베르 〔Noverre, Jean Georges〕 명 〖사람〗 프랑스의 무용가·안무가(按舞家). 파리 국립 음악원의 주임 교수로 활약, 발레와 기타 무용 예술의 발전에 크게 기여함. 주저(主著) 《댄스와 발레에 관한 서간(書簡)》은 무용계의 획기적 명저임. [1727-1810]
노:벨 〔Nobel, Alfred Bernhard〕 명 〖사람〗 스웨덴의 화학자·공업 기술자. 다이너마이트·무연 화약(無煙火藥) 등을 발명하여 거부(巨富)를 쌓고, 죽을 때 노벨상의 자금을 제공하였음. [1833-96]
노벨레테 〔도 Novellette〕 명 ①단편 소설. ②〖악〗 많은 주제를 갖는 자유 형식의 피아노 곡. 슈만이 창시하였음. 서정 소곡(抒情小曲).
노:벨륨 〔nobelium〕 명 〖화〗 방사성 원소의 이름. 1957년 9월에 미국·영국·스웨덴 3개국 과학자들이 카본 이온으로 퀴륨(curium)을 파괴하여 발견한 인공 방사성 원소. [102번: No: 259]
노:벨-상 【一賞】〔Nobel〕 명 1896년 노벨의 유언에 따라 '인류의 복지에 가장 구체적으로 공헌한 자'에게 수여하도록 설정된 상. 1901년 이래 매년 그의 기일(忌日)인 12월 10일에 스톡홀름에서 수여되며, 그의 유산인 170만 파운드의 이자로 물리(物理)·화학(化學)·의학(醫學) 및 생리학(生理學)·문학(文學)·평화(平和)의 다섯 부문에 나누어 수상하여 왔는데, 1969년 경제학상(經濟學賞)을 추가 신설함. 경제학상은 스웨덴 은행의 창설 30주년 기념으로 마련한 기금에 의함.
노벨티 〔novelty〕 명 광고 수단(廣告手段)으로 고객에게 제공하는 재떨이·열쇠고리·볼펜·라이터·수첩(手帖) 따위 실용 소품(實用小品).
노:변[1] 【路邊】 명 길가. 노방(路傍). ¶ ~에 핀 들국화. *길섶.
노변[2] 【爐邊】 명 화롯가. 난롯가.
노변-담 【爐邊談】 명 화롯가에 둘러 앉아서 주고 받는 이야기.
노변 담화 【爐邊談話】 명 ①화롯가에 둘러 앉아 서로 부드럽게 주고 받는 이야기. ②〔fireside chat〕 1933년 3월 12일부터 미국의 F.루스벨트 대통령이 시작한, 라디오를 통한 담화. 카터 대통령도 라디오·TV를 통한 이 방식을 즐겨 이용했음.
노:병[1] 【老兵】 명 ①늙은 병사. 노졸(老卒). ②군사에 오래 종사하여 노숙(老熟)한 병사.
노:병[2] 【老病】 명 노쇠(老衰)하여서 생기는 병. 노질(老疾).
노병[3] 【勞兵】 명 ①피로한 병사. ②노동자와 병사.
노-병아 【櫓一】 명 배의 노에 걸어 노질하기 쉽게 하는 줄.
노병-회 【勞兵會】 명 〔러 Soviet rabochikhi soldatskikh deputatov〕 1917년 러시아 혁명 당시에 노동자와 병사와의 단결로 이루어진 혁명주의 단체. 트로츠키가 인솔하여 혁명의 중심 세력이 되었음.
노보 【勞報】 명 각 기업(企業)의 노동 조합에서 발행하는 신문·주보·월간지 따위.
노보스티 〔Novosti〕 명 소련의 통신사(通信社). 1961년에 창설된 민간 통신사. 1991년 9월에 러시아 통신과 합병되어 러시아 통신사가 되고 러시아 정부의 관할이 됨.
노보시비르스크 〔Novosibirsk〕 명 〖지〗 시베리아 서부의 공업 도시. 오브 강(Ob'江)에 임하는 교통의 요지임. 기계·야금·화학·건축 자재 등의 공업이 행해짐. 1893년 창건. 시베리아 최대의 도시로, 1925년 노보니콜라예프스크(Novonikolaevsk)를 고친 이름. [1,423,000 명(1987)]
노보시비르스크 제도 【一諸島】〔Novosibirsk〕 명 〖지〗 시베리아 동북방 북극해에 있는 제도. 지면은 툰드라와 호소(湖沼)로 덮이어 있음. 1년 중 9월부터 이듬해 6월까지의 겨울에는 폐쇄됨. 뉴 시베리아(New Siberia) 제도. [약 38,000 km^2]
노보에 브레먀 〔Novoe Vremya〕 명 러시아 유일의 국제·외교 문제 해설 주간지(週刊誌). 1943년에 창간, 8개 국어의 외국판을 발간함.
노보카인 〔도 Novocain〕 명 〖약〗 염산 프로카인(procaine)의 독일 상품명. 코카인보다 우수하여 가장 흔히 쓰이는 국부 마취제의 하나임.
노보쿠즈네츠크 〔Novokuznetsk〕 명 〖지〗 러시아 연방 쿠즈바스(Kuzbas)에 있는 공업 도시. 야금(冶金)·알루미늄·화학·기계 공업이 성함. 1930년대부터 근대 공업 도시로 급속히 발전. 1932-61년 스탈린스크(Stalinsk)라 불리었음. [589,000 명(1987)]
노보트니 〔Novotný, Antonin〕 명 〖사람〗 체코슬로바키아의 정치가. 친소파(親蘇派)의 지도자로서, 당 중앙 위원·당서기를 거쳐 1957년 대통

령이 되었다가 1968년 실각함. [1904-75]

노복[1]【奴僕】명 사내종. 노자(奴子). 노재(奴才). 창두(蒼頭). 예인(隸人). 예어(隸御).

노:복[2]【老僕】명 늙은 사내종. 노노(老奴).

노복[3]【勞復】명〖한의〗중병을 치르고 아직 완전히 회복되기 전에 과로하여 다시 앓는 일.

노복[4]【蘆菔】명〖식〗무.

노복-궁【奴僕宮】명〖민〗십이궁(十二宮)의 하나. 종의 많고 적음과 좋고 나쁨의 명수(命數).

노볼락〔novolak〕명〖화〗페놀 수지(phenol樹脂)의 한 가지. 페놀이나 포름알데히드 등을 산성 촉매에 반응시켜 얻는데, 알코올에 녹음. 알코올성 니스로 이용되며 또한 알칼리성 물질을 가하면 성능이 높은 전기 절연체가 됨.

노봉[1]【虜鋒】명 적군의 칼날.

노:봉[2]【露鋒】명 서도(書道)에서, 기필(起筆) 때, 붓끝의 흔적이 나타나도록 쓰는 필법(筆法). ↔장봉(藏鋒).

노:-봉방【露蜂房】명〖한의〗말벌의 집. 경간(驚癎)·나력(瘰癧)·치통(齒痛)·장옹(腸癰)·치질(痔疾) 등에 약으로 쓰임. 준봉방(蜂房).

노:부[1]【老父】명 ①늙은 아버지. ②윗사람에게 자기 늙은 아버지를 일컫는 말.

노:부[2]【老夫】㊀명 늙은 남자. ㊁인대 늙은 남자가 자기를 일컫는 말.

노:부[3]【老婦】명 늙은 아낙네.

노부[4]【鹵簿】명〖역〗임금의 거둥 때의 의장(儀仗). 의장을 갖춘 거둥의 행렬(行列).

노:-부모【老父母】명 늙은 부모.

노:-부부【老夫婦】명 늙은 부부.

노부-식【鹵簿式】명 ①〖역〗임금이 거둥할 때의 의장(儀仗). 조선 시대 초기부터 있었으며 대가식(大駕式)·법가식(法駕式)·소가식(小駕式)의 세 가지가 있었음. ②〖책〗조선 영조(英祖) 38년(1762)에 편찬된, 임금이나 왕족(王族)의 각종 의례(儀禮) 및 행차 때 갖추는 의장(儀仗)과 차례에 관한 규정을 엮은 책. 1책. 필사본(筆寫本).

노:-부인【老婦人】명 '늙은 여자'를 높이어 일컫는 말.

노:부 지둔【老腐遲鈍】명 늙어서 느리고 둔함. ──-하다 형여불

노분-면【蘆粉麪】명 갈대 뿌리로 가루를 내어 메밀가루와 같이 반죽하여 누른 국수.

노불[1] 명〈방〉눌(함경).

노:불[2]【老佛】명 ①노자(老子)와 석가(釋迦). ②노자의 가르침과 석가의 가르침. 도교(道敎)와 불교(佛敎).

노:불[3]【老佛】명〖불교〗①늙은 부처. 오래된 부처. ②늙은 중의 경칭.

노-불[4]【露佛】명 러시아와 프랑스.

노:불[5]【露佛】명 노천(露天)에 안치(安置)해 둔 불상(佛像). 유불(濡佛).

노불 동맹【露佛同盟】명〖역〗러시아 프랑스 동맹.

노:-불습유【路不拾遺】명 길에 떨어져 있는 물건이 있어도 주워서 자기 것으로 아니한다는 뜻으로, 나라가 잘 다스려진 상태를 이르는 말. 도불습유(道不拾遺).

노:붐 오르가눔〔라 Novum Organum〕명〖책〗1620년에 저작한, 영국의 철학자 베이컨(Bacon, F.)의 주저(主著). '신기관(新機關)'이라고 번역함. 아리스토텔레스(Aristoteles)의 논리학서 ≪오르가논(Organon)≫에 대항하는 뜻으로 이렇게 이름 붙인 것이며, 고래의 연구법에 대한 새로운 근대 과학의 연구법을 제창한 것으로서 철학사적(哲學史的) 의의를 가짐. 한편 중세적인 사유(思惟) 방법에의 결별과 근대적 귀납법을 상징하는 말로도 쓰임.

노브〔knob〕명 문의 핸들. 손잡이. 문고리.

노브고로드〔Novgorod〕명〖지〗러시아 서북부, 페테르부르크 동남쪽의 일멘 호(Ilmen湖)의 호안(湖岸)에 있는 러시아 최고(最古)의 도시. 연대기(年代記)에는 이미 859년에 그 이름이 보이며, 소피아 성당(Sofia聖堂) 등 고(古)건축물이 많음. 862년 루리크(Rurik)가 이 도시를 중심으로 러시아 최초의 국가를 건설하여, 번영하다가 18세기에 새 도시 페테르부르크가 건설됨으로써 점차 쇠미함. [229,000 명(1989)]

노브고로드 공국【一公國】〔Novgorod〕명 9세기에, 노르만인(人)의 수장(首長) 루리크(Rurik)가 러시아에 세운 나라. 수도는 노브고로드. 루리크가 죽은 뒤 키예프로 천도(遷都)하여, 키예프 공국으로 발전함.

노: 브라 명〔no brassiere의 약(略)〕브래지어를 아니함. 또, 그 모양.

노브-사【一絲】〔knob〕명 장식용 실의 한 가지. 심(芯)이 되는 실의 둘레에 다른 실을 감아서 적당한 간격으로 굵은 부분을 만든 것.

노:블[1]〔noble〕명 고상함. 품위 있음. ──-하다 형여불

노블[2]〔novel〕명〖문〗소설. 특히 로망(roman)에 대하여 실사적(實寫的) 소설을 말함.

노블라이제이션〔novelization〕명〖문〗텔레비전이나 영화에서 히트한 원작(原作)의 소설화(小說化).

노비[1]【奴婢】명 사내종과 계집종의 총칭. 종.

노:비[2]【老婢】명 늙은 계집종.

노비[3]【勞費】명 노동자를 부린 비용. 노임(勞賃).

노:비[4]【路費】명 노자(路資). 여비(旅費).

노비[5]【蠦蜰】명〖충〗빈대.

노비 계:약【奴婢契約】명〔도 Gesindevertrag〕〖사〗사용자와 노동자와의 사이에 주종(主從) 관계와 더불어 노무와 보수의 교환 조건을 맺는 계약. 중세 독일의 충근 계약(忠勤契約)에서 온 말.

노비-공【奴婢貢】명〖역〗조선 시대에 노비로부터 받아들인 공부(貢賦)의 일종. 공천(公賤)의 외거 노비(外居奴婢)에 그 신역(身役) 대신으로 사섬시(司贍寺)가 맡아 받아들이던 포(布)·저화(楮貨) 따위.

노비 면:천첩【奴婢免賤帖】명〖역〗조선 시대 후기에 기민 구제(饑民救濟)를 목적으로 납속(納粟)을 받아 발행된 노비 면천의 증서(證書).

노비 문기【奴婢文記】명〖역〗노비의 매매·양여(讓與) 등에 관한 문서.

노비 변:정 도감【奴婢辨正都監】명〖약〗조선 시대 노비의 호적(戶籍)에 따라 시비(是非)를 판정하던 관청. 고려의 공민왕(恭愍王) 10년(1361)에 노비 도감(都監)을 설치하여 노비의 천적(賤籍)을 개정하였는데, 조선 태조 5년(1396)에 노비 도감을 부활시켜 노비의 구적(舊籍)을 없이하고 새로운 것으로 정비하였고, 1397년에 노비 변정 도감을 설치하여, 노비의 쟁송(爭訟)을 맡게 했음. *장례원(掌隷院).

노비-사:드〔Novi Sad〕명〖지〗유고슬라비아 북부, 세르비아(Servia)의 보이보디나 자치주(Voivodina自治州)의 주도(主都). 다뉴브 강(江) 좌안(左岸)의 하항시(河港市)로, 철도·도로의 집중점이며 공항(空港)이 있음. 식료품 공업·섬유 공업·목재 가공·전기 기계·농업 기계 제조·조선(造船) 등이 행해짐. [257,685 명(1981)]

노비-색【奴婢色】명〖역〗조선 시대 초기에, 노비에 관한 업무를 담당한 임시직 관원(官員).

노비-안【奴婢案】명〖역〗고려·조선 시대의 노비의 호적(戶籍). 고려 때에는 공노비(公奴婢)를 형부(刑部)의 상서 도관(尙書都官)에서 관장하였으며, 사노비(私奴婢)는 소속 주인의 호적에 기록됨. 조선 시대 때, 공천(公賤)은 중앙의 장례원(掌隷院), 지방의 수령(守令)이 매3년마다 속안(續案)을 작성하고, 20년마다 정안(正案)을 작성하여, 형조(刑曹)·의정부(議政府)·장례원(掌隷院)·사섬시(司贍寺)·본사(本司)·본도(本道)·본읍(本邑)에 보관하였음.

노비 안:검법【奴婢按檢法】[一뻡] 명〖역〗고려 광종(光宗) 7년(956)에 원래 양민(良民)으로서 노비가 된 자를 해방시켜 주기 위하여 마련한 법(法). 이것은 신라에서 고려에의 교체기에 혼란한 사회적 신분 질서를 바로잡기 위한 것이라 하나 근본 동기는 당시의 귀족 세력을 꺾고 왕권(王權)을 강화하는 데 있었으며, 얼마 후 귀족들의 반발과 더해진 혼란의 야기로 거꾸로 노비 환천법(奴婢還賤法)을 낳게 했음.

노비알〔Novial〕명〔nov+international+auxiliary+language〕1928년에 덴마크의 언어학자 예스페르센이 고안해 낸 국제 보조어(國際補助語). 문법 체계·음운 체계가 간단한 것이 특색임.

노비-일【奴婢日】명〖민〗하리아드랫날.

노비 종모법【奴婢從母法】[一뻡] 명〖역〗노비 소생(所生)의 자녀가 신분·상전(上典)의 결정에 따라 모계(母系)를 따르도록 하는 법.

노비 종부법【奴婢從父法】[一뻡] 명〖역〗양인(良人)인 남자와 천인(賤人)인 처첩(妻妾) 사이에 태어난 자녀에게 부계(父系)를 따라 양인이 되게 하는 법.

노비 추쇄 도감【奴婢推刷都監】명〖역〗조선 시대에, 공노비(公奴婢)로서 도망자, 누락자, 불법 종량(從良)된 자를 색출(索出)하기 위하여 설치된 임시 관청.

노비코프[1]〔Novikov, Nikolai Ivanovich〕명〖사람〗러시아의 문예 평론가·사회 평론가. 귀족 계급 비판과 농노(農奴) 해방에 노력하였고, 도서관·학교를 설립하여 폭넓은 계몽 운동을 전개하였음. [1744-1818]

노비코프[2]〔Novicow, Jaques〕명〖사람〗러시아의 사회학자. 프랑스에서 살며 유럽적 사고(思考)의 영향을 받아, 러시아적 전제 정치와 비스마르크적인 철혈(鐵血) 정책에 반대함. 사회학적으로는 사회 유기체설(社會有機體說)을 지지하고, 생물학적 사회학의 입장을 취함. 주저 ≪인간 사회의 투쟁≫·≪의식(意識)과 사회 의사≫ 등. [1849-1912]

노:비 평야【一平野】〔濃尾: のうび〕명〖지〗일본 기후(岐阜)·아이치(愛知) 두 현(縣)에 걸친 평야. 일본 굴지(屈指)의 미작지(米作地)임.

노비 환천법【奴婢還賤法】[一뻡] 명〖역〗고려 성종(成宗) 때, 앞의 광종(光宗) 7년(956)에 제정된 노비 안검법(奴婢按檢法)으로 해방된 노비들을 다시 노비로 만들기 위하여 마련한 법. 호족들이 노비안검법에 반발한 데에서 취해진 정책임.

노:빌레〔Nobile, Umberto〕명〖사람〗이탈리아의 군인·항공 기술자·북극(北極) 탐험가. 비행선 노르게호(Norge號) 및 이탈리아호(Italia號)를 설계하여 1926년 아문센(Amundsen) 등과 함께 북극 횡단 비행에 성공함. 1928년 비행선 이탈리아호로 북극에 이른 후 조난, 구출되었으나 그의 구출에 나섰던 아문센이 조난 사망하였음. [1885-1978]

노빌리타스〔nobilitas〕명〖역〗고대 로마 공화정기(共和政期)의 신귀족(新貴族). 원로원(元老院) 신분 중의 최상층에 속하는 사람들로 엄밀하게 말하면 콘술(consul) 및 그의 자손을 이름.

노빵구-덩굴 명〈방〉〖식〗노박덩굴.

노-뻰지【櫓一】명 배를 젓는 노의 넓적한 부분.

노:사[1]【老士】명 ①늙은 선비. ②늙은 무사(武士).

노:사[2]【老死】명 늙어 죽음. ──-하다 자여불

노:사[3]【老舍】명〖사람〗'라오서(老舍)'를 우리 음으로 읽은 이름.

노:사[4]【老師】명 ①늙은 스승. 옹사(翁師). ②중 또는 나이 많은 중의 존칭.

노사[5]【弩師】명 쇠뇌를 쏘는 군대.

노:사[6]【怒瀉】명 위세 있게 쏟아져 나옴. ──-하다 자여불

노사[7]【勞使】명 노동자와 사용자. 노동자 대 사용자. ¶~ 분쟁/~ 협약.

노사[8]【勞思】명 근심함. ──-하다 자타여불

노사[9]【勞辭】명 위로하는 말.

노사[10]【硇砂】명〖화〗염화 암모늄(塩化 ammonium)의 속명. 북정사(北庭砂).

노:사[11]【鷺鷥】명〖조〗해오라기. 백로(白鷺).

노사나-불【盧舍那佛】명〖불교〗삼신불(三身佛)의 하나. 햇빛이 온 세계를 비추듯이 광명(光明)으로 이름을 얻는 부처. 광명불(光明佛). 보신불(報身佛).

노:사-등【鷺鷥藤】명〖식〗인동덩굴. 겨우살이덩굴.

노사 문:제【勞使問題】명〖사〗근로자와 사용자 사이에 일어나는 문제.

노:-사미【老沙彌】명 늙은 사미.

노:사 숙유【老士宿儒】명 나이가 많고 학문이 깊은 선비.

노-사신【盧思愼】명〖사람〗조선 시대 연산군(燕山君) 때의 영의정. 호

는 보진재(葆眞齋), 자는 자반(子胖). 교하(交河)사람. 세조(世祖) 때 호조 판서를 지내면서 명을 받아 경국 대전(經國大典) 중의 호전(戶典)을 맡아 지음. 시호는 문광(文匡). [1427-98]

노: 사이드 〔no side〕 명 럭비에서, 경기 종료. 심판이 쓰는 말임.

노사정 위원회 【勞使政委員會】 명 근로자의 고용 안정·근로 조건 등에 관한 노동 정책, 공공 부문 등의 구조 조정 원칙과 방향, 노사 관계의 개선 및 노사정의 협력 증진 등을 협의하기 위하여 설치한 대통령의 자문 기관. 위원장, 상임 위원 1인을 포함한 근로자·사용자·정부 등을 대표한 20인 이내의 위원으로 구성함.

노-사지 【弩舍知】 명 〖역〗 신라 병부(兵部)의 벼슬. 제감(弟監)의 다음. 문무왕(文武王) 12년(672)에 설치되어 경덕왕(景德王)이 사병(司兵)이라 고쳤다가 혜공왕(惠恭王)이 다시 본이름으로 고침. 위계는 대사(大舍)에서 사지(舍知)까지.

노사크 〔Nossack, Hans Erich〕 명 〖사람〗 독일의 작가. 단편 ≪죽음과의 인터뷰≫로 사르트르의 주목을 끌었으며, 그 후 소설 ≪늦어도 11월에는≫·≪그늘진 법정≫·≪아우≫ 등에서는 일상의 즉물적(卽物的)인 언어에 의한 비일상적(非日常的)인 내면의 실재(實在)를 그리려고 함. [1901-77]

노사 협의제 【勞使協議制】 [ㅡ/ㅡ이ㅡ] 명 〖사〗 사용자 또는 사용자 단체와 노동자 단체의 양쪽 대표가 기업의 경영·생산 등 서로에게 관계가 있는 사항에 대하여 협의하는 제도. 단체 교섭과는 다름.

노사 협의회 【勞使協議會】 [ㅡ/ㅡ이ㅡ] 명 〖법〗 근로자와 사용자가 상호 협조하여 근로자의 복지 증진과 기업의 건전한 발전을 도모할 목적으로 구성하는 협의 기구. 사업체 또는 사업장(場) 단위로 근로자와 사용자를 대표하는 동수(同數)의 위원으로 구성함.

노사 협조 【勞使協調】 명 〖사〗 근로자와 사용자가 서로 협조함.

노사 협조주의 【勞使協調主義】 [ㅡ/ㅡ이] 명 〖사〗 근로자와 사용자와의 협동·조화에 의하여 산업의 진흥을 도모하려는 주의.

노:산 【老産】 명 늙은 몸으로 아이를 낳음. ──하다 자여불

노산-군 【魯山君】 명 〖사람〗 조선 시대 단종(端宗)이 세조에게 왕위를 빼앗기고 강봉(降封)된 칭호.

노산군 일기 【魯山君日記】 명 〖책〗 ≪단종 실록(端宗實錄)≫의 처음 이름.

노상¹ 명 〈방〉 〔←뇌정(雷霆)〕 우레(경상).

노상² 【勞傷】 명 고생하여 마음을 상함. ──하다 자여불

노:상³ 【路上】 명 길바닥. 길위. 가상(街上). ¶ ~ 강도.

노:상⁴ 【路床】 명 노반(路盤)❶.

노상⁵ 【魯桑】 명 〖식〗 중국 원산(原産)의 뽕나무의 한 가지.

노:상⁶ 【露霜】 명 ①이슬과 서리. 이슬. ②늦가을에 이슬이 얼어서 된 서리.

노상⁷ 부 ①언제나 변함이 없이. 항상. ¶ ~ 먹기만 한다/그는 ~ 젊어 보인다. ②언제나. 반드시. 늘. ¶ 가기만 하면 ~ 집에 있다/~ 불평만 한다. 준노.

노:상 강:도 【路上強盜】 명 길 가는 사람을 협박하여 재물을 강탈하는 짓. 또, 그런 도둑.

노:상 발괄 【路上―】 명 〖역〗 지방을 순시하는 관장(官長)에게 길에서 직접 전달하는 발괄.

노:상 안면 【路上顏面】 명 길에서 만난 적이 있어 아는 얼굴. 면식이 있는 얼굴. ¶ 그와는 ~이 있을 뿐이다.

노:상 주:차장 【路上駐車場】 명 도로의 노면(路面)이나 교통 광장의 일정한 구역에 설치한 주차장. ↔노외(路外) 주차장.

노새 명 〖동〗 말과에 속하는 짐승. 수나귀와 암말과의 사이에서 난 변종(變種)임. 정자(精子)가 성숙(成熟)하지 못하여 생식 능력이 없음. 크기는 말만하나, 생김새는 모두 나귀를 닮았음. 몸이 튼튼하여 아무 것이나 잘 먹고, 갑자기 변하는 기후에도 잘 견디어 병에 걸리는 일이 적으며, 힘이 세어 무거운 짐과 먼 길에 능히 견딤. 가축으로 기름. 피가 있어서 불만이 있으면 사람에게 복수하려는 근성(根性)이 있음. 옛날 양반들이 타고 다녔음.

〈노새〉

노:색¹ 【老色】 명 늙은이가 입기에 알맞은 옷의 빛깔. 회색 따위.

노:색² 【怒色】 명 성낸 얼굴빛. 노기(怒氣).

노:색(을) 띠다 구 성낸 빛을 나타내다.

노:샘프턴 〔Northampton〕 명 〖지〗 영국 잉글랜드 중부의 넨 강(Nene 江) 상부에 있는 노샘프턴셔(Northamptonshire)의 주도(州都). 전통적인 피혁 공업으로 알려져 있으며 목축도 성함. 장미 전쟁(薔薇戰爭)의 고전장(古戰場)임. [169,800 명(1985)]

노:생 【老生】 인대 노인이 자기를 낮추어 일컫는 말.

노생의 꿈 【盧生―】 [ㅡ/ㅡ에ㅡ] 명 한단지몽(邯鄲之夢).

노생지-몽 【盧生之夢】 명 한단지몽(邯鄲之夢).

노:서¹ 【老西】 명 〖역〗 조선 시대 서인(西人)의 한 분파. 인조(仁祖) 때 공서(功西)의 소장파(少壯派)가 수령(首領) 김유(金瑬)의 정책에 반대하여 갈려 나갔을 때 남은 김유 등의 일파. ↔소서(少西).

노서² 【蘆絮】 명 갈대꽃의 솜털처럼 된 것.

노서아 【露西亞】 명 〖지〗 '러시아(Russia)'의 음역.

노서아-어 【露西亞語】 명 러시아어(Russia 語). 준노어(露語).

노석¹ 【鹵石】 명 〖화〗 경금속(輕金屬)인 염화물(塩化物)·브롬화물(Brom 化物)·요오드화물(iode 化物)의 총칭.

노석² 【露石】 명 지표(地表)에 드러난 돌.

노석 광:물 【鹵石鑛物】 명 염소(塩素)·브롬·요오드·플루오르·할로겐염 광물을 주성분으로서 함유하는 광물. 암염(岩塩)·형석(螢石) 등.

노:선 【路線】 명 ①한 지점에서 다른 한 지점에 이르는 도로·선로·자동차 등의 교통선. 선(線). ¶버스 운행 ~. ②일정한 목표를 향하여 나아가는 길. ¶ 정치 ~.

노:선-도 【路線圖】 명 〖지〗 도로에 따라서 그 주위의 상태를 기록한 지도. 루트 맵.

노선 버스 【路線―】 〔bus〕 명 영업 허가를 받은 일정한 길을 배차 시간표에 따라 운행하는 버스.

노:-선생¹ 【老先生】 명 ①노사(老師). ②나이가 많고 지위가 높은 사람을 높이어 일컫는 말.

노-선생² 【爐先生】 명 〖광〗 노감석(爐甘石).

노설 【蘆雪】 명 갈대 이삭이 눈처럼 흼을 이름.

노:섬 【老蟾】 명 '달¹'의 이칭(異稱). 섬(蟾)은 달 속의 두꺼비.

노:섬벌랜드 더:럼 지방 【―地方】 〔Northumberland Durham〕 명 〖지〗 영국 잉글랜드 동북단의 북해에 면한 2 주(州)의 총칭. 영국의 석탄의 21%를 산출함. 뉴캐슬(Newcastle)·선덜랜드(Sunderland) 등 공업 도시가 많음.

노:섬브리아 〔Northumbria〕 명 〖역〗 잉글랜드 북부에 있던 앵글로 색슨의 7 왕국의 하나. 6세기에 성립하여 9세기에 웨섹스(Wessex)의 통일 밑에 들어갔으나 11세기에 노르만왕조에 정복됨.

노:성¹ 【老成】 명 ①숙성함. ②노련하고 성숙함. ¶~한 인물. ──하다 형여불

노:성² 【老聲】 명 늙은이의 목소리.

노:성³ 【怒聲】 명 성난 목소리. 성을 내어 지르는 소리.

노성⁴ 【駑性】 명 우둔한 성질.

노성⁵ 【魯省】 명 〖지〗 루 성(省).

노성⁶ 【櫓聲】 명 노 젓는 소리. 전(轉)하여, 기러기 우는 소리.

노-성냥 명 성냥의 한 가지. 종이로 꼰 성냥대에 석유황(石硫黃)을 발랐음.

노:성-인 【老成人】 명 노성한 사람.

노:소 【老少】 명 늙은이와 젊은이. 노약(老若). ¶ 남녀 ~.

노:소-간 【老少間】 명 늙은이와 젊은이의 사이. ¶ ~에 싸움이 다 뭐요.

노:소 남북 【老少南北】 명 〖역〗 사색(四色)❷.

노:-소년 【老少年】 명 〖식〗 색비름.

-노소니 어미 〈옛〉 -니. -나니. ¶ 百舌은 마리 업고져 ᄒᆞ노소니(百舌欲無語)≪杜諺 Ⅶ:14≫.

노:소 동락 【老少同樂】 [ㅡ낙] 명 노인과 젊은이가 함께 즐김. ──하다 자여불

-노소라 어미 〈옛〉 -노라. -는구나. ¶ 우리도 이 偈를 좃ᄌᆞ바오노소라≪月釋 Ⅷ:100≫. ＊-소라.

노:소-론 【老少論】 명 〖역〗 노론(老論)과 소론(少論).

노:소 부정 【老少不定】 명 죽음에는 노소가 없음.

-노소이다 어미 〈옛〉 -나이다. -옵니다. ¶ 世예 나 常住를 얻게 ᄒᆞ노소이다≪楞嚴 Ⅵ:66≫.

노속 【奴屬】 명 종의 무리. 종의 족속.

노-손 【櫓―】 명 노의 손잡이.

노:송 【老松】 명 ①늙은 소나무. 고송(古松). ②〖식〗 '노송나무'.

노:송-나무 【老松―】 명 〖식〗 〔*Chamaecyparis obtusa*〕 소나뭇과에 속하는 상록 교목. 높이 30-40 m, 직경 1-2 m 가량이며, 수피(樹皮)는 적갈색이고, 작은 침상엽(針狀葉)이 가지에 밀생(密生)함. 자웅 동주(雌雄同株)로 봄에 가지 위에 단성(單性)의 작은 꽃이 피고, 10월에 녹색의 구과(毬果)가 적색으로 익음. 목재는 대황백색이고 치밀한데 광택이 있고 내수력(耐水力)이 강하여 모든 재목 중 용도가 가장 넓음. 일본의 특산으로 삼목(杉木)과 함께 인공 조림으로 재배함. 편백(扁柏). 회목(檜木). 준노송.

암꽃 수꽃 열매 씨

〈노송나무〉

【노송나무 밑이다】 마음이 음충맞고 우중충함을 이르는 말.

노:송-도 【老松圖】 명 〖미술〗 늙은 소나무를 그린 초목화(草木畫)의 하나.

노:쇠 【老衰】 명 늙어서 쇠함. ──하다 형여불

노:쇠-기 【老衰期】 명 ①사람의 노년기(老年期)의 후기. 초로기(初老期)를 지나서 생체(生體)의 전체적인 기능 감쇠를 일으키는 65-75세의 시기. ②사물이 오래되어 쇠약해진 시기. ↔성장기(成長期).

노:쇠-목 【老衰木】 명 수령(樹齡)이 많아서 더 자랄 힘이 쇠한 나무.

노:수¹ 【老手】 명 노련한 솜씨. 또, 그 사람.

노:수² 【老叟】 명 노옹(老翁).

노:수³ 【老壽】 명 장수(長壽). ──하다 자여불

노:수⁴ 【老樹】 명 오래 된 나무. 고목(古木). 노목(老木).

노수⁵ 【弩手】 명 쇠뇌의 사수(射手).

노:수⁶ 【怒鬚】 명 성이 나서 쭉 뻗친 수염.

노수⁷ 【勞嗽】 명 〖한의〗 주색(酒色)이 지나쳐 몸이 허약해지고 기침·오한·도한(盜汗)·열이 나는 병.

노:수⁸ 【路需】 명 노자(路資).

노:수⁹ 【虜囚】 명 포로(捕虜).

노수¹⁰ 【滷水】 명 간수².

노-수신 【盧守愼】 명 〖사람〗 조선 시대 선조(宣祖) 때의 상신(相臣). 자는 과회(寡悔), 호는 소재(蘇齋). 광주(光州) 사람. 중종(中宗) 38년(1543)에 등제(登第)하여 선조 6년(1573)에 우의정, 동 18년(1585)에 영의정이 됨. 기축 옥사(己丑獄死) 때 정여립(鄭汝立)을 추천한 죄로 파직됨. 문집으로 ≪소재집(蘇齋集)≫이 있음. 시호는 문의(文懿). [1515-90]

노-수현 【盧壽鉉】 명 〖사람〗 한국 현대의 동양화가. 호는 심산(心汕). 황해도 곡산(谷山)에서 태어나, 15세에 서화 미술원(書畫美術院)에 입학, 왕조(王朝) 화원(畫院)풍의 기량을 익힘. 해방 후 서울 대학교 미술 대학 교수로 재직, 전통적인 산수의 엄격한 골격미를 특징으로 하는 그림을 그려 왔음. [1899-1978]

노:숙¹ 【老宿】 명 ①식견(識見)이 노성(老成)한 사람. ②〖불교〗 불도(佛道)에 수양을 많이 쌓은 중.

노:숙² 【老熟】 명 오랜 동안 경험을 쌓아서 익숙함. 노련(老鍊). ──하다 형여불

노:숙³ 【露宿】 명 한데서 잠. 한뎃잠. 한둔. 야숙(野宿). 노차(露次). ──하다 자여불

노:숙-자 【露宿者】 명 주거가 없거나, 주거가 있으나 실직(失職) 등으로 집을 나와 지하철역 등 한데서 잠을 자는 사람.

노:스 〔North, Douglass C.〕 명 〖사람〗 미국의 경제학자. 워싱턴 대학

교수. 19세기의 해운업(海運業)의 연구로, 기술적인 변혁보다 조직(組織)상의 변혁 쪽이 해운 발전에 큰 역할을 했음을 구명했음. 계량 경제사(計量經濟史) 영역을 개척한 공로로 1993년 포겔(Fogel, Robert W.)과 함께 노벨 경제학상을 공동 수상함. [1921-]

노:-스님【老—】명『불교』스님의 스님. 조항(祖行)되는 스님.

노:스다코타 주【—州】〔North Dakota〕명『지』미국 북부, 캐나다와 접경하는 주. 기계화 대농법(大農法)에 의한 소맥(小麥)의 생산은 전미(全美)에서 제2위이며, 보리·호밀·아마(亞麻)의 산출도 많고, 목우(牧牛)·목양(牧羊)도 성함. 서부를 흐르는 미주리 강에 댐이 있어 관개(灌漑) 및 발전에 이용됨. 주도는 비즈마크(Bismarck). [183,022 km²: 652,000명(1980)]

노:스럽[1]〔Northrop〕명 미국의 자동차·항공기 제조 회사의 이름.

노:스럽[2]〔Northrop, John Howard〕명『사람』미국의 생화학자. 1916년 이래 록펠러 의학 연구소원을 거쳐 캘리포니아 대학 교수. 1930년 펩신의 결정화(結晶化)에 성공한 후, 많은 단백질 분해 효소의 연구로 1946년에 노벨 화학상을 받음. [1891-1987]

노: 스모:킹〔no smoking〕명 금연(禁煙).

노:스 아메리칸 록웰 회:사【—會社】명〔North American Rockwell Co.〕미국 굴지의 항공 우주 기업. 노스 아메리카 회사와 록웰 회사가 1967년에 합병한 것으로, 새턴·아폴로 계획에의 참가 등 군수(軍需) 중심으로 발전함. 항공기 제작·자동차 부품 제작은 물론, 원자력·해양 개발 등의 다각화를 추진하고 있음.

노:스웨스트 주【—州】명〔Northwest Territories〕『지』캐나다 북부 지방을 차지하는 정부 직할령(政府直轄領). 남부의 일부는 삼림을 이루나 대부분이 툰드라이고, 우라늄·석유·금광 따위 광산물과 모피(毛皮)가 중요 산물임. 주민은 3분의 2가 에스키모와 인디언이며 주도는 옐로나이프(Yellowknife). [3,379,700 km²: 46,000명(1985)]

노:스웨스트 항:공 회:사【—航空會社】명〔Northwest Airlines, Inc.; NWA〕미국 항공 회사의 하나. 1926년에 설립되었는데, 국내선 외에 태평양 횡단선·극동선 등이 있으며, 서울에도 기항함.

노:스캐롤라이나 주【—州】〔North Carolina〕명『지』미국 대서양 연안 중부의 주(州). 해안 평야가 넓고 담배·면화의 산출이 많음. 서부의 피드몬트 대지(Piedmont臺地)에서는 면공업(綿工業)이 성함. 1729년 영국의 식민지가 되었으며 독립 13 주의 하나임. 주도는 롤리(Raleigh). [136,524 km²: 6,333,000명(1986)]

노스케〔Noske, Gustav〕명『사람』독일의 정치가. 사회 민주당 우파의 지도자. 1918년 독일 혁명 때는 킬(Kiel) 군항(軍港)의 해군(海軍) 반란을 진압하고 반혁명 의용군을 조직하여, 혁명 세력을 탄압하였음. 국방상(國防相)으로서 신군(新軍) 창설에도 힘을 기울였음. [1868-1946]

노:스클리프〔Northcliffe, Alfred Charles William Harmsworth〕명『사람』영국의 신문 경영자. 1896년 '데일리 메일(Daily Mail)'지(紙)를 창간하고 1908년 '타임스(Times)'지를 매수하여 '노스클리프 프레스'의 이름으로 여러 유력지를 지배하였고, 제1차 대전 중 대적(對敵) 선전에도 활동하여 자작(子爵)이 되었음. [1865-1922]

노:-스타킹〔no+stocking〕명 양말을 신지 아니함.

노스탈지〔프 nostalgie〕명 '노스탤지어(nostalgia)'의 프랑스어(語).

노스탤지어〔nostalgia〕명 고향을 그리는 마음. 강한 향수. 노스탈지. 회향병(懷鄕病). 홈 식(home sick).

노: 스텝〔no step〕명 야구에서, 야수(野手)가 공을 던질 때 발을 내딛지 아니하는 일.

노스트라다무스〔Nostradamus〕명『사람』프랑스의 점성가(占星家)·의사인 노트르담(Notredame, Michel de)의 라틴어 이름. 예언적 능력에 의하여 프랑스왕 앙리 2세 등에 중용(重用)되었음. 1555년에 간행된 그의 저서 ≪여러 세기(世紀)≫는 그의 사후, 그 예언이 많이 적중하여 주목을 끌었음. [1503-66]

노: 슬리:브〔no+sleeve〕명 소매 없는 여성복. 슬리블레스.

노승[1] 명〈심마니〉쥐.

노:승[2]【老僧】명 늙은 중. 노납(老衲). ↔소승(少僧).

노:승 발검【怒蠅拔劍】명 파리에 화가 나서 칼을 뺀다는 뜻으로, 사소한 일에 화를 내는 사람을 비웃는 말. *견문 발검. ——-하다 자여불

노시【奴視】명 종을 대하듯 멸시함. 복시(僕視). ——-하다 타여불

노:시【老視】명 노안(老眼).

노:시【怒視】명 성난 눈으로 봄. ——-하다 타여불

노시【盧矢】명 검은 칠을 한 화살.

노시끼 명〈방〉놋그릇(경남).

노:신[1]【老臣】명 ①늙은 신하. ②중신(重臣)❶.

노:신[2]【老身】㊀명 늙은 몸. ㊁인대 ①늙은이가 후배에게 대하여 자기를 낮추어 일컫는 말. ②늙은 여인이 자기를 낮추어 일컫는 말.

노-신[3]【魯迅】명『사람』'루 쉰(魯迅)'을 우리 음으로 읽은 이름.

노:-신랑【老新郎】[—실—] 명 혼기를 넘긴, 나이가 많은 신랑. ↔노신부.

노:-신부【老新婦】명 혼기를 넘긴, 나이가 많은 신부. ↔노신랑.

노:실[1]【老實】명 노성(老成)하고 성실함. ¶전일 학교에 있을 때에도 여러 학생 중에 ~한 청년으로 공경을 받던 터이다≪作者未詳: 長恨夢≫. ——-하다 형여불

노:실[2]【路室】명 객사(客舍)❶.

노심[1]【勞心】명 마음으로 애를 씀. ——-하다 자여불

노심[2]【爐心】명〔core〕『물』원자로 내부의 연료가 되는 핵분열성 물질과 감속재(減速材)가 있는 부분. 곧, 핵분열 연쇄 반응이 행하여지는 부분을 이름.

노심 용융【爐心熔融】명〔melt down〕원자로의 냉각 장치가 정지하여 노(爐) 안의 열이 비정상적으로 상승, 연료인 우라늄을 용해하고 그 열로 원자로의 밑바닥을 녹여버리는 일. ——-하다 자여불

노심 초사【勞心焦思】명 마음으로 애를 쓰며 속을 태움. 초로(焦勞). 「다운.

노아〔Noah〕명『성』구약(舊約) 창세기(創世紀) 중의 인물. 아담(Adam)의 제10대 손으로 셈·함·야벳의 세 아들을 낳음. 의(義)로운 사람이기 때문에 여호와의 은총을 입어 대홍수(大洪水) 때에도 그만이 방주(方舟) 속에서 그의 가족과 함께 살아남을 수 있었다 함.

노아-가다 자거라불 ①배가 빨리 가다. ②말이 빨리 달리다.

노: 아웃〔no out〕명 야구에서, 무사(無死). 공격측에 아웃이 없음.

노아 위성【NOAA衛星】명〔National Oceanic and Atmospheric Administration〕미국 해양 대기국(海洋大氣局)이 관리하고 있는 실용 기상 위성의 무리.

노아의 방주【—方舟】〔Noah〕[—/—에—] 명『성』여호와가 악으로 가득 찬 세계를 멸망시키려고 홍수를 내렸을 때, 노아가 신의 계시에 따라 잣나무로 배를 만들어, 가족과 금수(禽獸)를 데리고 그 안에 타고 난을 피했다고 하는 배. 지금의 계산에 의하면 15,000톤급의 방형(方形)의 배로 추정됨. 방주(方舟).

노아의 홍수【—洪水】〔Noah〕[—/—에—] 명『성』구약 창세기 중에 나오는 대홍수. 여호와가 사람의 죄악이 세상에 가득함을 보고 인류를 멸망시키려고 150일 간에 걸쳐 온 세계를 물로 가득 차게 했다 함. 다만, 의인(義人)인 노아와 그의 가족과 몇몇 금수(禽獸)만을 방주(方舟)로 생존하게 하여 오늘날의 인류와 생물이 되었다 함.

노악【露惡】명 자기의 결점이나 추한 면을 일부러 드러내 보임.

노안[1]【奴案】명『역』종의 이름을 적은 장부.

노안[2]【奴顔】명 하인의 굽실거리는 비굴한 얼굴.

노:안[3]【老眼】명 늙음에 따라 수정체(水晶體)의 탄성(彈性)과 굴절력(屈折力)이 줄어, 원근에 의한 초점(焦點) 거리 조절력이 약해져서 가까운 곳이 잘 보이지 아니하는 일. 또, 그런 눈. 노시(老視).

노:안[4]【老顔】명 노쇠한 얼굴. 노인의 얼굴.

노안[5]【潞安】명『지』'창즈(長治)'의 딴이름.

노안[6]【蘆岸】명 갈대가 우거진 물가.

노안[7]【蘆雁】명 갈대밭에 내려앉은 기러기.

노:안-경【老眼鏡】명 노안(老眼)에 쓰는 볼록 렌즈의 안경. 돋보기.

노안-도【蘆雁圖】명『미술』갈대와 기러기를 소재(素材)로 그린 화조화(花鳥畫)의 하나.

노:안-봉【露安峰】명『지』함경 북도 무산군(茂山郡) 삼사면(三社面)에 있는 산. [1,537 m]

노안 비:슬【奴顔婢膝】명 남에게 종처럼 지나치게 굽실거리는 더러운 태도.

노:안 유명【老眼猶明】명 노인의 시력이 오히려 밝음.

노암【露岩】명 지상에 노출(露出)한 바위.

노-앞【櫓—】명 오른쪽 뱃전. *노뒤.

노:앵【老鶯】명 늦은 봄에 우는 꾀꼬리. 만앵(晩鶯). 잔앵(殘鶯).

노:야【老爺】명 늙은 남자. 노옹(老翁). ¶~께선 무슨 일로 이런 봉욕을 당하십니까?≪金周榮: 客主≫.

노야기 명『식』향유(香薷).

노:야-묘【老爺廟】명 관제묘(關帝廟). 관왕묘(關王廟).

노:약[1]【老若】명 늙은이와 젊은이. 노소(老少).

노:약[2]【老弱】명 늙은이와 약한 이. 노년(老年)과 약년(弱年).

노:약-자【老弱者】명 늙은이와 약한 사람. ¶~ 보호.

노:양[1]【老陽】명 ①양기(陽氣)가 다함. ②주역(周易)에서, 구(九)의 수(數)를 일컫는 말. 1)·2):↔노음(老陰).

노어[1]【魯魚】명 노(魯)자가 어(魚)자와 틀리기 쉬운데서 글씨의 오류(誤謬)를 이르는 말. 언오(焉烏). *노어지오(魯魚之誤).

노어[2]【露語】명 ↗노서아어(露西亞語).

노어[3]【鱸魚】명『어』농어.

노어[4]〔NOR〕명『컴퓨터』둘 다 '거짓'일 때만 '참'으로 하고, 그 밖에는 모두 '거짓'으로 하는 논리 연산(論理演算). 나트(NOT)와 오어(OR)의 결합 논리. 부정 논리합(否定論理合). 역 논리합(逆論理合).

노어 노문학과【露語露文學科】명『교』대학에서, 노어·노문학을 전공하는 학과. *불어 불문학과.

노어지-오【魯魚之誤】명 글자를 잘못 쓰기 쉬움을 가리키는 말.

노: 에러〔no error〕명 야구에서, 실책이 없음.

노에마〔그 noēma, 도 Noema〕명『철』사유(思惟)된 것. 현상학(現象學)의 용어(用語)로, 의식 내면에 있어서의 객관적 대상면(對象面)을 말함. ↔노에시스(Noesis).

노에시스〔그 noēsis, 도 Noesis〕명『철』〔그리스어의 지각·인식의 뜻〕사유(思惟). 현상학의 용어로, 의식의 기능적 작용면을 말하며 의식이 지향적(志向的) 대상에 의미를 부여하는 작용임. ↔노에마(Noema).

노에제네시스〔noegenesis〕명『심』새로운 것을 낳는 인식·사고의 작용. 스피어먼(Spearman, C.E.; 1863-1945)의 용어로, 자기 자신의 경험을 포착하는 일. 관계의 유도(誘導), 상관(相關)의 유도가 그 내용임.

노엘〔프 Noël〕명 ①'크리스마스'의 프랑스어. ②크리스마스 캐럴.

노:엘-베이커〔Noel-Baker, Philip John〕명『사람』영국의 정치가. 노동당 우파의 지도자 중의 한 사람. 제2차 대전 후 항공상·연방 관계상 등을 역임하였으며, 국제법·군축 문제의 권위자로 알려짐. 1959년 노벨 평화상 수상. 주저(主著)에 ≪군비 경쟁≫이 있음. [1889-1982]

노여 부〈옛〉다시. 전혀. =ᄂᆞ외야. ¶이 ᄆᆞᄋᆞᆷ 이 ᄉᆞ랑 견졸ᄃᆡ 노여 업다≪松江 思美人曲≫.

노:여우- 간 '노엽다'의 불규칙 어간. ¶~ㄴ/~니/~면.

노:여움 명 노여운 마음. 노혐(怒嫌). ¶~을 사다. ㊥노염.

노:여워-하다 자여불 화가 날 만큼 마음에 분하고 섭섭해 하다.

노역[1]【奴役】명 ①사용자(使用者)의 마음대로 혹사(酷使)당하는 일. ②노예로서 부림을 당하는 일.

노:역[2]【老役】명 영화나 연극에서, 노인의 역할을 하는 일. 또, 그 사람.

노역[3]【勞役】명 ①아주 힘들고 수고로운 노동. ②노무(勞務)에 종사함. ——-하다 자여불

노역[4]【露譯】명 노어로 번역하는 일. 또, 그 번역. ——-하다 타여불

노역-장【勞役場】명 노역의 현장.

노역장 유치【勞役場留置】명〖법〗벌금 또는 과료를 완납하지 못한 사람을 일정한 기간 노역장에 유치하는 환형(換刑) 처분. 벌금의 경우는 1일 이상 3년 이하며, 과료의 경우는 1일 이상 30일 미만임.

노역-혼【勞役婚】명〖사〗매매(賣買) 결혼의 한 가지. 남자가 여자의 부모를 위하여 일정한 기간 일을 해 줌으로써 허락되는 혼인.

노연 분비【勞燕分飛】명 때까치와 제비가 따로 헤어져 날아감. 사람의 이별을 비유한 말. 「타여불

노열【臚列】명 ①글을 적어 벌임. ②벌여 놓음. 나열(羅列). ——-하다

노:염[1] 명 ↗노여움.

【노염은 호구 별성(戶口別星)인가】노염을 잘 타는 사람을 두고 이르는 말.

노:염(을) 사다 구 남에게 노여움을 당하다.

노:염(을) 타다 구 걸핏하면 노여워하다. 노혐(怒嫌)(을) 타다.

노:염(을) 풀다 구 노여움을 삭이어 없애다.

노:염[2]【老炎】명 늦더위. 여염(餘炎). 만염(晩炎).

노:엽다 형(ㅂ불) 화가 날 만큼 마음에 분하고 섭섭하다.

노영【露營】명 야영(野營). ——-하다 자여불

노영-지【露營地】명 야영지(野營地).

노예【奴隷】명 〔←노례(奴隷)〕①종[3]. ②인간으로서 기본적인 권리·자유가 인정되지 아니하고 남의 지배 밑에서 노동이 강제(強制)되며 또 매매·양도의 목적이 되는 사람. 고대 그리스·로마·페르시아, 근대 미국에서 전형적으로 나타났음. 1)·2):↔자유민. ③어떤 이기적(利己的)인 목적을 위하여 인격의 존엄성을 스스로 버리고 맹목적으로 심력을 기울이는 사람. ¶ 돈의 ~/사랑의 ~. 「과정(過程).

노예 경제【奴隷經濟】명〖사〗노예 제도를 기반으로 하는 경제 행위와

노예 근성【奴隷根性】명 무엇이든지 남의 말대로 의지하고, 자기 자신의 생각으로 행동하지 아니하는 성질.

노예 노동【奴隷勞動】명〖사〗노동하는 사람의 인격을 무시하고 강제되는 따위의 노동. 노동의 목적이나 의의도 모르는 채 강제되는 노동.

노예 도:덕【奴隷道德】명〔도 Sklavenmoral〕〖철〗지각이 없는 군중의 도덕. 독일 철학자 니체가 한 말임. ↔군주 도덕.

노예 매매【奴隷賣買】명 노예를 상품으로 취급하여 매매하는 일. 노예 경제의 고대 사회에 있어서는 물론, 근대에 와서도 16세기 이래 식민지 개발을 위하여 유럽 각국에서는 미개 대륙의 주민, 특히 남아프리카 토인을 대상으로 하는 노예 무역이 성하였으나, 19세기 이래 해방 운동의 대두와 더불어 쇠퇴하였음.

노예 무:역【奴隷貿易】명 노예를 상품으로 취급하여 행하는 무역.

노예-시【奴隷視】명 남을 노예같이 대접함. ——-하다 타여불

노예 왕조【奴隷王朝】명〔Slave Dynasty〕〖역〗인도의 델리(Delhi)에 군림(君臨)했던 다섯 개의 이슬람 정권 가운데의 최초의 왕조. 고르(Ghor) 왕조가 분열되매 북인도를 통치하고 있던 부장(部將)인 아이바크(Aibak, Kutub Uddin; ?-1216)가 독립하여 창건한 것인데, 아이바크는 노예 출신의 터키인이며, 그 후의 역대 왕이 노예 출신인 데서 이렇게 불림. [1206-90]

노예-적【奴隷的】명관 노예와 같은 모양.

노예 제:도【奴隷制度】명〖사〗생산 노동의 담당자가 노예인 사회 제도. 고대(古代)에 일반적으로 존재한 생산 양식임. 특히 그리스·로마에서 발달하였음.

노예제 사:회【奴隷制社會】명〖역〗인류 사회의 발전을 생산 관계를 토대로 단계적(段階的)으로 분류한 역사적 시기의 하나. 원시 사회와 봉건제(封建制) 사회와의 중간 단계의 시기. 노예에 의한 노동 제도가 생산의 지주(支柱)였던 사회로, 원시 공산 사회의 생산력의 발전에 따른 분업(分業)과 사유 재산의 발생에 의하여 사회가 노예 소유자와 노예의 두 계급 집단으로 나뉘어졌음. 그리스·로마 시대의 노예제 사회가 전형적인 예임.

노예-주【奴隷州】명〖역〗미국에서 노예제를 인정하고 있던 남부의 여러 주. 1860년에 15개 주가 있었는데, 11개 주가 합중국에서 이탈하여, 남북 전쟁에서 합중국의 북군과 싸웠음.

노예 해:방【奴隷解放】명〖사〗노예 제도를 철폐하고 자유인으로서의 권리와 능력을 주는 일. 곧, 노예 제도의 폐지와 노예 매매의 금지. 19세기 초에 인권 주장에 따라 이 운동이 일어나서, 1815년 빈(Wien) 회의에서는 아프리카 흑인의 매매 금지를 선포하였고, 영국을 위시하여 유럽 각국이 그 방침을 취하게 되었는데, 미국에서는 남북 전쟁의 결과 1865년 노예가 해방되고, 국제 연맹에서는 1926년에 노예 매매 금지 조약을 체결하였음.

노예 해:방 선언【奴隷解放宣言】명〖역〗남북 전쟁 중 미국 대통령 링컨이 낸 선언. 남부 연합의 노예가 영원히 자유민임을 언명하고, 북부 급진주의자의 결속을 도모하여 세계의 동조(同調)를 얻으려 한 것. 1862년 9월에 예비 선언, 1863년 1월 1일에 본선언을 행하였음. 그러나 본질적인 노예 해방은, 1865년에 있었던 합중국 헌법의 수정에 의한 제 13·14·15조의 성립에 의하여 실현됨.

노예 해:안【奴隷海岸】명〔Slave Coast〕〖지〗서아프리카의 기니 만(灣) 연안 가운데서, 가나(Ghana) 국경 부근으로부터 나이저 강 삼각주까지 동경(東經) 0-6° 부분에 대한 속칭. 근세 노예 무역 최성기(最盛期)에 스페인이 많은 흑인 노예를 여기서 실어 내었으므로 이 이름이 생겼음. 해안은 열대 다우(熱帶多雨)의 저습지(低濕地)이고 오지(奧地)는 사바나(savanna)로 기름야자(椰子)·면화를 산출함. *황금 해안.

노예-화【奴隷化】명 노예로 됨. 또, 그렇게 만듦. ——-하다 자타여불

노-오라기 명 노끈의 작은 동강. ㉰노오리.

노-오락지 명〈방〉노오라기.

노오리[1] 명〈방〉놀[3](평북).

노-오리[2] 명 ↗노오라기.

노:옥[1]【老屋】명 낡은 집. 오래된 집.

노:옥[2]【露玉】명 구슬같이 맺힌 이슬. 이슬을 구슬에 비유한 말.

노올 명〈옛·방〉놀[3](경남). ¶ 노올 더다(火雲)《同文 上 1》.

노올들다 자〈옛〉고독병(蠱毒病)에 걸리다. ¶ 노올들닌 사ᄅᆞᄆᆡ게셔 난 벌에(蠱蟲)《湯液 卷二》. 「方 下 35》.

노올압지 명〈옛〉잿불. ¶ 노올압짓 브레 녀허 구이(入煻灰內煨之)《救

노:옹【老翁】명 늙은 남자. 나이가 많은 남자. 노수(老叟). 노야(老爺).

노:옹-수【老翁鬚】명〖식〗인동덩굴. ㄴ↔노구(老嫗).

노:옹 화:구【老翁化狗】명〖문〗고려 때 박인량(朴寅亮)이 지은 《수이전(殊異傳)》에 있는 설화(說話). 김유신(金庾信)의 집에 찾아온 한 노인이, 변화가 예와 같으냐는 김유신의 물음에, 호랑이·닭·매가 되고, 마침내 개로 변해 나가 버렸다는 이야기. 《대동 운부 군옥(大東韻府群玉)》에 수록되어 있음.

노와【露臥】명 한데에 그대로 누움. ——-하다 자여불 「諺 Ⅳ:42》.

노외다 타〈옛〉뇌다. ¶ 南容이 白圭ᄅᆞᆯ 세적 노윈대(南容三復白圭)《小

노외야 부〈옛〉다시는. ¶ 갈 ᄲᅡ혀 ᄯᅡ흘 베티고 놀애ᄅᆞᆯ 노외야 슬픐 업시 브르ᄂᆞ니(拔劍斫地歌莫哀)《杜諺 XXV:53》.

노:외 주:차장【路外駐車場】명 도로의 노면(路面)이나 교통 광장(交通廣場) 이외의 장소에 설치한 주차장. ↔노상 주차장.

노:요-곡【路謠曲】명〖악〗행길 군악(軍樂).

노:욕【老慾】명 늙은이의 욕심.

노용[1] 명〈방〉녹용(鹿茸).

노:용[2]【路用】명 여행의 비용. 노비(路費). 노자(路資).

노:우[1]【老友】명 늙은 벗. 나이 든 친구.

노:우[2]【老優】명 ①늙은 배우. ②노련(老鍊)한 배우.

노울 명〈방〉놀[3](전남·경북).

노:웅【老雄】명 늙은 영웅.

노:원【怒怨】명 ①노여움과 원한. ②노하여 원망함. ——-하다 자여불

노원-구【蘆原區】명〖지〗서울 특별시의 한 구. 시의 북동부에 위치하고 있으며, 수락산(水落山)·불암산 등의 산수가 수려하고, 육군 사관학교와 태릉(泰陵) 선수촌 등이 있음. 1987년 도봉구(道峰區)에서 분구(分區)됨. [35.62 km²: 479,858명(1990)]

노:원-자【老園子】명〖공〗정원자(頂圓子).

노위[1]【勞慰】명 노고를 위로함. ——-하다 타여불

노위[2]【蘆葦】명〖식〗갈대.

노:유[1]【老幼】명 늙은이와 어린이. 기몽(耆蒙).

노:유[2]【老儒】명 늙은 유생(儒生).

노유[3]【猱狖】명〖동〗원숭이.

노육【努肉】명 궂은살.

노은【勞銀】명 노임(勞賃).

노을[1] 명 해가 뜰 무렵이나 질 무렵에, 공중에 있는 수증기가 햇빛을 받아 하늘이 벌겋게 보이는 기운. ¶ 저녁~. ㉰놀[3].

노을[2] 명〈옛〉녀울. 형상(形像). =노올. ¶ 노올굴인 병(蠱毒)《救簡》.

노을압 명〈옛〉잿불. ¶ 노올압 당(煻), 노올압 외(煨)《字會 下 35》.

노:음【老陰】명 ①음양도의 용어로, 음의 기운이 다 되어 없어지는 일. ②주역에서, 육(六)의 수를 이르는 말. 1)·2):↔노양(老陽).

노-응(:)규【盧應奎】명〖사람〗대한 제국 때의 의병장. 최익현(崔益鉉)의 문인. 고종 32년(1895)에 고향 진주(晋州)에서 의병을 일으켜, 한때 휘하의 병력이 1만을 넘었음. 김해(金海)를 공격하여 양곡(糧穀)의 일본 반출을 저지함. 생몰년 미상.

노의 부〈옛〉다시. ¶ 노의란 지달ᄡᅳ라(再來着絆着)《老乞 上 41》.

노의여 부〈옛〉다시. 전혀. ¶ 노의여 ᄒᆞ나토 긔수ᄒᆞ리 업서(更沒一箇肯倣保的)《老乞 下 50》.

노이〔noy〕의명 소음(騷音) 피해자의 입장에서 본 시끄러움의 단위(單位). 피험자(被驗者)의 감각에 따라 정하여진 것이기 때문에 소음원(騷音源)과 피해자의 사회적 조건에 따라 노이의 값은 달라짐. 1970년에 크라이터(Kryter, K. D.)가 소음 그 자체의 감각량(感覺量)을 음(音)의 크기의 계량(計量)과 대응하는 절차로 구하였음.

-노이다 어미〈옛〉-나이다. -옵니다. =-노이다·ᄂᆞ다. ¶ 도라보실니믈 젹곰 좃니노이다, 즈믄 힐 長存ᄒᆞ샬 藥이라 받즙노이다《樂範 動動》.

노이로제〔도 Neurose〕명〖의〗불안·과로·갈등·억압 등의 감정 체험(感情體驗)이 원인이 되어 일어나는, 신체적 병증의 총칭. 전신 신경증·국소 신경증이 있으며, 전자에는 히스테리(hysterie)·신경 쇠약 등이 있고, 후자에는 서경(書痙)·신경성 소화 불량 등이 있음. 신경증.

노이론〔도 Neuron〕명〖생〗'뉴런'의 독어명.

노이만[1]〔Neumann, Franz Ernst〕명〖사람〗독일의 물리학자. 쾨니히스베르크 대학 교수. 1831년 고체의 비열(比熱) 연구로 '노이만 코프의 법칙'을 발견하고, 이어 결정 광학·전자기학(電磁氣學)·유체 역학 등에도 업적을 세웠음. [1798-1895]

노이만[2]〔Neumann, Johann Balthasar〕명〖사람〗독일의 후기 바로크 건축가. 토목 기술자·건축가로서 독일 제후(諸侯)를 섬기고 1720년부터 뷔르츠부르크 궁(Würzburg宮) 건축의 중심 인물이 됨. 이 궁전의 대계단(大階段)은 그 장대한 공간과 화려한 장식으로 후기 바로크의 대표작으로 손꼽힘. [1687-1753]

노이만[3]〔Neumann, Johann Ludwig von〕명〖사람〗폰 노이만(von Neumann).

노이만 코프의 법칙【一法則】[—/—에—] 명〔Neumann-Kopp's law〕

〚물〛 고체의 분자열에 관한 법칙. 고체의 분자열은 이 고체를 이루는 각 원소의 원자열의 합과 같다는 경험적(經驗的) 법칙. 1831년에 독일의 물리학자 노이만과 코프에 의해서 발견됨.

노이만형 컴퓨:터【一型一】 명 폰 노이만형 컴퓨터.

노이 무공【勞而無功】 명 애를 쓴 보람이 없음. 애는 썼으나 효과가 없음. 도로 무공(徒勞無功). ——-하다 형여불

노:이 불사【老而不死】 [一싸] 명 늙은 나이에, 어지러운 일이 자꾸 닥치어, 괄사나와서 죽고 싶어도 죽지 아니함.

노이에 룬트샤우〔도 Neue Rundschau〕 명〚책〛 독일의 계간지(季刊誌). 1890년 '자유 극장'이라는 제호(題號)로 창간되었는데, 정치·문예 평론이 중심임. 발행 부수는 극히 적으나 국제적으로 높이 평가되고 있음. 프랑크푸르트에서 발행. 「物主義).

노이에 자흘리히카이트〔도 Neue Sachlichkeit〕 명 신즉물주의(新即

노이에 탄츠〔도 Neue Tanz〕 명 제1차 세계 대전 후 독일에서 일어난 새로운 무용. 발레의 형식미(形式美)에 반대하여 내용의 자유로운 표현과 현대성(現代性)을 추구하였음.

노이즈〔noise〕 명 ①소음. ②잡음. 특히, 라디오·텔레비전·레코드 등의 잡음. ③〚컴퓨터〛 전기 통신 회로의 어느 부분에서 전송(傳送)하려는 신호(信號)에 부가되어 전송되는 신호를 모호하게 하거나 식별하기 어렵게 만드는 바람직하지 않은 전기적 신호.

노이즈 리덕션〔noise reduction〕 명〚전자〛 신호(信號)의 에스엔비(SN比)를 향상시키는 일. 특히, 하이파이(hi-fi)의 오디오에 있어서 중요한 기술로서, 음성 신호가 낮은 레벨일 때에 높은 주파수를 강조하여 녹음하고, 재생할 때에 원래대로 되돌림으로써 녹음 테이프의 히스 노이즈(hiss noise) 등의 영향을 적게 할 수 있음. 돌비(Dolby) 방식이 유명함. 소음 억제(騷音抑制).

노이즈 리미터〔noise limiter〕 명 통신 회로·레코드 플레이어 등의 잡음을 없앨 목적으로, 어느 일정한 음량 이하는 증폭기가 작용하지 아니하도록 하기 위하여 넣는 회로. 잡음 제한기.

노이지:들러 호【一湖】〔Neusiedler〕 명〚지〛 오스트리아와 헝가리의 국경에 있는 얕은 염호(塩湖). 수심은 평균 1-2 m, 최심부(最深部) 4 m. 표면적은 변동하지만 최대 356 km², 남북으로 길이 36 km, 폭 10 km. 북안(北岸)과 서안(西岸)에 2-4 km에 이르는 갈대의 군락(群落)이 있으며 200 종(種)에 이르는 물새가 서식(棲息)함.

노이트러〔Neutra, Richard Joseph〕 명〚사람〛 오스트리아 태생의 미국의 건축가. 라이트(Wright, F.L.) 등의 조수로도 있었는데, 주택 건축이 특기로, 콜로라도에 세운 '사막의 집'은 특히 유명함. [1892-1970]

노:익-장【老益壯】 명 늙었어도 의욕이나 기력은 젊은이 못지 않게 장하고 왕성함. ¶ ~을 과시하다.

노:인[1]【老人】 명 늙은이. 늙으신네. 구로(耉老). 기애(耆艾).
【노인네 망령은 고기로 고치고 젊은이 망령은 몽둥이로 고친다】 노인들은 그저 잘 위해 드려야 하고, 아이들이 잘못했을 경우에는 엄하게 다스려 교육해야 한다는 말. '귀한 자식 매로 키워라'와 같은 뜻.

노인[2]【勞人】 명 고역(苦役)에 종사하는 사람. 고된 일을 하는 사람.

노:인[3]【路人】 명 길가는 사람.

노:인[4]【路引】 명〚역〛 조선 시대 관청에서 병졸이나 보통 장사꾼 또는 왜인(倭人)에게 내주던 여행권(旅行券).

노-인[5]【盧寅】 명〚사람〛 고려 문종(文宗) 때의 문신. 예부 상서(禮部尙書)를 지냈음. 생몰 연대 미상.

노:인-가【老人歌】 명〚문〛 작자·제작 연대 미상의 가사의 하나. 늙어가는 백발을 한탄하고, 일장 춘몽의 인생이니 우선 살았을 때나 호탕(豪宕)하게 놀아 보자는 넋두리. ≪가사 육종(歌詞六種)≫에 전함.

노:인 결핵증【老人結核症】 명〚의〛 노인이 앓는 결핵증. 여러해 경과

노:인-경【老人鏡】 명 돋보기❶. ⌊한 상태의 것이 많음.

노:인과 바다【老人一】 명〔The Old Man and the Sea〕〚문〛 헤밍웨이(Hemingway, E.)의 중편 소설. 1952년 간행. 늙은 어부가 오랜 흉어(凶漁) 뒤에 큰 청새치를 만나 사흘 낮 이틀 밤의 사투(死鬪) 끝에 이를 잡았으나, 돌아오는 길에 상어떼를 만나 항구에 닿았을 때에는 고기는 뼈만 남아 있었다는 내용을 간결하고 힘찬 문체로 그림. 1953년도 퓰리처상(Pulitzer賞)과 1954 년도 노벨 문학상 수상 작품임.

노:인-단【老人團】 명〚역〛 1919년 시베리아에서 50여 명의 교포 노인들이 모여 조직한 독립 운동 단체. 블라디보스토크의 신한촌(新韓村) 덕창국(德昌局)에 본부를 두고, 단장에 김치보(金治甫)를 추대함. 1919년 8월에 강우규(姜宇奎)를 시켜, 조선 총독 사이토마코토(齋藤實)를 저격하게 함.

노:인-단풍【老人丹楓】 명〚식〛 [*Acer koreanum*] 단풍나뭇과에 속하는 낙엽 활엽 교목. 잎은 손바닥 모양으로 9-11 갈래로 째졌으며, 이중의 톱니가 있음. 꽃은 5월에 방상(房狀) 화서로 정생(頂生)하고, 시과(翅果)는 10월에 익음. 산지에 나는데, 관상용·도구재로 쓰임. 한국 남부에 분포함. 「(壽命)을 맡아 보는 신당(神堂).

노:인-당【老人堂】 명 남극 노인성(南極老人星)의 사당(祠堂)으로 수명

노:인-도【老因島】 명〚지〛전라 남도의 서해상(西海上), 영광군(靈光郡) 낙월면(落月面) 송이리(松耳里)에 위치한 섬. [0.1 km²:5명(1971)]

노:인-병【老人病】 [一뼝] 명 노령자(老齡者)에 일어나는 질환의 총칭. 퇴행성(退行性)의 만성 질환으로 성인병(成人病)도 이에 속함. 동맥경화·고혈압·당뇨병·중풍·빈혈·갱년기 장애·정신병 등 여러 가지임.

노:인병-과【老人病科】 [一뼝꽈] 명〚의〛 노인에게 일어나는 내과적(內科的) 질환을 주요 대상으로 하는 의학 과목. 제리아트릭스.

노:인 복지【老人福祉】 명〚사〛 고령자의 생활 보장·건강 유지, 노인의 경험·기술을 살리는 사회 참가의 추진 등 고령자의 복지를 위한 사회적 서비스의 총칭.

노:인 복지법【老人福祉法】 [一뻡] 명〚법〛 노인의 복지 증진을 도모하기 위해, 노인의 심신(心身)의 건강 유지 및 생활 안정에 필요한 조치 등에 관하여 규정한 법률.

노:인 산:업【老人產業】 명 노인을 대상으로 한 사업의 총칭.

노:인-성【老人星】 명〚천〛 ↗남극 노인성(南極老人星).

노:인성 괴저【老人性壞疽】 [一썽一] 명〔senile gangrene〕〚의〛 조직 괴사(壞死)의 일종. 노인이기 때문에 사지(四肢)로의 혈액 공급이 저하되어 일어남.

노:인성 기종【老人性氣腫】 [一썽一] 명〔senile emphysema〕〚의〛 노화에 수반해서 일어나는 폐나 흉곽의 퇴화성 변화.

노:인성 난청【老人性難聽】 [一썽一] 명〔presbyacusia〕〚의〛 내이(內耳)의 노년성 변화에 의하여 일어나는 난청.

노:인성-단【老人星壇】 명〚역〛 노인성제(老人星祭)를 드리는 단(壇). 서울의 남대문 밖 둔지산(屯地山)에 있었다고 함.

노:인성-제【老人星祭】 명〚역〛 고려·조선 시대에, 남극 노인성(南極老人星)에게 수명 장수(長壽)를 빌어 노인성단(老人星壇)에서 들이는 제례(祭禮). 고려 시대에는 춘분(春分)·추분(秋分) 두 차례, 조선 시대에는 추분에 한 차례 지냈음.

노:인성 치매【老人性癡呆】 [一썽一] 명〔senile dementia〕〚의〛 뇌(腦)의 노년성(老年性) 퇴행 변화로 말미암아 일어나는 정신병의 하나. 지능의 저하를 주증(主症)으로 하는 질환임. 노모성(老耄性) 치매.

노인 울라〔Noin Ula〕 명〚지〛 몽고의 울란바토르와 캬흐타(Kyakhta) 중간의 산에 있는 흉노(匈奴)의 고분군(古墳群). 1924-25년 코즐로프(Kozlov) 탐험대가 발굴 조사함. 한대(漢代)의 명주·거울·칠기(漆器) 외에 페르시아 양식의 자수(刺繡), 스키타이(Scythians) 양식의 장신구 등이 발견되어 기원 전후의 동서 교류를 연구하는 중요한 자료가 됨.

노:인 의학【老人醫學】 명〔geriatrics〕〚의〛 노인의 생물학적·육체적 변화와 질병을 연구하는 분야.

노:인 자제【老人子弟】 명 늙은이가 낳은 아들.

노:인-장【老人丈】 명 노인을 맞대고 부르는 존칭.

노:인-장대【老人長一】 [一때] 명〚식〛 [*Amblygonum orientale*] 마디풀과에 속하는 일년초. 높이 2 m 가량. 잎은 호생하며 잎꼭지는 긴데 넓은 달걀꼴을 이룸. 7-8월에 짙은 홍색의 꽃이 가지 끝에 원주형의 수상(穗狀) 화서로 정생하고, 수과(瘦果)를 맺음. 관상용으로 심고, 어린 잎은 식용함. 인가 부근에 재배하는데, 한국의 중부 이남에 분포함.

노:인-정【老人亭】 명 동네 노인들이 모여서 휴식을 취하도록 지어 놓

노:인-좌【老人座】 명〚천〛 용골(龍骨)자리. ⌊은 정자.

노:인-직【老人職】 명〚역〛 벼슬아치는 여든 살에, 일반은 아흔 살에 임금이 내리던 가자(加資). 준노직(老職).

노:인 천:식【老人喘息】 명〚의〛 중년 이후, 40세 이상에서 발병한 천식. 기관지 확장증을 기반으로 하여 기도(氣道)의 세균 감염을 합병하는 일이 많음.

노:인-학【老人學】 명〔gerontology〕〚생〛 생물, 특히 사람의 노화 과정에 관한 과학적 연구. 노년학(老年學).

노:인 학교【老人學校】 명〚사〛 평생 교육의 일환(一環)으로 노인을 대상으로 교양 교육·건강 교육·사회 교육 등을 실시하는 학교.

노일[1]【勞逸】 명 노고(勞苦)와 안일(安逸).

노일[2]〔noil〕 명 ①소모 방적(梳毛紡績)이나 견사(絹絲) 방적의 공정에서, 양모나 명주의 섬유 속에서 제거한 짧은 부스러기 섬유. ②노일 클로스(noil cloth).

노일 전:쟁【露日戰爭】 명〚역〛 러일 전쟁.

노일 클로스〔noil cloth〕 명 견사 방적(絹絲紡績)의 공정(工程)에서 나오는 노일을 자아서 만든 방주사(紡紬絲) 또는 견방사(絹紡絲)를 날실·씨실로 쓴 마디가 많은 직물. 여름철 셔츠 감·옷감·침구 감으로 쓰임. 최근에는 면·화학 섬유의 것도 있음. 노일(noil).

노일 협약【露日協約】 명〚역〛 러일 협약. 「(勞銀). 노비(勞費).

노임【勞賃】 명〚경〛 노동에 대한 보수. 노동 임금(勞動賃金). 품삯. 노은

노임 기금설【勞賃基金說】 명〚경〛 임금 기금설.

노임 철칙【勞賃鐵則】 명 임금 철칙.

노올 명〈옛〉 놀[3]. =노을. ¶ 노올 하(霞)≪類合 上 4≫.

노올압지 명〈옛〉 잿불. =노을압. ¶ 炮는 물 저즌 죠히예 싸 노올압지예 무더 구을 시라≪救方 上 14≫.

-노이다 어미〈옛〉 -나이다. -옵니다. =-노이다. ¶ 내 이사ᄅᆞ미 ᄆᆞᄎᆞᆷ내 能히 그르디 몯호ᄆᆞᆯ 믿노이다(我信是人終不能解)≪楞嚴 V:1≫.

노자[1]【奴子】 명 ①노복(奴僕). ②마지기[1]. ③〚역〛 고려 때, 지방의 목장(牧場)에 딸려, 말의 사육을 담당하던 사람. *목자(牧子).

노:자[2]【老子】 명 ①〚사람〛 중국 춘추 시대(春秋時代)의 철학자. 도가(道家)의 시조(始祖). 성은 이(李), 이름은 이(耳). 자는 백양(伯陽). 초(楚)나라 사람. 주(周)의 수장실(守藏室)의 이원(吏員)으로 있을 적에 공자(孔子)가 예(禮)를 배웠다고 함. 뒤에, 난세를 피하여 함곡관(函谷關)에 이르렀을 때, 관의 영(令) 윤희(尹喜)가 도(道)를 구하매, 도덕 오천언(道德五千言), 곧 ≪노자 도덕경(老子道德經)≫을 지어 주었다 함. 그러나 오늘날의 연구로는 공자보다 백 년 뒤의 사람이라고도 하고, 또 실재(實在) 인물이 아니고, 도가 학파(道家學派)의 형성 후 그 시조로서 허구된 인물이라는 설도 있음. ②〚책〛 ↗노자 도덕경.

노자[3]【勞資】 명 ①노동과 자본. ②노동자와 자본가.

노:자[4]【路資】 명 여행하는 데 드는 돈. 노비(路費). 여비(旅費). 노수(路需). 노용(路用). 행비(行費). 행자(行資).

노자[5]【鸕鷀】 명〚조〛 가마우지.

노자근-하다 형여불 ↗노작지근하다.

노자나-불【盧遮那佛】 명〚불교〛 ↗비로자나불(毘盧遮那佛).

노:자 도:덕경【老子道德經】명〖책〗중국의 도가서(道家書). 춘추 시대(春秋時代) 말기, 노자(老子)가 난세를 피하여 함곡관(函谷關)에 이르렀을 때, 윤희(尹喜)가 도를 물으매, 도덕 오천언을 적어 준 책이라 전해지나, 실제로는 전국 시대에 있어서의 도가 사상가(道家思想家)의 언설(言說)을 한초(漢初)에 집성(集成)한 것으로 추측됨. 그 사상은 우주 간에 존재하는 일종의 이법(理法)을 도(道)라 하며, 무위(無爲)의 치(治)·무위의 처세훈(處世訓)을 서술함. ㊌노자(老子)·도덕경.

노:자 성:체【路資聖體】명〖천주교〗죽음이 임박한 신자에게 마지막으로 영(領)해 주는 성체.

노-자영【盧子泳】명〖사람〗시인. 호는 춘성(春城). 평남 출생. 1920년대의 '백조(白潮)' 초기 동인. 1934년에는 잡지 '신인 문학(新人文學)'을 창간, 일제 말기(日帝末期)에는 '조광(朝光)'의 편집에도 관계하였음. [1898-1940]

노자-온【鸕鷀瘟】명〖한의〗대두온(大頭瘟)의 한 가지. 아래턱 뼈의 아래가 부어 오르는 병. 하악 림프(下顎lymph)샘염.

노자-작【鸕鷀杓】명 가마우지 모양으로 꾸민 술구기.

노작¹【勞作】명 ①힘써 일함. 애써 작업함. ②노력을 들이어 만든 작품. 역작(力作). ¶ 대가의 ～. ——-하다 자타여불

노작【露雀】명〖사람〗홍사용(洪思容)의 호(號).

노작 가축【勞作家畜】명 힘들이어 일하는 가축. 소·말 등.

노작 교:육【勞作敎育】명〔도 Arbeitsunterricht〕〖교〗아동 또는 학습자인 피교육자의 자발적·능동적인 정신 및 신체의 작업을 중심 원리로 하여 행하는 교육. 보통 수공(手工)의 노작을 중요시하는 케르셴슈타이너(Kerschensteiner, G. M.)와, 정신의 노작을 중요시하는 페스탈로치와, 경제적 방면의 노작을 중요시하는 가우디히(Gaudig, H.; 1860-1923) 등이 주창한 교육을 말함. *공작 교육(工作敎育).

노작 교:육관【勞作敎育觀】명〖교〗학교를 조직적인 노작(勞作) 공동 사회로 보고, 유희·조형(造形)·창조·행동의 각 단계를 통하여, 자주적으로 지식을 획득하고 내적(內的) 생활의 가치와 조형에 대한 희열(喜悅)을 얻게 하여, 공동 사회에 봉사하는 행동으로 인도하려는 교육관. 독일의 케르셴슈타이너(Kerschensteiner, G. M.) 등이 주창하였음.

노작지근-하다 형여불 몹시 노곤하다. ㊌노자근하다.

노작 학교【勞作學校】명〖교〗물건을 만들어 내는 활동을 중시하여 교육을 행하는 학교. 제1차 세계 대전 후, 세계적인 신교육 운동 가운데서 강조된 노작 교육을 하고 있는 학교. 「협심증.

노작 협심증【勞作狹心症】[-쯩] 명〖의〗힘든 일을 할 때 발작하는

노:잔 유기【老殘遊記】명〖문〗중국 청말(淸末)의 사회 비판 소설. 유악(劉鶚)이 씀. 주인공인 노잔(老殘)이라는 한의사(漢醫師)의 유력(遊歷)을 빙자하여 관료 정치를 통렬히 비난함.

노장¹ 명〈방〉남편(男便)(함경).

노:장²【老壯】명 늙은이와 젊은이. 노년(老年)과 장년(壯年). ¶～파(派).

노:장³【老長】명 ①〖불교〗↗노장중. ②〖불교〗노승(老僧)의 존칭. ③〖연〗봉산(鳳山) 탈춤·강령(康翎) 탈춤·송파(松坡) 산대놀이·양주(楊州) 별산대놀이 등에 등장하는 파계승(破戒僧)의 이름. 긴 염주를 목에 걸고 부채를 들었으며, 검은 바탕에 점이 많이 박힌 탈을 썼음.

노:장⁴【老莊】명 노자(老子)와 장자(莊子).

노:장⁵【老將】명 ①늙은 장수. 노련(老鍊)한 장군. ¶ 백전(百戰) ～. ②경험 많고 뛰어난 노련가.

[노장은 병담(兵談)을 아니하고 양고(良賈)는 심장(深藏)한다] 노련한 장수는 군사에 관하여 함부로 말을 하지 아니하며, 훌륭한 상인(商人)은 좋은 물건을 깊이 감추어 두고 판다는 뜻으로, 곧 어진 사람은 그 뛰어난 재주나 덕을 함부로 자랑하지 아니한다는 말.

노장⁶【怒張】명〖의〗(혈관 따위가) 부풀어 오름. ¶ 정맥(靜脈) ～.

노:장⁷【路葬】명〖민〗죽은 처녀·총각의 혼령이, 악귀(惡鬼)가 되어 화를 미치는 일이 없도록 왕래가 빈번한 길 복판에 묻음. ——-하다 타여불

노장⁸【虜將】명 오랑캐의 장수. 적의 장수를 욕하여 이르는 말.

노장⁹【蘆場】명 갈대를 기르는 땅. 갈대밭.

노장¹⁰【露場】명〖기상〗측후소(測候所)에서 기상 관측을 하기 위하여 마련한 곳. 양지바른 곳으로, 빗방울이 튀지 않게 잔디를 심었으며 이 곳에 기재를 설치함.

노:-장군【老將軍】명 늙은 장군. 늙은 장수.

노:장 사:상【老莊思想】명〖철〗무위(無爲)·자연(自然)을 도덕의 표준으로 하며, 허무(虛無)를 우주의 근원으로 삼는 노자(老子)와 장자(莊子)의 사상. *허무학(虛無學).

노:장-중【老長一】명〖불교〗나이가 많고 덕행이 높은 중. ㊌노장(老長).

노:장지-도【老莊之道】명 무위(無爲)와 자연(自然)을 표준으로 하는, 노자(老子)와 장자(莊子)가 주장한 도덕. *공맹지도. 「학. 노장학.

노:장지-학【老莊之學】명〖철〗노장 사상(老莊思想)을 조술(祖述)하는

노:장-파【老壯派】명 노년(老年)과 장년(壯年) 층으로 이루어진 파. 대개 급진(急進)보다는 보수(保守)를, 과격(過激)보다는 온건(穩健) 쪽으로 기움. ↔소장파(少壯派).

노:장-학【老莊學】명〖철〗노장지학.

노:장 학파【老莊學派】명 노장학을 받드는 학파. 형초(荊楚) 학파.

노재¹【奴才】명 ①노복(奴僕). ②중국 청(淸)나라 때에 만주인의 관리가 황제에 대해서 자기를 낮추어 일컫던 말. ③열등(劣等)한 재주. ④사람을 꾸짖는 말. 놈. 「②자기의 재능을 겸손하게 일컫는 말.

노재²【駑才·駑材】명 ①노마(駑馬)와 같이 우둔한 재능. 또, 그런 사람.

노쟁【勞爭】명 ↗노동 쟁의(爭議).

노저【蘆渚】명 노정(蘆汀).

노적¹【勞績】명 ①애써 세운 공적. 힘들이어 이룬 공적. ②〖역〗중국 청(淸)나라에서, 세운 공적에 따라 관리를 특채(特採)하던 제도.

노적²【露積】명 ①한데에 쌓아 둔 곡식. ②한데에 쌓아 둠. 또, 그 물건. 야적(野積). ③〈방〉낟가리(강원). ——-하다 타여불

노:적 담불에 싸이었다 구 곡식을 많이 쌓아 두고 있다는 말.

노적³【蘆荻】명 갈대와 물억새.

노적⁴【蘆笛】명 갈대 잎을 말아서 만든 피리. 노관(蘆管).

노:적-가리【露積一】명 한데에 쌓아 둔 곡식 더미.

[노적가리에 불지르고 싸라기 주워 먹는다] 큰 것을 잃고 작은 것을 아끼는 사람을 비웃는 말.

노:적-도【露積島】명〖지〗평안 북도 서해 상의 섬. [0.06 km²]

노:적-봉【露積峯】명 ①〖지〗서울 뒤의 삼각산(三角山)의 한 봉우리. [717 m] ②전라 남도 목포(木浦)의 '유달산(儒達山)'을 임진 왜란 때, 이순신 장군이 노적 가리처럼 왜군(倭軍)에게 보이기 위하여 섶·짚 등으로 둘러 씌웠던 데서 일컫는 말.

노전¹【弩箭】명 쇠뇌의 화살.

노전²【鹵田】명 소금기가 있는 메마른 땅.

노:전³【路奠】명 견전제(遣奠祭).

노:전⁴【路電】명 중국에서의 철도와 전신의 일컬음.

노:전⁵【路錢】명 여비(旅費). ¶ ～이 떨어지다.

노전⁶【蘆田】명 갈밭.

노전⁷【爐殿】명〖불교〗대웅전(大雄殿)과 그 밖의 법당을 맡아 보는 임원의 숙소(宿所). 향각(香閣). 「유.

노전 대:사【爐殿大師】명 ①〖불교〗노전 스님. ②'의뭉한 사람'의 비

노전 분하【爐田分下】명 현장에 있는 사람에게만 나눔. ——-하다 타여불 「스님. 노전승. 노전 대사.

노전 스님【爐殿一】명〖불교〗법당에서 아침 저녁으로 향불을 받드는

노전-승【爐殿僧】명〖불교〗노전 스님.

노점¹【癆漸】명〖한의〗폐결핵(肺結核)의 한의학 상의 이름. 부족증(不足症). 허로(虛癆). 폐로(肺癆). 허로증. 허손(虛損).

노점²【蘆簟】명 삿자리.

노점³【露店】명 길가의 한데에 벌이어 놓은 가게. ¶ ～ 상인.

노점⁴【露點】[-쩜] 명〖물〗'이슬점(點)'의 한자말.

노점-계【露點計】[-쩜-] 명〖물〗노점 습도계.

노점 습도계【露點濕度計】[-쩜-] 명〖물〗이슬점 습도계.

노정¹【勞政】명 노동 문제에 대한 정책(政策)이나 행정(行政).

노정²【路頂】명〔crown〕〖토목〗도로의 노면에서, 가장 높게 올라온 중앙부. 「경로. 여정(旅程).

노:정³【路程】명 ①길의 이수(里數). 도정(道程). 정도(程道). ②여행의

노정⁴【蘆汀】명 갈대가 뒤덮인 물가. 노저(蘆渚).

노정⁵【露井】명 지붕이 없는 우물. 한데우물.

노정⁶【露呈】명 드러냄. 나타냄. ——-하다 타여불

노:정⁷【鷺汀】명 해오라기가 서 있는 물가.

노:정-계【路程計】명 차량에 장치하여 주행 거리를 재는 기구. 미터계.

노정-골【顱頂骨】명〖생〗두개골의 한 부분. 두개의 중심에 있어 좌우 한 쌍으로 된 편평(扁平)하고 모난 뼈. 두정골(頭頂骨). 두로(頭顱).

노:정-기【路程記】명 여행할 길의 이수와 경로를 적은 기록.

노:제¹【老除】명 늙은 군사를 제대시킴. ——-하다 타여불

노:제²【路祭】명 견전제(遣奠祭).

노제³【蘆穄】명〖식〗수수. 「會 中 9〉.

노젹 명〈옛〉노적(露積). ¶ 노젹 돈(囤), 노젹 천(篅), 노젹 균(囷)〈字

노:조¹【怒潮】명 힘차게 밀어 닥치는 조류(潮流).

노조²【勞組】명 ↗노동 조합.

노조리 명〈방〉〖조〗종달새.

노-조(:)린【盧照鄰】명〖사람〗중국 당(唐)나라 때의 문인. 범양(范陽) 사람으로 왕발(王勃)·양형(楊炯)·낙빈왕(駱賓王)과 함께 초기 당나라 사대(四大) 문장가의 한 사람임. 저서는《오비문(五悲文)》·《노승지집(盧昇之集)》 20권이 있음. [637-689 ?]

노조-원【勞組員】명 ↗노동 조합원.

노:족【老足】명 ①다리가 쇠약해진 노인. ②노인의 발걸음. 노각(老脚).

노존 명〈방〉삿자리(함경).

노:졸¹【老卒】명 노병(老兵)❶.

노:졸²【老拙】명 늙고 못남. ——-하다 형여불

노졸³【露拙】명 못나고 옹졸함을 드러냄. ——-하다 자여불

노종【露蹤】명 어사(御史) 출두.

노좌【露坐】명 한데에 앉음. ——-하다 자여불

노주¹【奴主】명 ①종과 상전. 주복(主僕). ②노예의 상전.

노:주²【老酒】명 ①섣달에 담가서 해를 묵혀 떠낸 술. 납주(臘酒). ②술로 늙은 사람. ③찹쌀이나 좁쌀·수수 등을 원료로 하여 빚은 중국 술.

노주³【勞酒】명 수고를 위로하여 주는 술. 「라오주.

노주⁴【魯酒】명 약한 술.

노주⁵【露酒】명 이슬처럼 받아 내는 증류주라는 뜻으로 일컫는 소주(燒酒)의 딴이름.

노주⁶【露珠】명 이슬 방울.

노주⁷【蘆洲】명 갈대가 난 사주(砂洲).

노주-간【奴主間】명 종과 주인 사이.

노주-분【奴主分】명 종과 상전의 분별.

노주 유거【蘆洲幽居】명〖문〗박인로(朴仁老)가 지은 시조의 하나. 자연에 묻혀 살면서 한가한 흥취를 읊음. 1수.

노:중【路中】명 ①길 가운데. ②길가는 도중(途中). 도중(道中).

노-중(:)련【魯仲連】[-년] 명〖사람〗중국 전국(戰國) 시대 제(齊)나라의 웅변가. 용기와 높은 절개로 유명함. 생몰 연대 미상(未詳).

노-중(:)례【盧重禮】[-네] 명〖사람〗조선 시대 세종(世宗) 때의 한의학자. 세종 5년(1423)에 명나라에 왕래하면서 당재(唐材)와 본토산(本土産)의 차이를 구명하고 향약 흥용(鄕藥興用)에 힘썼음. 저서에《향약 채집 월령(鄕藥採集月令)》·《신증 향약 집성방(新增鄕藥集成

方)》·《의방 유취(醫方類聚)》·《태산 요록(胎産要錄)》 등이 있음. 생몰 연대 미상.

노중-화【爐中火】명〔민〕육십 화갑자(六十花甲子)에 있어서, 병인(丙寅)·정묘(丁卯)에 붙이는 납음(納音). 병정(丙丁)은 화(火)요, 인묘(寅卯)는 목(木)이니 나무는 불에 타서 재가 되고 잿속에 화기가 가득 차 있다는 말.

노:즈 다이브〔nose dive〕명 ①비행기의 급강하. ②주가(株價)의 폭락.

노:즈 베일〔nose veil〕명 여성의 보닛(bonnet)에 덮어 씌워 코밑까지 이르는 베일.

〈노즈 베일〉

노즐〔nozzle〕명 통 모양이며, 끝의 작은 구멍에서 유체를 분출시키는 장치의 일반적 통칭. 곧, 증기 터빈·디젤 기관·호스(hose)·펠턴 수차(Pelton 水車) 등에 쓰이는 분출구를 말함.

노즐 분리법【分離法】[一불一뻡] 명〔nozzle separation process〕농축 우라늄 제조법의 하나. 나오는 구멍을 둘로 칸막이한 반원형(半圓形)의 작은 도관(導管)에다 플루오르화 우라늄과 헬륨의 혼합 가스(混合 gas)를 불어넣어, 우라늄 238을 함유하는 무거운 가스와 우라늄 235를 함유하는 가벼운 가스가 분리되어 나오는 것을 이용한 것.

노즙【滷汁】명 알칼리성의 용액.

노증【勞症·癆症】명〔한의〕폐결핵(肺結核)의 고칭(古稱). 노해(癆痎).

노지【露地】명 ①지붕이 덮여 있지 아니한 땅. ②〔불교〕삼계(三界)의 화택(火宅)을 떠난 고요한 경지.

노지 재배【露地栽培】명〔농〕보통, 온실·비닐 하우스·온상 따위의 시설을 써서 재배하는 일이 많은 꽃이나 채소 따위를 특수한 가열(加熱)이나 보온(保溫)을 하지 아니하고, 밭이나 화단 등 자연적인 조건에서 재배하는 방법. 한데 가꿈. ↔온실 재배(溫室栽培).

노:직【老職】명〔역〕↗노인직.

노:직 당상【老職堂上】명〔역〕정삼품(正三品) 이상의 노인직.

노:질[1]【老疾】명〔의〕①늙고 쇠약하여서 생긴 병. 노병(老病). ②늙음과 병듦.

노질[2]【駑質·魯質】명 노둔한 성질.

노-질[3]【櫓一】명 노를 저어 배를 나아가게 하는 짓. 배질. ——-하다 자여불

노:차[1]【路次】명〈이두〉노중(路中).

노:차[2]【路車】명 옛 중국에서 제후(諸侯)가 타던 수레. 노거.

노차[3]【露次】명 노숙(露宿).

노차[4]【露車】명 뚜껑이 없는 수레. 무개차(無蓋車).

노:차-병【老且病】명 늙은 위에 또 병이 많음.

노착지근-하다 형여불 ↗노리착지근하다. 노착지근-히 부

노참【勞慘】명 피로하고 상심(傷心)함. ——-하다 자여불

노:창[1]【老蒼】명 ①얼굴이 나이가 들어 보임. ②노년(老年)❷.

노창[2]【臚唱】명〔←여창(臚唱)〕〔역〕의식(儀式)에 있어서 그 식차례를 인의(引儀)가 소리를 높이어 읽는 일. 준창(唱). ——-하다 타여불

노창-자【臚唱者】명〔역〕의식 때에 홀기(笏記)를 읽던 사람.

노채【癆瘵】명〔한의〕말기(末期)에 다다른 폐결핵. 전시(傳尸). 전주(傳注).

노:처[1]【老妻】명 늙은 아내.

노처[2]【露處】명 한데서 거처함. ——-하다 자여불

노:-처녀【老處女】명 결혼할 나이가 훨씬 지난 처녀. 늙은 처녀. 올드미스(old miss). ↔노총각.

【노처녀가 시집을 가려니 등창이 난다】오랫동안 벼르고 벼르던 일을 하려 할 때 방해물이 끼고 마(魔)가 붙어서 하지 못하고 만다는 뜻. 【노처녀더러 시집가라 한다】물어 보나마나 좋아할 일을 공연히 묻는다는 말.

노:처녀-가【老處女歌】명〔문〕삼설기(三說記)에 들어 있는 소설의 하나. 노처녀가 밤낮으로 슬픈 노래를 읊조렸는데, 근처 김 도령과 결혼한 후에는 모든 병이 다 나아 옥동자까지 낳고 그 아들이 영웅이 되었다는 내용.

노천【露天】명 한데. 지붕이 없는 곳. ¶ ~ 시장.

노천 갑:판【露天甲板】명〔weather deck〕선박의 맨 위쪽의 갑판. 또, 지붕 따위가 없이 노출된 갑판.

노천 강:당【露天講堂】명 노천에 계단 등을 만들어 강당 대용으로 쓰는 곳.

노천-굴【露天掘】명〔strip mining, open-pit mining〕〔광〕광상(鑛床)이 지표(地表)나 지표 가까이에 있을 때에, 그 위를 덮고 있는 암석 등을 제거만 하고, 갱(坑)을 만들지 아니하고서 지표에서 바로 채굴하는 일. 육굴(陸掘). 노굴(露掘). 노천 채굴.

노천 극장【露天劇場】명 노천에 무대만을 가설한 극장.

노-천명【盧天命】명〔사람〕현대 여류 시인. 황해도 장연(長淵) 출생. 이화 여자 전문 학교를 졸업한 뒤 기자 생활을 거쳐 시단에 등장, 여성적인 예리한 감각과 청수(淸秀)한 서정이 담긴 시를 썼음. 시집에 《사슴의 노래》·《노천명 시집》 등이 있음. [1913-57]

노천-상【露天商】명 길가에 물품을 진열하여 놓고 파는 장사. 또, 그 장수.

노천 수업【露天授業】명〔교〕피서(避暑)·실습(實習) 등을 목적으로 노천에서 하는 수업.

노천 채:굴【露天採掘】명〔광〕노천굴(露天掘).

노:천화 잔류 광:상【露天化殘留鑛床】[一잘一] 명〔광〕풍화(風化) 잔류 광상.

노:철-산【老鐵山】[一싼] 명〔지〕라오톄 산.

노:체[1]【老體】명 ①늙은이의 몸. 늙은 몸. ②늙은이. 노인(老人).

노체[2]【露體】명 알몸을 드러냄. ——-하다 자여불

노초[1]【露草】명 이슬이 앉은 풀.

노초[2]【露礁】명 수면(水面)에 드러나 있는 바다 가운데의 암석.

노:촌【路村】명〔도 Wegedorf〕〔지〕도로를 따라서 발달한 농업 취락(聚落). 수리(水利)·일조(日照)·경지(耕地) 등의 자연 조건에 의하여 이루어진 불규칙한 것과, 계획적으로 도로를 내고 토지를 경작하여 이루어진 것 등이 있음.

노:총[1] 명 기밀(機密)을 남에게 알리지 아니하여야 될 일.

노:총(을) 놓다 구 ☞노총(을) 지르다.

노:총(을) 지르다 구 노총을 남에게 알리다.

노총[2]【勞總】명 ↗한국 노동 조합 총연합회.

노:-총각【老總角】명 결혼할 나이가 훨씬 지난 총각. 늙은 총각. ↔노처녀(老處女).

노추[1]【奴雛】명 종이 낳은 아이.

노:추[2]【老醜】명 나이를 먹어 추해짐. ——-하다 자여불

노추[3]【蘆錐】명 갈대의 싹.

노추-봉【魯鄒峰】명〔지〕노추산.

노추-산【魯鄒山】명〔지〕강원도 강릉시(江陵市) 왕산면(旺山面)에 있는 산. 노추봉. [1,322 m]

노축[1] 명〈방〉늙은이(황해).

노축[2]【奴畜】명 종처럼 천하게 양육함. ——-하다 타여불

노:-축[3]【老一】명 늙은 축. 늙은 패. 노패(老牌). 노파(老派).

노-춘성【盧春城】명〔사람〕노자영(盧子泳)을 호(號)로 일컫는 말.

노출【露出】명 ①밖으로 드러나거나 드러냄. ¶ 가슴이 ~되다 / ~ 광맥. ②〔exposure〕사진술에 있어서, 촬영·인화(印畫)·확대를 할 때, 필름(film)·건판(乾板)·인화지(印畫紙) 등의 감광면(感光面)에 적당한 양의 빛을 쬐는 일. ¶ ~ 부족. *디 피 이(D.P.E.). ——-하다 자타여불

노출-계【露出計】명〔exposure meter〕사진 촬영시에, 피사체(被寫體)의 밝기를 측정하여 노출 시간을 정하는 기계.

노출 과:다【露出過多】명〔overexpose〕사진의 필름이나 건판에의 노출량이 많든가 노출 시간이 지나치게 길.

노출 관용도【露出寬容度】명 필름(film)에서, 피사체(被寫體)의 명암(明暗)을 정확하게 재현(再現)할 수 있는 노출 허용 범위. 래티튜드.

노출-면【露出面】명〔exposure〕〔기상〕특히, 바람이나 태양 광선에 노출된 장소의 일반적 환경을 이르는 말.

노출-증【露出症】[一쯩] 명 ①성적 도착(性的倒錯)의 하나. 치부(恥部)를 노출시켜 그것을 남에게 보임으로써 성적 만족을 얻는 일. ②의식·무의식적으로 남의 주의를 끌고, 칭찬을 받고자 하는 경향.

노출 탄:전【露出炭田】명〔광〕지표(地表)에 탄층(炭層)의 노두(露頭)가 나타나 쉽게 채굴할 수 있는 탄전. ↔복재(伏在) 탄전.

노:췌[1]【老悴】명 늙어서 파리함. ——-하다 형여불

노췌[2]【勞瘁】명 몹시 고달파서 야윔. ——-하다 형여불

노:치[1]【老齒】명 늙은이의 이.

노치[2]【孥稚】명 아내와 자식. 또, 어린것.

노치[3]〔notch〕명 'V'자 모양으로 새긴 금. 또, 그 모양으로 벤 자리.

노:친【老親】명 늙은 어버이. 늙은 부모.

노:친-네【老親一】명〈방〉노파(老婆)(평안).

노:친 시:하【老親侍下】명 늙은 부모를 모시고 있는 처지.

노:침【路寢】명〔역〕천자·제후의 정전(正殿). 임금의 정전.

노: 카:본지【一紙】〔no carbon〕명 두 겹의 종이의 윗장 뒷면에 무색의 색소를 젤라틴(gelatin) 등으로 감싸서 미소 캅셀상(微小 Kapsel狀)으로 하여 칠하고, 밑의 종이 표면에 산성 백토(酸性白土)나 벤토나이트(Bentonite)를 칠한 감압 복사지(感壓複寫紙). 필압(筆壓)으로 캅셀이 깨지면 색소가 아랫장에 흡착(吸着)되어 발색(發色)함.

노: 카운트〔no count〕명 테니스·탁구 등의 구기에서 점수로 치지 아니하여 계산에 넣지 아니하는 일.

노커〔knocker〕명 ①현관문에 달린, 문 두드리는 고리쇠. ②야구에서 노크를 하는 사람.

〈노커❶〉

노: 커트〔no cut〕명 영화 필름이, 상연(上演)의 형편상 또는 검열로 커트되지 아니함.

노: 컨트롤〔no control〕명 야구에서, 투수가 제구력(制球力)이 모자람을 이르는 말.

노: 코멘트〔no comment〕명 언급할 일이 없음. 신문 기자 등의 질문에 대하여 언급을 회피하는 데 쓰는 어구로, 1951년에 대일 강화 조약 체결 당시에 소련 대표 그로미코(Gromyko)가 이 말로 시종 언급을 회피한 데서 유래한 말.

노코시라 타〈옛〉놓으셨으면 하노라. 놓아 주소서. '놓'에 '고시라'가 합한 말. ¶ 어느이다 노코시라 어긔야 내 가논디 졈그롤셰라 《樂詞 井邑詞》. *-고시라.

노콰〈옛〉노와. '노[1]'의 공동격형(共同格形). ¶ 情中엔 노콰 杌왜 다 업슬시(情中都無繩杌故)《圓覺 上 一之一 61》.

노크〔knock〕명 ①두드림. ②방문할 때 가볍게 문 따위를 두드림. ③야구에서, 수비(守備) 연습을 하기 위하여 공을 침. ——-하다 자타여불

노킹〔knocking〕명 내연 기관(內燃機關)의 기통(氣筒) 안에서 연료가 너무 빨리 발화(發火)하거나 이상(異常) 폭발하는 현상. 망치로 기통을 치는 듯한 소리가 나는데, 이 결과 기관의 출력(出力)이 감소되거나 기통이 파손되는 일이 있기 때문에 앤티노크제(antiknock劑)를 혼입(混入)하여 그것을 방지함. 이상(異常) 폭발. 데토네이션. *내폭성(耐爆性).

노킹 온〔knocking on〕[명] 아이스 하키에서, 손이나 발로 퍽(puck)을 쳤을 때의 반칙.

〈노타이 셔츠〉

노타 [타] 〈옛〉 놓다'. ¶ 所掠을 다 노ᄒᆞ샤(盡放所掠) ≪龍歌 41章≫.
노:-타이〔no+tie〕[명] ①↗노넥타이(no necktie). ②↗노타이 셔츠(notie shirt).
노:타이 셔츠〔notie+shirt〕[명] 넥타이를 매지 않고 입는 셔츠. 깃을 열어 젖히고, 여름에 입음. 개금(開襟) 셔츠. 노넥타이 셔츠(no necktie shirt). [준]노타이.
노: 타임〔no+time〕[명] 쉬고 있는 경기를 다시 시작할 때에 쓰는 심판원의 선언 용어. ↔타임.
노탄【爐炭】[명] 화로의 숯불.
노탕-전【蘆蕩田】[명] 갈밭과 대밭.
노:태[1]【老態】[명] ①늙은이의 태도. ②늙어 보이는 모양. 늙은 티.
노태[2]【駑駘】[명] ①동작이 둔한 말. ②용렬함. 또, 그 사람. ――하다 [형][여불]
노: 터치〔no touch〕[명] ①손을 대지 못함. ②(사건 따위에) 관계하지 아니함. ③야구에서, 누수(壘手)·야수(野手)가 주자(走者)에게 공을 터치하지 못함.
노토【壚土】[명] 부식토(腐植土).
노토리 [명] 〈방〉 늙은이(함경·평북).
노토매 [명] 제주도에서, 일은 아니 하고 놀기만 하는 아이를 일컫는 말.
노토 반:도【―半島】〔能登:のと〕[명]〖지〗 일본 이시카와 현(石川縣) 북부의 일본해(日本海)에 돌출한 반도.
노토사우루스〔Nothosaurus〕[명]〖동〗 트라이아스기의 화석 동물의 하나. 기룡(鰭龍)의 얼자룡(孼子龍) 아목(亞目)에 속하는 해서(海棲) 파충류의 한 속(屬). 몸길이는 35-100 cm 정도, 목은 좀 기나 사지(四肢)가 빈약함. 육식성인 듯하며, 스위스 남부에서 많은 골격이 발견됨.
노토 전:쟁【露土戰爭】[명]〖역〗 러시아 투르크 전쟁.
노:퇴【老退】[명] 늙어서 스스로 관직에서 물러남. ――하다 [자][여불]
노:투【怒鬪】[명] 성이 나서 사납게 싸움. ――하다 [자][여불]
노투르노〔이 notturno〕[명]〖악〗 '녹턴(nocturne)'의 이탈리아어.
노투리 [명] 〈방〉 늙은이(평북).
노툭 [명] 〈방〉 늙은이(평북).
노툴 [명] 〈방〉 늙은이(평북).
노트[1]〔Knott, Thomas Albert〕[명]〖사람〗 미국의 음성학자·교육가. 웹스터(Webster) 사전 제2판의 편집자를 역임함. 케니언(Kenyon)과 함께 발음(發音) 사전을 완성하고, 케니언 노트식 표기법을 창안(創案)하였음. [1880-1945]
노:트[2]〔note〕[명] ①수기(手記). 각서(覺書). ②주해(註解). 주석. ③↗노트북(notebook). ④〖악〗 음표. ⑤필기. 표기. ――하다 [타][여불]
노트[3]〔knot〕[의명] 배의 속도에 쓰이는 관용 단위. 한 시간에 1해리, 약 1,852 m를 달리는 속도를 1 노트라 함. 풍속(風速)·해류(海流)의 유속(流速)에도 쓰임. 기호는 kt.
노트르-담〔프 Notre-Dame〕[명] 〔우리들의 귀부인이라는 뜻으로 성모 마리아를 가리킴〕 성모 마리아를 축복하기 위하여, 파리·랭스·마르세유·아미앵(Amiens) 등에 세워진 대성당. 파리의 노트르담이 가장 유명한데, 1163년에 기공하여, 1240년에 완성된 것으로 고딕 건축의 대표작임.
노트르담 드 랭:스〔프 Notre-Dame de Reims〕[명] 랭스 대성당(Reims 大聖堂).
노트르담 드 파리〔프 Notre-Dame de Paris〕[명] ①파리에 있는 프랑스 고딕의 대표적 대성당. *노트르담. ②〖책〗 위고(Hugo)의 소설. 1831년의 작품으로, 노트르담 대성당을 배경으로 집시의 소녀 에스메랄다(Esmeralda)를 중심으로 한 부주교(副主敎)·청년 장교·종루(鐘樓)지기 카지모도 등의 사랑의 갈등을 그린 멜로드라마임. 노트르담의 꼽추.
노트르담의 꼽추〔Notre-Dame〕[―/―에―] [명]〖책〗 ≪노트르담 드 파리≫의 번역명.
노:트-북〔notebook〕[명] ①공책. [준]노트. ②↗노트북 컴퓨터.
노:트북 컴퓨:터〔notebook computer〕[명] 들고 다니기 편하게 대학 노트 크기로 만든 휴대용 컴퓨터. [준]노트북.
노:틀 [명]〔중 老頭兒〕 늙은이.
노:티[1] [명] 좁쌀을 엿기름에 삭히어 지진 떡. 가윗날에 서도(西道)에서 만들어 먹음.
노:-티[2]【老―】[명] 늙어 보이는 모양. 늙은 티. ¶ ～가 난다.
노티[3] [타] 〈옛〉 놓지. '노타'의 활용형. ¶ 고ᄉᆞᆫ 수리 ᄢᅮᆯ마티 ᄃᆞ닐 노티 아니ᄒᆞ리라(不放香醪如蜜甜) ≪杜諺 X:9≫.
노:틸러스-호【―號】〔Nautilus〕[명] 세계 최초의 미국 원자력 잠수함. 1954년에 진수(進水)함. 가압수형(加壓水型) 원자로를 장치하였고, 길이 98 m, 수중 속력 20 노트 이상, 잠항 심도(潛航深度) 200 m, 연속 50일 이상의 잠항이 가능하며, 시운전(試運轉) 개시 이래 26개월 후에 최초의 핵연료 보급을 받을 때까지의 항해 거리는 약 6만 해리(海里)였음. 1958년 8월에는 북극점(北極點)의 잠항 횡단에 성공함.
노: 팁〔no tip〕[명] 팁(tip)을 주지 아니함.
노팅엄〔Nottingham〕[명]〖지〗 영국 잉글랜드 중앙부의 도시. 트렌트강(Trent江) 서안에 있으며, 교통의 요지로 철도·운하가 집중됨. 1642년 찰스 일세가 크롬웰에 대항하여 군사를 일으킨 곳으로 옛성터가 있고, 근래 기계·담배 등의 공업이 발달하였으며, 특히 메리야스·레이스(lace)의 제조술(製造術)은 유명함. [271,000 명(1981)]
노:파[1]【老派】[명] 늙은 패. 노축. 노패(老牌).
노:파[2]【老婆】[명] 늙은 여자. 할머니. 할멈. 온구(媼嫗).
노파리 [명] 삼·종이·짚 같은 것으로 꼰 노로 결은 신. 겨울에 집안에서 신음.
노파리가 나다 [구] '신이 나다'의 곁말.

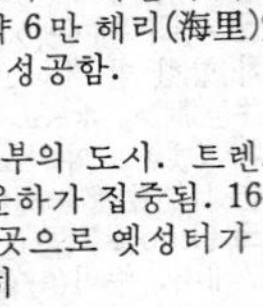
〈노파리〉

노:파-심【老婆心】[명] 노파의, 남의 일을 지나치게 걱정하는 마음.
노: 파:킹〔no parking〕[명] 주차하지 못함. 주차 금지(駐車禁止).
노:패【老牌】[명] 노축[3].
노:퍽〔Norfolk〕[명]〖지〗 ①영국 잉글랜드 동부 지방 워시 만(Wash 灣) 동쪽의 주. 낮은 구릉성(丘陵性)의 농경지임. 모직·피혁의 공업 도시가 많음. [5,570 km^2: 620,000 명(1985)] ②미국 동부 버지니아 주 동남부의 체서피크 만(Chesapeake 灣) 입구의 항만 도시. 천연의 양항(良港)으로 해군 기지(海軍基地)가 있으며, 상항(商港)으로서도 중요한 몫을 차지함. 조선(造船)·자동차·식품 가공 등의 공업도 성함. [267,000 명(1985)]
노:퍽 섬〔Norfolk〕[명]〖지〗 남태평양, 뉴질랜드 북쪽 75 km에 있는 오스트레일리아령의 화산섬. 커피·바나나 등을 산출하는 관광지임. 1914년 이래 오스트레일리아가 통치함. 킹스턴(Kingston)에 정청(政廳)이 있음. [35 km^2: 2,200 명(1981)]
노:퍽 재킷〔Norfolk jacket〕[명] 잔등에 요크(yoke)가 있고 플리트(pleat)로 주름을 단 스포츠용 남자 재킷.

〈노퍽 재킷〉

노펑거지 [명] 〈방〉 노벙거지.
노: 페이퍼 소사이어티〔no paper society〕[명] 정보(情報)가 컴퓨터의 기억 장치에 입력(入力)됨으로써, 종이가 사무면(事務面)에 필요 없어지게 되는 사회.
노:폐【老廢】[명] 늙어서 쓸모가 없음. 낡아서 소용이 없이 됨. 노후(老朽). ――하다 [형][여불]
노:폐-물【老廢物】[명] ①노폐한 물건. 또, 그런 사람. ②〖생〗 생체 내에 있어서의 물질 대사(代謝)의 결과 생긴 물질의 총칭. 불필요 혹은 유독(有毒)하여 몸 밖으로 배출됨. 묵은 찌끼.
노:폐 보:험【老廢保險】[명] 피(被)보험자가 일정한 연령에 달하였을 때 또는 업무 상의 사유에 의하지 아니하는 폐질(廢疾)·사망(死亡)에 대하여 일정한 금액을 지급하는 보험.
노:포[1]【老圃】[명] 농사일에 경험이 많은 사람.
노:포[2]【老舖·老鋪】[명] 대대로 물려 내려오는, 역사가 오랜 점포.
노포[3]【弩砲】[명] 쇠뇌.
노포[4]【露布】[명] ①일반에게 널리 퍼뜨림. ②중국에 있어서의 문체(文體)의 하나. 봉함을 하지 아니하고 노출된 채로 선포하는 포고문. 주로 전승(戰勝)을 속보하는 데 사용되었음. ――하다 [타][여불]
노포-탑【露砲塔】[명] 군함에서 포·포가(砲架)·포원(砲員)을 보호하기 위해 선체에 시설한, 두꺼운 갑철(甲鐵)로 둘러싼 벽.
노:폭【路幅】[명] 노면의 폭. 도로의 넓이. ¶ ～이 좁다.
노:표【路標】[명] 도표(道標).
노푸다 [형] 〈방〉 높다(경기·충북·강원·전라·경상·제주).
노프다 [형] 〈방〉 높다(경기·충북·강원·전라·경상·제주).
노: 프라이스 제【―制】〔no+price〕[명] 메이커가 제품의 정가(定價)를 분명하게 표시하지 아니하고 상품을 파는 방식.
노: 플레이〔no+play〕[명] 야구에서, '경기를 하지 말라'고 할 때 쓰는 말. 아웃 오브 플레이.
노:플리우스〔nauplius〕[명]〖동〗 새우·게 같은 갑각류(甲殼類)의 발생 초기의 유생(幼生). 어미의 종류에 따라 형태가 여러 가지이나, 몸은 길쭉하고 둥글며 환절(環節)이 보이지 아니하고 등딱지는 없는 것이 보통임. 그 특징으로 세 쌍의 발과 두부의 중앙에 한 개의 눈이 있음. 이 발을 움직여 물속을 헤엄치며, 플랑크톤(Plankton)으로 나타나 물고기의 중요한 먹이가 되고 있음.

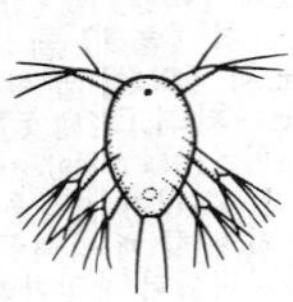
〈노플리우스〉

노피 [부] 〈옛〉 높이. ¶ 아으 노피 현 燈ㅅ블 다호라 ≪樂範 動動≫.
노피곰 [부] 〈옛〉 높이. 높게. ¶ ᄃᆞᆯ하 노피곰 도ᄃᆞ샤 어긔야 머리곰 비취오시라 ≪樂範 井邑詞≫. *-곰.
노:필【老筆】[명] ①노련한 글씨. ②늙은이의 힘없는 글씨.
노ᄑᆞ니ᄂᆞᆺ가오니 〈옛〉 높은 것과 낮은 것. 고하(高下). ¶ 이 法이 平等ᄒᆞ야 노ᄑᆞ니ᄂᆞᆺ가오니 업스니(是法平等無有高下) ≪金剛 下 30≫.
노ᄑᆞ신 [형] 〈옛〉 높으신. '높다'의 활용형. ¶ 尊은 노ᄑᆞ신 부니시니라 ᄒᆞ논 ᄠᅳ디라 ≪月序 1≫.
노퓌 [명] 〈옛〉 높이. ¶ 즘게마다 노퓌 八千由旬이오 ≪月釋 Ⅷ:9≫.
노하[1]【滷蝦】[명]〖어〗 곤쟁이.
노하[2]【駑下】[명] ①말이 둔함. 또, 둔한 말. ②사람이 둔함. 또, 둔한 사람. ③남에게 대하여 자기를 낮추어 이르는 말. ――하다 [형][여불]
노:하-구【老河口】[명]〖지〗 후베이 성(湖北省) '광화(光化)'의 옛이름.
노:-하다[1]【怒―】[자][여불] '성내다'의 존칭. ¶ 불같이 ～.
노-하다[2]【露―】[형][여불] 장소가 깊숙한 맛이 없이 바라져서 겉으로 드러나다.
노:-하우〔미 know-how〕[명]〖경〗 ①특허되지 아니한 기술로서, 기술 경쟁의 유력한 수단이 될 수 있는 정보·경험을 비밀로 하여 둠. 또, 그와 같은 기술 정보. ②기술 정보를 전수(傳授)한 대가로서의 기술 지도료.
노:하우 계:약【―契約】〔미 know-how〕[명]〖경〗 공업 목적에 유용한 노하우를 특정 상대에게 밝히는 계약. 특허는 창작적 고안이며 공시(公示)되지만 노하우는 전통적 기술이라도 그 비밀이 잘 유지되어 특허권과는 독립해서 양도·실시 허락의 대상이 됨. 계약은 일반적으로 기술 정보의 공여·비밀 유지 조항·계약 종료 후의 조처 등을 포함함.
노하-유【滷蝦油】[명] 감동유.
노:학[1]【老瘧】[명]〖한의〗 이틀거리.
노:학[2]【老學】[명] ①늙은 학자. ②낡은 학문을 수학한 학자. 고풍(古風)을 띤 학자. ③늙어서 배움. 만학(晩學). ――하다 [자][여불]
노:학[3]【老鶴】[명] 늙은 학.
노학[4]【勞瘧】[명]〖한의〗 기학(氣瘧).

노:한【老漢】[명] 늙은 사내.
노해¹ [명] 바닷가에 펴진 들판.
노해²【勞懈】[명] 피로하여 게을리 함. ——-하다 [자][여불]
노해³【癆痎】[명]〖한의〗폐결핵.
노해 작업【撈海作業】[명] 해저(海底)·해중(海中)의 침적물(沈積物)·부유물(浮游物) 등을 채취하는 작업. ——-하다 [자][여불]
노햇-사:람 [명] 노해에서 살고 있는 사람.
노: 헤드〔no head〕[명] 무능. 무지(無知).
노:현¹【路峴】[명]〖지〗충청 북도 단양군(丹陽郡)에 있는 산. [198 m]
노현²【露見】[명] 노현(露顯). ——-하다 [자][타][여불]
노현³【露顯】[명] ①겉으로 나타내어 보임. ②겉으로 나타나 알려짐. 노현(露見). 현로(顯露). ——-하다 [자][타][여불]
노:혐【怒嫌】[명] 노여움.
노:혐(을) 타다 [구] 노염(을) 타다.
노:형【老兄】[인대] ①동배 사이에 10 살 이상 더 먹은 사람을 부르는 말. ②가깝지 아니한 사이에 서로 대접하여 부르는 말.
노:호¹【怒號】[명] ①성내어 소리를 지름. 또, 그 소리. ¶군중이 ∼하고 있다. ②바람이나 파도가 세찬 소리를 냄을 이름. ¶∼하는 바람 소리. ——-하다 [자][여불]
노호²【魯縞】[명] 중국, 노(魯)나라에서 산출되던 고운 명주.
노호³【盧胡】[명] 웃는 소리가 목구멍 사이에 있다는 뜻으로, 남의 눈에 띄지 않게 소리를 죽이고 웃음을 이름. ——-하다 [자][여불]
노:혼【老昏】[명] 늙어서 정신이 흐림. ——-하다 [형][여불]
노혼노혼ᄒᆞ다 [형]〈옛〉하늘하늘하다. 간들간들하다. =노ᄒᆞᆫ노ᄒᆞᆫᄒᆞ다. ¶즈즘ᄒᆞ얏ᄂᆞᆫ 버드리 보도라와 노혼노혼ᄒᆞ니(隔戶楊柳弱嫋嫋)≪初杜諺 X:9≫.
노:홍 소:청【老紅少靑】[명] 장기를 둘 때, 늙은이는 홍(紅)말로 두고 젊은이는 청(靑)말로 두는 일.
노:화¹【老化】[명] ①〖화〗교질(膠質) 용액이 시간이 경과함에 따라 그 점성(粘性)이라든가 그 밖의 성질이 변화하는 현상. ¶∼ 현상. ②〖화〗고무를 오랫동안 공기 속에 놓아 두면 산화하여서 굳어지는 현상. ¶∼ 방지제. ③〖의〗사람의 노년기(老年期)에 나타나는 노인성 변화(老人性變化). 세포에서는 소모 색소(消耗色素)의 침착(沈着), 그리고 소지방구(小脂肪球)의 축적(蓄積), 세포의 용적 감소, 핵(核)의 위축(萎縮) 등이 일어남. ——-하다 [자][여불]
노:화²【怒火】[명] 열화(烈火) 같은 노여움. 또, 불같이 노함. ——-하다 [자][여불]
노화³【蘆花】[명]〖식〗갈대꽃.
노화⁴【蘆花】[명]〖지〗전라 남도 완도군(莞島郡)의 한 읍. 노화도(島)와 보길도(甫吉島) 등 여러 섬으로 이루어짐. [21,889 명(1980)]
노화⁵【爐火】[명] ①화롯불. ②장생 불사(長生不死)의 약을 곰. ——-하다 [자][여불]
노:화⁶【露花】[명] 이슬에 젖은 꽃.
노화-도【蘆花島】[명]〖지〗전라 남도 남해상(南海上), 완도군(莞島郡) 노화읍(蘆花邑)에 속하는 섬. [25.01 km² : 12,340 명(1984)]
노:화 방지제【老化防止劑】[명] 고무, 그 밖의 선상(線狀)의 유기 고분자(有機高分子) 재료의 노화를 방지하는 물질. 산소에 의한 자동 산화(自動酸化)의 연쇄 반응을 정지시킴. 페놀류(類)·방향족(芳香族) 아민류(類)가 사용됨.
노확【猱玃】[명] 큰 원숭이.
노:환【老患】[명] '노병(老病)'의 존칭. ¶∼으로 고생하시다.
노:회¹【老會】[명]〖기독교〗장로교 각 교구의 목사와 장로의 대표가 모이는 회합. 중회(中會).
노:회²【老獪】[명] 경험이 많고 교활함. ——-하다 [형][여불]

〈노회³〉

노회³【蘆薈】[명]〖식〗[*Aloe arborescens*] 백합과에 속하는 상록 다년생 식물. 줄기는 짧고, 다육질(多肉質)의 경엽(莖葉) 또는 근생엽이 더부룩이 나며, 칼날 모양인데 가장자리에 톱니가 있음. 황적색 육판화(六瓣花)가 총상(總狀) 화서로 피고 과실은 삭과(蒴果)임. 아프리카 희망봉(喜望峰)의 원산인데 관상용으로 온실에 재배함. 즙액(汁液)을 달인 것은 갈색이고 맛이 쓴데 위(胃)에 좋음. *알로에.
노회⁴【爐灰】[명] ①화로의 재. ②원자로(原子爐)의 재.
노획¹【鹵獲】[명] 싸워서 적의 군용품 등을 빼앗아 얻음. ¶∼한 전리품. ——-하다 [타][여불]
노획²【虜獲】[명] 적을 사로잡음. ——-하다 [타][여불]
노획-물【鹵獲物】[명] 노획한 물건. 노획품(鹵獲品).
노획-품【鹵獲品】[명] 노획물(鹵獲物).
노효【勞効】[명] 공로(功勞).
노:후¹【老朽】[명] 노폐(老廢)해짐. ¶∼한 교사(校舍) / ∼ 방지 / ∼선(船). *약후(若朽). ——-하다 [자][여불]
노:후²【老後】[명] 늙은 뒤. ¶∼의 낙(樂).
노:후-차【老朽車】[명] 낡아서 쓸모 없게 된 차.
노흐로〈옛〉노로. '노¹'의 조격형(造格形). =노ᄒᆞ로. ¶스므비를 노ᄒᆞ로 얽어미고≪三譯 Ⅳ:14≫.
노흘〈옛〉노를. '노¹'의 목적격형. =노ᄒᆞᆯ. ¶ᄒᆞᆫ 오리 ᄆᆞᄂᆞᆫ 노흘 미얏ᄂᆞ니(絟着一條細繩子)≪老乞 上 33≫.
노히〈옛〉노가. '노¹'의 주격형(主格形). ¶ᄯᅩ 노히 얼킬가 저페라(又怕繩子紐着)≪老乞 上 34≫.
노히다 [피동]〈옛〉놓이다. ¶德武ㅣ 다ᄅᆞᆫ 겨집 이리 赦애 노혀 오다가 듣고≪三綱 烈女 14≫.
노: 히트〔미 no hit〕[명] 야구에서, 무안타(無安打).
노: 히트 노: 런〔미 no hit no run〕[명] 야구에서, 무안타 무득점.
노: 히트 노: 런 게임〔미 no hit no run game〕[명] 야구에서, 한 개의 안타도 없고 한 점의 득점도 없는 경기.
노: 히트 플링잉〔미 no hit flinging〕[명] 야구에서, 무안타(無安打) 투구(投球).
노ᄒᆞ로〈옛〉노로. '노¹'의 조격형(造格形). =노흐로. ¶金 노ᄒᆞ로 길흘 느리고≪釋譜 Ⅸ:11≫.
노ᄒᆞᆫ볼일〈옛〉성낼 만한 일. ¶怒ᄒᆞᆯᄒᆞᆫ볼일 만나산 怒티 아니ᄒᆞ샤≪月釋 XⅦ:74≫. *-ᄒᆞᆸ다.
노ᄒᆞᆫ노ᄒᆞᆫᄒᆞ다 [형]〈옛〉하늘하늘하다. 간들간들하다. =노혼노혼ᄒᆞ다. ¶이플 즈음ᄒᆞ얏ᄂᆞᆫ 버드리 보도라와 노ᄒᆞᆫ노ᄒᆞᆫᄒᆞ니(隔戶楊柳弱嫋嫋)≪重杜諺 X:9≫.
노ᄒᆞᆯ〈옛〉노를. '노¹'의 목적격형. =노흘. ¶朝廷엔 뉘 노ᄒᆞᆯ 請ᄒᆞᄂᆞ니오(朝廷誰請纓)≪杜諺 X:47≫.
노히여 [형]〈옛〉초조하여. ¶곳 노히여 니러(便焦懆起來)≪朴解 下 19≫.
녹¹【祿】[명] ↗녹봉(祿俸).
녹²【綠】[명] 성(姓)의 하나. 우리 나라에는 현존하지 아니함.
녹³【綠】[명] ①↗동록(銅綠). ②〖화〗쇠붙이의 거죽에 생기는 산화물(酸化物) 또는 수산화물(水酸化物). 금·은·백금을 제외한 금속은 모두 이 녹이 스는데, 철은 검은 빛 또는 갈색이고, 동(銅)은 검은 빛 또는 녹색임. 페인트를 칠하거나 합금 또는 도금하여 예방함.
녹⁴【錄】[명]〖역〗↗관록(館錄).
녹각【鹿角】[명] 사슴의 뿔.
녹각-교【鹿角膠】[명]〖한의〗녹각을 고아서 풀처럼 만든 약. 보혈(補血)·지혈(止血)·안태(安胎)에 효험이 있으며, 요통(腰痛)·임질(痳疾)·대하(帶下)에도 씀.
녹각-기【鹿角器】[명] 녹각 따위를 사용하여 만든 이기(利器)·기구(器具)·장신구(裝身具) 따위.
녹각-상【鹿角霜】[명]〖한의〗녹각을 고아서 말린 뒤에 가루로 만든 약. 효험은 녹각교와 거의 같음.
녹각-죽【鹿角粥】[명]〖한의〗멥쌀죽 한 사발에 녹각상 닷 돈쭝과 소금 한 숟가락을 넣어서 먹는 죽. 골수를 보하고 이를 굳게 하는 약.
녹각-채【鹿角菜】[명]〖식〗청각채(靑角菜)❶.
녹각형 입식【鹿角形立飾】[명]〖고고학〗사슴뿔 장식.
녹-갈색【綠褐色】[—쌕] [명] 녹색을 띤 갈색.
녹강-균【綠殭菌】[명]〖식〗[*Spicaria prasina*] 녹강병의 병원균. 누에의 피부에 붙어 적당한 온도 밑에서 15-20 시간이면 발아(發芽)하며, 누에의 몸 안에서 번식하는데 번식이 느리고 잠복(潛伏) 기간이 길.
녹강-병【綠殭病】[—뼝] [명]〖충〗녹강균이라는 사상균(絲狀菌)의 기생으로 일어나는 누에의 경화병(硬化病)의 하나. 주로 치잠기(稚蠶期)에 감염하여 잠복(潛伏)하였다가 가을의 3면기(期)에 발병하는데, 뽕을 안 먹고 거동이 둔해지고 환절(環節)에 까만 병반(病斑)이 생김. 누에가 죽으면 몇 시간 후에 몸 전체가 아름다운 초록색의 포자(胞子)로 둘러싸임. *백강병(白殭病).
녹갱【鹿羹】[명] 사슴 고기로 끓인 국. 녹탕(鹿湯).
녹거¹【鹿車】[명]〖불교〗삼거(三車)의 하나. 연각승(緣覺乘)에 비유한 말.
녹거²【綠車】[명] 왕손(王孫)이 타는 수레.
녹경【綠卿】[명]〖식〗대나무.
녹계【綠溪】[명] 푸른 빛의 골짜기.
녹골【鹿骨】[명] 사슴의 뼈.
녹골-고【鹿骨膏】[명]〖한약〗사슴의 뼈를 곤 진한 국물. 보약으로 먹음.
녹과【祿科】[명]〖역〗관리 봉급의 규정.
녹과-전【祿科田】[명]〖역〗고려 고종(高宗) 44년(1257)부터 백관(百官)에게 녹(祿) 대신으로 준 논밭. 몽고 병란(兵亂)으로 국고(國庫)가 말라서 생긴 것임.
녹곽【鹿藿】[명]〖식〗쥐눈이콩.
녹관【祿官】[명]〖역〗녹봉(祿俸)을 받는 관원(官員). 또, 그 관직(官職).
녹구【鹿裘】[명] 사슴의 가죽으로 만든 옷.
녹구-진【淥口鎭】[명]〖지〗'루커우전(淥口鎭)'을 우리 음으로 읽은 이름.
녹권【錄券】[명]〖역〗공신 도감(功臣都監)이 공신(功臣)에게 내어 준, 공신(功臣)임을 입증(立證)하는 문서.
녹귀-부【錄鬼簿】[명]〖책〗중국 원(元)나라의 잡극(雜劇) 및 산곡(散曲)의 작자의 약전(略傳)과 작품 목록을 수록한 책. 원말의 종사성(鍾嗣成)의 저서. 상하 2 권.
녹-균¹【一菌】[명]〖식〗담자균류(擔子菌類)에 속하는 곰팡이. 양치(羊齒) 식물·종자(種子) 식물에 기생하여 녹병을 일으킴. 잎·줄기에, 쇠붙이에 슨 녹과 같은 포자퇴(胞子堆)를 만들거나 혹 모양의 소상 기형(巢狀畸形)을 만듦. 보리·콩·국화·소나무 등 많은 종류에 기생하며, 농작물에 피해가 큼. 수균(銹菌). *녹병.
녹균²【綠筠】[명] 녹죽(綠竹).
녹금-당【綠衿幢】[명]〖역〗↗녹금 서당(綠衿誓幢).
녹금 서:당【綠衿誓幢】[명]〖역〗신라의 군영(軍營)인 구서당(九誓幢)의 하나. 금(衿)의 빛이 녹자색(綠紫色)임. 진평왕(眞平王) 5년(583)에 신라인으로 구성됨. [준]녹금당.
녹기【綠旗】[명]〖역〗한인(漢人)으로 편성된 청(淸)나라의 상비병(常備兵). 또, 그 군기(軍旗). 청군(淸軍)의 근간이던 팔기(八旗)는 그 수가 적었으므로 그것을 보족(補足)하기 위해 만들어진 것인데, 녹색의 기치(旗幟)를 쓴 데서 나온 이름임. 그 수는 50만이 넘었으며, 각 성(省)에 주둔하여 군무·치안을 맡아 보았음. *녹영(綠營).
녹기-병【綠旗兵】[명] 청조(淸朝) 녹기(綠旗)의 군병(軍兵). 녹영(綠營)의 병원(兵員).
녹-나다【綠—】[자] 쇠붙이가 산화하여 빛이 변하다. 녹이 생기다.

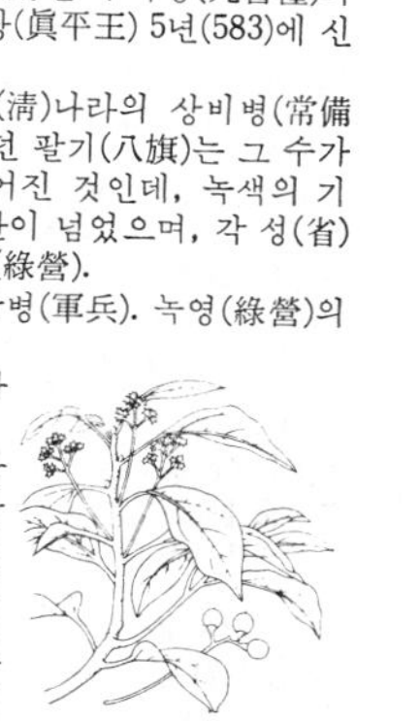
〈녹나무〉

녹-나무 [명]〖식〗[*Cinnamomum camphora*] 녹나뭇과에 속하는 상록 활엽 교목. 잎은 달걀꼴 타원형이며 광택이 나고, 향기가 있음. 5-6월에 백황색의 꽃이 액생(腋生)하여 원추(圓錐) 화서로 피고, 장과(漿果)는, 12월에 암자색으로 익음. 산록 양지에 나는데, 제주도·일본·대만·중국에 분포함. 장뇌(樟腦)의 원료·장식용·선재(船材)로 쓰임. 여장(櫲樟). 장목(樟木). 장수(樟樹).

녹나무-좀 명〖충〗[*Xyleborus mutilatus*] 나무좀과에 속하는 곤충. 암컷의 몸은 길이 4mm 가량이고 원통형이며, 몸빛은 광택 있는 흑색에 갈색 털이 있으며 촉각은 적갈색이고, 전배판(前背板)은 시초(翅鞘)보다 넓고 전연(前緣)에 두 개의 혹 같은 것이 있음. 주로 녹나무에 기생하는데, 한국에도 분포함.

녹나뭇-과【─科】명〖식〗[Lauraceae] 쌍자엽(雙子葉) 식물 이판화구(離瓣花區)에 속하는 한 과. 교목 또는 관목으로 전세계에 1,000여 종, 한국에는 생강나무·백동백나무·비목나무·생달나무·녹나무 등 12종이 분포함.

녹낭【鹿囊】명 사슴의 불알.

녹-낭요【綠郎窯】명〖공〗낭요(郎窯)의 동홍유(銅紅釉)가 산화(酸化)되어, 푸른 빛을 이룬 자기(瓷器).

녹-내【綠─】명 쇠붙이에 슨 녹의 냄새. ¶ ~ 나다.

녹-내장【綠內障】명〖의〗안구(眼球)의 압력이 이상하게 항진(亢進)하는 상태. 과로·수면 부족·정신 감동(感動) 등이 유인(誘因)이 되어 일어나는데, 시력이 감퇴하고, 등불의 주위에 무지개와 같은 색륜(色輪)이 보이며, 보통 두통이 따름. 원발 녹내장(原發綠內障)·속발(續發) 녹내장의 두 가지로 나눔.

녹내장성 시:신경 위축【綠內障性視神經萎縮】[─썽─] 명〖의〗안저(眼底)의 유두(乳頭)의 경계는 선명(鮮明)하나, 경계 가까이까지 깊게 우므러드는 시신경 위축. 단순(單純) 녹내장이 그 원인임.

녹녹-하다 형여불 물기나 기름기가 섞여 좀 무릅하니 부드럽다. <눅눅하다. 녹녹-히 부

녹농-균【綠膿菌】명〖생〗[*Pseudomonas aeruginosa*] 그램 염색 음성(gram 染色 陰性)의 간균(桿菌). 황록색(黃綠色)의 색소를 산출함. 중이염(中耳炎)·방광염의 화농증(化膿症)의 병원(病源)이 되며, 황록색의 고름이 나옴.

녹-느즈러지다 자 노긋하게 느즈러지다.

녹-느지러지다 자 ☞녹느즈러지다.

녹는-열【─熱】[─널] 명 [heat of fusion]〖물〗1g의 고체를 녹이어 같은 온도의 액체로 하는 데 필요한 열량(熱量). 얼음의 녹는 열은 79.7칼로리임. 숨은열의 일종.

녹는-점【─點】명 [melting point]〖물·화〗고체가 천천히 녹기 시작하여 고체상(固體相)과 액체상(液體相)이 평형 상태에 있는 온도. 압력에 따라 변하지만 보통 1기압 아래서의 온도를 가리킴. 융해점. 용융점. 용점(熔點).

녹는점-내림【─點─】명〖물〗불순물을 함유한 액체의 응고점 또는 혼합물의 녹는점은 순수한 용매의 응고점이나 순물질의 녹는점보다 낮게 되는 현상을 이름. 물질의 확인·순도(純度)의 판정 따위에 이용됨. 융해점 강하(融解點降下). 응고점 강하. 융점 강하.

녹니【綠泥】명 ①짙은 녹색을 띤 깊은 해저(海底)의 침전물(沈澱物). 다량의 해록석(海綠石)을 함유함. ②↗녹니석(綠泥石).

녹니-석【綠泥石】명〖광〗비늘같이 생긴 얇은 조각으로 된 초록빛의 광물. 반투명이고 유리 광택 또는 진주(眞珠) 광택이 남. 성분은 규산 마그네슘과 알루미늄인데, 결정 편암(結晶片岩)·운모 편암(雲母片岩) 속에서 남. 준녹니.

녹니 편:암【綠泥片岩】명〖광〗녹니석을 주성분으로 하는 결정 편암. 초록빛이고 다소 인편상(鱗片狀)을 이루며 잘 벗겨짐. 왕왕 각섬석(角閃石) 또는 자철광(磁鐵鑛)을 포함함.

녹다[1]【綠茶】명 녹차.

녹다[2] 자 ①굳은 물건이 온도·습기 기타 원인으로 물러지거나 물처럼 되다. ¶ 쇠가 ~/얼음이 ~/엿이 ~. *얼다. ②결정체가 액체 속에서 풀리다. ¶ 물감이 물에 ~/설탕이 물에 ~. ③아주 혼이 나다. ¶ 어제 그 술에 아주 녹았다. ④주색·잡기에 마음이 팔려 빠지다. 또, 몹시 반하다. ¶ 여자에게 녹아 떨어지다. ⑤마음 먹었던 일에 실패하여 기운을 잃다. ¶ 그 사업에 완전히 녹았다. ⑥추워서 굳어진 몸이 풀리다. ¶ 이제야 몸이 녹는군.

녹-다운 [knockdown] 명 ①권투에서, 선수가 시합 중, 링(ring) 밖으로 나가거나, 시합을 할 의사가 없이 로프(rope)에 기대거나 또는 상대방의 펀치를 맞고 매트(mat) 위에 주저앉거나, 넘어지는 일. 10초 안에 일어나지 아니하면 녹아웃(knockout)이 됨. ②〖경〗↗녹다운 수출.

녹다운 방식【─方式】[knockdown] 명〖경〗녹다운 수출.

녹다운 수출【─輸出】[knockdown] 명〖경〗물품을 완성품으로 보내지 아니하고, 부품(部品)으로 보내어 수입 현지(輸入現地)에서 조립(組立)하도록 하는 수출. 특히, 자동차 수출에 있어서 이 방식의 수출이 많음. 녹다운 방식. 케이디 수출(KD 輸出). 준녹다운.

녹담【綠潭】명 푸른 늪. 벽담(碧潭).

녹당【綠堂】명 가난한 여자의 방. 녹창(綠窓).

녹대[1] 명〈방〉고삐(제주).

녹대[2]【鹿臺】명 ①〖역〗고대 중국에서 은(殷)나라의 주왕(紂王)이 재보(財寶)를 모아 두던 곳. ②전(轉)하여, 위정자 등이 국민으로부터 거두어 들인 재화를 저장하는 곳간.

녹대[3]【綠黛】명 푸른 빛깔의 눈썹먹.

녹-도【鹿島】명〖지〗①충청 남도 서해상(西海上), 보령시(保寧市) 오천면(鰲川面) 녹도리(鹿島里)에 있는 섬. [0.9 km²] ②전라 남도 해남군(海南郡) 문내면(門內面) 신정리(新汀里)를 이루는 섬. [0.42 km²]

녹동【綠瞳】명 푸른 눈동자. 서양인의 눈을 이름. *벽안(碧眼).

녹두【綠豆】명〖식〗[*Phaseolus radiatus*] 콩과(科)에 속(屬)하는 일년초. 팥과 비슷한데, 잎은 잎꼭지에서 세 개씩 나며, 꽃은 여름에 담황록색으로 피고, 열매는 둥글고 긴 꼬투리로 되었으며 익으면 암녹색이 됨. 그 안에 든 씨는 팥보다 더 작고 빛은 녹색임. 팥과 함께 재배하는 밭곡식으로서, 씨로는 숙주나물·빈대떡 등을 만들어 먹음. 한국·중국·일본 등 아시아에서 널리 재배함.

〈녹두〉

녹두-국【綠豆麴】명 녹두 누룩.

녹두기 명〈방〉〖식〗녹두(평안).

녹두 나물【綠豆─】명 ☞숙주나물.

녹두 누룩【綠豆─】명 녹두를 물에 불렸다 반쯤 말린 후에, 물에 불린 멥쌀과 함께 빻아서 만든 누룩. 녹두국(綠豆麴).

녹두-다【綠豆茶】명 녹두를 삶아 즙을 내어 꿀을 탄 음식.

녹두-대【綠豆大】명〖한의〗녹두 낟알만한 환약의 몸피.

녹두-두미【綠豆─】명〖식〗갈퀴나물.

녹두-떡【綠豆─】명 녹두 고물을 놓은 시루떡.

녹두-묵【綠豆─】명 녹두로 쑨 묵의 총칭. 녹말묵·제물묵 등. 청포(淸泡).

녹두-밤【綠豆─】명 알이 잘고 동글동글한 밤.

녹두-밥【綠豆─】명 녹두를 넣고 지은 밥.

녹두-봉【綠豆─】명 녹두 알처럼 아주 작은 낚싯봉.

녹두-새【綠豆─】명 파랗고 작은 새.

녹두 손님 명〈방〉홍역(紅疫)(경북).

녹두-유【綠豆乳】명 제물묵.

녹두유-죽【綠豆乳粥】명 묵물죽.

녹두유-초【綠豆乳炒】명 묵볶이.

녹두 응이【綠豆─】명 녹두를 갈아 물에 넣어 가라앉혔다가 쑨 죽. 녹말로 쑨 죽.

녹두-적【綠豆炙】명 ☞빈대떡.

녹두-전【綠豆煎】명 ↗녹두 전병.

녹두 전병【綠豆煎餠】명 빈대떡. 준녹두전.

녹두-주【鹿頭酒】명 사슴의 대가리를 삶아 익히어서 짓찧어 즙을 낸 물에 담근 술. 허로 부족(虛勞不足)·소양증(少陽症)·야몽 귀신증(夜夢鬼神症)에 효험이 있으며 정기를 도움.

녹두-죽【綠豆粥】명 녹두를 삶아 으깨어서 체에 걸러낸 물에 쌀을 넣고 쑨 죽.

녹두-채【綠豆菜】명 숙주나물❶.

녹둔-도【鹿屯島】명〖지〗두만강(豆滿江) 어귀에 있었던 섬. 현재는 토사가 밀리어 연해주(沿海州) 쪽으로 연결되어 있음.

녹둔도 사:건【鹿屯島事件】[─껀] 명〖역〗조선 선조(宣祖) 20년(1587)에 추도(楸島)에 있던 여진족(女眞族)들이 녹둔도를 공격한 사건. 이 뒤 북병사(北兵使) 이일(李鎰)이 추도를 정벌하여 사건을 마무리지었음.

녹디 명〈방〉〖식〗녹두(함경).

녹라[1]【綠羅】[─나] 명 녹색의 고운 명주.

녹라[2]【綠蘿】[─나] 명 푸른 담쟁이.

녹렴-석【綠簾石】[─념─] 명〖광〗변성암 속에서 흔히 볼 수 있는 무색 또는 녹색의 알루미늄·칼슘·철의 함수 규산염(含水硅酸塩) 광물. 투명 혹은 불투명하며 유리 광택이 있음. 단사정계(單斜晶系) 주상 결정(柱狀結晶)임.

녹렵【鹿獵】[─녑] 명 사슴 사냥. ──하다 자여불

녹로【轆轤】[─노] 명 ①고패[1]. ②〖공〗오지 그릇 만들 때, 발로 돌리면서 모형과 균형 등을 잡는 데 쓰는 도구. 물레. 배차(坏車). 녹로대(轆轤臺). ③우산이나 양산대 위에 장치하여 살을 한 곳에 모아서 폈다 닫았다 하는 데에 쓰이는 물건.

녹로-대【轆轤臺】[─노─] 명〖공〗녹로(轆轤)❷.

녹로-법【轆轤法】[─노뻡] 명〖공〗점토(粘土) 공예에서, 점토를 녹로 위에 놓고 녹로를 돌리어 그릇이나 꽃병 등을 만드는 방법.

녹로 전:관【轆轤轉關】[─노─] 명〖한의〗아래위의 눈시울이 맞지 아니하는 병.

녹록【轆轆】[─녹] 명부 수레가 굴러가는 소리. 또, 그 모양.

녹록-하다【碌碌─·錄錄─】[─녹─] 형여불 ①하찮것없다. 보잘것없다. 변변하지 아니하다. ¶ 당신이 녹록한 사나이가 아닌 것은 미리부터 짐작한 바이었소《洪命憙 : 林巨正》. ②의젓하지 아니하다. ③만만하고 호락호락하다. 「어쨌든 빠져나가기를 잘하는 선우영, 녹록지가 않은 선우영임을 잘 알면서도 혹시나 하는 마음에……《朴榮濬 : 颱風時代》.

녹료【祿料】[─뇨] 명 녹봉(祿俸).

녹리【鹿梨】[─니] 명〖식〗산돌배❷.

녹림【綠林】[─님] 명 ①푸른 숲. ②[녹림산의 옛일에서 유래] 도적의 소굴.

녹림-객【綠林客】[─님─] 명 녹림 호객(綠林豪客).

녹림-당【綠林黨】[─님─] 명 화적 떼.

녹림-산【綠林山】[─님─] 명〖지〗루린 산.

녹림 호객【綠林豪客】[─님─] 명 녹림 호걸. 녹림객.

녹림 호걸【綠林豪傑】[─님─] 명 불한당이나 화적. 녹림 호객(綠林豪客).

녹마【騄馬】명 녹이(綠耳·騄駬).

녹만[1] 명〈방〉녹말(綠末).

녹만[2]【綠蔓】명 풀 덤불. 푸른 만초(蔓草).

녹말【綠末】명 ①물에 불린 녹두를 메에 갈아서 가라앉힌 앙금을 말린 가루. ②[starch]〖화〗엽록소(葉綠素)를 함유하는 식물의 영양 저장 물질로서 종자·덩이줄기·덩이뿌리·알뿌리 등에 포함되어 있는 탄수화물. 무미 무취(無味無臭)의 백색 분말로서 식물이 공기 중에서 흡수한 이산화탄소와 뿌리에서 흡수한 물로부터 햇빛의 힘을 빌려, 엽록소 안에서 광합성(光合成)을 하여 합성한 탄수화물임. 동물에게도 없어서는 안 될 영양소임. 전분(澱粉).

녹말 가루【綠末─】[─까─] 명 녹말❷.

녹말-값【綠末─】[─깝] 명 가축(家畜)의 체지방(體脂肪) 생산에 대한

사료(飼料)의 효과를 나타내는 단위. 사료의 영양 물질(營養物質) 무게와 그와 같은 영양가(營養價)를 가진 가소화(可消化) 녹말의 무게와의 백분율(百分率). 전분가(澱粉價).

녹말 국수【綠末—】[명] 녹두(綠豆) 녹말에 밀가루를 섞어 만든 국수에 장국을 부은 음식.

녹말 다식【綠末茶食】[명] 과자의 한 가지. 체에 친 녹말 가루를 오미자 물과 꿀로 반죽하여 판에 박아서 만듦.

녹말-당【綠末糖】[명]〖화〗녹말을 산(酸)으로 가수 분해하여 얻는, 포도당을 함유하는 제품. 하등(下等)의 설탕 대용품으로 또는 영양원(營養源)으로서 식용으로 쓰이고, 또 포도당으로 정제하여 영양제 주사로 쓰임. 전분당(澱粉糖).

녹말 당화소【綠末糖化素】[명]〖화〗녹말 효소(綠末酵素). [준]당화소.

녹말료 작물【綠末料作物】[명] 녹말을 얻을 목적으로 재배(栽培)되는 농작물(農作物).

녹말 만두【綠末饅頭】[명] 녹말에 밀가루를 조금 섞어 반죽하여 만든 만두.

녹말-묵【綠末—】[명] 녹말로 쑨 묵. 백묵과 노랑묵이 있음. 녹말유(綠末乳). 청포(淸泡).

녹말 바탕【綠末—】[명] 녹말질(綠末質).

녹말-박【綠末粕】[명] 주로 감자·고구마 등에서 녹말을 빼내고 남은 찌끼. 단백질이 많은 사료에 타서 씀. 전분박(澱粉粕).

녹말 비지【綠末—】[명] 녹말(綠末)의 찌꺼기.

녹말-알【綠末—】[명]〖화〗식물 세포 속에 있는 입상(粒狀) 구조의 녹말. 모양·크기는 식물에 따라 다르나 같은 종류의 식물에서는 모양이 거의 일정하며, 동심원(同心圓)이나 편심원(偏心圓)이 있는 것이 있으며, 가운데가 빈 것도 있음. 결정성(結晶性)이며 크기는 1-100 미크론. 전분립(澱粉粒).

녹말-유【綠末乳】[—류] [명] 녹말묵.

녹말-잎【綠末—】[—립] [명]〖식〗광합성(光合成)의 결과로 생기는 동화 산물(同化産物)이 녹말의 형태로 엽록체 중에 퇴적하는 잎. 대부분의 고등 식물의 잎에서 볼 수 있으며, 외떡잎 식물에서는 동화 산물이 단당류(單糖類) 또는 이당류(二糖類)의 형태로 퇴적하는 것을 당엽(糖葉)이라 하여 구별함. 전분엽(澱粉葉).

녹말 종자【綠末種子】[명] 다량(多量)의 저장 녹말을 함유(含有)하는 종자. 곧, 곡류(穀類)·두류(豆類)의 대부분이 이에 속함. 전분 종자. *지방 종자.

녹말-지【綠末紙】[—찌] [명]〖화〗녹말 용액을 먹여서 말린 거름종이. 요오드의 검출에 쓰임. 전분지.

녹말-질【綠末質】[—찔] [명] 다량의 녹말을 함유(含有)하고 있는 물질. 곧 탄수화물 중에서 영양원이 되는 물질. 식물 조직에 저장됨. 녹말 바탕. 전분질.

녹말-집【綠末—】[—찝] [명]〖생〗녹말을 저장한 내피(內皮).

녹말-편【綠末—】[명] 녹말 가루에 오미자 물과 꿀을 타서 뭉근한 불로 진하게 달이어 굳힌 음식.

녹말-풀【綠末—】[명] 녹말에 물을 붓고 가열(加熱)하여 만든 반투명의 끈끈한 풀. 전분호(澱粉糊).

녹말 효소【綠末酵素】[명]〖화〗녹말을 가수 분해(加水分解)하여 당(糖)으로 하는 반응에 있어서 촉매(觸媒) 역할을 하는 효소. 디아스타아제 따위가 있음. 전분 당화소(澱粉糖化素). 전분 효소.

녹맹【綠盲】[명] 사진 감광(感光) 재료가 녹색광(綠色光)에 대하여 전혀 맹목(盲目)인 일. 지금은 이러한 감광 재료는 쓰이지 아니함.

녹-먹다【祿—】[자] 벼슬살이를 하며 녹봉을 받다.

녹명¹【祿命】[명] 사람이 타고난 운명. 팔자. 운수.

녹명²【錄名】[명] ①이름을 적음. 이름을 기록함. ②〖역〗과거(科擧)를 볼 사람의 자격을 심사하여 응시 원서(應試願書)를 접수하는 일.

녹모【鹿毛】[명] 사슴의 털.

녹모-색【鹿毛色】[명] 사슴의 털빛. 곧, 엷은 다갈색(茶褐色).

녹무【綠蕪】[명] 푸릇푸릇하게 무성한 풀.

녹문¹【綠門】[명] 축전(祝典) 같은 것을 할 때에 대나 나무로 기둥을 세우고 전나무나 소나무의 잎으로 싸서 만든 푸른 문. *솔문.

녹문²【錄問】[명] 죄상을 문서에 쓰며 물음. ——하다 [타][여불]

녹물¹ [명]〖생〗세포액(細胞液).

녹-물²【綠—】[명] 동록(銅綠)의 물. 동록의 빛깔.

녹미¹【鹿尾】[명] ①사슴의 꼬리. ②진귀한 음식.

녹미²【祿米】[명]〖역〗녹봉(祿俸)으로 주는 쌀. 녹식(祿食). 질미(秩米).

녹미-채【鹿尾菜】[명]〖식〗[*Hijikia fusiforme*] 갈조류(褐藻類)에 속하는 해조(海藻)의 한 가지. 뿌리는 나뭇가지 모양이고, 줄기는 원기둥꼴이며, 잎은 베짜는 북 또는 방망이 모양인데 곁가지는 엽액(葉腋)에 붙어 남. 이른 봄에 새싹이 나서 이듬해 여름에 말라 죽는데, 산 것은 황갈색이고 마른 것은 흑갈색임. 바닷가의 바윗돌에 붙어서 자라며, 부드러운 잎은 식용함. 톳.

〈녹미채〉

녹반【綠礬】[명]〖화〗'황산 제일철(黃酸第一鐵)'의 속칭. 담녹색의 결정인 데서 지은 이름임. 조반(皁礬). 청반(靑礬). 흑반(黑礬).

녹반-천【綠礬泉】[명]〖지〗광천(鑛泉)의 하나. 물 1kg 중 양(陽)이온으로 제1철(鐵) 이온 또는 제2철(鐵) 이온 10mg 이상을 함유하고, 음(陰)이온으로 황산(黃酸) 이온을 그 주요 성분으로 함. 제1철 이온을 함유하기 때문에 마시면 빈혈증에 좋고, 목욕하면 피부병이나 부인병에 효과가 있음.

녹발¹【綠發】[명] 마작 용어로서, 녹색으로 발(發)이라고 쓴 패(牌).

녹발²【綠髮】[명] 푸른 머리. 검고 윤택이 있는 머리를 일컬음. 녹빈(綠鬢).

녹밥 [명] 가죽신의 울과 바닥을 꿰맨 실.

녹변【綠便】[명] 유아(幼兒)가 소화 불량 등에 의하여 녹색의 대변을 배출하는 일. 또 그 똥. 푸른똥.

녹-병【—病】[명]〖농〗식물의 잎이나 줄기에 오렌지색 또는 갈색의 가루가 덩어리로 생기는 병. 활물 기생균(活物寄生菌)인 녹균의 기생으로 생기는 병인데, 잎과 그 밖의 부분에 포자(胞子)의 모임이 생길 경우에 쇠붙이에 스는 녹과 같은 모양을 나타내므로 이 이름이 있음. 수병(銹病). *녹균(菌).

녹-보리수나무【綠菩提樹—】[명]〖식〗[*Elaeagnus maritima*] 보리수나뭇과에 속하는 반상록(半常綠) 활엽(闊葉)의 작은 교목. 잎은 이년생이고 타원형이며, 표면은 녹색이고, 잎 뒤에 동색(銅色)의 비늘 조각이 밀포(密布)함. 가을에 자웅 일가(雌雄一家)로 2-6개의 은백색 종상화(鐘狀花)가 액생(腋生)하며, 과실은 장과(漿果)로 다음해 4-5월에 붉게 익는데, 먹을 수 있음. 해변의 산기슭에 나며, 전남의 흑산도(黑山島)·보길도(甫吉島)·거문도(巨文島) 및 일본에 분포함.

녹봉¹【鹿峰】[명]〖지〗함경 남도 혜산군(惠山郡) 운흥면(雲興面)에 있는 산. [1,366m]

녹봉²【祿俸】[명]〖역〗벼슬아치에게 1년 만에 또는 사맹삭(四孟朔)에 주던 쌀·보리·명주·베·돈 등의 총칭. 중앙의 관원에게 국고에서 주는 관록(官祿)과, 지방의 관원에게 그 지방 수입에서 주는 관황(官況)을 통틀어 일컬음. 봉록(俸祿). 봉질(俸秩). 식록(食祿). 녹료(祿料). 녹질(祿秩). 질록(秩祿). [준]녹(祿).

녹봉³【綠峰】[명] 푸른 산봉우리.

녹-불첩수【祿不疊受】[명] 두 가지 벼슬을 겸한 사람이 한 가지 벼슬의 녹만 받음.

녹비¹【鹿—】[명] [←녹피(鹿皮)] 사슴의 가죽.
【녹비에 갈 왈자】녹비에 쓴 가로왈(曰)자는 그 가죽을 잡아당기는 대로 일(日)자도 왈(曰)자도 된다는 뜻으로, 주견이 없이 남의 말에 붙좇거나, 일이 이리도 저리도 되는 형편을 가리키는 말. *숙녹피 대전(熟鹿皮大典).

녹비²【綠肥】[명] 풋거름.

녹비 작물【綠肥作物】[명] 풋거름 작물(作物).

녹비 종자【綠肥種子】[명]〖농〗녹비 작물(作物)의 씨앗.

녹비-혜【鹿—鞋】[명] 사슴 가죽으로 만든 남자의 신.

녹빈¹【綠蘋】[명] 푸른 부평초(浮萍草). 청빈(靑蘋). 녹평(綠萍).

녹빈²【綠鬢】[명] 녹발(綠髮).

녹빈 홍안【綠鬢紅顔】[명] 윤이 나는 검은 머리와 곱고 젊은 여자의 얼굴.

녹사¹【祿仕】[명] 녹봉을 받기 위해 벼슬길에 오름. ——하다 [자][여불]

녹사²【祿賜】[명] 녹(祿)과 하사품(下賜品).

녹사³【綠砂】[명] ①〔green sand〕 해록석(海綠石)을 다량으로 함유하는 농녹색(濃綠色)의 모래. 해저(海底)에 있으나, 지층(地層)을 이루고 있기도 함. ②주형 제작(鑄型製作)에 쓰이는 모래의 일종. 천연(天然)의 것 그대로이며, 건조시키지 아니한 모래.

녹사⁴【錄事】[명]〖역〗①신라 봉성사 성전(奉聖寺成典)·감은사(感恩寺) 성전·봉덕사(奉德寺) 성전·영묘사(靈廟寺) 성전의 한 벼슬. 경덕왕(景德王)의 청위(靑位)를 고친 이름. 위계(位階)는 나마(奈麻)에서 사지(舍知)까지임. ②고려 문하부(門下府)의 종칠품 벼슬. ③고려 정승성(政丞省)의 정구품 벼슬. ④고려 전의시(典儀寺)·군기시(軍器寺)·혜제고(惠濟庫)·의제고(義濟庫)·보원 해전고(寶源解典庫)·오부(五部)·연경궁 제거사(延慶宮提擧司)·왕비부(王妃府)·세자부(世子府)·제왕자부(諸王子府)의 벼슬. 품계는 팔품으로부터 구품까지. ⑤고려 도평의사사(都評議使司)·삼군 도총제부(三軍都摠制府)·상서사(尙瑞司)·영송 도감(迎送都監)·전목사(典牧司)·제사 도감(諸司都監) 등 각색(各色)의 한 벼슬. ⑥고려 사헌부(司憲府)·예문관(藝文館)의 이속(吏屬). ⑦조선 시대 때, 의정부(議政府)·중추원(中樞院)에 속한 경아전(京衙前)의 상급 서리(胥吏)의 총칭. 기록을 담당하거나 문서·전곡(錢穀) 등을 관장했고 상부(相府)와 육조(六曹)에만 있었음.

녹사⁵【錄寫】[명] 문서를 다른 곳에 베껴 씀. ——하다 [자][여불]

녹-사료【綠飼料】[명] 생풀이나 생나뭇잎 등으로 하는 가축의 먹이. 풋먹이.

녹사-의【綠簑衣】[—/—이] [명] 도롱이.

녹사 취:재【錄事取才】[명]〖역〗조선 시대 때, 녹사(錄事)를 뽑는 이조 취재(吏曹取才)의 하나. 오경(五經)과 사서(四書) 중의 각 하나, 대명률(大明律)·경국 대전(經國大典) 및 제술(製述) 부분에서 계본(啓本)·첩정(牒呈)·관(關) 가운데 하나, 서산(書算) 과목에서 해서(楷書)·언문(諺文)·행산(行算)의 여덟 과목으로 하며, 매년 정월과 7월에 시행함. *서리 취재(書吏取才).

녹삼-휘【綠三—】[명]〖건〗머리초 끝에 짙고 엷은 녹색으로써 석 줄로 그린 무늬.

녹새 [명]〈방〉동풍(東風)(경기).

녹-새치【綠—】[명]〖어〗[*Makaira mazara*] 돛새칫과에 속하는 바닷물고기. 몸길이 3m에 달하는 대형어로 몸은 길쭉하고 측편(側扁)하며 주둥이는 창 모양으로 돌출하여 있음. 가슴지느러미는 비교적 짧고 등지느러미는 두 개임. 몸빛은 짙은 녹색이고, 몸 가운데에 16줄 가량의 담청색 가로띠가 있으며, 등지느러미는 검고 가슴지느러미는 암회색임. 외양성 어종(外洋性魚種)으로 두세 마리가 수면을 따라 유영하는데, 꼬리는 물 밖으로 내고 약동하는 것이 특징이며 식용함. 한국 남부·일본·대만(臺灣)·하와이 등에 분포함.

〈녹새치〉

녹새-풍【綠塞風】[명] 높새.

녹색【綠色】[명] 청색과 황색과의 간색. 곧, 풀빛. 목청(木靑). 초록색.

녹색 광합성 세:균류【綠色光合成細菌類】[—뉴] [명]〖생〗광합성 세균의 한 무리. 늪과 같은 습지(濕地)에서 흔히 볼 수 있으며, 식물성(植物性) 부패물을 물 속에 방치하면 생김. 세균 엽록소(bacteriochlorophyll) c와 d를 가짐. 녹색 세균류. *홍색(紅色) 광합성 세균류.

녹색-등【綠色燈】[명] 항공 관제탑에서 쓰는 녹색의 등. 조종사에게 착륙을 허가하는 신호로서 조종사가 무선을 접수하지 못할 때 사용함.

녹색-말【綠色一】[명]〖식〗녹색 조류(藻類).
녹-색맹【綠色盲】[명]〖의〗색맹(色盲)의 하나. 암적색(暗赤色)과 녹색을 혼동함. 망막(網膜)의 감색계(感色系) 중에서 녹색의 요소가 결여된 것이라 함. 제이맹(第二盲). ↔적색맹(赤色盲).
녹색 세:균류【綠色細菌類】[一뉴] [명]〖생〗녹색 광합성 세균류.
녹색 식물【綠色植物】[명]〖식〗엽록소(葉綠素)를 가지고 있어 녹색을 띠는 식물. 대부분의 식물이 이에 속함.
녹색 신고【綠色申告】[명]〖경〗신고 납세 제도의 하나. 부동산 소득·사업 소득·산림 소득에 의한 개인 소득세와 법인세에 적용되며, 녹색으로 된 신고 용지를 씀. 주소지 관할 세무서장의 승인을 받아 녹색 신고자가 될 수 있음.
녹색 연쇄 구균【綠色連鎖球菌】[명]〖식〗[*Streptococcus viridans*] 연쇄 구균의 하나. 적혈구(赤血球)를 용해(溶解)하는 성질이 있는 점은 용혈성(溶血性) 연쇄 구균과 마찬가지지만, 혈액 한천 배지(寒天培地)에 발육한 취락(聚落)의 주위에 생기는 용혈환(溶血環)이 투명(透明)하지 아니하고 녹색(綠色)을 띰.
녹색 조류【綠色藻類】[명]〖식〗녹조 식물(綠藻植物). [준]녹조류.
녹색 편:암【綠色片岩】[명]〖광〗녹니석(綠泥石)·녹섬석(綠閃石)·녹렴석(綠簾石) 등을 많이 함유하고 있어 녹색을 띠는 결정(結晶) 편암. 현무암(玄武岩)이 저온(低溫)의 변성(變成) 작용을 받아서 됨.
녹색 혁명【綠色革命】[명]〖농〗①품종 개량으로 다수확(多收穫)의 농작물을 생산해 냄을 이름. 1960년대 말의 수년간 미국을 중심으로 각종의 농업 연구소가 밀·쌀·옥수수 등의 획기적인 품종 개량으로 다수확의 신품종을 만들어 냈음. 그린 레벌루션. ②널리, 농업 혁명 곧 식량 증산의 기술적 협력의 일컬음. 품종 개량, 수리 시설 확충, 비료·농약 개
녹서【綠嶼】[명] 초록이 무성한 작은 섬. └발 등이 이루어짐.
녹석-류【綠石類】[一뉴] [명]〖동〗석산호류(石珊瑚類).
녹선[1]【綠腺】[명]〖동〗촉각선(觸角腺).
녹선[2]【綠鱔】[명] 선어록(鱔魚綠). 「다. ——하다 [타][여불]
녹선[3]【錄選】[명] 선정(選定)하여 기록에 올림. ¶ 청백리(淸白吏)에 ~되
녹설[1]【鹿舌】[명] ①사슴의 혀. ②진귀한 음식.
녹설[2]【綠雪】[명]〔green snow〕어떤 미소 조류(微小藻類)의 생장(生長) 결과로써 된, 녹색 빛깔을 띠는 설면(雪面).
녹-섬광【綠閃光】[명] 해가 뜨거나 해가 질 무렵에 태양 상변(上邊)의 호(弧)가 겨우 보이는 수초(數秒) 동안에, 그 부분이 녹색으로 빛나는 드문 현상. 태양으로부터의 백광(白光) 가운데서 긴 파장(波長)의 빛보다 짧은 파장의 빛이 한층 크게 굴절하는 등의 이유로 그렇게 보임. 그린 플래시(green flash).
녹섬-석【綠閃石】[명]〖광〗각섬석(角閃石)의 하나. 마그네슘·철·칼슘의 함수 규산염(含水珪酸塩). 녹색 편암의 주성분의 하나임.
녹소니 [명]〈방〉〖동〗사슴.
녹수[1]【漉水】[명] 맑은 물.
녹수[2]【綠水】[명] 초록의 사이를 흐르는 푸른 물. 푸른 물.
【녹수 갈 제 원앙(鴛鴦) 가듯】 둘이 밀접한 관계가 있어 떠나지 아니함
녹수[3]【綠綬】[명] 녹색의 인수(印綬). 녹색의 인끈. └을 이르는 말.
녹수[4]【綠樹】[명] 푸른 나무. 「가를 밝히는 일. ——하다 [타][여불]
녹수[5]【錄囚】[명]〖역〗죄수가 옥에 갇혔을 때, 그것이 당연한가 부당한
녹수 청산【綠水青山】[명] 푸른 물과 푸른 산.
녹스[1]〔Knox, John〕[명]〖사람〗스코틀랜드의 종교 개혁가. 1559년에 칼비니즘에 의한 장로파 교회의 확립에 성공하였으며, 죽을 때까지 가톨릭과의 투쟁을 계속하였음. [1505?-1572]
녹스[2]〔Knox, Ronald Arbuthnott〕[명]〖사람〗영국의 작가·성직자. 옥스퍼드 대학을 나와 모교(母校)의 강사·목사로 일하다가 1917년 가톨릭으로 개종. ≪불가타 성서(Vulgata聖書)≫를 영역함. 종교적 저작 외에 추리 소설 ≪육교(陸橋) 살인 사건≫ 등이 있음. [1888-1957]
녹스빌〔Knoxville〕[명]〖지〗미국 테네시 주의 동부, 테네시 강 상류의 도시. 근처에 광산이 있지만 한적한 미도(美都)로 주립(州立) 테네시 대학이 있음. 가까운 곳에 'TVA 본부'가 설치되어 유명하게 되었음. 섬유·기계·화학·목재·제지 등의 공업이 성함. 대리석·석탄·동(銅) 등의 산출도 많음. [175,000 명(1980)]

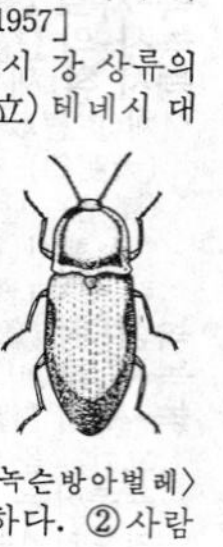
〈녹슨방아벌레〉

녹슨-방아벌레 [명]〖충〗[*Lacon binodulus*] 방아벌렛과에 속하는 곤충. 몸길이 16 mm 내외이고, 몸빛은 암갈색에 촉각은 황갈색, 다리는 적갈색임. 배면(背面)에는 인모(鱗毛)가 밀생하고 하면은 드문드문함. 촉각은 제4절 이하는 톱니 모양으로 생겼고 전흉(前胸) 회합선(會合線)은 깊이 패었음. 한국·일본에 분포함.
녹-슬다【綠一】[자] ①쇠붙이가 산화(酸化)하여서 빛이 변하다. ②사람에 관하여, 낡아서 쓸모 없게 됨을 이르는 말.
녹시-자【綠視者】[명]〖의〗제일 색맹.
녹시-증【綠視症】[一쯩] [명]〔chloropsia〕〖의〗모든 물체가 녹색으로
녹식【祿食】[명] 녹미(祿米). └보이는 시각의 이상(異常).
녹신【鹿腎】[명]〖한의〗사슴의 자지. 양기(陽氣)를 돕는 데 먹음.
녹신-녹신 [부] 매우 녹신한 모양. <눅신눅신. ——하다 [형][여불]
녹신-죽【鹿腎粥】[명] 녹신을 잘게 썰어 소금을 쳤다가 멥쌀을 넣고 쑨 죽. 기허(氣虛)한 데 먹음.
녹신-하다 [형][여불] 부드럽고 녹녹하다. <눅신하다. 녹신-히 [부]
녹-실【綠一】[명]〖건〗머리초에 그리는 무늬에 있어서 푸른 줄과 나란히 나가는 녹색 줄. ＊황(黃)실.
녹실-녹실[一록一] [부] 노그라지게 녹신녹신한 모양. ¶ 인절미가 ~해서 먹기 좋다. <눅실눅실. ——하다 [형][여불]
녹실-하다 [형][여불] 무르녹게 녹신하다. <눅실하다.
녹-십자【綠十字】[명] 재해로부터의 안전을 상징하는 녹색의 십자 표지. ¶ ~ 운동.
녹쌀 [명] 장목수수나 메밀 같은 것을 맷돌에 타서 만든 쌀.
녹쌀(을) 내:다 [구] 장목수수나 메밀 같은 것을 맷돌에 타서 쌀알이 되
녹-쓸다 [자] ☞ 녹슬다. └게 만들어 내다.
녹아【綠芽】[명] 하아(夏芽).
녹-아웃〔knockout〕[명] ①야구에서, 상대방의 투수(投手)가 던지는 공을 맹타하여 그 투수를 교체시키는 일. ②권투에서, 상대방을 10초 안에 일어나지 못하도록 때려 눕히는 일. ③어떤 승부에서 상대방을 완전히 패배시키는 일. 케이 오(K.O.). 「치는 강타(強打).
녹아웃 블로:〔knockout blow〕[명] 권투에서, 상대방이 녹아웃이 되게
녹안【綠眼】[명] 검은자위가 녹색인 눈. ＊벽안(碧眼).
녹암【綠岩】[명]〔green stone〕〖광〗녹색의 변성암(變成岩)의 총칭. 휘록암(輝綠岩)·섬록암(閃綠岩)·현무암(玄武岩) 등이 변화하여 생김.
녹야【綠野】[명] 초목이 무성한 푸른 들.
녹야-원【鹿野苑】[명]〔범 Mrgadāva〕〖불교〗중부 인도 파라내국(波羅奈國)의 북쪽 성 밖에 있던 임원(林園). 지금의 바라나시 시의 북 사르나트(Sārnāth)에 있었음. 석가가 도(道)를 이룬 뒤 다섯 비구(比丘)를 위하여 맨 처음으로 설법(說法)한 곳. 시록림(施鹿林). 선인처(仙人處). [준]
녹양【綠楊】[명] 잎이 우거진 버들. 푸른 버들. └녹원(鹿苑).
녹양 방초【綠楊芳草】[명] 푸른 버들과 아름다운 풀.
녹연【綠煙】[명] ①푸른 빛의 연기. 저녁녘의 연기와 안개. ②봄날, 녹수(綠樹)에 걸린 연무(煙霧)를 이름. ③버들의 푸른 잎의 형용.
녹연-광【綠鉛鑛】[명]〔pyromorphite〕〖광〗납클로르(chlor)의 인산염(燐酸塩)을 주성분으로 하는 심녹색(深綠色) 또는 황갈색의 광물. 육방정계(六方晶系)의 입상 결정(粒狀結晶) 또는 포도상(葡萄狀)·신장상(腎臟狀)으로 납을 채취하는 원광(原鑛)임.
녹엽【綠葉】[명] 녹색의 나뭇잎. 푸른 잎.
녹엽녹화-초【綠葉綠花草】[명]〖식〗등대풀. 택칠(澤漆).
녹엽-효【綠葉梟】[명]〖조〗솔부엉이. 「(軍營). ＊녹기(綠旗).
녹영【綠營】[명]〖역〗중국 청(淸)나라의 병제(兵制)인 녹기(綠旗)의 군영
녹옥【綠玉】[명] ①녹색의 구슬. ②에메랄드(emerald). ＊녹주석(綠柱石).
녹옥-석【綠玉石】[명] 녹주옥(綠柱玉).
녹 온〔knock on〕[명] 럭비에서, 선수가 볼을 잡을 때, 볼이 손이나 팔에 맞고 상대편의 데드 볼 라인으로 가게 된 반칙. 그 곳에서 스크럼을 짬.
녹용[1]【鹿茸】[명]〖한의〗사슴의 새로 돋은 연한 뿔. 피를 돕고 심장을 강하게 하는 힘이 있어 보약으로 귀하게 씀. [준]용(茸). ＊장용(獐茸).
【녹용 대가리 베어 가는 셈】 그 중 긴요한 부분을 가로채어 가는 염치 없는 행동을 이르는 말. 족제비 잡으니까 꼬리 달라는 격.
녹용[2]【錄用】[명] 채용. 채취(採取). ——하다 [타][여불]
녹우【綠雨】[명] 신록(新綠)의 무렵에 오는 비.
녹운【綠雲】[명] ①푸른 구름. ②여인의 숱이 많고 아름다운 검은 머리. ③푸른 잎이 무성함을 이르는 말.
녹원【鹿苑】[명] ①사슴을 기르는 뜰. ②〖불교〗↗녹야원(鹿野苑).
녹원-시【鹿苑時】[명]〖불〗아함시(阿含時).
녹위【祿位】[명] 녹봉(祿俸)과 작위(爵位). 녹작(祿爵).
녹유[1]【綠油】[명] ①녹색의 기름. 식물의 가지·잎 따위의 윤택한 녹색을 이름. ②〖화〗안트라센유(anthracene油).
녹유[2]【綠釉】[명]〖공〗잿물이나 규산(硅酸)에 연단(鉛丹)을 섞고 발색제(發色劑)로 구리 또는 철을 섞은, 녹색을 띤 유약(釉藥).
녹유 골호【綠釉骨壺】[명]〖불교〗경주(慶州) 지역에서 출토(出土)된 것으로 전하여지는 통일 신라 시대의 매장용(埋葬用) 토기(土器). 화장(火葬)을 하여 그 유골(遺骨)을 넣어 매장을 하는 것으로 둥근 합(盒)의 모양이며, 인화문(印花紋)을 새기고 심녹색(深綠色)의 유약(釉藥)을 바름. 높이 16 cm, 구경 15.2 cm. 국립 중앙 박물관 소장. 화강석(花崗石)으로 된 외함(外函)과 함께 국보 제125호로 지정됨.
녹육【鹿肉】[명] 사슴의 고기. 「와 달걀을 씌워서 지진 음식.
녹육 저:냐【鹿肉一】[명] 사슴의 고기를 저며서 소금을 뿌렸다가 밀가루
녹육-회【鹿肉膾】[명] 사슴의 연한 고기를 썰어 양념에 무친 회.
녹음[1] [명]〖화〗융해(融解).
녹음[2]【綠陰】[명] 푸른 잎이 우거진 나무의 그늘.
녹음[3]【錄音】[명] 음향·음성·음악 등을 필름·레코드 같은 데에 기계로 기록하여 넣는 일. ——하다 [자][타][여불]
녹음 구성【錄音構成】[명] 라디오 방송 등에서, 미리 녹음된 음성을 어떤 의도에 따라 편집하여 하나의 프로로 구성하는 일. ——하다 [타][여불]
녹음-기【錄音器】[명] 재생하기 위하여 음성을 녹음하는 기계. 마이크로폰을 사용하여 소리를 전류의 강약으로 변화시킴으로써, 크기가 변하는 전류에 의하여 산화철(酸化鐵)의 가루를 바른 테이프를 자기화(磁氣化)해서 소리를 기록하도록 되었음. 이 밖에 음성을 기계적 진동으로 바꾸는 장치 등이 있는데, 보통 테이프 리코더를 가리킴.
녹음 방:송【錄音放送】[명] 라디오 방송에서, 녹음한 소리를 재생(再生) 방송함. ↔생(生)방송. ＊녹화(錄畫) 방송. ——하다 [타][여불]
녹음 방초【綠陰芳草】[명] 우거진 나무 그늘과 꽃다운 풀. 여름철을 가리
녹음-실【錄音室】[명] 녹음 시설을 갖추어 놓은 방. └키는 말.
녹음 유언【錄音遺言】[一뉴一] [명]〖법〗유언 방식의 하나. 유언자가 녹음으로 유언하는 것으로, 유언의 취지를 구술(口述)하고 이에 참여한 증인이 유언이 정확하다는 것을 확인함을 구술하게 됨.
녹음 장치【錄音裝置】[명] 리코더❸. 「(磁氣) 테이프. 테이프.
녹음 테이프【錄音一】〔tape〕[명] 음성(音聲) 등의 음향을 기록하는 자기
녹음-판【錄音板】[명] 녹음하여 놓은 소리판.
녹읍【祿邑】[명]〖역〗신라와 고려 초기에 귀족과 백관(百官)에게 직전

(職田)으로 나누어 준 수조지(收租地). 「올 이름. ②연두 저고리.

녹의[1]【綠衣】[―/―이] 명 ①녹색의 옷. 연둣빛 옷. 천한 자가 입는 옷

녹의[2]【綠蟻】[―/―이] 명 걸러 놓은 술에 뜬 밥알. 미주(美酒)의 이칭. 술구더기. 주의(酒蟻). 「은 여자의 곱게 치장한 복색.

녹의 홍상【綠衣紅裳】[―/―이―] 명 연두 저고리에 다홍 치마. 곧 젊

녹이【綠耳·騄耳·騄駬】명 중국 주(周)나라 목왕(穆王)의 준마(駿馬). 전(轉)하여, 좋은 말의 비유. 녹마(騄馬). ¶ ～ 상제(霜蹄).

녹이다 사동 녹게 하다. ¶ 얼음을 ～/남자의 마음을 ～.

녹자【綠瓷·綠磁】명〖공〗동염(銅塩)이 산화염으로 말미암아 녹색을 띤 자기. 가끔 청자의 뜻으로 쓰이기도 함.

녹자-색【綠紫色】명 녹색을 띤 자색.

녹자 유리【綠磁琉璃】명〖공〗녹자를 이용하여 만든 유리.

녹작【祿爵】명 녹위(祿位).

녹작지근-하다 형여불 ☞노작지근하다. ¶ 우선 쪽마루에 걸터앉으니 일시에 사지가 녹작지근해 왔다《金周榮: 客主》. 「리는 일.

녹적【祿籍】명 복록(福祿)과 명적(名籍). 큰 복과 큰 명성을 누

녹전 받자빗【祿轉―】명〖역〗녹전 봉상색.

녹전 봉:상색【祿轉捧上色】명〖역〗고려 공민왕(恭愍王) 11년(1362)에 녹을 주던 일을 창관(倉官)에게 맡기지 아니하고 따로 세운 관아. 녹전 받자빗.

녹정-혈【鹿頂血】명 사슴의 머리에서 나는 피.

녹제-초【鹿蹄草】명〖식〗노루발풀.

녹져 자〈옛〉녹고자. 녹으려. '녹다²'의 활용형. ¶ 正月ㅅ 나릿므른 아으 어져 녹져 ᄒᆞ논ᄃᆡ《樂範 動動》. *-져.

녹조【綠藻】명〖식〗↗녹조 식물.

〈녹조 근정 훈장〉

녹조 근정 훈장【綠條勤政勳章】명 제4 등급의 근정 훈장. 수(綬)는 소수(小綬)이며, 주황색 바탕에 적색 줄이 네 줄 있음. *근정 훈장·옥조 근정 훈장.

녹조-류【綠藻類】명〖식〗↗녹색 조류(綠色藻類).

녹조 소:성 훈장【綠條素星勳章】명 제4 등급의 소성 훈장. 수(綬)는 소수(小綬)이며, 홍색 줄이 두 줄, 황색 줄이 두 줄, 녹색 줄이 두 줄, 중앙에 백색 줄이 한 줄 있음. '녹조 근정 훈장'으로 바뀌었음.

〈녹조 소성 훈장〉

녹조 식물【綠藻植物】명〖식〗[Chlorophyta] 엽록소(葉綠素)를 가지고 있어 광합성(光合成)을 하는 조류(藻類)의 총칭. 단세포(單細胞), 다세포(多細胞), 편모(鞭毛)가 있는 것과 없는 것 등 종류가 다양하며, 사는 곳도 바닷물·민물·습지 등 여러 가지임. 청각·파래·클로렐라(chlorella)·반달말 등이 이에 속함. 녹색말. 녹색 조류(綠色藻類). 준 녹조(綠藻)·녹조류. *차축조(車軸藻) 식물.

녹존-성【祿存星】명〖민〗구성(九星) 중의 셋째 별. 거문성(巨門星) 다음, 문곡성(文曲星) 위에 있음.

녹주【綠酒】명 ①녹색의 술. ¶ 홍등(紅燈) ～. ②맛 좋은 술.

녹주-건【漉酒巾】명 술을 거르는 헝겊. 진(晉)나라의 도연명(陶淵明)이 술을 좋아하여 두건(頭巾)으로 술을 거른 고사(故事)에서 나온 말.

녹-주석【綠柱石】명 [beryl]〖광〗육각주상(六角柱狀)의 결정(結晶)을 이루는 광물. 페그마타이트(pegmatite) 속에서 나는데, 성분은 베릴륨(beryllium)과 알루미늄(aluminium)과의 규산염(硅酸塩)임. 때로는 괴상(塊狀)·입상(粒狀)을 이룸. 순수한 것은 무색(無色)이나 대개는 녹색 또는 엷은 청색으로 약간 투명하고 유리 같은 광택이 있음. 진한 녹색의 에메랄드는 이의 일종임. *녹옥(綠玉).

녹주-옥【綠柱玉】명 녹주석(綠柱石)의 일종. 에메랄드(emerald). 녹옥

녹죽【綠竹】명 푸른 대나무. 녹균(綠筠). ㄴ석(綠玉石).

녹즙【綠汁】명 주로, 녹색(綠色)의 채소의 잎이나 열매를 곱게 갈아 받은 즙(汁). 칼슘과 비타민 K가 들어 있어 건강 식품으로 꼽힘.

녹지[1]【淥池】명 맑은 못.

녹지[2]【綠池】명 물이 푸른 못.

녹지[3]【綠地】명 초목이 무성한 땅. 특히 도시에 있어서 미관(美觀)·보건·위생·방화(防火)·공해 방지 등의 목적으로 설정된 것을 말함. 부동산 용어로는 도시 계획법 상의 용도 지역으로 공원 등의 보전 녹지, 임야 등의 자연 녹지, 논밭 등의 생산 녹지로 구분함.

녹지[4]【錄紙】명 남에게 보이기 위하여 사실의 대강(大綱)만 추려 적은 종이쪽.

녹지근-하다 형여불 ↗녹작지근하다.

녹지 농업【綠地農業】명 환경 보존을 목적으로 하는 농업. 공업에 의한 환경 오염이 자연이나 농업이 지닌 환경 보전 능력의 한계를 넘게 되므로 그 필요성을 인정하게 되었으나 수입(收入)이 있는 농작물을 생산하는 것이 아니므로 녹지 농업의 주체는 공법인(公法人)이어야 함.

녹지-대【綠地帶】명 ①일대에 녹지가 있는 지역. 그린벨트(greenbelt). 녹지 지역. ②도로의 하행 차선(下行車線)과 상행 차선 또는 보도(步道)와 차도(車道)를 구분하기 위하여 초목을 가꾸어 놓은 지대.

녹지 지역【綠地地域】명 녹지대❶.

녹지-채【綠地彩】명〖미술〗전면이 녹색을 이루고 그 위에 오채(五彩)를 베푼 채색. 준녹채(綠彩). 「여불

녹진-녹진 부 매우 녹진한 모양. ¶ ～한 엿. <눅진눅진. ――-하다 형

녹진-하다 형여불 물건이나 성질이 노긋하고 끈끈하다. ¶ 녹진한 성격.

녹질【祿秩】명 녹봉(祿俸). ㄴ<눅진하다.

녹차【綠茶】명 푸른 빛이 그대로 나도록 말린 부드러운 찻잎. 또, 그것을 끓인 차. 그린 티(green tea). 녹다(綠茶). *홍차(紅茶). 「堂).

녹창【綠窓】명 ①부녀자가 거처하는 방. ②가난한 여자의 방. 녹당(綠

녹채[1]【鹿砦】명 적의 침입을 막기 위해 사슴 뿔 모양으로 가시 나무를 엮어 친 방어물.

녹채[2]【綠彩】명〖미술〗↗녹지채(綠地彩).

녹첩【錄牒】명 성명을 기록한 문부(文簿).

녹청【綠靑】명 ①〖화〗염기성 아세트산 구리. ②〖건〗염기성 아세트산 구리로 만든 녹색의 도료. 또, 그 빛깔.

녹-청색【綠靑色】명 녹색을 띤 푸른 빛.

녹초[1] 명 ①아주 힘이 풀어져 맥을 못 쓰는 상태. ¶ 피곤해서 ～가 되다. ②물건이 낡고 헐어서 아주 결딴이 난 상태.
녹초(가) 되다 구 힘이 풀어져 맥을 못 쓰게 되다.
녹초(를) 만들다 구 녹초가 되게 만들다.
녹초 부르다 구〈속〉㉠녹초가 되다. ㉡죽다.

녹초[2]【綠草】명 푸른 풀. 산이나 수목의 선명한 빛을 일컬음.

녹초 청강【綠草淸江】명 푸른 풀과 맑은 강.

녹총【鹿葱】명〖식〗원추리.

녹취[1]【綠翠】명 푸른 빛.

녹취[2]【錄取】명 ↗녹음 채취(錄音採取). ――-하다 타여불

녹치[1] 명〈방〉〖어〗병어(함경).

녹-치[2]【綠―】명 잘 말린 푸른 빛깔의 부드러운 찻잎.

녹탕【鹿湯】명 녹갱(鹿羹).

녹태[1]【鹿胎】명 암사슴의 뱃속에 든 새끼.

녹태[2]【祿太】명〖역〗녹봉(祿俸)으로 주던 콩.

녹태[3]【綠苔】명 푸른 이끼. 청태(靑苔). 취태(翠苔).

녹턴:[nocturne] 명〖악〗악곡 형식의 하나. 이전부터 종교 상으로 이런 명칭이 있었으나, 19세기 초두의 필드(Field, John; 1782-1837)이래 조용한 밤의 기분을 나타내는 서정적인 피아노곡을 말하게 되었음. 박자나 형식은 따로 없고, 세도막 형식 또는 작은 론도(rondo) 형식을 따름. 쇼팽의 19 곡이 가장 유명함. 노투르노. 몽환곡(夢幻曲). 야상곡.

녹토【綠土】명 ①초목이 무성한 토지·국토. ②근해 침전물(近海沈澱物). 유공충(有孔蟲)의 껍질의 인(仁)을 형성하는 규산(珪酸) 광물의 입자(粒子)를 함유하므로 녹색을 띰. ③흑운모(黑雲母) 등이 분해되어 생기는 녹색 광물의 일종.

녹토비전[noctovision] 명 텔레비전의 암시(暗視) 장치의 하나. 공업용 텔레비전의 하나로, 자외선·적외선 등의 불가시광(不可視光) 영역에 감광하는 촬상관(撮像管)을 사용하여 육안으로 보이지 아니하는 상을 수상관(受像管)에 나타내는 장치임. 적외선 암시 장치.

녹파[1]【淥波】명 맑은 물결.

녹파[2]【綠波】명 푸른 파도. 벽파(碧波).

녹파-주【綠波酒】명 멥쌀로 만든 술밑에, 푹 찐 찹쌀과 끓는 물을 섞어 식힌 것을 넣어 익힌 약주.

녹패[1]【鹿牌】명 사슴 사냥을 하는 포수의 패.

녹패[2]【祿牌】명〖역〗녹을 받는 사람에게 증거로 주던 표. 종이로 만듦.

녹패-식【祿牌式】명〖역〗조선 시대 때의 녹봉 사령서(祿俸辭令書)의 양식. 초·중기에는 해마다 정월 초하루에 발급하던 것을 정조(正祖) 때의 대전 통편(大典通編) 반포 후 1·4·7·10월의 초하루에 발급하였음.

녹편[1]【鹿鞭】명〖한의〗사슴 자지의 심줄. 보신 장양제(補腎壯陽劑)로 ㄴ씀.

녹편[2]【錄片】명 간단한 녹지(錄紙).

녹평【綠苹】명 녹빈(綠蘋).

녹포[1]【鹿脯】명 사슴의 고기로 만든 포.

녹포[2]【綠袍】명〖역〗초록색의 도포(道袍). 조선 시대 때, 칠·팔·구품(七八九品) 및 향리(鄕吏)들이 공복(公服)으로 입음.

녹풍【綠風】명 ①〖한의〗안내종(眼內腫)의 한 가지. 겉보기에는 별 표가 없으나, 보는 힘이 흐리고, 눈알이 아프며, 나중에는 머리가 아프면서 붉고 흰 빛이 어른거림. 원발성(原發性)·속발성(續發性)·염성(炎性)의 구별이 있음. ②초여름의 푸른 잎 사이를 스치어 부는 바람.

녹피【鹿皮】명 →녹(鹿)비.

녹항【鹿港】명〖지〗'루강'을 우리 음으로 읽은 이름.

녹해【鹿醢】명 사슴 고기로 담근 젓. 두(豆)에 담는 제물(祭物)의 하나.

녹혈【鹿血】명 사슴의 피.

녹-홀씨 명 [aeciospore]〖식〗녹홀씨기(器)에 의해 만들어진 홀씨.

녹홀씨-기【―器】명 [aecium]〖식〗녹병균(菌)의 자실체(子實體) 또는 포자 낭과(胞子囊果). 「～/～ 운동. ――-하다 타여불

녹화[1]【綠化】명 산이나 들에 나무를 심고 잘 길러서 푸르게 함. ¶ 산림

녹화[2]【錄畫】명 텔레비전의 영상(映像)을 필름이나 비디오 테이프에 기록함. 또, 그 화상(畫像). 특히, 비디오 테이프에 의한 녹화는 화질(畫質)·음질(音質)이 우수하여 텔레비전의 시차(時差) 방송·재방송·보존 또는 특수 효과를 내는, 특수 녹화 방송과 기술적 연구용 등에 널리 이용되고 있음. ――-하다 자타여불

녹화 머리초【綠花―】명〖건〗녹색으로 꽃을 그린 머리초.

녹화 방:송【錄畫放送】명 녹화해서 하는 방송. ↔생방송(生放送).

녹화 산:업【綠化産業】명 [green business] 공업 개발·택지 개발 등으로 파괴되는 자연 환경이나 생활 환경을 보호하기 위한, 대기 청정(大氣淸淨)·환경 미화 등의 녹화에 소요되는 잔디나 정원수·공공용 수목의 생산·판매 및 시공(施工)에 관련된 산업. 그린 비즈니스.

녹화 운:동【綠化運動】명 나무를 심고 잘 길러서 산과 들을 푸르게 하는 운동. 또, 그것을 장려하는 운동. ――-하다 자여불

녹화 재:생기【錄畫再生機】명 브이 시 아르(VCR).

녹-황색【綠黃色】명 녹색을 띤 황색.

녹-회색【綠灰色】명 녹색을 띤 회색.

녹훈【錄勳】명 훈공을 장부에 기록함. ――-하다 자여불

녹히다 타 ☞녹이다.

논[1] 명 물을 대어 벼농사를 짓기 위해 만든 땅. 답(畓). 수전(水田).

[논을 사려면 두렁을 보라] 논을 사려면, 그 논과 다른 논과의 사이에 있는 두렁을 보고, 그것이 뚜렷한가 또 물길은 어떤가 등을 알아 보고 사라는 말. [논 이기듯 신 이기듯 하다] 한 말을 자꾸 되풀이하여 잘 알아듣도록 한다는 말.

논² 【論】 명 ①사물의 도리를 설명하는 일. ②잘잘못을 따지어 말함. 다투어 말함. ③의견. 견해(見解). 주의 주장. ④문제의 하나. 사리의 옳고 그름을 논의·단정하는 체. ＊논변(論辯). ⑤↗논설(論說). ⑥〖불교〗경(經)과 율(律)의 요의(要義)를 모은 것이나 이것을 널리 연구·해석한 것. ＊논장(論藏). ——-하다 타여불

논- 〔non-〕 두 '비(非)'·'무(無)'의 뜻. ¶ ～스톱/～프로.

-논 어미 〈옛〉 -는. ¶ 訓民正音은 百姓 ㄱ 르치시논 正혼 소리라《訓諺 1》.

논가¹ 【論家】 명 〖불교〗 논사(論師).

논가² 【論價】 [─까] 명 값을 의논함. ——-하다 타여불

-논가 어미 〈옛〉 -는가. ¶ 萬里外ㅅ 일이시나 눈에 보논가 너기ᅀᆞᄫᆞ쇼셔, 千載上ㅅ말이시나 귀예 듣논가 너기ᅀᆞᄫᆞ쇼셔 《月釋 Ⅰ:1》.

논-갈이 명 논을 가는 일. 마른갈이와 물갈이가 있음. ——-하다 자여불

논감 【論甘】 명 〖역〗 ①논박(論駁)하는 감결(甘結). ②상급 관아에서 하급 관아에 보내는 꾸짖는 글.

논강¹ 【論綱】 명 글이나 연설 등에서 기본적인 내용이나 명제가 되는 것.

논강² 【論講】 명 〖불교〗 경전(經典)을 연구하여 토론함. ——-하다 타여불

논개 【論介】 명 〖사람〗 임진 왜란 때의 기생. 성은 주(朱). 장수(長水) 사람. 진주 병사(晋州兵使) 최경회(崔慶會)의 애기(愛妓)였는데, 진주성이 함락된 후 촉석루(矗石樓)의 술자리에서 한 왜장(倭將)을 껴안고 남강(南江)에 같이 떨어져 죽었음. [?-1592] 「름난 ～.

논객 【論客】 명 의론(議論)을 잘 하는 사람. 의론을 좋아하는 사람. ¶ 이

논거 【論據】 명 ①논설이나 의론의 근거. ¶ 이 결론은 ～가 애매하다. ②〖논〗 논증(論證)에서 진위(眞僞)를 확정할 판단, 곧 제제(提題) 근거로서 전제가 될 명제. 「타여불

논결¹ 【論決】 명 토론하여 사물의 시비를 결정함. 논정(論定). ——-하다

논결² 【論結】 명 의논하여 일을 끝맺음. 의론(議論)의 결말을 지음. ——-하다 타여불 「여불

논경 【論警】 명 〖역〗 상관이 아랫관리의 잘못을 경계함. ——-하다 타

논계 【論啓】 명 임금에게 그 잘못을 따져 간(諫)함. ——-하다 타여불

논고¹ 【論考·論攷】 명 여러 문헌을 고증하고 사리를 논술하여 밝힘. 흔히, '삼국사 논고'라 함과 같이 책 이름에 쓰임. ——-하다 타여불

논고² 【論告】 명 ①자기의 믿는 바를 논술하여 알림. ②〖법〗 형사 공판의 심리에 있어서, 증거 조사가 끝난 뒤에 행하는, 검사의 사실 및 법률의 적용에 관한 의견의 진술. 이 때에 행하는 구형(求刑)을 포함하기도 함. ¶ 준엄한 ～. ——-하다 타여불

논-고둥이 명 〈방〉〖동〗 고둥(경남).

논고-악 【論告岳】 명 〖지〗 제주도 남제주군(南濟州郡) 남원면(南元面)에 있는 산봉. 신생대(新生代) 3-4기에 분출된 기생 화산(寄生火山)의 하나. [858 m]

논-골뱅이 명 〈방〉〖조개〗 고둥(강원).

논공 【論功】 명 공적의 유무·대소를 의논하여 작정함. ——-하다 타여불

논공 공업 단지 【論功工業團地】 명 〖지〗 경상 북도 달성군(達城郡) 논공면(論功面)과 현풍면(玄風面)에 걸쳐 있는 지방(地方) 공업 단지.

논공 행상 【論功行賞】 명 공적의 유무·대소를 논결(論決)하여 각각 알맞은 상을 주는 일. ——-하다 타여불

논과 【論過】 명 ①잘못을 논함. 논오(論誤). ②〖논〗 허위(虛僞)의 무의식에 빠지는 일. 의식적인 궤변(詭辯)에 상대함. 곧, 사유(思惟)의 논리적 주체로서 아무런 인식을 주지 아니하는 자계(自戒)의 실재적 존재를 그르치는 데서 오는 오류 추리(誤謬推理). 허위(虛僞). ——-하다 타여불

논관 【論關】 명 〖역〗 상급 관아에서 하급 관아로 내리는 경고서(警告書).

논구 【論究】 명 사물의 이치를 깊이 밝히어 논함. ——-하다 타여불

논-귀 [─뀌] 명 논의 귀퉁이.

논급 【論及】 명 어떠한 데까지 미치게 논함. 논하여 다른 데까지 미침. ——-하다 자여불

논-길 [─낄] 명 논 사이에 난 길.

논-김 [─낌] 명 논의 김. ¶ ～을 매다.

논-꼬 명 논의 물꼬.

논-꼴뱅이 명 〈방〉〖조개〗 고둥(경북).

논난 【論難】 명 →논란. ——-하다 타여불

논내끼 명 〈방〉 노¹(충남·전북).

논-냉이 명 〖식〗 [*Cardamine lyrata*] 겨잣과에 속하는 다년초. 줄기 높이 60 cm 가량이고, 잎은 호생하며 우상 심렬(羽狀深裂)하고 소엽(小葉)은 원형 또는 타원형임. 4-5월에 흰 꽃이 줄기 끝에 정생(頂生)하여 총상(總狀) 화서로 피고, 과실은 장각(長角)임. 들의 물가에 나는데, 전남·전북·경기·함남에 분포함. 어린 싹은 식용함.

〈논냉이〉

논노스 〔Nonnos〕 명 〖사람〗 5세기의 그리스 시인. 대서사시(大敍事詩) 《디오니소스 이야기》 및 《요한전(傳)》의 운문역(韻文譯)의 작자. 그리스 시(詩)의 음률이 모음의 장단으로부터 강약의 악센트로 바뀐 것은 그에게서 비롯되었음.

논-농사 【─農事】 명 논에 짓는 농사. 답농(畓農). 수전작(水田作). ↔밭농사.

논:다 [─따] 타 ↗노느다. ¶ 몫몫이 ～.

논:-다니 명 ①〈방〉 가운뎃손가락. ②〈속〉 웃음과 몸을 파는 계집. 함부로 노는 계집. 유녀(遊女). 노는 계집.

논-다랭이 명 〈방〉 논두렁.

논-다비 명 〈방〉 마른갈이.

논단¹ 【論壇】 명 ①토론을 하는 곳. 의견을 논술하는 장소. ②논객들의 사회. 언론계. 평론계. ¶ ～의 원로.

논단² 【論斷】 명 논하여 단정(斷定)을 내림. 논술(論述)하여 결론을 맺음. ——-하다 타여불 「여불

논담 【論談】 명 사물의 시비를 논란하여 말함. 담론(談論). ——-하다 타

-논뎌 미 〈옛〉 -는져. -는도다. -는구나. ¶ 슬프다 벗 사ᄅᆞᆷ이 마ᄅᆞᆯ 아디 못ᄒᆞ논뎌(悲哉不悟昔人之言)《南明 下 30》.

논-도랑 [─또─] 명 논의 가장자리에 있는 도랑.

논독 【論篤】 명 언론이 독실(篤實)함. ——-하다 형여불

논-두렁 [─뚜─] 명 물이 괴도록 논가에 흙으로 둘러 막은 두둑. ——-하다 자여불 모내기 전에 논두렁을 튼튼하게 하기 위하여 잘 다듬고 안쪽에 흙을 붙이어 바르다.

[논두렁에 구멍 뚫기] 매우 심술이 사납다는 말.

논두렁(을) 베:다 구 빈털터리가 되어 논두렁을 베고 처량하게 죽다. ¶ 남의 속쓰는 것을 모르고 함부로 발길 내어 놓는 것은 아무 때라도 논두렁 비나니라《李海朝:鬢上雪》.

논두렁 죽음 구 의지가지없이 빈털터리가 되어, 논두렁이나 베고 처참하게 객사하는 일.

논-두름 [─뚜─] 명 〈방〉 논두렁.

논-둑 [─뚝] 명 논의 가장자리에 쌓아 올린 방축.

논둑-길 [─뚝낄] 명 논둑 위에 난 길.

논둑-외풀 [─뚜─] 명 〖식〗 [*Vandellia serrata*] 현삼과에 속하는 일년초. 줄기 높이 30 cm 가량이고, 잎은 대생하며 긴 타원상의 선형(線形)임. 8-9월에 담홍자색의 꽃이 줄기 위 엽액(葉腋)에 하나씩 달리어 피는데, 화관(花冠)은 입술 모양이고, 과실은 삭과(蒴果)로 선상의 긴 타원형임. 밭의 습지에 나는데, 한국 중부 이남에 분포함.

-논디 어미 〈옛〉 -는 것이. ¶ 發ᄒᆞ논디 아니라《蒙法 1》.

-논디라 어미 〈옛〉 -는지라. ¶ 心中이 善티 몯ᄒᆞ면 쇽졀업시 定慧 잇논디라(心中不善ᄒᆞ면 空有定慧라)《六祖 中 2》.

-논딘댄 어미 〈옛〉 -는데는. ¶ 내 아ᄃᆞᆯ 悉達이 오논딘댄 몬져 光明 뵈요미 이 샹녯 祥瑞라《月釋 Ⅹ:7》.

-논ᄃᆡ 어미 〈옛〉 -는데. ¶ 正月ㅅ 나릿므른 아으어져 녹져 ᄒᆞ논ᄃᆡ《樂範 動動》.

논-떼기 명 논의 뙈기.

논-뜨기 명 〖식〗 민하늘지기.

논란 【論難】 [놀─] 명 〔←논난〕 잘못을 논하여 비난함. 서로 논술하여 비평함. ——-하다 타여불

논런 스타킹 〔non-run stocking〕 명 올이 잘 풀어지지 아니하는 심리스(seamless) 스타킹. 노런(no-run)이라고도 함.

논리 【論理】 [놀─] 명 ①사물에 대한 의론 또는 논증의 이치. ②이치에 따라 사물을 분별하는 의론. ¶ ～의 비약. ③↗논리학(論理學).

논리 게이트 【論理─】 [놀─] 명 〔logic gate〕 〖컴퓨터〗 논리 연산(論理演算)을 수행하는 논리 소자(論理素子)로서 입력 논리가 만족되면 0 또는 1을 생성하는 장치.

논리 계:산 【論理計算】 [놀─] 명 〖논〗 기호(記號) 논리학.

논리-곱 【論理─】 [놀─] 명 ①〔cojunction〕 〖논〗 하나의 명제(命題)를 접속사 '또한'이나 그 동의어로 연결할 수 있는 합성 명제. 합접(合接). ②〔logical AND, logical product〕 〖컴퓨터〗 논리 연산(論理演算)의 하나. 2개의 논리 변수(變數)를 P와 Q로 할 때 P와 Q가 모두 참일 때만 출력이 참이 되는 논리 연산.

논리곱 회로 【論理─回路】 [놀─] 명 컴퓨터의 계산 회로를 구성하는 논리 소자(論理素子)의 하나. 두 개 이상의 입력 단자(入力端子)와 한 개의 출력(出力) 단자가 있으며, 모든 입력 단자에 입력 1이 들어가는 경우에만 출력 단자에 출력 1이 나타나는 회로. 논리 대수(論理代數)에 있어서 논리곱을 실현하는 회로. 앤드(AND) 회로.

논리 기호 【論理記號】 [놀─] 명 수학·논리학에서, 논리어(語)를 나타내는 기호를 이름. 예를 들면 ∨(혹은), ∧(또한) 따위.

논리 대:수 【論理代數】 [놀─] 명 〖수〗 논리 수학. 불 대수(Boole 代數).

논리-성 【論理性】 [놀─썽] 명 ①논리에 맞는 성질. ②논리의 확실성.

논리 소:자 【論理素子】 [놀─] 명 〖컴퓨터〗 중앙 처리 장치 중에서 논리 연산(論理演算)을 하는 회로(回路)를 구성하는 소자(素子). 논리곱·논리합(合)·부정의 논리 연산을 함. 논리 연산 소자.

논리 수:학 【論理數學】 [놀─] 명 〖수〗 변수가 1과 0의 두 개의 값만을 취할 때, 그 논리 변수에 대하여 논리합(論理合)·논리(論理)곱·부정(否定) 등의 논리 연산을 정의(定義)하여 이루어진 대수(代數). 19세기 중엽에 영국의 불(Boole, G.)에 의하여 고안됨. 컴퓨터 등의 논리 회로(論理回路)의 설계에 중요한 역할을 함. 불 대수(Boole 代數).

논리-어 【論理語】 [놀─] 명 수학·논리학에서, 논리적인 판단에 관련해 쓰이는 말. '…이면', '또한', '…이라면', '…가 아닌', '모든' 따위.

논리 연:산 【論理演算】 [놀─] 명 〔logical operation〕 〖컴퓨터〗 비산술적(非算術的) 조작으로, 논리치(論理値)를 요소로 하는 연산. 비트(bit)마다의 논리합(論理合)·논리(論理)곱 또는 비트열(bit 列)을 대상으로 하는 비교·추출·이동 등이 이에 해당함.

논리 연:산 소:자 【論理演算素子】 [놀─] 명 〖컴퓨터〗 논리 소자.

논리-적¹ 【論理的】 [놀─] 명관 ①논리의 법칙에 맞는 모양. ②논리학적 지식에 알맞은 입장. ③추리의 형식에 적합한 상태.

논리-적² 【論理積】 [놀─] 명 〖논〗 '논리곱'의 구용어.

논리적 구문론 【論理的構文論】 [놀─논] 명 〔logical syntax〕 〖언〗 언어(言語)가 가진 언어학적 형식에 관한 형식 이론. 언어를 지배하는 형식적 규칙을 체계적으로 논술하여, 그러한 규칙으로부터 연역(演繹)되는 여러 결과를 전개(展開)하는 이론. 특정한 언어뿐만 아니고, 모든 언어에 통용하는 이론을 목표로 하고 있음.

논리적 구상 【論理的構想】 [놀─] 명 〖문〗 작문에 있어서의 구상의 한 방식. 각자의 사고의 전개에 따라 재료를 항목별로 분류하여 배열하는

일. 이에는 인과(因果)의 순서, 원칙 적용의 순서, 동기 부여(動機賦與)의 순서, 나열식(羅列式) 순서, 문제 해결의 순서, 난이성(難易性)의 순서, 점층법식(漸層法式) 순서 등이 있음. 종합적 구상.

논리적 사고【論理的思考】[놀—] 명 논리적 추리(推理) 형식에 적합한 사고. ↔직관적(直觀的) 사고.

논리적 실증주의【論理的實證主義】[놀—쯩—/놀—쯩—이] 명 〔logical positivism〕〖철〗직접 경험에 의해 검증할 수 없는 명제는 무의미하다고 하는 철저한 실증주의. 빈 학단(Wien學團)에서 비롯해 현재는 주로 미국에서 세력을 가지고 있는 한 철학파의 태도로서, 철학의 임무는 과학의 논리적 분석에 있다고 하여 기호 논리학(記號論理學)의 연구를 발전시켰음.

논리적 유심론【論理的唯心論】[놀—논] 명 〔logical idealism〕〖철〗헤겔(Hegel)의 유심론이 논리성을 가장 기본적인 성격으로 하고 있다는 점에서 그 특색을 나타내어 일컫는 말. *윤리적(倫理的) 유심론·미적(美的) 유심론.

논리적 의속【論理的依屬】[놀—] 명〖논〗보편과 특수, 이유와 귀결의 관계로서 거기에는 어떤 공간적·시간적 관계와 요소를 필요로 하지 아니하는 관계. 논리적 의존. ↔사실적(事實的) 의속.

논리적 의존【論理的依存】[놀—] 명〖논〗논리적 의속(依屬).

논리적 주관【論理的主觀】[놀—] 명〖논〗인식론적(認識論的) 주관.

논리적 지능【論理的知能】[놀—] 명〖심〗두뇌 속에서 추리를 통하여 상황을 판단하고 구성하며, 실용적 지능의 직관적 조작보다 넓게 전망을 할 수 있는 지능. ↔실용적 지능.

논리적 진리【論理的眞理】[놀—질—] 명 형식적 진리(形式的眞理).

논리적 회로【論理積回路】[놀—] 명 논리곱 회로.

논리-주의【論理主義】[놀—/놀—이] 명〔도 Logismus〕〖철〗①우주는 이성적·논리적인 것이 지배하고 있다고 보는 형이상학설. 헤겔의 철학이 이것임. ②인식론(認識論)상 심리주의에 상대하는 말. 심리주의가 인식 및 인식 상의 가치의 심리적 발생을 설명하려는 데에 대하여, 인식상 가치가 성립하는 논리적 근거를 명백히 하려고 하는 입장임.

논리-학【論理學】[놀—] 명〔logic〕〖논〗바른 인식을 얻기 위하여 규범이 될 수 있는 사유(思惟)의 형식과 법칙을 연구하는 학문. 의미와 언어(言語)의 구조에 관한 개념·판단 및 추리의 형식·관계를 연구하고 사고(思考)·서술의 규법·방법의 논법도 포함되며, 대상의 여하에 관계없이 바른 사유에 의하여 행하여지는 형식·조건·전제·규칙 등을 논하는 형식 논리학과, 일반적인 인식과 그 대상과의 관계를 논하는 선험적(先驗的) 논리학 및 헤겔의 변증법과 같이 사유의 형식을 논하는 동시에, 그것을 실제의 형식이라고 하는 형이상학적(形而上學的) 논리학 등으로 구분함. 준논리(論理).

논리-합【論理合】[놀—] 명 ①〖논〗두 명제(命題)를 접속사 '또한'이나 이와 동의(同義)의 접속사로 연결할 수 있는 합성 명제. 이접(離接). ②〔logical OR〕〖컴퓨터〗논리 연산의 하나로 2개의 논리 변수를 P와 Q로 할 때 P와 Q 중 적어도 하나가 참일 때 출력이 참이 되는 논리 연산.

논리합 회로【論理合回路】[놀—] 명 컴퓨터의 계산 회로를 구성하는 논리 소자(論理素子)의 하나. 두 개 이상의 입력 단자(入力端子)와 한 개의 출력 단자(出力端子)가 있으며, 적어도 한 개의 입력 단자에 입력 1이 들어가면 출력 단자에 출력 1이 나타나는 회로. 논리 대수(論理代數)에 있어서 논리합(論理合)을 실현하는 회로. 오어(OR) 회로.

논리 해:석【論理解釋】[놀—] 명〖법〗법률 해석의 한 단계. 한 법문의 딴 법문과의 관계 및 법체계 전체 속에서의 상관적 위치 등을 고려하여 문리(文理) 해석에서 인식된 의미를 한층 엄격하게 확정하는 일. ↔문리(文理) 해석.

논리형 언어【論理型言語】[놀—] 명〔logical language〕〖컴퓨터〗논리학의 관계식(關係式)의 형태로 프로그램을 기술하는 언어. 프롤로그(PROLOG)가 유명하며, 인공 지능(AI) 연구에 사용됨. 논리형 프로그래밍 언어.

논리 회로【論理回路】[놀—] 명 계수형(計數型)의 정보를 논리적으로 처리하는 기능을 가진 논리합 회로·논리곱 회로·부정 회로의 총칭. 논리 대수(論理代數)를 기초 이론으로 하여 설계됨. 오늘날의 계수형의 전자 계산기의 계산 회로는 기본적으로 논리 회로로 구성됨.

논-마늘 명 무논에서 재배하는 마늘. ↔밭마늘.

논-마지기 명 얼마 되지 아니하는 면적의 논. ¶ ～나 장만했다.

논-매기 명 논의 김을 매는 일. 모를 심은 후, 호미 또는 기계로 두세 차례에 걸쳐 애벌·이듬·만물을 함. ——하다 자여불

논매기-소리 명〖악〗논에서 김을 맬 때 부르는 노래의 총칭. 일종의 노동요(勞動謠)로서, 앞소리꾼이 앞소리를 매기면 나머지 일꾼들이 뒷소리를 이어 부름.

논-매다 자 논의 김을 매다. 논매기를 하다.

논-맹【論孟】명 논어(論語)와 맹자(孟子).

논-머리 명 논배미의 한쪽 가. 전두(田頭).

논메 명〖지〗논산(論山).

논문【論文】명 ①사리를 논술하는 글. 이론적으로 의견·주장·견해를 쓴 글. 대개 서론·본론·결론의 3단계를 가지는 문체임. ②연구의 결과나 업적을 발표하는 글. ¶ 졸업 ～/학위 ～/～집(集). 「땅문서.

논-문서【—文書】명 논의 소유권을 등기·증명한 공문서. 답권(畓券). *

논문-집【論文集】명 논문을 모아서 엮은 책. 준논집(論集).

논문-체【論文體】명 논문을 작성할 때 쓰는 것과 같은 문체. 보통, 서론(序論)·본론(本論)·결론(結論)의 3단계로 됨.

논-물 명 논에 괴어 있는 물. 논에 대는 물.

논-바닥 [—빠—] 명 논의 바닥.

논박【論駁】명 잘못된 것을 공격하여 말함. 다른 사람의 설(說)의 잘못을 논하여 반박함. 박론(駁論). ¶ 어용 학자의 논문을 ～하다. ——하다 타여불

논-밭 명 논과 밭. 식근(食根). 전답(田畓). 전지(田地).
[논밭은 다 팔아 먹어도 향로(香爐) 촛대는 지닌다] ㉠집안이 망해도, 조상에게 제사지낼 때 쓰는 제구(祭具)는 반드시 간직해야 한다는 말. ㉡무엇이나 다 없앴다 하여도 남는 것 하나 둘은 있다는 말.

논밭 윤환【—輪換】명〖농〗논의 물을 빼고 수년간 밭으로 썼다가 다시 논으로 하기를 반복하는 방식. 이렇게 하면 잡초와 병충해(病蟲害)의 발생이 적어 토양의 이화학성(理化學性)도 개선되어 증산(增産)에 도움이 됨. 전답(田畓) 윤환.

논밭 전지【—田地】명 가지고 있는 모든 논과 밭. ¶ ～ 다 팔다.

논-배미 [—빼—] 명 논의 한 구역. 논과 논 사이를 구분한 곳. 준배미.

논법【論法】[—뻡] 명 논술하는 방법. 의론의 방법. ¶ 삼단(三段) ～.

논-벼 [—뼈] 명 논에 심은 벼. 수도(水稻). ↔밭벼.

논변【論辯·論辨】명 ①사리의 옳고 그름을 밝혀 말함. 변론(辯論). ②의견을 논술함. ③문체의 하나. 논(論)·변(辨)·난(難)·의(議)·설(說)·해(解)·석(釋)·원(原)·대문(對問)·유(喩) 등으로 나뉨. *논(論). ——하다 타여불

논-병아리 [—뼝—] 명〖조〗[*Podiceps ruficollis poggei*] 논병아릿과에 속하는 물새. 크기는 비둘기만한데, 날개 길이 9.4-10cm이고 꽁지는 몹시 짧고 목은 길며, 부리는 가늘고 발에 물갈퀴가 있음. 몸빛은 여름에는 배면(背面)이 암흑갈색이고, 볼과 목은 적률색(赤栗色), 가슴은 갈색, 그 이하는 은백색에 갈색이 섞여 있고, 겨울에는 멱은 백색, 목은 회갈색, 하복부는 회색으로 변함. 호수나 늪에 살며, 잠수(潛水)를 잘하여 작은 물고기·조개·새우·풀씨 등을 포식함. 물 위에 부소(浮巢)를 만들고 3-6개의 백색 또는 회백색 알을 낳음. 한국·중국·일본·유럽·아프리카·오스트레일리아 등에 분포함. 되강오리. 벽체(鸊鷉). 수라(須嬴). 수찰(水札). 영정(鸋鶄). 유압(油鴨).

〈논병아리〉

논병아릿-과【—科】[—뼝—] 명〖조〗[Podicipidae] 아비목(阿比目)에 속하는 한 과. 소형 또는 중형의 조류로서, 주로 연못가에 서식하며 계절에 따라 이동할 때에, 해상(海上)에 나와 부리만 내어 놓고 물속에서 헤엄침. 둥지는 수초(水草)의 선단을 기둥삼아 풀잎 등으로 부소(浮巢)를 만들고, 2-6개의 알을 낳음. 전세계에 20여 종이 분포함.

논보【論報】명〖역〗하급 관아에서 상급 관아에 대하여 의견을 붙여 보고하던 일. ——하다 타여불

논-보리 [—뽀—] 명 논에 심은 보리. ↔밭보리. *보리논.

논봉【論鋒】명 ①논박할 때의 격렬한 말씨. 날카롭게 논술하는 기세와 태도. ¶ 예리한 ～으로 굴복시키다. ②논박할 때의 공격의 목표. ¶ ～을 정부로 돌리다.

논사【論師】명〖불교〗삼장(三藏)의 하나인 논장(論藏)에 특별히 통효(通曉)한 사람, 또는 이론을 만들어 불법(佛法)을 선양(宣揚)한 사람. 논가(論家).

논산【論山】명〖지〗충청 남도의 한 시. 2읍(邑) 12면(面) 2동(洞). 북쪽은 공주시(公州市), 동쪽은 대전 광역시(大田廣域市)와 금산군(錦山郡), 남쪽은 전라 북도 완주군(完州郡)과 익산시(益山市), 서쪽은 부여군(扶餘郡)에 접함. 주요 산물은 쌀·보리·고치·담배 등의 농산물과 임산물·공산물·축산물이고, 관촉사(灌燭寺)의 은진 미륵불(恩津彌勒佛)과 돈암 서원(遯岩書院)이 있음. 1996년 3월 논산군을 통합, 개편됨. [614.71 km² : 165,627 명(1996)]

논산-군【論山郡】명 충청 남도에 속했던 군. 1996년 3월 논산시에 통합됨.

논산-천【論山川】명〖지〗충청 남도 공주시(公州市) 계룡산(鷄龍山) 서쪽과 논산군(論山郡) 연산면(連山面) 산지(山地)에서 발원(發源)하여 논산읍·강경읍(江景邑) 서쪽을 지나 금강(錦江)에 흘러 들어가는 하천. [32.6 km]

논산 평야【論山平野】명〖지〗차령 산맥(車嶺山脈) 남동부의 금강(錦江) 하류에 펼쳐진 평야. 충청 남도의 곡창(穀倉) 지대를 이룸.

논-살미 명〈방〉진갈이(함경).

논설【論說】명 사물의 이치를 들어 의견·주장을 논하거나 설명함. 또, 그 글. 논(論). ¶ ～ 위원/～집(集). ——하다 타여불

논설-란【論說欄】명 신문이나 잡지 등에서 논설문을 싣는 난(欄).

논설-문【論說文】명 논설의 글.

논설 위원【論說委員】명 신문의 논설을 맡아보거나 쓰는 위원.

논설 위원회【論說委員會】명 논설 위원들로 구성된 위원회. 보통, 주필(主筆)이 관장함.

논설-체【論說體】명 논설에 쓰이는 문체(文體).

논-섹션〔non+section〕명 특정 분야에 한정하지 아니함.

논-섹트〔non+sect〕명 어떤 당파나 종파에도 속하지 아니하고 행동함. 중용을 지킴. 또, 그런 사람.

논송【論訟】명〖역〗관아에 청하여 옳고 그름을 다툼. ——하다 타여불

논술【論述】명 논하여 의견을 진술함. 또, 그 글. ——하다 타여불

논-스톱〔nonstop〕명 멈추지 아니함. 또, 멈추지 아니하고 바로 달림. 직행 운전(直行運轉). 무착륙(無着陸).

논스톱 컴퓨:터〔nonstop computer〕명〖컴퓨터〗컴퓨터가 고장이 나더라도 자동적으로 진단·수리를 하여 기능 정지를 방지하는 시스템. 주로 은행·병원 따위의 컴퓨터에서 채택하는 방식임.

논식【論式】명〖논〗삼단 논법(三段論法)을 조직하는 판단의 종류. 그

질이나 양이 달라짐에 따라 생기는 여러 가지 삼단 논법의 형식.
논심【論心】명 심정을 말함. ——-하다 자타여불
논어【論語】명〖책〗사서(四書)의 하나. 공자(孔子)의 언행이나, 제자(弟子)·제후(諸侯)·은자(隱者)와의 문답(問答), 제자끼리의 문답 등을 기술한 것으로 공자의 생전부터 기록되어 그의 몰후(歿後), 문제(門弟)들에 의하여 편찬된 것으로 추정됨. 공자의 이상적 도덕인 '인(仁)'의 뜻, 정치(政治)·교육에 대한 의견 등이 씌어 있는 유교(儒敎)의 경전임. 7권 20편.
논어 고:금주【論語古今註】명〖책〗정약용(丁若鏞)이 지은 논어의 주석서. 책 머리에 총괄하여 175조목을 들어 각 편의 요지를 설명한 다음, 각 장(章)의 전문(全文)을 게재(揭載)하여 그 밑에 고금 제가(諸家)의 주석을 모으고 또, 고증(考證)·질의(質疑)를 기록한 것으로 책 끝에는 논어 대책문(對策文) 10절 및 춘추 성언수(春秋聖言蒐) 1편을 붙였음. 모두 40권 13책. 사본(寫本)임.
논어 언:해【論語諺解】명〖책〗논어를 우리 말로 번역한 책. 조선 선조(宣祖)의 명을 받들어 지은 사서 언해(四書諺解) 중의 하나임.
논어-재【論語齋】명〖역〗구재(九齋)의 하나. 논어를 공부하던 성균관(成均館)의 한 분과(分科).
논어 정:음【論語正音】명〖책〗조선 영조(英祖) 11년(1735)에 출판된 책. 논어의 정문(正文) 각자(各字) 밑에 한글로 중국 음(音)을 붙였는데, 좌측에 있는 것을 정음이라고 하고, 우측에 있는 것을 속음(俗音)이라고 함. 4권 2책. 활자본임.
논어 정:의【論語正義】[—/—이] 명〖책〗≪논어(論語)≫의 주석서(注釋書). 십삼경 주소(十三經注疏)의 하나. 위(魏)나라의 하안(何晏)의 주(注), 곧 ≪논어 집해≫(10권)에 송(宋)나라의 형병(邢昺)의 소(疏)를 합친 것. 다시 말해서 논어에 관한 한위(漢魏)의 제설(諸說)을 집성(集成)한 하안(何晏)의 주(注)에, 형병(邢昺)이 양(梁)나라의 황간(皇侃)의 의소(義疏)에 개정(改定)을 베푼 소(疏)를 덧붙인 것으로, 주희(朱熹)의 신주(新注)인 ≪논어 집주(論語集注)≫에 대하여, 고주(古注)의 전형(典型)이라 불림. 20권.
논어 집해【論語集解】명〖책〗≪논어≫의 주석 책. 중국 위(魏)나라의 하안(何晏)이 편찬함. 한대(漢代) 제가(諸家)의 설을 모은 것으로, 현존 최고(現存最古)의 완비(完備)된 책임. 송(宋)나라의 형병(邢昺)의 소(疏)를 첨가한 것은 ≪논어 정의(論語正義)≫라고 함. 10권.
논열【論列】명〖역〗죄목(罪目)을 들춰 내어 늘어놓음. ——-하다 타여불
논오【論誤】명 잘못을 논함. 논과(論過). ——-하다 타여불
논외【論外】명 ①논의할 것도 없음. 논할 가치가 없음. ¶가고 안 가고는 ~로 하고, 목적지가 어디냐. ②논의의 범위 밖. ¶그것은 지금 ~의 문제다.
논-우렁이 명〖조개〗[*Cipangopaludina chinensis malleata*] 논우렁잇과에 속한 우렁이의 하나. 패각은 직경 3cm, 높이 4cm 가량의 달걀꼴로 나층(螺層)은 약 여섯 개, 나탑(螺塔)은 원추형이며, 각표(殼表)는 매끈매끈하고 녹색을 띤 회색이나 불규칙한 암색(暗色) 종선(縱線)과 각점(刻點) 및 나선(螺線) 세 개가 있는 것도 있음. 태생(胎生)이고, 암컷의 수명은 3년 가량이며 가을에는 땅 속에 들어가 월동(越冬)함. 논이나 못에 서식하는데, 한국·일본 등지에 분포함. 살은 내장(內臟)을 빼어 버리고 식용함. 참우렁이. 준우렁이.

〈논우렁이〉

논의¹【論意】[—/—이] 명 의론의 의미. 논지(論旨).
논의²【論議】[—/—이] 명 ①서로 의견을 논술하여 토의함. 의론. ¶치열한 ~ 끝에. ②의논. ③〖불교〗경문(經文)의 요의(要義)를 문답(問答)·의론하는 의식. 이에 의하여 학승(學僧)의 우열(優劣)을 판단, 계급을 정함. ——-하다 타여불
논-인〔non-in〕명 럭비에서, 스크럼 속에 던진 공이 들어가지 아니하고 실패함.
논인 장단【論人長短】명 남의 잘잘못을 논평함. ——-하다 자여불
논-일[—닐] 명 논에서 하는 일. ↔밭일. ——-하다 자여불
논일우다 타〈옛〉노느다. 분배하다. =노닐우다. ¶흙의 져기 딥과 콩을 논일워 줌이 엇더ᄒᆞ뇨(一發那與些草料如何)≪老解 上 50≫.
논자【論者】명 무엇을 논(論)하는 사람. 담론을 즐기는 사람.
논-자리[—짜—] 명 논이 차지하고 있는 자리. 또, 전에 논이었던 자리.
논장【論藏】명〖불교〗삼장(三藏)의 하나. 성현(聖賢)들의 소설(所說)인 논(論)을 모은 것. 아비 달마 논장(阿毘達磨論藏) 등. *논(論).
논쟁【論爭】명 말이나 글로 논하여 다툼. 또, 그 논의. 논전(論戰). 논판(論判). ¶치열한 ~이 벌어지다/~만 일삼다. ——-하다 자타여불
논쟁-자【論爭者】명 논쟁하는 사람.
논저【論著】명 논하여 저술함. 또, 그 저술.
논적【論敵】명 논쟁(論爭)의 적수(敵手).
논전【論戰】명 말이나 글로 서로 논하여 싸움. 또, 그 논의. 논쟁(論爭). 언론전(言論戰). ——-하다 자타여불
논점【論點】[—쩜] 명 의론(議論)의 요점(要點). 논의의 문제가 되는 데. 논소(論所). ¶~을 분명히 밝혀라/~을 벗어난 질문.
논점 무시의 허위【論點無視—虛僞】[—쩜—/—쩜—에—] 명〖논〗논점 상위의 허위.
논점 변:경의 허위【論點變更—虛僞】[—쩜—/—쩜—에—] 명〔fallacy of shifting the point at issue〕〖논〗논점 상위(論點相違)의 허위의 하나. 논제(論題)를 이탈하는 데에 중점을 두고, 의식적 또는 무의식적으로 논점을 변경하는 것임. 예컨대 어떤 사람이 도덕적 양심을 가진 사람인가의 여부(與否)를 논함에 있어서, 그 출신교의 좋고 나쁨을 들어 논증(論證)하는 일 따위.
논점 상위의 허위【論點相違—虛僞】[—쩜—/—쩜—에—] 명〔라 ignoratio elenchi〕〖논〗논증되어야 할 사항과 외견상 유사한 사항 또는 약간 관계가 있는 사항을 논증함으로써, 진정한 증명을 하였다고 보는 오류(誤謬). 논점 무시(論點無視)의 허위(虛僞).
논점 선취의 허위【論點先取—虛僞】[—쩜—/—쩜—에—] 명〖논〗논점 절취의 허위.
논점 절취의 허위【論點竊取—虛僞】[—쩜—/—쩜—에—] 명〔라 petitio principii〕〖논〗언어외(言語外)의 허위의 하나로서, 논증을 필요로 하는 판단 또는 다음에 논증될 판단을 미리 전제로 하는 허위. 선결 문제 요구(先決問題要求)의 허위, 순환 논증(循環論證)의 허위가 이에 속함. 논점 선취(先取)의 허위.
논정【論定】명 논의하여 결정함. 논결(論決). ——-하다 타여불
논제【論題】명 ①논의할 문제. 논문·논설의 제목. ¶토론회의 ~. ②〖역〗과거(科擧) 때 논(論)의 글제. ③〖역〗아랫관아의 보고에 대하여 상급 관아에서 그 결점을 집어내어 하는 지령. *논훈(論訓).
논조¹ 명〈방〉꿀(평안).
논조²【論調】명 논술하는 말이나 글의 투. 논설의 근본 경향. ¶이 신문의 ~는 너무 선동적이다.
논종【論宗】명〖불교〗논장(論藏)에 따라 세운 종지(宗旨). 곧, 삼론종(三論宗)·법상종(法相宗)·성실종(成實宗)·구사종(俱舍宗) 등.
논-종다리[—종—] 명〖조〗밭종다리.
논죄【論罪】명 죄를 논결(論決)하여 형(刑)을 적용시킴. ——-하다 타여불
논주¹ 명〈방〉꿀¹(평안).
논주²【論奏】명 사물의 시비와 선악(善惡)에 대한 자기의 의견을 상주(上奏)함. ——-하다 타여불
논증¹【論症】명 병의 증세를 논술함. ——-하다 타여불
논증²【論證】명 ①옳고 그름을 사리에 맞도록 논술하여 증명함. ②〔proof〕〖논〗주어진 판단(判斷)의 확실성 또는 개연성(蓋然性)을 정하여야 할 근거(根據)를 제시함. 직접적 논증·간접적 논증·연역적 논증(演繹的論證)·귀납적 논증(歸納的論證)·유추적 논증(類推的論證) 등으로 나뉨. ——-하다 타여불
논증-가【論證家】명 데먼스트레이터❷.
논증 과학【論證科學】명 필연적(必然的) 원리를 전제로 하여, 거기에서 연역적(演繹的)으로 전개된 지식에만 의존하여 성립하고 있는 과학. 수학 따위.
논증 기하학【論證幾何學】명〖수〗통상(通常)의 기하학을 이름. 대수적(代數的) 수단을 쓰지 아니하고, 순수하게 논증에만 의존하여 정리(定理)를 이끌어 가는 성격을 강조하여 이르는 말. ↔해석(解釋) 기하학.
논증 부족의 허위【論證不足—虛僞】[—/—에—] 명〔라 non sequitur〕〖논〗결론을 충분히 논증할 수 없는 것을 전제로 하는 논증상의 허위.
논증-적【論證的】명관〔discursive〕〖논〗지각 작용(知覺作用)과 구별하여, 개념적 사고(思考)에 의하여 판단이나 추리를 해 나가는 방식·모양. 비량적(比量的). 논변적(論辯的). ↔직관적(直觀的).
논지【論旨】명 논의의 취지(趣旨). 의론의 요지(要旨). 논의(論意). ¶~가 매우 명쾌하다.
논지-하다【論之—】타여불 ①사리를 설명하다. ②말이나 글로 다루다. 준논(論)하다.
논진¹【論陣】명 논쟁하기 위한 진용(陣容). 또, 의론의 구성(構成).
논진²【論盡】명 어떤 문제에 대하여, 빠짐이나 남김이 없이 다 논함. ——-하다 자타여불
논질【論質】명 이론을 캐어 따짐. ——-하다 타여불
논집¹【論執】명 논술하여 고집함. ——-하다 타여불
논집²【論集】명 ↗논문집(論文集).
논찬¹【論贊】명 ①사람의 업적을 논하여 칭송(稱頌)함. ②사전(史傳)을 기술한 끝에, 기술자(記述者)가 가한 사실(史實)에 대한 논평(論評). ——-하다 타여불
논찬²【論纂】명 의논하여 편찬함. 또, 그 책. ——-하다 타여불
논책¹【論責】명 논란하여 책망함. ——-하다 타여불
논책²【論策】명 시사 문제(時事問題) 등의 방책(方策)을 논한 문장.
논총【論叢】명 논문을 모은 책.
논추리 명〈심마니〉바가지.
논-클링〔non+cling〕명 옷감의 정전 방지 가공(靜電防止加工). 주로 란제리 제품에 쓰임.
논-타이틀〔nontitle〕명 선수권의 쟁탈이 아님.
논타이틀 매치〔nontitle match〕명 권투·레슬링 등에서, 선수권을 걸지 아니하고 하는 경기. 논타이틀전. ↔타이틀 매치.
논타이틀-전【—戰】〔nontitle〕명 논타이틀 매치.
논 탄토〔이 non tanto〕명〖악〗'너무 많지 않게'의 뜻.
논트로포〔이 non troppo〕명〖악〗'너무 심하지 않게'·'알맞게'의 뜻.
논틀 명 ↗논틀길.
논틀-길[—낄] 명 논두렁을 따라 난 꼬불탕한 좁은 길. 준논틀.
논틀-밭틀 명 논두렁이나 밭두렁을 따라서 난, 꼬불꼬불하고 좁은 길. ¶~로 헤매다/이놈이 ~ 헤메는 신세라고 허수이 여기는 모양인데…≪金周榮 : 客主≫.
논파【論破】명 논술하여 다른 사람의 설(說)을 깨뜨림. 설파(說破). ¶그의 그릇된 이론을 ~하다. ——-하다 타여불
논판【論判】명 ①서로 논하여 일의 시비를 가림. ②논쟁(論爭). ——-하다 타여불
논평【論評】명 시비(是非)를 논술하여 비평함. 또, 그 문장. ——-하다 타여불
논-풀 명 ①논에 나는 잡풀. ②〈방〉갈풀.
논-풀다 자 ①처음으로 논을 만들다. ¶못을 파서 養魚하고 藥을 심어 차를 하고 길 아래 논을 풀고 길 위에 밭을 갈아. ②〈속〉젖먹이가 기저귀에 오줌을 많이 싸다.
논-풀이 명 논을 새로 만드는 일. 신(新)풀이. ——-하다 자타여불
논-프로〔nonpro〕명〔nonprofessional 의 준말〕직업 선수가 아님. 비

전문가(非專門家)임. ↔프로.

논-피 명 논에 나는 피.

논-픽션 〔nonfiction〕 명 사실(事實)에 의거한 기록 문학·기록 영화.

논-하다 【論—】 타 여불 ↗논지(論之) 하다. ¶ 문학을 ~.

논핵 【論劾】 명 허물을 탄핵함. ——-하다 타 여불

논핵-소 【論劾疏】 명 논핵하는 상소(上疏).

논형 【論衡】 명 〖책〗 중국 후한(後漢)의 왕충(王充)이 지은 책. 합리주의·실증주의의 입장에서, 전통 사상·선철(先哲) 사상을 비판하고 유가(儒家)·도가(道家) 등의 허망성(虛妄性)을 지적, 속유(俗儒)의 신비주의적 사상을 신랄하게 공박하였음. 30권 85편. 「≪杜諺 Ⅵ:30≫.

논호다 타 〈옛〉 노느다. ¶ 히미 ᄀᆞ톨시 社稷을 논홧더니(力侔分社稷)

논훈 【論訓】 명 〖역〗 아랫관아의 보고에 대하여 상급 관아에서 그 잘못을 집어 내어 하는 훈령. ＊논제(論題). ——-하다 타 여불

논-흙 [—흑] 명 논에 있는 질고 고운 흙. 담벽에 바름. 「타 여불

논힐 【論詰】 명 논술하여 힐난함. 허물을 낱낱이 따져 꾸짖음. ——-하다

놀노니 타 〈옛〉 놓노니. '노타'의 활용형. ¶ 이제 너를 논노니 쁘들 조차 가라≪月釋 XIII:19≫.

놀[1] 명 〈옛〉 노루. ＝노로[1]·노ᄅᆞ. ¶ 놀이 ᄒᆞ오사 뛰어(麞獨跳)≪永嘉 下 41≫.

놀[2] 명 〈방〉 노(櫓)(강원·경북·함남).

놀:[3] 명 ↗노을[1].

놀:[4] 명 바다의 사나운 큰 물결(뱃사람 말).

놀:[5] 명 ↗낫놀.

놀:[6] 명 벼 뿌리에 붙어 파먹는, 해롭고 아주 작은 흰 벌레.

놀가지 명 〈방〉 〖동〗 노루(황해·평안·함경).

놀개미 명 〈방〉 노끈(함경).

놀개이 명 〈방〉 〖동〗 노루(충청·경상).

놀개지 명 〈방〉 〖동〗 노루(함남).

놀갱이 명 〈방〉 〖동〗 노루(충청·경상).

놀:고-먹다 자 하는 일 없이 놀고 지내다.

놀:-구멍 [—꾸—] 명 낫의 슴베 끝을 꼬부려 동글게 한 구멍. 슴베가 빠지지 아니하도록 이 구멍에 낫놀을 박음.

놀:-금 [—끔] 명 팔지 아니하면 그만둘 셈으로 아주 적게 부른 값.

놀기 명 〈방〉 〖동〗 노루(평안·함경).

놀기다 타 〈방〉 놀리다(함경). 「하다.

놀놀-하다 [—롤—] 형 여불 털이나 풀 같은 것이 노르스름하다. <눌눌

놀:다[1] 자 ①재미있는 일을 하며 즐기다. ¶ 어제는 하루 종일 화투를 치며 놀았다. ②일이 없어 한가하게 있다. 생업이 없이 세월을 보내다. ¶ 부모의 유산(遺産)으로, 놀고 지내다. ③어떤 일을 하다가 일정한 동안을 쉬다. ¶ 일요일이라 회사가 논다/하루도 놀지 아니하고 일하다. ④주책없이 들떠서 마구 행동하다. ¶ 남의 장단에 잘 논다. ⑤사용되고 있지 아니하다. ¶ 노는 돈/노는 땅. ⑥박힌 것이 이리저리 움직이다. ¶ 나사가 ~/어금니가 ~. ⑦태아가 모체 속에서 꿈틀거리다. ¶ 뱃속의 아이가 가끔 논다. ⑧이리저리 돌아다니다. ¶ 물 속에서 물고기가 논다. ⑨주색(酒色) 따위를 일삼아 즐기다. ¶ 노는 계집.
[노는 입에 염불(念佛)하기] 가만히 있기보다는 염불이라도 외는 것이 좋다는 뜻으로, 하는 일 없이 그저 노느니 무엇이건 하는 것이 낫다는 말. **[논 자취는 없어도 공부한 공은 남는다]** 놀지 아니하고 힘써 공부하면 훗날에 그 공적이 반드시 드러난다는 말. **[놀기 좋아 넉동치기]** 심심한 때에는 소용없는 일이라도 마지못해 한다는 말. **[놀던 계집이 결단이 나도 엉덩이짓은 남는다]** ㉠오랜 습관이 된 것은 좀처럼 떨어버릴 수 없다는 말. ㉡망해도 깡그리 죄다 없어지는 법은 없고, 무언가 남는 것이 있다는 말.

놀:다[2] 타 윷이나 주사위 같은 것을 던지거나 굴리다. ¶ 윷을 ~.

놀:다[3] 형 드물어서 귀하다. ¶ 대장장이 집에 식칼이 ~.

놀데 〔Nolde, Emil〕 명 〖사람〗 독일의 화가. 본명은 Emil Hansen. 인상파의 영향을 받고, 표현주의를 지향하여, 1906년에 브뤼케(Brücke) 운동에 참가함. 종교적인 제재(題材)가 많으며, 형태의 대담한 데포르메와 강한 색채의 배합을 구사한 작풍(作風)이 특징임. 수채화·판화(版畫)에 뛰어났음. [1867-1956]

놀:-들다 자 벼를 놀이 파먹어서 누렇게 되다.

놀:라다 자 ①뜻밖의 일을 당하여 가슴이 두근거리다. ¶ 총소리에 ~. ②갑자기 무서움을 느끼다. ③신기하거나 훌륭한 것을 보고 매우 감동하다. ¶ 그 솜씨엔 나도 놀랐다.
[놀란 토끼 벼랑 바위 쳐다보듯] 말은 못하고 눈만 껌벅거리며 쳐다본다는 말. 「綱 孝子 21≫.

놀라비 부 〈옛〉 놀라이. 놀랍게. ¶ 집사ᄅᆞ미 다 놀라비 너겨ᄒᆞ더니≪三

놀라스쿠스 〔Nolascus, Petrus〕 명 〖사람〗 스페인의 수사(修士). 사라센인(人)·무어인에게 박해를 받거나 노예가 된 그리스도교도의 구제(救濟)를 위하여, 수도회 '자비로운 성(聖)마리아의 노예 구제회'를 설립함. [1182-1256]

놀:라움 명 놀라워함. 놀라는 일. ¶ ~을 금치 못하다.

놀라ᄒᆞ다 자 〈옛〉 놀라다. ¶ 기피 眷顧호ᄆᆞᆯ 遠客ㅣ 놀라ᄒᆞ노라(遠客驚深眷)≪杜諺 Ⅰ:24≫. 「고 놀란 가슴 소댕 보고 놀란다.

놀:란 가슴 명 전에 혼난 일이 있어, 툭하면 두근거리는 가슴. ¶ 자라 보

놀:란-피 명 심하게 다쳐서 멍이 든 피.

놀:란-흙 [—흑] 명 한번 파서 손댄 흙.

놀:랍다 형 ㅂ불 ①장하고 갸륵하다. 굉장하고 훌륭하다. ¶ 놀라운 발전상(發展相)/그 어린 선수의 기록은 참으로 ~. ②놀랄 만하다. ¶ 그가 실종되었다니 참으로 ~.

놀래기 명 〖어〗 [*Halichoeres tenuispinis*] 양놀래깃과에 속하는 바닷물고기. 몸길이 20cm 내외이고, 유어(幼魚)와 암컷의 가슴지느러미에는 기부에 하나의 검은 점이 있고, 수컷의 등지느러미에도 검은 점이 있음. 꼬리지느러미는 중앙이 흑색이고, 머리에는 눈의 위아래에 한 줄의 암색선(暗色線)이 있음. 한국 남부해 및 일본 남부 이남에 분포함.

〈놀래기(♀)〉

놀:래다 타 남을 놀라게 하다. ¶ 고함을 쳐서 깜짝 놀래 주자.

놀:래키다 타 ☞놀래다.

놀량 명 〖악〗 경기(京畿)와 서도(西道) 선소리의 하나.

놀량-목 명 목청을 떨어, 속되게 내는 노랫소리.

놀량-패 【—牌】 명 난봉꾼 ¶ 남원 ~치구 논밭 안 날린 놈이 없구…≪李周洪 : 탈선 춘향전≫.

놀려-내다 타 남을 놀아나게 만들다.

놀려-먹다 타 남을 함부로 조롱하다.

놀릐 〈옛〉 노루의. '노ᄅᆞ'의 소유격형. ¶ 아비 병드러 놀릐 고기롤 먹고져ᄒᆞ니 놀리 스스로 동산 가온ᄃᆡ 오나놀(父病欲啗獐肉山獐自來園中)≪東國 新續三綱 孝子圖 Ⅶ:4≫.

놀리 〈옛〉 노루가. '노ᄅᆞ'의 주격형. ＝놀이. ¶ 山中의 麝香 놀리 깁히 드러 수멋셔도≪古時調≫.

놀리다[1] 타 빤 빨래를 다시 빨다.

놀리다[2] ㊀ 사동 놀게 하다. ¶ 공원(工員)들을 ~. ㊁ 타 ①조롱하다. 조롱하는 뜻으로, 제가 시키는 대로 남을 움직이게 하다. ¶ 나를 놀릴 셈인가. ②이리저리 움직이게 하다. ¶ 손발을 ~. ③재주를 부리게 하다. ¶ 원숭이를 ~. ④함부로 말하다. ¶ 입 좀 작작 놀려라/산중에서 입을 정하게 놀리시우. 서낭당은 바루 그 산의 주인이오≪洪盛原 : 폭군≫.

놀림[1] 명 조롱하는 짓. ¶ ~을 받다.

놀림[2] 명 놀리어 빠는 빨래. ——-하다 타 여불

놀림-가마리 [—까—] 명 〈속〉 놀림감.

놀림-감 [—깜] 명 놀림의 대상이 되는 사물. 완롱물(玩弄物).

놀림-거리 [—꺼—] 명 놀려먹을 만한 거리. 또, 그런 거리가 되는 사람.

놀림-낚시 명 낚시에 산 은어를 꿰어서 물 속에 놓아 딴 은어를 꾀어 들여 낚는 낚시질. ＊씨은어.

놀림-조 【—調】 [—쪼] 명 남을 놀리는 말투. 농조(弄調).

놀면-하다 형 여불 보기 좋을 만큼 알맞게 노르다. <눌면하다.

놀부 명 ①〖문〗 ≪흥부전(興夫傳)≫에 나오는 주인공의 한 사람. 흥부의 형으로, 가산(家產)이 넉넉했으나 아주 인색하고도 심술궂어, 동생을 몹시 학대하다가 천벌(天罰)을 받음. ②욕심꾸러기를 비유하는 말.
놀부 심사 구 인색하고도 심술궂은 마음씨.
놀부의 환:생 구 남이 잘되는 것을 보고, 시기하여 비방하는 사람.

놀부 타:령 【—打令】 명 〖악〗 타령의 한 가지. 심술궂고 인색한 놀부가 그 아우 흥부를 학대하다가 천벌(天罰)을 받는 일을 주제로 한 노래.

놀-소리 [—쏘—] 명 젖먹이가 누워 놀면서 입으로 내는 군소리. ——-하다 자 여불 「다. ¶ 남의 장단에 잘도 놀아나는구나.

놀아-나다 자 ①얌전한 사람이 방탕해지다. ②실속없이 들뜬 행동을 하

놀아-먹다 자 ①놀고먹다. ②함부로 방탕한 행동을 하다.

놀애 명 〈옛〉 노래. ¶ 놀애 곡(曲), 놀애 가(歌)≪字會 下 15≫.

놀음 명 ↗놀음놀이. ——-하다 자 여불

놀음-감 [—깜] 명 〈방〉 ①놀림감. ②장난감. 「자 여불

놀음-놀이 명 여러 사람이 모여 즐겁게 노는 일. ㊟놀음·놀이. ——-하다

놀음놀이-판 명 놀음놀이를 하고 있는 자리. ㊟놀음판·놀이판.

놀음-받이 [—바지] 명 〈방〉 놀림감.

놀음-상 【—床】 [—쌍] 명 놀음놀이판에 차리는 음식상.

놀음-차 명 ①잔치 때에 기생이나 악공(樂工)에게 주는 돈이나 물건. 화대(花代). ＊팁(tip). ②해웃값.

놀음-판 명 ↗놀음놀이판.

놀이[1] 명 겨울을 지낸 벌이나, 새로 난 어린 벌들이, 봄날에 떼를 지어 제집 앞에 나와 날아다니는 일. ——-하다 자 여불 「자 여불

놀이[2] 명 ①노는 일. 유희(遊戲). ¶ ~터/윷~. ②↗놀음놀이. ——-하다

놀이[3] 〈옛〉 노루가. '노ᄅᆞ'의 주격형. ¶ 쏠애 山 두 놀이 ᄒᆞᆫ 사래 뻬니(照浦二麞一箭俱徹)≪龍歌 43章≫.

놀이-꾼 명 놀음놀이를 하는 이. 유인(遊人).

놀이다 타 〈옛〉 놀리다. 희롱하다. ¶ 놀일 롱(弄)≪類合 下 41≫

놀이-딱지 명 두꺼운 종이에 그림을 그리거나 글을 쓰거나 하여 만든 장난감의 한 가지. 가루다. ㊟딱지.

놀이-처 【—處】 명 〈방〉 놀이터.

놀이-터 명 놀음놀이를 하는 곳. 놀음놀이를 할 만한 곳. ¶ 어린이 ~.

놀이-판 명 ↗놀음놀이판.

놀잇-감 명 〈방〉 장난감.

놀잇-배 명 놀음놀이를 하는 배. 유선(遊船). 「≪龍歌 65章≫.

놀올 〈옛〉 노루를. '노ᄅᆞ'의 목적격형. ¶ 峻阪앳 놀ᄋᆞᆯ 쏘샤(殪麞峻阪)

놀:-지다 자 큰 물결이 일어나다.

놀:-치다 자 큰 물결이 거칠게 일어나다.

놈[1] ㊀ 명 ①'사내'를 낮추어 일컫는 말. ¶ 나쁜 ~. ↔년. ②'사내 아이'를 귀엽게 일컫는 말. ¶ 요~ 참 예쁘게 생겼구나. ㊁ 의명 동물이나 물건을 가리키어 쓰는 말. ¶ 암~이 수~보다 크다/굵은 ~으로 골라라.

놈[2] 명 〈옛〉 보통 사람. ¶ ᄆᆞᄎᆞᆷ내 제 쁘들 시러 펴디 몯ᄒᆞᇙ 노미 하니라(終不得伸其情者多矣)≪訓諺 2≫.

놈[3] 명 〈방〉 남[1](제주·전라·황해·평안).

놈:[4] 〔Nome〕 명 〖지〗 북미 알래스카의 프린스오브웨일스(Prince of Wales) 곶 서남쪽의 항구. 공군 기지로서 중요함. [2,300 명(1980)]

놈-놀이 명 사내를 좀 비웃는 투로 낮추어 부르는 말.

놈-팡이 명 〈속〉 ①사내를 비웃어 희롱으로 하는 말. ②직업이 없이 빈들빈들 노는 남자. 건달. ③젊은 여자의 상대가 되는 사내. ↔깔치.

놉[1] 명 식사를 제공하고 날삯으로 시키는 품군. 또, 그런 품군을 부리는

일. ¶ ~을 부리다. ——-하다 자여불

놉[2] 〔Nob〕 명 〖성〗 고대의 제사장(祭司長)이 살던 도시. 다윗이 사울을 피해 가던 중에 이 곳 제사장에게서 대접을 받았는데, 그 때문에 제사장은 사울의 노여움을 사서 온 집안이 전멸을 당했음.

놉-겪이 명 놉을 먹여 치르는 일. ——-하다 자여불

놉ᄂᆞ지혜다 쿠 〈옛〉 높낮이를 헤아리다. ¶ 놉ᄂᆞ지혜ᇙ 췌(揣)≪類合 下 41≫.

놉ᄂᆞᆽ가비 명 〈옛〉 높낮이. 높고 낮음. ¶ 밠바당이 平ᄒᆞ샤ᄃᆡ ᄡᅡ히 놉ᄂᆞᆽ가비 업시 ᄒᆞᆫ가지로 다ᄒᆞ시며 ≪月釋 Ⅱ:40≫.

놉ᄂᆞᆽ가옴 명 〈옛〉 높낮음. 높고 낮음. ¶ 臺와 亭子왜 ᄯᅡ히 놉ᄂᆞᆽ가오ᄆᆞᆯ 조차ᄒᆞ니(臺亭隨高下)≪杜諺 Ⅵ:36≫.

놉ᄂᆞᆽ가이 명 〈옛〉 높낮이. ¶ 心地ᄅᆞᆯ 善히 平히ᄒᆞ야 놉ᄂᆞᆽ가이 업수믈 表ᄒᆞ시니라(表善平心地 無有高下也)≪楞嚴 Ⅴ:69≫.

놉디옷 부 〈옛〉 높을수록. ¶ 이 하ᄂᆞᆯ ᄃᆞᆯ히 놉디옷 목수미 오라ᄂᆞ니≪月釋 Ⅰ:37≫.

놉즈기 부 〈옛〉 높직이. ¶ 놉즈기 ᄡᅩ고(高些箇)≪老乞 下 33≫.

놋 명 ↗놋쇠.

놋갑 명 〈옛〉 석(錫). =납[3]❷·듀셕. ¶ 놋갑(錫)≪才物譜 地譜≫.

놋갓-장이 명 놋그릇을 만드는 사람. 주장(鑄匠).

놋갓-점 【一店】 명 놋그릇을 만드는 공장. 놋점.

놋-갖신 명 신창에 징과 같은 놋쇠를 수십 개 붙인 남자용 가죽 신. 일이품(一二品) 관원이 신었음.

놋것-장이 명 〈방〉 놋갓장이.

놋-구멍 【櫓一】 명 놋좆을 맞추기 위하여 노(櫓)의 중간에 낸 구멍.

놋-그릇 명 놋쇠로 만든 그릇. 놋기명. 유기(鍮器). 유기 그릇.

놋-기명 【一器皿】 명 놋그릇.

놋날-같이 [一가치] 부 〈방〉 노드리듯. —— 血)≪重杜諺 Ⅰ:2≫.

-놋다 어미 〈옛〉 -는구나. -더라. ¶ 알ᄒᆞ며 ᄯᅩ 피ᄅᆞᆯ 흘리놋다(呻吟更流

놋-다리 명 〖민〗 ①놋다리밟기에서, 부녀자들이 허리를 굽히어, 그 위를 공주로 뽑힌 소녀가 밟고 가게 하는 다리. 동교(銅橋). 인다리. 인교(人橋). ②↗놋다리밟기.

놋다리(를) 밟:다 쿠 놋다리 밟기의 놀이를 하다.

놋다리-밟기 [一밥一] 명 〖민〗 경상 북도 안동(安東)·의성(義城) 등지에서, 음력 정월 보름날 밤에 행하여지던 부녀자들의 놀이. 부녀자들이 한 줄로 서서, 뒷사람이 앞사람의 허리를 붙잡고, 사람의 다리를 만들면, 그 위를 공주(公主)로 뽑힌 한 소녀가 노래에 맞추어 밟고 감. 고려 공민왕(恭愍王)이 공주와 함께 홍건적(紅巾賊)의 난을 피해 안동 지방에 왔을 때, 공주를 위안하기 위한 놀이에서 비롯된 것이라 전함. 인교(人橋). *기와밟기.

놋-대 【櫓一】 명 ☞ 노(櫓).

놋-대야 명 놋쇠로 만든 대야.

놋-대접 명 놋쇠로 만든 대접.

놋-동이 명 놋쇠로 만든 동이.

놋동이-풀 명 〈방〉 〖식〗 개구리자리.

놋-방울 명 놋쇠로 만든 방울.

놋-상 【一床】 명 놋쇠로 만든 밥상.

놋-쇠 명 〔brass〕 〖화〗 구리와 아연(亞鉛)과의 합금(合金). 아연이 30%인 것은 잘 늘어나고 펴지는 성질이 있어, 그릇이나 여러 가지 장식물을 만드는 데 많이 쓰이고, 아연 40%인 것은 강도(強度)가 필요한 데에 쓰임. 두석(豆錫). 유석(鍮石). 유철(鍮鐵). 주석(朱錫). 진유(眞鍮). 황동(黃銅). 준놋.

놋-숟가락 명 놋쇠로 만든 숟가락.

놋-술 명 〈옛〉 놋숟가락. ¶ 놋술(銅匙)≪老乞 下 30≫.

놋-신 명 놋쇠로 만든 신. 유혜(鍮鞋).

놋-요강 【一尿鋼】 [一뇨一] 명 놋쇠로 만든 요강.

놋-점 【一店】 명 놋그릇을 만드는 공장. 놋갓점.

놋점-장이 명 〈방〉 놋갓장이.

놋-젓가락 명 놋쇠로 만든 젓가락.

놋젓가락-나물 명 〖식〗 [*Aconitum ciliare*] 성탄꽃과에 속하는 다년초. 줄기는 다른 것에 감겨 올라가며 높이 2m에 달함. 잎은 호생하고 장병(長柄)이며, 3-6 갈래로 깊게 째짐. 9월에 청자색 꽃이 줄기 끝에 정생(頂生) 또는 액생(腋生)하여 총상(總狀) 화서로 피고, 과실은 골돌과(蓇葖果)임. 산림 속에 나는데, 경북·강원·경기·함북·함남에 분포함. 독(毒)이 있고 뿌리는 약용함.

놋져 명 〈옛〉 놋젓가락. ¶ 놋져(銅筯)≪老乞 下 30≫.

놋-좆 【櫓一】 명 배의 뒤끝의 전에 자그마하게 내민 나무못. 노의 허리에 있는 구멍에 이것을 끼우고 노질을 함.

놋-칼 명 놋쇠로 만든 칼. 유도(鍮刀).

놋-타구 【一唾具】 명 놋쇠로 만든 타구.

농[1] 명 〈방〉 노[1](함경).

농:[2] 【弄】 명 ①실없는 장난. ②↗농담(弄談).

농:[3] 【弄】 명 〖악〗 노래 곡조의 한 가지.

농[4] 【農】 명 농사. 농업. ¶ 사~공상(士農工商).

농[5] 【濃】 명 성(姓)의 하나. 우리 나라에는 현존(現存)하지 아니함.

농[6] 【膿】 명 고름[1].

농:[7] 【隴】 명 〖역〗 중국 간쑤 성(甘肅省) 궁창부(鞏昌府)의 옛 이름. *득롱망촉(得隴望蜀).

농[8] 【籠】 명 ①버들채나 싸리채 따위로 함 같이 만들어 종이로 바른 상자. 옷 같은 물건을 넣어 두는 데 씀. ②같은 크기의 궤를 2층 또는 3층으로 포개어 놓도록 된 가구. 장(欌)처럼 보이되, 네 기둥과 개판(蓋板)이 없는 것이 다름. 농장(籠欌). ③↗장농(欌籠)❶.

【농 속에 갇혔던 새】 새로 자유롭게 된 사람을 이르는 말.

농[9] 〔프 non〕 명 영어의 '노(no)'의 뜻.

농- 【濃】 부 ①어떤 명사 앞에 붙어 '진한'·'농후한'의 뜻을 나타내는 말. ¶ ~질산. ↔희-(稀). ②빛깔 같은 것이 '짙은'의 뜻을 나타내는 말. ¶ ~적갈색. ↔담-(淡).

-농 【農】 미 명사에 붙어, '농사·농가·농민'의 뜻을 나타내는 말. ¶ 자작(自作)~.

농가[1] 【農家】 명 ①농민의 집. 농업으로 생계(生計)를 유지하는 집. 농사집. ¶ ~ 소득. ②중국 전국 시대(戰國時代)의 제자 백가(諸子百家)의 하나. 군주나 신하가 모두 농경(農耕)에 종사하여야 함을 주장한 학설. 한(漢)나라 통일 이후 쇠(衰)하였음.

농가[2] 【農歌】 명 ↗농부가(農夫歌).

농가 보:유미 【農家保有米】 명 농가의 쌀 생산량 가운데서, 농가가 일 년 동안 먹을 양과 종자(種子)용으로 보유하는 쌀.

농:가 성진 【弄假成眞】 명 장난삼아 한 것이 참으로 한 것같이 됨. 가롱(假弄) 성진. 농과(弄過) 성진.

농가 월령가 【農家月令歌】 명 〖문〗 농가에서 일 년 동안 할 일을 가사(歌辭) 형식으로 만들어서, 권농(勸農)의 내용으로 읊은 노래. 조선 시대 때의 농촌 풍속 및 고어 연구에 도움이 됨. 연대와 작자는 미상이나 고상안(高尙顔)·정학유(丁學游) 두 사람 중, 한 사람이 지은 것이라 함. *월령체가(月令體歌).

농가-진 【膿痂疹】 명 〖의〗 표피성(表皮性)의 부스럼 딱지가 앉는 농포(膿疱).

농가 집성 【農家集成】 명 〖책〗 조선 세종(世宗)의 명찬(命撰)인 ≪농사 직설(農事直說)≫, 주희(朱熹)의 ≪권농문(勸農文)≫, 세조(世祖) 때 강희맹(姜希孟)이 지은 ≪금양 잡록(衿陽雜錄)≫ 및 ≪사시 찬요(四時纂要)≫를 모은 책. 인조(仁祖) 때에 신속(申洬)이 편집함. 1책. 인본(印本).

농:간 【弄奸】 명 남을 속이어, 일을 변동시키는 간사한 짓. ¶ 무슨 ~이 있는 것만 같다. ——-하다 타여불

농:간(을) 부리다 쿠 남을 속여, 일을 중도에 변동시키려는 간사한 꾀를 쓰다.

농:간-질 【弄奸一】 명 〈속〉 농간(弄奸).

농감 【農監】 명 ①감농(監農). ②지주를 대신하여 소작인을 지도 감독하는 사람. *마름[3]. ——-하다 자여불

농개 【膿疥】 명 〖의〗 고름이 들어 있는 옴.

농개-공 【農開公】 명 '농어촌 개발 공사'의 준말.

농개-조 【農改組】 명 '농지 개량 조합'의 준말.

농:객 【隴客】 명 '앵무새'의 별칭. 중국 농서(隴西)에 많이 서식하는 데서 이 이름이 있음. 농금(隴禽).

농거 【農車】 명 예전에 농사를 짓는 데 쓴 수레.

농-게 【籠一】 명 〖동〗 [*Gelasimus arcuatus*] 달랑겟과에 속하는 게. 딱지의 길이 2.5 cm, 폭은 3-4 cm, 큰집게발은 10 cm 가량임. 등딱지가 앞이 넓고 뒤가 좁은 사다리꼴로 되고, 집게발의 한 개는 훨씬 크고 한 개는 다른 발보다도 작음. 딱지는 농갈색, 다리는 붉음. 얕은 바다 진흙 속에 살면서 썰물 때 나와 집게발을 치키어 드는 습성이 있음. 일본·중국 동부·말레이·인도·오스트레일리아 등지의 내만(內灣)에 분포함. 농해. 꽃발게.

〈농게〉

농게 볶음 【籠一】 명 농게를 통째로 삶아 살을 긁어 내고, 달걀을 푼 것에 버무려 딱지에 도로 담고, 소금과 간장을 반반씩 치고 휘저어, 달걀이 익을 정도로 불에 볶아 낸 음식.

농경 【農耕】 명 논밭을 갈아 농사를 짓는 일. ——-하다 자여불

농경 민족 【農耕民族】 명 식료 채집(食料採集)의 단계에서 한 걸음 나아가, 농경을 주생업(主生業)으로 하는 민족. 농경민에 있어서는, 자급 자족의 단위가 증대하고 인구가 증가하며, 대지(大地)에 대한 친근감, 재보(財寶) 관념의 보편화, 풍양 의례(豐穰儀禮), 선조 숭배 등이 특징임.

농경 시대 【農耕時代】 명 인류 진화의 한 단계로서, 인류가 농경(農耕)을 주업으로 하고 사냥이나 고기잡이를 부업(副業)으로 하던 시대. 이 때부터 인류가 점차 정착 생활(定着生活)을 하게 되어, 인구가 늘고 공동 생활과 교환 방법이 발달하였음.

농경용 견인차 【農耕用牽引車】 명 농업용의 트랙터(tractor).

농경-지 【農耕地】 명 농사를 짓는 땅. 경작지.

농고 【農高】 명 ↗농업 고등 학교.

농곡 【農穀】 명 농사지은 곡식.

농공[1] 【農工】 명 ①농업과 공업. ②농부와 직공.

농공[2] 【農功】 명 농사짓는 일. 농사일.

농공 가무 【農功歌舞】 명 〖민〗 삼한(三韓) 때부터 있던 의식의 하나. 농사지을 때에, 신(神)에게 감사드리기 위하여 여러 사람들이 모여 함께 노래하고 춤추던 행사.

농공 단지 【農工團地】 명 농어민의 소득 증대를 위한 공업을 농어촌 지역에 유치·육성하기 위하여 시장·군수·자치구의 구청장이 지정하는 공업 단지. *공업 단지.

농공 병:행 정책 【農工倂行政策】 명 농업과 공업을 경중(輕重) 없이 병행시켜 나가는 경제 정책.

농공 시:필 【農功始畢】 명 힘드는 농사일을 시작함과 끝냄.

농공-업 【農工業】 명 농업과 공업.

농공 지구 【農工地區】 명 농어촌 지역의 공업 개발 촉진 지구.

농-공학 【農工學】 명 공학적(工學的) 지식과 기술을 농업에 응용하는 학문.

농공 협상 가격차 【農工鋏狀價格差】 명 〖경〗 농산물과 공산물의 가격 차를 이르는 데서, '협상 가격차'를 똑똑히 이르는 말.

농-과 【農科】 [一꽈] 명 대학 등에서, 농학(農學)을 연구하는 부문의 한 과(科). 농학과.

농과 대학 【農科大學】 [一꽈一] 명 농업에 관한 전문적인 학술과 기예를 연구·교수하는 단과 대학. 농작물 재배·낙농(酪農)·축산(畜產)·원예(園藝)·농업 경영(經營)·농업 토목(土木)·농산 가공(農產加工) 등에 관한 학과를 둠. 준농대(農大).

농:과 성진 【弄過成眞】 명 농가(弄假) 성진.

농:관【隴關】명〘지〙'룽관'을 우리 음으로 읽은 이름.
농괄【籠括】명 한데 포괄(包括)함. ——-하다 타여불
농광-국【農鑛局】명〘역〙대한 제국 때 농상공부의 한 국. 농무(農務)와 광무(鑛務)를 맡아 보던 곳으로, 광무(光武) 9년(1905)에 두었다가, 그 이듬해에 농무국과 광무국으로 나누었음.
농:교【弄巧】명 잔꾀를 씀.
농:구[1]【弄口】명 ①거짓으로 꾸며 남을 참소함. ②수다스럽게 지껄임. ——-하다 자여불
농:구[2]【弄具】명 장난감. 완구(玩具).
농구[3]【農具】명 농사에 쓰는 연장. 괭이·호미·쟁기 따위. 농기구(農器具). 농기(農器). 전구(佃具). *농기(農機).
농구[4]【膿球】명〘의〙고름 속에 포함되어 있는 세포(細胞) 성분의 총칭. 대부분은 붕괴된 백혈구(白血球)임.
농구[5]【籠球】명 구기(球技)의 하나. 한 팀 다섯 사람씩의 두 팀이 규정된 시간 안에 상대편의 바스켓에 공을 많이 집어넣어, 그 득점(得點)의 다과(多寡)로써 승부를 결정함. 서로 몸을 닿지 못하며, 공을 가지고 달리지 못함. 바스켓볼.
농구다 타〈방〉나누다(함경).
농:구-무【弄毬舞】명〘악〙포구락(抛毬樂)의 한 장면. 기생이 구문(毬門) 앞뒤에 하나씩 나와서, 손에 채구(彩毬)를 쥐고 풍류에 맞추어 춤을 추다가, 공을 공 구멍으로 내보내는 춤.
농구 자루【農具—】명 괭이나 호미 같은 농구의 손잡이.
농구-화【籠球靴】명 농구 경기를 할 때에 신는 운동화. 목이 달린 즈크 바탕에, 앞 부리와 뒤축에 두꺼운 고무를 대어 꾸미고 바닥에도 고무를 대었음.
농군【農軍】명 농사짓는 일꾼. 농부.
【농군이 여름에 하루 놀면 겨울에 열흘 굶는다】농사짓는 데, 여름 시간의 귀중함을 이르는 말.
농군-살이【農軍—】명 농군으로 사는 일.
농:권【弄權】명 권력을 제 마음대로 부림. ——-하다 자여불
농궤【膿潰】명 종기가 곪아 터짐. ——-하다 자여불
농극【農隙】명 농사의 여가. 농한(農閑).
농근[1]【農根】명 농사의 근본이라는 뜻으로, 농지를 일컫는 말. *식근(食根).
농근[2]【農勤】명 농사일. 농무(農務).
농:금【隴禽】명 농객(隴客).
농:기[1]【弄技】명 재주를 부림. ——-하다 자여불
농기[2]【農期】명 농사철. 농번기.
농기[3]【農旗】명〘민〙농촌에서 부락(部落) 단위로 만든 기. 폭이 넓거나 길게 만들어, '농자 천하지대본야(農者天下之大本也)'라 먹으로 씀. 농사철에 풍년을 빌거나 또는 축하하여 세우는 데, 두렛일을 할 때는 이 기를 옮겨 가며 풍악을 치고 모심기·논매기 등을 함.
농기[4]【農器】명 농사일에 쓰는 기구. 농구(農具). *농기(農機).
농기[5]【農機】명 농사짓는 데 쓰는 기계. 탈곡기(脫穀機) 등.
농-기계【農機械】명 농사짓는 데 쓰는 기계. 트랙터·경운기·콤바인 등.
농-기구【農器具】명 농사짓는 데 쓰이는 기구·도구의 총칭. 농구.
농기-맞이【農旗—】명〘민〙'기세배(旗歲拜)'의 딴이름.
농기 세:배【農旗歲拜】명〘민〙농기에 대해 절을 한다는 뜻으로, '기세배(旗歲拜)'를 똑똑히 일컫는 말.
농끼 명〈방〉노[1](함남).
농노【農奴】명〔serf〕①농사일에 종사하는 노예. ②〘역〙일생 동안 영주(領主)에게 예속되어 있고, 영주로부터 대여받은 토지를 경작·수익(收益)하는 대신, 영주를 위하여 부역과 현물 지대(現物地代) 외에, 인두세(人頭稅)·상속세(相續稅) 등을 바치며, 토지에 얽매여, 신분상·인격 상의 자유까지 속박되었던 농민. 도망·전거(轉居)·전업(轉業)은 전혀 불가능하였음. 유럽 중세의 봉건 사회에서 그 전형적인 것을 볼 수 있으며, 러시아에는 19세기 중엽까지 있었음.
농노 해:방【農奴解放】명〘역〙농민을 노예적 제약에서 해방시킨 일. 봉건 제도가 무너지고 자본주의적 요소가 농후하여짐에 따라, 유럽 사회에 나타났던 역사적 현상으로, 봉건 영주가 농노에 대한 재판권·경찰권·징세권·부역권 등을 폐하고, 그들에게 토지의 자유 처분권을 주어 자유 활동을 승인한 일. 15-16세기부터 근대 도시의 주변에서 일어나기 시작하였는데, 1861년에 알렉산드르 2세가 행한 러시아의 농노 해방이 유명함.
농노 해:방령【農奴解放令】[—녕] 명〘역〙1861년 2월 19일에 러시아 황제 알렉산드르 2세에 의하여 서명되고, 3월 5일 공포된, 농노 해방에 관한 선언 및 그 실시에 관한 일반 조례의 총칭.
농-녹색【濃綠色】명 진한 녹색. 유엽색(柚葉色).
농뇨【膿尿】명〘의〙고름이 섞인 오줌.
농:단【壟斷·隴斷】명 ①깎아지른 듯이 높이 솟은 언덕. ②〔시장에서 높은 곳에 올라 좌우를 둘러보고, 자기 물건을 팔기에 적당한 곳으로 가서 시리(市利)를 독점한다는 뜻〕이익을 혼자 차지함. 독점함. ¶ 이권을 ～하다. ——-하다 타여불
농:단지-술【壟斷之術·隴斷之術】명 농단하는 재주.
농:담[1]【弄談】명 실없이 하는 장난의 말. 농으로 하는 말. 농말. ¶ ～이 진담이 된다. ㊅농(弄). ——-하다 자여불
농담[2]【農談】명 농업에 대한 이야기. ——-하다 자여불
농담[3]【濃淡】명 짙음과 옅음. 진함과 엷음.
농대【農大】명 ①〘역〙↗농상공부 대신(農商工部大臣). ②↗농과 대학.
농대-석【籠臺石】명 비석의 받침돌.
농도[1]【農道】명 농로(農路).
농도[2]【濃度】명 ①〘화〙혼합 기체(混合氣體) 또는 용액 속에 들어 있는 각 성분의 양의 비율. 그 표현 방법으로는 중량비(重量比)·용적비(容積比)·몰분율(mol分率)·몰농도·노르말 농도 등 여러 가지가 있음. ↔희석도(稀釋度). ②〘수〙기수(基數)❸.
농도-계【濃度計】명 액체 및 고체의 밀도를 측정하는 장치. 좁은 뜻으로는 액체 농도계를 가리킴.
농도 구배【濃度勾配】명〔concentration gradient〕〘화〙용질 농도(溶質濃度)가 용액 속의 두 점에서 서로 다를 때, 농도의 차와 두 점 사이의 거리와의 비(比).
농도차 전:지【濃度差電池】명〔concentration cell〕〘물〙극(極)을 이루는 물질과 전해액(電解液)의 농도가 다름에 의하여 동전력(動電力)을 내는 전지.
농독-증【膿毒症】명 고름의 균이 핏속에 들어가서 증식(增殖), 혈액의 순환으로 온몸에 번지어 여기저기 부스럼이 되는 병. 농혈증(膿血症).
농동우 명〈방〉〘식〙미나리아재비.
농두【攏頭】명 머리를 빗음. ——-하다 자여불
농-들다【膿—】자 곪아서 고름이 생기다.
농땡이 명〈속〉무릇, 일에 게으른 사람을 이르는 말.
농땡이(를) 부리다 구〈속〉꾀를 써 일을 게을리하다.
농땡이(를) 치다 구〈속〉농땡이(를) 부리다.
농락【籠絡】[—낙] 명 약은 꾀로 남을 구슬려서 마음대로 놀림. 뇌롱(牢籠). ¶ 처녀를 ～하다. ——-하다 타여불
농란-하다【濃爛—】[—난—] 형여불 무르익다. 농익다.
농람【濃藍】[—남] 명 짙은 쪽빛.
농량【農糧】[—냥] 명 농사짓는 동안 먹을 양식.
농로[1]【農老】[—노] 명 농사에 경험이 많은 사람. 노농(老農).
농로[2]【農路】[—노] 명 농가와 경지와의 사이 또는 경지와 경지와의 사이를 연락하여, 인축·차량의 교통, 비료나 수확물의 운반 등 농사에 이용되는 도로. 농도(農道).
농롱[1]【瓏瓏】[—농] 명 ①옥(玉) 같은 것이 서로 부딪치는 소리. ②광채가 찬란함. ——-하다 형여불
농롱[2]【朧朧】[—농] 명 희미하게 어두움. ——-하다 형여불
농루【膿漏】[—누] 명〘의〙고름이 계속적으로 자꾸 흘러나오는 증상.
농루성 결막염【膿漏性結膜炎】[—누썽—념] 명〘의〙임균성(淋菌性) 결막염.
농루-안【膿漏眼】[—누—] 명〘의〙임균성 결막염.
농류【膿瘤】[—뉴] 명〘의〙화농성염(化膿性炎)으로 생긴 고름이 몰리어 막혀서 솟은 혹.
농리【農利】[—니] 명 농사를 지어서 생기는 이익.
농림[1]【農林】[—님] 명 농업과 임업.
농림[2]【膿淋】[—님] 명〘의〙하감(下疳).
농림 금융【農林金融】[—님—늉/—님—] 명 농업·임업 등의 산업의 경영에 필요한 자금을 공급하는 금융.
농림-부【農林部】[—님—] 명 행정 각부의 하나. 농산(農産)·잠업(蠶業)·식량·농지·수리(水利) 및 축산에 관한 사무를 맡아봄. 산하에 농촌 진흥청·산림청을 둠.
농림 부:이사관【農林副理事官】[—님—] 명 농림직(農林職) 국가 공무원 직급 명칭의 하나. 농업 직렬(職列)에 속하며, 농업 서기관(書記官)의 위, 농림 이사관의 아래로 3급 공무원임.
농림부 장:관【農林部長官】[—님—] 명 농림부의 장인 국무 위원.
농림 수산부【農林水産部】[—님—] 명 전에 행정 각부의 하나. 1996년 8월 '농림부'와 '해양 수산부'로 분리됨.
농림-업【農林業】[—님—] 명 농업과 임업.
농림-원【農林員】[—님—] 명 농림 기능직 국가 공무원 직급 명칭의 하나. 6급·7급·8급·9급·10급의 다섯 등급이 있음.
농림 이:사관【農林理事官】[—님—] 명 농림직(農林職) 국가 공무원 직급 명칭의 하나. 농업 직렬(職列)에 속하며, 농림 부이사관의 위, 관리관(管理官)의 아래로 2급 공무원임.
농림 지역【農林地域】[—님—] 명 농업 진흥 지역 및 보전 임지(林地) 등으로서 농림업의 진흥과 산림의 보전을 위한 지역. *용도 지역.
농림 학교【農林學校】[—님—] 명〘일제〙실업 학교의 하나로, 농업과 임업에 관한 학술·기예(技藝)를 가르치던 학교.
농림 해:양 수산 위원회【農林海洋水產委員會】[—님—] 명 국회 상임 위원회의 하나. 농림부와 해양 수산부 소관 사항을 심의함.
농림 행정【農林行政】[—님—] 명 농림에 관한 행정.
농립【農笠】[—닙] 명 ①↗농립모(農笠帽). ②농부가 농사할 때 쓰는 삿갓.
농립-모【農笠帽】[—님—] 명 여름에 농사일을 할 때 쓰는 맥고 모자. 대팻밥 모자. ㊅농립(農笠).
농마【農馬】명 농사짓는 데 부리는 말.
농마루 명〈방〉천장(평안).
농막【農幕】명 농사짓는 데, 편리하도록 논밭 근처에 간단하게 지은 집. 밭집.
농만 명〈방〉녹말(綠末).
농:-말【弄—】명 농으로 하는 말. 농담(弄談). ——-하다 자여불
농말기 명〈방〉천장(평안).
농매【聾昧】명 사리에 어두움. 무지(無知)함. ——-하다 형여불
농맹【聾盲】명 귀머거리와 소경.
농-맹-아【聾盲啞】명 귀머거리와 소경과 벙어리.
농목【農牧】명 농업과 목축업.
농목-민【農牧民】명 농업과 목축을 생업으로 삼는 사람.
농:묘【隴畝】명 ①밭. 밭이랑. ②전(轉)하여, 민간(民間). 시골.
농무[1]【農務】명 ①농사일. ②농업에 관한 사무 또는 정무(政務).
농무[2]【濃霧】명 자욱하게 낀 안개. 짙은 안개. 대무(大霧). ↔박무(薄霧).
농무-국【農務局】명〘역〙대한 제국 때 농상공부(農商工部)의 한 국. 농업에 관한 일을 맡은 곳인데, 고종 32년(1895)에 두어 광무(光武) 9년(1905)에 광산국을 합하여 농광국(農鑛局)이라고 고쳤다가, 그 이듬해에 갈라서 다시 농무국이 되어, 융희(隆熙) 4년(1910)까지 있었음.
농무 별감【農務別監】명〘역〙고려 원종(元宗) 때, 원나라 둔전병(屯田兵)에게 농우(農牛)와 농기(農器)를 대어 주는 일을 맡은 벼슬아치.

농묵【濃墨】명 진한 먹물.
농민【農民】명 농사를 짓는 백성. 농업을 생업(生業)으로 하는 사람. 농부(農夫). 농인(農人). 전민(田民). 전부(佃夫).
농민 문예【農民文藝】명〖문〗농민 문학.
농민 문학【農民文學】명〖문〗①농민들이 노동 체험으로써 낸 문예 작품. ②농촌의 풍경이나 특수한 지방색을 나타내어, 농촌 생활의 실태 및 풍속·습관·감정 같은 것을 주제로 한 문학. 농민 문예.
농민 미술【農民美術】명 농민이 제작한 공예품. 나무·대·가죽 등의 세공물 및 도자기 등으로, 소박하고 향토색(鄕土色)이 짙어 생활에 밀접한 미술품.
농민 예:술【農民藝術】[—네—] 명 농민이 여가에 이루어 놓은 예술. 또, 농민의 생활을 소재(素材)로 한 예술 및 그 작품. *농민 문학.
농민 운:동【農民運動】명〖사〗농민의 경제적·정치적 이익의 옹호를 위하여 조직된 사회 운동.
농민 이촌【農民離村】명〖사〗농민이 농업을 버리고 마을을 떠나는 일. 농촌의 심한 피폐(疲弊)에서 생기는 경우도 있으나, 국가 경제가 공업화(工業化)되고, 특히 공업의 입지(立地)가 도시로 집중되는 경우에 농촌의 청년 등이 마을을 떠나, 노동자로서 도시에 모이는 사회 현상. 이농(離農).
농민 전:쟁【農民戰爭】명〔도 Bauernkrieg〕〖역〗봉건 영주(封建領主)에 대한 농민의 집단적인 반란. 유럽에서 14-15세기경 새로이 일어나는 근대 도시(近代都市) 지역으로부터 점점 널리 퍼지어 17세기경까지 자주 일어났음. 특히 독일과 러시아에서 심했는데, 직접 성공하지는 못했으나 봉건 사회가 무너지는 한 요소가 되었음.
농민 조합【農民組合】명〖사〗소작인과 농업 노동자의 이익을 옹호하기 위하여 조직된 조합. *농업 협동 조합.
농민층 분해【農民層分解】명 자본주의 경제의 발전에 따라, 농업 경영이나 농업 기술의 방법이 개량되어, 농민층이 지주·차지(借地) 농업 자본가와 농업 노동자 등으로 분해되어 가는 일. 영국에서 전형적으로 볼 수 있었음.
농민 해:방【農民解放】명〖사〗농민을 봉건적인 인신적 예속(人身的隷屬)과 지대(地代) 부담 의무로부터 해방시켜 자유롭고 완전한 토지 소유 농민으로 전화(轉化)시키는 일.
농밀【濃密】명 진하고 빽빽함. ——하다 형여불
농-바리【籠—】[—빠—] 명 아이들 장난의 한 가지. 한 아이의 등에, 두 아이가 서로 다리를 뻗어 발을 잡고 두 쪽에 달리어서, 농을 실은 것이라고 하는 장난. ——하다 자여불
농:-반[1]【弄半】명 진담과 농담이 서로 섞여 있음. ¶ ~ 진반으로 한 마디 던지다.
농반[2]【籠絆】명 속박하여 자유를 구속함. ——하다 타여불
농번【農繁】명 농사일이 바쁨. ↔농한(農閑).
농번-기【農繁期】명 농사일이 가장 바쁜 철. 곧, 모낼 때·논매기 때·추수(秋收)할 때. 농기(農期). ↔농한기(農閑期).
농:법【弄法】[—뻡] 명 제멋대로 법을 악용함. ——하다 자여불
농:변【弄辯】명 ①농으로 하는 말. ②수다하게 지껄임. ——하다 자여불
농병[1]【農兵】명 ①평시에는 농사일을 하고, 유사시에는 무장하여 군사가 되는 사람. ②농부들로 조직된 군대. 또, 그 군인.
농-병[2]【膿病】[—뼝] 명 누에의 전염병의 한 가지. 피부에 희읍스름하거나 누른빛이 생기고 진물이 흘러서 고치를 만들지 아니하고 죽음. 고름병.
농병[3]【籠餠】명〔증편틀에 넣어 쪄서 만드는 데서 난 이름〕증편.
농-병아리[—뼝—] 명〖조〗논병아리.
농병아릿-과【—科】[—뼝—] 명〖조〗논병아릿과.
농본【農本】명 농업을 산업의 기본으로 삼는 일.
농본-국【農本國】명 농업을 기본 산업으로 삼는 나라.
농본 사상【農本思想】명 ①봉건 사회에서, 기본 방침으로서, 사·농·공·상(士農工商)이라는 신분 순위를 정하여 놓고, 농업을 중히 여기고 통치한 민정 사상(民政思想). ②반봉건적(半封建的) 농촌 기구를 기반으로 하여 유지되고 있는 자본주의 사회에서, 농촌 경제의 위기 등에 즈음하여, 구제·갱생(更生)의 방책(方策)으로서 취하여지는 농업을 중하게 여기는 사상.
농본-주의【農本主義】[—/—이] 명 농업을 국가 산업의 기본으로 하고, 따라서 농민과 농촌을 사회 조직의 기초로 삼으려는 주의·사상.
농부[1]【農夫】명 ①농사로 업을 삼는 사람. 농민. 경부(耕夫). 전부(佃夫). 전농(田農). ②농사일에 종사하는 품팔이꾼. 농군.
【농부는 두더지다】농부는 땅을 파고 산다는 말.
농부[2]【農父】명 농사꾼 영감.
농부[3]【農婦】명 농사일을 하는 여자. 전부(田婦).
농부-가【農夫歌】명 농부들이 부르는 소리. 농사일이나 농촌을 내용으로 하며, 일할 때 흔히 부름. ㊣농가(農歌). *농요(農謠).
농부-증【農夫症】[—쯩] 명 중년 이후의 농민에게 나타나는 증후군(症候群). 어깨가 결리거나 두통·귀울림·동계(動悸)·숨이 찬 증세 등 여러 가지 증상을 보임. 과로·비위생·비타민 B_1 부족 등이 원인임.
농부-한【農夫漢】명 농사꾼.
농불【籠佛】명 싸리나 버들가지 같은 것으로 결어서 만든 부처. 채롱 부처.
농-불실시【農不失時】[—씨] 명 농사일은 제때를 잃지 않아야 함.
농브르〔프 nombre〕명 책·잡지 등의 페이지 수를 표시하는 숫자. 넘버.
농사[1]【農事】명 농업에 관한 일. 논밭을 갈아 유익한 식물을 재배하거나 동물을 사육(飼育)하는 일. 전농(田農). ——하다 자여불
【농사 물정 안다니까 피는 나락 홱 뺀다】농사일을 잘 알지도 못하는 사람이 벼가 피는 것을 피로 알고 뽑아 낸다는 뜻으로, 남의 비꼼을 깨닫지 못하고 우쭐거리는 사람을 비웃는 말.
농사(를) 짓:다 구 농사를 업으로 삼아 일을 하다. 농사일을 하다.
농사[2]【農舍】명 ①농부의 집. ②수확물의 처리를 행하는 옥사(屋舍). ③〖역〗농장(農莊).
농사 계:절【農事季節】명 농업과 관계가 깊은 계절. 지리적 차이 또는 재배 농작물의 종류에 따라 다름. 농사철.
농사 기계【農事機械】명 농업에 쓰이는 기계의 총칭. 농업 기계.
농사-꾼【農事—】명 농사짓는 상일꾼. 농부한(農夫漢). 농군. 농부.
[농사꾼이 굶어 죽어도 종자는 베고 죽는다] 굶어 죽으면서도 씨는 먹지 않고 남겼다 함이니, 어리석고 답답하게 인색하기만 한 사람을 이르는 말.
농사-력【農事曆】명 자연 현상(自然現象)이나 동식물의 상태에 의하여 농사짓는 절기를 나타낸 달력.
농사 시험장【農事試驗場】명 농업 상의 여러 가지를 시험적으로 연구하는 공설 기관.
농사-암【農司岩】명〖지〗함경 북도 부령군(富寧郡)과 경성군(鏡城郡) 사이에 있는 산. [1,320 m]
농사-일【農事—】명 농사짓는 일. 농공(農功). 농근(農勤). 농무(農務). ——하다 자여불
농사 직설【農事直說】명〖책〗조선 세종 11년(1429)에 정초(鄭招)가 지은, 현존하는 최고(最古)의 농서(農書).
농사-철【農事—】명 농사를 짓는 시기. 농기. 농시(農時). 농절(農節). 농사 계절. ㊣농철.
농산[1]【農産】명 ①농업 상의 생산. ②↗농산물.
농:산[2]【隴山】명〖지〗'롱산(隴山)'을 우리 음으로 읽은 이름.
농산 가공【農産加工】명 농산물에 수공을 더하는 일. *농산 제조. ——하다 타여불
농산 가공품【農産加工品】명 농산물에 간단한 가공이나 처리(處理)를 가하여 형태를 변화시키거나 실질적으로 변화시킨 제품. 주스·과실주·엿·비료로서의 깻묵·간장·밀가루 등.
농산-고【農産高】명 ↗농업 생산고.
농산-물【農産物】명 농업에 의하여 생산된 물건. 곡식·채소·과실·고치·특용 작물·고공품·종묘·화훼(花卉) 등. ㊣농산.
농산어-촌【農山漁村】명 '농촌·산촌·어촌'의 통칭.
농산-업【農産業】명 농업.
농산 자원【農産資源】명 토지를 경작(耕作)하여 얻어지는 자원. *농산물.
농산 제:조【農産製造】명 농산물에 다소 가공을 하여, 차·담배·삼·보릿짚 제품 등으로 만드는 일. *농산 가공.
농산 화:학【農産化學】명〔chemurgy〕〖화〗농산물인 유기 원료(有機原料) 물질을 유효하게 이용하여 식품(食品) 이외의 물건을 생산하는 화학 분야의 이름.
농삼-장[—쌈—] 명 상자를 넣으려고 삼노를 엮어 만든 망태. 또, 그것을 싸려고 삼노를 엮어 만든 보. 삼정(三丁). ㊣삼장.
농삿-집【農事—】명 농사를 짓고 사는 집. 농가(農家).
농상[1]【農桑】명 농사일과 누에 치는 일.
농상[2]【農商】명 ①농업과 상업. ②농민과 상인.
농-상-공【農商工】명 농업·상업 및 공업.
농상공-부【農商工部】명〖역〗조선 고종(高宗) 32년(1895)에 농상 아문(農商衙門)과 공무 아문(工務衙門)을 합한 관아. 농업과 상업과 공업에 관한 일을 맡아 다스림. 융희(隆熙) 4년(1910)까지 있었음.
농상공부 대:신【農商工部大臣】명〖역〗농상공부의 으뜸 벼슬. ㊣농대(農大).
농상공부 협판【農商工部協辦】명〖역〗농상공부 대신의 다음 자리의 벼슬. ㊣농협(農協).
농상-국【農桑局】명〖역〗농상 아문의 한 국. 농업과 잠업(蠶業)에 관한 일을 맡아 봄.
농상 대:신【農商大臣】명〖역〗농상 아문의 으뜸 벼슬.
농-상무【農商務】명 농무와 상무.
농상 아문【農商衙門】명〖역〗농상공업에 관한 일을 맡아 보던 관아. 조선 고종(高宗) 31년(1894) 갑오 경장(甲午更張) 때 설치하고, 그 다음 해에 공무 아문(工務衙門)을 합하여 농상공부가 되었음.
농상 집요【農桑輯要】명〖책〗고려 때 이암(李嵒)이 중국 원(元)나라에서 들여온 농서(農書). 고려 및 조선 시대의 농업, 특히 양잠(養蠶)에 끼친 영향이 큼.
농색【濃色】명 짙은 빛깔. ↔담색(淡色).
농색-단【濃色團】명〖화〗색원체(色原體)에 그 빛깔을 진하게 하기 위하여 도입(導入)하는 발색단(發色團)이나 조색단(助色團). ↔담색단(淡色團).
농-샬랑〔프 nonchalant〕명 ①성질이 태평(泰平)하고 게으름. 행동에 열의가 없음. ②털털한 성질. 건달. ——하다 형여불
농서[1]【農書】명 농사에 관한 책.
농서[2]【濃暑】명 심한 더위. 혹서(酷暑).
농:서[3]【隴西】명〖역〗중국 진한(秦漢) 시대의 군(郡) 이름. 지금의 간쑤 성(甘肅省) 린타오 부(臨洮府)에서 궁창 부(鞏昌府)의 서쪽에 걸친 곳으로 서역(西域)에 가까움.
농서 언:해【農書諺解】명〖책〗중국의 농사와 누에치기에 관한 책을 한글로 번역한 책. 조선 11대 중종(中宗) 13년(1518)에 김안국(金安國)이 엮음.
농서 총:론【農書總論】[—논] 명〖책〗조선 정조(正祖) 23년(1799) 조영국(趙英國)이 저술한 농사에 관한 책. 정조의 권농 교서(勸農敎書)에 따라서, 천시(天時)·지리(地利)·인사(人事)·수공(水功)·부종(付種) 등에 관하여 논술함. 1책. 사본임.
농선-지【籠扇紙】명 전라 북도 남원군 용담리(龍潭里)에서 나는 부채 만드는 종이.
농:설【弄舌】명 쓸데없는 말을 마구 지껄임. 요설(饒舌). ——하다 자여불
농:성[1]【弄聲】명 노래 곡조의 하나인 농의 성조(聲調).

농:-성²【隴省】명〖지〗중국 '간쑤 성(甘肅省)'의 별칭.

농성³【籠城】명 ①적에게 둘러싸여 성문을 굳게 닫고 성을 지킴. ②어떠한 목적을 위하여, 줄곧 한 자리에 머물러 떠나지 아니함. ¶~ 투쟁. ——-하다 자여불

농:-세상【弄世上】명 세상을 기롱(欺弄)함. ——-하다 자여불

농소¹ 명〈옛〉농막(農幕). ¶농소 셔(墅)《字會 中 8》.

농소²【農所】명〖역〗농장(農莊). 「니하고 그대로 괴어 있는 곳.

농소³【膿巢】명〖의〗농즙(膿汁)이 다른 곳으로 옮겨지거나, 나가지 아

농속【聾俗】명 귀머거리처럼 알아듣지 못하는 무지(無知)한 사람.

농수【濃愁】명 깊은 시름. 심수(深愁). 심우(深憂).

농수-로【農水路】명 농업 용수의 수로.

농-수산【農水産】명 농업과 수산업.

농수산-물【農水産物】명 농산물·임산물·축산물 및 수산물의 총칭.

농수산물 가격 안정 기금【農水產物價格安定基金】명〖경〗농수산물의 유통 및 가격 안정을 위해 정부 예산의 출연(出捐)으로 조성된 기금. 쌀·보리를 제외한 농수산물의 원활한 수급(需給)과 가격 안정을 꾀하고, 유통 시설(流通施設)의 근대화를 촉진하기 위한 재원(財源)이 됨.

농수산물 유통 공사【農水產物流通公社】명 농산물·임산물·축산물 및 수산물의 가격 안정 및 유통 개선 사업을 통하여 농수산물 수급(需給)의 안정을 기함으로써 농어민의 소득 증진과 국민 경제의 균형있는 발전을 도모할 목적으로 설립한 특수 법인.

농수산-부【農水産部】명 '농림 수산부'의 전신(前身).

농수산-업【農水產業】명 농업과 수산업.

농수산 통:계【農水産統計】명 농수산 행정 업무를 돕기 위하여 만드는 각종 통계. 농지·가축·식부 면적·농림 관계에 관한 농산 통계, 수산물 생산량 및 어민에 관한 수산 통계, 농가·농촌 경제와 농작물의 생산비 및 수익성 등에 관한 경제 통계, 농·축·수산물 및 가공품의 유통과 소비량 등에 관한 유통 통계가 있음.

농수산 통:계 사:무소【農水産統計事務所】명〖법〗전에 농림 수산부 장관에 소속하여, 농수산 통계에 관한 조사 사무를 관장하던 기관. 사무소장 소속 하에 시·군에 출장소를 두었음.

농수축-협【農水畜協】명 '농업 협동 조합·수산업 협동 조합·축산 협동 조합'의 합칭.

농숙【濃熟】명 흠뻑 익음. ——-하다 자여불

농시【農時】명 농사철.

농시 방극【農時方劇】명 농사일이 한창 바쁨. ——-하다 형여불

농시 방장【農時方張】명 농사일이 한창 바쁘게 벌어짐. ——-하다 형여불

농:신¹【弄臣】명 임금의 심심풀이의 상대가 되는 신하. 노리개로 삼아, 사랑하는 신하.

농신²【農神】명〖민〗농업을 다스리는 신.

농아¹【聾兒】명 귀머거리인 아이.

농아²【聾啞】명 ①귀머거리와 벙어리. ②발성기(發聲器)에는 고장이 없으나 귀머거리로 청각(聽覺)을 잃어 벙어리가 된 것. 곧, 청각의 결여로 말을 배우지 못하거나, 알고 있던 말을 잊음으로써 된 벙어리. 유전(遺傳)·내이 결손(內耳缺損) 등의 선천적인 것과 뇌막염·성홍열(猩紅熱) 등에 의한 후천적인 것이 있음.

농아 교:육【聾啞教育】명 농아를 가르치는 교육. 이전에는 몸짓·손짓으로 의사를 통하게 하는 수화법(手話法)을 써 왔으나, 현재는 구화법(口話法)이라 하여, 상대편의 입언저리의 움직임을 보고, 그 말을 알아보고 입모양을 흉내내어, 스스로 발성(發聲)해 보는 방법이 널리 쓰이고 있음. 보청기(補聽器) 등의 기계력에 의한 교육도 점차 시행되어 감.

농:아-사【弄兒詞】명 어린아이를 어를 때에, 재롱삼아 목청을 길게 빼어 노래처럼 하는 말.

농아-자【聾啞者】명 농아인 사람. 귀머거리와 벙어리인 사람. 또, 귀머거리와 벙어리인 사람의 병칭.

농아 학교【聾啞學校】명 벙어리에게 회화의 특별한 기술을 가르치는 동시에, 유치원·초등 학교·중학교 또는 고등 학교에 준한 과정을 가르치고, 아울러 그 결함을 메우기 위하여 필요한 지식과 기능(技能)을 가르치는 학교. *맹(盲)학교·맹아(盲啞) 학교.

농악【農樂】명 농부들 사이에 행하여지는 우리 나라 특유의 음악. 풍양 기원(豐穰祈願)·농사의 위안·농민의 친목 등을 목적으로, 모심기·김매기·수확 때와 명절 때에 꽹과리·징·북·소고·장구·자바라·피리·날라리 등을 울리면서 춤추고 노래함.

농악-대【農樂隊】명 농악을 취주(吹奏)하는 사람들의 일단.

농악-무【農樂舞】명 농악에 맞추어 추는 춤.

농악 보:존 마을【農樂保存一】명〖민〗전래 농악의 보존을 위해 당국에 의해 지정된 마을. 1980년 전라 남도 진도군(珍島郡) 지산면(智山面) 소포리(素浦里)가 전라 남도에 의해서 지정됨.

농악 십이차【農樂十二次】명〖악〗농악 십이채.

농악 십이채【農樂十二一】명〖악〗농악의 기본 악장(樂章)인 열두 개의 거리. 한 채에 세 가락이 있어, 모두 서른여섯 가락으로 이루어짐. 군사가 출전(出戰)하여 진(陣)터를 닦고, 승전(勝戰) 개선(凱旋)하여 휴가를 즐기는 차례로 진행되는데, 전부 연주하려면 저녁부터 시작하여 이튿날 새벽까지 계속됨.

농안【農安】명〖지〗'농안(農安)'을 우리 음으로 읽은 이름.

농안 기금【農安基金】명 '농수산물 안정 기금'의 준말.

농암¹【農巖】명〖사람〗김창협(金昌協)의 호(號).

농암²【聾巖】명〖사람〗이현보(李賢輔)의 호(號).

농암-가【聾巖歌】명〖문〗조선 중종(中宗) 때의 학자 이현보(李賢輔)가 지은 시조. 만년에 벼슬에서 물러나 고향인 경북 안동시(安東市) 도산면(陶山面)에 있는 농암이란 바위에 올라가 읊은 것임. *농암문집.

농암 문집【聾巖文集】명〖책〗조선 중종 때의 문신(文臣)·학자인 농암(聾巖) 이현보(李賢輔)의 시문집. 10권 4책(원집 6권 2책, 속집 4권 2책). 목판본. 원집은 1665년(현종 6년), 속집은 1912년에 후손들이 편집 간행하였음.

농암-집【農巖集】명〖책〗조선 19대 숙종(肅宗) 때의 학자 농암 김창협(金昌協)의 유고집. 숙종 35년(1709) 김시보(金時保)가 간행함. 38권 20책. 인본(印本).

농애각시 명〈방〉〖동〗노래기(경북).

농액¹【濃液】명 농도가 짙은 액체.

농액²【膿液】명〖의〗고름¹.

농약【農藥】명 농작물과 농림 산물을 해치는 병균·해충 또는 잡초 등의 방제(防除)에 쓰이는 살균제·살충제·제초제(除草劑) 및 발아(發芽)·생장 촉진제 등의 총칭.

농양¹【膿瘍】명〖의〗신체 조직의 한 국부에 화농성 염증(化膿性炎症)이 생기어, 그 부분의 세포가 죽어 고름이 몰려 있는 질환.

농양²【籠養】명 새 따위를 장에 넣어 기름. ——-하다 타여불

농어 명〖어〗[*Lateolabrax japonicus*] 농어과에 속하는 바닷물고기. 몸길이 50-90cm로, 길고 측편하며, 아래턱이 위턱보다 돌출함. 몸빛은 등 쪽은 회청록색이고 배 쪽은 은백색인데, 유어시(幼魚時)는 등 쪽과 등지느러미에 흑갈색의 작은 점이 산재함. 가을과 겨울철에 기수(汽水)의 하구에서 산란하며, 유시(幼時)에는 담수에서 살다가 첫겨울에 바다로 나감. 우리 나라에 흔한 물고기로 맛이 좋음. 근해어로서 한국·일본·대만 등의 연해에 분포함. 노어(鱸魚). 거구세린(巨口細鱗).

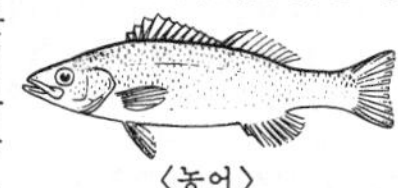
〈농어〉

농어-과【—科】[—꽈] 명〖어〗[Serranidae] 농어목(目)에 속하는 어류의 한 과. 이 과에 속하는 어종은 그 종류가 아주 많으며, 눈볼대·눈퉁바리·농어·꺽저기·꺽지·돗돔·소가리·가시우럭·구슬우럭·별우럭·능성어·홍바리·날바리·다금바리·각시돔·연붉돔·꽃돔·장미돔·금강바리·꽃자리·노랑벤자리 등이 있음.

농어-목【—目】명〖어〗[Percida] 경골어류(硬骨魚類) 조기어강(條鰭亞綱)에 속하는 한 목. 한국에서 나는 어종 중 이 목에 속하는 것이 가장 많은데, 농어과·고등어과 등 70여 과가 이에 속함. 특징은 등지느러미 및 뒷지느러미의 앞쪽이 가시 살로 되어 있고 배지느러미는 흉위(胸位)에 있고, 대개 빗비늘로 덮여 있으며 머리와 두개골(頭蓋骨)은 좌우 상칭임.

농어민 후:계자 육성 기금【農漁民後繼者育成基金】명〖법〗농어촌에 정착하여 농업 또는 어업을 영위할 의사와 능력이 있는 농어촌 청소년을 육성하기 위하여 특정인이 국가에 기부(寄附)한 재산을 재원(財源)으로 하여 조성한 기금(基金). 농림 수산부 장관이 운용·관리해, 영농·영어(營漁) 정착 사업 수행을 위한 융자에 쓰임.

농어-채【—菜】명 토막친 농어에 녹말(綠末)을 묻히어서, 끓는 물에 데 친 음식.

농어-촌【農漁村】명 농촌과 어촌.

농어촌 진:흥 공사【農漁村振興公社】명 농가의 경영 규모 적정화(適正化)를 촉진하고, 농업 생산 기반의 조성·정비와 농어가(農漁家)의 소득 향상 기반의 확충 및 생활 환경의 개선을 추진함으로써 농어촌의 경제·사회적 발전에 이바지하게 할 목적으로 설립된 공공 기업체.

농어-회【—膾】명 농어의 살로 만든 회.

농:언【弄言】명 농담으로 하는 말. ——-하다 자여불

농업【農業】명 ①농사짓는 직업. 경업(耕業). ②땅을 이용하여 유용한 식물을 재배하거나 유용한 동물을 먹이는 유기적 생산업. 넓은 의미에서는 농산 가공·임업(林業)도 포함됨. 농산업(農產業).

농업 가산【農業家產】명 농가의 보호를 위하여, 농업 경영에 필요한 토지, 그 밖의 재산의 담보(擔保)·양도(讓渡)·압류 등을 금지함으로써 그 보전을 도모하기 위해서 정한 특별 재산.

농업 경영【農業經營】명 생산 활동으로서의 농업을 영위하는 일.

농업 경영학【農業經營學】명 농업 경영 상의 여러 문제를 연구하는 학문. 농업 경영의 본질·실상을 명백하게 하며, 경영 상의 법칙을 밝히는 데 그 목적이 있음.

농업 경영학과【農業經營學科】명〖교〗대학에서, 농업 경영학을 전공하는 학과. *농업 경제학과.

농업 경제【農業經濟】명 농업을 경영하여 그 생산을 유리하게 하는 경제 행위.

농업 경제학【農業經濟學】명 응용 경제학의 한 분야. 가장 효과적인 수익을 얻기 위하여 경제 학리(學理)에 좇아, 농업 경영의 원칙과 방법 및 사회적 경제 관계와 그 경제 현상을 연구의 대상으로 하는 학문.

농업 경제학과【農業經濟學科】명〖교〗대학에서, 농업 경제학을 전공하는 학과. *농업 경영학과.

농업-계【農業界】명 농업과 관련되는 사회적 분야.

농업 고등 학교【農業高等學校】명 농업에 관한 학문과 기술을 전문으로 하는 실업 기술 학교. 농산물의 재배 및 양금(養禽)·낙농(酪農)·축산(畜產)·원예(園藝)·농업 토목(土木)·농산 가공(農產加工) 등의 학과를 둠. 준농업 학교·농고(農高).

농업 공:산체【農業共產體】명〖사〗원시 공산체(原始共產體).

농업 공:제 제:도【農業共濟制度】명〖사〗농가(農家)가 농작물·잠견(蠶繭)·가축 그 밖의 공제 목적에 대하여 일정한 공제 부금(賦金)을 붓고, 재해(災害)·흉작(凶作) 또는 불의의 사고가 있을 경우에 그 피해액에 따라서 공제금의 지급을 받는 제도.

농업 공학【農業工學】명 [agricultural engineering]〖농〗식량과 섬유의 생산 방법 및 그 개발·개선에 관한 학문.

농업 공:황【農業恐慌】명〖경〗농산물의 상품화(商品化)에 수반하여 과

잉 생산(過剩生産)·수요 감퇴(需要減退) 등으로 일어나는 농업 부문의 경제 공황. 기간이 길며, 일반 공황의 주기(周期)와 반드시 일치하지 아니하는 것이 특징임.

농업 과학【農業科學】명 〔agricultural science〕〖농〗 농작물이나 가축의 생산 및 그 경제성을 높이기 위한 품종(品種)의 선정·사육 방법·경영 방법 따위를 취급하는 학문.

농업 관측【農業觀測】명 농가 경제 활동의 참고로 하기 위하여 정기적으로 행하는 농축산물, 농업 생산 자재의 수급, 가격의 전망, 시장의 동향에 관한 정세 판단 조사. 「기술을 가르치는 교육.

농업 교:육【農業敎育】명 농업에 종사할 사람에게 농업에 대한 지식과

농업 교:육과【農業敎育科】명〖교〗 대학에서, 농업 교육에 관한 학문을 전공하는 학과. *수산 교육과.

농업-국【農業國】명 농업을 위주로 하는 나라. ↔공업국.

농업 금융【農業金融】[—늉/—] 명 농업 경영을 위한 금융. 상업 금융·공업 금융과 마찬가지로 산업 금융의 하나.

농업 금융 채:권【農業金融債券】[—늉—꿘/—꿘] 명 농업 진흥에 필요한 자금을 조달하기 위하여 금융 기관이 발행하는 채권.

농업 기계【農業機械】명 농사(農事) 기계.

농업 기계 은행【農業機械銀行】명 마시넨 링(Maschinen Ring).

농업 기본법【農業基本法】[—뻡] 명〖법〗 정부의 농업 기본 시책(施策)의 방향을 규정(規定)한 법률. 농업 경영을 근대화하고 농업 생산력을 발전시켜 식량 및 기타 농산물의 증산, 농산물의 생산·가격·유통 구조의 개선, 농가 소득의 증진, 다른 산업 종사자와의 소득의 균형을 실현하여 농촌의 생활 및 문화 수준을 향상시킬 것을 목적으로 함.

농업 기상【農業氣象】명 농업과 기상과의 연관되는 문제를 취급하여 그 결과를 농업 기술 속에 도입, 농업의 진전을 꾀함을 목적으로 하는 응용 기상의 한 분야. 「계를 농업에 이용하는 것을 목적으로 함.

농업 기상학【農業氣象學】명 응용 기상학의 하나. 농업과 기상과의 관

농업 기술 연:구소【農業技術硏究所】[—련—] 명 농촌진흥청에 소속된 연구 기관의 하나. 토양·비료·식물 영양·생리·유전·병리·곤충 및 방사선의 농업 이용에 관한 기초 연구와 농산물의 저장·가공·이용, 농촌 열자원(熱資源) 및 버섯류에 관한 시험 연구 사무를 관장함.

농업 노동자【農業勞動者】명 농사일에 품팔이하는 사람. 「제.

농업 문:제【農業問題】명 농업에 있어서의 사회적·경제적인 여러 문

농업 보:험【農業保險】명〖경〗 농작물의 수확에 대한 자연적 손실을 보상하기 위한 보험.

농업 보:호 관세【農業保護關稅】명 국내 농산물의 값을 올리거나 또는 농산물을 원료로 하는 공업을 보호하기 위하여, 수입 농산물에 과하는 수입 관세. 「상황, 곧 그 증감·변화를 일목 요연하게 만든 부기.

농업 부기【農業簿記】명 농업 경영에 응용하는 부기. 농업에 관한 재산

농업-사【農業史】명 농업이 발달해 온 역사.

농업 사:무관【農業事務官】명 농림직(農林職) 국가 공무원 직급 명칭의 하나. 농업 직렬(職列)에 속하며, 농업 주사(主事)의 위, 농업 서기관(書記官)의 아래로 5급 공무원임.

농업 산:학 협동 기금【農業産學協同基金】명〖경〗 농촌 진흥법에 따라 정부 출연금(政府出捐金) 등으로 설립한 기금. 농촌 진흥 기관과 농과계 학교(農科系學校)·영농 단체·영농자의 협동으로 농업 기술 개발을 위한 조사 연구와 학술 활동을 촉진시키는 데 사용함.

농업 생산고【農業生産高】명 농업에 관해서 일정한 기간에 생산된 재화(財貨)의 수량. ㊗농산고.

농업 생산비【農業生産費】명 농산물의 일정 단위를 생산하는 데 소비된 경제 가치. 투하된 재료·노동·축력(畜力) 및 고정 자본의 감가 상각(減價償却) 등의 가치 희생을 가격으로 표시한 것. 「한 생태학.

농업 생태학【農業生態學】명 〔agrioecology〕 재배 식물(栽培植物)에 관

농업 서기【農業書記】명 농림직(農林職) 국가 공무원 직급 명칭의 하나. 농업 직렬(職列)에 속하며, 농업 서기보의 위, 농업 주사보의 아래로 8급 공무원임.

농업 서기관【農業書記官】명 농림직(農林職) 국가 공무원 직급 명칭의 하나. 농업 직렬(職列)에 속하며, 농업 사무관의 위, 농림 부이사관의 아래로 4급 공무원임.

농업 서기보【農業書記補】명 농림직(農林職) 국가 공무원 직급 명칭의 하나. 농업 직렬(職列)에 속하며, 노업 서기의 아래로 9급 공무원임.

농업 센서스【農業—】〔census〕명 ①농림부 장관이 농업 사업체의 구조를 계수로 파악하기 위하여 실시하는 조사. 연도(年度)의 끝자리가 0이 되는 해에 실시함. ②유엔 식량 농업 기구의 통일적인 조사 계획에 따라 실시되는 세계적 규모의 농업 국세 조사(國勢調査).

농업 수리【農業水利】명 농경지에 대한 물의 이용. 곧, 관개와 배수.

농업 수리학【農業水利學】명 지표(地表) 및 지하의 물과 토지와의 관계를 농작물 생육의 입장에서 연구하는 학문.

농업 시대【農業時代】명 생산 방법을 표준으로 하여 경제상의 시대를 나눈 것의 한 단계. 인류가 농경을 주된 생업으로 하고 어렵(漁獵) 채집을 부업으로 하던 시대.

농업 시:험장【農業試驗場】명 '농사 시험장'의 구칭.

농업 식물【農業植物】명 사람이 심어 재배하는 식물. 곡식을 얻는 식물과 채소 및 기호 식물(嗜好植物) 등이 있음. 「구하는 학문.

농업 식물학【農業植物學】명 농업 식물의 생활 현상과 그 재배법을 연

농업용 비누【農業用—】[—뇽—] 명 농약(農藥)의 전착제(展着劑)로서 사용되는 비누. 고급 지방산의 나트륨염(塩) 및 칼륨염 등이 사용됨.

농업용 비행기【農業用飛行機】[—뇽—] 명 농약·종자 등의 살포에 쓰이는 비행기. 「급하는 용수. 관개 용수(灌漑用水).

농업 용:수【農業用水】명 농작물의 생육에 필요한 물을 인공적으로 공

농업 인구【農業人口】명 농업에 종사하는 인구. 비농가 인구를 포함하는 농촌(農村) 인구와 구별됨.

농업 자본【農業資本】명 농업에 투하된 산업 자본. ㊗농자(農資).

농업적 임업【農業的林業】명 토지에 자본과 노력을 투하하여 장기간에 임목(林木)을 재배 육성하는 임업. ↔광업적(鑛業的) 임업.

농업 전:화【農業電化】명 생산력의 증강, 농업 기술의 개선과 합리화를 위하여, 농업 경영에 전기를 특히 동력으로서 이용하는 일.

농업 정책【農業政策】명〖정〗 농업 경영·농업 재정·농업 인구 등 농업 전반에 걸친 경제 정책. 그 주체(主體)는 국가 및 공공 단체 등이 됨.

농업 정책 심의회【農業政策審議會】[—/—이—] 명 대통령에 소속하는 자문 기관. 농업 기본법에 의한 중요 시책, 곧 농업의 생산·경영·가격·소득 및 농민의 생활 수준 등에 대한 시책과 농업 동향, 농산물의 생산과 수요의 관측, 농산물의 적정 가격 유지와 수급 조절 등에 관한 사항을 심의함. 위원장은 국무 총리가 되고 14인의 위원으로 구성됨.

농업 주사【農業主事】명 농림직(農林職) 국가 공무원 직급 명칭의 하나. 농업 직렬(職列)에 속하며, 농업 주사보의 위, 농업 사무관의 아래로 6급 공무원임.

농업 주사보【農業主事補】명 농림직(農林職) 국가 공무원 직급 명칭의 하나. 농업 직렬(職列)에 속하며, 농업 서기(書記)의 위, 농업 주사의 아래로 7급 공무원임.

농업-지【農業地】명 농사일을 하는 데 쓰이는 땅. 농지. 농토. 농처(農處).

농업 지리학【農業地理學】명 경제 지리학의 한 부문으로, 지구 표면에 분포되어 있는 농업 현상을 연구하는 과학. 농업 현상은 지역적으로 차이가 많은데, 이 차이가 생긴 자연적 및 사회 경제적 모든 조건과 농업 현상과의 관계를 연구함.

농업 지질학【農業地質學】명 〔agricultural geology〕〖지〗 지질학의 한 분야. 토양의 성질·분포, 광물 비료의 산출, 지하수의 작용 등에 관하여 연구함.

농업 창고【農業倉庫】명 생산한 농산물을, 가격 안정과 수급(需給) 조절의 목적으로 공동 보관하는 농민의 자치적인 창고. 농업 협동 조합 또는 인가를 받은 창고업자가 경영함.

농업 창고 증권【農業倉庫證券】[—꿘] 명〖경〗 농업 창고업자가 임치인(任置人)에게 그 보관물에 대하여 발행하는 창고 증권.

농업 최:저 기준【農業最低基準】명〖농〗 그 지방의 인구(人口)가 장래 필요로 하는 최저한의 농경지나 산림 면적.

농업 축산국【農業畜産國】명 농업과 축산을 위주로 하는 나라.

농업 토목【農業土木】명 토지의 농업상의 이용 가치를 영속적으로 올리기 위한 개간·간척(干拓)·관개·배수·객토 등의 토지 개량 및 농촌 급수(給水) 등 농업에 관계되는 토목 사업의 총칭.

농업 통:계【農業統計】명〖경〗 농업 행정의 참고를 위하여 만드는, 농지·농업 인구·농구(農具)·가축·수확·농업 금융 등에 관한 통계.

농업 패리티【農業—】〔parity〕명 패리티 계산(parity 計算).

농업 패리티 지수【農業—指數】〔parity〕명〖경〗 어떤 연도의 농가 구입품 종합 가격을 기준으로 하여 그 후의 상승률을 나타낸 지수. 농산물의 생산자 가격을 산정하는 데 쓰임. 일종의 물가 지수임.

농업 학교【農業學校】명 ①농업에 관한 학문·기술을 가르치는 학교. ②농업 고등 학교 이전의 중학교 및 고등 학교 정도의 농업 실업 학교. ③↗농업 고등 학교.

농업 행정【農業行政】명 농업에 대한 위해(危害)의 예방과 농사의 개량·발달을 도모하여 농민의 행복과 이익을 유지할 목적으로 하는 행정. ＊농정(農政).

농업 혁명【農業革命】명〖사〗 자본주의의 성립기(成立期)에 산업 혁명과 병행해서 일어난 농업 기술과 경영 방법의 급격한 변혁. 봉건적 토지 소유로부터 자본주의적 토지 소유로 이행(移行)하는 과정이기도 함. 18세기 후반부터 19세기 중기의 영국에서 볼 수 있으며, 자기 농토의 주위에 울을 치고, 새 농기구·새 작물(作物)을 도입함으로써 농업에 있어서의 자본주의 제도가 확립됨.

농업 협동 조합【農業協同組合】명 1961년 공포된 농업 협동 조합법에 의거, 농민을 조합원으로 하여 설립된 협동 조합. 생산 및 생활 지도 사업, 공동 구매·판매 사업, 예금·적금의 수입(受入)과 자금 대출 등의 신용 사업, 시설물의 공동 이용 사업, 공제 사업, 의료 사업 등 농업뿐만 아니라 일상 생활에서의 다방면에 걸친 사업을 행함. 농림부 장관의 감독을 받음. ㊗농협. 「하는 회사.

농업 회:사【農業會社】명 농업을 기업화하여 그 이윤 획득을 목적으로

농연【濃煙】명 짙은 연기. 검은 연기. 「다 형여불

농염【濃艶】명 화사하고 아름다움. 요염하게 고운 모양. 요염. ——하

농예【農藝】명 ①농사에 관한 기예. ②농업과 원예(園藝).

농예 식물학【農藝植物學】명 식물학의 한 부문. 농작물·원예 식물을 연구 대상으로, 그 생리·특성·수확·생태 등을 고찰함.

농예 화:학【農藝化學】명〖화〗 농업 생산에 관한 화학적 문제를 연구하는 화학의 한 분과. 토양학(土壤學)·비료학·식물 생리(生理) 화학·농산 제조 화학·양조(釀造)·산림 화학·축산 화학 등으로 나누임.

농-오래기 명 〈방〉 노¹(함남).

농오리 명 〈방〉 ①놀³(충청). ②노¹.

농올치 명 〈방〉 노¹(황해). 「璋).

농:와【弄瓦】명 〔와(瓦)는 흙으로 만든 실패〕 딸을 낳는 일. ↔농장(弄

농:와지-경【弄瓦之慶】명 딸을 낳은 즐거움. 농와지희(弄瓦之喜). ↔농장지경(弄璋之慶).

농:와지-희【弄瓦之喜】[—히] 명 농와지경. ↔농장지희.

농:완【弄玩】명 가지고 놂. ——하다 타여불

농외 소:득【農外所得】명 품삯이나 농지 임대료(賃貸料) 등 농사를 지어서 올린 소득 이외의 농가(農家)의 소득.

농외 소:득 개발 기획단【農外所得開發企劃團】명〖법〗농민의 농외 소득을 높이기 위한 정책 추진 기구. 재정 경제부 차관(次官)을 단장으로 해 재정 경제부에 두고, 행정 자치·농림·산업 자원·보건 복지·노동·건설 교통·정보 통신부 등 관계 부처 차관과 한국 개발 연구원·한국 농촌 문제 연구원·국토 개발 연구원의 원장이 위원이 되는 기획 위원회와 관계 부처 국장급이 위원이 되는 조정 위원회를 둠. 1982년에 발

농요【農謠】명 농부들이 부르는 속요(俗謠). *농부가(農夫歌). ㄴ족됨.

농용【農用】명 농사에 쓰는 일. 농사의 소용.

농용-림【農用林】[—님] 명 산림의 경제적 이용의 일부를 희생하고 신탄(薪炭)·재목 등의 농가의 생활 자재나 사료(飼料)·퇴비 등의 영농 자재의 채취를 위하여 충당되는 임지(林地).

농용 트랙터【農用—】〔tractor〕명 농사에 쓰이는 트랙터. 차체(車體) 후부에 쟁기·써레 등 여러 가지 작업용 농기계를 부착하여 사용함.

농우【農牛】명 농사일에 부리는 소.

농운【濃雲】명 짙은 구름. 검은 구름.

농원【農園】명 주로 원예 작물을 심어 가꾸는 농장.

농:월[1]【弄月】명 달을 바라보고 즐김. ——-하다 자여불

농월[2]【朧月】명 흐린 달.

농을 명〈방〉놀[3](충청).

농:음[1]【弄音】명〖악〗국악에서, 연주자의 즉흥 연주음(演奏音).

농음[2]【濃陰】명 짙은 그늘. 짙은 녹음. 「하지 아니함을 이르는 말.

농음[3]【聾瘖】명 귀머거리와 벙어리. 전(轉)하여, 상하의 정리(情理)가 통

농음-화【濃音化】명〖언〗경음화(硬音化)❶.

농이[1] 명〈심마니〉시루.

농이[2] 명〈방〉①노끈(평안·황해). ②노[1](평북).

농이[3]【膿耳】명〖의〗귓구멍에서 고름이 나는 병. 「≪新語 Ⅷ:3≫.

-농이다 어미〈옛〉-나이다. ¶ 委細之儀ㄴ 對馬島主의 닐러 보내농이다

농-익다【濃—】[—닉—] 자 무르익다. 흠뻑 익다. 농란(濃爛)하다. ¶ 새빨간 뺨은 농익은 홍시 같다.

농인【農人】명 농민(農民).

농자[1]【農者】명 '농사'·'농업'의 뜻. 「해 나가는 근본이다'라는 말.
농자 천하지대본(農者天下之大本) 구 '농사는 온 세상 사람들이 생활

농자[2]【農資】명 ①↗농업 자본(農業資本). ②농사일에 드는 비용.

농자[3]【籠字】[—짜] 명 둘레의 윤곽만 베낀 글자.

농자[4]【聾者】명 귀머거리.

농-자색【濃紫色】명 진보라. 「(內農作). ——-하다 타여불

농작【農作】명 ①곡식이나 채소 같은 것을 재배하는 일. ②↗내농작

농작-물【農作物】명 논밭에 재배하는 곡물·채소 따위. 농경(農耕)에 의

농잠【農蠶】명 농사짓기와 누에치기. 농업과 잠업(蠶業). ㄴ한 생산물.

농:장[1]【弄杖】명〖역〗격구(擊毬)❶.

농:장[2]【弄璋】명〔장(璋)은 규옥(圭玉)의 뜻으로, 그 덕(德)을 본받는다는 말〕남자를 낳는 일. ↔농와(弄瓦).

농장[3]【農莊·農庄】명 ①농장(農場)을 관리하거나 농사짓는 편리를 위하여, 농장 근처에 모든 설비를 갖추어 놓은 집. *농막(農幕). ②〖역〗고려와 근세 조선의 귀족·종친·사원(寺院) 등이 많은 땅을 사유(私有)하고, 이 곳에 노비(奴婢)와 전호(佃戶)를 얽매어 두고 경작하던 토지의 일컬음. 서양(西洋)의 장원(莊園)과 비슷함. 농사(農舍). 별업(別業).

농장[4]【農場】명 ①농작물의 경작지. ②일정한 농지에 집·농구·가축 및 사람의 노동력 등을 갖추고 농업을 경영하는 곳.

농장[5]【濃粧】명 짙은 화장. ↔담장(淡粧). ——-하다 자여불

농장[6]【濃醬】명 오래 묵어서 진하게 된 간장. 진간장.

농장[7]【籠欌】[—짱] 명 ①'농(籠)❷'을 장(欌)으로서 일컫는 딴이름. ② ☞ 장롱.

농장 관:리【農場管理】[—괄—] 명 농장의 일을 맡아서 처리하는 일.

농-장수【籠—】[—짱—] 명 근담배를 농에 담아 메고 다니면서 파는 사

농장-주【農場主】명 농장을 경영하는 사람. ㄴ람.

농:장지-경【弄璋之慶】명 아들을 낳은 즐거움. 농장지희. ↔농와지경(弄瓦之慶).

농:장지-희【弄璋之喜】[—히] 명 농장지경. ↔농와지희(弄瓦之喜).

농:장-희【弄杖戱】[—히] 명〖역〗격구(擊毬)❶.

농재기 명〈방〉노[1](황해·평남).

농-쟁기 명〈방〉쟁기(강원).

농-적색【濃赤色】명 농홍색.

농전【膿栓】명〖의〗혈관(血管)에 고름이 괴는 일.

농절【農節】명 농사철.

농점【農占】명 정초(正初)에 그 해 농사의 풍흉(豐凶)을 미리 알아보려고 치는 점(占).

농정[1]【農丁】명 농사짓는 남자.

농정[2]【農政】명 농업에 관한 행정 또는 정무(政務). *농업 행정.

농정 전서【農政全書】명〖책〗중국 명(明)나라 서광계(徐光啓)가 쓴 농서(農書). 고래(古來)의 농학설(農學說)을 총괄하여 자설(自說)을 논술하고, 그 위에 서양의 새로운 지식을 더하여 농학을 집대성(集大成)한 책. 연암(燕巖) 박지원(朴趾源)의 ≪과농 소초(課農小抄)≫에 이 책이 많이 인용됨. 60권.

농정 촬요【農政撮要】명〖책〗정병하(鄭秉夏)가 지은 우리 나라 개화기(開化期)의 농사에 대한 연구서. 조선 고종(高宗) 23년(1886)에 출판. 국한문(國漢文)으로 씌어졌으며, 상·중·하 3권으로 크게 나뉨.

농정-학【農政學】명 농업에 관한 국가 정책 및 사회적 보호 또는 법령(法令)·시설 등을 연구하는 학문.

농정 협의회【農政協議會】[—/—이—] 명 농림부 장관을 위원장으로 하고, 행정부·언론계·군수·면장 대표와 농민 대표로 구성하는 농림수산부의 자문 기구. 농업 시책을 분석·평가하고, 영농 문제에 관한 의견을 제시함.

농:제[1]【弄題】명 우스운 말을 섞은 제사(題辭). 「고 지내는 제사.

농제[2]【農祭】명 ①농군들이 지내는 제사. ②농사가 잘 되게 하여 달라

농:조[1]【弄調】[—쪼] 명 희롱하는 말투. 놀림조.

농조[2]【籠鳥】명 ①새장에 가두어 기르는 새. 사조(飼鳥). ②↗농중조(籠

농조[3]【籠彫】명〖미술〗속을 비게 만든 조각(彫刻). ㄴ中鳥).

농조 연:운【籠鳥戀雲】명 속박을 받는 몸이 자유를 희구하는 마음.

농종-법【壟種法】[—뻡] 명〖농〗이랑을 만들고 그 이랑 위에 골뿌림하거나 점뿌림하는 파종법(播種法). 견종법(畎種法).

농:주[1]【弄珠】명 7～9개의 나무공을 하나씩 공중으로 던져 올려, 받기를 되풀이하는 공놀이. 백제·고려·조선 시대에 잡희(雜戱)의 하나로 행하여졌음. 농환(弄丸).

농주[2]【農酒】명 농사일할 때에 먹는 술. *농탁(農濁).

농주[3]【隴州】명〖지〗'룽저우'를 우리 음으로 읽은 이름.

농중-조【籠中鳥】명 ①장 속의 새. ②속박을 받아 자유가 없는 몸. 준농

농즙[1]【濃汁】명 걸쭉한 즙. ㄴ조(籠鳥).

농즙[2]【膿汁】명 고름[1].

농지【農地】명 ①농사를 짓는 데 쓰이는 땅. ②〖법〗전답(田畓)·과수원·잡종지(雜種地) 및 법적 지목(地目) 여하를 불구하고 실제로 경작에 쓰이는 토지. 경작지(耕作地). *농토(農土).

농지 개:량계【農地改良契】명 농지 개량 조합 구역 외에 있는 농지 개량 시설의 유지·관리를 위하여, 농지 개량 시설의 몽리자(蒙利者)가 조직한 계.

농지 개:량 사:업【農地改良事業】명 농업 용지 및 농업 시설의 개량·개발·보전·확장·집단화 등에 관한 사업. 관개·배수 시설의 신설·관리, 구획 정리, 매립·간척·개간 등에 의한 농업 용지의 조성, 농로(農路)의 개설 등의 사업은 모두 이에 속함.

농지 개:량 조합【農地改良組合】명 농지 개량 시설을 효과적으로 유지·관리하고 구획 정리 사업 또는 농사 개량 사업 등을 수행함으로써 조합원의 농업 생산력의 증대에 기여하도록 농촌 근대화 촉진법에 의거 설립된 조합.

농지 개:혁【農地改革】명〖사〗농촌의 민주화와 농업 경영의 합리화를 촉진하기 위하여 토지 소유권을 부재 지주(不在地主)로부터 경작자에게 이양하여, 소작인의 보호에 중점을 두는 개혁.

농지 개:혁법【農地改革法】명〖법〗농지를 농민에게 적절히 분배하여 농가 경제의 자립, 농업 생산의 증진, 국민 경제의 균형과 발전을 기(期)함을 목적으로 하는 법률. 1949년 제정.

농:-지거리【弄—】[—찌—] 명〔↗기롱(譏弄)지거리〕점잖지 아니하게 마구 하는 농담. ——-하다 자여불

농지 담보 금융【農地擔保金融】[—늉/—] 명 농지를 담보로 하는 농사 자금의 융자.

농지 보:전【農地保全】명 홍수·토양 침식(土壤浸蝕)·사태 등의 각종 위험과 위협에 대하여 농지를 보호하고, 토지의 생산력이 감퇴함을 방지하는 일.

농지 분배【農地分配】명〖법〗농지 개혁법에 따라 정부가 취득한 농지와 그 밖의 국유 농지를 직접 경작할 농가에게 나누어 주는 일.

농지-세【農地稅】[—쎄] 명〖법〗지방세의 하나. 논과 밭을 과세 대상으로 하고 그 소유자에게 부과함. 논은 갑류 농지세, 특수 작물을 생산하는 밭은 을류 농지세로 구분함. 「과하는 주민세.

농지세-할【農地稅割】[—쎄—] 명 농지세액을 과세 표준으로 하여 부

농지 전:용【農地轉用】명 농지를 택지(宅地)·공장 용지(用地) 등으로 전용하는 일. 농업 생산 유지를 위해 법의 통제를 받음.

농지 정:리【農地整理】[—니] 명 경지 정리(耕地整理).

농진【農振】명 '농촌 진흥'의 준말. ¶ ～청(廳).

농:-질【弄—】명 농을 하는 짓. ¶ …어전에서 싸움질 ～을 하기조차 기탄치 않았다≪金東仁:首陽大君≫.

농-질산【濃窒酸】[—싼] 명 농도가 높은 질산.

농-짝【籠—】명 농의 한 짝.

농차【濃茶】명 진한 차.

농찬【農饌】명 농사철에 일꾼들에게 먹이기 위하여 만든 반찬.

농창【膿瘡】명〖의〗심농가진(深膿痂疹).

농채【濃彩】명 극히 짙은 색채. 또, 그러한 채색법. ↔담채(淡彩).

농채기 명〈방〉노끈(평안).

농채-화【濃彩畫】명〖미술〗진채화(眞彩畫).

농처【農處】명 ①농토(農土). ②농사짓는 곳.

농-철【農—】명 ↗농사철.

농초【農草】명 ①농부가 자기 집에서 쓰려고 심은 담배. ②농사에 쓰는 담배. 농사 때 일꾼들에게 주기 위한 담배.

농촌【農村】명 주민의 대부분이 농업을 생업(生業)으로 삼는 지역이나 마을. 농가(農家)가 모여 있는 마을. ↔도시(都市).

농촌 계:몽【農村啓蒙】명〖사〗농촌의 교양(敎養)·생활 개선·보건 위생·생산 향상 또는 국가 정책 등의 교화 보급을 위한 계몽.

농촌 계:획【農村計劃】명 일정한 농촌 사회에 있어서의 생산이나 생활의 향상을 도모할 목적으로, 공공 시설이나 주택 등의 성격·규모·배치 등을 종합적으로 계획 건설하는 일. 「공업.

농촌 공업【農村工業】명 농촌에 도입된 농산물의 가공 공업이나 일반

농촌 교:육【農村敎育】명〔rural education〕①농촌의 지역적 특수성을 배경(背景)으로 하여 그 곳에서 행하여지는 여러 가지 교육. ②농촌

의 산업·생활 개선, 기술 지도의 보급·계몽 등을 위한 성인(成人) 교육.

농촌 근:대화 촉진법【農村近代化促進法】[—뻡] 명〖법〗농지의 개량·개발·보전(保全) 및 집단화와 농업의 기계화에 의해 농업 생산력을 증진시키고, 농가 주택을 개량함으로써 농촌 근대화를 촉진시킬 목적으로 제정된 법률.

농촌 노동자【農村勞動者】명 농촌에 생활 근거를 두고, 약간의 경작지를 갖고 있지만, 수입(收入)의 태반을 임금 노동에 의존하고 있는 사람.

농촌 문:제【農村問題】명〖사〗농촌의 생활 상태나 생활 조건 및 그 개선(改善)·계몽에 관한 사회 문제. 「을 묘사한 문학. ↔도회 문학.

농촌 문학【農村文學】명〖문〗농촌 생활에서 취재하여, 농촌의 생활상

농촌 사:회학【農村社會學】명〔rural sociology〕사회학의 특수 부문(部門)의 하나. 근대 사회에 있어서의 농촌의 지위 및 그 체제(體制)의 변질에 따른 사회 문제의 연구에서 출발하여, 객관적으로 농촌의 체제·생태에 관한 형태학적(形態學的) 연구에까지 그 기초적 사실의 구명을 목적으로 함. 촌락(村落) 사회학. ↔도시(都市) 사회학.

농촌 전:화【農村電化】명 농촌에 전기를 끌어서, 일상 생활에서 열원(熱源)이나 동력원으로 전력을 이용하는 일. *농업 전화(農業電化).

농촌 진:흥【農村振興】명 농촌의 생산력과 생활 상태를 향상시키는 일.

농촌 진:흥법【農村振興法】[—뻡] 명〖법〗농촌의 진흥 개발을 위하여 필요한 시험 연구·계몽 지도·기술 보급 및 이에 수반되는 지도자의 양성 훈련 등을 규정한 법률.

농촌 진:흥청【農村振興廳】명 농림 수산부 장관 소속하의 중앙 행정 기관. 농촌 진흥을 위한 시험·연구 및 농민의 지도와 농촌 지도자의 훈련에 관한 업무를 관장함.

농촌 진:흥청장【農村振興廳長】명 농촌 진흥청의 장(長).

농촌형 공업【農村型工業】명 원료·노동력 등의 입지 조건(立地條件)이 농촌에 적합한 공업. 식품 공업 따위. ↔도시형 공업(都市型工業).

농축【濃縮】명 즙액(汁液) 등이 진하게 엉기어 바짝 졸아듦. 또, 졸아들게 하여 농도(濃度)를 높임. ——-하다 자타여불

농축-기【濃縮機】명 농축하는 기계.

농축 세:제【濃縮洗劑】명〔concentrated detergent〕〖화〗종래의 섬유용 세제보다 표면 활성제의 농축도(濃縮度)가 높은 세제. 물 30*l*에 표준 사용량 25g으로 다른 세제 40g을 사용한 것과 같은 세제 효과를 얻음.

농축 시:험【濃縮試驗】명〖의〗신장(腎臟) 기능 검사법의 한 가지. 신장의 농축력을 시험하기 위하여 수분(水分)을 제한한 음식물을 주어, 배뇨(排尿) 상태를 조사하는 방법. 마른 음식을 먹인 후, 두 시간마다 오줌을 받는데, 정상인의 양은 회를 거듭함에 따라 점점 감소하고 비중은 증가하지만, 신장염(腎臟炎) 환자의 것은 양·빛 등이 모두 일정하고 비중은 낮아짐. 갈(渴)시험.

농축 우라늄【濃縮—】명〔enriched uranium〕〖화〗천연(天然) 우라늄에 대하여 우라늄 235의 함유율(含有率)을 인위적으로 높인 우라늄. 열확산법(熱擴散法) 등으로 분리·정련(精鍊)하여 만든 고농축 우라늄 235를 천연 우라늄에 가하거나, 처음부터 필요한 농도까지 농축하여 만듦. 이 우라늄 235를 백분율(百分率)로 나타내어 몇 % 농축 우라늄이라고 하며, 또 몇 % EU라고 약기(略記)함. 원자로의 연료로 매우 중요함. ↔천연 우라늄·열하(劣下) 우라늄.

농:춘-가【弄春歌】명〖문〗영남(嶺南) 지방에 유행하던 규방(閨房) 가사의 하나. 부녀자들이 봄 경치를 즐기며 불렀음. 작자·제작 연대 미상.

농치 명〈방〉노¹(황해).

농치다 자 좋은 말로 풀어서 마음이 노그라지게 하다. 언짢았던 마음을 풀어서 노그라지게 하다. ¶'나는 누구라구, 헤헤' 농쳐 웃어 버린다《玄鎭健 : 無影塔》. <농치다.

농탁¹【農濁】명 농사일할 때 먹는 막걸리. *농주(農酒).

농탁²【濃濁】명 진하고 걸쭉함. ——-하다 형여불. ——-히 부

농:탕¹【弄蕩】명 남녀가 음탕(淫蕩)한 소리와 난잡(亂雜)한 행동으로 마구 놀아대는 짓.

농:탕(을) 치다 구 남녀가 음탕한 소리와 난잡한 행동으로 마구 놀아

농탕²【濃湯】명 흐무러지게 흠씬 끓인 국물. ㄴ먹다.

농-터【農—】명 농토(農土).

농토【農土】명 농사짓는 땅. 농터. 농처(農處). 농지(農地).

농토-한【農土干】명 농민.

농-투성이【農—】명 '농부'를 낮추어 일컫는 말. 「되다.

농:-트다【弄—】자 사이가 스스럼없이 되어, 서로 농을 하는 사이가

농파레유〔프 nonpareil〕명〖인쇄〗6포인트 활자.

농:-판【弄—】명 농이 벌어진 자리. ¶토론회가 아니라 ~이군.

농:편【弄編】명〖악〗노래·곡조의 농과 편.

농포¹【農布】명 농가에서 쓸 옷감으로 짠 베.

농포²【農圃】명 농작물을 재배하는 밭.

농포³【膿疱】명〖의〗수포(水疱)가 화농하여 고름으로 차 있는 것.

농포-진【膿疱疹】명〖의〗급성 피부병의 하나. 화농균의 침입으로 농포가 산발(散發)하고 딱지가 앉는 부스럼.

농-피귀라티프〔프 non-figuratif〕명〖미술〗일반적으로 피귀라티프, 곧 구상(具象)의 상대 개념으로 추상(抽象)과 거의 같은 뜻이지만, 특히 순수 추상(純粹抽象)에 대하여 유기적(有機的)인 생명감과 자연의 정감(情感)을 지닌 추상 형식을 말함. 1932년 파리에서 결성된 '추상 창조' 그룹의 주장이었는데, 제2차 대전 후에는 프랑스와 미국의 모던 아트 운동으로 다시 일어났음. 비구상(非具象).

농:필【弄筆】명 ①참말과 거짓말을 섞어서 희롱조로 지은 글. ②멋을 부리고 흥청거려서 쓴 글씨. ③사실을 왜곡(歪曲)하여 씀. ——-하다 자타여불 「하다.

농:-하다¹【弄—】자여불 ①실없는 장난을 하다. ②실없는 웃음의 말을

농-하다²【濃—】형여불 짙다. 진하다. ↔담(淡)하다.

농학【農學】명 농업상의 생산 기술과 경제와의 원리 및 응용을 연구하는 학문. 경종학(耕種學)·축산학(畜産學)·농예 화학(農藝化學)·농업 경제학 등으로 구분함.

농학-과【農學科】명〖교〗대학의 한 학과. 농학에 관한 전문적인 학술 및 기예(技藝)와 그 응용을 가르침. 농과(農科).

농학 박사【農學博士】명 농학의 박사 학위. 또, 그 학위를 받은 사람.

농-학사【農學士】명 농학의 학사 학위. 또, 그 학위를 받은 사람.

농-학자【農學者】명 농학을 연구하는 학자. 농학에 정통한 사람.

농:한¹【弄翰】명 붓을 들어 서화(書畫)를 그리거나 쓰는 일. 또, 그 서화. ——-하다 자여불 「(農隙). ↔농번(農繁).

농한²【農閑·農閒】명 농사일이 바쁘지 아니한 겨를. 농사의 여가. 농극

농한-기【農閑期】명 농사일이 바쁘지 아니한 겨울·이른봄 등의 한가로운 때. ↔농번기(農繁期).

농:한 희어【弄翰戲語】[—히—] 명 낙서와 농담.

농해【籠蟹】명〖동〗농게.

농:해철도【隴海鐵道】[—또] 명〖지〗룽하이 철도.

농향【濃香】명 짙은 향기.

농:현【弄絃】명〖악〗거문고·가야금·해금(奚琴) 등의 현악기에서, 왼손으로 줄을 짚고서 본래의 음(音) 이외의 여러 가지 음을 내는 기법(技法). ——-하다 자타여불

농혈【膿血】명〖의〗고름이 섞인 피. 피고름.

농혈-리【膿血痢】명〖의〗적리(赤痢) 또는 대장 카타르(大腸 Katarrh)에 걸려서 피고름이 섞인 똥을 누는 병.

농혈-증【膿血症】[—쯩] 명〖의〗농독증(膿毒症). 「協辦).

농협【農協】명 ①↗농업 협동 조합. ②〖역〗↗농상공부 협판(農商工部

농형【農形】명 농사의 잘되고 못된 형편. 연사(年事). 연형(年形). 농황 ㄴ(農況).

농호【農戶】명 농업을 영위하는 집.

농혼【聾昏】명 귀머거리.

농홍【濃紅】명 짙게 붉은 빛. 진홍. ——-하다 형여불

농홍-색【濃紅色】명 짙은 홍색. 농적색(濃赤色).

농-홍은광【濃紅銀鑛】명〖광〗은(銀)의 중요한 광석 광물. 삼방 정계(三方晶系)에 속하는데 심홍색(深紅色)이고, 능면체(菱面體)의 결정(結晶)으로 또는 불규칙한 상태로 산출됨.

농:화¹【弄火】명 불장난. ——-하다 자여불 「여불

농:화²【弄花】명 ①꽃을 보고 즐김. ②화초를 가꾸는 일. ——-하다 자

농화³【濃化】명 짙어짐. 짙게 함. 현저하여짐. ——-하다 자타여불

농화⁴【濃和】명 일이 이루어질 지경에 이름. 일이 무르녹게 되어감. ——-하다 자여불

농화-유【濃化油】명〖화〗건성유(乾性油)와 불건성유(不乾性油)를 거의 진공 상태에서 가열 가공한, 짙고 뻑뻑한 기름.

농-화학【農化學】명〖화〗토양(土壤)·비료·농약 등 농업 분야의 화학적인 현상에 관하여 연구하는 응용 화학의 한 분야.

농:환【弄丸】명 농주(弄珠).

농활【農活】명 대학생 등의, '농촌 봉사 활동'의 준말.

농활로【農活老】명〖사람〗'롱펠로'의 개화기(開化期) 때의 한자 표기.

농황【農況】명 농작물이 되어 가는 상황. 농형(農形).

농회【農會】명 '농업 협동 조합(農業協同組合)'의 전신(前身).

농-회색【濃灰色】명 짙은 잿빛.

농후【濃厚】명 ①빛깔이 매우 짙음. ②액체가 묽지 아니하고 진함. ③가능성이 다분히 있음. ¶패색이 ~하다. ④어떤 사상 따위에 물든 정도가 대단함. ¶관료주의 사상이 ~하다. ——-하다 형여불

농후 감:염【濃厚感染】명〖의〗대량(大量)의 병원체에 의해 감염됨.

농후 사료【濃厚飼料】명 섬유나 수분 함량이 적고, 단백질·지방·탄수화물 등이 풍부한 먹이. 식물성으로는 쌀겨·보리·귀리·옥수수 등이 있고, 동물성으로는 어분(魚粉)·어박류(魚粕類) 등이 있음. ↔조사료(粗飼料). *배합(配合) 사료. 「름이 든 병. 내종(內腫).

농흉【膿胸】명〖의〗화농균(化膿菌)의 전염으로 늑막강(肋膜腔) 안에 고

농소 명〈옛〉농막(農幕). ¶농솟 셔(墅)《字會 中 8》.

높-낮이 명 ①높고 낮음. 고저(高低). ¶~가 완만한 길. ②한자음(漢字音)의 높음과 낮음. 곧, 상성(上聲)·거성(去聲)·입성(入聲)은 높고, 평성(平聲)은 낮음. 자고저(字高低). 평측(平仄).

높다 형 ①위로 향하여 길게 솟아 있다. 위로 멀다. ¶산이 ~/지붕이 ~. ②존귀하다. 남이 우러러 공경할 만한 지위나 신분에 놓여 있다. 다른 사람보다 윗자리에 있다. ¶지위가 ~/계급이 ~. ③뛰어나다. 훌륭하다. 단수·수완·재주가 탁월하다. ¶견식(見識)이 ~/단수가 ~. ④널리 세상에 알려져 있다. ¶명성(名聲)이 ~. ⑤값이 비싸다. ¶물가가 ~. ⑥소리의 진동수(振動數)가 많다. ¶높은 소리. ⑦온도·체온(體溫)·비율·연령 등이 많아서, 도수(度數)나 정도를 나타내는 숫자가 크다. ¶열이 ~/합격률이 ~. ⑧기세가 힘차다. ¶파도가 ~. 1)-7):↔낮다. 【높은 가지가 부러지기 쉽다】높은 지위(地位)일수록 그 자리를 보존하기가 어렵다는 말.

높-다랗다 [—라타] 형ㅎ불 썩 높다. 생각보다 훨씬 높다.

높-다래지다 자 높다랗게 되다.

높-드랗다 형〈방〉높다랗다. 「*천둥지기.

높-드리 명 ①골짜기의 높은 부분. ②높아서 메마르고 물기가 적은 논밭.

높디-높다 형 더할 수 없을 정도로 높다. ¶높디높은 산.

높-뛰다 자 높이 뛰다.

높새 명 '북동풍'의 뱃사람 말. 녹새풍(綠塞風). *된새.

높새 바람 명 '높새'를 바람으로서 분명히 일컫는 말.

높-쌘구름 명〖기상〗고적운(高積雲).

높아-지다 [자] 높게 되다.
높으락-낮으락 [부] 높낮이가 고르지 아니한 모양. ——-하다 [형](여불)
높은-기둥 [명] ①대청의 한가운데에 선 기둥. ②다른 기둥보다 특별히 높은 기둥. 고주(高柱).
높은-밥 [명] ☞ 고봉밥.
높은산-노랑나비 【—山—】 [명] 〖충〗 [*Colias palaeno*] 흰나빗과에 속하는 곤충. 노랑나비와 비슷한데 편 날개의 길이가 50mm 내외이고, 몸빛은 수컷이 황색, 암컷은 창백색임. 유충은 들쭉나무의 해충임. 고산 지대에 서식하는데, 한국 북부·만주·아무르·시베리아 등지에 분포함.

〈높은산노랑나비〉

높은산-지옥나비 【—山地獄—】 [명] 〖충〗 [*Erebia ligea*] 뱀눈나빗과에 속하는 곤충. 편 날개의 길이 55mm 내외이고 날개는 암갈색에 광택이 나며 외연(外緣) 부근에 등색의 넓은 띠가 있고 그 속에 각각 서너 개의 흑색 원문(圓紋)이 있으며, 뒷면의 각 흑색 무늬 속에는 백색 점이 있음. 한국·일본·만주·아무르·중국·몽골·시베리아 등지에 분포함.

〈높은산지옥나비〉

높은음자리-표 【—音—標】 [명] 〖악〗 5선의 제2선이 '사'음(音)이 됨을 나타내는 기호. 고음부 기호. 사음(音)자리표.

사

〈높은음자리표〉

높은-주춧돌 [명] 다락집이나 정자(亭子) 등에서 높이 세운 주춧돌. 곧, 보통 주춧돌보다 길게 하여 높이 받친 주춧돌.
높은-체 [명] 자기의 지위가 높은 듯이 꾸밈. 또, 그 행동. ——-하다 [자](여불)
높을고-부 【—高部】 [—꼬—] [명] 한자 부수(部首)의 하나. '鶮'·'亶' 등의 '高'의 이름.
높이[1] [명] ①높은 정도. ②〖수〗 삼각형의 꼭지점에서 그 대변(對邊)에 그은 수선(垂線)의 길이. 평행 사변형의 위아래 변 사이의 거리. 기둥면의 위아래 면 사이의 거리. 뿔면의 꼭지점과 밑면과의 거리. 고(高).
높이[2] [부] 높게. ¶ ~ 솟아 있다/~ 받들다/~ 오르다.
높이 사다 [구] 높이 평가하다.
높이다 [타] ①힘을 들여서, 정도·높이 따위를 올리다. ¶ 담을 ~/품질을 ~/언성을 ~. ②존경하는 마음으로 받들다. 존대하다. ¶ 말을 ~.
높이-뛰기 [명] 공중으로 높이 뛰는 것을 겨루는 육상 경기의 하나. 주고도(走高跳). ↔ 멀리 뛰기.
높임 [명] ①높게 함. ②〖언〗 존칭(尊稱). 1)·2): ↔낮춤.
높임-말 [명] 높이어 일컫는 말. 경어(敬語). 공대말. ↔낮춤말.
높임-법 【—法】 [—뻡] [명] 〖언〗 남을 높여서 말하는 법. 문장의 주체를 높이는 주체 높임법과 말을 듣는 상대방을 높이는 상대 높임법으로 나뉨. 존대법(尊待法).
높지거니 [부] 매우 높직하게. ¶ ~ 매달다.
높직-높직 [부] 여럿이 다 높직하게. ↔나직나직.
높직높직-이 [부] 높직높직하게. ↔나직나직이.
높직-이 [부] 높직하게. ↔나직이.
높직-하다 [형](여불) 높은 듯하다. 꽤 높다. ¶ 높직한 언덕. ↔나직하다.
높층-구름 【—層—】 [명] 〖기상〗 고층운(高層雲).
높-푸르다 [형](러불) 높고 푸르다. ¶ 높푸른 가을 하늘.
높-하늬 [—니] [명] '서북풍(西北風)'의 뱃사람 말.
놓는-꼴 [명] 〖언〗 끝바꿈의 하나. 뒤에 말할 사실에 꼭 매는 힘이 미치지 아니함을 나타내는 법. 또, 그 꼴. '-어도'·'-더라도' 따위. 방임형.
놓다[1] [노타] [타] ①잡은 것을 도로 잡지 아니한 상태로 되게 하다. ¶ 붓을 ~. ②일정한 자리에 두다. ¶ 제자리에 놓아라. ③켕긴 상태나 간섭 관계를 풀어 제대로 내버려 두다. ¶ 잡은 물고기는 놓아 주어라/이젠 마음을 놓겠다. ④총알이나 불꽃 같은 것을 밖으로 나가게 하다. 발사하다. ¶ 남포를 놓아 바위를 깨다/총을 ~. ⑤불을 지르다. ¶ 불을 ~. ⑥주사나 침 같은 것을 몸의 적당한 자리에 찌르다. ¶ 주사를 ~/침(鍼)을 ~. ⑦양편에 연락하는 사람이나 물건 따위를 중간에 두다. ¶ 거간을 놓아야 일이 빠르겠다/사람을 놓아 수소문하다/다리를 ~. ⑧시설하다. 가설하다. ¶ 징검다리를 ~/전화를 ~/방을 ~. ⑨개·닭 같은 것을 집안에서 기르다. ¶ 개를 놓고도 도둑을 맞다니. ⑩참외·수박 등을 심어 가꾸다. 원두(園頭)의 씨를 심다. ¶ 참외를 ~. ⑪덫을, 짐승이 잡히게 하여 두다. ¶ 멧돼지 덫을 ~. ⑫실로 수(繡)를 만들거나, 무늬가 있게 하다. ¶ 꽃수를 ~. ⑬수판이나 산가지로 셈을 하다. ¶ 주판을 ~. ⑭사려는 값으로 말을 내다. ¶ 값을 놓아 보라. ⑮점(占) 같은 것을 칠 때 돈을 태우다. ¶ 천원 놓고 관상을 보다. ⑯집·돈·물건 등을 세(貰)나 이자(利子)를 붙이어 남에게 빌려 주다. ¶ 온채 전세를 ~/누운변으로 돈을 ~. ⑰하던 일을 그치다. ¶ 일손을 ~/교편을 ~/총칼을 놓고 항복하다. ⑱있는 힘을 다하다. ¶ 속력을 ~/목을 놓아 울다. ⑲말을 낮추어 하거나 거절하다. ¶ 말씀 놓으시지요/퇴짜 ~. ⑳일정한 대상에게 어떤 짓을 해대다. ¶ 훼방을 ~/엄포를 ~. ㉑접바둑에서, 하수(下手)가 미리 몇 점을 두다. ¶ 석 점을 놓고 두다. ㉒연날리는 사람을 위하여 연을 가지고 얼마쯤 가서 연의 끝을 붙들고 서서 올리기를 기다리다. ㉓문제의 대상으로 삼다. ¶ 그 문제를 놓고 갑론 을박이 벌어졌다.
놓다[2] [노타] [보동] 용언의 어미 '-아'·'-어'나 체언(體言) 뒤의 조사 '라'·'이라'의 다음에 붙어, 이미 된 형상(形狀)이 그대로 있음을 뜻하는 말. ¶ 논을 갈아 놓고 비 오기를 기다린다/너무 먹어 놓아서 일어서기가 거북하다/풍이 센 사람이라 놓아서 믿기 어렵다.
놓-뜨리다 [타] 〈방〉 놓치다.
놓아-가다 [노—] [자] ①배가 빨리 가다. ¶ 바람을 만나 놓아가면 한 시간에 닿는다. ②말이 빨리 달리다.
놓아-기르다 [노—] [타](르불) 놓아 먹이다.
놓아-두다 [노—] [타] ①들었던 것을 내려 바닥에 두다. 일정한 자리에 머무르게 하다. ¶ 그대로 ~. ②제 마음대로 하게 내버려 두다. ¶ 참견할 것 없이 놓아 두어라.
놓아-먹다 [노—] [자] 보살피는 사람 없이 제 멋대로 자라다.
놓아-먹이다 [노—] [타] 보살피거나 거두지 아니하고 제멋대로 자라게 하다. 놓아 기르다.
놓아 먹인 말 [구] 놓아 먹여 기른 말과 같이 뱀뱀이가 없는 사람이나 또는 길들이기 어려운 사람을 일컫는 말.
놓아-주다 [노—] [타] ①잡히거나 얽매이거나 또는 갇힌 것을 풀어 자유롭게 하여 주다. ¶ 잡은 새를 ~. ②용서하여 주다.
놓이다 [노—] [一] [피동] 놓음을 당하다. (준)뇌다. [二] [자] ①얹히어 있다. ¶ 책상 위에 놓인 꽃병. ②안심이 되다. ¶ 마음이 ~. (준)뇌다.
놓치다 [타] 잡거나 얻거나 또는 닥쳐온 것을 도로 잃어버리다. ¶ 미행하던 범인을 ~/토끼를 잡았다가 ~/기회를 ~.
【놓친 고기가 더 크다】 사람은 흔히 잃어버린 것을 애석하게 여기고, 현재 가지고 있는 것보다 먼젓것이 더 좋았다고 생각한다는 말.
놔 [준] 놓아. ¶ ~둬/놨다.
뇌[1] [명] 〖지〗 땅 속에 푸석돌로 된 층.
뇌[2] [명] 〈방〉 노(櫓)(경남).
뇌[3] 【誄】 [명] 〖문〗 한문학에서, 문체의 명칭. 죽은이의 살았을 적 덕행을 적어 놓은 글. 옛날에는 이 뇌로써 시호(諡號)를 짓는 근거로 삼았음.
뇌[4] 【腦】 [명] ①〖생〗 다세포(多細胞) 동물의 머리 속에 있는 중추 신경계(中樞神經系)의 주요부(主要部). 척추(脊椎) 동물에서는 척추의 위 끝에 이어져, 뇌막(腦膜)에 싸여 있음. 약간 불그레한 회백색(灰白色)으로 대뇌·소뇌·연수(延髓)로 구분되는데, 특히 대뇌는 온 뇌의 8분의 7이나 되며 사람의 의식 활동의 중심이 됨. 뇌의 평균 무게는 1,300g 가량임. 골. ②↗두뇌(頭腦). ¶ ~가 나쁘다.

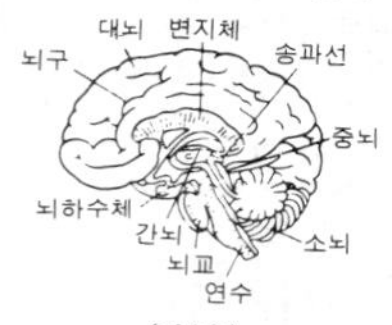

〈뇌[4]❶〉

뇌[5] 【雷】 [명] 성(姓)의 하나. 현재 우리 나라에는 본관이 교동(喬洞) 하나뿐임.
뇌[6] 【賴】 [명] 성(姓)의 하나. 본관은 미상(未詳).
-뇌 [어미] 〈옛〉 -네. -노라. ¶ 祥瑞도 하시며 光明도 하시나 ᄀᆞᆺ업스실씨 오ᄂᆞᆯ 몯 ᄉᆞᆲ뇌 《月釋 Ⅱ:45》.
뇌가[1] 【誄歌】 [명] 죽은 사람의 생전(生前)의 공덕(功德)을 찬양하는 노래.
뇌가[2] 【磊砢】 [명] ①돌이 쌓인 모양. ②가지런하지 아니한 모양. ③성정(性情)이 비범(非凡)한 모양. ——-하다 [형](여불)
뇌각 【牢却】 [명] 아주 물리침. 굳이 물리침. ——-하다 [타](여불)
뇌간 【腦幹】 [명] 뇌수(腦髓) 가운데에서, 대뇌 반구(大腦半球)와 소뇌(小腦)를 제외한 부분. 간뇌·뇌수·연수 따위가 이에 속함.
뇌간성 최면제 【腦幹性催眠劑】 [—썽—] [명] 〖약〗 뇌수(腦髓)의 중뇌(中腦)와 간뇌(間腦)와의 중간부, 뇌간(腦幹)의 제3 뇌실의 벽(壁)의 시구하부(視丘下部)에 존재하는, 수면 조절 중추의 각성(覺醒) 중추를 마비시켜서 최면 중추를 흥분하게 하는 최면제. 체수면(體睡眠)이 나타나고 곧 이어 뇌수면(腦睡眠)이 나타남. ↔피질(皮質) 최면제.
뇌감 【腦疳】 [명] 〖의〗 영양이 좋지 못하거나 선병질(腺病質)인 어린애의 머리에 나는 헌데.
뇌개 【腦蓋】 [명] 〖생〗 ↗뇌개골.
뇌-개골 【腦蓋骨】 [명] 〖생〗 ↗뇌두개골.
뇌거[1] 【牢拒】 [명] 딱 잘라 거절함. 굳이 거절함. ——-하다 [타](여불)
뇌거[2] 【雷車】 [명] 천둥.
뇌건 【雷巾】 [명] 도사(道士)들이 쓰는 건(巾).
뇌격 【雷擊】 [명] 〖군〗 어뢰(魚雷)로 적함(敵艦)을 공격함. ——-하다 [타](여불)
뇌격-기 【雷擊機】 [명] 〖군〗 어뢰(魚雷)를 수면(水面)에 투하하여 적함(敵艦)을 공격하는 비행기.
뇌견 【牢堅】 [명] 뇌고(牢固). ——-하다 [형](여불)
뇌-경색 【腦硬塞】 [명] 〖의〗 뇌연화증(腦軟化症).
뇌고[1] 【牢固】 [명] 튼튼하고 굳음. 뇌견(牢堅). ¶ ~한 요새. ——-하다 [형](여불)
뇌고[2] 【惱苦】 [명] 심신이 몹시 괴로움. ——-하다 [형](여불)
뇌고[3] 【雷鼓】 [명] 〖악〗 아악기의 하나. 천제(天祭)에 쓰는 북. 여섯 면(面)으로 되고, 북통에 검은 칠을 하여, 틀에 매어 달았음. 헌가악(軒架樂)에 쓰이어, 주악할 때 진고(晉鼓)와 같이 침. *뇌도(雷鼗).

〈뇌고[3]〉

뇌고[4] 【擂鼓】 [명] 북을 쉴 사이 없이 자주 침. ——-하다 [자](여불)
뇌고 납함 【擂鼓吶喊】 [명] 북을 난타(亂打)하며 고함을 침. ——-하다 [자](여불)
뇌곤-하다 [형] 〈방〉 노곤하다(평안).
뇌공 【雷公】 [명] ①뇌신(雷神). 뇌사(雷師). ②'천둥'의 속칭.
뇌관 【雷管】 [명] 화약의 점화(點火), 폭발약의 기폭(起爆)에 쓰는 발화구(發火具). 구리·놋쇠·알루미늄으로 만든 접시나 통(筒) 속에 뇌홍(雷汞)을 주제(主劑)로 한 폭분(爆粉)을 넣어 만들며, 총포·공업용에 사용함.
뇌관 화:약 【雷管火藥】 [명] 〔percussion powder〕 가벼운 충격만으로도 폭발하도록 만들어진 화약.
뇌괴 【磊塊】 [명] ①첩첩이 쌓인 많은 돌. ②평평하지 아니함. ③마음 속이 편안하지 아니함의 비유. ④쌓이고 쌓인 불평.
뇌굉 【雷轟】 [명] ①천둥 소리가 남. ②낙뢰(落雷)함. 벼락침. ——-하다 [자](여불)
뇌교 【腦橋】 [명] 〖생〗 중뇌(中腦)와 연수(延髓) 사이의 뇌. 소뇌에 이어져 있고 많은 뇌신경의 핵이 있음. 또, 대뇌와 척추를 잇는 운동 신경과 지각(知覺) 신경도 이 속을 통하고 있음. *뇌[4].
뇌궁 【腦弓】 [명] 〖생〗 대뇌 반구(大腦半球)의 내측면(內側面)과 간뇌(間

腦)에 속하여 있는 백질(白質). 센 활 모양의 만곡을 이루고 있음. 이전에는 후각(嗅覺)과 관계 있는 것으로 생각하였으나, 근래에는 더 널리 정신 현상에 관계되는 것으로 간주, 주목되고 있음.

뇌금【雷金】명〖화〗염화금(塩化金)에 암모니아수(水)를 가하여 만든 폭발성 화합물. [$Au_2O_3 \cdot 4NH_3$]

뇌기【牢記】명 똑똑하게 기억함. ——하다 타여불

뇌-긴장형【腦緊張型】명〖심〗미국의 심리학자 셸던(Sheldon)의 용어. 신경이 날카롭고 내성적이며 고독을 좋아하는 기질. *내장(內臟) 긴장형·근육(筋肉) 긴장형.

뇌까리다 타 불쾌하게 생각되는 남의 말을 그대로 되받아서 자꾸 뇌다. 듣기 싫도록 자꾸 뇌어서 말하다. 「떵하다. 뇌:끌-스레 부

뇌:끌-스럽다 형ㅂ불 아니꼽고 간지럽다. 몹시 얄밉다. 아니꼽고 못마

뇌끼 명〈방〉노¹(황해).

뇌낀 명〈방〉노끈(평안).

뇌내【腦內】명 뇌의 안. ¶~ 출혈.

뇌-내압【腦內壓】명 뇌압(腦壓).

뇌-농양【腦膿瘍】명〖의〗외상(外傷)이나 그 밖의 이유로 뇌수(腦髓)가 화농(化膿)하여 생기는 병. 「여불

뇌뇌【磊磊】명 ①돌이 겹겹이 쌓인 모양. ②뇌락(磊落). ——하다 형

뇌뇌낙락-하다【磊磊落落―】[―낙낙―] 형여불 썩 뇌락하다. 몹시 태연 자약하다.

뇌누【耒耨】명 쟁기와 괭이. 전(轉)하여, 농구(農具).

뇌:다¹ 타 ①더 보드랍게 하려고 굵은 체에 친 가루를 가는 체에 다시 치다. ②잘 알아듣도록 하려고, 한 말을 여러 번 거듭하다. ¶같은 말을 되 「~.

뇌:다² 피동자 ↗놓이다.

-뇌다 어미〈옛〉-나이다. ¶오직 先師ㅣ날 爲ᄒᆞ샤 說破티 아니샤ᄆᆞᆯ 重히 너기뇌다 ᄒᆞ시니(只重先師不爲我說破)《龜鑑 下 13》.

뇌덕【賴德】명 '소덕(所德)'의 뜻으로, 흔히 글에 쓰는 말.

뇌도【雷鼗】명〖악〗아악기에 속하는 타악기의 하나. 북통을 검게 칠한 작은 북 셋을 십자형(十字形)으로 어긋매끼어 긴 자루에 꿴 북. 북통마다 가죽 끈 둘이 달리어, 자루를 가로 뉘어서 흔들면 북의 면(面)을 쳐서 소리를 냄. 천제(天祭) 때, 음악이 시작하기 전에 세 번 흔듦.

뇌동¹ 명〈방〉노동(勞動)(경상·평안). 「——하다 자여불

뇌동²【雷同】명 주견이 없이 남의 의견에 좇아 함께 어울림. ¶부화 ~.

뇌동³【雷動】명 천둥처럼 격동함. 진동(震動)함. ——하다 자여불

뇌동맥 경화【腦動脈硬化】명〖의〗전신(全身) 동맥 경화의 한 현상으로, 특히 뇌를 순환하는 동맥에서 볼 수 있는 경화(硬化). 건망증·현기증·두통·귀울림 등의 증상으로 시작되어, 심하면 치매(癡呆)가 되는 수도 있음. 또, 사지(四肢)의 근강강성(筋強剛性) 운동 장애가 나타나는 일이 많음.

뇌동맥-사【腦動脈寫】명〖의〗경동맥(頸動脈)이나 추골 동맥(椎骨動脈)으로 X선 조영제(造影劑)를 주입(注入)하여, 조영제가 뇌동맥을 순환하고 있는 동안에 X선 사진을 찍는 일. 뇌종양이나 뇌동맥 경화증 등 각종 뇌질환 진단에 이용됨. 뇌혈관 촬영(腦血管撮影).

뇌동 부:화【雷同附和】명 부화 뇌동. ——하다 자여불

뇌동 비:평【雷同批評】명 다른 사람이 말하는 대로 좇아서 하는 비평.

뇌동-산【雷洞山】명〖지〗함경 남도 장진군(長津郡)에 있는 산. [1,650 m]

뇌두 명〈방〉노두(蘆頭).

뇌-두개【腦頭蓋】명 ↗뇌두개골.

뇌-두개골【腦頭蓋骨】명〖생〗척추(脊椎) 동물의 두골격(頭骨格)의 한 부분. 뇌(腦)와 청기(聽器)를 싸고 있는 여덟 개의 뼈로서, 봉합(縫合)으로 결합되어 있음. 골통뼈. ㊀뇌개(腦蓋)·뇌개골(腦蓋骨)·뇌두개(腦頭蓋). *안면 두개골.

뇌-두통【雷頭痛】명〖한의〗눈병의 하나. 열독(熱毒)이 눈 속에 들어가서 홍채염(虹彩炎)이 나고, 눈동자의 구멍이 커졌다 작아졌다 하며 두통이 심하고 잘 보지 못함.

뇌-두풍【雷頭風】명〖한의〗대두온(大頭瘟).

뇌락¹【牢落】명 ①마음이 넓고 비범함. ②적적함. 심심함. ③불행함. 불우함. 영락(零落)함. ④드문드문함. ——하다 형여불

뇌락²【磊落】명 마음이 활달하여 작은 일에 구애하지 아니함. 뇌뇌(磊磊). ¶호방 ~한 사람. ——하다 형여불 「자여불

뇌락 육리【牢落陸離】[―니] 명 짐승이 떼지어 달리는 모양. ——하다

뇌락 장:렬【磊落壯烈】[―널] 명 기상이 쾌활하고 도량이 넓으며 지기(志氣)가 씩씩함. ——하다 형여불 「——하다 자타여불

뇌란【惱亂】명 고뇌로 마음이 어지러움. 또, 남의 마음을 어지럽게 함.

뇌:랗다 [―라타] 형ㅎ불 생기가 없이 노랗다. ¶얼굴이 ~. <뉘렇다.

뇌래-지다 자 뇌랗게 되다. <뉘레지다.

뇌량【腦梁】명〖생〗좌우의 대뇌 반구(大腦半球) 사이를 연결하고 있는 신경 섬유의 큰 집단. 사람의 뇌에서 특히 잘 발달하여, 두꺼운 백질판(白質板)을 이루고 있음. 구칭:변지체(胼胝體).

뇌려 풍비【雷厲風飛】명 일하는 것이 벼락같이 빠름. ——하다 형여불

뇌력¹【腦力】명 정신을 써서 생각하는 힘.

뇌력²【賴力】명 남의 힘을 입음. ——하다 자여불

뇌록【磊綠】명 회록색(灰綠色)의 도료(塗料).

뇌롱【牢籠】명 농락(籠絡). ——하다 타여불

뇌룡【雷龍】명〖동〗브론토사우루스. 「아니하다.

뇌리¹ 명〈방〉〖동〗노루(경상).

뇌리²【腦裡】명 머리 속. 뇌중(腦中). ¶~에 박혀 있다/~에서 사라지지

뇌리기 명〈방〉〖동〗노래기(평안·함경).

뇌린-내 명〈방〉노린내.

뇌막【腦膜】명〖생〗두개골 안에 뇌를 싸고 있는 얇은 껍질. 골막.

뇌막-염【腦膜炎】[―념] 명〖의〗수막 구균성 수막염(髓膜球菌性髓膜炎).

뇌막 출혈【腦膜出血】명〖의〗뇌막의 혈관이 파열하여, 뇌막 수강(髓腔) 안에 출혈하는 병. 갑자기 두통·구토·현기증을 일으키어 의식을 잃고 졸도함. *뇌일혈.

뇌-매독【腦梅毒】명〖의〗뇌수(腦髓)에 매독균이 침해하여 생기는 질환. 정신 장애·반신 불수 등이 생기는 수가 많음.

뇌명¹【雷名】명 ↗뇌성 대명(雷聲大名).

뇌명²【雷鳴】명 ①천둥 소리가 남. 또, 그 소리. ②굉장한 소리의 비유.

뇌문【雷紋·雷文】명 ①번개무늬❶. ②돌림무늬❶.

뇌문-이【雷紋彝】명〖역〗종묘의 제례(祭禮) 때 쓰는 제기(祭器)의 하나. 번개 모양의 무늬가 있음.

뇌문-정【雷紋鼎】명 번개 무늬를 넣어 만든 솥.

뇌물【賂物】명 ①자기의 뜻하는 바를 이루기 위하여 남에게 몰래 주는 정당하지 못한 재물. 뇌사(賂謝). ②〖법〗뇌물죄의 수단이 되는 물건. 직무에 관하여 주고 받는 불법적 보수. ¶~로 매수하다/~을 쓰다.

뇌물-죄【賂物罪】[―쬐] 명〖법〗수뢰죄(收賂罪)·증뢰죄(贈賂罪)를 아

뇌민【惱悶】명 고뇌와 번민. 몹시 괴로운 고민. 「울러 이르는 말.

뇌변【雷變】명 낙뢰의 변. 특히, 궁전의 묘사(廟祠) 같은 데 벼락이 떨

뇌-병【腦病】[―뼝] 명 뇌에 관한 병의 총칭. 「어지는 변.

뇌-병원【腦病院】명 정신(精神) 병원.

뇌봉 전:별【雷逢電別】명 우레같이 만났다가 번개같이 헤어진다는 뜻으로, 갑자기 잠깐 만났다가 곧 이별(離別)함을 이르는 말. ——하다 자타여불

뇌부【雷斧】명 ①〖식〗뇌환(雷丸). ②석기 시대의 유물인 돌로 만든 도끼. 또, 우레가 도끼를 가지고 쪼갠 것 같다는 뜻으로, 괴상하게 생긴 돌을 형용하는 말.

뇌분【雷奔】명 우레 소리처럼 소리를 내며 달림. 또, 번개처럼 빨리 달림. ——하다 자여불

뇌:비【賴庇】명 믿고 의지함. 의뢰(依賴). ——하다 타여불

뇌-빈혈【腦貧血】명〖의〗심한 출혈(出血)이나 그 밖의 여러 가지 원인으로 뇌의 혈액량(血液量)이 적어져서 생기는 병. 갑자기 눈앞이 어두워지며, 얼굴빛이 창백하여지고 식은땀을 흘리면서, 심한 경우는 졸도하여 인사 불성이 됨. ↔뇌일혈(腦溢血).

뇌:-뿌리다 타〈방〉놓치다(경상).

뇌사¹【耒耜】명〔뇌(耒)는 쟁깃술, 사(耜)는 보습〕쟁기.

뇌사²【牢死】명 감옥 안에서 죽음. 옥사(獄死). ——하다 자여불

뇌사³【雷師】명 우레. 뇌공(雷公). 「연(青筵).

뇌사⁴【雷肆】명〖역〗왕세자가 글을 강론(講論)하는 곳. 서연(書筵). 주

뇌사⁵【誄詞】명 죽은 이의 생전의 공덕을 칭송하며 조상(弔喪)하는 말.

뇌사⁶【腦死】명〖의〗인체(人體)의 사망(死亡)을 확인함에 있어서, 심장(心臟)의 정지(停止)를 심장사(死)라고 하는 데 대하여, 뇌파(腦波)가 소실(消失)한 상태를 이름. 심장사는 곧 뇌사를 수반하지만 뇌사는 심장 정지에 훨씬 앞서는 경우가 있음.

뇌사⁷【腦砂】명〖생〗뇌의 송과체(松果體)와 그 부근에 있는 작은 모래 모양의 단단한 알맹이. 석회가 침착(沈着)되어 생긴 것으로 표면이 오디 모양으로 오톨도톨함. 노인(老人)에게만 많으므로 퇴화(退化) 현상으로 생각됨.

뇌사⁸【腦寫】명 뇌의 X선 사진. 뇌의 병변(病變)의 유무 및 그 정도의 「진단에 이용됨.

뇌사⁹【賂謝】명 뇌물(賂物)❶.

뇌사¹⁰【賚賜】명 하사(下賜)함. 줌. 또, 그 물건. ——하다 타여불

뇌사리다 타 ☞뇌까리다. ¶요새로도 생각만 나면 남편한테 그것을 뇌사리곤 한다《蔡萬植:濁流》.

뇌산【雷酸】명〖화〗수소·탄소·질소·산소의 한 원자(原子)씩으로 이루어진 시안산(酸)의 이성질체(異性質體)의 불안정한 산(酸).

뇌산 수은【雷酸水銀】명〖화〗뇌홍(雷汞).

뇌산-은【雷酸銀】명〖화〗뇌은(雷銀).

뇌상¹【牢賞】명 상(賞)으로 관(官)에서 주는 쌀.

뇌상²【酹觴】명 술을 땅에 부어 강신(降神)을 빌 때 쓰는 잔. *뇌주(酹酒).

뇌-색전【腦塞栓】명〖의〗뇌전색(腦栓塞).

뇌생【牢牲】명 희생(犧牲)❶.

뇌샤:텔〔Neuchâtel〕명〖지〗스위스 서부, 뇌샤텔 호(湖) 북서안(北西岸)에 있는 뇌샤텔 주(州)의 주도. 프랑스어(語) 지구에 속하며, 시계·초콜릿·제지(製紙) 등의 공업이 행해짐. 관광지(觀光地)로서도 유명함. [34,000명(1980)]

뇌샤:텔 호【―湖】〔Neuchâtel〕명〖지〗스위스 제3의 호수. 쥐라(Jura) 산맥 동쪽 기슭에 있으며, 연안에서 포도가 생산됨. [218 km^2]

뇌석【雷石】명 낙뢰(落雷) 때문에 사지(砂地)의 모래가 용해·합성되어 「서 관상(管狀)을 이룬 돌덩이.

뇌설【雷楔】명〖식〗뇌환(雷丸).

뇌성【雷聲】명 우레 소리. 천둥 소리. 뇌성 소리.

뇌성에 벽력(霹靂) 구 불행한 일이 겹침.

뇌성 대:명【雷聲大名】명 ①세상에 높이 드러난 이름. ②남의 성명을 높여 하는 말. ㊀뇌명(雷名). 「킨 질환의 총칭.

뇌성 마비【腦性痲痺】명〖의〗뇌를 손상당함으로써 운동 마비를 일으

뇌성-목【雷聲木】명〖식〗[*Benzoin angustifolium*] 녹나뭇과에 속하는 낙엽 활엽 관목. 잎은 긴 타원형 또는 피침형(披針形)이고, 잎 뒤가 약간 황백색을 띰. 5월에 담황록색의 꽃이 적게 액생(腋生)하여 산형(繖形) 화서로 피며, 과실은 구형(球形)이고 9월에 까맣게 익음. 산록의 양지에 나는데, 황해도의 장산곶(長山串)에 분포함. 지팡이 재료로 쓰임.

뇌성 벽력【雷聲霹靂】[―녁] 명 우레 소리와 벼락. *뇌정 벽력(雷霆霹靂). 「있다는 말.

【뇌성 벽력은 귀머거리라도 들린다】명백한 사실은 누구나 다 알 수

뇌성 소리【雷聲─】명 우레 소리. 뇌성.

뇌성 소:아 마비【腦性小兒痲痺】명〔Cerebral infantile paralysis〕〖의〗태어날 때부터의 뇌의 이상(異常)으로 생기는 소아의 운동 마비. 모체의 질병 특히 매독 또는 분만시의 난산·조산·겸자 분만(鉗子分娩) 등으로 인한 외상으로 뇌출혈·혈관 압박 또는 손상 등이 일어나 뇌실질에 변화가 생겨 일어나는 소아 마비.

뇌쇄¹【牢鎖】명 자물쇠 따위를 단단히 잠금. ──-하다 타여불

뇌쇄²【惱殺】명 애가 타도록 몹시 괴롭힘. 특히 여자가 그 아름다움으로써 남자를 매혹시키어 괴롭힘. ──-하다 타여불

뇌수¹【牢囚】명 단단히 가둠. 또, 단단히 갇힌 죄수. ──-하다 타여불

뇌수²【牢愁】명 적적하고 우울함. 마음이 쓸쓸함.

뇌수³【雷獸】명 ①중국의 상상(想像)의 괴물(怪物). 맑은 날에는 온순하지만 풍우(風雨)와 더불어 사납게 되어, 구름을 타고 날아다니며, 낙뢰(落雷)와 함께 땅 위에 떨어져 나무를 빠개고, 인축(人畜)을 해친다고 함. 모양은 작은 개를 닮았고, 회색이며 머리는 길고, 주둥이는 검고, 꼬리는 여우를, 발톱은 수리를 닮았다고 함. ②우레와 같은 소리를 내는 괴이한 짐승.

뇌수⁴【腦髓】명〖생〗뇌. 머릿골. 수뇌(髓腦).

뇌-수면【腦睡眠】명 수면의 시작이나 잠이 얕을 때의 수면 상태. 의식(意識)하는 의지(意志) 행위가 휴지(休止) 상태로 됨. ↔체(體)수면.

뇌-수종【腦水腫】명〖의〗두개강(頭蓋腔) 안에 이상한 병증을 일으키어 많은 양의 뇌척수액(腦脊髓液)이 괴는 병. 뇌가 압박을 당하여 두부(頭部)가 팽창하고 지능의 저하를 초래함.

뇌시【誄詩】명 죽은 사람의 생전의 공덕을 칭송하는 시.

뇌신¹【惱神】명 정신을 어지럽게 함. ──-하다 자여불

뇌신²【雷神】명〖민〗우레를 맡고 있다는 귀신. 뇌공(雷公).

뇌신³【僨身】명 실패하여 영락(零落)한 몸. 세상에 쓰이지 않는 몸.

뇌-신경【腦神經】명〖생〗연수(延髓)에서 나와 있는 신경. 후(嗅)신경·시(視)신경·동안(動眼) 신경·활차(滑車) 신경·삼차(三叉) 신경·외선(外旋) 신경·안면(顔面) 신경·청(聽)신경·설인(舌咽) 신경·미주(迷走) 신경·부(副)신경·설하(舌下) 신경의 12쌍이 있는데, 미주 신경을 제외하고는 모두 두부(頭部)에 분포되어 운동이나 감각을 맡고 있음. 골신경.

뇌신경-절【腦神經節】명〖생〗지렁이 같은 것에서 볼 수 있는 신경 세포의 집합. 식도(食道)의 윗부분에 있음.

뇌실【腦室】명〖생〗두개골 안에 있는 뇌의 빈 곳. 이 안에는 뇌척수액(腦脊髓液)이 차 있으며 몇 개로 나누어져 복잡하게 되어 있음.

뇌-썩이다【腦─】자 생각을 골똘히 하느라고 머리를 썩이다. ¶ 주야로 뇌를 썩이며 묘책을 연구하다가《崔瓚植: 金剛門》.

뇌압【腦壓】명〖의〗두개골강(頭蓋骨腔) 안의 압력. 뇌내압(腦內壓).

뇌-압박증【腦壓迫症】명〖의〗두개강(頭蓋腔)이 협소하여져서 뇌압(腦壓)이 높아지기 때문에 일어나는 뇌의 기능 장애. 외상(外傷)에 의한 출혈·골절, 수액(髓液)의 증가, 뇌막의 염증 등으로 급성 또는 만성으로 발생함. 두통·구토·현기·불면·혼수 상태·하품 등이 일어남.

뇌압 항:진【腦壓亢進】명〖의〗뇌척수강(腦脊髓腔)의 내압(內壓)이 높아지는 일. 뇌출혈·뇌수종(腦水腫)·뇌종양·뇌척수막염 등에서 볼 수 있는데, 구토·두통·의식 장애·서맥(徐脈) 등의 증상을 나타내며, 안저(眼底)에 울혈 유두(鬱血乳頭)를 볼 수 있음. 치료로는 원인 요법 외에 요추 천자(腰椎穿刺)로 뇌척수액을 뽑거나, 고장(高張) 포도당액 등으로 뇌척수액압을 내림.

뇌야 부〈옛〉다시. =뇌여. ¶ 幽閒景致는 견홀딕 뇌야 업닉《蘆溪 獨樂堂》.

뇌야기 명〈옛〉노야기. ¶ 뇌야기 슈(菜)《字會 上 15》.

뇌약【牢約】명 굳은 약속. ¶ 부모께서 ~해 주신 사람을 거연히 저버리면 어찌 금수나 다름 있사오며…《崔瓚植: 金剛門》. ──-하다 타여불

뇌어【雷魚】명〖어〗가물치.

뇌여 부〈옛〉다시. =뇌야. ¶ 뇌여 싱심이나 날과 댱방울 티기 홀따(再也敢知我打毬麽)《朴解 下 36》. *ᄂᆞ외.

뇌연 명〈옛〉상전(上典). ¶ 종은 뇌연의 거술 쓰ᄂᆞ니(奴婢使使長的)《朴解 下 37》.

뇌-연화증【腦軟化症】[─쯩] 명〖의〗뇌혈관이 혈전(血栓)·전색(栓塞) 등에 의하여 폐색(閉塞)되어, 뇌의 일부에 영양 장애가 일어나 뇌일혈과 유사한 증상을 나타내는 질환.

뇌-염【腦炎】명〔encephalitis〕〖의〗뇌수(腦髓)에 염증이 생기어 일어나는 병의 총칭. 일본 뇌염·기면성(嗜眠性) 뇌염 등의 유행성 뇌염과, 급성 전염병 등에 수반하여 일어나는 속발성(續發性) 뇌염으로 구분됨. 바이러스·세균 등 미생물의 감염이나 물리적·화학적 자극이 원인이 됨. 대개 고열·두통·구토·의식 장애·경련을 일으키며 며칠 안에 죽음. 회복되어도 지능의 발육이 정지되고 여러 가지 마비 증상이 남음.

뇌염-모기【腦炎─】명〖충〗좀홍모기. *좀홍모기.

뇌영-원【蕾英院】명〖역〗〔뇌영은 꽃봉오리의 뜻〕조선 시대 연산군 때 베푼 가흥청(假興淸)의 임시 처소(處所). *취홍원(聚紅院).

뇌옥【牢獄】명 죄인을 가두어 두는 곳. 수옥(囚獄).

뇌외¹【磊嵬】명 높고 큼. 험준함. 또, 그 모양. 뇌외(磊磈). ──-하다 형여불

뇌외²【磊磈】명 ①뇌외(磊嵬). ②가슴 속에 불평이 쌓임. 또, 그 모양. ──-하다 형여불

뇌-외과【腦外科】[─꽈] 명〖의〗뇌(腦)를 대상으로 하는 외과. 근대적 뇌외과는 19세기 이후에 개발되었음. 주요한 수술 대상은 뇌종양·뇌수종(腦水腫)·두개골 혈종(血腫) 등이며, 근래에 와서 교통 사고로 인한 두개골 내출혈에 대한 응급 수술의 중요성이 강조되고 있음. 척수와 말초 신경도 취급하기 때문에 뇌신경 외과라고도 함.

뇌우【雷雨】명 우레 소리가 나며 내리는 비.

뇌우다 자〈방〉놓이다(함경).

뇌운【雷雲】명 번개나 천둥 또는 뇌우(雷雨)를 몰고 오는 구름. 적란운.

뇌유¹【賂遺】명 뇌물을 보냄. 또, 그 뇌물. ──-하다 자여불

뇌유²【腦油】명 고래나 돌고래의 머리에서 짠 기름.

뇌은【雷銀】명 산화은(酸化銀)의 암모니아 수용액(水溶液)에 알코올을 가하여 만든 물질. 마찰에 의하여 폭발함. 뇌산은(雷酸銀).

뇌-음신【惱音信】명〖사람〗고구려 말기의 장군. 보장왕(寶藏王) 20년(661)에, 나당(羅唐) 연합군에 의해 멸망한 백제 유민(遺民)들의 항거 운동을 도우려고 말갈(靺鞨) 장군 생해(生偕)와 합세, 신라의 술천성(述川城)·북한산성을 공격하였으나 실패하였음.

뇌이 조약【一條約】〔프 Neuilly〕명〖역〗제1차 세계 대전 후 1917년 11월 27일, 파리 근교(近郊) 뇌이쉬르센(Neuilly-sur-Seine)에서 연합국측과 불가리아 사이에 맺어진 강화 조약. 여기서 불가리아는 유고·그리스·루마니아에 영토를 할양하여 바다로 나가는 출구(出口)를 잃고 막대한 배상금도 지불하였음.

뇌-일혈【腦溢血】명〖의〗동맥 경화증(動脈硬化症)으로 말미암아 뇌동맥(腦動脈) 같은 것이 터져서 뇌 속에 출혈(出血)하는 병. 갑자기 의식을 잃고 졸도하여 코를 골며 잠자는 것 같음. 대개는 죽으나 회복이 되어도 반신 불수가 됨. 노년층(老年層)과 비대(肥大)한 사람에게 많이 생김. 뇌출혈(腦出血). ↔뇌빈혈.

뇌자¹【牢子】명〖역〗군뢰(軍牢).

뇌:자²【賴子】명 무뢰한(無賴漢).

뇌:자-관【賚咨官】명〖역〗조선 시대 때, 중국 예부(禮部)에 자문(咨文)을 가지고 가던 임시 관원(官員).

뇌자근-하다 형여불 ☞ 노자근하다.

뇌작지근-하다 형여불 ☞ 노작지근하다.

뇌장【腦漿】명〖생〗뇌수 속의 점액(粘液).

뇌저【腦疽】명 목 둘레에 생기는 종기.

뇌저 시:수【腦底示數】명〔basilar index〕〖생〗기저점(基底點)에서 치조점(齒槽點)까지의 거리를 두골(頭骨)의 최대(最大) 길이로 나누어 100을 곱한 값.

뇌전【雷電】명 천둥 소리와 번개.

뇌전 관측일【雷電觀測日】명〔thunderstorm day〕〖기상〗어떤 관측 정점(觀測定點)에서 뇌명(雷鳴)이 들렸을 때의 관측일.

뇌전-도【腦電圖】명〔electroencephalograph〕〖의〗뇌파(腦波)를 표시 기록한 도면. *뇌파(腦波).

뇌-전류【腦電流】[─절─] 명 뇌의 신경 세포가 움직일 때에 일어나는 미량(微量)의 전류.

뇌-전색【腦栓塞】명〖의〗심장 내막염(內膜炎)·심장 판막증(瓣膜症) 등에 걸린 때에, 유혈(流血) 중에 유리(遊離)된 응혈(凝血)이나 동맥벽(動脈壁)의 지방괴(脂肪塊)가 뇌혈관을 폐색하여, 그 근처의 영양 장애를 일으켜 생기는 질환. 증상은 뇌일혈과 비슷함. 뇌졸중(腦卒中) 따위 증상을 갑자기 일으킴. 뇌색전(腦塞栓).

뇌정¹【牢定】명 돈정(敦定). ──-하다 타여불

뇌정²【雷霆】명 ↗뇌정 벽력. ──-하다 자여불

뇌정 벽력【雷霆霹靂】[─녁] 명 격렬한 천둥과 벼락. 준뇌정(雷霆). *뇌성 벽력. ──-하다 자여불

뇌조¹【牢俎】명 대뢰(大牢)를 올려 놓는 적대(炙臺).

뇌조²【雷鳥】명〖조〗[*Lagopus mutus japonicus*] 들꿩과에 속하는 새. 날개 길이 17-19cm이고 몸빛이 여름에는 배면(背面)·목·가슴은 흑색과 다색의 가는 횡반(橫斑)이 있고, 복부(腹部)와 부척은 백색이고 부리와 옆 꽁지는 흑색임. 가을에는 점차 백색으로 변하고 겨울에는 순백색인데 꽁지와 수컷의 눈앞은 흑색임. 두 눈 위에는 붉고 작은 볏이 있고, 다리는 발톱 사이까지 털이 났음. 어린 싹·꽃·과실·종자·곤충 등을 먹으며 6-7월에 5-10개의 알을 낳음. 한국·일본·홋카이도·중국·유럽·북미 등지에 분포함.

〈겨울철의 뇌조〉

뇌-조리 명〈방〉〖조〗종다리(함경).

뇌-졸중【腦卒中】[─쭝] 명〖의〗뇌의 급격한 혈행 장애(血行障礙)로 일어나는 증상. 갑자기 의식을 잃고 넘어지며, 수족의 운동 마비 등을 일으킴. 뇌일혈·뇌전색·뇌혈전 등의 경우에 볼 수 있음. 준졸중(卒中).

뇌-종양【腦腫瘍】명〖의〗뇌질(腦質)과 뇌막(腦膜)에 발생하는 종양의 총칭. 두통·구토·경련·마비·시력 장애 등의 증상이 일어남.

뇌주¹【雷州】명〖지〗'레이저우(雷州)'를 우리 음으로 읽은 이름.

뇌:주²【酹酒】명 술을 땅에 부어 강신(降神)을 빎. ──-하다 자여불

뇌주 반:도【雷州半島】명〖지〗레이저우 반도.

뇌준【雷尊·雷樽·雷罇】명 운뢰(雲雷)의 무늬를 새긴 술그릇.

뇌중【腦中】명 두뇌의 가운데. 머리 속. 뇌리(腦裡).

뇌증【腦症】[─쯩] 명〖의〗고열과 호흡 장애·대사(代謝) 장애 등의 전신성(全身性) 질환이 원인이 되어 의식 장애와 경련을 일으키는 병증.

뇌지【雷芝】명〖식〗연꽃.

뇌진¹【雷陳】명〔중국 후한(後漢)의 뇌의(雷義)와 진중(陳重) 사이의 고사(故事)에서〕우정이 대단히 두터움을 이름.

뇌진²【雷震】명 천둥하며 벼락침. ──-하다 자여불

뇌-진탕【腦震蕩】명〖의〗머리를 크게 부딪치거나 몹시 얻어맞았을 때 그 진동(震動)으로 인하여 뇌의 기능 장애를 일으키는 병. 뇌 속에는 별로 이상이 없으나 의식을 잃고 구토가 심하며 맥이 늦어지고, 안색이 창백해지면서 체온이 내려감. 심하면 죽으며 회복이 되어도 기억 상실(記憶喪失)·정신 이상이 되기 쉬움.

뇌창【腦瘡】명〖한의〗정수리에 난 부스럼.

뇌-척수【腦脊髓】명〖생〗중추 신경계인 뇌와 척수의 총칭.

뇌척수-막【腦脊髓膜】명〖생〗수막(髓膜).

뇌척수막-염【腦脊髓膜炎】[─념] 명〖의〗수막 구균성 수막염(髓膜球菌性髓膜炎).

뇌척수막염-균【腦脊髓膜炎菌】[─념─] 명〖의〗수막염균(髓膜炎菌).

뇌척수 신경계【腦脊髓神經系】명〖생〗두뇌·척수·몸의 말단에 퍼져 있는 신경 계통. 중추(中樞) 신경과 말초(末梢) 신경으로 이루어짐.

뇌척수-액【腦脊髓液】 명 〖생〗 뇌수(腦髓)와 척수를 싸고 있는 뇌척수막의 사이나 뇌실(腦室) 또는 척수 내강(內腔)에 차 있는 림프액(lymph 液). 외부의 충격에 대하여 뇌를 보호하는 작용을 함. 수액(髓液).

뇌척수 혈관 이:상【腦脊髓血管異常】 명 〖의〗 뇌경색(腦梗塞)·뇌동맥류(腦動脈瘤)·뇌동맥 기형(畸形)·선천성(先天性) 혈관 주행 이상(血管走行異常)·바이러스성(virus 性) 동맥 폐색증 등, 뇌 또는 척수 안의 혈관에 선천적 또는 후천적 이상이 생기는 병.

뇌천¹【雷川】 명 〖사람〗 김부식(金富軾)의 호(號).

뇌천²【腦天】 명 〖생〗 정수리.

뇌-출혈【腦出血】 명 〖의〗 뇌일혈(腦溢血).

뇌-충혈【腦充血】 명 〖의〗 과로·정신 흥분·알코올 중독 등에 의한 뇌혈관 비대(肥大)가 원인이 되어, 뇌수(腦髓)의 혈관이 충혈함으로써 일어나는 병. 급성은 두통·현기가 일어나며, 심하면 졸도하여 인사 불성이 됨.

뇌탄【雷歎】 명 탄성(歎聲)이 우렛소리와 같이 큼. 크게 탄식함을 이름.

뇌탈【牢脫】 명 죄인이 감옥에서 도망침. ——하다 자여불

뇌터〔Noether Amalie Emmy〕 명 〖사람〗 독일의 여류 수학자. 기하학자 뇌터(Noether, M.)의 딸. 1922년 괴팅겐 대학교 교수, 1933년 나치스 정권이 들어서자 미국으로 망명함. 추상 대수학(抽象代數學)의 분야에서 중요한 업적을 남겼으며, 19세기 수학에서 현대 수학으로의 다리를 놓았음. [1882-1935]

뇌파【腦波】 명 〖생〗 뇌에서 나오는 미약한 주기성(周期性)의 전류. 이것을 기록하면 파동형의 곡선을 이룸. *뇌전도(腦電圖).

뇌파-계【腦波計】 명 뇌파의 움직임을 기록하고 검사하는 장치.

뇌편【雷鞭】 명 번개.

뇌포【腦胞】 명 〖생〗 척추 동물의 신경관(神經管)의 발생에서 볼 수 있는 전단부(前端部)의 수 개(數箇)의 부푼 부분. 발생 초기의 뇌는 원뇌포(原腦胞)라고 하며, 전(前)뇌포·중(中)뇌포·능(菱)뇌포의 세 뇌포로 이루어짐. 전뇌(前腦)는 다시 분화(分化)하여 대뇌 반구(大腦半球)·간뇌(間腦)로 되고, 능뇌포는 소뇌(小腦)·뇌교(腦橋)·연수(延髓)로 분화함.

뇌풍【腦風】 명 〖한의〗 풍병의 하나. 머리가 아프고 어지러운 신경병(神經病).

뇌-하다 형여불 천하고 더럽다.

뇌-하수체【腦下垂體】 명 〖생〗 간뇌(間腦)의 밑에 있는 내분비선(內分泌腺)의 하나. 일반적으로 전엽(前葉)·중엽(中葉)·후엽(後葉)의 세 부분으로 되고, 생식·발육에 밀접한 관계가 있음. 하수체(下垂體). 골밑샘.

〈뇌하수체의 작용〉

뇌하수체 기능 부전【腦下垂體機能不全】 명 〖의〗 여러 가지 원인으로 뇌하수체가 파괴 또는 압박되거나 호르몬의 돌발적인 분비 저하로 생긴 뇌하수체의 기능 저하. 전엽(前葉)의 기능 부전으로는, 어렸을 때에는 뇌하수체 전엽성 주유(侏儒)로, 성인에 있어서는 뇌하수체 악액질(惡液質)·생식기 위축·비반증(肥胖症)이 일어나며, 후엽(後葉)의 기능 부전으로는 요붕증(尿崩症)이 일어남.

뇌하수체 기능 항:진증【腦下垂體機能亢進症】 [-쯩] 명 〖의〗 뇌하수체 전엽(前葉)의 기능이 항진하는 질환. 유소기(幼少期)에 일어나면 전신성(全身性)의 거인증(巨人症)이 되고, 성인 후에는 말단 거대증(末端巨大症)이 일어남.

뇌하수체 매몰 요법【腦下垂體埋沒療法】 [-료뻡] 명 〖의〗 소의 뇌하수체를 인체에 매몰하여, 그것이 가지는 호르몬의 작용으로 보다 젊어지기를 바라는 요법. 뇌하수체 이식(移植).

뇌하수체성 주유【腦下垂體性侏儒】 [-썽-] 명 〖의〗 주유증(侏儒症).

뇌하수체 악액질【腦下垂體惡液質】 명 〖의〗 뇌하수체 전엽의 기능 부전으로 인하여 일어나는 악액질. 주로 30-40세의 여성에게 많음. 피로하기 쉽고 원인 불명의 치아(齒牙) 탈락·성기 위축·체온과 혈압의 강하(降下)·피부 창백 등의 증상이 있으며, 나중에는 혼수 상태에 빠져 죽음. 1914년 독일 의사 시몬즈(Simmonds)가 처음으로 기술하였으므로 '시몬즈병'이라고도 함.

뇌하수체 이식【腦下垂體移植】 명 〖의〗 뇌하수체 매몰(埋沒) 요법.

뇌하수체 전엽성 주유【腦下垂體前葉性侏儒】 명 〖의〗 뇌하수체 전엽이 유년기(幼年期)에 침범되어 성장이 늦어지는 질환. 키가 1m 미만이 되는 수도 있는데, 대체로 체격은 고르고 지적(知的) 발육도 거의 정상적임. 그러나 얼굴 모습은 조숙(早熟)하여 늙은 노인과 같고, 성기의 발육도 불완전함.

뇌하수체 전엽 호르몬【腦下垂體前葉—】〔hormone〕 명 〖생〗 뇌하수체 전엽에서 분비되는 호르몬. 성장(成長) 호르몬·부신 피질(副腎皮質) 자극 호르몬·갑상선(甲狀腺) 자극 호르몬·성선(性腺) 자극 호르몬 및 황체(黃體) 자극 호르몬 등의 총칭. 모두 고분자(高分子)의 단백(蛋白) 화합물임. ㊟전엽 호르몬.

뇌하수체 후:엽 호르몬【腦下垂體後葉—】〔hormone〕 명 〖생〗 뇌의 시상(視床) 아래 쪽에서 만들어져 뇌하수체 후엽에 저장되는 호르몬. 항이뇨(抗利尿) 작용과 혈압 상승 작용을 갖는 바소프레신(vasopressin)과 자궁 수축 작용을 갖는 옥시토신(oxytocin)의 두 가지가 있음. ㊟후엽 호르몬.

뇌향【雷響】 명 ①천둥 소리. 뇌성(雷聲). ②우레 소리와 같은 음향.

뇌혈관 촬영【腦血管撮影】 명 〖의〗 뇌동맥사(腦動脈寫).

뇌-혈전증【腦血栓症】 [-쩐쯩] 명 〖의〗 뇌의 혈관 안에 혈액의 덩어리가 부착하여 혈관을 폐색시키는 병. 뇌의 동맥 경화가 가장 큰 원인으로, 서서히 일어나며, 반대측 반신(半身)의 지각(知覺)이나 운동의 마비가 수일내에 일어남.

뇌형【牢刑】 명 주리트는 형벌.

뇌홍【雷汞】 명 〔fulminating mercury〕 〖화〗 폭발을 일으키는 약의 하나. 수은과 질산(窒酸)에 에틸 알코올을 작용시켜 만든 암갈색 분말. 조금만 문지르거나 건드려도 폭발하기 때문에 뇌관(雷管) 같은 것의 기폭약(起爆藥)에 쓰임. 뇌산 수은(雷酸水銀). [Hg(ONC)₂]

뇌홍 폭분【雷汞爆粉】 명 점폭약(點爆藥)의 하나. 뇌홍 80%에 염소산 칼륨 20%를 혼합한 것으로, 뇌홍보다 발열량이 많음.

뇌화【雷火】 명 ①우레와 번개. ②낙뢰(落雷)로 일어난 불. 천화(天火).

뇌환【雷丸】 명 〖식〗 버섯 종류의 한 가지로, 대나무 뿌리에 기생하는 균(菌). 직경 1-2cm에 모양이 밤 비슷하며, 거죽은 검고 속은 흼. 깎아서 촌충약으로 씀. 뇌부(雷斧). 뇌설(雷楔). 죽령(竹苓).

뇌후【腦後】 명 ①뒤통수. ②무덤의 뒤 쪽.

뇌후-종【腦後腫】 명 〖한의〗 뒤통수에 나는 발찌.

뇔데케〔Nöldeke, Theodor〕 명 〖사람〗 독일의 이슬람교(敎) 학자·동양학자. 셈어(語)·시리아어·이란학(學)·이슬람교학(學)에 공적이 많으며, 특히 《코란사(Coran 史)》는 그의 획기적 저작임. [1836-1930]

뇟긴 명 〈방〉 노끈(황해).

뇟:보 명 사람됨이 천하고 더러운 사람.

뉭이 명 〈방〉 ①노내끈(평안). ②노¹(평북).

-뇡다 어미 〈옛〉 -노이다. -나이다. =-노이다. ¶ 그리 아니라 부텨와 즁과를 請ᄒᆞᅀᆞᄫᅩ려 ᄒᆞᄂᆡᇰ다《釋譜 Ⅵ:16》.

-뇨 어미 〈옛〉 ①-냐. =-니오. ¶ ᄠᅳ든 엇더ᄒᆞ뇨(於意云何)《楞嚴Ⅱ:70》. ②-느냐. ¶ 어느 고ᄃᆞᆯ 從ᄒᆞ야 나뇨 《蒙法 61》. 「분배자.

뇨르드〔Njord〕 명 〖신〗 북(北)유럽 신화 중의 풍작(豐作)의 신. 부(富)의

뇽총 명 〈옛〉 놋의 줄. ¶ 닷도 일코 뇽총도 근코《珍本 永言》.

누¹ 명 〈방〉 누이(전라·강원·평안). 「다.

누:²【累】 명 정신적 또는 물질적으로 거치적거리는 폐(弊). ¶ ~를 끼치

누:를 끼치다 구 자기의 잘못으로 남이 괴로움이나 손해를 보게 하다.

누:를 범:하다 구 잘못을 저지르다.

누³【婁】 명 〖천〗 ↗누성(婁星).

누:⁴【漏】 명 ①↗누수(漏水). ②↗각루(刻漏). ③〖불교〗〔범 āsrava〕 새어 흐름. 마음이 물건에 딸리는 번뇌.

누⁵【樓】 명 ①↗누각(樓閣). ②다락집.

누⁶【壘】 명 베이스¹❷.

누⁷ 인대 ①↗누구. ②〈옛〉 누구. ¶ 討賊之功을 눌 미르시리(討賊之功伊誰之推)《龍歌 99章》.

[누가 흥(興)이야 항(恒)이야 하랴] 숙종(肅宗) 때, 김수흥(金壽興)·김수항(金壽恒)의 형제가 대신의 지위에 있었으되, 그 권세는 자기네들이 얻은 것이므로 누가 이러니저러니하고 논의할 사람이 있었겠느냐는 뜻. 곧, 집안 사람끼리 권세를 누려도 떳떳함을 비유하는 말. 또, 내것을 내 마음대로 하는데 누가 감히 남의 일에 이래라 저래라 할 수 있겠느냐는 말. 「일. ——하다 타여불

누:가¹【累加】 명 ①여러 차례에 걸쳐서 보탬. ②같은 수를 누차 보태는

누:가²【累家】 명 대대로 이어 온 집안. 누대(累代)의 구가(舊家).

누가³〔Luke〕 명 〖성〗 그리스인 의사(醫師)로, 초기 기독교회 시대의 대표적 저술가. 바울의 전도를 보조하였고, 누가 복음(福音)·사도 행전(使徒行傳)의 저자로 전해 옴. 루가.

누가⁴〔프 nougat〕 명 캔디(candy) 종류와 비슷한 양과자. 설탕·물엿·녹말엿 등을 끓이어 땅콩이나 살구를 섞어서 굳혀 만들며, 땅콩 누가·살구 누가 등의 이름으로 불림. 아몬드 케이크(almond cake).

누:가 기록【累加記錄】 명 〖교〗 개별적으로 아동·학생에 관하여, 전체적·계속적으로 그 발달 경과를 기록하는 일. 오늘날의 학적부(學籍簿)는 이 취지에 따른 것임. 누적 기록(累積記錄).

누:가 배:당【累加配當】 명 〖경〗 생명 보험 회사에서, 보험 가입자의 계약 경과 연수(經過年數)에 따라서 계약자 배당금을 누가하여 가는 배당 방식의 한 가지. ↔이원식 배당(利源式配當).

누가 복음【—福音】〔Luke〕 명 〖성〗 신약 성서의 제3 복음서. 공관(共觀) 복음의 하나로, 바울의 동반자 누가의 저술이라고 함. 예수의 행적(行蹟) 외에 예수의 아름다운 비유와 의료(醫療)에 대한 기사 등이 많이 실려 있음. 저작 연대는 90년대.

누:각¹【漏刻】 명 ①각루(刻漏). ②누호(漏壺) 안에 세운 누전(漏箭)에 새긴 눈. ㊟각(刻). *누수기. 「㊟누(樓).

누각²【樓閣】 명 사방을 바라볼 수 있게 높이 지은 다락집. 대각(臺閣).

누:각³【鏤刻】 명 ①금속이나 나무에 글씨·그림 등을 아로새김. ②문장이나 말을 고치고 다듬음. ——하다 타여불 「관측을 맡음.

누:각 박사【漏刻博士】 명 〖역〗 신라 때 누각전에 딸린 벼슬. 물시계의

누각 산수도【樓閣山水圖】 명 〖미술〗 누각을 중심 소재로 하여 그린 산수도.

누:각-전【漏刻典】 명 〖역〗 신라 때에 각루에 관한 일을 맡은 관아. 성덕왕(聖德王) 17년(718)에 둠.

누간【壘間】 명 야구에서, 베이스와 베이스와의 사이. 또, 그 거리.

누:감【累減】 명 ①누차에 걸쳐 덜어 냄. ↔누증(累增). ②〖수〗 피감수(被減數)에서 동일한 수를 누차에 걸쳐 뺌. ——하다 타여불

누:감-세【累減稅】 명 〖법〗 과세(課稅) 물건의 수량이나 화폐 가치가 증가하여 감에 따라 세율을 낮추어 가는 과세. 「는 말.

누:거¹【陋居】 명 ①누추하고 좁은 거처. ②자기의 거처를 낮추어 일컫

누거²【樓車】 명 수레 위에 망루(望樓)를 설치하여 적의 성(城)이나 진지를 내려다 볼 수 있게 만든 수레. 운거(雲車).

누거³【樓居】 명 누각(樓閣)에 거처함. ——하다 자여불

누거리 명 〈방〉 거지(평안).

누:-거만【累巨萬】 명 여러 거만. 매우 많음을 나타내는 말.

누:거만-금【累巨萬金】 명 굉장히 많은 돈. ¶ ~을 준대도 싫다.

누:거만-년【累巨萬年】명 매우 오랜 세월. ¶ ～ 지켜 내려오다.
누:거만-재【累巨萬財】명 굉장히 많은 재산.
누걸래치 명〈방〉거지(평안). 「손히 일컫는 말. 비견(鄙見).
누:견【陋見】명 ①좁은 생각. 좁은 의견. ②자기의 의견이나 생각을 겸
누:결【漏決】명 물이 새어 둑이 무너짐. 누궤(漏潰). ――-하다 자여불
누:경¹【累經】명 연거푸 치름. ――-하다 타여불
누:경²【耨耕】명 호미만으로써 하는 경작.
누:계【累計】명 소계(小計)를 누가해서 계산함. 또, 그 계산액. 적산(積算). ¶ 경비의 ～/～ 10만 원. ――-하다 타여불
누:계 가스량【累計―量】명〔cumulative gas〕어느 유층(油層)에서 생산되는 전체 가스의 양(量). 흔히, 같은 유층에서 생산된 석유량과의 대비용(對比用)으로서 계산됨. 「――-하다 타여불
누:고¹【漏告】명 어떤 부분을 빼어 버리고는 숨기고 말하지 아니함.
누:고²【漏鼓】명〘역〙시각을 알리기 위하여 치는 북.
누고³【樓鼓】명 성루(城樓)에 설치한 북.
누고⁴【螻蛄】명〘충〙땅강아지.
누고⁵ 인대〈옛〉누구. ¶ 이 벗은 누고고(這火伴是誰)《老乞 下 5》.
누고-루【螻蛄瘻】명〘의〙종기의 구멍이 땅강아지의 구멍과 같은 감루(疳瘻)의 한 가지.
누:골【淚骨】명〘생〙눈구멍의 안 쪽에 있는 작은 뼈.
누:공¹【屢空】명 항상 가난함. ――-하다 형여불
누:공²【漏空】명〘미술〙투조(透彫).
누:공³【瘻孔】명〘의〙부스럼의 구멍.
누:공⁴【鏤工】명 공교(工巧)하게 아로새김.
누:공 화문전오채【漏空花紋塡五彩】명〘공〙도자기에 무늬를 투조(透彫)하고 여러 가지 빛으로 자개를 파묻어 장식한 색채.
누:관¹【淚管】명〘생〙누도(淚道)의 한 부분. 코의 위 끝에 가까운 눈꺼풀의 가장자리에 있는 아래위의 누선(淚腺)으로부터 코 쪽으로 향하여 벋어 누낭(淚囊)에서 열리는 관(管). 소루관(小淚管)과 비루관(鼻淚管)
누관²【樓館】명 다락집 모양으로 높게 지은 관(館). ⌊이 있음. 눈물관.
누:관³【瘻管】명〘의〙몸의 깊은 속에 있는 화농성(化膿性) 병의 자리가 저절로 터지거나 수술로 인하여 그 화농한 곳과 바깥과 서로 통한 구멍 줄기. 고름이 이 곳을 통해서 나옴.
누괵【螻蟈】명〘동〙참개구리.
누구 인대 어떤 사람을 막연히 일컫거나 또는 이름을 모르는 사람을 의문의 뜻으로 일컫는 인칭 대명사. 하인(何人). ¶ ～든지 오라/ ～요/ ～를 좀 만날 일이 있네. 준누.
 누구 할 것 없:다 구 누구라고 가려 말할 것 없이 모두 그러하다.
 누구 할 것 없:이 구 누구라고 가려 말할 것 없이 모두. ¶ ～ 모두 저만 내세우는 세상.
누구-누구 인대 '누구'의 복수형. ¶ 거기 간 사람은 ～인가.
누구를 위하여 종은 울리나【―爲―鐘―】명〔For Whom the Bell Tolls〕〘문〙헤밍웨이가 지은 장편 소설. 헤밍웨이의 대표작의 하나. 작가 자신이 참가하였던 스페인 내란에서 취재(取材)한 것으로서, 공화국 정부군에 가담하여 스페인 내란에 참전한 미국 청년 로버트 조던(Robert Jordan)이 반란군을 저지할 목적으로 게릴라 부대를 지휘하면서 그 72시간 동안에 경험한 여러 가지 일들 즉, 마리아(Maria)라는 소녀와의 열렬한 사랑, 동지의 배반, 백병전(白兵戰), 죽어 가는 병사, 다리의 폭파 등을 박력있고 시원하게 묘사함.
누:국【漏局】명〘역〙보루각(報漏閣).
누군 준 누구는. ¶ ～ 주고 ～ 안 주기냐.
누굴 준 누구를. ¶ ～ 찾느냐/～ 놀리느냐.
누귀-메 명 ☞ 노구메.
누:궤【漏潰】명 누결(漏決).
누규리라 타〈옛〉눅이려고. '누기다'의 활용형. ¶ 耶輸의 쁘들 누규리
누그러-뜨리다 타 누그러지게 하다. ⌊라 ㅎ샤《釋譜 Ⅵ:9》.
누그러-지다 자 ①성질이 딱딱한 물질 등이 부드럽게 되다. ②추위나 값·병(病) 같은 것이 심하지 아니하게 되다. ¶ 쌀값이 좀 누그러졌다.
누그러-트리다 타 누그러뜨리다.
누그름-하다 형여불 ①약간 누글누글하다. ②좀 묽다. 1)·2):＞노그름하다. 누그름-히 부
누글누글-하다［―루―］형여불 ①무르녹게 누긋누긋하다. ②몸이 뼈가 없이 부들부들하다. ③마음이 퍽 유순하다. 1)-3):＞노글노글하다.
누:금【鏤金】명 ①금속 그릇에 화조(花鳥)·산수(山水) 따위를 아로새기는 일. ②금을 아로새김. 또, 그 금. ③당대(唐代)의 14종(種)의 금의 하나. ――-하다 자여불
누금 세:공【鏤金細工】명 가는 금(金)실이나 금(金)알갱이를 금속 바탕에 붙여 섬세하고 정교한 무늬를 표현하는 금속 세공.
누긋-누긋 부 매우 누긋한 모양. ＞노긋노긋. ――-하다 형여불
누긋누긋-이 부 누긋누긋하게. ＞노긋노긋이.
누긋-이 부 누긋하게. ＞노긋이. 「퍽 유순하다. 1)·2):＞노긋하다.
누긋-하다 형여불 ①메마르지 아니하고 여유 있게 부드럽다. ②성질이
누:기¹【陋氣】명 ①맑지 않은 공기. 탁한 공기. ②더러운 기운.
누:기²【淚器】명〔lacrimal apparatus〕〘생〙눈물이 나오는 기관(器官). 곧, 누선(淚腺)·누관(淚管)·누낭(淚囊)·비루관(鼻淚管)의 총칭. 파충류(爬蟲類) 이상의 동물에 있으며, 사람은 특히 발달되었음.
누:기³【漏氣】명 새어 나오는 축축한 물기.
 누:기(가) 차다 구 축축한 기운이 많다. ¶ 누기찬 방.
 누:기(가) 치다 구 축축한 기운이 생기다.
누기다 타〈옛〉눅이다. ¶ 弛ᄂᆞᆫ 누길씨라《月序 13》/누길 유(宥)《類合
누깔 명〈속〉눈깔. ¶ ～ 사탕. ⌊下 10》.
누깔-당시 명〈방〉〘어〙송사리(평안).
누깔 명〈방〉눈깔(함경).
누꼽 명〈방〉눈곱(충북·경상).
누-꼽쟁이 명〈방〉눈곱(경북).
누꿈-하다 형여불 전염병이나 해충(害蟲)이 심하게 퍼지다가 조금 뜸
누꼽 명〈방〉눈곱(경기). ⌊해지다. 누꿈-히 부
누:-끼치다【累―】자 남에게 누를 입게 하다. 남을 귀찮고 성가시게 또는 남에게 폐스럽게 하다. 「칭.
누:나 명 사내 아이가 손윗누이를 예사로 부르거나 다정하게 부르는 호
-누나 어미 동사의 어간에 붙어서 행동의 진행과 감탄의 뜻을 나타내는 종결 어미. ¶ 이 밤도 깊어 가～/눈이 내리～.
누나탁〔nunatak〕명〘지〙대륙 빙하에 의하여 둘러싸인, 기반(基盤)이 암석으로 되어 있는 산. 대륙 빙하가 그 양쪽으로 흘러내리기 때문에 빙하가 없어지면 급한 단애(斷崖)인 채로 남음.
누:낭【淚囊】명〘생〙누도(淚道)의 일부. 아래위의 누소관(淚小管)에서 흘러 온 눈물이 모이는 주머니. 눈물주머니.
누:낭-염【淚囊炎】［-념］명〘의〙트라코마·결핵·매독 등의 원인으로, 누도(淚道)가 수축되어 폐색되었을 때 눈물이 누낭에 괴고, 그 눈물 속에 폐렴구균(肺炎球菌) 등의 세균이 번식하여 일어나는 염증. 급성이 되면 세균이 주위에 나와서 봉소직염(蜂巢織炎)을 일으키게 됨.
누네노리 명〈옛〉눈에놀이. ¶ 누네노리 멸(蠛), 누네노리 몽(蠓)《字會
누네누니 명〈방〉〘충〙하루살이(제주). ⌊上 23》.
누:년【屢年·累年】명 여러 해. 해마다 매년. 누세(屢歲). 누재(累載).
누:농【耨農】명〘농〙극히 원시적인 농업 방식의 하나. 원시적인 괭이와 호미만을 쓸 뿐으로, 비료도 쓰지 않고, 이곳저곳으로 토지를 옮겨 가며 짓는 농사. 유농(遊農).
누누¹【纍纍】부 ①뜻을 펴지 못하는 모양. ②피로한 모양. 여윈 모양. ③연속한 모양. ④여러 겹으로 쌓인 모양.
누누²【縷縷】부 ①실이 길게 연속한 모양. ②가늘고 끊이지 아니하는 모양. ③모두 가는 모양. ④세세(細細)하고 잔단 모양. 편지에 쓰는 말.
누:누-이【屢屢―】부 여러 번 자꾸. 여러 차례로. ¶ ～ 타이르다.
누누 중:총【纍纍衆塚】명 다닥다닥 붙어 있는 많은 뫼들.
누니누니 명〈방〉〘충〙하루살이(제주).
누:님 명 손윗누이의 존칭.
누다 타 생리적으로 똥이나 오줌을 속에서 몸 밖으로 내어 보내다.
【누지 못하는 똥을 으드덕 누라 한다】되지 않을 일을 억지로 졸라서
누-다락【樓―】명 다락집의 위층. ⌊하게 한다는 말.
누:대¹【累代·屢代】명 여러 세대. 누세(累世·屢世). 면대(綿代). 혁세(赫
누대²【樓臺】명 누각(樓閣)과 대사(臺榭). ⌊世).
누:대 구조【累帶構造】명〘물〙화학 조성(化學組成)이 다른 불연속적인 부분으로 된 결정(結晶) 구조. 빛깔이나 소광위(消光位)의 차이로 알 수 있음. 「하다 자여불
누:대 봉:사【屢代奉祀】명 여러 대의 신주의 제사를 받드는 일. ――-
누:대 분산【屢代墳山】명 여러 대의 묘지. 또, 그 묘지가 있는 곳.
누더기 명 ①누덕누덕 기운 해진 옷. ¶ ～를 걸친 거지. ②〈방〉포대기.
【누더기 속에서 영웅(英雄)난다】누덕누덕 기운 옷을 입고 자라난 사람이 후에 영웅이 된다는 뜻으로, 가난하고 천한 집에서 인물이 나왔
누덕¹ 명〈방〉누더기(경기·강원·경북). ⌊을 때 이르는 말.
누:덕²【累德】명 ①덕을 욕되게 함. 고유의 덕에 상처를 줌. ②덕을 쌓음. 또, 쌓은 덕. 적덕(積德). 「하다 형여불
누덕-누덕 부 해진 곳을 여러 번 덧붙여 기운 모양. ＞노닥노닥². ――-
누데기 명〈방〉①누더기(경기·강원·충청·전라·경북). ②포대기(함경).
누:도¹【淚道】명〘생〙눈물이 눈에서 코로 흐르는 길. 소누관(小淚管)·누낭(淚囊)·비누관(鼻淚管)으로 이루어졌음. 누로(淚路). 눈물관. 눈물
누:도²【屢度】명 여러 번. 누차. ⌊길.
누:-되다【累―】자 귀찮고 폐스러워 성가시다.
누:두¹【漏斗】명 ①깔때기❸. ②〘생〙문어나 낙지의 외투강(外套腔) 속의 물을 내뿜는 관(管). ③〘생〙척추(脊椎) 동물의 간뇌(間腦)의 밑부분에 있는 툭 튀어나온 부분. 맨 끝에 뇌하수체(腦下垂體)가 붙어 있음.
누두²【樓頭】명 다락 위의 한 부분. 다락머리.
누:두-망【漏斗網】명 입구가 안으로 들어갈수록 좁게 되어, 일단 들어간 물고기가 다시 나오지 못하게 뜬 통그물. 기선 저인망 어업(機船底引網漁業) 등에 사용됨.
누:두-상【漏斗狀】명 깔때기와 같은 모양.
누:두상 꽃부리【漏斗狀―】명〘식〙누두상 화관.
누:두상 화관【漏斗狀花冠】명〘식〙합판 화관(合瓣花冠)의 하나. 모양이 깔때기 같은 화관으로, 나팔꽃 따위의 것. 깔때기 꽃부리.
누:두-흉【漏斗胸】명〘의〙이상 흉곽(異常胸廓)의 하나. 흉골(胸骨)의 아래쪽이 우묵하게 들어간 것. 심한 것은 심장이나 폐에 장애를 일으키며, 대부분이 유전성임.
누:드〔nude〕명 ①벌거벗은 모양. 또, 그러한 사람. 나체. ¶ ～ 쇼/～ 사진. ②그림·조각·사진 등에 있어서의 나체상. 나상(裸像).
누:드 댄서〔nude dancer〕명 나체 춤을 추는 댄서. 스트리퍼.
누:드 룩〔nude look〕명 ①알몸이 보이는 또는 신체의 선(線)을 살린 스타일. ②〘복식〙시스루 룩(see-through look).
누:드 모델〔nude model〕명 그림·조각·사진 등에 있어서, 나체상을 제작하는 대상인 벌거벗은 모델. 나체 모델.
누:드 쇼:〔nude show〕명 여자가 나체로 무대 위를 거닐거나 춤추는 것을 보이는 쇼. 나체 쇼.
누:드 스타킹〔미 nude stocking〕명 살빛깔의, 긴 비단 양말.
누:드 스튜디오〔nude+studio〕명 누드 모델을 두고, 사진을 찍게 하

여 돈을 버는 사진관.

누:들 〔noodle〕 명 달걀과 밀가루로 만든 국수의 일종. 짧게 잘라 수프에 넣음.

누디기 명 〈방〉 누더기(경상).

누:디스트 〔nudist〕 명 건강상·사상상의 이유에서 알몸으로 사는 것을 주의로 하는 사람. 나체주의자.

누뚜버리 명 〈방〉 눈두덩(경상).

누뚜부리 명 〈방〉 눈두덩(경상).

누:라 【瘻癧】 명 〖한의〗 목에 나는 부스럼과 문둥병.

누:락 【漏落】 명 적바림에서 빠짐. 낙루(落漏). ——-하다 자타여불

누:락-자 【漏落者】 명 누락된 사람.

누:란[1] 【累卵】 명 포개어 놓은 새 알이라는 뜻으로, 위험함을 비유하는 말. ¶ ~의 위기.

누란[2] 【樓蘭】 명 〖역〗 중국 한(漢)나라 때의 서역(西域) 여러 나라 중의 하나. 텐산 남로(天山南路)의 남쪽, 타림(Tarim) 강의 끝, 로브노르 호(Lobnor 湖)의 북쪽에 해당함. 당시의 손꼽는 큰 나라로서, 주거지(住居地)·고분(古墳) 등이 있고, 간다라(Gandhara)의 영향을 받은 유품(遺品)·한식경(漢式鏡)·칠기(漆器) 등도 발굴됨. *선선(鄯善).

누란[3] 【樓欄】 명 누각(樓閣)의 난간.

누:란지-세 【累卵之勢】 명 쌓아 놓은 새 알처럼 몹시 위험한 형세.

누:란지-위 【累卵之危】 명 쌓아 올린 새 알처럼 몹시 아슬아슬한 위기.

누:람-자 【漏藍子】 명 〖한의〗 천오두(川烏頭)의 맨 가장자리에 대추씨같이 잘게 붙은 뿌리. 부자(附子)와 비슷한 성질이 있는데, 이질·냉루창(冷漏瘡) 등에 약으로 씀. 목별자(木鼈子). 호장(虎掌).

누러ᄒᆞ다 형 〈옛〉 누렇다. ¶ 힛비치 ᄆᆞᄃᆞᆨᄒᆞᆫ 樓ㅅ 알ᄑᆡᆫ ᄆᆞᄅᆞᆺ맷 雲霧ㅣ 누러ᄒᆞ도다(日滿樓前江霧黃)≪杜諺 X:45≫.

누럽다 형 〈방〉 마렵다.

누렁 명 누른 빛. 또, 그런 물감. >노랑.

누렁-개 명 털빛이 누른 개. 누렁이. 황구(黃狗).

누렁-개미 명 〖충〗 [*Paratrechina flavipes*] 개밋과에 속하는 곤충. 몸길이가 암컷은 4-5 mm, 수컷은 2.2 mm, 일개미는 2-2.5 mm 가량이고, 몸빛은 황갈색에 두부 상면·복부는 암갈색이며 두부는 원형임. 한국·일본에 분포하며, 다소 수분이 많은 삼림의 돌 밑이나 땅 속에 영소(營巢)함.

〈누렁개미〉

누렁-거지 명 〈방〉 누룽지(경북).

누렁-고치 명 황견(黃繭).

누렁-물 명 ①빛이 누른 물. ②누르퉁퉁하고 더러운 물. *먼물.

누렁-밥 명 〈방〉 눌은밥(함경).

누렁 우물 명 물이 궂어서 먹지 못하는 우물. ↔먼우물.

누렁-이 명 ①〈속〉 황금(黃金). ②털빛이 누른 개. 누렁개. 황구(黃狗). ③누른 빛깔의 물건. 1)-3):>노랑이.

누렁-지 명 〈방〉 누룽지(경기·강원·충북·경북).

누:렇다 [—러타] 형 ㅎ불 매우 누르다. >노랗다.

[누런 것이 다 금이냐] 겉으로 보기에 좋다고 다 훌륭한 것은 아니라는 말. 경주(慶州) 돌이면 다 옥석(玉石)인가.

누렇게 뜨다 구 ㉠오래 앓거나 굶주려서, 안색이 누렇게 변하다. ㉡매우 난처한 일을 당해 어쩔 줄 모르고, 안색이 누렇게 변하다.

누레 명 〈방〉 ①〖충〗 누리[1](전라). ②우박(전남).

누레예프 〔Nureyev, Rudolf Hametovich〕 명 〖사람〗 영국의 무용가·안무가. 소련 태생. 레닌그라드 발레단 등을 거쳐 1962년부터 로열(Royal) 발레단에서 활약. 폰테인(Fonteyn, M.)의 상대역(相對役)으로 유명해짐. 1984년, 1989년 두 차례 내한(來韓) 공연함. [1938-92]

누:레-지다 자 누렇게 되다. >노래지다.

누:로[1] 【淚路】 명 〖생〗 누도(淚道).

누:로[2] 【漏蘆】 명 〖한의〗 절굿대의 뿌리. 외과(外科)에 약재로 쓰임.

누로[3] 【樓櫓】 명 성(城)의 망루(望樓).

누록 명 〈옛〉 누룩. ¶ 약의 드ᄂᆞᆫ 누록(神麴)≪湯液≫.

누루-병 【—瓶】 명 〈방〉 맥주병(麥酒瓶)(평안).

누루시-볼락 명 〖어〗 [*Sebastes vulpes*] 양볼락과에 속하는 바닷물고기. 몸길이 40 cm 가량이며, 몸빛은 황색을 띤 담자갈색 바탕에 세 줄의 폭넓은 갈색 가로띠가 있음. 한국 중남부 연해·일본 전연해에 분포함. 봄철에 태생하며, 식용함.

누룩 명 주로 밀을 굵게 갈아 반죽하여 띄운, 술의 원료. 곡자(曲子). 주매(酒媒). 국얼(麴櫱). 국자(麴子). 은국(銀麴).

누룩-곰팡이 명 〖식〗 [*Aspergillus oryzae*] 누룩곰팡잇과에 속하는 자낭균(子囊菌)의 하나. 균사(菌絲)는 빛이 없고 번창하게 퍼져서 솜처럼 되며, 때때로 곧게 선 긴 자루가 생기고, 그 끝에 한 줄로 나란히 포자(胞子)를 붙임. 디아스타아제를 함유하고 있으며, 녹말을 포도당으로 변화시키므로 양조용(釀造用)·다카디아스타아제 등의 원료로 쓰임. 곡자균(曲子菌). 국균(麴菌). 아스페르길루스 오리제.

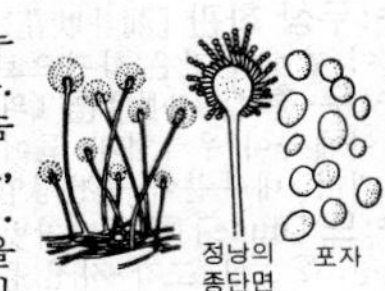

〈누룩곰팡이〉

누룩-두레 명 도자기 가마를 만들 때 쓰는, 누룩 덩이 같은 흙덩이.

누룩-밑 명 홍국(紅麴)을 만드는 재료. 찐 찹쌀밥을 물에 버무리어, 독에 넣어 익힌 뒤에, 갈아서 풀같이 만든 물건. 국모(麴母).

누룩-뱀 명 〖동〗 [*Elaphe dione*] 뱀과에 속하는 구렁이. 몸길이 90 cm 가량, 등은 황갈색을 띤 감람색에 흑갈색 가로 무늬가 있고 배의 각 비늘에는 세 쌍의 검은 무늬가 있음. 동양 각지에 분포함. 먹구렁이. 오사(烏蛇). 오초사. 흑화사. *산무애뱀.

누룩-치 명 〖식〗 [*Pleurospermum kamtshaticum*] 미나릿과에 속하는 다년초. 줄기는 높이 1.5 m 가량이고 잎은 2회 우상 전열(羽狀全裂)함. 6-7월에 백색 꽃이 복산형(複繖形) 화서로 줄기 끝과 가지 끝에 다수 정생(頂生)하며, 편란형(偏卵形)의 과실을 맺음. 산이나 들에 나는데, 거의 한국 전역에 분포함. 왜우산풀.

〈누룩치〉

누룬-갱이 명 〈방〉 누룽지(경기).

누룬-밥 명 〈방〉 누룽지(다수 지방).

누룽-개 명 〈방〉 누룽지(경기·충북).

누룽-갱이 명 〈방〉 누룽지(경기).

누룽-거리 명 〈방〉 누룽지(강원).

누룽-기 명 〈방〉 누룽지(충북).

누룽-밥 명 〈방〉 누룽지(다수 지방).

누룽-벌레 명 〈방〉 〖동〗 노래기(경남).

누룽-이 명 〈방〉 누룽지(경상).

누룽-지 명 ①솥 바닥에 눌어 붙은 밥. ②☞ 눌은밥.

누르께-하다 형여불 누르스름하다. >노르께하다.

누:르다[1] 타르불 ①힘을 들이어 위에서 아래로 내려 밀다. ¶ 꼭 누르고 있거라/국수를 ~. ②누름단추를 밀다. ¶ 초인종을 ~. ③무거운 물건을 얹어 놓다. ¶ 차돌에 눌린 두꺼비/김칫돌로 눌러 놓다. ④꿈쩍 못하게 하다. ¶ 권력(權力)으로 남을 ~. ⑤어떤 기분·느낌·심리 작용 등을 억제하다. 참다. ¶ 슬픔을 누르고 미소짓다.

누르다[2] 형러불 놋쇠나 금의 빛과 비슷한, 좀 어두운 노른 빛이 나다. >노르다.

누르대 명 〈방〉 〖식〗 누리장나무.

누르디-누르다 형러불 아주 누르다.

누르락-붉으락 [—불그—] 부 몹시 성을 낼 때에 얼굴빛이 누렇게 혹은 붉게 변하는 모양. ——-하다 자여불

누르락-푸르락 부 몹시 성을 낼 때에 얼굴빛이 누렇게 혹은 푸르게 변하는 모양. ——-하다 자여불

누르무레-하다 형여불 태가 나지 아니하고 약간 탁하게 누르다. >노르무레하다.

누르미[1] 명 ①조선 시대 중기 이전에, 찌거나 구운 재료에 녹말을 풀어 끓인 걸쭉한 즙을 끼얹은 음식. ②↗화양 누르미. ③누름적.

누르미[2] 〔Nurmi, Paavo〕 명 〖사람〗 핀란드의 장거리 경주 선수. 1920년, 1924년, 1928년 세 차례 올림픽 대회에 참가, 1만 m, 5천 m 경주에서 아홉 번을 우승함. 또, 1921-31년에 12종목에 걸쳐 21회 세계 기록을 경신함. [1897-1973]

누르스레 부 누르스름하게. >노르스레. ——-하다 형여불

누르스름-하다 형여불 조금 누르다. 옅게 누르다. >노르스름하다. 누르스름-히 부

누르퉁퉁-하다 형여불 ①윤기가 없고 산뜻하지 아니하게 누르다. ②부은 살이 누른 빛을 띠다.

누르하치 【奴兒哈赤】 명 〖사람〗 후금(後金) 초대의 황제. 후의 청(淸) 태조(太祖). 성은 아이신교로(愛新覺羅). 여진(女眞)의 추장으로 만주 전토(全土)를 정복하여 청조의 기초를 세움. 1618년에 명(明)나라를 쳐서 랴오둥(遼東) 동쪽의 70여 성을 항복시키고 1626년에는 랴오시(遼西)를 덮쳐 침. [1559-1626]

누르황-부 【—黃部】 명 한자 부수(部首)의 하나. '黇'·'黈' 등의 '黃'의 이름.

누륵 명 〈옛〉 누룩. ¶ 누륵 국(麴)≪字會 中 21≫.

누른 고갈병 【—病】 [—뼝] 명 〖식〗 위황병(萎黃病)❷.

누른-국 명 〈방〉 ↗누른국수(충청).

누른-국수 명 〈방〉 손칼국수(충청). ㊟누른국.

누른-도요 명 〖조〗 [*Scolopax rusticola rusticola*] 도욧과에 속하는 새. 날개 길이 18-22 cm, 꽁지 8 cm, 부리는 8 cm 가량이고, 몸빛은 배면(背面)은 적갈색에 흑색·회색의 반문이 있으며, 꽁지는 흑갈색에 선단이 회백색임. 하면(下面)은 담적갈색을 띤 백색에 암갈색의 가는 파상문(波狀紋)이 있음. 턱은 백색, 부리는 살빛에 끝이 암갈색이고 윗부리에는 구부(溝部)가 있으며 발에는 물갈퀴가 없음. 보통 한두 마리가 숲에 있다가 해질 무렵부터 나와 강변·연못가의 지렁이·조개·곤충·풀씨 등을 먹고, 4-6월에 서너 개의 알을 낳음. 아시아·유럽의 중북부에서 번식하고, 아프리카·대만·제주도 등지에서 월동함. 멧도요.

〈누른도요〉

누른-빛 명 누른 빛깔. 금빛과 비슷한 빛깔. >노란빛.

누른종-덩굴 【—鐘—】 명 〖식〗 [*Clematis chiisanensis*] 미나리아재빗과에 속하는 낙엽 활엽 만목(蔓木). 잎은 흔히 이회 삼출(二回三出)하고 소엽(小葉)은 긴 달걀꼴이며 거칠게 톱니가 있음. 8월에 황색 꽃이 하나씩 액출(腋出)하여 피고, 과실은 수과(瘦果)인데, 날개 모양의 갈색 털이 나고 가을에 익음. 수림 속에 나는데, 경남의 지리산과 경북·황해·평북에 분포함. 관상용이며 어린 잎은 식용함.

누름-단추 명 눌러서 신호·전령(電鈴)을 울리게 하는 장치로, 팥알 모양 외에도 여러 가지 모양이 있음. ¶ 초인종의 ~.

누름-돌 [—똘] 명 물건을 꾹 눌러 두는 데에 쓰이는 돌. 김칫돌 따위.

누름-적 【—炙】 명 고기나 도라지 따위를 꼬챙이에 꿰어서 달걀을 씌워 번철에 지진 음식. 황적(黃炙).

누릇-누릇 부 군데군데 누른 빛이 나는 모양. >노릇노릇. ——-하다 형여불

누릇-하다 형여불 좀 흐릿하게 누르스름하다. >노릇하다.

누리[1] 명 〖충〗 [*Locusta migratoria migratoria*] 메뚜깃과에 속하는 곤충. 풀무치와 비슷한데 몸길이는 45-65 mm 가량임. 풀무치와 달라, 군생(群生)하면서 큰 떼를 지어 하늘을 날아 이동함. 전유럽에서 중앙

아시아를 거쳐 중국 북부에 분포하는 누리와, 동양의 열대 및 아프리카에 분포하는 세 종류가 있음. 동양종인 대만 누리는 필리핀에서 날아와 대만 남부에 대해를 끼치며, 일본의 북해도에서도 발생한 적이 있음. 누리가 이동할 때면 그 떼에 해가 가리어지고, 그 떼가 앉는 곳에는 순식간에 땅 위의 풀이 하나도 없게 된다 함. 농작물의 대해충(大害蟲)으로 몹시 두려워하는 곤충임. 비황(飛蝗). 황충(蝗蟲). 황충이.

〈누리[1]〉

누리[2] 명 우박(雨雹). 백우(白雨).
누리[3] 명 〈방〉 울[5].
누리[4] 명 〈방〉 놀[3](강원·함경).
누리[5] 명 〈방〉 유리(琉璃)(평안).
누리[6] 명 〈옛〉 세상. 세대(世代). ¶ 누리 셰(世)≪字會 中 1≫. *뉘[6].
누리[7] 명 〈옛〉 가리[3]. ¶ 누리 ᄌᆞ(積)≪類合 下 58≫.
누리-님금 명 〈옛〉 〖사람〗 ①유리 명왕(琉璃明王). ②유리왕(儒理王).
누리다[1] 타 복됨을 입어 차지하다. ¶ 행복을 ~/영화를 ~/장수를 ~.
누리다[2] 타 〈옛〉 가리다[4]. ¶ 누릴 라(穲)≪字會 下 5≫.
누리다[3] 형 ①누린내가 나다. ②기름기가 많아 메스꺼운 냄새가 나다. 1)·2):>노리다.
누리비리다 형 〈옛〉 누리고 비리다. ¶ 누리비린 가히야 엇뎨 나를 몬득 아니 주기ᄂᆞ다(臊羯狗何速殺我)≪重三綱 顏袁≫.
누리장-나무 명 〖식〗 [*Clerodendron trichotomum*] 마편초과에 속하는 낙엽 활엽의 작은 교목. 높이 2-3m이고 잎은 호생하며 달걀꼴임. 8월에 담홍색 꽃이 취산(聚繖) 화서로 정생(頂生)하고, 과실은 핵과(核果)로 10월에 벽색(碧色)으로 익음. 산록 및 골짜기의 비옥한 곳에 나며, 한국의 황해도 이남·일본·대만·중국 등지에 분포함. 가지는 약용, 어린 잎은 식용함. 취목(臭木). 취오동(臭梧桐). 해주 상산(海州常山).

〈누리장나무〉

누리척지근-하다 형여불 누린내가 조금 나는 듯하다. 누케하다. 준누리치근하다·누척지근하다. >노리착지근하다.
누리치근-하다 형여불 ↗누리척지근하다.
누린-내 명 ①짐승의 고기에서 나는 기름기의 냄새. 조취(臊臭). ②동물의 털이 불에 타는 냄새. 1)·2): >노린내.
누린내가 나도록 때리다 구 아주 몹시 때린다는 말.
누린내-풀 명 〖식〗 [*Caryopteris divaricata*] 마편초과에 속하는 다년초. 줄기 높이 1m 내외이고 방형(方形)임. 잎은 대생하고 유병(有柄)이며 넓은 달걀꼴임. 7-8월에 벽자색 꽃이 액출(腋出)하여 취산(聚繖) 화서로 핌. 산이나 들에 나는데, 한국 중부 이남 및 일본 등지에 분포함. 불쾌한 냄새가 남.
누릿-하다 형여불 냄새가 약간 누리다. >노릿하다.
누-마루 【樓一】 명 다락처럼 높게 만든 마루.

〈누린내풀〉

누마즈 〔沼津:ぬまづ〕 명 〖지〗 일본 시즈오카 현(靜岡縣) 동부에 있는 도시. 교통의 요지임. 화학·기계 공업이 발달하였으며, 어업의 근거지이기도 함. [213,424 명(1990)]
누마질사 【僂痲質斯】 명 〖의〗 '류머티즘(rheumatism)'의 취음.
누:만 【累萬】 명 ①여러 만. ②굉장히 많은 수를 나타내는 말.
누:만-금 【累萬金】 명 ①여러 만 냥의 돈. ②굉장히 많은 액수의 돈. ¶ ~을 준다 해도 나는 싫다.
누:망[1] 【漏網】 명 잡히게 된 죄인이 수사망을 빠져 달아남. ——-하다 자여불
누:망[2] 【縷望】 명 가느다란 희망. 실날 같은 희망.
누메논 〔noumenon〕 명 〖철〗 본체(本體)❸.
누메아 〔Nouméa〕 명 〖지〗 오스트레일리아 동쪽, 누벨칼레도니(Nouvelle Calédonie) 섬의 주도. 항구 도시로 상공업의 중심지임. 니켈광(鑛)을 수출함. [60,000 명(1974 추계)]
누:명 【陋名】 명 ①지저분한 평판에 오르내리는 이름. ②억울하게 뒤집어 쓴 불명예. 오명(汚名).
누:명(을) 벗다 구 사실이 밝혀져 누명을 쓰지 아니하게 되다.
누:명(을) 쓰다 구 사실이 아닌 일로 말미암아 이름이 더럽혀지다.
누:문[1] 【漏聞】 명 새어 나오는 말을 주워 들음. ——-하다 타여불
누문[2] 【樓門】 명 다락집에 있어서 그 다락의 밑으로 드나들게 된 문.
누미디아 〔Numidia〕 명 〖역〗 아프리카의 북안(北岸), 현재의 알제리 북부에 있었던 고대 누미디아인(人)이 살던 곳. 또, 그들이 세운 국가. 제2차 포에니 전쟁 이래, 로마의 우방으로서 자주 원군(援軍)을 보냈으며, 특히 기마 전술에 뛰어났었음. 카이사르(Caesar) 이후 로마 제국의 속주(屬州)가 되었으며, 로마 문화의 이입(移入)으로 기독교가 발전함.
누배[1] 명 〈방〉 누나(함경).
누배[2] 【僂背】 명 곱사등이.
누:백 【累百】 명 여러 백. 수백(數百).
누:범 【累犯】 명 ①한 번 죄를 지어 처벌된 사람이 또 다시 죄를 범하는 일. ②〖법〗 금고(禁錮) 이상의 형을 받아 그 집행을 종료하거나 면제를 받은 후 3년 이내에 다시 금고 이상에 해당하는 죄를 범하는 일. ——-하다 자타여불
누:범 가중 【累犯加重】 명 〖법〗 누범(累犯)에 대하여 형벌을 더하는 일. 그 지은 죄에 대한 형(刑)의 장기(長期)의 두 배까지 가중할 수 있음. 그러나 그 형이 25년이 넘을 때에는 25년까지로 함.
누베 명 〈방〉 〖충〗 누에(경북·함남).
누벨 〔프 nouvelle〕 명 〖문〗 〔새롭다는 뜻〕 중편(中篇) 소설. 콩트와 로망의 중간 형식임.
누벨 바그 〔프 nouvelle vague〕 명 1958년경 프랑스에 등장한 아방가르드(avant-garde) 영화 운동. 재래의 영화 작법(作法)을 타파하는 도전적(挑戰的) 기법으로, 현대(現代)를 안으로부터 주관적으로 묘사하려 하며, 행동에의 대담한 추구와 자유 분방한 섹스의 묘사 등이 특징임. 유행이 맹렬했던 만큼 단명(短命)했음.
누벨칼레도니 섬 〔Nouvelle Calédonie〕 명 〖지〗 남태평양 서부, 오스트레일리아 북동의 프랑스령 화산도(火山島). 동부는 산지이고 평지는 좁음. 코프라·커피·옥수수가 산출되고, 특히 니켈·크롬·코발트·철 등의 산출이 많음. 1853년 이래 프랑스의 유형 식민지(流刑植民地)로 창건됨. 원주민은 카나카족(Kanaka族). 주도는 누메아(Nouméa). [16,920 km²: 119,000 명(1985)]
누:보[1] 【屢報】 명 여러 번 보도함. ——-하다 타여불
누보[2] 〔프 nouveau〕 명 〔새롭다는 뜻〕 ↗누보식(nouveau式).
누보 누보 로망 〔프 nouveau nouveau roman〕 명 〖문〗 앙티로망, 즉 누보 로망파(派)의 다음에 나온 프랑스 작가들의 작품 경향(傾向). 누보 로망파보다 한층 더 개(個)에 철저(徹底)하면서, 소설을 쓰는 행위에 의한 현실 개변(現實改變)이라는 점에서는 사회적이고, 또 극히 이론 중시(理論重視)의 경향을 보이고 있음.
누보 로망 〔프 nouveau roman〕 명 〔새로운 소설의 뜻〕 '앙티로망(anti-roman)'의 딴이름.
누보-식 【一式】 〔프 nouveau〕 명 〖미술〗 아르 누보. 준누보.
누부[1] 명 〈방〉 누나(경상).
누:부[2] 【漏阜】 명 〖생〗 눈구석에 있는 붉은 빛의 소돌기(小突起).
누부리 명 〈방〉 놀[3](함경).
누비[1] 명 ①안팎을 맞춘 피륙의 사이에 솜을 두고, 줄이 죽죽 지게 바느질을 촘촘히 하는 홈질. ②누비어 만든 물건. 주의 '縷緋'로 씀은 취음.
누비[2] 명 〈옛〉 중의 장삼. ¶ 比丘ㅣ 누비 닙고 錫杖디퍼≪月釋 Ⅷ:92≫.
누비[3] 명 〈방〉 누나.
누비[4] 명 〈방〉 〖충〗 누에(함경).
누:비[5] 【陋鄙】 명 더러움. 천함. 촌스러움. ——-하다 형여불
누:비-관 【淚鼻管】 명 비누관(鼻淚管).
누비다 타 ①피륙으로 거죽과 속을 만들고 그 사이에 솜을 두어 죽죽 줄이 지게 호다. ¶ 이불을 ~. ②좁은 사이를 요리조리 부딪히지 아니하게 나아가다. ¶ 시장(市場)길을 누비고 지나가다/정계(政界)를 ~. ③ '찡그리다'의 비꼬는 말.
누비아 〔Nubia〕 명 〖지〗 아프리카 동북부, 아스완(Aswan)으로부터 수단의 수도 하르툼(Khartoum) 부근까지의 나일 강 하곡(河谷) 및 누비아 사막을 포함하는 지역. 금·상아(象牙) 따위가 남. 고대 이집트가 지배하였으나, 그 후 기원전 8세기에 나파타(Napata)를 수도로 하는 왕국이 서고, 기원전 7세기에는 수도를 메로에(Meroë)로 옮기어, 독자적인 문화를 형성함. 6-14세기에도 동골라(Dongola)를 수도로 왕국이 번영함. 오늘날 대부분이 수단 공화국령에 속함.
누비아 사막 【一沙漠】 〔Nubia〕 명 〖지〗 수단 공화국 북동부, 나일 강(江)과 홍해안(紅海岸)의 산지(山地) 사이에 있는 사막. 동서(東西) 약 700 km, 남북 약 300 km. 대부분이 평탄한 암석 사막으로, 거의 사람이 살지 않음. 북서단(北西端)의 와디할파(Wadi Halfa)로부터 중앙 남부의 아부하메드(Abu Hamed)까지 철도가 종단(縱斷)함. [272,000 km²]
누비아 유적 【一遺跡】 〔Nubia〕 명 나일 강(Nile江) 상류, 누비아 지역에 있는 고대 유적. 아스완 댐으로 인하여 이들 유적이 수몰(水沒)되는 위기에 이르자, 유네스코(UNESCO)가 중심이 된 국제적 협력에 의한 이전(移轉)이 이루어졌음.
누비-옷 명 누빈 옷감으로 지은 옷. 또, 누벼서 만든 옷.
누비 이불 명 누빈 이불감으로 지은 이불. 또, 누벼서 만든 이불.
누비중 명 〈옛〉 누비 입은 중. ¶ 누비즁 아닌 ᄃᆞᆯ(匪百衲師)≪龍歌 21章≫.
누비-질 명 누비는 일. ——-하다 자여불
누비 처:네 명 누비어 만든 처네.
누비 포대기 명 누빈 포대기.
누비 혼인 【一婚姻】 명 두 성(姓) 사이에 많이 겹쳐 된 혼인(婚姻). ——-하다 자여불
누벼 자 〈옛〉 누워. '눕다'의 활용형. ¶ 그 床애 ᄀᆞᄃᆞ기 누벼 잇고≪月釋 XXI:43≫.
누분 자 〈옛〉 누운. '눕다'의 활용형. ¶ 제 모미 누분자히셔보터≪釋譜 IX:30≫.
누붐 자 〈옛〉 누움. '눕다'의 명사형. ¶ ᄃᆞ니며 머믈며 안ᄌᆞ며 누부믈 공空ᄒᆞᆼ中에 천千먼萬 변變화化ㅣ러니≪月印 上 60≫.
누ᄫᅳ며 자 〈옛〉 누우며. '눕다'의 활용형. ¶ 안ᄌᆞ며 누ᄫᅳ며 호미라≪蒙法 15≫.
누ᄫᅳ샴 자 〈옛〉 누우심. '눕다'의 활용형. ¶ 안ᄌᆞ시며 누ᄫᅳ샤매≪月釋 II:26≫.
누:사[1] 【陋舍】 명 누옥(陋屋).
누사[2] 【樓榭】 명 다락집으로 된 정자(亭子).
누:삭 【屢朔】 명 여러 달. 누월(屢月).
누:산 【累算】 명 누계(累計)의 계산.
누:살 【耨薩】 명 〖역〗 고구려의 벼슬 이름. 품계는 13품(品). 욕살(褥薩).
누상 【樓上】 명 다락의 위. ↔누하(樓下).
누상-고 【樓上庫】 명 다락 위에 만든 곳간.
누:석 【縷析】 명 세밀하게 분석하여 설명함. ——-하다 타여불
누:선[1] 【淚腺】 명 〖생〗 눈물을 분비하는 선(腺). 눈망울이 박혀 움쑥 들어간 곳의 바깥 윗 구석에 자리잡아, 아래위로 둘이 있음. 항상 조금씩 눈물을 냄. 파충류 이상의 동물에게만 있음. 눈물샘.
누:선[2] 【漏船】 명 물이 새는 배.

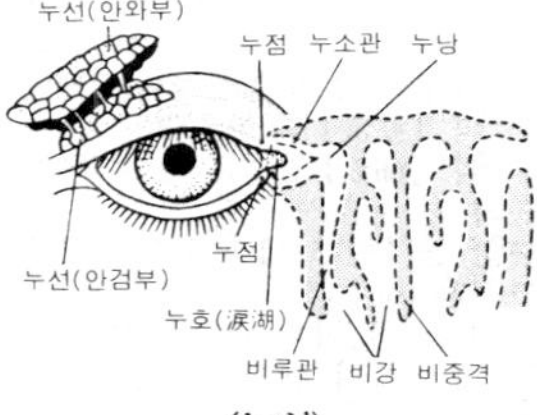

〈누선[1]〉

누선³【樓船】명 다락이 있는 배. 안에 2층으로 집을 지은 배.

누:선-염【淚腺炎】[—념] 명〖의〗누선의 염증. 급성과 만성의 두 가지가 있는데, 원래 드문 병임.

누:설¹【漏泄·漏洩】명 ①물이 샘. 물이 새게 함. ②비밀이 새어 밖으로 알려짐. 또, 비밀이 새어 나가게 함. 설루(洩漏). ——-하다 자타 여불

누:설²【縲絏】명 죄인을 결박하는 노끈. 포승(捕繩). 오라. 오랏줄.

누:설³【縷說】명 누언(縷言).

누:설-자【漏泄者】[—짜] 명 누설한 사람.

누:설 전:류【漏洩電流】[—절—] 명 [leakage current]〖물〗절연(絶緣)시켜 놓은 곳을 새어서 흐르는 전류.

누:설-죄【漏泄罪】[—쬐] 명〖법〗비밀 누설죄.

누:설지-중【縲絏之中】[—찌—] 명 포승에 묶이어서, 이리저리 끌리어 다니는 가운데.

누:설파 안테나【漏泄波—】명 [leaky-wave antenna]〖전〗광대역(廣帶域) 마이크로파 안테나. 방사빔의 폭은 좁으며, 방향은 주파수에 의해서 변함. 가늘기 때문에 항공기나 미사일 레이더 등에 깊숙이 장비할 수 있음.

누성¹【婁星】명〖천〗이십 팔 수(宿)의 열 여섯째의 별. 서쪽에 있음. 준 누(婁).

누:성²【漏聲】명 물시계의 물이 떨어지는 소리. 누수기나 각루(刻漏)의 물이 흘러 떨어지는 소리.

누성-기【婁星旗】명〖역〗의장기(儀仗旗)의 하나. 누성을 상징한 기로서, 조선 광무 원년(1897)에 황제국으로 되자 황제의 의장에 사용하였음.

〈누성기〉

누:세¹【累世·屢世】명 여러 대. 여러 세대(世代). 누대(累代·屢代). 누엽(累葉).

누:세²【累歲·屢歲】명 여러 해. 누년(累年·屢年).

누:-세기【累世紀】명 여러 세기.

누:소【陋小】명 얼굴이 못생기고 키가 작음. ——-하다 형 여불

누:-소관【淚小管】명〖생〗눈꺼풀 가의 누점(淚點)으로부터 시작하여 누낭에 이르는 가는 누관(淚管).

누:속【陋俗】명 더러운 풍속. 추한 풍속.

누:송【淚誦】명 눈물을 흘리면서 시를 외거나 노래를 부름. ——-하다 타 여불

누:수¹【淚水】명 눈물❶.

누:수²【累囚】명 죄인. 죄수.

누:수³【漏水】명 ①물이 새는 것. 또는 그 물. ②누수기(漏水器)나 각루(刻漏)의 물. 준 누(漏).

누수⁴【簍籔】명 또아리.

누수⁵【壘手】명 야구에서, 1루수·2루수·3루수의 총칭.

누:수 검:출기【漏水檢出器】명 상수도의 누수를 발견하는 기계(器械). 누수에 의한 미진동(微振動)을 전기적(電氣的)으로 포착하여 소리로 들음. 직접 관체(管體)에 접촉시키는 것과, 지표(地表)에서 지중(地中)의 수도관의 누수를 포착하는 것이 있음.

누:수 공사【漏水工事】명〖토〗수도관(水道管)의 누수 부위(部位)를 수리하는 공사.

누:수-구【漏水口】명 물 새는 구멍.

누:수-기【漏水器】명〖역〗물시계의 하나. 위쪽 그릇에 담은 물이 아랫그릇에 흘러 떨어진 양을 보고 시간을 재는 옛날의 물시계. 누호(漏壺)에 누각(漏刻)을 장치하여 측정함. 중국 것으로, 한국에서는 신라 선덕 여왕(善德女王) 때(714)부터 썼음. *누각.

〈누수기〉

누:술【縷述】명 자세히 진술함. 누진(縷陳). ——-하다 타 여불

누스 [nous] 명〖철〗마음.정신.이성(理性). 아낙사고라스(Anaxagoras)를 거쳐 플라톤에 이르러, 이데아를 보는 영성(靈性)이라 일컬어지고, 감성(感性)이나 육체 중에 이를 초월하여 존재하는 불생·불멸의 원리라 하였음.

누:습¹【陋習】명 더러운 풍습. 더러운 습관.

누:습²【漏濕】명 축축한 기운이 새어 나옴. ——-하다 자 여불

누:승【累乘】명〖수〗'거듭제곱'의 구용어. ——-하다 타 여불

누:승-근【累乘根】명〖수〗'거듭제곱근'의 구용어.

누:시【累時】명부 자주. 여러 번. 여러 차례. 누차(累次).

누:시 누:험【屢試屢驗】명 여러 번 시험하고 여러 번 경험함. ——-하다 타 여불

누:식¹【累息】명 숨을 죽임. 병식(屛息). ——-하다 자 여불

누:식²【陋識】명 좁은 식견(識見).

누:실¹【陋室】명 ①더러운 방. ②자기의 거처하는 방을 낮추어 일컫는 말.

누:실²【漏失】명 빠뜨려 잃어버림. ——-하다 타 여불

누:실-량【漏失量】명 누실된 양.

누:심¹【陋心】명 좁은 생각. 비루(卑陋)한 생각.

누심²【壘審】명 야구에서, 주로 1루·2루·3루의 곁에 있어 주자(走者)의 죽고 삶을 판정하는 심판자. 베이스 엄파이어.

누악쇼트 [Nouakchott] 명〖지〗모리타니(Mauritanie) 공화국의 수도(首都). 아프리카의 서쪽, 대서양 연안 가까이에 있음. 1958년 수도로서 신시가지가 건설됨. 정부의 여러 기관이 있으며, 상업의 중심지로 아라비아 고무·옥수수·가축 등의 거래가 성함. [800,000명(1995 추계)]

누:안【淚眼】명 ①눈물이 글썽글썽 괸 눈. ②〖의〗병으로 눈물이 늘 나오는 눈.

누:액¹【淚液】명 눈물❶.

누:액²【漏液】명 ①〖의〗손발·겨드랑이 따위에 땀이 자주 나는 병. ②밀폐된 용기 속의 액체가 새는 일.

누야 명〈방〉누나(경상).

누양-승【糯羊僧】명〖불교〗우둔한 양떼처럼 어리석은 중.

누어슘 자〈옛〉누웠음. 누워 있음. ¶ 뎌른 나래 노피 누어쇼미 어려울 시(短景難高臥)≪杜諺 Ⅶ:18≫.

누:언【縷言】명 자세히 말함. 또, 그 말. 누설(縷說). ——-하다 타 여불

누에 명〖충〗누에나방의 유충(幼蟲). 자벌레와 비슷한데 알에서 나온 때에는 검은 털이 있다가, 뒤에 털을 벗고 회색이 되며 다시 희게 됨. 대개는 검은 무늬를 띠고, 13개의 마디가 있음. 잠을 4회 자는데, 4회째까지 번번이 탈피를 한 다음, 고치를 짓고 그 속에서 꺼풀을 벗어 번데기가 되었다가 성충이 되어 밖으로 뚫고 나옴. 유충기는 25일간이며, 뽕잎을 먹고 길이 1,000m 가량 되는 실을 토하여 고치를 지음. 준 뉘.

〈누에〉

누에(가) 오르다 구 누에가 고치를 지으려고 섶에 오르다.

누에(를) 치다 구 누에를 기르다.

누에-거적 명 잠연(蠶筵).

누에-고치 명 누에가 번데기로 될 때에 몸을 보호하기 위하여 그 바깥둘레에 만드는 일종의 집. 흰빛과 누른빛의 두 가지가 있는데, 나방으로 변할 때에는 이것을 뚫고 밖으로 나옴. 명주실의 원료로 함. 고치. 잠견(蠶繭).

〈누에고치〉

누에-기생파리【—寄生—】명〖충〗[*Sturmia sericariae*] 기생파릿과에 속하는 곤충. 몸길이 12mm, 편 날개의 길이 25mm 내외임. 몸빛은 회흑색이고, 흉부 배면(背面)에 다섯 개의 흑선(黑線)이 종주(縱走)함. 날개는 투명, 시맥(翅脈)은 갈색이고, 단안(單眼)에는 털이 많음. 뽕잎이나 풀잎의 뒷면에, 길이 0.2mm의 흑색 방추형의 알을 한두 개씩 산란하여, 누에가 그 뽕잎을 먹으면 누에의 몸 속에 들어가 피부의 기관벽(氣管壁)에 붙어서 기생 성장하여, 곧 '누에애벌레'가 되며, 누에가 번데기가 된 뒤에 고치를 뚫고 밖으로 나와 땅 속에 들어가 번데기가 되어 겨울을 지나고, 다음 해 첫여름에 파리가 됨. 한국·일본에 분포함. 뽕파리. 상승(桑蠅).

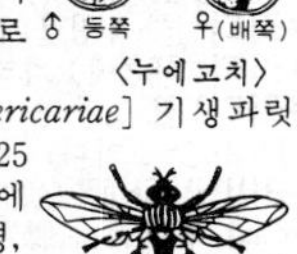

〈누에기생파리〉

누에꼬추 명〈방〉누에고치(강원·충북).

누에꼬치 명〈방〉누에고치(강원).

누에-나방 명〖충〗[*Bombyx mori*] 누에나방과에 속하는 곤충. 새누에나방과 비슷한데, 편 날개의 길이 39-43mm이고, 몸빛은 회백색에 암색의 내외 횡선(內外橫線)이 있는 개체도 있음. 암컷은 날개가 희고 몸이 비대(肥大)하며 촉각(觸角)은 회색임. 수컷은 조금 작으며 날개는 회색이고 촉각은 흑색임. 교접(交接)하여 알을 낳은 뒤에 죽음. 유충은 '누에'라고 하며 견사(絹絲)를 얻기 위하여 사육하는 익충임. 한국·일본·중국·유럽 등지에 널리 분포함. 누에나비. 잠아(蠶蛾).

〈누에나방〉

누에나방-과【—科】[—꽈] 명〖충〗[Bombycidae] 나비목 나방 아목(亞目)에 속하는 한 과. 몸의 크기는 중형(中形)이고 촉각은 쌍빗살 모양이며, 뒷날개에는 시극(翅棘)이 퇴화했음. 유충은 나체(裸體)로서 전세계에 70여 종이 분포함. 양잠용(養蠶用)으로 사육하고 있는 누에나방과 그 원종(原種)으로 알려져 있는 새누에나방 등이 이 과에 속함.

누에-나비 명 누에나방. 원잠아(原蠶蛾).

누에-나이 명 잠령(蠶齡).

누에-농사【—農事】명 누에를 치는 일. 잠농(蠶農). 잠작(蠶作).

누에-누리 명〈방〉〖충〗하루살이(제주).

누에-늙은이 [—늘근—] 명 누에가 늙은 것같이, 말라 휘늘어진 사람.

누에-똥 명 누에의 똥. 농작물의 거름으로 또는 '잠사(蠶砂)'라 하여 약재로 씀.

누에-머리 명 산세(山勢)가 누에의 대가리 모양으로 쑥 솟은 산꼭대기. 잠두(蠶頭).

누에-섶 명 누에가 고치를 짓도록 마련하여 놓은 짚이나 잎나무. 잠족.

누에-시렁 명 누에채반을 얹는 시렁 모양으로 된 틀. 잠가(蠶架).

누에-씨 명 씨를 받을 누에의 알. 잠종(蠶種).

누에주거므로니 명〈옛〉백강잠(白殭蠶). ¶ 누에주거므로니(白殭蠶)≪湯液≫.

누에-채반【—盤】명 싸리나 대오리 등을 결어서 짠 직사각형 또는 원형(圓形)의 잠구(蠶具). 그 위에 종이를 깔고 누에를 침. 잠박(蠶箔).

누에-치기 명 양잠(養蠶).

누에-콩 명〖식〗[*Vicia Faba*] 콩과에 속하는 다년생의 재배 식물. 높이 40-80cm이고, 잎은 대여섯 개의 긴 타원형 소엽(小葉)이 우상 복생(羽狀複生)하였음. 3-4월에 백색에 흑자색 반점이 있는 나비 모양의 꽃이 총상(總狀) 화서로 핌. 과실은 길이 10-15cm의 원추형으로 녹색에 연모(軟毛)가 났으며, 깍지 속에 서너 개의 씨가 들어 있음. 카스피 해(海) 연안 지대 및 북부 아라비아 원산으로, 세계 각지에서 재배함. 씨는 식용함. 잠두(蠶豆).

〈누에콩〉

누에-파리 명〖충〗[*Tricholyga bombycum*] 누에파릿과에 속하는 파리의 하나. 뽕파리와 비슷한데 몸길이 12mm 가량이고, 몸빛은 회황색에 복부는 적갈색, 다리는 흑색임. 누에·멧누에·새누에 등의 살갗이나 털 끝에 알을 슬어 기생함. 그 유충을 '누엣구더기'라고 하며, 누에 몸 속으로 뚫고 들어가 자란 뒤에 다시 나오는데, 누에는 마침내 죽음. 한 해에 여러 번 번식하며, 한국·일본·중국·유럽·아프리카에 분포함. 잠향(蠶蠁). 잠아기생파리.

〈누에파리〉

누엣거늘 자 〈옛〉 누워 있거늘. ¶ ᄠᅳᆯ 알퓌 모딘 버미 누엣거늘(庭前猛虎臥)≪杜諺 IX:18≫.

누엣-구더기 명 〔충〕 ①누에기생파리의 유충. 뽕잎에 슬어 놓은 뽕파리의 알이 그 뽕잎을 먹은 누에의 몸 안에서 부화하여 구더기로 된 것인데, 그 누에는 고치를 잘 짓지 못함. 향저(蠁蛆). ②누에파리의 유충. 누에 같은 것의 살갗이나 털끝에 슬어 놓은 누에파리의 알이 부화(孵化)하여 구더기로 된 것인데, 그 누에는 마침내 죽음. 잠저(蠶蛆).

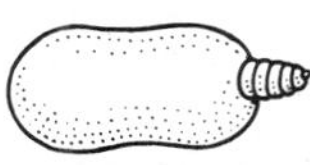

(누엣구더기가 숙주(宿主)인 누에고치에서 나오는 장면)
〈누엣구더기❷〉

누엣-병 【—病】 명 잠병(蠶病).

누여 명 〈방〉 〔충〕 누에(충청·전북).

누역¹ 명 〈방〉 〔식〕 도토리(함경).

누역² 명 〈옛〉 도롱이. ¶ 누역 사(簑)≪字會 中 15≫.

누:역³ 【累譯】 명 여러 사람의 통역을 통함. A나라 말을 B나라 말로, B나라 말을 C나라 말로 옮겨 여러 번 통역하여 의사를 통함. ——하다 타여불

누역-차조 명 〔식〕 차조의 한 가지.

누:열 【陋劣】 명 비열함. ——하다 형여불

누:엽 【累葉】 명 누세(累世).

누예 명 〈방〉 〔충〕 누에(충북).

누:옥¹ 【陋屋】 명 ①누추한 집. ②자기의 집을 낮추어 일컫는 말. 누사(陋舍).

누:옥² 【漏屋】 명 비가 새는 집.

누온일 【臥乎事】 〈이두〉 -는 일.

누왜 명 〈방〉 〔충〕 누에(강원).

누우¹ 명 〈방〉 누나(경상·함경).

누:우² 【陋愚】 명 비루하고 어리석음. ——하다 형여불

누우- 간 '눕다'의 불규칙 어간. ¶ 누운 사람/~면/~니.

누우룩ᄒᆞ다 형 〈옛〉 느즈러지다. 마음이 풀리어 게으르다. ＝누읅ᄒᆞ다·느읅ᄒᆞ다. ¶ 딕킨 사ᄅᆞ미 누우룩ᄒᆞᆫ ᄉᆞ이예(待守者小懈)≪重三綱 貞婦 淸風≫.

누운-다리 명 베틀다리.

누운-단 명 웃옷의 아랫단. (준)눈단.

누운-목 【—木】 명 누인 무명.

누운-변 【—邊】 명 다달이 갚지 아니하고 본전과 함께 한 때에 갚는 변리. 와변(臥邊). 장변(長邊). ↔선변.

누운-외 【—椳】 명 〔건〕 누울외. ↔선외. (준)눈외.

누운-제비꽃 명 〔식〕 [*Viola epipsila*] 제비꽃과에 속하는 다년초. 무경성(無莖性)이며 잎은 뿌리로부터 한두 잎이 나고 장병(長柄)이며 달걀꼴이거나 또는 심장 모양의 달걀꼴임. 5월에 엷은 홍자색의 꽃이 줄기 끝에 좌우 상칭(相稱)으로 하나씩 피고, 과실은 삭과(蒴果)임. 깊은 산의 나뭇그늘에 나는데, 평북·함남에 분포함.

누운-측백 【—側柏】 명 〔식〕 지빵나무.

누울-외 【—椳】 명 〔건〕 벽 속에 가로 대는 외. 누운외. (준)눌외. ↔설외(椳).

누움 명 ☞누임.

누워-먹다 ㊀타 음식을 누워서 먹다. ㊁자 거저 먹다. 놀고 먹다.

누워-지내다 자 ①병석에 누워서 투병 생활을 하다. ②일은 하지 아니하고 편안하게 지내다.

누:월 【屢月】 명 여러 달. 누삭(屢朔).

누:월 재운 【鏤月裁雲】 명 〔달을 아로새기고 구름을 마른다는 뜻에서〕 세공(細工)의 공교(工巧)하고 아름다움의 비유.

누웨 명 〈방〉 〔충〕 누에(황해).

누위 명 〈옛〉 누이. ¶ 아ᄋᆞ와 누위 왜 蕭條히 제여곰 어드러 가니오(弟妹蕭條各何往)≪重杜諺 XI:28≫.

누:유 【陋儒】 명 식견(識見)이 좁은 유학자.

누읅ᄒᆞ다 형 〈옛〉 느즈러지다. ＝느읅ᄒᆞ다·누우룩ᄒᆞ다. ¶ 딕ᄒᆞᆫ 사ᄅᆞ미 누읅ᄒᆞᆫ ᄉᆞᅀᅵ 어다 손가락 녀흐러≪三綱 烈女 21≫.

누웃굴다 자 〈옛〉 버둥거리다. ¶ 누웃굴 뎐(驏)≪字會 中 10≫.

누의¹ 명 〈옛·방〉 누이. ¶ 네 아ᄃᆞ리 各各 어머님 내 뫼ᅀᆞᆸ고, 누의님 내 더브러 즉자히 나가니≪月釋 Ⅱ:6≫/ᄆᆞᆮ누의 ᄌᆞ(姉)≪類合 上 19≫.

누의² 【螻蟻】 [—/—이] 명 땅강아지와 개미. 전(轉)하여, 미력(微力)한 것.

누이¹ 명 같은 어버이에게서 난 사람들 중, 남자에게 있어서 자기보다 나이가 많거나 또는 적은 여자. (준)뉘.
【누이네 집에 어석술 차고 간다】 출가한 누이네 집에 가면 대접을 아주 잘 해 준다는 말. 【누이 믿고 장가 안 간다】 누이와 결혼할 목적으로 다른 혼처에는 눈을 뜨지 아니한다는 뜻으로, 도저히 불가능한 일만을 하려고 다른 방책을 세우지 아니하는 어리석음을 비유하는 말. 【누이 좋고 매부 좋다】 쌍방이 다 좋다는 말.

누이² 명 〈방〉 〔충〕 누에(황해).

누이다¹ 타 〔←눕히다〕 ①사람의 몸이나 긴 물체를 가로 되게 놓다. ②이자는 받고 원금은 그냥 빚으로 두다. ③피륙을 잿물에 담갔다가 솥에 찌다. (준)뉘다.

누이다² 사동 오줌이나 똥을 누게 하다. (준)뉘다.

누이-동생 【—同生】 명 나이가 어린 누이. 여동생. 여제(女弟).

누이-바꿈 명 두 남자가 서로 상대방의 누이와 결혼하는 일. *물레바꿈. ——하다 자여불

누:일 【累日·屢日】 명 여러 날.

누임 명 피륙을 잿물에 담갔다가 솥에 찜. (준)뉨. ——하다 타여불

누임-질 명 피륙을 누임하는 일. ——하다 자타여불

누:재 【累載】 명 누년(累年).

누:적¹ 【累積】 명 포개어 쌓음. 포개져서 쌓임. ¶ ~된 울분이 폭발하다. ——하다 자타여불

누:적² 【漏籍】 명 호적(戶籍)·병적(兵籍)·학적(學籍) 등에서 빠짐. ——하다 자여불

누:적 기록 【累積記錄】 명 〔교〕 누가 기록(累加記錄).

누:적 도수 【累積度數】 [—쑤] 명 〔수〕 통계 자료(統計資料)를 정리하였을 때, 변량(變量)인 각 계급에 속하는 수치(數値) 이하의 도수 전체를 누계(累計)한 수.

누:적 도수 분포 【累積度數分布】 [—쑤—] 명 〔수〕 변량의 분할점, 즉 계급의 대소의 순서로 배열한 누적 도수의 계열(系列).

누:적 도수 분포도 【累積度數分布圖】 [—쑤—] 명 〔수〕 가로축(軸)에 변량의 분할점(分割點), 세로축에 누적 도수를 잡아, 꺾은선(線) 그래프로 나타낸 도표.

누:적 들뜸 【累積—】 명 〔cumulative excitation〕 〔물〕 원자가 하나의 들뜸 상태에서, 전자(電子)와의 충돌 등에 의해 보다 높은 상태로 들뜨는 과정(過程).

누:적 모순 【累積矛盾】 명 〔accumulated discrepancy〕 〔공〕 조사 연구의 여러 단계에서 발생한, 개개의 모순의 축적(蓄積).

누:적 상대 도수 【累積相對度數】 [—쑤] 명 〔수〕 자료(資料)의 총수에 대한 누적 도수의 비율이나 백분율.

누:적 오:차 【累積誤差】 명 〔cumulative error〕 〔수〕 관측수(觀測數)가 증가해도 그 크기가 영(零)에 가까워지지 않는 오차.

누:적 이온화 【累積—化】 명 〔cumulative ionization〕 〔물〕 준안정 상태(準安定狀態)에 있는 원자가 재차 들뜸으로 인한 이온화.

누:적 이:중 결합 【累積二重結合】 명 〔cumulative doublebond〕 〔화〕 한 개의 탄소 원자에 딸린 두 개의 이중 결합. >C=C=C<.

누:적적 우선주 【累積的優先株】 명 〔cumulative preferred stock〕 〔경〕 이익 배당에 관한 우선주의 한 가지. 한 영업 연도(營業年度)에 있어서 그 우선 배당액이 일정한 율(率)이나 일정한 액에 이르지 아니할 때에는 그 부족액이 다음 영업 연도 이후에 있어서 우선적으로 배당됨. ↔비(非)누적적 우선주.

누:적 투표 【累積投票】 명 〔cumulative voting〕 ①〔정〕 대선거구(大選擧區)의 연기 투표(連記投票)에서 선거인이 꼭 상이(相異)한 후보자를 연기(連記)할 필요가 없이 동일인(同一人)을 연기함을 허용하는 제도. ②〔경〕 주주 총회에서, 복수의 이사(理事)를 1회의 투표로 선임하는 경우, 각 주주(株主)에게 '소유 주식의 수×선임하는 이사의 수'의 의결권을 주어, 각 주주가 그 의결권을 한 사람에게 집중하거나 또는 두 사람 이상에게 분할 투표해도 좋은 제도. 이사(理事)는 최다 득표자(最多得票者)로부터 차례로 예정 인원만큼 선임됨.

누:적 합계 천:공 【累積合計穿孔】 명 〔accumulated total punching〕 〔컴퓨터〕 천공 카드 항목이 파일에서 탈락되지 않았는가를 확인하기 위한 검사 절차.

누:전¹ 【累戰】 명 여러 번 싸움. ——하다 자여불

누:전² 【漏田】 명 〔역〕 양안(量案)에서 누락된 토지. 또, 토지를 양안에서 누락시킴. ——하다 자여불

누:전³ 【漏電】 명 〔물〕 절연(絶緣)이 잘못 되었거나 또는 손상한 결과 전류가 다른 데로 새어 흐름. 또, 그 전류. ——하다 자여불

누:전⁴ 【漏箭】 명 알지 못하게 날아 와서 사람을 맞힌 적의 화살. 유시(流矢).

누:전⁵ 【漏箭】 명 〔역〕 각루(刻漏)의 누호(漏壺) 안에 세운, 눈을 표시한 화살. 그 눈을 보아 시간을 앎.

누:전 군:읍 【屢典郡邑】 명 여러 고을의 원을 지냄. ¶ 본래 서판서의 힘으로 ~을 하던 터인데…≪李海朝 : 九疑山≫. ——하다 자여불

누:점¹ 【淚點】 명 〔생〕 아래위 눈꺼풀에 있는, 누도(淚道)의 입구가 되는 부분. 누호(淚湖)에 일단 괸 눈물이 여기를 통하여 누소관(淚小管)으로 흘러 들어감.

누:점² 【漏點】 명 누수(漏水)의 똑똑 떨어지는 물방울.

누:정¹ 【漏丁】 명 호적(戶籍)을 만들 때에 사내를 숨기어 빼 놓음. ——하다 타여불

누:정² 【漏精】 명 〔의〕 성행위(性行爲)에 의하지 아니하고 무의식적으로 정액(精液)이 흘러 나옴. 또, 그 정액. 유정(遺精). ——하다 자여불

누정³ 【樓亭】 명 다락집 모양으로 지면(地面)에서 한층 높게 지은 정자(亭子). 정루(亭樓).

누:정-창 【漏睛瘡】 명 〔한의〕 눈자위에 종기가 나 곪아 터지는 병.

누:조¹ 【累祖】 명 누대(累代)의 선조. 대대의 조상.

누:조² 【累朝】 명 누대(累代)의 조정(朝廷). 또, 대대의 천자(天子). 역조(歷朝).

누:주¹ 【淚珠】 명 눈물 방울.

누주² 【樓柱】 명 직경 50cm, 길이 5m 이상의 큰 재목으로 된 뗏목.

누:중 법칙 【累重法則】 명 〔지〕 지층의 퇴적 순서를 정하는 기본 법칙. 서로 겹쳐진 지층은 원래, 위에 있는 지층일수록 새롭다고 하는 법칙. 지구의 역사를 만들 때 지층의 신구(新舊)를 결정하는 근거가 됨.

누:증 【累增】 명 여러 차례로 더함. 차차 더하여짐. ↔누감(累減). ——하다 자타여불

누:지¹ 【陋地】 명 ①누추한 곳. 누추한 땅. ②자기가 사는 곳의 겸칭.

누지² 【僂指】 명 손을 꼽아 셈. ——하다 타여불

누:지다 ㊀자 습기를 먹어 축축하여지다. ㊁형 축축한 기운이 있다. 누기가 차다.

누지르다 타르불 ☞누르다¹. ¶ 옥희가 토해낸 한숨이 그의 귓전에서 바람 소리를 누지르며 울렸다≪洪性裕 : 사랑과 죽음의 세월≫.

누:진¹ 【累進】 명 ①차차로 나아감. 횟수를 거듭하여 점점 나아감. ②지위(地位) 등이 계제를 밟아서 차차 올라감. 누천(累遷). ③가격이나 수량이 더하여 감에 따라 거기에 대한 비율이 점점 높아짐. *누퇴(累退). ——하다 자여불

누:진² 【漏盡】 명 ①새어서 다 없어짐. ②〔불교〕 마음이 물건에 끌리는 번뇌가 다 없어짐. ——하다 자여불

누:진³ 【縷陳】 명 자세히 진술함. 누술(縷述). ——하다 타여불

누:진 과세 【累進課稅】 명 〔법〕 누진 세율에 의하여 세금을 부과하는 일.

누:진 교배 【累進交配】 명 가축의 개량에 있어서, 미개량종의 암컷에

이상적인 개량종의 수컷을 교배하여 새끼를 얻고, 또 그 새끼에 다시 개량종을 교배시켜 나가는 일. *귀화법(貴化法).

누:진-세【累進稅】[-쎄] 명《법》과세 물건의 수량 또는 화폐 가치의 증가에 따라서 점점 높은 세율을 부과하는 조세. ↔비례세(比例稅)·역진세(逆進稅)·누퇴세(累退稅).

누:진-율【累進率】[-뉼] 명 가격이나 수량이 증가함에 따라 누진하는 율.

누:진-제【累進制】명《법》재판에서 선고된 형기(刑期)를 여러 계급으로 나누어, 형을 받는 사람의 개선(改善)의 정도에 따라 처우를 점점 완화하여 가는 행형상(行刑上)의 제도.

누:진 처:우【累進處遇】명《법》행형상(行刑上), 수형자(受刑者)의 행장(行狀)에 따라 그 처우를 완화하여 가는 일. *누진제(累進制).

누:진-통【漏盡通】명〔↗누진 지증통(漏盡智證通)〕《불교》번뇌(煩惱)를 끊고 다시는 미계(迷界)에 태어나지 않음을 깨닫는 성자(聖者)의 신통력(神通力). *삼명(三明).

누:진 행형【累進行刑】명《법》누진제에 의하여 형을 집행하는 일.

누:질【陋質】명 비루(卑陋)한 성질.

누:차¹【累差】명 측정할 때 누적(累積)한 오차(誤差). *누적 오차.

누:차²【屢次】명부 ①여러 차례. 여러 번. 누도(屢度). 누회(屢回). ¶ ~ 말하다. ②가끔. 때때로.

누:창【漏瘡】명《한의》감루(疳瘻).

누척지근-하다 형여불 ↗누리척지근하다.

누:천¹【陋淺】명 ①비루하고 천박함. ②견문이 좁고 사려(思慮)가 얕음. ——-하다 형여불

누:천²【陋賤】명 신분이 천함. 지위가 얕음. ——-하다 형여불

누:천³【累遷】명 누진(累進)❷. ——-하다 자여불

누:천⁴【漏天】명 비가 너무 많이 옴을 이름.

누:-천년【累千年】명 여러 천 년.

누:최【漏催】명 시계가 때를 재촉함. ——-하다 자여불

누:추-하다【陋醜—】형여불 지저분하고 더럽다. 추루(醜陋)하다. ㊥누하다.

누:출【漏出】명 새어 나옴. ——-하다 자여불

누:출 분비샘【漏出分泌—】명〔eccrine gland〕《생》외분비(外分泌)샘 가운데서 생성된 분비물만을 배출하는 샘. 침샘 따위.

누:층【累層】명〔formation〕《지》지층(地層) 구분의 하나. 평행하게 겹쳐 있는, 거의 같은 성질을 가진 지층의 모임. 몇 개의 지층이 모여 층군(層群)이 됨.

누:층-법【累層法】[-뻡] 명《지》지도(地圖)에 지형(地形)을 그리어 나타내는 방법의 한 가지. 높이에 따라 빛깔을 달리하여 지형의 고저(高低)를 알 수 있게 함.

누-치¹ 명《어》[*Hemibarbus labeo*] 잉어과에 속하는 민물고기. 몸길이가 50cm에 달하여 잉어와 비슷하나 입가에 한 쌍의 수염이 있음. 몸빛은 은색 바탕에 등 쪽은 어두운 회색빛을 띠며 옆줄 위에 6-9개의 눈구멍 크기의 점이 있음. 한국의 낙동강·만주의 헤이룽 강(黑龍江) 및 중국에 널리 분포함. 식용함. 눌어(訥魚).

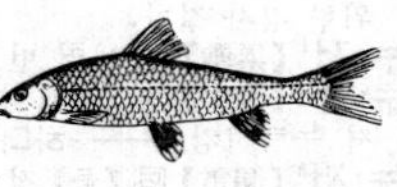
〈누치¹〉

누:치²【漏卮】명 ①술이 새는 잔. ②대주호(大酒豪).

누:치³【瘻痔】명《의》치루(痔瘻).

누:칠【累七】명 사람이 죽은 뒤 49일까지, 7일 째마다 추선 공양(追善供養)하는 일.

누케-하다 형여불 누리척지근하다.

누쿠알로파〔Nukuálofa〕명《지》남태평양(南太平洋) 통가(Tonga) 왕국의 수도. 통가타푸(Tongatapu) 섬의 북안(北岸)에 위치한 항구 도시임. [30,000 명(1990 추계)]

누타-수【壘打數】명 야구에서, 안타(安打) 중, 단타(單打)를 1, 이루타(二壘打)를 2, 삼루타를 3, 홈런을 4로 하여 합산한 총계.

누:탈【漏脫】명 빠지어 달아남. 새어서 달아남. ——-하다 자여불

누:태¹【漏胎】명《한의》배도 아프지 아니하고, 아이밴 여자의 아래로 피가 나오는 일. ——-하다 자여불

누:태²【陋態】명 보기 흉한 꼴. 추태(醜態).

누:택【陋宅】명 ①쓸쓸하고 누추한 집. ②자기 집의 겸칭.

누:토【累土】명 흙을 쌓아 올림. 또, 그 흙. ——-하다 자여불

누:퇴【累退】명 ①비율(比率)이 차차 내려감. ②관위(官位)·등급(等級) 따위가 차차 내려감. *누진(累進). ——-하다 자여불

누:퇴-세【累退稅】명《법》세율의 누진이 어느 일정한 한도에서 정지되고, 그 이상에는 비례 세율이 적용되는 누진세의 특례(特例) 형태. 또, 그 조세. ↔누진세.

누:퇴 세:율【累退稅率】명 과세 표준이 많아짐에 따라 차차 낮아지는 세율. 우리 나라에서는 채택되고 있지 않음. 누감 세율.

누튀나모 명〈옛〉느티나무. ¶ 누튀나모(靑楡樹又黃楡樹)《字會 上 10 檢字註》.

누트〔Nut〕명《신》이집트 신화 중의 여신(女神). 천공(天空)의 신으로, 온몸에 별을 감고 있다 함. 대지신(大地神) 게브(Geb)의 아내. 손가락과 발가락으로 게브와 접촉하며, 활 모양을 한 복부(腹部)에 은하수가 빛남. 슈(shu)가 이를 받치고 있음.

누:판【鏤版】명 목판(木版)을 새김. 판목에 그림이나 글자를 새김. ——-하다 타여불

누:판-고【鏤板考】명《책》서유구(徐有榘)가 지은 서지(書誌)·판본 관계 저술. 조선 시대 정조(正祖) 당시 경외(京外)의 각처에 소장되어 있던 책판(冊板)을 조사하여 적은 목록. 정조 20년(1796) 편찬.

누:표【漏杓】명 석자¹.

누:풍【陋風】명 ①더러운 풍속. ②더러운 풍기. 누습(陋習).

누:풍-증【漏風症】[-쯩] 명《한의》과도히 술을 마셔 온몸에 늘 열과 땀이 나며 목이 마르고 느른하여지는 병. 주풍(酒風).

누:풍 통기 시스템【漏風通氣—】명〔leakage intake system〕《광》채탄 현장 가까이 두 줄기의 통기 갱도를 설치해서 공기를 공급하는 통기 회로(通氣回路).

누:하¹【淚河】명 냇물처럼 흐르는 눈물. 몹시 우는 것을 비유하는 말.

누하²【樓下】명 다락집의 아래. 다락 밑. ↔누상(樓上).

누:-하다【陋—】형여불 ↗누추하다.

누:한 명《공》〔←누흔(淚痕)〕도자기(陶瓷器)의 거죽에 눈물이 흐른 모양처럼 잿물이 흘러내린 자리.

누:항【陋巷】명 ①좁고 더러운 거리. ②자기가 사는 동네의 겸칭. 애항(隘巷).

누:항 단표【陋巷簞瓢】명〔누항에서 사는 사람의 한 그릇의 밥과 한 바가지의 물〕아주 가난한 사람들의 생활 형편을 일컫는 말.

누:항-사【陋巷詞】명《문》조선 시대 선조(宣祖) 때, 노계(蘆溪) 박인로(朴仁老)가 자기의 가난한 농촌 생활을 읊은 가사(歌辭). 《노계집(蘆溪集)》에 수록되어 있음. 총 77절 157구.

누:혈¹【漏穴】명《건》물이 흘러내리게 하기 위하여 구멍을 뚫은 돌.

누:혈²【漏血】명《한의》피가 나오는 치질.

누:호¹【淚湖】명《생》눈초리 옆에 있는, 각막이나 결막 표면을 씻어 내린 눈물이 일단 괴는 부분. 눈물은 여기서 누점(淚點)을 통하여 누도(淚道)로 흘러 들어감.

누:호²【漏戶】명 호적에 빠진 집.

누:호³【漏壺】명 각루(刻漏)에 물을 담는 그릇과 물을 받는 그릇의 총칭.

누호⁴【蔞蒿】명《식》물쑥.

누호-다【蔞蒿茶】명 물쑥차.

누호-채【蔞蒿菜】명 물쑥 나물.

누:-홍초【縷紅草】명《식》[*Quamoclit pennata*] 메꽃과에 속하는 일년생 만초(蔓草). 줄기 높이 66cm에 달하고 잎은 우상(羽狀)으로 갈라졌으며 열편(裂片)은 실 모양임. 여름에 붉은 누두상(漏斗狀)의 꽃이, 엽액(葉腋)에서 나는 꽃꼭지 끝에 핌. 관상용으로 심음.

누:화【漏話】명〔cross talk〕《전》한 전화 회선의 통화 전류가 딴 회선에 전류를 유기(誘起)하여 서로 간섭(干涉)을 일으키어 통화를 방해하는 현상.

누:화 단위【漏話單位】명〔crosstalk unit〕《통신》두 개의 회로의 결합을 나타내는 단위. 측정점의 전압 또는 전류를, 각기 누화 신호원(信號源)의 전류 또는 전압으로 나눈 것의 1백만 배가 곧 누화 단위로 나타낸 수치가 됨. 단, 신호원과 측정점의 임피던스는 같은 것으로 간주함.

누:화 레벨【漏話—】명〔crosstalk level〕《통신》어떤 기준에 대해서, 데시벨(decibel 値)로 나타낸 누화 에너지의 양.

누:회【屢回】명 여러 번. 여러 차례. 누차(屢次).

누:흔【淚痕】명 눈물의 흔적. 눈물 자국.

누흡다 형〈옛〉마음이 풀리어 게으르다. ¶ 열두히롤 누흡디 아니ㅎ샤《月釋 XXI:213》.

눅눅다 형〈옛〉느긋느긋하다. ¶ ㅎ다가 안히 눅눅거든 몬져 싱양 즛두드려 쫀 즙을 저기 머고티(如惡心先飲生薑自然汁少許)《救簡 Ⅲ:26》.

눅눅-하다 형여불 ①물기나 기름기가 있어 무름하고 좀 부드럽다. > 녹녹하다. ②축축한 기운이 있다. 습기가 있다. ¶ 눅눅한 옷. 눅눅-히 부

눅-느즈러지다 자 누긋하고 느즈러지다.

눅다¹ ㊀자 ①값이 떨어지다. ②춥던 날씨가 풀리다. ㊁형〈방〉싸다. 헐하다(평안).

눅다² 형 ①반죽 같은 것이 무르다. ¶ 반죽이 ~. ②뻣뻣한 것이 습기에 재어 부드럽다. ¶ 담배가 ~. ③성질이 너그럽다. ¶ 성질이 눅은 사람.

눅신-눅신 부 매우 눅신한 모양. 여럿이 모두 눅신한 모양. > 녹신녹신. ——-하다 형여불

눅신-하다 형여불 섬유질의 물체가 질기지 아니하게 눅눅하다. > 녹신하다. 눅신-히 부

눅실-눅실 [-룩-] 부 썩 무르녹게 눅신눅신한 모양. > 녹실녹실. ——-하다 형여불

눅실-하다 형여불 썩 무르녹게 눅신하다. > 녹실하다.

눅십 수〈방〉육십(六十)(평안).

눅은-도리 명《악》풍류의 곡조의 마디를 눅게 하는 도막.

눅이다 타 ①굳은 물건을 부드럽게 하다. ¶ 반죽을 ~. ②마음을 풀리게 하다. ¶ 마음을 눅이고 참게. ③젖게 하다. 적시다. ¶ 다림질하려고 옷을 ~.

눅자치다 타〈옛〉위로하다. ¶ 눅자칠 위(慰)《類合 下 43》.

눅지다 자 추운 날씨가 누그러지다.

눅직-이 부 눅직하게. 조금 눅게.

눅직-하다 형여불 조금 눅다. ¶ 큰 학생은 눅직하니 가만 앉아서 공부하지 않나?《崔貞熙: 녹색의 문》.

눅진-눅진 부 매우 눅진한 모양. > 녹진녹진. ——-하다 형여불

눅진-하다 형여불 물체나 성질이 누긋하고 끈끈하다. ¶ 눅진한 성격. > 녹진하다. 눅진-히 부

눅히다 타〈방〉눅이다.

눈¹ 명 ①《생》사람이나 동물의 보는 기능을 맡은 감각기(感覺器)의 하나. 사람의 것은 눈알과 시신경(視神經)을 주요한 부분으로 하고 안검(眼瞼)·안근(眼筋)·누기(淚器) 등의 부속물로써 이루어짐. 동공(瞳孔)에서 비쳐 들어온 광선은 눈망울의 가장 속 층(層)인 망막(網膜)에 받아들여져 시신경에 자극을 주고 대뇌 피질(大腦皮質)에 전해져서 시각(視覺)을 일으킴. ②시력. ¶ ~이 나쁘다. ③사물을 인식 판단하는 힘. ¶ ~이 높다/보는 ~이 다르다. ④보는 모양이나 태도를 나타내는 말. ¶ 부러운 ~으로 바라보다.

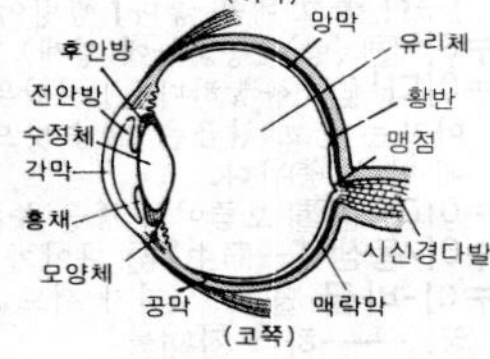

〈눈¹〉

[눈 가리고 아웅] '눈감고 아웅한다'와 같은 뜻. [눈보다 동자가 크다] '배보다 배꼽이 크다'와 같은 뜻. [눈 앓는 놈 고춧가루 넣기] '안질에 고춧가루'와 같은 뜻. [눈에 눈이 들어가니 눈물인가 눈물인가] 얼굴의 눈에 하늘에서 내리는 눈이 들어갔을 때 흐르는 물이 눈에서 나오

는 눈물인지, 눈이 녹은 눈물인지, 분간할 수 없다고 하는, 언어 유희(言語遊戲). 【눈에 안경(眼鏡)】 제 마음에 들면 좋아 보인다는 말. 제 눈에 안경. 【눈에 약(藥)하려도 없다】 눈에 약을 하려면 극히 조금만 있어도 되는 것인데 그 정도도 없다는 뜻으로, 조금도 없다는 말. 약에 쓸래도 없다. 【눈에 콩꺼풀이 씌었다】 앞이 가리워져 보지 못한다. 【눈은 있어도 망울이 없다】 ㉠있기는 있으되 가장 중요한 것이 빠져서 없는 거나 마찬가지라는 뜻. ㉡사물을 정확하게 판단할 안식(眼識)이 없다는 뜻. 【눈은 풍년이나 입은 흉년이다】 눈에 보이는 것은 많아도, 정작 제가 먹을 것은 없다는 말. 【눈이 보배다】 눈썰미가 있거나 감식력이 있음을, 눈이 보배처럼 중요한 구실을 한다는 뜻으로 이르는 말. 【눈이 아무리 밝아도 제 코는 안 보인다】 제 아무리 똑똑해도, 제 자신을 잘 모른다는 말. 【눈이 저울이다】 눈으로 짐작한 것이 저울로 단 것처럼 들어맞는다는 말. 【눈 찌를 막대】 ㉠아무리 약한 사람이라도 자기를 해치려고 드는 사람을 막기에 족한 상당한 수단은 가지고 있다는 뜻. ㉡남의 급소를 찔러 해를 끼치려고 하는 고약한 마음. 충목지장(衝目之杖). 【눈 큰 황소, 발 큰 도둑놈】 눈이 큰 사람, 발이 큰 사람을 놀리는 말.

눈에 띄:다 구 ㉠두드러지게 눈에 보이다. ¶ 눈에 띄는 결점. ㉡눈에 뜨이다. 발견되다.

눈에 거슬리다 구 보기에 마뜩하지 않아 불쾌한 느낌이 있다.

눈에 걸리다 구 ㉠눈에 거슬리다. ¶ 그 꼴은 눈에 걸려 못 보겠네. ㉡눈에 들어오다.

눈에 넣어도 아프지 않다 구 어린아이나 여자가 매우 귀여움을 나타내는 말. ¶ 눈에 넣어도 아프지 않을 내 자식.

눈에 들다 구 보는 것이 마음에 맞다. ¶ 그 물건이 눈에 들었다.

눈에 모를 세우다 구 성낸 눈매로 날카롭게 노려 보다.

눈에 밟히다 구 잊혀지지 아니하고 자꾸 눈에 떠오르다.

눈에 불을 켜다 구 '눈(을) 밝히다'와 같은 뜻.

눈에 불이 난다 구 ㉠뜻밖에 몹시 놀랐을 때 이르는 말. ㉡매우 바쁠 때 이르는 말. ㉢갑자기 뺨따귀를 되게 맞았을 때 이르는 말.

눈에서 딱정벌레가 왔다갔다 한다 구 현기증이 몹시 나서 정신이 혼도(昏倒)됨을 이르는 말.

눈에서 번개가 번쩍 나다 구 얼굴이나 머리 따위에 강한 타격을 받았을 때, 눈 앞이 별안간에 캄캄해지며, 일순간 빛이 교착(交錯)하는 일을 일컬음. ¶ 별안간에 울던 눈에서 번개가 번쩍 나며 새 정신이 나서 떡 일어나며《李海朝:彈琴臺》.

눈에서 황(黃)이 난다 구 몹시 억울하거나 질투가 느껴질 때 이르는 말.

눈에 선:하다 구 지나간 일이나 물건의 모양이 눈 앞에 보이는 듯하다.

눈에 쌍심지가 오르다 구 몹시 기를 쓰다.

눈에 쌍심지를 켜다 구 몹시 화가 나서 눈을 부릅뜨다.

눈에 어리다 구 어떤 모습이 잊혀지지 않고 뚜렷이 머리 속에 떠오르다. 환상이 눈에 비치다.

눈에 없:다 구 관심 밖에 있어, 문제시하지 않거나 업신여기다. 안중에 없다.

눈에 차다 구 매우 흡족하게 마음에 들다.

눈에 칼을 세우다 구 표독스럽게 눈을 번쩍이고 노려보다.

눈에 풀칠하다 구 감은 눈으로 보듯, 사물을 잘못 본다는 말.

눈에 헛거미가 잡히다 구 ㉠굶어서 기운이 빠져 눈이 아물거리다. 눈 앞에 거미줄처럼 뿌연 줄이 오락가락하는 느낌이 있다. ㉡욕심에 눈이 어두워 사물을 바로 보지 못하다.

눈에 흙이 덮이다 구 죽어서 땅에 묻히다. ¶ 내 눈에 흙이 덮이기 전에는 안 된다.

눈에 흙이 들어가다 구 죽어서 땅에 묻히다.

눈이 등잔만하다 구 놀라거나 성이 났을 때 눈을 크게 떠 휘둥그레지다. ¶ 눈이 등잔만하게 한참 보다가 《金敎濟:牡丹花》.

눈이 뚫어지게 구 꼼짝 않고 한 점을 응시(凝視)하는 모양. ¶ 눈이 뚫어지게 한참 보다가 《金敎濟:牡丹花》.

눈이 빠:지도록 기다리다 구 몹시 애타게 기다리다.

눈이 산 밖에 비어지다 구 지나치게 흥분하고 격노하여 이성을 잃을 지경에 이르다. ¶ 방가는 눈이 산 밖에 삐져 돌놈의 가슴을 가로타고 앉아서《金敎濟:牡丹花》.

눈이 시퍼렇다 구 멀쩡하게 살아 있다.

눈이 캄캄하다 구 ㉠정신이 아찔하고 생각이 콱 막히다. ¶ 자기 잡혀가는 것은 고사하고 그 남편이 어찌 되진 몰라 눈이 캄캄하고 정신이 아득아득하여 《崔瓚植:秋月色》. ㉡무식하다. 문맹(文盲)이다. ¶ 이것은 그년이 어떤 놈에게 전해 달라는 편지라는데, 나는 눈이 캄캄하여 못 보았으니 네가 시원히 보아 다우 《崔瓚植:金剛門》.

눈이 하가마가 되었다 구 굶주려 눈이 퀭해졌음을 이르는 말.

눈이 휘둥그레지다 구 놀라거나 두려워서, 눈이 휘둥그렇게 커지다.

눈² 명 〔식〕 새로 막 터져 돋아나려는 초목(草木)의 싹.

눈³ 명 자·저울·온도계 등에 길이·수·양·구획을 나타내기 위하여 표를 한 금이나 점. 눈금. ¶ 저울~을 속이다.

눈⁴ 명 ①그물 같은 물건의 코와 코를 이어 이룬 구멍. ②당혜와 운혜 등의 코와 뒤울에, 모양으로 만든 꾸밈새.

눈:⁵ 명 공중의 수증기(水蒸氣)가 찬 기운을 만나 얼어서 땅 위로 내려오는, 희고 여섯 모가 진 결정체(結晶體).

【눈 먹던 토끼 얼음 먹던 토끼가 다 각각】 ㉠사람은 자기가 겪어 온 환경이나 경우에 따라 그 능력을 각기(各己) 달리한다는 뜻. ㉡아주 작은 경험이나 이력의 차이도 그 사람의 언어와 행동에 나타난다는 말. 【눈 온 뒤에는 거지가 빨래를 한다】 눈 온 뒷날은, 거지가 입고 있던 옷을 벗어 빨아 입을 만큼 날씨가 따스하다는 말. 【눈 위에 서리친다】 '설상 가상(雪上加霜)'과 같은 뜻.

눈⁶ 〔Nun〕 명 이집트 신화의, 원초적(原初的) 혼돈(混沌). 온갖 존재의 근원(根源)을 잉태하는 원초(原初)의 대양(大洋).

눈-가 [—까] 명 눈의 가장자리. 눈가장. ¶ ~의 주름.

눈-가늠 [—까—] 명 눈대중으로 목표를 정하는 일. ¶ ~이 틀렸다.

눈-가다 자 보는 눈이 향하여지다.

눈:-가루 [—까—] 명 눈송이의 부스러진 가루. ¶ 창문으로 ~가 날아든다.

눈-가림 명 겉꾸민 꾸미어 남의 눈을 속이는 일. ¶ 어물어물 ~으로 일하다. ——하다 자여불

눈-가오리 명 〔어〕 [*Raja smirnovi*] 가오릿과에 속하는 바닷물고기. 몸길이 1m 이상. 몸빛은 등 쪽은 황갈색, 배 쪽은 희며 가슴지느러미 기저부에 한 쌍의 안상문(眼狀紋)이 있음. 꼬리지느러미는 작고 분명하지 아니하며 꼬리는 전체가 측편(側扁)함. 우리 나라 동해에서 남.

눈-가자미 명 〔어〕 [*Dexistes rikuzenius*] 붕넙칫과에 속하는 바닷물고기. 몸길이 19cm 가량이며, 몸은 측편형(側扁形)이고 온 몸이 빗비늘로 덮여 있는데, 어두운 갈색을 띰. 두 눈은 몸의 오른쪽에 있고, 눈 사이가 좁음. 옆줄은 거의 곧음. 부산·원산 연해 및 일본 연해에도 분포함.

눈-가장 [—까—] 명 눈의 가장자리. 눈가.

눈-가죽 [—까—] 명 ①눈두덩의 가죽. ¶ ~이 두껍다. ②〈방〉 눈까풀(강원·충남·전라·경상).

눈-감다 [—따] 자 ①아래위의 눈시울을 마주 붙이다. ↔눈뜨다❶. ②목숨이 끊어지다. 죽다. ③못 본 체하고 눈감아 주다.

【눈감고 아웅한다】 얕은 꾀를 써서 속이려 함을 이르는 말. 눈 가리고 아웅. 【눈감으면 코 베어 먹을 세상】 세상 인심이 매우 험악하고 믿음성이 없음을 이르는 말.

눈감아 주다 구 남의 허물이나 잘못을 못 본 체하여 주다. 알고도 모르는 체하다. ¶ 비위 사실을 알고도 ~.

눈-강【嫩江】 명 〔지〕 '넌장'을 우리 음으로 읽은 이름.

눈:-개비자나무 【—榧子—】 명 〔식〕 [*Cephalotaxus nana*] 개비자나뭇과에 속하는 상록 침엽 관목. 잎은 침형(針形)이고 꽃은 자웅 이가(雌雄二家)이며 4월에 핌. 과실은 구형(球形)이고 겉껍질은 육질(肉質)이며 9-10월에 붉게 익는데, 먹을 수 있음. 한국의 속리산(俗離山) 및 일본에 분포함. 정원수(庭園樹)로 상용(賞用)함.

눈:-개승마 【—升馬】 명 〔식〕 [*Aruncus americanus*] 조팝나뭇과에 속하는 다년초. 높이 1m 이상이고, 잎은 장병(長柄)에 이회 삼출(二回三出)했으며, 소엽(小葉)은 막질(膜質)이고 달걀꼴임. 5-6월에 황백색의 꽃이 원추상 총상(圓錐狀總狀) 화서로 정생(頂生)함. 자웅 이가(雌雄二家)이고 수꽃은 암꽃보다 크며 과실은 골돌(蓇葖)임. 산지에 나는데, 거의 한국 각지에 분포함.

눈:-갯버들 명 〔식〕 [*Salix graciliglans*] 버들과에 속하는 낙엽 활엽 관목. 잎은 좁고 긴 타원형 또는 피침형이며, 잎 뒤에 항상 견모(絹毛)가 밀생해 있음. 3월 하순에 자웅 이주(雌雄異株)의 꽃이 유제(葇荑) 화서로 피며, 수술은 두 개, 과실은 삭과(蒴果)로서 4월에 익음. 들 및 개울가에 나는데, 거의 전국에 분포함. 가지와 잎은 녹비용(綠肥用)이고, 과실은 먹으며, 개울이나 제방(堤防)의 방수림(防水林)에 적당함.

눈:갯-비 명 〈방〉 진눈깨비(함경).

눈-거부지 [—꺼—] 명 〈방〉 속눈썹(함경).

눈-거죽 [—꺼—] 명 〈방〉 눈꺼풀(경상).

눈-거칠다 형 ①눈에 들지 아니하다. ②눈에 거슬리어 보기 싫다.

눈-겨룸 명 서로 마주 보고 오랫동안 눈을 깜작이지 아니하기를 내기하는 어린아이들의 장난. 눈싸움. ——하다 자여불

눈-결 [—껼] 명 눈에 슬쩍 뜨이는 잠깐 동안. 시선(視線)이 지나가는 바람. ¶ ~에 언뜻 보다.

눈-골태기 [—꼴—] 명 〈방〉 애꾸눈이.

눈-곱 [—꼽] 명 ①눈에서 나오는 더러운 즙액(汁液)이 말라붙은 물건. 안지(眼脂). ¶ ~이 끼다. ②아주 작거나 적은 사물을 비유하는 말.

눈곱(이) 끼:다 구 ㉠눈구석에 눈곱이 모여 나타나다. ㉡궁색하다.

눈곱만큼도 구 조금도. ¶ 인정이란 ~ 없는 사람.

눈곱만하다 구 보잘것없이 썩 적거나 작다. ¶ 눈곱만한 양심도 없다.

눈-곱자기 [—꼽—] 명 〈속〉 눈곱.

눈:-괴불주머니 명 〔식〕 [*Corydalis ochotensis*] 양귀비과에 속하는 월년초(越年草). 줄기는 높이 60cm 가량이며, 잎은 호생하고 장병(長柄)이며 재삼 전열(再三全裂)했고, 열편(裂片)은 달걀꼴임. 7-9월에 엷은 황색의 꽃이 가지 끝과 줄기 끝에 총상(總狀) 화서로 정생(頂生)하고, 과실은 삭과(蒴果)임. 산지의 습지에 나는데, 거의 한국 각지에 분포함.

눈-구녁 [—꾸—] 명 〈방〉 눈구멍(경상).

눈-구녕 [—꾸—] 명 〈방〉 눈구멍(평안).

눈:-구덩이 [—꾸—] 명 ☞ 눈구멍².

눈:-구름 명 ①눈과 구름. ②눈을 내리는 구름. 눈을 머금은 구름.

눈-구멍¹ [—꾸—] 명 ①눈알이 박힌 구멍. 안(眼)확. 안공(眼孔). 안과(眼窠). ②〈속〉눈.

눈:-구멍² [—꾸—] 명 눈이 많이 쌓인 가운데.

눈-구석 [—꾸—] 명 코 쪽으로 향한 눈의 구석. ↔눈초리.

눈굿 명 〈옛〉 눈구석. ¶ 俗呼眼角 눈굿《字會 上 25》.

눈-귀 [—뀌] 명 〈방〉 눈초리.

눈-금 [—끔] 명 ①저울·자·온도계(溫度計) 등의 길이·양(量)·도(度)·구획(區劃)을 나타내기 위하여 표시한 금. 눈. ②눈으로 짐작하여 긋는 금.

눈:-기운 【—氣運】 [—끼—] 명 눈이 올 듯한 기미.

눈-기이다 타 남이 볼까 두려워하여 꺼리다. 남의 눈을 피하다. ¶ 눈기이는 짓/무슨 은근한 말이게 시어미의 눈은 꼭 기이려고만 드느냐 《趙重桓:菊의 香》.

눈-길¹ [—낄] 명 눈으로 보는 방향. 눈 가는 곳. 시선(視線).

눈길을 거두다 구 시선(視線)을 딴 데로 돌리다.

눈길(을) 끌:다 구 시선이 그 쪽으로 향하도록 당기다. ¶ 관광객의 눈길을 끄는 절경(絶景).

눈길(을) 모으다 구 여러 사람의 시선을 집중하게 하다. 뭇사람의 관심의 대상이 되다.

눈:-길² [—낄] 명 눈이 하얗게 덮인 길. ¶ ～을 걷다.
눈ᄀᆞᆷ다 자 〈옛〉 눈감다❶. ¶ 눈ᄀᆞᆷ을 명(瞑)≪字會 下 28≫.
눈ᄀᆞᆷᄌᆞ기다 자 〈옛〉 눈을 깜작이다. ¶ 눈ᄀᆞᆷᄌᆞ길 순(瞬)≪字會 下 28≫.
눈ᄀᆞᆷ족ᄒᆞ다 자 〈옛〉 눈 깜작하다. ¶ 눈ᄀᆞᆷ족홀 ᄉᆞ이예 디나오니(瞥眼過)≪重杜諺 Ⅱ 63≫.
눈-까뿔 명 〈방〉 눈까풀(충북·전남).
눈:-까치밥나무 명 〘식〙 [*Ribes triste*] 까치밥과에 속하는 낙엽 활엽 교목. 땅으로 비스듬히 뻗어 나가며, 잎은 거의 5각형이고 3-5갈래로 얕게 째졌는데, 잎 뒤의 맥 위에 미모(微毛)가 났음. 봄에 보랏빛 꽃이 총상(總狀) 화서로 피고, 과실은 장과(漿果)이며, 가을에 적색으로 익음. 산중턱 이상의 땅에 나는데, 황해·함북 및 사할린·만주 등지에 분포함. 관상용임.
눈-까팔 명 〈방〉 눈까풀(전남).
눈-까푸리 명 〈방〉 눈까풀(경북).
눈-까풀 명 눈알을 덮는 까풀. <눈꺼풀.
눈-까풍 명 〈방〉 눈까풀(경기).
눈-깔 명 〈속〉 눈¹.
 눈깔(이) 나오다 구 〈속〉 ㉠심하게 꾸지람을 들어 혼이 나다. ㉡대가(代價)가 엄청나게 비싸다. ¶ 손해를 배상하라니 눈깔이 나오네.
 눈깔(이) 뒤집히다 구 〈속〉 눈 뒤집히다. ¶ 저녀석이 눈깔이 뒤집혔나.
 눈깔(이) 붉다 구 〈속〉 눈에 핏발이 벌겋게 설 정도로 흥분하여 기를 쓰고 덤비다. ¶ 모두 집안 것 도둑질해 내기로 눈깔이 붉었고 ≪李海朝:彈琴臺≫.
 눈깔(이) 삐:다 구 〈속〉 눈 삐다. ¶ 눈깔이 삐었나, 그걸 못 보게.
 눈깔에 흙(이) 들어가다 구 〈속〉 눈에 흙이 들어가다. ¶ 눈깔에 흙들어가기 전에야 아씨 떨어져는 일시도 못 살겠읍니다≪李海朝:鬢上雪≫.
눈깔 귀머리장군【—將軍】명 귀머리장군 삼각형 속에 각각 크고 작은 둥근 흰 점이 둘이나 셋씩 있게 만든 연.
눈깔 딱부리 명 〈속〉 눈딱부리.
눈깔 망나니 명 눈이 부리부리하고 사나운 짐승이란 뜻으로, '호랑이'를 재미스럽게 일컫는 말.
눈깔 머리동이 명 먹머리동이의 양쪽에 동그란 흰 점이 하나씩 있는 연.
눈깔 바구니 명 가는 대오리로 구멍이 많이 뚫어지게 결은 바구니.
눈깔 사탕【—砂糖】명 사탕의 한 가지. 엿이나 설탕을 끓여서 둥글고 단단하게 만든 사탕. 알사탕. ＊새알 사탕.
눈깔-진 【—晉】명 〈속〉 진나라 진(晉)을 글자 윗 부분의 두 개의 모(厶)가 눈깔과 같다 하여, 같은 음인 진나라 진(秦)과 구별하여 일컫는 말.
눈깔 허리동이 명 허리의 좌우 쪽에 넓이 한 치 서 푼쯤 되는 검은 띠에 크고 동그란 점이 하나씩 있는 연.
눈-깜작이 명 눈을 자주 깜작거리는 사람. 준깜작이. ㅆ눈깜짝이. <눈끔적이.
눈-깜짝이 명 눈을 자꾸 깜짝거리는 사람. 준깜짝이. ㅅ눈깜작이. <눈끔쩍이.
눈깜짝할 사이 구 눈 한 번 깜박할, 매우 짧은 동안. ¶ 불길이 눈깜짝할 사이에 온 집안에 핑 도니 ≪崔瓚植:秋月色≫.
눈-깨풀 명 〈방〉 눈꺼풀(경남).
눈-꺼리다 자 남이 보는 것을 꺼리다.
눈-꺼지다 자 눈이 우묵하게 들어가다.
눈-꺼푸리 명 〈방〉 눈꺼풀(함경).
눈-꺼풀 명 눈을 덮는 꺼풀. 안검(眼瞼). 안포(眼胞). >눈까풀.
눈-꺼풍 명 〈방〉 눈꺼풀(경기).
눈-껍닥 명 〈방〉 눈꺼풀(전라).
눈-껍데기 명 〈방〉 눈꺼풀(전라).
눈-껍줄 명 〈방〉 눈꺼풀(강원).
눈-껍질 명 〈방〉 눈꺼풀(전라).
눈-꼬리 명 귀 쪽으로 째진 눈의 가장자리. 눈초리❶.
눈-꼴 명 ①눈의 생김새나 눈의 움직이는 모양을 얕잡아 이르는 말. ¶ ～이 험하다. ②부정적인 표현과 결합하여 쓸 때의 눈.
 눈꼴(이) 시다 구 불쾌하리만큼 보기가 싫다. 비위에 거슬려 아니꼽다. 눈꼴(이) 틀리다. 눈이 시다. ¶ 눈꼴이 시어서 못 보겠네.
 눈꼴(이) 틀리다 구 눈꼴(이) 시다.
눈꼴-사나이 부 눈꼴사납게.
눈꼴-사납다 형 ㅂ불 ①보기에 아니꼽다. 비위에 거슬리다. ¶ 눈꼴사나와 못 보겠다. ②보는 눈의 기운이 순화롭지 못하다.
눈-꼽자구 명 〈방〉 눈곱(전남).
눈-꼽재기 명 〈방〉 눈곱(평안).
눈-꼽재이 명 〈방〉 눈곱(경상).
눈-꼽쟁이 명 〈방〉 눈곱(전라·경상).
눈-꼽제이 명 〈방〉 눈곱(경남).
눈-꽁댕이 명 〈속〉 눈초리. ¶ 그넌 같은 왕당 명사 양반의 댁 교전비가, 나 같은 상년의 딸을 ～에나 차게 보겠느냐? ≪李海朝 : 鳳仙花≫.
눈:-꽃 명 꽃이 핀 것같이 나뭇가지에 얹힌 눈.
눈-꾀비 명 〈방〉 눈곱(함경).
눈-꿉 명 〈방〉 눈곱(경기·전남·경북).
눈-꿉쟁이 명 〈방〉 눈곱(경남).
눈-끔적이 명 눈을 자주 끔적거리는 사람. 준끔적이. ㅆ눈끔쩍이. >눈깜작이.
눈-끔쩍이 명 눈을 자주 끔쩍거리는 사람. 준끔쩍이. ㅅ눈끔적이. >눈깜짝이.
눈:-나비 명 〘충〙 [*Aporia hippia*] 흰나빗과에 속하는 곤충. 상제나비와 비슷한데, 편 날개의 길이는 30-80 mm이고 날개 뒷면은 황색, 뒷날개 외연(外緣)과 제 2-5 맥(脈)까지는 눈빛처럼 백색이며 시맥(翅脈)에는 암흑색의 분린(粉鱗)이 있고 뒷날개 밑에도 감색의 분린이 있음. 암컷의 시맥은 수컷보다 굵고, 수컷의 몸에는 털이 있음. 한국·일본 등지에 분포함. 분나비.

〈눈나비〉

눈-나오다 자 ①억울하다. ②놀라서 눈알이 튀어 나올 것 같은 느낌이 되다.
눈-높다 형 ①무엇이나 늘 좋은 물건만 보고 찾는 버릇이 있다. ②감식(鑑識)하는 힘이 뛰어나다. 안식(眼識)이 높다.
눈눈-이 부 눈마다 다.
눈-다라끼 명 〈방〉 다래끼²(충북).
눈-다락지 명 〈방〉 다래끼²(경기).
눈-다랏 명 〈방〉 다래끼²(충남).
눈-다랑어【—魚】명 〘어〙 [*Parathunnus obesus*] 고등어과의 바닷물고기. 몸길이 1.5-2 m, 몸은 두툼하고 눈이 크며 가슴지느러미가 길. 몸빛은 등 쪽이 흑청색, 배 쪽이 백색임. 외양성(外洋性) 어종으로 수면 20-120 m 아래에서 서식하는데, 봄과 가을철에 맛이 좋아 식용으로 중요함. 한국 남부·제주도 연해 및 일본 서남부·하와이·대만·남양 등에 분포함.

〈눈다랑어〉

눈-다래끼 명 〈방〉 다래끼²(강원).
눈:-단 명 ↗누운단.
눈-대중 [—때—] 명 눈으로 보아 대강을 어림잡아 헤아림. 눈짐작. 눈어림. ——-하다 타여불
눈덕 명 〈방〉 눈두덩(함경).
눈:-덩어리 [—떵—] 명 눈이 뭉쳐서 크게 이루어진 덩이.
눈:-덩이 [—떵—] 명 눈이 뭉쳐진 작은 덩이. ¶ ～를 굴리듯 돈을 굴리다.
눈뎅 [—뗑] 명 〈방〉 눈두덩(충북).
눈도 깜짝 안하다 구 태연하여 조금도 놀라지 아니하다.
눈-독 [—똑] 명 욕심 내어서 눈여기어 보는 기운.
 눈독(이) 들다 구 눈독이 쏘이다. 눈독이 일어나다.
 눈독(을) 들이다 구 욕심을 내어 눈여겨 보다. 눈독을 쏘다. ¶ 동생의 호주머니 돈에 눈독을 들이다.
 눈독(이) 오르다 구 〈방〉 눈독(이) 들다(평안·경상).
 눈독(을) 올리다 구 〈방〉 눈독(을) 들이다(평안·경상).
눈-돌리다 자 차마 보고 있을 수 없어, 눈길을 다른 데로 옮기다. 또, 시선을 그쪽으로 향하게 하여 보다.
눈 돌연 변:이【—突然變異】명 〘식〙 〔bud mutation〕 〘식〙 식물체의 일부 안에 생긴 변이. 생식(生殖) 세포의 변이가 아니고, 체세포(體細胞)의 일부에 변이가 생긴 체세포 돌연 변이임. 잎에 반점이 생기는 것도 이것의 일종이며, 과수에서 이 변이가 생긴 것을 접목하면 실용적 가치가 큰 품종이 될 수가 있음.
눈동냥 귀동냥 [눈똥—] 구 눈으로 얻어 보고, 귀로 얻어 들어 배움. ¶ ～으로 배운 떠돌이로다.
눈-동미리 명 〘어〙 [*Cilas pulchella*] 양동미릿과에 속하는 바닷물고기. 몸은 길이 15 cm 가량의 원통형으로 횡단면은 원형에 가깝고, 꼬리자루 부분이 조금 측편함. 입과 눈이 크고 몸빛은 체측 중앙을 달리는 담청색 세로띠와 대여섯 줄의 폭 좁은 가로띠로써 위아래로 이분(二分)되어 있음. 세로띠의 등 쪽은 황적색이고 배 쪽은 혈적색(血赤色)이며 머리 양쪽과 주둥이에는 자청색의 유문상(流紋狀) 가로띠가 있고, 각 지느러미는 복잡한 빛깔로 되어 있음. 내만성(內灣性) 어종으로, 한국 남부 연해·일본 중부 이남·중국 동남 연해에 분포함.

〈눈동미리〉

눈:-동이나물 명 〘식〙 [*Caltha palustris* var. *sibirica*] 성탄꽃과에 속하는 다년초. 뿌리는 백색이고 수염 모양이며, 줄기는 연약하고 가로 누워 벋음. 근생엽(根生葉)은 족생(簇生)하고 장병(長柄), 경엽(莖葉)은 호생하며 단병(短柄) 혹은 무병(無柄)임. 5월에 황색 꽃이 줄기 끝에 한둘 정생(頂生)하고, 과실은 골돌(蓇葖)임. 산지(山地)의 습지에 나는데, 평북·함북에 분포하며, 관상용임. 원숭이동이나물.

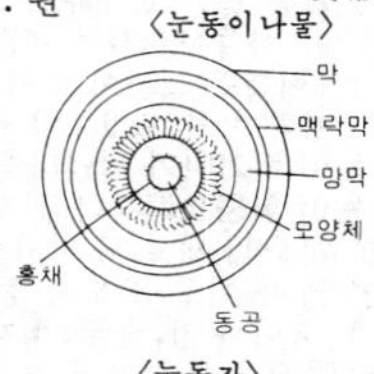
〈눈동이나물〉

눈-동자【—瞳子】[—똥—] 명 〘생〙 눈알의 홍채(虹彩)의 한가운데에 있어서 빛이 들어가는 문이 되는 동그란 작은 구멍. 광선의 세고 약함을 따라서 홍채가 늘고 줄어 눈동자를 좁히거나 넓혀서 들어오는 광선의 양을 조절함. 속이 어두우므로 겉에서 보면 검게 보임. 동공(瞳孔). 동자(瞳子). 안정(眼睛).

막
맥락막
망막
모양체
홍채
동공
〈눈동자〉

 눈동자가 눈썹에 매:달리다 구 눈을 치켜 뜨다.
눈-두덕 [—뚜—] 명 〈방〉 눈두덩(전북·경남·황해).
눈-두던 [—뚜—] 명 〈방〉 눈두덩(황해).
눈-두덩 [—뚜—] 명 눈 언저리의 두두룩한 곳. ¶ ～이 시퍼렇게 멍들다.
눈-두뎅이 [—뚜—] 명 〈방〉 눈두덩(충북).
눈-두둑 [—뚜—] 명 〈방〉 눈두덩(충북).
눈-두버리 [—뚜—] 명 〈방〉 눈두덩(경상·강원).
눈-두벌 [—뚜—] 명 〈방〉 눈두덩(충남·경북).
눈-두벙 [—뚜—] 명 〈방〉 눈두덩(전라·함경).
눈-두베 [—뚜—] 명 〈방〉 눈두덩(함북).
눈-두벵이 [—뚜—] 명 〈방〉 눈두덩(강원).
눈두에 명 〈옛〉 눈두덩. =눉두에. ¶ 兩眼胞 속명 눈두에 ≪無寃錄 Ⅰ : 62≫.
눈둑 [—뚝] 명 〈방〉 눈두덩(충북).

눈 둘 곳을 모르다 구 당황하거나 민망하여, 어디에다 시선을 두어야 할지 모르다.
눈 뒤집히다 구 ①눈이 뒤집어져서 흰자위가 겉으로 나오다. ②이성을 잃고 함부로 날뛰다. 정신을 못차리다. ¶여자에 눈이 뒤집히다.
눈-등 [—뜽] 명 〈방〉 눈두덩(경상).
눈-딱부리 명 눈이 크고 툭 비어진 사람. 또, 그러한 눈. ㊟딱부리.
눈-딱지 명 ①보기에 흉한 눈. 또, 그런 눈매. ②〈방〉 눈두덩.
눈-때기 명 〈방〉 눈두덩(전남).
눈-떠버리 명 〈방〉 눈두덩(충청·경북).
눈-떠부리 명 〈방〉 눈두덩(경남).
눈-떠불 명 〈방〉 눈두덩(경상).
눈-떼다 자 보고 있던 눈을 딴 쪽으로 옮기다. 시선을 딴 데로 돌리다.
눈-뗑이 명 〈방〉 눈두덩(경기·전남).
눈-뚜껑 명 〈방〉 눈두덩(전남).
눈-뚜께 명 〈방〉 눈두덩(제주).
눈-뚜에 명 〈방〉 눈두덩.
눈-뜨다 자 ①감은 눈을 열다. ¶눈뜨고 볼 수 없는 참상. ↔ 눈감다❶. ②잠을 깨다. ③이치나 옳고 그름을 깨달아 알다. 자각하다. ④숨어 있는 본능이나 지능이 움직이기 시작하다. ¶성(性)에 ~. ⑤시력을 얻다. ¶장님이 눈을 뜨다. ⑥글을 알게 되거나 무지에서 벗어나 지식을 얻게 되다.
[눈뜨고 도둑 맞는다] 번연히 알면서도 손해를 본다는 말. [눈뜨고 봉사질 한다] 뻔히 알면서도, 속거나 손해를 본다. [눈뜨고 코 베어갈 세상] 세상 인심이 매우 험악하다는 말. [눈을 떠도 코 베어간다] 눈 감으면 코 베어 먹을 정도를 지나, 눈을 뜨고 있어도 보는 앞에서 코를 베어 갈 만큼 세상 인심이 너무나 험악함을 이름. [눈을 떠야 별을 보지] 어떠한 결과를 얻으려면 그에 상당한 순서를 따라 노력하지 아니하면 아니됨을 이르는 말. 하늘을 보아야 별을 따지.
눈뜬 장:님 명 ①남보기에는 보이는 듯하나, 실은 보이지 않는 눈을 가진 사람. ②무엇을 보고도 알지 못하는 사람. ③글을 모르는 사람. 무식한 사람. 문맹자.
눈-띄다 [—띠—] 자 두드러지게 눈에 보이다. 발견되다.
눈띵이 명 〈방〉 눈덩이(경상).
눈:록【嫩綠】[눈ː—] 명 빛깔이 연한 녹색. 어린 잎과 같은 녹색. *담녹색(淡綠色).
눈마울 명 〈옛〉 눈망울. ¶눈마울 모(眸)≪字會 上 25≫.
눈-많다 [—만타] 형 보는 사람이 많다. ¶눈이 많아서 두렵다.
눈많은-그늘나비 [—만—] 명 〖충〗 [*Pararge achine*] 뱀눈나빗과에 속하는 곤충. 편 날개 길이 34mm 내외, 날개 표면은 암갈색에 앞뒷 날개에는 다섯 개씩의 흑색 무늬가 있는데 그 주위는 황갈색임. 한국·만주·중국·시베리아 등지에 분포함.
눈-망울 명 ①〖생〗 눈알의 앞 쪽의 두두룩한 곳. 눈동자가 있는 곳. 안주(眼珠). ②눈알. ¶~을 굴리다.
눈-맞다 자 ①두 사람의 눈치가 서로 통하다. ②〈속〉 남녀 간에 서로 사랑하는 뜻이 통하다. ¶두 남녀가 눈이 맞아 달아났다. *배맞다.
눈-맞추다 자 ①서로 눈을 마주 보다. ②서로 사랑의 눈치를 보이다.
눈매 명 ↗눈맵시. ¶~가 곱다/시원스런 ~.
눈-맵시 명 눈의 생김새. ㊟눈매.
눈-먹대 명 〈방〉 소경¹(함경).
눈-멀다 자 ①시력(視力)을 잃다. 눈이 보이지 아니하게 되다. ②어떤 일에 몹시 마음이 쏠리어 이성을 잃다. ¶눈먼 사랑/돈에 눈이 멀다.
[눈먼 개 젖 탐한다] 제 능력 이상의 짓을 하려 한다는 말. [눈먼 고양이 갈밭 매듯] 떠들고 돌아다니는 것을 이름. [눈먼 고양이 닭의 알 어루듯] 자기 생각에는 귀중한 줄 알고 혼자 소중히 여기고 있음을 이르는 말. [눈먼 구렁이 갈밭에 들다] 앞을 내다보는 눈이 없어 방향을 못잡고 헤매다. [눈먼 구렁이 닭의 알 어루듯] '눈먼 고양이 닭의 알 어루듯'과 같은 뜻. [눈먼 말 워낭 소리에 따라간다] 무식한 사람이 남의 행동을 무비판적으로 따름을 이르는 말. [눈먼 말 타고 벼랑을 간다] 매우 위태롭다는 말. [눈먼 소경더러 눈 멀었다 하면 성낸다] 누구나 자기의 단점을 쳐들어 말하면 싫어한다. [눈먼 자식이 효자 노릇 한다] 불구의 자식이 도리어 효행을 다한다 함이니, 생각지도 않았던 사람으로부터 뜻밖에 은혜를 입게 된다는 말. [눈먼 중 갈밭에 든 것 같다] 무엇인지도, 어딘지도 모르며 방향을 가리지 못하여 갈팡질팡한다는 말. [눈먼 탓이나 하지 개천 나무래 무엇하나] 자기의 부족을 자탄(自歎)할 것이지 남을 원망할 것이 아니라는 말. [눈멀어 삼 년, 귀먹어 삼 년, 벙어리 삼 년] 새색시가 곱게 시집살이를 하자면 그런 과정을 거쳐야 한다는 말.
눈:-모시 명 백저(白苧).
눈:-목【—木】명↗누운목.
눈목-변【—目邊】명 한자 부수(部首)의 하나. '眩'이나 '眼'·'眠' 등의 '目'의 이름.
눈-무섭다 형㉥불 ①안광(眼光)이 날카롭다. ②떳떳하지 못한 일을 하려고 할 때, 남이 볼까봐 두렵다. ¶남의 눈이 무서워 못하겠다.
눈-물¹ 명〖생〗 ①눈알 위에 있는 누선(淚腺)에서 나오는 물. 늘 조금씩 나와서 눈을 축이고 씻어 주며 각막(角膜)의 영양원(營養源)의 구실을 하는데, 감동이나 자극을 받으면 더 많이 남. 2% 정도의 식염·단백질 기타를 포함함. 누수(淚水). 누액(淚液). ¶~로 세월을 보내다. ②동정하는 마음. ¶피도 ~도 없다.
눈물(을) 머금다 [—따] 구 나오려는 눈물을 애써 참다.
눈물(을) 삼키다 구 나오려는 눈물을 꾹 참다.
눈물(이) 나다 구 눈물이 흐르다. 눈물이 나오다.
눈물(이) 어리다 구 눈에 눈물이 괴다. 눈물이 글썽글썽 괴다.
눈물이 골짝 난다 구 몹시 억울하거나 야속하다는 말.
눈물(이) 지다 구 눈물이 흐르다. 눈물이 흘러 떨어지다.
눈물(을) 짜다 구 ㉠눈물을 질금질금 흘리어 울다. ㉡억지로 울다.
눈:-물² 명 눈이 녹아서 된 물.
눈물-겹다 형㉥불 눈물이 날 만큼 마음에 느껴지다. 몹시 가엾거나 처량하다. ¶눈물겨운 정경.
눈물-관【—管】명〖생〗'누관(淚管)'의 풀어 쓴 말.
눈물 기관【—器官】명〖생〗'누기(淚器)'의 풀어 쓴 말.
눈물-길 [—낄] 명〖생〗'누도(淚道)'의 풀어 쓴 말.
눈물-단지 [—딴—] 명 ①툭하면 울기 잘하는 사람을 놀림조로 이르는 말. ②옛날 로마나 페르시아 시대에, 눈물을 담아 두면 작은 단지. 티어 보틀(tear bottle).
눈물-받이 [—바지] 명 눈물이 흘러내리는 곳에 있는 사마귀.
눈물-샘 명〖생〗'누선(淚腺)'의 풀어 쓴 말.
눈물-없다 [—업—] 형 감동하는 마음이 없다.
눈물-없이 [—업씨] 부 감동하는 마음 없이. 동정하는 마음 없이. ¶~는 볼 수 없는 광경.
눈물-주머니 [—쭈—] 명〖생〗'누낭(淚囊)'의 풀어 쓴 말.
눈물-짓다 자㉦불 눈물을 흘리다. 울다.
눈믈 명〈옛〉 눈물¹❶. =눉믈. ¶눈믈 류(淚)≪字會 上 30≫.
눈:-바라 명〈방〉 눈보라.
눈:-바람¹ 명 ①눈과 바람. ②심한 고난. 풍설(風雪).
눈:-바람² [—빠—] 명 눈 위로 불어오는 찬 바람. 설풍(雪風). 설한풍(雪寒風).
눈박이-각시꽃하늘소 [—쏘] 명〖충〗[*Pidonia signifera*] 하늘솟과에 속하는 곤충. 몸길이는 6-10mm이고 몸빛은 반문(斑紋)에 변이(變異)가 많으며, 또 흑화형(黑化型)·퇴색형(褪色型)이 있음. 보통 시초(翅鞘)는 탁황색(濁黃色)이며, 회합선(會合線)·시단(翅端)과 그 앞의 횡대(橫帶)는 흑색임. 각종의 꽃에 모이는데 한국에도 분포함.
눈박이-알노린재 [—로—] 명〖충〗[*Coptosoma biguttula*] 둥근노린잿과에 속하는 곤충. 몸길이는 3.5-4.5mm이고, 몸의 배면(背面)은 광택 있는 칠흑색이며 두부(頭部)는 흑색, 흉부의 하면은 암회색임. 복부 하면은 흑색이고 촉각은 황색인데 능상부(稜狀部) 전연(前緣)에 두 개의 황색 점 무늬가 있음. 콩과(科) 식물의 해충으로, 한국·일본 등지에도 분포함.
눈 밖에 나다 구 신임을 잃어 보지도 않으려 하다. ¶장팔이가 노름꾼으로 최씨의 눈 밖에 난 놈이라≪李人稙:血의 淚≫.
눈:-발 [—빨] 명 발 모양으로 줄 이어서 내리는 눈. ¶~이 날리다.
눈:발(이) 서다 구 눈이 곧 내릴 듯하다.
눈-밝다 [—박—] 형 시력(視力)이 좋다. ↔눈어둡다.
눈-밝히다 [—발키—] 자 눈을 크게 뜨고 보다. 또, 흥미나 관심을 집중시키다. 눈에 불을 켜다. ¶눈을 밝히고 보아도 안 보인다.
눈-방울 [—빵—] 명 힘차고 날카롭게 보이는 눈알. 정기 있게 보이는 눈알. ¶~을 굴리며 열변을 토하다.
눈:-밭 명 ①눈이 깔린 땅. ②〖지〗설원(雪原).
눈-벌겋다 [—거타] 형㉭불 혈안(血眼)이 되다. 이성을 잃도록 흥분하다.
눈:-범꼬리 명〖식〗[*Bistorta suffulta*] 마디풀과에 속하는 다년초. 줄기는 높이 35cm 가량인데, 근엽(根葉)은 족생(簇生)하고 장병(長柄)이나, 경엽(莖葉)은 호생하고 단병(短柄) 혹은 무병(無柄)이며, 엽초(葉鞘)는 막질(膜質)임. 5-7월에 흰 꽃이 정생(頂生)하여 수상(穗狀) 화서로 피고, 과실은 수과(瘦果)임. 깊은 산의 숲 속에 나는데, 제주도에 분포함.
눈-병【—病】[—뼝] 명〖의〗 눈에 생긴 병. 안병(眼病). 안질(眼疾). ¶~이 나다.
눈:-보라 명 바람에 불리어 휘몰아치는 눈. 취설(吹雪). 설풍(雪風).
눈:보라(가) 치다 구 눈이 바람에 날려 휘몰아치다. ¶눈보라 치는 겨울날.
눈:-보래 명〈방〉 눈보라.
눈-보시다 형〈방〉 눈부시다(경상).
눈-볼대 [—때] 명〖어〗[*Döderleinia berycoides*] 농어과에 속하는 바닷물고기. 몸길이 30cm 가량이고, 몸빛은 고운 홍색으로 배 쪽은 담색이며 꼬리지느러미 외연은 검은 색임. 온해성 심해(深海) 어종으로, 한국 서남해·중국 동남해·일본 홋카이도 이남에 분포함. 맛이 좋음.

〈눈볼대〉

눈-봉사 명〈방〉 소경¹(경북).
눈-부라리다 자 ①눈을 부릅뜨고 보다. ②눈망울을 굴리며 성난 눈으로 보다. 눈알을 부라리다. ¶네가 눈을 부라리면 어쩔 테냐?
눈-부시다 형 ①빛이 세어 바로 보기가 어렵다. ¶눈부신 햇살. ②빛이 황홀하다. ¶눈부신 옷차림. ③활약이, 화려하고 다채롭다. ¶눈부신 활약.
눈-부처 명 눈동자에 비치어 나타난 사람의 형상. 동인(瞳人·瞳仁). 동자(瞳子) 부처.
눈불개-복 명〖어〗[*Sphoeroides chrysops*] 참복과의 바닷물고기. 몸길이 40cm 내외이고, 머리가 크며 꼬리자루는 가늘고 측편함. 양턱에 두 개씩 치판(齒板)이 있고 피부에는 가시가 없음. 비관(鼻管)의 선단에 콧구멍이 있는 것이 특징임. 몸빛은 적갈색에 적갈색 무늬가 산재함. 한국 중남부, 특히 목포(木浦)에 흔하고 일본 중부 이남의 내만에 분포함.

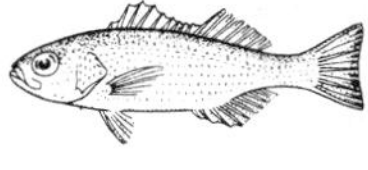
〈눈불개복〉

눈-붙이다 [—부치—] 자 잠을 잠시 동안 자다.
눈브싀다 자〈옛〉 눈 흘겨 보다. 사시(斜視)가 되다. ¶뎌 눈브싄 활와치

왕오를 블러오라(叫將那斜眼的弓匠王五來)≪朴解 上 59≫.

눈:-비 명 ①눈과 비. ②〈방〉 진눈깨비.

눈:-비녀골풀 명 〖식〗 [*Juncus wallichianus*] 골풀과에 속하는 다년초. 줄기 높이 20 cm 내외이고, 잎은 다소 검상(劍狀)이며 길이 5-10 cm, 폭 2 mm 내외임. 6월에 녹색 꽃이 요취산(凹聚繖) 화서로 정생(頂生)하고, 두상 화수(頭狀花穗)는 7-10개가 족생(簇生)하며, 과실은 삭과(蒴果)임. 논이나 습지에 나는데, 제주·전남·전북·평북에 분포함.

눈비얏 명 〈옛〉 제비쑥. 암눈비앗. =눈비엿. ¶ 눈비얏 울(蔚), 눈비얏 츙(茺)≪字會 上 9≫.

눈비엿 명 〈옛〉 암눈비앗. =눈비얏. ¶ 눈비엿(益母草)≪救簡 Ⅲ:22≫.

눈-비음 명 남의 눈에 들게 겉으로 꾸미는 일. ——-하다 자여불

눈-빛[1] [—삗] 명 ①눈에 나타내는 기색. ¶ 성난 ~/호소하는 듯한 ~. ②눈에서 비치는 빛. 또, 그 기운. 안광(眼光). ¶ 어둠 속에 빛나는 파란 고양이의 ~.

눈:-빛[2] [—삗] 명 눈의 빛깔. 흰 빛. 설색(雪色). ¶ ~같이 희다.

눈:빛-승마【—升麻】[—삗—] 명 〖식〗 [*Cimicifuga davurica*] 성탄꽃과에 속하는 다년초. 높이 2.4 m 가량이고, 잎은 겨듭 우상 복생(羽狀複生)하며, 톱니가 있음. 8월에 자웅 이가(雌雄二家)로 된 흰 꽃이 복총상 화서로 정생(頂生)하고 과실은 골돌(蓇葖)임. 산지에 나는데, 거의 전국 각지에 분포함.

눈-삐다 자 ①욕심 따위에 눈이 어두워, 정상적인 판단을 못 하게 되다. ¶ 내가 눈이 삐었지 그런걸 몰랐다니. ②잘못 보거나 못 보고 실수를 저질렀을 때, 상대방에 속으로 하는 말. ¶ 눈이 삐었나 그런걸 못 보게.

눈:-사람 [—싸—] 명 눈을 뭉쳐서 만든 사람의 형상. ¶ ~을 만들다.

눈:-사태【—沙汰】명 쌓인 눈이 무너지면서 비탈을 급속히 미끄러져 내리는 일. 설붕(雪崩). ¶ ~가 나다. *산(山)사태.

눈:사탯-길【—沙汰—】명 라비넨추크.

눈 산【—山】[Nun] 명 〖지〗 카슈미르(Kashmir) 중부(中部), 아자드카슈미르(Azad-Kashmir)와 잠무 카슈미르(Jammu and Kashmir)의 경계에 위치하는 히말라야 산맥 중의 한 고봉(高峰). 1953년 8월 프랑스 등반대가 처음 정복함. 북쪽의 쿤 봉(Kun 峰)과 더불어 눈쿤 산군(Nun-Kun 山群)을 이룸. [7,135 m]

눈:-산버들【—山—】명 〖식〗 [*Salix methaformosa*] 버들과에 속하는 낙엽 활엽 관목. 줄기는 작고 분지(分枝)가 많으며, 잎은 도피침형(倒披針形)이고 꽃은 봄에 자웅 이가(雌雄二家)로 된 유제(葇荑) 화서로 피고 꽃이삭은 짧은 가지 끝에 나며 삭과(蒴果)는 여름에 익음. 산꼭대기 부근에 나는데, 백두산·무두봉·남포태산·장백산에 야생하는 특산종임. 관상용임.

눈-살 [—쌀] 명 두 눈 사이에 있는 주름.

눈살(을) 찌푸리다 구 마음에 못마땅하여 양미간을 찡그리다.

눈살 펼 새: 없:다 구 근심 걱정이 가시지 않다. 환한 얼굴 표정을 가질 틈이 없다. ¶ 병세가 거거 익심하여지므로 김참판 내외가 일상 눈살 펼 새가 없이 근심하는데≪金宇鎭:榴花雨≫.

눈-살피다 구 눈을 그 쪽으로 돌리어 보다.

눈:-서리 명 눈과 서리.

눈:-석이 명 ↗눈석임물.

눈:-석임 명 눈이 속으로 녹아서 스러짐. ——-하다 자여불

눈:석임-물 명 눈이 녹아서 된 물. 준눈석이.

눈-설다 형 눈에 익숙하지 아니하다. ↔눈익다.

눈섭 명 〈옛〉 눈썹. =눈섭. ¶ 눈섭 미(眉)≪字會 上 25≫.

눈섭 명 〈옛〉 눈썹. =눈섭. ¶ 눈서베 디나는 디픈 막대 어르눅도다(過眉拄杖班)≪杜諺 Ⅶ:12≫.

눈-속이다 자 수단을 써서 보는 사람이 속아 넘어가게 하다.

눈-속임 명 눈을 속이는 짓. ——-하다 타여불

눈:-송이 [—쏭—] 명 한데 엉기어 꽃송이처럼 되어 내려오는 눈. 설편(雪片). 설화(雪花).

눈-쇠바구미 명 〖충〗 [*Caccorhinus oculatus*] 눈바구밋과에 속하는 곤충. 몸길이 6.5-9.5 mm, 몸빛은 흑색에 배면(背面)에는 회색 내지 황색 털이 밀생하고, 촉각은 적갈색임. 날개도 적갈색에 담색(淡色)의 털이 덮여 있음. 버섯에 기생하는데, 한국·일본에 분포함. 버섯쇠바구미.

눈-수부리 명 〈방〉 눈썹(경상).

눈습 명 〈방〉 눈썹(경상).

눈-시다 형 불쾌하여질 정도로 보기가 싫다. 눈꼴이 시다. ¶ 하릴없이 사관으로 돌아와 제 속만 끓이며, 쿵쿵 앓는 모양은 눈이 시어서 못보겠다 ≪金宇鎭:榴花雨≫.

눈시올 명 〈옛〉 눈시울. ¶ 눈시울 첩(睫)≪字會 上 25≫.

눈-시울 [—씨—] 명 눈 언저리의 속눈썹이 난 곳. 목광(目眶). ¶ ~을 적시다/~이 뜨겁다. *눈[1].

눈-시욹 [—씨—] 명 〈방〉 눈시울.

눈-시위 [—씨—] 명 〈방〉 눈시울.

눈-싸움[1] 명 눈겨룸. 준눈쌈. ——-하다 자여불

눈:-싸움[2] 명 눈을 뭉치어 서로 상대방을 때리는 장난. 설전(雪戰). 준눈쌈. ——-하다 자여불

눈-싸통이 명 〈방〉 애꾸눈이(평안).

눈-싹 명 〖식〗 눈이 터서 나오는 싹.

눈쌀 명 〈옛〉 속눈썹. ¶ 눈싸리 쇼ㄱ트시며≪月釋 Ⅱ:41≫.

눈쌀-맞다 자 〈방〉 눈총(을) 맞다.

눈-쌀미 명 〈방〉 눈썰미(경상·전라).

눈-쌈[1] 명 ↗눈싸움[1]. ——-하다 자여불

눈:-쌈[2] 명 ↗눈싸움[2]. ——-하다 자여불

눈-썰미 명 달리 배우지 않고 한두 번 본 것이라도 곧 그대로 흉내를 잘 내는 재주. 목교(目巧). ¶ ~가 있어 무엇이든 잘한다.

눈썹 명 두 눈두덩 위에 가로 나가며 모여 난 짧은 털. 미모(眉毛).

【눈썹만 뽑아도 똥나오겠다】 사소한 고통도 참지 못한다는 뜻. 【눈썹에서 불이 붙는다】 뜻밖의 큰 걱정거리가 닥쳐서 매우 위급하게 되었다는 말. ¶ 즉금 화액이 눈썹에 불붙는데 잇으되 능히 구할 재 없으니 ≪青丘野談≫.

눈썹도 까딱하지 않다 구 눈을 깜박이기는 커녕 눈썹도 까딱하지 않고 아주 태연하다.

눈썹 싸움(을) 하다 구 졸음이 오는데 안 자려고 애쓰다.

눈썹에서 떨어진 액(厄) 구 뜻밖에 횡액(橫厄)을 당함을 일컫는 말.

눈썹-끈 명 베틀에서의 눈썹줄.

눈썹-노리 명 베틀에서, 눈썹대의 끝 부분. 눈썹줄이 달려 있음.

눈썹-대 명 베틀 용두머리 두 끝에 앞으로 내뻗친 가는 막대기. 그 끝에 눈썹줄이 달림.

눈썹-먹 명 눈썹과 속눈썹에 바르는 화장품 먹.

눈썹-바라지 명 약계바라지 짝의 중턱에 가로 박힌 두 개의 작은 들창.

눈썹-줄 명 눈썹대 끝에 잉앗대를 거는 줄.

눈썹-차양【—遮陽】명 처마 끝에 다는 폭이 좁은 차양.

눈-쎄 명 〈방〉 눈씨.

눈씁 명 〈방〉 눈썹(전남).

눈씁 명 〈방〉 눈썹(전남·경남).

눈-씨 명 쏘아 보는 시선의 힘. ¶ ~가 맵다.

눈씹 명 〈방〉 눈썹(경북).

눈:아【嫩芽】명 〖식〗 애순.

눈-알 명 〖생〗 척추(脊椎) 동물의 시각기(視覺器)인 눈구멍 안에 박힌 공 모양의 기관. 공막(鞏膜)·각막(角膜)으로 된 바깥 부분과 맥락막(脈絡膜)·모양체(毛樣體)·홍채(虹彩)로 된 가운뎃부분 및 망막(網膜)으로 된 안 부분의 세 층(層)으로 이루어지고, 그 내부에는 수정체(水晶體) 및 유리체(琉璃體) 등을 포함하고 있음. 시신경(視神經)에 연락되고 안근(眼筋)에 의해서 운동을 하는데, 수정체가 렌즈(lens)의 구실을 하여 망막에 물체의 영상(映像)을 비침. 안구(眼球). 눈망울. *눈[1].

눈알(이) 나오다 구 놀라서 눈을 크게 뜨고 봄의 비유. 물건 값이 놀랄 만큼 비싸거나 몹시 야단을 맞았을 경우 등에 이름.

눈알(을) 부라리다 구 눈을 부라리다.

눈알이 빠:지도록 구 눈을 크게 뜨고 나타나기를 기다리는 모양.

눈-앞 명 ①눈에 보이는 바로 가까운 곳. 안전(眼前). 목전(目前). 면전(面前). ¶ ~이 캄캄해지다/~의 이익만 추구하다. ②가까운 장래. ¶ 결혼을 ~에 두다.

눈앞에 두다 구 바로 앞에 두다.

눈앞이 캄캄하다 구 ㉠아무 것도 안 보이다. ㉡갑자기 당하는 어려움 앞에서 어찌 할 바를 몰라 할 때 이르는 말.

눈-약【—藥】[—냑] 명 〖약〗 눈병의 치료에 쓰는 약. 안약(眼藥).

눈:-양지꽃【—陽地—】[—냥—] 명 〖식〗 [*Potentilla pacifica*] 장미과에 속하는 다년초. 높이는 약 15-25 cm, 잎은 족생(簇生)하고 유병(有柄)이며, 기수 우상 복생(奇數羽狀複生)하고 소엽(小葉)은 타원형 또는 달걀꼴의 긴 타원형임. 8월에 노란 꽃이 액출(腋出)하여 긴 꽃줄기에 하나씩 달려 핌. 과실은 수과(瘦果)이며, 해변에 나는데 함남·함북에 분포함.

눈-양태 [—냥—] 명 〖어〗 [*Parabembras curtus*] 눈양탯과에 속하는 바닷물고기. 몸은 길이 30 cm에 달하며 양태와 비슷하나 머리와 눈이 크고 아래턱이 위턱보다 훨씬 길. 몸빛은 주홍색인데 아래 쪽은 담색임. 심해에 서식하며 식용이 됨. 한국 남부 및 일본 남부에 분포함.

〈눈양태〉

눈양탯-과【—科】[—냥—] 명 〖어〗 [Parabembridae] 둑중개목(目)에 속하는 바닷물고기의 한 과. 이 과에 속한 것으로 한국 연해(沿海)에서는 눈양태 하나가 알려져 있음.

눈-어거리 명 〈방〉 양미간(兩眉間).

눈-어구 명 〈방〉 양미간.

눈-어둡다 형ㅂ불 ①시력(視力)이 좋지 못하다. ↔눈밝다. ②어떤 일에 정신이 팔려 이성이 흐리다.

【눈어둡다 하더니 다홍 고추만 잘 딴다】 남이 조력을 부탁할 때엔 핑계를 대더니, 제 일은 잘한다는 뜻.

눈-어리기 명 〈방〉 양미간.

눈-어리다 형 눈이 어릿어릿하여 시력이 흐리다.

눈-어림 명 눈으로 보고 대강 짐작하여 수나 양을 셈하는 일. 눈짐작. 눈대중. ¶ ~으로 대중하다. ——-하다 타여불

눈어엿 명 〈옛〉 안광(眼眶). 눈자위. ¶ 눈어엿(眼眶)≪漢淸文鑑 Ⅴ:49≫.

눈-언저리 명 눈의 가장자리. 눈가. 안변(眼邊).

속눈썹 눈썹(겉눈썹) 눈살 눈두덩 눈시울 눈초리 흰자위 검은자위 눈동자 홍채 눈구석

〈눈언저리〉

눈에-놀이 명 〔중세 : 누네노리〕 〖충〗 [*Ceratopogon jezoensis*] 눈에놀잇과에 속하는 곤충. 모기와 비슷한데 몸길이 1 mm 가량이고, 몸빛은 황갈색 또는 담회색임. 풀섶에 서식하며 여름에 사람의 눈앞에 어지럽게 떼를 지어 날면서 뱅뱅 돌기도 하고, 아래 위로 까불거리기도 함. 암컷은 동물의 피를 빨아먹는데, 독이 있어 그 자리에 헌데가 생김. 한국에도 분포함. 부진자(浮塵子)❶. 멸몽(蠛蠓).

〈눈에놀이〉

눈에놀잇-과【—科】 명 〖충〗 파리목(目)에 속하는 한 과.

눈엣-가시 명 ①대단히 미워 항상 눈에 거슬리는 사람. 안중정(眼中釘). ¶ 의붓자식을 ~처럼 생각하다. ②남편의 첩을 가리키는 말.
눈여겨 보다 [—녀—] 타 잊어버리지 아니하게 잘 주의하여 보다. 자세히 보다. ¶ 행동을 ~.
눈:엽【嫩葉】 명 새로 나오는 곱고 연한 잎. 어린잎.
눈:-외【—椳】 명〖건〗↗누운외.
눈-요기【—療飢】[—뇨—] 명 먹고 싶거나 갖고 싶은 것을 보는 것만으로 어느 정도 만족하는 일. ——-하다 자여불
눈-웃음 명 소리를 내지 아니하고 눈으로만 가만히 웃는 웃음. 눈으로만 웃는 웃음. 목소(目笑).
　눈웃음(을) 짓:다 구 살짝 눈으로만 웃음짓다.
　눈웃음(을) 치다 구 남의 마음을 사려고 짐짓 눈으로만 살짝살짝 웃다.
눈-은행【—銀行】 명 안구(眼球) 은행.
눈의 날 [—/—에—] 명 눈에 대한 위생·보호·검진 등을 강조하는 날. 매년 11월 1일로 했으나 1973년부터 '보건의 날'에 합침.
눈-익다 [—닉—] 형 자꾸 보아와서 눈에 익숙하다. ¶ 눈에 익은 거리 풍경. ↔눈설다.
눈-인사【—人事】 명 눈짓으로 가볍게 하는 인사. 목례(目禮). ¶ ~를 나누다. ——-하다 자여불
눈:-자라기 명 아직 곧추 앉지 못하는 어린 아이.
눈-자루 [—짜—] 명〔eye-stalk〕〖동〗 ①갑각류(甲殼類) 십각목(十脚目)에서 볼 수 있는, 끝에 눈이 있는 가동성(可動性)의 자루처럼 생긴 부분. ②척추 동물의 눈의 발생 과정에서 생기는 안배(眼杯)의 자루 부분. 발생이 진행됨에 따라 가늘어져서 시신경(視神經)을 형성함. 안병(眼柄).
눈-자우 [—짜—] 명 〈방〉 눈자위(충청·함경).
눈-자위 [—짜—] 명 눈알의 언저리. 눈의 가장자리. 안광(眼眶).
　눈자위(가) 꺼:지다 구〔사람이 죽으면 눈자위가 푹 꺼지므로 일컫는 말〕죽다.
눈-잔등이 [—짠—] 명 ☞ 콧잔등이.
눈-잔물이 명 〈방〉 눈짓물이.
눈:-잣나무 명 〖식〗[*Pinus pumila*] 소나뭇과에 속하는 상록 침엽 교목. 잎은 침형(針形)이고, 다섯 잎이 족생(簇生)함. 꽃은 자웅 일가(雌雄一家)로 수꽃이삭은 타원형에 암자홍색, 암꽃이삭은 달걀꼴 타원형에 엷은 자홍색으로 6-7월에 피고 구과(毬果)는 이듬해 9월에 녹색으로 익음. 고산의 산꼭대기에 나는데, 강원도의 설악산·평남북·함남북 및 일본·사할린·만주·시베리아에 분포함. 관상용·신탄재임. 천리송(千里松). 왜송(倭松). 언송(偃松). 만년송(萬年松). 혈송(血松).

〈눈잣나무〉

눈-쟁이 명 〈방〉〖어〗송사리(경상·전남).
눈-접【—椄】 명〖농〗접목법(椄木法)의 한 가지. 중앙부에 있는 눈을 잘 드는 눈접칼로 벗겨 내어 대목(臺木)이 될 가지의 껍질을 '十'자 모양, 'T'자 모양 또는 '一'자 모양으로 절개(切開)하여, 그 곳에 끼운 뒤에 잡아 맴. 아접(芽椄).
눈접-모【—椄—】 명〖농〗눈접하여 길러낸 묘목. 아접묘(芽椄苗).
눈접-칼【—椄—】 명〖농〗눈접할 때 쓰는 칼. 아접도(芽椄刀).
눈-정기【—精氣】[—쩡—] 명 눈의 광채. ¶ ~가 있다.
눈-정신【—精神】[—쩡—] 명 ①눈에 재주가 드러나 보이는 기운. ②한 번 본 것을 잊지 아니하고 기억하는 눈의 총기. 눈총기.
눈-주다 자 ①가만히 약속의 뜻을 보이어 눈짓을 하다. ②시선(視線)을 그쪽으로 돌리다. 눈길을 그리로 돌려 보다.
눈:-주목【—朱木】 명〖식〗[*Taxus caespitosa*] 주목나뭇과에 속하는 상록 침엽 교목. 잎은 선형(線形)이고 꽃은 자웅 이가(雌雄二家)로 4월에 핌. 과실은 거의 구형(球形)이고 겉껍질은 육질(肉質)이며 9월에 적색으로 익음. 해발 700 m 이상에 나는데, 일본과 강원도 설악산에 분포함. 관상용임.
눈주어 보다 타 눈여겨 보다.
눈-진무르다 자르불 몹시 보고 싶다.
눈-진물이 명 눈짓물이.
눈-짐작 [—찜—] 명 눈대중. 눈어림. ——-하다 타여불
눈-집장 명 〈방〉 초고추장.
눈-짓 [—찓] 명 눈을 움직이어 어떤 뜻을 나타내는 짓. ¶ ~으로 알리다. ——-하다 자여불
눈-짓물이 명 눈이 진무른 사람의 별명.
눈ᄌᆞᅀᆞ 명 〈옛〉 눈동자. =눈ᄌᆞᅀᆞ. ¶ 갈로 눈ᄌᆞᅀᆞᄅᆞᆯ ᄇᆞᆯ아내여(手執利刀…剜其眼睛)《恩重諺 19》.
눈ᄌᆞᅀᆞ 명 〈옛〉 눈동자. =눉ᄌᆞᅀᆞ·눉ᄌᆞᅀᆞ·눈ᄍᆞᅀᆞ. ¶ 눈ᄌᆞᅀᆞ 정(睛)《字會 上 25》.
눈ᄌᆞᅀᅵ 명 〈옛〉 눈동자. =눈ᄌᆞᅀᆞ. ¶ 금빈혀로 눈ᄌᆞᅀᅴ애 마리ᄭᅵᆫ 거슬 거더 ᄇᆞ리면(金篦刮眼膜)《初杜諺 Ⅸ:19》.
눈ᄌᆞᅁᅵ 명 〈옛〉 눈동자. =눈ᄌᆞᅀᆞ. ¶ 금빈혀로 눈ᄌᆞᅁᅴ애 마리ᄭᅵᆫ 거슬 거더 ᄇᆞ리면(金篦刮眼膜)《重杜諺 Ⅸ:19》.
눈-쪽대기 명 〈방〉 애꾸눈이(경상).
눈-쪠 명 〈방〉 눈찌.
눈-찌 명 눈을 뜬 모습. ¶ ~가 고약하다.
눈ᄍᆞᅀᆞ 명 〈옛〉 눈동자. =눈ᄌᆞᅀᆞ. ¶ 護持호ᄆᆞᆯ 눈ᄍᆞᅀᆞ마티 ᄒᆞ샤(護持眼睛)《佛頂 上 4》.
눈-챙이 명 〈방〉〖어〗송사리(경상).
눈-청[1] 명 〈방〉 눈망울(경상).
눈:청[2]**【嫩晴】** 명 비가 오다가 개는 일.
눈:초【嫩草】 명 새로 싹튼 풀. 어린 풀.
눈-초리 명 ①귀 쪽으로 째진 눈의 구석. 내자(內眥). 목자(目眥). 목용(目容). ↔눈구석. ②사물을 볼 때의 눈의 모양. 흔히, 시선(視線)이 날카로운 경우에 쓰임. ¶ 매서운 ~.
눈-총 명 눈에 독기를 올리어 쏘아 보는 기운.
　눈총(을) 맞다 구 남의 미움을 몹시 받다.
　눈총(을) 주다 구 부럽고 시기하는 마음이나 미운 마음에서, 독기어린 눈으로 쏘아보다.
눈-총기【—聰氣】 명 사물을 보아서 익히는 눈의 기억력. 눈정신. ¶ ~가 있다.
눈-추리 명 〈방〉 눈초리.
눈치[1] 명 ①남의 마음의 기미를 알아챌 수 있는 재주. ¶ ~가 없다/~가 빠르다. ②속으로 생각하는 바가 겉으로 드러나는 어떤 태도. ¶ ~가 좀 이상하다/가고 싶어 하는 ~다. ③남이 자기에게 대하여 속으로 싫어하는 태도. ¶ ~가 보이다. ——-하다 타여불 사람을 귀찮게 여기어 싫어하다.
　【눈치가 빠르면 절에 가도 젓갈을 얻어먹는다】 눈치가 있으면 어디를 가도 군색한 일이 없다는 말. **【눈치가 안는 암탉 잡아먹겠다】** 뒷일은 조금도 고려하지 않고 그 당장의 편익만 생각하여 일을 함을 이르는 말. **【눈치가 있으면 떡이나 얻어 먹지】** 둔하고 미련한 사람을 두고 핀잔하는 말. **【눈치는 참새 방앗간 찾기】** 눈치가 매우 빠름을 이르는 말. **【눈치는 형사(刑事)다】** 눈치가 빨라 말을 하지 않아도 남의 경우를 잘 알아차리는 사람을 보고 이르는 말. **【눈치 빠르기는 도가(都家)집 강아지】** 매우 눈치가 빠르고 남의 동정을 잘 살피는 사람을 이르는 말.
　눈치(를) 보다 구 남의 마음과 태도를 살피다. ¶ 성내지 않았나 ~.
　눈치(를) 살피다 구 남의 눈치를 엿보다.
　눈치(가) 있다 구 눈치로 일의 기미를 알아채는 재주가 있다.
　눈치(를) 채다 구 남의 속마음을 알아채다. ¶ 비밀을 ~.
눈치[2] 명 〈방〉〖어〗누치[1].
눈치-껏 부 남의 눈치를 잘 알아차려서. ¶ ~ 대답하다.
눈치-꾼 명 남의 눈치를 잘 살피는 사람.
눈치-놀음 명 남의 눈치를 보아 가면서 그에 맞추어 행동하는 일. ——-하다 자여불
눈-치레 명 실속은 가리지 아니하고 보기만 위주로 하는 치레. 겉치레. ——-하다 자여불
눈치-작전【—作戰】 명 자신에게 유리한 선택을 하기 위해 어떤 일이 되어 가는 형편을 살피는 일. ¶ ~을 펴다/~이 벌어지다.
눈치-코치 명 '눈치'의 힘줌말. ¶ 지금 나이는 불과 열 한 살이나 ~가 멀쩡한 아이라《金宇鎭:花上雪》.
　눈치코치 다: 안:다 구 온갖 눈치를 다 짐작할 만하다는 말.
　눈치코치도 모른다 구 남이 어떻게 하는지 짐작도 못 한다는 말.
눈칫-밥 명 눈치를 보아 가며 얻어먹는 밥. ¶ ~을 먹고 자라다.
눈-코 명 눈과 코.
　눈코 뜰 사이 없:다 구 몹시 바쁘다. ＊안비 막개(眼鼻莫開).
　눈코 사이 구 썩 가까운 거리.
눈텡이 명 〈방〉 눈두덩(강원).
눈퉁-멸 명〖어〗[*Etrumeus micropus*] 눈퉁멸과에 속하는 바닷물고기. 몸길이 30 cm 가량으로 몸체는 가늘고 동글동글하게 길며 눈에 두꺼운 눈시울이 덮여 있음. 등 쪽은 암청색이고 배 쪽은 은백색임. 산란기는 4-6월경임. 외양성 어종으로, 한국의 연해 일원 및 일본 동부 이남의 연해에 분포함. 기름기가 적어 염건품(塩乾品)으로 식용함.

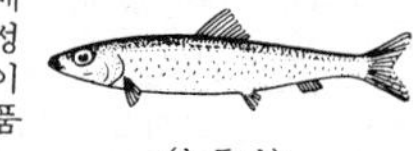
〈눈퉁멸〉

눈퉁멸-과【—科】[—꽈] 명〖어〗[Dussumieridae] 청어목에 속하는 어류의 한 과. 눈퉁멸·샛줄 등이 이에 속함.
눈퉁-바리 명〖어〗[*Malakichthys griseus*] 농어과에 속하는 물고기. 몸은 달걀꼴로 측편하고 아래턱이 위턱보다 돌출하였는데, 몸빛은 담갈색에 배 쪽은 담색임. 눈이 매우 크며 양턱·구개골에 가는 이가 있음. 온해성 어류로서, 한국 남부해·제주도 및 일본 중부 이남에 분포함.
눈-퉁이 명 눈두덩의 불룩한 곳. ¶ ~를 얻어맞다.
눈퉁-횟대 명〖어〗[*Triglops pingelibeani*] 둑중갯과에 속하는 바닷물고기. 몸은 가늘고 길며 주둥이가 길고 뾰족함. 등 쪽은 담갈색이고 배 쪽은 청백색이며 옆구리에 폭 넓은 검은 색의 세로띠가 있는 것이 특색임. 항문 돌기가 분명하며 등지느러미는 2기(基)임. 한국 동해 북부·오호츠크 해 등에 분포함.
눈-트다 자 나무나 풀의 싹이 새로 나오다.
눈튕이 명 〈방〉 눈퉁이(경상·충청).
눈:한【嫩寒】 명 심하지 아니한 추위.
눈:-향나무【—香—】 명〖식〗[*Sabina sargentii*] 향나뭇과에 속하는 상록 침엽 관목(灌木). 줄기는 포복성(匍匐性)이며, 잎은 대부분이 인엽(鱗葉)임. 5월에 자웅 일가(雌雄一家)로 된 꽃이, 수꽃이삭은 넓은 달걀꼴, 암꽃이삭은 구형(球形)으로 정생하여 피고, 구과(毬果)는 장질(漿質)이며 이듬해 10월에 익음. 고산의 바위 틈에 잘 나는데, 한국·일본·사할린·만주·시베리아 각지에 분포함. 관상용으로 진중함.
눈-허리 명 ☞ 코허리.
　눈허리(가) 시다 구 ㉠코허리가 실 정도로 기가 막히게 우습다. ㉡보기에 아니꼽다. ¶ 눈허리가 시어 못 봐주겠다.
눈-확 명 〈방〉 눈구멍.
눈:-황니【嫩黃泥】 명〖공〗중국 이싱요(宜興窯)에 쓰는 원료로 끈기가 센 흙. 점식(粘埴).
눈-흘기다 자타 눈동자를 옆으로 굴려 언짢은 기색을 나타내다.
눉시울 명 〈옛〉 눈시울. ¶ 눉시우를 뮈우디 아니ᄒᆞ야(眼皮不動)《蒙法 24》.
눉ᄌᆞᅀᆞ 명 〈옛〉 눈동자. =눈ᄌᆞᅀᆞ. ¶ 嗔心 아니 ᄒᆞᄂᆞᆫ 사ᄅᆞᄆᆡ 눉ᄌᆞᅀᆞ와 骨髓왜니이다《月釋 XXI:215》.
눉ᄌᆞᅀᅵ 〈옛〉 눈동자가. '눉ᄌᆞᅀᆞ'의 주격형(主格形). =눉ᄌᆞᅀᅵ❶. ¶ 눉ᄌᆞᅀᅵ 뮈디 아니ᄒᆞ면(眼睛不動)《蒙法 25》.
눉곱 명 〈옛〉 눈곱. ¶ 눉곱 두(脰), 눉곱 치(眵)《字會 上 29》.
눉두베 명 〈옛〉 눈까풀. 눈두덩. =눉두에. ¶ ᄀᆞᆺ 눉두베 므거본 ᄃᆞᆯ 아라ᄃᆞᆫ(纔覺眼皮重)《蒙法 2》.
눉두에 명 〈옛〉 눈두덩. 눈까풀. =눉두베·눈두에. ¶ 눉두에 검(瞼)《字會 上 25》.

눉마울 명 〈옛〉 눈망울. ¶ 눉마울 모(眸)≪字會 上 25≫.
눉믈 명 〈옛〉 눈물. =눈믈·눉믈. ¶ 눉므리 ᄆᆞᄅᆞ비ᄆᆞ티 ᄂᆞ리다 혼 말도 이시며≪月釋 Ⅰ:36≫.
눉벼록 명 〈옛〉 안화(眼花). ¶ ᄆᆞᅀᆞᆷ 어즐케 홀ᄉᆡ 눉벼로기 나ᄂᆞ니(迷亂心神故眼前生火)≪救方 下 94≫.
눉부텨 명 〈옛〉 눈부처. ¶ 눉부텨 동(瞳)≪字會 上 25≫.
눉ᄌᆞᅀᆞ 명 〈옛〉 눈동자. =눈ᄌᆞᅀᆞ. ¶ 내 머릿바기며 눉ᄌᆞᅀᆡ며 骨髓며 가시며≪月釋 Ⅰ:13≫.
눉ᄌᆞᅀᆡ 〈옛〉 눈동자가. '눉ᄌᆞᅀᆞ'의 주격형(主格形). =눈ᄌᆞᅀᆡ. ¶ 눉ᄌᆞᅀᆡ 감ᄑᆞᄅᆞ며 힌ᄃᆡ 블근ᄃᆡ 조히 分明ᄒᆞ시며≪月釋 Ⅱ:41≫.
눉믈 명 〈옛〉 눈물. =눈믈. ¶ 어머님 그리신 눉므를(戀母悲淚)≪龍歌 91 「章≫.
눋:다 자 ㄷ불 불이 붙지 않을 정도로 조금 타다. 누른 빛이 나도록 조금 타다. ¶ 옷이 ~/밥이 ~.
눌¹ 의명 〈방〉 올⁵.
눌² 준 누구를. ¶ ~ 원망하랴.
눌굽 지신 【—地神】 명 〖민〗 제주도에서, 낟가리를 가리어 놓는 자리, 곧 '눌굽'을 지키는 신(神).
눌눌 【訥訥·吶吶】 [—룰] 부 말을 더듬는 모양. 말이 술술 나오지 않는 모양.
눌눌-하다 [—룰—] 형 여불 털이나 풀 같은 것이 누르스름하다. >놀놀하다. 눌눌-히 부
눌-도 【訥島】 [—또] 명 〖지〗 전라 남도(全羅南道) 목포시(木浦市) 충무동(忠武洞)에 속하는 작은 섬. [1.78 km²]
눌:러 부 ①그대로 용서하는 생각으로. ¶ 잘못된 점이 있어도 ~ 봐주시오. ②어떤 일이 끝난 뒤 곧 이어서. 계속 머물러. ¶ 그대로 ~ 앉다/~ 세 번 패하다/다니던 직장에 ~ 있기로 했다.
눌:러-다듬기 [—끼] 명 〖고고학〗 몸돌이나 격지의 날을 모룻돌의 끝에 가볍게 눌러가며 다듬는 수법. 가압 조정(加壓調整).
눌:러-듣다 타 ㄷ불 용서하여 듣다.
눌:러-떼기 명 〖고고학〗 뿔이나 뼈의 뾰족한 끝으로 석기(石器)의 날에 힘을 주어 아주 얇고 긴 격지를 떼어내거나 잔손질하는 수법. 후기 구석기 시대에 발달함. 가압 박리(加壓剝離).
눌:러-보다 타 용서하여 보다. ¶ 글씨가 흐려도 눌러 보아 주시오.
눌:러-자다 타 계속 머물러 자다.
눌:러-찍기 명 〖고고학〗 토기(土器)에 무늬를 내는 방법 중의 하나로, 눌러서 무늬를 넣는 방법. 압날법(押捺法).
눌:리다¹ 피동 누름을 당하다. 압도되다. ¶ 짐짝에 ~/강대국에 ~.
눌리다² 사동 눋게 하다. ¶ 밥을 ~.
눌:림 감:각 【—感覺】 명 〖생〗 '압각(壓覺)'의 풀어쓴 말.
눌:림-끈 명 베틀에서, 눌림대에 걸어 베틀다리에 매는 끈. 눌림줄.
눌:림-대 [—때] 명 베틀의 잉아의 뒤에 있어 베날을 누르는 막대.
눌:림-줄 [—쭐] 명 눌림끈.
눌면-하다 형 여불 보기 좋을 만큼 약간 누르다. >놀면하다. 눌면-히 부
눌변 【訥辯】 명 더듬거리는 말솜씨. ↔능변(能辯).
눌삽 【訥澁】 명 말이 더듬거리어 잘 나오지 아니함. ——하다 형 여불
눌어 【訥魚】 명 〖어〗 누치¹.
눌어-붙다 자 ①뜨거운 바닥에 조금 타서 붙다. ¶ 밥이 솥에 ~. ②한 곳에 오래 있으면서 떠나지 아니하다. ¶ 딸네집에 눌어붙어 지내다.
눌언 【訥言】 명 더듬거리는 말.
눌언 민행 【訥言敏行】 명 입은 둔하지만 행하는 일은 민첩함.
눌옥-도 【訥玉島】 명 〖지〗 전라 남도(全羅南道)의 진도군(珍島郡) 조도면(鳥島面) 눌옥도리(訥玉島里)를 이루는 섬. [0.77 km²]
눌와 〈옛〉 누구와. '누⁷'의 공동격형(共同格形). ¶ 눌와 다ᄆᆞᆺ 議論ᄒᆞᄂᆞ뇨(與誰論)≪杜諺 XXI:23≫.
눌:-외 【—椳】 명 〖건〗 ↗누울외.
눌은-밥 명 ①솥 바닥에 눌어붙은 밥에 물을 부어 긁어 푼 것. ②☞ 누룽지.
눌은밥 튀각 명 누룽지를 말려서 기름에 튀긴 음식.
눌음 【訥音·吶音】 명 발음(發音) 장애의 하나인 말을 더듬는 일. 일정한 소리의 발음이 유창하게 나오지 않고 경련성(痙攣性)·폭발성이 됨.
눌재 선생집 【訥齋先生集】 [—째—] 명 〖책〗 [눌재(訥齋)는 박상(朴祥)의 호(號)] 조선 시대 중종(中宗) 때의 문장가 박상(朴祥)의 문집. 원집(原集) 7권, 속집 4권, 별집 1권, 부록 2권, 부집(附集) 2권.
눌-제 【訥堤】 [—쩨] 명 〖역〗 호남 삼호(湖南三湖)의 하나. 전라 북도 정읍시(井邑市)의 고부천(古阜川)을 가로질러 축조되었던 저수 시설. 조선 고종(高宗) 10년(1873)에 폐쇄됨.
눌지-왕 【訥祇王】 [—찌—] 명 〖사람〗 신라 제19대 왕. 내물왕(奈勿王)의 아들. 고구려에 볼모로 갔다가 돌아와 실성왕(實聖王)을 죽이고 임금이 되었음. [재위 417-457]
눌최 【訥催】 명 〖사람〗 신라 진평왕(眞平王) 때의 장군. 사량부(沙梁部) 사람. 백제의 대군이 속함성(速含城) 등 6성을 공격하자, 사수하다가 전사하였음. [?-624]
눌-치 명 ☞ 〖어〗 누치¹.
눌치-볼락 명 〖어〗 [*Sebastes ijimae*] 양볼락과에 속하는 바닷물고기. 몸은 누루시볼락과 비슷하나 배지느러미가 길어서 뒷지느러미에 달함. 한국 남부 연해에 분포하며 식용함.
눌-하다 【訥—】 형 여불 말을 더듬어서 둔하다.
눔 명 〈방〉 놈¹.
눔-밥 명 〈방〉 눌은밥(전북).
눕닐다 자 〈옛〉 누웠다 일어났다 하다. ¶ 다리며 허리를 알하 눕닐기 어려워ᄒᆞ며(膀痛腰痛 難臥難起)≪馬經 下 74≫.
눕다¹ 자 ㅂ불 ①등이나 옆구리를 바닥에 대고 몸을 가로 놓다. 또, 병으로 앓아 자리에서 일어나지 못하다. ②나무나 풀들이 바람·병 등으로 쓰러지다.
[누운 나무에 열매 안 연다] 죽은 나무에 열매가 열 리 없듯이, 사람도 죽은 듯이 가만히 있으면 아무 것도 되는 일이 없으므로 열심히 움직이고 일을 해야 한다는 말. [누운 소 똥누듯 한다] 무슨 일을 힘들이지 아니하고 쉽게 해냄을 이르는 말. [누운 소 타기] '누워 떡 먹기'와 같은 뜻. ¶ 장안에서 몇 째 아니 가는 부자가 되려면 누운 소 타기와 같이 힘이 반 점도 아니 들었을 것인데≪李海朝:牧丹屛≫. [누울 자리 봐 가며 발을 뻗어라] 시간과 장소를 가리어 행동하라는 말. [누워 떡 먹기] 매우 간단하고 쉬운 일이라는 말. [누워 뜨는 소] 아주 느리고 다라진 사람이나 그 행동을 두고 이르는 말. [누워서 넘어다보는 단지에 좁쌀이 두 칠 홉만 있으면 봉화(奉化) 원(員)을 '이손아' 부른다] 살림이 좀 넉넉해졌다고 거드름을 부리며 부자인 체하는 자를 두고 이르는 말. [누워서 떡을 먹으면 팥고물이 눈에 들어간다] 몸을 너무 안락하게 하면 도리어 자기에게 해가 온다는 말. [누워서 침 뱉기] 남을 해치려고 한 일이 오히려 자기에게 미침을 이르는 말.
눕다² 자 ㅂ불 이자(利子)는 치르고, 원금(元金)이 그대로 빚으로 있다.
눕다³ 타 ㅂ불 누이다¹❸.
눕더기 명 〈옛〉 누더기. ¶ 눕더기 납(衲)≪字會 中 24≫.
눕체 산 【—山】 [Nuptse] 명 〖지〗 네팔의 동부, 히말라야의 고봉(高峰)의 하나. 에베레스트 산의 남서쪽에 솟아 있고, 남쪽에 눕체 빙하(氷河)가 뻗어 있음. 1961년 영국의 등반대가 첫 등정(登頂)함. [7,879 m]
눕치 명 〈방〉 〖어〗 누치¹.
눕혀-묻기 명 〖고고학〗 주검을 편 채로, 등이 바닥에 닿도록 누인 자세로 묻는 일. 앙신장(仰身葬). 앙와장(仰臥葬).
눕히다 타 누이다¹. ¶ 어린애를 ~/한 주먹에 때려 ~.
눕다 자 〈옛〉 눕다¹. ¶ ᄒᆞᆫ나흔 바ᄅᆞ래 누보며≪月釋 Ⅰ:17≫.
눗-집 【樓—】 명 ☞ 다락집.
눙-꺼풀 명 〈방〉 눈꺼풀(경기·강원·충청·전라·경상).
눙-꼬비 명 〈방〉 눈곱(강원).
눙꼽 명 〈방〉 눈곱(경기·강원·충북).
눙안 [農安] 명 〖지〗 중국 지린 성(吉林省)에 있는 지린 현의 현청(縣廳) 소재지. 창춘(長春) 북방 약 63 km에 위치함. 원래, 발해(渤海)의 부여부(扶餘府), 금(金)의 융안부(隆安府)였던 곳임. 콩·고량(高粱)·밀·조 등의 농산물을 산출함. 농안(農安).
눙에 명 〈방〉 〖충〗 누에(경상·충청·강원·함경·평안).
눙에-꼬치 명 〈방〉 누에고치(충북·경북).
눙우 명 〈방〉 누나(경상).
눙치다 자 좋은 말로 풀어서 누그러지게 하다. ¶ 슬쩍 눙쳐 화를 풀게 하다 /어느 정도 눙치는 어조로 말했다. >농치다.
눠 준 누워. '눕다'의 활용형. ¶ ~먹다/~서 오줌을 싸다.
눼:¹ 명 〖충〗 ↗누에.
눼:² 준 누이어. '누이다¹'의 활용형.
뉘¹ 명 쓿은 쌀 속에 섞인 벼 알갱이.
뉘² 명 자손으로부터 받는 덕.
뉘³ 명 ↗누이.
뉘⁴ 명 〈방〉 〖충〗 누에(전라·경상·충청).
뉘⁵ 명 〈방〉 윷(평안).
뉘⁶ 명 〈옛〉 ①세상. 평생. ¶ 오ᄂᆞᆫ 뉘예 佛道ᄅᆞᆯ 일우리니(來世成佛道)≪妙蓮 Ⅰ:201≫. ②적. 때. ¶ 過去ᄂᆞᆫ 디나건 뉘오≪月釋 Ⅱ:二十一之 一≫.
뉘⁷ 인대 ↗누구. ¶ ~에게 주었느냐/댁은 ~시오.
뉘:⁸ 준 누구의.
[뉘 덕으로 잔 뼈가 굵었는고] 남의 은덕을 입고 자라났음에도 그 은덕을 모를 때에 이르는 말. [뉘 집에 죽이 끓는지 밥이 끓는지 아나] 여러 사람의 사정은 다 알기 어렵다는 뜻.
뉘:집 개가 짖어대:는 소리냐 구 자기와는 전혀 관계없는 일이니, 멋대로 지껄이라는 말.
뉘⁹ 〈옛〉 ①누구가. '누⁷'의 주격형(主格形). ¶ 七代之王을 뉘 마ᄀᆞ리잇가(七代之王 誰能禦之)≪龍歌 15章≫. ②누구의. '누⁷'의 소유격형(所有格形). ¶ 대 버히ᄂᆞ닌 뉘 아ᄃᆞ오(伐竹者誰者)≪杜諺 Ⅰ:23≫.
-뉘 미 〈옛〉 원래 '뉘⁶'에서 온 말로, 별로 대단하지 않는 것, 작은 것, 천한 것 등의 뜻을 나타내는 접미사. ¶ 구름 쏀 볏뉘도 쬔 적이 업건마ᄂᆞᆫ≪古時調 曺植≫.
뉘:-꼬추 명 〈방〉 누에고치(충북).
뉘:-꼬치 명 〈방〉 누에고치(충북).
뉘누리 명 〈옛〉 ①물살. ¶ 뉘누리 단(湍)≪字會 上 5≫. ②소용돌이. ¶ 뉘누리 와(渦)≪字會 上 5≫.
뉘뉘 명 〈옛〉 대대⁴. ¶ 내 어버ᅀᅵ 뉘뉘예 어디러(妾之先人 淸德奕世)≪三綱 烈女≫.
뉘:다¹ 타 ↗누이다¹. ¶ 병자를 자리에 ~/단매에 때려 ~.
뉘:다² 사동 ↗누이다². ¶ 오줌을 ~.
뉘:렇다 [—러타] 형 ㅎ불 생기가 없이 누렇다. ¶ 굶주려 얼굴이 뉘렇게 떴구나. >뇌랗다.
뉘레-지다 자 뉘렇게 되다. >뇌래지다.
뉘른베르크 [Nürnberg] 명 〖지〗 독일(獨逸) 바이에른 주(Bayern 州)의 제2의 도시. 마인 강(Main 江)과 도나우 강을 연결하는 루트비히 운하(Ludwig 運河)의 요지를 차지하고 있으며, 조각·완구(玩具)·연필 등 공예 공업으로 유명함. 12세기부터 발달한 전형적인 성곽 도시(城郭都市)로, 전통적인 많은 고딕 건물이 잘 보존(保存)되어 있어 건축 사상 독일에서 제일 아름다운 도시임. 나치스 시절에는 자주 당대회(黨大會)가 개최되었으며, 제2차 대전 후, 전범 재판(戰犯裁判)이 이 곳에서 있었음. [514,657명(1974)]
뉘른베르크의 명가수 【—名歌手】 [—/—에—] 명 〖도 Die Meistersinger

von Nürnberg] 〖악〗 바그너 작곡의 유일한 희가극. 뉘른베르크의 노래 자랑에서 구둣방 주인 작스가 젊은 기사(騎士) 발터를 우승시켜, 황금 세공사(細工師) 포그너의 아름다운 외동딸 에바를 얻게 한다는 줄거리. 경쾌한 리듬과 멜로디로 친근미를 줌. 1868년에 뮌헨에서 초연(初演)됨. 3막(幕).

뉘른베르크 재판【一裁判】〔Nürnberg〕 명 〖역〗 국제 군사 재판소가 1945년 11월 개정(開廷)된 뉘른베르크 법정에서 제2차 세계 대전의 독일의 주요 전쟁 범죄인 24명에 대하여 1946년 10월에 선고를 내린 재판. 이에 의해서 그 달에 괴링·리벤트로프 등 12명에 대한 사형이 집행 되었음. 극동(極東) 국제 군사 재판과 더불어 이대(二大) 국제 군사 재판으로 불림.

뉘메레:르 〔프 numéraire〕 명 〖경〗 상대 가격(相對價格)을 표시할 경우에 기준이 되는 재(財). 표준재 또는 계산 화폐로 번역됨.

뉘밀게 명 〈방〉 겨(전북).

뉘-반지기 명 뉘가 많이 섞인 쌀.

뉘-보다 자 자손의 덕을 보다. ¶ 늘그막에 ～.

뉘비[1] 명 〈방〉 누나(함경).

뉘비[2] 명 〈방〉 〖충〗 누에(경상).

뉘솟다 타 〈옛〉 뉘우치다. ¶ 구틔여 브어베 드로믈 뉘솟디 마롤디니라(不敢恨庖厨)≪初杜諺 XⅦ:36≫.

뉘앙스 〔프 nuance〕 명 ①어떤 말·어구(語句)가 지니는 표면적인 의미 이외의, 정서적인 의미나 섬세한 의미. 또, 어구나 문장의 언외(言外)에 나타난 의미나 말하는 이의 의도(意圖). ②그림에서, 빛깔의 명도(明度)·채도(彩度)·색상(色相)의 미묘한 변화를 일컬음. 또, 음악에서, 미묘한 음색의 차이를 일컬음. ¶ ～를 살리다. ③음영(陰影)❸.

뉘에 명 〈방〉 〖충〗 누에(전라·경기·충북·경북·제주).

뉘에-꼬추 명 〈방〉 누에고치(경기·충북).

뉘에-꼬치 명 〈방〉 누에고치(경기·충북).

뉘여 명 〈방〉 〖충〗 누에(충남·전북).

뉘역 명 〈방〉 도롱이(강원).

뉘역-거리다 자 ☞뉘엿거리다.

뉘연-히 부 ☞버젓이.

뉘엿-거리다 자 ①해가 곧 지려고 하다. ②속이 매스꺼워 자꾸 토할 듯하다. 뉘엿-뉘엿 부. ¶ 해가 ～ 넘어가다. ——하다 자여불

뉘엿-대다 자 뉘엿거리다.

뉘옷다 타 〈옛〉 뉘우치다. ¶ 曹操ㅣ 제 몸을 제 그르다ᄒᆞ여 뉘옷고≪三譯 Ⅳ:19≫.

뉘옷브다 형 〈옛〉 뉘우쁘다. ¶ 주근둘 므엇시 뉘옷브료(死何憾)≪二倫 14. 棘薩爭死≫.

뉘옷추다 형 〈옛〉 뉘우치다. ¶ 비록 뉘옷추나 이믜 느즈라(雖悔已遲)≪內訓 Ⅲ:6≫.

뉘우쁘다 형 뉘우치는 생각이 있다.

뉘우츠다 타 〈옛〉 =뉘으츠다. ¶ 悔ㄴ 뉘우출 씨니≪楞嚴 Ⅳ:4≫/뉘우출 회(悔)≪類合 下 35≫. 「～. ㊅뉘읓다.

뉘우치다 타 제 잘못을 스스로 깨닫고 가책(苛責)을 느끼다. ¶ 잘못을

뉘우침 명 뉘우치는 일. 제 잘못을 스스로 깨닫는 일.

뉘우추다 타 〈옛〉 뉘우치다. ¶ 무덤 우희 진납이 푸람 불제 뉘우촌둘 엇디리≪松江 將進酒辭≫.

뉘웃다 타 〈옛〉 뉘우치다. =뉘읏다. ¶ ᄂᆞᆺ 블겨 뉘웃고 붓그려(赧然悔恥)

뉘웇다 타 ↗뉘우치다. ≪飜小 Ⅷ:27≫.

뉘으쁘다 형 〈옛〉 뉘우쁘다. 후회스럽다. =뉘읏브다. ¶ 後에 뉘으쁘미 나리라ᄒᆞ시니라(後生憂悔)≪永嘉 上 6≫.

뉘으춤 명 〈옛〉 뉘우침. ¶ 뉘으춤과 ᄌᆞ오롬(悔眠)≪圓覺 上 一之一 31≫.

뉘으츠다 타 〈옛〉 뉘우치다. =뉘으치다·뉘읏다. ¶ 悔ㄴ 뉘으출 씨니 아랫이를 외오호라 홀 씨라≪釋譜 Ⅵ:9≫.

뉘으치다 타 〈옛〉 뉘우치다. =뉘으츠다·뉘읏다. ¶ 뉘으처 도로 오려ᄒᆞ더≪月釋 Ⅰ:44≫. 「≪釋譜 Ⅵ:19≫.

뉘읏다 타 〈옛〉 뉘우치다. =뉘으츠다·뉘으치다. ¶ 須達이 뉘읏디 말라

뉘읏븜 형 〈옛〉 뉘우쁨. '뉘읏브다'의 명사형. ¶ 뉘읏븜 永히 긋게 호믈 爲ᄒᆞ쇼셔(請永斷悔)≪圓覺 上 二之三 10≫.

뉘읏브다 형 〈옛〉 뉘우쁘다. =뉘으쁘다. ¶ 곧 붓그려 뉘읏븐 ᄆᆞᅀᆞᆷ 내요미 오(卽生慙愧改悔之心)≪永嘉 上 92≫.

뉘이 명 〈방〉 〖충〗 누에(경남).

뉘지근-하다 형여불 ↗뉘척지근하다.

뉘척지근-하다 형여불 누린내나 누린맛이 나다. ㊅뉘지근하다.

뉘피다 타 〈방〉 눕히다.

뉨 명 ↗누임.

뉴:[1] 〔N·ν〕 명 그리스 문자의 열 세 번째 자모.

뉴:[2] 〔new〕 명관 새로운 것. 신기한 것. 신식. ¶ ～ 모드.

뉴:-게이트 〔Newgate〕 명 〖역〗 영국(英國) 런던의 구시가(舊市街) 서쪽 문에 있었던 유명한 감옥. 1902년에 헐리었음.

뉴:-기니 〔New Guinea〕 명 〖지〗 오스트레일리아 북방 아라푸라 해(Arafura海)·토레스(Torres) 해협을 사이에 두고 길게 놓여 있는 세계 제2의 큰 섬. 신기 습곡 산맥(新期褶曲山脈)이 가로 달리고 있음. 고온 다습(高溫多濕)한 열대 우림 기후 지역(熱帶雨林氣候地域)에 속하여, 밀림이 많고, 개발(開發)이 뒤져 있음. 금·은·석유·기타 열대 농산물이 산출되며, 진귀한 동물이 많음. 1527년 스페인 사람이 내항(來航)한 후, 1828년에 네덜란드가 영유(領有)하였으며, 지금은 동경(東經) 141° 이서(以西)는 인도네시아령(領)으로서, '서이리안(西 Irian)'이라 부르며, 이동(以東)은 '파푸아뉴기니'라 부르는 독립 국가임. 원주민은 파푸아인(Papua人). [771,900 km²]

뉴:-내추럴리즘 〔New Naturalism〕 명 〖연〗 1970년대 후반(後半)의 미국 희곡(戲曲)에서, 부조리 연극(不條理演劇) 대신에 대두하게 된 새로운 현실주의적인 경향의 일컬음.

뉴:-네덜란드 〔New Netherland〕 명 〖지〗 본디 1613년부터 1664년까지의 사이에, 미국 허드슨 강(Hudson江)과 델라웨어 강(Delaware江) 양강변(兩江邊)에 있었던 네덜란드 식민지. 1664년 이후 1669년까지의 사이에 모두 영국의 식민지가 됨. 당시의 주도(主都) 뉴암스테르담은 지금의 뉴욕의 전신(前身)으로, 1664년에 현재의 이름으로 개칭됨.

뉴:-델리 〔New Delhi〕 명 〖지〗 인도 공화국의 수도. 델리(Delhi)의 구시가(舊市街)의 남쪽에 위치하는 신시가(新市街)로, 1912년부터 영령(英領) 인도의 수도로서 건설하기 시작하여, 1931년 완성되었음. 연방의사당(聯邦議事堂)과 중앙 정청(中央政廳)을 비롯한 여러 관청·외국 공관(公館)·학교·호텔 등이 있고, 상중류층(上中流層)의 거주 지역을 이룸. [6,220,000 명(1990 추계)]

뉴: 딜: 〔New Deal〕 명 〖정〗 미국의 프랭클린 루스벨트(Franklin Roosevelt) 대통령이 1933년 이래 1939년까지 행한 일련의 경제 정책. 1929년의 세계적 경제 공황에 대처하여 종래의 무제한한 경제적 자유주의를 대폭 수정하고, 정부가 재정·금융 정책에 의하여 적극적으로 경기(景氣)를 조정하며 고용 수준을 향상시킨다는 데에 특색이 있음. 금본위제(金本位制)의 폐지, 관리 통화제(管理通貨制)의 도입(導入), 은행(銀行)의 구제(救濟)를 비롯하여, 전국 산업 부흥법(全國産業復興法), 농업 조정법(農業調整法; A.A.A.), T.V.A., 노동자 보호를 위한 와그너법(法) 및 사회 보장법(社會保障法) 등이 효과적으로 시행·제정되었으나, 반면 독점 자본의 폐단을 초래한 점도 있음. *페어 딜(Fair Deal).

뉴:똥 명 명주실로 짠 옷감의 하나. 수자직(繻子織) 바탕에 무늬가 있는데, 빛깔이 곱고 보드라우며 잘 구겨지지 않음. 흔히, 여자 치마 저고리 감으로 사용됨.

뉴: 라이트 〔New Right〕 명 신보수주의(新保守主義). 보수당(保守黨)·보수주의 중의 진보파(進步派)의 일컬음. * 뉴레프트.

뉴:런 〔neuron〕 명 〖생〗 신경 세포와 여기에 돌출되어 있는 신경 섬유의 병칭. 신경계의 구조 및 기능상의 단위로, 신경 섬유의 끝이 다음 뉴런의 신경 섬유와 연결됨. 신경원(神經元). 노이론(Neuron).

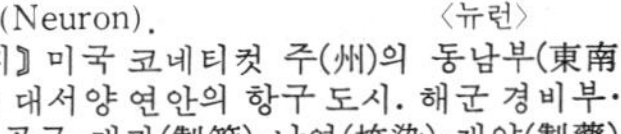
〈뉴런〉

뉴:-런던 〔New London〕 명 〖지〗 미국 코네티컷 주(州)의 동남부(東南部) 템스(Thames) 강에 임하는 대서양 연안의 항구 도시. 해군 경비부·잠수함 기지 등이 있음. 기계 공구·제관(製管)·날염(捺染)·제약(製藥) 공업 등이 행하여짐. [29,000 명(1980)]

뉴: 레이팅 〔미 new rating〕 명 야구에서, 신타율(新打率). 또, 신타율 계산법. 즉, 안타수(安打數)만을 계산하는 종래의 타율 계산법에 타점·득점·누타수(壘打數) 따위를 합쳐 계산하는 법.

뉴: 레프트 〔New Left〕 명 〖정〗 신좌익(新左翼). 특히, 1956년의 스탈린 비판(批判) 이후 서방 세계 여러 나라에서 발생한 비공산당계(非共產黨系)의 신사회주의 이론과 운동을 이름. 영국에서는 잡지 '뉴 레프트'에 규합(糾合)한 지식인들을 가리키는데, 소련의 방식에 반대하여 비핵무장(非核武裝) 운동, 새로운 교육 제도, 노동자의 노동 관리(勞動管理)를 주장함. 또, 프랑스에서는 사르트르 등의 일파를 가리키고, 미국에서는 젊은 지식인(知識人)·대학생을 중심으로 한 급진적(急進的)인 자유주의(自由主義) 그룹 등 널리 새로운 좌익 운동을 지칭(指稱)함. * 뉴 라이트.

뉴: 록 〔new rock〕 명 〖악〗 새로운 형식의 로큰롤 음악. 종래의 로큰롤에 만족하지 않는 젊고 전진적인 로큰롤 가수(歌手)들이 재즈의 즉흥적(卽興的) 수법(手法)을 따거나 또는 특수한 전자음(電子音)을 강조하여 보다 더 복잡하게 만듦. 전위(前衛) 로크.

뉴: 롱 〔new＋long〕 명 양장(洋裝)에서, 맥시(maxi)와 미디(midi)의 중간쯤되는 길이.

뉴: 룩 〔new look〕 명 ①프랑스 디자이너 크리스티앙 디오르가 1947년에 발표한 모드를 가리켜 미국에서 붙인 이름. 여자다운 우아(優雅)함과 부드러운 어깨 선(線)과 가는 허리에 플레어가 많이 든 긴 스커트가 특징임. ②최신형(最新型). 새로운 유행 양식(流行樣式).

뉴: 룩 전:략【一戰略】[—절—] 명 〔New Look Strategy〕 1953년 미국 아이젠하워 대통령 취임 직후 미국이 취한 새 전략. 적의 본격적 공격을 받을 경우, 핵무기(核武器)를 실은 대규모의 전략 폭격기(戰略爆擊機)로써 적절한 방법과 장소를 선택하여 즉시 보복 반격하는 전략. 이러한 잠재 전력(潛在戰力)의 대기(待期)에 의해서 전쟁을 억지(抑止)하려던 것. 1958년 이후에는 이 전략이 단계적 억지 전략(段階的抑止戰略)으로 바뀜.

뉴: 룩 정책【一政策】 명 〔new look policy〕 〖정〗 1954년 봄 미국 아이젠하워 대통령이 의회에 제출한 새로운 군비(軍備) 계획. 곧, 병력을 줄이는 대신 원자 무기와 항공력을 증강하자는 정책.

뉴: 리얼리즘 〔New Realism〕 명 ①신사실주의(新寫實主義). 네오 레알리슴. ②〖미술〗 현대 미국의 새로운 예술인 팝 아트(pop art)를 일컫는 딴이름.

뉴: 리퍼블릭 〔New Republic〕 명 〖사〗 미국 워싱턴에서 발간(發刊)되는 좌파계(左派系)의 사상(思想) 주간지. 1914년에 창간. 뉴스와 해설 외에 특히 정치·경제의 광범(廣範)한 분야에 걸친 평론이 뛰어남. 평이(平易)한 문장으로 읽기 쉬운 것이 특징임. 1968년 현재 발행 부수는 약 120만 부임.

뉴: 마그네틱스 〔new magnetics〕 명 〖공〗 신자기 공학(新磁氣工學).

뉴:매틱 케이슨 〔pneumatic caisson〕 명 〔뉴매틱은 '공기의, 압축 공기가 채워진'의 뜻〕 〖토〗 둘레와 천장이 있는 궤. 물 속에 가라앉히고 압축(壓縮) 공기로써 그 속에 있는 물을 빼낸 뒤에 사람이 들어가 물

밑에서 일을 하는 데 씀. 공기 케이슨.

뉴:매틱 해머 〔pneumatic hammer〕 명 〖기〗 공기 망치. 공기 해머.

뉴:머시스티스 카리니 폐:렴 【—肺炎】 명 〔pneumocystis carinii pneumonia〕 〖의〗 카리니 폐렴.

뉴:먼[1] 〔Newman, Alfred〕 명 〖사람〗 미국의 작곡가·영화 음악 감독. 파데레프스키에게서 피아노를 배움. 토키 시대 이래, 많은 영화 음악을 작곡·편곡·지휘·감독하였는데, 대표작으로는 《공작 부인》·《혈(血)과 사(砂)》 등이 있고, 《모정; Love is a Many Splendored Thing》으로 아카데미 영화 음악상을 탐. 〔1901-70〕

뉴:먼[2] 〔Newman, Ernest〕 명 〖사람〗 영국의 음악 평론가. 1905년 이후 '맨체스터 가디언' '선데이 타임스' 등 여러 신문의 음악 비평란을 담당, 솔직하고 예리한 비평으로 알려짐. 볼프(Wolf)나 바그너의 전기(傳記)는 훌륭한 것으로 평가받고 있음. 〔1868-1959〕

뉴:먼[3] 〔Newman, John Henry〕 명 〖사람〗 영국의 종교가. 처음 교회(敎會)의 권위와 고교회(高敎會)주의를 강조하여 국교(國敎)를 속권(俗權)의 지배에서 지키려는 '옥스퍼드 운동'을 전개하였는데, 후에 1845년 가톨릭으로 개종(改宗)하여 1879년 추기경(樞機卿)이 되었음. 신학자·설교가·시인·철학자로서 많은 저서를 남겼는데, 그의 사상은 오성(悟性)보다도 직관(直觀)을 존중하고 신(新)토마스주의에 반대하였음. 주저(主著)에 명저(名著)《내 생애의 변명》·《승인(承認)의 원리》 등이 있음. 〔1801-90〕

뉴:먼[4] 〔Newman, Paul〕 명 〖사람〗 미국의 영화 배우·감독·제작자. 예일 대학 연극과 졸업. 1953년 《피크닉》으로 무대 데뷔, 1956년 영화 《상처뿐인 영광》으로 인정을 받음. 주연 영화는 《허슬러》·《내일을 향해 쏘아라》·《스팅》·《타워링》 등. 《허슬러 2편》으로 1982년 아카데미 남우 주연상을 받음. 〔1925-〕

뉴:멕시코 주 【—州】 〔New Mexico〕 명 〖지〗 미국 서부 로키 산지 남단의 주. 본디 1598년 스페인 사람이 식민(植民)하여, 1821년부터 멕시코령이었는데 미국 멕시코 전쟁의 결과 1848년 미국령이 되고, 1912년 주(州)가 됨. 대부분이 사막(砂漠)과 1,000 m 이상의 고지이며 건조 기후임. 양·소의 목축이 주산업이나, 중앙부를 남류(南流)하는 리오그란데 강(Rio Grande江)에 의한 알팔파·옥수수·밀·목화 등의 관개(灌漑) 농업이 성하고, 석유·천연(天然) 가스·우라늄·칼륨염(kalium 塩)·구리·아연(亞鉛) 등 많은 광산물(鑛産物)을 산출함. 주도(州都)는 산타페(Santa Fe). 〔314,258 km²: 1,515,069 명(1990)〕

뉴: 모:드 〔new+프 mode〕 명 복식(服飾)에서, 새로운 유행. 또, 그것을 도입한 옷이나 모자 등 장신구를 이름. 뉴 패션.

뉴:-베드퍼:드 〔New Bedford〕 명 〖지〗 미국 매사추세츠 주 남부에 있는 대서양안의 항구 도시이며 공업 도시. 금속 제품·기계·섬유·조선(造船) 등의 공업이 행해짐. 1640년에 창설(創設)되어, 19세기 중반까지는 세계 최대의 포경(捕鯨)의 중심지로서 번창하였음. 방직 연구소(紡織硏究所)가 있음. 〔101,777 명(1970)〕

뉴:브런즈윅 주 【—州】 〔New Brunswick〕 명 〖지〗 캐나다 동남부, 세인트로렌스 강(St. Lawrence江)의 하구 남안의 작은 주. 북서부는 산지이지만, 구릉성(丘陵性)의 저지(低地)가 주체를 이룸. 구릉지에서는 임업과 제재 및 펄프 공업, 해안 평야에서는 낙농(酪農)이 성하고 대구잡이 어업도 중요 산업임. 납·구리·석유 등의 광산(鑛産)이 있음. 1713년 프랑스 영토가 되고, 1763년 영국령, 1784년 주(州)가 됨. 주도는 프레더릭턴(Fredericton). 〔72,481 km²:634,557 명(1971)〕

뉴:브리튼 섬 〔New Britain〕 명 〖지〗 남서 태평양 비스마르크 제도(Bismarck 諸島)의 주도(主島). 뉴기니 섬의 동쪽에 있음. 섬은 초승달 모양이고 활화산(活火山)이 많으며, 코프라·야자유 등을 산출함. 현재 파푸아뉴기니의 영토임. 주도(主都)는 라바울(Ravaul). 〔36,519 km²: 166,000 명(1973 추계)〕

뉴:사우스웨일스 주 【—州】 〔New South Wales〕 명 〖지〗 오스트레일리아 연방 동남부의 주. 가장 인구가 많은 주임. 동쪽 해안을 따라 오스트레일리안 알프스가 남북으로 달리고, 서쪽은 달링 강 유역의 너른 저지대임. 기후가 온화하고 비가 적으며, 메리노 양·소·말 등의 목축이 성하고 밀·옥수수·담배의 산출이 많음. 석탄을 비롯하여 금·은·철의 생산도 많음. 1770년 영국령이 되었는데, 1887년 최초의 영국 유형 이민(流刑移民)이 정착하여 개척이 시작되었음. 주도인 시드니(Sydney)와 뉴캐슬(Newcastle)을 중심으로 강철·기계 등의 공업이 행하여짐. 〔801,430 km²:4,601,180 명(1971)〕

뉴: 세라믹스 〔new ceramics〕 명 '파인 세라믹스'를 새로운 소재(素材)란 뜻으로 일컫는 말.

뉴: 솔: 〔new soul〕 명 〖악〗 1973년부터 세계적으로 널리 퍼진 새로운 솔 음악. 연주 스타일에도 현대적인 감각을 살려 힘찬 비트를 기조(基調)로 하여 더욱 세련된 표현을 씀.

뉴:스 〔news〕 명 ①아직 일반에게 잘 알려지지 아니한 새로운 일과 진기한 사건의 보도(報道). 주로 신문이나 방송에 의해 보도되는, 많은 사람이 관심을 갖는 사건. 또, 그 신문이나 방송 프로그램을 이름. ②최근에 발생한 개인적인 진기한 사건 등으로 남에게 알릴 가치가 있는 소식. ③↗뉴스 영화.

뉴:스 데스크 〔news+desk〕 명 〈속〉 신문사·방송국(放送局) 등의 뉴스 편집실(編輯室).

뉴:스 레터 〔news letter〕 명 특정한 단체·회사·관청 등에서 성원에게 도르는 회보(會報) 형식의 팸플릿.

뉴:스 룸: 〔news room〕 명 ①도서관 등의 신문 열람실. ②신문사·라디오 방송국·텔레비전 방송국 등의 뉴스 편집실.

뉴:스 릴: 〔news reel〕 명 뉴스 영화.

뉴:스 매거진 〔news magazine〕 명 시사 문제를 주로 다루는 주간 잡지(週刊雜誌).

뉴:스 밸류 〔news value〕 명 기사(記事)의 뉴스로서의 가치. 보도 가치(報道價値).

뉴:스 센스 〔news sense〕 명 신문·방송 기자의 취재상(取材上)의 제육감(第六感). 보도 가치에 관한 감각.

뉴:스 소:스 〔news source〕 명 라디오·텔레비전 등의 뉴스나 신문 기사 등의 근원이 되는 정보의 출처. 취재의 근원. 정보원(情報源).

뉴:스 쇼: 〔news+show〕 명 라디오·텔레비전 프로그램의 하나. 스튜디오에 있는 사회자가, 각지를 연결한 중계나 필름 구성, 대담(對談) 등으로 시사적인 화제를 엮어 나가는 보도 프로그램.

뉴:스 스토리 〔news+story〕 명 뉴스가 된 사건을 이야기풍(風)으로 윤색(潤色)한 읽을거리.

뉴:스 애널리스트 〔news analyst〕 명 라디오·텔레비전의 뉴스 해설자(解說者).

뉴:스 영화 【—映畫】 〔news〕 명 〖연〗 사회 전반에 걸친 시사적(時事的)인 사건을 보도하기 위하여 정기적(定期的)으로 제작·상영되는 기록 영화. 1909년에 프랑스에서 시작되었으며, 보통, 주(週)마다 1 권(卷)짜리가 제작되는데, 텔레비전의 보급(普及)으로 사라져 가고 있음. 뉴스릴(news reel). 키네마 뉴스. ㊥뉴스.

뉴:스 오브 더 월:드 〔News of the World〕 명 영국 런던에서 발행되는 일요신문. 1843년에 존 브라운 벨(John Brown Bell)에 의하여 창간되었는데, 재판 기록(裁判記錄) 등 대중의 흥미를 노린 기사가 많으며, 최성기인 1950년대에는 800만 부 이상을 발행하였음.

뉴:스-위:크 〔Newsweek〕 명 미국 3대 주간 시사 잡지(時事雜誌) 중의 하나. 뉴스를 주체로 하여 해설·평론의 3차원 편집을 내걸며, 신속한 보도의 수집(蒐集), 평이한 문장, 야심적 특집(特輯)이 특색임. 1933년 '뉴스 위크(News Week)'의 이름으로 창간. 국내판과 국제판이 있음.

뉴:스 카메라 〔news camera〕 명 뉴스 영화 또는 신문·텔레비전의 보도 사진 촬영용의 카메라.

뉴:스 캐스터 〔news caster〕 명 〔캐스터는 브로드캐스터(broadcaster), 곧 방송자(放送者)의 단축형(短縮形)〕 텔레비전이나 라디오의 뉴스 담당자. 원고를 그냥 읽는 단순한 아나운서가 아니고 뉴스를 전하는 동시에 알기 쉽게 풀어서 해설도 하는 방송 탤런트.

뉴:스 크로니클 〔News Chronicle〕 명 영국 런던에서 발행되던 중립계(中立系)의 조간 신문. 1930년에 '데일리 뉴스'와 '데일리 크로니클'이 병합된 것으로 자유당계의 논조로 보수당 정책을 비판하였으며, 읽기 쉬운 신문으로 알려졌으나, 경영 부진으로 1960년 10월 폐간되어 '데일리 메일'에 합병(合倂)되었음.

뉴: 스타일 〔new style〕 명 새로운 양식. 신식. 신형.

뉴: 스테이츠먼 〔New Statesman〕 명 영국의 주간지. 노동당 좌파(勞動黨左派)의 영향이 강하며, 예리한 논평에 정평(定評)이 있음. 해외에서의 평판도 높음. 1913년 창간.

뉴:스 티커 〔news ticker〕 명 텔레비전의 전용(專用) 채널을 사용하여 일반 뉴스나 주식 시황(株式市況)·상품 정보 등을 문자로써 되풀이하면서 계속적으로 방영(放映)하는 일종의 전광(電光) 뉴스.

뉴:스-페이퍼 〔newspaper〕 명 신문. 신문지(新聞紙).

뉴:-스페인 〔New Spain〕 명 〖지〗 서반구(西半球)의 옛 스페인 영토였던, 브라질을 제외한 남아메리카 및 중앙 아메리카로부터 멕시코·서(西)인도 제도·미국 서부에 걸친 지역의 구칭(舊稱).

뉴:스 해:설 【—解說】 〔news〕 명 방송 프로그램의 하나. 그 때 그 때의 중요한 사건에 대하여, 해설자가 그 배경 등에 관해서 보다 더 자세히 설명하는 일.

뉴:슨스 〔nuisance〕 명 소리·연기·냄새·열 따위로 남에게 폐를 끼치고 공안(公安)을 해치는 행위. 공적(公的)인 불법 방해(不法妨害).

뉴: 시네마 〔new cinema〕 명 1960년경부터 영국과 미국에서 일어난 새로운 경향의 영화. 프랑스의 누벨 바그(novelle vague)의 영향을 받아, 반(反)체제·반(反)상업주의·상투적 드라마의 부정(否定)을 특징으로 하였으나, 최근에는 형식주의적 경향을 띰. 마이크 니콜스 감독의 《졸업(卒業)》, 데니스 호퍼의 《이지 라이더》 등이 대표적 작품임.

뉴:아일랜드 섬 〔New Ireland〕 명 〖지〗 남서 태평양 비스마르크 제도(Bismarck 諸島)의 북동쪽을 이루고 있는 길쭉한 화산(火山) 섬. 1,000 m 이상의 산맥이 척량(脊梁)을 이루고 있음. 동쪽 해안은 비교적 평지가 많아 코프라(copra)의 채취가 행하여짐. 주도(主都)는 섬 북서쪽 끝의 카비엥(Kavieng)이고, 누사(Nusa)를 외항(外港)으로 함. 일찍이 독일령으로 노이메클렌부르크 섬으로 불리었으며, 제2차 세계 대전 후 오스트레일리아의 신탁 통치령이었다가, 파푸아뉴기니의 영토가 됨. 〔8,650 km²:50,522 명(1973)〕

뉴: 아틀란티스 〔New Atlantis〕 명 〖책〗 1627년 간행된 영국의 철학자 베이컨(Bacon, Francis)의 미완성인 유토피아 소설. 태평양상에 상정(想定)한 고도(孤島)를 무대로 하여 항공기·잠수함·인공우(人工雨)·합성 금속 등 과학적 발명이 실현된 이상국(理想國)의 꿈을 그리고 있음.

뉴:-암스테르담 〔New Amsterdam〕 명 〖지〗 1625년 북아메리카의 맨해튼 남단에 건설된 네덜란드인의 식민 도시(植民都市). 지금의 '뉴욕(New York)'의 전신(前身)임.

뉴:어크 〔Newark〕 명 〖지〗 미국 뉴저지 주(New Jersey州) 북동부, 허드슨 강(Hudson江) 하구(河口) 뉴욕 바로 서쪽에 있는 항구로 상공 도시. 뉴저지 주 최대의 도시로, 1666년 청교도(淸敎徒)에 의해 창건됨. 교통의 중심지이며, 보험업·피혁 제품·보석 세공·사진 필름 제조 등은 오랜 역사를 가지며, 기계·화학 등의 각종 공업이 발달됨. 뉴욕 공

항(空港)의 하나인 엘리자베스 공항이 이 곳에 있음. [381,930명(1970)]

뉴:-올:리언스 [New Orleans] 명 『지』 미국 루이지애나 주(Louisiana 州) 미시시피 강 하류에 있는 멕시코 만안(灣岸)에 면한 항구 도시. 라틴 아메리카 지역과의 무역의 거점(據點)으로 면화·쌀의 수출, 바나나·커피의 수입항으로서 번영함. 조선·제유·제당 등의 공업이 성함. 1718년 프랑스 사람이 창건(創建)하였으며, 1815년 독립 전쟁 때의 격전지임. [496,938명(1990)]

뉴:요커 [New Yorker] 명 1925년 창간된 미국 뉴욕 시 중심의 고급 문예 잡지. 뉴욕 지역의 생활의 반영을 목표로 삼고, 유머와 위트를 주로 한 도시적(都市的)인 세련미(洗鍊美)를 노림. 발행 부수 약 50만 부.

뉴:-욕 [New York] 명 『지』 미국 뉴욕 주의 남동부 허드슨 강 하구 일대에 자리잡은 세계 굴지의 대도시. 천연의 양항(良港)으로, 맨해튼(Manhattan)·브롱크스(Bronx)·브루클린(Brooklyn)·퀸스(Queens)·리치먼드(Richmond)의 5구(區)로 이루어짐. 1625년 네덜란드인이 창건, 뉴암스테르담(New Amsterdam)이라 하였으나, 1664년 영국령이 되면서 뉴욕으로 개칭함. 의류(衣類)·인쇄·식료품·장신구·가구 등 대소비(大消費) 도시형 공업이 발달되었음. 엠파이어 스테이트 빌딩·록펠러 센터 등의 마천루(摩天樓)가 임립(林立)하고, 세계 금융의 중심인 월 가(Wall 街)와 국제 연합 본부 등이 있어, 국제 외교·금융·문화의 일대 중심지를 이룸. 맨해튼 섬 중앙부의 브로드웨이에는 상점가(商店街)와 극장이 많으며, 타임스 스퀘어는 번화가(繁華街)로 알려지고, 중앙의 센트럴파크 주변에는 문화 교육 시설이 많아, 박물관·콜럼비아 대학·카네기 홀 등이 있음. 항구에는 자유의 여신상(女神像)이 서 있음. [815 km² : 7,322,564명(1990)]

뉴:욕 근:대 미술관 【一近代美術館】 [New York] 명 1929년에 뉴욕에 설립된 미술관. 록펠러 부인과 구겐하임 부인 등에 의해 설립되어, 1939년 현재의 건물이 완성됨. 피카소의 《게르니카》를 비롯한 20세기 유럽과 미국의 미술품을 수장(收藏)하며, 영화 라이브러리를 가지고 있는 외에 미술 서적 출판, 미술 강좌의 개최 등 활동을 벌이고 있음.

뉴:욕 데일리 뉴:스 [New York Daily News] 명 1919년 미국 뉴욕 시(市)에 창간된, 사진(寫眞)을 주로 한 타블로이드판(判) 일간 대중 신문. 판매 부수는 평일(平日) 142만 부, 일요일 265만 부로, 미국 최대임.

뉴:욕 동:물원 【一動物園】 명 1899년에 개설(開設)된 뉴욕 시립(市立) 동물원. 수용 동물이 수천 종(種)에 이르며, 총면적 약 100만 m², 연중무휴(無休)로 개원(開園)되며, 주(週) 5일은 무료 공개됨. 통칭(通稱) 브롱크스(Bronx) 동물원.

뉴:욕 상품 거:래소 【一商品去來所】 명 [New York Commodity Exchange, Inc.] 미국 뉴욕 시(市)에 있는 미국의 대표적인 상품 거래소. 목화 거래소·생사 거래소·사탕 거래소 등의 여러 부분이 있어 상품의 선물 거래(先物去來)를 행함.

뉴:욕 센트럴 철도 【一鐵道】 [New York Central] [一또] 명 『지』 미국 북동부의 11주(州)와 캐나다에 걸치는 1급 철도. 시카고·뉴욕·보스턴을 연결함. 1853년에 처음 조직되어, 총계(總計) 15,540 km의 영업선(營業線)을 가짐.

뉴:욕 시티 발레단 【一團】 [New York City Ballet] 명 미국의 제일류 발레단. 커스틴(Kirstein)이 밸런친(Balanchine, G.; 1904-83)을 초청하여 1933년에 창설한 '미국 발레 학교'를 모체로 하여, 1948년에 창립된 뉴욕 시티 센터의 전속(專屬) 발레단임. 왕성한 창작(創作) 활동을 근간(根幹)으로 함.

뉴:욕 식물원 【一植物園】 [New York] 명 『지』 뉴욕 시 북방의 브롱크스(Bronx) 공원 안에 있는 주립 식물원. 박물관·분류 화단(分類花壇)·유용(有用) 식물 화단 등이 정비된 미국의 대표적 식물원임.

뉴:욕 영화 비:평가상 【一映畫批評家賞】 [New York] 명 아카데미상(Academy 賞)과 더불어 미국에서 가장 권위 있는 영화상의 하나. 뉴욕의 일류 신문의 영화 비평가 15명의 그룹에 의해서 선정되며, 작품상(作品賞)·외국 영화상(外國映畫賞)·감독상(監督賞)·남우 및 여우의 주연상 등 5개 부문으로 나뉨.

뉴:욕 주 【一州】 [New York] 명 『지』 미국 북동부 온타리오 호(Ontario 湖)로부터 롱(Long) 섬에 걸친 주. 호안(湖岸)과 해안을 제외하고는 산지(山地)이며 전체적으로 빙식(氷蝕)을 받아 빙하호(氷河湖)가 많음. 근교 농업(近郊農業)으로 사과·포도·딸기·앵두 등 과일과 메이플 시럽(maple syrup)·달걀 등을 산출함. 또, 뉴욕 시(市)를 중심으로 여러 공업이 발달하였는데, 로체스터(Rochester)·버팔로(Baffalo)는 강철 등 중공업의 중심지임. 주도는 올버니(Albany). 독립 13주의 하나임. [122,707 km² : 17,990,455명(1990)]

뉴:욕 증권 거:래소 【一證券去來所】 [一꿘一] 명 [New York Stock Exchang] 미국 뉴욕 시(市)에 있는 미국의 대표적인 유가 증권(有價證券)의 거래소. 1817년에 창설되어, 현금 거래와 증거금(證據金) 거래, 당일 수도(當日受渡) 거래·보통 거래·발행일 결제(決濟) 거래·선택권부 매매(選擇權附賣買) 등이 행해지며, 전체 미국 증권 거래액의 과반을 차지함.

뉴:욕 타임스 [New York Times] 명 뉴욕에서 발간되는 중립계의 일간 신문. 1851년에 창간됨. '기록(記錄)의 신문'으로 일컬어질 정도의 정확한 내외 뉴스와 뛰어난 논평으로 알려져 있으며, 미국의 정책에 영향을 주는 대표적인 지성지(知性紙)로서 세계적인 평가(評價)를 얻고 있음. 1974년 현재 발행 부수는 평일(平日)이 83만 4천 부이고, 일요판은 약 143만 부에 이름. ㊥타임스.

뉴:욕 필하:모니 교향악단 【一交響樂團】 명 [Philharmonic Symphony Society of New York] 『악』 1842년에 창립된 미국 최고(最古)의 교향악단. 바인가르트너(Weingartner)·말러(Mahler)·푸르트벵글러(Furtwängler)·스트라빈스키(Strawinskii)·토스카니니(Toscanini)·월터(Walter)·스토코프스키(Stokowski)·로진스키(Rodzinski)·번스타인(Bernstein, L.) 등 역사적인 대가(大家)가 상임 지휘자를 지냄.

뉴:욕 헤럴드 트리뷴 [New York Herald Tribune] 명 1924년 뉴욕에서 창간된 공화당계 일간 신문. 월터 리프먼 등 우수한 기고가(寄稿家)의 평론과 선명한 인쇄, 해외 뉴스·문화 뉴스의 높은 질(質)로 알려졌으나, 1966년에 폐간됨.

뉴:-잉글랜드 [New England] 명 『지』 미국 북동부 대서양안에 있는 지역의 총칭. 행정상 메인(Maine)·뉴햄프셔(New Hampshire)·버몬트(Vermont)·매사추세츠(Massachusetts)·로드아일랜드(Rhode Island)·코네티컷(Connecticut)의 6 주를 포함함. 1620년 메이 플라워 호(May flower 號)가 도달, 영국 이주민이 최초로 식민지를 개척한 땅으로, 독립 전쟁의 발원지임. 북부와 서부의 산지(山地)로 내륙 지방과 차단되어 있으며, 한랭한 기후에 토지는 비교적 메마름. 고지(高地)에는 빙식(氷蝕) 지형을 볼 수 있음. 자원이 부족하여 경공업·정밀 공업이 발달되었음.

뉴: 잉글리시 딕셔너리 [New English Dictionary] 명 『책』 엔 이 디(N.E.D.)의 원말.

뉴: 재즈 [new jazz] 명 『악』 ①프리 재즈의 특색을 강조한 스타일을 통틀어 일컫는 말. 1960년대에 들어와서 의욕적인 모던 재즈 음악인들에 의해 시도된 것으로, 종래의 재즈 전통의 근본 개념을 타파할 만한 것임. ②새로운 형식의 재즈란 뜻으로, 전위(前衛) 재즈를 일컫는 말.

뉴:저:지 주 【一州】 [New Jersey] 명 『지』 미국 북동부의 뉴욕 주 남쪽의 주. 내만(內灣)과 수로(水路)가 많고, 해안 평야를 주로 함. 낙농(酪農)·근교(近郊) 농업이 성하여 감자·토마토·아스파라거스·사과 등의 산물이 많고, 금속·석유·자동차·조선·화학·식품 가공 등의 공업이 발달되었음. 규사(硅砂)도 산출됨. 대서양안에는 해수욕장으로 이름높은 보양(保養) 도시가 많음. 독립 13 주의 하나이며, 주도는 트렌턴(Trenton). [19,342 km² : 7,730,188명(1990)]

뉴:조:지아 섬 [New Georgia] 명 『지』 남서 태평양의 솔로몬 제도(諸島)의 한 섬. 섬은 보초(堡礁)에 싸였는데, 그 중의 마로보(Marovo) 초호(礁湖)는 세계 최대라 함. 주산물은 코프라임. 1893년 이래 영국 보호령으로, 제2차 대전 때의 미국과 일본의 격전지. 주민은 멜라네시아계(系)임. [5,200 km²]

뉴:-질:랜드 [New Zealand] 명 『지』 오스트레일리아 동방(東方) 약 2,000 km의 남태평양상에 있는 영국 연방내의 독립국. 남섬(南島) 및 북섬(北島)의 두 큰 섬을 주도(主島)로 하여 대소의 섬들로 이루어짐. 고준(高峻)한 습곡(褶曲) 산맥을 골간(骨幹)으로 하며 저지(低地)는 적으며 기후는 온화함. 원주민은 마오리족(Maori 族)이나, 인구의 대부분은 영국인임. 소·양의 낙농(酪農)이 주요 산업이며, 버터·치즈·양털·양고기 등 제품은 주요 수출품임. 밀·보리의 농산, 석탄·금·석유·석회석 등의 광산이 있으며, 정유(精油)·임산 자원을 배경으로 제지(製紙)·펄프·식품·섬유 등의 공업도 점차 발달하고 있음. 국영(國營)·공영(公營) 등 국가의 경제 개입도(介入度)가 높으며, 사회 복지 제도가 정비되어 있음. 1642년에 네덜란드의 항해가 타스만(Tasman)이 내항(來航)하고, 1769년 쿡이 탐험(探險)한 뒤, 1840년 영국령, 1907년 영국 자치령, 1947년 독립함. 수도는 웰링턴(Wellington). 신서란(新西蘭). [268,767 km² : 3,380,000명(1991) 추계]

뉴:질:랜드 구 【一區】 [New Zealand] 명 ①『동』 동물 지리 분포상의 남계(南界)의 한 구. 일찍 대륙으로부터 분리되었고, 현존 동물은 주로 이입(移入)된 것이 많으므로 극히 빈약한 동물상(動物相)을 나타내나 해적(害敵)이 거의 없고, 지리상의 특이한 수평 구조로서 진귀한 동물들이 많음. 날지 못하는 키위, 원시적인 리오펠마개구리 등이 특히 흥미로움. ②『식』 남대(南帶)에 속하는 식물구계의 하나. 뉴질랜드 지방이 이에 속하는데, 특수한 온대성 상록 식물이 많으며, 목본성(木本性) 양치 식물이 풍부하나 아카시아 종류는 없음.

뉴:질:랜드 삼 [New Zealand] 명 『식』 [*Phormium tenax*] 백합과에 속하는 다년생 상록초. 뉴질랜드 소택(沼澤) 지대의 원산으로, 잎은 다수 근생(根生)하는데 긴 칼 모양이며, 길이 1-2.5 m 정도로서 섬유가 잘 발달되어 있음. 여름에 높이 2-3 m의 화경(花莖)이 나와 암적색(暗赤色) 또는 황색의 복총상(複總狀) 통상화(筒狀花)가 핌. 온대에도 재배가 가능한 유일한 경질(硬質) 섬유 원료 식물로서, 섬유는 부드럽고 탄력(彈力)이 많으며, 잘 부패하지 않으므로 끈·바·직물·제지의 원료로 쓰임.

뉴:질:랜드 알프스 [New Zealand Alps] 명 『지』 남태평양 뉴질랜드 북섬으로부터 남섬에 걸쳐 척릉(脊稜)을 이루는 신기 습곡 산맥(新期褶曲山脈). 남섬의 것은 특히 고준(高峻)하며 동쪽과 남쪽 사면에는 빙식(氷蝕)에 의한 빙하호(氷河湖)가 허다하며, 남서쪽에는 빙하가 있음. 최고봉은 해발 3,764 m인 쿡 산(Cook 山).

뉴:질:랜드 화이트 종 【一種】 [New Zealand White] 명 『동』 집토끼 품종의 하나. 미국 캘리포니아 주(州)에서 사육된 모피·육용 품종으로, 개량 과정에서 앙골라(Angola) 종의 혈통을 가한 것임. 머리가 둥글고, 털빛이 흼. 체질이 강하고 번식력도 왕성함.

뉴:칼레도니아 섬 [New Caledonia] 명 『지』 '누벨 칼레도니(Nouvelle Calédonie) 섬'의 영어 이름.

뉴:-캐슬[1] [New Castle] 명 『지』 미국 펜실베이니아 주(Pensylvanya 州) 서부의 도시. 시멘트·금속 제품·주석·도자기·맥주 등을 생산함. 1798년에 건설되었음. [38,559명(1970)]

뉴:-캐슬[2] [Newcastle] 명 『지』 ①오스트레일리아 연방, 뉴사우스웨일스 주(New South Wales 州)의 항구 도시. 시드니의 북동쪽 약 115 km. 석탄 산지를 배후(背後)에 가진 중공업 도시이며, 철강·조선업이 발달되었음. 목재·양털·밀도 수출함. 19세기초에 유형 식민지(流刑植民地)

로서 창건됨. 구칭(舊稱)은 킹스타운(King's Town). [357,770명(1973)] ②↗뉴캐슬어폰타인.

뉴:캐슬-병 【一病】[Newcastle] [一뼝] [명] 닭의 급성 전염병의 하나. 병원체는 바이러스이며, 주로 공기 전염(傳染)함. 호흡 곤란과 경련·마비로 걷지 못하게 되는 등의 신경 증세를 나타내며, 입과 코에 끈끈한 점액이 꽉 차고 녹색 설사를 함. 산란율이 급히 떨어지고, 급속히 전염(傳染)하며 사망률이 높으므로 양계업자가 가장 두려워하는 병임. 원래 동남 아시아의 원발(原發)로, 1926년 영국 뉴캐슬에서 처음으로 병원체가 분리된 데서 이 이름이 있음. 치료약은 없으며, 철저한 예방 접종을 해야 함. 사람에게는 감염(感染)되지 않음.

뉴:캐슬-어폰-타인 [Newcastle upon Tyne] [명] 〖지〗 잉글랜드 북동부 노섬벌랜드(Northumberland)의 공업 도시. 타인 강(Tyne江) 연안에 있으며, 북쪽에 탄전이 있어 조선(造船)·기계·유리·화학 공업 등이 성함. 11세기에 축성된 옛 성터가 있음. 13세기 이후 석탄 적출항으로 발달함. [준]뉴캐슬. [22,153명(1971)]

뉴:커먼 [Newcomen, Thomas] [명] 〖사람〗 영국의 기계 발명가. 본디 대장장이·철물상이었는데, 1712년 증기(蒸氣)를 이용한 대기압 양수기관(大氣壓揚水機關)을 발명하여 18세기초의 최대 과제였던 광산용 양수 기관을 해결하였음. [1663-1729]

뉴:컴 [Newcomb, Simon] [명] 〖사람〗 캐나다 태생의 미국 천문학자. 천문 항해력(天文航海曆)의 편찬 목적으로 천문 제상수(諸常數)의 결정에 노력, 지구의 자전 속도 등을 연구하였음. 마이켈슨과 함께 광속도(光速度)를 측정하였음. [1835-1909]

뉴: 크리티시즘 [new criticism] [명] 〖문〗 1930년대말부터 미국에서 일어나 현대 미국의 주류적인 경향을 이루는 문예 비평. 언어의 뉘앙스를 극도로 존중하고, 인상 비평·사회 비평을 반대하며, 작품 본문에 밀착하여 그 언어의 기능을 세세히 분석 설명하고자 하는 순수한 심미적 비평 태도임. 테이트(Tate, Allen), 랜섬(Ransom, John Crowe), 블랙머(Blackmur, Richard Palmer) 등이 중심을 이룸.

뉴:클레아제 [nuclease] [명] 〖화〗 핵산 및 그 관계 물질에 작용하는 효소(酵素)의 총칭. 식물체 중 핵이 존재하는 곳에 분포되어 있음.

뉴:클레오닉스 [nucleonics] [명] 〖물〗 원자핵 공학(原子核工學).

뉴:클레오시드 [nucleoside] [명] 〖화〗 염기와 당(糖)의 환원기가 글리코시드 결합을 한 화합물의 총칭. 핵산(核酸)의 분해물의 하나임. 염기 성분은 푸린(purine) 염기와 피리미딘(pyrimidine) 염기로 이루어짐.

뉴:클레오티드 [nucleotide] [명] 〖화〗 생체의 중요한 구성 물질의 하나. 유기 염기(有機塩基)와 당·인산(燐酸)이 결합한 것. 핵산(核酸)은 뉴클레오티드의 거대 중합체(巨大重合體)임. 또, 보효소(補酵素)의 구성 성분이 되어 있을 때가 많음.

뉴:클레오히스톤 [nucleohistone] [명] 〖화〗 핵단백질(核蛋白質)의 하나. 디옥시리보 핵산(deoxyribo 核酸)과 염기성 단백질 히스톤이 이온 결합한 것. 모든 체세포핵(體細胞核)에 존재하여 유전자의 발현(發現)을 억제하는 물질로 생각되고 있음.

뉴:클레인 [nuclein] [명] 〖화〗 핵단백질의 하나. 단순 단백질과 핵산이 결합한 것으로, 원료 및 분리법에 따라서 성상(性狀) 및 조성이 일정하지 않음. 핵산(核酸) 연구의 선구자인 마이셔(Meischer)에 의하여 처음 명명(命名)되었음.

뉴:클레인-산 【一酸】 [명] [nuclein acid] 〖화〗 핵산(核酸).

뉴: 타운 [new town] [명] 〖사〗 대도시의 근교(近郊) 및 그 일부에 계획적으로 건설되는 위성 도시(衛星都市)의 하나. 대도시에의 산업 및 인구의 집중과 도시 교통의 혼란에 기인하는 사회·경제상의 여러 폐해를 해결하기 위하여 건설됨. 신도시(新都市). *위성 도시·전원 도시(田園都市).

뉴:턴[1] [Newton, Isaac] [명] 〖사람〗 영국의 물리학자·천문학자·수학자. 처음 광학(光學)을 연구하여 반사(反射) 망원경을 만들고, 뉴턴의 원무늬를 발견, 빛의 입자설(粒子說)을 주장하였음. 1666년경 미분법(微分法)을 발견하였으며, 또한 역학 체계를 건설하여 만유 인력(萬有引力)의 원리를 도입, 이 결과를 기술한 것이 불후의 대저 ≪프린키피아(Principia)≫임. 근대 과학의 건설자로서 높이 평가됨. [1643-1727]

뉴:턴[2] [newton] [의명] 〖물〗 힘의 SI유도 단위의 하나. 질량 1kg의 물체에 작용하여, 매초 1m의 가속도를 만드는 힘. 1뉴턴은 10만 다인(dyne)에 해당함. 기호는 N.

뉴:턴 링 [Newton's ring] [명] 〖물〗 뉴턴환(環).

뉴:턴식 반:사 망:원경 【一式反射望遠鏡】 [명] [Newtonian reflector] 〖물〗 대물(對物) 렌즈에 큰 오목거울을 사용하고, 그 초점(焦點)의 조금 앞에 작은 평면경 또는 프리즘을 놓아 광선을 직각(直角)으로 굴절(屈折)시켜, 통(筒)의 측면(側面)에 있는 대안(對眼) 렌즈에 이끄는 방식의 망원경.

뉴:턴 역학 【一力學】 [一녁一] [명] [Newtonian mechanics] 〖물〗 뉴턴이 그의 운동의 세 법칙, 즉 관성의 원리, 운동 방정식, 작용 반작용의 원리에 기초를 두고 만든 역학 체계. 보통의 속력이나 질량에 있어서는 틀림이 없는 것이라고 보지만, 물체의 속도가 광속도에 가까운 때는 상대성 원리에, 크기가 원자의 정도에서는 양자 역학에 의하지 아니하면 안 됨. 고전 역학(古典力學).

뉴:턴 유체 【一流體】 [一뉴一] [명] [Newtonian fluid] 〖물〗 뉴턴의 점성 법칙(粘性法則)이 성립하는 유체. 기체나 물·알코올·글리세린 등 분자량(分子量)이 낮은 분자로 이루어지는 단일의 액체가 그 예임.

뉴:턴의 냉:각 법칙 【一冷却法則】 [一/一에一] [명] [Newton's law of cooling] 〖물〗 냉각의 법칙.

뉴:턴의 법칙 【一法則】 [一/一에一] [명] [Newton's law] 〖물〗 ①운동의 법칙. ②만유 인력의 법칙. ③냉각의 법칙.

뉴:턴의 원무늬 【一圓一】 [一니/一에一니] [명] [Newton's ring] 〖물〗 평판(平板) 유리 위에 곡률(曲率) 반지름이 큰 평철(平凸) 렌즈(lens)를 놓고, 위쪽에서 빛을 투사할 때, 접촉점을 중심으로 나타나는 동심원(同心圓)의 아름다운 줄무늬. 빛의 간섭(干涉)에 의한 현상임. 뉴턴이 1675년 처음으로 자세히 조사한 바 있음. 뉴턴환(環). 뉴턴 링.

뉴:턴-존 [Newton-John, Olivia] [명] 〖사람〗 영국의 여자 팝 가수. 잉글랜드 케임브리지 출생. 3살 때 가족이 오스트레일리아로 이주함. 1970년 영국으로 돌아가 클리프 리처드와 공연, 1974년 ≪사랑의 고백≫으로 그래미상(賞)을 수상함. 미국에서 활약하여 노래의 폭을 넓혀 감. [1948-]

뉴:턴-환 【一環】 [Newton] [명] 〖물〗 뉴턴의 원무늬.

뉴:트랠리티 [neutrality] [명] ①중립. 국외 중립. ②중간. 중용(中庸).

뉴:트럴 존: [neutral zone] [명] ①미식 축구에서, 두 팀이 구성하는 스크럼 사이의 공간. ②아이스 링크에서, 두 줄의 블루 라인(blue line)에 의하여 구분된 존의 중앙 빙역(中央氷域). 센터 존. ③자전거 경기에서, 주로(走路)의 안쪽에 만들어진 1m 너비의 대피(待避) 지대.

뉴:트럴 코:너 [neutral corner] [명] 권투에서, 링의 네 코너 가운데서 선수의 청·홍 두 코너를 제외한 두 코너.

뉴:트로다인 수신기 【一受信機】 [neutrodyne] [명] 〖전〗 수신기의 일종. 고주파를 증폭할 때, 내부 정전(靜電) 용량이 큰 진공관의 사용에서 오는 극부 진동 등의 결점을 없애기 위하여 플레이트(plate) 회로와 그리드(grid) 회로 사이에 적당한 콘덴서를 삽입한 수신기.

뉴:트론 [neutron] [명] 〖물〗 중성자(中性子).

뉴:트리노 [neutrino] [명] 〖물〗 중성 미자(中性微子).

뉴:트리아 [nutria] [명] 〖동〗 [*Myocastor coypus*] 설치류에 속하는 동물. 쥐와 비슷한데 몸길이 50-70cm, 체중 8.3kg 정도로 토끼보다 큼. 전면(前面)은 등적색, 상면(上面)에는 적갈색 내지 흑갈색의 긴 털이 있음. 늪에 살며 초식성(草食性)인데, 아르헨티나 원산으로 북미(北美)·유럽에서도 사육함. 모피는 질이 좋고 고기도 맛이 좋음.

〈뉴트리아〉

뉴: 파운데이션 [New Foundation] [명] 미국의 카터 대통령이 1979년의 연두 교서(年頭敎書)에서 사용한 말. 미국이 대내외적(對內外的)으로 하나의 전환점에 와 있음을 직시(直視)하여 새로운 기반(基盤)을 구축하자는 호소.

뉴: 패션 [new fashion] [명] ①새로운 디자인의 가정 용품이나 신제품의 화장품 따위. ②새로운 유행을 도입한 복식품(服飾品). 뉴 모드.

뉴: 펀드 [New Fund] [명] '아시아 개발 기금(開發基金)'의 딴이름.

뉴:펀들랜드 뱅크 [Newfoundland Bank] [명] 〖지〗 캐나다의 뉴펀들랜드 섬 앞바다로부터 미국 뉴잉글랜드 여러 주의 앞바다에 걸친 수심(水深) 200m 이하의 육붕(陸棚). 세계 3대 어장의 하나로, 대구·청어 등이 잡힘.

뉴:펀들랜드 섬 [Newfoundland] [명] 〖지〗 캐나다 뉴펀들랜드 주를 이루는 큰 섬. 고원상(高原狀)으로 빙하(氷河)에 의한 호수와 만입(灣入)이 많음. 삼림이 발달하고 어업·수산 가공을 주산업으로 하며, 철광 등의 광산(鑛產)이 있고, 임산 자원에 의한 펄프·제지 등의 공업이 발달되었음. 1497년 카보토(Caboto, G.;1450?-98)가 발견한 영국 최고의 식민지인데, 원주민은 전멸되었음. [119,619km²:522,104명(1971)]

뉴:펀들랜드 주 【一州】 [Newfoundland] [명] 〖지〗 캐나다의 동쪽 끝에 위치하는 주(州)의 하나. 뉴펀들랜드 섬과 본토(本土)인 래브라도(Labrador)로 이루어짐. 대어장(大漁場)에 접해 있어서 어업이 주산업을 이루며, 그 밖에 제지 공업, 철광·동광(銅鑛) 등의 광업, 수력 발전이 행하여짐. 영국 연방의 자치령이었는데 1949년 주민 투표의 결과, 캐나다의 한 주가 되었음. 주도는 세인트 존스(Saint John's). [383,300km²:493,396명(1966)]

뉴: 페이스 [new face] [명] ①〖연〗 영화 등의 연예계에 새로 등장한 스타(star). 신인. ②어떤 분야·사회에 새로 등장한 사람 또는 사물.

뉴:-포:트 [Newport] [명] 〖지〗 ①미국 동부 로드아일랜드 주(Rhode Island州) 남동부에 있는 도시. 해군 기지이며 하계 보양지(夏季保養地)임. 남북 전쟁 전에는 대표적인 상항(商港)이었음. [34,562명(1970)] ②영국 웨일스(Wales) 남동부의 항구 도시. 석탄·철강의 적출항(積出港). 조선·철강·기계 공업이 성함. [111,720명(1972)]

뉴:포:트 재즈 페스티벌 [Newport Jazz Festival] [명] 〖연〗 1954년 이래 매년 여름 미국 로드아일랜드의 피서지인 뉴포트에서 개최되고 있는, 대규모의 재즈의 제전(祭典). 1972년 이후는 개최지를 뉴욕으로 옮겼으나 명칭은 그대로 남아 있음.

뉴: 프런티어 [New Frontier] [명] 〖정〗 1960년 미국 제35대 대통령 케네디(Kennedy, J. F.)가 대통령 선거 출마 때 내세운 정치 목표. 국민의 자존심에 호소하여, 그들의 자기 희생을 요구하고, 정치 지도력의 강화에 의해 국내 개혁과 자유 세계에서의 지도적 지위(指導的地位)의 확립을 강조함.

뉴:프로비던스 섬 [New Providence] [명] 〖지〗 1973년 독립한 중미(中美) 지역의 영연방(英聯邦) 바하마의 섬. 바하마 제도의 중심부에 위치하며 영국의 공군 기지가 있음. 바하마의 수도(首都) 나소(Nassau)가 위치함. [207km²:101,500명(1970)]

뉴:-해노버 [New Hanover] [명] 〖지〗 남서 태평양, 비스마르크 제도(Bismarck 諸島)의 북부에 있는 화산도(火山島). 산이 많은 섬으로 해안 근처에서의 재식 농원(栽植農園)에 의한 코코야자의 재배가 주산업(主產業)을 이룸. 파푸아뉴기니에 속함. 별칭: 라봉가이(Lavongai). [1,200km²]

뉴:햄프셔 종 【一種】 [New Hampshire] [명] 닭 품종의 하나. 미국의

뉴햄프셔 주에서 로드아일랜드 레드 종(Rhode Island red種)을 기초로 한 개량종으로, 외양은 그와 비슷하나 좀 조숙하고 강건함. 난육(卵肉) 겸용인데, 알이 크고 갈색임.

뉴:햄프셔 주 【一州】〔New Hampshire〕 명 『지』 미국 동북부의 주. 뉴잉글랜드의 일부로서 독립 13주의 하나임. 서경(西境)은 코네티컷강(Connecticut江)에 연하여 있고, 화이트 산맥(White山脈) 등이 달리고 있어 삼림(森林)이 발달하였으며, 북부에는 빙하호(氷河湖)가 많아 미국의 스위스로 선전되고 있음. 동남부는 비옥한 낙농지(酪農地)이나 겨울에는 한랭(寒冷)함. 낙농과 채소·과수(果樹) 재배가 농업의 주체를 이루며, 섬유·피혁·정밀 기계 등의 공업이 성함. 1623년에 최초로 영국인이 입식(入植)하였음. 주도는 콩코드(Concord). [23,292 km^2 : 1,109,252 명(1990)]

뉴:헤브리디스 제도 【一諸島】〔New Hebrides〕 명 『지』 남태평양 솔로몬 군도의 남동방에 있는 대소 80여 개의 섬으로 된 제도. 화산 활동이 현저하며 산호초가 주위를 둘러싸고 있음. 고온 다우(高溫多雨)로 열대림이 무성하며 코프라(copra)·커피·조개류·목재·망간 등을 산출함. 1906년 이래 영국과 프랑스의 공동 통치 지역이었으나, 1980년 11개의 섬을 묶어 바누아투국(Vanuatu國)으로 독립하였음. 주도(主都)는 빌라(Vila). [14,763 km^2 : 90,000 명(1974)]

뉴: 헤비 〔new heavy〕 명 『연』 영화에 있어서 악당역(惡黨役)으로 데뷔(debut)한 신인.

뉴: 헤어 스타일 〔new hair style〕 명 새로 유행되는 여자의 머리 모양.

뉴:-헤이번 〔New Haven〕 명 『지』 미국 동부 코네티컷 주(Connecticut州)의 남부, 롱아일랜드 만(灣)에 임한 항구. 상공업 도시로 병기·철물 생산은 오랜 역사를 가지며, 시계·재봉틀·전기 기구 등의 공업이 행하여짐. 예일 대학(Yale大學) 소재지. [126,000 명(1980)]

뉼:런드 〔Nieuwland, Julius Arthur〕 명 『사람』 벨기에 태생의 미국의 화학자. 처음에 천주교 신부(神父)가 되었다가, 이어 노트르담 대학 교수를 지냄. 아세틸렌으로부터 합성 고무 듀프렌(Duprene)을 제조하는 방법을 발명하였으며, 또 독가스(毒gas) 류사이트의 발견에도 기여(寄與)함. [1878-1936]

뉼:런즈 〔Newlands, John Alexander Reina〕 명 『사람』 영국의 화학자. 1864년 '옥타브의 법칙'을 발견하여, 원소의 주기율(週期率) 발견에의 선구적 업적을 남김. 1868년부터 제당(製糖) 회사의 화학 기사로 근무하며 제당 화학에도 공헌함. [1838-98]

늄: 명 『화』 ↗알루미늄(aluminium). ¶ ~선(線).

느 인대 〈방〉 너¹(전남·제주).

느그 인대 〈방〉 너희(전라·경상).

느그-덜 인대 〈방〉 너희들(전라·경상).

느근-거리다 자 가늘고 긴 물건이 작은 탄력을 띠고 움직이다. >나근거리다. 느근-느근 부. ——-하다 자여불

느근-대다 자 느근거리다.

느글-거리다 자 속이 메스꺼워 곧 게울 듯하다. 느글-느글 부. ——-하다 자여불

느글-대다 자 느글거리다.

느긋-거리다 자 먹은 것이 잘 소화가 되지 않고 자꾸 괴는 듯하다. 느긋-느긋 부. ——-하다 자여불

느긋-대다 자 느긋거리다.

느긋-이 부 느긋하게.

느긋-하다 형여불 ①마음에 부족함이 없이 흡족하다. ②먹은 것이 소화되지 않아 속이 좀 느끼하다. 1)·2): 준늑하다.

느기 부 〈방〉 특히. 특별히.

느기-덜 인대 〈방〉 너희들(전라).

느껍다 형ㅂ불 어떠한 느낌이 생기다. 그 어떤 것에 대한 느낌이 있다. ¶ 그의 우정이 ~/남편이 그처럼 자기를 위해 주는 것이 느꺼웠던 것이다《李光洙 : 사랑》.

느껴움 명 ☞느낌.

느꼅다 형ㅂ불 ☞느껍다.

느꾸다 타 〈방〉 늦추다.

느끼다 [一] 타 ①바깥 사물의 영향을 받아 마음에 깨닫다. ¶ 여행중에 느낀 바 많소. ②감각이 일어나다. ¶ 공복감을 ~. ③마음이 움직이다. 마음에 새기어지다. ¶ 지난날을 서글프게 ~. [二] 자 섧게 목메어 울다. 또, 별안간 찬 기운을 받아 흑흑하다. ¶ 느끼어 울다/흑흑 ~.

느끼-하다 형여불 ①기름기가 너무 많아 비위에 좀 거슬리다. ②느긋한 감이 있다.

느낌 명 느끼는 일. 감상(感想). 감(感). 감각.

느낌-꼴 명 『언』 '감탄형(感歎形)'의 풀어 쓴 이름.

느낌-씨 명 『언』 '감탄사(感歎詞)❶'의 풀어 쓴 이름.

느낌-표 【一標】 명 『언』 '감탄 부호(感歎符號)'의 풀어 쓴 이름.

-느냐 어미 동사나 '있다'·'없다'·'계시다'의 어간에 붙어, 손아랫사람에게 물음을 나타내는 종결 어미. ¶ 먹~/가~/없~/무엇을 하~/어디 있~. *-니²·-냐·-으냐.

-느냐고 어미 ↗-느냐 하고. ¶ 언제 왔~ 묻더라. *-냐고·-으냐고.

-느냐는 어미 ↗-느냐고 하는. ¶ 죽느냐 사~ 갈림길. *-냐는·-으냐는.

-느냔 어미 ①↗-느냐고 한. ¶ 웬걸 그리 많이 먹었~ 말에 토라진 모양이다. ②↗-느냐고 하는. ¶ 언제 출발하~ 말이다. *-냔·-으냔.

-느냘 어미 ↗-느냐고 할. ¶ 어째서 머리를 빡빡 깎았~ 수는 없다. *-냘·-으냘.

-느뇨 어미 '-느냐'의 예스러운 말투.

-느니¹ 어미 ①동사나 '있다'·'없다'·'계시다'의 어간에 붙어, 진리(眞理)나 어떠한 사실을 '하게' 할 처지에 일러 주는 종결 어미. ¶ 술을 너무 먹으면 실수를 하~/그 고개를 넘으면 큰 강이 있~/참는 자에게 복이 있~. *-니³·-으니⁴·-느니라. ②동사나 '있다'·'없다'·'계시다'의 어간에 붙어, 이렇게 한다 하기도 하고, 저렇게 한다 하기도 하고의 뜻이나, 무엇이 있다 없다 함을 나타내는 연결 어미. ¶ 하~ 안 하~ 싸움만 하고 있다/증거가 있~ 없~ 하고 서로 다투오/죽~ 사~ 법석을 떤다. *-니⁴·-으니⁴.

-느니² 어미 〈옛〉 -느냐. ¶ 어더서 망령의 것은 노지 말라 ᄒᆞ느니《古時調 趙纘韓》.

-느니라 어미 '-느니¹❶'를 '해라' 할 자리에 쓰는 말. ¶ 열심히 공부 안 하면 낙제하~/이 산에는 범이 있~. *-니라·-으니라.

-느니-보다 어미 '-는 것보다'의 뜻을 나타내는 연결 어미. ¶ 그를 따라가~ 그냥 있거라/죽~ 낫다.

느다 형 〈옛〉 낫다⁵. ¶ 健壯ᄒᆞᆫ 男兒ㅣ 서근 션ᄇᆡ라와 느도다(健兒勝腐儒)《杜諺 Ⅵ:40》.

느닷-없다 [—닫업—] 형 무엇이 나타나는 모양이 퍽 뜻밖이고 갑작스럽다.

느닷-없이 [—닫업씨] 부 느닷없게. ¶ ~ 찾아온 손님/~ 돌이 날아오다.

느디님 〔그 nethinim〕 명 『성』 성막(聖幕)과 성전(聖殿)에서, 불피우는 나무와 물을 운반하는 일 등을 맡아 보던 사람들의 계급.

-느라고 어미 동사나 '있다'·'계시다'의 어간에 붙어 '하는 일로 인하여'의 뜻을 나타내는 연결 어미. ¶ 공부하~ 밤을 새우다/하루 종일 집을 보~ 볼일을 못 보았다.

-느라니 어미 동사나 '있다'·'계시다'의 어간에 붙어 '어떤 일을 하느라고 하니'의 뜻을 나타내는 연결 어미. ¶ 혼자 있~ 갑갑하구나.

-느라면 어미 동사나 '있다'·'계시다'의 어간에 붙어 '어떤 일을 하느라고 하면'의 뜻을 나타내는 연결 어미. ¶ 여자 혼자 사~ 말이 많지요.

느러 명 〈방〉 우박(강원).

느러가다 자 〈옛〉 어정거리다. 비틀거리다. ¶ 느러갈 이(迤), 느러갈 위(逶)《類合 下 51》.

느러나다 자 〈옛〉 늘어나다. ¶ 느러날 영(贏)《類合 下 62》.

느러니 부 〈옛〉 느런히. ¶ 寶樹ㅣ 느러니 셔고《月釋 XVII:33》.

느러-땡이 명 골패 노름의 하나.

느럭-느럭 부 말이나 하는 짓이 매우 느리고 게으른 모양. 느릿느릿. ¶ 잠자코 석양판에 갑자기 번잡하여 오는 큰길로 ~ 걸어왔다《廉想涉 : 標本室의 청개구리》. ——-하다 형여불

느런-히 부 죽 늘어놓은 모양. 죽 벌여 있는 모양. ¶ 금비녀 열 개가 ~ 꽂혀졌다. >나란히.

느렁-느렁 부 느럭느럭. ¶ ~걷다.

느렁이¹ 명 ①암노루. ②암사슴.

느렁이² 명 〈방〉 느리광이.

느루 부 ①한꺼번에 몰아치지 아니하고 오래도록. ¶ 죽을 쑤었으면 좀 ~ 가겠지만 우리는 더럽게 그런 것은 안 한다. 먹다 못 먹어서 뱃가죽을 움켜쥐고 나설지언정 으레 밥이지《金裕貞 : 아내》. ② ☞늘.

느루 먹다 구 양식을 절약하여 예정보다 더 오랫동안 먹다. ¶ 쌀을 느루 먹기 위하여 보리를 섞다.

느루 잡다 구 ㉠손에 잡은 것을 느슨하게 가지다. ¶ 가랫줄을 느루 잡고 당기다. ㉡시일이나 날짜를 느직하게 예정하다. ¶ 출발 날짜를 한 보름 느루 잡을 수 없을까.

느루-배기 명 해산한 다음 달부터 계속 월경이 있는 일. 또, 그러한 여자.

느룸 형 〈옛〉 나음. 우(優). '늘다²'의 명사형. ¶ 그 中에 또 느룸과 사오나봄과를 一定홇딘댄《釋譜 XIX:10》.

느르샤ᄃᆡ 형 〈옛〉 나으시되. '늘다²'의 활용형. ¶ 이제 陛下ㅣ 道理ᄂᆞᆫ 伏羲예 더으시고 德은 堯舜에 느르샤ᄃᆡ《月釋 Ⅱ:70》.

느른-하다 형여불 ①몹시 고단하여 힘이 없다. *늘쩍지근하다. ②힘없이 부드럽다. 1)·2): >나른하다. 느른-히 부

느릅나모 명 〈옛〉 느릅나무. ¶ 느릅나모 분(枌), 느릅나모 유(楡)《字會 10》.

느릅-나무 명 『식』 [*Ulmus davidiana* var. *japonica*] 느릅나뭇과에 속하는 낙엽 교목. 줄기 높이 20 m, 둘레 5 m 가량이고 잎은 넓은 거꿀달걀꼴 또는 타원형임. 4-5월에 녹자색의 꽃이 취산(聚繖) 화서로 족생(簇生)하여 핌. 과실은 시과(翅果)로 막질의 날개가 있으며, 5-6월에 익음. 골짜기나 개울가의 습윤지(濕潤地)에 나는데, 한국 각지 및 일본·사할린·중국·만주에 분포함. 나무는 기구·신탄재(薪炭材), 껍질은 약용 및 식용, 어린 잎은 식용 및 사료로 쓰임. 떡느릅나무. 떡나무. 백유(白楡). 분유(枌楡).

〈느릅나무〉

느릅나뭇-과 【一科】 명 『식』 [Ulmaceae] 쌍자엽(雙子葉) 식물 이판화구(離瓣花區)에 속하는 한 과. 낙엽 활엽 교목(喬木) 혹은 관목으로 전 세계에 140여 종이 있음. 한국에는 팽나무·스무나무·느티나무·느릅나무·비술나무 등 15 종이 분포함.

느리 명 〈방〉 우박(강원·전북).

느리개 명 『건』 서까래 뒷목을 눌러 박는 큰 중방.

느리-광이 명 행동이 느린 사람. 게으른 사람. 느림보. 늘보.

느리다¹ 타 〈옛〉 치다. ¶ 金노ᄒᆞ로 길홀 느리고《譜釋 Ⅸ:11》.

느리다² 형 ①빠르지 못하다. ¶ 동작이 ~. ↔빠르다. *더디다. ②짜임새나 꼬임이 성글다. ↔되다. ③성질이 누그러져 야무지지 못하다. ¶ 느린 성미. ↔급하다. ④〈방〉 게으르다(경기·강원·충북·전라·경북). 【느린 소도 성낼 적이 있다】 성질이 무던한 사람도 화를 낼 때가 있다는 말.

느리혀다 타 〈옛〉 늘어뜨리다. ¶ 두 ᄉᆞ매 느리혀고 우즑우즑ᄒᆞᄂᆞᆫ 뜻은《古時調 梁應鼎》.

느린-목 명 『악』 판소리에서, 좀 늘어지게 내는 목소리.

느린 중성자 【一中性子】 명 〔slow neutron〕 『물』 물질 속에서 감속(減速)된 운동에너지가 1 KeV 이하로 된 중성자. 저속(低速) 중성자. ↔빠른 중성자.

느림 명 장막 같은 데 장식으로 늘어뜨리는 좁은 헝겊이나 줄 따위.

느림-보 명 느리광이. 늘보.

느릿-느릿 부 ①긴장한 태도가 없이 더디게. 느럭느럭. ¶ ~ 걷다. ②꼬임이나 짜임이 바싹 죄이지 아니하고 성긴 모양. ¶ ~ 꼰 새끼. 1)·2):

>나릿나릿. ＊더디더디. ——-하다 형여불
[느릿느릿 걸어도 황소 걸음] 착실하게 꾸준히 실수 없이 함의 비유.

느릿-하다 형여불 느린 듯하다.

느물-거리다 자 말이나 행동을 자꾸 흉물스럽게 하다. 능글능글하고 못되게 굴다. ¶ 느물거려서 얼버무리다. 느물-느물 부. ¶서로 빨아대기도 하고 ~ 긁어대기도 하며 뒤틀려 꼬여 돌아가는 판인데…《姜龍俊 : 우리 회장님》. ——-하다 자여불

느물다 자 ①언행을 음흉(陰凶)하게 하다. ②☞뽐내다.

느물-대다 자 느물거리다.

느베 명〈방〉〖충〗누에(함경·경북).

느부갓네살 이:세【—二世】〔Nebuchadnezzar Ⅱ〕명〖성〗갈대아 왕국의 제2대 왕으로 새 바빌론의 창건자인 나보폴라사르(Nabopolassar)의 아들. 아시리아를 멸망시키고 시리아·팔레스타인을 정복하여 유태인 포로를 강제 이주시키고, 왕궁·성전(聖殿)·성벽을 건설하여 수도 바빌론을 부흥시켰음. 함무라비의 고전 시대에 대하여 그의 치세를 바빌론 문화의 르네상스라 부름. 네부카드네자르 이세. [재위605-562 B.C.]

느브리 명〈방〉놀¹(함경). 「《月釋 XⅧ:34》.

느볼 자〈옛〉누울. '눕다'의 활용형. ¶醉ᄒᆞ야 느볼 ᄯᅳ리미니 앗가ᄫᅵ 너겨

느새 명〖조〗'너새'의 한국 학명(學名).

-느슨다 어미〈옛〉-느냐. ¶모ᄃᆞᆫ 役事ᄒᆞᄂᆞ순다《古時調 金光煜》.

느슨-하다 형여불 ①늘어져서 헐겁다. ¶허리띠가 ~. ②마음이 풀어져 옹골차지 못하다. ¶느슨한 성격. 1)·2):>나슨하다. 느슨-히 부

느슷-하다 형〈방〉느긋하다.

느암 명〈방〉〖식〗너삼(평안).

느역 명〈방〉도롱이(함경).

느읆ᄒᆞ다 형 느즈러지다. =누우룩ᄒᆞ다·누읆ᄒᆞ다. ¶덕ᄒᆞᆫ 사ᄅᆞᄆᆡ 느읆ᄒᆞᆫ ᄉᆞ시 어더(待守者少懈)《三綱 貞婦淸風》.

느이 수〈방〉넷(전북·경남).

느이에 명〈방〉〖충〗누에(경남).

느이염 명〈방〉잇몸(제주).

느정이 명〈옛〉말린 꽃. ¶모밀 느정이과 콩닙과 콩각대롤(木麥花太葉太殼)《救荒 10》. 「《初杜諺 XXV:38》.

느주우다 타〈옛〉늦추다. ¶느주워여 詔令을 그르츠면(逋緩違詔令)

느즈러-지다 자 ①졸린 것이 느슨하게 되다. ¶구두 끈이 ~. ②기한(期限)이 밀려 나가다. ③마음이 풀리다.

느즈웨 부〈옛〉늦추게. ¶엇디 어딘 사ᄅᆞᆷ드려 느즈웨ᄒᆞ여 이레 몬 미츨 일을 ᄀᆞᄅᆞ치료(何嘗敎賢緩不及事)《飜小 Ⅸ:53》. 「《XXI:105》.

느지 부〈옛〉늦게. 느지이. ¶마초ᄢᅢ 됴ᄒᆞᆫ ᄶᅡᄒᆡ 느지 나게 ᄒᆞ리니《月釋

느지감-치 부 매우 느직한 듯하게. 썩 늦게. 느지거니. ¶난 ~ 가겠소.

느지거-니 부 꽤 느직하게. 느지감치. ↔일찌거니. 「↔일찌감치.

느지러-지다 자 ☞느즈러지다.

느지막-이 부 느지막하게. ¶~ 저녁을 먹다.

느지막-하다 형여불 매우 느직하다.

느직-이 부 느직하게. ↔일찍이❶.

느직-하다 형여불 ①조금 늦다. ②조금 느슨하다.

느초다 타〈옛〉늦추다. =느추다·느치다. ¶출혀 되오며 느초면(操縱之)《小諺 Ⅴ:32》. 「《乞上 35》.

느추다 타〈옛〉늦추다. =느초다·느치다. ¶오랑 느추고(鬆了肚帶)《老

느치 명〖충〗[*Tenebroides mauritanicus*] 거저릿과에 속하는 소형(小形)의 갑충(甲蟲). 쌀도적과 같은 종류이나 몸길이 6-10mm이고, 몸빛은 흑갈색 내지 적갈색이며, 몸은 편평한 직사각형이고 촉각은 11절의 곤봉상임. 앞가슴은 두부(頭部)보다 크고 배는 가슴과 폭이 같음. 온몸에 점각(點刻)이 있고, 시초(翅鞘)에는 각각 일곱 줄의 점각 홈이 있음. 쌀·보리·곡분(穀粉) 속에 서식하는 해충으로서, 전세계에 분포함. ＊쌀도적.

〈느치〉

느치다 타〈옛〉늦추다. =느초다·느추다. ¶問罪江都ᄅᆞᆯ 느치리잇가(問罪江都其敢留只)《龍歌 17章》.

느타리 명〖식〗[*Pleurotus ostreatus*] 송이버섯과에 속하는 버섯의 하나. 모양은 조개 껍질과 비슷하고 줄기는 짧으나 긴 것도 있으며, 빛은 갈색 내지 백색임. 가을에 산림 속의 활엽수(闊葉樹)의 마른 나무에 많이 남. 껍질을 벗기고 식용으로 함. 만이(晩栮). 느타리버섯.

〈느타리〉

느타리-버섯 명〖식〗느타리.

느트-나무 명〈방〉〖식〗느티나무. 「鄭澈》.

느틔 명〈옛〉느티나무. ¶臺 우희 셧ᄂᆞᆫ 느틔 몃 ᄒᆡ나 ᄌᆞ란ᄂᆞ고《古時調

느티-나무 명〖식〗[*Zelkova serrata*] 느릅나뭇과에 속하는 낙엽 교목. 줄기 높이 30m, 지름 2m 가량임. 수피(樹皮)는 회갈색이고 인편(鱗片)에 싸임. 잎은 호생하고 긴 타원형 또는 달걀꼴의 타원형임. 꽃은 자웅 잡가(雌雄雜家)인데 4-5월에 취산(聚繖) 화서로 피고, 작고 동글납작한 핵과(核果)는 10월에 익음. 촌락 부근 산록(山麓) 및 골짜기의 토양 깊은 곳에 나는데, 황해도 이남 및 일본·중국·만주·몽고·시베리아·유럽에 분포함. 재목은 누르스름하고 단단하며 나뭇결이 광택이 나고 아름다워서 건축재·실내 장식용·기구·기계·조각품·악기·선박(船舶)·차량 등의 재료나 신탄재로 쓰임. 어린 잎은 먹으며, 그늘이 짙고 수명이 길어 정자 나무로도 많이 이용됨. 귀목나무. 규목(槻木).

〈느티나무〉

느티-떡 명 쌀 가루에다 느티나무의 연한 잎을 섞어서 찐 시루떡. 사월 파일에 만들어 먹는 풍속이 있음.

느틔 명〈옛〉느티나무. ¶뒤우히 심근 느틔 몃히나 ᄌᆞ란ᄂᆞ고《古時調 鄭澈》.

느피 명〈방〉늪(함경).

느헤미야〔Nehemiah〕명〖성〗①구약 성서 가운데 나오는 기원전 450년경의 신앙가(信仰家). 유태 부족(部族) 하가랴의 아들로, 페르시아의 아닥사스다왕(王)을 섬긴 신임이 두터운 시종(侍從)이었음. 그 곳 포로의 몸에서 풀려나 예루살렘으로 돌아와, 이스라엘 종교의 순수성을 보존하기 위한 종교적 개혁에 공적이 컸음. ②구약 성서 중, 사서(史書)의 하나. 느헤미야의 수기(手記)를 중심으로 하여, 기원전 400-300년경에 역대 사가(史家)들이 편집한 것으로 생각됨. 느헤미야가 바빌론의 포수(捕囚)의 몸에서 풀려, 예루살렘의 성벽(城壁)을 수축(修築)하고, 또 율법(律法) 낭독을 중심으로 하는 종교적 개혁을 한 사실 등을 기록하였음.

늑 관〈방〉녁(전라).

늑간【肋間】 명〖생〗늑골 사이.

늑간-근【肋間筋】 명〖생〗늑골 사이에 붙어 서로 연락하는 근육. 안팎의 두 층이 있는데, 밖의 것은 늑골을 잡아당겨 올려 흡기(吸氣)를, 안의 것은 늑골을 내려 호기(呼氣)를 함. 갈빗대 힘살.

늑간 신경【肋間神經】 명〖생〗척추 신경 가운데 늑골 부분에 분포하는 신경. 12쌍이 있음.

늑간 신경통【肋間神經痛】 명〖의〗중독·감기·외상(外傷) 등으로 인하여 늑골 사이에 있는 신경에 생기는 동통 발작(疼痛發作).

늑-개 명〈방〉〖동〗늑대.

늑-경골【肋硬骨】 명〖생〗골질(骨質)로 된 늑골의 부분. ↔늑연골(肋軟骨).

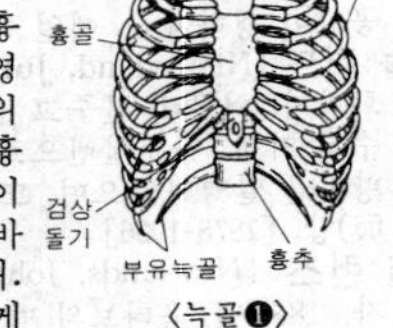

〈늑골❶〉

늑골【肋骨】 명〖생〗①흉곽을 구성하는 뼈. 흉부의 기관(器官)을 보호하고 호흡 운동을 영위(營爲)함. 좌우 12쌍(雙)이 있어 그 중 위의 일곱 쌍은 척추에서 몸의 양쪽으로 굽어 흉골(胸骨)에 붙고, 아래 다섯 쌍은 짧아 앞이 서로 떨어져 있음. 갈빗대. ②선체(船體)의 바깥쪽을 형성하는 늑골 모양으로 배치한 뼈대.

늑골 거:근【肋骨擧筋】 명〖생〗갈빗대를 들게 하는 11쌍의 근육. 뒤쪽에서 부채와 같이 넓어져서 갈빗대의 바깥에 붙어, 흡기(吸氣)의 작용을 도움.

늑골 골절【肋骨骨折】[—쩔] 명〖의〗충돌·전도(轉倒)·타박 따위의 외력(外力)에 의한 늑골의 골절. 골절부(骨折部)에 동통(疼痛)이 일어나며, 재채기·기침·심호흡을 할 때에도 아픔.

늑골 카리에스【肋骨—】〔라 caries〕명〖의〗늑골의 카리에스. 흉막(胸膜)의 결핵 병변(病變)이 파급(波及)하여 생기는 수가 많음. 치료는 결핵의 일반 요법 외에 병변부(病變部)의 절제(切除) 등이 있음.

늑굴【勒掘】 명 남의 무덤을 강제로 파게 함. ——-하다 타여불

늑-놀다 타 ①늑장을 부리면서 놀다. ②쉬엄쉬엄 노량으로 하다.

늑대 명〖동〗[*Canis lupus coreanus*] 갯과(科)에 속하는 짐승. 이리와 승냥이의 중간종(中間種)으로 몸길이 130cm, 꼬리 35cm 내외, 어깨 높이 64cm 가량임. 몸빛은 황갈색에 배면(背面)에 검은 띠가 있고 꼬리는 흑색임. 머리뼈는 가늘고 길며 앞다리가 짧아 승냥이와 구별함. 늦은 봄과 첫여름에 한배에 대여섯 마리의 새끼를 낳음. 산중에 서식하며 성질이 사나워 작은 동물을 포식하고, 촌락 부근에 나타나 돼지를 잘 물어 가며 때로 어린아이들도 해침. 북유럽·몽골·만주·중국 북부의 원산으로, 한국에 들어와 독특한 발전이 된 것임. 한국 특산종임. ＊이리. 주의 '勒大'로 씀은 취음.

늑대-별 명〖천〗시리우스성(Sirius星).

늑-도【勒島】 명〖지〗경상 남도 삼천포시(三千浦市)의 앞바다, 늑도동(勒島洞)에 위치한 섬. [0.31km² : 881명(1971)]

늑막【肋膜】 명〖생〗늑골 안쪽에 있어서 흉곽의 내면과 폐의 표면을 싼 장액막(漿液膜). 흉막(胸膜).

늑막-강【肋膜腔】 명〖생〗늑막으로 둘러싸인 공간.

늑막-염【肋膜炎】[—념] 명〖의〗늑막에 발생하는 염증(炎症). 외상(外傷)이나 결핵이 원인이 되어 발생하며, 가슴에 동통(疼痛)을 느끼고 호흡 곤란이 초래됨. 물이 괴는 습성(濕性)과 물이 괴지 아니하는 건성(乾性)이 있음. 흉막염(胸膜炎).

늑막외 인공 기흉【肋膜外人工氣胸】 명〖의〗폐결핵의 치료법의 하나. 외과적(外科的)으로 갈비뼈를 한두 개 절단하여 흉벽 늑막(胸壁肋膜)과 흉벽 사이를 박리(剝離)하여 기흉강(氣胸腔)을 만들고, 그 속에 이틀이나 이레 만에 공기를 주입하는 기흉법. 화학(化學) 요법의 진보로 거의 이용되지 않음.

늑막 천:자【肋膜穿刺】 명〖의〗늑막강(腔)을 뚫고 거기에 괸 액체를 빼내는 일. 흉막(胸膜) 천자.

늑매¹【勒買】 명 억지로 물건을 삼. ——-하다 타여불

늑매²【勒賣】 명 억지로 물건을 팖. ——-하다 타여불

늑명【勒銘】 명 금석(金石)이나 비석 따위에 명문(銘文)을 새김. 또, 그 명문. 각명(刻銘). ——-하다 타여불

늑목【肋木】 명 체조 기구의 한 가지. 몸을 바르게 하는 운동에 쓰이는데, 기둥되는 세로 나무 사이에 많은 가로장 나무를 갈빗대 모양으로 고정시켜 놓은 것.

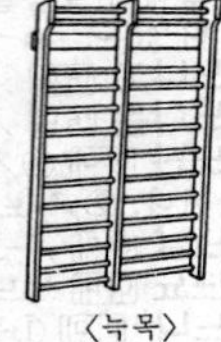
〈늑목〉

늑백【勒帛】 명 허리를 매는 띠.

늑병【勒兵】 명〖역〗병사의 대오(隊伍)를 정돈하여 간열(簡閱)하는 일. ——-하다 타여불

늑봉【勒捧】 명 빚진 사람에게서 돈이나 물건을 억지로 받아 냄. ——-하다 타여불

늑사【勒死】 명 목을 매어 죽음. 또, 목을 졸라 죽임. 액사(縊死). ——

하다 자타여불
늑삭【勒削】명 남의 머리를 억지로 깎음. ――-하다 타여불
늑설【勒紲】명 말의 고삐. 「…《金周榮 : 客主》.
늑신-하다 형여불 ☞ 늘씬하다❷. ¶ 봉삼을 늑신하도록 패준 두 놈은
늑억【勒抑】명 억지로 못하게 함. ――-하다 타여불
늑-연골【肋軟骨】명 〖생〗 갈빗대 끝에 붙은 연한 뼈. 늑골과 흉골과의 사이를 잇는 유리같이 맑은 뼈. ↔늑경골(肋硬骨).
늑운【勒韻】명 〖문〗 운(韻)을 갈라서 시(詩)를 지을 때, 한 운 가운데에서 몇 개의 글자를 골라서 그 글씨의 차례 순서를 정하여 그 순서대로 한 편의 시를 짓는 일. 압운(押韻)을 미리 정하여 놓는 일.
늑장[1] 명 당장 볼일이 있는데도 딴 일을 하거나 느릿느릿 행동하는 일. ¶ ~만 부리다. *늦장.
늑장(을) 부리다 구 곧 해야 할 일을 두고 딴 일을 하거나 느리게 하다.
늑장[2]【勒葬】명 남의 땅이나 남의 동네 근처에다 강제로 장사를 지냄. *모장(冒葬). ――-하다 타여불
늑재【肋材】명 선박의 늑골(肋骨)을 이루는 재료.
늑정[1]【勒定】명 강제로 작정하게 함. ――-하다 타여불
늑정[2]【勒停】명 벼슬을 파면시킴. ――-하다 타여불
늑주【勒住】명 억지로 머무르게 함. ――-하다 타여불
늑줄-주다 타 엄한 감독을 늦추어 좀 자유롭게 하다.
늑징【勒徵】명 관원(官員)이 이유 없이 돈이나 물품을 강제로 징수하 ㄴ거나 징발함. ――-하다 타여불
늑초【一草】명 〈방〉 〖식〗 한삼덩굴.
늑탈【勒奪】명 폭력이나 위력으로 빼앗음. ¶ 백성의 재물을 ~하다. ――-하다 타여불
늑판【肋板】명 ①〖동〗 거북의 배갑(背甲)의 추판(椎板)의 양측(兩側)에 있어서 늑골과 결합하는 것. ②선저부(船底部)를 견고히 하기 위하여, 선체(船體)의 만곡부(彎曲部) 아래에서 늑골 사이에 삽입하는 철강판.
늑표【勒票】명 힘이나 권세로써 강제로 받아 낸 증서(證書).
늑:-하다 형여불 ↗느긋하다. 「위를 억지로 정하는 일.
늑한【勒限】명 위협에 못 이겨 승낙한 빚 갚을 기한. 또, 기한(期限) 따
늑혼【勒婚】명 억지로 맺은 혼인. ――-하다 타여불
늑화【勒花】명 추위가 꽃을 피지 못하게 함.
늑흔【勒痕】명 목을 매어 죽인 흔적.
는[1] 조 받침 없는 말에 붙어, 사물을 구별하거나 초들어 말함을 나타내는 보조사. 주격·보격·목적격·부사격 등으로 쓰임. ¶ 나~ 사람이다/ 그 책을 읽어~ 보았소/잘은 못해도 빨리~ 하오/그 자리에 앉아~ 보았 ㄴ소.
는[2]【隱】조 〈이두〉 는[1]. 준ㄴ. *은[7].
-는- 선어미 현재를 나타내는 시제 표현의 선어말 어미. 받침 있는 동사 및 형용사 '있다'의 어간 뒤에 쓰임. ¶ 먹~다 / 읽~다. *-ㄴ-.
-는 어미 동사나 형용사 '있다'·'없다'·'계시다'의 어간에 붙어, 그 동작이나 작용이 현재 진행중임을 나타내는 관형사형 전성 어미. ¶ 달리~ 말/흐르~ 물/산에 있~ 나무. *-ㄴ·-은.
-는가 어미 ①동사나 형용사 '있다'·'없다'·'계시다'의 어간이나 또는 '-았-'·'-었-'·'-겠-'의 아래에 붙어,자기 스스로의 의심이나,'하게' 할 자리에 물음을 나타내는 종결 어미. ¶ 언제 가~/어디에 계시~. 준-나. *-ㄴ가·-은가·-ㄴ고·-는고·-느냐·-냐·-으냐. ②〈방〉 -는지.
-는가 보다 구 '-는가'에 보조 형용사 '보다'가 합치어 어떠한 짐작의 뜻을 나타내는 말. ¶ 그가 오~/울고 있~/인제 가~. *보다[3]·-ㄴ가 보다·-은가 보다.
는개 명 안개보다 조금 굵고 이슬비보다 좀 가는 비.
-는거냐 어미 ↗-는 것이냐. ¶ 또 늦~/왜 웃~/어느 쪽으로 가~. *-ㄴ거냐·-은거냐. 「~. *-ㄴ거야·-은거야.
-는거야 어미 ↗-는 것이야. ¶ 왜 때리~/왜 이러~/고생 끝에 낙이 있
-는걸 어미 〔↗-는 것을〕 동사나 형용사 '있다'·'없다'·'계시다'의 어간에 붙어 어떤 동작이나 작용에 대한 자기의 생각이나 느낌을 나타내는 종결 어미. ¶ 벌써 꽃이 피~/아직 못 봤~/자리에 안 계시~. *-ㄴ걸·-은걸.
-는고 어미 '-는가'의 옛 말투 또는 점잖은 말투. ¶ 그는 언제 오~/어디에 있~. 준-노. *-ㄴ고·-은고. 「調》.
-는고야 어미 〈옛〉 -는구나. ¶ 滿山紅綠이 휘드르며 웃는고야 《古時
-는과니 어미 '-는고 하니'가 줄어서 된 연결 어미. ¶ 위장병엔 무엇을 먹~ 죽을 먹어야 하오. *-ㄴ과니.
-는구나 어미 '-는'에 '-구나'가 합치어 된 말로 '해라' 할 자리에서 새삼스러운 감탄을 나타내는 종결 어미. ¶ 그놈 공부 잘 하~/책을 잘도 읽~. 준-는군. *-구나.
-는구려 어미 '-는'에 '-구려'가 합치어 된 말로 '하오' 할 자리에서 새삼스러운 감탄을 나타내는 종결 어미. ¶ 어려운 살림을 잘도 꾸려 나가 ㄴ시~/집에 계시~. *-구려.
-는구료 어미 ☞-는구려.
-는구먼 어미 '-는'에 '-구먼'이 합치어 된 말로서 빈말이나 혼잣말로 새삼스러운 감탄을 나타내는 종결 어미. ¶ 공부 잘하~/일찍 오~. 준 ㄴ-는군. *-구먼.
-는구면 어미 ☞-는구먼.
-는군 어미 ①↗-는구나. ②↗-는구먼. *-군.
-는궈니 어미 ☞ -는과니.
는기 명 〈방〉 는개.
-는다[1] 어미 받침 있는 동사의 어간에 붙어, 그 동작이나 작용이 현재 진행중임을 나타내는 종결 어미. ¶ 길을 걷~/손을 잡~. *-ㄴ다[2].
-는다[2] 어미 〈옛〉 -느냐. -는가. =-는다. ¶ 냇가의 해오라비 무삼일 서잇는다 《古時調 申欽》.
-는다고 준 -는다 하고. ¶ 남~ 마구 버리다/웃~ 꾸중 듣다. *-ㄴ다고.
는다기 명 〈방〉 는개. 「느냐.
-는다느냐 어미 ↗-는다고 하느냐. ¶ 무슨 시를 읊~. *-다느냐·-ㄴ다
-는다느니 어미 이렇게 한다 하기도 하고, 저렇게 한다 하기도 함을 나타낼 때, 받침 있는 동사 어간에 붙이는 연결 어미. ¶ 새 사람을 뽑~ 안 뽑~ 억측이 구구하다. *-느니·-ㄴ다느니·-다느니.
-는다는 어미 '-는다고 하는'이 줄어서 된, 받침 있는 동사의 어간에 붙는 관형사형 전성 어미. ¶ 그가 밥을 많이 먹~ 말은 들었네. 준-는단. *-ㄴ다는·-다는.
-는다니 어미 ①↗-는다느냐. ¶ 빚은 언제 갚~. ②↗-는다고 하니. ¶ 네가 하느님을 믿~ 놀랍구나. *-ㄴ다니·-다니.
-는다니까 어미 ①↗-는다고 하니까. ¶ 하루에 50km 걷~ 놀라더라. ②받침 있는 동사 및 형용사 '있다'의 어간에 붙어, 어떤 사실을 올바로 인식하고 있지 못하거나 미심쩍어 하거나 하는 상대방에게, 다그쳐 깨우쳐 주는 뜻을 나타내는 종결 어미. ¶ 빚은 반드시 갚~. *-다니까·-ㄴ다니까.
-는다니까는 어미 '-는다니까'의 힘줌말. 준-는다니깐. *-ㄴ다니까는·-다니까는.
-는다니깐 어미 ↗-는다니까는. *-ㄴ다니깐·-다니깐.
-는다마는 어미 받침 있는 동사 어간에 붙어, 이미 한 동작을 말하면서 아래말이 그 사실에 거리끼지 않음을 나타내는 연결 어미. ¶ 먹기는 먹~ 맛은 없다. 준-는다만. *-ㄴ다마는·-다마는.
-는다만 어미 ↗-는다마는. *-ㄴ다만·-다만.
-는다며 어미 ↗-는다면서. *-ㄴ다며·-다며.
-는다-면서 어미 ①받침 있는 동사 어간 및 '있다'의 어간에 붙어서, '-는다고 하면서'의 뜻을 나타내는 연결 어미. ¶ 불우한 사람을 돕~, 오히려 폐를 끼친다. ②받침 있는 동사 어간 및 '있다'의 어간에 붙어, 직접 간접으로 들은 사실을 다짐하거나 빈정거려 묻는 데 쓰이는 종결 어미. ¶ 뻔뻔히 놀고 먹~. 준-는다며. *-ㄴ다면서·-다면서.
-는다손 어미 받침 있는 동사의 어간에 붙어, '치다'와 함께 쓰이어 '-는다고 하더라도'의 뜻으로 쓰이는 연결 어미. ¶ 빨리 걷~ 치더라도 하루에 백 리요/죽~ 치더라도 후회할 것은 없다. *-ㄴ다손·-다손.
-는다오 어미 '-는다고 하오'·'-는다 하오'가 줄어서 된, 받침 있는 동사 어간에 붙는 종결 어미. ¶ 요사이는 죽을 먹~. *-ㄴ다오.
-는다지 어미 ①↗-는다 하지. ¶ 찬밥이라도 먹~ 그랬느냐. ②받침 있는 동사 어간에 붙어 다짐하거나 묻는 뜻을 나타내는 종결 어미. ¶ 언제 집을 짓~. *-다지·-ㄴ다지.
-는단 어미 ①↗-는다는. ¶ 술을 잘 먹~ 말은 들었네. ②'-는다고 한'이 줄어서 된, 받침 있는 동사의 어간에 붙는 관형사형 전성 어미. ¶ 오늘 안으로 갚~ 사람이 오지도 않는구료. *-ㄴ단·-단.
-는단다 어미 ①↗-는다고 한다. ¶ 하루에 네 끼를 먹~. ②받침 있는 동사 어간에 붙어, '-는단 말이다'의 뜻으로 사실을 친근하게 서술하는 종결 어미. ¶ 바싹 말리지 않으면 썩~. *-ㄴ단다·-단다.
-는달 어미 ↗-는다고 할. ¶ 값을 더 깎~ 수가 없구나/밑졌다고 가게 닫~ 수도 없는 처지다. *-ㄴ달·-달.
-는담 어미 받침 있는 동사 및 '있다'의 어간에 붙어, '어찌 그리 한단 말인고'의 뜻을 나타내는 종결 어미. ¶ 웬 밥을 그리 먹~/어쩌면 그리 호들갑스럽게 웃~. *-ㄴ담·-담.
-는답니까 어미 ↗-는다고 합니까. ¶ 뭘 읽~. *-ㄴ답니까·-답니까.
-는답니다 어미 ↗-는다고 합니다. ¶ 무엇이든지 잘 먹~. *-ㄴ답니다·-답니다.
-는답디까 어미 ↗-는다고 합디까. ¶ 그토록 들볶~. *-ㄴ답디까·-답디까·-더랍디까. 「-답디다.
-는답디다 어미 ↗-는다고 합디다. ¶ 요즘은 원서만 읽~. *-ㄴ답디다·
-는답시고 어미 받침 있는 동사 어간에 붙어서, '-는다고'의 뜻으로, 그 행위를 못마땅하게 여겨 빈정거리어 말할 때 쓰는 연결 어미. ¶ 고전을 읽~ 덤빈다. *-ㄴ답시고·-답시고.
-는대 어미 ↗-는다고 해·-는다고 한다. ¶ 그만 먹~. *-ㄴ대[1]·-대[4].
는대기 명 〈방〉 는개. 「~ 죽을 쑤었소. *-ㄴ대서·-대서.
-는대서 어미 '-는다고 하여서'가 줄어서 된 연결 어미. ¶ 그가 죽을 먹
-는대서야 어미 '-는다고 하여서야'가 줄어서 된 연결 어미. ¶ 반찬이 없다고 안 먹~ 되나/그만 일로 죽~ 쓰나. *-ㄴ대서야·-대서야.
-는대야 어미 '-는다고 하여야'가 줄어서 된 연결 어미. ¶ 죽~ 겁날 것 없다/고작 읽~ 무협 소설이지. *-ㄴ대야·-대야.
-는댔자 어미 받침 있는 동사 및 형용사 '있다'의 어간 뒤에 붙어 '-는다 하였자'의 뜻을 나타내는 연결 어미. ¶ 아이가 먹~ 얼마나 먹겠나. *-ㄴ댔자·-댔자.
-는데 어미 ①동사나 형용사 '있다'·'없다'·'계시다'의 어간이나 또는 '-았-'·'-었-'·'-겠-'의 아래에 붙어, 다음의 말을 끌어내기 위하여 미리 관계될 만한 사실을 말할 때 쓰는 연결 어미. ¶ 눈이 오~ 어딜 가오/밥은 있~ 반찬이 없소/작년 겨울은 퍽 추웠~ 올해는 어떨는지. ②동사나 형용사 '있다'·'없다'의 어간 또는 '-았-'·'-었-'·'-겠-'의 아래에 붙어, 남의 의견도 듣고자 하는 태도와 감탄의 뜻을 나타내는 종결 어미. ¶ 공부 잘 하~/비가 오겠~. *-ㄴ데·-은데.
-는도다 어미 〈옛〉 -는구나. ¶ 놀래는도다 《農夫歌》. *-도다.
-는 바 구 동사나 형용사 '있다'·'없다'의 어간 또는 '-았-'·'-었-'·'-겠-'의 아래에 붙어, 어떤 말을 하기 전에, 거기에 관계되는 다른 말을 할 때 쓰는 말. ¶ 집을 두 채 짓~, 한 채는 동생에게 주려 하오. *-ㄴ 바·-은 바.
-는 바에 구 동사나 형용사 '있다'·'없다'의 어간에 붙어 '이왕 하는 중이니'의 뜻을 나타내는 말. ¶ 공부를 하~ 일등을 해야지/이왕 같이 있~야 사이 좋게 지냅시다. *-ㄴ 바에·-ㄹ 바에·-은 바에.
는실-난실 [―란―] 부 성적(性的) 충동을 받아 야릇하고 잡스럽게 구는 모양. ――-하다 자여불

는실-타:령【—打令】 명 〖악〗 경기 민요의 하나. 개·닭·봉황·두견새·꾀꼬리 등 여러 가지 동물을 주제로 함.
는앵 명 〈방〉 〖식〗 은행(銀杏)(경북).
는쟁이-냉이 명 〖식〗 [*Cardamine komarovi*] 겨잣과에 속하는 다년초. 줄기 높이 50cm 가량이고, 근생엽(根生葉)은 총생(叢生)하는데 장병(長柄)이며, 경엽(莖葉)은 호생하고 단병(短柄)임. 6-8월에 흰 꽃이 총상(總狀) 화서로 줄기 끝이나 가지 끝에 정생(頂生)하고, 과실은 장각(長角)임. 산지의 물가에 나는데, 거의 한국 각지에 분포함. 어린 경엽은 식용함.
는적-거리다 자 썩거나 삭아서 힘없이 축축 처지다. >난작거리다. 는적-는적 부. ——-하다 자여불
는적-대다 자 는적거리다.
는정-거리다 자 정도가 좀 강하게 는적거리다. 는정-는정 부. ——-하다 자여불
는정-대다 자 는정거리다.
-는 족족 구 동사의 어간에 붙어 무슨 일이든지 '-는 대로 모조리'의 뜻을 나타내는 말. ¶ 보~ 다 사들이다.
-는지 어미 동사나 형용사의 '있다'·'없다'·'계시다'의 어간 또는 '-았-'·'-었-'·'-겠-'의 아래에 붙어 어렴풋한 의문의 뜻을 나타내는 종결 어미 또는 연결 어미. ¶ 지금 그는 어디서 사~/돈이 얼마나 있~ 물어 보시오. *-ㄴ지·-던지·-은지.
-는지고 어미 동사의 어간에 붙어 어떤 느낌을 강조하는 종결 어미. 흔히 문어로 쓰임. ¶ 잘도 하~. *-ㄴ지고·-은지고.
-는지라 어미 동사나 형용사의 '있다'·'없다'·'계시다'의 어간 또는 '-았-'·'-었-'·'-겠-'의 아래에 붙어, 다음 말에 대한 이유나 원인이 될 만한 사실을 말할 때 쓰는 연결 어미. ¶ 찾아갔다가 없~ 그대로 돌아왔다/밤이 깊었~ 천지가 조용하오. *-ㄴ지라·-은지라.
는지럭-거리다 자 속은 굳고 겉은 징그럽게 뭉클뭉클하다. >난지락거리다. 는지럭-는지럭 부. ——-하다 자여불
는지럭-대다 자 는지럭거리다.
는지렁-이 명 끈끈하고 는질거리는 액체.
는질-거리다 자 물러서 물크러질 듯한 느낌을 주다. >난질거리다. 는질-는질 [-른-] 부. ¶ 힘 없던 자기 몸에 ~한 오점(汚點)이 박힌 듯하고《羅稻香 : 幻戱》. ——-하다 자여불
는질-대다 자 는질거리다.
는커녕 조 '커녕'의 힘줌말. 받침 없는 말에 붙는 보조사. ¶ 국수~ 수제비도 못먹었다/노래~ 말도 못한다. *은커녕·커녕.
는호다 형 〈옛〉 낫다[5]. ¶ 내 지븨셔 는호뎌 호리니(勝吾家者)《內訓 Ⅰ:74》.
는겁다 형 〈옛〉 한탄스럽다. ¶ 문에 나셔 드롬애 는거이 반드시 그 한숨 소리를 드롬이 잇느니라(出戶而聽 愾然 必有聞乎 其嘆息之聲)《小諺 Ⅱ:27》.
는기다 타 〈옛〉 느끼다. ¶ 는길 감(感)《石千 24》.
늘:[1] 명 〈방〉 널[1](강원·충북·전남).
늘[2] 부 언제든지. 언제나. 항상. 만날. ¶ ~ 공부만 하는 학생/~ 부르는 노래.
늘거바리 명 〈방〉 늙은이(제주).
늘고대기 명 〈방〉 늙은 소(평안).
늘고 줄고 하다 구 융통성이 있다.
늘구다 타 〈방〉 ①늘리다. ②늘이다(함경).
늘그니 명 〈옛·방〉 늙은이. ¶ 늘그니 病ᄒᆞ니 주근 사름 보시고《釋譜 Ⅵ:17》.
늘그막 명 ['늙다'의 파생 명사] 늙을 무렵. 늙어 가는 판. ¶ ~에 덕을 보다. 준늙마. *늙바탕.
늘다[1] 자 ①사물의 수량·부피 따위가 본디보다 더하여지다. 많아지거나 커지다. 붇다. ¶ 식구가 ~/재산이 ~/일이 ~/많이 느는 쌀. ②재주·실력·솜씨 따위가 더하여지다. 발전하다. ¶ 말솜씨가 ~/기술이 ~. 1)·2):↔줄다.
늘다[2] 형 〈옛〉 낫다[5]. ¶ 功德이 노파 븘 비초로 莊嚴호미 日月라와 느러《釋譜 Ⅸ:4》. 「>날름·널름.
늘름 부 혀끝이나 손을 경망하고 재빠르게 놀리는 모양. ¶ ~ 집어 먹다.
늘름-거리다 자타 ①입이나 손을 날쌔게 놀리어 자꾸 먹거나 가지다. ¶ 혀를 ~. ②남의 것을 탐내어 자꾸 고개를 내밀어 끼웃거리다. 1)·2): >날름거리다·널름거리다. 늘름-늘름 부. ——-하다 자타여불
늘름-대다 자타 늘름거리다.
늘리다 타 늘게 하다. ¶ 재산을 ~. *늘이다.
늘메기 명 〈방〉 〖동〗 율모기.
늘보 명 동작이 뜨고 느린 사람의 별명. 느리광이. 느림보.
늘보-원숭이 명 〖동〗 로리스(loris).
늘보원숭잇-과【—科】 명 〖동〗 [Lorisidae] 원숭이목(目)에 속하는 한 과. 원시적(原始的)인 종류로 고양이만한데, 인도산과 말레이 반도·아삼(Assam)·필리핀 등지에 분포하는 두 종류가 있음. *로리스.
늘보-주머니쥐 명 〖동〗 [*Phalanger maculalus*] 유대류(有袋類)에 속하는 포유 동물. 몸의 털은 양털 비슷하며 꼬리가 길어 물건을 감음. 크기는 쥐만한 것부터 고양이만한 것까지 여러 가지가 있음. 동작이 둔하고 야행성(夜行性)이며 나무 위에서 삶. 오스트레일리아 등지에 분포함. 쿠스쿠스(cuscus).
늘-봄 명 〖사람〗 전영택(田榮澤)의 호(號).
늘비-하다 형여불 ①죽 늘어놓여 있다. ¶ 가게에 고무신이 ~. ②죽 늘어서 있다.
늘-삿갓 명 부들로 만든 삿갓.
늘쌍 부 〈방〉 늘(평안·함경).
늘썽 명 〈방〉 늘품.
늘썽-늘썽 부 모두 늘썽한 모양. >날쌍날쌍. ——-하다 형여불
늘썽-하다 형여불 짜이거나 엮인 것의 사이가 뜨다. >날쌍하다.
늘씬-늘씬 부 여럿이 모두 늘씬한 모양. >날씬날씬. ——-하다 형여불
늘씬-하다 형여불 ①몸이 가늘고 키가 커서 맵시가 있다. ¶ 늘씬한 신사. >날씬하다. ②기운이 없이 축 늘어지다. ¶ 늘씬하게 얻어맞다. 늘씬-히 부
늘-어【—於】 명 ['늘'은 조사(助詞) '를'의 변한 말] 어조사(語助辭)로 쓰이는 한자(漢字) '어(於)'의 훈(訓)과 음(音)을 아울러 읽은 말. *온호·이끼야.
늘어-가다 자 ①사물이 조금씩 불어서 차차 많아지거나 커지다. ¶ 재산이 ~. ②재주·실력·솜씨 따위가 점점 나아가다. ¶ 기술이 ~. 1)·2): ↔줄어가다.
늘어-나다 자 길이·부피·수량 따위가 많아지다. 증가하다. ¶ 인구가 ~/재산이 ~/고무줄이 ~. ↔줄어들다.
늘어-놓다 [—노타] 타 ①줄을 대어 죽 벌여 놓다. ¶ 한 줄로 ~. ②많은 것을 질서 없이 여기저기 두다. ¶ 장난감을 온 방에 ~. ③사업을 여러 곳에서 경영하다. ¶ 사방에 늘어놓은 사업이 모두 잘 된다. ④사람을 여기저기 보내어 연락지어 두다. ¶ 감시병을 곳곳에 ~. ⑤말이나 글을 이것저것 수다스럽게 꺼내어 벌여 놓다. ¶ 잔소리를 ~.
늘어-땡이 명 골패 노름의 한 가지.
늘어-뜨리다 타 물건의 한쪽 끝을 아래로 처지게 하다.
늘어-서다 자 ①죽 줄지어 벌이어 서다. ¶ 의장대가 일렬로 ~. ②여기저기 흩어져 서다.
늘어-앉다 [—안따] 자 ①줄을 지어 벌이어 앉다. ②여기저기 흩어져 앉다.
늘어-지다 자 ①물체가 켕기는 힘으로 길어지다. ¶ 고무줄이 ~. ②길게 끝이 아래로 처지다. ¶ 늘어진 버들개지. ③몹시 피곤하거나 얻어맞아서 기운이 풀리어 몸을 가누지 못하다. ¶ 축 늘어지는 몸을 끌고 걷다/늘씬하게 얻어맞아서 길게 ~. >나라지다. ④한정된 어느 시간이 더 길어지다. ¶ 공연 시간이 ~. ⑤근심 걱정이 없어 편하게 되다. ¶ 팔자가 ~.
늘어진-장대【—長—】[—때] 명 〖식〗 [*Arabis pendula*] 겨잣과에 속하는 월년초. 줄기는 높이 1.2m 이상. 잎은 호생하고 하부 잎은 유병(有柄)에 긴 타원형 또는 타원상의 달걀꼴이며, 경엽(莖葉)은 무병(無柄)에 긴 타원형 또는 피침형임. 7-8월에 흰 꽃이 정생(頂生)하여 총상(總狀) 화서로 피고, 과실은 장각(長角)임. 산이나 들에 나는데, 한국 중부 이북에 분포함.

〈늘어진장대〉

늘어진 패:【—覇】 명 바둑에서, 한 수, 두 수 또는 석 수를 더 둔 다음에 단수패(單手覇)가 되는 패(覇).
늘어-트리다 타 늘어뜨리다.
늘옴치-근【—筋】 명 〖생〗 '괄약근(括約筋)'의 풀어쓴 말.
늘-옴치래기 명 늘어났다 줄었다 하는 물건.
늘우다 타 〈방〉 ①늘리다. ②늘이다.
늘읍 명 〈옛〉 느릅나무. ¶ 白楡野生 方言云 늘읍《雅言 卷一》.
늘의어신 자 〈옛〉 늘어지신. ¶ 吉慶 계우샤 늘의어신 소맷 길헤 《樂範 處容歌》.
늘이-넓이 [—널비] 명 '연면적(延面積)'의 풀어쓴 말.
늘이다 타 ①본디보다 길게 하다. ¶ 고무줄을 ~/치수를 ~. ②아래로 길게 또는 느슨히 처지게 하다. ¶ 발을 ~/새끼줄을 ~. *늘리다.
늘인-그림 명 '확대도(擴大圖)'의 풀어쓴 말.
늘인-비【—比】 명 〖수〗 '확대비(擴大比)'의 풀어쓴 말.
늘임-새 명 말을 길게 늘이는 태도.
늘임-표【—標】 명 〖악〗 보통 그 기호를 붙인 음을 다른 음보다 길게 발성하는 음악 기호. 그러나 이 기호는 세로줄 위에 쓰이어 짧은 정지를 지시하거나, 겹세로줄 위에 쓰이어 악곡(樂曲)의 마침을 뜻하기도 함. 부호는 '𝄐'. 연성 기호. 연장 기호. 연음 기호. 페르마타. 코로나.

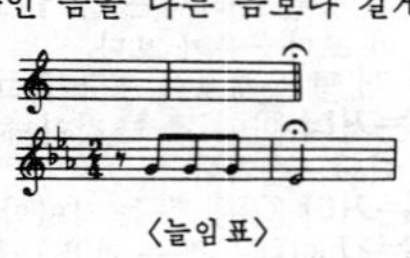
〈늘임표〉

늘-자리 명 부들로 짠 돗자리.
늘짱 명 〈방〉 늑장. ¶ ~ 부리다.
늘쩍지근-하다 형여불 몹시 느른하다. >날짝지근하다.
늘쩡-거리다 자타 쉬어 가면서 느리게 행동하다. >날짱거리다. 늘쩡-늘쩡[1] 부. ¶ 그제는 김가를 앞세우고 ~ 걸어오며 서로 이야기를 하기 시작하였다. ——-하다[1] 자타여불
늘쩡-늘쩡[2] 부 성질이나 됨됨이가 느리고 야무지지 못한 모양. ——-하다[2] 형여불
늘쩡-대다 자타 늘쩡거리다.
늘창 부 〈방〉 늘(평안).
늘-채다 자 미리 생각했던 수효보다 많이 더 하다.
늘컹-거리다 자 너무 물러서 저절로 늘어져 처지게 되다. >날캉거리다. 늘컹-늘컹 부. ——-하다 자형여불
늘컹-대다 자 늘컹거리다.
늘컹-하다 형여불 썩 물러서 저절로 늘어져 처지게 되다. >날캉하다.
늘큰-거리다 자 너무 물러서 자꾸 축축 늘어지게 되다. >날큰거리다. 늘큰-늘큰 부. ——-하다 자형여불
늘큰-대다 자 늘큰거리다.
늘큰-하다 형여불 너무 물러 자꾸 축 늘어지게 되다. >날큰하다. 늘큰-히 부
늘키다 타 울음을 시원하게 울지 못하고 꿀꺽꿀꺽 참으면서 느끼어 울다.
늘팽이 명 〈방〉 〖동〗 달팽이(강원).
늘푸른-나무 명 〖식〗 상록수(常綠樹). ↔갈잎나무.
늘푸른-넓은잎나무 [—널븐닙—] 명 〖식〗 상록 활엽수(常綠闊葉樹).
늘푸른-떨기나무 명 〖식〗 상록 관목(常綠灌木). ↔갈잎떨기나무.
늘푸른-잎 [—닙] 명 〖식〗 상록엽(常綠葉).
늘푸른-좀나무 명 〖식〗 사철 언제나 잎이 푸른 좀나무. ↔갈잎좀나무.
늘푸른-큰키나무 명 〖식〗 상록 교목(常綠喬木). ↔갈잎큰키나무.
늘-품【—品】 명 앞으로 좋게 발전할 품질 또는 가능성.

늘품-성【一品性】[一썽] 명 앞으로 좋게 발전할 가능성. ¶ 주변머리가 제법 ～이 있어 살센 동기간보다는 상종하기가 수월한 여편네였다《金周榮 : 客主》.

늘-휘 명〖건〗휘의 한 가지. 머리초 끝에 떠 모양으로 휘돌린 오색(五色) 무늬.

늙다 [늑一] 자 ①나이가 많아지다. ②한창 때를 지나 늙은이가 되다. ③오래 되다. 주의 '늙어보이다'처럼, 형용사적으로 쓰이는 수도 있음. 【늙게 된서방 만난다】 늙어 갈수록 신세가 더 고되어 간다는 말. 【늙고 병든 몸은 눈 먼 새도 안 앉는다】 사람이 늙고 병들면 누구 한 사람 찾아 주지 않고 좋아하는 이도 없다는 말. 【늙어도 소승, 젊어도 소승 한다】 중은 늙거나 젊거나 자기를 가리킬 때 소승(小僧)이라 한다 하여 이르는 말. 【늙으면 아이된다】 늙으면 모든 행동이 어린애 같아진다는 말. 【늙은 말이 콩 마다 할까】 오히려 더 좋아한다는 뜻. 【늙은 말 콩 더 달란다고】 사람의 욕심이 늙어 갈수록 더욱 더 많아진다는 말. 【늙은 소 흥정하듯】 행동이 느림을 비유하는 말. 【늙은 아이어미 석 자 가시 목구멍에 안 걸린다】 늙도록 아이를 많이 낳은 어머니들은 석 자 길이나 되는 가시를 먹어도 목에 안 걸리고 넘어갈만큼 식량(食量)이 커지고 속이 허하다는 말. 【늙은 영감 덜미 잡기】 버릇없고 무도(無道)하며 심술궂은 행실. ¶ 빚 값에 계집 뺏기 늙은 영감 덜미 잡기 아이밴 계집 배차기며 《興夫傳》. 【늙은 중이 먹을 간다】 일없이 한가하게 앉아 있다는 말. 【늙은 쥐가 독 뚫는다】 늙으면 꾀가 많고 의뭉해진다는 말.

늙-다리 [늑一] 명 ①늙은 짐승. ②〈속〉 늙은이. 늙정이.

늙다리-소 [늑一] 명 늙은 소.

늙-마 [늑一] 명 ↗늘그막. ¶ ～에 호강하다. 「분(末分). *늘그막.

늙-바탕 [늑一] 명 늙어 버린 판. 노경(老境). 만경(晩境). 모경(暮境). 말

늙수그레-하다 [늑一] 형 여불 꽤 늙어 보이다.

늙숙-이 [늑一] 부 늙숙하게.

늙숙-하다 [늑一] 형 여불 조금 늙고 점잖은 태도가 있다.

늙어-빠지다 [늘거一] 형 몹시 늙다. ¶ 늙어빠진 말.

늙으신-네 [늘그一] 명 '늙은이'의 존칭.

늙은 용 여의주 얻은 듯【一龍如意珠一】[늘근一/늘근一이一] 구 능수능란한 모양. ¶ 창해의 늙은 용이 여의주나 얻은 듯이 어루다가 《李海朝 : 花의 血》.

늙은-이 [늘근一] 명 늙은 사람. 노인(老人).
【늙은이 가죽 두껍다】 ㉠늙은이는 여러 가지 어려운 일도 잘 치름을 이르는 말. ㉡늙은이는 염치없는 짓을 잘 한다는 말. 【늙은이 괄시는 해도 아이들 괄시는 안 한다】 세상 물정 모르는 아이들 대접하기가 더 어려우니 잘 하여야 한다는 말. 【늙은이 기운 좋은 것과 가을 날씨 좋은 것은 믿을 수 없다】 언제 변할지 모른다는 말. 【늙은이도 세 살 먹은 아해(兒孩) 말을 귀담아 들을게다】 지견(知見)은 반드시 연령에 따르지 않는다는 말. 곧, 아랫사람에게도 들을 만한 것이 있으면 들어야 한다는 뜻. 【늙은이 무릎 세우듯 쇠운다】 빡빡 우기는 자를 두고 이르는 말. 【늙은이 호박 나물에 용쓴다; 늙은이 호박죽에 힘쓴다】 늙은이가 호박 나물을 먹는 데에도 힘을 들인다는 말이니, 약한 사람이 가벼운 물건을 못 들고 애를 쓰는 것을 보고 하는 말.
늙은이 뱃가죽 같다 구 물건이 쭈글쭈글하다.

늙을로-변【一老邊】[늘글一] 명 한자 부수(部首)의 하나 '考'나 '耆' 등의 '耂'·'老'의 이름.

늙정-뱅이 [늑一] 명〈방〉 늙정이.

늙정이 [늑一] 명〈속〉 늙은이. 늙다리.

늙젱이 명〈방〉 늙정이(제주).

늙직-하다 [늑一] 형 여불 어지간히 늙어 보이다.

늙히다 [늘키一] 타 늙게 하다. ¶ 호박을 ～/처녀를 ～.

늜다 자〈옛〉 늙다. ¶ 셴 머리드린 馮唐이 늜고(垂白馮唐老)《重杜諺 Ⅲ: 40》.

늠¹ 명〈방〉 놈¹(충남·경상).

늠²: 【廩】 명 늠고(廩庫).

늠:고【廩庫】 명 쌀을 넣어 두는 곳집. 늠(廩). 늠창(廩倉).

늠:균【廩囷】 명 쌀 곳간. 늠(廩)은 네모난 것을, 균(囷)은 둥근 것을 이름.

늠그다 타 곡식의 껍질을 벗기다.

늠:렬【凜烈·凜冽】[一녈] 명 추위가 살을 엘 듯이 아주 대단함. 늠연(凜然). ——-하다 형 여불. ——-히 부

늠:료【廩料】[一뇨] 명〖역〗 지방 관원의 녹봉(祿俸). 관황(官況). 늠봉(廩俸). 늠식(廩食). 늠황(廩況).

늠:률【凜慄】[一뉼] 명 추워서 떪. ——-하다 자 여불

늠:름【懍懍】[一늠] 명 위태로워서 두려운 모양. ——-하다¹ 형 여불. ——-히¹ 부 「레【凜凜一】[一늠一] 부

늠:름-스럽다【凜凜一】[一늠一] 형 ㅂ불 늠름한 태도가 있다. 늠:름-스

늠:름-하다²【凜凜一】[一늠一] 형 여불 ①위풍(威風)이 있고 당당하다. ¶ ～한 체격. ②늠렬(凜烈)하다. 늠:름-히²【凜凜一】[一늠一] 부

늠:봉【廩俸】 명〖역〗 늠료(廩料). 봉름(俸廩).

늠:생【廩生】 명〖역〗 ①명조(明朝) 때, 관(官)으로부터 녹미(祿米)를 받던 생원. ②중국 청대(淸代)의 생원(生員)의 첫째 등급.

늠:속【廩粟】 명 ①창고에 있는 식량. 관의 창고에 있는 쌀. ②녹봉(祿俸)으로 지급하는 쌀. 녹미(祿米).

늠:식【廩食】 명〖역〗 늠료(廩料).

늠실-거리다¹ 자타 엉큼하게 속에 딴 마음이 있어 슬몃슬몃 자꾸 넘겨 살피다. ¶ 무에 어째요? 이렇게 늠실거리구 말하기요? 《李孝石 : 花粉》. *넘실거리다. 늠실-늠실¹ 부. ¶ 사내녀석들이란 어찌 그리도 ～하고 매송매송할까《李周洪 : 탈선 춘향전》. ——-하다 자타 여불

늠실-거리다² 자 ☞넘실거리다❷. ¶ 붉은 꽃입술로 너울너울 입을 대며 늠실거리는 범나비 같다《朴鍾和 : 錦衫의 피》. 늠실-늠실² 부. ¶ 물결들이 ～ 어깨와 목을 치고 지나가다. ——-하다 자타 여불

늠실-대다 자타 늠실거리다.

늠:연【凜然】 명 ①위엄이 있고 기개가 높음. 어엿하고 용감한 모양. 늠호(凜乎). ¶ 꼿꼿한 바른 붓이 ～하여 듣는 자 공경하는 마음을 일으키게 한다 적혀 있었다《朴鍾和 : 錦衫의 피》. ②늠렬(凜冽). ——-하다 형 여불. ——-히 부

늠:옹【廩翁】 명〖역〗 신라 늠전(廩典)의 한 벼슬 이름.

늠:외【懍畏】 명 두려워함. ——-하다 타 여불

늠:입【廩入】 명〖역〗 녹봉으로 받는 수입(收入).

늠:장【廩藏】 명〖역〗 관아에서 돈이나 곡식을 내 주는 일과 보관하는 일. ——-하다 타 여불

늠:전¹【廩田】 명〖역〗 조선 시대 때의 직전제(職田制)에서, 지방 관청의 경비 조달을 위한 공수전(公須田)·아록전(衙祿田)·역위전(驛位田)·마전(馬田) 등의 총칭. *공해전(公廨田).

늠:전²【廩典】 명〖역〗 신라 때 관리의 녹(祿)을 맡아보던 마을 이름. 한때 천록사(天祿司)라 함.

늠:준【懍遵】 명 공경하여 받들어 좇음. ——-하다 타 여불

늠:진【廩振】 명 관(官)에서 빈민(貧民)에게 쌀을 배급함. ——-하다 자 여불

늠:창【廩倉】 명 늠고(廩庫).

늠:철【凜綴】 명 위태로워서 두려움. ——-하다 형 여불. ——-히 부

늠:추【凜秋】 명 서늘한 가을.

늠:축【廩蓄】 명 창고에 쌀을 비축(備蓄)함. 또, 그 쌀. ——-하다 자 여불

늠출-하다 형 여불 ☞ 훤칠하다. ¶ 짜장 자라기는 했군. …어느 결에 그렇게 늠출해지면서…《李孝石 : 花粉》.

늠춧-하다 형 여불 ☞ 미끈하다. ¶ 검은 치마폭 밑으로 드러난 볼그레한 늠춧한 두 다리《李孝石 : 들》.

늠:호【凜乎】 명 늠연(凜然)❶. ——-하다 형 여불. ——-히 부

늠:황【廩況】 명〖역〗 늠료(廩料).

늡 명〈방〉 못³(강원·함남).

늡늡-하다 형 여불 속이 너그럽고 활달하다. 늡늡-히 부

늣 명〈방〉〖충〗 느치.

늣거사 부〈옛〉 늦어서야. ¶ 저죄 업서 名位ᄅᆞᆯ 늣거사 호니(不才名位晩)《初杜諺 Ⅲ:1》.

늣거아 부〈옛〉 늦어서야. 늦게 된 뒤에야. ¶ 저죄 업서 名位ᄅᆞᆯ 늣거아 호니(不才名位晩)《重杜諺 Ⅲ:1》.

늣다 형〈옛〉 늦다. ¶ ᄯᅩ 섈리도 아니ᄒᆞ며 늣도 아니ᄒᆞ야(却不急不緩)《蒙法 7》. *-거아.

늣희 명〈옛〉 느티나무. ¶ 刺楡家種方言云 늣희《雅言 卷一》.

능¹ 명 능준하게 남긴 여유.

능²【能】 명 ①재능. 기능. ¶ 앉아서 놀고 먹는 것만이 ～이 아니다. ②능력. ¶ 천주의 ～. ——-하다 형 여불 ①서투르지 아니하고 익숙하다. ②도량이 넓고 지혜가 많다.

능³【陵】 명 제왕·후비(后妃)의 무덤. 능상(陵上). 능침(陵寢). 선침(仙寢). 침원(寢園). 능묘(陵墓). 능원(陵園).

능⁴【稜】 명〖수〗 '모서리❷'의 구용어.

능⁵【綾】 명 얇은 비단의 한 가지. 얼음 같은 무늬가 있고 단(緞)과 비슷함.

능가【凌駕】 명 무엇에 비교하여 그보다 훨씬 뛰어남. ¶ 국제 수준을 ～하다. ——-하다 타 여불

능가-경【楞伽經】 명 [범 Lanhāvatāra-sūtra]〖책〗 대승 경전(大乘經典)의 하나. 부처가 능가산(楞伽山)에서 대혜 보살(大慧菩薩)을 위하여 말한 가르침을 모은 책. 삼계 유심(三界唯心), 진망(眞妄)의 인연(因緣), 법신 상주(法身常住) 등의 뜻이 설명되어 있으며, 달마(達磨)가 그것을 이어 받아, 혜가(慧可)에게 심인(心印)으로서 전하였다고 하여, 선가(禪家)에서 존중함. 한역(漢譯)으로 된 세 가지 책이 현존(現存)함.

능각【稜角】 명 ①뾰족한 모. ②〖수〗 '모서리각'의 구용어.

능간¹ 명〈방〉 벼랑(전북·경북).

능간²【能幹】 명 일을 잘 감당할 만한 재주와 능력. ——-하다 형 여불

능갈-맞다 형 얄밉도록 능갈치다.

능갈지다 형 ☞능갈치다.

능갈-치다 형 능청스러운 수단으로 잘 둘러대는 재주가 있다. ¶ 능갈치게 굴다/상전 비위를 맞추자면 이렇게 능갈쳐 가는 모양이다《李無影 : 農民》.

능개-비 명〈방〉 가랑비(함경).

능게 명〖악〗 군중(軍中)의 취고수(吹鼓手)들이 연주하는 행진(行進) 음악의 하나.

능견 난사¹【能見難思】 명 잘 살펴 보고도 보통의 이치로는 추측할 수 없는 일. ¶ 김참판 집에서는 사위가 죽었다 하고, 저 사람 말은 상처를 당하였다 하니, 참 ～로군! 《金宇鎭 : 榴花雨》.

능견 난사²【能見難思】 명 ①〖불교〗 쇠로 만든 그릇. 전라 남도 순천시(順天市) 송광사(松廣寺)에 있음. 중국 원(元)나라에서 보조 국사(普照國師)에게 내리었다는 전설이 있음. ②〖책〗 '금령전(金鈴傳)'의 딴이름.

능경【稜鏡】 명〖물〗 프리즘의 한자 말.

능고토-광【菱苦土鑛】 명〖광〗 고토석(苦土石).

능곡【陵谷】 명 언덕과 골짜기. 상하·고저(高低) 따위의 비유로 쓰임.

능곡지-변【陵谷之變】 명 언덕과 골짜기가 서로 뒤바뀌는 변화. 곧, 세상 일의 극심한 변천을 가리키는 말. 상창지변(桑滄之變).

능관¹【能官】 명 재능이 있는 관리. 능리(能吏).

능관²【能觀】 명〖불교〗 대상을 포착하여 관찰하는 주관(主觀)을 이름.

능관³【陵官】 명〖역〗 능을 지키는 관원의 총칭. 능령(陵令)·별검(別檢)·직장(直長)·봉사(奉事)·참봉(參奉) 등.

능교【凌喬】 명 높은 곳.

능구【陵丘】 명 구릉(丘陵).

능-구렁이 명 ①〖동〗 [*Dinodon rufozonatum*] 뱀과(科)에 속하는 동물.

우산뱀과 비슷한데 몸길이는 120cm 가량이고, 머리는 넓고 주둥이 끝은 둥글며, 꼬리는 가늘고 끝이 뾰족함. 몸빛은 등은 담암적갈색(淡暗赤褐色)이고, 머리의 양편 가와 중간에는 몇 줄의 검은 아롱 무늬가 있고, 목에서 꼬리 끝까지 69-100개의 흑색의 가로 띠가 있으며, 복면(腹面)은 황갈색에 흑갈색의 반점이 흩어져 있음. 인가 근처·논두렁 등에 흔히 나타나며, 동작이 느리고 무독(無毒)함. 한국·중국·대만 등에 분포함. ②음흉한 사람을 비유하는 말. ¶ ~가 되어서 실속은 다 차린다.

〈능구렁이〉

[능구렁이가 되었다] 세상 일에 익숙해져서 모르는 체하면서도 속으로는 알고 있음을 비유하는 말.

능-구리 명 〈방〉〖동〗능구렁이.

능군【陵軍】명〖역〗↗수릉군(守陵軍).

능군-보【陵軍保】명〖역〗능군에게 주는 급료(給料).

능그다 타 겉보리를 세 번째 찧어 보리쌀이 되게 하다.

능글-능글 [—릉—] 부 하는 짓이 능청스럽고 능갈친 모양. ——-하다 형여불

능글-맞다 형 미울 정도로 두드러지게 능글능글하다.

능글-차다 형 매우 능글맞다. ¶ 넌이 능글차서 나쯤은 좋도록 대답해 주려니 하고 마주 탁 믿고 묻는 게렸다《金裕貞 : 아내》.

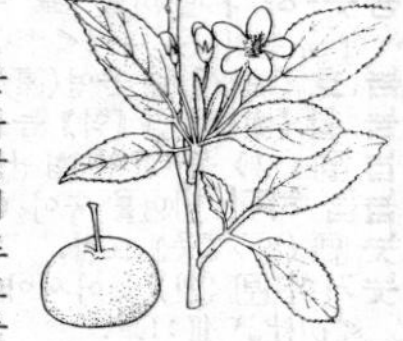
〈능금나무〉

능금¹ 명 ①능금나무의 열매. ②〈방〉사과.

능금² 【綾衾】명 무늬 있는 비단 이불.

능금-나무 명〖식〗[*Malus asiatica*] 능금나뭇과에 속하는 낙엽 활엽의 작은 교목. 잎은 타원형 또는 긴 타원형임. 4-5월에 흰 꽃이 방상(房狀) 화서로 피고 과실은 거의 구형(球形)의 이과(梨果)로, 7-8월에 홍색 또는 갈황색으로 익으며 '능금'이라고 하는데, 사과보다 작고 맛이 덜함. 인가(人家) 부근에 심으며, 한국 특산으로 경북·경기·황해도에 야생함.

능금나뭇-과【—科】명〖식〗[Malaceae] 쌍자엽(雙子葉) 식물 이판화구(離瓣花區)에 속하는 한 과. 전세계에 300여 종, 한국에는 능금나무·배나무·사과나무·모과나무·아그배나무·산사나무 등 50여 종이 분포함.

능금-밭 명 능금나무를 재배하는 밭.

능금 화채【—花菜】명 능금으로 만든 화채.

능긍【凌兢】명 두려워서 몸을 벌벌 떪. 전율(戰慄). ——-하다 자여불

능기¹【能記】명〖언〗시니피앙(signifiant)의 역어(譯語).

능기²【綾綺】명 무늬가 있는 비단. 또, 그것으로 만든 옷.

능꾼【能—】명 ↗능수꾼.

능-놀다 자 ①쉬어 가며 천천히 일을 하다. ②일을 미루어 나가다. ¶ 능놀며 하다 보니 시기를 놓쳤다.

능다리 명 〈방〉응달.

능다리에 승앗대 구 응달에 자란 승아의 줄기처럼 힘없이 멀쑥하게 키만 큰 사람을 이르는 말.

능단【綾緞】명 능라(綾羅).

능답¹【陵畓】명 능에 속하는 논.

능답²【陵踏】명 깔보고 업신여김. 능멸(凌蔑). ——-하다 타여불

능당【能當】명 능히 감당함. ——-하다 타여불

능동【能動】명 ①밖으로부터의 작용에 의하지 아니하고 스스로 내켜서 함. ②〖심〗의식(意識) 상태가 그 내적(內的) 성질에 바탕을 두고 어떤 다른 상태로 발전하려고 하는 작용. ③〖언〗다른 곳에 동작을 미치게 하는 동사(動詞)의 성질. ④〖언〗↗능동사. 1)-4):↔피동(被動)·수동(受動).

능동 대:리【能動代理】명〖법〗대리인(代理人)이 본인을 대리하여 적극적으로 의사 표시를 하는 경우의 대리. 적극 대리. ↔수동 대리(受動代理).

능동 면:역【能動免疫】명〖의〗능동성 면역. 자동 면역. ↔수동 면역(受動免疫).

능동-사【能動詞】명〖언〗주어(主語)가 되는 주체(主體)가 목적을 향하여 행하는 동작을 나타내는 동사. 먹다·입다·때리다 따위. 제힘움직씨. ㊂능동(能動). ↔피동사(被動詞).

능동-성【能動性】[—썽] 명 능동적인 성질. ¶ ~을 결하다. ↔수동성.

능동성 면:역【能動性免疫】[—썽—] 명〖의〗어떤 병에 감염하거나, 인공적으로 병원체(病原體)를 접종함으로써 얻어지는 면역. 능동 면역. 자력 면역. ↔피동성 면역.

능동 소:자【能動素子】명〖전〗전기 회로(回路)에 있어서 전원(電源)이나 증폭기(增幅器)와 같은 전력의 공급원(供給源)을 포함하는 회로 소자. 전지·진공관·트랜지스터 따위. ↔수동 소자(受動素子).

능동 수송【能動輸送】명〖생〗원형막질(原形膜質)을 통해서 행하여지는 물질 수송 중, 그 물질의 농도 구배(濃度勾配)에 거슬러서 행하여지는 경우를 이름. 확산(擴散)에 의한 투과성(透過性)에 대하여 특이성 있는 선택적 수송이 특징임. 신경 세포·근육 세포에서 볼 수 있는 나트륨 이온과 칼륨 이온의 수송은 유명한 예(例)임.

능동 위성【能動衛星】명 우주 중계 방송에 쓰이는 인공 위성의 하나. 내부에 장치된 기기(機器)에 의해 전파(電波)의 수신·중계·송신을 함.

능동-자【能動者】명 ①자기편에서 상대편에게 적극적으로 작용하는 이. ②〖철〗아리스토텔레스(Aristoteles)의 형이상학(形而上學)에서, 사물의 변화나 정지(靜止)를 일으키는 원인이 되는 것을 이름. 종자(種子)의사(醫師)·권고자(勸告者) 따위.

능동-적【能動的】명관 남의 작용을 받지 않고 자기편에서 상대편에게 작용하는 모양. ¶ ~으로 일을 처리하다. ↔수동적(受動的).

능동적 근거【能動的根據】명 계기(契機)❶.

능동-태【能動態】명 〔active voice〕〖언〗문장의 주어가, 어떤 동작을 하는 관계를 나타내는 동사의 형태. ↔수동태(受動態).

능-두다 타 충분하게 여유를 두다. ¶ 능을 두어 밥을 짓다.

능디 명 〈방〉응달(평안).

능라【綾羅】[—나] 명 두꺼운 비단과 얇은 비단. 능단(綾緞). 나릉(羅綾). ¶ ~ 주단(綢緞).

능라 금:수【綾羅錦繡】[—나—] 명 명주실로 짠 피륙의 총칭.

능라-도【綾羅島】[—나—] 명〖지〗평양 대동강 가운데 있는 경치 좋은 섬.

[능라도 수박 같다] 맛없는 음식을 이르는 말.

능라-장【綾羅匠】[—나—] 명 비단을 짜는 직공.

능라 주의【綾羅紬衣】[—나— / —나—이] 명 비단옷과 명주옷.

능란【凌亂】[—난] 명 순서가 어지러움. 뒤죽박죽임. ——-하다 형여불

능란-하다【能爛—】[—난—] 형여불 익숙하고 매우 솜씨가 있다. ¶ 능란한 솜씨. 능란-히【能爛—】[—난—] 부

능랑【陵郎】[—낭] 명〖한의〗고삼(苦蔘)❷.

능려【凌厲】[—녀] 명 ①뛰어나게 훌륭한 모양. ②세차서 상대하기 어려운 모양. ③씩씩하게 분기하는 모양. ——-하다 형여불

능력¹【能力】[—녁] 명 ①일을 감당해 내는 힘. 능(能). ¶ ~이 있는 사원. ②〖법〗법률상 어떤 일에 대해 필요하다고 인정되는 사람의 자격. 권리 능력·행위 능력·책임 능력·범죄 능력 등. 민법상으로는 개인의 행위 능력을 말함. ③〖심〗지성·감정·기억에 있어서의 정신 현상의 여러 가지 형태나 어떤 기능(機能)에 대한 가능성.

능력²【凌轢】[—녁] 명 서로 다툼. ——-하다 자여불

능력 규범【能力規範】[—녁—] 명〖법〗법률 효과의 발생을 인정 또는 부정(否定)하는 규범. 어떤 일을 법률 관계의 성립 요건(要件)으로 하는 규범. ↔명령(命令) 규범.

능력-급【能力給】[—녁—] 명 노동자의 연령·학력·경험 등을 기준으로 하여 지급하는 급여(給與). ＊능률급(能率給).

능력별 지도【能力別指導】[—녁—] 명〖교〗생활 연령을 기준으로, 획일적인 학급 편성을 하여 지도하는 데 대하여, 아동의 능력차에 따라서 개별화(個別化)의 방향으로 지도하는 일.

능력별 학급 편성【能力別學級編成】[—녁—] 명〖교〗한 학년에 두 학급 이상의 학생이 있는 경우, 학생들의 학습 능력에 따라 몇 단계의 학급으로 나누어 지도하는 학급 편성의 방법. 고정식과 이동식으로 크게 나뉨.

능력 상실자【能力喪失者】[—녁—짜] 명〖법〗행위 능력자(行爲能力者)로서 금치산(禁治產)이나 한정(限定) 치산의 선고(宣告)를 받아 행위 능력을 상실한 사람.

능력-설【能力說】[—녁—] 명 ①〖심〗능력 심리학. ②〖경〗조세 원칙(租稅原則)의 한 가지로, 과세의 기준을 각 납세자의 부담 능력에 두어야 한다는 설. ↔이익설(利益說).

능력 심리학【能力心理學】[—녁—니—] 명〖심〗고전적 심리학의 한 입장. 정신 현상을 지적 능력·감정 능력·의지적(意志的) 능력 등의 몇 개의 능력으로 분석·기술(記述)하는 심리학. 18세기에 볼프(Wolff, C.)를 시조(始祖)로 하는데, 심리적 현상을 능력으로 환원(還元)할 뿐으로 과학적 설명이 되지 아니한다 하여 비판되었음. 능력설.

능력-자【能力者】[—녁—] 명 ①어떤 일을 능히 감당해 낼 수 있는 사람. ②〖법〗법률상의 능력을 가진 자. 곧, 금치산자(禁治產者)·한정 치산자(限定治產者)·미성년자 이외의 사람.

능력적 규정【能力的規定】[—녁—] 명〖법〗법률상의 능력의 형성(形成)에 관한 요건을 정하는 것을 내용으로 하는 규정. 여기에 위반한 행위는 무효가 됨. ↔명령적(命令的) 규정.

능력-주의【能力主義】[—녁— / —녁—이] 명 〔meritocracy〕〖사〗학력·학벌·연고(緣故) 관계 등에 관계 없이 본인의 실력에 따라 부서·역할을 정하는 적재 적소(適材適所)주의. 또, 그런 생각으로 능력을 개발하고 인재(人材)를 양성하는 일. 실력주의.

능력-표【能力表】[—녁—] 명〖교〗학생의 각 과목(科目)에 있어서의 능력의 발달 기준을 각 학년별로 정하여 만든 표.

능력-형【能力刑】[—녁—] 명〖법〗사람의 능력을 박탈하거나 제한하는 것을 목적으로 하는 형벌. 공민권 박탈·자격 정지(資格停止) 따위.

능령【陵令】[—녕] 명〖역〗능을 지키는 벼슬의 하나. ＊능관(陵官).

능률【能率】[—뉼] 명 ①일정한 시간에 해 낼 수 있는 일의 비율. ¶ ~적으로 하다/~이 오르지 않다. ②〖경〗어떤 일을 함에 있어서 거기에 소비한 힘과 시간에 대한 효과의 비율. 표준 작업에 대한 실제 작업량의 비율. ③〖물〗모멘트(moment)❸.

능률-급【能率給】[—뉼—] 명 노동의 능률에 따라서 지급되는 임금 형태(賃金形態). ↔생활급(生活給). ＊능력급(能力給).

능률급-제【能率給制】[—뉼—] 명〖사〗메리트 시스템(merit system).

능률-적【能率的】[—뉼쩍] 명관 능률을 많이 내거나 능률이 많이 나는 모양. 헛된 것이 적고 효율이 좋은 모양.

능률제 임금【能率制賃金】[—뉼쩨—] 명 능률급(給).

능릉【稜稜】[—능] 명 ①대단히 추운 모양. ②성품이 모가 지고 날카로운 모양. ——-하다 형여불

능리¹【能吏】[—니] 명 일에 능한 관리. 유능한 관리. 능관(能官).

능리²【鯪鯉】[—니] 명〖동〗천산갑(穿山甲).

능립【能立】[—닙] 명〖불교〗정당한 이유 정인(正因)과 적당한 비유 정유(正喩)를 갖추어 진리, 곧 종(宗)을 성립하는 일. ——-하다 타여불

능마【凌摩】명 능핍(凌逼).

능마아 겸낭청【能麼兒兼郎廳】명〖역〗조선 시대의 관직. 능마아청의 낭관(郎官)으로, 속료(屬僚)를 겸임한 사람을 말함.

능마아 낭청【能麼兒郞廳】명〖역〗능마아청의 한 벼슬.
능마아-청【能麼兒廳】명〖역〗조선 시대 때 무관의 병학(兵學)을 강의하고 시험보던 관아. 인조(仁祖) 때 병조 판서 이귀(李貴)의 건의로 창설, 고종(高宗) 19년(1882)까지 있었음.
능망간-광【菱一鑛】〔mangan〕명〖화〗탄산(炭酸) 망간을 주성분으로 하는 광물. 담홍(淡紅) 또는 갈색이며, 반투명에 유리 광택이 있고, 삼방 정계(三方晶系)의 능면체(菱面體) 결정임. 보통, 괴상(塊狀)으로 퇴적암이나 열수성(熱水性) 광맥 속에서 남. 경도(硬度) 3.5-4, 비중(比重) 3.7. [$MnCO_3$]
능면-체【菱面體】명〖수〗3회 대칭축(對稱軸)과 대칭 중심(對稱中心)을 가진 꼴. 상대되는 평행면이 세 짝으로 되어, 각 면은 어느 것이나 평행 사변형(平行四邊形)임.
능면체 정계【菱面體晶系】명〖광〗삼방 정계(三方晶系).
능멸【凌蔑·陵蔑】명 업신여기어 깔봄. 능답(陵踏). ——-하다 타여불
능명【能名】명 재능이 있다는 평판.
능모【凌侮·陵侮】명 깔보고 업신여김. ——-하다 타여불
능묘【陵墓】명 ①능과 묘. ②능(陵).
능문[1]【能文】명 글에 능숙함. 또, 그 글. ——-하다 형여불
능문[2]【菱文】명 마름모꼴의 무늬. 고구려 때의 와당(瓦當)에 많이 나타남.
능문[3]【綾文】명 올새가 비스듬하며 두껍고 광택이 있는 흰 비단.
능문 능필【能文能筆】명 글과 글씨에 능란함. ——-하다 형여불
능범【凌犯·陵犯】명 침범함. ——-하다 타여불
능변【能辯】명 ①말솜씨가 능란함. 또, 그 말. 능언(能言). 달변(達辯). 대변(大辯). 호변(豪辯). ↔눌변(訥辯). ②↗능변가(能辯家). ——-하다 형여불
능변-가【能辯家】명 말 솜씨가 능란한 사람. 달변가(達辯家). 호변객(豪辯客). ㊣능변(能辯).
능복【陵復】명〖역〗능의 비용에 충당하던 복호결(復戶結).
능-불능【能不能】[—룽] 명 할 수 있는 것과 할 수 없는 것. 또, 재능이 있는 자와 없는 자.
능-붙이【綾—】[—부치] 명 비단붙이. 능속(綾屬).
능비【陵碑】명 능 앞에 세우는 비석.
능-비석【菱沸石】명〖광〗비석 곧 제올라이트(zeolite)의 하나. 무색의 삼방 정계(三方晶系) 결정으로 유리 광택이 남. 캐버자이트(chabazite). [$Ca(Al_2Si_4O_{12})\cdot 6H_2O$] *제올라이트.
능사[1]【能士】명 재능이 풍부한 사람. 쓸모 있는 사람.
능사[2]【能事】명 자기에게 가장 알맞아 능히 감당해 낼 수 있는 일. 능한 일. 잘하는 일. ¶ 거짓말을 ～로 삼다.
능사[3]【綾紗】명 명주실로 짠 얇고 상깃한 비단.
능산-도【陵山島】명〖지〗전라 남도의 서해상(西海上), 신안군(新安郡) 하의면(荷衣面) 능산리(陵山里)에 위치(位置)하는 섬. [$3.61km^2$: 472명(1971)]
능산적 자연【能産的自然】명〖철〗만물의 생산의 근원력이 되는 자연, 곧 범신론적(汎神論的) 의미의 신(神). 브루노(Bruno)·스피노자(Spinoza) 등의 말. ↔소산적 자연(所産的自然).
능상[1]【菱狀】명 마름모의 형상. 마름모꼴.
능상[2]【陵上】명 능(陵).
능서【能書】명 글씨를 능하게 씀. 또, 그 글씨. 능필(能筆). ——-하다 자여불
능선[1]【綾扇】명 무늬 있는 비단으로 바른 부채.
능선[2]【稜線】명 산등을 따라 죽 이어진 봉우리의 선(線). ¶ 피의 ～.
능설【能說】명 능하게 설명함. ——-하다 자여불
능성어 명〖어〗[*Epinephelus septemfasciatus*] 농어과에 속하는 바닷물고기. 몸길이 약 40cm로 몸빛은 자색을 띤 담회갈색이며, 체측에 일곱 줄의 폭이 넓은 흑갈색 가로띠가 있고, 배지느러미와 뒷지느러미는 흑색임. 꼬리지느러미 뒤 끝은 원형임. 산란기는 5월이며 맛이 좋음. 한국 남부 및 일본 중부 이남에 분포함.

〈능성어〉

능소[1] 명〈옛〉현삼(玄蔘). ¶ 玄蔘鄕名能消草《鄕藥》.
능소[2]【陵所】명 능이 있는 곳.
능소 능대【能小能大】명 모든 일에 두루 능함. ¶ ～한 사람. ——-하다 형여불
능소니 명 곰의 새끼.
능소-지【凌霄志】명 웅비(雄飛)하려는 뜻. 높은 뜻.
능소플 명〈옛〉현삼(玄蔘). ¶ 玄蔘鄕名能消草《月令 三月, 鄕藥》/陵霄草《村方》.
능소-화【凌霄花】명〖식〗①능소화나무. 자위(紫葳). ②능소화나무의 꽃.
능소화-과【凌霄花科】[—꽈] 명〖식〗[Bignoniaceae] 쌍자엽 식물(雙子葉植物)에 속하는 한 과. 교목·관목 혹은 드물게 다년초·일년초로서 열대(熱帶) 및 온대(溫帶) 지방에 100속(屬) 500여 종, 한국에는 능소화나무·개오동나무 등이 분포함.
능소화-나무【凌霄花—】명〖식〗[*Campsis chinensis*] 능소화과에 속하는 낙엽 활엽 만목(蔓木). 잎은 우상 복생(羽狀複生)하는데 소엽(小葉)은 달걀꼴임. 8-9월에 넓은 깔때기 모양의 황적색 꽃이 정생(頂生)하고, 과실은 길고 혁질(革質)임. 흔히 사원(寺院) 부근에 관상용으로 심는데, 중국 원산(原產)으로, 경남·충남 및 일본에 분포함. 금등화(金藤花). 능소화(凌霄花). 자위(紫葳).

〈능소화나무〉

능소-회【能所會】명 비역. 절에서 변으로 쓰는 말.
능속[1]【陵屬】명 능(陵)에 속한 하례(下隷).
능속[2]【綾屬】명 비단에 속하는 것. 능붙이.
능수【能手】명 일에 능란한 솜씨. 또, 그 사람. ¶ 춤의 ～.
능수-꾼【能手—】명 일에 솜씨가 능란한 사람. ¶ 춤의 ～. ㊣능꾼.
능수-버들 명〖식〗[*Salix pseudo-lasiogyne*] 버드나뭇과에 속하는 낙엽 활엽 교목. 가지는 길게 늘어지고 잎은 피침형 또는 좁은 피침형임. 꽃은 자웅 이가(雌雄二家)이고 수술이 두 개이며 4월에 피고, 과실은 삭과(蒴果)로 여름에 익음. 가지의 줄기가 몹시 길게 늘어짐. 개울 가나 들에 나는데, 한국 특산으로 중국·만주에도 분포함. 풍치목(風致木)·가로수·나막신·기구재로 씀. 수사류(垂絲柳). 정류(檉柳). 관음류(觀音柳). 삼춘류(三春柳). *수양버들.
능수-벚나무 명〖식〗[*Prunus leveilleana* var. *pendula*] 앵도과에 속하는 낙엽 활엽 교목. 잎은 장원형(長圓形)에 끝은 뾰족하고 날카로운 톱니가 있음. 꽃은 산방 화서(繖房花序)로서 담홍색(淡紅色)임. 4월에 꽃이 피고 과실은 핵과(核果)로 구형이며 6월에 검붉게 익음. 개벚나무에 비해 가지는 밑으로 늘어짐. 마을 부근이나 산기슭에 나는데 서울 우이동(牛耳洞)에 야생함. 관상용·도구재로 사용하며 과실은 식용 및 세공업용으로 씀.
능숙-하다【能熟—】형여불 능하고 익숙하다. 능숙-히【能熟—】부
능술【能術】명 재능과 기술.
능시【凌澌】명 '얼음'의 한자말.
능식【能式】명〖사람〗고려 시대 때의 장군(將軍). 태조 10년(927) 지금의 진주(晋州)인 강주(康州)에서, 후백제의 견훤(甄萱)이 신라를 침범하자, 수군(水軍) 장군 영창(英昌)과 함께 수군(水軍)을 거느리고 먼저 가서 강주를 공격하여 많은 사람을 포로로 하고 물자를 빼앗아 돌아왔음.
능신【能臣】명 유능한 신하. 정사(政事)에 능숙한 신하.
능실[1]【凌室】명 얼음을 저장하는 곳. 빙고(氷庫). 빙실(氷室). 능음(凌陰).
능실[2]【菱實】명 '마름'의 열매.
능실 다식【菱實茶食】명 마름의 열매 가루로 만든 다식. 마름 다식.
능실-죽【菱實粥】명 마름죽.
능-아연광【菱亞鉛鑛】명〖광〗아연 원광(原鑛)의 하나. 성분은 탄산 아연(炭酸亞鉛)으로, 삼방 정계 능면체(三方晶系菱面體)의 결정(結晶)임. 신장상(腎臟狀)·포도상(葡萄狀)·종유석상(鍾乳石狀)을 이루고 있으며, 질(質)은 다소 경질(硬質)이고, 색은 백색·회색 등으로, 유리 광택을 나타냄.
능언【能言】명 능변(能辯). ——-하다 형여불
능언 앵무【能言鸚鵡】명 말은 잘하나 실제 학문은 없는 사람.
능엄-경【楞嚴經】명〖불교〗불경(佛經)의 하나. 선종(禪宗)의 주요 경전. 인연(因緣)과 만유(萬有)를 설명한 것임. 10권.
능엄경 언:해【楞嚴經諺解】명〖책〗조선 시대 세조가 《능엄경》을 친히 우리말로 번역한 책. 윤사로(尹師路)·이극감(李克堪)·강희맹(姜希孟) 등에 의하여 세조 8년(1462)에 간행됨. 10권 10책.
능엄-주【楞嚴呪】명〖불교〗능엄경(楞嚴經) 제 7 권에 수록되어 있는 다라니(陀羅尼)의 하나. 대불정 다라니(大佛頂陀羅尼).
능엄-찬【楞嚴讚】명〖문〗작자·제작 연대 미상의 가사의 하나. 석가 여래에게 축원하는 노래. 4구 2행씩으로 계속된 한문. 《악장 가사(樂章歌詞)》에 전함.
능엄-회【楞嚴會】명〖불교〗선가(禪家)에서 능엄주(楞嚴呪)를 외우면서 여는 법회(法會).
능에 명〖조〗너새.
능엣-과【—科】명〖조〗너샛과.
능역[1]【陵役】명 능에 관한 역사(役事).
능역[2]【陵域】명 능이 자리잡은 구역 안.
능연【能緣】명〖불교〗생각하는 마음. ↔소연(所緣).
능연-각【凌煙閣】명〖역〗중국 당(唐)나라 태종(太宗)이 24 명의 공신(功臣)들의 초상(肖像)을 그려 걸게 하였던 누각(樓閣).
능연각 공신【凌煙閣功臣】명〖역〗중국 당 태종이 정관(貞觀) 17년(643) 능연각에 초상을 그려 걸게 한 24명의 공신. 즉, 장손 무기(長孫無忌)·하 한왕 효공(河閒王孝恭)·두여회(杜如晦)·방현령(房玄齡)·위징(魏徵)·이정(李靖)·이적(李勣)·고사렴(高士廉)·울지 경덕(尉遲敬德)·소우(蕭瑀)·단지현(段志玄)·유홍기(劉弘基)·굴돌 통(屈突通)·은 개산(殷開山)·시소(許紹)·장손 순덕(長孫順德)·장양(張亮)·후군집(侯君集)·장공근(張公謹)·정지절(程知節)·우세남(虞世南)·유정회(劉政會)·당검(唐儉)·진숙보(秦叔寶).
능연 화:상【凌煙畫像】명 원훈(元勳) 공신의 초상.
능왕【陵王】명〖역〗난릉왕(蘭陵王).
능욕【凌辱·陵辱】명 ①업신여기어 욕보임. ②여자를 강간하여 욕보임. ¶ ～을 당하다. ——-하다 타여불
능욕-죄【凌辱罪】명 여자를 능욕한 죄.
능우【凌雨·陵雨】명 억수같이 오는 비. 맹우(猛雨). 폭우.
능운【凌雲·陵雲】명 ①구름을 뚫고 하늘로 올라감. 뭇 사람보다 높이 뛰어남. ②속세를 떠나 초탈(超脫)함.
능운-관【凌雲觀】명 능운대.
능운-대【凌雲臺】명〖지〗중국 위(魏)나라 문제(文帝)가 뤄양(洛陽)에 지은 누대(樓臺)의 이름. 명제(明帝) 때, 파괴되었으나 재건되었음. 그 때, 서가(書家)에게 누상(樓上)의 액(額)에 글씨를 쓰게 하였던 바, 그 높이에 겁을 내어, 내려 왔을 때는 서가의 머리털이 하얗게 세어 있었다고 함. 능운관(凌雲觀).
능운지-지[1]【凌雲之志】명 높이 세상 밖에 초탈(超脫)하려는 뜻. 속세를 떠나려는 마음. 능운지지(陵雲之志).
능운지-지[2]【陵雲之志】명 ①능운지지(凌雲之志). ②높은 지위에 올라가고자 하는 뜻. 청운지지(靑雲之志).
능원[1]【凌源】명〖지〗링위안.
능원[2]【陵園】명 ①왕과 왕비의 능(陵)과 왕세자 등의 원(園). ②능(陵).
능원 묘:소【陵園墓所】명 능(陵)이나 원(園)이나 묘(墓) 등이 있는 자리.

능원 천:봉 도감 의궤【陵園遷奉都監儀軌】명〖책〗조선 시대의 선조(宣祖)·인조(仁祖)를 비롯한 열 능원(陵園)의 천장(遷葬)에 관한 의식(儀式)과 절차를 기록한 책. 68책.

능위【稜威】명 존엄(尊嚴)한 위세(威勢). 위광(威光). 위릉(威稜).

능-위전【陵位田】명 능에 속한 논밭.

능음【凌陰】명 얼음을 쌓아 두는 곳. 빙실(氷室). 능실(凌室).

능의-선【陵議線】[—/—이—] 명〖지〗경의선의 능곡(陵谷)과 경원선의 의정부(議政府)를 연결하던 철도선. 1961년 7월에 개통. '서울 교외선'의 일부임. [31.8 km]

능이[1]【能栮】명〖식〗먹는 버섯의 하나. 삿갓은 크고 넓죽하며, 겉은 시꺼멓고 안은 분홍빛이 나며 잘게 갈라졌음. 박달나무 등에 남. 데치거나 물에 우리거나 해서 무치어 먹는데, 맛이 약간 쓴 듯하나 향취(香趣)와 풍미(風味)가 있음. 쇠고기를 먹고 체한 데 약으로 달이어 먹기도 함. 능이버섯. 능혈. 「——하다 자여불

능이[2]【陵夷】명 처음에는 성(盛)하다가 나중에는 쇠퇴함. 능지(陵遲).

능이-버섯【能栮—】명〖식〗능이(能栮). 「석가(釋迦)❶.

능인【能仁·能忍】명〖불교〗[범 Śakya; 능히 인(仁)을 행하는 자의 뜻]

능인 적묵【能仁寂默】명 [범 Śakyamuni]〖불교〗석가 모니.

능잇-국【能栮—】명 능이를 넣고 끓인 국.

능자【能者】명 재능이 있는 사람.

능장【稜杖】명〖역〗①대궐 문의 출입을 금하기 위하여 어긋맞게 세운 둥근 나무. 길이 240 cm 내외, 중간 허리의 직경은 26 cm, 양끝의 그것은 20 cm 가량 됨. ②밤에 순경(巡警)을 돌 때에 쓰는 기구. 길이 150 cm 되는 나무 끝에 물미를 끼우고 위에는 쇠두겁을 씌웠는데 둘 혹은 셋의 비녀장을 가로질러 각 비녀장 양편엔 둥근 쇳조각을 서넛씩 끼우고 양끝에 고리 두서넛을 잇달아 매닮.

〈능장❷〉

능재【能才】명 뛰어난 재능. 또, 그것을 가진 사람.

능쟁이 명 ①〖동〗게의 한 가지. 서리가 온 뒤에 나타남. ②〈방〉〖식〗명

능전【能戰】명 잘 싸움. ——하다 자여불 ⌊아주.

능정【能政】명 훌륭한 정치.

능정-령【凌頂嶺】[—녕] 명〖지〗강원도 정선군(旌善郡)과 강릉시(江陵市) 사이에 있는 재. 대관령(大關嶺) 위에 있음. [1,123 m]

능-제【菱堤】명〖지〗전라 북도 김제군(金堤郡) 만경면(萬頃面)에 있는

능좌【凌挫】명 능가(凌駕)하여 꺾음. ——하다 타여불 ⌊못.

능-주다 타〈방〉능두다.

능준-하다 형여불 표준에 차고도 남아서 넉넉하다. 능준-히 부. ¶서툰 수적 두어 놈쯤이야 혼자서도 ～ 결판 낼 용력을 가진 인사로 보아야 할 터였다《金周榮 : 客主》. 「다 형여불

능증【崚嶒】명 산이 울퉁불퉁하고 가파름. 산세(山勢)가 험함. ——하

능지【陵遲】명 ①↗능지 처참. ②능이(陵夷). ——하다 자타여불

능-지기【陵—】명 능을 지키는 사람. *능참봉.

능지 처:사【陵遲處死】명〖역〗중국의 옛 사형법. 처음에 지체(肢體)를 절단하고 다음에 목을 찌르는 형벌. *능지처참(處斬).

능지 처:참【陵遲處斬】명〖역〗대역죄(大逆罪)를 범한 자에게 과하던 극형. 일단 죽인 뒤에 다시 머리·팔·다리, 그리고 몸통의 순서로 토막쳐서 각지(各地)에 돌려 보이는 형벌. 준능지(陵遲). ——하다 타여불

능직【綾織】명 직물의 삼원 조직의 하나. 날줄과 씨줄이 서로 몇 올씩 건너뛰어 만남으로써 무늬가 비스듬한 방향으로 나타나게 짜는 방식. 또, 그 직물. 정사문(正斜紋)과 그 밖의 종류가 있음. ¶～ 비단. *평직(平織)·수자직.

〈능직〉

능-참봉【陵參奉】명〖역〗능을 맡아 일보던 종구품 벼슬.

【능참봉을 하니까 거둥이 한 달에 스물 아홉 번이라】모처럼 직업을 하나 잡으니까, 생기는 것은 별로 없고 바쁘기만 하다는 말.

능창 대:군【綾昌大君】명〖사람〗조선 선조의 손자. 휘는 전(佺). 광해군의 시기를 받던 중, 신경희(申景禧)의 추대로 왕이 되고자 한다는 혐

능철【菱鐵·蔆鐵】명 마름쇠. ⌊의로 사형당하였음. [?-1615]

능철-광【菱鐵鑛】명〖광〗철(鐵)의 원광(原鑛)의 하나. 삼방 정계(三方晶系)의 능면체(菱面體) 결정. 입상(粒狀) 혹은 괴상(塊狀)으로 보통 광맥(鑛脈)을 이루어 나타남. 원래는 흑갈색이나, 공기 속에 오래 두면 까맣게 변함.

능첩【稜疊】명 낭떠러지 따위가 뾰족뾰족 나오고 중첩(重疊)된 모양.

능청 명 아주 능갈치게 남을 속이는 태도. ¶저런 ～ 좀 보게.

능청(을) 떨:다 구 능청맞게 속이거나 아무 일 없었다는 듯이 딴청을 부리다. ¶음흉하게 ～.

능청(을) 부리다 구 능청맞은 짓을 하다.

능청(을) 피우다 구 행동에 능청스러움을 나타내다.

능청-거리다 자 줄이나 가는 막대기 따위가 휘길 힘이 있게 흔들리다. >낭창거리다. 능청-능청 부. ——하다 자여불

능청-꾸러기 명 능청을 잘 떠는 사람.

능청-대다 자 능청거리다.

능청-맞다 형 얄밉게 능청스럽다. ¶능청맞게 굴다.

능청-스럽다 형ㅂ불 능갈치게 남을 감쪽같이 속여 놓고도 태연하다. 능

능청-이 명 능청맞은 사람. ¶고약한 ～. ⌊청-스레 부

능치【能治】명 ①〖불교〗불선(不善)을 고치고 바로잡는 주체. 대개는 번뇌에 빠진 중생을 득도(得度)하게 하는 자. ②사물을 올바르게 처리함.

능-치륭【凌稚隆】명〖사람〗16세기 중엽에서 17세기초의 명(明)나라 학자. 저장(浙江) 사람. 자는 이동(以棟), 호는 뇌천(磊泉). 저서 《사기평림(史記評林)》·《한서 평림(漢書評林)》 등.

능침【陵寢】명 능(陵). 침원(寢園). 「급(頒給)한 논밭.

능침-전【陵寢田】명〖역〗각 능이나 종묘(宗廟) 등에 급전(給田)으로 반

능통【能通】명 사물에 환히 통달함. ¶한문에 ～한 사람. ——하다 형 ⌊여불

능파[1]【凌波】명 미인의 가볍고 아름다운 걸음걸이의 형용.

능파[2]【凌波】명 파도를 헤침. 파도 위를 건넘. ——하다 자여불

능품 천사【能品天使】명〖천주교〗구품 천사(九品天使) 중, 중급에 속하는 천사. 만물의 유전과 기적(奇蹟)을 주관함.

능필【能筆】명 능숙한 글씨. 또, 글씨 잘 쓰는 사람. 능서(能書).

능핍【凌逼】명 침범하여 핍박함. 능마(凌摩).

능-하【菱荷】명〖식〗마름꽃과 연꽃.

능-하다【能—】형여불 ①서투르지 아니하고 익숙하다. ¶붓글씨에 ～. ②도량이 넓고 지혜가 많다. 능-히【能—】부. ¶～ 해낼 수 있다.

능학【凌虐·陵虐】명 부끄럼을 주고 학대함. 침학(侵虐). ——하다 타

능-해자【陵垓字】명 능원(陵園)의 해자. ⌊여불

능행【陵幸】명 임금이 능에 거둥함. ——하다 자여불

능혈 명〖식〗[←能舌] 능이(能栮).

능형【菱形】명〖수〗'마름모'의 구용어.

능형-기【菱形器】명〖고고학〗마름모 석기.

능형-문【菱形文】명〖고고학〗마름모 무늬.

능호[1]【陵戶】명 능지기의 집.

능호[2]【陵號】명 능의 이름. 「보살. ↔소화(所化).

능화[1]【能化】명〖불교〗능히 중생을 교화(敎化)하는 사람. 곧, 부처나

능화[2]【能畫】명 그림을 능하게 그림. 또, 그 사람. ——하다 형여불

능화[3]【菱花】명〖식〗마름꽃.

능화-문【菱花紋】명 마름모 모양으로 된 기하학적 무늬.

능화-지【菱花紙】명 마름꽃의 무늬가 있는 종이.

능화-판【菱花板】명 책 겉장에 마름꽃의 모양을 박아내는 목판(木板).

능환【綾紈】명 무늬가 있는 비단과 흰 비단. 또, 그 옷.

능활【能猾】명 능간(能幹)이 있고 교활(狡猾)하여 권변(權變)이 무상(無常)함. ——하다 형여불. ——히 부

능효-대【凌歊臺】명〖지〗중국 육조(六朝)의 송(宋)나라 무제(武帝)가 양쯔강 기슭에 지은 높은 전각(殿閣)의 이름. 현재의 안후이 성(安徽省) 당투현(當塗縣)의 북쪽 황산(黃山) 위에 있었음.

능히【能亦】부〈이두〉능히.

눙히 부〈옛〉능히. =릉히. ¶눙히 부드러보며 눙히 剛ᄒᆞ샤 저품 업수믈 닐어 뵈샤《月釋 XIV:54》.

늦 명〈옛〉조짐(兆朕). 꼿. 상서(祥瑞). ¶天下ㅣ 定ᄒᆞᆯ 느지르샷다(迺是天下 始定之徵)《龍歌 100章》. 「더위/～되다. ↔올-.

늦- 두 명사나 동사의 머리에 붙어, 때의 늦음을 나타내는 접두어. ¶～

늦-가을 명 늦은 가을. 만추(晩秋). 심추(深秋). 추만(秋晩).

늦-갈이 명〖농〗제철에 뒤져서 늦게 갈고 씨를 뿌리는 일. ——하다 타

늦-감자 명 제철에 뒤져서 늦게 되는 감자. *올감자. ⌊여불

늦-거름 명 ①제 때보다 늦게 주는 거름. ②오래 된 후에 효력이 나타나는 비료. 퇴비·인분 따위.

늦-겨울 명 겨울의 마지막 무렵. 만동(晩冬). 계동(季冬).

늦-고추잠자리 명〖충〗고추좀잠자리.

늦구다 타〈방〉늦추다❶. 「지 아니하고 담근 김치.

늦-김치 명 봄철까지 오래 먹을 수 있도록 새우젓이나 조기젓 따위를 넣

늦-깎이 명 ①나이 많아서 중이 된 사람. ②사리(事理)를 남보다 늦게 깨달은 사람. ③나이가 많아서 장색(匠色) 같은 것이 된 사람. ¶"자네가 대장 일을 배웠어?" "～루 배웠네."《洪命憙 : 林巨正》. ④과실·채소 등의 늦게 익은 것.

늦-난봉 명 나이 들어 늦게 나는 난봉. ¶～은 밤 가는 줄도 모른다니 일찌감치 피우구 돌아오게《李無影 : 三年》.

늦다 ㊀형〈중세 : 늦다〉①시간적으로 이르지 아니하다. ¶늦은 가을. ↔이르다. ②졸라맨 것이 좀 풀리어 팽팽하지 아니하다. ㊁자 ①어떠한 시간 안에 미치지 못하다. 일정한 때보다 지나다. ¶기차 시간에 늦었다/1분 늦는다.

【늦게 배운 도둑이 날 새는 줄 모른다】뒤늦게 시작한 일이 일찍 시작한 일보다 더 몰두(沒頭)하게 된다는 뜻. 【늦은 밥 먹고 파장(罷場) 간다】때를 놓치어 늦게 행동함에 이르는 말.

늦-더위 명 가을철까지 끄는 더위. 노염(老炎). 만염(晩炎). ↔일더위.

늦-동지【—冬至】명 음력 11월 20일이 지나서 드는 동지. *오동지[1].

늦-되다 자 ①늦게서야 이루어지다. ②더디 지각이 나다. ¶늦된 아이. ③늦게 익다. ¶늦되는 과실. 1)-3):↔일되다·올되다.

늦-둥이 명 ①나이가 많아 늦게 난 자식. ②박력(迫力)이 없고 또랑또랑

늦-마[1] 명 ↗늦장마. ⌊하지 못한 사람.

늦-마[2] 명〈옛〉서남풍. =늦하늬. ¶西南風 謂之緩寒意 或云緩麻《星湖》.

늦-모 명 철 늦게 내는 모. 만앙(晩秧). 마냥모.

늦-모내기 명 하지가 지난 뒤 늦게 내는 모내기.

【늦모내기에 죽은 중도 꿈쩍거린다】㉠모낼 때의 분주함을 일컫는 말. ㉡몹시 분주할 때는 누구나 다 움직여야 한다는 뜻.

늦-바람 명 ①저녁 늦게 부는 바람. ②'빠르지 아니한 바람'의 사공의 말. ③나이 들어서 늦게 나는 난봉이나 호기(豪氣).

【늦바람이 곱새를 벗긴다; 늦바람이 용마름 벗긴다】늦게 불기 시작한 바람이 초가집 지붕 마루에 얹은 용마름을 벗겨 갈 만큼 세듯, 사람도 늙은 후에 한번 바람이 나기 시작하면 걷잡을 수 없다는 말.

늦바람(이) 나다 구 나이 들어서 늦게 난봉이 나다.

늦-밤 명 철 늦게 익는 밤. ↔올밤.

늦-배 명 늦게 까거나 낳은 새끼.

늦-벼 명 늦게 익는 벼. 만도(晩稻). ↔올벼.
늦-복【一福】명 ①늘그막에 누리는 복. ②뒤늦게 돌아오는 복.
늦-봄 명 봄의 마지막 무렵. 만춘(晩春). 잔춘(殘春).
늦-부지런 명 ①늙어서 부리는 부지런. ②뒤늦게 서두르는 때아닌 부지런. ¶ ~이 나서 어두운 줄도 모른다. 「다 타여불
늦-사리[1] 명 철 늦게 농작물을 거두어 들이는 일. 또, 그 농작물. ──하
늦-사리[2] 명 9월 초서부터 백로(白露) 무렵에 걸쳐서 늦게 피는 갈꽃. *오사리.
늦-새끼 명 ①늙어서 난 짐승의 새끼. ②여러 배 치는 짐승의 늦배의 새끼. ③〈속〉게으르고 얄미운 행실을 하는 사람.
늦-서리 명 제철보다 늦게 내리는 서리. 만상(晩霜).
늦-심기 [─끼] 명 제철이 지나서 곡식이나 식물을 심는 일. 만식(晩植).
늦-싸리 명〖식〗[*Lespedeza maximowiczii* var. *elongata*] 콩과에 속하는 낙엽 활엽 관목. 잎은 타원형인데 끝은 뾰족하고 톱니가 없음. 꽃은 복총상 화서(複總狀花序)로서 홍자색임. 9월에 꽃이 피고 과실은 협과(莢果)로 끝이 실 모양이며 11월에 익음. 산골짜기의 개울가에 나는데, 땔감으로 사용하며 잎은 사료로 쓰이고 수피(樹皮)는 섬유용으로 이용됨. 우리 나라의 특산종임.
늦-여름 [─녀─] 명 늦은 여름. 계하(季夏). 잔하(殘夏).
늦은 가락 명 가락을 느리게 부르는 노래. ↔잦은 가락.
늦은-불 명 ①요긴하지 아니한 곳에 맞은 총알. ②그리 심하지 아니한 괴로움이나 곤욕의 비유. ¶ 아직 ~이라 정신이 덜 났다.
늦은-삼절【─三節】명 화살의 상사 위의 살대의 셋째 마디.
늦은-씨 명〖식〗만생종(晩生種). 「작물. 1)·2):↔올작물.
늦-작물【─作物】명 ①늦게 가꾸는 작물. ②다른 종류보다 늦게 익는
늦-잠 명 아침 늦게까지 자는 잠. 아침잠.
늦잠-쟁이 명 늦잠을 자는 사람.
늦-잡죄다 타 긴장하지 못하고 늦게 잡도리를 하다.
늦-장【─場】명 ①느직하게 보러 가는 장. ¶ ~ 보다. ②늑장.
늦-장마 명 제철이 지난 뒤에 오는 장마. 준늦마.
늦-체하다【─滯─】자여불 그리 다급한 상태가 아닌 정도로 체하다. 속이 푸만할 정도로 체하다. *급체(急滯). 「게. ¶ 떠를 ~ 매다.
늦추 부 ①때가 늦게. ¶ 김장을 ~ 담그다. ②켕기지 아니하고 느슨하
늦추다 타 ①졸라맨 것을 느슨하게 하다. 높이 매단 것을 조금 내려오게 하다. 켕긴 줄을 늦게 하다. ¶ 허리띠를 ~. ②기한을 지나가게 하거나 멀리 잡다. ¶ 개학 날짜를 ~.
늦-추위 명 겨울철이 다 지나갈 무렵에 드는 추위.
늦-콩 명 철 늦게 익는 콩. ↔올콩.
늦틀이-명주말이【─明紬─】명〖조개〗[*Gyraulus hiemantium*] 명주말잇과에 속하는 연체(軟體) 동물. 느슨하게 틀어 말린 담수(淡水)의 작은 권패(卷貝)로서, 양쪽이 모두 오목하게 들어간 납작한 원반(圓盤) 모양을 하고 있으며 높이 1.8mm, 직경 6mm 내외임. 껍질은 얇고 반투명임. 논·늪·못 등에 많은데 흔히 수면(水面)에 떠 있기도 하며 논에서는 벼의 어린 잎을 해친다고 하는데, 어항에 담수어와 함께 기르기도 함. 한국·일본·대만에 분포함.
〈늦틀이명주말이〉
늦-팥 명 철 늦게 익는 팥. ↔올팥. 「湖≫.
늦-하늬 명〈옛〉서남풍. =늦마[2]. ¶ 西南風 謂之緩寒意 或云緩麻 ≪星
늧 명〔중세: 늦〕앞으로 어떻게 될 징본. 미리 보이는 빌미. ¶ ~이 사납다.
늪 명 땅이 우묵하게 두려 빠지고 늘 물이 괸 곳. 호수보다 작고 못보다 큰데, 진흙이 많고 침수 식물(沈水植物)이 많이 나며, 보통 깊이가 5m 이하임. 소(沼). ¶ ~ 지대.
늪-말조개 명〖조개〗말조개.
늫다 타〈방〉넣다(전라).
늬 명〈방〉〖충〗누에(경상).
늬껍 명〈방〉미끼(제주).
늬알 명〈방〉내일(충청).
닐 명〈방〉내일.
닐름 [닐─] 부 ☞늘름.
닐리리 [닐─] 부 퉁소나 나발 같은 것을 운치 있게 부는 소리.
닐리리야 [닐─] 명 경기 민요의 하나. 그 후렴 '닐리리야'에서 온 이름.
닐리리-쿵더쿵 [닐─] 감 퉁소·나발 따위의 관악(管樂)과 장구·꽹과리·북 같은 타악(打樂)의 뒤섞인 풍류 소리.
닁큼 [닁─] 부 앞뒤를 생각할 여유없이 얼른. 지체하지 아니하고 빨리. >냉큼.
닁큼-닁큼 [닁─닁─] 부 앞뒤를 헤아리지 아니하고 연달아 닁큼. >냉큼냉큼.
니[1] 명〈옛·방〉이[2]❶(제주·황해·함북·평안). ¶ 니 싸디거사(牙齒落)≪杜諺 X:14≫/니 치(齒)≪字會 上 26≫.
니[2] 명〈옛〉벼. =니쌀. ¶ 호다가 닛딥피면(若是稻草時)≪老乞 上 16≫.
니[3] 명〈옛〉이[3]. ¶ 니 슬(蝨)≪字會 上 23≫.
니:[4] 명〈방〉〖충〗누에(경상).
니[5] 인대〈방〉너[1](경상).
니[6] 인대〈방〉네[1](전라).
[니 떡 내 모른다] 남의 일에 나는 관여하지 않겠다는 말. [니 천동 내 천동] 옳고 그름을 판단하기 어려운 경우에 이르는 말.
니[7] 조 받침 없는 체언에 붙어, 여러 사물을 열거할 때 쓰는 접속격 조사. ¶ 사과~ 복숭아~ 배~ 잔뜩 가져오다. *이니[1].
-니[1] 어미 ①'이다'나 받침 없는 용언의 어간에 붙어, 앞으로 하려는 말에 대하여 원인이 되는 사유를 나타내는 연결 어미. ¶ 봄이 되~ 꽃이 핀다 / 그것은 나쁘~ 갖지 마라 / 어려운 고비~ 더욱 분발하여라. ②'이다' 또는 받침 없는 용언의 어간에 붙어, 어떠한 사실을 말할 때 쓰는 연결 어미. ¶ 서울역에 도착하~ 일곱 시였다 / 열차에서 내린 것이 꼭 열한 시~, 거리에는 사람의 그림자라곤 없었다. *-으니[1].
-니[2] 어미 '-냐'·'-느냐'를 보다 더 친밀하고 부드럽게 의문을 나타내는 종결 어미. ¶ 무엇을 하~ / 어디 가~ / 신이 크~. *-으냐·-으니[3].
-니[3] 어미 '이다'나 받침 없는 형용사 어간에 붙어, '하게'할 자리에 진리나 으레 있을 사실을 말할 때 쓰는 종결 어미. ¶ 도둑질하는 것은 나쁘~. *-느니[1]·-으니[4].
-니[4] 어미 '이다'나 받침 없는 형용사의 어간에 붙어, '이렇기도 하고 저렇기도 하다' '이것이라 하기도 하고, 저것이라 하기도 한다'는 뜻을 나타내는 연결 어미. ¶ 나쁘~ 비싸~ 하고 트집을 잡다 / 너~ 나~ 구별하지 마라 *-으니[2]·-느니[1]. 「曲≫. *-는다.
-니[5] 어미〈옛〉-냐. ¶ 英雄은 어디 가며 四仙은 그 뉘러니 ≪松江 關東別
니:가타〔新潟: にいがた〕명〖지〗일본 니가타 현(新潟縣) 북부 시나노(信濃) 강 어귀에 있는 임해 공업 도시로, 현청 소재지. 목재·기계·제지·정유(精油)·화학 등 공업이 성함. [478,114명(1990)]
니:가타 현【─縣】〔新潟: にいがた〕명〖지〗일본 중부 지방 동북단의 일본해에 면한 현. 20시(市) 16군(郡). 겨울에 눈이 많이 오기로 유명하며, 산유(産油) 및 정유(精油)·섬유·화학·기계 등의 공업이 성함. 넓은 충적(沖積) 평야가 있어 일본 유수(有數)의 곡창 지대이기도 함. 현청 소재지는 니가타 시(新潟市). [12,572.39km²:2,487,112명(1990)]
니거니 자〈옛〉가느냐. '니다[1]'의 활용형. ¶ 千里馬 絶代佳人을 누를 주고 니거니≪古時調≫. 「錫去年啼邑子)≪杜諺 IX:20≫.
니거다 자〈옛〉가다[2]. ¶ 錫杖을 놀여 니건 히예 ᄀᆞᄋᆞᆳ 사ᄅᆞᄆᆞᆯ 울이니(飛
니거든 자〈옛〉가거든. 가면. '니다[1]'의 활용형. ¶ 호나히 盞盤을 자바 主人의 左의 니거든 主人이 울고≪家禮 I:26≫.
니거라 자〈옛〉가라. 가거라. '니다[1]'의 활용형. ¶ 아후란 十里예 호번 식 쉬여 더듸더듸 니거라≪古時調≫.
니거지이다 자〈옛〉가고자 하나이다. 가고 싶습니다. '니다[1]'의 활용형. ¶ 내 니거지이다 가샤(請而自往)≪龍歌 58章≫. *-지이다
니거징이다 자〈옛〉가고자 하나이다. =니거지이다. ¶ 옷 ᄀᆞ라닙고 나아 니거징이다 호고 믈러가(更衣而進退)≪東三綱 烈女圖 彌妻啖草≫.
니건 자〈옛〉지난. 지나간. '니다[1]'의 활용형. ¶ 니건 히예 行宮이 太白山을 當호야 겨시거놀(去年行宮當太白)≪杜諺 XXV:31≫.
니건날 명〈옛〉지난날. 지나간 날. ¶ 니건나랜 돈 쓰믈 아룸뎌 디릴 잡더니(往日用錢捉私鑄)≪杜諺 IV:29≫. 「聾)≪杜諺 III:54≫.
니건돌 명〈옛〉지난달. 지나간 달. ¶ 귀는 니건돌브터 머구라(耳從前月
니건히 명〈옛〉지난해. 지나간 해. ¶ 니건히옌 白帝城에 누니 뫼해 있더니(去年白帝雪在山)≪杜諺 X:40≫.
니겔라〔nigella〕명〖식〗[*Nigella damascena*] 미나리아재빗과에 속하는 일년 또는 이년생 초본. 남유럽 원산으로, 여러 종류가 있음. 높이 약 50cm, 잎은 우상(羽狀)으로 잘게 갈라지고, 형태는 코스모스에 근사함. 여름에 청·백·자색 등의 큰 꽃이 피고, 관상용임.
니고데모〔Nicodemos〕명〖성〗바리새파의 유력한 회의원. 밤에 몰래 예수에게 찾아 와 그 가르침을 구하였다 함. 「하는 일.
니고시에이션〔negotiation〕명 ①교섭. 협상. ②거래. ③어음을 발행
니그렌〔Nygren, Anders Theodor Samuel〕명〖사람〗스웨덴의 루터파(Luther派) 신학자. 철학의 한계를 분명히 하여, 철학의 물음에는 결국 신학(神學)만이 답한다는 신(神) 중심적인 태도를 견지함. 그리스도의 희생적 사랑을 그리스의 에고티스틱한 사랑과 대비시킨 저서≪에로스(Eros)와 아가페(Agape)≫가 유명함. [1890-1978]
니그로〔Negro〕명 ①〖인류〗니그로이드의 하나. 주로 사하라 이남(以南)의 아프리카를 원주지로 하는 흑인종. 살빛이 검고 입술이 두툼하며 코가 펀펑하고 고수머리이며 키가 큼. 수단인(人)·기니인·콩고인·나일인·남아프리카인의 다섯 계통이 있음. 아프리카 흑인종. ②흑인.
니그로 미술【─美術】〔Negro〕명〖미술〗서아프리카를 중심으로 한 흑인의 원시적 미술을 이름. 목각(木刻)의 인상(人像)이나 가면(假面) 따위가 흔함.
니그로 민스트럴〔Negro minstrels〕명〖악〗19세기 중엽, 미국에서 성하였던 흑인 악극단. 백인이 얼굴을 까맣게 칠하고 바이올린·밴조·탬버린 등을 연주하고 조크를 섞어 가며 흑인의 노래나 춤을 연출함.
니그로 스피리추얼〔Negro spiritual〕명 흑인 영가(黑人靈歌).
니그로신〔nigrosine〕명〖화〗인슐린류(insulin類)와 동형의 아진(azine) 물감. 분자 구조는 매우 복잡하며, 빛깔은 회색에서 흑색까지 있음. 염기성(塩基性)의 알코올 용성(溶性)의 니그로신은 니스·구두약·타이프리본 등에 널리 쓰이며, 수용성(水溶性)인 것은 산성 물감으로서 비단·잉크 등에 쓰임.
니그로이드〔Negroid〕명〖인류〗형태적 특징에 의하여 분류된 인종(人種)의 하나. 황갈색 내지 암갈색의 피부, 적은 체모(體毛), 발달한 한선(汗腺), 꼬불꼬불한 두발 등이 특징임. 니그로(Negro)·니그리토(Negrito)·부시먼(Bushman)·멜라네시아인(Melanesia人)으로 대별됨. 흑색 인종. *니그로.
니그리:토-족【─族】〔Negrito〕명〖인류〗니그로이드의 하나. 아프리카·동남 아시아·오세아니아에 거주함. 아주 작은 키와 중두(中頭) 혹은 단두(短頭)의 두 형 이외의 형태적 특징은 니그로와 비슷함. 성인 남자의 평균 신장은 150cm 이하. *니그릴로(Negrillo).
니그릴로〔Negrillo〕명〖인류〗중앙 아프리카·남아프리카에 사는 흑인종. 살갗은 니그로만큼 검지 아니하고, 키가 작으며 코의 폭이 넓음. 원시적인 사냥을 함. 부시먼(Bushman)·피그미(Pygmy) 등.
니근믈 명〈옛〉익은 물. 끓인 물. ¶ 熟水曰 泥根没≪鷄類≫.
니기 부〈옛〉익숙히. 익히. ¶ ᄆᆞ룸 길히 갓가오믈 니기 아라(熟知江路

近)《杜諺 Ⅶ:9》.
니기다¹ 타 〈옛〉 이기다²❶. ¶그 조ᄒᆞᆫ ᄒᆞᆰ기 섯거 니겨(和其淨土作泥)《佛頂 中 7》. 「3》.
니기다² 타 〈옛〉 익히다. ¶사ᄅᆞᆷ마다 ᄒᆡᅇᅧ 수비 니겨(使人易習)《訓諺
니기이다 타 〈옛〉 익히게 하다. ¶또 命ᄒᆞ야 가져다가 니기이샤 ᄡᅡ 니블 ᄆᆡᇰᄀᆞᄅᆞ샤(亦命取 練之 織爲衿裯)《內訓 Ⅱ 下 51》.
니기자다 자 〈옛〉 잘 자다. 숙면(熟眠)하다. ¶平牀 벼개예 니기자거든(眠熟牀枕)《楞嚴 Ⅳ:130》.
니ᄀᆞᆯ다 자 〈옛〉 이 갈다. ¶니ᄀᆞᆯ 툐(齠), 니ᄀᆞᆯ 친(齔)《字會 上 32》.
-니까 어미 '-니¹'의 힘줌말. ¶봄이 오~ 꽃이 핀다/때리~ 운다/어려운 때~ 참자. *-으니까.
-니깐느루 어미 〈방〉 -니까.
-니까는 어미 '-니까'에 '는'을 더하여 특히 힘줌을 나타내는 연결 어미. ¶찾아 가~ 집에 없다/좋은 시계~ 조심해서 차라. 준-니깐. *-으니까는.
-니까니 어미 〈방〉 -니까(평안).
-니깐 어미 ↗-니까는. ¶내 손으로 하~ 마음이 편하다/내가 오~ 그 애가 가더라/건조기~ 화재에 조심해야 한다. *-으니깐.
-니깐드루 어미 〈방〉 -니까(충청).
-니께 어미 〈방〉 -니까(전라).
니끼 명 〈방〉 『식』 이끼¹(전남).
-니끼니 어미 〈방〉 -니까(평안).
니나노 명 〈속〉 〔본디, 경기 민요 닐리리 타령·태평가(太平歌) 등의 후렴 가운데의 한 마디〕 속요(俗謠)·잡가(雜歌)·민요 따위, 소리의 통칭. 특히, 싸구려 술집에서 젓가락 장단에 맞추어 부르는 속된 노래. ¶~ 출신/~판을 벌이다.
니나놋-집 명 〈속〉 접대부의 시중을 받으며 젓가락 장단을 치면서 옛 노랫가락이나 대중 가요를 부르면서 마시는 술집. *방석집.
니네베 〔Nineveh〕 명 『역』 메소포타미아 티그리스 강(Tigris 江)가에 있던 고대 아시리아 왕국의 서울. 지금의 이라크 북부 티그리스 상류 모술 시(Mosul 市)의 대안(對岸) 구릉 지대의 기슭에 있음. 왕성·성벽과 15개의 성문을 갖추고, 세계 최고(最古)의 수도(水道)가 시설되었음. 기원 전 612년 메디아(Media)와 바빌로니아(Babylonia)의 연합군에 의하여 폐허화됨. 19세기 중엽에 발굴 조사됨. 니느웨.
니느웨 〔Nineveh〕 명 『성』 니네베.
니니브 〔Ninib〕 명 『신』 고대 아시리아 신화의 태양신(太陽神). 생성 풍요(生成豐饒)를 관장하며, 의료의 힘도 가졌음.
-니닛가 어미 〈옛〉 -옵니까. =-니잇가. ¶聖人이 겨시니닛가(聖人在乎)《圓覺 序 68》.
니ᄂᆞ다 자 〈옛〉 일다. 일어나다. =닐다. ¶자던 해야로비ᄂᆞᆫ 두려운 몰애예셔 니ᄂᆞ다(宿鷺起圓沙)《初杜諺 Ⅶ:7》.
니다¹ 자 〈옛〉 가다. =녀다. ¶朝廷에 니거늘 서르 보디 몯호니(歸朝不相見)《初杜諺 XXIV:54》. 「Ⅶ:33》.
니다² 자 〈옛〉 일다¹·². ¶빗난 지븨 봆 ᄇᆞᄅᆞ미 니니(華館春風起)《初杜諺
니다³ 타 〈옛〉 이다³. ¶디새 닐 와(瓦), 새 닐 졈(苫)《字會 下 18》.
-니다 미 〈옛〉 동사의 어간에 붙어, 그 동사의 동작이 계속됨을 나타내는 접미어. ¶곳나모 가지마다 간ᄃᆡ 족족 안니다가《松江 思美人曲》.
니:더 〔kneader〕 명 반고체(半固體)나 가소성(可塑性)의 고점도(高粘度) 물질을 개어 섞을 때 쓰는 장치.
니:덤 〔Needham, John Turberville〕 명 『사람』 영국의 사제(司祭)·박물학자. 끓인 고기 국물에 미생물(微生物)이 생기는 것을 확인하여, 생물의 자연 발생설을 주장함. [1713-81].
니:들 〔needle〕 명 ①바늘. ②지침(指針)❶. ③등산 용어로, 바늘처럼 뾰족한 암봉(岩峰). 「작은 것.
니:들-판 【一瓣】 〔needle〕 명 원뿔판(瓣) 가운데서 원뿔각(角)이 특히
니라 【NIRA】 명 〔National Industrial Recovery Act의 약칭〕 1933년 미국의 루스벨트 대통령이 뉴딜 정책의 일환(一環)으로 제정한 산업 입법(産業立法). 사회 노동 정책의 실시와 독점 기업의 옹호에 의한 산업의 자본가적 조직을 강조한 것으로, 1935년 대심원의 위헌(違憲) 판결로 폐지되었음. 전국 산업 부흥법(復興法). *엔 아르 에이(N.R.A.).
-니라 어미 받침 없는 형용사나 '이다'의 어간에 붙어, '해라' 할 자리에 진리나 보통의 사실을 가르쳐 줄 때 쓰는 종결 어미. ¶바닷물은 짜~/부모의 은혜는 크~/이번 사고의 원인은 부주의~. *-으니라·-느니라. 「22章》.
니러나다 자 〈옛〉 일어나다❹. ¶赤帝 니러나시릴씨(赤帝將興)《龍歌
니러셔다 자 〈옛〉 일어서다. ¶누분 남기 니러셔니이다(時維僵柳忽焉自起)《龍歌 84章》.
니러ᄒᆞ니 자 〈옛〉 일어나니. 일어난즉. '닐다¹'의 활용형. ¶日出을 보리라 밤듕만 니러ᄒᆞ니 《松江 關東別曲》.
니런버:그 〔Nirenberg, Marshall〕 명 『사람』 미국의 생화학자(生化學者). 국립 심장 연구소의 유전 생화학 부문 책임자. 염기(塩基) 조성이 다른, 갖가지 합성(合成) RNA를 이용하여 총 20종의 아미노산에 대응하는 DNA의 염기 배열(配列)을 해명함. 1968년 노벨 생리 의학상 수상. [1927-]
니렛다 자 〈옛〉 일고 있다. 일었다. '닐다¹'의 활용형. ¶힌기베 ᄇᆞᄅᆞᆷ과 서리왜 니렛ᄂᆞᆫ ᄃᆞᆺᄒᆞ니(素練風霜起)《初杜諺 XVI:45》.
니: 렝스 〔knee length〕 명 무릎까지 닿는 드레스.
니로니 자 〈옛〉 일어나니. '닐다¹'의 활용형. ¶ᄂᆞᄌᆞ기 니로니 지븨 므슷 이를 ᄒᆞ리오(晚起家何事)《杜諺 Ⅲ:30》.
니롬 자 〈옛〉 일어남. '닐다¹'의 명사형. ¶ᄆᆞᅀᆞ로 뫼 盜賊의 니로ᄆᆞᆯ 制禦ᄒᆞᄂᆞ니(旁制山賊)《杜諺 Ⅳ:15》.

니루다 타 〈옛〉 읽다. ¶져근 이들 글 니루고《永言》.
니르 부 〈옛〉 이루. ¶一生애 머그며 니블 이른 니르 ᄒᆞ디 몯ᄒᆞ리로다 ᄒᆞ야늘(一生喫着不盡)《飜小 Ⅹ:20》.
니르다¹ 타 〈옛〉 이르다². =니ᄅᆞ다². ¶言은 니를씨라《訓諺 27》.
니르다² 자 〈옛〉 이르다¹. 다다르다. =니ᄅᆞ다¹·니를다·리르다. ¶이제 니르ᄃᆞ록 ᄭᅮ메 스쥬니(至今夢想)《杜諺 Ⅸ:6》.
니르다³ 타 〈옛〉 살잡다. ¶니를 젼(筌)《字會 下 17》.
니르르시니라 자 〈옛〉 이르시니라. '니를다'의 활용형. ¶니르르시니라(乃至)《圓覺 上 一之二 102》.
니르리 부 〈옛〉 이르도록. 이르게. =니ᄅᆞ히·니르히. ¶혜 길오 너브샤 구민 니르리 ᄂᆞᆺ촐 다 두프시며 《月釋 Ⅱ:41》.
니르바나 〔범 Nirvāna〕 명 『불교』 '열반(涅槃)'의 범어.
니르받다 타 〈옛〉 일으키다. =니르왇다·니ᄅᆞ왇다. ¶罪業을 니르바돌 씨라《月印 Ⅰ:16》.
니르와돔 타 〈옛〉 일으킴. '니르왇다'의 명사형. ¶相 업수미 곧 니르와돔 업수미오(無相卽無起)《金剛 上 44》.
니르왇다 타 〈옛〉 일으키다. =니르받다·니ᄅᆞ왇다. ¶밥업소미 날 니르와도 몰일 ᄒᆞᄂᆞ다(無食起我早)《杜諺 XXII:3》.
니르왓다 타 〈옛〉 일으키다. =니르왇다. ¶엇디 늙고 게으른 ᄆᆞᅀᆞᄆᆞᆯ 니르왓거니오(夫何激衰懦)《重杜諺 Ⅱ:52》.
니르위다 타 〈옛〉 이르게 하다. ¶님그믈 니르위여 블근 欄檻을 것고(致君丹檻折)《杜諺 XXIV:54》.
니르히 부 〈옛〉 이르도록. =니ᄅᆞ히·니르리. ¶이제 니르히 것근 欄檻이 ᄒᆞᆫ갓 노ᄑᆡᆺ도다(至今折檻空嶙峋)《杜諺 Ⅳ:30》.
니르혀다 타 〈옛〉 일으키다. ¶그 겨지비 밥 가져다가 머기고 자바 니르혀니《月釋 Ⅰ:44》.
니른 수 〈방〉 일흔(전남).
니를다 자 〈옛〉 이르다¹. 다다르다. =니ᄅᆞ다¹. 니르다². ¶證ᄒᆞ야 드로매 니를오(乃至證入)《圓覺 序 19》.
니를리라 자 〈옛〉 이르리라. '니를다'의 활용형. ¶算數 譬喩로 能히 아디 몯호매 니를리라《月釋 XVII:42》.
니를어나 자 〈옛〉 이르거나. '니를다'의 활용형. ¶이 經을 ᄒᆞᆫ 念 讚歎호매 니를어나《月釋 XXI:94》.
니를에 자 〈옛〉 이르게. '니를다'의 활용형. =니를의. ¶致ᄂᆞᆫ 니를에 ᄒᆞᆯ 씨라 《月序 19》.
니를의 자 〈옛〉 이르게. '니를다'의 활용형. =니를에. ¶無上菩提를 證호매 니를의 호리라 《釋譜 Ⅸ:8》. 「Ⅰ:19》.
니ᄅᆞ 부 〈옛〉 이루. ¶衆生濟度호ᄆᆞᆯ 몯 니ᄅᆞ 혜에ᄒᆞ시고 命終ᄒᆞ야《月釋
니ᄅᆞ다¹ 자 〈옛〉 이르다¹. 다다르다=니르다². ¶거의 죽기의 니ᄅᆞ고 미양 계날에 다ᄃᆞᄅᆞ면(至滅性每至忌日)《五倫 Ⅰ:29》. 「28》.
니ᄅᆞ다² 타 〈옛〉 이르다². 말하다. =니르다¹. ¶니ᄅᆞᆯ 셜(說)《字會 下
니ᄅᆞ리 부 〈옛〉 이르도록. =니르리. ¶아랫 사ᄅᆞᆷ들 니ᄅᆞ리 다 모미 편안ᄒᆞ시더라(以至下人們都身己安樂)《朴解 上 51》.
니ᄅᆞ린댄 자 〈옛〉 이를 것인댄. '니ᄅᆞ다²'의 활용형. ¶門皮邊으로 술펴 보리라 니ᄅᆞ린댄(口皮邊照顧)《蒙法 51》.
니ᄅᆞ샤ᄃᆡ 자 〈옛〉 이르시되. 말씀하시되. '니ᄅᆞ다²'의 활용형. ¶達磨ㅣ 頌ᄒᆞ야 니ᄅᆞ샤ᄃᆡ(達磨有頌云)《蒙法 49》. 「釋 Ⅰ:36》.
니ᄅᆞ왇다 타 〈옛〉 일으키다. =니르왇다. ¶定으로 色을 니ᄅᆞ왇ᄂᆞ니《月
니ᄅᆞ혀다 타 〈옛〉 일으키다. ¶기운 집 니ᄅᆞ혀다(牮房子)《譯語 上 18》.
니ᄅᆞ히 부 〈옛〉 이르도록. 미치게. =니르리·니르히. ¶뻐 下人들에 니ᄅᆞ히(以至下人們)《朴解 上 46》. 「春澤 別思美人曲》
니릐 명 〈옛〉 웅석. =이릐. ¶니릐ᄅᆞᆯ ᄒᆞ엿거니 지앙인들 업슬손가《金
니마 명 〈옛〉 이마¹. ¶니마히 넙고 平正ᄒᆞ야(額廣平正)《妙蓮 Ⅵ:14》.
니:마이어 〔Niemeyer, Oscar〕 명 『사람』 브라질의 대표적 근대 건축가. 뉴욕의 국제 연합 본관 설계에 관여한 후 브라질리아의 주요 건물의 대부분을 설계함. 르 코르뷔지에(Le Corbusier) 양식에 지방색을 가미하여 경쾌한 곡선을 사용, 독자적인 양식을 구축함. [1907-]
니마좃다 자 〈옛〉 이마를 땅에 조아리다. ¶니마조ᅀᆞᆯ 계(稽), 니마조ᅀᆞᆯ 돈(頓)《字會 下 26》.
니마해 〈옛〉 이마에. '니마'의 처격형. =니마히. ¶니마해 두워(釘在額上)《法語 7》. 「正)《妙蓮 Ⅵ:14》.
니마히 〈옛〉 이마가. '니마'의 주격형. ¶니마히 넙고 平正ᄒᆞ야(額廣平
니마히 〈옛〉 이마에. '니마'의 처격형. =니마해. ¶니마히 半만ᄒᆞᆫ 벗눈 머리 셰니(半頂梳頭白)《杜諺 Ⅶ:12》.
니맛데기 명 〈방〉 이마¹(평안).
니믈리기 명 〈옛〉 재혼한 여자. ¶새 각시러냐 니믈리기러냐(女孩兒那後婚)《朴解 上 40》. 「우쓰고《松江 星山別曲》.
니믜ᄎᆞ다 타 〈옛〉 걸치다. 입다. 여미다. ¶麻衣ᄅᆞᆯ 니믜ᄎᆞ고 葛巾을 기
니미츠 〔Nimitz, Chester William〕 명 『사람』 미국의 해군 원수(元帥). 2차 세계 대전중, 태평양 함대 사령관으로 대일(對日) 작전을 지휘함.
니몰 명 〈옛〉 이물. ¶빗 니몰 로(艫)《字會 中 26》. 「[1885-1966]
니ᄲᆞ시개 명 〈옛〉 이쑤시개. ¶니ᄲᆞ시개(牙叉兒)《譯語 補 29》.
니ᄡᆞᆯ 명 〈옛〉 입쌀. ¶니ᄡᆞᆯ른 기르미 흐르는 ᄃᆞᆺᄒᆞ고 조ᄡᆞᆯ른 히니(稻米流脂 粟米白)《杜諺 Ⅲ:61》.
니벋다 자 〈옛〉 이가 벋다. ¶니버들 포(齙)《字會 上 30》.
니:벨룽겐 〔도 Nibelungen〕 명 『신』 〔'안개의 아들'이란 뜻〕 고대 독일의 전설적인 왕족(王族) 니벨룽(Nibelung)을 시조로 하는 난쟁이 족속. 마(魔)의 두건(頭巾), 돌을 자르는 보검(寶劍) 기타 많은 보물을 가졌으며, 지크프리트(Siegfried)에게 멸망당하였다 함.
니:벨룽겐의 가락지 〔─/─에─〕 명 〔도 Der Ring des Nibelungen〕 『악』 바그너(Wagner, W.R.) 작사·작곡의 악극. 26년을 걸려 완성한

대작으로, 《라인의 황금》을 서곡으로 하는 3부작이며, 1876년 바이로이트(Bayreuth)의 축제(祝祭) 극장의 개장 때에 초연(初演)되었음.

니:벨룽겐의 노래 [─/─에─] 명 [도 Das Nibelungenlied] 〔문〕 중세 독일의 국민적 사시(史詩). 13세기 초에 고대 게르만의 영웅들에 관한 전설을 집대성한 것이라고 하나, 작자는 불명임. 영웅 지크프리트(Siegfried)의 죽음과 크림힐트(Kriemhild)의 복수를 주제로 한 것으로 전편 19장, 후편 29장, 애가(哀歌) 1장으로 구성됨. 구상이 웅대하고 전체가 비극적 기조(基調)로 일관하고 있음. 바그너의 악극 《니벨룽겐의 가락지》, 헤벨(Hebbel)의 희곡 《니벨룽겐의 사람들》은 모두 이것을 소재로 하고 있음.

니:벨룽겐의 반지 【─斑指】 [─/─에─] 명 니벨룽겐의 가락지.

니:부:어[1] 〔Niebuhr, Reinhold〕 명 〖사람〗 미국의 신학자(神學者). 유니온(Union) 신학교 교수. 변증법적 신학을 기초로 역사와 사회를 비판적으로 분석하고 기독교적 인간관과 기독교적 사회 윤리의 확립에 노력하였음. 저서 《도덕적 인간과 비도덕적 사회》·《인간의 본성과 운명》·《기독교 윤리 해설》 등. [1892-1971]

니:부:어[2] 〔Niebuhr, Barthold Georg〕 명 〖사람〗 독일의 고대사가(古代史家)·정치가. 베를린 대학 교수, 프러시아의 추밀 고문관(樞密顧問官), 대사 등을 역임함. 고대사 연구에 비판적 방법을 확립하고 근대적 역사학의 기초를 쌓음. 저서 《로마사(Roma史)》는 근대 비판적 역사학의 기점(基點)이 되었음. [1776-1831]

니부자리 명 〈옛〉 이부자리. ¶네 내 니부자리 를 다가 보내고(你把我的鋪蓋送去)《朴解 Ⅱ:31》.

니브다 타 〈옛〉 입다. =닙다. ¶계모 거상을 니브되(服繼母喪)《東國新續三綱 Ⅲ:86》.

니브히 〔Nivkhi〕 명 〖인류〗 사할린 북부 대안(對岸)에서부터 시베리아의 헤이룽 강(黑龍江) 하구 지방에 걸쳐 사는 몽골계(系)의 인종(人種). 순록(馴鹿)을 사육하고 어로(漁撈)를 함. 구칭은 길랴크.

니블 명 〈옛〉 이불. ¶니블와 벼개왜 저즈시니라(衾枕霑濕)《金剛 下 4》.

니비 명 〈방〉 〖충〗 누에(경상).

니빠디 명 〈방〉 이빨(평안).

니빨 명 〈방〉 이빨(제주).

니ㅅ무음 명 〈옛〉 잇몸. ¶니ㅅ무음(牙根)《同文 上 15》.

니산 〔尼山〕 명 〖지〗 중국 산둥 성(山東省)에 있는 산 이름. 공자가 출생한 곳. 이산(尼山). 이구(尼丘).

니샤푸:르 〔Nishapur〕 명 〖지〗 이란 동북부의 도시. 테헤란(Teheran)으로부터 아프가니스탄·인도에 이르는 대상(隊商)의 통로가 됨. 터키옥(玉)의 세공(細工)이 유명하며 융단(絨緞)·과일·면화 등의 집산지임.

니: 속스 〔knee+socks〕 명 무릎 아래까지 오는 양말. 하이 속스(high socks).

니스[1] 명 〔varnish〕 〖화〗 도료(塗料)의 한 가지. 수지(樹脂) 등을 용제(溶劑)에 녹여서 만든 투명 내지 반투명의 점액(粘液). 정(精)니스와 유성(油性) 니스의 둘로 크게 나뉨. 가옥·선박·차(車)·가구·장판 등에 바르면 차차 말라서 용매(溶媒)는 휘발(揮發)되고, 막(膜)이 생겨 광택을 내며, 습기를 방지함.

니:스[2] 〔Nice〕 명 〖지〗 프랑스 동남부 리비에라(Liviera) 해안의 도시. 지중해의 소만(小灣)에 임한 항구로, 유럽 유수(有數)의 관광 휴양지(觀光休養地)임. 향수·올리브유·비누·견면제품(絹綿製品) 등을 산출함. 박물관·식물원·천문대가 있음. [322,442명(1968)]

니:스[3] 〔NIEs〕 명 〔newly industrializing economies〕 국가가 아닌 지역(地域)을 포함하는 데 대한 배려에서 닉스(NICs)를 고쳐 부른 명칭. 신흥 공업 경제 지역. ¶아시아 ~. *신흥 공업국.

니스타드 〔Nystad〕 명 〖지〗 '우시카우풍키(Uusikaupunki)'의 스웨덴 이름. 발트 해(Balt海)에 면하는 핀란드 남부의 항구 도시. 목재·석재(石材)를 수출함. 1721년 북방 전쟁 후 이 곳에서 니스타드 조약이 체결됨.

니스타드 조약 【─條約】 〔Nystad〕 명 〖역〗 북방 전쟁의 결과, 1721년에 러시아와 스웨덴 사이에 체결된 조약. 러시아는 이 결과로 에스토니아 등지를 얻어 발트(Balt) 해안에 진출하게 되고, 스웨덴은 배상금을 지불하여 핀란드를 회복하는 데 그침.

니스타틴 〔nystatin〕 명 〖약〗 방선균(放線菌) 항생 물질의 하나. 곰팡이성(性) 질병에 유효하며 특히, 항생 물질의 연용(連用)으로 인한 캔디다증(candida 症)에 응용되는 유일한 약으로 유명함.

니시나 요시오 〔仁科芳雄: にしなよしお〕 명 〖사람〗 일본의 물리학자. 원자핵(原子核)의 이론적 연구와 우주선의 실험적 연구를 지도하였으며, 일본에서 최초로 사이클로트론을 완성하였음. [1890-1951]

니시다 기타로: 〔西田幾多郞: にしだきたろう〕 명 〖사람〗 일본의 철학자. 1913년 교토(京都) 대학 교수. 일본적 '무(無)'의 철학을 주장, 관념론 철학의 권위로서 소위 니시다 철학(西田哲學)을 창시하였음. 주저 《선(善)의 연구》·《철학의 근본 문제》 등. [1870-1945]

니쏘리 명 〈옛〉 치음(齒音). ¶ㅈ는 니쏘리(齒音)《訓諺 7》.

니석티다 타 〈옛〉 이어 치다. ¶물우희 니석티시나(馬上連擊)《龍歌 44章》.

니섬니석 부 〈옛〉 이엄이엄. 잇달아. ¶니섬니석 牛頭에 올오라(袞袞上牛頭)《初杜諺 Ⅸ:35》.

니솜 타 〈옛〉 이음. '닛다[2]'의 명사형. =니숨. ¶未來際예 盡히 서르 니소미 變ᄒᆞ야 純淨佛土ㅣ ᄃᆞ외야(盡未來際相續變爲純淨佛土)《永嘉 下 21》.

니수취다 타 〈옛〉 잇대다. =니우취다. ¶니수취여 두 셔울홀 收復ᄒᆞ니라(聯翩收二京)《初杜諺 XXIV:20》.

니숨 타 〈옛〉 이음. '닛다[2]'의 명사형. =니솜. ¶술푸미 또 니수미니(哀又繼之)《妙蓮 Ⅱ:228》. ㄷ니니《釋譜 Ⅵ:7》. *닛다[2].

니스리 명 〈옛〉 이을 사람. 이을이. 후계자. ¶나라 니스리를 굿게 ᄒᆞ시니《釋譜 Ⅵ:7》.

니스며 타 〈옛〉 이으며. 계속하며. '닛다[2]'의 활용형. ¶니스며 니어 굿디 아니ᄒᆞ논 돌 보리라(緜緜不絕)《蒙法 41》.

니스취다 자타 〈옛〉 잇대다. 연달다. =니으취다. ¶니스취여 ᄒᆞᆫ 일도 업다 니ᄅᆞ디 말라(莫謂緜緜一事)《南明 下 7》.

니시 명 〈옛〉 잇[2]. 홍람화(紅藍花). ¶니싯 옴과(野紅花苗)《救簡 Ⅰ:113》.

니ᅀᅵ빼 부 〈옛〉 사뭇 잇달아. ¶ᄯᅩ 미일에 모로매 이젼에 ᄇᆡ혼 사훌 닷쇗 글를 니ᅀᅵ빼 쉰닐흔번을 닐거 모로매 외오게 ᄒᆞ고(又每日須連前三五授通讀五七十遍須令成誦)《飜小 Ⅷ:35》.

니싯곳 명 〈옛〉 잇[2]. 홍람화(紅藍花). ¶니싯곳(紅藍花)《救簡 Ⅰ:90》.

니ᅀᆞ샤ᄆᆞᆯ 타 〈옛〉 이으심을. '닛다[2]'의 활용형. ¶어엿브신 명命終ᄒᆞ에 감甘자蔗씨氏 니ᅀᆞ샤ᄆᆞᆯ 때大구瞿땀曇이 일우니이다《月印 上 2》.

-니아 어미 〈옛〉 -ㄴ 것인가. -ㄴ 것이냐. ¶사호ᄆᆞᆫ 어느 말ᄆᆡ로 定ᄒᆞ리오 슬후미 이어긔 잇디 아니ᄒᆞ니아(戰伐何由定哀傷下在玆)《杜諺 Ⅶ:14》.

니아메 〔Niamey〕 명 〖지〗 서아프리카 니제르 공화국의 수도. 니제르강(Niger江) 중류에 있으며, 땅콩·면화(綿花)·축산물·광산물 등의 거래 중심지. 대학·공항(空港)이 있음. [400,000명(1991 추계)]

니아사 호 【─湖】 〔Nyasa〕 명 〖지〗 '말라위 호'의 구칭.

니아살랜드 〔Nyasaland〕 명 〖지〗 아프리카 동남부 말라위(Malawi)의 영국 보호령 시대의 명칭. 1892년 영국 보호령이 되고 1953-63년에 남북 로데시아와 연방을 구성, 1964년에 독립하여 '말라위'라 개칭함.

니아신 〔niacin〕 명 〖약〗 니코틴산(nicotine 酸).

니아스 섬 〔Nias〕 명 〖지〗 인도네시아의 수마트라 섬 북서 해안 가까이에 있는 섬. 주민은 니아스족(族)으로, 독특한 언어·종교를 가지고 있어 민족학상 주목됨. 주산(主産)은 코프라·바나나 등. 주도는 구농시톨리(Goenoengsitoli). [4,772km²:315,000명(1981)]

니야 〔Niya〕 명 〖지〗 중국 신장웨이우얼(新疆維吾爾) 자치구 남부의 니야 강변에 있는 2-3세기경의 주거지. 슈타인(Stein, A.)에 의하여 1901년부터 3차에 걸치어 조사 발굴됨. 40-50호의 주택, 가로수가 있는 도로·과수원·축사(畜舍)·교량(橋梁) 등이 발굴되었으며, 연대 결정에 귀중한 자료가 되는 목간(木簡)·한문 문서를 위시하여, 여러 가지 가구(家具)·일용품 등 동서 문화 교류를 나타내는 유물들이 출토됨.

-니야 어미 〈옛〉 -ㄴ 것인가. -ㄴ 것이냐. =-니아. ¶이ᄂᆞᆫ 百丈ㅅ 히ᄆᆞᆯ 得ᄒᆞ니야 馬祖ㅅ 히ᄆᆞᆯ 得ᄒᆞ니야(是百丈力耶得馬祖力耶)《蒙法 31》.

니야기 명 〈옛·방〉 이야기(함경). ¶니야기(古話)《同文 上 24》.

니야트 〔아랍 niyat〕 명 〖이슬람〗 일어서서 양손을 몸 양쪽에 붙여 예배(禮拜)의 결의를 나타내는 일. 의향(意向).

니약-스럽다 형 〈방〉 이악스럽다(평안).

니약-쟁이 명 〈방〉 영악(獰惡)한 사람(평안).

니어 미스 〔near miss〕 명 ①사격·포격 등에서 지근탄(至近彈). ②항공기끼리 지나치게 접근하여 충돌할 것 같은 상태를 이름.

니어 볼: 〔near ball〕 명 야구에서, 투수가 타자에 아주 가깝게 던진 공.

니엄 부 〈옛〉 이어. 잇달아. ¶諸公은 니엄 臺省애 오ᄅᆞ거늘(諸公袞袞登臺省)《重杜諺 XV:36》. 「오라(袞袞上牛頭)《重杜諺 Ⅸ:35》.

니엄니어 부 〈옛〉 이엄이엄. 잇달아. =니섬니석. ¶니엄니어 牛頭에 올

니에레레 〔Nyerere, Julius〕 명 〖사람〗 탄자니아의 정치가. 1954년 탕가니카·아프리카 민족 동맹을 결성, 그 당수가 됨. 1962년 탕가니카 대통령, 1964년 탄자니아의 탄생과 더불어 대통령에 취임. [1921-]

니엘로 〔이 niello〕 명 공예 재료의 하나. 은·구리·납·유황·붕사 등을 한데 가열하여 녹인 흑색 물질로, 금속의 표면을 장식하는 데에 쓰임.

니엡스 〔Niepce, Joseph Nicéphore〕 명 〖사람〗 프랑스의 물리학자. 사진 발명가의 한 사람. 1827년 금속판 위에 사진을 찍는 데 성공, 이후 이의 개량에 전념함. [1765-1833]

니영 명 〈옛〉 이엉. ¶니영이 다 거두치니 울잣신들 셩홀소냐《古時調》. 「處容歌》.

-니오 어미 〈옛〉 -냐. =-뇨. ¶누고 지어 셰니오《樂範

니오베 〔Niobe〕 명 〖신〗 그리스 신화 중의 테베 왕비(Thebe王妃). 레토(Leto)에게 아들 일곱과 딸 일곱을 둔 것을 너무 자랑한 까닭으로 레토의 아들 아폴론(Apollon)과 아르테미스(Arthemis)의 노여움을 사서, 그들에 의하여 자식이 모두 죽게 되자 슬퍼한 나머지 돌이 되어 끊임없이 눈물을 흘리었다 함.

〈니오베〉

니오븀 〔niobium〕 명 〖화〗 니오브(Niob).

니오브 〔도 Niob〕 명 〖화〗 토산 금속(土酸金屬)의 하나. 회백색의 금속으로 융점이 높고 전성(展性)·연성(延性)이 강하며, 산(酸)·알칼리에도 작용하지 아니함. 합금 첨가 원소(合金添加元素)로서 각종 합금에 쓰임. 니오븀(Niobium). 콜럼븀(columbium). [41번:Nb:92.9064]

니웃집 명 〈옛〉 이웃집. ¶석어미 니웃집 ᄃᆞᆰ을 잡아(鷄夢入園中姑盜殺)

니욕 명 〈옛〉 이욕(利慾). ¶니욕(利)《小諺 Ⅴ:28》. ㄴ《五倫 Ⅲ:15》.

니욘 타 〈옛〉 이은. '니다[3]'의 활용형. ¶뉘 힌 뛰로 니욘 지븨 브텃ᄂᆞ니오(誰依白茅室)《杜諺 Ⅸ:5》.

니우다 타 〈옛〉 잇다[1]. ¶詩예 닐오ᄃᆡ 穆穆ᄒᆞ신 文王이여 於홉다 니워 熙ᄒᆞ야 敬ᄒᆞ고 止ᄒᆞ시다 ᄒᆞ니(詩云穆穆文王於緝熙敬止)《大學 栗谷解 7》.

니우에 섬 〔Niue〕 명 서태평양 쿡 제도(Cook 諸島) 속의 한 섬. 뉴질랜드 령(領). 코프라·바나나를 산출함. [259km²:4,142명(1974)]

니우 입자 【─粒子】 〔일 丹生〕 명 〔Niu particle〕 〖물〗 일본 나고야(名古屋) 대학의 니우 기요시(丹生潔) 등의 그룹이 발견한 소립자. 1971년 우주에서 발견된 전기(電氣)를 띤 입자와 1975년 양자 싱크로트론(陽子 synchrotron)을 써서 발견된 중성(中性)의 입자의 두 종류가 있음. 질량은 양자(陽子)의 1.5-2 배이며, 수명은 10조분(兆分)의 1초임.

니우취다 타 〈옛〉 잇대다. =니수취다. ¶니우취여 두 셔울홀 收復ᄒᆞ니라(聯翩收二京)《重杜諺 XXIV:20》.

니웃 명 〈방〉 이웃(평북). 「≪家禮 X:13≫.

니위셔다 자 〈옛〉 잇대어 서다. ¶ 모든 伯叔母와 모든 姑ㅣ 니위셔고

니윤 타 〈옛〉 인. '니다³'의 활용형. ¶ 몰앳 웃 플 니윤 지븨 버드리 새려 어드웻고(沙上草閣柳新暗)≪杜諺 X:18≫.

니으취다 자타 〈옛〉 잇대다. 연달다. =니스취다. ¶ 프른 싣남기 비취옛고 돌히 니으취엿더니라(青楓隱映石逶迤)≪重杜諺 XV:21≫.

니은 명 〖언〗 한글 자모 'ㄴ'의 이름.

니음다라 부 〈옛〉 잇따라. ¶ 니음다라(連綿)≪漢清 Ⅷ:56≫.

니음다랏게 부 〈옛〉 잇따라. ¶ 니음다랏게(相繼)≪漢清 Ⅶ:42≫.

니음ᄃᆞ라 부 〈옛〉 잇따라. =니음다라. ¶ 니음ᄃᆞ라(連絡)≪同文 下 52≫.

니음ᄃᆞ라쎄 부 〈옛〉 잇따라. ¶ 니음ᄃᆞ라쎄(陸續)≪漢清 Ⅵ:50≫.

니음츠다 타 〈옛〉 잇대다. 서로 잇다. ¶ 경셩이 니음츤 양이라≪小諺 Ⅱ:10 屬屬註≫.

니의 명 〈방〉〖충〗 누에(경상).

니이 명 〈방〉〖충〗 누에(경남).

-니이다 어미 〈옛〉 -읍니다. -ㅂ니다. ¶ 敢히 請티 몯홀 뿐이언뎡 진실로 願ᄒᆞ는 배니이다(不敢請耳 固所願也)≪孟諺 公孫丑 下≫.

-니잇가 어미 〈옛〉 -읍니까. -ㅂ니까. =-니닛가·-니잇가. ¶ 伯夷와 伊尹이 孔子의 이러ᄐᆞ시 班ᄒᆞ니잇가(伯夷伊尹於孔子若是班乎)≪孟諺 公孫丑 上≫.

-니잇고 어미 〈옛〉 -읍니까. -ㅂ니까. ¶ 寡人의 民이 더ᄒᆞ디 아니홈은 엇디니잇고(寡人之民不加多何也)≪孟諺 梁惠王 上≫.

-니이다 어미 〈옛〉 -읍니다. -ㅂ니다. ¶ 하ᄂᆞᆯ히 命ᄒᆞ실ᄊᆡ 몰톤 자히 건너시니이다(天之命矣 乘馬截流)≪龍歌 34章≫.

-니잇가 어미 〈옛〉 -읍니까. =-니잇가. ¶ 洛水예 山行 가이셔 하나빌 미드니잇가(洛表遊畋皇祖其恃)≪龍歌 125章≫.

-니잇고 어미 〈옛〉 -읍니까. -ㅂ니까. ¶ 兩漢故事애 엇더ᄒᆞ니잇고(兩漢故事 果何如其)≪龍歌 28章≫.

니자:미 〔Nizami〕 명 〖사람〗 페르시아의 시인. 정식 이름은 Abu Muhammad Ilyas ibn Yusuf Sheikh Nizam eddin. 신비주의자로서 우아하고 유려한 문체로 환상에 찬 시를 썼음. 작품≪비밀의 보고(寶庫)≫·≪칠인상(七人像)≫ 등. [1140-1202?]

니장 〔Nizan, Paul〕 명 〖사람〗 프랑스의 작가. 철학을 공부하고 공산당에 입당하였으나 독·소 불가침 조약을 계기로 탈당함. 됭케르크 전투(Dunkerque戰鬪)에서 전사함. 소설 ≪트로이의 목마≫·≪음모≫ 등에서 날카로운 감각을 보여줌. [1905-40]

니제:르 〔Niger〕 명 〖지〗 서아프리카 나이지리아 공화국의 북방, 사하라 사막의 남부에 있는 공화국. 서는 말리, 북은 알제리, 동은 차드에 접함. 북부는 사막 지대, 남부는 농경, 중부는 목축 지대임. 우라늄·주석의 광산(鑛產)이 있음. 공업은 미발달(未發達). 전에 프랑스 식민지였는데, 1960년에 독립하였음. 수도는 니아메(Niamey). 정식 명칭은 '니제르 공화국(Republic of Niger)'. [1,267,000 km² : 6,890,000 명(1991 추계)]

니제:르 강 【一江】〔Niger〕 명 〖지〗 '나이저 강'의 프랑스어 이름.

니주:바시 사:건 【一事件】〔二重橋: にじゅうばし〕[一껀] 명 〖역〗 1924년 1월 4일 김지섭(金祉燮)의 일본 궁성 폭탄 투척 사건. 간토(関東) 대지진 때 한국인이 많이 학살되었다는 소식에 분개, 상해(上海)에서 도일(渡日)하여 폭탄 세 개를 궁성의 입구인 니주바시에 접근 투척하였으나 실패, 무기 징역형을 받고 복역 중 옥사함.

니죽 명 〈옛〉 쌀죽. ¶ 조쥭 니쥭 白楊箸로 지어 자내 자소≪古時調≫.

니즈니-노브고로드 〔Nizhnii Novgorod〕 명 〖지〗 '고리키'의 옛이름.

니즈니-타길 〔Nizhnii Tagil〕 명 〖지〗 러시아 연방 공화국의 우랄 산맥 동쪽 기슭의 공업 도시. 동제련(銅製鍊) 외에 철강·기계·차량·화학 등의 공업이 성함. [378,410명(1970)]

니지 부 〈옛〉 잊어. 잊고서. ¶ 四月 아니 니지 아으 오실셔 곳고리 새여≪樂範 動動≫.

니지삐리다 타 〈방〉 잊어버리다(평안).

니진스키 〔Nijinsky, Vaslav〕 명 〖사람〗 폴란드계(系) 러시아의 무용가. 1907년 상트페테르부르크(Sankt Peterburg)의 제실(帝室) 발레 극장에서 초연. 파리 등지에서 최초의 남성 발레 무용가로 세계적인 명성을 떨쳤고, 안무가(按舞家)로서 ≪목신(牧神)의 오후≫ 등을 안무(按舞), 신국면을 보이었음. 정신 이상으로 은퇴함. [1890-1950]

니:체 〔Nietzsche, Friedrich Wilhelm〕 명 〖사람〗 독일의 철학자·시인. 실존 철학의 선구자. 일찌기 쇼펜하우어에 심취(心醉)하여 크게 영향을 받음. 보불(普佛) 전쟁에 종군 후, 지병인 마비증으로 발광하여 56세에 죽음. 처음 ≪비극의 탄생≫에서 생의 환희와 염세를 예술적 형이상학으로 쌓아 올리고, ≪인간적, 너무나 인간적≫ 및 주저(主著) ≪차라투스트라(Zarathustra)는 이렇게 말했다≫에서 사상의 원숙을 보였음. 기독교적·민주주의적 윤리 사상을 약자(弱者)의 노예 도덕이라 배척하고, 강자(強者)의 자율적 도덕인 군주 도덕을 찬미하여, 이 도덕을 구현한 사람을 '초인(超人)'이라 칭하고, 우주의 본체인 권력 의지(權力意志)의 화신(化身)으로 보았음. 그의 ≪권력에의 의지≫는 주저(主著)의 예정으로 마련되었으나 끝맺지 못하였음. 이 외에 ≪선악의 피안(彼岸)≫·≪도덕의 계보학(系譜學)≫ 등이 있음. [1844-1900]

니체노 신:경 【一信經】〔이 Niceno〕 명 〖천주교〗 알렉산드리아의 사제(司祭) 아리우스(Arius)가 그리스도의 천주성(天主性)을 부인한 이단성(異端性)을 단죄(斷罪)하기 위하여, 325년 소아시아 니케아(Nicaea)에서 열린 공의회에서 결의 선포한 신경. 니케아 신조(Nicaea信條).

니:체이즘 〔Nietzscheism〕 명 〖철〗 니체주의.

니:체-주의 【一主義】[一/一이] 명 〔Nietzscheism〕〖철〗 니체의 사상을 이어받아, 기독교적 도덕을 배척하고 강자(強者)의 도덕을 강조하며, 그 도덕을 실행하는 초인(超人)을 권력 의지의 상징으로서 중시(重視)하는 사상. 니체이즘. 초인주의.

니쳔 명 〈옛〉 이익(利益). 이문(利文). ¶ 져그나 니쳔 인ᄂᆞ냐(也有些利錢「麼)≪老乞 上 10≫.

니치 〔niche〕 명 서양 건축에서 벽면(壁面)의 일부를 오목하게 파서 만든 감상(龕狀)의 장치.

니치 산:업 【一產業】〔niche〕 명 〖경〗 남들이 등한시하는 기술 또는 연쇄적인 효과를 촉발하는 인터넷 등 관련 기술을 개발하여, 독창적인 아이디어로 기존 시장의 틈새를 파고드는 산업.

니출발 명 〈옛〉 이찹쌀. ¶ 니출발(糯米)≪湯液≫.

니카라과 〔Nicaragua〕 명 〖지〗 중앙 아메리카 중부에 있는 공화국(共和國). 중앙 산지에 함몰대(陷沒帶)가 있어 호안(湖岸)에 인구가 집중한 열대 농업국임. 국내에 화산이 많고, 주민은 스페인 사람과 인디언의 혼혈족이 대부분이고, 70%가 태평양 쪽의 사면(斜面)에 거주함. 가톨릭 교도가 많고 공용어는 스페인어임. 커피·면화·사탕수수·옥수수·콩 등의 농산이 주산물임. 1821년에 독립하였고, 수도는 마나과(Managua)임. 정식 명칭은 '니카라과 공화국(Republic of Nicaragua)'. [148,000 km² : 4,000,000 명(1991 추계)]

니카라과 운:하 【一運河】〔Nicaragua〕 명 〖지〗 니카라과 저지대를 이용, 대서양과 태평양을 연결하기 위하여 미국이 계획한 운하. 카리브 해·산후안 강(San Juan江)·니카라과 호·태평양을 잇는 물길임.

니카라과 호 【一湖】〔Nicaragua〕 명 〖지〗 중앙 아메리카 니카라과 남서부에 있는 중미 최대의 호수. 이 호수를 이용하여 태평양과 대서양을 잇는 니카라과 운하의 계획이 있음. 산후안 강(San Juan江)에 의하여 카리브 해로 흘러감. 호면 표고 34 m, 최대 수심 70 m. [8,430 km²]

니커-보커스 〔knickerbockers〕 명 무릎 근처에서 졸라매게 된 느슨한 반바지. 여행이나 골프칠 때 입음. 준니커스(knickers).

〈니커보커스〉

니커스 〔knickers〕 명 ↗니커보커스(knickerbockers).

니케 〔Nīkē〕 명 〖신〗 그리스 신화 중의 승리(勝利)의 여신(女神). 날개가 있고 종려(棕櫚)의 가지와 방패·월계관(月桂冠)을 가지었음. 로마 신화의 빅토리아(Victoria)에 해당함. 영어명: 나이키.

니케아 〔Nicaea〕 명 〖지〗 터키 서북부에 있는 마을. 325년 니케아 공의회가 열리었던 곳.

〈니케〉

니케아 공:의회 【一公議會】〔Nicaea〕[一/一이一] 명 〖역〗 기독교 종교 회의 중의 하나. 제1회는 325년에 로마의 콘스탄티누스(Constantinus) 대제가 니케아에서 연 회의로, 아리우스파(Arius派)를 배제하고 삼위 일체설을 정통으로 삼는다는 니케아 신조(信條)를 내세웠고, 제2회는 787년에 동로마 이레네 황후의 주최로 우상 파괴 문제를 논하였음.

니케아 신:조 【一信條】〔Nicaea〕 명 〖천주교〗 니체노 신경.

니케아 제:국 【一帝國】〔Nicaea〕 명 〖역〗 1206년, 동로마 제국의 테오도르 라스카리스(Theodore Lascaris)가 콘스탄티노플에서 대안(對岸)의 니케아에 옮기어 세운 제국. 1261년 미카엘 8세가 구도(舊都)를 탈환하여 로마 황제의 자리에 오를 때까지 존속함.

니켈 〔nickel〕 명 〖화〗 금속 원소의 하나. 천연 광석으로 생산됨. 단단한 은백색의 금속이며, 전성(展性)·연성(延性)은 철과 비슷하나 공기·습기에는 철보다 안정하고, 자성(磁性)을 가지며, 알칼리에 작용하지 아니하나 산에는 녹음. 융점 1,455°C, 비점 2,731°C. 니켈강·니크롬·양은·백통 등의 합금을 만들며 또 도금 피막(鍍金被膜)으로도 유용함. 환원(還元) 니켈은 촉매(觸媒)로 이용됨. [28번: Ni: 58.71]

니켈-강 【一鋼】〔nickel〕 명 〖화〗 특수강의 하나. 니켈 3-3.5%, 탄소(炭素) 0.1-0.5%를 함유하는 펄라이트니켈강(pearlitenickel鋼)과 니켈 25-35%, 탄소 0.3-0.5%를 함유하는 오스테나이트니켈강(austenite-nickel鋼)의 두 가지가 있음. 강하고 질겨서, 전자는 차량·교량·포신 등으로, 후자는 내연 기관·전기 저항선 등에 쓰임.

니켈 도금 【一鍍金】〔nickel〕 명 〖공〗 녹이 슬지 아니하도록 금속 기구의 겉면에 니켈을 얇게 입히는 도금.

니켈 동 【一銅】〔nickel〕 명 〖화〗 니켈 20과 구리 80의 비율로 된 합금. 상온(常溫)으로 압연(壓延)할 수 있으며, 화폐 제조 등에 쓰임.

니켈 실버 〔nickel silver〕 명 〖화〗 구리·니켈·아연으로 된 합금. 양은(洋銀).

니켈 청동 【一青銅】〔nickel〕 명 〖화〗 놋쇠와 니켈로 된 합금.

니켈 카드뮴 전:지 【一電池】〔nickel-cadmium〕 명 〖화〗 카드뮴을 음극, 수산화 니켈을 양극으로 하여 수산화 칼륨 용액을 넣어서 만든 축전지. 기전력(起電力) 1.3볼트. 트랜지스터·초(超)소형 텔레비전 수상기·녹음기(錄音器)·전기 면도기·보청기(補聽器) 등 가정용으로도 널리 쓰임. 재충전되지 아니함. 융그너(Jungner) 전지.

니켈 카르보닐 〔nickel carbonyl〕 명 〖화〗 니켈 분말에 섭씨 60°로 일산화 탄소를 반응시키어 만들어지는 금속 카르보닐의 한 가지. 무색 휘발성의 액체. 승화성(昇華性)·굴절률이 높고, 독성도 강함. 아세틸렌의 중합 촉매(重合觸媒), 순(純)니켈의 제조 등에 쓰임. [$Ni(CO)_4$]

니켈 크롬강 【一鋼】〔nickel-chrome〕 명 〖화〗 니켈 1.0-3.5%와 크롬 0.5-1.0%를 함유하는 강. 극히 강인(強靭)하여 충돌에 대한 저항성이 강하여 구조용 특수강(構造用特殊鋼)으로서, 고급 기계 부품에 널리 쓰임. 「강·니켈크롬강·니크롬 등.

니켈 합금 【一合金】〔nickel〕 명 〖화〗 니켈과 다른 금속과의 합금. 니켈

니켈-화 【一華】〔nickel〕 명 〖화〗 니켈 광석의 노출면(露出面)에 2차적

으로 생기는 가루 모양의 초록색 모세 결정(毛細結晶). 니켈 함유(含有)의 징후를 나타내는 것임.

니코마코스 윤리학【—倫理學】〔Nikomachos〕〔—율—〕 [명] 〔Ethica Nicomachea〕〖책〗 아리스토텔레스의 현존하는 3편의 ≪윤리학 강의안≫ 중 가장 완전한 것. 그의 아들 니코마코스가 편집하였음. 10권.

니코바르 제도【—諸島】〔Nicobar〕 [명]〖지〗 인도의 벵골 만의 남동부 수마트라 섬 북서쪽에 있는 군도(群島). 대소 니코바르 등 19개의 화산도(火山島)로 되어 있으며, 인도 연방 정부의 직할령(直轄領)임. 야자의 재배와 코프라를 수출함. [1,644 km² : 115,000 명(1971 추계)]

니코시아〔Nicosia〕 [명]〖지〗 키프로스(Kypros) 공화국의 수도. 키프로스 섬 중앙부의 평야에 있음. 농·축산물의 집산·가공지이며 섬유·가죽·담배 공장이 있음. 섬을 동서로 연결하는 철도의 요지이며, 국제 공항이 있음. 14세기의 고딕 교회·미술관 등이 있음. [(130,100 명(1979추계)]

니코틴〔nicotine〕 [명]〖화〗 담배 중에 2-8% 포함되어 있는 무색 휘발성의 액체 알칼로이드(alkaloid). 공기 중에서는 점차로 산화하여 갈색으로 변함. 맹독이 있고 신경·소뇌·연수·척추 등을 자극·마비시키며, 특이한 자극적 냄새와 가열(苛烈)한 맛이 있음. 알코올·에테르 등에 잘 녹으며, 산화되어 염(塩)을 만듦. [$C_{10}H_{14}N_2$]

니코틴-산【—酸】 [명] 〔nicotinic acid〕〖화〗 니코틴의 산화물로, 비타민 B 복합체의 하나. 1937년에 소의 간장에서 처음 분리되었는데, 식물계에 분포되어 있고, 또한 동물체로부터도 배설됨. 이것이 결핍되면 펠라그라(pellagra)라 하는 병에 걸리며, 나아가 신경 장애를 일으킴. 이 때문에 항 펠라그라 인자(抗 pellagra 因子)라고도 불림. [$C_5H_4N(CO_2H)$]

니코틴산 아미드【—酸—】 [명] 〔nicotinamide〕〖약〗 니코틴산의 아미드 유도체. 무색·결정성의 분말로, 비타민 B 복합체의 하나이며, 탈수소(脫水素) 효소의 보효소(補酵素)의 구성분으로서 중요한 물질임. 간장의 추출물(抽出物)·쌀겨 속에 니코틴산과 공존함. [$C_5H_4N(CONH_2)$]

니코틴-제【—劑】〔nicotine〕 [명]〖약〗 니코틴을 유효 성분으로 하는 살충제.

니코틴 중독【—中毒】〔nicotine〕 [명] 담배를 많이 피워서 일어나는 중독. 중독량은 1-4 mg, 급성 중독과 만성 중독이 있는데, 급성은 구토·경련·두통·호흡 마비 등을 일으켜 죽는 수가 있음. 보통의 경우는 만성으로, 기관지염·약시(弱視)·불면(不眠)·동맥 경화·협심증·위장 장애 등의 증상을 나타냄.

니코폴리스의 싸움〔Nicopolis〕〔— / —에—〕 [명]〖역〗 1396년 불가리아의 북경(北境)인 니코폴리스에서 오스만 제국의 바야지트(Bajazit) 1세의 군대와 헝가리왕 지기스문트(Sigismund)의 십자군과의 싸움. 십자군이 대패함.

니콘〔Nikon〕 [명]〖사람〗 러시아의 성직자. 1652년 러시아 공교회 총주교가 되어 의식·교서를 개혁하였으나, 많은 보수파 신도가 개혁에 반대하여 분열되매, 교회의 약체화를 초래하였음. 훗날 속권(俗權)에 대한 교권을 주장하여 황제와 대립, 실각함. [1605-81]

니콜[1]〔Nicol〕 [명]〖물〗 ↗니콜 프리즘.

니콜[2]〔Nicol, William〕 [명]〖사람〗 스코틀랜드의 물리학자. 에든버러 대학 교수. 니콜 프리즘을 발명하였음. [1768-1851]

니콜[3]〔Nicolle, Charles Jean Henri〕 [명]〖사람〗 프랑스의 세균학자. 발진티푸스가 이에 의하여 매개(媒介)됨을 발견, 1928년 노벨 생리 의학상을 받음. [1866-1936]

니콜라예바〔Nikolaeva, Galina Evgen'evna〕 [명]〖사람〗 소련의 여류 소설가. 소비에트의 사회적·도덕적 문제를 다루었음. 주저(主著) ≪수확(收穫)≫. [1911-63]

니콜라예프〔Nikolaev〕 [명]〖지〗 우크라이나 공화국의 항구 도시. 흑해(黑海)에 면하고 있으며, 조선(造船)·기계·식품 가공 등의 공업이 행하여짐. 1788년 남부 지역의 조선 기지(造船基地)로서 건설되었음. [410,000 명(1974 추계)]

니콜라옙스크-나-아무레〔Nikolaevsk-na-Amure〕 [명]〖지〗 시베리아 동부, 아무르 강 어귀에서 약 80 km 상류의 좌안에 있는 하항(河港) 도시. 1850년 군사적 거점으로 건설. 선박 수리·식품 가공업이 행하여짐. 1920년 일본군이 시베리아 출병중 이곳에서 빨치산에 의하여 학살당한 사건이 일어났음. [35,000 명(1968 추계)]

니콜라우스 오:세【—五世】〔Nicolaus V〕 [명]〖사람〗 르네상스기(期)의 로마 교황. 바젤(Basel) 종교 회의(1431-37)에 의한 교회 분열을 수습하여 빈(Wien) 협약을 맺고, 독일 제국과의 관계를 조정하였음. 또, 르네상스 인문주의의 보호·육성에 진력하고, 산 피에트로(San Pietro) 대성당의 신축을 계획하고 고전 학자들을 로마에 초청, 사본(寫本)을 수집 바티칸 도서관을 창설함. [1397 ? -1455; 재위 1447-55]

니콜라우스 쿠사누스〔Nicolaus Cusanus〕 [명]〖사람〗 독일의 신비주의 철학자·신학자. 중세에서 근세에 이르는 전환점에 섰던 철학자로, '반대의 일치'에 의한 신(神)의 인식이라는 그의 사상은 근세 철학, 특히 브루노(Bruno)·라이프니츠 등에 영향을 끼침. 그는 교황청의 추기경(樞機卿)으로써 교회 개혁에도 이바지함. 주저 ≪무지(無知)의 지(知)≫ 등. [1401-64]

니콜라이 이:세【—二世】〔Nikolai II〕 [명]〖사람〗 러시아의 마지막 황제. 전제 정치를 선언, 극동(極東)에 적극책을 썼으나 러일 전쟁에 패하여, 1906년 입헌 정치를 시행하고, 국회를 개설하였음. 1차 대전 중 연합군(聯合軍)에 참가하였으나 1917년 3월 혁명에 의하여 퇴위 당하고, 다음해 시베리아의 유폐지(幽閉地)에서 가족과 함께 총살되었음. [1868-1918; 재위 1894-1917]

니콜라이 일세【—一世】〔—쎄〕〔Nikolai I〕 [명]〖사람〗 러시아의 황제(皇帝). 데카브리스트(Decabrist)의 반란 후 철저한 전제 정치로 환원하였으며, 남진책(南進策)을 씀으로써 1854년 크림 전쟁을 일으키어 전쟁 지휘중에 죽었음. [1796-1855; 재위 1825-55].

니콜라이트〔niccolite〕 [명]〖광〗 엷은 동홍색(銅紅色)의 육방 정계(六方晶系) 광물. 금속 광택이 있으며, 니켈의 중요한 광석임. 모스(Mohs)의 경도 5-5.5. [NiAs]

니콜러스〔Nicholas; Nicolas〕 [명] 영어의 남자 이름. 독일어의 '니콜라우스', 프랑스어의 '니콜라', 이탈리아어의 '니콜로', 러시아어의 '니콜라이'에 해당함.

니콜슨〔Nicholson, Jack〕 [명]〖사람〗 미국의 영화 배우·감독. 1950 년대 후반부터 영화에 출연 ≪이지 라이더≫와 ≪사랑과 추억의 나날≫로 각각 아카데미 조연상을 받고, 1975 년 ≪뻐꾸기 둥지 위로 날아가다≫로 아카데미 주연상을 받음. [1937-]

니콜슨 부칭【—浮秤】〔Nicholson〕 [명]〖물〗 아르키메데스의 원리를 이용하여 고체 및 액체의 비중을 측정하는 장치. 금속의 중공(中空) 원통 위 끝에 접시, 아래 끝에 광주리를 단 것으로, 4°C의 물 속에서 가라앉는 눈금과, 달려는 액체·고체를 넣고 단 눈금과의 비로, 그 물질의 비중을 알아냄.

니콜 프리즘〔Nicol prism〕 [명]〖물〗 빛의 편광(偏光)을 얻는 데 쓰이는 프리즘의 하나. 방해석(方解石)의 결정을 한번 적당히 자르고 이에 발삼(balsam)을 접착시킨 것임. 방해석의 복굴절 현상을 이용하여 어떤 일정 방향의 직선 편광만을 통과시킴. 1828년에 니콜이 발명하였음. [준]니콜.

니크롬〔nichrome〕 [명]〖화〗〔nickel과 chrome의 합성어〕 용도에 따라 다르나 대개 니켈 60-90%, 크롬 10-30%, 철 0-35%, 망간 1-2%를 함유하는 합금. 내열성·내산성(耐酸性)이 강하고, 가늘게 만들 수 있는 것이 특징임. 전기의 저항기·전열기 등에 널리 이용됨.

니크롬-선【—線】〔nichrome〕 [명]〖물〗 니크롬으로 만든 도선. 전기로 등 공업용 고온 발열체·가정용 전기 풍로 등의 전열선으로 쓰임.

니크롬 히:터〔nichrome heater〕 [명]〖전〗 전열선(電熱線)을 니크롬으로 한 보통의 전기 풍로.

니클리슈〔Nicklisch, Heinrich〕 [명]〖사람〗 독일의 경영학자. 만하임 및 베를린 상과 대학 교수. 경영을 노사(勞使)의 공동체로 보는 규범론(規範論) 학파를 창시하여 슈말렌바흐(Schmalenbach) 등의 기술론(技術論) 학파와 구별되며, 제2차 대전이 끝날 때까지 독일 경영학계를 풍미(風靡)하였음. 주저(主著) ≪경영 경제≫. [1876-1946]

니키슈〔Nikisch, Arthur〕 [명]〖사람〗 헝가리의 지휘자. 보스턴 교향악단 및 베를린 필하모니 관현악단 지휘자로 명성을 떨치었음. 악보를 따로 외워 지휘하는 것이 특색임. [1855-1922]

니탁쥬 [명]〈옛〉 입쌀로 만든 막걸리. ¶ ᄃᆞ나 ᄡᅳ나 니濁酒 됴코 대테 메온 질병드리 더욱 됴해 ≪古詩調≫.

니트[1]〔knit〕 [명]〔뜨개질한다는 뜻〕 뜨개질하여 만든 옷. 또, 그 복지(服地). 간편하므로 여행복·가정복으로 널리 사용됨. 모(毛)·견(絹)·무명·화학 섬유로 그 형태대로 뜬 것과, 뜬 옷감을 마름질하여 지은 것의 두 가지가 있음.

니트[2]〔nit〕 [의명]〖물〗 휘도(輝度)의 단위의 하나. 1m² 당 1 칸델라(candela)의 광도(光度)를 지니는 표면의 휘도. 기호는 nt.

니:트 드레서〔neat dresser〕 [명] 수수한 차림으로 말쑥하게 멋을 부릴 줄 아는 사람.

니트라민〔nitramine〕 [명]〖화〗 질소 원자와 직접 결합한 니트로기(Nitro 基)를 갖는 화합물의 총칭. 환원(還元)하면 아민이 되고, 농황산(濃黃酸)에 의하여 분해되어 니트로기를 잃어버림.

니트렉스【NITREX】 [명]〔Nitrogen Export Co.의 약칭〕 제2차 세계 대전 후 부활한 국제 질소(窒素) 카르텔. 1962년 서독·프랑스·이탈리아 등 유럽 7개국의 화학 공업 회사 또는 그의 연합체에 의하여 취리히에 설립된 회사. 사회주의 국가까지 포함한 수출 시장의 가격 안정, 개발 도상국 등에 대한 시장 개척 등을 목적으로 하고, 수출 상대에 대한 장기(長期)의 신용 공여(信用供與)도 행함.

니트로〔nitro〕 [명]〖화〗 ①유기(有機) 니트로 화합물의 일가(一價)의 치환기(置換基) NO_2를 말함. 니트로기(基). ②아질산(亞窒酸) 이온 NO_2^-의 리간드로서의 명칭. ③니트로글리세롤, 니트로셀룰로오스 등 어떤 종류의 질산 에스테르에 잘못 쓰이는 이름.

니트로-구아니딘〔nitroguanidine〕 [명]〖약〗 구아니딘을 진한 황산으로 탈수하여 만든 폭발성 물질. TNT와 비슷하나 조금 둔감(鈍感)하며, 작약(炸藥)·무연(無煙) 화약의 성분으로 쓰임.

니트로-글리세린〔nitroglycerin〕 [명]〖화〗 글리세롤의 삼질산(三窒酸) 에스테르. 발연 질산과 황산의 혼합액 중에 글리세롤을 안개같이 불어넣어서 만듦. 달고도 가열(苛烈)한 맛이 있는 유독한 무색의 액체로, 충격·마찰 등에 극히 민감(敏感)하여 폭발하기 쉬움. 규조토(硅藻土)에 흡수시키어 다이너마이트를 만들며, 또 군용 화약과 공업용 폭발물의 중요한 원료가 됨. 삼질산(三窒酸) 글리세린. [$C_3H_5(ONO_2)_3$]

니트로-기【—基】〔nitro〕 [명]〖화〗 니트로❶.

니트로-벤젠〔nitrobenzene〕 [명]〖화〗 벤젠의 니트로 화합물. 벤젠에 진한 질산의 혼합물을 작용시키어 만드는, 약간 누른 빛을 띤 액체. 물에 녹지 아니하고 방향(芳香)이 있으며 증기(蒸氣)는 유독함. 용매로 또는 환원하여 아닐린을 만드는 원료로 쓰임. 니트로벤졸. [$C_6H_5NO_2$]

니트로-벤졸〔nitrobenzol〕 [명]〖화〗 니트로벤젠(nitrobenzene).

니트로-셀룰로오스〔nitrocellulose〕 [명]〖화〗 셀룰로오스의 질산 에스테르(esther). 황산·질산·물의 혼합액에 셀룰로오스를 담그면, 혼합 용액의 조성과 담근 시간에 따라 이질산(二窒酸) 에스테르로부터 육(六)질산 에스테르까지의, 질산의 함유량이 다른 질산 에스테르가 생김. 면화약(綿火藥)·피록실린(pyroxyline)·셀룰로이드 등의 제조 원료가 됨. 질산 셀룰로오스. 질산 섬유소(纖維素).

니트로소-기【一基】〔nitroso〕명『화』NO로 나타내는 기(基)의 유기 화합물 중의 치환기(置換基)로서의 이름. 무기 화합물에서는 '니트로실(nitrosyl)'이라 부름. 니트로소 그룹(nitroso group).

니트로실 황산【一黃酸】〔nitrosyl〕명『화』연실법(鉛室法)에 의하여 황산을 제조할 때, 수분(水分)의 공급이 불충분한 연실에서 생기는 결정. [$NOHSO_4$]

니트로 염:료【一染料】〔nitro〕명『화』니트로기(基)를 포함하는 페놀·나프톨·방향족(芳香族) 아민으로 된 물감. 산성 물감·분산 물감 등으로서 합성 섬유에 쓰이며, 황색·오렌지색·갈색 등의 색조를 가짐.

니트로 치:환【一置換】〔nitro〕명『화』유기 화합물의 분자 중의 수소 원자를 니트로기(nitro基)로 치환하는 일. 니트로화(nitro化).

니트로-톨루엔〔nitrotoluene〕명『화』톨루엔의 니트로 화합물. 톨루엔을 질산 또는 혼산(混酸)으로 처리하여 만듦. 물감·의약품 등의 유기 합성의 중간체에 쓰임. [$C_6H_4(NO_2)CH_3$]

니트로-페놀〔nitrophenol〕명『화』①니트로기가 하나 이상 치환(置換)된 페놀류의 총칭. 탄화 수소보다 니트로화(化)가 용이하며, 페놀에 니트로기가 치환되면 그 히드록시기(基)의 산성은 더욱 강해짐. ②협의로 모노(mono) 니트로페놀을 말함. 3종의 이성질체(異性質體)가 있으며, 여러 가지 물감의 원료로 쓰임.

니트로-포스카〔도 Nitrophoska〕명 비료의 세 요소인 질소·인산·칼리를 전부 함유하는 비료. 함유율이 서로 다른 여러 종류가 있으나, 질소 15-17.5%, 인산 11-30%, 칼륨 15-26% 범위로, 흰 빛 입상(粒狀)의 결정임.

니트로-화【一化】〔nitro〕명『화』니트로 치환.

니트로 화합물【一化合物】〔nitro〕명『화』분자(分子) 중에 니트로기(基)를 갖는 유기 화합물을 말함. 좁은 뜻으로는 탄소에 니트로기가 붙은 C-니트로 화합물을 말하며, O-니트로 화합물이나 N-니트로 화합물은 각기 질산 에스테르·니트로아민이라 하여 구별함. 화약 원료로 쓰이며, 유기 합성의 중간체나 아민의 원료로서도 중용(重用)됨.

니트론〔nitron〕명『화』질산 이온의 특수 분석 시약(試藥). 누른 빛의 판상(板狀) 결정으로, 질산 이온과 잘 녹지 아니하는 염(塩)을 만들므로 질산 이온의 정량(定量)에 쓰임. [$C_{20}H_{16}N_4$]

니트릴〔nitrile〕명『화』①카르복시산의 유도체(誘導體)로, 일반식(一般式) RCN으로 나타내는 화합물을 말함. 저위(低位)의 것은 방향성이 있는 무색의 액체, 고위의 것은 무색의 결정성(結晶性) 고체임. 분자 안에 반응성(反應性)이 큰 시안기(cyan基)를 포함하고 있기 때문에 유기 합성 원료로서 널리 쓰임. 시안화물(cyan化物). ②정일가(正一價)의 기(基) NO_2를 말함. 착체(錯體) 중의 리간드 및 유기 화합물 중의 치환기(置換基)로서 존재할 때는 '니트로'라 함.

니트릴로트리아세트-산【一酸】명〔nitrilotriacetic acid; NTA〕『화』합성 세제의 원료. 코발트(cobalt)·세륨(cerium)·루테늄(ruthenium) 따위 방사능 동위 원소에 의한 오염의 제거·세척에 유효함이 알려져, 방사능 세척제라고 불림.

니팅〔knitting〕명 편물(編物).

니파-야자【一椰子】〔nipa〕명『식』야자과에 속하는 교목(喬木). 높이 5-10m이고, 줄기는 땅 속에 가로 벋고 우상엽(羽狀葉)이 땅 위에서 직립함. 소엽(小葉)은 가늘고 길며 길이 1m 가량임. 과실은 사람 머리만한 취합과(聚合果)이며, 잎은 지붕을 덮는 데 긴요히 쓰이고 화축(花軸)을 잘라서 사탕을 만듦. 인도·말레이 등지의 해변·강가에 분포함.

니-팝명〈방〉이밥(평안).

니퍼〔nipper〕명 펜치의 한 가지. 주로 전선의 절단용으로 쓰이는 공구(工具).

〈니퍼〉

니페〔nife〕명『지』지구의 중심부를 이루고 있는 금속핵(核). 철과 니켈이 주성분이므로, 양자(兩者)의 화학 기호 'Ni'와 'Fe'를 합하여 명명한 것임.

니포니테스〔라 Nipponites〕명 화석(化石) 조개인 암모나이트(ammonite)의 일종. 암모나이트가 절멸할 때쯤 곧, 중생대 백악기(白堊紀) 후기에 생존하였으며, 얽힌 새끼줄과 같은 기묘한 모양임.

니푸르〔Nippur〕명『지』이라크 남부에 있는 고대 바빌로니아(Babylonia)의 도시 유적(都市遺跡). 수메르(Sumer)·아카드 시대에 여러 신(神)들의 왕(王) 엔리르의 성지(聖地)로서 중요한 지위를 차지하였음. 19세기말 이래 미국의 학자들에 의하여 엔리르 신전(神殿)·이난나 여신(女神)의 신전 등이 발굴되고 있음.

니플헤임〔Niflheim〕명『신』북유럽 신화에서, 세계의 시초에 망망한 허무(虛無)의 심연(深淵) 북쪽 끝에 있던 극한 암흑(極寒暗黑)의 세계. *헬(Hel). ↔무스펠헤임(Muspelheim).

니피곤 호【一湖】〔Nipigon〕명『지』캐나다 온타리오(Ontario) 주에 있는 호수. 호중에 1,000 이상의 섬이 있음. 송어·연어의 어장(漁場)으로 알려짐. [2,768 km²]

니피다타〈옛〉입히다. ¶袞服 니피수ᄫᆞ니(袞服以御)《龍歌 25章》.

니:하우 섬〔Niihau〕명『지』미국 하와이 주에 속한 섬. 상주도(常住島)로서는 인구가 가장 적은 섬임. 카우아이(Kauai) 섬의 서쪽, 하와이 제도 북서부에 위치함. 화산도이나 서부는 융기 산호초(隆起珊瑚礁)임. 목양(牧羊) 외에 골풀 제품이 생산됨. [187 km²:254명(1960)]

니:하이 부:츠〔knee-high boots〕명 무릎 가까이 올라오는 장화의 총칭.

니: 홀:드〔knee hold〕명 레슬링에서, 상대방의 무릎을 잡아 넘어뜨리는 술법.

니힐〔라 nihil〕명 허무(虛無). ——하다 형여불

니힐리스트〔nihilist〕명 ①허무주의자. ②19세기 후반의 러시아의 혁명적 민주주의자나 혁명가. 허무당원(虛無黨員).

니힐리스틱〔nihilistic〕명 ①허무적. 허무주의적. ②부정적. 절망적. 비관적. ¶～한 사람. ——하다 형여불

니힐리즘〔nihilism〕명『철』허무주의.

닉〔nick〕명 활자의 등에 새긴 홈.

닉-네임〔nickname〕명 별명. 이명. 애칭(愛稱). ¶선생님의 ～.

닉다자〈옛·방〉익다¹(황해·평안). ¶나조히 뷔여든 또 나 아ᄎᆡᆷ미 닉더니《月釋 I:45》.

닉달-하다형〈방〉익숙하다(평안).

닉숙다형〈옛〉익숙하다. ¶닉수거 甁이 소내 잇도다(慣捷甁在手)《杜諺 IX:21》.

닉숙-하다형〈방〉익숙하다.

닉스【NICs】명〔newly industrializing countries〕신흥 공업국(新興工業國). *니스(NIEs).

닉슨〔Nixon, Richard Milhous〕명『사람』미국의 변호사·정치가. 공화당 출신. 하원 의원·상원 의원·부통령을 거쳐 1969-74년 대통령으로 있다가 대통령 선거 당시의 워터게이트(Watergate) 민주당 회의 도청 사건에 관련된 혐의로 여론과 국회의 압력을 받아 사임함. [1913-94]

닉슨 독트린〔Nixon Doctrine〕명 1970년 2월 18일 당시의 미국 대통령 닉슨이 의회에 보낸 외교 교서(敎書)에서 '평화에 대한 새 전략(戰略)'을 밝힌 새로운정책. 그 기본 원칙은 ㉠우호 제국(友好諸國)과의 협력. ㉡미국의 중대 이익을 위협하는 국가에 대한 '힘'에 의한 대처. ㉢평화를 위한 필요 조건으로서의 '교섭의 의욕' 등임.

닌념명〈방〉잇몸(제주).

-닌댄어미〈옛〉-ㄹ진대. =-ㄴ댄. ¶두 늘그늬 骨髓를 ᄉᆞ뭇 보닌댄(見徹二老骨髓者)《蒙法 32》.

닐:〔Neill, Alexander Sutherland〕명『사람』영국의 교육자. 스코틀랜드 등의 국민 학교에서 철저한 자유 교육을 시도해 본 다음, 1921년 독일에 이상적인 국제 학교를 설립함. 후에 영국으로 옮기어 서머힐 학교라 명명함. 정신 분석학에 기초를 둔 점이 그 특징임. 주저(主著)《문제아(問題兒)들》. [1883-1973]

닐가이〔nilgai〕명『동』〔*Boselaphus tragocamelus*〕솟과에 속하는, 대형의 인도산 영양(羚羊)의 하나. 수컷은 어깨 높이 1.3-1.4m, 몸길이 2.4-2.6m이고, 앞다리보다 뒷다리가 짧아서 몸이 경사지고, 허리가 짧음. 머리는 작고 뿔은 원추형(圓錐形)으로 짧으며, 몸빛은 푸른 빛을 띤 회흑색에 네 다리와 목·턱 따위에 백색 반문(斑紋)이 있음. 풀이나 나무 열매를 먹으며, 빨리 달림. 한배에 한두 마리의 새끼를 낳음. 인도의 북서부 소림(疏林) 지대에 15-20마리씩 군서함. *인도영양.

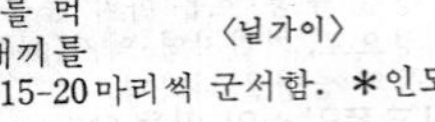

〈닐가이〉

닐곱수〈옛〉일곱. =닐굽. ¶기릐 닐곱자(長七尺)《武藝 1》.

닐굽수〈옛〉일곱. =닐곱. ¶닐굽 칠(七)《字會 下 34》.

닐굽찻〈옛〉일곱째의. ¶슬프다 닐굽찻 놀애 블로매 슬허 놀애를 뭇고(嗚呼七歌兮悄終曲)《杜諺 XXV:29》.

닐념즉ᄒᆞ다형〈옛〉말함직하다. 이름직하다. ¶닐념즉홀가(敢說)《老乞上 47》.

닐다¹자〈옛〉일다². 일어나다. ¶닐 긔(起)《字會 下 27》.

닐다²타〈옛〉이르다. 말하다. =니르다. ¶梅呾麗耶를 그르 닐어 彌勒이시다 ᄒᆞᄂᆞ니《月釋 I:51》.

닐러-주다타〈방〉일러주다(평안).

닐로트-족【一族】〔Nilot〕명『인류』나일 강 상류에 사는 여러 종족의 총칭. 인종적으로는 니그로족과 비슷하나 문화적으로는 함(Ham)족에 가까우며 언어는 닐로트어(語)로서의 공통점이 많음.

닐무윰명〈옛〉움직임. ¶닐무윰애 문칙 이시며(動作有文)《小諺 IV:55》.

닐뮈다자타〈옛〉움직이다. ¶례 아니어든 닐뮈디 말라 ᄒᆞ시니라(非禮勿動)《飜小 VIII:7》.

닐:센¹〔Nielsen, Carl August〕명『사람』덴마크의 작곡가·지휘자. 바이올린 주자(奏者)로서도 활약함. 오페라《사울과 다윗》·《가면 무도회》외 6곡의 교향곡이 있음. [1865-1931]

닐:센²〔Nielsen, Kai〕명『사람』덴마크의 조각가. 대담하고 격정적인 모티브와 관능적인 여성상(女性像)에 특색이 있으며, 토르발센(Thorvaldsen)의 고전적 작풍과는 대칭적(對稱的)인 바로크적 작풍을 이룩함. 대표작《에바의 창조》·《비너스와 사과》등. [1882-1924]

닐소니아〔Nilssonia〕명〔발견자인 스웨덴의 박물학자 닐손(Nilsson)의 이름에서 유래〕중생대(中生代)에 난 소철(蘇鐵) 모양으로 된 잎의 화석. 길쭉한 달걀 모양의 홑잎 또는 우상(羽狀)의 겹잎으로 되어 있으며, 찢어진 모양은 불규칙함.

닐손〔Nilsson, Birgit〕명『사람』스웨덴의 소프라노 가수. 스톡홀름에서 가극(歌劇)으로 첫무대에 선 이래 바그너 가수로서 세계 최고라 불리어짐. [1918-]

닐:슨〔Neilson, James Beaumont〕명『사람』영국의 발명가·야금 기술자. 가스 공장에서 일하다가 제철법의 개량을 연구하여, 용광로에의 송풍(送風)은 사전 가열(事前加熱)함이 유리하다는 것을 발견하고, 1828년 열풍로(熱風爐)의 특허를 받아 현대 용광로 조업법의 기초를 만듦. 특허료의 일부를 노동자의 기술 교육에 바침. [1792-1865]

닐아타〈옛〉일러. 말하여. =닐어. ¶世尊入三昧力에 苦空無常을 닐아 大千界 드르니이다《月釋 XXI:190》.

닐어타〈옛〉일러. 말하여. '니르다¹'의 활용형. =닐아. ¶迦毗羅國이라 ᄒᆞᄂᆞ니 그르 닐어 迦毗羅衛라도 ᄒᆞ며 또 迦維衛라도 ᄒᆞ며 迦夷라도 ᄒᆞᄂᆞ니라《月釋 II:1》.

닐어-나다자〈방〉일어나다(평안).

닐어-서다자〈방〉일어서다(평안).

닐어쎠타〈옛〉말씀하시오. '닐다²'의 활용형. ¶다시 무르터 엇데 부테라 ᄒᆞᄂᆞᆫ가 그 ᄠᅳ들 닐어쎠《釋譜 VI:17》.

닐에자〈옛〉일게. '닐다¹'의 활용형. ¶슬픈 ᄇᆞᄅᆞ미 닐에 ᄒᆞ디 마롤디어다(莫令…起悲風)《杜諺 V:9》.

닐오다타〈옛〉이르다. 말해 주다. ¶반ᄃᆞ기 너 爲ᄒᆞ야 닐오리라(當爲汝說)《金剛 上 11》.

닐오ᄃᆡ타〈옛〉이르되. '니르다¹'의 활용형. ¶生티 아니ᄒᆞ며 滅티 아니

호믈 닐오딕 常이오《圓覺 序 22》.

닐온 부 〈옛〉 이른바. 소위(所謂). =골온. ¶ 닐온 眞實ㅎ며 조ㅎ며 불マ며 微妙ㅎ며(所謂 眞淨明妙)《圓覺 序 2》.

닐온바 부 〈옛〉 이른바. 소위(所謂). ¶ 닐온 밧 거유를 사기다가 이디 몯ㅎ야도 오히려 올히 곧다호미라(所謂刻鵠不成尙鶩者也)《內訓 I:38》.

「ㅎ며(能興利除害)《呂約 4》.

닐왇다 타 〈옛〉 일으키다. ¶ 됴흔 일란 닐왇고 해ㄹ온 일란 업게호믈 잘

닐우다 타 〈옛〉 읽다. =닑다. ¶ 門닷고 글 닐원지 몃 歲月이 되엿관대《古時調 李廷鎭》.

닐옳디라 타 〈옛〉 이를지라. 말할지라. '니르다[1]'의 활용형. ¶ 일후믈 祖라 닐옳디라 ㅎ시니라(名之曰祖)《蒙法 49》.

닐웨 명 〈옛〉 이레. ¶ 여쐐어나 닐웨어나(若六日 若七日)《阿彌 17》.

닐위다 타 〈옛〉 이루다. ¶ 므슴 다보믈 닐윓 マ장 긔지ㅎ야《月序 20》.

닐위우다 타 〈옛〉 이루게 하다. ¶ 님그믈 堯舜에 닐위우므란 그듸내게 브티노니(致君堯舜付公等)《初杜諺 XIX:23》.

「訓 16》.

닐으혀다 타 〈옛〉 일으키다. ¶ 中夜의 차탄홈을 닐으혀(中夜興嗟)《常

닐의혀다 타 〈옛〉 일으키다. =니ㄹ혀다. ¶ 仍ㅎ여 감동홈을 닐의혀 스스로 能히 인내티 몯ㅎ야(仍起感而 自弗能耐)《常訓 5》.

닐흔 수 〈옛〉 일흔. 칠십. ¶ 城아래 닐흔 살 쏘사 닐흐늬 모미 맛거늘(維城之下 矢七十發 中七十人)《龍歌 40章》.

닑다 타 〈옛〉 읽다. ¶ 이經 受持ㅎ야 닑거나 외오거나 사겨 니ㄹ거나 쓰거나 ㅎ면《月釋 XVII:56》.

「頭勢)《武藝 19》.

닓더셔다 자 〈옛〉 일어서다. ¶ 닓더셔 금계 반두셰를 ㅎ고(起立作金雞畔

닓쎠안다 자 〈옛〉 일어나 앉다. ¶ 存吾 병들어 죽을 쌔에 닓쎠안자 골오딕 辛旽이 그저 살앗ᄂᆞ냐 《三綱 鄭李上疏》.

님[1] 명 〈옛〉 ①임금. ¶ 고ᄫᆞ니 몯 보아 술읏 우니다니 님하 오ᄂᆞᆳ나래 넉시라 마르리어다 《月釋 VIII:102》. ②임. ¶ 셜온 님 보내ᄋᆞᆸ노니 가시는ᄃᆞᆺ 도셔오쇼셔 《樂詞 가시리》.

님:[2] 〔Nîmes〕 명 〖지〗 프랑스 남부의 도시. 지중해안에서 약 40 km 지점에 있으며, 포도 거래의 중심지이고 고대 로마의 유적이 많은 관광지임. 금속·기계·정유(精油)·견직물(絹織物)·양조(釀造) 등의 공업이 성함. [123,292명(1968)]

님[3] 의명 바느질에 사용하는 토막친 실을 세는 말. ¶ 한 ~/다섯 ~.

-님 미 남의 이름이나 어떠한 명사 밑에 붙이어 존경의 뜻을 나타내는 말. ¶ 주 시경~/국장~/선생~/달~/해~.

님군 명 〈옛〉 임금[1]. =님금. ¶ 나라히 파ㅎ고 님군이 망ㅎ여시니(國破君亡)《五倫 II:7》.

님굼 명 〈옛〉 임금[1]. =님금. ¶ 님굼 황(皇), 님굼 군(君)《字會 中 1》.

님금 명 〈옛〉 임금[1]. =님굼. ¶ 올모려 님금 오시며(欲遷以幸) 《龍歌 16章》/하ᄂᆞᆯ히 님금 달애샤(天誘厥辟)《龍歌 46章》.

님바르카 〔Nimbārka〕 명 〖사람〗 12세기 인도(印度) 베단타 학파(Vedanta學派)의 철학자. 범(梵)과 아(我)는 불일 불이(不一不異)임을 주장함. [1062-1162]

님버스 위성 【一衛星】 〔Nimbus〕 명 타이로스(Tiros)에 이어 발사된 미국의 기상(氣象) 위성. 거의 극궤도(極軌道)를 돌아 지구 전역을 커버하며, 텔레비전 카메라·적외선 주사(走査) 장치와 자동 송상(送像) 장치를 가지고 있음. 반덴버그 기지(Vandenberg 基地)로부터 1·2·3호가 발사되었음.

님븨곰븨 부 〈옛〉 자꾸자꾸. 앞뒤 계속하여. ¶ 보션 버서 품에 품고 신 버서 손에 쥐고 곰븨님븨 님븨곰븨 천방지방 지방천방 즌듸 ᄆᆞ른듸 골희지 말고 《古時調》.

님비 신드롬 〔NIMBY syndrome〕 명 〔님비는 not in my backyard의 약자로, '내 뒷마당은 안 된다'는 뜻〕 범죄자, 마약 중독자, AIDS 환자, 산업 폐기물, 쓰레기의 수용·처리 시설의 필요성에는 원칙적으로 찬성하지만, 자기 주거 지역 안에는 그런 시설이 들어섬을 강력히 반대하는 자기 중심적 공공성(公共性) 결핍 증상.

님의 침묵 【一沈默】 [一/一에一] 명 〖문〗 한용운(韓龍雲)의 시집. 모두 70편을 수록함. 수난 시대의 민족의 시로서 응고된 애족(愛族)의 정신을 느끼게 함. 또, 심원(深遠)한 명상과 불교적인 철리, 자연 몰입(自然沒入) 등 특이한 시풍을 보여주고 있음.

「時調 許珽》.

님의혀다 타 〈옛〉 앞에 두르다. ¶ 鶴氅을 님의혀고 江皐로 ᄂᆞ려간이《古

님자 명 〈옛〉 임자. =님ᄌᆞ. ¶ 刹利는 田地ㅅ 님자히라 ㅎ논 ᄠᅳ디라《月釋 I:46》/님자를 사마(爲己主宰)《永嘉 上 54》.

님자히 〈옛〉 임자가. '님자'의 주격형(主格形). ¶ 눈 먼 어ᅀᅵ를 이받노라 받 님자히 과ㅎ야 《月釋 II:13》.

님자홀 〈옛〉 임자를. '님자'의 목적격형(目的格形). ¶ 거즛 님자홀 모로기 덜면(頓除妄宰)《永嘉 上 104》.

님재 〈옛〉 임자가. '님자'의 주격형. ¶ 손소 桃李를 심구니 님재 업순디 아니로다(手種桃李非無主)《初杜諺 X:7》.

「《蘆溪 陋巷詞》.

님ᄌᆞ 명 〈옛〉 임자. =님자. ¶ 님ᄌᆡ 업순 風月江山애 절로 절로 늘그리라

님포마니아 〔nymphomania〕 명 여자의 색광(色狂). 여자 색골.

님프 〔nymph〕 명 ①〖신〗 그리스 신화에서, 들·언덕·동굴·하천·샘·수목 등에 있는 여자 정령(精靈)들. 요정(妖精). 수정(水精). ②아름다운 소녀의 형용(形容). 요정(妖精). ③〖충〗 불완전 변태(變態)를 하는 곤충의 유충(幼蟲).

「5》.

닙[1] 명 〈옛〉 잎. =닢[1]. ¶ 닙 엽(葉)《字會 下 4》/댓닙 약(箬) 《字會 下

닙[2] 의명 〈옛〉 ①노래를 세는 단위. =닢[3]. ¶ 平調 ᄒᆞᆫ 닙헤 白雲이 절로 존다 《類聚》. ②닢[2]. 가마니 등을 세는 단위. ¶ 여러 닙 가져오라(將幾領來)《老乞 上 23》.

닙다 타 〈방·옛〉 입다. ¶ 옷 닙고 밥 머그며(着衣喫飯)《金三 II:11》.

닙-사구 명 〈방〉 잎사귀(평안).

닙-사귀 명 〈방〉 잎사귀(평안·황해).

닙셩 명 〈옛〉 입성. 옷. ¶ 저희 닙셩의 것도 당초에 죽을동 살동 아디 못ㅎ여《癸丑日記 I:115》.

닙ᄉᆞ바 타 〈옛〉 입사와. '닙다'의 활용형. ¶ 부텻 接引을 닙ᄉᆞ바 不可思議 神力을 어더 《月釋 XXI:35》.

닙코: 〔Nipkow, Paul Gottlieb〕 명 〖사람〗 독일의 전기(電氣) 기사로 텔레비전 개발의 선구자. 1884년 '닙코 원판(圓板)'이라고 하는 주사 방식(走査方式)을 발명하였고, 또 패러데이(Faraday) 효과를 이용한 텔레비전 방식을 고안하였음. [1860-1940]

닙코: 원판 【一圓板】 〔Nipkow〕 명 초기의 텔레비전 연구가인 독일의 닙코가 1884년에 고안한 기계적 주사(走査) 장치. 소용돌이 모양으로 많은 구멍이 뚫린 회전 원판이며 이것을 급속히 회전시키어 송수상(送

닙파리 명 〈방〉 이파리(평안).

└受像)을 주사함.

닙피다 타 〈옛〉 입히다. ¶ 太祖의 몸에 닙피니(穿與太祖身上)《朴解 下 60》.

닙히다 타 〈옛〉 입히다. =니피다. ¶ 네 이ᄒᆞᆫ당 누론 봇 닙힌 활 가져다가 시울 연즈라(你將這一張黃樺弓上弦着)《老乞 下 27》.

닛[1] 명 〈옛〉 잇[2]❶. 홍화(紅花)❷. ¶ 닛(紅花)《濟衆 VIII:8》.

닛[2] 수 〈방〉 넷(전라·충남·제주).

닛고신뎌 타 〈옛〉 잊으신 것이여. 잊으셨단 말인가. ¶ 무슴다 錄事니믄 녯나를 닛고신뎌《樂範 動動》.

「110章》.

닛다[1] 타 〈옛〉 잊다. =닞다. ¶ 이 ᄠᅳ들 닛디 마ᄅᆞ쇼셔(此意願毋志)《龍歌

닛다[2] 타 〈옛〉 잇다[1]. =닛위다. ¶ 이 念을 護持ㅎ야 샹녜 닛게ㅎ야(護持此箇念頭 常常相續)《蒙法 9》/ 그큰공로닛지마세《찬양가 : 4》.

닛다[3] 타 〈옛〉 이다[2]. =니다[2]. ¶ 힌 뛰로 니유니(蔭白茅)《杜諺 VII:1》.

닛다히다 타 〈옛〉 잇대다. ¶ 닛다혀 조ᄡᆞᆯ マᄐᆞᆫ거시 뷘틈에 도다(陸續出如粟米於痘空隙處)《痘瘡集要 上 24》.

닛딥 명 〈옛〉 잇짚. 볏짚. ¶ ㅎ다가 닛딥 피면(若是稻草時)《老乞 上 16》.

닛므윰 명 〈옛〉 잇몸. =닛믜임. ¶ 혓그티 아랫 닛므유메 다ᄂᆞ니라《訓諺 15》.

「《無寃錄 III:59》.

닛므음 명 〈옛〉 잇몸. =닛므윰. ¶ 닛므음이 青黑色이니라(齒齦青黑色)

닛믜욤 명 〈옛〉 잇몸. =닛믜윰·닛므윰. ¶ 우수믈 닛믜요매 니르디 말며(笑不止矧)《內訓 I:52》.

닛믜윰 명 〈옛〉 잇몸. =닛믜욤. ¶ 우움을 닛믜윰 남애 니르게 아니ㅎ며(笑不至矧)《小諺 II:25》.

닛믜임 명 〈옛〉 잇몸. =닛므윰. ¶ 닛믜임 흔(齗)《字會 上 26》.

닛바대 명 〈옛〉 이빨. ¶ 닛바대는 박시 ᄉᆞ셰온듯《珍本永言》.

닛발 명 〈옛〉 이빨. 이. ¶ 白玉琉璃マ티 히여신 닛바래 人讚福盛ㅎ샤 미나거신 톡애 《樂範 處容歌》.

닛븨 명 〈옛〉 풀 잎으로 만든 비. ¶ 닛븨 가져다가 ᄠᅳᆯ기를 간정히 ㅎ고(將苕箒來掃的乾淨着)《朴解 中 44》.

닛쁨 명 〈옛〉 이틈. ¶ 쏘 닛ᄢᅳ메 忽然히 피 나거든(又方治牙齒縫忽然出血)《救方 上 64》.

닛ㅅ삿 명 〈옛〉 잇 사이. ¶ 닛ㅅ삿(牙縫)《漢淸 V:51》.

닛삿 명 〈옛〉 잇 사이. ¶ 닛삿 ᄢᅵᄅᆞ디 말며(毋刺齒)《內訓 I:3》.

닛위다 타 〈옛〉 잇다[1]. =닛다[2]. ¶ 燈혀아 닛위여 ᄇᆞᆰ게 ㅎ며 《釋譜 IX:35》.

「러내여 웃는 줄 므스 일고《古時調 鄭澈》.

닛집 명 〈옛〉 잇몸. ¶ ᄀᆞᆽ 쉰이 져믈가마는 간듸마다 술을 보고 닛집 드

닛코: 〔日光:にっこう〕 명 〖지〗 일본 도치기 현(栃木縣)의 서북부에 있는 도시. 닛코 도쇼구(日光東照宮)·주젠지 호(中禪寺湖)·게곤(華嚴) 폭포 등, 명승 고적이 많은 관광(觀光) 도시. 제재(製材)·목공업(木工業)도 성하며 특산품인 칠기(漆器)를 생산함. [320.89 km^2: 20,547명(1990)]

닚다 타 〈옛〉 잇다[1]. ¶ 니슬 승(承), 니슬 속(續)《類合 下 9》.

닚에ㅎ다 타 〈옛〉 잇게 하다. ¶ 念念에 닚에 ㅎ야(念念相連)《法語 11》.

닚우 부 〈옛〉 이어. 잇따라. ¶ ᄆᆞᅀᆞᄆᆞ로 닚우 브ᅀᅥ(念心連注) 《圓覺 上一之二 107》.

「三服倂進)《救簡 VI:7》.

닚우다 타 〈옛〉 잇달다. ¶ ᄒᆞᆫ되 닷홉을 세헤 논화 닚워 머그라(一盞半 分

닚위여 부 〈옛〉 이어. 잇따라. ¶ 닚위여 水族이 버렛ᄂᆞ니(逶迤羅水族)《初杜諺 XXII:18》.

-닝깨 어미 〈방〉 -니까(경상).

닝닝-거리다 자 ☞ 윙윙거리다. ¶ 꿀벌들의 닝닝거리는 소리, 짙은 꽃의 방향…《崔仁浩 : 순례자》.

닝보 〔寧波〕 명 〖지〗 중국 저장 성(浙江省) 동부 융장(甬江) 강 하류에 발달한 도시. 1842년 개항(開港)하였음. 닝사오 평야(寧紹平野)· 저우산 열도(舟山列島)의 산물의 집산지로서 차·면·어류·목기(木器)·돗자리 등을 수출함. 부근의 톈퉁 산(天童山)·아위 산(阿育山)은 명승지로 유명함. 영파. 구명은 명주(明州).

닝샤-성 【一省】 〔寧夏〕 명 〖지〗 중국 북서부의 성. 동부는 한족(漢族) 66%, 회족(回族) 33%, 서부는 몽골족이 거주함. 동부의 황하 유역 분지는 관개(灌漑)가 편리하여 성(省)의 정치·교통·농산의 중심 지대이고, 허란 산(賀蘭山) 이서(以西)의 광대한 지역은 사막·초원이 많은 유목 지대임. 보리·조·고량·콩·삼·담배·약재·양모·우피·양피 등을 산출하고 광산으로는 소금·석탄이 있음. 기계·피혁·제분·착유(搾油) 공업도 성함. 교통은 황하의 수운이 가장 큼. 1954년에 간쑤 성(甘肅省)에 병합(倂合)되었다가 1958년 10월 간쑤 성에서 분리하여 닝샤 후이족 자치구(寧夏回族自治區)가 됨. 중심지는 인촨(銀川). 영하성. [170,000 km^2 : 3,896,000명]

닝안 〔寧安〕 명 〖지〗 중국 만주 동남부의 도시. 역사적 고성(古城)이며 무투 철도(牧圖鐵道) 연선을 이루고 부근의 농산물 집산지이며, 목재·인삼·모피를 수출함. 남서에 발해(渤海) 고도(故都)인 동경성(東京城)이

있음. 영고탑(寧古塔).

닝금 명 〈옛〉 능금. 사과. ¶ 닝금 금(檎 俗呼沙果)《字會 上 11》.

-닝이다 어미 〈옛〉 -옵니다. =-니이다. ¶ ᄆᆞᅀᆞᄆᆞᆯ 어글우쳐 구차히 免홈은 臣의 願ᄒᆞᄂᆞᆫ 배 아니닝이다(遠心 苟免은 非臣所願也ㅣ니이다《小諺 Ⅵ:43》.

「忘焉)《龍歌 21章》.

닞다 타 〈옛〉 잊다. =닛다[1]. ¶ 天下蒼生ᄋᆞᆯ 니ᄌᆞ시리잇가(天下蒼生其肯

닢[1] 명 〈옛〉 잎. =닙[1]. ¶ 니플 ᄉᆞ이ᄒᆞ얫ᄂᆞᆫ 곳고리ᄂᆞᆫ 속절업시 됴ᄒᆞᆫ 소리로다(隔葉黃鸝空好音)《重杜諺 Ⅵ:33》.

닢[2] 의명 쇠붙이로 만든 돈이나 가마니같이 납작한 물건을 낱낱의 뜻으로 세는 말. ¶ 엽전 한 ~/가마니 두 ~.

닢[3] 의명 〈옛〉 시·노래를 세는 단위. 수(首). =닙[2]. ¶ 平調 한 니페 白雲이 절로 난다《古時調 金壽長》.

-ᄂᆞ고야 어미 〈옛〉 -는구나. ¶ 淸雅ᄒᆞᆫ 녯 소리 반가이 나ᄂᆞ고야《古時調 尹善道》.

「77》.

-ᄂᆞ녀 어미 〈옛〉 -느냐. ¶ 虛妄이 잇ᄂᆞ녀 업스녀(寧有虛妄不)《妙蓮 Ⅱ:

-ᄂᆞ뇨 어미 〈옛〉 -느뇨. -느냐. =-ᄂᆞ니오. ¶ 이 두려운 그르메ᄅᆞᆯ 오직 盲ᄒᆞ니 보ᄂᆞ뇨(而此圓影唯盲之觀)《楞嚴 Ⅱ:70》.

-ᄂᆞ니[1] 어미 〈옛〉 -느니❶. =-나니. ¶ 녀희 디마니 ᄒᆞᆫ 이리 잇ᄂᆞ니 섈리 나가라《月釋 Ⅱ:6》.

「歌》.

-ᄂᆞ니[2] 어미 〈옛〉 -느냐. ¶ 프른 어이ᄒᆞ야 프르ᄂᆞᆫ 듯 누르ᄂᆞ니《孤山 短

-ᄂᆞ니[3] 어미 〈옛〉 -는 것은. ¶ 짓ᄂᆞ니 한숨이오 디ᄂᆞ니 눈므리라《松江 思美人曲》.

ᄂᆞ니다 자 〈옛〉 날아다니다. ¶ 吉慶엣 새 ᄂᆞ니며《月釋 Ⅱ:33》.

-ᄂᆞ니라 어미 〈옛〉 -느니라. ¶ 神通잇ᄂᆞᆫ 사ᄅᆞᄆᆡ사 가ᄂᆞ니라《釋譜 Ⅵ:43》.

「여《釋譜 Ⅵ:25》.

-ᄂᆞ니여 어미 〈옛〉 -느뇨. -느냐. ¶ 太子ㅣ 무로ᄃᆡ 앗가ᄫᆞᆫ ᄠᅳ디 잇ᄂᆞ니

-ᄂᆞ니오 어미 〈옛〉 -느냐. =-ᄂᆞ뇨. ¶ 다시 묻노라 네 어드러 가ᄂᆞ니오(重問子何之)《杜諺 Ⅷ:6》.

「之)《孟諺 梁惠王 下》.

-ᄂᆞ니이다 어미 〈옛〉 -나이다. =-ᄂᆞ닝이다. ¶ 傳애 잇ᄂᆞ니이다(於傳有

-ᄂᆞ니잇가 어미 〈옛〉 -나이까. =-ᄂᆞ니잇가. ¶ 賢者도 ᄯᅩᄒᆞᆫ 이ᄅᆞᆯ 樂ᄒᆞᄂᆞ니잇가(賢者亦樂此乎)《孟諺 梁惠王 上》.

-ᄂᆞ니잇고 어미 〈옛〉 -나이까. -옵니까. -ㅂ니까. ¶ 엇디 반ᄃᆞ시 利ᄅᆞᆯ 니ᄅᆞ시ᄂᆞ니잇고(何必曰利), 엇디 말미암아 내의 可ᄒᆞᆫ 주ᄅᆞᆯ 알ᄋᆞ시ᄂᆞ니잇고(何由知吾可也)《孟諺 梁惠王 上》.

-ᄂᆞ니이다 어미 〈옛〉 -나이다. -옵니다. =-ᄂᆞ닝다·-ᄂᆞ니이다. ¶ 子母ㅣ 다 損ᄒᆞᄂᆞ니이다《月釋 XXI:125》.

-ᄂᆞ니잇가 어미 〈옛〉 -나이까. -옵니까. -ㅂ니까. =-ᄂᆞ니잇가. ¶ 이어지 갓가ᄫᅵ 사ᄅᆞᄆᆡ 지비 잇ᄂᆞ니잇가《月釋 Ⅷ:64》.

「26》.

-ᄂᆞ니잇고 어미 〈옛〉 -옵니까. ¶ 地獄이 어듸 잇ᄂᆞ니잇고《月釋 XXI:

-ᄂᆞ닛가 어미 〈옛〉 -나이까. -옵니까. ¶ 須達이 ᄯᅩ 무로ᄃᆡ 엇데 쥬이라 ᄒᆞᄂᆞ닛가《釋譜 Ⅵ:18》.

-ᄂᆞ닝이다 어미 〈옛〉 -나이다. =-ᄂᆞ닝다·-ᄂᆞ니이다. ¶ 常常節句日마다 拜禮ᄅᆞᆯ ᄒᆞᄂᆞ닝이다《新語 Ⅲ:15》.

-ᄂᆞ닝다 어미 〈옛〉 -나이다. -옵니다. =-ᄂᆞ니이다. ¶ 三世옛 이ᄅᆞᆯ 아ᄅᆞ실ᄊᆡ 부톄시다 ᄒᆞᄂᆞ닝다《釋譜 Ⅵ:18》.

ᄂᆞᄂᆞᆫᄃᆞ라미 명 〈옛〉 날다람쥐. ¶ ᄂᆞᄂᆞᆫᄃᆞ라미(鼺鼠)《湯液 Ⅰ》.

-ᄂᆞᄫᅵ이다 어미 〈옛〉 -나이다. =ᄂᆞ닝다. ¶ 일즉 偃의 집의 니르디 아니ᄒᆞᄂᆞᄫᅵ이다(未嘗至於偃之室也)《小諺 Ⅳ:41》.

「《月釋 X:24》.

-ᄂᆞ다 어미 〈옛〉 -느냐[2]. -는다. =-나다[2]. ¶ 내 그제 ᄇᆞ암 오ᄂᆞ다 ᄒᆞ야

ᄂᆞ디르다 형 〈옛〉 방자하다. ¶ ᄂᆞ디ᄅᆞᆯ ᄌᆞ(恣)《類合 下 26》.

ᄂᆞ라남다 타 〈옛〉 날아 넘다. ¶ 빗근 남ᄀᆞᆯ ᄂᆞ라 나마시니(于彼橫木 又飛越兮)《龍歌 86章》.

ᄂᆞ라ᄂᆞ리다 자 〈옛〉 날아 내려오다. ¶ ᄂᆞ라ᄂᆞ릴 항(翃)《字會 下 6》.

ᄂᆞ라ᄃᆞᆫ뇸 자 〈옛〉 날아다님. 'ᄂᆞ라ᄃᆞᆫ니다'의 명사형. ¶ ᄂᆞ라ᄃᆞᆫ뇸도 몯ᄒᆞ고《月釋 Ⅰ:42》.

「고《月釋 Ⅰ:42》.

ᄂᆞ라ᄃᆞᆫ니다 자 〈옛〉 날아다니다. ¶ 虛空애 ᄂᆞ라 ᄃᆞᆫ니며 남진 겨지비 업

ᄂᆞ라오ᄅᆞ다 자 〈옛〉 날아 오르다. ¶ ᄂᆞ라오ᄅᆞᆯ 힐(翓)《字會 下 6》.

ᄂᆞ래 명 〈옛〉 날개. ¶ 거유 ᄂᆞ랫짓 두어흘 ᄉᆞ라(燒鵝翎數)《救方 上 53》.

「《月釋 序 6》.

ᄂᆞ려나다 자 〈옛〉 탄생하다. 강탄(降誕)하다. ¶ 降誕은 ᄂᆞ려나실씨라

-ᄂᆞ로 어미 〈옛〉 -므로. -ㄴ 것으로. ¶ 威化振旅ᄒᆞ시ᄂᆞ로 輿望이 다 몯ᄌᆞᄫᆞ나(威化振旅輿望咸聚)《龍歌 11章》.

ᄂᆞ로니 부 〈옛〉 나른히. 곱게. ¶ 길헷 더운 ᄒᆞᆰ과 굴근 마ᄂᆞᆯ와 等分ᄒᆞ야 ᄂᆞ로니 ᄆᆞ라(路上熱土大蒜等分爛研)《救方 上 11》.

ᄂᆞ론ᄒᆞ다 형 〈옛〉 나른하다. ¶ 薾然 ᄂᆞ론ᄒᆞᆫ테라《小諺 Ⅴ:120》.

ᄂᆞ륨 자타 〈옛〉 내림. 항복시킴. 'ᄂᆞ리다[1]'의 명사형. ¶ 伊尹呂望도 ᄆᆞᄎᆞ매 ᄂᆞ류미 어려우며(伊呂終難降)《重杜諺 Ⅱ:11》.

ᄂᆞ리니ᄅᆞ다 타 〈옛〉 내리 이르다. 차례대로 줄곧 말하다. ¶ 無數히 ᄂᆞ리 닐온 마리라《月釋 Ⅰ:7》.

ᄂᆞ리닐온 타 〈옛〉 내리 이르는. 'ᄂᆞ리니ᄅᆞ다'의 활용형. ¶ 子孫ᄋᆞᆫ 아ᄃᆞ리며 孫子ㅣ며 後ㅅ 孫子ᄅᆞᆯ 無數히 ᄂᆞ리닐온 마리라《月釋 Ⅰ:7》.

ᄂᆞ리다[1] 자 〈옛〉 내리다. ¶ 帝命이 ᄂᆞ리어시ᄂᆞᆯ(帝命旣降)《龍歌 8章》.

ᄂᆞ리다[2] 타 〈옛〉 늘이다. ¶ ᄂᆞ릴 락(絡)《字會 下 19》.

ᄂᆞ리오다 타 〈옛〉 내리우다. 내리게 하다. ¶ 天命을 ᄂᆞ리오시니(天命斯集)《龍歌 32章》. *ᄂᆞ리다[1].

ᄂᆞ리왇다 타 〈옛〉 내리켜 보다. 내려다 보다. ¶ 西ㅅ녀그로 ᄂᆞ라가ᄂᆞᆫ 새ᄅᆞᆯ 울워러 보며 東녀그로 가ᄂᆞᆫ 므ᄅᆞᆯ ᄂᆞ리와다 붓그리노라(仰看西飛翼 下愧東逝流)《重杜諺 Ⅵ:45》. *-왇다.

ᄂᆞᄅᆞ 명 〈옛〉 나루. =ᄂᆞ리. ¶ ᄂᆞᄅᆞ 진(津)《字會 上 5》.

ᄂᆞᄅᆞᆺ 명 〈옛〉 수레의 채. ¶ ᄂᆞᄅᆞᆺ 원(轅), ᄂᆞᄅᆞᆺ 머리 읫(軏)《字會 中 26》.

ᄂᆞᄅᆞᆺ머리 명 〈옛〉 수레의 채끝. 멍에. ¶ ᄂᆞᄅᆞᆺ머리 읫(軏), ᄂᆞᄅᆞᆺ머리 듀(輈)《字會 中 26》.

「(一宿不喫草)《朴解 上 42》.

-ᄂᆞ매라 어미 〈옛〉 -는도다. =-노매라. ¶ ᄒᆞᆫ숨도 딥 먹디 아니ᄒᆞᄂᆞ매라

ᄂᆞ믈 명 〈옛〉 나물. =ᄂᆞᄆᆞᆯ. ¶ ᄂᆞ믈 시므쟈(種菜來)《朴解 中 33》.

ᄂᆞᄆᆞ라다 타 〈옛〉 나무라다. ¶ 三寶ᄅᆞᆯ 허러 ᄂᆞᄆᆞ라거니와《月釋 XXI:39》.

「沒)《老乞 上 37》.

ᄂᆞᄆᆞ새 명 〈옛〉 남새[1]. =ᄂᆞᄆᆞᆯ. ¶ 녀느 ᄂᆞᄆᆞ새ᄂᆞᆫ 다 업거니와(別個菜都

ᄂᆞᄆᆞ자기 명 〈옛〉 나문재. ¶ ᄂᆞᄆᆞ자기 구조개랑 먹고 바ᄅᆞ래 살어리랏다《樂詞 靑山別曲》.

ᄂᆞᄆᆞᆯ 명 〈옛〉 나물. =ᄂᆞ믈. ¶ ᄂᆞᄆᆞᆯ 치(菜), ᄂᆞᄆᆞᆯ 소(蔬)《字會 下 3》.

ᄂᆞᄆᆞᆯ밭 명 〈옛〉 남새밭. ¶ ᄂᆞᄆᆞᆯ밭 완(畹)《字會 上 7》.

ᄂᆞᄆᆞᆯ히 〈옛〉 나물이. 'ᄂᆞᄆᆞᆯ'의 주격형(主格形). ¶ 뜰헷 ᄂᆞᄆᆞᆯ히 오히려 누네 잇ᄂᆞ니(庭蔬尙在眼)《杜諺 Ⅱ:25》.

ᄂᆞᄆᆞᆯᄒᆞᆯ 〈옛〉 나물을. 'ᄂᆞᄆᆞᆯ'의 목적격형. ¶ 이웃 지비 위안햇 ᄂᆞᄆᆞᆯᄒᆞᆯ 주ᄂᆞ다(隣舍與園蔬)《杜諺 XXII:14》.

ᄂᆞᄆᆞᆺ 명 〈옛〉 주머니. ¶ 五色 기브로 ᄂᆞᄆᆞᆺ ᄆᆡᇰᄀᆞ라 녀허《月釋 Ⅸ:86》.

ᄂᆞᄆᆞᆾ 명 〈옛〉 주머니. ¶ ᄂᆞᄆᆞ치 뷔어놀(囊空)《重杜諺 XX:9》.

ᄂᆞᄆᆡ그에 〈옛〉 남에게. 'ᄂᆞᆷ[2]'의 여격형(與格形). ¶ ᄂᆞᄆᆡ그에 브터 사로ᄆᆡ《釋譜 Ⅵ:5》.

「ᄉᆞ 맛디시고《月釋 Ⅷ:93》.

ᄂᆞ솟다 자 〈옛〉 날아 솟다. ¶ 夫人ㅅ말 ᄃᆞ르시고 깃거 ᄂᆞ소사 나라ᄒᆞᆯ 아

-ᄂᆞᄉᆞᆫ다 어미 〈옛〉 -는 것인가. -는가. ¶ 어와 져 白鷗야 므슴 슈고ᄒᆞᄂᆞᄉᆞᆫ다《古時調 金光煜》.

-ᄂᆞᄉᆞᆫ다 어미 〈옛〉 -는가. -느냐. ¶ 孑遺生靈들아 聖恩인줄 아ᄂᆞᄉᆞᆫ다《蘆溪 太平詞》.

ᄂᆞ실 명 〈옛〉 내일. =ᄂᆞ일. ¶ ᄂᆞ실 아ᄎᆞᄆᆡ(明朝)《初杜諺 XXI:31》.

ᄂᆞ올볽다 형 〈옛〉 붉다. 형상이 붉다. 'ᄂᆞ올'과 '볽다'의 복합어. ¶ 그 고지 ᄂᆞ올볽고 貴ᄒᆞᆫ 光明이 잇더라《釋譜 XI:31》.

ᄂᆞ외 부 〈옛〉 다시. =ᄂᆞ외야. ¶ 내 말옷 아니 드르시면 ᄂᆞ외 즐거ᄫᅳᆫ ᄆᆞᅀᆞ미 업스레이다《月釋 Ⅱ:6》.

「니라《月釋 Ⅱ:19》.

ᄂᆞ외야 부 〈옛〉 다시. =ᄂᆞ외. ¶ 色無色界예 나아 ᄂᆞ외야 아니 ᄂᆞ려 오ᄂᆞ

ᄂᆞ일 명 〈옛〉 내일. =ᄂᆞ실. ¶ ᄂᆞ일 아ᄎᆞᄆᆡ(明朝)《重杜諺 Ⅸ:21》.

-ᄂᆞ이다 어미 〈옛〉 -나이다. -옵니다. -ㅂ니다. ¶ ᄒᆞᆫ중과 ᄒᆞᆫ 쇼괘 고븐 겨지블 ᄃᆞ려왜셔 프ᄂᆞ이다《月釋 Ⅷ:94》.

ᄂᆞ즈기 부 〈옛〉 나직이. ¶ ᄂᆞ즈기 쏘면(低射時)《老乞 下 33》.

ᄂᆞᄌᆞ기 부 〈옛〉 나직이. 나직하게. ¶ ᄂᆞᄌᆞ기 辭讓ᄒᆞ야 物을 恭敬ᄒᆞᆯ ᄊᆡ오(卑遜敬物)《永嘉 上 48》.

ᄂᆞᄌᆞ기ᄒᆞ다 타 〈옛〉 나직이 하다. =ᄂᆞᄌᆞ시ᄒᆞ다. ¶ 如來ㅣ 能히 一切衆生이게 ᄆᆞᅀᆞᄆᆞᆯ ᄂᆞᄌᆞ기ᄒᆞ샤ᄆᆞᆯ 表ᄒᆞᄉᆞ오니라(表如來ㅣ能下心於一切衆生也)《金剛 上 4》.

「(下氣)《小諺 Ⅱ:21》.

ᄂᆞᄌᆞ시ᄒᆞ다 타 〈옛〉 나직이 하다. =ᄂᆞᄌᆞ기ᄒᆞ다. ¶ 긔운을 ᄂᆞᄌᆞ시ᄒᆞ며

ᄂᆞ죽ᄒᆞ다 형 〈옛〉 나직하다. ¶ 定山앳 桂樹ᄂᆞᆫ ᄇᆞᄅᆞᆷ비예 가지 ᄂᆞ죽ᄒᆞ얫도다(定山桂低回風雨枝)《杜諺 XX:48》.

ᄂᆞᄌᆞᆺᄒᆞ다 형 〈옛〉 나직하다. ¶ ᄆᆡ ᄒᆞᆫ량의 ᄂᆞᄌᆞᆺᄒᆞᆫ 은을 드리우면 ᄒᆞᆫ돈식 나리라(每一兩傾白臉銀子出一錢裏)《朴解 上 33》.

ᄂᆞ초다 타 〈옛〉 낮추다. ¶ 能히 ᄂᆞ초며 ᄂᆞ초고 애ᄃᆞ디 아니ᄒᆞ며(能降降而不憾)《小諺 Ⅳ:48》.

ᄂᆞᆫ 조 〈옛〉 는. ¶ 異ᄂᆞᆫ 다ᄅᆞᆯ씨라《訓諺 1》.

-ᄂᆞᆫ[1] 어미 〈옛〉 -는. ¶ 未來ᄂᆞᆫ 아니 왯ᄂᆞᆫ 劫이오 現在ᄂᆞᆫ 現ᄒᆞ야 잇ᄂᆞᆫ 劫이라《釋譜 XIII:50》/ 의로온히예수ᄂᆞᆫ 만민을빗최시고《찬양가:18》.

-ᄂᆞᆫ[2] 어미 〈옛〉 -느냐. ¶ 白鷗야 ᄂᆞ디마라 네 버딘줄 엇디 아ᄂᆞᆫ《松江 關東別曲》.

-ᄂᆞᆫ가 어미 〈옛〉 -는가. ¶ 보ᄆᆡ 體 펴미 욹ᄂᆞᆫ가 疑心ᄒᆞ니《楞嚴 Ⅱ:40》.

-ᄂᆞᆫ고 어미 〈옛〉 -는고. ¶ 므슷 이ᄅᆞᆯ 겻고오려 ᄒᆞᄂᆞᆫ고《釋譜 Ⅵ:27》.

-ᄂᆞᆫ고야 어미 〈옛〉 -는고나. ¶ 瑞光千丈이 뵈ᄂᆞᆫᄃᆞᆺ 숨ᄂᆞᆫ고야《松江 關東別曲》.

「36》.

-ᄂᆞᆫ다 어미 〈옛〉 -느냐. -는가. ¶ ᄂᆞᄆᆡ 무로ᄃᆡ 므스글 얻ᄂᆞᆫ다《月釋 Ⅰ:

-ᄂᆞᆫ뎌 어미 〈옛〉 -는구나. ¶ 大宰 나ᄅᆞᆯ 아ᄂᆞᆫ뎌(大宰知我乎)《論語 子罕》.

-ᄂᆞᆫ동 어미 〈옛〉 -는둥. ¶ 昭君宅ᄋᆞᆫ 잇ᄂᆞᆫ동 업슨동 ᄒᆞ도다(昭君宅有無)《杜諺 Ⅰ:7》.

「下 11》.

-ᄂᆞᆫ디라 어미 〈옛〉 -는지라. ¶ 得否ᄅᆞᆯ 아디 몯ᄒᆞᄂᆞᆫ디라(不知得否)《朴解

-ᄂᆞᆫᄃᆞᆺ[1] 어미 〈옛〉 -는 듯. ¶ ᄂᆞᄂᆞᆫᄃᆞᆺ ᄂᆞᆯ란 엇게예 거려두고 보쇼셔《松江 短歌》.

「曲》.

-ᄂᆞᆫᄃᆞᆺ[2] 어미 〈옛〉 -자 곧. ¶ 瑞光千丈이 뵈ᄂᆞᆫᄃᆞᆺ 숨ᄂᆞᆫ고야《松江 關東別

-ᄂᆞᆫ졔고 어미 〈옛〉 -는구나. ¶ 긴 소릐 져른 소릐 切切이 슬ᄒᆞᆫ 소릐 제 홈ᄌᆞ 우러 예어 紗窓 여윈 잠을 살ᄯᅳ리 씨오ᄂᆞᆫ졔고《永言》.

ᄂᆞᆫ호다 타 〈옛〉 나누다. ¶ 支ᄂᆞᆫ ᄂᆞᆫ홀씨라《月釋 Ⅱ:37》.

ᄂᆞᆺ 명 〈옛〉 낯. =ᄂᆞᆾ. ¶ 아비 보고 붓그려 ᄂᆞᆺ 도라셔 우ᄂᆞ니(見爺背面啼)《重杜諺 Ⅰ:5》.

ᄂᆞᆯ[1] 명 〈옛〉 날것. 익지 아니한 것. ¶ ᄂᆞᆯ 머그면(生啖)《楞嚴 Ⅷ:5》.

ᄂᆞᆯ[2] 명 〈옛〉 날[2]. ¶ ᄂᆞᆯ 봉(鋒), ᄂᆞᆯ 인(刃)《字會 中 28》.

ᄂᆞᆯ[3] 명 〈옛〉 나루[1]. =ᄂᆞᄅᆞ. ¶ 다 行ᄒᆞᆯ ᄊᆞᄅᆞᄆᆡ 조ᅀᆞᄅᆞ왼 ᄂᆞᆯ이니(俱爲行者之要津)《永嘉 序 11》.

ᄂᆞᆯ[4] 명 〈옛〉 날[3]. ¶ ᄂᆞᆯ 위(緯)《字會 中 17》.

ᄂᆞᆯ[5] 의명 〈옛〉 열엿 냥(兩). 한 근(斤). ¶ ᄂᆞᆯ 근(斤)《字會 下 34》.

-ᄂᆞᆯ 어미 〈옛〉 -는 것을. ¶ 德이여 福이라 호ᄂᆞᆯ 나ᅀᆞ라 오소이다《樂範 動動》.

ᄂᆞᆯ가래 명 〈옛〉 가래[1]❶. ¶ ᄂᆞᆯ가래(鐵杴)《字會 中 17》.

ᄂᆞᆯ개 명 〈옛〉 날개[1]. ¶ 새 ᄂᆞᆯ개ᄅᆞᆯ 조차 ᄒᆞᆫ번 서르 디나가미 어렵도다《杜諺 XXI:17》/ 쥬의젼능ᄂᆞᆯ개로 덥혀보호ᄒᆞ쇼셔《찬양가:41》.

ᄂᆞᆯ것 명 〈옛〉 날것. ¶ ᄂᆞᆯ것(生的)《同文 上 60》.

ᄂᆞᆯ고기 명 〈옛〉 날고기. ¶ 사ᄉᆞᄆᆡ ᄂᆞᆯ고기(生鹿肉)《救簡 Ⅰ:23》.

ᄂᆞᆯ나다 형 〈옛〉 ①날래다. =ᄂᆞᆯ라다. ¶ 네ᄂᆞᆫ 엇데 ᄂᆞᆯ나더니 이제ᄂᆞᆫ 엇데

어리뇨(昔何勇銳今何愚)≪杜諺 Ⅷ:2≫. ②날카롭다❶. =ᄂᆞᆯ라다. ¶ 그 그르슬 ᄂᆞᆯ나게 코ᅀᅡ(以利其器)≪圓覺 序 80≫.

ᄂᆞᆯ내 㫴 〈옛〉 날래게. 빨리. ¶ 나ᄇᆡ ᄂᆞᆯ내 ᄃᆞ로ᄆᆞᆯ 기우시 놀라고(側驚猿猱捷)≪杜諺 Ⅰ:58≫.

ᄂᆞᆯ다[1] 㞾 〈옛〉 날다[1]. ¶ 海東 六龍이 ᄂᆞᄅᆞ샤(海東六龍飛)≪龍歌 1章≫.

ᄂᆞᆯ다[2] 㐁 〈옛〉 날다[3]. ¶ 뵈 ᄂᆞᆯ 싱(紝)≪字會 19≫.

ᄂᆞᆯ디새 㫗 〈옛〉 날기와. ¶ ᄂᆞᆯ디새 ᄇᆡ(坯)≪字會 中 18≫.

ᄂᆞᆯ라다 㖽 〈옛〉 날래다. 예리(銳利)하다. =ᄂᆞᆯ나다. ¶ ᄂᆞᆫ는ᄃᆞᆺ ᄂᆞᆯ란 엇게예 거러두고 보쇼셔≪古時調 鄭澈≫.

ᄂᆞᆯ리 㫗 〈옛〉 날개. ¶ ᄂᆞᆯ리붓다(搧翅)≪漢淸 XIII:63≫.

ᄂᆞᆯ뮈다 㞾 〈옛〉 날아 움직이다. ¶ ᄂᆞᆯ뮈ᄂᆞᆫ 쁘든 霹靂도 것그리로다(飛動摧霹靂)≪杜諺 XVI:2≫.

ᄂᆞᆯ쁘다 㞾 〈옛〉 날뛰다. =ᄂᆞᆲ드다. ¶ 즐겨 ᄂᆞᆯ쁘다가 인ᄒᆞ야 주그니 ≪太平 Ⅰ:9≫.

ᄂᆞᆯ밤 㫗 〈옛〉 날밤. ¶ ᄂᆞᆯ밤(生栗)≪救簡 Ⅲ:15≫.

ᄂᆞᆯ부츠다 㞾 〈옛〉 날치다. 날뛰다. =ᄂᆞᆯ우츠다. ¶ ᄂᆞᆯ부츨 분(奮)≪類合 下 39≫.

ᄂᆞᆯ살 㫗 〈옛〉 나는 화살. ¶ 箭은 ᄂᆞᆯ사리라≪月釋 XXI:74≫.

ᄂᆞᆯ아봄 㖽 〈옛〉 천(賤)함. 'ᄂᆞᆯ압다'의 명사형. ¶ 貧窮ᄒᆞ며 ᄂᆞᆯ아보ᄆᆞᆫ 功德財 업스믈 니ᄅᆞ시고≪月釋 XVII:6≫.

ᄂᆞᆯ아ᄫᆞ니 㫗 〈옛〉 천한 사람. ¶ 貴ᄒᆞ며 ᄂᆞᆯ아ᄫᆞ니 업시 얼굴 잇ᄂᆞᆫ 거시 이 시름 免ᄒᆞ리 업도다 ᄒᆞ샤≪月釋 XXI:196≫.

ᄂᆞᆯ아온 㖽 〈옛〉 천(賤)한. 'ᄂᆞᆯ압다'의 활용형. ¶ 이제 비록 가난코 ᄂᆞᆯ아온ᄃᆞᆯ(今雖貧賤)≪內訓 Ⅰ:73≫.

ᄂᆞᆯ아옴 㫗 〈옛〉 천(賤)함. 'ᄂᆞᆯ압다'의 명사형. ¶ 貴ᄒᆞ며 ᄂᆞᆯ아옴과(貴賤)≪妙蓮 Ⅵ:47≫.

ᄂᆞᆯ아이 㫴 〈옛〉 천하게. ¶ 가ᄇᆡ야이 ᄂᆞᆯ아이 너기며 믜며 새와(輕賤憎嫉)≪妙蓮 Ⅱ:163≫.

ᄂᆞᆯ압다 㖽 〈옛〉 천하다. =ᄂᆞᆯ압다. ¶ ᄂᆞᆯ아ᄫᆞᆫ 사ᄅᆞ미 ᄃᆞ외오≪月釋 XXI:55≫.

ᄂᆞᆯ압다 㖽 〈옛〉 천하다. =ᄂᆞᆯ압다. ¶ 이 ᄂᆞᆯ아봄과≪月釋 XXI:57≫.

ᄂᆞᆯ애 㫗 〈옛〉 날개. ¶ 곳나모 가지마다 간ᄃᆡ 족족 안니다가 향므틴 ᄂᆞᆯ애로 님의 오ᄉᆡ 올므리라≪松江 思美人曲≫.

ᄂᆞᆯ엇 㫗 〈옛〉 날것. ¶ ᄂᆞᆯ엇과 ᄎᆞᆫ것과(生冷)≪救簡 Ⅵ:85≫.

ᄂᆞᆯ외다 㖽 〈옛〉 천천하다. 더디다. 느리다. ¶ ᄂᆞᆯ외여 ᄯᅩ 다ᄉᆞ리디 몯ᄒᆞ리로다(驕蹇不復理)≪初杜諺 XVI:65≫.

ᄂᆞᆯ우춤 㞾 〈옛〉 날침. 날뜀. 'ᄂᆞᆯ우츠다'의 명사형. ¶ 술위ᄅᆞᆯ 미러 외로이 ᄂᆞᆯ우추ᄆᆞᆯ 期望ᄒᆞ노라(推轂期孤騫)≪杜諺 XXIV:3≫.

ᄂᆞᆯ우츠다 㞾 〈옛〉 날치다. 날뛰다. 날리다. =ᄂᆞᆯ우치다. ¶ ᄂᆞᆯ우츠며 ᄀᆞᆯ외오ᄆᆞᆫ 누를 爲ᄒᆞ야셔 雄ᄒᆞᆫ 양 ᄒᆞᄂᆞᆫ다(飛揚跋扈爲誰雄)≪杜諺 XXI:34≫.

ᄂᆞᆯ우치다 㞾 〈옛〉 날리다. =ᄂᆞᆯ우츠다. ¶ 旌旆ㅣ 다 ᄂᆞᆯ우치ᄂᆞ다(旌旆盡飛揚)≪杜諺 Ⅵ:28≫.

ᄂᆞᆯ웃ᄂᆞ다 㞾 〈옛〉 나부끼다. ¶ 시름ᄒᆞ며 애와텨 ᄆᆞᅀᆞ미 ᄂᆞᆯ웃ᄂᆞ다(憂憤心飛揚)≪杜諺 Ⅰ:43≫.

ᄂᆞᆯ이다 사동 〈옛〉 날리다[2]. ¶ 굿븐꿩을 모ᄃᆡ ᄂᆞᆯ이시니(維伏之雉必令驚飛)≪龍歌 88章≫.

ᄂᆞᆯᄋᆡ 〈옛〉 나루의. 'ᄂᆞᄅᆞ'의 소유격형(所有格形). ¶ 뫼셔 어즈러이 왓ᄂᆞ닌 眞實로 조ᄋᆞᄅᆞ왼 ᄂᆞᆯᄋᆡ 사ᄅᆞᆷ이로다(賓從雜遝實要津)≪杜諺 XI:18≫.

ᄂᆞᆯ잠개 㫗 〈옛〉 날로 된 병기(兵器). ¶ 모ᄃᆞᆫ ᄃᆡ 이셔 ᄃᆞ토면 ᄂᆞᆯ잠개로 ᄒᆞᄂᆞ니(在醜而爭則兵)≪內訓 Ⅰ:46≫.

ᄂᆞᆯ카바 㖽 〈옛〉 날카로와. 'ᄂᆞᆯ캅다'의 활용형. ¶ 諸根이 聰明코 ᄂᆞᆯ카바 智慧ᄅᆞᄫᆡ며 ≪釋譜 Ⅸ:16≫.

ᄂᆞᆯ카온 㖽 〈옛〉 날카로운. 'ᄂᆞᆯ캅다'의 활용형. ¶ ᄂᆞᆯ카온 갈히 ᄀᆞᅀᆞᆳ터리ᄅᆞᆯ 當ᄒᆞᆫᄃᆞᆺ도다(利器當秋毫)≪杜諺 Ⅷ:57≫.

ᄂᆞᆯ카이 㫴 〈옛〉 날카롭게. ¶ 그 精ᄒᆞᆫ ᄉᆞ랑ᄋᆞᆯ ᄂᆞᆯ카이 ᄒᆞ야(銳其精思)≪楞嚴 Ⅸ:86≫.

ᄂᆞᆯ캅다 㖽 〈옛〉 날카롭다. ¶ 톱과 엄괘 ᄂᆞᆯ캅고≪釋譜 Ⅵ:33≫.

ᄂᆞᆯ캅다 㖽 〈옛〉 날카롭다. ¶ ᄂᆞᆯ카ᄫᆞᆫ ᄂᆞᆯ히 갈ᄀᆞᆮᄒᆞᆫ 것ᄃᆞᆯ히 罪人ᄃᆞᆯᄒᆞᆯ 모라≪月釋 XXI:24≫.

ᄂᆞᆯ해 〈옛〉 날에. 'ᄂᆞᆯ[2]'의 처격형(處格形). ¶ 芥子ㅣ 바ᄂᆞᆳᄂᆞᆯ해 맛게 호미(使芥子投於針鋒)≪圓覺 序 69≫.

ᄂᆞᆯ히 〈옛〉 날이. 'ᄂᆞᆯ[2]'의 주격형(主格形). ¶ 毒이 害티디 몯ᄒᆞ며 ᄂᆞᆯ히 헐이디 몯ᄒᆞ며 ≪月釋 Ⅹ:70≫.

ᄂᆞᆯᄒᆞᆯ 〈옛〉 날을. 'ᄂᆞᆯ[2]'의 목적격형. ¶ 閻浮提예 ᄒᆞᆫ 바ᄂᆞᆳ ᄂᆞᆯᄒᆞᆯ 셰여(於閻浮提竪一針鋒)≪圓覺 序 69≫.

ᄂᆞᆰ다 㖽 〈옛〉 낡다. ¶ 亭子ᄂᆞᆫ ᄂᆞᆰ가 ᄆᆞᄅᆞᆯ 셕 찻도다(亭古帶蒹葭) ≪杜諺 XXI:28≫.

ᄂᆞᆲ드다 㞾 〈옛〉 날뛰다. =ᄂᆞᆯ쁘다. ¶ 強盜 스므나ᄆᆞ니 막대 들오 ᄂᆞᆲ드며 소리디ᄅᆞ고(有強盜數十持杖鼓譟)≪飜小 Ⅸ:64≫.

ᄂᆞᆲ즁ᄉᆡᆼ 㫗 〈옛〉 날짐승. ¶ 禽은 ᄂᆞᆲ즁ᄉᆡᆼ이라≪月釋 XXI:113≫.

ᄂᆞᆷ[1] 㫗 〈옛〉 사람. 놈. ¶ 게으른 ᄒᆞᆫ ᄂᆞ미 서르 ᄆᆞᄅᆞ쳐 사나ᄋᆞᆯ 머구릴 ᄲᅧ여오니≪月釋 Ⅰ:45≫.

ᄂᆞᆷ[2] 㫗 〈옛〉 남[1]. ¶ 三韓ᄋᆞᆯ ᄂᆞᄆᆞᆯ 주리여(維此三韓肯他人任)≪龍歌 20章≫.

ᄂᆞᆺ 㫗 〈옛〉 낯[1]. =ᄂᆞᆾ. ¶ 네 이제 머리 셰며 ᄂᆞᆺ ᄉᆞᆲ쥬ᄆᆞᆯ 슬ᄂᆞ니(汝今自傷髮白面皺)≪楞嚴 Ⅱ:9≫.

ᄂᆞᆺ가ᄫᆡ 㫴 〈옛〉 나지리. 낮게. ¶ 比丘란 노ᄑᆡ 안치시고 王ᄋᆞᆫ ᄂᆞᆺ가ᄫᆡ 안ᄌᆞ샤 ≪月釋 Ⅷ:91≫.

ᄂᆞᆺ가온 㖽 〈옛〉 낮은. 'ᄂᆞᆺ갑다'의 활용형. ¶ 나모 ᄂᆞᆺ가온 가지로 집일워 자와(卑枝成屋椽)≪杜諺 Ⅰ:12≫.

ᄂᆞᆺ가올 㖽 〈옛〉 낮을. ¶ ᄂᆞᆺ가올 비(卑)≪字會 下 26≫.

ᄂᆞᆺ가옴 㖽 〈옛〉 낮음. 'ᄂᆞᆺ갑다'의 명사형. ¶ 벼스릐 ᄂᆞᆺ가오ᄆᆞᆯ 苦로이 너기놋다(苦宦卑)≪杜諺 XXI:31≫.

ᄂᆞᆺ가이 㫴 〈옛〉 나지리. 낮게. ¶ ᄂᆞᆺ가이 너기디 아니ᄒᆞ며(不賤)≪金剛 上 36≫.

ᄂᆞᆺ갑다 㖽 〈옛〉 낮다. ¶ 上聲은 처ᅀᅥ미 ᄂᆞᆺ갑고 乃終이 노ᄑᆞᆫ 소리라≪訓諺 13≫.

ᄂᆞᆺ갑다 㖽 〈옛〉 낮다. ¶ 平聲은 ᄆᆞᆺ ᄂᆞᆺ가ᄫᆞᆫ 소리라 ≪訓諺 14≫.

ᄂᆞᆺ갖 㫗 〈옛〉 낯가죽. ¶ ᄂᆞᆺ갓출(面皮)≪老乞 下 41≫.

ᄂᆞᆺ곶 㫗 〈옛〉 낯빛. 안색(顏色). =ᄂᆞᆺ곶·ᄂᆞᆺ곳. ¶ 舍利弗이 측ᄒᆞᆫ ᄂᆞᆺ고지 잇거늘 ≪釋譜 Ⅵ:36≫.

ᄂᆞᆺ곶 㫗 〈옛〉 낯빛. 안색(顏色). =ᄂᆞᆺ곶·ᄂᆞᆺ곳. ¶ 노ᄒᆞᆫ ᄂᆞᆺ고ᄎᆞᆯ 집 사ᄅᆞ미 몯보더니(家人未見其有忿恚之色)≪三綱 孝肅≫.

ᄂᆞᆺ도라셔다 㞾 〈옛〉 향하여 돌아서다. ¶ 담애 ᄂᆞᆺ도라셧ᄃᆞ니라(面墻而立)≪內訓 序 6≫.

ᄂᆞᆺ곳 㫗 〈옛〉 낯빛. 안색. 얼굴빛. =ᄂᆞᆺ곶·ᄂᆞᆺ곶. ¶ 셩낸 ᄂᆞᆺ곳(面有嗔色)≪漢淸 Ⅵ:8≫.

ᄂᆞᆺ설다 㖽 〈옛〉 낯설다. ¶ ᄂᆞᆺ선 잡사ᄅᆞᆷ을 브리오디 몯ᄒᆞ게 ᄒᆞ엿ᄂᆞ니(不得安下面生反)≪老乞 上 42≫.

ᄂᆞᆺ짓다 㞾 〈옛〉 정색(正色)하다. ¶ 孫權이 즉시 ᄂᆞᆺ짓고 니러셔 후당으로 드러가니 ≪三譯 Ⅲ:14≫.

ᄂᆞᆺ양ᄌᆞ 㫗 〈옛〉 낯 모습. 얼굴 모습. ¶ ᄂᆞᆺ양ᄌᆞ ᄒᆞ마 첫 열서린 時節에셔 늘그며(顏貌已老初十歲時)≪楞嚴 Ⅱ:6≫.

ᄂᆞᆽ다 㖽 〈옛〉 낮다. ¶ ᄂᆞᄌᆞᆯ 비(卑)≪石千 14≫.

ᄂᆞᆾ 㫗 〈옛〉 낯. =ᄂᆞᆺ·ᄂᆞᆺ. ¶ 닐흔늬 ᄂᆞ치 맛거늘(中七十面)≪龍歌 40章≫.

ᄂᆡ 㫗 〈옛〉 내. 연기. ¶ 머리 ᄂᆡᄅᆞᆯ 보고 블 잇ᄂᆞᆫ ᄃᆞᆯ 아로미 ᄀᆞᆮᄒᆞ니 ≪月釋 Ⅸ:7≫.

-ᄂᆡ 어미 〈옛〉 -네. ¶ 千村萬落이 곳곳이 버러잇ᄂᆡ ≪賞春曲≫.

-ᄂᆡ마ᄂᆞᆫ 어미 〈옛〉 -네마는. ¶ 臙脂粉 잇ᄂᆡ마ᄂᆞᆫ 눌 위ᄒᆞ야 고이ᄒᆞᆯ고 ≪松江 思美人曲≫.

ᄂᆡ실 㫗 〈옛〉 내일. =ᄂᆡ일. ¶ ᄂᆡ실나래 ᄒᆞᆫ 소리를 ᄀᆞᆯ히지 비ᄒᆞ면(明日辨一理)≪飜小 Ⅷ:36≫.

-ᄂᆡ이다 어미 〈옛〉 -나이다. =-ᄂᆡᆼ이다. ¶ 이도 祝願의 일이라 엿ᄌᆞᆸᄂᆡ이다 ≪新語 Ⅵ:7≫.

ᄂᆡ일 㫗 〈옛〉 내일. =ᄂᆡ실. ¶ ᄂᆡ일 부귀ᄒᆞ리라(明日富貴矣) ≪五倫 Ⅱ:42≫.

ᄂᆡᆼ괄이 㫗 〈옛〉 냉과리. ¶ ᄂᆡᆼ괄이(烟頭子)≪才物譜 地譜≫.

-ᄂᆡᆼ이다 어미 -나이다. ¶ ᄂᆞ즉ᄒᆞ여 도라가시게 ᄇᆞ라ᄂᆡᆼ이다≪新語 Ⅵ:5≫.

ㄴㄴ 〔쌍니은〕〘언〙〈옛〉 'ㄴ'의 된소리. 혀끝을 윗 잇몸에 단단히 대는 ㄴ 소리. ¶ 혀그티 웃닛머리예 다ᄔᆞ니라≪訓諺 15≫.

-ᄂᆞ니라 어미 〈옛〉 -ᄒᆞᄂᆞ니라. ¶ 眞實ᄒᆞᆫ 性을 일ᄂᆞ니라(遺失眞性)≪楞嚴 Ⅱ:2≫.

ㄷ[1] (디귿) 〖언〗 ①한글 자모(字母)의 셋째 글자. ②자음(子音)의 하나. 목젖으로 콧길을 막고 혀 끝을 윗잇몸에 붙이어 막았다가 뗄 때에 나는 저성 파열음(低聲破裂音). 받침으로 그치는 경우는 혀 끝을 떼지 아니함. ¶ ㄷ는 혀쏘리니 斗ᄫᅳᆼ字ᄍᆞᆼ 처ᅀᅥᆷ 펴아나는 소리 ᄀᆞᄐᆞ니 ᄀᆞᆯ바쓰면 覃땀ㅂ字ᄍᆞᆼ 처ᅀᅥᆷ 펴아나는 소리 ᄀᆞᄐᆞ니라《訓諺》. [주의] '디귿'의 받침 소리가 연음(連音)될 때 [디그시, 디그슬, 디그세] 등으로 발음함.

ㄷ[2] [조] 〈옛〉 설음(舌音) 밑에서 소유격적(所有格的)으로 쓰인 사잇자. ¶君군ㄷ字ᄍᆞᆼ《訓諺》.

ㄷ받침 변:칙 【一變則】 [디귿—] [명] 〖언〗 ㄷ불규칙 활용.

ㄷ불규칙 용:언 【一不規則用言】 [디귿—농—] [명] 〖언〗 ㄷ불규칙 활용을 하는 용언.

ㄷ불규칙 활용 【一不規則活用】 [디귿—] [명] 〖언〗 어간의 끝 'ㄷ'이 어미의 모음 앞에서 'ㄹ'로 변하는 형식. '듣다'가 '들어'·'들으니'로 되는 일 따위.

ㄷ자-집 【一字一】 [디귿—] [명] 〖건〗 종마루가 ㄷ자로 된 집.

ㄷ자형 자물쇠 【一字形一】 [디귿—쐬] [명] ㄷ자 모양의 자물쇠통에 좃대를 꽂아서 잠그고, 열쇠로 자물쇠통 속의 자물쇠청을 끼워 물어 열게 된 자물쇠. 문짝에나 궤·그릇 따위의 뚜껑에 두루 쓰임. 붕어자물쇠·쌍룡자물쇠·거북이자물쇠 등이 있음.

다[1] [명] 〖악〗 음계의 제1음인 도(do)의 이름. ¶ ~장조.

다[2] 【茶】 [명] 〈궁중〉 숭늉.

다:[3] [一] [부] ①있는 대로. 하나도 빼지 아니하고. ¶ ~ 가져라. ②남김 없이. ¶ ~ 닳았다. ③어떤 것이든지. ¶ 둘 ~ 좋다. ④거의. 거반. ¶ ~ 죽게 됐다. ⑤'또 …까지도(모두)'의 뜻으로, 가벼운 놀람, 새삼스런 감탄, 은근한 비꼼을 나타내는 말. ¶ 그런 도서관이 ~ 있어/별놈 ~ 보겠다/별 말씀 ~ 하십니다/그 주제에 양복을 ~ 입었네. ⑥미래의 일을 부정하는 뜻을 나타내는 말. ¶ 비가 오니 야유회는 ~ 갔다. [二] [명] ①있는 것 전부. ¶ 이게 ~다/~들 어디 갔느냐. ②생각할 수 있는 한도의 끝. ¶ 부자면 ~냐, 사람을 이렇게 괄시하다니.
[다 닳은 대갈마치라] 몸이 다부지고 닳을 대로 닳아 마음이 독한 사람을 비유하는 말. [다 먹은 죽에 코 빠졌다 한다] ㉠맛있게 먹었으나 알고 본즉 불결하여 속이 꺼림칙하다는 말. ㉡잘 먹고 나서 그 음식에 대하여 불평을 한다는 말. [다 밝게 범두와 소리라] 순경(巡更)꾼이 밤새도록 자다가 새벽 녘에 비로소 일어난다는 말로, 때가 이미 늦음을 이르는 말. [다 팔아도 내 땅] 결국에는 제 이익이 된다는 말. [다 퍼먹은 김칫독] 앓거나 굶주려서 눈이 움푹 들어간 사람을 비유하는 말. [다 퍼먹은 김칫독에 빠진다] 남들이 다 이(利)를 보고 물러난 뒤에, 멋 모르고 덤벼들었다가 크게 손해를 본다는 말.

다[4] [조] ↗다가³. ¶ 어디~ 두었소. ＊에다.

다[5] [조] 서술격 조사 '이다'의, 받침 없는 체언 아래에서의 생략형. ¶ 너는 환자~/이 방면의 전문가~. ＊이다⁵.

다[6] 【如】 [조] 〈이두〉 다⁵.

다[7] 〔達〕 [명] 〖지〗 중국 쓰촨 성(四川省) 다 현(達縣)의 현청 소재지. 산시성(陝西省)의 경계선인 다바 산(大巴山)을 넘어 한중 분지(漢中盆地) 방면과 통할 수 있음. 교통이 편리하고 곡물·면화·삼·차·담배 등의 집산지임. 달(達).

다- 【多】 [두] 명사 위에 붙어서 많음의 뜻을 나타내는 말. ¶ ~방면(方面)/~탄두(彈頭)/~목적.

-다 [어미] ①그 말의 원형을 나타내는 어미. ¶ 가~. ＊-ㄴ다². ②형용사의 어간에 붙어 현재형을 서술할 때 끝맺는 종결 어미. ¶ 맑~. ③↗-다고. ¶ 돈이 없~ 낙심 마라. ④↗-다가. ¶ 참새를 잡았~ 놓쳤다.

다가[1] 【多價】 [—까] [명] 〖화〗 관능기(官能基)가 동일 분자내에 2개 이상 있는 화합물을 이름. 동일 분자내에 카르복실기(carboxyl基)를 2개 이상 가지는 지방산을 다가(多價) 지방산, 수산기(水酸基)를 2개 이상 가지는 알코올을 다가 알코올이라고 함.

다가[2] [타] 〈옛〉 다그어. 가지어. 가지어서. ¶ 내 두쌍훠를 다가(把我的兩對新靴子)《朴解 上 35》.

다가[3] [조] ①받침 없는 처소 대명사 밑에 붙어, 두는 곳을 나타내는 부사격 조사. ¶ 어디~ 두었느냐. ②'로'·'으로' 따위의 뒤에 붙어 그 뜻을 강조하는 보조사. ¶ 돌로 ~ 만든 연장. [준]다⁴. ＊에다가.

다가[4] 【如可】 〈이두〉 ①↗이온다가(是乎如可). ②↗하다가(爲如可).

-다가 [어미] 계속되던 상태나 동작이 그치고 다른 상태나 동작으로 옮기거나 다른 일이 생김을 말할 때, 그 그치는 상태나 동작을 나타내는 연결 어미. ¶ 흐렸~ 개다 / 잡았~ 놓아 준다. [준]-다.

다가-가다 [자] [거라불] 어떤 대상 쪽으로 다가서 가깝게 옮아가다.

다가구 주:택 【多家口住宅】 [명] 4층 이하의 동당(棟當) 건축 연면적이 660 m²(200 평) 이하인 한 건물 안에 여러 가구가 독립적인 공간을 차지하는 단독 주택의 일종. 각기 독립적인 공간을 가져도 소유권은 분할되지 않음. ＊다세대 주택.

다가-놓다 [—노타] [타] 어떤 대상이 있는 쪽으로 더 가까이 놓다. ¶ 벽쪽으로 의자를 ~.

-다가는 [어미] ①동사 및 '있다'·'없다'·'계시다'의 어간에 붙어, 어느 동작이나 상태가 계속되면 뒤에 좋지 못한 결과를 가져오게 된다는 뜻으로 앞 동작을 경계하는 데 쓰이는 연결 어미. ¶ 잠만 자~ 낙제할라/거기 있~ 큰일난다. ②한 동작이나 상태의 끝남과 함께 다음 일을 예상하는 데 쓰이는 연결 어미. ¶ 미국에 갔~ 영국에 간다. [준]-다간.

다가 백신 【多價一】 〔vaccine〕 [—까—] [명] 〖의〗 두 형 또는 두 종류 이상의 병원체에 대하여 효과가 있는 백신. 다가 왁친.

다가-붙다 [자] 어떤 대상이 있는 쪽으로 더 가까이 붙다.

다가-서다 [자] 더 가까이 옮아 서다. ¶ 바싹 다가서라.

다가-앉다 [—안따] [자] 더 가까이 옮아 앉다. ¶ 자리가 없으니 좀 다가앉아 주게.

다가 알코올 【多價一】 [—까—] [명] 〔polyhydric alcohol〕 〖화〗 한 분자(分子) 중에 2개 이상의 수산기(水酸基)를 가지는 알코올. 수산기의 수에 따라 '2가(價) 알코올'·'3가(價) 알코올' 등으로 부름.

다가 염:색체 【多價染色體】 [—까—] [명] 〖생〗 배수체(倍數體)가 감수분열할 때 병렬(倂列)하는 세 개 이상의 상동(相同) 염색체.

다가-오다 [자] [너라불] ①가깝게 옮아오다. ¶ 불곁으로 ~. ②어떤 때가 점점 가까이 닥쳐오다. 또, 시일이 촉박하다. ¶ 기한이 ~/여름이 ~.

다가 왁친 【多價一】 〔도 Vakzin〕 [—까—] [명] 〖의〗 다가 백신.

다가-채기 [명] 씨름 재간의 한 가지. 서로 버티고 있다가 갑자기 뒤로 물러서며 상대자를 잡아채어 엎어뜨림.

다가 함:수 【多價函數】 [—까—쑤] [명] 〖수〗 독립 변수(獨立變數) x의 하나의 값에 대하여 종속 변수(從屬變數) y의 값이 둘 이상 정하여지는 함수. x의 하나의 값에 대하여 y의 값이 두 개 정하여지는 것을 이가(二價) 함수, 세 개 정하여지는 것을 삼가 함수, 일반적으로 n개(個) 정하여지는 것을 n가 함수라 하며, 무한개(無限個) 정하여지는 것을 무한 다가 함수라 함. ↔일가(一價) 함수.

다가 항:원 【多價抗原】 [—까—] [명] 〔polyvalent antigen〕 〖의〗 많은 결정기(決定基)를 가진 항원.

다각[1] 【多角】 [명] ①〖수〗 모가 많음. ¶ ~형. ②복잡함. 여러 방면에 걸침. ¶ ~적인 노력.

다각[2] 【茶角】 [명] 〖불교〗 차를 달여서 대중에게 이바지하는 일. 또, 그 일을 맡아 보는 사람. ——-하다 [타] [여불]

다각[3] 【茶角】 [명] 〖사람〗 정극인(丁克仁)의 호(號).

다각 경영 【多角經營】 [명] 〖경〗 상·공·농업의 경영에 있어서, 한 경영 주체 밑에 여러 종류의 사업 부문을 동시에 경영하는 일. 경영의 안정성과 원자재·기술·판매망의 효율적 이용을 노림.

다각 기둥 【多角一】 [명] 〖수〗 밑면이 다각형인 기둥체(體). 밑면이 삼각형이면 삼각 기둥, 사각형이면 사각 기둥이라 함. 구용어: 다각주.

다각-농 【多角農】 [명] 〖농〗 ↗다각 농업(多角農業).

다각 농업 【多角農業】 [명] 〖농〗 토지와 노력을 기술적으로 배분하여 여러 가지 종류의 농작물을 심어서 수익을 올리도록 경영하는 농업. 단일 작물(單一作物)의 재해(災害)나 또는 단일 농작물의 가격 저하로 인한 피해가 없게 하기 위해서 함. 다각 영농. [준]다각농. ↔단작(單作) 농업.

다각-도[1] 【多角度】 [명] ①여러 모. ②여러 방면.
다각도로 [부] ㉠여러 모로. ㉡여러 방면으로. ¶ ~ 검토하다.

다각-도[2] 【多角壔】 [명] 〖수〗 다각주(多角柱).

다각 묘:사 【多角描寫】 [명] 〖문〗 한 대상을 여러 모로 비추어 여러 가지 기술로써 그려내는 표현 방법.

다각 무:역 【多角貿易】 [명] 〖경〗 다국 간(多國間)에 행하는 무역. 무역과 그 결제를 두 나라 사이에만 국한(局限)하지 아니하고, 3개국 이상의 여러 나라와 종합적인 관점에서 전체로서의 균형을 확보할 목적으로

행하는 무역 방식. *쌍무 무역(雙務貿易)·삼각 무역.

다각-반【多角盤】[명] 반면(盤面)이 8 각 또는 열 두 모로 된 소반. 모서리의 귀를 접어 원(圓)과 같은 느낌을 줌. 나주반(羅州盤)이 이 예임. *사우반(四隅盤).

다각-뿔【多角—】[명]〖수〗밑면이 다각형인 뿔체. 다각형의 변수(邊數)에 따라 삼각뿔·사각뿔 등으로 일컬음. 구용어:다각추.

다각 연:애【多角戀愛】[—년—] [명] 세 사람 이상의 남녀 사이에 서로 엇갈리는 연애. *삼각 연애. 「농업. 다각 농업.

다각 영농【多角營農】[—녕—] [명]〖농〗여러 가지 농작물을 재배하는

다각-적【多角的】[명][관] 사물이 단순하게 한 가지 일에만 관계되지 아니하고, 다방면에 걸치는 모양. ¶ ~인 지식.

다각적 결제【多角的決濟】[—쩨] [명] 다각 무역에서, 당사국끼리 채권·채무를 상쇄하여 전체로서 수지(收支) 균형을 유지하는 결제 방식.

다각적 통화 상쇄 협정【多角的通貨相殺協定】[명] 다수 국가를 포함하는 다각적 상호 결제에 관한 국제 협정. 2차 대전 후 특정국간의 지불 협정 방식을 지양하여 유럽 각국간에 행하여졌음.

다각-주【多角柱】[명]〖수〗'다각 기둥'의 구용어.

다각-집【多角—】[명]〖건〗추녀 귀가 여러 개로 된 집.

다각-추【多角錐】[명]〖수〗'다각뿔'의 구용어.

다각 측량【多角測量】[—냥] [명] 〔traversing〕〖공〗측량 구역의 각 점을 연결하는 다각선을 설정하여, 그 각 변(邊)의 길이와 그 끼인각을 측량하여서 점의 위치를 정하는 측량법의 하나. 트래버스 측량.

〈다각집〉

다각-탑【多角塔】[명]〖건〗탑신(塔身)의 평면이 다각형으로 된 탑.

다각-형【多角形】[명]〔polygon〕〖수〗셋 이상의 직선으로 둘리고 선의 접점에 선과 동수의 각이 있는 평면 도형. 삼각형·사각형·오각형 등의 총칭. 여러모꼴. 다변형(多邊形).

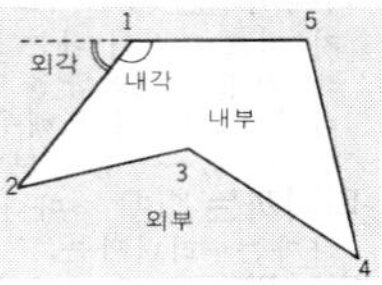

〈다각형〉

다각형-토【多角形土】[명]〔polygonal ground〕〖지〗암석이나 토양·식생(植生)이 다각형 모양으로 배열해 있는 지면. 수평 또는 완만한 경사면(傾斜面)에 동결 작용(凍結作用)으로 만들어짐.

다간〔Dagan〕[명]〖신〗바빌로니아·아시리아 신화 중의 남성신(男性神). 아누(Anu)와 더불어 존숭됨.

-다간 [어미] ↗-다가는. ¶ 이러~ 큰일이다.

다갈 [명]〈방〉①대갈². ②달걀(전라·경남).

다갈-색【茶褐色】[—쌕] [명] 조금 검은 빛깔을 띤 적황색.

다갈-솥 [명] 전이 있는 옹솥. 곧, 작은 화솥.

다감【多感】[명] 느낌이 많고 감동하기 쉬운 모양. 감수성이 예민한 모양. ¶ 다정 ~한 여인. ——-하다 [형][여불]

다-감각【多感覺】[명] 한 군데를 자극하였을 때 여러 군데의 자극으로서 느끼는 이상(異常) 지각(知覺)의 하나. *후유(後遺) 감각.

다감 다정【多感多情】[명] 다정 다감(多情多感). ——-하다 [형][여불]

다감 다한【多感多恨】[명] 느낌이 많고 한도 많음. ——-하다 [형][여불]

다갱이 [명]〈방〉대가리.

다거【茶居】[명] 다관(茶館).

다거리 [명]〈방〉다갈솥.

다겁【多怯】[명] 겁이 많음. 무서움을 몹시 탐. ——-하다 [형][여불]

다게레오타이프〔daguerreotype〕[명] 다게르가 1839년에 발명한 은판(銀板) 사진술. 은판에 요드화은(Jod 化銀)의 피막(被膜)을 만들고 어둠상자에 넣어서 사진을 찍은 후 수은 증기(水銀蒸氣)에 접촉시키어서 양화(陽畫)로 만들었음. 오늘날의 사진 기술의 근원이 됨.

다게르〔Daguerre, Louis Jacques Mandé〕[명]〖사람〗프랑스의 화가·사진 기술자. 풍경화가였으나 주로 무대 장치를 그리었고, 최초의 실용적 사진술인 다게레오타이프를 발명하였음. [1787-1851]

다게스탄〔Dagestan〕[명]〖지〗카스피 해 연안의 러시아 연방내 자치 공화국. 카프카스 인종과 터키인이 사는데, 국토의 반(半)은 산지이며, 목축·과수·포도·석유 등의 산업이 성함. 원래 페르시아의 한 지방이었으나 1813년에 러시아에 병합되었음. 수도는 마하치칼라(Makhachkala). [50,300 km²: 1,790,000 명(1989 추계)]

다격자-관【多格子管】[명]〔multigrid tube〕〖전자〗음극과 양극과의 사이에 2개 이상의 격자를 갖는 4극관 또는 5극관과 같은 전자관(電子管).

다견-하다 [형]〈방〉대견하다❷.

다-결정【多結晶】[—쩡] [명] 다수의 미소한 단결정(單結晶)이 임의의 결정축의 방향으로 집합되어 있는 결정. 천연적인 결정질 물체의 대부분이 이에 속함. ↔단결정(單結晶).

다경【茶經】[명]〖책〗중국 당(唐)나라의 문인 육우(陸羽)가 지은 책. 차(茶)의 역사·제법(製法)·기구(器具) 등이 자세히 기술되었음. 3 권.

다고¹【多故】[명] 변고가 많음. ——-하다 [형][여불]

다고² [물타]〈옛〉다오. =도라. ¶ 사발 잇거든 ᄒᆞ나 다고(有椀與一箇)《老乞 上 38》.

-다고 [어미] '-다'에 조사 '고'가 합친 말. '-다 라고', '-다 하고'의 준말로 쓰이는 연결 어미. ¶ 돈이 많~ 한다/잘 했~ 한다. [준]-다.

다고바〔dagoba〕[명]〖불교〗인도에서 지제(支提) 속에 안치하는 작은 불탑의 하나. 안에 불사리(佛舍利)를 간직하지 아니함. 그 형식은 보통의 불탑과 같은 계열임.

다곰다곰 [부]〈옛〉모두. 다. ¶ 다곰다곰 긔특다코 일ㅋ줍ᄂᆞᆫ딕 또 말ᄉᆞᆷᄒᆞ시ᄂᆞᆫ 젼치라《新語 Ⅸ:14》.

다공¹【多孔】[명] 구멍이 많음.

다공²【茶供】[명] 차를 끓이어 권함. ——-하다 [자][여불]

다공-도【多孔度】[명]〖물〗다공질 물질에서, 겉보기의 총체적(總體積)에 대한 공동(空洞) 부분의 체적의 비율. 전충성(塡充性).

다공-류【多孔類】[—뉴] [명]〖동〗〔Perypylaria〕유공충류(有孔蟲類)에 속하는 원생 동물의 한 아목(亞目). 몸뚱이는 여러 가지 모양이 있으나, 대개 골축(骨軸)이 있으며, 중심낭(中心囊)의 전면(全面)에 작은 구멍이 많이 있음. 포상류(泡狀類). ↔단공류(單孔類)❶.

다공-성【多孔性】[—썽] [명] 물질을 조성(組成)하는 분자와 분자 사이에 틈이 있는 성질.

다공-질【多孔質】[명] 아주 작은 구멍이 많이 있어 푸석푸석하게 생긴 바탕.

다공-체【多孔體】[명]〖동〗천공판(穿孔板).

다과¹【多寡】[명] 수효의 많음과 적음. 다소(多少). 중과(衆寡). ¶ ~를 불문하고.

다과²【茶菓】[명] 차와 과자. ¶ ~를 내놓다.

다과³【茶課】[명]〖역〗중국 송·원나라 때, 차의 판매에 과하던 세금.

다과-점【茶菓店】[명] 다과를 파는 상점.

다과-회【茶菓會】[명] 차와 과자를 베푸는 간단한 모임.

다곽-식【多槨式】[명]〖고고학〗여러널식.

다관¹【茶館】[명] 중국인의 사교장. 서민들이 모이어 수박씨를 까먹고 점심을 드는 곳이며, 특히 상인들간에는 정보 교환처로 이용됨. 다루(茶樓). 다사(茶肆). 다거(茶居).

다관²【茶罐】[명] ①차를 끓이어 담는 그릇. 옛날에 쓰던 것인데, 사기·놋·은 등으로 주전자같이 만들었음. ②차관(茶罐).

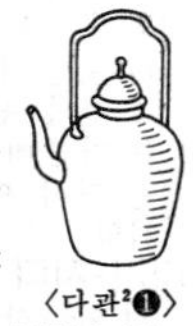
〈다관²❶〉

다관-관【多管罐】[명]〖공〗보일러의 한 가지. 외양은 외화식(外火式)으로 되어 있으며, 강철판을 고리 모양으로 구부려서 여러 개를 접합시키어 긴 통을 만들고 그 앞뒤에 경판(鏡板)을 장치하여 많은 연관(煙管)을 이 경판에 통하게 한 것임.

다구〔大沽〕[명]〖지〗중국 허베이성(河北省) 동부의 항시(港市) 하이허(海河)의 하구 남안에 있음. 톈진(天津)의 외항(外港). 1952 년 대안(對岸)의 탕구(塘沽)에 신항이 건설되면서부터 근해 어업의 근거지가 되었음. 1856 년에 일어난 애로호 사건(Arrow號事件) 때 이 곳에서 영국·프랑스 연합군과 교전하였음. 부근에서 장로염(長蘆塩)을 산출함. 대고(大沽).

다구¹【多口】[명] 말이 많음. 수다스러움. ——-하다 [형][여불]

다구²【茶臼】[명] 차를 가는 맷돌.

다구³【茶具】[명] 차제구(茶諸具). ¶ ~ 한 벌.

다:구⁴ [물타]〈방〉다오.

다구-지다 [형]〈방〉다부지다❶.

다국간 공:동 농축【多國間共同濃縮】[명]〔multinational uranium enrichment〕핵확산(核擴散)을 막기 위하여, 일부 특정 국가들만이 공동해서 우라늄 농축 사업을 추진하고 다른 나라는 이 공동 사업에서 농축 서비스를 받아야 한다는 미국의 구상.

다국적 기:업【多國籍企業】[명] 여러 나라에 계열 회사를 가지고 세계적 규모로 활동하는 거대(巨大) 기업. 세계 기업. 국제 기업.

다국적 농기업【多國籍農企業】[명] 발전 도상국에서 생산되는 농산물을 취급하는 다국적 기업. 파인애플·아스파라거스·커피·바나나·밀 등이 주요 품목임. 애그리비즈니스(agribusiness).

다국적 영화【多國籍映畫】[—녕—] [명] 2개국 이상의 영화인이 참가하여 제작한 영화.

다그다 [타]〔중세 : 다그다〕①어느 물체에 가까이 옮기다. ¶ 책상을 창가에 ~. ②시간이나 날짜를 앞당기다. ¶ 결혼 날짜를 ~.

다그-뜨리다 [타]〈방〉다그치다.

다그-치다 [타] ①바싹 다그다. ②상대방에게 여유를 주지 않고 연해 몰아쳐서 작용을 가하다. ¶ 다그치어 묻다. [준]다궂다.

다극【多極】[명] ①극(極)이 많음. ¶ ~ 진공관. ②중심이 되는 세력 등이 대립적으로 많이 있는 상태를 이름. ¶ ~화 시대/~ 외교.

다극-관【多極管】[명]〖물〗전극수(電極數)가 삼극관(三極管)보다 많은 전자관(電子管). 8극관까지 있음. 다극 진공관(多極眞空管).

다극 외:교【多極外交】[명] 다극화(多極化)하고 복잡해지는 국제 정세에 대응하기 위하여 다각적으로 전개하는 외교.

다극 진공관【多極眞空管】[명]〔multielectrode tube〕〖물〗이극 진공관에 한 개 이상의 그리드(grid)를 넣은 진공관의 총칭. 그리드를 합한 극의 수에 따라 삼극 진공관·사극 진공관 등으로 부름.

다극화 시대【多極化時代】[명]〖정〗1960년대 이후, 중국·일본·서독·프랑스 제삼 세계 등의 등장으로 세계 질서가 미·소(美蘇) 양극(兩極) 체제의 지배에서 벗어나, 중심 세력이 분화되고 다원화되는 경향을 나타내게 된 시대상을 이르는 말.

다근-하다 [형]〈방〉대견하다❷.

다금-바리 [명]〖어〗[*Niphon spinosis*] 농어과에 속하는 바닷물고기. 농어와 비슷하나 몸길이 1m에 이르며, 비늘이 작고, 위턱의 주골(主骨)에 부골(副骨)이 없으며, 사개 전골(鰓蓋前骨)의 우각부(偶角部)에 큰 가시가 하나 있음. 몸빛은 등 쪽이 자색을 띤 담청색이고 배 쪽은 은백색임. 심해성 어종에 가깝고 평시는 암초에 서식하는데, 한국·일본·필리핀 연해에 분포함. 겨울철에 맛이 좋음.

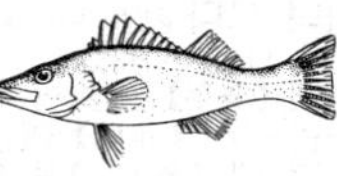

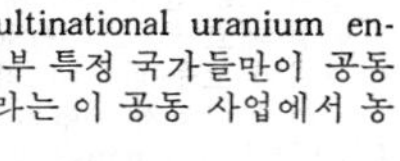
〈다금바리〉

다금-유【茶金釉】[—뉴] [명]〖미술〗질이 연한 석간주(石間硃) 유약(釉藥). 속에 철분(鐵粉)의 작은 결정물이 끼어 있어서 배 껍질같이 겉면이 오톨도톨하게 됨. 사금석유(沙金石釉).

다급【多級】[명] ①많은 계급. ②〖교〗전교(全校) 학생을 두 학급 이상으

로 나눠 짠 학급. ↔단급(單級).
다급-스럽다 [형][ㅂ불] 다급하게 보이다. 다급-스레 [부]
다급-하다¹ [타][여불] 끌어당겨서 차지하다. 가로채다.
다급-하다² [형][여불] 〔중 打急?〕 바싹 닥쳐서 몹시 급하다. ¶ 시간이 ~. 다급-히 [부]
다궂다 [타] ↗다그치다. 「[여불]
다기¹【多技】[명] 많은 기예(技藝). 또, 많은 기예에 능통함. ——-하다 [형]
다기²【多岐】[명] ①여러 갈래. 길의 갈래가 많음. ②다방면에 걸침. 또, 그 모양. ——-하다 [형][여불] 「[형][여불]
다기³【多氣】[명] 여간 일에는 두려움이 없이 마음이 단단함. ——-하다
다기⁴【茶器】[명]〖불교〗 부처 앞에 맑은 물을 떠 놓는 그릇.
다기 망양【多岐亡羊】[명] 〔≪열자(列子)≫ 설부편(說符篇)에 나오는 비유로, 달아난 양을 찾으려 할 때 길이 여러 갈래로 나뉘어져 있어서 끝내는 양을 잃었다는 뜻〕 ①학문의 길이 너무 다방면으로 갈리어 진리를 얻기 어려움. ②방침(方針)이 많아서 도리어 갈 바를 모름.
다-기생【多寄生】[명]〖생〗 두 개 이상의 생물이 한 개의 숙주(宿主)에 붙어서 사는 기생. ↔단기생(單寄生).
다기장-류【多岐腸類】[—뉴] [명]〖동〗 [Polyclada] 와충강(渦蟲綱)에 속하는 한 목(目). 대개 바다에 사는데, 몸은 길고 둥그렇거나 또는 가늘고 길며 편평(扁平)함. 목구멍은 삼기장류(三岐腸類)와 비슷하고, 창자는 가운데 있는 간낭(幹囊)과 거기서 퍼진 곁가지로 이루어지고, 지관은 다시 여러 가지로 나뉘었음. 촉각(觸角)과 눈이 있고, 대개 자웅 동체임.
다기-지다【多氣—】[형] 보기보다 마음이 굳고 단단하여 좀처럼 겁을 내지 아니하다. 다기차다. ¶ 키는 작아도 아주 다기진 사람이다.
다기-차다【多氣—】[형] 다기지다. ¶ 놀란 것이 다 무엇이냐. 사람이 어찌 다기차지 아무렇지도 않더라≪崔瓚植 : 春夢≫.
-다꾸나 [어미] 일부 형용사 어간에 붙어, 좋다고 덤비는 느낌을 나타내는 종결 어미. ¶ 좋~/옳~.
다꾸앙 〔일 沢庵:たくあん〕 [명] 무로 담근 일본식 짠지. 생무를 통째로 시들시들하게 말리고 소금에 절여서 쌀 속겨에 담가 무거운 돌로 눌러서 만듦. 단무지. 왜무짠지.
다나【DANA】[명] 〔Deutsche Allgemeine Nachrichten Agentur 의 약칭〕 독일 통신사(通信社)의 이름.
다나에 〔Danae〕 [명]〖신〗 그리스 신화 중의 여신(女神). 아르고스(Argos) 왕 아크리시오스(Akrisios)의 딸. 손자에게 살해될 것이라는 점괘를 믿은 부왕(父王)에 의하여 청동탑(青銅塔) 속에 유폐되었으나, 황금의 소낙비로 변신하여 내려온 제우스에 의해 아들 페르세우스(Perseus)를 낳았음. 뒤에 모자가 모두 바다에 띄워 보내졌으나 아들은 살아 돌아와서 우연히 왕을 죽임.

〈다나에〉

다나오스 〔Danaos〕 [명]〖신〗 그리스 신화 중의 인물. 아르고스(Argos)의 왕. 아이귑토스(Aigyptos)와 쌍둥이로, 자기의 딸 50명을 아이귑토스의 아들 50명과 결혼시킨 후 딸들에게 첫날밤에 그 남편들을 모두 죽이게 하였음. 그 결과 아버지의 말을 따르지 아니한, 맏딸을 제외한 49명의 딸들은 지옥에서 밑빠진 독에 물을 긷는 벌을 받음.

〈밑빠진 독에 물을 채우는 다나오스의 딸들〉
〈다나오스〉

다난【多難】[명] ①많은 재난이나 곤란. ②재난이 많음. 어려운 일이 많음. ¶ 다사(多事) ~한 한 해. ——-하다 [형][여불]
다남【多男】[명] 많은 아들. 아들이 많음. 다남자. ——-하다 [형][여불]
다-남자【多男子】[명] 다남(多男). ——-하다 [형][여불]
다-낭 〔Da Nang〕 [명]〖지〗 베트남 중남부의 항만 도시. 프랑스 식민지 시대에는 투란(Tourane)이라고 불린 항구로서, 해군 기지와 공항이 있으며, 월남전 때에는 최대의 미군 기지가 있었음. [458,000명(1972)]
다낭-하다 [형][여불] ←당양(當陽)하다.
-다네 [어미] 형용사 어간 및 미래나 과거를 나타내는 선어말 어미 '-겠-', '-았-', '-었-', '-였-' 등에 붙어, 어떤 사실을 베풀어 말하거나 가벼운 감탄·주장을 담아 말할 때 쓰는 종결 어미. ¶ 그 지방에는 아름다운 곳이 많~/이제 막 돌아왔~/이제 나는 빈털터리가 되었~/창고에 재고가 많이 쌓여 있~. ＊-ㄴ다네·-라네.
다네만 〔Dannemann, Friedrich〕 [명]〖사람〗 독일의 자연 과학사가(史家). 자연 과학사라는 새로운 분야를 개척하여 이에 대한 연구를 촉진함. 저서에 ≪대자연 과학사≫ 등이 있음. [1859-1936]
다녀-가다 [자][거라불] 어느 곳에 왔다가 가다. 들렀다가 가다.
다녀-오다 [자][타][너라불] 어느 곳에 갔다가 오다. 들렀다가 오다. ¶ 학교에 다녀오너라.
다년【多年】[一][명] 여러 해. 숙년(宿年). [二][부] 다년간. 「다.
다년-간【多年間】[명][부] 여러 해 동안. 다년. ¶~의 연구 끝에/~ 거주했
다년-생【多年生】[명]〖식〗 여러해살이. ＊일년생(一年生).
다년생 식물【多年生植物】[명]〖식〗 여러해살이 식물. 「＊일년생 초본.
다년생 초본【多年生草本】[명]〖식〗 여러해살이풀. [준]다년초(多年草).
다년-초【多年草】[명]〖식〗 ↗다년생 초본.
다-년호【大年號】[명]〖역〗〔←대년호〕 군주 시대에, 그 임금이 자리에 오르는 해에 대하여 짓는 칭호. 다음 임금이 자리에 오를 때는 그 이듬해에 그 칭호를 고치게 되고, 혹은 한 임금이 여러 번 고치기도 함. [준]
다:녈-밤 [—빰] [명] 〈방〉 짧은 밤. 단야(短夜). ㄴ연호(年號).
다뇨-증【多尿症】[—쯩] [명]〖의〗 오줌을 병적으로 많이 누는 증세. 액체를 지나치게 섭취한 뒤에 오는 일시적인 식이성(食餌性) 다뇨증 이외에, 병적으로는 신경성 홍분·위축신(萎縮腎)·당뇨병(糖尿病)·요붕증(尿崩症)인 경우에 지속성(持續性)으로 옴.
다눈치오 〔D'Annunzio, Gabriele〕 [명]〖사람〗 단눈치오.
다뉴:브 강【—江】〔Danube〕 [명]〖지〗 '도나우 강(Donau 江)'의 영어명.
다뉴 세:문경【多鈕細文鏡】[명] 강원도 지방에서 출토(出土)된 것으로 전해지는 꼭지가 둘 달리고 기하학적(幾何學的) 무늬가 새겨진 동경(銅鏡). 지름 21.2 cm, 둘레 폭 1 cm. 국보 제141호.
-다느냐 [어미] ↗-다고 하느냐. ¶ 얼마나 비싸~. [준]-다냐. ＊-ㄴ다느냐·-는다느냐·-라느냐.
-다느니 [어미] 이러하다 하기도 하고, 저러하다 하기도 함을 나타낼 때, 형용사 어간 및 '-았-'·'-었-' 뒤에 붙이는 연결 어미. ¶ 크~ 작~ 의견이 분분하다/갔~ 안 갔~ 야단들이다. ＊-ㄴ다느니·-는다느니·-라느니.
다느림ᄒᆞ다 [타] 〈옛〉 벌충하다. ¶ 뎌를 주어 生日을 다느림ᄒᆞ면(饋他補生日)≪朴解 上 59≫. 「는·-라는.
-다는 [어미] ↗-다고 하는. ¶ 좋~ 물건/꼭 온~ 사람. ＊-ㄴ다는·-는다
다능【多能】[명] 여러 가지로 능함. 재주가 많음. ¶ 다재 ~한 사람. ——-하다 [형][여불] 「있는 공작 기계.
다능 공작 기계【多能工作機械】[명] 한 대(臺)로 여러 가지 공작을 할 수
-다니¹ [어미] ①용언(用言)의 어간(語幹)에 붙어서, 의심되는 점이나 놀랍고 해괴한 일을 자탄하거나 못마땅하게 생각할 때에 쓰는 종결 어미. ¶ 그 사람이 죽~/겨우 이제야 오~. ②↗-다고 하니. ¶ 좋~ 대체 얼마나 좋은가. ③↗-다느냐. ¶ 언제 보았~/이게 적~. ＊-ㄴ다니·-는다니. 「슷ᄒᆞ요이다≪樂範 鄭瓜亭≫.
-다니² [어미] 〈옛〉 -더니. ¶ 내 님믈 그리ᅀᆞ와 우니다니 산 졉동새 난 이
-다니까 [어미] ①↗-다고 하니까. ¶ 백두산보다도 높~ 꽤 큰 산인 모양이지/예쁘~ 신이 나는 모양이다. ②형용사 어간 및 '-았-'·'-었-' 뒤에 붙어, 사실이 그러함을 인식하고 있지 못하거나 미심쩍어하거나 하는 상대에게, 다그쳐서 깨우쳐 주는 뜻을 나타내는 종결 어미. ¶ 그 책이 가장 재미있~/정말 보았~. ＊-ㄴ다니까·-는다니까·-라니까.
-다니까는 [어미] '-다니까'의 힘줌말. [준]-다니깐. ＊-ㄴ다니까는·-는다니까는·-라니까는.
-다니깐 [어미] ↗-다니까는. ＊-ㄴ다니깐·-는다니깐.
다니다 [자][타] ①직장·학교 등에 늘 나갔다 오다. ¶ 학교에 ~. ②왔다갔다 하다. 지나가고 지나오고 하다. ¶ 같은 길로만 ~. ③어떤 목적 아래 왔다갔다 하다. ¶ 사냥을 ~/출장을 ~. ④어떠한 곳에 들러서 오다. ¶ 오는 길에 큰댁에 다니어 오너라. ⑤드나들다. ¶ 늘 다니는 다방/병원에 ~. ⑥근친(覲親)하다. ¶ 친정에 ~.
다니엘¹ 〔Daniel〕 [명]〖성〗 ①구약 성서 '다니엘서(書)'의 주인공. 신앙의 용자(勇者). 바빌론의 포로가 되었으나 이교(異教)의 박해와 싸웠음. ②구약 성서 '에스겔서(Ezekiel 書)' 속의 유태의 예언자. 노아·욥과 함께 삼의인(三義人)의 한 사람임.
다니엘² 〔Daniel, Samuel〕 [명]〖사람〗 영국의 시인·극작가. 셰익스피어와 친교가 있었다고 하며 감미로운 소네트집(集)≪델리아(Delia)≫, 또 ≪로자몬드의 호소(The Complaint of Rosamond)≫ 등을 남기었음. [1562-1619]
다니엘³ 〔Daniell, John Frederic〕 [명]〖사람〗 영국의 화학 및 물리학자. 왕립 학회(王立學會) 회원. 다니엘 전지(電池)를 고안하고 또 이슬점 습도계·자기(自記) 고온계를 만들었음. [1790-1845]
다니엘-서【—書】〔Daniel〕 [명]〖성〗 구약 성서의 제 27서. 기원 전 165-63년경 성립. 예언자 다니엘을 주인공으로, 이방(異邦)의 강대한 권력이나 압정(壓政)도 이욱고 신(神)의 지배로 돌아간다는 것을 적고, 바빌론 왕의 박해에 고생하는 유태인들의 구원을 예언했음.

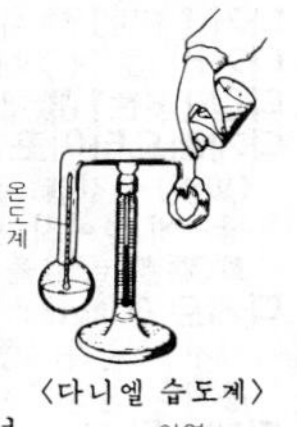

〈다니엘 습도계〉

다니엘 습도계【—濕度計】[명] 〔Daniell hygrometer〕〖물〗 1820년에 영국의 다니엘(Daniell, J.F.)이 발명한 이슬점 습도계.
다니엘 전:지【—電池】[명] 〔Daniell cell〕〖물〗 1836년에 다니엘(Daniell, J.F.)이 발명한 가역(可逆) 전지의 한 가지. 유리 용기에 원통을 놓고, 그 내부에 황산 아연 용액과 아연판을, 외부에 황산동 용액과 동판을 넣은 것임. 기전력(起電力)은 상온(常溫)에서 약 1.1 V임. 자기 방전(自己放電)이 커서 현재는 거의 사용되지 아니함.

〈다니엘 전지〉

다닐렙스키 〔Danilevski, Nikolai Yakovlevich〕 [명]〖사람〗 러시아의 생물학자·철학자. 어업 문제의 전문가로서 볼가 강·카스피 해의 조사에 종사함. 1871년 ≪러시아와 유럽≫을 발표했는데, 이것은 서구 중심의 세계사상(世界史像)을 깨뜨리고 슬라브주의자의 성서(聖書)가 됨. [1822-85]
다닐로바 〔Danilova, Alexandra〕 [명]〖사람〗 소련 출신의 미국 여류 무용가. 1924년 소련에서 탈출, 러시아 발레단 등에서 활약함. 1952년 스스로 발레단을 조직하여 활동하다가 1955년 은퇴하고 이후 안무(按舞)에 전념함. [1904-]
다닐행-변【—行邊】[명] 한자 부수(部首)의 하나. '街'나 '衛' 등의 '行'
다-님¹ [명] 〈아〉 달¹. ↔해님. ㄴ의 이름.
다님² [명] 〈방〉 대님(전라·경기·황해·강원·제주·경상).
다님-맥기 [명] 〈방〉 대님(황해). 「然無所好)≪飜小 X:24≫.
다ᄂᆡ도히 [부] 〈옛〉 담담(淡淡)히. ¶ 다ᄂᆡ도히 녀겨 즐길 거시 업더라(淡
다ᄂᆞ니라 [자] 〈옛〉 닿느니라. ¶ 혓그티 웃닛머리예 다ᄂᆞ니라≪訓諺 15≫.

다다[1] 【多多】 명 많고 많음. 대단히 많음. ——-하다 형여불

다다[2] 〔dada〕 명 ↗다다이즘·다다이스트.

다다[3] 부 ①아무쪼록 힘 미치는 데까지. 될 수 있는 대로 가장. ¶ ～ 많이 읽어라. ②오직. 단지. ¶ ～ 자기만 하면 된다.

다다귀-다다귀 부 꽃·열매 같은 것이 곳곳이 많이 붙은 모양. <더더귀더더귀. 준다닥다닥. ——-하다 형여불

다다기 명 〖식〗 ↗다다기찰.

다다기-외 명 〖식〗 눈마다 열리는 오이.

다다기-찰 명 〖식〗 늦게 익는 찰벼의 한 가지. 준다다기.

다다르다 자 〔중세 : 다ᄃᆞᄅᆞ다〕 ①목적한 곳까지 이르러 닿다. ¶ 목적지에 ～. ②어떤 기준에 이르러 미치다. ¶ 절정에 ～.

다다미 〔일 畳:たたみ〕 명 일본식 돗자리. 속에 짚을 두껍게 넣고 위에는 돗자리를 대어 단단히 꿰맨 것으로, 마루방에 깖. 돗짚요.

다다미-방 【—房】 [—빵] 명 다다미를 깐 방.

다다-이스트 〔dadaist〕 명 다다이즘을 신봉하는 사람. 준다다.

다다-이즘 〔dadaism〕 명 〖예〗 〔'다다'란 아무 뜻이 없는 말임〕 20세기 초두에 일어난 유럽의 문학·미술 운동의 하나. 1916년에 스위스 취리히에서 차라(Tzara) 등을 중심으로 일어난, 일체의 제약을 거부하고 기존 질서를 파괴하는 무방향의 운동이며, 극단적인 반이성(反理性)주의로서 1차 대전 후의 사회 불안을 반영한 것임. 브르통·아라공·엘뤼아르·피카비아·휠젠베크 등이 참가하였으나, 그 중요 세력이 쉬르리얼리즘을 제창함으로써, 대체로 1924년에 종식되었음. 준다다.

다다 익선 【多多益善】 명 많을수록 더욱 좋음.

다닥-냉이 명 〖식〗 [*Lepidium micranthum*] 겨자과에 속하는 월년초(越年草). 줄기는 높이 60cm 가량이며 잎은 호생하고 유병(有柄) 또는 무병(無柄)인데 모양은 피침형 또는 선형(線形)임. 5-7월에 흰 꽃이 총상(總狀) 화서로 줄기 끝이나 가지 끝에 정생(頂生)하고, 열매는 거꿀달걀꼴로 납작한 단각(短角)이며 가장자리에 넓은 날개가 붙어 부채 모양임. 들에 나는데, 거의 한국 각지에 분포함. 어린 싹은 식용, 종자는 약용함.

다닥-다닥 부 ↗다다귀다다귀. <더덕더덕.

다닥-뜨리다 자 무엇에 닿아서 마주치다. 마주쳐 닥뜨리다. ¶ 바로 앞에 다닥뜨린 큰 문제.

다닥-치다 자 마주쳐서 부딪치다. 닿아 닥치다. ¶ 눈앞에 다닥친 위험/상감 연산의 머리가 왕대비의 옥체에 다닥쳤다《朴鍾和 : 錦衫의 피》.

다닥-트리다 자 다닥뜨리다.

다단 【多端】 명 ①일이 흐트러져 가닥이 많음. ¶ 복잡 ～하다. ②사건이 많음. ③용건이 많음. 일이 바쁨. ¶ 공무 ～하다. ——-하다 형여불

다단계 판매 【多段階販賣】 명 〖경〗 멀티 상법. 피라미드식 판매.

다단-식 【多段式】 명 여러 단락으로 나누어 하는 방식.

다단식 로켓 【多段式—】 명 〔multistage rocket〕 로켓의 기체(機體)를 몇 개로 나누어 분사(噴射) 장치를 각 부분에 적재하고, 연료를 소비하여 필요 없게 된 부분은 차례로 분리시키어 나가는 방식의 로켓.

다단식 펌프 【多段式—】 명 〔multistage pump〕 〖공〗 물을 끌어올리는 데 쓰는 고속 회전식 펌프. 날개 바퀴를 수 개 같은 축에 장치하여 차례로 물을 한 바퀴에서 다음 바퀴로 흘려 넣어 연속적으로 작용시킴.

다단 증폭기 【多段增幅器】 명 〖전〗 여러 단으로 되어 있는 증폭기.

다단 추출법 【多段抽出法】 [—뻡] 명 통계 조사에서, 표본 추출법의 하나. 모집단(母集團)을 몇 개의 그룹으로 나누고, 우선 그룹을 추출하여, 그 그룹에서 표본을 추출하는 것을 2단 추출법이라고 하고, 같은 방식으로 3단·4단 등 표본 추출을 거듭하는 것을 말함.

다달-거리다 자타 말이 입에서 얼른 나오지 아니하여 연해 더듬다. <더덜거리다. 다달-다달 부. ——-하다 자타여불

다달-대다 자타 다달거리다.

다달-이 부 〔←달달이〕 달마다. 매월. 매달.

다담 【茶啖】 명 〖불교〗 불가(佛家)에서 손님을 대접하기 위하여 내놓는 다과(茶菓) 따위. 차담.

다담-상 【茶啖床】 [—쌍] 명 손님 대접으로 차리어 내는 교자상. 차담상.

다당 명 〈방〉 들(경상·충청·강원).

다당귀 명 〈방〉 딱지[1]❶.

다당-류 【多糖類】 [—뉴] 명 〔polysaccharide〕 〖화〗 ①가수 분해에 의하여 한 분자에서 두 개 이상의 단당류(單糖類) 분자를 발생하는 탄수화물의 총칭. 넓은 뜻으로는 소당류(少糖類)도 포함시키어 다당류라 하는 경우도 있음. ＊단당류. ②덱스트린(dextrine)과 같이 매우 큰 분자량을 가지며, 물에 녹지 않거나 교상액(膠狀液)을 이루는 당류.

다당-화 【多黨化】 명 〖정〗 선거의 결과, 유력한 정당이 많이 생기는 일. 양대(兩大) 정당 대립에 상대되는 말. 큰 정당의 독선(獨善)을 허용하지 않는 장점(長點)이 있는 반면, 각 정당 사이의 흥정이 복잡하여지고, 국회 운영이 더욱 곤란하여지는 것이 단점임.

다대[1] 명 해어진 옷에 덧대고 깁는 헝겊 조각.

다대[2] 명 양지머리의 배꼽 위에 붙은 고기. 편육(片肉)으로 씀.

다대[3] 명 〈옛〉 되[2]. 달단족(韃靼族). ¶ 請드른 다대와 노니샤(受賂之胡與之遊行)《龍歌 52章》.

다대[4] 【多大】 명 많고 큼. ¶ ～한 영향을 끼치다. ——-하다 형여불

다대미 명 〈방〉 다듬이질(경북).

다대-산 【多大山】 명 〖지〗 평안 북도 강계군(江界郡)에 있는 산. [1,464m]

다대-수 【多大數】 명 대다수.

다대-포 【多大浦】 명 〖지〗 부산 광역시의 서남단에 있는 작은 만입(灣入). 수려한 모래 사장으로 이루어진 다대포 해수욕장 등 경승지(景勝地)가 많음.

다댓다 타 〈옛〉 닫아 있다. 닫았다. ¶ 봆 지비 다댓고(閉春院)《杜諺 Ⅸ : 20》.

다덕 광:산 【多德鑛山】 명 〖지〗 경상 북도 봉화군 법전면(法田面)에 있는 납·아연 광산.

다도 【茶道】 명 ①차 만드는 법. ②차에 관한 예의.

다도-해 【多島海】 명 〖지〗 ①많은 섬이 점재(點在)하는 해역(海域). 기복(起伏)이 많은 토지가 침강(沈降)하여, 해면(海面)에 산의 꼭대기 부분이 섬으로 남은 것임. 에게 해 등이 그 예임. ②전라 남도와 대한 해협 사이의 섬이 많은 바다. 큰 섬으로는 거제도(巨濟島)·남해도(南海島)·진도(珍島)·한산도(閑山島) 등이 있음. ③〔Sea of Archipelago〕 에게 해(Aege 海)의 딴이름.

다도해 해:상 국립 공원 【多島海海上國立公園】 [—닙—] 명 〖지〗 전남 여천시(麗川市) 돌산도(突山島)에서 신안군(新安郡) 홍도(紅島)까지에 걸쳐 있는 금오도(金鰲島)·거문도(巨文島)·나로도(羅老島)·소안도(所安島)·오도(烏島)·도초도(都草島)·흑산도(黑山島) 등 8개 지구의 해상 국립 공원. 리아스식 해안에 기암 괴석, 검은 자갈밭을 비롯하여 경치가 좋고, 많은 동식물이 분포함. 1981년에 국립 공원으로 지정됨. [육지 340 km^2, 해상 1,699 km^2]

다독 【多讀】 명 많이 읽음. ——-하다 타여불

다독-거리다 타 흩어진 물건을 그러모아 자근자근 누르거나, 가볍게 두드려 잠자게 하다. ¶ 화롯불을 ～. 다독-다독 부. ¶ 그럴수록에 어미의 행복감은 나도 모르는 사이에 ～ 커갔던 것이다《李無影 : 사랑의 화첩》. ——-하다 타여불

다독-대다 타 다독거리다.

다독-주의 【多讀主義】 [—/—이—] 명 정독(精讀)보다 통독(通讀)으로 많은 책을 읽는 주의. ＊정독주의(精讀主義).

다동가릿-과 【多—科】 명 〖어〗 [Aplodactylidae] 농어목(目)에 속하는 어류의 한 과. 아홉동가리·여덟동가리 등이 있음.

다: 되다 형 ①완성되다. ¶ 집이 ～. ②다하여지다. ¶ 다 된 집안/다 된 구두.

[다 된 농사에 낫들고 덤빈다] 일이 다 끝난 뒤에 쓸데 없이 나타나, 그 일에 참견하여 시비를 걸고 떠든다. [다 된 죽에 코 풀기] 일을 거의 이룰 때 뜻하지 아니한 장애로 실패함을 비유하는 말. [다 된 흥정 파의하기] 심술궂게 고의로 또는 솜씨가 미흡해서, 다 이루어져 가는 흥정을 깨뜨리는 일.

다두 【多頭】 명 한 몸에 머리가 많이 있는 일. 전(轉)하여, 하나의 국가·조직에 복수(複數)의 지도자나 지도 기관이 있는 일. ¶ ～ 정치.

다두 강 【—江】 명 〔大肚溪〕 〖지〗 대만 타이중 현(臺中縣)에 있는 강. 대만 산맥 허환 산(合歡山)의 서쪽에서 발원하여 남서로 흘러 난강 강(南港溪)을 합쳐 타이중 분지(臺中盆地)를 지나서 대만 해협(臺灣海峽)으로 들어감. 대두계(大肚溪). [112km]

다두 석부 【多頭石斧】 명 〖고고학〗 톱니날도끼.

다두 정치 【多頭政治】 명 〔polyarchy〕 〖정〗 동격(同格)의 원수(元首)·수장(首長)·지배자 또는 자기 관할 구역에서 각각 최고인 두 사람 또는 그 이상의 사람이 지배하는 정치 체제. 로마 초기의 삼두(三頭) 정치 또는 원시 사회·미개 사회에서의 이수장제(二首長制) 같은 것. ＊과두(寡頭) 정치.

다두-파 【—派】 〔Dādu〕 명 〖종〗 인도교의 근대 혁신파의 하나. 다두(Dādu; 1544-1603)에 의하여 창시되었음. 그 교의는 바니(Bāni)라고 하는 시편에 수록되어 있으며 라마(Rama)를 예배하나, 우상 숭배를 배척하여 사원도 없음.

다드래기 명 〖악〗 농악(農樂)의 열두 채, 서른여섯 가락 중의 첫째 가락의 이름.

다드매-질 명 〈방〉 다듬이질(전남).

다들리다 자 ☞닥뜨리다.

다-들보 명 〈방〉 대들보(충남).

다-들포 명 〈방〉 대들보(제주).

다듬-개 [—깨] 명 ①〖기〗 공작물을 다듬질할 때 쓰는 공구. 각(角)다듬개, 평면 다듬개·원형 다듬개 등이 있음. ②〖고고학〗 잔손질을 눌러떼기로 하여 날을 만드는 데 쓰는 연모. 뿔이나 뼈로 만들어진 것이 보통임.

다듬-거리다 자타 ①어두운 곳에서 손으로 이리저리 연해 만져 보다. ②잘 모르는 길을 이리저리 찾아 가다. ③똑똑히 알 수 없는 일을 이리저리 생각하여 가면서 말하다. ④글을 읽는데 순순히 내리읽지 못하고 군데군데 막히다. ⑤말이 자꾸 막히어서 순하게 나오지 아니하다. 4)·5):ㅆ따듬거리다. 1)-5):<더듬거리다. 다듬-다듬 부. ——-하다 자타여불

다듬-기 [—끼] 명 ①다듬는 일. ②〖고고학〗 날 따위를 만들기 위하여 눌러떼기와 잔손질을 베푸는 일.

다듬다 [—따] 타 ①매만져서 맵시를 내다. 곱게 닦다. 매만지다. ¶ 머리를 ～. ②푸성귀 같은 것의 못 쓸 부분을 뜯어 버리다. ¶ 파를 ～. ③거친 땅바닥을 고르게 만들다. ¶ 길을 ～. ④날짐승이 깃을 매만져서 고르다. ¶ 새가 깃을 ～. ⑤다듬질을 하다. ¶ 모시를 ～. ⑥새기거나 만든 물건 또는 글이나 원고 따위를 마지막으로 짜임새 있게 손질하다. ¶ 원고를 ～/조각을 ～.

다듬-대다 자타 다듬거리다.

다듬-면 【—面】 명 〖고고학〗 매끈하게 잔손질한 면.

다듬-몸돌 [—똘] 명 〖고고학〗 격지를 떼어낸 면을 고르게 다듬은 몸돌.

다듬방맹이-질 명 〈방〉 다듬이질(경북).

다듬-이 명 ①다듬이질을 할 옷감. ②↗다듬이질. ——-하다 타여불

다듬이-벌레 명 〖충〗 [*Stigmatoneura singularis*] 다듬이벌렛과에 속하는 작은 곤충. 몸길이 6mm 가량인데 두부는 적갈색, 촉각은 흑색, 흉부는 광택 있는 흑색이고 복부는 흑갈색임. 앞날개는 담갈색인데, 날개 가에는 적갈색의 무늬가 있으며 뒷날개는 회색임. 한국·일본·대만에 분포함.

〈다듬이벌레〉

다듬이벌레-목 【—目】 명 〖충〗 [Psocoptera] 유시류(有翅類)에 속하는 한 목(目). 미소한 벌레로, 그 중 큰 것도 7mm 내외임. 막질(膜質)로 된 두 쌍의 날개를 갖추고, 앞날개는 암색(暗色)으로 뒷날개보다 훨씬

큼. 입은 저작구(咀嚼口), 촉각(觸角)은 가늘고 길며, 눈은 두 개의 단안(單眼)이고, 불완전 변태를 함. 미닫이 따위에 붙어, 톡톡거리는 소리를 냄.

다듬이벌렛-과【一科】 명 《충》 [Psocidae] 다듬이벌레목(目)에 속하는 한 과. 전세계에 널리 분포함.

다듬이-뼈 명 《생》 침골(砧骨).

다듬이-질 명 옷감을 방망이로 다듬는 일. ㊌다듬이·다듬질. ——-하다 타여불

다듬이-틀 명 〈방〉 홍두깨틀.

다듬이-포대기 명 다듬이질할 때 다듬잇감을 싸는 포대기.

다듬잇-감 명 다듬이질을 할 감.

다듬잇-돌 명 옷감을 다듬을 때에 밑에 받치어 놓는 돌. 돌이나 단단한 나무로 만드는데, 직사각형으로 윗면을 반드럽게 만듦. 침석(砧石).

다듬잇-방망이 명 다듬이질에 쓰는 두 개의 나무 방망이. 침저(砧杵).

다듬잇-방석【一方席】 명 다듬잇돌 밑에 까는 방석.

다듬잇-살 명 다듬이질이 알맞게 되어 옷감에 생기는 풀기와 윤기. ¶ ~이 퍼지다/~이 잡히다.

다듬작-거리다 타 느릿느릿하게 연해 다듬거리다. ㅆ따듬작거리다. <더듬적거리다. 다듬작-다듬작 부. ——-하다 타여불

다듬작-대다 타 다듬작거리다.

다듬-질 명 ①새기거나 만든 물건을 마지막으로 매만져서 다듬는 짓. ② ↗다듬이질. ——-하다 타여불

다디-달다 형 〔←달디달다〕 ①매우 달다. ②베푸는 정 같은 것이 매우 두텁다. ↔쓰디쓰다.

다디르다 타 〈옛〉 들이받다. 찌르다. 범하다. ¶ 다딜어도 흗디 아니ᄒᆞ며 「(觸不散)《蒙法 43》.

다디미 명 〈방〉 다듬이질(강원·충북·경북).

다디미-질 명 〈방〉 다듬이질(경기·강원·충청·전라).

다딜다 타 〈옛〉 찌르다. 들이받다. ¶ 天柱ᄅᆞᆯ 다딜어 것근가 젓노라(恐觸天柱折)《杜諺 Ⅱ:36》.

다딜어 타 〈옛〉 다질러 들이받아. '다디르다'의 활용형. ¶ 바미도라오매 버믈 다딜어 디나오니(夜來歸來衝虎過)《杜諺 Ⅺ:40》.

다딤 명 〈옛〉 다짐. ¶ 詭異ᄒᆞᆫ 힘뎍이라 ᄒᆞ야 주규려 저주거늘 다딤 두터(以詭行捕鞠 將戮之 自華供曰)《續三綱 孝子圖 自華盡孝》.

다딤-질 명 〈방〉 다듬이질(경북).

다딩〔大定〕 명 《지》 중국 구이저우 성(貴州省) 북서부의 현청 소재지. 동북이 산으로 둘러싸여 있음. 유명한 칠기(漆器)의 산지이며, 쌀·옥수수 등의 농산물의 집산지임. 대정(大定).

다ᄃᆞᆯ게 자 〈옛〉 끝까지 이르도록. '다ᄃᆞᆮ다'의 활용형. 다다르게. ¶ 硏은 다ᄃᆞᆯ게 알 씨라《月序 18》.

다ᄃᆞᆮ다 자 〈옛〉 다다르다.¶ 녯 글워레 講論ᄒᆞ야 ᄆᆞᄃᆞ마 다ᄃᆞᆯ게 至極게 ᄒᆞ며(講劘硏精於舊卷)《月序 18》.

다ᄃᆞᆷ다 타 〈옛〉 다듬다. 깎아 반반하게 하다. ¶ 먼 불휘ᄅᆞᆯ 求ᄒᆞ야 다ᄃᆞᄆᆞ마(搜剔玄根)《月序 21》.

다따가 부 도중에 갑자기. 별안간. ¶ 밥을 먹으면서 ~ 웬 과자냐.

다떠위다 자 많은 사람이 한데 모이어서 시끄럽게 떠들고 들이 덤비다. ¶ 구경꾼이 다떠위는 바람에 혼났다.

다라【多羅】 명 《불교》 ①〔범 Tara〕 ↗다라 보살(多羅菩薩). ②〔범 tâia〕 ↗다라수(多羅樹).

-다라- 미 '-다랗-'의 활용형(活用形). ¶ 곱~니 / 곱~ㄴ.

-다라 어미 〈옛〉 ①-더라. ¶ 오ᄂᆞᆯ부니 아니라 녜도 이러ᄒᆞ다라《月釋 Ⅶ:14》. ②-였노라. ¶ 須達이 닐오ᄃᆡ 니ᄅᆞ샨 양ᄋᆞ로 호리이다 太子ㅣ 닐오ᄃᆡ 내 롱담ᄒᆞ다라《釋譜 Ⅵ:24》.

다라가다 자 〈옛〉 달라가다. 달라지다. ¶ 아ᄎᆞᆷ 나조ᄒᆡ 다라가ᄆᆞᆯ 슬허ᄒᆞ노라(痛…改昏旦)《杜諺 Ⅱ:51》.

다라끼 명 〈방〉 다래끼[1](충북·전북).

다라나다 타 〈옛〉 달아오르다. ¶ 煩惱 블ᄆᆡ티 다라나ᄂᆞᆫ 거실ᄊᆡ《月釋 Ⅰ:18》.

다라니[1] 명 《건》 천장 귀틀에 그린 단청(丹靑).

다라니[2]【陀羅尼】 명 〔범 dharani〕 《불교》 〔선법(善法)을 갖추어 악법(惡法)을 막는다는 뜻, '타라니'라고도 이름〕 ①범문(梵文)으로 된 긴 구(句)를 번역하지 아니하고 그대로 독송하는 일. 일자 일구(一字一句)에 무변(無邊)의 의미를 품고 진언(眞言)·밀어(密語)로서 이를 독송하면 각종 장애를 제거하여 스스로 광대 무변한 의의를 터득하며 가지가지 공덕(功德)을 받는다고 함. 일반적으로 짧은 것을 진언(眞言)이라고 함. ②주문(呪文)을 외어 재액(災厄)을 제거하는 일. ③주(呪). 총지(總持). 불법(佛法)을 기억하여 잊어버리지 아니하며 설법(說法)이 자재(自在)로움. ④다라니주(呪).

다라니-주【陀羅尼呪】 명 《불교》 범문(梵文) 그대로의 간단한 문구. 제불 보살의 선정(禪定)으로부터 생기어 난 진언(眞言). 다라니.

다라니-틀 명 〈방〉 반자틀.

다라 보살【多羅菩薩】 명 《불교》 관음(觀音)의 한 적상(迹相). 청백색의 아름다운 여자 모양을 하고 있는데, 청연화(靑蓮花)를 쥔 양손은 합장하고, 머리에는 보관(寶冠)을 썼음. 넓은 눈으로 중생(衆生)을 돌아본다고 함. ㊌다라(多羅).

다라-수【多羅樹】 명 《식》 [*Borassus flabelliformis*] 야자과(椰子科)에 속하는 상록 교목. 높이 20m, 둘레 2m에 달하며 줄기는 밋밋함. 잎은 장상 복엽(掌狀複葉)인데 총생하고 길이 3m 가량됨. 꽃은 육수(肉穗) 화서이고 자웅 이주(異株)이며, 과실은 달걀꼴의 핵과(核果)임. 목재는 건축용으로 쓰고, 수액(樹液)으로는 종려주(棕櫚酒)·사탕을 만듦. 잎은 부채·모자·우산·종이 등을 만드는 데 쓰며 또 '패다라엽(貝多羅葉)'이라고 하여 인도 사람이 여기에 바늘 같은 것으로 경문(經文)을 새김. 인도·스리랑카·버마·말레이 반도 등의 열대 지방에 분포함. ㊌다라.

다라-엽【多羅葉】 명 《식》 다라수의 잎. 패다라엽(貝多羅葉).

다라우- 관 '다랍다'의 변칙(變則) 어간. ¶ ~니/~며.

다라이〔일 盥:たらい〕 명 쇠붙이·플라스틱 등으로 만든 자배기.

다:라지다 형 됨됨이가 단단하여 여간한 일에는 겁내지 아니하다. 성질이 깐질기고 야무지다. ¶ 안차고 ~/딱 바라진 체격에 담차고 다라지기가 흡사 상산의 조자룡 같았고,…《姜龍俊 : 우리 회장님》.

다라진-살 명 가늘고 무거운 화살.

다라치 명 〈방〉 바구니(평북).

다라키 명 〈방〉 다래끼[2](경기). 「②다락집.

다락[1] 명 《건》 ①부엌 천장 위에 이층처럼 만들어서 물건을 두게 된 곳.

다락[2] 명 〈방〉 논배미.

다락-같다 형 물건 값이 매우 비싸다.

다락-같이 [—가치] 부 물건 값이 매우 비싸게. ¶ 물가가 ~ 오르다.

다락-다락 부 자꾸 대들어 조르는 모양. ¶ ~ 조르다. <더럭더럭.

다락-령【多樂嶺】 [—녕] 명 《지》 평안 북도 초산군(楚山郡) 동면(東面)에 있는 산. [659m]

다락-마루 명 다락처럼 만들어 놓은 마루.

다락-문【一門】 명 다락 입구에 단 문.

다락-방【一房】 명 ①다락처럼 만들어 꾸민 방. ②《성》 예수가 12 제자들과 최후의 만찬을 베푼 자리. 예루살렘 서쪽에 있었던, 마가의 어머니 마리아의 집이라고도 함.

다락-산【多樂山】 명 《지》 강원도 강릉시(江陵市)에 있는 산. [1,019m]

다락-장지【一障一】 명 다락에 달린 미닫이문.

다락지 명 〈방〉 다래끼[2](경기·충남·전남).

다락-집 명 《건》 다락식으로 지은 집. 다락. 누(樓). 누각(樓閣).

〈다란[1]〉

다란[1]【茶蘭】 명 《식》 [*Chloranthus spicatus*] 홀아비꽃댓과에 속하는 초본상(草本狀)의 상록(常綠) 소관목(小灌木). 높이 30-70cm로 잎은 차나무 잎과 흡사하고, 12-1월에 황록색의 수상화(穗狀花)가 피며 향기가 있음. 중국 남부의 원산인데, 관상식물로서 온실에서 재배함.

다란[2]〔Dharan〕 명 《지》 사우디아라비아 북동부, 페르시아 만(灣) 연안의 도시. 다맘 유전(Dammam 油田)의 중심 도시. 1930 년대에 유전이 발견되어 아람코(Aramco)의 본거지가 되면서 발전함. [78,000명]

다람-쥐 명 《동》 ①날다람쥐·참다람쥐·하늘다람쥐 등의 총칭. ②[*Tamias sibiricus*] 다람쥣과에 속하는 동물. 쥐와 비슷하며 몸길이는 12-15cm, 꼬리는 11-12cm 임. 몸빛은 황갈색에 하면(下面)은 백색이며 배면(背面)은 담색인데 다섯 줄의 검은 띠가 있음. 참다람쥐보다 귀가 작고 선단(先端)에 털이 없으며, 꼬리의 털은 좌우로 뻗어 꼬리가 편평하고 앉아 있을 때는 위로 올림. 다리는 짧고 문치(門齒)가 발달되어 솔씨·과실·도토리·밤·곤충 등을 먹는데, 볼에 넣고 굴로 운반하여 저장도 함. 겨울에는 나무 구멍에서 삶. 성질이 온순하여 가정에서 애완용으로 사육함. 모피(毛皮)는 한지(寒地)의 것이 양질(良質)인데, 코트나 복식용(服飾用)으로 쓰임. 시베리아·중국·한국·일본 홋카이도의 산림에 분포함.

〈다람쥐❷〉

【다람쥐 쳇바퀴 돌 듯】 한없이 반복하나 결말이 없다는 말.

다람쥐-꼬리 명 《식》 [*Lycopodium chinense*] 석송과에 속하는 다년생 상록초. 높이 15cm 가량이며, 땅속에 많이 갈라진 뿌리가 있음. 줄기는 가늘며 여러 갈래로 벋고 잎은 다람쥐 꼬리같이 바늘 모양의 잔 잎이 많이 남. 여름에 엽액(葉腋)에서 자낭(子囊)이 생김. 높은 산에 나는데, 제주도·지리산·금강산 등지에 분포함.

다람쥐-원숭이 명 《동》 [*Saimiri sciureus*] 영장목(靈長目)에 속하는 동물. 원숭이 중에서, 가장 작고 귀여운 종류로 몸은 다람쥐와 비슷하고 꼬리가 길. 중미(中美)로부터 아마존 강 유역의 물가에 군서(群棲)함.

다람쥣-과【一科】 명 《동》 [Sciuridae] 포유류 쥐목(目)에 속하는 한 과. 몸은 대체로 가늘고 길며 똥똥함. 꼬리의 하면에는 각질의 비늘이 없고 털이 났음. 나무를 잘 타고 한배에 2-6마리씩 일년에 2-3회 번식함. 남·북극 지방을 제외한 동서 양반구에 130여 종이 분포함.

다람치 명 〈방〉 다람쥐.

다:랍다 형ㅂ불 ①오관(五官)에 거슬릴 정도로 매우 더럽다. ②몹시 인색하다. ¶ 돈 쓰는 게 ~. <더럽다.

【다라운 부자가 활수(滑手)한 빈자보다 낫다】 마음은 자비로우나 남에게 베풀 것이 없는 빈자보다, 비록 인색하나 그래도 부자가 베푸는 것이 많다는 말.

다랏 명 〈방〉 다래끼[2](전남).

다랑-귀 명 두 손으로 잡고 매달리는 짓.

다랑귀(를) 떼:다 구 〈방〉 다랑귀뛰다.

다랑귀(를) 뛰다 구 ㉠두 손으로 붙잡고 놓지 아니하고서 매달리다. ㉡몹시 앙탈하다. ㉢남에게 몹시 매달리어 조르다.

다랑-논 명 다랑이로 된 논. 다랑전.

다랑-도【多浪島】 명 《지》 전라 남도의 남해상(南海上), 완도군(莞島郡) 금일면(金日面) 사동리(沙洞里)에 위치한 섬. [0.60km²: 137명(1984)]

다랑-어【一魚】 명 《어》 ①농어목(目) 고등어과에 속하는 황(黃)다랑어·가다랑어·날개다랑어·눈다랑어 등의 총칭. ②[*Thunnus thunnus*] 고등어과에 속하는 외양성(外洋性) 회유어(回游魚). 고등어 모양으로 살이 찌고 길이 3m, 무게 350kg에 달함. 몸빛은 등이 청흑색, 배는 회색인데 유어(幼魚)의 체측(體側)에는 담색의 띠가 있음. 살은 암적색으로 겨울철에 맛이 좋음. 한국 근해·중국·남양 군도·하와이 등지의 난해(暖海)에 사는데, 비교적 한랭(寒冷)한 수역(水域)에도 분포함. * 참치.

〈다랑어❷〉

다랑이 [명] 비탈진 산골짜기 같은 곳에 있는, 층층으로 된 좁고 작은 논배미.
다랑-전【一田】[명] 다랑이로 된 논. 다랑논.
다랑-조개 [명]〖조개〗[*Mya arenaria japonica*] 다랑조갯과에 속하는 조개. 두 개의 딱지는 길이 10mm, 높이 57mm, 폭 37mm 내외의 긴 달걀꼴인데 항상 왼쪽 딱지가 좀 작음. 빛은 회백색이며 갈색의 얇은 각피(殼皮)가 덮여 있음. 안은 흰 빛인데 광택이 나며 수관(水管)이 길고 키틴질(chitin質)로 싸여 있음. 담수(淡水)가 혼류(混流)하는 강 어귀의 진흙 속에서 표면에 수관(水管)을 내놓고 서식하는데, 한국·일본에 분포함. 맛이 좋음.

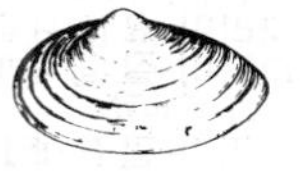
〈다랑조개〉

다랑조갯-과【一科】[명]〖조개〗[Myidae] 판새류(瓣鰓類)에 속하는 연체(軟體) 동물의 한 과.
-다랗- [미] 형용사의 어간 밑에 붙어서, 그 뜻을 똑똑히 나타내는 말. ¶ 굵~다 / 길~다. [준]-닿-.
-다랗다 [一라타] [미][ㅎ불] 접미사 '-다랗-'와 어미를 이루는 접미사 '-다'가 합친 말. ¶ 곱~ / 굵~. [준]-닿다. 「의 덜 익은 열매.
다래¹ [명]〖식〗①다래나무. 또, 다래나무의 열매. 미후도(獼猴桃). ②목화
다래² [명] ①관(棺)의 천판(天板)과 지판(地板) 사이 양 옆의 널. ②↗말다
다래³ [명]〈방〉다리³(경기·황해·평안·충남·전남). ㄴ래.
다래⁴ [명]〈방〉달래¹(전북·경상).
다래끼¹ [명] 아가리가 작은 바구니. 영성(笭箵).
다래끼² [명]〖의〗눈썹의 근본에 구균(球菌)이 침입하여 눈시울이 곪아서 생기는 작은 부스럼. 투침(偸鍼). 안검염(眼瞼炎). 맥립종(麥粒腫). ¶ 눈에 ~가 나다.

〈다래끼¹〉

다래-나무 [명]〖식〗[*Actinidia arguta*] 다래나뭇과에 속하는 낙엽 만목. 잎은 호생하며 넓은 타원형임. 자웅 이가(雌雄異家)인데 5-6월에 백색 오판화(五瓣花)가 취산(聚繖) 화서로 액생하고 장과(漿果)는 녹황색으로 9-10월에 익는데 '다래'라 하며 씨가 많고 맛이 달아 생으로 먹음. 열매와 줄기는 약용, 껍질과 가는 줄기는 노끈 대용(代用), 줄기로는 지팡이를 만듦. 깊은 산에 나는데, 한국 각지 및 일본·만주·우수리 등지에 분포함. 등천료(藤天蓼). 등리(藤梨).
다래나뭇-과【一科】[명]〖식〗[Dilleniaceae] 쌍자엽(雙子葉) 식물이판화류(離瓣花類)에 속하는 한 과. 전세계에 약 15속(屬) 350종이 있는데, 한국에는 다래나무·쥐다래나무·개다래나무 등이 분포함.

〈다래나무〉

다래다 [타]〈옛〉달래다. ¶ 대왕이 노ᄒᆞ야 옥의 누리와 다래더니룰 져주다 둗이 ᄆᆞ마니 사롬브려 존오롤 다래여 ᄆᆞ로ᄃᆡ(王怒下獄鞫誘者眡陰誘存吾曰)《東三綱 忠臣圖 鄭李上疏》.
다래-다래 [부] 물건이 많이 매달린 모양. <드레드레. ——-하다 [자][여불]
다래미 [명]〈방〉〖동〗다람쥐(함남).
다래비 [명]〈방〉다리미(경상).
다래 정:과【一正果】[명] 다래 열매를 잠깐 쪄서 말린 뒤에 꿀에 넣어 볶아 만든 정과.
다량【多量】[명] 많은 분량. 대량(大量). ¶ ~의 산소. ↔소량(少量).
다량 양:소【多量養素】[명] 다량 원소.
다량 원소【多量元素】[명] 식물이 성장하는 데 있어서 특히 다량으로 필요로 하는 원소. 칼슘·마그네슘·질소·유황·칼륨·인(燐) 등이며, 비료(肥料)로서 비교적 많이 주어야 함. 다량 양소(多量養素). ↔미량(微量) ㄴ원소.
다레 [명]〈방〉다리³(황해·평북).
다레미 [명]〈방〉다리미(경기).
다레비 [명]〈방〉다리미(경상).
다레이 [명]〈방〉다리미(함북). 「삼세」의 그리스 명.
다레이오스 삼세【一三世】〔Dareios Ⅲ〕[명]〖사람〗'다리우스(Darius)
다레이오스 일세【一一世】〔Dareios Ⅰ〕[一쎄] [명]〖사람〗'다리우스(Darius) 일세'의 그리스 명.
다렝이 [명]〈방〉바구니(평북).
다려-가다 [타]〈방〉데려가다.
다려-오다 [타]〈방〉데려오다.
다력【多力】[명] 힘이 강함. 힘이 많음. ——-하다 [형][여불]
다:령 [명]〈궁중〉대령(待令). ——-하다 [자][여불]
다령-관【多靈觀】[명] 한 인간이 다수의 영혼을 가진다고 하는 관념. 복 ㄴ령관(複靈觀).
다례【茶禮】[명] 차례(茶禮).
다롄〔大連〕[명]〖지〗중국 랴오닝 성(遼寧省)의 남부, 랴오둥 반도(遼東半島)의 남부(南部)를 차지하고 황해(黃海)에 임(臨)하는 상공업·항만 도시. 창춘(長春) 철도의 종점임. 1898 년에 러시아가 조차(租借)하여 달리니(Dal'nii)로 이름지어 동양 경영(東洋經營)의 근거지로서 도시를 건설하였으나 러일 전쟁 후, 1907 년 조차권이 일본에 이양되었었음. 제강(製鋼)·조선(造船)·기계·화학·방적·식료품 등의 공업이 성함. 대련(大連). [4,000,000 명(1981 추계)]
다로【茶爐】[명] 차를 달이는 데에 쓰는 화로.
다로가치【達嚕噶齊】[명]〖역〗다루가치.
다로기 [명] 가죽으로 지은 긴 버선. 가죽의 털이 안으로 가게 지은 것으로, 추운 지방의 주민들이 겨울에 신으며, 신발로도 쓰임. 피말(皮襪). 취음:월오기(月吾只).
다로러거디러 [감]〈옛〉풍류 소리의 흉내말. ¶ 다로러거디러 죠고맛간 삿기 광대 네 마리라 호리라《樂詞 雙花店》.
다로리 [명]〈방〉다리미(함경).
다로리라 [형]〈옛〉다르리라. ¶ 일훔 일우므란 魯連과 다로리라(成名異 ㄴ魯連)《杜諺 Ⅱ:14》.
다롱귀-뛰다 [타]〈방〉다랑귀 뛰다.
다롱디리 [감]〈옛〉풍류 소리의 흉내말. ¶ 어긔야 어강됴리 아으 다롱디리《樂範 井邑詞》. 「意…扁舟落吾手)《杜諺 Ⅰ:40》. *-롸.
-다롸 [어미]〈옛〉-더라. ¶ 져근 빈 내 소내 딜 주를 너기디 아니ᄒᆞ다롸(不
다루¹ [명]〈방〉다리³(전남·충남·평북).
다루² [명]〈방〉다리미(함남).
다루³【茶樓】[명] 다관(茶館).
다루가치〔중 達嚕噶齊, 몽 darughachi〕[명]〖역〗속박하는 사람, 또는 진압하는 사람, 우두머리의 뜻으로, 원(元)나라에서 총독(總督)·지사(知事) 등을 가리킨 벼슬 이름. 고려 고종 18 년(1231)에 몽고는 서경(西京)을 비롯한 14 개 성에 다루가치를 분치(分置)하였음. 달로화지.
다루다 [타] ①일을 처리하다. ¶ 다루기가 힘들다/공평하게 ~. ②물건을 맡아 처리하다. 취급하다. ¶ 물건을 소홀히 ~/인종 문제를 다룬 소설. ③가죽 같은 빳빳하고 거친 물건을 매만져서 쓰기 좋게 하다. ¶ 가죽을 ~. ④제 기능을 발휘하게 하다. 조종하다. 이용하다. ¶ 사람을 잘 ~/악기를 ~/기계를 다루어 만들었다. ⑤겨루다. ¶ 자네가 다룰 만한가.
다루매 [명]〈방〉대님(함남).
다루매기 [명]〈방〉대님(함남).
다루미 [명]〈방〉다리미(전남).
다루-왕【多婁王】[명]〖사람〗백제의 제2대 왕. 온조왕(溫祚王)의 아들로, 말갈(靺鞨)·신라와 싸웠음. [재위 28-76]
다룸 [명] 다루는 일. ——-하다 [타][여불]
다룸-가죽 [명] 다루어서 만든 가죽. 숙피(熟皮). 유피(鞣皮).
다르고미시스키〔Dargomyzhski, Aleksandr Sergeevich〕[명]〖사람〗러시아의 작곡가. 국민악파(派) 운동을 후원하고 러시아어(語)의 어조(語調)에 바탕을 둔 선법(旋法)을 확립했음. 대표작은 오페라《루사르 ㄴ카》. [1813-69]
다르다¹ [타]〈방〉다루다.
다르다² [형][르불]〔중세 : 다ᄅᆞ다〕①같지 아니하다. ¶ 취미가 ~. ②한 사물이 아니다. ¶ 원본과 ~. ③특별히 표나는 데가 있다. ¶ 역시 천재라 ~. 1)-3):↔같다.
다:르다넬스 해:협【一海峽】〔Dardanelles〕[명]〖지〗지중해 동북 에게 해(海)로부터 흑해(黑海)로 통하는 통로로 갈리폴리(Galipoli) 반도와 소아시아 반도 사이의 좁고 긴 해협. 보스포루스(Bosporus) 해협과 함께 아시아와 유럽의 경계를 이룸. 길이 70km, 폭 2-6km임.
다르랑 [부] 코를 고는 소리. <드르렁.
다르랑-거리다 [자][타] 코를 연해 길게 골다. <드르렁거리다. 다르랑-다르랑 [부]. ——-하다 [자][타][여불]
다르랑-대다 [자][타] 다르랑거리다.
다르르¹ [부] ①작은 물건이 편편한 위를 미끄럽게 구를 때 나는 소리. 또, 그 모양. ¶ 창문을 ~ 열다. ②작은 물건이 연하게 떠는 모양. 또, 그 소리. 1)·2):ㅆ따르르¹. <드르르¹.
다르르² [부] ①글을 줄줄 읽어 내려가는 모양. ②어떠한 일에 막힘이 없이 잘 통하는 모양. 1)·2):ㅆ따르르². <드르르².
다르마굽타〔Dharmagupta〕[명]〖사람〗인도의 중. 나라국(羅邏國)의 찰제리족(刹帝利族)에 태어나, 23 세에 출가하여 널리 대소승(大小乘)에 통하고, 수(隋)나라에 건너가서 양제(煬帝)의 명을 받아 여러 학사(學士)들과 함께 경론(經論) 7 부(部) 32 권을 번역하였음. [?-616]
다르마수트라〔범 Dharma-sūtra〕[명]〖불교〗베다(Veda)의 제지파(諸支派)에 있어서, 제사(祭事)를 대상으로 하는 칼파수트라(Kalpasūtra)의 한 부문으로 편찬된 경전(經典). 베다의 다른 보조학(補助學)과 함께 전습(傳習)되었는데, 그 성립은 대략 기원전 6-3 세기경으로 추정됨. 율법경(律法經).
다르마팔:라〔Dharmapāla〕[명]〖사람〗6세기 중엽의 인도의 학승(學僧). 유식(唯識) 10대 논사(論師)의 한 사람. 주저(主著)에《성유식론(成唯識論)》이 있음. 한자(漢字) 이름은 호법(護法).
다르미 [명]〈방〉다리미(충북).
다르부〔Darboux, Jean Gaston〕[명]〖사람〗프랑스의 수학자(數學者). 기하학·역학(力學)을 연구. 잡지《수학 및 천문학》의 창간에 진력하였으며, 저서에《일반 곡면론(曲面論) 강의》등이 있음. [1842-1917]
다르부카〔아랍 darbucca〕[명] 한쪽 면(面)만을 두들기게 된 아라비아의 북. 토제(土製) 혹은 목제(木製)의 가늘고 긴 술잔 모양의 북통에 넓은 쪽에만 약 30cm 가량의 가죽을 메운 것으로, 오른쪽 무릎 위에 놓고 양손으로 두들김. 모든 회교 국가에서 널리 사용됨.
다르송발〔d'Arsonval, Jacques Arsène〕[명]〖사람〗프랑스의 생리학자. 고주파(高周波) 전류가 인체에 미치는 영향을 연구함. 1882년에는 탄소봉 송화기(炭素棒送話器)를 발명하였고, 또 같은 해에 고리 모양의 영구 자석(永久磁石)을 손잡이로 대용(代用)한 수화기를 발명하였음. [1851-1940]
다르-에스-살람:〔Dar es Salaam〕[명]〖지〗아프리카의 동부, 탄자니아 공화국의 수도. 인도양에 면한 항만 도시로 1862년 잔지바르 제국(Zanzibar帝國)의 살탄(Saltan)이 건설함. 상아·고무·코프라를 수출함. [1,400,000 명(1984)]
다르질:링〔Darjeeling〕[명]〖지〗인도 서(西)벵골 주 히말라야 산록(山麓) 동쪽의 도시. 히말라야 철도의 종점으로, 시킴(Sikkim)과 티베트에 이르는 요로를 차지하며, 차(茶)의 집산지(集散地)임. 풍경이 웅대하여 여름철의 피서지로 유명함. [42,662 명(1971)]
다르한〔Darkhan〕[명]〖지〗몽골의 신흥 공업 도시. 울란 바토르(Ulan Bator) 북쪽 오르혼 강(Orkhon江)의 우안(右岸)에 있음. 부근에는 샤링골 탄전이 있으며 시멘트·벽돌·피복 등의 공장이 있음. [25,000 명(1968 추계)]

다른 [관] 특정한 사물·장소·경우가 아닌 딴. ¶～ 사람/～ 데 가서 놀아라.
다른-꽃덮이꽃 [명] 〖식〗 이피화(異被花).
다른 복음【一福音】[명] 〖기독교〗 신앙의 복음과 다른 유태의 율법주의 자의 가르침. 바울이 갈라디아서(書)에서 사용한 말.
다름 [명] 같지 아니함.
다름슈타트 〔Darmstadt〕 [명] 〖지〗 독일 헤센 주(州) 남부의 도시. 근세에 헤센 다름슈타트 대공국(大公國)의 주도(主都)였음. 현대 음악의 최첨단을 걷는 각종 음악 행사가 자주 열림. [138,000 명(1981)]
다름 아니라 [부] '딴 까닭은 없고'·'실인즉'·'말하자면'의 뜻의 부사. ¶자넬 부른 것은 ～ ….
다름-없다 [一업一] [형] 비교하여 보아 다른 점이 없다. ¶그는 거지나 ～.
다름-없이 [一업씨] [부] 다름없게.
다릅-나무 [명] 〖식〗 [*Maackia amurensis*] 콩과에 속하는 낙엽 활엽의 작은 교목. 잎은 우상 복생(羽狀複生)하고, 소엽(小葉)은 타원상 달걀꼴임. 8월에 흰 나비 모양의 꽃이 총상(總狀) 화서로 피고, 길이 5cm 내외의 협과(莢果)가 10월에 익음. 산지에 나는데, 우리 나라의 전라 남도와 만주·아무르 등지에 분포함. 기구·농구(農具)·신탄재로 쓰고 수피(樹皮)는 물감용·섬유용(纖維用)으로 쓰임.

〈다릅나무〉

다리[1] [명] 〔중세 : 다리〕 ①동물의 하체에 붙어서 딛고 서거나, 걸어다니는 일을 맡은 부분. 해부학적으로는 하지 중에서 하지대(下肢帶)와 발을 제외한 부분. ②물건 아래에 붙어서 물건이 직접 땅에 닿지 아니하게 하거나, 높게 하기 위하여 버티어 놓은 부분. ¶책상 ～. ③안경알의 테와 연결되어 귀에 걸게 된 길다란 부분. ¶안경 ～가 부러지다.
[다리가 의붓자식보다 낫다] 성한 다리가 있으면 여기저기 돌아다니며 구경도 할 수 있고 맛있는 음식도 얻어먹을 수 있다 하여 이르는 말. **[다리 부러진 장수 성(城) 안에서 호령한다]** 못난 사람이 집안에서만 호령하고, 밖에 나가면 꿈쩍 못 한다는 말.
다리(를) 뻗고 자다 [구] 걱정과 시름을 잊고, 편한 마음과 자세로 잠을 자다.
다리 아랫 소리 [구] ㉠답답하고 아쉬울 때 남에게 동정을 얻으려고 비라리치는 말. 각하성(脚下聲). ¶거동을 보아하니 빌어먹어도 ～는 하기 싫다는 수작인데 위인이 호락호락해 보이지만은 않았다《金周榮 : 客主》. ㉡엎드려 말하듯이 공손히 하는 말.
다리[2] [명] 〔중세 : 드리〕 ①강이나, 개천 또는 언덕과 언덕 사이에 사람이나 차가 다닐 수 있게 하기 위하여 걸쳐 놓은 물건. 돌·쇠·나무 등으로 가설함. 교량(橋梁). ②중개. 매개. ¶몇 ～ 걸쳐서 소개를 받다.
[다리 밑의 까마귀가 한압시 한압시 하겠다] 몸이 더러워 까맣게 되었으므로 까마귀가 제 할아비인 줄 알겠다는 뜻이니, 심신이 더러운 사람을 비웃는 말. **[다리 아래서 원을 꾸짖는다]** 직접 말을 못 하고 안 들리는 곳에서 불평이나 욕을 한다는 말.
다리(를) 놓다 [구] 상대자와 관련을 짓기 위하여 사이에 딴 사람을 넣다.
다리를 건:네다 [구] 다리(를) 놓다. 다리를 건네다.
다리[3] [명] 〔근대 : 드리〕 여자의 머리털의 숱을 많아 보이게 하려고 덧넣는 딴 머리. 취음:월이(月伊)·월내(月乃)·월자(月子).
다리[4] 〔大理〕 [명] 〖지〗 중국 윈난 성(雲南省) 서북부에 있는 도시. 미얀마·티베트 방면으로 자동차 도로가 개설되어 교역이 성행하며, 부근에서 채취되는 결정질 석회암(結晶質石灰岩)은 '대리석'이란 이름으로 유명함. 또 뎬창 산(點蒼山) 얼하이(洱海) 등의 명승지도 있음. 대리(大理). [116,300 명(1987)]
다리 [부] 〈옛〉 달리. 다르게. 따로. ¶네 뉘롤 다리 밥 지여 먹디 아니ᄒᆞ야(四世不異爨)《二倫 32》.
-다리 [미] ①어떤 속성(屬性)을 가진 사람이나 물건을 홀하게 나타내는 말. ¶키～/늙～/귀양～/전(前)～. ②속된 뜻을 나타내는 말. ¶모양～가 없다.
다리걸어 돌:기 [명] 철봉 재간의 한 가지. 철봉 위에 한쪽 다리를 걸고 매달린 채 다리를 앞뒤로 흔드는 힘을 이용해 앞이나 뒤로 도는 운동.
다리걸어 오르기 [명] 철봉 재간의 한 가지. 철봉에 한쪽 다리를 걸고 앞뒤로 흔드는 힘을 이용하여 몸을 철봉 위로 올리는 운동.
다리 결합【一結合】[명] 〔bridged bond〕 〖화〗 곧은사슬 모양으로 결합되어 있는 원자 중에서 임의의 두 원자 사이에 다리를 걸치듯 형성된 결합. 3차원의 그물 구조를 이룸. 고무의 가황(加黃) 따위.
다리 굽혀펴기 [명] 맨손 체조의 한 가지. 다리의 관절을 굽혔다 폈다 하는 운동.
다리-굿 [명] 〖민〗 평양의 연유교(延裕橋) 옆에서 하던 굿. 예로부터 연유교는 평양의 교통상 요지로, 상여(喪輿)는 이곳으로 통하도록 되어 있었으나, 여자 상제만은 금지되어 있었으므로, 이들과의 영결(永訣) 장소로서 진혼제를 겸한 굿이 행하여졌음.
다리 기술【一技術】[명] 씨름에서, 다리를 걸거나 후려서 상대를 넘어뜨리는 기술.
다리-깽이 [명] 〈속〉 다리[1]❶.
다리 꼭지 [명] 여자의 머리에 드리는 다리를 맺은 꼭지.
다리끼 [명] 〈방〉 다래끼[2](경기·강원).
다리다[1] [타] 다리미로 옷 같은 것의 구겨진 주름을 문질러 펴다.
다리다[2] [타] 〈방〉 데리다. ¶다리고 가다.
다리다[3] [타] 〈방〉 당기다[3]❶. ¶잡아～.
다리다[4] [형] 〈방〉 다르다(경상).
다리-막기 [명] 〈방〉 대님(황해).
다리-매 [명] 〈방〉 대님(함남).
다리-매기 [명] 〈방〉 대님(함남).
다리-맥기 [명] 〈방〉 대님(황해).
다리-맷기 [명] 〈방〉 대님(황해).
다리-맹이 [명] 〈방〉 대님(함남).
다리미 [명] 〔중세 : 다리우리〕 다림질하는 제구. 쇠붙이로 연영 대접 비슷하게 만들었는데 밑이 반반하며 자루가 달리었음. 재래식으로 숯불을 담아 쓰는 것 외에 전기를 이용하는 것도 있음. 울두(熨斗). 화두(火斗). 아이론.
다리미-요 [명] 다림질을 할 때, 밑에 까는 요.
다리미-질 [명] 다리미로 다리는 일. [준]다림질. ――하다 [타][여불]
다리미-판【一板】[명] 다림질을 할 때, 밑에 받치거나 까는 판.

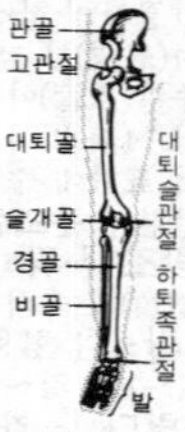
관골
고관절
대퇴골
대퇴슬관절
슬개골
경골
하퇴족관절
비골
발
〈다리뼈〉

다리-밟이 [一발비] [명] 〖민〗 답교(踏橋). ――하다 [자][여불]
다리붉은-도요 [一불근一] [명] 〖조〗 붉은발도요.
다리비 [명] 〈방〉 다리미(전북·경상).
다리-뼈 [명] 〖생〗 다리를 이룬 뼈. 넓적다리뼈와 정강이뼈로 나눔. 퇴골(腿骨).
다리-살 [명] 〖생〗 넓적다리의 안쪽.
다리-쇠 [명] 화로 위에 걸치고 냄비·주전자 같은 물건을 올리어 놓는 쇠로 만든 제구. 걸쇠. ＊삼발이.

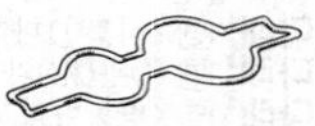
〈다리쇠〉

다리 씨름 [명] 두 사람이 마주 앉아서 같은 쪽 다리의 정강이의 안쪽을 서로 걸어 대고 옆으로 쓰러뜨려 넘기는 장난. ――하다 [자][여불]
다리오 〔Darío, Rubén〕 [명] 〖사람〗 중미(中美) 니카라과 태생의 시인. 프랑스 상징파의 감화를 받아 스페인어(語) 시(詩)의 근대주의의 창시자가 됨. 대표작 《생명과 희망의 노래》. [1867-1916]
다리우리 [명] 〈옛〉 다리미. ¶다리우리 울(熨)《字會 中 14》.
다리우스 삼세【一三世】〔Darius Ⅲ〕 [명] 〖사람〗 고대 페르시아 제국의 최후의 왕. 알렉산더 대왕의 원정군에게 패하고, 후에 신하에게 살해됨. 그리스명으로는 다레이오스 삼세. [389?-330 B.C. ; 재위 336-330 B.C.]
다리우스 일세【一一世】〔Darius Ⅰ〕 [一쎄] [명] 〖사람〗 고대 페르시아 제국의 왕. 국내를 정비하고 조로아스터교(Zoroaster敎)를 국교로 하였음. 기원 전 490년 그리스에 원정하였으나 패(敗)하였음. 그리스명으로는 다레이오스 일세. [558?-486 B. C. ; 재위 521-486 B. C.]
다리 운:동【一運動】[명] 다리를 굽히었다 폈다 하는 따위의 다리를 움직이는 운동.
다리울 [명] 〈방〉 다리미(함남).
다리웨 [명] 〈방〉 다리미(제주).
다리-인【一人】〔중 大荔〕 [명] 〖인류〗 중국 산시 성(陝西省) 다리 현(大荔縣)에서 1979년에 발견된 화석 인류(化石人類)의 두개골(頭蓋骨). 지금으로부터 약 10만-20만 년 전의 것으로 추정(推定)됨.
다리 재간【一才幹】[명] 씨름에서, 다리를 쓰는 재간.
다리-전【一廛】[명] 여자의 다리를 파는 가게. 체계전(髢髻廛).
다리-통 [명] 다리의 둘레. ¶～이 굵다.
다리-팔 [명] 팔다리. ¶～이 쑤시고 아프다.
다리-품 [명] 길을 걷는 노력. ¶마중 나갔다가 괜히 ～만 들이고 왔다.
다리품(을) 팔다 [구] ㉠길을 많이 걷다. ㉡품삯을 받고 길을 다녀오다.
다리-훅치기 [명] 씨름에서, 오른 다리를 상대자의 다리 사이로 넣어 상대자의 오른 다리를 걸고 닥치어 쓰러뜨리는 재주.
다릴-사위 [명] 〈방〉 데릴사위.
다림[1] [명] 〔중세 : 드림〕 수평(水平)인지 또는 수직(垂直)인지를 헤아리어 보는 일.
다림(을) 보다 [구] ㉠어떠한 것을 겨냥대고 살펴보다. ㉡이해 관계를 노리어 살펴보다.
다림[2] [명] 〈방〉 대님(전남).
다림-방【一房】[一빵] [명] 현방.
다림-줄 [一쭐] [명] 다림 볼 때에 쓰는 줄. 수직을 살펴보는 데에는 추(錘)를 달아서 늘어뜨림.
다림-질 [명] ↗다리미질. ――하다 [타][여불]
다림-추【一錘】[명] 다림줄에 달아서 늘이는 추.
다림-판【一板】[명] 기울어지지 아니하고, 똑바른가를 다림보는 제구.
다릿-골 [명] 퇴골(腿骨) 속의 골.
다릿골(이) 빠:지다 [구] 길을 많이 걸어서 다릿골이 졸아들다.
다릿골-독 [一똑] [명] 중배가 부르고 썩 큰 독. 대독.
다릿-독 [명] 〈방〉 징검다리.
다릿-돌 [명] 징검다리로 놓은 돌.
다릿-마댕이 [명] 〈속〉 다리[1]❶.
다릿-마디 [명] 다리의 뼈마디.
다릿-목 [명] 다리가 놓이어 있는 길목. ¶～에서 기다리겠네.
다릿-배 [명] 〈방〉 종아리(함남).
다릿-배래 [명] 〈방〉 장딴지.
다릿-심 [명] 다리의 힘. 각력(脚力). ¶～이 세다.
다릿-짓 [명] 다리를 움직이는 동작. ――하다 [자][여불]
다ᄅᆞ니 [명] 〈옛〉 다른 사람. 남[1]. ¶이의 다ᄅᆞ니롤 ᄉᆞ랑ᄒᆞ거놀(既有所好子)《五倫 Ⅲ:3》.
다ᄅᆞ다 [형] 〈옛〉 다르다[2]. ¶異는 다롤 씨라《訓諺 1》.
다마금【多摩錦】[명] 〖식〗 벼의 한 품종. 8월 하순에 발수하여 10월 중순에 성숙하며, 품질은 상의 중임. 일본에서 육성되어 퍼졌으며, 경기·전남 등지에서 재배됨.
-다-마는 [어미] 어미 '-다'에 조사 '마는'이 겹치어, '-지마는'의 뜻을 나타내는 연결 어미. ¶가기는 갔～ 실패할 거다/겉은 희～ 속은 검다. [준]-다만. ＊-ㄴ다마는·-는다마는.
-다-마다 [어미] -고말고.
다마루 〔damaru〕 [명] 〖악〗 ①인도에서 사용하는 북의 하나. 동체는 중간

부분이 잘룩하게 들어가고 그 중앙으로부터 손잡이가 나와 있으며 양쪽에 가죽을 씌움. 통의 양쪽에 구슬을 매달아서 흔들면 구슬이 맞아 소리가 남. 뱀 놀리는 일 등에 쓰고 있음. ②티베트에서 사용하는 큰 원형의 편평한 북. 하부에 있는 손잡이를 왼손으로 쥐고 오른손으로 큰 채를 쥐고서 침. 높이 1m 이상인데 라마교의 행사에 반드시 쓰임.

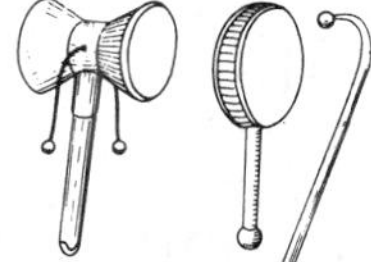
〈다마루❶〉 〈다마루❷〉

다마르 〔dammar〕 명 다마르나무의 수피(樹皮)로부터 채취하는 경질(硬質)의 수지(樹脂)의 총칭. 외관은 덩이지고 무르며 양질의 것은 투명 무색 내지는 담황색임. 코팔(copal)과 혼동되나, 불을 붙여도 곧 소화(消火)할 수 있고 테레빈유나 석유에 잘 녹는 점이 다름. 니스의 원료로 쓰이고 그 밖에 등사 원지·리놀륨 등에도 사용됨.

다마르-나무 〔dammar〕 명 〖식〗 으름덩굴과에 속하는 교목의 총칭. 높이 50m 이상이고 잎은 호생하며 긴 달걀꼴인데 혁질(革質)이고 단단함. 필리핀·말라야·인도네시아 등의 동남 아시아 열대 지방에 분포함. '다마르' 수지(樹脂)를 채취함.

다마스쿠스 〔Damascus〕 명 〖지〗 시리아 공화국의 수도. 시리아 사막의 연변(沿邊)에 위치하여 대상(隊商) 무역의 중심지를 이룸. 메카에 이르는 순례로(巡禮路)가 되며 이슬람교 사원(寺院)이 많음. 세계 최고(最古)의 도시의 하나. 귀금속·보석 가공, 융단의 가내 공업 및 과수 재배가 성하며, 방적·화학 공업이 행해짐. [1,292,000 명(1987)]

다마스쿠스-로 명 〔Nach Damaskus〕 〖문〗 스트린드베리(Strindberg)의 삼부작(三部作) 장편 희곡. 작자가 신비주의적 경향으로 옮은 후 1898-1904년에 지은 작품인데, 독백이 많은 것이 특징임. 바울이 기독교를 박해하려고 다마스쿠스로 가는 도중 그리스도의 모습을 보고 회심한 것처럼, 주인공도 어느 여성과의 체험을 통하여 육체와 무신론의 지옥을 헤맨 후 수도원에서 정화되어 부활의 길을 걷는다는 줄거리임.

다마스크 〔damask〕 명 능직(綾織)이나 수자직(繻子織) 바탕에 금실·은실 그 밖의 아름다운 실로 무늬를 짜 넣은 피륙. 5-6세기경부터 시리아의 다마스쿠스에서 유럽 여러 나라로 수출하기 시작한 것으로서 주로 커튼·탁자보 등으로 쓰임.

다마토리 명 〈방〉 다모토리.

다만[1] 〔Daman〕 명 〖지〗 인도 서해안에 있는 연방 직할지(直轄地). 1558년부터 포르투갈령(領) 다마옹으로서 무역 근거지 구실을 해오다가, 1961년 12월 인도 연방에 무력으로 병합됨. [72 km²: 39,000 명(1971)]

다:만[2] 부 ①'오직 그뿐'의 뜻을 나타내는 말. ¶ ~ 책이 그리울 따름/~ 죽음이 있을 뿐. ②앞의 말을 받아서 조건부(條件附)로 이와 반대되는 말을 할 때에 그 말머리에 쓰는 접속 부사. 단(但). ¶ 오늘은 나가지 마라. ~ 도서관에 가는 건 좋다/가도 좋아. ~ 고생은 각오해라.

-다만 어미 ↗-다마는. ¶ 좋기는 좋~. *-ㄴ다만·-는다만.

다만당 부 〈옛〉 다만. =다만지. ¶ 다만당 님그린 타스로 시름 계워ᄒᆞ노라《古時調》. 「로다《海謠》.

다만지 부 〈옛〉 다만. =다만당. ¶ 다만지 날과 有信키는 明月 淸風 ᄲᅮᆫ이

다만후:르 〔Damanhûr〕 명 〖지〗 이집트의 알렉산드리아 동남동에 있는 나일 델타의 도시. 철도·운하의 중심지로, 면방적(綿紡績)·모직물 등의 공업이 행하여짐. [189,000 명(1976)]

다망[1] 【多忙】 명 매우 바쁨. ¶ 다사(多事) ~. ——-하다 형 여불

다망[2] 【多望】 명 소망이 많음. ——-하다 형 여불

다망[3] 〔Damão〕 명 〖지〗 다만(Daman)의 포르투갈 이름.

다매[1] 【多賣】 명 많이 팖. ¶ 박리(薄利) ~. ——-하다 타 여불

다매[2] 【茶梅】 명 〖식〗 동백나무.

다:먼 부 〈방〉 다만[2]❶(전북).

다메섹 〔Dammeseq〕 명 〖성〗 '다마스쿠스'의 히브리말. 유태국 북쪽에 있던 수리아국(國)의 수도. 신약(新約) 시대에는 아라비아 왕의 지배하에 있었으나, 유태인이 많이 살고 있었으며, 사도 바울의 회심(回心)의 땅으로 유명함.

-다며 어미 ↗-다면서. *-ㄴ다며·-는다며·-라며.

다면 【多面】 명 ①면이 많음. 많은 면. ②많은 방면. 여러 방면.

-다면 어미 ↗-다 하면. ¶ 간~ 보내라. *-ㄴ다면·-는다면·-라면.

다면-각 【多面角】 명 〖수〗 입체각(立體角)의 한 가지. 셋 이상의 평면이 한 점에 모이어 이루어진 뾰족한 형상. 면의 수효대로 3면각·4면각·6면각 등의 이름이 있음.

다면 발현 【多面發現】 명 〔pleiotropy〕 〖생〗 둘 이상의 표현형(表現型)을 가진 유전자의 움직임. 다면 작용(多面作用).

-다-면서 어미 ①형용사 어간 및 '-겠-, -었-, -았-, -였-' 등 미래나 과거를 나타내는 보조 어간에 붙어서, '-다고 하면서'의 뜻을 나타내는 연결 어미. ¶ 예쁘~ 머리를 쓰다듬어 준다/가겠~ 왜 안 가나/수고했~ 위로해 주다. ②형용사 어간 및 '-겠-, -었-, -았-, -였-' 등 미래나 과거를 나타내는 보조 어간에 붙어, 직접 간접으로 들은 사실을 다짐하거나 빈정거려 묻는 데 쓰이는 종결 어미. ¶ 입원하고 있었~? 그래 지금은 어떤가/흥, 그 동안 바빴~? 그러면서도 극장엔 어떻게 갔지. 준-다며. *-ㄴ다면서·-는다면서·-라면서.

다면-성 【多面性】 [—썽] 명 다면적(多面的)인 특성.

다면-옥 【多面玉】 명 〖고고학〗 여러면 구슬.

다면 작용 【多面作用】 명 다면 발현(多面發現).

다면-적 【多面的】 명관 ↗다방면적.

다면-체 【多面體】 명 〔polyhedron〕 〖수〗 네 개 이상의 평면 다각형으로 둘러싸인 입체. 평면의 수에 따라 4면체·5면체 등의 이름이 있음. ↔곡면체(曲面體).

다면체 도법 【多面體圖法】 [—뻡] 명 〔polyhedric projection〕 〖지〗 지도 투영 도법(地圖投影圖法)의 하나. 지구의 위경선(緯經線)을 실제 길이에 비례하도록 줄이어 직선으로 나타내고 구(球)에 거의 가까운 다면체로 전개하여서 작은 지역을 평면으로 보게 됨.

다모[1] 【多毛】 명 몸에 털이 많음. ¶ ~증(症). ——-하다 형 여불

다모[2] 【茶母】 명 〖역〗 관청의 식모(食母) 노릇을 하는 천비(賤婢).

다모-객 【多謀客】 명 잔꾀가 많은 사람. 핑계를 하여 꾀를 잘 부리는 사람. 공교롭게 꾀를 부리어 일에 베도는 사람.

다모다르 강 【—江】 〔Damodar〕 명 〖지〗 인도(印度) 북동부의 초타 나그푸르(Chota Nagpur) 고원에서 발원하여 동쪽으로 흘러 갠지즈 강의 한 지류(支流)인 후글리 강(Hooghly江)으로 흘러드는 강. 하류 지역은 인도 유수의 쌀 생산 지대. 과거 1세기 동안 10여 회의 대홍수를 겪어 '인도의 슬픔의 강'이라 일컬어졌었으나 2차 세계 대전 후, 상류에 다목적 댐이 건설되어 유수량(流水量)의 조절이 가능하게 됨. [595 km]

다모-류 【多毛類】 명 〖동〗 갯지렁이강(綱). *빈모류(貧毛類).

다모-작 【多毛作】 명 〖농〗 한 경지(耕地)에서 1년에 세 번 이상 경작·수확하는 일. *일모작·이모작. ——-하다 자 여불

다모-증 【多毛症】 [—쯩] 명 〖의〗 털이 지나치게 많이 나는 질환. 곧, 솜털이 날 곳에 거센 털이 나는 것으로, 원인은 선천성이거나 내분비 장애·신경 장애 등임.

다모클레스의 검: 【—劍】 〔Damocles〕 [—/—에—] 명 행복의 절정에 달하여 있을 때에도 생명을 위협하는 위험이 따르고 있다는 뜻의 말. 시라쿠사(Siracusa)의 참주(僭主) 디오니시우스(Dionysius) 1세의 신하 다모클레스가 왕의 행복을 찬양하자 왕이 그를 연회에 초청, 왕좌에 앉히고 머리 위에 말총으로 검(劍)을 늘어뜨리어 영광 속에도 위험이 뒤따른다는 것을 가르친 데서 유래(由來)함.

다모토리 명 큰 잔으로 소주를 마시는 일. 또, 큰 잔으로 소주를 파는 집. *선술집.

다:목 명 〖식〗 [*Caesalpinia sappan*] 콩과에 속하는 작은 상록 교목. 높이 5m 가량이고, 가시가 있으며, 잎은 이회 우상 복엽(二回羽狀複葉)인데, 10개 이상의 소엽(小葉)은 긴 타원형을 이룸. 봄에 누른 나비 모양의 꽃이 원추(圓錐) 화서로 피고, 긴 타원형의 푸른 협과(莢果)가 열림. 동인도의 원산(原産)으로, 난지(暖地)에서 재배함. 목재는 탄력이 있어서 활을 만들기도 하고, 속의 붉은 부분을 깎아서 '소방(蘇方)'이라고 하여 홍색 물감으로 쓰며, 또 '소목(蘇木)'이라고 하여 한방 약재(藥材)로도 씀. 뿌리는 황색 물감으로 사용함. 단목(丹木). 소방목(蘇方木).

〈다목〉

다:목-다리 명 냉기로 인하여 살빛이 검붉은 다리. 적각(赤脚).

다목-장어 【多目長魚】 명 〖어〗 [*Entosphenus reissneri*] 다목장어과에 속하는 민물고기. 몸길이 10-15cm 가량이며, 몸빛은 청흑색이고 아래쪽은 백색임. 산란기 중에 분리되었던 두 등지느러미가 연속되며, 또 수컷엔 비뇨 생식 돌기(泌尿生殖突起)가 생기고 암컷엔 등지느러미가 나타나는 것이 특징임. 변태 후는 먹이를 취하지 아니하므로 성장이 중지되고 소화 기관은 차츰 퇴화함. 한국 동해에 주입하는 하천과 호수에 분포하는데, 해수에 들어가지 아니함. 먹지 못함.

다목장어-과 【多目長魚科】 [—꽈] 명 〖어〗 [Petromyzonidae] 다목장어목(目)에 속하는 어류의 한 과. 칠성말배꼽·다목장어·칠성장어 등이 있음.

다목장어-목 【多目長魚目】 명 〖어〗 [Petromyzonida] 어류의 한 목. 이 목에 딸린 것으로 다목장어과(科) 하나가 알려져 있는데, 이 목의 특징은 콧구멍이 머리 위에 있고, 입은 머리의 아래쪽에 있으며, 구강(口腔)은 깔때기 모양 또는 반상(盤狀)인데, 구강 내부는 많은 이로 덮이어 있음. 눈이 잘 발달하여 정체(晶體)나 홍채(虹彩)를 가짐. 새낭(鰓囊)은 7쌍이고 각각 외부와 통하며 내부는 새관(鰓管)에 이어져 있음. 지느러미는 꼬리지느러미와 분리된 한두 개의 등지느러미가 있음. 육봉형(陸封型)과 주해형(走海型)이 있는데, 모두 산란시는 상류에 올라가는 습성이 있음. 완구개류(完口蓋類). 팔목류(八目類).

다-목적 【多目的】 명 여러 목적이 있음. 여러 가지 목적을 겸함. ¶ ~댐.

다목적 고온 가스로 【多目的高溫—爐】 명 〔multipurpose high temperature gas reactor〕 좁쌀알만한 우라늄을 탄화 규소·불침투 흑연으로 싸고, 이것을 원통 모양의 흑연 속에 흩뿌려 박은, 분산형 피복 입자 연료(分散型被覆粒子燃料)를 사용하여, 헬륨 가스로 열을 빼어 내는 타입의 원자로(原子爐). 헬륨의 온도를 1000°C 이상으로 올려, 그 열을 발전·제철·화학 반응·해수 담수화(海水淡水化)·지역 냉난방 등 다목적에 이용함.

다목적 근:접 지원 무:기 【多目的近接支援武器】 명 〔multipurpose close support weapon〕 〖군〗 핵탄두(核彈頭)를 포함하는 각종 탄두를 차폐(遮蔽) 진지에서 발사할 수 있는 지상 근접 지원 무기.

다목적 댐 【多目的—】 〔dam〕 명 〖토〗 수력 발전·농업 용수·상수도·공업 용수·홍수 방지·관광지 등 많은 용도를 겸한 댐. *단일 목적댐.

다목적 휴대 무:기 【多目的携帶武器】 명 〔all purpose handheld weapon〕 〖군〗 휴대하기에 간편한 소병기(小兵器). 지역 및 점표적(點標的)을 공격하는 데 필요한 탄약을 발사할 수 있음.

다뭇[1] 부 접속 부사 '및'의 예스러운 말.

다:뭇[2] 부 〈방〉 다만[2]❷(제주·전라).

다무기 【幷只·竝只】 부 〈이두〉 ①모두. ②같이. ③아울러.

다문[1] 【多聞】 명 ①들은 것이 많아 잘 앎. ↔과문(寡聞). ②〖불교〗 많은 법문(法文)을 외어 지님이 많음. ——-하다 형 여불

다:문[2] 부 〈방〉 다만[2]❶(평안).

다문 다독 다상량 【多聞多讀多商量】 [—냥] 명 많이 듣고, 많이 읽으

며, 많이 생각함. 중국의 구양수(歐陽修)가 글 잘 짓는 비결로서 든 것임. *삼다(三多).

다문-다문 부 ①시간적으로 잦지 아니하게. 이따금. ②공간적으로 배지 아니하게. 띄엄띄엄. 1)·2): <드문드문. ——하다 형여불

다문 박식【多聞博識】명 보고 들은 것이 많고 학식이 넓음. ——하다 형여불

다문의 허위【多問一虛僞】[―/―에―] 명 〔fallacy of many questions; fallacy of complex questions〕〔논〕실지로는 두 가지 이상이 되는 질문을 하나의 질문으로 해서 물어 단순한 긍정 또는 부정을 요구할 때 일어나는 허위. 예를 들면 '너는 꼬리를 버렸느냐'라고 물었을 경우, '예'라고 대답하면 상대자가 이전에 꼬리를 가지고 있었던 것이 되고 '아니오'라고 하면 그가 아직 꼬리를 가지고 있는 것이 되어 버리는 질문 따위. 복문(複問)의 허위.

다문-천【多聞天】명〔불교〕사왕천(四王天)의 하나. 북쪽의 천국. 대비다문천(大悲多聞天). *문천왕(王).

다문천-왕【多聞天王】명〔불교〕〔항상 여래(如來)의 도량(道場)을 수호하여 법(法)을 많이 듣는 데서〕사천왕(四天王)의 하나. 황색의 몸인데, 분노(忿怒)의 상(相)으로 칠보 장엄(七寶莊嚴)의 갑옷을 입고, 왼손으로 보탑(寶塔)을 받쳐 들며 오른손에 몽둥이를 들고 수미산(須彌山)의 제사층(第四層)에 있어, 북쪽의 천국을 지키며 복덕(福德)을 지키어 보호하고, 야차(夜叉)와 나찰(羅刹)을 통솔한다 함. 비사문천왕(毘沙門天王).

〈다문천왕〉

다물 명〈방〉담불¹(함북).

다물다 타〔근대: 다믈다〕위아래 입술이나 또는 그와 같이 된 두 쪽의 물건을 마주 대다. ¶입을 ~.

다물-도【多勿島】[―또] 명〔지〕전라 남도의 서해상, 신안군(新安郡) 흑산면(黑山面) 다촌리(多村里)의 섬. 나주 군도(羅州群島)에 속하는 섬의 하나. [1.62 km^2: 520 명(1984)]

다물리다 피동 다묾을 당하다.

다물-총 명〈방〉지닐총.

다므기 부〈옛〉도무지. ¶某ㅣ 다므기 일즙 抵敵디 아니ᄒᆞ엿ᄂᆞ니(某並不曾抵敵)≪朴解 下 54≫.

다므사리 명〈옛〉더부살이. =다ᄆᆞ사리. ¶다므사리 고(雇), 다므사리 용(傭)≪字會 中 2≫.

다믄 부〈옛〉다만. ¶다믄 내 믿쳔만 갑고(只還我本錢)≪朴解 上 34≫.

다뭇 부〈옛〉더불어. ¶士와 다뭇 女ㅣ 그 서르 謔ᄒᆞ야(維士與女 伊其相謔)≪詩諺 Ⅳ:33≫.

다미렷다 자〈옛〉다물리었다. 합하여지다. ¶ᄎᆞᆫ 어름은 ᄃᆞ토와 다미렷고 구루메 ᄯᅩᆯ 서르 져기 붉ᄂᆞ다(寒氷爭倚薄 雲月遞微明)≪杜諺 Ⅱ:20≫.

다미-씌우다 [―씨―] 타 ↗안다미씌우다. <더미씌우다.

다미아〔Damia〕명〔사람〕프랑스의 여류 샹송 가수. 본명은 Marie Louise Damien. 1910년에 데뷔해서 자신의 비참한 생활 체험을 노래로 표현하여 '샹송 레알리스트'의 대표적 가수가 됨. [1892-1978]

다미앵〔Damien de Veuster〕명〔사람〕벨기에인(人) 신부. 하와이 제도(諸島)의 몰로카이(Molokai) 섬에 있는 나병원(癩病院)에서 나환자 구호에 힘쓰다가 자신도 병에 걸리어 죽음. '몰로카이의 성자(聖者)'라고 일컬어짐. [1840-89]

다미에타〔Damietta〕명〔지〕이집트의 북부, 나일 델타 북동부에 있는 항구 도시. 면방직·견직물·피혁 등의 공업이 성함. [93,000 명(1976)]

다-민족【多民族】명 여러 민족. 많은 민족.

다민족 국가【多民族國家】명 여러 민족으로 형성된 국가. 미국·독립 국가 연합(CIS)이 대표적임. ↔단일 민족 국가.

다ᄆᆞ사리 명〈옛〉더부살이. =다므사리. ¶다ᄆᆞ사리ᄒᆞ야 어미를 이바ᄃᆞ며(行傭以供母)≪三綱 閔損單衣≫.

다ᄆᆞᆫ 부〈옛〉다만. =다민. ¶다ᄆᆞᆫ 다 그 宮中에 取ᄒᆞ야(舍皆取諸其宮中)≪孟諺 滕文公 上≫.

다ᄆᆞᆺ 부〈옛〉다뭇. 더불어. =다뭇❶. ¶진쥬와 다ᄆᆞᆺ 구슬ᄀᆞ티ᄒᆞ야(若珠與瓊)≪內訓 Ⅱ:2≫.

다뭇 부〈옛〉①더불어. =다ᄆᆞᆺ. ¶너와 다뭇 두 늘그니 ᄃᆞ외야시면(與子成二老)≪杜諺 Ⅸ:16≫. ②함께. ¶술 한 셤을 다뭇 주리라(共給酒一斛)≪杜諺 XXV:4≫. ③또는. 및. ¶人을 殺ᄒᆞ되 梃과 다뭇 刃으로 ᄡᅥ 흠이 ᄡᅥ 달오미 인ᄂᆞ니잇가(殺人以梃與刃有以異乎)≪孟諺 梁惠王 上≫.

다뭇ᄒᆞ다 타〈옛〉같이하다. 더불어하다. ¶오ᄂᆞᆳ 나조ᄒᆡ ᄯᅩ 엇던 나조히 이 블비츨 다뭇호라(今夕復何夕共此燈燭光)≪初杜諺 XIX:42≫.

다민 부〈옛〉다만. =다ᄆᆞᆫ. ¶다민 뷘 일훔 ᄯᆞᄅᆞ미라(特空名耳)≪楞嚴 Ⅰ:65≫/다민 떼ᄐᆞᆫ 너기미니(特浮想耳)≪楞嚴 Ⅰ:65≫.

다바 산맥【―山脈】〔大巴〕명〔지〕중국의 쓰촨(四川)·산시(陝西) 양성의 성경(省境)을 서북 동남으로 달리는 산맥. 대부분이 표고 2,000 m 내외로 사철 눈이 있음. 주룽 산맥(九龍山脈), 바링 산맥(巴嶺山脈). 대파(大巴) 산맥.

다바오〔Davao〕명〔지〕필리핀 민다나오(Mindanao) 섬 남동부의 항구 도시. 다바오 주(州)의 주도. 1847년 스페인의 식민지로서 건설됨. 임업(林業)을 중심으로 목재의 집산이 활발함. [616,000 명(1980)]

다바오 만【―灣】〔Davao〕명〔지〕필리핀 민다나오(Mindanao) 섬 남동부에 있는 만(灣). 연안에 다바오 시(市)와, 말리타 시(Malita 市)가 있음. 연안 평야에서는 마닐라삼과 코코야자가 많이 재배됨.

다박-나룻 명 다보록하게 함부로 난 수염. 다박수염.

다박-머리 명 어린 아이의 다보록하고도 짧은 머리털. 또, 그러한 아이. <더벅머리.

다박-솔 명〈방〉다복솔(충남).

다박-수염【―鬚髯】명 다박나룻.

다반¹【茶飯】명 ↗항다반(恒茶飯).

다반²【茶盤】명 찻그릇을 담는 조그마한 예반. 차반.

다반-사【茶飯事】명 ↗항다반사(恒茶飯事).

다발¹ ㊀명 꽃이나 푸성귀 같은 것의 묶음. ¶꽃~. ㊁의명 꽃이나 푸성귀 같은 것의 묶음을 세는 단위. ¶무우 한 ~. *단¹.

다발²【多發】명 ①많이 발생함. ¶~성(性). ②발동기의 수가 많음.

다발-골무꽃 명〔식〕〔*Scutellaria asperiflora*〕꿀풀과에 속하는 다년초. 많은 가지가 한 곳에서 다발처럼 갈라짐. 높이 40 cm 정도. 잎의 뒷면에 오목한 선점(腺點)이 있으며, 6월에 자줏빛 꽃이 핌. 함경도의 삼수(三水)와 혜산진(惠山鎭) 부근의 풀밭에서 자람.

다발-기【多發機】명 엔진을 둘 이상 장비한 항공기. *단발기(單發機)·쌍발기.

다발-나무 [―라―] 명 다발을 지어 묶은 땔나무.

다발-성【多發性】[―썽] 명 ①여럿이 함께 일어나는 성질. ②〔의〕신체의 두 곳 이상의 부분에서 한꺼번에 병이 발생하는 성질. ↔단발성(單發性).

다발성 경화증【多發性硬化症】[―썽―쯩] 명〔의〕중추 신경계에서의 산재성(散在性) 다발성 탈수 병변(脫髓病變)을 주증(主症)으로 하는 신경 질환. 20-30세경에 많이 나며 경과는 만성임. 시력 장애·안구 진탕(眼球振盪)·운동 실조·운동 마비·지각 장애·언어 장애·반사(反射) 이상 등의 증상이 나타남. 원인은 불명.

다발성 골수종【多發性骨髓腫】[―썽―쑤―] 명〔multiple myeloma〕〔의〕악성 종양의 하나. 체내의 항체 생산에 관여하는 형질 세포(形質細胞)가 악성화한 거대 세포 육종(巨大細胞肉腫)으로, 40-60대 남자의 두개골·늑골·흉골·골반 등에 잘 생김. 특정 종류의 항체만이 다량 생산되며, 고단백혈증(高蛋白血症)이 증명되는 경우도 있음.

다발성 근염【多發性筋炎】[―썽―념] 명〔의〕동시에 또는 계속하여 여러 곳에 발생하는 근육의 급성 염증. 화농균의 혈행성 파급(血行性波及)이 원인임.

다발성 신경염【多發性神經炎】[―썽―념] 명〔의〕전염병 병원균 및 그 독소(毒素), 체내 및 체외로부터의 독소, 비타민 B_1의 결핍, 빈혈, 동맥경화 등의 원인으로 다수의 말초 신경이 동시에 또는 연달아서 장애를 일으키는 신경의 염증. 침해된 신경의 지각(知覺) 이상·아픔·신경 또는 근육의 압통(壓痛)·운동 마비·실조(失調)·발한(發汗) 이상 등의 증상이 일어나며, 뇌신경이 침해되면 복시(複視)·언어 장애·안면 신경 마비 등이 생김. *단발성 신경염(單發性神經炎).

다발-식【多發式】[―씩] 명 항공기에 있어서 세 개 이상의 발동기를 가지는 양식. *단발식(單發式)·쌍발식(雙發式).

다발 장:리【多發將吏】[―니] 명〔역〕수령(守令)이 죄인을 잡으려고 포교(捕校)와 사령(使令)을 많이 내보내는 일. ——하다 자여불

다발-총【多發銃】명 따발총.

다발 형리【多發刑吏】[―니] 명〔역〕형조(刑曹)나 한성부(漢城府)에서 죄인을 잡으려고 형리에게 많은 사령(使令)을 붙여 보내는 일. ——하다 자여불

다방¹【多方】명 여러 방향·방면.

다방²【茶房】명 ①객석을 갖추고, 다류(茶類)를 조리 판매하거나 청량음료·우유 등 주류(酒類) 이외의 음료수를 판매하는 영업소. 다실(茶室). 차방(茶房). 찻집. 커피숍. 티 룸. ②〔역〕조선 시대 때, 궁중에서 약을 조제하여 바치던 부서(部署). '약방'의 전 이름.

다방-류【多放類】[―뉴] 명〔동〕육방류(六放類).

다-방면【多方面】명 여러 방면. 많은 곳.

다방면-적【多方面的】명관 여러 방면에 걸쳐 있는 모양. ㊃다면적(多面的).

다방-솔 명〈방〉다복솔.

다배식 토기【多杯式土器】명〔고고학〕여러잔 토기.

다배-지다 자〈방〉①엎어지다. ②자빠지다(함북).

다배 현:상【多胚現象】명〔생〕한 개의 종자에 두 개 이상의 배(胚)가 생기는 현상.

다번【多煩】명 ①번거로움이 많음. ②매우 많음. 번다(煩多). ——하다 형여불

다변¹【多辯】명 말이 많음. ——하다 형여불

다변²【多變】명 변화가 많음. 또, 많은 변화. ——하다 형여불

다변-가【多辯家】명 입담 좋게 말을 많이 하는 사람.

다변-성【多辯性】[―썽] 명 말을 많이 하는 성질.

다변수 함:수【多變數函數】[―쑤―] 명〔수〕두 개 이상의 독립 변수를 갖는 함수.

다변-증【多辯症】[―쯩] 명〔logomania〕〔의〕열광적일 정도로 과도한, 병적인 다변 상태.

다변-형【多邊形】명〔수〕세 개 이상의 직선으로 둘러싸여 이루어진 평면 도형. 변의 수에 따라 4변형·5변형 등이 있음. 다각형(多角形).

다변-화【多邊化】명 방법이나 양상이 단순하지 아니하고 다원적으로 복잡해짐. 또는 복잡하게 만듦. ——하다 자타여불

다병¹【多兵】명 병사가 많음. 또, 많은 병사.

다병²【多病】명 병이 많음. 또, 병이 잦음. ——하다 형여불

다베 산맥【―山脈】〔大別〕명〔지〕중국의 중앙부에 위치한 산맥. 허난(河南)·후베이(湖北)·안후이(安徽)의 3성(省)에 걸쳐 동서로 뻗은 구릉성(丘陵性) 산맥. 평균 표고 700-800 m이며, 양쯔 강(揚子江)·화이허(淮河)의 분수령을 이룸. 대별 산맥.

다보【多寶】명 ①보물이 많음. 또, 그 보물. ②〔불교〕↗다보 여래.

다보록-다보록 부 여럿이 다 다보록한 모양. <더부룩더부룩. ——하다 형여불

다보록-이 부 다보록하게. <더부룩이. ㊃다복이.

다보록-하다 형여불 풀·작은 나무·머리털 등이 무성하여 위가 소복하다. ¶다보록한 수염. <더부룩하다.

다보스〔Davos〕명〔지〕스위스 동부에 있는 대지(臺地). 표고 1,550 m. 양지바르고 숲이 좋아 결핵 요양소가 있고, 관광지·동계 스포츠의 중

심지로 유명함. [10,000명(1980)]

다보 여래【多寶如來】명 〔범 Prabhūtaratna〕〖불교〗 동방 보정 세계(寶淨世界)에 나타났다는 부처. 석가가 영취산(靈鷲山)에서 법화경(法華經)을 설법할 때에, 땅속에서 다보탑이 솟아나고, 그 탑 가운데에서 이 부처가 소리를 질러서 석가의 설법이 참이라고 증명하였다 함. ㈜다보(多寶).

다보-탑【多寶塔】명 〖불교〗 ①2단 또는 3단으로 되어 아래는 방형(方形), 위는 원형 또는 팔각형이며 그 위에 상륜(相輪)을 얹은 탑의 이름. 다보 여래(多寶如來)가 열반(涅槃)할 때의 원(願)을 따라서 석가가 다보 여래의 전신(全身)을 탑 속에 봉안하였으므로 이 이름이 있다고 함. ②경주(慶州) 불국사(佛國寺)에 있는, 통일 신라 시대의 석조(石造) 불탑(佛塔). 세계적인 작품인데, 법화경(法華經)에 적힌 양식을 따라 3단으로 만들었다고 하며 아래 2단은 방형, 위는 8각형이고 그 위에 상륜을 얹었음. 뿌리 없는 나무, 그늘 안 지는 양지, 울리지 않는 골짜기의 세 가지를 상징하여 대나무·난초꽃·연꽃의 세 물형(物形)을 맨 위에 만들었음. 총높이 10.4 m. 국보 제20호. 불국사 다보탑.

다복【多福】명 복이 많음. 또, 많은 복. ¶ ~한 사람. ──-하다 형여불

다복 다남【多福多男】명 복이 많고 아들이 여럿임. 곧, 팔자가 좋음. ──-하다 형여불

다복-다복 부 풀이나 나무 같은 것이 여기저기 한데 뭉치어 다보록하게 있는 모양. <더북더북. ──-하다 형여불

다복뿍 명 〈옛〉 다북쑥. =다봊. ¶ 다복뿍 호(蒿)《字會 上 4》/다복뿍 봉(蓬)《字會 上 9》.

다복-솔 명 가지가 빈틈없이 많이 퍼져 소복하게 된 어린 소나무. 왜송(矮松).

다복솔-밭 명 다복솔이 많이 들어선 곳.

다복-스럽다【多福─】형ㅂ불 복이 많다. 다복-스레【多福─】부

다복-이 부 ↗다보록이. <더북이.

다본 명 〈옛〉 다북쑥. ¶ 이제 다본 올마 든니듯 ᄒᆞ노라(今轉蓬)《重杜諺 IX:6》.

다봇 명 〈옛〉 다북쑥. =다본·다봊. ¶ 누늘 드러 보니 오직 다봇 ᄲᅮ니로다(擧目唯蒿萊)《杜諺 X:19》.

다봊 명 〈옛〉 다북쑥. =다복뿍·다봇. ¶ 서리와 눈괘 ᄂᆞᆫ 다보재 ᄀᆞ독ᄒᆞ도다(霜雪滿飛蓬)《杜諺 XXI:1》.

다부¹【多夫】명 한 여자가 둘 이상의 남편을 가짐. ↔다처(多妻).

다부² 부 〈방〉 도리어(경상).

다-부닐다 자 바싹 다붙어서 붙임성 있게 굴다.

다부룩-하다 형 〈방〉 다보록하다. 다부룩-다부룩 부. ──-하다 형

다부지다 형 ①벅찬 것을 능히 이겨낼 힘과 과단성이 있다. 또, 생김새보다 옹골차다. ¶ 다부지게 생긴 몸매/일도 다부지게 한다. ②생각보다 힘이 들다.

다북-고추나물 명 〖식〗 [*Hypericum vaniotii*] 물레나물과에 속하는 다년초. 줄기는 총생(叢生)하며 모양이 원기둥꼴이고, 높이 30cm 내외임. 잎은 대생(對生)하며 무병(無柄)이고, 모양은 달걀꼴의 피침형 또는 긴 타원형임. 8-9월에 노란 꽃이 취산(聚繖) 화서로 정생(頂生)하며, 과실은 삭과(蒴果)임. 깊은 산의 산복(山腹)에 나는데, 제주·전남·경남북 등지에 분포함.

다북-다북 부 〈방〉 다복다복. ──-하다 형

다북-떡쑥 명 〖식〗 ①[*Anaphalis pterocaulon*] 국화과에 속하는 다년초. 높이 15-30cm이고, 가는 근경(根莖)에서 녹색의 줄기가 족생(簇生)함. 잎은 호생하고 도피침형(倒披針形) 내지 거꿀달걀꼴의 긴 타원형이며 표면에 잔털이 있고 후면에는 흰 솜털이 밀생함. 7-8월에 미홍색(微紅色) 또는 황백색 두상화(頭狀花)가 산방상(繖房狀) 화서로 피고, 과실은 수과(瘦果)임. 산지에 나는데, 경기·강원·함남·함북에 분포함. ②[*Gnaphalium leontopodioides*] 국화과에 속하는 다년초. 줄기는 족생(簇生)하고, 높이 15-40cm임. 잎은 호생하는데 피침형 또는 도피침형이며 무병(無柄)임. 5-9월에 황갈색의 두화(頭花)가 줄기 끝에 여러 개 밀착(密着)하여 피고, 과실은 수과(瘦果)임. 밭이나 들에 나는데, 제주·전남·경남·경북·함남·함북 등지에 분포함.

〈다북떡쑥❶〉

다북-쑥 명 〖식〗 백호(白蒿). 봉애(蓬艾). 봉호(蓬蒿). 쑥.

다분【多分】명 ①많은 분량. ②어느 정도 그 비율이 많음. ──-하다 형여불. ──-히 부. ¶ 그럴 가능성이 ~ 있다.

다분-법【多分法】[─뻡] 명 〖생〗 세포 분열법(細胞分裂法)의 한 가지. 말라리아 병원충과 같이, 하나의 개체에서 동시에 많은 새로운 개체가 생겨나는 생식법(生殖法). *이분법(二分法).

다분산-성【多分散性】[─썽] 명 〔polydis persity〕〖화〗 중합 체계내(重合體系內)의 분자량의 불균일성.

다-분야【多分野】명 많은 분야. 여러 분야.

다분할 양극 자전관【多分割陽極磁電管】명 〔multisegment magnetron〕〖전자〗 둘 이상의 부분으로 분할된 양극을 가진 자전관(磁電管). 축(軸)에 평행되게 판 홈에 의해서 분할되어 있음.

다-불과【多不過】부 '많다고 해도 그 이상은 더 안 됨'의 뜻. ¶ ~ 열 사람이야. ↔소불하(少不下).

다불-다불 부 어린 아이의 머리털이 늘어진 모양. ──-하다 형여불

다봇 명 〈옛〉 다북쑥. =다봇·다봊. ¶ 제여곰 닐오더 올마 든니는 다봇 ᄀᆞ토말 아쳗노라 ᄒᆞ다소라(各云厭轉蓬)《重杜諺 XIX:44》.

다붓-다붓 부 여럿이 모두 다붓한 모양. ──-하다 형여불

다붓-이 부 다붓하게.

다붓-하다 형여불 다붙은 듯이 보일 만큼 떨어진 사이가 서로 멀지 아니하다.

다-붙다 자 물건과 물건의 사이가 매우 가까이 닿다. 바싹 다가붙다.

다-붙이다 [─부치─] 타 다가서 서로 맞붙게 하다.

다블뤼 〔Daveluy, Marie Nicolas Antoine〕 명 〖사람〗 프랑스인 선교사. 1941년 주교(主敎)가 되어 마카오·상해(上海) 등지를 거쳐 1845년 김대건(金大建)의 안내로 비밀히 우리 나라에 입국, 선교 활동을 하는 한편, 우리 나라의 언어·풍습·역사 등을 연구하고 포교서(布敎書)를 한글로 번역, 출판하였음. 1866년 베르뇌(Berneux)가 살해된 뒤, 제5대 주교로 재직중 순교하였음. 나한(羅韓) 사전을 편찬하였고, 한국의 교회사(敎會史) 자료를 모아 파리로 보내어 《조선 교회사》가 사후 파리에서 출판되었음. 한국명은 안돈이(安敦伊). [1818-66]

다비¹ 명 〈방〉 양말(전남·경상·경기·강원·함경).

다비²【茶毘】명 〔범 jhāpita〕〖불교〗 불에 태운다는 뜻으로, 화장(火葬)을 일컫는 말. 사비(闍毗). 사유(闍維). ──-하다 타여불

다비³ 〔Dabit, Eugène〕 명 〖사람〗 프랑스의 포퓔리즘(populisme) 작가. 제1차 세계 대전에 참전, 그 체험으로 엮은 처녀작 《프티 루이(Petit Louis)》로 인정을 받았으며 지드(Gide)와 함께 소련을 여행중 세바스토폴리에서 객사(客死)하였음. 작품은 《북(北)호텔》 등. [1898-1936]

다:비⁴ 〔Darby, Abraham〕 명 〖사람〗 영국의 제철업자(製鐵業者). 아버지의 사업을 이어 코크스(cokes)에 의한 근대적 제철법을 확립, 영국 제철업계 발전의 터전을 닦아 산업 혁명의 길을 텄음. [1711-63]

다비【多肥】명 ①거름이 많음. ②비료분을 많이 요구함.

다비 농업【多肥農業】명 〖농〗 농업 생산력의 증가를 목적으로 일정한 경지에 다량의 비료, 주로 깻묵이나 화학 비료 등을 시여(施與)하는 소규모의 농업 방법. 한국의 농업 같은 것.

다비드¹ 〔David〕 명 〖성〗 다윗.

다비드² 〔David, Ferdinand〕 명 〖사람〗 스위스의 바이올리니스트. 멘델스존(Mendelssohn)도 협주곡을 쓰기 위하여 다비드의 조언(助言)을 들었다고 함. 그의 《바이올린 연주 고등 연습서》는 교본으로서 널리 쓰이고 있음. [1810-73]

다비드³ 〔David, Jacques Louis〕 명 〖사람〗 프랑스의 화가. 근대 고전파(古典派)의 거장(巨匠). 온아(溫雅)하고 실질적인 작풍으로 《호라티우스(Horatius)의 맹세》 등 명작을 발표함. 혁명 때에는 미술 총감(美術總監)을 지냈으며 다시 나폴레옹의 궁정(宮廷) 화가로서 나폴레옹의 영광을 기념하는 《나폴레옹 대관식》을 위시한 네 개의 대작을 제작하였음. 초상화에도 걸작이 많음. [1748-1825]

다비드 당제 〔David d'Angers, Pierre Jean〕 명 〖사람〗 프랑스의 조각가. 19세기 낭만파 조각의 대표자로, 초상의 조각 및 당시 저명 인사의 얼굴을 새긴 500 이상의 메다용(médaillon)이 있음. [1788-1856]

다비-법【茶毘法】[─뻡] 명 〖불교〗 불교식으로 화장(火葬)하는 법. 고려 공양왕(恭讓王) 2년(1390)에 이 법이 성행하여 양속(良俗)이 문란하므로 엄금하였음. 분소법(焚燒法). 사비다법(闍鼻多法). 사비법(闍毗法). 사유법(闍維法).

다비성 작물【多肥性作物】[─썽─] 명 〖농〗 거름을 많이 주어야 수확을 얻게 되는 농작물. 양분에 대한 요구성이 강한 작물.

다비-소【茶毘所】명 〖불교〗 화장터.

다 빈치 〔da Vinci, Leonardo〕 명 〖사람〗 레오나르도 다 빈치.

다빡 부 아무 생각 없이 경솔히 덤치듯이 행동하는 모양. <더뻑.

다빡-거리다 자 앞뒤를 헤아리지 아니하고 경솔히 덤치듯이 자꾸 행동하다. <더뻑거리다. 다빡-다빡 부. ──-하다 자여불

다빡-대다 자 다빡거리다.

다뿍 부 분량이 다소 범위를 넘는 모양. <드뿍. ──── 부

-다-뿐 구 어간(語幹)에 붙어 그 내용의 확실함을 재차 적극적으로 인정하는 말로서, 그 밑에 '이다'의 의문형(疑問形)으로 활용된 말이 붙어 쓰임. ¶ 가~이겠느냐.

다ᄇᆞᆯ 타 〈옛〉 다함. ¶ ᄆᆞᄉᆞᆷ 다ᄇᆞᆯ 닐윌 ᄀᆞ장 긔지ᄒᆞ야(期致盡心)《月序 20》.

-다비 미 〈옛〉 -답게. -대로. =-다이·-ᄃᆞ비. ¶ ᄒᆞ다가 겨지비 이 經典 듣고 말다비 修行ᄒᆞ면《月釋 XVIII:53》.

다사¹【多士】명 여러 선비. 많은 인재(人材).

다사²【多事】명 ①일이 많음. ¶ ~ 다난(多難). ②일이 바쁨. ③긴하지 아니한 일에도 간섭하기를 좋아함. ¶ 입이 ~하다. ──-하다 형여불

다사³【多思】명 ①생각이나 느낌이 많음. ②많이 생각함. ──-하다 형타여불

다사⁴【多謝】명 ①깊이 감사함. ②깊이 사과함. ¶ 망언(妄言) ~. ──-하다 타여불

다사⁵【茶肆】명 다관(茶館).

다사 다난【多事多難】명 여러 가지로 일이 많은 데다 어려움도 많음. ¶ ~했던 병진년(丙辰年). ──-하다 형여불

다사 다단【多事多端】명 일이 많은 데다가 까닭도 많음. ──-하다 형여불

다사 다망【多事多忙】명 일이 많아 몹시 바쁨. 눈코 뜰 사이 없이 바쁨. ──-하다 형여불

다사-도【多獅島】명 〖지〗 평안 북도 서해안 압록강 하구에 있는 섬. 대(大)다사도와 소(小)다사도의 두 섬으로 이루어졌으며, 완전 부동항(不凍港)으로서 신의주(新義州)의 외항(外港)임. [0.2km²]

다사도-선【多獅島線】명 〖지〗 신의주역(新義州驛)을 기점으로 양시(楊市)·남시(南市)·다사도간을 운행하는 철도선. 1939년 11월 8일 개통함. [58.0km]

다사-롭다¹ 형ㅂ불 조금 다사한 듯하다. ¶ 다사로운 햇살. ㅆ따사롭다. 다사-로이¹ 부

다사-롭다²【多事─】형ㅂ불 ☞ 다사스럽다. 다사-로이²【多事─】부

다사리다 타 〈방〉 다스리다.

다사마【多士麻】명 〖식〗 '다시마'의 취음(取音).

다사-스럽다【多事─】형ㅂ불 ①쓸데없는 일에 간섭을 잘 하다. ②바쁜 것 같다. 보기에 다사하다. 다사-스레【多事─】부

다사 제:제【多士濟濟】명 여러 선비가 모두 다 뛰어남. 훌륭한 인재가 많음. 뛰어난 인물이 많음. ——-하다 형여불

다사지-추【多事之秋】명 일이 가장 많을 때. 가장 바쁠 때. 흔히, 국가적·사회적으로 일이 가장 많이 벌어진 때. 「하다.

다사-하다 형여불 조금 따듯하다. ¶ 다사한 햇살. ㅆ따사하다. <다스

다산¹【多產】명 ①여성 또는 자성(雌性) 동물이 아이 또는 알이나 새끼를 많이 낳음. ②물품을 많이 생산함. ——-하다 타여불

다산²【茶山】명〖사람〗정약용(丁若鏞)의 호(號).

다산-계【多產系】명 새끼나 알을 많이 낳는 품종의 계통.

다산-성【多酸性】[—썽] 명 산이 많은 성질. 또, 그러한 특성.

다산 염기【多酸鹽基】[—념—] 명〔polyacidic base〕〖화〗수산화(水酸化) 칼슘·수산화 창연(蒼鉛)과 같이 산도(酸度)가 둘 이상이 되는 염기. 이산 염기·삼산 염기 등으로 부름.

다산-형【多產型】명 아이 또는 새끼를 많이 낳거나, 낳게 생긴 체격.

다상¹【多常】명〖사람〗백제의 중. 일본에 귀화(歸化)하여 승의(僧醫)가 되고 불도를 닦으며 많은 환자를 치료하여 이름을 떨쳤음.

다상²【多像】명〖광〗다형(多形).

다상 교류【多相交流】명〔polyphase current〕〖전〗주파수가 같고 위상(位相)을 달리하는 두 개 또는 그 이상의 교류 방식. 보통, 이상 교류와 삼상 교류가 사용됨. *단상(單相) 교류.

다색¹【多色】명 여러 가지 빛깔. 많은 빛깔. *단색(單色).

다색²【茶色】명 ①갈색(褐色). ②차의 종류.

다색 부표【多色浮標】명〔parti-colored buoy〕〖해〗표면을 두 가지 색 이상으로 칠한 부표.

다색-성【多色性】명〖물〗결정체에 편광(偏光)을 통할 때, 편광의 진동 방향에 따라 빛을 달리하는 현상. 편광 현미경으로 볼 수 있음.

다색 오목판 윤전 인쇄기【多色—版輪轉印刷機】명〖인쇄〗지폐·우표·주권(株券) 등의 위조가 어렵도록, 동시에 여러 가지 빛깔의 오목판 인쇄를 하는 기계.

다색 인쇄【多色印刷】명〖인쇄〗삼색(三色) 이상의 빛깔을 겹쳐 박는 인쇄의 총칭. *단색(單色) 인쇄.

다색 인쇄기【多色印刷機】명〖인쇄〗한 기계로 두 색 이상을 인쇄할 수 있는 인쇄기의 총칭.

다색 인쇄 오프셋【多色印刷—】〔offset〕명〖인쇄〗오프셋 인쇄의 하나. 노랑·빨강·파랑·검정의 네 가지 빛깔의 판(版)을 만들어 한 장의 종이에 이것들을 겹침으로써 컬러 인쇄를 하는 일.

다색-판【多色版】명〖인쇄〗여러 가지 색으로 인쇄하는 판. *단색판(單色版).

다색-화【多色畫】명〖미술〗채색화(彩色畫). *단색화(單色畫).

다색-훈【多色暈】명〖광〗흑운모(黑雲母)·각섬석(角閃石) 등의 속에 방사성(放射性) 광물이 포함되어 있을 때 그 주위에 생기는 다색성의 진한 반점(斑點).

다생【多生】명 ①많이 남. ②〖불교〗차례차례로 태어나는, 헤아릴 수 없이 많은 여러 세상. 많은 생사(生死)를 거듭하여 윤회(輪廻)하는 일. 다생 윤회. ③많은 생명을 구함. ¶ 일살(一殺) ~. ——-하다 자여불

다생 광:겁【多生曠劫】명〖불교〗여러 번 태어나 영원히 윤회(輪廻)하 「는 영원한 시간.

다생 윤회【多生輪廻】명〖불교〗다생❷.

다서【多書】명 많은 서적. 많은 책.

다석 수〈방〉다섯(경남).

다섬광 발광 장치【多閃光發光裝置】명 멀티플래시(multi-flash) 장치.

다섯 수관 넷에 하나를 더한 수 또는 수효. 오(五).

다섯닢-젖솔배기 명〈심마니〉잎이 다섯 난 산삼.

다섯목 가래질 명 다섯 사람이 하는 가래질. 한 사람은 장부를 잡고, 양쪽에서 두 사람씩 잡아당김. ——-하다 자여불

다섯목 한카래 명 다섯목 가래질을 하기 위하여 수를 채운 사람 수.

다섯무-날 명 무수기를 볼 때에 열 나흘과 스무 아흐레를 일컫는 말.

다섯-잇단음표【—音標】[—닏—] 명〖악〗삼등분 또는 사등분해야 할 음을 다섯 등분한 잇단음표. 오연음부(五連音符).

다섯잎-꽃[—닙—] 명〖식〗오판화(五瓣花).

다섯-줄 명〖악〗오선(五線). 「五).

다섯-째 ㊀명 다섯 개째. ¶ ~ 먹는다. ㊁수관 네째의 다음 차례. 제오(第

다섯치-당근 명〖식〗당근의 한 품종. 뿌리의 길이는 15cm 정도임. 일찍 자라고 품질이 좋으며, 가꾸기도 쉬움.

다섯-콩 명〈소아〉공기¹❶.

다성부 음악【多聲部音樂】명〔polyphony〕〖악〗서로 독립한 선율을 이루는 두 개 또는 그 이상의 성부의 조합으로 이루어진 대위법적(對位法的) 음악. 근세(近世)의 화성적(和聲的) 단선율(單旋律) 음악이 발생하기 전에 성행했던 음악 양식임. 다성 음악. 복선율(複旋律) 음악. ↔단성부(單聲部) 음악.

다성 음악【多聲音樂】명〖악〗다성부 음악.

다성 잡종【多性雜種】명〔polyhybrid〕〖생〗형질(形質)이 다수의 인자(因子)에 의하여 결정되어 있는 경우의 잡종. 분리는 매우 복잡하며, 멘델(Mendel)의 법칙이 적용되지 아니함. ↔단성 잡종.

다성-화【多性花】명〖식〗잡성화(雜性花).

다세¹【多世】명 많은 시대. 많은 연대.

다세²【多勢】명 많은 인원. 많은 세력. 여러 세력.

다-세대【多世帶】명 많은 세대. 여러 세대.

다세대 주:택【多世帶住宅】명 4층 이하의 동당(棟當) 건축 연면적이 660m²(200평) 이하인 공동 주택. 한 건물 안에 여러 가구가 각기 소유권을 갖는 독립적인 공간을 차지함. *다가구 주택.

다-세포【多細胞】명〖생〗대단히 많은 세포. 한 생물체 내에 세포가 여럿임. ↔단세포(單細胞).

다세포 동:물【多細胞動物】명〖동〗개체가 많은 세포로 이루어진 동물. 해면 동물로부터 척추 동물에 이르는 거의 모든 동물은 이에 속하며, 몸 각 부분의 세포는 각각 분화되어 운동·소화·생식을 행함. 복세포(複細胞) 동물. 후생(後生) 동물. ↔단세포 동물.

다세포 생물【多細胞生物】명〖생〗분화한 많은 세포가 모이어 한 개체를 구성하는 생물의 총칭. 단세포 생물에 비하여 체제가 한층 더 진보되었고 복잡함. 대다수의 생물은 이에 속함. ↔단세포 생물.

다세포-선【多細胞腺】명〖생〗한 개 이상의 선세포(腺細胞)로 이루어진 외분비선(外分泌腺). 일반적으로 선상피(腺上皮)가 함입(陷入)된 분비면(分泌面)을 증대(增大)하고 분비물(分泌物)을 저장함. ↔단세포선.

다세포 식물【多細胞植物】명〖식〗개체가 많은 세포로 이루어진 식물. 세균류(細菌類)·편모류(鞭毛類)·쌍편조류(雙鞭藻類)·규조류(硅藻類) 등을 제외한 대부분이 이에 속함. 복세포(複細胞) 식물. ↔단세포 식물.

다소¹【多少】㊀명 ①분량이나 정도의 많음과 적음. 다과(多寡). ¶ ~를 막론하고 주문 받는다. ②'조금이긴 하지만 어느 정도'의 뜻. ¶ ~나마 도움이 되었으면. ㊁부 ↗다소간(多少間). ¶ ~ 나쁜 점은 있다.

다소²【茶素】명〖화〗'카페인(caffeine)'의 한자 이름.

다소³〔Tarsus〕명〖성〗소아시아 동남쪽에 있던 길리기아 현(Cilicia 縣)의 주도. 바울의 고향. 그리스풍(風)의 번화한 도시로 스토아 학파의 저명한 학교가 있었음. 타르수스.

다소-간【多少間】부 많으나 적으나. 얼마쯤. ㈜다소(多少).

다소곳 부 다소곳이.

다소곳-이 부 다소곳하게. 다소곳. ¶ ~ 서 있는 소녀.

다소곳-하다 형여불 ①고개를 조금 숙이고 온순한 태도로 말이 없다. ②온순한 마음으로 청종(聽從)하는 태도를 보이다.

-다소니 어미〈옛〉-더니². ¶ 글 議論호ᄆᆞᆯ 崔蘇의게 니르리 ᄒᆞ다소니(論文到崔蘇)《杜諺 XXV:30》.

다-소득【多所得】명 고소득(高所得).

-다소라 어미〈옛〉-더라. ¶ 秦ㅅ 뜰헤 우루믈 모다 議論ᄒᆞ다소라(俱議哭秦庭)《杜諺 XXV:6》.

다소 불계【多少不計】명 수효나 양의 많고 적음을 헤아리지 아니함. ——-하다 타여불

-다손 어미 형용사의 어간이나 선어말 어미 '-았-'·'-었-'·'-겠-' 아래에 붙이어 그 형용이나 동작·상태의 유지가 불가능하고 이와 상반되는 견해를 강조할 때 쓰는 연결 어미. '치더라도'와 함께 쓰이어 '어떠한 상태에 있더라도'·'어떠한 동작을 하더라도'의 뜻을 나타냄. ¶ 아무리 크~ 그만하면 맞겠지. *-ㄴ다손·-는다손·-더라손.

다솔【多率】명 ①많은 사람을 거느림. ②식구(食口)를 많이 거느림.

다솔기 명〈방〉〖조개〗①다슬기. ②우렁이. 「——-하다 타여불

다솔 식구【多率食口】명 많은 식구를 거느림. ——-하다 자여불

다솔 하:인【多率下人】명 많은 하인을 거느림. ——-하다 자여불

다솝 명〈옛〉다섯 홉. =다삽. ¶ 니ᄡᆞᆯ 다솝과 달혀(粳米半升煮)《辟瘟新方 3》. 「——-하다 형여불. ——-히 부

다수【多數】명 수효가 많음. 또, 많은 수효. 과수(夥數). ↔소수(少數).

다수 강:화【多數講和】명 패전한 한 나라와 그 대상국의 대부분과의 사이에 성립되는 강화. *전면(全面) 강화·단독(單獨) 강화.

다수-결【多數決】명 회의의 구성원 중 다수인의 찬성으로써 가부(可否)를 결정하는 일.

다수결의 원칙【多數決—原則】[—/—에—] 명〔principle of majority〕〖정〗다수결로 의결하는 원칙. 의사를 통일하는 현대 민주주의의 기본 원칙의 하나로서, 이 때 결의된 사항은 전체 의사로서 간주됨. 다수결 방식에는 단순 다수결과 제한 다수결이 있으며, 중요 안건에는 보통 후자를 택함.

다수 공:포증【多數恐怖症】[—쯩] 명〔polyphobia〕〖심〗많은 수의 사물에 공포를 느끼는 병증.

다수굿-하다 형〈방〉다소곳하다.

다수 궤:도 폭격 체계【多數軌道爆擊體系】명〔multiple orbital bombardment system; MOBS〕〖군〗궤도 폭탄을 더욱 발전시킨 폭격 시스템. 지구를 몇 바퀴나 돌다가 적당한 때에 목표 상공에서 대기권(大氣圈)으로 돌입하여 폭격하는 방식임. 「소수당.

다수-당【多數黨】명〖정〗의회 의석의 다수를 차지하고 있는 정당. ↔

다수 대:표제【多數代表制】명〔majority system〕〖정〗선거 등에서, 다수인의 지지를 획득한 자가, 곧 다수인의 의사와 같으며 동시에 전체의 의사를 대표한다고 보아 이를 당선자로 결정하는 방법. 선거에 있어서는 일반적으로 소선거구제(小選擧區制)에서 이 방법을 쓰며, 그 다수의 계산에 의해 비교 다수법과 절대 다수법으로 구별됨. ↔소수대표제.

다수 분열【多數分裂】명〖생〗단세포 생물에서, 핵분열 때마다 세포질이 분열되지 아니하고 몇 번 핵분열을 한 다음에 그 수에 따라서 동시에 세포질이 분열하는 무성 생식의 하나. 포자충류(胞子蟲類)에서 흔히 볼 수 있으며 간혹 다세포 동물에서도 볼 수 있음. 복분열(複分裂). *이분열(二分裂).

다수 의:견【多數意見】명 다수자의 의견. 다수 사람들의 의견. ↔소수

다수-자【多數者】명 많은 수의 사람. ↔소수자(少數者). 「의견.

다수 정당제【多數政黨制】명〔multiple party system〕〖정〗의회 정치 국가에서, 다수의 정당이 분립된 체제.

다수 증권【多數證券】[—꿘] 명〖경〗국채(國債)·사채(社債) 등과 같이 같은 종류의 것이 다수 발행된 증권.

다수-파【多數派】명 인원이 많은 파. ↔소수파(小數派).

다수파 공작【多數派工作】명〖정〗정부 여당이 정책적으로 비슷한 정당이나 무소속 의원에게 동조(同調) 또는 입당하기를 권유하는 당 강화 공작.

다-수확【多收穫】명 많은 수확.

다수확-왕【多收穫王】명 일정한 면적에서 가장 많은 수확을 올린 사람을 명예롭게 이르는 말.

다수확 작물【多收穫作物】명 일정한 면적에서 다른 작물에 비해 더 많은 수확을 얻을 수 있는 농작물.

다숩다 형〈방〉다습다.

다숭치 명〈방〉눌은밥(함남).

다쉐 산맥【一山脈】〔大雪〕명〖지〗중국 시캉 성(西康省) 동부의 산맥. 야룽 강(鴉礱江)·다두 강(大渡江)의 분수령을 이루고 남북으로 달림. 설선(雪線) 이상의 고봉(高峰)이 많고 최고봉은 궁가 산(貢嘎山)인데 그 높이는 7,590 m, 그 동쪽에 유명한 어메이 산(蛾眉山 : 3,035 m)이 있음. 대설 산맥.

다:스〔dozen〕의명 물품 12 개를 한 묶음으로 하여 세는 말. 타(打). ¶ 연필 한 ~.

다스름 명〖악〗정악(正樂) 가악곡 연주에 앞서, 그 악기의 소리의 가락을 고르기 위하여 타거나 부는 짧은 곡조. 우조(羽調) 다스름과 계면조(界面調) 다스름이 있음. 조음(調音). 주의 '多瑟音'으로 쓰은 취음(取音).

다스리다 타 ①나라·사회·집안의 일을 보살피고 주재(主宰)하다. ¶ 나라를 ~. ②사물이 문란하여지지 아니하도록 바로잡다. ③어지럽던 것을 평정하다. ¶ 난세를 ~. ④병을 고치다. ⑤죄에 대하여 벌을 주다. ¶ 죄인을 ~. ⑥학문을 닦다. ⑦어떤 목적에 따라서 잘 정리하거나 다루어 처리하다. ¶ 물을 다스림은 곧 부(富)를 다스림이다.

다스마 명〈방〉〖식〗다시마.

다스차오〔大石橋〕명〖지〗중국 랴오둥 반도(遼東半島) 랴오둥 만(灣) 깊숙이 자리잡은 도시. 창다(長大) 철로가 지나며, 잉커우(營口)에의 지선(支線)의 분기점임. 부근에는 잡곡과 면화의 산출이 많고, 마그네사이트도 생산됨. 대석교.

다스-하다 형여불 좀 다습다. ㅆ따스하다. >다사하다. <드스하다.

다슬기 명〖조개〗①[*Semisulcospira libertina*] 다슬깃과에 속하는 고둥의 하나. 하천이나 연못에서 흔히 볼 수 있는 종류로서 높이 30 mm, 직경 12 mm 가량임. 패각(貝殼)은 황갈색 내지 흑갈색이고, 때로 백색 반문이 있고 각구(殼口)는 긴 달걀꼴이며 나탑(螺塔)은 높으나 각정(殼頂) 부분은 침식된 것이 많음. 맑은 냇물의 돌 밑에 많이 착생하며 폐장 디스토마의 제1중간 숙주(宿主)로 널리 알려짐. 맛은 바다의 고둥보다 못하나 삶아서 살을 빼어 먹음. 한국·일본에 분포함. 대사리. 와라(蝸螺). *갯다슬기. ②〈방〉고둥(전남).

〈다슬기〉

다슬깃-과【一科】명〖조개〗[Pleuroceridae] 연체 동물(軟體動物) 복족류(腹足類)에 속하는 한 과.

다슴어미 명〈옛〉계모(繼母). ¶ 다슴어미 싱션을 먹고져 ᄒᆞ더니(母嘗欲生魚)《飜小 Ⅸ:24》.

다습[1] 명 마소의 다섯 살.

다습[2]【多濕】명 습도가 많음. 고습(高濕). ¶ 고온(高溫) ~한 기후. ——하다 형여불

다습다 형ㅂ불 알맞게 약간 따뜻하다. ㅆ따습다. <드습다.

다숫 수관〈방·옛〉다섯(황해·평북·함남). =다ᄉᆞᆺ. ¶ 다숫재는(五)《小諺 Ⅴ:102》.

다시[1]【多時】명 오랜 시일. 많은 시간.

다시[2]【茶時】명〖역〗사헌부(司憲府)의 벼슬아치가 날마다 한 번씩 사진(仕進)하여 회좌(會座)하는 일.

다시[3]【茶匙】명 찻숟가락.

다시[4] ㊀부 ①하던 것을 되풀이로. ¶ ~ 갔다 오너라. ②한 번 거듭. 또 거듭. ¶ ~ 한 번 하라/꺼진 불도 ~ 보자. ③고쳐서 또. 새로이 또. ¶ ~ 만들어라/주판을 ~ 놓다. ④전과 같이. ¶ ~ 살아 보자. ⑤있다가 또. ¶ 내일 ~ 만납시다. ⑥이전 상태대로 또. ¶ 봄은 ~ 왔건만. ⑦중단했던 것을 또 계속하여. ¶ 그는 ~ 입을 열었다. ⑧그 밖에는 또. ¶ 그것 말고 해결책이란 ~ 없다. ㊁감 되풀이해서 하거나 고쳐서 할 때에 지르는 구령 또는 명령의 말.

【다시 긷지 아니한다고 이 우물에 똥을 눌까】㉠자기의 지위나 지체가 월등해졌다고 전의 것을 다시 안 볼 듯이 괄시할 수는 없다는 말. ㉡다시 아쉬운 청을 할 때가 있을지 모르니, 어떤 사람이건 다시 안 볼 것처럼 업신여기고 함부로 대하면 안 된다는 말.【다시 보니 수원 손님】먼 데서 어림했던 사람을 가까이 보니 과연 그 사람이란 말.

다시곰 부〈옛〉다시금. ¶ 다시곰 자뵈 달호는 사ᄅᆞᆷ올 어즈러이 ᄒᆞ고(再宿煩舟子)《重杜諺 Ⅱ:23》.

다시곰ᄒᆞ다 타〈옛〉되풀이하다. ¶ 百家를 다시곰ᄒᆞ야(反覆百家)《圓覺序 80》.

다시금 부 '다시'를 강조한 말.

다시다[1] 타 무엇을 먹거나 또는 먹고 싶을 때 먹는 것과 같이 입술을 열었다 닫았다 하며 놀리다. ¶ 입맛을 ~.

다시다[2] 형〈방〉다습다.

다시라〈옛〉탓이라. '닷[1]'의 서술격형(敍述格形). ¶ 福 닷가 布施혼 다시라《月釋 XXI:28》.

다시래기 명〖민〗전라 남도 진도(珍島) 지방에서, 상제를 위로하기 위하여 출상(出喪) 전날 밤에 일가 친척·친지·상두꾼·마을 사람들이 상가 마당에서 노래·춤·재담 등으로 벌이는 장송(葬送) 행사.

다시마 명〖식〗[*Laminaria japonica*] 갈조 식물(褐藻植物)에 속하는 2-3년생의 해조(海藻). 몸의 길이 2-4 m, 폭은 20-30 cm 이며 황갈색 또는 흑갈색의 띠 모양의 해중초(海中草)로 잎바탕이 두껍고 거죽이 미끄러우며 약간 쭈글쭈글한 무늬가 있음. 대개 짧고 굵은 줄기로 간조선(干潮線) 이하의 바위에 붙어 삶. 북방 한지(寒地)의 외양(外洋)에 분포하는데, 한국에서는 거제도·제주도·흑산도에 많이 남. 식용·공업용으로 이용됨. 곤포(昆布). 해대(海帶). 취음: 다사마(多仕麻).

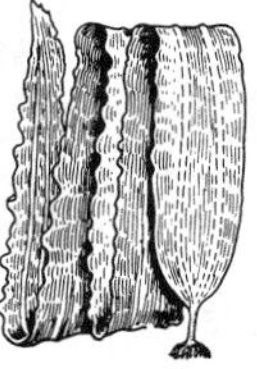
〈다시마〉

다시마 산:자【一𢻻子】명 튀각 산자.

다시마-쌈 명 깨끗하게 씻은 다시마로 싸 먹는 쌈. 곤포(昆布)쌈.

다시마-일엽초【——葉草】명〖식〗[*Lepisorus thunbergianus*] 고사릿과에 속하는 다년생의 양치 식물(羊齒植物). 근경(根莖)은 가로 뻗어서 드문드문 분기(分岐)하며 길이 15-18 cm 이고, 잎은 접근생(接近生)으로 봄철에 근경에서 잎꼭지가 나와 혁질(革質)·피침형으로 달리는데 엽신(葉身)은 길이 10-30 cm 이고 다시마 비슷함. 여름·가을에 잎의 뒷면 상부에 둥근 다갈색 자낭군(子囊群)이 두 줄로 남. 늦가을에 잎은 떨어지고 근경만 남아 월동함. 깊은 산중의 큰 나무 위·바위 등에 기생하며, 제주도·울릉도·전북 및 일본에 분포함. ㊥일엽초.

〈다시마일엽초〉

다시마 자:반【一佐飯】명 ☞ 부각[1].

다시마 장아찌 명 잘게 썬 다시마에다 북어 토막이나 멸치를 섞어서 간장에 조린 반찬. 다시마 조림.

다시마 조림 명 다시마 장아찌.

다시마-차【一茶】명 다시마를 말려서 빻은 분말(粉末)이나 말린 잔채에 뜨거운 물을 부어서 만드는 차. 풍미(風味)가 있고 요드·칼륨·칼슘이 풍부함. 곤포차(昆布茶).

다시맛-국 명 다시마를 넣고 끓인 국. 곤포국. 곤포탕(昆布湯).

다시매 명〈방〉〖식〗다시마(강원·전북·경상).

다시미 명〈방〉〖식〗다시마(경남).

다시-아비 명〈방〉의붓아비.

다시-어미 명〈방〉의붓어미.

다시-없다〔一업一〕형 그보다 더 나은 것이 없을 만큼 완전하다. ¶ 다시없는 영광이다.

다시-없이〔一업씨〕부 그보다 더 나은 것이 없을 만큼.

다시-증【多視症】〔一쯩〕명〔polyopia〕〖의〗하나의 물체를 보고 많은 상(像)을 지각하는 상태.

-다시피 어미 동사 및 '있다'·'없다'·'계시다'·'아니다'의 어간 또는 보조 어간 '-시-' 따위에 붙어서 그 형용이나 동작·상태와 같은 정도의 상황을 알고 있거나 실행하는 뜻을 강조하는 연결 어미. '마찬가지로'의 뜻으로 쓰임. ¶ 보~ 완전하다/먹여 살리~ 하였네.

다식[1]【多食】명 음식을 많이 먹음. ——하다 타여불

다식[2]【多識】명 많이 알고 있음. 학식이 많음. ¶ 박학 ~. ——하다 형여불

다식[3]【茶食】명 유밀과(油蜜果)의 한 가지. 녹말·송화·승검초·황밤·검은깨 등의 가루를 꿀에 반죽하여 다식판에 박아 냄.

다식-과【茶食菓】명 과줄의 한 가지. 모양은 다식과 같으나 다식판보다 큰 판에 찍어 냄.

다식-성【多食性】명 여러 종류의 생물을 먹는 동물의 식성. ↔단식성(單食性).

다식-증【多食症】명〖의〗음식을 아무리 먹어도 배부른 감을 느끼지 못하는 병적 증세. 미주 중추 신경(迷走中樞神經)의 감각이 탈출됨으로써 생긴다 하며, 정신 박약자에게 많음.

다식-판【茶食板】명 다식을 박아 내는 틀. 길쭉하고 단단한 널조각의 위아래에 다식 모양을 파낸 것과, 위아래가 아닌 단 한 조각에 동글납작한 구멍을 파낸 것이 있음.

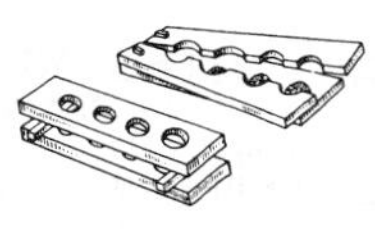
〈다식판〉

다신【茶神】명〖신〗중국 당(唐)나라 '육우(陸羽)'의 경칭.

다신-교【多神敎】명〔polytheism〕〖종〗많은 신(神) 또는 정령(精靈)·영혼(靈魂) 등을 인정하고 이를 믿는 종교의 한 형태. 곧, 천지(天地)·일월성(日月星)·우풍화(雨風火)의 자연신(自然神)과 직업·기술·조신(祖神) 등을 대상으로 하는데, 고대 종교나 미개인들의 신앙은 거의 이 범주(範疇) 안에 듦. ↔일신교(一神敎).

다신-론【多神論】〔一논〕명 많은 신의 존재를 인정하는 종교적 이론.

다신-아비 명〈방〉의붓아비.

다신-어미 명〈방〉의붓어미.

다실【茶室】명 다방(茶房). 차실(茶室).

다실 포자군【多室胞子群】명〔phragmosporae〕셋 이상으로 분화한 다세포성(多細胞性) 포자를 갖는, 불완전 균류(不完全菌類)의 포자 모임.

다심【多心】명 마음이 안 놓이어 여러 가지로 생각하거나 너무 걱정을 함. ——하다 형여불

다심-스럽다【多心—】형ㅂ불 다심한 태도가 있다. 보기에 다심하다. 다심-스레【多心—】부

다심-아비 명〈방〉의붓아비.

다심-어미 명〈방〉의붓어미.

다싱 산맥【一山脈】〔大行〕명〖지〗중국 북부의 허베이(河北)·산시(山西) 양성의 경계를 이루며 황허(黃河) 북안으로부터 북방 장성(長城) 지대에 이르는 산맥. 대행 산맥.

-다ᄉᆞ니 어미〈옛〉-더니[2]. ¶ 솨 모수매 닛디 아니ᄒᆞ야 念ᄒᆞ다ᄉᆞ니 이 威神力으로 그 갈히 片片이 것듣거늘《靈驗 10》.

다ᄉᆞ룜 타〈옛〉 다스림. '다ᄉᆞ리다'의 명사형. ¶ ᄆᆞᄋᆞᆷ 다ᄉᆞ료매 쏘 됴ᄒᆞᆫ 소리 잇도다(爲邦復好音)≪初杜諺 XXI:16≫. 「(理)≪字會 下 32≫.
다ᄉᆞ리다 타〈옛〉 다스리다. ¶ 다ᄉᆞ릴 티(治)≪類合 下 10≫/다ᄉᆞ릴 리
다ᄉᆞ마 명〈옛〉 다시마. ¶ 다ᄉᆞ마(海帶)≪老乞 下 34≫.
-다ᄉᆞ이다 어미〈옛〉 -시더이다. -시옵니다. ¶ 가줄비건댄 艱難ᄒᆞᆫ 子息이 아비 ᄇᆞ리고 逃亡ᄒᆞ야 감 곧다ᄉᆞ이다(譬如窮子 捨父逃逝)≪楞嚴 I:93≫. 「杜諺 XIII:2≫.
다ᄉᆞᆺ 수〈옛〉 다섯. =다ᄉᆞᆺ. ¶ 祝融 다ᄉᆞᆺ 묏부리 노ᄑᆞ니(祝融五峯尊)≪重
다ᄉᆞᆯ다 타〈옛〉 다스리다. ¶ 다ᄉᆞᆯ 예(乂)≪字會 下 25≫.
다ᄉᆞᆯ오다 타〈옛〉 다스리다. ¶ 다ᄉᆞᆯ올 딩(懲)≪類合 下 21≫.
다ᄉᆞᆷ 명〈옛〉 친하지 않은 것. 거짓 것. ¶ 親ᄒᆞᆫ 닐 親히 ᄒᆞ고 다ᄉᆞᆷ으란 기우로 ᄒᆞ면(親其親而偏其假)≪內訓 III:22≫.
다ᄉᆞᆷ아비 명〈옛〉 의붓아비. ¶ 다ᄉᆞᆷ아비(繼父)≪二倫 19≫.
다ᄉᆞᆷ어미 명〈옛〉 의붓어미. ¶ 閔損의 다ᄉᆞᆷ어미≪三綱 閔損≫.
다ᄉᆞᆷ즈식 명〈옛〉 의붓자식. ¶ 다ᄉᆞᆷ즈식(假子)≪內訓 III:22≫.
다ᄉᆞᆸ 명〈옛〉 다섯 홉. =다ᄉᆞᆸ. ¶ 믈 ᄒᆞᆫ되 다ᄉᆞᆸ 브어 칠홉되게 달혀(水一升半煎七分)≪辟瘟新方 2≫.
다ᄉᆞᆺ 수〈옛〉 다섯. =다ᄉᆞᆺ. ¶ 다ᄉᆞᆺ 가마괴 디고(五鴉落兮)≪龍歌 86章≫.
다쐐 명〈옛〉 닷새. ¶ 七月ㅅ 열 다쐣 날≪月釋 II:18≫.
다쓰 수〈방〉 다섯(함남). 「씨(將失天命)≪龍歌 84章≫.
다아 자타〈옛〉 다하여. 다되어. '다ᄋᆞ다'의 활용형. ¶ 天命이 다아 갈
다악장 형식【多樂章形式】명〖악〗 순환 형식.
다안 강【—江】명 〔大安溪〕〖지〗 대만(臺灣) 서해안의 강. 다바젠 산(大霸尖山)의 서쪽 중허리에서 발원하여, 서쪽으로 흘러 대만 해협(臺灣海峽)으로 흘러 들어감. 대안계.
다안정 회로【多安定回路】명 〔multistable circuit〕〖전〗 둘 또는 그 이상의 안정 동작 상태(安定動作狀態)를 가지는 회로.
다액【多額】명 많은 액수(額數). ¶ ~ 납세자. ↔소액(少額).
다야 명〈옛〉 대야'. ¶ 다야爲匜≪訓例 26≫/다야 우(盂)≪字會 中 19≫.
다약 〔Dayak〕 명 보르네오(Borneo) 섬의 벽지에 사는 비이슬람교(非Islam教) 미개인의 총칭. 육지 다약·바다 다약으로 대별됨.
다얀 〔Dayan, Moshe〕 명〖사람〗 이스라엘의 군인·정치가. 2차 대전중에 종군(從軍)하여 한 눈을 실명(失明)함. 1953년 이스라엘 참모 총장, 1956년 수에즈 동란 때 시나이 반도 전선(戰線) 사령관, 1967년부터 국방상(國防相)으로서 중동전쟁을 승리로 이끌었으나, 1973년 10월 전쟁 때의 전세 회복 지연의 책임을 지고 사임(辭任)하였으며, 1977년 베긴(Begin) 내각의 외상(外相)이 되었다가 1980년 사임함. [1915-81]
다얀 칸: 〔Dayan Khan〕 명〖사람〗 중국 명(明)나라 때 몽고를 중흥(中興)한 영주(英主). 1488년 이래 대원 대가한(大元大可汗)이라 칭하고 내몽고를 통일하였음. 달연한(達延汗). [1464?-?; 재위 1482-1525?]
다양【多様】명 ①여러 가지 모양 또는 양식(樣式). ②모양이나 양식이 여러 가지임. ——-하다 형여불
다양극 진공관【多陽極眞空管】명 〔multianode tube〕〖전〗 둘 또는 그 이상의 주양극(主陽極)과 하나의 음극(陰極)을 가진 전자관.
다양 선:택법【多様選擇法】명〖심〗 다항 선택법(多項選擇法).
다양-성【多樣性】[—썽] 명 다양한 특성.
다언【多言】명 말 수가 많음. 여러 말. ↔과언(寡言). ——-하다 형여불
다언-자【多言者】명 말을 많이 하는 사람. 「자여불
다언 혹중【多言或中】명 말이 많으면 더러 맞는 말이 있음. ——-하다
다연¹【茶宴】명 차를 마시며 즐기는 연회(宴會). 차를 마시는 모임.
다연²【茶煙】명 찻물을 달일 때 나는 연기.
다연장 로켓 발사기【多連裝—發射機】명 〔multiple launch rocket system〕〖군〗 대포를 대신할 화기(火器)로 등장할, 고성능 로켓 발사기. 1분간에 12발을 발사하며 최대 사거리는 40-60 km. 엠엘아르에스(MLRS).
다염기-산【多塩基酸】명 〔polybasic acid〕〖화〗 염기(塩基)와 중화하여 금속으로 치환(置換)할 수 있는 수소를 두 개 이상 가진 산(酸). 수소의 수에 따라 2염기산·3염기산 등으로 부름.
다엽말-아【茶葉末兒】명 중국 명(明)·청(清) 때 대창 관요(大廠官窯)에서 만들던 도자기의 한 가지. 황록색의 그릇임.
다엽 함:수【多葉函數】[—쑤] 명 〔multivalent function〕〖수〗 정칙(正則) 함수에 있어서, 두 개 이상의 함수치(函數値)를 취하는 경우의 함수. *단엽(單葉) 함수. 「驅五六年)≪杜諺 II:1≫.
다엿 명〈옛〉 대여섯. ¶ 胡騎ᄂᆞᆫ 기리 돌여 굴외오미 다엿ᄒᆡ로다(胡騎長
다예¹【多藝】명 많은 예능(藝能). 또, 많은 예능에 통함.
다예² 〔大冶〕 명〖지〗 중국 후베이 성(湖北省) 남동부 양쯔 강의 남안(南岸)에 있는 도시. 다예 철산(鐵山)이 있음. 대야.
다예 철산【—鐵山】〔大冶〕[—싼] 명〖지〗 중국 다예(大冶)에 있는 철산. 광질(鑛質)이 좋기로 유명함. 「¶ 물을 ~. *달다³·달라다.
다:오 불타 불완전 동사 '달다'의 명령형. '해라'할 자리에 쓰이는 말.
-다오 어미 어미 '-다'와 '-오'가 합쳐서 된 말. 형용사의 어간이나 선어말 어미 '-았-'·'-었-' 밑에 붙어서 사실을 설명하되 좀 대접하거나 친근한 맛을 나타내는 종결 어미. ¶ 옛날에 할머니가 살았~/돈을 있는 대로 주었~/돈도 많~/산이 높~.
다오넬라 〔daonella〕 명〖조개〗 참조갯과에 속하는 화석 패류(化石貝類). 삼첩기(三疊紀)에 번성하였는데, 타원형이거나 또는 거의 사각형으로 납작함. 표면에 방사선(放射線)이 있음.
다오다¹ 자타〈옛〉 다하다. 없애다. =다ᄋᆞ다¹❶. ¶ 이리 ᄆᆞᄎᆞ며 義ㅣ 다올벤(事周義盡)≪圓覺 上 一之二 13≫.
다오다² 타〈옛〉 닦다. 쌓다. 수축(修築)하다. =다ᄋᆞ다². ¶ 마톨 다오매 굼긧 개야밀 어엿비 너기고(築塲憐穴蟻)≪初杜諺 VII:18≫.
다옥-하다 형여불 무성하다. *다복다복하다.
다온【如乎】어미〈이두〉 -라는. -라 하는.
다올-대 [—때] 명 베 날을 풀기 위하여 도투마리를 밀어서 넘기는 막대. 밀치깃대. 「스리라≪月釋 IX:49≫.
다옴 자타〈옛〉 다함. '다ᄋᆞ다'¹의 명사형. ¶ 工巧ᄒᆞ신 方便은 다오미 업
다와기 명〈옛〉 따오기. ¶ 다와기 목(鶩)≪字會 上 15≫.
다와다 타〈옛〉 몹시 다조져. 닥쳐. '다완다'의 활용형. ¶ 주굼과 다와다 보참과(殺害逼惱)≪圓覺 下 一之一 28≫.
다와돔 타〈옛〉 다그침. 닥침. '다완다'의 명사형. ¶ 다와도미 일후미 苦ㅣ니(逼迫名苦)≪圓覺 下 三之一 13≫.
다와툠 타〈옛〉 다그침. 닥침. '다와티다'의 명사형. ¶ 거례 다와툐ᄆᆞᆯ 無에 거루미니(衝渠滯無)≪永嘉 下 84≫.
다와티다 타〈옛〉 다그치다. ¶ 어려이 다와티닐(逼危)≪永嘉 上 30≫.
다왇다 타〈옛〉 다그치다. 다조지다. ¶ 다와돌 모(冒)≪類合 下 34≫.
다욕¹【多辱】명 욕됨이 많음. ¶ 수즉(壽即) ~. ——-하다 형여불
다욕²【多慾】명 욕심이 많음. 또, 많은 욕심. ——-하다 형여불
다용【多用】명 많이 씀. 쓰임이 많음. ——-하다 형타여불
다용도-실【多用途室】명 여러 가지 용도로 쓸 수 있다는 뜻으로 옥내의 광을 일컫는 미칭.
다우¹【多雨】명 비가 많음. 또, 많은 비. ↔과우(寡雨).
다:우² 불타〈방〉 다오.
다우닝 가【—街】〔Downing〕 명 ①영국 런던 중앙부의 관청가. 수상 관저·외무부 등이 있음. ②영국 수상 관저. ③영국 정부.
다우든 〔Dowden, Edward〕 명〖사람〗 영국의 시인·비평가. 셰익스피어 연구의 권위자로, ≪셰익스피어 입문≫ 등을 썼음. [1843-1913]
다우르 〔Daur〕 명 만주 흥안령(興安嶺)의 북부, 흑룡강(黑龍江) 양안에 사는 유목 민족. 퉁구스계(系)이나 체질·언어는 몽고 색채가 농후함.
다우 메탈 〔Dow metal〕 명〖화〗 미국 다우 케미컬(Dow Chemical) 회사에서 제조하는, 마그네슘에 구리·아연·카드뮴·망간 등을 가하여 만든 경합금(輕合金). 가볍고 강하여 항공기·자동차 등에 사용함.
다우슨 〔Dowson, Ernest Christopher〕 명〖사람〗 영국의 시인. 옥스퍼드 대학 졸업. 뒤에 프랑스를 만유(漫遊)하며 애수(哀愁)와 권태에 찬 연애시(戀愛詩)를 썼음. 과작(寡作)이었으나 ≪시나라(Cynara)≫ 한 편으로 시단(詩壇)에서 확고한 위치를 차지함. [1867-1900]
다우존:스 산:식【—算式】〔Dow-Jones〕 명〖경〗 〔창안자인 다우(Dow, C.H.)와 존스(Jones, E.D.)의 이름에서 유래〕 증권 거래소에서 매매된 주요 주식(株式)의 매일 평균 가격을 산출하는 한 방법. 단순 평균 주가(單純平均株價)의 결점을 보충하기 위하여 기준 시점(時點)의 변경과 새로운 산정 방식을 채택한 것임.
다우존:스 평균 주가【—平均株價】[—까] 명 〔Dow-Jones averages〕〖경〗 다우존스 산식으로 계산한 주식의 평균가.
다우 지대【多雨地帶】명〖지〗 일정 기간 동안에 다른 지방보다 일정 기준량 이상으로 비가 많이 내리는 지대.
다우치다 타 뒤를 쫓다.
다우 케미컬 회:사【—會社】명 〔Dow Chemical Co.〕 1947년 다우(Dow, H.)가 설립한 미국 제2의 종합 화학 공업 회사. 주제품은 소다·화학 촉매 등의 무기·유기 화학 제품, 합성 수지·포장 자재·금속 제품·살균 및 제초제 등임.
다운¹ 〔down〕 명 ①기준·능률·출력(出力) 따위를 인하하는 일. 또, 그것들이 낮아지는 일. ¶ 레벨 ~/코스트 ~. ↔업(up). ②권투에서, 경기자의 몸의 복사뼈보다 윗 부분이 링의 바닥에 닿거나, 경기자가 로프에 기대거나, 선 채로 경기 불능의 상태에 빠지는 일. ③야구에서, '아웃'과 같은 뜻. ④컴퓨터 시스템에 문제가 생겨서 작동이 되지 않는 상태. ¶ 시스템이 ~되다. ⑤피로하거나 의욕을 잃거나 해서 작업을 중도에서 그만두는 일. ——-하다 자타여불
다운² 〔down〕 명 새의 솜털. 솜털처럼 부드러운 털. ¶ ~ 파카.
다운로:드 〔download〕 명〖컴퓨터〗 컴퓨터 통신망을 통하여 파일을 전송 받는 일. 멀리 떨어져 있는 다른 컴퓨터나 전자 게시판에서 필요한 프로그램이나 데이터를 받음. *업로드.
다운-비:트 〔downbeat〕 명〖악〗 ①재즈에서, 마디나 박자의 강박부(強拍部)를 이름. 4분의 4박자인 경우에는 2박과 4박. ②전원 준비가 되었음직한 때를 가늠해서, 지휘자가 손을 조금 내려, 연주 개시의 신호를 하는 일.
다운사이징 〔downsizing〕 명 ①〖경〗 기업의 업무나 조직 규모를 축소하는 일. ②〖컴퓨터〗 대형의 범용 컴퓨터로 구축한 시스템을 소형 컴퓨터 시스템으로 바꾸는 일.
다운-스윙 〔downswing〕 명 골프·야구에서, 클럽(club)·배트 따위를 내려치듯이 공에 대는 일. 또, 그렇게 흔드는 동작. ——-하다 타여불
다운 증후군【—症候群】〔Down's syndrome〕〖의〗 선천성(先天性) 정신 박약의 일종. 1866년 다운(Down, I.L.H.)이 발견한 병으로, 그 얼굴 모양 때문에 몽고증(蒙古症)이라고도 불리어짐. 염색체의 이상이 원인임.
다운-타운 〔downtown〕 명 상가(商街) 지대. 도시의 상업 지대.
다운-트레인 〔downtrain〕 명 하행(下行) 열차.
다울라기리 산【—山】〔Dhaulagiri〕 명〖지〗 네팔, 히말라야 중부의 고봉(高峰). 제1봉에서 제5봉까지 8,000 m급(級)의 거봉(巨峰)이 있는데, 제1봉은 1960년 스위스의 아이제린대(隊)가 처음으로 등정(登頂)함.
다원¹【多元】명 근원이 많음. 또, 많은 근원. *단원(單元)·일원(一元).
다원²【茶園】명 차를 재배하는 밭.
다원-론【多元論】[—논] 명 〔pluralism〕〖철〗 다수의 본원적(本元的)인 독립된 실재(實在)를 인정하고 세계의 본원(本元)은 이 다수의 실재

에 있다고 하는 세계관. 고대 그리스의 요소론(要素論)·원자론 등에서 발상(發想)되어, 현대 원자 물리학에서 미립자(微粒子)의 다종성(多種性)을 인정하는 데까지 발전되었음. *일원론(一元論)·이원론(二元論)·단원론(單元論). 「元)론자.

다원론-자【多元論者】[―논―] 명 다원론을 주장하는 사람. *일원(一

다원론-적【多元論的】[―논―] 명관 다원론에 기초한 모양.

다원 묘:사【多元描寫】명〖문〗소설의 구성에 있어서, 몇 개의 시점(視點)을 고정시키고, 이 앞에 비치는 사건을 따로 묘사하여서 전체로서의 조화를 꾀하는 방법, 도스 패서스(Dos Passos)의 ≪유 에스 에이(U.S.A.)≫가 대표적인 예임. * 일원 묘사.

다원 방:송【多元放送】명 두 개 이상의 방송국에서 방송되는 내용을 하나의 프로그램으로 형성하는 방송.

다원 방정식【多元方程式】명〖수〗두 개 이상의 미지수를 가지는 방정식. 미지수의 수에 따라서 이원 방정식·삼원 방정식 등으로 불림.

다원뿔 도법【多圓一圖法】[―뻡] 명〖지〗지도 투영법(地圖投影法)의 하나. 원뿔 도법을 개량한 것임. 다원추 도법.

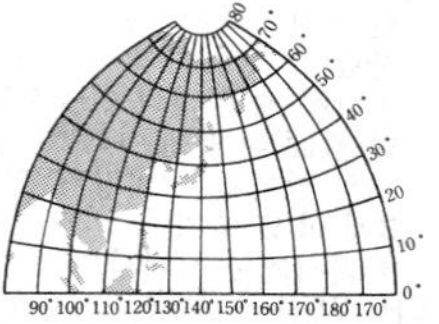

〈다원뿔 도법〉

다원자 분자【多原子分子】명 세 개 이상의 원자로 된 분자. 단원자 분자(單原子分子)·이원자 분자(二原子分子) 이외의 모든 것을 말함.

다원-적【多元的】명관 사물(事物)을 형성하는 근원이 많은 모양.

다원적 국가관【多元的國家觀】명〖정〗다원적 국가론.

다원적 국가론【多元的國家論】명〖정〗국가 주권의 유일성(唯一性)에 반대하여 각 단체의 복수(複數) 주권을 주장하는 학설. 국가를 교회·직업 단체·지방 단체 등과 본질적인 차이가 없다고 생각하는 입장이며, 1차 대전 이후 대두됨. 그 대표자로서 콜(Cole, G.D.H.)·라스키(Laski, H.J.) 등이 있음. 다원적 국가관.

다원 정:함수【多元整函數】[―쑤] 명〖수〗두 개 이상의 변수를 가진 정함수. 변수의 수에 따라서 이원 정함수·삼원 정함수로 불림.

다원추 도법【多圓錐圖法】[―뻡] 명〖지〗다원뿔 도법.

다:위니즘〔Darwinism〕명〖생〗자연 도태(自然淘汰)와 적자 생존(適者生存)을 근거로 하는 다윈의 생물 진화론. 다윈주의. 다윈설.

다:윈[1]〔Darwin〕명〖사람〗①〔Charles Robert D.〕영국의 생물학자·진화론자. 1831 년부터 5년간 남반구(南半球)를 일주하여 그때 수집한 화석 및 생물의 비교 연구로 진화(進化) 사실을 확신하였고, 1858 년에 자연 선택설(自然選擇說)에 의한 진화론을 발표, 다음 해에 ≪종(種)의 기원≫을 간행하였음. ≪가축 및 재배 식물의 변이(變異)≫ 등 저작이 많음. [1809-82] ②〔Erasmus D.〕영국의 의사·생물학자. ❶의 조부. ≪주노미아(Zoonomia)≫·≪자연의 전당≫ 등의 저작으로 진화론의 선구자의 하나로 간주됨. [1731-1802] ③〔George Howard D.〕영국의 천문학자·물리학자. ❶의 차남. 케임브리지(Cambridge) 대학 교수로 조석(潮汐) 이론 및 삼체 문제(三體問題)에 관한 공헌이 크며 천체의 진화도 논하였음. [1845-1912]

다:윈[2]〔Darwin〕명〖지〗오스트레일리아 북부의 노던테리토리의 주도(主都)로 항구 도시. 1872년 전신 기지(電信基地)로 건설되어, 제2차 세계 대전중 군항(軍港)으로 발전했음. 대륙 횡단 도로의 기점(起點)이며 진주조개 채취 기지로서도 알려짐. 국제 공항이 있음. 구명은 파머스턴(Palmerston). 포트다윈(Port Darwin). [61,000 명(1982)]

다:윈-주의【一主義】〔Darwin〕[―/―이] 명〖생〗다위니즘(Darwinism). 「하고 주장하는 사람. 진화론자.

다:윈주의-자【一主義者】〔Darwin〕[―/―이―] 명 다위니즘을 지지

다:윈 해:팽【一海膨】〔Darwin〕명〖지〗남서 태평양에 과거에 존재했다고 추정되는 해팽(海膨). 약 1억 년 전에 투아모투 제도(Tuamotu 諸島)에서 마샬 제도에 걸쳐 길이 1만km이상, 폭 4,000km의 지역이 해저에서 비고(比高) 약 2 km 융기하여 해팽을 이루어 오늘날의 동태평양(東太平洋) 해팽과 같이 해령(海嶺)·해분(海盆)·단열대(斷熱帶)·화산군(火山群) 등을 갖고 있었음. 현재 동해역(同海域)에 많이 존재하는 평정 해산(平頂海山)이나 환초(環礁)는 이 해팽의 침강(沈降)으로 생성되었다 하며, 다윈(Darwin, C.)은 남서 태평양의 전체적인 침강으로 환초(環礁)가 생겼다고 주장함.

다윗〔David〕명〖성〗고대 이스라엘의 제2대 왕으로 예언자. 솔로몬(Solomon)의 아버지. 처음에 목동이었는데 소년 시절에 거인 골리앗(Golyath)을 죽인 후, 초대 왕 사울(Saul)의 신임을 얻어 왕위에 올랐음. 이웃 여러 나라를 정복 병합하여 예루살렘에 도읍(都邑)하고 이스라엘을 통일하였음. 시에도 능하여 ≪시편(詩篇)≫을 남김. 다비드. [재위 1010-971 B.C.]

다윗의 동:네〔David〕[―/―에―] 명〖성〗다윗의 고향인 베들레헴(Bethlehem).

다윗의 뿌리〔David〕[―/―에―] 명〖성〗다윗의 후예(後裔)로 탄생할 메시아(Messiah).

다윗의 자손【一子孫】〔David〕[―/―에―] 명〖성〗다윗의 자손인 메시아(Messiah).

다육【多肉】명 식물의 살, 특히 과일의 살이 많음. ――-하다 형여불

다육-경【多肉莖】명〖식〗수분이 많아서 살이 두툼하게 된 식물의 줄기. 선인장(仙人掌) 따위.

다육경 식물【多肉莖植物】명〖식〗다육경을 가지고 있는 식물. 거친 벌판에 나는데, 저수(貯水) 조직을 가지고 있으며 내건성(耐乾性)이 강하고, 줄기는 녹색으로 동화 작용을 행하며, 잎은 흔히 퇴화함. 선인장(仙人掌) 따위.

다육-과【多肉果】명〖식〗단화과(單花果)의 한 가지. 과피(果皮)에 싸인, 부드럽고 즙(汁)이 많은 살을 가지며 익은 후에도 마르지 아니하고 장과(漿果)가 되는 열매. 곧, 감·포도 등. 장과(漿果). 액과(液果). 육과(肉果). 살찐 열매.

다육-근【多肉根】명〖식〗육질(肉質)로 된 굵은 뿌리.

다육 식물【多肉植物】명〖식〗잎 또는 줄기 속에 저수(貯水) 조직이 발달하여 다육화(多肉化)한 식물. 보통 건조지나 염분이 많은 땅에 나며 체표(體表)에는 쿠티쿨라(cuticula)가 발달한 것이 많고 내건성(耐乾性)이 강함. 용설란·선인장 따위. *다장(多漿) 식물.

다육-엽【多肉葉】명〖식〗수분이 많아 두툼하게 살이 오른 식물의 잎. 동화 작용 외에 수분·영양물 등을 저장함. 바위솔·돌나물 등. 살찐잎.

다육-질【多肉質】명 살이 많은 성질이나 품질.

다율-악【多栗岳】명〖지〗제주도 북제주군(北濟州郡) 애월읍(涯月邑)에 있는 산. 한라산 기슭에 있는 기생(寄生) 화산의 하나임. [693 m]

다ᄋᆞ다 자타〈옛〉다하다. 없애다. =다ᄋᆞ다¹❶. ¶실올매나 터럭근매나 다ᄋᆞ디 몯호미 이시면(絲毫不盡則)≪飜小 Ⅷ:15≫.

다음[1] 명 ①어떠한 차례의 바로 뒤나 시간이 지난 뒤 또는 일이 끝난 뒤. ¶～ 공일/우리 집 ～ 집/일을 끝낸 ～ 쉬어라. ②사물의 둘째. ③한 층 낮은 자리. ④버금. 준담.

다음-가다 자 표준 삼는 품위나 차례의 다음에 가다. 버금가다. ¶장관 다음가는 지위.

다음[2]【多淫】명 과도한 음사(淫事). 음욕(淫慾)이 지나치게 왕성함. ――-하다 형여불

다음[3]【多飮】명 술을 많이 마심. 주량이 큼. ――-하다 자타여불

다음 기호【一音記號】명〖악〗'다' 음(音)의 위치를 정하는 기호. 시 클레프(C clef). 가온음자리표.

다음-날 명 다음에 오는 날. 훗날. 준담날.

다음-다음 명 다음의 다음. 준담담.

다음-달 [―딸] 명 이달 다음에 오는 달. 내월(來月). 훗달. 준담달.

다음-자【多音字】[―짜] 명〖언〗둘 이상의 음가(音價)를 갖는 문자. 김(金)과 금(金), 도(度)와 탁(度) 등.

다음-자리표【一音一標】명〖악〗가온음자리표. 다음(音) 기호(記號).

다-음절【多音節】명〖언〗셋 이상으로 된 음절.

다음절-어【多音節語】명〖언〗세 음절 이상으로 된 말.

다음-주【一週】[―쭈] 명 다음에 오는 주(週). 내주(來週). 준담주.

다음-해 명 금년 다음에 오는 해. 내년. 준담해.

다의[1]【多義】[―/―이] 명 ①한 언어가 많은 의미를 가짐. ②언어의 의미가 분명하지 아니함. ¶애매 ～하나. ――-하다 형여불

다의[2]【多疑】[―/―이] 명 의심이 많음. ――-하다 형여불

다의 도형【多義圖形】[―/―이―] 명〖심〗반전 도형(反轉圖形).

다의-성【多義性】[―썽/―이썽] 명〖언〗한 말에 많은 의미를 갖는 현상. 또, 그런 말의 특성.

다의의 허위【多義一虛僞】[―/―이에―] 명〔fallacy of equivocation〕〖논〗추리에 있어서, 동일한 명사(名辭)가 다의일 때 허위가 생기는 논증(論證)을 이름. 보통 매개념(媒槪念)이 여러 가지 뜻을 가질 경우가 많으므로 매개념 모호(模糊)의 허위가 그 대표적임. 일구 다의(一句多義)의 허위.

다의-현【多義峴】[―/―이―] 명〖지〗황해도 평산읍(平山邑) 남쪽 40 km 지점에 있는 재.

다이[1] 명〖화〗↗다이너마이트(dynamite).

다이[2]【多異】명 많이 다름. ――-하다 형여불

-다이 미〈옛〉-답게. -되게. -대로. =-다비·-ᄃᆞ이. ¶實다이 니ᄅᆞ쇼셔(如實說)≪妙蓮 Ⅰ:165≫/법다이 밍ᄀᆞ기를 됴히 ᄒᆞ엿ᄂᆞ니라(如法做的好)≪老乞 上 24≫.

다이구 부〈방〉대고(충남).

다이내믹〔dynamic〕명 동적(動的). 역학적(力學的). 활동적. ――-하다 형여불

다이내믹 램〔dynamic RAM〕명〖컴퓨터〗동적 램.

다이내믹 마이크로폰〔dynamic microphone〕명 마이크로폰의 형식의 하나. 강한 자장(磁場) 속에 놓인 도체(導體)가 음파 따위로 진동하면, 그 도체의 양단자간(兩端子間)에 전압이 나타나는 현상을 이용한 것. 방송·녹음용으로 널리 쓰임.

다이내믹 미:터〔dynamic meter〕의명 지표상에 있어서 중력 포텐셜(potential)을 나타내는 단위. $10^5 cm^2/sec^2$ 을 1다이내믹 미터로 함.

다이내믹스〔dynamics〕명 역학(力學). 특히, 동역학(動力學).

다이내믹 스피:커〔dynamic speaker〕명 확성기의 하나. 강력한 자장(磁場) 내에 가동 코일(可動coil)을 삽입하고 여기에 음성 전류(音聲電流)를 통하여 전기 에너지를 음성 에너지로 바꾸게 된 스피커. *마그네틱 스피커.

다이너마이트〔dynamite〕명 처음에는 니트로 글리세린(nitro glycerin)을 기제(基劑)로 하여 이것을 규조토(硅藻土)·목탄·면화약(綿火藥) 등에 흡수시켜 만든 폭약. 1866 년 스웨덴의 노벨이 발명하였음. 준다이.

다이너모〔dynamo〕명〖전〗발전기. 자계(磁界)내에서 운동하는 도체(導體)에 발생하는 기전력(起電力)을 이용하여 기계(機械) 에너지를 전기(電氣) 에너지로 변환(變換)하는 장치.

다이너모미터〔dynamometer〕명 동력계(動力計).

다이너모 이:론【一理論】명〔dynamo theory〕〖지〗지자기(地磁氣) 발생에 관한 이론. 지구의 중심부에는 지구의 반경의 거의 반을 차지하는 중심핵(中心核)이 있는데, 이것이 도전성(導電性)의 유동체(流動體)이므로 지구의 자전(自轉)과 함께 대류(對流) 운동을 일으켜, 그 운동 에너지가 전자기장(電磁氣場)의 에너지로 바뀜에 따라 지구 주위에 자기장(磁氣場)이 생긴다고 하는 이론. 다른 천체의 자기(磁氣)의 성인(成因)도 이와 같다고 함.

다이너미즘 〔dynamism〕 명 ①〖철〗 역본설(力本說). ②〖미술〗 현대 사회에 있어서의 기계나 인간의 힘찬 움직임을 회화(繪畫)·조각에 표현하려는 미술상의 한 주의(主義). 미래파(未來派)나 일부의 큐비스트(cubist)에 의해 주장되어 작품으로서 표현되었음.

다이너스 클럽 〔Diners Club〕 명 미국의 신용 판매 회사. 호텔·백화점·레스토랑 따위의 많은 가맹점을 가진 국제적 조직으로 크레디트 카드를 발행함.

다이넬 〔Dynel〕 명 미국 유니온 카바이드 회사(Union Carbide Corporation)에서 개발한 합성 섬유의 단섬유(短纖維) 명칭. 염화 비닐 56-60%와 아크릴로니트릴 40-44%의 공중합물(共重合物)을 원료로 한 것으로, 모포·양말·군복 등의 감으로 쓰임.

다이닝 〔dining〕 명 식사.

다이닝 룸: 〔dining room〕 명 식당❶.

다이닝 카: 〔dining car〕 명 식당차.

다이닝 키친 〔dining kitchen〕 명 식사를 할 수 있는 부엌. 식당과 부엌을 겸한 방. 약칭:디 케이(D.K.).

〈다이달로스〉

다이닝 테이블 〔dining table〕 명 식탁(食卓).

-다이다 어미 〈옛〉-더이다. =-다이다. ¶또 이 곧다이다(亦復如是)《妙蓮 Ⅱ:248》.

다이달로스 〔Daidalos〕 명 〖신〗 그리스 신화에 나오는 명장(名匠). 미노스왕(Minos王)을 위해 미궁(迷宮)을 만들었는데, 나중에 그의 미움을 사서 이곳에 유폐되자, 털깃과 납으로 날개를 만들어 아들 이카로스(Ikaros)와 함께 탈출하였다 함.

다이라노 기요모리 〔平清盛:たいらのきよもり〕 명 〖사람〗 일본 헤이안(平安) 시대 말기의 다이라씨(平氏)의 수장(首長). 미나모토씨(源氏)의 세력을 타파하고 태정 대신(太政大臣)이 되었고, 왕실과 인척을 맺어 외척으로서 득세(得勢)하였으나, 그가 죽은 몇 년 후에 다이라씨는 쇠멸되었음. [1118-81]

다이렉트 리스폰스 마:케팅 〔direct response marketing〕 명 매주(賣主)가 중간 상인이나 소매점·판매장 등 유통 경로를 이용하지 않고, 광고나 방문 판매 등을 통하여 고객으로부터 주문(注文)을 받거나 자료 청구 등에 응하는 기업 활동.

다이렉트 메일 〔direct mail〕 명 상품 따위를 선전하기 위하여, 특정의 고객층에게 우편으로 보내는 편지나 카탈로그 따위.

다이렉트 킬 〔direct kill〕 명 배구에서, 상대편에서 넘어오는 공을 전위(前衛)가 뛰어오르면서 직접 때리는 일.

다이렉트 터치 〔direct touch〕 명 ①배구에서, 후위(後衛)로부터 패스되어 온 공을 세터를 거치지 않고 전위가 터치하는 동작. ②럭비에서, 킥오프로 찬 공 또는 드롭 아웃 뒤의 킥이, 경기자나 땅바닥에 닿지 않고 직접 터치에 들어간 경우를 이름. 「을 직접 터치하는 일.

다이렉트 푸시 〔direct push〕 명 배구에서, 상대편으로부터 넘어온 공

다이록신 〔thyroxin〕 명 〖생〗 '티록신(Thyroxin)'의 영어명.

다:-이를까 감 너무나도 분명히 옳으므로 더 자세한 설명을 할 필요가 없다는 뜻. 항상 의문형(疑問形)으로 쓰이는데, 공대법에 따라 어미가 변화함. ¶~ 행복은 마음 속에 있다는걸.

다이모니온 〔ㄱ daimonion〕 명 ①〖철〗 〔불가사의(不可思議)·신령적(神靈的)인 것의 뜻〕 특히, 소크라테스에게 금지(禁止)의 소리로서 나타난 신성(神性). ②예술적 창작 의욕.

다이모스 〔ㄷ Deimos〕 명 〖천〗 화성의 제2 위성(衛星). 1877년 홀(Hall, A.)이 발견하였음. 반지름 6 km, 궤도의 반장경(半長徑)은 화성 적도의 6.92배이고 공전 주기는 1.2624 일(日)임. *포보스(Phobos).

다이묘: 〔大名:だいみょう〕 명 〖역〗 일본 헤이안(平安) 시대 말기에서 중세에 걸쳐 넓은 영지를 소유하던 봉건 영주. 특히, 에도(江戸) 시대에 도쿠가와(德川) 장군에 직속된 1만 석(石) 이상의 영지를 소유하던 무사 영주(武士領主)를 일컬음.

다이버 〔diver〕 명 잠수부(潛水夫).

다이버:시티 방식 【一方式】 〔diversity〕 명 〖전〗 단파 통신 방법의 한 가지. 전파(電波)의 전파(傳播) 도중에 일어나는 페이딩(fading)을 제거하고, 항시 일정한 강도로 수신할 수 있게 한 방식으로, 중(中)·원(遠)거리의 고정국간(固定局間) 통신에 이용됨. 「을 제거하는 장치.

다이버:터 〔diverter〕 명 핵융합로(核融合爐)에서, 내부에 괴는 불순물

다이브 〔dive〕 명 ①잠수. ②비행기의 급각도 강하.

다이브 태클 〔dive tackle〕 명 럭비에서, 점프하여 뛰어드는 태클.

다이빙 〔diving〕 명 ①높은 곳에서 물 속으로 뛰어드는 헤엄법. ②비행기의 급강하(急降下). ——-하다 자 여불

다이빙 경:기 【一競技】 〔diving〕 명 수상 경기의 하나. 다이빙하는 동작의 자세와 형(型)의 우열(優劣)을 겨룸.

다이빙-대 【一臺】 〔diving〕 명 다이빙을 하기 위하여, 수중에 떨어질 수 있는 장소에 일정한 높이로 만들어 놓은 대. 다이빙 보드(diving board).

다이빙 보:드 〔diving board〕 명 다이빙대(臺).

다이빙 선:수 【一選手】 〔diving〕 명 다이빙 경기를 하는 선수.

다이빙 패스 〔diving pass〕 명 럭비에서, 스크럼 하프가 패스를 멀리 하기 위하여 점프하여 행하는 패스.

다이세인 〔Dithane〕 명 〖농〗 지넵(zineb)과 나밤(nabam)을 유효 성분으로 하는 농업용 살균제의 상품명.

〈다이스²〉

다이스¹ 〔dice〕 명 서양의 주사위. 또, 몇 사람이 주사위 2-5개를 가지고 승부를 겨루는 노름.

다이스² 〔dies〕 명 〖기〗 암나사의 일부가 칼날로 된 것으로서, 수나사를 깎는 공구(工具).

다이시 〔Dicey, Albert Venn〕 명 〖사람〗 영국의 법학자. 1882-1909년 옥스퍼드 대학 교수로 재직함. 주저 ≪19세기 영국에 있어서의 법과 세론(世論)≫·≪헌법 연구 서설(序說)≫은 영국 헌법 이론의 고전(古典)이라고 불림. [1835-1922]

다이아 〔dia〕 명 ①↗다이어그램❷. ②↗다이아몬드. ¶~ 반지.

다이아몬드 〔diamond〕 명 ①〖광〗 금강석(金剛石). ②야구장의 내야(內野). 야구장 자체를 말하기도 함. ③4½ 포인트 되는 작은 서양 활자(活字). ④트럼프 패의 하나. 붉은 빛의 마름모가 그려져 있음. 준 다이아.

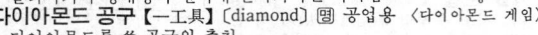

〈다이아몬드❹〉

다이아몬드 게임 〔diamond game〕 명 실내 유희의 한 가지. 다이아몬드형의 선을 그은 말판에서, 세 사람이 각각 자기 말밭에 있는 말을 건너편 자기 말밭에 제일 빨리 이동시킨 사람이 이김. 말은 반면(盤面)의 선에 따라 한 말씩 앞으로 나가는데, 자기의 말이건 상대방의 말이건 1개만은 뛰어넘되 2개 이상 줄지어 있는 것은 넘을 수 없으며, 뒤로 물러서거나 상대방의 진지에 들어가서는 아니됨.

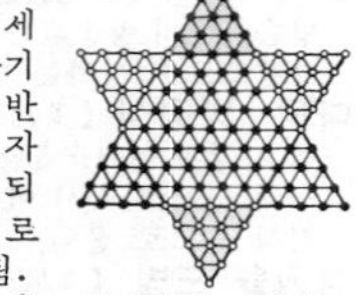
〈다이아몬드 게임〉

다이아몬드 공구 【一工具】 〔diamond〕 명 공업용 다이아몬드를 쓴 공구의 총칭.

다이아몬드 더스트 〔diamond dust〕 명 세빙(細氷). 다이아몬드 포그.

다이아몬드 바늘 〔diamond〕 명 LP 레코드용 바늘의 하나. 쇠로 된 지지체(支持體)의 끝에 접착되어 있는, 바늘 끝의 일부분에 다이아몬드를 사용한 것. 보통, 200-300시간의 연주 수명(演奏壽命)이 있음.

다이아몬드 보:링 〔diamond boring〕 명 〖기〗 다이아몬드 비트를 사용한 회전식 보링. 광상 탐사(鑛床探査)와 지질 조사를 위하여 많이 쓰임. 「어 넣은, 보링에 쓰이는 절삭기(切削器).

다이아몬드 비트 〔diamond bit〕 명 〖기〗 다이아몬드를 날카롭게 만들

다이아몬드 포그 〔diamond fog〕 명 극한(極寒) 지방에서, 작은 판상(板狀) 혹은 주상 결정(柱狀結晶)의 무수한 빙정(氷晶)이 공중에서 내리는 현상. 극히 저온(低溫)의 대기 중에서 수증기가 직접 동결(凍結)한 것으로, 태양빛을 받아서 반짝반짝 빛남. 세빙(細氷). 다이아몬드 더스트(diamond dust).

다이아몬드 헤드 〔Diamond Head〕 명 〖지〗 미국 하와이 주(州) 오아후(Oahu) 섬의 사화산(死火山). 호놀룰루 동쪽에 위치하며 분화구 안에 병원(病院)이 있음. 태평양으로 돌출한 곳으로서, 관광지로 유명함. [232 m].

다이아몬드-혼식 【一婚式】 〔diamond〕 명 결혼 기념식의 하나. 부부가 결혼한 후 만 60년, 미국에서는 75주년 되는 해에 행하는 축하식(祝賀式). 회혼례(回婚禮). *지혼식(紙婚式).

다이아진 〔diazine〕 명 〖약〗↗술파다이아진.

다이애나 〔Diana〕 명 ①〖신〗 로마 신화의 수목(樹木)의 여신(女神). 아폴로의 누이동생. 그리스 신화의 아르테미스와 동일시(同一視)되어, 달과 수렵(狩獵)의 여신이 됨. 디아나. ②여류 수렵가(女流狩獵家).

〈다이애나❶〉

다이애미트럴 피치 〔diametral pitch〕 명 〖기〗 톱니바퀴의 이의 수를 피치원(圓)의 직경으로 나눈 수치.

다이어그램 〔diagram〕 명 ①도표(圖表). 도식(圖式). ②열차 운행표. 준 다이아. ③행사 예정표 또는 진행표.

다이어리 〔diary〕 명 일기(日記). 일기장.

다이어스포어 〔diaspore〕 명 〖광〗 알루미나와 물을 성분으로 하는 광물. 결정은 사방정계(斜方晶系)이고, 유리 광택(光澤)을 가지며 무색 투명함. 보통, 백색·회색(灰色)·담갈색(淡褐色)의 덩어리로 된 알루미늄의 광석으로 내화재(耐火材)로 쓰임.

다이어토닉 〔diatonic〕 명 〖악〗 임시음이 없는 전음(全音).

다이어트 〔diet〕 명 미용·건강을 위해서, 살이 찌지 않도록 섭취하는 규정식(規定食). 또, 살이 너무 찌지 않도록 먹는 것을 제한하는 일.

다이어트 식품 【一食品】 〔diet〕 명 다이어트 푸드.

다이어트 푸:드 〔diet food〕 명 살찌지 아니하도록 주의하여야 할 사람이 섭취하는 음식. 젤라틴처럼 영양은 없으나 위(胃)에 충만감을 주는 것이 효과적이라고 함. 다이어트 식품.

다이어프램 압력계 【一壓力計】 〔一녁一〕 명 〔diaphragm pressure gauge〕 금속 또는 비금속 막(膜)에 가해지는 압력에 의해 생기는 막의 변형의 크기로 압력을 측정하는 계기. 고압용에는 강판(鋼板), 저압용에는 고무·플라스틱 등이 사용됨.

다이어프램 펌프 〔diaphragm pump〕 명 부식성(腐蝕性)·독성(毒性)·방사성 등의 액체를 압송(壓送)하는 데 적합한 왕복 펌프의 한 변형. 격막(隔膜) 펌프.

다이얼 〔dial〕 명 〖기〗 ①시계·나침반 등의 지침면(指針面). 문자반(文字盤). ②여러 가지 계기류(計器類)의 눈금판. 계기반(計器盤). ③갱내용(坑內用)의 나침의(羅針儀). ④자동식 전화기의 숫자반. ⑤라디오에서 사이클의 눈금이 그려져 있는 숫자판(數字板). 바늘판(板).

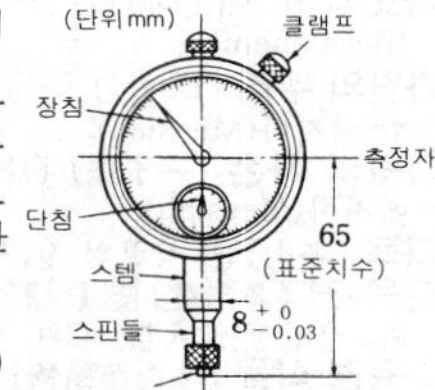

〈다이얼 게이지〉

다이얼 게이지 〔dial gauge〕 명 〖기〗 평면의 요철(凹凸), 축(軸)의 중심의 편재(偏在) 등을 검사하는 측정기. 막대기의 끝을 검사하려는 물건에 접촉시키면 이것이 톱니바퀴 장치를 통해 바늘을 움직임. 다이얼 인디케이터(dial indicator).

다이얼렉트 〔dialect〕 명 〖언〗 방언(方言). 토어(土語).

다이얼렉틱 〔dialectic〕 명 〖철〗 변증법(辯證法).

다이얼로그 〔dialogue〕 명 ①문답(問答). 대화(對話). 회화(會話). ↔모놀로그(monologue). ②대화극(對話劇).

다이얼-상 【一賞】〔Dial〕 명 〖문〗 미국의 문예 잡지 '다이얼'에 의해서 시상되던 문학상. 주로 현대주의 시파(詩派)에 수여되었으며, 1929년 그 잡지의 폐간과 동시에 없어졌음.

다이얼 인디케이터 〔dial indicator〕 명 〖기〗 다이얼 게이지.

다이오:드 〔diode〕 명 〖물〗 전자 현상(電子現象)을 이용하는 이단자 소자(二端子素子)의 총칭. 원래는 양극과 음극의 이극(二極) 진공관을 지칭하였으나, 오늘날에는 전극을 두 개 가진 반도체 즉 반도체 다이오드를 일컬음. 정류(整流) 기능을 이용하여 검파기·정류기 등에 쓰임.

다이옥신 〔dioxin〕 명 〖화〗 환경 호르몬의 하나로 맹독성(猛毒性) 유기 염소 화학물(有機塩素化合物). 폴리 염화 디벤조파라디옥신(polychlorinated dibenzoparadioxins)의 약칭. 70여 종의 이성질체(異性質體) 중에서 2, 3, 7, 8-테트라클로로디벤조파라디옥신(tetrachlorodibenzoparadioxin)이 가장 독성이 강함. 물에 잘 녹지 않으며, 미량(微量)이라도 장기간 섭취하면 암 발생·태아(胎兒)의 기형화(畸形化)·남성의 정자(精子) 감소 등을 일으킴. 근래, 쓰레기 소각·디젤차의 배기(排氣) 가스 등에서 발생하기 때문에 크게 사회 문제로 대두되고 있음.

다이제스트 〔digest〕 명 ①적요(摘要). ②법률. ③요약(要約)된 저작물·영화·기록 따위. ④〔Digest〕↗리더스 다이제스트.
「믿는 신(神).

다이주 명 〖민〗 8-9세 된 소녀의 손가락을 신체(神體)로 하는, 여자만이

다이즈니 타 〈옛〉 때리니. 치니. '다잊다'의 활용형. ¶ 버드리 旌旗를 다이즈니 이스리 므르디 아니ᄒᆞ얫도다(柳拂旌旗露未乾)《杜諺 Ⅵ:5》.

다이 촨셴 〔戴傳賢〕 명 〖사람〗 중국의 정치가. 자는 지타오(季陶), 호는 톈처우(天仇). 쑨 원(孫文)의 비서. 1928년 국민 정부 고시원장(考試院長). 저서 《쑨원주의의 철학적 기초》. 대전현. [1882-1949]

다이 캐스팅 〔die casting〕 명 〖공〗 구리·알루미늄·주석·납 등의 주물용(鑄物用) 합금을 녹여서, 강철로 만든 주형(鑄型)에 압력을 가하여 눌러 넣는 주조법. 기술적으로 대량 생산에 적합하여 자동차·타이프라이터·사진기 등의 부분품과 여러 가지 톱니바퀴 등의 제조에 사용됨.

다이폴: 안테나 〔dipole antenna〕 명 단파 또는 초단파에서 사용하는 중파장(中波長) 안테나. 안테나의 전장(全長)이 방송 파장의 2분의 1
⌊이 됨.

다이-호 【多耳壺】 명 〖고고학〗 여러귀 항아리.

다익-팬 【多翼一】〔fan〕 명 회전 방향으로 오목하게 만곡(彎曲)한 원호상(圓弧狀)의 날개가 여러 개 달린 원심식(遠心式) 팬. 공기 조절 기기 및 건물·선박 등의 환기·통풍에 널리 쓰임. 시로코(sirocco) 선풍기.

다인 〔dyne〕 의명 〖물〗 힘의 시 지 에스(C.G.S.) 절대 단위. 질량 1g의 물체에 작용하여 1초 동안에 1cm의 가속도를 내는 힘. 약호:dyn.

다인-방 【多人房】 명 〖역〗 다인청(多人廳).

다-인수 【多人數】 명 많은 인원수. 많은 사람.

다인수 교:육 【多人數敎育】 명 〖교〗 큰 교실에서 텔레비전·영화·슬라이드 등 시청각 교재를 써서 많은 인원에게 동시 강의하는 일. 미국의 주립 대학 등, 많은 학생이 있는 대학에서 발달하여 효과를 올리고 있음.

다인스 풍속계 【一風速計】〔Dines〕 명 풍압(風壓)을 이용하여 순간 풍속(瞬間風速)을 자동 기록하는 장치. 물을 담은 탱크·브이·깃에 연결한 연관(鉛管)·자기 원통(自記圓筒) 등으로 이루어짐. 영국의 기상학자 다인스(Dines, William Henry; 1855-1927)의 이름을 땀.

다인-청 【多人廳】 명 〖역〗 조선 시대 때, 액정서(掖庭署)의 한 직소(職所). 궁궐에서 시중을 드는 환관(宦官)이 있던 곳.

다일 【多日】 명 여러 날.

다일레이턴시 〔dilatancy〕 명 〖물〗 입자(粒子)가, 강력하고 급격한 외력(外力)에 의해서 액체를 흡수하여 부풀어 굳어지는 현상. 이를테면 바닷가의 모래 위를 걸을 때 밟은 자리가 갑자기 물기를 잃는 것처럼 보이는 따위. 레이놀즈 현상(Reynolds現象).

다임[1] 명 〈방〉 대님(경상).
「트의 액면 가격을 가짐.

다임[2] 〔dime〕 의명 미국 은화(銀貨)의 단위. 달러의 10분의 1, 곧 10센

다임 노블 〔dime novel〕 명 〔10센트 소설의 뜻. 1860년에 미국에서 주로 소년들을 상대로 저속한 모험 소설을 출판하기 시작한 것에서 유래〕 염가판(廉價版)·저속본(低俗本)을 가리킴.

다임러 〔Daimler, Gottlieb〕 명 〖사람〗 독일의 기계 기술자. 1883년, 오늘날 자동차 기관의 원형이 된 소형 고속(高速) 가솔린 기관을 발명하여 1885년에 이륜(二輪) 자동차, 1886년에 사륜(四輪) 자동차 제작에 성공함. 가솔린 자동차 발명자로 불림. [1834-1900]

다임러 벤츠 회:사 【一會社】〔Daimler-Benz A.G.〕 명 서독의 자동차 회사. 1882년에 창업한 다임러 공장과 1883년에 창업한 벤츠 공장이 1926년에 합병, 철저한 기술 중심으로 메르세데스 벤츠 등을 양산(量産)함.
「어듭고(拂雲霾楚氣)《初杜諺 XX:2》.

다잇다 타 〈옛〉 때리다. 치다³. =다잊다. ¶ 구루메 다잇는 楚ㅅ 氣運이

다잊다 타 〈옛〉 때리다. 치다³. ¶ 擊은 다이즐씨라《月釋 Ⅱ:14》.

다ᄋᆞ다[1] 자타 〈옛〉 ①다하다. 없애다. =다오다¹·다으다. ¶ 하ᄂᆞᆯ 목수미 다ᄋᆞ면《釋譜 Ⅸ:19》. ②다되다. 없어지다. ¶ 窮은 다ᄋᆞᆯ 씨라《月序 17》.

다ᄋᆞ다[2] 타 〈옛〉 닦다. 쌓다. 수축(修築)하다. =다오다². ¶ 마톨 다ᄋᆞ고 穀食 收斂ᄒᆞ야 委積 보아호ᄆᆞᆯ(築場看斂積)《重杜諺 Ⅶ:18》.

다ᇝ없다 형 〈옛〉 다함 없다. 무궁(無窮)하다. ¶ 기리 다ᇝ업시 드리울디니라(永永垂無窮)《杜諺 Ⅳ:23》.

-다이다 어미 〈옛〉 -더이다. =-다이다. ¶ 부텻 恩惠갑ᄉᆞ오ᄆᆞᆯ ᄒᆞ마 得호미 ᄃᆞ외와라 ᄒᆞ다이다(則爲己得報佛之恩호라타이다)《妙蓮 Ⅱ:251》.

다자 【多紫】 명 〖건〗 검은 주홍빛이 나는 안료(顔料).

다자간 섬유 협정 【多者間纖維協定】 명 〖경〗 엠 에프 에이(MFA)의 역어(譯語).
「이요…. ②마구⁶.

다자꾸 부 〈방〉 ①부득부득¹(평북). ¶ 이건 ~ 애를 못 낳는다고 구박

다-자녀 【多子女】 명 자녀가 많음. ——-하다 형여불

다-자손 【多子孫】 명 자손이 많음. ——-하다 형여불

다-자엽 【多子葉】 명 〖식〗 하나의 싹이 틀 때, 세 개 이상의 자엽이 생기는 일. *쌍자엽(雙子葉)·단자엽(單子葉).

다자엽 식물 【多子葉植物】 명 〔polycotyledon〕 〖식〗 배(胚)에 자엽을 세 개 이상 갖추고 있는 식물. 소나무 따위. *쌍자엽 식물·단자엽 식물.

다자엽 종자 【多子葉種子】 명 〖식〗 배주에 자엽을 세 개 이상 가진 씨.

다자인 〔도 Dasein〕 명 〖철〗 본질적 존재에 대한 구체적·개별적 존재. 하이데거(Heidegger)의 경우에는 '현존재(現存在)'라고 번역되며 특히 사람의 현실적 생존을 나타내는 존재론적 개념으로서 사용됨. 생존(生存). 정재(定在). ↔조자인(Sosein).

다작 【多作】 명 ①작품 따위를 많이 제작함. ↔과작(寡作). ②농산물이나 물품을 많이 만듦. ——-하다 타여불

다작-가 【多作家】 명 예술 작품을 많이 지어 낸 사람. ↔과작가(寡作家).

다잡다 타 ①감독을 철저히 하여 힘써 일하게 하다. ②마음을 써서 일을 처리하다. ③헛된 마음이나 들뜬 마음을 버리다. ¶ 마음을 다잡고 공부에만 열중하다.

다잡-이 명 늦추어진 것을 바싹 잡아 죄는 짓. ——-하다 타여불

다장-근 【多漿根】 명 〖식〗 저장근(貯藏根) 중 당근·무와 같이 즙액을 많이 함유하는 뿌리.

다장 식물 【多漿植物】 명 〖식〗 줄기나 잎이 살쪄서 그 안에 저수(貯水) 조직이 있고, 많은 수분을 함유함으로써 건조에 잘 견디는 식물. 선인장 따위. *다육(多肉) 식물.

다장애 해:저 【多障碍海底】 명 〔foul bottom〕 〖해〗 단단하고 울퉁불퉁하고 바위가 많으며 장애물이 있는 해저. 닻을 고정시키기에 부적당한 곳임.
「시 장조(C長調).

다-장조 【一長調】〔一쪼〕 명 〖악〗 '다'음을 기음(基音)으로 하는 장조.

다재 【多才】 명 재주가 많음. ¶ ~ 다능(多能). ——-하다 형여불

다재 다병 【多才多病】 명 재주가 많은 사람은 흔히 약하고 잔병이 많다는 말.
「로 썹어 먹게 되는 병.

다적 【茶積】 명 〖한의〗 차(茶)를 너무 좋아하여 나중에는 마른 차를 그대

다전 선:고 【多錢善賈】 명 밑천이 많으면 마음대로 장사를 잘할 수 있
⌊다는 뜻.

다절-류 【多節類】 명 〖충〗 진정 촌충류(眞正寸蟲類).

다점[1] 【多占】 명 〖경〗 완전한 자유 경쟁과 독점의 중간에서 일어나는 상품 매매의 한 형태. 상품의 공급자나 수요자가 많은 상품을 퇴장(退藏)하여 가격을 인위적으로 좌우하는 경우임.

다점[2] 【多點】〔一쩜〕 명 ①점수가 많음. ②점이 많음. ——-하다 형여불

다점[3] 【茶店】 명 다방. 찻집.

다정[1] 【多情】 명 ①정이 많음. 인정이 많음. ¶ ~ 다감(多感). ↔박정(薄情). ②교분(交分)이 두터움. ¶ ~한 친구. ——-하다 형여불. ——-히 부

다정[2] 【多精】 명 〖생〗 한 개의 난자(卵子)에 많은 정자(精子)가 들어가는 현상. ↔단정(單精).

다정[3] 【茶亭】 명 ①〖역〗 진찬(進饌) 때에 쓰는 기구의 하나. 은으로 만든 다관(茶罐)과 다종(茶鍾)을 올려 놓아 어좌(御座)의 오른편, 곧 치사안(致詞案)의 맞은편에 놓음. ②다정자(茶亭子). ③간단한 다방(茶房).

〈다정³❶〉

다정[4] 【茶精】 명 〖화〗 '카페인(caffeine)'의 한자 이름.

다정 다감 【多情多感】 명 다정하고 다감함. 애틋한 정도 많고 느끼는 생각도 많음. 감수성(感受性)이 많아 잘 느낌. 다감 다정. ——-하다 형여불

다정 다한 【多情多恨】 명 유난히 잘 느끼고 또 원한도 잘 가짐. 애틋한 정도 많고 한스러운 일도 많음. ——-하다 형여불

다정-미 【多情味】 명 다정스러운 맛이나 느낌.

다정 불심 【多情佛心】〔一씸〕 명 다정 다감(多情多感)하고 착한 마음.

다정 수정 【多精受精】 명 〖생〗 수태 과정에서 특수하게 두 개 이상의 정자로 되는 수정. *다정(多精).

다정-스럽다 【多情一】 형ㅂ불 다정한 태도가 있다. ¶ 다정스러운 사이. 다정-스레 【多情一】 부

다-정자 【茶亭子】 명 다구(茶具)를 벌여 놓는 탁자. 다정(茶亭). *다탁(茶卓).

다정큼-나무 명 〖식〗 [*Rhaphiolepis umbellata*] 능금나뭇과에 속하는 상록 활엽 관목(灌木). 잎은 타원형인데 두껍고 가에 둔한 톱니가 있음. 여름에 흰 오판화(五瓣花)가 원추(圓錐) 화서로 정생하며 가을에 까만 이과(梨果)를 맺음. 해변의 산록 양지에 나는데, 전남 및 일본 등지에 분포함. 관상용이고 수피(樹皮)는 망(網)의 물감용으로 쓰임.

〈다정큼나무〉

다져-쌓기 〔一싸키〕 명 〖고고학〗 건축물의 기단(基壇)·토벽(土壁) 등의 축조법(築造法). 흙을 얇은 층상(層狀)으로 다져서 쌓아 올리는 방법. 고대 중국의 은대(殷代)·전국 시대(戰國時代)에 성행(盛行)하였으며, 오늘날까지 전승(傳承)됨.
「곡조. *조호(調號).

다-조[1] 【一調】〔一쪼〕 명 〖악〗 '다'음(音)을 주음(主音)으로 하여 구성된

다조[2] 【多照】 명 농작물에 볕의 쬠이 많음. ——-하다 형여불

다조[3] 【多調】 명 〖악〗 다조성(多調性).

다조-기 【多照期】 명 볕이 쬐는 시간이 많은 시기.

다조-성 【多調性】〔一썽〕 명 〔polytonality〕 〖악〗 몇 개의 조성(調性)을 갖는 성부(聲部)가 동시에 진행하는 일. 다조(多調).

다조-장 【多助章】〔一짱〕 명 용비어천가 제118장의 이름.

다조지다 타 일을 급하게 조지다. 바싹 쾌치어 몰아치다.

다족¹【多足】명 ①많고 넉넉함. ②발의 수효가 많음. ——-하다 형여불

다족²【多族】명 친족(親族)이 많음. 번족(蕃族)함. ——-하다 형여불

다족-류【多足類】[—뉴] 명〖동〗다지류(多肢類).

다종¹【多種】명 많은 종류. 종류가 많음. ——-하다 형여불

다종²【茶鍾】명 ①옛날에 차를 따라 마시던 그릇. 사기·놋·은 따위로 만드는데, 꼭지가 달린 뚜껑이 있고, 잔대(盞臺)의 굽이 썩 높음. *다정(茶亭). ②차종. ——-하다 형여불

다종 다양【多種多樣】명 종류가 많고 그 양식이나 모양이 여러 가지임.

다-종류【多種類】[—뉴] 명 많은 종류. 여러 종류.

다-종목【多種目】명 많은 종목. 여러 종목.

다좆-치다 타 '다조지다'의 힘줌말.

다좇다 타〈옛〉다좆치다. ¶ 다조차 자바오라 ᄒᆞ시니《釋譜 Ⅵ:46》/ 다조촐 박(迫)《類合 下 62》.

다죄【多罪】명 ①죄가 많음. ②무례한 말이나 과언(過言)을 사과할 때 '다사(多謝)'와 같은 뜻으로 쓰는 말. ¶ 망언(妄言) ~.

다죄다 타 다지어 죄다.

다중¹【多重】명 여러 겹으로 겹침.

다중²【多衆】명 많은 사람. 여러 사람.

다중 방:송【多重放送】명 ↗다중식 방송.

다중 불해산죄【多衆不解散罪】[—쬐] 명〖법〗폭행·협박 또는 손괴(損壞)할 목적으로 다중이 집합하여, 그를 단속할 권한이 있는 공무원으로부터 3회 이상의 해산 명령을 받고도 해산하지 아니함으로써 성립하는 죄. 순정 부작위범(純正不作爲犯)의 대표적 예.

다중 산:란【多重散亂】[—살—] 명〔multiple scattering〕〖물〗하나의 입자가 수많은 충돌을 반복하는 과정. 운동량의 변화는 개개의 충돌로써 일어나는 작은 변화의 합과 같음.

다중-성【多重星】명〖천〗천구(天球) 위에서 서로 근접하여 있는 두 개 이상의 항성(恒星)들. 복성(複星). 중성(重星).

다중식 방:송【多重式放送】명 한 주파수로 복수의 프로그램을 동시에 내보내는 라디오·텔레비전 방송. 음성·문자 등의 2개 국어 동시 방송이나 스테레오 방송 외에, 정지화(靜止畫) 방송·팩시밀리 방송 따위가 있음. 준다중 방송.

다중 적분【多重積分】명〖수〗중적분(重積分).

다중 전:화 방식【多重電話方式】명 단일 전화 케이블 또는 단일한 무선 회선(回線)을 가지고 두 개 이상의 통신로를 구성할 수 있는 전화 방식.

다중-점【多重點】[—쩜] 명〖수〗중복점(重複點).

다중 처:리【多重處理】명〔multi-processing〕두 개 이상의 프로그램을 한 대의 컴퓨터를 사용하여 동시에 복수(複數)의 처리를 행하는 일.

다중 처:리 시스템【多重處理—】명〔multiprocessing system〕〖컴퓨터〗하나의 공유 기억 장치에 2개 이상의 하드웨어 처리기가 배열되어 여러 개의 프로그램을 동시에 실행하는 컴퓨터 시스템.

다중-탑【多重塔】명 삼중탑(三重塔)·오중탑(五重塔) 따위처럼 여러 층으로 되어 있는 탑. 다층탑(多層塔).

다중 통신【多重通信】명 통신 전송로(傳送路)의 한 회선(回線)을 사용하여 수많은 통신로를 동시에 구성하는 유선 및 무선 통신의 총칭.

다중 표적 발생기【多重標的發生器】[—쌩—] 명〔multiple target generator〕〖전자〗적의 레이더 장치에 복수(複數)의 허위 응답 신호(應答信號)를 일으키는, 전자 역탐 장치(電子逆探裝置).

다중 프로그래밍【多重—】명〔multiprogramming〕〖컴퓨터〗하나의 컴퓨터 기억 장치에 두 개 이상의 프로그램을 입력시켜서, 둘 이상의 수학 또는 논리 연산이 동시에 수행될 수 있게 하는 컴퓨터 프로그래밍.

다즙【多汁】명 즙이 많음. 또, 많은 물기나 즙. ——-하다 형여불

다즙 사료【多汁飼料】명 호박·무·돼지감자 따위 물기가 많은 사료.

다지【多智】명 지혜가 많음. ——-하다 형여불

-다지¹ 미 '이'·'그'·'저'와 같은 말 뒤에 붙어서 '…에 이를 정도까지'란 뜻을 나타내는 부사 형성 접미사. ¶ 이~ 즐거운 일이 또 있겠는가 / 그~ 예쁘지 않다 / 저~ 못난 사람인 줄은 몰랐다.

-다지² 어미 ①↗-다 하지. ¶ 가겠~ 그랬느냐. ②다짐하거나 묻는 뜻을 나타내는 반말투의 종결 어미. 동사와 서술격 조사에서는 시간 표현의 선어말 어미 뒤에 쓰임. ¶ 시집갔~ / 웬 날씨가 이다지도 춥~ / 그가 장원이었~. *-ㄴ다지·-는다지.

다지기 명 칼로 난도질하여 쳐서 잘게 만드는 일. 또, 파·마늘·고추 따위를 다져서 갠 양념. *깍둑썰기·육모썰기.

다지다 타 ①어떠한 일에 뒷말이 없도록 단단하게 다잡아 아퀴짓다. ¶ 꼭 오라고 몇 번씩 ~. ②무른 것이나 떠들려진 것을 눌러서 단단하게 하다. ¶ 땅을 다지고 집을 짓다. ③음식물에 고명을 더하여 잠을 자게 하다. ¶ 김치를 담가 넣고, 다지어지라고 돌로 눌러 놓다. ④고기·야채 따위를 난도질하여서 잘게 만들다. ¶ 양념을 ~. ⑤튼튼히 하다. 강화하다. ¶ 기반을 ~. 준닺다.

다지-류【多肢類】명〖동〗[Myriapoda] 절지 동물(節肢動物)에 속하는 지네·노래기 등의 한 부류. 대개 머리와 여러 환절(環節)로 된 몸통으로 되었는데, 길고, 각 환절에는 한 쌍의 발이 달렸으며, 몸의 겉은 각소질(角素質)로 되었음. 머리에는 한 쌍의 촉각과 몇 개의 단안(單眼)이 있고, 입은 한 쌍의 큰 턱과 두 쌍의 작은 턱으로 되었음. 기관으로 호흡을 하고, 소화기에 타선(唾腺)이 있으며, 배설기(排泄器)는 말피기관(Malpighi管)이고 심장이 대롱 모양인 점 등은 곤충과 같음. 자웅 이체(雌雄異體)인데, 대개는 동물성의 먹이를 취하므로 사람에게는 간접으로 이로움. 다족류(多足類). *백족지충(百足之蟲).

다지르다 타르불〔중세 : 다디르다〕다짐받기 위하여 다지다.

다지 선:택법【多肢選擇法】명 다항(多項) 선택법.

다지-성【多脂性】[—씽] 명 지방질이 많은 성질이나 특성.

다지-증【多指症】[—쯩] 명〔polydactyly〕〖생〗손가락이나 발가락의 수효가 정상(正常)보다 많은 기형증(畸形症). 우성 유전(優性遺傳)함.

다직-하면 부 기껏 한다고 하면.

다직-해야 부 기껏 한다고 해야. ¶ 제가 ~ 2등이겠지.

다질리다 피동 다지름을 당하다.

다질어 타〈옛〉다질러. 들이받아. =다딜어. ¶ 빗 소리ᄂᆞᆫ 邊塞예 다질어 다ᄋᆞ고(雨聲衝塞盡)《重杜諺 Ⅻ:35》.

다짐¹ 명 ①단단히 다져서 확실한 대답을 받음. ¶ 단단히 ~을 받다. ②이왕에 한 일이나 또는 앞으로 할 일이 틀림 없음을 조건을 붙이어 말함. ③〖역〗조선 시대에 민간(民間)이 관부(官府)에 제출하는 서약서. ④〖역〗조선 시대에 죄인이 범죄 사실을 자백한 문서. 또, 원고의 소장(訴狀)에 대한 피고(被告)의 답변이나, 그 답변에 대한 원고의 주장. ——-하다 자타여불

다짐(을) 두다 구 ㉠다짐하다. ㉡다짐기를 써서 올리다.

다짐(을) 받다 구 ㉠단단히 다져서 확실한 대답을 받다. ㉡다짐기를 쓰게 하여 받다.

다짐²【侤音】명〈이두〉다짐¹.

다짐-기【—記】[—끼] 명 다짐을 적은 서류.

다짜-고짜 부 다짜고짜로.

다짜고짜-로 부 옳고 그름을 가리지 아니하고 단박에 들이 덤벼서. 불문 곡직(不問曲直)하고. 다짜고짜. ¶ ~ 빰을 때리다.

다채【多彩】명 ①여러 가지 빛깔이 어울려 아름다움. ②여러 가지로 많고 호화로움. ——-하다 형여불

다채-롭다【多彩—】형ㅂ불 ①각가지 빛깔이 한데 어울려 호화롭다. ②여러 가지로 많고 화려하다. ¶ 다채로운 행사. 다채-로이【多彩—】부

다채-유【多彩釉】명〖미술〗청자(青瓷)·백자(白瓷)의 단채(單彩)가 아니고 삼채(三彩)·오채(五彩)인 여러 채색의 유약(釉藥).

다처【多妻】명 ①한 남자가 둘 이상의 아내를 가짐. ¶ 일부(一夫) ~. ②여러 아내. 1)·2):↔다부(多夫).

다체 문:제【多體問題】명〖물〗서로 작용을 끼치고 있는 여러 개의 질점(質點)으로 이루어진 계(系)의 운동을 논하는 문제.

다체 웅예【多體雄蘂】명〖식〗합성 웅예(合成雄蘂)의 한 가지. 수꽃술이 넷 이상으로 됨.

다축【多畜】명 가축이 많음. ¶ ~ 농가(農家).

다축성 관절【多軸性關節】명〖생〗회전축(回轉軸)이 여러 개인 관절. 구관절(球關節)이 이에 해당함. *일축성 관절·이축성 관절.

다출 우:상 복엽【多出羽狀複葉】명〖식〗우상 복엽의 잔 잎이 또다시 각각 여러 차례 우상(羽狀)으로 된 잎. 여러번깃꼴겹잎.

다출 취:산화【多出聚繖花】명〖식〗밀산화(密繖花).

다취【多趣】명 취미가 많음. 또, 그 취미. 다취미(多趣味). ——-하다 형여불

다-취미【多趣味】명 다취(多趣). ↔몰취미(沒趣味). ——-하다 형여불

다:츠〔darts〕명〔창(槍)의 뜻〕예전부터 영국 사람들이 즐겨 하던 유희. 시계의 눈금처럼 점수가 매겨져 있는, 불(bull)이라고 부르는 둥근 표적을 약 6피트 높이에 걸어 놓고, 9피트 거리에서 창을 던져서 맞혀 승패를 가림.

〈다츠〉

다층【多層】명 층이 많음. 여러 층.

다층 건:물【多層建物】명 여러 층으로 된 건물. *고층 건물.

다층 구조 사회【多層構造社會】명〖사〗고학력화 사회(高學歷化社會)에서 여러 가지 원리(原理)·원칙(原則)이 병존(併存)하는 횡적 관계(橫的關係)와 문제 해결을 위해서는 여러 조정 단계(調整段階)를 거쳐야 하는 종적 관계(縱的關係)가 복잡하게 얽히고 있는 사회.

다층-탑【多層塔】명 탑신(塔身)이 여러 층으로 된 탑. 층의 수에 따라 삼층탑·사층탑·오층탑 등으로 불림. 다중탑(多重塔).

다층 평판【多層平版】명〖인쇄〗두 가지 이상의 다른 재질(材質)을 층상(層狀)으로 결합시킨 판재를 사용하여 만든 평판. 인쇄에 있어 화선(畫線)과 비화선(非畫線)의 구별이 뚜렷함.

다치 논리학【多值論理學】[—놀—] 명〔many valued logic〕〖논〗명제(命題)의 진리치(眞理值)를 '진(眞)'·'위(僞)'의 이치(二值)로 한정하던 전통적 논리학이나 종래의 기호(記號) 논리학에 대하여, 진위 부정(眞僞不定)의 제3의 영역을 인정하는 논리학. 현재 여러 가지 시도(試圖)가 행해 지고 있음.

다치다 자 ①부딪쳐서 상하다. 상함을 당하다. ②부상(負傷)하다.

다칭〔大慶〕명〖지〗↗다칭 유전(油田).

다칭 산【—山】〔大青〕명〖지〗중국 쑤이위안 성(綏遠省) 구이쑤이 평원(歸綏平原) 북부에 있는 산. 인산 산맥(陰山山脈)의 주요부를 이루며 몽골 초원(草原)과의 분계(分界)를 형성함. 대청산. [2,200 m]

다칭 유전【—油田】〔大慶〕명〖지〗중국 동북 지구의 유전(油田). 헤이룽장 성(黑龍江省) 안다(安達)가 중심. 1950년대 말기에 발견되었으며, 세계 유수의 매장량을 가졌다고 함. 파이프 라인에 의해 베이징(北京) 등지로 송유함. 대경 유전.

다카〔Dacca〕명 방글라데시 인민 공화국의 수도. 갠지스 삼각주의 동부에 있으며, 정치·경제의 중심지임. 주트(jute)·피혁·직물(織物) 등의 공업과 금은 세공이 행하여짐. 1972년 방글라데시의 독립과 함께 그 수도가 됨. [6,100,000 명(1995 추계)]

다카-디아스타아제〔일 たか+도 Diastase〕명〖화〗일본의 다카미네 조키치(高峰讓吉)가 누룩곰팡이로부터 만들어 낸 황백색을 띤 효소제제(酵素製劑)의 상품명. 엿기름에 알코올을 가할 때 생기는 침전을 말려서 가루로 한 소화제로, 아밀라아제(amylase) 외의 여러 효소를 포함함.

다카르〔Dakar〕 명 〖지〗 세네갈 공화국의 수도로, 아프리카 최서단 베르데(Verde)곶에 있는 항구. 1857년 프랑스의 군사 기지(軍事基地)로 건설됨. 해공 교통(海空交通)의 요지로, 섬유·식품 가공 등의 공업이 행하여지며, 세계 최대의 낙화생 수출항임. [975,000 명(1982 추계)]

다카마쓰〔高松:たかまつ〕 명 〖지〗 일본 가가와 현(香川縣) 중부의 도시, 현청 소재지. 세토 나이카이(瀨戸內海)에 면하고 시코쿠(四国)와 혼슈(本州)의 연락점을 이루는 교통의 요지. 종이·칠기(漆器)·죽세공품(竹細工品)·저울 등을 산출함. [329,837 명(1990)]

다카마쓰 고:분 벽화【一古墳壁畫】〔高松:たかまつ〕 명 일본 나라 현(奈良縣) 아스카 촌(明日香村)에 있는 다카마쓰 고분에서 출토된 벽화. 1972년 3월 21일 발견되었는데, 7-8세기 것으로 추정되며 고구려 양식을 엿볼 수 있음.

다카미네 조:키치〔高峰讓吉:たかみねじょうきち〕 명 〖사람〗 일본의 생화학자. 다카디아스타아제를 만들고 또 아드레날린을 소·양의 부신(副腎)으로부터 결정의 형태로 추출(抽出)함. [1854-1922]

다카야스-병【一病】〔일 高安〕 명 〖의〗〔Takayasu's arteritis〕 대동맥 등에 염증이 생기는 원인 불명의 질병(疾病). 맥이 뛰지 않아 맥무병(脈無病)이라고도 하며, 실신(失神)·발작(發作)·미열(微熱)이 남. 발견자인 일본 규슈(九州) 대학 안과(眼科) 다카야스(高安) 교수의 성에서 유래함. 대동맥염 증후군(大動脈炎症候群).

다 카포〔이 da capo〕 명 〖악〗 악곡을 처음으로 되돌아가서 되풀이하여 연주하라는 뜻. 약호는 D.C. 반시(反始) 기호.

다 카포 알 피네〔이 da capo al fine〕 명 〖악〗 악곡을 처음으로 되돌아가서 피네(fine) 또는 포즈(pause; 𝄐) 기호가 있는 데까지 연주하라는 뜻.

다 카포 형식【一形式】〔da capo〕 명 〖악〗 다 카포를 이용한 악곡의 형식. 제삼부(第三部)가 엄격히 제일부의 반복인 세도막 형식으로, 미뉴에트(Menuett)·행진곡 등에 사용함.

다케조에 신이치로:〔竹添進一郞:たけぞえしんいちろう〕 명 〖사람〗 일본의 외교관. 조선 시대 고종 19년(1882) 조선 공사로 부임하여 임오군란(壬午軍亂) 후의 청일(淸日) 관계를 조정하고, 김옥균(金玉均)·박영효(朴泳孝) 등의 독립 당원을 지원하는 한편, 한일 통상 장정(韓日通商章程)·한일 해저 전선 부설(敷設) 조약 등 불평등 조약을 체결함. 1884년 갑신 정변(甲申政變)이 일어나, 청군(淸軍)의 개입으로 개화당(開化黨) 정권이 붕괴되자 방관적 태도를 취했음. 1913년 퇴관 후, 도쿄 대학 교수로서 ≪좌씨 회전(左氏會箋)≫을 저술함. 한학자로서는 세이세이(井井)라는 호(號)로 알려짐. [1842-1917]

다큐멘터리〔documentary〕 명 극단적인 허구(虛構)를 사용하지 아니하고, 실제로 일어난 사건의 전개(展開)에 따라 구성된, 기사(記事)·소설·영화·방송 프로 따위. 실록(實錄).

다큐멘터리 소:설【一小說】〔documentary〕 명 〖문〗 기록적 소설. 현실에 발생한 사건을 그대로 정확히 묘사하며, 등장 인물도 실재(實在)의 관계자인 점이 특징.

다큐멘터리 영화【一映畫】〔documentary〕 명 〖연〗 기록 영화.

다큐멘터리 터치〔documentary touch〕 명 작품 전체가 다큐멘터리 양식의 수법(手法)으로 묘사되어 있는 모양.

다:크〔dark〕 명 암흑. 어둠. 어두움. ——-하다 형 여불

다:크 룸:〔dark room〕 명 암실(暗室)❶.

다:크 사이드〔dark side〕 명 암흑면.

다:크 스테이지〔dark stage〕 명 〖연〗 인공 광선만을 사용하는 암실(暗室) 촬영소. 다크 스튜디오. ↔글라스 스테이지(glass stage).

다:크 스튜디오〔dark studio〕 명 〖연〗 다크 스테이지.

다:크 에이지〔Dark Ages〕 명 암흑 시대. 특히, 서양 중세(中世)의 전기(前期)인 5-8세기의 시기를 가리킴.

다:크 오:픈〔dark open〕 명 〖연〗 연극에서, 어두운 채로 막을 여는 일. 약호는 D.O. 암개막(暗開幕). ↔라이트 오픈. ——-하다 자타 여불

다:크 체인지〔dark change〕 명 〖연〗 막을 내리지 않은 채 무대를 어둡게 하고, 장면을 바꾸는 일. 암전(暗轉). ↔라이트 체인지.

다:크 커:튼〔dark curtain〕 명 〖연〗 연극 등에서, 조명이나 불을 끈 다음 막을 내리는 일. ↔라이트 커튼.

다:크 호:스〔dark horse〕 명 ①경마(競馬)에서, 의외의 결과를 가져올지도 모를, 그 실력이 확인되지 않은 말. ②인물·수완 등은 확실하지 아니하나 유력하다고 지목되는 경쟁 상대.

다키아〔Dacia〕 명 〖역〗 도나우 강(Donau江) 하류 만곡부(彎曲部)의 북안(北岸)에 대한 로마인(人)의 호칭. 대략 현재의 루마니아에 해당함.

다타[1] 자 〈옛〉 닿다(觸). ¶ 모수미 一定호 고대 들면 봄과 드름과 마톰과 맛 아롬과 모매 다홈과 雜쁜괘 다 업스릴씨 諸根이 괴외타 호니라≪釋譜 Ⅵ:28≫.

다타[2] 타 〈옛〉 땋다. ¶ 다회 다하(組紃)≪內訓 Ⅲ:2≫/少年의 머리 다하 신 적브터 夫婦ㅣ 되다 호미니≪家禮 Ⅳ:21≫.

다탁【茶卓】 명 찻 그릇을 벌여 놓고 차를 따라 먹는 탁자(卓子). ＊다정자(茶亭子).

다탄두 각개 유도 미사일【多彈頭各個誘導一】〔missile〕 명 대륙간 탄도 미사일의 탄두에 복수(複數)의 탄두를 적재한 것. 탄도탄 요격(邀擊) 미사일에 의한 공격을 막고, 또한 효과를 높이기 위하여, 대기권 재돌입(再突入) 후 탄두를 한 개씩 분리 발사하게 되어 있음. 엠 아이 아르 브이(MIRV). ㊟다탄두(多彈頭) 미사일.

다탄두 미사일【多彈頭一】〔missile〕 명 ↗다탄두 각개 유도 미사일.

다탕【茶湯】 명 차·과자·과일 같은 간단한 음식.

다태【多胎】 명〔polyembryony〕〖생〗 포유 동물의 한 개의 난자(卵子)가 수정(受精)된 뒤에, 둘 이상으로 분리되어 별개의 개체로 되는 일.

다태 동:물【多胎動物】 명 〖생〗 한 배에 여러 마리의 새끼를 낳는 동물. 돼지·개 따위. 「막(羊膜)을 쓰고 있음.

다태-아【多胎兒】 명 다태 임신에 의해서 된 태아. 서로 공통(共通)의 양

다태 임:신【多胎姙娠】 명 둘 이상의 태아를 동시에 태내에 갖는 임신 상태. 쌍태·삼태·사태 등이 있음.

다토다 자타 〈방〉 다투다.

다투다 자타 ①서로 옳고 그름을 주장하여 싸우다. 시비를 하다. ¶ 날이 새도록 ～/언성을 높여 ～. ②승부(勝負)를 겨루다. 경쟁하다. ¶ 선두를 ～/앞을 다투며 내달았다. ③(시간·공간을 나타내는 명사와 함께 쓰여서) 늦추거나 내어줄 수 없다. ¶ 1분 1초를 다투는 판국/한 치의 땅을 다투는 국지전(局地戰).

다툰 산【一山】〔大屯〕 명 〖지〗 대만(臺灣) 북쪽 끝에 있는 유일(唯一)한 화산. 용암(熔岩) 속에서 나오는 지하수는 온천(溫泉)이 되고 있으며, 타이베이 시(臺北市)의 수원(水源)과 전답(田畓)의 관개(灌漑) 등에 이용되고 있음. 좋은 피서지(避暑地)임. 대둔산. [1,081 m]

다툼 명 다투는 일. ——-하다 자타 여불

다툼-질 명 다투는 짓. ——-하다 자 여불

다퉁〔大同〕 명 〖지〗 중국 산시 성(山西省) 북부의 상공업 도시. 내외(內外) 창청 선(長城線)의 중간에 위치한 교통의 요지. 북변(北邊) 굴지의 군사 도시였음. 잡곡(雜穀)의 거래가 성함. 남서쪽에 다퉁 탄전(大同炭田)이 있고, 서교(西郊)에 불교 유적(佛敎遺蹟)으로 유명한 윈강 석굴(雲崗石窟)이 있음. 대동. [1,040,000 명(1987)]

다:트[1]〔dart〕 명 양재(洋裁) 용어. 몸의 볼륨(volume)을 나타내기 위해 주름을 잡아서 솔기가 겉에 나타나지 않게 꿰맨 부분.

다:트[2]〔Dart, Raymond〕 명 〖사람〗 오스트레일리아의 인류학자·해부학자. 1924년 오스트랄로피테쿠스(Australopithecus)를 발견, 유인원(類人猿)과 사람을 연결하는 중요한 존재로 보고 인류의 기원(起源)에 대하여 독자적인 이론을 전개함. [1893-1988]

다:트머스〔Dartmouth〕 명 〖지〗 영국 잉글랜드 남서부 콘월(Cornwall) 반도의 남안에 있는 항만 도시. 보르도산(Bordeaux産) 포도주의 수입항으로서 발전하여, 제2차 세계 대전 때에는 노르망디 상륙 작전의 전진 기지가 되었음. 해군 사관 학교가 있으며 요트의 기지, 관광지로서도 알려짐. [5,696 명(1971)]

다티 부 〈옛〉 달리. 따로. =닷티. ¶ 겨지비 다티 살라 권호며(妻勸其異居)≪二倫 26≫.

다티다 자 〈옛〉 스치다. ¶ 다틸 촉(觸)≪類合 下 34≫.

다팔-거리다 자 ①짧은 머리털 따위가 날려서 흔들리다. ②들떠서 침착하지 못하고 자꾸 경망스레 행동하다. <더펄거리다. **다팔-다팔** 부. ¶ 그 숱 많은 머리가 ～하며 좋아라고 깔깔거리는데…≪玄鎭健:無影塔≫. ——-하다 자 여불

다팔-대다 자 다팔거리다.

다팔-머리 명 다팔다팔 흔들리는 머리털. <더펄머리.

다포 농업【多圃農業】 명 농토를 여러 가지로 구획하여 경작지·휴경지(休耕地)·목초 재배지 따위로 수년간씩 엇바꿔 경영하는 농업.

다포-약【多胞葯】 명 〖식〗 세 개 이상의 약포(葯胞)로 된 약(葯). 향나무꽃이나 낙엽송(落葉松)의 약 따위. ↔단포(單胞)약.

다폿-집【多包一】 명 〖건〗 공포(貢包)를 여러 개로 받친 집.

다품종 소:량 생산【多品種少量生産】 명 동일한 생산 시설을 이용해서 여러 가지 종류의 제품을 소량씩 생산하는 일. 주문 생산 체계의 전형적인 방식임. ↔소품종 대량 생산.

다프네〔Daphne〕 명 〖신〗 그리스 신화 중의 인물. 델포이(Delphoi)의 대지 여신(大地女神) 가이아(Gaia)의 무녀(巫女)로서, 아폴로의 구애(求愛)를 물리치고 도망쳐 월계수(月桂樹)로 변했다 함.

다프니스〔Daphnis〕 명 〖신〗 그리스 신화 중의 인물. 시칠리아(Sicilia) 섬의 목동으로, 물의 요정(妖精)을 사모하여 이에 성실을 맹세했으나 결국 지키지 않아 벌(罰)로 두 눈이 멀었다 함.

다프니스와 클로에 명 ①〔Poimenika ta kata Daphnin kai Chloen Lesbiaka〕〖문〗 2세기경의 그리스의 롱구스(Longus)가 지었다고 하는 사부작(四部作)으로 된 목가적(牧歌的) 로맨스. 또, 그 서로 사랑하는 순진한 소년 소녀의 두 주인공들. ②〔Daphnis et Chloé〕〖악〗 라벨(Ravel) 작곡의 발레. 포킨(Fokine)의 안무로, 발레 뤼스(Ballet Russe) 발레단이 파리에서 초연하여 호평을 받음. 이후 일류 발레단의 중요한 레퍼터리의 하나가 됨.

다하 부 〈옛〉 다만. 오직. =다함. ¶ 돈 말와 됴흔 말로 다하 너일 모릐 가포마 니르니(甛甘言美語的只說明日後日還我)≪朴解 上 35≫.

다하견【如爲在】〈이두〉 ①-다 한 것. ②-고 함. -라고 일컬음. -라고 한.

다하견을【如爲在乙】〈이두〉 ①-라 하거늘. ②-라 하였거늘.

다하견을안【如爲在乙良】〈이두〉 ①-라 하였거들랑. ②-라고 한다면.

다하나〔Dahana〕 명 〖지〗 사우디아라비아 중부의 암석 사막. 네지드 대지(Nejd臺地)와 하사(Hasa) 지방의 중간 지대에 위치함. 북쪽의 자갈 지대는 안정된 상태이나 남쪽은 이동 사구(移動砂丘)로 형성됨. 길이 1,280 km, 폭 24-80 km.

다:-하다[1] 자 여불 다 소모되어 없어지다. 계속하지 못하게 되다. 끝이 나다. ¶ 힘이 ～/목숨이 다하도록.

다:-하다[2] 타 여불 ①물자나 심력을 있는 대로 다 들이다. ¶ 있는 힘을 ～. ②마치다[2]. ¶ 책임을 ～.

다하며【如爲旀】〈이두〉 -라고 하며. -라고 하여.

다하야【如爲】〈이두〉 -라고 하여.

다한【多恨】 명 ①원한이 많음. ②섭섭하여 잊지 못하는 마음이 많음. ——-하다 형 여불

다한-증【多汗症】〔一쯩〕 명 〖의〗 생리적 또는 병적 작용에 의하여 땀의 분비량이 너무 많은 증세. 발한 과다증(發汗過多症).

다함 부 〈옛〉 다만. 오직. =다하. ¶ 다함ᄇᆞ라ᄂᆞᆫ 양이라(望望)≪小諺 Ⅳ:23≫.

다항[1] 명 〈방〉 성냥(경북).

다항[2] 【多項】 명 항목(項目)이 많음. 많은 항목.

다항 분포 【多項分布】 명 〖수〗 확률 분포(確率分布)의 하나.

다항 선:택법 【多項選擇法】 명 〔multiple choice system〕 〖교〗 한 문제에 대하여 여러 개의 해답을 늘어놓고 옳다고 생각하는 항목을 선택하여 ○표를 치게 하는 시험 방법. 다양(多樣) 선택법. 다지(多肢) 선택법.

다항-식 【多項式】 명 〖수〗 '+' 또는 '−'로 몇 개의 단항식(單項式)을 이어 놓은 정식(整式). ↔단항식(單項式).

다항 정:리 【多項定理】 [—니] 명 〖수〗 대수학(代數學)에서의 정리의 하나. 세 개 이상의 수(數)의 합(合)에 대한 누승(累乘)의 전개(展開)를 부여하는 정리. *이항 정리(二項定理).

다해 【如中】 〈이두〉 ①때에. ②데에. 터에.

다핵 도시 【多核都市】 명 〔multiple nucleicity〕 도시 기능을 달리하는 여러 개의 도시가 결합하여 형성한 거대(巨帶) 도시. 원래의 도시들은 새로 형성된 도시의 핵과 같은 형상이 되어, 각각 다른 성격을 지니고 도시 기능도 분담(分擔)하게 됨.

다핵 세:포 【多核細胞】 명 〔coenocyte〕 두 개 이상의 핵을 갖는 세포. 세포 안에서 핵분열만이 일어나고, 세포질 분열은 일어나지 아니하는 경우와 두 개 이상의 세포가 들러붙어 격벽(隔壁)이 소실된 경우에 볼 수 있음. 다핵체(多核體).

다핵-체 【多核體】 명 〔apocyte〕 다핵 세포.

다행 【多幸】 명 운수가 좋음. 일이 좋게 됨. 뜻밖에 잘됨. 준행(幸). ——-하다 형여불. ——-히 부

다행 다복 【多幸多福】 명 다행하여 썩 행복함. ——-하다 형여불

다행-스럽다 【多幸—】 형ㅂ불 운수가 좋다. 다행하다. 다행한 듯이 보이다. 다행-스레 【多幸—】 부

다행-증 【多幸症】 [—쯩] 명 〖의〗 감정의 흥분성 장애의 한 가지. 기분이 상쾌하고 기분 좋은 행복감에 지배되며 어린 아이 같은 태도가 가미되는 상태. 진행성 마비·초로기(初老期) 및 노년기의 정신병·전염병 후의 쇠약 상태 등의 경우에 나타남.

다허상 산 【—山】 〔大和尙〕 명 〖지〗 중국 랴오둥 반도(遼東半島)에 있는 산. 진저우 평야(金州平野)의 동쪽에 있으며 산 모양이 경사진 습곡(褶曲)으로 높은 벼랑과 같은 깊은 골짜기가 있어 매우 경치가 좋음. 산중에는 조양사(朝陽寺)·석고사(石鼓寺)·당왕전(唐王殿) 및 기타 고찰(古刹)이 많음. 대화상산. [660 m]

다헌 【茶軒】 명 〖사람〗 정극인(丁克仁)의 호(號).

다 현 【—縣】 〔達〕 명 〖지〗 중국 쓰촨 성(四川省) 동쪽의 현. 현청은 다(達)에 있음. 달현.

다혈 【多血】 명 ①몸에 피가 많음. ↔빈혈(貧血). ②인정이 많음. 정서(情緖)가 풍부함. ③감정에 치우침. 감격·격앙(激昻)하기 쉬움. 혈기(血氣)가 많음. ¶ ~질(質).

다혈구 혈증 【多血球血症】 [—쯩] 명 〖의〗 단위 용적(單位容積)의 혈액 속에서 적혈구의 수가 정상보다 많고 혈구소(血球素)의 양도 증가되어 있는 상태. 생후 며칠 동안의 신생아(新生兒), 월경 수일 전의 여성, 고공 비행자(高空飛行者) 등에 생리적으로 나타나며, 또 폐의 가스(gas) 대사 장애, 그 밖에 심장병 등의 경우에 병적으로 나타남.

다혈-성 【多血性】 [—썽] 명 다혈질.

다혈-증 【多血症】 [—쯩] 명 〖의〗 혈액 중의 적혈구의 양이 이상 증가하는 증상. 얼굴이 붉어지며 심계(心悸)가 항진(亢進)하고, 호흡 곤란과 구토감(嘔吐感)을 일으키며 때때로 혈압이 올라감. 중년 남자에 많이 보이며 만성화하는 경우가 많음.

다혈-질 【多血質】 [—찔] 명 〖심〗 기질(氣質)의 하나. 감정의 움직임이 빨라서 자극에 민감하고 곧 흥분하나, 오래 가지 못하고 바로 식어 버리며, 성급(性急)하고 인내력이 적은 기질. 다혈성. ↔점액질(粘液質).

다혈-한 【多血漢】 명 다혈질의 사나이. 감격하기 쉬운 성질의 사나이.

다형 【多形】 명 〖광〗 동일한 화학 조성(組成)을 갖는 물질로서, 결정 구조가 서로 다른 것을 말함. 동질 다상(同質多像). 동질 이상(異像).

다형 변:정 【多形變晶】 명 〖광〗 같은 화학 조성(組成)을 가지면서, 큰 압력이나 암장(岩漿)의 접촉을 받아서 재결정하여 다른 모양의 결정형을 이루는 일.

다형 삼출성 홍반 【多形滲出性紅斑】 [—썽—] 명 〖의〗 봄·여름에 많고 또 사춘기에서 30세 전후의 남녀에 많은 병. 두통·발열·관절통 등의 증상에 이어 손등·발등에서 전박부(前膊部)·하퇴부에 걸쳐 손톱만한 원형의 홍반이 많이 생겨서 약간 가려움. 원인은 불명이나 화농 구균(球菌) 등의 세균 독소에 의한 듯함.

다형-성 【多形性】 [—썽] 명 〖생〗 동일종(同一種)의 생물 개체가 어떤 형질·형태 등에 관하여 다양성을 나타내는 일. 꿀벌에서의 여왕벌과 일벌 따위.

다형성 변:이 【多型性變異】 [—썽—] 명 〖생〗 동일 지역에 사는 동일 종류의 생물 집단 속에 두 종류 또는 그 이상의 명확히 구별되는 유전성 변이(遺傳性變異)가, 보통 1 % 이상의 꽤 많은 비율로 존재하여 반복 돌연 변이율(反復突然變異率)만으로는 유지할 수 없을 만큼 높아져 있는 현상.

다형-화 【多形花】 명 〖식〗 같은 종류에 속하는 식물의 딴 그루 또는 같은 나무 안에서, 서로 형태가 다른 두 가지 이상의 꽃이 피는 꽃. 국화·수국 따위의 꽃이 이에 속함.

다호 【茶壺】 명 차를 담아 두는 단지·항아리 같은 그릇.

다호라 형 〈옛〉 다워라. 같아라. ¶ 二月ㅅ 보로매 아으 노피 현 燈ㅅ블 다호라, 별해 ᄇᆞ룐 빗 다호라, 아으 나ᄉᆞᆯ 盤잇 져 다호라≪樂範 動動≫.

다호메이 〔Dahomey〕 명 〖지〗 '베냉(Benin)'의 전이름.

다홈 부 〈옛〉 또. 도리어. ¶ 갑시 다홈 내게 셜웨라(價錢還虧着我)≪老乞 下 12≫.

다홈다홈 부 〈옛〉 재삼 재사. ¶ 다홈다홈(再三再四的, 再四再四的)≪漢清 Ⅷ:56≫.

다홍 【—紅】 명 〔중 大紅〕 다홍색.

다홍 강정 【—紅—】 명 ☞홍강정.

다홍 꼭지 【—紅—】 명 ☞홍꼭지.

다홍-사 【—紅絲】 명 다홍실.

다홍-색 【—紅色】 명 빨강에 노랑이 약간 섞인 짙고도 산뜻한 붉은 색. 다홍빛. 다홍.

다홍-실 【—紅—】 명 다홍빛 실. 다홍사.

다홍-치마 【—紅—】 명 ①다홍빛 치마. 홍상(紅裳). ②윗도리는 희고 아랫도리는 붉게 만든 연. 준홍치마.

다화 【茶話】 명 차를 마시며 하는 이야기.

다화-과 【多花果】 명 〖식〗 복화과(複花果). ↔단화과(單花果).

다화-성 【多化性】 [—썽] 명 〖충〗 1년 동안에 3세대 이상을 까는 누에 품종의 성질. *일화성·이화성(二化性).

다화-잠 【多化蠶】 명 〖충〗 다화성의 누에. 중국 남부·인도 등의 아열대(亞熱帶) 및 열대 지방에서 사육되며, 고치 모양은 방추형(紡錘形)임.

다화 장사 명 〈방〉 도붓장수(함북).

다황 명 〈방〉 성냥(강원·경북).

다황화-물 【多黃化物】 명 〖화〗 황화 알칼리 수용액을 방치(放置)하거나 또는 황화 알칼리와 황을 융해(融解)하여 만드는 화합물. 다황화 암모늄·다황화 수소 등이 있는데 어느 것이나 물에 잘 녹으며, 산(酸)을 가(加)하면 황을 유리(遊離)하고, 황의 수가 많아짐에 따라서 가수 분해(加水分解)하기 힘들게 됨.

다황화물계 합성 고무 【多黃化物系合成—】 〔프 gomme〕 명 〖화〗 주사슬에 황 원자를 함유한 합성 고무. 내유성(耐油性)·내노화성(耐老化性)·내오존성(耐 ozone 性)은 우수하나, 가공성(加工性)·물리적 성질 등은 떨어지며, 다른 합성 고무만큼 용도가 넓지 않음. 티오콜(Thiokol).

다회[1] 명 〈옛〉 띠[1]. 대자(帶子). ¶ 다회 다하(組紃)≪內訓 Ⅲ:2≫.

다회[2] 【多繪】 명 〖역〗 '광다회(廣多繪)'의 속칭.

다회-치기 【多繪—】 명 여러 올의 색색의 실로 끈목을 만드는 일.

다후구-류 【多後口類】 명 〖동〗 [Polyopisthocotylea] 단생대류(單生代類)의 편형(扁形) 동물의 한 목(目). 두 개 이상의 후흡반(後吸盤)을 갖추고 질(膣)은 쌍을 이루었으며, 생식 장관(生殖腸管)이 있음.

다흐마 〔범 dakhmā〕 명 〖종〗 침묵(沈默)의 탑(塔).

다히 명 〈옛〉 편. 쪽. ¶ 디ᄂᆞᆫ ᄒᆡ를 구버보니 님다히 消息이 더욱 아득ᄒᆞ뎌이고≪松江 續美人曲≫.

-다히 미 〈옛〉 -답게. -같이. ¶ 그딋 말다히 호리니≪月釋 I:13≫.

다히다[1] 타 〈옛〉 짐승을 잡다. ¶ 피 흘로미 羊 다힌듯 ᄒᆞ도다(血流似屠羊)≪恩重 7≫.

다히다[2] 타 〈옛〉 대다[3]❶. ¶ 如來 소ᄂᆞᆯ 내 모매 다히샤 나ᄅᆞᆯ 便安케 ᄒᆞ쇼셔 ≪月釋 X:8≫.

다히다[3] 타 〈옛〉 대다[4]. ¶ 北海水 휘여다가 酒樽에 다혀두고 ≪古時調 李安訥≫.

다히다[4] 타 〈옛〉 때다[3]. ¶ 붑 두드리며 블 다히게 ᄒᆞ여(打鼓燒火)≪救方 上 15≫.

다ᄒᆞᆫ 〈옛〉 땋은. '다타'의 활용형. ¶ 마리 다ᄒᆞᆫ 계집아ᄒᆡ(丫頭)≪譯語上 29≫.

닥[1] 명 ①〖식〗 ↗닥나무. ②종이 만드는 원료로서의 닥나무 껍질.

닥[2] 명 〈방〉 〖조〗 닭.

닥[3] 명 〈옛〉 〖식〗 닥나무. ¶ 닥爲楮≪訓例 用字例≫.

닥:[4] 부 ①금이나 줄을 힘있게 긋는 모양. ②물이 갑자기 부쩍 얼어 붙은 모양. ③거세게 긁는 모양. 1)-3): <득[3].

닥개 명 〈방〉 딱지[1]❶.

닥-굿 명 껍질을 벗길 닥을 찌는 구덩이. ——-하다 자여불 구덩이에 닥을 찌다. *삼굿.

닥-나무 명 〖식〗 [*Broussonetia kazinoki*] 뽕나뭇과에 속하는 낙엽 활엽 관목. 꾸지나무와 비슷한데, 높이 5 m 가량이고, 잎은 호생하며 달걀꼴 또는 긴 달걀꼴, 어린 잎에는 잔털이 있음. 꽃은 자웅 일가인데 봄에 꽃이삭이 액생(腋生)하며 수꽃이삭은 타원형, 암꽃이삭은 구형(球形)이고, 9월에 뱀딸기 비슷한 핵과(核果)가 익음. 산록 양지나 밭 같은 데의 토양 깊은 곳에 재배 또는 자생하며, 한국 각지 및 일본·대만·중국·만주 등지에 분포함. 수피(樹皮)는 제지용(製紙用), 과실은 '저실(楮實)' 또는 '구수자(構樹子)'라고 하여 약재, 어린 잎은 식용으로 함. 준닥.

〈닥나무〉

닥다구리 명 〈방〉 〖조〗 딱따구리(충남·황해).

닥다귀 명 〈방〉 〖조〗 딱따구리(황해).

닥다그르르 부 ①작고 단단한 물건이 딱딱한 다른 물건에 연해 부딪치며 굴러가는 소리. ②우레가 가까운 데서 갑자기 부딪치는 듯이 일어나는 소리. ㅆ딱다그르르. <덕더그르르. *왁다그르르.

닥다글-닥다글 부 ①작고 단단한 물건이 딱딱한 바닥에 연해 부딪치며 굴러가는 소리. ②우레가 가까운 데서 갑자기 잇따라 우는 소리. ㅆ딱다글딱다글. <덕더글덕더글. *왁다글왁다글.

닥:-닥 부 ①금이나 줄을 연해 세차게 긋는 모양이나 소리. ②적은 양의 액체나 물이 모두 세차게 얼어 붙는 모양. ③소리가 나도록 연해 긁는 모양. 또, 그 소리. 1)-3): <득득.

닥닥-새: 명 〈방〉 〖조〗 딱따구리(황해).

닥대 명 〈방〉 〖어〗 달궁이.

닥-뜨리다 ㊀자 닥치어 오는 일에 마주 대서다. 직면(直面)하다. ¶ 난관에 ~. ㊁ 타 함부로 다조지다.

닥새기 명〈방〉달걀(제주).
닥세리 명〈방〉가마솥.
닥수리 명〈방〉〖조〗독수리(함북).
닥스훈트〔도 Dachshund〕명〖동〗허리통이 길고 다리가 짧은 독일종의 사냥개.
닥작-닥작 부 먼지나 때 같은 것이 아주 두껍게 많이 붙어 있는 모양.〈덕적덕적.

〈닥스훈트〉

닥-장구 명〈방〉〖충〗딱정벌레.
닥장-버들 명〖식〗[*Salix brachypoda*] 버드나뭇과에 속하는 낙엽 활엽 소관목. 높이 1 m 정도. 작은 가지는 융모로 덮여 있고 잎은 대생·호생(互生) 또는 윤생(輪生)하며 피침형(披針形)임. 자웅 이주로 꽃은 잎보다 먼저 피거나 같이 핌. 열매는 여름에 익음. 관상용임. 높은 늪지대에서 자라는데, 한국·중국·우수리 등지에 분포함.
닥쟝버레 명〈옛〉〖충〗딱정벌레. ¶ 닥쟝버레(磕頭蟲) 《漢清 XIV: 50》.
닥졍버릐 명〈옛〉〖충〗딱정벌레. ¶ 孫行者ㅣ 변ᄒᆞ여 ᄒᆞᆫ 닥졍버릐되여(孫行者變做箇焦苗蟲兒)《杜諺 下 21》.
닥지-닥지 부 때나 먼지 등이 많이 끼거나 오른 모양.〈덕지덕지. ──하다 형여불
닥-채 명 껍질을 벗기어 낸 닥나무의 연한 가지.
닥채-나무 명〈방〉〖식〗닥나무.
닥쳐-오다 자 가까이 다다라 오다. ¶ 시험 날짜가 ~/겨울이 ~.
닥취 명〈방〉〖식〗잔대.
닥치는-대로 부 이것저것 가릴 것 없이. ¶ ~ 때려 잡다.
닥치다[1] 자 어떠한 일이나 물건이 가까이 다다르다. ¶ 재난이 ~.
닥치다[2] 타 ☞닫치다. ¶ 아가리 닥쳐/입 닥치지 못해. 주의 '주둥이·입·아가리' 등 말하는 데 관계되는 말 밑에서만 쓰임.
닥터〔doctor〕명 ①박사(博士)❺. ②의사(醫師).
닥터 스톱〔doctor stop〕명 권투에서, 의사에 의한 경기의 중지. 경기 중에 선수가 부상하여 더 이상 경기 진행이 불가능하다고 의사가 인정할 경우, 전에는 의사가 직접 경기 중단을 명하였으나, 오늘날에는 의견만을 말할 뿐 경기 중단 여부는 심판이 정함. *아르 에스 시(R.S.C.).
닥터 코:스〔doctor course〕명〖교〗대학원에서 석사 과정(碩士課程) 수료자가 밟는 박사 과정.
닥-풀 명〖식〗[*Hibiscus manihot*] 아욱과에 속하는 일년초. 높이 1-2 m 가량이고, 잎은 호생하며 5-7 갈래로 장상 심렬(掌狀深裂)함. 여름철에 담황색의 오판화(五瓣花)가 피고, 삭과(蒴果)는 타원형으로 거친 털이 많이 났음. 뿌리는 굵고 긴데, 그것을 물에 우리면 끈끈한 진이 나와서 풀을 갠 물같이 되므로 종이를 뜨는 데 널리 쓰임. 아시아 동부 원산(原産)으로 각처에 심음. 황촉규(黃蜀葵).

〈닥풀〉

닦기 명 닦는 일. ¶ 쓸기와 ~.
닦다 타 ①문질러서 윤기를 내다. ¶ 구두를 ~. ②더러운 물건을 문지르거나 씻어서 깨끗하게 하다. ¶ 유리를 ~. ③평평하게 고르고 다지다. ¶ 터를 ~. ④셈을 밝히다. ⑤힘써 배우다. ¶ 학문을 ~/도(道)를 ~. ⑥(기초·토대 따위를) 개척하여 튼튼히 하다. ¶ 기초를 ~. ⑦↗훌닦다. ⑧〈방〉볶다.
【닦은 방울 같다】㉠영채가 반짝반짝 나는 눈을 가리키는 말. ㉡영리하고 똑똑한 어린애를 가리키는 말. 【닦은 콩 먹기】그만둔다 그만둔다 하면서도 끊지 못하고 끝장을 본다는 말.
닦달 명 단단히 올러대서 혼을 냄. 몰아대서 닦아 세움. ──하다 타여불
닦달-질 명 ①남을 몹시 올러대어 다루는 짓. ②갈아서 다듬는 짓. 들부셔서 닦는 일. ──하다 자여불
닦아-대다 타 언성을 높여 사리를 따져 가며 핀잔을 주다. 남을 자주 훌닦다.
닦아-세우다 타 남을 훌닦아 꼼짝 못하게 하다. ¶ 부하를 ~.
닦아-주다 타 남을 훌닦아 꼼짝 못하게 해 주다.
닦은-둥굴이 명〖건〗옹이나 거친 것을 깎아 내고 반들반들하게 다듬은 둥굴이.
닦음-질 명 더러운 것이 없도록 깨끗하게 닦는 일. ──하다 타여불
닦이다 피동 ①닦음을 당하다. ②↗훌닦이다. ¶ 상관에게 몹시 ~.
닦이-장이【─匠─】명 닦이질로 업을 삼는 사람.
닦이-질 명 헌 재목이나 낡은 집을 닦아서 깨끗이 하는 일. ──하다 타여불
단[1] ㊀ 명〔근대 : 단〕짚·땔나무·푸성귀 같은 것의 묶음. ¶ ~을 짓다. ㊁ 의명 짚·푸성귀 따위의 묶음을 세는 말. ¶ 나무 두 ~. *다발[1]㊁.
단:[2] 명 ↗옷단. 주의 '丹'으로 씀은 취음(取音).
단[3]【旦】명 ①아침. 새벽. ②중국 연극에서, 여성으로 분장하는 배우.
단[4]【段】㊀ 명 ①서적·신문 같은 인쇄물의 지면(紙面)을 위아래로 가르고 줄을 친 구분. ¶ 3 ~ 표제의 기사. ②유도(柔道)·검도·태권도 따위 운동이나 주산 또는 바둑·장기에 있어서 잘하는 정도를 매긴 등급. 급(級)의 윗길임. ¶ 주산 초~/바둑 6 ~. ③계단(階段). 단계(段階). ㊁ 의명 땅 넓이의 단위. 한 정(町)의 10분의 1. 곧, 300평.
단[5]【段】명 성(姓)의 하나. 현재 우리 나라에는 본관이 연안(延安) 하나뿐임.
단[6]【單】명 성(姓)의 하나. 현재 우리 나라에는 본관이 연안(延安) 하나뿐임.
단[7]【短】명 ①부족한 점. 단점(短點). ¶ ~을 버리고 장(長)을 취하다. ↔장[7](長). ②화투에서, 같은 종류의 띠 석장을 갖춘 약(約). 청단·홍단·초단 따위. ¶ 삼 ~ 삼 약.
단[8]【端】㊀ 명 성(姓)의 하나. 현재 우리나라에는 본관이 한산(韓山) 하나 뿐임. ㊁ 의명 '장(章)·마디·끗'의 뜻. ¶ 십이 ~.
단[9]【緞】명 ↗비단(緋緞).
단[10]【壇】명 ①흙이나 돌로 쌓아 올린 제터. ②높게 만들어 놓은 자리. 연단(演壇)·교단(敎壇)·강단(講壇) 따위. ¶ ~에 오르다.
단:[11]【斷】명 ①결단. 단안. ¶ ~을 내리다. ②〖불교〗번뇌(煩惱)를 끊고 죽음에 대한 공포를 없애는 일.
단[12] 관〔←달다〕명사 위에 붙어서 '달콤한'의 뜻을 나타내는 말. ¶ ~잠/~물.
단[13]【單】관 겨우. 오직. 다만. 단지. ¶ ~ 두 사람/~ 한 번.
단:[14]【但】부 예외나 조건되는 말을 인도할 때 쓰는 접속 부사. 다만. ¶ 무조건 가입하라. ~ 연소자(年少者)는 제외한다.
단-【單】접두 '하나'·'홑'의 뜻. ¶ ~세포. ↔복-(複).
-단[1]【團】접미 어떤 명사 아래에 붙어서 '단체'의 뜻을 나타내는 말. ¶ 소년~.
-단[2] 어미 ①↗-다고 한. -다고 하는. ¶ 정말 온~ 말인가. *-ㄴ단·-는단. ②〈옛〉-ㄴ단. ¶ 壁上에 걸린 칼이 보믜가 나단 말가《古時調》.
단가[1]【短歌】명 ①〖문〗짧은 형식의 시가(詩歌). 흔히 시조(時調)를 일컬었음. ↔장가(長歌). ②〖악〗판소리 앞에 부르는 단편의 소리. '죽장망혜(竹杖芒鞋)'·'만고 강산(萬古江山)'·'초로 인생(草露人生)'·'초한가(楚漢歌)' 등이 있음. 허두가(虛頭歌).
단가[2]【單家】명 불운(不運)하여 한미(寒微)한 집.
단가[3]【單價】[─까] 명 각 단위마다의 값. 낱개의 값. 낱값. ¶ ~ 계산.
단가[4]【團歌】명 어떤 단체의 정신을 표현하고 그 단의 기풍(氣風)을 발양(發揚)하기 위하여 특별히 제정하여 단원(團員)으로 하여금 부르게 하는 노래. ¶ 소년단 ~.
단가[5]【檀家】명〖불교〗절에 시주하는 사람의 집. 단월(檀越)의 집.
단가 살림【單家─】명 단가살이. ──하다 자여불
단가-살이【單家─】명 식구가 많지 않은 단출한 살림. 단가(單家) 살림. ──하다 자여불
단가-표【單價標】[─까─] 명 부기나 계산서 등에서 단가를 표시할 때 쓰는 부호. 숫자 앞에 @를 씀. 낱값표.
단각[1]【丹殼】명 홍수피(紅樹皮).
단각[2]【短角】명〖식〗↗단각과(短角果).
단각-과【短角果】명〖식〗삭과(蒴果)의 한 가지. 장각과(長角果)와 같으나 넓이가 넓으며 작고 짧음. 다닥냉이·말냉이·속속이풀·꽃다지의 열매 따위. ㊜단각(短角). *장각과.
단각-목【端脚目】명〖동〗[Amphipoda] 절지 동물(節肢動物) 갑각류(甲殼類)의 한 목(目). 해수(海水)·담수에 사는데, 대개 작고 옆으로 납작하며 흉각(胸脚)의 안쪽에는 새낭(鰓囊)이 있어서 이것으로 숨을 쉼. 배의 뒤에 있는 세 쌍의 다리는 땅이나 물 위에서 톡톡 뛰는 데 쓰임. 암컷은 새낭 속에 포란판(抱卵板)이 있어 그 좌우의 것이 배에 서로 닿아 있는데 그 속에서 알을 깜. 이각목(異脚目).
단각-반【單脚盤】명 반면(盤面) 복판에 다리가 하나 있는 소반. 연엽반(蓮葉盤)의 딴이름.
단각-종【短角種】명 소의 한 품종. 영국 원산의 육용종(肉用種)으로, 뿔이 긴 소를 개량한 데서 붙은 이름임.
단간[1]【單間】명 ☞단칸.
단간[2]【短簡】명 짧게 쓴 편지. 내용이 간단한 편지. 단찰(短札).
단:간[3]【斷簡】명〖문〗↗단편 잔간(斷編殘簡).
단간 마루【單間─】명 ☞단칸 마루.
단간-방【單間房】[─빵] 명 ☞단칸방.
단간 살림【單間─】명 ☞단칸 살림.
단간-살이【單間─】명 ☞단칸살이.
단:간 잔편【斷簡殘篇】명 떨어져 나가고 빠지고 하여 조각이 난 문서나 글월. 단편 잔간(斷編殘簡).
단-간장【─醬】명 맛이 단 간장.
단간-집【單間─】[─찝] 명 ☞단칸집.
단간-짜리【單間─】명 ☞단칸짜리.
단갈[1]【袒裼】명 옷을 어깨에 엇멤. ──하다 타여불
단갈[2]【短碣】명 무덤 앞에 세우는 작고 둥근 빗돌.
단-감 명 단감나무의 열매. 단단하고 맛이 닮. 감시(甘柹).
단감-나무 명〖식〗감나무의 한 개량 품종. 특수한 종류로서 단감이 열림.
단-감자 명〈속〉고구마.
단갑【短甲】명〖고고학〗가슴과 등을 가리는 삼국 시대의 짧은 갑옷.
단강【鍛鋼】명〖공〗정련(精鍊)하여 거푸집에 넣어서 강괴(鋼塊)를 만든 다음 프레스(press) 등으로 단조(鍛造)한 강철. 기계의 주체(主體)나 부분품의 원료로 쓰임. *주강(鑄鋼).
단개【單個】명 단 한 개.
단거【單擧】명 단 한 사람만을 천거함. ──하다 타여불
단-거리[1]【單─】명 ①오직 그것 하나뿐인 재료. ¶ ~ 레퍼토리. ②단벌❶. ¶ ~옷.
단:-거리[2] [─꺼─] 명 ①단으로 묶어 말린 잎나무. ②큰 단으로 흥정하는 땔나무.
단-거리[3]【短距離】명 짧은 거리. ¶ ~ 주자(走者). ↔장거리.
단거리 경:영【短距離競泳】명 수영 경기의 하나. 50-200 m 거리의 경영.
단거리 경:주【短距離競走】명 단거리달리기.
단거리 공:격 유도탄【短距離攻擊誘導彈】명〔short-distance attack missle〕〖군〗최대 사정 거리가 1,100 km 이하의 공격용 공대지(空對地) 미사일.
단거리-달리기【短距離─】명 육상 경기의 하나. 짧은 거리의 경주. 대표적 종목은 100 m와 200 m. 현재는 400 m도 포함시킴. 스프린트(sprint). 단거리 경주. *장(長)거리달리기·중거리달리기.
단거리 레이더【短距離─】명〔short-range radar〕빔(beam)에 수직인 반사 면적(反射面積) 1 m²의 목표에 대하여 최대 탐지 거리가 80-240 km인 레이더.
단거리 서방【─書房】명 창녀 등의 여러 애부(愛夫) 중에서 가장 마음에 드는 애부.
단거리 선:수【短距離選手】명 단거리 경주나 경영(競泳)의 선수. 스프린터(sprinter). ↔장거리 선수.

단거리 이착륙기【短距離離着陸機】[—뉵—] 명 부익(副翼)을 이용하여 이착륙시에 양력(揚力)을 늘리고, 활주 거리의 단축을 꾀한 비행기. 에스톨기(STOL機).

단거리 지대공 미사일【短距離地對空—】〔missile〕 명 저공(低空)을 나는 적의 비행기를 지상으로부터 공격하기 위한 유도탄.

단거리 질서【短距離秩序】[—써] 명 〔short-range order〕〖물〗무질서한 고체나 액체의 원자 배열에 보이는 어떤 종류의 규칙성.

단거리 탄:도 유도탄【短距離彈道誘導彈】명 사정 거리가 80~800 km 쯤 되는 유도탄. 약칭:에스 아르 비 엠(S.R.B.M.).

단거리 항:해【短距離航海】명 〔short-distance navigation〕〖해〗 1마일 곧 4.8 km 이하의 항해.

단거리 항:행【短距離航行】명 〔short-distance navigation〕〖항공〗 200 마일 곧 322 km 이하의, 항공 원조 시설에 의한 항행.

단거리 흥정 명 뱃사공이 터주를 위하는 데에 쓰려고, 납으로 만든 작은 다리미·가위·인두 따위를 사는 일. ——하다 타여불

단건【單件】명 단벌❶.

단걸음-에【單—】부 내친 걸음을 멈추지 않고 단숨에. ¶ ~에 다녀오너라.

단검【短劍】명 짧은 칼. 단도(短刀). ↔장검(長劍).

단-것 명 ①맛이 단 물건. 설탕물·과자류 따위. ②〈방〉 초(醋).

단계 명 〈방〉 부스럼(경기).

단견¹【袒肩】명 웃통을 벗음. ——하다 자여불 「계 일컫는 말.

단견²【短見】명 ①좁은 소견. ②자기의 의견 또는 식견(識見)을 겸손하

단:견³【斷見】명〖불교〗①세상 만사의 단멸(斷滅)을 주장하여 인과 응보를 인정하지 아니하는 견해. 사람이 한번 죽으면 영원히 없어진다고 보는 생각. ↔상견(常見). ②우주의 진리(眞理)를 볼 수 없다 하여 그것이 아주 없다고 생각하는 견해.

단결¹【團結】명 많은 사람이 한데 뭉침. 단합(團合). ——하다 자여불

단:결²【斷決】명 재단(裁斷)하여 결정함. 결단. ——하다 타여불

단:결³【斷結】명〖불교〗세상 번뇌를 끊음. ——하다 자여불

단결-권【團結權】[—꿘] 명〖사〗노동자가 경제적·정치적·사회적 지위 향상을 도모하여, 사용자 또는 그 단체와 대등한 지위에서 노동 조건을 교섭하기 위하여 노동 조합을 조직하고 단결할 수 있는 권리.

단결 금:지법【團結禁止法】[—뻡] 명〖법〗자본주의 초기에 노동자의 단결 행동을 금지하고 노동 운동의 억압을 위하여 각국에서 제정한 법률. 특히 영국의 것이 유명하며, 1824년 플레이스(Place, F.) 등의 노력으로 폐지됨.

단결-력【團結力】명 단결하는 힘. 뭉친 힘. 단취력(團聚力).

단결-성【團結性】[—썽] 명 많은 사람들이 한데 뭉치는 성질.

단결-심【團結心】[—씸] 명 단결하는 마음.

단:-결에 부 ①열이 식지 아니하였을 판에. ②좋은 기회가 지나기 전에. 단김에. ¶ ~ 결판내다.

단-결정【單結晶】[—쩡] 명〖광〗전체를 통하여 고르고 규칙적으로 연결된 격자(格子) 구조를 가진 결정. *쌍정(雙晶). ↔다결정(多結晶).

단-결합【單結合】명〖화〗공유(共有) 결합에 있어서, 두 개의 원자가 각기 한 개의 원자가(原子價) 전자를 서로 내놓아 한 개의 전자쌍(電子雙)을 만들고 있는 결합 방식. 화학식에서는 하나의 단선(短線) 또는 하나의 점으로 표시됨.

단경¹【丹經】명 신선(神仙)의 글.

단경²【短徑】명〖수〗'짧은지름'의 구용어. ↔장경(長徑).

단경³【短檠】명 높이가 낮은 등경(燈檠) 걸이. 또, 그 위에 켜는 등불.

단경⁴【端境】명 단경기(端境期). └*장경(長檠).

단:경⁵【斷經】명〖한의〗여자가 늙어서 월경이 그침. ——하다 자여불

단경-기【端境期】명 철이 바뀌어 묵은 것 대신에 햇것이 나오는 때. 단경(端境).

단경 왕후【端敬王后】명〖사람〗조선 중종(中宗)의 비(妃). 성은 신씨(愼氏). 본관은 거창(居昌). 익창 부원군(益昌府院君) 신수근(愼守勤)의 딸. 연산군(燕山君) 5년(1499) 부부인(府夫人)에 초봉(初封)되고, 중종 반정(反正)으로 왕후가 되었으나 아버지 수근(守勤)이 매부되는 연산군을 위하여 반정 모의(反正謀議)에 반대한 일로 폐위, 소생 없이 본가로 쫓겨 갔음. [1487-1557]

단계¹【丹溪】명〖사람〗하위지(河緯地)의 호(號).

단계²【段階】명 일의 차례를 따라 나아가는 과정. 순서. 차례. ¶ 마무리

단계³【短計】명 얕은 꾀. 졸렬한 꾀. └~.

단계⁴【端溪】명〖지〗'돤시(端溪)'를 우리 음으로 읽은 이름.

단계 교:수법【段階敎授法】[—뻡] 명〖교〗몇 개의 과정으로 나누어 순서를 따라 교수를 전개하는 방식. 독일의 교육학자 헤르바르트(Herbart, J. F.)가 명료(明瞭)·연합(聯合)·계통(系統)·방법(方法)의 네 단계를 제창한 것이 시초라고 함. 그의 후계자의 단계 구분 방식에 따라 오단(五段) 교수법·삼단 교수법이라는 명칭도 있음.

단계 발육설【段階發育說】명〖식〗식물의 발생은 질적(質的)으로 다른 몇 개의 연속이라고 하는 이론. 리센코(Lysennko, T.D.)가 1926~28년에 발표한 이론.

단계-석【端溪石】명〖광〗중국의 단계(端溪)에서 나는 벼룻돌. 휘록응회암(輝綠凝灰岩)의 한 가지로, 석질(石質)이 단단하며 치밀하고 무거움. 흑색·녹색·자색(紫色)·청색 등 여러 가지가 있는데, 자색과 흑자색을 가장 귀한 것으로 침.

단계-연【端溪硯】명 단계석(端溪石)으로 만든 벼루. 돌결이 아름다워 매우 귀히 여김. *돤시(端溪). 「행하다.

단계-적【段階的】명관 차례를 따라 구분하는 모양. ¶ 일을 ~으로 수

단계-주의【段階主義】[—/—이] 명〖법〗민사 소송에서, 소송 행위가 이루어지는 순서 또는 시기를 법정(法定)하는 주의. 즉, 공격 방어 방법(攻擊防禦方法)의 제출에 관하여 일정한 순서를 정하거나 혹은 같은 시기에 제출시켜 그것에 따르지 않는 소송 행위를 무효(無效)로 하는 등은 이의 구현임.

단고¹【單孤】명 의지가지 없는 고아(孤兒).

단고²【單袴】명 사내의 홑바지. 고의(袴衣).

단고³【短袴】명 짧은 바지.

단곡¹【短曲】명 짧은 악곡. 「아니함. ——하다 자여불

단:곡²【斷穀】명 신앙·기원(祈願) 등을 위하여 곡류(穀類)를 끊고 먹지

단골¹ 명〖건〗①기와집 지붕을 일 때에 쓰는 반동강이의 기와. ②도리 등에 얹힌 서까래와 서까래 사이.

단골² 명 ①〖민〗↗단골 무당. ②↗단골집. ③늘 정해 놓고 거래하는 관계. ¶ ~ 손님/~ 가게. 주의 '丹骨'로 쓴은 취음(取音).

단골³【短骨】명〖생〗뼈의 형태(形態)에 의한 구별. 손발의 작은 뼈처럼 길이·넓이·두께가 거의 같은 작은 뼈. *장골(長骨).

단골-네 [—레] 명〖민〗〈방〉 단골 무당(전남).

단골네 머슴같이 구 무당이 굿을 할 때, 그 집 머슴은 앞에서 돌아다니며 심부름을 하는 까닭에, '앞에서 분주하게 왔다 갔다 함'을 이름.

단골 마루 명〖건〗층집의 아래층 지붕의 윗마루.

단골-막이 명 〈방〉〖건〗골막이.

단골-말 명 늘 정해 놓고 하는 말.

단골 무:당【—巫—】명〖민〗①굿할 때 늘 단골로 불려 쓰는 무당. ②〈방〉 무당(호남). 준단골.

단골-벽【—壁】명〖건〗도리에 얹힌 서까래 끝의 골 사이에 바른 벽.

단골 서리【—書吏】명〖역〗관원이 항상 관아의 사무를 맡기던 이조(吏曹) 또는 병조(兵曹)의 서리. 주의 '丹骨書吏'로 쓴은 취음(取音).

단골 손님 명 늘 정해 놓고 거래하는 손님. ↔뜨내기 손님.

단골-집 [—찝] 명 단골로 거래하는 집. 준단골. 「자.

단골-판【—板】명〖건〗서까래와 서까래 사이, 곧, 단골을 막은 나무판

단공【鍛工】명 금속을 단련함. 또, 그 직공. ——하다 타여불

단공-로【鍛工爐】[—노] 명 대장간에서 쇠를 가열하는 노(爐). 단열로(鍛熱爐).

단공-류【單孔類】[—뉴] 명〖동〗①[Monopylaria] 유공충류(有孔蟲類)에 속하는 한 아목(亞目). 중심낭(中心囊)에 단 한 개의 큰 공문(孔門)이 있는 원생(原生) 동물로, 몸은 대개 원뿔의 그물코 모양의 껍질로 덮여 있음. 단문류(單門類). 소노류(小鋑類). ↔다공류(多孔類). ②일혈류.

단공-삼매【但空三昧】명〖불〗공(空)하지 아니한 이치를 알지 못하고 공하다는 한쪽만을 고집하는 선정(禪定).

단공-장【鍛工場】명 연철(鍊鐵)·강철의 소재(素材)를 필요한 형태로 대

단과¹【丹果】명 붉은 빛의 과실. └강 만드는 작업장.

단과²【單果】명〖식〗홑열매. 단화과(單花果).

단과【單科】[—꽈] 명 하나의 과목. 하나의 학과나 학부(學部). ¶ ~반과 종합반.

단과 대학【單科大學】[—꽈—] 명〖교〗한 가지 계통의 학부(學部)로만 구성된 대학. 대학(大學). 칼리지. ↔종합 대학.

단과-지【短果枝】명〖식〗길이 10 cm 이하의 결과지(結果枝).

단곽-분【單槨墳】명〖고고학〗외덧널무덤.

단관¹【丹款】명 적심(赤心). 단심(丹心).

단관²【單冠】명〖조〗한 장으로 되어 있는 닭의 볏. 홑 볏. *모관(毛冠)·화형관(花形冠).

단-관절【單關節】명〖생〗관절을 구성하는 뼈의 수에 의한 분류의 하나. 두 개의 뼈로 구성된 관절. 어깨 관절이나 고관절(股關節) 따위. ↔복관절.

〈단관²〉

단광¹【單光】명〖물〗단색광(單色光).

단광²【團鑛】명〖광〗가루 모양의 것을 덩어리로 굳힌 광물.

단광-법【團鑛法】[—뻡] 명〖광〗①가루로 된 광물에 결합제(結合劑)를 가하여 기계적으로 굳히는 방법. ②가루로 된 광물을 배소(焙燒)함과 동시에 굳히는 방법.

단괴【團塊】명 암층(岩層) 속에 있는 여러 가지 모양의 덩어리.

단:교¹【斷交】명 ①교제를 끊음. 절교(絕交). ②국가간의 외교 관계를 끊음. ——하다 자여불

단:교²【斷郊】명 교외를 가로 질러 나감. ——하다 자여불

단:교³【斷橋】명 끊어진 다리. 다리를 끊어 적이 넘어오지 못하게 함.

단:교 경:주【斷郊競走】명〔크로스 컨트리 레이스(cross-country race)의 역어〕많은 사람이 교외(郊外)의 일정한 지역을 달리는 장거리(長距離) 경주. 「는 정책.

단:교 정책【斷交政策】명〖정〗외국과의 정치적·경제적 관계를 끊으려

단구¹【丹丘】명 신선(神仙)이 산다는 곳. 밤낮이 늘 밝다고 함.

단구²【段丘】명〖지〗강물이나 바닷물의 침식, 지반(地盤)의 융기 또는 사력(砂礫)의 퇴적에 의하여 강·호수·바다의 연안에 생긴 계단형(階段形)의 지형. ¶ 해안(海岸) ~/하안(河岸) ~.

단구³【單球】명〖생〗혈액 속에 있는 둥글고 큰 세포. 강한 탐식(貪食) 작용이 있고, 백혈구에 약 5% 가량 존재하는데 말라리아·홍역·두창(痘瘡) 때에 증가함. 단핵 세포(單核細胞).

단구⁴【單鉤】명 글씨 쓰는 데 붓을 잡는 법의 한 가지. 엄지와 집게손가락으로 붓대를 걸쳐 잡고 가운뎃손가락으로 붓대를 가볍게 받침. 단구법. ↔쌍구(雙鉤).

단구⁵【短句】명 짧은 구. 사륙문(四六文)·장편시(長篇詩)의 자수(字數)가 적은 구. ↔장구(長句).

단구⁶【短晷】명 짧은 낮. 짧은 해.

단구[7]【短軀】명 키가 작은 몸. 단신(短身). ¶5척 ～. ↔장구(長軀).

단:구[8]【斷口】명 ①단면(斷面). ②〖광〗 결정 광물의 벽개면(劈開面) 이외의 불규칙한 파쇄면(破碎面). 각 광물에 따라 다소 고유한 형상이 있으므로 광물 감정(鑑定)의 기준이 됨.

단구-법【單鉤法】[―뻡] 명 단구(單鉤).

단구-애【段丘崖】명 〖지〗 하안(河岸) 단구나 해안(海岸) 단구와, 이보다 한층 낮은 단구 또는 평야와를 구획하는 급한 낭떠러지. 강(江)의 측각(側刻)이나 해수의 침식(浸蝕)으로 생김.

단구 퇴적물【段丘堆積物】명 〖지〗 단구를 구성하는 퇴적물. 모래·자갈 등의 것이 많음.

단-국[1] 명 맛을 달게 만든 국.

단국[2]【丹國】명 〖지〗 '덴마크(Denmark)'의 음역.

단국[3]【檀國】명 〖역〗 배달 나라.

단국 대학교【檀國大學校】명 사립 종합 대학의 하나. 1947년 단과 대학으로 설립하였다가 1967년에 종합 대학으로 승격. 문리과·상과·공과·법과 대학 등이 있음. 소재지는 서울 특별시 용산구 한남동(龍山區漢南洞).

단국-지【單局地】명 전화국이 하나뿐인 도시. ↔복국지(複局地).

단군【檀君】명 〖신〗 한국의 국조(國祖)로 받드는 태초의 임금. 일종의 개국신(開國神)으로, 기원전 24세기경 단군 조선을 건국하였다 함. 한국 민족의 조상으로 신봉되고 있음. 환인(桓因)·환웅(桓雄)과 함께 삼신(三神)의 하나로 추앙됨. 단군 왕검. *단군 신화·한얼님.

단군 개국【檀君開國】명 단군이 우리 나라를 처음으로 창설한 일.

단군-교【檀君敎】명 단군(檀君)을 신봉하는 교. 대종교(大倧敎)를 비롯하여 여러 교파가 있음.

단군 기원【檀君紀元】명 단군이 즉위한 해인 기원 전 2333년을 원년(元年)으로 치는 한국의 기원. ㊥단기(檀紀). *개천절.

단군 신화【檀君神話】명 단군에 관한 신화. 하늘에서 환인(桓因)의 아들 환웅(桓雄)이 이 세상에 내려와 태백산(太白山)의 신단수(神壇樹) 아래에서 세상을 다스릴 때, 사람이 되고자 하던 '곰'과 '호랑이'에게 영애(靈艾)와 마늘을 먹였는데, 호랑이는 이 시련을 참지 못했고, 곰은 이겨내어 '웅녀(熊女)'가 되어서 환웅과 결혼하여 낳은 아들이 '단군'이라 함.

단군 왕검【檀君王儉】명 〖역〗 단군.

단군 조선【檀君朝鮮】명 〖역〗 단군이 기원 전 2333년에 아사달(阿斯達)에 도읍하고 건국한 고조선(古朝鮮). 풍백(風伯)·우사(雨師)·운사(雲師)를 거느리고 재곡(財穀)·생명(生命)·질병·선악 등 인간 360여 사를 주재하였으며, 약 2,000 년간 백성을 다스렸다 함.

단-굴절【單屈折】[―쩔] 명 〖물〗 빛이 유리에서 굴절할 때처럼 입사광(入射光)에 대하여, 굴절광(屈折光)이 하나밖에 없는 굴절 현상. ↔복굴절(複屈折).

단궁【檀弓】명 박달나무로 만든 활. 동예(東濊)에서 만들어 중국에 수출함.

단권【單卷】명 ↗단권책(單卷冊).

단권 변:압기【單捲變壓器】명 1차와 2차 코일의 기능을 공유하는 하나의 코일로 이루어진 변압기.

단권-책【單卷冊】명 한 권으로 완결된 책. ㊥단권(單卷).

단궤【單軌】명 ↗단선 궤도(單線軌道). ↔복궤(複軌).

단궤 철도【單軌鐵道】[―또] 명 ①상행(上行)·하행(下行) 열차를 단선 궤도로 운행시키는 철도. ↔복궤 철도. ②모노레일.

단귀【短句】명 ☞ 단구(短句).

단-귀틀【短―】명 〖건〗 장귀틀과 장귀틀 사이를 가로 지른 짧은 귀틀.

단규【端揆】명 〖역〗 '우의정(右議政)'의 별칭.

단극 개폐기【單極開閉器】명 〖전〗 단극 스위치.

단극 단투 접점【單極單投接點】명 〔single-pole singlethrow: SPST〕 〖전〗 하나의 회로를 개폐하는 2단자 스위치 또는 계전기 접점 배치(繼電氣接點配置).

단극 발전기【單極發電機】[―쩐―] 명 〔homopolar generator〕 〖전〗 전기자 단자(電機子端子)가 모두 동일 극성을 가지는 직류 발전기.

단극 스위치【單極―】명 〔single-pole switch〕 〖전〗 단 하나의 접점(接點)을 가지는 스위치. 회로(回路)의 왕복선 중에서 한쪽만의 개폐(開閉)에 의하여 회로 전류를 단속(斷續)시킴. 단극 개폐기.

단극 전:위【單極電位】명 〖물〗 고체·액체·기체 등의 홑원소 물질과 그 이온(ion)을 포함하는 용액과를 접촉시킬 때 그 경계면에 나타나는 전위. 전극(電極) 전위. *표준(標準) 단극 전위.

단근[1]【單根】명 ①〖식〗 가랑이가 돋지 않고 외줄로 뻗은 뿌리. ↔복근(複根). ②〖수〗 정방정식(整方程式)의 근(根)의 하나. a가 방정식 $f(x)=0$의 근이라면 $f(x)$는 $(x-a)g(x)$라고 쓸 수 있으나, a가 방정식 $g(x)=0$의 근이 아닐 때 a를 $f(x)=0$의 단근이라고 함.

단:근-질 명 쇠를 불에 달구어 몸을 지지는 형벌. 낙형(烙刑). ――-하다 타여불

단:근-형【斷筋刑】명 〖역〗 조선 시대 때, 죄인의 손의 힘줄을 끊어 버리던 형벌. 한때 성한 도범(盜犯)을 방지하기 위하여 실시한 형벌로, 형전에도 없는 법외의 벌임. 중종(中宗) 5년(1510)에 김 수동(金壽童)의 건의로 폐지됨.

단금[1]【單衾】명 한 채뿐인 이불. 또, 홑이불.

단:금[2]【斷金】명 〔역경(易經) 계사전(繫辭傳)의 '二人同心 其利斷金'에서 유래〕 굳기가 쇠라도 자를 만큼 교분이 아주 두터움. 또, 그 교제. ――-하다 형여불

단:금[3]【斷琴】명 거문고의 줄을 끊어 버림. ――-하다 자여불

단금【鍛金】명 금속을 판상(板狀)·선상(線狀)·입체상(立體狀)으로 두드려 펴서 기물을 만드는 일. 작품에는 불상(佛像)·징·향로·주발·화병 등이 있음.

단:금-우【斷金友】명 매우 교분이 두터운 친구.

단:금지-계【斷金之契】명 극히 친밀한 우정. *단금지교(斷琴之交).

단:금지-교[1]【斷金之交】명 매우 정의가 두터운 친구간의 교분.

단:금지-교[2]【斷琴之交】명 〔옛날 중국의 백아(伯牙)가 자기의 거문고 소리를 듣고 그 음(音)을 이해한 종자기(鍾子期)를 유일한 친구로 삼았는데, 자기(子期)가 죽자 거문고의 줄을 끊어 평생 손을 대지 않았다는 고사(故事)에서 유래〕 매우 친밀한 우정이나 교제. *단금지계(斷金之契).

단급【單級】명 〖교〗 여러 학년 또는 학급을 몰아서 한 학급(學級)으로 편성(編成)한 학급. ¶벽지의 ～ 학교. ↔다급(多級).

단급 학교【單級學校】명 〖교〗 전교 학생을 단급(單級)으로 편성하여 보통 한 명의 교원이 담임(擔任)하는 소규모의 학교.

단기[1]【段碁】명 바둑에서, 유단(有段)의 솜씨. 또, 그런 솜씨를 가진 사람. 단바둑.

단기[2]【單技】명 단 한 가지의 재주.

단기[3]【單記】명 ①낱낱이 따로따로 기입(記入)함. 한 장에 한 가지만 기입함. ↔연기(連記). ②그것 하나만을 기입함. ③↗단기 투표(單記投票). ――-하다 타여불

단기[4]【單機】명 ①↗단일 기계(單一機械). ②한 대의 비행기. 특히, 단독 비행하는 군용기(軍用機). ¶～ 출격(出擊). ③반반하고 두툼한 나무 토막을 두 개의 채에 가로 묶어 매단 간단한 들 것. 짐을 나무 토막에 올려 놓고 두 사람이나 네 사람이 채를 들거나 메어서 나름.

단기[5]【單騎】명 혼자 말을 타고 감. 또, 그 사람. 고안(孤鞍).

단기[6]【短氣】명 ①〖한의〗 숨이 차서 호흡이 거칠고 그 횟수(回數)가 많은 증세. ②〖한의〗 기운이 떨어지는 증세. ③〖한의〗 담(膽)이 떨어짐. ④너그럽지 못하고 조급한 성질. 성마른 기질. ――-하다 형여불

단기[7]【短期】명 짧은 기간. 단기간. ↔장기(長期).

단기[8]【團旗】명 어떤 단을 상징하는 기. ¶소년단 ～.

단기[9]【檀紀】명 ↗단군 기원(檀君紀元).

단:기[10]【斷機】명 짜고 있던 베틀의 실을 끊음. *단기지계(斷機之戒).

단-기간【短期間】명 짧은 기간. 단기(短期). ↔장기간.

단기 거:래【短期去來】명 〖경〗 ↗단기 청산(淸算) 거래.

단기 공채【短期公債】명 〖경〗 1년 또는 수년 이내에 상환할 것을 정하고 모집하는 공채(公債). 유동(流動) 공채.

단기 균형【短期均衡】명 〖경〗 영국의 경제학자 마셜(Marshall, A.)이 시장 분석을 행함에 있어, 상품(商品)측에서 보아 구분한 시간 개념의 하나. 공급은 변화하나 생산 설비는 변동이 일어나지 않는 정도의 단시간의 균형을 말함.

단기 금리【短期金利】[―니] 명 〖경〗 상환 기한이 짧은 단기 대출(貸出)에 대하여 지급되는 이자. ↔장기(長期) 금리.

단기 금융【短期金融】[―/―늉] 명 〖경〗 상환 기한이 짧은 금융. 보통 1년 이내의 경우를 말함. 콜 론(call loan)·어음 할인·어음 대부 등. ↔장기 금융.

단기 금융 시:장【短期金融市場】[―/―늉―] 명 〖경〗 기업의 운전 자금 등 단기 자금이 거래되는 금융 시장. 보통 대부 기간이 1개년까지의 것으로, 자금 공급 방법은 콜 론·어음 할인·어음 대부 등이 있음.

단기 금융업【短期金融業】[―/―늉―] 명 〖경〗 만기(滿期)가 6개월 이내의 어음 및 채무 증권의 발행, 어음의 할인(割引)·매매·인수·보증의 업무를 취급하는 영업.

단기 금융 회:사【短期金融會社】[―/―늉―] 명 재정 경제부 장관의 인가를 받아, 단기 금융업을 영위(營爲)하는 주식 회사.

단기 급여【短期給與】명 〖법〗 공무원 연금법(年金法)에 제정된 급여의 한 가지. 공무원의 질병·부상·분만시에 지급되는 보건 급여(保健給與), 질병이나 부상 또는 분만으로 인한 요양·휴직을 요할 경우에 지급되는 휴업 급여(休業給與), 또 공무원의 사망 및 재해(災害)시에 지급되는 재해 급여(災害給與) 등이 있음.

단기 대:부【短期貸付】명 〖경〗 기한이 짧은 대부. 보통, 1년 이내를 말함.

단기명 투표【單記名投票】명 〖법〗 단기 투표. ↔연기명 투표.

단기 무기명 투표【單記無記名投票】명 〖법〗 투표 방법의 한 가지. 투표 용지에 피선거인 하나만을 적고 선거인의 성명은 밝히지 아니하는 단기 투표(單記投票).

단기 사:관 학교【短期士官學校】명 군의 단기 복무(短期服務) 장교가 될 사람을 양성하는 교육 기관. 전문 대학 이상을 졸업한 남자가 입학할 수 있음. 육군 제3 사관 학교.

단기 사채【短期社債】명 〖경〗 단기 자금을 필요로 하는 경우에 회사가 발행하는 채권.

단-기생【單寄生】명 〖생〗 기생물이 한 개의 숙주(宿主)에 한 개체(個體)만일 때의 기생. ↔다기생(多寄生).

단-기서【段祺瑞】명 〖사람〗 '단 치루이(段祺瑞)'를 우리 음으로 읽은 이름.

단기 시효【短期時效】명 〖법〗 단기간의 시효. 대개 5년 이하를 말함.

단기 신:용【短期信用】명 〖경〗 신용 기간이 짧은 신용의 하나. 보통, 국내 거래에서는 2-3개월, 무역 거래에서는 3-4개월임을 말함.

단기 신:탁【短期信託】명 〖경〗 단기간의 신탁. 보통, 5년 이하의 신탁.

단기 신:호【單旗信號】명 수기(手旗) 통신 방법의 한 가지. 기(旗) 하나로 흔드는 방식에 따라 점·선 등을 표시하는 신호.

단기 어음【短期―】명 〖경〗 환·일람 출급(一覽出給) 어음 또는 10일 이내의 만기일(滿期日)을 가진 어음의 총칭.

단기 예:보【短期豫報】명 〖기상〗 오늘·내일·모레의 3일간을 대상으로 하는 일기 예보. ↔장기 예보.

단기 외:자【短期外資】명 〖경〗 기한 1년 이내의 외자. 부동성(浮動性)이 많아 외화 준비고를 증감시킴.

단기 운전 자:금【短期運轉資金】명 〖경〗 3-6개월의 비교적 단기간

에 지급과 회수가 순환하는 운전 자금.

단기 의회【短期議會】명 〖역〗 1640년 영국의 찰스 1세가 소집한 의회. 3주일 동안 계속되고 해산함. 같은 해 가을에 소집된 장기(長期) 의회에 대비(對比)하여 이렇게 이름.

단기 이양식【單記移讓式】명 〖정〗 비례 대표제(比例代表制)의 선거에 있어서, 당선 득표에 이른 후보자가 자기에게 필요 없는 남은 득표를 동일 정당의 다른 후보자에게 넘겨 주는 일.

단기 이:자율【短期利子率】명 〖경〗 단기 운전 자금의 차입(借入)에 대하여 지급되는 이자의 율. 보통, 장기 이자율보다 높음. ↔장기(長期) 이자율.

단기 임:대차【短期賃貸借】명 〖법〗 식목·채염(採塩) 또는 석조·연와조(煉瓦造) 등의 건축을 목적으로 하는 토지는 10년, 기타의 토지는 5년, 건물·공작물은 3년, 동산은 6개월 이하의 기간의 임대차. 처분의 능력 또는 권한이 없는 자는 이 기간을 넘는 임대차는 못 함.

단기 자:금【短期資金】명 〖경〗 기업의 운전 자금 따위와 같이, 보통 1년 미만으로 회수되는 자금. 또, 금융 기관 상호간에서 수중(手中) 자금의 과부족을 조정하기 위한 거래를 이르기도 함.

단기 자본【短期資本】명 〖경〗 ①기업에 투하 운용되고 있는 자본 가운데 단기간 내에 갚아야 하는 자본 부분. 단기 차입금 외에 지급 어음 같은 것이 이에 속함. ②기업에 단기간 투입 운용되는 자본.

단기 자유형【短期自由刑】명 〖법〗 일반적으로 형기(刑期)가 짧은 자유형. 보통, 3개월 이내의 자유형을 가리키며, 형사 정책상 그 폐지가 인정되어 기소 유예·선고 유예·집행 유예·벌금형 등으로 대신하자는 주장이 채택되고 있음.

단기-적【短期的】명관 기간이 단기간인 모양. ↔장기적.

단기-전【短期戰】명 단기간에 승패를 판가름하는 싸움. ↔장기전.

단:기지-계【斷機之戒】명 〔중국의 맹자(孟子)가 수학(修學) 도중에 돌아왔을 때, 그 어머니가 칼로 베틀의 실을 끊어서 훈계하였다는 고사에서 유래〕 학문을 중도에서 그만두는 것은 짜던 베의 날을 끊는 것과 같다는 뜻.

단기 차:입금【短期借入金】명 〖경〗 결산일(決算日) 또는 그 다음날부터 기산(起算)하여, 지급 기한이 1년 미만인 차입금.

단기-채【短期債】명 1년 내지 수 년 이내의 짧은 기간 안에 상환하기로 하고 얻는 빚. ↔장기채. 「단기 공채·단기 사채 등.

단기 채:권【短期債券】〔一꿘〕명 단기간의 상환 기간을 가진 채권.

단기 청산 거:래【短期清算去來】명 〖경〗 증권(證券) 거래소에서 매매 약정을 한 날부터 7일 이내에 결제(決濟)하는 거래 방법. ㊟단기 거래. ↔장기(長期) 청산 거래. 「——-하다 자여불

단기 치빙【單騎馳騁】명 혼자 말을 타고 전쟁터를 부산하게 다님.

단-기통【單汽筒·單氣筒】명 〖기〗 단 하나의 기통. ¶ ~ 엔진.

단기 투자자【短期投資者】명 증권 시장에서, 차익(差益)을 노리고 단기간의 주식 매매를 하는 사람. 매매량은 소규모이나 빈번하게 매매하는 경향이 있음.

단기 투표【單記投票】명 〖법〗 한 선거인이 한 투표 용지에 한 사람의 피선거인을 지정하는 투표. 단기명(單記名) 투표. ㊟단기(單記). ↔연기(連記) 투표. ——-하다 자여불

단기 파:동【短期波動】명 〔short waves〕 〖경〗 1923년에 미국의 키친(Kitchin, J.)과 크럼(Crum, W.L.)에 의해 발견된, 약 40개월의 순환 주기를 가지는 단기의 경기 파동. 이자율의 변동에 가장 잘 나타남. 키친 사이클. ↔장기 파동.

단:김-에 부 단결에. ¶ 쇠뿔도 ~ 빼랬다고.

단꾼 명 〈방〉 담(擔)꾼.

단-꿈 명 달콤한 꿈. ¶ ~을 꾸다.

단나【檀那·旦那】명 〔범 dānapati〕 〖불교〗 시주(施主). 단월(檀越).

단:-나무 명 단으로 묶어서 파는 땔나무.

단나바라【檀那波羅】명 〖사람〗 중국 송(宋)나라 때의 중. 북인도 사람으로, 송에 건너가 역경원(譯經院)에서 역경에 종사하였음.

단:-내 명 ①물건이 불에 눋을 때 나는 냄새. ②몸의 열이 몹시 높을 때에 콧구멍에서 나는 냄새.
단:내(가) 나다 구 몸에 열이 몹시 나다.

단-너삼 명 〖식〗 황기(黃芪)❶.

단너숨 명 〈옛〉 단너삼. ¶ 단너숨 불휘(黃芪)《方藥 1》.

단네모라 〔Dannemora〕 명 〖지〗 스웨덴 동남부 웁살라(Uppsala) 북쪽 약 35km에 있는 광산촌. 15세기 이래의 철광산이 있음. [41,000명(1971)] 「(白十字)를 그린 기(旗).

단네브로〔덴마크 Dannebrog〕명 덴마크의 국기. 빨간 바탕에 백십자

단네브로 훈장【一勳章】〔Dannebrog〕명 덴마크의 훈장. 1219년에 제정된 것으로, 현재 수여되고 있는 것 중 세계 최고(最古)임.

단념[1]【丹念】명 성심(誠心).

단념[2]【短念】명 〖불교〗 단주(短珠).

단:념[3]【斷念】명 생각을 아주 끊어 버림. 미련 없이 잊어버림. 체념(諦念). 절념(絶念). ¶ 아직도 ~을 못 하고 있다. ——-하다 타여불

단녕【單寧】명 〖화〗 '타닌(tannin)'의 한자 이름.

단녕-산【單寧酸】명 〖화〗 '타닌산'의 한자 이름.

단뇌【端腦】명 〖생〗 척추 동물의 개체(個體) 발생에 있어서 전뇌(前腦)의 전반부(前半部)를 차지하는 돌출 부분. 양서류(兩棲類) 이상의 고등 동물에서는 대뇌 반구(大腦半球)로 분화(分化)함.

단눈치오 〔D'Annunzio, Gabriele〕명 〖사람〗 이탈리아의 시인·작가. 심리 관찰에 뛰어나고 세기말(世紀末) 탐미파(耽美派)의 대표자로 장편 소설 《쾌락》·《죄 없는 사람》·《죽음의 승리》 등 관능적 이단주의에 의한 독자적 작풍을 수립하였음. 1차 대전 당시에는 열렬한 애국 시인으로서 또 전사(戰士)로서 활약하다가 한 눈을 잃었음. [1863-1938]

단능 작업【單能作業】명 대규모 제품의 생산에 있어서, 분업화하여 각각 어느 과정의 한 분야만을 담당하도록 조직화한 작업. 정교한 제품의 작업을 최대로 간이화(簡易化)하여 숙련공의 부족을 보충하고, 대량 생산을 하기 위해 공정(工程)을 분석하여 몇 개의 단순한 작업으로 만들어, 미경험자도 쉽게 종사할 수 있게 한 작업.

단니다 자 〈방〉 다니다.

단닉기 명 〈옛〉 김[1]. ¶ 단닉기(甘苔)《方藥 26》.

단님 명 〈방〉 대님(충남·전북·경상).

-단다 어미 ① ↗-다고 한다. ¶ 선물을 받고 기쁘~. ②형용사 어간 또는 선어말 어미 '-았-'·'-었-'·'-겠-' 따위에 붙어, '-단 말이다'의 뜻으로 사실을 친근하게 서술하는 종결 어미. ¶ 아주 아름답~/우리가 이겼~. *-ㄴ단다·-는단다·-란다.

단다구 명 〈방〉 항아리(평북).

단단-막【一膜】명 〖생〗 공막(鞏膜). 각막(角膜).

단:단 무타【斷斷無他】명 참되어 다른 마음이 없음. ——-하다 형여불

단:단 상약【斷斷相約】명 단단히 서로 약속함. ——-하다 타여불

단단-하다 형여불 〔근대: 단단하다〕 ①무르지 아니하고 매우 굳다. ¶ 땅이 ~/결심이 ~. ②약하지 아니하고 굳세다. ¶ 몸이 ~. ③속이 배서 야무지다. 속이 차서 실속이 있다. 잘못이나 부족이 없다. ¶ 살림이 ~. ④연하거나 느슨하지 않다. ¶ 단단하게 묶어라. ⑤마음이 허수하지 않고 미덥다. 1)-5): 쓰딴딴하다. 1)·2)·3)·5): <든든하다. 단단-히 부 ①단단하게. ¶ 손발을 ~ 묶다. ②엄중히. ¶ ~ 단속하다. ③크게. 몹시. ¶ 대목에 ~ 재미보다/~ 꾸지람 듣다.
【단단하기만 하면 벽에 물이 피나】 일면적 조건만 갖추어졌다고 되는 것이 아니라, 모든 조건이 고루 갖추어져야 한다는 말. 【단단한 땅에 물이 괸다】 마음이 단단해야 재물이 모인다는 말. 「수확량.

단당【段當】명 수확이나 비료 등의 농토 1단보(段步)에 대한 양. ¶ ~

단당-류【單糖類】〔一뉴〕명 〖화〗 가수 분해(加水分解)에 의하여 더 간단하게는 분해되지 아니하는 당류. 포도당(葡萄糖)·과당(果糖) 따위. ⌊*이당류(二糖類).

단대[1]【丹臺】명 신선(神仙)이 사는 궁전.

단대기 명 〈방〉 항아리(평북).

단-대목【單一】명 ①큰 명절이나 큰일이 바싹 다가온 때. ¶ 섣달 ~. ②어떠한 일이나 고비에 바싹 가까워져서 매우 중요하게 된 기회나 자리. ¶ ~에 와서 일이 틀어지다. ㊟단목.

단-대위법【單對位法】〔一뻡〕명 〔simple counterpoint〕 〖악〗 각 성부(聲部)의 선율이 그 선율 그대로는 서로 성부를 교환하지 아니하는 대위법. 곧, 어떤 성부에 정선율(定旋律)을 놓아 거기에 대위 선율을 붙여 나가기만 하는 방법임.

단:덕【斷德】명 〖불교〗 삼덕(三德)의 하나. 여래(如來)가 모든 번뇌(煩惱)를 끊는 일.

단도[1]【單刀】명 한 자루의 칼.

단:도[2]【短刀】명 짧은 칼. 보통, 길이가 한 자 이내의 것을 말하며, 주로 찌르는 데에 쓰임. 단검(短劍).

단도[3]【檀度】명 〖불교〗 육도(六度)의 제일인 보시(布施)의 행법(行法). 단바라밀(檀波羅蜜).

단도[4]【檀徒】명 〖불교〗 시주(施主)의 무리.

단도-기【端度器】명 단면간(端面間)의 거리에 의하여 다른 것의 길이·크기를 재는 기준물(基準物). 블록 게이지·한계(限界) 게이지 따위.

단도리 〔일 段取: だんどり〕명 ☞채비. 잡도리.

단도 마연 토기【丹塗磨硏土器】명 〖역〗 신석기 시대의 토기. 중국에서 발굴되는 채문 토기(彩文土器)와 관련이 있는 것으로, 표면에 단(丹)을 바르고 마연(磨硏)하여 붉고 반들반들하게 만들었으며 함경 북도 웅기(雄基) 송평동(松平洞)에서 대표적인 것이 출토되었음. *무문 후육(無紋厚肉) 토기·빗살 무늬 토기.

단-도목【單都目】명 〖역〗 수령(守令)의 성적이 나빠 벼슬한 뒤 첫번 출척(黜陟)에 파면됨.

단도 직입【單刀直入】명 ①혼자서 칼을 휘두르고 거침없이 적진(敵陣)으로 쳐들어 감. ②문장(文章)이나 언론의 너절한 허두를 빼고 바로 그 요점(要點)으로 풀이하여 들어감. ¶ ~으로 말하다. ③〖불교〗 생각과 분별(分別)과 말에 거리끼지 아니하고 진경계(眞境界)로 바로 들어감. ——-하다 자여불

단도 직입적【單刀直入的】명관 말을 에두르지 않고 요점이나 핵심으로 곧바로 들어가는 모양. ¶ ~으로 말하다.

단독[1]【丹毒】명 〖의〗 피부 또는 점막부(粘膜部)의 다친 곳이나 헌데에 연쇄상 구균(連鎖狀球菌)이 들어가서 일어나는 급성 전염병. 한나절에서 사흘 가량의 잠복기(潛伏期)를 지나 고열(高熱)을 내며 그 국부(局部)의 피부가 붉어지며 붓고 차차 퍼져서 종창(腫瘡)·동통(疼痛)을 일으키게 되는 증세로, 내버려 두면 위독하게 되는 수가 있음. 적유풍(赤遊風). 풍단(風丹). 홍사창(紅絲瘡).

단독[2]【單獨】명 ①단 하나. ②단 한 사람. 혼자.

단독 간통【單獨姦通】명 수태(受胎)된 난자(卵子) 또는 태아를 딴 여성의 자궁에 이식(移植)할 때의 결과적 간통.

단독 강:화【單獨講和】명 〖정〗 한 나라가 그의 동맹국에서 이탈하여 단독으로 적국과 강화하는 일. 또, 많은 상대국 가운데의 한 나라와만 하는 강화. *다수(多數) 강화·전면(全面) 강화. ——-하다 자여불

단독 개:념【單獨概念】명 〖논〗 속성(屬性)으로써 한정하여 어떠한 단독의 사물을 나타내는 개념. 곧 '세계 제1의 대하(大河)', '초대 대법원장'과 같은 개념. 구체적(具體的) 개념. 단일(單一) 개념. 개체(個體) 개념. 단독 명사(名辭). 단칭 명사(單稱名辭).

단독 경영【單獨經營】명 자기 혼자의 힘으로 사업체 따위를 경영하는 일. ↔공동 경영.

단독 경제【單獨經濟】명〖경〗한 개의 경제 주체(經濟主體) 아래 낱낱이 독립하는 경제. 가령, 국가 경제에 대하여 각 가정의 경제, 사회 경제에 대하여 국민 각 개인의 경제와 같이 단독의 경제 주체하에 이루어지는 경제. ↔공동 경제(共同經濟).

단독 관부【單獨官府】명 단독 기관(單獨機關)의 하나. 관제상(官制上) 한 사람의 자연인(自然人)으로써 구성되는 관청으로, 우리 나라의 대부분의 행정 관청은 이에 속함.

단독-국【單獨國】명〖정〗단일국(單一國).

단독 기관【單獨機關】명〖법〗단독제(單獨制)의 기관. 곧, 행정 각부(行政各部)의 장관, 각 도(各道)의 지사처럼 단 한 사람으로 조직된 기관. ↔합의(合議) 기관.

단독 기:업【單獨企業】명〖경〗개인 기업.

단독 내:각【單獨內閣】명〖정〗한 정당에 의하여 구성되는 내각. *연립 내각·초연(超然) 내각.

단독 노동 조합【單獨勞動組合】명 한 사업소나 한 기업의 노동자가 조합을 조직하여, 산업별 조합이나 그 밖의 연합체에 가맹하지 아니하고, 고립적인 입장에 있는 노동 조합. 단독 조합. *단위 노동 조합.

단독 등반【單獨登攀】명〔도 Alleingehen〕혼자서 산에 오르는 일.

단독 메이커【單獨一】〔maker〕명〖경〗생산 단계의 하나 또는 둘만을 단독으로 경영하는 업자. ↔일관(一貫) 메이커.

단독 명사【單獨名辭】명〖논〗단독 개념.

단독-범【單獨犯】명〖법〗단독 정범(單獨正犯). *공범(共犯).

단독 법원【單獨法院】명〖법〗한 사람의 판사가 단독으로 재판권(裁判權)을 행사하는 법원. 곧, 단독제로 구성된 법원. ↔합의제(合議制) 법원.

단독 비행【單獨飛行】명 항공기 한 대 또는 조종사 한 명만으로 비행함. ——-하다 자여불

단독 상속【單獨相續】명〖법〗한 사람의 상속인이 단독으로 상속하는 일. 또, 그 형태(形態). ↔공동 상속. ——-하다 타여불

단독 심리【單獨審理】[—니] 명〖법〗단독 재판에서 한 사람의 판사가 심리하는 일. ——-하다 자여불

단독 어음【單獨一】명〖경〗외국환(外國換) 어음에 있어서, 보통은 똑같은 것이 2통 이상 발행되나 권면(券面)의 액수가 그다지 크지 않을 경우, 1통만을 발행하여 수취인에게 송부하는 어음. ↔세트 빌(set bill)·복수 어음.

단독 일신【單獨一身】[—씬] 명 단 하나의 몸. 일가 친척이 없는 홀몸.

단독 재판【單獨裁判】명〖법〗한 사람의 판사에 의하여 행해지는 재판. ↔합의 재판(合議裁判).

단독 저작물【單獨著作物】명 한 사람이 단독으로 지은 저작물.

단독-적【單獨的】명관 단독으로 하는 모양.

단독 점유【單獨占有】명 한 물건에 대하여 한 사람이 단독으로 점유하는 일. ↔공동 점유. ——-하다 타여불

단독 정당제【單獨政黨制】명〖정〗원칙적으로 단일의 공인(公認) 정당 이외에는 딴 정당의 존립을 허용하지 아니하며, 그 단일 정당을 기반으로 하는 정권이 존속하는 정당 정치의 형태. 과거 이탈리아의 파쇼당·독일의 나치스당 및 소련의 공산당 같은 제도.

단독 정:범【單獨正犯】명〖법〗범죄의 구성 요건(構成要件)에 해당하는 행위를 혼자서 실행하는 경우의 행위. 또, 그러한 범죄를 범한 사람. 단독범(單獨犯). ↔공동 정범(共同正犯).

단독-제【單獨制】명 ①재판 구성의 한 가지. 한 사람의 재판관(裁判官)의 의사에 의하여 일을 결정하는 제도. ②행정 기관 구성의 한 가지. 한 사람의 공무원으로 하나의 관청을 이루는 제도. 1)·2): ↔합의제(合議制).

단독 조합【單獨組合】명 단독 노동 조합.

단독 주:택【單獨住宅】명 한 채씩 따로따로 지은 집. 독립 가옥. 독립 주택. *공동(共同) 주택.

단독 책임【單獨責任】명 개인이나 법인(法人)이 단독으로 지는 책임.

단독 판사【單獨判事】명〖법〗단독으로 재판권을 행사하는 판사. 지방 법원과 그 지원(支院) 및 지방 법원 소년부 지원, 가정 법원과 그 지원에서 합의 심판을 요하지 아니하는 사건에 대하여 심판권을 행사함.

단독 평로법【單獨平爐法】[—노뻡] 명 선철(銑鐵)과 설철(屑鐵)을 직접 평로(平爐)에 넣어 강철을 만드는 방법.

단독 해:손【單獨海損】명〖법〗해손의 하나. 선박이나 화물이 해상(海上)의 위험으로 입은 손해를 선주나 화주가 단독으로 부담하여야 하는 해손. ↔공동 해손(共同海損).

단독 행동【單獨行動】명 어떠한 단체나 다른 사람과 관계없이 자기 마음대로 하는 행동. ——-하다 자여불

단독 행위【單獨行爲】명〖법〗당사자 한쪽만의 의사 표시에 의하여 성립되는 법률 행위. 계약의 해제, 법률 행위의 취소, 유언(遺言) 같은 행위. 일방 행위(一方行爲). *쌍방(雙方) 행위·합동(合同) 행위.

단독 허위 표시【單獨虛僞表示】명〖법〗심리 유보(心裡留保).

단독 회:견【單獨會見】명 쌍방이 서로 단독으로 회견하는 일.

단-돈 관 돈의 액수 위에 붙어서 '약간의 돈·극히 적은 돈'의 뜻을 나타내는 말. ¶~ 10원도 없다.

단동[1]【丹東】명〖지〗'단둥(丹東)'을 우리 음으로 읽은 이름.

단동[2]【丹銅】명 구리에 소량의 아연을 가한 합금. 빛이 금빛에 가까우며, 성형(成形)·가공이 쉬우므로 건축용의 쇠장식이나 장신구로 쓰임.

단-동[3]【單一】명 윷놀이의 한 동.

단-동고리【單一】명〖민〗판굿에서, 소고잡이가 어깨 위에 버꾸잡이 하나가 올라서서 추는 춤. *삼동고리·오동고리.

단동 기관【單動機關】명〖기〗피스톤의 한쪽 면에만 증기의 압력이나 가스의 폭발 압력이 작용하여 운전되는 왕복식(往復式) 기관.

단동-내기 명 단동치기.

단동-무니【單一】명 ①윷놀이에서, 단 한 동만 가는 말. ②상대편에서 한 동도 못 난 사이에 네 동이 다 나서 이기는 일.

단동 불출【單一不出】명 윷놀이에서, 단 한 동도 내지 못하고 짐. 윷놀이에 아주 싱겁게 짐. ——-하다 자여불

단동-척【單動一】〔chuck〕명〖기〗선반 따위에서, 조(joe)가 네 개 있으며, 반지름 방향의 각(各) 조가 단독적으로 움직이는 척.

단동-치기【單一】명 단동만으로 승부를 결정하는 윷놀이. 단동내기.

단두[1]【短頭】명〖생〗두형(頭形)의 하나. 두시수(頭示數)가 81 이상의 머리. 거의 원(圓)에 가까움. ↔장두(長頭). ¶~형 민족.

단:두[2]【斷頭】명 목을 자름. ——-하다 자타여불

단:두-대【斷頭臺】명 죄인의 목을 자르는 대. *기요틴(guillotine).

단:두-술【斷頭術】명〖의〗태아가 죽었거나 고도(高度)의 분만 장애가 있는 경우에, 태아의 몸을 축소하고 빨리 내보내기 위하여 태아의 두부를 절단하는 수술.

단두화 현:상【短頭化現象】명〖생〗인류의 진화 과정에서 두개(頭蓋)가 구형(球形)에 가까워지는 현상. 보통, 수만 년을 단위로 하여 인류의 진화에 따라 관찰됨.

단-둘 명 단 두 사람.

단-둘이 부 다만 두 사람만으로. ¶~ 살다.

단둥〔丹東〕명〖지〗중국의 랴오닝성(遼寧省) 안둥(安東)을 1965년에 고친 이름.

단-등계 명〈방〉등겨(경북).

단디 명〈옛〉단지[1]. 작은항아리. ¶단디 관(罐)≪字會 中 12≫. 「7≫.

-단디면 어미〈옛〉-다 할 것 같으면. ¶精誠이 至極ᄒᆞ단디면≪月序 1:7≫.

단딘〔Dandin〕명〖사람〗7세기경의 남(南)인도의 산문(散文) 작가·수사학자(修辭學者). 전기(傳奇) 소설≪십 왕자 이야기≫·≪수사학서(修辭學書)≫·≪시작(詩作)의 거울≫ 등이 있음.

단락[1]【段落】[달—] 명 ①일이 다 된 끝. ②긴 문장(文章) 중에 크게 끊는 곳.

단락(을) 짓다 구 일이 다 되게 끝을 맺다. ¶귀찮은 문제를 ~.

단락[2]【短絡】[달—] 명 ①〖물〗전기 회로의 두 점 사이를 작은 저항으로 접속하는 일. 또, 전기 회로의 절연이 망그러져서 저항이 대단히 적은 회로를 형성하는 일. 쇼트서킷. ②〖교·심〗사물의 본질을 무시하여 자극과 반응, 문(問)과 답(答)을 간단히 연결시켜 버리는 일. ——-하다 타여불

단락 반:응【短絡反應】[달—] 명〖심〗복잡한 사태에 직면하여도 이에 정당히 대처하기 위한 사고력(思考力)을 발동시키지 아니하고, 충동적(衝動的)·직관적(直觀的)으로 일으키는 반응. 단락 행동(行動).

단락 시험【短絡試驗】[달—] 명〖전〗교류 기기(交流機器)의 단자(端子) 사이를 단락하여 행하는 시험.

단락 행동【短絡行動】[달—] 명〖심〗단락 반응(反應).

단란【團欒】[달—] 명 ①빈 구석이 없이 매우 원만함. ②친밀하게 한곳에서 즐김. ¶~한 가족. ——-하다 형여불

단란 주점【團欒酒店】[달—] 명 가족이나 친지들끼리 단란하게 술을 마시면서 영상 가요 반주(映像歌謠伴奏)에 맞추어 노래도 부를 수 있는 업소(業所).

단란지-락【團欒之樂】[달—] 명 단란하게 지내는 즐거움.

단량【丹良】[달—] 명 '개똥벌레'의 딴이름.

단량【端良】[달—] 명 단정하고 선량함. ——-하다 형여불

단량-체【單量體】[달—] 명〖공〗'모노머(monomer)'의 역어. 단위체.

단려[1]【短慮】[달—] 명 소견이 짧음. 또, 짧은 생각. 경려(輕慮). ¶~를 간(諫)하다.

단려[2]【短欐】[달—] 명〖건〗→단여(短欐).

단려[3]【端麗】[달—] 명 행실이 단정하고 겉모양이 아름다움. ¶용모 ~. ——-하다 형여불

단련[1]【團練】[달—] 명 중국, 향촌(鄕村)의 자위(自衛) 집단. 당송(唐宋) 시대에도 있었으나 청말(淸末)의 것이 가장 유명함.

단련[2]【鍛鍊】[달—] 명 ①쇠붙이를 불에 달구어 두드림. ②몸과 마음을 닦음. 수양을 쌓음. ¶심신을 ~하다. ③배운 것을 익숙하게 익힘. 연단(鍊鍛). 연마(鍊磨). ——-하다 타여불

단련-사【團練使】[달—] 명〖역〗고려·조선 시대 때의 관직. 고려 시대에는 주(州)·군(郡)·부(府) 등에 설치한 지방 장관이었으나 조선 시대 초기에는 병마 단련사(兵馬團練使)라 하여 지방 병권을 관리하고, 또 민사(民事)를 돌보았음. 그 후 주로 중국에 가는 사신 또는 중국 사신의 환영과 환송에 수행(隨行)·호송(護送)하는 임무를 맡았는데, 수령(守令) 또는 군관(軍官) 등이 임명되었음.

단련사 후:시【團練使後市】[달—] 명〖역〗조선 시대 후기에, 성경부(盛京府), 곧 선양(瀋陽)에 분납(分納)할 방물을 싣고 갔던 인마(人馬)가 귀환할 때, 이를 영솔(領率)하는 단련사가 중심이 되어 책문(柵門) 등지에서 이루어지는 사무역(私貿易). *회동관(會同館) 후시.

단련지-교회【鍛鍊之敎會】[달—] 명〖천주교〗사람이 죽어 이 세상, 곧 신전(神戰)의 교회를 떠나 천당으로 들어가기 전에 얼마 동안 단련을 받고 보속(補贖)해야 하는 연옥(煉獄). 단련지회. *개선지교회(凱旋之敎會)·신전지교회(神戰之敎會).

단련지-회【鍛鍊之會】[달—] 명〖천주교〗단련지교회. 수련지회(修鍊之會).

단련 판관【團練判官】[달—] 명〖역〗조선 시대 때의 무관직. 태종(太宗) 9년(1409)에 설치, 각 지방의 진(鎭)에서 병사를 통솔하는 임무를 맡아보았는데 세조(世祖) 12년(1466)에 절제 도위(節制都尉)로 개칭하였음.

단령【團領】[달—] 명〖역〗깃을 둥글게 만든 공복(公服). 색에 따라 흑단령(黑團領)·홍단령(紅團領)·백단령(白團領)·자단령(紫團領) 등의 구별이 있음. →덜령.

단:로-기【斷路器】[달—] 명〖전〗개폐기(開閉器)의 하나. 단극(單極) 개폐기를 크게 하여 고압(高壓)에 견디도록 만든것으로, 전선로(電線路)의 여러 보안(保安) 장치를 회로(回路)로부터 분리시킬 때 또는 무전류(無電流)의 상태로 본선(本線)의 개폐를 할 때 사용함.

단록【短麓】[달—] 명 길지 아니한 산 기슭.

단루【丹樓】[달—] 명 붉은 칠을 한 누각.

단류【湍流】[달—] 명 급류(急流).

사모

〈단령〉

단류 전:신【單流電信】[달—] 명〖전〗직류(直流)를 사용하여 전건(電鍵)에 의해서 전류를 단속(斷續)하여 통신하는 전신 방법의 하나. ↔복류 전신(複流電信). 「(複利).

단리¹【單利】[달—] 명〖경〗원금(元金)에 대하여만 치는 변리. ↔복리

단리²【單離】[달—] 명 [isolation]〖화〗혼합물 중에서 하나의 원소(元素) 또는 화합물을 순수한 형태로 분리하여 끄집어 내는 일.

단리³【短籬】[달—] 명 낮게 친 울타리.

단리-법【單利法】[달—뻡] 명〖경〗이자 계산에 있어서, 전(前)기간의 이자를 원금에 가산하지 아니하고, 원금에 대하여만 다음 기간의 이자를 계산하는 방법. 단변리법(單邊利法). ↔복리법(複利法).

단리 최:종 이:율【單利最終利率】[달—] 명〖경〗채권(債權)을 상환일(償還日)까지 소유하였다고 가정하여, 이 채권에 대한 이자를 단리법으로 계산한 이율. 「가 집합하여 덩이를 이룬 토양.

단립【團粒】[달—] 명〖지〗토양학(土壤學) 용어. 개개의 미세한 입자

단립 구조¹【單粒構造】[달—] 명〖지〗단립 조직(單粒組織).

단립 구조²【團粒構造】[달—] 명〖지〗단립 조직(團粒組織).

단립 조직¹【單粒組織】[달—] 명〖지〗토양을 구성하는 결합 상태의 하나. 개개의 흙의 입자가 따로따로 독립하여 쌓이고 그 사이에 아무런 관계도 없는 구조. 푸석한 사토(砂土)나 차진 치토(埴土)가 이 조직을 가짐. 단립 구조(單粒構造). ↔단립(團粒) 조직.

단립 조직²【團粒組織】[달—] 명〖지〗토양을 구성하는 결합 상태의 하나. 단립(團粒)으로써 덩이를 이루어 있는 구조. 공극(孔隙)이 많고 공기의 유통이 잘되며 물이나 식물 양분의 보관력이 강하므로 농경에 적합함. 단립 구조(團粒構造). ↔단립(單粒) 조직.

단-마비【單痲痺】명〖의〗사지(四肢) 중의 일지(一肢)만의 운동 마비. 주로 대뇌 피질(大腦皮質)에 병소(病巢)가 있을 때 일어남. 단탄(單癱).

단막【單幕】명〖연〗연극이나 희곡 등에서 한 막뿐인 것.

단막-극¹【單幕劇】명〖연〗한 막으로 된 연극. 일막극.

단막-극²【短幕劇】명 나누어진 단락이 적고 짧은 연극. ↔장막극(長幕劇).

단막-물【單幕物】명〖연〗단막으로 된 연극이나 희곡.

단말【端末】명 ①끄트머리. 끝. ②발단(發端)과 결말(結末). 처음과 끝. ③〖물〗중심이 되는 대형의 컴퓨터와 연결되어 실제의 사무 처리의 창구가 되는 장치. 중앙 장치의 상대되는 말임.

단말-기【端末機】명〖물〗컴퓨터에 쓰이는 입출력 기기(入出力機器)의 총칭. 일반적 입출력(入出力) 업무에 적합한 범용(汎用) 단말기와 좌석 예약·금융 업무·증권 업무 등 특정한 일에 알맞도록 만들어진 전용(專用) 단말기가 있음. 단말. 단말 장치. 터미널(terminal).

단:-말마【斷末魔】명〖불교〗[말마는 범어 Marman의 음역으로 사람의 몸 가운데 이것이 닿으면 죽는 국소(局所)의 뜻] ①숨이 끊어질 때의 고통. ¶ ~의 비명. ②죽을 때. 임종(臨終).

단:말마-적【斷末魔的】명관 단말마와 같은 모양. ¶ ~ 발악.

단말 장치【端末裝置】명 단말기(端末機).

단-맛 명 꿀·설탕 등 당분이 있는 물건의 맛. 감미(甘味). ↔쓴맛.

단망¹【單望】명〖역〗천망(薦望)의 한 가지. 이조(吏曹)·병조(兵曹)에서 관원의 후보자를 선정하여 상재(上裁)를 주청(奏請)할 때 삼망(三望)을 얻지 못할 경우에, 한 사람만을 주청하는 일. *이망(二望).

단:망²【斷望】명 바라던 것이 끊어져 버림. 희망이 끊어짐.

단망 상:당【旦望上堂】명〖불교〗선종(禪宗)에서, 초하루와 보름에 법당(法堂)에 올라가 불보살(佛菩薩)이 되기를 서원(誓願)함.

단-매【單—】명 한번 때리는 매. ¶ ~에 고꾸라뜨리다.

단면¹【單面】명 [pedion] 단 하나의 면(面)밖에 없는 결정형(結晶形). 삼사정형(三斜晶形)의 비대칭 정족(非對稱晶族)에 속함.

단:면²【斷面】명 끊은 자국이 있는 면. 베어 낸 면. 단절면(斷截面). 단구(斷口).

단:면-도【斷面圖】명 제도(製圖)에서, 물체를 평면으로 절단하여 그 내부 구조를 나타낸 투상도(投像圖).

단:면-상【斷面相】명 단면의 생김새.

단:면-선【斷面線】명 [section line] 기계 제도(機械製圖)나 건축 설계도 등에서 단면을 나타내는 일군(一群)의 평행 사선(平行斜線).

단:면-율【斷面率】[—뉼] 명〖수〗단면의 이차율(二次率)을, 단면의 중심(重心)을 통과하는 횡선(橫線)으로부터 한 변(邊)까지의 거리로 나눈 값. 단면율이 크다고 할 때에는 큰 곡능률(曲能率)에 저항(抵抗)할 수 있는 단면임을 표시함.

단:면-적【斷面積】명 물체를 하나의 평면으로 절단한 그 면의 면적.

단:멸【斷滅】명 끊어져 멸망함. ——하다 자여불

단명¹【旦明】명 여명(黎明).

단명²【單名】명 단일한 개념으로 되어 있는 명사. 돌·말 따위. 단순 명사(單純名辭). ↔겸명(兼名). 「람. ——하다 형여불

단명³【短命】명 명이 짧음. 단수(短壽). 박명(薄命). ¶ ~ 내각/~한 사

단명-구【短命句】명 글 뜻에 글쓴이의 단명이 상징되는 글귀.

단-명수【單名數】명〖수〗단 한 단위의 이름으로 표시되는 명수. 미터법의 명수는 모두 단명수임. ¶1분 50초를 ~로 고치면 110초이다. ↔복명수(複名數).

단명 어음【單名—】명〖경〗어음상의 채무자가 한 사람인 약속 어음 또는 환어음. 즉 어음의 발행인·수취인·지급인의 삼자(三者)가 동일인인 경우의 어음. 사실상의 상거래(商去來)에서 생기는 것이 아니고 자금 차입(借入)의 한 형식으로 사용됨. 자기앞 어음. ↔복명(複名) 어음.

단명-장【端明章】[—짱] 명〖악〗옛 악장(樂章)의 이름. 단의 왕후(端懿王后), 곧 경종 왕비(景宗王妃)의 영휘전(永徽殿)에서 초헌(初獻) 때에 아뢰었음.

단모¹【旦暮】명 ①아침 저녁. 조석(朝夕). ②평상(平常). ③어떤 시기가 절박한 모양. 목숨이 얼마 남지 않은 것.

단모²【短毛】명 짧은 털. 잔털. ↔장모(長毛).

단모³【團貌】명 [↗단집 모열(團集貌閱)]〖역〗1년 또는 3년에 한번씩 호적을 만들 때에 백성을 모아 단체적으로 그 연령이나 용모를 조사하던 중국 고대의 제도.

단-모금【單—】명 한 모금. ¶ 약을 ~에 마시다.

단-모리 명〖악〗국악 장단의 하나. 급한 어조로 단번에 몰아 부르거나 장단을 맞추게 된 곡. 민속악에 쓰이는 가장 빠른 장단으로, 판소리와 산조계에서는 휘모리라 함.

단-모음【單母音】명〖언〗홑으로 나는 모음. 우리 말에서는 'ㅏ·ㅓ·ㅗ·ㅜ·ㅡ·ㅣ·ㅐ·ㅔ·ㅚ·ㅟ' 등. 홑홀소리. ↔복모음(複母音)·단자음(單子音).

단목¹【丹木】명〖식〗다목.

단목²【單—】명 ↗단대목. ¶ ~에 비웃 엮듯이 사람들을 모조리 묶어 올렸다≪朴鍾和：錦衫의 피≫.

단목³【椴木】명〖식〗피나무.

단목⁴【檀木】명〖식〗박달나무.

단목-산【檀木山】명〖지〗평안 북도(平安北道) 강계군(江界郡) 간북면(干北面)과 용림면(龍林面) 사이에 있는 산. [1,817m]

단무우 명 〈옛〉무(菁根). ¶ 단무우(萊菔根), 단무우 씨(萊菔子)≪才物譜≫.

단-무지 명 '다꾸앙'의 우리 나라 이름.

단:-무타려【斷無他慮】명 조금도 다른 근심이 없음.

단문¹【袒免】명 시마(緦麻) 이하의 복(服)에서 두루마기의 오른쪽 소매를 벗고 머리에 사각건(四角巾)을 쓰는 상례(喪禮).

단문²【短文】명 ①글 아는 것이 넉넉하지 못함. ②짧은 글. ↔장문(長文). ——하다 형여불

단문³【單文】명〖언〗단순한 문장. 주어(主語)와 술어(述語)와의 관계가 단 한번만 성립하는 문장. 즉, 절(節)이 없는 문장. 홑월. *복문(複文)·중문(重文)·혼문(混文)·포유문(抱有文).

단문⁴【端門】명 정전(正殿)의 앞에 있는 정문.

단:문⁵【斷紋】명〖공〗문편(紋片).

단문 고증【單文孤證】명 [한쪽의 문서, 한 개의 증거라는 뜻] 불충분한 증거를 말함.

단문-류【單門類】[—뉴] 명〖동〗단공류(單孔類)❶.

단문-친【袒免親】명 종고조부(從高祖父)·고대고(高大姑)·재종 증조부(再從曾祖父)·재종 증대고(曾大姑)·삼종 조부(三從祖父)·삼종 대고(大姑)·삼종 백숙부(伯叔父)·삼종고(三從姑)·사종 형제 자매(四從兄弟姉妹)의 일컬음. 무복친(無服親). *이성 무복친.

단-물 명 ①담수(淡水). 민물. ②단 맛이 있는 물건에서 우러나오는 물. 1)·2)：↔짠물. ③실속 있는 부분. ¶ ~만 빨아 먹다. ④〖화〗칼슘이나 마그네슘 등 광물질을 함유하지 않거나 아주 조금 함유하고 있는 물. 센물을 끓이면 단물이 됨. 세탁·염색·기관용(汽罐用) 등에 적합함. 연수(軟水). ↔센물.

단물 고운물 다 나다 구 달콤한 맛, 고운 맛이 다 빠져 나가다. ¶ 단물 곤물 다 난 본실을 돌아다니 볼까? ≪朴頤陽: 明月亭≫.

단물-고기[—꼬—] 명 민물고기. ↔짠물고기. 「단물난 단벌 양복.

단물-나다[—라—] 자 오래 된 옷 따위가 낡아 바탕이 해지게 되다. ¶

단:미【斷尾】명 병의 외과적 치료나, 맵시를 위한 정형 외과 수술로서, 가축의 꼬리를 자르는 일. ——하다 자여불

단미-류【短尾類】명〖동〗[Brachyura] 십각목(十脚目)에 속하는 한 아목(亞目). 배통은 작고 머리통과 가슴통은 배에 들러붙었음. 여섯째와 일곱째 마디의 허리와 다리는 불완전하거나 또는 아주 없음. 게·꽃게·농게·바다참게·도적게 등이 이에 속함. *장미류(長尾類)·변미류(變尾類).

단미 사료【單味飼料】명 다른 것과 배합하지 아니하고 단독으로 가축 사료로 쓰이는 곡류와 그 부산물. 감자·마류·콩깻묵류·어분(魚粉) 등의 총칭.

단민【蛋民】명 중국 화남(華南)의 주장(珠江) 강 위에서 주상(舟上) 생활을 하는 인종. 몸이 단소(短小)하고 근면(勤勉)하여 투쟁적 성질을 가졌음. 단인(蜑人).

단-바둑【段—】명 유단자의 실력을 갖춘 바둑. 단기(段碁).

단-바라밀【檀波羅蜜】명 [범 dānaparamit]〖불교〗육바라밀(六波羅蜜)의 하나. 베풀어 주는 일, 곧 다른 사람에게 돈·밥·선법(善法)·무외(無畏)를 베풀어 줌으로써 미망(迷妄)의 바다를 건너 피안(彼岸)에 달하는 행법(行法). 단도(檀度).

단바람-에 부 〈방〉단박에. 단숨에. ¶ ~ 달려가다.

단-박¹ 명 맛이 단 박.

단박² 부 그 자리에서. 한번에. 단박에. ¶ ~ 해치우다.

단박-에 부 '단박'을 힘주어 이르는 말. ¶ ~ 먹어 치우다.

단-반경【短半徑】명〖수〗'짧은 반지름'의 구용어. ↔장반경(長半徑).

단발¹【單發】명 ①총알이나 포탄의 한 발. ②↗단발총(單發銃). ③발동기가 하나임. ¶ ~ 비행기. ④야구에서, 히트가 하나로 그쳐, 득점에

연결되지 아니하는 일.
단발²【短髮】명 짧은 머리털. ↔장발(長髮).
단:발³【斷髮】명 ①머리털을 짧게 자름. 또, 그 머리. ↔양발(養髮). ②앞머리 털은 눈썹 위에까지 오고, 뒷머리는 목덜미 언저리에까지 내리도록 짧게 깎은 여자의 머리 모양. 또, 그렇게 깎음. ¶ ~ 미인. ——-하다 자여불
단발-기【單發機】명 발동기 하나만을 장치한 비행기. *쌍발기(雙發機)·다발기(多發機).
단:발-랑【斷髮娘】명 단발한 젊은 여자.
단:발-령¹【斷髮令】명〖역〗조선 고종(高宗) 32년(1895) 11월에 머리를 깎도록 명을 내려, 종래의 상투의 풍속을 폐하게 한 명령.
단:발-령²【斷髮嶺】명〖지〗금강산 서쪽 천마산(天摩山)에 있는 재. 신라(新羅) 왕자 또는 고려 태조(太祖)가 이 재에서 동쪽의 금강산을 바라보고 머리를 깎고 중이 되었다는 전설이 있음. [1,241m]
단:발 머리【斷髮—】명 단발한 머리. 또, 그렇게 차린 사람. ¶ ~ 소녀.
단:발 문신【斷髮文身】명 머리를 단발하고 몸에 문신하는 일. 야만인들의 풍습임. ——-하다 자여불
단:발 미인【斷髮美人】명 단발한 젊은 미인. 이전에 흔히 신여성(新女性)의 뜻으로 쓰이던 말.
단발-성【單發性】[—썽] 명〖의〗병(病)이 한 때에 신체의 한 곳에만 발생하는 성질. ↔다발성(多發性)❷.
단발성 신경염【單發性神經炎】[—썽—념] 명〔mononeuritis〕〖의〗단일 신경(單一神經)에만 일어나는 신경염. 운동 마비가 그 중요한 증상이며 지각 장애는 가벼움. ↔다발성(多發性) 신경염.
단발-식【單發式】[—씩] 명 발동기를 한 대만 장치한 양식을 이름. 항공기 등에 말함. *쌍발식·다발식(多發式).
단발 장치【單發裝置】명 총을 쏠 때마다 탄환을 한 발씩 약실에 재게 된 장치. ↔연발(連發) 장치.
단발-총【單發銃】명 한 발씩 장전하여 발사하도록 되어 있는 총. 준단발. ↔연발총.
단-밤 명 감률(甘栗).
단방¹【單方】명 ①여러 가지 약을 섞지 아니하고 단 한 가지 약만으로 처방한 방문(方文). 단방문. ↔복방(複方). ②더없이 신효한 약. ③↗단방약.
단-방²【單房】명 하나밖에 없는 방. ¶ ~살이.
단방³【單放】명 ①단 한 방만의 발사(發射). 일방(一放). ¶ ~에 맞히다. ②뜸을 뜰 때, 단 한 번. ③단번(單番). ¶ ~에 죽다.
단:방⁴【斷房】명 방사를 끊음. 범방(犯房)하지 아니함. ——-하다 자여불
단-방문【單方文】명 단방(單方)❶.
단방 산:제【單方散劑】명〖한의〗단 한 가지 약재만을 써서 만든 산제. *단방약.
단방-약【單方藥】[—냑] 명 한 가지만 가지고서 병을 다스리는 약. 준단방(單方).
단방-치기【單放—】명 ①(결말을 내게 된) 마지막 한번. ②어떤 일을 단방에 해 치움. ——-하다 타여불
단-배¹ 명 입맛이 있어서 음식을 달게 많이 먹을 수 있는 배.
단배(를) 곯리다 구 음식을 달게 먹을 수 있는 배를 고프게 하다.
단배(를) 주:리다 구 음식을 달게 먹을 수 있는 배를 굶주리다.
단배²【單拜】명 단 한번 하는 절. 한번 절함. ——-하다 자여불
단배³【壇排】명〖불교〗불사(佛事)에 임시(臨時)로 단(壇)을 만드는 데에 드는 제구. 등상·널 따위.
단배【團拜】명 여럿이 모여 단체적으로 하는 절. ¶ 신년 ~식. ——-하다 자여불
단-배추 명 단을 지어 파는 덜 자란 배추. ↔통배추.
단백【蛋白】명 ①달걀·새알 따위의 흰자위. 난백(卵白). ②단백질(蛋白質)로 된 물건.
단백-가【蛋白價】명 단백질의 영양가를 나타내는 수치(數値). 단백질은 그 구성(構成) 아미노산, 특히, 필수(必須) 아미노산의 양(量)이나 종류에 따라 그 영양가가 정하여지므로, 비교 단백질(比較蛋白質)이라는 것을 상정(想定)하여 이를 구성하는 필수 아미노산과 시료(試料) 속의 같은 필수 아미노산의 양의 비율을 이름.
단백-광【蛋白光】명〖물〗물체 내부에 입사(入射)한 광선이 산란되어 나타나는 산광(散光)의 하나. 물체 내부의 밀도가 고르지 아니하거나 그 밖의 원인으로 굴절률이 고르지 아니할 때에 생김. 단백석(蛋白石)에서 볼 수 있는 유백색(乳白色)의 빛 따위. 유광(乳光).
단백광 현:상【蛋白光現象】명〖물〗단백광이 보이는 현상. 유광(乳光) 현상.
단백-뇨【蛋白尿】명〔albuminuria〕〖의〗많은 단백질이 섞여 나오는 오줌. 일반적으로 신장(腎臟)병으로 인함.
단백 동화 호르몬【蛋白同化—】〔hormone〕명〖생〗합성 스테로이드의 하나로, 단백질의 흡수를 촉진시키는 호르몬. 조산아 등의 발육 촉진·노쇠·영양 불량·소모성 질환의 체력 회복 등에 쓰임.
단백-립【蛋白粒】[—닙] 명〖식〗호분립(糊粉粒).
단백 분해 효소【蛋白分解酵素】명〔proteolytic enzymes〕〖생〗가수 분해(加水分解) 효소의 하나. 단백질 및 그 가수 분해 생성분(生成分)의 펩티드(peptide) 결합을 가수 분해하는 효소의 총칭. 펩신(pepsin)·트립신(trypsin) 등이 있으며 메주·치즈 등의 제조는 이 효소의 힘을 이용한 것임.
단백-사위 명 윷놀이에서, 마지막 고비에 이 편에서 한번 윷을 던져 이기지 못하면 상대편에서 도만 나도 이기게 될 때, 이 편에서 쓰는 말.
【단백사위 촉(蜀) 간다】㉠무슨 일이든지 단수(單手)에 실패를 본다는 말. ㉡궁경에 빠지다.
단백-색【蛋白色】명 내부 반사(反射)로 인하여 생기는 광물의 유백색(乳白色). 오팔(opal)의 빛깔은 그 대표적 예(例)임.
단백-석【蛋白石】명〖광〗결정이 아닌 덩어리 또는 신장(腎臟) 모양이나 종(鐘) 모양으로 산출되는 함수 규산(含水珪酸)의 교상질 광물(膠狀質鑛物). 백(白)·황(黃)·홍(紅)·녹(綠)·갈(褐)·청(靑) 등의 빛깔을 내는 반투명 또는 불투명한 것으로, 유리 또는 진주(眞珠)와 같은 광택(光澤)을 내며 종류가 많음. 그 중에도 홍람색(紅藍色)을 내는 귀단백석(貴蛋白石)은 보석으로서 장식용으로 쓰임. 오팔(opal).
단백-성【蛋白性】명 단백질(蛋白質)의 성질.
단백 소화 효소【蛋白消化酵素】명〖생〗인체의 소화액(消化液) 속에 있는 세 효소. 곧, 위액(胃液) 중의 펩신(pepsin), 췌액(膵液) 중의 트립신(trypsin), 장분비액(腸分泌液) 중의 이렙신(erepsin). 어느 것이나 단백질 분해 효소에 속하며 단백질 또는 그의 중간 분해물을 아미노산(amino酸) 또는 그에 가까운 화합물로 분해하는 작용을 함. 흰자질 소화 효소.
단백-유【蛋白乳】[—뉴] 명 우유 속에 있는 응고 단백을 우락유(牛酪乳)나 탈지유(脫脂乳)에 섞어 만든 우유. 단백질이 비교적 많으며 젖당(糖)이 적음. 소아의 소화 불량에 영양 치료 식이(食餌)로 쓰임.
단백 인견【蛋白人絹】명 섬유소 대신에 어육(魚肉)·콩·우유 등의 단백질을 원료로 하여 만든 인조견. 현재는 만들어지지 않음.
단백-지【蛋白紙】명〖화〗계란지(鷄卵紙).
단백-질【蛋白質】명〔protein〕〖화〗동식물 세포의 원형질(原形質)의 주성분으로 생명의 기본적 구성 물질이며, 사람의 3대 영양소의 하나인 함질소(含窒素) 유기 화합물. 종류는 많으나 어느 것이나 산(酸)과 효소(酵素)에 의하여 가수 분해를 받으면 아미노산(amino酸)으로 됨. 보통, 탄소·산소·질소·황·수소의 다섯 원소로 되어 있으며, 인·철을 조금 함유하는 것도 있음. 그 용액은 교질상(膠質狀)이고 금속염(金屬塩)에 의해서 침전(沈澱)되며, 분자량(分子量)은 대단히 큼. 계란소(鷄卵素). 흰자질.
단백질 공학【蛋白質工學】명〔protein engineering〕〖공〗생체 내에서 중요한 역할을 하는 효소나 항체 따위의 단백질 구조를 변화시켜 새로운 기능을 주거나 개량시키는 공학의 한 분야.
단백질 대:사【蛋白質代謝】명〖생〗단백질이 아미노산으로 분해되거나, 반대로 아미노산에서 단백질이 합성되는 과정.
단백질 합성【蛋白質合成】명〖화〗각종 아미노산을 중합(重合)시켜 특정(特定)한 단백질을 만드는 일. 생체내(生體內) 합성과 생체외 합성이 있음. 생체내 합성은 세포 내의 유리(遊離) 아미노산에서 특정한 단백질을 합성하고 생체외 합성은 화학적으로 아미노산을 중합시키는 방법인데, 바소프레신(vasopressin)·옥시토신(oxytocin)·인슐린(insulin) 등이 있음.
단백철-액【蛋白鐵液】명〖약〗단백질과 염화철을 주성분으로 하는 적갈색의 투명한 액제(液劑). 위궤양 치료제·강장제로 쓰임.
단-백호【單白虎】명〖민〗내백호(內白虎).
단번【單番】명 단 한번. 한차례. 단방(單放). 일거(一擧).
단번-떼기【單番—】명〖고고학〗단 한 번에 내려쳐서 격지를 떼어내는 일.
단번-에【單番—】부 단 한 번에. ¶ ~ 이기다/~ 해치우다.
단-벌【單—】명 ①딴 것은 통 없고 오직 그것 하나뿐인 물건이나 재료. 단건(單件). 단거리. ②오직 그것뿐인 한 벌의 옷. ¶ ~ 신사.
단벌 가다 구 오직 그것 하나뿐으로 그 이상 없는 정도에 이르다. ¶ 백성들은 지금도 그를 …세상에 단벌가는 인물로 존경하고 있소≪劉賢鍾 : 들꽃≫.
단법【壇法】[—뻡] 명〖불교〗밀교 수법의 하나. 단을 설치하고 제존(諸尊)·제천(諸天)을 안치하여 행하는 수법. 삼단법·오단법·구단법·십삼단법 등이 있음.
단벽【丹碧】명 ☞단청(丹靑).
단변리-법【單邊利法】[—별—뻡] 명 단리법(單利法).
단별【段別】명 어떠한 단계(段階)나 단락(段落)을 단위로 나눈 구별.
단병【短兵】명 창이나 칼 따위와 같이 가까운 거리에서 싸우는 데에 쓰이는 병기. ↔장병(長兵).
단병【單兵】명 원병이 없는, 고립된 군대. 고군(孤軍). 단군(單軍).
단병-전【短兵戰】명 적과 육박하여 단병으로 싸우는 전투.
단병 접전【短兵接戰】명 창·칼 따위 단병을 가지고 가까이 접근하여 싸움. ——-하다 자여불
단보¹【段步】의명 밭이나 논의 면적의 단위인 단. 우수리가 없을 때 쓰임. ¶ 10 ~.
단보²【單步】명 ①혼자 길을 감. ②혼자의 힘으로 일을 처리함. ——-하다 자여불
단-복【單複】명 ①단수와 복수. ②단시합(單試合)과 복시합(複試合). ③단식(單式)과 복식(複式).
단복【團服】명 '단(團)'이란 이름이 붙은 단체의 제복. ¶ 소년단의 ~.
단복 고창【單腹鼓脹】명〖한의〗배만 몹시 부어 오르고 사지의 부증(浮症)은 그리 심하지 아니한 병.
단본【端本】명 영본(零本).
단-본위【單本位】명〖경〗↗단본위제(單本位制). ↔복본위(複本位).
단본위-제【單本位制】명〖경〗단일한 금속을 본위 화폐(本位貨幣)로 하는 화폐 제도. 금본위제(金本位制)와 은본위제(銀本位制)의 구별이 있음. 단화제(單貨制). 준단본위. ↔복본위제(複本位制).
단-봇짐【單—】명 매우 간단하게 꾸린 하나의 봇짐. ¶ ~을 싸다.
단봉【丹鳳】명 ①목과 날개가 붉은 봉황(鳳凰). ②궁전(宮殿)의 별칭. ③임금의 조서(詔書).
단봉-낙타【單峰駱駝】명〖동〗[*Camelus dromedarius*] 낙타과에 속하

는 낙타의 하나. 쌍봉낙타와 비슷하나 어깨 높이 2-2.1m에 달하고 육봉(肉峰)이 하나이며 사지(四肢)는 길고 털은 짧음. 몸빛은 주로 담갈색이나 회색·백색·흑색의 것도 있음. 발바닥이 부드럽고 두껍게 살이 붙어 있어 사막에서 걷기에 알맞음. 속도가 빨라 승용(乘用)·운반(運搬)용으로 쓰이는데, 옛날 아라비아의 대상(隊商)에게는 필수의 동물이었음. 아라비아를 중심으로 인도·북아프리카에 분포하며 고래(古來)로부터 가축으로 많이 길러 오늘날 야생종은 거의 없음. 단봉타(單峰駝). 독안타(獨鞍駝). 단봉약대. ↔쌍봉(雙峰)낙타.

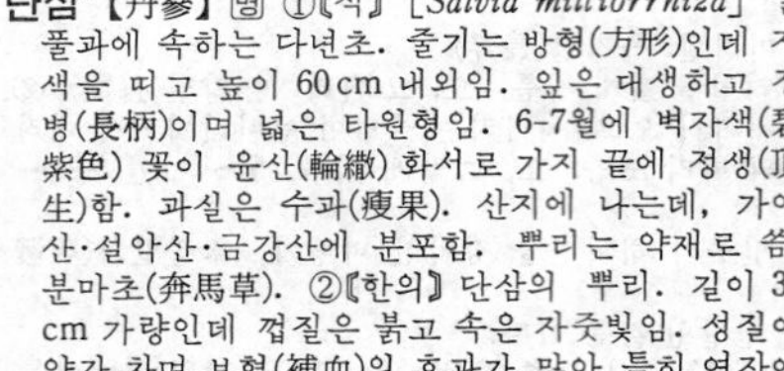

〈단봉낙타〉

단봉-던지기【短棒—】명 짤막하고 둥근 나무 막대기를 던지는 경기의 하나.

단봉-문【丹鳳門】명〖지〗중국 당(唐)나라 때의 장안성(長安城) 대명궁(大明宮)의 남문(南門)의 이름. 붉은 봉황 장식이 있었던 데서 유래함.

단봉-약대【單峰—】[—냑—] 명〖동〗단봉낙타.

단봉 조양【丹鳳朝陽】명 아침 해에 붉은 봉황을 그린, 동양화의 화제(畫題)의 하나. 서상(瑞祥)을 나타냄.

단봉-타【單峰駝】명〖동〗단봉낙타.

단부【單付】명〖역〗단망(單望)으로 관원을 골라 정하던 일.

단-분산계【單分散系】명 [monodispers system]〖화〗분자량이 균일한 중합체(重合體)에 의해서 구성된 분산계.

단-분수【單分數】[—쑤] 명〖수〗분모나 분자가 다 정수형(整數形)으로 된 분수. ↔번분수(繁分數).

단분자-막【單分子膜】명 단분자층.

단분자-층【單分子層】명 두께가 1분자밖에 없는, 고체 또는 액체의 표면에 생긴 층. 일분자층(一分子層). 단분자막.

단:-불 명 한창 괄게 타오르는 불.

단:불에 나비 죽듯 구 맥없이 스러지듯한 죽음을 이르는 말. ¶ 단불에 나비 죽듯 죽는 것은 섧지 않겠니와 ≪薔花紅蓮傳≫.

단:-불요대【斷不饒貸】명 단불용대(斷不容貸). ——하다 타여불

단:-불용대【斷不容貸】명 단연코 용서하지 아니함. 단불요대(斷不饒貸). ——하다 타여불

단-비[1] 명 꼭 필요할 때 알맞게 오는 비. 감우(甘雨). ¶ ~가 촉촉히 내리다.

단비[2]【單比】명〖수〗단식(單式)으로 된 비. 단순한 비. ↔복비(複比).

단비[3]【單婢】명 단 한 사람의 여자 종.

단비[4]【短臂】명 ①팔이 짧음. ②기량(技量)이 모자람. ——하다 형여불

단:비[5]【斷臂】명 팔을 자름. ——하다 자여불

단:비[6]【斷碑】명 깨진 비석.

단비[7]【團匪】명 ①떼를 지어 다니는 비적(匪賊). ②〖역〗의화단(義和團)의 비도(匪徒).

단-비례【單比例】명〖수〗단식(單式)의 비례. 단순한 비례 관계. ↔복비례(複比例).

단비 사:건【團匪事件】[—껀] 명〖역〗1900년 중국 베이징(北京)에서 의화단(義和團)이 일으킨 사건.

단사[1]【丹砂】명〖광〗주사(朱砂).

단사[2]【單舍】명 ↗단사리별(單舍利別).

단사[3]【單絲】명 외올로 된 실. 홑실. ↔복사(複絲).

단사[4]【摶沙】명 단결력(團結力)이 적음을 이르는 말.

단사[5]【簞食】명 도시락밥.

단:사[6]【斷絲】명 실이 끊어짐. 또, 그 실.

단-사각【單紗角】명〖역〗당하관(堂下官)이 쓴, 사모의 한 겹으로 된 사모뿔. 속칭 홑뿔. ＊문사각(紋紗角).

단사 두갱【簞食豆羹】명 변변하지 못한 음식. 얼마 안 되는 음식.

단-사리별【單舍利別】명 흰 사탕 65%를 순수한 증류수 35%에 녹여 만든 무색 무취의 사리별. 약제의 조미료로 씀. 준단사(單舍).

단사 불성선【單絲不成線】[—썽—] 명 외가닥 실은 아무 쓸모가 없다는 뜻.

단-사위 명 ☞앗사위.

단사 유황【單斜硫黃】명〖화〗단사 정계 황.

단사 자리【丹絲—】명 오라로 묶었던 자국.

단사 정계【單斜晶系】명〖광〗광물 결정계의 하나. 결정의 세 축(軸) 중에서 두 축은 서로 사교(斜交)하며 다른 한 축은 그것에 직교(直交)하여 세 축의 길이가 각각 다른 결정족(結晶族)의 총칭. 휘석(輝石)·정장석(正長石)·석고(石膏) 등의 결정 따위.

단사 정계 황【單斜晶系黃】명〖화〗황의 동소체(同素體)의 하나. 담황색(淡黃色)으로 단사정계(單斜晶系)의 침상 결정(針狀結晶). 알파(α)황의 결정을 100°C에서 수시간 방치하면 생김. 상온(常溫)에서는 불안정하여 서서히 알파황으로 변함. 베타(β)황.

단사 표음【簞食瓢飮】명 ①도시락 밥과 표주박 물이란 뜻으로, 간소한 음식물. 곧 소박한 생활을 비유하는 말. ②구차한 생활. 일단사 일표음.

단사 호장【簞食壺漿】명 ①도시락 밥과 단지에 넣은 음료수의 뜻으로, 곧, 적은 분량의 음식물. ＊호장(壺漿). ②길 갈 때에 휴대하는 음식. ③노상에서 군대를 환영하기 위하여 갖춘 음식. 전(轉)하여, 적군을 기꺼이 환영한다는 뜻으로 쓰임.

단산[1]【單産】명〖사〗↗산업별 단일 노동 조합(産業別單一勞動組合). ＊산업별 노동 조합.

단:산[2]【斷産】명 ①아이 낳던 여자가 아이를 못 낳게 됨. ②아이를 낳는 것을 끊음. ——하다 자여불

단산 꽃차례【團繖一次例】명〖식〗유한(有限) 꽃차례의 한 가지. 취산(聚繖) 꽃차례의 한 변태(變態)로 꽃꼭지 없는 작은 꽃이 많이 총생(叢生)하는 꽃차례임. 삼지닥나무·수국(水菊) 등이 이에 해당함.

〈단산 꽃차례〉

단산 화서【團繖花序】명〖식〗단산 꽃차례.

단삼[1]【丹參】명 ①〖식〗[*Salvia miltiorrhiza*] 꿀풀과에 속하는 다년초. 줄기는 방형(方形)인데 자색을 띠고 높이 60cm 내외임. 잎은 대생하고 장병(長柄)이며 넓은 타원형임. 6-7월에 벽자색(碧紫色) 꽃이 윤산(輪繖) 화서로 가지 끝에 정생(頂生)함. 과실은 수과(瘦果). 산지에 나는데, 가야산·설악산·금강산에 분포함. 뿌리는 약재로 씀. 분마초(奔馬草). ②〖한의〗단삼의 뿌리. 길이 30cm 가량인데 껍질은 붉고 속은 자줏빛임. 성질이 약간 차며 보혈(補血)의 효과가 많아 특히 여자에게 좋음.

〈단삼[1]❶〉

단삼[2]【單衫】명 적삼.

[단삼 적삼 벗고 은가락지 낀다] 격에 맞지 않은 짓을 한다. 속곳 벗고 은가락지 낀다.

단-삼도【短三度】명〖악〗단음정(短音程) 가운데 어떤 음에서 세어서 제3음과의 사이가 1온음(音) 더하기 1반음(半音)인 것. 장삼도(長三度)보다 음정의 폭은 반음 좁음. ＊장삼도(長三度).

단-삼화음【短三和音】명 [minor triad]〖악〗밑음(音)에 단삼도(短三度)와 완전 오도(完全五度)를 겹쳐 만든 삼화음. ＊장삼화음.

단상[1]【短喪】명 (예전 상례(喪禮)에서) 삼년상(三年喪)의 기한을 짧게 줄여 한 해만 복을 입는 일.

단상[2]【單相】명 ①↗단상 교류. ②[haplophase]〖생〗핵상(核相)의 하나. 세포가 감수 분열(減數分裂)을 하여 염색체수(染色體數)가 반수(半數)로 된 시기로부터 수정(受精)할 때까지의 핵의 상태. 배우자(配偶子)·양치(羊齒) 식물의 전엽체(前葉體)·이끼류(類)의 엽상체(葉狀體) 등이 이에 해당함. n으로 표시함. ↔복상(複相).

단상[3]【壇上】명 교단이나 강단 등의 단 위. ¶ 의정 ~에 서다. ↔단하(壇下).

단상[4]【檀像】명 전단(栴檀)·백단(白檀) 등으로 만든 불상.

단:상[5]【斷想】명 ①생각을 끊음. ②단편적인 생각. ¶ 추일(秋日) ~/~ 기록. ——하다 자여불

단상 교류【單相交流】명 [monophase current]〖전〗단 하나의 위상(位相)을 가진 교류. 가정의 전등선과 같은 보통 교류를 말함. 준단상. ＊다상 교류(多相交流).

단상 유도 전:동기【單相誘導電動機】명〖전〗단상 교류 전원(電源)으로 운전되는 유도 전동기. 세탁기·전기 냉장고 등에 씀.

단색[1]【丹色】명 붉은 색.

단색[2]【單色】명 ①한 가지 빛깔. 단조로운 색채. ＊다색(多色). ②단일한 빛깔. 곧, 빛깔의 일곱 가지 원색(原色)을 가리킴.

단색-광【單色光】명 [monochromatic light]〖물〗일정한 파장(波長)을 가지는, 단일한 색으로 된 광선. 스펙트럼에 의하여 그 이상 분해되지 아니하는 광선. 단광(單光). ＊복색광(複色光).

단색광 필터【單色光—】[filter] 명 스펙트럼 가운데 어느 한정된 좁은 파장역(波長域)의 광선만을 투과(透過)하는 필터. 현미경 사진에서 렌즈의 색수차(色收差)를 없애기 위하여 또는 색채 명암(明暗)의 대조를 강조하기 위하여 씀.

단색 인쇄【單色印刷】명 한 가지 색으로만 하는 인쇄. 또, 그 인쇄물. ＊다색 인쇄.

단색 중성자 빔:【單色中性子—】명 [monochromatic neutron beam] 에너지 값이, 지극히 좁은 영역에 한정된 중성자의 빔.

단색-판【單色版】명 한 가지 색으로만 인쇄한 판. ＊다색판(多色版).

단색-화【單色畫】명〖미술〗한 가지 색만을 써서 그린 그림. 연필화·목탄화·콘테화·모필화 따위. ＊다색화(多色畫).

단색화 장치【單色化裝置】명 [monochromator] 모노크로메이터.

단색 흡수【單色吸收】명〖천〗성간 흡수(星間吸收)의 하나. 성간에 칼슘이나 나트륨 원자가 분포되어 있을 경우, 각 원자에 고유한 파장에 상당하는 광선을 흡수하는 현상. ＊일반(一般) 흡수.

단생대-류【單生代類】명〖동〗[Monogenea] 흡충류(吸蟲類)에 속하는 한 아강(亞綱). 모양은 나뭇잎 같고 편평하며 외기성 생활(外寄性生活)을 하므로 고착 기관(固着器官)이 매우 발달하여, 후흡반에는 갈고리를 갖추었음. 중간 숙주는 없고, 한 개의 알을 슬어 개체(個體)를 이루고 자웅 동체임. 단후구류(單後口類)·다후구류(多後口類)의 두 목(目)으로 나뉨. 일세대류(一世代類). ＊이생류(二生類).

단생 보:험【單生保險】명 한 계약의 피보험자가 한 사람인 생명 보험. ↔연생(聯生) 보험.

단서[1]【丹黍】명〖식〗적서(赤黍).

단서[2]【丹書】명 바위나 돌에 쓴 글씨. 또, 붉게 새겨 쓴 글씨.

단:서[3]【但書】명 첫머리에 '단(但)'자를 붙여 그 앞에 나온 본문(本文)의 설명이나 조건(條件)·예외(例外) 등을 밝혀 나타내는 글.

단서[4]【端緖】명 일의 처음. 일의 실마리. 실마리. 끄트머리. ¶ ~를 잡다.

단:서-법【斷敍法】[—뻡] 명〖문〗수사학(修辭學)에서, 접속어를 생략하여 구(句)와 구 사이의 관계를 끊어 문장에 힘을 주고 상상의 여지를 많이 두는 수사법. '갔노라, 싸웠노라, 이겼노라' 따위. ↔접서법(接敍法).

단석[1]【丹石】명〖광〗마노(瑪瑙).

단:석[2]【旦夕】명 ①아침과 저녁. ②위급한 시기나 상태가 절박한 모양.

단석[3]【單席】명 ①외겹 돗자리. ②단 한 겹만 깐 자리.

단석[4]【團石】명〖역〗조선 시대에, 완구(碗口)에 쓰인 포탄의 일종. 화강석(花崗石)을 박 모양으로 둥글게 다듬어서 씀.

단선[1]【袒跣】명 웃도리를 벗고 신을 벗음. ——하다 자여불

단선[2]【單船】명 한 척(隻)의 배.

단선[3]【單線】명 ①외줄. ②↗단선 궤도. 1)·2): ↔복선(複線).

단선[4]【短線】명 짧은 선.

단선[5]【團扇】명 깁이나 또는 종이로 된 둥근 부채. 형상에 따라 오엽

선(梧葉扇)·연엽선(蓮葉扇)·연화선(蓮花扇)·파초선(芭蕉扇) 등이 있고, 그림에 따라 이파(二巴)를 그린 태극선(太極扇)이 있음. 윤선(輪扇).

단:선[6]【斷線】[명] ①줄이 끊어짐. 줄을 끊음. ②전선(電線)이나 뱃길·선로(線路) 등이 통하지 못하게 되는 일. ——하다 [자][타][여불]

단선 궤:도【單線軌道】[명] 하나의 궤도를 상하행 열차(上下行列車)가 공용(共用)하는 철도선. 단선 철도. [준]단궤(單軌)·단선(單線). ↔복선(複線) 궤도.

단:-선근【斷善根】[명]〖불교〗일천제(一闡提).

단선 스크린:【單線—】〔screen〕[명] 사진 제판용(製版用) 스크린의 하나. 평행선으로 되어 있음.

단-선율【單旋律】[명]〔homophony〕〖악〗하나의 성부(聲部)가 주(主) 선율을 전개하고 다른 성부는 그것을 화성적(和聲的)으로 반주하는 음악 형식. 호모포니.

단선 철도【單線鐵道】[—또] [명] 단선 궤도. [준]단철(單鐵).

단선-형【單線型】[명]〖교〗국민 전체에 평등하게 단일적으로 열려진 학교 제도의 형식. ↔복선형.

단설【單設】[명] ①하나만을 장만함. ②신주(神主) 하나만을 모셔 제사지냄. ——하다 [타][여불]

단-섬광【短閃光】[명]〔short flashing light〕〖해〗1 섬광이 2 초 이하인 항해용 표지등(標識燈)의 빛.

단-섬유【短纖維】[명] 면(綿)·양모(羊毛)·삼·합성 섬유 등을 짧게 자른 섬유. ↔장섬유(長纖維).

단성[1]【丹誠】[명] 거짓이 없는 참된 정성. 속에서 우러나는 뜨거운 정성. 단정(丹精). 단충(丹衷). 단침(丹忱). 적성(赤誠).

단성[2]【單性】[명]〖생〗생물이 암수 어느 한쪽의 생식 기관(生殖器官)만을 가지고 있는 일. 홑성. ↔양성(兩性)·쌍성(雙性).

단성[3]【單聲】[명] 남성 또는 여성의 어느 한쪽의 목소리. 동성(同聲). ¶ ~ 합창. ↔혼성(混聲).

단성 결실【單性結實】[—씰] [명]〖식〗단위 결실.

단성-론【單性論】[—논] [명]〖기독교〗단성설. 일성론(一性論).

단성부 음악【單聲部音樂】[명]〔monophony〕〖악〗주요한 성부에 대하여서는 다른 것이 종속적인 지위에서 반주하도록 구성된 화성적(和聲的) 음악. ↔다성부 음악.

단성 생식【單性生殖】[명]〖생〗암컷과 수컷과의 교배 없이 행하여지는 생식. 곧, 수정 현상 없이 하나의 생식 세포로 발생(發生)을 시작하는 현상. 단위 생식(單爲生殖)과 동정(童貞) 생식의 둘로 구분됨. 홑성불이. ↔양성 생식(兩性生殖).

단성-설【單性說】[명]〖기독교〗↗기독 단성설. 단성론(單性論).

단성 잡종【單性雜種】[명]〖생〗멘델식(Mendel式) 유전을 행하는 한 쌍의 대립 형질 사이의 잡종. 단인자 잡종(單因子雜種). ↔다성 잡종(多性雜種).

단성 합창【單聲合唱】[명]〖악〗남성이나 여성만으로 하는 합창. 동성(同聲) 합창. ↔혼성 합창.

단성-화【單性花】[명]〖식〗한 꽃 중에 수술 또는 암술만을 갖춘 꽃. 곧, 수꽃이나 암꽃을 말함. 수꽃과 암꽃이 다른 포기에서 피는 것과, 같은 포기에서 따로 피는 것이 있음. 소나무·밤나무·뽕나무·은행나무 등이 이에 해당함. 홑성꽃. ↔양성화(兩性花).

단성 화:산【單成火山】[명]〖지〗단 한 번의 분화로 생성된 화산. 대체로 소규모의 작은 산체(山體)를 이룸. ＊복성 화산.

단세[1]【短世】[명] 명이 짧음. 단명(短命). ——하다 [형][여불]

단세[2]【單稅】[명] 조세(租稅)로서 단 한 가지만을 인정하는 일.

단세-론【單稅論】[명]〖경〗단일한 세(稅)로 필요한 세수입의 전부를 조달(調達)하는 단세 제도(單稅制度)의 채용을 주장하는 이론. 16세기의 프랑스의 보댕(Bodin, Jean: 1530-90)의 '단일 소득세론', 영국의 홉스(Hobbes, T.) 등 중상주의자의 '단일 소비세론', 중농 학파 케네(Quesnay, F.)의 '단일 지조론(地租論)', 미국의 조지(George, Henry)의 '토지 단일세론' 등이 대표적임.

단세-주의【單稅主義】[—/—이] [명]〖경〗단세론을 주장하는 조세 제도상의 입장. 현대에 있어서는 부담 불공평과 국고 수입의 신축성이 없는 점으로 해서 채택되고 있지 아니함.

단-세포[1]【單細胞】[명]〖생〗단 하나의 세포. 홑세포. ↔다세포(多細胞).

단-세포[2]【端細胞】[명]〖생〗동물의 초기 발생의 낭배기(囊胚期) 또는 그 이전의 배(胚) 속에 생기는 세포. 보통 두 개이며 큼. 연체(軟體)·환형(環形)·절지(節肢) 동물 등은 이 세포가 분열하여 하나의 조직이 됨. 중배엽대(中胚葉帶)를 이루는 단세포를 중배엽대 단세포라고 함.

단세포 단백【單細胞蛋白】[명]〔single cell protein〕〖생〗발효 단백(醱酵蛋白).

단세포 동:물【單細胞動物】[명]〖동〗한 개체가 하나의 세포로 되어 있는 동물. 아메바·짚신벌레 등이 이에 속하는데, 세포 안은 세포질(細胞質)이 분화(分化)하여 된 여러 가지 세포 기관(器官)이 있어 복잡함. 홑세포 동물. ↔다세포(多細胞) 동물.

단세포 생물【單細胞生物】[명]〔unicellular organism〕〖생〗가장 낮은 단계에 있는 생물로, 단 한 개의 세포로 독립 생활을 하는 생물. 아메바 등의 원생 동물이 이에 속함. 원생 생물. 홑세포 생물. ↔다세포 생물.

단세포-선【單細胞腺】[명]〔unicellular gland〕〖생〗개개의 선세포가 각각 독립된 선으로서 서로 어떤 간격을 두고 상피 조직 중에 있는 것. 일반 상피 세포와 별차 없는 것도 있고 특정한 모양을 한 것도 있는데, 동물계에서 널리 볼 수 있는 것은 점액선(粘液腺)으로서의 배상 세포(杯狀細胞)임. ↔다세포선.

단세포 식물【單細胞植物】[명]〖식〗단 한 개의 세포로 된 식물. 박테리아·단세포 조류(藻類) 및 균류(菌類)의 일부가 이에 속함. 홑세포 식물. ↔다세포 식물.

단소[1]【丹霄】[명] 저녁놀이 비치는 때와 같은, 붉은 하늘.

단소[2]【短小】[명] ①짧고 작음. ②키가 작고 몸이 작음. 1)·2):↔장대. ——하다 [형][여불]

단소[3]【短所】[명] 단처(短處). ↔장소(長所).

단소[4]【短簫】[명]〖악〗향악기(鄕樂器)에 속하는 피리의 한 가지. 오래 묵은 대로 만드는데, 퉁소보다 좀 짧고 가늘며, 구멍이 앞에 넷, 뒤에 하나 있음. 음색(音色)이 맑고 아름다워, 독주, 방중악(房中樂)의 합주, 가곡(歌曲)·가사(歌詞)·시조(時調) 등의 반주용으로 쓰임.

단소[5]【壇所】[명] 제단(祭壇)이 있는 곳.

단소 고리 화합물【單素—化合物】[명]〔homocyclic compound〕〖화〗고리를 구성하는 원자가 모두 같은 원자로, 다른 원소의 원자를 포함하지 아니하는 고리 모양 화합물. 사실상 탄소 원자에 한정되어 있기 때문에 탄소(炭素) 고리 모양 화합물과 같아짐. 동소(同素) 고리 화합물. 단소 환식(單素環式) 화합물. ↔복소(複素) 고리 화합물.

단소 환식 화합물【單素環式化合物】[명]〖화〗단소 고리 화합물.

단속[1]【團束】[명] ①잡도리를 단단히 함. 경계(警戒)를 단단히 하여 다잡음. ②규칙·명령·법령 등을 잘 지키도록 통제함. ——하다 [타][여불]

단속[2]【緞屬】[명] 비단 등속.

단:속[3]【斷續】[명] ①끊어졌다 이어졌다 함. ②끊었다 이었다 함. ——하다 [자][타][여불]

단-속것【單—】[명]〈방〉단속곳.

단-속곳【單—】[명] 여자의 속곳. 바지 위에 덧입고 그 위에 치마를 입음.

단속 규정【團束規定】[명]〖법〗단속 규칙.

단속 규칙【團束規則】[명]〖법〗행정 상의 목적을 위하여 일정한 행위 또는 사실 행위를 금지하거나, 일정한 조건(條件)을 필요로 한다는 것을 정한 규칙. 단속 규정.

단:속-기【斷續器】[명]〔interrupter〕〖물〗전자석(電磁石)이나 유도 코일 등을 전로(電路) 속에 끼워서 전로를 단속시키는 장치. 보통 전령(電鈴) 따위가 그 간단한 것임.

단:속 밸브【斷續—】[명]〔sluice valve〕〖기〗유체(流體)의 흐름에 대하여 직각(直角)으로 여닫는 구조로 된 밸브. 글로브(globe) 밸브 다음으로 널리 쓰임.

단:속-산【斷俗山】[명]〖지〗함경 남도 영흥군(永興郡) 선흥면(宣興面)에 있는 산. 낭림 산맥의 남단에 위치하며 영흥강(永興江)의 수원을 이룸. [1,381 m]

단:속-음【斷續音】[명] 끊어졌다 이어졌다 하는 소리.

단:속-적【斷續的】[명][관] 끊어졌다 이어졌다 하는 모양.

단:속 전:류【斷續電流】[—절—] [명]〔intermittent current〕〖전〗규칙적 또는 불규칙적 간격으로 흐르거나, 흐르다가 중지되는 단일 방향의 전류.

단-손【單—】[명] ①단지 한번 쓰는 손. ¶ 그 짐은 ~으로는 옮기지 못할 테니 둘이서 하게. ②혼잣손. ¶ ~에 밥하랴 아이 보랴 정신 없구나/삼십에 과부되어 ~으로 5남매를 키우다.

단:-솥 [명] 불에 달아 뜨거운 솥. 음식을 끓여 내고 아직 식지 아니한 솥. 【단솥에 물 붓기】단솥에 물을 부어야 이내 잦아지므로, 형편이 이미 기울어 아무리 도와 주어도 보람이 없음을 일컫는 말.

단수[1]【段數】[—쑤] [명] ①단(段)의 수. ②술수를 쓰는 재간의 정도.
단수가 높다 [구] 술수에 능함을 이르는 말.

단수[2]【單手】[명] 바둑에서, 한 수로 적의 돌을 잡게 된 상태.

단수[3]【湍水】[명] ①소용돌이치는 물. ②급히 흐르는 물. 급류(急流).

단수[4]【短袖】[명] 짧은 소매.

단수[5]【短壽】[명] '단명(短命)'의 존대말. ——하다 [형][여불]

단수[6]【單數】[명] ①단일(單一)한 수. 곧 '하나'의 수. 홑수. ②〖언〗문법에서 단일한 사람 또는 사물(事物)을 나타내는 명사. 또 그 명사를 받는 동사·형용사·관사 등의 사형(詞形). ¶ 삼인칭 ~ 현재. 1)·2):↔복수(複數).

단수[7]【端數】[—쑤] [명] ①〖수〗'끝수'의 구용어. ②우수리.

단:수[8]【斷水】[명] ①물길을 차단하여 물이 흐르지 못하게 함. 또, 물길이 막힘. ②수도(水道)의 급수(給水)가 끊어짐. 또, 급수를 끊음. ——하다 [자][타][여불]

단:수[9]【斷袖】[명] 남색(男色).

단-수로【短水路】[명] 수영(水泳)에서, 25-50 m의 코스. ↔장수로(長水路).

단:수-법【斷髓法】[—뻡] [명]〔pulpotomy〕〖의〗치수(齒髓)를 외과적으로 절제(切除)하는 일.

단-수수 [명]〔*Sorghum vulgare* var. *saccharatum*〕〖식〗벼과에 속하는 1년생 재배 식물. 열대 아프리카 원산이며 수수의 변종임. 키는 3 m 내외이고 줄기에 10-16 %의 당분이 함유되어 있음. 물엿처럼 시럽을 만들거나 사료로 쓰임.

단수 여권【單數旅券】[—꿘] [명]〖법〗한 번만 사용할 수 있는 일반 여권. ↔복수(複數) 여권.

단수이【淡水】[명]〖지〗대만의 타이베이 현(臺北縣)에 있는 항구 도시. 단수이 강(淡水河)의 하구(河口) 동안(東岸)에 위치(位置)함. 담수.

단수이 강【—江】[명]【淡水河】〖지〗대만 북부의 강. 비산(碧山) 산 북부에서 발원하여, 타이베이(臺北) 평야로 나와 타이베이 부근에서 신뎬 강(新店溪)·지룽 강(基隆河)의 물을 합쳐 단수이(淡水)에서 대만 해협으로 들어감. 상류에는 댐(dam)이 시설되어, 관개·발전·음료수에 이용되고 있음. 담수하. [144 km]

단숙【端肅】[명] 단정하고 엄숙함. 단엄(端嚴). ——하다 [형][여불]

단순[1]【丹脣】[명] 여자의 아름다운 붉은 입술. 연지(臙脂)를 바른 입술. 정순(赬脣). 주순(朱脣). ¶ ~ 호치(皓齒).

단순[2]【單純】[명] ①단일(單一)하고 잡것이 섞이어 있지 아니함. 순일(純一). ¶ ~한 설탕 맛. ②구조나 형식 따위가 간단하여 복잡하지 아니함. 생각이나 사물을 보는 눈이 솔직하고 명쾌함. ¶ ~한 성격/~한 구

조의 집. ③제한이나 조건이 없음. ¶ ~한 육체(肉體) 노동. ——-하다 형여불. ——-히 부

단순 가:설【單純假說】명〖심〗귀무(歸無) 가설을 설정할 때 모집단(母集團) 분포 함수(函數)에 포함되는 모든 모수(母數)를 미지(未知) 모수로 설정하는 가설. *귀무 가설.

단순 개:념【單純槪念】명〖철〗더 분석(分析)할 수 없는 단순한 개념. 곧 '좋다'·'나쁘다'·'사람'·'사과' 따위의 개념. ↔복합 개념(複合槪念).

단순 골절【單純骨折】[-쩔] 명〖의〗골절되었어도 피부를 찢거나 골절 부위의 뼈가 조각나거나 하지 않은 골절. ↔복잡 골절(複雜骨折).

단순-국【單純國】명 단독국(單獨國). 단일국(單一國).

단순 노동【單純勞動】명 보통 근로자가 특별한 기술 훈련을 거치지 않고서도 할 수 있는 단순한 노동. 막노동.

단순 노무자【單純勞務者】명 단순한 노무에 종사하는 사람. 보통 성인이면 누구나 특별한 훈련이 없이 할 수 있는 일에 종사하고 있는 사람을 이름.

단순 누:진율【單純累進率】[-뉼] 명〖법〗하나의 과세 표준에 대하여, 단일 세율을 적용하여 세액을 정하는 누진 세율.

단순 단백질【單純蛋白質】명〔simple protein〕〖화〗가수 분해(加水分解)하였을 때, 아미노산(酸)만으로 되는 단백질의 총칭. 난백 알부민(卵白 Albumin)·콜라겐(Collagen) 따위. ↔복합(複合) 단백질.

단순 독점【單純獨占】명〖경〗완전(完全) 독점.

단순-림【單純林】[-님] 명 80% 이상이 한 가지 나무로만 이루어진 숲. 순림(純林). ↔혼효림(混淆林).

단순 맹검【單純盲檢】명〔single-blind technique〕〖생〗약효를 조사할 때, 피실험자(被實驗者)가 그 약을 먹은 줄을 모르게 하여 행하는 검정(檢定) 방법.

단순 명사【單純名辭】명 단명(單名). *겸명(兼名).

단순 명:제【單純命題】명 단순하여 더 이상 분해할 수 없는 명제.

단순 무작위 추출법【單純無作爲抽出法】[-뻡] 명 단순 임의(任意) 추출법.

단순 박자【單純拍子】명〖악〗'홑박자'의 한자 이름.

단순 사:건【單純事件】[-껀] 명 확률론(確率論)에서, 시행상(試行上) 일어날 수 있는 일 중 분해할 수 없는 것. 또, 분해할 필요가 없는 것.

단순 사회【單純社會】명〔simple society〕〖사〗가장 낮은 형태의 사회. 아직 분업(分業)·분화(分化)가 발생하지 아니하고, 부분을 포함하지 아니한 전체 속에서, 필요한 모든 기능이 수행되고 있는 사회. 스펜서·뒤르켐의 용어. ↔복합(複合) 사회.

단순 산:술 평균【單純算術平均】명〖수〗단순 평균.

단순 산:술 평균 주가【單純算術平均株價】[-까] 명〖경〗단순 평균 주가.

단순 상품 생산【單純商品生産】명〖경〗생산자가 스스로 생산 수단을 사유(私有)하고, 또한 자기 자신의 노동력으로 상품을 생산하는, 자본주의 발생 이전의 생산 양식. *소상품(小商品) 생산.

단순 설립【單純設立】명〖경〗발기(發起) 설립.

단순성 포진【單純性疱疹】[-썽-] 명〔herpes simplex〕〖의〗여과성의 단순성 포진 바이러스를 병원체로 하는 수포성(水疱性) 질환. 비교적 딴딴한 좁쌀만한 크기의 작은 수포가 작은 범위내에 밀생(密生)하였다가 며칠 지나면 진무름. 입아귀, 남자의 귀두(龜頭) 포피(包皮), 여자의 음순(陰脣)에 많이 생김.

단순 승인【單純承認】명〖법〗상속인(相續人)이 무조건으로 또는 완전히 상속의 효력을 인수(引受)하는 일. 상속의 가장 원칙적인 형태로, 그 결과 상속인은 제한 없이 피상속인(被相續人)의 권리 의무를 승계하게 됨. ↔한정 승인(限定承認).

단순 시간급【單純時間給】명 작업량에는 관계없이 근무한 시간에 따라 주는 급료. 일급(日給)·주급(週給)·월급 따위. 정액급(定額給).

단순 시신경 위축【單純視神經萎縮】명〖의〗시신경(視神經) 유두(乳頭)의 경계는 선명(鮮明)하며, 망막(網膜)에는 보통 이상(異常)이 없는 시신경 위축. 척수로(脊髓癆)·외상(外傷)·유전(遺傳) 등이 원인이 됨.

단순 온천【單純溫泉】명〔simple thermals〕〖지〗항상 25°C이상의 온도를 유지하며, 물 1kg 중에 유리 탄산(遊離炭酸) 및 미네랄 등의 고형(固形) 성분의 함유량이 1g 이하의 온천. 주로 욕용(浴用)으로 이용되며, 만성 류머티즘·신경통·신경염 등에 효험이 있음. 단순천.

단순 완:충법【單純緩衝法】[-뻡] 명〔simple buffering〕〖컴퓨터〗입출력(入出力)의 조작과 계산을 동시에 행하는 기술.

단순-음【單純音】명〔monotone〕〖물〗상음(上音)이 섞여 있지 아니한 단일 진동수(單一振動數)의 음. 사인 곡선(sine 曲線)을 이루는 파형(波形)을 가진 음으로서 소리굽쇠를 가볍게 두들겼을 때의 소리와 같은 것. 순음(純音). 순수음(純粹音). 단음(單音).

단순 음표【單純音標】명〖악〗'민음표'의 한자 이름.

단순 임:의 추출법【單純任意抽出法】[-뻡/-이-뻡] 명 통계에서, 아무런 사전 조작(操作) 없이, 관찰 대상인 집단 전체 가운데서 필요한 수의 표본을 임의로 추출하는 방법. 단순 무작위(無作爲) 추출법.

단순-장【單純葬】명 장법(葬法)의 하나. 한번 장사지내고 그치는 일. ↔복장(複葬).

단순 재:생산【單純再生産】명〖경〗전번의 생산 과정에서 잉여 가치(剩餘價値)를 생산하지 못하였거나 또는 생산하였어도 전부 소비함으로써 전번과 같은 규모로 반복되는 경우의 재생산. *확대(擴大) 재생산·축소(縮少) 재생산·재생산.

단순 재:생산 표식【單純再生産表式】명〖경〗단순 재생산이 자본주의 밑에서 어떻게 행하여지는가를 나타낸 도식(圖式). 생산 수단 생산 부문의 제1 부문과 소비 자료 생산 부문의 제2 부문으로 나누고, 불변 자본(不變資本)·가변 자본(可變資本)·잉여 가치의 세 가치(價値) 구성을 기초로 함.

단순 지질【單純脂質】명〔simple lipid〕〖화〗지질(脂質) 중에서 단순한 구조를 가진 것. 이를테면 중성(中性) 지방과 밀랍(蜜蠟) 따위.

단순-천【單純泉】명〖지〗단순 온천(單純溫泉).

단순 치매【單純痴呆】명〔dementia simplex〕〖심〗정신 분열병 형태의 하나. 정신 결함에 부수한, 완만하게 진행하는 정신 지체(精神遲滯)가 특징임.

단순 탄:산천【單純炭酸泉】명 물 1kg 중에 유리 탄산(遊離炭酸)은 1,000mg 이상 함유하며, 고형(固形) 성분의 함유량은 1,000mg 이하인 광천. 대부분 냉천(冷泉)인데, 욕용(浴用)하면 심장병에, 음용(飮用)하면 위장병에 효험이 있음.

단순 평균【單純平均】명 ①〖수〗몇 개의 수를 합하여 그 개수로 나누어서 나온 수. 상가(相加) 평균. 산술(算術) 평균. 단순 산술 평균. ↔가중(加重) 평균. ②〖경〗↗단순 평균 주가(株價).

단순 평균법【單純平均法】[-뻡] 명〖경〗평균 원가법(平均原價法)의 하나. 매입 단가(買入單價)의 합계를 매입 횟수로 나눈 것을 평균치(平均値)로 삼는 방법. *가중(加重) 평균법.

단순 평균 주가【單純平均株價】[-까] 명〔simple arithmetical stock price average〕〖경〗증권 거래소에서, 그날의 상장 종목(種目)의 종가(終價)를 합계하여 그 종목수(數)로 나누어 낸 평균 주가. 그때그때의 주가와 배당률(配當率)의 평균 수준을 알아보는 데는 적합하나 장기적(長期的)으로 주가를 알아보는 데에는 부적당함. 단순 산술 평균 주가. 준단순 평균.

단순 해:방【單純解放】명〖정〗포로(捕虜)를 무조건 석방하는 일.

단순 호치【丹脣皓齒】명 단순과 호치. 붉은 입술과 흰 이의 뜻으로, 썩 아름다운 여자의 비유. 주순 호치(朱脣皓齒). 호치 단순.

단순-화【單純化】명 단순하게 됨. 단순하게 함. ——-하다 자타여불

단-술 명 엿기름물에 밥을 섞어 삭혀서 끓인 음식. 감례(甘醴). 감주(甘酒). 감차(甘茶). 예주(醴酒). *식혜.

[단술 먹은 여드레 만에 취한다] 어떤 일을 겪고 나서 한참 만에야 그 영향이 드러난다는 말.

단숨-에【單-】부 쉬지 아니하고 곧장. 한숨에. *단걸음에·단참에.

단숨에 들이켜다 구 음료(飮料)를 쉬지 않고 한꺼번에 들이마시다.

단승【單勝】명 ↗단승식(單勝式).

단승-식【單勝式】명 경마·경륜(競輪) 따위 경주에서, 일착을 적중(的中)시키는 방식. 또, 그 투표권(投票券). 준단승·단식(單式). *쌍승식(雙勝式)·복승식(複勝式)·연승식(連勝式).

단시[1]【單市】명〖역〗조선 시대에, 갑(甲)·병(丙)·무(戊)·경(庚)·임(壬)의 다섯 해에, 회령(會寧)에서만 열리는 북관(北關)의 개시(開市). ↔쌍시(雙市). *북관 개시.

단시[2]【短時】명 ↗단시간(短時間).

단시[3]【短視】명 ①소견(所見)이 좁아서 앞일을 내다보지 못함. 사물을 관찰하는 시야(視野)가 좁음. ②근시안(近視眼)❶.

단시[4]【短詩】명〖문〗짧은 시. 짧은 형식의 시. ↔장시(長詩).

단시[5]【短蓍】명〖민〗↗단시점(短蓍占).

단시(를) 치다 구 단시점을 치다. 간단히 점을 치다.

단시[6]【檀施】명〖불교〗보시(布施)❷.

단-시간【短時間】명 짧은 시간. 준단시(短時). ↔장시간(長時間).

단-시일【短時日】명 짧은 시일. 단일월(短日月). ↔장시일(長時日).

단시-점【短蓍占】[-쩜] 명〖민〗간단하게 솔잎 따위를 뽑아서 치는 점. 준단시(短蓍).

단-시조【短時調】명〖문〗시조의 한 가지. 초장 3·4·3(4)·4, 중장 3·4·3(4)·4, 종장 3·5·4·3 총 45자 안팎으로 이루어진 3장 6구의 기본 율조로 한 수(首)가 되는 가장 짧은 형태의 정격(正格) 시조. 창곡상의 명칭은 평시조(平時調).

단시-형【短詩型】명 단시의 유형.

단식[1]【單式】명 ①단순한 방식·형식. ②〖경〗↗단식 부기(簿記). ③↗단식 경기. ④↗단승식. 1)-4):↔복식(複式). ⑤〖인쇄〗↗단식 인쇄.

단:식[2]【斷食】명 ①먹는 일을 끊음. ¶ ~ 투쟁. ②일정 기간 음식물의 전부 또는 일부를 먹지 아니함. 절곡(絶穀). 절식(絶食). ③〖종〗종교적 수행(修行)이나 의식(儀式)으로서 어떠한 기간 동안 먹는 일을 끊는 일. 불교·유태교(猶太敎)·기독교·회교(回敎)·힌두교 등에서 행하여짐. ¶ ~ 기도. 1)-3):*금식(禁食). ——-하다 자여불

단식 경:기【單式競技】명 정구(庭球)나 탁구(卓球) 등에서 양편이 한 사람씩 서서 싸우는 경기. 준단식(單式). ↔복식 경기.

단-식구【單食口】명 ①혼자 사는 식구. ②그 중 긴요한 한 사람.

단:식 기도【斷食祈禱】명 단식을 하면서 드리는 기도. ——-하다 자여불

단:식 동맹【斷食同盟】명〖사〗어떠한 목적을 달성하기 위하여, 음식을 먹지 아니하기로 하는 동맹. 흔히, 스트라이크를 일으키어 항거(抗拒)의 뜻을 열렬히 나타내려 할 적에 행함. 기아(饑餓) 동맹. 절식(絶食) 동맹. ——-하다 자여불

단:식-법【斷食法】명 며칠 동안 단식하여 위장병이나 당뇨병(糖尿病) 등을 치료하는 요법. 1주일 이상은 좋지 아니함.

단식 부기【單式簿記】명〖경〗부기의 하나. 일정한 기장(記帳) 법칙을 가지지 아니하고, 기업가의 임의대로 각종 장부를 기입하는 부기. 주요 장부로는 인명 계정 원장(人名計定元帳)을 쓰고, 그 외에 일기장(日記帳)이나 현금 출납장(現金出納帳)을 설정(設定)하는데, 복식 부기에 비하여 각 계정간에 일정한 계산상의 연락이 없고 계산상의 정확성을 검증하는 수단이 결핍되어 불완전하나, 소매업 기타의 단순한 회계에 있어서는 널리 쓰임. 준단식(單式). ↔복식 부기.

단식-성【單食性】명〖동〗한 종류의 생물만을 먹는 동물의 식성. ↔다

식성(多食性).

단식성 동:물【單食性動物】 명 〔monophagous animals〕〖동〗 식성이 단식성인 동물. 특정한 식물만을 침식하는 곤충이나, 특정한 숙주(宿主)에만 기생하는 기생충 따위. ↔다식성 동물.

단:식 요법【斷食療法】[—뇨뻡] 명〖의〗 절식(絶食) 요법.

단식 인쇄【單式印刷】 명〖인쇄〗 특수한 인자기(印字機)로 박은 것을 원지(原紙)로 하여 평판 사진판을 만들어서 하는 오프셋 인쇄. 문자의 크기를 자유롭게 취할 수 있는 것이 장점임. ㊟단식(單式).

단식 인쇄기【單式印刷機】 명〖인쇄〗 모노타이프(monotype).

단:식-재【斷食齋】 명〔라 Jejumium〕〖천주교〗 사순절(四旬節)이 시작되는 수요일과 성주간(聖週間)의 예수 수난 금요일에 아침을 굶고 재계하는 일. 만 21~60세의 건강한 사람은 지켜야 함. '대재(大齋)'의 고친 이름.

단:식 투쟁【斷食鬪爭】 명 단식을 하면서 항거하는 투쟁.

단식 화:산【單式火山】 명〖지〗 간단한 원뿔꼴을 이룬 화산. ↔복성(複成) 화산·복식 화산.

단신¹【單身】 명 단 혼자의 몸. 홑몸❶. ¶ 혈혈(孑孑) ~/~으로 적진에 돌입하다.

단신²【短身】 명 단구(短軀). ↔장신(長身).

단신³【短信】 명 간략하게 쓴 편지.

단신-법【單信法】[—뻡] 명 통신 방식의 하나. 1회선에 2국(局) 또는 여러 국을 연결하여 놓고 차례로 통신하는 방법. 이에는 단류식(單流式)과 복류식(複流式)이 있는데, 전자는 단일 방향의 전류에 의하여 통신하는 것을 말하며, 후자는 부호의 기호와 간격에 따라 방향이 상반되는 전류를 쓰는 것을 이름.

단신 복엽【單身複葉】 명〖식〗 복엽의 한 가지. 잎사귀가 단 하나이어서 단엽(單葉)과 같으나, 잎꼭지에 마디가 있음. 귤잎 따위. 홑잎새겹잎.

〈단신 복엽〉

단신-상【單身像】 명 한 사람만의 상(像). ↔군상(群像).

단신-총【單身銃】 명 총신(銃身)이 하나뿐인 엽총(獵銃).

단신 통신로【單信通信路】[—노] 명〔simplex channel〕〖통신〗 단일 방향으로만 전송(傳送)을 행하는 통신로.

단실【單室】 명 다만 하나 있는 방.

단실 자방【單室子房】 명〖식〗 콩·완두(豌豆) 등과 같이 단 하나로 된 자방. 홑씨방. 단자방(單子房). ↔복실(複室) 자방.

단심【丹心】 명 속에서 우러나는 정성스러운 마음. ¶ 일편 ~.

단심-가【丹心歌】 명〖문〗 포은(圃隱) 정몽주(鄭夢周)의 시조. '이 몸이 죽고 죽어 일백 번 고쳐 죽어 백골이 진토되어 넋이라도 있고 없고 임 향한 일편 단심이야 가실 줄이 있으랴'로 되어 있으며, 임금에 대한 충성심을 읊은 것임. *하여가(何如歌).

단-쌍【單雙】 명 하나와 둘. 한 개의 것과 한 쌍의 것.

단수리ᄒᆞ다 타 〈옛〉 벌충하다. ¶ 저주워 싱실 단수리ᄒᆞ놀(饋他補生日) 《朴解 上 67》.

단아¹【單芽】 명〖식〗 하나만 있는 싹.

단아²【單蛾】 명〖한의〗 ↗단유아(單乳蛾).

단아³【端雅】 명 단정하고 아담함. ¶ ~한 용모. ——하다 형여불

단악¹【丹堊】 명 붉은 빛의 벽토(壁土). 붉은 칠을 한 벽.

단:악²【斷惡】 명〖불교〗 악사(惡事)·악행(惡行)을 끊음. ——하다 자여불

단:악 수선【斷惡修善】 명〖불교〗 악업을 끊고 선업을 닦아 선도(善道)에 들어가는 일.

단안¹【單眼】 명 ①척안(隻眼)❶. ②〖동〗 곤충류·거미류·다족류(多足類) 등의 절지 동물(節肢動物)에서 볼 수 있는 간단한 구조의 소형(小形)의 시각기(視覺器). 보통 수정체(水晶體)·유리체(體)·망막(網膜)의 삼부(三部)로 되어 있으며 명암(明暗)을 분간할 수 있는 정도의 일을 하고 여기에 빛이 비치면 복안(複眼)의 시력(視力)이 세어지기 때문에 고무기관(鼓舞器官)이 된다 하는데, 대개가 갑각류는 두 개, 곤충류는 세 개 있음. 낱눈. 개안(個眼). 홑눈. 1)·2):↔복안(複眼).

단:안²【斷岸】 명 깎아 세운 듯한 언덕. 단애(斷崖).

단:안³【斷案】 명 ①옳고 그름을 판단함. ②어떤 안(案)을 딱 잘라 정함. 또, 그 안(案). ¶ ~을 내리다. ③〖논〗 삼단 논법에 있어서, 이단(二段)의 전제(前提)로부터 미루어 얻은 판단. 결론(結論). ——하다 타여불

단-안경【單眼鏡】 명 ①한쪽 눈에만 대는 안경. 모노클(monocle). ②한쪽 눈에만 대고 보는 망원경. ↔쌍안경.

단-안산【單案山】 명 내안산(內案山).

단안 시:야【單眼視野】 명 한쪽 눈만으로 그 위치를 변경하지 아니하고 보는 외계의 범위. ↔양안(兩眼) 시야.

단알【單閼】 명〖민〗 고갑자(古甲子)의 지지(地支)의 넷째. 묘(卯)와 같음.

단압【鍛壓】 명 금속 재료를 단련(鍛鍊)하거나 압연(壓延)하는 일. ——하다 타여불

단압 기계【鍛壓機械】 명〖공〗 금속 재료를 자르거나 깎거나 하는 이외의 방법으로 성형(成型)·가공하는 데 쓰는 기계의 총칭. 프레스(press)·압연기(壓延機)·망치 따위.

단:애【斷崖】 명 깎아 세운 듯한 낭떠러지. 단안(斷岸).

단액【丹液】 명〔단은 선단(仙丹)의 뜻〕 불로 불사(不老不死)하는 약. 장생하는 약.

단야¹【短夜】 명 짧은 밤. 곧 여름 밤을 말함. ↔장야(長夜).

단야²【鍛冶】 명 금속을 단련(鍛鍊)함. ——하다 타여불

단야-공【鍛冶工】 명 대장장이. 야공(冶工).

단약¹【丹藥】 명 선단(仙丹). 금단(金丹).

단약²【單弱】 명 외롭고 약함. ——하다 형여불

단양¹【丹陽】 명 ①〖지〗 충청 북도 단양군(丹陽郡)의 군청 소재지로 읍(邑). 중앙선(中央線)의 요역(要驛)으로 담배·인삼·목화·소·삼베·종이·쌀 등의 집산지이며, 한강과 단양천(丹陽川)을 끼고 구담봉(龜潭峰)·옥순봉(玉筍峰)·삼선암(三仙岩) 등 경승(景勝)이 많음. [17,015 명(1990)]. ②〖역〗 중국 당(唐)나라 때, 현재의 장쑤 성(江蘇省) 전장 시(鎭江市)의 남부에 있었던 현(縣)의 이름. 전국 시대의 초(楚)나라의 운양(雲陽), 진(秦)나라의 곡하(曲河) 지방에 해당함.

단양²【端陽】 명 단오(端午).

단양-군【丹陽郡】 명〖지〗 충청 북도의 한 군. 관내 2읍, 5면, 3출장소. 북은 강원도 영월군(寧越郡), 동은 영월군과 경상 북도 영주시(榮州市), 남은 영주시와 예천군(醴泉郡)과 문경시(聞慶市), 서는 제천시(堤川市)에 접함. 주요 산물은 쌀·마늘·고추·담배 등의 농산물과 임산·축산·공산 등임. 명승 고적으로는 남한강 상류의 기암 절벽으로 된 단양 팔경을 비롯하여 일광굴(日光窟)·고수(古藪) 동굴·온달성(溫達城) 등이 있음. 군청 소재지는 단양(丹陽). [781.30 km² : 44,320 명(1996)]

단양 분지【丹陽盆地】 명〖지〗 충청 북도 단양군 단양읍 주변에 있는 분지. 남한강 연안 및 소백 산맥 산간에 수지상(樹枝狀)으로 발달한 분지임. 면적 약 20 km².

단양 신라 적성비【丹陽新羅赤城碑】[—실—] 명〖역〗 충청 북도 단양읍 뒷산의 적성산성(赤城山城) 위에서 1978년에 발견된 비석. 신라 진흥왕 12년(551) 전후에 세워진 것으로 추정됨. 높이 93 cm, 폭 107 cm, 중앙부 두께 25 cm의 쑥돌에 예서풍(隸書風)이 약간 담긴 해서체(楷書體)의 400여 자의 글씨가 새겨져 있는데, 진흥왕이 551년에 한강 상류 10 군(郡)을 취한 후에, 이 곳을 순행(巡幸)하였을 때 세운 것인 듯함.

단양 탄:전【丹陽炭田】 명〖지〗 충청 북도 단양군(丹陽郡) 단양읍과 대강면(大崗面)·가곡면(佳谷面)에 있는 무연탄 탄전. 교통이 불편하여 채굴(採掘)이 부진하였으나 탄전이 다시 개발되었음.

단양 팔경【丹陽八景】 명〖지〗 충청 북도 단양군(丹陽郡)에 있는 여덟 곳의 명승지. 곧, 상선암(上仙庵)·중선암(中仙庵)·하선암(下仙庵)·구담봉(龜潭峰)·옥순봉(玉筍峰)·운선 구곡(雲仙九曲)·도담 삼봉(島潭三峰)·석문(石門) 등.

단양-하다 형 〈방〉 당양(當陽)하다.

단어【單語】 명 문법상의 뜻·기능을 가지는 언어의 최소 단위. '사람'·'가다'·'곱다' 따위. 낱말.

단어 문자【單語文字】[—짜] 명〔word writing〕〖언〗 개개의 글자가 원칙으로 단어(單語)에 상당하는 단위를 나타내는 문자. 보통, 표의(表意) 문자라고 함. 한자(漢字) 따위. 표어(表語) 문자. ↔음절(音節) 문자·음소(音素) 문자.

단어-장【單語帳】[—짱] 명 ①단어와 그 뜻을 적게 되어 있는 공책. ②단어집.

단어-집【單語集】 명 단어를 차례로 엮어 풀이한 책. 단어장.

단언¹【端言】 명 바른 말을 함. 또, 그 말. 정언(正言). ——하다 자여불

단:언²【斷言】 명 주저하지 아니하고 딱 잘라 말함. 명언(明言). ¶ 그가 위선자임을 나는 ~한다. ——하다 타여불

단:언-적【斷言的】 명관〖논〗 정언적(定言的).

단:언적 명:령【斷言的命令】[—녕] 명〖논〗 정언적 명령(定言的命令).

단:언적 명:제【斷言的命題】 명〖논〗 정언적 명제(定言的命題).

단:언적 판단【斷言的判斷】 명〖논〗 정언적 판단(定言的判斷).

단엄¹【單嚴】 명〖역〗 옛날에 행군할 때, 삼엄법(三嚴法)을 줄여서 특히 초엄(初嚴)만으로 행군을 시작하던 일. *삼엄.

단엄²【端嚴】 명 단정하고 엄숙함. 단숙(端肅). ——하다 형여불

단엄 침중【端嚴沈重】 명 단엄하고 침착하여 무게가 있음. ——하다 형여불

단여【短欐】 명〖건〗〔←단려〕 기둥 윗머리 사개통에 들보나 도리를 받치기 위하여 먼저 얹는 짧은 나무. 단연(短椽).

단-여의【單女衣】[—너—/—너이] 명 〈궁중〉 홑으로 지은 속속곳.

단역【端役】 명〖연〗 연극이나 영화의 대수롭지 아니한 말단(末端)의 역. 또, 그 역을 맡은 사람. ¶ ~ 배우. ↔주역(主役).

단연¹【丹鉛】 명 ①단사(丹砂)와 연분(鉛粉). ②문장 가운데서 잘못된 글자를 고침. 교정(校訂). ——하다 타여불

단연²【短椽】 명〖건〗 단여(短欐).

단연³【端然】 명 바르게 정돈된 모양. ——하다 형여불

단연⁴【端硯】 명 ↗단계연(端溪硯).

단:연⁵【斷煙】 명 담배를 끊음. 금연(禁煙). 금끽연(禁喫煙). ——하다 자여불

단:연⁶【斷然】 부 ①반대를 무릅쓰고 과감히 행하는 모양. 결연(決然)한 태도가 있는 모양. 단호(斷乎). ¶ 오늘부터 ~ 금주(禁酒)/~ 반대다. ②다른 것에 비하여 월등하게 다른 모양. 서로 거리가 먼 모양. 훨씬. ¶ 그가 ~ 우세하다/~ 리드하고 있다.

단-연고【單軟膏】 명〖약〗 밀랍(蜜蠟) 또는 깨기름을 원료로 하여 만든 누른 빛의 연고. 피부의 보호에 쓰이며, 또 다른 약품을 연고로 만들 때 그 바탕 물질로서 사용됨.

단:연-코【斷然—】 부 단연(斷然)의 힘줌말. 절대로. 결코. ¶ ~ 그런 일은 없다.

단:연-하다【斷然—】 형여불 결연(決然)한 태도가 있다. 단:연-히【斷然—】 부

단열¹【單列】 명〔←단렬〕 한 줄. 일렬(一列).

단:열²【斷裂】 명 ①〔plasmotomy〕 무척추 동물에서, 원형질이 둘 이상으로 갈라지는 일. ②〔fracture〕〖지〗 변형력에 의한 기계적인 파괴로써 생긴, 암석 가운데의 균열이나 절리(節理) 및 단층(斷層). 「자여불

단:열³【斷熱】 명〖물〗 열이 전도(傳導)되지 아니하게 막음. ——하다 자여불

단:열 감:률【斷熱減率】[—늘] 명〔adiabatic lapse rate〕〖물〗 단열 변화하면서 상승하는 기괴(氣塊)의 온도가 하강하는 비율. *건조 단열 감률·습윤 단열 감률.

단열 기관¹【單列機關】 명 실린더(cylinder)가 한 줄로 줄지어 있고, 한 개의 크랭크축(crank軸)에 의하여 동력을 딴 곳으로 전달하도록 되어

있는 기관.

단:열 기관²【斷熱機關】명 〔adiabatic engine〕〖기〗단열 상태의 열기관 또는 열역학 체계.

단:열 냉:각【斷熱冷却】[—랭—] 명 〔adiabatic cooling〕〖물〗단열 변화에 의하여 기괴(氣塊)가 팽창하여 온도가 내려가는 일.

단:열 도법【斷裂圖法】[—뻡] 명〖지〗지도 투영 도법(地圖投影圖法)의 하나. 적도(赤道)의 양쪽에 극(極)에서 적도까지의 중앙 경선(中央經線)을 여러 개 그어, 어떤 경선에서 그림을 갈라 헤친 것처럼 그리는 도법. 지도의 연결이 좋지 아니하나 면적(面積)이 정확하기 때문에 분포도(分布圖)에 널리 사용됨.

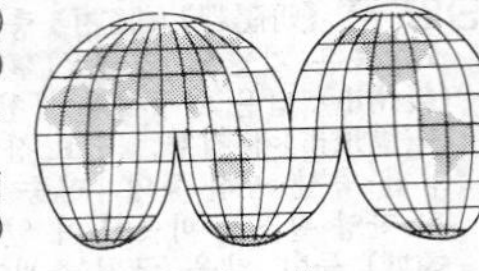

〈단열 도법〉

단열-로【鍛熱爐】명 단공로(鍛工爐).

단:열 몰바이데 도법【斷裂—圖法】〔Mollweide〕[—뻡] 명〖지〗지도 투영법(投影法)의 하나. 몰바이데 도법을 각 대륙마다 적용한 도법. 적도(赤道)를 그리고 그것을 등분하여 대륙마다 중앙 자오선(子午線)을 그려 몰바이데 도법을 적용함.

단:열 벽돌【斷熱甓—】명 규조토(硅藻土) 벽돌. 노(爐)·가마 등의 안쪽에 사용하는 내화(耐火) 벽돌의 바깥쪽에 쌓아서 열(熱)의 손실(損失)을 막음. 샤모테(Schamotte)를 혼합하여 내화성을 높인 것도 있음. 특히, 내열성을 높인 것을 단열 내화 벽돌이라고 함.

단:열 변:화【斷熱變化】명 〔adiabatic change〕〖물〗열역학(熱力學)에서 이르는 물질의 상태 변화의 하나. 외부와의 열의 출입이 없이 행하여지는 물체의 상태 변화. 음파(音波)에 의한 공기의 압축·팽창 따위. ↔등온 변화(等溫變化).

단:열 상:승【斷熱上昇】명 〔adiabatic rise〕〖물〗단열하여 대기를 압축할 때에 상승하는 대기의 온도.

단:열 소자【斷熱消磁】명〖물〗단열 자기 소거.

단:열 압축【斷熱壓縮】명 〔adiabatic compression〕〖물〗단열 변화의 하나. 단열된 상태에서 물체의 체적이 압축되는 일. 이 때에 대부분의 기체는 온도가 오르며 물체는 가열(加熱)됨. ↔단열 팽창.

단:열 연:와【斷熱煉瓦】명 단열 벽돌.

단:열 자기 소거【斷熱磁氣消去】명 〔adiabatic demagnetization〕〖물〗상자성(常磁性) 물질을 자장(磁場) 속에 넣어 자화(磁化)하였다가, 자장을 급속히 치웠을 때 그 온도가 내려가는 현상.

단:열-재【斷熱材】[—째] 명 〔heat insulator〕 열을 쉽사리 전하지 아니하는 재료. 석면(石綿)·유리 섬유·코르크·규조토(硅藻土)·발포(發泡) 플라스틱 등으로 열의 차단과 보온 등에 쓰임.

단:열 팽창【斷熱膨脹】명 〔adiabatic expansion〕〖물〗단열 변화의 하나. 단열된 상태에서 물체의 체적이 팽창하는 일. 이 때에 대부분의 기체는 온도가 내리며 물체는 냉각(冷却)됨. ↔단열 압축.

단엽【單葉】명 ①〖식〗외겹으로 된 꽃잎. 단판(單瓣). 홑꽃잎. ②〔simple leaf〕〖식〗한 장의 엽편(葉片)으로 된 잎. 배나무·벚나무의 잎 따위. 홑잎. ↔복엽(複葉). ③〖건〗잎사귀 한 개를 도안화(圖案化)한 무늬.

엽신
엽병
탁엽

〈단엽❷〉

단엽-기【單葉機】명 ↗단엽 비행기(單葉飛行機). ↔복엽기(複葉機).

단엽 비행기【單葉飛行機】명 비행기의 양쪽 날개가 하나씩으로 된 비행기. 날개의 효율(効率)이 복엽에 비하여 더 우수함. ㊟단엽기(單葉機). ↔복엽 비행기(複葉飛行機).

단엽 쌍곡면【單葉雙曲面】명〖수〗일엽(一葉) 쌍곡면.

단엽 함:수【單葉函數】[—쑤] 명〖수〗같은 값을 두 번 취하는 일이 결코 없는 정칙(正則) 함수. ↔다엽(多葉) 함수.

단영¹【丹楹】명 붉게 칠한 기둥. 단주(丹柱).

단영²【單營】명〖역〗다른 영문(營門)의 절제(節制)를 받지 아니하는 독립된 군영(軍營).

단예【端倪】명 〔'端'은 산 꼭대기, '倪'는 물가의 뜻〕 ①일의 시초와 끝. 본말(本末). ②추측(推測)하여 앎. ③맨 끝. 한이 없는 가. ——-하다 타여불

단오【端午】명 명절의 하나. 음력 오월 초닷샛날. 고래로 농경(農耕)의 풍작을 기원하던 제삿날이었으나 현재는 주로 농촌의 명절로서 수리치를 넣어 둥글게 절편을 하여 먹고 여자는 창포(菖蒲) 물에 머리를 감기도 하며 그네를 뛰고 남자는 씨름을 하고 놂. 단양(端陽). 중오절(重午節). 천중절(天中節). ＊수리·수릿날.

단오-굿【端午—】명〖민〗강릉(江陵)에서 단옷날을 전후해서 행하여지는, 일종의 부락제(部落祭). 음력 3월 20일 신주(神酒)를 빚는데서 비롯하여, 사월 보름날에 대관령 국사 성황(大關嶺國師城隍)과 대관령 국사 여성황(女城隍)을 대관령 산꼭대기에서 맞아 읍내(邑內) 서낭당에 모시고, 제사와 탈놀이로써 산신(山神)을 위로하여, 5월 6일 서낭당 뒷들에서 이 굿에 쓴 모든 신구(神具)를 불사름으로써 막을 내림.

단오-떡【端午—】명 단옷날 수리취를 넣어 둥글게 만든 절편.

단오 마늘【端午—】명〖한의〗단옷날에 캔 마늘. 약용(藥用)으로 그중 좋다 함.

단오-부【端午符】명〖민〗↗단오 부적(端午符籍).

단오 부:적【端午符籍】명〖민〗단옷날 문 기둥에 붙여 액(厄)을 물리치는 부적(符籍). ㊟단오부(端午符).

단오 부채【端午—】명〖역〗조선 시대 때, 단옷날 공조(工曹)에서 만들어 임금에게 진상(進上)하던 부채. 임금을 가까이 모시던 신하와 서울 각사(各司)에 임금이 이것을 나누어 주었음. 단오선.

단오 비음【端午—】명〖민〗단오빔.

단오-빔【端午—】명〖민〗단오를 쇠면서 하는 빔. 이 날 여자들은 창포물로 머리와 얼굴을 씻은 다음 붉고 푸른 새 옷을 입고, 창포 뿌리로 단오장을 하던 풍속이 있었음. 단오장(端午粧). 단오 비음.

단오-야【端午夜】명 단옷날 밤.

단오-선【端午扇】명〖역〗단오 부채.

단오-장【端午粧】명〖민〗①단옷날에 차는 노리개. 창포(菖蒲) 뿌리에다 '수복(壽福)'의 글자를 새긴 다음 그 끝에 연지를 바르고 머리에 꽂음. ②단오 빔.

단오-절【端午節】명 단오를 명절로 일컫는 말.

단오-첩【端午帖】명〖역〗단옷날 임금을 가까이 모시던 신하들이 임금에게 지어 올리는 첩자(帖子). 궁전(宮殿)의 기둥에 붙이었음.

단옥¹【單玉】명 렌즈를 한장만 사용함. 또, 렌즈가 한장인 사진기. ↔복옥.

단:옥²【斷獄】명 중대한 범죄를 처단함. 단죄(斷罪). ——-하다 타여불

단-옥재【段玉裁】명〖사람〗중국 청(淸)나라의 언어 학자. 장쑤 성(江蘇省) 진탄(金壇) 사람. 자(字)는 약응(若膺). 호(號)는 무당(懋堂). 처음 관리로 있다가 나중에 세상과 교제를 끊고 학문에 열중함. 소학(小學)·음운(音韻)에 정통하고 특히 설문학(說文學)에 밝음. 저서는 《설문 해자주(說文解字註)》·《고문 상서찬이(古文尙書撰異)》·《모시 고훈전(毛詩故訓傳)》 등임. [1735-1815]

단옷-날【端午—】명 단오가 되는 날. 곧 음력 5월 5일.

단요【短靿】명 운두가 낮은 신. 혜(鞋)·이(履)가 이에 속함.

단용-재【單用財】명 생산용 원자재·식량·연료와 같이 한번의 행위로 소모되는 재(財). ↔내용재(耐用財).

단:운【斷雲】명 조각조각 끊어진 구름.

단원¹【單元】명 ①〖철〗단일한 근원(根元). ＊다원(多元)·이원(二元). ②〖철〗단자²(單子). ③〖교〗어떤 주제(主題)를 중심으로 하여 편의상 하나로 뭉뚱그린 학습의 단위. 학생의 경험을 중심으로 한 경험 단원과, 논리적 계열에 의한 교과(敎科) 단원으로 구분함. 유닛(unit).

단원²【團員】명 어떤 단체의 회원.

단원³【團圓】명 ①둥근 것. ②가정이 원만함. 한 가정이 화합(和合)함. ③결말(結末). 끝. ——-하다 형여불

단원⁴【壇垣】명 단을 두둑하게 쌓아 놓고 그 단 주위를 둘러싼 담.

단원⁵【檀園】명〖사람〗김홍도(金弘道)의 아호(雅號).

단원-론【單元論】[—논] 명 ①〖철〗세계의 모든 현상의 근저(根底)를 이루는 참 실재(實在)는 수적(數的)으로 단 하나라고 하는 설. ＊일원론(一元論)·다원론(多元論)·이원론(二元論). ②〖생〗모든 생물(生物)은 전부 동일한 조상으로부터 생겨 나왔다고 하는 학설(學說). 단원설.

단원-설【單元說】명〖철·생〗단원론(單元論).

단원자 기체【單原子氣體】명 〔monatomic gas〕〖화〗분자가 한 개의 원자로 된 기체. 비활성 기체(非活性氣體) 따위.

단원자 분자【單原子分子】명〖화〗원자 한 개가 그대로 분자로 되어 있는 것. 상온(常溫)에서 이런 상태가 되어 있는 것은 헬륨·아르곤 등, 소위 비활성(非活性) 기체뿐임.

단원-제【單院制】명〖법〗국회를 상하 양원으로 구분하지 아니하고 하나만 두는 제도. 단원 제도. ↔양원제(兩院制).

단원 제:도【單院制度】명〖법〗단원제(單院制). ↔양원 제도(兩院制度).

단원 측각기【單圓測角器】명〖광〗한 회전 원반 위에 그 회전축과 정대축(晶帶軸)이 일치하도록 결정을 고정시키고, 한 정대(晶帶)에 속하는 면의 각도를 측정하는 가장 간단한 반사(反射) 측각기의 하나. ＊복원(複圓) 측각기·삼원(三圓) 측각기.

단원 학습【單元學習】명〖교〗단원 계획에 의한 학습.

단월¹【端月】명 음력 '정월'의 딴이름.

단월²【檀越】명〖불교〗시주(施主)❶.

단월-전【檀越錢】[—쩐] 명〖불교〗시주(施主)로 내놓는 돈.

단위¹【段位】명 무도(武道)·장기·바둑 등에서 기량을 나타내는 '단'의 등급. 급(級)의 위임.

단위²【單位】명 ①사물(事物)을 비교 계산하는 기본이 되는 것. ②〖수〗길이·무게·수효 등 수량(數量)을 계산할 때 기준이 되는 분량(分量)의 표준. m·g·자·말 따위. ③어떤 조직을 구성하는 가장 기본적인 사물. ¶ 방화(防火) ～/～ 부대. ④일정한 학습량. 흔히 학습 시간을 기준으로 정함. 대학에서는 이수 과목(履修科目)의 단위수(학점)에 의해 졸업이 인정됨. ＊하나치.

단위³【單位】명〖불교〗선당(禪堂)에서 벽에 명패를 붙이어 표시한 좌석.

단위⁴【單位】명〖민〗한 위(位)의 신주(神主).

단위 격자【單位格子】명 〔unit lattice〕 결정 구조(構造)의 최소 단위가 되는 다면체(多面體)를 이름. 크기와 모양은 3개의 단위 벡터(vector)와 각 벡터가 이루는 각(角)의 6개의 상수(常數)로 이루어지는 격자 상수에 의해 규정되며, 삼사(三斜)·단사(單斜)·사방(斜方)·육방(六方)·삼방(三方)·정방(正方)·등축(等軸)의 7정계(晶系)로 분류됨. 단위포(單位胞).

단위 결과【單爲結果】명 〔parthenocarpy〕〖식〗수정하지 아니하고 종자의 형성과는 관계없이 자방(子房)이 발육하여 과실이 되는 현상. 바나나가 이 예인데 씨 없는 과실의 육성 수단으로 이용됨. 단위 결실.

단위 결실【單爲結實】[—씰] 명〖식〗단위 결과.

단위-계【單位系】명 〔unit systems〕〖물〗한 기본 단위를 기본으로 하여 딴 양(量)의 단위를 유도하였을 때에 생기는 계통적인 단위의 집합. C.G.S. 단위계·MKSA 단위계·국제 단위계·중력(重力) 단위계 따위.

단위 구면【單位球面】명 〔unit sphere〕〖수〗3차원 공간에서, 원점으로부터의 거리가 엄밀하게 1과 같은 점의 집합.

단위 넓이【單位—】[—널비] 명〖물〗면적을 측량할 때, 기준(基準)이 되는 면적. 또, 어떤 단위계(系)에 있어서의 넓이의 단위 1인 면적. C.G.S 단위계에서는 1 cm^2 임.

단위 노동 조합【單位勞動組合】명 ①연합 단체 이외의 노동 조합. ②연합 단체를 조직하는 단위가 되는 노동 조합. 단위 조합. ＊단독 노동 조

합(單獨勞動組合).

단위 면:적【單位面積】명〖물〗 단위 넓이.

단위 반:응【單位反應】명〔unit process〕〖화〗화학 공업의 제조법의 기본이 되는 화학적 조작을 이름. 산화(酸化)·환원(還元)·이성화(異性化)·중합(重合) 따위.

단위 발생【單爲發生】[―쌩] 명〔parthenogenesis〕〖생〗단위 생식에 의해 난(卵)에 변화가 생겨 발생이 진행되는 현상. 단위 생식이 어미 중심으로 이름지어진 것인 데 대하여 이것은 난(卵)을 중심으로 이름 지어진 것.

단위 벡터【單位―】명〔unit vector〕〖물〗길이가 1인 벡터.

단위 부대【單位部隊】명〖군〗편성표·장비표 등, 합법적인 권한에 의하여 규정된 구조를 가진 모든 군사 요소. 특히, 한 편성체의 일부.

단위 분수【單位分數】[―쑤] 명〖수〗분자가 1인 분수. ½, ⅓ 따위.

단위 상점【單位商店】명〖경〗독립한 단위로서 한두 가지의 상품을 취급하는 상점. ↔백화점(百貨店).

단위 생식【單爲生殖】명〔parthenogenesis〕〖생〗자성(雌性) 생식 세포가 단독으로 신개체(新個體)의 발생을 개시하는 현상. 처녀(處女) 생식. ↔동정(童貞) 생식.　　「지름이 1인 원.

단위-원【單位圓】명〔unit circle〕〖수〗원점(原點)을 중심으로 하고 반

단위 원가【單位原價】[―까] 명〔unit cost〕〖경〗어떤 제품의 특정 단위당의 원가. 일정 기간에 쓴 비용을, 그 동안에 생산한 제품의 개수로 나누어서 구함.

단위 응:력【單位應力】[―녁] 명〔unit stress〕〖공〗어떤 장소에서 구조물(構造物)의 단위 면적에 생기는 응력. 단면적의 단위 면적당의 힘으로 나타냄.

단위-제【單位制】명〔unit system〕〖교〗학년으로 진급 졸업하는 제도에 있어서, 일정한 학과(學科)의 단위수(單位數)에 의해서 졸업을 정하는 제도. 대학은 대개 이 제도를 채택하고 있음. *학점제(學點制).

단위 조작【單位操作】명〔unit operations〕〖공〗주로 화학 공업에서 물리 변화를 주체(主體)로 하는 기본적인 조작. 전열(傳熱)·증발(蒸發)·건조·증류·정출(晶出)·가스 흡수·추출(抽出)·흡착(吸着)·분쇄·혼합·여과·기계적 분리 등으로 분류됨.

단위 조합【單位組合】명 ↗단위 노동 조합.

단위 집합【單位集合】명〔unit set〕〖수〗한 개의 원소로 이루어진 집합. S=[a]일 때, 집합 S는 단위 집합임.

단위-체【單位體】명〔monomer〕〖화〗중합체(重合體)를 구성하는 기본 단위가 되는 분자량이 작은 물질. 폴리에틸렌에서의 에틸렌 따위. 단량체(單量體). 모노머.

단위-포【單位胞】명 단위 격자.

단위 항:공기【單位航空機】명〔unit aircraft〕〖군〗비행 기본 임무를 수행하기 위하여 항공기 단위를 형성하는 항공기.

단위 행렬【單位行列】[―녈] 명〔unit matrix〕〖수〗정방(正方) 행렬의 하나. 좌상(左上)에서 우하(右下)에 이르는 대각선상(對角線上)의 요소가 모두 1이고 그 이외의 요소가 모두 0인 정방 행렬.

단유【壇壝】명 ①제터와 곽장(曲牆). ②제터.　　「㊕단아(單蛾).

단-유아【單乳蛾】명〖한의〗열이 나며 한쪽 편도선(扁桃腺)이 붓는 병.

단음¹【短音】명 짧게 나는 소리. 짧은 소리. ↔장음(長音).

단음²【單音】명 ①〖물〗단진동 운동(單振動運動)에서 나는 소리. 단순음(單純音). ②〖악〗화성(和聲)이 아닌 독립한 선율(旋律)만을 내는 소리. 단 하나의 음부(音部)로만 되어 있는 음. ③〖언〗음성의 최소 단위. ㅏ·ㅓ·ㅗ·ㅜ·ㅡ·ㅣ·ㅐ·ㅔ·ㅚ, ㄱ·ㄴ·ㄷ·ㄹ·ㅁ·ㅂ·ㅅ·ㅇ·ㅈ·ㅎ, ㄲ·ㄸ·ㅃ·ㅆ·ㅉ. 이것이 모이어 음절을 이룸. 홑소리. 1)-3): ↔복음(複音).

단:음³【斷音】명 ①음을 끊음. 내던 소리를 끊음. ②〖언〗자음의 하나. 숨이 발음함과 동시에 끊어지는 소리. 파열음(破裂音)과 촉음(促音)으로 나눔. ③〖악〗'끊음음'의 한자 이름. 1)·3): ↔속음(續音). ――하다

단:음⁴【斷飮】명 술을 끊음. 금주(禁酒). ――하다 자여불　　ㄴ자여불

단-음계【短音階】명〖악〗주음(主音)과 제삼음(第三音)과의 사이가 단삼도(短三度)가 되는 음계(音階). 라·시·도·레·미·파·솔·라의 계명으로 표시됨. 자연적(自然的)(둘째 음과 세째 음, 다섯째 음과 여섯째 음 사이가 반음(半音)인 것), 화성적(和聲的)(둘째 음과 셋째 음, 다섯째 음과 여섯째 음, 일곱째 음과 여덟째 음 사이가 반음, 여섯째 음과 일곱째 음 사이가 일음반(一音半)이 되는 것), 선율적(旋律的)(둘째 음과 셋째 음, 일곱째 음과 여덟째 음 사이가 반음인 것)의 삼종(三種)이 있으며, 일반적으로 장중(莊重)·비애(悲哀)·감상(感傷)·심각미(深刻味)를 나타내는 데 적당함. 마이너(minor). 몰(Moll). ↔장음계(長音階).

단:음 기호【斷音記號】명〖악〗'끊음표'의 한자 이름.

단음 문자【單音文字】[―짜] 명〖언〗표음 문자(表音文字)의 하나. 각 글자가 자음과 모음으로 분석할 수 있는 단음(單音)을 나타내는 글자. 우리 나라 자모(字母)와 알파벳은 이에 해당함. ↔음절 문자(音節文字).

단-음악【單音樂】명〖악〗한 개의 선율을 주로 하여 여기에 화성(和聲)이 수반하는 음악.　　「같은 것.

단음절-어【單音節語】명〖언〗한 음절로 된 단어. 곧 '소·말·밥·물·떡'

단-음정【短音程】명〔minor interval〕〖악〗장음정(長音程)보다 반음(半音) 좁은 음정.　　「하는 법.

단:음 주법【斷音奏法】[―뻡] 명〖악〗낱낱의 음을 끊어서 연주(演奏)

단음 창:가【單音唱歌】명〖악〗다른 성부(聲部)를 수반하지 아니한 단 하나의 선율(旋律)로 된 노래.

단-음표【短音標】명〖악〗음의 장단을 나타내는 음표 가운데 8분 음표·16분 음표·32분 음표 등, 4분 음표보다 짧은 길이를 나타내는 음

단의¹【單衣】[―/―이] 명 ①홑옷. ②속곳.　　ㄴ표의 총칭.

단의²【短衣】[―/―이] 명 짧은 옷.

단-익공【單翼工·單翼栱】명〖건〗전각이나 궁궐처럼 포살미한 집의 기둥 위에 얹히는 한 개의 촛가지가 달린 나무. 단입공(單入工)·초익공

단인¹【單刃】명〖고고학〗'자귀날'의 구용어.　　ㄴ(初翼工).

단인²【端人】명 단정한 사람.

단인³【端人】명〖역〗조선 시대 때, 정팔품 및 종팔품 문무관(文武官)의

단인⁴【蜑人】명 단민(蛋民).　　ㄴ아내의 품계(品階).

단-인삼탕【單人蔘湯】명〖한의〗독삼탕(獨蔘湯).

단인자 잡종【單因子雜種】명〖생〗단성 잡종(單性雜種).

단일¹【單一】명 ①단 하나. ②복잡하지 않음. 단순(單純). ③다른 것이 섞여 있지 않음. ¶ ~ 민족. ――하다 형여불

단일²【短日】명 짧은 해. 겨울의 짧은 해.

단일 개:념【單一概念】명〖논〗단독 개념.

단일 결합【單一結合】명〔single bond〕〖화〗단결합(單結合).

단일 경작【單一耕作】명〖농〗단작(單作).

단일 경제【單一經濟】명 경제의 주체(主體)가 한 자연인(自然人)으로

단일-국【單一國】명〖법〗단일 국가.　　ㄴ되어 있는 경제.

단일 국가【單一國家】명 두 개 이상의 나라가 합성된 것이 아니고 단독으로 존재하는 국가. 단독국(單獨國). 단일국(單一國). ↔복합 국가.

단일군 사령부【單一軍司令部】명〔uniservice command〕〖군〗단일군(單一軍)으로 형성된 사령부.

단일 기계【單一機械】명〔simple machine〕〖물〗지레·도르래·윤축(輪軸)·사면(斜面)·톱니바퀴·나선(螺旋)과 같은 가장 간단한 기계. 힘이나 이동 거리의 크기, 방향 등을 바꾸는 데에 쓰여지며 일반적으로 복잡한 기계를 조립하는 요소로 되어 있음. ㊕단기(單機).

단일 기판 컴퓨:터【單一基板―】〔computer〕명〖컴퓨터〗하나의 기판 위에 중앙 처리 장치, 램(RAM)·롬(ROM)·입출력 포트(port) 따위를 모두 장치하여 본체를 구성한 컴퓨터.

단일 노동 조합【單一勞動組合】[―로―] 명 ↗산업별 단일 노동 조합.

단일 동조 증폭기【單一同調增幅器】명〔single tuned amplifier〕〖전자〗단일 주파수로서 공진(共振)하는 증폭기.　　「란(內黃卵). ↔복합란.

단일-란【單一卵】명 난세포 안에 난황(卵黃)을 축적하고 있는 알. 내황

단일 목적 댐【單一目的―】〔dam〕명〖토〗발전용이라든가 농업용이라든가 또는 상수도용이라든가 하는 단일한 목적과 용도를 위하여 설비된 댐. ↔다목적댐(多目的 dam).　　「(個體)로서 존재하는 물건.

단일-물【單一物】명 그 물건 하나로 하나의 명칭을 갖고 독립한 개체

단일 민족【單一民族】명 단일한 인종으로 구성되어 있는 민족.

단일 민족 국가【單一民族國家】명 한 민족이 한 국가를 이루고 있는 나라. ↔다민족(多民族) 국가.

단일 변:동 환:율【單一變動換率】명〖경〗외환 거래(外換去來)에서 환율을 고정시켜 놓지 아니하고, 그 날 그 날의 환시장에서 정해지는 시세를 단 하나의 환율로 삼는 일.

단일 본위【單一本位】명 단본위(單本位).

단일 본위제【單一本位制】명〖경〗단본위제.

단일 분개장제【單一分介帳制】[―짱―] 명〖경〗모든 거래를 한 권의 분개장을 거쳐 원장(元帳)에 전기(轉記)하는 장부제(帳簿制).

단일-성¹【單一性】[―썽] 명 단일(單一)한 성질.

단일-성²【短日性】[―썽] 명〖식〗일정 시간 이상의 암기(暗期)를 갖는 광주기(光周期)를 주지 아니하면 꽃눈을 만들지 아니하는 성질. 따라서 낮이 짧아지고 밤이 길어지면 개화(開花)함. ↔장일성(長日性).

단일성 원칙【單一性原則】[―썽―] 명〖경〗주주(株主) 총회용·신용 목적용·조세 목적용 따위의 재무 제표(財務諸表) 작성에 즈음하여, 정책적 고려를 위하여 사실의 진실한 표시를 왜곡하여서는 안 된다는 원

단일세-론【單一稅論】[―쎄―] 명 단세론(單稅論).　　ㄴ칙.

단일세 제:도【單一稅制度】[―쎄―] 명 단일세론에 의하여 한 종류의 조세로 이루어진 세제(稅制). ↔복세(複稅) 제도.

단일 소:득세론【單一所得稅論】명 단일세론(單一稅論)의 하나. 한 나라의 세제(稅制)를 소득세만으로 한정한다는 세론. 프랑스의 장 보댕(Jean Bodin)과 독일 사회 민주당 등이 주장하였음.

단일 소비세론【單一消費稅論】명 단일세론(單一稅論)의 하나. 한 나라의 세제(稅制)를 소비세만으로 한정한다는 세론. 영국의 중상주의자(重商主義者) 홉즈(Hobbes, T.) 등이 주장함.

단일 수축【單一收縮】명〖의〗연축(攣縮).

단일 식물【短日植物】명〔short-day plants〕〖식〗단일성을 갖는 식물의 총칭. 꽃이나 과실을 형성하기 위하여 일정 시간 이상의 암흑 기간을 필요로 하는 식물. 낮이 12시간 또는 14시간보다 짧은 시기에 꽃이 피는 것으로 벼·옥수수·콩·담배·코스모스·국화·나팔꽃 등 가을에 꽃이 피는 식물에 많음. ↔장일(長日) 식물. *단일 처리(短日處理).

단일신-교【單一神敎】[―씬―] 명〔henotheism〕〖종〗종교의 한 형태. 많은 신의 존재를 인정하면서, 특히 그 여러 신 중의 한 신만을 가장 높이 숭배하는 종교. 인도·그리스·로마·유태 등의 고대 여러 종교는 대부분이 이것임. 이 숭배되는 신이 특정신(特定神)에 한정되지 않고 때때로 전전(轉轉)하는 것을 특히 교체(交替)신교라 하는데 인도의 베다(Veda)가 이에 속함. 모두 다신교(多神敎)로부터 일신교(一神敎)로 옮기는 과도 형태로 볼 수 있음.

단일-어【單一語】명〖언〗앞뒤의 음절에 다른 뜻이 없이 단 하나의 뜻으로 구성되어 있는 말. '밥'·'도토리' 같은 것. ↔합성어(合成語)·복합어(複合語).

단일 예:산【單一豫算】[―례―] 명〖경〗일국(一國)의 예산을 단일로 한 것. 일 회계 연도(一會計年度) 일 예산(一豫算)으로 표시되며, 총액(總額) 예산과 같은 이유에서 예산 원칙의 하나로 주장되어 왔음. 그러나 이 원칙을 관철하면 예산을 도리어 불편·불명확하게 할 염려가

있어, 각국마다 특별 회계 예산·추가 예산·수정 예산 등의 예외를 인정하고 있음.

단일월【短日月】명 단시일(短時日).

단일 중:합체【單一重合體】명〔homopolymer〕〖화〗에틸렌의 중합으로 생성되는 폴리에틸렌과 같은, 단일 단량체(單量體)로 만들어지는 중합체.

단일 지조론【單一地租論】명 단일세론(稅論)의 하나. 한 나라의 세제(稅制)를 지조(地租)만으로 한정한다는 세론(稅論). 프랑스의 중농 학파(重農學派)의 대표자 케네(Quesnay) 등이 주장함.

단일 진:자【單一振子】명〖물〗단진자(單振子).

단일 처:리【短日處理】명〖농〗국화 등 단일 식물에서, 식물의 단일성을 이용하여 인공적으로 일조 시간을 단축시켜 개화 결실(開花結實)을 촉진시키는 방법. 화초 원예에 있어서 이용 가치가 큼. ↔장일 처리(長日處理). *단일 식물.

단일 추진제【單一推進劑】명〔monopropellant〕단일 물질로 된, 로켓 추진제의 일종. 특히, 제2의 성분을 첨가하지 않아도 로켓의 추진력을 생성하는 액체를 이름.

단일 클론 항:체【單一—抗體】명〔monoclonal antibody〕인간의 어떤 종류의 세포에만 특이하게 반응하는, 순수하고 높은 활성(活性)을 가지는 항체. 모노클로널 항체.

단일 합력【單一合力】[—녁] 명〖경〗어떤 한 일을 수행하는 데 있어서 많은 노동력을 합하는 일.

단일현 운:동【單一弦運動】명〖물〗단진동(單振動) 운동. ㊂단현(單弦)운동.

단일-화【單一化】명 ①단 하나로 됨. 단순해짐. ②단 하나로 만듦. 단순하게 함. ——하다 자타여불

단일 환:율【單一換率】명〖경〗외국환(外國換)을 관리함에 있어서 어떤 한 외국의 통화에 결부시켜 환율을 정하여 놓고 국제적인 전체 거래에 일률적으로 이것을 적용하는 일. 곧 공정 환시세(公定換時勢)를 하나로 정하는 경우를 이름.

단-입공【單入工·單入栱】명〖건〗단익공(單翼工).

단자¹【單子】명 부조 등 남에게 보내는 물건의 수량과 보내는 사람의 성명(姓名)을 적은 종이.

단자²【單子】명〔monad〕〖철〗라이프니츠(Leibniz)의 용어. 만유(萬有)를 조직하는 단일 불가분(不可分)의 독립 자유의 개체(個體)로서의 비공간적(非空間的)·비물질적(非物質的) 실재(實在)의 요소. 모나드. 단원(單元). *단자론(單子論).

단자³【單字】[—짜] 명 ①〖언〗단어(單語)를 표시(表示)한 글자. ②외자².

단자⁴【短資】명〖경〗단기 대부(短期貸付)의 자금(資金). 콜 머니(call money). ¶ ~ 회사.

단자⁵【端子】명〔terminal〕〖전〗전기 기계에서 발생한 전력을 외부로 보내거나 또는 전력을 외부로부터 기계에 공급하는 전류의 출입구. 터미널(terminal).

단자⁶【團子·團餈】명 찹쌀 가루를 반죽하여 끓는 물에 삶아 잘 으깬 다음, 꿀에 섞은 팥이나 깨로 소를 넣고 동글동글하게 빚어 다시 꿀을 바르고 고물을 묻힌 떡. 단자병(團子餠).

단자⁷【緞子】명 생사(生絲) 또는 연사(練絲)로 짠, 광택(光澤)이 많고 두꺼운, 무늬 있는 수자(繻子) 조직의 견직물(絹織物).

단자궁-류【單子宮類】[—뉴] 명〖동〗포유 동물 가운데 쌍자궁류(雙子宮類)인 유대류(有袋類)를 제외한 목(目)의 병칭(倂稱). *쌍자궁류(雙子宮類).

단자-론【單子論】명〖철〗만유(萬有)는 비공간적(非空間的)·비물질적(非物質的)인 무수한 단자로 되어 있으며 또한 그 하나하나가 전우주(全宇宙)를 표상(表象)하며, 단자간(單子間)의 조화(調和)는 신(神)의 예정(豫定)에 의한다고 설파한 라이프니츠(Leibniz)의 이론. 모나드론(monad 論). *단자²(單子).

단-자방【單子房】명〖식〗단실(單室) 자방. 홑씨방.

단자-병【團子餠】명 단자(團子).

단자 시:장【短資市場】명〖경〗콜 시장(call 市場).

단자 업자【短資業者】명〖경〗콜 자금의 대부 혹은 그 대차(貸借)의 중개를 업으로 하는 사람. 콜 자금의 대차·중개 및 어음의 매매·중개, 외국환의 인터 뱅크, 환(換)거래의 중개 등을 주요 업무로 함. *콜 론.

단-자엽【單子葉】명〖식〗외떡잎. ↔복자엽.

단자엽 식물【單子葉植物】명〖식〗외떡잎 식물.

단자엽 종자【單子葉種子】명〖식〗외떡잎 씨앗.

단-자예【單雌蕊】명〖식〗홑암꽃술.

단자 유입 규제【短資流入規制】명〖금융〗환차익(換差益)을 노린 투기적인 단기 자금이 대량으로 유입되어 환시세가 실세(實勢)와 차이가 날 때, 이들 자금의 유입을 규제하는 일. 비거주자(非居住者)의 채권(債劵) 취득을 제한하거나 금지하며 비거주자 예금의 준비율을 인상하고, 수출 전수금(輸出前受金)을 규제하는 따위가 있음.

단-자음【單子音】명〖언〗홑으로 나는 자음. 곧 ㄱ·ㄴ·ㄷ·ㄹ·ㅁ·ㅂ·ㅅ·ㅇ·ㅈ·ㅎ·ㄲ·ㄸ·ㅃ·ㅆ·ㅉ의 열 다섯 자. 홑닿소리. ↔복자음(複子音)·단모음(單母音).

단자 전:압【端子電壓】명〔terminal voltage〕〖물〗부하(負荷)·전등(電燈)·전동기(電動機) 등 전기 에너지를 소비하는 장치의 전원(電源)의 출력(出力) 단자간(端子間)에 나타나는 실제의 전압(電壓).

단자 회:사【短資會社】명〖경〗'투자 금융 회사'의 속칭.

단작【單作】명 ①〖농〗농경지에 한 종류의 농작물만을 심어서 농사짓는 일. 단일 경작(單一耕作). *간작(間作)·혼작(混作). ②↗단작 노리개. ——하다 타여불

단작 노리개【單作—】명 한 가닥의 술이 있는 노리개. ㊂단작(單作). *삼작(三作) 노리개.

단작 농업【單作農業】명〖농〗한 종류의 농작물만을 재배하는 농업 경영 방식의 하나. ↔다각 농업(多角農業).

단:작-스럽다 형ㅂ불 하는 짓이 보기에 매우 치사스럽고 다라운 데가 있다. <던적스럽다. 단:작-스레 부

단잔¹【單盞】명 ①한 잔. ②단헌(單獻)으로 드리는 잔.

단잔²【壇盞】명〖공〗중국 명(明)나라 가정(嘉靖) 때에 만들어서 제단(祭壇)에서 쓰던 백자(白瓷)의 술잔. 전백 단잔(塡白壇盞).

단-잠 명 달게 자는 잠. 자고 싶은 때에 자는 잠. 감면(甘眠).

단장¹【丹粧】명 ①얼굴을 곱게 하고 머리나 옷 맵시를 매만져 꾸밈. 화장(化粧). ②산뜻하게 모양을 내어 꾸밈. ¶ 새로 ~한 사무실/칠보 ~. ——하다 자여불

단장²【單葬】명〖고고학〗홑무덤.

단:장³【短杖】명 ①짧은 지팡이. ②손잡이가 꼬부라진 짧은 지팡이. 스틱(stick). ¶ ~을 짚은 노신사. *개화장(開化杖).

단장⁴【短長】명 ①짧고 긺. ②단점과 장점. 장단(長短).

단장⁵【短章】명 짧은 시가(詩歌). 짧은 문장.

단장⁶【短牆】명 낮고 작은 담.

단장⁷【端莊】명 단정(端整)하고 장엄함. ——하다 형여불

단장⁸【端裝】명 단정하게 차림. ——하다 타여불

단장⁹【團長】명 '단(團)'자가 붙은 단체의 우두머리.

단장¹⁰【壇場】명 ①제사 지내기 위하여 흙을 한 계단 높이 쌓아 올린 단. 제단(祭壇). ②대장(大將)을 배(拜)하기 위하여 흙을 쌓아 올린 곳. ③특수한 행사를 하는 곳.

단장¹¹【簞匠】명〖역〗조선 시대에, 죽순 껍질·갈대로 돗자리를 만들던 공장(工匠).

단:장¹²【斷章】명 ①토막을 지어 몇 줄씩의 산문체(散文體)로 적은 글. 완전한 체재(體裁)를 이루지 못한 단편적(斷片的)인 문장. ②남의 시문(詩文)의 일부를 함부로 표절(剽竊)하는 일. ③〔프 bagatelle〕〖악〗짧은 기악(器樂)의 소곡(小曲). 베토벤의 《피아노를 위한 단장》이 유명함. ——하다 타여불

단:장¹³【斷腸】명 몹시 슬퍼서 창자가 끊어지는 듯함. 애끊는 듯함. 단혼(斷魂).

단장고 명 매사냥에 쓰는 매의 몸에 꾸미는 치장.

단:장-곡【斷腸曲】명 몹시 슬픈 곡조. 애끊는 곡조.

단장-대기 명〈방〉우둥뿔기.

단장-류【單腸類】[—뉴] 명〖동〗[Rhabdocoelida] 와충강(渦蟲綱)에 속하는 한 목(目). 해수·담수(淡水)에 사는데 다른 동물에 붙어 사는 것도 있음. 소화계(消化系)는 뚜렷하여 목구멍과 창자를 갖추고, 창자는 한 개의 대통이나 옆 가지를 뻗친 것도 있음. 자웅 동체임. 봉장류(棒腸類).

단장목 명 죄인을 고문하는 데 쓰는 몽둥이.

단:장-사【斷腸詞】명〖문〗조선 시대의 가사(歌辭). 남녀간의 애타는 상사(想思)의 정을 읊은 것으로 작자·연대 미상임. 총 182구(句).

단장-술【短杖術】명 지팡이로 적의 공격을 막거나 적을 무찌르는 우리나라 고유 무술의 하나.

단:장의 능선【斷腸—稜線】[—/—에—] 명〖지〗강원도의 양구(楊口)에서 인제(麟蹄)의 중간 지점까지 이어진 산봉우리. 6·25 전쟁 중, 중동부(中東部) 전선에서의 격전이 거듭된 전략적 요지로, 1951년 9월 13일부터 약 한 달 동안에 걸쳐, 미 제2 사단이 공산군의 완강한 저항을 물리치고, 승리를 거둔 곳.

단:장 이별곡【斷腸離別曲】명〖문〗조선 시대 때의 가사(歌辭). 이별한 임을 그리는 애절한 심정을 읊은 것으로, 같은 이름으로 이와 비슷한 가사가 몇 종류 있음. 작자·연대는 미상임.

단:장 적구【斷章摘句】명 어떤 고전(古典)이나 원서(原書)의 일부를 인용한 글이나 구.

단장-정【短長亭】명〔단정(短亭)은 5리(里), 장정(長亭)은 10리〕길의 이수(里數).

단:장-처【斷腸處】명 몹시 슬픈 경우.

단:장 취:의【斷章取義】[—/—이] 명〖문〗문장의 일부를 끊어서 작자의 본의에 구애하지 않고 제멋대로 사용하는 일. ——하다 자여불

단장-포【單裝砲】명〖군〗한 포탑(砲塔)에 일문(一門)씩만 장비한 대포. ↔연장포(聯裝砲).

단:장-화【斷腸花】명〖식〗추해당(秋海棠).

단재¹【丹齋】명〖사람〗신채호(申采浩)의 호(號).

단재²【短才】명 재능이 변변치 못함. 또, 그 재주. ——하다 형여불

단재기¹ 명〈방〉단지¹(전남).

단:재-기²【斷裁機】명〖기〗종이나 책의 가장자리를 끊는 데 쓰는 기계. 재단기(裁斷機).

단장고 명〈옛〉단장고. ¶ 단장고 쎈깃체 방울 소릐 더욱 갓되《永言》.

단적【端的】[—쩍] 명관 ①간단하고 분명한 모양. ②명백하고 솔직한 모양. ¶ ~인 표현. ③〖불교〗'단(端)'은 정(正), '적(的)'은 실(實)의 뜻) 진실(眞實). 제일의(第一義). 사물이 있는 그대로인 경우 등에 이름.

단적-으로【端的—】[—쩍—] 부 여러 말 할 것 없이 다잡아.

단전¹【丹田】명 ①배꼽 아래로 한 치 다섯 푼 되는 곳. 아랫배에 해당하며 여기에 힘을 주면 건강과 용기를 얻는다고 함. 제하 단전(臍下丹田). 하단전(下丹田). ¶ ~에 힘을 주다. ②↗삼단전(三丹田).

단전²【單傳】명 ①단지 그 사람에게만 전함. ②〖불교〗글이나 말에 의지하지 않고, 마음으로부터 마음에 전하여 주는 일. ——하다 타여불

단전³【短箋】명 ①짧은 종이. ②간단한 편지.

단전⁴【短箭】명 짧은 화살.

단:전⁵【斷電】명 전기 기기의 수리나 전기 요금 미납 등의 이유로 송전(送電)을 끊음. ——하다 자여불

단:전⁶【斷箭】명 부러진 화살.

단전자총 컬러관【單電子銃—管】명〔single-gun color tube〕〖전〗각

기 단 한 개씩의 전자총(電子銃)과 전자빔을 가진 컬러 텔레비전의 수상관(受像管).

단-전지【端電池】명〔end cell〕〖전〗축전지와 직렬로 접속하는 단전지군(單電池群)의 하나. 전지가 충분히 충전되어 있지 않을 때 전지의 출력 전압을 유지하기 위해서 쓰임.

단-전타음【短前打音】명〖악〗'짧은 앞꾸밈음'의 한자 이름.

단전 호흡【丹田呼吸】명 단전으로 숨을 쉬는 일종의 정신 수련법.

단절[1]【短折】명 ①일찍 부러짐. ②젊은 나이에 죽음. 요절(夭折). 요사(夭死). 단명(短命). ——-하다 자여불

단:절[2]【斷折】명 요절(夭折). ——-하다 자여불

단:절[3]【斷折】명 꺾음. 부러뜨림. 절단(折斷). ——-하다 타여불

단:절[4]【斷絶】명 관계를 끊음. 절단(絶斷). ¶ 국교가 ～되다. ——-하다 타여불

단:절[5]【斷截·斷切】명 끊어짐. 잘라 버림. 절단(切斷). ——-하다 자타여불

단:절-기【斷截機】명〖기〗절단기(截斷機).

단절-류【單節類】명〖동〗단체 촌충류(單體寸蟲類).

단:절-면【斷截面】명 단면(斷面).

단:절-선【斷截線】[—썬] 명 잘라낼 자리를 표시한 선. 또, 그 그어진 선.

단점【短點】[—쩜] 명 낮고 모자라는 점. 결점(缺點). ↔장점(長點).

단접【鍛接】명〔forge welding〕〖공〗금속 접합법(接合法)의 하나. 접합할 부분을 용점 가까이까지 가열하여 점액(粘液)처럼 되었을 때 망치로 때리거나 압력을 가하여 접합시키는 방법. ——-하다 타여불

단-접기 명 치마나 소매 따위의 단을 접는 일.

단정[1]【丹頂】명〖조〗↗단정학(丹頂鶴).

단정[2]【丹精】명 단성(丹誠).

단정[3]【單精】명〔monospermy〕〖생〗수정(受精)할 때에 한 개의 난자(卵子)에 한 개의 정자(精子)가 들어가는 일. 대부분의 생물의 수정은 원칙적으로 단정임. 단정자 수정(單精子受精). ↔다정(多精).

단정[4]【短艇】명 단정(端艇).

단정[5]【端正】명 얌전하고 바름. ¶ 품행 ～/～한 사람. ——-하다 형여불. ——-히 부. ¶ ～ 앉다.

단정[6]【端艇】명 보트(boat)❸.

단정[7]【端整】명 깨끗하게 정돈되어 있음. ——-하다 형여불. ——-히 부

단:정[8]【斷定】명 ①딱 잘라서 결정함. ¶ ～을 내리다. ②〖논〗판단(判斷)❸. ——-하다 타여불

단:정[9]【斷情】명 정을 끊음. 사랑을 끊음. ——-하다 자여불

단정 갈퀴【短艇—】명 소형 함정(艦艇)의 갑판으로부터 고리·줄·부표 따위를 걸기 위한, 금속 갈고리를 단 나무대.

단정 갑판【短艇甲板】명 함정에서 단정을 설치 보관하는 갑판.

단정 꽃차례【單頂—次例】명〖식〗유한(有限) 꽃차례의 한 가지. 가장 간단한 꽃차례로 꽃대의 꼭대기에 꼭 한 개의 꽃이 붙음. 개양귀비꽃·튤립 같은 것. 단정 화서.

〈단정 꽃차례(튤립)〉

단:정-적【斷定的】명관 단정하는 모양.

단:정-코【斷定—】부 딱 잘라서 말할 수 있게.

단정-학【丹頂鶴】명〖조〗두루미. ㊟단정(丹頂).

단정 화서【單頂花序】명〖식〗단정꽃차례.

단제-기 명〈방〉단지[1](전남).

단제-류【單蹄類】명〖동〗기제류(奇蹄類). ↔쌍제류(雙蹄類).

단조[1]【丹鳥】명 ①'봉황(鳳凰)'의 딴이름. ②'개똥벌레'의 딴이름.

단조[2]【丹竈】명 옛날 중국에서 도사(道士)가 영약(靈藥)을 만들기 위하여 단사(丹砂)를 고았다는 부뚜막. 전(轉)하여, 선약(仙藥)을 만드는 일.

단조[3]【單調】명 ①음향(音響) 등의 가락이 단일(單一)함. ②사물이 단순하고 변화가 없어 싱거움. ③〖수〗실변수(實變數) x의 수치의 증가에 대하여 실함수(實函數) y의 수치가 증가 또는 감소할 뿐이며 반대되는 변화를 나타내지 않는 일. ——-하다 형여불

단조[4]【短調】[—쪼] 명〔minor key〕〖악〗악곡의 조성(調性)을 정하는 기본 음계 중 단음계(短音階)에 의한 것. 마이너(minor). 몰(Moll). ↔장조(長調).

단조[5]【鍛造】명 금속을 가열하고 두드려서 필요한 형체로 만드는 일. ——-하다 타여불

단조 감:소【單調減少】명〔monotone decreasing〕〖수〗①함수(函數)의 성질의 하나. $x_1<x_2$이면 반드시 $f(x_1)>f(x_2)$로 되는 따위의 함수 $f(x)$의 일컬음. ②수열(數列)의 성질의 하나. $m<n$이면 반드시 $a_m>a_n$으로 되는 따위의 수열 $a_1, a_2, \ldots, a_k, \ldots$의 일컬음. 1)·2):↔단조 증가(單調增加).

단조 감:소 수:열【單調減少數列】명〔monotone decreasing sequence〕〖수〗단조 감소인 수열. *감소 수열.

단조 감:소 함:수【單調減少函數】[—쑤] 명〔monotone decreasing function〕〖수〗단조 감소인 함수. *감소 함수.

단조-공【鍛造工】명〖공〗금속의 단조 작업을 맡아 하는 직공.

단조 기계【鍛造機械】명〖기〗증기 해머(蒸氣 hammer)·수압 프레스(水壓 press)처럼 금속의 소재(素材)에 타격을 가하여 여러 가지 형체의 물건을 만드는 기계.

단조-롭다【單調—】형ㅂ불 단조한 느낌이 있다. ¶ 단조로운 생활. 단조-로이【單調—】부

단조 범:위【鍛造範圍】명〔forging range〕〖공〗단조가 가능한 최적(最適)의 온도 범위.

단조-선【單造船】명〖역〗조선 시대에, 외판(外板)을 한 겹으로 하고 쇠못은 쓰지 않는, 재래식의 전통적인 조선(造船) 방법. 또, 그 방법으로 건조된 배. ↔복조선(複造船).

단조 수:열【單調數列】명〔monotonic sequence〕〖수〗단조 증가 수열과 단조 감소 수열의 병칭(倂稱).

단조용 탭【鍛造用—】〔tap〕명 공작물의 곡면이나 단면을 다듬질하는 데 사용하는 틀. 위틀과 밑틀이 한 쌍으로 되어 있고 둥근 탭과 각(角) 탭 등의 종류가 있음.

단조 작업【鍛造作業】명 금속 재료를 해머로 치거나 프레스를 사용하여 필요한 모양으로 만드는 금속 가공의 한 방법. 높은 온도에서 금속 재료가 쉽게 늘어나는 성질을 이용한 것으로 대부분의 단조 작업은 열간 가공(熱間加工)임.

단조 증가【單調增加】명〖수〗①함수(函數)의 성질의 하나. $x_1<x_2$이면 반드시 $f(x_1)<f(x_2)$로 되는 함수 $f(x)$의 일컬음. ②수열(數列)의 성질의 하나. $m<n$이면 반드시 $a_m<a_n$이 되는 따위의 수열 $a_1, a_2, \ldots, a_k, \ldots$의 일컬음. 1)·2):↔단조 감소(單調減少).

단조 증가 수:열【單調增加數列】명〔monotone increasing sequence〕〖수〗단조 증가인 수열. *증가 수열.

단조 증가 함:수【單調增加函數】[—쑤] 명〔monotone increasing function〕〖수〗단조 증가인 함수. *증가 함수.

단조-품【鍛造品】명 단조하여 만든 물품.

단조 프레스【鍛造—】〔press〕명 단조(鍛造)에 쓰이는 프레스로 기계 프레스와 액압(液壓) 프레스가 있음. 전자(前者)는 크랭크(crank) 프레스 등으로 주로 형(型) 단조용이며 후자(後者)는 수압 또는 유압(油壓)을 사용, 15,000톤의 대(大)압력을 가할 수 있는 것도 있으며 주로 대형품(大型品)의 자유 단조에 사용됨.

단조 함:수【單調函數】[—쑤] 명〔monotone function〕〖수〗단조 증가(增加) 함수와 단조 감소(減少) 함수의 병칭(倂稱).

단족-국【單族國】명 동일 민족으로 구성된 국가. ↔복족국(複族國).

단종[1]【端宗】명〖사람〗조선 제6대 왕(王). 나이 겨우 12세로 왕위에 올랐으나 그 숙부인 수양 대군(首陽大君)에게 왕위를 빼앗겨 노산군(魯山君)으로 강봉(降封)되어 강원도 영월(寧越)에 추방되었다가 죽음을 당하였음. 죽은 지 200년 후인 숙종 때 왕위를 추복(追復)하여 묘호를 단종이라 하였음. [1441-57; 재위 1452-55]

단:종[2]【斷種】명〖생〗수정관(輸精管)이나 수란관(輸卵管)의 일부를 절제(切除)하거나 막아서 또는 생식소(生殖巢)에 뢴트겐선(線)을 쏘여서 생식 능력을 없애는 일. 악질 유전을 절멸시키기 위한 경우 등에 행함. ——-하다 자여불

단종 대:왕신【端宗大王神】명〖민〗민간에서 받드는 군왕신(君王神)의 하나.

단:종-법【斷種法】[—뻡] 명〔Sterilization law〕〖법〗우생학(優生學)과 인종 위생의 견지에서 단종을 규정한 법률. 미국의 인디애나 주(Indiana 州)에서 최초로 입법되고, 독일·스웨덴·노르웨이 등지에서도 제정됨.

단-종선【單縱線】명〔single bar〕〖악〗'세로줄❸'의 구용어. ↔복종선(複縱線). *세로줄.

단:종 수술【斷種手術】명〖의〗유전성 병자(遺傳性病者)에 대해서 생식기의 일부에 수술을 가하여 생식 능력을 없애기 위한 수술. 우생 수술(優生手術).

단종 실록【端宗實錄】명〖책〗단종 재위(在位) 3년 동안의 실록. 노산군 일기(魯山君日記)라 한 것을 숙종(肅宗) 때 왕호(王號)를 올리고 실록 이름을 붙였음. 14권 15책. 따로 부록 1책이 있음.

단-종진【單縱陣】명〖군〗한 줄로 세로 친 진. 외줄로 종선(縱線)을 이룬 진.

단좌[1]【單坐·單座】명 단 혼자 앉는 일. 좌석이 하나만 있는 것. ¶ ～ 전투기. ↔복좌(複座). ——-하다 자여불

단좌[2]【端坐】명 단정하게 앉음. ——-하다 자여불

단좌[3]【團坐】명 여러 사람이 둥글게 모여 앉음. ——-하다 자여불

단좌-기【單座機】명 한 사람만이 타는 항공기. 전투기·전투 폭격기·스포츠기 따위는 단좌인 경우가 많음.

단:죄【斷罪】명 죄를 처단(處斷)함. 단옥(斷獄). ¶ ～를 기다리다. ——-하다 자여불

단:죄-안【斷罪案】명 죄를 처단하는 안.

단주[1]【丹朱】명 ①붉은 빛. ②〖광〗진사(辰砂).

단주[2]【丹柱】명 붉은 칠을 한 기둥. 단영(丹楹).

단주[3]【短珠】명〖불교〗짧은 염주. 쉰 네 개 이하의 구슬을 꿰어 만든 염주. 단념(短念).

단주[4]【端舟】명 작은 배.

단주[5]【端株】명〔odd lot〕〖경〗①증권 거래에 있어서 일정 단위 미만의 주(株). 거래 단위에 미달하는 주. 보통, 10주 미만의 것을 이름. ②상법상(商法上), 한 주에 미치지 못하는 부분. 주주가 신주(新株) 인수권을 가질 경우, 주식 배당·준비금의 자본 편입·주식 분할 등으로 신주(新株)를 발행할 때 생김.

단:주[6]【斷酒】명 술을 끊음. 금주(禁酒). ——-하다 자여불

단:주[7]【斷奏】명〖악〗'스타카토(staccato)'의 역어(譯語). ——-하다 타여불

단주[8]【檀珠】명〖종〗대종교(大倧敎)에서, 경전(經典)을 읽을 때 쓰는, 염주(念珠)와 같은 기구. 박달나무로 만듦.

단주기 변:광성【短週期變光星】명〖천〗변광성의 하나. 수 시간 또는 수십 일의 짧은 주기로 규칙적으로 광도가 변함. ↔장주기 변광성. *변광성.

단:주-법【斷奏法】[—뻡] 명〖악〗선율을 끊는 것처럼 연주하는 방법의 한 가지. *단주(斷奏).

단주 업자【端株業者】명〖경〗주식 거래에 있어서, 단주를 전문적으로 취급하는 증권 회사. 또, 단주 매매에 중점을 두고 있는 증권 회사.

단죽【短竹】명 곰방대. 짜른대. ↔장죽(長竹).

단-줄기【單—】명 ☞외줄기.

단중【端重】명 단정하고 정중함. ——-하다 형여불. ——-히 부

단-중성【旦中星】명〖천〗해 돋을 때의 중성(中星). *중성(中星).

단-증류【單蒸溜】[—뉴] 명 정류(精溜)하지 아니하는 증류. 증류 용기

(容器)에서 나오는 증기를 그대로 액체로 뽑아 내는 증류. 정류에 비하여 정도(精度)는 낮지만 간단히 행할 수 있음. 「음.

단지¹ [명] 〔중세 : 단디〕 자그마한 항아리의 한 가지. 배가 부르고 목이 짧

단지²【段地】[명] 층이 진 땅.

단지³【短枝】[명] ①초목(草木)의 짧은 가지. ②〖식〗 마디의 사이가 매우 단축되어 극히 짧은 가지. 잎은 밀접하게 붙어 총생(叢生)한 것처럼 보임. 은행나무와 소나무 종류에서 볼 수 있음.

단지⁴【團—】[명] 〈방〉 단자(團子). 「~/공업 ~/~ 조성.

단지⁵【團地】[명] 주택·공장 등이 집단을 이루고 있는 일정 구역. ¶ 주택

단지⁶【端志】[명] 바른 뜻.

단:지⁷【斷指】[명] ①손가락을 잘라 버림. ②부모나 남편의 병이 위중한 때에 제 손가락을 잘라서 그 피를 먹게 하는 일. ③어떠한 굳은 맹세의 표시로 손가락을 자르는 일. ——하다 [자][여불]

단:지⁸【斷趾】[명] 발을 잘라 버림. ——하다 [자][타][여불]

단지⁹【但只】[부] 다만. 겨우. 오직. 한갓. ¶ ~ 백 원밖에 없다.

단지골-증【短指骨症】[—쯩] [명] 〖의〗 단지증(短指症).

단지기 [명] 〈방〉 단지¹(전남).

단지 기후【團地氣候】[명] 단지가 조성하는 특수한 기후의 하나. 주위의 전원(田園)에 비하여 현저한 기후의 차이를 나타내며 일반적으로 기온이 높고 습도가 낮음. 또, 건물 사이에서 현저한 풍속(風速)의 차가 있는 것이 특징임. 지표의 콘크리트·아스팔트 포장으로 인한 지중으로부터의 증발의 방해, 연료 소비에 의한 다량의 열방출에 따르는 국지적(局地的)인 기온의 상승, 고층 건물에 의한 바람 유통의 방해 등이 주원인이 되어 복잡한 기후를 나타냄.

단:지럽다 [형][ㅂ불] 말이나 행동이 다랍다. <던지럽다.

단지-봉【丹芝峯】[명] 〖지〗 경상 북도 김천시(金泉市) 증산면(甑山面)과 경상 남도 거창군(居昌郡) 가북면(加北面) 사이에 있는 산. 소백 산맥에 속함. [1,327 m]

단:지 재:식【斷肢再植】[명] 〖의〗 예리(銳利)하게 절단된 상하지(上下肢)·손가락 등을 다시 접합(接合)하는 외과 수술.

단지 조:림【團地造林】[명] 〖농〗 일단(一團)의 산림에 대한 집단적·계획적인 식림(植林).

단지-증【短指症】[—쯩] [명] 〔도 Kurzfingrigkeit〕 〖의〗 손가락 또는 발가락이 병적으로 짧은 증세. 단순히 짧은 경우와 지골(指骨) 또는 지골(趾骨)에 결손이 있는 경우 등이 있음. 단지골증(短指骨症).

단직【端直】[명] 단정하고 정직함. ——하다 [형][여불]

단-진동【單振動】[명] 〖물〗 ↗단진동 운동.

단진동 운:동【單振動運動】[명] 〔simple harmonic motion〕 〖물〗 한 점이 일정한 원주(圓周) 위를 같은 속도로 운동할 때, 임의의 지름 위에 생기는 정사영(正射影)의 왕복 운동. 곧, 일정한 직선 위를 일정한 속도로 왕복하는 운동. 방향은 중심으로 향하고, 속도는 중심으로부터의 거리에 비례함. 이때 한 왕복의 시간을 주기(週期)라 하고, 반지름을 진폭(振幅)이라 함. 단일현(單一弦) 운동. [준]단진동.

단-진자【單振子】[명] 〔simple pendulum〕 〖물〗 ①무겁고 작은 물체를 가볍고 튼튼한 줄에 매달아 하나의 연직면(鉛直面) 안에서 움직이게 만든 장치. 중력의 작용 아래서 작은 진동을 할 때 그 주기(週期)는 길이의 제곱근에 비례하여 변화하며, 매단 물체의 무게와는 관계가 없음. ②엄밀한 뜻으로는, 단진동 운동을 하는 질점(質點)을 가리킴. 단일 진자(單一振子).

단-집합【單集合】[명] 〖수〗 단 한 개의 원소만을 가진 집합.

단짝 [명] 매우 친하여 떨어지기 어려운 동무. 정이 깊어서 아주 가까운 짝패. 단짝패.

단짝-패【—牌】[명] 단짝.

단차¹【段車】[명] 〔step pulley〕 〖기〗 직경이 다른 일련의 활차(滑車)가 하나의 동심(同心) 유니트에 결합된 것. 축(軸)의 속도비(速度比)를 변경하는 데 쓰임.

단차²【單差】[명] 〖역〗 관원(官員)을 임명할 때 삼망(三望)이 아니고 단망(單望)으로 차임(差任)하는 일. ——하다 [타][여불]

단차 해:소【段差解消】[명] 횡단 보도나 교차점(交差點) 등지에서, 보도(步道)와 차도(車道)의 경계의 턱을 없애는 일. 유모차·휠 체어 및 노약자(老弱者) 등이 자유롭게 통행할 수 있도록 하기 위한 조처임.

단찰【短札】[명] ①짧게 쓴 편지. 단간(單簡). ②자기가 쓴 편지의 겸칭.

단참【單站】[명] 중도에서 쉬지 아니하고 곧장 계속함. 단숨.

단참-에【單站—】[부] 쉬지 아니하고 단김에. 단숨에.

단창¹【單窓】[명] 겉창이 달려 있지 아니한 외겹 창.

단창²【短槍】[명] ①짧은 창. ②'기창(旗槍)❷'의 속칭.

단채【單彩】[명] 한 빛깔로 색칠함. ——하다 [자][여불]

단채-식【段彩式】[명] 지도(地圖)에 있어서의 지형·기복을 나타내는 방법의 하나. 등고선(等高線)을 기준으로 하여 고도(高度)에 따라 빛깔을 달리하는 방법.

단-채유【單彩釉】[명] 〖미술〗 단 한 가지 빛깔의 유약(釉藥)과 채색으로 된 자기. 청자(靑瓷) 같은 것.

단처【短處】[명] 부족한 점. 못한 점. 나쁜 점. 결점. 단소(短所). ¶ ~를 버리고 장처를 취하다. ↔장처(長處).

단척【短尺】[명] 피륙·목재 등을 잴 때에, 일정한 척수(尺數)에 차지 못하는 피륙·목재.

단천¹【短淺】[명] 생각이 미치지 못하고 천박함. 얕음. 천단(淺短). ——하다 [형][여불]

단천²【端川】[명] 〖지〗 함경 남도 동북부 단천군(端川郡)의 군청 소재지. 동해안 남대천(南大川) 우안(右岸)에 있으며 단천콩으로 유명함. 마그네사이트(magnesite)를 많이 산출하며 허천강(虛川江)의 수력 발전소와 더불어 공업 발전의 좋은 입지 조건(立地條件)을 갖추고 있고 마그네사이트 공장이 있음.

【단천 놈이 은값 메듯 한다】 받을 것을 사정없이 재촉하여 거두어 받음을 이르는 말.

단천-군【端川郡】[명] 〖지〗 함경 남도의 한 군. 북은 갑산군(甲山郡), 동은 함경 북도의 길주군(吉州郡)과 학성군(鶴城郡), 남은 이원군(利原郡), 서는 풍산군(豐山郡)과 북청군(北靑郡)에 닿음. 주요 산물은 쌀·콩·보리·조·피·밀·수수·사과·배·고치·삼 등의 농산물과 수산·광산·공산·축산·임산물 등이며, 명승 고적으로는 장사대(將士臺)·단천성(端川城)·송평(松平) 솔밭·유선대(遊仙臺)·기암(奇巖) 등이 있음.

단천 민란【端川民亂】[—밀—] [명] 〖역〗 조선 순조 8년(1808)에 함경도 단천에서 고을 사람이 관아에 난입, 난동을 부린 사건.

단청-장【丹靑匠】[명] 단청일을 하는 장인.

단천 철산【端川鐵山】[—싼] [명] 〖지〗 함경 남도 단천군(端川郡) 수하면(水下面)에 있는 철산. 광석은 주로 자철광(磁鐵鑛)이며 함철 품위(含鐵品位)는 50% 이상의 고품위광임. 매장량이 풍부한 점에 있어서 한국 제일임.

단천 평야【端川平野】[명] 〖지〗 함경 남도 동부에 있는 평야. 도의 동쪽 경계를 이루는 마천령(摩天嶺)과 그 서쪽 단천·이원(利原)의 군계(郡界)를 이루는 마운령(摩雲嶺)을 각각 동과 서의 한계(限界)로 하여 남대천(南大川) 하류에 발달한 충적(沖積) 평야. 이 도의 주요 농업 지대의 하나이며, 단천은 이 평야의 중심 도시임.

단천-향나무【端川香—】[명] 〖식〗 [*Sabina davurica*] 향나뭇과에 속하는 상록 침엽 관목(灌木). 약간 복와생(伏臥生)이고, 잎은 좁은 선형(線形)임. 꽃은 4월에 자웅 일가(雌雄一家)로 피며 10월에 장질(漿質)의 구과(毬果)가 익음. 고원(高原) 및 산림 속의 암석지(岩石地) 또는 해안에 나는데 함남 단천(端川)·함북 무산군(茂山郡) 및 만주·중국에 분포함. 관상용으로 가꿈.

단철¹【單鐵】[명] ↗단선 철도. ↔쌍철(雙鐵).

단철²【鍛鐵·煅鐵】[명] ①쇠를 두들겨 단련함. 또, 그 쇠. ②연철(鍊鐵·練鐵). ——하다 [자][여불]

단철-장【鍛鐵場·煅鐵場】[명] 쇠를 두들겨 만드는 곳. 대장간.

단첨【短檐】[명] 〖건〗 끝이 짧은 처마.

단청【丹靑】[명] 집의 벽·기둥·천장 같은 데에 여러 가지 빛깔로 그림과 무늬를 그림. ——하다 [자][타][여불]

단-청룡【單靑龍】[—뇽] [명] 〖민〗 내청룡(內靑龍).

단청-집【丹靑—】[—찝] [명] 〖건〗 단청한 집. 벽·천장·기둥 같은 데에 여러 가지 빛깔로 그림과 무늬를 그린 집.

단-청판【短廳板】[명] 〖건〗 마룻바닥에 짧게 깐 바둑판 널.

단체¹【單體】[명] 〔simple substance〕 〖화〗 홑원소 물질.

단체²【團體】[명] ①공동의 목적을 달성하기 위하여 의식적으로 결합한 두 사람 이상의 집단(集團). 법인(法人)·정당 같은 것. ②집단(集團). ¶ ~ 행동. 1)·2):↔개인(個人).

단체-객【團體客】[명] 단체로 오는 손님.

단체 경:기【團體競技】[명] 단체를 지어서 하는 경기. 여러 사람이 한 팀(team)을 이루어 싸우는 경기. 축구·농구·배구 같은 것. ↔개인 경기.

단체 경:주【團體競走】[명] 각 단체에서 두 사람 이상의 선수를 뽑아서 하는 경주. 가령 다섯 사람씩으로 된 갑·을·병 세 팀의 '단체 경주'는, 도합 열 다섯 명의 선수가 한꺼번에 경주하여 개인별로 등수를 매기지 아니하고, 갑·을·병의 단체별로 등수를 매기게 됨. 팀 레이스.

단체 계:약【團體契約】[명] 단체 협약❶.

단체 교섭【團體交涉】[명] ①개인별(個人別)로 하지 아니하고, 단체적으로 교섭하는 일. ②〖사〗 노동자의 단체인 노동 조합의 대표자가 사용주(使用主) 또는 사용주의 연합체의 대표자와 노동 조건의 유지·개선을 위하여 교섭하는 일. ——하다 [자][여불]

단체 교섭 거:부【團體交涉拒否】[명] 〖사〗 노사(勞使) 문제에서, 사용자가 정당한 이유없이 노동자와의 단체 교섭을 거부하는 일.

단체 교섭권【團體交涉權】[명] 〖사〗 노동 조합의 대표자가 사용자(使用者) 또는 사용자의 연합체 대표자와 노동 조건의 유지·개선 또는 노동 협약의 체결에 관하여 직접 교섭할 수 있는 권리.

단체-법¹【單體法】[—뻡] [명] 심플렉스법(simplex 法).

단체-법²【團體法】[—뻡] [명] 〖법〗 단체의 조직·활동의 준칙(準則)을 정한 법규의 총칭. 국가의 헌법(憲法)·각종 공공 단체의 법·사법인(私法人)에 관한 법 같은 것.

단체 보:험【團體保險】[명] 여러 사람(예를 들면 한 회사의 종업원 전체)을 포괄적으로 피보험자로 하여 하나의 보험 계약을 체결하는 보험.

단체 분리【單體分離】[—불—] [명] 〖광〗 선광(選鑛) 작업에서, 선별하려는 광물을 광석에서 분리하여 독립한 알맹이로 만드는 일.

단체-상【團體賞】[명] 단체에게 주는 상. ↔개인상.

단체 생활【團體生活】[명] 공통된 목적을 갖는 여러 사람이 일정한 규율 밑에서 규칙적으로 하는 생활.

단체 수꽃술【單體—】[명] 〖식〗 합생(合生) 수꽃술의 한 가지. 한 꽃 중의 수술이 서로 붙어서 한몸으로 된 것. 동백꽃 따위. 단체 웅예.

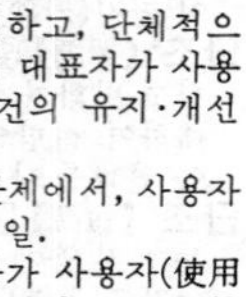
〈단체 수꽃술〉

단체 승차권【團體乘車券】[—꿘] [명] 단체를 위하여 특히 운임을 할인하여 발행하는 승차권.

단체 여행【團體旅行】[명] 여러 사람이 무리를 이루어 하는 여행.

단체 연금【團體年金】[명] 단체 보험의 방식을 적용한 연금. 사업주(事業主)가 퇴직 종업원에 대한 확실한 퇴직 연금 제도로서 보험 회사와 계약하여 그 보험료의 전부 또는 일부를 부담함.

단체 웅예【單體雄蕊】명〖식〗단체 수꽃술.
단체-원【團體員】명 단체를 구성하는 사람.
단체 유희【團體遊戲】[-히] 명 매스 게임(mass game)❶.
단체 자치【團體自治】명〖정〗근대적 지방 자치의 본질적인 요소의 하나. 국가 안의 일정한 지역을 기초로 하는 지역 단체가 자기의 목적·의사 및 기관을 가지고 국가, 곧 중앙 정부에서 독립하여 그 지역 안의 행정 사무를 처리하는 일. *주민(住民) 자치.
단체-적【團體的】명관 단체로 하는 모양.
단체-전【團體戰】명 단체간에 행하여지는 경기. ↔개인전.
단체 정신【團體精神】명 개인보다 단체를 중히 여기는 정신. 단체 생활에 필요한 정신. 단체 생활에서 조성(造成)된 정신.
단체-주의【團體主義】[-/-이] 명 단체의 존속과 발전을 제일로 하는 주의.
단체 지능 검:사【團體知能檢査】명 집단을 대상으로 일제히 행하는 지능 검사. 제1차 세계 대전 때 미국에서 병과(兵科)를 가르기 위하여 고안되었으므로 처음에는 '군대 테스트'라고도 불리었는데, 그 후로는 학교 등 일반에게도 쓰이게 되었음. 언어를 사용하는 검사 A식(式)과 언어를 사용하지 아니하는 검사 B식의 두 가지가 있음. 단체 지능 테스트.
단체 지능 테스트【團體知能—】(test) 명 단체 지능 검사.
단체 체조【團體體操】명 매스 게임❶.
단체 촌:충류【單體寸蟲類】[-뉴] 명〖동〗[*Cestoda monozoa*] 촌충강에 속하는 한 아강(亞綱). 단체(單體)로 편절(片節)이 없으며, 생식기는 한 쌍, 흡반(吸盤)은 한 개임. 어류에 많이 기생함. 단절류(單節類).
단체-학【團體學】명 [도 Verbandslehre]〖사〗독일의 사회학자 좀바르트(Sombart)가 단체의 고찰이 사회학의 전부라고 주장하여 사회학에 붙인 이름.
단체 행동【團體行動】명 개인적이 아니고 단체로서 하는 행동.
단체 행동권【團體行動權】[-꿘] 명〖법〗노동자가 사용자에 대하여 노동 조건 등에 관한 주장을 관철하기 위하여, 단결하여 동맹 파업, 기타의 쟁의(爭議) 행위를 할 권리.
단체 협약【團體協約】명 ①단체와 단체 사이에, 또는 적어도 한쪽 당사자를 단체로 하여 체결되는 특수한 계약. 단체 계약. ②〖사〗노동 협약.
단체 훈:련【團體訓練】[-훌-] 명 단체적으로 받는 훈련.
단초[1] 명〈방〉단추[1](경기·강원·전라·경상·제주).
단초[2] 명〈방〉단추[2](경남).
단초[3]【端初】명 어떤 일이나 사건의 시작. 실마리. ¶문제 해결의 ~를 찾다.
단:초[4]【斷礎】명 깨어져 조각이 난 주춧돌.
단-촉[1]【短—】명〖건〗돌기가 짧은 장부촉. ↔긴촉.
단촉[2]【短促】명 ①앞으로 다가올 시일이 촉박함. ¶날짜가 ~하다. ②음성이 짧고도 급함. ——-하다 형여불

〈단촉[1]〉

단촉 꺾쇠【短—】명〖건〗꺾쇠의 하나. 한쪽 끝은 꾸부러지고 뾰족하며 다른 한쪽은 곧고 넓적한데, 그 넓은 면에 못박는 구멍이 뚫리었음.

〈단촉 꺾쇠〉

단촉 연:귀【短—】[-년-] 명〖건〗짧은 장부촉을 사용한 연귀맞춤의 한 가지.
단촐-하다 형〈방〉단출하다.
단총【短銃】명 ①짤막한 총. ¶기관 ~. ②권총(拳銃). 1)·2):↔장총.
단총-박이 명 짚의 속대로 꼰 총을 박아 삼은 짚신.
단추[1] 명 ①옷고름이나 또는 맞대고 매는 끈 대신으로 쓰는 제구. 수단추를 암단추에 끼거나, 한쪽만 수단추를 달고 구멍에 끼우기도 함. ②↗누름단추.
단:추[2] 명 단으로 묶은 푸성귀.
단추 매듭 명 단추로 쓰인다 하여 연봉 매듭을 일컫는 딴이름.
단축[1]【短軸】명 ①〖수〗단경(短徑). ↔장축(長軸). ②〖광〗사방 정계(斜方晶系)·삼사 정계(三斜晶系)에 속하는 결정의 전후축(前後軸).
단축[2]【短縮】명 ①짧게 줄어듦. ②짧게 줄임. ——-하다 자타여불
단축 결정【單軸結晶】[-쩡] 명 [uniaxial crystal]〖물〗광축(光軸)을 하나만 갖는 결정. 삼방 정계(三方晶系)·정방(正方) 정계·육방(六方) 정계가 이에 속함. 광학적 일축성 결정(光學的一軸性結晶). *광축.
단축 노동【短縮勞動】명〖사〗실업 구제 대책의 하나. 불경기에 있어서 실업자의 발생을 방지하기 위해 근로자 1인당의 노동 시간을 단축하는 일.
단축 다이얼 방식【短縮—方式】명 [short dial system] 전화 사용 빈도가 높은 전화 번호를 1-2 단위 숫자의 짧은 번호로 정해 놓고, 필요할 때 이를 돌리거나 누르면 상대에게 접속되는 전화 서비스 방식.
단축 수업【短縮授業】명 정규(定規) 시간을 줄여서 일찍 끝내는 수업.
단축 탁면【短縮卓面】명 [brachypinacoid]〖지질〗수직축(垂直軸)과 짧은 쪽의 측축(側軸)이 평행인 탁면.
단축 향:사【短軸向斜】명 [brachysyncline]〖지질〗폭이 넓고 길이가 짧은 향사.
단출-하다 형여불 ①식구가 많지 아니하여 홀가분하다. ¶단출한 식구. ②일이나 차림차림이 간편하다. ¶단출한 차림. 단출-히 부
단춧-고 명 ☞ 암단추.
단춧-구멍 명 ①단추를 끼우게 된 옷의 구멍. ②단추를 달 때에 실을 꿰기 위해 단추에 뚫은 구멍.
단충[1]【丹忠】명 참된 마음에서 우러나는 충성. ¶우국(憂國) ~.
단충[2]【丹衷】명 속에서 우러나는 정성. 단성(丹誠).
단취[1] 명〈방〉단추[1](함남).
단취[2]【團聚】명 집안 식구나 친한 사람끼리 화목하게 모임. ——-하다 자여불
단:취[3]【斷取】명 잘라서 취함. ——-하다 타여불
단취-력【團聚力】명 단결력(團結力).
단측파대-법【單側波帶法】[-뻡] 명〖전〗같은 파장(波長)으로 두 개 이상의 전화 및 전신을 송수(送受)하는 방법.
단측파대 전송【單側波帶傳送】명 [single-sideband transmission]〖통신〗변조파(變調波)의 상하의 측파대(側波帶) 중 한쪽만을 써서 하는 통신 방법. 주로 진폭 변조(振幅變調) 통신에서 단측파대만을 송수(送受)하여 통신을 행함. 단측파대 통신.
단측파대 통신【單側波帶通信】명〖통신〗단측파대 전송.
단층[1]【單層】명 ①단 하나의 층. 또, 단 하나의 층으로 된 사물. ↔이층(二層). *고층(高層)·일층(一層). ②↗단층집.
단:층[2]【斷層】명 [fault]〖지〗지각(地殼) 변동으로 지각이 갈라져서 이에 연(沿)하여 한쪽은 가라앉고, 한쪽은 솟아 어긋나서 맞지 아니하는 지층. 단층면과 상반(上盤)·하반(下盤)의 갈라진 방향에 의하여 정단층(正斷層)·역단층(逆斷層)·수직 단층으로 나뉨.

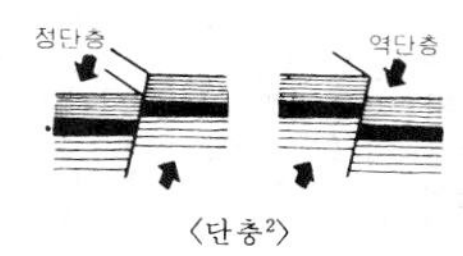

〈단층[2]〉

단:층 각력【斷層角礫】[-녁] 명 [riebungsbreccia]〖지〗단층 운동으로 암석이 부서져서 된 각력. *각력.
단:층 각력암【斷層角礫岩】[-녁-] 명 [fault breccia]〖지〗크고 작은 단층 각력이 점토질(粘土質)이나 사질(砂質)의 바위 조각과 섞이어서 굳어진 바위.
단:층각 분지【斷層角盆地】명〖지〗한 단층면에 따라 분지의 기반(基盤) 지형이 함몰(陷沒)하여 생긴 단층 분지의 하나. 중국 산시 성(山西省)·몽고 지방에 많음. *지구 분지(地溝盆地).
단:층-곡【斷層谷】명〖지〗지표(地表)에 드러난 단층면이 침식을 받아서 이루어진 골짜기.
단:층 낙차【斷層落差】명 [fault throw]〖지〗단층 운동에 의한 암석(岩石)의 연직 변위(鉛直變位)의 양(量).
단:층-대【斷層帶】명〖지〗크고 작은 단층이 밀집하여 발달해 있는 지대.
단:층-면【斷層面】명〖지〗단층에서, 양쪽의 암석 또는 지층(地層)이 접하는 면.
단:층 분지【斷層盆地】명〖지〗단층(斷層)을 동반하는 지반 운동(地盤運動)으로 말미암아 지각(地殼)의 일부가 주위의 지역에 대하여 상대적으로 낮아진 분지. 단층애(斷層崖)에 둘러싸여 있음. 구조(構造)에 따라 단층각 분지·지구(地溝) 분지 등으로 나뉨.
단:층 사진【斷層寫眞】명〖의〗X선 검사에 있어서 신체 표면으로부터 임의(任意)의 깊이에 있는 조직의 변화를 촬영한 사진. *단층 촬영.
단:층 산맥【斷層山脈】명〖지〗양쪽이 모두 단층으로 형성된 산맥. 지형적으로는 그 한쪽 또는 양쪽이나 주위에 단층애(斷層崖)가 형성됨. 경동 지괴(傾動地塊)·지루(地壘) 따위.
단:층 산악【斷層山岳】명〖지〗단층 산지.
단:층 산지【斷層山地】명〖지〗단층으로 둘러싸여 형성된 산지(山地). 지형적(地形的)으로는 그 산의 한쪽, 혹은 두쪽이 단애(斷崖)를 이루는 수가 많음. 단층 산악. *단층 산맥.
단:층-선【斷層線】명 [fault line]〖지〗단층면과 지표면의 교선(交線).
단:층-애【斷層崖】명 [fault scarp]〖지〗단층 절벽.
단:층 운:동【斷層運動】명 [faulting]〖지〗지각(地殼)의 강력한 횡압력(橫壓力)을 받아서 지층(地層)에 금이 생기어 이에 의하여 지반(地盤)이 한쪽은 가라앉고 한쪽은 솟아서 단층이 생기는 운동.
단층-장【單層欌】명 단층으로 된 장(欌) *층장(層欌).
단:층 절벽【斷層絶壁】명 [fault scarp]〖지〗단층면(斷層面)이 노출되어 있는 낭떠러지. 이는 단층을 이룬 양쪽의 지면이 수직적으로 시차적(示差的) 운동을 한 결과로 형성된 절벽임. 단층애(斷層崖).
단:층 점토【斷層粘土】명 [fault clay]〖지〗단층면을 따라 암석이 부서져서 생긴 세립 암편(細粒岩片)이 풍화 작용에 의해 점토화한 것. 보통 맥상(脈狀)을 이룸.
단:층 지괴【斷層地塊】명 [fault block]〖지〗단층으로 경계(境界)가 진 지괴.
단:층 지진【斷層地震】명〖지〗원인이 전혀 단층 생성의 관계로 말미암아 일어나는 지진. 구조(構造) 지진.
단:층 지형【斷層地形】명 [fault topography]〖지〗단층 운동으로 생긴 지형. 구조 지형의 일종으로, 단층 절벽·지구(地溝)·단층곡(谷)·단층 분지 등이 있음.
단층-집【單層—】[-찝] 명 단층으로 되어 있는 집. 준단층. ↔이층집. *고층 건물.
단:층 촬영【斷層撮影】명〖의〗X선 검사의 하나. 폐(肺)질환이나 각종 장기(臟器)의 진단을 위하여 신체 표면에서부터 임의(任意)의 깊이의 면에 있는 조직의 변화를 사진으로 찍는 일. *단층 사진.
단층 코일【單層—】명 [single layer coil]〖전〗코일을 틀에 나란히 일렬로 감은 코일. 몇 가지 형의 코일을 필요로 하기 때문에 일반적으로는 다층(多層) 코일을 사용함. *다층(多層) 코일.
단:층 해:안【斷層海岸】명〖지〗단층으로 형성된 해안. 깎아지른 듯한 절벽을 이룸.
단:층-호【斷層湖】명〖지〗단층 운동으로 말미암아 침강(沈降)된 땅에 이루어진 호수. 또, 단층으로 둘러싸인 지구대(地溝帶)에 물이 괴어 형성된 호수. 지구호(地溝湖).
단치히 (Danzig) 명〖지〗그단스크(Gdańsk)의 독일령 당시의 이름.
단칠【丹漆】명 붉은 칠.
단침[1]【丹忱】명 단성(丹誠). 혈성(血誠).
단침[2]【短針】명 시계의 짧은 바늘. 시침(時針). ↔장침(長針).
단침로 비행【單針路飛行】[-노-] 명〖항공〗등압면 비행(等壓面飛行)을 응용하여 출발점과 도착점의 상공에 있어서의 실제의 고도와 기압 고도(氣壓高度)의 차를 추측함으로써 전항정(全航程)의 바람의 작용을 산출하여 전항정을 단일 침로(單一針路)로 비행하는 일.

단칭【單稱】[명] ①간단한 명칭. ②특히 한 개만을 일컬음. ↔복칭(複稱).
단칭 명사【單稱名辭】[명]〖논〗단독 개념(單獨槪念).
단칭 명:제【單稱命題】[명]〖논〗단칭 판단.
단칭 판단【單稱判斷】[명]〖논〗형식 논리학(形式論理學)에서, 정언적 판단(定言的判斷)의 양(量)에 의한 분류의 하나. 단칭(單稱)을 주사(主辭)로 하는 판단. 주사가 고유 명사나 단수의 지시 형용사에 의하여 한정된 보통 명사 또는 집합 명사로 된 경우의 판단. '이 순신 장군은 영웅이다' 따위. 단칭 명제. *전칭(全稱) 판단·특칭(特稱) 판단.
단-칸【單—】[명] 단 한 칸. ¶ ~방.
단칸 마루【單—】[명] 단칸의 마루. 단 한 칸 넓이의 마루.
단칸-방【單—房】[—빵] [명] 단 한 칸 넓이의 방.
[단칸방에 새 두고 말할까] 아주 가까운 사이에 비밀이 있을 수 없다는 말.
단칸 살림【單—】[명] 단칸방으로 사는 살림. 단칸살이. ——-하다 [자][여불]
단칸-살이【單—】[명] 단칸 살림. ——-하다 [자][여불]
단칸-집【單—】[—찝] [명] 방이 한 칸밖에 없는 작은 집.
단칸-짜리【單—】[명] 단칸으로 된 집이나 방. ¶ ~ 셋방.
단칼-에【單—】[부] 칼을 꼭 한 번 써서. 한칼에. ¶ ~ 목을 베다.
단타[1]【單打】[명] 야구에서, 일루(一壘)를 얻는 안타(安打). 일루타(一壘打). 싱글 히트.
단타[2]【短打】[명] ①야구에서, 장타(長打)를 목적으로 하지 아니하고 확실히 치는 타격(打擊). ¶ ~ 주의/~ 전법. ↔장타. ②단타(單打).
단타-법【短打法】[—뻡] [명] [short swing] 야구에서, 배트를 짧게 쥐고 날카롭게 흔들어 정확하게 타격하는 법. ↔장타법.
단-탁자【單卓子】[명] 짝을 이루지 않고, 하나만으로 쓰는 탁자.
단탄【單癱】[명]〖한의〗단마비(單痲痺).
단-탕건【單宕巾】[명] 관(冠)이나 갓을 쓰지 않고, 탕건(宕巾)만 쓰는 짓.
단테 [Dante, Alighieri] [명]〖사람〗이탈리아의 시인. 피렌체 사람. 아홉 살경 소녀 베아트리체(Beatrice)를 만나 그의 환상을 평생토록 간직하였다 하며, 이를 동기로 사랑의 시집 《신생(新生)》을 썼고 다시 최대의 걸작 《신곡(神曲)》을 썼음. 30세경부터 정치 생활로 들어가 신성 로마 황제에 의한 이탈리아의 통일을 바라는 황제당(皇帝黨)에 속하여 교황당(敎皇黨)과 싸웠으나, 1303년 피렌체에서 추방당한 후로는 각지를 방랑하여 불우한 만년을 보냈음. 문예 부흥기 최대의 시인이며, 또 세계 사대(四大) 시인의 하나로서 시성(詩聖)이라 불림. [1265-1321]
단통【單—】[부] 그 때에 곧장. 대뜸. 거침없이. ¶ ~ 알아맞히다.
단통-총【單筒銃】[명] 총통(銃筒)이 하나뿐이어서, 발사할 때마다 장전하는 엽총의 하나.
단특【單特】[명] [특(特)은 하나의 뜻] 혼자. 외톨이.
단특-산【檀特山】[명] [범 Dantaloka-giri]〖불교〗북인도(北印度) 건타라국(揵馱羅國)에 있는 산. 본생경(本生經)에 의하면 불타(佛陀)가 전세에 있어서 수태나 태자(須太拏太子)였을 때 12년 동안 수행하며 보살행을 완수하여 신변에 있는 일체의 물건을 시여(施與)하고 드디어 처자까지도 바라문(婆羅門)에게 주어 시업(施業)을 완수하였다는 곳임. 속설에는 석가가 입산(入山) 수행한 산이라고도 함. 탄다락가산(彈多落迦山).
단-틀【單—】[명] ①다만 하나인 기계. ②단패(單牌).
단파【短波】[명] [short wave]〖물〗파장(波長) 10-100 m, 진동수 3-30 메가헤르츠의 전자파(電磁波). 전리층(電離層)의 하층에서 반사되기 때문에 원거리 무선 전신·대외(對外) 방송 등에 쓰임. 데카미터파(decameter波). 약호:에이치 에프(HF). *고주파(高周波)·장파(長波)·중파(中波).
단파-대【短波帶】[명]〖물〗전파 관리에 있어서 규정한 4,000 kHz 내지 25,110 kHz의 주파수대(周波數帶).
단-파방【單—】[명]〈방〉단판[1].
단파 방:송【短波放送】[명] [shortwave broadcasting] 6-30 메가헤르츠의 전파를 사용하는 방송. 단파는 멀리 도달하는 성질이 있으므로 원격지를 위한 국내 방송이나 해외에 대한 방송 등에 쓰임.
단파 송:신기【短波送信機】[명]〖전〗단파 신호를 보내는 송신기.
단파 수신기【短波受信機】[명]〖전〗단파 신호를 받는 수신기.
단파 요법【短波療法】[—뻡] [명]〖의〗단파를 사용하여 신경·관절·뼈·피부 등의 병을 치료하는 요법. ——-하다 [타][여불]
단-파의【單罷議】[—/—이] [명] 한 번만 의논하고 곧 정하여 버림. ——
단-파장【短波長】[명]〖물〗단파(短波)의 파장(波長).
단-판[1]【單—】[명] 단 한 번에 승부를 작정하는 판. 단판걸이. ¶ ~ 승부.
단판[2]【單板】[명] 합판(合板)이 아닌 단일판. *합판.
단판[3]【單瓣】[명]〖식〗일반 야생(野生) 식물의 꽃처럼 그 화판(花瓣)이 각각 종류에 따라 일정한 수의 홑으로 이루어지는 일. 단엽(單葉). 홑꽃잎. ↔중판(重瓣).
단판[4]【端板】[명]〖생〗운동 신경이 말단의 근육 섬유와 접하는 부분. 신경으로부터의 자극을 근육에 전하는 중요한 곳임. 그 형태는 동물에 따라 다름. 운동 종판(運動終板). 종판(終板).

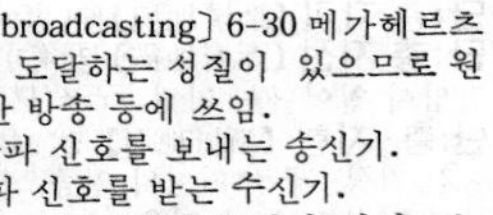

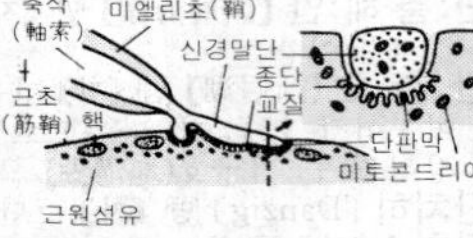

〈단판[4]〉

단판-걸이【單—】[명] 단 한 판에 승부를 겨루는 일. 단판. ——-하다 [타][여불]
단판-류【單板類】[—뉴] [명]〖동〗[Monoplacophora] 연체 동물의 한 강(綱). 고생대 캄브리아기(紀)에서 데본기에 걸쳐 번성하였음. 가장 원시적인 형태를 가진 동물의 하나로 현생종은 네오필리나류(類) 1속(屬) 3종(種)임. 껍데기는 삿갓 모양이고 근육은 몇 쌍의 근흔(筋痕)으로 나뉘어 있음.
단판-법【單板法】[—뻡] [명] 사진술에서 음화에다 양화를 밀착(密着)하지 아니하고 직접 원판에다 양화를 현상시키는 방법.
단판 승:부【單—勝負】[명] 한 판 승부.
단판-싸움【單—】[명] 단 한 판에 승부를 내는 싸움. 재차일거(在此一擧). ¶ ~을 걸다. *삼판 양승(兩勝). ——-하다 [자][여불]
단판 씨름【單—】[명] 단 한 번에 승부를 내는 씨름. ——-하다 [자][여불]
단판-키【單板—】[명] 구조가 단 한 장의 널판때기로 된 키.
단판-화【單瓣花】[명]〖식〗단판인 화관(花冠)을 갖춘 꽃. 겹이 아닌 꽃. 홑꽃. ↔중판화(重瓣花).
단-팥죽 [명] 삶은 팥을 으깨어 설탕을 넣어 달게 하고, 갈분으로 걸쭉하게 한 다음 그 속에 찹쌀로 만든 새알심을 넣은 음식.
단패[1]【單牌】[명] 단 두 사람으로만 된 유일한 짝패. 단틀.
단-패[2]【單覇】[명] 바둑에서, 한 번에 끝낼 수 있는 패. *이단패.
단패 교군【單牌轎軍】[명] 가마를 메고 가는데, 어깨를 돌려 가며 멜 사람이 없이 단 두 사람이 한패로 메고 가는 교군(轎軍).
단편[1]【短篇】[명]〖문〗①짧은 시문(詩文). 짤막하게 끝을 낸 글. 또, 짤막한 영화. ②↗단편 소설(短篇小說). 1)·2):↔장편(長篇).
단:편[2]【斷片】[명] ①여럿으로 끊어진 조각. ②전반에 걸치지 않은 토막진 한 부분. ¶ 지식의 ~.
단:편[3]【斷編·斷篇】[명]〖문〗조각조각 난 문장(文章). 연속되지 못하고 따로 떨어진 짧은 글.
단편-극【短篇劇】[명]〖연〗짤막한 연극.
단-편모류【單鞭毛類】[명]〖동〗[Monadia] 활편모류(滑鞭毛類)의 한 목(目). 몸은 작고 색소체(色素體)와 입이 없고, 대개 다른 동물에 붙어 삶. 가장 원시적임. 모나스류(Monas類).
단편 소:설【短篇小說】[명]〖문〗양적(量的)으로 짧은 것이 특색이며 보통 단일 주제(主題)로 단일 효과를 노린 소설. 인생의 단면(斷面)을 독자적 관점(觀點)에서 날카롭게 파악하여 간결(簡潔)·농축(濃縮)의 수법(手法)으로 표현함. [준]단편(短篇). ↔장편 소설.
단편 영화【短篇映畫】[명] 비교적 영사 시간이 짧은 영화. ↔장편 영화.
단:편 잔간【斷編殘簡】[명]〖문〗떨어지고 빠지고 하여서 완전하지 못한 글월. [준]단간(斷簡).
단:편-적【斷片的】[명][관] 연결되어 있지 아니하고 조각조각이 되어 있는 모양. ¶ ~인 지식.
단편-집【短篇集】[명]〖문〗단편 소설을 모은 책.
단편 협주곡【短篇協奏曲】[명] [도 Konzertstück]〖악〗일반적으로 보통의 협주곡 형식을 간략하게 한 악곡. 흔히 단일 악장(單一樂章)임.
단평[1]【短評】[명] 짧고 간단한 비평. 촌평(寸評). ¶ 문예 ~.
단평[2]【端平】[명] 올바르고 공평함. ——-하다 [형][여불] ——-히 [부]
단폐【丹陛】[명] ①붉은 칠을 한 대궐(大闕)의 섬돌. ②전하여, 대궐·궁전.
단포【單胞】[명]〖식〗단세포(單細胞).
단포-약【單胞葯】[명]〖식〗목화(木花)·부용(芙蓉) 따위처럼 단 한 개의 약포(葯胞)로 된 약(葯). ↔다포약(多胞葯).
단-포자【單胞子】[명] [monospore]〖식〗포자낭(胞子囊) 속에 단 한 개 생기는 비운동성 포자. 홍조류(紅藻類) 및 갈조류(褐藻類)에서 볼 수 있음. 홑홀씨.
단포자-낭【單胞子囊】[명]〖식〗포자가 하나 생기는 포자낭.
단표[1]【簞瓢】[명] ①도시락과 표주박. ②〔↗일단사 일표음(一簞食一瓢飮)〕 매우 양이 적고 초라한 음식.
단:표[2]【斷表】[명] ①상표(上表)함을 금함. ②사표(辭表)를 각하함. ——-하다 [자][여불]
단표 누:항【簞瓢陋巷】[명] 도시락·표주박과 누추한 마을. 곧, 소박한 시골 살림.
단-표자【單瓢子】[명] 한 개의 표주박.
단풍【丹楓】[명] ①〖식〗↗단풍나무. ②늦은 가을에 잎의 엽록소(葉綠素)가 변질하여 녹색을 잃고 황갈색이 되며 화청소(花靑素)가 붉게 변하여 빛이 붉고 누르게 된 나뭇잎. 단풍잎. ¶ ~든 산/~이 곱다.
[단풍도 떨어질 때에 떨어진다] 무엇이나 제 때가 있다.
단풍(이) 들다 [구] 식물의 잎이 가을에 붉은 빛이나 누른 빛으로 변하다. ¶ 만산에 ~.
단풍-나무【丹楓—】[명]〖식〗①단풍나뭇과에 속하는 참단풍·노인단풍·당단풍·아기단풍 등의 총칭. ②[*Acer palmatum*] 단풍나뭇과에 속하는 낙엽 활엽 교목. 잎은 장상(掌狀)인데 6-7갈래로 깊게 째어졌으며 열편(裂片)은 긴 타원형이고 결각상(缺刻狀)의 톱니가 있음. 4-5월에 화판(花瓣)이 없는 꽃이 총상(總狀) 화서 또는 산방(繖房) 화서로 가지 끝에 정생하며, 시과(翅果)는 10월에 익음. 골짜기에 나는데, 관상용 또는 신탄재(薪炭材)임. 제주도·전남·전북·경남·경북·경기에 분포함. [준]단풍. *참단풍나무.

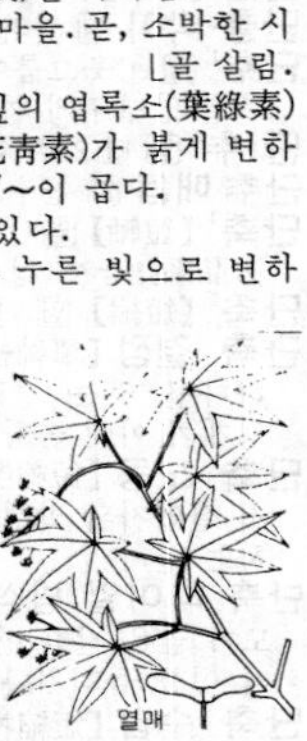

〈단풍나무❷〉

단풍나뭇-과【丹楓—科】[명]〖식〗[Aceraceae] 쌍자엽(雙子葉) 식물 이판화군(離瓣花群)에 속하는 한 과. 이 과에 속하는 식물은 북반구(北半球)에 약 130종(種)이 있는데 한국에는 약 15종이 있으며, 그 밖에 변종(變種)이 10여 종 있음. 단풍나무·참단풍나무·시닥나무·만주고로쇠·신나무 등이 이에 속함.
단풍-남 [명]〈방〉〖식〗단풍나무(제주).
단풍-낭고 [명]〈방〉〖식〗단풍나무(강원·경북).
단풍-낭구 [명]〈방〉〖식〗단풍나무(경기·강원·충북·경북).
단풍-놀이【丹楓—】[명] 단풍이 든 가을의 산이나 계곡의 아름다운 경치를 바라보며 노는 놀이. ——-하다 [자][여불]
단풍덕-산【丹楓德山】[명]〖지〗평안 북도 창성군(昌城郡) 신창면(新倉面)과 벽동군(碧潼郡) 성남면(城南面) 사이에 있는 산. [1,159 m]
단풍-딸기【丹楓—】[*Rubus palmatus*]〖식〗장미과의 낙엽 활엽 관목. 키는 2 m 정도. 가시가 많고 잎은 어긋남. 4-5월에 흰 꽃이 피고 열매는 8-9월에 노랗게 익음. 바닷가의 산에 자라는데 충청 남도 안면도에

분포함.

단풍-마【丹楓―】 명 〖식〗 [*Dioscorea septemloba*] 맛과에 속하는 다년생의 만초(蔓草). 국화마와 비슷한데, 잎은 호생하며 잎자루가 길고 심장형(心臟形)을 이루는데, 세 갈래로 갈라지고 양쪽의 두 열편(裂片)은 다시 두세 조각으로 갈라져서 단풍나무 잎 같은 모양을 함. 7-8월에 담황록색의 꽃이 드문드문 수상(穗狀) 화서로 피고, 둥근 삭과(蒴果)를 맺는데 세 개의 날개가 있음. 산에 나는데, 제주·경남·충남·강원·경기·평북에 분포함.

〈단풍마〉

단풍-새 【丹楓―】 명 〖조〗 [*Estrilda cinerea*] 단풍샛과에 속하는 작은 새. 몸길이 약 11cm로, 참새보다 작음. 부리가 붉고, 눈언저리도 붉음. 등은 엷은 회갈색, 배는 엷은 분홍색이며, 아랫배에 붉은 점무늬가 있고, 꽁지는 검음. 아프리카의 초원이나 경작지에 떼지어 살며, 풀씨를 먹고, 풀로 공 모양의 보금자리를 지음. 각지에서 널리 사육함.

단풍-선【端豐線】 명 〖지〗 함경 남도내의 단천(端川)과 풍산(豐山)을 잇는 철도. 1939년 9월 1일 개통. [80.3km]

단풍-잎【丹楓―】 [―닙] 명 ①가을에 붉은 빛 또는 누른 빛으로 단풍이 든 잎. 단풍. ②단풍나무의 잎.

단풍 전선【丹楓前線】 명 단풍은 북에서 남으로 물들어 오기 때문에 겨울이 온다는 예고로서 단풍의 등기일선(等期日線)을 이름. 계절의 진도를 알기 위한 지표(指標)가 되어 있음.

단풍-취【丹楓―】 명 〖식〗 [*Ainsliaea acerifolia*] 국화과에 속하는 다년초. 전체에 엷은 갈색 솜털이 산생하고 줄기는 단일하며 곧게 서는데 높이 30cm 내외임. 잎은 줄기의 중간에서 여러 잎이 돌려 나는데 장병(長柄)이고, 모양은 대개 7갈래로 갈라진 장상 심형(掌狀心形)임. 7-9월에 흰 두상화(頭狀花)가 수상(穗狀)으로 측생(側生)하고, 수과(瘦果)를 맺음. 산지에 야생하는데, 어린 잎은 먹음. 한국·일본·만주·중국 각지에 분포함.

단풍-터리【丹楓―】 명 〖식〗 [*Filipendula palmata*] 장미과에 속하는 다년초. 줄기는 곧게 났으며 높이 1m 이상이고 잎은 호생하는데 장병(長柄)이며, 손바닥 모양으로 5-7갈래로 갈라졌고 열편(裂片)은 피침형임. 6월에 흰 꽃이 취산상 산방(聚繖狀繖房) 화서로 정생하며, 과실은 수과(瘦果)임. 산지에 나는데, 강원·경기·평북·함북 등지에 야생하고, 일본·만주·중국·몽고·동 시베리아·캄차카에 분포함.

〈단풍터리〉

단풍-하늘소【丹楓―】 [―쏘] 명 〖충〗 [*Mecynippus pubicornis*] 하늘솟과에 속하는 곤충. 몸길이는 19-26mm이고 몸빛은 흑갈색에 다갈황색 털이 밀생함. 시초(翅鞘)는 다소 적색을 띠고 중앙에 회백색 또는 담황색의 횡대문(橫帶紋)이 있으며 시단(翅端)은 회색이고 시저(翅底)는 과립(顆粒)이 많음. 유충은 단풍·버들류의 해충임. 한국·일본에 분포함. 수염하늘소.

단피-요【蛋皮窯】 명 〖미술〗 중국 명(明)·청(淸) 사이에 나온 백자기(白瓷器). 얇기가 종이와 같음.

단피-화【單被花】 〖식〗 꽃받침이나 화관(花冠)의 어느 한쪽을 갖추지 못한 꽃. 뽕나무·밤나무 등의 꽃. 단화피화(單花被花). *양피화(兩被花)·무피화(無被花)·나화(裸花).

단필【短筆】 명 서투른 글씨 재주. 졸필(拙筆).

단필 정:죄【丹筆定罪】 명 의율(擬律)의 서면에 왕이 주필(朱筆)로써 그 죄형(罪刑)을 정하여 기록함. ――하다 자 여불

단하¹【丹霞】 명 햇빛에 비치는 붉은 빛의 운기(雲氣).

단하²【段下】 명 계단 등의 아래.

단하³【壇下】 명 교단·강단 등의 단(壇) 아래. ↔단상(壇上).

단학¹【丹學】 명 장생 불사(長生不死)하고 도통(道通)하여 신선(神仙)이 되는 도술(道術).

단학²【短學】 명 학문이 얕음. 또, 그 사람. 천학(淺學). ――하다 형 여불

단학³【瘅瘧】 명 〖한의〗 열학(熱瘧).

단학 흉배【單鶴胸背】 명 〖역〗 한 마리의 학을 수놓은 학흉배. 당하관(堂下官)의 문관이 붙임. ↔쌍학(雙鶴) 흉배. *단호(單虎) 흉배.

단한¹【單寒】 명 친족(親族)이 없이 고독하고 가난함. ――하다 형 여불

단:한²【斷限】 명 경계(經界)를 정함. 일단락 지음. ――하다 타 여불

단:할【斷割】 명 자름. 절단함. 또, 사물을 처리함. ――하다 자타 여불

단합【團合】 명 단결(團結). ¶ ~ 대회. ――하다 자 여불

단항¹【單桁】 명 〖토〗 양쪽 끝만 받친 배다리.

단항²【短項】 명 짧은 목덜미. 단경(短頸).

단항-식【單項式】 명 [monomial] 〖수〗 플러스·마이너스를 포함하지 않은 정식(整式). 곧, 단 하나의 상수(常數)나 변수(變數)로 된 식. 또, 몇 개의 상수나 변수의 멱(冪) 및 곱으로만 된 정식. $5ax^3y \cdot 6x^2y^6$ 등. ↔다항식.

단:항 절황【斷港絶潢】 명 [막다른 지류(支流)와 이어진 곳이 없는 못이란 뜻] 연락이 끊어짐의 비유.

단핵【單核】 명 단 하나의 핵.

단핵 세:포【單核細胞】 명 〖생〗 단구³(單球).

단핵-증【單核症】 명 [mononucleosis] 〖의〗 말초 혈액 가운데의 단구 이상 증가(單球異常增加)를 특징으로 하는 병증의 총칭.

단행¹【單行】 명 ①한 가지만으로 된 출판. ¶ ~본(本). ②한 번만 한 행동. ③혼자서 하는 행동. ④혼자서 감. 단독 여행. 독행(獨行). ⑤단일한 사물에 대하여 행함. ――하다 자타 여불

단행²【短行】 명 단점(短點). 단처(短處)

단행³【端行】 명 ①바르고 단정한 행동. ②바르게 걸음. ――하다 자 여불

단:행²【斷行】 명 결단하여 실행함. ¶ 즉시 ~하다. ――하다 타 여불

단행 기관차【單行機關車】 명 뒤에 차량을 달지 아니하고 혼자 달리는 기관차.

단행-범【單行犯】 명 〖법〗 단 한 번의 위법 행위로 성립된 범죄.

단행-법【單行法】 [―뻡] 명 〖법〗 특수한 사항에 관하여 특별히 제정되어 있는 법률. 민법(民法)·형법(刑法)과 같이 광범한 내용을 가지는 포괄적인 법전(法典)의 형태를 취하지 아니한 철도법·어음법 같은 법률.

단행-본【單行本】 명 한 권 한 권을 단독으로 출판한 책. ↔전집(全集)·총서(叢書). *잡지.

단향¹【壇享】 명 단(壇)에서 지내는 제사.

단향²【檀香】 명 ①〖식〗 ↗단향목(檀香木). ②단향목의 목재.

단향-과【檀香科】 [―꽈] 명 〖식〗 [Santalaceae] 쌍자엽 식물 이판화군(離瓣花群)에 속하는 한 과. 다른 현화(顯花) 식물에 반기생(半寄生)하는 초본(草本)으로 250여 종 있는데, 한국에는 제비꿀·긴제비꿀의 2종이 분포함.

단향-목【檀香木】 명 〖식〗 자단(紫檀)·백단(白檀) 등의 향나무의 총칭. 전단(旃檀). 진단(眞檀). ㊌단향(檀香).

단향 이:로 통신법【單向二路通信法】 [―뻡] 명 [duplex operation] 〖통신〗 단일 안테나·단일 반송파(搬送波) 따위 특정 수단을 공용(共用)하는 두 개의 신호의 동시 송신 또는 동시 수신.

단헌【單獻】 명 제사에 삼헌(三獻)할 술잔을 한 번만 하고 그침. *삼헌(三獻).

단:현【斷絃】 명 ①현악기(絃樂器)의 줄이 끊어짐. 또, 끊어진 줄. ②[금슬(琴瑟)의 줄이 끊어진 뜻에서] 아내의 죽음. 절현(絕絃). ↔속현(續絃). ――하다 자 여불

단현 운:동【單弦運動】 명 〖물〗 ↗단일현 운동(單一弦運動).

단혈【丹穴】 명 ①〖광〗 단사(丹砂)가 나는 구멍. ②고대 중국에서 남방의 태양의 직하(直下)로 여겨지고 있던 곳.

단혈【單孑】 명 단 혼자. 외돌토리. 독신자.

단협【單協】 명 '단위 협동 조합(單位協同組合)'의 준말.

단형¹【單形】 명 그 결정(結晶)이 갖는 대칭(對稱)의 요소에 관하여 모두 같은 몇 개의 결정면(面)으로 이루어진 결정형. 정팔면체나 정육면체 따위.

단:형²【斷刑】 명 형벌을 처단함. ――하다 타 여불

단형 시조【單形時調】 명 〖문〗 시조 형식의 하나. 1수(首)로 된 한 편의 작품을 말함. 단시조(單時調). ↔연형(聯形) 시조·연시조.

단호¹【短狐】 명 〖충〗 물여우.

단:호²【斷乎】 명 부 일단 결심한 것을 과단성 있게 처리하는 모양. 단연(斷然). ¶ ~한 조치. ――하다 형 여불. ――히 부. ¶ ~ 거절하다.

단호 흉배【單虎胸背】 명 〖역〗 한 마리의 호랑이를 수놓은 호흉배. 당하관(堂下官)의 무관이 붙임. ↔쌍호(雙虎) 흉배. *단학(單鶴) 흉배.

단혼¹【單婚】 명 일부 일처(一夫一妻)의 결혼. ↔복혼(複婚).

단:혼²【斷魂】 명 넋이 끊길 정도로 애통함. 단장(斷腸).

단홍【丹紅】 명 ↗단홍색(丹紅色).

단홍-색【丹紅色】 명 홍색. ㊌단홍(丹紅).

단화¹【丹花】 명 붉은 꽃.

단화²【端華】 명 단정하고 아름다움. ――하다 형 여불. ――히 부

단화³【短話】 명 짧은 이야기. 간단한 이야기. ↔장화(長話).

단:화⁴【短靴】 명 목이 짧아 발목 아래로 오는 구두. ↔장화(長靴).

단화-과【單花果】 명 〖식〗 한 개의 꽃에서 생긴 과실. 대개의 과실이 이에 속함. 성숙 후의 과피(果皮) 건조 여부에 따라 건조과(乾燥果)와 다육과(多肉果)로 분류함. 단과(單果). 홑열매. ↔다화과(多花果).

단화-제【單貨制】 명 〖경〗 단본위제(單本位制).

단화피-화【單花被花】 명 〖식〗 단피화(單被花).

단확【端確】 명 바름. 정확함. ――하다 형 여불

단환¹【團環】 명 배목이 달려 있는 둥근 문고리.

단환²【檀桓】 명 〖한의〗 황백나무의 뿌리. 보약(補藥)으로 씀.

단황【蛋黃】 명 노른자위. 난황(卵黃).

단황-란【端黃卵】 [―난] 명 난황(卵黃)이 알의 한쪽 가에 편재하고 있는 알. 양서류(兩棲類)·어류(魚類)·조류(鳥類) 등에 보임. *식물극(植物極)·동물극(動物極).

단회¹【團會】 명 원만(圓滿)한 모임.

단회²【短懷】 명 소견이 얕은 생각. 단려(短慮).

단효【端孝】 명 예의 바른 효행.

단후¹【端厚】 명 '단정 온후(端正溫厚)'의 뜻. 성실하고 얌전함. 예의 바르고 온화함. ――하다 형 여불

단후²【單厚】 명 참으로 두터움. ――하다 형 여불

단후구-류【單後口類】 명 〖동〗 [Monopisthocotylea] 단생대류(單生代類)에 속하는 편형(扁形) 동물의 한 목(目). 단 한 개의 후흡반(後吸盤)이 있고, 소화관(消化管)·신경계(神經系)·배설기(排泄器) 등은 있으나 질(膣)은 쌍을 이루지 아니하며 항문(肛門)과 생식 장관(生殖腸管)이 없음.

단-휘【單―】 명 〖건〗 단일색(單一色)으로 된 휘.

닫¹ 명 〈옛〉 닻. ¶ 닫 뎡(碇)《字會 中 25》.

닫² 부 〈옛〉 따로. ¶ 샹녯 사ᄅᆞᆷ과 닫 사ᄂᆞ니 《月釋 XXI:218》.

닫기다 피동 〈방〉 닫히다(함경).

닫나다 자 〈옛〉 따로 나다. ¶ 물읫 有情이 ᄂᆞᆷ과 닫나ᄆᆞᆯ 즐겨《釋譜 IX:16》.

닫내다 타 〈옛〉 달리 갈라 내다. ¶ 別은 닫내야 ᄒᆞ돗ᄒᆞᆫ ᄠᅳ디라《釋譜 序4》.

닫다¹ 자 ㄷ불 [중세: ᄃᆞᆮ다] 빨리 가다. 달리다.
【닫는 데 발 내민다】 어떠한 일에 열중하고 있는데 남이 중간에서 그 일을 방해함을 이르는 말. 【닫는 말에도 채를 친다】 '달리는 말에 채찍질'과 같은 뜻. 【닫는 말에 채질한다고 경상도까지 하루에 갈 것인가】 힘껏 부지런히 하는데 무리하게 재촉한들 될 리 없다는 말. 【닫는 사

슴을 보고 얻은 토끼를 잃는다】 지나친 욕심을 부리다가 도리어 손해를 볼 뿐이라는 말. ¶ 언(諺)에 갈오대 닫는 사슴을 보고 얻은 토끼를 잃는다 하니 이를 이름이로다《於于野談》.

닫다² 타 〔중세 : 닫다〕 ①열리어 있는 문이나 덮개·뚜껑 따위를 도로 제자리로 가게 하여 막다. ¶ 뚜껑을 ~/문을 ~. ②가게를 들이다. ¶ 벌써 가게를 닫았군.

닫담다 타 〈옛〉 따로 담다. ¶ 원녁 피 닫담고 올흔녁피 닫다마《月釋 I :7》.

닫뎌구리 명 〈옛〉 딱다구리. ¶ 닫뎌구리 렬(鴷)《倭解下 21》.

닫아 걸:다 타 문·창 따위를 닫고 잠그다. ¶ 방문을 ~.

닫줄 명 〈옛〉 닻줄. ¶ 닫줄 람(纜)《字會 中 25》.

닫집 명 〖건〗 ①법전(法殿) 안의 옥좌(玉座)의 위에 만들어 다는 집의 모형(模形). ②〖불교〗 법당(法堂)의 불좌(佛座)의 위에 만들어 다는 집의 모형(模形). 당가(唐家). 감실(龕室). *천개(天蓋).

〈닫집❶〉

닫치다 타 문·창·서랍 따위를 힘차게 닫다.

닫혜다 타 〈옛〉 따로 헤아리다. 따로따로 생각하다. ¶ 모수미 뷔디 몯ᄒᆞ야 내 몸 닫혜오 ᄂᆞ미 몸 닫혜요ᄆᆞᆯ 人相我相이라 ᄒᆞᄂᆞ니라《月釋 Ⅱ:63》.

닫히다 [다치—] 피동 열리어 있는 것이 닫아지다.

닫힌-계 【—系】 [다친—] 명 〔closed system〕 〖화〗 외계(外界)와 에너지나 물질의 교환이 없는 계. 폐쇄계(閉鎖系). ↔열린계.

닫힌 넋 [다친넉] 명 〖철〗 베르그송의 용어. 기성 사회 질서에의 강제적 복종, 곧 닫힌 사회의 도덕에 일관(一貫)하는 정신.

닫힌 사회 【—社會】 [다친—] 명 〖철〗 베르그송의 용어. 자기 집중(自己集中)·계급성(階級性)과 수장(首長)의 강권(強權)을 특징으로 하는 인간의 자연적 사회. 이들은 지성(知性)에 눈뜬 개인의 이기적 행위를 위압하여 사회의 파괴를 방지하는 역할을 하며 필연적으로 배외적 항쟁(排外的抗爭)으로 인도됨. ↔열린 사회.

닫힌 핏줄계 【—系】 [다친—] 명 사람처럼 동맥과 정맥이 실핏줄로 이어져 있어 피가 핏줄 밖으로 흐르지 않는 것을 이름. 새·짐승·개구리·물고기 등도 그러함. 폐쇄 혈관계(閉鎖血管系). ↔열린 핏줄계.

닫힌 회로 【—回路】 [다친—] 명 〔closed circuit〕 〖전자〗 전류가 순환하여 연속적으로 흐르게 되어 있는 회로. 폐로(閉路). 폐회로(閉回路). ↔열린 회로.

달¹ 명 ①〖천〗 지구의 위성(衛星). 반지름은 1,738 km이고 부피는 지구의 약 50분의 1, 질량(質量)은 지구의 약 80분의 1임. 비중은 3.35, 표면 중력(表面重力)은 지구의 약 6분의 1, 지구로부터의 평균 거리는 384,400 km임. 자전(自轉)하면서 지구의 주위를 공전(公轉)하는데, 공전 주기는 27일 7시간 43분 11초 5임. 태양의 빛을 반사해서 빛나며, 주기 약 29.5일로 차고 기우는데, 이 동안에 태양과의 위치 관계에 따라 신월(新月)·상현(上弦)·만월(滿月)·하현(下弦)의 위상(位相) 현상이 나타남. 공전 주기와 자전 주기가 같기 때문에 언제나 지구에 대해 같은 반면(半面)만을 보여 주고 있음. 월면에는 어둡고 평탄한 '바다'와 밝고 기복이 심한 '육지'가 있으며, 공기·물이 없고 주야가 각각 약 15일간 계속되므로 낮 온도는 100°C, 야간 온도 약 −100°C가 되어 생물 존재의 가능성은 없음. 태음(太陰). 월구(月球). 상아(孀娥). 소아(素娥). ②달빛. ¶ ~이 밝다. ③1년을 열 둘로 나눈 것의 하나. 양력으로는 한 달이 30일 또는 31일, 음력으로는 29일 또는 30일임. ④평균 30일로 친 1개월. ⑤해산(解産)할 달. ¶ ~이 차지 않아서 낳은 아이.
[달도 차면 기운다] 세상의 온갖 것이 한번 성하면 다시 줄어든다는 말. 【달 보고 짖는 개】 어리석은 사람이 남의 언행(言行)에 대하여 의심해서 소동(騷動)함을 이르는 말.

달² 명 〈심마니〉 불.

달³ 명 〈방〉 닭(함남).

달:⁴ 명 〖식〗 달뿌리풀.

달:⁵ 명 연(鳶)을 만드는 데에 머리·허리·가운데와 네 귀에 올모로 대는 가는 대오리. 연달. 살.

달:⁶ 명 〈심마니〉 씨. 종자.

달⁷ 【達】 명 〈옛〉 산(山). ¶ 犁山城 本加尸達忽/僧山縣一云 所勿達《三史 地理誌》.

달⁸ 【達】 명 〖지〗 '다(達)'를 우리 음으로 읽은 이름.

달:⁹ 〔Dahl, Robert Alan〕 명 〖사람〗 미국의 정치학자. 예일(Yale) 대학 교수. 행동주의적 연구 방법으로 미국 사회의 권력 구조를 분석, 그 다원적 성격을 명백히 함. 저서에 《민주주의 이론 서설》·《누가 지배하는가》 등이 있음. [1915-]

-달 어미 ↗-다 할. ¶ 싫~ 사람이 어디 있소. *-ㄴ달·-는달·-랄.

달가닥 부 단단하고 작은 물건이 맞닿아서 나는 소리. 준달각. ㅆ딸가닥. <덜거덕. ——-하다 자타여불

달가닥-거리다 자타 작고 단단한 물건이 연달아 맞닿아서 소리가 나다. 또, 연달아 그런 소리를 나게 하다. 준달각거리다. ㅆ딸가닥거리다. <덜거덕거리다. 달가닥-달가닥 부. ——-하다 자타여불

달가닥-대다 자타 달가닥거리다.

달가당 부 쇠붙이의 작은 물건이 맞닿아서 나는 소리. ㅆ딸가당. <덜거덩. ——-하다 자타여불

달가당-거리다 자타 쇠붙이의 작은 물건이 연달아 맞닿아서 소리가 나다. 또, 연달아 그런 소리를 나게 하다. ㅆ딸가당거리다. <덜거덩거리다. 달가당-달가당 부. ——-하다 자타여불

달가당-대다 자타 달가당거리다.

달가락 부 ☞ 달그락. ——-하다 자여불

달가락-거리다 자타 ☞ 달그락거리다. 달가락-달가락 부. ——-하다 자타여불

달-가시다 자 사람이 죽어서 부정하던 그 달이 지나가다. 달을 넘기다.

달가-우리 명 〈방〉 둥우리(경북).

달가워-하다 타여불 달갑게 여기다.

달각 부 ↗달가닥. ㅆ딸각. <덜걱. ——-하다 자여불

달각-거리다 자타 ↗달가닥거리다. ¶ 대문이 ~. ㅆ딸각거리다. <덜걱거리다. 달각-달각 부. ——-하다 자타여불

달각-대다 자타 달각거리다.

달각-산 【達覺山】 명 〖지〗 평안 북도 창성군(昌城郡)과 벽동군(碧潼郡) 사이에 있는 산. [1,386 m]

달갈 명 〈방〉 달걀(경기·강원·충청·전라·경상).

달감-부 【—甘部】 명 한자 부수(部首)의 하나. '甚'이나 '甛' 등의 '甘'의 이름.

달갑다 형 ㅂ불 ①마음에 흡족하다. 만족하다. ¶ 달갑지 않게 여기다. ②거리낌없다. 불만이 없다. ¶ 그 보복을 달갑게 받겠다.
달갑지 않다 구 마음에 흡족하지 않다.

달-갓 명 〈방〉 달무리(제주).

달강-달강 감 어린 아이를 데리고 시장질할 때의 노래의 맨 끝에 부르는 후렴 소리.

달강-어 【達江魚】 명 〖어〗 [*Lepidotrigla microptera*] 양성댓과에 속하는 바닷물고기. 몸길이 30 cm 가량으로 가늘고 길며, 머리가 모나고 가시가 많음. 비늘은 빗비늘임. 몸빛은 등 쪽이 고운 주홍색, 배 쪽이 백색이며 그 사이에 은빛 줄이 있음. 제1 등지느러미에 짙은 홍색의 큰 무늬가 있으며 가슴지느러미에는 가시가 셋 돋혀 있어서 먹이를 찾는 데 쓰임. 맛이 좋음. 한국 서남부·동지나해·일본 중부 이남 연해에 분포함. 달궁이. 화어(火魚). 방두어(方頭魚).

〈달강어〉

달개¹ 명 〖건〗 원채의 처마 끝에 잇대어집을 늘여 짓거나 차양을 달아서 지은 의지간.

달개² 명 〖고고학〗 금관 따위에 빤짝거리도록 매단 얇은 금속판 장식.

달개다¹ 타 〈방〉 달려들다.

달개다² 타 〈방〉 달래다(함경).

달개랄 명 〈방〉 달걀(경북·강원).

달개비 명 〖식〗 닭의장풀.

달개-알 명 〈방〉 달걀(경기·강원·충북).

달개-우리 명 〈방〉 둥우리(강원).

달개-집 명 ①원채에 달아낸 달개로 된 집. ②몸채의 뒤편 귀에 낮게 지은 외양간.

달갤 명 〈방〉 달걀(평안·함남·경기·강원·전남).

달갱이¹ 명 〈방〉 〖어〗 달강어(達江魚).

달갱이² 명 〈방〉 달걀(강원).

달걀 명 〔←닭의 알〕 닭이 낳은 알. 계란. 계단(鷄蛋). 계자(鷄子). 알.
[달걀도 굴러가다 서는 모있다] 어떤 일이든지 끝날 때가 있다는 말. 【달걀로 백운대(白雲臺) 치기】 저항하여도 도저히 이길 수 없다는 말. [달걀로 치면 노른자다] 제일 중요한 부분을 가리키는 말. 【달걀 섬 다루듯 하다】 달걀을 담아 놓은 섬을 다루듯 조심조심 물건을 다룸을 가리키는 말. 【달걀에도 뼈가 있다】 '계란 유골'을 풀어쓴 말. 【달걀 지고 성 밑으로 못 가겠다】 너무 세심한 곳에 신경을 씀을 비유하는 말. 또, 모든 일에 의구하는 마음이 많은 사람을 두고 하는 말.

난각
배반
농후흰자위
라테브라
내수상흰자위
내난각막
외난각막
기실
컬레이저
컬레이저
황색노른자위
노름노른자위막
백색노른자위
외수상흰자위

〈달걀〉

달걀 가루 [—까—] 명 달걀을 말려서 만든 가루.

달걀 구이 명 계란 구이.

달걀-꼴 명 ①달걀 모양. 난상(卵狀). 난형(卵形). ②〖식〗 잎 모양의 한 가지. 달걀을 세로 자른 면과 같이 한쪽이 넓고 갸름하게 둥근 모양. 난형(卵形).

달걀꼴 곡선 【—曲線】 명 〖수〗 평면상의 폐곡선(閉曲線)의 하나. 요부(凹部)가 없는, 즉 그 내부에 있는 어느 두 점을 잇는 선분(線分)도 또한 그 내부에 있는 것 같은 폐곡선을 이름. 구용어 : 난형(卵形) 곡선.

〈달걀꼴❷〉

달걀 노른자 명 ①달걀 속에서 흰자위가 둘러싸고 있는 노란 부분. 계자황(鷄子黃). ②어떤 사물의 가장 중요한 부분을 이르는 말.

달걀-덮밥 명 계란덮밥.

달걀-밥 명 계란밥. 계란반(鷄卵飯).

달걀 부침 명 달걀을 씌워서 번철에 지진 음식의 총칭.

달걀-죽 【—粥】 명 계란죽.

달걀 흰자 [—힌—] 명 달걀 속에서 노른자를 싸고 있는 흰 부분. 계자백(鷄子白). 계자청(鷄子淸). *계란소(鷄卵素)·흰자질.

달-거리 명 ①한 달에 한 번씩 앓는 전염성 열병. ②월경(月經). ③〖문〗 1년 열 두 달로 나누어 구성된 형식의 시가(詩歌). 월령체(月令體). ④〖악〗 경기 십이 잡가(京畿十二雜歌)의 하나. 달마다 돌아오는 명절에 가신 님을 그린다는 월령체의 노래. ——-하다 자여불

달:게 굴다 타 붙잡고 매달려서 조르다. 조급하게 조르다.

달:게 받다 타 응분의 조처를 거리낌없이 받다. ¶ 벌을 ~.

달게-알 명 〈방〉 달걀(경기·전북).

달게 여기다 자 달갑게 생각하다. ¶ 제가 저지른 일을 생각하면 그만한 벌은 달게 여깁니다.

달겨-들다 자 ☞ 달려들다.

달견 【達見】 명 ①사리에 통달한 견식(見識). 달식(達識). ②뛰어난 의견.

달결 명 〈방〉 달걀(경기).

달고 명 〈방·옛〉 달구. ¶ 돌 달고로 날회여 다으고(着石杵慢慢兒打)《朴解 上 10》.

달-고기 명 〖어〗 [*Zeus japonicus*] 달고깃과에 속하는 바닷물고기. 몸길이 50cm에 몹시 측편하고 전체에 작은 둥근 비늘을 갖추며 몸빛은 회갈색을 띤 은백색인데 체측에 돈짝만한 검은 반점이 있음. 한국 남해·일본 중남부·남아프리카 연안에 걸쳐 널리 분포함. 봄철에 맛이 좋음. 점도미.

〈달고기〉

달고기-목 【一目】 명 〖어〗 [Zeida] 진구강(綱)에 속하는 어류의 한 목. 이 목에 속하는 것으로 달고깃과와 병치돔과가 있음.

달고깃-과 【一科】 명 〖어〗 [Zeidae] 달고기목(目)에 속하는 한 과. 이 과에 속하는 물고기로는 달고기 하나가 알려져 있을 뿐임.

달고-질 명 〈옛〉 달구질. ¶ 달고질ᄒᆞ야(築埋)《內訓 Ⅲ:12》.

달-골뱅이 명 〈방〉 고둥(경북).

달곰삼삼-하다 형여불 조금 달고도 삼삼한 맛이 있다.

달곰새금-하다 형여불 조금 달고도 새금한 맛이 있다. ㅆ달콤새큼하다.

달곰쌉쌀-하다 형여불 조금 달고도 쌉쌀한 맛이 있다.

달곰씁쓸-하다 형여불 조금 달고도 씁쓸한 맛이 있다.

달곰-하다 형여불 알맞게 달다. 감칠맛이 있게 달다. ㅆ달콤하다. <달금하다. **달곰-히** 부

달공-달공 감 〈방〉 달강달강.

달과 육 펜스 【一六一】 명 [The Moon and Sixpence] 〖책〗 영국의 작가 몸(Maugham)의 장편 소설. 1919년 발표. 문명 사회를 피하여 타히티(Tahiti) 섬으로 건너가 병마(病魔)에 시달리면서 그림그리기에 생애를 바친 어느 증권 거래소 직원의 제2의 인생 편력(遍歷)을 그렸음. '달'은 예술에 대한 격정(激情), '육(六) 펜스'는 세속적인 것을 상징함. 고갱(Gauguin)의 생애에서 암시를 받은 것이라 함.

달관[1] 【達官】 명 높은 관직. 고관(高官). 달료(達僚).

달관[2] 【達觀】 명 ①활달하여 세속을 벗어난 높은 견식. ②사물에 대한 통달한 관찰. ——-하다 타여불

달구 명 [중세 : 달고] 집터를 단단히 다지는 데 쓰는 연장. 보통으로는 굵은 나무 토막 위에 손잡이가 네 개 혹은 두 개 달려 있음. 쇠로 된 것을 '쇠달구'라 하고 나무로 된 것을 '목달구'라 함. 돌덩이에 줄을 달아서 쓰기도 함.

〈달구〉

달구 놀이 명 〖민〗 달구질하여 집터를 닦을 때 부르는 소리.

달구다 타 ①쇠나 돌 같은 것을 불에 대어 뜨겁게 하다. ¶ 쇠를 ～. ②불을 많이 때어 방을 뜨겁게 하다.

달-구리[1] 명 [←닭울이] 이른 새벽의 닭이 울 때.

달구리[2] 명 〖식〗 올벼의 한 가지. 한식(寒食) 때에 심으며, 수염이 없고 빛은 엷은 황색임.

달구-벌 【達句伐】 명 〖지〗 [닭의 평야의 뜻] 대구(大邱)의 옛이름.

달구-비 명 퍼붓듯이 죽죽 쏟아지는 밤의 비. ¶ 밤에 다시 오마고 말하였지만, 무서운 ～를 맞고 올 것 같지 아니하였다《洪命憙 : 林巨正》.

달구 소리 명 〖악〗 달구질하면서 부르는 민요. 회다지 소리.

달구지[1] 명 ①소 한 필이 끄는 짐수레. ②구루마.

달구지[2] 명 〈방〉 다리[1](경북).

달구지-풀 명 〖식〗 [*Trifolium lupinaster*] 콩과에 속하는 다년초. 줄기는 높이 30cm 가량이고 잎은 호생(互生)하는데 단병(短柄)이며, 장상(掌狀)으로 복생(複生)하고, 소엽(小葉)은 4-7개로 피침형임. 6-9월에 엷은 홍자색의 두화(頭花)가 다소 산형(繖形) 화서로 피고, 긴 타원형의 협과(莢果)를 1-6개 맺음. 거의 한국 각지에 분포함.

〈달구지풀〉

달구-질 명 달구로 집터나 땅을 단단히 다지는 일. ——-하다 자여불

달구-치다 타 꼼짝 못하게 몰아치다.

달구-화 【達句火】 명 〖지〗 대구(大邱)의 옛이름.

달굿-대 명 땅을 다지는 데 쓰는 두 개의 대가 달린 몽둥이. 두 손으로 윗머리를 쥐고 아래 끝으로 땅바닥을 짓찧어 다짐.

달궁-달궁 명 〈방〉 달강달강.

달궁이 명 〖어〗 달강어(達江魚).

달그락 부 작은 덩이로 된 단단한 물건이 움직이어 맞부딪치거나 스쳐서 나는 소리. ㅆ딸그락. <덜그럭. ——-하다 자타여불

달그락-거리다 자타 작은 덩어리로 된 단단한 물건이 움직이어 맞부딪치거나 스쳐서 자꾸 달그락 소리가 나다. 또, 연해 그런 소리를 나게 하다. ㅆ딸그락거리다. <덜그럭거리다. **달그락-달그락** 부. ——-하다 자타여불

달그락-대다 자타 달그락거리다.

달그랑 부 얇은 쇠붙이의 물건이 맞닿아서 울려 나오는 소리. ㅆ딸그랑. <덜그렁. ——-하다 자여불

달그랑-거리다 자타 얇은 쇠붙이가 잇달아 맞닿아서 울려 소리가 나다. 또, 연해 그런 소리를 나게 하다. ㅆ딸그랑거리다. <덜그렁거리다. **달그랑-달그랑** 부. ——-하다 자타여불

달그랑-대다 자타 달그랑거리다.

달그래 명 〈방〉 고무래(경남).

달근달근-하다 형여불 재미스럽고 탐탁하다.

달금-하다 형여불 알맞게 달다. ㅆ달큼하다. >달곰하다. **달금-히** 부

달기[1] 【妲己】 명 ①〖사람〗 중국 은(殷)나라 주왕(紂王)의 비(妃). 유소(有蘇)의 딸. 왕의 총애를 믿고 음탕하고 포악하였는데, 뒤에 주(周)나라 무왕(武王)이 그를 죽였음. ②남자를 호리는 요염한 계집. 독부(毒婦).

달기[2] 【疸氣】 명 〖한의〗 달병(疸病).

달기[3] 【達己】 명 〖악〗 달이.

달기[4] 【達氣】 명 보기에 환하여, 높고 귀하게 잘 될 기색.

달기다 자타 〈방〉 달리다[4](경상).

달기-봉 【達奇峰】 명 〖지〗 평안 북도 자성군(慈城郡)에 있는 산. 낭림 산맥(狼林山脈)의 첫머리 부분을 이룸. [1,090m]

달기-비짜루 명 〈방〉 〖식〗 닭의비짜루.

달기-사리 명 〈방〉 전갱이.

달기-살 명 죽바디에 붙은 고기. 찌갯거리로 씀.

달기-씨깨비 명 〖식〗 닭의장풀.

달기-알 명 〈방〉 달걀(경기·강원·충북).

달기-퉝 명 〈방〉 둥우리(충북).

달-끌 명 ①달같이 둥근 모양. 월형(月形). ②초승달 모양.

달-나라 명 달의 세계. 월세계(月世界).

달능 【達能】 명 재능이 있는 사람을 천거(薦擧)함. ——-하다 타여불

달-님 명 달을 인격화하여 높여 이르는 말. ↔해님.

달:다[1] 자 ①끓이는 음식 따위가 너무 끓어 물이 거의 줄고 지나치게 익다. ¶ 장이 너무 달았다. ②쇠 따위가 열을 받아 몹시 뜨거워지다. ¶ 불에 빨갛게 단 쇠. ③열이 나서 몸이 뜨거워지거나 화끈화끈하여지다. ¶ 온몸이 불덩이같이 달았다. ④부끄럽거나 창피스러워 몸이 뜨거워지다. ¶ 핀잔을 받고 얼굴이 화끈 달았다. ⑤안타깝거나 조마조마하여 애가 타다. ¶ 마음이 달아서 어쩔 줄을 모른다. ⑥살이 얼어서 부르터 터지다.

달다[2] 타 [중세 : ᄃᆞᆯ다] ①높이 물건을 잡아 매어 늘어뜨리다. ¶ 종을 ～. ②물건을 일정한 곳에 붙이다. ¶ 단추를 ～. ③가설하다. ¶ 전화를 ～. ④글에 주·제목 따위를 붙이다. ⑤말 또는 한문에 토를 붙이다. ¶ 알기 쉽게 토를 ～. ⑥셈을 기록하다. ¶ 외상 장부에 달아 놓다. ⑦윷판에 처음으로 말을 놓다. ⑧매어달아 놓고 조지다. ¶ 신랑을 ～. ⑨저울에 얹어 무게를 셈잡다. ¶ 한 근만 달아 주시오. ⑩'데리다'의 낮은 말. ¶ 그녀는 아이들을 주렁주렁 달고 다닌다.

【달고 치는데 안 맞는 장사가 있나】 아무리 강한 사람이라도 여러 사람의 합력(合力)에는 대항할 수 없다는 뜻.

달:다[3] 불타보동 남에게 무엇을 주기를 청하다. '달라·다오'로만 쓰임.

달다[4] 형 [중세 : ᄃᆞᆯ다] ①꿀이나 설탕과 맛이 같다. ②입맛이 당기도록 좋다. ③마음에 즐거운 느낌이 있다. 마음에 들다. 1)-3): ↔쓰다.

【달기는 엿집 할머니 손가락이라】 엿집 할머니 손가락을 빠는 것 같다 함이니, 곧 어떤 일에 너무 침혹(沈惑)하여 먹지 못할 것까지 먹는 음식인 줄 잘못 안다는 뜻. 【달면 삼키고 쓰면 뱉는다】 사리(事理)의 옳고 그름이나 신의(信義)를 돌아보지 않고 이익만 꾀한다는 뜻. 감탄 고토(甘呑苦吐).

달다 쓰다 말이 없다 구 입을 다물고 아무런 반응(反應)도 나타내지 아니하다.

달단 【韃靼】 [一딴] 명 ①〖역〗 예전에 만주 싱안링(興安嶺) 서쪽 기슭이나 인산(陰山) 산맥 부근에 살던 몽고 민족의 한 부족(部族)인 타타르(Tatar)의 칭호. 명(明) 이후로는 몽고 지방 또는 몽고 민족 전체를 가리키게 되었으며, 다시 널리 몽고인과 남부 러시아 일대에 사는 터키인을 포함하는 중국 북방 또는 북아시아 여러 민족의 총칭으로 쓰이게 되었음. 타타르. ②백정(白丁). 그 종족이 달단으로부터 들어왔다 함.

달달[1] 부 단단한 바닥에 굳은 바퀴 따위가 구르는 소리. ㅆ딸딸. <덜덜[1].

달 달[2] 부 춥거나 무서워서 몸을 떠는 모양. ¶ 거지 아이가 ～ 떨고 있다. <덜덜[2].

달 달[3] 부 ① 콩·깨 따위를 이리저리 저어 가며 볶거나 맷돌에 가는 모양. ¶ 콩을 ～ 볶다. ②사람을 못 견디게 들볶는 모양. ③물건을 이리저리 들쑤셔 가며 뒤지는 모양. <들들.

달달-거리다[1] 자타 작은 바퀴 따위가 단단한 바닥에 굴러 자꾸 달달 소리가 나다. 또, 연해 달달 소리를 나게 하다. ㅆ딸딸거리다. <덜덜거리다[1].

달달-거리다[2] 자타 춥거나 무서워서 작은 몸 또는 그 일부를 자꾸 떨다. <덜덜거리다[2].

달달-대다[1] 자타 달달거리다[1].

달달-대다[2] 자타 달달거리다[2].

달달 볶다 타 ①깨나 콩 따위를 휘저어 가며 볶다. ②사람을 몹시 들볶다. ¶ 없는 돈을 내라고 달달 볶는다. <들들 볶다.

달달-이 부 → 다달이.

달달-하다 형여불 맛이 조금 달다.

달:-대 [一때] 명 달의 줄기. 갈대 줄기와 비슷함.

달덕 【達德】 [一떡] 명 사람이 마땅히 행하여야 할 덕. 동서 고금(東西古今)을 통하여 변함이 없는 도덕.

달-덩이 [一떵一] 명 ①둥근 달을 한 덩이로 보고 이르는 말. ②둥글둥글하고 훤하게 생긴 젊은 여자의 얼굴.

달도[1] 【達徒】 [一또] 명 진리에 달한 제자(弟子).

달-도[2] 【達島】 [一또] 명 〖지〗 전라 남도 서남 해상 완도군(莞島郡) 군외면(郡外面) 완동리(莞洞里)에 속하는 작은 섬. 1969년 서북쪽으로 해남군 북평면 남창리(海南郡 北平面 南倉里)와의 사이에 연륙교(連陸橋)가 생기고, 다시 그 뒤에 완도와의 사이에 완도 대교(莞島大橋)가 놓여 육지와 이어짐. [3.2km²: 951명(1975)]

달도[3] 【達道】 [一또] 명 ①동서 고금(東西古今)을 통하여 사람이 지켜야 할 도(道). ②도(道)에 통달함. ——-하다 자여불

달도-가 【怛忉歌】 [一또一] 명 〖문〗 신라 소지왕(炤知王) 때 지었다는 신라 노래의 하나. 가사가 전하지 아니함.

달도-일 【怛忉日】 [一또一] 명 〖민〗 신라 때, 서출지(書出池)·사금갑(射琴匣)이라는 이변(異變)이 있었고, 이어서 용(龍·辰)·말(馬·午)·쥐(鼠·子)·돼지(豕·亥)에 연관된 괴변(怪變)이 생겨 매년 정월 진(辰)·해(亥)·자(子)·오일(午日)에는 백사(百事)를 조심한다는 풍속이 있었는데, 이 날을 이름.

달-동네【一洞一】[一똥一] 명 달이 가깝게 보일 정도로 높은 지대에 있는 영세민 마을.

달두 가:한【達頭可汗】[一뚜一] 명〖사람〗6세기 후반에 활약한 터키족 돌궐(突厥)의 가한(可汗). 텐산(天山) 산맥의 중부를 본거지로 했는데, 뒤에 서(西)돌궐로서 자립하여 동서 양(兩)돌궐 시대를 출현시켰음.

달디-달다 형 →다디달다.

달-떡 명 ①달 모양으로 둥글게 만든 흰 떡. 혼인 때 씀. 월병(月餠). ②송편 만들던 가루 반죽으로 동글납작하게 만들어 송편과 함께 찐 떡.

달:-뜨다 자 마음이 가라앉지 아니하고 들썽거려지다. 마음이 허랑하여지다. ¶그 달뜬 남녀들의 한 사람이 거기에도 있지 않으냐는 듯 그제서야 갑재는 미란을 멸시하는 눈초리로 힐끔 바라본다《李孝石 : 花粉》. <들뜨다.

「유 아니면 죽음을 ~. *다오.

달:라 불타 불완전 동사 '달다'의 명령형. '해라' 할 자리에 쓰임. ¶자

달:라다 타 '달라고 말하다'의 뜻. ¶새 양복을 해 달란다. *다오.

달라-들다 자 〈방〉 달려들다.

달라디에〔Daladier, Edouard〕명〖사람〗프랑스의 정치가. 원래 역사학 교수였으나 1919년부터 정계(政界)에 투신하여 1935년에 급진 사회당의 좌파(左派) 영수로서 인민 전선(人民戰線) 결성에 참가함. 1938년 수상이 되어 뮌헨(München) 협정을 체결하여 제2차 세계 대전에서의 프랑스 패전의 주요 책임자의 한 사람이 되었음. 종전 후 정계에 복귀하였음. [1884-1970]

달라-붙다 자 ①어떤 물건이 끈기 있게 바짝 붙다. ②맺어진 관계가 깊게 되다. ¶여자가 ~. ③한군데에만 꾹 붙어 있다. ¶책상에 달라붙어 공부만 한다. 1)-3): <들러붙다.

달라이 라마〔Dalai Lama〕명〔'달라이'는 몽고말로 대양(大洋)의 뜻〕티베트의 라마교의 교주(敎主). 정치·종교상의 최고 권력자로 수도인 라사(Lassa) 부근의 포탈라(Potala) 궁전에서 살며 삼천여 개의 절과 30-40만의 중을 통솔함. 초대 달라이 라마는 황모파(黃帽派)의 개창자(開創者)인 촌카파(Tsoṅ-kha-pa)의 제자 게둔 둡(dGe-'dun-grub)으로 스스로 관세음 보살의 화신(化身), 곧 활불(活佛)이라고 선언하였으며 제3세(世)에 이르러 홍모파(紅帽派)를 완전히 제압하였음. 제13세(世)에 이르러 영국의 원조 밑에 티베트의 완전 독립에 성공하였는데 현재의 달라이 라마는 제14세이며, 중국(中國)과 대립, 1959년에 인도로 망명함. 계승자는 선대(先代) 라마의 전생자(轉生者)로서 갓난 아이 가운데서 뽑음. 달뢰 라마(達賴喇嘛). *판첸(Panchen) 라마.

달라-지다 자 변하여 이전과는 다르게 되다.

달:라 하다 타 ☞ 달라다.

달라ᄒᆞ다 타 〈옛〉 달라다. ¶우르고 怒ᄒᆞ야 밥 달라ᄒᆞ야 門ㅅ東녀긔셔 우ᄂᆞ다(叫怒索飯啼門東)《杜諺 XXV:52》.

달란트〔ㄱ talanton〕명의명〖성〗구약 성서에서는 3천 시켈(sheqel), 곧 43.6kg에 해당하는 중량의 최대 단위를 말하며, 신약 성서에서는 금은(金銀)의 중량의 단위, 또 6천 데나리(denarri)에 상당하는 통화의 단위를 말함. 뒤에 이 말은 각자의 타고난 자질(資質)이란 뜻으로 쓰이게 되었으며 '재능'이란 뜻의 탤런트(talent)도 이에서 유래함.

달랑[1] 부 ①작은 방울이 한 번 흔들리어 나는 소리. ②침착하지 못하고 까불거나, 넝큼 행동하는 모양. 1)·2): ㅆ딸랑. ③갖거나 딸린 것이 적어 단출히. ¶보따리 하나만 ~ 들고 도망치다. ④여러 것 가운데서 단 하나만 남아 있는 모양. ¶다 갔는데 ~ 혼자 남다. 1)-4): <덜렁. ——-하다[1] 자타여불

달랑[2] 부 겁나는 일을 갑자기 당하여 가슴이 뜨끔하게 울리는 모양. ¶놀라서 가슴이 달랑했다. ㅆ딸랑[2]. <덜렁[4]. ——-하다[2] 자여불

달랑갱이 명 〈방〉〖식〗 달래[1](경남).

달랑-거리다 자타 ①작은 방울이 자꾸 흔들리어 소리가 나다. 또, 자꾸 그런 소리를 나게 하다. ②침착하지 못하고 연해 까불다. 1)·2): ㅆ딸랑거리다. <덜렁거리다. **달랑-달랑** 부. ——-하다[1] 자타여불

달랑-게 명〖동〗[*Ocypoda stimpsoni*] 달랑겟과에 속하는 게. 두흉갑(頭胸甲)은 폭 3cm, 길이 2.5cm 가량인데 안장같이 거의 사각형이고, 모래빛임. 집게발의 장절(掌節) 내면에는 찰음 장치(擦音裝置)가 있어 소리를 냄. 해안의 얕은 모래땅에 구멍을 파고 그 속에 사는데 간조(干潮) 때 나오며 동작이 빠름. 한국·일본·중국에 분포함.

〈달랑게〉

달랑겟-과【一科】명〖동〗[Ocypodidae] 십각목(十脚目)에 속하는 한 과. 달랑게·꽃발게 등이 이에 속함.

달랑달랑-하다[2] 형여불 밑천 따위가 얼마 남지 아니하여 곧 없어질 듯

달랑-대다 자타 달랑거리다.

ㄴ하다. ¶양식이 ~/용돈이 ~.

달랑베:르〔d'Alembert, Jean Le Rond〕명〖사람〗프랑스의 물리학자·수학자·사상가. 뉴턴(Newton)의 역학(力學)을 강체(剛體)에 확장하여 '달랑베르의 원리'를 수립하고, 또 적분학(積分學)·공기의 진동·춘분점(春分點)의 이동 및 지축(地軸)의 변동에 관한 이론 등을 발표하였음. 철학적으로는 감각론(感覺論)·상대주의(相對主義)를 취하고, 디드로(Diderot) 등과 협력하여 '백과 전서(百科全書)'를 간행, 이의 '서설(序說)'과 수학의 항(項)을 썼음. [1717-83]

달랑베:르의 원리【一原理】[一월一/一에월一] 명〔d'Alembert's principle〕〖물〗프랑스 달랑베르가 세운 역학상의 한 원리. 질점(質點) m에 힘 F가 작용하여 가속도 a가 생길 때 운동 방정식은 $ma=F$로 되지만 이것을 바꿔 써서 $F+(-ma)=0$로 하면 두 개의 힘 F와 관성력(慣性力) $-ma$가 균형을 이루고 있다고 할 수 있으며, 이처럼 관성력을 포함시켜 생각하면 가속도가 있는 동역학적(動力學的) 현상도 힘의 균형을 다루는 정역학(靜力學)으로 연구할 수 있다고 하는 원리.

달랑-쇠 명 침착하지 못하고 몹시 까부는 사람. <덜렁쇠.

달랑-이다 자 침착하지 못하고 까불다. <덜렁이다.

달래[1] 명〖식〗[*Allium monanthum*] 백합과에 속하는 다년초. 땅 속에 난구형(卵球形)의 흰 인경(鱗莖)이 있고, 잎은 가늘고 길며 여름에는 말라 없어짐. 4월에 높이 5-12cm의 화경(花梗) 끝에 자색 꽃이 산형(繖形) 화서로 피는데 많은 주아(珠芽)가 섞였고, 과실은 삭과(蒴果)임. 파·마늘 같은 냄새가 있으며 매운 맛이 있고 양념 또는 나물로 씀. 숲 속에 나는데, 한국·일본·중국 동북·우수리 지방에 분포함. 야산(野蒜).

〈달래[1]〉

달래[2] 명 〈방〉 다리[3](경기·제주).

달:래[3] 준 달라고 해. ¶물 좀 ~/밥 ~.

달래다[1] 타〔중세 : 달애다〕①좋은 말로 마음이 즐겁도록 해 주다. 마음을 가라앉게 해 주다. 위로하다. ¶우는 애를 ~/마음을 ~. ②좋고 옳은 말로 잘 이끌어 꾀다. ¶살살 달래어 보내다. ③흥분한 신경 또는 고통을 가라앉게 하다.

【달래 놓고 눈알 빼다】'어르고 뺨치기'와 같은 뜻.

달:래다[2] 타 ☞ 달라다.

달래 장:아찌 명 달래를 장에 버무리고 고명을 쳐서 만든 장아찌.

달랭이 명 〈방〉〖식〗 달래[1](충북·전남·경상).

달러〔dollar〕명의명 ①미국의 화폐 단위(貨幣單位). 1792년 금은 양본위제(金銀兩本位制) 밑에서 채용, 현재 그 1단위는 순금 0.889g에 해당함. 1달러는 100센트(cent)임. 불(弗). 미불(美弗). ②캐나다의 화폐 단위. 그 1단위는 순금 0.808g에 해당함. ③에티오피아의 화폐 단위. 그 1단위는 순금 0.357g에 해당함. ④'외화(外貨)'의 제유적(提喩的) 표현. ¶~를 벌어들이다.

달러 과:잉【一過剩】명〔dollar glut〕〖경〗온 세계에 달러가 남아 돌아가고 있는 상태. ↔달러 부족.

「또, 그 사람.

달러 박스〔dollar box〕명 수출 따위로 외화를 많이 벌어 주는 물건.

달러 방위【一防衛】〔dollar〕명〖경〗1960년 미국 정부가 국제 수지의 악화와 달러의 신용을 회복하기 위해 취한 정책. 미국 정부·군관계의 해외 지출 삭감, 서구 여러 나라의 원조에 의한 미국의 저개발국(低開發國) 원조의 대체, 금리 평형세(金利平衡稅)의 창안, 바이 아메리칸 정책에 의한 경상 수지의 개선 등이 그것임.

「한 상태. ↔달러 과잉.

달러 부족【一不足】명〔dollar shortage〕〖경〗온 세계에 달러가 부족

달러 불안【一不安】〔dollar〕명〖경〗국제 통화(國際通貨) 달러에 대한 신뢰(信賴)가 저락(低落)하는 데 따른 불안.

달러 블록〔dollar bloc〕명〖경〗자국(自國)의 통화(通貨)를 미국의 달러에 링크(link)하고 통화 준비를 달러로 보유, 미국에 대한 거래를 주로 달러를 표준으로 행하는 등, 미국의 달러를 중심으로 결합한 일군(一群)의 국가들.

달러 쇼크〔dollar+shock〕명 1971년 8월 15일 미국 경제의 재건과 달러 가치의 회복을 위해 닉슨 대통령이 발표한 '신경제 정책'에 의해 각국이 받은 충격을 나타낸 말.

달러 시세【一時勢】〔dollar〕명 미국의 화폐인 달러와 다른 화폐와의 환시세(換時勢).

달러 외:교【一外交】〔dollar〕명 ①해외 투자·차관 공여(借款供與) 등에 의하여 특정 우호국(友好國)에게 외국의 침략을 방지하는 실력을 부여하여 국가의 권익을 확장하려는 미국의 외교 정책을 평하는 말. ②20세기초에 미국 대통령 태프트(Taft)가 무력 외교를 수정하고 라틴 아메리카·중국에 대하여 취한 외교 정책. 우호 관계 촉진의 명목하에 금융·재정상 이익의 해외 확장을 도모하였음.

달러 유:전스〔dollar usance〕명〖경〗미국계 은행이 특정국(特定國) 은행에 대하여 자기 자금에 의한 일정 한도의 신용을 공여(供與)하고 이 신용 한도내에서 특정국 은행이 그 특정국 수입자에게 유전스 빌의 사용을 허용하는 방식.

달러 지역【一地域】명〔dollar area〕〖경〗미국의 달러를 통화(通貨)로 삼거나, 자국 통화의 가치를 달러에 결합시키어 달러로 대외 거래를 하는 지역. 미국·미국의 속령·필리핀·볼리비아(Bolivia)·콜롬비아(Colombia)·쿠바(Cuba)·멕시코·니카라과(Nicaragua)·파나마(Panama) 등.

달러 클로즈〔dollar clause〕명〖경〗금약관(金約款)의 일종. 화폐 가치의 하락에 따르는 화폐 채권의 실질 가치의 감소를 피하기 위하여 상대적으로 가장 가치가 안정되어 있다고 생각되는 미국의 달러를 가치 기준으로 하여 채무 변제(債務辨濟)의 기본으로 할 것을 정한 약관(約款). 금약관에 있어서의 금의 역할을 미국의 달러로 바꾸어 놓은 것이라고 할 수있음.

달러 평균법【一平均法】[一뻡] 명〔dollar averaging〕〖경〗일정한 시기에, 예를 들면 매달, 일정액을 정기적으로 일정 주식 매입에 불입하는 투자 방식. 주가(株價)가 떨어질 때 많은 수량을 확보할 수 있고, 올라갈 때 적게 사들이게 됨으로써, 평균 주식 매입 단가를 낮추므로, 주가 상승시에 많은 시세 차익을 볼 수 있음. 적립식 증권 저축(積立式證券貯蓄)이 그 예.

「로 표시되어 있는 환.

달러-환【一換】〔dollar〕명〖경〗액면(額面) 금액이 미국의 화폐 단위

달레[1] 명 〈방〉〖식〗 달래[1](충남).

달레[2]〔Dallet, Claude Charles〕명〖사람〗프랑스 파리 외방 전교회(外方傳敎會)의 선교사. 1877년 동양 전도를 목적으로 일본·한국·중국·코친 차이나(Cochin China)를 거쳐 통킹(Tongkin)에 이르고, 그 곳에서 사망함. 시인으로서도 유명하며 그가 쓴 《조선 교회사》에는 귀중한 자료가 많아 당시의 천주교뿐만 아니라 우리 나라 역사 연구에도 크게 도움이 됨. [1829-78]

달렌〔Dalén, Nils Gustaf〕명〖사람〗스웨덴의 기술자·발명가. 공기 펌프·살균 장치·등대용 가스 축적기(蓄積器)의 자동 조절기 등을 발명함.

1912년 노벨 물리학상 수상. [1869-1937]

달:렘 식물원【一植物園】〔Dahlem〕 명 〖지〗 베를린 변두리의 달렘에 있는 베를린 대학 부속 식물원. 주로 지리적 분포에 따라 각지의 식물을 심은 지리적 식물원임. 식물 표본이 풍부하기로 유명함.

달려-가다[1] 자타 거라불 뛰어가다. ¶ 급보를 받고 ～/험한 길을 ～.

달려-가다[2] 자 거라불 〈속〉 '잡혀 가다'의 변말. ¶ 포교한테 달려 가는 게 아니오.

달려-나가다 자 거라불 뛰어나가다.

달려-들다 자 ①와락 대들다. 별안간 덤비다. 바싹 다잡아 가까이 덤비다. ¶ 개가 ～. ②어떠한 일에 끼어들다. ¶ 남의 일에 왜 달려드는가.

달려-오다 자 너라불 뛰어오다. ¶ 숨차게 ～/숨을 헐떡이며 ～.

달력【一曆】 명 1년 중의 시령(時令), 곧 월(月)·일(日)·24절후(節候)·요일(曜日)·행사일(行事日)·해의 출몰(出沒)·달의 영허(盈虛)·일식(日蝕)·월식(月蝕) 등의 사항을 날짜를 따라 기재(記載)하여 놓은 것. 캘린더. 월력(月曆).

달련【達練】 명 숙달(熟達). ——-하다 자 여불

달례【達禮】 명 ①널리 통용되는 예. ②예의나 예경(禮經)에 통달함. ——-하다 자 여불

달-로켓〔rocket〕 명 〔lunar spacecrafts〕 달을 향하여 발사되는 로켓·탐사기(探査機)·우주선의 총칭.

달로-화지【達魯花赤】 명 〔몽 daruɣaci(통치관·지방관)〕 〖역〗 중국 원(元)나라의 벼슬 이름. 우두머리의 뜻. 다루가치.

달론【達論】 명 사리(事理)에 맞는 의론(議論).

달롱개 명 〈방〉 〖식〗 달래[1](충청·전라·경남).

달뢰 라마【達賴喇嘛】 명 달라이 라마(Dalai Lama).

달료【達僚】 명 달관(達官).

달루 명 〈방〉 〖식〗 달래[1](강원).

달룩 명 〈방〉 〖식〗 달래[1](강원).

달룽 명 〈방〉 〖식〗 달래[1](강원).

달룽개 명 〈방〉 〖식〗 달래[1](충북·전북·전남).

달르다 형 〈방〉 다르다(경기·강원·충청·전라·경북·제주).

달릅다 형 〈방〉 다르다(충남).

달리[1] 명 〈방〉 〖식〗 달래[1](충청·경북).

달리[2]【達理】 명 이치에 통달함. ——-하다 자 여불

달리[3]〔Dali, Salvador〕 명 〖사람〗 스페인 태생의 초현실파(超現實派) 화가. 처음에 입체파 및 키리코(Chirico)의 영향을 받았으나 1928년경부터 독자의 편집광적(偏執狂的)인 환각(幻覺)의 세계를 치밀한 고전적 수법으로 묘사하기 시작하여 《기억의 잔재》·《불붙은 기린》 등을 발표하였음. 1940년 이래 미국에 이주하여 원자력 시대를 상징하는 작품을 발표. 상업(商業) 미술에도 활약함. [1904-89]

달리[4] 부 다르게. 틀리게. ¶ ～ 설명할 도리가 없다.

달리기 명 달음질하는 일. ¶ ～ 경주. ——-하다 자 여불

달리다[1] ⊟ 자 ①어떠한 것에 걸려서 아래로 처지게 되다. 매달리다. ¶ 처마 끝에 고드름이 ～. ②열려서 붙어 있다. ¶ 사과나무에 사과가 200개나 ～. ③가설(架設)이 되어 있다. ¶ 전기가 달린 집. ④어떠한 관계에 좌우되다. ¶ 성의(誠意) 여하에 달렸다/합격 여부는 노력에 달렸다. ⊟ 피동 ①어떠한 것에 걸려서 아래로 처지게 함을 당하다. ¶ 줄에 매어 ～. ②붙어 있다. 부속되다. 부착되다. ¶ 화장대에 달린 거울/책상에 달린 서랍. ③저울에 겲을 당하다. ¶ 가벼워서 많이 달리는 물건. ④신랑이 닮을 당하다. ¶ 처가 쪽 패거리에게 ～.

달리다[2] 자 ①느른하여 기운이 없어지다. ②피곤하여 눈이 뒤로 걷어 당기게 되다.

달리다[3] 자 ①힘에 부치다. 재주가 모자라다. ¶ 힘이 달려 지고 말았다. ②무슨 물건이 뒤를 잇대지 못하게 모자라다. ¶ 용돈이 ～.

달리다[4] ⊟ 타 〔중세 : 돌이다〕 빨리 가게 하다. ¶ 말을 ～/차를 ～. ⊟ 자 빨리 가다. 뛰어가다. ¶ 아무리 달려도 기차를 따를 수는 없다/그의 생각은 이역 만리 고국땅을 달리고 있었다.

【달리는 말에 채찍질】 ㉠세(勢)가 한창 좋을 때에 더 힘을 가한다는 뜻. ㉡힘껏 하는데도 자꾸 더 하라는 때에 쓰는 말. 주마 가편(走馬加鞭).

달리다[5] 타 〈방〉 달구다.

달리-도【達里島】 명 〖지〗 목포 남쪽 6.5km 해상, 목포시 충무동(忠武洞)에 속하는 섬. [2.6km² : 977명(1984)]

달리도마이드〔thalidomide〕 명 〖약〗 비(非)바르비탈산계(Barbital酸系)의 복소환계(複素環系) 수면제의 한 가지. 완만한 최면 작용(催眠作用)이 있음. 1958년 입덧 방지약(防止藥)으로 발매(發賣)되었으나 이 약을 상용한 임부(妊婦)로부터 출생한 아이들 중에서 손발이 짧은 기형아가 나와 사용이 금지됨.

달:리아〔dahlia〕 명 〖식〗 [*Dahlia pinnata*] 국화과에 속하는 다년초. 멕시코 원산으로, 줄기는 40-200cm에 달하고 잎은 우상 복엽(羽狀複葉), 줄기 밑동에서부터 가지가 나오며 줄기에는 흰 가루가 덮이고 땅 속에 구근(球根)이 생김. 꽃은 단판(單瓣) 또는 중판(重瓣)인데 품종에 따라 여름에서 가을에 걸쳐 아름다운 두상화(頭狀花)가 줄기 끝에 핌. 관상용으로 널리 재배함. 양국(洋菊). 천축 모란(天竺牡丹).

〈달리아〉

달리-하다 타 여불 어떠한 사정(事情)·조건 같은 것을 서로 다르게 가지다. ¶ 운명을 달리하는 두 남녀. ↔같이하다.

달립-문골【一門一】〔一꼴〕 명 〖건〗 돌쩌귀가 달린 쪽의 울거미 문골.

달:링〔darling〕 명 귀여운 사람. 가장 사랑하는 사람. 부부 간의 애칭으로도 쓰임.

달:링 강【一江】〔Darling〕 명 〖지〗 오스트레일리아의 동남부에 있는 큰 강. 오스트레일리아 알프스 중앙부에서 발원(發源)하여 남서로 흘러 말레 분지에서 말레 강과 합류함. [약 3,000km]

달:링턴〔Darlington, Cyril Dean〕 명 〖사람〗 영국의 식물학자. 키아스마형(chiasma型)의 2면설, 염색체환(染色體環) 형성의 기구(機構), 저온에 의한 염색체의 퇴색(退色) 반응 등 세포·유전학에 업적이 많음. 저서 《염색체와 식물 배양》·《유전계(遺傳系)의 진화(進化)》·《과학자 사회의 충돌》 등이 있음. [1908-]

달마[1]【達磨】 명 〔범 Dharma〕 〖불교〗 법(法)·진리·본체·궤범(軌範)·이법(理法)·교법(敎法) 등의 뜻.

달마[2]【達磨】 명 〖사람〗 중국 선종(禪宗)의 시조(始祖). 남인도 향지국(香至國)의 셋째 왕자. 반야다라(般若多羅)에게 불법을 배워 크게 대승선(大乘禪)을 제창하고 양(梁)의 무제(武帝) 때에 중국에 건너와 왕을 뵈었으나 뜻이 맞지 않아 숭산(嵩山)의 소림사(少林寺)에서 9년간 면벽(面壁) 참선(參禪)하여 오도(悟道)하였다 함. 시호(諡號)는 원각(圓覺) 대사. 보리 달마(菩提達磨). 달마 대사(達磨大師). [?-534?]

달마구 명 〈방〉 단추[1](평북).

달마급다【達摩笈多】 명 〖사람〗 다르마 굽타.

달-마다 부 다달이. 매월(每月).

달마 대:사【達磨大師】 명 〖사람〗 달마[2](達磨).

달마-봉【達摩峰】 명 〖지〗 평안 남도 덕천군(德川郡)에 있는 산. 묘향 산맥(妙香山脈)에 속함. [1,382m]

달마티아〔Dalmatia〕 명 〖지〗 유고슬라비아의 아드리아 해에 면한 길이 약 460km의 길고 좁은 해안 지방. 대부분이 석회암 산지(山地)로 이루어짐. 포도 재배·목양(牧羊)이 행하여지고 어업이 성하며 석회암·대리석을 산출함. [13,000km²]

달마티카〔라 dalmatica〕 명 〖천주교〗 장엄 미사나 대례 미사 때에 부제(副祭)가 입는 제의. 넓고 짧은 소매가 달리고 띠를 매지 않는 웃옷.

〈달마티카〉

달막-거리다 자타 잇따라 달막이다. 자꾸 달막이다. 〈쓰〉딸막거리다. 〈들먹거리다. 달막-달막 부. ¶ 소옥의 숨결은 더욱 가빠졌다. 입술이 ～ 한다《張德祚 : 狂風》. ——-하다 자타 여불

달막-대다 자타 달막거리다.

달막-이다 ⊟ 자 ①묵직한 물건이 들렸다 가라앉았다 하다. ②마음이 흔들리다. ③어깨나 궁둥이가 아래위로 움직이다. ¶ 흥겨운 노랫가락에 궁둥이가 ～. 1)-3): 〈쓰〉딸막이다. ④말하려는 듯이 입술이 가볍게 열렸다 닫혔다 하다. 1)-4): 〈쓰〉딸막이다. ⑤값 따위의 변동을 가져오려는 상태를 지속하다. ¶ 세모가 되니 물가가 달막이기 시작하였다. 1)-5) : 〈들먹이다. ⊟ 타 ①묵직한 물건을 떠들었다 놓았다 하다. ②남의 마음을 흔들리게 하다. ③어깨나 궁둥이를 아래위로 움직이다. ④말할 듯이 입술을 가볍게 열었다 닫았다 하다. ⑤남을 들추어 말하다. ¶ 그 사람까지 달막일 것까지야 없지 않나. 1)-5) : 〈쓰〉딸막이다. 〈들먹이다.

달:만〔Dahlmann, Friedrich Christoph〕 명 〖사람〗 독일의 역사가·정치가. 하노버국 헌법 폐지에 항의하여 추방된 괴팅겐 대학 7교수의 한 사람. 이후 자유주의 정치가로 활약함. 저서에 《덴마크사(史)》 등이 있음. [1785-1860]

달-망이 명 〖광〗 남폿구멍을 비스듬하게 가로 뚫으려고 쇠망치를 가로 쳐서 움직이는 것.

달-맞이 명 〖민〗 음력 정월 보름날 땅거미 때에, 횃불을 켜 들고 높은 곳이나 들에 나가서 달이 뜨기를 기다리는 일. 달을 먼저 본 사람은 길(吉)하며 흔히 아들을 낳는다고 함. 그 날에 달빛이 붉으면 그 해가 가물고, 희면 큰 홍수가 나고, 누르면 풍년, 엷으면 흉년이 든다고 하며, 또 북쪽으로 들이키어 뜨면 산협(山峽)이, 남쪽으로 내키어 뜨면 해변(海邊)이 풍년 든다 함. 영월(迎月). ——-하다 자 여불

달맞이-꽃 명 〖식〗 [*Oenothera tetraptera*] 바늘꽃과에 속하는 2년초. 줄기 높이 60cm 가량이며, 잎은 호생하고 피침형이며 우상(羽狀)으로 불규칙하게 째졌음. 여름에 큼직한 백색의 사판화(四瓣花)가 액생(腋生)하는데, 석양(夕陽)에 피었다가 다음날 아침 햇빛이 난 후에는 오므라지는 습성이 있음. 삭과(蒴果)는 달걀꼴에 네모지고 익은 후에 네 갈래로 갈라져서 자디잔 종자를 방출함. 멕시코 원산으로 화원(花園)·원포 등에서 재배함. 현재는 보기 드묾. *금달맞이꽃·큰달맞이꽃.

〈달맞이꽃〉

달-머리 명 〈방〉 달무리(전라·경상·강원·경기·충청·제주).

달-머슴 명 ①1개월간을 한정하여 머슴살이하는 일. 또, 그 머슴. ②매월 그 달의 품삯을 정하고 하는 머슴살이. 또, 그 머슴.

달-메 명 〈방〉 달무리(경북).

달-모리 명 〈방〉 달무리(경기·전남).

달목 명 〖건〗 천장을 보꾹에 달아 낸 나무쪽.

달-무늬[1]〔一니〕 명 초승달 모양으로 된 무늬.

달-무늬[2]〔一니〕 명 〈방〉 달무리(전남).

달-무레 명 〈방〉 달무리(충북).

달-무리 명 달 언저리에 둥그렇게 둘린 구름 같은 허연 테. 달 주위의 권층운(卷層雲)의 결정인 얼음이 광선의 굴절 반사로 일으키는 무리의 하나임. 월훈(月暈). ¶ ～ 서다. *무리[4].

【달무리 한 지 사흘이면 비가 온다】 달무리가 지면 오래지 않아 비가 내린다는 말.

달-문[1] 명 〈방〉 달무리(충북·전북·경상).

달문[2]【達文】 명 ①익숙한 솜씨의 글. 재주 있게 잘 쓰여진 글. ②문맥(文脈)이 분명하고 잘 통하여 있는 문장.

달-물[1] 명 달마다 얼마씩의 값을 주고 사 먹는 물. 달로 사 먹는 물.

달-물[2] 명 〈방〉 달무리(경북·충청·강원).

달-밑 [명] 솥 밑의 둥근 부분.
달쁘다 [자] 〈옛〉 뜨다²❶. ¶ 달쁠 읍(浥)《字會 下 12》.
달:-바자 [명] 달풀로 엮어 만든 바자.
달:-발 [명] 달풀로 엮어 만든 발.
달-밤 [—빰] [명] 달이 있는 밤. 달이 밝은 밤. 월야(月夜).
[달밤에 삿갓 쓰고 나온다] 가뜩 미운 것이 더 미운 짓만 한다는 말.
달뱅이 [명] 〈방〉 『동』 달팽이(함남).
달벌 【撻罰】 [명] 종아리를 때리어 벌을 줌. 또, 그 형벌.
달벌-화 【達伐火】 [명] 『지』 대구(大邱)의 옛이름.
달베르트 〔D'Albert, Eugen〕 [명] 『사람』 영국 태생의 독일 피아니스트. 리스트(Liszt)에게 배워 베토벤(Beethoven) 연주자로서 명성을 날림. 작품으로 가극 《저지(低地)》가 있음. [1864-1932]
달-변¹ 【—邊】 [—뼌] [명] 달로 계산하는 변리. 월변(月邊). 월리(月利). ¶ ～ 3푼. ↔날변.
달변² 【達辯】 [명] 썩 능란한 변설. 능변(能辯). 대변(大辯).
달변-가 【達辯家】 [명] 달변인 사람. 능변가(能辯家).
달-별 [명] 『천』 ①달과 별. ②위성(衛星).
달-병 【疸病】 [—뼝] [명] 『의』 황달(黃疸).
달보드레-하다 [형][여불] 조금 연하게 달큼하다. <들부드레하다.
달본 【達本】 [명] 『역』 왕세자가 섭정할 때에 판서(判書)·병사(兵使)·감사(監司)·제조(提調)가 올리는 문서. 신본(申本).
달-불이 [명] 『민』 농가(農家)에서 음력 정월 열 나흗날 저녁에 수수깡을 둘로 쪼개어 두 쪽에 각기 열 두 군데를 오목하게 파고, 콩 열 두 알에 열 두 달을 표하여 수수깡 속에 넣고 지푸라기로 감아 매어 우물에 넣었다가 그 이튿날 새벽에 꺼내어, 콩이 붇고 안 붇음을 보고 그 달의 가물음과 비옴을 점치는 일. 월자(月滋). 윤월(潤月).
달브다 [형] 〈방〉 다르다(전북).
달비¹ [명] 〈방〉 다리³(경기·평남 이외 전국).
달비² [명] 〈방〉 다리미(경북).
달-빛 [—삧] [명] 달에서 비쳐 오는 빛. 월광(月光). 월색(月色). ¶ 교교한 ～.
달뿌리-풀 [명] 『식』 〔*Phragmites japonica*〕 볏과에 속하는 다년초. 갈대 비슷한데 줄기 높이 1.5-3 m이고 마디에 잔털이 많으며 땅 위에 덩굴져 번성하기도 함. 9월에 띠와 같은 꽃이 핌. 대개 연못·강변에 나며 경북·함경·제주도 및 일본에 분포함. 달. 달풀.

〈달뿌리풀〉

달샏다 [타] 〈옛〉 정선하다. ¶ 달샏다(精選)《同文 上 45》.
달사¹ 【達士】 [—싸] [명] 이치에 밝아서 사물에 얽매여 지내지 아니하는 사람. ¶ 지인(至人) ～.
달사² 【達師】 [—싸] [명] 널리 사리(事理)에 통달한 스승.
달사³ 【達辭】 [—싸] [명] 『역』 ①왕세자가 섭정(攝政)할 때에 논죄(論罪)에 관하여 임금께 아뢰는 글. ②사리(事理)에 달통한 말.
달-삯 [—싹] [명] 달품으로 받는 품삯.
달상¹ 【怛傷】 [—쌍] [명] 슬퍼하고 가슴 아파함. ——-하다 [자][여불]
달상² 【達相】 [—쌍] [명] 귀하게 잘 될 상격(相格).
달생 【達生】 [—쌩] [명] 생명의 본의(本義)를 깨달음. ——-하다 [자][여불]
달생-산 【達生散】 [—쌩—] [명] 『한의』 분만(分娩)을 쉽게 하고 산모(産母)의 건강을 돕기 위해 임신부로 하여금 산달에 먹게 하는 한약. 축태음(縮胎飮).
달서 【達曙】 [—써] [명] 밤을 새움. 달야(達夜). 달소(達宵). ——-하다 [자][여불]
달서주 불급문(達曙走不及門) [구] 헛일만 하고 보람이 없음.
달선 【達善】 [—썬] [명] ①선(善)에 이름. ②선인(善人)을 추천함. ——-하다 [자][여불]
달성 【達成】 [—썽] [명] 목적한 바를 이룸. ¶ 목표 ～. ——-하다 [타][여불]
달성 광:산 【達城鑛山】 [—썽—] [명] 『지』 대구 광역시 달성군(達城郡) 가창면(嘉昌面)에 있는 중석(重石) 및 구리 광산.
달성-군 【達城郡】 [—썽—] [명] 『지』 대구 광역시의 한 군. 관내 9면. 북은 칠곡군(漆谷郡)·군위군(軍威郡)·영천시(永川市), 동은 경산시(慶山市), 남은 청도군(淸道郡)과 경상 남도 창녕군(昌寧郡), 서는 고령군(高靈郡)·성주군(星州郡)과 접함. 주요 산물은 쌀·보리·면화·콩·조 등의 농산과 임산·축산·공산 등이고, 명승 고적으로는 상화대(賞花臺)·영월대(迎月臺)·청송대(聽松臺)·팔공산(八公山)·동화사(桐華寺)·파계사(把溪寺)·도동 서원(道東書院) 등이 있음. [426.91 km²: 119,871 명(1996)]
달성-도 【達成度】 [—썽—] [명] 목적한 바를 달성한 정도.
달 세뇨 〔이 dal segno〕 [명] 『악』 '표로부터'의 뜻.
달 세뇨 알라 피네 〔이 dal segno alla fine〕 [명] 『악』 '표가 있는 곳에서 끝까지 연주할 것'의 뜻.
달소 【達宵】 [—쏘] [명] 밤을 새움. 달야(達夜). 달서(達曙). ——-하다 [자][여불]
달-소수 [명] 한 달이 좀 지나는 동안.
달솔 【達率】 [—쏠] [명] 『역』 백제 십 육품 관등(十六品官等)의 둘째 등급.
달-쇠 [명] 『건』 문짝 등을 달아 매기 위한 갈고리 쇠.
달-수 【—數】 [—쑤] [명] 달의 수효. 월수(月數). ¶ ～가 차다.
달식 【達識】 [—씩] [명] 사리에 정통한 식견. 뛰어난 견식(見識). 달견(達見).
달싹-거리다 [자][타] 자꾸 달싹이다. ㅆ딸싹거리다. <들썩거리다. 달싹-달싹 [부]. ——-하다 [자][타][여불]
달싹-대다 [자][타] 달싹거리다.
달싹-배지기 [명] 씨름에서, 발뒤축만 들릴 정도로 배지기하는 들재간의 하나. 이 재간에는 흔히 바깥 낚시걸이의 재간이 부합됨.
달싹-이다 [一][자] ①가벼운 물건이 들렸다 가라앉았다 하다. ②마음이 흔들리어 움직이다. ③어깨나 궁둥이가 가벼이 아래위로 움직이다. 1)-3): ㅆ딸싹이다. <들썩이다. [二][타] ①가벼운 물건을 떠들었다 놓았다 하다. ②마음을 흔들어 움직이다. ③어깨나 궁둥이를 위아래로 가벼이 움직이다. 1)-3): ㅆ딸싹이다. <들썩이다.
달싹-하다 [형][여불] 조금 떠들린 듯하다. 따들싹하다. <들썩하다.
달아 [형] 〈옛〉 달라. 달라서. '다ᄅᆞ다'의 활용형. ¶ 中國에 달아(異乎中國)《訓諺》.
달아-가다 [자] 〈방〉 달려가다.
달아나는 별: [명] 〔runaway star〕 『천』 쌍성(雙星)의 한 쪽이 폭발하여 초신성(超新星)이 될 때, 고속으로 곧장 날아가는 다른 한 쪽의 별. 도망성(逃亡星).
달아-나다 [자][거라불] ①빨리 뛰어가다. 빨리 내닫다. ②없어지거나 떨어지다. ¶ 소매가 달아난 양복/입맛이 ～/잠이 ～/목이 ～. ③위험을 피하여 도망치다. ¶ 도둑놈이 ～.
[달아나는 노루 보고 얻은 토끼를 놓았다] 큰 것을 바라다가 도리어 자기 수중에 있는 것까지 잃었다는 말. [달아나면 이밥 준다] 달아나는 것이 제일이라는 뜻.
달아날주-변 【—走邊】 [—쭈—] [명] 한자 부수(部首)의 하나. '赴'나 '趨' 등의 '走'의 이름.
달아-매다 [타] ①높이 걸어 드리워지도록 잡아매다. ¶ 나무에 그네를 ～. ②떠나지 못하도록 움직이지 아니하는 물건에 묶다. ¶ 개를 기둥에 ～.
달아 보다 [타] ①저울로 무게를 떠보다. ¶ 몸무게를 ～. ②사람의 드레를 시험하여 보다. ¶ 인품을 ～.
달아-오다 [자] 〈방〉 달려오다.
달아-오르다 [자][르불] ①쇠붙이 같은 것이 몹시 뜨거워지다. ②얼굴이 화끈해지다.
달악-산 【達嶽山】 [명] 『지』 함경 남도 문천군(文川郡) 운림면(雲林面)에 있는 산. [1,002 m]
달알 [명] 〈방〉 달걀(경상).
달애다 [타] 〈옛〉 달래다. ¶ 하ᄂᆞᆯ히 달애시니(天實誘他)《龍歌 18章》.
달야 【達夜】 [명] 밤을 새움. 경야(竟夜). 달서(達曙). 달소(達宵). ——-하다 [자][여불]
달언 【達言】 [명] 사리에 통달한 말. 도리에 맞는 말.
달연 【怛然】 [명] 깜짝 놀라는 모양.
달연-한 【達延汗】 [명] 『사람』 '다얀 칸(Dayan Khan)'의 한자 이름.
달옴 [형] 〈옛〉 다름(異). '다ᄅᆞ다'의 명사형. ¶ 往生 快樂이 달옴 이시리잇가《月釋 Ⅸ:9》.
달욕 【撻辱】 [명] 종아리를 때려서 욕을 보임. ——-하다 [타][여불]
달우다 [타] 〈방〉 달구다.
달월-변 【—月邊】 [명] 한자 부수(部首)의 하나. '朝'나 '朧' 등의 '月'의 이름. ＊육달월변.
달위 [명] 〈방〉 다리³(전남·경상·제주).
달음 [명] 달음질. ¶ ～을 치다 / 한 ～에 다녀오다.
달음박-질 [명] 급히 뛰어 달려가는 걸음. 뜀박질. ¶ ～하다시피 달려오다. [준]달음질·담박질. ——-하다 [자][여불]
달음박질(을) 치다 [구] 힘있게 달음박질하다.
달음-질 [명] ①급히 달리는 발걸음. ②뛰어 달리는 경기의 통칭. 러닝(running). ③ ↗달음박질. ——-하다 [자][여불]
달음질(을) 치다 [구] 힘있게 달음질하다.
달의 【達意】 [—/—이] [명] 자기의 의사를 잘 드러내서 통함. 자기의 의사가 충분히 이해되도록 말함. ——-하다 [자][여불]
달이¹ [명] 〈방〉 다리³(경북).
달이² 【達已】 [명] 『악』 신라 때 우륵(于勒)이 지은 가야금 십이 곡 중 넷째 곡조. 달기.
달이³ [부] 〈옛〉 달리. ¶ 님두굼 달이 쥬샤 일즉 大司馬ㅣ ᄃᆞ외여 이시니다(殊錫曾爲大司馬)《杜諺 Ⅴ:46》.
달이다 [타] ①끓여서 진하게 만들다. ¶ 장을 ～. ②약제에 물을 부어 끓이다. ¶ 탕약을 ～.
달인 【達人】 [명] ①학술과 기예에 통달한 사람. ¶ ～의 솜씨. ②널리 사물의 도리에 통한 사람. 인생을 달관(達觀)한 사람. 달자(達者).
달인 대:관 【達人大觀】 [명] 달인은 사물의 전국면(全局面)을 관찰하여, 공평 정대한 판단을 한다는 말.
달자¹ 【達字】 [—짜] [명] 『역』 왕세자(王世子)의 달사(達辭)에 찍는 인(印). '達'이라는 글자를 새겼음.
달자² 【達者】 [—짜] [명] 달인(達人).
달자³ 【韃子】 [—짜] [명] 서북변(西北邊)의 오랑캐 사람.

〈달자¹〉

달-자리 [—짜—] [명] 달풀로 엮은 자리.
달작 【達作】 [—짝] [명] 걸작(傑作).
달-잠기 [명] 〈방〉 앙감질. ——-하다 [자]
달장 [—짱] [명] 날짜로 거의 한 달이나 걸림의 일컬음. ¶ ～이나 걸렸다/인제 한 ～간만 곱다랗게 넘기면 만사가 귀정이 날 이 아슬아슬한 고비에…《玄鎭健: 無影塔》. ＊달포.
달-장근 【—將近】 [—짱—] [명] 지나간 동안이 거의 한 달이 됨. ¶ 이 집으로 이사 온 지 한 ～이나 되었다.
달재 【達才】 [—째] [명] 널리 사물에 통달한 인재. 또, 그러한 재주.
달제 【獺祭】 [—쩨] [명] ↗달제어.
달제-어 【獺祭魚】 [—쩨—] [명] 〔수달(水獺)이 물고기를 잡아다가 벌여 놓고 제사를 지낸다는 뜻〕 시문(詩文)을 지을 때에 많은 책을 벌여 놓고 참고함을 가리키는 말. [준]달제.
달-조아매 [명] 〈방〉 대님(함남).
달-조암매 [명] 〈방〉 대님(함남).
달존 【達尊】 [—쫀] [명] 세상 사람이 모두 존경할 만한 사람.
달주-나무 [명] 〈방〉 『식』 팽나무.
달-증 【疸症】 [—쯩] [명] 『한의』 달병(疸病).
달-집 [—찝] [명] 『민』 음력 정월 보름날 달맞이 행사에 불을 질러 밝게 하기 위하여 생솔가지 등을 많이 엮어 집채처럼 둘러 쌓은 무더기.

달집-태우기 [—찝—] 명 〖민〗 정월 대보름날 밤에, 달이 떠오를 때 달집에 불을 놓고 달을 향해 절을 하면서 소원이나 풍년 등을 비는 달맞이 놀이.
달짝지근-하다 형 여불 조금 달콤한 맛이 있다. ㅆ달착지근하다. <들쩍지근하다.
달째 명 〈방〉 〖어〗 달강어(達江魚).
달차근-하다 형 여불 ↗달착지근하다. <들치근하다.
달-착륙선 【—着陸船】 [—늉—] 명 〔lunar module〕 달에 이착륙할 수 있는 우주선. 아폴로 계획에서는 달의 주위를 도는 사령선(司令船)에서 출발하여 두 명의 우주 비행사를 태우고 달 표면까지 왕복할 수 있는 작은 우주선을 가리킴. 무게 약 14 t, 높이 6.9 m. 상승부(上昇部)와 하강부(下降部)로 이루어지며, 월면(月面)에서 모선으로 돌아올 때는 상승부만이 떨어져 이탈(離脫) 상승함. 하강부에는 감속용(減速用) 하강 로켓, 네 개의 착지용(着地用) 다리, 월면 감지(感知) 장치 등이 있으며, 상승부에는 비행사의 거실 외에 상승용 로켓, 모선과의 도킹용 장치, 지구와의 통신용 안테나 등이 장치되어 있음.
달착지근-하다 형 여불 조금 달콤한 맛이 있다. ¶ 달착지근한 감상이 사라지자 집 걱정이 새록새록이 가슴을 누른다《玄鎭健 : 無影塔》. 준달차근하다. ㅆ달짝지근하다. <들척지근하다.
달찰 【達察】 명 〖역〗 '경상 북도 관찰사'의 별칭.
달창-나다 자 ①물건을 너무 오래 써서 닳아 해지거나 구멍이 뚫리다. ②많던 물건이 조금씩 써서 다 없어지게 되다.
달-천 【達川】 명 〖지〗 한강(漢江) 지류의 하나. 충청 북도 보은군(報恩郡) 속리면(俗離面)에서 발원하여 보은(報恩)·청주(淸州)·충주(忠州)·괴산(槐山) 등지를 지나 한강으로 들어감. [119.3 km]
달천-도 【達川島】 명 〖지〗 전라 남도의 남해안(南海岸), 여천시(麗川市) 화정면(華井面) 여자리(汝自里)에 속하였던 섬. 현재는 소라면(召羅面) 복산리(福山里)와 제방(堤防)으로 연결되어 육지가 됨. [0.69 km²]
달천 온천 【達川溫泉】 명 〖지〗 황해도 신천군(信川郡)에 있는 온천. 천질(泉質)은 염류천(塩類泉)임.
달-첩 【—妾】 명 한 달에 얼마씩 받기로 하고 몸을 파는 창녀.
달첩-질 【—妾—】 명 남의 달첩이 되는 짓. ——-하다 자 여불
달초 【撻楚】 명 잘못을 저질렀을 때 어버이나 스승이 징계하느라고 회초리로 볼기나 종아리를 때림. 초달. ¶ 아바지, 불초자를 ~하시고 노를 푸십시오《作者未詳 : 金의 錚聲》. ——-하다 타 여불
달:치다 자타 ①뜨거운 기운이 지나치도록 달다. ¶ 쇠꼬챙이가 벌겋게 ~. ②바싹 졸아들도록 끓이다. ¶ 약을 진하게 ~.
달카닥 부 단단한 물건이 흔들려 부딪혀서 나는 소리. 준달칵. <덜커덕. ——-하다 자타 여불
달카닥-거리다 자타 자꾸 달카닥 소리가 나다. 또, 자꾸 달카닥 소리를 나게 하다. 준달칵거리다. <덜커덕거리다. 달카닥-달카닥 부. ——-하다 자타 여불
달카닥-대다 자타 달카닥거리다.
달카당 부 단단하고 속이 빈 큰 물건이 흔들리어 부딪혀서 울리는 소리. 준달캉. <덜커덩. ——-하다 자타 여불
달카당-거리다 자타 자꾸 달카당 소리가 나다. 또, 자꾸 달카당 소리를 나게 하다. 준달캉거리다. <덜커덩거리다. 달카당-달카당 부. ——-하다 자타 여불
달카당-대다 자타 달카당거리다.
달칵 부 ↗달카닥. <덜컥. ——-하다 자타 여불
달칵-거리다 자타 ↗달카닥거리다. <덜컥거리다. 달칵-달칵 부. ——-하다 자타 여불
달칵-대다 자타 달칵거리다.
달캉 부 ↗달카당. <덜컹. ——-하다 자타 여불
달캉-거리다 자타 ↗달카당거리다. <덜컹거리다. 달캉-달캉 부. ——-하다 자타 여불
달캉-대다 자타 달캉거리다.
달콤새큼-하다 형 여불 조금 달콤하고도 새큼하다. ㅅ달곰새금하다.
달콤-하다 형 여불 ①맛이 알맞게 달다. 감칠맛이 있게 달다. ㅅ달곰하다. <달큼하다. ②감미롭다. ¶ 달콤한 사랑/달콤한 말로 사람을 꾀다. 달콤-히 부
달크로:즈 〔Dalcroze, Émile Jaques〕 명 〖사람〗 스위스의 작곡가·음악 교육가. 음악을 신체 운동에 표현함으로써 리듬감을 발달시키는 교육법을 창안하여 보급시킴. 주저 《리듬과 음악과 교육》. [1865~1950]
달큼-하다 형 여불 맛이 조금 달다. ㅅ달금하다. <들큼하다. >달콤하다. 달큼-히 부
달타 형 〈방〉 다르다(전라).
달태 【撻笞】 명 볼기를 때림. ——-하다 타 여불
달통 【達通】 명 사리(事理)에 능통(能通)함. ——-하다 자타 여불
달파니 명 〈방〉 〖동〗 달팽이(전라·경상·황해·평안).
달-팔십 【達八十】 [—씹] 명 〔강태공(姜太公)이 80세에 주(周)나라 무왕(武王)을 만나 정승이 된 후 80년을 호화롭게 살았다는 옛말에서 유래〕 호화롭게 삶. ↔궁팔십(窮八十). *상팔십(上八十).
달팡이 명 〈방〉 〖동〗 달팽이(경남).
달패이 명 〈방〉 〖동〗 달팽이(경남).
달팽이 명 〖동〗 ①달팽잇과에 속하는 연체 동물의 총칭. 산와(山蝸). 와우(蝸牛). 여우(蠡牛). ②[*Acusta despecta sieboldiana*] 달팽잇과에 속하는 연체 동물의 하나. 우렁이와 비슷한데, 나선형의 껍질이 납작하게 눌린 것 같고 두껍지 아니함. 몸빛은 흑갈색 바탕에 황색 무늬가 있으며, 머리에는 신축 자재한 두 쌍의 곤봉상 촉각이 있고 그 긴 쪽 선단에 시력(視力)은 없으나 명암(明暗)을 판별하는 눈이 있음. 몸은 유연하여 껍질 안에 들어 있으나 길게 나와 기어다니며, 살에 점액(粘液)이 있어서 자국이 남. 자웅 동체로 난생(卵生)인데, 6~8월에 습기가 많은 때나 밤에 나무나 풀 위에 기어올라가 세균(細菌)·어린 잎 등을 먹으며, 뽕나무·농작물을 해치기도 함. 한국·일본 등지에 분포함. *산우렁이.

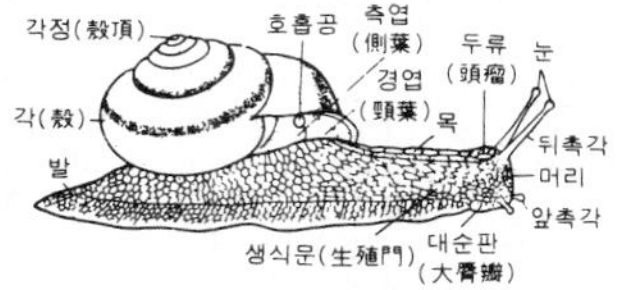

〈달팽이❷〉

【달팽이가 바다를 건너다니】 도무지 불가능한 일이라 말할 거리도 안 된다는 말.
달팽이 눈이 되다 구 핀잔을 받거나 또는 겁이 나서 움찔하고 기운을 펴지 못하다.
달팽이 뚜껑 덮는다 구 입을 꼭 다문 채 좀처럼 말을 하지 않으려고 한다.
달팽이-관 【—管】 명 〖생〗 척추 동물(脊椎動物)의 내이(內耳)에 있는 달팽이 모양으로 생긴 관(管). 소리를 듣는 데 관계가 있음. 와우관(蝸牛管). *달팽이껍데기.
달팽이-껍데기 명 〖생〗 내이(內耳)의 한 부분. 섭유골(顳顬骨) 안쪽에 있는 나선상(螺旋狀)의 기관(器官). 달팽이의 껍데기 모양으로 속에 임파액이 들어 있는 달팽이관이 있으며 고막(鼓膜)에 전하는 음파(音波)를 받아서 감수(感受)함. 와우각(蝸牛殼). *달팽이관(管).
달팽이-꼴 명 〖수〗 꼭지점 O로부터 정원(定圓)의 접선에 내린 수선(垂線)의 발의 자취. X축 위에 중심을 갖는 원. 꼭지점 O가 원 밖에 있을 때 이를 쌍곡적(雙曲的) 달팽이꼴, 원 위에 있을 때 심장형, 원 안에 있을 때 타원적 달팽이꼴이라 함. 구용어 : 와우형(蝸牛形).
달팽잇-과 【—科】 명 〖동〗 [Bradybaenidae] 복족강(腹足綱) 유폐류(有肺類)에 속하는 한 과. 몸이 우렁이 비슷함. 나층(螺層)은 5~6층이고 두 촉각과 눈이 있고 각개(殼蓋)가 없으며, 폐(肺)로 호흡함. 종류가 많은데, 농작물을 해치는 것도 있음.
달-포 명 한 달 이상이 걸린 동안. 월경(月頃). ¶ 떠난 지 ~는 됐다. *날포·달장.
달푸 명 〈방〉 달포.
달:-풀 명 〖식〗 달뿌리풀.
달-풀이 명 〖민〗 일년 열 두 달의 절후(節候)나 행사 등을 노래로 풀어 부르는 짓.
달-품[1] 명 한 달에 얼마씩 정하여 품삯을 받기로 하고 파는 품. *날품.
달:-품[2] 명 달뿌리풀의 꽃.
달-피나무 명 〖식〗 [*Tilia amurensis*] 피나뭇과에 속하는 낙엽 활엽 교목. 잎은 원반상(圓盤狀)이고 뒷면의 엽맥(葉脈) 사이에 갈색의 털이 났음. 꽃은 6월에 산방상(繖房狀) 화서로 액생(腋生)하고, 과실은 구형(球形)으로 9월에 익음. 골짜기의 숲 속에 나는데, 한국·중국·만주·몽골·아무르 등지에 분포함. 기구(器具)·삿자리 등에 쓰며, 수피는 새끼 대용임.
달필 【達筆】 명 ①빠르고도 잘 쓰는 글씨. ②장래 귀하게 될 기상이 있는 글씨.
달-하다 【達—】 자타 여불 ①목적을 이루다. ¶ 연래(年來)의 목적을 ~. ②어떤 곳이나 표준 및 수량에 이르다. ¶ 목적지에 ~/국제 수준에 ~/천문학적 숫자에 ~. ③많은 복을 누리다. 영화를 누리다.
달현 【達縣】 명 〖지〗 다 현.
달호다 타 〈옛〉 다루다. 다스리다. 부리다. ¶ 몯달홀 어(馭)《字會 下 9》.
달화-주 【達化主】 명 〖역〗 〔←달로화지(達魯花赤)〕 조선 시대에 관노비(官奴婢)의 신공(身貢)을 거두어들이던 각 관아의 이속(吏屬).
달효 【達孝】 명 한결같고 변함이 없는 효도. 만인이 효행(孝行)이라고 인정할 만한 효도.
달히다 타 〈옛〉 달이다. ¶ 달힐 전(煎)《類合 下 41》.
닭 [닥] 명 〖조〗 [*Gallus gallus domesticus*] 꿩과에 속하는 새. 집에서 기르는 육축(六畜)의 하나로서, 원종은 인도네시아·말레이의 야계(野鷄)임. 대가리에 붉은 볏이 있고, 눈에는 순막(瞬膜)이 있으며, 날개는 짧아서 잘 날지 못하나 다리는 매우 튼튼함. 수컷은 털빛이 썩 아름답고 때를 맞추어서 잘 울며, 암컷은 알을 낳음. 레그혼 등 품종이 많으며, 대체로 육용(肉用)·난용(卵用)·관상용·투계(鬪鷄)용 등으로 구분함. 덕금(德禽). *당닭.
【닭도 제 앞 모이 긁어 먹는다】 제 앞의 일은 제가 처리해야 한다는 말. 【닭 소 보듯 소 닭 보듯】 서로 보기만 하고 아무 말도 없이 덤덤히 있음을 가리키는 말. 【닭의 벼슬은 될지언정 소의 꼬리는 되지 마라】 '계구 우후(鷄口牛後)'와 같은 뜻. 【닭의 새끼 봉 되랴】 본래 타고난 성질은 고칠 수 없다는 말. ¶ 네 아모리 그러한들 닭의 새끼 봉이 되며 각관 기생 열녀 되랴《古本 春香傳》. 【닭이 천이면 봉이 한 마리 있다】 사람이 많으면 그 중에는 뛰어난 사람이 있다는 말. 【닭 잡아 겪을 나그네 소 잡아 겪는다】 시초에 소홀히 함으로써 결과가 매우 어렵게 된 경우에 쓰는 말. 【닭 잡아 먹고 오리 발 내놓기】 옳지 못한 짓을 하고는 숨기려고, 다른 것을 남에게 보이는데 그 솜씨가 서투름을 이르는 말. 【닭 쫓던 개 지붕 쳐다보듯】 경영하던 일이 실패로 돌아가거나 같이 애쓰다가 남에게 뒤떨어져 어찌 할 도리가 없어 민망하게 됨을 이르는 말.
닭개비 명 〈방〉 〖식〗 닭의장풀.
닭-게 [닥—] 명 〖동〗 [*Ranina ranina*] 닭겟과에 속하는 게의 하나. 등딱지의 길이 10 cm, 폭 8.7 cm 가량이고 몸빛은 적색(赤色)인데 이마는 삼각형으로 앞으로 돌출하였고, 그 양측에도 세 개의 톱니가 있으며 갑면(甲面)은 방석처럼 네모지고 바늘 모양의 가늘고 뾰족한 가시로 덮였음. 보각(步脚)은 지절(指節)이 편평하고 털이 났으며, 복부(腹部)가 배면(背面)에서 보이는 것이 특징임. 한국·일본·인도·태평양 등지에 분포함. 바늘꽃방석게.

〈닭게〉

닭겟-과 【—科】 [닥—] 명 〖동〗 [Raninidae] 갑각류에 속하는 한 과.

닭-고기 [닥—] 명 닭의 살코기.

닭고기-덮밥 [닥—] 명 일본 음식의 한 가지. 사발에 담은 더운 밥 위에 지진 닭고기를 잘게 썰어 얹고 달걀을 풀어 그 위에 끼얹어 덮은 음식.

닭고기 무침 [닥—] 명 삶은 닭고기를 뜯어 소금과 후춧가루로 무친 음식.

닭-고집 【—固執】[닥—] 명 고집이 센 사람을 조롱하는 말.

닭-곰 [닥—] 명 닭을 고아서 만든 국. 계고(鷄膏).

닭-곰탕 【—湯】[닥—] 명 닭곰에 밥을 만 음식.

닭-구이 [닥—] 명 닭의 고기를 저미어 소금을 뿌리고 양념을 하여 구운 음식. 계구(鷄炙).

닭-국 [닥—] 명 닭의 고기와 무 조각을 함께 넣고 끓인 맑은 장국. 계탕(鷄湯).

닭-김치 [닥—] 명 닭의 내장을 빼고 그 안에 다진 쇠고기와 채로 썬 표고·석이(石耳)를 두부와 함께 양념하여 넣고 삶은 다음에 닭고기를 뜯어 내고 속에 든 것을 헤뜨려서 햇김칫국을 섞은 닭국물에 넣어 간을 맞추고 얼음을 띄워서 만든 음식. 삼복(三伏) 더위에 먹음. 계저(鷄菹).

닭-날 [닥—] 명〖민〗'유일(酉日)'의 속칭.

닭-니 [닥—] 명〖충〗[*Uchida pallidum*] 닭의 깃털에 기생(寄生)하는 닭털닛과에 속하는 이의 한 종류. 몸은 납작하며 머리가 크고 길이는 1mm 쯤임. 연한 깃털을 갉아먹고, 또 피도 빨아먹으며 몹시 괴롭힘.

닭-둥우리 [닥—] 명 ①둥우리처럼 만든 닭의 어리. ②둥우리로 된 닭의 보금자리.

닭-똥 [닥—] 명 ☞ 닭의똥.

닭똥 같은 눈물 구 뚝뚝 떨어지는 큰 눈물 방울.

닭-띠 [닥—] 명〖민〗'유생(酉生)'을 닭의 속성(屬性)과 결부시켜 일컫는 말.

닭-목 【—目】[닥—] 명〖조〗[*Gallida*] 조류(鳥類)의 한 목(目). 메추라기·닭·꿩·뇌조(雷鳥) 등이 이에 속함. 순계류(鶉鷄類).

닭-백숙 【—白熟】[닥—] 명 닭을 튀해서 내장을 빼고 맹물에 통으로 삶은 음식. 흔히, 영계로 함. 수증계(水蒸鷄).

닭-벼룩 [닥—] 명〖충〗새벼룩.

닭-볶음 [닥—] 명 닭고기를 토막쳐서 양념을 하여 볶거나 또는 잘게 썰어 기름에 볶은 음식. 계초(鷄炒).

닭-산적 【—散炙】[닥—] 명 닭고기와 하얀 파의 줄기를 길쭉길쭉하게 썰어 양념을 하여 꼬챙이에 꿰어서 구운 적. 닭적. 계적(鷄炙).

닭-살 [닥—] 명 털을 뽑은 닭의 껍질처럼 껄껄한 사람의 살갗.

닭-새우 [닥—] 명〖동〗[*Penaeus orientalis*] 닭새웃과에 속하는 갑각류(甲殼類)의 하나. 널리 알려진 대형(大形)의 새우로서 몸길이 30-60 cm이고, 몸빛은 밤빛 또는 자색을 띤 갈색이며, 배면(背面)은 적흑색, 복면은 담색임. 갑각(甲殼)은 딱딱하고 가시와 갈색 털이 있으며 전방(前方)에 갈퀴 모양으로 만곡된 가시가 한 쌍 있음. 제 1 촉각은 채찍 모양이며, 제 2 촉각은 몸보다 길고 잔 가시가 많음. 5 쌍의 튼튼한 보각(步脚)이 있고 다섯째 발은 집게발을 이룸. 고기맛이 좋아 소금에 저리거나 튀김을 하여 식용함. 한국 황해·남해 및 태평양 연안에 분포함. 대하(大蝦). 해하(海蝦). 홍하(紅蝦). 왕새우.

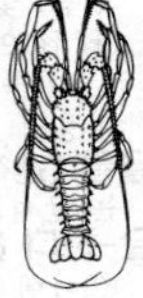
〈닭새우〉

닭-생채 【—生菜】[닥—] 명 푹 끓인 닭고기를 양파와 굵게 채친 오이 등을 넣고 양념한 국물에 섞어서 버무린 음식.

닭-서리 [닥—] 명 몇 사람이 떼를 지어서 남의 집 닭을 훔쳐 먹는 장난.

닭-섬 [닥—] 명〖지〗계도(鷄島) ❸.

닭-싸움 [닥—] 명 닭, 특히 싸움닭끼리 싸우게 하여 승부를 결정하는 구경거리. ㉦닭쌈.

닭싸움하듯 구 별로 크게 으르지도 못하고 하나가 치면 또 다른 하나가 치고 서로 엇바꿔서 상대방을 치고하는 싸움의 비유. ¶ 닥쌈하는 모양으로 마조 업데셔 한나 치면 하나 긋고 둘 치면 둘 긋고 ≪完板春香傳≫.

닭-쌈 [닥—] 명 ↗닭싸움.

닭-어리 명〈방〉닭의어리.

닭-엿 [닥녇] 명 제주도 향토 음식의 하나. 찹쌀밥이나 좁쌀밥에 엿기름물을 부어 삭힌 것에 닭고기를 넣고 고은 엿.

닭울음-점 【—占】[닥—] 명〖민〗음력 정월 대보름날의 새벽에 첫 닭 울음 소리로 그 해의 농사를 점치는 일. 울음 소리의 횟수가 열 번 이상이면 그 해에는 풍년이 든다고 함. 계명 점년(鷄鳴占年).

닭-울이 [닥—] 명 →달구리¹.

닭유-변 【—酉邊】[닥뉴—] 명 한자 부수(部首)의 하나. '醉'나 '醒'·'醫' 등의 '酉'의 이름.

닭의-꼬꼬 명〈방〉〖식〗닭의장풀.

닭의-난초 【—蘭草】[달기—] 명〖식〗[*Epipactis thunbergii*] 난초과에 속(屬)하는 다년초. 근경(根莖)은 가로 벋고 수근(鬚根)이 많고 줄기는 높이 30-50 cm이며, 잎은 호생하고 달걀꼴의 총상(總狀) 화서로 줄기 끝에 핌. 산과 들의 습지에 나는데, 제주도·경남의 거제도·전남의 지리산 등에 분포함. 딸기난초.

닭의-덩굴 [달기—] 명〖식〗[*Bilderdykia dumetora*] 마디풀과에 속(屬)하는 다년생 만초(蔓草). 줄기는 가늘고 다른 것에 감겨 올라가며 길이 2m가량임. 잎은 호생하고 장병(長柄)이며 달걀꼴 또는 극형(戟形)임. 6-7월에 황록색 꽃이 총상(總狀) 화서로 액생(腋生)하며, 타원형의 흑색 수과(瘦果)가 익음. 유럽 원산의 귀화(歸化) 식물인데, 제주·경북·강원·경기·황해·평북 등지의 들에 야생함.

닭의-똥 [달기—] 명 계분(鷄糞).

닭의-비짜루 [달기—] 명〖식〗비짜루¹.

닭의-살 [달기—] 명 닭살.

닭의-알 [달기—] 명 →달걀.

닭의-어리 [달기—] 명 나뭇가지나 싸리 같은 것으로 엮은, 닭을 넣어 두는 제구(諸具). 우산을 반쯤 펴 놓은 것같이 만든 것도 있고, 둥우리처럼 만든 것도 있음.

닭의-장 【—欌】[달기—] 명 ①닭을 가두어 두는 집이나 제구의 총칭. ②밤에 닭이 들어가 쉬고 자게 만든 장치. 집같이 잘 만든 것도 있음. 닭장.

닭의장-풀 【—欌—】[달기—] 명〖식〗[*Commelina communis*] 닭의장풀과에 속(屬)하는 일년초. 줄기는 마디가 크고 잎은 호생하며 달걀꼴 피침형에 잎자루는 초상(鞘狀)임. 7-8월에 벽색(碧色)의 꽃이 총상(總狀) 화서로 피는데 두 개의 큰 화개(花蓋)를 가졌으며, 타원형의 삭과(蒴果)에는 2-4개의 종자가 들어 있음. 밭에나 길가에 나는데, 한국 각지·일본·만주·중국 등지에 분포함. 약재(藥材)로 쓰며 어린 잎과 줄기는 식용, 꽃은 염색용(染色用)임. 달개비. 계장초(鷄距草). 계장초(鷄欌草). 번루(蘩蔞). 압척초(鴨跖草).

〈닭의장풀〉

닭의장풀-과 【—欌—科】[달기—꽈] 명〖식〗[Commelinaceae] 단자엽(單子葉) 식물의 한 과. 전세계에 300여 종이 있는데, 한국에는 사마귀풀·나도생강·닭의장풀 등 7-8 종이 있음.

닭의-홰 [달기—] 명 닭의장 속에 가로 건너질러 닭이 앉게 된 장대.

닭-잡기 [닥—] 명〖민〗닭이 된 아이가 손을 잡고 둥글게 둘러앉은 아이들 안에 들어가고, 살쾡이가 된 아이가 밖에서 서성거리다가 틈을 보아 안으로 뛰어들어 닭을 잡는, 계집 아이들의 놀이.

닭-장 【—欌】[닥—] 명 닭의장. 계사(鷄舍).

닭장-차 【—欌車】[닥—] 명〈속〉경찰이나 교도소의 호송차(護送車). 또, 시위 진압차 출동한 전경 등의 대기차(待機車). 닭장처럼 차창(車窓)에 철망을 쳐 놓았음.

닭-잦추다 [닥—] 자 새벽에 닭이 잦추어서 울다.

닭-저냐 [닥—] 명 닭고기로 만든 저냐. 계전유화(鷄煎油花).

닭-적 【—炙】[닥—] 명 닭산적.

닭-전골 [닥—] 명 닭고기로 만든 음식의 하나. 삶은 닭에 무·양파·버섯 등을 넣어 함께 끓인 전골. 흔히, 여름에 먹음.

닭-조림 [닥—] 명 닭고기에 간장과 소금을 치고 고명을 더하여 조린 음식.

닭-죽 【—粥】[닥—] 명 닭고기를 넣고 끓인 죽. 닭고기로 쑨 죽. 계죽(鷄粥).

닭-지짐이 [닥—] 명 닭고기를 삶다가 물이 자질자질할 때에 젓국을 쳐서 지진 음식. 계전(鷄膞).

닭-찜 [닥—] 명 닭을 잘게 토막쳐서 갖은 양념을 하여 국물이 바특하게 흠씬 삶은 찜.

닭-튀김 [닥—] 명 닭을 큼직하게 토막내어 밀가루를 묻힌 다음 끓는 기름 속에 띄워 익힌 튀김.

닭-해 [닥—] 명〖민〗'유년(酉年)'의 속칭.

닮다¹ 자〈옛〉물들다. ¶ 덥던 병을 닮디 아니케 ᄒᆞᄂᆞ니(不染溫病)≪瘟疫方 7≫.

닮다² [담따] 타 ①절로 비슷하게 생기다. ¶ 아들이 아버지를 ～. ②어떠한 것을 본떠서 그와 같아지다. ¶ 서양 풍속을 닮아 가다.

닮은-꼴 [달믄—] 명〖수〗크기만 다른 서로 닮은 둘 이상의 다각형. 상사형(相似形).

닮음 [달믐] 명〖수〗두 개의 기하학 도형(圖形)이 모양에 관한 주된 성질, 곧 각(角)과 여러 가지 길이의 비가 같은 일. 상사(相似).

닮음 변:환 【—變換】[달믐—] 명〖수〗어떤 도형(圖形) F에서 도형 F′로의 변환에 있어서, F와 F′가 닮은꼴일 때의 일컬음. 어떤 도형을 축소 또는 확대한 변환도 이에 속함. 구용어 : 상사 변환(相似變換).

〈닮음 변환〉

닮음-비 【—比】[달믐—] 명〖수〗닮은꼴에서 대응하는 부분의 비. 닮은다각형의 서로 대응(對應)하는 변(邊)의 비(比) 같은 것. 상사비(相似比).

닯다 형〈방〉다르다²(경상).

닳다 [달타] 자 〔근대 : 닳다〕 ①오래 쓴 물건이 낡아지거나 줄어들다. 어떠한 것에 갈려서 작아지다. ¶ 구두가 ～/고무가 ～. ②액체(液體) 같은 것이 졸아들다. ¶ 찌개가 다 닳아 버렸다. ③피부가 얼어서 붉어지다.

닳고 닳다 구 ㉠몹시 닳다. ㉡세상에 시달려서 약아빠지다. ¶ 닳고닳은 여자.

닳리다 [달—] 타 닳게 하다. 닳도록 하다.

담¹ 명 〔중세 : 담〕 흙·돌·벽돌 같은 것으로 높이 쌓아 올려서, 집의 가에나 또는 집의 안의 허전한 곳을 둘러 막는 물건. 장리(牆籬). 장옥(牆屋). 장원(牆垣). 도장(堵牆). ¶ 벽돌～.

담 구멍을 뚫는다 [—꾸—] 구 도둑질을 한다.

담:² 명 머리를 빗을 때에, 빗기는 머리털의 결. ¶ ～이 좋다.

담:³ ㊀ 명 ↗다음. ¶ ～엔 너다. ㊁ 부 ↗담에·다음에. ¶ 요 ～ 올 땐 꼭 사다 주마.

담:⁴ 명〖한의〗창병(瘡病).

담:⁵ 【毯】 명 짐승의 털을 물에 빨아서 짓이기어 편평하고 두툼하게 만든 조각. 담요 같은 것의 재료로 씀.

담:⁶ 【痰】 명 ①〖생〗가래². ②몸의 분비액(分泌液)이 순환하다가, 어느 국부(局部)가 삐거나 접질린 때에, 거기에 응결(凝結)되어 결리고 아픈 증상. ¶ ～이 결리다/～이 풀렸다. ③〖한의〗↗담병(痰病).

담⁷ 【曇】 명〖기상〗구름이 끼어 날이 흐린 현상. ¶ ～청(曇晴)이 상반(相半).

담:⁸ 【膽】 명 ①〖생〗담낭. 쓸개. ②↗담력(膽力).

담⁹ 〔DAMN〕 명 〔Diamino-maleonity〕〖화〗시안화 수소(Cyan化水素)의 4분자 중합체(重合體)로서, 백색 침상(針狀)의 결정(結晶). 시안화 수소는 독성(毒性)이 강하나 이것은 독성이 적어, 그대로 항균제(抗菌劑)·식물 생장 촉진제 등에 이용할 수 있음.

담¹⁰ 〔Dam, Carl Peter Henrik〕 명〖사람〗덴마크의 생화학자. 1934년

에, 닭의 콜레스테롤 대사(cholesterol代謝)의 연구로부터 비타민 K를 발견하여, 1943년 생리·의학 부문의 노벨상을 수상. 제2차 대전 때에는 도미(渡美)하여, 로체스터 대학 과학 연구소장을 지냄. [1895-1976]

담:-【淡】 투 빛의 엷음을 나타내는 접두어(接頭語). ¶ ~홍색. ↔농-(濃).

-담¹【談】 미 '이야기'의 뜻을 나타내는 말. ¶ 경험~/여행~/무공~.

-담²【潭】 미 주로 지명 뒤에 붙어 '못·호수'를 뜻하는 말. ¶ 백록~.

-담³ 어미 '-단 말인가'·'-단 말야'의 뜻으로 쓰이는 종결 어미. ¶ 그렇게 좋~. *-람·-ㄴ담·-는담.

담가¹【譚歌】 명 〖악〗 담시(譚詩).

담가²【擔架】 명 들것.

담-가라 명 〖동〗 털빛이 거무스름한 말.

담:-갈색【淡褐色】 [-쌕] 명 연한 갈색.

담강【湛江】 명 〖지〗 '잔장(湛江)'을 우리 음으로 읽은 이름.

담:갱【淡羹】 명 맑은 장국.

담:결【痰結】 명 〖한의〗 가래가 목구멍에 뭉쳐 붙어 뱉을 수도 없고 삼킬 수도 없는 병.

담:-결석【膽結石】 [-썩] 명 〖의〗 담석(膽石).

담:경【膽經】 명 침술(鍼術) 용어. 경락(經絡)의 하나로, 눈초리에서 넷째 발가락 끝에 이르는 선(線).

담:관【膽管】 명 〖생〗 ↗수담관(輸膽管).

담:관-염【膽管炎】 [-념] 명 〖의〗 십이지장 염증의 파급, 장티푸스나 패혈증 등의 급성 감염증의 속발(續發), 담관내의 담석(膽石) 등의 원인으로 일어나는 담관의 염증. 열이 나고 윗배를 누르면 아프고 가벼운 황달 등의 증상이 나타나는데, 보통 담낭염(膽囊炎)을 병발(併發)함.

담:괘【擔棵】 명 〖악〗 거문고·가야금 등의 현악기에서 줄을 거는 턱. 머리 편을 한 치쯤 위로 솟게 하여 줄을 괴어서 뜨게 함. 거문고·가야금·금(琴)은 머리쪽에만 있고, 슬(瑟)·대쟁(大箏)·아쟁(牙箏)은 아래 위에 다 있음. 현침(絃枕).

담:괴【痰塊】 명 〖한의〗 몸의 각부(各部)의 살가죽 속에 생기는 종독(腫毒)과 같은 덩이. 습담(濕痰)이 돌아다니다가 단단하게 뭉쳐져서 생기는데, 아프지는 아니함. 담핵(痰核).

담:교【淡交】 명 담박(淡泊)한 교제.

담구【擔具】 명 어깨에 메고 물건을 나르는 기구의 총칭.

담:궐【痰厥】 명 〖한의〗 원기가 허한 데에 추운 기운을 받아서 담이 막히고 사지 궐랭(四肢厥冷)·마비·어질증·기색(氣塞)을 일으키고, 맥박이 미약해지는 병. 심하면 졸도하여 인사 불성이 됨.

담:궐 두통【痰厥頭痛】 명 〖한의〗 담증으로 인하여 일어나는 두통. 기운이 없고 어질어질하며 속이 메슥메슥한 증(症).

담그다 타 〔중세 : 돔다〕 ①다시 꺼내기로 하고 액체 속에 넣다. ¶ 더운 물에 발을 ~. ②김치·술·식혜·간장 같은 것들을 만들 때 그 원료에 물을 부어 익도록 그릇에 넣다. ¶ 술을 ~/김치를 ~. ③조기·게 같은 물고기에 소금을 쳐서 젓갈을 만들다. ¶ 젓을 ~.

담금-질 명 쇠를 불에 달구었다가 찬물 속에 넣는 일. ——-하다 타여불

담금질 경화【一硬化】 명 〔quench hardening〕 〖공〗 철합금의 경화법. 변태점(變態點) 이상의 온도로 가열한 다음 급랭(急冷)함.

담금질 기름 명 주로 특수강을 담금질할 때 냉각액으로 쓰이는 기름.

담:-기¹【膽氣】 [-끼] 명 담력(膽力).

담기²【擔機】 명 무거운 짐을 나르는 데 쓰는 들것 모양의 틀. 두 개의 짧은 나무 몽둥이 사이를 긴 나무채 두 개로 연결하고, 다시 그 채 중간에 짤막한 나무 막대 두 개와 긴 막대 여섯 개를 벌여 묶은 다음, 채 양쪽에 두 줄씩 탕갯줄을 맴. 이 틀에 석재(石材) 따위를 얹어 두 사람 또는 그 이상의 사람이 앞뒤에서 들거나 메어 나름.

담기-골【擔鰭骨】 명 〖어〗 어류(魚類)의 지느러미를 지탱하는 골격.

담기다 피동 그릇에 물건이 담아지다. ¶ 광주리에 담긴 과일.

담꾼【擔一】 명 무거운 물건을 틀가락으로 메어서 나르는 품팔이군.

담낙-하다 형 〈방〉 딱하다(평북).

담:-날 명 ↗다음날.

담:낭【膽囊】 명 〖생〗 쓸개.

담:낭-염【膽囊炎】 [-념] 명 〖의〗 담낭의 염증. 담즙의 배설에 장애가 생긴 경우, 혈액 또는 장에서 세균의 감염을 받아 일어나는 병증. 담석증(膽石症)·티푸스 등과 함께 발생하는 경우가 많음. 병원균은 대장균·쌍구균(雙球菌) 등임. 오른쪽 늑골 밑의 동통(疼痛)·체온 상승·구토 등의 증세가 나타남. 농양(膿瘍)이 생겼을 때는 수술하여야 함.

담:낭 조:영술【膽囊造影術】 명 〔cholecystography〕 〖의〗 담낭의 형태나 운동 상태, 담석(膽石)의 유무(有無) 등을 진단하기 위하여 촬영하는 방법. 담낭은 특별한 경우를 제외하고는 보통의 X선 촬영으로는 조영(造影)되지 아니하기 때문에 간장(肝臟)에서 배설되는 담즙(膽汁)과 함께, 조영제(劑)로 담낭을 채우고, 이를 촬영함.

담:-녹색【淡綠色】 명 엷은 녹색. 연두빛. ㊀담록(淡綠). *눈록(嫩綠).

담다¹ [-따] 타 〈방〉 담그다(평안).

담:다² [-따] 타 ①그릇 속에 물건을 넣다. ¶ 상자에 ~. ②욕하는 말을 입에 올리다. ¶ 입에 담지 못할 욕설. ③그림이나 글 따위에 나타내다. ¶ 한 폭의 그림에 ~.

담:-달 [-딸] 명 ↗다음달.

담:-담¹ 명 ↗다음다음.

담:담²【潭潭】 명 물이 깊은 모양. ——-하다¹ 형여불

담:담-하다² 형여불 마땅히 말할 만한 자리에서, 아무 말도 없이 잠자코 있다. <덤덤하다. 담:담-히¹ 부. ¶ ~ 앉아 있다.

담:담-하다³【淡淡一】 형여불 ①물이 맑다. ②달빛이 선명하게 밝다. ③아무 맛도 없이 싱겁다. ④음식이 느끼하지 아니하다. ⑤마음이 고요하고 맑다. ¶ 담담한 심경(心境). 담:담-히²【淡淡一】 부

담당【擔當】 명 어떤 일을 넘겨 맡음. 담착(擔着). ¶ ~ 구역. ——-하다 타여불

담당-관【擔當官】 명 정책의 기획이나 계획의 입안(立案)·조사·연구·분석·평가 및 행정 개선 등에 관하여 행정 기관의 장(長)이나 그 보조 기관을 보좌하는 공무원.

담당-자【擔當者】 명 담당하는 사람.

담:대【膽大】 명 담력이 큼. 겁이 없이 용기가 많음. ¶ ~한 사람. ↔담소(膽小). ——-하다 형여불. ——-히 부

담:대 심소【膽大心小】 명 〔당서(唐書) 은일전(隱逸傳)에 나오는 손사막(孫思邈)의 말 '膽欲大而心欲小'에서 유래〕 문장을 짓는 데에 주의할 일로 배짱은 크게 갖되 주의는 세심(細心)하게 가져야 한다는 말.

담:도【膽道】 명 〖생〗 간장에서 십이지장에 이르기까지의 담즙의 배출도(排出道).

담:-두시【淡豆豉】 명 〖한의〗 콩을 쪄서 짚을 덮어 일정한 온도로 띄워서 겉에 생긴 곰팡이를 볕에 말리어 털어 버린 물건. 한방(韓方)에서 열성병(熱性病)에 씀.

담:-들다【痰一】 자 〖한의〗 몸으로 순환하는 분비액(分泌液)인 담이 어느 국부에 뭉쳐 결리고 아픈 병이 생기다.

담락【湛樂】 [-낙] 명 오래도록 즐김. ——-하다 타여불

담란【曇鸞】 [-난] 명 〖사람〗 중국 정토교(淨土敎)의 선구자. 사론종(四論宗)의 개조. 보리 유지(菩提流支)로부터 관무량수경(觀無量壽經)을 받아 정토교에 귀의(歸依)하였음. [476-542]

담:략【膽略】 [-냑] 명 ①담력과 지략(智略). ②대담하고 꾀가 많음. ——-하다 형여불

담:력【膽力】 [-녁] 명 겁이 없고 담이 큰 기운. 담기(膽氣). ¶ ~을 기르다. ㊀담(膽).

담로【擔魯】 [-노] 명 〖역〗 백제의 지방 행정 구역의 하나. 왕자나 왕족을 보내어 다스리게 한 행정 구역으로 일종의 봉건제의 성격을 띰. 백제 초기에는 22 담로를 두었으나, 시대와 지역의 대소에 따라 수효의 변천이 있었음.

담:록【淡綠】 [-녹] 명 ↗담녹색.

담:록-소【膽綠素】 [-녹-] 명 〖생〗 빌리베르딘(Biliverdin).

담론【談論】 [-논] 명 담화(談話)와 의론(議論). 또, 담화하고 의론함. 논담(論談). ——-하다 타여불

담론-서【談論書】 [-논-] 명 명담(名談)이나 이론을 적어 놓은 책.

담륜 동:물【擔輪動物】 [-뉸-] 명 〖동〗 윤형(輪形) 동물.

담륜-자【擔輪子】 [-뉸-] 명 〖동〗 환형(環形) 동물이나 연체(軟體) 동물에서 볼 수 있는 유생(幼生). 팽이 비슷한 모양이며, 둘레에 섬모(纖毛)의 테가 둘렸음.

담마【蕁麻】 명 〖식〗 →심마(蕁麻).

담:목-산【檐木山·澹木山】 명 〔범어 Khadiraka의 역어〕 〖불교〗 수미산(須彌山)을 둘러싸고 있는 칠금산(七金山)의 셋째 산. 높이와 넓이가 각각 10,500 유순(由旬)이라 함.

담:-묵【淡墨】 명 진하지 아니한 먹물 또는 먹빛.

담:묵-색【淡墨色】 명 진하지 아니한 먹빛.

담:미【淡味】 명 진하지 아니한 맛. 담담한 맛.

담바고 명 〈옛·방〉 담배. ¶ 담바고(淡婆姑) ≪芝峯類說≫.

담바고-타:령【一打令】 명 〖악〗 영남 민요의 하나. 담배에 대한 노래임.

담바귀 명 〈방〉 담배(함북).

담바귀-타:령【一打令】 명 〖악〗 ☞ 담바고 타령.

담:박¹【澹泊·淡泊】 명 ①욕심이 없고 마음이 깨끗함. ¶ 돈에 ~한 사람. ②맛이나 빛이 산뜻함. 담백(淡白). ¶ ~한 음식을 취하다. ——-하다 형여불

담박² 부 〈방〉 단박².

담:박-도【淡泊島】 명 〖지〗 전라 남도의 서해상(西海上), 신안군(新安郡) 안좌면(安佐面) 반월리(半月里)에 위치한 섬. [0.08 km² : 2 명 (1984)]

담박-질 명 ↗달음박질. ——-하다 자여불

담:반【膽礬】 명 ①〖약〗 결정수(結晶水)가 있는 황산(黃酸) 구리. 빛이 푸르고 돌같이 굳음. 예로부터 토제(吐劑)·제충제(除蟲劑) 등으로 씀. 석담(石膽). ②〔chalcanthite〕 〖광〗 이차적(二次的)으로 생성되는 함수(含水) 황산 구리. 여러 광산의 물 속에서 발견되는데, 삼사정계(三斜晶系)에 속하는 결정임. 신장(腎臟) 모양 또는 종유상(鍾乳狀)의 광물로, 유리 광택이 나며 반투명한 푸른 빛을 띰. 침전(沈澱) 구리 채취의 원료가 됨. 군석(君石).

담방 부 자그마하고 가벼운 물건이 물속에 떨어져 들어가는 소리. 쓰탐방. <덤벙. ——-하다 자타여불

담방-거리다¹ 자타 연해 담방 소리가 나다. 또, 연해 담방 소리를 나게 하다. 담방-담방¹ 부. ——-하다¹ 자타여불

담방-거리다² 자 연해 담방이다. <덤벙거리다. 담방-담방² 부. ——-하다² 자여불

담방-대다 자타 담방거리다¹·².

담방-이다 자 들뜬 행동으로 무엇에나 간섭하며, 함부로 까불다. <덤벙이다.

담방-중우 명 〈방〉 잠방이(충남).

담:배 명 ①〖식〗 가짓과의 담배속(屬)에 속하는 식물의 총칭. 전부 60 종 20여 변종(變種)이 알려져 있음. ②〖식〗 [*Nicotiana tabacum*] 가짓과에 속하는 일년초. 줄기는 직립하여 분지(分枝)하지 아니하며 선모(腺毛)가 있고 높이 1.5-2m 가량임. 잎은 호생(互生)하며 유병(有柄) 또는 무병이며, 매우 크고 모양은 달걀꼴 피침형 혹은 피침형임. 6-7월에 담홍자색 또는 흰 깔때기 모양의 꽃이 원추(圓錐) 화서로 정생(頂生)하며 달걀꼴의 삭과(蒴果)를 맺는데, 평균 2,000개 가량의 매우 작은 씨가 들어 있음. 남미(南美) 원산의 재배 식물로서 고온 건조지에 적합한데 전세계에서 재배하고 있음. 봄에 씨를 뿌리고 여름에 이식(移植)하여 가을에 잎을 따서 햇볕에 쬔 다음 썰어서 '담배'의 재료로 함. 잎은 니코틴(nicotine)을 함유하여 농업용 살충제로도 씀. ③담배잎을 햇볕 또는 화력(火力)으로 건조하여 만든 흡연료(吸煙料). 살담배·잎담배·엽궐

〈담배②〉

련·지궐련·코담배 및 씹는 담배인 추잉 타바코(chewing tobacco) 등이 있음. 남초(南草). 상사초(相思草). 연초(煙草). 취음:답패(荅牌).
[담배는 용골대(龍骨大)로 피우네] '담배 잘 먹기는 용귀돌(龍貴乭)이다'와 같은 말. [담배씨네 외손자] 담배씨가 몹시 잘므로, 성격이 매우 잔 사람을 두고 이르는 말. [담배 씨로 뒤웅박을 판다] 담배 씨와 같이 몹시 작은 물건으로 뒤웅박을 파겠다는 뜻으로, 잔소리를 몹시 하며 미주알고주알 캐는 사람을 가리키는 말. [담배 잘 먹기는 용귀돌(龍貴乭)이다] 담배를 많이 피우는 사람을 이르는 말. 「리.

담:배 꼬투리 명 ①담배잎의 줄기가 되는 뼈. ② ☞담배 꽁초. (준)꼬투

담:배 꽁초 명 담배를 피우다 남은 작은 도막.

담:배-낫 명 담배의 귀를 따는 데 쓰는 작은 낫.

담:배 모자이크병 【一病】〔mosaic〕 명 〖생〗 담배나 토마토 등의 잎에 짙은 담녹색(淡綠色) 반점이 생기거나 또는 줄어들게 하는 초미생물에 의한 병. 1935년에 미국의 생화학자 스탠리(Stanley, W. M.)가 바이러스를 단리(單離)하는 데 성공하였음.

담:배 물부리 [一뿌一] 명 담뱃대의 물부리. (준)물부리.

담:배-밤나방 명 〖충〗 [*Heliothis assulta*] 밤나방과에 속하는 곤충. 몸길이 15 mm, 편 날개 길이 30 mm가량이고 몸빛은 회갈색인데, 앞날개에는 여러 줄의 갈색 파상선(波狀線) 외에 고리 모양 또는 콩팥 모양의 크고 작은 무늬가 있음. 또, 뒷날개는 외연부(外緣部)에 암갈색의 띠무늬가 있음. 유충은 '담배벌레'라고 하는데, 몸길이 35 mm에 몸빛은 녹색·황갈색·녹갈색 등이고 두부 배면(背面)에 황갈색의 그물코 모양의 가는 줄이 있음. 담배·옥수수·삼·목화·고추 등의 잎을 갉아먹는 해충임. 한국·일본 등지에 분포함.

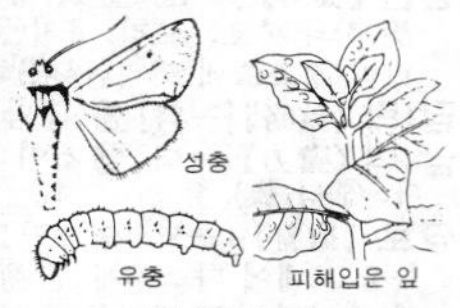

〈담배밤나방〉

담:배-벌레 명 〖충〗 담배밤나방의 유충.

담:배 설대 [一때] 명 담배통과 물부리 사이에 맞추는 가는 대. 간죽(簡竹). (준)설대.

담:배 소비세 【一消費稅】[一쎄] 명 지방세의 하나. 담배를 제조·반출하거나 수입하여 판매하는 자 등에게 부과하는 세.

담:배 쌈지 명 잎담배나 살담배를 넣고 다니는 주머니. 종이·헝겊·가죽 등으로 만듦. 초갑(草匣). (준)쌈지. *쥘쌈지·찰쌈지.

담:배-잎 명 담배의 잎. 담배를 만드는 원료가 됨.

담:배-질 명 일삼아 담배만 자꾸 피우는 일. ——-하다 자 (여불)

담:배-취 명 〖식〗 [*Saussurea conandrifolia*] 국화과에 속하는 다년초. 줄기 높이 40 cm가량이고 잎은 넓은 달걀꼴 또는 넓은 타원형인데 잎 뒤가 흔히 자색을 띠고, 경엽(莖葉)은 심장 모양의 달걀꼴 또는 피침형이며 장병(長柄) 또는 무병(無柄)임. 7-8월에 홍자색의 두상화(頭狀花)가 여러 개씩 정생하며, 과실은 수과(瘦果)임. 산지에 나는데, 경남북·평남북·함북 등지에 분포함. 「같으나 썩 작음.

담:배-칼 명 잎담배를 썰어서 살담배를 만드는 칼. 모양이 작도(斫刀)와

담:배-통 【一桶】 명 담배 설대 아래에 맞추어 담배를 담는 통. 대통.

담:배통 받침 【一桶一】 명 담배통의 재가 헤지는 것을 막으려고, 담배 피울 때에 그 통만을 받치게 된 제구. 사기·놋·백통 등으로 만듦.

담:배-풀 명 〖식〗 ①[*Carpesium macrocepalum*] 국화과에 속하는 다년초. 높이 60-100 cm이며, 잎은 달걀꼴이고 날개가 붙은 엽병(葉柄)이 있음. 8-9월에 황색 꽃이 가지 끝에 하나씩 피며, 과실은 수과(瘦果)를 맺음. 산지에 나는데, 경북·강원·경기·평북·함북에 분포함. 꽃이 붙은 잎줄기와 뿌리는 배앓이·회충 등의 약재로 씀. 가피초(蚵蚾草). 여우오줌. 여우오줌풀. 지숭(地菘). 천만청(天蔓菁). 천명정(天名精). 추면(皺面). ②담배❶.

〈담배풀❶〉

담:배-합 【一盒】 명 ①담배를 담는 쇠붙이로 만든 합. ② ↗담뱃 서랍.

담:백 【淡白】 명 담박(淡泊). ¶ 솔직 ~. ——-하다 형 (여불)

담:뱃-가루 명 살담배나 궐련의 썩 잘게 부스러진 가루.

담:뱃-갑 【一匣】 명 ①담배를 담아 두는 작은 갑. ②담배를 포장(包裝)한 상자갑.

담:뱃-값 [一갑] 명 ①담배의 가격. ②담배를 살 돈. ¶ ~이 떨어지다. ③〈속〉 약간의 사례금. ¶ ~이나 주고 일을 부탁해야지.

담:뱃-귀 명 담배의 잎을 엮으려고, 원줄기에서 마지막 딸 때, 줄기의 한 부분을 떼어, 잎의 꼭지에 붙게 한 부분.

담:뱃-낫 명 담뱃귀를 따는 데 쓰는 작은 낫.

담:뱃-대 명 담배를 피우는 제구. 담배통·설대·물부리의 세 부분이 합쳐서 이루어진 것과 돌이나 나무를 파서 만든 것 또는 흙을 구워 만든 것 등 여러 가지가 있음. 연관(煙管). 연대(煙臺). 연죽(煙竹). (준)대.
[담뱃대로 가슴을 찌를 노릇] 기가 막히고 답답하다는 말.

담:뱃대 꽂이 명 방 세간의 하나. 긴 담뱃대를 꽂아 두는 통.

담:뱃-불 명 ①담배에 붙은 불. ¶ ~에 데다. ②담배에 붙일 불. ¶ ~ 좀 얻읍시다.
[담뱃불에 언 쥐를 쬐어 가며 벗길 놈] 도량이 작아 아무짝에도 쓸모없는 사람을 말함.

담:뱃-서랍 명 〔←담뱃설합(舌盒)〕 담배를 담는 그릇. 초합(草盒). (준)담
ㄴ배합.

담:뱃-순 【一筍】 명 담배의 원순과 곁순.

담:뱃-재 명 담배가 탄 재.

담:뱃-재떨이 명 담뱃재를 떠는 제구. 재떨이.

담:뱃-진 【一津】 명 담배에서 우러난 진. *댓진.

담-버랑 명 〈방〉 담[1](경남).

담베 명 〈방〉 담배(경남).

담-벼락 [一뼈一] 명 ①담 또는 벽의 겉으로 드러난 부분. ②아주 미련하여 말이 통하지 아니하는 사람 또는 사정을 이해하지 못하는 사람을 비유하는 말. ¶ ~ 같은 사람. ③〈방〉 담[1](전남).
[담벼락을 문이라고 내민다] 시치미를 떼고 엉뚱한 소리를 하거나, 억지를 써서 우겨댐을 이르는 말. [담벼락하고 말하는 셈이다] 이해할 줄 모르는 사람과는 더불어 말하는 것이 소용이 없다는 말.

담-벽[1] 【一壁】[一뼉] 명 ☞담벼락.

담:벽[2] 【淡碧】 명 ↗담벽색.

담:벽-색 【淡碧色】 명 엷은 벽색(碧色). (준)담벽(淡碧).

담:벽-증 【痰癖症】 명 〖한의〗 어린 아이에게 생기는 담병(痰病).

담:-병 【痰病】[一뼝] 명 〖한의〗 몸의 분비액(分泌液)이 큰 열(熱)을 만나서 생기는 병의 총칭. 풍담(風痰)·한담(寒痰)·습담(濕痰)·열담(熱痰)·담울(痰鬱)·기담(氣痰)·경담(驚痰)·주담(酒痰) 등이 있음. 담증(痰症). (준)담(痰).

담보[1] 【擔保】 명 ①맡아서 보증함. ¶ 그의 지불은 제가 ~하겠습니다. ②〖법〗 대차 관계에 있어서, 채무자가 그 채무를 이행하지 아니할 경우에 채권자가 입을 위험에 대비해서, 채권자에게 제공되어 채무의 이행을 확보하며, 그 손해를 보전(補塡)하기 위하여 설정되는 조치. 동산 또는 부동산의 유치권(留置權)·질권(質權)·저당권(抵當權) 등의 물적(物的) 담보와 보증(保證)·연대 채무(連帶債務) 등의 인적(人的) 담보의 두 종류가 있음. 보증(保證). ¶ 집을 ~로 돈을 빌다. ——-하다 타 (여불)

담:-보[2] 【膽一】[一뽀] 명 담찬 마음보. ¶ ~가 크다.

담보 가격 【擔保價格】[一까一] 명 〖경〗 담보 물건의 시가(時價)와 이에 대한 대부금(貸付金)의 비율. 흔히 담보 물건의 매매 단위(賣買單位)에 대한 '담보 가격'으로서 지칭(指稱)함.

담보 계:약 【擔保契約】 명 〖법〗 당사자의 한쪽인 담보자가, 어떠한 일에 관하여 상대쪽인 피담보자에게 손해를 끼치지 아니할 것을 약정하는 계약. 「위한 공탁.

담보 공:탁 【擔保供託】 명 〖법〗 채권(債權)이나 납세(納稅)를 담보하기

담보-국 【擔保國】 명 〖법〗 보장국(保障國).

담보-권 【擔保權】[一꿘] 명 〖법〗 채무자가 채무를 이행하지 아니할 때에, 채권자가 그 이행을 확보하는 권리.

담보 권리자 【擔保權利者】[一궐一] 명 〖법〗 담보권을 갖고 있는 사람.

담보-금 【擔保金】 명 〖법〗 담보에 제공되는 돈.

담보 금융 【擔保金融】[一/一늉] 명 〖경〗 대물 신용(對物信用)에 기초를 두고 이루어지는 금융.

담보 대:부 【擔保貸付】 명 〖법〗 담보부 대부(擔保付貸付).

담보-물 【擔保物】 명 〖법〗 담보로 제공하는 물건. 담보 물권(物權)의 객체(客體)가 되는 동산·부동산 또는 채권 증서(債權證書)를 말함. 담보품(擔保品).

담보 물권 【擔保物權】[一꿘] 명 〖법〗 채권 담보를 목적으로 하는 물권. 곧, 유치권(留置權)·질권(質權)·저당권(抵當權)의 총칭. 물상(物上) 담보. 물적(物的) 담보. 대물(對物) 담보. ↔용익 물권(用益物權).

담보-부 【擔保付】 명 〖법〗 담보를 붙이는 일. ¶ ~ 사채(社債).

담보부 공채 【擔保付公債】 명 〖법〗 담보를 붙여서 발행하는 공채. 국채는 보통 담보를 필요로 하지 아니하나, 신용이 국가에 비하여 박약한 공공 단체 발행의 공채에는 담보가 붙게 됨.

담보부 대:부 【擔保付貸付】 명 〖법〗 은행이 담보물을 잡고 하는 대부. 곧, 물적(物的)인 신용에 의한 대부임. 담보물에는 동산·부동산·유가 증권(有價證券)이 있으며, 채무자가 채무의 이행을 게을리할 경우엔 환산(換算)하여 변제(辨濟)에 충당함. 담보 대부.

담보부 사채 【擔保付社債】 명 〖법〗 사채를 발행할 때, 그 안전성(安全性)을 강화하기 위하여, 담보권(擔保權)을 설정해서 발행한 사채. ↔무담보 사채.

담보부 사채 신:탁 【擔保付社債信託】 명 〖법〗 한 회사가 담보부 사채를 발행할 때에, 은행이나 신탁 회사가 그 회사의 위탁에 의해 개개의 사채권자(社債權者)를 대표하여, 그 담보권을 취득하고 행사하는 제도.

담보부 할인 어음 【擔保付割引一】 명 〖경〗 은행이 담보를 청구하여 할인하는 어음. 신용이 희박한 어음에 대하여 행함.

담보-액 【擔保額】 명 〖경〗 담보물의 가액(價額).

담보 어음 【擔保一】 명 〖법〗 장차 발생할 수 있는 채무의 이행을 담보하기 위하여 발행되는 어음. 이를테면 출납계(出納係)·사용인(使用人) 등이 부담할 수 있는 손해 배상 의무의 이행을 담보하기 위하여 발행되는 어음인데, 배서 금지 조건으로 발행되는 것이 일반적임.

담보-자 【擔保者】 명 〖법〗 담보를 한 사람. 곧, 담보의 책임을 보증하는 사람.

담보 자산 【擔保資產】 명 〖경〗 담보로 하는 자산. 유가 증권으로서는 주식·사채(社債), 동산(動產)으로서는 상품·제품, 부동산으로는 건물·토지 등이 있음.

담보 조약 【擔保條約】 명 〖법〗 체약국(締約國) 간에, 어떤 사실 또는 조약의 이행(履行)을 확보하기 위해 다시 체결하는 조약. 곧 조약의 내용 실현에 관하여 특히 담보 또는 보장을 약속하는 조약임.

담보 책임 【擔保責任】 명 〖법〗 ①일반적으로 담보를 함과 동시에 생기는 책임. ②매매 계약의 당초부터 그 목적인 물(物)이나 권리에 하자(瑕疵)나 결함이 있을 경우, 그 일부 불능에 대하여 선의(善意)인 매주(買主)를 보호하기 위하여 매주(賣主)에게 과해지는 법적 책임. 매주(買主)의 계약 해제권·대금 감액(減額) 청구권·손해 배상 청구권을 그 내용으로 함.

담보 청구권 【擔保請求權】[一꿘] 명 〖법〗 특약(特約) 또는 법률의 특

별 규정에 따라 담보의 제공을 청구할 수 있는 권리.

담보-품【擔保品】명 담보물.

담:복[1]【禫服】명 상중(喪中)에 있는 사람이 담제(禫祭) 뒤 길제(吉祭) 전에 입는 옷. 흰 것도 있고 옥색의 것도 있음.

담복[2]【薝蔔】명 치자나무의 꽃.

담복 화전【薝蔔花煎】명 치자나무 꽃을 밀가루에 꿀과 소금을 쳐서, 풀같이 만들어 바른 뒤에, 기름에 지진 부꾸미.

담뵈 명〈옛〉담비. ¶ 담뵈 환(貛)《字會 上 19》.

담부[1] 명〈방〉〖동〗담비.

담부[2] 명〈방〉담배(경북).

담부[3]【擔夫】명 짐꾼.

담부[4]【擔負】명 등에 지고 어깨에 멤. ——-하다 타여불

담부때 명〈방〉담뱃대(경기·강원·경북).

담-부락 명〈방〉담[1](경남).

담-부랑 명〈방〉담벼락❶.

담부지-역【擔負之役】명 ①짐을 지는 일. ②막벌이 일.

담북-장【一醬】명 ①메줏가루에 쌀가루와 굵은 고춧가루를 섞고 물을 알맞게 부은 뒤에, 새앙을 이겨 넣고 소금을 쳐서 익힌 된장. ②삶은 콩을 짚으로 덮어 더운 방에 며칠 동안 두어, 진이 나도록 띄운 뒤에, 소금·마늘·새앙·굵은 고춧가루를 넣어 익혀서, 그냥 먹기도 하고 쇠고기나 무를 넣어 찌개를 만들어 먹기도 하는 음식. 청국장.

담불[1] 명 마소의 열 살을 일컫는 말. ¶ ~소.

담불[2] ㊀ 명 높이 쌓은 곡식의 무더기. ㊁ 의명 벼 백 섬을 세는 단위.

담뷔 명〈방〉〖동〗담비.

담비 명〖동〗①족제빗과 담비속(屬)에 속하는 동물의 총칭. 산달(山獺)·날담비·검은담비 등이 있음. ＊산달②. ② 산달❷.

담빡 부 깊은 생각이 없이 가볍게 행동하는 모양. ¶ 빨갛게 단 돌을 ~ 쥐어서 손을 데었다. <덤뻑.

담뿍 부 ↗담뿍이. ¶ ~ 담다. <듬뿍. 「하다 형여불

담뿍-담뿍 부 모두 담뿍하게. 여러 곳에 담뿍한 모양. <듬뿍듬뿍. ——-

담뿍-이 부 담뿍하게. ¶ 밥을 ~ 담다. ㊂담뿍. <듬뿍이.

담뿍-하다 형여불 그릇에 가뜩하게 소복하다. <듬뿍하다.

담사[1]【潭思】명 깊이 생각함. 또, 깊은 생각. 심사(深思). ——-하다 타 ㄴ여불

담:사[2]【禫祀】명 담제(禫祭).

담-사동【譚嗣同】명〖사람〗'탄 쓰퉁(譚嗣同)'을 우리 음으로 읽은 이름.

담사리-새 명〈방〉〖조〗소쩍새(경남).

담산 명〈옛〉지게의 일종. ¶ 元覺이 아버 元覺 일ᄒᆞ야 담사니지여 뫼해 다가 더디라 ᄒᆞ야ᄂᆞᆯ《三綱 孝子 13》.

담:-살이 명〈방〉①머슴(전남·경상). ②더부살이. ③머슴살이 (전북). 【담살이가 환자(還子) 걱정한다】'더부살이 환자 걱정'과 같은 뜻.

담상【潭上】명 연못가. 늪가.

담상-담상 부 드물고 성긴 모양. ¶ 나무가 ~ 서 있다. <듬성듬성. ——-하다 형여불

담:색【淡色】명 연한 빛깔. 진하지 아니한 빛. ↔농색(濃色).

담:색-단【淡色團】명〖화〗색원체(色原體)에 발색단(發色團)이나 조색단(助色團)을 도입(導入)할 때 그 빛깔을 엷게 만드는 원자단(原子團). ↔농색단(濃色團).

담:색-물잠자리【淡色一】명〖충〗[*Mnais strigata*] 물잠자릿과에 속하는 잠자리. 복부의 길이 48mm, 뒷날개 41mm 가량이고 흉복부는 금록색(金綠色)인데 성숙한 수컷에는 흰 가루가 온몸에 덮임. 날개는 투명하고 담녹색이며 시맥(翅脈)은 갈색, 연문(緣紋)은 홍색임. 봄에서 여름에 걸쳐 냇가나 냇물 상공에 많이 빙빙 떠돌아 날아다님. 한국·일본 등지에 분포함. ㊂물잠자리.

〈담색물잠자리〉

담석[1]【儋石】명〔'담'은 두 섬, '석'은 한 섬으로 옛 중국의 분량의 단위〕①얼마 되지 아니하는 곡식. ②얼마 되지 아니하는 분량.

담:석[2]【膽石】명〖생〗사람이나 소·양(羊)의 수담관(輸膽管) 또는 담낭(膽囊)에 생기는 결석(結石). 담결석(膽結石).

담:석-증【膽石症】명〖의〗담석통.

담석지-록【儋石之祿】명 얼마 되지 아니하는 봉록(俸祿).

담석지-저【儋石之儲】명 얼마 되지 아니하는 저축.

담:석-통【膽石痛】명〖의〗수담관(輸膽管)이나 담낭(膽囊)에 결석(結石)이 생기는 병. 몹시 아프며 구토(嘔吐)·발열(發熱)·황달을 일으킴. 보통 마흔 살이 넘은 여자에게 많으며, 한방(韓方)에서는 '인황병(人黃病)'이라 함. 담석증(症).

담:-석화해【淡石花醢】명 물굴젓.

담선 법회【談禪法會】명〖불교〗고려 시대에, 선(禪)에 대한 이치를 서로 공부하고 참선(參禪)도 하는 법회.

담:설【痰泄】명〖한의〗담증(痰症)으로 인하여 설사가 나는 병.

담:성[1]【痰聲】명 가래가 목구멍에서 끓는 소리.

담:성[2]【膽星】명〖한의〗↗우담 남성(牛膽南星).

담성-담성 부〈방〉담상담상. ——-하다 형

담세【擔稅】명 조세(租稅)를 부담함. 부세(負稅). ¶ ~자(者). ——-하다 ㄴ자여불

담세 능력【擔稅能力】[-녁] 명 조세를 부담하는 능력.

담세-자【擔稅者】명 세금을 부담하는 자. 납세의 의무를 사실상으로 지는 사람. 납세 의무자.

담:소[1]【淡素】명 담담하고 소박(素朴)함. ——-하다 형여불

담소[2]【談笑】명 이야기와 웃음. 웃으면서 이야기함. 언소(言笑). ——-하다 자여불

담:소[3]【膽小】명 담력이 작음. 겁이 많고 배짱이 없음. 담약(膽弱). ↔담대(膽大). ——-하다 형여불

담소 자약【談笑自若】명 놀라거나, 걱정 근심이 있을 때에도 평시(平時)와 같이 태연함. 언소(言笑) 자약. ——-하다 형여불

담:수[1]【淡水】명 짠맛이 없는 맑은 물. 단물. 민물. ↔함수(鹹水).

담:수[2]【淡水】명〖지〗'단수이(淡水)'를 우리 음으로 읽은 이름.

담:수[3]【淡愁】명 대단하지 아니한 걱정. 작은 걱정거리. 「자여불

담수[4]【湛水】명 ①괸 물. ②저수지·댐 등에 물을 채우는 일. ——-하다

담:수[5]【痰祟】명〖한의〗담증(痰症)의 한 가지. 기운이 허약하여 담이 몸속에 막히어 심(心)·폐(肺)·간(肝)·양유간(兩乳間)·비(脾)·위(胃)·삼초(三焦)·신(腎)·방광·대장·소장(小腸) 등 각 기관의 기능을 잃음으로써, 시청 언동(視聽言動)이 허망(虛妄)하여지는 병증.

담:수[6]【痰嗽】명〖한의〗위(胃) 속에 습담(濕痰)이 있어서, 폐로 올라올 때는 기침이 나고, 담이 나올 때는 기침이 그치는 병.

담수[7]【潭水】명 깊은 못이나 늪의 물.

담수[8]【擔獸】명 짐을 실려서 운반시키는 짐승.

담:-수란【淡水卵】명 물수란.

담:수 양:식【淡水養殖】명 민물에서 다시마·조개·굴 따위를 키우는 일.

담:수-어【淡水魚】명〖어〗민물에 사는 물고기의 총칭. 민물고기. ↔함수어(鹹水魚).

담:수 어업【淡水漁業】명 육수성(陸水性) 수족(水族)을 잡는 어업. 호소(湖沼) 어업과 하천(河川) 어업으로 크게 나뉨.

담:수-장【淡水醬】명 무장[2].

담:수-조【淡水藻】명 민물에서 생육하는 조류(藻類). 민물말.

담:수지-교【淡水之交】명 교양이 있는 군자(君子)의 교우(交友). 담박(淡泊)하고 변함없는 우정.

담:수 진주【淡水眞珠】명 민물에서 생산하는 진주. 못·늪·풀(pool) 등에서 양식(養殖)하는데, 해산(海產)의 진주에 비하여 광택이 못하지만 ㄴ대량 생산이 가능함.

담:수-하【淡水河】명〖지〗단수이 강.

담:수-해면【淡水海綿】명〖동〗민물해면.

담:수-호【淡水湖】명〖지〗1l 가운데 0.5g 이하의 염분(塩分)을 포함하는 호수. 물이 흘러 빠지는 곳이 많음. 유각호(有脚湖)의 대부분은 이것임. 중국의 둥팅 호(洞庭湖) 등. 담호(淡湖). 민물 호수. ↔함수호(鹹水湖).

담:수-화【淡水化】명 바닷물의 염분(塩分) 농도를 묽게 하여 담수로 만듦. 또, 그렇게 됨. ——-하다 자타여불

담술【郯述】명〖책〗조선 역대의 관직 및 훈신(勳臣)·묘정 배향(廟庭配享)의 인물을 연도별로 기록한 책. 4책. 편찬 연대는 순조에서 철종 사이로 추정됨.

담숭-담숭 부 ☞담상담상. ¶ 강물에 돛단배들이 ~ 떠 있다.

담:습【痰濕】명〖한의〗담(痰)으로 인하여 생기는 습기(濕氣).

담:시[1]【曇始】명〖사람〗중국 진(晉)나라의 중. 고구려 19대 광개토왕(廣開土王) 5년(395)에 불경(佛經) 수십 권을 가지고 와서 고구려에 처음으로 불법(佛法)을 폈음.

담시[2]【譚詩】명 '발라드(ballade)'의 역어(譯語).

담시-곡【譚詩曲】명〖악〗'발라드(ballade)❸'의 역어(譯語).

담:식【淡食】명 ①짠 음식을 많이 먹지 아니함. 싱겁게 먹음. ②고기 등속의 느끼한 음식을 많이 먹지 아니함. ——-하다 자여불

담심[1]【潭心】명 깊은 못의 중심. 깊은 못의 바닥.

담심[2]【潭深】명 ①물이 깊음. ②학문(學問)이 깊음.

담싹 부 ☞ 답삭.

담-쌓다 [-싸타] 자 ①담을 만들다. ②친하던 사이에 장벽이 생겨 관계를 끊다. 교제를 끊다. 또, 인연이나 관계를 끊다. ¶ 술하고는 담쌓고 지낸다 / 그와는 이제 아주 담쌓았다.

담쌓고 벽친다 구 좋게 사귀던 사이를 끊고, 서로 적대시(敵對視)한다. ¶ 담을 쌓고 벽을 쳐도 이 판에는 그리 말라. 내가 그리 생소하냐《古本 春香傳》.

담쏙 부 탐스럽게 손으로 쥐거나 팔로 안는 모양. ¶ ~ 껴안다. <듬쑥.

담쏙-담쏙 부 여러 번 담쏙 쥐거나 안는 모양. ¶ ~ 집어 넣다. <듬쑥듬 ㄴ쑥.

담쑥 부 ☞담쏙.

담:아【淡雅】명 맑고 아담함. ——-하다 형여불

담:액【膽液】명〖생〗쓸개즙. 담즙(膽汁).

담액-질【膽液質】명〖심〗담즙질(膽汁質). 「형여불

담:약【膽弱】명 담력(膽力)이 약함. 겁이 많음. 담소(膽小). ——-하다

담양【潭陽】명〖지〗전라 남도 담양군(郡)의 군청 소재지인 읍(邑). 영산강(榮山江) 상류 평야에 위치함. 농산물의 집산지이며, 죽기(竹器)·발·부채·참빗 등 죽세공품(竹細工品)의 명산지임. [20,541 명(1990)]

담양 갈 놈 구 예전에 담양으로 귀양 갈 놈이란 뜻으로, 남을 욕할 때 쓰던 말.

담양-군【潭陽郡】명〖지〗전라 남도의 한 군. 관내 1읍 11면. 북은 전라 북도 순창군(淳昌郡), 동은 곡성군(谷城郡), 남동은 화순군(和順郡), 남은 광주(光州) 광역시, 서는 장성군(長城郡)에 인접함. 주요 산물은 쌀·보리·콩·목화 등의 농산물과 임산·공산(工產) 등이며 명승 고적은 금성산지(金城山址)·용연(龍淵)·용흥사(龍興寺)·보리암(菩提庵)·소쇄원(瀟灑園)·석도(石棹)·관방제(官防堤) 등이 있음. [435.05 km²: 61,161 명(1996)]

담양-댐【潭陽一】[dam] 명 영산강 농업 개발 사업(榮山江農業開發事業)으로 이루어진 네 개 댐 중의 하나. 전라 남도 담양군(全羅南道潭陽郡)의 영산강 본류(本流) 최북단에 위치하며 높이 46m, 길이 316m의 농업용 저수지임. 1976년 10월 14일 준공.

담양 분지【潭陽盆地】명〖지〗전라 남도 북부, 영산강(榮山江) 상류에 있는 개석 분지(開析盆地). 나주 평야(羅州平野) 동쪽에 위치하며 중심

지는 담양임.

담어【鐔魚】 명 〖충〗 반대좀❶.

담엄-사【曇嚴寺】 명 〖불교〗 경북 경주시 탑동(塔洞) 오릉(五陵) 남쪽에 있던 절. 현재는 논 가운데 당간 지주(幢竿支柱)만이 남아 있음. 담암사(曇巖寺).

담여【談餘】 명 ①담차(談次). ②이야기한 뒤.

담:연[1]【淡然】 명 욕심이 없고 깨끗함. ¶ 자네가 세상 분화성색(紛華聲色)에 ～한 것을 내가 알거든…≪張德祚 : 狂風≫. ——-하다 형 여불. ——-히 부

담:연[2]【淡煙】 명 엷게 낀 연기. 부연 연기.

담:연[3]【痰涎】 명 가래침❶.

담연[4]【潭淵】 명 깊은 못.

담:열【痰熱】 명 〖한의〗 얼굴이 벌겋고, 신열·해수·천식·호흡 곤란을 일으키는 어린 아이의 담증(痰症).

담:염[1]【淡塩】 명 열간❶.

담:염[2]【澹艶】 명 조촐하고 아리따움. ——-하다 형 여불

담:염-구【淡塩灸】 명 열간 구이.

담:염-탕【淡塩湯】 명 소금을 조금 친 더운 물.

담예【擔舁】 명 승교·상여·가마 같은 것을 어깨에 멤. ——-하다 타 여불

담-오랑 명 〈방〉 담[1](경남).

담:옹【痰壅】 명 〖한의〗 감기로 인하여 가래가 목구멍에 걸리는 병.

담외【憺畏】 명 두려워함. 외구(畏懼). ——-하다 타 여불

담:-요【毯—】[—뇨] 명 ①순전한 털이나 또는 털에 솜을 섞거나 하여 굵게 짜든가, 두껍게 눌러서 만든 요. 깔기도 하고 덮기도 함. 부피가 작아서 군용·캠프용 등으로 많이 사용됨. 모포(毛布). ②속을 솜 대신에 짐승의 털을 두어서 만든 요. 담자(毯子). 탄자.

담:용【膽勇】 명 ①담과 용기. ②대담하고 용맹스러움. ¶ ～한 인물. ——-하다 형 여불

담-우락 명 〈방〉 담[1](전라).

담:운【淡雲】 명 엷고 맑게 낀 구름.

담:울【痰鬱】 명 〖한의〗 천촉(喘促)의 한 분증(分症). 담(痰)이 가슴에 뭉쳐서 기침이 나며 속이 답답하고 숨이 찬 병.

담원【薝園】 명 〖사람〗 정인보(鄭寅普)의 호(號).

담:월【澹月·淡月】 명 으스름한 달.

담:육【曇育】 명 〖사람〗 신라 진평왕(眞平王) 때의 중. 중국 수(隋)나라에 건너가 불경을 배워 와서 신라의 불교를 성하게 하였음.

담은[1]【覃恩】 명 은혜를 깊이 함. 은혜를 널리 베풂. ——-하다 자 여불

담은[2] 부 〈옛〉 다만. ¶ 오직 즐엄길노 닥가 힝홀텨 이시니 담은 아미타불을 념ᄒᆞ라≪普勸 興律寺板 5≫.

담:음【痰飮】 명 〖한의〗 장(腸)·위(胃)에 물기가 있어 출렁출렁 소리가 나며 가슴이 답답한 병. 대개는 위확장(胃擴張)으로 인함.

담:음 요통【痰飮腰痛】[—뇨—] 명 〖한의〗 위확장(胃擴張)으로 인하여 일어나는 요통.

담의[1]【談義】[— / —이] 명 ①의리를 이야기함. ②〖불교〗 설법(說法). 법화(法話). ——-하다 타 여불

담의[2]【談議】[— / —이] 명 서로 이야기함. 상의함. ——-하다 타 여불

담임【擔任】 명 ①어떤 일을 책임지고 맡아 봄. 또, 그 맡아 보는 사람. 담책(擔責). ②↗담임 교사·담임 선생. ——-하다 타 여불

담임 교:사【擔任教師】 명 국민 학교·중고등 학교 등에서, 한 반의 학생을 담임하여 지도하고 모든 일을 처리하는 교사. 담임 선생.

담임 선생【擔任先生】 명 '담임 교사(教師)'의 일반적 속칭.

담임-자【擔任者】 명 그 일을 담임하는 사람.

담:자[1]【淡姿】 명 아담한 자태. 말쑥한 모습.

담자[2]【毯子】 명 담요❷.

담자-균【擔子菌】 명 〖식〗 담자균류에 속하는 균.

담자 균-류【擔子菌類】[—뉴] 명 〖식〗 [Basidiomycetes] 직균류(直菌類)에 속하는 한 강(綱). 자실체(子實體) 끝에 담자기(擔子器)가 생기고 여기에서 담자 포자를 형성하는 유성 생식(有性生殖)을 함. 몸은 다세포(多細胞)의 균사(菌絲)가 모여서 균사체(菌絲體)를 이루고 있음. 수병균(銹病菌)·흑수병균(黑穗病菌)·송이·표고·복령(茯苓) 등이 있으며, 전세계에 5목(目) 550속(屬) 15,000종이 있음. 담자균 식물. *자낭균류(子囊菌類).

담자균 식물【擔子菌植物】 명 〖식〗 담자균류.

담자-기【擔子器】 명 〔basidium〕 〖식〗 담자균류(擔子菌類)의, 균사(菌絲) 곧, 자실체(子實體)의 말단에 있으며 포자(胞子)를 만드는 세포. 여기에서 담자병(擔子柄)이 생기고 그 선단에 포자(胞子) 곧, 담자포자(擔子胞子)가 생김. 담자 세포. *담자병(擔子柄).

담자-낭【擔子囊】 명 〖식〗 담자균류(擔子菌類)의 자실체(子實體) 끝에 있는 포자낭(胞子囊). 이 안에서 4개의 담자 포자가 형성됨.

담:자리꽃-나무 명 〖식〗 [*Dryas octopetala*] 장미과에 속하는 낙엽 활엽 관목. 고산(高山) 식물의 하나로 줄기는 복와생(伏臥生)이고 가지가 많음. 잎은 원형 또는 넓은 타원형인데, 뒤쪽에는 흰 빛의 솜털이 많음. 6월에 황백색 꽃이 복방상(複房狀) 화서로 가지 끝에 하나씩 정생함. 관상용으로 심기도 함. 한국 북부 및 일본·유럽·북미(北美)에 분포함.

담자-병【擔子柄】 명 〖식〗 선단(先端)에 담자 포자(胞子)를 떠받치고, 담자기(擔子器)와 연결되어 있는 짧은 자루모양의 돌기(突起).

담:-자색【淡紫色】 명 엷은 자주빛.

담자 세:포【擔子細胞】 명 〖식〗 담자기(擔子器).

담자 포자【擔子胞子】 명 〖식〗 담자균류(擔子菌類)가 유성 생식(有性生殖)의 결과 형성하는 포자. 보통, 담자기(擔子器)의 병부(柄部) 곧, 담자병의 선단에 네 개씩 생김.

담-장[1]【—牆】 명 〈방〉 담[1](전북·경남).

담:장[2]【淡粧】 명 요란하지 아니한 담박한 화장. 엷게 화장함. ↔농장(濃粧). ——-하다 자 여불

담장-나무 명 〖식〗 송악.

담장-넝쿨 명 〈방〉 〖식〗 담쟁이덩굴(전북).

담:장 농말【淡粧濃抹】 명 여자의 엷은 화장과 짙은 화장. 또, 날씨가 개고 비가 옴에 따라 변하는 풍경의 농담(濃淡).

담-장이 【—匠—】 명 ↗토담장이.

담:재【澹齋】 명 〖사람〗 김인후(金麟厚)의 호(號).

담쟁이[1] 명 〖식〗 ①↗담쟁이덩굴. ②줄사철나무.

담:-쟁이[2] 명 창병(瘡病)이 있는 사람.

담:-쟁이[3]【痰—】 명 담병(痰病)을 앓는 사람.

담쟁이-덩굴 명 〖식〗 [*Parthenocissus tricuspidata*] 포도과에 속하는 낙엽 활엽 만목(蔓木). 부착근(附着根)을 갖추고 수목 및 담에 기어 올라감. 잎은 원심형(圓心形)인데 세 갈래로 얕게 갈라지며 잔잎은 넓은 달걀꼴이고 표면이 매끈함. 초여름에 담녹색 꽃이 취산(聚繖) 화서로 액생(腋生)하며 가을에 구형(球形)의 장과(漿果)가 자주빛으로 익음. 바위 밑이나 골짜기의 숲 밑에 나는데, 한국 각지 및 일본·대만·중국·만주에 분포함. 정원이나 담 밑에 관상용으로 심음. 낙석(絡石). 석벽려(石薜荔). 원의(垣衣). 지금(地錦). 아이비(ivy). 나만(蘿蔓). 용린 벽려(龍鱗薜荔). 장춘등(長春藤). 준담쟁이.

〈담쟁이덩굴〉

담쟝이 명 〈옛〉 〖식〗 담쟁이. ¶ 담쟝이 벽(薜), 담쟝이 려(荔)≪字會 上 9≫.

담:-적색【淡赤色】 명 엷은 적색. 연붉은 빛깔.

담:적소【膽赤素】 명 〖생〗 빌리루빈(bilirubin).

담:제【禫祭】 명 대상(大祥)을 지낸 다음다음 달에 지내는 제사. 담사(禫祀).

담:제-인【禫制人】 명 대상(大祥) 뒤, 담제(禫祭)를 지내기 전의 상중(喪中)에 있는 사람의 자칭(自稱). 또, 그 범칭(汎稱).

담:종【痰腫】 명 〖한의〗 담이 한데로 모여 종기가 되는 병.

담:-주【—週】[—쭈] 명 ↗다음 주.

담:죽【淡竹】 명 〖식〗 솜대[1].

담:즙【膽汁】 명 〖생〗 쓸개즙.

담:즙-산【膽汁酸】 명 〖생〗 빌산(bile酸).

담:즙 색소【膽汁色素】 명 〖생〗 담즙의 주요 성분의 하나. 체내에 있어서의 헤모글로빈(hemoglobin)의 대사 산물(代謝産物)로, 간장(肝臟) 등에서 생성되며, 특히 담즙(膽汁)에 함유되어 배설되는 색소. 황갈색의 빌리루빈(bilirubin)과 청록색의 빌리베르딘(biliverdine)의 두 가지가 있어서, 이 두 색소의 다과(多寡)로 분변(糞便)의 빛깔이 정해짐.

담:즙-질【膽汁質】 명 〔독 Choleriker〕 〖심〗 갈레누스(Galenus)에 의한 기질형(氣質型) 분류의 하나. 일반적으로, 정동 반응(情動反應)이 강하고 격렬하며 화를 잘 내지만, 인내력과 의지가 강한 반면에 고집이 있으며 거만한 태도가 있는 기질. 담액질(膽液質).

담:증【痰症】[—쯩] 명 〖한의〗 담병(痰病).

담:지【膽智】 명 담력과 지혜. 담력과 슬기.

담:진【曇眞】 명 〖사람〗 고려 16대 예종(睿宗) 때의 중. 속성(俗姓)은 신씨(申氏). 이천(利川) 출신. 경덕 국사(景德國師)의 제자로 화엄 학승(華嚴學僧)임. 대각 국사(大覺國師)가 대장경을 판각할 때 교정을 담당하였음. 예종 2년(1107)에 왕사(王師)가 되었고 9년(1114)에 예종이 국사(國師)로 봉함. 원경(元景) 국사.

담:집【膽汁】 명 〖생〗 ←담즙(膽汁).

담:징【曇徵】 명 〖사람〗 고구려의 중·화가. 영양왕(嬰陽王) 21년(610) 백제를 거쳐 일본에 건너가 귀화(歸化)하였음. 유교(儒教)와 채색(彩色), 종이 및 먹의 제법(製法), 농구(農具) 등 당시의 문화를 일본에 전해 주고, 나라(奈良) 호류사(法隆寺) 금당(金堂)에 벽화(壁畫) ≪사불 정토도(四佛淨土圖)≫를 그렸음. [579-631]

담차【談次】 명 이야기하던 김. 이야기하던 결. 담여(談餘).

담:-차다【膽—】 형 담대(膽大)하다. ¶ 담찬 사람.

담착【擔着】 명 어떤 일을 맡음. 담당(擔當). ——-하다 타 여불

담:창-구【淡蒼球】 명 〖생〗 대뇌 반구(大腦半球)의 심부(心部)에 있는 회백질의 덩이. 그 안쪽에 내포(內包)를 격(隔)해서 시상핵(視床核)이 있고, 바깥쪽에는 피각(被殼)이 있음. 비교적 큰 신경 세포가 집합되어 있어 의식하지 아니하고 하는 골격근의 운동을 관할한다고 함.

담:채[1]【淡彩】 명 〖미술〗 엷은 채색. ↔농채(濃彩).

담:채[2]【淡菜】 명 〖조개〗 ①진주담치. ②홍합(紅蛤).

담:채-화【淡彩畫】 명 〖미술〗 여린 색깔로나 또는 물을 많이 써서 투명하게 그린 그림. 먹으로 그린 그림의 요소(要所)에만 엷은 채색을 한 그림 따위.

담책【擔責】 명 ①담임(擔任)의 책임. ②담임(擔任). ——-하다 타 여불

담:천[1]【痰喘】 명 가래가 끓어서 숨이 참.

담:천[2]【曇天】 명 ①구름이 끼어서 흐린 하늘. ②〖기상〗 운량(雲量)의 하나. 구름의 총면적이 하늘의 전면적의 80% 이상 낀 날씨.

담천 조룡【談天彫龍·談天雕龍】 명 〔중국 전국 시대 제(齊)나라의 추연(騶衍)과 추석(騶奭)의 고사(故事)에서〕 천상(天象)을 이야기하고 용을 조각한다는 뜻으로, 변론이나 문장이 원대(遠大)하고 고상(高尙)함의 비유.

담:청【淡青】 명 ↗담청색.

담:-청색【淡青色】 명 엷은 청색. 준담청.

담:-청옥【淡青玉】 명 엷은 청색의 옥.

담:체[1]【痰滯】 명 〖한의〗 담이 몰려 뭉쳐 생긴 병.

담체[2]【擔體】 명 〖화〗 운반체(運搬體).

담:-초자【曇硝子】 명 젖빛 유리.

담총【擔銃】 명 총을 어깨에 멤. ——-하다 자 여불

담추【甔甀】[명] 큰 독과 아귀가 좁은 항아리.
담:치【淡—】[명]〖조개〗 진주담치.
담:-크다【膽—】[형] 담력(膽力)이 크다. 대담하다. ¶ 담큰 녀석.
담:타【痰唾】[명] ①가래가 섞인 침. ②가래와 침.
담타기 [명] 허물이나 걱정거리를 남에게 넘겨 씌우거나 넘겨 맡는 일. 또, 그 허물이나 걱정거리. <덤터기.
담타기(를) 쓰다 [구] 담타기를 넘겨 맡다. <덤터기(를) 쓰다. 「씌우다.
담타기(를) 씌우다 [구] 담타기를 남에게 억지로 쓰게 하다. <덤터기(를)
담:탕【淡蕩】[명] ①맑고 넓음. ②날이 맑고 화창함. ——하다 [형][여불]
담:-통【膽—】[명] ☞ 담(膽)보².
담-틀 [명] 흙담을 쌓는 틀. 큰 널 두세 쪽을 연폭(連幅)하고 둔테를 댐. 두 조각을 중앙에 공간이 생기게 마주 세우고 그 밖으로 기둥을 서너 개씩 세워 들이맞춘 뒤에, 그 속에 흙을 넣어 다지고 이것을 떼어내면 흙이 굳어서 담이 됨. 축판(築板).
담:파고【淡婆姑】[명] '타바코(tabacco)'의 취음(取音).
담판【談判】[명] 쌍방이 서로 의논하여 옳고 그른 것을 판단함. ——하다 [타][여불]
담:팔-수【膽八樹】[—쑤] [명]〖식〗[*Elaeocarpus sylvestris* var. *ellipticus*] 담팔수과(膽八樹科)에 속하는 상록 활엽 교목. 잎은 도피침형인데 파상(波狀)의 톱니가 있으며 표면은 광택이 남. 6월에 흰 꽃이 총상(總狀) 화서로 액생하고, 핵과(核果)는 9월에 암자색 방추형(紡錘形)으로 익음. 양지바른 산록에 나는데, 제주도·일본·대만에 분포함. 목재는 기구재(器具材), 수피(樹皮)는 물감의 재료임.

〈담팔수〉

담-평산【譚平山】[명]〖사람〗'탄 핑산(譚平山)'을 우리 음으로 읽은 이름.
담하 [명]〈옛〉 작은 창. ¶ 담하 찬(鑹)《字會 中 15》.
담:-하다【淡—】[형][여불] ①빛이 엷다. 진하지 아니하다. ↔농(濃)하다. ②욕심이 적다. 무엇에나 애틋한 생각이 적다. ③맛이 느끼하지 아니하다.
담:학¹【痰瘧】[명]〖한의〗 학질(瘧疾)의 한 가지. 고뿔과 위병(胃病)으로 말미암아 두통(頭痛)과 구토(嘔吐)를 일으키고, 심하면 정신이 희미하여 졸도(卒倒)까지 함.
담학²【潭壑】[명] 깊은 구렁. 깊은 골짜기.
담:한【膽寒】[명] 담이 서늘해지도록 몹시 두려움. ——하다 [형][여불]
담합【談合】[명] ①서로 의논함. 상담(相談). ②〖법〗 입찰(入札)을 함에 있어서 입찰자가 서로 상의하여 미리 입찰 가격을 협정하는 일. 협정하여 입찰한 결과, 경쟁 입찰(競爭入札)의 사실이 없음에도 불구하고 경쟁 입찰을 가장한 것이므로 타인을 속인 것이 되어 사기죄가 성립함. ¶ 업자간의 ~. ——하다 [타][여불]
담합-죄【談合罪】[명]〖법〗 경쟁 입찰에서, 부정한 이익을 얻을 목적으로 공정한 입찰 가격 형성을 방해하는 담합을 함으로써 성립되는 죄.
담합 청부【談合請負】[명] 여러 청부업자(請負業者)들이 미리 담합하여 입찰 가격(入札價格)이나 이익 분배(利益分配)를 정하고 청부 입찰(請負入札)을 하는 일.
담:-해¹ [명] ↗다음해.
담:해²【痰咳】[명] ①가래와 기침. ②가래가 나오는 기침.
담해³【醓醢】[명] 육장(肉醬).
담:-해수【淡海水】[명] 담수(淡水)와 해수(海水)가 섞인 바닷물. 곧, 기수(汽水).
담:해수 동:물【淡海水動物】[명] 담해수에 서식(棲息)하는 동물의 총칭. 염분(塩分)의 부족에 견딜 수 있는 해산(海産) 동물로, 농어·문절망둑·숭어 등의 물고기와 패류(貝類)·갑각류(甲殼類) 따위.
담:-해저【淡醢菹】[명] 젓국을 조금 타서 담근 김치. 엷젓국지.
담:핵【痰核】[명]〖한의〗 담괴(痰塊).
담:향¹【淡香】[명] 은은하게 향긋한 향기. 담박한 향기.
담:향²【痰響】[명] 가래가 끓는 소리.
담헌【湛軒】[명]〖사람〗 홍대용(洪大容)의 호(號).
담헌 연:기【湛軒燕記】[—년—] [명]〖책〗 조선 영조(英祖) 때 사람 담헌 홍대용(洪大容)의 연경 수행록(燕京隨行錄). 연경(燕京)에 이르는 도중의 풍물(風物)과, 연경에서의 중국인들과의 회담·문답기(問答記) 등이 수록된 중국 기행문. 김창업(金昌業)의 《노가재 연행록(老稼齋燕行錄)》, 박지원(朴趾源)의 《열하 일기(熱河日記)》와 함께 대표적인 기록 문학임. 6권 6책. 담헌 설총(湛軒說叢).
담:호【淡湖】[명] 담수호.
담호-호지【談虎虎至】[명] '호랑이도 제 말하면 온다'는 뜻으로, 좌중에서 이야기에 오른 사람이 마침 그 자리에 나타났을 때 하는 말.
담:홍【淡紅】[명] ↗담홍색(淡紅色).
담:홍-뾰족날개나방【淡紅—】[명]〖충〗[*Habrosyne dieckmanni*] 뾰족날개나방과에 속하는 곤충. 편 날개의 길이 41–44 mm. 몸빛은 암다갈색인데 하면은 담갈색, 복부와 뒷날개는 암갈색임. 한국에도 분포함.

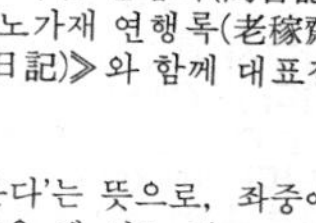
〈담홍뾰족날개나방〉

담:-홍색【淡紅色】[명] 엷은 홍색. [준]담홍.
담:홍색-물결나방【淡紅色—】[—꼍—] [명]〖충〗[*Heterophleps fusca*] 자벌레나방과에 속하는 곤충. 편 날개의 길이는 23–27 mm이고 몸빛은 황색을 띤 회갈색임. 앞날개의 횡선(橫線)은 굵은 흑색 무늬로 시작되나 몹시 가늚. 개체에 따라 날개 끝에 흑색의 큰 반문이 한 개 있는 것도 있음. 한국에도 분포함.

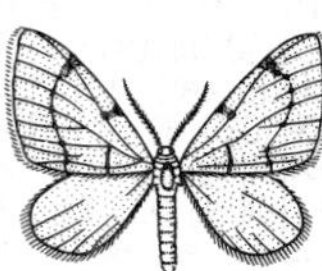

〈담홍색물결나방〉

담:-홍은광【淡紅銀鑛】[명]〖광〗 홍은광의 한 가지. 능면체(菱面體)의 결정인데 무르며 빛은 담홍색이고 다이아몬드 광택이 남.
담:화¹【淡畫】[명] 엷게 채색한 그림.
담:-화²【痰火】[명]〖한의〗 ①담으로 말미암아 나는 열 또는 답답한 증세(症勢). ②심히 나오는 가래. 가래가 심히 나오는 병.
담화³【談話】[명] ①이야기. ②한 단체나 또는 한 개인이 어떠한 사물(事物)에 대하여, 그의 의견이나 태도를 분명히 하기 위하여 하는 말. ¶ ~문을 발표하다. ——하다 [자][여불]
담:화⁴【曇華】[명]〖식〗 '칸나(canna)'의 한자 이름.
담화-랑【擔花郞】[명]〖역〗 탐화랑(探花郞).
담화-체【談話體】[명]〖문〗 이야기 형식으로 쓴 문체(文體).
담화-회【談話會】[명] 이야기를 하기 위한 모임. [준]담회.
담:황【淡黃】[명] ↗담황색.
담:-황색【淡黃色】[명] 엷은 황색. 천황색(淺黃色). [준]담황.
담회【談會】[명] ↗담화회(談話會).
담:후-청【曇後晴】[명] 그 날의 날씨가 흐렸다가 뒤에는 갬.
담:훈【痰暈】[명]〖한의〗 담(痰)이 성하여 구역이 나고 어지러운 병.
담:흑【淡黑】[명] ↗담흑색(淡黑色).
담:흑-납작맵시벌【淡黑—】[명]〖충〗[*Theronia atalantae*] 맵시벌과에 속하는 벌. 암컷은 몸길이 9 mm 가량이고 몸빛은 등황색에 흑색 무늬가 있음. 복부 제1 절의 기부(基部)와 2절 기부에 하나의 횡대(橫帶)가 있고, 3–6절 기부의 양측 반문(斑紋)은 흑색이며, 촉각은 황적색임. 송충이나 나비·나방류의 유충에 기생함. 한국·일본·사할린에 분포함.

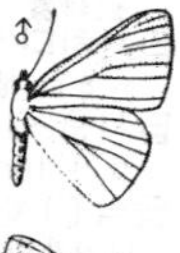

담:흑-부전나비【淡黑—】[명]〖충〗[*Niphanda fusca*] 부전나빗과에 속하는 곤충. 편 날개의 길이는 34–46 mm이고 날개 표면은 암갈색에 분명하지 아니한 암색 무늬가 있음. 날개 뒷면은 암회색이며 앞 날개에는 9개의 암갈색 무늬가 있는데 주위는 백색임. 일정한 유충(幼蟲)의 기간을 개미집 속에서 살며 개미에 의해서 양육되는 점이 특이함. 한국에도 분포함.

〈담흑 부전나비〉

담:-흑색【淡黑色】[명] 엷은 흑색. 천흑색(淺黑色). [준]담흑.
답¹【畓】[명] 논¹.
답²【答】[명] ① ↗대답(對答). ② ↗해답(解答). ③ ↗회답(回答). ——하다 [자][여불]
-답- [미] 명사 등의 어근(語根)에 붙어 '…와 같다', '그런 자격이나 가치가 있다'의 뜻을 나타내는 형용사 어간을 이루는 말. ¶ 아름~다 / 정~다 / 여자~다 / 꽃~다.
답가【踏歌】[명] 발로 땅을 구르며 장단을 맞추어 노래함. ——하다 [자][여불]
답간【答簡】[명] 답장(答狀). ——하다 [자][여불]
답결【畓結】[명] 논에 대한 구실. 논의 결세(結稅).
답곡【畓穀】[명] 논에서 나는 곡식. 곧, 벼. 논곡식(穀食).
답교【踏橋】[명]〖민〗 음력 정월 보름날 밤에 다리를 밟던 일. 서울에서는 광통교(廣通橋)를 중심으로 하여 열 두 다리를 밟으면, 그 해의 재액(災厄)을 면한다 하여 달 아래에서 즐겨이 놀던 풍속이 있었음. 중고(中古)에는 여자들은 열엿샛날 밤에 하게 되었음. 다리밟이. ——하다 [자][여불]
답구【踏臼】[명] 디딜방아.
답국【蹋鞠】[명] 축국(蹴鞠).
답권【畓券】[명] 논문서(文書).
답농【畓農】[명] 논농사.
-답니까 [어미] ↗-다고 합니까. ¶ 얼마나 작~/뭘 입었~. *-ㄴ답니까·-는답니까·-더랍니까.
-답니다 [어미] ↗-다고 합니다. ¶ 벌써 떠났~/예쁘~. *-ㄴ답니다·-는답니다·-더랍니다.
답다 [형]〈방〉 다르다(충남·전북).
-답-다 [미] 접미사 '-답-'과 어미 형성 접미사 '-다'가 합친 말.
답다비 [부]〈옛〉 답답히. ¶ 먹뎡이 ᄀᆞᆮᄒᆞ며 버워리 ᄀᆞᆮᄒᆞ야 답다비 모롤씨《月釋 XIII:18》.
답답-하다【沓沓—】[형][여불] ①병이나 근심 걱정으로 가슴 속이 갑갑하다. 안타깝다. ¶ 답답한 심정. ②숨이 막힐 듯하여 괴롭다. ¶ 가슴이 ~. ③시원한 느낌이 없다. ¶ 답답하게 일하다. ④너무 고지식하여 딱하다. ¶ 답답한 사람. **답답-히**【沓沓—】[부] ①답답하게. ②〈방〉 빠듯이.
【답답한 놈이 소지(所志) 쓴다; 답답한 놈이 송사한다】 아쉬운 사람이 일을 해결하려고 서두르고 덤빈다는 말.
-답디까 [어미] ↗-다고 합디까. ¶ 얼마나 크~/합격했~. *-ㄴ답디까·-는답디까·-더랍디까.
-답디다 [어미] ↗-다고 합디다. ¶ 고비를 넘겼~/매우 사납~. *-ㄴ답디다·-는답디다.
답례【答禮】[—녜] [명] 말·동작 또는 물건으로 남에게서 받은 예를 도로 갚는 일. 또, 그 예. ¶ ~품. ——하다 [자][여불]
답무【踏舞】[명] 발로 장단을 맞추면서 춤을 춤. 또, 그 춤. ——하다 [자][여불]
답문【答問】[명] 물음에 대답함. 또, 그 문서.
답방【答訪】[명] 다른 사람의 방문에 대한 답례의 방문. ——하다 [자][여불]
답배¹【答—】[명] 신분이 낮은 사람에게 주는 편지 답장. 취음: 답패(答牌). ——하다 [자][여불]
답배²【答盃】[명] 술잔을 받고 그 답으로 주는 잔. ——하다 [자][여불]
답배³【答拜】[명] 절을 받고 답례로 하는 절. ——하다 [자][여불]
답변【答辯】[명] 어떠한 물음에 대답하여 변명함. 또, 그 대답. ¶ ~을 회피하다. ——하다 [자][여불]
답변-서【答辯書】[명] ①답변하는 글. ②〖법〗 답변의 요지(要旨)를 기재한 문서. ③〖법〗 민사 소송법상, 피고(被告)가 구두 변론(口頭辯論)에서 답변하고자 하는 사항을 기재하여 제출하는 문서.
답보¹ [명]〈방〉 답치기.
답보²【答報】[명] 회보(回報)❶. ——하다 [타][여불]
답보³【踏步】[명] 제자리에 서서 하는 걸음. 제자리 걸음. ¶ ~ 상태.

——-하다 자여불

답쌉다 형〈옛〉답답하다. ＝닶갑다. ¶ 솔히 덥고 안히 답쌉거늘(膚熱內煩)《月釋 Ⅱ:51》.

답씨다 자타〈옛〉속이 타다. 답답하게 여기다. ＝닶기다. ¶ 어마니미 드르시고 안 답써샤《月釋 XXI:217》.

답사[1]【答謝】명 답례(答禮)로 하는 사례(謝禮). ——-하다 자여불

답사[2]【答辭】명 ①회답하는 말. 답언(答言). ②식장(式場)에서 식사(式辭)·축사(祝辭)·송사(送辭) 등에 대답하는 말. ¶ 졸업생 대표의 ～. ③〔천주교〕미사에서 계(啓)에 대하여 응(應)하는 문구. ＊응(應). ——-하다 자여불

답사[3]【踏査】명 그 곳에 실지로 가서 보고 조사함. ¶ 현지(現地) ～. ——-하다 타여불

답사행 가무【踏沙行歌舞】명〔악〕고려 문종 때 송(宋)나라에서 들어온 당악(唐樂) 정재(呈才)의 하나.

답사히 부〈옛〉늘비하고 어수선하게. ¶ 답사히 그륜 눈서비 어위도다(狼藉畫眉闊)《重杜諺 I:6》.

답사히다 자〈옛〉답쌓이다. 쌓이다. ¶ 주거미 답사효매 플와 나모왜 비뉘호고(積屍草木腥)《杜諺 Ⅳ:10》.

답사흔 타〈옛〉첩첩이 쌓은. '답샇다'의 활용형. ¶ 답사흔 믈 밧긔 도라ᄇ라셔(回眺積水外)《杜諺 I:29》.

답삭 부 왈칵 덤벼서 물거나 움키는 모양. ¶ 손을 ～ 쥐다/～ 덜미를 나꿔채다. ㅆ탑삭. <덥석. ——-하다 자여불

답삭-거리다 자 연해 답삭 물거나 움켜 쥐다. ㅆ탑삭거리다. <덥석거리다. 답삭-답삭 부

답삭-대다 자 답삭거리다.

답산【踏山】명 무덤 자리를 잡으려고, 산지(山地)를 실지로 가서 보고 조사함. ——-하다 자여불

답살【踏殺】명 짓밟아서 죽임. ——-하다 타여불

답삿-길【踏査—】명 답사하러 떠난 길.

답샇다 타〈옛〉쌓다. 첩첩이 쌓다. ¶ 石壁ㅅ 비촌 답사흔 쇠 셋는 ᄃᆞᆺ 하도다(壁色立積鐵)《重杜諺 I:17》.

답새【答賽】명 신불(神佛)에게 은혜에 보답하기 위한 제사를 지냄. 또, 그 제사.

답새기다 타〈방〉때리다(함남).

답서【答書】명 답장(答狀). ¶ ～를 보내다. ——-하다 자여불

답세다 형〈방〉고달프다.

답쇄【踏碎】명 밟아 부숨. ——-하다 타여불

답수【答酬】명 수답(酬答). ——-하다 자여불

답습【踏襲】명 선인(先人)의 행적(行蹟)을 그대로 따라 행함. 또, 선인의 설(說)을 그대로 계승하여 자기의 설로 삼음. 습답(襲踏). ¶ 구습을 ～하다/전(前)장관의 정책을 ～하다. ＊표습(剽襲). ——-하다 타여불

답승 명〈심마니〉소금.

-답시고 어미 형용사의 어간 및 선어말 어미 '-았-'·'-었-'·'-겠-' 밑에 붙어서, '-다고'의 뜻으로 스스로 그러함을 자처(自處)하는 꼴을 빈정거리는 연결 어미. ¶ 뭐 예쁘～ 미인 대회에 나가려는 거야/나이께나 먹었～ 자세(藉勢)하기냐. ＊-ㄴ답시고·-는답시고·-랍시고.

답신[1]【答申】명 상사(上司)의 물음에 대하여 의견을 상신(上申)함. 또, 자문 기관(諮問機關)이 행정 관청의 자문에 응(應)하여 의견을 구신(具申)함. ——-하다 자여불

답신[2]【答信】명 회답의 통신이나 서신(書信). 반신(返信). ＊답서(答書). ——-하다 자여불

답신-서【答申書】명 관청 같은 데에서 묻는 어떠한 물음에 대하여 답신하는 문서.

답신-안【答申案】명 질문에 대한 답신의 안건(案件).

답싸와 형〈옛〉답답하여. '답쌉다'의 활용형. ¶ 네 迷惑ᄒᆞ야 답싸와(汝自迷悶)《楞嚴 Ⅱ:31》.

답-쌓이다 [—싸—] 자 한군데로 들이덮쳐서 쌓이다. ¶ 바람에 낙엽이 골짜기로 만 ～.

답안【答案】명 ①시험 문제의 해답. 또, 해답을 쓴 종이. ¶ ～지(紙)/모범 ～. ②대답의 안건(案件).

답언【答言】명 대답으로 하는 말. 말로 대답함. 답사(答辭). ——-하다 자여불

답엽【踏葉】명 낙엽을 밟으며 거닒. ——-하다 자여불

답월【踏月】명 달밤에 거닒. 또, 그 걸음. ——-하다 자여불

답읍【答揖】명 답례로 읍(揖)함. 또, 그 읍. ——-하다 자여불

답응【答應】명 응답(應答). ——-하다 자여불

답-이작【畓裏作】[—니—] 명〔농〕일정한 논에 벼를 재배한 다음 이어서 다른 겨울 작물을 재배하여 논의 토지 이용률을 높이는 이모작 방식.

답인【踏印】명 관인(官印)을 찍음. 개인(蓋印). 타인(打印). ——-하다 자여불

답작-거리다 자 ①어떤 일에나 간섭하기를 좋아하다. ¶ 그는 남의 일에 답작거리기를 좋아한다. ②남에게 붙임성있게 굴다. 1)·2):<덥적거리다. 답작-답작 부. ——-하다 자여불

답작-대다 자 답작거리다.

답작-이다 자 답작거리는 짓을 하다. <덥적이다.

답장【答狀】명 회답하여 보내는 편지. 답간(答簡). 답서(答書). 답찰(答札). 회서(回書). 보서(報書). ——-하다 자여불

답전【答電】명 회답의 전보. 회전(回電). 반전(返電). ——-하다 자여불

답-조회【答照會】명 조회에 대해서 답하는 일. ——-하다 타여불

답주【畓主】명 논의 임자.

답지[1]【答紙】명 답을 쓰는 종이. 답안지(答案紙).

답지[2]【遝至】명 한군데로 몰려듦. ¶ 주문이 ～하다/의연금(義捐金)이 ～하다. ——-하다 자여불

-답지 못:하다 미여불 '무엇과 같지 않다'·'얼마만한 값어치가 없다'는 뜻으로 체언에 붙어 형용사를 이루는 말. -답지 않다. ¶ 남자～/신사～. ↔-답다.

-답지 않다 [—안타] 미 -답지 못하다.

답찰【答札】명 답장(答狀). ——-하다 자여불

답척【踏尺】명 묘지의 거리(距離)를 잴 때, 땅바닥의 높고 낮음을 따라서 줄을 땅바닥에 붙이고, 잣수를 재는 일. ↔부척(浮尺). ——-하다 자여불

답청【踏青】명 ①봄에 파랗게 난 풀을 밟고 거닒. 들에 산책(散策)함. ②당송(唐宋) 시대 이후의 중국의 풍속의 하나. 청명절(清明節)에 교외를 산책하며 화조(花鳥)를 즐김. ——-하다 자여불

답청-절【踏青節】명 '삼짇날'의 별칭. 이 날 들에 나가 파랗게 난 풀을 밟는 풍습이 있음. ——-하다 타여불

답측【踏測】명 현장에 가서 실제로 측량함. 또, 그 측량. 실측(實測).

답치기 명 질서없이 함부로 덤벼드는 짓. 또, 생각없이 덮어놓고 하는 짓. 답치기(를) 놓다 구 질서없이 함부로 막 덤벼들다.

답치다 타 ☞다그치다. ¶ 삼촌은 시장해 보였다. 종우는 아내를 답쳐 술상을 들여 놓았다《吳永壽 : 終車》.

답토【畓土】명 논으로 된 토지. 논.

답통【答通】명 통문(通文)에 대한 회답(回答).

답파【踏破】명 험한 길이나 먼 길을 끝까지 걸어 나감. 너른 지역을 종횡(縱橫)으로 두루 걸어서 돌아다님. 도파(蹈破). ¶ 밀림을 ～하다. ——-하다 타여불

답패【答牌】명 '답배[1]'의 취음.

답포【答砲】명 외국 군함(軍艦)으로부터 받은 예포(禮砲)에 대한 답례로 군함이나 포대(砲臺)에서 예포를 발사함. 또, 그 예포. ——-하다 자여불

답품【畓品】명〔역〕답험(踏驗). ——-하다 타여불

답험【踏驗】명〔역〕논밭에 가서 농작(農作)의 상황을 실지로 답사함. 답품(畓品). ——-하다 타여불

답험 손:실법【踏驗損實法】[—뻡] 명〔역〕고려 공양왕(恭讓王) 3년(1391) 과전법(科田法) 실시 이후, 조선 세종 26년(1444) 공법(貢法)이 제정될 때까지 시행된 세율(稅率) 규정법. 공전(公田)의 경우는, 수령, 감사의 위관(委官), 감사의 차례로 3차에 걸쳐 작황(作況)을 심검(審檢)하고, 사전(私田)은 전주(田主)가 심검하되, 작황의 손결(損缺)이 1분이면 조(租) 1분을 감하고 손(損) 8분이면 조 전액을 감면함.

답호【褡護】명〔역〕벼슬아치가 입는 옷의 한 가지. 예복(禮服) 밑에 입는데, 배자(褙子) 모양이며 밑이 긴 세 자락의 옷임.

닶가옴 형〈옛〉답답하고 성가심. '닶갑다'의 명사형. ¶ ᄆᆞᅀᆞ매 키 닶가오ᄆᆞᆯ 내야(心大生惱)《圓覺 下 一之一 17》.

닶가와 형〈옛〉답답하여. '닶갑다'의 활용형. ¶ 迷惑ᄒᆞ고 닶가와(迷悶)《楞嚴 Ⅳ:44》.

닶갑다 형〈옛〉답답하다. ＝답쌉다. ¶ 짜해 닶가와 주글씨라(悶絶於地)《楞嚴 Ⅷ:101》.

닶기다 자타〈옛〉답답히 여기다. ＝답씨다. ¶ 다른 毒藥 먹고 藥이 發ᄒᆞ야 가슴 닶겨 짜해 그우더니《月釋 XVII:10》.

닷[1] 명〈방〉덫(전남).

닷[2] 명〈옛〉탓. 까닭. ¶ 官監의 다시언마ᄅᆞᆫ(官監之尤)《龍歌 17章》.

닷[3] 관〈옛〉딴. ¶ 三輔ㅅ 닷 사ᄅᆞᆷ ᄃᆞᆯ히 버블 삼더라(三輔以爲儀表)《飜小 X:3》.

닷[4] 관 ↗다섯. ¶ ～ 냥/～ 되/～ 말.
[닷 돈 보고 보리 밭에 갔다가 명주 속옷 찢었다] 작은 이익을 얻으려다가 도리어 큰 손해를 보았다는 뜻. [닷 돈 추렴(出斂)에 두 돈 오 푼을 내었나] 어떤 모임에서 자기에게 언권(言權)을 잘 주지 아니하거나 교제 석상(交際席上)에서 하등 대우를 받게 될 때 이르는 말.

닷[5] 부〈옛〉따로. ¶ 만일 사라신제 닷 살거든 미리 그 짜히 齋실을 지어 사라 祠堂制度 ᄀᆞ티ᄒᆞ엿다가《家禮 I:12》.

닷가 타〈옛〉닦아. '닷다'의 활용형. ¶ 福ᄋᆞᆯ 닷가 하ᄂᆞᆯ해 나앳다가《月釋 I:42》.

닷고미 타〈옛〉닦음이. '닷다'의 활용형. ¶ 나ᅀᅡ 닷고미(進修)《永嘉 下 106》.

닷곤ᄃᆡ 명〈옛〉닦은 데. ¶ 닷곤ᄃᆡ 아즐가 닷곤ᄃᆡ 쇼셩경 고외마른《樂範 西京別曲》.

닷곰 타〈옛〉닦음. '닷다'의 명사형. ¶ 理 닷곰과 證홈 그츠나(理絶修證)《圓覺 序 56》.

닷곱 명 다섯 홉. 곧, 한 되의 반.
[닷곱에도 참여(參與) 서 홉에도 참여] 너무 사소한 일에까지 간섭함을 이르는 말.

닷곱-되 명 다섯 홉 드는 되. 오홉들이 되.

닷곱 장:님 명 반쯤된 장님이라는 뜻이니, 곧 시력(視力)이 아주 약한 사람을 이르는 말.

닷마샤 타〈옛〉닦으시어. '닷다'의 활용형. ¶ 됴ᄒᆞᆫ 根源을 닷마샤《月釋 Ⅷ:90》.

닷다 타〈옛〉닦다. ¶ 닷디 아니ᄒᆞ면 곧 凡夫(不修即凡夫)《金剛序 8》/道理 닷ᄂᆞᆫ 사ᄅᆞᄆᆡ《月釋 Ⅱ:14》.

-닷다 어미〈옛〉-더라. ¶ 父母孝養ᄒᆞ시닷다ᄒᆞ고《月釋 XXI:208》.

닷둘홉 명〈옛〉오갈피. ＝ᄃᆞᆺ둘홉❶. ¶ 닷둘홉(五加皮)《方藥 34》.

닷봇근〈옛〉잘 닦은. '닷'은 '磨', '봇근'은 '拂拭'의 뜻. ¶ 닷봇근 明鏡中 절로 그린 石屏風 그림애ᄅᆞᆯ 버들 사마《松江 星山別曲》. ＊봇다.

닷분 명 한 치의 반. 오푼(五分).

닷쓰다 자〈옛〉닻 들다. 닻을 감다. ¶ 닷 쓰쟈 ᄇᆡ 써나가니 이제 가면 언제 오리《古時調 永言》.

닷사다 자〈옛〉따로 살다. ¶ 각각 셰간 ᄂᆞᆫ화 닷사쟈커ᄂᆞᆯ(各求分財異居)《二倫 24》.

닷새 명 ①다섯 날. ¶ ～쯤 걸리는 일. ②↗초닷샛날.
[닷새를 굶어도 풍잠(風簪) 멋으로 굶는다] 체면 때문에 곤란을 무릅쓴다는 말.

닷샛-날 명 ①다섯째의 날. ②↗초닷샛날.

닷쇄 명〈옛〉닷새. ¶ 또 닷쇄 이시니(也有五箇日頭裡)《朴解 中 53》.

닷져고리 명〈옛〉딱따구리. ¶ 닷져고리(啄木官)《同文 下 35》.

닷지네 명〈방〉〔동〕지렁이(함북).

닷지레 명〈방〉〔동〕지렁이(함북).

닷타 타〈옛〉땋다. ¶ 머리 닷타(編髮)《同文 上 54》.

닷티 부〈옛〉달리. 따로. ＝다티. ¶ 서르 ᄉᆞ랑ᄒᆞ야 닷티 자디 아니ᄒᆞ야(相戀不能別寢)《二倫 姜肱條》.

닷티살다 자〈옛〉따로 살다. ¶ 닷티 사라야 ᄒᆞ리로다ᄒᆞᆫ대(願思分異)《二倫 8》.

닸다 타 〈옛〉 닦다. ¶福을 닷가 하놀해 나앳다가《月釋 I：42》.
닷가 타 〈옛〉 닦아. '닷다'의 활용형. ¶法을 브터 나사 닷가(託法進脩)《圓覺 下 二之一 13》.
당¹ 명 ↗망건(網巾)당.
당²【唐】 명 〖역〗 ①중국 수(隋)나라 다음에 일어난 왕조. 이연(李淵)이 수나라 공제(恭帝)의 전위(傳位)를 받아 즉위한 때로부터 애제(哀帝)에 이르러 후량(後粱)의 태조(太祖) 주전충(朱全忠)에게 망하기까지 20대(代) 290년간을 일컬음. 남북을 통일하여 정치·문화의 대발전을 이룬 시대로 관제(官制)가 정비되었으며, 당시의 세계에서 가장 강대한 문명국이었음. 이 시대는 정치 외교상·문화상 여러 가지로 우리 나라와 관계가 밀접하였음. 장안(長安)에 도읍하였음. 당나라. [618-907] ②↗후당(後唐). ③↗남당(南唐).
당³【唐】 명 성(姓)의 하나. 현재 우리 나라에는 본관이 밀양(密陽) 하나뿐임.
당⁴【堂】 명 ①↗당집. ②대청³(大廳). ③〖불교〗 큰 절의 문 앞에 그 절의 이름난 중을 세상에 알리기 위하여 세우는 깃대. ④〖불교〗 신불(神佛) 앞에 세우는 기(旗)의 한 가지. ⑤서당(書堂).
당⁵【當】 명 〖불교〗 미래(未來). 당래(當來).
당⁶【幢】 명 〖역〗 ①헌천화(獻天花) 춤에 쓰이는 기(旗)의 한가지. 빛깔에 따라 푸른 빛으로 된 것을 청룡당(靑龍幢), 검은 빛을 현무당(玄武幢), 붉은 빛을 주작당(朱雀幢), 흰 빛을 백호당(白虎幢)이라 함. ②신라(新羅) 때의 영문. 대당(大幢)·귀당(貴幢)·구서당(九誓幢) 등이 있음. ③〖불교〗 기도나 법회(法會) 등의 의식이 있을 때, 절의 문 앞 당간(幢竿)에 다는, 불화(佛畫)를 그린 기(旗). 속칭 괘불(掛佛).

〈당⁶❶〉

당⁷【糖】 명 〖화〗 ①물에 녹아서 단맛을 내는 탄수화물. 단당류(單糖類)의 과당(果糖)·포도당과 이당류(二糖類)의 사탕·맥아당이 이에 속함. ②↗당류(糖類). ③↗자당(蔗糖).
당⁸【黨】 명 ①무리¹. ②정당(政黨). ¶~을 조직하다/~에 가입하다. ③친족(親族)과 인척(姻戚)을 이르는 말. ④〖역〗 중국 주(周)나라 때의 500집의 일컬음. ⑤붕당(朋黨)❶.
당⁹ 부 〈방〉 늘(평안).
당-¹【唐】 두 중국에서 온 물건 또는 중국에 관계되는 뜻을 표시하는 말. ¶~모시/~사향/~책(册)/~인(人)/~닭.
당-²【堂】 두 사촌 형제나, 오촌 숙질의 관계를 나타내는 말. ¶~숙질/~고모. *종(從)-.
당-³【當】 두 ①어떠한 말 위에 붙어서 '그'·'바로 그'·'이'·'지금의' 등의 뜻을 나타내는 접두어. ¶~회사(會社)/~열차(列車). ②그 당시의 나이를 나타내는 접두어. ¶~20세.
-당¹【堂】 미 ①전각(殿閣)의 이름에 붙이는 말. ¶양화(養和)~. ②영당(影堂) 등 당집의 이름에 붙이어 쓰는 말. ¶늠연(凜然)~. ③일반적으로, 건물의 이름에 붙이는 말. ¶청송(聽訟)~/삼일(三一)~. ④사람의 아호(雅號) 밑에 붙이어 쓰는 말. ¶사명(四溟)~. ⑤여러 사람이 집회하는 건물의 뜻을 나타내는 말. ¶공회~/예배~. ⑥점포(店鋪) 등 옥호(屋號)의 이름 밑에 붙이어 쓰는 말. ¶고려~/태극~/숭문(崇文)~.
-당²【當】 미 어떠한 말 아래에 붙어서 '앞에'·'마다' 등의 뜻을 나타내는 접미어. ¶호(戶)~/일인~ 국민 소득.
당가¹【唐家】 명 〖건〗 닫집.
당가²【當家】 명 ①이 집. 그 집. ②집안 일을 주장하여 맡게 됨. ——-하다 자여불
당가루 명 〈방〉 겨(경북).
당가리 명 〈방〉 ①겨(경북). ②등겨(경북).
당가 신부【當家神父】 명 가톨릭에서, 교구나 신학교의 경리를 담당하는 신부.
당-가지【唐—】 명 〈방〉 〖식〗 고추(평안·강원).
당-가화【唐假花】 [—까—] 명 중국에서 만든 가화.
당각【當刻】 명 바로 그 시각. 즉각(卽刻).
당간¹【幢竿】 명 〖불교〗 당(幢)을 달아 세우는 돌·쇠·나무 등의 대. 짐대.
당간²【撞桿】 명 옛적의 대포에 탄약·화약을 장전(裝塡)하기 위하여 밀어넣는 데 쓰는 막대 모양의 기구.
당간 지주【幢竿支柱】 명 당간을 받쳐 지탱하는 두 개의 기둥.
당갈 명 〈방〉 달걀(전남).
당갈기 명 〈방〉 등겨(강원).
당갈-등계 명 〈방〉 등겨(경남).
당갈-등기 명 〈방〉 겨(경남).

〈당간 지주〉

당-감이 명 ↗당감잇줄.
당감잇-줄 명 짚신이나 미투리의 총에 꿰어, 줄이고 늘이는 끈. 준당감이.
당-감재【唐—】 명 〈방〉 〖식〗 고구마(평남).
당-개나리【唐—】 명 〖식〗 [*Lilium brounii*] 백합과에 속하는 다년초. 줄기의 높이는 130-170cm이고 잎은 호생하며 가늘고 긴데, 끝이 뾰족하며 무병(無柄)임. 7-8월에 황적색의 꽃이 피는데, 꽃잎의 끝이 뒤로 조금 젖혀지며 암자색의 잔 점(點)이 있음. 인경(鱗莖)은 참나리와 비슷함. 한국 각지의 산야에 분포함. 관상용임. 권단(卷丹). 당나리.
당-개미 명 〈방〉 당감잇줄.
당-개지치【唐—】 명 〖식〗 [*Brachybotrys paridiformis*] 지칫과에 속하는 다년초. 줄기의 높이는 40cm 가량으로 곧게 뻗음. 넓은 타원형 또는 타원상 피침형의 잎이 호생하는데, 장병(長柄)이며 줄기 끝에 서너 너덧 잎이 윤생상(輪生狀)으로 집생(集生)함. 5-6월에 담홍색 꽃이 총상(總狀) 화서로 핌. 산지에 나는데, 한국의 중북부에 분포함.
당-갱이 명 〈방〉 당감잇줄.
당-거리 명 〈방〉 고무래.
당건【唐巾】 명 옛날 중국에서 쓰던 관(冠)의 하나. 당대(唐代)에는 임금이 많이 썼으나, 뒤에는 사대부(士大夫)들이 사용하였음.
당경【唐鏡】 명 중국 당나라 시대의, 금속으로 만든 거울. 원경(圓鏡) 이외에 능화경·계화경·방경(方鏡) 등이 있고, 백동(白銅)·은·철로 만듦.
당계¹【棠谿】 명 중국에서 양검(良劍)을 만들어 내던 지명. 또, 그 곳에서 난 칼.
당계²【當季】 명 이 때. 이 계절. 당기(當期).
당고¹【堂鼓·唐鼓】 명 중국의 현대극, 주로 무극(武劇)에 사용하는 큰 북의 한 가지. 금속제(金屬製)이며, 위로 향하여 놓고 쳐 울림.
당고²【當故】 명 부모의 상사를 당함. 조간(遭艱). 조고(遭故). 당상(當喪). ——-하다 자여불
당고³【黨錮】 명 〖역〗 중국 후한(後漢)의 환제(桓帝)·영제(靈帝) 때, 환관(宦官)이 발호(跋扈)하여 반대당의 진번(陳蕃)·이응(李膺) 등의 청절(淸絶)한 학자가 그것을 공격하자 오히려 이들을 종신 금고(終身禁錮)에 처하여 사진(仕進)의 길을 막아 버린 일. 당고지화(黨錮之禍)라고도 함.
당-고금【唐—】 [—꼬—] 명 〖한의〗 이틀만큼씩 걸러서 앓는 학질, 곧 이틀거리의 예스러운 일컬음. 당학(唐瘧).
당-고모【堂姑母】 명 '종고모(從姑母)'의 친근한 일컬음.
당-고모부【堂姑母夫】 명 '종고모부(從姑母夫)'의 친근한 일컬음.
당-고의【唐袴衣】 [—/—이] 명 〈방〉 당의(唐衣).
당-고조【唐高祖】 명 〖역〗 중국의 당(唐)나라의 고조(高祖)를 다른 왕조의 고조와 구별하여 일컫는 말. 주의 예전에는, '당꼬조'로 발음했음.
당고 협정【塘沽協定】 명 〖역〗 탕구 협정.
당골¹ 명 〖건〗 〈방〉 단골¹.
당골² 명 〈방〉 무당¹(巫—)(경기·충남·전라·평안).
당골레 명 〈방〉 무당¹(巫—)(전라).
당골-막이 명 〈방〉 골막이.
당골-에미 명 〈방〉 무당¹(巫—)(전북).
당골-판【—板】 명 〈방〉 단골판.
당-공약【黨公約】 명 〖정〗 정당이 정권을 잡은 후에, 반드시 실현할 여러 가지 정책에 관하여 국민에게 행한 약속. ¶~을 실천에 옮기다.
당과¹【堂窠】 명 그 사람에게 알맞은 벼슬 자리.
당과²【糖菓】 명 '캔디(candy)'의 한자 이름.
당과-류【糖菓類】 명 사탕이나 과자 종류.
당관¹【唐官】 명 〖역〗 명(明)나라로부터 우리 나라에 파견된 관원(官員).
당관²【當官】 명 ①현재 어떤 관직에 있음. 재관(在官). ②당해(當該)의 관리. 또, 그 소관의 관리.
당-광나무【唐—】 명 〖식〗 제주광나무.
당괴【黨魁】 명 당의 괴수(魁首).
당교【當校】 명 바로 이 학교. 바로 그 학교. 본교(本校).
당구¹【堂狗】 명 서당에서 기르는 개.
[당구 삼 년에 폐풍월(吠風月)] '서당 개 삼 년에 풍월 짓는다'와 같은 뜻.
당구²【堂構】 명 ①궁전(宮殿)의 꾸밈새. ②부조(父祖)의 사업을 계승함.
당구³【撞球】 명 우단을 깐 대(臺) 위에 상아(象牙)나 플라스틱으로 된 붉은 공과 흰 공을 놓고, 큐로 쳐서 맞히어 승부를 가리는 실내 오락의 하나. 빌리어드(billiard). ——-하다 자여불
당구⁴【鐺口】 명 〖불교〗 절에서 밥을 짓는 큰 솥.
당구-공【撞球—】 명 당구에 쓰는 둥근 공. 상아(象牙)나 플라스틱으로 만들며, 직경 2-2⅜ 인치. 당구알.
당구-대【撞球臺】 명 당구할 때에 공을 굴리는 대(臺). 길이 10피트, 폭 5피트, 높이 3피트 가량 되는 판을 수평(水平)되게 놓고, 안쪽에 녹색의 우단을 깔고 사면의 가장자리는 공이 굴러 떨어지지 못하도록 턱지게 하였음.
당-구멍 [—꾸—] 명 〈방〉 마루 구멍.
당구를 명 〈방〉 올가미(황해).
당구-봉【撞球棒】 명 '큐(cue)'의 한자 이름.
당구-알【撞球—】 명 당구공.
당구-자【棠毬子】 명 〖식〗 아가위. 산사자(山査子).
당구-장【撞球場】 명 ①당구(撞球)하는 곳. ②당구대를 벌이어 놓고, 요금을 받고 당구를 치게 하는 업소(業所).
당구 풍월【堂狗風月】 명 '당구 삼 년에 폐풍월'과 같은 뜻.
당-구혈【—久穴】 [—꾸—] 명 〖광〗 옛날의 광산(鑛山)의 갱도(坑道).
당-구화【唐—花】 [—꾸—] 명 〈방〉 〖식〗 당국화.
당국¹【唐國】 명 ①중국의 당(唐)나라. ②중국(中國). 한토(漢土).
당국²【當局】 명 ①어떤 일을 처리하는 임무를 맡고 있음. 어떤 일을 담당함. 또, 그 곳. ¶학교 ~에서 말하는 바에 의하면. ②정무(政務)의 중요한 자리를 차지하는 기관. 어떤 정무를 맡아 보는 관청. ¶관계 ~/~에 신고하다. ③대국(對局)❶. ④↗당국자(當局者). ——-하다 자여불
당국³【當國】 명 ①바로 이 나라. 바로 그 나라. ②당사국(當事國). ③나라의 정무(政務)를 맡음. ——-하다 자여불
당국-자【當局者】 명 그 일을 맡아 보는 자리에 있는 사람. 준당국(當局).
당국자 미(迷)라 구 그 일을 맡아 보는 사람이 도리어 실정에 어둡다는 뜻.
당-국화【唐菊花】 명 〖식〗 과꽃.
당-굿【堂—】 [—꿋] 명 〖민〗 ↗도당(都堂) 굿.
당궁【唐弓】 명 힘의 강약이 잘 조화된 활.
당권【黨權】 [—꿘] 명 당의 주도권. ¶~ 투쟁.
당궤【唐机】 명 ①중국제(製)의 책상. ②중국풍의 책상. 대개 자단(紫檀)으로 만듦.
당귀【當歸】 명 〖한의〗 승검초의 뿌리. 성질은 따뜻하고 맛은 단데, 피를 돕는 약으로 쓰이고 여자에게 더욱 좋음.
당귀-두【當歸頭】 명 〖한의〗 당귀의 대가리. 지혈제(止血劑)로 쓰임.
당귀-미【當歸尾】 명 〖한의〗 당귀의 끝의 가는 부분. 약효는 당귀와 같으나, 특히 행혈(行血)과 파혈제(破血劑)로 쓰이며 강장제(強壯劑)·통경제(通經劑)로도 쓰임.

당귀 보:혈탕【當歸補血湯】 명 《한의》 빈혈로 인한 두통·갈증 등을 다스리는 탕약.

당귀수-산【當歸鬚散】 명 《한의》 약방문의 하나. 당귀미를 주제(主劑)로 하여 만든 것으로, 타박상 또는 그 외 모든 외상(外傷)으로 인한 어혈(瘀血)을 푸는 데 효험이 있음.

당귀-신【當歸身】 명 《한의》 당귀의 대가리와 꼬리를 잘라낸 가운데 토막. 약효(藥效)가 당귀와 같으나 특히 양혈(養血)하는 보람이 있음.

당귀 온중탕【當歸溫中湯】 명 《한의》 원기 부족과 빈혈을 다스리는 탕약. 부인들의 임신·유산·다산(多産) 등으로 인한 기혈(氣血) 허약에 씀.

당귀 육황탕【當歸六黃湯】 명 《한의》 약방문의 하나. 혈허(血虛)와 도한(盜汗)에 좋음.

당귀 작약산【當歸芍藥散】 명 《한의》 약방문의 하나. 여성 냉증·빈혈·불임증 등에 쓰임.

당귀-주【當歸酒】 명 ①승검초의 뿌리와 잎을 소주에 담가 놓고 꿀을 쳐서 봉하여 두었다가 이삼일 지난 뒤에 먹는 술. ②승검초를 으깨서 담근 술. 화혈(和血)·장근골(壯筋骨)·조경(調經)하는 데에 먹음.

당귀-차【當歸茶】 명 승검초 순을 꿀물에 넣은 차.

당규【黨規】 명 정당의 규칙. 당칙(黨則). ¶ ～를 어기다.

당귤-나무【唐橘―】[―라―] 명 《식》 [*Citrus sinensis*] 운향과(芸香科)에 속하는 상록 활엽 교목. 줄기에 가시가 났으며 잎은 달걀꼴임. 여름에 흰 꽃이 하나씩 액생(腋生)하며 과실은 장과(漿果)인데 겨울에 익음. 제주도 및 일본에 분포함. 관상용으로 심으며, 과실은 식용함.

당그다 타 〈방〉 담그다.

당그래 명 〈방〉 고무래(전라·경남).

당그레 명 〈방〉 고무래(전남·제주).

당그리 명 〈방〉 고무래(경남).

당극【幢戟】 명 《역》 기(旗)가 달린 창(槍).

당근 명 《식》 [*Daucus carota* var. *sativa*] 미나릿과에 속하는 일년 또는 이년초. 화경(花莖)의 높이 1-1.5m 내외인데 거친 털이 있고 잎은 근생(根生)의 우상 복엽(羽狀複葉)임. 여름에 흰 꽃이 복산형(複繖形) 화서로 핌. 뿌리를 먹는데 긴 원뿔꼴로서 길이 10cm에서 1m에 달하고 빛은 적황색·적색·홍색을 띠며 맛이 달콤하고 향기가 있음. 유럽·아프리카 북부·소아시아 원산으로, 동양종·서양종이 있음. 홍당무. 호나복(胡蘿蔔). 주의 '唐根'으로 쓰은 취음(取音).

〈당근〉

당근 누름적【―炙】 명 당근을 기름하게 썰어서 간장·기름·후춧가루에 버무려, 꼬챙이에 꿰어 밀가루를 묻히고 달걀을 씌워서 지진 누름적. 당근 화향적.

당근 화향적【―花香炙】 명 당근 누름적.

당글개 명 〈방〉 고무래(전남).

당금¹【唐錦】 명 중국에서 나는 비단.
[당금 같다] 매우 훌륭하고 귀하다는 뜻.

당금²【當今】 명부 당면한 이제. 지금. 현금(現今). ¶ ～의 정세/～ 도착했습니다.

당금 아기【唐錦―】 명 당금(唐錦)같이 아주 귀중하게 기르는 아기.

당금지-지【當禁之地】 명 딴 사람이 들어와 장사지냄을 허락하지 아니하는 땅. 또, 딴 사람이 뫼를 쓰지 못하게 하는 땅.

당기¹ 명 〈방〉 댕기.

당기²【當期】 명 ①이 시기(時期). 이때. 당계(當季). ②《법》 연(年)·월(月)·주(週) 등으로써 어떤 법률 관계를 여러 기(期)로 구분한 경우에 현재 경과 중에 있는 기간. ¶ ～의 손익.

당기³【當機】 명 《불교》 상대의 능력·소질에 따라 이끎.

당기⁴【黨紀】 명 당의 풍기. 당의 규율. ¶ ～ 숙정(肅正).

당기⁵【黨旗】 명 한 정당을 상징하기 위하여 그 당의 표지로 정한 기.

당기다¹ 자타 ☞ 댕기다¹.

당기다² 자 〈방〉 다니다(전라·경상·함경).

당기다³ ⊟타 ①끌어서 가까이 오게 하다. ¶ 귀를 잡아 ～/그물을 ～. ②줄을 팽팽하게 하다. ¶ 활시위를 힘껏 ～. ↔늦추다. ③정한 시일을 줄여서 미리 하다. 다그다. ¶ 날짜를 ～. ↔미루다·물리다. ⊟자 ①입맛이 돋구어지다. ¶ 입맛이 당기는 계절. ②마음이 무엇에 끌리어 움직이다. ¶ 비위에 ～.

당기 손:실【當期損失】 명 《경》 손익 계산서에서, 당기의 총비용이 총수익을 상회(上回)한 순액(純額).

당기 손:익【當期損益】 명 《경》 손익 계산서에서, 당기 이익 또는 당기 손실을 일괄한 액수.

당기 순이익【當期純利益】 명 《경》 손익 계산서에서, 당기의 총수익에서 영업외 비용을 포함한 총비용을 뺀 순액(純額).

당기 업적주의【當期業績主義】[―/―이] 명 《경》 손익 계산서는 한 회계(會計) 기간에 발생한 일체의 수익과 비용을 기재하여 순손익(純損益)을 계산 확정하여야 한다는 주장.

당기 이:익【當期利益】 명 《경》 손익 계산서에서, 당기의 총수익이 매출 원가·판매비 및 일반 관리비를 상회(上回)한 순액(純額).

당길-문【―門】 명 밖에서 잡아당기어서 열게 된 문.

당길-심[―씸] 명 제게로만 끌어당기려는 욕심.

당김-음【―音】 명 [syncopation] 《악》 같은 높이의 센박과 여린박이 연결되어 여린박이 센박, 센박이 여린박이 되어, 셈여림의 위치가 바뀌는 일. 절분음(切分音). 싱커페이션(syncopation).

당-까마귀【唐―】 명 《조》 떼까마귀.

당-꼬마【唐―】 명 〈속〉 아주 작은 꼬마.

당-꿩【唐―】 명 〈방〉 장끼(평북).

당-나귀【唐―】 명 《동》 [*Equus asinus*] 말과에 속하는 짐승. 말과 비슷한데 몸은 작고 앞머리의 긴 털이 없으며, 꼬리는 쇠꼬리와 같고, 귀는 토끼귀처럼 길며, 등은 불쑥 나왔음. 털빛은 단색(單色)으로 황갈색·회황색·회흑색 등이 많고, 어깨·사지(四肢)에 짙은 조반(條斑)이 있으며, 눈 주위·입·하복부(下腹部)·사지의 안쪽은 백색임. 또, 요추골(腰椎骨)이 5개임. 3년 만에 성숙하고, 말보다 1개월이 많은 363일간의 임신 기간을 가짐. 체질이 강건(強健)하고, 질병(疾病)에 저항력이 강하며, 부담력(負擔力)·지구력(持久力) 등이 세어서, 부리기에 적당함. 아프리카의 야생종(野生種)을 가축화(家畜化)한 것으로 이집트를 비롯하여 전세계에 분포함. 여마(驢馬). 준나귀.

〈당나귀〉

[당나귀 귀 치레] 당나귀의 귀가 몹시 크기만 한 데서, 쓸모없고 어울리지 아니하게 만들어 놓은 것을 이르는 말. [당나귀 못된 것은 생원(生員)님만 업신여긴다] 못된 사람일수록 윗사람이나 남을 격에 맞지 아니하게 깔봄을 이르는 말. [당나귀 새끼가보다 술 때 아는 걸 보니] 술 잘 먹는 사람이 술먹을 때를 알아 가지고 온다 하여 놀리는 말. 당나귀는 술을 잘 먹어서, 한번 술을 주면 그맘때가 되면 언제나 술을 달라고 소리지르고 밟고 차고 한다 함. [당나귀 찬 물 건너가듯] 글을 읽을 때에, 막히지 아니하고 술술 읽어 내려감을 이르는 말. [당나귀 하품한다] 당나귀가 우는 것을 보고 귀머거리는 하품하는 줄 안다는 데서, 귀머거리를 조롱하는 말.

당나귀-기침【唐―】 명 당나귀의 울음 소리와 같은 소리를 내면서 하는 기침. 백일해나 오래 된 감기를 앓을 때에 흔히 함.

당나귀 정:【唐―鄭】 명 〈속〉 정나라 정(鄭)을 글자의 왼쪽 윗 부분이 당나귀 귀 같다 하여, 같은 음인 고무래 정(丁)과 구별하여 일컫는 말.

당-나라【唐―】 명 《역》 중국의 '당(唐)'을 나라로서 똑똑히 일컫는 말.

당-나리【唐―】 명 《식》 당개나리.

당-나무【堂―】 명 《민》 당산(堂山) 나무.

당-나발【唐―】 명 보통 나발보다 좀 큰 나발.

당내¹ 명 ①자기가 살아 있는 동안. ②벼슬을 살고 있는 동안.

당내²【堂內】 명 ①동성 동본의 유복친(有服親). 곧, 팔촌 이내의 일가. ②불당(佛堂)·사당(祠堂) 등의 안.

당내³【黨內】 명 당의 안. ¶ ～ 문제/～ 파벌.

당내-간【堂內間】 명 당내가 되는 사이.

당내기-질 명 〈방〉 말질²(함남). ──하다 자

당내 데모크라시【黨內―】[democracy] 명 《정》 정당에서 하부의 일반 당원의 의사를 적극적으로 받아들이는 원리·원칙.

당내 지친【堂內至親】 명 ①팔촌 이내의 친척. ②가장 가까운 일가. 준당내친.

당내-친【堂內親】 명 ↗당내지친(堂內至親).

당녀【唐女】 명 중국 여자를 좀 낮게 일컫는 말.

당년【當年】 명 ①그 해. 이 해. 금년(今年). ¶ ～ 18세. ②그 연대(年代).

당년-작【當年作】 명 그 해에 수확한 농작물.

당년-초【當年草】 명 ①《식》 일년초(一年草). ②한 햇 동안밖에 쓰지 못하는 물건의 비유.

당년-치【當年―】 명 그 해에 생긴 물건. 그 해의 물건. ¶ ～ 농사.

당년-치기【當年―】 명 한 햇 동안밖에 견디지 못하는 물건. 여러 해 쓸 수 없는 물건.

당노 명 말의 이마에 치레로 꾸미는 물건. 양(鍚).

당뇨【糖尿】 명 포도당이 많이 섞인 병적인 오줌.

당뇨-병【糖尿病】[―뼝] 명 《의》 당뇨가 장기간에 걸쳐 나오는 병. 유전적 관계도 있으나, 췌장(膵臟)의 호르몬 분비가 방해됨에 따른 뇌하수체(腦下垂體)·부신(副腎) 등의 내분비선(內分泌腺) 장애와도 관계가 있음. 일반적 증상(症狀)으로는, 오줌의 분량이 많고 또한 자주 누게 되며, 목이 마르고, 몸이 고단해지는데 식욕은 도리어 왕성해짐. 치료법에는 식이 요법(食餌療法)과 인슐린(insulin) 주사가 있음.

당뇨병성 망막증【糖尿病性網膜症】[―뼝썽―] 명 당뇨병 때문에 안저 출혈(眼底出血)·시력 장애 등의 증상을 일으키는 증세.

당뇨병 신증【糖尿病腎症】[―뼝―쯩] 명 《의》 당뇨병 때문에 신장 안의 모세관·세뇨관(細尿管)이 침범되어, 당뇨 외에 단백뇨(蛋白尿)가 나오는 병증(病症).

당뇨병 혼수【糖尿病昏睡】[―뼝―] 명 《의》 당뇨병으로 인해 혈당치(血糖値)가 높아져, 뇌를 침해하여 일으키는 혼수 상태.

〈당느릅나무〉

당-느릅나무【唐―】 명 《식》 [*Ulmus davidiana*] 느릅나뭇과에 속하는 낙엽 활엽 교목. 잎은 거꿀달걀꼴이거나 또는 넓은 달걀꼴임. 꽃은 취산(聚繖) 화서로 총생(總生)하여 피고, 시과(翅果)는 5-6월에 익음. 산록 및 골짜기에 분포함. 나무는 도구(道具) 용재·신탄재(薪炭材)로 쓰고 수피는 약용(藥用), 어린 잎은 식용함.

당-단백질【糖蛋白質】 명 《화》 탄수화물(炭水化物)과 단백질이 결합한 복합 단백질. 연골(軟骨)중에 포함되어 있음.

당-단풍나무【唐丹楓―】 명 《식》 [*Acer pseudo-sieboldianum*] 단풍나뭇과에 속하는 낙엽 활엽 교목. 잎은 원형의 장상(掌狀)이고 9-11 갈래로 깊게 째지며 굵은 털이 있고 후면 맥상(脈上)에 흰 털이 났음. 자웅 일가(雌雄一家)인데 5월에 자홍색(紫紅色) 꽃이 산방상(繖房狀) 원추 화총(圓錐花叢)으로 정생(頂生)하며, 긴 타원형의 시과(翅果)는 10월에 익음. 산지 특히 침엽수림 밑에 나는데, 전남·경남북·강원도의 이북 및 만주에 분포함. 정원수로 심으며 나무는 기구재(器具材),

잎은 물감의 재료임.

당달-봉사【一奉事】명 청맹과니.

〈당닭❶〉

당-닭【唐—】[—딱] 명 ①〖조〗[*Gallus domesticus*] 꿩과에 속하는 닭의 한 가지. 몸은 매우 작고 날개는 땅에 닿아 발이 보이지 아니하며, 볏이 크고, 꽁지는 길어서 볏에 거의 닿도록 직립(直立)함. 중국의 원산으로서, 애완용(愛玩用)으로 일본 등에서 기름. 왜계(倭鷄). ＊닭. ②키가 작고 몸이 똥똥한 사람의 별명. 【당닭의 무녀리냐 작기도 하다】 가축 중에서 가장 작은 놈을 두고 이르는 말.

당당[1]【瞠瞠】부 눈을 크게 뜨는 모양.

당당[2]【鏜鏜】명 ①종고(鐘鼓)의 소리. ②큰 소리의 형용.

당당[3]【堂堂】부 어연번듯하게. 당당히. ¶ 강적을 물리치고 ~ 우승했다.

당당-하다【堂堂—】형여불 ①매우 의젓하고 어연번듯하다. ¶ 당당한 체구. ②버젓하고 정대(正大)하다. ¶ 당당한 권리/당당하게 싸워라. ③형세나 위세가 대단하다. ¶ 기세가 ~. 당당-히【堂堂—】부

당대【當代】명 ①사람의 한평생 살이. 사람의 일대(一代). ¶ ~에 망하다. ②그 시대(時代). ¶ ~의 위인. ③이 시대. 지금의 세상. 당세(當世). 당조(當朝).

당-대등【堂大等】명〖역〗고려 초의 향직(鄕職)의 우두머리. 성종(成宗) 2년(983)에 호장(戶長)으로 고쳐 부름.

당대 발복【當代發福】명 부모를 좋은 땅에 매장하여 곧 부귀를 누리게 됨. ——하다 자여불

당대-인【當代人】명 그 시대의 사람.

당-대조령집【唐大詔令集】명〖책〗중국 당대(唐代)의 조칙(詔勅)을 송(宋)나라의 송민구(宋敏求)가 편집한 책. 130권. 1070년 완성.

당도[1]【當到】명 어떠한 곳에나 일에 닿아서 이름. ¶ 목전에 ~한 위험/무사히 목적지에 ~하다. ——하다 자여불

「은 이름.

당도[2]【當塗】명 ①당로(當路)❷. ②〖지〗'당투(當塗)'를 우리 음으로 읽

당도[3]【當道】명 ①이 길. 자기가 학문을 닦는 길. ②〖한의〗내과(內科).

당도리 명 바다로 다니는 큰 나무배. 당도리선(船).

당도리-선【—船】명 당도리.

당돌【撞突】명 부딪침. 충돌(衝突)함. ——하다 자여불

당돌-하다【唐突—】형여불 올차고 도랑도랑하여 조금도 꺼리는 마음이 없다. ¶ 당돌한 아이. 당돌-히【唐突—】부

당동 벌이【黨同伐異】명 옳고 그름을 가리지 아니하고 뜻이 맞는 사람끼리는 한패가 되고, 그렇지 아니한 사람은 배척함. 동당 벌이(同黨伐異). ——하다 자여불

당두[1]【當頭】명 가까이 닥침. 닥쳐옴. 임박함. 박두(迫頭). ¶ 시험날이 ~하다. ——하다 자여불

「서 붙인 것.

당두[2]【當頭】명〖불교〗절의 큰 방에 청산(靑山)·백운(白雲) 따위를 써

당-두루마리【唐—】[—뚜—] 명 당지(唐紙)로 만든 두루마리. 당주지

당두리 명〈방〉당도리.

L(唐周紙).

당락【當落】[—낙] 명 당선과 낙선. ¶ ~의 발표.

「(郞廳).

당-랑[1]【堂郞】[—낭] 명〖역〗같은 관아에 있는 당상관(堂上官)과 낭청

당랑[2]【螳螂】[—낭] 명〖충〗버마재비.

당랑 거:철【螳螂拒轍】[—낭—] 명〔사마귀가 팔을 벌리고 수레바퀴를 막는다는 뜻〕제 분수도 모르고 강적(強敵)에게 반항함을 말함. 당랑 당거철(螳螂當車轍). 당랑지부(螳螂之斧).

당랑 규선【螳螂窺蟬】[—낭—] 명 당랑 재후(螳螂在後).

당랑 당거철【螳螂當車轍】[—낭—] 명 당랑 거철(螳螂拒轍).

당랑-력【螳螂力】[—낭녁] 명 미약한 힘 또는 아주 미약한 병력(兵力).

당랑 박선【螳螂搏蟬】[—낭—] 명 당랑 재후(螳螂在後).

당랑 재:후【螳螂在後】[—낭—] 명〔이슬을 먹으려는 매미는 뒤에서 사마귀가 노리는 줄을 모르고, 사마귀는 또한 저를 노리는 황작(黃雀)이 있음을 모른다는 옛이야기에서〕눈앞의 욕심에만 눈이 어두워, 장차 그 뒤에 올 재화(災禍)를 알지 못한다는 뜻. 당랑 규선(螳螂窺蟬). 당랑 박선(螳螂搏蟬).

당랑지-부【螳螂之斧】[—낭—] 명 당랑 거철(螳螂拒轍).

「來).

당래[1]【當來】[—내] 명〖불교〗다음에 곧 올 세상. 내세(來世). 미래(未

당:래[2]【倘來】[—내] 부 혹은 또는 만약에.

당래 도:사【當來導師】[—내—] 명〖불교〗내세(來世)에 출현하는 도사(導師). 지금으로부터 56억 7천만 세(歲)를 지나 이 세계에 출현, 성도(成道)하여 중생을 화도(化導)한다는 미륵 보살(彌勒菩薩). 당래 미륵.

당래 미륵【當來彌勒】[—내—] 명〖불교〗당래 도사.

당래-세【當來世】[—내—] 명〖불교〗내세(來世).

당래 장야【當來長夜】[—내—] 명〖불교〗①내세(來世)에서 생사간(生死間)을 유전(流轉)하여 무명(無明)의 잠에서 깨어나지 아니하는 일. ②언제까지나 오도(悟道)하지 아니하고 미망(迷妄)하고 있는 일.

당래지-사【當來之事】[—내—] 명 앞으로 마땅히 닥쳐올 일.

당래지-직【當來之職】[—내—] 명 신분에 알맞은 벼슬이나 직분. 또, 마땅히 차례에 올 벼슬이나 직분.

당래-하다【當來—】[—내—] 자여불 마땅히 닥쳐오다. 주의 '-할'로만

당래-할【當來—】[—내—] 관 마땅히 닥쳐올. ¶ ~ 일.

L활용됨.

당략【黨略】[—냑] 명 ①당파에서 쓰는 계략. 당으로서의 모략(謀略). ②정당에서 쓰는 정략(政略). ¶ 당리(黨利) ~.

당량【當量】[—냥] 명〔equivalent weight〕〖화〗화학 당량(化學當量), 전기(電氣) 화학 당량, 열(熱)의 일당량 등을 말하며, 화학 당량을 약(略)해서 당량이라고도 함. 또, 여기에 그램 단위(g 單位)를 붙인 질량(質量)을 그램 당량이라고 함. 등가량(等價量).

당량-년【當梁年】[—냥—] 명 중국의 풍속에서, 혼인을 기피(忌避)하는 해. 자(子)·묘(卯)·오(午)·유(酉)의 해를 이름.

당량 농도【當量濃度】[—냥—] 명〖화〗용액의 단위. 용액내에 포함되는 어떤 물질의 당량수.

당량-점【當量點】[—냥쩜] 명〔equivalence point〕〖화〗산과 염기, 산화제와 환원제 등이 과부족 없이 화학 반응이 일어나도록 일정량의 시약(試藥)이 첨가된 점. 첨가된 시약의 양으로 나타냄.

당로[1]【堂老】[—노] 명 재상(宰相)끼리 서로 부르는 칭호.

당로[2]【當路】[—노] 명 ①정권을 잡음. ②요로(要路)에 있음. 당도(當塗). ③↗당로자. ¶ ~에 진정하다. ——하다 자여불

당로[3]【當壚】[—노] 명 술청에 앉아 술을 팖. ——하다 자여불

당로-자【當路者】[—노—] 명 당국자(當局者). 준당로(當路). ¶ ~의 말

당록【堂錄】[—녹] 명〖역〗↗도당록(都堂錄).

L에 의하면.

당론[1]【黨論】[—논] 명 ①붕당(朋黨)의 논의. ②〖역〗조선 선조(宣祖)초 심의겸(沈義謙)과 김효원(金孝元)의 폄론(貶論)을 발단으로 서인(西人)·동인(東人)의 당파가 생기고, 뒤에 다시 동인이 남인(南人)·북인(北人)으로 갈리고 북인은 대북(大北)·소북(小北)으로 갈리고, 서인은 노론(老論)·소론(少論)으로 갈리어 당파를 조직하여, 서로 헐뜯고 배척하는 폐단이 많았던 일. ＊사색(四色). ③당의 의견이나 논의.

당:론[2]【讜論】[—논] 명 바른 의론. 정론(正論).

당료【糖料】[—뇨] 명 설탕의 원료.

당료 식물【糖料植物】[—뇨—] 명 설탕의 원료가 되는 식물의 총칭.

당류[1]【糖類】[—뉴] 명〖화〗가용성(可溶性)이며 단맛이 있는 탄수화물(炭水化物) 곧, 단당류(單糖類)·이당류(二糖類)·다당류(多糖類) 등의 총칭. 준당(糖).

당류[2]【黨類】[—뉴] 명 한 무리의 동류(同類). 끼리끼리.

당륜【黨倫】[—뉸] 명 당의 윤리.

당률【唐律】[—뉼] 명 어떤 범죄에 해당하는 형률(刑律).

당률 소의【唐律疏議】[—뉼—/—뉼—이] 명〖책〗중국 당대(唐代)의 당률(唐律)에 관한 주석서. 당의 이임보(李林甫) 등의 편으로 중국 법사(法史) 및 중국법과 한국·일본·베트남의 법과의 관계를 연구하는 데 중요한 자료임. 30권. 737년 완성.

당리[1]【棠梨】[—니] 명〖식〗팥배.

당리[2]【黨利】[—니] 명 어느 한 당의 이익. ¶ ~ 당략(黨略).

당린【唐隣】[—닌] 명〖역〗'캉글리(Kangli)'의 한자 이름.

당마【塘馬】명〖역〗척후(斥候)의 임무를 띤 말 탄 군사.

당-마가목【唐—】명〖식〗[*Sorbus amurensis*] 장미과에 속하는 낙엽 활엽 교목. 잎은 우상 복생(羽狀複生)하고 긴 타원형에 가에 톱니가 있고 아린(芽鱗)에 흰 털이 밀생(密生)함. 5-6월에 흰 꽃이 복방상(複房狀) 화서로 정생(頂生)하여 피고, 이과(梨果)는 구형(球形)이며 홍색으로 10월에 익음. 깊은 산의 산복(山腹)의 숲 속에 나는데, 경남북·강원·경기·황해·평남북·함남북 및 아무르에도 분포함. 수피(樹皮)와 과일은 약용, 나무는 조각(彫刻)·지팡이 재료임. 취음:당마아목(唐馬

당-마루【堂—】명〖건〗너새[1]❶.

L牙木).

당-마삭나무【唐—】명〖식〗[*Trachelospermum jasminoides*] 협죽도과에 속하는 상록 활엽 만목(蔓木). 잎은 혁질(革質)이고 가에 톱니가 없음. 초여름에 흰 꽃이 취산(聚繖) 화서로 액생 또는 정생하며, 삭과(蒴果)는 가을에 익음. 산록 및 바위 위에 나는데 경남 및 일본·중국 등에 분포함. 꽃꽃이용(用)임.

당-마아목【唐馬牙木】명〖식〗당마가목의 취음(取音).

당말【唐—】명〈옛〉중국 말. ¶ 엇뎨 일후미 般若오 이는 梵語ㅣ니 唐마랜 智慧라(何言般若是梵語唐言智慧)《金剛 序 8》.

당망【搪網】명 후릿그물.

당-매자나무【唐—】명〖식〗[*Berberis poiretii* var. *angustifolia*] 매자나뭇과에 속하는 낙엽 활엽 관목. 줄기에 가시가 있고, 잎은 긴 타원상의 도피침형(倒披針形)이며 가에 톱니가 없음. 4-5월에 노란 꽃이 총상(總狀) 화서로 가지 곁에 핌. 장과(漿果)는 타원형 또는 긴 타원형이며 9월에 적색으로 익음. 산과 들에 나는데, 강원·경기·평북·함북 및 중국·몽골·유럽에 분포함. 가지와 잎은 약용·물감용이고, 울타리 재료로도 사용함. ＊매자나무.

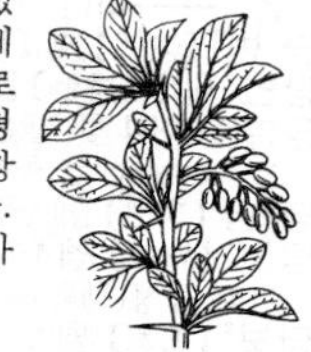
〈당매자나무〉

당-먹【唐—】명 중국에서 만든 먹. 당묵(唐墨).

당면[1]【唐麪】명 감자 가루로 만든 마른 국수. 잡채의 원료가 됨. 분탕(粉湯). 호면(胡麪).

당면[2]【當面】명 ①일이 바로 눈앞에 당함. ¶ ~ 과제(課題). ②대면(對面). ——하다 자여불

당면[3]【瞠眄】명 눈을 휘둥그렇게 뜨고 똑바로 봄. ——하다 타여불

당-멸치【唐—】명〖어〗[*Elops machnata*] 당멸칫과에 속하는 열대성 바닷물고기. 몸은 가늘고 길며 측편하고 눈은 크며 비늘은 벗겨지기 쉬운 둥근비늘임. 몸빛은 등 쪽은 회청색, 배 쪽은 은백색이고 등지느러미는 뒷지느러미보다 훨씬 큼. 열대성 어종으로 동인도 제도에서 한국 남부 및 남일본에 걸쳐 분포함. 식용임.

당멸칫-과【唐—科】명〖어〗[Elopidae] 청어목(靑魚目)에 속하는 한 과. 당멸치·풀잉어 등이 이에 속함.

당명[1]【唐名】명 중국에서 쓰이는 명칭.

당명[2]【黨名】명 정당·당파의 명칭.

당명[3]【黨命】명 정당에서 내리는 명령.

「백당포(白唐布).

당-모시【唐—】명 중국에서 만든 모시. 폭이 넓고 톡톡함. 당저(唐紵).

당목[1]【唐木】명 되게 드린 무명실로 나비가 넓고도 바닥을 곱게 짠 피륙의 하나. 처음에 서양으로부터 중국을 통하여 우리 나라에 수입되었고, 뒤에 우리 나라에서도 짜게 되었음. 생목. 서양목(西洋木). 양목(洋木).

당목면(唐木綿).
당목²【撞木】명 절에서 종이나 징을 치는 나무 막대.
당목³【瞠目】명 당시(瞠視). ——-하다 타 여불
당-목면【唐木綿】명 당목(唐木).
당목-어【撞木魚】명〖어〗귀상어.
당목-천【棠木川】명〖지〗평안 북도 의주군(義州郡) 옥상면(玉尙面)의 용무산(龍舞山)에서 발원하여 서쪽으로 흐르다가 압록강으로 흘러드는 하천. 연안에 아가위나무가 무성함. [40.8 km]
당-목향【唐木香】명〖한의〗①금쇄시(金鎖匙). ②중국에서 나는 목향.
당무¹【當務】명 그 직무를 맡음. 또, 현재 맡고 있는 직무.
당무²【黨務】명 ①그 당이 해야 할 임무나 일. ②당의 사무. ¶~ 보고/~회/~ 위원.
당무-자【當務者】명 그 직무를 맡아 보는 사람. 실무자(實務者).
당묵¹【唐墨】명 당먹.
당묵²【鐙墨】명 앉은검정.
당-문갑【唐文匣】명 중국에서 만든 문갑. 대개, 화류(樺榴)로 만들고, 문짝에 산호·비취·옥 등으로 정교하게 조각하여 덧붙임.
당문-수【唐文粹】명〖책〗중국 당대(唐代)의 시문 선집. 송(宋)나라의 요현(姚鉉; 968-1020)의 편으로, 질박(質朴)한 고문(古文)과 고체시(古體詩)가 주임. 100권.
당-문자【唐文字】[—짜] 명 한문자.
당물【唐物】명 당물화(唐物貨).
당-물화【唐物貨】명 중국에서 가져오는 물건의 총칭. 당속(唐屬). 당물(唐物).
당미【糖米】명 수수쌀.
당-미꾸라지【唐—】명〖어〗미꾸라지.
당밀【糖蜜】명 자당(蔗糖)을 제조할 때, 당액(糖液)을 증발시키고 자당을 분리하여 남은 액체. 흑색의 시럽상(syrup 狀)이며, 사료(飼料)·비료·연료로서 사용되는 이외에 가공하여 고형 당밀(固形糖蜜)·구두약·알코올·연탄(煉炭) 등의 원료로 씀. 사탕밀(砂糖蜜).
당밀 조례【糖蜜條例】명〖역〗식민지 시대에 영국이 미국에 대하여 취한 중상주의(重商主義) 입법의 하나. 1733년 제정(制定). 서인도 제도에서 수입하고 있던 당밀·설탕에 고율(高率)의 관세를 과할 것을 규정하였는데, 이에 대한 반대 운동이 독립 운동의 원인(遠因)이 되었음.
당밀-주【糖蜜酒】[—쭈] 명 당밀을 발효, 증류하여 만든 알코올 음료. 럼(rum).
당:박【戇朴】명 어리석고 순박함. ——-하다 형 여불
당반 명〈방〉살강(황해·함남).
당방【當方】명 이쪽. 우리 쪽.
당-방초【唐防草】명 중국식(中國式)의 벽돌.
당배【黨輩】명 함께 어울리는 무리들.
당백【當百】명〖역〗↗당백전(當百錢).
당-백사【唐白絲】명 ①중국에서 나는 흰 명주실. ②당백사로 만든 연줄.
당백-전【當百錢】명〖역〗한 푼이 엽전 백 푼과 맞먹던 돈. 조선 시대 고종(高宗) 3년(1866)에 경복궁(景福宮)을 중건할 때에 만들었음. 정식 이름은 '호대(戶大) 당백전'. 준당백(當百).

〈당백전〉

당-버들【唐—】[—뻐—] 명〖식〗[*Populus simonii*] 버드나뭇과에 속하는 낙엽 활엽 교목. 높이 15-20 m 내외, 수피(樹皮)는 회색 또는 회갈색임. 잎은 거꿀달걀꼴 또는 긴 타원형인데 잎 뒤가 모두 흰 빛을 띰. 꽃은 자웅 이가(雌雄二家)로 수꽃이삭은 늘어졌고 4월에 꽃이 잎보다 먼저 피며, 삭과(蒴果)는 5월에 익음. 냇가에 나는데 거의 한국 각지 및 중국·만주·몽골에 분포함. 가로수·성냥개비·제지(製紙)·건축재·나막신·화약 원료로 사용함.
당번¹【當番】명 번드는 차례에 당함. 또, 그 사람. ¶청소 ~. ↔비번(非番). ——-하다 자 여불
당-번²【幢幡】명〖불교〗①당(幢)과 번(幡). ②당과 번을 겹치어 만든 기(旗).
당번-제【當番制】명 어떤 일을 차례로 돌아가면서 맡아 하는 제도.
당벌【黨閥】명 같은 당파의 사람들이 단결하여 타당(他黨)을 배척하는 일. 또, 그러한 목적으로 이루어진 단결.
당-병【唐缾】명〖공〗중국에서 나는 청화 백자(青華白瓷)의 병(缾)을 본떠서 만든 병.
당보¹【塘報】명〖역〗당보수(塘報手)가 기를 가지고 높은 곳에 올라서 적의 동정(動靜)을 살펴 알리는 일.
당보²【黨報】명 당(黨)의 기관지(機關紙).
당보-군【塘報軍】명〖역〗당보수(塘報手).
당보-기【塘報旗】명〖역〗당보수(塘報手)가 적군(敵軍)의 동정(動靜)을 알리는 기. 바탕은 누르고 한 자 평방임. 적군의 형세가 느리면 기를 점(點)하고, 급하면 마(磨)하고, 적이 많고 형세가 급하면 몸을 삥 둘르며 마하고, 일이 없으면 세 번 마하고, 세 번 권(捲)함. 밤에는 등불을 씀.
당보-수【塘報手】명〖역〗척후(斥候)의 임무를 띤 군사. 당보군(塘報軍).
당보 포:수【塘報砲手】명〖역〗척후(斥候)의 임무를 띤 총군(銃軍).
당본【唐本】명 당책(唐册).
당봉【撞棒】명 '큐(cue)'의 한자 이름.
당봉지-물【當捧之物】명 당연히 거둬 들일 재물(財物).
당부¹【當付】명 (근대: 당부) 말로써 어찌하라고 단단히 부탁함. ¶신신~하다. ——-하다 타 여불
당-부²【當否】명 ①옳고 그름. 시비(是非). ②정당함과 부정당함. 적부(適否).
당-부당【當不當】명 정당함과 부정당함.
당분¹【當分】명〖불교〗천태종(天台宗)에서 과절(跨節)에 상대하여 쓰는 술어. 장(藏)·통(通)·별(別)·원(圓)의 사교(四教)에 각각 고유한 입장이 있음을 해석(解釋)하는 것이 당분이며, 이 고유한 입장을 초월하여 논(論)하는 것이 과절임.
당분²【糖分】명 당류(糖類)의 성분.
당분-간【當分間】명부 앞으로 얼마 동안. 잠시 동안. ¶~ 여기 머문다.
당-분취【唐—】명〖식〗[*Saussurea nutans*] 국화과에 속하는 다년초. 줄기 높이 1 m 가량이고, 잎은 호생하며 밑의 잎은 장병(長柄)이나 꽃대기 잎은 무병(無柄)의 넓은 달걀꼴 또는 난상 타원형임. 8-9월에 관상화(管狀花)로 된 자줏빛 두상화(頭狀花)가 정생(頂生)하여 피고, 과실은 수과(瘦果)임. 산지에 나는데, 제주·경북·강원도에 분포함.
당붕【黨朋】명 붕당(朋黨).
당비¹【糖榧】명 유밀과의 한 가지. 밀가루 반죽에 술을 쳐서 부풀게 하여 비자(榧子) 모양으로 만들어, 기름에 띄워 꿀을 버무려 뭉침.
당비²【黨比】명 같은 무리끼리 의(誼)를 가깝고 두터이함.
당비³【黨費】명 ①당의 비용. ②당의 비용으로서 당원이 부담하는 비용. ¶~ 분담(分擔).
당비루 명〈옛〉비루. ¶晝夜로 빈 틈 업시 물거니 빨거니 뜻거니 쏘거니 甚흔 唐비루에 어려워라《類聚》.
당-비름【唐—】[—삐—] 명〖식〗색비름.
당-비상【唐砒霜】[—삐—] 명 중국에서 나는 비상. 당신석(唐信石).
당-비파【唐琵琶】명〖악〗당악기(唐樂器)에 속하는 발현(撥絃) 악기의 하나. 네 줄과 열 두 기둥으로 된 비파로, 두충(杜冲)이나 엄나무 복판(腹板)에 괴목(槐木)으로 볼록하게 뒤를 대고, 타원형의 몸에 자루가 있으며, 목이 굽었음. 당악(唐樂)에서는 화류(樺榴) 채로 타고, 향악(鄕樂)을 연주할 때에는 오른손의 식지·장지·무명지에 가조각(假爪角)을 끼우고 탐. 행진(行進)할 때에는 뒷면 놋쇠 고리에 홍진사(紅眞絲) 끈을 매어, 어깨에 멤. 우리 나라에는 신라(新羅) 때부터 쓰이어, 고려 때에는 당악(唐樂)에만 사용되었으나, 조선조에 들어와 향악곡(鄕樂曲)에 쓰이게 됨. *향비파.

〈당비파〉

당-뽕【唐—】명〖식〗중국에서 나는 뽕나무.
당사¹【唐絲】명 중국에서 나는 명주실. 당사실.
당사²【堂寺】명 당과 사원.
당사³【堂舍】명 당(堂)과 사(舍). 큰 집과 작은 집.
당사⁴【當寺】명 이 절. 당산(當山).
당사⁵【當社】명 이 회사(會社). 본사(本社).
당사⁶【當事】명 일에 당함. 그 사건에 직접 관여함. ——-하다 자 여불
당사⁷【黨史】명 당의 역사. ¶~ 편찬.
당사⁸【黨舍】명 정당의 사무소로 쓰는 건물.
당:사⁹【讜辭】명 당언(讜言).
당사-국【當事國】명〖법〗국제간의 교섭 사건에 관하여 그 사건에 직접 관계가 있는 국가. 당국(當國). ¶~간의 직접 대화.
당-사기【唐沙器】[—싸—] 명〖공〗중국에서 만든 사기.
당사기-계【唐沙器契】[—싸—께] 명〖역〗중국에서 나는 사기를 공물(貢物)로 바치던 계(契).
당사-도¹【唐寺島】명〖지〗전라 남도 완도군(莞島郡) 소안면(所安面)에 속하는 소안 군도(所安群島)의 한 섬. [1.46 km² : 120 명 (1987)]
당사-도²【唐沙島】명〖지〗전라 남도 신안군(新安郡) 암태면(岩泰面) 당사리(唐沙里)에 있는 섬. [3.83 km² : 560 명 (1984)]
당사-실【唐絲—】명 당사(唐絲).
당사-자【當事者】명 ①그 일에 직접 관계가 있는 사람. 당자(當者). 당인(當人). ¶~ 이외 출입 금지. ②〖법〗어떤 법률 행위에 직접 관여하는 사람. ¶~ 신문(訊問). 1)·2):↔제삼자(第三者).
당사자 공개【當事者公開】명〖법〗소송 당사자에게 심리(審理)에 관여하고, 그 모양을 알 수 있게 하는 기회를 주는 일. 증거 조사에 참여하게 하고 소송 기록을 열람하게 하는 따위.
당사자 능력【當事者能力】[—녁] 명〖법〗민사 소송법상, 소송의 당사자가 될 수 있는 소송법 상의 권리 능력. 사법상(私法上)의 권리 능력자는 모두 당사자 능력이 있음. 형사 소송법 상에서도 같은 관념으로 사용됨.
당사자 대:등주의【當事者對等主義】[—/—이] 명〖법〗소송상 대립(對立)하고 있는 당사자의 지위를 평등하게 하고, 상호간에 대등한 공격·방어 수단과 기회를 주는 입장. 당사자 평등의 원칙.
당사자 소:송【當事者訴訟】명〖법〗①어떤 사건에 관해 대립되는 이해 관계인이 당사자로서 소송에 관여(關與)하며, 그 소송 진행에 입각하여 법원이 심판하는 민사 소송 절차. ②행정 소송의 하나. 행정 관청의 처분 등을 원인으로 하는 법률 관계에 관한 소송 그 밖에 공법상의 법률 관계에 관한 소송으로서 그 법률 관계의 한쪽 당사자를 피고로 하는 소송.
당사자 송:달주의【當事者送達主義】[—/—이] 명〖법〗송달을 당사자 자신에게 맡기거나 또는 그 신청을 기다려서 하는 주의. 직권 송달주의에 대(對)하는 말임. 우리 나라 민사 소송법은 원칙으로 당사자 송달주의를 취하지 아니하고, 직권 송달이 원칙이며 신청에 의하는 것은 예외임.
당사자 신:문【當事者訊問】명〖법〗민사 소송에서 당사자를 증거 방법으로서 그 경험한 사실을 진술하게 하는 증거 조사.
당사자 자치【當事者自治】명〖법〗채권법상(債權法上)의 법률 행위, 특히 계약 준거법(準據法)의 결정을 당사자의 의사에 맡기는 일. 이것을 허용함은 국제 사법상(私法上)의 원칙의 하나임.
당사자 적격【當事者適格】명〖법〗민사 소송법상, 일정한 권리 관계에 관하여 원고 또는 피고, 곧 소송 당사자로서 소송을 수행하고 판결을 받을 수 있는 필요한 자격. 소송 수행권(訴訟遂行權).
당사자-주의【當事者主義】[—/—이] 명〖법〗형사 소송 절차의 진행에 있어서 법원이 당사자의 공격·방어 방법에 간섭하지 아니하는 주의. 곧, 소송의 주도권(主導權)을 당사자에게 주는 주의. ↔직권주의(職權主義).
당사자 참가【當事者參加】명〖법〗소송의 계속중(繫屬中)에 제삼자가

당사자로서 참가하는 소송 참가. 곧, 종전의 소송 당사자의 쌍방 또는 일방에 대한 자기의 청구를 하기 위한 참가. ↔보조 참가(補助參加).
당사자 평등의 원칙【當事者平等一原則】[ㅡ/ㅡ에ㅡ] 명 〖법〗 당사자 대등주의.
당-사주【唐四柱】[ㅡ싸ㅡ] 명 중국에서 유래한, 그림으로 사주를 보는 법의 하나. 또, 그 책.
당-사향【唐麝香】[ㅡ싸ㅡ] 명 〖한의〗 중국에서 나는 사향.
당삭【當朔】 명 ①그 달. ②아이 밴 여자가 해산할 달을 당함. 또, 그 달. 당월(當月). 대기(大期). 임월(臨月). *만삭(滿朔)·산삭(產朔)·해산달. ——-하다 자여불
당산[1]【唐山】 명 〖지〗 '탕산(唐山)'을 우리 음으로 읽은 이름.
당산[2]【堂山】 명 〖민〗 토지나 부락의 수호신(守護神)이 있다고 이르는 산이나 언덕. 우리 나라 중부 이남에 많으며, 대개 부락에서 가까이에 있는 산이나 언덕이 됨.
당산[3]【當山】 명 ①이 산. ②당사(當寺).
당산[4]【糖酸】 명 〔saccharic acid〕〖화〗 육탄당(六炭糖)의 일위(一位)와 육위의 수산기(水酸基) OH가 산화되어 생긴 이염기성산(二塩基性酸). 일반적으로는 글루코오스(glucose)를 질산(窒酸)으로 산화하여 만드는 것을 이름. 125°C에서 녹는, 무색 결정임. [$C_6H_{10}O_8$]
당산-굿【堂山ㅡ】 명 〖민〗 당산에서 마을을 위해 제사 지낼 때 농악을 치며 노는 굿.
당산 나무【堂山ㅡ】 명 〖민〗 마을의 수호신으로 받드는 나무. 당(堂)나무.
당산 의:열록【唐山義烈錄】 명 〖책〗 조선 시대에, 이만추(李萬秋)가 엮은 책. 선조(宣祖) 25년(1592) 임진 왜란에, 당산 사람 윤붕(尹鵬), 만호(萬戶) 차은진(車殷軫)·차은로(車殷輅) 형제, 선비 김진수(金進壽) 등이 싸움에 나아간 사실과 도백(道伯)의 장계(狀啓), 예조(禮曹)의 회계(回啓), 의열비문(義烈碑文) 등을 수록함. 1책. 목판본. 「많이 행함.
당산-제【堂山祭】 명 〖민〗 산신(山神)에게 지내는 산제. 중부 이남에서
당-삼채【唐三彩】 명 〖공〗 잿물이 녹황백(綠黃白) 또는 녹황남(綠黃藍)의 세 가지 빛으로 된 당나라 때의 도자기. 명기(明器) 등에 많이 쓰임. 납을 매용제(媒熔劑)로 하여 800°C 정도의 낮은 열로 구움.
당-삽주【唐ㅡ】 명 〖식〗 [*Atractylodes koreana*] 국화과에 속하는 다년초. 줄기 높이 30-50cm이고 잎은 호생하며 피침형(披針形) 또는 긴 타원형임. 8월에 홍색 또는 백색의 두상화(頭狀花)가 정생(頂生)함. 산지에 나는데, 평남 지방에 분포함.
당상[1]【堂上】 명 ①대청 위. ②〖역〗 문관은 정삼품 명선 대부(明善大夫)·봉순 대부(奉順大夫)·통정 대부(通政大夫) 이상, 무관은 정삼품 절충장군(折衝將軍) 이상의 벼슬 계제(階梯). 1)·2):↔당하(堂下). ③〖역〗 이례(吏隷)의 상관(上官)에 대한 칭호.
당상[2]【當相】 명 당면(當面)한 사상(事相). 실제 그대로의 모습.
당상[3]【當喪】 명 당고(當故). ——-하다 자여불
당상[4]【糖霜】 명 흰 사탕.
당상-관【堂上官】 명 〖역〗 당상인 관원. ↔당하관(堂下官).
당상 군관【堂上軍官】 명 〖역〗 조선 시대, 당상관인 무관(武官)의 총칭.
당상 수:의【堂上繡衣】[ㅡ/ㅡ이] 명 당상관(堂上官)으로 암행 어사(暗行御史)가 된 사람.
당상-악【堂上樂】 명 〖악〗 대청 위에서 아뢰는 등가악(登歌樂)의 딴 이름. ↔당하악(堂下樂).
당상-질【糖狀質】 명 〔saccharoidal〕〖지〗 결정질(結晶質) 또는 입상(粒狀)의 암석(岩石) 조직.
당새 명 〈방〉 장수[1](평북).
당색【搪塞】 명 방색(防塞).
당서[1]【唐書】 명 ①〖책〗 중국 이십 오사(二十五史)의 하나로, 당나라의 역사 책. 구당서·신당서의 두 가지가 있음. ②특히, 신당서를 가리키는 말. ③당책(唐册).
당서[2]【唐黍】 명 〖식〗 ①수수. ②옥수수 ❶.
당석【當席】 명 그 좌석. 그 자리.
당선[1]【唐扇】 명 중국에서 만든 부채.
당선[2]【唐船】 명 중국의 배. 중국풍(風)의 배.
당선[3]【當選】 명 ①선거에서 뽑힘. ¶ ~ 사례. ②출품한 작품 따위가 심사에서 뽑힘. 입선(入選). ¶ ~작. 1)·2):↔낙선(落選). ——-하다 자여불
당선-권【當選圈】[ㅡ꿘] 명 당선될 수 있는 범위.
당선 무효【當選無效】 명 〖법〗 선거법 등의 위반으로 인하여 당선인의 당선이 무효가 되는 일. 낙선자가 당선 소송을 제기하면, 법원의 판결에 따라 이루어짐. ¶ ~ 소송. 「자여불
당선 사:례【當選謝禮】 명 당선자가 선거인에게 사례하는 일. ——-하다
당선 소:송【當選訴訟】 명 〖법〗 선거에 관한 소송의 하나. 낙선자(落選者)가 당선의 효력에 이의(異議)가 있을 때 당선자나 관계 선거 관리 위원회 위원장을 피고로 하여 대법원에 제기하는 소송.
당선-인【當選人】 명 ①선거에 뽑힌 사람. 주로, 법률에서 쓰는 호칭. *당선자. ②출품한 작품 따위가 당선된 사람. 당선자. 1)·2):↔낙선인.
당선-자【當選者】 명 당선인의 일반적인 일컬음.
당선-작【當選作】 명 당선된 작품. 모집에 응하여 뽑힌 작품.
당선 작가【當選作家】 명 당선된 작가. 당선작을 지은 사람.
당선 증서【當選證書】 명 〖법〗 당선인임을 증명하기 위하여 당선된 사람에게 선거 위원회가 교부하는 증서.
당설【溏泄】 명 〖한의〗 배가 부르고 아프며 설사가 나는 병. 목당(鶩溏). 한설(寒泄).
당성【當城】 명 이 성(城). 바로 그 성.
당성【黨性】[ㅡ썽] 명 소속 정당에 대한 충실성.
당-성냥【唐ㅡ】[ㅡ썽ㅡ] 명 〈방〉 성냥(전남·경북·충북).
당-성앙【唐ㅡ】 명 〈방〉 성냥(전라·경상).
당세[1]【當世】 명 ①그 시대의 세상. ②지금 세상. 당대(當代). ¶ ~의 풍조. *내세(來世)·전세(前世).
당세[2]【當歲】 명 ①금년(今年). 본년(本年). ②그 해.
당세[3]【黨勢】 명 당의 세력. 당의 기세. 당위(黨威). ¶ ~를 확장하다.
당세기 명 〈방〉 고리[2]❷(경상).
당세-풍【當世風】 명 ①그 시대의 풍조. ②지금 세상의 풍조.
당소【當所】 명 ①이 곳. 당지(當地). 당처(當處). ②이 영업소·강습소·출장소 등의 뜻으로 '소(所)'가 붙는 기관의 자칭(自稱).
당-소의【唐紹儀】[ㅡ/ㅡ이] 명 〖사람〗 '탕 샤오이(唐紹儀)'를 우리 음으로 읽은 이름.
당속[1]【唐屬】 명 당물화(唐物貨).
당속[2]【糖屬】 명 설탕에 조려서 만든 음식.
당-손가락[ㅡ까ㅡ] 명 〈방〉 가운뎃손가락(평북).
당-송【唐宋】 명 〖역〗 중국의 당(唐)나라와 송(宋)나라.
당송 시순【唐宋詩醇】 명 〖책〗 중국 청(淸)나라 건륭제(乾隆帝)의 칙찬(勅撰)인 당송(唐宋)의 시선집(詩選集). 당에서는 이백(李白)·두보(杜甫)·백거이(白居易)·한유(韓愈)의 사가(四家)의 것을 취하고, 송에서는 소식(蘇軾)·육유(陸游)의 이가(二家)의 것을 취하였음. 47권.
당송 팔가【唐宋八家】 명 당송 팔대가.
당송 팔가문【唐宋八家文】 명 〖책〗 당송 팔대가의 문집(文集). 중국 청(淸)의 심덕잠(沈德潛)이 《당송 팔대가 문초(文抄)》를 발췌하고 그 문법(文法)을 설명하며, 선인(先人)의 비평과 당송 팔대가에 관계 있는 기사를 수록한 것. 건륭(乾隆) 4년(1739) 간행. 30권.
당송 팔대가【唐宋八大家】[ㅡ때ㅡ] 명 중국 당나라와 송나라 시대의 여덟 명의 문장 대가. 곧, 당의 한유(韓愈)·유종원(柳宗元), 송의 구양수(歐陽修)·왕안석(王安石)·증공(曾鞏)·소순(蘇洵)·소식(蘇軾)·소철(蘇轍). 당송 팔가(八家). ㊀팔대가(八大家).
당송 팔대가 문초【唐宋八大家文抄】[ㅡ때ㅡ] 명 〖책〗 당송 팔대가의 문장을 초록한 책. 명나라 모곤(茅坤)의 편(編)으로, 164권.
당수[1] 명 쌀·좁쌀·보리·녹두 같은 곡식을 물에 불려서 간 것에나 또는 메밀 가루에 술을 쳐서 미음 비슷하게 쑨 음식.
당수[2]【唐手】 명 '가라테'를 우리 음으로 읽은 이름.
당수[3]【當手】 명 〖경〗 ↗당좌 수표.
당수[4]【黨首】 명 한 당의 우두머리.
당수깨 명 〈방〉 눌은밥(함남).
당-수복【唐壽福】 명 담뱃대의 하나. 백통(白銅)에 은이나 오금(烏金)으로 수(壽)자나 복(福)자를 입사(入絲)하여 만든 것.
당숙【堂叔】 명 '종숙(從叔)'의 친근한 일컬음. *삼(三)당숙.
당-숙모【堂叔母】 명 당숙의 아내. '종숙모(從叔母)'의 친근한 일컬음.
당-순(:)지【唐順之】 명 〖사람〗 중국 명(明)나라의 정치가·학자. 자(字)는 응덕(應德). 만년에 장쑤 연안(江蘇沿岸)의 왜구(倭寇)를 막아 공을 세웠음. 박학(博學)하였으며 저서에 《형천 선생 문집(荊川先生文集)》 등이 있음. 시호(諡號)는 양문(襄文). [1507-60]
당쉬 명 〈방〉 〖식〗 옥수수(함경).
당쉬-밥 명 〈방〉 눌은밥(함남).
당스 드 카락테:르 〔프 danse de caractère〕 명 하나의 발레 속에 삽입되어 있는, 클라식 댄스 이외의 민속 무용. 《백조(白鳥)의 호수》 제3막의 스페인 무용은 그 한 예임.
당승【唐僧】 명 ①당대(唐代)의 중. ②중국의 중.
당시[1]【唐詩】 명 중국 당나라 때의 작가들이 지은 한시(漢詩). 절구(絕句)·율(律) 등의 근체시(近體詩)로, 이 시대에 그 형식이 대성(大成)되었음. 당음(唐音).
당시[2]【當時】 명 일이 생긴 그때. 그때.
당시[3]【瞠視】 명 놀라거나 괴이쩍게 여겨 눈을 휘둥그렇게 뜨고 바라봄. 당목(瞠目). ——-하다 타여불
당시[4]【黨是】 명 옳다고 여기어 확정되어 있는 그 정당의 방침.
당시론 부 〈옛〉 아직[2]. 또. 오히려. =당시롱·당시론. ¶ 집의 당시론 밥이이시니(家裏還有飯裏)《老乞 上 38》.
당시롱 부 〈옛〉 아직[2]. 또. 오히려. =당시론·당시론. ¶ 당시롱 五百里 우호로 잇ᄂᆞ니(還有五百里之上)《老乞 上 9》.
당시-선【唐詩選】 명 〖책〗 중국 당나라 때의 시인 127명의 시 465수(首)를 모은 책. 명나라의 이반룡(李攀龍)이 엮은 것이라 하나 확실하지 않음. 오언 고시(五言古詩)·칠언 고시(七言古詩)·오언율(五言律)·오언배율(五言排律)·칠언율(七言律)·오언 절구(五言絕句)·칠언 절구(七言絕句)의 일곱 부문으로 나뉘어 있으며, 한시(漢詩)의 입문서(入門書)로서 널리 읽힘. 7권.
당시 승상【當時丞相】 명 권세가 높은 사람을 일컫는 말.
당시 품:휘【唐詩品彙】 명 〖책〗 중국 당대(唐代) 시인의 작품을 체별(體別)로 분류, 작가별로 품평(品評)한 책. 명(明)나라 고병(高棅)이 엮음. 620명의 작품 총 5,769수를 수록함. 90권. 습유(拾遺) 10권.
당신[1]【堂神】 명 〖민〗 신당(神堂)에 모신 신령.
당신[2]【當身】 인대 ①'하오'할 자리에 상대(相對)되는 사람을 일컫는 말. ¶ ~은 누구요. ②웃어른을 높이어 일컫는 말. 제3인칭으로 씀. ¶ 아버님 생전에, ~께서 사랑하시던 이 물건들. ③부부가 서로 상대방을 일컫는 말.
당신 본풀이【堂神本ㅡ】 명 〖민〗 당굿을 할 때, 무당이 당신(堂神)의 유래를 구송(口誦)하는 본풀이.
당-신석【唐信石】 명 당비상(唐砒霜).
당실-거리다 자 신이 나서 잇따라 가볍게 춤을 추다. <덩실거리다. 당실-당실 부. ——-하다 자여불
당실-대다 자 당실거리다.
당실-하다 형여불 건축물 같은 것이 맵시 있게 우뚝 드러나서 높다. <덩실하다.
당싯-거리다 자 어린애가 팔짓 다리짓을 하여 춤을 추듯이 허덕이다.

〈당아욱〉

＜덩싯거리다. 당싯-당싯 [부]. ——-하다 [자][여불]

당싯-대다 [자] 당싯거리다.

당쌩 [명] 〔←당사향(唐麝香)〕 매우 희귀(稀貴)한 물건.

당아산-성 【堂峨山城】 [명] 〖지〗 평안 북도 창성군(昌城郡)에 있는 산성. 본명은 청산성(青山城)임. 조선 제3대 태종(太宗) 14년(1414)에 돌로 축조하였으나 현존하지 않음.

당-아욱 【唐—】 [명] 〖식〗 [*Malva sylvestris* var. *mauritiana*] 아욱과에 속하는 월년초. 줄기 높이 1m 가량이고, 거친 털이 있으며, 잎은 호생하고 장상(掌狀)인데, 3-7갈래로 얕게 째졌음. 5-6월에 담홍색 또는 백색 오판화(五瓣花)가 핌. 유럽 원산인데, 관상용으로 정원에 심음. 금규(錦葵). 전규(錢葵). 「m]

당아-현 【堂峨峴】 [명] 〖지〗 평안 북도 정주군(定州郡)에 있는 고개. [152

당악[1] 【堂樂】 [명] 〖악〗 춤의 반주 음악으로 쓰이는 삼현 육각(三絃六角) 편성의 음악. 취모리.

당악[2] 【唐樂】 [명] 〖악〗 ①당대(唐代)의 음악. ②〖역〗 삼악(三樂)의 하나. 당송(唐宋) 이후의 중국의 음률(音律)에 의거하여 제정한 풍류. 보허자(步虛子)·낙양춘(洛陽春) 등이 있음. ↔향악(鄕樂).

당-악기 【唐樂器】 [명] 〖악〗 ①당대(唐代)의 악기. ②당악을 연주하는 악 ㄴ기.

당안 【當雁】 [명] 〖조〗 거위[1].

당-알코올 【糖—】 [명] 〔sugar alcohol〕 〖화〗 당분자(糖分子)의 카르보닐기(carbonyl基)를 환원하여 얻는 알코올의 총칭. 다가(多價) 알코올로, 물에 녹으며 단맛이 있음. 에리트리톨(erithritol)·펜티톨(pentitol) 등이 있음.

당액 【糖液】 [명] 꿀·설탕·조청 따위 단물의 총칭.

당야 【當夜】 [명] 그날 밤. 즉야(卽夜).

당약[1] 【唐藥】 [명] 〖한의〗 한방약(韓方藥).

당약[2] 【當藥】 [명] 〖한의〗 자주쓴풀의 뿌리와 줄기를 말린 한약재. 고미제 ㄴ(苦味劑)로 쓰임.

당약[3] 【瞠若】 [명][부] 당연(瞠然).

당-약재 【唐藥材】 [명] 〖한의〗 중국에서 나는 약재. 「物)로 바치던 계.

당약재-계 【唐藥材契】 [—께] [명] 〖역〗 중국에서 나는 약재를 공물(貢

당-양지꽃 【唐陽地—】 [—냥—] [명] 〖식〗 [*Potentilla ancistrifolia*] 장미과에 속하는 다년초. 뿌리는 비후(肥厚)하고 목질(木質)이며, 줄기 높이 30cm 가량임. 잎은 대개 뿌리로부터 족생(簇生), 삼출(三出) 또는 우상 복생(羽狀複生)함. 소엽(小葉)은 달걀꼴의 타원형 또는 비스듬한 달걀꼴임. 6-7월에 노란 꽃이 취산(聚繖) 화서로 줄기 끝에 정생(頂生) 또는 액생(腋生)하여 피고, 과실은 수과(瘦果)임. 산지의 바위틈에 나는데, 충북·황해·평남·함남·함북 지방에 분포함.

당양지-지 【當陽之地】 [명] 햇볕이 잘 드는 땅.

당양-하다 【當陽—】 [형][여불] 양지가 바르다. 햇볕이 바로 잘 들다. ¶봉선사 솔밭 서남편에 당양한 곳이 한 군데 있사옵니다≪朴鍾和：多情佛心≫. →다냥하다.

당어리 [명] 〈방〉 고무래(경남).

당:언 【讜言】 [명] 곧은 말. 이치에 맞는 말. 직언(直言). 당사(讜辭).

당업 【糖業】 [명] ↗제당업(製糖業).

당업-자 【當業者】 [명] 그 사업을 직접 경영하는 사람. [준]업자.

당여 【黨與】 [명] 한편이 되는 당류(黨類).

당연[1] 【唐硯】 [명] 중국에서 만든 벼루.

당연[2] 【唐筵】 [명] 중국에서 만든 대자리.

당연[3] 【當然】 [명] 이치로 보아 마땅히 그러할 것임. 마땅함. ¶～한 결과. ——-하다 [형][여불]. ——-히 [부]

당연[4] 【瞠然】 [명][부] 놀라거나 괴이쩍게 여겨서 눈을 휘둥그렇게 뜨고 보는 모양. 당약(瞠若). ——-하다 [형][여불]. ——-히 [부]

당:연[5] 【爣然】 [명] 실의(失意)한 모양. ——-하다 [형][여불]

당연 상인 【當然商人】 [명] 〖법〗 자기 명의(名儀)로 상행위를 하는 사람. 기업의 실질에 따라 정하여진 것임. 여기서 상행위라고 함은 상법 46조에 열거된 영업적 행위이며, 자기 명의로 한다는 것은 영업에서 발생하는 권리·의무의 주체가 됨을 말함. 고유(固有)의 상인.

당연 승계 【當然承繼】 [명] 〖법〗 승계 원인의 발생과 함께 당연히 생기는 소송 승계. 당사자가 사망한 경우, 상속인이 당연히 당사자로 되어 소송상의 지위를 승계하는 따위.

당연-시 【當然視】 [명] 당연한 것으로 여김. ——-하다 [타][여불]

당연증 경비 【當然增經費】 [명] 〖재정〗 예산의 편성에 있어서, 일정액의 증액을 의무적으로 세출 예산에 계상(計上)하지 않을 수 없는 성질의 ㄴ경비.

당연지-사 【當然之事】 [명] 당연한 일.

당엽 【糖葉】 [명] 〖식〗 식물의 광합성(光合成)에 의한 산물인 단당류(單糖類)·이당류(二糖類)가 축적된 잎. 대다수의 단자엽(單子葉) 식물의 잎.

당오[1] 【堂奧】 [명] ①당(堂)과 방의 구석. ②학문·기예의 오의(奧義).

당오[2] 【當五】 [명] 〖역〗 ↗당오전(當五錢).

당오기 [명] 〈방〉 〖조〗 따오기(황해).

당-오동 【唐梧桐】 [명] 〖식〗 [*Clerodendron japonicum*] 마편초과에 속하는 낙엽 활엽 관목. 높이 1-3m이고 잎은 오동나무 잎 비슷함. 여름과 가을에 노란 꽃이 원추 화서(圓錐花序)로 정생(頂生)하여 피고, 구형의 핵과(核果)는 가을에 홍자색으로 익음. 한국 남부 및 중국·인도에 분포함. 인가(人家) 부근에 관상용으로 심음.

당오-전 【當五錢】 [명] 〖역〗 다섯 푼이 엽전 백 푼과 맞서던 돈. 조선 고종(高宗) 20년(1883)에 만들었음. [준]당오(當五).

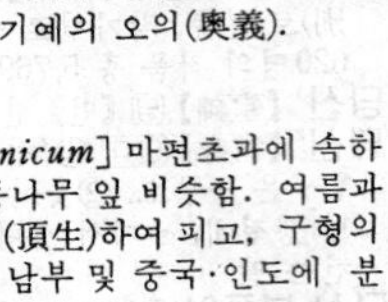

〈당오전〉

당오-평 【當五坪】 [명] 〖역〗 당오전(當五錢)의 값어치가 떨어져서, 엽전 한 냥과 당오전 닷 냥이 같은 값으로 된 셈평. [준]당평(當坪).

당-올태 【唐兀台】 [명] 〖사람〗 중국 원나라의 장군. 고려 고종 18년(1231) 몽골의 제1차 고려 침입 때 살리타이(撒禮塔)의 부장(副將)으로 나오고, 1235년의 제3차 침공 때에는 원수(元帥)로서 몽골군을 지휘했음. 부인사(符仁寺)의 대장경판(大藏經板)과 황룡사(皇龍寺) 구층탑 등 문화재를 불태웠음. 「르는 말」 요(堯).

당-옴 【唐—】 [명] 〈방〉 창병(瘡病).

당요[1] 【唐堯】 [명] 〖사람〗 〔중국의 요(堯)가 도당씨(陶唐氏)이기 때문에 이

당요[2] 【堂坳】 [명] 당정(堂庭) 가운데의 우묵 들어간 곳. 우묵한 땅에 생긴 ㄴ물구덩이. 요당(坳堂).

당요[3] 【塘坳】 [명] 제방(堤防)의 우묵한 곳.

당용 【當用】 [명] 당장의 소용에 씀. ¶～일기.

당용 일기 【當用日記】 [명] 당면한 용건을 써 두는 일기.

당우[1] 【唐虞】 [명] 중국의 도당씨(陶唐氏)와 유우씨(有虞氏). 곧, 요(堯)와 순(舜)의 시대를 합께 부르는 말로, 중국사상(中國史上) 이상적(理想的) 태평(太平) 시대로 침.

당우[2] 【堂宇】 [명] 정당(正堂)과 옥우(屋宇). 큰 집과 작은 집.

당우[3] 【黨友】 [명] ①같은 당파에 속하는 사람. ②밖에서 그 당파를 돕는 ㄴ사람.

당:우[4] 【戇憂】 [명] 어리석음. ——-하다 [형][여불]

당우 삼대 【唐虞三代】 [명] 중국의 요순(堯舜)에 하(夏)·은(殷)·주(周)의 삼대(三代)를 합하여 부르는 말.

당우치 [명] 〈방〉 눈웃밥(함남).

당울티 [명] 〈방〉 눈웃밥(평안).

당원[1] 【當院】 [명] 병원·학원 등 '원(院)'으로 부르는 기관의 자칭(自稱).

당원[2] 【黨員】 [명] 당파를 이룬 사람. 정당을 이룬 사람. 당적(黨籍)을 가진 사람. 정당원(政黨員). 당인(黨人).

당원-병 【糖原病】 [—뼝] [명] 〖의〗 체내에서 당원질(糖原質)인 글리코겐이 분해되지 않고 심장·신장·간·근육 따위에 축적되는 병.

당원-증 【黨員證】 [—쯩] [명] 어떤 당에 속하여 있음을 증명하는 증표. [준]당증(黨證).

당-원질 【糖原質】 [명] ①'글리코겐(glycogen)'의 한자 이름. ②배당체(配糖體).

당월 【當月】 [명] ①일이 생긴 그 달. ②당삭(當朔)❷. ——-하다 [자][여불]

당월-한 【當月限】 [명] 〖경〗 장기 청산 거래에서, 결제(決濟) 기일이 매매 계약을 한 그 달말(末)인 것. [준]당한(當限).

당위[1] 【當爲】 [명] 〖윤〗 마땅히 있어야 할 것 또는 마땅히 행하여야 할 일이라고 요구되는 것. 곧, 무조건하고 성취해야 할 목적, 절대적으로 준수해야 할 규범으로서 지상 명령적(至上命令的)으로 요구되는 도덕적 이상 및 가치. 졸렌(Sollen).

당위[2] 【黨威】 [명] 당파의 위세. 당의 세력. 당세(黨勢).

당위 법칙 【當爲法則】 [명] 〖철〗 마땅히 행하여야 할 법칙. 도덕 법칙은 이의 한 부분이 됨. ↔존재 법칙(存在法則).

당위-성 【當爲性】 [—썽] [명] 〖윤〗 당위의 확실성. 마땅히 하여야 할 성 ㄴ질.

당위-적 【當爲的】 [명][관] 마땅히 그렇게 하여야 하는 모양.

당위-학 【當爲學】 [명] 〖철〗 윤리학·논리학·미학(美學)과 같이 규범의 법칙을 연구하는 학문.

당유 【糖乳】 [명] 연유(煉乳). 콘덴스트 밀크(condensed milk).

당-육전 【唐六典】 [—뉵—] [명] 〖책〗 중국 당(唐)나라의 삼사(三師)·삼공(三公)·삼성(三省)·구시(九寺)·오감(五監)·십이위(十二衛)의 육직(六職)의 관제(官制)와 직사(職司)와 품질(品秩) 들을 적은 책. 당나라 현종(玄宗)이 지은 것으로, 이임보(李林甫)의 주해(註解)가 있음.

당음 【唐音】 [명] ①〖책〗 원(元)나라 양사굉(楊士宏)이 당나라 사람의 시를 시기별로 엮은 책. 5책 14권. ②〖책〗 조선 시대에 서당에서 익히던 당시(唐詩) 교재(教材). 본명은 ≪당음 정선(唐音精選)≫으로, 중국의 ≪당음≫에서 5언절구(五言絶句)만을 뽑아 엮은 것. ¶～이나 읽듯 한다. ③'당시(唐詩)'의 별칭.

〈당의[1]〉

당의[1] 【唐衣】 [—/—이] [명] 부인의 예복의 한 가지. 겉은 초록색, 안은 담홍색, 깃과 고름은 자줏빛으로, 가슴에 봉황을 수놓은 흉배(胸背)가 있고 소매는 넓으며 앞자락이 짧고 뒷자락이 김. 당저고리.

당의[2] 【唐蘐】 [—/—이] [명] 〖식〗 초피나무.

당의[3] 【糖衣】 [—/—이] [명] ①〔glycocalyx〕 〖생〗 세포 표면의 외측 성분. 강산성(強酸性)의 당을 함유하기 때문에 음(陰)의 전하(電荷)를 가짐. ②〖약〗 환약(丸藥)이나 정제(錠劑) 따위를 먹기 좋게 하기 위하여 또는 휘발 성분(揮發成分)이 도망가지 않도록 겉을 당제품(糖製品)으로 싼 것.

당의[4] 【黨意】 [—/—이] [명] 당의 의사. ¶～를 좇다.

당의[5] 【黨議】 [—/—이] [명] ①당의 의논. ②당의 결의.

당:의[6] 【讜議】 [—/—이] [명] 바른 의론(議論). 당론(讜論).

당의-정 【糖衣錠】 [—/—이—] [명] 〖약〗 먹기 좋게 겉에 당제품(糖製品)을 입힌 정제(錠劑)나 환약.

당의 즉답증 【當意卽答症】 [—/—이—] [명] 〖의〗 물음에 대하여 옳은 대답을 알고 있으면서도 모르는 체하고 되는 대로 대답하는 증상. 정신 분열증 등에서 볼 수 있음. *당의 즉행증(卽行症).

당의 즉행증 【當意卽行症】 [—쯩/—이—쯩] [명] 〖의〗 잘 알고 있는 대상(對象)의 사용법에 대하여 질문을 받았거나, 어떤 단순한 행동을 하도록 요구를 받았을 때 마치 그것을 못하는 것처럼 행동하는 증상. 정신 분열증 등에서 볼 수 있음. *당의 즉답증(卽答症).

당의 통략 【黨議通略】 [—냑/—이—냑] [명] 〖책〗 조선 26대 고종(高宗) 때에 이건창(李建昌)이 쓴 당쟁사(黨爭史). 14대 선조(宣祖) 때 김효원(金孝元)과 심의겸(沈義謙)의 을해 당론(乙亥黨論)으로부터 시작하여 21대 영조(英祖)가 탕평책(蕩平策)을 쓰기까지의 당쟁(黨爭)의 대요(大要)를 공정하게 적었음. 1본.

당-이별론 【當以別論】 [명] 상례(常例)에 따르지 아니하고, 특별히 논하

여야 마땅함. ¶열 치가 한 치가 되더라도 하루 바삐 찾아만 주게. 그 신세를 ~으로 갚을 것이니《作者未詳 : 산천초목》.

당인[1]【唐人】명 중국 사람.

당-인[2]【唐寅】명〖사람〗중국 명(明)나라의 문인·화가. 우 현(吳縣) 사람. 자는 백호(伯虎) 또는 자외(子畏), 호는 육여(六如). 박학 다식하고 산수·인물·사녀(士女)·화조(花鳥) 등의 그림에 특출하여 심석전(沈石田)·문징명(文徵明)·구영(仇英)과 함께 명나라 4대 화가의 하나임. 저서에 《당인집(唐寅集)》이 있음. [1470-1523]

당인[3]【堂引】명〖역〗고려 때 이속(吏屬)의 하나. 잡류직(雜類職)으로, 궁성 안에서 사령(使令)의 임무를 맡음.

당인[4]【當人】명 당사자(當事者).

당인[5]【黨人】명 ①정당·당파에 속하는 사람. 당원(黨員). 특히, 관료(官僚) 출신의 당원에 대하여, 본디부터 정당내에서 활동해 온 사람을 가리킴. ②당쟁(黨爭)하는 사람.

당인리 발전소【唐人里發電所】[—니—쩐—/—일—쩐—] 명 서울 특별시 마포구(麻浦區) 당인동(唐人洞)에 있는, '서울 화력 발전소'의 속칭.

당일【當日】명 ①일이 생겼던 바로 그 날.¶사건 ~. ②일이 있는 그 날. 즉일(卽日). ¶~ 코스.

당일 거:래【當日去來】명〖경〗↗당일 결제 거래(當日決濟去來).

당일 결제 거:래【當日決濟去來】[—쩨—] 명 [cash-cash delivery]〖경〗매매 거래가 성립된 당일에 거래소 청산부(清算部)를 통하여 대금과 현물이 수도 결제(受渡決濟)되는 거래. 당사자의 합의로 다음 날까지 연기할 수 있음. 준당일 거래.

당일-치기【當日—】명 ①일이 벌어진 그 날 하루에 해 버리는 일. ¶~ 여행/시험 공부를 ~로 하다. ②〖경〗증권 시장에서, 증거금 계산 없이 차금(差金)을 취할 목적으로, 당일에 반대 매매로써 정리하는 일. ——-하다 자여불

당자[1]【當者】명 ①바로 그 사람. ¶~에게 물어 보아라. ②그 일에 당한 사람. 당사자(當事者). 당지자(當之者). ¶~끼리 의논하라.

당자[2]【檔子】명 ①중국 명(明)의 말기(末期) 이래, 종이의 부족으로 대용하였던 공문서 필사용(筆寫用)의 목패(木牌). ②관청의 문서. 변경(邊境)과의 왕복 문서 등 영구 보존하는 공문서를 이름. 목편(木片)에 써서 가죽 끈으로 꿰음. ③명말(明末)부터 청조(清朝) 시대를 가리키는 말. 또, 그 때의 고문서(古文書)·고기록(古記錄)을 이르는 말.

당-작설【唐雀舌】명 중국에서 만든 고급 차(茶).

당-잔대【唐—】명〖식〗[*Adenophora stricta*] 초롱꽃과에 속하는 다년초. 근경(根莖)은 비대하고, 줄기는 높이 1m 내외임. 근생엽(根生葉)은 장병(長柄)의 신장상 원형(腎臟狀圓形)이며, 경엽(莖葉)은 호생하고 무병(無柄)에 넓은 달걀꼴임. 7-9월에 자색 종상화(鐘狀花)가 줄기 끝에 수상(穗狀)의 총상(總狀) 화서로 핌. 산지에 나는데, 거의 한국 각지에 분포함. 뿌리는 식용함.

〈당잔대〉

당장[1]【堂長】명〖역〗서원(書院)에 속해 있는 하례(下隷).

당장[2]【當場】㊀명 무슨 일이 일어난 바로 그 곳. 그 자리. 진자리. ¶~에는 안 된다. ㊁부 바로 그 자리에서 곧. ¶그만한 일은 ~ 해낼 수 있다/~ 내쫓아라.

【당장 먹기엔 곶감이 달다】'우선 먹기는 곶감이 달다'와 같은 뜻.

당장[3]【黨葬】명 당의 이름으로 지내는 장사. 당이 상주가 되어 지냄.

당장-법【糖藏法】[—뻡] 명 식품을 설탕 또는 전화당(轉化糖)과 함께 저장하는 방법. 잼, 젤리, 가당 연유(加糖煉乳), 과일의 설탕 조림 등.

당장 졸판【當場猝辦】명 그 자리에서 갑자기 일을 준비함.

당재【唐材】명〖한의〗중국산이거나 중국을 통하여 가져오는 약재. ↔초재(草材)·향약(鄕藥).

당쟁【黨爭】명 당파를 이루어 서로 싸움. 당파 싸움. ¶사색(四色) ~/~에 말려 들다. ——-하다 자여불

당쟁 상심가【黨爭傷心歌】명〖문〗당쟁 차탄가.

당쟁 차탄가【黨爭嗟嘆歌】명〖문〗조선 15대 광해주(光海主) 때의 이덕일(李德一)의 시가(詩歌). 모두 28수의 시조로서, 당시의 당쟁을 우려하여 풍자·개탄한 내용임. 당쟁 상심가.

당-저[1]【唐—】명〖악〗당적(唐笛).

당저[2]【唐紵·唐苧】명 당모시.

당저[3]【當宁】명 그 당시의 임금.

당-저고리【唐—】명 당의(唐衣).

당적[1]【唐笛】명〖악〗당악(唐樂)에 쓰이던 저의 한 가지. 취공(吹孔) 하나에 지공(指孔) 일곱이 뚫려 있으며, 소리가 높음. 당저.

〈당적[1]〉

당적[2]【黨的】[—쩍] 명관 당이 지향하는 방침에 따르거나 당의 일에 속하는 모양.

당적[3]【黨籍】명 당원(黨員)의 적(籍). 당원으로서 등록된 적. ¶~에서 제명하다.

당전[1]【唐錢】명 중국 당(唐)나라 돈.

당전[2]【堂前】명 당(堂)의 앞. 대청(大廳)의 앞.

당전[3]【當前】명 당면(當面). 목전(目前).

당전 결의【當前決意】[—/—이] 명 즉시 결심함.

당절【當節】명 당철.

당점【當店】명 이 점포. 이 상점. 본점(本店). ¶~의 거래처.

당정[1]【黨政】명 정당, 특히 여당(與黨)과 정부. ¶~ 협의회.

당정[2]【黨情】명 당의 사정. 당내(黨內)의 정세.

당제[1]【唐制】명 당나라의 제도.

당제[2]【當劑】명 그 병에 맞는 약제.

당조[1]【唐朝】명 당(唐)의 조정(朝廷). 당의 왕조(王朝). 대당(大唐).

당조[2]【當朝】명 ①이 조정(朝廷). 현재의 조정. ②이 왕조(王朝). 현재의 왕조. ③당대(當代)❸.

당조 명화록【唐朝名畫錄】명〖책〗중국 당대(唐代)의 97명의 화가전(畫家傳). 당 후기(後期)의 주경현(朱景玄)이 840년경 편찬함.

당조짐 명 정신을 차리도록 단단히 조짐. ¶건달들이 훈련을 한가운데다가 앉히고 주욱 둘러앉아서 ~을 한다《作者未詳 : 天然亭》. ——-하다 타여불

당-조팝나무【唐—】명〖식〗[*Spiraea chinensis*] 조팝나뭇과에 속하는 낙엽 활엽 관목. 잎은 넓은 달걀꼴 또는 타원형이고 잎 뒤에 갈색의 털이 났음. 여름에 반구형(半球形)의 많은 꽃이 총상(總狀) 화서로 피고, 길이 2mm 가량의 골돌(蓇葖)이 가을에 익음. 산지에 나는데, 관상용으로도 심음. 경북·강원·황해·함북 및 일본·중국에 분포함.

당종【堂從】명〖역〗고려 때 이속(吏屬)의 하나. 당인(堂引)의 아래.

당-종려【唐棕櫚】[—녀] 명 [*Trachycarpus fortunei*]〖식〗야자과에 속하는 상록 교목. 일본 원산의 종려나무와 비슷하나, 꼭대기의 잎이 더 크며 잎자루가 짧고 잎 끝이 늘어지지 않는 점이 다름. 중국 원산으로 내한성이 비교적 강함. 관상용이며 한국·일본·중국에 분포함.

당좌【當座】명〖경〗[그 자리 또는 즉석의 뜻] ↗당좌 예금(當座預金).

당좌 계:정【當座計定】명〖경〗부기에서, 당좌 예금의 예입(預入)·인출(引出)·차월(借越)·대월(貸越)의 발생과 소멸 등을 기록 정리하기 위한 계정(計定). 은행측에서 수납액(受納額)은 대변(貸邊)에, 지급액(支給額)을 차변(借邊)에 기입하고, 예금자측에서는 예금을 차변에, 인출액(引出額)을 대변에 기입함.

당좌 대:부【當座貸付】명〖경〗은행 대부의 한 가지. 미리 기한을 정하는 일이 없이 은행에서 요구할 때 또는 차주(借主)의 수의(隨意)로 갚기로 하는 약속에 의한 대부. ↔정기(定期) 대부.

당좌 대:월【當座貸越】명 [overdraft]〖경〗은행의 대부 방법의 하나. 은행이 당좌 예금의 거래처에 대하여 일정한 기간·금액을 한도로 하여 당좌 예금의 잔액(殘額) 이상으로 수표를 발행하여도 지급에 응하는 일. 또, 그 초과분(超過分). 오버드래프트. 준대월(貸越).

당좌 대:월 계:약【當座貸越契約】명〖경〗당좌 대월에서, 대월 금액·이율·기간 등을 미리 정하는 계약.

당좌 대:월 한:도제【當座貸越限度制】명〖경〗당좌 대월에 일정한 한도를 정하여 그 이상은 당좌 대월을 할 수 없도록 하는 제도.

당좌 비:율【當座比率】명 [quick ratio]〖경〗유동 자산 중에서 현금 및 현금화가 용이한 당좌 자산을 유동 부채와 대비시킨 비율, 기업의 채무 지불 능력을 표시하는 비율로서 널리 사용됨.

당좌 수표【當座手票】명〖경〗은행에 당좌 예금을 가진 사람이 그 예금을 기초로 하여 그 은행 앞으로 발행하는 수표. 준당수(當手).

당좌 예:금【當座預金】명 [current deposits]〖경〗은행 예금의 하나. 은행이 예금자의 요구에 따라서 어느 때나 예금액을 지불한다는 약속하에 하는 예금. 지급 요구를 할 때는 예금자가 수표를 발행함. 곧, 수표 지급의 자금(資金)이 되는 예금. 준당좌(當座).

당좌 예:금 계:정【當座預金計定】명〖경〗은행에서 당좌 예금의 출납 등을 기입하기 위하여 마련한 계정.

당좌 예:치금【當座預置金】명〖경〗일반 은행이 한국 은행 또는 모(母)은행에 지급 준비를 위한 여유 자금(餘裕資金)을 맡겨 둔 예치금. 또, 그 예치금을 처리하는 자산 계정. 예금하였을 때에는 차변(借邊)에, 찾아 냈을 때에는 대변(貸邊)에 기입함.

당좌 이체【當座移替】명〖경〗은행에 예금이 있는 송금인(送金人)이 수취인(受取人)의 당좌 예금이나 보통 예금 구좌에 납입하는 송금 방식. 은행간의 이체 부보(附報)로 송금의 목적을 달성하므로 송금 수표의 우송보다 안전함.

당좌 자:금【當座資金】명〖경〗현금 및 쉽게 현금화할 수 있는 자금. 현금·예금·받을 어음·외상 매출 대금 따위.

당좌 자:산【當座資產】명 [quick assets]〖경〗유동 자산 중에서 가장 환금화(換金化)하기 쉬운 성질의 자산. 이는 판매 과정을 거치지 않고 신속히 환금화되어 즉시 유동 부채의 지불에 충당할 수 있는 수단이 될 수 있으며, 현금·예금·받을 어음·외상 매출금·유가 증권(有價證券) 등이 이에 속함. 급동(急動) 자산·지불 자산·신속 자산이라고도 함.

당좌 조합【當座組合】명〖경〗두 사람 이상이 출자하여 일시적인 공동 사업을 영위하기 위하여 조직하는 조합. *익명(匿名) 조합.

당좌 차:월【當座借越】명 당좌 대월(貸越)을 차주(借主)의 편에서 이르는 말.

당죄【當罪】명 죄에 해당시킴. 죄의 경중(輕重)에 따라 그에 상당한 형(刑)을 받게 함.

당주[1]【堂主】명〖민〗나라의 기도(祈禱)를 맡아 보던 소경.

당주[2]【當主】명 당대(當代)의 호주(戶主). 현재의 주인.

당주[3]【幢主】명〖역〗신라(新羅) 때 무관(武官)의 벼슬 이름.

당-주지【唐周紙】[—쭈—] 명 당두루마리.

당-줄[—쭐] 명 ↗망건당줄.

당중[1]【堂中】명 사원(寺院)의 당이나 건물의 강당(講堂)이나 가옥의 대청의 안.

당중[2]【當中】명 어떤 곳의 꼭 가운데가 되는 곳. 또, 그렇게 되게 함. ——-하다 타여불

당즙【糖汁】명 ①감미로운 즙. ②익은 과일의 즙.

당증【黨證】[—쯩] 명 ↗당원증(黨員證).

당지[1]【唐只】명 '댕기'의 취음.

당지[2]【唐紙】명 원래 중국에서 만든 종이의 한 가지. 닥나무의 껍질과 어린 대나무의 섬유에 수산화 나트륨을 섞어서 뜸. 표면은 황색이며 거칠고 잘 찢어지나 먹물이 잘 흡수되기 때문에 묵객(墨客)이 애용하

며 상품(上品)을 모변(毛邊), 하품(下品)을 연사(連史)라 부름.

당지[3]【當地】(명) ①일이 일어난 그 땅. 그 곳. ¶～의 보도에 의하면. ②이 땅. 이 곳. 당소(當所). 본지(本地).

당-지기【堂—】(명) 서당이나 당집을 맡아서 지키는 사람. 당직(堂直).

당지다 (자) 눌리어 단단히 굳어지다.

당지-자【當之者】(명) 당자(當者)❷.

당-지질【糖脂質】(명) 〔glycolipid〕『화』 구성 성분으로서 당을 포함하는 복합 지질(複合脂質). 일반적으로 무정형(無晶形)의 흰 가루로, 탄소·수소·산소·질소를 가지며 인(燐)을 포함하지 아니함. 동물의 뇌·척수·말초 신경, 그 밖의 각 장기(臟器)에 존재함.

당직[1]【堂直】(명) 당지기.

당직[2]【當直】(명) ①『역』 조선 시대, 의금부(義禁府)의 도사(都事)가 당직청(當直廳)에 번(番)을 듦. ②근무하는 곳에서 숙직·일직 등의 번드는 차례가 됨. 상직(上直). ¶～ 사관. ——-하다 (자)(여불)

당직[3]【當職】(명) ①이 직업. 이 직무. ②현재의 직업. 현재의 직무. ③직무를 담당함. ——-하다 (자)(여불)

당직[4]【黨職】(명) ①당의 직책. ② ↗당직자.

당:직[5]【讜直】(명) 말이 충성스럽고 곧음. 마음이 곧음. ——-하다 (형)(여불)

당:직[6]【戇直】(명) 어리석고 곧음. ——-하다 (형)(여불)

당직 사:관【當直士官】(명) 『군』 부대의 당직을 맡은 장교.

당직 사령【當直司令】(명) 『군』 부대의 당직을 맡은 최고 책임자.

당직 의사【當直醫師】(명) 병원에서 당직이나 일직에 임하고 있는 의사.

당직-자[1]【當直者】(명) 일직이나 숙직 따위 근무의 차례가 되어 번을 들고 있는 사람. 당직하는 사람.

당직-자[2]【黨職者】(명) 당의 직책을 맡은 사람. (준)당직(黨職).

당직-청【當直廳】(명) 『역』 조선 시대, 의금부(義禁府)에 속하던 직소(職所). 소송 사무를 맡은 도사(都事) 한 사람이 돌려 번(番)드는 곳. 궁문(宮門) 가까이 두었음. 태종(太宗) 14년(1414)에 베풀어서 연산군(燕山君) 때에 밀위청(密威廳)이라 고쳤다가 중종(中宗) 초기에 다시 본 이름으로 함.

당직-함【當直艦】(명) 〔guard ship〕『군』 같은 함대내에서 다른 함정보다 더욱 철저한 전비(戰備) 태세를 갖추도록 임무가 특별히 부여된 함정.

당진【唐津】(명) 『지』 충청 남도 당진군의 군청 소재지인 읍(邑). 군내(郡內)의 북서부, 역천(驛川)의 지류(支流) 우안에 위치함. 당진 평야의 농산물의 집산지로 무명·명주·쌀·잡화 등의 거래가 성하나 교통이 불편한 편임. [28,803 명(1990)]

당진-군【唐津郡】(명) 『지』 충청 남도의 한 군. 관내 2읍 10면, 북은 바다, 동은 바다와 아산시(牙山市), 남은 예산군(禮山郡)과 서산시(瑞山市), 서는 서산시와 바다에 닿았음. 삼면이 바다에 접해 수산업과 염전이 발달함. 주요 산물은 쌀·보리·콩·채소·약용 작물(藥用作物) 등의 농산물, 굴·백합(白蛤)·김·꽃게·숭어·낙지 등의 수산물이 있음. 또한 젖소·비육우(肥肉牛)·양돈(養豚) 등의 축산업도 성함. 명승 고적으로는 군자지(君子池)·영탑사(靈塔寺)·몽산성(蒙山城)·영랑사(影浪寺)·안국사지(安國寺址)·난지도(蘭芝島) 해수욕장·김대건 신부(金大建神父) 유적지 등이 있음. [615.78 km^2 : 122,055 명(1996)]

당진 평야【唐津平野】(명) 『지』 충청 남도 북부 지방을 서북으로 흐르는 삽교천(揷橋川)과 그 지류 곡교천(曲橋川) 유역에 전개된 평야. 하천이 아산만(牙山灣)에 토사를 운반 퇴적하여 이룬 충적지(沖積地)와 그 주위의 평탄지가 합친 평야로 안성 평야(安城平野)에 연속됨. 주로 미작(米作)이 행하여지며 그 중 홍성미(洪城米)는 품질이 좋음. 이 외에 예산(禮山)·홍성(洪城)의 담배, 천안(天安)의 호두, 성환(成歡)의 참외 등은 유명함. 예당 평야(禮唐平野).

당질[1]【堂姪】(명) '종질(從姪)'을 친근하게 일컫는 말.

당질[2]【糖質】(명) ①당분(糖分)을 함유하는 물질. ②『화』 탄수화물 및 그 유도 물질(誘導物質)의 총칭. 단백질·지질(脂質)에 대응하는 말.

당-질녀【堂姪女】〔—려〕(명) '종질녀(從姪女)'를 친근하게 일컫는 말.

당-질부【堂姪婦】(명) '종질부(從姪婦)'를 친근하게 일컫는 말.

당-질서【堂姪壻】〔—써〕(명) '종질서(從姪壻)'를 친근하게 일컫는 말.

당-집【堂—】〔—찝〕(명) 신을 모셔 놓고 위하는 집. 무당이나 소경 등이 경을 읽는 특수한 집. (준)당(堂).

당차[1]【唐茶】(명) 신라 때 중국 당(唐)나라에서 들여온 차. 27대 선덕 여왕(善德女王) 때부터 있었다고 하며, ≪삼국 사기(三國史記)≫에 의하면 42대 흥덕왕(興德王) 3년(828)에 대렴(大廉)이 당나라에 사신으로 갔다가 당의 문종(文宗)으로부터 종자를 받아 와서, 이를 지리산(智異山)에 심은 후부터 많이 재배되었다고 함.

당차[2]【當次】(명) 순번적으로 돌아오는 차례를 당함. ——-하다 (자)(여불)

당차[3]【當差】(명) 『역』 조선 시대 형벌의 하나. 신분에 따라 차역(差役)에 복종시키던 일. ——-하다 (자)(여불)

당차다 (형) 몸집이 작고도 힘이 세다. ¶당차게 생긴 사람.

당착【撞着】(명) ①앞뒤가 서로 맞지 아니함. 모순됨. ¶자가(自家) ～. ②서로 맞부딪침. ——-하다 (자)(여불)

당-찮다【當—】〔—찬타〕(형) ↗당치 아니하다. ¶당찮은 소리 하지 마시오.

당참【堂參】(명) 『역』 ①수령(守令)이 새로 나가거나 또는 다른 고을로 옮길 때, 도당(都堂) 곧 의정부(議政府)에 가서 신고하는 일. ②↗당참채(堂參債).

당참-전【堂參錢】(명) 『역』 당참채(堂參債).

당참-채【堂參債】(명) 『역』 조선 시대, 관리들이 새로 나가거나 또는 다른 고을로 옮길 때에 이조(吏曹)에게 바치던 예물. 폐단이 많아 명종(明宗) 21년(1566)에 폐지함. 당참전(堂參錢). (준)당참(堂參).

당창[1]【唐瘡】(명) 『한의』 창병(瘡病). 매독(梅毒).

당창[2] (부) 〈방〉 늘(평북).

당-창포【唐菖蒲】(명) 『식』 '글라디올러스(gladiolus)'의 한자 이름.

당-채련【唐—】(명) ①중국에서 다루어 만든 나귀의 가죽. 빛깔이 검고 윤기가 있음. ②때가 올라서 까마반드르르한 옷의 비유.

당채련 바지 저고리 (구) 지저분하고 더러운 옷.

당책【唐册】(명) 중국에서 박아 만든 책. 당본(唐本). 당서(唐書).

당처【當處】(명) ①일을 당한 그 자리. ②그 곳. 바로 그 땅. ③이 곳. 당소(當所).

당척【唐尺】(명) 중국 당나라에서 쓰던 척도(尺度). 대척(大尺)은 곡척(曲尺)의 9촌 6분 4리(厘), 소척(小尺)은 8촌 3리(厘).

당천【當千】(명) 한 사람이 천 명을 당함. ¶일기(一騎) ～의 용사들. ——-하다 (자)(여불)

당철[1]【唐綴】(명) 선장(線裝).

당철[2]【當—】(명) 꼭 알맞은 시절. 제철. 당절(當節).

당첨【當籤】(명) 제비에 뽑힘. ——-하다 (자)(여불)

당첨-금【當籤金】(명) 제비에 뽑혔을 때 주는 돈. 당첨자가 타는 돈.

당첨-자【當籤者】(명) 제비에 뽑힌 사람. 당첨한 사람.

당청[1]【唐靑】(명) 『미술』 중국에서 나는 푸른 물감의 한 가지.

당청[2]【當廳】(명) 이 청(廳). 본청(本廳).

당-청화【唐靑華】(명) ①『식』 대청(大靑). ②청화(靑華).

당체[1]【唐體】(명) ①중국 사람의 글씨체의 한 가지. 가로 그은 획은 가늘고, 내리 그은 획은 굵음. 흔히 인쇄에 씀. ②명조체(明朝體).

당체[2]【棠棣】(명) 『식』 산앵두나무❶.

당체[3]【當體】(명) 『불교』 직접으로 그 본체(本體)를 가리켜서 하는 말.

당초[1]【唐草】(명) ↗당초문(唐草紋).

당초[2]【唐椒】(명) 『식』 고추[1]. ¶고추 ～ 맵다지만.

당초[3]【當初】(명) 일이 생긴 처음. 일의 맨 처음. 애초. ¶～에는 그렇지 않았다/～부터 잘못이다.

당초 매듭【唐草—】(명) 매듭의 기본형(基本型)의 하나. 당초 무늬 모양의 매듭.

당초 무늬【唐草—】〔—니〕(명) 당초문(唐草紋).

당초-문【唐草紋】(명) 『미술』 무늬의 이름. 여러 가지의 덩굴풀이 비꾀어 뻗어 나가는 모양을 그린 무늬. 당초 무늬. (준)당초(唐草).

〈당초문〉

당초-에【當初—】(부) 애초에. 맨 처음에. (준)당최.

당초 예:산【當初豫算】(명) 국가·지방 자치 단체의 연간 예산으로 당초에 국회나 지방 의회에 제출·성립된 예산.

당초-와【唐草瓦】(명) 『건』 당초문(唐草紋)이 있는 기와.

당초-회【唐草繪】(명) 『미술』 만당[1].

당-총통【唐銃筒】(명) 『역』 조선 시대 중기에 사용한 휴대용 화기(火器)의 하나. 승자(勝字) 총통보다 약간 큼.

당최 (부) ① ↗당초에. ② 아주. 도무지. 영(永). ¶아무리 시켜도 ～ 말을 듣지 아니한다.

당추【唐—】(명) 〈방〉『식』 고추[1](경기·황해·평남).

당-추자【唐楸子】(명) 호두.

당-추재【唐楸—】(명) 〈방〉 호두(함남).

당춘【當春】(명) 봄을 당함. 봄이 옴. 봄이 됨. ——-하다 (자)(여불)

당취[1]【唐—】(명) 〈방〉『식』 고추[1](함남).

당취[2]【黨聚】(명) 『불교』 땡추.

당치다 (타) 꼭꼭 다지거나 굳게 다지다. ¶칠십 평생 젊은 과부로서 다져지고 당쳐진 엄숙한 성정≪朴鍾和 : 錦衫의 피≫.

당-치석【唐治石】(명) 중국 사람이 옥돌을 다루어서 만드는 일.

당치 아니하다【當—】(구) 〔↗당하지 아니하다〕 합당(合當)하지 아니하다. (준)당치 않다·당찮다.

당치 않다【當—】〔—안타〕(구) ↗당치 아니하다.

당칙【黨則】(명) 당의 규칙. 당규(黨規).

당침【唐針】(명) 중국에서 만든 바늘.

당케〔도Danke〕(감) 감사합니다.

당코 (명) 여자의 저고리 깃의 뾰족하게 내민 끝.

당-콩【唐—】(명) 〈방〉『식』 강낭콩(평안).

당-탄【唐—】(명) 씨를 뽑지 아니한 당태.

당탑[1]【堂塔】(명) 당(堂)과 탑(塔). 전당(殿堂)과 탑묘(塔廟). ¶～ 가람.

당탑[2]【鞺鞳】(명) 종 또는 북의 소리.

당-태【唐—】(명) 중국에서 나는 솜. 당태솜.

당태-솜【唐—】(명) 당태.

당태종-전【唐太宗傳】(명) 『문』 조선 시대의 소설. 작자·창작 연대 미상. 국문본. 당 태종이 죽어서 지옥과 극락을 두루 구경하고 소생(蘇生)하여 불교에 귀의(歸依)하였다는 불교적 교리를 주장한 작품임.

당토【唐土】(명) ①당나라의 땅. ②옛날에 중국을 일컫던 말.

당통〔Danton, Georges Jacques〕(명) 『사람』 프랑스의 정치가·법률가. 자코뱅당(Jacobin 黨)의 수령으로 1792년 법상(法相)에 취임하여 혁명 재판소를 설치하고 왕당파(王黨派)를 처형, 정치 권력을 휘둘렀으나 로베스피에르(Robespierre)와 뜻이 맞지 아니하여 단두대(斷頭臺)에서 처형됨. [1759-94]

당투〔當塗〕(명) 『지』 중국 안후이 성(安徽省) 동부, 양쯔 강 우안(右岸)의 요충(要衝). 청대(淸代)에 태평부(太平府)가 있던 곳으로, 동북부의 다아오 산(大凹山), 마안 산(馬鞍山)에서는 철이 산출됨.

당트레카스토 제도【—諸島】〔D'Entrecasteaux〕(명) 『지』 뉴기니 섬 동남단 부근에 분포하는 화산성(火山性)의 섬들. 주도(主島)는 구드너프(Goodenough), 노만비(Normanby), 퍼거슨(Fergusson)의 3개 섬. 코프라를 생산함. 1793년 프랑스의 당트레카스토가 발견 명명함. 파푸아뉴기니에 속(屬)함. [3,000 km^2]

당티 못ᄒᆞ다 혱〈옛〉 당치 아니하다. ¶ 당티 못ᄒᆞ여라(不當) ≪老乞 下 32≫.

당-파¹【唐一】 몡〈방〉 김장파.

당파²【塘坡】 몡 둑. 제방. 파당(坡塘).

당파³【撞破】 몡 쳐서 깨뜨림. ――하다 타여불

〈당파⁴❶〉

당파⁴【鎲把·鐺鈀】 몡〘역〙 ①무예 육기(武藝六技)·십팔기(十八技)·무예 이십 사반(二十四般)의 한 가지. 보졸(步卒)이 당파창(鎲把槍)을 가지고 하는 무예(武藝). ②↗당파창.

당파⁵【黨派】 몡 ①당 안의 분파(分派). 붕당(朋黨)·정당의 나누인 갈래. ②주의·주장과 이해를 같이하는 사람들끼리 뭉쳐진 단체. 파당(派黨).

당파-별【黨派別】 몡 당파에 의한 구별.

당파-성【黨派性】[―썽] 몡 ①〔도 Parteilichkeit〕〘정〙 마르크스주의 용어. 계급 사회에서는 이론이나 예술이 불편 부당(不偏不黨)은 아니며 계급적 이해(利害)의 제약을 받음을 말함. ②당파적인 성질.

당파-심【黨派心】 몡 당파로 갈리는 마음. 한 덩어리로 뭉치지 아니하고, 여러 파로 갈리는 마음.

당파 싸움【黨派―】 몡 당파를 지어 서로 다투는 일. 당쟁(黨爭). ――하다 자여불

당파-적【黨派的】 몡관 당파로 갈리는 모양.

당파-창【鎲把槍·鐺鈀槍】 몡 군기(軍器)의 한 가지. 끝이 세 갈래로 갈라짐. 길이 일곱 자 여섯 치, 무게 닷 근임. 삼지창(三枝槍). ㊥당파(鎲把).

〈당파창〉

당판¹【唐板】 몡 중국에서 새긴 책판(册板). 또, 그것으로 박아 낸 책.

당판²【堂板】 몡 마루청의 널.

당-팔사【唐八絲】[―싸] 몡 중국에서 만든, 여덟 가닥으로 드린 실 노끈.

당편【當編】 몡 ①이 편(編). ②작품 중의 이 부분. 또, 이 작품.

당평【當坪】 몡〘역〙 ↗당오평(當五坪).

당평-전【當坪錢】 몡〘역〙 당오평(當五坪)으로 환산한 돈.

당폐【黨弊】 몡 ①당파로 말미암아 생기는 폐단. ②당파의 내부에 있는 폐단.

당포【唐布】 몡 중국 또는 기타 외국에서 들어온 목면포(木綿布).

당폭【堂幅】 몡〔중국에서 청당(廳堂) 중앙에 거는 서화(書畫)의 폭이라는 뜻〕 화선지(畫仙紙)를 자르지 아니하고, 전지(全紙)에다 서화(書畫)를 그려 만든 족자.

당품【當品】 몡〘역〙 조선 시대 정이품(正二品)·종이품(從二品)에 상당하는 벼슬을 종이품에, 종이품·정삼품(正三品)에 상당한 벼슬을 정삼품에 임명하던 일.

당풍¹【唐風】 몡 ①〔당은 진(晉)의 구호(舊號)〕 중국 주(周)시대의 진(晉)나라의 시(詩). ②중국의 제도·풍속을 닮은 일.

당풍²【當風】 몡 지금 세상의 유행.

당풍³【黨風】 몡 당(黨)의 기풍(氣風).

당-피리【唐―】 몡〘악〙 당악기(唐樂器)에 속하는 겹혀 피리의 하나. 여덟 구멍인데, 둘째 구멍은 뒤에 있음. 묵은 대로 만들며, 몸보다 작은 대 토막의 끝을 얇게 깎아서 혀를 만들어 꽂음. 향피리에 비해 몸이 굵으나, 키는 작음. 폭넓고 활달한 음색(音色)을 가짐. 고려 때 중국 송(宋)나라에서 들어와, 종묘(宗廟) 제악(祭樂)과 당악(唐樂)에 쓰이었음. 당필률(唐觱篥).

〈당피리〉

당-피마자【唐皮麻子】 몡〘한의〙 중국에서 나는 아주까리 씨. 풍병(風病)·건망증(健忘症)·종창(腫瘡) 등의 약으로 쓰고, 통경제(通經劑)로도 씀.

당필【唐筆】 몡 중국에서 만든 붓의 한 가지.

당-필률【唐觱篥】 몡〘악〙 당피리.

당하¹【堂下】 몡 ①대청 아래. ②〘역〙 조선 시대의 관계(官階) 분류로 문관은 정삼품(正三品) 창선 대부(彰善大夫)·정순 대부(正順大夫)·통훈 대부(通訓大夫) 이하, 무관은 어모 장군(禦侮將軍) 이하의 벼슬 계제. 1)·2):↔당상(堂上).

당하²【當下】 몡 어떤 일을 만난 그 때 그 자리.

당하견을안【當爲在乙良】〈이두〉 ①당하거들랑. ②당하였거든.

당하-관【堂下官】 몡〘역〙 당하(堂下)인 관원. ↔당상관(堂上官).

당-하다【當―】 ㊀혱여불 사리에 맞다. 알맞거나 마땅하다. ¶ 당치 않은 행동 / 이런 처지에 그런 옷이 당할까 / 그런 사람에게 상을 내린다니 당한 소린가. ㊁자여불 ①어떤 형편이나 때에 이르거나 처하다. 만나다. ¶ 막상 눈 앞에 당하면 어찌할 수 없다 / 출전의 날에 당하여 선수들의 사기는 더욱 높았다. ②피해를 입다. 놀림 따위를 받다. ¶ 아이고, 이 녀석한테 또 당했구나 / 누구에게 당했느냐. ㊂타여불 ①겨루어 넉넉히 이겨내다. ¶ 혼자서 두서너 명을 ~. ②닥쳐오는 일을 감당하다. ¶ 큰 일을 혼자 ~. ③어떤 일이나 때를 맞거나 겪다. ¶ 어머님 상을 당하였다 / 이 날을 당하여 생각나는 일로는… / 망신을 ~ / 거절을 ~. ④금품을 맡아서 대다. ¶ 그가 나의 여비를 당해 주었다 / 그가 노모의 생활비를 당하였다.

-당하다【當―】 미여불 동작을 나타내는 명사에 붙어 그 동작이 수동적(受動的)임을 보이는 동사를 이루어 주는 말. ¶ 결박~/체포~.

당하 수:의【堂下繡衣】[―/―이] 몡 당하관으로 암행 어사가 된 사람.

당하-악【堂下樂】 몡〘악〙 대청 아래에서 아뢰는 헌가악(軒架樂)의 딴 이름. ↔당상악(堂上樂).

당하야【當爲】〈이두〉 당하여.

당-학¹【唐瘧】 몡〘한의〙 당고금. 이틀거리.

당학²【唐學】 몡 ①중국 당나라 때의 학술. ②중국의 학문.

당한¹【當限】 몡 ①기한이 닥쳐옴. ②〘경〙 ↗당월한(當月限). ¶ ~ 거래. *선한(先限)·중한(中限). ――하다 자여불

당한²【當寒】 몡 추위가 닥침. 추울 때가 옴. ――하다 자여불

당항¹【當港】 몡 바로 이 항구. 바로 그 항구.

당항²【黨項】 몡〘역〙 '탕구트(Tangut)'의 한자 이름.

당-항라【唐亢羅】[―나] 몡 중국에서 만든 항라(亢羅). 생항라(生亢羅).

당항포 해:전【唐項浦海戰】 몡〘역〙 임진 왜란 때, 선조 25년(1592) 6월과 27년(1594) 3월 두 차례에 걸쳐 경상 남도 고성군(固城郡) 회화면(會華面) 당항포 앞바다에서 이순신(李舜臣)이 지휘하는 조선 수군이 왜선(倭船)을 격파한 해전.

당해¹【糖害】 몡 지나치게 섭취한 당분(糖分)이 신체에 미치는 해(害).

당해²【當該】 관 명사(名詞) 위에 붙어 꼭 그 사물에 관련됨을 표시하는 말. ¶~ 관청/~ 사항.

당향【唐鄕】 몡〘역〙 고려 때 직성(直省)의 한 직명.

당헌¹【棠軒】 몡〘역〙 '선화당(宣化堂)'의 예스러운 일컬음.

당헌²【黨憲】 몡 정당의 강령이나 기본 방침.

당-형제【堂兄弟】 몡 사촌 형제. 종형제(從兄弟). 동당(同堂) 형제.

당혜【唐鞋】 몡 울이 깊고 작은 가죽신의 한 가지. 앞뒤에 당초문(唐草紋)을 새긴 마른 신인데 남녀가 다 이것을 신음.

〈당혜〉

당호¹【堂號】 몡 ①당우(堂宇)의 호(號). ②별호(別號). ③〘불교〙 도성덕립(道成德立)하면 법사(法師)로부터 별호를 지어 받아서 종사(宗師)가 되는 이름. ④〘천도교〙 신앙 연수가 10년 이상 된 여성 교인에게 표상하는 교직(敎職). *도호(道號).

당호²【幢號】 몡〘불교〙 건당(建幢)할 때에 받는 법호(法號).

당혹【當惑】 몡 무슨 일을 당하여 정신이 헷갈려서 처치할 바를 몰라 어리둥절함. 생각이 막혀서 어찌할 바를 모름. ――하다 자여불

당혹-감【當惑感】 몡 무슨 일을 당하여 생각이 막혀서 어찌할 바를 모르는 감정. ¶ 뜻밖의 엉뚱한 질문에 그는 ~을 감추지 못했다.

당혼【當婚】 몡 혼인할 나이가 됨. ――하다 자여불

당홍【唐紅】 몡 중국에서 나는 약간 자줏빛을 띤 붉은 물감.

당화¹【唐畫】 몡 ①당대(唐代)의 그림. ②중국 사람이 그린 그림. 또, 중국풍(風)의 그림.

당화²【糖化】 몡〘화〙 전분(澱粉)이나 섬유소(纖維素) 등과 같은 다당류(多糖類)를 효소(酵素)나 산(酸)의 작용에 의하여 가수 분해(加水分解)해서 단당류(單糖類) 또는 이당류(二糖類)로 변화시키는 반응. 또, 그렇게 되는 일. ――하다 자타여불

당화³【黨禍】 몡 당파로 인하여 생기는 화난(禍難).

당-화기【唐畫器】 몡〘미술〙 ①채화(彩畫)를 그려 넣어 구운 중국의 사기 그릇. ②중국산의 청화 자기(青華瓷器)를 본떠 만든 그릇.

당화-소【糖化素】 몡〘화〙 ↗전분 당화소(澱粉糖化素).

당-화적【唐畫籍】 몡 중국에서 만든 화주역(畫周易). 사람의 평생 사주(四柱)를 판단하는 그림책임.

당황【唐黃】 몡〈방〉 성냥(강원·경북).

당-황라【唐黃羅】 몡 당항라(唐亢羅).

당-황련【唐黃連】[―년] 몡〘한의〙 중국에서 나는 황련의 뿌리. 7·8년 된 황련의 뿌리를 캐어 잔 털을 따서 볕에 말린 것. 건위제(健胃劑)로 씀.

당-황모【唐黃毛】 몡 중국에서 나는 족제비의 누런 꼬리 털. 붓을 매는 데에 씀. 이것으로 맨 붓이 가장 좋다 함.

당황-하다【惝怳―·唐惶―·唐慌―】 자여불 〔←창황(惝怳)하다〕 놀라서 정신이 어리둥절하다. **당황-히**【惝怳―·唐惶―·唐慌―】 뮈

당회【堂會】 몡 ①〘역〙 서원(書院)·향교(鄕校) 등을 중심으로 한 유림(儒林)들의 결사(結社). ②〘기독교〙 장로교(長老敎)·성결교(聖潔敎) 등에서, 교회 안의 목사(牧師)와 장로(長老)가 모이는 회합. 모든 교인의 신앙 행위를 총찰하고 학습·입교(入敎)·세례(洗禮) 등의 사무 처리, 장로·집사(執事)의 선출, 출교(黜敎), 해벌(解罰) 등을 감독함.

당회-장【堂會長】 몡〘기독교〙 당회의 장. 그 교회의 목사(牧師)가 됨. 목사가 없는 지교회(支敎會)는 그 지방의 다른 목사가 겸함.

당후【堂後】 몡〘역〙 조선 시대, 승정원(承政院)에서 주서(注書)가 거처하던 방.

당후-관【堂後官】 몡〘역〙 ①고려 때 중추원(中樞院)의 정칠품(正七品) 벼슬. ②조선 시대 초(初) 중추원의 정칠품 벼슬. 정종(定宗) 2년(1400)에 중추원의 승지(承旨)가 독립하여 승정원(承政院)이 되면서 이 곳으로 소속이 바뀌고 뒤에 주서(注書)로 고침.

당다이 뮈〈옛〉 마땅히. 응당. =당당이. ¶ 이 衆生돌히 이런 말 드르면 당다이 맛나미 어려븐 想올 내야 ≪月釋 XVIII:15≫.

당당이 뮈〈옛〉 마땅히. 응당. =당다이. ¶ 軍旅ㅣ 당당이 다 그츠리니 (軍旅應都息) ≪杜諺 XXIII:16≫.

당딕【當直】 몡〈옛〉 당직청(當直廳). ¶ 義禁府郎官一員 晝夜伺侯推鞫之命 通于本府者 名其宿之所曰當直 ≪中宗實錄 XIV:47≫.

당말 몡〈옛〉 중국 말. ¶ 엇데 일후미 般若오 이는 梵語ㅣ니 唐마랜 智慧라(何言般若是梵語唐言智慧) ≪金剛 序 8≫.

당부ᄒᆞ다 타〈옛〉 당부하다. ¶ 당부ᄒᆞ다(分付) ≪老朴 累字解 9≫.

당쉬 몡〈옛〉 당수¹. ¶ 당쉬 장(漿) ≪字會 中 20≫.

당시론 뮈〈옛〉 아직². 또. 오히려. =당시론·당시롱. ¶ 몬ᄒᆞ야 겨시더라 당시론 일엇다(未裏且早裏) ≪朴解 上 53≫.

당아리 몡〈옛〉 ①깍정이. ¶ 당아리 구(梂 俗呼皀斗) ≪字會 上 11≫. ②딱지. 껍데기. ¶ 당아리 개(介) ≪字會 下 3≫.

당의야지 몡〈옛〉 버마재비. =당외아지벌에 ¶ 당의야지 당(螳), 당의야지 랑(螂) ≪字會 上 22≫.

-당이다 어미〈옛〉 -더이다. -ㅂ디다. =-뎡이다. ¶ 날회여 ᄒᆞ다ᄒᆞ논 ᄒᆞ ᄌᆞᄂᆞᆫ 내듣디 몯ᄒᆞ엿당이다(緩之一字某所未聞) ≪飜小 IX:53≫.

당의아지벌에 명 〈옛〉 버마재비. =당의야지. ¶ 당의아지벌에 술위ㅅ 거스는 돌 ≪月印 上 61≫.
당츄즈 명 〈옛〉 호두. ¶ 당츄즈(胡桃)≪救簡 Ⅲ:59≫.
닻다 타 ↗다지다.
닻 명 배를 일정한 곳에 머물러 있게 하기 위하여 밧줄이나 쇠줄에 매어 물에 던지는, 쇠나 나무로 만든 제구. 흙바닥에 박히어 배가 움직이지 못하게 됨. 앵커(anchor). ¶ ~을 내리다.

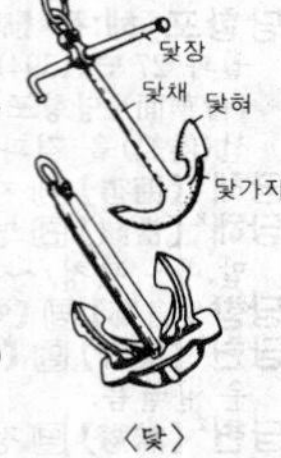

〈닻〉

닻-가지 명 닻 끝에 달린 갈고리. 네 갈고리가 보통인데, 두 갈고리도 있음.
닻-감다 [-따] 자 ①닻의 줄을 감아 끌어올리다. ②하던 일을 그만두고 단념하다.
닻-고리 명 닻의 위에 닻줄을 매는 고리.
닻-꽃 명〖식〗[*Halenia corniculata*] 용담과(龍膽科)에 속하는 이년초. 줄기는 직립하고, 높이 30-60cm이며 녹색임. 잎은 대생(對生)하고 몹시 단병(短柄)이며 긴 타원형 또는 난상 피침형임. 6-8월에 다소 녹색을 띤 담황색의 닻 모양의 사판화(四瓣花)가 취산(聚繖) 화서로 액출(腋出)하여 피고, 삭과(蒴果)는 9-10월에 익음. 산지에 나는데, 한국·일본 및 동부 유럽에 분포함.

〈닻꽃〉

닻-나방 명〖충〗뿔나비나방.
닻-나비 명〖충〗뿔나비나방.
닻-낚시 명 닻을 내려 배를 고정시켜 놓고 하는 배낚시.
닻-돌 명 나무로 만든 닻이 가벼울 때 가라앉게 하기 위하여 매다는 돌.
닻-배 명〖민〗굵은 나무 기둥에 고정시킨 두 개의 닻을 어장 양쪽에 설비해 놓고 그 사이에 그물을 쳐서, 밀물에 흘러 들어간 물고기를 썰물 때 걸려들도록 하여 물고기를 잡는 우리 나라의 전통 어로(漁撈) 장치.
닻-벌레 명〖동〗[*Lernaeacy prinacea*] 등각목(等脚目) 닻벌렛과에 속하는 갑각(甲殼) 동물. 몸길이 7-9mm 내외이고 몸빛은 황록색으로 투명함. 어릴 때는 물벼룩과 비슷하나, 기생(寄生) 생활을 시작하게 되면 몸이 막대기 모양으로 변하여 복부에 가시 털이 생기며 다리는 없어짐. 두흉부(頭胸部)에 닻 같은 돌기가 두 쌍 생겨 그것으로 붙어 삶. 뱀장어 등 담수어(淡水魚)의 아가미와 입에 기생하는데, 내만(內灣)의 양어장 등에 분포함.
〈닻벌레〉
닻-별 명〖천〗'카시오페이아(Cassiopeia) 자리'의 별칭.
닻-사슬 명 닻에 연결된 쇠사슬.
닻-올리다 [닫-] 자 닻을 당겨 배 위로 올리다.
닻-장 명 닻채 위에 가로 박은 나무나 쇠. 닻줄을 맴.
닻-주다 자 닻줄을 풀어 닻을 물 속에 넣다.
닻-줄 명 닻을 매단 줄.
닻줄-바리 명〖어〗[*Epinephelus poecilonotus*] 농어과에 속하는 바닷물고기. 몸에는 다섯 줄의 가로띠가 있으나, 눈의 뒤쪽에서 서로 만나지 아니함. 우리 나라 남해에서 일본 나가사키(長崎)까지 분포함.
닻-채 명 닻의 자루가 되는 부분.
닻-혀 [다텨] 명 닻가지의 끝.
-닿- 미 ↗-다랗-. ¶ 좁~다 / 잗~다.
닿:다[1] [다타] 자 ①사물이 서로 접하다. ¶ 손에 닿는 대로/연락이 ~/이치에 닿지 않는 소리. ②어떤 목적지에 가서 이르다. ¶ 이 기차는 세 시에 서울에 닿는다. ③남의 세력을 의지할 수 있게 되다. 길이 생기다. ¶ 고위층에 줄이 ~.
닿:다[2] 타 〈옛〉 땋다. ¶ 다회 다하(組紃)≪內訓 Ⅲ:2≫/다혼 혁(編韁)≪老乞 下 27≫.
-닿다 [다타] 미 형 ↗-다랗다. ¶ 커~/곱~.
닿-소리 [다쏘-] 명〖언〗'자음(子音)'의 풀어 쓴 이름. ↔홀소리.
닿소리 이어바뀜 [다쏘-] 명〖언〗'자음 접변(子音接變)'의 풀어 쓴 말.
닿을 자리 [다-짜-] 명 '여격(與格)'의 풀어 쓴 이름.
닿을 자리 토씨 [다-짜-] 명 '여격 조사(與格助詞)'의 풀어 쓴 이름.
닿치다 [다-] 자 물건이 세게 서로 접하다.
대[1] 一명 ①식물의 줄기. ¶ 수숫~. ②막대가 가늘고 길며 속이 빈 물건 등의 총칭. ¶ 깃~. ③↗담뱃대. ④자루. ⑤〖악〗음표의 머리에서 위 아래로 붙은 수직선. 셋째 줄의 위에 있는 음표에는 아래로 향하게, 셋째 줄 아래에 있는 음표에는 위로 향하게 그림. 셋째 줄의 음표에는 편리한 대로 아무 쪽에나 붙임. 二의명 ①담배통에 담배를 담는 분량 또는 담배를 피우는 번 수를 세는 말. ¶ 담배 한 ~ 피우자. ②쥐어박거나 때리는 횟수를 세는 말. ¶ 한 ~ 쥐어박다.
[대 끝에서도 삼 년이라] 어려운 일을 당해서도 참고 견딘다는 말.
대[2] 명〖식〗댓과(科)에 속하는 다년생 상록 목본(木本)의 총칭. 줄기는 목질화(木質化)하여 두드러진 마디가 있으며 지상경(地上莖)과 지하경(地下莖)으로 갈리는데 지상경은 직립(直立)하여 총생(叢生)함. 흔히 속이 비고 마디에서 가지가 호생하며, 지하경은 옆으로 뻗어 마디에서 뿌리와 순이 남. 잎은 길쭉하고 끝이 뾰며 단병(短柄)임. 엽초(葉鞘)와의 사이에는 관절(關節)이 있음. 드물게 벼 이삭 모양의 황록색 꽃이 피나 꽃이 핀 다음에는 대개 말라 죽음. 줄기를 쪼갤 수 있고 탄력·부담력(負擔力)·저항력(抵抗力) 등이 있으므로 건축·기구 제작·장대 등으로 중용(重用)되며 죽순(竹筍)은 식용함. 참대·왕대·솜대·이대 등이 있음. 주로 아시아 특히 열대 지방에 산출되는데, 수명이 150년이라고 함. 대나무.
〈대²〉

[대 끄챙이로 째는 소리를 한다] 유난히 날카로운 소리를 빽 지름을 이르는 말.
대[3] 명 의명 〈방〉 되[1](전남·경상).
대:[4] 명 〈방〉 담뱃대(경북).
대:[5] 명 〈방〉 대야[1](전남·경상·경기·함북·평북·강원·충북).
대[6] 명 〈옛〉 때[1]. ¶ 네 난히 돌 날 대를 너ᄅ라(你說將年月日生時來)≪老乞 下 64≫.
대:[7]【大】명 큼. 큰 것. ↔소(小).
[대를 살리고 소(小)를 죽이다] 부득이한 경우에는 큰 것을 살리기 위하여 작은것을 희생시킨다는 말.
대:[8]【大】명 성(姓)의 하나. 본관은 대산(大山) 단본(單本)임.
대:[9]【代】명 ① ↗대신(代身). ②가계(家系)나 지위를 이어 그 자리에 있는 동안. ¶ ~를 잇다. ③임금의 치세(治世). ¶ 고종의 ~. ④↗대표 번호(代表番號).
대:[10]【代】명〖역〗선비(鮮卑)의 추장(酋長) 탁발 의로(拓拔猗盧)가 315년에 진(晉)으로부터 봉(封)함을 받아 세운 나라. 북위(北魏)는 그 후예(後裔)임.
대[11]【垈】명 ↗대지(垈地).
대:[12]【隊】명 ①여러 사람이 줄을 지어 정렬한 무리. ¶ 이열(二列) 횡~. ②군사들로 또는 군대처럼 편제된 무리. ¶ 중~/민방위~. ③〖군〗↗대오(隊伍).
대:[13]【對】一명 ①두 개가 서로 같은 종류로 이루어진 짝. ¶ ~를 이루다. ②서로 상대되거나 대적(對敵)한다는 뜻을 나타내는 말. ¶ '크다'는 '작다'의 ~다/A팀 ~ B팀의 경기. *쌍[1](雙). 二의명 두 짝이 합하여 한 벌이 되는 물건을 세는 말. ¶ 주련(柱聯) 한 ~.
대:[14]【對】명 경의(經義) 같은 것을 시험으로 문대(問對)하는 데 쓰이는 그 대답.
대:[15]【對】명 성(姓)의 하나. 우리 나라에는 현존(現存)하지 아니함.
대[16]【臺】명 ①흙이나 돌 같은 것으로 쌓아 올리어 사방을 바라볼 수 있게 만든 곳. ¶ 첨성~. ②물건을 받치거나 올려 놓는 것의 총칭. ¶ 촛~.
대:[17]【戴】명 성(姓)의 하나. 우리 나라에는 현존하지 아니함.
대[18]【臺】의명 차(車)나 기계 같은 것의 수를 셈할 때 쓰이는 말. ¶ 비행기 네 ~/운전기 한 ~.
대[19] 관 길이의 단위인 의존 명사 '자' 앞에 붙어 '다섯'의 뜻을 표하는 말. ¶ ~ 자 가웃. *댓.
대-[1] 접 관형사(冠形詞) '한'의 뜻과 같은 뜻으로 쓰이는 말. ¶ ~번/~돈변.
대:-[2]【大】접 명사 앞에 붙어서, 큼을 나타내는 말. ¶ ~보름/~학자/~찬성/~왕(王). ↔소-(小).
대:-[3]【貸】접 명사 앞에 붙어서 그 물건을 빌려 준다는 뜻을 나타내는 말. ¶ ~점포(貸店鋪)/~보트(貸 boat).
대:-[4]【對】접 명사 앞에 붙어서, '…에 대한'·'…에 대항하는'의 뜻을 나타내는 말. ¶ ~일(對日)/~전차포(對戰車砲).
-대- 미 -거리-.
-대[1]【代】미 ①명사 아래에 붙어 '대금(代金)'의 뜻을 나타내는 말. ¶ 양곡~(糧穀代). ②〖지〗명사 아래에 붙어 가장 넓은 구분(區分)으로 나눈 지질 시대(地質時代)를 나타내는 말. ¶ 신생~(新生代)/원생~(原生代). ③연대(年代)나 연령의 대강의 범위를 나타낼 때 쓰는 말. ¶ 1980년~/20~의 청년. ④호주(戶主)나 어떤 지위를 이어 받은 순서를 나타내는 말. ¶ 제5~ 대통령. *-세(世).
-대[2]【帶】미 띠 모양의 부분이나 '범위(範圍)'·'지대(地帶)'의 뜻을 나타내는 말. ¶ 무풍~(無風帶)/주파수~(周波數帶).
-대[3]【臺】미 수(數)·연수(年數)·액수(額數) 등의 밑에서 그 대체의 범위를 나타내는 말. ¶ 수억~의 재산.
-대[4] 어미 ↗-다 하여. ¶ 돈이 없~/그는 어제 갔~요. *-ㄴ대[1]·-는대·-래.
대:가[1]【大加】명〖역〗고구려 때 각 부(各部)의 대인(大人). 즉, 부족장(部族長). *가[4](加).
대:가[2]【大家】명 ①↗대방가(大方家). ②거장(巨匠). ③대대로 번영한 집안. 거가 대족(巨家大族). ④큰 집.
대:가[3]【大駕】명 임금이 타는 수레. 승여(乘輿). 보가(寶駕). 어가(御駕).
대:가[4]【代加】명〖역〗품계(品階)에 오를 사람이 경우에 따라 아들·사위·동생이나 조카들로 하여금 자기 대신 그 품계를 받게 하는 일. *별가(別加).
대:가[5]【代價】[-까] 명 물건을 산 대신의 값. 대금(代金). 값.
대:가[6]【貸家】명 셋집.
대:가[7]【對價】[-까] 명〖법〗자기의 재산이나 노력(勞力) 같은 것을 다른 사람에게 주어 이용하게 하고, 그 보수로서 얻는 재산상의 이익. ¶ 일의 ~/~로 뭘 주겠나.
대가[8]【臺架】명 포(砲)·탐조등(探照燈)·망원경 또는 측량(測量) 기계 등을 받치는 구조물.
대가[9]【臺駕】명 고귀(高貴)한 사람의 탈것.
대:가 관계【對價關係】[-까-] 명〖경〗대가(對價)를 수반(隨伴)하는 어음의 원인 관계(原因關係).
대:-가극【大歌劇】명〖악〗'그랜드 오페라(grand opera)'의 역어(譯語). *가극(歌劇).
대:-가다 자 거라불 ①시간을 어기지 아니하고 정한 목적지에 이르다. ↔대오다. ②배를 '오른쪽으로 저어가다'의 뱃사람의 말.
대-가닥 명〖악〗판소리에서 사자 상승(師資相承)에 의해 전승(傳承)된 창법(唱法)의 갈래·유파(流派).
대:-가람【大伽藍】명 큰 절.
대-가래 명〖식〗[*Potamogeton malaianus* var. *latifolius*] 가랫과에 속하는 다년생 수초(水草). 줄기의 높이 1m 가량이고, 잎은 침수엽(沈水葉)으로 유병(有柄)이며, 타원형 또는 선상(線狀) 타원형인데, 길이는 10-20cm, 폭은 1-2cm 내외임. 8월에 황록색 원뿔형의 잔 꽃이 수상(穗狀) 화서로 액생하고, 과실은 난구형(卵球形)의 핵과(核果)임. 흐르는 물 속에 군생(群生)하는데, 평남·황해도에 분포함.
대가리[1] 명 ①〈속〉머리. ¶ 돌~. 준대갈. ②동물의 머리. 또, 길쭉한 물건의 머리가 되는 부분. ¶ 못~.

[대가리가 터지도록 너희들끼리 싸워라 내가 알 바 없다] 그 일은 아무 상관 없어 간섭하지 않겠다는 말. [대가리를 잡다가 꽁지를 잡았다] 큰 것을 바라다가 겨우 조그마한 이익밖에 못 보았다는 말. [대가리보다 꼬리가 크다] ㉠빚돈을 쓰고 자꾸 이자가 늘어남의 비유. ㉡'배보다 배꼽이 크다'와 같은 말. [대가리 삶으면 귀까지 익는다] 여러 개 중에 제일 중요한 것만 처리하면 다른 것은 자연히 해결된다는 뜻. 또, 괴수(魁首)만 잡으면 밑의 부하는 힘들이지 않고 잡아 낼 수 있다는 뜻. [대가리에 쉬 쓴 놈] 머리에 구더기가 생긴 놈, 곧 죽은 사람처럼 어리석고 둔하다는 뜻.

대가리가 터:지도록 싸우다 구 몹시 심하게 때리고 치고 하면서 싸우다.

대가리를 싸고 덤비다 구 기를 쓰고 덤비다.

대가리에 피도 안 마르다 구 아직 어리다.

대가리² 명 〈옛〉 껍질. ¶ 대가리예 거리써리니(滯殼)《金三 Ⅱ:12》.

대:가 문구【對價文句】[—까—꾸] 명 〖경〗 발행인이 어음을 발행할 때에 대가(對價)의 수취 여부(受取與否)나 대가(對價) 관계를 밝히기 위하여 어음에 기재하는 문구.

대:가 변:제【代價辨濟】[—까—] 명 〖법〗 저당 부동산(抵當不動産)의 소유권 또는 지상권(地上權)을 매수한 자가 저당권자의 청구에 응하여 매수 대금을 저당권자에게 지불하여 자기에 대한 저당권의 부담을 면하는 일. 대가 판제(代價辨濟).

대가-빠리 명 〈방〉 대가리¹❶(경북).

대가-빼기 명 〈방〉 대가리¹❶(전북·경남).

대가-빽이 명 〈방〉 대가리¹❶(경남).

대:-가사【大家舍】 명 크게 지은 집.

대:-가섭【大迦葉】 명 〖불교〗 마하가섭(摩訶迦葉)의 딴이름.

대:가-식【大駕式】 명 〖역〗 조선 시대, 임금의 거둥할 때의 의장(儀仗)인 노부식(鹵簿式)의 하나. 조칙(詔勅)을 받들어 사직(社稷)이나 종묘(宗廟)에 제향(祭享)할 때 쓰였음. *노부식(鹵簿式).

대:-가야【大伽倻】 명 〖역〗 지금의 경상 북도 고령(高靈) 땅에 있던 육가야(六伽倻)의 하나. 한때 육가야의 맹주(盟主)로 활약한 적도 있음.

대:가연-하다【大家然—】 자여불 대가(大家)인 체하다.

대:-가족【大家族】 명 ①식구가 퍽 많은 가족. ②〖사〗 부부 중심의 현대 가족에 대하여 직계(直系)·방계(傍系)의 친족(親族)및 복비(僕婢) 등을 포함하는 가족. 가부장권(家父長權)에 의하여 통제되며, 고대 사회에서 볼 수 있었음. 1)·2):↔소가족(小家族). 「도.

대:가족 제:도【大家族制度】 명 〖사〗 대가족을 이룬 제도. ↔소가족 제

대:가족-주의【大家族主義】[—/—이] 명 〖사〗 단체·경영 등에 있어서, 그 모든 성원(成員)은 동일 가족이라는 전제하에 혈족적(血族的)인 단결로써 그 단체의 이익을 도모하려는 주의.

대:가-집【大家—】[—찝] 명 ☞ 대갓집.

대:-가차도【大加次島】 명 〖지〗 평안 북도 서해상의 섬. [1.02 km²]

대:가 파:천【大駕播遷】 명 임금이 도성을 떠나 다른 곳으로 피란함. 몽진(蒙塵). ——-하다 자여불

대:가 판제【代價辨濟】[—까—] 명 〖법〗 대가 변제(辨濟).

대:각¹【大角】 명 〖동〗 사슴의 수컷.

대:각²【大角】 명 〖건〗 폭 30 cm 이상의 각재(角材).

대:각³【大角】 명 〔라 Arcturus〕〖천〗 북두성(北斗星)의 남쪽에 등색(橙色) 빛으로 빛나는 별. 옛적부터 방위(方位)나 역일(曆日)을 헤아리는 목표가 되었음. 여름날 저녁에 머리 위에서 빛나며 거리는 36광년이고, 빛은 태양의 약 100 배이며, 0.2 등성임. 목자(牧者) 자리의 수성(首星)으로, 이십 팔 수(宿) 중의 항(亢)에 속함. 아르크투루스.

대:각⁴【大角】 명 〖악〗 군중(軍中)에서 호령할 때나 또는 군악(軍樂)과 아악을 연주할 때에 쓰는 악기. 흔히, 나무로 만들어 붉은 칠·검은 칠을 하며 길이는 석 자 가량인데 주둥이로부터 가늘게 내려오다가 허리 아래에서 툭 불거져서 차차 느릿느릿 퍼졌음. 아악에 쓰는 것은 특히 은(銀)을 두드려서 만들기도 하는데 길이 두 자 여섯 치, 주둥이의 직경은 한 치 서 푼, 구멍의 직경은 오 푼, 끝 아가리의 직경은 네 치 닷 푼임. 모진 거울 또는 둥근 거울이 박힌 매듭 셋이 잇달아 있고 끝에 술이 달린 유소(流蘇)를 아가리의 한쪽에 달았음. 쇠뿔로 아가리를 하고 나무로 자루를 만들어 붉은 칠을 한 것도 있음. 주라(朱喇). *각(角)·나발(喇叭).

〈대각⁴〉

대:각⁵【大覺】 명 ①〖불교〗 크게 도(道)를 깨달음. 또, 그 사람. ②〖불교〗 부처의 딴이름. ③크게 꿈을 깨침. 크게 깨달음. 또, 그 사람. ④〖사람〗 대각 국사(國師). ——-하다 자여불

대각⁶【袋角】 명 〖생〗 우제류(偶蹄類)의 반추류(反芻類) 이마 위에 혹같이 생겨 털로 덮여 있는 어린 한 쌍의 뿔. 이 뿔은 경골(硬骨)이 축(軸)으로 되어 있으며 처음에는 털이 있는 연피(軟皮)로 덮이지만 후에 연피가 벗겨지면서 골심(骨心)이 노출함.

대:각⁷【對角】 명 〖수〗 서로 맞선 각. 맞모. 맞각.

대각⁸【臺閣】 명 ①누각(樓閣). ②정치를 행하는 관청. ③〖역〗 사헌부(司憲府)·사간원(司諫院)의 총칭. 「<데걱.

대각⁹ 부 울차고 작은 물건이 부딪쳐서 나는 소리. ㅆ대깍·때각·때깍.

대:-각간【大角干】 명 〖역〗 신라 때의 높은 벼슬의 이름. 태대각간(太大角干)의 아래이고, 각간(角干)의 위임. 대서발한(大舒發翰). *이벌찬(伊伐飡).

대:각 개교절【大覺開教節】 명 〖불교〗 원불교(圓佛教)에서 1916년에 교조(教祖) 박중빈(朴重彬)이 원불교를 창교(創教)한 것을 기념하는 날. 3월 26일.

대각-거리다 자타 울차고 작은 물건이 연해 부딪쳐 소리가 나다. 또, 연해 대각 소리를 나게 하다. ㅆ대깍거리다·때각거리다·때깍거리다. <데걱거리다. 대각-대각 부. ——-하다 자타여불

대:각 국사【大覺國師】 명 〖사람〗 고려 때의 고승. 이름은 후(煦). 자는 의천(義天). 문종(文宗)의 제4 왕자. 선종(宣宗) 2년(1085)에 송(宋)나라에 건너가 3천여 권의 경론(經論)을 수집하여 돌아와서 흥왕사(興王寺)에 교장 도감(教藏都監)을 세우고 《속장경(續藏經)》을 조판(彫板)하여 4천여 권을 간행하고, 한국에 처음으로 천태종(天台宗)을 세웠음. 대각(大覺). [1055-1101]

대각-대다 자타 대각거리다.

대:각 묘:사【對角描寫】 명 〖문〗 대상과 반대되는 각도로 묘사함으로써 그 대상을 표현하는 문예(文藝)의 기술.

대:각-봉【大角峰】 명 〖지〗 ①함경 북도 길주군(吉州郡) 양사면(暘社面)과 함경 남도 혜산군(惠山郡) 운흥면(雲興面) 사이에 위치하는 산봉우리. 함경 산맥(咸鏡山脈) 중에 솟음. [2,121 m]. ②백두산(白頭山)에 있는 봉우리의 하나. [2,170 m]

대:각-산【大角山】 명 〖지〗 황해도 곡산군(谷山郡) 화촌면(花村面)·곡산면(谷山面)·서촌면(西村面)의 경계에 있는 산. 언진(彦眞) 산맥 중에 솟음. [1,277 m]

대:각-선【對角線】 명 〖수〗 다각형(多角形)에 있어서 서로 이웃하지 아니하는 두 각의 꼭지점을 연결하는 직선. 또, 다면체(多面體)에 있어서 같은 면에 있지 아니하는 두 꼭지점을 연결하는 직선. 맞모금.

대:각선 교섭【對角線交涉】 명 〖사〗 기업(企業)과 노동 조합(勞動組合)의 단체 교섭(團體交涉)에서, 기업별 단체 교섭 안에 산업별 단일 조합의 대표가 들어가서 개개의 회사와 교섭하는 일. 기업별 단체 교섭과 산업별 단체 교섭과의 타협형으로서 행하여짐.

대:각선식 심판법【對角線式審判法】[—뻡] 명 축구에서, 주심이 심판하기 쉽도록 경기장의 대각선을 따라 움직이면서 하는 방법. 이에 따라 선심(線審)도 이동하며 심판의 정확을 기함.

대:각선 행렬【對角線行列】[—녈] 명 〖수〗 대각 행렬(對角行列).

대:각 세:존【大覺世尊】 명 〖불교〗 '불타(佛陀)'의 존칭. 「의 하나.

대:각-수【大角手】 명 〖역〗 군중(軍中)에서 대각을 부는 취타수(吹打手)

대:각씨-도【大角氏島】 명 〖지〗 전라 남도의 서해상(西海上), 영광군(靈光郡) 낙월면(落月面) 임병리(壬丙里)에 있는 섬. [0.38 km² : 56 명 (1984)]

대:각이-도【大角耳島】 명 〖지〗 전라 남도의 서해상(西海上), 영광군(靈光郡) 낙월면(落月面) 각이리(角耳里)에 있는 섬. [0.85 km² : 65 명 (1984)]

대:각-지【大角紙】 명 옛날에 서울서 만들던 환지(環紙)의 일종. 바탕이 두꺼운 대판(大判)의 종이.

대:각 행렬【對角行列】[—녈] 명 〖수〗 정방(正方) 행렬의 하나. 좌상(左上)에서 오른쪽 아래로 향하는 대각선상의 요소(要素) 이외의 모든 요소가 0인 행렬. 대각선 행렬.

대:간¹【大奸·大姦】 명 아주 간악한 사람.

대:간²【大諫】 명 크게 간함.

대:간³【大簡】 명 ①길고 넓게 만든 간지(簡紙). ②매우 간략(簡略)함.

대간³【臺諫】 명 〖역〗 대관(臺官)과 간관(諫官). 사헌부(司憲府)·사간원(司諫院)의 벼슬의 총칭. 제대(諸臺). 대성(臺省).

대:간-령【大間嶺】[—갈—] 명 〖지〗 강원도 고성군(高城郡) 토성면(土城面)과 인제군(麟蹄郡) 북면(北面) 사이에 있는 고개. 예로부터 교통로로 이용되어 왔으며 겨울엔 눈이 많아 스키장으로 이용됨. [641 m]

대:간 사:충【大奸似忠·大姦似忠】 명 〔《송사(宋史)》에 나오는 여회(呂誨)의 말〕 크게 간사한 사람은 그 아첨하는 수단이 매우 교묘하므로 흡사 크게 충성된 사람과 같이 보임.

대:-간선【大幹線】 명 도로·철도·전선 따위의 중심이 되는 큰 간선.

대:-간의서【大諫議書】[—/—이—] 명 〔Grand Remonstrance〕〖역〗 1641년 11월 영국의 장기(長期) 의회가 결의한 절대 왕정의 비판 항의서. 찰스 1세의 실정(失政)을 열거, 국왕파와 의회파의 대립을 낳고 청교도(淸教徒) 혁명을 일으키는 계기가 된 문서.

대:간첩 작전【對間諜作戰】 명 적의 간첩 활동을 저지 또는 방지하기 위하여 취하는 모든 활동. ¶ ~ 본부.

대간-하다 형 〈방〉 ①대근하다❶. ②고단하다(충청·전라).

대갈¹ 명 ↗대가리¹❶. 「音).

대갈² 명 말굽에 편자를 신기는 데 박는 징. 주의 '代葛'로 씀은 취음(取

대:갈³【大喝】 명 큰 소리로 꾸짖음. ¶ ~ 일성(一聲). ——-하다 타여불

대갈 마치 명 ①말굽에 대갈을 박는 작은 마치. ②여러 가지 어려운 일을 많이 겪어서, 아주 야무진 사람. ¶ 홍역(紅疫)·마마(媽媽) 다 겪은 ~라 여간해서는 안 속는다.

대갈-머리 명 〈비〉 머리¹❶.

대갈-못 명 대가리가 뚱뚱하고 큰 쇠못. 대두정(大頭釘).

〈대갈 마치❶〉

대갈-빠리 명 〈비〉 머리¹❶.

대갈-빡 명 〈방〉 대가리¹❶(전북·경상).

대갈-빼기 명 〈비〉 머리¹❶.

대갈-빽이 명 〈방〉 대가리¹❶(전북·경남).

대:갈 일성【大喝一聲】[—썽] 명 꾸짖듯 크게 외치는 한 마디의 소리.

대갈 장군【—將軍】 명 '머리가 큰 사람'을 농으로 이르는 말.

대갈-통 명 〈비〉 머리통. ¶ ~이 크다.

대갈-패기 명 〈방〉 대갈빼기(전북·전남).

대:감¹【大監】 명 ①〖역〗 신라 시위부(侍衛府)의 무관(武官). 위(位)는 아찬(阿飡)으로부터 내마(奈麻)까지 있고 수는 6 명인데 장군(將軍)의 다음이며, 대두(隊頭)의 위임. ②〖역〗 조선 왕조 때 정이품(正二品) 이상

의 관원(官員)을 높여서 부르는 말. 관직·지명(地名)에 붙여서 부름. ③〖민〗터·집·나무·돌 같은 것에 붙어 있는 신(神)이나, 그 밖의 여러 신을 높여 부르는 무당의 말. ④〈속〉대신·장관 지위에 있는 관리에 대한 존칭.

【대감 죽은 데는 안 가도 대감 말 죽은 데는 간다】대감이 죽은 후로는 그에게 잘 보일 필요가 없으나, 대감이 살아 있고 그의 말이 죽으면 대감의 환심을 사기 위해 조문 간다는 뜻으로, 인심이 이악하여 이익을 추구하는 쪽으로 움직이게 된다는 말.

대:감²【大鑑】명 그 한 권만으로 그 부문에 관한 전체의 지식을 얻을 수 있게 한데 모은 책.

대:감-거리【大監—】[—꺼—] 명〖민〗대감굿.

대:감 국사【大鑑國師】명〖사람〗'탄연(坦然)'의 존칭.

대:감-굿【大監—】명〖민〗대감놀이. ——-하다 자여불

대:감-놀이【大監—】명〖민〗무당이 터주 앞에서 하는 굿. 열 두 거리 굿 가운데에서는 일곱째 거리. 무당이 구군복(具軍服) 차림이나 쾌자(快子)만을 입고, 풍악 치고 춤추면서, 재앙을 물리고 복을 빎. 온갖 굿 중에서 제일 부산함. 대감굿. ——-하다 자여불

대:감-도【大甘島】명〖지〗평안 북도 서남 해상에 있는 섬. [0.62 km²]

대:-감독【大監督】명 다년간의 경험으로 감독의 일을 잘하는 유명한 감독.

대:감 마:님【大監—】명 높은 지위에 있는 벼슬아치를 높여 부르는 말.

대:감-상【大監床】[—쌍] 명〖민〗무당이 굿할 때에 '대감'이라는 신(神)에게 올리는 제물(祭物)을 차린 상(床).

대:감-제【大監祭】명〖민〗무당이 '대감'이라는 신(神)에게 지내는 제사.

대:감 타:령【大監打令】명〖민〗대감놀이에서 불리는 무가(巫歌)의 하나.

대:갑【帶甲】명 갑옷을 입은 장졸(將卒).

대:갑-류【大甲類】[—뉴] 명〖동〗[Gigantostraca] 광익류(廣翼類)의 딴 이름.

대-갑석【臺甲石】명〖건〗탑(塔)의 대중석(臺中石) 위에 덮은 개석(蓋石). 대복석(臺覆石).

대-갓 명 대삿갓.

대-갓끈 명 아주 가는 댓가지를 마디마디 잘라서 꿰고 구슬로 격자(隔子)를 쳐서 만든 갓끈. 죽영(竹纓).

대:갓-집【大家—】명 세력이 있고 살림이 큰 집안. 거가 대족(巨家大族)의 집안.

대:강¹【大江】명 큰 강(江).

대:강²【大綱】㊀명 ↗대강령(大綱領). ㊁부 일의 중요한 부분만으로. 대충. 엄추. 건정. ¶ ~ 해 치워라.

대:강³【代講】명 남의 대신으로 강의 또는 강연함. ——-하다 자여불

대:강⁴【對講】명〖역〗경연(經筵)에서 강관(講官)이 임금에게 경의(經義)를 진강(進講)함. ——-하다 자타여불

대:-강당【大講堂】명 ①많은 사람이 모일 수 있는 큰 강당. ②〖불교〗절의 큰 강당. 불경을 배우는 큰 강당.

대:강-대강【大綱大綱】부 여러 가지를 다 대강. 대충대충. ¶ 시간이 없으니 ~ 하시오.

대:-강령【大綱領】[—녕] 명 일의 가장 중요한 부분. 가장 중요한 부분만 따낸 줄거리. ㊟대강(大綱).

대강-베도라치 명〖어〗[*Istiblennius enosimae*] 청베도라칫과에 속하는 바닷물고기. 몸길이는 15 cm에 달하는데 측편(側扁)하고 주둥이는 짧으며 위턱이 아래턱을 덮고 있음. 몸빛은 흑갈색으로 배 쪽은 담색이며 옆구리에 많은 담청색 가로띠가 있음. 만조선(滿潮線) 부근의 암초에 서식하는데, 제주도·일본 중부 이남에 분포함.

〈대강베도라치〉

대강이 명〈속〉머리¹❶.

대:강 장:류【大江長流】[—뉴] 명 크고 긴 강.

대:-강풍【大強風】명〖기상〗'큰센바람'의 구용어.

대:-갚음【對—】명 남에게 입은 은혜나 원한에 대하여 차기가 입은 그대로 갚음. ——-하다 타여불

대:개¹【大概】㊀명 대체의 사연. 대체의 줄거리. ㊁부 그저 웬만한 정도로. 중요한 부분만으로 대강. ¶ 사연은 ~ 알고 있다.

대:개²【蔕芥】명 [작은 가시의 뜻] ①사소한 일이나 지장(支障). ②사소한 마음속의 맺힘.

대개³【臺芥】명〖식〗평지.

대:개⁴【大盖·大蓋】부 일의 큰 원칙으로 말하건대.

대:-개념【大概念】명〖논〗삼단 논법의 결론에 있어서 대전제(大前提)의 빈사(賓辭)로 되는 개념. ↔소개념(小概念). *대명사(大名辭).

대:개념 부당 주연의 허위【大概念不當周延—虛僞】[—/—에—] 명 [fallacy of illicit major]〖논〗정언(定言) 삼단 논법의 경우에, 대전제에 있어서 주연되어 있지 아니한 대개념을 결론에서 주연하는 허위.

대개래미 명〈방〉〖조〗개고마리.

대:객¹【待客】명 손님을 대접함. 객대(客待). ——-하다 자여불

대:객²【對客】명 손님을 마주 대함. ——-하다 자여불

대:객 초인사【對客初人事】명 손님을 대하면 먼저 담배를 권함을 일컫는 말.

대갱이 명〈방〉대가리¹❶(전남·제주).

대:거¹【大擧】㊀명 ①여러 사람을 움직여 일을 일으킴. ②크게 서둘러 일함. ③널리 인재(人材)를 천거(薦擧)함. ㊁부 한목에 많이. ¶ 적군이 ~ 침공하여 왔다.

대:거²【帶鉅】명〖공〗띠톱.

대:거³【貸去】명 남이 꾸어 감. ——-하다 타여불

대거⁴ [dagger] 명 ①단도. 비수. ②〖인쇄〗단검표(短劍標). 칼표 '†'.

대:-거리¹【代—】명 밤낮으로 일하는 작업에서 일꾼이 교대(交代)함을 일컫는 말. ¶ ~로 석탄을 파다. ——-하다 자여불

대:-거리²【對—】명 ①대갚음하는 짓. 자기가 입은 은혜나 원한을 그대로 갚는 짓. ②상대하여 대듦. ¶ 욕을 이토록 먹어 가면서도 ~ 한 마디 못하는 걸 생각하니 …급기에는 두 눈에 눈물까지 불끈 솟는다《金裕貞 : 동백꽃》. ——-하다 자여불

대:거-처【大居處】명 도회지(都會地).

대:검¹【大劍】명 큰 검.

대:검²【大檢】명〖법〗↗대검찰청.

대:검³【帶劍】명 ①칼을 참. 또, 그 칼. 패검(佩劍). ②〖군〗소총(小銃)의 총신(銃身) 끝에 꽂는 칼. 평소에는 허리에 참. 총검(銃劍). ——-하다 자여불

대:-검찰청【大檢察廳】명〖법〗대법원(大法院)에 대응(對應)하는 최고 검찰 관청. 장(長)은 검찰 총장(檢察總長). ㊟대검(大檢).

대:겁¹【大劫】명〖불교〗매우 오랜 세월. 성(成)·주(住)·괴(壞)·공(空)의 사겁(四劫)을 합친 80 중겁(中劫)으로, 세계의 성립으로부터 파멸에 이르기까지의 시간을 이름. *중겁(中劫).

대:겁²【大怯】명 크게 두려워함. ——-하다 자여불

대-것기 명 무수기를 볼 때 6일과 21일을 일컫는 말.

대:-게 명〖동〗[*Chionoecetes opilio*] 물맞이겟과에 속하는 갑각류(甲殼類)의 하나. 가장 큰 게로, 등딱지의 폭은 22 cm 정도이고 양쪽 발의 편 길이는 70 cm 가량임. 몸빛은 담적색인데 두흉갑(頭胸甲)은 둥근 삼각형을 이루며 앞 가장자리에 15-20개의 작은 가시가 있고 표면에는 작은 과립(顆粒)이 많음. 암컷은 훨씬 작고 3-4월에 산란함. 야간에 활동함. 대서양·태평양·베링 해·한국 동해 및 남해·일본 해안 등에 분포함. 중요한 수산물(水產物)임. 바다참게.

〈대게〉

대:격【對格】[—껵] 명〖언〗목적격.

대:견【對見】명 마주 봄. ——-하다 자여불

대견-스럽다 형ㅂ불 보기에 대견하다. 대견-스레 부

대견-하다 형여불 ①부족함이 없다. ②아주 마음에 흡족하다. ¶ 공부를 잘 해서 ~. ③〈방〉대근하다❶. 대견-히 부

대:결¹【代決】명 대리로 결재함. ——-하다 자타여불

대:결²【對決】명 ①양자(兩者)가 맞서서 우열(優劣) 같은 것을 결정함. ¶ 세기의 ~. ②〖법〗원고·피고를 무릎맞춤시켜 심판함. ——-하다 자타여불

대:겸【大歉】명 흉년이 크게 듦.

대:겸-년【大歉年】명 심한 흉년. 크게 흉년이 든 해.

대:경¹【大徑】명 [major diameter] 나사의 최대경(最大徑). 수나사의 경우는 나사산의 정상에서 잰 외경(外徑), 암나사의 경우는 나사골의 밑부분에서 잰 내경(內徑)임.

대:경²【大經】명 ①〖불교〗가장 근본이 되는 줄거리. 큰 법칙. ②〖불교〗가장 근본이 되는 경전. ③예기(禮記)와 춘추 좌씨전(春秋左氏傳)의 총칭. *중경(中經)·소경(小經).

대:경³【大慶】명 큰 경사.

대:경⁴【大慶】명〖지〗'다칭'을 우리 음으로 읽은 이름.

대:경⁵【大驚】명 크게 놀람. ——-하다 타여불

대:경⁶【對境】명 ①국경의 맞은 편. ②객관(客觀)의 사물(事物). 대상(對象).

대:경 국사【大鏡國師】명〖사람〗신라 말엽의 대승(大僧). 속성(俗姓)은 김씨(金氏). 이름은 여엄(麗嚴). 경순왕(敬順王)의 사부(師父)로 명성이 높았음. [?-929]

대:경 대:법【大經大法】명 공명 정대한 원리와 법칙. ㊟경법(經法).

대:경-도【大鏡島】명〖지〗전라 남도의 남해상(南海上), 여수시(麗水市) 경호동(鏡湖洞)에 위치한 섬. [2.32 km² ; 2,432 명 (1984)]

대:경 소:괴【大驚小怪】명 몹시 놀라서 좀 이상하게 여김. ——-하다 자여불

대:경 실색【大驚失色】[—쌕] 명 크게 놀라서 얼굴빛이 변함. ——-하다 자여불

대:-경장【大更張】명 제도(制度)를 크게 고치어 새롭게 함. ——-하다 타여불

대:-경주인【代京主人】명 경주인을 대신하여 매를 맞는 사람.

【대경주인을 보았나】아무 죄 없이 매를 맞았을 때 조롱하는 말.

대:계¹【大戒】명〖불교〗비구(比丘)들이 가지는 250계(戒).

대:계²【大系】명 ①대략적인 체계(體系). ②대략적인 체계만을 엮어서 만든 책. 하나의 주제(主題) 밑에 중요한 것을 계통 세워서 엮은 총서 따위. ¶ 세계사 ~.

대:계³【大計】명 큰 계획. 홍규(洪規). ¶ 국가 백년지~.

대:계⁴【大薊】명〖한의〗엉겅퀴의 뿌리. 지혈제(止血劑)나 외과약(外科藥)으로 씀.

대계⁵【臺啓】명〖역〗사헌부(司憲府)·사간원(司諫院)에서 유죄(有罪)로 인정하여 올리는 계사(啓辭).

대:계-도【大溪島】명〖지〗평안 북도 서해상의 섬. [1.85 km²]

대:계-수【大溪水】명〖민〗육십 화갑자(六十花甲子)에서, 갑인(甲寅)을묘(乙卯)에 붙이는 납음(納音). 갑을목(甲乙木)이 인묘(寅卯)에서 극성하니 천하가 모두 숲으로 우거져서, 물이 큰 내를 이룬다는 말.

대:계-채【大薊菜】명 엉겅퀴 나물.

대:고¹【大沽】명〖지〗'다구'를 우리 음으로 읽은 이름.

대:고²【大故】명 ①부모의 상사(喪事). ②큰 사고(事故).

대:고³【大賈】명 크게 장사하는 사람. ¶ 거상(巨商) ~.

대:고⁴【大鼓】명 ①큰 북. ②〖악〗국악기의 하나. 용고(龍鼓) 비슷하게 생긴 북의 한 가지.

대:고⁵ 부 무리하게 자꾸. 계속하여 자꾸. ¶ ~ 조르다.

대:고-령【大高嶺】명〖지〗평안 북도 벽동군(碧潼郡)과 창성군(昌城郡) 사이에 있는 산. [408 m]

대-고리¹ 명 대오리로 엮어 만든 고리. 고로(栲栳).

대고리² 명〈방〉머리¹❶(전남).

대:-고모【大姑母】명 아버지의 고모. 곧, 할아버지의 누이. 왕고모(王

姑母). 황고(皇姑).

대:-고모부【大姑母夫】명 대고모의 남편. 왕고모부.

대:-고풍【大古風】명〖문〗칠언(七言) 십 팔 구(十八句)로 되고 운(韻)을 달지 아니한 우리 나라 특유의 한시체(漢詩體).

대:곡[1]【大哭】명 큰 소리로 곡함. 큰 소리를 질러 크게 욺. ──하다 자여불

대:곡[2]【代哭】명 남이 상주(喪主)를 대신하여 곡함. 상가(喪家)집의 종이 상주를 대신하여 곡함. ──하다 자여불

대:곡[3]【對曲】명〖지〗방향을 달리하는 습곡(褶曲) 산맥의 끝이 어떤 각도를 가지고 서로 접(接)하는 일. ──하다 자여불

대:곤【大棍】명〖역〗곤장(棍杖)의 하나. 길이 5자 6치, 넓이 4치 4푼, 두께 6푼 가량 됨. *곤장.

대골 명〈방〉대가리[1](함남).

대골-머리 명〈방〉대가리[1](함남).

대:-골반【大骨盤】명〖생〗골반 가운데 압각(岬角)으로부터 관골(髖骨)의 내면을 지나 치골 결합(恥骨結合)의 윗가장자리에 이르는 궁형(弓形)의 분계선(分界線)보다 위에 있는, 주로 좌우의 장골익(腸骨翼)으로 이루어진 부분. 소장·맹장과 충수(蟲垂)·S상(狀) 결장(結腸)이 들어 있음. ↔소골반(小骨盤).

대골-패기 명〈방〉대가리[1].

대공[1] 명〖건〗들보 위에 세운, 마룻보를 받치는 짧은 기둥.

〈대공[1]〉

대공[2] 명〈방〉대[1]❶.

대:공[3]【大工】명 솜씨 좋은 장색(匠色).

대:공[4]【大公】명 ①유럽에서, 군주(君主)의 집안의 남자를 일컫는 말. ②유럽에서, 소국(小國)의 군주의 일컬음. *대공국.

대:공[5]【大功】명 ①큰 공적. ②대훈로(大勳勞). 1)·2):↔소공(小功).

대:공[6]【大功】명 오복(五服)의 하나. 대공친(大功親)의 상사에 9개월 동안 입는 복제(服制). 좀 고운 누인 베로 지음. 대공복(大功服).

대:공[7]【大空】명 크고 넓은 공중. 천개(天蓋). 천공(天空). ¶ ~을 날다.

대:공[8]【對共】명 공산주의 또는 공산주의자에 대함. ¶ ~ 사찰(査察).

대:공[9]【對空】명 공중의 적에 대함. 상공(上空)의 적기(敵機)에 대함. ¶ ~ 사격(射擊). ↔대지(對地).

대:공 감시초【對空監視哨】명 적기의 접근을 경고하기 위한 초소(哨所).

대:공-국【大公國】명 대공(大公)을 군주로 하는 나라. 룩셈부르크(Luxemburg) 같은 나라. *대공(大公).

대:공 대:지 양:용포【對空對地兩用砲】명〔dual-purpose gun〕〖군〗공중 또는 지상 목표에 두루 사격할 수 있는 포.

대:공 미사일【對空一】명〔antiaircraft missile〕〖군〗공중 목표에 대하여 지상에서 발사하는 미사일.

대:공 방어【對空防禦】명 공중에 대하여 방어함. 적의 공습(空襲)을 방어함.

대:-공방전【大攻防戰】명 규모가 큰 공방전.

대:공-복【大功服】명 대공[6](大功).

대:-공사【大公使】명 대사와 공사.

대:공 사격【對空射擊】명 ①공중에 대하여 사격함. ②공습(空襲)하여 온 적기(敵機)에 대하여 사격함.

대:공산권 수출 통:제 위원회【對共産圈輸出統制委員會】[一꿘一] 명 '코콤(COCOM)'의 역어.

대:-공세【大攻勢】명 규모가 큰 공세.

대:공 수미법【代貢收米法】[一뻡] 명〖역〗조선 선조(宣祖) 27년(1594)부터 32년까지 실시된 공납(貢納) 제도. 각 도의 상납 공부(貢賦)를 쌀로 환가(換價)하여, 도내의 전체 전결(田結)에서 균등 과수(課收)하고, 전라·충청·강원·황해도의 수미(收米)를 경창(京倉)에 수납(輸納)하게 하여, 각사(各司) 공물(貢物)과 진상 방물(方物)의 구입 경비로 쓰게 함.

대:-공연【大公演】명 규모가 큰 공연.

대:공위 시대【大空位時代】명〔도 Interregnum〕〖역〗1254-73년에 독일에 서로 대립(對立)한 황제가 둘이 있어, 전국적으로 승인을 받은 황제가 없었던 시대.

대:공 자주포【對空自走砲】명〖군〗군용 차량 등에 장비된 대공 화기(火器). 「작전.

대:공-전【對空戰】명〖군〗적의 공중으로부터의 공격에 대처하는 군사

대:공정 지뢰밭【對空挺地雷一】명〔antiairborne minefield〕주로, 공정 부대의 공격을 방어하기 위해서 부설(敷設)된 지뢰밭.

대:공 지정【大公至正】명 아주 공변되고 지극히 바름. ──하다 형여불

대:공 지평【大公至平】명 공명 정대(公明正大). ──하다 형여불

대:공-친【大功親】명 종형제자매(從兄弟姉妹)·중자부(衆子婦)·중손(衆孫)·중손녀(衆孫女)·질부(姪婦)와 남편의 조부모(祖父母), 남편의 백숙부모(伯叔父母), 남편의 질부(姪婦) 들의 겨레붙이.

대:공 탄:막【對空彈幕】명〔antiaircraft barrage〕〖군〗적기(敵機)의 내습이 예상되는 공역(空域)에 구성되는 대공 포화의 방벽(防壁).

대:-공포[1]【大恐怖】명〔프 Grande Peur〕〖역〗프랑스 혁명 초기 1789년 7월부터 8월에 걸친 농촌의 공황(恐慌) 현상. 부랑(浮浪) 인구의 증대, 영국 공업 제품에 압도되어 생긴 노동자의 실업 등이 발생 조건이 됨. 부랑자들의 약탈에 겁을 먹은 경작 농민들의 공포감은 약간의 암시(暗示)에도 패닉(panic)으로 발전, 농촌에서는 농민 혁명을 촉진하는 등, 끝내는 혁명적 자치에 이르는 계기가 됨.

대:공-포[2]【對空砲】명〖군〗지상(地上)에서나 함정(艦艇)에서 적기(敵機)를 사격하는 포(砲).

대:공 화:기【對空火器】명〖군〗적의 항공기를 사격하는 데 쓰이는 화기. 고사포(高射砲)·고사 기관포(高射機關砲) 등.

대:-공황【大恐慌】명〔panic〕〖경〗세계적으로 큰 규모로 일어나는 경제 공황·금융 공황. 특히, 1929년의 세계 공황을 가리킬 때도 있음.

대:과[1]【大科】명〖역〗①과거(科擧)의 문과(文科)를 소과(小科)에 대하여 일컫는 말. ②↗대과 급제(大科及第). ──하다 자여불

대:과[2]【大過】명 ①큰 허물. ¶ ~ 없이 소임을 다하다. ↔소과(小過). ②〖민〗↗대과괘(大過卦).

대:과[3]【待窠】명 벼슬의 빈 자리 나기를 기다림. ──하다 자여불

대:-과거【大過去】명〖언〗과거에 있어서의 완료 또는 계속을 나타내는 시제(時制). 과거에 일어난 일 또는 과거에 속하는 사실을, 그 이전에 일어난 일의 결과·영향으로 나타내는 말. 과거 완료. 제이 과거.

대:과-괘【大過卦】명〖민〗육십 사 괘(卦)의 하나. 태괘(兌卦)와 손괘(巽卦)가 거듭된 것을 말하는데, 못 물이 나무를 멸함을 상징함. 준대과(大過).

대:과 급제【大科及第】명〖역〗'문과 급제(文科及第)'를 장하게 부르는 말. 대천(大闡). 준대과(大科). ──하다 자여불

대:관[1]【大官】명〖역〗①대신(大臣). ②큰 벼슬을 한 사람. ③내자시(內資寺)의 별칭.

대:관[2]【大觀】명 ①대국(大局)을 널리 보는 관찰. 큰 판국을 널리 봄. ¶ 시국(時局)을 ~하다. ②대요(大要)의 관찰. ¶ 역사 ~. ③큰 경치. 위대한 경관(景觀). ──하다 자여불

대:관[3]【代官】명 대리로 일하는 관리.

대관[4]【臺官】명〖역〗사헌부(司憲府)의 대사헌(大司憲) 이하 지평(持平)까지의 벼슬아치. *대신(臺臣).

대:관[5]【戴冠】명 대관식에서 제왕(帝王)이 왕관을 받아 머리에 씀. ──하다 자여불

대:관 대:감【大官大監】명〖역〗신라 때의 무관(武官)의 벼슬. 진흥왕(眞興王) 10년(549)에 베풀었는데 각 영(營)에 다섯 또는 네 사람씩 도합 62명이 있었음. 아찬(阿飡)에서 사지(舍知)까지의 진골(眞骨)이나 사중 아찬(四重阿飡)에서 내마(奈麻)까지의 사람으로 시킴.

대:관-령【大關嶺】[一괄一] 명〖지〗강원도 강릉시(江陵市) 성산면(城山面)과 평창군(平昌郡) 도암면(道巖面) 사이에 있는 재. 오대산(五臺山) 남쪽에 있으며, 동서의 교통은 이 재를 많이 이용함. 재가 험하여 구십구곡(九十九曲)이라고 함. 대령(大嶺). [865 m]

대:-관서【大官署】명〖역〗고려 때, 제사(祭祀)나 연회(宴會)의 요리 만드는 일을 맡아 보던 관아. 충렬왕(忠烈王) 34년(1308)에 선관서(膳官署)로 고쳤다가 뒤에 둘 사이에 변개(變改)를 되풀이함.

대:관-식【戴冠式】명 유럽에서 임금이 즉위(卽位)한 뒤에, 정식으로 왕관을 받아 쓰고 등극(登極)을 선시(宣示)하는 의식.

대:관식 행진곡【戴冠式行進曲】명〔coronation march〕〖악〗대관식에 연주되는 행진곡.

대:관-유【大冠釉】명〖미술〗청자(靑瓷)를 만드는 데에 쓰는 잿물의 한 가지.

대:관재 몽:유록【大觀齋夢遊錄】명〖문〗대관재 심의(沈義)가 지은 한문 소설. 주인공이 꿈 속 세계에서 최치원(崔致遠)이 천자(天子)가 되고 역대의 대문인들이 신하가 되어 있는 문인 왕국에 가서 결혼하고 호사스런 생활을 하였다는 이야기. 일명 대관재 기몽(大觀齋記夢).

대:-관절【大關節】㊀명 일의 중요한 마디. ㊁부 여러 말 할 것 없이 요점만 말하건대. 도대체(都大體). ¶ ~ 어찌 된 일이냐.

대:-괄호【大括弧】명 〔 〕모양의 묶음표. 꺾쇠묶음. 꺾쇠괄호. 각괄호.

대:-광[1]【大一】명〖악〗판소리에서 '소리를 잘 하는 광대'를 일컫는 말.

대:광[2]【大匡】명〖역〗①태봉(泰封)의 관호(官號)의 하나. ②고려초, 문무 관계(文武官階)의 하나. 성종(成宗) 14년(995)에 개부 의동 삼사(開府儀同三司)로 고쳐 문관(文官)의 품계(品階)로 사용함. ③고려 때, 구품 향직(九品鄕職)의 둘째 등급.

대-광대 명〖민〗조선 시대 말기에, 경상 남도 합천군(陜川郡) 초계(草溪) 밤마을에 형성된 광대. 위가 십자형(十字形)으로 된 대나무 장대 위에서 재주를 부림.

대:광 반:응【對光反應】명〖의〗눈에 빛을 비추면 동공(瞳孔)이 반사적(反射的)으로 수축(收縮)되는 현상. 이 반응은 뇌에 병이 있거나 척수가 피로했을 때는 일어나지 않음.

대:광 보:국 숭록 대:부【大匡輔國崇祿大夫】[一녹一] 명〖역〗조선 시대, 문무관(文武官)·종친(宗親)·의빈(儀賓)의 정일품(正一品)의 품계(品階). 처음에는 문무관으로만 쓰다가 뒤에 종친·의빈에도 통용(通用)하게 되었음.

대:광익회 옥편【大廣益會玉篇】명〖책〗중국 송(宋)나라 진팽년(陳彭年) 등이 황제의 명에 의하여 중수(重修)한 옥편. 우리 나라에서 조선 태종 14년(1414)에 복간한 책이 있었으나 국내에는 현존하지 아니하고 일본인에게 약간 전함.

대:괘【大棵】명〖악〗한괘.

대:괴【大塊】명 ①큰 덩어리. ②지구(地球). 대지(大地). ③하늘과 땅 사이의 대자연(大自然).

대:괵【大斛】명 곡류(穀類) 20말을 되는 양기(量器). 전석(全石). ↔소괵(小斛).

대:교[1]【大巧】명 뛰어나게 썩 잘함. 매우 교묘함. ──하다 형여불

대:교[2]【大郊】명 옛날 중국에서 제후(諸侯)가 행하던 천지(天地)의 제사.

대:교[3]【大敎】명〖불교〗'화엄경(華嚴經)'을 일컫는 말.

대:교[4]【大橋】명 큰 다리. ¶ 반포 ~.

대:교[5]【待敎】명〖역〗①조선 시대, 예문관(藝文館)의 정팔품(正八品) 벼슬. 태종(太宗) 원년(1401)에 예문 춘추관(藝文春秋館)을 예문관·춘추관의 둘로 나눌 때 수찬관(修撰官)을 이 이름으로 고침. *한림[1](翰林). ②조선 시대, 규장각(奎章閣)의 정칠품(正七品)으로부터 정구품(正九品)까지의 한 벼슬.

대:교[6]【對校】명 ①학교와 학교가 대항하는 일. ②계통이 다른 책을 대

조하여 교정(校正)하는 일. ③원고(原稿)나 전의 교정쇄(校正刷)와 대조하여 교정하는 일. ——-하다 [자][여불]

대:교 경:기【對校競技】[명] 학교끼리 운동 경기 같은 것으로 서로의 기량(伎倆)의 우열(優劣)을 견주는 일. 대교 시합.

대:교-과【大敎科】[명]〖불교〗사교과(四敎科)를 마치고, 경전(經典)을 연구하는 3년 또는 3년 6개월의 이수(履修) 과정. 대교인 화엄경을 비롯한 3과목 또는 6과목을 배움.

대:-교구【大敎區】[명]〖천주교〗교구의 하나. 대주교가 관할함. 우리나라에서는 서울·대구(大邱)·광주(光州)의 세 대교구가 있음.

대:-교사【大敎師】[명]〖불교〗태고종(太古宗)에서, 일대 불교(一代佛敎)의 교리(敎理)를 전공(專攻)하고, 법랍(法臘)이 24 하(夏) 이상 되는 중에게 주는 최고의 법계(法階). *대종사(大宗師).

대:교 소:교【大橋小橋·大喬小喬】[명]〖사람〗중국 삼국 시대(三國時代), 한(漢)나라 교현(橋玄)의 두 딸. 언니를 대교, 동생을 소교라 불렀으며, 둘이 다 미모에 병서(兵書)를 즐겼음. 오(吳)나라의 손책(孫策)·주유(周瑜)가 환성(皖城)을 공략하여 손책이 대교를, 주유가 소교를 아내로 삼았음. 화제(畫題)로서, 두 여자가 병서를 읽는 장면이 그려짐.

대:교 시합【對校試合】[명] 대교 경기.

대:교 약졸【大巧若拙】[명] 아주 교묘한 재주를 가진 사람은 그 재주를 자랑하지 아니하므로 언뜻 보기에는 서투른 것 같다는 뜻.

대:교 학인【大敎學人】[명]〖불교〗대방 광불 화엄경(大方廣佛華嚴經)을 배우는 학인(學人).

대:-교회【大敎會】[명]〖천주교〗초대 기독교회에 이어, 갖은 박해(迫害)와 시련에 견디어 가톨릭 교회의 기반이 확립되고 콘스탄티누스 대제(大帝)의 밀라노 칙령(勅令)에 의해 기독교가 공인된 종교로 될 때까지, 곧 150-313년 사이의 기독교회. 초대 기독교회와 함께 순교자(殉敎者) 시대의 교회라고도 병칭(倂稱)함. *초대(初代) 교회.

대구[1]【大口】[명]〖어〗[*Gadus macrocephalus*] 대구과에 속하는 바닷물고기. 몸은 길이 70-75cm 가량으로 측편(側扁)하고 앞쪽이 둥긂. 머리는 크고 주둥이는 둔하며 입이 몹시 큼. 몸빛은 담회갈색이고 배 쪽은 희며 등지느러미와 옆구리에 많은 부정형의 무늬가 있으며 옆줄은 회백색임. 아래턱에 하나의 수염이 있음. 한대성 심해어로서 겨울철 산란기에는 연안 내만(內灣)으로 옮기는데 동해·서해·일본·오호츠크 해·베링 해·미국 오리건 주 연안까지 분포함. 고기는 얼간·자반 등을 만들어 먹고, 간장에서 간유(肝油)를 빼냄. 대구어(大口魚).

〈대구[1]〉

대구[2]【大邱】[명]〖지〗광역시의 하나. 영남(嶺南)의 중앙부 금호강(琴湖江)과 낙동강(洛東江)의 합류점(合流點) 동쪽에 위치함. 정치·경제·문화의 일대 중심지이며 예로부터 평양(平壤)·강경(江景)과 더불어 한국 3대 시장(市場)의 하나였음. 특히, 국내 굴지의 사과 산지로 유명함. 또, 각종 공업 단지가 조성되어 섬유 공업을 비롯한 양조·제분·고무·도자기·피혁(皮革) 등의 공업이 성함. 각종 교육 기관·도서관·박물관 및 신문·방송 등 보도 기관이 있음. 명승 고적으로는 동화사(桐華寺)·파계사(把溪寺) 및 달성 공원(達城公園)·대덕(大德) 공원·동촌(東村) 유원지·수성(壽城) 유원지·팔공산(八公山) 등을 꼽을 수 있음. [885.51 km^2 : 2,476,983명(1996)]

대:구[3]【代口】[명]〖역〗조선 시대에 면천(免賤)되기를 원하는 공노비(公奴婢)가 대신 다른 노비(奴婢)를 바침. ——-하다 [타][여불]

대:구[4]【帶鉤】[명]〖고고학〗'띠고리'의 구용어.

대:구[5]【對句】[—꾸] [명]〖문〗대를 맞춘 시(詩)의 글귀. 나란히 짝을 맞춰 표현한 어격(語格)이나 의미가 상대되는 둘 이상의 구. 한문·한시를 비롯하여 시가(詩歌) 문장에 많이 쓰임. 우구(偶句). 대우(對偶).

대구-과【大口科】[—꽈] [명]〖어〗[Gadidae] 대구목에 속하는 어류의 한 과. 대구·빨간대구·명태·모캐 등이 이에 속함.

대구-구이【大口—】[명] 대구의 살을 저며서 양념하여 구운 음식.

대구 대학교【大邱大學校】[명] 사립 종합 대학의 하나. 1956년 한국 사회 사업 학교(韓國社會事業學校)로 설립, 1961년 대학으로 승격되었으며, 1979년 한사 대학(韓社大學)으로 개칭(改稱)하였다가 1982년 종합 대학교로 됨. 대구 캠퍼스는 대구 광역시 남구(南區) 대명동(大明洞), 경산 캠퍼스는 경산시 질량면에 있음.

대구루루 [부] 작고 단단한 물건이 단단한 바닥에 떨어져서 구르는 소리. 또, 그 모양. ㅆ때구루루. <데구루루.

대구 매일 신문【大邱每日新聞】[명] 대구 광역시에서 발간되는 지방 일간 신문. 1980년 12월 1일 창간.

대구-목【大口目】[명]〖어〗[Gadida] 경골어류(硬骨魚類)에 속하는 한 목. 수염대구과(科)·대구과·날개멸과·민태과 등이 이에 속함.

대구 무침【大口—】[명] 간을 치지 않은 건대구를 잘게 뜯어서 길쭉길쭉하게 자른 뒤에 간장·기름·설탕·후춧가루를 섞어 버무려서 무친 반찬.

대:구-법【對句法】[—꾸뻡] [명]〖문〗뜻이 상대되는 말이나 어조가 비슷한 문구를 나란히 벌이어 그 격조(格調)의 균제(均齊)로써 병렬(並列)·대치(對峙)의 미(美)를 표현하는 수사법.

대:-구분【大區分】[명] 크게 구분함. 또, 그 구분. ↔소구분. ——-하다 [타][여불]

대구 분지【大邱盆地】[명]〖지〗금호강(琴湖江) 유역에 전개된 평야와 낙동강(洛東江) 중류 연안에 남북 방향으로 전개된 평야에 연속된 'T'자 모양의 분지. 영천(永川)·경산(慶山)·달성(達城)·칠곡(漆谷)·청도(淸道)를 포함한 지역으로 쌀·보리·콩·면화·사과·반시(盤柹)의 대산지임. 중심 도시는 대구(大邱).

대구빡 [명]〈방〉대가리[1](전라).

대구-선【大邱線】[명]〖지〗대구를 기점(起點)으로 금호강(琴湖江)의 연안을 따라 하양(河陽)을 지나 영천(永川)까지의 철도선. 1918년 10월 31일 개통. [34.9km]

대:구 속신 면:천【代口贖身免賤】[명]〖역〗조선 시대 때, 공천(公賤)으로서 다른 노비(奴婢)를 대신 밀어 넣고 속량(贖良)하는 일.

대:구수-도【大九岫島】[명]〖지〗전라 남도의 서해상(西海上), 영광군(靈光郡) 백수면(白岫面) 대전리(大田里)에 위치한 섬. [0.05 km^2]

대구-어【大口魚】[명]〖어〗대구.

대:구인-류【大蚯蚓類】[—뉴] [명]〖동〗육구인류(陸蚯蚓類).

대구-장아찌【大口—】[명] 건대구를 물에 불려서 쇠고기와 함께 진장을 치고 고명을 더하여 조린 반찬.

대구-저냐【大口—】[명] 생선 대구를 얇게 저미어 밀가루를 바르고 달걀을 씌워서 번철에 지진 저냐.

대구-조림【大口—】[명] 생선 대구를 토막쳐서 진장을 붓고 고명을 더하여 조린 반찬.

대:구-주의【待球主義】[—/—이] [명] 야구에서, 투수로 하여금 많은 공을 던지어 피곤하게 하거나 또는 사구(四球)를 노리어, 타자(打者)가 될 수 있는 한 타격하지 아니하는 주의.

대구-죽【大口粥】[명] 바싹 마른 대구를 살만 가리어 가루로 만들어 멥쌀과 함께 쑨 죽.

대구-찌개【大口—】[명] 생선 대구를 토막치고 쇠고기와 함께 양념과 고명을 더하여 만든 찌개.

대:-구치【大臼齒】[명]〖생〗선행 유치(先行乳齒)를 갖지 아니하는 구치(臼齒). 사람의 경우에는 맨 안쪽에 있는 아래위 각각 세 쌍의 큰 어금니. 뒤어금니. 큰어금니. 대아(大牙). ↔소구치(小臼齒).

대구-탕【大邱湯】[명] ↗대구 탕반(大邱湯飯).

대구 탕:반【大邱湯飯】[명] 대구식(大邱式)으로 끓인 장국밥. 육개장 비슷한데 고운 고춧가루를 많이 쳐서 빛이 붉음. [준]대구탕(大邱湯).

대구 평야【大邱平野】[명]〖지〗금호 평야(琴湖平野).

대구-포【大口脯】[명] 대구를 얇게 저미어서 말린 포육(脯肉).

대:-구품【大九品】[명]〖불교〗불가에서 가사(袈裟) 여든한 벌을 만드는 일.

대:구 화상【大矩和尙】[명]〖사람〗신라 때의 중. 진성 여왕(眞聖女王) 2년(888)에 왕명을 받아 위홍(魏弘)과 함께 신라의 노래를 모아 ≪삼대목(三大目)≫을 편찬하였음.

대구-회【大口膾】[명] 동대구(凍大口)를 썰어서 초고추장이나 소금에 찍어 먹게 만든 회.

대구-횟대【大口—】[명]〖어〗[*Gymnocanthus herzensteini*] 둑중갯과에 속하는 바닷물고기. 몸은 길이 약 30cm인데 원통형으로 가늘고 길며, 머리는 크고 머리 위는 평평함. 몸빛은 암갈색, 때로는 황색이고 등지느러미·꼬리지느러미·가슴지느러미에 흑갈색 줄무늬가 있으며 수컷의 뒷지느러미는 일반적으로 흑색이고 긺. 한국 동해안 및 일본에 분포함. 맛이 좋음.

〈대구횟대〉

대:국[1]【大局】[명] ①대체의 국면. ②큰 판국.

대:국[2]【大國】[명] ①큰 나라. 넓은 나라. 세력이 강한 나라. 대방(大邦). ↔소국(小國). ②옛날에 우리 나라에서 중국을 가리켜 부르던 말. 【대국 고추는 작아도 맵다】작다고 없신여기지 말라는 뜻.

대:국[3]【大國】[명]〖악〗〔대국(大國)은 개성(開城) 오정문(五正門) 밖에 있던 신당(神堂) 이름〕고려 때의 속악 가사(俗樂歌詞)의 하나. 시용 향악보(時用鄕樂譜)에 전하나, 작자와 제작 연대는 모름. 1, 2, 3 세 편의 곡은 모두 평조(平調)임.

대:국[4]【對局】[명] ①어떤 형편이나 시국(時局)에 당면하여 대함. 당국(當局). ②마주 앉아 바둑이나 장기를 둠. ——-하다 [자][여불]

대:국-관【大局觀】[명] ①사물 전체의 움직임에 대한 견해. 또, 그 형세 판단. ②바둑이나 장기에서 어느 국면에 있어서의 우열의 판단. 또, 그 형세를 보는 관점.

대:-국민【大國民】[명] 강한 나라의 국민.

대국-밀【大國—】[명]〖식〗키가 큰 미국산 밀 품종의 속칭.

대:국-인【大國人】[명] 국토가 광대한 나라의 사람. ¶ ~다운 풍모(風貌)를 지니다.

대:국-자【對局者】[명] ①일의 어떠한 국면에 대한 사람. ②바둑·장기 등에서, 서로 상대하여 대국하는 사람.

대:국-적[1]【大局的】[명][관] 넓은 견지(見地)에서, 사실을 판단하거나 그에 대처하는 모양. 대승적(大乘的). ¶ ~ 견지(見地).

대:국-적[2]【大國的】[명][관] 크고 강한 나라의 특징이 있는 모양. 큰 나라다운 모양.

대:국-주의【大國主義】[—/—이] [명] 경제력이나 군사력에 뛰어난 나라가 그 힘을 배경으로 하여 소국에 임하는 고압적인 태도.

대:-국통【大國統】[명]〖역〗신라 시대의 최고의 승관(僧官). 국통(國統)의 위. 선덕 여왕 때 자장(慈藏)이 임명되어 모든 승니(僧尼)와 불사(佛寺)를 통괄하였음.

대:군[1]【大君】[명] ①〖역〗임금의 정궁(正宮)의 아들. 왕자 대군(王子大君). ¶ 양녕(讓寧) ~. ②〖역〗고려 때 종친(宗親)의 정일품 봉작(封爵). ③'군주(君主)'의 존칭.

대:군[2]【大軍】[명] 병사(兵士)가 많은 군대. 대병(大兵). ¶ 십만 ~.

대:군[3]【大郡】[명] 면적이 넓고 호수(戶數)와 인구가 많은 군(郡). ↔소군(小郡).

대:군[4]【大群】[명] 큰 떼. 많은 무리. ¶ 메뚜기의 ~. ↔소군(小群).

대:군-결【大君—】[명] 궁중에서 왕세자의 시중을 드는 내시.

대:군 대:부【大君大父】[명]〖천주교〗천주교도들이 조선 시대에 하느님을 부르던 이름. 가장 높은 임금, 가장 거룩한 아버지의 뜻.

대:-군물【大軍物】[명]〖역〗기치(旗幟)·창검(槍劍) 등의 여러 가지를 다 갖춘 군물(軍物).

대:군 사부【大君師傅】[명]〖역〗대군을 가르치던 벼슬. 종 9품임.

대:군-진【大君陣】[명]〖역〗조선 시대에 왕자들이 무단으로 차지한 토지.

대굴-대굴 [부] 작고 단단한 물건이 연달아 굴러가는 모양. ㅆ때굴때굴. <데굴데굴.

대굴-빡 [명]〈방〉머리[1]❶(전라).

대궁[1] [명] 밥그릇 안에 먹다 남은 밥. 잔반(殘飯). ¶ 그러나 먹던 ~을 주워 모아 짠지쪽하고 갖다 주니 감지덕지 받는다《金裕貞: 산골 나그네》.

대궁[2] 명 〈방〉 대[1]❶.

대:궁[3] 【大弓】 명 예궁(禮弓).

대:궁[4] 【對宮】 명 장기 놀이에서, 양쪽 궁이 그 사이에 딴 장기짝을 놓지 아니하고 직접 맞서는 그런 말밭에 놓인 관계.

대궁-밥 [—빱] 명 대궁[1]. ¶ 개에게 ~을 주다.

대궁-상 【—床】 [—쌍] 명 먹다 남은 밥상. ¶ ~을 얻어 먹으며 끼룩끼룩 운 적도 있었다《金周榮: 客主》.

대궁-술 [—쑬] 명 먹다 남은 술.

대:궁 승시 【大弓乘矢】 명 예궁(禮弓)과 예전(禮箭).

대:궁 장군 【對宮將軍】 명 장기 놀이에서, 대궁이 된 때 부르는 장군. 이 장군을 받지 못하면 비기게 됨. *빅장.

대:권[1] 【大卷】 명 페이지 수가 많은 책. 부피가 큰 책.

대:권[2] 【大圈】 [—꿘] 명 ①〖수〗 구(球)의 중심을 통과하여 평면으로 자른 면. 곧, 구의 중심을 중심으로 한 원. *대원(大圓). ↔소권(小圈). ②〖지〗 지구 표면에 그린 대원(大圓).

대:권[3] 【大權】 [—꿘] 명 〖법〗 국가를 통치하는 권한. 국토(國土)·인민(人民)을 지배하는 권리. ¶ ~을 맡다.

대:권 거:리 【大圈距離】 [—꿘—] 명 [great-circle distance] 〖지〗 두 점을 연결하는 대권의 짧은 쪽의 호(弧)의 길이.

대:권 도법 【大圈圖法】 [—꿘—뻡] 명 〖지〗 심사 도법(心射圖法).

대:권 방위 【大圈方位】 [—꿘—] 명 [great-circle bearing] 〖항공〗 지구상의 두 점을 연결하는, 대권에 연한 출발시의 방향. 기준 방향에 대한 각거리(角距離)로 나타냄.

대:권 방향 【大圈方向】 [—꿘—] 명 [great circle direction] 〖지〗 대권의 수평면 안에서의 방향. 기준 방향(基準方向)으로부터의 각거리(角距離)로 나타냄.

대:권 침로 【大圈針路】 [—꿘—노] 명 [great-circle course] 〖항공〗 출발점과 목적지를 연결하는, 대권의 방향을 연한 침로. 기준 방향과 그 대권과의 각거리(角距離)로 나타냄.

대:권 코:스 【大圈—】 [course] [—꿘—] 명 〖지〗 지구의 대권을 따르는 길. 지구상의 두 지점간의 최단 거리(最短距離)가 됨.

대:권 항:로 【大圈航路】 [—꿘—노] 명 선박·비행기의 운항(運航)에 있어서, 대권 코스를 따라 설정한 항로. 출발점과 종착점을 연결하는 최단 거리임.

대:권 항:법 【大圈航法】 [—꿘—뻡] 명 지문 항법(地文航法)의 하나. 대권상을 항해·항공하는 데 필요한 침로(針路)·거리·변침점(變針點) 등을 구면 삼각법(球面三角法)에 의하여 구하는 산법(算法)에 입각함.

대:궐 【大闕】 명 궁궐(宮闕). 궁정(宮廷). 궐(闕). 금궐(禁闕).

대:궐-반 【大闕盤】 명 잔치 또는 제사에 대궐에서 쓰는 소반의 통칭. 흔히, 왜주칠(倭朱漆)을 한 두리반이나 사방반(四方盤)이 쓰임.

대:귀[1] 【大貴】 명 ①대단히 귀함. ②매우 고귀한 사람. 군주(君主)를 이름.

대:귀[2] 【大歸】 명 ①귀부인(貴婦人)이 이혼당하여 친정으로 감. ②근본으로 돌아간다는 뜻으로, 죽음을 일컫는 말. ——하다 자여불

대:귀[3] 【對句】 [—뀌] 명 〖문〗 ☞ 대구.

대:규 【大叫】 명 크게 소리쳐 부르짖음. ——하다 자여불

대:-규모 【大規模】 명 일의 범위가 넓고 큼. ↔소규모(小規模).

대:규모 대:류 【大規模對流】 명 [large-scale convection] 〖기상〗 적운(積雲)에 관련되는 자유 대류(自由對流)보다 조직적이고 대규모적인 연직 운동(鉛直運動).

대:규모 소:매점 【大規模小賣店】 명 일정 구역 안의 건물에서 소매업자가 근대적인 시설과 운영 체제를 갖추고 직영(直營) 또는 임대의 형태로 상품을 소매하거나 용역(用役)을 제공하는 영업장(營業場). 도·소매업 진흥법에 의거, 상법상의 회사로서 일정 규모의 매장(賣場) 면적과 시설 및 운영 기준 등을 갖추어야 함. 백화점·쇼핑 센터가 있음.

대:규모 집적 회로 【大規模集積回路】 명 엘 에스 아이(LSI).

대:-규환 【大叫喚】 명 ①크게 울부짖음. ②〖불교〗 ↗대규환 지옥.

대:규환 지옥 【大叫喚地獄】 명 〖불교〗 팔열 지옥(八熱地獄)의 하나. 규환 지옥 가운데서 가장 고초(苦楚)가 심하여 큰 소리로 울부짖는다고 함. 오계(五戒)를 깨뜨린 자가 빠진다 함. ㊥대규환.

대그락 부 단단한 물건이 서로 맞닿아서 나는 소리. ㅆ때그락. <데그럭.

대그락-거리다 자타 단단한 물건의 여러 개가 서로 맞닿아서 자꾸 소리를 내다. ㅆ때그락거리다. <데그럭거리다. 대그락-대그락 부. ——하다 자타여불

대그락-대다 자타 대그락거리다.

대:-그래프 【帶—】 [graph] 명 '띠그래프'의 구용어.

대그르르-하다 형여불 가늘거나 작은 물건의 여럿 가운데 조금 굵다. ㅆ때그르르하다. <디그르르하다.

대-그릇 명 대로 만든 그릇. 죽기(竹器). 죽물(竹物).

대:극[1] 【大戟】 명 ①〖식〗 [*Galarhoeus pekinensis*] 대극과(大戟科)에 속하는 다년초. 줄기는 높이 80cm 가량이고 잔털이 났음. 잎은 호생하는데 무병(無柄)이고 피침형임. 6-8월에 녹황색의 잔 단성화(單性花)가 산형(繖形) 화서로 정생(頂生) 또는 액생(腋生)하는데 화피(花被)가 없이 꽃받침 모양의 총포(總苞)에 싸여 있음. 삭과(蒴果)는 사마귀 모양의 돌기(突起)가 있음. 산과 들에 나는데, 한국 각지에 분포함. 뿌리는 약용함. 버들옷. ②〖한의〗 대극(大戟)의 뿌리. 맛이 단 극약(劇藥)으로, 대소변을 통하게 함. 외과(外科)·부증(浮症)·적취(積聚) 등에 씀.

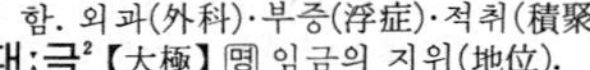

〈대극[1]❶〉

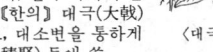

대:극[2] 【大極】 명 임금의 지위(地位).

대:극[3] 【對極】 명 반대의 극. 서로 마주 대하는 점.

대:극-과 【大戟科】 명 〖식〗 [Euphorbiaceae] 쌍자엽 식물 이판화구(離瓣花區)에 속하는 한 과. 전세계에 4,500여 종, 한국에는 감수·대극·등대풀·줄거리나무·피마자 등의 20여 종이 분포함.

대:극-적 【對極的】 명관 극과 극으로서 맞서 있는 모양.

대:근 【代勤】 명 대신 근무함. ——하다 자타여불

대근-하다 형여불 ①견디기에 힘들다. ②〈방〉 고단하다(충청).

대글대글 부 〈방〉 대굴대굴.

대글대글-하다 형여불 여러 개의 가늘거나 작은 물건 중에서 몇 개가 좀 굵다. ¶ 손바닥에 만져지는 잣 알맹이의 대글대글한 촉감. ㅆ때글때글하다. <디글디글하다.

대:금[1] 【大金】 명 ①많은 돈. ②〖악〗 국악기의 하나. 놋쇠로 대야같이 만들되, 징보다 작음. 면(面)의 직경 32cm, 운두 7cm 가량임. 붉은 실로 드린 끈을 왼손으로 들고, 녹비 감은 망치로 침. *징(鉦)·나(鑼)·소금(小金).

〈대금[1]❷〉

대:금[2] 【大笒】 명 〖악〗 [←대함(大笒)] 향악기(鄕樂器)의 하나로, 저의 한 가지. 삼금(三笒) 가운데에서 그 중 큼. 묵은 황죽(黃竹)이나 쌍골죽(雙骨竹)으로 만드는데, 관의 길이 82cm, 지름 2cm에, 취공(吹孔)·청공(淸孔) 및 여섯 개의 지공(指孔)과 2-5 개의 칠성공(七星孔)이 뚫려 있음. 높은 음은 청아(淸雅)하고 낮은 음은 우아(優雅)하며, 독주·합주에 두루 쓰임.

〈대금[2]〉

대:금[3] 【大禁】 명 ①전국적(全國的)으로 금지함. 또, 그 일. ②중한 금제(禁制). ——하다 타여불

대:금[4] 【代金】 명 ①산 사람이 판 사람에게 지불하는 돈. ¶ ~ 선불. ②물건의 값. 가금(價金). 대가(代價). 대료(代料). ¶ 책 ~.

대:금[5] 【貸金】 명 ①꾸어 준 돈. ②돈놀이함. 또, 그 돈. ——하다 자여불

대:금 교환 【代金交換】 명 〖경〗 ↗대금 교환 우편.

대:금 교환 우편 【代金交換郵便】 명 〖경〗 물건을 전하고 돈을 받아서 물품 발송인에게 보내 주는 특수 우편 제도. ㊥대금 교환.

대:금납 소:작료 【代金納小作料】 [—뇨] 명 소작료를 일정한 수량의 현물로 정하여 두고 해마다 그 때 그 때의 시세(時勢)에 따라 금전으로 환산하여 지급하는 소작료.

대금-무 【碓琴舞】 명 신라 애장왕 8년(807)에 사내금무(思內琴舞)와 더불어 추어졌다는 춤. 무척(舞尺)은 붉은 옷을, 금척(琴尺)은 푸른 옷을 입었음.

대:금 산:조 【大笒散調】 명 〖악〗 대금으로 연주하는 산조.

대:금 상:환 【代金相換】 명 〖경〗 대금을 받음과 동시에 물건을 상대방에게 넘겨 주는 일.

대:금-업 【貸金業】 명 남에게 돈을 빌려 주고 변리(邊利) 받는 것을 업으로 삼는 일. 돈놀이.

대:금업-자 【貸金業者】 명 돈놀이를 업으로 삼는 사람. 돈놀이꾼.

대:금음-자 【對金飮子】 명 〖한의〗 주체(酒滯)나 소화 불량으로 인한 복통(腹痛)·토사(吐瀉)에 쓰는 탕약(湯藥).

대:금 정:악 【大笒正樂】 명 〖악〗 대금으로 연주하는 정악.

대:금 추심 【代金推尋】 명 〖경〗 은행이 고객(顧客)이나 환취결선(換就結先)의 의뢰에 의하여 수수료를 받고 어음·수표·배당금·이표(利票)·예금 증서의 현금 추심을 행하는 일.

대:금 추심 어음 【代金推尋—】 명 〖경〗 은행이 고객(顧客)이나 환취결선(換就結先)으로부터 대금 추심을 의뢰받은 약속 어음·환어음·수표·배당금 영수증 등.

대:급 【貸給】 명 빌려 줌. 대여(貸與). ——하다 타여불

대:기[1] 【大忌】 명 크게 꺼림. 매우 싫어함. ——하다 타여불

대:기[2] 【大起】 명 음력 보름과 그믐에 조수(潮水)가 가장 높을 때의 일컬음. 한사리.

대:기[3] 【大氣】 명 ①지구를 둘러싸고 있는 기체(氣體)의 층. 곧, 공기(空氣). 상층(上層)으로 갈수록 희박(稀薄)하여짐. ②〖천〗 천체의 표면을 둘러싸고 있는 기체.

대:기[4] 【大旂】 명 〖역〗 옛날 중국에서, 존비 귀천(尊卑貴賤)의 표상(表象)으로 하던 아홉 가지의 기(旗)인 구기(九旗)의 하나. 교룡(交龍)을 그렸으며, 제후(諸侯)가 세웠음.

대:기[5] 【大朞】 명 죽은 지 두 돌되는 제사. 대상(大祥). ↔소기(小朞).

대:기[6] 【大期】 명 임신한 여자의, 아이를 낳을 달. 임월(臨月). 당월(當月).

대:기[7] 【大旗】 명 〖역〗 ↗대오방기(大五方旗).

대:기[8] 【大器】 명 ①큰 그릇. ②넓은 기량(器量). 또, 그러한 인재. ③신령(神靈)에게 제사 지낼 때 쓰는 그릇. 신기(神器).

대:기[9] 【大機】 명 ①천하의 정권·정사(政事). 대정(大政). ②중대한 계기(契機). ③〖불교〗 대승(大乘)의 가르침을 받고 믿는 자질(資質). 또, 그런 자질을 가진 사람.

대:기[10] 【大饑】 명 심한 기근. *소기(小饑)·중기(中饑).

대:기[11] 【待期】 명 약속한 시기를 기다림. ——하다 자여불

대:기[12] 【待機】 명 ①기회가 오기를 기다림. ②〖군〗 출동 준비를 끝내고 명령이 내리기를 기다림. ③공무원의 대명(待命) 처분. ¶ ~ 발령. ——하다 자여불

대:기[13] 【對碁】 명 바둑의 실력이 서로 비슷함. 대등한 바둑. 맞바둑.

대:기[14] 【對機】 명 〖불교〗 ①설법자(說法者)의 상대자. 곧, 설교를 듣는 사람. ②선가(禪家)에서, 스승이 학인(學人)의 물음에 대답함. ③대기설법. ——하다 자여불

대:기[15] 【對鰭】 명 〖동〗 수평 지느러미. ↔수직기(垂直鰭).

대:기[16] 부 〈방〉 되게(경상).

대:기 가사【大起家舍】명 집을 굉장히 크게 짓기 시작함. ——하다 자 여불

대:기 경로 도시【對氣經路圖示】[—노—] 명 〔air plot〕『항공』 비행 물체의 위치를 연속적으로 점철(點綴)한 도면. 실제로 변침(變針)한 방향과 지금까지의 비행 거리를 알 수 있음.

대:기-광【大氣光】명 〔airglow〕 지구 대기 속의 원자와 분자가 발산하는 빛. 태양의 자외선에 의해 해리(解離) 또는 이온화된 대기의 분자와 전자가 재결합할 때 방출되는 빛으로 생각됨. 관측되는 시각에 따라 야간 대기광·주간 대기광·박명(薄明) 대기광으로 나뉨.

대:기 굴절【大氣屈折】[—쩔] 명 〔terrestrial refraction〕『광학』 지구의 대기 가운데에 있는 광원(光源)에서 발생한 빛의 굴절 현상. 대기 자체의 불균일성(不均一性)에 의한 굴절만을 이름.

대:기-권【大氣圈】[—꿘] 명 『지』 지구를 싸고 있는 대기의 영역(領域). 기권(氣圈).

대:기권내 유도탄 제:어【大氣圈內誘導彈制御】[—꿘—] 명 〔atmospheric control〕『군』 공기 역학적(空氣力學的)인 제어를 행하는 가동면(可動面)을 조작하기 위한 장치 또는 시스템. 제어 기능이 유효한 대기 밀도 아래서 유도탄을 유도함.

대:기권의 한:계【大氣圈—限界】[—꿘—/—꿘에—] 명 〔limit of the atmosphere〕『지』 대기의 밀도가 행성간(行星間) 공간의 밀도와 같아지는 고도(高度). 통상, 1 cm^3 당 1 분자의 밀도를 취함.

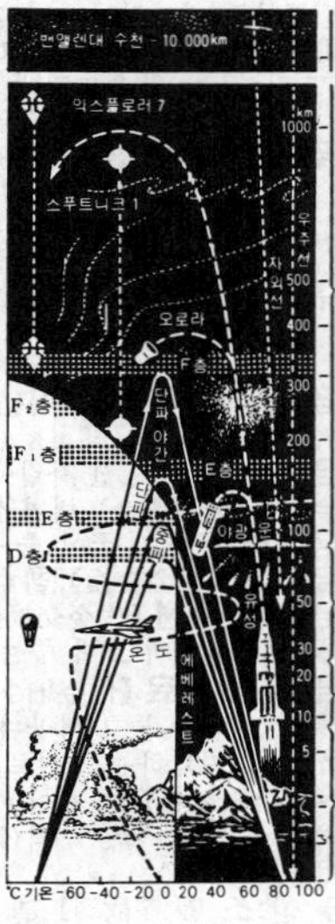

대:기 궤:도【待機軌道】 명 〔parking orbit〕 달 또는 행성(行星)으로 향하는 탐사기(探査機)나 우주선(宇宙船)이 목적지로 향하기 전에 잠정적으로 도는, 지구 주위의 원(圓)에 가까운 궤도. 발사 기지(基地)의 위도(緯度)와 목적하는 달이나 행성의 궤도면(面)과의 경사(傾斜) 관계로 직접 지구로부터 날아갈 수는 없기 때문에, 궤도면이 일치되는 곳까지 지구 궤도를 돌고 난 뒤 재가속(再加速)하여 지구를 떠남. 이 사이에 지구를 떠나도 안전한가를 알기 위하여 각 장치의 점검을 할 수 있음. 잠정(暫定) 궤도.

〈대기권〉

대:기 난:류【大氣亂流】[—날—] 명 〔air turbulence〕『기상』 풍속이나 풍향의 급속한 변동과, 상승류(上昇流)·하강류(下降流)의 존재를 특징으로 하는 매우 불규칙한 대기의 운동.

대:기 냉:각기【大氣冷却器】 명 〔atmospheric cooler〕『기』 대기 가운데의 공기의 냉각 효과를 이용하여, 관내(管內) 고온 유체(高溫流體)를 냉각하는 유체 냉각기.

대:기 노정【大氣路程】 명 『기상』 태양 광선이 공기 속을 통과하는 거리. 저녁 햇빛의 대기 노정은 오정 때보다 7-15배나 길어짐.

대:기 대:순환【大氣大循環】 명 『기상』 태양의 열작용, 지구 자전(自轉)의 영향 등에 의하여 대기가 지구상에서 대규모로 일정한 순환·혼합을 계속하고 있는 현상. 대기 환류(大氣環流).

대:기 돌입【大氣突入】 명 〔atmospheric entry〕『항공』 외부 공간으로부터 물체가 행성 대기(行星大氣)로 침입하는 일. 특히, 지구 대기(地球大氣)에의 유인(有人)·무인(無人) 우주 캡슐의 돌입을 일컬음.

대:기 만:성【大器晩成】 명 〔≪노자(老子)≫의 '大方無隅, 大器晩成'에서 유래〕 큰 솥이나 큰 종 같은 것을 주조(鑄造)하는 데는 시간이 오래 걸리듯이, 사람도 크게 될 사람은 늦게 이루어진다는 말.

대:기 명:령【待機命令】[—녕] 명 ①『군』 언제나 출동할 수 있는 자세로 대기하고 있으라는 명령. ②『법』 공무원을 무보직(無補職) 상태로 놓아 두는 인사 발령(人事發令). 대명(待命).

대:기 방:사【大氣放射】 명 지표(地表)를 포함하여 대기가 적외선(赤外線)을 방사하는 현상. 또, 그 적외선. 대기 중의 수증기·이산화 탄소·오존 등이 이 적외선의 흡수와 방사에 관여함.

대:기 부식【大氣腐蝕】 명 〔atmospheric corrosion〕『야금』 산소·이산화 탄소·수증기 등 대기 중에 존재하는 여러 가지 물질과 접촉함으로써 금속이나 합금이 부식하는 일.

대:기 분:류【大氣噴流】[—불—] 명 『기상』 제트 스트림(jet stream).

대:기 산:란【大氣散亂】[—살—] 명 〔atmospheric scattering〕『물』 전자 방사(電磁放射)가, 대기 가운데의 원자와의 상호 작용에 의해 그 전파 방향(傳播方向)이나 주파수·편광도(偏光度) 등을 변화시키는 일.

대:기 설법【對機說法】[—뻡] 명 『불교』 상대편이 이해할 수 있도록 자질(資質)에 맞추어 하는 설법. 대기(對機).

대:기 성층【大氣成層】 명 『기상』 대기권이 거의 동심구적(同心球的)으로 지구를 둘러싸는 층상(層狀)의 구조를 형성하는 층. 이의 구분·명칭은 기온·분자량·전리(電離) 등의 차이에 의거하여 정해지는데, 큰 구분인 권(圈)을 세분했을 때 층(層)이라 함. 이를테면, 전리권(圈)과 이층(E 層), 에프층(F 層) 등. *고층 대기(高層大氣).

대:기-소【待機所】 명 대기하도록 마련한 장소. 기다리는 곳.

대:기 소:용【大器小用】 명 유능한 사람을 낮은 지위에 앉히고 부림.

대:기 속도【對氣速度】 명 『항공』 항공기의 공기에 대한 속도. 정지(靜止) 상태의 공기 중에서는 대지(對地) 속도와 같음. *대지(對地) 속도.

대:기-수【大旗手】 명 『역』 대기치(大旗幟) 따위를 받쳐 드는 군사.

대:기-실【待機室】 명 대기하도록 마련한 방.

대:기 안정도【大氣安定度】 명 『기상』 평형(平衡) 상태에 있는 대기의 안정도. 정역학적(靜力學的) 안정도와 동역학적(動力學的) 안정도가 있음. 전자(前者)는 정지(靜止) 상태에 있는 대기의 성층(成層) 상태의 안정도이고, 후자(後者)는 기압 경도(氣壓傾度)와 전향력(轉向力)이 평형한 지형풍(地衡風)의 경우의 안정도임.

대:기-압【大氣壓】 명 〔atmospheric pressure〕『물』 대기의 압력. 기압.

대:기압 기관【大氣壓機關】 명 영국의 뉴코멘(Newcomen, T.)이 발명하여, 1712년에 실용화한 일종의 증기 기관. 수증기를 보일러에서 실린더에 공급하고, 실린더 속에 냉각수를 주입하여 증기가 응축(凝縮)할 때 생기는, 진공(眞空)과 대기압과의 압력차로 피스톤을 움직임. 열효율(熱效率)은 극히 낮으나, 와트(Watt, J.)의 기관(機關)이 출현할 때까지 광산의 양수(揚水) 펌프용 원동기로 사용되었음.

대:-기업【大企業】 명 자본, 시설, 종업원의 수 따위의 규모가 크고 사회적·경제적 영향력이 큰 회사. *중소 기업.

대:기 오:염【大氣汚染】 명 산업·교통 등, 인간의 활동에 의하여 만들어지는 유독(有毒) 물질이 지역 사회를 둘러싸고 있는 공기를 오염시키는 일. 주요한 오염 물질은 연소(燃燒) 등의 화학 반응에 의한 매연(煤煙) 및 석유 산업에 의한 아황산 가스와 자동차의 배기 가스 속의 일산화 탄소 등의 유독 가스임.

대:기 오:염원【大氣汚染源】 명 대기가 오염되는 근원. 주로 석유·석탄 등 각종 물질이 연소할 때 배출되는 여러 가지 유해한 가스나 유기 화합물 및 매연(煤煙) 등임.

대:기 오:염 포텐셜【大氣汚染—】〔potential〕 명 『기상』 대기 오염을 지표(地表)에 축적시키거나 소산(消散)시키는 기상상의 조건.

대:기 요:법【大氣療法】[—뻡] 명 『의』 호흡기병, 특히 폐결핵 환자에게 신선한 공기를 마시게 함으로써 병을 고치려는 요법. 화학 요법이 나오기 전에 널리 제창되었음.

대:기-음【帶氣音】 명 〔aspirate〕『언』 일반적으로 극히 강한 호기(呼氣)를 수반하는 소리. 보통은 폐색음(閉塞音)에 한정됨. 독일어의 p·t·k, 그리스어의 $\phi \cdot \theta \cdot \chi$ 등.

대:기 잡음【大氣雜音】 명 〔atmospheric noise〕『전』 공전(空電)의 방해 때문에 무선 수신(無線受信) 때 들리는 잡음.

대:기 재:돌입【大氣再突入】 명 우주선(宇宙船)이 지구에 안전하게 착륙하기 위하여 궤도를 바꾸어 대기권(大氣圈)에 돌입하는 일.

대:기 저:항【大氣抵抗】 명 〔atmospheric drag〕『물』 대기의 저항이 저고도상(低高度上)에 있는 인공 위성 따위의 운동에 미치는 효과. 이 효과가 오래 계속됨에 따라서 이심율(離心率)·반경·주기(周期) 등이 감소됨.

대:기 전:장【大氣電場】 명 〔atmospheric electric field〕『물』 대기의 전장의 강도(强度)를, 어느 정해진 점이나 시각에 볼트/미터 단위로 나타낸 것. 날씨가 좋은 때 지표(地表) 가까이에서의 값은 약 100임.

대:기점-도【大奇點島】 명 『지』 전라 남도의 서해상(西海上), 신안군(新安郡) 증도면(曾島面) 병풍리(屛風里)에 위치한 섬. [1.3 km^2 : 206 명 (1985)]

대기 정:역학【大氣靜力學】[—녁—] 명 공기 정역학(空氣靜力學).

대:기 조석【大氣潮汐】 명 『기상』 지상에서 기압의 변화로 나타나는 대기의 조석 현상. 열대 지방에서는 거의 태양시(太陽時)·태음시(太陰時)에 대하여 규칙적 일변화(日變化)를 하는데, 그 이외 지방에서는 그 진폭(振幅)이 극히 적음.

대기지 명 〈방〉 수수¹(강원).

대:기 진상【大氣塵象】 명 〔lithometeor〕『기상』 부유 진애(浮游塵埃)·연무(煙霧) 또는 연기나 모래 등이 섞인 건조한 대기 부유물에 대한 일반적 용어.

대:기-차【大氣差】 명 『천』 천체가 눈에 보이는 방향과 그 참 방향과의 차. 대기 중에 있어서의 광선의 굴절(屈折)에 의하여 일어남. 몽기차(濛氣差). 기차(氣差).

대:기-층【大氣層】 명 〔atmospheric shell〕『기상』 지구 대기를 여러 가지 층으로 분류한 것.

대:-기치【大旗幟】 명 『역』 진중(陣中)에서 방위(方位)를 표시하는 기. 용호영(龍虎營)은 청도기(淸道旗) 둘, 금고기(金鼓旗) 둘, 누른 문기(門旗) 둘, 각기(角旗) 넷, 금군 별장 인기(禁軍別將認旗) 하나, 금군청 번기(禁軍廳番旗) 일곱의 십 팔 면(面)으로 하였으며, 다른 영문(營門)은 대오방기(大五方旗) 다섯, 고초기(高招旗) 다섯, 문기 열, 각기 여덟, 신기(神旗) 다섯, 청도기 둘, 금고기 둘, 표미기(豹尾旗) 하나의 삼십 팔 면으로 한 것을 고종(高宗) 6년(1869)에 각기를 넷으로 줄이고 신기와 표미기를 없이하여 이십 팔 면으로 하였음.

대:기 탐측【大氣探測】 명 〔air sounding〕『기상』 고고도(高高度)에서, 특히 기구(氣球)나 로켓에 적재된 장치에 의하여, 대기 현상의 측정이나 대기 상태의 결정을 행하는 일.

대:기-학【大氣學】 명 〔aeronomy〕『기상』 지구(地球) 따위 천체의 대기에 관하여 연구하는 학문. 특히, 대기의 성분·성질·상대적 운동, 우주 공간이나 다른 천체로부터의 방사(放射) 등에 대하여 연구함.

대:기 해:양 물리학【大氣海洋物理學】 명 〔naval meteorology〕『기상』 해양과 그 위쪽 기단(氣團)과의 상호 작용을 연구하는 기상학의 한 분야. 해양 위의 여러 가지 대기 현상과 그 현상이 주는 해면(海面)·천해(淺海)·심해(深海)에의 영향 등을 연구함.

대:기 화학【大氣化學】 명 〔atmospheric chemistry〕『기상』 대류권(對流圈)·성층권(成層圈) 안의 대기 구성물의 생성(生成)·수송·변질·이동 따위에 관한 학문.

대:기 확산【大氣擴散】명〔atmospheric diffusion〕〖기상〗 규모가 작은 난류(亂流)에 의한, 대기중의 기괴(氣塊)의 교환 현상.

대:기 환경 보:전법【大氣環境保全法】[一뻡] 명〖법〗 대기 오염으로 인한 국민 건강 및 환경 상의 위해(危害)를 예방하고 대기 환경을 적정하게 관리·보전하기 위하여 제정한 법률. 국민이 건강하고 쾌적한 환경에서 생활할 수 있게 함을 목적으로 함.

대:기 환류【大氣環流】[一활一] 명〖기상〗 대기 대순환.

대:-기후【大氣候】명〔macroclimate〕〖기상〗 기후대(氣候帶)·계절풍 기후(季節風氣候)·대륙 기후(大陸氣候) 등처럼 지구상의 넓은 범위의 기후. 생물의 지리적 분포에 큰 영향을 미침. ＊중(中)기후·소(小)기후·미(微)기후.

대:기 흡광 분석【大氣吸光分析】명〔telephotometry〕〖물〗 여러 가지 형의 분광 광도계(分光光度計)를 사용하여, 대기의 흡광 측정에 관한 기술이나 원리를 체계화하는 일.

대:기 흡수【大氣吸收】명〔atmospheric absorption〕〖물〗 대기 가운데의 기체·습도 등에 의해서 마이크로파(micro 波)의 에너지가 감소(減少)하는 일.

대:길【大吉】명 크게 길함. 썩 좋음. ¶ 입춘 ~. ——-하다 형여불

대:길-일【大吉日】명 대단히 길한 날. 썩 좋은 날. 큰 행운이 있는 날.

대까치 명〈방〉〖조〗 뱁새(경기).

대까-칼 명〈방〉 대칼.

대깍 부 올차고 작은 물건이 부딪쳐서 나는 소리. ㅅ대각. ㅆ때깍. <데꺽. ——-하다 자여불

대깍-거리다 자타 올차고 작은 물건이 연해 부딪쳐서 소리가 나다. 또, 연해 대깍 소리를 나게 하다. ㅅ대각거리다. ㅆ때깍거리다. <데꺽거리다. 대깍-대깍 부. ——-하다 자타여불

대깍-대다 자타 대깍거리다.

대꼬빠리 명〈방〉 담뱃대(경북).

대-꼬챙이 명 대로 된 꼬챙이.

대꼬챙이로 째는 소리를 한다 구 날카로운 소리를 빽 지름을 이르는 말.

대꼬-타:령【一打令】명 은율 탈춤의 노승(老僧) 마당에서, 말뚝이와 먹중이 노승을 조롱하는 내용의 노래.

대:꾸 명 ↗말대꾸. ——-하다 자여불

대꾼-하다 형여불 기운이 지쳐 눈이 쑥 들어가고 맥없이 보이다. ¶ 밤을 굶더니 눈이 대꾼하구나. ㅆ때꾼하다. <데꾼하다.

대끼다[1] 자 경험을 얻을 만큼 무슨 일에 많이 시달리다. ¶ 서울 가서 3년 동안 대끼고 오더니 사람이 달라졌다.

대끼다[2] 타 애벌 찧은 보리나 수수 같은 것을 물을 쳐 가면서 마지막으로 깨끗이 찧다.

대끼다[3] 피동 〈방〉 닦이다.

대:나【大儺】명〖역〗 관상감(觀象監)이 주장(主掌)하여 제석(除夕) 전날 밤, 궁중(宮中)에서 악귀(惡鬼)를 쫓아 내는 행사(行事). 뜰에서 창수(倡率)한 사람, 방상시(方相氏) 네 사람, 지군(持軍) 다섯 사람, 판관(判官) 다섯 사람, 초라니 두 사람, 조왕신(竈王神) 네 사람, 십이신(十二神) 열 두 사람, 도열(桃茢)을 가진 악공(樂工) 여남은 사람, 아이 초라니 수십 명이 하는 행사로서, 창수가 주문(呪文)을 읽으면서 십이신을 몰아 내면 아이 초라니는 머리를 조아리어 복죄(伏罪)하며 여러 사람들은 소리를 지르고 나발을 불어 사문(四門) 밖으로 쫓아 냄.

대:-나마【大奈麻】명〖역〗 신라 십칠 관등(官等)의 열째번 등급. 대나마에는 중(重)대나마에서 구중(九重) 대나마까지 9계단이 있었음. 급벌찬(級伐飡)의 아래, 나마(奈麻)의 위로, 오두품(五頭品)이 오름.

대-나무 명 '대[2]'를 목본(木本)으로 보아서 일컫는 말. 녹경(綠卿). 기원장(淇園長).

대-나물 명〖식〗[*Gypsophila oldhamiana*] 너도개미자릿과에 속하는 다년초. 줄기 높이 1m 가량이고, 잎은 대생하며 피침형 혹은 선형(線形)임. 6-7월에 흰 꽃이 원추(圓錐) 화서로 정생(頂生)하며, 삭과(蒴果)는 구형(球形)임. 산과 들에 나는데, 한국 각지에 분포함. 어린 잎은 식용, 뿌리는 약용(藥用)이며, 관상용으로 심기도 함. 은시호(銀柴胡).

〈대나물〉

대-나방 명〖충〗[*Philudoria albomaculata*] 솔나방과에 속하는 곤충. 편 날개의 길이 45-49mm이고, 앞날개는 적갈색이며, 중실(中室) 끝에 은백색 또는 담황색의 점 무늬가 두 개 있음. 날개를 횡단하는 무늬는 농적갈색, 바깥쪽은 암회색 광택이 나는 회색 줄이 있고, 외연 부근에 다갈색 또는 암회색의 톱날 무늬가 있음. 유충은 댓과(科) 식물의 해충임. 한국에도 분포함.

〈대나방〉

대:나-의【大儺儀】[一/一이] 명〖역〗 대나를 행하는 의식(儀式).

대낚 명 ↗대낚시.

대-낚시 명 낚싯대를 써서 하는 낚시질. 준대낚.

대:난【大難】명 큰 재난(災難).

대:난지-도【大欄芝島】명〖지〗 충청 남도의 서해상(西海上), 당진군(唐津郡) 석문면(石門面) 난지도리(欄芝島里)에 위치한 섬. [3.05km²: 409명(1985)]

대:남[1]【對南】명 남쪽 또는 남방에 대함. ¶ ~ 간첩/~ 공작. ↔대북(對北).

대남[2]【臺南】명〖지〗'타이난(臺南)'을 우리 음으로 읽은 이름.

대:남백-산【大南白山】명〖지〗 평안 남도 영원군(寧遠郡)과 평안 북도 강계군(江界郡) 사이에 있는 산. 성룡천(成龍川)의 수원지(水源地)를 이루고 있음. [1,951m]

대:남-산【大南山】명〖지〗 함경 남도 신흥군(新興郡) 동상면(東上面)과 장진군(長津郡)의 상남면(上南面) 및 중남면(中南面) 경계에 있는 산. 개마 고원(蓋馬高原)에 속함. [1,989m]

대:남 식록【大南寔錄】[一녹] 명〖책〗 베트남 최후의 왕조(王朝)인 완조(阮朝)의 실록. 453권. 1844-1901년 동안에 완성.

대:납【代納】명 ①남을 대신하여 납부함. ¶ 세금을 ~하다. ②다른 물건으로 대신하여 납부함. ¶ 현물로 ~하다. ——-하다 자타여불

대:납-전【代納錢】명〖역〗 결대전(結代錢).

대:-납회【大納會】명 거래소에서, '납회(納會)'의 미칭(美稱). ↔대발회(大發會).

대:-낮 명 환히 밝은 낮. 백주(白晝). 백일(白日). ↔밤중.

대:낮에 도깨비에 홀렸나 구 도무지 이해가 가지 않는 일이라는 말.

대:내[1]【大內】명 임금이 거처하는 곳. 대전(大殿).

대:내[2]【隊內】명 부대(部隊)·군대 등의 대(隊)의 안.

대:내[3]【對內】명 내부(內部) 또는 국내(國內)에 대함. ¶ ~적/~ 문제. ↔대외(對外).

대-내리다 자〖민〗 ↗손대내리다.

대:-내마【大奈麻】명〖역〗 대나마.

대:내장 신경【大內臟神經】명〖생〗 교감(交感) 신경의 말초지(末梢枝)의 하나. 제5-9의 흉신경절(胸神經節)에서 나온 말초지가 흉추(胸椎)의 바깥 쪽을 따라 아래로 내려오면서 하나로 합쳐 횡경막을 뚫고 복강(腹腔)으로 나와 복강 신경총(神經叢)으로 들어감. 주로 복부 내장의 지각(知覺)을 맡으며 골반을 제외한 모든 복부 내장에 분포함.

대:내-적【對內的】명관 어떤 내부나 국내에 상관되는 모양. ¶ ~ 문제. ↔대외적(對外的).

대:내 주권【對內主權】[一꿘] 명 국내에 대하여 발동하는 주권. 국가가 국내 사항에 관하여 다른 국가의 간섭을 받지 아니하고 행위의 자유를 가지는 일. ↔대외 주권.

대:녀【代女】명〖천주교〗 성세(聖洗)와 견진(堅振) 성사를 받는 여자의 그 대모(代母)에게 대한 친분(親分). ↔대모(代母).

대:년【待年】명 약혼한 뒤에 결혼할 해를 기다림. ——-하다 자여불

대:년-군【待年軍】명〖역〗 군역(軍役)에 있는 사람이 죽거나, 사정에 의하여 복무하지 못하게 되는 경우, 그 뒤를 이을 16세 미만의 남자. 아비에게는 아들, 형에게는 아우가 되지만, 모두 다 없을 경우에는 다른 사람이 대신할 수 있음.

대:-년호【大年號】명〖역〗 →다년호(大年號).

대:노【大怒】명 →대로(大怒). ——-하다 자여불

대:노록-도【大老鹿島】명〖지〗 전라 남도의 서해상(西海上), 신안군(新安郡) 임자면(荏子面) 재원리(在遠里)에 위치한 섬. [0.32km²: 16명(1984)]

대:노은-산【大蘆隱山】명〖지〗 함경 북도 무산군(茂山郡) 삼장면(三長面)에 있는 산. 함경 산맥(咸鏡山脈)의 첫머리 부분을 구성하고 두만강(豆滿江)과 그 지류인 소홍단수(小紅湍水)의 수원지(水源地)를 이룸. [1,490m]

대:-놀음 명 기생이 풍악을 갖추어 노는 놀음.

대-농[1]【一籠】명 대로 엮어 만든 농짝.

대:농[2]【大農】명 ①대규모로 행하여지는 농업. 광대(廣大)한 토지를 갖고 많은 농업 노동자로써 지음. ②호농(豪農). ＊중농(中農)·소농(小農).

대:-농[3]【大籠】명 크게 만든 농장(籠欌).

대:-농가【大農家】명 크게 농사를 짓는 집. ↔소(小)농가·세(細)농가.

대-농갱이 명〖어〗[*Pseudobagrus emarginatus*] 동자갯과에 속하는 민물고기. 몸길이 40-50cm이고, 몸빛은 암황갈색 바탕에 불규칙한 농남색이 있으며, 등지느러미와 뒷지느러미의 바깥 쪽은 짙은 색임. 하천 중·하류의 모래펄에서 작은 동물을 먹고 사는데, 현재까지는 압록강·대동강·한강에서만 발견되었음. 식용함.

〈대농갱이〉

대:농 조직【大農組織】명〖농〗 경작지(耕作地)가 광대하여 대규모로 경영하는 농업 조직.

대:-농지【大農地】명 크게 농사를 짓는 땅. ↔소(小)농지.

대:뇌【大腦】명〖생〗 척추(脊椎) 동물의 뇌의 일부로, 그 대부분을 차지하고 있는 뇌수(腦髓). 달걀꼴이며, 깊은 종구(縱溝)에 의하여 좌우 대뇌 반구(大腦半球)로 갈라짐. 각 반구(半球)의 중심부는 백질(白質)이고, 표층부(表層部)는 회백질로 많은 주름이 있는데, 대뇌피질(大腦皮質)이라고 함. 정신 작용·지각(知覺)·운동·기억력(記憶力) 등을 맡은 중추(中樞)가 분포함. 큰골. ＊머리[1]·소뇌.

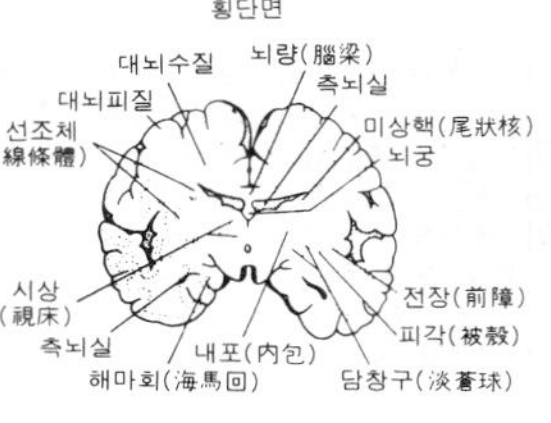

대:뇌-각【大腦脚】명〔cerebral peduncle〕〖생〗 대뇌 반구의 하부에서 나타나 뇌교(腦橋)의 취상돌기(嘴狀突起)로 들어가는 두 개의 백질 대상부(白質帶狀部). 대뇌와 다른 것과의 연락을 함.

대:뇌 동:맥환【大腦動脈環】명〖생〗 뇌에 혈액을 보내는 좌우 한 쌍의 내경(內頸) 동맥과 뇌저(腦底) 동맥의 두 가지가, 뇌의 하면(下面) 근처에서 만나 연결되어 이루는 동맥의 고리.

대:뇌 반:구【大腦半球】명〖생〗 대뇌의 일부로, 종뇌(終腦)를 구성하는 좌우의 반구상(半球狀)의

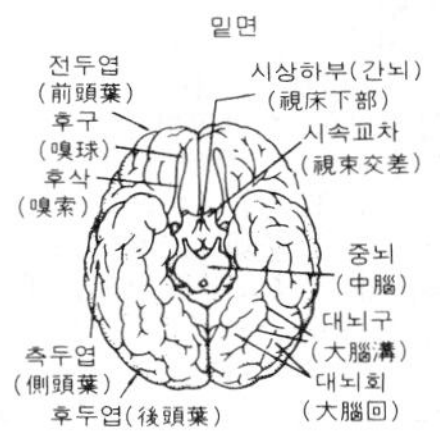

〈대뇌〉

부분. 고차(高次) 신경 작용이 이루어지는 곳으로, 특히 사람에게 매우 잘 발달되어 있으며 대뇌의 대부분을 뒤덮고 있음. 그 부위(部位)에 따라 전두엽(前頭葉)·측두엽(側頭葉)·두정엽(頭頂葉) 등으로 나뉨.

대:뇌 변연계【大腦邊緣系】명〖생〗대뇌에서 신피질(新皮質)의 발달과 함께, 구피질(舊皮質)·고피질(古皮質)과의 사이에 이행(移行) 부분이 발달하는데, 이 이행부와 고피질·구피질을 아울러 이르는 말. 후각(嗅覺)에 관계되며, 기타 하급 감각 및 정동(情動)·본능(本能) 등의 기본적 생명 현상을 발현(發現) 혹은 통제하는 것으로 알려지고 있음.

대:뇌 생리학【大腦生理學】[—니—] 명〖생〗대뇌의 기능을 연구하는 생리학의 한 분야.

대:뇌 수질【大腦髓質】명〖생〗대뇌 피질 밑에 있는 신경 섬유의 집단. 같은 쪽의 대뇌 피질 여러 부분을 연락하는 연합(聯合) 신경 섬유, 양측 대뇌 피질을 연락하는 교련(交連) 신경 섬유, 대뇌 피질과 그 이외의 신경 세포의 집단(集團)과의 사이를 연락하는 투사(投射) 신경 섬유로 구성됨.

대:뇌 피질【大腦皮質】명〖생〗대뇌 반구의 표면을 둘러싼 회백질(灰白質)의 얇은 층(層). 많은 주름과 홈이 있음. 고차(高次)의 정신 활동이 영위되는 곳으로, 사람의 대뇌 피질의 총면적은 223,600 mm²이며, 그 약 3분의 2는 홈 안에 가리워져 있고, 약 140억의 신경 세포가 포함되어 있음.

대:뇌-핵【大腦核】명〖생〗대뇌 수질(髓質)에 싸여서 그 안 쪽에 있는 몇 개의 신경 세포의 집단의 총칭.

대:-늑도【大勒島】명〖지〗전라 남도의 남해안, 여천군(麗川郡) 율촌면(栗村面) 송장리(松獐里)에 위치한 섬. [0.15 km² : 52 명 (1984)]

대:-능원【大陵苑】명〖역〗경상 북도 경주시(慶州市) 황남동(皇南洞)에 있는, 옛 신라 고분의 동산. 3-6세기에 이르는 통일 신라 시대 이전의 고분 20 기(基)가 있는데, 그 가운데 천마총(天馬塚)·황남대총(皇南大塚)·미추왕능(味鄒王陵)이 포함되어 있음. 경역 면적 3,800여 평. 사적(史蹟) 제175호.

대님 명 한복 바지를 입은 뒤에, 그 가랑이의 끝 쪽을 접어서 가든하게 발목을 졸라매는 끈.

대:다¹ 자 시간을 어기지 아니하고 정한 목적에 이르게 하다. ¶ 간신히 기차 시간에 ～.

대다² 자 〈방〉 되다¹(전남·경남).

대:다³ 타 ①서로 닿게 하다. ¶ 귀에 수화기를 ～/손 대지 마시오 / 술은 입에 대지도 아니한다. ②비교하다. ¶ 키를 대어 보다/갖다 댈 것이 못 된다. ③연결되게 하다. ¶ 전화를 대어 주다. ④대면(對面)시키다. ¶ 그 사람을 대어 주오. ⑤의지하다. 기대다. ¶ 등을 ～. ⑥도착(到着)시키다. ¶ 항구에 배를 ～/차를 현관에 ～. ⑦'…을 향해서'의 뜻으로 '대고'라고만 쓰임. ¶ 하늘에 대고 침뱉기/적진에 대고 총을 쏘다/누구에게 대고 하는 소리냐. ⑧어떤 도구를 사용하여 일·행동을 하다. ¶ 미완성된 그림에 붓을 ～ / 자식에게 매를 댄 것이 화근이었다.

대:다⁴ 타 ①물을 흘려서 어느 곳으로 들어가게 하다. ¶ 논에 물을 ～. ②돈이나 물건 같은 것을 주어서 뒤를 보살펴 주다. ¶ 학비를 ～/뒤를 대 주다. ③사람을 고용하여 뒤를 보아 주게 하다. ¶ 변호사를 ～ / 가정교사를 대어 실력을 높이다. ④공급하다. ¶ 단골집에 물건을 ～. ⑤노름·내기 따위에서 돈을 걸다. ¶ 만 원을～.

대:다⁵ 타 ①사실대로 말하여 일러 주다. ¶ 증거를 ～/바른대로 대라. ②어떤 것을 들고 나서다. ¶ 핑계를 ～.

대:다⁶ 타 〈방〉 달다²❷-❺.

대:다⁷ 보동 동사의 어미 '-아'·'-어'의 다음에 쓰이어, 정도의 심함을 나타내는 말. ¶ 몰아 ～/먹어 ～. *쌓다².

-대다 미 -거리다. ¶ 대그락～.

대다리 명 구두창에 갑피(甲皮)를 대고 맞 꿰매는 가죽 테.

대:다-산【大多山】명〖지〗평안 북도 강계군(江界郡)에 있는 산. 낭림 산맥의 일부를 이루며, 아울러 강남 산맥(江南山脈)의 첫머리 부분으로서 독로강(禿魯江) 및 그 지류 천북천(千北川)의 수원지(水源地)를 이룸. [1,464 m]

대:-다수【大多數】명 ①대단히 많은 수. ②거의 다. 전체수(全體數)의 거의 대부분. 다대수(多大數). ¶ ～가 찬성하고 있다.

대:단【大緞】명 한단(漢緞).

대:-단나【大檀那】명〖불교〗큰단나.

대:-단원¹【大單元】명 [large unit]〖교〗단원(單元) 학습에 있어서, 생활 경험을 종합적으로 장시간(長時間)을 요하게 형성한 단원. 흔히 다시 소단원(小單元)으로 구분하여 학습함. ↔소단원.

대:-단원²【大團圓】명 ①연극 같은 것에서 사건의 엉킨 실마리를 풀어 결말을 짓는 마지막 장면. 카타스트로프(catastrophe). ¶ ～의 막을 내리다. ②맨끝. 대미(大尾).

대:단-찮다 [—찬타] 형 ↗대단하지 아니하다. ¶ 대단찮은 사건이다.

대:단찮-이 [—찬—] 부 대단하지 아니하게. ¶ ～ 여기다.

대:단-하다 형여불 ①매우 심하다. ¶ 엄살이 ～/호령이 ～. ②크고도 많다. 엄청나다. ¶ 대단한 인기/대단한 규모/대단한 빗줄기. ③아주 중하다. ¶ 병세가 ～. ④매우 중요하다. 요긴하다. ¶ 대단한 일도 아닌데 야단이다. ⑤출중하다. 뛰어나다. ¶ 제가 무슨 대단한 인물이라고. 대:단-히 부. 주의 '大端'으로 씀은 취음(取音).

대:단핵 세:포【大單核細胞】명〖생〗백혈구의 일종. 단구(單球)·대식 세포(大食細胞)·조직구(組織球) 등의 총칭으로, 모양은 원형이고, 크기는 직경 10-20 μ이며, 강한 탐식성(貪食性)이 있음.

대:달-도【大撻島】[—또] 명〖지〗전라 남도 고흥 반도(高興半島) 남쪽, 고흥군(高興郡) 포두면(浦頭面) 오취리(梧翠里)에 위치하는 섬. 근해(近海) 수산업의 중심지이며, 특히 연안 일대는 김·굴의 양식업과 아울러 수산물 가공업이 성함. [0.20 km² : 83 명 (1971)]

대:담¹【大談】명 큰 장담(壯談). 큰소리. ——-하다 자여불

대:담²【大膽】명 사물에 대하여 겁을 내지 않는 담력(膽力). 또, 담력이 큼. ↔소담(小膽). ——-하다 형여불. ——-히 부

대:담³【對談】명 마주 대하여 말함. 또, 그 말. 대론(對論). ——-하다 「자여불

대:담 무쌍【大膽無雙】명 대담하기 짝이 없음. ——-하다 형여불

대:담-스럽다【大膽—】형ㅂ불 대담한 태도(態度)가 있다. 대:담-스레【大膽—】부

대:답【對答】명 ①묻는 말에 대하여 말로나 소리로써 자기의 뜻을 나타냄. 또, 그 말소리. ②부름에 응함. 또, 그 말소리. 응답. ¶ 네! 하는 ～. ③어떤 기대나 요구·작용 등에 대한 반응이나 반향. 또, 해답. ¶ 그 책은 우리들의 회의에 충분한 ～을 주고 있다. 1)-3): 준답(答). ——-하 ㄴ다 자여불

대:당¹【大唐】명 '당조(唐朝)'의 존칭.

대:당²【大幢】명〖역〗신라의 군영(軍營). 경주(慶州) 부근에 설치되었다고 생각되는 대(大)군영으로 장군 2명이 지휘하였으며, 인원은 300명이었음. *당(幢)·육정(六停).

대:당³【對當】명 ①서로 걸맞아서 낫고 못한 것이 없음. ②〖논〗대당 관계(對當關係). ——-하다 형여불

대:-당격【大唐鵙】명〖조〗물때까치.

대:당 관계【對當關係】명 [라 oppositio]〖논〗주사(主辭)와 빈사(賓辭)는 서로 같고, 질(質)이나 양(量) 또는 질과 양이 모두 다른 두 명제(命題)의 진위(眞僞) 관계. 모순 대당(矛盾對當)·반대 대당·소반대(小反對) 대당·대소(大小) 대당의 네 가지가 있음. 대당(對當). *소반대 대당(小反對對當).

대:당 서역 구법 고승전【大唐西域求法高僧傳】[—뻡—] 명〖책〗당초(唐初) 이래 서역(西域)에서 법을 구한 신라·중국의 중 등 60여 인의 사적(事蹟)을 적은 전기(傳記). 당(唐)나라의 의정(義淨)이 엮음. 천수(天授) 2년(691)에 완성. 전 2권. 준서역 구법 고승전·구법 고승전.

대:당 서역기【大唐西域記】명〖책〗당대(唐代)의 중 현장(玄奘)이 인도 및 중앙 아시아를 여행한 견문록(見聞錄). 각지의 불교 상황뿐만 아니라 지세(地勢)·제도·풍속·산업을 기술하고 또한 불타(佛陀) 시대의 역사상의 전설도 기록한 불교사(史)의 근본 사료(史料)임. 12권. 준서역기(西域記).

대:당 신어【大唐新語】명〖책〗당(唐)나라의 무덕(武德)으로부터 대력(大曆) 연간에 이르는 동안의 권계(勸戒)에 관한 기사를 모은 책. 당의 유숙(劉肅)이 편찬하였음. 전 13권.

대:당-액【對當額】명 어떤 사물의 가치에 상당하는 액.

대:당 장군【大幢將軍】명〖역〗신라 때, 대당(大幢)을 통솔하는 최고 군관. 진골 상당(眞骨上堂)에서 상신(上臣)에 있는 사람만이 됨. 정원(定員)은 4 명임.

대:-당주【大幢主】명〖역〗대모달(大模達).

대당 명 〈옛〉 중국(中國). ¶ 대당 당(唐)《石千 5》.

대:대¹【大帶】명〖역〗①남자의 심의(深衣)와 여자의 원삼(圓衫)에 띠는 넓은 띠. ②제복(祭服)에 매는, 천으로 만든 띠. 무늬 없는 비단으로 만듦.

대:대²【大隊】명 ①〖역〗군사 50명의 한 떼. ②〖군〗군대 편제상의 한 단위. 연대의 아래, 중대의 위로 4개 중대로 편성됨. ③〖군〗공군 부대 편성의 단위의 하나. 4-5개 편대(編隊)로 구성됨. 편대의 위이고, 전대(戰隊)의 아래임. ④많은 사람으로 조직한 일단(一團).

대:대³【大憝】명 가증(可憎)할 대악인(大惡人).

대:대⁴【代代】명 거듭된 세대(世代). 세세(世世). 열대(列代). 면대(綿代). ¶ ～로 전해 오는 가보(家寶).

【대대 곱사등이】아비의 잘못을 자식이 닮아서, 다음 대 역시 낳는 족족 그러하다는 말.

대-대감【隊大監】명〖역〗신라 때 각 군영(軍營)의 마병(馬兵) 혹은 보병(步兵)을 지휘하던 무관(武官). 각 영(營)에 70명이 있었음. 위계(位階)는 아찬(阿湌)으로부터 내마(奈麻)까지임.

대:-대례【大戴禮】명〖책〗중국의 경서(經書). 전한(前漢)의 대 덕(戴德)이 엮음. 주(周)·진(秦)·한(漢) 대의 예설(禮說)을 모은 것으로, 85편으로 됨. 현재 39 편만이 전해짐.

대:-대로¹【大對盧】명〖역〗고구려 후기 직제의 일품(一品)에 해당하는 벼슬 이름. 국정(國政)을 총리하던 수상격(首相格)으로, 대로(對盧)를 한 계단 올린 벼슬임.

대대로² 부 형편을 따라서 되어가는 대로. ¶ 걱정 말고 ～ 하는 것이 좋다. 「번성하여 가다.

대:대-로³【代代—】부 여러 대(代)를 계속하여. 대를 이어서 계속. ¶ ～

대:대명 나:처【待待命拿處】명〖역〗벼슬아치가 과실(過失)이 있을 때 그 자백을 기다려서 처분하던 일.

대:대 손손【代代孫孫】명 대대로 내려오는 자손. 자자 손손(子子孫孫). 세세 손손(世世孫孫).

대:대-장【大隊長】명〖군〗대대를 통솔하는 지휘관. 영관(領官)급의 장교로 임명함.

대:대-적【大大的】명관 규모가 썩 큰 모양. ¶ ～으로 보도하다.

대:대표 전:화【大代表電話】명 특히, 10 회선 이상의 가입 전화 회선의 대표 전화.

대:덕¹【大德】명 ①넓고 큰 인덕(仁德). 또, 그러한 사람. 준덕(峻德). 홍덕(鴻德). ②〖불교〗부처. ③〖역〗고려 때 승려(僧侶)의 법계(法階)의 하나. 교선(敎禪)을 막론하고, 대선(大選)의 위, 대사(大師)의 아래. ④〖역〗조선 왕조 때, 승려의 법계(法階)의 하나. 교종(敎宗)에서, 중덕(中德)의 위, 대사(大師)의 아래. ⑤덕이 높은 중. 명승(名僧). 고승(高僧). 준덕(峻德). ⑥〖불교〗조계종(曹溪宗)에서, 비구(比丘) 법계(法階)의 3급 2호.

종덕(宗德)의 아래, 중덕(中德)의 위. 나이 34세, 승랍(僧臘) 14년 이상으로서, 중덕(中德) 법계를 수지(受持)한 후 5년 이상 된 자에게 줌. ⑦〖불교〗 태고종(太古宗) 법계(法階)의 3급. 종사(宗師) 또는 교사(敎師)의 아래, 중덕(中德)의 위. 중덕 법계를 수지(受持)한 후 5년 이상, 안거(安居) 3년 이상 된 자에게 줌.

대:덕² 【大德】 명〖지〗 전라 남도 장흥군(長興郡)의 한 읍(邑). 군의 남쪽 끝에 위치함. 동쪽의 관산읍(冠山邑)과의 사이에 천관산(天冠山)이 있음. [6,514명(1996)]

대:덕³ 【對德】 명〖역〗 백제의 십육품 관등(十六品官等)의 열한째 등급.

대:-덕⁴ 【戴德】 명〖사람〗 중국 한(漢)나라의 학자. 자(字)는 연군(延君). 조카인 대성(戴聖)의 소대(小戴)에 대하여 대대(大戴)라 불렸으며, 예기(禮記) 214편(編)을 줄여 《대대례(大戴禮)》 85편을 엮었음.

대:덕-군 【大德郡】 명〖지〗 충청 남도 동부에 있던 한 군. 1989년 대전시가 광역시로 승격되면서, 군의 대부분 지역이 대전 광역시로 편입됨으로써 군이 폐지되었음.

대:덕-도 【大德島】 명〖지〗 경상 남도의 남해상(南海上), 통영시(統營市) 한산면(閑山面) 매죽리(每竹里)에 위치해 있는 섬. [0.09 km^2]

대:덕-산 【大德山】 명〖지〗 ①강원도 삼척시(三陟市) 상장면(上長面)과 하장면(下長面) 사이에 있는 산. [1,307 m] ②평안 남도 영원군(寧遠郡) 영원면(寧遠面)과 맹산군(孟山郡) 지덕면(智德面) 사이에 있는 산. [1,588 m] ③함경 남도 풍산군(豐山郡) 안산면(安山面)과 웅이면(熊耳面) 사이에 있는 산. [2,113 m] ④함경 남도 갑산군(甲山郡) 동인면(同仁面)과 혜산군(惠山郡) 운흥면(雲興面) 사이에 있는 산. [1,453 m] ⑤함경 남도 갑산군 회린면(會麟面)과 산남면(山南面) 사이에 있는 산. [1,558 m] ⑥함경 남도 단천군(端川郡)과 풍산군 사이에 있는 산. [1,011 m] ⑦함경 남도 풍천군 천남면(天南面)과 북청군(北靑郡) 성대면(星岱面) 사이에 있는 산. [1,447 m] ⑧전라 북도 무주군(茂朱郡) 무풍면(茂豐面)과 경상 북도 금릉군(金陵郡) 대덕면(大德面) 사이에 있는 산. [1,290 m]

대:덕 연:구 단지 【大德硏究團地】 [─넌─] 명 전의 충청 남도 대덕군(大德郡), 지금의 대전 광역시 유성구(儒城區)에 자리잡고 있는 843만 평의 과학 기술 연구 단지. 한국 과학 기술원, 한국 표준 과학 연구소, 한국 우주 연구소 등 정부 출연(出捐) 연구소와 충남 대학교, 국립 중앙 과학관, 화폐 박물관 그리고 첨단 기술 분야의 민간 기업 연구소 등이 입주(入住)해 있음.

대뎌ᄒᆞᆫ디 부 〈옛〉 대저(大抵). ¶ 大抵ᄒᆞᆫ디 衆生이 밧ᄀᆞᆯ 迷ᄒᆞ야(大抵衆生外迷着相)《龜鑑 下 58》.

대명 명 〈옛〉 대장장이. ¶ 대명(冶匠)《同文 上 13》.

대:도¹ 【大刀】 명 큰 칼. 장도(長刀).

대:도² 【大度】 명 도량이 큼. 또, 큰 도량. 대우(大優). ¶ 관인(寬仁) ~. ──하다 형여불

대:-도³ 【大島】 명〖지〗 경상 남도의 남해상(南海上), 하동군(河東郡) 금남면(金南面) 대도리(大島里)에 위치한 섬. [0.32 km^2]

대:-도⁴ 【大都】 명 대도회(大都會).

대:도⁵ 【大盜】 명 큰 도둑. 극도(劇盜). ↔소도(小盜).

대:도⁶ 【大道】 명 ①대로(大路). ②행정 구역에서, 큰 도(道). ③사람이 마땅히 행해야 할 바른 길. ¶ 천하의 ~. 1)·3):↔소도(小道).

대:도⁷ 【代度】 명〖불교〗 환속(還俗)한 중을 대신하기 위하여 또는 천한 사람이 귀인(貴人)을 대신하여 그의 명복을 빌기 위해서 중이 되는 일.

대:도⁸ 【帶刀】 명 패검¹(佩劍). ──하다 자여불

대도⁹ 부 〈옛〉 모두. 통틀어. ¶ 또 닐오디 념불은 져리나 모ᄅᆞ리나 대도 ᄒᆞ라 ᄒᆞ시니 《新編普勸文 海印板 12》.

대도-가시나무 명〖식〗 [*Rosa tsusimensis*] 장미과에 속하는 낙엽 활엽 관목. 잎은 우상 복생(羽狀複生)함. 5월에 흰 꽃이 방상(房狀) 화서로 피고, 9-10월에 둥근 과실을 맺음. 산지에 나는데, 흑산도와 경북·황해도 및 일본에 분포함. 어린 싹은 식용, 과실은 약용함. 대마가시나무.

대:도-곡 【大道曲】 명〖악〗 신라 경문왕(景文王) 때 화랑(花郞)인 요원랑(邀元郞)·예흔랑(譽昕郞)·계원 숙종랑(桂元叔宗郞) 등이 지었다는 노래. 지금은 전하지 않음.

대:-도독 【大都督】 명 ①전군(全軍)의 통솔자. ②〖역〗 중국의 관명. 도독의 하나로서 중임을 맡았음. 육조(六朝) 위(魏)나라에서 시작됨.

대:도독-부 【大都督府】 명〖역〗 중국에서, 대도독이 있는 관청.

대:-도사¹ 【大都司】 명〖역〗 신라 대일임전(大日任典)의 으뜸 벼슬. 경덕왕(景德王)이 대전의(大典儀)로 고쳤다가 다시 본이름으로 고침. 위계(位階)는 내마(奈麻)에서 사지(舍知)까지임.

대:-도사² 【大道師】 명〖종〗 시천교(侍天敎)를 대표하며, 교내(敎內)의 모든 사무를 맡아 보는 직무.

대:-도서 【大道署】 명〖역〗 신라 때 사찰(寺刹)을 맡아 보던 관청. 사전(寺典). 내도감(內道監).

대:-도시 【大都市】 명 지역이 넓고 인구가 많으며 상공업·경제·문화·정치 등의 중심이 되는 도시. 대도회(大都會).

대:도시-권 【大都市圈】 [─꿘] 명 대도시와 밀접한 관계가 있는 주변 지역.

대:-도정 【大道正】 명〖천도교〗 전에, 천도교(天道敎)를 총리하고 중앙 종리원(宗理院)의 중요한 교무를 협의하던 직무.

대:-도주 【大道主】 명〖천도교〗 전에, 천도교를 대표하고 교내(敎內)를 통할하던 제일 우두머리의 사람. 또, 그 직무. 지금은, '교령(敎領)'으로 고침.

대:-도호 【大都護】 명〖역〗 대도호부(大都護府).

대:도호-부 【大都護府】 명〖역〗 예전 행정 구역의 하나. 고려 현종 때에 네 곳을 두었고, 조선 왕조 세조 때에는 안동(安東)·강릉(江陵)·영변(寧邊)·안변(安邊)의 네 군데에 두었음. 대도호(大都護).

대:도호부-사 【大都護府使】 명〖역〗 대도호부의 으뜸가는 지방관. 조선 왕조 때는 정삼품으로 임명하였음.

대:도-회¹ 【大刀會】 명〖역〗 중국 청말(淸末)에 산둥성(山東省)에서 일어난 백련교계(白蓮敎系)의 비밀 결사. 1897년에 독일인 선교사를 살해하여 독일의 자오저우 만(膠州灣) 점령을 초래하였음. 또, 그 일부는 1900년에 의화단(義和團)의 난을 일으켰음.

대:-도회² 【大都會】 명 대도시(大都市). 대도(大都).

대도히 부 〈옛〉 모두. 통틀어. 대체로. =대되. ¶ 末法에 修行ᄒᆞ리 대도히 이에 븓ᄂᆞ니(末法修行凡賴於此)《楞嚴 Ⅶ:20》.

대도ᄒᆞᆫ 관 〈옛〉 온. 모든. ¶ 대도ᄒᆞᆫ 모미 조ᄒᆞ샤 더러븐디 업스시며《月釋 Ⅱ:40》.

대도ᄒᆞᆫ디 부 〈옛〉 통틀어. ¶ 大槪龍王ᄋᆞᆫ 龍ᄋᆡ 中엣 王이니 대도ᄒᆞᆫ디 사ᄉᆞᄆᆞᆯ 鹿王이라 ᄒᆞ며 쇼ᄅᆞᆯ 牛王이라 ᄒᆞ며《月釋 Ⅰ:24》.

대-독¹ 명 다릿골독.

대:-독² 【大毒】 명 대단한 독. 지독한 독물(毒物).

대:독³ 【大纛】 명 군중(軍中)에서 쓰는 큰 깃발.

대:독⁴ 【代讀】 명 식사(式辭)나 축사 같은 것을 대신 읽음. ──하다 타여불

대:독⁵ 【對獨】 명 독일에 대한 일. ¶ ~ 강화 조약.

대:독-관 【代讀官】 명〖역〗 친림 과거(親臨科擧)에 임시로 임명하는 정삼품(正三品) 이하의 시험관.

대:독일-주의 【大獨逸主義】 [─/─이] 명 [도 Grossdeutschtum]〖역〗 19세기 중엽에 오스트리아를 맹주(盟主)로 하여 독일을 통일하려는 입장. 구(舊)신성 로마 제국의 전(全)영역을 포괄하는 대독일을 건설하려는 것인데, 1866년의 보오(普墺)전쟁에서 프로이센이 이김으로써 소독일(小獨逸)주의에 압도당하였음. 제1차 세계 대전 후에는 전독일인의 통합이라는 기치 아래 대립은 해소되었지만, 여기서 히틀러의 대독일주의가 비롯됨. ↔소독일주의.

대:독-자 【代讀者】 명 대독하는 사람.

대돈-변 【─邊】 [─뻔] 명 돈 한 냥에 대하여 한 달에 한 돈씩 늘어가는 비싼 변리 돈.

대동¹ 명 푸주에서 쇠고기를 베어 파는 사람.

대:동² 【大同】 명 ①조금 차이는 있을지라도 대체로 같음. ¶ ~ 소이. ②큰 세력이 합동함. ¶ ~ 단결. ③천하가 번영하여 화평하게 됨. ──하다 자형여불

대:동³ 【大同】 명〖역〗 삼세(三稅)의 하나. 땅 구실에 기준하여 쌀·무명 같은 것을 상납(上納)하게 하는 제도(制度).

대:동⁴ 【大同】 명〖지〗 '다퉁(大同)'을 우리 음으로 읽은 이름.

대:동⁵ 【大東】 명 우리 나라를 동방의 큰 나라라는 뜻으로 일컫는 말.

대:동⁶ 【大洞】 명 ①큰 동네. ②한 동네의 전부.

대:동⁷ 【帶同】 명 함께 데리고 감. ¶ 비서를 ~하고 가다. ──하다 타여불

대동⁸ 【臺東】 명〖지〗 '타이둥(臺東)'을 우리 음으로 읽은 이름.

대:동-강 【大同江】 명〖지〗 한국 제5위의 큰 강. 동백산(東白山)·소백산(小白山)에서 발원하여 동남으로 흘러 평안 남도에서는 평양(平壤)의 남서쪽을 흘러 황해도와의 경계에서 황해로 흘러 들어감. 중류 이하는 토지가 비옥하여 산물이 풍부함. 연안에는 평양을 비롯하여 영원(寧遠)·덕천(德川)·순천(順川)·송림(松林) 등의 도시가 많으며 하구(河口)에 남포(南浦)가 있음. 지류로는 비류강(沸流江)·남강(南江)·재령강(載寧江)이 있음. 옛 이름은 패수(浿水). [439 km]

대:동강-곡 【大同江曲】 명〖문〗 고려 가요의 하나. 대동강을 황하(黃河)에 비유하여 기자(箕子)가 우리 나라에 들어와 팔조지교(八條之敎)로써 선정(善政)을 베풀어 백성이 평안해짐을 그린 송도(頌禱)의 노래라 함. 작자·창작 연대 미상.

대:동-계¹ 【大同系】 명〖지〗 한반도의 중생대(中生代) 트라이아스기(Trias紀)에서 쥐라기(Jura紀)에 걸쳐 형성된 육성층(陸成層). 평양시(平壤市)와 그 북쪽의 평안 남도 대동군(大同郡) 일대에 널리 분포함.

대:동-계² 【大同契】 명〖역〗 조선 선조(宣祖) 22년(1589)에 정여립(鄭汝立)이 만든 모반(謀叛) 단체. 정여립은 관직에서 쫓겨난 후, '목자망전읍흥(木子亡奠邑興)'이란 유언을 퍼뜨리고, 중 의연(義衍)과 모의, 전주 왕기설(全州王氣說)을 내세워 민심을 유혹하면서 용감하고 힘있는 무리를 모아 계를 만들고 모반을 꾀했는데, 사실이 탄로나자 도망하여 자살하였고, 그 일당들은 잡혀 죽음.

대:동-계³ 【大洞契】 [─계] 명 대동(大洞)으로서 모은 계.

대:동-관 【大同館】 명〖역〗 조선 시대에 평양(平壤)에 있었던 객관(客館).

대:동-교 【大同敎】 명〖종〗 최제우(崔濟愚)를 교조로 하는 동학 계통의 교의 하나.

대:동-군 【大同郡】 명〖지〗 평안 남도의 한 군. 북은 평원군(平原郡)과 순천군(順川郡), 동은 강동군(江東郡), 남은 중화군(中和郡), 서는 강서군(江西郡)과 인접함. 주요 산물은 쌀·조·콩·보리·목화·누에고치 등의 농산과 피륙·도자기(陶瓷器)·석탄 등이 남. 명승 고적은 사동(寺洞)·낙랑(樂浪) 고적·법운사(法雲寺) 등이 있음.

대:동-굿 【大同─】 명〖민〗 황해도와 평안도 지역의 마을굿의 하나. 당신(堂神)을 모셔 마을의 태평과 생업의 번창을 비는 굿으로, 음력 정월이나 2월에 정기적으로 열림.

대:동 금석서 【大東金石書】 명〖책〗 신라 진흥왕(眞興王)의 순수비(巡狩碑)로부터 조선 선조(宣祖)까지의 옛 비탑(碑塔)·석당(石幢)·석각(石刻)의 탑본(搨本)을 모은 책. 숙종(肅宗) 때, 낭선군(朗善君) 이우(李俁)가 편찬함. 정편(正編) 5책, 속편(續編) 2책. 대동 금석첩(大東金石帖).

대:동 금석첩 【大東金石帖】 명〖책〗 대동 금석서.

대:동 기년 【大東紀年】 명〖책〗 태조(太祖) 원년(1392) 이래 고종(高宗)까지의 조선 왕조 편년사(編年史). 영국인 헐버트(Hulbert, H.B.)가 한국인에게 위촉하여 저작, 중국 상해에서 1903년 간행함. 5권 5책.

대:동 기문 【大東奇聞】 명〖책〗 강효석(姜斅錫)이 1926년 편찬 간행한 조선 시대의 일사 기문집(逸事奇聞集). 태조로부터 고종에 이르기까지 역대의 인물을 중심으로 그들에 관련된 일화를 수록했음. 1926년에

출판. 4권 1책.

대:동-단【大同團】 명 〖역〗 1919년 전협(全協)·최익환(崔益煥) 등이 주동이 되어 조직한 독립 운동 단체. 귀족·유림(儒林)·학생·보부상(褓負商) 등 각 층에서 수만 명을 포섭하고, 김가진(金嘉鎭)을 고문으로 추대함. 그 해 11월에 의친왕(義親王) 강(堈)을 상인(喪人)으로 가장하여 해외로 탈출하게 하려다 실패, 많은 단원이 잡히매 해체됨.

대:동 단결【大同團結】 명 나뉘었던 단체나 당파(黨派)가 같은 목적을 이루기 위하여, 대립하는 소이(小異)를 버리고 뭉치어 한 덩어리가 됨. ——-하다 자여불

대:동 당상【大同堂上】 명〖역〗선혜 당상(宣惠堂上).

대:동-두레【大洞—】 명 온 마을 사람이 한데 모여 즐기는 모임.

대:동-만【大東灣】 명 〖지〗 황해도 서해상에 돌출한 장산곶(長山串)과 옹진 반도(甕津半島)와의 사이에 있는 좁고 긴 만. 근해 어업의 중심지임.

대:-동맥 【大動脈】 명 〖생〗 ①대순환(大循環)의 동맥의 본줄기. 심장의 좌심실(左心室)로부터 나와서 세 가닥으로 갈라져 몸의 각 부분으로 뻗침. 부위에 따라 상행 대동맥(上行大動脈)·대동맥궁(大動脈弓)·하행 대동맥(下行大動脈)으로 나뉘며, 하행 대동맥은 다시 흉대동맥(胸大動脈)과 복대동맥(腹大動脈)으로 나뉨. 큰동맥. ＊대정맥(大靜脈). ②한 나라의 도로·철도 등 교통로의 큰 간선(幹線)의 일컬음. ¶경부선은 우리 나라의 ～이다.

1. 완두(腕頭) 동맥
2. 상행(上行) 대동맥
3. 관상(冠狀) 동맥
4. 하횡격막 동맥
5. 복강(腹腔) 동맥
6. 상장간막(上腸間膜) 동맥
7. 총장골(總腸骨) 동맥
8. 미동맥(尾動脈)
9. 좌총경(左總頸) 동맥
10. 좌쇄골(左鎖骨) 하동맥
11. 대동맥궁(大動脈弓)
12. 횡격막
13. 흉(胸)대동맥
14. 신(腎)동맥
15. 복(腹)대동맥
16. 하장간막(下腸間膜) 동맥
17. 고환〔난소〕동맥

〈대동맥❶〉

대:동맥-구 【大動脈球】 명 〖생〗 대동맥체(大動脈體).

대:동맥-궁 【大動脈弓】 명〔aortic arch〕〖생〗 심장으로부터 뻗어 나간 대동맥이 약간 상행한 후, 뒤 아래쪽으로 활 모양으로 굽은 부분.

대:동맥-류 【大動脈瘤】[—뉴] 명 〖의〗 대동맥이 부분적으로 커지는 증세. 대동맥의 벽이 약해져서 혈압으로 인해 주머니 모양 또는 방추상(紡錘狀)으로 확장된 것임. 동맥의 상행부나 동맥궁 부위에 잘 생기는데, 매독과 동맥 경화 따위가 그 원인임.

대:동맥 신경【大動脈神經】 명 〖생〗 감압(減壓) 신경.

대:동맥-체 【大動脈體】 명 〔aortic body〕 〖생〗 사람이나 그 밖의 포유 동물에서 심장에 가까운 대동맥 부분의 외막(外膜)에 접(接)하여 존재하는 형성물. 혈액의 산소 결핍, 이산화 탄소 과잉, 기타 약물의 자극에 의한 호흡의 촉진 및 혈압의 상승을 초래하게 하는 화학적 수용기(受容器)로서의 기능을 가짐. 대동맥구(大動脈球).

대:동맥-판 【大動脈瓣】 명 〖생〗 대동맥이 시작되는 곳에 있는, 혈액이 심장으로 역류(逆流)하지 못하도록 방지하는 판. 석 장의 초승달 모양의 판막(瓣膜)이 모여서 대동맥을 완전히 닫게 되어 있음. 폐동맥판(肺動脈瓣)과 함께 반월판(半月瓣)이라고 총칭함.

대:동맥판 폐:쇄 부전증 【大動脈瓣閉鎖不全症】 [—쯩] 명 〔aortic insufficiency〕〖의〗 대동맥과 좌심실(左心室) 사이의 대동맥판이 심실 수축기(心室收縮期)의 마지막에 판막의 병적 변화로 말미암아 충분히 폐쇄할 수 없게 된 질환. 매독·급성 심내막염·동맥 경화증이 원인이 되는데 좌심실의 확장 비대와 상행 대동맥의 확장을 초래함.

대:동맥판 협착증【大動脈瓣狹窄症】 명〔aortic stenosis〕〖의〗 대동맥판이 고도로 비후(肥厚)하고 또, 서로 유착(癒着)하여 한 덩어리가 되어서 심실 수축기(心室收縮期)에 충분히 개구(開口)할 수 없게 된 상태. 심내막염(心內膜炎)·동맥 경화증(動脈硬化症)·매독 등이 원인이 되는데 흔히 대동맥판 폐쇄 부전증(不全症)을 병발함.

대:동-목【大同木】 명 〖역〗 조선 시대, 대동법(大同法)에 의하여, 쌀 대신 거두어 들이던 포목. 다섯 새로, 길이는 포백척(布帛尺)으로 서른 다섯 자임.

대:동-문【大同門】 명 〖지〗 평양 동쪽에 있는 성문.

대:동 문수【大東文粹】 명 〖책〗 구한말(舊韓末)에 교과서로 쓰인 모범 문장집. 광무(光武) 10년(1906) 장지연(張志淵)의 편찬으로 기자(箕子) 조선·삼한(三韓)·신라·고구려·백제·고려·조선 시대에 걸친 약 3천 년간의 문장을 뽑아 실었음. 1책.

대:동-미【大同米】 명 〖역〗 대동법에 의하여 거두던 쌀.

대:동방 여:전도【大東方輿全圖】[—녀—] 명 작자와 연대 미상(年代未詳)의 정밀한 우리 나라 지도. 8도로 나누어 주현(州縣)·대소영(大小營)·진보(鎭堡)·산성(山城)·인구·호구(戶口)·역참(驛站)·면(面) 등을 자세히 기재하고 이 숫자를 표(表)로써 나타냈음. 22책.

대:동-법【大同法】[—뻡] 명 〖역〗 전에 현물(現物)로 바치던 공물(貢物)을 미곡(米穀)으로 환산(換算)하여 거두어 들이던 법. 전세(田稅)와 같이 전(田) 1결(結)에 대하여 일정한 양을 거둠. 임진란(壬辰亂) 이후 민폐(民弊)를 덜고 국가 재정(財政)을 재편성하기 위하여 선조(宣祖) 41년(1608)에 먼저 경기(京畿)에 실시하였다가 후에 전도(全道)에 걸쳐 실시하였으며 고종(高宗) 31년(1894)에 폐하였음.

대:-동사 【代動詞】 명 〔proverb〕〖언〗 영어에 있어서 동일한 동사의 반복 사용을 피하기 위하여 대용하는 동사. 'do' 같은 것.

대:동 사:목【大同事目】 명 〖역〗 대동법(大同法)의 규정(規定).

대:동 사상【大同思想】 명 〖역〗 중국 청말(清末)의 정치 개혁론자 캉 유웨이(康有爲)가 정치의 이상(理想)으로서 대동의 세상을 목표로 하여야 함을 주장한 사상. 중국의 고전 ≪예기(禮記)≫에 의하면 무차별·자유로운 평화 사회를 대동이라 이름.

대:동-산【大洞山】 명 〖지〗 평안 북도 희천군(熙川郡)의 신풍면(新豐面)과 장동면(長洞面) 경계에 있는 산. [1,153 m]

대동 산맥【臺東山脈】 명 〖지〗 타이둥 산맥.

대:동 상정법【大同詳定法】[—뻡] 명 〖역〗 조선 시대 후기에 함경도·강원도·황해도에 실시된 대동법(大同法)의 한 변형(變形). 그 지방의 특수성에 알맞게 조정한 세규(細規). 상정법(詳定法).

대:동 상회【大同商會】 명 〖역〗 조선 말기 고종(高宗) 20년(1883) 평양에서 설립된 상회사(商會社). 평안도 상인 20명이 수십만 냥의 자금을 출자(出資)하여, 쌀·쇠가죽·목화 등 국내 상품을 전국 각지에 매매하고, 목화를 상해(上海)에 수출하기도 하였음.

대:동-서【大同書】 명 〖책〗 중국 청말(清末)의 정치 개혁론자 캉 유웨이(康有爲)의 저서. 중국 고전(古典) 등에 기술된 유가(儒家)의 이상(理想) 세계를 서구식(西歐式)의 근대 사상으로 재해석(再解釋)하여 일종의 유토피아 사상을 이룩, 그 실현 방법을 논함. 1902년에 지어 1935년에 상해(上海)에서 간행됨.

대:동-선【大同船】 명 〖역〗 대동미(大同米)를 운반하는 데 쓰던 관아(官衙)의 배.

대:동 소:이【大同小異】 명 거의 같고 조금 다름. ——-하다 형여불

대:동 시선[1]【大同詩選】 명 〖책〗 우리 나라 역대 인물 40명의 시를 모아 분류 수록한 책. 편자 미상. 3권 6책.

대:동 시선[2]【大東詩選】 명 〖책〗 우리 나라 역대 시를 모아 수록한 책. 기자(箕子)의 '맥수가(麥秀歌)'·'열수가(洌水歌)'를 비롯하여 후대의 각 체의 시를 분류 수록함. 편자·연대 미상. 사본 12권 6책.

대:동아 공:영권【大東亞共榮圈】[—꿘] 명 〖역〗 일본을 중심으로 함께 번영할 동아의 제(諸)민족과 그 거주하는 범위의 뜻으로, 태평양 전쟁 당시 일본이 그의 중국 및 동남 아시아에 대한 침략을 합리화하려고 표방(標榜)한 슬로건.

대:동아 전:쟁【大東亞戰爭】 명 '태평양 전쟁'을 일본에서 일컫던 말.

대:동 야:승【大東野乘】 명 〖책〗 조선 세종(世宗)부터 인조(仁祖)까지 사이의 제가(諸家)의 저술(著述) 속에서 53종을 추려서 편찬한 야사집(野史集). 편자(編者)는 미상(未詳). 72권 72책.

대:동 여:지도【大東輿地圖】 명 한국 최초의 가장 자세한 지도. 철종(哲宗) 12년(1861)에 김정호(金正浩)가 독력으로 27년간 전국을 직접 답사한 후 작성, 간행하였음. 22첩, 목록(目錄) 1책. 준동여도(東輿圖).

대:동 운:부 군옥【大東韻府群玉】 명 〖책〗 조선 선조(宣祖) 때, 권문해(權文海)가 원(元)나라 음시부(陰時夫)의 운부 군옥(韻府群玉)을 본떠서 지은 책. 단군으로부터 선조 때에 이르기까지의 모든 사실(史實)·인물·지리·예술 들을 운자(韻字)의 차례로 기재한 일종의 백과 사전. 조선 왕조의 각 방면의 유명한 저서는 모두 인용되어서 그 당시의 개인 저서로서는 으뜸가는 역작(力作)임. 20권 20책.

대:-동원【戴東原】 명 〖사람〗 중국 청(清)나라의 고증(考證) 학자. 이름은 진(震). 동원은 자(字). 안후이 성(安徽省) 출신. 훈고(訓詁)를 중시해 신뢰할 수 있는 고문(古文)을 자료로 한 실증적(實證的)인 학풍을 보였음. 저서에 ≪맹자자의 소증(孟子字義疏證)≫·≪굴원부주(屈原賦注)≫ 등이 있음. [1723-77]

대:동-접【大同接】 명 〖역〗 조선 시대 개성부(府)의 성균관에서 베풀던, 별시(別試) 응시자를 위한 특별한 거접(居接). ＊회시접(會試接).

대:동지-론【大同之論】 명 여러 사람의 공론(公論). 공공지론(公共之論).

대:동지-역【大同之役】 명 모든 사람이 다 같이 하는 부역(賦役).

대:동 지지【大東地志】 명 〖책〗 조선 시대 말에 김정호(金正浩)가 지은 한국 지리책. ≪대동 여지도(大東輿地圖)≫를 완성한 후 다시 시작하여 고종(高宗) 원년(1864)에 완성함. 32권. 목판본.

대:동지-환 【大同之患】 명 모든 사람이 다 같이 당하는 환난(患難).

대:동-청【大同廳】 명 〖역〗 지방 각도의 대동(大同) 사무를 관장하게 하기 위하여 베푼, 선혜청(宣惠廳) 관리 밑의 지방 관아. 강원·호서(湖西)·호남(湖南)·영남·해서(海西)·경기 등에 두었음.

대:동 청년단【大同青年團】 명 〖역〗 1947년에 지청천(池青天)을 중심으로 결성된 청년 운동 단체. 1948년 정부 수립 후, 대한 청년단으로 통합·흡수됨.

대:동 청년당【大東青年黨】 명 〖역〗 융희 3년(1909) 안희제(安熙濟)·이원식(李元植)·남형우(南亨祐) 등 90여 명의 청년이 조직한 비밀 항일(抗日) 운동 단체. 해방이 될 때까지 국내외에서 활약함.

대:동-치【大同峙】 명 〖지〗 강원도 춘성군(春城郡) 북산면(北山面)에 있는 고개. [504 m]

대:-동패【大同牌】 명 〖농〗 20세 이상의 어른 일꾼들의 두레. ＊소동패(小同牌).

대:동 패:림【大東稗林】 명 〖책〗 패림.

대:동 풍아【大東風雅】 명 〖책〗 융희(隆熙) 2년(1908)에 김교헌(金喬軒)이 편찬한 시조집. 내용을 곡조에 따라 나누고, 그 곡조에 맞는 시조를 나열하였음. 상하 두 권으로 되어 상권에는 작자를 아는 작품 163수, 하권에는 작자 미상의 것 158수를 실었음.

대:동-회【大洞會】 명 〖역〗 촌락 사회(村落社會)의 운영을 논의하고 의결하는 자치적(自治的)인 모임. 특히, 정초(正初)의 첫 모임.

대되 부 〈옛〉 모두. 대저. =ᄃᆡ되·대도히. ¶대되 돈이 언메나 ᄒᆞᆫ고(通該多小錢)≪老乞 上 10≫.

대:두[1]【大斗】 명 ①예전에 한강(漢江) 연안 지방(沿岸地方)에서 쓰던 말. 장되로 여섯 되 여섯 홉이 됨. ②현재 쓰고 있는 열 되들이 큰 말. ¶～한 말. ↔소두(小斗).

대:두[2]【大豆】 명 〖식〗 콩[1].

대두[3]【隊頭】 명 〖역〗 신라 시위부(侍衛府)의 벼슬. 대감(大監)의 아래

영(領)의 위임. 위계(位階)는 사찬(沙飡)으로부터 사지(舍知)까지임.

대:두⁴【對頭】명 대적(對敵)❶. ——-하다 타여불

대두⁵【擡頭】명 ①머리를 듦. ¶ 신흥 세력의 ~. ②여러 줄로 써 나가는 글 속에서 경의(敬意)를 표시하는 줄을 잡아 쓰되, 다른 줄보다 몇 자 올려 쓰는 일. ——-하다 자타여불

대:두-계【大肚溪】명〖지〗다두 강(江).

대:두 냉:수【大豆冷水】명 콩국.

대:-두뇌【大頭腦】명 대머리².

대:두-도【大斗島】명〖지〗전라 남도의 남해상(南海上), 여수시(麗水市) 남면(南面) 두라리(斗羅里)에 위치한 섬. [1.96 km²]

대두리 명 ①큰 다툼. 큰 야단. ¶ 서로 차지하려고 ~가 벌어졌다. ②일이 크게 벌어진 판. ¶ 벌써 ~ 판으로 들어갔다.

대:-두리도【大斗里島】명〖지〗전라 남도의 서해상(西海上), 신안군(新安郡) 자은면(慈恩面) 고장리(古場里)에 위치해 있는 섬. [0.115 km²]

대:두-머리【大頭一】명〖역〗조선 시대, 외방(外方)의 관기(官妓)들이 얹던 큰머리의 일종.

대:두무-현【大杜舞峴】명〖지〗경상 북도 안동시(安東市)에 있는 산. [335 m]

대:두-박【大豆粕】명 콩깻묵.

대:두 백고【大豆白糕】명 콩떡.

대:두아-반【大豆芽飯】명 콩나물밥.

대:-두온【大頭瘟】명〖한의〗두통(頭痛)·발열(發熱)이 심하고, 얼굴과 귀의 앞뒤가 부어 오르며, 때로는 목구멍 속이 붓고 벌겋게 되는 병. 노두풍(顱頭風). 이두온(鯉頭瘟). 시독(時毒). 뇌두풍(雷頭風).

대:두-유【大豆油】명 콩기름.

대:-두정【大頭釘】명 대가리가 썩 큰 쇠못. 대문짝 같은 데에 박음. 대갈못.

대:두 황권【大豆黃卷】명〖한의〗콩나물 순을 말린 것. 부종(浮腫)과 근통(筋痛)을 다스리고 위(胃) 속의 열을 제하는 효과가 있음.

대:둔-근【大臀筋】명〖생〗궁둥이 부분에 있는 큰 근. 골반 뒷면에서부터 시작하여 비스듬히 아래 바깥쪽을 향하여 대퇴골(大腿骨) 상부에 붙음. 주요 작용은 고관절(股關節)에서 대퇴를 뒤로 잡아당기고, 대퇴가 지면에 고정되어 있을 때 골반과 체간(體幹)을 뒤로 끌어 직립(直立)시킴. 사람에게서 가장 잘 발달되어 있으며, 근육 주사(注射) 부위로 선택됨. 신경은 하둔(下臀) 신경이 와 있음.

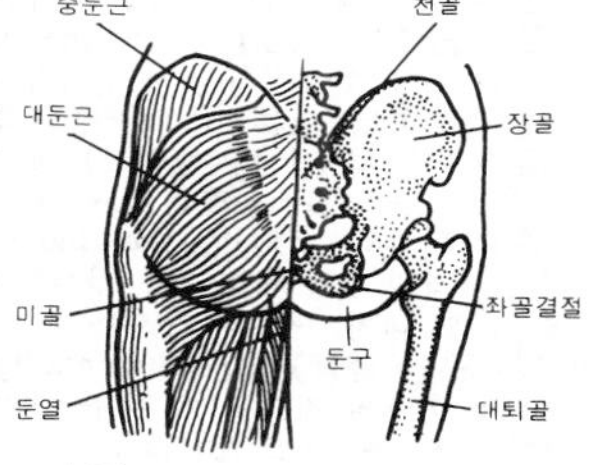

〈대둔근: 엉덩이의 근육과 골격〉

대:둔-도【大屯島】명〖지〗전라 남도 서해상, 신안군(新安郡) 흑산면(黑山面) 오리(梧里)를 이루는 섬. [2.83 km²]

대:둔-산¹【大屯山】명〖지〗다툰 산(大屯山).

대둔-산²【大芚山】명〖지〗충청 남도 금산군(錦山郡) 진산면(珍山面)과 논산시(論山市) 벌곡면(伐谷面), 전라 북도 완주군(完州郡) 운주면(雲洲面)의 접경지(接境地)에 있는 산. 괴암 절벽(怪岩絶壁)이 많고 경치가 아름다워 관광지로 이름이 나 있음. [878 m]

대:득【大得】명 뜻밖에 좋은 결과(結果)를 얻음. ——-하다 자여불

대:-들다 자 요구하거나, 반항하느라고 세차게 달려들다. ¶ 상사에게 ~.

대-들보【大一】[一뽀] 명 ①〖건〗큰 들보. 대량(大樑). ②중심이 되는 중요한 물건이나 사람. ¶ 나라의 ~.

【대들보 썩는 줄 모르고 기왓장 아끼는 격(格)】'기와 한 장 아껴서 대들보 썩인다'와 같은 뜻.

대:등¹【大登】명 큰 풍년(豊年)이 듦.

대:등²【大等】명〖역〗①신라 때의 중앙 관직 이름. 화백(和白) 회의의 구성원이며, 국왕의 순행(巡行)에 수행하기도 하였음. 이들을 통솔하는 것이 상대등(上大等)임. ②'부호장(副戶長)'의 고려 때 명칭.

대:등³【代登】명 대신 등장함. 대신 나타남. ——-하다 자여불

대:등⁴【對等】명 양쪽 사이에 우열(優劣)·고하(高下)가 없음. 양쪽이 비슷함. ¶ ~한 입장/힘이 서로 ~하다. ——-하다 형여불

대-등거리 명 대로 엮어서 만든 등거리. 옷에 땀이 배지 아니하도록 등거리와 같이 입음.

대:등-문【對等文】명〖언〗대등절(對等節)들로 짜인 글. 나란히월.

대:등-법【對等法】[一뻡] 명〖언〗어미 변화(語尾變化)의 하나. 둘 이상의 술어(述語)를 나란히 벌여 놓는 법. '-고'·'-며' 같은 것. 나란히법.

대:등-절【對等節】명〖언〗한 문장 중에서 대등한 자격을 가지고 결합하여 있는 절. '뭉치면 살고 흩어지면 죽는다' 같은 것. 나란히마디. 대립절(對立節).

대:등 조약【對等條約】명〖법〗국제적(國際的)으로 양쪽의 권리와 의무가 대등한 조약.

대:등-형【對等形】명〖언〗어미 변화의 하나. 둘 이상의 술어를 나란히 벌여 놓는 형태. 나란히꼴.

대:등 형질【對等形質】명〖생〗대립 형질(對立形質).

대디미-질 명〈방〉다듬이질(전북).

대-뚫이[一뚤一] 명 담뱃대를 뚫는 외벌노 또는 그 밖의 물건.

대뜰¹ 명 댓돌 위의 뜰. 댓돌에서 집채 쪽으로 있는 좁고 긴 뜰.

대뜰² 명〈방〉뜰(강원).

대뜸 부 이것저것 생각할 것 없이 그 자리에서 얼른. ¶ ~ 잔소리부터 하다.

대:란【大亂】명 ①크게 어지러움. ②큰 난리. ——-하다 형여불

대:란 치마【大襴一】명 금란(金襴)으로 지은 겉치마. 예장(禮裝)할 때 입음.

대:람-색【帶藍色】명 남빛을 띤 빛깔.

대:래【貸來】명 돈을 꾸어 옴. ——-하다 타여불

대래끼 명〈방〉다래끼²(경기·충북·경상).

대래비 명〈방〉다리미(강원·전남·경상).

대래키 명〈방〉다래끼²(강원).

대:략【大略】㊀ 명 ①큰 모략(謀略). ②뛰어난 지략(智略). ③대체의 개략(概略). 대강의 줄거리. 애략(崖略). ㊁ 부 대체의 개략으로. 대충. 대강. ¶ ~ 다음과 같다.

대:략-적【大略的】명관 대략으로 되는 모양.

대:량¹【大量】㊀ 명 ①많은 분량(分量). 다량(多量). ②큰 도량(度量).1)·2) ↔소량(小量). ㊁ 부 ↗대량으로.

대:량²【大樑】명〖건〗대들보.

대:량 관찰【大量觀察】명〖경〗통계상(統計上)의 용어. 대상이 되는 대량의 통계 단위를 관찰함으로써 집단의 특성을 조사하는 통계 방법의 총칭. 그 중 가장 중요한 것은 전수 조사(全數調査)로서, 이 때문에 대량 관찰법은 전수 조사와 동의로 취급되는 일이 많음. 대량 관찰법.

대:량 관찰법【大量觀察法】[一뻡] 명 대량 관찰.

대:량-목【大樑木】명 대들보로 쓸 만한 큰 재목.

대:량 보:복 전:략【大量報復戰略】[一절一] 명 [massive retaliation]〖군〗적으로부터 본격적인 공격을 받는 즉시, 핵무기를 탑재한 대규모적인 전략 폭격기로 반격할 수 있는 잠재 능력(潛在能力)을 과시하여 전쟁을 억지하려는 전략. *뉴룩 정책.

대:량 사회【大量社會】명 대량 생산·대량 소비·대량 전달 및 기타 부분의 대량화를 촉진하는 사회.

대:량 생산【大量生産】명〖경〗한 공장에서 동질(同質)·동형(同型)의 상품을 기계력(機械力)에 의하여 많은 분량으로 만들어 냄. 매스 프로덕션. ㊂양산(量産). ——-하다 타여불

대:량 생산의 법칙【大量生産一法則】[一/一에一] 명〖경〗대량 생산에 의한 생산물의 원가는 생산량의 증대에 의해서만 감소한다는 법칙. 동일 생산 시설의 증대가 유리하며, 전용(專用) 생산 시설의 채용이 합리적임을 증명함.

대레끼 명〈방〉다래끼²(강원).

대레미 명〈방〉다리미(강원).

대:려【大呂】명〖민〗십이율(十二律) 중의 음려(陰呂)의 하나. 방위(方位)로는 축(丑)에 해당하고, 절후(節候)로는 음력 12월에 속함.

대:려-궁【大呂宮】명〖악〗조선 세종 때, 원(元)나라 임우(林宇)의 대성 악보(大成樂譜)에서 채택하여 문묘(文廟) 제례악으로 전해 오는 곡. 대려(大呂)를 으뜸음으로 한 곡임.

대:력【大力】명 대단히 강한 힘. 또, 그런 힘이 있는 사람. 강력(強力). 괴력(怪力).

대:력-자【大力子】명〖한의〗우방자(牛蒡子).

대련¹ 명〈방〉다리미(함북).

대:련²【大連】명〖지〗'다롄(大連)'을 우리 음으로 읽은 이름.

대:련³【對鍊】명 태권도·유도에서 기본형을 익힌 후, 공방(攻防) 기술이 실기(實技)에 부합되도록 두 사람이 상대하여 수련하는 일. 태권도에서는 '겨루기'라고 함. ——-하다 자여불

대:련⁴【對聯】명 ①〖문〗대가 되는 연(聯). 시문(詩文) 등에서 의미(意味)는 틀리나 동일한 형식으로 나란히 있는 문구(文句). ②문이나 기둥에 써 붙이는 대구(對句).

대:련곡-산【大連谷山】명〖지〗함경 북도 경성군(鏡城郡) 용성면(龍城面)과 무산군(茂山郡) 서상면(西上面) 사이에 있는 산. [1,550 m]

대련이 명〈방〉다리미(함북).

대:련포산-도【大連浦産島】명〖지〗전라 남도 해남군(海南郡) 북평면(北平面) 평암리(平岩里)를 이루는 섬. [0.06 km²]

대:렴¹【大廉】명〖사람〗신라 흥덕왕(興德王) 때의 대신. 흥덕왕 3년(828)에 당(唐)나라에 사신으로 갔다가 차(茶)의 종자를 가지고 와서 왕명으로 지리산(智異山)에 심었음. 차는 선덕왕(善德王) 때부터 있었으나 이 때에 와서 버썩 성하였음.

대:렴²【大廉】명〖사람〗신라 혜공왕(惠恭王) 때의 아찬(阿飡). 그의 형 일길찬(一吉飡) 대공(大恭)과 반란을 일으켜 33일간 궁궐을 포위하였으나 왕군(王軍)에게 패하여 구족(九族)이 함께 참살당하였음.

대:렴³【大殮】명 소렴을 행한 다음날, 송장에게 옷을 거듭 입히고 이불로 싸서 베로 묶는 일. ——-하다 타여불

대:렴-금【大殮衾】명 대렴에 쓰는 이불.

대:렵【大獵】명 수렵(狩獵)한 것이 많음. 새나 짐승이 많이 잡힌 일.

대:령¹【大領】명 ①〖군〗군의 영관급 장교의 한 계급. 준장의 아래이고 중령의 위임. ②〖천도교〗전에, 천도교에 관한 제반 사무를 관리하던 직무.

대:령²【大嶺】명〖지〗대관령(大關嶺).

대:령³【大靈】명 ①근본이 되는 신령(神靈). ②위대한 신령.

대:령⁴【待令】명 명령을 기다림. 등대(等待). ¶ 대하(臺下)에 ~시키다. ——-하다 자여불

대:령⁵【對靈】명〖불교〗천도(薦度)를 행할 때에 영혼을 부르는 의식의 하나.

대:령-강【大寧江】명〖지〗평안 북도 삭주군(朔州郡) 남서면(南西面)에서 발원하여, 박천(博川)·태천(泰川)·영변(寧邊) 등지를 지나서 청천강(淸川江) 하류와 합하여 황해(黃海)로 들어가는 강. [150 km]

대:령 목수【待令木手】명〖역〗호조(戶曹)에 소속하여 국가의 역사를 늘 맡아 하던 목수.

대:령방 할머니【待令房一】명〈궁중〉세수간 나인 가운데 가장 나이 많은 상궁(尙宮).

대:령 상궁【待令尙宮】명〖역〗조선 시대 때, 대전(大殿) 좌우에 시위(侍衛)하여 잠시도 떠나지 아니하고 모시던 상궁. 지밀 상궁(至密尙宮). *보모(保姆) 상궁·부제조 상궁(副提調尙宮).

대:령 숙수【待令熟手】명〖역〗궁중 소주방(燒廚房)에 소속하여, 궁중의 잔치 때 음식 만드는 일을 맡아 하던 남자 숙수.

대:례【大禮】명 ①조정의 중대한 의식(儀式). ②혼인을 지내는 큰 예식(禮式).

대:례 미사【大禮彌撒】명〖천주교〗 대미사(大彌撒).

대:례-복【大禮服】명〖역〗국가의 중대한 의식 때에 입는 예복. 고종(高宗) 31년(1894)에는 흑단령(黑團領)을 대례복이라 하였으며, 광무(光武) 10년(1906)에는 서양 제도를 참작하여 새로이 만들어 신하가 임금을 알현(謁見)할 때나 임금이 행차할 때에 입었음.

대:례 왕공【大禮王供】명〖불교〗〔왕공(王供)은 명부(冥府)의 시왕(十王)에 대한 권공(勸供)의 뜻〕 영혼을 천도하기 위한 의식의 하나. 명부의 시왕과 그 무리들을 청(請)하여 권공 의례(勸供儀禮)를 함.

대:로¹【大老】명 세간에서 존경을 받는 어진 노인(老人).

대:로²【大老】명 '홍선 대원군(興宣大院君)'의 존호(尊號).

대:로³【大怒】명〔←대노(大怒)〕 크게 성냄. ——-하다 자여불

대:로⁴【大輅】명 천자(天子)가 타는 수레. 연로(輦路). 대로(大路).

대:로⁵【大路】명 ①폭이 넓은 길. 대도(大道). 큰길. ↔소로(小路). ②대로(大輅).

【대로 한길 노래로 열라】넓고 펀펀한 길을 노래 부르며 가라는 뜻으로, 낙관적인 마음으로 앞길을 개척해 나가라는 말.

대:로⁶【大鷺】명〖조〗↗대백로(大白鷺).

대:로⁷【代勞】명 남을 대신하여 일을 함. 또, 그러한 수고. ——-하다 「타여불

대:로⁸【對盧】명〖역〗고구려 전기 직제의 대관(大官). 패자(沛者)와 더불어 좌우상(左右相)을 이루어 국정(國政)을 총리하였음.

대로⁹ 一의명 ①그 모양과 같이. ¶본 ~ 느낀 ~ 글을 쓰다. ②…하는 바와 같이. ¶원하는 ~ 이루어지다. ③…을 좇아서. ¶시키는 ~ 하다 / 하자는 ~ 하겠다. ④할 때마다. 족족. ¶나오는 ~ 먹어 치우다. ⑤…하는 즉시. ¶날이 밝는 ~ 떠난다. ⑥동일한 용언 사이에서 '-ㄹ 대로 … -ㄴ' 또는 '-ㄹ 대로 … -어[-아]' 등의 꼴로 쓰여 매우 그러하다는 뜻을 나타냄. ¶낡을 ~ 낡은 갓. ⑦… 만큼. ¶갖고 싶은 ~ 가져라 / 될 ~ 돼라. 二조 ①그 모양과 같이. ¶그~ 두다 / 뜻~ 되었다. ②서로 따로따로. ¶나는 나~ 하겠다 / 제나름~의 생각이 있다.

대:록¹【大祿】명 많은 녹봉(祿俸). 고록(高祿).

대:록²【大綠】명〖공〗청자(青瓷)를 만드는 데 사용하는 매우 귀중한 푸른 잿물. 몸에 덧입히는 약으로 쓰임.

대:록³【帶綠】명 녹색을 띠고 있음. 녹색 모양의 빛으로 되어 있는 것.

대:록-색【帶綠色】명 녹색을 띠고 있는 빛깔.

대:론¹【大論】명 ①크게 논의(論議)함. ②성대(盛大)하게 의론함. ③웅대(雄大)하고 고원(高遠)한 의론. ——-하다 자여불

대:론²【大論】명〖책〗↗대지도론(大智度論).

대:론³【對論】명 ①서로 대면(對面)하고 하는 의론(議論). ②대항(對抗)하여 하는 의론. ——-하다 자여불

대론⁴【臺論】명〖역〗사헌부(司憲府)·사간원(司諫院)의 탄핵(彈劾). 대탄(臺彈).

대롱 명 ①물레 가락에 끼고 실을 감는, 가는 통대의 토막. ②가느스름한 통대의 토막. ③통대의 토막처럼 생긴 철제(鐵製)나 플라스틱제 따위 관(管)의 총칭. 관(管). *빨대.

대롱-거리다 자 물건이 매달려 늘어진 채 가볍게 흔들리다. <더룽거리다. *되롱거리다. 대롱-대롱 부. ——-하다 자여불

대롱-대다 자 대롱거리다.

대롱-옥【一玉】명〖고고학〗구멍을 뚫은 짧은 대롱 모양의 옥. 지름이 5 mm, 길이 15 mm 되는 것이 보통이며, 여러 개를 실에 꿰어 목걸이 등으로 사용함. 흔히, 녹색의 벽옥(碧玉)으로 만듦. 관옥(管玉).

대롱 명〈옛〉대통. 대로 만든 홈. ¶대롱올 니어 져근 園圃롤 믈 흘려 저쥬라(連筒灌小園) ≪杜諺 X:6≫.

대:뢰【大牢】명〖역〗나라 제사에 소를 통째로 제물로 바치던 일. 처음에는 소·양·돼지를 아울러 바치는 것을 대뢰라고 하였으나, 뒤에는 소만 바치게 됨. 태뢰(太牢). 「컫는 칭호.

대:료¹【大僚】명〖역〗보국(輔國) 이하의 벼슬아치가 '의정(議政)'을 일

대:료²【代料】명 ①대금(代金). ②대신 사용하는 재료(材料).

대루¹ 명〈방〉다리미(전남·황해).

대:루²【對壘】명〖군〗보루(堡壘)를 구축하고 적군(敵軍)과 상대하는 일.

대루리 명〈방〉다리미(경기·황해). └——-하다 자여불

대루미 명〈방〉다리미(황해·전남).

대:루-원【待漏院】명〖역〗이른 아침에 대궐 안으로 출근하는 사람이 대궐문이 열리기를 기다리는 곳. 대루청(待漏廳).

대:루-청【待漏廳】명〖역〗대루원(待漏院).

대:류【對流】명〔convection〕〖물〗열(熱)이 물질의 운동에 의하여 운반되는 현상. 액체나 기체가 열을 받으면 팽창에 의하여 열을 받은 부분이 위로 올라가고 열을 받지 않은 찬 부분은 아래로 내림.

대:류-권【對流圈】[一꿘] 명 ①〖기상〗대기권(大氣圈) 중에서 가장 낮은 층. 극지방(極地方)에서 고도 약 8 km, 적도 지방에서 약 18 km 이하, 곧 성층권(成層圈) 이하의 범위임. 이 권내(圈內)에서 대기의 대류가 생기며, 온도의 변화나 풍우(風雨)의 현상이 일어남. *성층권. ②〖지〗북위(北緯) 55°에서 남위 45° 안 해역(海域)의 해수(海水) 상층. 대기와의 에너지 교환이 왕성하며 해류(海流)가 있고 대류와 와동(渦動)이 활발함. 대개 해면(海面) 이하 400 m-600 m이나 적도에서는 300 m, 가장 깊은 곳은 800 m까지도 포함됨.

대:류권 계:면【對流圈界面】[一꿘一] 명〖기상〗대류권과 성층권의 경계. 보통, 온도 감소율이 급속히 변화하는 것이 특징임. 하층에서 상층으로 갈수록 대기(大氣)의 안정도가 증대하며, 높이는 열대 지방에서 15-20 km, 극지방에서 약 10 km임. ㊀권계면.

대:류권 계:면도【對流圈界面圖】[一꿘一] 명〖기상〗권계면의 등고선·단절선(斷絕線) 따위를 나타내는 도면.

대:류 냉:각【對流冷却】명〔convection cooling〕〖공〗냉각 장치에서 발생하는, 자연 상승 열공기의 흐름에 의한 열의 전달.

대:류 방:전【對流放電】명〖물〗반대의 전기(電氣)를 띤 두 개의 금속판(金屬板)을 마주 세울 경우, 그 사이에 아주 작은 전자(電子)가 양쪽으로 왕복(往復)하며 전기가 중화(中和)하는 현상. *방전(放電).

대:류-운【對流雲】명〔convective cloud〕〖기상〗대류에 의하여 발생 또는 발달하는 구름.

대:류 전:류【對流電流】[一절一] 명〖물〗대전(帶電)한 물질이 운동할 때에 그 물질에 나타나는 전류. 보통, 기체 또는 액체 속의 이온 전류를 가리킴. 휴대(携帶) 전류. ↔전도(傳導) 전류.

대:류 정지면【對流停止面】명〖지〗권계면(圈界面).

대:륙¹【大陸】명 ①광대(廣大)한 육지. ②〖지〗지구상의 커다란 육지. 유라시아·아프리카·북아메리카·남아메리카·오세아니아·남극(南極) 대륙 등이 있음. 대주(大洲). ③영국에서의 유럽의 일컬음. ④우리 나라에서의 아시아 대륙의 일컬음.

대:륙²【大戮】명 사형(死刑). 대벽(大辟).

대:륙간 유도탄【大陸間誘導彈】명〖군〗↗대륙간 탄도 유도탄.

대:륙간 탄:도 유도탄【大陸間彈道誘導彈】명〔Intercontinental Ballistic Missile〕〖군〗사정(射程) 8,000 km 이상, 최대 속도 마하 20, 중량 100톤 이상의 열(熱)핵탄두를 적재(積載)하고 대륙간을 나는 장거리 유도 병기(誘導兵器). 약칭: 아이 시 비 엠(ICBM). ㊀대륙간 유도탄. *중거리 탄도 유도탄(中距離彈道誘導彈).

대:륙 고기압【大陸高氣壓】명〔continental high〕〖기상〗대륙상에 발생하는 고기압. 우리 나라의 겨울철 기후를 지배하는 시베리아 고기압 따위.

대:륙-괴【大陸塊】명〔continental mass〕대륙을 하나의 덩어리진 물체로 보고 그 성질이나 변동을 논하는 경우에 쓰는 대륙의 호칭.

대:륙 기단【大陸氣團】명〔continental air〕〖기상〗대륙상에 발생하는 건조한 기단. 한대성의 것과 열대성의 것이 있음.

대:륙 기후【大陸氣候】명〖기상〗대륙성 기후. 내륙 기후.

대:륙내 지향사【大陸內地向斜】명〔continental geosyncline〕〖지〗비해성 퇴적물(非海性堆積物)로 충만된 지향사(地向斜).

대:륙 대지【大陸臺地】명〔continental platform〕〖지〗대륙 내부의 광대한 면적에 걸쳐 퍼져 있는 반반한 대상(臺狀)의 지형. 북미(北美)의 콜로라도 대지, 유럽의 러시아 대지 같은 것.

대:륙-도¹【大陸度】명〔continentality〕〖기상〗어떤 지역에 있어서의 대륙성 기후의 정도를 기온·강수량·기압 따위에 의하여 수량적으로 나타낸 것. ↔해양도(海洋度).

대:륙-도²【大陸島】명〖지〗대륙의 일부가 단층(斷層)·수식(水蝕)에 의하여 대륙에서 분리(分離)되거나, 대륙 부근의 수저(水底)의 융기(隆起)에 의하여 생긴 섬. 영국 본토 같은 섬. 분리도(分離島). ㊀육도(陸島). ↔대양도(大洋島).

대:륙-멧돼지【大陸一】명〖동〗〔*Sus scrofa ussuricus*〕멧돼짓과에 속하는 돼지. 보통 멧돼지보다 훨씬 크고 대가리가 좁고 길. 살빛은 중국산(中國產)의 각종 돼지보다 짙어서 적갈색을 띠고, 털빛은 흰빛 또는 잿빛임. 한국 북부 지방과 만주 지방에 분포함. 호멧돼지.

대:륙-목도리담비【大陸一】명〖동〗〔*Charronia flavigula aterrima*〕족제빗과에 속하는 목도리담비의 하나. 여우와 비슷한데 몸길이는 60 cm, 꼬리는 20 cm 가량이고 몸빛은 머리 위로부터 광택 있는 흑갈색이며 목은 백색, 가슴은 담황색, 몸 뒷부분은 흑갈색임. 모피(毛皮)는 거칠어서 나쁘나 무늬는 고움. 한국 북부·만주·북중국의 밀림에 분포함. 만주날담비. *노랑목도리담비.

대:륙 문학【大陸文學】명〖문〗①넓은 대륙을 무대로 하여 새로운 건설적 세계를 개척한 소설. 배경이 큰 만큼 등장 인물도 여러 나라 사람인 것이 보통임. ②유라시아 대륙에서 나온 작품.

대:륙-법【大陸法】명 독일·프랑스를 중심으로 하는 유럽 대륙 제국(諸國)의 법. 로마법(Roma法)의 영향이 강하고, 성문법(成文法)을 중심으로 하는 데에 특색이 있음. *영미법(英美法).

대:륙 봉쇄령【大陸封鎖令】명〖역〗나폴레옹 1세가 영국에 대한 유럽 대륙의 시장을 폐쇄하도록 명령한 일. 1806년의 베를린 칙령(勅令), 그 이듬해의 밀라노 칙령 등을 이름.

대:륙-붕【大陸棚】명〔continental shelf〕〖지〗육지의 주위를 둘러싸고 있는, 깊이 약 200 m되는 곳까지의 느린 경사면(傾斜面). 이 곳에는 유기물(有機物)이 침전 퇴적(沈澱堆積)하므로 바닷물에 많은 영양분이 포함되어 수산물이 많음. 육붕(陸棚).

대:륙붕에 관한 조약【大陸棚一關一條約】명〔Convention on the Continental Shelf〕〖법〗1958년의 국제 연합 해양법 회의에서 국제법 위원회의 초안을 기초로 채택한 조약. 전문 15조. 대륙붕의 정의, 이에 대한 국가의 권한, 대륙붕의 경계 등을 규정하고 있음. 일본·독일 등은 이 조약의 채택에 반대하였음.

대:륙붕 외:연【大陸棚外緣】명〔shelf edge〕〖지〗대륙붕과 대륙 사면과의 경계를 이루는 경사 교환부.

대:륙붕 자연 연장론【大陸棚自然延長論】[一논] 명 200 해리 이원(以遠)의 자연 연장선까지 연안국의 대륙붕 자원 관할권을 인정해야 한다는 주장.

대:륙 빙하【大陸氷河】명〔continental glacier〕〖지〗설선(雪線)이 극히 낮은 지역에 형성되는 빙하. 광대한 지역을 덮고 서서히 해안으로 이동함. 그린란드·남극 대륙 등의 것이 유명함. 내륙 빙하.

대:륙 사면【大陸斜面】명〔continental slope〕〖지〗대륙붕에서 대양저(大洋底)에 이르는 경사면(傾斜面). 평균 경사도는 2-4°로 해면 아래 약

200-3000 m.

대:륙-사슴【大陸—】 명 〖동〗 [*Cervus nippon mantchuricus*] 사슴과에 속하는 동물. 어깨 높이는 90 cm 가량으로 우수리사슴보다 조금 작음. 하모(夏毛)는 연한 분홍밤색이고 등과 양옆구리는 붉은 황색의 반점이 있음. 동모(冬毛)는 몸통이 암갈색이고 머리·목·어깨는 색채가 없어지고 하모의 반점 흔적이 엿보임. 초식성(草食性)이며 5-8월에 새끼를 낳음. 북만주의 지린 성(吉林省)과 무단 강(牡丹江)·쑹화 강(松花江)의 상류 및 한국에도 분포함.

대:륙-성【大陸性】 명 대륙적인 성질. 곧, 민족성으로는 인내력(忍耐力)이 강하고, 기후로는 한서(寒暑)의 차이가 심한 현상 같은 것. *내륙성(內陸性). ↔해양성(海洋性)·도서성(島嶼性).

대:륙성 고기압【大陸性高氣壓】 명 〖기상〗 대륙 고기압.

대:륙성 기단【大陸性氣團】 명 〖기상〗 대륙 기단.

대:륙성 기후【大陸性氣候】 명 〔continental climate〕 〖기상〗 쉬이 더워지고 쉬이 식는 대륙 지표(地表)의 영향을 받아 기온의 연교차(年較差)와 일교차(日較差)가 매우 크고 강수량(降水量)이 적고 건조한 대륙 내부의 특징적인 기후. 내륙 기후. 대륙 기후. 대륙적 기후. ↔해양성(海洋性) 기후.

대:륙 성장설【大陸成長說】 명 〔continental accretion theory〕 〖지〗 지난날 지구 표면의 광대한 부분이 지향사(地向斜) 내지는 조산대(造山帶)였기 때문에 조산 운동을 거칠 때마다 중심부에 가까운 데서부터 차례로 안정되어서 대륙 지역이 성장 확대되어 왔다는 학설.

대:륙 아메리카주의【大陸—主義】 [—/—이] 〔America〕 명 미국의 외교 원리. 먼로주의를 기조로 하여 유럽의 정쟁(政爭)에 개입하지 아니하고 미대륙 여러 나라와의 협조를 도모, 국내 체제의 충실을 지향하려는 방침. 19세기 이래의 방침이며, 뉴 딜 시대의 선린(善隣) 외교에 의하여 적극적으로 추진되었음.

대:륙 연변【大陸緣邊】 명 〔continental margin〕 〖지〗 해안선과 심해저(深海底) 사이의 구역. 보통, 대륙 연변 지역·대륙붕·대륙 사면·콘티넨털라이즈로 이어짐.

대:륙 연변 지역【大陸緣邊地域】 명 〔continental borderland〕 〖지〗 해안선과 대륙 사면(大陸斜面) 사이의 대륙 연변의 지역.

대:륙 열류【大陸熱流】 명 〔continental heat flow〕 〖지〗 대륙의 지각(地殼)을 통하여 지구에서 도산(逃散)하는, 단위 면적당·단위 시간당 열에너지량.

대:륙-율모기【大陸—】 [—뉼—] 명 〖동〗 [*Natrix vibakari*] 뱀과에 속하는 뱀. 몸길이 50 cm 내외이며, 몸의 등쪽은 암갈색이고, 두부와 중앙선은 다소 흑색을 띰. 배쪽은 백색이고, 배 비늘과 꼬리밑 비늘 바깥 가에는 한 개의 긴 암색 반문이 있음. 독이 없으며 한국에도 분포함.

〈대륙율모기〉

대:륙 이동설【大陸移動說】 명 〖지〗 대륙이 수평으로 이동한다는 생각에 기초를 두고 지각(地殼)의 성립을 설명하려는 학설. 1912년에 독일의 기상·지구 물리학자인 베게너(Wegener, A.I.)가 제창하였음. 아이소스타시(isostacy)의 원리에 의해서 육지는 가벼운 시알(Sial)로 되어 있어 무거운 시마(Sima)로 된 바다 위에 떠 있는데, 지질 시대에는 단 하나의 큰 땅덩어리였던 것이 백악기(白堊紀) 이후의 시대에 어떤 작용으로 분열하기 시작하여 그 중 몇 부분이 차차 서쪽으로 이동해서 오늘날 같은 대륙 분포를 보게 되었다는 가설. 남아프리카 서해안과 남아메리카의 동해안의 모양이 비슷한 점, 두 대륙의 지질 구조·동식물 분포의 유사 또는 각국의 지형이나 고대 기후의 변화 등을 설명하는 데 편리함. 현재는 맨틀 대류설(mantle 對流說)과 해양저(海洋底) 확대설을 종합한 학설로 발전되고 있음. 대륙표이설(大陸漂移說).

대:륙-적【大陸的】 명관 ①대륙에만 특별히 있는 양상(樣相). ②작은 일에 얽매이지 아니하고 도량(度量)이나 기백(氣魄) 같은 것이 웅대(雄大)한 모양. ¶ ~ 기질. ③감정이나 감각이 약간 둔함을 조롱하는 말.

대:륙적 기후【大陸的氣候】 명 〖기상〗 대륙성 기후.

대:륙 정책【大陸政策】 명 대륙에 세력을 뻗어, 그 세력권내에 있는 지역을 경영하는 데에 관한 정책. 일본의 만주 침략 정책 따위.

대:륙-족제비【大陸—】 명 〖동〗 [*Mustela sibirica manchurica*] 족제빗과에 속하는 동물. 겨울에는 온 몸이 선홍색인데 개중에는 네 발의 배면(背面)이 담갈색인 것도 있음. 앞이마와 얼굴 측면은 흑갈색, 여름에는 온 몸이 홍갈색으로 변함. 여름에는 야외, 겨울에는 인가 부근에서 작은 짐승과 새를 포식함. 한국 북부·만주에 분포함. 만주족제비.

〈대륙족제비〉

대:륙-판【大陸板】 명 〖지〗 대륙 플레이트.

대:륙 표이설【大陸漂移說】 명 〖지〗 대륙 이동설.

대:륙 플레이트【大陸—】 명 〔continental plate〕 〖지〗 지구의 표면을 구성하는 두꺼운 대륙 지각(大陸地殼).

대:륙 회:의【大陸會議】 [—/—이] 명 〔Continental Congress〕 〖역〗 영국의 식민지였던 북아메리카의 13 주(州) 대표가 독립 선언을 발표하기에 앞서, 영국에 대하여 그들의 권리를 주장하기 위하여 필라델피아에서 개최한 회의. 1774년 9월과 이듬해 5월에 개최하여 드디어 독립을 선언하였음.

대:륙 횡단 철도【大陸橫斷鐵道】 [—또] 명 〖지〗 ①대륙을 횡단하여 부설한 철도. ②대서양 연안에서 북미 대륙을 횡단하여 태평양 연안에 이르는 철도. 미국에 7개, 캐나다에 2개가 있음. ③오스트레일리아의 태평양 연안과 인도양 연안을 연결하는 철도.

대:륜[1]【大倫】 명 인륜(人倫)의 대도(大道). 사람으로서 행해야 할 중요한 도리.

대:륜[2]【大輪】 명 ①꽃송이 같은 것의 큰 것. ②큰 테. 1)·2):↔소륜(小輪).

대:륜-선【大輪扇】 명 동그랗게 펴서 겉살을 맞붙이면 양산(陽傘)이 되는, 큰 접부채. 긴 자루를 겉살에 달아, 높이 받치기도 함.

대리[1] 명 〈방〉 ①다리[1]. ②다리[2].

대:리[2]【大吏】 명 지위가 높은 관리. 대관(大官). 고관(高官).

대:리[3]【大利】 명 ①큰 이익. ↔소리(小利). ②〖불교〗 더할 나위 없이 큰 공덕.

대:리[4]【大理】 명 〖역〗 ①전옥서(典獄署). *대리시(大理寺). ②중국 고대의 관명. 추포(追捕)·규탄(糾彈)·재판·형벌 등을 맡아 보았음.

대:리[5]【大理】 명 ①〖지〗 '다리'를 우리 음으로 읽은 이름. ②〖역〗 대리국(大理國).

대:리[6]【代理】 명 ①남을 대신하여 일을 처리함. ②〖역〗 대청(代聽). ③〖법〗 어떤 사람이 본인을 대신하여 스스로 의사 표시를 하거나 또는 제삼자로부터 의사 표시를 받아, 이에 의하여 직접 본인에 관해서 법률 효과(効果)를 발생시키는 일. 법정(法定) 대리·임의(任意) 대리 따위. ④은행 또는 다른 특수한 회사에 있어서 부장·지점장·과장 등의 직무 대리자. ¶ 과장 ~. ——하다 타여불

대:-리:거【大—】 〔leaguer〕 명 미국 프로 야구의 대(大)리그, 곧 내셔널리그와 아메리칸 리그에 소속하는 팀에 적(籍)을 두고 있는 선수. 또, 전에 적을 두었던 선수의 총칭.

대:리 공사【代理公使】 명 ①특명 전권 공사가 비어 있을 때 또는 그 직무 수행이 불가능할 때 일시적으로 대리 노릇을 하는 공사. 정식 명칭은 임시 대리 공사. ②국가 원수(元首)가 아니고 외상(外相)에 대하여 파견되는 외교 사절.

대:리 관계【代理關係】 명 〖법〗 대리인과 본인과의 사이에 발생하는 법률 상의 관계.

대:리 광:주【代理鑛主】 명 광주의 사무를 대리로 맡아 보는 사람.

대:리 교환【代理交換】 명 〖경〗 어음 교환소(交換所)의 가맹 은행(加盟銀行)이 비(非)가맹 은행의 위임을 받아, 그 대리인이 되어 어음 교환을 하는 일.

대:리-국【大理國】 명 〖역〗 937년에 타이족(Thai族)의 단사평(段思平)이 남조국(南詔國)을 대신하여 지금의 중국 윈난 성(雲南省) 지방에 세웠던 나라. 1252년에 몽골 제국에 의하여 멸망됨. 대리(大理).

대:리-권【代理權】 [—꿘] 명 〖법〗 대리인과 본인 사이의 법률 관계로서, 대리인의 행위가 직접으로 본인에 관해 효과를 발생시키기 위하여 대리인에게 부여된 자격.

대:리 기명【代理記名】 명 대리인이 본인을 대신하여 증서(證書) 등에 기명하는 일. ——하다 자여불

대리다 타 〈방〉 ①다리다[1]. ②달이다(경상).

대:리 대:사【代理大使】 명 〔프 charge d'affaires〕 특명 전권 대사(特命全權大使)가 비었을 때 또는 그 직무를 수행하지 못할 때 일시적으로 대사의 사무를 대리하는 외교관. 정식 명칭은 임시 대리 대사.

대:리-모【代理母】 명 〖사〗 불임 부부(不姙夫婦) 또는 자식 키우기를 원하는 독신자를 위하여, 대신 아기를 낳아 주는 여자.

대리미 명 〈방〉 다리미(전라·충청·경기·강원·황해·함남).

대:리 배:서【代理背書】 명 〖법〗 어음·수표에서, 대리권 수여를 표시하기 위하여 행하는 배서. *추심 위임 배서.

대리비 명 〈방〉 다리미(전남·경상·강원).

대:리-상【代理商】 명 〖경〗 독립한 상인(商人)으로서 일정한 상인을 위하여 상행위(商行爲)의 대리 또는 매개(媒介)를 하는 사람.

대:리-석【大理石】 명 〔marble〕 〖광〗 석회암(石灰岩)이 높은 온도와 강한 압력에 의하여 변질된 돌. 방해석(方解石)이 주성분이며 결정질(結晶質)임. 흰 빛이 보통이지만 검정·빨강·누렁 등의 여러 가지가 있어 장식용이나 건축·조각(彫刻) 같은 데 쓰임. 중국 윈난 성(雲南省) 다리(大理)에서 많이 나므로 대리석이라 함. ¶ ~ 기둥.

대:리 소:관【大利所關】 명 큰 이익이 관계되는 바.

대:리 소:송【代理訴訟】 명 〖법〗 대리인을 시켜서 하는 소송.

대:리 수도【代理受渡】 명 상품의 수도에 있어서, 그 상품을 보관하고 있는 창고업자가 당사자의 대리인이 되어 수도하는 일.

대:리-시【大理寺】 명 〖역〗 고려 성종(成宗) 14년(995)에 전옥서(典獄署)를 고친 이름. 문종(文宗) 때에 다시 전옥서라 고치었음. *대리(大理).

대:리-암【大理岩】 명 〖광〗 대리석.

대:리-업【代理業】 명 대리상의 영업.

대:리업-자【代理業者】 명 대리업을 경영하는 사람.

대:리 영사【代理領事】 명 영사의 부재 또는 유고(有故) 시에, 그를 대신하여 영사의 직무를 수행하는 사람.

대리워니 명 〈방〉 다리미(함북).

대:리 의:사【代理意思】 명 〖법〗 자기가 행한 법률 행위의 효과를 직접 타인인 본인에게 귀속시키려는 대리인의 의사.

대:리-인【代理人】 명 ①다른 사람을 대리하는 사람. 대리자(代理者). ②〖법〗 남을 대신하여 의사 표시를 하고 또 의사 표시를 받을 권한을 가진 사람. 대리인이 행한 권리 의무의 행위는 직접 본인에게 귀속됨. 법정(法定) 대리인과 임의(任意) 대리인이 있음.

대:리-자【代理者】 명 남을 대리하는 사람. 대리권이 있는 사람. 대리인(代理人).

대:리 전:쟁【代理戰爭】 명 전쟁 또는 내란(內亂)에 있어서 분쟁 당사자 이외의 강대국(強大國)이 그 어느 한편을 원조하여 마치 강대국의 대리로 전쟁이 행하여지는 것처럼 보이는 상황을 비유적으로 이르는 말.

대:리-점【代理店】 명 대리상(代理商)을 영위하는 점포.

대:리 점:유【代理占有】 명 〖법〗 '간접(間接) 점유'의 구민법상 용어.

대:리 지출관【代理支出官】 명 〖법〗 지출관이 사고가 있을 때 그의 일을 대신 맡아 보는 사람.

대:리 출납 공무원【代理出納公務員】 [—랍—] 명 〖법〗 출납 공무원의

사무의 전부를 대리하는 사람.

대:리 출산【代理出產】[-싼] [명] 불임(不妊) 부부의 의뢰로 제 3의 여성, 곧 대리모(代理母)가 인공 수정을 받아 출산을 대신하는 일.

대:리 투표【代理投票】[명] 공직 선거 때에 신체의 장애나 문맹 등으로 인하여 스스로 후보자의 이름을 쓸 수 없는 자가, 투표 관리자가 선임한 투표 보조자에게 대필 받아서 행하는 투표.

대:리 판사【代理判事】[명]〖법〗담당 판사가 어떤 사고로 말미암아 사건 취급이 불가능할 때 대리로 그 사건을 담당하는 판사.

대:리 행위【代理行爲】[명]〖법〗①민법상 본인을 위하여 대리인이 행하는 행위. 대리인이 적극적으로 의사를 표시하는 능동(能動) 대리와 제삼자가 본인에 대하여 의사 표시를 하는 수동(受動) 대리가 있음. ②행정법상 행정 주체(行政主體)의 의사 표시가 다른 당사자 상호간의 법률 관계를 형성하기 위하여 행해지며 그 효과(效果)는 직접으로 그들 당사자에게 귀속(歸屬)되는 행정 행위.

대:림【待臨】[명]〖천주교〗①예수 그리스도의 강림(降臨)을 기다리고 준비함. 천주 제2위 성자가 구세주로 사람을 찾아오신 첫째 내림(來臨)을 기념하는 동시에, 최후의 심판 때 다시 오실 그리스도의 둘째 내림도 아울러 기념함. ②↗대림절. [참고] '장림(將臨)'의 고친 이름.

대림-끝 [명] 활의 아래 아귀와 밭은 오금의 사이.

대림-매기 [명]〈방〉대님(경기·황해).

대:림-목【大林木】[명]〖민〗육십 화갑자(六十花甲子)에서, 무진(戊辰) 기사(己巳)에 붙이는 납음(納音). 진(辰) 곧 삼월과 사(巳) 곧 사월의 나무가 무기(戊己) 곧 넓은 땅에 우거지니 큰 숲을 이룬다는 말.

대림-보다 [타]〈방〉다림보다.

대:림-산【大林山】[명]〖지〗함경 남도 장진군(長津郡)에 있는 산. 개마고원(蓋馬高原) 중에 솟은 고산의 하나임. [1,863m]

대:림-절【待臨節】[명]〖천주교〗예수 성탄 대축일을 준비하고 기다리는 기간. 성탄 대축일 4주(週) 전 주일(主日)부터 12월 24일까지의 동안. 전례색(典禮色)으로는 자줏빛을 사용함. 미사에서는 대영광송을 노래하지 않음. '장림절(將臨節)'의 고친 이름. [준]대림(待臨).

대:림 정사【大林精舍】[명]〔범 Makāvana〕〖불교〗석가가 재세할 때에, 중인도(中印度) 비사이국(毘舍離國)에 있었던 사원(寺院). 석가의 교화(敎化)의 유적임. 중각 강당(重閣講堂).

대:림 제:일 주일【待臨第一主日】[명]〖천주교〗대림절의 첫째 주일(主日). 교회 전례력(典禮曆)에서는 이 날부터 새 연도(年度)가 시작됨. [참고] '장림 수주일(將臨首主日)'의 고친 이름.

대림-질 [명]〈방〉다림질. ——하다 [타][여불]

대림-하다 [타]〈방〉겨냥하다(충남).

대:립¹【代立】[명] 공역(公役)에 사람을 대신 보내는 일. ——하다 [타][여불]

대:립²【代笠】[명] 갓을 고치는 동안 갓방에서 대신 빌려 주는 갓.

대:립³【對立】[명] ①마주 대하여 섬. ②둘이 서로 버팀. 대치(對峙). ¶ 의견이 ∼하다. ③〖논〗전통적 논리학에서 같은 주어와 술어(述語)를 가지나, 질과 양(量)이 다른 4 종(種)의 정언 명제(定言命題) 사이에 성립되는 관계. 대당(對當). ——하다 [자][여불]

대:립-가【代立價】[명]〖역〗조선 시대 전기에 서울에 번상(番上)하는 군사가 실역(實役)을 면제받는 대신 지불하는 값.

대:립 교:황【對立敎皇】[명]〖기독교〗교회법상 부당하게 로마 교황직을 주장하거나 행사한 사람.

대:립-성【對立性】[명] 서로 대립하는 성질.

대:립 유전자【對立遺傳子】[명]〖생〗대립 인자(對立因子).

대:립 의:무【對立義務】[명]〖법〗권리와 대립하는 의무. 채권에 대한 채무(債務)같은 것. ↔고립 의무(孤立義務).

대:립 인자【對立因子】[명]〔allele〕〖생〗대립 형질(形質)에 대응하는 유전자. 대립 유전자.

대:립-적【對立的】[명][관] 대립하고 있는 모양. 상대하고 있는 모양.

대:립적 관계【對立的關係】[명] ①어떠한 사물이 대립하여 있는 관계. ②〖언〗독립성(獨立性)이 있는 두 말이 모여서 복합어(複合語)를 이룰 때나 또는 그 두 말이 접속(接續)될 때에 동등(同等)의 가치를 가지고 결합되는 관계. '옷+안'·'발+아래'·'값+없다'에서 각 복합어 사이의 관계. ↔종속적 관계(從屬的關係). *대표음(代表音).

대:립적 범:죄【對立的犯罪】[명]〖법〗필요적 공범(必要的共犯)의 일종으로, 범죄의 성립에 상대방을 필요로 하는 범죄. 수회죄(收賄罪) 따위. 대향범(對向犯).

대:립-절【對立節】[명]〖언〗대등절(對等節). ↔종속절(從屬節).

대:립-처【對立處】[명] 맞서는 곳.

대:립 형질【對立形質】[명]〖생〗멘델식 유전(Mendel式遺傳)에서 대립적으로 존재하는 우성 형질(優性形質)과 열성 형질(劣性形質). 가령 콩씨의 황색은 우성 형질, 녹색은 열성 형질로서 대립함.

대릿골-독[-똑] [명] ☞ 다릿골독.

대:마¹【大馬】[명] 바둑에서, 많은 점으로 널리 자리를 잡은 말. ¶ ∼를 잡다. *대마 불사(大馬不死).

대:마²【大麻】[명]〖식〗삼⁴❷.

대:마³【大魔】[명] 큰 악마. 무서운 악마.

대:마⁴【代馬】[명] 중국 북방의, 예로부터 명마(名馬)의 산지로서 알려진 대(代), 곧 허베이 성(河北省) 지방에서 나는 말.

대마-가시나무 [명]〖식〗대도가시나무.

대:마 감시원【大麻監視員】[명]〖법〗대마 취급자에 대한 행정상의 감시·감독을 맡고 대마에 관한 범죄에 대하여 사법 경찰관의 직무를 담당하는 공무원. 보건 복지부·서울 특별시·광역시·도·시·군(郡)·구(區)에 둠.

대:마 관리법【大麻管理法】[-괄-뻡] [명]〖법〗대마 및 그것을 원료로 하는 제품을 흡연 또는 섭취하는 일이 국민 보건에 해독을 끼침을 감안하여 대마의 관리와 그 유출 방지 등을 규정한 법.

대:-마구종【大馬驅從】[명] 대가(大家)의 마부(馬夫)의 두목.

대:마-도¹【大馬島】[명]〖지〗전라 남도 진도(珍島) 서남 해상, 진도군(珍島郡) 조도면(鳥島面) 대마도리(大馬島里)에 속하는 섬. 근해 수산업의 중심지이며, 김·톳의 양식업이 발달되어 있음. [2.81 km²]

대:마-도²【對馬島】[명] ①〖지〗'쓰시마(対馬)'를 우리 음으로 읽은 이름. ②〈속〉일본의 씨름꾼. ③〈속〉몸집이 뚱뚱하고 힘이 센 사람의 별명.

대-마루 [명] ①지붕 위의 가장 높게 마루진 부분. ②↗대마루판.

대마루-판 [명] 일이 되고 못되는 것과, 이기고 지는 것이 결판나는 마지막 끝판. [준]대마루.

대:마-박【大麻粕】[명] 삼씨로 기름을 짜낸 뒤에 남은 찌꺼기.

대:마 불사【大馬不死】[-싸] [명] 바둑을 둘 때, 대마는 쉽게 죽지 아니하고 필경 살 길이 생겨 난다는 말. *대마(大馬).

대:-마비【對痲痺】[명]〖의〗하지(下肢)가 좌우 대칭적으로 운동 마비를 일으킨 상태. 뇌종양(腦腫瘍)에 의한 양쪽 추체로(錐體路)의 장애나 척수 외상(外傷)·척수염·척수 매독·척수 종양·척수 마비 등 척수내의 양쪽 추체로가 다 장애를 일으킬 때 일어나는데, 경성(痙性) 마비 외에 병변(病變)의 범위에 따라 지각(知覺) 장애·실조증(失調症) 등의 증상을 수반함.

대:마-사【大麻絲】[명] 대마의 섬유를 원료로 한 실.

대:마 상전【大馬相戰】[명] 바둑에서, 대마끼리 서로 싸움. ¶ ∼의 국면.

대:마-유【大麻油】[명] 삼씨로 짠 기름. 건조(乾燥)하면 흐린 녹색(綠色) 또는 갈색(褐色)을 띤 황색(黃色)을 나타내며, 연성(軟性)비누·도료(塗料)·니스·식용유(食用油) 등으로 쓰임.

대:마-인【大麻仁】[명]〖한의〗삼씨의 알갱이. 맛은 달고 강장제(強壯劑)로 많이 씀.

대:-마젤란운【大一雲】[명]〔Large Magellanic Cloud〕〖천〗국부 은하군(局部銀河群) 안에 있는 불규칙 은하. 황새치자리에 있으며 거리는 약 16만 광년, 지름은 약 2만 광년임. 소(小)마젤란운 및 우리 은하계와 같이 삼중(三重) 성운을 구성함. 대마젤란 은하. 약칭 : 엘 엠 시(LMC). *마젤란운·소(小)마젤란운.

대:마젤란 은하【大一銀河】〔Magellan〕[명]〖천〗대(大)마젤란운(雲).

대:마 중독【大麻中毒】[명] 인도 대마에 함유된 캐너비놀(cannabinol) 등의 흡인 또는 경구(經口) 섭취에 의한 중독. 몽환적 쾌감이 일어나며, 지각이 예민해지고 색채가 빛나게 보이는 것이 특징으로, 대량 사용하면 환각 따위의 정신 증상을 보임. 마리화나(marihuana) 중독.

대:마 천우【大麻天牛】[명]〖충〗삼하늘소.

대:마-초【大麻草】[명] 환각제로 쓰이는 대마(大麻)의 이삭이나 잎. *해시시(hashish).

대:마초 중독증【大麻草中毒症】[명]〔cannabism〕〖의〗대마초를 과잉 또는 습관적으로 사용하여 생긴 중독증.

대:마 취:급자【大麻取扱者】[명]〖법〗대마 재배자·대마 연구자 등 대마를 다루는 사람. 보건 사회부 장관의 허가를 받아야 함.

대:마 해:류【對馬海流】[명]〖지〗쓰시마(対馬) 해류.

대:마 해:협【對馬海峽】[명]〖지〗쓰시마 해협.

대:막【大漠】[명] 넓은 사막. 중국에서는 특히 고비 사막을 가리킬 때가 많음.

대-막대기 [명] 대로 된 막대기.

대:-막리지【大莫離支】[-니-] [명]〖역〗고구려 후기(後期)의 대관(大官). 막리지(莫離支)를 한 계단 올려서 부른 이름.

대만【臺灣】[명]〖지〗'타이완'을 우리 음으로 읽은 이름.

대:-만다라【大曼荼羅】[명]〖불교〗사만다라(四曼荼羅)의 하나. 황(黃)·백(白)·적(赤)·흑(黑)·청(靑)의 오대(五大) 색채로 제불(諸佛)의 형상(形像)을 그린 만다라. 존형(尊形) 만다라.

대만-모【臺灣帽】[명] 대만 파나마.

대만-미【臺灣米】[명] 대만 지방에서 나는 쌀.

대만 번족【臺灣蕃族】[명] 고산족(高山族).

대만 산맥【臺灣山脈】[명]〖지〗타이완 산맥.

대만-알락할미새【臺灣一】[명]〖조〗검은털할미새.

대만-오리【臺灣一】[명]〖조〗[*Cairina moschata*] 오릿과(科)의 새. 몸길이 70-80cm, 수컷이 크며, 집오리와 비슷함. 몸빛은 백색·흑색과 그 얼룩이며, 얼굴은 검음. 부리 밑동의 혹 모양 돌기(突起)에서 강렬한 냄새를 풍김. 남아메리카 원산으로, 세계 각국에서 가금(家禽)으로 기르는데, 특히 대만에서 많이 기름. 고기 맛이 좋음.

대:-만원【大滿員】[명] 혼잡을 이룰 정도의 만원. 초만원.

대만-원숭이【臺灣一】[명]〖동〗[*Macaca cyclopis*] 원숭잇과에 속한 포유 동물. 상체는 갈색으로, 머리와 허리는 적갈색, 꼬리 끝과 사지(四肢)의 하부는 검으며 얼굴은 담적색임. 몸길이 40cm, 꼬리 길이 45cm 가량. 평지로부터 3,000m까지의 암지(岩地)에 5-6 또는 50 마리씩 떼를 지어 살고 있음. 보통 동물원에서 사육되며, 의학 실험용으로 잘 쓰임. 대만 특산종임.

대만-인【臺灣人】[명] 타이완의 주민 중에서 일반적으로 한인종(漢人種)인 본도인(本島人)을 말함. 인종학상(人種學上) 푸젠 성(福建省)에서 이주(移住)한 복로계(福老系)와 광둥 성(廣東省)에서 이주한 객가계(客家系)로 분류함. 16-17세기부터 이주하여 원주민인 고사족(高砂族)을 압박하고 17세기말에 청나라가 영유(領有)하면서 대만의 지배자가 됨.

대만-차【臺灣茶】[명] 대만에서 산출하는 차(茶). 오룡차(烏龍茶)는 그 대표적인 것임.

대만 파나마【臺灣一】〔panama〕[명] 대만·오키나와 등지에서 나는 아단(阿檀) 잎의 섬유로 만든 여름 모자. 파나마 모자와 비슷하나 연한 다색이며 값이 쌈. 대만모.

대만 해:협【臺灣海峽】[명]〖지〗타이완 해협.

대만-흰나비【臺灣一】[-흰-] [명]〖충〗[*Pieris canidia*] 흰나빗과의 곤충. 편 날개의 길이 34-54mm이고, 앞날개 외연(外緣)에는 흙빛 무늬가 있으며, 뒷날개의 외연과 날개 끝에도 흑색 점이 있음. 춘형(春型)은 날개 뒷면에 검은 가루가 많음. 한국·타이완 등지에 분포함.
대-말 [명] 아이들이 말놀음할 때, 두 다리를 걸터 타고 끌고 다니는 대막대기. 잎이 달린 대나무의 한 가지를 걸터 타고 손으로 붙들고 다니거나, 여러 개를 묶어서 타기도 함. 죽마(竹馬).
대:망[1]【大望】[명] 큰 희망(希望). 큰 야망. ¶ ~을 품다.
대:망[2]【大網】[명] 〔greater omentum〕〖생〗위(胃)의 전하연(前下緣)에서 아래쪽으로 복강내(腹腔內)에 처져 있는 넓은 막. 표면은 단층(單層)의 편평(扁平)한 상피로 매끈한데 수많은 혈관이 분포하고 지방 조직이 풍부함. 복강내의 액체를 흡수하며 장(腸)과 복벽(腹壁) 사이를 메우는 역할을 함. 대망막(大網膜).
대:망[3]【大蟒】[명]〖동〗이무기❷.
대:망[4]【代網】[명] 망건 가게에서 망건을 고치는 동안 대신 빌려 주는 망건.
대:망[5]【待望】[명] 바라고 기다림. ¶ ~의 그날. ——하다 [타][여불]
대망[6]【臺望】[명]〖역〗대통(臺通).
대:망-막【大網膜】[명]〖생〗대망(大網).
대망생이 [명]〈방〉머리[1]❶(제주).
대:매[1] [명] 단 한 번 때리는 매. ¶ ~에 때려 죽이다.
대:매[2] [명] 승부(勝負)를 마지막으로 결정하는 일. 양편이 같은 끗수일 경우에 다시 한 번 겨루거나 혹은 제비 같은 것을 뽑아서 결정함. ¶ 국수전(國手戰)이 오늘에야 ~한다. ——하다 [타][여불]
대:매[3]【大罵】[명] 몹시 욕하여 꾸짖음. ——하다 [타][여불]
대:-매출【大賣出】[명] 많은 물건을 마련하여 대대적인 선전을 하면서 값을 할인하거나 경품(景品)을 붙여 팖. ¶ 연말 ~. ——하다 [타][여불]
대:맥[1]【大脈】[명]〖의〗맥동파(脈動波)의 폭이 큰 맥박. 흔히 고혈압·심장 비대(肥大)·발열(發熱) 때에 볼 수 있음. 고맥(高脈). ↔소맥(小脈).
대:맥[2]【大麥】[명]〖식〗보리.
대:맥[3]【代脈】[명]〖한의〗의사(醫師) 대신에 맥을 진찰하는 일. 또, 그 사람. *대진(代診). ——하다 [자][여불]
대:맥[4]【帶脈】[명]〖한의〗기경 팔맥(奇經八脈)의 하나. *기경(奇經).
대:맥-국【大麥麴】[명] 보리누룩.
대:맥 운두병【大麥雲頭餠】[명] 보리 수제비.
대:맥-장【大麥醬】[명] 보리와 검은 콩으로 쑨 메주로 담근 간장.
대:-맹선【大猛船】[명] 옛날 수영(水營)에 속하였던 전선(戰船)의 하나. 삼층(三層)의 큰 배로서 사면에 창이 있음.
대:-머리[1] [명] 머리털이 무이어서 벗어진 머리. 또, 그 사람. 독두(禿頭). 독로(禿顱). 독정(禿頂).
대:-머리[2]【大―】[명] 일의 가장 중요한 부분. 대두뇌(大頭腦).
대:-머릿장【大―欌】[명] 매우 크게 만든 머릿장.
대:면[1]【大面】[명]〖연〗신라 때 들어온 북제(北齊) 시대의 악무(樂舞)의 하나. 황금빛 탈을 쓰고 손에 구슬 달린 채찍을 잡고, 귀신 쫓는 시늉을 하면서 어깨를 으쓱거리며 춤. 노래를 부르기도 함. *오기(五伎).
대:면[2]【對面】[명] 서로 얼굴을 마주 보고 대함. 대안(對顔). 면대(面對). 당면(當面). ¶ 첫 ~. ——하다 [자][타][여불]
【대면 박대는 못 한다】사람을 앞에 두고 욕하거나 박대하는 게 아니란 말.
대:면 교통【對面交通】[명] 대면 통행(對面通行).
대:면-법【對面法】[―뻡] [명] 〔face to face method〕〖심〗심리 요법(心理療法)에 있어서, 환자(患者)와 치료자(治療者)가 서로 마주 앉아서 치료하는 방법. ↔자유 연상법(自由聯想法).
대:면 통행【對面通行】[명] 보행자(步行者)와 차마(車馬)가 통행하는 쪽을 반대로 정함으로써 보행자와 차마를 마주보며 통행하게 하는 방법. 곧, 사람은 좌측, 차마는 우측을 통행하도록 하는 일 등. 대면 교통.
대:명[1]【大名】[명] 널리 소문난 훌륭한 이름. 큰 명예(名譽). 고명(高名).
대:명[2]【大命】[명] 천자의 명령. 크나큰 명령. 경명(景命). 하명(嘏命).
대:명[3]【大明】[명] 명(明)나라가 자기 나라를 자존(自尊)하여 일컫던 말.
대:명[4]【代命】[명] ①남을 대신하여 죽음. 횡액(橫厄)에 걸려서 남의 죽음을 대신함. ¶ 우리가 앙얼을 입든지 ~을 가든지 누가 당신더러 참견하랍디니까?《李相協 : 눈물》. ②대살(代殺). ——하다 [타][여불]
대:명[5]【待命】[명] ①관원(官員)이 과실이 있을 때에, 처분(處分)의 명령을 기다림. ②대기 명령(待期命令). ——하다 [자][여불]
대명[6]【臺命】[명] 귀인(貴人)의 명령.
대:명-궁【大明宮】[명] 중국 당대(唐代)에 장안(長安)의 용수산(龍首山)에 있던 궁전의 이름.
대:명-령【大明令】[―녕] [명] 중국 명나라 때의 법전. 대명률(大明律)과 더불어 1367년에 편집되어 이듬해 공포함. 이령(吏令)·호령(戶令)·예령(禮令)·병령(兵令)·형령(刑令)·공령(工令)의 6편, 전(全) 145조(條)로 됨.
대:명-률【大明律】[―뉼] [명]〖책〗중국 명대(明代)의 기본적인 형법전(刑法典). 당률(唐律)을 참고로 해서 편찬하여 건국 당초에 명령과 더불어 공포하고 수차 수정하였는데 1397년 수정 공포된 것이 최후의 율임. 명례율(名例律)·이율(吏律)·호율(戶律)·예율(禮律)·병률(兵律)·형률(刑律)·공률(工律)의 7편 30권 460조(條)로 됨. 청률(淸律)과 조선 왕조의 법에 큰 영향을 주었음. [준]명률(明律). *청률(淸律)·대명률 직해(大明律直解).
대:명률 직해【大明律直解】[―뉼―] [명]〖책〗대명률을 해석한 책. 조선 태조(太祖) 때 고사경(高士褧)과 김지(金祗)가 이두(吏讀)로 자구(字句)를 직해(直解)하고, 이것을 정도전(鄭道傳)과 당성(唐誠) 등이 윤색(潤色)하여, 동 4년(1395)에 주자(鑄字)로 간행, 세종(世宗) 28년(1446)에 평안 감영(平安監營)에서 중간(重刊)하였음. 30권(卷) 4책(册).
대:명-매【大明梅】[명]〖식〗매화나무의 하나. 꽃이 한 겹으로 붉게 핌.
대:-명사[1]【大名辭】[명]〖논〗대개념(大槪念)을 언어로 나타낸 것.
대:-명사[2]【代名詞】[명]〖언〗품사의 하나. 사람·사물·처소(處所) 및 일 등을 명사(名詞) 대신에 나타내는 말. 인칭(人稱) 대명사·사물(事物) 대명사·처소(處所) 대명사로 구분함. 대이름씨.
대:명 실록【大明實錄】[명]〖책〗중국 명조(明朝) 역대(歷代)의 실록. 명나라 역사 연구에 가장 중요한 사적(史籍)의 하나임. 2,909권.
대:-명일【大名日】[명] 큰 명절날.
대:명 일통지【大明一統志】[명]〖책〗중국 명(明)나라 때의 지리(地理) 책. 1461년 이 현(李賢) 등이 명나라 영종(英宗)의 칙명(勅命)을 받들어 편찬함. 90권.
대:명-전【大明殿】[명]〖지〗개성(開城)에 있었던 궁궐. 고려 인종(仁宗) 때에 순천관(順天館)을 고친 것임.
대:명-죽【大明竹】[명]〖식〗[*Pleioblastus gramineus*] 댓과에 속하는 대의 하나. 키는 160 cm 가량. 겉 껍데기는 자록색임. 퉁소 등을 만듦.

〈대명죽〉

대:명 천지【大明天地】[명] 아주 환하게 밝은 세상. ¶ ~에 이런 법이 어디 있나?
대:명 충의 임공전【大明忠義林公傳】[―/―이―] [명]〖문〗임경업전(林慶業傳).
대:명-풍【大明風】[명] 중국 명나라의 풍속.
대:명 회:전【大明會典】[명]〖책〗중국 명대의 제도를 기록한 책. 1502년 이동양(李東陽) 등이 명나라 효종(孝宗)의 칙명(勅命)을 받들어 편찬하였음. 180권. *회전(會典).
대:명 휴직【待命休職】[명] 공무원으로서의 지위를 유지하면서 퇴직(退職)을 전제(前提)로 하여 일정한 기간 동안 대명 기간을 설정하고 그 기간 중 휴직봉(休職俸)을 지급(支給)하는 제도.
대:모[1]【大母】[명] 할아버지와 같은 항렬(行列)인 겨레붙이의 아내. 곧, 할머니 뻘 되는 여자.
대:모[2]【大謀】[명] 큰 모의(謀議).
대:모[3]【代母】[명]〖천주교〗성세(聖洗)와 견진(堅振) 성사를 받은 여자의 신친 후견녀(神親後見女). *대부(代父)·대녀(代女).
대:모[4]【玳瑁·瑇瑁】[명] ①〖동〗[*Eretmochelys imbricata*] 거북과에 속하는 바다 거북의 하나. 배갑(背甲)의 길이는 최장 85 cm이나, 보통 60 cm 이하임. 주둥이는 뾰족하고, 사지(四肢)는 지느러미 모양으로 편평하며 두 개의 발톱이 각각 있음. 배갑은 심장형(心臟形)으로 중앙판(中央板)은 다섯 개, 중앙 측판은 네 쌍, 연판(緣板)은 25개이며, 각 판은 반투명의 황색 바탕에 암갈색 구름 무늬가 있는데, 대개 지붕의 기와처럼 포개어져 있음. 조개·해조(海藻)·물고기 등을 포식하며, 9-11월에 모래땅을 파고 한 배에 115-200개의 알을 낳음. 인도양·태평양·대서양의 열대와 아열대에 분포함. 등껍데기를 '대모(玳瑁)' 또는 '대모갑(玳瑁甲)'이라고 하며, 공예품·장식품 등에 귀중하게 쓰임. ② ↗대모갑.

〈대모[4]❶〉

대:모-갑【玳瑁甲】[명] 대모(玳瑁)의 등과 배를 싸고 있는 껍데기. [준]대모(玳瑁).
대:모 갓끈【玳瑁―】[명] 패영(貝纓)의 하나. 대모갑(玳瑁甲)과 구슬 같은 것을 번갈아 꿰어 만들었는데, 여름에 관원(官員)들이 흔히 썼음.
대:모 관자【玳瑁貫子】[명] 대모갑(玳瑁甲)으로 만든 관자.
【대모 관자 같으면 되겠다】쓸모가 많아서, 각 방면에서 자주 찾아 주는 사람이 되었으면 좋겠다는 말.【대모 관자 같으면 뛰겠다】대모 관자라도 너무 자주 끈을 매었다 풀었다 하면 그 끈이 떨어지겠다는 뜻으로, 사람을 너무 자주 부를 때에 이르는 말.
대:-모달【大模達】[명]〖역〗고구려 후기의 최고의 무관직. 당(幢)들의 연합 부대의 장(長)인 듯하며, 조의두 대형(朝衣頭大兄) 이상의 관등을 가진 자로써 임명함. 대당주(大幢主).
대:-모도【大茅島】[명]〖지〗전라 남도 남해상(南海上), 완도군(莞島郡) 청산면(靑山面) 모도리(茅島里)에 위치해 있는 섬. 등대(燈臺)가 있음. [5.83 km^2 : 501명(1984)]
대:모-등에붙이【玳瑁―】[―부치] [명]〖충〗[*Chrysops suavis*] 등엣과에 속하는 곤충. 몸길이 10 mm 내외이며, 흉배(胸背)는 흑색, 중앙에 두 개의 회색 종선(縱線)이 있고, 측연(側緣)은 황색임. 복배(腹背) 제1·2절은 황색, 제3절 이하는 흑색, 제2절 중앙 양측에는 한 쌍의 흑반(黑斑)이 있으며, 제3절 이하의 중앙에는 황색 세로띠가 있고, 제3절에는 한 쌍의 황색 원반(圓斑)이 있음. 한국·일본·사할린 등지에 분포함. 아롱등에.

〈대모등에붙이〉

대:모-망【大謀網】[명] 정치망(定置網)의 하나. 자루 그물과 원망(垣網), 혹은 거기에 고기 떼를 들여보내는 그물을 더한 구조이며, 주로 청어·방어·정어리를 잡음. 극히 대형이며 자루 그물의 길이 300 m, 원망(垣網)의 길이 1,500 m에 이르는 것도 있는데, 자루 그물의 주둥이가 좁아서 물고기 떼가 들어가기 어려운 것이 결점임. 근래에는 잘 쓰지 않음.

대:모-벌【玳瑁―】[명]〖충〗[*Cyphononyx dorsalis*] 대모벌과에 속하는 벌. 암컷의 몸길이 22-25 mm 가량이고 몸빛은 흑색에 복부는 자색을 띰. 두부의 대부분과 전흉배(前胸背)의 후연(後緣)·중흉배의 양측선과 중앙의 2선(線) 및 중흉배판이 전부 황적색이고, 날개는 황갈색에 외연(外緣)은 담흑색 광택이 나는데, 촉각은 말리었음. 성충은 7-8월에 발생하여 염천(炎天)

〈대모벌〉

의 노상(路上)에 많으며, 꽃에 모임. 땅 속에 굴을 파서 집을 짓고 거미류를 잡아 저장함. 한국·일본·대만·중국 등지의 남방에 분포함.

대:모벌-과【玳瑁一科】[—꽈] 명〖충〗[Pompilidae] 벌목에 속하는 한 과. 몸빛은 흑색·암남색 또는 적갈색에 담색의 반문이 있음. 촉각은 곧게 뻗거나 또는 돌돌 말리어 있음. 땅 속에 굴을 파고 집을 짓거나, 바위 밑 같은 데에 진흙으로 집을 만들기도 함. 대모벌·애검정대모벌 등이 이에 속하는데, 전세계에 많은 종류가 있고, 주로 열대 지방에 분포함.

대모-수리 명 〈방〉 독수리(함남).

대:모-영【玳瑁纓】명 대모 갓끈.

대:모-잠자리【玳瑁一】명〖충〗[*Libellula angelina*] 잠자릿과에 속하는 잠자리의 하나. 복부의 길이 27 mm, 뒷날개는 33mm 가량인데, 두부는 대체로 흑색, 흉복부는 대황 흑갈색이며, 흉부에는 흑갈색의 털이 밀생함. 날개는 투명하며, 그 기부와 중앙 날갯 가에는 뚜렷한 흑갈색 무늬가 있고 갈색 연문(緣紋)을 가짐. 한국에도 분포함.

〈대모잠자리〉

대:모 장도【玳瑁粧刀】명 칼자루와 칼집을 대모갑(玳瑁甲)으로 꾸민 장도(粧刀).

대:모-테【玳瑁一】명 대모갑으로 만든 안경테.

대:모-파리【玳瑁一】명〖충〗[*Stenodryomyza formosa*] 대모파릿과에 속하는 곤충. 몸길이 15-19 mm, 몸빛은 황갈색이며, 머리는 황적색이고, 흉배(胸背)의 중앙 및 양측연(側緣)에는 흑갈색의 종대(縱帶)가 있으며, 복부에는 황색 털이 밀생(密生)함. 날개는 황갈색에 흑갈색 반문(斑紋)이 다섯 개 있음. 연못 가나 숲 속에 사는데, 한국·일본·중국·인도 등지에 분포함.

〈대모파리〉

대:모파릿-과【玳瑁一科】명〖충〗[Dryomyzidae] 파리목(目)에 속(屬)하는 한 과. 퇴절(腿節)에는 극모(棘毛)가 없으며, 두부는 짧고 흉부와 거의 같은데, 얼굴에 자극모(髭棘毛)가 없음. 복부는 6절이고 원통상이며, 날개는 길고, 퇴절(腿節) 앞쪽 끝에는 한 개의 극모가 있음. 못이나 음습한 삼림에 삶.

대:모 풍잠【玳瑁風簪】명 대모갑(玳瑁甲)으로 만든 풍잠.

대:모한 관 대체의 줄거리가 되는 중요한. ¶~것부터 말하라.

대목[1] 명 ①설이나 추석 같은 것을 앞둔 가장 요긴(要緊)한 시기. ¶~장/설달 ~. ②가장 요긴한 고비 또는 경우. ¶그 ~이 가장 중요하다. ③가장 긴요한 자리.

대목[2] 명〈방〉동강.

대:목[3]【大木】명 ①큰 건축(建築)일을 하는 목수. ↔소목(小木). ②목수(木手).

대:목[4]【代牧】명〖천주교〗대목구를 관할하는 교구장. 정식 이름은 '교황 대리 감목구장(監牧區長)'으로, 교황청에 의해 임명되는 명의 주교임.

대목[5]【臺木】명 ①〖식〗접본(椄本). ②물체(物體) 등의 대(臺)가 되는 나무.

대:목-구【代牧區】명〖천주교〗교계(敎階) 제도가 설정되지 않은 지역을 교황청에서 직접 관할하는 교구. 정식 이름은 '교황 대리 감목구(監牧區)'로, 조선 시대 말기의 '조선 대목구'가 그 보기임.

대목-장【一場】명 큰 명절을 바로 앞에 두고 서는 장. ¶~이 붐비다.

대-못[1] 명 대로 깎아 만든 못. 죽정(竹釘).

대:-못[2]【大一】명 길고 굵은 못. 대정(大釘). 큰 못.

대못-박이 명〔대못이 물건을 뚫지 못한다는 뜻으로〕아주 둔하고 어리석어서 가르쳐도 깨닫지 못하는 사람의 비유.

대:몽【大夢】명 ①크게 길한 꿈. ②큰 꿈. 큰 이상(理想). ¶~을 품다.

대:묘【大廟】명〖역〗종묘(宗廟).

대:묘-서【大廟署】명〖역〗고려 때 종묘(宗廟)의 수위(守衛)를 맡은 관아. 충렬왕(忠烈王) 34년(1308)에 '침원서(寢園署)'로 고쳐 전의시(典儀寺)의 소속으로 하였다가, 공민왕(恭愍王) 5년(1356)에 본이름으로, 11년에 또 침원서로, 18년에 다시 본이름으로, 21년에 다시 침원서로 되는 등 여러 번 개변을 되풀이함.

대:무[1]【大巫】명 경력이 많고 뛰어난 큰 무당.

대:무[2]【大霧】명 짙게 낀 안개. 농무(濃霧).

대:무[3]【代務】명 대판(代辦)❷. ——하다 타여불

대:무[4]【隊舞】명〖악〗여러 무열(舞列)을 갖추고 군무(群舞)하는 무악(舞樂).

대:무[5]【對舞】명〖악〗마주 서서 추는 춤. ——하다 자여불

대:무-곡【對舞曲】명〖악〗17세기경에 영국의 전원(田園)에서 시작되어 유행한 무곡(舞曲). 콩트르당스(contredanse).

대:무-관【大廡官】명 큰 고을. 또, 큰 고을의 원. 큰 고을에는 문묘(文廟)에 좌우 양무(兩廡)가 있어서 생긴 말.

대:-무량수경【大無量壽經】명〖불교〗같은정토 삼부경(淨土三部經)의 하나인 아미타경(阿彌陀經)을 소경(小經)이라 일컫는 데 대하여, 무량수경(無量壽經)을 대경(大經)으로서 일컫는 딴이름.

대:무신-왕【大武神王】명〖사람〗고구려 제3대 왕. 동왕 9년(26)에 개마국(蓋馬國)을 정복하고 20년(37)에 낙랑군(樂浪郡)을 멸하였으며, 국토를 살수(薩水) 이북까지 확대하였음. [재위 18-44]

대:무의-도【大舞衣島】[—/—이—] 명〖지〗경기도 서해상(西海上), 옹진군(甕津郡) 용유면(龍游面) 무의리(舞衣里)에 위치한 섬. [9.50 km^2 : 1,531 명(1984)]

대:무-인【代務人】명 사무를 대신 보는 사람.

대:무지-년【大無之年】명 아주 심한 흉년. 대살년(大殺年).

대:문[1]【大文】명 ①주해가 있는 책의 본문. ②몇 줄이나 또는 몇 구로 이루어진 책 속의 글의 동강. ¶이 글은 두 ~으로 나뉜다.

대:문[2]【大門】명 큰 문. 집의 정문(正門). ↔소문(小門). *큰 문. [대문 밖이 저승이라] ㉠죽을 날이 멀지 않아 쉬 죽게 되었다는 말. ㉡사람은 언제 죽을지 모른다는 뜻. [대문이 가문(家門)] ㉠아무리 가문이 높아도 가난하여 집채나 대문이 작으면 위엄이 없어 보인다는 말. ㉡겉보기가 훌륭하여야 남의 눈에 위압을 준다는 말.

대:문[3]【大門】명 바둑에서, 넓게 벌이어서 상대방 돌을 가두어 잡는 장문(藏門).

대:문[4]【大蚊】명〖충〗꾸정모기.

대:문[5]【大紋】명 큰 무늬.

대:문[6]【帶紋】명 대상(帶狀)으로 된 무늬. 띠무늬.

대문[7]【臺聞】명 ①'듣는다'는 뜻의 존경어. ②'고귀한 사람이 듣는다'는 뜻.

대:문-가【對門家】명 대문이 마주 선 건넛집.

대:문-간【大門間】[—깐] 명 대문을 여닫기 위하여 만든 빈 칸. 곧, 대문 안쪽으로 있는 빈 칸.

대:문-놀이【大門一】명 두 아이가 양손을 잡고 올려 문을 만들고, 그 밑으로 다른 아이들이 빠져 나가는 놀이.

대문대문-이【大文大文一】부 글의 대문마다.

대:문-띠【大門一】명 대문짝의 널판에 가로 대고 못을 박는 네모진 나무.

대:-문자【大文字】[—짜] 명 ①웅대한 글. ②서양 글자의 큰 체로 된 글자. 대자(大字). 캐피털 레터. 1)·2):↔소문자(小文字).

대:-문장【大文章】명 웅대하고 잘된 글. 또, 그러한 글을 짓는 데 능한 사람. ¶당대의 ~.

대:문-짝【大門一】명 대문의 한 짝. ¶~ 만한 명함.

대:문-채【大門一】명 대문이 있는 집채.

대:문-턱【大門一】명 대문의 문턱.
[대문턱 높은 집에 정갱이 높은 며느리 들어온다] 다행한 일이나 격에 맞는 일에 비유하는 말.

대:물[1]【大物】명 ①큰 물건. ②목재(木材)·석재(石材) 등의 큰 것.

대:물[2]【代物】명 대신 되는 물건. 대품(代品). ¶~ 변제.

대:물[3]【貸物】명 빌려 준 물건. 빌려 주는 물건.

대:물[4]【對物】명 어떠한 물건에 대함. 또, 그 물건. ——하다 자여불

대:물-경【對物鏡】명〖물〗'대물 렌즈(對物 lens)'의 한자말. ↔접안경(接眼鏡).

대:물 담보【對物擔保】명〖법〗담보의 일종. 특정한 재산으로 채무의 이행을 보증하는 일. 질권(質權)·저당권(抵當權) 같은 것. 담보 물권(物權). ↔대인 담보(對人擔保).

대:물 렌즈【對物一】명〔objective lens〕〖물〗현미경과 망원경 같은 것의 물체로 향한 쪽의 렌즈. 대물경(對物鏡). 접물경(接物鏡). 접물 렌즈(接物 lens). ↔접안 렌즈(接眼 lens).

대:-물리다【代一】타 사물을 후대의 자손에게 남겨 이어 주다. ¶대물린 사업.

대:-물림【代一】명 ①대를 물리어 잇는 일. ¶부채 만드는 일을 ~하다. ②대를 물리는 물건. ¶도자기는 우리 집안 ~이다. ——하다 자타여불

대:물 방위【對物防衛】명〖법〗어떤 물건으로 인하여 급박한 침해(侵害)가 생긴 경우에 자신이나 제삼자의 권리를 방위하기 위하여 부득이 그 물건을 훼손(毁損)하는 일. 민법상으로도 불법 행위가 되지 아니함.

대:물 변:상【代物辨償】명〖법〗대물 변제(代物辨濟).

대:물 변:제【代物辨濟】명〖법〗채무자가 채권자의 승낙을 얻어 그 채권의 목적물 대신 다른 물건으로 채무를 변제하는 일. 대물 변상(代物辨償). 대물 판상(代物辨償). ——하다 자타여불

대-물부리【—뿌—】명 대로 만든 담배 물부리.

대:물-세【對物稅】[—쎄] 명〖법〗물세(物稅).

대:물 신:용【對物信用】명〖법〗직접 물적인 것에 기초를 둔 신용. 담보물에 대한 신용. 그 사람의 신상(身上)이나 형편 여하를 가리지 아니함. 질권(質權)·저당권 같은 것은 이 종류의 신용을 기초로 함. ↔대인 신용(對人信用).

대:물적 처:분【對物的處分】[—쩍—] 명〖법〗직접 물적(物的)·객관적 사정(事情)에 대하여 법률상의 자격을 부여하여 그것에 의하여 새로운 권리·의무·법률 관계를 발생시키는 행정 처분. 토지 수용(土地收用)의 결재(決裁), 공물(公物)의 공용 개시(公用開始), 도로나 하천 구역의 인정, 국보(國寶)나 중요 문화재의 지정, 조림지(造林地)의 지정 따위.

대:물 집행【對物執行】명〖법〗물적 집행(物的執行).

대:물 판상【代物辨償】명〖법〗대물 변제(代物辨濟).

대:물 판제【代物辨濟】명〖법〗대물 판상.

대:물 프리즘【對物一】명〔objective prism〕소각(小角)을 지닌 대형의 프리즘. 분광 관측(分光觀測)을 행할 때 사진용 망원경의 대물 렌즈 앞에 놓임.

대미[1] 명〈방〉〖어〗도미(전북·경남).

대:미[2]【大米】명 쌀. ↔소미(小米).

대:미[3]【大尾】명 맨 끝. 만미(滿尾). 대단원(大團圓).

대:미[4]【對美】명 미국에 대한 일. ¶~ 무역(貿易)/~ 관계.

대미[5]【黛眉】명 눈썹먹으로 그린 눈썹.

대:-미사【大彌撒】명〖천주교〗주요한 주일에 장엄하게 거행되던 미사. 대례(大禮) 미사. *장엄 미사·평미사.

대:미사일 방어【對一防禦】명〔antimissile defense〕〖군〗비행중인 적의 미사일을 탐지·포착·파괴하는 제반 수단.

대:미사일 요격용 미사일【對一邀擊用一】[—뇽—] 명〔antimissile missile; AMM〕〖군〗고성능 레이더로 적의 미사일의 비행 경로를 포착, 컴퓨터로 위치를 산출하여 발사하는 미사일. 먼저 대기권 밖에서 요격하여 목표물을 파괴하나, 요격하지 못한 목표물은 다시 저고도(低高度) 미사일로 파괴함. 고속(高速)으로 날아오는 목표물을 요격하여야 하기 때문에, 발사 후의 고가속(高加速)이 요구됨. 미사일 요격 미사일.

대:미-산【大美山】명〖지〗①강원도 평창군(平昌郡) 방림면(芳林面)과 봉평면(蓬坪面) 사이에 있는 산. [1,232 m] ②충청 북도 제천시(堤川

市)와 경상 북도 문경시(聞慶市) 사이에 있는 산. [1,116 m]

대미-수리 명〈방〉〖조〗독수리(함남).

대:-민【大民】명 문벌이나 지체가 좋은 시골 사람.

대:민-봉【大閔峰】명〖지〗함경 북도 무산군(茂山郡) 어하면(漁下面)과 서하면(西下面) 사이에 있는 함경(咸鏡) 산맥의 첫머리 부분의 봉우리. [1,619 m]

대빡리 명〈옛〉대싸리. ¶ 대빡리(荊條)≪字會 上 10≫.

대빡개 명〈옛〉대쪽. ¶ 簡은 대빡개니 네는 죠히 업서 대롤 엿거 그를 쓰더니라 ≪月釋 Ⅷ:96≫.

대뽁 명〈옛〉대쪽. ¶ 대뽁 멸(篾)≪字會 下 16≫ / 대뽁 간(簡)≪類合 下 61≫.

대-바구니 명 대로 엮어 만든 바구니. *대소쿠리.

대-바늘 명 대로 만든, 끝이 곧고 뾰족한 뜨게바늘의 하나. 죽침(竹針).

대:박【大舶】명 ①큰 배. ②큰 물건을 가리키는 말.

대:박 미:산【大樸未散】명 질실(質實)한 기풍이 아직까지 있음. ——하다 형여불

대:반¹【大半】명 태반(太半).

대:반²【大盤】명 ①큰 소반. 큰 목판. ②많이 잘 차린 음식.

대:반³【對盤】명 구식 혼인에서, 신랑이나 신부 또는 후행 온 사람의 옆에서 접대하는 사람.

대:반 앉다 구 대반의 역할을 하다.

대:-반석¹【大盤石】명 ①큰 바위. ②사물이 견고(堅固)하여 움직이지 않음의 비유. ¶ 회사를 ～ 위에 올려 놓다.

대-반석²【臺盤石】명 돌탑을 세울 때 기단(基壇)의 밑바닥에 까는 반석.

대:-반야【大般若】명〖불교〗↗대반야경.

대:-반야경【大般若經】명〔←대반야 바라밀다경(大般若波羅蜜多經)〕〖불교〗반야(般若)를 설명한 여러 경전(經典)을 집성(集成)한 것. 만유(萬有)는 우리가 보는 것과 같은 실유(實有)가 아니고 개공 무상(皆空無相)이라는 대승(大乘) 불교의 근본 사상이 설명되어 있음. 중국 당(唐)나라의 현장(玄奘)이 현경(顯慶) 원년(660)부터 4년에 걸쳐 번역한 것으로, 전 600권임. 반야경(般若經). ㊌대반야.

대:반야경-회【大般若經會】명〖불교〗대반야경을 전독(轉讀)하는 법회(法會). 국가의 안녕(安寧)을 빌고 진혼(鎭魂)을 위하여 많은 중이 모여서 행함. ㊌대반야회·반야회.

대:반야 바라밀다경【大般若波羅蜜多經】[—따—] 명〖불교〗대반야경.

대:반야 바라밀다 심경【大般若波羅蜜多心經】[—따—] 명〖불교〗반야심경.

대:반야-회【大般若會】명〖불교〗↗대반야경회(大般若經會).

대:반 열반경【大般涅槃經】명〖불교〗석존 입멸(釋尊入滅)할 때의 설법(說法)을 기록한 경전(經典). 법신 상주(法身常住)·일체 중생(一切衆生)은 누구나 다 법성(法性)을 가지고 성불(成佛)할 수 있다는 것 등을 해설하였음. 남본(南本)과 북본(北本)으로 되어 있는데, 전자는 36권, 후자는 40권임. ㊌열반경.

대-받다¹ 타 남의 말에 반항하여 들이대다.

대:-받다²【代—】타 ①앞사람의 사물을 뒷사람이 이어받다. ②부조(父祖)의 업을 자손이 이어받다.

대-발¹ 명 대로 결어 만든 발. 죽렴(竹簾).

대:발²【大發】명 크게 일으킴. 많이 냄. ——하다 타여불

대:-발회【大發會】명 거래소에서, '발회(發會)'의 미칭(美稱). ↔대납회(大納會).

대밤플 명〈옛〉대왐풀. ¶ 白芨鄕名竹栗膠 ≪月令 二月≫.

대:방¹【大方】명 학문과 견식이 높은 사람. 박학한 사람. 식자(識者). 대방가(大方家).

대:방²【大方】명〖한의〗소아과(小兒科)가 아닌 어른의 병만 다스리는 의술. 또, 그 의원(醫員).

대:방³【大邦】명 큰 나라. 대국(大國).

대:방⁴【大房】명 ①큰 방. ②〖불교〗절의 큰 방. 곧, 모든 중이 한데 모여 밥을 먹는 큰 방. ③남의 어머니나 할머니에 대한 존칭. ¶ ～ 마님. ④〖역〗조선 시대 보부상(褓負商) 임원 중의 하나. 동몽청(童蒙廳)의 우두머리.

대:방⁵【代房】명 남을 대신하여 일을 처리함. 대판(代辦). ——하다 타여불

대:방⁶【帶方】명〖역〗대방군.

대:방⁷【帶枋】명〖건〗띠방².

대:방-가【大方家】명 문장이나 학술이 뛰어난 사람. 대방(大方). ㊌대가(大家).

대:방광불 화엄경【大方廣佛華嚴經】명〖불교〗광대 무변한 부처가 일체의 중생(衆生)과 만물(萬物)을 포함하고 있어, 마치 향기 높은 꽃으로 장식되어 있는 것과 같다는 뜻으로, 화엄경(華嚴經)의 정식 이름. 진본(晉本) 1권과 주본(周本) 1권이 각각 국보(國寶)로 지정되어 있음.

대:방광 원각 수다라 요:의경【大方廣圓覺修多羅了義經】[—/—이—] 명〖불교〗원각경(圓覺經).

대:방-군【帶方郡】명〖역〗후한(後漢) 헌제(獻帝) 건안 연간(建安年間)(196-220)에 만주에서 세력을 잡고 있던 공손 강(公孫康)이 옛 진번(眞蕃) 땅에 베푼 군(郡). 미천왕(美川王) 14년(313)에 낙랑군(樂浪郡)이 멸망한 뒤 얼마 아니 되어 고구려에 병합되었음. 대방(帶方).

대:방등 대:집경【大方等大集經】명〖불교〗부처가 욕계(慾界)·색계(色界)의 이계(二界)의 중간에서 널리 불보살을 모아 대승(大乘)의 법을 설한 경전(經典). 현행 60권은 중국 북량(北凉)의 승려(僧侶) 담무참(曇無讖)이 번역한 것임. ㊌대집경(大集經).

대:-방상【大方牀】명 큰 상여. 옛날에는 삼공(三公)과 구경(九卿) 만이 쓸 수 있었음. 대여(大輿). ↔소방상(小方牀).

대방전¹ 명 향(香)의 한 가지.

대:-방전²【大方甎】명〖건〗성벽이나 담을 쌓는 데 쓰는 네모 반듯한 벽돌. 세로·가로가 각각 두 자, 높이가 네 치임. ↔소방전(小方甎).

대:방-치다【代房—】타 대방(代房)하다. ¶ 임시 변통으로 대방쳐서 조립(組立)하다.

대-밭 명 대를 심은 밭. 대가 많이 난 땅. 죽전(竹田).

대:배¹【大盃·大杯】명 대백(大白). 대잔(大盞).

대:배²【大拜】명〖역〗의정(議政) 벼슬을 받음. ——하다 자여불

대:배³【代拜】명 대리로 임명(任命)을 받음. ——하다 타여불

대:-배심【大陪審】명〖법〗배심제(陪審制)에 있어서, 기소(起訴)를 행하는 일. 기소 배심(起訴陪審).

대:-배우자【大配偶子】명〔macrogamete〕〖생〗배우자에 대소의 두 가지 형의 구별이 있을 때 대형(大形)의 배우자. 곧, 암배우자의 일컬음. 자성(雌性) 배우자. ↔소배우자.

대:백¹【大白】명 큰 술잔. 대배(大盃·大杯).

대:백²【戴白】명 머리에 백발(白髮)이 남. 또, 그러한 노인.

대:-백로【大白鷺】[—노] 명〖조〗[*Egretta alba alba*] 백로과에 속하는 새. 날개 길이 40 cm, 꽁지 16 cm, 부리 13 cm 가량이고, 몸빛은 온 몸이 백색이며, 생식 계절에는 머리에서 등까지 장식 깃털이 생김. 부리는 등황색이나 생식 계절에는 기부(基部) 이외의 부분이 검게 변하며 눈가의 나출부(裸出部)는 황백색임. 유럽·아시아에 분포하는데, 한국·일본 등지에서 월동함. 큰해오라기. ㊌대로(大鷺). *중백로.

〈대백로〉

대:백-색【帶白色】명 흰 빛을 띤 빛깔.

대:-백의【大白衣】[—/—이] 명〖불교〗①↗대백의법(大白衣法). ②삼십삼 관음(觀音)의 하나. 백의(白衣)를 입은 관음.

대:백의-법【大白衣法】[—뻡/—이뻡] 명〖불교〗밀교(密敎)에서, 대백의 관음을 본존(本尊)으로 하고 닦는 비법(祕法). ㊌대백의(大白衣).

대버넌트〔D'Avenant, William〕명〖사람〗영국의 시인·극작가. 영국 최초의 오페라 양식을 확립하여 영국 무대극의 기틀을 잡음. [1606-68]

대:번¹【大藩】명 영토(領土)가 넓은 제후(諸侯).

대:번²【代番】명 남을 대신하여 번을 듦. 또 그 번(番). ¶ ～ 들다. ——하다 타여불

대번³ 부 ↗대번에.

대번-에 부 서슴지 아니하고 단숨에. 쉽사리. ¶ ～ 알아채다. ㊌대번.

대:벌【待罰】명 대죄(待罪). ——하다 자여불

대-벌레 명〖충〗[*Phraortes elongatus*] 대벌렛과에 속하는 곤충. 몸길이 70-100 mm이고, 몸은 가는 원기둥꼴이며, 몸빛은 녹색 내지 황록색이고, 머리는 전흉배(前胸背)보다 길며, 수컷은 머리 위에 한 쌍의 가시가 있음. 복안(複眼) 사이에는 두 개의 흑점이 있고 날개는 완전히 퇴화함. 가죽나무·전나무 등의 잎을 갉아 먹음. 한국·일본에 분포함. 죽절충(竹節蟲).

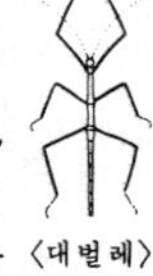

〈대벌레〉

대벌렛-과【—科】명〖충〗[Phasmidae] 메뚜기목(目)에 속(屬)하는 한 과. 몸은 막대 또는 나뭇잎 모양이며 날개는 없는 것이 보통임. 입은 저작구(咀嚼口)이며 촉각은 길고 실 모양임. 알은 보통 봄에 부화되어 3개월 내외에 성충이 되며, 그 사이에 4-6회 허물을 벗음. 초식성(草食性)임. 대벌레·긴수염대벌레 등이 이에 속함.

대:범¹【大犯】명 큰 범죄. 대죄(大罪).

대:범²【大梵】명〖불교〗대범천(大梵天)❶.

대:범³【大凡】부 무릇². ¶ ～ 사람의 마음에 어느 때까지든지 박히어 잊히지 아니하는 것은…≪隱菊散人 : 누구의 죄≫.

대:범-스럽다【大泛—】형ㅂ불 대범한 태도(態度)가 있다. 대:범-스레【大泛—】부

대:범-왕【大梵王】명〖불교〗대범천왕(大梵天王).

대:범-천【大梵天】명〖불교〗①색계 십팔천(色界十八天)의 하나. 초선천(初禪天)의 제 3천(天). 대범(大梵). ②↗대범천왕. *범중천(梵衆天)·범보천(梵輔天).

대:범천-왕【大梵天王】명〖불교〗대범천의 주인. 음욕(淫慾)을 떠나 청정(淸淨) 결백한 신. 대범왕(大梵王). ㊌대범천(大梵天).

대:범-하다【大泛—】형여불 사물에 대하여 잘게 굴거나 까다롭게 굴지 않다. 애틋하지 않고 예사롭다. 대:범-히【大泛—】부

대:법【大法】명 ①가장 중요한 법규(法規). 대율(大律). ②〖법〗↗대법원(大法院). ③〖불교〗뛰어난 부처의 교법(敎法). ④대승(大乘)의 별칭. ⑤수법(修法)의 하나. 진언 밀교(眞言密敎)의 수법 중 가장 중요시되는 일.

대:-법관【大法官】명〖법〗대법원장과 더불어 대법원을 구성하는 법관. 대법원장을 포함하여 14명으로 하고, 대법원장을 제외한 13명은 대법원장의 제청으로 국회의 동의를 얻어 대통령이 임명하며, 임기는 6년임. 연임(連任)할 수 있음.

대:법관 회:의【大法官會議】[—/—이] 명〖법〗대법원장을 의장으로 하고 대법관 전원으로 구성되는 합의 기관. 대법관 전원의 3분의 2 이상의 출석과 출석 인원 과반수의 찬성으로, 판사의 임명에 대한 동의, 대법원 규칙의 제정과 개정, 판례의 수집과 간행, 예산의 요구, 예비금 지출과 결산에 관한 사항 등을 의결함.

대:-법원【大法院】명〖법〗사법 기관으로서 헌법에 규정된 최고의 국가 기관. 대법원장을 포함한 14명의 대법관으로 조직되며, 상고 사건(上告事件), 항고(抗告)·고등·항소(抗訴)·특허 법원의 결정·명령에 대한 재항고 사건 등을 종심(終審)으로 심판함. 또한, 사법 행정에 관하여도 최고의 기관임. ㊌대법(大法).

대:법원 법관 회:의【大法院法官會議】[—/—이] 명〖법〗'대법관 회의'의 구칭.

대:법원-장【大法院長】명〖법〗대법원의 장(長). 대통령이 국회의 동의를 얻어 임명하며, 임기는 6년임. 중임(重任)할 수 없음.

대:법원 판사【大法院判事】명〖법〗'대법관'의 구칭.

대:-법정【大法廷】명 ①큰 법정. ②〖법〗대법원 판사 3분의 2 이상으

로 구성되는 합의체. 명령·규칙이 법률에 위반됨을 인정할 때, 대법원의 종전 판례를 변경할 필요가 있음을 인정할 때, 또 대법원부(部) 즉, 소법정에서 재판함이 적당하지 아니함을 인정할 때와 부에서 의견 일치를 보지 못한 때에 이를 심리·재판함. ↔소법정(小法廷).

대:-법회【大法會】명〖불교〗규모가 큰 법회. 경전(經典)을 설(說)하는 큰 법회.

대:벽【大辟】명 중형(重刑). 사형(死刑). 대륙(大戮).

대:변[1]【大便】명 사람의 똥. ↔소변.
　대:변(을) 보다 구 '똥누다'를 점잖게 일컫는 말. 뒤보다.

대:변[2]【大辯】명 대단히 뛰어난 언변(言辯). 웅변(雄辯). 능변(能辯). 달변(達辯).

대:변[3]【大變】명 큰 사변(事變). 중대한 변고(變故).

대:변[4]【代辨】명 ①남을 대신하여 변상함. 대상(代償). 대판(代辦). ②사무(事務)를 대리(代理)함. ——-하다 자여불

대:변[5]【代辯】명 남이나 어떤 기관(機關)을 대신하여 그의 의견이나 태도를 책임지고 말함. ——-하다 자여불

대:변[6]【待變】명 병세가 대단하여 살아날 가망이 없게 됨.

대:변[7]【貸邊】명〖경〗복식 부기(簿記)의 분개법(分介法)에 있어서 장부상의 계정 계좌(計定計座) 오른쪽을 말함. 자산(資産)의 감소(減少)·부채 또는 자본의 증가·이익의 발생 등을 기입하는 부분. ↔차변(借邊).

대:변[8]【對邊】명〖수〗상대하는 변. 어떤 변이나 각(角)에 상대되는 위치에 있는 변. 맞변.

대:변[9]【對辯】명 대답하여 말함. ——-하다 자여불

대:변 불리【大便不利】명 대변이 고르지 못함. 또, 대변 나오는 것이 시원하지 아니함. ——-하다 자여불

대:변 불통【大便不通】명 심한 변비(便秘)로 대변이 잘 나오지 아니함. ——-하다 자여불

대:변-선【待變船】명〖역〗조선 시대 후기에, 비상 사태에 대비하여 요충지(要衝地)에 대기시켜 둔 군선(軍船).

대:변 여눌【大辯如訥】명 워낙 말을 잘하는 사람은 함부로 지껄이지 아니하기에 도리어 말더듬이처럼 보임. ——-하다 형여불

대:변-인【代辯人】명 어떤 기관(機關)이나 단체를 대신하여 책임지고 그의 의견이나 태도를 밝혀 말하는 사람. 대변자. ¶ 정부 ~.

대:변-자【代辯者】명 대변인.

대:변 장:자【大辯長者】명〖불교〗지장 보살(地藏菩薩)의 오른쪽에 있는 보처존(補處尊).

대:변재 공덕천【大辯才功德天】명〖불교〗변재천(辯才天).

대:변-중【待變中】명 병세가 대단히 위독하여 살아날 가망이 없게 된 상태에 있음.

대:변-지【代辯紙】명 어떤 기관의 의견과 태도를 대변하는 신문·잡지. ¶ 정부 ~. *기관지(機關紙).

대:별【大別】명 크게 구별함. 대강 분류함. ↔세별(細別). ——-하다 타여불

대:별 산맥【大別山脈】명〖지〗다볘(大別) 산맥.

대:병[1]【大兵】명 대군(大軍).

대:병[2]【大柄】명 큰 권력.

대:병[3]【大病】명 위중한 병. 중병(重病). 중환(重患).

대:병력 전:략【對兵力戰略】[-녁절-] 명 [counter force]〖군〗보복 반격(報復反擊)의 목표를 미사일 발사 기지 등, 군사 기지를 포함한 병력에 두는 전략. 대도시 반격 전략(對都市反擊戰略)에 상대되는 말.

대:보[1]【大保】명〖역〗태보(太保)[1]❷.

대:보[2]【大輔】명〖역〗고구려·신라 초기에, 재상(宰相)에 해당하는 관직.

대:보[3]【大寶】명 ①귀중한 보물. 지보(至寶). ②〖불교〗가지(加持)에 사용하는 호마단(護摩壇). ③〖역〗임금의 도장. 인새(印璽). 어보(御寶). 국새(國璽).

대보[4]【臺輔】명〖역〗중국 삼공(三公)의 지위로서 천자(天子)를 보좌하던 사람.

대:-보다 타 서로 견주어 보다. ¶ 누가 큰가 키를 ~.

대:보-단【大報壇】명〖역〗임진 왜란 때 군대를 파견해 준 명(明)나라 황제 신종(神宗)과 마지막 황제 의종(毅宗)의 은혜에 보답하기 위하여 창덕궁(昌德宮) 후원(後苑)에 쌓은 제단(祭壇). 숙종(肅宗) 30년(1704)에 지음.

대-보름[1] 명〈방〉한가위 (경북).

대:-보름[2]【大一】명〖민〗↗대보름날.

대:-보름날【大一】명〖민〗음력 정월 보름의 '상원(上元)'을 특별히 일컫는 말. 열나흗날은 소보름이라고 함. 준대보름.

대:-보살【大菩薩】명〖불교〗지덕(智德)이 가장 뛰어난 보살.

대:-보수【大補修】명 ①크게 보수함. ¶ ~ 공사. ②〖경〗비교적 장기간에 걸쳐 고정 재산(固定財産)의 많은 부분을 교체(交替)하거나 또는 그의 가장 기본적인 부분을 교체하는 일.

대:보원-전【大補元煎】명〖한의〗원기와 정혈(精血)을 돕는 탕약.

대:-보적경【大寶積經】명〖책〗불교 경전의 하나. 대승(大乘)의 법보(法寶)를 쌓은 경전이라는 뜻. 현재 있는 대보적경은 중국 당(唐)나라 보살 유지(流志)가, 이미 번역되어 있는 23권과, 뜻이 통하지 않는 것을 다시 번역한 15권과, 아직 번역 못한 것 12권을 번역하여 120권으로 만든 것임. 장수(長壽) 2년(693)에 지었다는 설과, 신룡(神龍) 2년(706)에 착수하여 천선(天先) 2년(713)에 완성하였다는 두 설이 있음. 준보적경(寶積經).

대:보 조:산 운:동【大寶造山運動】명〖지〗[대보(大寶)는 평양 부근에 발달된 대보층(大寶層)이 심하게 습곡(褶曲)을 받은 대동층군(大同層群)을 경사 부정합(傾斜不整合)으로 덮은 데서 유래] 한반도에 있어서 중생대 쥐라기(Jura紀)에 일어난 습곡(褶曲) 운동. 우리 나라에 있었던 가장 큰 지각 변동이었음.

대:-보초【大堡礁】명〖지〗오스트레일리아 북동부 해안에 있는 세계 제일의 큰 산호초(珊瑚礁). 길이 2,000 km, 폭 15-140 km 로서 20만 km^2의 수면(水面)을 차지함. 이 보초 밖은 물이 깊고 남동 무역풍을 받아 풍파가 높음. 보초 안은 얕고 파도가 잔잔하여 항해에 적합하고, 산호해에 서식(棲息)하는 진귀(珍貴)한 생물과 아름다운 수역의 풍경이 유명함. 1954년 세계 최초의 해중(海中) 공원으로 지정됨. 그레이트 배리어 리프(Great Barrier Reef).

대:보-탕【大補湯】명〖한의〗↗십전 대보탕(十全大補湯).

대:-보표【大譜表】명 [great staff]〖악〗'큰 보표'의 한자 이름.

대:복【大福】명 큰 복력(福力).

대:-복덕【大福德】명 큰 복덕.

대복-석【臺覆石】명〖건〗대갑석(臺甲石).

대:복-시【大僕寺】명〖역〗태복시(太僕寺).

대:복-자【大腹子】명 빈랑(檳榔)의 씨. 빈랑자(子)와 같으나 모양이 편평한 원형(圓形)이고 크며, 거죽은 흑갈색이고 속은 야자 껍질 같음.

대:복-피【大腹皮】명〖한의〗대복자의 껍질. 곽란(霍亂)·가슴앓이·중서(中暑)·입덧·부증(浮症)의 약재로 씀.

대:본[1]【大本】명 ①크고 중요한 근본. ②같은 종류의 물건에서 가장 큰 본새.

대:본[2]【貸本】명 돈을 받고 빌려 주는 책. 세책(貰冊).

대본[3]【臺本】명〖문〗①연극의 상연(上演)이나 영화의 촬영에 있어서 기본이 되는 각본. ¶ 연극 ~. ②어떠한 토대가 되는 책. ¶ 영어판(英語版)을 ~으로 하여 번역하다.

대:-본영【大本營】명〖일제〗전시(戰時)에 일본 천황(天皇) 직속으로 두었던 최고의 통수부(統帥部). 육군의 총참모장과 해군의 군령부장(軍令部長)을 장으로 하여, 작전(作戰)에 참여하고, 육해 양군의 협동을 도모함. 1944년 7월에 '최고 전쟁 지도 회의(最高戰爭指導會議)'로 개칭함.

대:-본원【大本願】명〖불교〗불타(佛陀)가 중생(衆生)을 제도(濟度)하려는 큰 염원(念願).

대:봉[1]【大封】명 큰 봉토(封土).

대:봉[2]【代捧】명 ①〖역〗조선 후기에, 환곡(還穀)을 상환하는 데, 꾸어 준 곡식이 흉작일 때 다른 곡식으로 대신 갚게 한 일. ②〖역〗조선 후기에, 서울에 상번(上番)할 군사가 그 임무(任務)에서 빠지고 대신 바치는 값. 보통, 베로 바침. ③셈할 돈이나 물건을 대신하여 다른 것으로 주고받음. ——-하다 타여불
　대:봉(을) 치다 구 다른 것으로 대신 보충하다. ¶ 망실품(亡失品)을 사다가 ~.

대:봉-산【大峰山】명〖지〗평안 북도 초산군(楚山郡) 강면(江面)과 벽동군(碧潼郡) 가별면(加別面) 사이에 있는 산. [1,149 m]

대:봉 유소【大鳳流蘇】[-뉴-] 명 상여의 네 귀에 늘어뜨리는 큰 매듭술.

대:부[1]【大父】명 할아버지와 한 항렬(行列) 되는 유복친(有服親) 밖의 남자.

대:부[2]【大夫】명〖역〗①중국에서 관위(官位)의 이름. 주(周)나라 때에는 경(卿)의 아래, 사(士)의 위인 집정관(執政官)으로, 상대부(上大夫)·중(中)대부·하(下)대부의 세 등급으로 갈림. 또, 진(秦)나라 때의 작위(爵位)의 이름. ②벼슬의 품계(品階)에 붙이는 칭호. 중국 진한(秦漢)이후에, 어사(御史) 대부·광록(光祿) 대부 등으로 쓰이었으며, 우리 나라에서는 고려 때부터 이 제도를 썼음. 조선 왕조 때, 문관 사품(四品) 이상, 무관 이품(二品) 이상에 붙임. ¶ 간의(諫議) ~/숭록(崇祿) ~. *도위(徒尉)·낭(郎).

대:부[3]【大府】명〖역〗①신라 조부(調府)를 경덕왕(景德王) 때 고친 이름. ②고려 때, 나라의 재화(財貨)를 저장하던 부고(府庫)의 하나.

대:부[4]【大斧】명 큰 도끼.

대:부[5]【大部】명 책의 분량이 큼. ¶ ~의 저술.

대:부[6]【大富】명 큰 부자. ¶ 당대의 ~.

대부[7]【大傅】명〖역〗태부(太傅)❷.

대:부[8]【代父】명〖천주교〗성세(聖洗)와 견진(堅振) 성사(聖事)를 받을 때에 정하는 신친 후견 남자(神親後見男子). 교부(敎父). *대모(代母).

대:부[9]【貸付·貸附】명 ①이자와 기한을 정하여, 차용 증서를 받고 돈을 빌려 줌. ②반환의 약속으로 어떤 물건을 남에게 교부하여 사용과 수익(收益)을 허락함. ——-하다 타여불

대:부[10]【隊副】명〖역〗조선 시대 무관 잡직(雜職)의 종9품 벼슬.

대:부-감【大府監】명〖역〗고려 때 대부시(大府寺)의 뒷 이름. 공민왕(恭愍王) 5년(1356)에 내부시(內府寺)를 고친 이름. 11년에 다시 내부시로 고침.

대:부-계【貸付係】명 은행 기타의 금융 기관에서, 대부에 관한 업무를 맡아 보는 계(係).

대:부-금【貸付金】명 대부하여 주는 돈. *대금(貸金).

대:-부대【大部隊】명 규모가 큰 부대. ↔소부대.

대:부-도【大阜島】명〖지〗인천 광역시, 옹진군(甕津郡) 대부면(大阜面)에 위치한 섬. 인천의 남쪽 39.5 km에 있음. [34.39 km^2]

대:부-동 명 ☞대부등(大不等).

대:-부등【大不等】명 매우 큰 아름드리의 재목(材木). ↔소부등.
　[대부등에 곁낫질이라] 큰 아름드리 나무를 조그마한 낫으로 베려는 것과 같다는 뜻으로, 세력이 강대한 데 대하여 심히 작은 것을 비유하는 말.

대:부-료【貸付料】명 임대차 계약(賃貸借契約)의 대부에 있어서 차주(借主)가 대주(貸主)에게 지불하는 요금. 지대(地代)나 집세 같은 것.

대부리 명〈방〉〖어〗고너리.

대:-부모[1]【大父母】명 조부모(祖父母). 왕부(王父)와 왕모(王母).

대:-부모[2]【代父母】명〖천주교〗대부(代父)와 대모(代母)의 총칭(總稱). ↔대자녀(代子女).

대:-부벽준【大斧劈皴】명〖미술〗동양화의 준법(皴法)의 하나. 암석의 험준한 느낌을 표현하는 데 쓰임. 도끼로 쪼갠 단면(斷面)과 비슷한 데서 나온 말.

대:-부분【大部分】㊀명 반이 훨씬 넘는 수효나 분량. ↔소부분. ㊁부

거의 모두. ¶ ~ 찬성했다.

대:부 사:자【大夫使者】명〖역〗고구려 후기 직제의 삼품(三品) 쯤 되는 벼슬. 우태수 사자(優台水使者). 태대사자(太大使者). 알사(謁奢).

대:부상-고【大府上庫】명〖역〗고려 때 장흥고(長興庫)의 전 이름. 충렬왕(忠烈王) 34년(1308)에 장흥고라 고침. ＊장흥고(長興庫).

대:부-서【大部書】명 부피가 큰 책.

대부-석【臺覆石】명〖건〗대갑석(臺甲石).

대:부-시【大府寺】명〖역〗고려 때 궁중(宮中)의 재화(財貨)를 맡아 보던 관아. 충렬왕(忠烈王) 24년(1298) 정월에 충선왕(忠宣王)이 즉위하여 '외부시(外府寺)'라 고쳤다가, 동년(同年) 8월에 충렬왕이 복위(復位)하여 다시 본이름으로 회복하고, 34년에 '내부사(內府司)'로, 뒤에는 다시 '내부시(內府寺)'로, 공민왕(恭愍王) 5년(1356)에 '대부감(大府監)'으로, 11년에 '내부시'로, 18년에 또 본이름으로, 21년에 '내부시'로 개변(改變)을 되풀이함.

대:부 신:탁【貸付信託】명〔loan trust〕〖경〗신탁 은행이 대부 신탁 증권을 발행하여 모인 자금을 대부·운영해서 그 이익을 증권 소유자에게 분배하는 제도.

대:부 어음【貸付一】명〖경〗돈의 대차 관계(貸借關係)에 있어서, 그 지불을 확보하기 위하여 차용 증서에 대신해서 차주(借主)로부터 대주(貸主)에게 교부하는 어음. ＊어음 대부.

대:부 이:자【貸付利子】명〖경〗대출(貸出) 이자의 하나. 증서·어음 등을 담보로 하여 금전을 대부할 때의 이자. ＊할인율(割引率).

대:-부인【大夫人】명 ①남의 어머니의 경칭(敬稱). 모당(母堂). 모부인(母夫人). ②천자(天子)를 낳은 부인(夫人).

대:부 자:금설【貸付資金說】명〖경〗이자율(利子率) 결정에 관한 경제 학설의 하나. 이자율은 대부 자금의 수요(需要)와 공급(供給)에 의하여 정해진다고 주장하는 학설. 제창자(提唱者)로는 영국의 경제학자 로버트슨(Robertson, D.H.; 1890-1963)과 오스트리아 출생의 미국 경제학자 하벌러(Haberler, G.; 1900-　　)를 들 수 있음.

대:부 자본【貸付資本】명〖경〗산업(産業) 자본에 대하여 화폐의 형태로 자본을 대부함으로써 이자를 취득하는 자본. 은행 자본이 대표적임. ＊상업 자본.

대:부-전【大傅典】명〖역〗신라 시대의 관청의 하나. 왕이나 동궁(東宮)의 훈도(訓導)·보도(輔導)를 맡음.

대:부-항【大父行】명 할아버지 항렬(行列). 조항(祖行).

대:북[1]【大北】명〖역〗북인(北人)의 한 분파. 임진 왜란 직후인 선조 32년(1599)에 같은 북인인 홍여순(洪汝諄)과 남이공(南以恭) 등 사이에 반목이 생겨 갈린 후 홍여순의 파의 일컬음. ↔소북(小北).

대:북[2]【對北】명 북쪽 또는 북방(北方)에 대(對)함. ↔대남(對南).

대북[3]【臺北】명〖지〗'타이베이(臺北)'를 우리 음으로 읽은 이름.

대:분[1]【大分】명 크게 나눔. ——-하다 타여불

대:분[2]【大墳】명 큰 무덤. 「다 자타여불

대:분[3]【貸盆】명 돈을 받고 분재(盆栽)를 빌려 줌. 또, 그 분재. ——-하

대:-분류【大分類】[一불一] 명 크게 분류함. ——-하다 타여불

대:분 망천【戴盆望天】명 머리에 쟁반을 이고 하늘을 바라볼 수 없듯이, 두 일을 함께 겸하기 어렵다는 뜻.

대:-분수【帶分數】[一쑤] 명〖수〗정수(整數)와 진분수(眞分數)와의 합(合)으로 이루어진 수. $7^{3}/_{5}$ 같은 것. 혼수(混數).

대:-분열【大分裂】명〔Great Schism〕〖천주교〗1378-1417년 사이에 로마와 프랑스 아비뇽(Avignon)에 각각 교황(敎皇)이 있어 교회가 둘로 분열 대립했던 일. 1414-18년의 콘스탄츠 공의회(公議會)에 의하여 1417년에 마르티누스 5세가 새 교황으로 선출되면서 로마 교회로 통일되고 분열이 끝났음. 대이교(大離敎).

대:-분지【大糞池】명 ☞ 분지(糞池).

대:-분청음【大分淸飮】명〖한의〗분청음(分淸飮)을 소분청음에 상대하여 일컫는 말. ↔소분청음(小分淸飮). 「불상.

대:불[1]【大佛】명〖불교〗큰 부처. 장육(丈六), 곧 약 4.8 m 이상이 되는

대:불[2]【對佛】명 프랑스에 대한 일.

대:불 개안【大佛開眼】명 ①〖불교〗불상(佛像)을 만들어 다 이루어져 갈 때 행하는 의식(儀式). ②슬기로운 눈을 뜨게 한다는 뜻이니, 최후의 완성을 가리키는 말.

대:-불경【大不敬】명 대단한 불경. 특히 왕실(王室)에 대한 불경.

대:불 공:양【大佛供養】명〖불교〗대불을 공양하는 일. ——-하다 자여불

대:불광-사【大佛光寺】명〖불교〗중국 산시 성(山西省) 왕타이 현(王臺縣) 동북쪽의 절. 불전(佛殿)은 당말(唐末)에 세운 목조 건축으로 당대의 오직 하나인 유구(遺構)임.

대:불 대:동맹【對佛大同盟】명〖역〗프랑스 혁명에서 나폴레옹 시대까지 프랑스에 대항하기 위하여 1792-1813년 사이에 다섯 번에 걸쳐 유럽 제국(諸國) 사이에 맺어진 동맹의 총칭. 주로 영국이 주도권을 잡았으며, 나폴레옹 타도에 성공하자 해체되었음.

대:불-전【大佛殿】[一쩐] 명〖불교〗대불을 안치한 전당(殿堂).

대:불정 다라니【大佛頂陀羅尼】[一쩡一] 명〖불교〗능엄주(楞嚴呪).

대:-불핍인【代不乏人】명 어느 시대나 인재(人材)가 없지 아니함.

대:-불행【大不幸】명 큰 불행.

대:붕【大鵬】명 하루에 9만 리(里)나 날아간다는 상상의 큰 새. 곤(鯤)이라는 물고기가 변해 되었다 함. 붕새.

대:붕-란【大鵬卵】[一난] 명 오리 알을 많이 깨뜨려서 노른자는 양(羊)의 창자에 넣어 끝을 동인 뒤에, 다시 돼지 창자에 흰자와 같이 넣어 시루에 쪄서 익힌 뒤에 말굽 모양으로 썰어서 만든 요리.

대:-브리튼【大一】〔Britain〕명 대영 제국(大英帝國).

대:브리튼 섬【大一】〔Britain〕명〖지〗영국 본토의 주요부를 이루고 있는 세계 제6의 큰 섬. [229,800 km²]

대-비[1] 명 가는 댓가지나 또는 잘게 쪼갠 대오리를 엮어서 만든 비.

대:-비[2]【大一】명 마당 같은 데를 쓰는 큰 비.

대:비[3]【大比】명〖역〗옛날에 3년마다 슬기롭고 능력 있는 사람을 등용(登用)하는 시험. 곧, 과거(科擧)의 일컬음.

대:비[4]【大妃】명 선왕(先王)의 후비(后妃).

대:비[5]【大悲】명〖불교〗①중생의 고통을 구제(救濟)하는 부처의 큰 자비(慈悲). 대자(大慈). ¶ 대자 ~. ②↗대비 보살(大悲菩薩).

대:비[6]【對比】명 ①서로 맞대어 비교함. 대조(對照). ②〖심〗두 개가 대립되는 감각이나 감정, 기타의 심적 활동(心的活動)이 시간적·공간적으로 접근하여 나타날 때에 대립된 특성(特性)이 서로 강하게 되어, 그 차이가 현저하게 나타나는 현상. ③〔correlation〕〖지〗서로 떨어져 있는 지방의 지층(地層)이 같은 시대의 것인가 아닌가를 결정하는 일. 화석(化石)이나 암상(岩相)에 의하여 행함. ④〖문〗비교 문학에서 유연관계(類緣關係) 등을 비교하여 각 특색을 명시(明示)하면서 밝히는 일. ——-하다 타여불 「략에 ~하다. ——-하다 자여불

대:비[7]【對備】명 어떠한 일에 대응할 준비를 함. 또, 그러한 준비. ¶ 침

대:비 가격【對比價格】[一까一] 명〖경〗일정한 기간에 있어서의 어떤 생산물의 가격 변동을 밝히기 위하여, 그 기초로 설정하는 가격.

대:비-각【大悲閣】명〖불교〗관세음 보살의 불상을 안치한 불당. 관음당(觀音堂).

대:비-과【大比科】명〖역〗조선 선조(宣祖) 36년(1603) 이후 3년마다 실시된 과거의 일컬음. 속대전(續大典)부터 식년시(式年試)로 이름이 바뀜.

대:비 관음【大悲觀音】명〖불교〗①관세음 보살의 총칭. ②육관음(六觀音)의 하나인 천수(千手) 관음의 별칭.

대:비 다문천【大悲多聞天】명〖불교〗다문천(多聞天).

대:비 바사론【大毘婆娑論】명〖불교〗↗아비달마 대비 바사론(阿毘達磨大毘婆娑論). 「(大悲).

대:비 보살【大悲菩薩】명〖불교〗'관세음 보살'의 이칭(異稱). ㊟대비

대:비 염:색【對比染色】명〔counterstain〕〖생〗생물 표본을 만들 때, 어떤 부역(部域)에 칠한 색이 잘 보이도록 여타의 부역에 다른 색의 염색을 행하는 일.

대:비-원【大悲院】명〖역〗활인서(活人署)의 처음 이름.

대:비-자【大悲者】명〖불교〗대자비(大慈悲)한 사람이란 뜻으로, 제불(諸佛)·보살, 특히 관세음 보살을 일컬음.

대:비전 마:패【大妃殿馬牌】명〖역〗대비가 사용할 말을 징발하기 위하여 발급하던 유자(柚子)로 만든 둥근 패(牌). 각 역(驛)에서는 말 한 필에서 다섯 필까지 지급하였음.

대:비-주【大悲呪】명〖불교〗천수 관음 대비 다라니경(千手觀音大悲陀羅尼經)에서 천수 관음의 공덕을 설(說)하는 82구(句)의 다라니.

대:비 착시【對比錯視】명〖심〗기하학적 착시의 하나. 현상의 크기나 모양에 관하여 일어나는 대비. 예를 들면 원이나 각(角)의 도형에서 큰 것에 이웃하는 도형은 작게, 또 그 반대는 크게 보임.

대:비 현:상【對比現象】명〖심〗시간적으로나 공간적으로 가까운 다른 자극의 영향으로 먼저 받은 자극의 감수성(感受性)이 변하는 현상.

대:빈【大賓】명 높이 공경하고 존중히 받들어야 할 손님.

대-빗[1] 명 대나무로 만든 빗. 죽비(竹篦). 죽소(竹梳).

대빗[2]〔davit〕명 닻을 끌어올리거나, 배 옆에 달린 보트를 달아 올리고 내리기 위한, 끝이 직각으로 굽은 기둥.

대:빙-재【待聘齋】명〖역〗고려 예종(睿宗) 4년(1109)에 국학(國學)에 베푼 칠재(七齋)의 하나. 상서(尙書)를 전공하던 곳.

대:-빨판이【大一】명〖어〗[*Remora remora*] 빨판상어과에 속하는 바닷물고기. 제1 등지느러미가 타원형으로 변형되어 흡반(吸盤)을 이루어 그것으로 다른 큰 물고기에 붙어 사는데, 한국 남·동해 및 태평양과 대서양·인도양의 온대와 열대에 걸쳐 널리 분포함.

대뿌리 명〖식〗〈방〉둥굴레.

대밭 명〈옛〉대밭. ¶ 平章事 李公遂 屯竹田 대밭《龍歌 V:26》.

대범 명〈옛〉큰 범. ¶ 몰 우흿 대버믈(馬上大虎)《龍歌 87章》. 「람.

대:사[1]【大士】명〖불교〗불법(佛法)에 귀의(歸依)하여 믿음이 두터운 사

대:사[2]【大寺】명 큰절[2]. 「稷壇)의 제사. 국사(國祀).

대:사[3]【大祀】명 종묘(宗廟)·영녕전(永寧殿)·원구단(圜丘壇)·사직단(社

대:사[4]【大社】명〖역〗태사(太社).

대:사[5]【大事】명 ①큰 일. ↔소사(小事). ②'대례(大禮)❷'의 속된 말. 【대사에 낭패 없다】관혼 상제와 같은 큰 일은 시작만 해 놓으면 어떻게든 치르어 내게 된다는 말.

대:사[6]【大使】명 ↗특명 전권 대사(特命全權大使).

대:사[7]【大使】명〖역〗부여(夫餘)의 벼슬 이름.

대:사[8]【大舍】명〖역〗신라 십칠 관등(官等)의 열두째 등급(等級). 나마(奈麻)의 아래, 사지(舍知)의 위. 사두품(四頭品)이 오름. 한사(韓舍).

대:사[9]【大師】명〖역〗태사(太師).

대:사[10]【大師】명〖불교〗①'불(佛)·보살(菩薩)'의 존칭. ②고려 때 승려(僧侶)의 법계(法階)의 하나. 교선(敎禪)을 막론하고, 중대사(重大師)의 아래, 대덕(大德)의 위. ③조선 시대 때 승려의 법계의 하나. 교종(敎宗)에서 대덕(大德)의 위, 도대사(都大師)의 아래. ④중을 존대하여 부르는 말. ¶ 사명(四溟) ~.

대:사[11]【大斜】명 바둑의 정석(定石)의 하나. 외목(外目)으로부터 상대방

대:사[12]【大蛇】명 큰 뱀. └의 소목(小目)의 돌에 걸치는 모양.

대:사[13]【大赦】명 ①〖법〗'일반 사면(一般赦免)'의 속칭(俗稱). ¶ ~령(令). ②〔indulgence〕〖천주교〗이미 사(赦)함을 받은 죄의 잠벌(暫罰)

을 교회에서 면제하는 일. 전(全)대사와 한(限)대사의 두 가지가 있음. ——-하다 타여불

대:사14【大寫】명 영화를 촬영할 때에 관중(觀衆)의 주의를 끌기 위하여 사람의 얼굴이나 편지의 문면(文面) 같은 것을 화면에 크게 비치는 일. 클로즈업(close-up). ——-하다 타여불

대:사15【代射】명〖역〗무과 시예(武科試藝)를 남에게 대신 응(應)하게 하는 일. ——-하다 타여불

대:사16【代謝】명 ↗신진 대사(新陳代謝). ——-하다 자여불

대사17【臺詞·臺辭】명〖연〗무대 위에서 배우가 연극 중에 하는 말.

대사18【臺榭】명 누각(樓閣)과 정자(亭子).

대:-사간【大司諫】명〖역〗조선 시대 때 사간원(司諫院)의 으뜸 벼슬. 정삼품. 세조(世祖) 12년(1466)에 사간 대부(司諫大夫)를 고친 이름.

대:-사객【待使客】명〖역〗옛날 중국 및 일본·여진(女眞) 등지에서 오는 사신과 객인을 접대하던 일. ——-하다 자여불

대:-사공【大司空】명〖역〗①'공조 판서(工曹判書)'를 예스럽게 부르는 말. ②중국 고대의 관명. 주대(周代)에는 육관(六官)의 하나로 동관(冬官)의 장(長). 토목 공사를 관장하였음. 한대(漢代)에는 대사마(大司馬)·대사도(大司徒)와 더불어 삼공(三公)의 하나였음.

대:사-관【大使館】명 대사(大使)가 주재국(駐在國)에서 공무를 집행하는 공관(公館). 국제법상 본국(本國)의 영토와 동일시하며 불가침권(不可侵權)을 가짐. 직원은 대사 이외에 공사(公使)·참사관(參事官)·서기관·통역관·무관(武官) 등이 있음. ¶ 미국 ~.

대:사관 서기관【大使館書記官】명 대사관에 부속하여 대사의 사무를 보좌하는 외교관. 1등부터 3등까지 있음.

대:사관 주:재 무:관【大使館駐在武官】명〔military attaché〕외국 주재 대사의 공식 참모의 임무를 가지고 대사관에 주재하는 육·해·공군의 장교. 국방부 또는 육·해·공 각군을 대표해서 주재국의 공식적인 군사 행사(軍事行事)에 참석하며, 주재 국가의 군사면의 계획 및 발전에 관하여 국방부 장관에게 보고함.

대:사관 참사관【大使館參事官】명 대사관에 부속해서 대사의 상의(相議)에 참여하여, 심의·입안(立案)에 종사하는 외교관.

대:-사교【大司敎】명〖천주교〗대주교(大主敎).

대:-사구【大司寇】명〖역〗'형조 판서(刑曹判書)'를 예스럽게 부르는 말.

대:사 기능【代謝機能】명〖생〗동물체의 세포 안의 원형질(原形質)이 노폐물(老廢物)을 내보내고 새로 자양분(滋養分)을 섭취하여 그 부족을 채우는 작용.

대:사 길항 물질【代謝拮抗物質】[—찔] 명〖생〗생체(生體)의 대사 따위 생리상의 기능을 방해하는 물질. 병원균의 그것은 화학 요법적 가치가 있어 술파제(sulfa 劑)처럼 실용화되고 있음. 암(癌)에 대하여도 이 대사 길항 물질을 써서 공격하는 연구가 진행되고 있는데, 암세포의 발육에 필요한 물질을 차단, 암세포를 말려 죽이려 하는 것임.

대:-사농【大司農】명〖역〗중국 한(漢)나라 때의 관명. 구경(九卿)의 하나로, 전곡 금백(錢穀金帛) 따위, 중앙 정부의 국가 재정을 관장하였음.

대:-사도【大司徒】명〖역〗①'호조 판서(戶曹判書)'를 예스럽게 일컫는 말. ②중국 고대의 관명. 주대(周代) 육관(六官)의 하나로, 지관(地官)의 장(長). 호구·전토(田土)·재화(財貨)·교육을 관장하였음. 대사마(大司馬)·대사공(大司公)과 더불어 삼공(三公)이라 불렀음. 후한(後漢) 이후의 명칭은 사도(司徒)임.

대:사-령【大赦令】명 대사를 베풀어 주라고 하는 국가 원수(元首)의 명령.

대:사-례【大射禮】명〖역〗임금이 성균관(成均館)에 거둥하여 선성(先聖)에게 제향(祭享)하고 나서 활을 쏘는 예(禮).

대:사-롭다【大事—】형ㅂ불 →대수롭다.

대:사롭지 않다【大事—】[—안타] 형 →대수롭지 않다.

대사리 명〖조개〗다슬기.

대-사립 명 대로 엮어서 만든 사립문.

대:-사마【大司馬】명〖역〗①'병조 판서(兵曹判書)'를 예스럽게 일컫는 말. ②중국 고대의 관명. 주대 육관(六官)의 하나로 군사·운수(運輸)를 관장하던 하관(夏官)의 장. 삼공(三公)의 하나였으며 후한(後漢) 때는 태위(太尉)라 불렀음.

대:-사문【大沙門】명〖불교〗①'석가모니 여래(釋迦牟尼如來)'의 별칭. ②큰 사문(沙門). 곧, 승가(僧伽)의 일컬음. ③비구(比丘)의 일컬음.

대:사 백변【大斜百變】명 바둑의 정석(定石)의 하나. 대사(大斜)에는 변화가 많아 어려운 것임을 강조한 말.

대:사 산:물【代謝産物】명〔metabolite〕〖생〗중간 대사에 의하여 생성되는 물질.

대:-사상【大四相】명〖불교〗사상(四相)❶.

대:-사성【大司成】명〖역〗①고려 때 성균관(成均館)의 정삼품(正三品) 벼슬. 예종(睿宗) 11년(1116)에 판사(判事)를 이 이름으로 고쳐 종삼품으로 정했다가 충렬왕(忠烈王) 24년(1298)에 정삼품으로 올림. ②조선 시대 때 성균관의 으뜸 벼슬. 품계(品階)는 정삼품임. 반장(泮長).

대:사습-놀이【大私習—】명〖민〗조선 숙종(肅宗) 때 이후, 전주(全州)에서 해마다 단오(端午) 무렵에 벌어지는 판소리를 중심으로 한 민속 음악 경연 대회.

대:-사읍【大司邑】명〖역〗신라 때 전읍서(典邑署)의 벼슬. 경(卿)과 감(監)을 보좌함. 정원은 6인. 사지(舍知) 이상 나마(奈麻) 이하의 관등(官等)을 가진 사람으로 임명함.

대:-사자【大使者】명〖역〗①부여(夫餘)의 벼슬 이름. ②고구려 후기 직제의 사품쯤 되는 벼슬.

대:사 장애【代謝障礙】명〔metabolic disorder〕〖의〗탄수화물·단백질·지방질·수분 및 핵산 따위의 정상 대사 변조(正常代謝變調)로 말미암은 장애의 총칭.

대:사-전1【大赦典】명 대사(大赦)의 은전(恩典).

대:-사전2【大辭典】명 내용이 충실하고 풍부하며 부피가 큰 사전. *중(中)사전·소(小)사전.

대:-사제【大司祭】명〖천주교〗①사제의 장이며 근원인 예수 그리스도. ②대제사장(大祭司長).

대-사초【—莎草】명〖식〗[*Carex siderosticta*] 방동사닛과에 속하는 다년초. 줄기는 총생(叢生)하고 높이 30cm 가량이며, 잎은 긴 타원형 또는 긴 피침형임. 꽃은 4-5월에 피는데, 양성(兩性)으로 상부는 갈색의 웅수(雄穗), 하부는 녹색의 자수(雌穗)임. 과낭(果囊)은 긴 타원형임. 산지에 나며 한국 각지에 분포함.

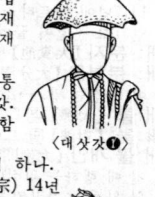

대:사 항:진【代謝亢進】명〔hypermetabolism〕〖의〗기초대사율(基礎代謝率)이 증가하는 상태.

〈대사초〉

대:-사헌【大司憲】명〖역〗①고려 때 사헌부(司憲府)의 으뜸 벼슬. 충렬왕(忠烈王) 34년(1308)에 감찰 대부(監察大夫)를 고쳐 이 이름으로 하고, 정이품(正二品)으로 올렸다가 충선왕(忠宣王) 3년(1311)에 다시 정삼품으로 내림. ②조선 시대 때, 사헌부의 으뜸 벼슬. 품계는 종이품(從二品). 도헌(都憲). 준대헌(大憲).

대:-사회【大社會】명〔great society〕〖사〗영국의 정치학자 월라스(Wallas, Graham; 1858-1932)의 용어. 근대 자본주의와 그 기술의 거대한 발전의 결과 규모가 세계적인 크기로 확대되고, 그 각 부분이 상호 민감하게 반응하는 조직을 이루었으며, 사람의 생활의 전측면(全側面)이 이 대규모의 사회와 밀접하게 연관을 갖게 된 현대 사회. 문화적 혼란, 이질적 사회 집단이나 국가 사이의 충돌, 개인적 욕구의 불만족 등의 사회 상황을 노정(露呈)함.

대:사 회전【代謝回轉】명〔turnover〕〖생〗생체 또는 조직 안에서, 어느 특정 물질의 전체로서의 수량은 변하지 않으나 대사에 의하여 끊임없이 갱신(更新)되는 일.

대:산1【大傘】명〖불교〗개(蓋)❹.

대:산2【大蒜】명〖식〗마늘.

대:-산령【大山嶺】[—살—] 명〖지〗황해도 송화군(松禾郡) 송화면(松禾面)과 은율군(殷栗郡) 남부면(南部面) 사이에 걸쳐 있는 산.

대산 어:첩【臺山御牒】명〖책〗오대산 상원사 중창 권선문(五臺山上院寺重創勸善文).

대살1 명 단단하고 야무지게 찐 살. ↔푸석살.

대:살2【代殺】명 살인(殺人)한 사람을 사형(死刑)에 처함. 대명(代命). ¶죽다니요? 그 사람이 살인을 했더래두 대살당할 살인이 아닌데요《洪命憙: 林巨正》. ——-하다 타여불

대:-살년【大殺年】[—련] 명 대단히 큰 흉년(凶年). 대무지년(大無之年).

대살-지다 형 몸이 강파르다. ¶ 우리가 대살지고 약하여 주저하는 빛을 보이면 저 왈짜들에게 곱다시 쫓겨나게 될 것이오《金周榮: 客主》.

대:-살판【大—】명 관사(官射)에서 화살 열 순(巡), 곧 50대를 쏘아서 25대를 맞히는 일. *소살판.

대:삼【大衫】명〖역〗왕비(王妃)의 의대(衣襨)의 하나. 적의(翟衣).

대:-삼년【待三年】명 상제의 3년 거상이 끝나기를 기다림. ——-하다 자여불

대:-삼작【大三作】명 ↗대삼작 노리개.

대:삼작 노리개【大三作—】명 부인이 차는 노리개의 하나. 크기가 30cm 이상 되게 크고, 매우 화려하게 꾸민 삼작 노리개로서 대례복(大禮服) 또는 큰 명절 때 찼음. 준대삼작(大三作).

대:-삼재【大三災】명〖불교〗세계가 괴멸하는 괴겁(壞劫)의 마지막에 일어난다고 하는 화재·수재·풍재의 세 가지 천재(天災). ↔소삼재(小三災). *삼재(三災).

대-삿갓 명 ①중이 쓰는 삿갓. 가늘게 쪼갠 대로 보통 삿갓보다 훨씬 작게 만듦. ②속대로 엮어 만든 삿갓. 중이 쓰는 것과 모양이 약간 다름. 옛날에 평안도·함경도 지방의 부인들이 썼음. 대갓. ↔갈삿갓.

〈대삿갓❶〉

대:상1【大相】명〖역〗①태봉(泰封)의 관호(官號)의 하나. ②고려초의 문무 관계(文武官階)의 하나. 성종(成宗) 14년에 금자 흥록 대부(金紫興祿大夫)로 고쳐 문관(文官)의 품계(品階)로 사용함. ③고려 때 구품 향직(九品鄕職)의 넷째 등급.

대:상2【大祥】명 죽은 뒤에 두 돌 만에 지내는 제사. 대기(大朞). 상사(祥事). *소상(小祥).

대:상3【大常】명 옛날 중국에서 쓰던, 해·달·별·용을 그린 임금의 기(旗).

대:상4【大商】명 큰 상인. 장사를 크게 하는 장수. ¶굴지(屈指)의 ~.

〈대상3〉

대:상5【大喪】명 임금의 상사(喪事).

대:상6【大賞】명 ①크게 상(賞)을 줌. ②콘테스트·영화제 등에서, 최우수자에게 주는 상. 그랑 프리.

대:상7【代償】명 ①다른 물건으로 대신 물어 줌. ②남을 대신하여 갚아 줌. 대변(代辨). ——-하다 타여불

대:상8【帶狀】명 좁고 길게 되어 띠와 같이 생긴 모양.

대:상9【貸上】명 ①빌려 드린다는 명목으로 돈이나 곡식 같은 것을 바치는 일. ②〖경〗중앙 은행이 정부에 대하여 국고금의 부족을 메우기 위하여 일시(一時) 또는 장기로 대여하는 일. ——-하다 타여불

대:상10【隊商】명 사막과 같은 교통이 발달하지 않은 지방에서 대오(隊伍)를 짜 가지고 코끼리나 낙타 따위를 이용하여 무기와 식량을 준비해서 여행하는 상인 단체. 캐러밴(caravan). 상대(商隊).

대상[11]【臺上】명 ①높은 대(臺)의 위. ②하인이 주인을 높이어 부르는 말.

대:상[12]【對象】명 ①목표가 되는 것. ¶ 어린이를 ~으로 한 방송 프로. ②〖철〗우리에게 대립하는 사물. 주관(主觀)·의식(意識)에 대한 것으로 객관과 같은 뜻임. 욕구(慾求) 또는 인식의 목적물. 이것에는 나무·돌·물·불과 같은 실재적 대상(實在的對象)과 방(方)·원(圓)·각(角)과 같은 비실재적(非實在的) 대상, 진리·가치·선미(善美)와 같은 타당적(妥當的) 대상의 세 가지가 있음.　「감정.

대:상 감:정【對象感情】명〖심〗대상의 성질을 인지(認知)하고 느끼는

대:상 개:념【對象概念】명〖철〗사물 및 대상을 나타내는 개념으로 판단의 주사(主辭)가 될 수 있는 개념. 사물(事物) 개념. *구체적(具體的) 개념.

대:상 관계【對象關係】명〔object relationship〕〖심〗남을 향해서 나타내어지는 태도 및 반응.

대:상-금【貸上金】명 ①빌려 드린다는 명목으로 바치는 돈. ②중앙 은행이 정부에 대하여 국고금의 부족을 메우기 위하여 일시 또는 장기로 대여하는 돈.

대:상 기능 부전【代償機能不全】명〖의〗대상 부전.

대:상 논리학【對象論理學】[—놀—] 명〖논〗사유 작용(思惟作用)에 기초를 둔 논리학에 대하여, 사유 작용과 같은 주관적인 것을 떠나서 존재하는 순대상적인 논리를 진실한 논리라고 주장하는 논리학.

대:상 도시【帶狀都市】명〖지〗한 줄의 도로에 따라 길쭉하게 띠 모양으로 형성된 도시. 대개 산골짜기나 강·해안 등을 낀 지형의 곳이나 통상(通商)·행정상 요로(要路)에 연(沿)한 곳에 발달함.

대:상-로【隊商路】[—노] 명 대상들이 다니는 길.

대:상-론【對象論】[—논] 명〖논〗정신 작용이 지향(志向)하는 대상의 본질을 연구하는 학문. 볼차노(Bolzano)의 논리학과 후설(Husserl)의 본질학(本質學)은 이 계통으로부터 발전한 것임.

대:상-물【對象物】명 대상이 되는 물건.

대:상 박사【大常博士】명〖역〗고려 때 대상시(大常寺)의 정 6품 관직. 공민왕 5년(1356)에 두었다가 1362년에 폐지, 1369년에 다시 부활됨.

대:상-부【大常府】명〖역〗태상부(太常府).　「하다 형여불

대:상 부동【大相不同】명 조금도 비슷하지 아니함. 대단히 다름. ——

대:상 부전【代償不全】명〖의〗심장에 대한 부담이 과중하거나, 장기에 걸치거나 또는 심장 혈관계(系)에 병변(病變)이 있을 때, 심장이 그 부담을 견디지 못하고 신체의 수요에 의한 혈액을 공급할 능력을 상실한 상태. 대상 기능 부전.

대:-상비충【大象鼻蟲】명〖충〗왕바구미.　「수입하는 일.

대:상 수입【代償輸入】명 어떤 사정이나 행위에 대한 대상으로 물건을

대:상 스펙트럼【帶狀—】명〔band spectrum〕〖물〗'띠 스펙트럼'의

대:상-시【大常寺】명〖역〗태상시(太常寺).　└구용어.

대:상 식생【代償植生】명 인위적인 영향 하에 성립되고 있는 식물 군락(植物群落). 본래의 자연 식생이 인위적인 교란으로 소멸되었을 때, 그에 대하여 2차적으로 성립되는 식생을 말함.

대:상-애【對象愛】명〖심〗리비도(libido)가 자기 이외의 대상으로 향하여 발산되는 사랑. ↔자기애(自己愛).

대:상 용융【帶狀熔融】[—농—] 명〖물〗대단히 높은 순도의 결정(結晶)이나 불순물의 농도가 균일한 결정을 만드는 방법의 하나. 막대 모양의 용기에 원료를 넣고 가열하여 만듦.

대:상 월경【代償月經】명〖의〗월경의 대상으로 나타나는 자궁 내막(內膜) 이외로부터의 주기적 반복성의 출혈. 무월경 때 가끔 보는 증상으로, 코·폐·위장·젖 같은 데서 피가 나옴. *보충성(補充性) 월경.

대-상자[1]【—箱子】명 대로 만든 상자.

대:상-자[2]【代償者】명 남을 대신하여 변상(辨償)하여 주는 사람.

대:상-자[3]【對象者】명 대상이 되는 사람. 목표가 되는 사람.

대:상 작용【代償作用】명〖생〗생체(生體)의 기관의 일부가 장애를 받았을 때 나머지 부분 또는 다른 기관이 활동을 대신하는 작용. 보상 작용(補償作用).

대:상적 환취권【代償的還取權】[—꿘] 명〖법〗환취권의 목적인 재산을 파산자(破産者)가 파산 선고(破産宣告) 전에 또는 파산 관재인(管財人)이 파산 선고 후에, 제삼자(第三者)에게 유상 양도(有償讓渡)를 한 경우에 있어서, 본래 환취권을 가졌어야 할 사람이 반대 급부(反對給付)의 청구권 또는 파산 관재인이 반대 급부로서 받은 재산을 자기에게 이전(移轉)하여 줄 것을 파산 관재인에게 대하여 요구할 수 있는 권리. 배상적 환취권(賠償的還取權).

대:상전 장애 비월 경:기【大賞典障礙飛越競技】명〔Grand Prix Jumping〕올림픽 경기의 최종일에 메인 스타디움에서 행하여지는 마장 마술(馬場馬術) 경기. 각국에서 3명이 한 팀이 되어 각종 장애물을 뛰어넘는 경기를 오전과 오후에 걸쳐 실시하고 그 합계점으로 순위를 정함.

대:상-지【對象地】명 대상이 되는 곳. 목표가 되는 곳.

대:상 지수【帶狀指數】명〔zonal index〕〖기상〗북위 35°의 평균 기압과 북위 55°의 평균 기압의 차를 밀리바(millibar) 단위로 표시한 수치.

대:상 청구권【代償請求權】[—꿘] 명〖법〗채무자(債務者)의 책임 없는 사유(事由)에 기인(基因)하여 채무(債務)가 이행 불능(履行不能)이 되고, 이로 말미암아 채무자가 채무의 목적물의 대상인 이익을 얻었을 때에 채권자가 그 이익을 청구하는 권리.

대상 청령【臺上聽令】[—녕] 명 대뜰에서 윗사람의 명령을 받아 전달하는 일.

대:상 평야【帶狀平野】명〔belted plain〕〖지〗표면이 천천히 침식되어, 띠 또는 벨트 형태의 기복(起伏)을 가진 평야.

대:상 포진【帶狀疱疹】명〖의〗일종의 바이러스에 의한 수포성(水疱性) 질환. 발열이 수반되면서 두부·안면·목·가슴·배·허리 등의 일정한 신경 지배 구역을 따라 띠 모양으로 작은 수포(水疱)가 밀생(密生)하며 수포의 주위는 현저하게 띠 모양으로 발갛게 됨. 수포는 며칠 후에 농포(膿疱)가 되고 딱지가 앉음. 한 번 발병하면 면역성을 얻는다고 함.

대:상-풍【帶狀風】명〔zonal wind〕〖기상〗위도(緯度)의 평행선에 연한 바람 또는 그 방향의 풍속 성분.

대:상 행동【代償行動】명〔substitutive activity〕〖심〗자기가 요구하는 바를 얻지 못하였을 경우, 그 목표의 대상물(對象物) 대신에 그것과 기능(機能)이 유사(類似)한 다른 목표물을 얻음으로써 마음의 긴장을 해소(解消)시키려는 적응 동작(適應動作). 예를 들면 피아노가 사고 싶지만 돈이 없어 못 사는 사람이 피아노의 카탈로그(catalogue)를 수집하여 만족하는 것 같은 일.

대상 화:산【臺狀火山】명〖지〗페디오니테(Pedionite).

대색【黛色】명 ①청흑색. ②산 또는 수목(樹木) 따위의 검푸르게 보이는 색.

대:생【對生】명〖식〗잎이 각 마디마다 두 개씩 마주 붙어 남. 아카시아·백일홍 같은 것. 마주나기. *윤생(輪生)·호생(互生). ——-하다 자여불

대:생-아【對生芽】명〖식〗마주나기눈. ↔호생아(互生芽).

〈대생〉

대:생-엽【對生葉】명〖식〗대생한 잎.

대:생-치【代生齒】명 유치(乳齒)가 빠진 다음에 대신 나는 이. 간니. *영구치(永久齒).

대:서[1]【大書】명 드러나게 크게 씀. ¶ ~ 특필. ——-하다 타여불

대:서[2]【大暑】명 ①몹시 심한 더위. 혹서(酷暑). ②이십 사 절후(節候)의 하나. 태양의 황경(黃經)이 120°에 달한 때로서 양력 7월 24일경에 해당함. *소서(小暑).

대:서[3]【代序】명 대신하여 서문(序文)을 씀. ——-하다 자여불

대:서[4]【代書】명 ①남을 대신하여 문서 따위를 씀. ②대필(代筆). ——-하다 타여불

대:서[5]【代署】명 남을 대신하여 서명(署名)함. ——-하다 타여불

-대서 어미 ↗-다고 하여서. ¶ 코가 크~ 코주부라고 한다. *-래서·-ㄴ대서·-는대서·-으래서.

대:-서다 자 ①뒤를 따라 서다. ¶ 기회가 있는 틈에 뒤를 슬슬 대서 보리라《金宇鎭 : 榴花雨》. ②바싹 가까이 서다. ③달려들어 대항하다.

대:서-료【代書料】명 대서한 대가로 치르는 돈.

대:-서발한【大舒發翰】명〖역〗신라 때 이벌찬(伊伐飡)의 별칭(別稱)인 서발한(舒發翰)을 한 계단 올린 벼슬. 대각간(大角干).

대:서-방【代書房】[—빵] 명 대서인의 영업소. 대서소.

대:서-사【代書士】명 대서인(代書人).

대:서-성【大書省】명〖역〗신라 때의 승관(僧官)의 하나. 국통(國統)과 도유나(都維那)의 밑에 위치함. 진흥왕 11년(550)에 안장(安藏)이 처음 임명됨.

대:서-소【代書所】명 대서인의 영업소. 대서방(代書房).

-대서야 어미 ↗-다고 하여서야. ¶ 그런 자리를 마~ 되는가. *-는대서야·-ㄴ대서야·-래서야·-으래서야.

대:서-양【大西洋】명〔Atlantic Ocean〕〖지〗오대양(五大洋)의 하나. 세계 제2의 대양. 유럽 및 아프리카와 남북 아메리카 주, 남극 대륙에 둘러싸인 해역(海域). 섬은 적으며, 중앙부의 해저에는 해령(海嶺)이 남북으로 달림. 난류(暖流)로는 북적도 해류(北赤道海流)와 그 계속인 멕시코 만류(Mexico 灣流) 및 브라질 해류가 있고, 한류(寒流)로는 래브라도(Labrador) 해류, 카나리 해류, 동(東) 그린란드 해류 등이 있음. 적도를 중심으로 북대서양과 남대서양으로 나뉨. 평균 심도(深度) 3,926 m, 최심부는 밀워키 해연(海淵)의 9,218 m. 부속해(付屬海)는 북극해(北極海)·지중해·카리브 해 등. 지표(地表)의 6분의 1, 해면(海面)의 3분의 1을 차지함. [82,441,000 km²]

대:서양-시【大西洋時】명〔Atlantic time〕〖천〗그리니치의 서쪽, 제4 경대(經帶)의 지방시(地方時). 대서양 표준시.

대:서양식 암석【大西洋式岩石】명〖광〗알칼리 금속 함유량이 많은 화성암. 대서양 지역에 많음. 알칼리 현무암(玄武岩) 따위. *알칼리 암(岩).

대:서양 중앙 해:령【大西洋中央海嶺】명〖지〗남북 아메리카의 동안(東岸)과 유럽·아프리카의 서안(西岸)의 양쪽 해안선에서 거의 등거리인 대서양 중부 해저(海底)에, 남북으로 달리고 있는 해령.

대:서양 표준시【大西洋標準時】명〖천〗대서양시(大西洋時).

대:서양 함:대【大西洋艦隊】명 대서양을 작전(作戰) 담당 구역으로 하는 함대.

대:서양 항:로【大西洋航路】[—노] 명 대서양을 경유하는 항로. 북대서양 항로는 세계 최대의 무역 항로로 되어 있음.

대:서양 헌:장【大西洋憲章】명〔Atlantic Charter〕〖정〗1941년 8월 14일, 미국 루스벨트 대통령과 영국의 처칠 수상이 대서양상의 회담에서 결정한 전문(全文) 8조로 된 공동 선언(共同宣言). 전후(戰後)에 있어서의 경제 정책, 사회 안정, 세계 공해(世界公海)의 자유 확보(確保), 군비 축소, 특히 각 민족은 정치 형태의 선택의 자유를 가지며 폭력으로 빼앗은 주권(主權)과 자치(自治)는 반환하여야 한다는 것을 내용으로 함. 뒤에 국제 연합 헌장의 기초가 됨.

대:서-업【代書業】명 남의 부탁을 받아 관공서에 제출할 서류 등을 대신 써 주는 직업.

대:서-인【代書人】명 남의 부탁을 받아 관공서에 제출할 서류를 작성하여 주거나 기타의 것을 써 주는 것을 업으로 하는 사람.

대:-서천【大西遷】명〖역〗1934년에서 1936년에 걸친 중국 공산군의 대

이동(大移動). 국민 정부군의 공격으로 마오 쩌둥(毛澤東) 등이 인솔한 공산군이 장시 성(江西省) 루이진(瑞金)의 근거지를 버리고 이동을 시작하여 푸젠(福建)·광둥(廣東)·광시(廣西)·구이저우(貴州)·윈난(雲南)·쓰촨(四川) 등의 각 성을 거쳐 산시 성(陝西省)의 옌안(延安)에 도착하기까지의 12,500 km의 대행군을 이름. 장정(長征). 서천.

대:서 특기【大書特記】명 대서 특필. ——하다 타여불

대:서 특서【大書特書】명 대서 특필. ——하다 타여불

대:서 특필【大書特筆】명 특히 드러나게 큰 글자로 씀. 대서 특기. 대서 특서. ——하다 타여불

대:석[1]【大石】명 큰 돌.

대:석[2]【貸席】명 삯을 받고 빌려 주는 좌석.

대석[3]【臺石】명 ①받침돌. ②동상(銅像) 같은 것의 밑받침.

대:석[4]【對石】명 일정한 논에서 생산량을 말할 때, 한 마지기의 논에서 벼 한 섬이 나는 일. ↔양석(兩石).

대:석[5]【對席】명 ①자리를 마주함. ②쌍방이 동시에 같은 장소에 출석함. ——하다 자여불

대:석-교【大石橋】명〖지〗'다스차오'를 우리 음으로 읽은 이름.

대:-석만도【大石蔓島】명〖지〗전라 남도의 서해상(西海上), 영광군(靈光郡) 낙월면(落月面) 석만리(石蔓里)에 있는 섬. [0.58 km² : 88명 (1984)]

대:석 판결【對席判決】명〖법〗당사자의 쌍방이 대석한 자리에서 쌍방의 변론에 기초를 둔 판결. 대심 판결. ↔결석(缺席) 판결.

대:선[1]【大仙】명 ①뛰어나고 존귀(尊貴)한 신선(神仙). ②〖불교〗'석가여래(釋迦如來)'의 별칭.

대:선[2]【大船】명 큰 배.

대:선[3]【大選】명〖역〗①고려 때 승과(僧科)인 교종선(敎宗選) 및 선종선(禪宗選)에 입격(入格)한 자의 법계(法階). ②조선 시대 승과인 교종시(敎宗試) 및 선종시(禪宗試)에 입격한 자의 법계. ③태고종(太古宗)에서, 승려 법계(法階)의 5급. 중덕(中德)의 아래로, 최하위(最下位). 나이 23세 이상, 안거(安居) 2년 이상 된 자에게 줌.

대:선[4]【大選】명 ↗대통령 선거(大統領選擧). ¶ ~ 후보.

대:선[5]【大禪】명〖불교〗선종(禪宗)의 초급(初級)의 법계(法階). 사교(四敎)를 수업(受業)한 중으로서 선원 안거(禪院安居) 오하(五夏) 이상을 닦은 사람에게 줌.

대:-선거구【大選擧區】명〖정〗두 사람 이상의 의원(議員)을 선출하는 선거구. ＊소(小)선거구·중선거구.

대:선거구-제【大選擧區制】명〖정〗하나의 선거구를 대선거구로 삼는 선거 제도. ↔소선거구제.

대:선-봉【待仙峰】명〖지〗강원도 인제군(麟蹄郡)에 있는 산. 태백 산맥(太白山脈) 중에 솟아 있는 고봉의 하나임. [1,167 m]

대:-선사【大禪師】명 ①〖불교〗선종(禪宗)의 가장 높은 법계(法階). 선(禪)을 수업(受業)하고 비구계(比丘戒)·보살계(菩薩戒)와 법랍 이십하(法臘二十夏) 이상을 가진 중에게 줌. ②〖역〗고려 때 승려(僧侶)의 법계(法階)의 하나. 선종(禪宗)의 최고 계급으로, 선사(禪師)의 위. ③〖역〗조선 시대, 승려의 법계의 하나. 선종(禪宗)에서 선사(禪師)의 위, 도대선사(都大禪師)의 아래.

대:선 약관【代船約款】명〖법〗선하 증권상(船荷證券上) 적재(積載)가 예정되어 있는 선박에 대신하여, 다음 선편(船便)이나 다른 선박으로써 운송할 수 있다는 취지의 약관.

대:-선장【代船長】명 선장이 부득이한 사정에 의하여 선박을 지휘할 수 없을 때 선장에 의하여 선임(選任)되는 임시 선장.

대:설【大雪】명 ①이십 사 절후(節候)의 하나. 태양의 황경(黃經)이 255°에 달한 때로서 양력 12월 8일경에 해당함. ②많이 오는 눈. 장설(壯雪).

대:설 경:보【大雪警報】명 기상 경보의 하나. 눈이 아주 많이 내릴 우려가 있음을 알리는 경보. 강설량이 30 cm 이상으로 예상될 때에 발표되며 이 때까지의 적설량을 감안하여 발표함.

대-설대【一때】명 ☞ 담배 설대.

대:설-산【大雪山】[一싼] 명 ①항상 눈이 많이 쌓인 큰 산. 설산(雪山). ②〖지〗'히말라야 산맥(Himalaya 山脈)'의 이칭(異稱). 설산(雪山).

대:설 산맥【大雪山脈】명〖지〗다쉐(大雪) 산맥.

대:설 주:의보【大雪注意報】[一/一이一] 명 기상 주의보의 하나. 눈이 아주 많이 내릴 우려가 있을 때 내리는 주의보. 강설량이 10 cm 이상으로 예상될 때 발령.

대:성[1]【大成】명 ①크게 이룸. 크게 이루어짐. ②큰 인물이 됨. ——하다 자타여불

대:성[2]【大姓】명 ①집안이 번성한 성. 우리 나라에서는, 김(金)·이(李)·박(朴)·최(崔)·정(鄭)이 이에 속함. ＊저성(著姓). ②지체가 좋은 성. 거성(巨姓).

대:성[3]【大盛】명 크게 번성함. ——하다 자여불

대:성[4]【大聖】명 ①가장 덕(德)이 높은 성인. 지극히 거룩한 사람. ②'공자(孔子)'의 존칭. ③〖불교〗'석가(釋迦)'의 이칭. 또, 석가처럼 정각(正覺)을 얻은 사람의 존칭.

대:성[5]【大聲】명 큰 목소리. 대음(大音). ¶ ~ 일갈(一喝).

대성[6]【碓聲】명 방아 찧는 소리.

대성[7]【臺省】명〖역〗〔고려 때의 어사대(御史臺) 대관(臺官)과 중서 문하성(中書門下省) 성랑(省郎)의 합칭(合稱)〕대간(臺諫).

대:성[8]【戴星】명〔별을 머리 위에 이고 있다는 뜻으로〕아침 일찍 집을 나가 저녁 늦게야 돌아옴의 비유.

대:-성[9]【戴聖】명〖사람〗기원 전 2세기경의 중국 전한(前漢) 때의 학자. 자는 차군(次君). 삼촌인 대덕(戴德)의 대대(大戴)에 대하여 소대(小戴)라 부름. 대덕(戴德)이 쓴 《대대례(大戴禮)》 85권을 추려 49권으로 하였음. 오늘날의 《예기(禮記)》가 곧 이것임.

대:성 가문【大姓家門】명 번성하고 세력 있는 집안.

대:-성공【大成功】명 큰 성공. 크게 성공함. ——하다 자여불

대:-성당【大聖堂】명〔basilica〕〖천주교〗기념적인 큰 성당. 바실리카. ＊주교좌 대성당.

대:성-마【戴星馬】명 이마에 흰 털의 점이 박힌 말. 별박이.

대:성-산【大成山】명〖지〗강원도 철원군 근남면(近南面)과 화천군(華川郡) 상서면(上西面) 사이에 있는 산. [1,175 m]

대:-성성【大猩猩】명〖동〗고릴라.

대:성-악【大晟樂】명〖악〗중국 송(宋)나라 때의 음악. 1107년에 송나라 휘종(徽宗)이 대성부(大晟府)라는 관청에 명하여 작곡 반포하였다 함. 우리 나라에는 고려 예종(睿宗) 11년(1116)에 수입하였음. 고려·조선 시대의 아악(雅樂)은 이것을 본떠서 지은 것임.

대:성 일갈【大聲一喝】명 대성 질호(大聲叱呼). ——하다 자여불

대:성-전[1]【大成殿】명 문묘(文廟) 안에 있는, 공자(孔子)의 위패(位牌)를 모시는 전각(殿閣).

대:-성전[2]【大聖殿】명〔basilica〕〖천주교〗대성당(大聖堂).

대:성지-행【戴星之行】명 타향에서 부모의 부음(訃音)을 받고 밤낮을 가리지 않고 바삐 돌아오는 길. 「자여불

대:성 질호【大聲叱呼】명 큰 목소리로 꾸짖음. 대성 일갈. ——하다

대:성 통:곡【大聲痛哭】명 큰 목소리로 슬피 욺. 방성 대곡(放聲大哭). ——하다 자여불

대:성 학교【大成學校】명 안창호(安昌浩)의 발의(發意)로, 융희(隆熙) 2년(1908)에 평양에 설립된 학교. 신민회(新民會)의 가장 중요한 사업의 하나인 독립 운동에 헌신할 인재와 국민의 사표(師表)가 될 사람을 양성함을 목적으로 했음.

대:성 환:희천【大聖歡喜天】[一히一] 명〖불교〗환희천.

대:-성황【大盛況】명 큰 성황. ¶ ~을 이루다.

대:세[1]【大勢】명 ①대체의 형세. ¶ ~를 파악하다. ②세상이 돌아가는 형편. 국가 또는 천하(天下)의 추세(趨勢). ¶ ~가 기울다. ③큰 권세. ¶ ~를 쥐다. ④병이 위급한 형세.

대:세[2]【代洗】명〖천주교〗정식 부세자(附洗者)를 대신하여 예식(禮式)을 생략하고 세례(洗禮)를 주는 일.

대:세-교【大世敎】명〖종〗증산(甑山) 강일순(姜一淳)을 교조(敎祖)로 하는 훔치교(吽哆敎) 계통의 종교의 하나.

대:세-권【對世權】[一꿘] 명〖법〗사권(私權)의 하나. 사회 일반인에 대항할 수 있는 권리로서 특정한 의무자(義務者)가 없고 모든 사람이 침해할 수 없는 소극적 의무를 가짐. 물권(物權)이나 인격권(人格權)이 이에 해당함. 절대권(絶對權). ↔대인권(對人權).

대:세르비아-주의【大一主義】〔Serbia〕[一/一이] 명 세르비아를 중심으로 남(南)슬라브 제민족(Slav 諸民族)의 통일 국가 건설을 지향한 민족 운동. 19세기에 발전하여 범(汎)슬라브주의의 선구가 되고 세르비아 국내에 반(反)오스트리아 비밀 결사를 조직하여 활약, 제1차 세계대전 전에 최고조에 달하여 사라예보(Sarajevo) 사건으로서 폭발됨.

대:-세지【大勢至】명〖불교〗↗대세지 보살.

대:세지 보살【大勢至菩薩】명〔범 Mahasthamoprapta〕〖불교〗삼불(三佛)의 하나. 아미타불(阿彌陀佛)의 오른쪽에 있는 보처존(補處尊). 지혜(智慧)를 대표하여 삼악도(三惡道)를 건지는 무상(無上)한 힘이 있다 함. 위의 육계(肉髻) 속에는 보병(寶甁)을 이고 천관(天冠)을 썼으며, 오른 손가락은 굽아서 가슴에 대고, 왼손에는 활짝 핀 연꽃을 들고 있음. 온 몸에 자금색(紫金色)의 칠을 하였는데, 이 빛이 모든 세계를 비친다 함. 도시왕(都市王). 준대세지(大勢至)·세지·세지 보살(勢至菩薩).

〈대세지 보살〉

대:소[1]【大小】명 사물(事物)의 큼과 작음.

대:소[2]【大笑】명 크게 웃음. 굉소(轟笑). ¶ 가가(呵呵) ~. ——하다 자여불

대:소[3]【代訴】명 남을 대신하여 소송(訴訟)함. ——하다 타여불

대:소[4]【對訴】명〖법〗마주 고소(告訴)하는 일. 맞고소. ——하다 자타여불

대:소-가【大小家】명 ①큰 집과 작은 집. ②큰마누라의 집과 작은마누라의 집.

대:소각-봉【大小角峰】명〖지〗함경 남도 갑산군(甲山郡)에 있는 산. 함경(咸鏡) 산맥에 속함. [2,042 m]

대:소 간섭 전:쟁【對蘇干涉戰爭】명〖역〗1918년에서 1920년에 걸친 전쟁. 10월 혁명 직후, 소련에 사회주의 정권이 확립될 것을 두려워한 영국·프랑스·미국·일본 등이 소련 국내의 반(反)혁명 세력 원조를 위해 출병한 전쟁. 반혁명 세력의 패배로 끝남.

대:-소기【大小朞】명 대소상(大小祥).

대:소 대:당【大小對當】명〔subalternate opposition〕〖논〗대당 관계의 일종. 전칭 긍정적 판단(全稱肯定的判斷) (A)와 특칭(特稱) 긍정적 판단 (I)와의 대당 관계 및 전칭 부정(全稱否定) 판단 (E)와 특칭 부정 판단 (O)와의 대당 관계. (A)·(E)가 진(眞)일 때는 (I)·(O)도 진(眞). (A)·(E)가 위(僞)일 때는 (I)·(O)도 각각 위(僞), (I)·(O)가 위일 때는 (A)·(E)도 각각 위(僞), (I)·(O)가 진일 때에는 (A)·(E)는 각각 진위 부정(眞僞否定)이라는 상호 관계가 성립함.

대:소-댁【大小宅】[一땍] 명 대소택(大小宅).

대:-소동【大騷動】명 큰 소동.

대:-소렴【大小殮】명 '소렴'·'대렴'을 아울러 이르는 말.

대:소-민【大小民】명 벼슬하는 백성과 안 하는 백성을 합친 모든 백성.

대:소-법【對消法】[一뻡] 명〖수〗분수(分數)의 형식(形式)을 사용(使

用)하여 아래위의 수를 통약(通約)하는 방법.
대:소-변【大小便】명 똥과 오줌. 대소피(大小避).
대:-소비지【大消費地】명 물품을 대량으로 소비하는 지역.
대:소-사【大小事】명 큰 일과 작은 일.
대:-소상【大小祥】명 대상(大祥)과 소상(小祥). 대소기(大小朞).
대:-소수【帶小數】명『수』정수(整數)와 소수(小數)의 합(合)으로 이루어진 수. 1.56 또는 6.78 같은 것.
대:소-아【大小雅】명 대아(大雅)와 소아(小雅).
대:소-역【大小疫】명 두창(痘瘡)과 홍역(紅疫). 곧, 마마와 홍역.
대:소-월【大小月】명 큰 달과 작은 달.
대:소 인원【大小人員】명 높은 관원(官員)과 낮은 관원을 합친 모든 관원.
대:소-장【大小腸】명 대장(大腸)과 소장(小腸).
대:소-절【大小節】명 크고 작은 절(節).
대:소-점【大小點】[-쩜] 명『악』거문고의 술대 쓰는 법인 대점(大點)과 소점(小點). 대점은 강박(強拍)이고 소점은 약박(弱拍)에 듦.
대:소-종【大小宗】명 대종(大宗)과 소종(小宗).
대-소쿠리 명 대로 결어 만든 소쿠리.
대:소-택【大小宅】명 '대소가(大小家)❶'의 높임말. 대소댁(大小宅).
대:소-피【大小避】명 대소변(大小便).
대:소화 어아금【大小花魚牙錦】명 옛날 왕족(王族)들이 입던 비단의 한 가지.
대:속【代贖】명 ①『기독교』예수가 십자가의 보혈(寶血)로 만민의 죄를 대신 씻어 구원한 일. *속죄(贖罪). ②남의 죄를 대신하여 자기가 당함. ③대신 속죄(贖罪)함. ——-하다 타여불
대:손[1]【大損】명 큰 손해.
대:손[2]【貸損】명 외상 매출금·대부금 등이 반제(返濟)되지 아니하고 손실이 되는 일.
대:손 충당금【貸損充當金】명〔allowance for bad debt〕『경』외상 매출금·받을어음·대부금 등 외상 채권(外上債權)은 전부 회수 가능한 것이 아니므로 회수 불능이 예상될 때에는 그 금전 채권이 속하는 과목마다 회수 불능 예상 금액을 공제하는 형식으로 기재하게 되는데, 이 때의 회수 불능 예상 금액을 이름.
대솔[1]【大一】명 큰 소나무. 대송(大松).
대:솔[2]【大率】명『역』백제 십 육품 관등(官等)의 둘째 등급. 곧, 좌평(佐平)의 다음 벼슬.
대:솔[3]【帶率】명 ①영솔(領率). ②↗대솔 하인(帶率下人). ——-하다 자타여불
대솔-잎【大一】[-립] 명 큰 소나무의 잎. 굵고 길고 송진(松津) 기운이 많아서 잘 탐.
대솔 장작【大一長斫】명 큰 소나무를 잘라서 팬 장작. 대송 장작(大松長斫).
대솔-하라지【大一】명 대솔의 가지로 만든 장작.
대:솔 하:인【帶率下人】명 ①고귀(高貴)한 사람을 모시고 다니는 하인. ②하인을 거느림. 준대솔(帶率). ——-하다 자여불
대:송[1]【大松】명 큰 소나무. 대솔.
대:송[2]【代送】명 다른 것으로 대신 보냄. 체송(替送). ——-하다 타여불
대:송[3]【代誦】명『천주교』정규(正規)의 기도문(祈禱文) 대신으로 다른 경문을 욈. ——-하다 타여불
대:송[4]【對訟】명 응송(應訟). ——-하다 자여불
대:송 승사략【大宋僧史略】명『책』승사략.
대송이-풀 명『식』[*Pedicularis sceptrum-carolinum*] 현삼과에 속하는 다년초. 줄기 높이 50 cm 가량이고, 잎은 뿌리에서 총생하며 엽병(葉柄)의 길이 30 cm 가량 되고, 우상 복엽(羽狀複葉)임. 7-8월에 홍자색의 꽃이 포액(苞腋)에서 나와 피고, 화관(花冠)은 순형(脣形)이며, 삭과(蒴果)는 편편한 달걀꼴임. 깊은 산에 나며 함남·함북 및 홋카이도에 분포함. *송이풀.
대:송-작【大松斫】명 큰 소나무 장작.
대:송 장작【大松長斫】명 대솔 장작.
대수[1] 명〈옛〉대숲. ¶ 빅빅ᄒᆞᆫ 대수헤 ᄯᅩ 겨으레 笋ㅣ 나며(密竹復冬笋)《重杜諺 I:14》. *수[4].
대:수[2]【大水】명 ①큰물. 홍수(洪水). ②『역』압록강(鴨綠江)을 한(漢)·위(魏) 시대에 일컫던 이름.
대:수[3]【大首】명『역』왕비의 대례복(大禮服)인 적의(翟衣)에 하던 머리 모양. 위보다 아래가 넓은 삼각형을 이루고, 비녀·화관(花冠)으로 화려하게 꾸밈.
대:수[4]【大壽】명 장수(長壽).
대:수[5]【大數】명 ①큰 수(數). ②대운(大運). ③물건의 수가 많음. ④소수(小數)에 대하여 1 이상의 수를 일컫는 말. 우리 나라의 대수는 다음과 같은 단위를 씀. 일(一), 십(十), 백(百), 천(千), 만(萬), 십만(十萬), 백만(百萬), 천만(千萬), 만만(萬萬)은 억(億), 만만억(萬萬億)은 조(兆), 만만조(萬萬兆)는 경(京), 만만경(萬萬京)은 해(垓), 만만해(萬萬垓)는 자(秭), 만만자(萬萬秭)는 양(穰), 만만양(萬萬穰)은 구(溝), 만만구(萬萬溝)는 간(澗), 만만간(萬萬澗)은 정(正), 만만정(萬萬正)은 재(載), 만만재(萬萬載)는 극(極), 만만극(萬萬極)은 항하사(恒河沙), 만만항하사(萬萬恒河沙)는 아승기(阿僧祇), 만만 아승기(萬萬阿僧祇)는 나유타(那由他), 만만 나유타(萬萬那由他)는 불가사의(不可思議), 만만 불가사의(萬萬不可思議)는 무량수(無量數). 그 뒤 중국 청(淸)나라의 《수리 정온(數理精蘊)》에 따라 조(兆) 이상에서 네 자리마다 바뀌는 현행 단위가 쓰이게 됨. 곧, 만억(萬億)은 조(兆), 만조(萬兆)는 경(京), 만경(萬京)은 해(垓), 만해(萬垓)는 자(秭), 만자(萬秭)는 양(穰), 만양(萬穰)은 구(溝), 만구(萬溝)는 간(澗), 만간(萬澗)은 정(正), 만정(萬正)은 재(載), 만재(萬載)는 극(極), 만만극(萬萬極)은 항하사(恒河沙), 만만 항하사(萬萬恒河沙)는 아승기(阿僧祇), 만만 아승기(萬萬阿僧祇)는 나유타(那由他), 만만 나유타(萬萬那由他)는 불가사의(不可思議), 만만 불가사의(萬萬不可思議)는 무량수(無量數). *십진급수(十進級數).
대:수[6]【大樹】명 ①큰 나무. ②↗대수 장군(大樹將軍).
대:수[7]【大綬】명 ①『역』임금이나 세자(世子)의 예복(禮服)·제복(祭服)에 늘어뜨리는 후수(後綬). ②무궁화 대훈장 및 각종 1등급의 훈장을 패용할 때, 어깨에서 허리에 걸쳐 드리우는 큰 수(綬).
대:수[8]【代囚】명『역』죄인이 병이나 사고가 있어서 구금(拘禁)·복역(服役)을 할 수 없거나 또는 진범인(眞犯人)을 잡지 못하였거나 한 경우에 그 관계자나 혹은 근친자(近親者)를 대신 가두어 둠. 또, 그 죄수. 체수(替囚). ——-하다 타여불
대:수[9]【代數】명『수』↗대수학(代數學).
대:수[10]【代數】[-쑤] 명 세대(世代)의 수효.
대:수[11]【對手】명 적수(敵手).
대:수[12]【對酬】명 응대(應對)함. 응수(應酬). ——-하다 자여불
대:수[13]【對數】명『수』'로가리듬(logarithm)'의 구용어.
대-수[14]【臺數】명 차량 따위의 수.
대:수-계【代數系】명『수』대수학(代數學) 대상의 하나. 하나의 대수적 구조가 주어졌을 때, 그것을 가지는 집합의 전체를 그 대수적 구조에 대응하는 대수계라 함. 군(群)·환(環)·체(體)·벡터 공간 따위가 전형적인 것임.
대:수 계:산【對數計算】명『수』'로그 계산'의 구용어.
대:수 곡면【代數曲面】명〔algebraic surface〕『수』삼차원(三次元)에 있어서, 한 개의 대수 방정식의 자취가 나타내는 곡면.
대:수 곡선【代數曲線】명〔algebraic curve〕『수』직각 좌표(直角座標)에 관하여 대수 방정식에 의해 나타나는 곡선.
대:수 기하학【代數幾何學】명『수』대수(代數) 방정식의 자취·대수 곡면(曲面)·대수 곡선 등을 연구하는 해석 기하학(解析幾何學)의 부문.
대:수 기:호【代數記號】명『수』대수학에서 사용하는 기호. 숫자(數字)·로그(log)·등호(等號) 같은 것.
대:수 긴나라【大樹緊那羅】명『불교』무열지(無熱池)의 북쪽, 염부제주(閻浮提州)의 최고 중심에 있는 향산(香山)에 사는 긴나라왕(緊那羅王)의 이름. 음성이 미묘하고 가무(歌舞)를 썩 잘하는 하늘의 악신(樂神)임.
대:수 눈금【對數—】[-끔] 명『수』'로그 눈금'의 구용어.
대:수 대:명【代數代命】명『민』①재액(災厄)을 남에게 옮김. ②남의 재액을 자기가 맡음.
대:-수도원【大修道院】명『천주교』대수도원장 또는 여자 대수도원장이 통솔하는 자치권이 있는 수도원.
대:수-롭다 형ㅂ불〔←대사(大事)롭다〕중요(重要)하게 여길 만하다. ¶ 대수롭게 여기다. 대:수-로이 부
대:수롭지-않다[-안타] 형 중요(重要)하지 않다. 시들하다.
대수리[1] 명『조개』[*Thais clavigera*] 뿔소랏과에 속(屬)하는 조개. 길이 30-40 mm, 직경 20-25 mm 내외의 타원형임. 껍질의 표면은 녹색을 띤 회갈색임. 두드럭고둥과 몹시 비슷하나 좀 작고, 돌기(突起)가 크지 아니하며 입 속의 등색이 변하지 않는 것이 다름. 양식 패류(養殖貝類)의 대적(大敵)임. 한국·일본·중국 등지에 분포함. 꼬마두드럭고둥. *두드럭고둥.
대:-수리[2]【大修理】명 규모가 큰 수리. ——-하다 타여불
대:수-맥【大水貊】명『역』고구려의 건국 이전에 지금의 압록강 유역에 근거를 두고 있던 예맥(濊貊). *소수맥(小水貊).
대:수모-류【帶水母類】명『동』[Cestidea] 띠해파리목(目).
대:수 미분법【對數微分法】[-뻡] 명『수』'로그 미분법'의 구용어.
대:수 방안지【對數方眼紙】명『수』'로그 모눈종이'의 구용어.
대:수 방정식[1]【代數方程式】명『수』몇 개의 미지수에 관하여 두 개의 대수식(代數式)을 등호(等號)로 연결한 방정식. ↔초월(超越) 방정식.
대:수 방정식[2]【對數方程式】명『수』'로그 방정식'의 구용어.
대:수 법칙【大數法則】명『수』대수(大數)의 규율성(規律性)에 의하여 나타나는 법칙(法則). 동전(銅錢) 같은 것을 열 번이나 스무 번 정도 던졌을 때에는 그 표면(表面)이 나타나는 비율(比率)이 각각 다르나, 이것을 몇 천 번 몇 만 번 던지면 그 중에 동전의 표면이 나타나는 비율이 거의 일정해진다는 법칙.
대:-수선【大修繕】명 대규모의 수선. ——-하다 타여불
대:-수술【大手術】명『의』위(胃)를 떼어 낸다든지 폐(肺)를 적출(摘出)한다든지 혹은 뇌(腦)를 수술하거나 사지(四肢)를 절단(切斷)하는 등의 큰 수술. ↔소수술(小手術).
대:수-식【代數式】명『수』대수학의 가(加)·감(減)·승(乘)·제(除)·멱(冪)·근(根)의 여섯 기호 중의 몇 개로써 연락되는 식. 일항식(一項式)·이항식·다항식·분수식·무리식·유리식 등이 있음.
대:-수압도【大睡鴨島】명『지』황해도 남해상의 섬. [162 km^2]
대:수 장군【大樹將軍】명〔중국 후한(後漢) 광무제(光武帝)의 장군 풍이(馮異)가 겸손하여 공(功)을 논하지 않고 늘 큰 나무 밑에 물러가 있었다는 고사(故事)에서〕'장군(將軍)'의 별칭. 준대수(大樹).
대:수-적【代數的】명관 대수에 관한 모양. ¶ ~ 해법(解法).
대:수적 구조【代數的構造】명『수』집합에 대한 조건의 하나. 연산(演算)이 몇 개 있어야 하는가, 또 그것들은 어떠한 성질의 것이어야 하는가 하는 두 가지 조건으로 이루어짐.
대:수적 수:【代數的數】명〔algebraic number〕『수』유리수(有理數)를 계수(係數)로 하는 대수 방정식 $a_0x^n+a_1x^{n-1}+\cdots+a_n=0$의 근(根)이 되는 복소수(複素數). ↔초월수(超越數).
대:수적 정:수【代數的整數】명〔algebraic integer〕『수』정수(整數)를 계수(係數)로 하는 대수 방정식(代數方程式) $x^n+a_1x^{n-1}+a_2x^{n-2}+\cdots+a_n=0$ ($a_1, a_2\cdots, a_n$은 정수(整數), n은 자연수(自然數), x^n의 계수(係數)는 1)에 있어서 그 근(根)이 되는 복소수(複素數).
대:수적 정:수론【代數的整數論】명『수』대수적 정수의 여러 가지 성질을 연구하는 수학의 한 분과(分科).
대:수중 미사일【對水中一】〔missile〕명 함상(艦上) 또는 공중으로부

터 잠수함에 대하여 발사하는 미사일.

대:수-증【大手症】[—쯩] 명 〔macrocheiria〕『의』 손이 기형적으로 큰 상태.

대:수찰【大水鰵】명『조』 민댕기물떼새.

대:수-척【對數尺】명『수』 '로그자'의 구용어.

대:수-층【帶水層】명『지』 지하수가 있는 지층. 모래·잔돌·점토 등으로 이루어짐.

대:수-표【對數表】명『수』 '로그표'의 구용어.

대-수풀 명 ☞ 대숲.

대:수-학【代數學】명『수』 수학의 한 분야. 본디 문자를 써서 수를 나타내어 수의 성질·대수 방정식의 해법(解法) 등을 연구하는 것이었으나, 그 후 대수계(代數系) 전반을 연구 대상으로 하는 극히 광범위한 것이 됨. ㊟대수(代數).

대:수학의 기본 정:리【代數學—基本定理】[—니 / —에—니] 명『수』 'n차(次)의 대수(代數) 방정식 $a_0x^n+a_1x^{n-1}+\cdots+a_{n-1}x+a_n=0$은 복소수(複素數)의 범위에 적어도 하나의 근을 갖는다'는 정리. 이 경우 $a_0(\neq 0)$, a_1, …, a_n은 실수(實數) 또는 복소수임. 1799년 가우스(Gauss)가 처음 증명함.

대:수 함:수[1]【代數函數】[—쑤] 명『수』 초등 함수의 하나. x의 정식(整式) $P_0(x)$, $P_1(x)$, $P_2(x)$, $\cdots P_n(x)$를 계수로 하는 방정식 $P_0(x)y^n+P_1(x)y^{n-1}+P_2(x)y^{n-2}+\cdots P_n(x)=0$에 의하여 정해지는 n가(價) 함수 $y=f(x)$를 말함.

대:수 함:수[2]【對數函數】[—쑤] 명『수』 '로그 함수'의 구용어.

대:수-합【代數合】명『수』 대수학에서, 양(陽)·음(陰)의 부호를 가진 수나 또는 식을 합한 합.

대:-숙청【大肅淸】명 ①대대적인 숙청. ②『역』 소련의 반(反)스탈린파 숙청 사건. 1934년 스탈린파의 요인(要人) 키로프(Kirov, S.M.)의 암살을 계기로 특히 1936-38년에 걸쳐 투하체프스키(Tukhachevski, M.N.) 사건 등, 네 건의 재판으로 군수뇌 55명을 포함한 반대파 지도자가 처형되고 당원 다수가 재판 없이 처형·구금된 일.

대-순[1] 명 죽순(竹筍).

대:순[2]【大舜】명 '순(舜) 임금'의 경칭.

대:순다 열도【大—列島】〔Sunda〕[—또] 명『지』 인도네시아의 순다 열도(列島) 서반부의 섬들. 자바·수마트라의 두 큰 섬과 그 부속 도서로 이루어짐. 넓게는, 보르네오·셀레베스 등의 섬을 포함하기도 함. *소(小)순다 열도.

대:순-증【大脣症】[—쯩] 명『의』 입술이 비정상적으로 큰 증상. 병적인 경우와 흑인들에게서 볼 수 있는 선천적인 경우가 있음.

대:-순환【大循環】명『생』 심장의 좌심실(左心室)에서 대동맥(大動脈)으로 흐르는 피가 전신을 돈 뒤, 대정맥을 통하여 우심방(右心房)으로 돌아오는 순환(循環) 계통. 체순환(體循環). 큰피돌기.

대술【代述】명 과거 볼 때, 남을 대신하여 답안(答案)을 만드는 그릇된 짓. ——-하다 타여불

대-숲 명 대나무로 이루어진 숲. 죽림(竹林).

대슘 치마 명『역』 예복(禮服)으로 정장(正裝)할 때, 무지기 밑에 받쳐 입는 여자 속치마의 하나.

대:습 상속【代襲相續】명『법』 법정(法定) 상속권을 가진 사람이 상속 개시 이전에 사망 혹은 기타의 사유(事由)로 상속권을 잃었을 경우에, 그 사람의 직계 비속이 대신 상속하는 일. 아들이 아버지의 사후(死後)에 조부(祖父)의 상속을 받는 일 등. 대위(代位) 상속. 대승(代承) 상속. 승조(承祖) 상속. ↔본위(本位) 상속.

대:승[1]【大丞】명『역』 ①태봉(泰封)의 관호(官號)의 하나. ②고려 초의 문무 관계(文武官階)의 하나. 성종(成宗) 14년(995)에 흥록 대부(興祿大夫)로 고쳐 문관(文官)의 품계로 사용함. ③고려 때 구품 향직(九品鄕職)의 셋째 등급.

대:승[2]【大乘】명『불교』〔범어 mahāyāna의 역어(譯語). 해탈의 피안(彼岸)에 도달하기 위한 위대한 수단이라는 뜻〕 후기 불교의 유파의 하나. 소승 불교가 수행에 따르는 개인의 해탈에 주력하는 데에 대하여, 이타(利他) 구제의 입장에서 널리 인간 전체의 평등과 성불(成佛)을 이상으로 삼고, 그것이 불타의 가르침의 참다운 대도(大道)임을 주장하는 교리. 소승처럼 소극적·형식적이 아니고 오히려 내적·정신적이며 그 세계관·인생관도 적극적 활동적임. 우리 나라·중국·일본의 불교는 거의 이에 속함. 상승(上乘). 마하연(摩訶衍). ↔소승(小乘).

대:승[3]【大勝】명 ①힘·가치 따위가 딴 것보다 썩 나음. ②크게 이김. 대승리. 대첩(大捷). ——-하다 자형여불

대:승[4]【代承】명 대를 이음. ——-하다 자여불

대:승[5]【代僧】명『불교』 대리의 중.

대:승[6]【戴勝】명『조』 후투티.

대:승-경【大乘經】명『불교』 대승의 교법을 해설한 다섯 가지의 불경. 곧, 화엄경(華嚴經)·대집경(大集經)·반야경(般若經)·법화경(法華經)·열반경(涅槃經). 대승 오부(大乘五部). ↔소승경(小乘經).

대:승-계【大乘戒】명『불교』 대승의 보살을 위한 계. 보살의 자각(自覺)으로써 불도 수행에 힘쓰는 사람이 다 같이 지켜야 한다는 계율. 보살계.

대:승-교【大乘敎】명『불교』 대승 불교(大乘佛敎). ↔소승교.

대:승-기【大乘機】명『불교』 대승의 가르침을 믿는 근기(根機).

대:승 기신론【大乘起信論】[—논] 명『불교』 ①강당(講堂)의 교과(敎科) 중에서, 4교(敎)의 둘째 과정(課程)으로, 불교의 근본 뜻을 이르며 정신(正信)을 일으키는 것을 목적으로 한 이론. ②『책』 대승 불교의 근본 뜻을 이론과 실천의 양면에서 설한 책. 불멸 후(佛滅後) 600년경에 인도의 고승(高僧) 마명 대사(馬鳴大師)가 지었다 함. 중국 양(梁)나라의 진제(眞諦)가 번역한 것과 당(唐)나라의 실차난타(實叉難陀)가 번역한 것이 있음. ㊟기신론(起信論).

대:-승기탕【大承氣湯】명『한의』 승기탕 중에 가장 힘이 강한 약.

대:-승리【大勝利】[—니] 명 아주 큰 승리. 대승(大勝). ——-하다 자여불

대:승 법원 의:림장【大乘法苑義林章】명『책』 중국 당대(唐代)의 불교 서적. 7권 또는 14권. 규기(窺基)가 씀. 유가론(瑜伽論)에 의하면서 법상 유식(法相唯識)의 교학을 정리한 것으로, 유식(唯識) 연구자들이 존중하는 책임.

대:승 보살계【大乘菩薩戒】명『불교』 보살계(菩薩戒).

대:승 불교【大乘佛敎】명『불교』 대승의 교법(敎法)을 기본 이념으로 하는 불교. 삼론(三論)·법상(法相)·화엄(華嚴)·천태(天台)·진언(眞言)·율(律) 등의 제종(諸宗)을 비롯하여 선종 등은 이에 속함. 대승교. 보살도(菩薩道). ↔소승 불교.

대:승-사【大乘寺】명『불교』 경상 북도 문경시(聞慶市) 산북면(山北面) 전두리(田頭里) 사불산(四佛山)에 있는 절. 직지사(直指寺)의 말사. 신라 진평왕(眞平王) 9년(587)에 붉은 비단에 싸인 사면 석불상(四面石佛像)이 하늘에서 떨어져, 왕이 그 바위 옆에 이 절을 지었다 함.

대:승 상속【代承相續】명『법』 대습(代襲) 상속.

대:승 오:부【大乘五部】명『불교』 대승경(大乘經).

대:승 의:장【大乘義章】명『책』 중국 수(隋)나라의 혜원(慧遠)이 지은 일종의 불교 용어의 자휘(字彙)로 불교의 요목(要目)을 유취 평석(類聚評釋)한 책. 수(數)·의법(義法)·염법(染法)·정법(淨法)·잡법(雜法)의 오취(五聚)로 대별, 다시 222부문으로 나누어 상술(詳述)하였음. 20권.

대:승 장엄론【大乘莊嚴論】[—논] 명『책』 대승 경전(大乘經典)의 하나. 인도의 고승 마명(馬鳴)이 지은 책으로, 인도 유식(唯識)의 중심 논서(中心論書)의 하나. 불타의 본생(本生) 및 여러 가지 인연·비유(比喩)·설화(說話) 90종이 실려 있음. 13권.

대:승-적【大乘的】명관 ①불교의 대승의 진리와 들어맞는 모양. ②개인의 감정이나 사리(私利) 또는 목전의 사정에 매이지 않고, 보다 높고 큰 관점에서 판단·행동하는 모양. 대국적. ¶ ～ 견지. 1)·2):↔소승적.

대:-승전【大勝戰】명 싸움에 크게 이김. 또, 그 싸움. ——-하다 자여불

대:시[1]【大始】명 태시(太始).

대:시[2]【待時】명 ①시기(時期)를 기다림. ②기회가 오기를 기다림. ③『역』 조선 시대의 형제(刑制)의 하나. 사형수를 춘분(春分) 전과 추분(秋分) 후에 형을 집행하던 일. 1)-3):↔부대시. ——-하다 자여불

대시[3]【臺侍】명『역』 대간(臺諫)으로 시종(侍從)이 되는 일. 또, 그 사람. 장령(掌令)·지평(持平)이 이에 속함.

대시[4]【臺試】명『역』 ↗춘당 대시(春塘臺試).

대시[5]〔dash〕명 ①돌진(突進). 맹진(猛進). 돌격(突擊). 러시(rush). ②단거리 경주. 역주(力走). 스프린트(sprint). ¶스타트 ～(start dash). ③권투에서, 맹렬히 적에게 돌진하여 난타(亂打)하는 일. ④구(句)와 구 사이에 삽입하는 '—'의 접속 기호. ⑤수학·화학 등의 ' ′ '의 기호. 이를테면 'a′', 'b″' 등으로 사용함. ⑥『악』 스타카토(staccato) 연주의 기호. 곧 ' ′ '. ⑦모르스 부호의 긴 부호. 곧 '—'. ——-하다 자여불

대시[6]〔DASH〕명〔Drone Anti-Submarine Helicopter의 약칭〕『군』 잠수함 공격용의 무인(無人) 헬리콥터. 원격 조종(遠隔操縱)에 의하여, 적의 잠수함 상공에서 어뢰(魚雷)를 투하함.

대시-보:드〔dashboard〕명 자동차에서, 앞 유리 밑에 계기판(計器板)이나 스위치 등이 나란히 붙어 있는 판(板). 대시판(板).

대:시식 교환【待時式交換】명 전화의 교환 접속에서, 통화 희망 가입자의 희망에 즉시로 응할 수 없을 때, 그것을 적어 두었다가 중계선(中繼線)이 비는 대로 접속을 해 주는 교환의 취급 방법. 시외(市外) 전화 통화에 이 방법을 썼음.

대:시 운:동【對視運動】명『천』 태양의 공간 운동에 의하여 상대적으로 관측되는 항성(恒星)의 공간 운동. ↔특유 운동(特有運動).

대시-판【—板】〔dash〕명 대시보드(dashboard).

대시 포트〔dash pot〕명『물』 기계·측정기(測定器) 따위에서 속도에 비례하는 저항(抵抗)을 주기 위한 장치. 제진기(制振器). *완화 현상.

대:-시호탕【大柴胡湯】명『한의』 발열성(發熱性) 질환을 앓아 열과 오한(惡寒)이 반복되며, 복통·변비·설사 등이 수반되는 증상을 다스리는 탕약.

대:식[1]【大食】명 ①아침·저녁의 끼니 밥. ②음식을 보통 이상으로 많이 먹음. 또, 그 많은 분량. 건담(健啖). ↔소식(小食). ③↗대식가(大食家). ——-하다 타여불

대:식[2]【大食】명『역』 아바스 왕조(Abbas 王朝) 때의 사라센(Saracen)을 중국 당(唐)나라에서 부른 이름. 대식국(大食國). *타지(Tazi).

대:식[3]【大息】명 ①크게 숨을 쉬는 일. ②태식(太息).

대:식[4]【帶蝕】명『천』 일대식(日帶蝕)과 월(月)대식의 총칭.

대:식[5]【對食】명 ①마주 앉아 먹음. ②궁녀끼리 제 멋대로 부부(夫婦)가 되는 일. 또, 그 부부. ——-하다 타여불

대:식-가【大食家】명 음식을 많이 먹는 사람. 건담가(健啖家). ㊟대식.

대:식-국【大食國】명『역』 대식[2](大食).

대:-식세포【大食細胞】명『생』 동물체의 거의 모든 조직에 분포하는 아메바 모양의 대형 단핵(單核) 세포. 생체 내에 침입한 세균이나 이물질 따위를 제 몸 안으로 끌어 들여 소화시킴으로써 염증 수복(炎症修復)과 면역을 담당함. 탐식(貪食) 세포.

대:식-한【大食漢】명 음식을 많이 먹는 남자.

대:신[1]【大臣】명 ①『역』 의정(議政)❶의 통칭. 정승(政丞). 정신(鼎臣). ②『역』 조선 고종(高宗) 31년(1894) 갑오 경장 이후, 궁내부·의정부와 내부 아문 등 8아문, 그리고 내각의 7부의 장관. 아형(阿衡). 의정(議政). ③군주 국가에서의 '장관(長官)'의 칭호.

【대신 댁 송아지 백정(白丁) 무서운 줄 모른다】 남의 세력만 믿고 안하무인격인 사람을 보고 하는 말.

대:신[2]【大神】명『민』 ①무서운 귀신. ¶천둥 ～/지동 ～. ②〔high god〕

미개인(未開人) 사이에 종교 관념이나 신화(神話)에 나타나는 최고 유일한 영원 불멸의 자존자(自存者)인 부족적 신격(部族的神格). 인류를 비롯하여 우주 만물의 창조자로서 신앙됨.

대:신[3]【代身】[一] [명] ①남을 대리(代理)함. ¶ 주인을 ～하다. ②새 것으로나 다른 것으로 바꾸어 갈아 채움. [준]대(代). [二] [부] 남을 대리하여. ¶ 모임에 ～ 참석하다. ——-하다 [타][여불]

대신[4]【臺臣】[명]〖역〗사헌부(司憲府)의 대사헌(大司憲) 이하 지평(持平)에 이르는 관헌의 총칭. 대관(臺官).

대:신 관방【大臣官房】[명]〖역〗조선 말기 고종(高宗) 31년(1894)에 설치된 8아문(衙門)의 총무국(總務局)을 이듬해 을미 개혁 때 고친 관청. 각 부의 기밀 사항, 대신의 관인(官印)과 부인(部印)의 간수에 관한 사항, 공문서의 수발(受發) 등의 사항을 맡아 봄.

대:-신사【大神師】[명]〖천도교〗천도교를 창도한 교조 '최 제우(崔濟愚)'의 존칭. 천종 수운 대신사(天宗水雲大神師).

대:-신학교【大神學校】[명]〖천주교〗사제(司祭) 양성을 목적으로 하는 학교. 철학(哲學) 2년, 신학(神學) 4년의 수업 연한(年限)을 거침. 서울의 가톨릭 대학, 광주의 대건 신학 대학 같은 것. *소신학교(小神學校).

대:실[1]【大失】[명] 큰 손실(損失). ¶ 소탐(小貪) ～. ↔소실(小失).

대:실[2]【貸室】[명] 삯을 받고 빌려 주는 방. ¶ ～료(料).

대:실 소:망【大失所望】[명] 바라던 것이 아주 허사가 되어 크게 실망함. ——-하다 [자][여불]

대:심【對審】[명]〖법〗당사자를 대립 관여시켜 행하는 소송의 본격적인 심리(審理). 민사 소송에서는 구술 변론(口述辯論), 형사 소송에서는 공판 기일의 절차를 뜻함. ——-하다 [타][여불]

대:심-박이【大心―】[명] 굵은 심지를 박은 초.

대:심-원【大審院】[명] 미국의 대법원(大法院).

대:심 판결【對審判決】[명]〖법〗대석 판결(對席判決).

대:싱안링 산맥【大一山脈】〔興安嶺〕[명]〖지〗몽골 고원과 둥베이(東北) 평원의 경계를 이루는 산맥. 고도는 비교적 낮음. 남쪽은 인산(陰山) 산맥·타이항(太行) 산맥에 이어짐. 대흥안령 산맥.

대-싸리 [명]〖식〗☞댑싸리.

대싸리-비 [명] ☞댑싸리비.

대:아[1]【大牙】[명] ①대구치(大臼齒). ②사나운 짐승의 송곳니. 엄니. ③「아기(牙旗).

대:아[2]【大我】[명] ①〖철〗우주의 본체(本體)로서 유일 절대한 정신을 상정(想定)하는 형이상학설(形而上學說)에서 그 본체를 개인의 아(我)에 귀결시켜 쓰는 말. ②〖불교〗우주의 본분(本分). 참된 나, 곧 아견(我見)·아집(我執)을 떠나서 자유 자재한 묘용(妙用)을 이루는 경계(境界). 곧, 아상(我相)·인상(人相)·중생상(衆生相)·수자상(壽者相)의 네 가지를 떠난 참된 경계. 1)·2):↔소아(小我).

대:아[3]【大兒】[명] 큰 아이.

대:아[4]【大雅】[명] ①대단히 고상함. 또, 극히 올바름. ②평교간(平交間)이나 문인(文人)에 대하여 편지 겉봉 이름 밑에 쓰는 말. ③시경(詩經) 육의(六義)의 하나. 큰 정치를 말한 정악(正樂)의 노래.

대:아[5]【大衙】[명]〖역〗지방관으로 있는 아버지나 형에게 아들이나 아우가 편지할 때에 겉봉에 쓰는 말.

대:-아라한【大阿羅漢】[명]〖불교〗①아라한 가운데에서 자리가 가장 높은 아라한. ②'아라한'의 존칭.

대:-아사리【大阿闍梨】[명]〖불교〗수법(修法)의 단(壇)에서 주(主)되는 중. 이에 따르는 중을 소아사리(小阿闍梨)라고 함.

대아장【臺兒莊】[명]〖지〗'타이얼좡(臺兒莊)'을 우리 음으로 읽은 이름.

대:-아찬【大阿飡】[명]〖역〗신라 때 십칠 관등(官等)의 다섯째 등급(等級). 이벌찬(伊伐飡)으로부터 이 벼슬까지를 진골(眞骨)이라 하였음. 파진찬(波珍飡)의 아래, 아찬(阿飡)의 위임.

대:악[1]【大惡】[명] 아주 못된 짓. 끔찍한 악인. 극악(極惡).

대:악[2]【大嶽·大岳】[명] 큰 산.

대악[3]【碓樂】[명]〖악〗신라 자비왕(慈悲王) 때 백결 선생(百結先生)이 지었다고 하는 노래. 지금은 전하지 아니함.

대:악-감【大樂監】[명]〖역〗'장악원(掌樂院)'의 별칭.

대:악 무도【大惡無道】[명] 대단히 악독하고 육친(肉親)을 살해한다든가 은인이나 조국을 파는 등, 인간으로서 차마 할 수 없는 악독한 행위를 함. 또, 그 모양. ¶ ～한 놈. ——-하다 [형][여불]

대:악-서【大樂署】[명]〖역〗고려 때 음악(音樂)에 관한 일을 맡아 보던 관아. 충렬왕(忠烈王) 34년에 전악서(典樂署)라 고쳤다가 공민왕(恭愍王) 5년에 다시 본이름으로, 11년에 또 전악서로, 18년에 다시 본 이름으로, 21년에 또 전악서라 고치었음.

대:-악절【大樂節】[명]〖악〗'큰악절'의 한자 이름. ↔소악절(小樂節).

대:악 후:보【大樂後譜】[명]〖악〗국악의 악보의 하나. 조선 시대 영조(英祖) 35년(1759)에 '세조조 악보(世祖朝樂譜)'를 개찬한 것임. 고려의 별곡과 세조 때의 음악인 '오음 약보(五音略譜)'가 수록되어 있음.

대:안[1]【大安】[명] 제반(諸般)이 평안하다는 뜻으로, 평교간(平交間)의 편지에서 상대방의 안부를 물을 때에 쓰는 말. ——-하다 [형][여불]

대:안[2]【大安】[명]〖사람〗신라 진평왕(眞平王) 때의 고승. 원효 대사(元曉大師)의 스승이었다 함. 대안 대사(大安大師). [571-644]

대:안[3]【代案】[명] 어떤 안에 대신할 안. ¶ ～을 강구하다.

대:안[4]【對岸】[명] 건너편에 있는 언덕. ¶ ～의 불 보듯하다.

대:안[5]【對案】[명] ①책상 또는 밥상을 가운데에 두고 마주 앉음. ②어떤 일에 대처할 방안. ¶ ～을 마련하다. ——-하다 [자][여불]

대:안[6]【對顔】[명] 대면(對面).

대안[7]【臺顔】[명] 존안(尊顔).

대:안-경【對眼鏡】[명]〖물〗'대안 렌즈(對眼 lens)'의 한자말.

대:안-계【大安溪】[명]〖지〗다안 강(江).

대:안 대:사【大安大師】[명]〖사람〗'대안(大安)'의 존칭.

대:-안도【戴安道】[명]〖사람〗중국 진(晉)나라 때의 학자. 이름은 규(逵). 안도(安道)는 그의 자임. 박학(博學)하고 글과 서화에도 능하며, 거문고의 명수임.

대:안 렌즈【對眼―】〔lens〕[명]〔eyepiece〕〖물〗접안 렌즈(接眼 lens). 대안경(對眼鏡).

대:안-작【大眼雀】[명]〖조〗진홍가슴.

대:암-봉【大岩峰】[명]〖지〗평안 북도 초산군(楚山郡) 송면(松面)과 운산군(雲山郡) 북진읍(北鎭邑) 사이에 있는 산. [1,025m]

대:암-산【大岩山】[명]〖지〗①함경 남도(咸鏡南道) 풍산군(豐山郡)과 장진군(長津郡) 사이에 있는 산. [2,205m] ②평안 북도 희천군(熙川郡)과 강계군(江界郡) 사이에 있는 산. [1,566m] ③강원도(江原道) 인제군(麟蹄郡) 북면(北面)과 서화면(瑞和面) 사이의 산. [1,316m]

대암-풀 [명] ☞대왐풀.

대앙 [명]〈방〉대야[1](전남).

대애 [명]〈방〉대야[1](경남).

대:-애기나리【大―】[명]〖식〗윤판나물.

대:액【大厄】[명] 몹시 사나운 운수. 큰 재액(災厄).

대:앤틸리스 제도【大―諸島】〔Antilles〕[명]〖지〗서인도 제도의 중서부를 차지하는 제도. 쿠바·자메이카·히스파니올라·푸에르토리코의 네 섬과 그 속도(屬島)로 됨. 사탕수수·담배·커피 등이 주산물임.

대야[1] [명] 물을 담아서 낯이나 손발을 씻는 데 쓰는 둥글넓적한 그릇. 가에 전이 있는 것도 있고 없는 것도 있음. 세면기. [주의]'大也'로 씀은 취음(取音).

대야[2]【大也】[명]〈옛〉술 되는 그릇. 다섯 잔 들이임. ¶ 饍者量酒之器 吾東之造者也 今郡縣 餽贈以酒 五盞謂之一饍 方言謂之大也≪雅言 卷二≫.

대:야[3]【大冶】[명]〖지〗'다예(大冶)'를 우리 음으로 읽은 이름.

대:야[4]【大冶】[명]〖역〗조선 시대 20명 이상 25명까지의 장인(匠人)을 거느리던 큰 대장간. *중야(中冶)·소야(小冶).

-대야 [어미] ↗-다고 하여야. ¶ 태산이 높～ 얼마나 높으랴. *-래야·-ㄴ대야·-는대야·-으래야.

대:야-도【大也島】[명]〖지〗목포(木浦) 서남쪽 66.6km 해상, 전라 남도 신안군(新安郡) 하의면(荷衣面) 능산리(陵山里)에 있는 섬. [3.8km²: 81명(1984)]

대야-머리 [명]〈방〉대머리[1].

대야-바닥 [명]〖고고학〗토기의 바닥에서 몸통으로 연결되는 부분이 각이 지지 않고 둥근 것.

대:야-성【大耶城】[명]〖역〗경상 남도 합천군(陜川郡)에 있었던 신라(新羅) 때의 성. 백제와의 접경 지대의 요지(要地)로서, 선덕 여왕(善德女王) 11년(642)에 백제 장군 윤충(允忠)의 공격에 의해 함락되어 도독(都督)인 김품석(金品釋)과 그의 아내가 죽음. *품석·검일(黔日).

대:야 철산【大冶鐵山】[一싼] [명]〖지〗다예 철산.

대:야-현【大也峴】[명]〖지〗경상 남도 합천군(陜川郡)에 있는 산. [970 m]

대:약【大約】[명] 사물의 골자. 대요(大要). 개략(槪略).

대:약진 운:동【大躍進運動】[명]〖정〗1958년에 중공(中共)에서 전개한 대규모 수리(水利) 시설 건설과 공업의 기본 건설 운동의 일컬음. 이 때 시작된 인민 공사(人民公社)의 실패로, 중공의 경제 건설에 지장을 가져옴.

대양[1] [명]〈방〉대야[1](전라·제주).

대:양[2]【大洋】[명] ①지구 표면의 5분의 4를 차지하고 있는 큰 바다. 모두 오(五)대양으로 나뉨. ②중국의 화폐인 '은돈'의 이름.

대:양[3]【對揚】[명] ①대등(對等)함. 필적(匹敵)함. ②군명(君命)을 받들어 그 마음을 하민(下民)에게 칭양(稱揚)함. ③〖불교〗법회(法會)에서 산화식(散華式)이 끝난 뒤에 불법(佛法)·세법(世法)의 상주(常住)·안온(安穩)을 비는 게문(偈文)을 외어 읽는 일. 또, 그 게문. ——-하다 [자][여불]

대:양-구【大洋區】[명]〔Oceanian region〕〖지〗남계(南界)에 속하는 동물 지리구의 하나. 뉴질랜드·서남 태평양 제도·남극 대륙을 포함하는 구역임. 옛날 형의 동물이 많은 것이 특징이며, 뱀류와 포유류(哺乳類)가 거의 서식하지 않음.

대:양 대:순환【大洋大循環】[명]〖지〗각 대양에 공통된 해류(海流)의 규칙적인 순환. 보통, 평균 풍계(平均風系)에 대응하는 표면 해류의 순환만을 의미하고, 심층(深層) 순환은 이에 포함시키지 않음. 해양(海洋) 대순환.

대:양 대지【大洋臺地】[명] 대양저(大洋底).

대:양-도【大洋島】[명]〖지〗대륙과 지리상의 관계없이 육붕(陸棚)에서 멀리 떨어져 있는 섬. 성인(成因)에 따라 화산도(火山島)와 산호초(珊瑚礁)로 구별함. [준]양도(洋島). ↔대륙도(大陸島).

대:양-만【大洋灣】[명]〖지〗외해(外海)가 바로 대양인 만. ↔ 부속 해만(附屬海灣).

대:양 문화【大洋文化】[명] 내해(內海) 문명의 뒤를 이어 근세(近世) 이후 태평양·대서양을 중심으로 발달한 바다 중심의 문화.

대:양-저【大洋底】[명]〖지〗대륙 사면(大陸斜面)에 이어지는 깊이 약 3,000-6,000미터의 해저. 경사가 극히 완만하여 광대한 대지를 이루고 있음. 전(全)해저의 약 76%를 차지하며 연니(軟泥)·청니(青泥) 따위의 심해(深海) 퇴적물로 되어 있음. 대양 대지(大洋臺地). *대륙붕.

대:양-적【大洋的】[명][관] 대양의 성질·성격을 나타내는 모양.

대:양적 기후【大洋的氣候】[명] 해양성 기후(海洋性氣候).

대:양-주【大洋洲】[명]〖지〗'오세아니아(Oceania)'의 한자 이름.

대:양 중앙 해:령【大洋中央海嶺】[명]〖지〗각 대양의 거의 중앙에 위치하는 해저 산맥(海底山脈). 지구를 둘러싸듯이 전(全)대양에 연속되

어 있으며 총 길이는 약 8만 km 이상임. 세계 지구대(地溝帶)와 실질적으로 같은 것으로 지구대나 지진대의 연속에 의하여 육상에까지 연결됨. 대서양 중앙 해령·인도양 중앙 해령·태평양 남극 해팽(海膨)·동태평양 해팽 등이 대표적인 것임.

대:양 지각【大洋地殼】명〔oceanic crust〕〖지〗대양저(大洋底) 밑에 있는 화성암(火成岩)의 두꺼운 집체(集體). 「m]

대:양-치【大陽峙】명〖지〗전라 북도 진안군(鎭安郡)에 있는 산. [417

대:양 항:로【大洋航路】[一노] 명〔shipping line〕〖해〗대양의 해운(海運)에서 사용되는 상용 항로(常用航路).

대:양화 작용【大洋化作用】명〔oceanization〕〖지〗대륙 지각(大陸地殼)이 대양 지각(大洋地殼)으로 변하는 작용.

대:양 휴명【對揚休命】명 군명(君命)을 받들어 그 뜻을 널리 일반 백성에게 드높임. ——-하다 자여불

대야 명 〈방〉 대야[1](강원).

대:어[1]【大魚】명 큰 물고기.

대:어[2]【大語】명 큰 소리❸. ——-하다 자여불

대:어[3]【大漁】명 물고기가 많이 잡힘. 풍어(豐漁).

대:어[4]【對語】명 ①상대해서 하는 말. ②숙어(熟語)의 조직에 사물을 상대시킨 말. 대소(大小)·도리(桃李)·화조(花鳥) 따위. ③의미상 서로 대응하는 말. 위와 아래, 적극과 소극 따위.

대:언[1]【大言】명 큰 소리❸. ——-하다 자여불

대:언[2]【代言】명 ①남을 대신하여 말함. ②〖역〗왕명(王命)을 하달(下達)하는 벼슬. 고려 초에 중추원(中樞院)에 두어 승선(承宣)이라 하였는데, 고려 문종(文宗) 때 지주사(知奏事)·좌승선(左承宣)·우승선(右承宣)·좌우부승선(左右副承宣) 다섯 사람으로 정하여 정삼품으로 하였고, 충렬왕(忠烈王) 원년에 지주사를 도승지(都承旨), 승선을 승지(承旨)로 고침. 충선왕(忠宣王) 2년에 다시 승지를 처음으로 대언이라 고치었음. 조선 시대에도 고려 때와 같이 처음에 중추원에 두어 도승지 이하 다섯 사람으로 하였는데, 정종(定宗) 2년에 승지를 독립시켜 승정원(承政院)을 베풀고 역시 다섯 사람의 승지를 두었음. 태종(太宗) 원년에 도승지를 지신사(知申事), 승지를 대언이라 고치고, 5년에는 정원(定員)을 한 사람 늘려 지신사·좌대언·우대언·좌부대언·우부대언·동부대언(同副代言)의 여섯 사람으로 하였다가 뒤에 다시 승지로 고치었음. *부대언(副代言)·부승지(副承旨). ——-하다 자여불

대:언[3]【對言】명 마주 대하여 말함. ——-하다 자여불

대:언 장:담【大言壯談】명 제 주제에 당치 않은 말을 희떱게 지껄임. 또, 그러한 말. 대언 장어(大言壯語). ——-하다 자여불

대:언 장:어【大言壯語】명 대언 장담. ——-하다 자여불

대:업【大業】명 ①큰 사업. ②홍업(洪業).

대:업-장【大業章】명 용비 어천가 114장의 이름.

대에 명 〈방〉 대야[1](경상).

대여[1] 명 〈방〉 대야[1](경기).

대:여[2]【大輿】명〖역〗나라에서 쓰던 큰 상여(喪輿). 대방상(大方牀). ↔소여(小輿).

〈대여[2]〉

대:여[3]【貸與】명 빌려 줌. 일정한 시기에 반환한다는 약속 아래, 특정한 물건을 남에게 소비시키거나 사용·수익(收益)시키는 일. 대급(貸給). ¶ ~금(金). ——-하다 타여불

대:여-권【貸與權】[一꿘] 명 저작자가 그 저작물을 복제하여 공중(公衆)에게 대여할 수 있는 권리. 주로 음반·악보·비디오 따위 복제물이 대상이 됨.

대:여 금고【貸與金庫】명 은행 등의 금융 기관에서 대형 금고 속에 설치하여 고객에게 이용케 하는 작은 금고.

대:여-꾼【大輿一】명〖역〗대여를 메는 사람.

대:-여섯 수관 다섯이나 여섯 가량. 오륙(五六). ㊟대엿.

대:-여음【大餘音】명〖악〗전통 가곡(歌曲)에서, 기악(器樂)으로만 연주되는 전주곡 또는 후주곡(後奏曲) 부분. 여음(餘音).

대:여-자【貸與者】명 빌려 주는 사람.

대:여 장:학생【貸與奬學生】명 학교나 국가에서 학비를 빌려 주어서 공부시키는 학생.

대:여-주【貸與株】명 대주[3](貸株).

대:역[1]【大役】명 ①중대한 임무·큰 책임이 있는 일. 대임(大任). ¶ ~을 완수하다. ②나라의 큰 역사(役事).

대:역[2]【大逆】명 ①〖역〗우리 나라 옛 죄명의 하나. 왕실이나 왕릉(王陵)을 범하여 짓는 죄로, 극형에 처하였음. 대역죄. *모반(謀反)·악역(惡逆). ②심히 인도(人道)에 어그러지는 악행(惡行).

대:역[3]【代役】명 연극 같은 데서, 그 역(役)을 맡아 볼 사람에게 사고가 있을 경우에 다른 사람이 대신 출연(出演)하는 일. 또, 그 사람. ¶ ~을 세우다. ——-하다 자여불

대:역[4]【帶域】명 어떤 폭(幅)으로써 정해진 범위. 전기 통신 용어로는, 주파수의 일정한 부분 영역으로 그 쓰임새가 정해져 있는 구역.

대:역[5]【對譯】명 원문과 나란히 그 역문(譯文)을 보이는 일. 또, 그러한 번역. ¶ 영한(英韓) ~. ——-하다 타여불

대:역 무도【大逆無道】명 대역 부도(大逆不道).

대:역 부도【大逆不道】명 대역(大逆)으로서 인도(人道)에 몹시 어그러짐. 또, 그러한 행위. ——-하다 형여불

대:역-세【代役稅】명〖역〗조선 시대 신역(身役), 특히 군역(軍役) 대신에 바치던 베. 한 사람에 두 필(疋)씩 받다가 영조(英祖) 때 균역법(均役法)을 실시하여 한 필로 감한 일이 있음.

대:역적 성:질【大域的性質】명〖수〗전체(全體)로서 본, 곡선·곡면(曲面) 또는 위상 공간(位相空間)의 성질. ↔국소적(局所的) 성질.

대:역-죄【大逆罪】명〖역〗대역(大逆)❶.

대:역 증폭기【帶域增幅器】명〔band-pass amplifier〕〖전자공학〗정해진 주파수 대역에 걸쳐서 거의 일정하게 증폭하도록 설계된 증폭기.

대:역-토【大驛土】명〖민〗육십 화갑자(六十花甲子)에서, 무신(戊申) 기유(己酉)에 붙이는 납음(納音). 신(申)은 역마(驛馬)요, 무(戊)는 태산이며, 유(酉)는 늪이요, 기(己)는 평지인데, 산을 깎아서 평지로 만들고, 늪을 메워, 천하에 큰 도로가 개척된다는 말. ¶ 무신 기유 ~.

대:역-폭【帶域幅】명〔band width〕〖전기통신〗다수의 여러 성분으로 이루어지는 전기 신호를 흐트러지지 않도록 전송하는 데 필요한 일정한 주파수대의 폭.

대:연【大宴】명 큰 잔치.

대:연-력【大衍曆】[一녁] 명 중국 당(唐)나라 현종 때의 중 일행(一行)이 주역(周易) 대연(大衍)의 수리(數理)에 의하여 만든 태음력. 개원(開元) 17년(729)부터 33 년간 쓰이었음. 1 년의 길이는 365.2444 일.

대:연-수【大衍數】[一쑤] 명〖민〗주역(周易)에 있어서 하늘이 생긴 수를 3으로, 땅이 생긴 수를 2로 잡아, 그 합한 수인 5가 각각 10까지 늘리어 이루어진 수 50을 말함.

대:-연습【大演習】명〖군〗대규모의 연습.

대:-연지봉【大臙脂峯】명〖지〗백두산의 한 봉우리. 두만강(豆滿江)은 이 봉우리의 동쪽 기슭에서 발원함. [2,360 m]

대:연-차【代燃車】명 휘발유를 쓰지 않는 대용 연료 자동차.

대:연평-령【大延平嶺】[一녕] 명〖지〗평안 북도 창성군(昌城郡) 창성면과 삭주군(朔州郡) 삭주면 사이에 있는 산. [328 m]

대:연합 학습【對聯合學習】명〔paired-associate learning〕〖심〗두 개의 항(項)으로 짝을 이룬 몇 개의 대(對)를 기억하고, 대의 한쪽의 항에 대하여 다른 항을 대답할 수 있도록 학습하는 일. 기억의 실험법으로서 널리 이용됨.

대:연-헌【大淵獻】명〖민〗고갑자(古甲子) 십이지(十二支)의 열 두째. 해(亥)와 같음. 「있는 호수. [3,040 m²]

대:연-호【大因湖】명〖지〗함경 남도 북청군(北青郡) 속후면(俗厚面)에

대:열[1]【大悅】명 매우 기뻐함. 큰 기쁨. ——-하다 자타여불

대:열[2]【大熱】명 심한 더위. 대서(大暑).

대:열[3]【大閱】명 임금이 친히 행하는 열무(閱武). ——-하다 자타여불

대열[4]【隊列】명〔←대렬〕대를 지어 죽 늘어선 행렬. 대오(隊伍).

대:열-기【大閱旗】명〖역〗군대의 대연습(大演習)을 임금이 친열(親閱)할 때에 교장(敎場)에 세우는 기. 깃발은 황색(黃色)인데 12 폭으로 되고 '大閱' 두 자를 검은 색으로 썼으며 붉은 드림이 있음.

대:열-의【大閱儀】[一/一이] 명〖역〗조선 시대, 임금이 친히 대열(大閱)하는 의식. 1 년에 한 번 행함.

대:염-도【大塩島】명〖지〗전라 남도의 남해안(南海岸), 고흥군(高興郡) 도화면(道化面) 지죽리(支竹里)에 위치한 섬. [0.02 km²]

대:-염불【大念佛】명〖불교〗많은 사람이 모여 큰소리로 염불을 함.

대:엽-륵【大葉櫟】[一늑] 명〖식〗〔←대엽력〕참나무의 한 가지. 잎이 매우 크고 넓음.

대:엽성 폐:렴【大葉性肺炎】명〖의〗폐엽(肺葉) 단위로 일어나는 폐렴. 청년기에 많으며 원인균(原因菌)은 폐렴 쌍구균(雙球菌)이 가장 많음. 갑자기 오한과 전율을 수반하며 고열을 발하고, 흉통·호흡 곤란 등의 증상을 나타냄. 크룹성(Krupp性) 폐렴. ↔소엽성(小葉性) 폐렴.

대:엽-조【大葉藻】명〖식〗해조(海藻)의 한 가지. 깊은 바다에서 나며 「잎이 매우 큼. 큰잎말.

대-엿 수관 ↗대여섯.

대엿-새 명 닷새나 엿새 가량. 오륙일. ¶ 그가 떠난 지 ~되었다.

대엿샛-날 명 닷새나 엿새째의 날.

대영[1] 명 〈방〉 대야[1](제주).

대:영[2]【大營】명 큰 군영(軍營).

대:영[3]【大瀛】명 대해(大海).

대:영[4]【代詠】명 대신하여 시가(詩歌)를 읊음. 또, 그 시가(詩歌).

대:영[5]【對英】명 영국(英國)에 대함. ¶ ~ 무역/~ 정책.

대:영광-송【大榮光頌】명〔라 Gloria〕〖천주교〗미사 중의 성부·성자·성신을 찬양하는 노래. '영복경'의 바뀐 이름.

대:-영국【大英國】명〔Great Britain〕〖지〗영본국(英本國)의 잉글랜드·스코틀랜드·웨일스(Wales)의 총칭. 대브리튼(大 Britain).

대:영국-주의【大英國主義】[一/一이] 명〖정〗19세기 후반에 영국 보수당이 주장한 제국주의적 영토 확장론. 보수당의 디즈레일리파(Disraeli派), 특히 체임벌린(Chamberlain) 등이 주장함. ↔소영국주의.

대:영 박물관【大英博物館】명〔British Museum〕〖지〗영국 런던 블룸스버리(Bloomsbury)에 있는 국립 박물관. 1753년에 개설. 현존 박물관 중 최고(最古)임. 이집트·서아시아·그리스·로마·동양 등지의 미술품 및 민속 자료 들을 진열하며, 병설(併設) 도서관에는 귀중한 고본(稿本)·고판본(古版本)을 수장(收藏)함.

대:영 백과 사전【大英百科辭典】명〖책〗'브리타니카 백과 사전'의 역어(譯語).

대:-영산【大靈山】명〖악〗'상영산(上靈山)'의 다른 이름.

대:영-서【大盈署】명〖역〗고려 때, 곡식의 저장을 맡았던 관청.

대:영-전【大營煎】명〖한의〗정혈(精血)을 돕는 탕약(湯藥). 월경 불순이나 경통증(經痛症)에 씀.

대:영 제:국【大英帝國】명〔British Empire〕영국 본국과 그 자치령·식민지를 합하여 이르던 명칭. 제2차 세계 대전 후 식민지의 대부분은 독립하여 이전의 모습은 없어졌음. 「하는 예(禮).

대:-예참【大禮懺】명〖불교〗부처·보살의 이름을 부르며 절을 많이

대:오[1]【大悟】명 ①똑똑히 이해함. 크게 깨달음. ¶ ~ 각성하다. ②〖불교〗번뇌(煩惱)를 벗고 진리를 깨달음. 크게 통하여 대아(大我)를 깨달

음. ——-하다 자여불

대:오[2]【大烏】명〔역〕신라 때 십칠 관등(十七官等)의 열 다섯째 등급. 길사(吉士)의 아래, 소오(小烏)의 위. 사두품(四頭品)의 벼슬. 대오지(大烏知).

대오[3]【隊伍】명 군대의 항오(行伍). 군대 행렬의 줄. 대열(隊列). ¶～를 정비하다. 준대(隊).

대:-오공【大蜈蚣】명〔동〕왕지네.

대:-오다 자너라불 정한 시간에 맞추어서 오다. ¶기차 시간에 ～. ↔대가다.

대:오 대:철【大悟大徹】명〔불교〕크게 깨달아 번뇌·망상이 모두 없어짐.

대-오리 명 가늘게 쪼갠 댓개비. ¶～로 엮은 바구니.

대:-오방기【大五方旗】명〔역〕주작기(朱雀旗)·청룡기(靑龍旗)·등사기(騰蛇旗)·백호기(白虎旗)·현무기(玄武旗)의 다섯 가지로 된 대기치(大旗幟)의 하나. 진영(陣營)을 세울 때 방위(方位)를 따라서 바깥 진문(陣門)의 표로 세움. 각기 부속된 부대를 명령(命令)하는 데 씀. 정기(正旗). 준대기(大旗). *오방기(五方旗).

대:오스트레일리아 분지【大一盆地】명〔Great Australian Basin〕〔지〕오스트레일리아 중앙, 동부 산맥과 서부 대지의 중간에 있는 내륙 지역. 지하수의 용출(湧出)이 많아 대찬정 분지(大鑽井盆地)라고도 함. 목초지이며, 북부는 황지(荒地)임.

대:-오지【大烏知】명〔역〕대오(大烏).

대:오 철저【大悟徹底】[—쩌] 명〔불교〕①크게 깨달아서 번뇌(煩惱)·미망(迷妄)을 남기지 아니함. ②우주(宇宙)의 대아(大我)를 남김 없이 모두 앎. ——-하다 자여불

대:옥[1]【大屋】명 큰 가옥.

대:옥[2]【大獄】명 큰 옥사(獄事).

대:-옹【戴顒】명〔사람〕중국 육조 시대(六朝時代) 송(宋)나라의 학자. 자(字)는 중약(仲若). 저서(著書)로 《소요론(逍遙論)》·《중용편(中庸篇)》이 있음.

대와 명〈방〉대야(전남·경남·황해).

대:-완구【大碗口】명 조선 시대의 화기(火器)의 한 가지. 가장 큰 화포(火砲)로서 직경 30cm 되는 쇠나 돌로 만든 둥근 탄알을 발사함.

〈대완구〉

대왐-풀 명〔식〕자란(紫蘭).

대왐플 명〈옛〉대왐풀. ¶대왐플(白芨)《四聲下72》.

대:왕【大王】명 ①〔역〕'선왕(先王)'의 높임말. ②'왕(王)'의 높임말. 특히, 뛰어나고 훌륭한 왕을 이르는 말. ¶세종 ～.

대:왕-나비【大王一】명〔충〕[*Sephisa dichroa princeps*] 네발나빗과에 속하는 곤충. 편 날개의 길이 68~94mm, 수컷은 흑색에 적등색의 무늬가 있고 암컷은 흑색 바탕에 백색 무늬가 있으며, 앞날개의 중앙실과 뒷날개 전연의 무늬는 등황색임. 한국·만주·중국에 분포함.

대:왕 대:비【大王大妃】명〔역〕왕의, 살아 있는 할머니를 지칭하는 말.

대:왕-란【大王卵】[—난] 명 달걀을 몇 개 깨뜨리어 돼지 오줌통이나 유지 주머니에 넣어서 부리를 꽉 동인 뒤에, 우물 속에 24시간 동안 담갔다가 꺼내 주머니째 그냥 삶아서 주머니를 벗겨낸 술안주. 노른자는 노른자 대로 속으로 엉기고, 흰자는 흰자대로 겉으로 엉겨서 큰 알 한 개처럼 됨.

대:왕-반【大王飯】명〔악〕고려 속악 가사(俗樂歌詞)의 하나. 서낭당의 여덟 성황신(城隍神)이 많은 여인들과 어울려 노는 모양을 묘사한 무가(巫歌)로서 곡조는 평조(平調)임. 작자·연대 미상.

대:-왕생【大往生】명〔불교〕평안하게 죽음. 조금도 괴로움이 없는 왕생(往生).

대:왕 수술【大王手術】명〔의〕제왕 절개 수술(帝王切開手術).

대:왕-암【大王巖】명〔역〕①경상 북도 경주시(慶州市) 양북면(陽北面) 봉길리(奉吉里) 해변에서 200m 떨어진 바다에 있는 큰 바위. 신라 문무왕(文武王)의 유언에 따라 화장한 문무왕의 유골을 이 바위 위에 장사 지냈음. ②문무대왕릉.

대:왕의 화약【大王一和約】[—/—에—] 명〔역〕기원전 386년의 고대 페르시아 제국과 스파르타와의 화약. 소아시아와 그리스의 여러 도시가 페르시아 지배 아래 들어간, 그리스측의 굴욕적인 조약. 안탈키다스(Antalkidas)의 화약.

대:외【對外】명 외부(外部) 또는 외국에 대함. ¶～ 문제. ↔대내(對內).

대:외-경【對外硬】명〔정〕정치상, 외국과의 관계에 있어서 강경한 태도를 취함. ↔대외연(對外軟).

대:외 관계【對外關係】명 ①외부 또는 외국에 관한 관계. ②〔법〕법률 요건(要件), 특히 법률 행위와 이에 관하여 발생한 법률 관계에 있어서, 당사자 이외의 사람에게 대한 관계.

대:외 무:역【對外貿易】명 외국과의 사이에 행해지는 무역. 국제 무역.

대:외 무:역법【對外貿易法】명 국민 경제의 발전을 위하여, 대외 무역을 진흥(振興)하고 공정한 거래 질서를 확립하여 국제 수지의 균형과 통상(通商)의 확대를 도모할 목적으로 제정된 법률. 총칙과 통상의 진흥, 수출입 거래, 수입에 의한 산업 피해 조사, 수출입의 질서 유지, 수출입 관련 조항 등에 관하여 규정함.

대:외 방:송【對外放送】명 외국에서 수신(受信)될 것을 목적으로 하여 행하는 방송.

대:외-비【對外秘】명〔법〕국가 비밀 분류의 하나. Ⅰ급·Ⅱ급·Ⅲ급 비밀에는 속하지 않으나, 직무 수행상 특별히 보호를 요하는 사항. 비밀에 준하여 취급함. *비밀.

대:외-연【對外軟】명〔정〕정치상, 외국과의 관계에 있어서 부드러운 태도를 취함. ↔대외경(對外硬).

대:외 유:상 군사 원:조【對外有償軍事援助】명〔Foreign Military Sales; FMS〕미국의 군사 원조 방식의 하나. 우호국(友好國) 정부에 대하여, 미국 정부가 직접 무기나 장비를 유상으로 매각하는 방식.

대:외-적【對外的】명관 외부나 외국에 상관되는 모양. ¶～인 위신 문제. ↔대내적.

대:외 정책【對外政策】명 외국에 대한 정책.

대:외 주권【對外主權】[—꿘] 명 국가가 대외 관계에 있어서 타국의 구속을 받지 아니하고, 독립적으로 평등한 자격자(資格者)로서 행동할 수 있는 권리. ↔대내 주권.

대:외 증권 투자【對外證券投資】[—꿘—] 명〔경〕외국의 유가 증권에 대한 투자.

대:외 투자【對外投資】명〔경〕외국에 대한 자본의 투자.

대:외 활동 본부【對外活動本部】[—똥—] 명 '에프 오 에이(F. O. A.)'의 역어(譯語).

대:요【大要】명 ①대체의 요지(要旨). 대략적인 줄거리. 대약(大約). 개략(槪略). ¶사건의 ～. ②대략적인 요지를 간추린 것. ¶정치학 ～.

대:요-근【大腰筋】명〔생〕요추(腰椎)의 양 측면(兩側面)에서 시작하여, 서혜 인대(鼠蹊靭帶) 밑을 지나 대퇴골의 상부 내측에 붙는 길쭉한 근육. 고관절(股關節)에서 대퇴를 앞으로 굽히는 역할을 함.

대:요수-국【大遼收國】명〔역〕고려 고종(高宗) 3년(1216)에 거란 유민(契丹遺民) 야사불(耶斯不)을 중심으로 걸노(乞奴)·금산(金山)·금시(金始) 등이 징주(澄州:지금의 만주(滿洲) 해성(海城))에 세운 나라. 금(金)나라가 쇠퇴한 틈을 타 건국하였으나, 건국 한 달 만에 부하 청구(靑狗)의 난이 있었으며, 걸노가 감국(監國)이 되어 나라를 다스림. 그 후 몽고군의 침공으로 동(東)으로 밀려 고려에 침입하였으나, 고려 장군 김취려(金就礪) 등에게 패배하여 퇴각함.

대:욕[1]【大辱】명 ①큰 치욕(恥辱). ②전(轉)하여, 전쟁에 져서 포로가 되는 일.

대:욕[2]【大慾·大欲】명 ①큰 욕망. 큰 욕심. ¶～은 무욕(無慾)과 같다. ②원대한 희망. ③유난히 욕심이 많은 일. 또, 그러한 사람.

대:욕 비:도【大慾非道】명 욕심이 많고 무자비(無慈悲)함. ——-하다 형여불

대:욕 소:관【大慾所關】명 큰 욕망에 관계되는 바.

대:용[1]【大用】명 ①큰 벼슬에 임용(任用)함. ②크게 씀. ③큰 구실. 큰 작용(作用). ——-하다 타여불

대:용[2]【大勇】명 큰 용기. 큰 일을 당하여 분발하는 용기.

대:용[3]【代用】명 대신으로 씀. ¶～품. ——-하다 타여불

대:용[4]【貸用】명 꾸어서 씀. ——-하다 타여불

대:용 가격【代用價格】[—까—] 명〔경〕대용 증권(代用證券)의 사용 가격. 증권 거래소에서 전달의 시세의 움직임을 기준으로 하여 정함.

대:용 공항【代用空港】명〔alternative airport〕대체(代替) 공항.

대:용-권【代用權】[—꿘] 명〔도 Ersetzungsbefugnis〕〔법〕임의(任意) 채권에 있어서, 채권자 또는 채무자가 다른 급부(給付)로 대신하게 할 수 있는 권리. 보충권. *임의 채권.

대:용량 기억 장치【大容量記憶裝置】[—냥—] 명〔mass storage〕〔컴퓨터〕대용량을 가진 컴퓨터의 기억 장치. 특히, 컴퓨터의 중앙 처리 장치에서 직접 쓰고 읽을 수 있는 구조의 것을 이름.

대:용량 기억 장치 시스템【大容量記憶裝置一】[—냥—] 명〔mass storage system〕〔컴퓨터〕많은 기억 용량을 갖는 컴퓨터 시스템.

대:용-물【代用物】명 대신으로 쓰는 물건.

대:용-식【代用食】명 쌀이나 보리 대신으로 먹는 식품(食品). 주곡(主穀) 이외의 고구마·감자 등.

대:-용융법【帶熔融法】[—뻡] 명 금속의 정제(精製)나 단결정(單結晶) 제조에 쓰이는 기법의 한 가지. 길쭉한 봉상 시료(棒狀試料)의 한쪽 끝에서 조금씩 가열하여 녹여가면서 서서히 다른 끝으로 용융대(熔融帶)를 이동시키면, 고체 속의 불순물은 한쪽으로 모여, 그 시료는 정제되게 됨. 반도체(半導體) 재료인 게르마늄 따위의 초고순도(超高純度)의 금속을 얻기 위하여 쓰임.

대:용-작【代用作】명 ①대파(代播). ②대용 작물.

대:용 작물【代用作物】명 대파(代播)한 농작물. 대용작.

대:용 조사【代用調査】명 대상이 되는 집단의 개체의 속성(屬性)을 직접 관찰하지 아니하고, 그 성질을 충분히 알고 있는 전문가에게 질문서를 내어, 간접적으로 집단의 성질을 관찰하는 조사. 앙케트 조사·표식(表式) 조사가 이에 속함.

대:용 증권【代用證券】[—꿘] 명〔경〕금전의 대용으로서 증거금(證據金)·담보(擔保) 등에 제공할 수 있는 유가 증권(有價證券). 무기명 국채 증권(國債證券) 및 이표(利票) 등이 있음.

대:용-품【代用品】명 ①어떤 물품 대신으로 쓰는 다른 물품. ②어떤 물자(物資)와 전혀 화학적 성분을 달리하는 별개의 물자로써 어떤 물자의 대용으로 하는 일. 의혁(擬革)을 가죽의 대용품으로 하는 따위. 준대품(代品).

대:용 혈장【代用血漿】[—짱] 명〔의〕천연 혈장 대신으로 쓰이는 인공 혈장. 사람의 혈장과 거의 같아서 독성이나 항원성(抗原性)을 나타내는 일이 없으며, 값이 싸고 장기간 보존이 가능함. 또, 수혈로 인한 전염병의 염려가 없음.

대:용 화:폐【代用貨幣】명〔경〕기호(記號) 화폐.

대:용 효:과【代用效果】명〔경〕대체 효과(代替效果).

대우[1] 명〔농〕이른 봄에, 보리나 밀을 심은 밭이랑에, 콩이나 팥 같은 것을 드문드문 호미로 파서 심는 일. ¶～콩/～팥. ——-하다 타여불

대우(를) 파다 구 다른 작물을 심은 밭이랑 사이에 콩이나 팥 같은 것을 드문드문 호미로 파서 심다.

대우[2] 명 ↗갓대우.

대우[3] 명〈방〉대야[1](전남).

대:우[4]【大雨】명 큰 비. ↔소우(小雨).

대:우[5]【大禹】명〔사람〕중국 고대의 성왕(聖王)인 '우왕(禹王)'의 경칭.

대:우[6]【大愚】명 ①크게 어리석음. 또, 그러한 사람. ↔대지(大智). ②'자기'의 겸칭.

대:우[7]【大憂】명 ①큰 근심. ②부모(父母)의 상(喪). 친상(親喪).

대:우[8]【大優】명 도량이 넓어 어떤 사세(事勢)에도 흔들리지 아니함. 대도(大度). ——-하다 형여불

대:우⁹【待遇】명 ①예의를 갖추어 대함. 접대(接待). ②직장에서의 지위나 급료 등, 근무자에 대한 처우. ¶ ~ 개선. ③어떤 지위(地位)에 준(準)한 취급을 받는 격식(格式). ¶ 국장 ~. ──-하다 타여불

대:우¹⁰【對偶】명 ①둘이 서로 짝지음. 또, 둘을 서로 짝짓게 함. ②〖문〗 수사학상(修辭學上) 서로 반대되는 사상이나, 서로 비슷한 어구(語句)를 연립(聯立)시켜 문장을 아름답게 꾸미는 일. '호사불출문(好事不出門)'에 대하여 '악사주천리(惡事走千里)'라 하는 따위. 대구(對句). 대우법(對偶法). ③〖논〗 하나의 명제(命題)에 대하여 그 종결(終結)의 부정(否定)을 가설(假說)로 하고, 가설을 부정한 것을 종결로 한 명제의 일컬음. 곧, 'A는 B다'라는 명제에 대하여 'B가 아니면 A가 아니다'라고 하는 모양의 명제를 말함. 원명제(原命題)와 대우 명제(對偶命題)의 진위(眞僞)는 항상 서로 일치함. ──-하다 자타여불

대우¹¹ 명 〈방〉 되게(제주·함남).

대우-갈이 명 갓모자를 갈아서 고치는일. ──-하다 자여불

대:우 개:선【待遇改善】명 처지를 낫게 하기 위하여 대우를 더 좋게 함. ──-하다 자여불 「받는 이.

대:우 교:수【待遇敎授】명 대학이나 대학교에서 교수 자격의 대우를

대우-깨 명 다른 작물을 심어 놓은 밭이랑에 심은 깨.

대우리 명 〈방〉〖식〗 귀리(제주).

대:우-법【對偶法】[-뻡] 명〖문〗 대우(對偶)❷.

대:우-산【大愚山】명〖지〗 강원도 양구군(楊口郡) 동면(東面) 비아리(比雅里)와 오유리(五柳里) 사이에 있는 산. [1,179 m]

대:우 성률【對偶聲律】[-뉼] 명 한시의 한 형식. 대구(對句)를 써서 그 각운(脚韻)을 동일하게 맞춘 것.

대:-우전【大羽箭】명 동개살.

대:-우주【大宇宙】명 [macrocosm]〖철〗 자아(自我)를 소우주라 부르는 데 대하여, 실제의 우주를 일컫는 말. 마크로코스모스(Makrokosmos). ↔소우주(小宇宙).

대우-콩 명 다른 작물을 심은 밭이랑에 심은 콩.

대:우 탄:금【對牛彈琴】명 [소를 마주 대하여 거문고를 뜯는다는 뜻] 어리석은 사람에게 깊은 이치(理致)를 말하여 주어도 아무 소용없다

대우-팥 명 다른 작물을 심은 밭이랑에 심은 팥. ㄴ는 말.

대:우-혼【對偶婚】명〖사〗 미개(未開) 시대의 사회에서, 한 혈족(血族)의 형제 혹은 자매와 다른 혈족의 형제 또는 자매 사이에, 남자 한 사람에 여자 한 사람씩 짝을 짓는 결혼 형태.

대:운【大運】명 ①큰 운수. 대수(大數). ②하늘과 땅 사이에 돌아가는 ㄴ기수(氣數).

대:운(이) 트이다 구 대운이 닥치다.

대:운-경【大雲經】명 중국 당대(唐代)의 측천 무후(則天武后)가 천명(天命)을 받아 통치한다고 논설한 위경(僞經). 당(唐)의 사성(嗣聖) 6년(689), 법랑(法朗) 등 10명의 중이 만들었다 함. 이 경을 주상(奏上) 받자 무후는 국호를 주(周)로 고치고 이 경을 중국 각지에 보내어, 여러 주(州)에 대운사(大雲寺)를 짓게 하였음.

대:-운하【大運河】명 ①큰 운하. ②〖지〗 중국 허베이 성(河北省) 톈진(天津)으로부터 저장 성(浙江省)의 항저우(杭州)에 이르는 운하. 길이 1,800 km에 달하였는데, 황허(黃河) 이북의 부분은 융칭거(永清渠), 황허와 양쯔 강 사이는 칸거우(刊溝), 양쯔 강 이남은 장난(江南) 운하라 부름. 수(隋) 나라의 양제(煬帝) 때에 개착(開鑿)되었으며, 만리장성과 병칭(並稱)되는 큰 치수(治水) 사업이었으나, 청말(清末)에 그 중요성이 사라졌고, 지금은 길이도 1,500km로 단축됨.

대-울 명 ↗대울타리.

대울결 명 〈방〉〖동〗 사슴(함남). 「울타리. 죽리(竹籬). 준대울.

대-울타리 명 ①굵은 대를 결어 만든 울타리. ②대를 촘촘히 심어서 된

대:웅【大雄】명〖불교〗 '부처'의 덕호(德號).

대:웅 보:전【大雄寶殿】명〖불교〗 대웅전(大雄殿)을 격(格)을 높여 부르는 이름. 주불(主佛)로 석가 모니불, 좌우에 아미타불과 약사 여래를 모시며, 각 여래상(像)의 좌우에는 협시 보살(脇侍菩薩)을 봉안하기도 함. 보전(寶殿).

대:웅-산【大雄山】명〖지〗 평안 북도 강계군(江界郡)에 있는 산. [1,121 ㄴm]

대:웅-성【大熊星】명〖천〗 큰곰자리의 별. 큰곰별.

대:웅성-좌【大熊星座】명〖천〗 큰곰자리.

대:웅-전【大雄殿】명〖불교〗 '석가 모니불'을 본존 불상(本尊佛像)으로 ㄴ모신 법당(法堂)의 이름.

대:웅-좌【大熊座】명〖천〗 큰곰자리.

대:원¹【大宛】명〖역〗 한대(漢代)에, 중국인이 중앙 아시아의 동부, 페르가나(Fergana) 지방을 부르던 이름.

대:원²【大怨】명 깊이 원망하고 미워하는 마음. ¶ ~을 품다.

대:원³【大圓】명 ①큰 원. ②〖수〗 어떤 구(球)를 그 중심을 통하는 평면으로 자른 단면(斷面)의 원. 지구의 대원은 대권(大圈)이라고도 함. ↔소원(小圓). 「자 하는 서원(誓願).

대:원⁴【大願】명 ①큰 소원. ②〖불교〗 부처가 중생(衆生)을 구(救)하고

대:원⁵【代員】명 남을 대신하여 사무를 보는 사원. 대인(代人). 대리인.

대:원⁶【代遠】명 세대(世代)의 수가 멂. ──-하다 형여불

대:원⁷【代願】명 ①남을 대신하여 원함. ②남을 대신하여 신불(神佛)에 기원(祈願)함. 또, 그 사람. 대참(代參). ──-하다 타여불

대원⁸【隊員】명 대를 구성하고 있는 사람. 대에 속하고 있는 사람.

대:원경-지【大圓鏡智】명〖불교〗 사지(四智)의 하나. 둥근 거울에 만물의 그림자가 비치듯이, 이 세상 만법(萬法)을 비치는 지혜.

대:원-군【大院君】명 ①〖역〗 임금의 대를 이을 적자손(嫡子孫)이 없어 방계 친족(傍系親族)이 대통(大統)을 이어받을 때, 그 임금의 친아버지에게 주던 벼슬. ＊국태공(國太公). ②〖사람〗 ↗흥선 대원군.

대:원-근【大圓筋】명〖생〗 겨드랑이의 근육. 상박골(上膊骨)을 뒤쪽으로 잡아당기는 작용을 함.

대:원 본존【大願本尊】명〖불교〗 부처 없는 세상에서 육도 중생(六道衆生)을 모두 제도(濟度)한 뒤에, 부처가 되겠다는 큰 서원(誓願)을 세운 지장 보살(地藏菩薩).

대:원-봉【大圓峯】명〖지〗 함경 남도 풍산군(豐山郡)에 있는 산. 부전령 산맥의 일부를 구성하고 있으며 이곳 일대는 허천강(虛川江) 및 그 지류인 웅이강(熊耳江)·서동천(西洞川)의 수원(水源)이기도 함. [1,461 m]

대:원 성취【大願成就】명 큰 소원을 이룸. ──-하다 자여불

대:-원수【大元帥】명 ①전군(全軍)을 통솔(統率)하는 대장(大將). ②육해공군을 통수(統帥)하는 사람으로서의 원수(元首)를 높여 일컫는 말. 제네럴리시모(generalissimo).

대:원수 명왕【大元帥明王】명〖불교〗 명왕의 으뜸으로, 국가 진호(鎭護)의 신으로 되어 있는 인도의 신. 형상은 얼굴 넷에 팔은 여덟 또는 얼굴 여섯에 팔은 여덟 등 여러 가지가 있으며, 분노한 얼굴을 하고 몸에는 뱀을 감고 화염에 싸여 있다고 함. 밀교(密敎)에서 중히 여김.

대:원-왕【大院王】명〖역〗 광무(光武) 원년(1897)에 흥선 대원군(興宣大院君)에게 봉한 작(爵).

대:원-위【大院位】명〖역〗 '흥선 대원군(興宣大院君)'을 높이어 일컫 ㄴ는 말. ¶ ~ 대감.

대:월¹【大月】명 큰달. ↔소월(小月).

대:월²【大越】명〖역〗 안남(安南)에 세워졌던 나라 이름. ①중국 송대(宋代)에 이공온(李公蘊)이 세운 나라. 안남 이씨 또는 이씨 안남이라고도 함. [1010-1225] ②중국 명대(明代)에 여리(黎利)가 세운 나라. [1428-1789] ③중국에서 독립한 후의 '베트남'의 일컬음.

대:월³【貸越】명〖경〗 ↗당좌 대월(當座貸越).

대:월-금【貸越金】명〖경〗 당좌 대월한 돈.

대:월사기 전서【大越史記全書】명〖책〗 대월(大越)의, 여조(黎朝) 때에 만들어진 정사(正史). 1479년에 오사련(吳士連)이, 1665년에 범공(范公)이, 1697년에 여희(黎僖)가 각각 편찬한 세 가지가 있음.

대:월-악【大月岳】명〖지〗 제주도 제주시(濟州市)에 있는 산봉우리. 한라산 기슭에 이루어진 기생 화산(寄生火山)임. [750 m]

대:-월지【†大月氏】[-찌] 명〖역〗 기원 전 3세기경, 중앙 아시아의 아무 강((Amu 江) 유역에 터키계(系) 또는 이란계 등의 민족이 세운 나라. 또, 그 민족. 대하(大夏)를 평정하여 세력을 떨쳤으나, 후에 대하족(大夏族)의 귀상부(貴霜部)가 대신 일어나 지배하였음. 황허(黃河) 상류의 잔존 세력은 소(小)월지라 불리었음. 월지(月氏). ＊쿠샨 왕조.

대:월-한【貸越限】명〖경〗 은행이 거래선(去來先)과 협의하여 정한, 당좌 대월의 최고액.

대:위¹【大位】명 높은 관위(官位). 고위(高位).

대:위²【大尉】명 ①〖역〗 고려 때 삼공(三公)의 하나. 정일품. ②〖군〗 군의 위관(尉官)의 제일 높은 계급. 소령의 아래, 중위의 위임.

대:위³【大衛】명〖역〗 태위(太衛).

대:위⁴【代位】명〖법〗 제삼자가 타인의 법률상의 지위에 대신하여, 그가 가진 권리를 취득(取得)하거나 행사함. ──-하다 자여불

대위⁵【臺位】명〖역〗 대괴(臺槐)의 지위. 삼공(三公)의 지위.

대:위 개:념【對位槪念】명〖논〗 동위 개념(同位槪念).

대:위-국【大爲國】명〖역〗 고려 17대 인종(仁宗) 13년(1135)에 묘청(妙淸)이 난을 일으켜, 서경을 중심하여 세운 나라. 김부식(金富軾)이 거느린 관군에게 패하여 1년만에 망함. ＊천개(天開).

대:-위덕【大威德】명〖불교〗 ↗대위덕 명왕(大威德明王).

대:위덕 명왕【大威德明王】명〖불교〗 오대 명왕(五大明王)의 하나. 본지(本地)는 아미타 여래(阿彌陀如來)로서 서방(西方)을 지키는데, 중생(衆生)을 해치는 일체의 독사(毒蛇)·악룡(惡龍)이나 원적(怨敵)을 굴복시킨다고 함. 그 형상은 검푸른 몸에 분노한 상으로 머리·팔·다리가 각각 여섯이며, 칼·활·창·곤봉(棍棒)·포승(捕繩)·화살을 쥐고, 큰 백우(白牛)에 타고 전신이 화염(火焰)에 싸였음. 육족존(六足尊). 준대위덕(大威德).

〈대위덕 명왕〉

대:위 등기【代位登記】명〖법〗 수익자 또는 위탁자가 수탁자에 대위하여 행하는 신탁의 등기.

대:위-법【對位法】[-뻡] 명 ①〖악〗 하나의 음표(音標)에 다른 하나의 음표를 첨부하는 법. ②〖악〗 각각 독립하여 진행하는 많은 선율(旋律)을 동시에 결합시키는 작곡 기술. ↔화성법(和聲法). ③건축이나 영화·문학 등에서 음악의 대위법의 수법(手法)을 응용해서, 두 개의 대위적인 분위기의 양식(樣式)·정경(情景)·주제(主題)·음악 등을 일부러 결합시켜 작품을 구성하는 수법.

대:위법 작곡가【對位法作曲家】[-뻡-] 명〖악〗 음악을 대위법에 의하여 작곡하는 사람. 곧, 남이 작곡한 악보(樂譜)를 가지고 대위법으로 다시 작곡하는 사람.

대:위 변:제【代位辨濟】명〖법〗 제삼자가 변제나 또는 기타의 다른 방법으로 채권자에게 만족을 주었을 경우에, 채권자에 대위하여 채무자에 대한 채권 및 이에 종속(從屬)하는 권리를 취득(取得)하는 일. 대위 판제(代位辨濟). 대위 판상.

대:위 상속【代位相續】명〖법〗 대습 상속(代襲相續).

대:위-선【代位船】명 대선 약관(代船約款)에 있어서, 선하 증권(船荷證券)상으로 적재(積載)가 예정되어 있는 선박을 대신해서 이용하는 다른 선박. 「에 부가한 선율.

대:위 선율【對位旋律】명〖악〗 대위법에 있어서 정선율(定旋律) 이외

대:위성 미사일【對衛星—】명 [antisatellite missile]〖군〗 궤도 위성(軌道衛星)을 공격 대상으로 하는 미사일.

대:위 소:권【代位訴權】[-꿘] 명〖법〗 채권자(債權者)가 자기의 채

권을 보전(保全)하기 위하여 채무자에 대신해서 그 권리를 행사할 수 있는 권리. 간접 소권(間接訴權). 채권자 대위권(債權者代位權).

대:위 소:료【大違所料】명 생각하는 바와 크게 틀림.

대:위 소:송【代位訴訟】명〖법〗대표 소송.

대:위 판상【代位辨償】명〖법〗대위 변제(代位辨濟).

대:위 판제【代位辨濟】명〖법〗대위 변제.

대:유¹【大有】명〖민〗↗대유괘(大有卦).

대:유²【大庾】명 중국 당대(唐代)의 현명(縣名). 지금의 장시 성(江西省) 남강현의 서쪽에 해당함. 대유령(大庾嶺)에 장구령(張九齡)이 길을 내고 매화를 심어 명소가 됨.

대:유³【大猷】명 ①굉모(宏謨). ②〖악〗대유장(大猷章).

대:유⁴【大儒】명 학식이 높은 선비. 거유(巨儒). 석유(碩儒). 홍유(鴻儒). 굉유(宏儒).

대:유-괘【大有卦】명〖민〗육십 사 괘의 하나. 이(離)괘에 건(乾)괘가 거듭된 것인데, 불이 하늘에 있음을 상징함. 준대유(大有).

대:유-년【大有年】명 큰 풍년이 든 해.

대:유동 광:산【大楡洞鑛山】명〖지〗평안 북도 창성군(昌城郡)에 있는 우리 나라 제2의 대금산(大金山).

대:유-법【代喩法】[—뻡] 명〖문〗비유법(比喩法)의 하나. 한 낱말 대신 다른 낱말을 사용하는 표현법. '빵을 달라'에서 '빵'으로 '식량'을 나타내는 따위.

대:-유성【大遊星】명〖천〗대행성(大行星).

대:유-장【大猷章】명〖악〗악장(樂章)의 이름. 종묘 제향(宗廟祭享)의 초헌(初獻)에 씀.

대:-유행【大流行】명 한때 사회에 널리 유행하는 일.

대:윤【大尹】명〖역〗조선 12대 인종(仁宗)의 외척(外戚) 윤임(尹任)을 중심으로 한 일파. 을사 사화(乙巳士禍)로 세(勢)가 꺾임. *소윤.

대:-윤도【大輪圖】명 방위를 가리키는 큰 윤도. 큰 지남침(指南針).

대:-윤차【大輪次】명〖역〗과거에 낙방(落榜)한 자에게 다시 보이던 시 ㄴ험.

대:율【大律】명 커다란 법칙. 중대한 규칙. 대법(大法).

대:-율사【大律師】[—싸] 명〖불교〗율사(律師)의 상위(上位).

대:융【大戎】명 원융(元戎)❶.

대:은¹【大恩】명 넓고 큰 은혜. 큰 은덕. 홍은(鴻恩).

대:은²【大隱】명 대오 철저(大悟徹底)한 은자(隱者). 속세를 초월하여 조금도 속된 일에 마음이 흔들리지 아니하는 은자.

대:은 교:주【大恩敎主】명〖불교〗'석가모니(釋迦牟尼)'의 존칭. 불타(佛陀)가 중생을 건져 주는, 은덕(恩德)이 넓고 큰 가르침의 주(主)라는 뜻임.

대:음¹【大音】명 큰 소리. 특히, 큰 음성(音聲). 대성(大聲).

대:음²【大飮】명 술을 많이 마심. ——-하다 자타여불

대:음³【對飮】명 대작(對酌). ——-하다 자타여불

대:음-극【對陰極】명 [anticathode]〖물〗이온 엑스선관(ion X線管) 등의 초기(初期) 엑스선관에 있어서 X선원(源)이 되는 전극(電極). 융해 온도가 높은 금속, 즉 텅스텐·백금 등으로 만듦.

대:음-산【大陰山】명〖지〗평안 북도 강계군(江界郡)에 있는 산. 강남(江南) 산맥 첫머리 부분을 이루며, 또한 강계 분지(盆地)를 둘러싸고 있는 자연 방벽(防壁)의 하나이기도 함. [1,186m] 「바깥 쪽의 것.

대:-음순【大陰脣】명〖생〗여자의 외부 생식기의 일부인 음순 가운데

대:읍【大邑】명 주민과 산물이 많고 땅이 넓은 고을. 웅읍(雄邑).

대:읍 자:완【大邑瓷盌】명 중국 서촉(西蜀)의 공주 대읍(公州大邑)에서 ㄴ나던 백색의 자완(瓷盌).

대:응¹【大鷹】명〖조〗저광수리.

대:응²【對應】명 ①마주 대함. 상대함. ②서로 같음. 상등(相等)함. ③상대에 응하여 수작함. ④〖수〗합동(合同)되는 도형의 서로 같은 점·변·면 또는 대칭(對稱)되는 두 도형에서, 서로 대하는 자리에 있는 점 등이 일정한 관계를 갖는 일. ——-하다 자여불

대:응-각【對應角】명〖수〗상사 다각형(相似多角形)의 서로 대응하는 각. 또는 대칭 도형(對稱圖形)의 서로 대칭된 위치에 있는 각. 짝진각. 상응각(相應角). 「서로 대응하는 꼭지점. 대응 정점.

대:응 꼭지점【對應—點】[—쩜] 명〖수〗상사 다각형(相似多角形)의

대:응-변【對應邊】명〖수〗상사 다각형의 대응각에 대한 변. 짝진변.

대:응 상태【對應狀態】명 [corresponding states]〖물〗둘 이상의 물질의 환산 압력(換算壓力)·환산 온도(溫度)·환산 용적(容積)이 모두 똑같을 때의 상태.

대:응 상태의 원리【對應狀態—原理】[—월—/—에월—] 명 [law of corresponding states]〖물〗두 물질의 각기 다른 임계 압력(臨界壓力)·임계 온도·임계 용적의 비(比) 중 두 가지의 비가 같으면 다른 하나의 비도 같다는 원칙.

대:응 수출【對應輸出】명〖경〗원료·기재의 수입자가, 그 수입에 대응하는 외화(外貨) 획득을 위하여 행하는 수출.

대:응 오퍼【對應—】명 [counter offer]〖경〗수출상(輸出商)이 보낸 확정 오퍼에 대하여, 수입상이 가격·수량·선적 기간 등의 여러 조건에 이의(異議)가 있을 때 제시하는 오퍼.

대:응 원리【對應原理】[—월—] 명 [correspondence principle]〖물〗양자론적인 양은, 고전 물리학의 양과 기본적으로 다른데도 불구하고 그 사이에 대응이 적용되어 양자수가 클 때는 각각 그 사이에 있어서의 방정식은 동일하게 된다는 취지(趣旨). 보어(Bohr)가 고전 양자론(古典量子論)을 성립시킬 때 인용한 원리로서, 그 후에 하이젠베르크(Heisenberg)가 매트릭스 역학(matrix 力學)의 성립시에 다시 확장한 중요한 지도 원리(指導原理)임. 상응 원리(相應原理).

대:응-점【對應點】[—쩜] 명〖수〗합동 또는 닮은꼴인 다각형에서 대응하는 두 점. 짝진점.

대:응 정점【對應頂點】[—쩜] 명〖수〗'대응 꼭지점'의 구용어.

대:응-책【對應策】명 어떠한 일에 응하는 방책. ¶~을 강구하다.

대:의¹【大衣】[—/—이] 명〖불교〗'삼의(三衣)'의 하나. 삼의 중 가장 큰 것을 말하며, 설법 등의 행사 때 입음.

대:의²【大意】[—/—이] 명 ①대강의 의미. 대지(大旨). ②큰 뜻. 대지(大志).

대:의³【大義】[—/—이] 명 ①인간이 마땅히 행해야 할 중대한 의리(義理). ¶~ 명분. ②중요한 의의(意義). ③경서(經書)의 요의(要義). ④개략적인 줄거리. 대강의 줄거리. ¶문장의 ~.

대:의⁴【大疑】[—/—이] 명 크게 의심함. 또, 그 의심. 큰 의혹(疑惑). 깊은 의문. ——-하다 타여불

대:의⁵【大儀】[—/—이] 명 큰 의식(儀式). 대전(大典).

대:의⁶【大醫】[—/—이] 명 ①의술이 뛰어난 의사. 명의(名醫). ②〖불교〗'부처'의 이칭.

대:의【代議】[—/—이] 명 ①다른 사람을 대신하여 의논함. ②〖정〗공선(公選)된 의원(議員)이 국민의 의사를 대표하여 정치를 의논함. ¶~ 정치.

대:-의결【代議決】명〖법〗남의 대리로서 하는 의결(議決).

대:의 기관【代議機關】[—/—이—] 명 대의원이 정사를 논의하는 기관.

대:의 멸친【大義滅親】[—/—이—] 명 국가의 대의를 위해서는 부모 형제도 돌아보지 않음. ——-하다 자여불

대:의 명분【大義名分】[—/—이—] 명 사람이 지켜야 할 절의(節義)와 분수. 떳떳한 명목. 정당한 명분.

대:의-사【代議士】[—/—이—] 명 일본에서, '중의원 의원'의 속칭.

대:의-원【代議員】[—/—이—] 명〖정〗①정당이나 노동 조합 등의 대회에서, 지역·직장 등에서 선출되어, 토의·의결에 참가하는 사람. ②국민의 공선으로 국민을 대표하여 입법 기관에서 입법에 참여하는 사람. 곧, 국회 의원 등. ③↗통일 주체 국민 회의 대의원.

대:의원-단【代議員團】[—/—이—] 명〖정〗대의원으로 이루어진 단체.

대:의-장【大義章】[—/—이—] 명〖악〗용비어천가 제66장의 이름.

대:의 정치【代議政治】[—/—이—] 명〖정〗대의 제도에 따라서 행하는 정치. 곧, 대의원(代議員)을 정무(政務)에 참여하게 하는 정치.

대:의-제【代議制】[—/—이—] 명〖정〗대의 제도(代議制度).

대:의 제:도【代議制度】[—/—이—] 명〖정〗국민 가운데서 대의원을 선출, 의회에 나가게 하여 정무에 참여하게 하는 제도. 민주 정치의 중요한 원리의 하나로, 간접 민주제·대의제(代議制)의 전형(典型)임.

대:의-창【大義倉】[—/—이—] 명〖역〗고려 때 세곡(歲穀)을 보관하던 창고. 본디, 개경(開京) 서문(西門) 안에 있었는데, 불이나 소실된 후 개경 서남쪽의 장패문(長覇門) 안쪽으로 옮겼음.

대:의 충절【大義忠節】[—/—이—] 명 인륜(人倫)의 큰 의리(義理)에 충성하는 절개(節介).

대이¹ 명〈방〉대님(경북).

대이² 명〈방〉대야(경남).

대:-이교【大離敎】명〖천주교〗대분열(大分裂).

대이다¹ 자〈방〉대다. 「32≫.

대이다² 타〈옛〉데우다. 덥게 하다. ¶손발 대이쟈(熱手脚) ≪老乞下

대:-이름씨【代—】명〖언〗'대명사(代名詞)'의 풀어쓴 말.

대:-이작도【大伊作島】명〖지〗인천 광역시(仁川廣域市) 서남쪽 55km 해상, 옹진군(甕津郡) 영흥면(靈興面) 이작리(伊作里)에 위치(位置)한 섬. [2.57km²]

대:이-증【大耳症】[—쯩] 명〖의〗귀가 비정상적으로 큰 기형(畸型).

대:인¹【大人】명 ①거인(巨人)❶. ②성인(成人)❶. ③↗대인 군자. ④높은 신분·지위·관직에 있는 사람. *큰사람. ⑤남의 아버지의 존칭. ⑥남에게 대한 경칭(敬稱). ⑦〖역〗고구려 때의 벼슬 이름. 오부(五部)의 으ㄴ뜸 벼슬임.

대:인²【代人】명 남을 대신한 사람. 대원(代員).

대:인³【代印】명 남을 대신하여 도장을 찍음. 또, 그 도장. ——-하다 ㄴ자여불

대:인⁴【待人】명 ①사람을 기다림. ②무엇을 기다리는 사람.

대:인⁵【對人】명 사람을 대함. ¶~ 관계. ——-하다 자여불

대:인 고권【對人高權】[—꿘] 명〖법〗대인 주권(主權).

대:인 공포증【對人恐怖症】[—쯩] 명 [anthropophobia]〖심〗남과의 교제에 공포심을 갖는 병증.

대:인 관계【對人關係】명 사람에 대한 관계. 타인과의 관계. ¶~가 원만하다. 「람. 준대인.

대:인 군자【大人君子】명 말과 행실이 옳고 점잖은 사람. 덕이 높은 사

대:인-권【對人權】[—꿘] 명〖법〗특정한 사람에게만 대항(對抗)할 수 있는 권리. 채권(債權) 따위. 상대권(相對權). ↔대세권(對世權).

대:-인기【大人氣】[—끼] 명 대단한 인기. ¶여자들에겐 ~다.

대:인-난【待人難】명 사람 기다리기가 퍽 힘이 듦. 약속한 때에 오지 아니하는 사람을 기다리는 고통.

대:인 논증【對人論證】명〖논〗논점 상위(論點相違)의 허위의 한 가지. 논자(論者)의 주의·성격·지위·직업 등을 이용하여 그 의론을 논난(論難)하며 또한 변호하는 법. '그는 교육자이므로 그의 설은 바르다'든가, '그는 허풍선이이므로 그의 의론은 믿을 수 없다'는 것 등.

대:인 담보【對人擔保】명〖법〗대인 신용을 채권의 담보로 하는 일. 곧, 보증 채무나 연대(連帶) 채무 등. ↔대물(對物) 담보. 「인(偉人).

대:-인물【大人物】명 훌륭한 기량·성격을 갖춘 사람. 뛰어난 사람. 위

대:인 방어【對人防禦】명 축구·농구·핸드볼 따위 경기에서, 한 선수가 상대편의 어느 한 선수를 1대 1로 맡아서 방어하는 방법. 맨투맨 디펜스(man-to-man defence). *지역 방어.

대:인-법【對人法】[—뻡] 명〖법〗내용이 주로 사람에 관하여 규정하

고 있는 법규. 신분법 따위. ↔대물법(對物法).
대:인-세【對人稅】명 인세(人稅).
대:인 신:용【對人信用】명 신용의 하나. 채권자가 채무자의 인물·지위 등 신상에 착안하여, 따로 담보물을 취하지 아니하는 일. ↔대물(對物) 신용.
대:인 인지【對人認知】명〖심〗대인 지각(對人知覺).
대:인 접물【待人接物】명 남과 접촉하여 사귐. 남과 교제함. ——-하다 자여불
대:인 주권【對人主權】[-꿘] 명〖법〗사람에 대하여 행사되는 국가의 최고 권력. 대인 고권(對人高權). ↔영토(領土) 주권.
대:인 지각【對人知覺】명 〔interpersonal perception〕〖심〗타인에 대하여, 그 감정·욕구·태도·성격 따위를 지각하는 일. 광의(廣義)로는 자기와 타인과의 관계나 타인 상호간의 관계에 대해서 인지하는 것도 포함됨. 대인 인지.
대:인 지뢰【對人地雷】명 인마(人馬) 살상용의 지뢰.
대:인 폭탄【對人爆彈】명 〔antipersonnel bomb〕〖군〗사람을 살상하기 위한 폭탄.
대:인 행동【對人行動】명〖사〗인간이 타인의 존재로 영향을 입은 결과 나타내는 행동. 일체화(一體化)·동일화·공감(共感)·동정(同情)·모방(模倣)·암시(暗示) 등의 기본 형태가 있음.
대:일[1]【大日】명〖불교〗↗대일 여래(大日如來).
대:일[2]【對日】명 일본에 대한 일. ¶ ~ 감정.
대:일-각【大一閣】명〖대종교〗대종교의 최고 통솔 기구. 교주(敎主)인 총전교(總典敎)와 부전교(副典敎)의 관할 아래 교리(敎理) 연구와 교무(敎務) 처리를 함. 3-10명의 전교(典敎)들로 구성됨.
대:일 강:화 조약【對日講和條約】명〖역〗연합국과 일본 사이에 맺어진 제2차 세계 대전의 강화 조약. 미국·영국·프랑스 등 48개국과의 샌프란시스코 강화 조약과, 중화 민국·인도·버마 등과의 이국간(二國間) 조약이 있음.
대:일-경【大日經】명〖불교〗진언 삼부경(眞言三部經)의 하나. 7세기 중엽, 중국 당나라의 선무외(善無畏)가 서인도에서 번역하였다고 하며, 티베트어로 번역된 것도 현존(現存)함. 7권.
대:일경-소【大日經疏】명〖불교〗중국 당대(唐代)의 불교서. 선무외(善無畏)가 해석하고 일행(一行)이 찬(撰)함. 8세기초에 성립된 대일경의 주석서(注釋書)임. 20권.
대:일-공【大日供】명〖불교〗대일 여래(大日如來)를 공양하는 법회.
대:일-당【大日堂】[-땅] 명〖불교〗대일 여래를 모시어 놓은 당(堂).
대:일 민간 청구권 보:상법【對日民間請求權補償法】[-꿘-뻡] 명〖법〗대한 민국 국민이 가지고 있는, 일본에 대한 민간 청구권의 보상에 관하여, 그 대상(對象)·방법·보상 금액과 지급 결정의 통지 및 보상 채권 등을 규정한 법률.
대:일 삼부【大日三部】명〖불교〗삼부경(三部經)의 한 가지.
대:-일수【大一數】[-쑤] 명〖역〗돈 일만 냥(一萬兩)을 일컫는 낮은 말. 당오평(當五坪)으로는 오만 냥(五萬兩)을 말함.
대:일 여래【大日如來】명〖불교〗〔범 Mahāvairocanna; 대편조(大遍照)의 뜻〕진언 밀교(眞言密敎)의 본존(本尊). 대우주(大宇宙)를 밝게 비추는 대일륜(大日輪)을 의미하며, 모든 세상의 만물을 포육(哺育)하는 자모(慈母)와 같은 이지(理智)의 본체(本體)임. 그 지체(智體)는 금강계(金剛界), 그 이체(理體)는 태장계(胎藏界)라고 하며 제존(諸尊)을 유출(流出)하는데, 전자는 '지(智)'를 나타내어 백색이며 오지(五智)의 보관(寶冠)을 쓰고 대지 권인(大智拳印)을 쥐고 연화대(蓮華臺) 위에 책상다리를 하고 앉았고, 후자(後者)는 '이(理)'를 표시하여 황금색의 몸으로 발계(髮髻)의 관을 쓰고 법계 정인(法界定印)을 쥐고 붉은 연화(蓮華)에 앉음. 변조 여래(遍照如來). 비로자나불(毘盧遮那佛). 자나 교주(遮那敎主). 준대일(大日).

〈대일 여래〉

대:일 재산 청구권【對日財産請求權】[-꿘] 명〖법〗일본의 한국에 대한 확정 채무 변제 또는 미군정(美軍政) 법령 제33호와 1948년의 한국과 미국간의 '재정 및 재산에 관한 협정'에 의하여, 한국 정부의 소유로 된 재산의 반환을 대한 민국이 일본에 대하여 청구하는 권리.
대:일-조【對日照】[-쪼] 명〖천〗태양과 반대 방향의 밤하늘에 보이는 미광(微光) 현상. 태양계내의 미진(微塵)이 밀집하여 일광을 반사하는 것으로 생각됨.
대임[1] 명〈방〉대님(강원·경북).
대:임[2]【大任】명 중대한 임무. 중임(重任). 대역(大役). ¶ ~을 완수하다.
대:임[3]【代任】명 다른 사람의 임무를 대리하여 처리함. 또, 그 사람.
대:임[4]【戴鵀】명〖조〗후투티.
대입[1]【大入】명 ↗대학 입학(大學入學).
대:입[2]【代入】명〖수〗어떤 수식(數式)의 변수(變數)를 특정한 숫자(數字)나 문자로 치환(置換)하는 연산(演算). ——-하다 타여불
대:입-법【代入法】명〖수〗어떤 특정한 수치(數値) 대신에 다른 수나 문자를 넣어서 푸는 대수식(代數式)의 운산법(運算法). 등치법(等値法). *가감법(加減法).
대입 예:비 고사【大入豫備考査】명 ↗대학 입학 예비 고사.
대입 학력 고사【大入學力考査】[-녁-] 명 ↗대학 입학 학력 고사.
대-자[1] 명 대나무로 만든 자. 죽척(竹尺).
대-자[2] 명 다섯 자. ¶ ~쯤 되는 길이.
대:자[3]【大字】명 ①큰 글자. ②대문자(大文字)❷. 1)·2):↔소자(小字).
대:자[4]【大慈】명 ①큰 자비(慈悲). ②〖불교〗부처의 큰 자비. 대비(大悲).
대:자[5]【代子】명〖천주교〗영세(領洗)나 견진 성사(堅振聖事)를 받은 남자의, 그 대부(代父)에게 대한 친분(親分). *대녀(代女).
대:자[6]【代赭】명 ①갈색을 띤 분말상(粉末狀)의 안료(顔料). 함망간 철광(含mangan 鐵鑛)이 풍화(風化)한 분해물을 분쇄한 것. ②↗대자색(代赭色). ③〖광〗↗대자석(代赭石). ④〖광〗석간주(石間硃).
대:자[7]【帶子】명 직물(織物)의 한 가지. 꼰 실로 너비가 좁고 길이는 길며 두껍게 짠 것 또, 그 직물로 짠 허리띠.
대:자[8]【帶磁】명〖물〗자화(磁化). ——-하다 자여불
대:자[9]【對自】명〔도 für sich〕〖철〗헤겔(Hegel)의 변증법(辨證法)에서 즉자(卽自)의 직접 상태로부터 발전한 제2의 단계. 타자(他者)에 대한 부정적(否定的) 태도에 의해 자기 자신이 일정한 한계를 소유하는 실재(實在)로서 독립성(獨立性)을 주장하는 상태임. 향자(向自). ↔즉자(卽自).
대:-자귀【大-】명〈방〉큰자귀.
대:-자녀【代子女】명〖천주교〗영세(領洗)나 견진(堅振) 성사를 받은 남자와 여자의 그 대부(代父)·대모(代母)에 대한 친분. 곧, 대부·대모가 영세나 견진 성사 때 입회하여, 신에 대한 약속의 증인이 되어 준 남녀를 통틀어 이르는 말. ↔대부모(代父母). *대자(代子)·대녀(代女).
대:자 대:비【大慈大悲】명〖불교〗넓고 커서 가이없는 자비(慈悲). 특히 관음 보살이 중생(衆生)을 사랑하고 불쌍히 여기는 마음. ——-하다 형여불
대-자리 명 대오리로 엮어 만든 자리. 죽점(竹簟).
대:-자보【大字報】명 중공(中共) 인민이 자기 견해를 주장하기 위하여 붙이는 대형의 벽보(壁報). 1957년의 반우파(反右派) 투쟁 이래 발전하여, 문화 혁명 속에서 정착(定着)하였음.
대:자-색[1]【代赭色】명 대자석(代赭石) 빛과 같은 빛깔. 갈황색(褐黃色)과 적황색(赤黃色)에 가까운 빛깔임. 준대자(代赭).
대:자-색[2]【帶紫色】명 자줏빛을 띤 빛깔.
대:자-석【代赭石】명〖광〗적철광(赤鐵鑛)의 하나. 잘 부스러지고 흙과 같으며 겉 빛이 붉은 흙빛임. 중국의 산시 성(山西省)의 대현(代縣)에서 많이 나므로 대자석(代赭石)이라 불리며, 석간주(石間硃)와 같이 물감으로 쓰이고 한방(韓方)에서는 약품으로 씀. 철주(鐵朱). 토주(土朱). 혈사(血師). 준대자(代赭).
대:-자연【大自然】명 넓고 큰 자연. 위대한 자연.
대:-자재【大自在】명 ①속박이나 장애를 전혀 받지 아니하고 자유로운 것. 커다란 자유. ②〖불교〗↗대자재천(大自在天).
대:-자재천【大自在天】명〖불교〗대천 세계(大千世界)의 주(主). 곤륜산(崑崙山) 위의 장엄한 궁전(宮殿)에 살며, 60의 천신(天神)을 거느리고 백천(百千)의 천녀(天女)의 호위를 받음. 그 모양은 팔이 여덟, 눈이 셋인데 천관(天冠)을 쓰고 흰 소를 타고 세 갈래 창을 잡고 있음. 원래 인도 바라문교의 신으로 만물 창조의 최고신(最高神)임. 마헤수라. 준자재천(自在天)·대자재(大自在).

〈대자재천〉

대:작[1]【大作】명 ①남의 잘된 작품의 경칭. ②〖문〗내용이 방대한 문예 작품. 대편(大篇). ③〖미술〗대규모의 미술 작품. 곧, 크게 이루어진 건축·조각·회화·분재(盆栽) 작품 따위. ④걸작(傑作). ⑤큰 사업을 일으킴. ⑥토목 공사 따위를 크게 시작함. ⑦무리져 일어남. 바람 소리·아우성 소리·구름 따위가 크게 일어남. ¶ 폭풍이 ~하다. ——-하다 자타여불
대작[2]【大斫】명 굵은 장작. ↔소작(小斫).
대:작[3]【大爵】명 높은 작위(爵位). ¶ 고관 ~.
대:작[4]【代作】명 ①남을 대신하여 만듦. 또, 그 작품. ②〖농〗대파(代播). ——-하다 타여불
대:작[5]【對酌】명 마주 대하여 술을 마심. 대음(對飮). ——-하다 자타
대:작-물【代作物】명 ①대신하여 만든 물건. ②〖농〗대파(代播)한 곡식.
대:작-자【代作者】명 남을 대신하여 글을 짓는 사람.
대:잔【大盞】명 큰 잔. 대배(大杯).
대:잠 공:격기【對潛攻擊機】명〖군〗잠수함 성능(性能)의 강화(強化)에 대비하여, 레이더·자기 탐지기(磁氣探知機)·수중 청음 부표(水中聽音浮標) 등의 대잠수함 초계(哨戒) 병기를 적재한 군용기. 비교적 중무장으로 장거리 항속(航續)이 가능함.
대:잠 로켓【對潛-】명〔antisubmarine rocket〕아스록(Asroc)의 역어(譯語).
대:잠 미사일【對潛-】명〔antisubmarine missile〕〖군〗잠수함을 공격 대상으로 하는 미사일.
대:잠 병기【對潛兵器】명〖군〗항공기·군함 등이 사용하는 잠수함의 탐지·발견·공격용의 병기. 레이더와 자기 탐지기(磁氣探知機) 외에 잠수함 공격용 특수 폭탄·기관총·로켓포 등이 있음.
대:잠수함 작전【對潛水艦作戰】명〔anti-submarine warfare; ASW〕〖군〗적의 잠수함의 효과적 사용을 거부하기 위하여 벌이는 작전. 대형 항공 모함·대잠 공모(對潛空母)·구축함·순양함 등의 수상 함정(水上艦艇)과 초계기·공격기·대잠(對潛) 헬리콥터 등의 항공기·잠수함 및 그 지원 병력이 동원됨.
대잡다 타〈옛〉바로잡다. ¶ 대잡을 교(矯)《類合 下 37》.
대:잡음 마이크로폰【對雜音-】명〔antinoise microphone〕〖전〗음향 잡음을 판별하는 특성을 가진 마이크로폰.
대:장[1] 명 ↗대장장이.
대:장[2]【大庄】명 많은 논밭.
대:장[3]【大壯】명〖민〗↗대장괘(大壯卦).
대:장[4]【大將】명 ①〖역〗도성(都城)을 상비(常備)하던 각영(各營)의 장수. 장신(將臣). 거수(巨帥). ②육해공군의 장관(將官)의 가장 높은 급. ③구세군(救世軍) 계급의 하나. 장관(將官)급의 첫째로서 부장(副將)

의 위임. ④한 무리의 우두머리. ⑤어떤 명사 다음에 쓰이어, 그 명사가 뜻하는 일을 아주 잘하거나 즐겨하는 사람을 이르는 말. ¶ 거짓말 ~/욕 ~.

대:장5【大場】명 대판1 ❶❷.

대:장6【大腸】명〖생〗소장(小腸)의 끝으로부터 항문에 이르는 소화 기관. 소장보다 굵고 짧으며, 사람의 대장은 1.5m 가량임. 식물성 섬유의 소화와 소화 잔재(消化殘滓)로부터의 수분의 흡수를 맡아 봄. 맹장(盲腸)·결장(結腸)·직장(直腸)의 세 부분으로 나뉨. 큰창자. *소장(小腸).

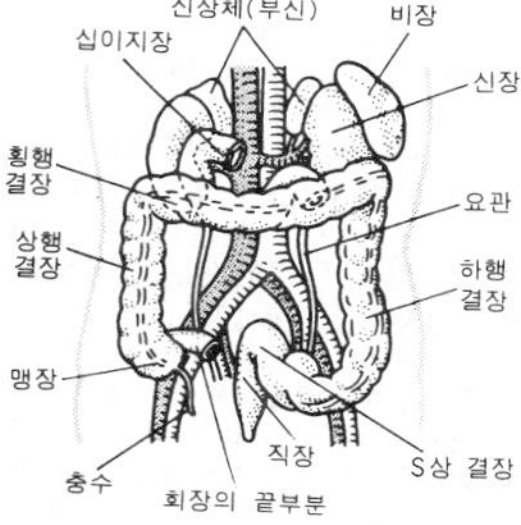

〈대장6〉

대:장7【大檣】명〔main mast〕기선에서 두 개의 돛대 가운데 뒤쪽의 것. 공중선(空中線)을 붙이고 증게등(增揭燈)과 선주기(船主旗)의 계양에 쓰임.

대:장8【代將】명〖역〗남의 책임을 대신하여 출전(出戰)한 장수.

대:장9【帶仗】명 병기(兵器)를 몸에 지님. ——하다 자여불

대장10【隊長】명 ①〖역〗조선 시대 후기에, 6개의 오(伍), 곧 30명의 병력을 거느리는 말단 지휘자. 일반 병사 가운데 경력이 많은 고참자로 임명함. 초관(哨官)의 지휘를 받음. ②한 대(隊)의 우두머리. ¶ 소방대 ~/청년 ~.

대장11【臺長】명 ①〖역〗조선 왕조 사헌부(司憲府)의 장령(掌令)과 지평(持平)의 별칭. ②기상대·천문대의 장.

대장12【臺狀】명〖인쇄〗신문의 한 면(面)을 조판(組版)한 뒤에 준장(準張)과 대보기 위하여 간단하게 박아 내는 종이. 교정지(校正紙).

대장13【臺帳】명 ①어떤 사항을 기록하는 토대가 되는 장부. 원부(原簿). ¶ ~에 올리다. ②상업상의 모든 계산을 기록한 원부.

대:장-간【—間】〔—깐〕명 풀무를 차려 놓고 시우쇠를 다루는 곳. 야장(冶場). 야장간(冶匠間). 야방(冶坊). 단철장(鍛鐵場).

대:-장경【大藏經】명〖불교〗불교 성전(聖典)의 총칭. 석가 여래의 설교를 기록한 경장(經藏)과 모든 계율(戒律)을 모은 율장(律藏)을 비롯해서 불제자(佛弟子)들의 논설(論說)을 모은 논장(論藏)을 총망라한 경전. 합천(陝川) 해인사(海印寺)에 간직한 장판(藏版)은 81,258장, 6,589권임. 일체경(一切經). 일체 장경(一切藏經). 준장경(藏經).

대:장경 목판【大藏經木板】명〖불교〗합천(陝川) 해인사(海印寺)에 간직된 대장경의 일부 목판(木板).

대:장경 정대 불사【大藏經頂戴佛事】〔—싸〕명〖불교〗대장경을 머리에 이고 독경(讀經)을 하는 불교 의식(儀式).

대:장-공【大將—】명 '캡틴 볼(captain ball)'의 역어(譯語).

대:장 공주【大長公主】명 천자(天子)의 백모(伯母)·숙모(叔母).

대:장-괘【大壯卦】명〖민〗육십 사 괘의 하나. 진괘(震卦)와 건괘(乾卦)가 거듭된 것. 우뢰가 하늘에 있음을 상징함. 준대장(大壯).

대:-장구도【大長久島】명〖지〗전라 남도 남해상(南海上), 완도군(莞島郡) 노화면(蘆花面) 내리(內里)에 위치한 섬. [0.13km^2]

대:-장군【大將軍】명 ①〖역〗고려 무관(武官)의 벼슬. 상장군(上將軍)의 다음, 장군(將軍)의 위로 종삼품임. 공민왕(恭愍王) 때에 대호군(大護軍)으로 고침. 이군(二軍)·육위(六衛)에 한 사람씩 두었음. ②〖민〗'팔장신(八將神)'의 하나.

대:장군-전【大將軍箭】명 무게 50근, 길이 11척 9촌 되는 철전(鐵箭). 천자 총통(天字銃筒)에 실어 30근의 화약을 폭발시켜 내쏘면, 900보(步) 밖까지 날아갔다 함.

〈대장군전〉

대:장군-포【大將軍砲】명〖역〗조선 초기부터 사용된 화포(火砲)의 하나. 수철(水鐵)로 주조하며, 길이 124.5cm, 포구(砲口) 지름 11.5cm.

대:장-균【大腸菌】명〖생〗사람 또는 포유류의 창자 속에 상주(常住)하는 세균의 하나. 단간균(短桿菌)으로서 길이 약 2-4μ인데, 운동성이 있음. 보통, 창자 속에서는 병원성(病原性)이 없으나, 때로는 방광염(膀胱炎)의 원인이 되기도 함. 큰창자균.

대:장균형 세:균【大腸菌型細菌】명〔coliform bacteria〕대장균 또는 대장균 비슷하거나 대장균과 근연(近緣)의 세균.

대:장-기【大將旗】명〖역〗대장이 아랫장수를 지휘할 때 쓰던 기. 왼쪽은 푸른 바탕, 오른쪽은 흰 바탕, 가운데는 누른 바탕에 용과 운기(雲氣)를 그리고 화염(火焰)이 있음. 아기(牙旗).

〈대장기〉

대:장 대:감【大匠大監】명〖역〗신라 무관(武官)의 벼슬. 육정(六停)·구서당(九誓幢)에 1명씩 해서 도합 15명을 두었음. 금(衿)이 없으며 위계(位階)는 대나마(大奈麻)로부터 사지(舍知)까지임.

대:장-도【大長島】명〖지〗전라 북도 서해상, 군산시(群山市) 미면(米面) 장자도리(壯子島里)에 위치했던 섬. 지금은 현수교(懸垂橋)에 의해 장자도(壯子島)의 일부가 됨.

대:장 도감【大藏都監】명〖역〗고려 때 대장경을 조각하기 위하여 베푼 임시 관아.

대:장-봉【大將峰】명〖지〗함경 북도 갑산군(甲山郡)과 무산군(茂山郡) 사이에 있는 산. 백두산의 상상봉을 이루고 있으며 압록강·두만강·송화강(松花江) 등의 수원지를 이룸. [2,744m]

대:-장부【大丈夫】명 사내답고 씩씩한 남자. 준장부(丈夫). ↔졸장부(拙丈夫).

대:장부답다 형 대장부 같은 위풍이 있다.

대:-장선【大長線】명〖건〗마루 밑의 장선(長線)을 또 다시 받치고 있는 나무. 1m 가량의 간격으로 장선과 직각 방향이 되게 댐.

대장-세【臺帳稅】명 납세 의무자·과세 대상·과세 표준 등을 조세 대장에 기재하여 두고 그에 의거해서 과세하는 세. 지세(地稅) 따위. 사정세(查定稅).

대:장 아메:바【大腸—】〔amoeba〕명〖동〗〔*Entamoeba coli*〕사람의 대장에 기생하는 원충(原蟲). 적리 아메바와 비슷한데 장점막(腸粘膜)에 침입하지 아니하고 대장 안에서 증식하며 영양형(營養型)과 낭자(囊子)의 두 종류가 있음. 영양형은 크기 15-50μ, 낭자는 직경 10-30μ의 구상(球狀)으로 1-8개의 핵(核)이 있음. 모두 대변 속에서 검출되며 비병원성(非病原性)으로 여겨짐.

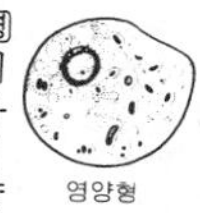

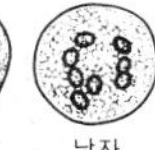

〈대장 아메바〉

대:장애물 여유 고도【對障礙物餘裕高度】명〔obstacle clearance〕〖항공〗어떤 장애물의 높이와 인정되어 있는 최저 비행 고도와의 사이의 수직 거리(垂直距離).

대:장-염【大腸炎】〔—념〕명〖의〗소화관의 염증의 부분적인 현상으로서 또는 독립하여 대장에 나타나는 염증. 국재성(局在性)인 경우에는 그 장소에 따라 충양돌기염(蟲樣突起炎)·S상 결장염(結腸炎)·직장염(直腸炎)이라고 부름. *위장염(胃腸炎).

대:장-인【大將印】명〖역〗장수(將帥)가 갖는 인장(印章).

대:장-일【—닐】명 대장간에서 하는 일. ——하다 자여불

대:장-장이 명 시우쇠를 달궈서 온갖 기구와 연장을 만드는 일을 업으로 삼는 사람. 야공(冶工). 철장(鐵匠). 야장(冶匠). 준대장.
【대장장이 집에 식칼이 논다】어떠한 물건이 마땅히 있음직한 곳에 오히려 없는 일이 많다는 말.

대장-쟁이 명 ☞대장장이.

대:장-전【大藏殿】명〖불교〗대장경(大藏經)을 봉안(奉安)하는 절의 건물. 법보전(法寶殿).

대장-준【臺狀準】명〖인쇄〗신문의 한 면을 조판(組版)한 뒤에, 박아 낸 대장(臺狀)에 대하여 준장(準張)을 가지고 다시 대보는 교정(校正).

대:장-질【大將—】명 '우두머리노릇'을 낮추어 이르는 말.

대:장척-당【大匠尺幢】명〖역〗신라 때 군대의 이름.

대:장척당-주【大匠尺幢主】명〖역〗신라 때 무관의 이름. 육정(六停)과 구서당(九誓幢)의 예하 부대에 1명씩 배속됨. 관등은 일길찬(一吉飡)에서 나마(奈麻)까지임.

대:장-체【對掌體】명 광학(光學) 이성체(異性體)의 하나. 부정 탄소 원자(不整炭素原子)의 입체 배치가 어디나 반대로 되어 있는 두 개의 분자는 서로 오른손과 왼손의 관계에 있으므로 이 이름이 붙었음. 결정의 경우에는 그 외형도 마치 거울의 상(像)과 실체와의 관계에 있으므로 식별할 수 있으나, 넓은 뜻의 대장체에서는 결정일 필요는 없고 광학 활성(活性)을 갖는 모든 분자에 대해 말할 수 있음. *광학 이성체(光學異性體).

대:장 카타르【大腸—】〔catarrh〕명〖의〗대장의 카타르성 염증. 대장, 특히 'S'자형부에 일어나며 하복부의 동통(疼痛)과 빈번한 설사를 일으킴.

대:장-패【大將牌】명〖역〗포도 대장이 차던 패(牌).

대:장 풍악【大張風樂】명 풍류놀이를 크게 벌여 차림. ——하다 자여불

대:장항-령【大獐項嶺】〔—녕〕명〖지〗평안 북도 초산군(楚山郡) 풍면(豐面)에 있는 산. [517m]

대:재1【大才】명 큰 재주. 뛰어난 재주. 또, 그러한 사람. ↔소재(小才).

대:재2【大材】명 거대한 재목이나 석재(石材).

대:재3【大災】명 큰 재앙.

대:재4【大齋】명〖천주교〗'단식재(斷食齋)'의 구용어.

대:재-각【大哉閣】명〖지〗충남 부여(扶餘) 백마강(白馬江)의 우안(右岸) 언덕에 있는 비각(碑閣). 조선 인조(仁祖) 때의 대신(大臣) 이경여(李敬輿)가 공부하던 곳으로 그가 원배(遠配)된 후, 효종(孝宗)이 다시 부를 때에 내린 글귀 가운데 처음의 '日暮途遠至痛在心' 8자를 새겨 세운 비석이 있음. 또, 비각의 이름도 서경(書經)의 상서 함유일덕편(商書咸有一德篇)의 '대재 왕언(大哉王言)'의 처음 두 자 '大哉'를 골라, 송시열(宋時烈)이 썼다 함.

대:-재상【大宰相】명 ①〖역〗태봉(泰封)의 최고위의 관계(官階). ②위대한 재상.

대:쟁【大箏】명〖악〗당악기(唐樂器)에 속하는 발현 악기(撥絃樂器)의 하나. 전면은 오동나무, 후면은 밤나무로 만들었음. 15현(絃)을 매어서, 왼손으로 기러기발 뒤를 짚고 오른손으로 타는데, 모양은 가야고와 비슷하나 조금 큼. 음색은 가야고와 거의 같으나, 더 무겁고 웅장함. 지금은 거의 쓰이지 않음.

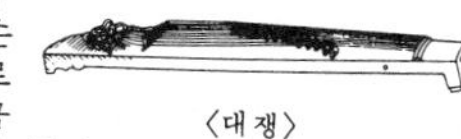
〈대쟁〉

대-쟁이 명〈방〉대장장이(경기·강원).

대:저1【大著】명 내용이 방대하고 규모가 큰 저술(著述).

대:저2【大抵】부 대체로 보아서. 무릇. 대컨.

대:저-도【大猪島】명〖지〗함경 남도 동해상, 돌출한 호도 반도(虎島半島)에 둘러싸인 송전만(松田灣)에 있는 섬. [6.75km^2]

대-저울 명 저울의 하나. 대의 한쪽에 접시와 고리가 있으며 그 가까이에 손잡이가 있음. 대에 눈이 새겨져 있으며, 접시나 고리에 물건을 얹고 저울추를 좌우로 이동시켜 무게를 닮.

〈대저울〉

대:적1【大賊】명 ①크게 떼를 지은 도둑. ②대단히 나쁜 사람.

대:적2【大敵】명 세력이 강한 적. 큰 적수. 강적(強敵). ↔소적(小敵).

대:적[3]【對敵】명 ①적과 마주 대함. 대두(對頭). 저적(抵敵). ②세력이 맞서서 서로 겨눔. 또, 그 상대. 적수(敵手). ¶ ~할 수 없다. ——-하다 자타여불

대:적광-전【大寂光殿】명〖불교〗〔연화장 세계(蓮華藏世界)가 대정적(大靜寂)의 세계라는 뜻에서〕 연화장 세계의 교주 비로자나불을 본존불(本尊佛)로 모신 법당(法堂). 비로전(毘盧殿). 화엄전(華嚴殿).

대:적 방조【對敵幇助】명 적에 대하여 중립국(中立國)에서 방조하는 일.

대:적-색【帶赤色】명 붉은 빛을 띤 빛깔.

대:적 행동【對敵行動】명 적을 대하는 행동. 또, 적으로 대하는 행동.

대전[1]【大田】명〖지〗광역시의 하나. 충청 남도 도청 소재지. 사방이 산으로 둘러싸인 넓은 대전 분지(盆地)에 자리잡고 있으며 갑천(甲川)의 지류인 대전천(大田川)이 관류함. 경부선의 요역이며 호남선의 기점임. 또, 고속 도로 등 도로망(道路網)의 초점(焦点)에 해당하여 육상 교통에 있어서는 서울 다음가는 빈번한 곳임. 군(軍) 교육 기관과 비행장 등이 있고 부근 일대에서 쌀·면화·고치·잡곡·과실 등이 나며 중부 지방의 3대 공업 지구의 하나로 면방직·메리야스·제사(製絲)·견직물·인조견 직물·양조·피혁·기구·도자기·유리 가공 등의 경공업이 발달함. 명승 고적으로는 유성 온천(儒城溫泉) 부근에 계룡산(鷄龍山)·보문산(普門山)·소제호(蘇堤湖) 등이 있음. 한밭. [537.25 km^2 : 1,062,084 명(1990)]

대:전[2]【大全】명 ①충분히 갖추어 모자람이 없음. ②어떤 사물에 관한 것을 빠짐없이 편집한 책. ¶ 사서(四書) ~. ③언해(諺解)가 있는 책을 본문(本文)만 있는 책에 대하여 일컫는 말.

대:전[3]【大典】명 ①나라의 큰 의식. 대의(大儀). ②중대한 법전(法典). *중전(中典).

대:전[4]【大殿】명 ①임금이 거처하는 궁전. 대내(大內). ②↗대전마마.

대:전[5]【大篆】명 한문 서체(書體)의 하나. 중국 주(周)나라 선왕(宣王) 때 태사(太史) 주(籒)가 만들었음. 전주(篆籒). ↔소전(小篆).

〈대전[5]〉

대:전[6]【大戰】명 ①크게 싸움. 대규모의 전쟁. 격전(激戰). ②↗세계 대전. ¶ 제2차 ~. ——-하다 자여불

대:전[7]【代錢】명 ①물건 대신으로 주는 돈. ②대금(代金). ¶ ~을 치르다. ③〖역〗작전(作錢).

대전[8]【垈田】명 ①텃밭. ②터와 밭.

대:전[9]【帶電】명〔electrification〕〖물〗어떤 물체가 전기를 띠는 현상.

대전[10]【臺前】명 대(臺)의 앞.

대:전[11]【對戰】명 서로 마주 대하여 싸움. ¶ ~표(表). ——-하다 자여불

대전 공업 단지【大田工業團地】명〖지〗대전 광역시 동구 대화동(大禾洞)과 읍내동(邑內洞) 지역에 있는 공업 단지.

대:전-관【代奠官】명 제사 때 임금 또는 왕세자를 대신하여 잿술을 드리는 벼슬아치.

대전 대학교【大田大學校】명 사립 종합 대학교의 하나. 1980 년에 대전 대학(大田大學)으로 설립되어 1988 년 종합 대학으로 승격됨. 소재지는 대전 광역시 동구 용운동(龍雲洞).

대:전-료【對戰料】[-뇨] 명 프로 권투·프로 레슬링 따위 시합을 하고 선수가 받는 보수.

대:전류 개폐기【大電流開閉器】[-절-] 명〔high-current switch〕〖전〗대전류의 유전(流電) 방향을 바꾸기 위하여서 쓰이는 개폐기.

대:전-마마【大殿媽媽】명 '임금'의 존칭. 준대전(大殿).

대:전 마:패【大殿馬牌】명〖역〗나라에서 임금이 사용하는 말을 조발(調發)하기 위해 발급하던 유자(柚子)로 만든 둥근 패.

대전 방지 가공【帶電防止加工】명〔antistatic finishing〕〖방적〗섬유나 섬유 제품의 대전을 방지하는 가공. 정전기 발생을 억제하는 방법과 발생한 정전기를 일산(逸散)되기 쉽게 하는 방법이 있는데, 현재 널리 사용되고 있는 것은 후자의 방법임.

대:전 방지 브러시【帶電防止一】명〔antistatic brush〕〖전〗정전기(靜電氣)를 일으키지 않도록 만든 브러시.

대전 방지제【帶電防止劑】명〔antistatic agent〕일반적으로 합성 수지 제품 등의 대전성을 방지하는 약제. 합성 수지 원료에 직접 섞어 반죽해서 사용하는 것과 표면에 도포해서 사용하는 것이 있음.

대:전-법【代田法】[-뻡] 명〖역〗중국 한(漢)나라 무제(武帝) 말년에 고안된 농법(農法). 일정한 간격을 두고 일정한 폭의 이랑과 골을 만들어 매년 이를 교체시키는 재배법. 수확량의 증대와 노동력의 경감을 가져왔음.

대:전 별감【大殿別監】명〖역〗대내(大內)에서 심부름하던 벼슬의 하나.

대:전-보【代錢保】명 옛날에, 돈으로 내던 군보(軍保).

대:-전복【大全鰒】명 큰 전복.

대:전 빙정핵【帶電氷晶核】명〔electrification ice nucleus〕〖기상〗분열핵(分裂核)의 하나. 수백 V/cm의 강한 전장(電場)에 노출된 수지상(樹枝狀) 빙정(氷晶)의 분열로써 생긴 빙정핵.

대:-전사【大典事】명〖역〗신라 대일 임전(大日任典)의 벼슬. 경덕왕(景德王) 때 도사 대사(都事大舍)의 고친 이름. 위계(位階)는 나마(奈麻)에서 사지(舍知)까지.

대:전 속록【大典續錄】[-녹] 명〖책〗경국 대전(經國大典) 이후의 육전(六典)에 관한 사실을 편집한 책. 조선 성종(成宗) 23년(1492)에 이극증(李克增)에게 명찬(命撰)하였음. 6권 1책.

대:전 승전【大殿承傳】명〖역〗대전 승전색.

대:전 승전색【大殿承傳色】명〖역〗임금의 명령을 전달하던 내시부(內侍府)의 한 벼슬. 대전 승전.

대:-전어【大錢魚】명〖어〗[*Nematalosa japonica*] 전어과에 속하는 바닷물고기. 전어와 비슷하나 입이 배 쪽에 치우쳐 있고 주둥이가 내밀어 아래턱을 전부 덮음. 몸빛은 은백색. 한국 서남부·일본·동인도 제도 및 필리핀 연해에 분포함. 은전어(銀錢魚).

대:-전의【大典儀】[-/-이] 명〖역〗신라 대일 임전(大日任典)의 벼슬. 경덕왕(景德王) 때에 대도사(大都司)의 고친 이름. 위계는 나마(奈麻)에서 사지(舍知)까지.

대:전-장【大箭章】명〖악〗용비 어천가 47장의 이름.

대:전 장번【大殿長番】명〖역〗조선 시대, 환관(宦官)이 왕궁(王宮)에 머물러 있으면서 번(番)드는 일. *대전 출입번(大殿出入番).

대:-전정선【大前庭腺】명〖생〗'바르톨린선(Bartholin腺)'의 한자 이름.

대:-전제【大前提】명〔major premise〕〖논〗삼단 논법에 있어서 대개념(大槪念)을 포함한 첫째 전제. ↔소전제(小前提).

대:전차 무:기【對戰車武器】명〖군〗적의 전차를 공격하는 데 쓰이는 무기. 대전차포·대전차 지뢰·바주카포(bazooka砲) 등.

대:전차 미사일【對戰車一】명〔anti-tank missile〕〖군〗적의 전차를 공격하기 위한 유도탄(誘導彈). 약칭: 에이 티 엠(ATM).

대:전차 지뢰【對戰車地雷】명〖군〗전차의 무한 궤도를 파괴하기 위하여 주로 보병(步兵)이 사용하는 지뢰. *촉발(觸發) 지뢰.

대:전차-포【對戰車砲】명〖군〗적의 전차를 공격하는 데 쓰이는 작은 포. 강철판에 대한 관철력(貫徹力)이 강한 포탄을 큰 초속(初速)으로 발사함. 최근에는 로켓식 화포로 사용함.

대:전차-호【對戰車壕】명〖군〗전차가 빠져 나오지 못하도록 만든 호.

대:전-체【帶電體】명〔charged body〕〖물〗전기를 띠고 있는 물체.

대:전 출입번【大殿出入番】명〖역〗조선 시대 때, 환관(宦官)이 왕궁(王宮)에 교대로 번(番)드는 일. *대전 장번(大殿長番).

대:전 통편【大典通編】명〖책〗경국 대전(經國大典)·대전 속록(大典續錄)·대전 후속록(大典後續錄)·수교 집록(受敎集錄)·속대전(續大典)을 한데 모아 이룬 책. 조선 정조(正祖)의 명을 받아 김치인(金致仁)이 편집하였음. 6권 5책.

대:-전투【大戰鬪】명 대규모의 전투. ↔소전투.

대:-전현【戴傳賢】명〖사람〗'다이 찬셴(戴傳賢)'을 우리 음으로 읽은 이름.

대:전 회:통【大典會通】명〖책〗대전 통편(大典通編) 이후의 사실을 보충하여 만든 책. 조선 고종 2년(1865)에 조두순(趙斗淳) 등이 편집한 조선 왕조 500년간의 전법령(全法令)이 수록되었음. 6권 5책.

대:전 후:속록【大典後續錄】[-녹] 명〖책〗대전 속록(大典續錄) 이후의 법령(法令)을 수록한 책. 조선 중종(中宗) 38년(1543)에 윤은보(尹殷輔) 등이 편찬하였음. 6권 1책.

대:절[1]【大節】명 ①죽기를 각오하고 지키는 절개. ②크게 빛나는 절조.

대:절[2]【貸切】명 '전세(專貰)'의 구칭. ¶ ~차(車). ——-하다 타여불

대:절-채【對節菜】명〖식〗쇠무릎지기.

대:점[1]【大漸】명 임금의 병세가 점점 더하여 감. ——-하다 형여불

대:점[2]【貸店】명 ↗대점포.

대:점[3]【對點】[-쩜] 명〖수〗원(圓)이나 구(球)의 직경의 양끝에 마주 대하고 있는 한 쌍의 점.

대:-점포【貸店鋪】명 점포를 세놓음. 또, 그 가게.

대:접[1] 명 소의 사타구니에 붙은 고기.

대:접[2] 명 위가 넓적하고 운두가 낮은, 국이나 숭늉을 담는 그릇. 주의 '大楪'으로 씀은 취음(取音).

대:접[3] 명〈방〉다래끼[2](경기·충북·경북).

대:접[4]【待接】명 ①손님을 맞음. ②음식을 차려서 손님을 대우함. ¶ 융숭한 ~을 받다. ——-하다 타여불

대:접-감 명 매우 굵은 종류의 납작감.

대:접 무늬 [-니] 명 대접만큼 크고 둥글게 놓은 무늬. 대접문(紋).

대:접-문【-紋】명 ☞ 대접 무늬.

대:접문 영초【-紋英綃】명 대접만큼 크게 무늬를 놓아 짠 영초.

대:접-받침 명〖건〗기둥 머리를 장식하기 위하여 끼우는 대접처럼 넓적하게 네모진 나무. 대접 소로. 주두(柱枓).

대접-살 명 대접[1].

대:접 소:로【-小櫨】명〖건〗대접 받침.

대:접-쇠 명 문장부가 들어가는 둔테의 구멍 가에 박는 말굽 비슷한 쇠. 마제철(馬蹄鐵).

대:접-자루 명 쇠고기의 대접에 붙은 고기의 한 가지. 구이에 씀.

대:-접주【大接主】명〖역〗동학(東學)에서, 몇 개의 접(接)을 구관(句管)하는 접주(接主). *포주(包主).

대:정[1] 명〈방〉대장장이(강원·충청·경상·전북).

대:정[2]【大正】명 ↗대정자(大正字).

대:정[3]【大正】명〖역〗①신라 때 상사서(賞賜署)·대도서(大道署)의 으뜸 벼슬. 진평왕(眞平王) 46년(624)에 두고, 경덕왕(景德王) 때에 '정(正)'으로 고쳤다가 뒤에 다시 본이름으로 함. 위계는 아찬(阿飡)에서 급찬(級飡)까지임. ②동학(東學)의 교직(敎職)인 육임(六任)의 제오위(第五位).

대:정[4]【大定】명〖지〗'다딩(大定)'을 우리 음으로 읽은 이름.

대:정[5]【大定】명 일을 딱 결단하여 정함. ——-하다 타여불

대:정[6]【大政】명〖역〗①해마다 음력 12월에 행하는 도목 정사(都目政事). 도목 정사는 6월과 12월에 두 차례 행하는데 12월 것이 규모가 커서 대대적으로 행하므로 이 이름이 생긴 것임. ↔소정(小政). *도목 정사. ②천하의 정치. 대기(大機).

대:정[7]【大釘】명 ①연목을 거는 데나 대문짝에 박는 큰 못. ②대못[2].

대:정[8]【大靜】명〖지〗제주도 남제주군 서부의 읍(邑). 수산물·농산물의 집산지이며, 고구마와 유채(油菜)의 특산지임. 명소로는 대정 해수욕

장이 있음. [84,824명(1990)]
대:정⁹【隊正】[명]〖역〗①고려 때 무관 벼슬의 하나. 2군(軍) 6위(衛)에 각각 40인을 두었는데, 최하급의 군관으로 종구품(從九品)임. ②조선 시대 무직(武職)의 하나. 대(隊)의 장으로 25명을 거느림.
대:정-각【對頂角】[명]〖수〗'맞꼭지각'의 구용어.
대:정-깐 [명]〈방〉대장간(전북·경상·함경).
대:-정맥【大靜脈】[명]〖생〗몸의 각 부문에 흩어져 있는 피를 모아서 심장의 우심방(右心房)으로 들여보내는 큰 정맥. 상반신(上半身)의 피를 모아들이는 상대정맥(上大靜脈)과 하반신의 피를 모아들이는 하대정맥이 있음. 큰 정맥. *대동맥(大動脈).
대:정-산【大頂山】[명]〖지〗경상 북도 청송군(青松郡)에 있는 산.[704m]
대:-정자【大正字】[一짜][명] 서양 글자의 활자체(體)의 한 가지. 대문자(大文字)의 해서(楷書). [준]대정(大正). ↔소정자(小正字).
대:정-쟁이 [명]〈방〉대장장이(경남).
대:정-코【大定一】[부] 단정코. 기어이. 결심하고 하겠다는 뜻으로 씀. ¶ ～ 정치가가 되겠다.
대:제¹【大帝】[명] '황제(皇帝)'의 존칭. 특히, 뛰어나고 위대한 황제를 이르는 말. ¶ 피터 ～.
대:제²【大祭】[명] ①성대히 지내는 큰 제사. ②〖역〗종묘(宗廟)에서 사맹월(四孟月)의 상순(上旬)과 납일(臘日)에 지내는 제사와 사직(社稷)에서 정월 첫 신일(辛日)에 풍년을 빌며 지내는 제사. 또, 중춘(仲春)·중추(仲秋) 첫 무일(戊日)과 납일(臘日)에 지내는 제사. 대제사(大祭祀). 대향(大享).
대:제³【大題】[명] 책의 이름을 편명(篇名)에 상대하여 일컫는 말. ↔소제(小題).
대:제⁴【待制】[명]〖역〗①고려 때 보문각(寶文閣)의 정오품(正五品) 벼슬. ②조선 시대 규장각(奎章閣)의 한 벼슬.
대:-제사¹【大祭司】[명]〖기독교〗대제사장(大祭司長).
대:-제사²【大祭祀】[명]〖역〗대제(大祭)❷.
대:-제사장【大祭司長】[명] [high priest]〖성〗구약 시대(舊約時代)에, 제사장(祭司長)의 으뜸 성직자(聖職者). 1년에 한 번, 지성소(至聖所)에 홀로 들어가 속죄(贖罪)의 피를 뿌리어 제사를 지낼 수 있음. 대사제(大司祭).
대:제원-도【大諸元島】[명]〖지〗전라 남도의 남해상(南海上), 완도군(莞島郡) 노화면(蘆花面) 내리(內里)에 위치한 섬. [0.06 km² : 11명(1984)]
대:-제전【大祭典】[명] 성대한 제전.
대:-제학【大提學】[명]〖역〗①고려 때 보문각(寶文閣)의 종이품(從二品) 벼슬. 충숙왕(忠肅王) 원년(1314)에 대학사(大學士)를 고친 이름. ②고려 때 우문관(右文館)의 정이품 벼슬. ③고려 때 진현관(進賢館)의 종이품 벼슬. ④조선 왕조 때 홍문관(弘文館)·예문관(藝文館)의 정이품의 으뜸 벼슬. 태종(太宗) 원년(1401)에 대학사(大學士)를 이 이름으로 고침. 문형(文衡). 주문(主文).
대:조¹【大棗】[명] 대추.
대:조²【大朝】[명]〖역〗왕세자(王世子)가 섭정(攝政)하고 있을 때의 임금을 일컫는 말.
대:조³【大潮】[명] 조수(潮水)의 차가 가장 큰 때의 밀물과 썰물. 음력 초하루 또는 보름이 한 이틀 지난 뒤에 일어남. 이 때는 지구·달·태양이 한 직선상(直線上)에 있으므로 달과 태양의 인력(引力)이 같이 지구에 미치기 때문에 큰 조수가 일어남. 한사리. 큰사리. ↔소조(小潮).
대:조⁴【待詔】[명] ①〖역〗고려 중서 문하성(中書門下省)·한림원(翰林院)의 이속(吏屬). ②천자(天子)의 대명(大命)을 기다림.
대:조⁵【帶鳥】[명]〖조〗삼광조(三光鳥).
대:조⁶【對照】[명] ①둘을 마주 대서 비추어 비교함. 대비(對比). ②〖예〗미적(美的) 대상에 있어서 서로 대립하는 두 개의 요소가 대립에 의하여 일종의 통일된 모양을 만듦. 비준(比準). ――-하다 [타][여불]
-대조【代祖】[미] 숫자 밑에 붙어서, 위로 거슬러 쳐서 몇 대째의 선조임을 나타내는 말. ¶ 오～는 고조(高祖)의 아버지다. *-세손(世孫).
대:조 계:정【對照計定】[명]〖경〗대차 대조표의 차변(借邊)과 대변(貸邊)에 동일한 금액이 게기(揭記)되어 있고 그 두 개가 직접 관련을 가지고 대립하는 항목일 때의 그 두 항목에 속하는 계정.
대:조-법【對照法】[一뻡][명]〖문〗수사법의 한 가지. 상반되거나 정도가 틀리는 사물을 열거하여 그 상태를 더욱 명백히 하는 방법임.
대:조-승【大潮昇】[명] [spring rise]〖해〗조위표(潮位表)보다 큰 대조(大潮) 때의 만조(滿潮)의 평균 조위(潮位).
대:조 시험【對照試驗】[명]〖화〗공시험(空試驗).
대:조 언어학【對照言語學】[명] [contrastive linguistics]〖언〗두 개 또는 그 이상의 언어를 대조하여 그들 사이의 차이점·공통점 등을 비교 연구하는 언어학의 한 분야. 대조하는 언어에는 계통상 또는 시대적인 제한이 없는 점에서 비교 언어학(比較言語學)과는 그 목적과 방법이 전혀 다름. 외국어 학습서의 작성이나 사전 편찬에 이용되는 학문임.
대:-조영【大祚榮】[명]〖사람〗발해의 건국자. 고구려의 유민으로, 중국의 측천 무후(則天武后) 때, 돈화(敦化) 부근에서 세력을 얻어, 699년 진국왕(震國王), 713년 발해왕이 됨. 시호(諡號)는 고왕(高王). [?-719; 재위 699-719]
대:조-적【對照的】[명][관] ①마주 대어 비추어 보기에 형편이 좋은 모양. ②대립하는 사물의 차이가 심한 모양. ¶ ～인 성격.
대:조-전【大造殿】[명] 서울 창덕궁(昌德宮) 안에 있는 곤전(坤殿)의 정당(正堂).
대:조 조각【大棗糙角】[명] 대추 주악.
대:조-차【大潮差】[명] 대조 때의 간만(干滿)의 고도차(高度差)를 평균한 차.
대:조-표【對照表】[명] 대조해 놓은 표. ¶ 대차(貸借) ～.
대:족【大族】[명] 자손이 많고 세력 있는 족속.
대졸¹【大卒】[명] ①↗대학 졸업. ②↗대학 졸업자.
대:졸²【隊卒】[명]〖역〗조선 세조(世祖) 때 편성(編成)한 사령군(使令軍). 태종(太宗) 때 조직한 섭육십(攝六十)을 개편한 것. 이들은 광화문(光化門)에 입직하였는데 그 인원은 3천 명이었으며 5번(番)으로 나누어 6백 명이 6개월씩 복무하였음. 대개, 천인(賤人) 중에서 채용하였음.
대종¹ [명]〈방〉대중¹.
대:종²【大宗】[명] ①대종가(大宗家)의 계통(系統). ¶ 화단의 ～. ②사물의 큰 근본. ¶ 수출품의 ～.
대:종³【大腫】[명] 큰 종기.
대:종⁴【大鐘】[명] ①큰 종. ②〖불교〗쇠로 만든 큰 종. 땅 속의 영혼(靈魂)을 대표하여 명부(冥府)의 모든 귀신을 부를 때 침.
대종⁵【岱宗】[명]〖지〗'태산(泰山)'의 별칭.
대:-종가【大宗家】[명] 가장 큰 종파(宗派)의 집안. 제일 큰 종가.
대:-종계【大宗契】[명] 같은 종파(宗派) 사람들이 집안 일을 돕거나 종파의 일을 하기 위하여 모으는 종계(宗契).
대:종-교【大倧教】[명]〖종〗민속 신앙으로서 조화신(造化神)인 환인(桓因), 교화신(教化神)인 환웅(桓雄)과 치화신(治化神)인 환검(桓儉)의 3위(位)의 일체, 곧 '한얼님'을 신앙적 대상으로 존중하는 한국 고유의 교. 성(性)·명(命)·정(精)의 삼진 귀일(三眞歸一)을 조화적(調和的)인 근본 교리로 1909년 음력 정월 보름에 홍암 대종사(弘巖大宗師) 나 철(羅喆)이 개종(開宗)하였음. 현재 그 신도는 50여만 명임. 환검교(桓儉教). 단군교.
대:-종백【大宗伯】[명]〖역〗'예조 판서(禮曹判書)'의 이칭(異稱).
대:-종사【大宗師】[명] ①〖대종교〗성통 공완(性通功完)한 사람을 높이어 부르는 말. ②〖불교〗조계종(曹溪宗)에서, 비구(比丘) 법계(法階)의 1급. 나이 60세, 승랍(僧臘) 40년 이상의 특히 뛰어난 승려(僧侶)에게 특별 전형(詮衡)에 의해 줌. 종사(宗師)의 위. ③〖불교〗태고종(太古宗)에서, 선정(禪定)을 닦은 승려의 법계(法階)의 1급. 종사 법계 수지 후 7년 이상 경과한 자 중에서 특히 뛰어난 이에게 줌. *대교사(大教師).
대:종-상【大鐘賞】[명] 우리 나라 영화의 질적 향상을 꾀하기 위하여 마련된 영화 예술상. 1961년에 제정하여 1962년 3월 처음으로 시상하였음. 매년 전년도 4월부터 그 해 3월까지 사이에 제작된 국산 영화 중에서 뽑아 3월이나 4월에 시상함. 최우수 작품상을 비롯하여 각 부문별로 17개의 개인상이 있음. 문화부 또는 한국 영화 진흥 공사가 주관하다가 1987년부터 한국 영화인 협회에서 주관함.
대:-종손【大宗孫】[명] 대종가의 맏자손.
대:-종중【大宗中】[명] 큰 종중. 대개 5대 이상의 선조에서 갈린 자손들의 집안. 또, 그 집안 사람.
대:좌¹【大佐】[명] 이차 대전 때까지의 일본에서의 대령(大領)의 일컬음.
대:좌²【對坐】[명] 서로 마주 대하여 앉음. 우좌(偶坐). ――-하다 [자][여불]
대좌³【臺座】[명] 상(像)을 안치(安置)하는 대(臺). 불상의 대좌에는 연화(蓮華)좌·암(岩)좌·수미(須彌)좌·조수(鳥獸)좌 등이 있음.
대:죄¹【大罪】[명] ①큰 죄. 거죄(巨罪). 대범(大犯). ¶ ～를 짓다. ②〖천주교〗본죄(本罪)의 하나. 천주의 법을 크게 거스르는 죄. 1)·2)↔소죄(小罪). *사죄(死罪).
대:죄²【待罪】[명] 죄인이 처벌을 기다림. 대벌(待罰). ¶ 석고(席藁) ～하다. ――-하다 [자][여불]
대:죄 거:행【戴罪擧行】[명] 죄과(罪科)가 정해질 때까지 현직(現職)에 그대로 있어 일을 봄. ――-하다 [자][여불]
대:주¹【大主】[명]〖민〗①무당이 단골집의 '남자 주인'을 일컫는 말. ↔계주(季主). ②여자들이 집의 '남자 주인'을 일컫는 말.
대:주²【大洲·大州】[명] 넓은 육지(陸地). 대륙(大陸). ¶ 오대양(五大洋)과 육～.
대:주³【大柱】[명] 방아의 굴대를 떠받치는 네 기둥.
대:주⁴【大酒】[명] 호주(豪酒). ¶ ～가(家).
대:주⁵【大註】[명] 경서(經書)의 원주(原註).
대:주⁶【大蔟】[명]〖악〗십이율(十二律)의 하나인 양률(陽律). 방위(方位)로는 인(寅)에 속하고 절후(節候)로는 음력 정월에 속함.
대:주⁷【代走】[명] 야구에서, 경기의 중요한 시점에, 누(壘)에 나가 있는 선수를 대신하여 다른 선수가 주자(走者)가 됨. ¶ ～자(者). ――-하다 [자][여불]
대:주⁸【貸主】[명] 돈이나 물건을 빌려준 사람. 소비 대차(消費貸借)·사용 대차의 대주 이외에 임(賃)대차의 임대인(賃貸人)을 말하기도 함. ↔차주(借主).
대:주⁹【貸株】[명]〖경〗증권 거래소의 파는 쪽 회원이 결제일(決濟日)에 유가 증권을 인도(引渡)할 수 없을 때에, 다른 회원이 임시로 빌려주어 결제케 하는 일. 또, 그 주식. 스톡 론(stock loan). 대여주.
대:-주객【大酒客】[명] 큰 주객. 큰 술꾼.
대:-주교【大主教】[명] [archbishop] ①〖천주교〗천주교의 최고 성직(聖職). 수도(首都) 대주교와 명의(名義) 대주교가 있음. 수도 대주교는 자기의 주교구(區)에 주교 재치권(裁治權)을 가질 뿐만 아니라 관구(管區)에 대하여도 재치권을 가지며, 명의 대주교는 교황청에 근무하기도 하며 바티칸 외교에 임하기도 함. ②성공회·그리스 정교회의 최고 성직.
대:-주다 [타] ①끊이지 아니하고 공급하여 주다. ¶ 학비를 ～. ②방향이나 주소 같은 것을 가르쳐 주다. ¶ 범인의 집을 ～. ③그릇이나 자루 같은 것을 갖다 대거나 벌리어 물건을 넣게 하다. ¶ 밀가루를 쏟게 자루를 ～.
대:-주둥치【大一】[명]〖어〗[*Macrorhamphosus sagifue*] 대주둥칫과에 속하는 바닷물고기. 열대성 심해어(深海魚). 몸은 갸름하며 주둥이가 길게 튀어나왔음. 몸빛은 붉고 등지느러미의 제2 가시는 길고 강함. 태평양 및 대서양의 온대·열대에 널리 분포하며, 우리 나라 포항(浦項) 근해에서도 잡힌 일이 있음.
대:주둥칫-과【大一科】[명]〖어〗[Macrorhamphosidae] 살고기목(目)에 속하는 어류의 한 과. 대주둥치와 붕대물치가 있음.
대:-주부【大主簿】[명]〖역〗고구려 초기 관직의 하나. 내(內)·서(西)·북(北)·동(東)·남부(南部) 등 고구려 5부(部)에 있던 관원으로, 주로

재정을 담당하였음.
대:주 시:장【貸株市場】명〖경〗대차 거래(貸借去來) 등에 있어서 주권(株券)이 조달되어지는 추상적인 시장.
대:주-자【代走者】명 핀치 러너(pinch runner).
대:주 잔고【貸株殘高】명〖경〗대차 거래(貸借去來)에 있어서, 증권 금융 회사로부터 증권 회사에 대주한 주식 수 또는 금액.
대:-주제【對主題】명〔counter subject〕〖악〗푸가(fuga)에 있어서, 주제가 제시된 다음 제 2 성부(聲部)로 응답이 진행되는 동안 주제를 제시한 제 1 성부가 주제에 이어 응답에 대한 대위 선율(對位旋律)을 연주하는 부분.
대:-주주【大株主】명 한 주식 회사의 발행 주식 중 많은 몫을 소유하고 있는 주주. 보통, 회사의 경영권을 지배하고 있는 경우가 많음. ↔소주주.
대:주-첩【代柱帖】명〖역〗〔대주(代柱)는 침전(寢殿)의 기둥〕조선 숙종(肅宗)·영조(英祖) 때, 수령(守令)의 치적(治績)과 포폄(褒貶) 사항을 기록하여 임금이 보도록 만든 첩자(帖子).
대죽 명〈방〉〖식〗수수(제주).
대:죽-도【大竹島】명〖지〗전라 남도의 서해안(西海岸), 무안군(務安郡) 삼향면(三鄕面) 남악리(南岳里)에 위치한 섬. [0.02km²:2명(1971)]
대죽-부【一竹部】명 한자 부수(部首)의 하나. '笠'이나 '箱' 등의 '竹'의 이름.
대:-줄거리【大一】명 어떤 사실의 중요한 골자. 준대줄기.
대:-줄기【大一】명 ↗대줄거리.
대중[1] 명 ①겉으로 대강 어림함. ¶몇 장이나 되는지 ~해 보아라/눈~. ②어떠한 표준. ¶무슨 말인지 ~을 잡을 수가 없다. *가늠. ——-하다[1] 타여불
대중 삼:다 [一따] 구 어림짐작의 표준으로 삼다.
대중(을) 잡다 구 어림으로 헤아리어 짐작하다. 어떤 기준을 정하다. ¶대중잡아 계산해 보다.
대중(을) 치다 구 어림으로 셈치다.
대:중[2]【大衆】명 ①수가 많은 여러 사람. 민중(民衆). 군속(群俗). ¶~ 앞에서 연설하다. ②특수층(特殊層)을 제외한 사회의 대다수를 점하고 있는 근로 계급. ③〖불교〗많은 중들. 곧, 비구(比丘)·비구니(比丘尼)·우바새(優婆塞)·우바이(優婆夷)의 사부(四部)의 총칭.
대:중[3]【對中】명 중국에 대한 일. ¶~ 정책.
대중[4]【臺中】명〖지〗'타이중(臺中)'을 우리 음으로 읽은 이름.
대:중 가요【大衆歌謠】명〖악〗널리 대중들이 즐기어 부르는 노래. 일반 대중의 흥미를 위주로 한 노래.
대:중 공:양【大衆供養】명〖불교〗신자가 여러 중들에게 음식을 차리어서 먹게 하는 일. ——-하다 타여불
대:중 과:세【大衆課稅】명 수입이 적은 근로자 등 일반 대중의 부담이 되는 조세.
대:중 국가【大衆國家】명 대중 사회를 배경으로 성립하는 국가. 근대 민주주의 운동이 이상(理想)으로 하는 국가와는 달리 배타적인 대중 내셔널리즘, 소비주의적인 정치적 무관심 등의 부정적인 측면을 가졌으며 자주 대중 운동이 격발(激發)함.
대:중 노:선【大衆路線】명〖정〗대중 속에 파고들어 대중의 요구를 바탕으로 하여 정책을 세우고, 그 실현을 지향하는 운동을 통하여 대중의 정치 의식을 높이려는 조직 방침. 전하여, 예술성보다 오락성에 주체(主體)를 둔 작품에 대해서도 일컬음.
대:중 대:부【大中大夫】명〖역〗고려 때 문관의 품계(品階) 종사품의 상(上). 문종(文宗) 때 정하였는데 충렬왕(忠烈王) 원년(1275)에 폐하였다가 동 24년에 정사품으로 하고 곧 폐하였음. 공민왕(恭愍王) 5년(1356)에 다시 종삼품의 상으로 하였다가 동 11년에 폐하고 동 18년 다시 종삼품의 상으로 함. 통의(通議) 대부의 아래. 중대부(中大夫)의 위.
대:중 데모크라시【大衆一】명〔mass democracy〕〖정〗대중 민주주의.
대중-말 명〖언〗표준어.
대:중 매체【大衆媒體】명 '매스 미디어(mass media)'의 역어(譯語).
대:중 목욕탕【大衆沐浴湯】명 여러 사람이 요금을 내고 공동으로 목욕을 할 수 있게 설비를 갖춘 곳. 남탕과 여탕으로 구분하여 운영되고 있음. 준대중탕.
대:중 문예【大衆文藝】명 대중 문학.
대:중 문학【大衆文學】명〖문〗대중성을 가진 문학. 곧, 대중의 흥미나 이해력에 중점을 둔 통속적인 문학으로 탐정 소설·풍자 소설·유머 소설·가정 소설·풍속 소설 및 이에 속하는 희곡 등. 대중 문예. ↔순수 문학·순문학.
대:중 문화【大衆文化】명 매스컴의 작용에 의하여 일반 대중의 기호나 욕구에 맞게 한결같이 대량으로 만들어진 문화.
대:중 문화 사회【大衆文化社會】명 노동 시간이 단축되고 소득과 자유 시간이 많아짐으로써, 일반 대중이 각자의 취미·오락·지역 사회 활동 등을 통하여 생활의 충실을 꾀하는 사회.
대:중-물【大衆物】명 문예 작품이나 연극·영화 등에서 일반 대중의 흥미를 주로 한 작품.
대:중 민주주의【大衆民主主義】[一/一이] 명 보통 선거제를 기초로 한 민주주의. 좁은 뜻으로는, 대중 국가에 있어서의 민주주의. 조직되지 않은 획일화(劃一化)된 개인을 기저(基底)로 하고 있기 때문에, 일부의 지배자층에 의한 대중 조작(大衆操作)으로 일방적인 지도가 행하여지기 쉬움. 대중 데모크라시.
대:중 발락【對衆發落】명 중의(衆議)에 의하여 결정하여 발표함. ——-하다 타여불
대:중-부【大衆部】명〖불교〗소승 불교의 한 파. 석가 열반 약 백 년 후, 불교가 분파하였을 때, 교단(敎團)의 계율에 대하여 이의를 가진 혁신적인 일파로서 석가의 위대성을 강조하고, 또 인간의 본성은 선(善)이며, 과거나 미래는 없고 현재만이 실재(實在)한다는 이상주의적 교리를 주장함. 대승 불교도 대중부에서 발전한 것으로 보고 있음.
대:중 사회【大衆社會】명〔mass society〕〖사〗평준화된 대중을 기반으로 하여 성립된 사회. 20세기에 있어서의 매스 커뮤니케이션의 발달, 대량 생산, 조직의 관료화 등에 의하여 생긴 현대 자본주의 사회의 양태(樣態)에 대한 말. 대중의 정치 참여의 기회가 증대함과 동시에 인간의 개성이 상실되고 획일화(劃一化)로 인한 정치적 무관심이나 현실 도피가 현저하게 됨.
대:중 산림【大衆山林】[一살一] 명〖불교〗절의 대소사(大小事)를 대중의 결의에 의하여 치러 가는 절.
대중-석【臺中石】명〖건〗탑기단(塔基壇)의 중간 부분을 이루는 돌.
대:중-성【大衆性】[一썽] 명 ①일반 대중이 다 같이 갖추고 있는 성질. ②일반 대중과 친근하기 쉬운 성질. ¶~이 있는 상품.
대중 소리 명 표준음(標準音).
대:중 소:설【大衆小說】명〖문〗일반 대중에게 읽히기 위한 흥미 위주(爲主)의 소설.
대:중 식당【大衆食堂】명 대중적인 간이 식당(簡易食堂).
대:중 심리【大衆心理】[一니] 명〖심〗군중 심리(群衆心理).
대중-없다 [一업一] 형 ①미리 헤아릴 수가 없다. ②어떠한 표준을 잡을 수가 없다.
대중-없이 [一업씨] 부 대중없게.
대:중 연:극【大衆演劇】명 서민을 대상으로 한 연극 예술의 총칭. 예술성보다 오락성에 치중한 연극을 가리키나 기준은 그리 명확하지 않음.
대:중 오락【大衆娛樂】명 대중의 흥미를 위주로 한 오락. 매스 커뮤니케이션에 의해 크게 발달하였는데, 특히 영화가 중요한 위치를 차지함.
대:중 운:동【大衆運動】명 불특정 다수의 사람들이 공통의 목적을 달성하기 위하여 일체가 되어 행하는 집단적 활동의 총칭. 평화 운동·청년 운동·새마을 운동 따위. *군중 행동(群衆行動).
대:중 음:식점【大衆飮食店】명 유흥 종사자를 두지 아니하고 주로 탕반류(湯飯類)·면류(麵類)·죽류(粥類)·도시락 등을 조리·판매하면서 주류 및 음료를 판매할 수 있는 음식점.
대:중 자본주의【大衆資本主義】[一/一이] 명 인민 자본주의의 딴 이름.
대:중 작가【大衆作家】명〖문〗대중 소설의 작가.
대:중 잡지【大衆雜誌】명 흥미를 위주로 한 대중적인 잡지.
대:중-적【大衆的】명관 대중에게 저항 없이 받아들여지는 성질을 가진 모양. 대중의 것인 모양. ¶~인 소설. *평민적(平民的).
대:중 전달【大衆傳達】명 '매스 커뮤니케이션'의 역어(譯語).
대:중 정당【大衆政黨】명〖정〗대중적 기반 위에 서는 정당.
대:중 정책【大衆政策】명 대중에 대한 정책. 대중을 위한 정책.
대:중 조작【大衆操作】명〖사〗사회 통제의 한 양식. 권력자가 교묘한 통제 기술을 써서 복종자의 자발성·동조성(同調性)을 획득하면서 궁극적으로 자기의 원하는 목적이나 방향으로 대중을 동원함을 이름.
대:중 조직【大衆組織】명〖사〗정치·사회·경제·문화적 여러 영역에 있어서의 특정한 목적 달성에 찬동하는 일반 대중을 구성원으로 하는 단체. 노동 조합·소비자 보호 단체·문화 서클·정당·압력 단체 등.
대:중 처:소【大衆處所】명〖불교〗중이 많이 사는 절.
대:중-탕【大衆湯】명 ↗대중 목욕탕.
대:중 투쟁【大衆鬪爭】명 일정한 계획하에 지도된 대중을 동원(動員)하는 경제적·정치적 투쟁.
대:중-판【大衆版】명 일반 대중에게 널리 읽히게 하기 위하여 값을 싸게 만든 출판물(出版物).
대중-하다[2] 타〈방〉겨냥하다(전북).
대:중-화【大衆化】명 일반 대중 사이에 어떤 사물이 널리 퍼짐. 대중의 것으로 됨. 대중적인 것으로 만듦. ——-하다 자타여불
대:증[1]【對症】명 병의 증세에 대응(對應)함. ¶~ 요법(療法).
대:증[2]【對證】명 ①상대하여 서로 증거를 댐. ②대질(對質)시키어 증거 조사를 함.
대:-증광【大增廣】명〖역〗왕실에 큰 경사가 있을 때 임시로 보이던 과거. 대과(大科) 합격자를 7명 더함.
대:증-식【帶證式】명〖논〗대소 전제(大小前提) 가운데 한쪽 또는 양쪽에 이유가 부대(附帶)되어 있는 삼단 논법(三段論法).
대:증-약【對症藥】[一냑] 명 질병의 겉으로 나타난 증세만 치료하기 위하여 사용하는 약.
대:증 요법【對症療法】[一뇨뻡] 명 ①〖의〗병원(病源)을 다스리기 곤란한 경우 또는 긴급을 요하는 경우에 질병의 겉으로 나타난 증상만을 고치는 치료법. 고열(高熱)에 해열제(解熱劑)를 사용하고 얼음 주머니를 대는 것 따위. ↔병인 요법(病因療法)·원인(原因) 요법. ②비유적으로, 근본적인 해결이 아니고 나타난 상태에 따라 행하는 처치 방식을 이름.
대:증-적【對症的】명관 ①눈앞의 증상에 주목하여 치료의 방도를 생각하고 처치해 가려는 모양. ②전하여, 표면적인 결함 따위에만 대처하여 발본적인 개혁이나 개량에 착안하지 아니하는 모양.
대:증 투제【對症投劑】명〖한의〗병의 증세에 따라 약을 씀. ——-하다 자여불
대:지[1]【大旨】명 말이나 글의 대강의 요지. 대체의 취지. 대의(大意).
대:지[2]【大地】명 ①넓고 큰 땅. 하늘에 대하여 땅을 일컫는 말. ¶~에 뿌리를 박다. ②좋은 묏자리.
대:지[3]【大地】명〔The Good Earth〕〖책〗1931년에 미국의 여류 작가 펄 벅이 지은 장편 소설. 청조(淸朝) 말기의 빈농(貧農)인 주인공 왕룽(王龍) 집안과 중국 사회의 역사를 사실주의적 표현으로 평명(平明)하게 묘사하였음. 1938년의 노벨 문학상 수상 작품.
대:지[4]【大志】명 큰 뜻. 원대한 희망. 홍지(鴻志). 곡지(鵠志).
대:지[5]【大指】명 엄지손가락.
대:지[6]【大智】명 아주 뛰어난 지혜. ↔대우(大愚).
대:지[7]【代指】명〖한의〗손가락 끝에 나는 독한 부스럼. 처음에는 손가

대:체 계:정【對替計定】명〖경〗어떤 금액을 한 계정에서 다른 계정으로 대체하는 일. 또, 그 계정.

대:체 계:좌【對替計座】명〖경〗↗대체 저금 계좌.

대:체 공항【代替空港】명〔alternate airport〕〖항공〗목적하는 공항에 착륙할 수가 없는 상황에 봉착했을 때 대신 착륙해도 좋다고 지정된 공항. 대용(代用) 공항.

대:체-로【大體一】부 대강의 요점만 말해서. ¶~ 잘 된 편이다.

대:체-물【代替物】명〖법〗일반 거래에 있어서, 동종(同種)·동질(同質)·동량(同量)·동용적(同容積)의 다른 물건으로 대체할 수 있는 물건. 화폐·미곡·술·간장 따위. ↔부대체물(不代替物).

대:체 소:득【對替所得】명〖경〗생산 활동에 기여(寄與)함이 없이 무상으로 지불되는 소득. 증여(贈與)·구제품 따위로, 그 밖에 사회 보장 급부금·연금 등도 포함됨.

대:체 수표【對替手票】명〖경〗정부 계정(計定) 상호간에 있어서 서로 현금 수수(授受)를 하지 않고, 국고금(國庫金)을 대체하기 위하여 발행하는 수표.

대:체 식량【代替食糧】[-냥] 명 쌀의 대체물로서의 식량.

대:체 에너지【大替一】〔energy〕명 ①석유를 대신할 수 있는 에너지원(源). 원자력·석탄·액화 천연 가스·지열·태양열·풍력 등이 이에 해당됨. ②〖법〗석유·석탄·원자력·천연(天然) 가스가 아닌 에너지의 총칭. 태양 에너지, 풍력(風力), 연료 전지, 석탄 액화·가스화, 해양 에너지, 폐기물 에너지 따위.

대:체 예:금【對替預金】명〖경〗차입자가 은행에서 대출 또는 수표를 할인한 것을 그대로 예금에 대체하는 일. 수표로 찾아 내게 됨.

대:체 예:금 계:좌【對替預金計座】명〖경〗대체 예금에 가입한 사람의 이름을 실은 계좌.

대:체 용:지【對替用紙】명〖경〗대체 저금을 치르는 절차에 쓰이는 일정한 용지.

대:체 원칙【代替原則】명〖경〗같은 성질의 물건을 생산하는 데 있어서 비용이 적게 드는 생산 요소를 비용이 많이 드는 그것에 대신하는 원칙.

대:체-재【代替財】명〖경〗시장에서 어떤 하나의 재(財)와 서로 대체할 수 있는 재. 홍차와 엽차, 만년필과 연필, 버터와 마가린 따위.

대:체 저:금【對替貯金】명〖경〗우편 저금의 절차에 의하여 금전 거래를 하려는 자가 계좌 소관청(計座所管廳)의 계좌에 가입 예금하고, 본인과 거래 상대방과의 수불(受拂)을 우체국을 통하여 장부상의 대체로써 하는 제도. *계좌 소관청.

대:체 저:금 계:좌【對替貯金計座】명〖경〗대체 저금에 가입한 사람의 이름을 실은 계좌. ㊈대체 계좌.

대:체-적【大體的】명관 사물의 전체에서 요령만 딴 모양.

대:체 전표【對替傳票】명〖경〗대체할 때에 사용하는 전표. 대체 입금(入金) 전표와 출금(出金) 전표가 있음.

대:체 집행【代替執行】명〖법〗대집행(代執行).

대:체 핵 시스템【代替核一】명〔alternative fuel cycle〕플루토늄 대신에 토륨을 이용하는 핵연료(核燃料) 사이클.

대:체 화:폐【對替貨幣】명〖경〗당좌 예금·대체 예금 등, 금전의 출납(出納)을 하지 않고 장부상의 대체에 의하여 발휘되는 화폐의 기능. 신용 화폐. 장부 화폐.

대:체 활동【代替活動】[-똥] 명〔exhibitionism〕〖심〗정신 분석 용어의 하나. 소년·소녀가 춤과 같은 신체 운동으로써 초기의 성적 충동(性的衝動)을 만족시키는 일.

대:체 효:과【代替效果】명〖경〗대체재(代替財)의 가격이 떨어진 때에, 그 대체재로 수요가 몰리는 일. 대용 효과(代用效果).

대:체 휘발유【代替揮發油】[-류] 명 가솔린의 대체물(代替物). 브라질의 카사바(cassava) 뿌리에서 채취되는 에탄올 따위. 대체 가솔린.

대초[1] 명〈옛〉대추[1]. =대쵸. ¶아히 블러 비와 대초와룰 マ초 이받느다 (呼兒具梨棗)《杜諺 XXII:3》.

대:-초[2]【大一】명 썩 크게 만든 초.

대:초[3]【大草】명 ①크게 흘리어 쓴 글씨. ②로마자의 초서체(草書體)로 된 대문자. 1)·2):↔소초(小草).

대:초 댐【大草一】〔dam〕명〖지〗영산강 농업 개발 사업(榮山江農業開發事業)으로 이루어진 네 개 댐 중의 하나. 전라 남도 나주시(羅州市)의 대초천(大草川)을 막아 만든 댐. 높이 31 m, 길이 476 m, 9,120만 톤의 저수량을 갖는 농업용 저수지임. 1976년 10월 14일 준공.

대:-초도【大草島】명〖지〗함경 북도 동북해에 있는 섬. [4.3 km²]

대:초열 지옥【大焦熱地獄】명〖불교〗팔대(八大) 지옥의 일곱째. 초열 지옥보다 고통이 더 심한 지옥.

대:-초원【大草原】명 ①너른 초원. ②'프레리(prairie)'의 일컬음.

대:촉【代促】명 한 세대(世代)의 햇수가 짧음. ——-하다 형여불

대:촌【大村】명 큰 마을.

대:촌 온천【大村溫泉】명〖지〗황해도 평산군(平山郡) 상월면(上月面) 대촌리(大村里)에 있는 온천. 수온(水溫)은 지표면에서 21.1℃로 신경계통 질환, 피부병 등에 효과가 있다고 함.

대:총[1]【大塚】명 규모가 큰 옛 무덤. 큰 무덤.

대:총[2]【大總】㊀명 대강으로서의 온통. ㊁부 →대충.

대:-총재【大冢宰】명〖역〗'이조 판서(吏曹判書)'의 별칭. ㊈총재(冢宰).

대:-총통【大總統】명 중화 민국 원년(元年)(1912)부터 13년간의 중국 원수(元首)의 칭호. 선거에 의하여 취임하였음. 후에 총통으로 개칭됨.

대쵸 명〈옛〉대추[1]. =대초[1]. ¶대쵸 다마 싯고 가더니(盛着棗兒馳着行)《老乞 上 26》.

대:추[1] 명 ①대추나무의 열매. 모양이 새알 같은데, 빛이 붉고 맛이 달며 속에 단단한 씨가 들어 있음. 식용함. ②〖한의〗말린 대추. 맛이 달고 성질이 따뜻한데, 영양(營養)을 돕고 위(胃)를 편하게 함. 대조(大棗). 목밀(木蜜).

대:추[2] 명 남이 쓰다가 물려 낸 물건. ¶이 옷은 언니의 ~를 줄여 입은 것이다.

대:추[3]【待秋】명 가을을 기다림. ——-하다 자여불

대:추-나무 명〖식〗[*Zizyphus jujuba* var. *inermis*] 갈매나뭇과에 속하는 낙엽 활엽 교목. 높이 5 m 가량이고 잎은 달걀꼴인데 잎 뒤에 세 개의 엽맥(葉脈)이 있음. 6월에 황록색 꽃이 취산(聚繖) 화서로 액생(腋生)하고, 구형(球形) 또는 타원형의 과실은 9월에 적색으로 익으며, 단단한 씨가 들어 있음. 촌락 부근 및 밭둑에 나는데, 한국·중국·일본·아시아·남부 유럽에 분포함. 원산지는 유럽 남부 또는 아시아 동부 내지 서부라고도 함. 재목이 썩 단단하여 판목(版木)·떡메·달구지 재료로 쓰고 과실은 식용 및 영양·건위(健胃)의 약용으로 쓰임. 조목(棗木).

〈대추나무〉

[대추나무 방망이다] 모질고 단단하게 생긴 사람의 비유. [대추나무에 연 걸리듯] 여기저기 빚이 많이 걸렸음을 가리키는 말.

대:추나무 시집보내기【一媤一】명〖민〗농가에서 단옷날 오후에 대추나뭇가지 사이에 자그마한 둥근 돌을 끼워 놓는 풍습. 이렇게 하면 대추가 많이 열린다고 함. 가조수(嫁棗樹). *가수(嫁樹).

대:추 단자【一團子】명 곱게 다진 대추를 찹쌀 가루와 버무려 찐 다음, 이를 잘 주물러 다져서 두께 2 cm 정도로 판을 짓고, 여기에 꿀물을 입히고 잣가루를 뿌린 떡.

대:추 미음【一米飮】명 대추와 찹쌀을 함께 푹 삶아 체에 바쳐 만든 미음.

대:추-벌 명〈방〉〖충〗말벌.

대:추-벼 명〖식〗늦벼의 한 종류. 까라기가 없고 빛이 붉음.

대:추-씨 명 대추의 속에 들어 있는 몹시 단단한 타원형의 씨. [대추씨 같다] 키는 작으나 성질이 야무지고 단단하여 빈틈이 없는 사람을 두고 이르는 말.

대:추-야자【一椰子】명〖식〗[*Phoenix dactylis*] 야자과(科)의 상록 교목. 서부 아시아와 북아프리카 원산으로 성경의 종려나무가 이에 해당됨. 높이 20-25 m. 줄기 끝에 우상 복엽(羽狀複葉)이 뭉쳐 나며 우산처럼 퍼짐. 열매는 포도송이처럼 몰려 나는데 붉게 익으며, 과육은 달며 영양분이 풍부함.

대:추-옥【一玉】명〖고고학〗대추 모양으로 깎아 만든 옥. 장식용 구슬임.

대:추 인절미 명 대추와 찹쌀을 함께 버무려 쪄서 만든 인절미.

대:추 전병【一煎餠】명 대추를 썰어 겉에 박고 지진 전병.

대:추 주악 명 씨를 발라 낸 대추를 난도질해서 찹쌀 가루와 함께 반죽하여 만든 주악. 대조 조각(大棗糙角).

대:추-차【一茶】명 전통 차(茶)의 하나. 말린 대추를 달여 물엿처럼 만들어 놓고 뜨거운 물에 타서 마심.

대:추-초【一炒】명 대추로 만든 과자의 한 가지. 대추를 시루에 찌거나, 혹은 그릇에 담아 푹 물린 뒤에 꿀과 기름과 계피(桂皮) 가루를 치고 버무린 다음 잣가루를 뿌리어 만듦.

대:추 편포【一片脯】명 쇠고기로 대추 모양같이 만든 편포. ㊈대추포.

대:추-포【一脯】명↗대추 편포.

대:축[1]【大祝】명〖역〗종묘(宗廟)나 문묘(文廟) 제향(祭享)에 축문을 읽는 사람. 또, 그 벼슬.

대:축[2]【大畜】명 ↗대축괘(大畜卦).

대:축[3]【對軸】명 대폭(對幅).

대:축-괘【大畜卦】명〖민〗육십 사 괘(卦)의 하나. 간괘(艮卦)와 건괘(乾卦)가 거듭된 것인데 하늘이 산 가운데 있음을 상징함. ㊈대축(大畜).

대:-축일【大祝日】명〖천주교〗가장 큰 축일. 모두 14개가 있어 전날 저녁 기도부터 시작됨. 구용어는 대첨례(瞻禮). *축일.

대:축척-도【大縮尺圖】명〔large scale map〕〖지〗지도의 축소율이 적어 지형 지물(地形地物)의 나타남이 상세한 지도. 보통, 10만분의 1보다 축소율이 적은 지도를 말함. 우리 나라에서는 5만분의 1, 2만 5천분의 1, 5천분의 1 지도가 대표적인 대축척도로 사용되고 있음. ↔소축척도(小縮尺圖).

대:춘[1]【大椿】명 ①중국 고대 전설상의 대목(大木). 팔천 년이 봄이고 팔천 년이 가을이어서 삼만 오천 년이 사람의 일 년에 해당했다는 장수(長壽)의 나무. ②전(轉)하여, 사람의 장수를 축하하여 쓰는 말. *대춘지수(大椿之壽).

대:춘[2]【待春】명 봄을 기다림. ¶~부(賦). ——-하다 자여불

대:춘지-수【大椿之壽】명 장수(長壽). *대춘(大椿).

대:출[1]【大出】명 물건을 밖으로 많이 냄. ——-하다 타여불

대:출[2]【貸出】명 ①대부(貸付)하기 위하여 지출함. ②금전·물품 따위를 빌려 줌. ③은행의 어음 할인·어음 대부·당좌 대월(當座貸越)·증서(證書) 대부의 총칭. ——-하다 타여불

대:출-금【貸出金】명 대출하는 돈.

대:출-부【貸出簿】명 대출 내용을 적는 장부.

대:출 이:자【貸出利子】명〖경〗대출한 금전에 대한 이자. 대부(貸付) 이자와 할인율(割引率)로 구분됨. 그 중 중앙 은행이 시중(市中) 은행에 대출할 때의 이자를 공정 금리(公定金利), 은행이 일반에게 대출할 때의 이자를 시중 금리라고 함. *예금(預金) 이자.

대:출 초과【貸出超過】명〖경〗'오버론(overloan)'의 역어(譯語).

대:출 한:도제【貸出限度制】명〔ceiling system〕〖경〗금융 기관의 대출 누계를 억제하고 금융의 정상화를 도모하기 위하여, 중앙 은행이 각 금융 기관의 대출 한도액을 정하고 이 한도 이상의 대출은 원칙적으로 인정하지 아니하는 제도. 실링제. *고율 적용제(高率適用制).

대:춧-빛 명 잘 익은 대추처럼 붉은 빛깔.
대:충¹【大蟲】명〖동〗범. 호랑이.
대:충²【代充】명 다른 것으로 대신 채움. ――-하다 타여불
대:충³【對沖】명〖민〗방위(方位)가 꼭 마주침. 호충(呼沖).
대충⁴ 부〔←대총(大總)〕대체로 추리는 정도로. 대강(大綱). ¶일이 ～ 끝나다.
대충-대충 부 여럿을 다 대충. 대강대강. ¶～ 해치우자.
대:충 자:금【對充資金】명〔counterpart fund〕〖경〗2차 대전 후 미국의 원조 자금에 의한 원조 물자를 피원국(被援國)의 정부가 국내에서 매각하여 얻은 국내 화폐의 자금.
대:충 자:금 특별 회:계【對充資金特別會計】명 대충 자금을 분리 운용하기 위하여 설치한 특별 회계. 그 자체의 세입(歲入)·차입금(借入金)으로써 세출(歲出)에 충당함.
대:충-장【大蟲杖】명〖식〗호장(虎杖).
대:취¹ 명〈방〉〖식〗대추¹(함남).
대:취²【大醉】명 술이 몹시 취함. ――-하다 자여불
대:-취타【大吹打】명 ①〖역〗취타(吹打)와 세악(細樂)을 갖춘 군악(軍樂). 최대의 편성으로는 각 하나씩의 징수(鉦手)·나수(鑼手)와 여기에 대각수(大角手)·나각수(螺角手)·나발수(喇叭手)·호적수(號笛手)·바라수(哱囉手)·고수(鼓手)·장고수(杖鼓手)·적수(笛手)·관수(管手)·해금수(奚琴手) 들의 각 다섯씩 도합 쉰 두 사람으로 함이 보통이었으나, 징수와 나수 각 하나, 나발수와 호적수 각 여덟, 고수 일곱, 관수 여섯, 대각수와 바라수 각 넷, 장고수·해금수·적수 각 셋, 점자수(點子手) 둘의 도합 쉰 사람으로 하는 수도 있음. 주장(主將)이 좌기(坐起)할 때, 진문(陣門)을 크게 여닫을 때 또는 능행(陵幸)에 임금이 성문을 나갈 때 취주(吹奏)함. 어전(御前)의 겸내취(兼內吹)를 비롯하여, 서울의 오영문(五營門)과 지방의 각 감영(監營)·병영(兵營)·수영(水營)에 있었음. 큰취타. ↔소취타(小吹打). ②〖악〗대취타 편성으로 아뢰던 행악곡(行樂曲)의 이름. 아명(雅名)은 무령지곡(武寧之曲).
대:측 지각증【對側知覺症】명〔allochiria〕〖의〗이소 지각증(異所知覺症)의 하나. 자극된 부소의 반대 측에 촉감을 느낌.
대층【代層】명〖지〗지질 시대의 대(代)에 해당하는 지층(地層)을 나타내는 말. 구칭: 계(界). ¶고생(古生)～. ＊-계(系).
대:-치¹【大峙】명〖지〗①경기도 여주군(驪州郡)에 있는 큰 고개. [230 m] ②광주 광역시와 전라 남도 나주시(羅州市)의 사이에 있는 고개. [63 m]
대:치²【大熾】명 기세가 크게 성함. ――-하다 형여불
대:치³【代置】명 다른 것으로 대신 놓음. 바꾸어 놓음. 개치(改置). ¶신품으로 ～하다. ――-하다 타여불
대:치⁴【對峙】명 서로 마주 대하여 버팀. ――-하다 자여불
대:치⁵【對置】명 마주 놓음. ――-하다 타여불
대:치사-관【代致詞官】명〖역〗영의정이 임금에게 올리는 치사(致詞)를 대신 읽던 임시 벼슬.
대:치성광-법【大熾盛光法】[―뻡] 명〖불교〗진언종(眞言宗)·천태종(天台宗)에서, 식재(息災)·제난(除難)하기 위하여 치성광 여래(熾盛光如來)를 본존으로 하여 수행하는 법.
대:칙【大則】명 큰 원칙. 근본이 되는 규칙.
대:-칙서【大勅書】명〖천주교〗봉인(封印)한 문서. 오늘날은 주로 주교 임명 때의 교황의 서한(書翰)을 이름.
대:침¹【大侵】명 '대기근(大饑饉)'을 예스럽게 일컫는 말.
대:침²【大針】명 큰 바늘. ↔소침(小針).
대:침³【大鍼】명 끝이 조금 둥글고 길이가 주척(周尺)으로 네 치 되는 침.
대:침사-도【大沈沙島】명〖지〗전라 남도의 서해상(西海上), 신안군(新安郡) 임자면(荏子面) 재원리(在遠里)에 위치한 섬. [0.38 km²]
대칫-과【―科】명〖어〗[Fistulariidae] 실고기목(目)에 속하는 한 과. 홍대치와 청대치가 이에 속함.
대:칭¹【大秤】명 백 근까지 달 수 있는 큰 저울. 근칭(斤秤). ↔소칭(小秤).
대:칭²【對稱】명 ①〖언〗제이인칭(第二人稱). ②〔symmetry〕〖수〗한 점이나 한 직선을 사이에 두고 있는 두 점 혹은 두 선분(線分)이 같은 거리에 있는 경우의 일컬음. ③〖물〗결정면(結晶面) 사이에 존재하는 규칙적인 관계의 하나. 한 결정면을 다른 면에 의하여 반사(反射)시키거나, 어떤 축(軸)에 따라 회전시켰을 때 다른 결정면에 일치하는 성질. ④〖미술〗미적 형식 원리(美的形式原理)의 하나. 대상(對象) 구성에 있어 중앙의 수직축(軸)에 의하여 구획된 좌우의 두 부분이 크기·형·위치 등에 있어서 서로 상응(相應)하는 관계에 있는 일. 시머트리.
대칭³【臺秤】명 앉은저울.
대:칭 대:명사【對稱代名詞】명〖언〗제이인칭(第二人稱) 대명사.
대:칭 도형【對稱圖形】명〔symmetrical figure〕〖수〗하나의 점이나 직선을 중심으로 하여 양편이 같은 모양. ㊟대칭형.
대:칭-률【對稱律】[―뉼] 명 ①〔symmetric law〕〖수〗$a=b$이면 $b=a$인 관계를 일컫는 말. 반사율(反射律)·이동률(移動律)과 함께 동치(同値)의 개념을 규정함. ②〖논〗두 가지 것의 관계를 규정하는 성질의 하나. a와 b가 같은 관계에 있다면 b도 a와 그 관계에 있다는 일. 형제(兄弟)·동창(同窓)은 이 대칭률을 만족시킴.
대:칭-면【對稱面】명〖수〗면대칭(面對稱)에서 대칭의 중심이 되는 일정한 평면. ＊대칭 중심·대칭축(軸).
대:칭 배:사【對稱背斜】명〖지〗양측(兩側)의 지층이 반대 방향으로 경사(傾斜)가 지고, 서로 대응하는 경사의 정도가 같은 배사 구조의 하나. 정립(正立) 배사. ↔비대칭 배사·횡와(橫臥) 배사.
대:칭 분포【對稱分布】명 주상(柱狀) 도표가 좌우(左右) 대칭인 자료의 분포.
대:칭-성【對稱性】[―썽] 명〔symmetry〕〖물〗임의의 물리계(物理系)에 평행 이동(平行移動)·회전(回轉) 등의 변환(變換)을 하여도 계(系)의 물질적 성질이 변하지 않는 일.
대:칭-식【對稱式】명〖수〗어떤 수식 중에 나오는 두 문자를 바꾸어 놓아도 전혀 수치에 변함이 없는 대수식. $a^2+b^2+c^2$, $bc+ca+ab$는 a,b,c의 대칭식임.
대:칭-심【對稱心】명〖수〗↗대칭 중심.
대:칭 요소【對稱要素】[―뇨―] 명〖수〗결정(結晶)의 대칭성(對稱性)을 표시하는 데 필요한 점(點)·선(線)·면(面). 각각 대칭심(心)·대칭축(軸)·대칭면(面)이라고도 함. 대칭 요소의 조합(組合)은 32가지가 가능함.
대:칭 위치【對稱位置】명〖수〗2등분된 선분에 대하여 서로 대칭되어 있는 자리.
대:칭의 중심【對稱―中心】[―/―에―] 명〔center of symmetry〕〖수〗결정(結晶)·도형 등의 구조에서, 어떤 점이 점대칭(點對稱)이 될 때의 그 점. 대칭점. 대칭심. ＊대칭축(軸)·대칭면(面).
대칭이 명〖조개〗[*Cristaria plicata*] 석패과(石貝科)에 속하는 조개. 담수산(淡水產) 중 최대형(最大形)의 이패류(二貝類)로서, 패각(貝殼)의 길이 30 cm 가량이고, 몸빛은 표면이 흑색에 광택이 나며 내면은 청백색에 진주(眞珠) 광택이 남. 배면(背面)의 가장자리는 지느러미 모양으로 돌출함. 각정(殼頂)을 중심으로 윤맥(輪脈)이 많음. 자웅 이체(雌雄異體)로, 수정란(受精卵)은 모패(母貝)의 아가미 속에서 자라는데 '유구자(有鉤子)'라고 하며, 변태 성장함. 살은 식용(食用)하나 맛이 없고, 패각은 조가비 세공(細工)·단추 등의 재료에 씀. 동양 특산으로, 한국·일본·중국 등에 분포함.

〈대칭이〉

대:칭 이동【對稱移動】명〔symmetrical transposition〕〖수〗도형을 점·선·면에 관하여 대칭의 위치로 옮기는 일.
대:칭-적【對稱的】명관〖수〗대칭이 되는 모양.
대:칭-점【對稱點】[―쩜] 명〔symmetrical point〕〖수〗대칭 중심.
대:칭-축【對稱軸】명〔axis of symmetry〕〖수〗선대칭(線對稱)에서 대칭의 중심이 되는 직선. ＊대칭 중심·대칭면(面).
대:칭 행렬【對稱行列】[―녈] 명〖수〗정방(正方) 행렬의 하나. 좌상(左上)과 우하(右下)를 잇는 대각선을 축으로 하여 뒤집어도 불변(不變)인 것을 이름.
대:칭-형【對稱形】명〖수〗↗대칭 도형.
대-칼 명 대로 만든 칼. 죽도(竹刀).
대컨 부 대체로 보아서. 대저(大抵). ¶그는 ～ 공부하는 때보다 노는 때가 많다.
대:타【代打】명 야구에서, 경기의 중요한 시점에서 이때까지의 선수에 대신하여 침. 또, 그 타자(打者). 핀치 히터(pinch hitter). ¶～자(者). ――-하다 자여불
대:-타지【大唾之】명 결백하지 못한 것을 책하여 물리침. ――-하다 타여불
대:탁【大卓】명 성대하게 차려 내는 음식상.
대탄【臺彈】명〖역〗대론(臺論).
대:탄도탄 미사일【對彈道彈―】명〔antiballistic missile〕〖군〗탄도탄 요격 미사일(彈道彈邀擊 missile).
대:-탈【大頉】명 매우 큰 탈. 매우 큰 사고(事故).
대:탑¹【大塔】명〖불교〗진언종(眞言宗)의 칠당(七堂)의 하나.
대:탑²【對搨】명 탑을 마주 대하여 앉음. ――-하다 자여불
대:탑-령【大塔嶺】[―녕] 명〖지〗황해도 안악군(安岳郡) 대행면(大杏面)에 있는 재. [72 m]
대:태이-도【大台耳島】명〖지〗전라 남도의 서해상(西海上), 신안군(新安郡) 임자면(荏子面) 광산리(光山里)에 위치한 섬. [0.4 km²]
대:택¹【大宅】명 천지(天地).
대:-택²【大澤】명〖지〗함경 북도 길주군(吉州郡) 양사면(暘社面)에 있는 못. [255 m²]
대:택-굿【大擇―】명〖민〗만구 대택굿.
대:택-자작이【大澤―】명〖식〗[*Betula cyclophylla*] 자작나뭇과에 속하는 낙엽 활엽 관목. 높이 2 m 내외이고, 가지에 혹 모양의 선점(腺點)이 있으며 표면은 광택이 남. 잎은 장상(掌狀)이고 호생 또는 대생이며 둔한 톱니가 있음. 수꽃은 가지 끝에 정생(頂生)하고 원주형이나, 암꽃은 아직 발견하지 못했음. 작은 견과(堅果)는 날개가 있으며 9월에 익음. 고원의 습지(濕地)에 나는데 함북 길주군(吉州郡)의 대택(大澤)과 무산군(茂山郡)의 장지(醬池)에 분포함. 신탄재로 씀.
대-테 명 대를 쪼개어서 결어 만든 테. 나무 그릇이나 오지 그릇 따위를 메는 데 씀. 죽고(竹箍).
대:토【代土】명 ①팔고 대신 장만하는 땅. ②땅을 서로 바꿈. ③지주가 소작인이 부치던 땅을 떼고 대신 주는 땅. ――-하다 타여불
대:-톱【大―】명 ①큰 동가리톱. ＊중톱·소톱·세톱. ②큰톱.
대-통¹【―筒】명 쪼개지 아니하고 짧게 자른 대의 토막.
대통에 물 쏟듯 하다 구 말을 거침없이 잘 함을 이르는 말.
대-통²【―桶】명 설대의 끝에 맞춘 담배 담는 부분. 담배통.
【대통 맞은 병아리 같다】남에게 얻어 맞거나 의외의 일을 당하여 정신이 멍함을 이르는 말.
대:통³【大通】명 막히지 아니하고 크게 트임. ¶운수 ～. ――-하다 자여불
대:통⁴【大桶】명 ①큰 통. ②소금을 많이 담은 큰 섬.
대:통⁵【大統】명 임금의 계통. 홍통(洪統). ¶～을 잇다.
대:통⁶【大痛】명 대단히 아픔. 몹시 심한 고통.
대통⁷【臺通】명〖역〗한 사람의 대간(臺諫)을 뽑을 때 세 사람의 후보자 속에서 추천하던 일. 대망(臺望).

대:-통관【大通官】명〖역〗조선 후기에 청(淸)나라 사행(使行)에 동행하는 당상관(堂上官)인 역관. 정원은 2명.

대:통-력【大統曆】[―녁] 명 중국력(中國曆)의 하나. 명(明) 태조(太祖) 홍무(洪武) 17년(1384)을 역원(曆元)으로 한 명나라의 역법(曆法). 누각 박사(漏刻博士) 원통(元統)이 만들었음. *수시력(授時曆).

대:-통령【大統領】[―녕] 명 공화국의 원수. 국민에 의하여 직접 선출되거나, 국회 또는 기타 기관에 의하여 간접으로 선출됨. 일정한 임기 동안 그 나라의 전반에 걸친 행정을 통할하는 행정권의 수반인 경우와 국무(國務)를 총리에게 일임하고 형식적 권한만을 갖는 경우가 있음. 우리 나라에 있어서는 국민의 보통·평등·직접·비밀 선거에 의해 선출되며, 임기는 5년으로 중임(重任)할 수 없음.

대:통령 개인 표창 수장【大統領個人表彰綬章】[―녕―] 명 국가 또는 사회에 공헌한 행적이 뚜렷하거나, 교육·경기 및 작품 등에서 우수한 성적을 발휘한 사람을 대통령이 표창하여 주는 수장.

〈대통령 개인 표창 수장〉

대:통령 거:부권【大統領拒否權】[―녕―꿘] 명〖법〗대통령이 의회에서 가결된 법률안에 서명(署名)을 거부하는 헌법상의 권리. 내각 책임제 국가에서는 인정되지 아니함. *거부권.

대:통령 경:호실【大統領警護室】[―녕―] 명〖법〗대통령 부속 기관의 하나. 대통령과 그 가족 및 국내외 요인(要人)에 대한 호위(護衛)와 대통령 관저의 경비를 담당함.

대:통령 권한 대:행【大統領權限代行】[―녕―] 명〖법〗대통령이 궐위(闕位)되거나 사고로 인하여 직무(職務)를 수행할 수 없을 때, 그 권한을 대행하는 사람. 국무 총리(國務總理), 법률에 정한 국무 위원(國務委員)의 순으로 대행함.

대:통령 긴급 조치【大統領緊急措置】[―녕―] 명〖정〗헌법에 의해서 대통령의 권한으로 내리는 조치라는 뜻으로, '긴급 조치'를 똑똑히 일컫는 말.

대:통령 단체 표창 수치【大統領團體表彰綬幟】[―녕―] 명 국가 또는 사회에 공헌한 행적이 뚜렷하거나, 교육·경기 및 작품 등에서 우수한 성적을 발휘한 단체를 대통령이 표창하여 주는 수치.

〈대통령 단체 표창 수치〉

대:통령-령【大統領令】[―녕녕] 명〖법〗대통령이 헌법(憲法)이 부여한 권한으로 발하는 명령. 법률과 동일한 효력을 가지며 위임 명령(委任命令)·집행 명령(執行命令)의 두 가지가 있음.

대:통령-배【大統領杯】[―녕―] 명 대통령의 명의로 주는 상배(賞杯).

대:통령 비:서실【大統領秘書室】[―녕―] 명〖법〗대통령 부속 기관의 하나. 대통령의 국정 수행을 보필하는데 관한 사무를 관장함.

대:통령-상【大統領賞】[―녕―] 명 대통령의 명의로 주는 상.

대:통령 선:거법【大統領選擧法】[―녕―뻡] 명〖법〗국민의 자유 의사에 의하여 대통령을 공정히 선거함으로써 민주 정치의 발전에 기여함을 목적으로 제정된 법률.

대:통령-장【大統領章】[―녕―] 명 건국 훈장 가운데 둘째 등급의 훈장.

대:통령-제【大統領制】[―녕―] 명〖정〗민주주의적 정부 형태의 한 가지. 행정에 관하여서는 대통령에게 실권(實權)을 부여하고, 대통령으로 하여금 가능한 한 국회로부터 독립하여 그 기능을 발휘할 수 있게 함으로써 그를 명실 상부(名實相符)한 행정 수반(首班)으로 하려는 체제. 이 체제에서는 국회의 정부에 대한 불신임권(不信任權)이나 대통령의 국회에 대한 해산권이 인정되지 않는 것이 일반적임. 대통령 중심제. 대통령 책임제. ↔내각 책임제. *수장(首長)주의.

대:통령 중심제【大統領中心制】[―녕―] 명〖정〗대통령제(大統領制)를 내각 책임제에 상대하여 일컫는 말.

대:통령 책임제【大統領責任制】[―녕―] 명〖정〗대통령제(大統領制).

대:-통로【大通路】[―노] 명 큰 길.

대:통 만:세력【大統萬歲曆】명〖책〗대통력법(大統曆法)으로 만든 만세력. 조선 정조 1년(1777)부터 광무(光武) 107년(2003) 계미(癸未)까지 227년간의 음력일의 간지(干支)와 매년 12삭(朔)의 대소(大小) 및 24절후의 일시를 대통력법으로 추산하여 편찬한 것. 2책. 인본(印本).

대통-머리【―桶―】명 대통의 꼬부라진 위 부분.

대통-목【―桶―】명 대통의 가늘게 꼬부라진 부분.

대:통-운【大通運】명 크게 터진 운수.

대:퇴【大腿】명〖생〗허리에서 무릎까지 사이의 부분. 넓적다리뼈가 있는 부분. 넓적다리. 대퇴부(大腿部).

대:퇴-골【大腿骨】명 [femur]〖생〗넓적다리의 뼈. 사람의 뼈 중에서 제일 큼. 넓적다리뼈.

대:퇴-근【大腿筋】명〖생〗넓적다리에 있는 근육. 넓적다리힘줄.

대:퇴 동:맥【大腿動脈】명 [femoral artery]〖생〗하지(下肢)로 혈액을 보내는 동맥. 연필만한 굵기로 외장골(外腸骨) 동맥의 계속으로서 서혜 인대(鼠蹊靭帶) 밑을 지나 대퇴 전면으로 나와 안쪽에서 뒤쪽으로 돌면서 무릎 관절 뒤에서 슬와(膝窩) 동맥이 됨. 고동맥(股動脈). *대퇴 정맥.

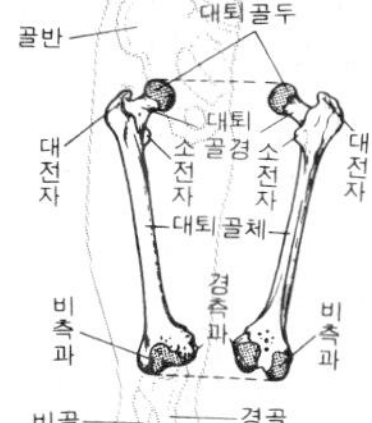

〈대퇴골〉

대:퇴-부【大腿部】명〖생〗대퇴(大腿).

대:퇴 사:두근【大腿四頭筋】명 [quadriceps femoris]〖생〗사두 고근(四頭股筋).

대:퇴 사:두근 단축증【大腿四頭筋短縮症】명〖의〗대퇴 사두근이 부분적으로 충분히 발육되지 못하고 단축되어 있어 잘 걷지 못하는 특수한 병. 유아기(乳兒期)의 대퇴부 근육 주사에 의한 의원병(醫原病)임.

대:퇴 이:두근【大腿二頭筋】명〖생〗대퇴의 후측에 있는 긴 근(筋). 좌골(座骨)과 대퇴골 뒷면의 두 곳에서 시작하여 합쳐서 비골(腓骨) 위쪽에 붙음. 주요 작용은 무릎을 구부리는 일로, 좌골(座骨) 신경의 가지가 와 있음.

대:퇴-절【大腿節】명〖충〗곤충의 넓적다리 부위의 마디. 넓적다리마디.

대:퇴 정맥【大腿靜脈】명 [femoral vein]〖생〗대퇴 동맥에 수반하여 하지(下肢)의 혈액을 거의 전부 모으는 정맥. 슬와(膝窩) 정맥의 계속으로서 상행하여 대퇴 후면으로부터 내면(內面)으로 돌아, 다시 전면(前面)으로 나와 서혜 인대(鼠蹊靭帶) 밑을 지나 복강(腹腔)으로 들어가서 외장골(外腸骨) 정맥으로 이어짐. 고정맥(股靜脈). *대퇴 동맥.

대:-투매【大投賣】명 대대적인 투매. ――-하다 타여불

대:파¹【大波】명 큰 파도. 도란(濤瀾). 홍파(洪波).

대:파²【大破】명 ①심한 파손. 또, 크게 깨짐. ¶ 풍랑으로 배가 ~하다. ②적을 크게 쳐부숨. ¶ 적의 주력 부대(主力部隊)를 ~하다. *중파(中破)·소파(小破). ――-하다 자타여불

대:파³【代播】명 모를 내지 못한 마른 논에 대신 다른 곡식을 심는 일. 대용작(代用作). 대작(代作). ――-하다 타여불

대:-파공【大罷工】명〖천주교〗예수 성탄·예수 부활·성신 강림·성모 승천 등 4대 축일에 크게 지키는 파공. 파공 관면(寬免)이 주어지지 않음. ↔소(小)파공.

대:파 산맥【大巴山脈】명〖지〗다바(大巴) 산맥.

대:판¹【大―】㊀ 명 ①↗대판거리. ②큰 도량. 대장(大場). ㊁ 부 대판거리로의 뜻. ¶ ~ 싸웠다.

대:판²【大阪】명〖지〗일본의 '오사카'를 우리 음으로 읽은 이름.

대:판³【大板】명 장롱(欌籠) 같은 것의 밑바닥에 대는 큰 판자.

대:판⁴【大版】명 ①자체(字體)가 큰 판(版). ②책의 크기가 큰 판. 사륙배판(四六倍版)·타블로이드판 같은 것. 큰판.

대:판⁵【代辦】명 ①대변(代辨)❶. ②남을 대신하여 사무를 처리함. 대무(代務). ――-하다 타여불

대:판-거리【大―】명 크게 차린 판. 크게 벌어진 판. ¶ 그 놈하고 ~로 싸웠다. ㊕대판.

대:판 싸움【大―】명 대판으로 하는 싸움. ¶ ~이 벌어지다.

대:판-업【代辦業】명 남의 대리(代理)를 보는 것을 전문으로 하는 업.

대:판-인【代辦人】명 대판하는 사람. 대리하는 사람.

대:-팔초어【大八梢魚】명〖동〗문어(文魚).

대:패¹ 명〖공〗나무를 곱게 밀어 깎는 연장. 직사각형의 작고 단단한 나무 토막에 직사각형의 납작한 쇠날을 위에서 아랫 바닥까지 비슷이 박음. 위쪽에 손잡이가 가로 양쪽에 나와 있는 것 등 용도에 따라 여러 가지가 있음.

〈대패¹〉

대:패²【大旆】명 ①일월(日月)의 승룡(昇龍)과 강룡(降龍)을 그린 큰 기(旗). 중국에서 천자(天子)나 장군(將軍)이 사용하였음. ②천자(天子)의 기. 장군의 기.

대:패³【大敗】명 ①일의 큰 실패. ②싸움에 크게 짐. ――-하다 자여불

대:패 아가리 명 대팻밥이 나오는 구멍.

대:패-질 명 대패로 나무의 바닥을 곱게 깎는 일. ――-하다 자여불

대:패질-꾼 명 대패질을 업으로 삼는 사람.

대:패-침【―針】명〈방〉바소.

대:팻-날 명 대패에 끼운 날쇠의 날.

대:팻-밥 명 대패질할 때에 깎이어 나오는 종이같이 얇은 나뭇 조각. 포설(鉋屑).

대:팻밥 모자【―帽子】명 여름 모자의 한 가지. 나무를 얇고 길게 깎아, 빙빙 돌려 가며 꿰매서 만든 모자. 농립모(農笠帽).

대:팻-손 명 대팻집 위쪽에 가로 댄 손잡이 나무.

대:팻-집 명 대팻날을 박게 된 나무틀.

대:팻집-나무 명〖식〗[*Ilex macropoda*] 감탕나뭇과에 속하는 낙엽 활엽 교목. 높이 6-9m이고 수피(樹皮)는 회백색으로 녹색을 띠며, 잎은 넓은 달걀꼴로 총생(叢生)함. 5월에 녹색 꽃이 가지 끝이나 잎 사이에 자웅 잡가(雌雄雜家)로 핌. 핵과(核果)는 넓은 타원형이며 10월에 홍색으로 익음. 산복(山腹)의 숲 속에 나는 데, 충북 이남 및 일본 등지에 분포함. 세공재(細工材)로 쓰이며 어린 잎은 식용함.

〈대팻집나무〉

대:팻-틀 명〈방〉대팻집.

대:편【大篇】명 편장(篇章)이 길고 웅대한 시문(詩文). 웅편(雄篇).

대:편모-류【帶鞭毛類】명〖동〗와편모충목(渦鞭毛蟲目).

대:평-산【大平山】명〖지〗함경 북도 무산군(茂山郡)에 있는 산. 함경산맥의 첫머리 부분에 솟아 있는 높은 산임. [2,100m]

대:평-소【大平簫】명 ①〖역〗취타수(吹打手)의 하나. 군중(軍中)에서 나발을 불던 군사. 대평수(大平手). ②〖악〗나발(喇叭). ③〖악〗날라리.

대:평-수【大平手】명〖역〗대평소(大平簫)❶.

대:-평원【大平原】명 ①넓고 큰 평원. ②〖지〗'프레리(prairie)'의 일컬음. ③〖지〗미국 중부에 있는 '그레이트 플레인스(Great Plains)'의 역

명(譯名).
대:폐【大弊】명 큰 폐해(弊害).
대포[1] 명 ①선술집 등에서 술을 별다른 안주 없이 큰 그릇에 따라 마시는 일. ②↗대폿술. ——-하다 자여불
대:포[2]【大砲】명 ①『역』열이 세 골로 된 총통(銃筒)에 화전(火箭)을 넣어서 발사하는 화기. 긴 자루를 맞추어 가지고 다님. 호총(號銃). ②『군』화약의 힘으로 포탄을 멀리 내 쏘는 큰 화기. 거공(巨熕). 준포(砲). ③'거짓말'의 곁말. ¶저 자는 ~가 세다.

〈대포[2]❶〉

대:포(를) 놓다 구 '허풍을 치다'·'터무니없는 거짓말을 하다'의 곁말.
대:포-수【大砲手】명『역』군중(軍中)에서 대포를 놓는 사람. 호총수(號銃手).
대:포-알【大砲一】명 대포의 탄알. 포탄(砲彈).
대:-포자【大胞子】명〔macrospore〕『식』양치(羊齒) 식물의 부처손·고사리·석송(石松)·속새 등에서 볼 수 있는 포자의 하나. 이 포자에서 발아(發芽)한 원엽체(原葉體)는 장란기(藏卵器)만을 형성함. 현화(顯花) 식물에서는 배낭(胚囊)이 이것에 해당함. 큰홀씨. ↔소포자(小胞子).
대:-포작도【大包作島】명『지』전라 남도의 서해상(西海上), 신안군(新安郡) 지도읍(智島邑) 어의리(於義里)에 위치한 섬. [0.75 km^2 : 86명(1984)]
대:포-쟁이【大砲一】명 '거짓말쟁이'의 곁말.
대:폭[1]【大幅】㊀명 큰 폭. ¶~적. ㊁부 썩 많이. ¶~ 증가/~ 삭감.
대:폭[2]【大爆】명 대판으로 폭격함. ——-하다 타여불
대:폭[3]【對幅】명 한 쌍의 서폭(書幅)이나 화폭(畫幅). 쌍폭(雙幅). 대축(對軸).
대:폭발 우:주론【大爆發宇宙論】명 빅 뱅 우주론.
대:폭-적【大幅的】명관 수량·금액 따위에 차이가 큰 모양. ¶~인 급료 인상(引上).
대폿-술 명 대포로 마시는 술. 준대포[1].
대폿-잔【一盞】명 대폿술을 마실 때 쓰는 큼직한 잔. 흔히, 사기잔을 사용함.
대폿-집 명 대폿술을 전문으로 파는 집. 목로 술집.
대:표【代表】명 ①법인(法人)이나 단체 또는 한 개인을 대신하여 그의 의사를 외부에 나타냄. ②↗대표자(代表者). ③『법』사법상(司法上)으로 대리(代理)의 뜻으로 사용되나 대리는 보통 의사 표시에만 인증(認證)되고, 대표는 사실 행위(事實行爲)와 불법 행위(不法行爲)에도 미침. ④전체를 표시할 만한 한 가지 사물이나 한 부분. ¶~적 작품. ⑤『수』어떤 집합(集合)을 하나의 동치 관계(同値關係)로 유별(類別)했을 때 그 하나 하나의 유(類)에서 각기 하나씩 끄집어 낸 원(元). 대표원. ——-하다 타여불
대:표-권【代表權】[—꿘] 명 대표하는 권한(權限).
대:표-단【代表團】명 어떤 단체 같은 것을 대표하는 몇몇의 사람들.
대:표 민주제【代表民主制】명『정』간접 민주제.
대:표 번호【代表番號】명 여러 전화 번호 가운데, 교환대 구실을 하는 번호. 2대 이상의 연속 번호를 가진 전화 중에서 그 첫 번호에 걸려 오는 전화가 통화를 하고 있으면 자동적으로 그 다음 번호의 전화로 접속됨. 준대(代).
대:표-부【代表部】명 정식으로 국교를 맺지 아니한 나라 또는 국제 기구 등에 설치하는 재외 공관의 하나. 그 공관장은 특명 전권 대사 또는 특명 전권 공사임.
대:표 사원【代表社員】명『법』합명 회사(合名會社)의 각 사원(社員), 합자(合資) 회사의 각 무한 책임(無限責任) 사원, 주식 회사의 대표 이사(理事), 유한(有限) 회사의 이사(理事)의 일컬음. 회사의 영업에 속하는 일체의 행위에 대하여 회사를 대표함.
대:표 소리【代表一】명『언』'대표음(代表音)'의 풀어쓴 말.
대:표 소:송【代表訴訟】명『법』주식 회사 또는 유한(有限) 회사에 있어서, 회사가 이사(理事)의 책임을 추궁하는 소송을 태만히 했을 때, 주주나 사원이 회사를 대신해서 제기하는 소송. 대위(代位) 소송.
대:표 시:료【代表試料】명〔representative sample〕『광』각종 시험이나 광상(鑛床)의 평가에서, 주위의 광체(鑛體)의 특정 체적(體積)의 대표로 생각될 수 있을 만큼 크고 평균적인 조성(組成)을 가진 시료.
대:표-원【代表元】명『수』대표(代表)❺.
대:표 위원【代表委員】명 어떤 단체나 위원회를 대표하는 사람.
대:표-음【代表音】명『언』다소 차이가 있으면서 유사(類似)한 음소군(音素群)의 중심이 되는 소리. ㄷ·ㅌ·ㅅ·ㅈ·ㅊ 받침이 대립적 관계(對立的關係)를 가진 말의 모음(母音) 위에서 모두 'ㄷ'소리로 발음되어 맏아들→마다들, 밭아래→바다래, 옷안→오단, 젖어미→저더미, 꽃위→꼬뒤가 되는데 이 경우의 'ㄷ'이 여러 음소의 대표음임. 마찬가지로 'ㄱ'은 ㄱ·ㅋ 받침의, 'ㅂ'은 ㅂ·ㅍ 받침의 대표음이 됨. 대표 소리. *대립적 관계(對立的關係).
대:표 이:사【代表理事】명 주주 총회(株主總會)의 결의(決議), 또는 이사회(理事會)에서 선임되어 회사를 대표하는 이사. 사장 등.
대:표-인【代表人】명 대표자(代表者).
대:표-자【代表者】명 ①여러 사람을 대표하는 사람. ②『법』형사 소송법상 피고인이나 피의자(被疑者)가 법인(法人)일 경우에 이것을 대표하는 사람. 대표인(代表人). 준대표(代表).
대:표-작【代表作】명 한 작가(作家)의 작품 중에서, 역량(力量)이 최대한으로 나타나서 으뜸이 될 만한 작품.
대:표-적【代表的】명관 다른 것을 대표할 만하게 전형적이거나 특징적인 모양.
대:표적 계:산 시간【代表的計算時間】명〔representative calculating time〕『컴퓨터』특정한 조작(操作)이나 일련의 조작을 완료하기 위하여 필요한 시간.
대:표 전:화【代表電話】명 둘 이상의 가입 전화 회선(加入電話回線)을 대표하는 것으로 정하여, 그 전화가 착신(着信) 통화 중일 때, 통화 중이 아닌 다른 회선에 순차적으로 접속되도록 특수 장치를 베푼 전화 및 그 전화 번호. *대(大)대표 전화.
대:표 청산인【代表淸算人】명『경』청산인회(淸算人會)의 의사 결정(意思決定)에 따라서 청산 사무의 집행에 관하여 청산 회사를 대표하는 청산인.
대:표-치【代表値】명『수』'대푯값'의 구용어.
대:표 화:폐【代表貨幣】명〔representative money〕『경』화폐의 물적 소재(物的素材)의 고유 가치가 액면 가치로부터 분리된 화폐. 수표·약속 어음 따위. 기호 화폐(記號貨幣).
대:푯-값【代表一】명〔central value〕『수』통계(統計)에 있어서, 변량(變量)이 몇 개의 계급(階級)으로 나뉘어졌을 때 온갖 계급의 대표가 되고 중심이 되는 변량의 값. 대표치(値). *중위수(中位數).
대-푼 명 돈 한 푼.
대-푼거리질 명 땔나무를 푼거리로 사들이는 일. ——-하다 자타여불
대푼-변【一邊】[—뼌] 명 백분의 일 되는 변리(邊利).
대푼-짜리 명 돈 한 푼 값에 해당하는 물건.
대푼-쭝 명 한 푼의 중량(重量).
대:품[1]【大品】명『천주교』전에 사소품(四小品) 다음에 받던 차부제(次副祭)·부제(副祭)·사제(司祭)의 세 가지 품(品). 개혁된 현 제도에서는 차부제품은 없어짐. ↔소품[2](小品).
대:-품[2]【代一】명 받은 품 대신에 갚아 주는 품.
대:품[3]【代品】명 대신되는 물건. 대용품(代用品). 대물(代物).
대:풍[1]【大風】명 큰 바람.
대:풍[2]【大豐】명 큰 풍년. ↔대흉(大凶).
대:-풍년【大豐年】명 큰 풍년. ↔대흉년(大凶年).
대-풍류【一風流】[—뉴] 명 향피리·저·장구·북·깡깡이 등, 대나무로 만든 관악기를 중심으로 하는 풍류. *줄풍류.
대:풍-수【大風樹·大楓樹】명『식』[*Gynocardia odorata*] 산유자나무과에 속하는 낙엽 교목. 키는 20 m 이상임. 줄기는 가늘고, 잎은 긴 타원형으로 광택이 남. 대황색(帶黃色)의 꽃은 향기로우며, 자웅 이주(雌雄異株)임. 과실은 구형(球形)의 장과(漿果)로서, 그 종자를 '대풍자'라 하여 약용함. 동인도 원산으로 아시아 남부 열대 지방에 분포함. 대풍자나무.
대:풍-자【大風子·大楓子】명『한의』대풍수(大風樹)의 열매의 씨. 짜면 50 %의 기름이 나오는데 그 기름을 '대풍자유(大楓子油)'라 하여 문둥병·매독을 고치는 약으로 씀. 타이·베트남에서 많이 생산함.
대풍자-나무【大風子一·大楓子一】명『식』대풍수.
대:풍자-유【大風子油·大楓子油】명 대풍자에서 짜낸 기름. *대풍자.
대:풍-창【大風瘡】명『한의』문둥병.
대:피【待避】명 ①다른 열차(列車)가 지나가기를 피하여 기다림. ¶후속(後續) 급행 열차를 ~하다. ②위험(危險)이나 난을 피하여 기다리는 일. ¶~ 훈련/~호. ——-하다 타여불
대:-피리【大一】명『악』향피리를 세(細)피리보다 크다는 뜻으로 일컫는 이름.
대:피-선【待避線】명 단선(單線) 철로에서 열차 등이 서로 엇갈릴 때에, 한쪽이 피하기 위하여, 옆에다 부설한 선로.
대:피-소【待避所】명 ①철교(鐵橋) 위나 터널(tunnel) 같은 곳에, 사람이 열차(列車)의 통과를 대피하기 위하여 설치(設置)하여 놓은 곳. ②비상시(非常時)에 피난하는 장소.
대:피-역【待避驛】명 선행(先行) 열차가 후속(後續) 열차를 선행시키기 위하여 또는 어떤 열차가 대향(對向)하는 열차를 통과시키기 위하여 대피하는 역.
대:피-잔【玳皮盞】명 대모갑(玳瑁甲)의 무늬와 같은 잿물을 발라 만든 찻잔.
대:피-호【待避壕】명 적의 공습시(空襲時), 폭탄의 파편 등을 피하기 위하여 지면에 파놓은 구덩이. 방공호.
대:필[1]【大筆】명 ①큰 붓. ②남이 쓴 글의 존칭. ③썩 잘 쓴 글씨 또는 문장. ④크게 쓴 글자.
대:필[2]【代筆】명 남을 대신하여 글을 씀. 또, 그 글씨. 대서(代書). ¶편지를 ~하다. ↔자필(自筆). *친필(親筆). ——-하다 타여불
대:하[1]【大河】명 ①큰 강. ②『지』중국 '황하(黃河)'의 별칭.
대:하[2]【大夏】명『역』①한대(漢代)의 서역(西域) 지방의 한 나라. 위수(嬀水) 곧 아무 강(江) 남쪽에 있어, 남시성(藍市城)에 도읍했다고 함. 지금의 아프가니스탄 북부의 발흐(Balkh)를 중심으로 한 지방으로, 종전에는 박트리아 왕국(Bactria 王國)으로 보는 설이 유력했으나, 최근에는 기원전 2세기에 박트리아 왕국을 멸한 이란계(系) 유목민(遊牧民) 토하라의 음역(音譯)으로 보는 설이 지배적임. ②중국 오호 십육국(五胡十六國)의 하나. 흉노(匈奴)의 혁련 발발(赫連勃勃)이 후진(後秦)을 배반하고 세운 나라. 자칭 대하 천왕(大夏天王)이라 하고 산시 성(陝西省)의 서북부와 간쑤 성(甘肅省)의 동북부 및 내몽고의 오르도스(Ordos)를 영유하였음. 3대 25년 만에 토욕혼(吐谷渾)에게 망함. [407-431] ③'서하(西夏)'의 자칭(自稱).
대:하[3]【大廈】명 광하(廣廈). 숭하(崇廈).
대:하[4]【大蝦】명『동』닭새우.
대:하[5]【帶下】명『의』①여자의 생식기에서 나오는 흰 빛 또는 누른 빛의 병적인 액체의 분비물. 냉(冷). ②대하증(帶下症).
대:하[6]【貸下】명①『역』상사(上司)에서 돈이나 곡식 등을 하급 관아에 꾸어 주는 일. ②『경』정부가 경제 발전과 국제 수지 개선 등을 위해, 민간에 융자하도록 금융 기관에 재정 자금을 대여하는 일. ——-하다 타여불
대하[7]【臺下】명 대의 아래. ¶~에 꿇어앉히다.
대:하 고루【大廈高樓】명 규모가 큰 집과 높은 누각(樓閣).
대:하-금【貸下金】명 정부가 금융 기관에 대여하는 돈.
대:-하다【對一】자타여불 ①다른 것에 향(向)하다. 마주 하다. ¶패전국에 대하여 배상을 청구하다/서로 얼굴을 ~. ②상대하다. 응하다. ¶물음에 대하여 대답하라. ③접대(接待)하다. ¶반갑게 ~. ④대항하다. 적대(敵對)하다. ⑤견주다. 대비(對比)하다. ¶적에 대하여 2배 3배의 전력(戰力)을 갖추다. ⑥대상으로 하다. 관하다. ¶이런 문제에 대

한 귀하의 의견은/정치에 대한 국민의 관심.

대:하 드라마【大河―】〔drama〕 명 텔레비전 따위에서, 장기간 연속해서 방송되는 규모가 큰 드라마. 역사물이나 인물의 일대기(一代記) 따위를 소재로 하는 일이 많음.

대:하 무침【大蝦―】명 마른 대하를 껍질을 벗기고 짓이겨 간장·기름·깨·소금·설탕·후춧가루 등을 넣고 버무려서 무친 반찬.

대:하 소:설【大河小說】명 〔프 roman-fleuve〕〘문〙 앙드레 모로와가 쓰기 시작한 말로 1930년경부터 프랑스에서 많이 쓰인 대장편 소설의 한 형식의 이름. 줄거리의 전개가 완만하고, 등장 인물이 잡다(雜多)하며 사건이 연면(連綿)히 계속되어 언제 끝날지 모르는 큰 강과 같은 느낌을 주는 장편 소설. 특히 시간이 자꾸 흘러가서 과거(過去)는 돌이킬 수 없는 것이라는 인상을 독자에게 주는 것이 특징임. 프루스트의 《잃어버린 시간을 찾아서》, 마르탱 뒤 가르의 《티보가(家)의 사람들》, 로맹의 《선의의 사람들》 같은 것. *계도(系圖) 소설·연쇄 소설.

대:하-젓【大蝦―】명 대하를 저리어 담근 젓.

대:하-증【帶下症】[―쯩] 명 〘의〙 대하(帶下)가 흘러내리는 일을 하나의 병증으로 보아 일컫는 말. 냉(冷). 준대하(帶下).

대학[1]【大學】명 〘교〙 ①국가와 인류 사회 발전에 필요한 학술의 심오한 이론과 그 광범하고 정치(精緻)한 응용 방법을 교수 연구하며 지도적 인격을 도야하는 것을 목적으로 하는 최고급(最高級)의 학교. 고등 학교 졸업자 또는 이와 동등 이상의 학력(學力)이 있다고 인정되는 자가 입학하며, 수업 연한은 2년 내지 4년이며, 종합(綜合) 대학·단과(單科) 대학의 두 종으로 대별되며, 특수한 목적의 교육 대학·사범 대학·전문 대학 등이 있음. ②단과 대학(單科大學). *대학교. ③중국 주(周) 이후 왕자(王者)들이 세운 최고 학부(最高學部). 수신(修身)·치인(治人)의 길을 가르침. 천자(天子)·공경(公卿)·대부(大夫)의 자제 및 우수한 백성들을 대상으로 하였으며, 한(漢) 무제(武帝) 때는 관리를 양성하기 위해 오경 박사(五經博士)를 두었고, 후세에도 이를 따름. *국자학.

대:학[2]【大學】명 〘책〙 사서(四書)의 하나. 유교(儒敎)의 명명덕(明明德)·친민(親民)·지선(至善)의 삼강령(三綱領)과 격물(格物)·치지(致知)·성의(誠意)·정심(正心)·수신(修身)·제가(齊家)·치국(治國)·평천하(平天下)의 여덟 조목(條目)을 기록 설명하였음. 증자(曾子) 또는 자사(子思)가 지었다 함.

【대학을 가르칠라】 농부에게 대학을 가르쳤더니 가깝한 것을 견디다 못한 농부가 글배우기를 단념하고 들에 나가 소를 모는데, 소가 말을 안 들으니까 소에게 대학을 가르칠까보다고 하였다는 말에서 비롯한 것으로, 어리석은 자가 어리석은 말을 하는 것을 보고 놀림조로 일컫는 말.

대:학[3]【大壑】명 '바다'의 이칭(異稱). 거학(巨壑).

대학-가【大學街】명 대학이 있는 거리. 대학 주변의 거리.

대-학교【大學校】명 〔university〕〘교〙 종합 대학을 단과 대학과 구별하여 부르는 명칭. *대학[1](大學).

대학 교:수【大學敎授】명 대학에서 학생들에게 전문의 학술을 가르치는 사람.

대학 노:트【大學―】〔note〕 명 주로, 대학생이 쓰는 필기용 공책. 보통, 46배판(倍判) 크기의 종이에, 가로로 괘선(罫線)이 쳐져 있음.

대:학-로【大學路】[―노] 명 서울 종로구 혜화동에서 이화동에 이르는 길이 약 700 m의 거리. 연변(沿邊)에 서울 대학교의 본부와 문리과 대학·법과 대학 등이 자리잡고 있었고, 의과 대학은 아직도 있음. 각종 문화 행사가 자주 벌어짐.

대학-모【大學帽】명 일제 때에, 대학생이 쓰던 모자. *각모(角帽).

대:학 박사【大學博士】명 〘역〙 고려 성종(成宗) 때 국자감(國子監)에 두었던 종칠품 벼슬.

대학 병:원【大學病院】명 ①의과 대학(醫科大學)에 부속된 병원. ②'서울 대학교 의과 대학 부속 병원'의 속칭.

대:-학사【大學士】명 〘역〙 ①고려 보문각(寶文閣)·홍문관(弘文館)·수문전(修文殿)·집현전(集賢殿) 등의 으뜸 벼슬로서 종이품. ②조선 시대 초 예문 춘추관(藝文春秋館)의 정이품 벼슬. 태종(太宗) 원년(1401)에 대제학(大提學)으로 고침. ③중국 명(明)·청(淸) 때의 내각의 장관.

대학-생【大學生】명 대학에서 교육을 받고 있는 학생.

대학 설치 기준령【大學設置基準令】[―녕] 명 〘법〙 국·공·사립 대학의 교원·시설 등의 설치 기준에 관하여 규정한 대통령령.

대:학 언:해【大學諺解】명 〘책〙 칠서(七書) 언해의 하나. 《대학》을 한글로 번역한 책. 조선 선조(宣祖)의 명을 받아 지었음. 1권.

대:학 연:의【大學衍義】[― / ―이] 명 〘책〙 중국 송(宋)의 진덕수(眞德秀)가 지은 책. 수신 제가(修身齊家)를 역설한 경서(經書). 43권.

대:학 연:의보【大學衍義補】[― / ―이―] 명 〘책〙 중국 명(明)의 구준(丘濬)이 지은 경서(經書). 《대학 연의》를 보충하는 의도로 수신 제가 외에 치국 평천하의 필요를 역설하였음. 160권, 보전서(補前書) 1권, 목록 3권으로 1487년에 완성됨.

대학 예:과【大學豫科】[―녜꽈] 명 〘교〙 구제(舊制) 대학에 있어서, 학부의 예비 과정. 수업 연한은 2년임.

대학-원【大學院】명 〘교〙 대학의 일부로서 대학 졸업생 및 동등 이상의 학력이 있다고 인정(認定)받은 사람이 진학하여 더욱 전문적으로 학술·기예를 연구하는 곳. 석사 학위 과정과 박사 학위 과정이 있음.

대학원 교류제【大學院交流制】명 복수(複數)의 대학의 대학원 상호간에 타 대학원의 학생에게 청강을 허락하고 학점을 인정하는 제도.

대학원 위원회【大學院委員會】명 박사 학위 논문의 제출 자격의 인정, 박사 학위 논문의 심사, 박사 학위 수여의 취소 의결(取消議決) 및 명예 박사 학위 수여의 결정 등을 하기 위한 위원회.

대:학 율곡 언:해【大學栗谷諺解】명 〘책〙 사서(四書) 율곡 언해의 하나. 조선 시대 선조(宣祖) 때에 대학을 이이(李珥)가 한글로 번역한 책. 영조(英祖) 때에 주자판(鑄字版)을 박아 냈음. 1책.

대학-인【大學人】명 대학생과 대학 교수 등을 통틀어, 대학 교육의 장(場)에 몸담고 있는 사람.

대학 입학 예:비 고사【大學入學豫備考査】명 대학 입학 시험에 응시할 수 있는 자격을 부여하기 위하여 문교부에서 해마다 실시하던 시험. 1981년에 폐지됨. 준대입 예비 고사·예비 고사.

대학 입학 학력 고사【大學入學學力考査】[―녁―] 명 대학 입학에 필요한 학력이 있는지 여부를 가리기 위하여 문교부에서 해마다 고등 학교 졸업자에게 보이는 시험. 1994년부터 대학 수학(修學) 능력 평가 시험으로 바뀜. 준대입 학력 고사·학력 고사.

대:-학자【大學者】명 학식이 아주 뛰어난 훌륭한 학자.

대:학-재【大學齋】명 〘역〙 구재(九齋)의 하나. 성균관(成均館)에서 대학을 공부하던 한 분과(分科).

대학 졸업【大學卒業】명 대학을 졸업함. 또, 그런 사람. 준대졸(大卒).

대학 졸업자【大學卒業者】명 대학을 졸업한 사람. 준대졸(大卒).

대학 확장【大學擴張】명 〔university extension〕〘교〙 대학 본래의 사업을 대학 밖에까지 연장하여 대학 교육의 기회를 널리 일반 사람에게 주려는 사업. 1870년대에 영국의 케임브리지 대학·런던 대학·옥스퍼드 대학 등이 시작하였음.

대:한[1]【大汗】명 몽골 민족의 황제에 대한 칭호. 1206년에 칭기즈칸이 처음으로 이 지위에 올랐음.

대:한[2]【大旱】명 큰 가뭄. 장한(長旱).

【대한 칠년(七年)에 비 바라듯】 매우 간절히 바라는 모양. *칠년 대한(七年大旱).

대:한[3]【大恨】명 ①커다란 원한. ②막심한 후회.

대:한[4]【大限】명 작정된 목숨. 수명의 종말.

대:한[5]【大寒】명 ①지독한 추위. ②이십 사 절후(節候)의 마지막 절후. 소한(小寒)의 다음. 양력 1월 21일경으로, 태양의 황경(黃經)이 300° 인 때. ↔소한(小寒).

【대한 끝에 양춘(陽春)이 있다】 ㉠고생 끝에 낙이 있다. ㉡인생살이는 물레바퀴 돌 듯하는 것이다.

대:한[6]【大韓】명 ①↗대한 제국(大韓帝國). ②↗대한 민국(大韓民國).

대:한[7]【對韓】명 한국에 대함. ¶ ~ 경제 협력/~ 투자.

대:한 가족 계:획 협회【大韓家族計劃協會】명 가족 계획을 지원 촉진함을 목적으로 1961년에 설립된 사단 법인체. 같은 해에 국제 가족 계획 연맹(IPPF)에 가입함.

대:한 간호 협회【大韓看護協會】명 간호 업무와 간호 교육을 향상시켜 국민의 건강·복지를 도모함을 목적하는 단체. 1923년 5월 12일에 사단 법인체로 창립. 1949년에 국제 간호 협회의 정회원국으로 가입함.

대:한 강역고【大韓疆域考】명 〘책〙 조선 시대 말엽에 정 약용(丁若鏞)이 한국의 지리를 각 지역별로 해설하고 그 윤곽을 그린 책. 장지연(張志淵) 증보(增補). 9권 2책. 인본(印本).

대:한 결핵 협회【大韓結核協會】명 〘법〙 결핵 예방법에 따른 법인의 하나. 결핵에 관한 조사·연구·예방 및 퇴치 사업을 담당함.

대:한 계:년사【大韓季年史】명 〘책〙 조선 시대 고종(高宗)이 즉위한 1864년부터 1910년의 한일 합방까지 47년간의 최근사(最近史)를 강목체(綱目體)로 서술한 책. 정교(鄭喬)의 저술. 독립 협회에 관한 중요 연구 자료가 됨. 9권 2책. 인본(印本).

대:한 광:업 진:흥 공사【大韓鑛業振興公社】명 민영(民營) 광산의 합리적인 개발과 해외 광물 자원의 확보를 위한 조사 연구·기술 지도 및 민영 광산의 육성·지원 업무를 효율적으로 수행하게 할 목적으로 설립된 특수 법인.

대:한 교:원 공제회【大韓敎員共濟會】명 〘법〙 교육 기관·교육 행정 기관 또는 교육 연구 기관의 교육 공무원·교원 및 사무 직원 등에 대한 효율적인 공제 제도를 확립함으로써 이들의 생활 안정과 복리 증진을 목적으로 설립된 특수 법인.

대:한 교:육 연합회【大韓敎育聯合會】[―년―] 명 '한국 교원 단체 총연합회'의 전신(前身). 1947년 11월에 설립되었다가 1989년 12월에 개칭됨. 준교련(敎聯).

대:한국 국제【大韓國國制】명 〘역〙 1899년 8월 17일 대한 제국(大韓帝國)이 황제 명의로 제정·공포한 국가 체제(體制)에 관한 선언문. 전문(全文) 9조(條)로, 대한 제국이 자주 독립 국가임을 선포하고, 그 정체(政體)가 전제 정치(專制政治)임을 천명한 것임.

대:한 국민단【大韓國民團】명 〘역〙 1921년 만주에서 조직된 무장(武裝) 독립 운동 단체. 간도(間島)에 있던 군비단(軍備團)·흥경단(興京團)·태진단(太震團)·태극단(太極團) 등이 임시 정부의 통합 명령으로 안동 성(安東省) 창바이 현(長白縣)에 본부를 두고 창립함.

대:한 국민회【大韓國民會】명 〘역〙 1910년 미국에서 조직된 교포의 자치 단체. 안창호(安昌浩)·이승만(李承晩) 등이 주동이 되어 샌프란시스코에 본부를 두고 창설, 의연금을 모아 상해 임시 정부에 보냈으며, 1919년에는 한국의 독립 청원서를 미국 상원에 제출함.

대:한 노동 조합 총:연합회【大韓勞動組合總聯合會】[―년―] 명 한국 노동 조합 총연맹의 전신(前身). 1946년 3월 '대한 독립 노동 총연맹'으로 발족, 1954년 노동 조합법과 근로 기준법이 제정·실시됨에 따라 그 해 4월 대한 노동 조합 총연합회로 개칭함. 5·16 혁명 후 해체됨. 준대한 노총.

대:한 노총【大韓勞總】명 ↗대한 노동 조합 총연합회.

대:한 독립군【大韓獨立軍】[―님―] 명 〘역〙 1919년 만주 쑹장 성(松江省) 왕칭 현 봉오동(汪淸縣鳳梧洞)에서 조직된 항일 독립군. 간도 국민회 휘하의 무장 단체로, 홍범도(洪範圖)를 총사령(總司令)으로, 약 4백 명의 군인으로 편성, 갑산(甲山)·혜산진(惠山鎭)의 일본 군영을 습격함. 1920년 봉오동 전투에서 크게 이긴 뒤, 대한 독립 군단(軍團)에 편입됨.

대:한 독립군 결사대【大韓獨立軍決死隊】[―님―싸―] 명 〘역〙 1920년 시베리아에서, 김학섭(金學燮)·김병관(金秉官)·강석훈(姜錫勳) 등 15

명으로 조직된 항일(抗日) 결사대. 1921년 웅기(雄基) 경찰서를 기습했다가 밀고(密告)를 당해, 많은 단원이 피체(被逮)되고 이 해 12월에 한민회(韓民會)에 합병됨.

대:한 독립 군단【大韓獨立軍團】[—닙—] 명 〖역〗 1920년 소만(蘇滿) 국경에서 결성된 독립 운동 단체의 통합체. 청산리(青山里) 싸움 후 헤이룽 강(黑龍江)가로 집결한 북로 군정서(北路軍政署)·대한 독립단·광복단(光復團) 등 10여 단체가 통합, 총재에 서일(徐一), 부총재에 홍범도·김좌진을 추대하고, 레닌 정부의 후원을 얻어 고려 혁명군 사관 학교를 세웠으나, 1921년 6월 흑하(黑河) 사변으로 해체됨.

대:한 독립단【大韓獨立團】[—닙—] 명 〖역〗 1919년 남만주(南滿洲) 안둥 성(安東省) 류허 현(柳河縣)에서, 유인석(柳麟錫)·백삼규(白三圭)·조병준(趙秉濬)·홍범도(洪範圖) 등이 모여 조직한 독립 운동 단체. 1920년에 임시 정부 산하의 광복군 사령부에 편입됨.

대:한 독립 촉성 국민회【大韓獨立促成國民會】[—닙—] 명 1946년 2월에 조직된 정치 단체. 이승만(李承晩)의 '독립 촉성 중앙 협의회'와 김구(金九)의 '탁치(託治) 반대 국민 총동원 중앙 위원회'가 통합 발족하여 미·소 공동 위원회의 말살·축출·반탁에 힘썼음.

대:한 매:일 신보【大韓每日申報】 명 1905년 양기탁(梁起鐸)이 영국 사람 배설(裵說)과 함께 창간한 신문. 1910년 8월 국권 피탈 때에 '매일 신보'라 고치고, 총독부의 기관지가 되었음.

대:한 무:역 진:흥 공사【大韓貿易振興公社】 명 '대한 무역 투자 진흥 공사'의 전신(前身).

대:한 무:역 투자 진:흥 공사【大韓貿易投資振興公社】 명 무역 진흥과 국내외 기업간의 투자 및 산업 기술 협력 등을 하는 공법상의 비영리 법인. 해외 시장의 조사·개척·정보 수집, 국내 산업과 상품을 해외에 소개·선전, 무역 거래의 알선, 무역에 관한 박람회·전시회 개최 등의 사업을 수행함.

대:한-문【大漢門】 명 〖지〗 서울 덕수궁(德壽宮)의 정문(正門). 광무(光武) 원년(1897)에 고종(高宗)이 지금의 덕수궁인 명례궁(明禮宮)으로 이어(移御)하여 명례궁을 옛 이름인 경운궁(慶雲宮)으로 다시 부르게 하고 이의 정문인 '대안문(大安門)'도 이 이름으로 개칭(改稱)하였음.

대:한 문전【大韓文典】 명 〖책〗 ①융희(隆熙) 2년(1908)에 최광옥(崔光玉)이 지은 조선말의 문법 책. 1책. ②융희 3년(1909)에 유길준(兪吉濬)이 지은 조선말의 문법 책. 1책.

대:한 민국【大韓民國】 명 〖지〗 우리 나라의 국호. 1945년 8월 15일 일본의 무조건 항복으로 태평양 전쟁이 종결되매 한국은 36년 만에 일제로부터 해방되었으나 얄타(Yalta) 협정에 따라서 북위 38°선을 사이에 두고 국토가 남북으로 양분된 채 남한에서만 유엔 감시하에 총선거를 실시하여 이승만을 초대 대통령으로 민주 공화국을 수립하고 1948년 8월 15일에 완전 독립을 선언함. ㈜대한(大韓)·한국·민국(民國).

대:한 민국 근무 기장【大韓民國勤務記章】 명 대한 민국에 주재하는 외국군·군사 정전 위원회·각국 대사관 등에서 6개월 이상 근무하고 이임(離任)하는 외국 군인·군속에게 국방부 장관이 수여하는 기장.

대:한 민국 문화 예:술상【大韓民國文化藝術賞】[—쌍] 명 우리 나라 문화 예술의 발전을 도모하기 위하여 1969년 정부가 제정한 상. 문화·문학·미술·음악·연예 등 10개 부문에 수상함.

대:한 민국 미:술 대:전【大韓民國美術大展】 명 〖미〗 신인 작가(新人作家)를 위한 공모(公募) 미술 전람회. 1982년부터 종전의 대한 민국 미술 전람회를 개편(改編)하여, 문화 예술 진흥원(文化藝術振興院)의 주관(主管) 아래 동양화·서양화·조각·서예·공예(工藝)의 다섯 부문에 대하여 봄·가을에 나누어 개최하게 됨. *현대 미술 초대전.

대:한 민국 미:술 전:람회【大韓民國美術展覽會】[—절—] 명 1949년 9월 22일 문교부 고시 제1호에 의하여 창설되어 해마다 열리던 전국 미술 전람회. 출품 종목은 회화(繪畫)·조각·공예·서예·건축·사진 등임. 1949년부터 1981년까지 실시되었음. 1982년 대한 민국 미술 대전으로 바뀜. ㈜국전.

대:한 민국 예:술원【大韓民國藝術院】 명 예술 창작에 현저한 공적이 있는 예술가를 우대·지원하기 위해 대한 민국 예술원법에 의거 설치된 국내외에 대한 예술가의 대표 기관. 예술 진흥에 관한 정책 자문 및 건의, 예술 창작 활동의 지원, 국내외 예술의 교류 및 예술 행사 개최, 예술원상 수여 등의 일을 함. 예술원 회원으로 구성되며, 회원은 예술 경력이 20년 또는 30년 이상인 사람을 해당 분야의 예술 단체가 추천하고, 회원 심사 위원회의 심사를 거쳐 총회의 의결로 선출됨. 회원 정수(定數)는 75명, 임기는 4년임. ㈜예술원.

대:한 민국 임시 정부【大韓民國臨時政府】 명 〖역〗 1919년 4월에 상하이(上海)에서 조직 선포한 한국의 임시 정부. 그 후 충칭(重慶)으로 옮겼다가 1945년 본국으로 입국 후에 해체됨. 상해(上海) 임시 정부.

대:한 민국 임:시 정부 수립 기념일【大韓民國臨時政府樹立記念日】 명 3·1 운동으로 중국 상해에서 1919년 4월 13일 건립된 대한 민국 임시 정부의 법통과 역사적 의의를 기리기 위하여 제정한 날. 4월 13일.

대:한 민국 재:향 경:우회【大韓民國在鄕警友會】 명 대한 민국 재향 경우회법에 의하여 설립된 단체. 퇴직한 경찰 공무원을 정회원으로 하고 현직 경찰 공무원을 명예 회원으로 하여, 회원 상호간의 친목을 도모하고, 조국 통일과 자유 수호에 기여할 것을 목적으로 함.

대:한 민국 재:향 군인회【大韓民國在鄕軍人會】 명 대한 민국 재향 군인회법에 의하여, 재향 군인 상호간의 친목을 도모하고, 회원의 권익을 향상시키며 국가 발전과 사회 공익의 증진에 이바지함을 목적으로 하는 단체. ㈜재향 군인회.

대:한 민국 학술원【大韓民國學術院】 명 학술 발전에 현저한 공적이 있는 과학자를 우대·지원하기 위해 대한 민국 학술원법에 의거 설치된 국내외에 대한 과학자의 대표 기관. 학술 진흥에 관한 정책 자문 및 건의, 학술 연구와 그 지원, 국내외 학술의 교류 및 학술 행사 개최, 학술원상 수여 등의 일을 함. 학술원 회원으로 구성되며, 회원은 학술 연구 경력이 20년 또는 30년 이상인 사람을 해당 분야의 학술 단체가 추천하고 회원 심사 위원회의 심사를 거쳐, 해당 부회에서 의결하고 총회의 승인을 얻어야 하며, 정수(定數)는 150명, 임기는 4년임. ㈜학술원.

대:한 민보【大韓民報】 명 1909년에 대한 협회(大韓協會)의 기관지로 윤효정(尹孝定)·오세창(吳世昌)·정운복(鄭雲復) 등이 창간한 신문. 1910년 국권 피탈 때에 폐간됨.

대:한 법률 구:조 공단【大韓法律救助公團】[—뉼—] 명 법률 구조와 법률 상담 등을 통하여 가난과 무지로, 권리 침해로부터 보호받지 못하는 불우한 국민의 권리를 옹호·신장하기 위하여 설립한 특수 법인.

대:한 법무사 협회【大韓法務士協會】 명 〖법〗 법무사의 품위 보전과 법무사 사무의 향상을 도모하기 위해 각 지방의 법무사회를 연합하여 조직한 법인.

대:한 변:호사 협회【大韓辯護士協會】 명 〖법〗 변호사의 품위를 보전하고, 법률 사무의 개선과 발전 기타 법률 문화의 창달을 도모하며, 변호사 및 지방 변호사회의 지도 및 감독에 관한 사무를 행하기 위하여 각 지방의 변호사회를 연합하여 조직한 법인체.

대:한 부인회【大韓婦人會】 명 '한국 부인회'의 전신(前身).

대:한 불갈【大旱不渴】 명 샘·내·논·못 같은 것이 물이 넉넉하여 아무리 가물어도 마르지 아니함. ——하다 자여불

대:한 사:람【大韓—】[—싸—] 명 대한의 국민된 사람. 한국 사람.

대:한 상공 회:의소【大韓商工會議所】[—/—이—] 명 전국 각지의 상공 회의소를 회원으로 하는 중앙 기관. 전국의 회원을 종합 조정하고 그 의견을 대표하여 국내외의 경제 단체와 상호 협조함으로써 상공 회의소의 건전한 발전을 도모하고 상공업의 진흥에 이바지함.

대:한 석탄 공사【大韓石炭公社】 명 석탄 광산의 개발을 촉진하고 석탄의 생산·가공·판매 및 그 부대(附帶) 사업을 운영하게 하여 석탄 수급의 안정을 기하도록 하기 위하여 설립된 특수 법인. ㈜석공(石公).

대:한 성:공회【大韓聖公會】 명 〖기독교〗 영국 성공회의 한국 교구(教區). 1889년에 설립됨. 서울·대전·부산의 3개 교구로 이루어짐.

대:한 성:서 공회【大韓聖書公會】 명 〔Korean Bible Society〕 우리 나라에 있는 기독교 단체의 하나. 성서의 보급 및 한글 번역 등의 사업을 함. 1895년 영국 성서 공회에서 한국 지부를 세운 것이 그 시초이며 1947년 4월 재단 법인의 인가를 받음.

대:한 소:녀단【大韓少女團】 명 '한국 걸 스카우트 연맹'의 구칭.

대:한 소:년단【大韓少年團】 명 '한국 보이 스카우트 연맹'의 구칭.

대:한 신문【大韓新聞】 명 구한말 친일파를 선전·옹호하던 신문. 1907년 7월 8일에 창간. 이인직(李人稙)이 천도교의 기관지였던 만세보(萬歲報)를 인수하여 발간한 것으로, 이완용(李完用) 내각의 친일 정책을 적극적으로 옹호·지지하여 그 기관지 구실을 했음.

대:한 신보【大韓新報】 명 광무(光武) 2년(1898) 4월 10일, 광무 협회(光武協會)가 발행한 한글 신문. 일인 기독교인이 미국계 선교 사업에 대항하고 그들의 세력을 부식·확대할 목적으로 발행함.

대:한 애:국 부인회【大韓愛國婦人會】 명 〖역〗 1919년 기독교도인 오도신(吳道信)·한영신(韓永信)·박승일(朴昇一)·이성실(李誠實) 등이 평양 신양리(新陽里)에서 창립한 여성 독립 단체. 군자금(軍資金)을 모아 임시 정부에 보낸 것이 탄로나 해산됨.

대:한 약전【大韓藥典】 명 〖법〗 약사법(藥事法)의 규정에 의하여 의약품의 제법(製法)·성상(性狀)·성능(性能) 및 저장 방법의 적용을 위하여 중앙 약사 심의 위원회의 심의를 거쳐 보건 사회부 장관이 공고한 약전. ㈜약전.

대:한 자강회【大韓自強會】 명 〖역〗 구한말, 국민의 교육·계몽을 통하여 자주 독립의 기반을 닦으려는 목적에서 조직된 단체. 윤치호(尹致昊)를 회장으로, 윤효정(尹孝定)·장지연(張志淵) 등이 주동이 됨. 1906년에 발족, 친일 내각에 도전하다가 1907년 정부로부터 해산 명령을 받고 후에 대한 협회(大韓協會)로 바꿈. ㈜자강회.

대:한 적십자사【大韓赤十字社】 명 적십자 정신에 입각, 구호 활동을 행하는 특수 법인. 재해·질병의 예방·구조, 의료·사회 사업 등을 행함. 국가의 구호 업무의 위탁을 받으며 보건 복지부 장관의 감독과 국가·지방 자치 단체의 지원을 받음. 1945년 8월에 조선 적십자사로 발족하여 1949년 10월에 이 이름으로 개칭(改稱)함.

대:한 정:의 군정사【大韓正義軍政司】[—/—이—] 명 〖역〗 1919년 3월, 쑹장 성(松江省) 안투 현(安圖縣) 간도(間島)에서 대한 제국 군인과 보위단(保衛團) 소속의 군인 1백여 명이 중심이 되어 조직한 독립군. 총재에 이규(李圭)를 선임하고, 일본 경찰·헌병대를 기습하였으나, 1920년 일본군의 공격에 타격을 받아, 김좌진(金佐鎭)의 대한 의용군(義勇軍)에 통합됨.

대:한 제:국【大韓帝國】 명 〖역〗 조선 고종(高宗) 34년(1897) 8월 16일부터 국권 피탈 때까지의 우리 나라의 국호. ㈜대한·한(韓)·한국.

대:한 주택 공사【大韓住宅公社】 명 주택을 건설·공급 및 관리하고 불량 주택을 개량하기 위하여 설립된 정부 투자 기관의 하나. 자본금은 4조(兆)원으로 전액 정부가 출자함. ㈜주택 공사·주공(住公).

대:한 지적 공사【大韓地籍公社】 명 〖법〗 지적법(地籍法)에 따라, 지적 측량과 지적 관계 도면(圖面)의 작성에 관하여 정부를 대행하는 재단 법인(財團法人). 1938년 조선 지적협회(朝鮮地籍協會)로서 창설되어 1949년 대한 지적 협회로 개칭(改稱), 1976년 지적법에 의해 정부 대행 기관으로 확정된 뒤, 1977년 지금의 이름으로 고침.

대:한 청년단【大韓青年團】 명 1949년 12월에 결성된 청년 단체의 하나. 해방 후 난립한 청년 단체들을 통합하여 됨. 6·25 전쟁 중에는 국민 방위군(國民防衛軍)에 편입되어 활약하였으며 제2대 대통령 선거

후 내분으로 해산함.

대:한 체육회【大韓體育會】명 국민 체육 진흥법에 의거, 국민 체육 진흥을 위하여 문화 체육부 장관의 인가를 받아 설립된 법인체. 아마추어 경기 단체의 총괄 지도, 체육 경기 대회의 개최와 국제 교류, 선수 및 경기 지도자의 양성, 국민 체육 진흥을 위한 조사·연구 및 그 보급 등의 사업을 함. ㊟체육회.

대:한 출판 문화 협회【大韓出版文化協會】명 국내의 출판업자를 회원으로 하는 사단 법인(社團法人). 출판 사업의 건전한 발전과 출판 문화 향상에 필요한 사업을 함. ㊟출협(出協).

대:한 측량 협회【大韓測量協會】[—냥—] 명 측량 기술자와 측량업자를 회원으로 하는 사단 법인(社團法人).

대:한 투자 신:탁 기금【對韓投資信託基金】명〖경〗한국의 증권 회사나 투자 신탁 회사가 외국의 증권 회사와 합작 투자하여 외국 현지(現地)에 설립하는 국제적인 투자 신탁 회사의 기금. 한국 기업의 주식에 투자하려는 외국인 투자가(投資家)에게 수익 증권(受益證券)을 팔고, 그 대금으로 주식을 사서, 이익이 나면 투자자들에게 돌려 줌. 통칭 코리아 펀드.

대:한 해:협【大韓海峽】명〖지〗한국과 대마도(對馬島) 사이의 해협.

대:한 협회【大韓協會】명〖역〗대한 제국 말기, 통감부(統監府)에 의해서 대한 자강회(大韓自強會)가 해산되자, 권동진(權東鎭)·남궁억(南宮檍)·장지연(張志淵)·오세창(吳世昌)·윤효정(尹孝定) 등에 의하여, 국력 증강을 위한 교육·산업의 발달을 내세워, 1907년에 서울에서 조직된 계몽 단체. 나중에 일진회(一進會)와 연합하였으며, 협회의 지도층은 친일화(親日化)하였음.

대:-할구【大割球】명〔macromere〕〖생〗동물의 발생 초기에 볼 수 있는 난할(卵割)로서, 나뉘어진 할구의 크기에 심한 차가 있을 때의 큰 쪽의 것. 일반적으로 식물극(植物極) 쪽에 위치함.

대:함[1]【大笒】명〖악〗→대금(大笒).

대:함[2]【大喊】명 큰 함성(喊聲). 고함(高喊).

대:함[3]【大艦】명 큰 군함(軍艦).

대:함 거:포주의【大艦巨砲主義】[—/—이] 명〖역〗함대(艦隊)를 대함과 거포 등으로 방대하게 장비하며 해상 결전(海上決戰) 때 거대한 전함(戰艦)을 함대의 중핵(中核)에 배치하여 그것을 작전(作戰)의 중심(中心)으로 하는 주의.

대:함 미사일【對艦—】명〔antiship missile〕〖군〗함선(艦船)을 공격 대상으로 하는 미사일.

대:합【大蛤】명〖조개〗[*Meretric lusoria*] 참조갯과(科)에 속(屬)하는 조개. 가장 흔한 대표적인 쌍패류(雙貝類)로서 패각(貝殼)의 길이 85 mm, 높이 65 mm, 폭 40 mm 내외이고 빛은 보통 회백갈색에 적갈색의 세로 무늬가 있으며 안쪽은 백색이고, 두 개의 주치(主齒)와 두 개의 측치(側齒)가 있음. 몸은 달걀꼴의 삼각형으로 각표(殼表)는 매끈매끈한 반투명의 각피(殼皮)로 덮였음. 담수(淡水)가 혼합하는 해변의 진흙 모래밭에 서식하며 조류(潮流)를 따라 이동하기도 하고 6-9월에 알을 낳음. 속살은 맛이 좋아 여러 가지 요리를 하여 식용하고 껍질은 두꺼워서 바둑돌·고약의 용기(用器)로 쓰이고, 태워서 만든 석회(石灰)는 고급 도료(塗料) 등에 씀. 한국·중국·일본 등지의 해안에 널리 분포함. 대합조개. 무명조개. 문합. 화합.

〈대합〉

대:합-속살이게【大蛤—】명〖동〗[*Pinnotheres cyclinus*] 속살이겟과에 속하는 게. 굴속살이게와 비슷한데 배갑 길이 13.5 mm, 폭 15.5 mm 정도이고, 제4 보각(步脚)의 선단 내연(內緣)에 긴 털이 열생(列生)하며 대합과 공서(共棲)함. 한국 서해안·중국 산둥 반도 연안 등에 분포함. *굴속살이게·소라게.

대:합-실【待合室】명 정거장이나 병원 같은 곳에서 손님이 기다리도록 마련해 놓은 곳.

대:합-젓【大蛤—】명 대합조개의 살로 담근 젓. 대합해(大蛤醢).

대:합-조개【大蛤—】명〖조개〗대합.

대:합-해【大蛤醢】명 대합젓.

대:항【對抗】명 ①서로 맞서서 버티어 겨룸. 저항(抵抗). ②서로 상대하여 승부를 다툼. ¶ 학교 ~ 경기. ③〖법〗법률 관계에서 사실의 주장을 관철(貫徹)하여 다른 사람을 배척함. ——-하다 자타여불

대:항 관세【對抗關稅】명〔counter tariff〕〖경〗수출 상대국이 자국의 산업 보호나 기타의 사정을 이유로 긴급 관세나 물가 평형 관세 등을 부과할 경우, 이에 대항하기 위하여 그 상대국의 수입품에 대하여 관세를 인상하는 일.

대:항-력【對抗力】[—녁] 명 ①상대하여 맞버티는 힘. ②〖법〗이미 성립한 권리 관계를 다른 사람에게 주장할 수 있는 힘.

대:항-로【對抗路】[—노] 명〖군〗요새전(要塞戰)에 있어서, 공격하는 편에서 갱도(坑道)를 뚫는 데 대항하기 위하여 방어하는 편에서 만드는 갱도.

대:항-마【對抗馬】명 경마에서, 우승이 지목되는 말과 실력이 거의 백중하여 서로 결승을 겨루는 말.

대:항 문화【對抗文化】명 카운터 컬처.

대:항 연:습【對抗演習】[—년—] 명〖군〗군대의 한 편을 적군으로 가정하고 행하는 실지 연습.

대:항 요건【對抗要件】[—뇨껀] 명 ①대항할 수 있는 조건. ②〖법〗이미 성립되어 있는 권리 관계를 남에게 대하여 주장함에 필요한 사항. 매매(賣買)에 의한 소유권(所有權), 취득(取得)에 대한 등기(登記), 동산 양도(動產讓渡)에 대한 인도(引渡) 같은 것.

대:항 운:동【對抗運動】명 무엇에 대항하느라고 일으키는 운동.

대:-항의【大抗議】[—/—이] 명 ①큰 항의. ②〔Great Protestation〕〖역〗1621년에 영국 하원(下院)이 의회의 국정 심의권을 주장하기 위하여 찰스(Charles) 일세에게 제출한 문서.

대:항-자【對抗者】명 대항하는 자.

대:항 작용【對抗作用】명 길항 작용(拮抗作用).

대:항-전【對抗戰】명 운동 경기에서, 서로 대항하여 승부를 겨루는 일.

대:항-책【對抗策】명 대항할 방책.

대:항해 시대【大航海時代】명 15-16 세기에 걸쳐 유럽인들의 신항로·신대륙 발견이 활발하던 시대.

대항 명〈옛〉큰 항아리. ¶ 대항 영(甖) ≪字會 中 12≫.

대:해[1]【大害】명 큰 손해. 큰 재해(災害).

대:해[2]【大海】명 넓고 큰 바다. 대영(大瀛). 거해(巨海).

대:해-수【大海水】명〖민〗육십 화갑자(六十花甲子)에서, 임술(壬戌) 계해(癸亥)에 붙이는 납음(納音). 임계(壬癸), 곧 비와 강물이 술해(戌亥) 곧 천문(天門)인 하늘 끝까지 넘치니, 하늘과 수평선이 맞닿은 창해라는 말.

대:해 일적【大海一滴】[—쩍] 명 창해 일속(一粟).

대:핵【大核】명 ①〖충〗섬모충(纖毛蟲) 가운데서 큰 핵을 가진 것. 염색하면 농염(濃染)되는데, 세포의 영양 활동 기능을 가진 것으로 추측됨. ②공기 가운데에 표류하고 있는, 반경 10^{-5} cm 이상의 해수 입자(海水粒子) 또는 결정염(結晶塩).

대:행[1]【大行】명 큰 덕행(德行).

대:행[2]【大行】명〖역〗임금이나 왕비가 죽은 뒤 시호(諡號)를 아직 올리기 전의 칭호. 대행왕. 대행 왕비.

대:행[3]【大幸】명 큰 다행. ¶ 살아났다니 ~일세.

대:행[4]【代行】명 대신하여 행함. 섭행(攝行). ¶ 업무를 ~하다. ——-하다 타여불

대:행 기관【代行機關】명 ①어떤 업무를 대행하는 기관. ②단기 청산 거래(短期淸算去來)에서 대금이나 주식을 체당(替當)하여, 그 수도(受渡)를 신속히 하고 거래를 원활히 하기 위한 기관.

대:행 산맥【大行山脈】명〖지〗다싱(大行) 산맥.

대:-행성【大行星】명〖천〗아홉 개의 행성 가운데, 특히 목성(木星)·토성(土星)·천왕성(天王星)·해왕성(海王星)의 일컬음. 이들은 다른 행성에 비하여 모양이 크며 밀도(密度)나 자전 주기(自轉周期)가 작음. 대혹성(大惑星). 목성형(木星型) 행성.

대:-행수【大行首】명〖역〗조선 시대에, 육의전(六矣廛)의 도중(都中)의 버금 임원(任員). 도원(都員)의 선거에 의해서 선출됨. *수영위(首領位)·도영위(都領位).

대:행-왕【大行王】명〖역〗대행[2](大行).

대:행 왕비【大行王妃】명〖역〗대행[2](大行).

대:행 이:사【代行理事】[—니—] 명〖법〗이사 선임 결의의 무효·취소 또는 이사 해임의 소(訴)가 제기된 경우에, 본안(本案) 관할 법원이 당사자의 신청에 의하여 가처분으로써 선임하는 이사의 직무 대행자. 대행 이사는 원칙적으로 회사의 상무에 속하는 행위만을 할 수 있음.

대:-행자【大行者】명〖불교〗수행(修行)을 쌓은 행자(行者). 또, 행자를 공대하는 말.

대:향[1]【大享】명 대제(大祭)❷.

대:향[2]【大饗】명 특별한 경축 행사에 임금이 베푸는 성대한 잔치.

대:향[3]【代香】명 남을 대신하여 분향함. 또, 그 사람. ——-하다 자여불

대:향[4]【對向】명 ①서로 마주 봄. ②반대 방향에서 달려옴. ——-하다 자타여불

대:향-범【對向犯】명〖법〗필요적 공범(必要的共犯)의 하나. 범죄의 성립에서 상대방을 필요로 하는 범죄. 회합범(會合犯). 대립적 범죄(對立的犯罪).

대:향-차【對向車】명 외길에서, 자기의 진행 방향과 반대의 방향으로 달리는 차.

대:헌【大憲】명 ①〖역〗↗대사헌(大司憲). ②〖천도교〗천도교의 교규(敎規)와 교법(敎法). ③큰 법규. 중대한 헌장. ④'헌법'의 높임말.

대:-헌장【大憲章】명〖역〗'마그나 카르타(Magna Charta)'의 역어(譯語).

대:-혁명【大革命】명 ①큰 혁명. ②〖역〗↗프랑스 대혁명.

대:-현[1]【大峴】명〖지〗경상 북도 봉화군(奉化郡)에 있는 산. [401 m]

대:현[2]【大絃】명〖악〗①거문고의 넷째 줄의 이름. 가장 굵음. *괘상청(棵上淸). ②향비파(鄕琵琶)의 셋째 줄의 이름. *중현(中絃). ③당(唐)비파의 둘째 줄의 이름. *중현(中絃).

대:현[3]【大賢】명 매우 현명함. 아주 뛰어난 현인(賢人).

대:현[4]【大賢】명〖사람〗신라 경덕왕(景德王) 때의 유가종조(瑜珈宗祖)로서 이름난 중. 원칙(圓則)의 문하생. 저서 ≪약사경 고적기(藥師經古迹記)≫·≪범망경 고적기(梵網經古迹記)≫ 등.

대:현 군자【大賢君子】명 어질고 점잖은 사람.

대:-협곡【大峽谷】명 ①거대한 산의 골짜기. ②〖지〗그랜드 캐넌(Grand Canyon).

대:형[1]【大兄】명 ①친구간에 편지할 때에, 벗을 높이어 쓰는 말. ②〖역〗고구려 후기 직제의 오품(五品)쯤 되는 벼슬. 교지(緻支). ③〖대종교〗사교(司敎)·정교(正敎)의 교직(敎職)을 가진 사람을 높이는 말.

대:형[2]【大刑】명 ①무거운 형벌. ②무거운 죄.

대:형[3]【大形】명 물건의 큰 형체. ↔소형(小形).

대:형[4]【大型】명 큰 형(型). ¶ ~ 유조선. ↔소형(小型).

대:형[5]【隊形】명 대(隊)의 형태. ¶ 전투 ~.

대:형-기【大型機】명 사발(四發) 이상의 중폭격기(重爆擊機)나 수송기·여객기 등과 같이 비교적 기체(機體)가 큰 비행기.

대:형 동:물【袋形動物】명〖동〗[Aschelminthes] 선형(線形) 동물과 윤형(輪形) 동물을 합하여 한 문(門)으로 분류했을 때의 이름.

대:형 면:허【大型免許】명 자동차의 제일종 운전 면허의 하나. 승용(乘用) 자동차·승합(乘合) 자동차·화물 자동차·오토바이 등을 비롯하여 트레일러·레커차(wrecker 車)를 제외한 중기(重機) 및 특수 자동차를 운전할 수 있는 면허. *소형 면허·보통 면허·특수 면허·원동기 장치 자전거 면허.

대:형 자동차【大型自動車】명 ①크기가 큰 자동차. ②자동차 관리법 시행 규칙에서 분류한 자동차의 한 종류. 배기량 2,000 cc 이상의 승용(乘用) 자동차, 36인승 이상의 승합(乘合) 자동차, 적재량 5 톤 이상의 화물 자동차, 견인 능력 10 톤 이상의 특수 자동차, 배기량 260 cc 이상의

이륜 자동차 등이 있음. ㊥대형차. *소형 자동차·중형 자동차·특수 자동차.

대:형-주【大型株】명 자본금이 많은 회사의 주(株)로서, 철강·중전기(重電機)·전력(電力)·조선(造船) 등 대회사가 발행한 주. ↔소형주.

대:형-차【大型車】명 ↗대형 자동차.

대:형 컴퓨:터【大型―】명 〔mainframe computer〕〖컴〗 기억 용량이 크고 처리 속도가 빠르며, 여러 사람이 동시에 이용할 수 있는 대규모의 컴퓨터. 대기업·은행·병원 등에서 많은 단말기를 연결하여 사용할 수 있음. *슈퍼컴퓨터·소형 컴퓨터·마이크로컴퓨터.

대:형 프로젝트【大型―】〔project〕명 일정한 목적을 가지고 비교적 장기적인 기획에 따라 진행되는 대규모의 연구 계획. 흔히 국가의 주도 아래 진행됨. 미국의 원자 폭탄 개발을 목적으로 했던 맨해튼 계획, 달 여행을 목적으로 한 아폴로 계획 등이 좋은 예임.

대:형-화【大型化·大形化】명 사물의 형체·규모가 크게 됨. 또, 크게 함. ――하다 자타여불

대:호¹【大戶】명 살림이 넉넉하고 식구가 많은 집안.

대:호²【大呼】명 목소리를 크게 하여 부름. ――하다 타여불

대:호³【大虎】명 큰 호랑이. ¶여산(如山) ~.

대:호⁴【大湖】명 큰 호수.

대:호⁵【大豪】명 큰 부호(富豪). 「위한 산병호(散兵壕).

대:호⁶【對壕】명〖군〗적의 사격을 피하고 또한 적의 진지를 공격하기

대:-호군【大護軍】명〖역〗①고려 공민왕(恭愍王) 때 대장군(大將軍)의 고친 이름. 종삼품(從三品). ②조선 시대 때 오위(五衛)의 종삼품 벼슬. 현직(現職)이 없는 문관 및 무관·음관(蔭官)으로 채움. *호군(護軍).

대:호-장【大弧章】[―짱] 명 용비어천가 제 27장의 이름.

대:호-지【大好紙】명 품질이 조금 낮으며 넓고 긴 한지(韓紙)의 하나.

대:혹【大惑】명 크게 반함. ――하다 자여불

대:-혹성【大惑星】명〖천〗대행성(大行星).

대:혼【大婚】명 임금의 혼인.

대:혼 기간【待婚期間】명 여자가 전혼(前婚)이 해소(解消) 또는 취소된 뒤에 재혼(再婚)이 금지되는 기간. 자식의 아비가 불명(不明)할 것을 우려하여 옛날에 우리 나라에서 도의상(道義上) 이것을 인정하였음.

대:홍【大紅】명〖공〗도자기(陶瓷器)의 겉에 덧씌우는 잿물의 하나. 적홍(赤紅)보다 짙음.

대:홍-산【大紅山】명〖지〗함경 남도 장진군(長津郡) 상남면(上南面)과 평안 북도 강계군(江界郡) 용림면(龍林面) 사이에 있는 산. 낭림 산맥

대:홍-색【帶紅色】명 분홍빛을 띤 빛깔. 「에 속함. [2,252 m]

대:-홍수【大洪水】명 큰 홍수.

대:화¹【大火】명 ①큰 화재(火災). 큰 불. ↔소화(小火). ②'심성(心星)'

대:화²【大化】명 광대한 덕화(德化). 「의 옛 이름.

대:화³【大禾】명 가화(嘉禾).

대:화⁴【大禍】명 큰 재화(災禍).

대:화⁵【帶化】명 식물 기형(畸形)의 하나로, 대상(帶狀)으로 변화하는 일. 줄기·뿌리 등에서 흔히 볼 수 있음. *석화(石化). ――하다 자여불

대:화⁶【對話】명 서로 마주 대하여 이야기함. 또, 그 이야기. 대담(對談). ¶~를 나누다. ――하다 자여불

대:화 광:산【大華鑛山】명〖지〗충청 북도 충주시(忠州市) 앙성면(仰城面)에 있는 중석 및 수연(水鉛)의 광산. 「하는 동학 계통의 한 교.

대:화-교【大華敎】명〖종〗수운 최제우(水雲 崔濟愚)를 교조(敎祖)로

대:화-극【對話劇】명〖연〗대화에 중점을 두는 극. 근대극의 대부분은 이 경향이 있음. 「기 위한 사격.

대:화기 사격【對火器射擊】명〖군〗적의 화기를 파괴하거나 제압하

대:화-도【大和島】명〖지〗평안 북도 서남 해상의 섬. 특히 조기가 많이 잡히며, 등대(燈臺)가 있음. [5.05 km^2] 「으로 하는 만담.

대:화 만:담【對話漫談】명 두 사람이나 혹은 그 이상의 사람이 대화식

대:화-문【對話文】명 대화의 형식으로 꾸며진 글. 「물(小貨物).

대:-화물【大貨物】명 화물 열차로 운송되는 다량 취급의 화물. ↔소화

대:화-방【對話房】명 컴퓨터 통신망에서, 여러 사용자가 모니터 화면을 통하여 대화를 나누는 곳.

대:화-법【對話法】[―뻡] 명 ①대화하는 방법. ②〖철〗소크라테스의 철학적 방법을 일컫는 말. 곧, '무엇을 말할 것인가'를 주로 하는, 다시 말하면 진리 탐구를 지향하는 방법.

대:화-산【大華山】명〖지〗충청 북도 단양군(丹陽郡) 영춘면(永春面)과 강원도 영월군(寧越郡) 남면(南面) 사이에 있는 산. [1,037 m]

대:-화상【大和尙】명〖불교〗중을 높여 일컫는 말. 화상보다 높인 말.

대:화상-산【大和尙山】명〖지〗다허상 산.

대:화식 처:리【對話式處理】명 〔interactive processing〕〖컴퓨터〗사용자와 컴퓨터가 서로 대화를 하듯이 메시지를 주고받으면서 실시간으로 자료를 처리하는 방식.

대:화실-산【大花實山】[―싼] 명〖지〗강원도 강릉시(江陵市) 왕산면(旺山面)에 있는 산. [1,010 m]

대:화엄 수좌 원통 양:중 대:사 균여전【大華嚴首座圓通兩重大師均如傳】명〖책〗'균여전(均如傳)'의 본이름.

대:화-자【對話者】명 ①대화하는 사람. ②〖법〗상대방의 의사 표시가 발해지면 즉각 대답을 할 수 있는 상태에 있는 사람. ↔격지자(隔地者).

대:화-체【對話體】명〖문〗두 사람이 마주 대하여 말하는 형식으로 사상과 감정을 표현하는 문학의 한 형식.

대:화-편【對話篇】명 대화의 형식에 의하여 씌어진 저서(著書). 주로 플라톤(Platon)의 저작에 대하여 일컬음.

대:환【大患】명 ①큰 근심. ②큰 병환. 「여불

대:-환영【大歡迎】명 성대하게 환영함. 또, 그러한 환영. ――하다 타

대:황【大黃】명 ①〖식〗[*Rheum undulatum*] 마디풀과에 속하는 다년초. 뿌리는 비대(肥大)하고 황색이며, 줄기는 속이 비었고 높이 1.5 m 가량임. 잎은 넓고 근엽(根葉)은 족생(簇生)하며 장병(長柄)은 자색을 띠었고 달걀꼴 또는 난상 피침형에 가는 파형(波形)임. 7-8월에 황백색의 꽃이 복총상(複總狀) 화서로 정생(頂生) 또는 액출(腋出)하며 과실은 수과(瘦果)임. 시베리아 원산(原産)으로 한국 각지 및 일본에서 재배하는데 뿌리는 약용으로 씀. ②〖한의〗장군풀의 뿌리. 성질이 차고 맛이 달며 통리(通利)하는 힘이 많아, 대소변 불통(不通)·조열(潮熱)·헛소리·잠꼬대·적취(積聚)·징가(癥瘕)·어혈(瘀血) 같은 병에 씀.

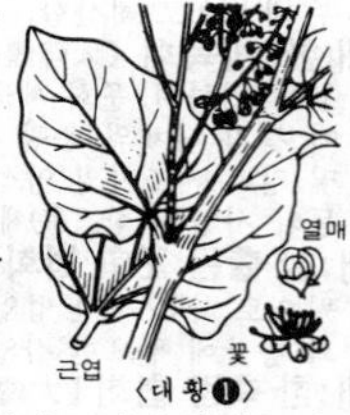

〈대황❶〉

대:-황락【大荒落】[―낙] 명〖민〗고갑자(古甲子) 십이지(十二支)의 여

대:-황봉【大黃蜂】명〖충〗말벌❶. 「섯째. 사(巳)와 같음.

대:황-산【大黃散】명〖한의〗옹저(癰疽)와 종창(腫瘡)을 다스리는 가루약. 술로 복용(服用)함.

대:황-색【帶黃色】명 누른빛을 띤 빛깔. 곧, 누르스름한 빛.

대:황-신【大皇神】명〖대종교〗한배검.

대:회【大會】명 ①여러 사람의 모임. 다수인의 회합. 성대한 회합. ↔소회(小會). ②국부적인 회합에 대하여 전체적인 모임. ③〖불교〗대규모

대:회-색【帶灰色】명 회색을 띤 빛깔. 「의 법회. ――하다 자여불

대:회-장【大會場】명 대회를 개최하는 장소.

대:회전 경:기【大回轉競技】명〔Giant slalom〕스키 종목의 하나. 표고차(標高差) 400 m 이상, 여자의 경우는 표고차 300 m 이상의 산비탈에 4-8 m 폭의 기문(旗門) 30개 이상을 세워 놓고, 이것을 통과·활강하는 경기.

대:-회향【大茴香】명〖한의〗목란과(木蘭科)에 속하는 나무의 열매. 홍분·구풍제(驅風劑)로서 산증(疝症)과 각기(脚氣)에 씀. 남부 중국(南部中國)·안남 지방(安南地方)의 원산임.

대:회향-유【大茴香油】명 대회향을 증류(蒸溜)하여 만든 기름. 무색 또는 대황색(帶黃色)으로 주성분은 아네톨(anethole)이며 비누·치약·리큐어유(liqueur 油) 등의 향료(香料)로 씀.

대:횡간-도【大橫干島】명〖지〗전라 남도의 남해상(南海上), 여천군(麗川郡) 남면(南面) 횡간리(橫干里)에 위치한 섬. [0.34 km^2 : 474명(1987)]

대:효¹【大孝】명 ①부상(父喪)에 있는 사람에게 대하여 편지할 때에 높여서 이르는 말. ②지극한 효도(孝道). 또, 지극한 효자.

대:효²【大效】명 큰 효험(效驗). ¶~를 얻다.

대:후¹【大堠】명〖역〗조선 시대 때, 지방 도로에 30리(里)마다 세운 이정표(里程標). *소후(小堠).

대:후²【待候】명 웃어른의 명령을 기다림. 사후. ――하다 자여불

대-후비개 명 담뱃대의 대통 속을 후비기 위하여 작은 고두쇠처럼 구붓하고 끝이 뾰족하게 만들어 주머니 끈에 차는 쇠갈고리.

대:훈¹【大訓】명 ①성제 명왕(聖帝明王)의 본받을 만한 훈고(訓誥). ②임금이 백성에게 주는 훈고를 높이어 일컫는 말. 「(大勳位).

대:훈²【大勳】명 ①↗대훈로(大勳勞). ②가장 높은 훈위(勳位). 대훈위

대:훈³【帶勳】명 훈위(勳位)나 훈장을 가지고 있음. ――하다 자여불

대:-훈로【大勳勞】[―노] 명 큰 공훈. 뛰어난 훈공(勳功). 국가에 대한 큰 공로. 대공(大功). ㊥대훈(大勳).

대:-훈위【大勳位】명 대훈(大勳)❷.

대:휴【代休】명 노동자가 노동 의무가 없는 날이나 시간에 평상시대로 일을 하였을 경우, 대상(代償)으로서 그 뒤에 주어지는 휴일.

대:흉【大凶】명 ①매우 언짢음. 아주 흉(凶)함. ↔대길(大吉). ②큰 흉년. ¶~이 들다. ↔대풍(大豐). ――하다 형여불

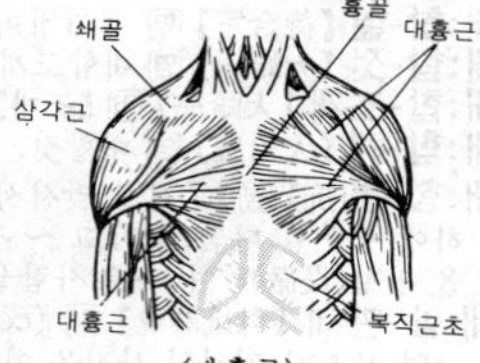

〈대흉근〉

대:흉-근【大胸筋】명〖생〗척추 동물의 가슴에 있는 삼각형(三角形)의 큰 근육. 전지(前肢)의 운동이나 호흡 운동에 관계하는데 조류(鳥類)에서는 특히 발달하여 날개를 움직이는 데 쓰임.

대:-흉년【大凶年】명 큰 흉년. 대흉. ↔대풍년(大豐年).

대:-흉일【大凶日】명 대단히 언짢은 날. ↔대길일(大吉日).

대:흑【黛黑】명 눈썹을 그리는 먹. 「이름.

대:-흑산도【大黑山島】명〖지〗소흑산도에 대하여, 흑산도를 일컫는

대:흑-색【帶黑色】명 검은빛을 띤 빛깔. 곧 거므스름한 빛.

대:흑-천【大黑天】명〖불교〗[대흑(大黑)은 범어 Mahākāla의 역어] 삼보(三寶)를 사랑하고 오중(五衆)을 수호하며 음식을 베푼다는 신. 처음은 불법을 수호(守護)하는 전투신(戰鬪神). 후에 주방신(廚房神)으로 됨. 마하가라천(摩訶迦羅天).

대:흥-사【大興寺】명〖불교〗전라 남도 해남군(海南郡) 삼산면(三山面) 구림리(九林里)에 있는 25 교구 본사(敎區本寺)의 하나. 처음에는 대둔사(大屯寺)라 하였었음. 창건 연대는 확실하지 아니하나 신라 말기에 터를 닦고 고려 태조 때 지은 것으로 추측됨. 특히 임진 왜란 때, 서산대사(西山大師)가 승병(僧兵)을 지휘한 항일 작전지로 유명하며 그의 유물이 보관되어 있음. 종전에는 31 본산(本山)의 하나였음.

대:흥안령 산맥【大興安嶺山脈】[―알―] 명〖지〗대싱안링 산맥.

대:희【大喜】[―히] 명 큰 기쁨. 크게 기뻐함. ――하다 자여불

댁【宅】㊀명 ①남의 집의 존칭. ¶선생님 ~/~으로 찾아 뵙지요. ②양반이 하인에 대하여 자기 집을 일컫던 말. ㊁의명 ①남편의 성과 직

함 밑에 붙여서, 그의 아내라는 뜻을 나타내는 명칭. 널리 쓰이지만 신분이 높은 사람에게는 쓰지 않음. ¶최주사 ～. ②부인의 친정 동네 이름 밑에 붙이어 그 곳에서 온 부인이라는 뜻으로 쓰는 칭호. ¶서울～/수원 ～. ㊂인대 평교간(平交間)에 쓰이는 제2인칭 대명사. ¶～의 것입니까/～은 뉘시오.
댁기지 명〈방〉고추¹(함남).
댁-내【宅內】 명 남의 집안의 존칭. ¶～가 다 평안하십니까.
댁-네【宅—】 명 손아랫 사람의 아내를 일컫는 말.
댁대-구루루 부 ①작고 단단한 물건이 떨어져서 구르는 소리. ②우레가 가까운 곳에서 갑자기 부딪치는 듯이 들려 오는 소리. 1)·2):쓰땍대구루루. <덱데구루루.
댁대굴-댁대굴 부 ①작고 단단한 물건이 떨어져서 연해 뛰며 굴러가는 소리. 또, 그 모양. ②우뢰가 가까운 곳에서 갑자기 잇달아 부딪치는 듯이 울리는 소리. 1)·2):쓰땍대굴땍대굴. <덱데굴덱데굴.
댁-대그르르 부〈방〉닥다그르르.
댁대글-댁대글 부〈방〉닥다글닥다글.
댁-대령【—待令】 명 존귀(尊貴)한 집안의 심부름을 하는 사람이 부르기를 기다리지 않고 자주 드나듦. ——-하다 자여불
댁-사람【宅—】 명 큰 살림집에 늘 가까이 드나드는 사람.
댁-하인【宅下人】 명 댁에서 부리는 하인. 큰 살림집에서 부리는 하인.
댄기다 자〈방〉다니다(전남·평안).
댄님 명〈방〉대님(경상·전라).
댄드까비-질 명〈방〉까붊질(함남). ——-하다 자
댄디〔dandy〕명 멋쟁이. 잘 차린 남자.
댄디이즘〔dandyism〕명 ①멋을 부림. 치장. ②19세기 초엽 영국과 프랑스 상류 사회의 멋부린 경향.
댄-마루 명〈방〉용마루(충북).
댄-마리 명〈방〉용마루(경북).
댄무ᄋᆞ밒 명〈옛〉무. ¶댄무ᄋᆞ밒(蘿蔔)《牛方 14》.
댄버라이트〔danburite〕명〖광〗사방정계(斜方晶系)에 속하는 황옥(黃玉)과 비슷한 주상(柱狀)의 광물. 보통 황백색 혹은 무색으로 유리 또는 지방(脂肪) 광택이 있음. 칼슘 및 붕소(硼素)의 규산염(硅酸塩)으로 이루어짐. 장석(長石)과 더불어 백운암(白雲岩) 중에서 산출됨.
댄서〔dancer〕명 ①발레를 제외한 서양식 무용을 무대에서 추는 것을 직업으로 하는 사람. 무용가. ¶누드 ～. ②손님을 상대로 사교 댄스를 추는 것을 업으로 삼는 여자. 미국과 영국에서는 택시 댄서(taxi dancer)라고 함. 무도자(舞蹈者).
댄스〔dance〕명 ①서양식의 춤. 발레를 포함하지 아니함. 무도. 무용. ②↗사교 댄스(社交 dance). 댄싱. ¶～ 파티. *춤.
댄스 음악【—音樂】〔dance〕명〖악〗①댄스 홀에서 춤을 추기 위하여 쓰이는 재즈 편성의 음악. ②예술적인 작품 안에 섭취되어 연주회에서 듣기 위한, 고전(古典)에서 전승(傳承)된 무곡(舞曲).
댄스 파:티〔dance party〕명 여럿이 모여 댄스를 하는 모임. 무도회(舞蹈會).
댄스 홀:〔dance hall〕명 무도장(舞蹈場).
댄싱〔dancing〕명 댄스.
댄싱 걸:〔dancing girl〕명 직업적인 여자 댄서(dancer).
댄:-장【—醬】 명〈방〉된장(전남·경남).
댄추 명〈방〉①단추¹(경기·충북·전남·경상). ②단추²(황해).
댈러스〔Dallas〕명〖지〗미국 남부 텍사스 주 북동부의 상공 도시. 유전(油田)의 중심으로 제유·화학·기계·항공기 등의 공업이 성하며 면화의 대집산지임. 1963년 11월 22일 케네디 대통령이 유세(遊說) 중에 이 곳에서 암살당했음. [1,017,820명(1988)]
댐:¹ 명〈방〉다음(황해·평안).
댐:² 명〈방〉대님(경북).
댐³〔dam〕명 발전·수리(水利)의 목적으로 강이나 바닷물을 막아 두기 위하여 쌓은 구조물. 제언(堤堰). ¶다목적(多目的) ～.
댐:-나무 명 나무로 만든 기구에 마치질을 할 때, 마치 자국이 나지 아니하도록 뚜드리는 곳에 덧대는 나무 토막.
댐:-날 명〈방〉다음날(황해·평안).
댐:-달〔—딸〕 명〈방〉다음달(황해·평안).
댐:-댐: 명〈방〉다음다음(황해·평안).
댐배 명〈방〉담배(경기·전라).
댐-벽【—壁】 명〈방〉담벼락(평남·황해).
댐 사이트〔dam site〕명 댐을 건설하기 위한 용지(用地).
댐식 발전【—式發電】〔dam〕〔—쩐〕명 수력 발전의 하나. 하류(河流)를 인공의 댐으로 막아, 상류부(上流部)를 저수지로 하고 필요에 따라 물을 낙하시켜서 전력(電力)을 일으키는 방식. 유량(流量)이 풍부하고 낙차(落差)가 비교적 적은 하천이 적당함. *수로식 발전·양수식 발전.

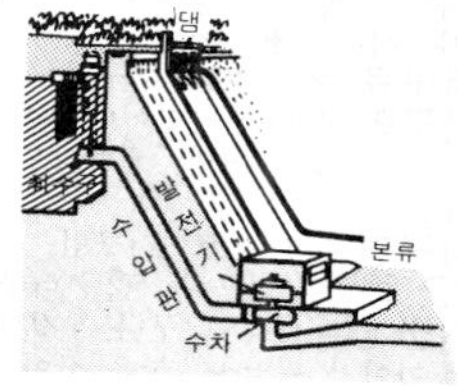

〈댐식 발전〉

댐퍼〔damper〕명 ①〖악〗피아노의 현(絃)을 눌러서 울리지 않게 하는 제음기(制音器). ②진동(振動)의 감축, 충격(衝擊)의 완충 따위를 행하는 기계 요소(機械要素).
댐피어〔Dampier, William〕명〖사람〗영국의 항해가(航海家)·해적(海賊). 젊어서 해적(海賊)을 일삼다가 1699-1701년에 영국 해군의 명(命)으로 오스트레일리아·뉴기니·뉴브리튼 섬을 탐험함. 지금의 댐피어 제도(諸島)와 두 개의 댐피어 해협을 발견하였음. [1652-1715]
댐피어 해:협【—海峽】〔Dampier〕명〖지〗①인도네시아령(領) 서(西)이리안 곧 뉴기니 북서단의 첸드라와시 반도(Tjenderawasih 半島)와 와이게오(Waigeo) 섬 사이의 해협. 길이 160 km. 폭 50 km. ②파푸아 뉴기니에 속하는 비스마르크 제도(諸島) 중의 뉴브리튼 섬과 움보이 섬 사이의 해협. 영국의 항해가 댐피어가 발견함. 폭 25 km.
댑:-해 명〈방〉다음해.
댑대로 부〈방〉도리어(전남).
댑-싸리¹ 명〖식〗[*Kochia scoparia*] 명아주과에 속하는 일년초. 줄기의 높이는 1.5m 내외이며, 가지가 많음. 잎은 호생하는데 피침형 또는 선상 피침형이며, 전연(全緣)임. 자웅 이주(雌雄異株)로 7-8월에 담녹색 꽃이 액생하고 과실은 직경 2mm의 포과(胞果)임. 유럽 및 아시아 원산으로 한국·중국·일본에 분포함. 씨는 '지부자(地膚子)'라고 하여 약으로 쓰며 어린 잎은 식용하고 줄기는 비를 만듦. 지부(地膚).

〈댑싸리〉

【댑싸리 밑의 개팔자】더운 여름날에 우거진 댑싸리 밑에 누워 있는 개의 신세와 같은, 미천한 자의 편한 팔자.
댑-싸리² 명〈방〉귀얄(강원).
댑싸리-비 명 댑싸리로 만든, 땅바닥을 쓰는 비.
댑쌀-비 명 ↗댑싸리비.
댓: 수관 다섯 가량의 뜻을 나타내는 말. ¶～ 번/～ 사람/학생 ～이 모여 있다. *대¹⁹.
댓-가비 명〈방〉댓개비.
댓-가지 명 ①대나무의 가지. ② ☞ 댓개비.
댓가치 명〈옛〉때까치. ¶댓가치 혹(鷽即練鵲)《字會 上 17》.
댓-개비 명 대를 쪼개어서 잘게 깎은 꽂이.
댓:거위 명〈방〉거위¹.
댓-고리 명 대로 만든 고리.
댓고의 명〈옛〉죽순 껍질. 대껍질. ¶댓고의 탁(籜)《字會 下 5》.
댓-구멍 명 대통의 구멍.
【댓구멍으로 하늘을 본다】소견이 좁음을 일컫는 말. *관견(管見).
댓-닭〔—닥〕명〖조〗닭의 한 품종. 대개 크고, 뼈대는 튼튼하며 근육이 매우 발달됨. 목은 길고 어깨통이 넓은데 등이 매우 경사지고 발은 굵음. 깃은 적색·백색·흑색의 여러 가지가 있고, 깃털이 빠져서 군데군데 살이 보이기도 함. 힘이 세고 싸움을 즐기므로 투계(鬪鷄)에 많이 씀. 살이 많고 맛도 좋으나 알은 많이 낳지 못함.
댓-돌【臺—】 명〖건〗①집채의 낙수 고랑 안쪽으로 돌려 가며 놓은 돌. 첨계(檐階). ②섬돌. 툇돌.
댓두러기 명〈옛〉늙은 매. ¶댓두러기 목(老鷹)《字會 上 15》.
댓딜위 명〈옛〉매찔레. =딜위. ¶댓딜위(海棠)《字會 上 11》.
댓무수 명〈옛〉무. ¶댓무수 라(蘿), 댓무수 복(蔔)《字會 上 14》.
댓무우 명〈옛〉무. ¶댓무우와 파와 가지 잇거든 가져오고(有蘿蔔生葱茄子將來)《老乞 上 37》/댓무우(蘿蔔)《老乞 下 34》.
댓ᄡᅡ리 명〈옛〉댑싸리. ¶댓ᄡᅡ리(地膚)《四聲 上 38 膚字註》.
댓바기 명〈옛〉댑싸리. ¶댓바기(荊條)《字會 上 10》. *대ᄡᅡ리.
댓-바람 명 일에 당하여 맨 첫 번으로. ¶둘째 층의 새김질과 다듬질은 ～에 끝이 나고 말았다《玄鎭健 : 無影塔》.
댓바리 명〈옛〉댑싸리. ¶댓바리(荊條)《字會 上10》. *대ᄡᅡ리.
댓바미 명〈옛〉댑싸리. ¶댓바미(荊條)《字會 上10》. *대ᄡᅡ리
댓:살-배기 명 다섯 살쯤 된 어린이.
댓새¹ 명〈방〉담뱃대(평북).
댓:새² 명 닷새 가량. ¶일이 ～는 걸릴 거다.
댓-속 명 대의 속. 또, 그 속의 부스러기.
댓-수풀 명〈방〉대숲.
댓-순【—筍】 명〈방〉죽순(竹筍).
댓-숲 명〈방〉대숲.
댓-일〔—닐〕명 대나무를 다루어 기물(器物)을 만드는 일.
댓-잎〔—닙〕명 대나무의 잎.
댓잎 둥굴레 명〈방〉죽대.
댓잎-색【—色】〔—닙—〕명 푸른 대를 닮은 빛. 푸른빛을 띤 풀빛.
댓-조각 명 대쪽. 죽편(竹片).
댓-줄기 명 대나무의 줄기.
댓지네 명〈방〉〖동〗지렁이(함북).
댓지레 명〈방〉〖동〗지렁이(함북).
댓-진【—津】 명 담뱃대 구멍에 낀 까맣고 끈끈한 진. *담뱃진.
【댓진 먹은 배암】담뱃진을 뱀이 먹으면 즉사하므로, 이미 운명(運命)이 다 된 사람을 비유하는 말.
댓진 구새【—津—】 명〖광〗댓진같이 검은 윤택이 나는 구새. 흔히, 흑연광(黑鉛鑛)이 있을 때 그러함.
댓-집 명 설대에 맞추게 된 물부리와 통의 구멍.
-댔- 선어미 ①↗-다고 했-. ¶걔가 갔었～나. ②〈방〉-었-(평안). ¶내가 먹었～다 / 올라갔～지.
-댔자 어미 선어말 어미 '-었-'·'-았-' 다음에 쓰여 '-다 하였자'의 뜻을 나타내는 연결 어미. ¶갔～ 별 수 없다. *-ㄴ댔자.-는댔자.
댕 부 얇고 작은 쇠붙이의 그릇이나 종을 칠 때에 나는 소리. 쓰땡. <뎅.
댕가당 부 작은 쇠붙이 따위가 가볍게 부러지거나 부딪칠 때 나는 소리. 댕가당-댕가당 부. ——-하다 자여불
댕:가리¹ 명 ①씨가 달린 채 말리는 장다리. ②〈방〉줄기.
댕가리² 명〈방〉등겨(경북).
댕:가리-지다 형 깜찍스럽게 다라지다. ¶어린 놈이 여간 댕가리지지 않구나.
댕가지 명〈방〉고추¹(함남·평북).
댕갈-댕갈 부 문이나 벽 저쪽에서 들려오는 재잘거리는 소리의 꼴. ¶이때 금선이가 마침 안방을 들어갔다가, 어디서 ～ 이야기하는 소리가

귀뚜리를 건드리니 …서창 앞으로 바싹 다가서서 그 말소리를 엿듣는데 …《崔瓚植 : 春夢》. 「리. 1)·2):ㅆ땡강. >뎅겅.

댕강 부 ①↗댕그랑. ②작은 물방울이 쇠붙이 따위에 한 번 떨어지는 소리. 1)·2):ㅆ땡강. >뎅겅.

댕강-거리다 자 ①↗댕그랑거리다. ②연하여 댕강 소리를 내다. 작은 물방울이 쇠붙이 따위에 연해 떨어져 소리를 내다. 1)·2):ㅆ땡강거리다. <뎅겅거리다. 댕강-댕강 부. ——-하다 자여불

댕강-나무 명〖식〗[*Abelia mosanensis*] 인동과에 속하는 낙엽 활엽 관목. 잎은 피침형 또는 긴 타원형임. 5월에 담홍색 꽃이 산방상(繖房狀)으로 가지 끝에 피고, 과실은 한 개의 종자를 갖고 9월에 익음. 산록의 양지에 나는데, 평남 맹산(孟山)의 특산종임. 관상용으로 재배함.

댕강-대다 자 댕강거리다.

댕강-목【一木】 명〖식〗매화말발도리.

댕개지 명〈방〉고추[1](함남).

댕거지 명〈방〉고추[1](함남).

댕:구 명〈방〉대완구(大碗口).

댕:구-알 명〈방〉눈깔 사탕.

댕그랑 부 ①방울·풍경 등 쇠붙이가 흔들리거나 부딪쳐서 나는 소리. ②어떤 줄기나 가늘고 긴 물체가 대번에 부러지는 소리나 모양. ¶ 젓가락이 ~ 부러졌다. 준댕강. ㅆ땡그랑. <뎅그렁.

댕그랑-거리다 자 방울·풍경 등 쇠붙이가 흔들리거나 부딪쳐서 자꾸 댕그랑 소리를 내다. 준댕강거리다. ㅆ땡그랑거리다. <뎅그렁거리다. 댕그랑-댕그랑 부. ——-하다 자여불

댕그랑-대다 자 댕그랑거리다.

댕그렇다 [—러타] 형ㅎ불 외따로 쓸쓸하다. ¶ 옥좌 위에 댕그렇게 앉아 있는 왕과, 그 앞에 우뚝 서 있는 장대한 삼촌을 번갈아 바라보기가 오히려 무서웠다《張德祚 : 狂風》.

댕그마니 부 동그마니. ¶ ~ 빈 백만 내놓기가 오히려 민망할 것 같다《洪性裕 : 사랑과 죽음의 세월》.

댕글-댕글 부 책을 줄줄 막힘 없이 읽는 소리. <뎅글뎅글.

댕기 명 〔근대 : 당기〕 여자의 길게 땋은 머리 끝에 드리는 헝겊이나 끈. 흔히는 자주빛이나 검은 빛의 것을 쓰나, 상제인 경우 흰 것을 씀. 취음: 당지(唐只).

【댕기 끝에 진주】 매우 소중하고 보배로운 것의 비유. ¶ 열 소경의 한 막대, 분방 서안 옥등경, 새벽 바람 사초롱, 당기 끝에 진쥬, 어름 굼에 잉어로구나《沈淸傳》.

댕기-노래 명〖악〗통인 노래.

댕기다[1] ㊀ 자 불이 다른 곳으로 옮아 붙다. ¶ 옷자락에 불이 ~. ㊁ 타 불을 옮아 붙게 하다. ¶ 등잔에 불을 ~.

【댕기는 불에 검불 집어 넣는다】 무엇을 더 하자마자 이내 소비되어 없어져 버림을 이르는 말.

댕기다[2] 자〈방〉다니다(전라·경상·함경·평안).

댕기다[3] 타〈방〉당기다[1](전라·경상·평안).

댕기다[4] 타〈방〉동이다(전남).

댕기-망둑 명〖어〗[*Eutaeniichthys gilli*] 망둑어과에 속하는 기수(汽水)의 물고기. 몸은 길쭉하여 측편하고, 피부에는 흔적뿐인 작고 둥근 비늘을 갖춤. 마산·진해 등 남부 근해와 일본에 분포함.

댕기-물떼새 명〖조〗[*Vanellus vanellus*] 물떼샛과에 속하는 새. 날개 길이 22cm, 부리 2-2.8cm이고 머리에 5-7cm의 긴 우관(羽冠)이 있음. 몸빛은 머리·눈의 하부·목·윗가슴은 흑색이고, 배면(背面)은 적색을 띤 금록색이며, 얼굴과 가슴 이하는 백색임. 꽁지 위 덮깃은 적갈색, 기부(基部)는 백색인데 겨울에 상흉부(上胸部)의 털은 백색으로 변함. 한국에는 흔하지 않으나 초원·물 가에 50여 마리씩 떼를 지어 다니며, 곤충·잡초 씨를 먹음. 북부 유럽·북아프리카·아시아 중북부에서 번식하고 한국·일본·대만 등지에서 월동함. 금렵조(禁獵鳥)임. 푸른도요.

〈댕기물떼새〉

댕기-풀이 명 ①관례(冠禮)를 지내고 동무들에게 한턱내는 일. ②신랑이 신부의 친구에게 결혼 전에 한턱내는 일. ——-하다 자여불

댕기-흰죽지 [—힌—] 명〖조〗[*Aythya fuligula*] 오릿과에 속하는 새. 검은머리흰죽지와 비슷한데 물오리보다 조금 작음. 수컷은 머리에 우관(羽冠)이 있고 날개 밑은 흰 빛, 등은 회색이고 나머지는 모두 검은 빛인데 자록색(紫綠色)의 광택이 남. 암컷은 수컷의 검은 부분이 흑갈색이며 배는 엷은 회색임. 늦은 가을에 한국 근해에 와서 떼를 지어 월동함.

〈댕기흰죽지〉

댕꼬지 명〈방〉고추[1](함남·강원).

댕-댕 부 놋그릇이나 징 같은 작은 쇠붙이 그릇을 연해 두드릴 때에 나는 소리. ㅆ땡땡[1]. <뎅뎅.

댕댕-거리다 자타 연해 댕댕 소리가 나다. 연해 댕댕 소리를 나게 하다. ㅆ땡땡거리다. <뎅뎅거리다.

댕댕-대다 자타 댕댕거리다.

댕댕이 명〖식〗↗댕댕이덩굴.

댕댕이-나무 명〖식〗[*Lonicera caerulea* var. *eduris*] 인동과에 속하는 낙엽 관목. 높이 1-2m이고 잎은 대생하며 타원형 혹은 긴 타원형임. 5월에 담황백색 꽃이 액생(腋生)하는데 꽃꼭지가 거의 없고 화관(花冠)은 누두형(漏斗形)이고, 달걀꼴의 장과(漿果)가 흑색으로 익음. 높은 산지의 습지에 나는데, 과실은 식용함. 전남과 강원도 이북 및 사할린·만주·티베트 등지에 분포함.

댕댕이-덩굴 명〖식〗[*Cocculus trilobus*] 새모래덩굴과에 속하는 낙엽 활엽 만초(蔓草). 줄기는 목질(木質)에 가깝고 잔털이 났으며, 잎은 호생하고 난원형에 두세 갈래로 째짐. 6월에 황백색의 잔 꽃이 취산(聚繖) 화서로 액생(腋生)하는데 자웅 이가(雌雄二家)이고, 암꽃은 원주상의 화경(花梗)이 있고 수꽃은 여섯 개의 수술이 있음. 직경 6-8mm의 핵과는 거의 구형이며, 10월에 푸른 흑색으로 익음. 산록 양지나 밭둑 돌 틈에 나며, 덩굴은 바구니 제조용임. 황해도 이남 및 일본·대만·중국·필리핀 등지에 분포함. 상춘등(常春藤). 용린(龍鱗). 토고등(土鼓藤). 목방기(木防己). 방기(防己). 준댕댕이.

〈댕댕이덩굴〉

댕댕이-바구니 명 댕댕이덩굴로 겯어 만든 바구니.

댕댕-하다 형여불 ①힘이 세다. ②느즈러지지 아니하고 켕기어서 팽팽하다. ③속이 빈틈없이 옹골차다. 1)-3):ㅆ땡땡하다. <딩딩하다.

댕돌-같다 형 단단한 것이 돌과 같이 단단하다. 썩 단단하다.

댕돌-같이 [—가치] 부 댕돌같게.

댕디 〔d'Indy, Vincent〕 명〖사람〗프랑스의 작곡가·음악 이론가. 마스네(Massenet)·프랑크(Franck) 등에게 사사(師事)하고 한때 바그너에게 심취했음. 후에 국민 음악으로 전환하여, 자기 나라의 민요를 사용한 피아노와 관현악을 위한 작품 《프랑스 산인(山人)의 노래에 의한 교향곡》을 썼음. 저서에 《작곡법 강요(作曲法綱要)》 4권 등이 있음. 「[1851-1931]

댕명-화 명〖식〗〈방〉채송화(菜松花).

댕애 명〈방〉대야(함북).

댕이다 타〈방〉동이다(전남·경남).

댕추 명〈방〉고추[1](평안).

댜ᄅᆞ다 형〈옛〉짧다. ¶ 댜ᄅᆞᆫ 히 수이 디여 긴 밤을 곳조안자《松江 思美人曲》.

댱가락 명〈옛〉가운뎃손가락. ¶ 올ᄒᆞᆫ손 댱가락의 버곰 次ᄌᆞ를 써 ᄃᆞᆫᄃᆞᆫ 쥐고 가라(以右手中指書次字握固)《救荒辟瘟》.

댱마 명〈옛〉장마. ¶ 만일 음우 괴로운 댱마ᄅᆞᆯ 맛거나(若被陰雨苦霖)《馬經 上 42》.

댱새 명〈옛〉긴 자. ¶ 댱새 도(度)《類合 下 20》.

댱안【長安】 명〈옛〉장안(長安). 서울. ¶ 長安洛陽 中國兩京之名 東人取之爲京邑之通名《雅言 卷一》.

댱짗 명〈옛〉긴 깃. 긴 날개. ¶ 댱지치다 디게야 놀애ᄅᆞᆯ 고텨드러《松江 短歌》.

댱[1] 명 포장. 휘장. 장막. ¶ 댯 댱(帳), 댱 듀(幬)《字會 中 13》.

댱[2] 의명〈옛〉장(丈). 열 자. ¶ 댯 댱(丈)《字會 中 19》.

댱가드리다 타〈옛〉장가 들이다. ¶ 제 아기 아ᄃᆞᆯ 댱가드리고 제 나라ᄒᆡ로 갈쩌긔《釋譜 Ⅵ:22》.

댱가들다 자〈옛〉장가 들다. ¶ 댱가들며 셔방 마조ᄆᆞᆯ 다 婚姻ᄒᆞ다 ᄒᆞᄂᆞ니라《月釋 Ⅵ:16》.

댱고 명 장구. ¶ 댱곳 구레(鼓𩋙)《四聲 下 34 𩋙字註》.

댱리 명〈옛〉장리(長利). ¶ 長利卽古之息錢《中宗實錄 Ⅻ:40》.

댱방올 명〈옛〉장치기 공. ¶ 댱방올 구(毬)《字會 中 19》.

댱삼리ᄉᆞ 명〈옛〉장삼 이사(長三李四). ¶ 張댱三삼李리四ᄉᆞᄂᆞᆫ 張姓엣 셋찻사ᄅᆞ미며 李姓엣 네찻 사ᄅᆞ미라 ᄒᆞᄂᆞᆫ 마리니 張개여 李개여 ᄒᆞᆫ보로 다 닐온 마리라《金三 Ⅱ:33》.

댱샹 부〈옛〉늘. 장상(長常). ¶ 樽엣 수를 一定ᄒᆞ야 댱샹 열이니라(樽酒定常開)《杜諺 ⅩⅪ:45》.

댱숭 명〈옛〉장승. ¶ 댱승 후(堠)《字會 中 9》.

댱ᄉᆞ 명〈옛〉장사[1]. ¶ 댱ᄉᆞ 고(賈)《類合 下 17》.

댱티기 명〈옛〉장치기. ¶ 봄 내 ᄃᆞᆫ거든 댱티기ᄒᆞ며(開春時打毬兒)《朴解 上 18》.

더 부 ①보다 많이. ¶ ~ 주시오. ②보다 오래. ¶ ~ 기다리자. ③보다 심하게. ¶ ~ 아프다. ④더욱. ¶ ~ 곱다/~ 잘 살자. 1)-4):↔덜.

【더도 말고 덜도 말고 늘 가윗날만 같아라】 잘 먹고, 잘 입고, 편히 놀며 살기를 바라는 말.

-더- 선어미 과거를 나타내는 시간 표현의 선어말 어미. 어미 '-라·-냐·-ㄴ·-면' 등의 앞에 쓰임. ¶ 책을 읽~라.

-더가 어미〈옛〉-다가. ¶ ᄂᆞ려먹더가 ᄒᆞᆯ글 맛니러 가ᄂᆞ니(下食遭泥去)《重杜諺 Ⅻ:35》.

더 가다 자 정도에 이상(以上) 가다.

더구나 부 ↗더군다나.

-더구나 어미 '해라'할 자리에 지난 일을 알리거나 회상(回想)하여 느낌을 나타낼 때에 쓰는 종결 어미. ¶ 노래를 꽤 잘 부르~/그것은 학교이~. 준-더군. *구나.

더구레 명〈심마니〉더그레.

-더구려 어미 '하오'할 자리에 지난 일을 알리거나 회상하여 느낌을 나타낼 때에 쓰는 종결 어미. ¶ 달이 밝~/꽃이 곱기도 하~/그가 바로 사장이~. *-구료.

-더구료 어미 ☞-더구려.

-더구먼 어미 혼잣말이나 반말에 지난 일을 회상하여 느낌을 나타낼 때에 쓰는 종결 어미. ¶ 빨리도 달리~/그는 의사이~. 준-더군. *-구먼.

-더구면 어미 ☞-더구먼.

더군 조 ①↗더구나[2]. ②↗더구면. *이더군·군.

-더군 어미 ①↗-더구나. ¶ 정말 우습~/멋있는 사람이~. ②↗-더구먼. ¶ 아이가 귀엽~/높은 산이~. *-군·-더라.

더군다나 부 그 위에 또. 더욱 심하게. ¶ 그는 고아이며 ~ 몸마저 불구(不具)다. 준더구나.

더그레 명 〔몽 degelei(가죽 조끼)〕 ①〖역〗각 영문의 군사, 마상재군(馬上才軍), 사간원의 갈도(喝道), 의금부의 나장(羅將) 들이 입는 세 자락의 웃옷. 군사와 마상재군의 것은 소매가 없고, 갈도와 나장의 것은 짧은 소매가 있음. 여러 가지 색이 있음. 호의(號衣). ②단령(團領)의 안집. ③〈심마니〉저고리.

더그매 명 지붕과 천장 사이의 빈 공간.

더그-아웃 〔dugout〕 명 ①마상이❷. ②참호. ③야구장의 선수석 벤치(bench). 한 모퉁이에 평지면을 파서 만듦.

더글러스[1] 〔Douglas〕 명 미국의 항공기 제조 회사. 또, 이 회사에서 개발·제조된 항공기.

더글러스[2] 〔Douglas, Clifford Hugh〕 명 《사람》 영국의 경제학자. 1차 대전 중, 왕립 비행대(王立飛行隊)의 비행기 공장 부감독으로서 육군 소령에 임명됨. 후에 기계 과학에 있어서의 지식(知識)을 응용하여 독특한 경제학 '더글러스주의'를 창시(創始)하였음. [1879-1952]

더글러스[3] 〔Douglas, George Norman〕 명 《사람》 영국의 소설가. 《마녀(魔女)의 나라》·《남풍(南風)》 등이 유명함. [1868-1952]

더글러스 디:시: 에이트 〔Douglas DC 8〕 명 미국의 맥도널 더글러스 사(社)가 개발한 장거리 4발(發) 제트 여객기. 첫 비행은 1958년. 중량 약 158.5t, 순항 속도 시속 900km, 항속 거리 6,600km, 객석수 196.

더글러스 디:시: 텐 〔Douglas DC 10〕 명 1968년 맥도널 더글러스 사(社)가 대량 수송의 목적으로 만든 중·장거리 에어 버스. 최대 항속 거리 6,400km, 순항 속도 시속 948km, 객석수 255-345.

더글러스-와【一窩】〔Douglas'〕 명 《생》 여성의 골반 안에서 복막이 자궁의 뒤쪽, 직장(直腸)의 앞쪽으로 오목하게 된 곳. 보통 때에는 이곳에 직장이 담겨져 있음. 직장 자궁와(直腸子宮窩).

더글러스-주의【一主義】[一/一이] 〔Douglas〕 명 《경》 1920년경 영국의 경제학자 더글러스가 주창한 일종의 사회 개량주의적 경제 이론. 자본주의 경제 조직의 모순을 소비자에 대한 국가의 신용 공여에 의하여 해결할 것을 주창한 것임. 신용 사회주의(信用社會主義).

더글러스 함:수【一函數】[一쑤] 〔Douglas〕 명 《경》 생산 함수의 한 가지. 경제 학자 더글러스가 코브(Cobb)의 수학적 협력을 얻어 보여 준 것임. 통계적으로 측정하기 쉽고 경제 이론과의 관련이 명확하므로 많이 이용됨.

더금-더금 부 더한 위에 또 더하는 모양. ㅆ더끔더끔.

더기 명 고원(高原)의 평평한 땅. 준덕.

더기-발 명 더기를 개간한 밭.

더깨입다 타 〈방〉 껴입다(경북).

더껑이 명 ①걸쭉한 액체의 거죽에 엉겨 굳은 꺼풀. 웃더껑이. ¶ ~가 앉다. ②관석(罐石). ③ ☞ 더께.

더께 명 덕어 찌든 물건에 앉은 거친 때. ¶ 나쁜 때는 더 묻게 마련이고 ~가 앉고 그것이 더뎅이져…《李浩哲:深淺圖》.

더끔-더끔 부 더한 위에 또 더하는 모양. ¶ 한푼 출처 없는 건달들이 빚은 ~ 쓰기만 하면 무엇으로 갚으려 하는지…《김필수:경세종》. ㅅ더금더금.

-더냐 어미 '해라'할 자리에 지난 일을 회상하여 물을 때에 쓰는 종결 어미. ¶ 재미 있~. 준-더니·-디·-던.

더너구 명 〈심마니〉 빈대떡.

더넘 명 넘겨서 맡는 걱정거리.

더넘-스럽다 형ㅂ불 쓰기에 알맞은 정도 이상으로 크다. 더넘-스레 부

더넘-차다 형 쓰기에 알맞은 정도 이상으로 벅차다.

더네미 명 〈방〉 ①더넘(평안). ②덤[1](평안).

더누기 명 〈옛〉 내기[1]. ¶ 박(바독쟝긔라)으로 더누기를 경계티 아니며(賭博不成)《警民編 38》.

더느기 명 〈옛〉 내기[1]. ¶ 박(바독쟝긔라)으로 더느기를 … 비호디 말며(無學賭博)《警民編 26》.

더느다[1] 타 끈·실 같은 것을 두 가닥을 내어 겹으로 드리다.

더느다[2] 타 〈옛〉 내기하다. 노름하다. =더ᄂᆞ다. ¶ 지며 이긔믈 더느미 엇더ᄒᆞ뇨(賭輸贏如何)《朴解 上 22》/더늘 락(絡)《字會 下 19》.

더늠 명 《악》 판소리에서, 명창(名唱)이 어떤 마당의 한 대목을 독특한 스타일로 절묘하게 다듬어 놓은 소리. *바디.

더니 명 〈옛〉 내기[1]. ¶ 혹식 돈 더니ᄒᆞ며(或是博錢)《朴解 上 18》.

-더니[1] 어미 ↗-더냐. ¶ 중 다려 묻는 말이 낙엽(落葉)이 어떻더니《古時調》.

-더니[2] 어미 ①지난 사실이 어떤 원인이나 조건이 됨을 나타내는 연결 어미. ¶ 무덥~ 소나기가 온다/뛰어 왔~ 숨이 가쁘다. ②지난 사실이 다른 사실과 대립 관계에 있음을 나타내는 연결 어미. ¶ 전에는 황무지~ 지금은 옥토가 됐다/저 이는 가난하~ 열심히 일하여 부자가 됐네. ③지난 사실을 말하고 이어 그와 관련된 다른 설명을 하게 하는 연결 어미. ¶ 밥을 먹고 나~ 말도 없이 나가 버렸다/학교에 가 보았~ 아무도 없더라.

-더니[3] 어미 '해라'할 자리에 지난 일을 회상하여 일러 주거나 감상조(感傷調)로 말할 때에 쓰는 종결 어미. ¶ 예전엔 나무가 울창하~.

-더니라 어미 '해라'할 자리에 과거의 일을 회상(回想)하여 일러 줄 때에 쓰는 종결 어미. ¶ 옛날에는 지구가 편평하다고 했~/저것이 내가 다닌 학교이~.

-더니러니 어미 〈방〉 -더니[2].

-더니-마는 어미 '-더니[2]'의 힘줌말. 준-더니만. ¶ 서리가 오~ 꽃이 다 시들었구나. *이더니마는.

-더니만 어미 ↗-더니마는. ¶ 한번 가~ 소식이 없구나.

-더니잇가 어미 〈옛〉 -ㅂ디까. ¶ 녯 君子ㅣ 仕하더니잇가(古之君子仕乎)《孟諺 滕文公 下》. 준-더잇가.

더ᄂᆞ다 자 〈옛〉 내기하다. 노름하다. =더느다[2]. ¶ 우리 므서슬 더ᄂᆞ료(咱賭甚麼), 우리 ᄒᆞᆫ 年을 더ᄂᆞ쟈(咱賭一箇年着)《朴解 上 22》.

더대다 형 〈방〉 더디다[2].

더더【除除】〈이두〉 덜어. *덜어(除良).

더-더구나 부 ↗더더군다나.

더-더군다나 부 '더군다나'의 힘줌말. 준더더구나.

더더귀-더더귀 부 꽃·열매 같은 것이 곳곳이 많이 붙은 모양. >다다귀다다귀. 준더덕더덕.

더더기 명 〈방〉 딱지[1]❶.

더더러 부 〈옛〉 더러더러. 이따금. ¶ 安定 션싱의 뎨ᄌᆞ돌히 더더러 녯 일을 샹고ᄒᆞ며(安定之門人 往往知稽古)《飜小 Ⅸ:53》.

더더리 명 말을 더덜거리는 사람.

더더-부리 명 〈방〉 말더듬이(경북).

더-더욱 부 '더욱'의 힘줌말.

더덕 명 《식》 [*Codonopsis lanceolata*] 초롱꽃과에 속하는 다년생 만초(蔓草). 괴근(塊根)은 비대(肥大)하고, 방추형(紡錘形)이며 덩굴진 줄기는 감겨 올라가고, 길이 2m 이상임. 잎은 서너 개로 타원형 또는 긴 타원형임. 8-9월에 자색의 종상화(鐘狀花)가 가지 끝에 정생(頂生)하고, 삭과(蒴果)는 원추형임. 깊은 산에 나는데, 괴근(塊根)은 식용 또는 약용함. 한국 각지에 분포함. 사삼(沙蔘). *잔대.

〈더덕〉

더덕-구이 명 더덕을 물에 불리어 껍질을 벗기고 납작하게 두들겨 양념을 발라 구운 반찬.

더덕 나물 명 물에 불려서 껍질을 벗긴 더덕을 잘게 찢어 양념을 하여 무친 나물.

더덕 누름적【一炙】명 물에 불려서 껍질을 벗긴 더덕을 잘게 쪼개어 양념을 하여 만든 누름적.

더덕-더덕 부 ↗더더귀더더귀. ¶ 꽃송이가 ~ 달리다/분을 ~ 바르다. >다닥다닥.

더덕 바심 명 더덕을 두드리어 잘게 바수는 일.

더덕 북어【一北魚】명 얼부풀어 더덕처럼 마른 북어. 빛이 누르고 살이 연한 가장 상품(上品)의 북어임.

더덕-이 명 한군데 더덕더덕 엉겨 붙은 물건. ¶ 때가 ~로 일어나다.

더덕 자:반【一佐飯】명 더덕을 찹쌀풀을 발라 말렸다가 기름에 지진 반찬.

더덕-장【一醬】명 더덕을 넣어 만든 장.

더덕 장아찌 명 더덕과 쇠고기를 한 조각씩 맞붙여, 양념하여 구운 뒤에 간장에 담근 반찬.

더덕 정:과【一正果】명 더덕을 잘게 쪼개서 만든 정과.

더덕-채 명 《악》〔더덕은 채편을 쳐서 내는 장구 소리〕 무속(巫俗) 음악의 장단의 하나.

더-덜 명 더함과 덜함. 더하는 것과 덜하는 일. *더덜없이. ──-하다 타여불

더덜-거리다 타 말을 더듬다. >다달거리다. 더덜-더덜 부. ──-하다 타여불

더덜-대다 타 더덜거리다.

더덜뭇-이 부 더덜뭇하게.

더덜뭇-하다 형여불 결단성이나, 단속하는 힘이 부족하다.

더-덜이 명 더하는 일과 덜하는 일. 더함과 덜함. ──-하다 타여불

더덜-없이 [一업씨] 부 더하거나 덜함이 없이.

더덤-하다 형여불 야무지지 못하고 멍청하다. ¶ 더덤하게 굴지 마라.

더덩구 명 〈방〉 ①더뎅이. ②딱지[1]❶(평안).

더덩실 부 위로 가볍게 떠오르는 모양. ¶ ~ 춤을 추다/달이 ~ 떠오르다. <두둥실.

더뎅이 명 〈옛〉 딱지. ¶ 손톱의 ᄀᆞ득ᄒᆞᆫ 더뎅이와 고롬을 엇디 당ᄒᆞ리오(滿指甲疱瀼和膿水怎麼當)《朴解 下 6》.

더데 명 ①화살촉의 중간에 둥글고 두두룩한 부분. 내촉(內鏃)과 외촉(外鏃)을 구별한 부분임. ②↗더뎅이.

더뎅이 명 부스럼 딱지나 때가 거듭 붙어서 된 조각. ¶ ~가 앉다. 준더데.

더뎅이-병【一病】[一뼝] 명 《식》 창가병(瘡痂病).

더뎌두다 타 〈옛〉 맡겨 두다. 던져 두다. ¶ 더뎌둘 위(委)《類合 下 21》.

더-도리 명 《불교》 절에서 음식을 몫몫이 도르고 남는 것을 다시 더 도르는 일. 또, 그 음식. 가반(加飯). ──-하다 타여불

더두어리다 자 〈옛〉 더듬거리다. ¶ 말 더두어리다(結巴), 말 믜이 더두어리다(狼結巴)《漢清 Ⅶ:13》.

더드미 명 〈방〉 말더듬이(경남).

-더든 어미 〈옛〉 -거든. -으면. ¶ 프른 뫼ㅅ브리엣 ᄃᆞ리 萬一 업더든 머리 셴 사ᄅᆞᄆᆞᆯ 시름케 ᄒᆞ리랏다(若無青嶂月愁殺白頭人)《杜諺 Ⅻ:2》.

더듬-감각【一感覺】명 '촉각(觸覺)'의 풀어쓴 말.

더듬-거리다 자타 ①눈으로 보지 아니하고, 손으로만 찾으려고 연해 이리저리 만져 보다. ②잘 알지 못하는 길을 머뭇거리며 가다. ¶ 집을 찾느라고 이 골목 저 골목을 ~. ③희미한 옛 일이나, 미심한 일을 자꾸 생각해 가면서 말하다. ④글을 읽는데 순순히 내리 읽지 못하고 군데군데 막히다. ⑤말이 자꾸 막히어서 순하게 나오지 아니하다. 4)·5): ㅆ떠듬거리다. 1)-5): >다듬거리다. 더듬-더듬 부. ──-하다 자타여불

더듬다 [一따] 타 [중세:더듬다] ①잘 보이지 않는 것을 손으로 만져 보며 찾다. ②말이 순하게 나오지 아니하고 자꾸 막히다. ¶ 말을 ~. ③희미한 일이나 생각을 애써 밝히려고 하다. ¶ 기억을 ~.

더듬-대다 자타 더듬거리다.

더듬-바리 명 〈방〉 말더듬이(경북).

더듬-뱅이 명 〈방〉 말더듬이(전남).

더듬-이 명 ①↗말더듬이. ②《충》 '촉각(觸角)'의 풀어쓴 말.

더듬이-질 명 자꾸 더듬는 짓. 준더듬질. ──-하다 타여불

더듬-쟁이 명 〈방〉 말더듬이(전남).

더듬적-거리다 타 느릿느릿 자꾸 더듬거리다. ㅆ떠듬적거리다. >다듬작거리다. 더듬적-더듬적 부. ──-하다 타여불

더듬적-대다 타 더듬적거리다.

더듬-질 명 ↗더듬이질. ──-하다 타여불

더듸다 형 〈옛〉 더디다[2]. ¶ 힛비치 더듸도다(日華遲)《杜諺 Ⅶ:14》.

더디 부 느리게. ¶ 심부름 간 아이가 ~ 온다.

더디다[1] 타 〈옛〉 던지다. ¶ 큰 사리 常例 아니샤 보시고 더디시니(大箭匪常 見焉擲之)《龍歌 27章》.

더디다[2] 형 [중세:더듸다] 움직이는 시간이 오래 걸리다. ¶ 발걸음이 ~. *느리다.

더디-더디 부 연해 느리게. 몹시 느리게. *느릿느릿.

더디미 명 〈방〉 말더듬이(경상).

더듸 뷔〈옛〉더디. 더디게. ¶ 몸소 받 가다가 니러나물 더듸 아니ᄒᆞ도다(躬耕起未遲)《杜諺 Ⅵ:34》. 「華遲」《重杜諺 Ⅶ:14》.
더듸다 혱〈옛〉더디다². ¶ 믌겨리 어즈러운 틘 힛비치 더듸도다(波亂日
-더라 어미 '해라'할 자리에 과거를 회상하거나 감상조(感想調)로 말할 때에 쓰이는 종결 어미. ¶ 춥~/일장 춘몽(一場春夢)이~. *-더군.
-더라도 어미 '-어도'·'-아도'보다 더 강한 가정의 뜻을 나타내는 연결 어미. ¶ 땅이 무너지~ 버티겠다/설령 그렇다 하~ 나는 한다/난다 긴다 하는 사람이~ 해내지 못할 게다.
-더라면 어미 과거의 일을 가정(假定)하거나, 희망을 말하는 말투로 쓰는 연결 어미. ¶ 돈이 있었~ 샀을 것을/빛이 더 검었~ 좋았을 텐데/내가 장군이~ 그 전투에서 이겼을 것이다. ㊜-더면.
-더라 삼아도 구 '-더라도'의 힘줌말.
-더라손 어미 어간에 붙어, '치다'와 함께 쓰이어 양보하는 뜻으로 가정(假定)하여 말할 때 쓰는 연결 어미. ¶ 아무리 날래~ 치더라도 제비만은 못하다/천하 없는 미인이~ 치더라도 동하지 않겠다/돈이 많~ 치더라도 겸손해야 한다. *-다손. -라손.
-더랍니까 어미 ↗-더라고 합니까. ¶ 막 달아나~/정말 범인이~. *-랍니까·-답니까.
-더랍니다 어미 ↗-더라고 합니다. ¶ 벌벌 떨~/훌륭한 분이~. *-랍니다.
-더랍디까 어미 ↗-더라고 합디까. ¶ 좋아하~/볼 만한 연극이~. *-랍디까·-답디까·-더랍디까. 「*-랍디다.
-더랍디다 어미 ↗-더라고 합디다. ¶ 그렇게 대답하~/멋있는 여성이~.
-더래 어미 ↗더라 해. ¶ 예쁘~/사랑했 ~.
-더랬- 선어미 ↗-더라 했-. ¶ 걔가 먹~나. ②〈방〉-었-(평안). ¶ 사랑했~어/어디 갔~니.
더러¹ 뷔 ①얼마쯤. ¶ 사람이 ~ 모였더라. ②이따금. ¶ ~ 만난다.
더러² 조 '에게 대하여'의 뜻의 부사격 조사. ¶ 그 애~ 물어 봐라.
더러-더러 뷔 '더러'를 힘있게 쓰는 말.
더러비 뷔〈옛〉더럽게. ¶ 엇데 도ᄌᆞ기 더러ᄃᆞ록 더러비 辱ᄒᆞ야든 사롤 理 이시리오(豈有爲賊汚辱至此而尙有生理乎)《三綱 烈女 趙氏縊輿》.
더러ᄇᆞ리다 타〈옛〉덜어버리다. ¶ ᄆᆞᄉᆞ라기를 더러ᄇᆞ리니 볏나치 븕도다(除芒子粒紅)《初杜諺 Ⅶ:19》. 「더러벼《月釋 XⅦ:70》.
더러벼 타〈옛〉더럽혀. '더러비다'의 활용형. ¶ 조타ᄒᆞ샤믄 뜯 드트릐
더러봄 명〈옛〉더러움. ¶ 어어긔 더러부미 업서 《月釋 XⅦ:67》.
더러븐 혱〈옛〉더러운. '더럽다'의 활용형. ¶ 모매 더러븐 것 묻디 아니ᄒᆞ시며《月釋 Ⅱ:59》.
더러븐이슬 명〈옛〉더러운 이슬. 월경(月經). ¶ 겨지븨그에 브튼 더러븐 이스리 업스며《月釋 Ⅰ:26》.
더러볼써 혱〈옛〉더럽도다. 더럽구나. ¶ 衆生이 보고 더러볼써 엇데 이런 더러븐 일 ᄒᆞ거뇨《月釋 Ⅰ:44》.
더러비 뷔〈옛〉더럽게. ¶ 더러비 너기ᄂᆞᆫ 돌아라《月釋 XⅢ:29》.
더러비거나 타〈옛〉더럽히거나. '더러비다'의 활용형. ¶ 僧尼를 더러비거나《月釋 XXⅠ:39》. 「釋 Ⅱ:二十二之一》.
더러비다 타〈옛〉더럽히다. =더러이다. ¶ 能히 情識을 더러빌씨 《月
더:러우- 간 '더럽다'의 불규칙 어간. ¶ ~니/~ㄴ/~니.
더:러운 귀:신【—鬼神】명〔unclean spirit〕〖성〗사탄으로부터 비롯하는 악한 신령. 신(神)의 성스러운 신령에 대한 말로, 인간의 타락과 질병은 모두 이의 작용이라 함.
더:러운-밤나방 명〖충〗[*Naenia contaminata*] 밤나방과에 속하는 곤충. 날개 길이 39-47 mm이고 몸빛은 암회갈색에 복부 배면(背面)과 뒷날개는 흑갈색이며 앞날개 가장자리에 담흑색(淡黑色)의 가로 띠와 무늬가 있음. 유충은 사탕무·콩·뽕·국화 등의 해충으로, 한국에도 「분포함.
더:러움 명 더러워지는 일. 더러워진 자국. ㊜더럼.
더:러워-지다 자 ①때가 묻다. ¶ 옷이 ~. ②지조가 없어지다. ③보기 싫게 되다. 흉칙하게 되다. ¶ 모양이 ~. ④정조를 잃다. ¶ 몸이 ~. ⑤명예가 떨어지다. ¶ 이름이 ~.
더러이다 타〈옛〉더럽히다. =더러비다. ¶ ᄒᆞ야ᄇᆞ리며 더러이ᄂᆞᆫ 고디 너블시(損汚處廣)《圓覺 上 一之二 107》.
더럭 뷔 한꺼번에 많이. ¶ 돈이나 ~ 한꺼번 좋겠군/겁이 ~ 나다.
더럭-더럭 뷔 자꾸 계속하여 조르는 모양. ¶ 어머니를 ~ 조르다. >다락다락.
더럴 〔Durrell, Lawrence George〕명〖사람〗영국의 시인·소설가. 주저(主著)인 4부작 《알렉산드리아 사중주(四重奏)》는 현실에 대한 일원적(一元的) 파악의 불가능성이라는 사고 방식에 입각한 구성법으로 현대 소설에 새로운 국면을 열어 놓았음. 이 밖에 소설 《검은 책》등이 있음. [1912-90]
더:럼 명 ↗더러움.
더:럼(을) 타다 구 더러워지기를 잘 하다. 쉬이 더러워지다.
더:럽게 뷔 치사하게 느껴질 정도로 철저하게. ¶ ~ 인색하다/~ 굴다.
더:럽다 혱ㅂ불 ①때가 묻다. ¶ 옷이 ~. ②언행이 야비하다. ¶ 더러운 생각. ③보기 싫다. 보기에 흉하다. ¶ 더러운 주제. ④던적스럽다. 인색하다. 1)·4):>다랍다.
[더러운 처와 악한 첩이 빈 방보다 낫다] 아무리 못된 아내라도 없느니 보다 있는 것이 좋다는 말.
더:럽히다 타 ①더럽게 하다. ¶ 옷을 ~. ②여자의 정조를 빼앗다. ¶ 그 녀를 ~. ③명예를 떨어뜨리다. ¶ 가명(家名)을 ~. ④보기에 흉칙하게 만들다. ㊜더레다.
더렙다 혱〈옛〉더럽다. ¶ 그에 밍ᄀᆞ로오 남진 ᄃᆞ려드러 더러븐 이롤 ᄒᆞ거늘 《月釋 Ⅰ:44》.
더:레다 타 ↗더럽히다. ¶ 군자는 금으로 행실을 더레지 아니한다 하니 어찌 금병 한 개로 평생을 그릇하리오…《作者未詳:金의 錚聲》.
더레-더레 뷔〈방〉드레드레.
더레욤 타〈옛〉더럽힘. '더러이다'의 명사형. ¶ 더러운 흘기 明月 더레요믈 보디 몯ᄒᆞ리로다(未見濁泥汚明月)《南明 上 54》.
더롬 타〈옛〉덞. '덜다'의 명사형. ¶ 네 져기 더로미 엇더ᄒᆞ뇨(你減了些箇如何)《老乞 上 21》.
더루라 타〈옛〉덜라. '덜다'의 활용형. ¶ 더 사ᄅᆞᄆᆡ 煩惱를 더루라 ᄒᆞ면(除得彼人煩惱)《金剛 下 113》.
더룸 타〈옛〉덞. '덜다'의 명사형. ¶ 凡夫의 不善ᄒᆞᆫ ᄆᆞᅀᆞᆷ 더루믈 爲ᄒᆞ시니(爲除凡夫 不善之心)《金剛 序 6》.
더:릅다 혱〈방〉더럽다(경북).
더:릅다 혱〈방〉더럽다(충북).
더리다¹ 타〈방〉데리다. 「③다랍고 야비하다.
더리다² 혱 ①격에 맞지 아니하여 조금 떠름하다. ②싱겁고 어리석다.
더리미 명〈방〉덜미(함북). 「관한 것.
더메스틱 〔domestic〕명 ①가정이나 가사에 관한 것. ②자국(自國)에
더메스틱 크레디트 〔domestic credit〕명〖경〗내국 신용장(內國信用
-더면 어미 ↗-더라면. ¶ 했~ 좋았을 걸. 「狀).
더면더면-하다 혱여불 ☞데면데면하다.
더미¹ 명 사물이 모여 쌓인 큰 덩어리. 또, 그 사물이 많은 모양. ¶ 장작~가 무너지다/쓰레기 ~가 쌓여 있다.
더미² 〔dummy〕명 ①(축구나 럭비에서) 가지고 있는 공으로 상대편의 주의를 끌고 그 틈에 몸을 날쌔게 놀려 상대방의 공격을 피하는 짓. ②〖연〗영화의 트릭의 한 가지. 위험한 장면에 쓰는 대역(代役) 인형. ③사격·총검술의 연습용 표적 인형. ⑤동일 기업에서 편의상, 별개의 이름을 쓰는 회사.
더미-씌우다 [—씌—] 타 남에게 책임이나 허물을 넘겨 지우다. ¶ 죄를 친구에게 ~. >다미씌우다.
더:반 〔Durban〕명〖지〗남아프리카 공화국의 동부, 나탈 주(Natal 州)의 인도양 해안의 항구 도시. 이 나라 최대의 무역항으로 사탕·양모·오렌지·석탄을 수출하며 포경(捕鯨)의 근거지였음. 말레이인과 인도인이 많음. [634,301 명(1985)]
더받-이 [—바지] 명〈방〉덤받이. 「먹~.
더버기 명 무더기로 쌓이거나 덕지덕지 붙은 상태. 또, 그 물건. ¶ 흙~/
더벅-거리다 자 앞을 헤아리지 아니하고 마구 걸어가다. *터벅거리다.
더벅-더벅 뷔 ¶ 좁다란 들길을 ~ 걷다가 나는 슬픈 고독에 눈물겨웠다《鄭飛石:古苑》. ——하다 자여불
더벅-대다 자 더벅거리다.
더벅-머리¹ 명 웃음과 몸을 파는 계집. 삼패(三牌)도 채 못 되는 계집.
더벅-머리² 명 더부룩하게 흩어진 머리. 또, 그런 머리털의 아이. 수자(豎子). ¶ ~ 총각. >다박머리.
[더벅머리 댕기 치레하듯] 본바탕이 좋지 않은데 당치도 않게 겉치레를 하여 오히려 꼴만 사나운 모양.
더벅지 명〈방〉더버기.
더부 명〈방〉두부¹(경북). 「하다 혱여불
더부룩-더부룩 뷔 여럿이 다 더부룩한 모양. >다보록다보록. ——
더부룩-이 뷔 더부룩하게. ㊜더북이. >다보록이.
더부룩-하다 혱여불 ①풀·나무·수염·머리털 같은 것이 우거져 위가 수북하다. ¶ 머리가 더부룩하게 자랐다. ㅆ터부룩하다. >다보록하다. ②먹은 음식이 잘 소화되지 아니하여 배 속이 거북하다.
더부-살이 명 [←더블-+살-+-이] 농가·술집·가겟집 같은 데에 있으면서, 삯을 받고 상일을 하여 줌. 또, 그 사람. ¶ 남의 집에서 ~하는 신세. ——하다 자여불
[더부살이가 주인 마누라 속곳 베 걱정한다; 더부살이 환자(還子) 걱정] 제게는 당하지 아니한 일에 쓸데없는 걱정을 한다는 말.
더부살이-벌 명〖충〗'기생(寄生)벌'의 풀어쓴 말.
더부살이-뿌리 명〖식〗'기생근(寄生根)'의 풀어쓴 말.
더북-더북 뷔 풀·나무 같은 것이 곳곳에 더부룩하게 있는 모양. >다복다복. ——하다 혱여불
더북-이 뷔 ↗더부룩이.
더분더분-하다 혱〈방〉수더분하다.
더불다 불자타 ①함께 하다. 같이 하다. ②데리다. ¶ 자식을 더불고 개가하다. *더불어.
더불-사위 명〈방〉데릴사위.
더불어 뷔 ①함께. 같이. ¶ 그와 ~ 살다. ②상대로 하여. ¶ 그와 ~ 겨루다. *더불다.
더붓치 명〈방〉호주머니(황해).
더브늄 〔Dubnium〕명〖화〗5족(族)에 속하는, 인공 방사성 원소의 하나. 아메리슘(Am)에 입자(粒子)를 충돌시켜 얻음. 반감기(半減期)는 1-4 초. [105번:Db:262]
더브러 뷔〈옛〉더불어. ¶ 興ᄂᆞᆫ 더브러 호미라 《訓諺 1》.
더븐¹ 타〈옛〉더불은. '더블다'의 활용형. ¶ 삿기 더븐 놀애 唱和ᄒᆞ요민(唱和將鶵曲)《初杜諺 Ⅷ:26》.
더븐² 뷔〈방〉더불어(경상).
더블 〔double〕㊀명 ①'겹·배·두 갑절'의 뜻. ¶ ~ 스코어/~ 베드. ②볼링에서, 두 번 연거푼 스트라이크. *터키. ③↗더블스. ④↗더블 폴트. ⑤↗더블 플레이. ⑥↗더블 브레스트. ⑦〖악〗17-18세기에 모음곡(曲)에서 사용된 형식으로서 하나의 악장(樂章)을 장식하여 반복하는 일. ⑧↗더블 폭(幅). 1)·3)·6)·8) :↔싱글. ㊁ 의명 위스키 따위의 양의 단위. 약 60 ml.
더블 넬슨 〔double nelson〕명 풀 넬슨.
더블다 자타〈옛〉더불다. 데리다. =ᄃᆞ리다. ¶ 부텨 難陁 더브르시고 《月釋 Ⅶ:10》/더블 여(與)《石千 11》.
더블 데이트 〔double date〕명 두 쌍 이상의 남녀가 함께 하는 데이트.
더블 드리블 〔double dribble〕명 농구에서, 반칙의 하나. 한 차례의 드리블이 끝난 다음 다시 드리블하는 일. 「는 일. 일인 이역(一人二役).
더블 롤: 〔double role〕명〖연〗배우 한 사람이 두 사람의 역(役)을 맡

더블 리:드 〔double reed〕 [명] 『악』 악기의 발음체(發音體)인 얇은 리드(reed)가 두 장 있는 것. 이를테면 오보에(oboe)·파곳(Fagott)·백파이프 등의 혀. 복황(複簧).

더블린 〔Dublin〕 [명] 『지』 아일랜드의 수도. 아일랜드 섬의 동안(東岸), 더블린 만에 흘러드는 리페이 강(Riffey江) 어귀의 항구 도시로 현재 아일랜드의 정치·경제·문화의 중심지. [502,749명(1986)]

더블린 시스템 〔Dublin system〕 [명] 럭비에서, 보통은 8명인 포워드를 7명으로 하고, 남은 1명을 세븐 에이스로 하여 백에 추가시키는 팀 구성. 아일랜드의 더블린 대학 팀에서 비롯되었으므로 이 이름이 있음.

더블릿 〔doublet〕 [명] 15-17세기에 유럽의 남자들이 많이 입던 목에서 허리까지 내려오는 남자의 상의(上衣).

더블 바순: 〔double bassoon〕 [명] 『악』 콘트라파고토(contrafagotto).

더블 배럴 〔double barrel〕 [명] 총렬이 두 개인 사냥총.

더블 버튼 〔double button〕 [명] 더블브레스트.

더블 베드 〔double bed〕 [명] 두 사람이 누워 잘 수 있는 큰 침대. 흔히, 부부용으로 쓰임. ↔싱글 베드(single bed).

더블 베이스[1] 〔미 double base〕 [명] 야구에서, '이루타(二壘打)'의 뜻.

더블 베이스[2] 〔double bass〕 [명] 『악』 콘트라베이스(contrabass).

더블 베이스 추진제 【一推進劑】 〔double base〕 [명] 고체 로켓 추진제의 하나. 니트로글리세린(nitroglycerine)과 니트로셀룰로오스(nitrocellulose)를 혼합·건조한 것을 성형(成形)하여 만듦. 두 주재(主材)는 다 같이 연료와 산화제(酸化劑)의 성분을 가지며, 같은 성질의 것을 두 종류 쓰므로 이와 같은 이름이 있음. 발사약으로도 쓰임.

더블 보:기 〔double bogey〕 [명] 골프에서, 한 홀에서의 타수(打數)가 기준 타수보다 2타 많은 일.

더블-브레스트 [명] 〔double-breasted〕 옷의 섶을 깊게 겹쳐서 제치고 양쪽으로 단추를 단 양복의 상의(上衣). 또, 그런 외투(外套). 겹자락. 더블 버튼(double button). [준]더블. ↔싱글브레스트.

더블 샤:프 〔double sharp〕 [명] 『악』 겹올림표. 𝄪로 나타냄.

더블스 〔doubles〕 [명] 테니스·탁구·배드민턴에서, 2인 1조의 선수끼리 행하는 경기. [준]더블.

더블 스컬 〔double sculls〕 [명] 두 사람이 좌우 한 개씩의 노를 갖고 젓는 보트. 키가 없으므로 노의 조작만으로 나아감. 올림픽 경기 종목의 하나.

더블 스코어 〔double score〕 [명] 구기(球技) 따위의 운동 경기에서 한 팀의 점수가 다른 팀의 점수의 배가 되는 것. ¶～로 상대 팀을 압도하다.

더블 스토핑 〔double stopping〕 [명] 바이올린이나 첼로 등의 현악기에서, 두 현 또는 그 이상의 현의 음을 동시에 내는 일.

더블 스티치 〔double stitch〕 [명] 두 줄로 나란히 박은 스티치. 흔히 캔버스 감 따위 두꺼운 천에 사용됨.

더블 스틸: 〔double steal〕 [명] 야구에서, 두 사람의 주자(走者)가 동시에 도루(盜壘)하는 일. 중도(重盜). ──하다 [자][여불]

더블 싱크 〔double sink〕 [명] 하나는 넓고 얕으며, 하나는 좁고 깊은 두 개의 설거지통을 갖춘 싱크대(sink臺). ＊싱크.

더블유 【W, w】 [명] 영어 자모의 스물 셋째 자(字).

더블유 더블유 에프 【WWF】 [명] 〔World Wildlife Fund의 약칭〕 세계 야생 생물 기금(世界野生生物基金).

더블유 비: 시: 【W. B. C.】 [명] 〔World Boxing Council의 약칭〕 세계 권투 평의회. 원래 WBA의 자문 기관으로서 발족하였으나 의견의 대립으로 WBA에서 따로 독립하였으며, 유럽·북미·중남미·동양·아프리카의 5개 지역 및 영국의 6개 블록을 가맹(加盟) 단위로 하고 세계 챔피언을 공인하고 있음. 본부는 멕시코시티.

더블유 비: 에이 【W. B. A.】 [명] 〔World Boxing Association의 약칭〕 세계 권투 협회. 전미(全美) 복싱 협회인 NBA의 후신으로 세계 챔피언이나 타이틀 매치의 공인(公認), 랭킹 작성을 맡음. 본부는 호놀룰루.

더블유 시: 【W. C.】 [명] 〔water closet의 약칭〕 변소. 수세식 변소.

더블유 시: 시: 【W.C.C.】 [명] 〔World Council of Churches의 약칭〕 세계 교회 협의회.

더블유 시: 오: 티: 피: 【WCOTP】 [명] 〔World Confederation of Organization of the Teaching Profession의 약칭〕 세계 교직 단체 총연합회(世界教職團體總聯合會).

더블유 에이치 오: 【W.H.O.】 [명] 〔World Health Organization의 약칭〕 세계 보건 기구(世界保健機構). 「이사회.

더블유 에프 시: 【WFC】 [명] 〔World Food Council의 약칭〕 세계 식량

더블유 에프 에스 【W.F.S.】 [명] 〔World Fertility Survey의 약칭〕 1974년, 세계 인구년(人口年)에 즈음하여, UN의 원조에 의하여 국제 통계 협회가 기획한 출산력(出産力) 조사. 제2차 세계 대전 후, 급증한 인구의 세계적인 동향, 장래의 인구 계획, 자원·식량 등의 문제 해결을 위한 기초 자료를 수집하는 세계적 규모의 조사.

더블유 에프 티: 유: 【W.F.T.U.】 [명] 〔World Federation of Trade Unions의 약칭〕 세계 노동 조합 연맹.

더블유 염:색체 【一染色體】 [명] 〔W-chromosome〕 『생』 유전학에서, 암컷이 헤테로형(hetero型)의 성결정(性決定)을 하는 생물에서, 암컷에만 있고 수컷에는 없는 성(性) 염색체. ZW형의 성결정에서 볼 수 있음.

더블유 이: 유: 【W.E.U.】 [명] 〔Western European Union의 약칭〕 『정』 서구 연맹(西歐聯盟).

더블유 입자 【W粒子】 [명] 『화』 위크 보손(weak boson) 중에서 전하(電荷)를 갖는 입자. 양(陽)이면 W^+, 음(陰)이면 W^-로 표기함. ＊제트 입자(Z粒子). 「손(weak boson).

더블유 중간자 【W中間子】 [명] 〔W meson, weak meson〕 『화』 위크 보

더블유 티: 오: 【WTO】 [명] 〔World Trade Organization〕 세계 무역 기구(世界貿易機構). 「露出).

더블 익스포:저 〔double exposure〕 [명] 사진 및 영화의 이중 노출(二重

더블 칼라 〔double collar〕 [명] ①떼었다 붙였다 할 수 있는, 와이셔츠 칼라의 일종. ②여성복의 겹으로 된 칼라.

더블 캐스트 〔double cast〕 [명] 『연』 연극 등을 상연할 때, 하나의 역(役)에 두 사람의 배우가 배정되어 교대로 출연하는 일.

더블 클러치 〔double clutch〕 [명] 자동차 운전에 있어서의 클러치 조작의 하나로, 변속(變速)할 때 클러치를 두 번 밟아 레버를 전환시키는 방법. 변속을 원활히 하기 위해 행하여짐.

더블 클릭 〔double click〕 [명] 『컴퓨터』 마우스를 원하는 위치에 놓고 단추를 연이어 두 번 누르는 일. 주로 프로그램을 실행시키는 명령과 같은 기능을 함. ＊클릭.

더블 톤: 인쇄 【一印刷】 〔double tone〕 [명] 『인쇄』 ①짙은 색 잉크와 옅은 색 잉크를 써서 두 개의 판으로 2색 인쇄를 하는 일.예컨대 주조(主調)를 흑색 잉크로, 이것에 뉘앙스를 엷은 다색 또는 청색으로 인쇄하는 따위. ②더블 톤 잉크를 써서 망판(網版)으로 단색 인쇄를 하는 일.

더블 트래킹 〔double tracking〕 [명] 한 노선(路線)에 복수(複數)의 항공회사가 운항(運航)하는 일.

더블 파울 〔double foul〕 [명] 농구에서, 양팀의 두 플레이어가 거의 동시에 퍼스널 파울(personal foul)을 범하는 경우.

더블 펀치 〔double punch〕 [명] ① 권투에서, 한쪽 주먹으로 두 번 연달아 치는 펀치. ②비유적으로, 계속해서 이중(二重)의 타격을 받는 일.

더블-폭 【一幅】 〔double〕 [명] 싱글폭(single幅)의 2배 되는 복지(服地). 보통 56인치 또는 54인치의 것을 이름. [준]더블. ↔싱글폭.

더블 폴:트 〔double fault〕 [명] 테니스에서, 서브를 두 번 다 실패하는 일. [준]더블.

더블 프린팅 〔double printing〕 [명] 사진 및 영화의 이중 밀착(密着).

더블 플랫 〔double flat〕 [명] 『악』 겹내림표. 𝄫로 나타냄.

더블 플레이 〔double play〕 [명] 야구에서, 상대팀의 두 주자(走者)를 한꺼번에 잡는 일. 병살(倂殺). 중살(重殺). 겟 투(get two). [준]더블.

더블 플롯 〔double plot〕 [명] 『문』 두 가지의 이야기를 서로 엇섞어서 한 작품을 이루어 짜는 일. 일원적 이주제(一元的二主題).

더블-헤더 〔doubleheader〕 [명] 야구에서, 같은 두 팀이 같은 날 같은 구장(球場)에서 두 번 계속하여 경기를 행하는 일. 연속 경기.

더블 헬리컬 기어 〔double helical gear〕 [명] 이가 옆으로 비스듬한 톱니바퀴의 한 가지. 톱니바퀴의 폭의 절반씩 반대 방향의 이를 가지고

더비[1] [명] 〈방〉 더위(함북). ㄴ있음.

더:비[2] 〔Derby〕 [명] 『지』 잉글랜드 중앙부 트렌트 강(Trent江) 상류 더웬트 강(Derwent江) 우안의 공업 도시. 직물업이 성하며 도기를 많이 생산함. 더비셔 주(Derbyshire州)의 주도. [220,681명(1981)]

더:비[3] 〔Derby〕 [명] ①영국 서리 주(Surrey州) 엡섬(Epsom)에서 매년 거행되는 대경마(大競馬). 1780년 더비 백작(Derby伯爵)에 의하여 시작되었음. ②네 살이 된 말의 특별 경주.

더:비[4] 〔Derby, Edward Geoffrey Smith Stanley, Earl of〕 [명] 『사람』 영국의 정치가. 명문 출신으로 처음 휘그 당(Whig黨)에 속하여 아일랜드 문제 해결에 힘씀. 후에 보수당으로 옮겨 보호 관세 정책을 주장, 1846년 당수로 선출된 후 3차 내각을 조직, 제2차 선거법 개정을 단행함. [1799-1869]

더:비 타이 〔Derby tie〕 [명] 길게 매는 넥타이로, 특히 견직물제를 이름.

더빙 〔dubbing〕 [명] ①영화 용어. 이미 녹음이 끝난 필름·테이프에 대사(臺辭)·음악·효과음 등을 더하는 일. 또, 수입 필름을 자국어(自國語)로 다시 녹음하는 일. ②녹음되어 있는 음소재(音素材)를 레코드·테이프에 복제(複製)하는 일. ──하다 [자][타][여불]

더빙 머신: 〔dubbing machine〕 [명] 더빙하는 데 쓰이는 기계.

더뻑 [부] 앞일을 헤아리지 아니하고, 경솔하게 덮치듯이 행동하는 모양. ¶난로에 손을 ～ 냈다가 데었다. ＞다빡.

더뻑-거리다 [자] 자꾸 경솔하게 덮치듯이 행동하다. ＞다빡거리다. 더뻑-더뻑 [부]. ¶왜 숙녀가 계신 데 사내 양반이 인기척도 않구 ～ 들어오셨우《李無影 : 三年》. ──하다 [자][여불]

더뻑-대다 [자] 더뻑거리다.

더뿌룩-하다 [형][여불] ☞ 더부룩하다.

더붐 [명] 〈옛〉 더위. 더움. ¶치붐과 더붐과 ᄇᆞᄅᆞᆷ과 비와《月釋 Ⅶ:53》.

더뷔 [명] 〈옛〉 더위. ¶더뷔 치뷔로 셜버ᄒᆞ다가 내 일후믈 드러 닛디 아니ᄒᆞ야 《釋譜 Ⅸ:51》. 「야《釋譜 Ⅵ:46》.

더븐 [형] 〈옛〉 더운. '덥다'의 활용형. ¶四天王이 더븐 鐵輪을 ᄂᆞ려 보내

더비 [부] 〈옛〉 덥게. 크게. ¶熱惱ᄂᆞᆫ 더비 셜볼 씨니 죄인ᄋᆞᆯ 글ᄂᆞᆫ 가마애 드리티ᄂᆞ니라 《月釋 Ⅰ:29》.

더산 〔德山〕 [명] 『지』 중국 후난 성(湖南省)의 남서에 있는 산. 불교사상 선종(禪宗)의 포교지(布敎地)로 유명하며, 건명사(乾明寺)가 있음. 본명은 선덕산(善德山).

더-새다 [자] 길을 가다가 늦어서 정한 곳 없이 들어가 밤을 지내다.

더수구니 [명] 〈비〉 뒤통수.

더수기 [명] 〈방〉 더수구니.

더스터 〔duster〕 [명] ①먼지떨이. ②부엌에서 먼지를 털어 버리게 된 장치. ③산분기(散粉機).

더스터 코:트 〔duster coat〕 [명] 먼지를 막기 위하여 입는 가벼운 코트.

더스트 슈:트 〔dust chute〕 [명] 아파트 따위 고층 건물의 각 층에서 쓰레기를 맨 아래층으로 내리게 하는 굴뚝과 같이 만든 장치.

더시 [명] 〈방〉 덫(충남).

-더시니 [어미] 〈옛〉 -시더니. -으시더니. ¶구든 城을 모ᄅᆞ샤 갏길히 업더시니(不識堅城則迷于行)《龍歌 19章》.

-더시다 어미 〈옛〉 -시더라. -으시더라. ¶ 善慧 듣줍고 깃거 ᄒᆞ더시다≪月釋 Ⅰ:18≫.
-더시이다 어미 〈옛〉 -시더이다. ¶ 또 일후미 如來ㅅ知見이라 ᄒᆞ더시이다(亦名如來知見이라 ᄒᆞ더시이다)≪六祖 中 79≫.
-더신 어미 〈옛〉 -시던. -으시던. ¶ 善慧 니버 잇더신 鹿皮오ᄉᆞᆯ 바사≪月釋 Ⅰ:16≫/묻더신 사ᄂᆞ문≪月序 20≫.
-더신가 어미 〈옛〉 -시던가. -으시던가. ¶ 遮陽 ㄱ세 쥐 네도 잇더신가(遮陽三鼠 其在于昔)≪龍歌 88章≫.
더-아니 부 ↗더욱 아니. ¶ ~ 좋은가.
더어 자타 더하여. '더으다'의 활용인 '더으어'의 준말. ¶ 天福이 더어≪月釋 XXI:59≫/眞實ㅅ境界ᄂᆞᆫ 날로 더어(眞境日增)≪蒙法 5≫.
더어다 자타 〈옛〉 더하다. ¶ 부모의 얼구를 밍ᄀᆞ라 우미기를 더어고(爲父母形加繪飾)≪東國新續三綱 孝子圖 Ⅰ:9≫.
더-없이 [—업씨] 부 그 위에 더할 수 없이. 더할 나위 없이. ¶ ~ 기쁘다.
더옥 부 〈옛〉 더욱. ¶ 내 身世의 踈拙ᄒᆞᆫ 고ᄃᆞᆯ 더욱 슬허ᄒᆞ노라(益歎身世拙)≪杜諺 Ⅰ:4≫/ᄉᆞ랑ᄒᆞ셰예수 더옥ᄉᆞ랑≪찬양가 : 82≫.
더우 명 〈방〉 더위(함남·전남).
더우기 부 ☞ 더욱이.
더우다 자타 〈옛〉 더하다. ¶ ᄆᆞᄎᆞ매 나그내 바볼 더우리니(終然添旅食)≪初杜諺 Ⅶ:37≫.
더우라혼 자타 〈옛〉 더한. ¶ 人에 더우라혼 허므레 또 미이며(過人之疊又蘖)≪永嘉 下 74≫.
더우락 명 〈방〉 덤불(전북).
더우-잡다 타 〈방〉 더위잡다(함남·전남).
더욱[1] 부 ①오히려 더하게. ¶ 변명을 들으니 ~ 화가 난다. ②갈수록 더 심하게. 점점 더. 더. ¶ 병세가 ~ 악화하다.
더욱[2] 【加于】 부 〈이두〉 더욱[1].
더욱[3] 【尤于】 부 〈이두〉 더욱[1].
더욱과심 【加于過甚】 〈이두〉 더욱 심함.
더욱-더 부 한층 더. 보다도 거듭하여 더. ¶ ~ 아름다워지다.
더욱-더욱 부 점점 더 정도가 높게. ¶ ~ 심해 간다.
더욱-이 부 그 위에 더욱. ¶ 몸집도 작지만 ~ 약한 몸이다.
더욱적실 【加于的實】 〈이두〉 더욱 적확(的確).
더욱지당못질 【加于支當不得】 〈이두〉 더욱 유지(維持)하지 못하고.
더운-갈이 명 〖농〗 날이 가물 때에 소나기 빗물로 논을 가는 일. ——-하다 자여불
더운-돌 명 불에 달구어 헝겊에 싸서 앓는 사람 등이 품어 몸을 덥게 하는 돌. 온석.
더운 무대 명 〖지〗 난류(暖流). ↔찬 무대.
더운-물 명 덥게 데운 물. 온수(溫水). ↔찬물.
더운물 베개 명 〖의〗 환자의 체온을 조절하기 위하여 더운 물을 넣어 쓰는 고무 베개.
더운-밥 명 갓 지은 밥. 식지 아니한 밥. ↔찬밥.
더운-색 【—色】 명 더운 느낌을 주는 빨강·노랑 따위의 빛깔. 난색. 온색. ↔찬색.
더운-술 명 덥게 데운 술. ↔찬술.
더운-약 【—藥】 [—냑] 명 〖한의〗 속을 덥게 하는 성질이 있는 약. 부자(附子)·육계(肉桂) 등. ↔찬약.
더운 점:심 【—點心】 명 찬밥이 아니고 새로 지은 점심.
더운-죽 【—粥】 명 쑨 지 얼마 아니 되어 뜨거운 죽. ↔식은죽.
[더운죽에 혀 대기] 꼼짝할 수 없이게 된 형편을 말함. [더운죽에 파리 날아가듯] 영문도 모르고 함부로 덤벼대다가 곤경에 빠지는 모양.
더운-찜질 명 〖의〗 더운 물이나 약물로 하는 찜질. 혈관을 확장시켜 혈액 순환을 빠르게 하고 염증을 분산시켜 아픔을 덜게 함. 온찜질. 온엄법(溫罨法). ↔찬찜질.
더운-피 명 〖동〗 동물의 피가 외기(外氣)보다 더운 상태. 온혈(溫血). ↔찬피.
더운피 동:물 【—動物】 명 〖동〗 온혈 동물. ↔찬피 동물.
더움 타 〈옛〉 더함. 가(加)함. '더으다'의 명사형. ¶ 點 더우믄 ᄒᆞᆫ가지로디(加點同而)≪訓諺≫.
더웁다 형 〈방〉 덥다(경기·충남·전라·제주).
더워-하다 자여불 더움을 느끼다. ↔추워하다.
더월 명 〈방〉 저울(경북).
더위 명 ①여름 날의 더운 기운. ¶ 복중(伏中) ~. ②〖한의〗 여름에 너무 더워서 생기는 병. 뱃속이 부르고 거품똥을 눔. 서증(暑症).
[더위먹은 소 달만 보아도 헐떡인다] '자라 보고 놀란 가슴 솥 뚜껑 보고 놀란다'와 같은 뜻.
더위(가) 들다 구 더위(를) 먹다.
더위(를) 먹다 구 여름철에 더위에 걸리다. 더위(가) 들다.
더위(를) 타다 구 더위를 견디기 어려워하다. ↔추위(를) 타다.
더위(를) 팔다 구 정월 보름날 이른 아침에 누구든지 불러서 대답하면 '내 더위' 하면서 더위를 팔다. *매서(賣暑).
더위다 타 〈옛〉 잡다. ¶ 네 이믜 내 지애비를 더위고 날조차 므로려 ᄒᆞᄂᆞ냐(爾旣攫我夫欲幷取我耶)≪東國三綱 烈女圖≫.
더위-잡다 타 ①높은 데에 오르려고 무엇을 끌어 잡다. ¶ 자, 인제 소인의 대강이를 놓으시고 일어스셔서 담머리를 더위잡아 보십시오≪玄鎭健 : 無影塔≫. ②〈옛〉 붙잡다. 부축하다. ¶ 어느 餘暇애 서르 더위 자ᄇᆞ리오(豈暇相扶持)≪杜諺 Ⅱ : 55≫.
더위-지기 명 〖식〗 사철쑥.
더위치다 타 〈옛〉 잡다. 움켜잡다. ¶ 더위칠 확(攫)≪倭解 下 22≫.
더위티다 자 〈옛〉 잡히다. ¶ 아비 범의 더위티인 배 되거를(父爲虎所攬)≪東國新續三綱 孝子圖 Ⅴ:33≫.
더위-팔기 명 〖민〗 매서(賣暑).
더위-하다 자여불 더위를 못 견디어하다.
더위-해 【—害】 명 더위로 말미암아 생기는 해.
더으다 자 〈옛〉 더하다. ¶ 虐政이 날로 더을씨(虐政日深)≪龍歌 12章≫.
더:음 명 ☞ 덤[1].
더음-받이 [—바지] 명 ☞ 덤받이.
더이 부 〈옛〉 덥게. ¶ 내의 平生 ᄠᅳ든 더이 닙고 ᄇᆡ 블오매 잇디 아니ᄒᆞ니라(平生之志不在溫飽)≪飜小 Ⅹ:20≫.
더이다 타 〈옛〉 데다[1]. ¶ 더이다(熰一熰)≪同文 上 61≫.
-더이다 어미 〈옛〉 -ㅂ디다. ¶ 木이 너모 美ᄒᆞᆫ ᄃᆞᆺᄒᆞ더이다(木若以美然)≪孟諺 公孫丑 下≫.
더ᄋᆞ다 자 〈옛〉 더하다. ¶ 내의 여희ᄂᆞᆫ 興이 긋여 나미 더ᄋᆞᄂᆞ다(添余別興牽)≪初杜諺 Ⅷ:46≫.
-더이다 어미 〈옛〉 -ㅂ디다. ¶ 이런ᄃᆞ로 주머귓 相이 겨시더이다(故로 有拳相ᄒᆞ시더이다)≪楞嚴 Ⅰ:98≫.
더저우 〔德州〕 명 〖지〗 중국 산둥 성(山東省) 서북부의 도시. 대운하(大運河)에 면하고 있으며 진푸(津浦)·더스(德石) 두 철도의 교차점임. 부근 농산물의 집산지이며 공업도 성함. 구명(舊名)은 더셴(德縣). 왕관주앙(王官莊). 덕주(德州).
더지다 타 〈옛·방〉 던지다(함남). ¶ 毬를 더진 후의≪武藝圖譜 68≫.
더치-기아나 〔Dutch Guiana〕 명 〖지〗 남미(南美) 동북부의 네덜란드령(領)인 기아나 지방. 지금은 수리남(Surinam)으로 독립함. 네덜란드령 기아나.
더치다 ㊀ 자 병세가 더하여지다. 병이 도지다. ¶ 찬 바람을 쐬어 감기가 ~. ㊁ 타 덧들이다. ¶ 자는 아이를 더쳐서 울리다.
더치 와이프 〔Dutch wife〕 명 ①대나 등(籐)으로 만든 긴 베개. 열대 지방에서 더위를 이기려고 손발을 올려 놓기도 함. 죽부인(竹夫人). ②모조 성기(模造性器)를 갖춘 등신대(等身大)의 여성 대용(代用) 인형.
더치 페서리 〔Dutch pessary〕 명 〖의〗 피임(避妊)에 쓰는 기구의 한 가지. 여성의 자궁구(子宮口)에 씌우는 고무 제품.
더치 페이 〔Dutch+pay〕 명 각추렴하는 일. 비용을 각자 부담하는 일.
더치-하:버 〔Dutch Harbor〕 명 〖지〗 알류샨 열도(Aleutian 列島) 동부의 항구. 미국의 해·공군의 기지임. 원래, 모피 거래(毛皮去來)의 중심지였음.
더케 명 ☞ 더께.
더킹 〔ducking〕 명 ①오리 사냥. ②권투에서, 상체를 좌우로 낮추거나 구부리어 상대방의 펀치를 피하는 일. ¶ ~ 모션. ③레슬링에서, 밑으로 빠져 나오는 일.
더테 명 〈방〉 너테.
더퉁아리 명 〈방〉 말더듬이.
더트다 타 더듬어 찾다. ¶ 두릅도 양달은 벌써 늙었다. 응달을 더터야 했다≪吳永壽 : 메아리≫.
더:트 코:스 〔dirt course〕 명 경마의 주로(走路)의 하나. 대개는 모래에 흙을 섞어 만든 코스.
더틀다 자 〈옛〉 말을 더듬다. ¶ 혀더틀 걸(吃)≪字會 下 28≫.
더퍼리 명 ☞ 더펄이.
더펄가히 명 〈옛〉 더펄개. ¶ 더펄가히 방(尨 俗呼獅子狗)≪字會 上 19≫.
더펄-개 명 긴 털이 다복다복 나서 더펄거리는 개.
더펄-거리다 자 ①짧은 머리털 같은 것이 날려서 흔들리다. ②들떠서 침착성 없이 가볍게 행동하다. >다팔거리다. 더펄-더펄 부. ——-하다 자여불
더펄-대다 자 더펄거리다. ¶ 경손의 모친은 일껀 정색을 했던 것이, 경손이가 더펄대는 바람에 고만 실소를 해버립니다≪蔡萬植 : 太平天下≫.
더펄-머리 명 더펄더펄 흔들리는 머리털. ¶ ~ 소녀. >다팔머리.
더펄-새 명 〈방〉 가마우지.
더펄-이 명 〔←더펄더펄+이〕 성미가 꽁하지 아니하고 덥적덥적하여 활발한 사람.
더펑이 명 〈심마니〉 구름·수건·이불·하늘의 총칭.
더풀 명 〈방〉 덤불(전북·경남).
더품 명 〈옛·방〉 거품(함경). ¶ 모ᄃᆞᆫ 더품(聚沫)≪永嘉 上 40≫.
더프 〔duff〕 명 골프에서, 타봉(打棒)이 자기 앞의 땅에 맞아 공을 헛치는 일.
더플 〔duffle〕 명 방모 직물(紡毛織物)의 일종. 두껍고 보풀이 이는 성기게 짠 나사(羅紗). 외투감으로 쓰임.
더플 코:트 〔duffle coat〕 명 앞자락이 더블이고 후드가 달린, 길이가 짧은 코트. 단추 대신에 달려 있는 고리들을 끈으로 연결하여 묶게 되어 있음. 본래 더플로 만들었기 때문에 이 이름이 있음.
더-하기 명 〖수〗 더하는 일. 가법(加法). 덧셈. 보태기. ↔빼기.
더-하다 ㊀ 자여불 전보다 심하여지다. ¶ 병세가 ~. ↔덜하다. ㊁ 타여불 더 늘리다. 더 많게 하다. 있는 위에 덧붙이다. ¶ 하나에 둘을 ~. ↔덜하다. ㊂ 형여불 견주어 보아 한쪽이 정도가 더 심하다. ¶ 게으르기로 말하면 그가 ~. ↔덜하다.
더하임-수 【—數】 [—쑤] 명 〖수〗 피가수(被加數). ↔덧수.
더-한층 【—層】 부 한층 더. 더욱 더. 가일층(加一層).
더할 나위 없:다 [—라—업—] 구 더 이상 뭐라고 말할 것이 없다. 최상(最上)이다.
더할 나위 없:이 [—라—업씨] 구 더할 나위 없게.
덕[1] 명 〔중세 : 덕〕 나뭇가지 사이나 양쪽에 버티어 놓은 나무 위에 막대기를 걸치어서 맨 시렁.
덕[2] 명 ↗더기.
덕[3] 명 〈방〉 덫(전남).
덕[4] 명 〈옛〉 언덕. ¶ 高阜曰德 ≪北塞記略≫.
덕[5] 【德】 명 ①마음이 올바르고 인도(人道)에 합당한 일. 또, 그로 말미암아 생기는 힘. 인격(人格)이 갖추어져서 남을 경복(敬服)시키는 힘. ②〖윤〗 도덕적 이상 혹은 법칙에 좇아 확실히 의지를 결정할 수 있는 인격적 능력. 의무적 선행위(義務的善行爲)를 선택 실행하는 습관. 윤리학상 가장 중요한 개념의 하나임. *도덕(道德). ③은혜. ¶ ~으로써 원한을 갚다/~을 베풀다. ④덕택(德澤). ¶ 내가 이토록 된 것은 자네 ~일세. ⑤공덕(功德). ¶ 건국에 이바지한 ~/적선(積善)으로 ~을 쌓다.

⑥이익(利益). 이득(利得).

덕곡-산【德谷山】명〖지〗함경 남도 덕원군(德源郡) 풍상면(豐上面)과 평안 남도 양덕군(陽德郡) 대륜면(大倫面) 경계(境界)에 있는 산. [1,207 m]

덕교【德敎】명 도덕으로써 사람을 착한 길로 인도하는 가르침.

덕교-가【德敎家】명 도덕적으로 가르쳐 선도하려는 사람.

덕구-산【德九山】명〖지〗강원도 정선군(旌善郡) 임계면(臨溪面) 송계리(松溪里)와 명주군(溟州郡) 왕산면(旺山面) 고단리(高丹里) 사이에 있는 산. 해안 산맥에 속함. 덕우산(德牛山). [1,0007 m]

덕구 온천【德邱溫泉】명〖지〗경상 북도 울진군 북면(北面) 덕구리(德邱里)에 있는 온천. 천질(泉質)은 철천(鐵泉)으로 피부병·신경통·당뇨병·빈혈 등에 효과가 있다고 함. 수온은 41℃.

덕국【德國】명 '독일(獨逸)'의 고칭(古稱).

덕금【德禽】명 닭.

덕기¹【德氣】명 어질고 두터운 말과 얼굴 빛. 덕스러운 기색.

덕기²【德器】명 ①덕행(德行)과 기량(器量). 덕과 재능. ②덕량(德量)의 기국(器局).

덕-나물 명〈방〉풀반지.

덕-낚시 명 물 속에 베푼 덕을 타고 하는 낚시질.

덕니【德尼】명〖사람〗조선 말엽의 미국인 고문 '데니'의 한국명.

덕담¹【德談】명 잘되기를 비는 말. ↔악담(惡談). ——-하다 자여불

덕담²【德談】명〈옛〉축하(祝賀). ¶ 덕담으로 下人을 주시게 ᄒᆞ야≪新語 Ⅶ:1≫.

덕대¹ 명 아이의 시체(屍體)를 겨우 비바람을 가릴 정도로 허술하게 묻는 일. 또, 그 무덤. ¶ 아이라 할 망정 임자 있는 송장이라 ~로 매장해 버릴 수는 없었다≪金周榮 : 客主≫. ——-하다 타여불

덕대² 명〖광〗광주(鑛主)와 계약을 맺고, 그 광산의 일부를 떼어 맡아 광부를 데리고 채광하는 사람. 주의 '德大'로 씀은 취음(取音).

덕대³ 명〈방〉시렁¹(함경).

덕대-갱【一坑】명〖광〗덕대가 맡아 채광하는 구덩이. 주의 '德大坑'으로 씀은 취음(取音).

덕대-놀이 명〖민〗윷놀이로 하는 노름의 하나. 덕대를 한 사람 정하고, 나머지 사람은 각기 돈을 태운 다음 덕대가 먼저 윷을 던져 윷이나 모가 나오면 판돈을 그냥 차지하고, 그 이하일 때에만 윷을 놀아 승부를 결정함. 주의 '德大놀이'로 씀은 취음(取音).

덕더구리 명〈방〉딱따구리(황해·평안).

덕더-그르르 부 ①크고 단단한 물건이 다른 단단한 물체에 떨어져서 연해 구르는 소리. ②우레가 먼 곳에서 갑자기 세게 부딪치는 듯이 일어나는 소리. ㅆ떡더그르르. ＞닥다그르르. ＊웍더그르르.

덕더글-덕더글 부 ①크고 단단한 물건이 딱딱한 바닥에 연해 부딪치며 굴러가는 소리. ②우뢰가 먼 데서 갑자기 연해 들려 오는 소리. ㅆ떡더글떡더글. ＞닥다글닥다글.

덕-도【德島】명〖지〗황해도 서북 해상의 섬. 조기잡이로 유명하며, 새우·갈치·민어 등도 많이 잡힘. [0.08 km²]

덕동-산【德洞山】명〖지〗함경 남도 장진군(長津郡)에 있는 산. 부전령(赴戰嶺) 산맥의 말부(末部)를 구성하고 있으며, 압록강의 지류인 장진강(長津江)의 수원지를 이룸. [1,652 m]

덕-되다【德一】자 덕(德)을 이루는 일이 되다. 이익이 되다. 도움이 되다.

덕두-산【德頭山】명〖지〗전라 북도 남원시(南原市) 운봉면(雲峰面)과 동면(東面) 사이에 있는 산. 소백 산맥 남단의 일부를 구성하고 있으며, 이곳 일대는 섬진강(蟾津江)의 지류인 요천(蓼川)의 수원지를 이루고 있음. [1,150 m]

덕두-화【德頭花】명〖식〗접시꽃.

덕때 명〈방〉시렁¹(함경).

덕래【德來】[—내] 명〖사람〗고구려 때의 명의(名醫). 장수왕 47년(459)에 일본에 가서 난파 약사(難波藥師)라는 존칭을 받으며 의업(醫業)을 하여, 일본 약계(藥界)의 비조(鼻祖)가 됨.

덕량【德量】[—냥] 명 어질고 너그러운 마음씨. 덕성스러운 도량(度量).

덕령-봉【德嶺峰】[—녕—] 명〖지〗평안 북도 강계군(江界郡)에 있는 산. 강남 산맥(江南山脈)의 첫머리 부분을 이룸. [1,513 m]

덕-론【德論】[—논] 명〔도 Tugendlehre〕〖윤〗윤리학의 한 영역. 도덕을 덕의 형상에 두어 논하고, 그 본질·종류·방법을 연구함. 고대 그리스에 있어서는 이 영역을 특히 중요시하였음.

덕륭 망:존【德隆望尊】[—늉—] 명 덕행이 높고 인망이 두터움. ——-하다 형여불

덕-릉【德陵】[—능] 명〖역〗조선 태조의 고조부인 목조(穆祖)의 능. 소재지는 함경 남도 신흥군 가평면 능리.

덕만-산【德滿山】명〖지〗함경 북도 학성군(鶴城郡) 학서면(鶴西面)과 함경 남도 단천군(端川郡) 북두일면(北斗日面) 사이에 있는 산. 마천령(摩天嶺) 산맥의 남단(南端)을 이룸. [1,306 m]

덕망【德望】명 유덕한 인망. 많은 사람이 그의 덕을 경모하여 따르는 일. ¶ ~있는 학자.

덕망-가【德望家】명 덕망이 높은 사람.

덕망-장【德望章】[—짱] 명〖악〗용비어천가 제 25 장의 이름.

덕목【德目】명 충(忠)·효(孝)·인(仁)·의(義) 등 덕을 분류하는 명목.

덕목-주의【德目主義】[—/—이] 명〖교〗덕목(德目)을 조직적으로 계통화하여 일상 생활에 필요한 모든 도덕을 가르칠 수 있도록 교재(敎材)를 짜서 교육을 실시하는 입장.

덕문【德門】명 덕망(德望)이 높은 집안.

덕물 명〈옛〉덕적도(德積島). ¶ 德積덕물 紫燕二島……德積島 在南陽府海中≪龍歌 Ⅵ:58≫.

덕-보다【德—】자 이득·혜택을 얻다. ¶ 시세가 올라 덕을 본 상인.

덕복【德福】명〖사람〗신라 때의 학자. 문무왕(文武王) 14년(674) 당(唐)나라에 유학하여 이순풍(李淳風)의 인덕력(麟德曆)을 연구하고 돌아옴.

덕본【德本】명〖불교〗선근(善根).

덕분【德分】명 남에게 어질고 고마운 짓을 베푸는 일. 덕택(德澤). ¶ ~으로 무사히 지냅니다.

덕-불고【德不孤】명 덕이 있는 사람은 외롭지 않고 반드시 따르는 사람이 있다는 뜻.

덕사【德士】명 ①인격·식견이 뛰어난 사람. 유덕한 사람. 덕인(德人). ②중을 높이어 이르는 말.

덕사내【德思內】명〖악〗신라 때의 노래. 지금은 전하지 아니함.

덕-산【德山】명〖지〗'더산(德山)'을 우리 음으로 읽은 이름.

덕산 온천【德山溫泉】명〖지〗충청 남도 예산군(禮山郡) 덕산면(德山面)에 있는 온천. 천질(泉質)은 알칼리천(泉)이며, 수온은 45℃. 소화기 질병·부인병·류머티즘 등에 효과가 있다고 함.

덕색【德色】명 남에게 조금 고마운 일을 하고 곧 그것을 자랑하는 말이나 얼굴 빛. 은혜를 베푼 것을 자랑하는 기색.

덕색-질【德色一】명 덕색을 나타내는 짓. ——-하다 자여불

덕-서도문【德敍禱文】명〖천주교〗↗성모 덕서도문.

덕석 명 ①추울 때에 소의 등을 덮어 주는 멍석. 우의(牛衣). ②〈방〉멍석(경상·충청·전라).
[덕석이 멍석인 듯이] 약간 비슷함을 빙자하여 바로 그것인 것처럼 자처하는 모양.

덕석-말이 명 ☞멍석말이. ——-하다 타여불

덕석-몰이 명〖민〗계집아이들이나 부인네들이 서로 손을 잡고 멍석을 말았다 풀었다 하는 동작을 반복하며 즐기는 놀이. 충청도·경상도에서는 독립적으로 놀고, 전라도에서는 '강강술래' 끝에 함.

덕석-밤 명 넓적하고 크게 생긴 밤.

덕선【德善】명 덕행과 선행(善行).

덕성¹【德性】명 덕의(德義)를 갖춘 본성(本性). 도덕적 의식(意識). 도덕심(道德心).

덕성²【德星】명 ①〖천〗목성(木星). ②상서로운 표시로 나타나는 별. 서성(瑞星). ③현인(賢人)을 비유하여 이르는 말.

덕성³【德聲】명 유덕(有德)하다는 평판.

덕성-스럽다【德性一】형ㅂ불 성질이 어질고 너그러워 보이다. 덕성이 있어 보이다. 덕성-스레【德性一】부

덕성 여자 대학교【德成女子大學校】[—녀—] 명 서울 도봉구에 있는 사립 여자 종합 대학교. 1950 년 5 월 덕성 여자 초급 대학으로 설립하여, 1952 년 덕성 여자 대학으로 승격, 1988 년 종합 대학교가 됨.

덕성-진【德成鎭】명〖역〗고려 정종(定宗) 때, 거란(契丹)에 대비하여 평안 북도 영변(寧邊)에 베푼 진성(鎭城).

덕솔【德率】명〖역〗백제 십 육 품 관등(官等)의 넷째 등급.

덕수-궁【德壽宮】명〖지〗서울 정동(貞洞)에 있는, 조선 성종(成宗) 때에 지은 옛 대궐. 그 안에 석조전(石造殿)이 있으며 정문(正門)을 대한문(大漢門)이라 함. 구명(舊名)은 경운궁(慶雲宮).

덕-수리 명〈방〉〖조〗독수리(경남·함북).

덕수-산【德守山】명〖지〗강원도 통천군(通川郡)과 회양군(淮陽郡) 사이에 있는 산. [1,142 m]

덕-스럽다【德一】형ㅂ불 덕이 있어 보이다. 어질고 너그럽다. 덕-스레【德一】부

덕슥 명〈방〉덕석(경남).

덕시글-덕시글 부 ☞득시글득시글. ——-하다 형여불

덕시기 명〈방〉덕석(경상).

덕시이 명〈방〉덕석(경상).

덕신【德臣】명 ①인격이 훌륭한 신하(臣下). ②인망이 두터운 대신(大臣).

덕어【德語】명 '독일어(獨逸語)'의 구칭.

덕업【德業】명 ①덕을 세우는 사업. ②인덕(仁德)과 공업(功業).

덕업-산【德業山】명〖지〗황해도 곡산군(谷山郡) 운중면(雲中面)과 신계군(新溪郡) 촌면(村面) 사이에 있는 산. 멸악(滅惡) 산맥 중의 고산의 하나임. [1,019 m]

덕업 상권【德業相勸】명 향약(鄕約)의 네 강목(綱目) 중의 하나. 좋은 행실은 서로 권장할 것. ＊향약.

덕용¹【德容】명 좋은 평판. 덕음(德音).

덕용²【德用】명 ①덕이 있고 응용(應用)의 재주가 있음. ②쓰기 편하고 이익이 됨.

덕용-품【德用品】명 쓰기에 편리하고 이익이 되는 물건.

덕우【德友】명 ①착하고 어진 마음으로 사귀는 벗. ②덕이 있는 벗.

덕우-도【德牛島】명〖지〗전라 남도의 남해상(南海上), 완도군(莞島郡) 금일읍(金日邑) 봉선리(鳳仙里)에 위치한 섬. [1.20 km²]

덕욱-새 명〖식〗속새❶.

덕원【德源】명〖지〗함경 남도 덕원군의 군청 소재지. 함경선(咸鏡線)의 요역으로 쌀·보리·콩의 집산지이며, 사과·배의 특산지임.

덕원-군【德源郡】명〖지〗함경 남도의 한 군. 북은 문천군(文川郡), 동은 동해, 남은 안변군(安邊郡)과 강원도 이천군(伊川郡), 서는 평안 남도 양덕군(陽德郡)과 황해도 곡산군(谷山郡)에 접함. 산물은 쌀·조·보리·콩·삼 등이며 수산·임산·공업이 성함. 동부 해안 평야를 함경선(咸鏡線)이 남북으로 종관(縱貫)하고 있으나 교통은 일반적으로 불편함.

덕원-만【德源灣】명〖지〗동해에 돌출한 갈마(葛麻) 반도에 둘러싸여 이루어진 만. 송전만과 더불어 영흥만(永興灣) 안에 있는 작은 만의 하나이며, 만내에 원산항(元山港)이 있음.

덕원 민란【德源民亂】[—밀—] 명〖역〗조선 고종 29 년(1892)에 함경북도 덕원(德源)에서 전 주서(前注書) 엄익조(嚴益祚) 등이 민폐(民弊) 교정을 내걸고 관아에 쳐들어가 부사(府使)를 응징하고 인가(人家)를 불태운 사건.

덕위【德威】명 덕(德)의 위력(威力).

덕유-산【德裕山】명〖지〗전라 북도 장수군(長水郡) 계북면(溪北面)과 경상 남도 거창군(居昌郡) 북상면(北上面) 및 함양군(咸陽郡) 서상면(西上面) 사이에 있는 산. 산 위에는 향상봉(香箱峰), 아래에는 구천동(九川洞), 남쪽에는 칠연 폭포(七淵瀑布), 동쪽에는 백련암(白蓮庵) 등이 있음. 국립 공원의 하나. [1,614 m]

덕유산 국립 공원【德裕山國立公園】[—닙—] 명〖지〗전라 북도 무주

(茂朱)군과 경상 남도 거창(居昌)군, 함양(咸陽)군에 걸쳐 있는 국립 공원. 1975년 지정됨. 제1 덕유산, 제2 덕유산, 동엽령(冬葉嶺), 칠봉(七峰), 거칠봉(居七峰) 등과 인월담(印月潭), 구천 폭포(九千瀑布), 구천동(九千洞) 33경(景) 등이 있음. [219 km²]

덕육【德育】명 교육의 삼대 요소의 하나. 인격의 도야, 도덕 의식의 앙양을 주안으로 하는 교육. 도덕 교육. *체육·지육(智育).

덕윤【德潤】명 은혜. 은택(恩澤). 덕택.

덕-윤신【德潤身】명 덕이 속에 있으면 반드시 겉으로 나타남.

덕음【德音】명 ①도리에 닿는 착한 말. 선언(善言). ②칭찬하여 들리는 말. 덕용(德容). ③임금의 말씀.

덕응【德應】명〖역〗'덩'의 취음(取音).

덕응-방【德應房】명〖역〗조선 시대 때 사복시(司僕寺)의 한 분장(分掌). 공주(公主)와 옹주(翁主) 이하의 승교(乘轎)에 관한 일을 맡아 보던 곳.

덕의¹【德義】[―/―이] 명 ①사람으로서 마땅히 지켜야 할 도덕 상의 의리. ②덕성(德性)과 신의(信義).

덕의²【德儀】[―/―이] 명 공덕(功德). 이익(利益). 효능(効能).

덕-의무【德義務】명〔도 Tugendpflicht〕〖윤〗칸트 윤리학에서, 윤리적 의무 개념에 대응한 덕개념(德槪念) 중에서, 의무이기 때문에 행한다고 하는 도덕적 의지 결정의 형식성에 관계할 뿐만 아니라, 동시에 의무인 목적에도 관계되어 있는 것. 예컨대, 자기 자신의 완성이라든가 타인의 행복과 같이 실질적 목적이 됨과 동시에 의무이기도 한 것. 도덕 의무.

덕의-심【德義心】[―/―이―] 명 덕의를 소중하게 여기는 마음.

덕의지【德意志】[―/―이―] 명〖지〗'독일(獨逸)'의 중국에서의 이름.

덕인¹【德人】명 ①도덕을 갖춘 사람. 덕이 높은 사람. 덕사(德士). ②'독일인(獨逸人)'의 구칭.

덕인²【德仁】명 덕(德)과 인(仁).

덕인-봉【德仁峰】명〖지〗평안 남도 영원군(寧遠郡) 영원면(寧遠面)과 영락면(永樂面) 사이에 있는 산. 낭림 산맥의 일부를 이룸. [1,345 m]

덕장 명 명태·오징어 등 해물을 걸어서 말리는 덕을 시렁처럼 만들어 세워 놓은 곳. 또, 그 덕. 주의 '德場'으로 씀은 취음.

덕적 군:도【德積群島】명〖지〗인천(仁川) 광역시 남서쪽 해상, 옹진군 덕적면에 위치한 군도. 덕적도를 비롯하여 소야도(蘇爺島)·문갑도(文甲島)·선갑도(仙甲島)·굴업도(掘業島)·백아도(白牙島) 등으로 이루어짐. [21.9 km²]

덕적-덕적 부 먼지나 때 같은 것이 두껍게 붙어 있는 모양. >닥작닥작.

덕적-도【德積島】명〖지〗인천 광역시 남서쪽 해상, 옹진군(甕津郡) 덕적면(德積面)에 위치한 섬. 인천의 서남쪽 82 km 지점에 있음. 덕적 군도(德積群島)의 주도(主島). [20.625 km²]

덕정【德政】명 어질고 바른 정치. 덕으로써 다스리는 정치.

덕조【德操】명 변함없는 굳은 절조.

덕종【德宗】명〖사람〗①고려 제9대 왕. 자는 원량(元良). 왕 2년에 압록강에서부터 동해의 도련포(都連浦)까지 천리 장성(千里長城)을 쌓았음. 휘(諱)는 흠(欽). [1016-34; 재위 1031-34] ②조선 세조(世祖)의 세자. 자는 원명(原明). 성종(成宗)의 아버지. 세자로 책봉되었으나 즉위 전에 요절하였음. 성종과 월산 대군(月山大君)의 두 아들을 낳았음. 휘(諱)는 장(暲). [1438-57]

덕주【德州】명〖지〗'더저우(德州)'를 우리 음으로 읽은 이름.

덕주-령【德州嶺】명〖지〗평안 남도 덕천군(德川郡)에 있는 산. [322 m]

덕주-사【德周寺】명〖불교〗충청 북도 충주에 있는, 법주사(法住寺)의 말사(末寺).

덕지-덕지 부 때나 먼지가 많이 낀 모양. >닥지닥지.

덕진-진【德津鎭】명 조선 때 인천 광역시 강화군 불은면(佛恩面) 덕성리(德城里)에 축조된, 강화 해협을 지키던 요새. 병인 양요(丙寅洋擾)·신미 양요(辛未洋擾) 때의 격전지임.

덕진-호【德津湖】명〖지〗전라 북도 완주군(完州郡) 이동면(伊東面)에 있는 호수. [0.16 km²]

덕차가 용왕【德叉迦龍王】명〖불교〗불법 호지(護持)의 팔대 용왕(八大龍王)의 하나. *팔대 용왕.

덕창-진【德昌鎭】명〖역〗고려 정종(定宗) 때, 거란(契丹)에 대비하여 평안 북도 박천(博川)에 베푼 진성(鎭城).

덕천【德川】명〖지〗평안 남도 덕천군(德川郡)의 군청 소재지. 평안 남도 중앙선(中央線)의 종점으로, 대동강(大同江)의 수운과 연락되며 견직물·농산물의 집산지이고 석탄의 산출이 많음.

덕천-가강【德川家康】명〖사람〗'도쿠가와 이에야스'를 우리 음으로 읽은 이름.

덕천-고【德泉庫】명〖역〗고려 때의 마을. 충숙왕(忠肅王) 12년(1325)에 덕천창(德泉倉)을 고친 이름. 내섬시(內贍寺).

덕천-군【德川郡】명〖지〗평안 남도의 한 군. 북은 영원군(寧遠郡)과 평안 북도 영변군(寧邊郡), 동은 영원군·맹산군(孟山郡), 남은 맹산군·순천군(順川郡), 서는 개천군(价川郡)·영변군에 접함. 산물은 쌀·밀·팥·조·면화·사과 등이며, 또한 임산·광산·공산이 있음. 고적으로 법련사(法蓮寺)·만경대(萬景臺)가 있음. [1,039 km²]

덕천-창【德泉倉】명〖역〗고려 때의 마을. 충숙왕(忠肅王) 12년(1325)에 덕천고(德泉庫)로 고침.

덕청【德淸】명〖사람〗중국, 명대(明代) 말기의 선승(禪僧). 감산 대사(憨山大師). 선(禪)과 화엄(華嚴)의 융합을 중심 사상으로 하여 유교·불교·도교의 조화를 시도했음. 저서로는 《화엄 강요(華嚴綱要)》·《논어해(論語解)》·《중용 직지(中庸直指)》 등이 있음. [1546-1623]

덕치 사상【德治思想】명 덕치주의.

덕치-주의【德治主義】[―/―이] 명 유덕자(有德者)가 도덕적으로 눈뜨지 아니한 사람들을 지도 교화함을 정치의 요체로 하는 중국의 옛 정치 사상. 공맹(孔孟)의 학이 이를 대표함. 덕치 사상. ↔비덕치(非德治)주의.

덕태-산【德泰山】명〖지〗전라 북도 진안군에 있는 산. [1,148 m]

덕택【德澤】명 남에게 미치는 은덕의 혜택. 덕분. 덕(德).

덕풍【德風】명 ①도덕의 교화(敎化). 인덕(仁德)의 풍화(風化). ②〖불교〗극락의 청풍(淸風)·만덕(萬德)을 갖춘 바람.

덕 핀스〔duck pins〕명 볼링과 비슷한 소년들의 경기. 나무 공을 굴리어 50피트 앞에 세워진 핀(pin)을 넘어뜨리는데, 한 프레임(frame)에 3개의 볼을 굴리며, 한 게임에 두 프레임을 실시함.

덕항-산【德項山】명〖지〗강원도 삼척시 도계읍(道溪邑)에 있는 산. 태백 산맥의 줄기인 해안 산맥에 속함. [1,071 m]

덕행【德行】명 ①어질고 너그러운 행실. 덕성스러운 행실. *가행(嘉行). ②〖불교〗공덕(功德)과 행법(行法).

덕행-가【德行家】명 덕성스럽고 행실이 올바른 사람.

덕형【德馨】명 덕의 향기. 향기를 풍기는 덕.

덕혜【德惠】명 은덕. 은혜(恩惠).

덕화【德化】명 덕행(德行)으로써 교화(敎化)함. 또, 그 교화. ¶만민을 ~하다. ――-하다 타여불

덕후【德厚】명 덕이 두터움. 인정(人情)이 두터움. ――-하다 형여불

덕휘【德輝】명 덕에서 나는 빛. 덕의 발로(發露).

덕흥 대:원군【德興大院君】명〖사람〗조선 선조(宣祖)의 아버지. 중종(中宗)의 제7남. 창빈(昌嬪) 안씨(安氏)의 소생. 명종(明宗)이 후사(後嗣)가 없이 죽으니, 그의 아들 하성군(河城君)이 즉위, 선조가 되었음. 휘(諱)는 초(岹). 생몰년 미상.

덖다¹ 자 때가 올라서 몹시 찌들다. 때가 덕적덕적 끼다.

덖다² 타 물기가 있는 고기나 또는 콩 같은 것을 물을 붓지 아니하고 볶아서 익히다.

덖어-지다 자 덖게 되다.

던〔Donne, John〕명〖사람〗영국의 종교 시인. 연애시·풍자시를 짓다가 국교(國敎)에 귀의한 후부터 난해한 종교시(宗敎詩)를 써서 형이상파(形而上派) 시인의 선구를 이룸. [1573-1631]

-던¹ 어미 지난 일을 회상하거나, 동작이 완결되지 못함을 나타내는 관형사형 전성(轉成) 어미. ¶같이 공부하~ 친구/먹~ 밥.

-던² 어미 ↗-더냐. ¶그녀가 왔~/친절하게 대하여 주~.

-던가 어미 ①'하게'할 자리나 또는 스스로 지난 일을 물을 때 쓰는 종결 어미. ¶그것이 좋~ 나쁘~/범인이 아니~/수석 합격자는 누구~. *-데. ②지난 일에 대하여 일반적으로 의심할 때 쓰는 연결 어미. ¶얼마나 많~ 모르겠소/산에서 본 것이 곰이~ 잘 생각이 안 난다. *-던고.

-던걸 어미〔←-던 것을〕지난 일을 회상할 때 자기 생각으로는 이러하다고 스스로 감탄하는 종결 어미. ¶말을 잘 하~/참으로 미인이~.

-던고 어미 ①'하게'할 자리나 또는 스스로 지난 일에 대해 물을 때 예스러운 말투로 쓰는 종결 어미. ¶얼마나 좋~/사귈 만한 사람이~. ②지난 일에 대해 일반적으로 의심할 때 예스러운 말투로 쓰는 연결 어미. ¶어디로 가~ 잘 모르오/어디서 온 사람이~ 잘 모르겠소. *-던가.

던기 명〈옛〉따먹기. ¶상륙장긔 두어 누머것 던기 즐기며(博謂賭博財物)《呂約 6》.

던기다 자〈옛〉노름에서, 승부를 결정하다. 따먹다. ¶ᄒᆞᆫ나히 지ᄂᆞ니 이시면 곳 던기리라 그러어니 곳 던기쟈(有一箇輸了的 便賽殺 可知便賽)《朴解 上 22》.

-던다 어미〈옛〉-던가. -았느냐. ¶네 모로던다《月釋 XXI:195》.

-던데 어미 ①다음 말을 끌어 내기 위해 관련될 만한 사실을 먼저 회상해서 말할 때 쓰는 연결 어미. ¶아까 그 사람이 오~ 어째 안 보이나/공장 규모는 크~ 제품은 엉망이었어. ②딴 사람의 의견도 듣고자 하는 태도로 스스로 감탄하여 보일 때 쓰이는 종결 어미. ¶구변이 좋~/참으로 훌륭한 사람이~. *-은데.

-던덴 어미〈옛〉-던들. -더면. ¶나사 오더덴 목숨 기트리잇가(如其進犯 性命奚遺), 믈러가더덴 목숨 ᄆᆞᄎᆞ리잇가(如其退避 性命奚戕)《龍歌 51章》.

-던들 어미 현재의 결과와 반대되는 어떤 사실을 희망하는 때에 쓰는 연결 어미. ¶더 공부했~ 합격했을 걸.

던디:〔Dundee〕명〖지〗영국, 스코틀랜드 북동부, 북해안(北海岸)의 테이 만(Tay 灣)에 임한 항구 도시이며, 테이사이드 주의 주도. 범포(帆布)의 생산이 유명하며, 조선(造船)·기계 등의 공업이 행하여짐. [174,345명(1981)]

던롭〔Dunlop, John Boyd〕명〖사람〗영국의 발명가·실업가. 1888년 자전거용(用)의 공기 타이어(tyre)를 발명하여, 1899년 던롭 공기 타이어 회사를 설립하였음. [1840-1921]

던롭 러버 회:사【―會社】명〔Dunlop Rubber〕영국의 고무 제품 회사. 던롭이 공기 타이어를 발명, 특허를 얻어 1899년에 설립한 타이어 회사.

던세이니〔Dunsany, Lord〕명〖사람〗아일랜드의 극작가. 본명은 Edward John Moreton Drax Plunkett. 예이츠(Yeats) 등의 신극(新劇) 운동에 참가하여, 《아라비아인의 천막》·《이프(if)》 등 엑조틱(exotic)한 제재(題材)를 풍부한 시적 아이러니(irony)로 그린 명작이 많음. [1878-1957]

던스 스코터스〔Duns Scotus, Johannes〕명〖사람〗영국의 스콜라 철학자. 스코터스파(派)의 시조. 아리스토텔레스 철학의 영향을 받아 아퀴나스(Aquinas, Thomas)의 설을 비판, 이성(理性)과 신앙(信仰)의 대립·분립을 강조했음. 또한 인간 의지(意志)의 자유를 주장, 정묘 박사(精妙博士)로 불리었음. 저서에 《만물의 제일 원리에 대하여》 등이 있음. [1265?-1308?]

던스터블〔Dunstable, John〕명〖사람〗영국의 작곡가. 수학자·천문학자이기도 하였음. 작품으로 모텟(motet) 등의 종교 음악과 세속적 가곡이 있음. [1370?-1453]

던:적-스럽다 형ㅂ불 보기에 더러운 태도가 있다. ¶부잣집 잔치에 모여든 던적스러운 강아지 떼가 음식 부스러기를 주워먹는 모습과 비슷하였다《鄭乙炳 : 개새끼들》/ 수영이가 더욱 미워졌고 산다는 것이 던적스럽게 생각되었다《金承鈺 : 환상수첩》. >단작스럽다. 던:적-스레 부

던져 두다 타 ①물건을 던진 채 그대로 두고 돌아 보지 아니하다. ②하던 일을 그만두고 다시 손을 대지 아니하다.

던져-떼기 명〖고고학〗돌을 직접 던져 깨뜨려 격지 따위를 떼내어 석기를 만드는 방법.

-던지 어미 ①지난 일을 회상하여 막연하게 의심을 나타낼 때 쓰는 연결 어미. ¶얼마나 되~ 생각이 안 난다. ②지난 일을 회상하면서 그것이 다른 어떤 사실을 야기하게 하는 원인이 됨을 나타내는 연결 어미. '어찌·어떻게…~'의 꼴로 쓰임. ¶어찌나 좋았~ 경중경중 뛰었소. *-ㄴ지·-는지.

던지기 명 씨름에서, 들재간의 하나. 상대자를 냉큼 들어 앞으로 던짐. 상대자가 약할 때 많이 사용함.

던지다 타〔중세 : 더디다〕①물건을 들어 공중을 향하여 힘껏 내어 보내다. 또, 힘껏 날리다. ¶공을 ~. ②버리다. 뛰어들다. ¶바다에 몸을 ~. ③투표하다. ¶깨끗한 한 표를 ~.
【던져 마름쇠】마름쇠는 던지면 반드시 한 쪽이 위로 치켜 올라 가므로, 숙달되지 아니한 사람이 오히려 실패하지 아니하는 경우를 비유하는 말.

던:지럽다 형ㅂ불 말이나 행실이 더럽다. <단지럽다.

던질-낚시 [-락-] 명 릴(reel) 대를 써서, 낚싯봉을 이용해 낚싯줄을 멀리 던져 낚는 법.

던테 명〈방〉①너테. ②더멩이. ③〖건〗문둔테.

덛 명〈옛〉덧. 동안. 잠시. ¶밥 머긇 덛만 ᄒᆞ여도《月釋 XXI:87》.

덛닙다 타〈옛〉덧입다. ¶치위도 조녈이 덛닙디말며(寒不敢襲)《內訓 I:50》.

덛더디 부〈옛〉본시(本是). ¶세 受의 고리 덛더디 그러호터(三受之狀固然)《永嘉 下 74》.

덛덛이 부〈옛〉떳떳이. ¶너희는 朕의 教를 덛덛이 드르라(其爾典聽朕教)《書諺 IV:4》.

덛덛ᄒᆞ다 형〈옛〉떳떳하다. ¶아럼道ㅣ 덛덛ᄒᆞᆫ 道ㅣ 아니라(頓以道非常道)《圓覺 序 71》/ 덛덛홀 홍(恒)《類合 下 53》.

덛브티다 타〈옛〉덧붙이다. ¶다른 골로 덛브티면(膏藥蓋之)《救簡 III:18》.

덜[1] 명〈방〉들1(경상).

덜[2] 명〈방〉절1(평안).

덜:[3] 부 한도에 미처 다 차지 못한 뜻을 나타내는 말. ¶~ 익은 감/~ 되다. ↔더.
【덜 곪은 부스럼에 아니 나는 고름 짜듯】상을 찌푸림의 비유. ¶평생 내가 무엇을 좀 해입겠다면 덜 곪은 부스럼에 아니 나는 고름짜듯 하지, 아깝거든 고만두구려《李海朝 : 鬢上雪》.

덜거덕 부 크고 단단한 물건이 맞닿아서 나는 소리. ¶대문이 ~ 하다. (준)덜걱. 쓰떨거덕. >달가닥. ——-하다 자여불

덜거덕-거리다 자 덜거덕 소리가 잇따라서 나다. ¶대문이 ~. (준)덜걱거리다. 쓰떨거덕거리다. >달가닥거리다. 덜거덕-덜거덕 부. ——-하다 자여불

덜거덕-대다 자 덜거덕거리다.

덜거덩 부 단단하고 두꺼운 물건이 맞닿아서 울리는 소리. 쓰떨거덩. >달가당. ——-하다 자여불
덜거덩 방아다 구 낭패이다.

덜거덩-거리다 자 덜거덩 소리가 잇따라서 나다. 쓰떨거덩거리다. >달가당거리다. 덜거덩-덜거덩 부. ——-하다 자여불

덜거덩-대다 자 덜거덩거리다.

덜거럭 부 ☞덜그럭. ——-하다 자여불

덜거럭-거리다 자 ☞덜그럭거리다. 덜거럭-덜거럭 부. ——-하다 자여불

덜걱 부 ↗덜거덕. 쓰떨걱. >달각. ——-하다 자여불

덜걱-거리다 자 ↗덜거덕거리다. 쓰떨걱거리다. >달각거리다. 덜걱-덜걱 부. ——-하다 자여불

덜걱-대다 자 덜걱거리다.

덜걱-마루 명〖건〗널조각으로 아무렇게나 만들어서 디디는 대로 덜걱덜걱 소리가 나는 마루. 쓰떨걱마루.

덜겅이 명〈방〉덜께기.

덜 게임〔dull game〕명 열이 없고 활발하지 않아 따분한 경기.

덜구 명〈방〉절구(평안).

덜구다 타〈방〉①떨어 내다. ②떨어뜨리다.

덜그럭 부 큰 덩이로 된 단단한 물건이 부딪치거나 서로 스치어서 나는 소리. 쓰떨그럭. >달그락. ——-하다 자여불

덜그럭-거리다 자 덜그럭 소리가 잇따라서 나다. 쓰떨그럭거리다. >달그락거리다. 덜그럭-덜그럭 부. ——-하다 자여불

덜그럭-대다 자 덜그럭거리다.

덜그렁 부 얇은 쇠붙이와 같은 단단하고 좀 큰 물건이 맞부딪거나 서로 스쳐서 울려 나오는 소리. 쓰떨그렁. >달그랑. ——-하다 자여불

덜그렁-거리다 자 덜그렁 소리가 잇따라서 나다. 쓰떨그렁거리다. >달그랑거리다. 덜그렁-덜그렁 부. ——-하다 자여불

덜그렁-대다 자 덜그렁거리다.

덜께기 명 늙은 장끼. 늙은 수꿩.

덜꿩-나무 명〖식〗[*Viburnum erosum*] 인동과에 속하는 낙엽 활엽 관목(闊葉灌木). 잎은 달걀꼴 또는 타원형이고 첫여름에 백색 꽃이 취산(聚繖) 화서로 정생(頂生)하고, 9월에 핵과(核果)가 빨갛게 익음. 산록에 나는데, 한국 중부 이남 및 일본·중국에 분포함. 과실은 식용(食用)함.

덜:다 타 적게 하다. 줄게 하다. 감(減)하다.

덜덜[1] 부 단단한 바닥에 수레 바퀴 같은 것이 굴러서 나는 소리. 쓰떨덜. >달달1.

덜덜[2] 부 춥거나 무서워서 몸을 떠는 모양. >달달2.

덜덜-거리다[1] 자타 단단한 바닥에 큰 바퀴 따위가 굴러가는 소리가 나다. 또 그런 소리를 내다. 쓰떨떨거리다. >달달거리다1.

덜덜-거리다[2] 자타 춥거나 무서워서 몸을 자꾸 떨다. >달달거리다2.

덜덜-대다 자타 덜덜거리다1·2.

덜도래 명〖충〗〈방〉땅강아지.

덜:-되다 형 ①다 되지 아니하다. ¶일이 아직 덜되었다. ②사람의 됨됨이가 경솔하고 건방지다. 인격이 부족하다. ¶덜된 녀석.

덜: 떨어지다 형 어린아이의 쇠딱지가 아직 덜 떨어진 상태에 있어, 아직도 어리고 미련하다.

덜러덩 부 조금 묵직한 물체가 들렸다가 흔들리면서 떨어지는 모양. (준)덜렁2.

덜렁[1] 명〖역〗←단령(團領).

덜렁[2] 부 ↗덜러덩.

덜렁[3] 부 ①큰 방울이 한 번 흔들려 나는 소리. ②침착하지 못하고 덤비는 모양. 1)·2):쓰떨렁. ③갖거나 딸린 것이 적어 단출히. ④여럿 가운데 단 하나만 남아 있는 모양. 1)-4):>달랑. ——-하다1 자타여불

덜렁[4] 부 갑자기 겁나는 일을 당하였을 때 가슴이 뜨끔하게 울리는 모양. ¶가슴이 ~ 내려앉다. 쓰떨렁2. >달랑2. ——-하다2 자여불

덜렁-거리다 자타 ①덜렁 소리가 잇따라서 나다. 또, 자꾸 그런 소리를 나게 하다. ②침착하지 못하고 자꾸 덤벙거리다. 1)·2):쓰떨렁거리다. >달랑거리다. 덜렁-덜렁 부. ¶마침 이야기의 장본인인 윤동택이가 큼직한 과자 상자를 끼고 ~ 이쪽으로 오고 있다《李無影 : 三年》. ——-하다 자타여불

덜렁-대다 자타 덜렁거리다.

덜렁-말 명 함부로 덜렁이는 말. 광당마(光唐馬).

덜렁-쇠 명 성질이 침착하지 못하고 함부로 덤벙거리는 사람. 덜렁이. >달랑쇠.

덜렁-이 명 덜렁쇠.

덜렁-이다 자 침착하지 못하고 함부로 덤벙거리다. >달랑이다.

덜레-덜레 부 단출한 몸으로 건들건들 걷거나 행동하는 꼴. ¶받으라구 내주구 올 것이지 그걸 ~ 도루 지구 온단 말이냐?《洪命憙 : 林巨正》.

덜레스〔Dulles〕명〖사람〗①〔Allen Welsh D.〕미국의 외교관·변호사. ❷의 아우. 국무성에 들어가 유럽에서 근무. 제2차 세계 대전 중에는 첩보(諜報) 활동에 종사하였으며, 종전 후 1953년부터 1961년까지는 중앙 정보부장을 지냄. [1893-1969] ②〔John Foster D.〕미국의 정치가로 ❶의 형. 국제 문제전문가. 1953년 국무 장관에 취임, 롤 백(roll back) 정책에 의한 세계의 집단 안전 보장제의 강화에 노력했으며, 저서로는《전쟁·평화·변혁》·《전쟁이냐 평화냐》등이 있음. [1888-1959]

덜레스 공항【一空港】〔Dulles〕명〖지〗미국 워싱턴 교외(郊外)에 있는 공항. 면적 약 4,000ha로 세계 최대 규모. 활주로는 3,450미터 2개, 3,050미터 1개, 1,450미터 1개.

덜루스〔Duluth〕명〖지〗미국 미네소타 주 슈피리어 호(Superior 湖) 서단의 항구 도시. 부근에서 철광(鐵鑛)의 산출이 많아, 이것을 5대호 공업 지대에 공급함. 근래에는 돌아오는 빈 배로 석탄을 반입(搬入)하여 제철업(製鐵業)이 성함. [93,000명(1980)]

덜름-하다 형여불 아랫도리가 드러나도록 옷의 길이가 짧다.

덜리다 ㊀피동 덞을 당하다. ㊁자 덜어지다. 덜하게 되다.

덜리이다 자〈옛〉덜리다. ¶妻ㅣ 어딜면 지아븨 일이 덜리이고(妻賢夫省事)《朴解 中 29》.

덜머리 명 투전·화투의 노름에서, 여덟 끗을 이르는 말. *가보.

덜머리 총:각【一總角】명〈방〉떠꺼머리 총각.

덜:-먹다 ㊀타 ①다 먹지 아니하다. ②실컷 먹지 아니하다. ㊁자 하는 짓이 경솔하고 건방지게 제멋대로 나가다.

덜몸 자〈옛〉더러워짐. 물듦. '덞다'의 명사형. ¶ᄆᆞᅀᆞᆷ 性이 덜몸 업슨둘 ᄉᆞ뭇 아라(了知心性無染)《眞言勸供 施食文 38》.

덜믈 자〈옛〉더러워질. 물들. '덞다'의 활용형. ¶내 ᄆᆞᄋᆞᆷ 뎌 ᄆᆞᄐᆞ야 덜믈 줄을 모ᄅᆞ고져《古時調 鄭澈》.

덜미 명 ①↗뒷덜미. ¶창대수염이 그의 ~에 대고 말했다《劉賢鍾 : 들꽃》. ②광대·재인(才人)들이 부리는 재주의 한 종목. 꼭두각시놀음의 일컬음.
【덜미에 사자(使者)밥을 짊어졌다】죽느냐 사느냐의 큰 위험한 일에 부닥쳤다는 뜻.
덜미를 넘겨짚다 구 남의 속을 뽑아 보다.
덜미를 누르다 구 목덜미를 잡아 누르듯이, 촉구하거나 몰아세우다.
덜미(를) 잡히다 구 ㉠뒷덜미를 잡히어 행동의 자유를 잃다. ㉡못된 일 따위를 꾸미거나 하다가 발각나다. ㉢쉽게 보던 일이 뜻밖의 어려움 따위로 제대로 안 풀리다.
덜미(를) 짚다 구 ㉠덜미잡이를 하다. ㉡덜미를 잡아 누르듯이 몹시 재촉을 하다.
덜미(를) 치다 구〈방〉덜미(를) 짚다.

덜미-잡이 명 사람의 뒷덜미를 움켜 잡고 몰아 가는 짓. ——-하다 타여불

덜:-밉잖다 [-잔타] 형 ↗덜밉지 않다.

덜:밉지 않다 [-안타] 형 그다지 미워 보이지 아니하다. 그리 흉하지 아니하다. ¶생각했던 것보다는 ~.

덜밋 대:문【一大門】명 집의 대청채 뒤에 있는 대문. 곧, 남향 집의 뒤에 북향으로 달린 대문.

덜썩 부〈방〉더럭.

덜어【除良】〈이두〉덜어. 감(減)하여. *더더(除除).

덜어기【除良只】〈이두〉덜므로.

덜어 내다 타 많은 것 중에서 얼마간 떼어 내다.

덜어아【除除良】〈이두〉덜어서.

덜에 타〈옛〉덜게. ¶衆生의 邪曲올 덜에 ᄒᆞ쇼셔《釋譜 VI:22》.

덜 인견사【一人絹絲】〔dull〕명 윤을 죽인 인조 견사. 세미덜(semidull) 인견사와 풀덜(fulldull) 인견사로 구분됨. ↔브라이트(bright) 인견사.

덜커덕 부 크고 단단한 물건이 부딪치어서 나는 소리. (준)덜컥. >달카닥. ——-하다 자여불

덜커덕-거리다 자 덜커덕 소리가 잇따라 나다. (준)덜컥거리다. >달카닥

거리다. 덜커덕-덜커덕 부. ——-하다 자여불

덜커덕-대다 자 덜커덕거리다.

덜커덩 부 크고 단단하고 속이 빈 물건이 부딪치어 울리는 소리. 준덜컹. >달카당. ——-하다 자여불

덜커덩-거리다 자 덜커덩 소리가 잇따라 나다. 준덜컹거리다. >달카당거리다. 덜커덩-덜커덩 부. ——-하다 자여불

덜커덩-대다 자 덜커덩거리다.

덜컥¹ 부 ↗덜커덕. >달칵. ——-하다 자여불

덜컥² 부 갑작스레 놀라거나 겁에 질려 가슴이 내려앉는 모양. ¶ 겁이 ~ 나다.

덜컥-거리다 자 ↗덜커덕거리다. >달칵거리다. 덜컥-덜컥 부. ——-하다 자여불

덜컥-대다 자 덜컥거리다.

덜컹 부 ↗덜커덩. >달캉. ——-하다 자여불

덜컹-거리다 자 ↗덜커덩거리다. >달캉거리다. 덜컹-덜컹 부. ——-하다 자여불

덜컹-대다 자 덜컹거리다.

덜텨ᄇ리다 타 〈옛〉 제거(除去)하다. ¶ 學者 ㅣ 모로미 몬져 이런 것 들흘 덜텨ᄇ리고(學者須先除去此等)≪小諺 Ⅴ:98≫.

덜티다 타 〈옛〉 덜다. ¶ 學者 ㅣ 모로미 몬져 이런 것 들흘 덜텨ᄇ리고(學者須先除去此等)≪小諺 Ⅴ:98≫.

덜퍽-부리다 자 고함을 지르면서 푸지게 심술부리다.

덜퍽-스럽다 형ㅂ불 덜퍽진 태도가 있다. 덜퍽-스레 부

덜퍽-지다 형 푸지고 탐스럽다. ¶ 떡을 덜퍽지게 담아 오다/석란의 가냘픈 어깨가 최재호의 덜퍽진 가슴에서 으스러질듯이 조여들기만 하는 동안…≪朴花城 : 벼랑에 피는 꽃≫.

덜:-하다 ㊀ 자여불 전보다 심하지 아니하게 되다. 정도가 낮아지다. ¶ 병세가 ~. ㊁ 타여불 줄이다. 더 적게 하다. 감(減)하다. ¶ 일을 ~. ㊂ 형여불 견주어 보아 한 쪽이 적다. ¶ 단 맛이 ~. ㊀㊁㊂: ↔더하다.

덞기다 자타 〈옛〉 더러워지다. 물들다. 물들이다. ¶ 이대 아로미 덞규므로(靈悟所染)≪楞嚴 Ⅸ:57≫.

덞다 자 〈옛〉 더럽혀지다. 물들다. ¶ 世間法에 덞디 아니호미(不染世間法)≪妙蓮 Ⅴ:119≫.

덤:¹ 명 ①제 값어치의 물건 밖에 조금 더 얹어서 주고 받는 일. ¶ ~을 많이 받다. ②바둑에서, 호선의 경우 흑이 백에게 몇 집을 더 주는 일. 공제(控除).

덤:² 명 〈방〉 두엄.

덤덤-탄【一彈】〔dumdum〕 명 〖군〗 〔1886년 영국이 인도의 캘커타 시(市) 부근의 덤덤 조병창(造兵廠)에서 제조하기 시작하였음〕 소총탄(小銃彈)의 하나. 탄두(彈頭)에 구멍을 뚫어 놓았거나 피갑탄(被甲彈)의 납을 노출(露出)시킨 것으로 인체에 명중(命中)하면 파열하여 참혹한 상처가 생김. 1899년 헤이그 평화 회의에서 사용을 금지하였음.

덤덤-하다 형여불 ①마땅히 말할 만한 자리에서 아무 말도 없이 잠잠코 있다. ¶ 말 한 마디 없이 덤덤히 앉아 있기만 하다. ②마음에 들어함이 없이 그저 예사스럽다. ¶ 오랜만에 만난 옛친구를 덤덤하게 대한다. ③아무런 느낌이나 감정의 움직임이 없이 무관심하다. ¶ 이렇다 할 표정의 변화없이 덤덤하게 웃을 뿐이다. ④밍밍하고 싱겁다. ¶ 찌개 맛이 ~. >담담하다. 덤덤-히 부

덤:-바둑 명 바둑에서, 호선(互先)의 경우에 선착(先着)한 흑번(黑番)이 대국 전에 합의 작정한, 보통 넉 집 반 또는 다섯 집 반의 덤을 주고 두는 바둑. 종국(終局) 후에 집계산할 때, 흑번의 집수에서 공제(控除) 계산함. 때로는, 상수(上手)가 하수(下手)에게 덤을 주는 수도 있음.

덤-바우 명 〈방〉 큰 바위(강원·전남).

덤바:턴 오:크스 회:의【一會議】〔Dumbarton Oaks〕〔—/—이〕 명 〖역〗 국제 연합 헌장의 원안(原案)이 작성된 회의. 덤바튼 오크스는 워싱턴의 교외에 있는 저택인데 이 곳에서 2차 대전 중인 1944년 8-10월에 미(美)·영(英)·소(蘇)·중국이 참가하여 헌장 원안을 작성하였음.

덤:-받이 〔—바지〕 명 여자가 전남편에게서 배거나 낳아서 데리고 들어온 자식. *가봉자(加捧子).

덤벙¹ 명 〈방〉 못³(경북).

덤벙² 부 크고 묵직한 물체가 깊은 물에 떨어질 때 나는 소리. 또, 그 모양. ¶ 바다 속에 ~ 뛰어 들다. ㅆ텀벙. >담방. ——-하다 자타여불

덤벙-거리다¹ 자 깊이 생각지 아니하고 함부로 간섭하며 까불다. >담방거리다. 덤벙-덤벙¹ 부. ——-하다 자여불

덤벙-거리다² 자타 연해 덤벙 소리가 나다. 또, 연해 덤벙 소리를 나게 하다. ㅆ텀벙거리다. >담방거리다. 덤벙-덤벙² 부. ——-하다 자타여불

덤벙-대다 자타 덤벙거리다¹·².

덤벙-덤벙² 부 얕은 물을 마구 걸어 가는 모양. ——-하다 자여불

덤벙-이다 자 침착하지 아니한 행동을 함부로 하며 까불다. >담방이다.

덤베-북청【一北靑】 명 〈속〉 성질이 급한 북청 사람들을 놓으로 이르는 말. ¶ ~이라고 그놈도 이참에 북청놈 본때가 어떤가를 한번 맛볼 때가 왔소≪金周榮 : 客主≫.

덤-벨〔dumbbell〕 명 아령(啞鈴). *바벨.

덤벼-들다 자 ↗덤비어들다.

덤부락 명 〈방〉 덤불(전북).

덤부랑 명 〈방〉 덤불(경남).

덤부래기 명 〈방〉 덤불(충북).

덤부렁 명 〈방〉 덤불(충북).

덤부렁-듬쑥 부 수풀이 우거져서 그윽한 모양. ——-하다 형여불

덤부렝이 명 〈방〉 덤불(경남).

덤부리기 명 〈방〉 덤불(전북).

덤부사리 명 〈방〉 덤불(강원·경기·충북).

덤불 명 어수선하게 엉크러진 수풀. 「덤불이 커야 도깨비가 난다」 무슨 일이나 조건(條件)이 갖추어져야 성사가 된다.

덤불-김치 명 무의 잎과 줄기 또는 배추의 지스러기로 담근 김치.

덤불-백로【一白鷺】〔—노〕 명 〖조〗 덤불해오라기.

덤불-쑥 명 〖식〗 〔*Artemisia rubripes*〕 국화과에 속하는 다년초. 줄기는 높이 1.5m 내외, 흔히 잎은 호생하고 장병(長柄)이며 이회 우상 심렬(二回羽狀深裂)이고 열편(裂片)은 피침형임. 8-10월에 많은 담갈색 두상화(頭狀花)가 원추 화수(圓錐花穗)로 정생하여 핌. 산록에나 개울가에 나는데, 한국 중부 이북 및 일본에 분포함. 어린 잎은 식용함.

덤불-자작나무 명 〖식〗 〔*Betula paisanensis*〕 자작나뭇과에 속하는 낙엽 활엽 관목. 잎은 타원형이며 톱니가 있음. 5-6월에 자웅 일가(雌雄一家)의 꽃이 수상(穗狀) 화서로 핌. 작은 견과(堅果)는 날개가 있으며 과수(果穗)는 원뿔꼴로 10월에 익음. 고원 지대에 나며, 함남북에 분포함.

덤불-조팝나무 명 〖식〗 〔*Spiraea sylvestris*〕 조팝나뭇과에 속하는 낙엽 활엽 관목. 잎은 호생하며 넓은 피침형이고 후면 엽맥 위에 잔털이 났음. 봄에 흰 꽃이 기산(岐繖) 화서로 피고, 골돌과(蓇葖果)는 6월에 익음. 강원·평남북·함남에 분포함.

덤불-지다 자 덤불이 되다.

덤불-취 명 〖식〗 〔*Saussurea mandshurica*〕 국화과에 속하는 다년초. 줄기는 높이 60cm 가량이고 근엽(根葉)은 유병(有柄)에 긴 타원형, 경엽(莖葉)은 단병(短柄)인데 마름모 또는 달걀꼴의 피침형을 이룸. 7-8월에 홍자색 두화(頭花)가 총상 화수(總狀花穗)를 이룸. 산지에 나는데, 제주·평남북·함남의 부전 고원(赴戰高原), 함북의 무산(茂山) 등지에 분포함.

덤불-해오라기 명 〖조〗 〔*Ixobrychus sinensis*〕 백로과의 새. 크기는 푸른백로 절반 정도로 작은데, 날개는 13cm 가량이고 등은 황갈색, 머리는 흑색, 배는 엷은 황갈색을 이루며, 암컷과 어린 새는 등에 반점(斑點)이 많음. 모양이 아름답고, 적이 접근하면 목을 곧게 벋는 기습(奇習)이 있음. 물가의 갈대 속에 서식하는데, 아시아 남동부·필리핀 등지에 분포함. 덤불백로. *큰덤불백로.

〈덤불해오라기〉

덤불-혼인【一婚姻】 명 인척(姻戚)의 관계가 있는 사람끼리 하는 혼인. ——-하다 자여불

덤뷔다 자 〈방〉 덤비다.

덤블 명 〈옛〉 덤불. ¶ 가시 덤블을 헤티고(披榛)≪五倫 Ⅰ:61≫.

덤비다 자 ①함부로 달려들다. ¶ 개가 ~/철없이 ~. ②침착하지 못하고 서두르다. ¶ 덤비지 말고 차근차근 순서대로 일을 풀어 나가거라.

덤비어-들다 자 함부로 달려들다. 준덤벼들다.

덤뻑 부 앞을 헤아리지 아니하고 왈칵 넵뜨는 모양. ¶ ~ 나섰다가 낭패보다. >담빡.

덤뿔 명 〈방〉 덤불(전라).

덤써츨다 형 〈옛〉 빽빽하다. ¶ 더딘 넷ᄀ잇 솔은 덤써츠러 늣도록 프르름 머굼엇ᄂ니라(遲遲澗畔松鬱鬱含晩翠)≪小諺 Ⅴ:25≫.

덤심 명 〈방〉 점심(點心)(평안).

덤썩 부 〈방〉 덥석.

덤-웨이터 〔dumbwaiter〕 명 소형 화물 운반용 엘리베이터. 도서관의 서적 운반, 창고·상점의 제품 운반 등에 많이 쓰임.

덤장 명 갯벌에 여덟팔(八)자 모양으로 그물을 벌여 세우고 좌우 끝을 둥글게 말아 두며, 다른 한 끝에는 됫박 모양의 통그물을 달아서 고기를 가두어 잡는 어구(漁具). 들어 낼 때에는 그물 바다을 들어 올림. 덤장그물.

덤장 그물 명 덤장.

덤태 명 〈방〉 덤터기.

덤터기 명 남에게 넘겨 씌우거나 넘겨 맡는 걱정거리. >담타기.

덤터기(를) 쓰다 구 남의 걱정거리를 넘겨 맡다. >담타기쓰다.

덤터기(를) 씌우다 구 남에게 걱정거리를 넘겨 맡게 하다. >담타기씌우다.

덤턱-스럽다 형ㅂ불 매우 유착하고 푸지다. 덤턱-스레 부

덤:-통【一桶】 명 새우젓 장수가 덤으로 줄 막치 젓국물을 담아 지게에 지고 다니는 젓통.

덤퍼 〔dumper〕 명 덤프 트럭.

덤풀 명 〈방〉 덤불(경상·충청·전북).

덤프-차【一車】〔dump〕 명 '덤프 트럭'의 우리 나라 이름.

덤프 카: 〔dump car〕 명 '덤프 트럭'의 한국식 영어.

덤프 트럭 〔dump truck〕 명 실은 화물을 한꺼번에 내릴 수 있게 된 화물 자동차. 폐석·자갈·모래 등의 운반용으로 많이 쓰임. 덤프차. 덤프 카.

덤핑 〔dumping〕 명 〖경〗 채산을 무시한 싼 값으로 상품을 파는 일. 외국 시장에 있어서의 경쟁자를 압도(壓倒)하여 새로운 판로(販路)를 개척하기 위하여 생산비보다도 낮은 가격으로 상품을 매출(賣出)하는 일. 투매(投賣).

〈덤프 트럭〉

덤핑 강령【一綱領】〔—녕〕 명 〔dumping code〕 〖경〗 1967년 케네디 라운드의 일환(一環)으로 체결된 것으로, 덤핑 방지 관세의 남용(濫用)을 막기 위한 절차 규정.

덤핑 방지 관세【一防止關稅】 명 〔anti-dumping duties〕 〖경〗 외국의 덤핑으로 인한 국내 시장의 혼란을 방지하기 위하여 부과되는 고율(高率)의 부가(附加) 관세.

덤핑 증후군【一症候群】 명 〔dumping syndrome〕 〖의〗 위(胃) 절제(切除) 수술을 받은 환자에게 식후(食後)에 구토·동계(動悸)·발한(發汗)·오심(惡心) 등의 이상이 생기는 증상. 원인은 위(胃)에서 바로 장(腸)으로 음식물이 들어가 이상 확장(異常擴張)을 함으로써 자율 신경 실조(失調)를 일으키기 때문임.

덦거츨다 형 〈옛〉 답답하다. 우울하다. ¶ 긔 잔티 ᄀ티 덦거츠니 업다≪樂詞 雙花店≫.「將進酒辭」.

덥가나무 명 〈옛〉 떡갈나무. ¶ 어욱새 속새 덥가나무 白楊수페 ≪松江

덥갈나모 명 〈옛〉 떡갈나무. ¶ 덥갈나모 륵(櫟)≪字會 上 10≫.

덥게 명 〈옛〉 덮개. ¶ 구슬로 미자 히온 덥게예(珠結子的盖兒)≪朴解上 30≫.

덥:다 형ㅂ불 ①기온이 높다. 또, 그런 기운을 느끼다. ¶ 날씨가 ~. ↔

춥다. *무덥다. ②체온 또는 물체의 열이 높다. ¶ 더운 밥. *뜨겁다. 【더운 술을 불고 마시면 코끝이 붉어진다】 술을 불고 마시지 말라고 이르는 말. 【더운 죽에 혀데기】 대단치 않은 일에 낭패를 보아 비록 잠시나마 어찌할 바를 모름.
덥달다 자 〈옛〉 몹시 달다. ¶ 과マ리 주거 덥달어든(卒死而肚熱者)≪救簡 I:44≫.
덥써출다 형 〈옛〉 답답하다. ¶ 덥써출 울(鬱)≪石千 18≫.
덥석 부 왈칵 달려들어서 급히 움켜 쥐거나 입에 무는 모양. ¶ 아기를 ~ 안다. >답삭.
덥석-거리다 자 연해 덥석 움켜 쥐거나 입에 물다. >답삭거리다. 덥석-덥석 부. ¶ ~ 먹어 치우다. ——-하다 자여불
덥석-대다 자 덥석거리다.
덥수룩-이 부 덥수룩하게.
덥수룩-하다 형 수염이나 머리털이 길게 자라 더부룩하다.
덥적-거리다 자 ①무슨 일에나 함부로 간섭하다. ②남에게 붙임성 있게 굴다. 1)·2): >답작거리다. 덥적-덥적 부. ¶ 순옥은 ~ 기어오르는 섭이를 안아 쳐들었다≪李光洙 : 사랑≫. ——-하다 자여불
덥적-대다 자 덥적거리다.
덥적-이다 자 ①왈칵 덤비어서 급히 움직이다. ②남의 일에 참견하다. ③남에게 붙임성 있게 굴다. 1)-3): >답작이다.
덥절덥절-하다 형여불 행실이 남에게 붙임성이 있다.
덥추[1] 명 〖역〗 일패(一牌)·이패(二牌)·삼패(三牌)의 총칭.
덥추[2] 명 〈방〉 더벅머리[1].
덥치기 명 〈방〉 덫(경기·강원·충북).
덟다 형 〈옛〉 덥다. ¶ 衆生울 濟度ᄒᆞ야 더본 煩惱를 여희의ᄒᆞᆯ 느지니 ≪月釋 I:18≫.
덧[1] 명 생각지도 아니한 사이에 지나치는 동안. 퍽 짧은 시간. ¶ 어느~ 가을이구나/젊은 시절은 어느~ 지나갔네.
덧[2] 명 빌미나 탈. ¶ 상처가 ~이 나다.
덧[3] 명 〈방〉 덫(충남·전북).
덧- 투 '거듭'·'더함'의 뜻을 나타내는 말. ¶ ~니/~저고리.
덧-가지 명 하나가 나야 할 자리에 하나가 더 난 가지.
덧-간【一間】 명 〖악〗 보표(譜表)의 오선 이외에 덧붙이어 그은 선과 선의 사이. 가선간(加線間).
덧개비 명 ☞덧게비.
덧-거름 명 농작물에 대하여 첫번 거름을 준 다음, 파종(播種) 또는 이식(移植)한 뒤에 다시 주는 거름. 보비(補肥). 뒷거름. 웃거름. 추비(追肥). ↔밑거름. ——-하다 자여불
덧-거리 명 ①일정한 수량 밖에 더 얹힌 물건. 가외로 주는 우수리. ¶ 값 눅은 걸로 내놓으시고 ~도 좀 내놓으시오≪金周榮 : 客主≫. ②없는 사실을 보태서 말하는 일. ——-하다 타여불
덧거리-질 명 덧거리하는 짓. ——-하다 타여불
덧-거칠다 형 일이 글러 나가다. 일이 그릇되다. ¶ 전교를 물어 가지고 죽이려다가는 일이 덧거치기 쉬우니 먼저 잡아들여 죽이고 뒤에 품하도록 합시다≪洪命憙 : 林巨正≫.
덧-걸다 타 걸어 놓은 것 위에 다시 또 걸다.
덧-걸리다 자 ①한 가지 일에 다른 일이 겹쳐 걸리다. ②걸리어 있는 것 위에 겹쳐 걸리다.
덧-걸이 명 씨름에서, 상대가 들배지기나 엉덩배지기 등의 기술을 사용할 때 되치기의 반격 기술. 상대의 왼다리가 자기의 오른다리 가까이 있을 때, 오른쪽 다리로 상대의 왼쪽 다리를 밖에서 안으로 감아 걸고 양 손으로 샅바를 당기면서 상대를 밀어 넘어뜨림.
덧게비 명 다른 것 위에 다시 덧얹어 대는 짓.
덧게비-치다 자 ①다른 것 위에 덧얹어 대다. ②남의 연이 서로 얼린 위에 더 덮어 얼리다.
덧-구두 명 ☞ 덧신.
덧-그림 명 그림 위에 덮어 대고 본떠 그린 그림.
덧-깔다 타 깐 위에 다시 덮어 깔다. ¶ 요 위에 담요를 ~.
덧-나다[1] 자 ①병을 잘못 다루어서 더치다. ¶ 손독으로 종기가 ~. ②노염이 일어나다. 감정이 상하다. ¶ 덧난 감정을 풀다.
덧-나다[2] 자 덧붙어 나다. ¶ 이가 ~.
덧-나무 명 〖식〗 [*Sambucus sieboldiana*] 인동과에 속하는 낙엽 활엽 관목(闊葉灌木). 잎은 우상 복생(羽狀複生)하고 작은 잎은 도피침형(倒披針形)이며, 양끝이 뾰족하고 안으로 굽은 톱니가 있음. 엷은 황백색의 꽃이 원추 화서(圓錐花序)로 정생(頂生)하는데 5월에 핌. 산복의 수림 속에 자생하는데, 제주도 및 일본 등지에 분포함. 목세공에 쓰이며 가지 및 줄기는 이뇨제(利尿劑), 꽃은 달여 먹으면 발한(發汗) 효과가 있음.
덧-낚시 명 꾀낚시.
덧-날 명 대팻날 위에 덧얹어 끼우는 날. 나무의 면에 거스러기가 일어나지 아니하게 하는 구실을 함.
덧날-막이 명 대패 덧날 위에 가로 끼운 쇠.
덧-내다 타 덧나게 하다. 덧나게 만들다.
덧-널 명 〈속〉 널을 담으려고 따로 짜맞춘 큰 궤. 곽(槨).
덧널-무덤 명 〖고고학〗 곽실(槨室), 곧 덧널을 나무로 만든 무덤. 중국의 전한(前漢) 이전의 묘나 한국의 평양 부근의 낙랑 고분, 경주 부근의 신라 고분 등에서 볼 수 있음. 목곽묘(木槨墓). 토광 목곽묘(土壙木槨墓).
덧-눈 명 〖식〗 식물의 겨드랑이눈은 한 개가 보통이나 때로는 두 개 이상도 있는데, 그 과잉된 눈을 말함. 부아(副芽).
덧-니 명 배냇니 곁에 포개서 난 이.
덧니-박이 명 덧니가 난 사람.
-덧다 어미 〈옛〉 -더라. =-닷다. ¶ 沉潛翫索ᄒᆞ야 聖賢事業ᄒᆞ시덧다 「≪蘆溪 獨樂堂≫.
덧-대다 타 댄 위에 다시 또 대다. ¶ 해진 바지에 헝겊을 덧대고 기웠다.
덧덧이 부 〈옛〉 떳떳이. =덛덛이. ¶ 섭섭ᄒᆞᆫ 이는 덧덧이 패ᄒᆞᆫ다 ᄒᆞᄂᆞ니라(脫空常敗)≪朴解 中 47≫.
덧-덮다 타 덮은 위에 다시 또 덮다.
덧-두리 명 물건을 서로 바꿀 때에, 그 값을 쳐서 에끼고 모자람을 채우는 액수. *웃돈.
덧-드러나다 자 숨기어 속인 일이 잘못하여 남에게 알려지다.
덧-들다[1] 자 선잠이 깨어서 다시 잠이 잘 들지 아니하다.
덧-들다[2] 타 가려고 하는 길을 벗어나 다른 길로 들어서다. ¶ 안개가 일어 자칫하면 길을 덧들기 일쑤이기 때문이다≪吳永壽 : 은냇골 이야기≫.
덧-들이다 타 ①남을 건드려서 노하게 하다. ¶ 사람 성미 덧들이지 마십시오≪金周榮 : 客主≫. ②잠을 덧들게 하다.
덧띠 토기【一土器】 명 〖고고학〗 아가리에 원형·타원형·삼각형의 덧띠를 말아 붙인 청동기 시대 후기의 민무늬 토기의 하나. 점토대 토기(粘土帶土器).
덧-무늬 [一니] 명 〖고고학〗 그릇 몸에 띠 모양의 흙을 덧붙여 만든 무늬.
덧무늬 토기【一土器】[一니一] 명 〖고고학〗 그릇 표면에 약간 돋아나오게 띠 모양의 흙을 덧붙인 토기. 융기문 토기(隆起文土器).
덧-문【一門】 명 ①문짝 겉쪽에 덧단 문의 통칭. ②겉창.
덧-물 명 얼음 위에 괸 물.
덧-바지 명 속바지 위에 덧입는 큰 바지.
덧-방【一枋】 명 〖건〗 가지방(加地枋).
덧방-나무 명 수레의 양쪽 변죽에 덧댄 나무.
덧방-붙이다 [一부치一] 타 덧조각을 덧붙이다.
덧-버선 명 ①버선 위에 겹쳐 신는 큰 버선. ②양말 위에 덧신는 목 없는 버선.
덧-보기 명 ①〖민〗 ☞덧뵈기. ②〈방〉 돋보기.
덧-보이다 자 보이는 것 위에 겹쳐 보이다. ¶ 깔끔한 용모 위에 그녀의 사랑스런 미소가 덧보였다.
덧-뵈기 명 〖민〗 ①탈. ②탈놀음.
덧뵈기-쇠 명 〖민〗 탈놀음꾼의 우두머리.
덧뵈기-춤 명 〖민〗 탈을 쓰고 굿거리 장단에 맞춰 추는 춤. 경상 남도 지방의 야유(野遊)나 오광대(五廣大) 등에서 추어짐.
덧-붙다 자 있는 위에 겹쳐 붙다. 더붙다.
덧-붙이 [一부치] 명 ↗덧붙이기.
덧-붙이기 [一부치一] 명 덧붙이는 일. 또, 그 물건. 준덧붙이.
덧-붙이다 [一부치一] 타 ①있는 위에 더 붙이다. ②더 넉넉하게 넣다. ③말을 한 위에 더 보태어 말하다. ¶ 덧붙여서 말한다면.
덧-빗 명 이발기(理髮器)의 밑에 덧끼는 빗 모양의 쇠. 머리를 열마간의 길이로 남겨 놓고 깎을 때에 끼움.
덧-뿌리다 타 씨앗 따위를 한 번 뿌린 뒤에 다시 더 뿌리다.
덧-사리 명 남은 국물에 덧넣어 먹는 국수 사리(평북).
덧-살창【一窓】 명 창문 바깥쪽으로 가늘고 긴 나뭇조각이나 쇳조각으로 살을 대어 박아서 덧댄 창. *살창.
덧-새벽 명 벽·방바닥에 발랐던 새벽 위에 덧바르는 새벽.
덧-생장【一生長】 명 [overgrowth] 조성(組成)을 달리하는 다른 결정(結晶)의 둘레에서 광학적(光學的), 결정학적(結晶學的)으로 연관되는 결정 성장.
덧-셈 명 〖수〗 몇 개의 수(數)를 합하는 셈. 가산(加算). 가법(加法). 더하기. ↔뺄셈. ——-하다 자여불
덧셈-기【一器】 명 〖컴퓨터〗 가산기(加算器).
덧셈-법【一法】[一뻡] 명 〖수〗 덧셈의 셈법.
덧셈 부호【一符號】 명 〖수〗 덧셈표. ↔뺄셈 부호.
덧셈-표【一標】 명 〖수〗 덧셈법의 부호인 '+'의 이름. 가표(加標). 덧셈 부호. ↔뺄셈표.
덧-소금 명 젓을 담그거나, 야채를 절일 때에 맨 위에 소복이 얹어 놓은 소금.
덧-수【一數】 명 〖수〗 덧셈에서, 어떤 수에 다른 수를 더할 때, 그 더하는 수를 일컫는 말. 가수(加數). ↔더하임수(數).
덧-신 명 ①구두 위에 덧신는 얇은 고무로 된 신. 진 땅에 신음. 오버슈즈(overshoes). ②실내에서 구두 위에 덧신는 신.
덧-신다 [一따] 타 신은 위에 겹치어 신다.
덧-씌우다 [一씨一] 타 씌운 위에 겹쳐 씌우다.
덧-양말【一洋襪】[一냥一] 명 양말을 신은 위에 덧신는 짧은 양말.
덧-양판 [一냥一] 명 대패질할 때에 양판 위에 올려 놓고 쓰는 좁고 길쭉한 나무. 때로는 양판 옆에 층이 지게 붙여 놓고 쓰기도 함.
덧-언치 명 ☞겉언치.
덧-없다 [덛업一] 형 ①세월이 속절없이 빠르다. ¶ 덧없는 세월. ②무상(無常)하다. ¶ 덧없는 인생. ③확실하지 않다. 근거가 없다. ¶ 덧없는 말을 믿지 말고 공부나 열심히 해라.
덧-없이 [덛업씨] 부 덧없게.
덧-옷 [덛一] 명 겉에 덧입는 옷. ¶ ~을 걸치고 작업에 임하다.
덧-인쇄【一印刷】[一닌一] 명 [overprinting] 〖인쇄〗 다색 인쇄가 끝난 뒤에 광택을 내기 위해 광택 니스로 덮어 인쇄하거나, 먹색을 밑인쇄하고 그 위에 불투명한 백색 잉크로 인쇄하는 따위.
덧-입다 [一닙一] 타 옷 따위를 입은 위에 더 겹쳐 입다. ¶ 마고자를 ~. *껴입다.
덧-장판【一壯板】 명 헌 장판 위에 덧바르는 장판.
덧-저고리 명 저고리 위에 겹쳐 입는 저고리.
덧-정【一情】 명 한 곳에 깊은 정을 붙이면 그에 딸린 것까지 사랑스럽게 여겨지는 정. ¶ 의외의 큰 풍파를 겪고 야반 도주하는 사람이 너털웃음을 웃을 경황도 없고 ~도 없을 것이지만…≪洪命憙 : 林巨正≫.
덧-줄[1] 명 〖악〗 보표(譜表)의 오선(五線)의 아래위에 필요에 따라 더 긋는 짧은 선. 가선(加線).
덧-줄[2] 명 낚싯대의 길이보다 훨씬 길게 맨 낚싯줄.
덧-창【一窓】 명 겉창.

덧-칠【—漆】명 ①칠한 바탕 위에 다시 겹쳐 하는 칠. ②그릇을 굽기 전에 고운 진흙을 푼 물에 담가서 그릇 겉면에 얇은 막을 입히는 일. ——-하다 타여불

덧-토시 명 토시 위에 겹쳐 끼는 토시.

덧-폭【—幅】명 도포(道袍) 뒷자락에 덧댄 딴 폭.

덩 명〔역〕공주나 옹주가 타던 승교(乘轎). 취음: 덕응(德應).

덩-거칠다 형 풀이나 나무가 덩굴지게 우거져 거칠게 보이다.

덩굴 명〔중세 : 덩욹ㅎ〕〔식〕벋어나가며 땅 바닥에 퍼지고, 다른 물건에 감기어 오르는 식물의 줄기. 넝쿨. ¶ 칡~/~풀. *넌출.

덩굴-개별꽃 명〔식〕[*Pseudostellaria davidii*] 너도개미자릿과에 속하는 다년초. 괴근(塊根)은 비후(肥厚)하고, 방추형이며, 줄기의 높이 15cm 가량, 잎은 대생하며 피침형인데 꼭대기 잎은 넓은 피침형임. 5-6월에 흰 꽃이 한 송이씩 피고 삭과(蒴果)를 맺음. 산지의 숲 밑에 나는데 거의 한국 각지에 분포함.

덩굴-걷이 [—거지] 명〔농〕①밭에 심은 식물인 덩굴진 오이·호박 등을 걷어 들이는 일. ②덩굴을 걷을 때에 따낸 열매. ——-하다 자여불

덩굴-꽃마리 명〔식〕[*Trigonotis icumae*] 지칫과에 속하는 다년초. 줄기는 덩굴 모양이고 높이 20cm 내외이며, 잎은 막질(膜質)인데 근엽(根葉)은 장병(長柄), 경엽(莖葉)은 단병(短柄)을 이룸. 5-6월에 담남색 꽃이 총상(總狀) 화서로 정생하고, 삼각형의 견과(堅果)를 맺음. 산과 들에 나는데, 한국 중부에 분포함.

덩굴-나무 [—라—] 명〔식〕칡·등나무 등과 같이 덩굴지어 뻗어 나가는 나무. 만목(蔓木). *덩굴풀.

덩굴-닭의장풀【—欌—】[—달기—] 명〔식〕[*Streptolirion cordifolium*] 닭의장풀과에 속하는 1년생 만초(蔓草). 줄기는 총생(叢生)하여 높이 80cm 이상임. 잎은 호생하며 장병(長柄)에 난상 심형(卵狀心形)을 이루고 엽초(葉鞘)는 얇은 막질(膜質)임. 7-8월에 흰 꽃이 취산(聚繖) 화서로 정생(頂生)하는 액출(腋出)함. 긴 타원형의 삭과(蒴果)는 길이 3mm 내외이고 2-6개의 종자를 산출(散出)함. 산이나 들의 다소 습한 곳에 나는데, 경북·강원·경기·평북·함북에 분포함. 어린 잎과 줄기는 식용함.

덩굴 뒤집기 명〔농〕밭에 심은 오이·호박 등의 덩굴을 뒤집는 일. 열매를 크게 하는 데 도움이 됨.

덩굴-딸기 명〔식〕줄딸기.

덩굴-며느리주머니 명〔식〕[*Adlumia asiatica*] 양꽃주머닛과에 속하는 다년생 만초(蔓草). 줄기 높이 1.2m 가량이고 잎은 복우상 복생(複羽狀複生)하며, 소엽(小葉)은 거꿀달걀꼴 또는 달걀꼴 타원형임. 7-8월에 엷은 적자색 꽃이 총상(總狀) 화서로 액출하며, 과실은 삭과(蒴果)임. 산지에 나는데, 평북·함남북에 분포함. 줄꽃주머니.

덩굴-박주가리 명〔식〕[*Cynanchum nipponicum*] 박주가릿과에 속(屬)하는 다년생의 만초(蔓草). 둥근 각엽(脚葉)은 무병(無柄)이며 초엽(梢葉)은 단병(短柄)에 긴 타원상 피침형을 이룸. 7-8월에 갈황색 꽃이 무경(無梗)의 취산(聚繖) 화서로 핌. 산지에 나는데 제주·강원도의 금강산 등지에 분포함.

덩굴-별꽃 명〔식〕[*Cucubalus baccifer*] 너도개미자릿과에 속하는 다년초. 줄기의 길이는 2m 이상으로 수장(瘦長)하며 마디가 있고 덩굴 모양으로 뻗어서 다른 것에 의지함. 잎은 대생(對生)하고 단병(短柄)이며 달걀꼴 혹은 달걀꼴 타원형임. 7-8월에 하얀 꽃이 작은 가지 끝에 하나씩 정생(頂生)하여 피고, 장과(漿果)를 맺음. 산이나 들에 나는데 거의 한국 각지에 분포함.

덩굴-볼레나무 명〔식〕[*Elaeagnus glabra*] 보리수나뭇과에 속하는 상록 만목(蔓木). 어린 가지는 다갈색의 털이 많으며 덩굴 모양으로 벋고, 잎은 호생(互生)하며 두꺼운 타원형인데 뒤에는 적갈색의 인분(鱗粉)이 밀포되어 있음. 늦가을에 흰 꽃이 늘어져서 핌. 과실은 긴 타원형이며 은갈색의 잔 인편(鱗片)으로 덮여서 다음해 첫여름에 적색으로 익음. 한국 남부·일본·중국에 분포함.

덩굴-성【—性】명〔식〕식물의 줄기가 덩굴져 벋는 성질. 만성(蔓性).

덩굴성 식물【—性植物】[—썽—] 명〔식〕덩굴 식물.

덩굴-손 명〔tendril〕〔식〕가지나 잎이 변형(變形)하여 실같이 되어 다른 물건에 감기어서 줄기를 지탱하게 하는 가는 덩굴. 나팔꽃·포도·완두·청미래덩굴 등의 작은 덩굴. 덩굴수염. 권수(卷鬚).

〈덩굴손〉

덩굴-수염【—鬚髥】명〔식〕덩굴손. 권수(卷鬚).

덩굴 식물【—植物】명〔식〕덩굴손이나 잎자루 등이 다른 물건에 감겨 벋어 올라가는 식물. 보통 풀 또는 관목(灌木)으로 갈고리 같은 가시나 덩굴손으로 붙어서 올라가는 반연 식물(攀緣植物)과 줄기 자체로 감으면서 올라가는 전요 식물(纏繞植物) 등이 있음. 덩굴성 식물. 등본(藤本). 만성(蔓性) 식물. 만생(蔓生) 식물.

덩굴-용담【—龍膽】[—룡—] 명〔식〕[*Tripterospermum japonicum*] 용담과에 속하는 다년생 만초(蔓草). 줄기는 길이 30-60cm이며 가늘고 땅에 길게 덩굴져서 벋음. 잎은 대생하고 유병(有柄)이며 긴 달걀꼴 혹은 달걀꼴 피침형을 이룸. 9-10월에 홍자색 꽃이 단경(短梗)에 하나씩 액출(腋出)하여 피고, 장과(漿果)를 맺음. 산록 음지에 나는데, 제주도·울릉도 등지에 분포함.

〈덩굴용담〉

덩굴-줄기 명〔식〕덩굴로 된 줄기. 만연경(蔓延莖).

덩굴-지다 자 식물의 줄기가 덩굴이 되어 가로 벋다.

덩굴-치기 명 ①식물의 쓸모없는 덩굴을 잘라 내는 일. 열매를 크게 하기 위함. ②조림목(造林木)에 감아 올라가는 칡 따위 덩굴 식물을 잘라 내는 일.

덩굴-풀 명〔식〕나팔꽃·수세미 등과 같이 줄기가 덩굴지어 뻗어 올라가는 풀. 만초(蔓草). *덩굴나무.

덩그렇다 [—러타] 형ㅎ불 ①높이 솟아서 헌거롭다. ¶ 정양실은 …언덕 위에 덩그렇게 올라앉은 벽돌 양옥 2층이었다《崔貞熙 : 녹색의 문》. ②큰 건물의 안이 텅 비어 쓸쓸하다. ¶ 건물 안이 ~.

덩-달다 자 실속도 모르고 남이 하는 대로 좇아서 하다. 아무 생각 없이 따라 나서다. 「열다.

덩-달아 부 실속도 모르고 남이 하는 대로 따라서. ¶ ~ 날뛰다/~ 입을

덩더-꿍 부 ①북을 두드릴 적에 나는 흥겨운 소리. ②덩달아 덤비는 꼴. ——— 부. ——-하다 자여불

[덩더꿍이 소출] 먹고 살아갈 일정한 재산이 없는 사람이 임시의 수입으로, 그때그때 돈이 생기면 흔하게 쓰고 없으면 어렵게 지냄을 가리키는 말.

덩더꿍이 장단【—長短】명〔악〕자진모리 장단과 같은, 농악과 무가(巫歌)에 쓰이는 장단의 하나.

덩더끼-덩더꿍 부 장구 따위 북을 장단맞춰 흥겹게 두드리는 소리.

덩-더럭 부 장구를 울리는 소리. ——— 부. ——-하다 자여불

덩덕새-머리 명 빗지 아니하여 더부룩한 머리.

덩덩 부 북·장구 같은 것을 칠 때에 나는 소리.

[덩덩하니 굿만 여겨] 열쌘만 하여도 무슨 좋은 일이나 구경거리가 있는 줄 알고 출썩거리는 짓을 비유하는 말.

덩-덩그렇다 [—러타] 형여불 매우 덩그렇다.

덩두렷-이 부 덩두렷하게.

덩두렷-하다 형여불 아주 두렷하다.

덩둘-하다 형여불 매우 둔하다. 매우 둔하고 어리석다. ¶ 하는 것이 곰같이 ~/장효범이가 위인이 덩둘해서 그런 우스운 꾀에두 넘어갑니다《洪命憙 : 林巨正》.

덩드럭-거리다 자 잘난 체하며, 거드럭거리다. 덩드럭-덩드럭 부. ——하다 자여불

덩드럭-대다 자 덩드럭거리다.

덩때 명〈방〉시렁¹(함북).

덩 샤오핑〔鄧小平〕명〔사람〕중국의 정치가. 프랑스 유학. 1952년 부수상, 1956년 공산당 중앙 총서기가 되었으나, 1966년 문화 대혁명 때 실권파(實權派)로 비판받아 실각, 1973년 부수상으로 복직, 1975년 군 참모총장을 겸임하던 중, 1976년 주자파(走資派)로 몰려 재차 실각, 1977년 당 부주석 및 부수상 직무를 회복함. 이어 1981년에는 군사 위원회 주석이 됨. 중국 최고의 정치 실력자로 행세함. 등소평. [1904-1997]

덩실-거리다 자 신이 나서 연해 춤을 추다. >당실거리다. 덩실-덩실 부. ¶ ~ 춤을 추다. ——-하다 자여불

덩실-대다 자 덩실거리다.

덩실-하다 형여불 건물 따위가 웅장하게 높다. ¶ 과연 크나큰 초가집이 덩실하게 솟아 있고 대문도 넓고 높았다《朴花城 : 벼랑에 피는 꽃》. >당실하다.

덩심 명〈방〉점심(평북).

덩싯-거리다 자 편히 누워서 팔과 다리를 가볍게 놀리다. >당싯거리다. 덩싯-덩싯 부. ——-하다 자여불

덩싯-대다 자 덩싯거리다.

덩어리 명 ①뭉쳐서 한 개로 크게 이루어진 덩이. ¶ 흙~. ②여럿이 모여서 뭉친 떼. 「서 뭉친 떼.

덩어리-지다 자 덩어리가 되다. ¶ 덩어리진 설탕.

덩이 명 작은 덩어리. ¶ 돌~처럼 굳다.

덩이-덩이 명 여러 덩이. ¶ 호박이 ~ 열리다.

덩이-뿌리 명〔식〕저장근(貯藏根)의 한 종류. 식물의 뿌리의 일부가 비대(肥大) 성장하여 괴형(塊形)으로 된 것. 고구마·무·달리아 등에서 볼 수 있으며, 녹말 따위를 저장함. 괴근(塊根).

덩이-쇠 명〔고고학〕가운데가 잘록하고 양쪽 끝에 갈수록 폭이 넓어지는 간단한 모양의 쇠판. 주로 삼국 시대의 고분에서 출토됨.

덩이-줄기 명〔식〕땅속줄기의 일부가 비대(肥大) 성장하여 녹말 등을 저장, 괴상(塊狀)이 된 것. 감자·토란·돼지감자 따위에서 볼 수 있으며, 영양 번식(營養繁殖)을 행함. 괴경(塊莖).

〈덩이줄기〉

덩이-지다 자 덩어리를 이루다.

덩 잉차오〔鄧穎超〕명〔사람〕중국의 여자 정치가. 톈진(天津) 여자 사범 대학을 나와, 1925년 저우 언라이(周恩來)와 결혼, 1949년 전국 부녀(婦女) 연합회 부주석. 1956년 당 중앙 위원을 거쳐, 1965년 전국 인민 대표 회의 상무 위원, 이어 동 상무 위원회 부위원장이 됨. 등영초(鄧穎超). [1903-92]

덩저리 명 ①물건의 뭉쳐서 쌓인 부피. ②〈속〉덩치. ¶ ~가 큰 사람.

덩지 명 ①☞ 덩치. ②〈방〉덩이(함북).

덩치 명 ①몸의 부피. 몸집. ¶ ~만 큰 녀석. ②☞ 덩저리❶. ③〈방〉덩어리(경상).

덩칫-값 명 덩치에 어울리는 말과 행동.

덩컨〔Duncan, Isadora〕명〔사람〕미국의 여류 무용가. 전통적 무용에 불만을 품고 의상 등, 그리스풍의 자연 모습대로의 무용을 창안하여 근대 무용의 선구를 이룸. 교통 사고로 죽음. [1878-1927]

덩쿨 명〈방〉덩굴(전남·경남).

덩크 샷〔dunk shot〕명 덩크 슛.

덩크 슛〔dunk shoot〕명 농구에서, 장신 선수가 점프하여 바스켓 위에서 공을 내려 꽂듯이 슛하는 일.

덩¹ 명〈옛〉덩(轝). ¶ 술위와 보비로 우뮨 덩과로《釋譜 XIII:19》.

덩² 명〈옛〉덩어리. ¶ 덩 지어 항문에 녀코면(爲挺子於糞門內塞之)《救簡 Ⅲ:80》.

-덩이다 어미 〈옛〉-더이다. -ㅂ디다. =-더이다·-더이다. ¶ 浩의 ᄒᆞᆫ 배라 ᄒᆞ뎡이다(浩所爲라 ᄒᆞ더이다)≪小諺 Ⅵ:42≫.

덫 명 짐승을 꾀어 잡는 기구. 여기에 짐승의 발이나 목이 걸리면 죄어들어 도망치지 못하게 되어 있는데 그 구조는 여러 가지임. ¶ ~에 치인 노루. 「형세.
【덫에 치인 범이요, 그물에 걸린 고기】 꼼짝없이 막다른 처지에 몰린

덫-걸이 명 씨름에서, 상대가 배지기 공격을 할 때 또는 왼다리를 앞으로 세울 때 오른다리로 상대의 왼다리를 밖으로 걸어 당겨 상대를 밀어 덮치는 혼합 기술의 하나.

덜 명〈방〉덫(강원).

덮개 명 ①이불·처네 등 덮는 물건의 총칭. ② 뚜껑❶. ③〖불교〗착한 마음을 덮어서 가리는 탐욕(貪慾)이나 진심(嗔心).

덮개-돌 명〖고고학〗고인돌에서 굄돌이나 받침돌 위에 올려진 큰 돌. 북방식에서는 돌방의 천장을 이루며, 남방식에서는 하부 구조를 보호하는 역할을 함.

덮개-암【一岩】 명〔cap rock〕〖지〗①석유 또는 천연 가스의 저류암(貯留岩)을 덮고 있는, 일반적으로 불투수성(不透水性)의 암석층. ②광석을 덮고 있다고 생각되는 광맥 퇴적물 따위. ③석탄층의 위, 바로 가까이 있는 단단한 암석층. 보통은 사암(砂岩)임.

덮개-유리【一琉璃】 명 현미경 대물(對物) 렌즈 밑에 끼우는, 깔유리 위에 덮어 합치는 유리. ↔깔유리.

덮-겅이 명〈방〉더껑이❶.

덮-그물 명 덮어 씌워 물고기를 잡는 그물. 쟁이 따위가 이에 해당되는데, 물이 얕은 곳에서 주로 쓰임.

덮다 타 ①위로부터 얹어서 씌우다. ¶ 담요를 덮어 주다. ②뚜껑을 씌우다. ¶ 솥뚜껑을 ~. ③드러난 것을 가리워 숨기다. 싸서 감추다. ¶ 허물을 덮어 주다/알몸을 덮어 가리다. ④펼쳐진 책 따위를 닫다. ⑤한정된 범위나 공간·지역을 휩싸다. ¶ 동쪽 하늘을 덮은 구름.

덮-두들기다 타 사랑스러워 어루만지며 두들기다.

덮-밥 명 계란덮밥·튀김덮밥·고기덮밥 따위의 통칭.

덮어-놓고 [一노코] 부 옳고 그름, 좋고 나쁨, 이롭고 해로움을 따지지 아니하고 그저 무조건. ¶ ~ 때리다.
【덮어놓고 열 넉 냥 금】 내용을 살피지 아니하고 아무렇게나 판단하는 행동을 이름.

덮어-놓다 [一노타] 타 ①드러난 것을 가리워 놓다. ¶ 밥상에 보자기를 ~. ②어떤 일의 내용을 따지지 아니하다. ¶ 그 일은 그만 덮어놓기로 하세. ③비밀에 부치다.

덮어-두다 타 어떤 일의 내용을 묻지 아니하다. 또, 모르는 체하다. ¶ 잘잘못을 가릴 것 없이 덮어두어라.

덮어-쓰다 타 ①숙긋을 덮어서 글씨를 쓰다. ②억지로 억울한 누명을 쓰다. ¶ 사기꾼이라는 누명을 ~. ③위로부터 써서 가리다. ¶ 처네를 ~. ④액체·가루·먼지 따위를 온몸에 뒤집어쓰다.

덮어-씌우다 [一씨一] 타 덮어쓰게 하다. ¶ 책임을 남에게 ~. 「의 이름.

덮을아-부【一西部】 명 한자 부수(部首)의 하나. '要'나 '覆' 등의 '襾'

덮이다 피동 ①드러난 것에 다른 것이 얹히어 보이지 아니하게 되다. ¶ 눈이 덮인 마당. ②가리워서 숨기어지다. ¶ 오래도록 덮이어 있던 사건.

덮장-거리 명〈방〉맹꽁이덩이.

덮치기 명 새를 잡는 그물.

덮치다 ㊀ 자 ①겹쳐 누르다. ¶ 파도가 ~. ②여러 가지 일이 한꺼번에 닥치다. ¶ 엎친데 덮친 격. ③뜻밖에 또는 갑자기 엄습하다. ¶ 재난이 ~. ㊁ 타 겹쳐 누르다. 또, 갑자기 엄습하다. ¶ 독수리가 병아리를 ~/도둑놈을 덮쳐서 잡다/경찰이 도박판을 ~.

데 의명 ①곳. ¶ 올 ~ 갈 ~ 없다. ②경우. 처지. ¶ 아픈 ~에 먹는 약/그렇게 된 ~ 대한 책임. ③'일'이나 '것'의 뜻. ¶ 노래부르는 ~도 소질이 있다.

데- 부 완전하지 못함을 뜻하는 말. ¶ ~삶다/~알다. *설-.

-데 어미 ①'하게'할 자리에 지난 일을 회상하여 말할 때 쓰는 종결 어미. ¶ 잔칫집에 사람이 참 많이 오~/시장엔 아직도 참외가 있~/아직도 교장이~. *-더라. ② 해라'할 자리에 지난 일을 생각하고 물을 때 쓰는 종결 어미. ¶ 그 사람 아직도 키가 작~/큰 짐승이~. *-던가.

데가볼리 〔Decapolis〕 명〖성〗〔그리스어로는 열 개의 도시라는 뜻〕갈릴리 호(Galilee湖)와 요단 강(Jordan江)의 동쪽에 있는 지역. 알렉산더 대왕의 정복 후에 그리스의 식민지(植民地)가 되었다가 후에 로마 영토가 됨.

데 가스페리 〔De Gasperi, Alcide〕 명〖사람〗이탈리아의 정치가. 처음 하원 의원이 되어 인민당 소속으로 무솔리니 정권 밑에서 반(反)파시즘 운동에 참가하여 탄압을 받음. 1943년 기독교 민주당을 조직, 전후 사회·공산 양당과의 연립 내각의 수반으로 활약, 반공(反共)·친미(親美) 정책으로 전후(戰後)의 국가 재건에 이바지함. [1881-1954]

데가주망 〔프 dégagement〕 명〖철〗새롭고 자유로운 계획을 장래를 향해 시도(試圖)해 나아갈 때, 앙가주망(engagement)이 자기가 수립한 계획의 책임을 자신이 지고 자기를 구속하는 것을 이르는 데 대하여, 이전에 있었던 자기 구속(自己拘束)에서 자기를 해방하는 것을 이름. 자기 해방(自己解放). ↔앙가주망(engagement). 「각.

데걱 부 단단하고 큰 물건이 부딪쳐 나는 소리. 쓰데꺽·떼걱·떼꺽. >대

데걱-거리다 자타 연달아 자꾸 데걱 소리가나다. 또, 그런 소리를 내게 하다. 쓰데꺽거리다·떼걱거리다·떼꺽거리다. >대각거리다. 데걱-데걱 부. ——하다 자타여불

데걱-대다 자타 데걱거리다.

데구루루 부 단단한 물건이 단단한 바닥에 떨어져 구르는 모양. 또, 그 소리. 쓰떼구루루. >대구루루.

데구리 명〈방〉머리¹❶(제주).

데굴-데굴 부 단단하고 큰 물건이 계속하여 굴러가는 모양. 쓰떼굴떼굴. >대굴대굴. 「쓰떼그럭. >대그락.

데그럭 부 여러 개의 단단한 물건이 서로 부드럽게 부딪쳐 나는 소리.

데그럭-거리다 자타 여러 개의 단단한 물건이 서로 부드럽게 부딪쳐 자꾸 데그럭 소리를 내다. 또, 그런 소리를 내게 하다. 쓰떼그럭거리다. >대그락거리다. 데그럭-데그럭 부. ——하다 자타여불

데그럭-대다 자타 데그럭거리다.

데그르르 부 ☞데구루루.

데글-데글 부 ☞데굴데굴.

데기¹ 명〈방〉은근짜(개성).

데기² 명〈방〉제기¹(평북).

데:기³ 부〈방〉되게(경남).

-데기 미 명사 뒤에 붙어서, 그 명사와 관련된 일을 하거나 그 성질을 가진 여자를 낮추어 이르는 말. ¶ 부엌~/새침~/소박~.

데꺽 부 ①울차고 좀 큰 물건이 부딪쳐서 나는 소리. 스데걱. 쓰떼꺽. >대깍. ②서슴지 아니하고 곧. 솜씨 빠르게 금세. ¶ ~ 승낙하다/~ 해치우다/시험에 ~ 붙다. 쓰떼꺽.

데꺽-거리다 자타 연달아 자꾸 데꺽 소리가 나다. 또, 그런 소리를 내게 하다. 스데걱거리다. 쓰떼꺽거리다. >대깍거리다. 데꺽-데꺽¹ 부. ——하다 자타여불

데꺽-대다 자타 데꺽거리다.

데꺽-데꺽² 부 연달아 서슴지 않고 곧. ¶ …그저 기계 하나루 순식간에 ~ 해치우는 걸 보면…≪朴花城 : 고개를 넘으면≫.

데꾼-하다 형여불 힘이 지쳐서 눈이 쑥 들어가고 퀭하다. 쓰떼꾼하다. >대꾼하다. 「백 펜스에 해당함.

데나리 〔denarii〕 명〖성〗고대 로마 신약(新約) 시대의 은화(銀貨). 약

데네볼라 〔Denebola〕 명〖천〗항성(恒星)의 하나. 사자자리의 β성으로, 성좌(星座)에서는 사자의 꼬리에 위치하는 별. 광도는 2.2등임. 거리는 45.2 광년.

데네브 〔Deneb〕 명〖천〗항성(恒星)의 하나. 백조자리의 α성으로 성좌에서는 백조의 꼬리에 위치하는 휘성(輝星). 광도는 1.3등임. 9월 하순 오후 8시경에 남중(南中)함. 거리는 250광년.

데니 〔Denny, Owen N.〕 명〖사람〗조선 말의 미국인 외교 고문(顧問). 고종 23년(1886) 묄렌도르프의 후임으로, 내무 협판(內務協辦)과 외무 아문 장교사 당상(外務衙門掌交司堂上)을 겸함. 러시아 공사 베베르(Waeber)와 결탁하여 청(淸)나라의 조선 간섭에 반대하였으며, 1888년 한로 육로 통상 장정(韓露陸路通商章程)을 주선하여, 조선측의 대표로 조병식(趙秉式)과 함께 조약 문서에 서명함. 한국명은 덕니(德尼).

데니스 〔Denis〕 명〖사람〗프랑스의 성직자. 파리 최초의 주교(主敎)로서, 3세기경 순교(殉敎)하여, 프랑스의 수호 성인(守護聖人)으로 받들어짐. 프랑스 이름은 '드니'.

데니어 〔denier〕 명 생사(生絲)나 인조 견사 또는 나일론의 굵기 곧 섬도(纖度)를 측정하는 데 쓰이는 국제 단위. 길이 450 m의 실이 0.05 g일 때 1데니어라고 함. 기호는 D 또는 d. 중사(重絲). *번수(番手).

데니킨 〔Denikin, Anton Ivanovich〕 명〖사람〗러시아의 군인. 혁명 후에는 백군(白軍) 지도자로 활약하다가 콘스탄티노플로 망명함. 저서 ≪러시아 동란사(動亂史)≫. [1872-1947]

데님 〔denim〕 명 튼튼한 능직(綾織)의 면직물. 보통 씨줄은 감색(紺色)·적색·녹색의 것을 쓰고 날줄은 백색으로 짬. 흔히, 작업복으로 이용함.

데:다¹ ㊀ 자 ①뜨거운 물질에 닿아 살이 상하다. ¶ 불에 ~. ②몹시 놀라거나 고통을 겪어 진저리가 나다. ¶ 그 일에는 정말 데었다. ㊁ 타 불이나 뜨거운 것에 살을 상하다. ¶ 손을 ~/얼굴을 ~.
【덴 데 털 안 난다】 크게 덴 상처에는 털이 안 나듯이, 크게 낭패를 보면 다시 일어나기 어렵다는 말.

데:다² 자〈방〉되다¹(전라·경북).

데다³ 타 ↗데우다.

데데-거리다 자〈방〉지껄이다.

데데킨트 〔Dedekind, Julius Wilhelm Richard〕 명〖사람〗독일의 수학자. 대수적 수론(代數的數論)을 개척하고 무리수론(無理數論)·자연수론(自然數論)의 기초를 세웠음. [1831-1916] 「한 사나이.

데데-하다 형여불 변변치 못하여 보잘것이 없다. ¶ 데데한 선물/데데

데-되다 자 됨됨이가 질적(質的)으로 잘 이루어지지 못하다.

데드 〔dead〕 명 ① 농구·축구·럭비·배구 등에서, 볼이 경기 정지 상태에 있는 일. ②골프에서, 타구(打球)가 떨어진 지점에서 정지한 채 구르지 아니하는 일. 또, 홀(hole) 직전에서 홀에 밀접하여 멎는 일.

데드 다이브 〔dead dive〕 명 비행기가 공중에서 직각으로 아래를 향하여 내려오는 일. 「*커트라인.

데드-라인 〔deadline〕 명 〔사선(死線)의 뜻〕 최후의 선. 최후의 한계.

데드 렌트 〔dead rent〕 명〖경〗광산(鑛山)의 채굴(採掘) 여하를 불문하고 계약액을 지불하는 광구(鑛區)의 차지료(借地料).

데드-로크 〔deadlock〕 명 〔죽은 자물쇠의 뜻〕 막다른 목. 해결되기 어려운 상태. 교착 상태. 정돈(停頓). 침체.

데드 맨 장치【一裝置】 〔dead man〕 명 열차의 안전 운행을 위한 장치의 하나. 열차 진행중 운전사나 기관사가 실신(失神)·졸음 등으로 제어기에서 손이나 발을 떼면 자동적으로 회로가 차단됨과 동시에 비상 제동(制動) 장치가 작동하여 열차가 정지하게 된 장치.

데드 볼:¹ 〔dead ball〕 명 ① '도지 볼(dodge ball)'의 구칭(舊稱). ②축구·럭비·배구·농구 등에서, 경기가 일시 중지된 상태.

데드 볼:² 〔dead＋ball〕 명 야구에서, 투수의 투구(投球)가 타자의 몸에 닿는 일. 타자는 그대로 1루로 갈 수 있음. 사구(死球). 주의 미국에서는 '히트 바이 피치(hit by pitch)'라 함.

데드볼: 라인〔deadball line〕 명 ①직사각형 경기장의 짧은 쪽의 두 끝줄. ②럭비에서, 골 라인 후방 25야드 이내에 골 라인과 평행하게 그은 선.

데드 시:〔Dead Sea〕 명〖지〗'사해(死海)'의 영어명.

데드 엔드〔dead end〕 명 막다른 좁은 골목.

데드엔드 제너레이션〔dead-end generation〕 명〖사〗출구(出口) 없는 막다른 골목의 세대(世代). 살 집도 없고 직업도 없어 폭력(暴力)으로 기울고, 현실 비판과 반문화(反文化)·반사회적인 경향으로 쏠리게 된 1970-80년대의 젊은이들의 일컬음.

데드 웨이트〔dead weight〕 명 ①운반하는 기구·차량(車輛) 자체의 무게. ②〔deadweight capacity의 약칭〕 선박에 적재할 수 있는 화물·여객·연료·식량·음료수 등의 최대 중량. D/W로 표시함. 적화 중량톤(積貨重量 ton).

데드 존:〔dead zone〕 명 테니스에서, 네트의 높이와 각도로 보아 일반적으로 볼이 들어가지 아니하는 사각(死角)인 네트 근처.

데드 카피〔dead copy〕 명〖경〗한 제품을 개발할 때에, 생산 공장이 이미 시판(市販)되고 있는 같은 종류의 제품의 생산을 재현(再現)해 보는 일.

데드 포인트〔dead point〕 명〖공〗사점(死點).

데드 히:트〔dead heat〕 명 경마 등에서 여러 경기자가 동시에 골인한 까닭에 우열(優劣)을 판정할 수 없는 열전(熱戰). 심한 경쟁.

데디케이트〔dedicate〕 명 책의 권두(卷頭)에 은인·우인 등의 이름을 써서 증정하는 일. ──하다 타 여불

데:-뚝 명〈방〉둑²❶(충북).

데 라 메어〔de la Mare, Walter〕 명〖사람〗영국의 시인·소설가. 청순하고도 몽환적 세계를 표현한 시가 뛰어남. [1873-1956]

데라우치 마사타케〔寺内正毅: てらうちまさたけ〕 명〖사람〗일본의 정치가·군인. 1910년 한국 통감(統監)이 되어 한일 합방의 기초를 세워 초대 조선 총독이 되었고, 1916년에 수상이 되어 일군의 시베리아 출병을 강행하였음. [1852-1919]

데럽다 형〈방〉더럽다(경남).

데렌-님 명〈방〉도련님.

데려 부〈방〉도리어(황해).

데려-가다 타 거라불 함께 거느리고 가다.

데려-오다 타 너라불 함께 거느리고 오다.

데르마톨〔도 Dermatol〕 명〖약〗차(次)갈산 창연(酸蒼鉛)의 상품명. 무취의 황색 분말. 수렴(收斂)·방부(防腐) 작용과 건조 작용이 있으므로, 요오드포름의 대용으로 창상(創傷)·궤양(潰瘍) 등에 살포하며, 장(腸)카타르·티푸스 환자의 설사에 내복(內服)시킴.

데르자빈〔Derzhavin, Gavriil Romanovich〕 명〖사람〗러시아의 시인. 여제(女帝) 에카테리나(Ekaterina) 2세의 비호 하(庇護下)에 고전주의에서 탈피하여 리얼리즘으로의 길을 여는 작품을 씀. 저작에 송시(頌詩) ≪페리처≫ 등이 있음. [1743-1816]

데리다[1]〔Derrida, Jacques〕 명〖사람〗알제리 태생의 프랑스 철학자. 1965년 이래 에콜 노르말 철학사(史) 조교수를 지냄. 플라톤 이래의 서양 철학을 일관하는 로고스 중심주의를 비판함. 주저(主著)로 ≪기하학의 기원≫·≪에크리튀르와 차이≫ 등이 있음. [1930-]

데리다[2] 불타 손아랫사람이나 동물 따위를 같이 있게 하거나 또는 거느리고 다니다. 주의 '데리고·데리러·데려' 꼴로만 쓰임. ¶ 아들을 데리고 가다 / 학교로 아이를 데리러 가다 / 친구를 집에 데려오다.

데리스〔derris〕 명〖식〗[*Derris elliptica*] 콩과에 속하는 작은 관목. 대개는 만성(蔓性)이고 잎은 우상 복엽(羽狀複葉)이며 꽃은 홍색임. 뿌리는 가늘고 길며, 다량의 독성(毒性)을 함유하는데 농업용·가축용 살충제의 원료로 쓰임. 동인도 제도(東印度諸島) 원산임.

데리스 비누〔derris〕 명 인축 및 식물에 무해한 살충제. 데리스의 추출물과 가루 비누를 혼화(混化)한 것으로, 찬물에 녹여 모직물의 방충 등에 씀.

데리스-제【─劑】〔derris〕 명〖약〗데리스의 뿌리에서 추출(抽出)한 약제. 농업용 살충제·구충제임. 살충 성분은 로테논(rotenone). *로테논.

데릭〔derrick〕 명〖기〗↗데릭 기중기.

데릭 기중기【─起重機】〔derrick〕 명〖기〗하나의 주주(主柱)와 그 밑에 비스듬히 달린 팔로써 된 기중기의 하나. 팔의 끝에 갈고리나 버킷이 있어 짐을 수평 및 수직으로 이동시키는 데 쓰며, 흔히 뱃짐 싣는 데 사용됨. 부앙(俯仰) 기중기. 준데릭.

〈데릭 기중기〉

데릴-사위〔─싸─〕 명 딸을 시집으로 보내지 아니하고 데리고 있기로 하고 삼는 사위. 예서(預壻). 초서(招壻). 췌서(贅壻).

데릴사윗-감〔─싸─〕 명 ①데릴사위가 될 만한 사람. ②언행이 얌전한 사람을 가리키는 말. ③언행에 조심성이 없거나 남에게 귀염을 받지 못할 사람을 비꼬아 조롱하는 말.

데림-추 명 주견이 없이 남에게 딸려 다니는 사람. ¶ 손수 사 들고 오셨으면 내어놓구 마실 게지 조림이다 뭐다 쪄라 삶아라 뭐 ~ 자식이우? ≪李無影: 사랑의 화첩≫.

데마 명 ↗데마고기(demagogie).

데마고고스〔그 demagogos〕 명 ①민중 지도자. ②민중 선동가. 데마고그.

데마고그〔demagogue〕 명 ①데마고고스(demagogos). ②자파(自派)를 위하여 민중을 선동하는 연설가. 선동 정치가.

데마고기〔demagogy〕 명 ①사실과 반대되는 선동적인 선전. 사실을 근거로 한 선동을 애지테이션이라고 하는데 대하여, 전혀 근거 없는 허위 선전 따위를 이름. ②인신 공격. 중상. 준데마.

데마고기즘〔demagogism〕 명 악선동(惡煽動). 선동 행위.

데마벤드 산【─山】〔Demavend〕 명〖지〗이란 북부, 엘부르즈(Elburz) 산맥의 최고봉이며 휴화산(休火山). 산정(山頂)의 조금 아래쪽에 두 개의 소빙하(小氷河)가 있음. [5,601 m]

데마크〔도 Demag〕 명〔Deutsche Maschinenfabrik A. G.의 약칭〕 독일의 세계적인 기계 제조 업체. 채광기, 용광, 압연 설비, 기중기, 동력기, 압착기 등의 제조 및 교량의 건설 등을 행함.

데먼스트레이션〔demonstration〕 명 ①시위 운동(示威運動). ②자기의 존재에 주목을 끌게 하거나 선전을 위한, 자기 현시(顯示). ③운동 경기 등에서, 정식 종목 이외에 벌이는 연기(演技). 준데모.

데먼스트레이션 효:과【─效果】 명〔demonstration effect〕〖경〗저소득자(低所得者)나 후진국(後進國)이 고소득자(高所得者)나 선진국의 소비 양식(消費樣式)에 자극되어, 다소 여유가 생기면 소비를 늘리는 경향. 준데모 효과.

데먼스트레이터〔demonstrator〕 명 ①〖경〗구매자(購買者)에게 제품 사용법을 실지로 교습(敎習)하면서 선전하는 사람. ②논증가(論證家).

데메테르〔Dēmētēr〕 명〖신〗그리스 신화 중의 대지(大地)의 여신(女神). 곡물의 성장이나 농업 기술을 관장함.

〈데메테르〉

데:멜〔Dehmel, Richard〕 명〖사람〗독일의 서정 시인. 본능과 정열을 찬미하는 도취적 경지(陶醉的境地) 가운데 니체적인 사상성을 나타내어 젊은 세대에 커다란 영향을 주었음. 시집 ≪구제≫·≪그러나 사랑은 아름다워≫·≪아름답고 격렬한 세계≫ 외에 운문 소설과 제1차 대전 참전 일기 따위가 있음. [1863-1920]

데면데면-하다 형 여불 ①성질이 꼼꼼하지 아니하다. 사물에 깊은 조심성이 없다. ¶ 데면데면한 사람. ②붙임성이 없고 대수롭지 아니하게 여기다. ¶ 데면데면하게 대하다 / 딴 여자에게 마음을 둔 남편의 아내에게 대한 태도가 데면데면할 것도 자연한 일이었다 ≪李光洙: 사랑≫.

데모 명 ↗데먼스트레이션(demonstration).

데모그래픽 트랜지션〔demographic transition〕 명 공업화의 진전(進展)에 기인하는, 고출생(高出生)·고사망(高死亡)에서 저출생(低出生)·저사망(低死亡)으로의 인구 동태(人口動態)의 변환(變換)에 따라 일어나는 인구학적 여러 변화.

데모:니슈〔도 dämonisch〕 명〔'귀신이 들린'이란 뜻〕 사람의 내부에 있어서, 그 의지를 무시하고 어떤 행동으로 몰아대는 초인간적인 자연력(自然力).

데모스테네스〔Demosthenes〕 명〖사람〗고대 그리스, 아테네의 정치가·웅변가. 반(反)마케도니아의 입장에서 애국심을 고취하고 테베(Thebes)를 끌어들여 마케도니아에 대항함. 테베와 아테네의 연합군이 카이로네이아(Chaironeia)의 싸움에서 패한 후에도 반(反)마케도니아주의를 견지하다 아테네에서 도망하여 음독 자살함. [384-322 B.C.]

데모크라시〔democracy〕 명 ①민주주의. ②민주 정체(民主政體). ③민주 정치.

데모크라-플레이션〔democraflation〕 명〖사·경〗〔데모크라시와 인플레이션의 합성어(合成語)〕 불공평(不公平)한 민주주의가 빚어 내는, 경제(經濟) 규모 이상의 수요 팽창(需要膨脹).

데모크래트〔democrat〕 명 민주주의자. 민주 정체론자(民主政體論者).

데모크리토스〔Democritos〕 명〖사람〗고대 그리스의 철학자. 박학 다식(博學多識)하고 항상 세인이 쓸데없는 일에 골몰함을 비웃어서 '웃는 철학자'로 불리었음. 세상에 진실로 실재하는 것은 불생 불멸(不生不滅)의 아토마(atoma)와 이의 장소로서 공허(空虛) 케논(kenon)뿐이라 하며, 이로써 만물을 설명하여 원자론(原子論)의 최초의 발설자가 됨. [460?-360? B.C.]

데모 행진【─行進】 명 데먼스트레이션을 하기 위한 행진. 시위 행진.

데모 효:과【─效果】 명〖경〗↗데먼스트레이션 효과.

데물랭〔Desmoulins, Camille〕 명〖사람〗프랑스 혁명기의 정치가. 자코뱅당의 논객. 국민 공회(國民公會)에서는 산악파(山岳派)에 속함. 공포(恐怖) 정치에 반대하다가 당통(Danton)과 함께 처형됨. [1760-94]

데미 명〈방〉더미¹(전라·충청).

데미안〔도 Demian〕 명〖책〗헤르만 헤세가 1919년에 완성한 장편 소설. 부제(副題)는 '에밀 싱크레의 청춘'. 처음에는 익명으로 출판함. 불량 소년에게 괴로움을 당하고 있는 싱크레이 친구인 데미안에 의해 구출되어 자아(自我)에 눈뜨는 과정을 그렸음.

데미우르고스〔그 demiourgos〕 명〖철〗〔제작자란 뜻〕 플라톤이 우주 형성자(宇宙形成者)라고 생각했던 신(神)의 이름.

데민포름〔Deminform〕 명〖사〗〔Democratic Information Bureau의 약칭〕 1947년 미국 노동 총연맹이 공산주의 정보국 코민포름에 대항하기 위하여 미국과 서유럽의 각 노동 조합으로 결성할 것을 제창한 민주주의 정보국.

데 밀〔De Mille, Cecil Blount〕 명〖사람〗미국의 영화 감독 겸 제작자. 피와 성(性)과 성서(聖書)를 기조로 한 흥행적 대작을 즐겨 만듦. 작품 ≪십계(十誡)≫ 등. [1881-1959]

데:-밀다 타 ①밖에서 안쪽으로 향하여 밀거나 들어가게 하다. ¶ 창구멍으로 손가락을 ~ / 신분증을 접수 창구로 ~. ②밑천 따위를 들이다. ¶ 사업에 큰 밑천을 ~.

데뻣다 자〈옛〉떴다. '데쁘다'의 활용사형. ¶ 아ᄋ라히 구룸과 안개ᄂᆞᆫ 데뻣도다(蒼茫雲霧浮) ≪杜諺 1:15≫.

데쁨 자〈옛〉부유(浮游)함. 뜸. '데쁘다'의 명사형. ¶ 世人의 性이 샹네 데ᄠ미 뎌 하ᄂᆞᆳ 구룸 ᄀᆞᄐᆞ니라(世人性常浮游 如彼天雲) ≪六祖 中 38≫.

데쁘다 자〈옛〉뜨다¹. ¶ 다민 데ᄠᆞᆫ 너기미니(特浮想耳) ≪楞嚴 1:65≫.

데바나가리 문자【─文字】〔Devanagari〕〔─짜〕 명 범자(梵字).

데바닷타〔범 Devadatta〕 명〖불교〗제바달다(提婆達多)의 본이름.

데-배【─杯】 명 '데이비스 컵(Davis Cup)'의 뜻.

데번〔Devon〕 명〖지〗영국 잉글랜드(England) 서남부의 주(州). 북

부와 남서부에 구릉성(丘陵性)의 황무지가 있으며, 남부는 온난하여 보양지(保養地)·근교 농업 지대가 펼쳐짐. 주도(州都)는 엑세터(Exeter). 데번셔. [6,765 km² : 952,000 명(1981)]

데번 섬 〔Devon〕 명 〖지〗 캐나다 북부, 북극해의 퀸 엘리자베스 제도(諸島)에 있는 섬. 소수의 에스키모(Eskimo)가 삶.

데번셔 〔Devonshire〕 명 〖지〗 데번.

데번-종【—種】〔Devon〕 명 영국의 데번 주(州) 원산의 유육(乳肉) 겸용의 소. 북데번종과 남데번종이 있는데 보통 북데번종을 말함. 털빛은 적갈색에 유방부가 백색인 것이 대부분임. 몸은 대형은 아니나 균형이 잘 잡혀 있고 사지는 비교적 짧고 강건함.

데 벌레라 〔De Valera, Eamon〕 명 〖사람〗 미국 태생의 아일랜드 정치가. 일찍부터 반영(反英) 독립 운동에 참가하여, 1932년 아일랜드 자유국 수상, 1937년 독립과 함께 초대 수상, 1959년 대통령이 되었으며, 1966년 재임(再任)됨. [1882-1975]

데:베기 명 〈방〉 더버기.

데:보 명 〈방〉 둑²❶(경기).

데본-계【—系】 명 〔Devonian system〕〖지〗〔데본은 영국의 주(州) Devonshire에서 유래〕 데본기(紀)에 퇴적한 지층군(地層群).

데본-기【—紀】 명 〔Devonian period〕〖지〗 지질 시대 고생대(古生代) 중 실루리아기(紀) 후, 석탄기(石炭紀)의 전 시대. 약 4억 2천만 년 전부터 3억 7천 만년 전까지의 시대. 양서류가 진화하여 최초의 육상 동물이 출현하였고, 양치(羊齒) 식물이 번성하였음.

데:부 명 〈방〉 둑²❶(경기·충북).

데:부-두덕 명 〈방〉 둑²❶(전북).

데:부-뚝 명 〈방〉 둑²❶(강원·전북).

데불다 타 〈방〉 데리다(황해·경상).

데뷔 〔프 début〕 명 ①사교계에 정식으로 처음 나가는 일. ②음악가나 배우 등의 첫 무대. 첫 출연. 첫 등장. ¶ 은막(銀幕)에 ~하다. ——-하다 자여불

데브레첸 〔Debrecen〕 명 〖지〗 중유럽 헝가리의 동부 아르펠드 평원(Arfeld平原)의 중심지. 농산물과 축산물의 집산지인 동시에 직물(織物)·도기(陶器)를 산출함. [195,000 명(1980)]

데브리 〔프 débris〕 명 〖파편(破片)의 뜻〗 등산에서, 눈사태로 인한 설괴(雪塊)나 산사태로 퇴적(堆積)한 토사(土砂).

데브스 〔Debs, Eugene Victor〕 명 〖사람〗 미국의 노동 운동 지도자. 미국 사회의 사회주의 토착화에 힘씀. 1897년 사회 민주당 결성에 참가, 이후 다섯 번 이 당의 대통령 후보로 선출됨. 제1차 세계 대전 때 참전에 반대하여 투옥됨. [1855-1926]

데블 〔devil〕 명 악마. 악귀. 사탄.

데비트로세라믹스 〔devitroceramics〕 명 데비트로세람.

데비트로세람 〔devitroceram〕 명 유리를 작은 결정(結晶)으로 하여 만든 특수 유리. 내열(耐熱)·내마모성(耐摩耗性)이 높고 가벼우며 열팽창률이 적어 식기(食器)에서부터 미사일 탄두(彈頭)까지 용도가 넓음. 미국 코닝 회사의 개발품임. 데비트로세라믹스.

데살로니가 〔Thessalonica〕 명 〖성〗 마케도니아의 수도. 바이아 에그나티아(Via Egnatia) 가도(街道)에 연한 상당히 번화한 도시로 바울은 50년경에 이곳에 전도하여 교회를 세웠음. 현재의 테살로니카. 살로니카.

데살로니가 전서【—前書】〔Thessalonica〕 명 〖성〗 신약 성서 중의 한 편. 사도 바울이 데살로니가 교회에 보낸 첫 서신으로서, 50년경 고린도에서 썼다고 함. 5장(章)으로 되었는데, 신도의 신앙 생활과 주(主)의 재림(再臨)에 대하여 서술하고 있음.

데살로니가 후:서【—後書】〔Thessalonica〕 명 〖성〗 신약 성서 중의 한 편. 이 서한은 바울이 전서(前書)를 보낸 1-2년 후에 다시 데살로니가 교회 앞으로 보낸 둘째 서신으로, 주의 강림(降臨)을 재론(再論)하고 신도의 신앙을 강조하였음. 3장(章)으로 됨.

데살로니카인들에게 보낸 둘:째 편지【—人—片紙】〔Thessalonica〕 명 〖성〗 데살로니가 후서(後書).

데살로니카인들에게 보낸 첫째 편지【—人—片紙】〔Thessalonica〕 명 〖성〗 데살로니가 전서(前書).

데-삶기다 〔—삼—〕 피동 완전히 삶겨지지 아니하다. 약간 삶기다.

데-삶다 〔—삼따〕 타 덜 삶다. 푹 삶지 아니하다.

데 상크티스 〔De Sanctis, Francesco〕 명 〖사람〗 이탈리아의 평론가. 1848년 부르봉(Bourbon) 왕조에 대한 민중 봉기에 참가하여 피체(被逮), 3년 후에 석방됨. 1861년 국가 통일 시대에 카부르(Cavour) 내각의 문상(文相), 1871년 나폴리 대학 교수를 역임함. 주저 《이탈리아 문학사》. [1817-83]

데생 〔프 dessin〕 명 〖미술〗 형태와 명암을 주로 하여 단색(單色)으로 그린 그림. 특히 목탄(木炭)으로 그린 것. 서양화의 기초가 됨. 분본(粉本). 소묘(素描).

데생각-하다 자여불 얼치기로 서투르게 생각하다.

데-생기다 자 생김새나 드레가 완전하게 이루어지지 못하다. 덜 이루어지다. 지질하고 못나게 생기다. *데되다.

데샤티나 〔러 desyatina〕 의명 러시아의 지적(地積)의 단위. 1.0924 헥타르, 곧, 3,304 평에 해당함.

데샹[1] 〔Deschamps, Émile〕 명 〖사람〗 프랑스의 낭만주의 시인. 위고와 함께 《뮈즈 프랑세즈(Muse française)》를 창간함. 시집 《프랑스와 외국 연구》의 서문은 낭만주의 선언으로서 중요함. [1791-1871]

데샹[2] 〔Deschamps, Eustache〕 명 〖사람〗 프랑스의 시인. 가난한 공무원 생활을 하며 여성을 풍자(諷刺)한 《혼인 거울》 외에 많은 시를 남김. 《시문(詩文)의 길》은 프랑스어로 씌어진 최초의 시론(詩論)임. [1346-1407]

데설-궂다 형 성질이 털털하고 호방(豪放)하여 작은 일에는 밝지 못하다.

데설-데설 부 데설궂은 꼴. ¶ 현마도 ~ 웃으며 조롱하는 듯이 그 꼴을 바라보는 것이나…《李孝石 : 花粉》.

데설데설-하다 형여불 데설궂은 성질이 있다.

데설-맞다 형 ☞ 데설궂다.

데세:르 〔프 dessert〕 명 ①'디저트(dessert)'의 프랑스 이름. ②말랑하게 구운 비스켓류(類)의 양과자.

데스-마스크 〔deathmask〕 명 사람이 죽은 직후에 안면(顔面)으로부터 직접 본을 떠서 만든 가면(假面). 석고나 금속으로 만듦. ㊟마스크.

데스모스틸루스 〔라 desmostylus〕 명 〖동〗 거대한 두골과 기형의 이를 가진 포유류. 제삼기(第三紀) 마이오세에 살고 있었음. 화석(化石)으로 많이 발견됨.

데스-밸리 〔Death Valley〕 명 〖지〗 미국 캘리포니아 주 동부에 있는 계곡. 대부분이 사막이고 여름에는 낮의 더위가 심하여, 개척기의 여행자들이 '죽음의 계곡'이라 무서워한 곳. 표고 2,000-3,000 m의 산지(山地)에 싸여 있고, 최저부(最低部)의 표고는 해면하 86 m임.

데스캔트 〔descant〕 명 〖악〗 ①정선율(定旋律)에 수창(隨唱)되는 선율. ②고음부(高音部).

데스크 〔desk〕 명 ①책상. ②설교하는 단. ③신문사 편집국의 각 부차장(部次長). 원고를 살피며 기자를 지휘하는 취재상(取材上)의 가장 중요한 자리로서 보통 중견의 노련한 기자임. ④호텔 등의 접수처.

데스크 워:크 〔desk work〕 명 책상을 마주하고 하는 일. 책상에서 하는 일. 사무·공부·집필 등.

데스크톱 출판【—出版】 명 〔desktop publishing〕 컴퓨터를 이용하여 원고의 입력·편집·수정 등의 과정을 거쳐 레이저프린터로 그 결과를 촬영하여 인쇄물을 만들어내는 일. 탁상 출판.

데스크톱 컴퓨:터 〔desktop computer〕 명 〖컴퓨터〗 책상 위에 올려 놓을 수 있는 정도의 크기를 가진 컴퓨터. 사무 자동화의 주력 기종으로 납작한 상자 모양의 본체와 모니터·키보드 등으로 구성됨.

데스크 플랜 〔desk plan〕 명 실지(實地)와 동떨어진 탁상(卓上)에서의 「계획.

데스튀트 드 트라시 〔Destutt de Tracy, Antoine Louis Claude〕 명 〖사람〗 프랑스의 철학자. 감각론(感覺論)의 입장에서 관념의 발생·전개를 연구하여 이를 관념학(觀念學)이라 칭하였음. [1754-1836]

데스포티즘 〔despotism〕 명 ①독재 군주제(獨裁君主制). ②독재 정치. 군주 전제 정치. ③폭정(暴政).

데스피오 〔Despiau, Charles〕 명 〖사람〗 프랑스의 조각가. 로댕(Rodin)의 조수. 작품은 고전적이며 특히 여성의 초상(肖像)에 뛰어난 작품을 남김. [1874-1946]

데시 〔라 deci〕 의명 가죽의 크기를 나타내는 단위. 1데시는 10 cm².

데시- 〔라 deci〕 두 미터법의 각 단위 위에 붙여 그 십분의 일의 뜻을 나타내는 말. 기호는 d. ¶ ~미터/~그램.

데시-그램 〔decigram〕 의명 1그램의 십분의 일. 기호는 dg.

데시근-하다 형여불 어떤 행동이 씨가 먹지 않고 미지근하다. ¶ 다른 사람 같으면 그만 앞으로 고꾸라질 것인데 총각은 데시근하게도 여기지 않고 꿋꿋이 서 있었다《洪命憙 : 林巨正》.

데시기 명 〈방〉 뒷덜미(전북).

데시기다 타 먹을 마음이 없는 음식을 억지로 먹다. 맛없이 먹다.

데시-리터 〔deciliter〕 의명 미터법의 양의 단위. 1리터의 십분의 일. 기호는 dl.

데시-미터 〔decimeter〕 의명 1미터의 십분의 일. 기호는 dm.

데시미터-파【—波】〔decimiter〕 명 '극초단파(極超短波)'의 별칭. 유에이치 에프(UHF).

데시-벨 〔decibel〕 의명 〖물〗 ①전화의 발명자 벨(Bell)에 연유하여 이름지어진 단위. 벨(bel)의 십분의 일. 전기 통신에서 전력(電力)의 증감을 나타내는 데 쓰임. 기호는 db. ②소리의 세기를 표준음(標準音)의 세기에 비교한 수량의 단위.

데시-아:르 〔deciare〕 의명 면적의 단위. 1아르의 십분의 일. 곧, 10 m²에 해당함. 기호는 da.

데 시카 〔De Sica, Vittorio〕 명 〖사람〗 이탈리아의 영화 감독·배우. 제2차 대전 후에, 네오리얼리즘(neorealism) 영화의 걸작을 연출, 《자전거 도둑》·《구두닦이》·《종착역》 등 불행한 인생을 감상에 치우치지 않고 냉혹하게 묘사, 깊이 인간성을 믿는 제작 태도로써 높이 평가됨. [1902-74]

〈데시케이터〉

데시케이터 〔desiccator〕 명 〖화〗 건조기의 한 가지. 농황산·염화 칼슘 등의 건조제를 사용하여 화학 약품의 수분을 제거하는 것으로, 밀폐한 유리 용기로 되어 있음.

데 아미치스 〔De Amicis, Edmondo〕 명 〖사람〗 이탈리아의 작가. 아동문학의 명작 《쿠오레(Cuore)》를 남김. [1846-1908]

데-알다 타 설쳐서 알다. 대강 알다. 반 쯤 알다. ¶ 데알아서 건방지기만 하다.

데억-지다 형 정도에 지나치게 크거나 많다.

데오다 타 〈옛〉 데우다. ¶ 데오라 가더 말라(休旋去)《老乞上 57》.

데오비브리오-균【—菌】〔Deobibrio〕 명 〖생〗 세균을 잡아먹는 세균. 1962년 독일에서 발견됨.

데오빌로 〔Theophilus〕 명 〖성〗 누가 복음에 나오는 인물. 누가가 그에게 누가 복음과 사도 행전(使徒行傳)을 써 보냈음. 로마의 기사 계급(騎士階級)이며 누가와는 친한 사이였음.

데우 부 〈방〉 되게(경기).

데우다 타 〔중세 : 데다〕 찬 것을 덥게 하다. ¶ 물을 ~. ㊟데다.

데우스 〔라 Deus〕 명 신(神). 하느님.
데우스 엑스 마키:나 〔라 deus ex machina〕 명 《연》 〔'기계 장치로 된 신(神)'의 뜻〕 고대 그리스 연극에서 쓰인 무대 기교의 하나. 도르래가 붙은 기계 장치에 의하여, 별안간 신이 공중에서 나타나 복잡한 사건을 대번에 해결하여, 연극의 결말을 짓는 수법. 위급한 장면을 구하기 위하여 나타나는 초자연력(超自然力)이나 부자연스러운 해결책.
데우칼리온 〔Deukalion〕 명 《신》 그리스 신화 중의 인물. 프로메테우스(Prometheus)의 아들. 제우스(Zeus)가 인류를 멸하려고 내린 대홍수에, 그의 아내 피라(Pyrrha)와 단 둘이 생존. 이들의 아들 헬렌(Hellen)이 헬렌족의 시조가 되었다 함.
데유 【一油】 명 〔←도유(塗油)〕 걸쭉하게 끓인 들기름. 갈모·담배 쌈지 같은 것을 결는 데 씀.
데이 〔day〕 명 ①날. 낮. 하루. ②시대. 시기. ③축일(祝日). 개최일(開催日). 어떤 행사가 있는 날. ¶ 유엔 ～.
데이 게임 〔day+game〕 명 (야구 등에서) 낮에 하는 경기. 주간 경기.
데이나 〔Dana, James Dwight〕 명 《사람》 미국의 지질학자·광물학자. 화학 성분에 기초를 둔 광물 분류법을 확립함. 저서 ≪광물학 체계≫. [1813-95]
데이비 〔Davy, Humphrey〕 명 《사람》 영국의 화학자. 패러디(Faraday)의 스승. 전기 분해의 연구로 염소(塩素)를 발견하고, 안전등을 발명하였음. [1778-1829]
데이비드 코퍼필:드 〔David Copperfield〕 명 《책》 〔원제는 The personal History, Adventures, Experience, and Observation of David Copperfield the Younger〕 자전적 요소를 품은 디킨스(Dickens, C.)의 대표작. 유복자(遺腹子)로 태어난 데이비드의 고난에 찬 청소년 시절을 기지(機智)와 유머로 엮은 이야기. 1850년 지음.
데이비 램프 〔Davy lamp〕 명 안전등(安全燈).
데이비스[1] 〔Davis, Jefferson〕 명 《사람》 미국의 정치가. 노예제의 옹호·주권론(州權論)을 주장하여 남부의 이해(利害)를 대변함. 남북 전쟁이 발발하자 남부 맹방(南部盟邦)의 대통령으로 추대되어 활약함. 합중국군에 잡혀 투옥되었으나 곧 석방됨. [1808-89]
데이비스[2] 〔Davis, William Morris〕 명 《사람》 미국의 자연 지리학자. 미국 지리학자 협회 회장·미국 지질학회장 등을 지냄. 지리학의 여러 분야에 큰 업적을 남겼는데, 특히 진화론적인 생각을 지형학(地形學)에 도입하여 정리한 침식 윤회(浸蝕輪廻)의 학설로 유명함. 저서 ≪자연 지리학≫. [1850-1934]
데이비스[3] 〔Davis, Miles Dewey〕 명 《사람》 미국의 흑인 재즈 트럼펫 연주가. 고등 학교 시절부터 재즈 연주에 재능을 보이더니 10대 후반부터 직업 연주가로서 세인트루이스의 직업 무대에 나섬. 1949년 파리 재즈 페스티벌에 참가한 이래 주목을 받고, 재즈의 톱스타로 활약함. [1926-]
데이비스-전 【一戰】 〔Davis〕 명 데이비스 컵 전.
데이비스 컵 〔Davis Cup〕 명 미국의 정치가 데이비스(Davis, Dwight Filley; 1879-1945)가 1900년에 국제 테니스 경기의 우승 상배(優勝賞杯)로 기증한 대은배(大銀杯). 데배(杯).
데이비스 컵 전 【一戰】 〔Davis Cup〕 명 데이비스 컵을 쟁탈(爭奪)하는 세계 최대의 테니스 경기. 처음에는 미·영 양국의 대항 시합이었는데 1904년부터 세계 각국이 참가하게 되어, 매년 유럽·미국·동양의 세 지역으로 갈라서 예선을 하고 각 지역 승자(勝者)가 지역간 결승전을 행하고, 그 승자(勝者)가 전년도의 우승자와 결승 경기를 함. 데이비스전(Davis 戰).
데이비스 해:협 【一海峽】 〔Davis〕 명 《지》 그린란드(Greenland)와 배핀(Baffin) 섬 사이의, 폭 300-600 km의 해협. 1587년 영국의 탐험가 데이비스(Davis, J.)가 발견함.
데이비슨 〔Davisson, Clinton Joseph〕 명 《사람》 미국의 물리학자. 버지니아 대학 교수. 전파(電波)의 파동성(波動性)을 실증(實證)한 업적으로 톰슨(Thomson, G.P.)과 함께 1937년 노벨 물리학상을 수상함. [1881-1958]
데이비 크로켓 〔Davy Crocket〕 명 바주카포(bazooka 砲) 모양의 보병용 중화기(重火器). 지프(jeep)에 장비할 수 있으며, 1킬로톤 이하의 핵탄두(核彈頭)를 장착할 수 있음.
데이아네이라 〔Dēianeira〕 명 《신》 그리스 신화 중의 헤라클레스(Herakles)의 아내. 미약(媚藥)으로 쓴 것이 그만 그 속에 든 독소 때문에 남편을 죽게 하여 자신도 자살하는 비극이, 소포클레스(Sophokles)의 ≪트라키스의 연인들≫에 묘사되어 있음.
데이지 〔daisy〕 명 《식》 [*Bellis perennis*] 국화과에 속하는 다년초. 유럽 원산임. 잎은 근생엽(根生葉)뿐이고, 주걱 모양 또는 거꿀달걀꼴인데, 긴 줄기가 있고 그 사이에서 10-15 cm의 화경(花莖)이 나고, 하나의 두화(頭花)가 달림. 두화는 소형(小型)이나, 설상화(舌狀花)는 단엽(單葉) 또는 천엽(千葉)으로, 백색·홍색·홍자색 등 여러 가지가 있고, 봄부터 가을까지 오래도록 꽃이 피므로 널리 화단이나 분(盆)에 심어 가꿈.

〈데이지〉

데이크론 〔Dacron〕 명 〔미국의 상표 이름〕 양털과 비슷한 폴리에스테르계(polyester 系) 합성 섬유의 한 가지. 단독으로 또는 양털과 혼방(混紡)하여 옷감으로 쓰임. 영국에서는 테릴렌(Terylen)'이라고 함.
데이터 〔data〕 명 〔datum의 복수(複數)〕 ①입론(立論)의 기초가 되는 논거(論據) 또는 자료(資料). ¶ ～ 수집. ②《논》 여건(與件). 기지 사항(旣知事項). ③관찰에 의하여 획득된 사실. ④컴퓨터에서, 프로그램을 운용(運用)할 수 있는 형태로 기호화(記號化)·숫자화(數字化)한 자료.
데이터 관:리 【一管理】 〔一괄一〕 명 〔data management〕 컴퓨터에서, 데이터의 해독(解讀)과 기록을 담당하고, 입출력(入出力) 장치의 사용 방식을 다스리는 제어(制禦) 프로그램 기능(機能)의 총칭.
데이터 레지스터 〔data register〕 명 《컴퓨터》 중앙 처리 장치 내의 임시 데이터 기억 장소. 기억 장치에서 읽은 값이나 쓸 값, 그리고 중간 계산 결과 등을 임시로 저장하는 역할을 함.
데이터 뱅크 〔data bank〕 명 ①정보 은행(情報銀行). 대량의 데이터를 컴퓨터에 축적하여 놓고, 고객에게 필요한 데이터나 정보를 판매하는 기관. ②여러 가지 데이터를 기억하여 두는 장치. 자기(磁氣) 테이프·자기 디스크(disk)·자기 드럼(drum) 등이 사용됨. 자료 은행.
데이터 버스 〔data bus〕 명 《컴퓨터》 중앙 처리 장치·기억 장치·입출력 장치 등의 사이에서 서로 데이터를 주고받도록 하기 위해 규격화된 전송로. 자료 버스.
데이터 베이스 〔data base〕 명 〔정보 기지(情報基地)란 뜻〕 계통적으로 정리·관리된 정보의 집적(集積). 특히, 컴퓨터에서 갖가지 정보 검색에 고속으로 대응할 수 있도록 대량의 데이터를 통일적으로 관리하는 파일(file). 또, 그 파일을 관리하는 시스템.
데이터 베이스 서:비스 〔data base service〕 명 《컴퓨터》 각종 데이터를 컴퓨터로 이용 가능한 형태로 만들어서 서비스하는 업무.
데이터 전송 【一傳送】 〔data〕 명 컴퓨터를 중심으로 데이터를 처리 통달(通達)하는 방식.
데이터 처:리 【一處理】 명 《컴퓨터》 〔data processing〕 필요한 정보를 얻기 위하여 데이터에 대해 이루어지는 일련의 작업. 데이터에 관한 집계·분류·대조·번역 등의 산술적·논리적 처리 따위임.
데이터 처:리 장치 【一處理裝置】 〔data〕 명 주로 컴퓨터에 의하여 데이터의 분류·참조·계산·판단 등을 행하는 장치.
데이터 텔레폰: 〔data telephone〕 명 자기(磁氣) 카드를 삽입(揷入)하면 전화가 걸리거나 간단한 데이터의 입출력(入出力)이 가능한 전화. 트랜잭션 텔레폰.
데이터 통신 【一通信】 명 〔data communication〕 데이터 처리 기계 상호간 또는 적당한 입출력(入出力) 장치를 매개(媒介)로 인간과 기계 사이에서 정보를 전송(傳送)하는 일.
데이터 파일 〔data file〕 명 《컴퓨터》 필요한 데이터를 자기 테이프 등에 기억시킨 것. 자료 파일.
데이턴 〔Dayton〕 명 《지》 미국 북부 오하이오 주의 서남, 마이애미 강(Miami 江)에 연한 공업 도시. 하항(河港)이며 항공 요지(航空要地)이기도 함. [184,360 명(1988)]
데이트 〔date〕 명 ①연월일(年月日). 날짜. 기일. 시대(時代). 연대(年代). ②날짜와 장소를 미리 약속하고 이성(異性)의 친구와 만남. 또, 그 약속. ¶ ～ 상대. ──하다 자여불
데-익다 자 덜 익다. 설익다.
데인-인 【一人】 〔Dane〕 명 덴마크에 살고 있던 노르만인. 8세기 말부터 영국에 침입하여 1016년에는 그 왕 카뉴트(Canute)가 영국을 정복하였음.
데일 〔Dale, Henry Hallet〕 명 《사람》 영국의 생리학자·약리학자. 국립 약학 연구소장·왕립 협회장 등을 역임. 히스타민(histamin)의 혈압 강하 작용과 아세틸 콜린(acetyl choline)에 관한 연구 업적이 있음. 1936년 노벨 생리 의학상을 수상함. [1875-1968]
데일리 〔daily〕 명 신문의 명칭에 붙여 '일간(日刊)'의 뜻을 나타내는 말. ¶ ～ 메일.
데일리 메일 〔Daily Mail, the〕 명 영국의 신문. 런던에서 발행되는 보수당계의 일간 신문으로, 1896년에 창간하였음. 1960년 '뉴스 크로니클(News Chronicle)'과 합병함.
데일리 미러 〔Daily Mirror, the〕 명 영국의 대중 일간지(大衆日刊紙). 타블로이드판(判). 1903년에 창간. 중립계이지만 보수당에 비판적임.
데일리 스프레드 〔daily spread〕 명 1974년에 스웨덴에서 개발한 빵이나 비스킷에 발라 먹는 기름 모양의 낙농(酪農) 식품. 지방분과 칼로리는 버터·마가린의 반 정도이고, 단백질은 버터의 10배 이상, 마가린의 30배 이상임.
데일리 오:더 엔트리 시스템 〔daily order entry system〕 명 《경》 매일의 고객의 주문 내용을 생산 과정에 반영하면서 대량 생산을 하는 방식. 대량 생산의 이점과 주문 생산의 장점을 동시에 추구하려는 것으로, 일부 자동차 분야에서 행하여지고 있는데, 고객의 요구를 컴퓨터로 측정, 생산을 통제함.
데일리 워:커 〔Daily Worker, the〕 명 ①영국의 공산당 기관지. 1939년 창간. 1966년 '모닝 스타(Morning Star)'로 개제(改題)함. ②미국의 공산당 기관지. 1924년 창간.
데일리 익스프레스 〔Daily Express, the〕 명 영국의 보수당계의 일간 신문. 1900년 창간.
데일리 텔레그래프 명 〔The Daily Telegraph & Morning Post〕 영국의 고급 일간지. '데일리 텔레그래프'로서 1855년 런던에서 창간, 1937년 '모닝 포스트'를 합병, 개제(改題)함. 보수적이고 견실한 지면 구성(紙面構成)이 특색임.
데자르그의 정:리 【一定理】 〔一니/一에一니〕 〔Desargues〕 명 《수》 〔데자르그(Desargues, Gérard, 1593-1662)는 사영 기하학(射影幾何學)의 기초를 확립한 프랑스의 수학자〕 두 삼각형의 대응하는 꼭지점을 연결하는 직선이 한 점에서 만나면, 대응하는 변(邊)의 교점(交點)은 일직선상에 있다는 정리.
데즈뇨프 곶 【一串】 명 〔Dezhnëv〕 《지》 러시아 시베리아 북동 끝, 아시아 주의 최북동단에 있는 곶. 추코트 반도(Chukot 半島)의 첨단(尖端)에 위치하고 있으며, 북아메리카 주 알래스카의 프린스오브웨일스 곶

(Prince of Wales串)과 대(對)하고 있음. 1648년 러시아의 항해가 데즈뇨프(Dezhnëv)가 이 곳을 발견하였기 때문에 그의 이름을 붙였음.

데:치다 타 ①끓는 물에 잠깐 넣어 슬쩍 삶아 내다. ¶시금치를 ～. ②단단히 타일러 혼을 내어 풀이 죽게 하다.

데치소 〔이 deciso〕 명 《악》 '분명하게'의 뜻.

데카- 〔deca〕 두 ①열·십(十)의 뜻. ¶～비타민. ②미터법에서 각 단위의 위에 붙여 그 10배의 뜻을 나타내는 말. 기호는 D. ¶～리터.

데카-그램 〔decagram〕 의명 1그램의 10배가 되는 질량(質量)의 단위. 기호는 Dg.

데카당 〔프 décadent〕 명 ①《예》 데카당파의 문인·예술가. ②퇴폐적이며 자포 자기적으로 행동하는 사람.

데카당 문학 【一文學】 〔프 décadent〕 명 《문》 데카당스의 경향(傾向)을 가진 문학. 퇴폐 문학(頹廢文學).

데카당스 〔프 décadence〕 명 《예》 19세기 말에 프랑스를 중심으로 유럽 각국에 퍼진 풍조(風潮)로서 퇴폐적인 문화에 미적 동기(美的動機)를 구하는 관능주의(官能主義). 뒤에 상징주의로 발전하였음. 구래(舊來)의 전통이나 권위를 무시, 근대인의 비정상적인 자극을 구하는 욕망의 나타남이라고 할 수 있으나, 동시에 사상적인 데카당스 현상은 전시대(前時代) 문화의 붕괴를 촉진하여 새로운 발전 능력을 낳는다고 하는 어느 정도 적극적인 뜻도 지니고 있음. 프랑스의 보들레르(Baudelaire)·베를렌(Verlaine)·랭보(Rimbaud)·라포르그(Laforgue) 등과 영국의 스윈번(Swinburne)·와일드(Wilde) 등의 작품이 선구임. 퇴폐파(頹廢派). ＊세기말(世紀末).

데카당티슴 〔프 décadentisme〕 명 《예》 퇴폐(頹廢)주의.

데카당-파 【一派】 〔décadent〕 명 데카당스의 경향을 가진 예술·문예의 일파.

데카-라켓 〔decaracket〕 명 공을 치는 타면(打面)이 종래의 것보다 배반 또는 2배가 큰 테니스용 라켓.

데카:르 〔decare〕 의명 1아르의 10배가 되는 넓이의 단위. 1데카르는 0.247 에이커.

데카르트 〔Descartes, René〕 명 《사람》 프랑스의 철학자·수학자. 근대 합리주의(合理主義) 철학의 조(祖). 스톡홀름(Stockholm)에서 죽음. 그의 철학은 우선 사유(思惟)의 제일 방편으로 '회의(懷疑)하는 정신(精神)'을 내세워 '나는 생각한다. 그러므로 나는 존재한다(Cogito ergo sum)'는 유명한 명제(命題)에 도달하였음. 물심 이원론(物心二元論)의 철학을 확립하였는데, 이들 정신과 물체는 완전한 실체(實體)인 '신(神)'에 의존한다 하였음. 이 밖에 해석 기하학을 창시하였으며, 광학(光學) 분야에서도 선구자였음. 저서에 《방법론 서설(方法論序說)》·《성찰(省察)》·《철학의 원리》 등이 있음. [1596-1650]

데카르트 좌:표 【一座標】 〔Descartes〕 명 《수》 평행 좌표. 사교 좌표(斜交座標).

데카-리터 〔decaliter〕 의명 1리터의 10배가 되는 부피의 단위. 기호는 D

데카메론 〔Decameron〕 명 《책》 이탈리아의 작가 보카치오(Boccaccio)가, 페스트(pest)가 크게 유행하던 1348-53년에 쓴 단편 소설집. 피렌체의 페스트를 피하여 교외의 별장으로 나간 열 사람의 인물이 매일 10편씩 열흘 동안 계속한 100편의 얘기를 모은 것. 동방 각국이나 프랑스의 구비(口碑) 및 당시의 사실담이 많고 작자의 창작에 의한 것은 적으나 묘사는 사실적(寫實的)이며, 근세 소설의 남상(濫觴)이라고 일컬어짐.

데카-미터 〔decameter〕 명 1미터의 10배가 되는 길이의 단위. 기호는 Dm.

데카미터-파 【一波】 〔decameter〕 명 단파(短波)의 별칭. 에이치 에프(HF).

데카브리스트 〔러 dekabrist〕 명 《역》 〔'12월의 사람들'이라는 뜻〕 1825년 12월, 농노(農奴) 제도의 폐지를 내걸고 봉기한 러시아의 청년 장교(將校)들. 십이월당(十二月黨).

데카브리스트의 난: 【一亂】 〔러 dekabrist〕 [―/―에―] 명 1825년 12월 14일, 러시아의 청년 장교들이 일으킨 반란. 혁명적 비밀 결사를 만들어 농노 제도(農奴制度)의 폐지, 전제주의(專制主義)의 타파를 부르짖으면서 각지에서 봉기(蜂起)하였으나 즉시 진압되었음.

데카슬론 〔decathlon〕 명 십종 경기(十種競技).

데카트론 〔decatron〕 명 《물》 냉음극 방전관(冷陰極放電管)의 하나. 원판 모양의 양극 주위에 가느다란 철사의 음극을 배치한 것으로 방전관에 전압 펄스(pulse)가 전해질 때마다 방전하는 음극이 옆으로 이동하여 펄스를 계산함.

데칸 고원 【一高原】 〔Deccan〕 명 《지》 인도 남부의 삼각형의 고원 지대. 지질학상(地質學上) 가장 오랜 것으로 알려지는 암석(岩石)이 많은데, 서쪽은 아라비아 해(Arabia 海)에 면(面)하여 서(西)고츠(Ghats) 산맥을 이루고 동쪽은 벵골 만(Bengal 灣)에 면하여 동(東)고츠 산맥을 이룸. 세계 제2의 면화 산지(棉花産地)이고, 또한 철(鐵)·금강석(金剛石)·금(金) 등을 산출함.

데칼로그 〔decalogue〕 명 《기독교》 십계명(十誡命).

데칼린 〔Decalin〕 명 《화》 나프탈렌에 수소를 작용시켜서 만드는 무색의 액체. 용제(溶劑)·발동기의 연료 등으로 쓰임.

데칼코마니 〔프 décalcomanie〕 명 《미술》 〔전사술(轉寫術)의 뜻〕 쉬르레알리슴(surréalisme) 회화 기법의 하나. 흡수성이 적은 종이 위에다 물감을 두껍게 칠하고 그 위에 종이를 깔고 전사(轉寫)하여 환상적인 독특한 효과를 노림. 종이를 둘로 접어서 대조적인 영상을 만드는 경우도 있음.

데커레이션 〔decoration〕 명 ①장식(裝飾). ¶크리스마스 ～. ②훈장(勳章).

데커레이션 케이크 〔decoration cake〕 명 스펀지 케이크 위에 크림·초콜릿 등을 얹어 보기 좋게 꾸민 양과자. 크리스마스·생일·결혼식 등에 쓰임.

데콜라 〔Decola〕 명 미장 합판(美粧合板)의 상품명. 석탄산 수지(石炭酸樹脂)를 먹인 종이를 여러 장 겹쳐 압력을 가하고 그 위에 멜라민(melamine) 수지를 발랐음. 합성 수지 미장 합판.

데콜테 〔프 décolletée〕 명 ↗로브 데콜테(robe décolletée).

데 쿠:닝 〔de Kooning, Willem〕 명 《사람》 네덜란드 출생의 미국 화가. 1926년 도미(渡美)하여 생계를 위해 건축 장식·실내 장식·광고 등의 일을 맡아 하면서 그림을 계속, 1939년 뉴욕의 만국 박람회를 위한 벽화를 제작함. 표현주의적 경향이 강한 작풍(作風)으로 알려진 현대 미국 회화(繪畫)의 대표적 화가의 한 사람임. [1904-]

데쿠파주 〔프 découpage〕 명 〔오려내기의 뜻〕 나무·금속·유리 등의 표면에 그림을 붙이고 그 위에 니스를 칠한 장식물. 가구(家具) 등의 장식에 이용됨.

데크레-루아 〔프 décret-loi〕 명 《법》 법률과 동일한 효력을 갖는 칙령(勅令) 또는 정령(政令).

데크레센도 〔이 decrescendo〕 명 《악》 ①점점 약하여지는 음(音). 또, 그 음절(音節). ②'점점 약하게'의 뜻. 기호(記號)는 '>'. 약부호는 dec., decresc. 라고 씀. ↔크레셴도(crescendo).

데크롤리-법 【一法】 〔Decroly〕 [―뻡] 명 《교》 벨기에의 교육가 데크롤리가 창시한 교육법. 교과주의 교육에 대신하여 '생활에 의한 생활을 위한 교육'을 목표로 아동의 능동성을 중시, 관찰·종합·발표의 학습 단계를 설정함.

데클러레이션 〔declaration〕 명 선언(宣言). 선언서. 성명(聲明). 포고(布告).

데클러메이션 〔declamation〕 명 ①《연》 곱고 과장하는 말투로 대사(臺詞)를 외는 연기술(演技術). 극적인 낭독. ②미사 여구(美辭麗句)를 늘어놓으며 극적인 몸짓을 하는 연설. ③열변(熱辯).

데 클레르크 〔de Klerk, Frederik W.〕 명 《사람》 남아프리카 공화국의 정치가. 1989년 국민당 당수가 되고 이어 대통령 취임 후 민주화, 개혁화 노선(路線)을 취하여, 90년 흑인 지도자 만델라를 석방한 것을 계기로 평화적인 교섭에 의한 인종 차별 철폐의 노선을 궤도에 올려놓음. 남아 공화국의 아파르트헤이트를 철폐하고 민주적인 정치 질서를 세우는 데 초석을 다진 공로로 1993년 만델라와 공동으로 노벨 평화상을 수상함. [1936-]

데타셰 〔프 détaché〕 명 《악》 분리음(分離音). 곧, 음절(音節)을 분리하여 연주(演奏)하는 일.

데탕트 〔프 détente〕 명 긴장된 국제 관계 따위의 완화. 긴장 완화(緊張緩和).

데테르미나토 〔이 determinato〕 명 《악》 '결연(決然)히'·'확실히'의 뜻.

데토:네이션 〔detonation〕 명 ①《기》 석유 기관 운전 중에 생기는 기관 내의 폭발. 압축비(壓縮比)·기통 온도·연료 등이 부적당한 때에 발생하는데 기관에 나쁜 영향을 줌. 노킹(knocking). 폭명(爆鳴). ②니트로글리세린 등의 가연성 물질이 급격한 충격·가열 등으로 폭발하는 일.

데퉁-바리 명 데퉁스러운 사람.

데퉁-스럽다 형ㅂ불 말과 짓이 거칠고 융통이 없어 보이다. 보기에 데퉁하다. ¶영식이는 그럴 적마다 데퉁스레 쏘았다《金裕貞 : 金따는 콩밭》. 데퉁-스레 부.

데퉁-하다 형여불 말과 짓이 거칠고 융통이 없어 미련하다.

데티뉴 〔detinue〕 명 《법》 불법하게 유치(留置)된 동산의 반환을 청구하는 소(訴).

데티다 타 〈옛〉 데치다❶. ¶데틸 잡(煠), 데틸 약(爚)《字會 下 13》.

데포 〔프 dépôt〕 명 ①창고. 곳간. 백화점 등의 물품 보관소. ②등산·스키 등에서, 짐을 한때 놓아 둠. 또, 그 장소. ¶스키 ～.

데포르마시옹 〔프 déformation〕 명 《예》 그림·조각 또는 소설 등의 표현에 있어서 대상을 사실적(寫實的)으로 그리는 것이 아니라 의식적으로 확대하거나 변형하여 묘사함으로써, 작품의 본질을 명확히 하거나 미적 효과를 올리는 표현법. 변형(變形). 왜곡(歪曲).

데포-제 【一劑】 〔depot〕 명 《약》 약효를 오랫동안 지속시키기 위한 주사제. 성(性)호르몬의 데포제가 잘 쓰임.

데프지트 〔도 Depsid〕 명 《화》 두 분자 이상의 페놀 카르복시산(酸)이 서로 탄산기(炭酸基)와 페놀성 수산기를 갖고 결합하여 생성한 에스테르.

데피다[1] 타 〈방〉 데우다.

데피다[2] 피동 〈방〉 덮이다(함남).

데피치엔도 〔이 deficiendo〕 명 《악》 서양 음악의 주법(奏法) 표어. 소리의 강도(強度)를 점점 줄이고, 연주의 속도를 점점 느리게 할 것을 나타냄.

데ᄒᆞ다 자 〈옛〉 덜하다[1]❷. ¶孝婦ㅣ싀어미 효양호ᄆᆞᆯ 데ᄒᆞ디 아니ᄒᆞ야(婦養姑不衰)《飜小 Ⅸ:55》.

데히드로게나아제 〔dehydrogenase〕 명 《화》 탈수소 효소(脫水素酵素). ＊옥시다아제(oxydase)·산화 효소(酸化酵素).

데히드로 아세트산 【一酸】 명 〔dehydro acetic acid〕 《화》 물에 잘 녹지 않는 백색 결정. 곰팡이의 발생을 억제하는 작용이 있기 때문에 피부병 치료제·식품 방부제로 쓰임. 녹는점. 109°C. [$C_8H_8O_4$]

덱 〔deck〕 명 ①갑판(甲板). ②기차나 전차간의 바닥. ③기차·전차 등의 승강구의 발판. ④《컴퓨터》 주어진 작업이나 목적을 위해서 천공한 카드의 한 묶음.

덱 글라스 〔deck glass〕 명 커버 글라스(cover glass).

덱-데구루루 부 ①크고 단단한 물건이 다른 물건에 부딪치면서 굴러가는 모양. 또, 그 소리. ②갑자기 부딪치는 듯이 먼 데서 들리어 오는 우레 소리. 1)·2):쓰떽데구루루. >댁대구루루.

덱데굴-덱데굴 부 크고 단단한 물건이 다른 물건에 부딪치어 튀면서 굴러가는 소리. 또, 그 모양. 쓰떽데굴떽데굴. >댁대굴댁대굴.

덱스트란 〔dextran〕 명 《약》 사탕수수로 만든, 사탕을 세균으로 분해하여 포도당의 중합체(重合體)로 만든 것. 심한 출혈·쇼크 등에 혈액 대용의 보액(補液)으로 씀. 혈장 대용액.

덱스트린 [dextrin] 명 [화] 전분(澱粉)을 산 또는 아밀라아제로 가수 분해할 때, 반응의 중간 과정에서 생기는 생성물의 혼합물. 가수 분해의 정도에 따라 여러 가지 제품이 얻어짐. 보통, 백색 또는 황색의 무정형(無定形)의 가루인데 아라비아 고무의 대용으로서 특히 인지(印紙)·우표 또는 편지 봉투 등을 붙이는 데 쓰임. 호정(糊精).

덱 체어 [deck chair] 명 갑판용(甲板用) 의자. 정원용(庭園用)의 간이 의자.

덴:-가슴 명 한번 몹쓸 재난(災難)을 겪은 사람이 일마다 겁을 내는 마음. ¶ 돌림병에 ~이라 고뿔만 들어도 겁을 낸다.

덴겁-하다 자여불 뜻밖의 일을 당하여 놀라서 허둥지둥하다. 깜짝 놀라다. 낭패하다. ¶ 덴겁하여 도망치다. 「덕-스레 부.

덴덕-스럽다 형ㅂ불 더러운 생각이 들어 마음이 개운하지 아니하다. 덴

덴덕지근-하다 형여불 매우 덴덕스럽다.

덴:-둥이 명 ①불에 덴 사람. ②미운 사람을 욕으로 이르는 말.

덴드로븀 [dendrobium] 명 난초(蘭草)의 한 가지. 줄기는 가늘고 다육질(多肉質)임. 잎은 피침형으로 줄기에 밀착, 꽃은 총상 화서로 피며 흰색·자색(紫色)·황색(黃色) 등이 있음. 인도에서 일본을 거쳐 태평양 제도와 오스트레일리아 등 넓은 지역에 약 천 종류가 자생함. 온실에서도 재배하는데 노빌레(nobile) 종이 가장 흔함.

덴마:크 [Denmark] 명 [지] 유럽 서북부 유틀란트 반도(Jutland半島)와 셸란(Sjælland)·퓐(Fyn) 등의 여러 섬으로 된 입헌 군주국. 그린란드(Greenland)와 페로스 제도(Faeroes諸島)를 영유함. 국토의 대부분은 낮고 평평하며 서안(西岸) 해양성 기후의 지배를 받음. 주민은 북방(北方) 게르만계(系)로 덴마크어(語)를 사용하고 대부분이 신교도임. 세계적인 낙농국(酪農國)으로 혼합 농업을 주로 하지만 제2차 대전 후로는 조선(造船)·기계·화학·식품 가공 등 각종 공업도 발전함. 19세기 이래 여러 가지 사회 보장이 잘 정비되어 오늘날은 세계에서도 유수(有數)한 사회 보장 제도를 가진 나라임. 14-16세기 칼마르 동맹으로 북구(北歐) 일대에 군림(君臨)하였으나 30년 전쟁·북방 전쟁 등에 패하여 19세기 초까지에는 현재의 반도로 줄어들었음. 수도는 코펜하겐. 정식 명칭은 '덴마크 왕국(Kingdom of Denmark)'. 정말(丁抹). [43,068 km²: 5,140,000 명 (1991 추계)]

덴마:크-어 [一語] [Denmark] 명 [언] 인도 유럽 어족(語族), 게르만어파(語派)의 북(北)게르만 어군(語群)에 속하는 언어. 덴마크·페로스 제도(Faeroes諸島) 등지에서 사용됨. 북게르만 어군 중에서는 발음과 정서법(正書法)과의 차이가 심하나 어형(語形)의 변화는 간단함.

덴마:크 연합 왕국 [一聯合王國] [Denmark] 명 [역] 1397년의 칼마르(Kalmar)의 회맹(會盟)에 의하여 탄생한 덴마크·스웨덴·노르웨이의 연합 왕국. 1523년, 스웨덴의 독립으로 해소(解消)됨. 칼마르 연합.

덴마:크 체조 [一體操] [Denmark] 명 덴마크의 체육 지도자인 부크(Bukh, Niels; 1890-1951)가 창안한 체조. 스웨덴식에 독일식을 가미한 것으로 운동이 힘차고 연속적이며 율동적인 것이 특색임. 정말(丁抹) 체조. 기본 체조.

덴마:크 해:협 [一海峽] [Denmark] 명 [지] 북대서양 아이슬란드와 그린란드 사이의 해협. 폭 약 400 km 임.

덴-바람 명 '북풍(北風)'의 뱃사람 말.

덴버 [Denver] 명 [지] 미국 서부 산악주(山岳州)의 하나인 콜로라도 주의 주도. 로키 산맥 중 해발 1,570 m의 높은 곳에 있음. 목축·야금(冶金)의 중심지임. 높고 건조하므로 요양소가 많음. [500,560 명(1988)]

덴뿌라 [일 てんぷら, 포 tempero] 명 ①[요리] 튀김'. ②〈속〉 겉으로만 훤하고 훌륭하게 보이는 물건을 이르는 말. ¶ ~ 시계.

덴:소 날치듯 구 열이 나서 펄펄 날뛰는 모양.

덴장 [一醬] 명 〈방〉 된장(경북·충남·전남).

덴:-중이 명 〈방〉 덴둥이❶.

델 [Dell, Floyd] 명 [사람] 미국의 소설가·평론가. 평화주의·반속(反俗) 정신으로 언론계에서 활약함. 대표작 ≪몽상가(夢想家)≫. [1887-1969]

델라웨어 [Delaware] 명 [식] 포도의 한 품종. 과립(果粒)은 작고 투명한 홍색(紅色)이며 맛이 닮. 생식용(生食用)으로 널리 재배함.

델라웨어 주 [一州] [Delaware] 명 [지] 미국 동해안의 델라웨어 반도의 동반(東半)과 델라웨어 만 사이에 있는 미국에서 둘째로 작은 주(州). 낙농지(酪農地)이고 해안에서 어업과 조선업(造船業)이 성함. 주도는 도버(Dover). [5,328 km²: 595,000 명 (1980)]

델레다 [Deledda, Grazia] 명 [사람] 이탈리아의 여류 작가. 주로 농민을 주제로 하여 동화적인 필치로 서정적인 전원(田園) 소설을 썼음. 1926년 노벨 문학상(文學賞) 수상. [1875-1936]

델로스 동맹 [一同盟] [Delos] 명 [역] 페르시아 전쟁 후 아테네의 아리스티데스(Aristides)가 에게 해(Aege海) 일대의 여러 폴리스(polis)를 규합하여 기원전 478년에 결성한 대(對)페르시아 해상 동맹(同盟). 처음에는 동맹의 금고(金庫)를 델로스 섬에 두었었으나 뒤에 페리클레스(Perikles)가 아테네에 옮기고 자의(恣意)로 공용 자금(共用資金)을 아테네를 위하여 사용하였기 때문에 동맹국이 점차 이탈하였으며 기원전 404년 펠로폰네소스(Peloponnesos) 전쟁으로 아테네가 스파르타에 멸망하자 유명 무실하게 되었음.

델로스 섬 [Delos] 명 [지] 에게 해(Aege海)의 중부 키클라데스 제도(Cyclades諸島)의 중앙에 있는 소도(小島). 고대 그리스의 아폴론 신앙의 중심지였으며, 델로스 동맹(同盟)의 결성지임. 유적(遺蹟)이 많음. [5.2 km²]

델리[1] [Delhi] 명 [지] 인도의 서북부, 자무나 강(Jamuna江) 우안의 도시 지역. 5개 간선 철도가 연결되는 상업의 중심지. 1912년 이후 영령(英領) 인도의 주도(主都)로서 건설된 올드 델리와 뉴 델리로 이루어지며, 연방 정부 직할령 델리 지구(地區)를 형성함. [4,884,234 명(1981)]

델리[2] [프 délit] 명 [법] 위법. 민법 상으로는 널리 고의(故意) 또는 해가 있는 불법 행위를 말하고, 형법 상으로는 경범(輕犯)을 말함.

델리셔스 [Delicious] 명 ☞ 딜리셔스.

델리어스 [Delius, Frederick] 명 [사람] 영국의 작곡가. 양친은 독일인. 라이프치히 음악원에서 배우고 1889년 이후 파리에서 살았음. 작품으로는 오페라 ≪마을의 로미오와 줄리엣≫과 바이올린 협주곡·첼로 협주곡·합창곡·가곡 등이 있음. [1863-1934]

델리 왕조 [一王朝] [Delhi] 명 [역] 13세기 초에서 16세기 전반까지 약 300년간 인도의 델리를 중심으로 하여 흥망한 터키·아프가니스탄계(系)의 이슬람 여러 왕조. 노예(奴隸)·힐지(khilji)·투글루크(Toughluq)·사이드(sayyid)·로디(Lodi)의 다섯 왕조. 무굴 제국의 시조 바부르(Bābur)에게 멸망함.

델리카토 [이 delicato] 명 [악] 미묘(微妙)함. 부드럽고 아름다움.

델리커시 [delicacy] 명 ①섬세(纖細). 우미(優美). 우아(優雅). ②미묘(微妙). 까다로움. ③가냘픔. 연약(軟弱). ④동정심(同情心). 다정 다감(多情多感).

델리킷 [delicate] 명 ①섬세함. 우아함. ②미묘함. ③가냘픔. ④동정심이 있음. ⑤다루기 곤란함. ——하다 형여불

델린 [Delrin] 명 미국의 뒤 퐁(Du Pont) 회사가 만든 '폴리아세탈(Polyacetal)'의 상품명.

델린저 현:상 [一現象] [Dellinger] 명 [물] 27일 또는 54일을 주기(週期)로, 10분 내지 수십 분 동안 급격하게 일어나는 단파(短波) 통신의 장애. 태양면의 폭발 현상으로 지구 대기(大氣) 상층의 전리층(電離層)에 이상이 생기는 까닭이라고 생각됨. 1935년에 미국의 물리학자 델린저(Dellinger, John Howard, 1886-1962)에 의하여 발견되었음.

델릴라 [Delilah] 명 [성] 삼손(Samson)의 애인. 불레셋 사람들의 꾐에 빠져 삼손의 머리털을 잘라 무력(無力)하게 만들어 그를 배반하였음.

델보 [Delvaux, Paul] 명 [사람] 벨기에의 쉬르리얼리즘 화가. 브뤼셀의 미술 아카데미에서 수학함. 쓸쓸한 풍경이나 건물을 배경으로 거의 무표정한 나부(裸婦)나 여인을 배치하는 고전주의적인 독특한 구도(構圖)의 화면으로 유명함. [1897-]

델브뤼크[1] [Delbrück, Berthold] 명 [사람] 독일의 언어학자. 예나(Jena) 대학 교수. 청년 문법학파(青年文法學派)의 한 사람. 인도유럽 어족(語族)의 문장론 등을 연구함. [1842-1922]

델브뤼크[2] [Delbrück, Max] 명 [사람] 독일 태생의 미국 생화학자. 1937년 도미(渡美), 캘리포니아 대학 생물학 교수. 대장균에 기생하는 티계(T系) 박테리오파지(bacteriophage)를 써서 생물의 유전(遺傳)과 증식 기구(增殖機構)를 연구, 1969년 노벨 생리 의학상을 수상하였음. [1906-81]

델사르트 [Delsarte, François Alexandre Nicolas Chéri] 명 [사람] 프랑스의 음악가. 델사르트식(式) 미용 체조의 창시자. [1811-71]

델카세 [Delcassé, Théophile] 명 [사람] 프랑스의 정치가. 1898년부터 1905년까지 외상(外相). 파쇼다(Fashoda) 사건을 해결하고 영불 협상을 맺어 독일에 대항하는 정책을 추진함. [1852-1923]

델타[1] [delta] 명 [지] 삼각주(三角洲).

델타[2] [그 Δ, δ] 명 [delta] ①그리스 말의 넷째 자모(字母). ②[화] 유기 화합물의 구조식에서, 탄소 고리의 이중 결합의 위치를 나타내는 기호. 'Δ-'로 표시함. ③[화] 사슬 화합물에서 특히 주목하는 치환기(置換基)가 붙은 탄소 원자로부터 넷째 번의 탄소 원자를 나타내는 기호. 'δ-'로 표시함. ④[화] 물질의 변태를 나타내는 경우의 기호의 하나. 예를 들면 δ철(鐵)·δ황(黃) 따위.

델타[3] [Delta] 명 미국에서 가장 신뢰도(信頼度)가 높은 인공 위성 발사용 로켓. 제1단(段)에 토르(Thor)를 짜 맞추어 토르 델타로서 사용함. 높이 27미터, 발사 중량 약 52톤.

델타 결선 [一結線] [delta] [一썬] 명 [전] 삼상 교류(三相交流)를 결선하는 방식의 하나. 삼상(三相)의 각상(各相)을 삼각형으로 잇는 방법. 삼각 결선. 삼각 접속(三角接續).

델타 다:트 [Delta Dart] 명 [군] 단발(單發) 초음속 터보제트 요격기(邀擊機). 전천후(全天候) 요격 능력이 있음. 'F-106'의 이칭(異稱).

델타 대거 [Delta Dagger] 명 [군] 단발(單發) 터보제트 반공(反攻) 요격기. 초음속이며 전천후 능력이 있음. 'F-102'의 이칭(異稱).

델타 메탈 [delta metal] 명 [화] 1883년에 영국 사람 딕(Dick, Alexander)이 발명한 합금(合金). 구리 55% 내외, 아연 40-43%에 소량의 망간과 철 1% 내외, 때로는 소량의 납·알루미늄·니켈을 가하여 만든 특수한 놋쇠로서 확장력(擴張力)과 화학적 침식에 견디는 힘이 큼. 기계 부분품, 특히 선박(船舶) 기계에 쓰임.

델타-선 [一線] [delta] 명 [물] 하전 입자(荷電粒子)가 물질을 통과할 때, 물질 중에 2차적으로 발생하는 비교적 에너지가 많은 전자선.

델타-익 [一翼] [delta] 명 위에서 본 형상(形狀)이 그리스 문자 Δ와 같은 데서, 삼각익(三角翼)을 이르는 말.

델타 함:수 [一函數] [delta] [一쑤] 명 [수] 이론 물리학 연구의 필요에서 디랙(Dirac, P.A.M.)이 도입(導入)한 수학적 대상(對象) $\delta(x)$를 일컬음. 함수와 유사(類似)하여 붙인 명칭으로, 다음 네 가지 조건에 의하여 정의(定義)됨. $\delta(0)=\infty$ $\delta(x)=0(x\neq0)$ 전직선상(全直線上)의 정적분(定積分)은 1임. 그것과 복소 수치 함수(複素數値函數) $\varphi(x)$의 곱의 전직선상에서의 정적분(定積分)은 $\varphi(0)$와 같음.

델포이 [Delphoe] 명 [지] 고대 그리스의 유적. 그리스 중부의 파르나수스 산(Parnassus山) 중복(中腹)에 있는 그리스의 옛 도시. 유명한

아폴로 신전(Apollo 神殿)이 있었던 성지(聖地). 지진(地震)으로 아주 묻히었던 것을 1892년 프랑스 정부의 발굴(發掘)에 의하여 여러 가지 미술품과 함께 알리어졌음. 전 이름은 '델피(Delphi)'.

델프트 도기【一陶器】〔Delft〕 명 네덜란드의 델프트에서 17세기 이래 제작되는 도자기. 잿물에 주석(朱錫)이 들어 있으며 흰 바탕에 청색 무늬를 넣음. 디자인은 중국 도자기를 본딴 것과 네덜란드의 풍경(風景)·풍속(風俗)을 그린 것의 두 가지가 있음.

델피〔Delphi〕 명 〖지〗 '델포이(Delphoe)'의 전 이름.

델피닌〔delphinine〕 명 〖화〗 참제비고깔의 꽃에 함유되어 있는 안토시안(anthocyan). 유독하며 물에 녹지 않음. 신경통 치료제. [$C_{41}H_{39}O_{21}$]

뎀배 명 〈방〉 담배(전남).

뎀심 명 〈방〉 점심(點心)(함북).

뎀프시〔Dempsey, Jack〕 명 〖사람〗 미국의 프로 복서. 1919년 7월 4일 톨레도(Toledo)에서 윌러드(Willard, J.)에게 승리하여 헤비급 세계 챔피언이 되어, 1926년 9월 23일 필라델피아(Philadelphia)에서 터니(Tunney, G.)에게 패할 때까지 7년간 왕좌를 지킴. 미국에 프로복싱의 붐을 불러일으켰음. [1895-1983]

뎁데 부 〈방〉 도리어(전라).

뎁스 게이지〔depth gauge〕 명 구멍·홈 등의 깊이를 측정하는 공구(工具).

뎁스 봄〔depth bomb〕 명 〖군〗 일정한 깊이에서 폭발하도록 장치한 대잠수함(對潛水艦) 폭탄. 함정(艦艇) 또는 비행기에서 투하함. 뎁스 차지.

뎁스 차:지〔depth charge〕 명 〖군〗 뎁스 봄.

뎃기다 타 〈방〉 던지다(제주).

뎅 부 조금 큰 쇠붙이가 단단한 물건에 부딪치어 울리어서 나는 소리. ㅆ뗑. >댕.

뎅강 부 〈방〉 뎅겅(평북).

뎅걸-뎅걸 부 벽이나 문을 사이에 두고 들리는 여러 사람의 떠드는 소리. ¶ 옆방에서 여러 사람의 소리가 ~ 들려오다. ——-하다 자 여불

뎅겅 부 ①↗뎅그렁. ②큰 물방울이 쇠붙이 따위에 한 번 떨어지는 소리. 1)·2):ㅆ뗑겅. >댕강.

뎅겅-거리다 자타 ①↗뎅그렁거리다. ②연하여 뎅겅 소리를 내다. 큰 물방울이 쇠붙이 따위에 잇따라 떨어져 소리를 내다. 1)·2):ㅆ뗑겅거리다. >댕강거리다. **뎅겅-뎅겅** 부. ——-하다 자타 여불

뎅겅-대다 자타 뎅겅거리다.

뎅그렁 부 ①큰 방울이나 풍경·워낭 같은 것이 흔들리어 맑게 울리는 소리. ¶ 추녀 끝에서 풍경이 ~ 울렸다. ②어떤 줄기나 길다란 물체가 대번에 부러지는 소리나 모양. ¶ 엿가락이 ~ 부러졌다/목이 ~ 달아나다. 준 뎅겅. ㅆ뗑그렁. >댕그랑.

뎅그렁-거리다 자 자꾸 뎅그렁 소리가 나다. 준 뎅겅거리다. ㅆ뗑그렁거리다. >댕그랑거리다. **뎅그렁-뎅그렁** 부. ——-하다 자 여불

뎅그렁-대다 자 뎅그렁거리다.

뎅글-뎅글 부 책을 줄줄 막힘 없이 읽는 소리. >댕글댕글.

뎅기-열【一熱】〔dengue〕 명 〖의〗 바이러스(virus)에 기인하는 전염성 질환(疾患). 주로 열대 지방에서 발생하며 사람에게 고유한 병임. 4-8일의 잠복기를 거쳐 급격히 발열(發熱)하며 결막 충혈(結膜充血)·관절 및 근육통(筋肉痛)·백혈구 감소 등의 증상이 나타남. 보통 7-10일 후에는 회복하며 사망하는 일은 희소함. 이 병은 모기에 의하여 전파되는 어떤 종류의 바이러스에 의해 일어난다는 것이 1907년 미국의 세균학자 크레이그(Craig, Charles Franklin; 1872-1950) 등에 의하여 밝혀졌음.

뎅뎅 부 쇠붙이로 된 큰 그릇 따위를 연해 두드릴 때 나는 소리. ㅆ뗑뗑. >댕댕.

뎅뎅-거리다 자타 연해 뎅뎅 소리가 나다. 연해 뎅뎅 소리를 나게 하다. ㅆ뗑뗑거리다. >댕댕거리다.

뎅뎅-대다 자타 뎅뎅거리다.

뎅이 명 〈방〉 덩이(전라·충청).

뎅이다 타 〈방〉 동이다(충남·전남·경남).

뎌¹ 명 〈옛〉 저(笛). ¶ ᄀᆞᅀᆞᆳ 뎟소리 드로ᄆᆞᆯ 正히 시름ᄒᆞ노니(正愁聞塞笛)《杜諺 Ⅶ:4》/뎌 관(管), 뎌 약(籥), 뎌 뎍(笛)《字會 中 32》.

뎌² 인대 지대 관 〈옛〉 저⁹. ¶ 與는 이와 뎌와 ᄒᆞᄂᆞᆫ 겨체ㅂ 字ㅣ라《訓諺 1》/ 뎌 풍파 다 지냇네《찬양가 : 41》.

뎌고리 명 〈옛〉 딱다구리. ¶ 뎌고리 렬(鴷)《字會 上 16》.

뎌구리 명 〈옛〉 딱다구리. ¶ 뎌구리(啄木官)《譯語 下 27》.

뎌긔 처대 〈옛〉 저기. ¶ 우리 뎌긔 우믈은 다 돌로 무은거시라(我那裏井都是石頭壘的)《老乞 上 32》.

뎌기¹ 명 〈옛〉 제기. ¶ 뎌기 ᄎᆞ기ᄒᆞ고(踢建子)《朴解 上 17》.

뎌기² 부 〈옛〉 적이. ¶보미 치우니 고지 뎌기 더듸도다(春寒花較遲)《杜諺 Ⅺ:8》.

뎌기다 타 〈옛〉 제기다³. ¶ 뎌길 겹(掐)《字會 下 22》.

뎌녁 명 〈옛〉 저쪽. 저편. ¶ 涅槃ᄋᆞᆫ 뎌녁 ᄀᆞᅀᅵ라《月釋 Ⅱ:25》.

뎌러 처대 〈옛〉 저기. ¶ 네 ᄯᅩ 뎌러로 오나라(你却來那裏)《老乞 上 52》.

뎌러ᄒᆞ다 형 〈옛〉 저러하다. ¶ 帝業憂勤이 뎌러ᄒᆞ시니(帝業憂勤无也如彼)《龍歌 5章》.

뎌르다 형 〈옛〉 짧다. ¶ 뎌르며 긴 으푸믈 虛費히 호라(虛費短長吟)《重杜諺 Ⅱ:5》/뎌를 단(短)《類合 下 48》.

뎌리 부 〈옛〉 짧게. ¶ 누네ᄂᆞᆫ 曺植 劉貞ᄋᆡ 담을 뎌리 너기노라(目短曺劉墻)《重杜諺 Ⅱ:40》.

뎌리도록 부 〈옛〉 저렇도록. ¶ 이 사ᄅᆞ미 보비ᄅᆞᆯ 뎌리도록 아니 앗기놋다ᄒᆞ야《釋譜 Ⅵ:26》.

뎌링공 부 〈옛〉 저렇게. ¶ 이링공 뎌링공ᄒᆞ야 나즈란 디내와손뎌《樂詞 青山別曲》.

뎌ᄅᆞ다 형 〈옛〉 짧다. ¶ 새지브란 뎌ᄅᆞᆫ 셔ᄅᆞᆯ 브료리라(茅茨寄短椽)《重杜諺 Ⅱ:14》.

뎌ᄢᅴ 명 〈옛〉 접때. ¶ 뎌ᄢᅴ 敗散호ᄆᆞᆯ 엇데 ᄲᆞᆯ리ᄒᆞ뇨(往者散何卒)《重杜諺 Ⅰ:4》.

뎌에 인대 지대 〈옛〉 저기에. '뎌²'의 처격형(處格形). ¶ 身根이 清淨ᄒᆞ야ᅀᅡ 곧 뎌에 나ᄆᆞᆯ 得ᄒᆞ리니(身根清淨 卽得生彼也)《楞嚴 Ⅵ:12》.

뎌젹 명 〈옛〉 저축(貯蓄). ¶ 뎌젹 뎌(貯)《類合 下 43》.

뎌주숨ᄢᅥ 명 〈옛〉 저즘께. 저번에. ¶ 뎌주숨ᄢᅥ 님금 禮數ㅣ 阻隔ᄒᆞ야(向時禮數隔)《初杜諺 XXⅣ:43》.

뎌주숨ᄢᅴ 명 저즘께. ¶ 뎌주숨ᄢᅴ 그 時節에 비취더니(向來暎當時)《杜諺 XXⅣ:27》.

뎌주움ᄢᅥ 명 〈옛〉 저즘께. ¶ 뎌주움ᄢᅥ 災害 오히려 ᄂᆞ려(往者災猶降)《重杜諺 Ⅵ:24》.

뎌즈음ᄢᅥ 명 〈옛〉 저즘께. ¶ 뎌즈음ᄢᅥ 雲濤盤애(向來雲濤盤)《重杜諺 Ⅱ:63》.

뎌튝 명 〈옛〉 저축(貯蓄). ¶ 뎌튝 튝(蓄)《類合 下 17》.

뎌히 〈옛〉 저가. '뎌²'의 주격형(主格形). ¶ 슬픈 뎌히 ᄆᆞᆯᄀᆞᆫ 거믄고애 좃고(悲管逐清瑟)《杜諺 Ⅱ:36》.

뎌히라 〈옛〉 저라. '뎌¹'의 서술격형. ¶ 笛은 뎌히라《月釋 Ⅹ:62》.

뎌홀 〈옛〉 저를. '뎌¹'의 목적격형. ¶ 빗기 자본 뎌홀 부루믈 마디 아니ᄒᆞᄂᆞ다(橫笛未休吹)《初杜諺 XⅤ:52》.

뎍다 타 〈옛〉 적다². ¶ 數目 뎌것다가(記着數目)《老乞 上 21》.

뎍실¹ 명 〈옛〉 적실(的實). ¶ 뎍실 뎍(的)《類合 下 60》.

뎍실² 명 〈옛〉 적실(嫡室). 본처(本妻). ¶ 뎍실 뎍(嫡)《字會 上 31》.

뎍이다 타 〈옛〉 제기다³. ¶ 아교믈을 뎍이고(點膠水)《煮硝 11》.

뎐당으로【典當以】〈이두〉 볼모로.

뎐염ᄒᆞ다 자 〈옛〉 전염하다. ¶ 다 뎐염ᄒᆞ여 해야디리로다(都染的壞了)《老乞 下 17》.

뎐ᄒᆞ다 타 〈옛〉 전하다. ¶ 뎐ᄒᆞᆯ 뎐(傳)《類合 下 25》.

뎔 명 〈옛〉 절¹. ¶ 뎔 爲佛寺《訓例》.

뎔다 자 〈옛〉 절다¹. ¶ ᄆᆡᆼ가ᄂᆞᆫ 죠희로 뎔운 갇모 둘 ᄃᆞᆺᄂᆞ니(孟合有兩箇油紙帽兒)《朴解 上 65》.

뎔로 〈옛〉 저로. ¶ 잇긋 뎔로 ᄒᆞ여 먹게ᄒᆞ고(儘着他喫着)《老乞 上34》. *뎌².

뎔움 형 〈옛〉 짧음. '뎗다'의 명사형. ¶ 엇데 뎌의 뎔우믈 求ᄒᆞ시며(豈求彼短)《永嘉 下 138》.

뎔임 명 〈옛〉 짧은 소리. 단음(短音). ¶ 短音俗稱 뎔임《樂範 Ⅶ:24》.

뎜그다 자 〈옛〉 저물다. ¶ 뎜그디도 새디도 마르시고《古時調》.

뎜심 명 〈옛·방〉 점심(點心)(함북). ¶ 돈올 가도와 잠깐 다른 ᄯᅡ해가 뎜심ᄒᆞ게 ᄒᆞ라(率錢略設點心於他處)《呂約 38》.

뎝개 명 〈옛〉 전동³. ¶ 뎝개(箭釵)《字會 中 29》.

뎝다 타 〈옛〉 접다. ¶ ᄯᅩ 禮애 오직 斬衰를 뎝디 아니ᄒᆞ고 나믄 衰ᄂᆞᆫ 다 뎌브되《家禮 Ⅵ:14》.

뎝수기다 타 〈옛〉 접어 숙이다. 접다. ¶ 져므도록 무루플 뎝수겨 ᄯᅮ러 안자셔(終日斂膝危坐)《飜小 Ⅹ: 8》.

뎝시 명 〈옛〉 접시. ¶ 사발 뎝시 서르즈라(收拾椀楪着)《老乞 上 38》.

뎡 조 〈옛〉 이언정. 이지마는. 이나. ¶ 色蘊이 업슬ᄲᅮᆫ뎡 受想行識ᄋᆞᆫ 잇ᄂᆞ니라《月釋 Ⅰ:37》.

뎡가 명 〈옛〉 정가². ¶ 뎡가(荊芥)《字會 上 14》.

뎡바기 명 〈옛〉 정수리. 꼭대기. =머릿뎡바기. ¶ 阿難ᄋᆡ 뎡바길 문지샤(摩阿難頂)《楞嚴 Ⅴ:3》.

뎡ᄌᆞ 명 〈옛〉 정자(亭子). ¶ 뎡ᄌᆞᆺ 뎡(亭)《字會 中 5, 石千 27》.

뎡지신 명 〈옛〉 정재인(呈才人). ¶ 教坊 읫 여러믄 樂工과 웃듬 뎡지신과 여러가짓 로롯바치돌 블러오라(叫教坊司十數箇樂工和做院本諸般雜劇的來)《朴解 上 5》.

뎨¹【第】 의명 〈이두〉 째. 번.

뎨² 처대 〈옛〉 저기. ¶ 뎨 가ᄂᆞᆫ 뎌 각시 본듯도 ᄒᆞᆫ뎌이고《松江 續美人曲》.

뎨³ 〈옛〉 저 사람이. 제가. ¶ 뎨 반ᄃᆞ기 善知識을 브터(彼應依善知識)《圓覺 上 二之二 16》.

뎨김【題音】 명 〈이두〉 관청에서 백성의 소장(訴狀)이나 청원서의 왼편 아래 여백(餘白)에 써서 돌려주는 지령이나 판결문.

뎨아해【第良中】〈이두〉 의 때에. 의 차례에.

뎨여해【第亦中】〈이두〉 때에.

뎨여해사【第亦中沙】〈이두〉 의 때에야.

뎨ᄌᆞ 명 〈옛〉 제자(弟子). ¶ 뎨ᄌᆞ(生徒, 徒弟)《字會 上 34》.

뎬난쩌〔滇南澤〕 명 '뎬츠(滇池)'의 딴 이름. 전남택.

뎬츠〔滇池〕 명 〖지〗 윈난 성(雲南省) 쿤밍(昆明) 남쪽에 있는 호수. 전지. 별칭 : 뎬난쩌(滇南澤)·쿤밍지(昆明池).

도¹ 명 윷놀이에서의 한 끗. 곧, 윷가락의 세 짝이 엎어지고 한 짝만이 잦혀진 때의 이름. ¶ ~가 나오다.

도²【刀】 명 성(姓)의 하나. 우리 나라에는 현존(現存)하지 아니함.

도³【度】 명 ①물건의 길이나 폭을 재는 기구. 곧, 온갖 자의 총칭. ②어떠한 정도. ¶ 위험~가 높다/~를 넘어서는 안 되오. ③〖불교〗 번뇌(煩惱)를 벗어나 깨달음의 경지(境地)에 들어가는 일. *제도(濟度). ④〖불교〗 불문(佛門)에 들어가 출가(出家)·수계(受戒)하는 일. 득도(得度).

도⁴【徒】 명 〖역〗 ↗도형(徒刑).

도⁵【陶】 명 성(姓)의 하나. 현재 우리 나라에는 본관(本貫)이 풍양(豐壤) 하나뿐임.

도⁶【都】 명 성(姓)의 하나. 현재 우리 나라에는 본관(本貫)이 성주(星州) 하나 뿐임.

도⁷【渡】 명 〖역〗 고려·조선 때, 서울 및 경기(京畿) 일원(一圓)에 설치한 나루. 수상 교통 및 범죄인 기찰(譏察)을 위한 초소(哨所)로서의 구실을 함. ¶ 한강(漢江)~ / 양화(楊花)~ / 삼전(三田)~.

도:⁸【道】 명 ①마땅히 지켜야 할 도리(道理). *길¹·도덕²(道德). ②종교상으로 근본이 되는 종요로운 뜻. 또, 깊이 깨달은 지경. ¶ ~를 깨치다. ③기예나 방술(方術)을 행하는 방법. ¶ ~가 트이다.

도:[9]【道】명 ①〖역〗중국 당(唐)대의 최고 행정 단위. 당초에는 10도로 나누어 각 도마다 안찰사(按察使)를 두었으며, 734년에 15도로 늘려 관찰사(觀察使)를 장관으로 두었음. 또, 청대(淸代)에는 성(省)의 하위(下位) 행정 구역이었음. ②우리 나라의 지방 행정 구역의 하나. 예전에 8도이던 것을 고종(高宗) 32년(1895)에 13도로 고쳤고, 다시 대한 민국 수립 후에 14도로 정함. ③우리 나라의 최고 지방 자치 단체. *군(郡)·면(面).

도:[10]【道】명 성(姓)의 하나. 현재 우리 나라에는 본관(本貫)이 고성(固城) 하나뿐임.

도[11]【壔】명 〖수〗'기둥[2]❺'의 구용어.

도[12]【鼗】명 〖악〗아악기에 속하는 타악기의 하나. 북 하나를 장대에 꿴 것으로, 북통 양쪽에 가죽끈이 달려 있어, 자루를 쥐어서 흔들면 가죽끈이 북면을 두드려 소리를 냄. 도고(鼗鼓).

〈도[12]〉

도[13] (이 do) 명 〖악〗①음계(音階) 이름의 하나. 장조(長調) 음계의 제일음(第一音), 단조(短調)의 제삼음(第三音). ②'다음(音)'의 이탈리아 음명(音名).

도[14]【度】의명 ①〖수〗각도의 단위. 직각의 90분의 1. ②〖지〗경도(經度)·위도(緯度)의 단위. 곧, 지구 둘레의 360분의 1. ¶동경 125 ~ 북위 37 ~. ③온도의 단위. 온도계의 눈금의 하나. ¶섭씨 100 ~. ④회수(回數)를 세는 말. ¶2~ 인쇄. ⑤안경의 강약을 나타내는 단위. ⑥〖물·화〗경도(硬度)·비중·농도(濃度) 같은 것의 단위. ¶알코올 함량 40~의 위스키. ⑦음정(音程)을 재는 단위.

도[15] 조 보조사의 하나. ①주격·목적격·보격·부사격 등으로 두루 쓰임. ¶철수~ 좋은 어린이다/철수~ 귀여워하신다/선생님이 목사~ 되셨다/선생님이 철수~ 상을 주셨다. ②감탄의 뜻을 나타냄. ¶과연 좋기~ 하군/아유, 날씨~ 좋다. ③두 가지 이상의 사물을 아울러 들 때에 쓰임. ¶너~ 나~ 공부하자/달지~ 쓰지~ 않다. ④보통 이하 또는 예상 이하의 뜻을 나타냄. ¶그 사람은 집~ 없소. ⑤보통 이상 또는 예상 이상의 뜻을 나타냄. ¶천 명~ 더 된다. ⑥특정의 사물을 들어, 그것과 유사(類似)한 사물이 다른 데에도 있음을 암시(暗示)할 때에 쓰임. ¶오늘~ 춥다/여기~ 좋군. ⑦양보·허용의 뜻을 나타냄. ¶삼등차~ 좋소/오늘 안 되면 내일~ 좋습니다/가~ 좋다. ⑧뜻을 강조할 때에 쓰임. ¶재미~ 없다.

도 【都】조 〈이두〉도.

도-【都】두 '우두머리'의 뜻. ¶~원수/~체찰사/~편수.

-도[1]【度】미 어떤 해의 이름 밑에 붙어, 그 해의 연도를 나타내는 말. ¶금년~/1983년~.

-도[2]【島】미 어떤 이름 밑에 붙어서 '섬'을 뜻하는 말. ¶강화~.

-도[3]【圖】미 어떠한 명사 밑에 붙어, '그림'의 뜻을 나타내는 말. ¶산수(山水)~/지형~/설계~.

도가[1]【悼歌】명 죽은 사람을 애도하는 노래.

도가[2]【都家】명 ①동업자들이 모여서 계(契)와 그 밖의 상의(商議)를 하는 집. ②세물전(貰物廛). ③도매상. ¶술~. *도고(都庫).

도가[3]【屠家】명 백장. 푸주. 도사(屠肆).

도가[4]【棹歌】명 뱃사공이나 배를 탄 사람들이 노를 저어 나가며 부르는 노래. 뱃노래.

도:가[5]【道家】명 ①중국 선진(先秦) 시대에 노장 일파(老莊一派)의 허무(虛無)·염담(恬淡)·무위(無爲)의 설을 따른 학자의 총칭. 제자 백가(諸子百家)의 하나로, 유가(儒家)와 더불어 이대 학파를 이룸. ②↗도가자류(道家者流).

도:가[6]【道歌】명 ①도덕과 훈계의 뜻을 읊은 교훈적인 단가(短歌). ②〖종〗시천교(侍天敎)에서, 의식(儀式) 때에 부르는 노래.

도:가[7]【導駕】명 〖역〗임금이 거둥할 때 관원이 먼저 나가서 백성으로 하여금 길을 쓸고 황토(黃土)를 깔게 하는 일.

도:가(가) 뜨다 구 〖역〗거둥할 때에 도가를 하려고 관원이 나오다.

도:가 적간(導駕摘奸) 지나간 듯하다 구 일한 것이 시원스럽고 훤칠함의 비유.

도가니[1] 명 ①↗무릎도가니. ¶~탕. ②소의 볼기에 붙은 고기.

도가니[2] 명 ①〖공〗단단한 흙이나 흑연(黑鉛) 같은 것으로 고아서 우묵하게 만들어, 쇠붙이를 녹이는 데 쓰는 그릇. 정량 분석(定量分析) 등 화학 실험에 쓰임. 감과(坩堝). ②도가니의 안이 늘 작열(灼熱)하는 상태에 있는 데서, 흥분·열광하는 곳의 형용으로 쓰이는 말. ¶장내(場內)는 흥분의 ~가 되었다.

〈도가니[2]❶〉

도가리[1] 명 〈방〉독[1](전남).

도가리[2] 명 〈방〉①토막. ②논배미.

도가-머리 명 ①〖조〗새의 대가리에 길고 더부룩하게 난 털. 또, 그러한 새. 관모(冠毛). 우관(羽冠). ②머리털이 잠자지 아니하고 한 모숨 붕숭하게 일어선 것을 놀리는 말.

도:가 사:령【導駕使令】명 〖역〗도가를 하는 벼슬아치에게 딸린 사령.

도:가자-류【道家者流】명 도교를 믿고 이를 닦는 사람. 도사(道士). 준 도가(道家)·도류(道流).

도가지 명 〈방〉독·항아리[1](경상·전라).

도:각【倒閣】명 내각(內閣)을 넘어뜨림. ——하다 자여불

도:각 운:동【倒閣運動】명 내각을 넘어뜨리려는 정치 운동. ——하다 자여불

도간【稻竿】명 볏가릿대.

도감[1]【島監】명 〖역〗울릉도(鬱陵島)를 맡아 다스리던 벼슬. 도장(島長).

도감[2]【都監】명 ①〖역〗고려·조선 시대에 국장(國葬)·국혼(國婚)·궁궐 축조 등 국가의 중대사를 관장하게 하려고 베푼 임시 관청. ②〖역〗↗훈련 도감. ③〖불교〗절에서 돈·곡식 같은 것을 맡아 보는 일. 또, 그 사람.

도감[3]【圖鑑】명 동류(同類)의 차이를 한 눈으로 식별할 수 있도록 그림이나 사진을 모아서 알기 쉽게 설명한 책. 식물 도감. 동물 도감 따위가 있음. 도보(圖譜).

도-감고【都監考】명 〖역〗①감고의 우두머리. ②말감고의 우두머리. 각 곡물(穀物) 시장에서 말감고들을 거느리고 있었음.

도-감관【都監官】명 〖역〗조선 시대 때, 궁방전(宮房田)의 도조(賭租)를 감독·수납하던 이역(吏役)의 우두머리.

도감 당상【都監堂上】명 〖역〗도감(都監)의 일을 지휘 감독하는 제조(提調).

도-감사【都監寺】명 〖불교〗선사(禪寺)에서 절의 모든 사무를 감독하는 사람. 도관(道管). 도사(都寺).

도감 포:수【都監砲手】명 〖역〗훈련 도감(訓鍊都監)의 포수.

[도감 포수의 오줌 짐작이라] 분명하지 않은 일을 짐작으로만 믿고 한다는 뜻으로, 낭패하기 쉽다는 말.

도:갑-사【道岬寺】명 〖불교〗전라 남도 영암군(靈岩郡) 군서면(郡西面) 도갑리(道岬里)에 있는 절. 대흥사(大興寺)의 말사(末寺). 신라 문무왕(文武王) 때에 도선(道詵)이 지은 것을 조선 세조(世祖) 때 신미(信眉)와 수미(守眉)가 중건(重建)하였음.

도:갑사 해:탈문【道岬寺解脫門】명 〖불교〗도갑사에 있는 정면 세 칸, 측면 두 칸의 맞배지붕 주심포(柱心包) 건물. 이 문은 따로 조선 성종(成宗) 4년(1473) 신미(信眉)·수미(守眉) 양사(兩師)의 발원(發願)으로 완공됨. 산문(山門) 건축물로 귀중함. 국보 제50호.

도갓-집【都家—】명 ①도가로 삼은 집. ②물품을 만들어서 도매하는 집. ¶술~/장~.

[도갓집 강아지 같다] 사람을 많이 치르어 내서 온갖 일에 눈치가 썩 빠르다는 뜻.

도:강[1]【渡江】명 강을 건넘. 도하(渡河). ¶~ 작전. ——하다 자여불

도강[2]【都講】명 ①글방에서 여러 날 배운 글을 선생 앞에서 강(講)하는 일. ②문생(門生)의 장(長). 숙두(塾頭). ③강사 또는 선생. ④군사(軍事)를 강습(講習)함. ——하다 자타여불

도:강-록【渡江錄】[—녹] 명 〖문〗연암(燕巖) 박지원(朴趾源)의 저서 《열하 일기(熱河日記)》의 첫 부분을 이루는 기행문. 조선 정조(正祖) 때에 중국 청(淸)나라에 가는 사신의 수행원으로 연경(燕京)에 갔던 일 중, 이 도강록은 압록강을 건너 랴오양(遼陽)까지의 15 일간의 기행문으로, 문장이 매우 아름다움.

도:강 작전【渡江作戰】명 〖군〗도하(渡河) 작전.

도개 명 〖공〗조그마한 방망이. 질그릇이나 오지그릇 같은 것을 만들 때에 그 그릇 속을 두드려서 매만지는 데 씀.

도개-교【跳開橋】명 배가 통과할 수 있도록 교체(橋體)의 한 끝 또는 양쪽 끝이 들리게 된 구조의 다리. *승개교(昇開橋).

〈도개교〉

도갱이 명 짚신이나 미투리의 뒤축에서 돌기총까지 건너간 줄.

도거[1]【刀車】명 〖역〗전차(戰車)의 하나. 바퀴가 두 개 달린 차로, 앞쪽에 많은 창검(槍劍)을 장치함. 성(城)을 공격할 때에 이로써 성문 앞을 막음.

도거[2]【刀鋸】명 칼과 톱.

도거[3]【逃去】명 도망하여 물러감. 도망함. ——하다 자여불

도거[4]【徒居】명 아무 것도 하지 아니하고 삶. 헛되이 삶. ——하다 자여불

〈도거[1]〉

도거리 명 따로따로 나누지 아니하고 한데 합쳐서 몰아치는 일. ¶물건을 ~로 흥정하다. *통거리.

도거-뱅크 (Dogger Bank) 명 〖지〗유럽 대륙과 영국의 대(大)브리튼섬 사이에 있는 북해 중앙부의 세계적인 어장(漁場). 길이 260km, 폭 100km, 수심 18-36m의 얕은 바다로, 청어·대구·가자미·넙치 등의 한해성(寒海性) 어종이 잡힘.

도검[1]【刀劍】명 칼과 검. 칼이나 검의 총칭.

도검[2]【韜鈐】명 병법(兵法). 무술.

도견【盜見】명 남의 것을 몰래 봄. 도시(盜視). ——하다 타여불

도견 와계【陶犬瓦鷄】명 외모(外貌)만 훌륭하고 실속이 없어 아무 쓸모도 없는 사람을 비웃어 하는 말.

도결【都結】명 〖역〗개별 조세 항목대로 따로따로 징수하지 않고 한꺼번에 계산하여 거둬들이는 결세. 고을 아전이 공전(公錢)이나 군포(軍布)를 축내고 그것을 메워 넣으려고 결세를 정액 이상으로 받던 일.

도결아-장【都結兒匠】명 〖역〗경공장(京工匠)의 일종. 상의원(尙衣院)에 속하는 공장(工匠)으로, 말의 안장에 따르는 기구를 만드는 장인.

도:경[1]【道經】명 〖종〗도교의 경전.

도:경[2]【道警】명 도(道)의 경찰국. *시경(市警).

도경[3]【圖經】명 산수의 지세(地勢)를 그리어 설명한 책. 동국 여지 승람(東國輿地勝覽)과 같은 책.

도:계[1]【到界】명 〖역〗감사(監司)가 임지에 도착함. ——하다 자여불

도:계[2]【道界】명 도와 도의 경계.

도:계[3]【道啓】명 〖역〗각 도(各道)의 감사(監司)가 임금에게 아뢰어 바치는 글.

도:계 진:상【到界進上】명 〖역〗조선 시대 때, 물선(物膳) 진상의 한 가지. 감사(監司) 등이 임지에 도착하자 곧 진상하는 일.

도:계 탄:전【道溪炭田】명 〖지〗강원도 삼척시 도계읍(道溪邑) 전두리(田頭里)에 있는 무연탄 탄전. 매장량 약 2,600만톤.

도고[1]【都庫·都賈】명 물건을 도거리로 혼자 맡아서 파는 일. 일수 판매(一手販賣). 또, 그런 행위를 하는 개인이나 조직. *도가(都家). ——하다 타여불

도:고[2]【道高】명 ①도덕이 높음. ②높은 체하여 교만함. ¶오나, 그만

두어라. 너는 동무 중에도 너무 ～하더라≪趙重桓 : 菊の 香≫. ——-하다 형여불
도고³【鼗鼓·鞀鼓】명 도(鼗).
도고⁴ 조〈방〉보다⁴.
도고리다 자〈방〉도사리다.
-도고야 어미〈옛〉-는구나. =-도괴야. ¶ 柴門 犬吠聲에 반가온 벗 오도고야≪古時調≫.
도:고 온천【道高溫泉】명〖지〗충청 남도 아산시 도고면(道高面) 기곡리(基谷里)에 있는 온천. 유황성 식염천(硫黃性食塩泉)으로 수온은 26-30℃. 신경통·피부병·위장병에 특효가 있다고 함.
도고지 명 활 시위에 심고를 맨 것이 닿는 곳.
도곤 조〈옛〉보다⁴. 보다도. =두고·두곤·두군. ¶ 𠃋츨 봄도곤 나으리 이다(勝如見面)≪朴解 下 12≫.
도공¹【刀工】명 칼을 만드는 사람. 도장(刀匠).
도공²【陶工】명 옹기장이. 도인(陶人).
도공³【圖工】명 ①도화(圖畫)와 공작(工作). ②제도공(製圖工).
도:과¹【倒戈】명 부하의 군사가 반란을 일으켜 적(敵)에게 내통(內通)함. ——-하다 자여불
도:과²【道科】명〖역〗각 도 감사(監司)에게 명(命)하여 행하는 과거. 도시(道試).
도관¹ 명〈옛〉도가니². ¶ 도관 감(坩), 도관 과(堝)≪字會 中 16≫.
도관²【陶棺】명 고대에 쓰던 오지로 만든 관. 옹관(甕棺). 와관(瓦棺).
도관³【都官】명〖역〗①신라 때, 관직. 궁중 음악을 맡은 감전(監典)의 속관, 정원 4명. ②고려 때, 노비의 문서와 호적, 소송을 맡아 보던 형부(刑部)의 소속 관아.
도:관⁴【道冠】명 도사(道士)가 쓰는 건(巾).
도:관⁵【道管】명〖불교〗도감사(都監寺).
도:관⁶【道觀】명 도교(道敎)의 사원(寺院). 도사(道士)가 수도하는 곳.
도:관⁷【導管】명 ①〖식〗물관(管). ②물이나 김 같은 것을 통하게 하는 관(管). 파이프(pipe).
도:관-병【導管病】[—뼝] 명〖식〗물관병.
도관찰 출척사【都觀察黜陟使】명〖역〗①고려 창왕(昌王) 때 안렴사(按廉使)를 고친 이름. 양부(兩府)의 대신(大臣)으로 임명함. 공양왕(恭讓王) 4년(1392)에 다시 안렴사로 고침. ②조선 왕조 개국 후 안렴사의 이름을 그대로 쓰다가 태조(太祖) 2년(1393)에 다시 도관찰 출척사로 고치고 태종(太宗) 원년(1401)에 또 안렴사(按廉使)로 고쳤다가 곧 이 이름으로 회복하고 세조(世祖) 12년(1466)에 도관찰사(都觀察使)로 고침.
도:광¹【道光】명 ①도덕의 빛. ②〖불교〗도(道)의 빛이라는 뜻으로 불교를 일컫는 말.
도광²【韜光】명 ①빛을 감추고 밖에 나타내지 아니함. ②도회(韜晦). ——-하다 자여불
도:광-제【道光帝】명〖사람〗중국 청조 제 8대의 황제. 휘(諱)는 민녕(旻寧). 묘호(廟號)는 선종(宣宗). 긴축 정책을 시행하고, 적극적으로 국부(國富)를 꾀하여 광산 개발을 장려하는 등 여러 가지로 힘을 썼으나 청조(淸朝)의 쇠운(衰運)을 회복하지는 못하고, 재위 중인 1839년에 일어난 아편 전쟁(阿片戰爭)은 청조의 쇠망을 재촉함. 시문(詩文)에 조예가 깊어 ≪양정 서옥 전집(養正書屋全集)≫ 등 많은 문집을 남김. [1782-1850; 재위 1821-50]
도광-지【塗壙紙】명 장사지낼 때 무덤 속의 네 벽에 대는 흰 종이.
도괴¹【掉拐】명 씨아손.
도:괴²【倒壞】명 쓰러져 허물어짐. 무너뜨림. ¶ ～ 가옥. ——-하다 자타여불
도괴³【盜魁】명 도적의 괴수. 적괴(賊魁).
-도괴야 어미〈옛〉-는구나. =-도고야. ¶ 靑鳥ㅣ야 오도괴야 반갑도다 님의 消息 弱水 三千里를 네 어이 건너온다≪永言≫.
도교¹【桃膠】명〖한의〗복숭아 나무의 진. 임질(淋疾)의 약제로 씀.
도:교²【道交】명 도의상의 교제.
도:-교³【道敎】명〖종〗황제(黃帝)·노자(老子)를 교조로 하는 중국의 다신적 종교(多神的宗敎). 무위(無爲)·자연을 주지(主旨)로 하는 노장 철학(老莊哲學)의 유(流)를 받아들이어, 음양 오행설과 신선 사상(神仙思想)을 가미(加味)하여서 불로 장생(不老長生)의 술(術)을 구하고, 부주(符呪)·기도 등을 행함. 후한 말(後漢末)의 장도릉(張道陵)을 개조로 하고 불교의 교법을 받아들이어 점점 종교의 형태를 이루어서 중국의 민간 습속(習俗)에 크게 영향을 미치었음. 도덕교(道德敎). 도학(道學). 현문(玄門). 황로학(黃老學).
도교-서【都校署】명〖역〗고려 때 궁중(宮中)에서 쓰는 도구(道具)의 제작과 조각(彫刻) 등을 맡아 보던 관아. 공양왕(恭讓王) 3년(1391)에 선공시(繕工寺)에 합침.
도:구¹【度矩】명 법(法). 규칙. 도규(度揆).
도:구²【倒句】명〖문〗뜻을 강조하기 위하여 보통 어법(語法)의 위치를 거꾸로 한 문구. '가자, 집으로'·'나쁘다, 너는' 등과 같은 것. *도구법(倒句法).
도:구³【渡口】명 나루¹❶.
도:구⁴【渡歐】명 유럽으로 건너감. ——-하다 자여불
도구⁵【屠狗】명 개를 잡는 일. 또, 그 사람. 개백장.
도:구⁶【道具】명 ①일에 쓰이는 여러 가지 연장. 제구(諸具). ¶ 가재(家財)～/무대～. ②〖불교〗불도를 닦는 데 쓰는 기구의 총칭. 불상(佛像)·포단(布團)·바리때 같은 것.
도구⁷【搗臼】명 절구¹.
도구⁸【賭具】명 노름판에 쓰이는 물건. 흔히, 유행하는 것으로는 골패(骨牌)·화투(花鬪)·투전(鬪錢)·밤윷 등이 있음.
도구-도【桃鳩圖】명 중국 북송(北宋)의 휘종(徽宗) 황제가 그린 화조화(花鳥畫). 1107년에 된 것으로, 복숭아나무 가지에 앉은 비둘기 한 마리를 사생식(寫生式)으로 그린 것임.
도구-때 명〈방〉절굿공이(충청·전라·경남).
도구-땡이 명〈방〉절굿공이(충남).
도구-방 명〈방〉절굿공이(경상).
도구방-살이 명〈방〉소꿉질(황해).
도구-방아 명〈방〉절구¹(경상).
도:구-법【倒句法】[—뻡] 명〖문〗문구의 순서를 거꾸로 하여 문세(文勢)를 강조하는 수사법(修辭法). *도구(倒句).
도:구-시【道具視】명 어떤 사람이나 사물을 도구로 보거나 취급함. ——-하다 타여불
도:구적 조건부【道具的條件附】[—껀—] 명〖심〗유기체 자신의 환경에 대한 적극적인 조건 반응 자체가 조건부의 수단이 되는 조건부. 보수(報酬) 훈련·도피(逃避) 훈련·회피(回避) 훈련 등이 이에 포함됨. 예를 들면 상자 속에 갇힌 고양이가 우연히 끈을 잡아 당겨 상자 밖으로 탈출함으로써 밖의 음식을 획득하게 되는 보수 훈련에서, 끈이라는 조건 자극에 대하여 잡아 당기는 반응을 능동적으로 새로 배움이 필요하게 된 훈련 과정 같은 것. ↔고전적(古典的) 조건부.
도:구-주의【道具主義】[—/—이] 명〖철〗기구(器具)주의.
도구-질【搗臼—】명〈방〉절구질(전라·경상).
도구-통【搗臼—】명〈방〉절구통(충청·전라·경상).
도국¹ 명〈옛〉①본. 모범. ¶ 도국 범(範)≪類合 上 36≫. ②도량(度量). 그릇. ¶ 도국과 슬거오미 몬졔오(先器識)≪飜小 X:11≫.
도국²【島國】명 섬나라.
도국³【都局】명〖민〗산에 둘러싸여서 이루어진 땅의 형국(形局). 음양가(陰陽家)에서 쓰는 말.
도국 근성【島國根性】명 섬나라 사람들에게 뿌리 박힌 성질. 곧, 옹졸하고 너그럽지 못한 반면에, 단결성과 독립성이 강하고 배타적(排他的)인 성질.
도국-민【島國民】명 섬나라에 사는 백성.
도굴【盜掘】명 ①〖광〗광업권(鑛業權) 없는 사람이 몰래 광물을 채굴하는 일. ②고분(古墳) 같은 것을 허가 없이 파내는 일. ——-하다 타여불
도굴-꾼【盜掘—】명 고분(古墳)을 도굴하여 부장품(副葬品)을 파내는 것을 업으로 하는 자.
도굿-대 명〈방〉절굿공이(전라·충청·경상).
도궁¹【徒弓】명 도보(徒步)하는 병정들이 갖는 활.
도:궁²【道宮】명 도사(道士)가 사는 집.
도궁-주【跳弓奏】명〖악〗'스피카토(spiccato)'의 역어(譯語).
도:궤【倒潰】명 넘어져서 무너짐. ——-하다 자여불
도규¹【刀圭】명 ①옛날에 약을 뜨던 숟가락. ②의술(醫術).
도:규²【度揆】명 도구(度矩). *탁규(度揆).
도규-가【刀圭家】명 의술(醫術)로 병을 고치는 사람. 곧, 의사(醫師).
도규-계【刀圭界】명 도규가, 곧 의사들의 사회.
도규-술【刀圭術】명 의술(醫術).
도균【陶鈞·陶均】명 도공(陶工)의 녹로(轆轤). 전(轉)하여, 천하를 잘 다스림의 비유. 또, 인물을 양성함의 비유.
도그-레그〔dog-leg〕명 골프에서, 만곡(彎曲)된 홀(hole).
도그 레이스〔dog race〕명 경마를 본뜬 개의 경주.
도그르르 부 작고 무거운 것이 대번에 구르는 모양. ㅆ또그르르. <두그르르.
도그마〔dogma〕명 ①〖종〗교회에 의하여 부동(不動)의 진리로 인정되어, 이성으로서의 증명·비판이 용서되지 아니하는 교리(敎理)·교의(敎義)·교조(敎條) 등의 범칭. 신조(信條). ②독단(獨斷)❷.
도그매틱〔dogmatic〕명 독단적(獨斷的). ¶ ～한 설(說). ——-하다 형여불
도그머티즘〔dogmatism〕명 독단주의(獨斷主義). 독단론.
도:극-경【倒戟鯨】명〖동〗범고래.
도근-거리다 자 겁이 나서 가슴이 뛰놀다. <두근거리다. 도근-도근 부. ——-하다 자여불
도근-대다 자 도근거리다.
도근-점【圖根點】[—쩜] 명〖토〗평판(平板) 측량의 기초가 되는 측점(測點). 분필(分筆)할 때 쓰기 위하여, 돌·말뚝을 땅에 묻어 오랫동안 보존하기도 함.
도근 측량【圖根測量】[—냥] 명 도근점(圖根點)의 위치를 결정하기 위하여 하는 측량.
도글-도글 부 작고 무거운 물건이 자꾸 굴러 가는 모양. ㅆ또글또글. <두글두글.
도금¹【淘金】명 사금(沙金)을 읾. ——-하다 자여불
도:금²【鍍金】명 물체의 산화(酸化)·부식(腐蝕)·마모(磨耗) 등을 방지하고, 또, 장식(裝飾)을 하기 위하여, 그 표면에 금·은·니켈·크롬·아연(亞鉛)·주석(朱錫) 등의 얇은 금속막(金屬膜)을 입히는 일. 대표적인 것은 전기(電氣) 도금이며, 이 외에 용융(熔融) 도금·금속 침투법·금속 용사법(溶射法)·진공 증착(眞空蒸着) 등 방법이 있음. ¶ 은으로 ～한 숟가락. ——-하다 자타여불
도:금-액【鍍金液】명 전기 도금 때에 사용하는 금속 염류(金屬塩類)의 용액.
도금양【桃金孃】명〖식〗[*Rhodomyrtus tomentosa*] 도금양과(科)의 상록 소관목. 높이는 2 m 정도이고 전체에 흰 털이 밀생함. 잎은 마주나고 긴 타원형이며 길이 3-6 cm임. 꽃은 6월에 피며 연한 홍자색임. 검은 자줏빛의 열매는 달걀꼴로 지름은 1-1.4 cm이고 잔 씨가 안에 들어있음. 파이와 잼을 만들기도 하고 발효시켜 술을 만듦. 오키나와·대만·중국 남부·필리핀·말레이시아 등지에서 자람. 관상용으로 온실에서 기르기도 함. 도금랑(桃金娘).
도금양-과【桃金孃科】[—꽈] 명〖식〗[Myrtaceae] 쌍자엽 식물 이판화류(離瓣花類)에 딸린 한 과. 교목 또는 관목이며, 정유(精油)가 들어 있는 유점(油點)이 있음. 꽃은 대개 양성(兩性)이며, 방사 상칭(放射相稱)이고 꽃잎은 4～5개임. 유칼립투스와 도금양 등이 있으나 우리 나라에 자생종은 없음.
도급【都給】명 어떠한 공사에 들 모든 비용을 미리 정하고 도맡아 하게 하는 일. 청부(請負). ¶ ～ 주다/～ 맡다.

도급 경비【都給經費】명〖법〗 재외 공관·우체국·등기소·전매서·역 등 특수한 경리를 필요로 하는 관서의 경비의 전부 또는 일부에 충당하게 하기 위하여 도급으로 지급하는 경비. 도급 경비의 세출 과목 및 지출 방법은 당해(當該) 중앙 행정 관서의 장이 재무부 장관과 협의하여 정함.

도급 계:약【都給契約】명〖법〗 토목·건축 공사 등에서, 당사자의 한쪽이 어떤 일을 완성할 것을 약정하고 상대방이 그 일의 결과에 대하여 보수를 지급할 것을 약정하여 성립하는 계약. 구용어: 청부 계약.

도급-금【都給金】명 도급업자가 공사의 주문자로부터 대가로 받는 돈.

도급-기【稻扱機】명 벼훑이.

도급 보증금【都給保證金】명〖법〗 도급 계약의 온전한 이행을 담보하기 위하여 공사의 주문자가 도급업자로부터 받는 보증금. 구용어: 청부 보증금.

도급업-자【都給業者】명〖법〗 건설 공사 따위를 도거리로 맡아 하는 것을 업으로 삼는 사람.

도급-제【都給制】명 건축 공사 등을 도급으로 맡는 제도.

도급 하:한선【都給下限線】명 큰 업체가 작은 공사를 휩쓺을 방지하기 위하여 업체의 규모별로 정한, 도급 맡을 수 있는 최소 한도의 선.

도급 한:도【都給限度】명 건설 업체(建設業體)가 국내에서 맡을 수 있는 단일 공사(單一工事)의 상한(上限) 금액.

도:기[1]【度器】명 길이·넓이를 측정하는 기구.

도:기[2]【到記】명〖역〗 ①조선 시대에, 모임에 모인 사람의 이름을 적어 놓는 장부. ②성균관(成均館)의 유생(儒生)의 근만(勤慢)을 보기 위하여 식당(食堂)에 들어간 수를 적던 부책(簿册). 조석 두 끼를 1점으로 하고 50점이 되면 봄·가을의 과거를 보게 하였음. 반제(泮製).

도:기(를) 받다 구 성균관의 식당(食堂)에 참좌(參坐)한 제생(諸生)으로부터 도기에 서명(署名)을 받다.

도기[3]【陶器】명〖공〗 오지그릇.

도기[4]【都妓】명〖역〗 기생의 우두머리. 행수 기생(行首妓生).

도:기[5]【道紀】명 도(道)의 기율(紀律). 강기(綱紀).

도:기[6]【道器】명 ①형이상(形而上)의 본체인 이(理)와 형이하(形而下)의 현상인 기(氣). 곧, 이기(理氣). ②〖불교〗 불도를 닦는 데 인내하는 기량(器量).

도기[7]【賭技】명 노름[1]. ──하다 자여불

도기[8]【禱祈】명 기도(祈禱). ──하다 자여불

도:기-과【到記科】명〖역〗 조선 시대 때, 성균관 거재 유생(居齋儒生)으로서 일정한 도기 원점(到記圓點)을 딴 자에게 보이는, 대과(大科)에 해당하는 과거. 중종(中宗) 28년(1533)에 처음 베풀어 봄·가을 두 번 시행(施行)하되, 초시(初試)는 강경(講經)으로, 전시(殿試)는 제술(製述)로 보임. 반제(泮製).

도기 사진【陶器寫眞】명 도기에 밀착(密着)시킨 사진. 보통 호정(糊精)·아라비아 고무와 같은 점성(粘性)의 유기 화합물과 중크롬 염산(重chrome 塩酸) 등과의 혼합물의 용액을 도기에 칠하고 사진화를 밀착하여 만듦.

도기-상【陶器商】명 도자기류의 판매를 업으로 하는 집. 또, 그 사람.

도기-소【陶器所】명 오지그릇을 구워 만드는 곳.

도기-화【陶器畫】명 도기의 표면에 그림 무늬를 그리는 일. 또, 그 그림 무늬.

도까비 명〈방〉도깨비(경북).

도깨 명〈방〉도리깨❶(제주).

도깨 그릇 〔←독+개+그릇〕 독·바탱이·중두리·항아리 같은 그릇의 총칭. 준독그릇.

도깨비 명 동물이나 사람의 형상을 한 잡된 귀신의 한 가지. 비상한 힘과 괴상한 재주를 가져 사람을 호리기도 하고 짓궂은 장난이나 험상궂은 짓을 많이 한다 함. 망량(魍魎).

[도깨비는 방망이로 떼고 귀신은 경으로 뗀다] 귀찮은 존재를 떼는 데는 특수한 방법이 있다는 말. [도깨비도 수풀이 있어야 모인다고] 의지할 곳이 있어야 무슨 일이나 이루어진다는 뜻. [도깨비를 사귀었나] 까닭 모르게 재산이 부쩍부쩍 늘어감을 이르는 말. [도깨비 사귄 셈이라] 귀찮은 자가 조금도 곁을 떠나지 않고 늘 따라다닌다는 말. [도깨비 쓸개라] 사물의 미세(微細)하고 부정(不淨)함을 가리키는 말.

도깨비 달밤에 춤추듯 구 멋없이 꺼떡거리는 모양.

도깨비 대:동강(大同江) 건너듯 구 일의 진행(進行)이 눈에는 잘 안 띄나 그 결과가 빨리 나타남의 비유.

도깨비 땅 마련하듯 구 실속 없이 헛 경륜만 하는 것의 비유.

도깨비 살림 구 있다가도 별안간에 없어지는 불안정한 살림살이.

도깨비 수키왓장 뒤듯 구 쓸데없이 늘 이것저것 뒤지는 모양.

도깨비 음모(陰毛) 같다 구 물건의 방불(髣髴)함을 일컫는 말.

도깨비 장난 같다 구 하는 것이 분명하지 아니하여 갈피를 잡을 수 없음의 비유.

도깨비-감투 명 ①머리에 쓰면 그것을 쓴 사람의 형체가 보이지 않게 된다는 감투. ②신기한 조화를 부리는 물건.

도깨비-경【─經】명〖민〗 도깨비를 내쫓거나 몰아내려고 외는 주문.

도깨비-고비 명〖식〗 [*Cyrtomium falcatum*] 고사릿과에 속하는 상록 다년생 양치류(羊齒類). 근경(根莖)은 괴상(塊狀)이고 줄기 높이 1m 가량으로 총생(叢生)함. 잎은 우상 복엽(羽狀複葉)에 두꺼운 각질(角質)이고 긴 난상 피침형이며 광택 나는 짙은 녹색을 띰. 자낭군(子囊群)은 둥근 피막(被膜)이 잎 뒷면에 산재함. 해안지(海岸地)에 많이 나는데, 제주·전남·경북의 울릉도·강원 등지에 분포함.

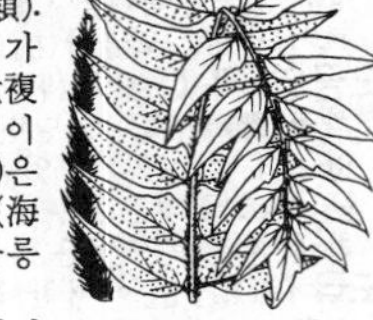
〈도깨비고비〉

도깨비-놀음 명 갈피를 잡을 수 없도록 괴상하게 되어 가는 일.

도깨비-바늘 명〖식〗 [*Bidens bipinnata*] 국화과에 속하는 일년초. 줄기 높이 50-100cm. 밑의 잎은 대생, 초엽(梢葉)은 호생하며, 1-3회 우상(羽狀)으로 깊이 째지고 열편(裂片)은 달걀꼴 혹은 긴 타원형에 톱니가 있음. 8-10월에 황색 두화(頭花)가 원추(圓錐) 화서로 핌. 과실은 수과(瘦果)인데, 갈고리 모양의 극모(棘毛)가 3-5개 있어서 사람의 의복이나 짐승의 몸에 잘 들러 붙음. 산이나 들의 습지에 나는데, 거의 한국 각지 및 아시아·오스트레일리아·아프리카에 분포함. 경엽(莖葉)은 약용 및 식용함. 귀침초(鬼針草).

〈도깨비바늘〉

도깨비 방망이 명 도깨비가 갖고 있다는, 두들기면 무엇이든지 원하는 것이 나온다는 요술 방망이.

도깨비-부채 명〖식〗 [*Rodgersia podophylla*] 범의귀과에 속하는 다년초. 줄기는 굵고 꿋꿋하며 높이 1m 가량인데, 잎은 호생하며 다섯 개의 작은잎이 장상(掌狀)으로 정생(頂生)하고 가에는 톱니가 있음. 6월에 황백색 꽃이 원추(圓錐) 화서로 피고, 과실은 삭과(蒴果)로 달걀꼴임. 깊은 산에 나는데, 경북·강원·평북·함남·함북 등지에 분포함.

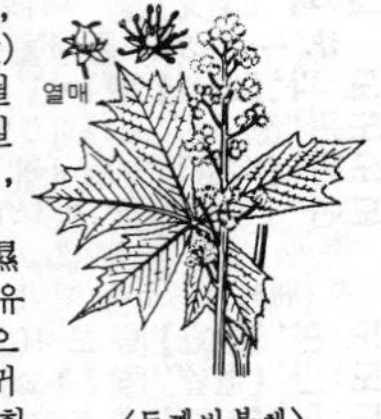

〈도깨비부채〉

도깨비-불 명 ①으슥한 묘지(墓地)나 습지(濕地) 같은 데서 자연적으로 발생하는 불빛. 유리(遊離) 상태에 있는 인(燐)이 산화(酸化)함으로 푸른 빛을 띠어 보인다고 봄. 귀린(鬼燐). 귀화(鬼火). 인화(燐火). ②원인 모르게 일어난 화재. 갑화(火). 귀화(鬼火). 신화(神火).

도깨비-사초【─莎草】명〖식〗 [*Carex dickinsii*] 방동사닛과에 속하는 다년초. 세모진 줄기는 총생하며 높이 40cm 가량인데 잎은 호생하며 넓은 선형(線形)으로 줄기보다 길고, 폭 4-10mm임. 6-7월에 담적갈색의 수꽃이삭이 선상(線狀) 원추형으로 정생(頂生)하고 암꽃이삭은 구상(球狀)의 달걀꼴로 측생(側生)함. 수과(瘦果)의 과낭(果囊)은 넓은 달걀꼴에 길이 1cm 가량이며 담황록색임. 밭에나 들의 습지, 연못가에 나는데, 거의 한국 각지 및 일본·홋카이도 등에 분포함.

도깨비-살 명 어(魚)살.

도깨비-엉겅퀴 명〖식〗 [*Cirsium schanterense*] 국화과(科)에 속하는 다년초(多年草). 줄기 높이 60-90cm이고, 하부(下部)의 잎은 유병(有柄)에 우상 심렬(羽狀深裂) 내지 전열(全裂)이나 상부의 잎은 무병(無柄)이고 포경(抱莖)하여 있음. 7-9월에 홍자색의 두화(頭花)가 줄기 끝이나 가지 끝에 하나씩 정생(頂生)하여 관상화(管狀花)로 피고, 과실은 수과(瘦果)임. 산지에 나는데, 경북·강원·평북·함남·함북 지방에 분포함. 어린 잎은 식용함.

도깨-풀 명〈방〉〖식〗 둑새풀.

도꼬마리 명〖식〗 [*Xanthium strumarium*] 국화과에 속하는 일년초. 줄기 높이 1.5m 가량이고 잎은 장병(長柄)에 넓은 삼각형이고 가에 톱니가 있음. 8-9월에 황색 두화(頭花)가 피는데 수꽃은 정생(頂生), 암꽃은 하부에 착생함. 과실은 수과(瘦果)로 길이 2mm 가량의 타원형이고 갈고리 모양의 가시가 많아 사람의 옷에 잘 붙음. 들이나 길가에 나는데, 한국 각지 및 중국·대만·일본·유럽·북미(北美)에 분포함. 열매를 '창이자(蒼耳子)'라고 하여 약재로 씀. 갈기래(喝起來). 권이(卷耳). 사이(葈耳). 양부래(羊負來). 창이(蒼耳).

〈도꼬마리〉

도꼬마리-떡 명 도꼬마리 잎을 쌀 가루에 섞어서 만든 시루떡. 풍습(風濕)을 제한다고 함. 창이병(蒼耳餠).

도꼬마리-벌레 명〖충〗 명충나방과에 속하는 곤충. 흔히, 도꼬마리의 줄기에 기생하는데, 1년에 두 번 발생하나 추운 곳에서는 한 번, 더운 곳에서는 서너 번 발생함. 한방(韓方)의 약재(藥材)로서 정종(疔腫)·창종(瘡腫)의 독종(毒腫)에 특효(特效)가 있어서 유명(有名)함. 창이충(蒼耳蟲).

도-꼭지【都─】명 어떠한 방면에서 가장 으뜸이 되는 사람. ¶그는 목수들 중에서 ～로 이름났다.

도꼽 장난 명〈방〉소꿉 장난(경기).

도꾸 명〈방〉도끼(경상·충북·강원).

도꾸바지 놀음 명〈방〉소꿉질(함남).

도꿉-노리 명〈방〉소꿉 장난(강원).

도꿉 장난 명〈방〉소꿉 장난(충남).

도:끼 명 나무를 찍거나 패는 연장의 한 가지. 쐐기 모양의 큰 쇠날의 머리 부분에 구멍을 뚫어 단단한 나무 자루를 박음.

[도끼가 제 자루 못 찍는다] 자기 허물을 자기가 알아서 고치기 어렵다는 말. [도끼 가진 놈이 바늘 가진 놈을 못 당한다] 도끼로는 단번에 사람을 살해할 수 있다고 사정을 보다가는 도리어 바늘 가진 사람한테 진다는 말. [도끼는 날을 달아 써도 사람은 죽으면 고만] 물건은 다시 고쳐 쓸 수 있어도 사람은 생명을 다시 이어 살 수 없다는 뜻. [도끼로 제 발등 찍는다] 남을 칠 요량으로 한 것이 결국은 자기를 친 결과가 되었다는 말. [도끼를 베고 잤나] 밤잠을 편히 못 자고 너무 이른 아침에 일어남을 놀리는 말.

도:끼 나물 명 절에서 쇠고기 같은 육류(肉類)를 일컫는 변말.

도:끼-눈 명 분하거나 미워서 남을 쏘아 노려 보는 눈. ¶계향이를 불러

다가 상머리에 앉히고 ~을 뜨고 바라보았다≪洪命憙 : 林巨正≫.
도:끼 받침 명〈방〉 모탕❶.
도:끼-벌레 명〖충〗 방아벌레.
도:끼-별 명〖건〗 원목(原木)을 산판에서 도끼로 제재한 것.
도:끼-질 명 도끼로 나무를 찍거나 패는 일. ――-하다 자여불
도:끼-집 명 연장을 제대로 쓰지 아니하고 거칠게 건목만 쳐서 지은 집.
도:끼-총 명〈방〉 돌기총.
도:낏-자루 명 도끼의 자루.
【도낏자루 썩는 줄 모른다】'신선 놀음에 도낏자루 썩는 줄 모른다'와 같은 뜻.
도나기누에 명〈옛〉 만잠(晩蠶). ¶ 도나기누에나빈(晩蠶蛾)≪救簡 Ⅲ:114≫.
도나니 〔Donáni, Ernö〕 명〖사람〗 헝가리의 작곡가. 피아니스트·지휘자로서도 유명함. 1919년 부다페스트 왕립 음악원 원장을 지내고 1949년 이후 미국에 이주함. 오페라·피아노 협주곡·가곡 등 민속적 작품이 있음. [1877-1960]
도나우 강 【一江】〔Donau〕 명〖지〗 유럽에서 둘째로 긴 강. 대표적인 국제 하천으로 독일의 바덴(Baden)에서 발원하여 오스트리아·헝가리·발칸의 여러 나라를 지나 흑해(黑海)로 들어감. 다뉴브 강(Danube江). [2,850 km]
도나우 문화 【一文化】〔Donau〕 명 중부 유럽에서 발달한 신석기 시대의 문화. 제1·2기에는 유축 농업(有畜農業)이 행하여지고 제3기인 신석기 시대(新石器時代)에서 제4기인 청동기(青銅器) 시대에 걸쳐서는 인구의 증가에 의한 사회적·경제적 변화가 일어남.
도나-캐나 부 하찮은 아무나, 또는 무엇이나. ¶ ~ 좋다.
도나텔로 〔Donatello〕 명〖사람〗 이탈리아 문예 부흥기의 조각가. 본명은 Donato di Niccolò di Betto Bardi. 브론즈(bronze) 조각의 독자적인 작풍(作風)을 확립함. 대표작의 하나인 ≪다비데≫는 전에 없던 사실적(寫實的)인 나체상으로 중요함. 미켈란젤로(Michelangello) 이전의 최대의 조각가로 꼽힘. [1386-1466]
도난 【盜難】 명 도둑 맞는 재난. →도란.
도난 보:험 【盜難保險】 명〖경〗 손해 보험의 하나. 도난에 의하여 발생하는 손해의 전보(塡補)를 목적으로 하는 보험.
도난 신:고 【盜難申告】 명 도난당한 사실을 경찰 관서에 신고(申告)하는 일. 또, 그 서류. ――-하다 자여불
도난-품 【盜難品】 명 도둑맞은 물품.
도남[1] 【陶南】 명〖사람〗 조윤제(趙潤濟)의 호(號).
도남[2] 【圖南】 명〔붕새가 남쪽으로 향하여 날개를 벌리려 한다는 뜻〕 ① 남쪽으로 발전하려는 뜻. ②전하여, 큰 사업을 하려 함을 가리키는 말. ¶ ~ 의재북(意在北).
도남의 날개 구 남쪽을 향하여 벌리려는 붕익(鵬翼). 어느 지역에 가서 큰 사업을 해 보겠다는 계획.
도:-내 【道內】 명 도의 안.
도:-내기 명〖건〗 ①창짝을 끼거나 빼낼 수 있도록 창틀 위쪽의 홈통을 창짝 길이보다 더 깊이 파낸 고랑. ②중방 같은 것을 드릴 적에 기둥 한쪽에 중방 운두보다 훨씬 길게 파낸 굴 구멍.
도:내지-현 【道乃地峴】 명〖지〗 경기도 포천군(抱川郡) 영북면(永北面)에 있는 고개의 이름. [155 m]
도:넛 〔doughnut〕 명 서양식 과자의 한 가지. 버터·설탕·계란 등을 넣고 밀가루를 반죽하여 단자(團子)나 고리 모양으로 만들어 기름에 튀기었음.
도:넛-판 【一板】〔doughnut〕 명 지름이 7인치되는 조그만 레코드. 흔히, 1분간 45회전하는 레코드판을 이름. 이 피(EP)판.
도:넛 현:상 【一現象】〔doughnut〕 명 도심부의 지가(地價)가 높아 거주하는 사람이 적어지는 반면, 그 주변지(周邊地)에 주택이 증가하는 현상.
도네 〔Donnay, Charles Maurice〕 명〖사람〗 프랑스의 극작가. 아카데미 회원. 연애 심리·애욕(愛慾)의 묘사에 능하며 사막극(四幕劇)의 확립은 특필할 공적임. 많은 작품을 썼는데, ≪연인(戀人)≫·≪고뇌하는 여인≫·≪빛을 주는 여인들≫ 등이 알려짐. [1859-1945]
도네 강 【一江】〔利根:とね〕 명〖지〗 일본 간토(関東) 지방을 동남으로 횡단하여 조시(銚子)에서 태평양으로 들어가는 강. 옛날부터 중·하류부의 하도(河道) 변천이 심함. [322 km]
도네츠 강 【一江】〔Donets〕 명〖지〗 모스크바 남방의 도네츠 구릉에서 발원(發源)하여 우크라이나 동부를 곡류(曲流)하여 돈 강(Don江) 하류(下流)에 합(合)치는 강. 돈바스(Donbas) 석탄의 수송로임. [1,020 km]
도네츠크 〔Donetsk〕 명〖지〗 우크라이나 공화국 돈바스(Donbas)의 공업 도시. 석탄·야금·기계·화학 공업이 성함. 1869년 영국인에 의한 야금 공장(冶金工場) 건설로 발전하여 1924년까지는 유조프카(Yuzovka), 이후(以後) 1961년까지 스탈리노(Stalino)라 불리어짐. [1,110,000 명(1989)]
도네츠 탄:전 【一炭田】〔Donets〕 명〖지〗 우크라이나 공화국 남동부에 있는 세계 유수의 탄전. 추정(推定) 매장량 2,400억 톤. 제철·야금·화학 등 굴지의 중화학 공업 지대로서 발달함. 약칭은 돈바스(Donbas). [60,000 km^2]
도:념 【道念】 명 ①도덕 관념. ②도를 구하는 생각이나 마음.
도농 【都農】 명 도시와 농촌. ¶ ~의 격차를 해소하다.
도:뇨 【導尿】 명〖의〗 방광 속에 괴어 있는 오줌을 카테테르(Katheter)를 사용하여 뽑아 냄. 방광이나 요도를 수술하였을 때 수술 상처가 아물 때까지 이 방법을 씀. ――-하다 자여불
도-능독 【徒能讀】 명 글의 뜻은 잘 모르고 한갓 읽기만 잘함. ――-하다 타여불
도니[1] 【度尼】 명〖불교〗 득도(得度)한 이승(尼僧).
도니[2] 【塗泥】 명 진창. 진창의 흙.
도니다 자〈옛〉 돌아다니다. ¶ 부텨 도녀 諸國을 敎化ᄒᆞ샤 ≪釋譜 Ⅸ:1≫.
도니체티 〔Donizetti, Gaetano〕 명〖사람〗 이탈리아의 가극 작곡가. 가극 ≪사랑의 묘약(妙藥)≫·≪연대(聯隊)의 아가씨≫ 등의 명작을 작곡. 특히 화려한 선율(旋律)과 극적인 무대 효과로 로시니(Rossini)·베르디(Verdi)와 함께 이탈리아 낭만파 가극의 전성을 이루었음. [1797-1848]
도닉 【逃匿】 명 도망쳐서 숨음. ――-하다 자여불
도:닐다 자 가장자리를 빙빙 돌아다니다.
-도다 어미〈옛〉-구나. ═-두다·-느녀·-로샤·-로셔·-로쌰·-로써. ¶ 술勸호맨 넘울 마리 업도다(勸酒欲無詞)≪杜諺 XXIII:54≫.
도:다녀-가다 자거라불 왔다가 지체없이 돌아가다. ↔도다녀오다.
도:다녀-오다 자너라불 갔다가 지체없이 돌아오다. ¶ 어제 하루에 황주를 도다녀오고 게다가 밤을 새웠으니 곤하지 않겠어≪洪命憙 : 林巨正≫. ↔도다녀가다.
도다리 명〖어〗[*Pleuronichthys cornutus*] 붕넙칫과에 속하는 바닷물고기. 몸길이 약 30 cm로 마름모인데 두 눈은 몸의 오른쪽에 있어 크게 튀어 나왔으며 주둥이는 짧고 입은 작음. 눈이 있는 쪽의 몸빛은 개체 변화가 심한데, 보통 회색·황갈색이고 크고 작은 암갈색 무늬가 산재함. 한국·일본 전연해에 분포함. 4-10월 사이가 맛이 좋음.

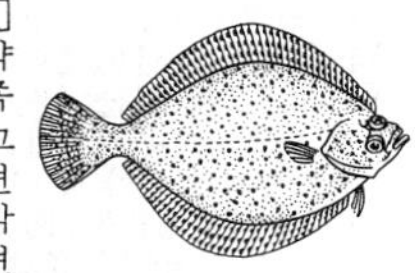
〈도다리〉

도:다이-사 【一寺】〔일 東大:とうだい〕 명〖불교〗 일본 나라 시(奈良市)에 있는 화엄종(華嚴宗)의 대본산. 749년에 지었는데, 본존 대불(本尊大佛)은 비로자나불(毘盧遮那佛)로 키가 16 m나 되며, 주불상(鑄佛像)으로는 세계 최대임.
도다익-장 【都多益匠】 명 조선 시대 때, 궁녀가 쓰는 도투락 댕기를 만들던 공장(工匠).
도닥-거리다 자타 토닥거리다.
도닥-대다 자타 토닥거리다.
도:-닦다 【道一】 자 종교의 교의(教義)를 터득하거나 수양하기 위하여 힘쓰다.
도:단 【道斷】 명 ↗언어 도단(言語道斷).
도-단련사 【都團練使】[—달—] 명〖역〗 고려 성종(成宗) 때 절도사(節度使) 체제에서 주(州)를 다스리던 지방관.
도:달[1] 【到達】 명 정한 곳에 다다름. 목적한 데에 미침. ――-하다 자여불
도:달[2] 【導達】 명 윗사람이 모르는 사정을 아랫사람이 때때로 넌지시 알려 줌. ――-하다 자타여불
도:달 거:리 【到達距離】 명〔range〕 어떤 전리 입자(電離粒子)가 매질(媒質) 속을 투과(透過)하여, 마침내 전리(電離) 작용을 하지 않을 만큼 에너지가 떨어져 버리기까지의 거리.
도:달-률 【到達率】 명 어떤 텔레비전 프로그램의 시청 가능한 세대수에 대한, 실제로 시청하고 있는 세대수의 비율. 그 산출 방법은 실제로 시청한 세대수÷시청 가능 세대수의 합계 ×100.
도:달-점 【到達點】[—쩜] 명 도착한 지점이나 최후에 도달한 결과.
도:달-주의 【到達主義】[—/—이] 명〖법〗 사법상(私法上) 의사 표시는 상대방에게 도달되었을 때 효력이 생긴다고 하는 주의. 수신(受信) 주의. ↔발신(發信) 주의.
도담-도담 부 어린애가 탈없이 잘 자라는 모양.
도담-스럽다 형ㅂ불 도담한 데가 있어 보이다. 도담-스레 부.
도담-하다 형여불 어린애 따위가 탐스럽고 야무지다.
도당[1] 【徒黨】 명 떼를 지은 무리. 도속(徒屬). ¶ 반역 ~. *도배(徒輩).
도당[2] 【都堂】 명〖민〗 시골 사람들이 그 곳의 수호신을 모시고 제사하는 단(壇).
도당[3] 【都堂】 명〖역〗 ①남당(南堂). ②도평의사사(都評議使司). ③ 옛적의 최고 관청이던 '의정부(議政府)'의 별칭.
도:당[4] 【道黨】 명 정당의 도(道) 단위 조직. *시당(市黨).
도:당[5] 【渡唐】 명 당(唐)나라에 건너감. 중국에 도항(渡航)함. ――-하다 자여불
도당[6] 【禱堂】 명〖민〗 무당이 신을 모신 곳.
도당 강:소 【徒黨強訴】 명 작당하여 불평·불만 따위를 호소함.
도당-굿 【都堂一】[—꾿] 명〖민〗 한동네 사람이 도당에 모여 올리는 굿. 도당제(祭).
도당-록 【都堂錄】[—녹] 명〖역〗 홍문관의 교리(校理)·수찬(修撰)을 임명할 때, 홍문록(弘文錄)이라 하여 후보자 가운데서 홍문관 부제학(副提學) 이하의 제원(諸員)이 자격 있는 사람을 고른 뒤에 의정(議政)·참찬(參贊)·이조 판서(吏曹判書)·이조 참판(吏曹參判)·이조 참의(吏曹參議) 등이 모여 다시 골라 뽑는 일. 준당록(堂錄).
도당-씨 【陶唐氏】 명〖사람〗 중국의 제요(帝堯), 곧 요임금을 가리키는 말. 처음에 당후(唐侯), 후에 천자가 되어 도(陶)에 도읍을 세웠기 때문임.
도당-제 【都堂祭】 명〖민〗 도당굿.
도-당회 【都堂會】 명〖기독교〗 장로교에서, 여러 당회가 연합한 모임.
도-대사 【都大師】 명〖역〗 조선 시대 때, 승려(僧侶)의 법계(法階)의 하나. 교종(教宗)의 으뜸 계급으로, 대사(大師)의 위. 판교종사(判教宗師).
도-대선사 【都大禪師】 명〖역〗 조선 시대 때, 승려(僧侶)의 법계(法階)의 하나. 선종(禪宗)의 최고 계급으로, 대선사(大禪師)의 위. 판선종사(判禪宗師).
도-대체 【都大體】 부 '대체'의 뜻을 더 넓게 강조하여 쓰는 말. 대관절.

¶ ~ 그게 무슨 짓이냐.
도덕¹ 명 〈방〉 도적(함북).
도:덕² 【道德】 명 〔morality〕 인륜(人倫)의 대도(大道). 인간으로서 마땅히 지켜야 할 도리(道理) 및 그에 준한 행위. 곧, 자기의 행위 또는 품성(品性)을 자기의 양심(良心) 내지 사회적 규범(規範)으로써 자제(自制)하며, 선한 일과 바른 일을 행하며, 악한 일과 부정(不正)한 일을 하지 않는 일. 관습(慣習)·풍습(風習)에 연관하며, 정사(正邪)·선악(善惡)의 표준임. *도⁷(道)·덕(德).
도:덕-가¹ 【道德家】 명 도덕심이 많고 인격이 높은 사람. 도덕인.
도:덕-가² 【道德歌】 명 『문』 ①도덕적인 내용으로 이루어진 시가(詩歌). ②《잡사(雜史)》라는 책에 전하는 조선 시대 때 시가의 하나. 작자·제작 연대 미상. 중국 성현들의 집을 찾아가 구경하고 후생(後生)들도 이런 집을 세우도록 권장한 내용. ③율곡(栗谷) 이이(李珥)가 지었다는 가사. 제목만 전함. ④《용담 유사(龍潭遺詞)》에 전하는 최제우(崔濟愚) 가사의 하나. 조선 시대 철종(哲宗) 14년(1863)에 지음. ⑤주세붕(周世鵬)의 시가. 엄연곡(儼然曲) 7장, 태평곡(太平曲) 5장, 도동곡(道東曲) 9장, 육현가(六賢歌) 6장 등 모두 27장.
도:덕 감:각 【道德感覺】 명 사람의 행동의 선악을 직감적으로 판별하는 능력. 양심·이성을 포함한 도덕심의 일컬음.
도:덕-경 【道德經】 명 『책』 ↗노자(老子) 도덕경.
도:덕-계 【道德界】 명 『윤』 넓은 뜻으로는 도덕에 의하여 한정되는 범위. 칸트(Kant)에 의하면, 도덕법이 완전히 실현된 세계. 현실에는 없으나 마땅히 있어야 할 세계.
도:덕 과학 【道德科學】 명 〔프 science des moeurs〕 『사』 사회학의 한 가지. 도덕 의식(道德意識)의 내용을 객관적인 사회적 사실로 인정(認定), 다른 사회적 사실과 관련·대비(對比)함으로써 그 법칙을 탐구하려고 하는 과학. 도덕의 사회적 규범·의무·권리 등이 그 대상이 됨. 프랑스의 사회학자인 레비브륄(Lévy-Bruhl, L.)이 주창하였음. *도덕 사회학.
도:덕-관 【道德官】 명 〔moral sense〕 『윤』 도덕 상의 선악·정사(正邪)를 분별해 내는 도덕적 감각 기관(器官). 근대 초기에 영국에서 논의되었는데, 샤프츠베리(Shaftesbury)·허치슨(Hutcheson) 등은 이러한 기관은 인간이 나면서부터 가지고 있다고 주장하고, 흄(Hume)·스미스(Smith) 등은 경험적으로 습득하는 감각이라고 함. 보통 양심·이성 등을 포함하는 도덕심을 뜻함.
도:덕 관념 【道德觀念】 명 도덕에 관한 관념.
도:덕관-설 【道德官說】 명 『윤』 인간은 본래부터 도덕상의 선악·정사(正邪)를 분별해 내는 심적 능력을 가지고 있다고 주장하는 학설. 17-18세기에 영국의 윤리학자들이 주창하였음.
도:덕 관세 【道德關稅】 명 『경』 사치품 따위에 과하는 금지적 고세율(高稅率)의 관세. *사치(奢侈) 관세.
도:덕-교 【道德教】 명 『종』 도교(道教).
도:덕 교:육 【道德教育】 명 『교』 도덕심을 높여 행위를 올바르게 하도록 훈련·지도하는 교육. 도덕적 가치(價值) 관계를 중심으로 윤리적(倫理的) 덕성(德性)을 함양(涵養)하고, 건전한 생활 지도·공중 도덕 등을 그 목표로 함. 덕육(德育).
도:덕 군자 【道德君子】 명 도학 군자(道學君子).
도:덕-극 【道德劇】 명 〔moralities〕 『문』 14세기경에 일어나 15-16세기의 영국·프랑스에서 융성했던 중세기 유럽의 세속극(世俗劇)의 한 양식. 13세기 우의(寓意) 문학의 대표작인 《장미 이야기》 등의 영향을 받아, 우의 형식과 권선 징악적(勸善懲惡的)인 교훈적 내용을 특징으로 함. 모랄 플레이(moral play).
도:덕-도 【道德島】 명 『지』 전라 남도의 서해상(西海上), 신안군(新安郡) 증도면(曾島面) 방축리(防築里)에 위치한 섬. [0.11 km²: 13명(1984)]
도:덕-론 【道德論】 [—논] 명 도덕에 관한 논의(論議). 도덕적 입장에 의거한 논의.
도:덕-률 【道德律】 [—뉼] 명 『윤』 도덕법(道德法).
도:덕-법 【道德法】 명 『윤』 도덕적 행위의 규준(規準)이 되는 법칙. 자연 법칙과 달라 명령의 형식을 취하는 법칙인데, 이것을 행복(幸福)과 같이 이상적인 목적의 실현에 필요한 수단을 규정하는 규칙으로 생각하는 경우와, 법칙을 절대적인 규범(規範)으로 생각하고, 법칙의 명령에 복종하는 일이 선(善)이라고 하는 경우의 두 가지가 있음. 그 법칙의 근거에 대하여서는 신(神)이나 국가 같은 외적 권위(外的權威)와 인간의 본성 그리고 칸트(Kant)의 정언적 명령(定言的命令)과 같이 법칙 그 자신 속에 근거가 있다고 하는 세 가지가 있음. 도덕률(道德律). 도덕 법칙(道德法則).
도:덕 법칙 【道德法則】 명 『윤』 도덕법(道德法).
도:덕 사회학 【道德社會學】 명 『사』 도덕 현상을 사회학적으로 연구하는 학문. 프랑스의 사회학자 뒤르켐(Durkheim)이 주창한 것인데, 도덕의 형식은 본질상으로 필연성이 있는 것이 아니고, 사회가 이것으로써 자기 자신을 보존하는 사회적 규범이므로, 도덕은 사회의 변화에 따른다고 함. *도덕 과학.
도:덕-성 【道德性】 명 ①도덕적인 성격. 선악의 견지에서 본 인격(人格)·판단·행위 등에 관한 가치(價值). ②칸트 윤리학에서, 도덕 법칙이나 의무에 일치한다는 적법성(適法性)에 대하여, 도덕 법칙은, 존중하기 때문에 법칙을 지키고, 의무이기 때문에 행동하는 일 따위. 헤겔에 있어서는, 인륜(人倫)과 구별하여, 주관적인 도덕 의식·양심·순수 의무의 단순한 지식과 의욕을 뜻함. *적법성(適法性).
도:덕성 테스트 【道德性—】 〔test〕 명 『윤』 도덕성에 포함되어 있는 도덕적 지식·판단력 및 실천 따위의 각 측면을 객관적 질문지법(質問紙法)으로 검사·측정하는 일.
도:덕-심 【道德心】 명 『윤』 도덕을 지키고 받드는 마음. 선악·정사(正邪)를 판별하여 선을 행하려는 마음. 덕성(德性).
도:덕 원리 【道德原理】 [—월—] 명 『철』 도덕의 필연적으로 예상되고 있는 통일적인 최고의 근본 명제(命題). 그것은 모든 도덕적 판단의 진리성을 증명하는 근거가 되지만, 그 자신은 증명되지 아니하며 또, 증명을 필요로 하지도 아니하는 명제임.
도:덕 의:무 【道德義務】 명 『윤』 도덕 현상에 관하여 선악·정사(正邪)를 분별하고 정선(正善)을 행하여야 할 의무. 덕의무(德義務).
도:덕 의:식 【道德意識】 명 〔moral consciousness〕 『윤』 도덕 현상에 대해서 선악·정사(正邪)를 분별하고, 정선(正善)을 지향(志向)하며 사악(邪惡)을 멀리 하려고 뜻하는 마음. 양심과 같은 뜻으로 쓰이는 경우가 많으나, 양심은 자기의 행위나 심술(心術)에 관계되는 것이지만, 도덕 의식은 다른 사람의 그것에도 관계되므로 엄밀한 뜻으로는 같지 아니함.
도:덕-인 【道德人】 명 도덕가.
도:덕 재:무장 운:동 【道德再武裝運動】 명 『사』 '엠 아르 에이 운동(M.R.A. 運動)'의 역어(譯語).
도:덕-적 【道德的】 명관 도덕에 의하여 사물을 판단하려고 하는 모양. 또, 도덕에 적합한 모양. ¶ ~ 가치.
도:덕적 가치 【道德的價值】 명 『윤』 ①덕(德)인 정직·자애(慈愛)·강의(剛毅) 등의 가치. ②모든 가치 속에 포함되어 있는 도덕적인 가치.
도:덕적 당위 【道德的當爲】 명 『윤』 의지 행위에 관하여 '하라'·'하지 마라'의 의식을 일으키는 당위. 칸트(Kant)의 정언적 명령(定言的命令)으로부터 시작하여 윤리학의 중심을 이루게 됨.
도:덕적 세:계 질서 【道德的世界秩序】 [—써] 명 『윤』 세계에 엄연히 존재하고 있어서, 세계의 근저(根柢)와 본질이 되어 세계를 지배하는 도덕적인 질서.
도:덕적 신학 【道德的神學】 명 『철』 자연 속에 있어서 이성적(理性的) 존재인 인간의 도덕적 목적으로부터, 자연의 최고 원인인 신과 그 성질을 인도하여 내려고 하는 신학. 칸트(Kant)가 신학을 도덕적 신학과 물리적 신학(物理的神學)의 둘로 나눈 데서 온 말인데, 그는 물리적 신학의 성립은 거부하였음.
도:덕적 위험 【道德的危險】 명 『경』 보험 계약(保險契約)에서 계약자의 신의·성실의 위반으로 보험 사고의 위험이 발생하는 경우, 이 위험을 본래의 위험과 구별하여 일컫는 말. 보통, 보험 사기의 위험성을 일컬음.
도:덕적 이:성 【道德的理性】 명 『철』 행위의 선악·정사(正邪)를 판단하는 동시에, 행위의 원천인 모든 감정·욕구를 그 판단으로써 통어(統御)하는 이성. *실천 이성(實踐理性).
도덕적 자유 【道德的自由】 명 『윤』 의지가 도덕법(道德法)에 완전히 복종함으로써 완전히 도덕적 의지로 되어 있는 경우, 곧, 모든 물욕이 양심에 복종하며, 충동이 이성의 명령에 종속(從屬)하며 반규범적 성향(反規範的性向)이 규범에 합치하게 되는 소위 자율적 의지가 현실화한 상태.
도:덕적 정조 【道德的情操】 명 『심』 도덕적·사회적 생활에 있어서 인정되는 정조. 곧, 신용·불신용·명예·불명예 또는 선악·정사(正邪)의 감정 같은 것.
도:덕적 증명 【道德的證明】 명 『철』 도덕적 인식 및 도덕적 가치에 의거하여, 그 근본적 요청으로 신(神)의 존재를 증명하려고 하는 칸트(Kant)의 신의 존재 증명.
도:덕적 판단 【道德的判斷】 명 『윤』 행위 및 품성(品性)에 대하여 선악·정사(正邪)를 판별하는 심적 작용. 곧, 도덕적 가치 및 반가치(反價値)에의 승인 또는 부인의 작용.
도:덕-주의 【道德主義】 [—/—이] 명 〔moralism〕 『철』 ①무도덕·비도덕 주의에 대하여 도덕률(律)을 인정하고 주장하는 입장. 특히, 적극적으로 실천을 주장하는 도덕 재무장 등. ②종교를 부정하고 도덕을 존중 또는 우위(優位)로 인정하는 입장. ③세계에 있어서 가치 중에도 도덕적 가치를 최고로 하는 입장. ④도덕적 의지(意志)를 세계의 형이상학적 원리로 주장하는 입장. ⑤세계관을 도덕에 두는 입장. 다원적·불완전·불확정한 세계의 발전은 도덕적 인간의 의지에 의하여 가능하다고 보는 주장.
도:덕 철학 【道德哲學】 명 『철』 도덕의 근본 원리를 연구하는 철학.
도:덕 통:계 【道德統計】 명 『사』 도덕적 의의를 가진 사회의 현상 및 상태의 양적(量的)인 통계. 그 주요한 재료는 범죄·자살·이혼·사생아의 출생·매음 등의 부도덕한 현상들임.
도:덕-학 【道德學】 명 『윤』 도덕의 근본 원리를 연구하는 학문. 윤리학 같은 것.
도데 〔Daudet〕 명 『사람』 ① 〔Alphonse D.〕 프랑스의 소설가. 약자(弱者)를 동정하는 따뜻한 정감(情感)이 담긴 작품이 특색. 《월요(月曜) 이야기》·《타르타랭 드 타라스콩(Tartarrin de Tarascon)》 및 희곡 《아를(Arles)의 여인》·《사포(Sapho)》 등을 발표함. '프랑스의 디킨스(Dickens)'로 불림. [1840-97] ②〔Léon D.〕 작가·저널리스트. ❶의 장남. 1907년 모라스(Maurras) 등과 함께 '락시옹 프랑세즈(L'Action Française) 지(誌)'를 창간하였음. 정치적으로는 왕당파에 속하는 극우(極右)주의자임. [1867-1942]
도데러 〔Doderer, Heimito von〕 명 『사람』 오스트리아의 소설가. 빈(Wien) 대학에서 법률과 역사를 전공. 개인의 무의식적인 행위의 운명적인 뜻을 집요하게 추구하는 《만인이 범하는 살인》 외에 《슈트루들호프 계단(Strudlhof 階段)》·《악령(惡靈)》 등을 씀. 그 밖에 평론(評論) 《소설의 원리와 기능》도 있음. [1896-1966]
도데카니소스 〔Dhodhekánisos〕 명 『지』 도데카니스.
도데카니스 〔Dodecanese〕 명 『지』 남유럽 지중해의 에게 해 동남부에 있는 12섬의 총칭. 최대의 섬은 로도스(Rodos) 섬. 원래 터키령(領)이었으나 후에 이탈리아령(領)이 되었다가 1947년에 그리스에 편입되었음. [2,663 km^2 : 145,000 명(1981)]

도데카포니 〔도 Dodekaphonie〕 명 〖악〗 12의 반음(半音)으로 하나의 음형(音型)을 만들어 곡의 전체를 이 음형의 변주(變奏)로서 작곡하는 수법. 십이음 음악(十二音音樂). 십이음적 기법(技法).

도도¹ 【刀途】 명 〖불교〗 삼악도(三惡道)의 하나. 곧, 아귀(餓鬼)·도검(刀劍)에 쫓기는 데서 이름. *화도(火途)·혈도(血途).

도:도² 【道途·道塗】 명 길. 도로(道路).

도도³ 〔dodo〕 명 〖조〗 도도과(科)의 절멸조(絕滅鳥). 삼종(三種)이 있었는데 최후의 것이 1800년경 절멸함. 몸 크기는 칠면조 정도이고 부리는 굵고 크며 끝이 고리 모양으로 구부러졌음. 날개는 퇴화하여 작고 꽁지의 우모(羽毛)는 둥글게 생기고 작으며 발은 짧음. 인도양의 매스카린 제도(Mascarene諸島)에 서식하였음. 우구(愚鳩).

도도⁴ 【陶陶】 부 ①매우 화락(和樂)한 모양. ②말을 달리게 하는 모양. ——-하다 형여불. ——-히 부

도도⁵ 【淘淘】 부 물이 흐르는 모양. 전하여, 들끓는 모양. ——-하다 형여불. ——-히 부

도도 【滔滔】 부 ①물이 그득 퍼져 흐르는 모양. ¶ 탁류가 ~히 흐르다. ②말을 물 흐르듯 거침없이 잘 하는 모양. ¶ ~히 웅변을 토하다. ③흘러가는 모양. 전하여, 세상의 풍조가 한결같이 한 방향으로 쏠아가는 모양. ④넓고 큰 모양. ——-하다 형여불. ——-히 부

도도내다 타 〈옛〉 돋우어 내다. 값을 비싸게 내다. ¶ 져젯 사름도 갑슬 도도내디 아니ᄒᆞ리라(市上人也出不上價錢)≪老乞 上 63≫.

도도다 타 〈옛〉 돋우다. ¶ 벼스를 도도시니(聿陞官爵)≪龍歌 85章≫.

도:도: 다카토라 〔藤堂高虎: とうどうたかとら〕 명 〖사람〗 일본 전국 시대(戰國時代)의 무장(武將). 임진 왜란과 정유 재란 때, 수군장(水軍將)으로 침입하여 통제사 이순신(李舜臣)에게 명량 해전(鳴梁海戰)에서 대패함. [1556-1630]

도도록-도도록 부 여러 개가 모두 도도록한 모양. 준도독도독. <두두룩두두룩. ——-하다 형여불

도도록-이 부 도도록하게. 준도독이. <두두룩이.

도도록-하다 형여불 가운데가 조금 솟아 소복하다. 준도독하다. <두두룩하다.

도도리치다 자 〈옛〉 놀라 뛰다. ¶ 도도리치다(驚跳)≪同文 上 20≫.

도:도-하다 형여불 주제넘게 거만하다. ¶ 도도하게 굴지마라. **도:도-히** 부

도독¹ 명 〈방〉 도둑(함남).

도독² 【荼毒】 명 ①씀바귀의 독. ②심한 해독(害毒).

도독³ 【都督】 명 〖역〗 신라 때 주(州)의 장관. 원성왕(元聖王) 원년(785)에 총관(摠管)을 고치어 부름. 위계는 이찬(伊飡)에서 급찬(級飡)까지임.

도독⁴ 【盜讀】 명 다른 사람에게 온 편지 등 남의 것을 몰래 읽음. 다른 사람이 읽고 있는 것을 옆에서 읽음. 사람 없는 데에서 몰래 읽음. ——-하다 타여불

도:독⁵ 【渡獨】 명 독일로 감. ——-하다 자여불

도독-도독 부 ↗도도록도도록. <두둑두둑. ——-하다 형여불

도독-병 명 〈방〉 학질(경남).

도독-부 【都督府】 명 〖역〗 중국에서 군정(軍政)을 맡아 다스리던 지방 관청. 또, 외지(外地)를 통치하던 기관. 당(唐)나라 때에 각 요지(要地)에 설치하고, 외지 민족이 화친(和親) 또는 귀순(歸順)한 경우 그 수장(首長)에게 도독의 호칭을 주었음. 우리 나라에는 고구려가 망한 후 그 옛 땅에 9도독부를 설치하였는데, 평양에 안동 도호부(安東都護府)를 두어 이를 관장하게 하였으며, 백제 땅에 5도독부를 설치하고 신라에는 계림(鷄林) 도독부를 두었음. *구도독부(九都督府)·오(五)도독부.

도독-이 부 ↗도도록이. <두둑이.

도독-하다 형여불 ①조금 두껍다. ¶ 도독하게 생긴 입술. ②↗도도록하다. 1)·2): <두둑하다.

도돌-방울 명 격구(擊毬)하는 동작의 하나. 배지(排至)를 한 뒤에 장(杖)의 밭 쪽으로 공을 밀어 당기는 동작. 도령(挑鈴). 지피(持彼).

〈도돌방울〉

도돌이-표 【一標】 명 〔repeat mark〕 〖악〗 마침마딧줄에 2개의 점을 찍은 표. 곧, 𝄆 𝄇. 악곡(樂曲)을 되풀이하여 주창(奏唱)할 것을 표시함. 그러나 곡이 처음부터 되풀이될 때에는 악곡 처음에 있는 도돌이표는 보통 생략함. 반복 기호. 반시(反始) 기호. 다시(D.C.).

처음부터 되풀이 / 사이만 되풀이 / 되풀이 부분 두 곳 / 되풀이할 때는 1.을 생략 / 끝에서 처음으로 돌아가 곡 중간에서 마침 / Fine / Da Capo al Fine (혹은 D.C. al Fine) / 𝄋 부터 되풀이하여 𝄌 사이를 생략함. / Coda / Dal Segno e poi la Coda (혹은 D.S. e poi la Coda)

〈도돌이표〉

도:동-곡 【道東曲】 명 〖문〗 조선 중종(中宗) 때, 주세붕(周世鵬)이 지은 경기체가(景幾體歌)의 하나. 작자(作者)가 백운동 서원(白雲洞書院)을 열고 도학(道學)이 우리 나라에 미친 것을 찬양하여 지었다고 함. ≪무릉집(武陵集)≫에 전함. *도덕가(道德歌).

도돌놈으-병 【一病】 명 〈방〉 학질(경남).

도:동 오:광대 【道洞五廣大】 명 〖민〗 경상 남도 진양군(晋陽郡) 도동면(道洞面), 곧 지금의 진주시(晋州市) 하대동(下大洞)에 전승(傳承)되던 탈놀음.

도:동-항 【道洞港】 명 〖지〗 경상 북도 울릉군(鬱陵郡) 울릉읍(鬱陵邑)에 있는 동해의 유일한 도서항(島嶼港). 포항에서 북동쪽 117 마일의 해상에 위치함. 주민의 생활 필수품과 오징어, 관광객의 수송에 이바지함.

도두¹ 【刀豆】 명 〖식〗 작두콩.

도두² 【桃蠹】 명 〖충〗 복숭아나무에 모여 드는 벌레. 사기(邪氣)를 제하는 데에 약으로 씀.

도두³ 【掉頭】 명 머리를 흔듦. 곧, 어떤 일을 부정하는 모양.

도:두⁴ 【渡頭】 명 나루¹❶.

도두⁵ 부 위로 돋아서 높게.

도두-뛰다 자 힘껏 높이 뛰다. ¶ 두 발로 ~.

도-두령 【都頭領】 명 두령 가운데의 우두머리.

도두룩-하다 형 〈방〉 두두룩하다.

도두-보다 타 실상보다 더 좋게 보다. 준돋보다. ↔낮추보다.

도두-보이다 자 실상보다 더 크게 또는 더 낫게 보이다. ¶ 남의 것은 도두보이는 법이다. 준도두뵈다·돋보이다·돋뵈다.

도두-뵈다 자 ↗도두보이다. ¶ 종호 앞에 나타난 원장의 인품이란 것이 더욱 도두뵈고 믿음직스러웠다≪黃順元: 인간접목≫.

도두-앉다 〔—안따〕 자 퍼더버리고 앉지 아니하고 궁둥이에 발을 괴고 높이 앉다.

도두-치다 타 실제보다 더 많게 셈치다.

도둑 명 남의 물건을 훔치거나 빼앗거나 하는 나쁜 짓. 또, 그러한 사람. 도적(盜賊). 투아(偸兒). 적도(賊盜). 적(賊).

【도둑에게 열쇠 준다】 믿지 못할 사람을 신용하여 일을 맡기는 어리석음을 이르는 말. 【도둑에도 의리가 있고 딴군에도 꼭지가 있다】 비록 못된 짓을 하더라도 의리와 질서가 있어야 한다는 말. 【도둑을 뒤로 잡지 앞으로 잡나】 도둑은 분명한 증거를 가지고 잡아야지 의심만으로 잡아서는 안 된다는 말. 【도둑의 때는 벗어도 자식의 때는 못 벗는다】 자식의 잘못은 부모가 어쩔 수 없이 책임져야 한다는 말. 【도둑의 때는 벗어도 화냥의 때는 못 벗는다】 부정한 품행을 삼가야 한다는 뜻. 【도둑의 묘(墓)에 잔 부어 놓기】 일을 그릇되게 함을 이르는 말. 【도둑의 씨가 없다】 본래부터의 도둑은 없다는 말. 【도둑의 집에도 되가 있다】 못된 짓을 하는 사람에게도 경위와 종작이 있다는 말. 【도둑의 집에 한당(汗黨)이 들었다】 몹쓸놈이 그보다 더 몹쓸놈 한테서 변을 당하는 경우에 이르는 말. 【도둑의 찌끼는 있어도 불의 찌끼는 없다】 도둑이 지나간 자리는 남는 것이 있어도 화재가 휩쓸고 지나간 자리는 아무것도 없다는 말. 【도둑이 달릴까 했더니 우뚝 선다】 '도둑이 매를 든다'와 같은 뜻. 【도둑이 매를 든다】 잘못한 놈이 도리어 잘한 사람을 나무라는 경우에 쓰는 말. 【도둑이 없으면 법도 쓸데 없다】 도둑질이 가장 나쁘다는 뜻. 【도둑이 제 발 저리다】 지은 죄가 있으면 자연히 마음이 조마조마하여진다는 뜻. 【도둑이 포도청 간다】 지은 죄가 드러날까 두려워 숨기려고 한 일이 도리어, 알지 못하는 가운데 그것을 나타내고야 만다는 말. 【도둑 한 놈에 지키는 사람 열이 못 당한다】 도난을 방지하기란 어렵다는 말. *지키는 사람 열이 도둑 하나를 못 당한다.

도둑(을) 맞다 구 도둑에게 잃거나 빼앗기다.

【도둑 맞고 빈지 고친다; 도둑 맞고 사립 고친다】 시기를 놓치고 때늦게 준비함을 일컫는 말. 【도둑 맞으면 어미 품도 들춰본다】 물건을 잃어버리게 되면 누구나 다 의심스럽게 여겨진다는 말. 【도둑을 맞으려면 개도 안 짖는다】 ㉠운수가 비색하면 될 일도 뜻대로 아니 됨을 이르는 말. ㉡뜻밖의 낭패를 볼 때나 맹랑한 잘못을 저지를 때는 제 정신도 흐릿해지고 남의 깨우침도 없다는 말.

도둑-개 명 여기저기 다니면서 몰래 음식을 훔쳐 먹는 개.

【도둑 개가 겻섬에 오른다】 제가 가고 싶은 곳에 갈 때는 그 동작이 매우 민첩하다는 말. 【도둑개 살 안 찐다】 늘 남의 것을 탐내는 자는 재물을 모으지 못한다는 말.

도둑-게 명 〖동〗 〔*Sesarma haematocheir*〕 바위겟과에 속하는 게. 배갑(背甲)의 길이 34 mm, 폭 38 mm 내외이고 두흉갑(頭胸甲)의 중앙이 높아 전후로 경사가 지고 이마에 넓은 횡구(橫溝)가 있으며, 겸각(鉗脚)은 크고 붉은빛인데, 완절(腕節)에 미약한 주름이 가로로 있고 보각(步脚)에는 검은 털이 났음. 해안(海岸)·강변의 습지에서 육상 생활을 하는데, 우리 나라의 황해에 면한 지방에도 분포함. 흔히, 여름에 무논 등에서 많이 잡힘. 도적게.

〈도둑게〉

도둑 고양이 명 집에서 기르지 아니하는 고양이.

【도둑 고양이더러 제물(祭物) 지켜 달라 한다】 소중한 물건을 염치도 예의도 없고 믿을 수도 없는 사람에게 맡겨, 보아 달라 하면 잃게 된다는 말.

도둑 괭:이 명 ☞ 도둑 고양이.

도둑-글 명 남이 배우는 옆에서 몰래 듣고 배우는 글.

도둑-노름 명 으슥한 곳에 들어앉아 남에게 들키지 아니하게 하는 노름.

도둑-놈 명 도둑을 낮추어 일컫는 말.

【도둑놈 개에게 물린 셈】 제 잘못이 있기 때문에 남에게 봉변을 당하여도 아무 말 못함을 이르는 말. 【도둑놈더러 인사 불상(人事不祥)이라 한다】 크게 나쁜 사람에게 사소한 결점만을 탓해도 소용없다는 말. 【도둑놈도 인정이 있다】 아무리 못된 짓을 하더라도 그 중에도 인정은 있는 법이라는 말. 【도둑놈 문 열어 준 셈】 나쁜 사람에게 좋은 기회를 주어 제가 도리어 손해를 입음을 이르는 말. 【도둑놈에게 열쇠 맡긴 셈】 나쁜 사람에게 나쁜 짓을 하라고 내맡기는 것과 같다는 뜻. 【도둑놈은 한 죄(罪), 잃은 놈은 열 죄】 도둑은 물건을 훔친 죄 하나밖에 없으나, 도둑맞은 사람은 간수를 잘 하지 못한 죄, 훔칠 마음을 일으키게 한 죄, 남을 의심하는 죄 등, 여러 가지 죄를 면치 못한다는 말. 【도둑놈의 뒤턱을 친다】 도둑의 등을 쳐서 우려먹을 정도로, 한 수 더 떠서 못된 짓을 하다. 【도둑놈이 몽둥이 들고 길 위에 오른다】 마땅히 책망을 받아야 할 자가, 도리어 기승하여 남을 꾸짖고 큰소리를 친다.

*적반하장(賊反荷杖). [도둑놈이 씨나락을 헤아리랴] 장래는 생각지 않고 당장의 이끗만 보고 해먹는 자를 두고 이르는 말. [도둑놈이 제 말에 잡힌다] 나쁜 짓을 하고 그것을 숨기려 하나, 저도 모르는 사이에 스스로 제 죄를 드러내고 만다. [도둑놈이 제 발자국에 놀란다] 양심의 가책을 느껴 조심한다는 것이, 도리어 제 죄를 폭로하는 결과가 된다는 말.

도둑놈 개 꾸짖듯 ㉠ 남이 알까 두려워서 입 속으로 우물쭈물함을 이르는 말.

도둑놈 딱장 받듯 ㉠ 남을 몹시 욱대김을 이르는 말.

도둑놈 볼:기짝 같다 ㉠ 도둑이 관가에 잡혀가 볼기를 맞아서 멍이 든 것처럼, 얼굴 빛깔이 시푸르죽죽한 사람을 이르는 말.

도둑놈 부싯돌:만한 놈 ㉠ 하찮것 없는 놈이라고 얕잡아 이르는 말.

도둑놈 소 몰듯 ㉠ 당황하여 황급히 서두르는 모양.

도둑놈의-갈고리 [—/—에—] 명 《식》 〔*Desmodium oxyphyllum*〕 콩과(科)에 속하는 다년초. 뿌리는 목질(木質)이고 줄기는 직립(直立)하여 높이 60-90 cm 내외이며 잎은 호생(互生)하고 장병(長柄)에 삼출 복엽(三出複葉)이고 소엽(小葉)은 긴 달걀꼴 또는 난상 마름모임. 7-8월에 담홍색 꽃이 긴 화경(花梗) 끝에 총상 또는 원추(圓錐) 꽃차례로 핌. 과실은 협과(莢果)로 표면에 잔 가시가 있어서 사람 옷에 붙음. 산이나 들에 나는데, 거의 한국 각지에 분포함. 사료용(飼料用)임.

〈도둑놈의갈고리〉

도둑놈의-지팡이 명 〈방〉 《식》 쓴너삼.

도둑-눈 명 밤 사이에 사람이 모르게 내린 눈.

도둑-숨 명 《악》 창법(唱法)에서, 호흡(呼吸)이 짧아 계속할 수 없을 때에, 본래 숨쉴 자리가 아닌 대목에서, 몰래 살짝 쉬는 숨.

도둑-아이 명 〈방〉 사생아(私生兒).

도둑-장가 명 남에게 알리지 아니하고 몰래 드는 장가.

도둑-질 명 ①남의 물건을 훔치거나 빼앗는 짓. ②〈방〉 학질(전남·경북). ——-하다 타여불

[도둑질은 내가 하고 오라는 네가 져라] 나쁜 짓을 해서 이익은 제가 차지하고 벌은 남에게 지운다는 말. ¶어사 속으로 '온야 도적질은 너가 하마 오리는 네가 져라'《完板 春香傳》. [도둑질은 혼자 해 먹어라] 무슨 일이든지 혼자 하는 것이 가장 안전하다는 말. [도둑질을 하다 들켜도 변명을 한다] 무슨 일이나 잘못을 변명하고 이유를 붙일 수 있다는 말. *처녀가 애를 낳고도 할 말이 있다. [도둑질을 하더라도 사모(紗帽) 바람에 거드럭 거린다] 나쁜 짓을 하고도 벼슬아치라는 유세로 도리어 남을 야단치며 뽐낸다. ¶도적질을 하더래도 사모 바람에 거드럭거리고 망나니 짓을 하여도 금관자 서슬에 큰 기침한다《李人稙:銀世界》. [도둑질을 해도 손이 맞아야 한다] 무슨 일이든지 자기에게 적합한 조력자가 있어야 성취할 수 있다는 말. [도둑질한 사람은 오그리고 자고 도둑 맞은 사람은 펴고 잔다] '때린 놈은 다릴 못 뻗고 자고 맞은 놈은 다릴 뻗고 잔다'와 같은 뜻.

도둑질해 보다 ㉠ 남이 모르게 흘깃흘깃 훔쳐본다.

도둑 합례 【—合禮】 [—녜] 명 어른들 모르게 지내는 합례. ——-하다 자여불

도둔 【逃遁】 명 숨어서 몰래 도망함. 도일(逃逸). ——-하다 자여불

도둔 부득 【逃遁不得】 명 몰래 숨어서 도망할 수가 없음. ——-하다 형여불

도둥놈 명 〈방〉 학질(경상).

도둥놈-병 【—病】 명 〈방〉 학질(경상).

도드라-지다 ㊀ 형 겉으로 드러나서 또렷하다. ¶도드라진 눈. <두드러지다[1]㊀. ㊁ 자 도도록하게 내밀다. <두드러지다[1]㊁.

도-드리 명 《악》 ①국악 장단(長短)의 한 가지. 노래·춤 등의 길고 짧은 박자에 맞추는 장단. 6박 1장단인데, 3박씩 둘이 모인 것과 2박씩 셋으로 쪼개지는 것의 두 가지가 있음. ②이 장단에 맞추어 지어진 곡조 또는 춤의 이름. ③특히, 밑도드리와 웃도드리의 일컬음. ④농악 열 두 채의 셋째 가락의 이름.

도드미 명 구멍이 널찍한 체.

도:득[1] 【道得】 명 《불교》 드러내 놓고 일러서 말함. ——-하다 타여불

도득[2] 【圖得】 명 꾀하여 얻음. ——-하다 타여불

도듬 명 《건》 벽장문이나 또는 맹장지 따위를 화류(樺榴) 같은 나무로 꾸민 가의 테.

도듬-문 【—門】 명 울거미는 문짝의 테두리로 내보이게 하고, 중간살을 가로세로 성기게 짜서 종이로 두껍게 바른 문. 방안의 갑창, 샛장지, 다락문 등에 쓰임.

도듬-지 【—紙】 명 도듬문에 바르는 크고 넓은 벽지.

도등[1] 【挑燈】 명 등불을 돋아서 불을 더 밝게 함. ——-하다 자여불

도:-등[2] 【道登】 명 《사람》 고구려 영류왕(榮留王) 때의 중. 당나라 길장 대사(吉藏大師)에게 삼론(三論)의 종지(宗旨)를 배우고, 일본에 건너가 겡코사(元興寺)에서 공종(空宗)을 강의, 불법을 널리 포교하였음. 생몰 연대 미상.

도:등[3] 【導燈】 명 좁은 수로나 항구 같은 곳에서 안전 항로를 표시하는 등대.

도등-국 【陶登局】 명 《역》 신라 경덕왕(景德王) 때 와기전(瓦器典)의 고친 이름. 기와나 그릇을 굽는 일을 맡음.

도디미 명 〈방〉 도드미.

도ᄃᆞ니 자 〈옛〉 돋으니. '돋다[1]'의 활용형. ¶새 벼리 나지 도ᄃᆞ니(煌煌太白 當晝垂示)《龍歌 101章》.

도ᄃᆞ미 자 〈옛〉 돋음이. '돋다[1]'의 명사형인 '도돔'의 주격형(主格形). ¶東方앳 ᄇᆞᆰ고 벼리 도ᄃᆞ미 ᄯᅩ 더듸디 아니ᄒᆞ도다(東方明星亦不遲)《杜諺 Ⅱ:17》.

도ᄃᆞ샤 자 〈옛〉 돋으시어. '돋다[1]'의 활용형. ¶ᄃᆞᆯ하 노피곰 도ᄃᆞ샤 머리곰 비취오시라《樂詞 井邑詞》.

도ᄃᆞᆷ제 명 〈옛〉 돋을 제. 돋을 때. ¶沸星 도ᄃᆞᆷ제 白象 ᄐᆞ시고 힛 光明을 ᄐᆞ시니이다《月釋 Ⅱ:17》.

도떼기-시장 【—市場】 명 정상적 시장이 아닌 일정한 곳에서, 상품·중고품·고물 따위의 도산매·투매·비밀 거래로 벅적거리는 시장.

도:-뜨다 형 말과 행동의 정도가 높다.

도라 불타 〈옛〉 다오. 달라. =다고. ¶가시며 子息이며 도라 ᄒᆞ야도《月釋 Ⅰ:13》/凡呼取物皆曰都羅《鷄類》.

도라가다 자 〈옛〉 돌아가다. ¶도ᄌᆞ기 도라가니(寇虜解退)《龍歌 33章》.

도라-거지 명 《건》 ☞도래걷이.

도라니다 자 〈옛〉 돌아가다. ¶主將이 소텟 마ᄉᆞᆯ 調和ᄒᆞ라 도라니거시든(主將歸調鼎)《杜諺 X:30》.

도라보다 타 〈옛〉 돌아보다. ¶셰世존尊ㅅ 말ᄊᆞᆷ 듣ᄌᆞᆸ고 도라보아ᄒᆞ니 제 몸이 고텨 ᄃᆞ외니《月印 上 11》.

도라보아ᄒᆞ니 타 〈옛〉 돌아보니. 돌아본즉. '도라보다'의 활용형. ¶世尊ㅅ 말ᄊᆞᆷ 듣ᄌᆞᆸ고 도라보아ᄒᆞ니 제모미 고텨 ᄃᆞ외니《月釋 Ⅱ:48》.

도라오다 자 〈옛〉 돌아오다. ¶지ᄇᆡ로 도라오ᅀᆞᆲ제(言歸于家)《龍歌 18章》.

도라-젓 명 숭어 창자로 담근 젓.

도라지 명 《식》 [*Platycodon grandiflorum*] 초롱꽃과에 속하는 다년초. 뿌리는 굵고 줄기는 단생(單生) 또는 족생(簇生)하며 높이 60-100 cm임. 잎은 호생 또는 윤생(輪生)하며 거의 무병(無柄)에 긴 달걀꼴 또는 타원형임. 7-8월에 벽자색(碧紫色)의 종상화(鐘狀花)가 줄기 끝이나 가지 끝에 하나씩 정생(頂生)하여 피고, 과실은 삭과(蒴果)로 거꿀달걀꼴의 구형임. 산이나 들에 나는데, 한국 각지 및 중국·일본 등에 분포함. 흰 꽃이 피는 품종은 '백도라지'라고 함. 뿌리는 거담(祛痰)·진해(鎭咳)의 약재로 쓰며 또, 잎과 함께 식용함. 길경(桔梗). ㊟도랒.

〈도라지〉

도라지 나물 명 물에 불린 도라지를 잘게 찢어서 쇠고기와 범벅한 뒤에 양념하여 주물러서 볶은 나물. 길경채(桔梗菜). 도랒나물.

도라지 생채 【—生菜】 명 생도라지나 마른 도라지를 약간 삶아 잘게 찢어 갖은 양념을 쳐서 무치거나 혹은 초고추장과 기름에 무친 나물. 길경 생채(桔梗生菜). 도랒생채.

도라지-타:령 【—打令】 명 《악》 ①경기(京畿) 선소리의 마지막 토막. 관동 팔경(關東八景)의 경치를 엮어 부름. 갖은 산타령(山打令). ②경기(京畿) 민요의 하나.

도라홈: 명 《의》 '트라코마(trachoma)'의 속칭.

도라ᄒᆞ다 타 〈옛〉 달라다. ¶가시며 子息이며 도라ᄒᆞ야도《月釋 Ⅰ:13》.

도:락 【道樂】 명 ①도(道)를 깨달아 스스로 즐김. ②본직(本職) 밖의 취미 같은 것에 즐기어 빠짐. ③술·계집·도박 같은 유흥에 취하여 빠짐. ④색다른 일을 좋아함. ¶식~.

도:락-가 【道樂家】 명 도락을 즐기는 사람.

도란[1] 【盜難】 명 ←도난(盜難).

도란[2] 【濤瀾】 명 큰 물결. 파도. 대파(大波). 거도(巨濤).

도:란[3] 〔도 Dohran〕 명 〔독일의 도란(Dohran) 회사 제품이 많이 사용된 데에서 유래〕 주로 배우들이 사용하는 무대 화장용의 유성(油性)의 분.

도란-거리다 자 몇 사람이 나직한 목소리로 정답게 이야기하다. <두런거리다. 도란-도란 부. ——-하다 자여불

도란-대다 자 도란거리다.

도:란-형 【倒卵形】 명 '거꿀달걀꼴'의 한자 이름. *난형(卵形).

도:란 화장 【—化粧】 〔도 Dohran〕 명 배우들이 유성(油性)의 분인 도란을 사용하여 하는 화장.

도람듣다 타 〈옛〉 돌려 듣다. 용서하다. ¶아소 님하 도람 드르샤 괴오쇼셔《樂範 鄭瓜亭》.

도랏 명 〈옛·방〉 도라지(충북·전북·경북). =돌앗. ¶도랏 길(莕), 도랏경(蕫)《字會 上 13》.

도랑[1] 명 ①매우 좁고 작은 개울. 수거(水渠). ②고인 물을 빼내기 위한 작은 물길. 배수구(排水溝).

[도랑에 든 소] 이편저편에서 이익을 얻거나, 먹을 것이 풍부함을 이르는 말. [도랑 치고 가재 잡는다] ㉠일의 순서가 그릇됨의 비유. ㉡일거 양득의 뜻.

도랑[2] 【跳踉】 명 ↗도랑 방자. ——-하다 형여불

도랑도랑-하다 【跳踉跳踉—】 형여불 아주 도랑 방자하다. ¶요년, 방자하고 도랑도랑한 년, 무엇을 안다고 양반의 말참여를 하여 남신남신 지껄이느냐?《李海朝:鳳仙花》.

도랑-물 명 도랑에 흘러내리는 물.

도랑 방:자 【跳踉放恣】 명 너무 똑똑하게 굴어서 아무 거리낌이 없는 모양. ¶그년이 본대 양반년이라 그런지 ~하고 속이 안차기가 벼락이 덜미를 친대도 눈도 깜짝 아니할 물건이오《作者未詳:恨月》. ㊟도랑(跳踉). ——-하다 형여불

도랑이 명 개의 살가죽에 생기는 옴 같은 피부병.

도랑-주 【—柱】 명 〈방〉 《건》 두리기둥.

도랑-창[1] 명 지저분하고 불결한 도랑. ㊟돌창.

도랑-창[2] 명 〈방〉 도랑[1](황해).

도랑창이 명 〈방〉 도랑[1](평안).

도랑채기 명 〈방〉 도랑[1](평북).

도랑-춤 명 《민》 제주도 굿에서 추는 춤. 신을 맞이할 때, 잡귀를 몰아낼 때, 신을 보낼 때 등에 추는데, 빙빙 도는 동작이 많고, 활달함.

도랑-치마 명 다리가 드러날 만큼 짧은 치마.

도랑태 명 〈방〉 바퀴[1]㊀(경상).

도랑 명 〈옛〉 도랑이. ¶도랑 머근 가히와 ᄒᆞᆰ 무든 도ᄐᆞᆯ(疥狗泥猪)《南明 上 4》.

도랒 명 《식》 ↗도라지. ¶~ 나물/~ 생채.

도랏 나물 명 도라지 나물.
도랏 생채【一生菜】명 도라지 생채.
도랏 자:반【一佐飯】명 물에 불린 도라지를 얇게 찢어 찹쌀풀에 소금을 쳐서 발라 말린 뒤에, 기름에 띄어 지진 반찬. 길경(桔梗) 자반.
도랏 저:냐 명 물에 불린 도라지를 썩 잘게 찢어서 갖은 양념을 하여 볶은 뒤에, 달걀을 씌우고 밀가루를 발라 조각을 만들어 지진 저냐. 길경전유어(桔梗煎油魚).
도랏 정:과【一正果】명 도라지를 물에 불리어 삶은 뒤에 꿀을 쳐서 조린 정과. 길경 정과(桔梗正果).
도래[1] 명 ①문이 절로 열리지 아니하도록 하는 데 쓰는 가름한 나뭇개비의 메뚜기. ②고삐가 자유로 돌 수 있도록 하기 위하여, 굴레 혹은 목사리와 고삐와의 사이에 있는 쇠나 나무로 된 고리 비슷한 물건. 고리 둘을 연하여 대고 잠(簪)이 있어서 뱅뱅 돌게 되었음.
도래[2] 명 둥근 물건의 둘레. ¶ 갓~가 크다.
도래[3] 명 〈방〉〖식〗도라지(경상).
도래[4] 명 〈방〉어장(漁場).
도:래[5]【到來】명 이르러서 옴. 닥쳐 옴. ¶ 호기(好機)가 ~하다. ——-하다 자 여불
도:래[6]【渡來】명 물을 건너서 옴. 외국에서 건너옴. ——-하다 자 여불
도래-걷이 [一거지] 명〖건〗보가 기둥에 짜이는 어깨를 도래를 띄어서 기둥을 싸고 있게 하는 방식. 두리기둥에 쓰는 방식임. ——-하다 자 여불
도래-도래 감 ☞오래오래[2].
도래-떡 명 초례상(醮禮床)에 놓는 큼직하고 둥글넓적한 흰떡.
[도래떡이 안팎이 없다] 두루뭉수리로 되어서 구별하여 판단을 내릴 수 없음을 일컫는 말. ¶ 괴악한 아우년이 먼저 출가 하단 말가. 꿈결에나 생각하며 의심이나 있을 손가. 도래떡이 안팎 없고 후생목이 우뚝하다 ≪歌詞: 老處女歌≫.
도래 매듭 명 매듭의 기본형(基本型)의 하나. 두 줄을 어긋매껴서 두 층으로 맺은 매듭. 매듭과 매듭을 연결하거나, 다른 매듭의 가닥이 풀어지지 않도록 고정시키거나, 끝마무리할 때 등에 응용됨.
도래 목정 명 소의 목덜미 위쪽에 붙은 고기. 몹시 질겨서 술국에나 씀.
도래-바람 명 〈방〉회오리바람(경남).
도래 방석【一方席】명 둥그스름한 방석.
도래-샘 명 빙 돌아서 흐르는 샘물. 도래 샘물.
도래 샘:물 명 도래샘.
도래-솔 명 무덤의 가에 죽 둘러선 소나무. ¶ 이 산꼬라지 좀 봐라. 남의 묘지 ~까지 베어 가다니…≪吳永壽: 終車≫.
도래 송:곳 명 ①붓두껍의 반쪽같이 된 송곳. 굵은 자루가 위에 박혀 있는데, 이쪽 저쪽으로 비틀면서 큰 구멍을 내뚫게 되었음. ②나사 송곳. ＊통송곳.

〈도래 송곳❶〉

도:래 식물【渡來植物】명 외국에서 건너와 산과 들에 야생하여 고유의 식물과 구별할 수 없는 식물. 귀화(歸化) 식물.
도:래-종【渡來種】명〖생〗외국에서 들어온 동물이나 식물. 식용 개구리·망초 따위.
도래-진【一陣】명 ①둥글게 치는 진(陣). ②〖민〗부여(扶餘)·강릉(江陵)·예천(醴泉) 등지에서 멍석말이 ❷의 딴 이름.
도래 함지 명 통나무를 속에서 밖으로 전이 달리도록 둥글게 파서 만든 함지.
도랭이 명 〈방〉도롱이.
도랭이-피 명〖식〗[*Koeleria gracilis*] 볏과(科)에 속하는 다년초. 줄기는 총생하고 원주형으로 높이 50cm 가량임. 잎은 호생하고 선형(線形)이며 짧은 백색 털이 있음. 5-6월에 길이 3-10cm의 담녹색 꽃이 원추 화수(圓錐花穗)로 피며 수술은 세 개임. 들의 풀밭에 나는데, 한국 각지·일본 및 북반구(北半球)의 온대 지방에 분포함.

〈도랭이피〉

도략[1]【盜掠】명 남의 것을 도둑질하고 빼앗아 감. ——-하다 타 여불
도략[2]【韜略】명 ①↗육도 삼략(六韜三略). ②병법(兵法). 군략(軍略).
도:량[1]【度量】명 ①너그러운 마음과 깊은 생각. ¶ ~이 넓다. ②일을 알고 잘 다루는 품성(稟性). ③도(度)와 양(量). 곧, 길이와 용적(容積). ④길이를 재는 자와 양을 되는 되.
도량[2]【跳梁】명 거리낌없이 함부로 날뛰어 다님. ¶ 도둑이 ~하다. ——-하다 자 여불
도:량[3]【†道場】명 〔범 bodhi-mada〕〖불교〗①석가가 성도(成道)한 땅. ②불도(佛道)를 닦기 위해 설정한 일정한 구역. 또, 그 곳에서 진행되는 법회(法會). ③좌선(坐禪)·염불·수계(授戒)등을 하는 방.
도:량 교:주【†道場敎主】명〖불교〗'관세음보살'을 높이어 일컫는 말.
도:량-석【†道場釋】명〖불교〗절에서 새벽 예불 전에 도량을 깨끗하게 하기 위해 도량 주변을 돌며 목탁을 치고 신묘 장구 대다라니(神妙章句大陀羅尼)·사방찬(四方讚)·도량찬(道場讚)·참회게(懺悔偈)를 창하고 돌아다니는 의식.
도량-스럽다【跳梁一】형 ㅂ불 보기에 함부로 날뛰어 버릇이 없는 태도가 있다. 도량-스레【跳梁一】부
도:량 창옷【†道場一】명〖불교〗'두루마기'를 일컫는 말.
도:량 천수【†道場千手】명〖불교〗도량을 돌며 천수경(千手經)을 외는 일.
도:-량-형【度量衡】명 도는 길이, 양은 분량, 형은 무게이니 곧, 자·되·저울의 총칭. 보통, 계량(計量) 단위나 그 제도를 가리킴. 그 수가 굉장히 많으나 가장 널리 행하여지는 것은 미터법(metre法)과 척관법(尺貫法)과 야드 파운드법(yard pound法)임.
도:량형-기【度量衡器】명 길이·분량·무게를 재는 자·되·저울 등의 기구.
도:량형 동맹【度量衡同盟】명 각국이 통일된 도량형을 쓰기 위하여 체결된 국제 동맹. 1869년 프랑스 정부의 제의로 1875년에 체결되었으며, 여기에서는 미터법(metre法)을 사용하기로 결정을 보았음.
도:량형 사:무국【度量衡事務局】명〖역〗조선 시대 때, 도량형기에 관한 사무를 맡아 보던 관청. 고종(高宗) 광무(光武) 11년(1907)에 베풀어서 순종(純宗) 융희(隆熙) 원년(1907)에 폐하였음.
도:량형 원기【度量衡原器】명 도량형의 통일과 정확을 기하기 위하여, 그 기본 단위의 기준으로서 제작하여 보존되는 원체(原體). 백금(白金)과 이리듐의 합금으로 만듦. 미터 원기·킬로그램 원기 등이 있음.
도:량형-제【度量衡制】명 도량형의 기본 단위의 크기와 각 단위 간의 관계를 규정짓기 위하여 만들어진 학술상 및 법률 상의 규정.
도레〔Doré, Paul Gustave〕명〖사람〗프랑스의 화가·판화가(版畫家). 발자크(Balzac)의 삽화 및 단테(Dante)의 ≪신곡(神曲)≫의 삽화가로 유명함. [1832-83]
도 레 미〔이 do re mi〕명〖악〗①칠음(七音) 음계의 첫 세 음. ②음계(音階). 특히, 칠음 음계. ③〈속〉음악. ¶ ~도 모른다.
도 레 미 파〔이 do re mi fa〕명〖악〗칠음 음계의 첫 네 음. ②음계. 특히, 칠음 음계.
도려【闍黎】명〖불교〗도리(闍梨).
도려 부 〈방〉도리어(강원·경상).
도려-내다 타 ↗도리어 내다. ¶ 상처를 ~.
도려-버리다 타 ↗도리어 버리다.
도려-빠지다 자 한 곳을 중심으로 그 근방이 온통 빠져 나가다. <두려빠지다.
도려온옥 명 〈옛〉둥근 옥(玉). ¶ 도려온옥 벽(璧)≪類合 上 25≫.
도려옴 명 〈옛〉둥긂. ¶ 玉座애셔 당당이 힌 이스릐도려오몰 슬흐시니라(玉座應悲白露團)≪杜諺 XIV:20≫.
도:력【道力】명 도를 닦아서 얻은 힘. 도의 힘.
도력-장【都歷狀】명〖역〗조선 시대에, 관원(官員)의 근무 성적표. 승진·전직 때에는 이에 의해서 이조·병조에서 각각 판서(判書) 이하 정삼품 이상의 관원 3인이 후보자 3명을 선발함.
도:련[1] 명 두루마기나 저고리의 자락의 끝 둘레.
도:련[2]【刀鍊】명 종이의 가장자리를 가지런하게 베는 일. ——-하다 타 여불
도:련(을) 치다 구 종이의 가장자리를 가지런히 베내다.
도련-님 명 ①'도령[2]'의 존칭. ②결혼하지 아니한 시동생(媤同生)의 존칭. ＊도리(闍梨)님.
[도련님은 당나귀가 제격이라] 서로 걸맞아야 한다는 말. ＊보리밥에는 고추장이 제격이다. [도련님 풍월(風月)에 염(簾)이 있으랴] 서투른 사람이 하는 일이 신통할 리가 없으니 심하게 나무랄 것이 못 된다는 뜻.
도련님 천:량 구 아껴서 모은 오붓한 돈.
도련-장【擣鍊匠·搗鍊匠】명〖역〗조선 시대 때, 종이의 네 가장자리나 제본(製本)한 책의 세 가장자리를 고르게 자르던 공장(工匠).
도:련주-계【搗鍊紬契】[一계] 명〖역〗다듬어 손질한 명주(明紬)를 공물(貢物)로 바치던 계(契).
도:련-지【搗鍊紙】명 다듬잇돌에 다듬어 반드럽게 한 종이.
도:련-칼【刀鍊一】명 도련치는 데 쓰는 칼.
도련-포【都連浦】명〖지〗함경 남도 함흥(咸興)에서 남쪽 35리(里)의 지점에 있는 개. 옛날에는 도린포(都麟浦)라 하였는데 조선 태조(太祖)가 납합출(納哈出)을 칠 때에 우군(右軍)이 출발하던 곳임. 목장(牧場)과 고장성(古長城)이 있음.
도렫ᄒᆞ다 형 〈옛〉둥글다. 둥글다. =도렷ᄒᆞ다. ¶ 環은 도렫ᄒᆞᆫ 구스리오 ≪楞嚴 II:76≫.
도렵다 형 〈옛〉둥글다. ¶ 도려온옥 벽(璧)≪類合 上 25≫.
도렷-도렷 부 ①여럿이 다 도렷한 모양. ②매우 도렷한 모양. 1)·2): 쓰또렷또렷. <두렷두렷. ——-하다 형 여불
도렷-이 부 도렷하게. 쓰또렷이. <두렷이.
도렷-하다 형 여불 엉클어지거나 흐리지 아니하고 낱낱이 분명하다. 쓰또렷하다. <두렷하다.
도렷홈 형 〈옛〉둥긂. '도렷ᄒᆞ다'의 명사형. ¶ 도렷호믄 玉 졋 머리와 ᄒᆞᆫ가지로다(圓齊玉筋頭)≪重杜諺 XVI:74≫.
도렷ᄒᆞ다 형 〈옛〉둥글다. =도렫ᄒᆞ다. ¶ 개 우희 도렷ᄒᆞᆫ ᄒᆞᆫ 프른 蓋 ᄀᆞ더니라(浦上童童一青蓋)≪重杜諺 VI:41≫.
도:령[1] 명〖민〗무당이 지노귀를 할 때에 문을 세우고 돌아다니는 의식.
도:령(을) 돌다 구〖민〗지노귀를 할 때 무당이 문을 세우고 돌아다니다.
도:령[2] 명 〔←도리(闍梨)❷〕총각을 대접하여 일컫는 말. 도련님. 주의 '道令'으로 씀은 취음(取音).
[도령 상(喪)에 구방상(九方相)] 인산(因山)이나 지위 높은 이의 행상(行喪)에 쓰는 방상시(方相氏)를, 도령의 장례에 아홉이나 갖추었다는 뜻으로, 격에 맞지 않음을 이르는 말.
도령[3]【挑鈴】명 도돌방울.
도령[4]【都令】명〖역〗도승지(都承旨).
도령[5]【都領】명〖역〗고려 때, 내부(來附)한 여진(女眞)의 추장(酋長)에게 내린 향직(鄕職). 귀화주(歸化州)를 관장(管掌)함.
도:령[6]【道令】명〖법〗일정 시대에, 도지사가 관내의 행정 사무에 관하여, 직권 또는 특별 위임에 의하여 발하던 행정 명령.
도령-가【徒領歌】명〖문〗실전(失傳)된 신라 진흥왕 때의 가요. ≪삼국사기≫ 악지(樂志)에 전함.
도:령 귀:신【一鬼神】명〖민〗장가를 못 가고 도령으로 죽은 귀신. 몽달귀(鬼). 주의 '道令鬼神'으로 씀은 취음(取音).
도:령 당혜【一唐鞋】명 반결음의 청목 당혜(青目唐鞋). 나이가 좀 든 남자 아이들이 신는 가죽신. 주의 '道令唐鞋'로 씀은 취음(取音).
도:령-신【一神】명〖민〗☞도령 귀신.
도:령-차【一車】명 장기(將棊)의 졸(卒)을 농조로 일컫는 말.
도로[1]【徒勞】명 보람 없이 애씀. 헛되이 수고함. ¶ ~에 그치다. ——-하다 자 여불
도로[2]【徒路】명 도보로 가는 길.

도로³【逃路】명 주로(走路)❶.

도로⁴【陶爐】명 도기(陶器)의 화로(火爐).

도:로⁵【道路】명 사람이나 차들이 편히 다닐 수 있도록 만든 길. ¶고속 ~/유료 ~.

도로⁶ 부 ①향하였던 쪽에서 돌아서 반대쪽으로 향하여. 되돌아서. ¶가던 길을 ~ 돌아오다. ②또다시. ¶중단했던 일을 ~ 시작하다. ③먼저대로. ¶~ 제자리에 놓다.

도로 가다 구 오던 길로 다시 가다. ↔도로 오다.

도:로 경:주【道路競走】명 '로드 레이스(road race)'의 역어(譯語).

도:로-고【道路考】명 『책』 조선 영조(英祖) 46년(1770)에 여암(旅庵) 신경준(申景濬)이 편찬한 지리에 관한 책. 전국의 도로를 고증하고 이정(里程)을 밝힌 것으로 4권 4책임.

도:로 공사¹【道路工事】명 도로의 신설(新設)이나 개수(改修)의 역사(役事).

도:로 공사²【道路公社】명 ↗한국 도로 공사.

도:로 공학【道路工學】명 〔highway engineering〕『공』 토목 공학의 한 분야. 도로에 대한 계획·선정·설계·유지 등을 다룸.

도:로 관:리청【道路管理廳】[—괄—] 명 도로를 관리하는 관청. 도로의 신설·개수(改修)·유지 등을 관장함. 국도(國道)·고속 국도는 건설부 장관, 기타의 도로는 그 노선을 인정한 행정청이 관리함.

도:로-교【道路橋】명 『토』 도로를 연결하기 위하여 놓은 다리.

도:로 교통법【道路交通法】[—뻡] 명 『법』 도로에서 발생하는 모든 교통 상의 위험과 장애를 제거하여 교통의 안전과 원활을 도모할 목적으로 제정된 법. 보행자·차마(車馬)·궤도차의 통행 방법, 운전자·고용자(雇傭者)의 의무, 도로의 사용, 운전 면허, 벌칙 등을 규정함.

도로기 명 〈방〉 팽이(제주).

도로기【巴只】어미 〈이두〉 -도록.

도로다 타 〈옛〉 돌리다. ¶뎌 귓갓갈 가져다가 귀안 도로고(將那鉸刀斡耳)《朴解 上 40》.

도:로 대장【道路臺帳】명 도로의 관리청이 관할 도로에 관한 사항을 기록, 보존하는 공부(公簿). 조서(調書)와 도면으로 되어 있음.

도로랑이 명 〈방〉 『충』 하늘밥도둑.

도로래¹ 명 〈방〉 도르래¹.

도로래² 명 〈옛〉 하늘밥도둑. ¶도로래 루(螻), 도로래 고(蛄)《字會 上 23》.

도:로-령【道路令】명 도로에 관한 법령.

도:로-망【道路網】명 그물과 같이 이리저리 복잡하게 얽힌 도로. 교통망.

도로모 명 〈방〉 『어』 도루묵.

도로목 명 〈방〉 『어』 도루묵.

도로 무공【徒勞無功】명 헛되이 애만 쓰고 공을 들인 보람이 없음. 노이 무공(勞而無功). ——-하다 형여불

도로 무익【徒勞無益】명 한갓 수고만 하고 아무 이로움이 없음. ——-하다 형여불

도:로-법【道路法】[—뻡] 명 『법』 도로 관리의 적정을 기하기 위해, 도로에 관하여 그 노선의 지정 또는 인정·관리·시설 기준·보전 및 비용에 관한 사항을 규정한 법.

도:로 부:담금【道路負擔金】명 『법』 도로에 관한 비용을 충당하기 위하여, 도로에 특별한 관계를 가지는 사람들에게 부과하는 공법(公法) 상의 금전 급부(金錢給付). 원인자(原因者) 부담금·수익자(受益者) 부담금·손궤자(損潰者) 부담금 등이 있음.

도로 상:판 분절 공법【道路上板分節工法】[—뻡] 명 미리 제작한 교량 상판(橋梁上板)을 교각(橋脚) 위에 올려놓고 강선(鋼線)으로 이어서 도로를 건설해 나가는 방식. 세그먼트 공법.

도:로-수【道路樹】명 도로 양쪽에 일정한 간격을 두고 쭉 심은 나무. 가로수(街路樹).

도로 아미타불【—阿彌陀佛】명 보다 낫게 하려고 애썼으나 처음과 마찬가지로 되어, 아무 효력이 없는 일에 일컫는 말. ¶노력이 ~이 되다.

도로 오다 구 가던 길로 다시 오다. ↔도로 가다.

도:로 용량【道路容量】[—냥] 명 도로가 수용할 수 있는 최대 교통량. 보통, 시간당 통과 차량 및 일상 통과 차량 등으로 나타냄.

도:로 원표【道路元標】명 도로 노선(路線)의 기점(起點)·종점 또는 경과지(經過地)를 표하는 표지(標識).

도:로-유【道路油】명 도로 포장에 사용되는 기름으로, 아스팔트를 유화(乳化)한 것.

도:로-율【道路率】명 도시나 일정 지역의 총면적에서 도로가 차지하는 비율을 백분율로 나타낸 것. 그 지역의 도로 정비 상황을 나타내는 지표가 됨.

도:로 이:정표【道路里程標】명 도로 원표로부터의 거리를 적어서 길가에 세운 푯말.

도:로 전용권【道路專用權】[—꿘] 명 『법』 도로의 공법(公法) 상의 특별 사용권. 관리자가 도로의 교통을 방해하지 아니하는 한도내에서 도로의 독립 사용을 특허함에 의하여 생기는 권리. 전주(電柱)의 건설, 가스관(管)의 매설, 궤조(軌條)의 부설 등은 이 권리에 의함.

도:로 점용【道路占用】명 『법』 도로의 구역 안에서 공작물 등의 시설을 신설·개축·변경 또는 제거하거나 그 밖의 목적으로 도로를 점유하는 일. ¶~료(料).

도:로 조:경【道路造景】명 보다 쾌적하고 기능적인 도로의 경관을 조성하는 일.

도:로 표지【道路標識】명 원활한 교통 소통과 도로 사용자의 편의를 위하여 행정 구역간의 경계, 목표지까지의 거리, 방향이나 방면의 가리킴, 시설물 안내 등을 알리는 표지판. 주로 길 옆 5m 위에 설치함.

도로혀 부 〈옛·방〉 도리어. =도ᄅᆞ혀·도ᄅᆞᅘᅧ. ¶미햇 늘그늬 집다미 ᄂᆞ가오나 도로혀 이지비로다(野老墻低裁是家)《重杜諺 X:7》.

도로혀다 타 〈옛〉 돌이키다. =도ᄅᆞ혀다·도ᄅᆞᅘᅧ다. ¶도로혈 션(旋)《類合 下 29》. *도ᄅᆞ혀.

도:로 히:터【道路—】〔heater〕명 주로 고속 도로 위의 얼음이나 눈을 녹이기 위하여 아스팔트 속에 장치한 전열선(電熱線).

도록¹【都錄】명 사람이나 물건의 이름을 통틀어 적은 목록.

도록²【盜錄】명 남의 글이나 문헌(文獻)에서 따거나 훔쳐서 기록함. ——-하다 타여불

도록³【圖籙】명 미래의 길흉을 예언하여 기록한 책. 도참(圖讖).

도록⁴【巴只】어미 〈이두〉 -도록.

-도록 어미 용언의 어간에 붙어, '-ㄹ 수 있게'·'-게 하기 위하여'·'-ㄹ 때까지'의 뜻으로 쓰이는 연결 어미. ¶내일 입~ 해 주시오/방이 덥~ 불을 좀 많이 때 주오.

도론¹【徒論】명 쓸데없는 토론.

도론² 타 〈옛〉 두른. '도ᄅᆞ다'의 활용형. ¶鴨頭綠羅에 獅子ᄅᆞᆯ 繡ᄒᆞ야 깃 도론 프른 부드러온 시욹청에(鴨綠羅納綉獅子的 抹口青絨氈襪上)《朴解 上 27》.

도롱-고리 명 『식』 조의 한 가지. 줄기와 열매가 희읍스름하고 까라기가 없고 가을에 익음.

도롱뇽 명 『동』 ①[*Hynobius nebulosus*] 도롱뇽과에 속하는 양서류의 하나. 몸길이 15cm 가량인데, 머리는 납작하고 꼬리는 좌우로 편평하며 동부(胴部)는 길고 옆구리에 13줄의 갈빗대 고랑이 있으며, 서구개(鋤口蓋)의 치열(齒列)은 'V'자 모양임. 발은 앞뒤로 서로 닿지 않게 떨어져 있으며 전지(前肢)는 네 발가락, 후지(後肢)는 다섯 발가락임. 몸빛은 몸의 상면(上面)에 흑점이 밀포되고 꼬리의 상하면 중앙에 황색의 줄이 있음. 1~4월에 논·연못 가의 풀밭에 산란함. 숲·밭 등의 낙엽 밑이나 땅 속에 살고 밤에 나와 곤충·지렁이 등을 포식함. 한국의 특산으로 일본·중국 등에도 분포함. 산초어(山椒魚). ②영원(蠑螈)❶.

〈도롱뇽❶〉

도롱뇽-과【—科】[—꽈] 명 『동』 [Salamandridae] 도롱뇽목에 속하는 한 과. 도마뱀과와 가까운 종류인데 도롱뇽·꼬리치레도롱뇽 등이 이에 속함.

도롱뇽-목【—目】명 『동』 [Urodela] 양서류(兩棲類)에 속하는 한 목(目). 넓적한 꼬리를 가지고 있는 것이 특징인데, 짧고 작은 네 발이 있으며 비늘은 없음. 새끼 때 생긴 외새(外鰓)와 새공(鰓孔)은 변태 후의 성체(成體)에 있어서 없어지는 것과 그대로 존속하는 것이 있으며, 귀에는 고실(鼓室)이 없고 발성(發聲) 능력도 없음. 흔히, 담수(淡水)에서 생활하나 변태 후 물에서 나와 육상 생활을 하는 것도 있음. 도롱뇽 등이 이에 속함. 유미류(有尾類). *개구리목.

도롱-대 명 〈방〉 『동』 도롱뇽.

도롱-옷 명 〈방〉 도롱이.

도롱이 명 우장(雨裝)의 한 가지. 짚이나 띠 같은 풀로 엮어서, 끝이 너털너털하게 만들어 어깨에 걸쳐 둘러 입는데, 흔히 농부(農夫)들이 삿갓을 쓰고 입음. 사의(蓑衣). 녹사의(綠蓑衣).

〈도롱이〉

도롱태¹ 명 ①사람이 밀거나 끌게 된 간단한 나무 수레. ②바퀴¹❶.

도롱태² 명 〔중세 몽골어 turimtai(수매). 몽골 문어 toromtai〕『조』 ①쇠황조롱이. ②새매.

도롱태 명 〈옛〉 『조』 새매 종류. ¶도롱태 新羅ᄅᆞᆯ 디나리라(鷂子過新羅)《南明 上 5》.

도뢰¹【圖賴】명 말썽이나 일을 저지르고 그 허물을 남에게 돌려 씌움. ——-하다 자여불

도뢰²【濤雷】명 우뢰와 같은 파도 소리.

도료【塗料】명 물체의 겉에 칠하여 썩지 않게 하거나 또는 외관상 아름답게 하는 유동체(流動體). 옻칠·셀락(shellac)·니스·페인트 따위. *안료(顏料).

도룡이 명 〈방〉 『동』 도마뱀(경남).

도룡지-기【屠龍之技】명 용(龍)을 잡는 재주가 있다는 뜻으로, 쓸데없는 재주를 일컫는 말.

도루¹【盜壘】명 야구에서, 주자(走者)가 수비자(守備者)의 수비가 허술한 틈을 타서 다음 누(壘)로 가는 일. 스틸(steal). ——-하다 자여불

도루² 부 〈방〉 도로(강원·충북·경북).

도루깨 명 〈방〉 도리깨(경기·강원·충북·전라·경상).

도루래 명 〈방〉 『충』 하늘밥도둑.

도루-마【—麻】명 중국에서 나는 베의 한 가지. 여름 옷감으로 씀.

도루메기 명 〈방〉 『어』 도루묵.

도루-묵 명 『어』 [*Arctoscopus japonicus*] 도루묵과에 속하는 바닷물고기. 몸은 길이 15-26cm로 측편하며 입이 큼. 몸빛은 등 쪽이 황갈색에 불규칙한 흑갈색 유문(流紋)이 있고, 체측과 배 쪽은 은백색임. 몸에 비늘이 없으며, 150m 내외의 해저에 서식하나 산란시는 1m 내외의 얕은 곳으로 내유(來遊)함. 한국 동해·일본 동북 이북·캄차카·알래스카 등에 분포하며 식용함. 목어(木魚). 은어(銀魚). 환맥어(還麥魚).

〈도루묵〉

도루묵 깍두기 명 토막친 도루묵을 무와 버무려 담근 깍두기.

도루묵 찌개 명 도루묵을 넣고 끓인 찌개.

도루묵-회【—膾】명 날 도루묵의 살을 저며서 만든 회.

도루발이 명 〈심마니〉 『동』 호랑이.

도류¹【徒流】명 『역』 도형(徒刑)과 유형(流刑).

도:류²【道流】명 ①↗도가자류(道家者流). ②『역』 조선 시대 때, 소격서(昭格署)에 딸린 잡직(雜職)의 하나. 도교(道敎)의 보존과 도교 의식(儀式)을 맡음. 사품(四品)으로 거관(去官)함. 임진 왜란 후 혁파(革罷)됨. ③『역』 조선 시대 때, 소격서에서, 도경(道經)을 연구하던 학생.

도:류-공【導流工】명 『토』 물의 흐르는 방향을 일정하게 인도하기 위하여 설치하여 놓은 구조물.

도류-안【徒流案】명 『역』 도형(徒刑)과 유형(流刑)에 처할 사람의 이름을 적은 책.

도:류-제【導流堤】명 도수제(導水堤).

도륙【屠戮】명 모두 무찔러 죽임. 옳고 그름을 묻지 않고 죄다 죽임. 도살(屠殺). ──하다 타여불

도륙(을) 내:다 구 함부로 마구 죽이다. ¶ 어떻게든지 세 놈의 온 집안을 도륙 내서 자네 원수를 갚아 줌세《洪命憙 : 林巨正》.

도르깨 명〈방〉도리깨(함북).

도르니어〔Dornier, Claude〕명〖사람〗독일의 항공기 설계자 겸 제작 기술자. 1929년 세계 최대의 여객 수송 비행기를 건조하였으며 그 후 독일 공군의 군용기를 생산함. [1884-1969]

도르다[1] 타르불 먹은 것을 게우다.

도르다[2] 타르불 몫몫이 나누어 따로따로 보내 주다. ¶ 돌떡을 집집에 ～.

도르다[3] 타르불 ①돈 같은 것을 융통하다. ¶ 돈을 돌라 쓰다. ②사물을 변통하다. ¶ 임시로 남의 것을 돌라 오다.

도르다[4] 타르불 이치에 그럴 듯하게 하여 남을 속이다. ¶ 말을 이리저리 돌라서 이야기하다. <두르다.

도르도뉴 강【─江】〔Dordogne〕명〖지〗프랑스 서남부의 강. 상류에는 수력 발전소가 많으며, 하류는 포도 재배 지역임. 중류 지역의 지류(支流) 베제르 강(Vézère江) 하곡(河谷)에 라스코 동굴(Lascaux 洞窟)이 있음. [약 500km]

도르라기 명〈방〉도르래[1].

도르라미 명〈방〉도르래[1].

도르래[1] 명 장난감의 한 가지. 대를 얇게 깎고 그 한가운데에 대오리로 자루를 박아서, 두 손바닥으로 비비다가 공중에 날리기도 하고 또는 붓두껍 같은 것에 꽂고 자루에 실을 감아서 이쪽저쪽으로 돌리기도 함. 풍차(風車).

〈도르래[1]〉

도르래[2] 명〖물〗수평축(水平軸)의 둘레에 돌아갈 수 있도록 만든 바퀴로서, 주위에 홈을 파고 이에 줄을 걸어서 돌리게 만든 물건. 많은 도르래를 짜 맞춤으로써 작은 힘을 큰 힘으로 변하게 할 수 있어 기중기(起重機) 등에 이용됨. 움직도르래와 고정도르래의 두 가지가 있음. 활차(滑車). 고차(鼓車).

도르래[3] 명〈방〉도래[1].

도르래미 명〈방〉도르래[1].

도르래 바퀴 명〖물〗도르래의 바퀴.

도르르[1] 부 말렸던 종이 같은 것이 풀렸다가 튀기는 힘으로 다시 저절로 말리는 모양. ㅆ또르르[1]. <두르르[1].

도르르[2] 부 작은 바퀴가 굴러가며 울리는 소리. ㅆ또르르[2]. <두르르[2].

도르리 명 ①음식을 돌려 가며 제각기 내는 일. ¶ 국수 ～. ②똑같게 나누는 일. 고루 돌라 주는 일. ──하다 타여불

도르비니〔d'Orbigny, Alcide Dessalines〕명〖사람〗프랑스의 지질학자·고생물(古生物)학자. 지층 구분의 단위로서 계(階)를 썼음. 진화론을 반대하고 생물종(生物種)의 불변을 주장하였음. 주저(主著)에《프랑스의 고생물학》이 있음. [1802-57]

도르트레히트〔Dordrecht〕명〖지〗네덜란드 서남부의 도시. 로테르담 동남 약 20km, 마스 강(Maas江)의 하항(河港) 도시. 철도의 중심지이며 조선·제분·제당 공업이 성함. 1008년에 창건되었으며 16세기 네덜란드의 종교 개혁이 발단되었던 곳임. [107,871 명(1988)]

도르트문트〔Dortmund〕명〖지〗독일 루르 지방 동부의 탄광 공업 도시. 라인 강의 지류 엠스 강에 임하며 도르트문트 엠스 운하에 의하여 북해로 통하는 하항(河港)임. 맥주의 양조가 행해지며, 제철·기계 공업이 성함. [568,164 명(1987)]

도르트문트 엠스 운:하【─運河】〔Dortmund Ems〕명〖지〗독일 루르 지방의 도르트문트에서 엠스 강 하구(河口)의 엠덴(Emden)에 이르는 운하. 1892-99년에 건설된 것으로, 1,000톤급의 배가 항행할 수 있음. 길이 280km, 수심 25m.

도리[1] 명〖건〗기둥과 기둥 위에 돌려 얹히는 나무. 그 위에 서까래를 얹게 되었음. 굴도리·들도리·툇도리·뻬도리·납도리 따위가 있음. ¶ ～ 칸수 4 칸, 들보 칸수 3칸. 형(桁).

도:리[2]【忉利】명〖불교〗↗도리천(忉利天).

도리[3]【桃李】명 ①복숭아와 자두. 또, 그 꽃. ②시험관(試驗官)이 천거(薦擧)한 문인(門人) 또는 현사(賢士). 또 널리, 문하생(門下生). ③남이 천거한 어진 사람의 비유. ④형제(兄弟)의 비유. ⑤안색(顔色)이 아름다움의 비유.

도:리[4]【道里】명 '이정(里程)'의 구칭.

도:리[5]【道理】명 ①사람이 마땅히 행하여야 할 바른 길. ¶ 인간의 ～. ②사물의 정당한 이치. 이(理). ¶ ～에 어긋난 짓. ③방도(方道)와 사리(事理). ¶ 어찌할 ～가 없다.

도리[6]【闍梨】명〖불교〗①중들에게 덕행을 가르치는 스승. ②고려 때, 귀한 집 아들로서 절에 들어와 중이 된 총각을 대접하여 부르던 말. 도려(闍黎). *도령[2]·도련님.

도리[7]〔Dorie, Pierre-Henri〕명 프랑스의 천주교 신부. 조선 고종 2년(1865) 베르뇌(Bernuex) 주교의 명령으로 서울·용인(龍仁)·광주(廣州)에서 포교하다 체포되어, 병인 박해(丙寅迫害) 때 베르뇌 주교 등 9명의 프랑스 신부와 함께 처형됨. [?-1866]

도리개 명〈옛〉도리깨. ¶ 도리개(拂連枷)《物譜 下篇》.

도:리-고【道里攷】명〖역〗조선 시대에 서울을 중심으로 하여 각 방향으로 뻗어나간 도로의 이수(里數)를 나타낸 책. 1 책. 사본. 제작자. 연대 미상.

도리-금【─金】명〖역〗조선 시대 때, 정이품(正二品) 벼슬아치가 붙이던 금관자(金貫子). 종이품(從二品)일 적에는 조각(彫刻)이 있는 금관자를 붙이다가, 정이품으로 가자(加資)되면 조각이 없는 것으로 갈아 붙임. 환금(還金). *도리옥(玉).

도리기 명 여러 사람이 추렴하여 음식을 나누어 먹는 일. ¶ 술～. ──하다 타여불

도리깨 명 ①〖농〗곡식의 이삭을 두드려서 알갱이를 떠는 데 쓰는 농구의 한 가지. 기름한 작대기 끝에 구멍을 뚫어 꼭지를 가로 박아서 돌게 하고, 그 꼭지 끝에 두 개나 세 개의 휘추리를 잡아매서 휘둘러 가며 치게 되었음. 흔히 보리·밀 타작에 씀. 연가(連枷). ②〖역〗↗쇠도리깨.

도리깨꼭지
도리깻열
도리깻장부

〈도리깨❶〉

도리깨-꼭지 명〖농〗도리깻장부 끝의 구멍에 끼워 도리깻열을 잡아 매게 된 작은 나무 비녀. 한쪽 끝에 대가리가 있게 되었음.

도리깨-아들 명 ☞도리깻열.

도리깨-질 명〖농〗도리깨로 곡식 이삭을 두드려 알갱이를 떠는 짓. ──하다 자여불

도리깨질 소리 명〖악〗보리타작 소리.

도리깨-채 명〖농〗도리깻장부.

도리깨-춤 명 도리깨질하는 모습을 춤으로 만든 민속 무용의 하나.

도리깨-침 명 먹고 싶어서 삼키는 침.

도리깻-열〔─녈〕명〖농〗도리깨채에 달려 있어, 곡식의 이삭을 후려치는 휘추리. 두 개나 세 개로 되어 있음. 자편(子鞭).

도리깻-장부 명〖농〗도리깨의 몸채가 되는 긴 자루의 막대기. 도리깨채.

도리깻-장치 명〈방〉도리깻장부.

도리-님【闍梨─】명 '도리(闍梨)'의 존칭.

도리다 타 ①돌려서 베어내다. ¶ 사과의 상한 곳을 도리어 내다. ②글이나 장부의 어떤 줄에 꺾자를 쳐서 지워 버리다.

도리-도리 부 어린 아이가 도리질을 연해 하는 모양. ──하다 자여불

도리-도리-도리 감 어린애에게 도리질을 시키는 말.

도리-머리 명 ①머리를 좌우로 흔들어 '부(否)'의 뜻이나 싫다는 뜻을 표하는 짓. ②도리질.

도리-목【─木】명 도리로 쓰는 재목.

도리-바리 명〈심마니〉범.

도리반-거리다 자 어리둥절하여 눈을 크게 뜨고서 여기저기를 살피듯 휘둘러보다. <두리번거리다. **도리반-도리반** 부. ──하다 자여불

도리반-대다 자 도리반거리다.

도리-사[1]【─紗】명 중국산의 베의 한 가지. 도루마보다 승새가 고움.

도리-사[2]【桃李寺】명〖불교〗경상북도 구미시(龜尾市) 해평면(海平面) 송곡리(松谷里) 냉산(冷山) 중허리에 있는, 직지사(直指寺)의 말사(末寺). 신라 때 아도 화상(阿道和尙)이 창건했다 함. 보물 제 470 호인 5층 석탑이 있고, 다라니 경판(經板)이 있음.

도리스〔Doris〕명〖지〗고대 그리스 중부의 한 지방. 케피소스 강(Cephisos江) 상류에 있는 산간 벽지로 도리스 사람들이 본거지로 삼은 곳임.

도리스-식【─式】〔Doris〕명〖건〗그리스 고전 건축 양식의 하나. 그리스의 도리스 사람들이 창시한 것으로, 올림피아에 있는 헤라의 사당(祠堂)이 가장 대표적임. 간소하나 장중미(莊重美)가 있고 기둥이 짧고 굵직하며 만두형(饅頭形)의 기둥머리 장식 같은 것이 그 특징으로, 로마 건축에서 쓰였음. 이오니아식·코린트식과 아울러 그리스 건축의 기본 양식의 하나임. 도리스 양식.

〈도리스식〉

도리스 양식【─樣式】〔Doris〕명〖건〗도리스식(式).

도리스-인【─人】〔Doris〕명 도리아인(人).

도리아-인【─人】〔Doria〕명 고대 그리스 민족의 한 종족. 기원전 1,200년경부터 펠로폰네소스 반도에 들어와 미케네(Mycenae) 문화를 파괴하고 많은 나라를 세웠는데, 그중 대표적인 도시 국가로 스파르타가 있음. 도리스인.

도리암직-하다 형여불 나부죽한 얼굴에 키가 작달막하고 맵시가 있다. 준되람직하다.

도리어 부 ①오히려. ¶ 벌기는커녕 ～ 손해만 봤다. ②차라리. ¶ ～ 죽기만 못하다. 준되레.

도리어-내다 타 ①돌려서 베내다. ¶ 사과의 상한 곳을 ～. ②우비어 파내다. ③장부나 글씨의 어떤 줄에 꺾자를 쳐서 지우다. 준도려내다.

도리어 버리다 타 ①돌려서 베내어 버리다. ②우비어 파내 버리다. ③꺾자를 쳐서 지워 버리다. 준도려 버리다.

도리여 부〈방〉도리어(전라·제주·황해).

도리-옥【─玉】명〖역〗정종(正從) 일품(一品) 벼슬아치가 붙이는 옥관자(玉貫子). 조각(彫刻)이 없음. 환옥(還玉). *도리금(金).

도리-질 명 어린애의 재롱의 하나. 말귀를 겨우 알아듣는 어린애가 어른이 시키는 대로 머리를 흔드는 짓. 도리머리. ──하다 자여불

도리채[1] 명〈방〉도리깨(충남).

도리채[2] 명〈옛〉도리깨. ¶ 도리채 가(枷)《字會 中 17》.

도:리-천【忉利天】명〖불교〗욕계 육천(慾界六天)의 둘째 하늘. 수미산(須彌山) 꼭대기에 있는데, 그 중앙에 제석천(帝釋天)이 사는 선견성(善見城)이 있으며, 그 사방에 팔천(八天)씩, 모두 삼십삼천(三十三天)임. 한역(漢譯):삼십삼천. 준도리(忉利).

도:리천-궁【忉利天宮】명〖불교〗도리천의 선견성(善見城)에 있다는 제석천(帝釋天)이 사는 궁전.

도:리천-녀【忉利天女】명〖불교〗도리천에 살고 있다는 천녀(天女). 선견성(善見城)의 사방에 있는 보루(寶樓) 101개소에 1만 7천 개의 방(房)이 있으며, 각 방에 7 명의 천녀가 살고, 한 천녀에 다시 7 명씩의 시녀(侍女)가 있는데, 모두가 제석천(帝釋天)의 정비(正妃)라 함.

도리-칼 명〖역〗'행차칼'의 별칭.

도리캐 명〈방〉도리깨(충청·경북).

도:리-표【道里表】명 '이정표(里程表)'의 구칭.

도리혀[1] 뷘 〈방〉 도리어(전북·경북·황해).
도리혀[2] 뷘 〔反亦〕 뷘 〈이두〉 도리어.
도리화-가 【桃李花歌】 명 조선 고종 때 신재효(申在孝)가 지은 단가(短歌). 복숭아꽃·자두꽃이 핀 봄경치를 읊어, 그의 제자(弟子)인 여류 명창 진채선(陳彩仙)을 찬미한 것임.
도린-결 명 인적(人跡)이 드문 외진 곳.
도림[1] 명 괄호. 묶음표.
도림[2] 【刀林】 명 〖불교〗 칼이 임립(林立)해 있다는 지옥(地獄).
도림[3] 【桃林】 명 ①복숭아나무 숲. ②'소[1]'의 이칭. ③〖지〗 중국의 한구(函谷)에서 통관(潼關)까지의 평야.
도:림[4] 【道琳】 명 〖사람〗 고구려의 중. 장수왕(長壽王)의 간첩으로 백제에 들어가 개로왕(蓋鹵王)과 바둑을 두면서 내정을 살피고, 토목 공사(土木工事)를 크게 일으키게 하여 국력을 소모시키는 한편, 장수왕으로 하여금 3만의 군사를 이끌고 백제를 쳐서 개로왕을 죽이게 하였음. 생몰년 미상.
도림 방:우 【桃林放牛】 명 〖미술〗 동양화의 화제(畫題). 주(周)나라 무왕(武王)이 천하를 다스리고 소를 도림에 놓았다는 고사(故事)를 그린 그림.
도림-장이 명 도림질을 업으로 삼는 사람.
도림-질 명 실톱으로 널빤지를 오리거나 새겨서 여러 가지 모양을 만드는 일. ——-하다 자타여불
도림 처:사 【桃林處士】 명 〔주(周)나라 무왕(武王)의 '도림 방우(桃林放牛)' 고사에서〕 '소'의 이칭(異稱).
도:립[1] 【倒立】 명 곤두섬. 물구나무를 섬. ——-하다 자여불
도:립[2] 【道立】 명 도(道)에서 설립 운영하는 일. ¶ ~ 박물관/~ 병원.
도:립 공원 【道立公園】 명 서울 특별시·직할시 및 도(道) 내의 풍경을 대표할 만한 수려한 자연 풍경지로서 서울 특별시장·직할시장 또는 도지사(道知事)가 지정한 공원. *국립 공원.
도:립 기관 【倒立機關】 명 〔inverted engine〕 〖기〗 크랭크 축 아래쪽에 실린더를 배치한 엔진.
도:립-상 【倒立像】 명 〔inverted image〕 〖물〗 볼록 렌즈의 초점의 바깥에 있는 물체의 상처럼 상하 좌우가 반대로 된 상. ↔정립상(正立像).
도:립 운:동 【倒立運動】 명 물구나무서기 운동.
도:립 진:자 【倒立振子】 명 〖물〗 분동(分銅) 부분이 지점(支點)의 바로 위에 있는 형식의 진자. 지진계(地震計) 따위에 응용됨.
도릿-거리다 자 ☞ 도리반거리다. 도릿-도릿 뷘. ——-하다 자여불
도링이 명 〈방〉 도롱이. 「《朴解 上 28》.
도ᄅᆞ다 타 〈옛〉 두르다. ¶ 청셔피로 ᄀᆞ ᄂᆞᆫ 시울 도ᄅᆞ고(藍斜皮細邊兒)
도ᄅᆞ혀 ㊀ 뷘 〈옛〉 도리어. =도ᄅᆞ혀·도로혀. ¶ 게으른 혜아료ᄆᆞᆫ 도ᄅᆞ혀 져기 이셔라(嬾計却區區)《重杜諺 Ⅱ:10》. ㊁ 타 돌이켜. '도ᄅᆞ혀다'의 활용형. =도ᄅᆞ혀. ¶ 머리 도ᄅᆞ혀 보니(回首)《重杜諺 Ⅱ:11》.
도ᄅᆞ혀다 타 〈옛〉 돌이키다. =도로혀다·도ᄅᆞ혀다. ¶ 머리를 도ᄅᆞ혀 ᄇᆞ라오니(回首)《杜諺 Ⅵ:48》.
도ᄅᆞ혀 ㊀ 뷘 〈옛〉 도리어. =도ᄅᆞ혀. ¶ 이제 도ᄅᆞ혀 ᄂᆞᄆᆡ 어시 아ᄃᆞᄅᆞᆯ 여희에 ᄒᆞ시ᄂᆞ니《釋譜 Ⅵ:5》. ㊁ 타 돌이켜. '도ᄅᆞ혀다'의 활용형. =도ᄅᆞ혀. ¶ ᄂᆞᆯ 도ᄅᆞ혀 보아(反觀其面)《楞嚴 Ⅸ:67》.
도ᄅᆞ혀다 타 〈옛〉 돌이키다. =도로혀다·도ᄅᆞ혀다. ¶ 廻向ᄋᆞᆫ 도ᄅᆞ혀 向ᄒᆞᆯ 씨니《月釋 Ⅱ:60》.
도마[1] 명 식칼질할 때에 밑받침으로 쓰는 두꺼운 나무 토막이나 널조각.
【도마 위의 고기가 칼을 무서워하랴】 죽게 될 지경에 이른 사람이 무엇을 두려워하겠느냐는 뜻.
도마에 오른 고기 구 어찌할 수 없이 된 운명을 비유한 말. 조상육(俎上肉). ¶ 애고 이말이 웬 말이오. 조약돌을 면하였더니 수만석을 만났고나. 도마오른 고기오니 칼을 어찌 두리릿가 《古本 春香傳》. *독안에 든 쥐.
도마[2] 【稻麻】 명 ①벼와 삼. ②물건이 엉킨 모양을 일컫는 말.
도마[3] 〔Thomas〕 명 〖성〗 예수 열 두 제자 중의 한 사람. 처음 약간 회의적이었으나 예수의 부활을 보고 이를 확신하였음.
도마도 명 〖식〗 ☞토마토(tomato).
도-마름 【都—】 명 큰 전장(田庄)에 있는 우두머리 마름.
도마배:미 명 〈방〉 〖동〗 도마뱀(경상).
도마배암 명 〈방〉 〖동〗 도마뱀(전남).
도마배얌 명 〈방〉 〖동〗 도마뱀(전북·경북).
도마-뱀 명 〖동〗 ①도마뱀과에 속하는 파충(爬蟲)의 총칭. 산룡자(山龍子). 석룡자(石龍子). 용자(龍子). 석척(蜥蜴). 천룡(泉龍). ②〔*Leiolopisma laterale*〕 도마뱀과에 속하는 파충의 하나. 몸길이 19cm 가량, 두부에서 동부(胴部)의 길이 6.5cm, 꼬리 12cm 가량임. 수컷의 등 쪽은 암남색에 다섯 개의 청록색의 종선(縱線)이 있고, 중앙의 것은 두부에서 두 개로 갈라지며 꼬리의 전반(前半)은 청색, 몸의 하면은 담갈색임. 암컷은 배면이 암감람 갈색이고 종선(縱線)은 황갈색이며, 체측에 넓은 띠가 한 줄 있어 수컷보다 아름다움. 몸은 원통형이고 사지는 짧고 다섯 발가락이 있음. 몸 비늘은 둥글고 24-30열(列). 긴 꼬리는 위험을 당하면 저절로 끊어졌다가 재생함. 6-7월경 돌·풀 밑에 흰 알을 8-9개 낳음. 풀밭·밭 등의 땅 위에서 살며, 곤충·지렁이·거미 등을 포식함. 일본·한국 등에 분포함. *민도마뱀.

〈도마뱀❷〉

도마뱀-과 【—科】 〔—꽈〕 명 〖동〗 〔Scincidae〕 뱀목(目) 도마뱀 아목(亞目)에 속하는 한 과. 도롱뇽과·도마뱀붙잇과와 가까운 파충류임. 한국에는 종류가 적음.
도마뱀-류 【—類】 〔—뉴〕 명 〖동〗 〔Lacertilia〕 뱀목(目)에 속하는 파충류(爬蟲類)의 한 아목(亞目). 도마뱀과(科)·무늬도마뱀과·도마뱀붙잇과 등이 이에 속함. *인척류(鱗蜴類).
도마뱀-붙이 〔—부치〕 명 〖동〗 〔*Gekko japonicus*〕 도마뱀붙잇과에 속하는 파충(爬蟲)의 하나. 도마뱀과 비슷한데 몸길이 12cm 내외이고 몸빛은 배면(背面)이 암회색이고 흑색의 대상(帶狀) 반문(斑紋)이 몸통에서 꼬리 끝까지 불규칙하게 있음. 몸은 편평하고 사지(四肢)에는 각각 다섯 개의 발가락이 넓적한 엽상(葉狀)이고 배린(背鱗)은 작은 과립상(顆粒狀)이며 혹 모양의 비늘이 흩어져 있음. 복린(腹鱗)은 지붕의 기와 모양으로 줄지었고, 안검(眼瞼)은 고정되고 눈은 큼. 인가(人家) 부근에 살며 야간에 천정·벽 위에서 곤충·거미 등을 포식(捕食)하며, 꼬리가 잘 절단(切斷)되나 재생(再生)함. 도마뱀과의 차이점은 난각(卵殼)이 굳고 작은 소리로 울며 야행성임. 중국 남부·대만·한국·일본에 분포함. 갈호(蝎虎). 언정(蝘蜓). 벽궁(壁宮). 벽호(壁虎)·수궁(守宮).

〈도마뱀붙이〉

도마뱀붙잇-과 【—科】 〔—부친—〕 명 〖동〗 〔Gekkonidae〕 도마뱀류에 속하는 한 과.
도마뱀-자리 명 〔라 Lacerta〕 〖천〗 백조(白鳥)자리의 동쪽에 있는 성좌. 그 대부분은 은하(銀河) 속에 있고, 10월 중순 저녁에 남중(南中)함.
도마-봉[1] 【都磨峯】 명 〖지〗 평안 북도 벽동군(碧潼郡)에 있는 산. [1,007m]
도:마-봉[2] 【道磨峰】 명 〖지〗 평안 북도 강계군(江界郡)에 있는 산. 강남산맥(江南山脈)의 첫머리 부분을 구성하며 또한 압록강의 지류인 독로강(禿魯江)·천북천(千北川) 등의 수원지를 이룸. [1,526m]
도마-비암 명 〈방〉 〖동〗 도마뱀(전남).
도마비얌 명 〈옛〉 도마뱀. ¶ 도마비얌 영(蠑), 도마비얌 원(蚖)《字會 上 23》.
도마 죽위 【稻麻竹葦】 명 ①벼와 삼, 대와 갈대가 서로 엉키어 있다는 뜻으로, 많은 물건이 모이어 서로 엉킨 모양을 이르는 말. ②여러 겹으로 둘러싸서 서 있는 모양을 일컫는 말.
도마-질 명 도마 위에 물건을 놓고 식칼로 다루는 일. ——-하다 자타여불
도마크 〔Domagk, Gerhard〕 명 〖사람〗 독일의 병리 세균학자(病理細菌學者). 1932년 프론토질(Prontosil)의 합성에 성공, 설퍼제(sulfa劑) 이용의 단서를 엶. 1939년 노벨 생리 의학상을 타게 되었으나 나치스의 강요로 사퇴하였다가 1947년에 메달을 받음. [1895-1964]
도마-판 명 〈방〉 도마[1](충남).
도막[1] 명 짤막하고 작은 동강. ¶ 동강동강 ~을 내다. *토막.
도막[2] 명 〈방〉 도마[1](경기).
도막-도막 뷘 ①여러 도막으로 끊는 모양. ¶ ~ 자르다. ②도막마다.
도막-말 명 짤막한 말.
도막이 명 시골의 지주나 늙은이.
도만 【濤灣】 명 파도가 치는 만(灣).
도:만-법 【—法】 〔—뻡〕 명 〔Dohman method〕 미국의 의학자 도만(Dohman) 박사가 제창한 어린 아이의 능력 개발법. 감각 기능·언어 기능·운동 기능에 대하여 자세히 조사하고, 결함 있는 기능에 따라 정밀한 훈련 프로그램을 작성하여 부모에게 가르침. 특히, 뇌성 마비(腦性痲痺) 및 정신 박약(精神薄弱) 치료에 좋은 성과를 거둠.
도-만호 【都萬戶】 명 〖역〗 ①고려 때, 순군 만호부(巡軍萬戶府)의 으뜸 벼슬. ②조선 시대 때, 각 도(道)의 수군(水軍)을 거느리던 종삼품(從三品)의 무관 벼슬. 세조(世祖) 12년에 수군 첨절제사(水軍僉節制使)로 고침.
도말 【塗抹】 명 ①발라서 드러나지 아니하게 함. ¶ 페인트로 ~하다. ②이리저리 임시 변통으로 발라 맞추어 꾸밈. ——-하다 타여불
도말 연:고 【塗抹軟膏】 명 피부에 바르는 연고.
도맛-밥 명 도마 위에 고기 같은 것을 놓고 칼질할 때 도마에서 일어나는 나무 부스러기.
도망[1] 【刀鋩】 명 칼날. 칼끝. 도첨(刀尖).
도망[2] 【逃亡】 명 피하여 달아남. 쫓기어 달아남. 도주(逃走). ¶ ~병/~자. ——-하다 자여불
도망(을) 가다 구 도망치다.
도망(을) 치다 구 ↗도망질(을) 치다.
도망[3] 【悼亡】 명 죽은 아내를 생각하여 슬퍼함. ——-하다 타여불
도망-꾼 【逃亡—】 명 몰래 도망질치는 사람.
도망꾼의 봇짐 구 크고 어수선하게 꾸린 봇짐을 흉보아 비유하는 말.
도망망자-집 【逃亡亡字—】 〔—짜—〕 명 〖건〗 모양을 '亡'자 형상으로 지은 집. 준망자집.
도망 범:죄인 【逃亡犯罪人】 명 〖법〗 ①도망친 범죄인. ②외국의 범인으로 우리 나라에 도망은 사람.
도망 범:죄인 인도 【逃亡犯罪人引渡】 명 〖법〗 외국의 범죄인으로 우리 나라에 도망온 사람을 붙잡아서 그 나라의 정부에 인도하는 일. 서로 범죄인 인도의 조약을 체결한 나라에서 행하여지며, 그 범죄인이 고소 고발을 당하였거나 또는 유죄의 선고를 받은 경우에 한함.
도망-병 【逃亡兵】 명 〖군〗 몰래 부대를 이탈하거나, 이유 없이 부대로 복귀하지 아니한 병사. 탈주병(脫走兵). *탈영병(脫營兵).
도망-성 【逃亡星】 명 〖천〗 달아나는 별.
도망-인 【逃亡人】 명 도망자(逃亡者).
도망-자 【逃亡者】 명 도망한 사람. 도망인(逃亡人). 도주자(逃走者).
도망-장 【逃亡章】 〔—짱〕 명 〖악〗 용비 어천가(龍飛御天歌) 제 16 장의 이름. 시명장(恃命章).
도망-죄 【逃亡罪】 〔—쬐〕 명 〖군〗 군인이 전시(戰時)나 평시(平時)를 불문하고, 이유 없이 직무를 포기하고 부대를 이탈한 죄.
도망-질 【逃亡—】 명 도망가는 짓. ——-하다 자여불
도망질(을) 치다 구 도망가는 짓을 하다. 준도망치다.
도망-혼 【逃亡婚】 명 남녀가 서로 통하여 함께 집을 뛰쳐 나와 맺는 혼인.
도-맡다 타 ①모든 책임을 혼자서 떼어 맡다. ②도거리로 몰아서 맡다.

도매[1] 명 〈방〉 도마[1](함남·강원·충청·경상·전라).

도매[2]【都買】명 물건을 도거리로 사들임. ——-하다 타여불

도매[3]【都賣】명 물건을 도거리로 팖. ↔소매·산매(散賣). ——-하다 타여불

도매[4]【盜賣】명 남의 물건을 훔쳐서 팖. 투매(偸賣). ——-하다 타여불

도매-가【都賣價】[—까] 명 도매가격.

도매-가격【都賣價格】[—까—] 명 도매로 파는 가격. ↔소매가격·산매가격.

도매기 명 〈방〉 도마[1](황해·함남·평북).

도매기-새 명 〈방〉〖조〗 쏙독새.

도매-때기 명 〈방〉 도마[1](경남).

도매 물가 지수【都賣物價指數】[—까—] 명〖경〗 물가 지수의 하나. 도매 단계에 있어서의 물가 수준의 변동을 나타내는 지수. 일정한 시기(時期)를 100으로 하여 백분율로 나타냄. ↔소매 물가 지수.

도매-배암 명 〈방〉〖동〗 도마뱀(전남·경상·충북).

도매-배얌 명 〈방〉〖동〗 도마뱀(경남).

도매-뱀 명 〈방〉〖동〗 도마뱀(강원·충북·경상).

도매-봉【桃梅峰】명〖지〗 평안 북도 자성군(慈城郡) 삼풍면(三豐面)과 이평면(梨坪面) 사이에 있는 산. [1,296 m]

도매-상【都賣商】명 물건을 도거리로 파는 장사. 또, 그 가게나 장수. 도가(都家). ↔소매상(小賣商)·산매상(散賣商).

도매 센터【都賣—】〔center〕명 일정 구역 안의 건물에서 도매업자가 근대적인 시설과 운영 체제를 갖추고 상품을 도매하거나 용역(用役)을 제공하는 영업장(營業場).

도매 시세【都賣時勢】명 도매 가격의 시세. ↔소매(小賣) 시세·산매 시세.

도매 시:장【都賣市場】명 한 시장 안에 딸리어 있거나 또는 따로 동떨어져 있어, 물건을 도거리로만 파는 가게들이 있는 시장. ↔소매시장·산매 시장.

도매-업【都賣業】명 물건을 도거리로 사고 파는 일을 하는 업. ↔소매업·산매업.

도매-점【都賣店】명 물건을 도거리로 파는 가게. ↔소매점·산매점.

도:맥【道脈】명 신선도가(神仙道家)의 인맥(人脈)과 계보(系譜).

도맷-값【都賣—】[—매깝] 명 도매가격.

도메인 이름〔domain〕명〖컴퓨터〗 인터넷에 접속된 컴퓨터의 위치를 나타내는 주소의 이름. 숫자로 되어 있는 아이피(IP) 주소를 알아보기 쉬운 영문 약자로 바꾼 것임. '민중서림'의 경우, www.minjungdic.co.kr로 나타내는데 www.는 주 컴퓨터의 이름, minjungdic.은 기관의 이름, co.는 기관의 유형, kr는 국가 이름임. *아이피 주소.

도면[1]【刀麵】명 ①칼싹두기. ②칼국수.

도면[2]【圖免】명 책임이나 맡은 일을 면하려고 꾀함. 규면(規免). 도피(圖避). 모면(謀免). 모피(謀避). ——-하다 타여불

도면[3]【圖面】명 토목·건축·기계 또는 토지·임야(林野) 같은 것을 기하학적으로 제도기를 써서 그린 그림. 도본(圖本).

도면[4]【墻面】명〖수〗 주면(柱面).

도면-지【圖面紙】명 도면을 그리기에 알맞게 만든 종이.

도명[1]【刀銘】명 도검(刀劍)에 새긴 명(銘).

도명[2]【逃命】명 분부받은 명령을 회피함. ——-하다 자여불

도명[3]【徒命】명 기약 없는 목숨. 아무 소용이 되지 아니하는 목숨.

도명[4]【都名】명 ①총칭. 총명(總名). ②도시(都市)의 이름.

도:명 존자【道明尊者】명〖불교〗 주불(主佛)인 지장 보살(地藏菩薩)의 왼쪽에 모셔 둔 보살.

도모[1]【叨冒】명 탐욕(貪慾).

도모[2]【桃毛】명〖한의〗 복숭아의 털. 사기(邪氣)를 물리치는 약재로 씀.

도모[3]【掏摸】명〔←도막〕 소매치기의 한자 말.

도모[4]【圖謀】명 앞으로 할 일을 이루기 위하여 수단과 방법을 꾀함. ¶ 친목을 ~하다. ——-하다 타여불

도모나가 신이치로:〔朝永振一郎: ともながしんいちろう〕명〖사람〗 일본의 이론 물리학자. 1929년 교토(京都) 대학을 졸업하고, 41년부터 도쿄(東京) 문리대(文理大) 교수·학장을 지냄. 양자 전자 역학(量子電磁力學)을 연구하여, 43년 초다시간 이론(超多時間理論)을 발표, 46-47년에 치환(置換) 이론을 발표하여, 65년 노벨 물리학상을 탐. [1906-79]

도:목[1]【倒木】명 쓰러진 나무. 쓰러져 있는 나무.

도목[2]【都目】명〖역〗 ↗도목 정사(都目政事).

도-목수【都木手】명 목수의 우두머리.

도목-장【都目狀】명〖역〗 지방의 공천(公賤) 및 시정(侍丁)·봉족(奉足)·호수(戶首) 등의 이름을 기록한 장부.

도목-정【都目政】명〖역〗 ↗도목 정사(都目政事).

도목 정사【都目政事】명〖역〗 해마다 음력으로 유월과 섣달에 벼슬아치의 성적(成績)이 좋고 나쁨에 따라서 벼슬 자리를 떼어 버리거나 더 좋은 데로 올리거나 하던 일. 경찰(京察). 준도목(都目)·도목정(都目政)·도정(都政). *대정(大政)·소정(小政).

도묘[1]【都墓】명〖역〗 도무덤.

도묘[2]【稻苗】명 벼의 모. 볏모.

도무[1]【都務】명〖역〗 조선 시대 때, 영흥부(永興府)·함흥부(咸興府)·평양부(平壤府)·영변 대도호부(寧邊大都護府)·경성 도호부(鏡城都護府)의 도무사(都務司)에 딸린 동반(東班)의 정오품 토관(土官) 벼슬.

도무[2]【蹈舞】명 수무 족도(手舞足蹈). ——-하다 자여불

도-무덤【都—】명〖역〗 예전에 전사한 병졸의 시체를 모아 한데 몰아서 묻은 큰 무덤. 아직 각처에 남아 있음. 도묘(都墓).

도무-사【都務司】명〖역〗 함흥부(咸興府)·평양부(平壤府)·영변 대도호부(寧邊大都護府)·경성 도호부(鏡城都護府)의 토관(土官)의 동반(東班) 정오품 아문(衙門).

도무시 부 〈방〉 도무지.

도:무-제【道武帝】명〖사람〗 중국 후위(後魏)의 태조(太祖). 성은 탁발(拓跋), 이름은 규(珪). 선비(鮮卑)족으로 탁발씨(拓跋氏)를 통일, 386년에 제위에 올라 평성(平城)에 도읍하여 제도를 개혁하고 국세를 확장시킴. 종래의 부족(部族) 조직을 해체하고 중국적 관료 제도의 기초를 굳힘. 말년에 광질(狂疾)이 나서 아들 소(紹)에게 살해당함. *탁발부(拓跋部). [371-409; 재위 386-409]

도무지 부 ①이러니 저러니 할 것 없이 아주. ¶ 타일러도 ~ 듣지 않는 군/~ 맛이 없다. ②이것저것 할 것 없이 모두. ¶ 무슨 영문인지 ~ 모르겠소/~ 이게 무슨 짓이오.

도무창 부 〈방〉 도무지(평북).

도묵[1]【刀墨】명 칼로 이마에 입묵(入墨)하던 형벌. 경형(黥刑).

도묵[2]【塗墨】명 먹을 칠함. 먹을 바름. ——-하다 자여불

도문[1]【匋文】명 중국 고대의 토기(土器)에 있는 명문(銘文). 대부분이 도장으로 찍힌 것이 많은데 생략된 예체(隷體)가 독특한 아취(雅趣)를 가지며, 문자학(文字學) 연구에 중요한 자료가 됨.

도:문[2]【到門】명 ①문에 다다름. ②〖역〗 과거(科擧)에 급제하여 홍패(紅牌)를 받아 가지고 집으로 돌아옴. ——-하다 자여불

도:문[3]【倒文】명 도어(倒語).

도:문[4]【道門】명 ①도가(道家). 도교(道敎). ②도법(道法)의 문호(門戶). 불교에 들어가는 문. 불도(佛道).

도문[5]【睹聞】명 보고 들음. ——-하다 타여불

도:문[6]【導問】명 유도(誘導)하기 위하여 하는 질문.

도문-강【圖們江】명〖지〗 '두만강(豆滿江)'의 중국식 표기. *투먼.

도문 담불【屠門談佛】명 고기를 파는 저자에서 불도를 논한다는 뜻으로, 언동이 주위 환경과 맞지 않음을 이르는 말.

도문 대:작【屠門大嚼】명〖책〗 조선 시대에, 허균(許筠)이 전국 8도의 식품과 명산지에 관하여 적은 책. 우리 나라 최초의 식품 전문서임. 1권.

도문-선【圖們線】명〖지〗 회령(會寧)에서 두만강 연안의 국경 지대를 달려 동해안의 웅기(雄基) 및 나진(羅津)을 연결하는 철도.

도:문-연【到門宴】명〖역〗 도문(到門) 잔치.

도:문 잔치【到門—】명〖역〗 과거에 급제한 사람이 집에 돌아와서 베풀던 잔치. 도문연(到門宴).

도:문 증상만【道門增上慢】명〖불교〗 불도를 수행(修行)하여 득도(得道)하였다고 오만 불손하게 행동하는 일. 또, 그 사람.

도:문 질욕【到門叱辱】명 남의 집 앞에 와서 꾸짖어 욕함. ——-하다 타여불

도물[1]【徒物】명 아무 쓸모 없는 물건.

도물[2]【盜物】명 훔친 물건. 장물(贓物).

도물[3]【賭物】명 노름에 건 재물.

도물 계:약【賭物契約】명〖경〗 미래 또는 미정(未定)에 관한 예상(豫想)에 당사자끼리 서로 재물(財物)을 거는 계약. ——-하다 자여불

도:미[1] 명〖어〗 감성돔과에 속하는 참돔·감성돔·붉돔·황돔·청돔 등의 총칭. 몸은 타원형으로 납작하고 대부분 붉은 빛깔이 많음. 맛이 좋음. 도미어(魚). 동분어(銅盆魚). 해즉(海鯽). 준돔.

도미[2]【掉尾】명 ①꼬리를 흔듦. ②끝판에 더욱 활약함. ¶ ~를 장식하다. ——-하다 자여불

도미[3]【荼䕷】명〖식〗 겨우살이풀.

도:미[4]【道味】명 ①도덕의 진의(眞意). ②〖불교〗 불도(佛道)의 오묘(奧妙)한 이치.

도미[5]【都彌】명〖사람〗 백제 설화(說話)에 나오는 사람. 그의 예쁘고 절개 있는 아내와 그녀의 절개를 시험하고 빼앗으려는 개루왕(蓋婁王)에 관한 이야기가 《삼국 사기》 중의 열전(列傳)에 수록되어 있음.

도:미[6]【渡美】명 미국으로 건너 감. ¶ ~ 유학. ——-하다 자여불

도미[7]【稻米】명 입쌀.

도:미-구이 명 도미를 저미어 양념을 하여 구운 음식.

도:미 국수 명 도미와 함께 국수를 넣어서 끓인 음식. 도미면(麪).

도미넌트〔dominant〕명〖악〗 전음계적(全音階的) 음계의 제오도(第五度). 속음(屬音). 딸림음.

도미노〔domino〕명 ①18세기경 이탈리아에서 발명된 서양 골패(骨牌)의 한 가지. 상아(象牙)로 만든 직사각형으로, 겉면 앞뒤에 점수를 나타내는 검은 점이 새기어 있고, 모두 28장임. 먼저 순번에 따라 한 장 내놓으면 다음 사람은 이와 같은 점인 것을 내놓아 서로 이어 나란히 하고, 차례로 갖추어 빨리 손 안의 것을 맞추어 놓은 사람을 이긴 것으로 함. ②가장 무도(假裝舞蹈)에 쓰는 복면 후드(覆面 hood). 또, 후드가 붙은 외투(外套).

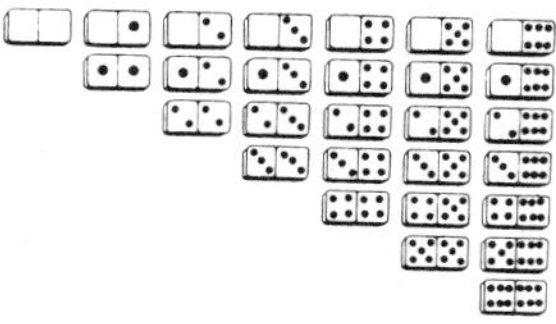

〈도미노❶〉

도미노 이:론【—理論】〔domino〕명〖정〗 도미노의 골패짝이 줄지어 넘어지듯이 어떤 지역이 공산화되면 차례로 인접 지역에 번져 간다는 이론. 미국의 월남전(越南戰)에의 개입을 정당화하는 이론으로서, 1960년대에 미국 군부·정치가들이 주장하였음. *역(逆) 도미노 이론.

도미니언〔dominion〕명 ①지배권(支配權). ②영지(領地). ③영국 등의 자치령(自治領)을 일컫는 말.

도미니카[1]〔라 Dominica〕명〖기독교〗〔라 Dominica dies의 약칭〕 주일(主日). 안식일(安息日).

도미니카[2]〔Dominica〕명〖지〗 ①↗도미니카 공화국. ②도미니카 연방.

도미니카 공:화국【—共和國】명〔Dominican Republic〕〖지〗 카리브 해(海)의 히스파니올라 섬 동부를 차지하는 공화국. 국토는 삼림에 덮인 산지가 많으며 해안(海岸)에 따라 평야가 있음. 기후는 열대성. 주민의

태반은 백인과 인디오의 혼혈로, 국교는 가톨릭, 공용어는 스페인어임. 농업국으로 커피·사탕수수·카카오·쌀·바나나의 산출이 많으며, 니켈·보크사이트·철(鐵) 등의 광산(鑛産) 자원도 있음. 스페인·프랑스의 식민지를 거쳐, 1844년 독립하였다가, 1961년 스페인령이 되고, 1965년에 다시 독립함. 수도는 산토 도밍고(Santo Domingo). (준)도미니카. [48,442 km^2 : 7,300,000명(1991 추계)]

도미니카 연방【一聯邦】명〔Commonwealth of Dominica〕〖지〗서(西)인도 제도 동부의 소앤틸리스(小 Antilles) 제도(諸島)에 속하는 윈드워드(Windward) 제도 북단의 화산도로 이루어진 독립국. 1805년 영국령이 되어, 1978년 영연방의 주권 국가로 독립하였음. 주요 산업은 농업과 어업. 수도(首都)는 로조(Roseau). (준)도미니카. [751 km^2 : 87,800명(1990 추계)]

도미니코〔Dominico〕명〖사람〗'도미니쿠스(Dominicus)'의 스페인 이름.

도미니쿠스〔Dominicus〕명〖사람〗스페인의 가톨릭 성직자. 1206년 디다쿠스(Didacus)와 함께 '설교가(說教家)의 수도회(修道會)'를 열고 포교에 종사. 1216년, 교황의 허가를 얻어 도미니크회를 창설하였음. 도미니코. [1170?-1221]

도미니크-회【一會】〔Dominic〕명〖천주교〗스페인의 수도자(修道者) 도미니쿠스(Dominicus)가 1215년에 창설한 수도 단체. 청빈(淸貧)과 연학(硏學)을 본지(本旨)로 하여 은신적(隱身的)인 수도 생활에 만족하지 않고 활동적 선교 활동을 행함. 1216년 교황의 공인을 얻어 세력이 여러 나라에까지 미침. 그 복장은 흰 하의에 검은 웃을 위에 입음.

도:미-면【一麪】명 도미 국수.

도:미 백숙【一白熟】명 도미를 통으로 맹물에 삶거나 쪄서 초장에 찍어 먹는 술안주.

도:미-어【一魚】명〖어〗도미.

도:미 어채【一魚菜】명 도미로 만든 어채.

도미에〔Daumier, Honoré〕명〖사람〗프랑스의 화가. 1830년 이후 생생하고 신랄한 필치로 파리 서민의 생활 모습을 그린 풍자화를 발표, 혁명 후에는 사실적인 그림도 그렸음. 만년에 실명(失明)하여 비참하게 죽음. [1808-79]

도:미 저:냐 명 도미로 지진 저냐.

도:미-젓 명 도미로 담근 젓.

도미-채【荼䕷菜】명 겨우살이풀의 꽃을 따서 감초(甘草) 끓인 물에 삶아 낸 뒤에 새앙을 넣어 기름·소금에 무친 나물.

도미티아누스〔Domitianus, Titus Flavius〕명〖사람〗로마 황제. 속주(屬州) 통치와 변경 방위(邊境防衛)에 진력하였으나 전제적(專制的) 경향이 강하고 기독교도를 박해, 공포 정치를 행한 탓으로 암살당함. [51-96; 재위 81-96]

도민[1]【島民】명 섬에서 사는 사람. 섬의 주민. 섬 사람.

도:민[2]【道民】명 그 도의 안에서 사는 사람.

도:민-증【道民證】[一쯩] 명 도민의 신분이 확실함을 증명하던 증명서. *시민증(市民證).

도:민-회【道民會】명 도민들의 친목을 꾀하는 모임. ¶강원 ~.

도:밋-국 명 도미와 쑥갓을 넣어 끓인 국.

도밍고〔Domingo, Placido〕명〖사람〗스페인의 테너 가수. 1961년부터 오페라의 주역으로 활약하기 시작하여 메트로폴리탄 가극장·스칼라 극장 등 구미(歐美)의 주요 가극장에 출연, 성가를 높임. 특히 베르디·푸치니 등 이탈리아 오페라에 능함. 루치아노 파바로티·호세 카레라스와 함께 20세기를 대표하는 세계 3대 테너 가수의 한 사람으로 꼽힘. [1941-]

도박[1] 명〖식〗[*Grateloupia elliptica*] 백바리풀과에 속하는 홍조류(紅藻類). 높이 15-40cm. 초본(草本) 모양으로 엽상(葉狀)이며 여러 갈래로 갈라졌고 적자색·황색·녹색의 혁질(革質)인데 마르면 자줏빛으로 변함. 해안의 바위틈이나 깊은 곳에 모여 나는데, 한국·일본 등에 분포함. 풀가사리와 같이 호료(糊料)·점착료로 씀. 은향초(銀香草).

〈도박[1]〉

도:박[2]【到泊】명 배로 와 닿음. 배가 와 닿음. ——-하다 자여불

도박[3]【賭博】명 ①돈이나 재물을 걸고 서로 따먹기를 다투는 짓. 일시적 오락의 정도에 불과한 때를 제외하고는 형법 상(刑法上)의 범죄가 됨. 노름. 돈내기. ¶~범(犯)/~장(場). ②요행수를 바라고 위험한 일이나 가능성이 없는 일에 손을 대는 일. ——-하다 자여불

도박 개장죄【賭博開場罪】[一쬐] 명〖법〗영리를 목적으로 노름판을 만들어 놓음으로써 이루어지는 죄. 스스로 도박에 참가하지 아니한 때에도 당연히 범죄가 성립되며, 도박에 참가하면 따로 도박죄(賭博罪)를 구성함. 도박장 개장죄.

도박-꾼【賭博一】명 도박을 상습적으로 하는 자. 노름꾼.

도박-범【賭博犯】명〖법〗노름을 하였거나 노름판을 열어 노름을 하게 한 범죄. 또, 그 범인.

도박 보:험【賭博保險】명〖법〗보험 계약자가 피보험 이익이 없음을 알면서 체결하는 보험 계약. 물론 무효이며, 보험 계약자는 보험료의 반환을 청구할 수 없음.

도박-사【賭博師】명 노름꾼.

도박-성【賭博性】명 ①노름하기를 즐기는 성질. ②도박의 성질. ¶~을 면 오락.

도박-자【賭博者】명 노름꾼.

도-박장[1]【都拍長】명〖역〗조선 인조(仁祖) 때 두었던 보부상(褓負商)의 한 직명.

도박-장[2]【賭博場】명 노름을 하는 장소. 도장(賭場).

도박장 개장죄【賭博場開場罪】[一쬐] 명〖법〗도박 개장죄.

도박-죄【賭博罪】명〖법〗재물을 걸고 노름을 함으로써 이루어지는 죄.

도반[1]【刀瘢】명 칼로 벤 상처 자국. 칼자국.

도반[2]【桃盤】명〖악〗↗선도반(仙桃盤).

도-반수【都班首】명〖역〗조선 인조(仁祖) 때 두었던 보부상(褓負商)의 한 직명.

도발【挑發】명 집적거리어 일이 일어나게 함. 자극을 주어 욕정(慾情)이 일어나게 함. ¶~ 행위/전쟁을 ~하다. ——-하다 타여불

도발 비사문【兜跋毘沙門】명〖불교〗도발 비사문천.

도발 비사문천【兜跋毘沙門天】명〖불교〗비사문천의 변화신(變化神). 북방 수호의 신(神)인 동시에, 외적을 격퇴하는 신통력을 가지고 있다고 함. 서역(西域)의 도발국(兜跋國) 대왕의 모습을 모방하였다고 하며, 보관(寶冠)을 쓰고 특이한 갑옷을 입고, 오른손에 보탑(寶塔), 왼손에 금강저(金剛杵) 또는 창을 가지고 있으며, 발 밑은 보통 지신(地神)이 양손으로 받들고, 옆에는 두 귀신(鬼神)이 지키고 있음. 도발 비사문.

〈도발 비사문천〉

도발-적【挑發的】[一쩍] 명관 ①집적거리는 태도를 취하는 모양. ¶~인 행동. ②색정(色情)을 자극시키는 모양. ¶~인 복장.

도방[1]【都房】명〖역〗고려 무신(武臣) 집권 시대에 경대승(慶大升)이 신변을 보호하기 위하여 처음으로 둔 사병(私兵) 기관. 다음, 최충헌(崔忠獻)도 이를 계승하여 이곳에서 정사(政事)도 처리하였음. *정방(政房).

도:방[2]【道傍】명 길가. 길옆. 노방(路傍).

도:방-처【道傍處】명 길가 같은 데 사람의 왕래가 많은 곳.

도배[1]【刀背】명 칼의 배면(背面). 칼등.

도:배[2]【到配】명〖역〗귀양가는 죄인이 배소(配所)에 도착함. ——-하다 자여불

도배[3]【徒配】명〖역〗도형(徒刑)에 처(處)한 뒤에 귀양을 보냄. ——-하다 타여불

도배[4]【徒輩】명 함께 어울려 같은 짓을 하는 패 또는 무리. ¶폭력 ~. *도당(徒黨).

도배[5]【島配】명〖역〗죄인을 섬으로 귀양 보냄. ——-하다 타여불

도배[6]【都拜】명 따로따로 할 절을 한번에 함. 또, 그 절. ——-하다 자여불

도:배[7]【道配】명〖역〗귀양간 사람을 그 도(道) 안에 정배(定配)함. ——-하다 타여불

도배[8]【塗褙】명 종이로 벽·반자·장지 같은 것을 바르는 일. 도벽(塗壁). ——-하다 자타여불

도배기[1] 명〈방〉도마[1](함남).

도배기[2] 명〈방〉되[1](경상).

도:배미 명〈방〉〖동〗도마뱀(경남).

도배 반자【塗褙一】명 도배와 반자. ——-하다 자여불

도:배-장【到配狀】[一짱] 명〖역〗귀양간 사람이 배소(配所)에 도착하였음을 그 곳의 원(員)이 형조(刑曹)에게 보고하던 문서.

도배-장이【塗褙匠一】명 도배하는 일을 업으로 삼는 사람.

도배 장판【塗褙壯版】명 도배와 장판.

도배-지【塗褙紙】명 도배하는 데 쓰는 종이.

도:백【道伯】명 ①〖역〗'관찰사(觀察使)'를 한 도(道)의 장관(長官)이란 뜻으로 일컫는 말. ②'도지사(道知事)'를 예스럽게 일컫는 말.

도:버〔Dover〕명〖지〗①영국 잉글랜드 동남, 도버 해협에 면한 항구 도시. 대안(對岸)의 프랑스 칼레(Calais)와의 사이는 영국과 유럽 대륙을 연결하는 최단 거리의 항로(航路)임. 중세(中世)의 도버성(城)이 있음. [101,000명(1981)] ②미국 대서양안(岸) 중부 델라웨어 주(Delaware 州)의 상업 도시. 주변의 농업 지대·과수(果樹) 지대로부터의 생산물의 집산·가공을 주로함. 공군 기지가 있고 근교(近郊)에 주립 대학이 있음. [17,000명(1980)]

도:버 해:협【一海峽】명〔Strait of Dover〕〖지〗영국과 프랑스 사이에 있는 해협. 영국 해협의 북단(北端)에 위치하고 있어 북해와 연속함. 영국측에 도버 시(Dover 市), 프랑스측에 칼레 시(Calais 市)가 있고 그 최단 거리는 33km임. 프랑스측에서는 칼레 해협(Calais 海峽)이라 이름.

도벌【盜伐】명 남의 산의 나무를 몰래 베어 감. 도작(盜斫). 투작(偸斫). ——-하다 타여불

도벌-꾼【盜伐一】명 상습적으로 도벌을 하는 자.

도범【盜犯】명 도둑질로 인하여 성립되는 범죄. 또, 그 범인. 절도범·강도범 따위. ¶~ 방지(防止).

도법[1]【徒法】[一뻡] 명 유명 무실(有名無實)한 법. 공법(空法).

도:법[2]【道法】명 ①도리(道理)와 법도(法度). ②〖불교〗깨달음에 이르는 올바른 법. 불법(佛法). ③도교(道教)의 법(法).

도법[3]【圖法】[一뻡] 명 ↗작도법(作圖法).

도베르만〔도 Dobermann〕명〖동〗개의 한 품종. 19세기말 독일에서 도베르만이라는 사람이 사육하기 시작한 테리어 개의 일종. 몸높이 약 70cm, 몸빛은 검정 갈색 또는 청회색(靑灰色)이고, 털이 짧음. 경찰견·군용견 등으로 쓰임.

도벽[1]【陶甓】명〖공〗오지 벽돌.

도벽[2]【盜癖】명 걸핏하면 남의 물건을 훔치려 드는 병적(病的)인 버릇. 도성(盜性). ¶~이 있는 아이.

도벽[3]【塗壁】명 ①벽에 흙을 바름. ②도배(塗褙). ——-하다 자여불

도:변【道邊】명 길가. 노변(路邊).

도:별【道別】명 각 도마다 따로 나눔. ¶~ 할당량(割當量).

도병[1]【刀兵】명〖군〗①칼. ②병기와 군사.

도병[2]【搗餠】명 떡을 찧음. 또, 그 떡. ——-하다 자여불

도-병마사【都兵馬使】명〖역〗고려 현종(顯宗) 때, 서북면(西北面)·동북면(東北面)의 병마사(兵馬使)를 지휘 감독하고 군사 문제를 처리하기 위하여 중앙에 설치한 기관. 문종(文宗) 때에 관제가 정해져서 중서문하성(中書門下省)의 시중(侍中)·평장사(平章事)·참지정사(參知政

事)·정당문학(政堂文學)·지문하성사(知門下省事)로 구성된 판사(判事)와 중추원(中樞院)의 육추밀(六樞密), 직사삼품(職事三品) 이상으로 구성된 사(使)가 수시로 모여 군사 문제를 의논 처리하였음. 충렬왕(忠烈王) 5년에 '도평의사사(都評議使司)'로 이름을 고침.

도보[1]【徒步】명 타지 아니하고 걸어서 감. ——-하다 자여불

도보[2]【圖譜】명 동·식물이나 그 밖의 여러 가지 사물(事物)을 분류하여 그림으로 설명한 책. 도감. ¶ 조류 ~.

도보 경:주【徒步競走】명 ①걸어서 더 빨리 가기를 하는 내기. ②달음질하는 경주. ——-하다 자여불

도보 여행【徒步旅行】명 타지 아니하고 걸어서만 가는 여행. ——-하다 자여불

도보쟝ᄉ 명 〈옛〉 도부장수. ¶ 도보쟝ᄉ(販子)《漢清文鑑 V:32》.

도보-전【徒步戰】명 ①〖군〗 기병이 말이나 탈것을 타지 아니하고 도보로 하는 싸움. ②일정한 거리를 걸어서 먼저 감을 다투는 경기.——-하다 자여불

도보-주의【徒步主義】[—/—이] 명 거마비(車馬費)를 아끼거나 건강을 위한 목적으로, 될 수 있는 대로 걸어다니기를 주장하는 주의.

도:복[1]【倒伏】명〖농〗 생육(生育)중인 작물이 비·바람으로 쓰러지는 일. ——-하다 자여불

도:복[2]【道服】명 ①도사(道士)가 입는 옷. 도의(道衣). ②유도·태권도 등의 무도(武道) 수련 때 입는 운동복.

도복[3]【屠腹】명 할복 자살함. ——-하다 자여불

도본【圖本】명 도면(圖面).

도-봉[1]【兜峰】명〖지〗 함경 북도 무산군(茂山郡)과 경성군(鏡城郡) 사이에 있는 산. 함경 산맥(咸鏡山脈)에 속함. [2,334 m]

도봉[2]【都封】명 여러 물건을 한데 모아 봉함. ——-하다 자타여불

도봉[3]【盜蜂】명 꿀벌치기에서, 꽃에서 꿀을 얻지 아니하고 남의 벌통에서 꿀을 도둑질해 오는 꿀벌.

도:봉-구【道峰區】명〖지〗 서울 특별시의 한 구. 시의 북동쪽에 있음. 도봉산 등의 유람지와 덕성여자대학교 등이 있음. 1973년 7월 1일 행정구역 개편으로 성북구(城北區)에서 분리되고, 1995년 3월 다시 강북구(江北區)와 분리되었음. [20.86 km² : 373,214(1996)]

도:봉-산【道峰山】명〖지〗 서울 특별시 도봉구(道峰區)에 위치한 산. 예로부터 서울 근교의 유람지로 이용되어 왔음. [717 m]

도봉-색【都捧色】명〖역〗 각 고을의 조세를 받는 일에 종사하던 세리(稅吏).

도봉소 사:건【都俸所事件】[—껀] 명〖역〗 임오 군란(壬午軍亂)의 발단이 된 무위영(武衛營) 군병들의 군란(軍亂). 조선 고종 19년(1882) 6월에 밀린 급료를 선혜청(宣惠廳) 도봉소(都俸所)로부터 받게 된 구(舊) 훈련 도감 군병들은 지급된 쌀이 썩거나 겨·돌이 섞여 있자 분노하여 급료를 지급하던 창리(倉吏)를 구타하고 도봉소를 수라장으로 만들었음.

도뵈기 명 〈방〉 되[1](경남).

도부[1]【刀斧】명 칼과 도끼.

도:부[2]【到付】명 ①공문 같은 것이 와 닿음. ②이리저리 돌아다니며 물건을 파는 일. ——-하다 자타여불

도:부(를) 치다 구 장사치가 물건을 가지고 이곳저곳 팔러 다니다.

도부[3]【桃符】명 중국에서 원단(元旦) 같은 때에 악귀를 쫓기 위하여 문짝에 붙이는 조그마한 나뭇조각. 복숭아 나무로 만들어 길상(吉祥)의 문자를 적음. 도판(桃板).

도부[4]【都府】명 서울[1].

도:부-꾼【到付—】명 〈속〉 도붓장수.

도:-부동【道不同】명 여러 사람이 닦는 도(道)가 서로 같지 아니함. ——-하다 형여불

도:-부득【道不得】명〖불교〗 불법(佛法)을 쌓았어도 이것을 충분히 말로 표현할 수 없음을 일컫는 말.

도부-서【都府署】명〖역〗 고려 때, 병선(兵船)과 수병(水兵)을 맡아 보던 관청. *사수시(司水寺).

도부-수【刀斧手】명〖역〗 큰 칼과 큰 도끼를 쓰던 군사.

도:부-어【渡父魚】명〖어〗 천징어.

도부-외【都府外】명〖역〗 고려 말·조선 초(初)에 걸쳐 순군 만호부(巡軍萬戶府)에 소속돼 있던 경찰 부대. 국왕을 시위(侍衛)하고 도성 안의 순찰을 맡음. 의금부(義禁府)가 정착(定着)되자 일부는 환향(還鄉)되고 일부는 나장(羅將) 증원으로 대체됨.

도분[1]【逃奔】명 달아남. ——-하다 자여불

도분[2]【塗粉】명 분을 바름. ——-하다 자여불

도:불【渡佛】명 프랑스로 건너감. ¶ ~ 유학. ——-하다 자여불

도:-불습유【道不拾遺】명 나라가 태평하고 풍습이 아름다워 백성이 길에 떨어진 물건을 주워 가지지 아니함. 노불습유(路不拾遺). ——-하다 자여불

도:붓-장사【到付—】명 도부치는 장사. 행고(行賈). 행상(行商). ↔앉은 장사. ——-하다 자여불

도:붓-장수【到付—】명 물건을 가지고 이곳저곳 돌아다니며 장사하는 사람. 도부꾼. 행상인. 행상꾼. 행상(行商).

도붓장수 개 후리듯 구 마구 후려 치는 모양.

도브롤류보프〔Dobrolyubov, Nikolai Aleksandrovich〕명〖사람〗 러시아의 계몽적(啓蒙的) 철학자·비평가. 독자적 사회 사상을 기초로 평론 《오블로모프주의(Oblomov主義)란 무엇인가》·《오늘이란 날은 언제 오는가》 등을 내었음. [1836-61]

도브루자〔Dobruja〕명〖지〗 동유럽 루마니아 동남부, 도나우 강과 흑해(黑海)와의 사이의 충적 평원(沖積平原)의 지방. 고대, 민족 대이동의 통로였으며, 밀을 주로 산출함. 북부는 루마니아, 남부는 불가리아령임. [33,260 km²]

도브르-산【—散】〔Dover〕명〖약〗〔도브르는 영국인 의사 도버(Dover, Thomas; 1660-1742)를 네덜란드식으로 읽은 음〕 발한(發汗)·진통에 쓰이는 가루약. 아편 분말 1, 토근(吐根) 분말 1, 유당(乳糖) 또는 황산칼륨 분말 8의 비율로 조제함.

도브슨〔Dobson, Henry Austin〕명〖사람〗 영국의 시인. 특히 18세기 영문학에 조예가 깊으며, 수권의 평전(評傳)이 있음. [1840-1921]

도브잔스키〔Dobzhansky, Theodosius〕명〖사람〗 러시아 태생의 미국의 유전학자. 1927년에 도미(渡美)하여, 캘리포니아 공과 대학·컬럼비아 대학 교수를 역임. 초파리의 1세대(世代) 자연 도태의 연구로 알려지고, 나치스의 인종 우월론(人種優越論) 및 소련의 리센코 학설(學說)의 반대자로서 유명함. 또 유전학과 생태학(生態學)을 결합하여, 그 입장에서 진화(進化)를 설명하였음. [1900-75]

도브젠코〔Dovzhenko, Aleksandr〕명〖사람〗 소련의 영화 감독. 무성 영화 시대 말기의 《대지》가 대표작임. 우크라이나의 자연을 서정시적(抒情詩的)으로 묘사함. 문학 작품도 다수 있음. [1894-1956]

도비[1]【徒費】명 헛되이 씀. 보람 없이 함부로 쓰기만 함. ——-하다 타여불

도비[2]【都鄙】명 서울과 시골. 경향(京鄉).

도비[3]【闍毗】명〖불〗 다비(茶毘).

도비 공:동 사회【都鄙共同社會】명〖지〗 소도시를 중심으로 하여 이루어진 농장(農場) 지역. 미국에서 잘 발달됨.

도비니〔Daubigny, Charles François〕명〖사람〗 프랑스의 바르비종파(Barbizon派) 풍경 화가. 코로(Corot)에 경도(傾倒)하여 시정(詩情)이 풍부한 자연의 관조 및 그 외광파적(外光派的)인 제작 태도로 인상파(印象派)의 한 선구로도 간주됨. [1817-78]

도비-도【搗飛島】명〖지〗 충청 남도의 서해안(西海岸), 당진군(唐津郡) 석문면(石門面) 난지도리(蘭之島里)에 있던 섬. 1984년 대호 방조제(大湖防潮堤)로 석문 반도와 연결됨. [0.07 km²]

도비 순설【徒費脣舌】명 공연히 말만 많이 하고 아무 보람이 없음. 부질없이, 보람없는 말을 늘어놓음. ——-하다 자여불

도비 심력【徒費心力】[—녁] 명 마음과 힘을 기울여 애를 쓰나 아무런 보람이 없음. 부질없이, 보람없는 일에 애를 씀. ——-하다 자여불

도비 장시 명 〈방〉 도붓장수.

도ᄫᅡ 타 〈옛〉 도와. '돕다'의 활용형. ¶ 여듧가짓 일로 도ᄫᅡ 일울씨 八支齊라 ᄒᆞᄂᆞ니라《釋譜 IX:18》.

도ᄫᆞᆷ 명 〈옛〉 도움. ¶ 定力으로 서르 도ᄫᆞ미 조ᄉᆞᄅᆞᄫᅵ니라(定力相資爲妙)《蒙法 9》.

도ᄫᆞ실씨 타 〈옛〉 도우시는 까닭에. '돕다'의 활용형. ¶ 하ᄂᆞᆯ히 도ᄫᆞ실씨(天之佑矣)《龍歌 34章》.

도ᄫᆞᆯ 타 〈옛〉 도울. '돕다'의 활용형. ¶ 輔는 도ᄫᆞᆯ씨니 《月釋 I:32》.

도사[1]【島司】명〖일제〗 도지사의 감독 밑에서 섬의 행정 사무를 맡아 보던 지방관. 군수와 같은 벼슬로, 흔히 경찰서장을 겸임하였음.

도사[2]【徒死】명 무익한 죽음. 개죽음. ——-하다 자여불

도:사[3]【倒死】명 길가에 넘어져 죽음. ——-하다 자여불

도사[4]【徒事】명 허사(虛事).

도사[5]【陶砂】명〖화〗 명반(明礬)을 갈아 푼 물에 교질(膠質)을 화합(和合)시킨 것. 종이에 칠하여 먹이나 잉크·물감 등이 번지지 아니하게 하는 데 씀. 반수(礬水). 반사(礬砂).

도사[6]【都寺】명〖불교〗 선림(禪林)의 육지사(六知事)의 하나. 감사(監寺)의 위로, 일체의 사무(寺務)를 감독하는 사람. 도감사(都監寺). 도수(都守).

도사[7]【都事】명〖역〗 ①고려 때, 상서도성(尙書都省)의 종칠품 벼슬. ②도평의사사(都評議使司)의 한 분장(分掌)인 경력사(經歷司)의 오품(五品) 또는 육품(六品) 벼슬. ③조선 시대 때 충훈부(忠勳府)·의빈부(儀賓府)·충익부(忠翊府)·개성부(開城府)·중추부(中樞府)·오위 도총부(五衛都摠府)의 종오품 벼슬. ④조선 시대 때 의금부(義禁府)의 한 벼슬. 처음에는 종오품이었으나 뒤에 종육품에서 종구품 또는 종팔품까지 여러 품질(品秩)로 갈림. ⑤조선 시대 때 오부(五部)의 종구품 벼슬. ⑥조선 시대 때 감영(監營)의 종오품 벼슬. 감사(監司)의 다음가는 벼슬임.

도사[8]【悼詞】명 사람의 죽음을 추도하는 글. 조사(弔詞).

도사[9]【屠肆】명 쇠고기·돼지 고기 등의 육류(肉類)를 파는 가게. 도가(屠家). 푸주.

도:사[10]【道士】명 ①도를 닦는 사람. 선인(仙人). 방사(方士). ②〖불교〗 불도를 닦아 깨달은 사람. 속인에 대하여 중을 일컫는 말. ③도교(道敎)를 믿고 수행하는 사람. 도인(道人). 도자(道者). 도가자류(道家者流). ④〈속〉 무슨 일에 도가 트이어서 썩 잘 하는 사람.

도:사[11]【道使】명〖역〗 삼국 시대에 중앙으로부터 파견된 지방관의 하나. 고구려에서는 욕살(褥薩) 밑의 작은 성(城)의 지방관, 신라에서는 주(州)·군(郡) 밑의 촌(村) 또는 성(城)의 지방관. 백제에서는 성(城)의 지방관.

도:사[12]【道師】명〖종〗 시천교(侍天敎)의 신앙을 통일하며, 포덕(布德)을 여행(勵行)하는 사람.

도사[13]【綯絲】명 몇 가닥을 함께 꼰 실.

도:사[14]【導師】명〖불교〗 ①정도를 설법하여 중생을 불도·오계(悟界)로 이끌어 제도(濟度)하는 이. 곧, 부처·보살의 통칭. ②법회(法會)나 장의(葬儀)에서 여러 중을 거느리고 의식을 행하는 중.

도사[15]【禱祀】명 신불에 기도하여 제사지냄. ——-하다 자여불

도-사경회【都査經會】명〖기독교〗 각 교파가 연합하여 행하는 사경회.

도-사공【都沙工】명 사공의 우두머리.

도-사교【都司敎】명〖종〗 대종교(大倧敎)에서, 사교 중에 가장 덕망이 높은 사람에게 전하여 주어 그 교를 주장하는 교직(敎職). 도형(道兄).

도-사대사【都事大舍】명 신라 때, 대일 임전(大日任典)의 벼슬. 경덕

왕(景德王)이 대사전(大事典)으로 고쳤다가 뒤에 다시 본이름으로 고침. 위계는 나마(奈麻)에서 사지(舍知)까지.

도-사령【都使令】명〖역〗뭇 사령의 우두머리.

도:사리 명 ①다 익지 못한 채 저절로 떨어진 풋 실과. ②못자리에 난 어린 잡풀.

도사리다 타 ①두 다리를 꼬부려서 서로 어긋매끼어 앉다. 또, 팔다리를 함께 모으고 몸을 웅크리다. ¶ 점잖게 도사리고 앉다/담벽 옆에 도사려 숨다. ②들뜨고 어수선한 마음을 가라앉히다. ¶ 마음을 도사려 먹다.

도사 사지【都事舍知】명 신라 때 대일 임전(大日任典)의 벼슬. 경덕왕(景德王)이 중전사(中典事)로 고친 일이 있음. 위계는 사지(舍知)에서 대사(大舍)까지.

도사이-하다 타〈방〉부르짖다(함경).

도산[1] 명〈옛〉선물(膳物). ¶ 만히 녀를 도산 주마(多多的與你人事)≪朴解 上 48≫.

도산[2]【刀山】명〖불교〗지옥에 있다는, 칼을 심어 놓은 산.

도:산[3]【到山】명 장사 때, 행상(行喪)이 산소(山所)에 다다름. ――하다 자여불

도산[4]【逃散】명 저마다 도망쳐 산산이 흩어짐. ――하다 자여불

도:산[5]【倒産】명 가산(家産)을 탕진하여 내버림. 사업에 실패하여 가업이 쓰러짐. 파산(破産). ¶ 불경기로 ∼하다. ――하다 자여불

도:산[6]【倒産】명〖의〗아이를 거꾸로 낳음. 역산(逆産). ――하다 타여불

도산[7]【島山】명〖사람〗안창호(安昌浩)의 호(號).

도산-가【陶山歌】명〖문〗도산 별곡(陶山別曲).

도산 검:수【刀山劍水】명 아주 험하고 위험한 지경을 비유한 말.

도산 급문 제현록【陶山及門諸賢錄】[―녹] 명〖책〗이황(李滉)과 그의 문인들에 대한 사적을 모아 엮은 책. 5권 4책. 목판본. 19세기 중엽에 도산 서원(陶山書院)에서 간행된 것으로 추정됨.

도산-매【都散賣】명 도매와 산매. ――하다 타여불

도산매-상【都散賣商】명 도매상과 산매상.

도산 별곡【陶山別曲】명〖문〗조선 시대 때의 가사의 하나. 제작 연대 미상. 작자는 박인로(朴仁老) 또는 조시성(趙時成)이라고도 함. 도산 서원의 승경(勝景)과 서원에 치제(致祭)할 때의 광경, 그리고 퇴계(退溪) 선생의 행적과 시가를 추회(追懷)하고 그 덕을 사모한 노래. 도산가(陶山歌).

도산 서원【陶山書院】명〖지〗경상 북도 안동군(安東郡) 도산면(陶山面)에 있는 서원. 선조(宣祖) 7년(1574)에 세워 이퇴계(李退溪)를 모시고 다음해에 선조로부터 친필(親筆)로 된 편액(扁額)을 받았음. 그 후 광해(光海) 7년(1615)에 조목(趙穆)을 배향함.

도산 십이곡【陶山十二曲】명〖문〗조선 시대 때, 퇴계(退溪) 이황(李滉)이 지은 십이 수(十二首)로 된 연시조(聯時調). 전(前) 6곡은 언지(言志)라 하여 때를 만나 사물을 느끼는 감흥을, 후(後) 6곡은 언학(言學)이라 하여 자기의 학문 수덕의 실제를 읊은 것. 명종(明宗) 20년(1565), 그가 65세 때에 지음.

도-산지기【都山―】명 여러 산지기 가운데의 우두머리.

도산 지옥【刀山地獄】명〖불교〗칼을 심어 놓은 산이 있다는 지옥.

도:산 행하【到山行下】명 행상(行喪)이 산소(山所)에 닿았을 적에 상여꾼에게 주는 행하. ――하다 자여불

도살[1]【屠殺】명 ①마구 죽임. 도륙(屠戮). ②육축(六畜)을 잡아 죽임. 재살(宰殺). ――하다 타여불

도살[2]【盜殺】명 ①남 몰래 사람을 죽임. 암살(暗殺). ②가축을 허가 없이 몰래 잡음. 밀도(密屠). ――하다 타여불

도살-장【屠殺場】[―짱] 명 소나 돼지 같은 것을 도살하는 곳. 도소(屠所). 도축장(屠畜場). 도수장(屠獸場).

도-살풀이【都煞―】명〖악〗도살풀이 장단.

도살풀이 장단【都煞―長短】명〖악〗경기도 남부 지방의 무가(巫歌)에 쓰이는 4북 6박자 장단.

도삼 이:사【桃三李四】명 복숭아나무는 심은 지 3년이 지나야 열매를 맺고, 자두는 4년이 지나야 결실하게 된다는 말.

도상[1]【刀傷】명 칼에 의한 상처.

도상[2]【途上】명 ①길 위. 노상(路上). ②중도. 도중. ¶ 개발(開發) ∼국.

도상[3]【都相】명〖역〗조선 시대 고종(高宗) 2년(1865)에 비변사(備邊司)를 의정부(議政府)에 합쳐 이를 공사색(公事色)이라 하고 그대로 모든 군국(軍國)의 기무를 맡게 하였을 때 종전의 비변사의 도제조(都提調)를 일컬은 이름. *도제조(都提調).

도:상[4]【道上】명 길 위. 노상(路上).

도:상[5]【道床】명〖토〗철도 등의 궤도에서 주로 침목(枕木)이 받는 차량의 무게를 노반(路盤)에 골고루 분포시키기 위하여 노반에 깔아 놓는 자갈·바둑돌 등의 층(層).

〈도상[5]〉

도상[6]【圖上】명 지도나 도면의 위. ¶ ∼ 작전/∼ 실습.

도상[7]【圖像】명 미술 작품, 특히 기독교 미술 작품에서 일정한 종교적·신화적 주제(主題)의 표현 형식. 도상학의 대상이 되는 미술의 형식.

도-상봉【都相鳳】명〖사람〗한국 현대의 서양 화가. 호는 도천(陶泉). 함경 남도 홍원(洪原) 출생. 일본 도쿄(東京) 미술 학교 졸업. 중등 학교·대학에서 교편을 잡으며, 동양의 고적미(孤寂美)를 추구하여 고전적이며 중후(重厚)한 화풍으로 생활 주변의 사물을 그렸음. 국전(國展)의 기틀을 잡는데도 공헌이 큼. [1902-77]

도상 연:습【圖上演習】명〔map exercise〕〖군〗일련의 군사적 상황이 지도 상에서 전달 부여되고 지도 상에서 해결되는 연습.

도:상-장【道上章】[―짱] 명 용비 어천가 제105장의 이름.

도상-학【圖像學】명〔iconography〕기독교 미술에서, 일정한 표현 형식이 지니는 신학적 의미를 밝히는 학문. 넓은 뜻으로는 불교 미술 등도 포함하는 미술의 형식에 나타나 있는 내용을 밝히는 학문. 아이코노그래피.

도상 해:석학【圖像解析學】명〔iconology〕도상학에서 발전하여 도상의 주제(主題)·의미(意味) 등을 보다 깊게 문화적·보편적으로 해명(解明)하고자 하는 미술사 연구의 한 방법.

도새비 명〈방〉거짓말(함북).

도색【桃色】명 ①복숭아 빛깔과 같은 빛깔. 연분홍 빛. ②남녀 사이에 「얽힌 색정적(色情的)인 일.

도색 영화【桃色映畫】[―녕―] 명 성적(性的)인 음란한 행위를 촬영한 영화.

도색 유희【桃色遊戲】[―뉴히] 명 성적(性的) 만족이나 향락을 위하여 「문란하게 희롱하는 남녀 사이의 장난.

도색 잡지【桃色雜誌】명 성적(性的)인 음란한 것을 내용으로 한 잡지.

도:생[1]【度生】명〖불교〗도중생(度衆生).

도:생[2]【倒生】명 ①〖식〗거꾸로 생겨 남. 나뭇가지 같은 것이 위로 뻗지 아니하고 거꾸로 뻗어 남. ②땅에 목을 붙이고 거꾸로 난다는 뜻에서, 초목(草木)을 이르는 말. ――하다 자여불

도생[3]【圖生】명 살기를 도모함. ――하다 자여불

도:생 배주【倒生胚珠】명〖식〗배병(胚柄)의 끝으로부터 기부(基部) 쪽을 향하여 거꾸로 붙은 배주(胚珠). *만생(彎生) 배주.

도서[1]【島嶼】명〔서(嶼)는 작은 섬〕섬. 여러 섬. 크고 작은 섬들.

도서[2]【徒書】명 쓸데없이 글을 쓰거나 그림을 그림. 또, 그 글이나 그림. ――하다 자여불

도:서[3]【倒敍】명 역사적인 시간의 흐름과는 반대로 순차적으로 거슬러 올라가서 사실을 기술하는 일. ¶ ∼체 문학사.

도서[4]【賭書】명 글의 우열을 겨룸. ――하다 자여불

도서[5]【都序】명〖책〗중국의 규봉 대사(圭峰大師)가 불교의 교리를 개론(概論)한 불경. 불교 학과 중의 사집과(四集科)의 하나.

도:서[6]【道書】명 도교(道敎)의 책. 노자·장자·태평 청령서(太平淸領書)·영보경(靈寶經)·삼황교(三皇敎)를 비롯하여, 설리(說理)에 관한 통현(洞玄), 법체 실상(法體實相)에 관한 통진(洞眞), 부주(符呪)의 책인 통신(洞神) 등 3통(洞) 36부(部)로 분류함.

도서[7]【圖書】명 ①↗하도 낙서(河圖洛書). ②글씨·그림·서적 등의 총칭. 도적(圖籍). ¶ ∼ 출판/우량(優良) ∼.

도서[8]【圖書】명〖역〗조선 세종(世宗) 즉위년(即位年)(1418)부터 왜구(倭寇)를 금지시켜 통교상(通交上) 공로가 많거나 대마도주(對馬島主)의 요청이 있을 때 일본인에게 발급(發給)한 동인(銅印). 서계(書契)에 찍어 입조(入朝)의 증표로 삼음. *수도서인(受圖書人).

도서[9]【圖署】명 도서(圖書)에 찍는 온갖 도장.

도서-관【圖書館】명 도서·기록 기타의 자료를 수집·정리·보존하여, 필요로 하는 사람에게 이용하도록 하는 시설. 국립 중앙 도서관·공공 도서관·대학 도서관·학교 도서관·전문 도서관·특수 도서관 등이 있음.

도서관-장【圖書館長】명 도서관의 전체 사무를 통할(統轄)하는 사람.

도서관 진:흥법【圖書館振興法】[―뻡] 명〖법〗사회 각 분야에 대한 지식·정보의 제공 및 유통의 효율화와 문화 발전 및 평생 교육에 이바지하게 할 목적으로 제정된 법률. 국립 중앙 도서관·공공 도서관, 대학 도서관·학교 도서관 등의 설치·운영에 관하여 규정함.

도서관-학【圖書館學】명 도서관의 원리와 역사적 연구를 기초적 영역으로 하여, 도서관 자료의 선택·분류, 도서관의 운영·관리·시설 등의 문제를 체계적으로 연구하는 학문.

도서관학-과【圖書館學科】명〖교〗대학에서, 도서관학을 전공하는 학과. *신문 방송학과.

도서 기지【島嶼基地】명〔island bases〕도서에 설치된 기지. 주로 해군 및 공군 전투 부대를 지원하기 위한 것임.

도-서낭【都―】명〖민〗그 지역 전체에서 모시는 서낭.

도서낭-제【都―祭】명〖민〗도서낭에 지내는 제사.

도:-서다[1] 자 ①바람이 방향을 바꾸다. ②가던 길에서 돌아서다. ¶ 가던 길을 도서서 오다. ③해산할 때에 태아(胎兒)가 자위를 떠서 돌다. ④해산한 뒤에 젖멍울이 풀리고 젖이 나기 시작하다.

도:서다[2] 자 마마의 고름이 꺼덕꺼덕하여지다.

도서-명【圖書名】명 책 이름.

도서 목록【圖書目錄】[―녹] 명 소장(所藏)·전시(展示)·재고(在庫) 중의 책이나 출판한 책의 제목을 정리 분류하여 작성한 목록.

도서 목록법【圖書目錄法】[―녹―] 명 도서 목록을 만들 경우에 적용되는 분류·작성의 방식.

도:서법 추리 소:설【倒敍法推理小說】[―뻡―] 명〖문〗사건이 생기고, 그 범인을 찾아가는 것이 추리 소설 본디의 구성이지만, 반대로 범인측의 주도한 범행(犯行)을 그려 놓고 그것을 탐정이 어떻게 풀어 나가는가를 흥미 본위로 엮은 추리 소설.

도서-부【圖書部】명 도서에 대한 일을 맡아 보는 부서.

도서 분류법【圖書分類法】[―불―뻡] 명 도서를 그 주제 또는 형식에 따라서 그룹(group)으로 모아 분류하는 법. 도서를 능률적으로 이용할 수 있도록 일정한 체계에 의한 분류표에 따라 분류함. 한국 십진 분류법(十進分類法)·국제 십진 분류법 따위가 있음.

도서-성【島嶼性】[―썽] 명 도서에 딸린 특성. 도서적인 성격·성질. 「↔대륙성.

도서-실【圖書室】명 도서를 모아 두고 열람하게 하는 방.

도서 패지【圖書牌旨】명〖역〗도장이 찍힌 패지(牌旨). 대개, 궁방(宮房)에서 그 장토(庄土)·어장(漁場)에서의 이권(利權)에 관한 일을 위임할 때 위임받은 사람에게 발급(發給)됨.

도석[1]【悼惜】명 죽은 사람을 애석하게 여기어 슬퍼함. ――하다 타여불

도석[2]【陶石】명 도토(陶土).

도:-석[3]【道釋】명 도교와 불교.

도:석 인물【道釋人物】[명]〖미술〗도석화에서 그리는 석씨 도가(釋氏道家)의 인물.

도:석-화【道釋畫】[명]〖미술〗동양화에서, 도교·불교 관계의 인물을 화제(畫題)로 한 종교화의 일종. 달마 대사(達磨大師)의 그림 따위.

도선¹【徒善】[명] 한갓 착하기만 하고 주변성이 없음. ——-하다 [형][여불]

도선이 불여악(不如惡) [구] 지나치게 용해 빠져서 주변성이 조금도 없음을 비웃는 말.

도선²【徒跣】[명] 아무 것도 신지 아니한 발. 맨발.

도:선³【渡船】[명] 강이나 내나 좁은 바다목을 건너 다니는 배. 나룻배.

도:선⁴【道宣】[명]〖사람〗중국 당나라의 중. 계율종 남산파(戒律宗南山派)의 개조(開祖). 현장(玄奘)이 돌아오매 함께 역경(譯經) 사업에 참여하였음. 저서에 ≪사분율 행사초(四分律行事鈔)≫·≪속고승전(續高僧傳)≫ 등이 있음. [596-667]

도:선⁵【道詵】[명]〖사람〗신라 말기의 중. 속성은 김(金). 영암(靈岩) 사람. 일찌기 왕건(王建)의 탄생과 그의 건국(建國)을 예언하였으며, 그가 지었다는 '도선 비기(道詵祕記)'는 고려의 정치 사회에 많은 영향을 끼쳤음. 또, 우리 나라 절터는 그가 정한 것이 많다 함. 신라 효공왕(孝恭王)으로부터 요공 국사(了空國師)라는 시호를 받았는데, 고려의 국왕도 그를 숭배하여 현종(顯宗)은 대선사(大禪師), 숙종(肅宗)은 왕사(王師)를 추증(追贈)하였으며, 인종(仁宗)은 선각 국사(先覺國師)의 시호를 내렸음. [827-898]

도:선⁶【道璿】[명]〖사람〗당(唐)나라 계율종(戒律宗)의 중. 선(禪)·화엄(華嚴)에 정통(精通)함. 736년 일본에 건너가 범망경소(梵網經疏)·사분율 행사초(四分律行事鈔) 등을 강의함. [702-760]

도:선⁷【導船】[명] 항구·내해(內海) 등의 수역(水域)을 출입·통과하는 선박에 탑승하여 그 배를 안전한 수로(水路)로 안내하는 일. 수로 안내. ——-하다 [자][여불]

도:선⁸【導善】[명]〖역〗①종학(宗學)의 정사품의 벼슬. ②대한 제국 때 종인 학교(宗人學校)의 칙임(勅任) 벼슬.

도:선⁹【導線】[명] ①전기의 양극(兩極)을 이어 전기 전도(電氣傳導)에 쓰는 쇠붙이의 줄. ②〖수〗일정한 곡선을 따라서 움직이는 직선에 의하여 곡면(曲面)이 생길 때에 그 일정한 곡선을 그 곡면의 도선이라 함.

도:선-교【渡船橋】[명] 배와 육지를 잇는 다리로서 가동교(可動橋)로 된 것.

도:선-구【導船區】[명] 도선(導船)의 편의상, 필요한 해면에 설정한 구역. 구칭은 '수로구(水路區)'.

도:선-법【導船法】[—뻡] [명]〖법〗도선사(導船士)의 면허와 도선구(導船區)에서의 도선에 관한 사항을 규정함으로써 도선구에 있어서의 선박 운항의 안전을 도모하기 위하여 제정된 법률.

도:선-사¹【道詵寺】[명]〖불교〗서울 특별시 강북구(江北區) 우이동(牛耳洞) 삼각산(三角山)에 있는 총무원 직할(總務院直轄)의 사찰(寺刹). 신라 48대 경문왕(景文王) 2년(862)에 도선(道詵)이 세움. 1968년 중건(重建)함. 1972년 청동 범종(青銅梵鐘)·청동 불상이 발견됨.

도:선-사²【導船士】[명] 법정 자격을 가지고 일정한 도선구에서 도선 업무에 종사하는 사람. 파일럿(pilot). 속칭 : 수로 안내인.

도-선생【盜先生】[명]〈속〉도둑을 익살스럽게 일컫는 말.

도:선-업【渡船業】[명] 나룻배와 나루터의 시설을 갖추고, 하천(河川)·호소(湖沼)·바다목에서 일반 교통 범위 내에서 운송(運送)을 하는 업.

도:선-장【渡船場】[명] 나룻배를 두고 부리는 곳. 나루터.

도설¹【陶說】[명]〖책〗중국 도자기에 관한 최고(最古)의 명저(名著). 청대(清代) 건륭제(乾隆帝) 때의 주염(朱琰)이 징더전 요(景德鎭窯)의 요업(窯業)을 연구한 결과를 포정박(鮑廷博)의 조력을 얻어 1767년에 간행하였음. 6권.

도설²【塗說】[명] 길에서 사람에게 들려줌. 얻어 들은 것을 바로 이야기함. ¶ 도청(道聽) ~.

도설³【圖說】[명] 그림을 넣어서 설명함. 또, 그러한 책. ——-하다 [타][여불]

도-설리【都薛里】[명]〖역〗→도섭리(都薛里).

도:섭¹ [명] 수선스럽고 능청맞게 변덕을 부리는 짓. ¶ 저 마마가 평일에 저런 적이 없더니 오늘은 웬 곡절로 사색이 천번 ~을 하누?≪李海朝:九疑山≫.

도:섭(을) 부리다 [구] ㉠수선스럽고 능청맞게 변덕을 부리다. ㉡모양을 바꾸어 다른 모습으로 변하다.

도섭² [명]〈옛〉변화. 요술. ¶ 도섭 환(幻)≪類合 下 56≫.

도섭³【徒涉】[명] 도보(徒步)로 물을 건넘. ——-하다 [자][여불]

도:섭⁴【渡涉】[명] 물을 건넘. ——-하다 [타][여불]

도-섭리【都薛里】[명]〖역〗〔←도설리(都薛里)〕내시부(內侍府)의 한 벼슬. 여러 섭리들의 우두머리.

도:섭-스럽다 [형][ㅂ불] 수선스럽고 능청맞게 변덕을 부리는 태도가 있다. ¶ 도섭스러운 마누라도 있지. 술 석 잔 먹으려다 빰 세번을 맞으면 어떻게 하려누≪李海朝:鴛鴦圖≫ / 천만 도섭스러운 말씀 다 하시오. 도:섭-스레 [부]

도성¹【盜性】[명] 훔치는 버릇. 도벽(盜癖).

도성²【陶成】[명] ①만들어 냄. ②도야(陶冶)해서 성취(成就)시킴. ——-하다 [타][여불]

도성³【都城】[명] ①재성(在城). ②서울¹.

도성⁴【都省】[명]〖역〗상서(尙書)의 벼슬. 지금의 국무 총리.

도성⁵【屠城】[명] 성(城)을 함락시킴. 또, 성을 함락시켜 성중의 사람을 살육(殺戮)함.

도:성⁶【道成】[명] 도를 닦아 이룸. ——-하다 [자][여불]

도성⁷【濤聲】[명] 파도 소리. 물결치는 소리.

도:성 덕립【道成德立】[—닙] [명] 도를 이루어 덕이 섬. ——-하다 [자][여불]

도성 실어증【島性失語症】[—쯩] [명] 전도(傳導) 실어증.

도:-성제【道聖諦】[명]〖불교〗사성제(四聖諦)의 하나인 도제(道諦). *고성제(苦聖諦).

도:성 입덕【道成立德】[명]〖종〗천도교(天道敎)에서, 도를 이루고 덕을 세운다는 뜻으로 천도교적 인격 완성을 일컫는 말.

도성-지【都城址】[명] 주위에 성벽 등의 방위 시설이 있는 성곽 도시의 유적.

도성 합금【陶性合金】[명] 서멧(cermet).

도:세¹【渡世】[명] 세상을 건넘. 곧, 세상을 살아감. ——-하다 [자][여불]

도:-세²【道稅】[명] 지방세의 하나로, 도가 부과·징수하는 세금. 보통세와 목적세의 두 가지가 있음. 보통세로는 취득세·등록세·면허세·마권세(馬券稅)가 있고, 목적세로는 공동 시설세·지역 개발세가 있음. *시군세(市郡稅).

도세³〔Dausset, Jean〕[명]〖사람〗프랑스의 의학자. 파리 대학 생루이 병원(Saint-Louis Hospital)에 근무하며, 유전자(遺傳子)의 연구(研究)로 면역학(免疫學) 분야에 공로를 끼쳐 1980년 노벨 생리 의학상을 수상함. [1917-]

도:세 부:가세【道稅附加稅】[명] 지방 자치 단체인 시·군이 도세에 부가해서 시민이나 군민으로부터 받던 세. 1976년 폐지됨.

도:세 염:불【渡世念佛】[명] 신앙을 위한 것이 아니고 생활 수단으로 외는 염불. 또, 그 염불하는 사람.

도소¹【徒消·徒銷】[명] 헛되이 씀. 낭비(浪費). ——-하다 [타][여불]

도소²【屠所】[명] 가축을 도살(屠殺)하는 곳. 도살장. 도장(屠場).

도소³【屠蘇】[명]〖한의〗술에 넣어서 연초(年初)에 마시는 약의 이름. 명나라의 화타(華佗) 또는 당나라의 손사막(孫思邈)의 처방이라고 함. 산초(山椒)·방풍(防風)·백출(白朮)·귤피(橘皮)·육계피(肉桂皮) 등을 조합하여 만듦. 이것을 마시면 일년의 사기(邪氣)를 없애며, 오래 살 수 있다 함. 도소산(屠蘇散).

-도소니 [어미]〈옛〉-더니. -으니. -는데. ¶ 어즈러운 돌해 수뤼 자최롤 다론터로 갈티 업도소니(亂石無改轍)≪杜諺 I:16≫. *-로소니.

-도소라 [어미]〈옛〉-더라. ¶ 스믈힛 볼 조차 돈녀 훤히 長安애셔 醉호도소라(追隨二十載浩蕩長安醉)≪重杜諺 XVI:18≫.

도소-산【屠蘇散】[명]〖한의〗도소(屠蘇).

-도소이다 [어미]〈옛〉-더이다. -습디다. =-도송이다. ¶ 天女를 보건댄 내 겨지비사 눈먼 獼猴곧도소이다≪月釋 Ⅶ:12≫.

도소-주【屠蘇酒】[명] 설날에 마시면 사기(邪氣)를 물리치고 장수한다고 하는 도소를 넣은 약주.

도-소지【都燒紙】[명]〖민〗성원(成員) 전체를 위해 불살라 올리는 소지.

도소지-양【屠所之羊】[명] 도살장에 끌려가는 양. 곧, 죽음이 눈앞에 닥쳐온 사람을 가리키는 말.

도속¹【徒屬】[명] 도당(徒黨).

도:속²【道俗】[명] ①도인(道人)과 속인. ②도를 닦는 일과 속된 일.

도:속³【導束】[명]〖식〗이끼 식물, 특히 선류(蘚類)와 소수의 태류(苔類)의 줄기 중심부에 있는 작은 후막 세포(厚膜細胞)가 다발 모양으로 모여 있는 부분. 수분과 양분을 통과시키는 역할을 한다고 함.

도:속 공:수계【道俗共守戒】[명]〖불교〗삼계(三戒)의 하나로, 재가(在家)·출가(出家)한 사람이 함께 지켜야 할 계.

도손【稻孫】[명] 벼를 베고 난 뒤에 그 그루터기에서 다시 돋아 자란 벼.

도솔【兜率】[명]〖불교〗〔'도솔'은 범어 tusita의 음역〕↗도솔천(兜率天)❶.

도솔-가【兜率歌】[명]〖악〗①신라 유리왕(儒理王) 6년(29)에 지어진 노래. 삼국 사기에 의하면 민족 환강(歡康)을 위하여 지은 것으로 가악(歌樂)의 시초라 함. ②신라 경덕왕(景德王) 19년(760)에 월명사(月明師)가 지은 사구체(四句體)의 향가. 삼국 유사에 이두로 실려 있음.

도솔 만다라【兜率曼陀羅】[명]〖불교〗미륵 보살을 주존(主尊)으로 하여, 도솔천의 내원(內院) 즉 정토(淨土)의 장엄함을 그린 그림.

도솔-봉【兜率峰】[명]〖지〗전라 남도 구례군(求禮郡)과 광양시(光陽市) 사이에 있는 산. [1,053 m]

도솔-산【兜率山】[—싼] [명]〖지〗①충청 북도 단양군(丹陽郡)과 경상 북도 영주시(榮州市) 사이에 있는 산. [1,317 m] ②강원도 양구군(楊口郡)과 인제군(麟蹄郡) 사이에 있는 산. [1,148 m]

도솔 왕:생【兜率往生】[명]〖불교〗미륵의 도솔천에 왕생하는 일.

도솔-천【兜率天】[명] ①〖불교〗욕계 육천(欲界六天)의 넷째 하늘. 내외(內外)의 두 원(院)이 있는데, 내원은 미륵 보살이 살면서 석가의 교화(敎化)를 받지 못한 중생을 위하여 설법하며, 외원은 천중(天衆)의 환락(歡樂) 장소라 함. 도솔타천. [준]도솔(兜率). ②도가(道家)에서, 태상노군(太上老君)이 있는 곳이라고 일컫는 하늘.

도솔타-천【兜率陀天】[명]〖불교〗도솔천❶.

도:송【渡宋】[명] 송조(宋朝) 시대에 중국으로 건너감.

-도송이다 [어미]〈옛〉-더이다. -으옵디다. =-도소이다. ¶ 允은 져근 신해라 아독호고 어즐호야 츠례를 일토송이다(允는 小臣이라 迷亂失次耳로소이다)≪小諺 Ⅵ:42≫.

도:수¹【度數】[—쑤] [명] ①거듭하는 횟수. ¶ ~가 잦다. ②각도·온도·광도 등의 크기를 나타내는 수. ③어떠한 정도. ¶ ~가 심하다. ④〖수〗통계학에서, 도수 분포표의 각 계급에 포함되는 자료의 개수(個數). 빈도(頻度).

도수²【徒手】[명] 맨손.

도수³【陶叟】[명]〖사람〗이황(李滉)의 호(號).

도수⁴【桃樹】[명]〖식〗복숭아나무.

도수⁵【都水】[명]〖역〗중국의 관명(官名). 수리(水利)·운반(運搬)·어업(漁業) 등 하천(河川)·호수(湖水)에 관한 일을 보았음.

도수⁶【都守】[명]〖불교〗도사(都寺).

도수⁷【都數】[명] 모두 합한 수효.

도수⁸【屠手】[명] 백장. 도아(屠兒).

도수⁹【屠獸】[명] 소·말·개 등의 짐승을 잡음. ——-하다 [자][타][여불]

도:수¹⁰【道樹】[명] ①보리수(菩提樹). 석존(釋尊)이 이 나무 밑에서 성도(成道)한 데서 유래된 이름. ②길가의 수목(樹木).

도:수[11] 【道邃】 [명] 〖사람〗 당(唐)나라의 중. 천태종(天台宗) 제칠조(第七祖). 통칭은 흥도 존자(興道尊者). 생몰년 미상.

도:수[12] 【導水】 [명] 물을 일정한 방향으로 흐르도록 인도함. ¶ ~로(路). ——-하다 [자][여불]

도:수-거 【導水渠】 [명] 〖토〗 물을 딴 곳으로 옮기기 위하여 시설한 암거(暗渠).

도수 공권 【徒手空拳】 [명] 도수를 강조하여 쓰는 말. 적수(赤手) 공권.

도:수-관 【導水管】 [명] 도수하기 위하여 시설한 관. 철관·연관(鉛管)·콘크리트관 따위를 씀. 수압관(水壓管).

도:수-교 【導水橋】 [명] 〖토〗 계곡·수도·도로 또는 철도 선로를 횡단하여, 도수하기 위하여 시설한 구조물.

도:수 다각형 【度數多角形】 [—쑤—] [명] 〖수〗 ↗도수 분포 다각형.

도:수-로 【導水路】 [명] 물을 끌어들이는 수로(水路).

도수리-구멍 [명] 〖공〗 질그릇·오지 그릇·사기 그릇 등의 도자기(陶瓷器)를 굽는 가마의 옆으로 난, 불때는 구멍.

도:수 분포 【度數分布】 [—쑤—] [명] 〖수〗 측정치(測定値) 중에 같은 수치가 출현하는 도수를 나타낸 것. 또, 측정치가 존재하는 범위를 몇 개의 구간으로 나누어, 각 구간에 속하는 수치의 출현 도수를 나타낸 것으로 통계 자료의 분포 상태를 이름.

도:수 분포 곡선 【度數分布曲線】 [—쑤—] [명] 〖수〗 도수 분포 다각형의 일종(一種)의 극한(極限)으로서 얻어지는 곡선. 도수 분포 다각형에서, 자료의 수(數)를 많이 하고 계급의 폭(幅)을 적게 하면 도수 분포 다각형은 굴곡이 심하지 않은 하나의 곡선에 가까워지는데 이것을 일컬음.

도:수 분포 다각형 【度數分布多角形】 [—쑤—] [명] 〖수〗 도수 분포를 나타내는 히스토그램(histogram)에서, 도수를 표시하는 장방형(長方形)의 윗변의 중점(中點)을 차례로 연결하여 이루어지는 꺾은 선. [준]도수 다각형.

도:수 분포표 【度數分布表】 [—쑤—] [명] 〖수〗 도수의 분포 상태를 나타내는 도표.

도:수-사 【道修師】 [명] 〖문〗 '용담 유사(龍潭遺詞)'에 수록된 최제우(崔濟愚) 가사(歌辭)의 하나. 조선 철종(哲宗) 12년(1861)에 지음.

도:수-신 【道帥臣】 [명] 〖역〗 관찰사(觀察使)·병마사(兵馬使)·수군 절도사(水軍節度使)의 총칭.

도수-장 【屠獸場】 [명] 도살장(屠殺場). [준]도장(屠場).

도:수-제[1] 【度數制】 [—쑤—] [명] 전화 요금을 사용 횟수에 따라 계산·징수하는 제도.

도:수-제[2] 【導水堤】 [명] 〖토〗 하류(河流)를 일정한 방향으로 돌림과 동시에 적당한 속도로 흘리어 보내도록 하기 위하여 만든 제방(堤防). 방사(防砂)·방파(防波)를 겸함.

도수 체조 【徒手體操】 [명] 맨손 체조.

도숙-법 【到宿法】 [명] 〖역〗 고려·조선 시대에 벼슬아치의 전임(轉任)·승진의 기준이 되는 근무 기간을 산출하는 데, 날짜를 기준으로 하여 계산하는 방법. ＊차년법(差年法).

도숙-붙다 [자] 머리털이 아래로 나서 이마 앞이 좁게 되다. [준]숙붙다.

도순 【都巡】 [명] 〖역〗 각 군영(軍營)의 순라(巡邏)의 근타(勤惰)를 조사하던 일. ——-하다 [자][여불]

도-순문사 【都巡問使】 [명] 〖역〗 고려 때의 외관직(外官職). 원래는 경관(京官)으로 수시 지방에 파견되던 직(職)이었는데, 공양왕(恭讓王) 원년(1389)에 도절제사(都節制使)로 개칭하면서 외관직으로 됨.

도-순변사 【都巡邊使】 [명] 〖역〗 조선 시대 때, 군무(軍務)를 총괄하던 임금의 특사(特使). 임진 왜란 때 신립(申砬)이 도순변사가 되었음.

도-순찰사 【都巡察使】 [명] 〖역〗 조선 시대에 재상으로서 왕명을 받들어 외방(外方)에 나가는 사신. 종 1 품·정 2 품 관원의 일컬음.

도:술 【道術】 [명] ①도가(道家)의 방술(方術). ②도덕과 학술.

도:술깨 [명] 〈심마니〉 길.

도:술 소:설 【道術小說】 [명] 〖문〗 초인간적인 도술에 능한 주인공의 도술적인 행각을 통하여 줄거리를 전개시키는 소설. 홍길동전·서유기 따위.

도:스[1] 〔Dawes, Charles Gates〕 [명] 〖사람〗 미국의 정치가·재정가. 1924년 독일 배상 문제에 관한 도스안(案)을 입안(立案)함. 1925년 노벨 평화상을 받음. [1865-1951]

도스[2] 【DOS】 [명] 〔disk operating system〕 〖컴퓨터〗 디스크를 주된 보조 기억 장치로 하여 작동하는 소프트웨어 체제.

도스르다 [타][르불] 무슨 일을 이루려고 별러서 마음을 가다듬다. ¶마음을 도스르고 시작해 보세/여차직하면 삼십육계 달아날 채비를 차리고 마음을 도슬러 먹고 있던 판이다≪朴鍾和 : 錦衫의 피≫.

도:스-안 【—案】 〔Dawes〕 [명] 〖역〗 미국의 정치가이며 재정가인 도스가 제안하여 성립한 독일 배상금 감액안(減額案). 마르크화(Mark貨)의 가치가 폭락함을 감안하여 배년 그 지불액을 탕감, 1929년까지의 배상액 및 그 재원(財源)을 정함. 그러나 독일의 지불 능력과 열강의 세력 변화에 따라 1929년 영안(Young案)으로 대체됨.

도:-스킨 〔doeskin〕 [명] ①암사슴의 가죽. ②암사슴의 가죽을 모방한 방모(紡毛) 직물의 하나. 보드랍고 윤이 나며, 양복감·남자 예복감 등으로 쓰임.

도스토엡스키 〔Dostoevski, Fyodor Mikhailovich〕 [명] 〖사람〗 러시아의 문호(文豪). 페테르부르크의 공병 학교를 나와 장교가 되었으나 이내 문학으로 전향하여 1846년 처녀작 ≪가난한 사람들≫로 일약 사회의 인정을 받았음. 그 후 사회주의적 결사(結社)에 관련하여 사형 선고를 받았으나 감형되어 시베리아로 유배되었다가 1859년에 돌아와 ≪죄와 벌≫·≪백치(白痴)≫·≪카라마조프의 형제≫ 등 대작을 발표함. 간질병의 공포와 가난 속에 죽었는데 그의 작품의 바탕이 되는 것은 인간애와 신(神)에의 반항 및 파멸이며 그 심각한 심리 해부와 병적 심리의 서술은 비길 데가 없음. [1821-81]

도스 패소스 〔Dos Passos, John〕 [명] 〖사람〗 현대 미국의 소설가·극작가. 삼부작(三部作) ≪유 에스 에이(U.S.A.)≫에서 심리적인 불연속의 수법으로 소설 작법의 새 경지를 보였음. [1896-1970]

도:슨 〔Dawson, Christopher Henry〕 [명] 〖사람〗 영국의 종교 철학자·문화사가. 가톨릭 정신에 입각한 통일적인 문화사를 연구함. 저서에 ≪유럽의 형성≫ 등이 있음. [1889-1970]

도슭 [명] 〈옛〉 동고리. 도시락. ¶點心 도슭 부시이고 곰방더를 톡톡 떠러≪古時調 永言≫.

도습 【蹈襲】 [명] ①옛 것을 좇아서 그대로 함. 인습(因襲). ¶구습(舊習)을 그대로 ~하다. ②초습(剿襲)❷. ——-하다 [타][여불]

도:승[1] 【度僧】 [명] 〖불교〗 ①득도(得度)한 중. ②관(官)에서 도첩(度牒)을 얻은 중.

도:승[2] 【渡丞】 [명] 〖역〗 조선 시대에 경기도(京畿道)의 한강변에 설치한 진(津)·도(渡)의 관리자인 종구품 벼슬. 처음에 일곱 사람이었으나 뒤에 다섯으로 줄임. 영조(英祖) 때 도진 별장(渡津別將)으로 이름을 고침.

도:승[3] 【道僧】 [명] 〖불교〗 도(道)를 깨달은 중. 도통한 중.

도-승선 【都承宣】 [명] 〖역〗 조선 고종(高宗) 31년(1894)에 승정원(承政院)을 고쳐서 베푼 승선원(承宣院)의 으뜸 벼슬.

도-승지 【都承旨】 [명] 〖역〗 ①고려 충렬왕(忠烈王) 24년(1298)에 밀직사(密直司)를 고친 광정원(光政院)의 종오품(從五品) 벼슬. ②조선 건국(建國) 초기의 중추원(中樞院)의 정삼품 벼슬. 정종(定宗) 2년(1400)에 중추원의 승지(承旨)가 독립하여 승정원(承政院)이 되면서 이 곳으로 소속이 바뀜. ③조선 시대 때 승정원(承政院)의 여러 승지(承旨)들 가운데의 으뜸인 정삼품 벼슬. 원칙으로 이방 승지(吏房承旨)가 차지함. 태종(太宗) 원년(1401)에 지신사(知申事)로 고쳤다가 뒤에 다시 이 이름으로 함. 도령(都令). ＊승지(承旨).

도:승 취:재 【渡丞取才】 [명] 〖역〗 조선 시대 때, 도승을 뽑기 위한 이조(吏曹) 취재의 하나. 부정기적(不定期的)으로 시행하다가, 후기에 폐지됨. ＊서리(書吏) 취재.

도:시[1] 【倒屣】 [명] ①허둥지둥 급히 신을 거꾸로 신음. ②손님을 영접하기에 어찔 줄을 몰라 쩔쩔맴. ——-하다 [자][여불]

도시[2] 【都市】 [명] ①도회지(都會地). ②일정 지역의 정치·경제·문화 상의 중추(中樞)를 이룬 인구의 집중 지역. 고대 그리스·로마에서는 국가의 형태를 가졌었고 중세에 있어서는 길드적(guild的) 산업을 기초로 하였으며 근대에 와서는 자본주의 사회의 발흥과 더불어 발달한 것임. 특히 근대 도시는 개방적(開放的)이고 인구·생산·공급·교통·정치·문화 등의 설비와 기능이 집중하여 사회 생활의 중추적(中樞的) 존재로 됨. 1)·2): ↔촌락·농촌.

도시[3] 【盜視】 [명] ①몰래 엿봄. ②금지하는 것을 몰래 훔쳐봄. 도견(盜見). ——-하다 [타][여불]

도시[4] 【都試】 [명] 〖역〗 조선 시대 때 병조(兵曹)·훈련원(訓練院)의 당상관(堂上官) 또는 지방의 관찰사와 병사(兵使)가 해마다 봄과 가을에 무재(武才)를 시험하여 뽑던 취재(取才).

도:시[5] 【道試】 [명] 도과(道科).

도시[6] 【圖示】 [명] 그림으로 그리어 보임. ——-하다 [타][여불]

도시[7] 【都是】 [부] 도무지. ¶~ 알 수가 없다/그 사람이 무정한 것이 아니라, 내가 ~ 어리석어 그런 사람을 믿었구나≪崔瓚植 : 능라도≫.

도시 가스 【都市—】 〔gas〕 [명] 가스관(管)을 부설하여 각 가정에 공급하는 연료용 가스. 보통, 천연(天然) 가스나 액화(液化) 석유 가스 등이 쓰임.

도시 가스 사:업 【都市—事業】 〔gas〕 [명] 수요자(需要者)에게 연료용 가스를 공급하는 사업. 산업 자원부 장관의 허가를 받고 하는 가스 도매 사업과 특별 시장·광역 시장 또는 도지사의 허가를 받고 하는 일반 도시 가스 사업이 있음.

도시 개발 【都市開發】 [명] 〔city development〕 기성 도시 주변 또는 떨어진 곳에 인구 및 산업 등을 조절·배치하고, 기성 도시의 확장, 신도시의 건설 등을 하는 것.

도시 건:축 【都市建築】 [명] 일반적으로 근대 도시에 세워진 건축의 총칭. 도시 안에 서는 건축.

도시 게릴라 【都市—】 〔guerilla〕 [명] 도시에 근거지를 두고, 지하 활동을 하면서 수시로 유격전(遊擊戰)을 벌이는 과격파(過激派). 화염병(火焰甁)·다이나마이트 등의 폭발물을 써서 혼란 작전을 펴는 외에, 하이잭·인질(人質)·요인 유괴·암살 등의 파괴적 전술을 씀.

도시 경관 【都市景觀】 [명] 〔city scape〕 도시의 자연적인 요소와 건축, 기타 구조물의 조성으로 이루어지는 아름다움.

도시 경제 【都市經濟】 [명] 〖경〗 경제사학상 경제 발전 단계설의 제2단계의 경제. 이 단계의 생산은 자급을 주로 하고, 아직 조직적인 상업은 이루어지지 아니하며, 다만 잉여물(剩餘物)이 간단한 시장에서 생산자와 소비자 사이에 직접 교환될 뿐이었으나 한편 도시에서 수공업이 발생하고 시장이 서게 되어, 비록 자급 경제와 직접 교환을 면치는 못하였으나 점점 발전되어, 그 수공업은 지방과 도시 사이에 분업이 생기게 하였고 경제의 구역도 커져, 마침내 여러 도시를 통일하는 국민 경제를 이루게 한 중세 도시에 있어서의 과도기적 경제 형태.

도시 계:획 【都市計劃】 [명] 도시의 건전한 발전을 도모하고 공공의 안녕·질서와 공공 복리의 증진을 위한 토지 이용·교통·위생·환경·산업·문화 등에 관한 계획.

도시 계:획법 【都市計劃法】 [명] 도시의 건설·정비·개량 등을 위한 도시 계획의 입안·결정·집행 절차에 관한 사항을 규정한 법.

도시 계:획세 【都市計劃稅】 [명] 지방세의 하나. 도시 계획 사업에 필요한 비용에 충당하기 위하여 도시 계획 구역의 전구역 또는 일부 구역

안에 있는 토지 또는 건축물의 소유자에 대하여 부과함.

도시 계:획 위원회【都市計劃委員會】명 도시 계획에 관한 사항을 조사·심의하며, 행정 관청의 자문에 응하는 기관. 건설부의 중앙 도시 계획 위원회와 서울 특별시·직할시·도의 지방 도시 계획 위원회가 있음.

도시 고속 도:로【都市高速道路】명〔urban expressway〕자동차 교통의 안전과 능률을 높이기 위하여 시가지 내에 설치하는 자동차 전용 도로.

도시 공원【都市公園】명 도시 계획 구역 안에서 자연 경관(景觀)의 보호와 시민의 건강·휴양 및 정서 생활의 향상을 위하여 각종 이용 시설을 갖춘 공원. 기능에 따라 어린이 공원·근린(近隣) 공원·도시 자연 공원·묘지 공원 등이 있음.

도시 공원법【都市公園法】[―뻡] 명 도시에 있어서의 공원의 설치 및 관리와 녹지의 보전 및 관리에 관한 사항을 규정한 법률.

도시 공학【都市工學】명〔municipal engineering〕20세기 후반부터 연구되어 온 학문으로, 공해·인구 집중·대기 오염 등을 감안, 도시의 설계·건설·근대화에 관한 기술적인 문제를 종합적으로 다룸.

도시 공학과【都市工學科】명『교』대학에서, 도시 공학을 전공하는 학과. *위생 공학과(衛生工學科).

도시 공해【都市公害】명 도시에서의 사업 활동이나 사람의 활동의 과밀(過密)·집적(集積)에 의해서 초래되는 공해. 대기 오염, 수질 오탁, 교통 소음, 쓰레기 처리 문제 등.

도시 국가【都市國家】명〔그 polis; 라 civitas; city-state〕『역』도시 그 자체가 정치적으로 독립하여, 하나의 국가를 이루고 있는 공동체. 중앙 집권 국가의 성립 전에 보이며, 도시 중심지와 주변의 농목지(農牧地)를 영역으로 하는 국가. 이집트·중국·인도, 그리스의 여러 폴리스, 로마 등. 특히, 시민(市民)의 자유(自由)·자치(自治)에 의한 그리스·로마의 그것이 유명함.

도시-권【都市圈】[―꿘] 명 하나의 도시가 도시로서의 기능을 다하는데 밀접한 관련성을 갖는, 주위의 일정 범위 안에 있는 지역을 이름. 그것이 수도(首都)일 경우 수도권이라고 함.

도시 귀:족【都市貴族】명『역』본래의 귀족은 아니나 중세 유럽의 도시 시민 속에서 배출(輩出)되어 시정(市政)에 참여하고 차차 문벌(門閥)을 형성하여 경제적·정치적 지반(地盤)을 구축한 귀족. 주로 상인(商人) 출신이었음.

도시 기능도【都市機能圖】명 도시내의 건조물·시설 등을 이용도(利用度)에 따라 분류하여 지형도(地形圖) 위에 나타낸 지도.

도시 기후【都市氣候】명『기상』도시 특유의 기후. 건조물(建造物)의 밀집, 인공열(人工熱)의 대량 방출, 대기 오염(大氣汚染) 등의 영향을 받아 일반적으로 교외(郊外)에 비하여 고온(高溫)·저습(低濕)하며 일사량(日射量)이 적음.

도시다 타 물건의 거친 면(面)을 칼로 곱게 깎아서 다듬어 내다.

도시 대:왕【都市大王】명『불교』명계(冥界)에서 죽은 이의 일주기(一週忌)를 주관하는 시왕(十王)의 하나. 본지(本地)는 대세지 보살(大勢至菩薩). *시왕(十王).

도시 동맹【都市同盟】명〔도 Städtebund〕『역』중세 유럽, 특히 독일·이탈리아의 도시 동맹. 경제적인 지반 위에 황제나 봉건 제후(諸侯)의 지배에 대항하기 위한 것으로 독일의 한자(Hansa) 도시 동맹과 이탈리아의 롬바르디아(Lombardia) 동맹이 유명함. 중앙 집권제의 진전에 따라 쇠퇴, 17세기 후반에 해체(解體)됨.

도시락 명 ①고리버들이나 대오리로 길고 둥글게 결은 작은 고리짝. 점심밥을 넣어 가지고 다니는 그릇으로 씀. ②엷은 나무 판자나 알루미늄(aluminium)·알루마이트(alumite) 또는 플라스틱 같은 것으로 상자처럼 만들어, 밥을 담아 가지고 다니는 그릇. ③↗도시락밥.

〈도시락❶〉

도시락-밥 명 도시락에 반찬을 끼워 담은 밥. 집을 떠나서 일하러 갈 때나 여행·소풍 등에 휴대함. 준 도시락.

도시리다 타 ☞도스리다. ¶주먹을 도실러 쥐다.

도시 마:력【圖示馬力】명『물』증기 기관·내연(內燃) 기관 등의 왕복(往復) 기관에서 실린더 안의 압력과 피스톤 변위(變位)와의 관계를 나타내는 지압선도(指壓線度)로부터 산출되는 마력. 이 마력과 실제(實際) 사용할 수 있는 마력과의 차(差)는 기관의 내부에서 마찰 등에 의하여 잃는 기계적 손실에 해당함. 지시 마력(指示馬力).

도시 문:제【都市問題】명 도시의 구조적 불균형에서 비롯되는 도시 생활의 사회적 장애 또는 곤란. 주택·토지·급수·교통·공해·위생·실업·범죄·빈민 등에 관한 문제의 총칭.

도시-미【都市美】명 도시의 구조물인 도로·광장·다리·공원·가로수·건물 등을 종합적으로 정비·규제·유도함으로써 얻어지는 도시 경관(景觀)의 아름다움.

도시미터〔dosimeter〕명 ①물약 따위의 약량(藥量)을 측정하는 계량기. 약량계(藥量計). ②『물』인체가 받는 방사량(放射量)을 측정하는 기구. 방사량계(放射量計).

도시 바람【都市―】명『기상』교외(郊外)로부터 도심(都心)을 향하여 부는, 도시 특유의 바람. 도시의 기온이 높아 도시 지역에 약한 국지(局地) 저기압이 형성되며 이에 따라 교외로부터 저온의 공기가 흘러 들어오기 때문에 생김.

도시-병【都市病】[―뼝] 명 공해(公害)·교통 혼잡, 불량한 근로 조건 등, 도시의 과밀(過密) 상태에서 생기기 쉬운 일종의 정신 질환. 노이로제·불안·우울증·히스테리·강박증(強迫症)·공포증 등의 복합으로 나타남.

도시-부【都市部】명『역』백제의 외관(外官) 10부(部)의 하나인 중앙 관서. 상업과 교역 및 시장 업무를 담당함.

도시 사회주의【都市社會主義】[―/―이] 명 1890년대의 영국과 독일에서 산업(産業)의 시유화(市有化)를 주장하고 자본주의 체제의 테두리 안에서 기업의 시영(市營) 실현을 주장한 사회 개량주의의 입장. 또, 그 입장에 선 사상과 운동.

도시 사회학【都市社會學】명 도시 문제를 취급하는 사회학의 한 부문. 19세기 말부터 주로 미국에서 발달하였음. ↔농촌 사회학.

도시 설계【都市設計】명〔urban design〕도시 공간의 입체적인 조화, 기능의 능률화, 미적 특성 등을 고려하여 도시 경관을 의도적으로 구성하는 설계 기법.

도시 시:설【都市施設】명 도시 계획법에 의해서 정해진 각종 시설. 도시 공원, 관공서 시설, 학교 등의 교육 문화 시설, 사회 복지 시설, 도로, 도시 고속 철도, 수도, 전기 공급 시설, 가스 공급 시설 따위.

도시 어메니티【都市―】명〔urban amenity〕도시의 쾌적성(快適性). 도시를, 생산하는 곳에서 생활하는 곳으로 바꾸자는 생각.

도-시위【―侍衛】명『역』봉도(奉導)에 쓰던 말로, 가교(駕轎)나 연(輦)의 머리를 돌리어서 모시라는 뜻.

도시 위생【都市衛生】명 대도시 특유의 질환·유행병과 각종 공해로부터 시민을 보호하고 생활 환경의 개선을 도모하려는 예방 의학적인 보건 위생.

도시-인【都市人】명 도시에서 사는 사람. 도시 사람.

도시 재:개발【都市再開發】명〔urban renewal〕건축물이 전반적으로 낡은 지역이나, 건축물의 배치와 지구(地區) 전체의 설계가 나빠 경제 활동이나 생활의 터전으로서 충분한 조건을 갖추지 못하는 지역의 기존 건물을 철거, 시가지를 정리하여 토지의 고도 이용을 꾀하는 일. 슬럼 클리어런스(slum clearance).

도시 재:개발법【都市再開發法】[―뻡] 명『법』도시의 재개발 사업을 촉진하고, 공공 복리의 증진에 기여하게 하기 위하여, 계획적인 도시 재개발에 관하여 규정한 법률.

도시 지리학【都市地理學】명『지』지리학의 입장에서 도시를 연구하는 학문. 지역적 관점에서 도시의 형태·입지·구조·기능·배치 등을 연구함.

도시 지역【都市地域】명 국토 이용 관리법에 따라, 국토 이용 계획 심의회의 심의를 거쳐 건설부 장관이 결정 고시하는 용도(用途) 지역의 하나. 도시 계획에 의하여 건설·정비·개량 등을 시행할 지역과 택지 개발 예정 지구, 국가 공업 단지, 지방 공업 단지 등으로 지정 개발할 지역.

도시 집중【都市集中】명 도시를 중심(中心) 삼고 그리로 모여 듦.

도시 창고【都市倉庫】명 도회지의 중심부에 있어 도시에서 소비(消費)되는 일용 생활품을 저장해 두는 창고. *항만(港灣) 창고.

도시-처녀나비【都市處女―】명『충』[*Coenonympha hero*] 뱀눈나빗과에 속하는 곤충. 편 날개 길이 40mm 내외이고 날개는 암갈색이며 뒷날개에는 외연(外緣)을 따라 암등황색의 띠가 있음. 뒷날개 안쪽에는 네 개, 뒷면에는 7-8개, 앞날개 끝에는 한 개, 그 뒷면에는 두 개의 뱀눈 모양의 무늬가 각각 있음. 한국·일본 등에 분포함. *굴뚝나비·봄처녀나비.

〈도시처녀나비〉

도시 철도【都市鐵道】[―또] 명 도시 교통의 원활한 소통을 위하여 도시 교통 정비 지역에서 건설·운영하는 철도·모노레일 등 궤도에 의한 교통 시설 및 교통 수단.

도시형 공업【都市型工業】명『경』도시 생활과 밀접한 관계가 있어 도시에서 영위되는 공업. 주로, 소비재 공업과 경공업이 이에 속하는데 제과·제빵, 우유 처리, 인쇄·출판, 얼음 제조, 직물 제조, 의복 제조, 가구, 제재(製材), 도시 가스 등의 공업을 포함함.

도시-화【都市化】명 도시 고유의 문화 형태가 도시 이외의 지역에 퍼져 정착하는 일. ――-하다 자타 여불

도시화 현:상【都市化現象】명 도시로 인구가 집중함에 따라 도시 근교(近郊)의 농촌 지대에까지 주택이나 공장 용지·상가 등이 확장되어 도시적인 환경이 이루어지는 일.

도식[1]【徒食】명 ①아무 일도 하지 아니하고 한갓 먹기만 함. ¶무위(無爲) ~. ②고기붙이가 없이 밥을 먹음. ――-하다 자 여불

도:식[2]【倒植】명『인쇄』글자가 거꾸로나 옆으로 박힌 식자(植字). ――-하다 자타 여불

도식[3]【盜食】명 ①음식을 훔치어 먹음. ②다른 사람 몰래 음식을 먹음. ――-하다 자타 여불

도식[4]【都食】명 도맡아서 혼자 먹음. ――-하다 타 여불

도식[5]【塗飾】명 ①발라서 꾸밈. ②거짓으로 꾸밈. ――-하다 타 여불

도식[6]【圖式】명 ①그림으로 그린 양식(樣式). ②그림으로 나타내는 방식. ③그림의 형식. ④〔도 Schema〕『철』칸트의 용어. 오성적(悟性的)인 범주(範疇)와 감성적(感性的)인 직관(直觀)과를 매개하여 전자를 후자에 적용시키는 것. ⑤〔도 Schema〕『논』삼단 논법에서 개념의 관계를 명백히 표시하기 위하여 고안한 부호. 도형(圖形).

도식[7]【稻植】명 볏모를 심음. ――-하다 자 여불

도식 계:산법【圖式計算法】[―뻡] 명『수』자·컴퍼스 등의 제도 용구나 로그 방안지(方眼紙) 등의 특수 용지를 사용하여 수를 점의 좌표나, 선분의 길이 등과 같은 기하학적 요소로 나타내어 기하학적 작도(作圖)에 의해서 계산하는 방법.

「취중에 일어남.

도:식-병【倒植病】명『한의』사물이 뒤죽박죽 거꾸로 보이는 병. 흔히

도식 설계【圖式設計】명〔graphical design〕그림을 사용하여 전자관(電子管)이나 반도체(半導體) 회로의 동작(動作) 데이터를 얻는 방법.

두 개의 변수(變數) 사이의 관계를 도식(圖式)으로 표시하는데, 그 때 다른 변수는 일정하게 하여둠.
도식 역학【圖式力學】[—녀—] [명]〖공〗척도(尺度)에 알맞게 그린 도면(圖面)에 의하여, 조직된 구조물의 각 부분에 있어서의 내력(內力)을 결정짓는 학문.
도신¹【刀身】[명] 칼의 몸.
도신²【逃身】[명] 몸을 피하여 도망함. ——-하다 [자][여불]
도신³【盜臣】[명] 도둑질하는 신하.
도:신⁴【道臣】[명]〖역〗'관찰사(觀察使)'의 이칭(異稱).
도:신⁵【道神】[명] 도로(道路)의 신. 행신(行神).
도신 단단【刀身段段】[명] 칼이 몇 번이고 꺾어지는 일.
도:신 대:사【道信大師】[명]〖사람〗석가(釋迦)의 31대 제자. 중국 사람으로 속성(俗姓)은 사마(司馬). 반야경(般若經)만을 읽었으며 홍인 대사(弘忍大師)에게 전법(傳法)함.
도실¹【刀室】[명] 칼집.
도실²【逃失】[명] 도망가서 없어짐.
도실³【桃實】[명] 복숭아.
도실기 [명]〈방〉도시락❶.
도실-주【桃實酒】[—쭈] [명] 복숭아를 넣어서 만든 과실주.
도심¹【刀心】[명] 칼의 슴베.
도심²【盜心】[명] 남의 물건을 훔치려는 마음. 도둑질하려는 마음. 도정(盜情).
도심³【都心】[명] 도회의 중심.
도:심⁴【道心】[명] ①〖윤〗도덕 의식에서 우러나오는 마음. 사욕(私慾)에 더럽혀지지 아니한 마음.↔인심(人心). ②〖불교〗불도를 행하고 믿는 마음. ③〖불교〗↗도심자(者).
도:심 견고【道心堅固】[명]〖불교〗①불도에 귀의하는 마음이 굳음. ②불도에 대한 신심(信心)이 강한 모양.
도:심-자【道心者】[명]〖불교〗불문에 들어가 도를 닦는 사람. [준]도심(道心).
도:-심장형【倒心臟形】[명]〖식〗잎의 끝이 오목하게 안으로 패었으며, 기부(基部)는 차츰 가늘어져서 심장을 거꾸로 세운 듯한 모양. 괭이밥 등의 화초에서 볼 수 있음. [준]도심형(倒心形).
도심-지【都心地】[명]↗도심 지대.
도심 지대【都心地帶】[명] 도회의 중심이 되는 지대. [준]도심지.
도심-질 [명] 칼 따위로 물체의 가장자리나 굽은 곳을 도리어 내는 일. ——-하다 [타][여불]
도:-심형【倒心形】[명]〖식〗↗도심장형.
도아¹【掏兒】[명] 소매치기.
도아²【淘鵝】[명]〖조〗사다새.
도아³【盜兒】[명] 도둑. 투아(偸兒).
도아⁴【屠兒】[명] 백장. 도자(屠者). 도수(屠手).
도아⁵【都衙】[명]〖역〗고려 때 예빈시(禮賓寺)의 이속(吏屬)의 하나.
도아⁶【都雅】[명] 우아함. 아담함. ——-하다 [형][여불]
도아⁷【塗鴉】[명] ①지면(紙面)에 먹을 칠하여 새까맣게 됨. ②글씨가 서투름.
도안¹【刀眼】[명] 환도의 몸이 자루에서 빠지지 못하도록 슴베와 아울러 자루에 비녀장을 박는 구멍.
도:안²【到岸】[명]〖불교〗↗도피안(到彼岸).
도안³【桃顔】[명] 도색(桃色)의 아름다운 얼굴.
도안⁴【徒顔】[명] 화장하지 아니한, 있는 그대로의 얼굴.
도:안⁵【道安】[명]〖사람〗중국 불교의 개척자. 반야경(般若經)을 연구하여 《중경(衆經) 목록》을 편찬하였으며, 전진(前秦)의 왕부견(苻堅)의 존숭을 받았으며, 지난날의 역경(譯經)의 오류를 고쳤음. [314-385]
도:안⁶【道安】[명]〖사람〗조선 시대의 중. 속성은 유(劉). 선교(禪敎)에 도통하였음. 화엄(華嚴)의 대의(大義)를 강구하여 세인이 화엄종주(華嚴宗主)라 일컬을 만큼 유명하였음. [1638-1715]
도:안⁷【道眼】[명]〖불교〗진리를 분명히 가려내는 눈. 또, 수행(修行)하여 얻은 안식(眼識).
도:안⁸【道顔】[명] 선인(仙人)의 얼굴을 높이어 일컫는 말.
도안⁹【圖案】[명]〔design〕모양·색채 등을 미적(美的)으로 배합하여, 장식 기타에 이용하기 위해 그림으로 나타내는 일. 또, 그 그림의 무늬나 모양. 미술 공예품 및 일반 공작물의 제작을 위해서, 의장(意匠)이나 고안을 표현한 그림.
도안-가【圖案家】[명] 도안을 그리는 일을 업으로 삼는 사람. 디자이너.
도안 문자【圖案文字】[—짜] [명] 상업 미술에서, 선전문이나 상품명을 쓰는 데 쓰이는 특별히 디자인된 문자.
도안-빗【都案—】[—빋] [명]〖역〗도안색.
도안-색【都案色】[명]〖역〗조선 시대 때 병조(兵曹)의 한 관아. 용호영(龍虎營)에 딸린 금군(禁軍)의 보포(保布)를 맡은 곳. 도안빗.
도안-자【圖案者】[명] 도안을 그린 사람.
도안-집【圖案集】[명] 도안을 한데 모아 엮은 책.
도안-청【都案廳】[명]〖역〗도안색(都案色).
도안-화【圖案化】[명] 어떤 것을 도안으로 함. ——-하다 [자타][여불]
도알 사지【都謁舍知】[명]〖역〗신라 때 대일 임전(大日任典)의 벼슬. 경덕왕(景德王)이 전알(典謁)로 고쳤다가 다시 본이름으로 고침. 위계는 대사(大舍)에서 사지(舍知)까지.
도암【陶庵】[명]〖사람〗이재(李縡)의 호(號).
도암-도【桃岩島】[명]〖지〗전라 남도의 서해상(西海上), 신안군(新安郡) 압해면(押海面) 가란리(佳蘭里)에 위치한 섬. [0.09km²]
도:압【倒壓】[명]〖한의〗마마에 탈이 생기어서 잘 곪지 아니하는 병증(病症).
도:액【度厄】[명]〖민〗액막이. ——-하다 [자][여불]
도야【陶冶】[명] ①도공(陶工)과 주물공(鑄物工). 또, 도기(陶器)를 만드는 일과 주물(鑄物)을 만드는 일. ②심신(心身)을 닦아 기름. 도주(陶鑄). ¶인격의 ~. ——-하다 [자타][여불]
도야마〔富山 : とやま〕[명]〖지〗일본 도야마 현(富山縣) 중앙 북부의 시. 현청 소재지. 제약·제지·인견(人絹)·화학 섬유, 기타의 화학 공업이 매우 성함. [317,551명(1990)]
도야마 현【—縣】〔富山 : とやま〕[명]〖지〗일본 중부 지방의 현. 9시 7군. 약품·쌀·화학 비료·방직물·수산물·동기(銅器) 등을 산출하며, 특히 튤립 재배가 성하고 유명함. 현청 소재지는 도야마 시(富山市). [4,252km² : 1,124,311명(1990)]
도야-성【陶冶性】[—썽] [명]〖교〗피교육자 특히 아동의 정신이 교육에 의하여 변화되고 계발(啓發)될 수 있는 가능성.
도야지 [명]〖동〗☞ 돼지.
도약¹【跳躍】[명] 뛰어오름. 점핑(jumping). ——-하다 [자][여불]
도약²【塗藥】[명] 살갗에 바르는 약제. 연고.
도:약³【擣藥】[명]〖한의〗환약(丸藥) 재료를 골고루 섞어 반죽을 하여 찧음. ——-하다 [타][여불]
도약 경:기【跳躍競技】[명] 육상 경기의 하나로, 뛰어서 그 높이나 거리를 겨루는 경기. 멀리뛰기·높이뛰기·장대 높이뛰기·세단뛰기 등의 총칭. 뜀뛰기 경기. 점프(jump).
도약-대【跳躍臺】[명] 높이뛰기·장대높이뛰기의 경기를 할 때 그 높이를 재기 위하여, 양쪽에 눈금을 그린 나무를 세우고 그 사이에 가로대를 건너지른 것. 가로대는 몸이 닿으면 떨어지게 되어 있음.
도약 운:동【跳躍運動】[명] 뜀뛰기 운동. 사지(四肢)와 구간(軀幹)의 여러 근육의 발달, 심장과 폐장(肺臟)의 단련, 신진 대사(新陳代謝)와 혈행(血行)의 왕성을 목적으로 하는 운동.
도-약정【都約正】[명]〖역〗조선 시대 향약(鄕約) 단체의 우두머리. 향청(鄕廳)의 향정(鄕正)이 겸임하였음.
도약 진:행【跳躍進行】[명]〖악〗'뛰어가기'의 한자 이름.
도약-판【跳躍板】[명] ①수영(水泳)에서 물 속에 뛰어들어갈 때 그 기세를 돕기 위하여 만들어 놓은 발판. 스프링 보드(springboard). ②도약 운동에서 뛰는 기세를 돕기 위하여 쓰는 발판. 탄성(彈性)으로 되어 있는 것과 고정(固定)되어 있는 것과의 두 가지가 있음. 구름판. 발판.
도약 회전【跳躍回轉】[명] 점프 턴(jump turn).
도양¹【徒養】[명] 아무 보람 없이 양육함. ——-하다 [타][여불]
도:양²【渡洋】[명] 바다를 건넘. ——-하다 [자][여불]
도양³【屠羊】[명] 양을 잡음. 양을 도살함. ——-하다 [자][여불]
도:양⁴【道陽】[명]〖지〗전라 남도 고흥군(高興郡)의 한 읍(邑). 고흥 반도의 서남단에 위치하며, 나환자 수용소가 있는 소록도(小鹿島)가 있음. [22,283명(1990)]
도:양 작전【渡洋作戰】[명]〖군〗바다를 건너가서 싸움을 함. 또, 그 싸움. ——-하다 [자][여불]
도-양태 [명]〈방〉〖어〗돗양태.
도어¹【刀魚】[명]〖어〗갈치.
도-어²【徒御】[명] 거마(車馬)와 종복(從僕).
도:어³【倒語】[명]〖언〗어법 상(語法上)으로 차례가 거꾸로 바뀐 말. '싫어 난'·'참 곱다 그 꽃'·'먹었냐 밥' 등과 같음. 도문(倒文). *도치법(倒置法).
도어⁴【魛魚】[명]〖어〗웅어.
도어⁵【陶漁】[명] 도기를 만드는 일과 물고기를 잡는 일. 또, 도공(陶工)과 어부(漁夫). ——-하다 [타][여불]
도어⁶〔door〕[명] 문. 문짝.
도어-구【刀魚炙】[명] 갈치구이.
도어 매트〔door mat〕[명] 현관에 놓아, 구두의 흙을 터는 매트.
도어-맨〔doorman〕[명] 도어 보이(door boy).
도:어-법【倒語法】[—뻡] [명] 도치법(倒置法).
도어 보이〔door boy〕[명] 호텔 등에서 도어 근처에 있으면서 손님의 영송(迎送), 문의 개폐(開閉) 등의 서비스를 하는 보이. 도어맨(doorman).
도어 엔진〔door engine〕[명]〖기〗압축 공기를 원동력으로 하여 차량의 문을 여닫는 장치.
도어 자:반【刀魚佐飯】[명] 갈치 자반.
도어 체인〔door chain〕[명] 문빗장의 보조 용구로 도어 안쪽에 다는 쇠사슬. 도어가 쇠사슬의 길이까지만 열리므로 방범용(防犯用)이 됨.
도어 체크〔door check〕[명] 문을 자동적으로 닫는 장치. 실린더 안에 기름이 채워져 그 가운데를 움직이는 피스톤에 의하여, 강력한 스프링의 반발력을 제어하게 되어 문은 조용히 닫히게 됨.

〈도어 체크〉

도언【徒言】[명] 헛된 말. 보람 없는 말.
도업¹【陶業】[명]〖공〗요업(窯業).
도:업²【道業】[명]〖불교〗불도 수행(佛道修行).
도역¹ [명]〈방〉홍역(紅疫)(함북).
도역²【徒役】[명] ①부역에 징발된 사람. 부역(賦役). ②종살이 하는 사람.
도역 유:도【盜亦有道】[명] 도둑에게도 도둑으로서의 도리가 있음.
도연¹【刀煙】[명]〖한의〗대나무를 굽는 연기에 칼날을 쬘 적에 그 칼날에 묻어 오는 진. 약으로 씀. 철설(鐵爇).
도:연²【度緣】[명] 도첩(度牒).
도연³【陶硯】[명]〖공〗자기(瓷器)로 만든 벼루. 자연(瓷硯).
도연⁴【陶然】[명] 술이 거나하게 취한 모양. ——-하다 [형][여불]. ——-히 [부]
도-연명【陶淵明】[명]〖사람〗중국 진(晉)나라의 시인. 이름은 잠(潛), 연명은 자(字). 호(號)는 오류 선생(五柳先生). 심양(潯陽) 출생. 405년에 팽택(彭澤)의 영(令)이 되었으나 80여 일 후에 '귀거래사(歸去來辭)'를 남기어 두고 귀향함. 자연미를 노래한 시(詩)가 많으며, 중국의 서경시(敍景詩)는 이 때부터 발달하였음. 저서 《도팽택집(陶彭澤集)》. [365-427]
도연-하다【徒然—】[형][여불] 하는 일 없이 가만히 있어 심심하다. 도연-히【徒然—】[부]
도열¹【桃茢】[명] 복숭아나무 가지와 갈대의 이삭. 또, 그것으로 만든 비. 사신(邪神)을 쫓는 데 씀.
도열²【逃熱】[명] 열이 식어 없어짐. ¶~을 방지하다. ——-하다 [자][여불]
도열³【堵列】[명] 죽 늘어섬. ¶환영 군중이 연도(沿道)에 ~하다. ——-

하다 [자][여불]
도열-병【稻熱病】[—뼝] [명]〖식〗 볏과 식물, 특히 벼 종류에 많이 나는 병의 한 가지. 잘 자란 뒤에 잎과 줄기에 박테리아가 생기어, 특히 잎줄기를 해치는데, 이 병에 걸리면, 잎에 암갈색의 불규칙한 반점이 생기어 퍼지고 마침내 잎 전체가 갈색이 되어 마르게 됨. 이삭 목에 생기면 이삭이 말라 죽음. 예방법으로 못자리에 보르도액(bordeaux液)을 뿌리며, 질소 비료만의 과도한 사용을 피하여야 함.
도-염문사【都廉問使】[명]〖역〗 고려 공양왕(恭讓王) 3년(1392)에 경기 좌우도(京畿左右道)에 둔 외직(外職)의 하나. 양부 대신(兩府大臣)으로 임명함.
도염-서【都染署】[명]〖역〗 ①고려 때, 염색(染色)하는 일을 맡은 관아. 문종(文宗) 때 설치, 충렬왕(忠烈王) 34년(1308)에 잡직서(雜職署)를 합치어 직염국(織染局)을 만들어 선공시(繕工寺)의 한 분장(分掌)으로 하였다가 충선왕(忠宣王) 2년(1310)에 다시 독립시킴. ②조선 시대 때, 염색에 관한 일을 맡은 관아. 태조(太祖) 원년(1392)에 베풀었다가 세조(世祖) 7년(1461) 제용감(濟用監)에 합침.
도염-원【都塩院】[명]〖역〗 고려 때 소금의 전매 기관. 초기부터 있었으며, 26대 충선왕(忠宣王) 이후 호조(戶曹)에 옮겨짐. 관원은 녹사(錄事)·기사(記事) 각 2 명씩이었음.
도엽【桃葉】[명] 복숭아나무의 잎. 「的工夫咧)≪華解 上 1≫.
도엿다 [자]〈옛〉 되었다. ¶ 오기롤 열흘 동안이나 도엿노라(走有十來天
도:영¹【到營】[명] ①〖역〗 감사(監司)가 감영(監營)에 도임(到任)함. ②영문(營門)에 다다름. ——-하다 [자][여불]
도:영²【倒影·倒景】[명] ①거꾸로 촬영한 모양. ②해질 무렵의 그림자. ③거꾸로 비친 그림자.
도영³【島影】[명] 섬의 그림자. 희미하게 보이는 섬의 모습.
도:영⁴【渡英】[명] 영국으로 건너감. 영국으로 감. ——-하다 [자][여불]
도:영⁵【導迎】[명] 인도하여 맞이함. ——-하다 [타][여불]
도-영위【都領位】[명] 조선 시대에, 육의전(六矣廛)의 도중(都中)의 최고 우두머리 임원(任員). 도원(都員)의 선거에 의해서 선출됨. *대행수(大行首). 「——-하다 [자][여불]
도:영 화기【導迎和氣】[명] 온화한 기색으로 남의 환심(歡心)을 사는 일.
도예【陶藝】[명] 도기의 예술. ¶ ~전(展).
도옥¹【陶玉】[명]〖공〗 중국 당(唐)나라 때에 도씨(陶氏)가 구워 만든 희고 고운 자기(瓷器).
도:옥²【道獄】[명]〖역〗 조선 시대 때 각 도에 소속되어 있던 감옥. 도의 관하에 직수사(直囚司)와 같이 설치했으나, 관제 상(官制上)의 근거는 없고 다만 공인(公認)을 얻은 것임. 「[자][여불]
도:온【導溫】[명] 열이나 온기(溫氣)를 전하여 옮김. ¶ ~ 장치. ——-하다
도옹【陶翁】[명]〖사람〗 이황(李滉)의 호(號).
도와【陶瓦】[명] 잿물을 덮어 씌워서 구워 만든 기와. 질기와.
도와다 호【—湖】〔十和田:とわだ〕[명]〖지〗 일본 아오모리(青森)·아키타(秋田) 양현의 경계에 있는 화산성 칼데라 호(caldera湖). 부근은 국립공원으로 지정되어 있음. [59.58km²]
도와리 [명]〈옛〉 곽란(癨亂). ¶ 도와리 확(癨)≪字會 中 34≫.
도와 주다 [타] 도움을 주다. 남을 위하여 힘써 주다. ¶ 생계를 ~.
도:외【度外】[명] ①법도(法度)의 밖. 범위의 밖. ②마음에 두지 아니함.
도외다 [자]〈옛〉 되다¹. =ᄃᆞᄫᅵ다·ᄃᆞ외다·도의다. ¶ 病ᄒᆞ야 누워 오래 나그내 도외요니(臥疾淹爲客)≪重杜諺 Ⅱ:10≫.
도:외-시【度外視】[명] 가외 것으로 봄. 안중(眼中)에 두지 아니하고 무시함. ¶ ~하여 문제 삼지 아니하다. ↔문제시. ——-하다 [타][여불]
도:외 치:지【度外置之】[명] 문제로 삼지 아니하고 생각 밖으로 내버려 둠. ¶ 그 일은 ~하더라도. ——-하다 [타][여불]
도요¹ [명]〈옛〉 도요새. ¶ 도요 휼(鷸)≪字會 上 15≫.
도요²【桃夭】[명] 도요 시절.
도요³【陶窯】[명] 도기(陶器)를 굽는 가마.
도요-목【—目】[명]〖동〗[Charadrida] 조류(鳥類)의 한 목. 도요·물떼새·바다오리·갈매기 따위가 이에 속함.
도요-새 [명]〖조〗 도욧과에 속하는 새의 총칭. 중국에서는 이 새를 '수찰아(水札兒)' 또는 '대수찰아(大水札兒)'라고도 함. 강변의 습윤한 곳에 삶. 대체로 담갈색에 흑갈색 무늬가 있고 다리·부리가 길며 꽁지가 짧음. 누른도요·큰도요·다리붉은도요·메추리도요·검은도요·알도요·가슴검은도요 등이 있음. 휼조(鷸鳥).
도요 시절【桃夭時節】[명] ①처녀가 시집 가기에 좋은 시절. ②봄에 복숭아 꽃이 요염하게 피는 시절. 도요(桃夭).
도요-지【陶窯址】[명] 도기를 굽던 가마의 터.
도요토미 히데요시〔豊臣秀吉:とよとみひでよし〕[명]〖사람〗 일본 전국 시대의 무장. 미천한 집안에 태어났으나, 오다 노부나가(織田信長)의 부장으로 무공을 세워 출세하더니, 그 주인이 죽은 후에 국내를 통일하여 태정 대신(太政大臣)이 됨. 해외 침략의 야심을 품고 조선에 파병하여 임진 왜란을 일으켰으나 실패함. [1536-98]
도욧-과【—科】[명]〖조〗[Scolopacidae] 도요목(目)에 속하는 한 과(科). 몸빛은 대체로 담갈색에 흑색 또는 흑갈색의 세로 무늬가 있음. 부리·다리·발가락은 길고 꽁지는 짧으며 부리는 선단까지 신경이 분포되어 있음. 강변·바다·하구(河口) 등의 습윤(濕潤)한 곳에 서식하고, 어류·곤충을 먹으며 땅 위에 집을 지음. 새끼는 빨리 자람. 대부분이 계절에 따라 이동함. 한국에는 누른도요·멧도요 등 40여 종이 분포함.
도용【盜用】[명] 남의 명의(名義)나 물건을 몰래 씀. ¶ 명의 ~/상표를 ~하다. ——-하다 [타][여불]
도우【屠牛】[명] 소를 잡음. 소를 도살함. ¶ ~장. ——-하다 [자][여불]
도우- [간] '돕다'의 불규칙 어간. ¶ ~니/~면.
도우루 강【—江】〔Douro〕[명]〖지〗 북부 스페인의 중앙부에서 발원(發源)하여 포르투갈을 지나 대서양으로 흐르는 이베리아 반도 최장(最長)의 강. 관개와 수력 발전에 널리 이용됨. 스페인 말로는 두에로 강(Duero江). [895km]
도우뱀: [명]〈방〉〖동〗 도마뱀(경북).
도우-봉【禱雨峰】[명]〖지〗 평안 북도 위원군(渭原郡)에 있는 산. [1,027m]
도우-장【屠牛場】[명] 소를 잡는 곳. 소를 도살하는 곳.
도우-탄【屠牛坦】[명] 소를 잡는 백장. 쇠백장. [준]우탄(牛坦).
도:운¹【倒運】[명] 운이 기욺. 또, 기우는 운명. 쇠운(衰運). ——-하다 [자][여불]
도운²【徒運】[명] 도보로 운반함. ——-하다 [타][여불]
도울【陶鬱】[명] 우울함. ——-하다 [형][여불]
도움 [명] 남을 돕는 일. 도와 줌. ¶ ~이 되다/~을 청하다.
도움-그림씨 [명]〖언〗 '보조 형용사'의 풀어 쓴 말.
도움-닫기 [명] 높이뛰기·투척(投擲) 경기 따위 육상 경기에서, 가속을 내기 위하여 일정한 선까지 뛰어가는 일. 조주(助走).
도움-말 [명] 조언(助言).
도움-움직씨 [명]〖언〗 '조동사(助動詞)'의 풀어 쓴 말.
도움-음【—音】[명]〔auxiliary note〕〖악〗 화음(和音) 속의 음에서 어떤 성부(聲部)가 한 번 화음 밖의 음에 나갔다가 도로 제 화음 속으로 돌아오는 경우의 음. 보조음(補助音).
도움의 은총【—恩寵】[—/—에—] [명]〔라 Gratia Auxiliaris〕〖천주교〗 인간의 지성(知性)을 비추며 의지(意志)를 강하게 하여 선을 행하고 악을 피하게 하는 하느님의 도움. '조력 성총(助力聖寵)'의 바뀐 말. *생명의 은총.
도움-줄기 [명]〖언〗 '보조 어간(補助語幹)'의 풀어 쓴 말.
도움-풀이씨 [명]〖언〗 '보조 용언(補助用言)'의 풀어 쓴 말.
도원¹【桃園】[명] 복숭아나무가 많은 정원.
도원²【桃源】[명] ①〖지〗 '타오위안(桃源)'을 우리 음으로 읽은 이름. ②↗무릉도원(武陵桃源).
도원³【都員】[명] 도중(都中)의 구성원(構成員)으로서의 계원(契員).
도:원⁴【道院】[명]〖종〗 대종교(大倧敎)의 전도 기구. 삼일원(三一院)·수도원(修道院)·선도원(宣道院)·자선원(慈善院) 등이 이에 속함.
도원 결의【桃園結義】[—/—이] [명]〔중국 촉(蜀)나라의 유비(劉備)·관우(關羽)·장비(張飛)가 도원에서 결의 형제하였다고 하는 고사(故事)에 유래〕 의형제(義兄弟)를 맺음.
도원-경【桃源境】[명] 속세를 떠난 별천지.
도:원-기【道源記】[명]〖책〗 동학(東學)의 2대 교주(敎主) 최시형(崔時亨)이 자신의 행상(行狀)과 포교(布敎) 활동상을 1880년에 직접 기록한 문서. 수필권. 1 책.
도-원수【都元帥】[명]〖역〗 고려 때부터 전쟁이 있을 적에 군무(軍務)를 통괄하던 장수. 임시 무관직으로, 대개 문관의 최고관을 임명하였음. 또, 한 지방의 병권(兵權)을 도맡은 장수.
도:-원추형【倒圓錐形】[명]〖수〗 거꾸로 된 원뿔꼴.
도원-향【桃源鄕】[명] 무릉 도원(武陵桃源)❷.
도:월¹【度越】[명] 남보다 뛰어남. ——-하다 [형][여불]
도월²【桃月】[명] 음력 삼월의 미칭(美稱).
도위¹【徒尉】[명]〖역〗 벼슬의 품계에 붙이는 칭호. 조선 시대 때에, 토관직(土官職)의 서반(西班)에 붙였음. ¶ 여충(勵忠) ~/탄력(殫力) ~. *대부(大夫)·부위(副尉).
도위²【徒爲】[명] 무익한 행위. 소용없는 짓.
도위³【都尉】[명]〖역〗 ↗부마 도위(駙馬都尉).
도-위⁴【圖緯】[명] 하도(河圖)와 위서(緯書). 모두 미래의 일과 점술(占術)에 관하여 기술한 책임.
도유¹【盜儒】[명] 언행이 일치하지 아니하는 유학자.
도유²【屠維】[명]〖민〗 고갑자 십이지(古甲子十二支)의 여섯째. 사(巳)와 같음.
도유³【塗油】[명] ①기름을 바름. ②→데유.
도:유⁴【道腴】[명] ①도(道)의 참다운 근원(根源). ②도(道)의 참뜻. ③도(道)의 최고의 경지(境地).
도:유⁵【導誘】[명] 유도(誘導). ——-하다 [타][여불]
도-유나【都維那】[명]〖불교〗 유나(維那).
도:유-림【道有林】[명] 도(道) 소유의 산림(山林). *국유림(國有林).
도-유사【都有司】[명]〖역〗 향교(鄕校)·서원(書院)·종중(宗中)·계중(契中)에 관한 사무를 맡은 우두머리.
도유-식【塗油式】[명]〖종〗 병·악귀를 쫓거나, 신성한 힘을 주입하는 상징적인 뜻으로서 몸에 기름을 바르는 의식. 많은 종교에서 행하여짐.
도육¹【屠肉】[명] ①도살(屠殺)한 가축의 고기. ②수육(獸肉)을 잘라 요리(料理)를 함. ——-하다 [자][여불]
도육²【燾育】[명] 잘 보호하여 기름. ——-하다 [타][여불]
도:윤【道允】[명]〖사람〗 신라 때의 중. 속성(俗姓)은 박(朴). 호는 쌍봉(雙峰). 경기도 시흥(始興) 출신. 문성왕(文聖王) 9년(847)에 당(唐)나라에 가서 남전(南泉)의 선(禪)을 신라에 전함. 신라 선문 구산(禪門九山)의 하나인 사자산(獅子山)을 개산(開山)한 조사(祖師).
도:융【道融】[명]〖사람〗 ①중국 남북조(南北朝) 시대의 중. 허난(河南) 사람. 구마라습(鳩摩羅什)에게 배우고 요흥(姚興)에게 인정받아 칙명(勅命)에 의해 역경(譯經)에 종사함. ≪중론(中論)≫을 번역하고 법화(法華)를 강의해서 구마라습을 놀라게 하였음. [372-445] ②신라의 중. 문무왕 때의 의상(義湘)의 열 제자 중의 한 사람.
도은¹【逃隱】[명] 도망쳐 숨음. ——-하다 [자][여불]
도은²【陶隱】[명]〖사람〗 이숭인(李崇仁)의 호(號).
도은-집【陶隱集】[명]〖책〗 고려말의 학자 도은(陶隱)이 숭인(李崇仁)의 시문집. 조선 태종(太宗) 4년(1404)에 권근(權近)이 왕명으로 편집하여 간행함. 5권 2책. 인본.

도:음【導音】[명]〖악〗'이끎음'의 한자 이름.
도:음소-도【道音所島】[명]〖지〗 돔배섬.
도읍【都邑】[명] ①서울¹. ②좀 작은 도회지. ——-하다 [자][여불] 서울로 정하다. ¶ 개성(開城)은 고려가 도읍하였던 곳이다.
도읍-지【都邑地】[명] 서울로 정한 곳. 도읍으로 삼은 곳.
도읍 풍수【都邑風水】[명]〖민〗 마땅한 도읍지(都邑地)를 점쳐 판단하는 풍수(風水). *양택 풍수.
도의¹ [명] 〈옛〉 도부(到付)❷. ¶ 도의 판(販 買賤賣貴曰販)≪字會 下 21≫.
도:의²【道衣】[ㅡ/ㅡ이] [명] 도사(道士)가 입는 의복. 도복(道服).

〈도의²〉

도:의³【道義】[ㅡ/ㅡ이] [명] 사람이 마땅히 행하여야 할 도덕 상의 의리. 도덕과 의리. 기(紀). ¶ ~에 어긋나다.
도:의⁴【道義】[ㅡ/ㅡ이] [명]〖사람〗 신라 때의 중. 선덕왕(宣德王) 5년(784)에 당(唐)나라에 건너가 헌덕왕(憲德王) 13년(821)에 귀국하여 신라에 처음으로 남돈(南頓)의 선(禪)을 전함. 신라 선문 구산(禪門九山)의 하나인 가지산(迦智山)의 개산 조사(開山祖師). *구산 조사(九山祖師).
도:의⁵【道議】[ㅡ/ㅡ이] [명] ↗도의회(道議會). 「[타][여불]
도의⁶【擣衣】[ㅡ/ㅡ이] [명] 다듬잇방망이로 옷을 다듬음. ——-하다
도의다 [자] 〈옛〉 되다¹. =ᄃᆞ빙다·도외다. ¶ 도욀 육(毓)≪字會 上 33≫.
도:의-심【道義心】[ㅡ/ㅡ이ㅡ] [명] 사람이 마땅히 행하여야 할 도덕 상의 의리를 지키려는 마음. 도의를 존중하는 마음.
도:-의원【道議員】[명] 도의회의 의원. 「지다.
도:의-적【道義的】[ㅡ/ㅡ이ㅡ] [명][관] 도의에 맞는 모양. ¶ ~ 책임을
도:의적 책임론【道義的責任論】[ㅡ논/ㅡ이ㅡ논] [명]〖법〗 형사 상(刑事上)의 책임의 근거를 도의적 비난성(非難性)에 구하는 견해. 곧,어떠한 범죄 행위에 대하여, '그 행위를 하여서는 안 된다. 하지 아니할 수 있었는데도 감히 그 행위를 하였다'고 하는 것과 같은 윤리적인 비난의 가능성을 범죄의 성립 요건으로 하는 설. 「철학.
도:의-학【道義學】[ㅡ/ㅡ이ㅡ] [명] 〔moral philosophy〕 도덕학. 도덕
도:-의회【道議會】[명] 지방 자치 단체인 도(道)의 의결 기관. 도민(道民)에 의하여 선출된 도의원으로써 구성됨. [준]도의(道議).
도:의회 의원【道議會議員】[명] 도의회의 구성원인 의원.
도이¹【島夷】[명] ①섬나라의 오랑캐. ②중국에서, 남방의 이민족(異民族)을 가리키는 말. 처음에는 양쯔 강(揚子江) 유역 또는 이남의 주민을, 송당(宋唐) 시대 이후는 동남 아시아·남양 제도(諸島)의 주민을, 나중에는 인도·페르시아 등지의 주민을 가리키었음.
도이²【徒爾】[一] [명] 무익함. 헛됨. [二] [부] 헛되이.
도이³【禱爾】[명] 기도(祈禱). 「26≫.
-도이 [미] 〈옛〉 -되게. ¶ 시름도이 絕境을 ᄇᆞ리고(怏怏去絕境)≪杜諺 I:
도이블러 〔Däubler, Theodor〕 [명]〖사람〗 독일의 시인. 유럽 각지를 방랑하며 시작(詩作)함. 표현주의의 선구자. 대표작으로 ≪북극광(北極光)≫이 있음. [1876-1934]
도이장-가【悼二將歌】[명]〖악〗 고려 예종(睿宗)이 지은 노래. 예종 15년(1120)에 임금이 국초(國初)의 개국 공신인 신숭겸(申崇謙)과 김낙(金樂)의 두 장수를 추도하여 지은 이두문(吏讀文)으로 된 경기체가(景幾體歌).
도이지 〔Doisy, Edward Adelbert〕 [명]〖사람〗 미국의 생화학자(生化學者). 성(性)호르몬과 그 밖의 호르몬 물질 대사의 연구로 많은 업적을 남김. 비타민 K의 발견과 합성(合成)의 공으로 1943년 노벨 생리 의학상을 수상. [1893-1986] 「말.
도이지-란【島夷之亂】[명]〖역〗 '임진 왜란(壬辰倭亂)'을 낮게 이르는
도이지-략【島夷誌略】[명]〖책〗 중국 원(元)나라의 왕대연(汪大淵)이 남해 제국(諸國)의 지리·산물·풍속 등을 실지(實地) 견문하고 쓴 책. 2권.
도이처 〔Deutscher, Isaac〕 [명]〖사람〗 폴란드 출신의 영국 정치 평론가. 공산당원이었으나 반(反)스탈린파로 몰려 제명되자, 1939년 영국에 망명하여 귀화함. 소련 연구가로서 유명하며, 주저(主著)에 ≪트로츠키의 전기(傳記)≫가 있음. [1907-67]
도이치 〔Deutsch, Karl Wolfgang〕 [명]〖사람〗 미국의 국제 정치학자. 체코에서 태어나 2차 대전 직전에 미국에 망명·귀화함. 예일 대학·하버드 대학 교수. 사이버네틱스(cybernetics)의 모델을 정치학에 적용하였으며, 또한 정치의 수량적 분석을 행하였음. 주저(主著)에 ≪내셔널리즘과 커뮤니케이션≫·≪정부의 신경(神經)≫ 등이 있음. [1912-]
도이치-말 〔Deutsch〕 [명] 독일어.
도이칠란트 〔Deutschland〕 [명]〖지〗 '독일(獨逸)'의 원말.
도인¹【刀刃】[명] ①칼날. ②칼의 총칭.
도인²【島人】[명] 섬에 사는 사람. ↔육지인(陸地人).
도인³【桃仁】[명]〖한의〗 복숭아 씨의 알맹이. 해수(咳嗽)·변비(便祕)·파혈(破血) 등에 약재로 씀.
도인⁴【陶人】[명] 도기(陶器)의 제조를 직으로 하는 사람. 도공(陶工).
도인⁵【陶印】[명] 질그릇을 만드는 흙을 재료로 하여 만든 도장.
도인⁶【盜人】[명] 도둑. 도적(盜賊).
도인⁷【屠人】[명] 백장. 도자(屠者).
도인⁸【都人】[명] 서울 사람. 도회지에서 사는 사람. 도인사(都人士).
도:인⁹【道人】[명] ①도사(道士)❸. ②〖천도교〗 천도교를 믿는 사람.
도:인¹⁰【導引】[명] ①도인법(導引法). ②인도(引導). 안내. ③안마(按摩).
도:인¹¹【導因】[명] 어떤 사태를 이끌어 낸 원인.
도:인-두【道人頭】[명]〖한의〗 창이자(蒼耳子).
도:인-법【導引法】[ㅡ뻡] [명] 도가(道家)에서 행하는 일종의 치료·양생법(養生法). 관절·체지(體肢)를 굴신(屈伸)·동작시키거나, 정좌(靜座)·마찰·호흡을 행함. 도인(導引).
도-인사【都人士】[명] 도회지에서 살고 있는 사람. 도인(都人).
도인 사지【都引舍知】[명]〖역〗 신라 때 대일임전(大日任典)의 벼슬. 경덕왕(景德王)이 전인(典引)으로 고쳤다가 다시 이 이름으로 고침. 위계는 사지(舍知)에서 대사(大舍)까지.
도인송도지-곡【都人頌禱之曲】[명]〖악〗 조선 태종 14년(1414) 4월에 하륜(河崙)이 지은 악가(樂歌). 도읍을 한양으로 옮긴 것을 도성(都城) 사람들이 찬미한다는 내용으로 모두 8장임. 「설탕을 타서 빚은 술.
도인-주【桃仁酒】[명] 도인(桃仁)·백단(白檀) 등을 소주에 담가 두었다가
도:일¹【度日】[명] 세월을 보냄. 날을 보냄. ——-하다 [자][여불]
도일²【逃逸】[명] 달아남. 도둔(逃遁). ——-하다 [자][여불]
도:일³【渡日】[명] 일본으로 건너감. ¶ ~ 유학. ——-하다 [자][여불]
도:일⁴【道一】[명]〖사람〗 중국 당(唐)나라의 선승(禪僧). 성은 마(馬)씨. 법호(法號)는 마조(馬祖). 남악 회양(南嶽懷讓)에 사사(師事)하였고, 장시(江西)에서 포교하였음. 남종선(南宗禪) 발전에 공이 크며, 그의 선풍(禪風)은 '평상심(平常心)' 즉, '도(道)'로 요약할 수 있음. 많은 제자 중 백장 회해(百丈懷海)·남전 보원(南泉普願)·대매 법상(大梅法常) 등이 뛰어남. 어록(語錄) 1권이 있음. 시호(諡號)는 대적 선사(大寂禪師). [708-788]
도일⁵ 〔Doyle, Arthur Conan〕 [명]〖사람〗 영국의 의사·추리(推理) 소설가. 아마추어 탐정(探偵) 셜록 홈스(Sherlock Holmes)가 활약하는 수개의 장·단편을 내어 이름을 얻음. 작품에 ≪셜록 홈스의 모험≫·≪바스커빌(Baskervilles)의 개≫ 등이 있음. [1859-1930]
도:일 기념일【道日記念日】[명]〖천도교〗 천도교에서 넷째 대도주(大道主)인 박인호(朴寅浩)가 승통(承統)한 날을 기념하는 날.
도:임【到任】[명] 지방의 관리가 임소(任所)에 도착함. ——-하다 [자][여불]
도:임-상【到任床】[ㅡ쌍] [명] 지방의 관리가 도임하였을 때에 대접하기 위하여 차리는 음식상.
도:입【導入】[명] ①끌어들임. 인도하여 들임. ¶ 소설의 ~부(部)/외자(外資)를 ~하다. ②〖교〗 학습 지도 과정의 최초의 단계. 단원(單元)의 전개(展開)에 있어, 단원의 내용을 효과적으로 피교육자가 학습하도록 의욕을 불러 일으키는 예비적 단계. ——-하다 [타][여불]
도:입-부【導入部】[명]〖악〗 서주부(序奏部). 인트로덕션.
도:입-선【導入線】[명]〖전〗 전선(電線) 등에서, 끌어들인 선(線).
도:입 예:금【導入預金】[ㅡ네ㅡ] [명]〖경〗 금융 알선 업자가 소액의 예금을 모아 특정인에게 대출할 것을 조건으로, 금융 기관에서 규정 이상의 비싼 이자를 받고 예입하는 예금.
도ᄋᆞ며 [타] 〈옛〉 도우며. '돕다'의 활용형. ¶ 靑와 블고미 서르 도ᄋᆞ며(靑明相賴)≪圓覺 下 二之一 15≫. 「所)≪飜小 XI:5≫.
도ᄋᆡ다 [자] 〈옛〉 되다¹. =ᄃᆞ빙다. ¶ 文忠公의게 손이 도ᄋᆡ여셔(客文忠公
-도ᄋᆡ윰 [미] 〈옛〉 -됨. ¶ 말호매 ᄲᆞᄅᆞ며 망녕도ᄋᆡ유믈 금지ᄒᆞ면(發禁躁
도자¹【刀子】[명] 작은 칼. 창칼. 소도(小刀). ⌊妄)≪飜小 Ⅷ:10≫.
도:자²【度者】[명]〖불교〗 득도(得度)한 사람. 득도자(得度者).
도자³【陶瓷·陶磁】[명] 도기(陶器)와 자기(瓷器).
도자⁴【屠者】[명] 백장. 도아(屠兒). 도인(屠人).
도:자⁵【道者】[명] 도교(道教)를 닦는 사람. 도사(道士).
도:자⁶【導者】[명] 안내하는 사람. 인도자.
도자⁷【韜藉】[명] 신주(神主)를 씌우는 집. 흔히, 비단을 배접(褙接)해서 신주에 꼭 맞게 만드는데, 개독(開櫝)할 때는 그것도 따라서 벗기게 됨.
도자⁸ 〔Dauzat, Albert〕 [명]〖사람〗 프랑스의 언어학자. 파리의 고등 학술 연구소에서 수학하고, 동(同) 연구소 교수가 됨. 연구는 다방면에 걸치었지만, 그 주류(主流)를 이루는 것은 방언학(方言學)·언어 지리학임. 주저(主著)에 ≪언어 지리학≫ 등이 있음. [1877-1955]
도자-기【陶瓷器·陶磁器】[명] 질그릇·오지 그릇·사기 그릇의 총칭.
도자기 공예【陶瓷器工藝】[명] 도자기를 가공한 공예품. 또, 그 가공 기
도자래기 [명] 〈방〉〖어〗 멸치. ⌊술.
도-자문【都尺文】[명] 〈이두〉 도척문(都尺文).
도:자-율【導磁率】[명]〖물〗 투자율(透磁率).
도자-전【刀子廛】[명] 작은 칼과 패물(佩物) 등을 파는 가게.
도작¹【盜作】[명] 남의 작품의 일부 또는 전부를 본떠서, 제가 지은 듯이 대강 고쳐서 발표하는 일. 또, 그렇게 하여 만든 작품. 표절(剽竊).
도작²【盜斫】[명] 도벌(盜伐). ——-하다 [타][여불] ⌊——-하다 [타][여불]
도:작³【道綽】[명]〖사람〗 중국의 중. 정토교(淨土教)를 재흥(再興)한 조사(祖師). 현중사(玄中寺)의 담란(曇鸞)의 비문(碑文)을 읽고 정토 신앙에 들어갔음. 진종(眞宗) 칠조(七祖)의 넷째. [562-645]
도작⁴【稻作】[명]〖농〗 벼농사. 미작(米作). ——-하다 [자][여불]
도 잠【陶潛】[명]〖사람〗 도연명(陶淵明)의 본명(本名).
도장¹ [명] 〈방〉 곳간(경상).
도장²【刀匠】[명] 칼을 만드는 사람. 도공(刀工).
도장³【刀杖】[명] 칼과 지팡이. 또, 도검류(刀劍類).
도장⁴【島長】[명]〖역〗 도감(島監).
도장⁵【徒長】[명]〖식〗 지나치게 많은 비료를 주었거나 또는 광선의 부족 등으로 말미암아, 식물의 줄기나 잎이 쓸데없이 길고 연약하게만 자람. 웃자람. ——-하다 [자][여불]
도:장⁶【倒葬】[명] 자손을 조상 묘지의 웃자리에 장사함. ——-하다 [타]
도장⁷【屠場】[명] ↗도수장(屠獸場). ⌊[여불]
도장⁸【盜葬】[명] 암장(暗葬). ——-하다 [타][여불]
도장⁹【盜贓】[명] 훔쳐서 얻은 재물. 장물(贓物).
도장¹⁰【都狀】[명] 도가(道家)에서, 태산 부군(泰山府君)을 모시고 수명(壽
도장¹¹【堵墻·堵牆】[명] 담¹. ⌊命)의 연장을 빌 때 올리는 제문(祭文).

도:장[12]【道場】 명 ①검도(劍道)나 유도(柔道)·태권도 등을 가르치거나 연습하는 곳. ②『불교』 도량(道場). 법굴(法窟). ③수양(修養)·훈련을 목적으로 단체 생활을 하는 곳.

도장[13]【塗裝】 명 도료(塗料)를 칠하거나 발라서 치장(治粧)함. ¶ ～ 공사. ——하다 타 여불

도:장[14]【道藏】 명 『사람』 백제의 중. 백제의 멸망을 전후하여 일본으로 건너간 승려 중의 하나. 일본의 불교를 지도하였음. 저서로는 ≪성실론(成實論)≫이 있음.

도:장[15]【道藏】 명 『책』 도교(道敎)의 경전의 집대성(集大成). 불교의 대장경(大藏經)에 상당함. 명(明)나라, 정통(正統) 연간에 편찬된 5천여 권의 ≪정통 도장(正統道藏)≫이 유명함.

도장[16]【圖章】 명 개인·단체·관직 등의 이름을 나무·뼈·뿔·수정(水晶)·돌·금 따위에 새겨서 인주를 묻힌 후, 서류에 찍어 증거로 삼는 데 쓰는 물건. 인(印). 인장. 신장(信章). ¶ 인감 ～.
 도장(을) 찍다 구 ㉠도장을 찍어 약조를 맺다. 계약하다. ㉡자기의 것으로 만들다.

도:장[17]【導掌】 명 『역』 조선 후기(後期)에 사궁 장토(司宮莊土)의 관리를 도급(都給) 맡은 궁방(宮房)의 직원. 매년 일정한 도조(賭租)를 관(官)이나 궁(宮)에 바치는 일을 맡음. 또, 그 일. ——하다 자 여불

도장[18]【賭場】 명 도박(賭博)을 하는 곳. 도박장.

도장-공【塗裝工】 명 칠장이.

도:장 도중【導掌都中】 명 『역』 조선 후기에, 한 장토(莊土) 안의 여러 도장(導掌)들의 모임. 또, 이들로써 이루어진 기구.

도장무늬 토기【圖章―土器】[―니―] 명 『고고학』 무늬가 새겨진 도장을 눌러 찍어서 무늬를 낸 토기. 통일 신라 시대의 무덤·절터·궁터 등에서 출토됨. 인화문 토기(印花文土器).

도:장 문기【導掌文記】 명 『역』 도장(導掌)으로서의 권리를 매매하는 문서.

도장-밥【圖章―】[―빱] 명 〈속〉 인주(印朱).

도장-방[1]【―房】 명 여자들이 거처하는 방. 규방(閨房).

도장-방[2]【圖章房】[―빵] 명 도장포(圖章鋪).

도장 불가【刀杖不加】 명 남을 칼로 해치거나 몽둥이로 치지 아니함. 또, 그러한 일을 해서는 아니 됨.

도장-왈자【―曰字】[―짜] 명 〈속〉 아무 일에나 휘두르고 나서서 잘난 체하는 사람.

도-장원【都壯元】 명 장원(壯元)❸.

도장-장이【圖章匠―】 명 도장을 새기는 것을 업으로 삼는 사람. 인장공.

도장-주머니【圖章―】[―쭈―] 명 도장을 넣어 두는 주머니.

도장-지【徒長枝】 명 『식』 과실 나무의 은아(隱芽)에서 줄기차게 뻗어나가는 가지. 매우 연약하여 결실(結實)하지 아니하므로 잘라 버림.

도장-포【圖章鋪】 명 도장을 새기는 가게. 도장방(圖章房).

도장-함【圖章函】 명 도장을 넣어 두는 조그만 함. *문서함.

도:장 허급문【導掌許給文】 명 『역』 궁방 장토(宮房庄土)의 도장(導掌)으로서의 권리를 급여(給與)하는 문서.

도장 명 〈옛〉 도장방[1]. 안방. ¶도장 규(閨). 도장 합(閤) ≪字會中4≫/ 도장 안해셔 오직 ᄒᆞ오아 보ᄂᆞ니라(閨中只獨看)≪重杜諺 XII:4≫.

도:재[1]【倒載】 명 ①수레 같은 데에, 거꾸로 실음. ②앞뒤 분간도 못할 만큼 취(醉)함. ——하다 자타 여불

도재[2]【屠宰】 명 동물을 도살(屠殺)함. ¶ 국상(國喪)이 있게 되면 졸곡(卒哭) 전까지 민가에서는 ～까지 금지시킨다. ——하다 타 여불

도재-고【都齋庫】 명 『역』 고려 때 산천(山川)·일월(日月)·성신(星辰)에 대한 제물을 취급하고 보관하던 관아.

도저[1]【搗杵】 명 망치 모양의 절굿공이.

도:저[2]【道底】 명 『불교』 수행(修行)의 심오(深奧)함.

도:저-하다【到底―】 형 여불 ①썩 잘되어 매우 좋다. ②끝까지 이르러서 훌륭하다. ¶그의 정은 옛날이나 지금이나 한결같이 도저했으나 그 인식은 겨우 이 정도였던 것이다≪張德祚 : 狂風≫. **도:저-히**【到底―】 부 아무리 하여도. 끝끝내. ¶ ～ 못하겠다.

도적[1]【盜賊】 명 도둑. 적도(賊盜). 적(賊).

도적[2]【圖籍】 명 ①지도와 호적(戶籍). ②도서(圖書). ③그림과 책.

도적-게【桃赤―】 명 『동』 도둑게.

도적-놈【盜賊―】 명 ☞도둑놈.

도적-색【桃赤色】 명 붉은 빛을 띤 분홍색.

도적-질【盜賊―】 명 ☞도둑질. ——하다 타 여불

도전[1]【刀錢】 명 『역』 중국 고대의 청동제(青銅製) 도자형(刀子形) 화폐. 그 형상(形狀)으로 첨수도(尖首刀)·제도(齊刀)·명도(明刀), 곧 방수도(方首刀)와 원수도(圓首刀)의 네 종류로 구분됨. 주조(鑄造)와 사용 연대는 춘추 시대 말기에서 한(漢)나라 초기, 유통 지역은 연(燕)·제(齊)·조(趙) 및 위(魏)나라의 일부분에 한정되었던 것으로 추측됨. 도폐(刀幣). 도화(刀貨).

〈도전[1]〉

도전[2]【挑戰】 명 ①싸움을 걸거나 돋움. ¶ 강적(強敵)에 ～하다. ②비유적으로, 어려운 사업이나 기록 경신(記錄更新)에 맞섬. ¶ 정상(頂上)에 ～하다. ——하다 자 여불

도전[3]【徒錢】 명 보람없이 낭비한 돈.

도:전[4]【渡田】 명 『역』 조선 시대에 서울 주변의 큰 강의 요처(要處)에 설치된 도진(渡津)에 나누어 준 토지. 그 소출로 도진의 비용을 씀.

도전[5]【盜電】 명 전력을 몰래 훔쳐 씀. ——하다 자 여불

도전[6]【稻田】 명 벼를 심은 논밭.

도전[7]【賭錢】 명 ①내기에 건 돈. ②남의 논밭을 빌어서 부치고 그 세로 해마다 내는 돈. 도짓돈. *도조(賭租).

도:전[8]【導電】 명 『물』 전기의 전도(傳導).

도전 광:고【挑戰廣告】 명 시장에서, 우위(優位)에 있는 선행(先行) 기업의 상표에 도전하는 추종(追從) 광고. 또, 소비자의 생각이나 눈이나 태도에 도전하는 광고라는 뜻으로도 쓰임.

도:전성 플라스틱【導電性―】[plastic] [―썽―] 명 플라스틱 재료에 초미세 분말의 탄소나 금속을 섞어 도전성을 가지게 만든 플라스틱.

도전 양:리【稻田養鯉】[―냥니] 명 논에서 잉어를 양식(養殖)하는 일.

도:전-율【導電率】[―뉼] 명 『물』 전기의 전도율. 그 수치는 비저항(比抵抗)의 역수(逆數)임. 전기 전도도(電氣傳導度).

도전-자【挑戰者】 명 도전하는 사람.

도전-장【挑戰狀】[―짱] 명 도전하는 글을 써서 상대에게 보내는 서장(書狀).

도전-적【挑戰的】 명관 싸움을 걸려고 하는 모양. ¶ ～인 말투.

도:전-체【導電體】 명 『물』 도체(導體).

도절【盜竊】 명 절도(竊盜). ——하다 타 여불

도절 시:진【刀折矢盡】 명 칼은 부러지고 화살은 다 써서 없어짐. 곧, 싸울 대로 싸워 다시 더 싸워 나갈 도리가 없음.

도-절제사【都節制使】[―쩨―] 명 『역』 ①고려 공양왕 원년(1389)에 도순문사(都巡問使)를 고친 이름. 외방(外方)의 군직(軍職)임. ②조선 시대 초, 의흥 친군위(義興親軍衛)에 딸린 군직의 하나.

도-접주【都接主】 명 『역』 동학(東學)에서 접조직(接組織)의 각 접주들을 총관하고 지도하던 직책.

도정[1]【盜情】 명 남의 물건을 훔치려는 마음. 도심(盜心).

도정[2]【都正】 명 『역』 조선 시대 때 종친부(宗親府)·돈령부(敦寧府)·훈련원(訓鍊院)의 정삼품(正三品) 벼슬. 당상관(堂上官)임.

도정[3]【都定】 명 『역』 조선 후기에, 해마다 작황(作況)을 조사하여 소작료를 부과하는 일. 주로 궁방전(宮房田)의 소작지에서 실시되었음. *도조(賭租).

도정[4]【都政】 명 『역』 ↗도목 정사(都目政事).

도:정[5]【道正】 명 『천도교』 포덕(布德) 500 집 이상을 가진 사람. 교구(敎區)를 관리하는 일을 맡음.

도:정[6]【道政】 명 한 도(道)를 다스리는 정사(政事).

도:정[7]【道程】 명 ①길의 이수(里數). 노정(路程). ②여행의 경로(經路). 여정(旅程).

도정[8]【搗精】 명 곡식(穀食)을 찧거나 쓿어서 등겨를 내어 희고 깨끗하게 만듦. ¶ ～업자. ——하다 타 여불

도정-료【搗精料】[―뇨] 명 방앗삯.

도-정사【都正司】 명 『역』 고려 때 삼사(三司)를 현종(顯宗) 5년(1014)에 고친 이름, 14년에 다시 삼사로 고침.

도:정-산【渡正山】 명 『지』 함경 북도 경성군(鏡城郡) 주을읍(朱乙邑)과 무산군(茂山郡) 연사면(延社面) 사이에 있는 산. [2,201 m]

도정-업【搗精業】 명 도정하는 직업.

도정-역【都亭驛】[―녁] 명 『역』 신라 35대 경덕왕(景德王) 때 종래의 경도역(京都驛)을 고친 이름.

도:정-표【道程標】 명 이정표(里程標).

도:정-회【道正會】 명 『천도교』 대도정(大道正)·도정(道正)들이 모여 교중(敎中)의 중요한 일을 의결하는 회의.

도제[1]【徒弟】 명 ①제자. 문인(門人). ②[apprentice] 서양 중세(中世)의 수공업에서, 직업에 필요한 지식·기능을 습득하기 위하여 스승의 밑에서 노무에 종사하던 어린 직공.

도제[2]【陶製】 명 오지로 만들어졌음. 또, 오지로 만든 물건.

도:제[3]【道制】 명 『정』 지방 행정 구획으로서 도(道)를 두는 제도.

도:제[4]【道諦】 명 [←도체] 『불교』 사제(四諦)의 하나. 멸제(滅諦)에 이르는 길. 열반(涅槃)의 인(因)이 되는 수행(修行). *사제(四諦).

도제[5]【塗劑】 명 ↗도찰제(塗擦劑).

도제[6]【圖題】 명 작도(作圖) 또는 그림의 제목.

도제-고【都祭庫】 명 『역』 고려 때, 제사에 쓰는 물건을 관리하고 보관하던 창고.

도제 기마 인물상【陶製騎馬人物像】[―쌍] 명 5-6세기 신라 때의 토우(土偶) 한 쌍. 1924년 금령총(金鈴塚)에서 순금 보관(純金寶冠)과 함께 출토되었음. 하나는 앞가슴에 물주둥이를 달고 궁둥이에 술잔 모양의 물 넣는 구멍을 낸 말 등에, 삼각형 모자를 쓴 정장(正裝)한 사람이 타고 있으며 높이 23.4 cm, 길이 29.4 cm. 또 하나는 같은 양식(樣式)의 말 위에 꼭지달린 모자를 쓴 하인 같은 사람이 앉아 있는 상(像)으로, 높이 21.3 cm, 길이 26.8 cm임. 국립 중앙 박물관 소장. 국보 제91호.

도제 제:도【徒弟制度】 명 『사』 서양 중세의 길드(guild)에 있어서, 수공업적 기능의 후계자를 양성하던 제도. 오랫동안 스승의 밑에서 수업하여 비로소 한 사람의 완전한 수공업자로서 독립하여 영업을 하게 되며, 그도 또한 도제를 두어서 기능을 전수(傳授)함.

도-제조【都提調】 명 『역』 승문원(承文院)·봉상시(奉常寺)·종부시(宗簿寺)·사옹원(司饔院)·내의원(內醫院)·군기시(軍器寺)·군자감(軍資監)·사역원(司譯院)·전함사(典艦司)·종묘서(宗廟署)·사직서(社稷署)·문소전(文昭殿)·경모궁(景慕宮)·영희전(永禧殿)·장생전(長生殿)·선혜청(宣惠廳)·준천사(濬川司)·훈련 도감(訓鍊都監)·금위영(禁衛營)·어영청(御營廳)·비변사(備邊司)·수성금화사(修城禁火司)·경리청(經理廳)에 각각 딸린 벼슬. 의정(議政)이나 또는 전에 의정을 지낸 사람이 겸임(兼任)함. *도상(都相).

도-제직회【都諸職會】 명 『기독교』 예수교에서, 여러 교회의 교직자들이 연합하여 가지는 회의.

도제 학교【徒弟學校】 명 서양에서, 근세의 산업 기술의 발달을 위하여 도제의 양성을 목적으로 한 학교.

도조[1]【刀俎】 명 칼과 도마.

도:조[2]【度祖】[명]〖사람〗이성계(李成桂)의 조부(祖父). 이름은 춘(椿). 초명은 선래(善來). 전주(全州) 사람. 환조(桓祖)의 아버지. 몽골의 벼슬을 지내고 고려에서 찬성사(贊成事)를 지냈음. 이성계 등극 후 도왕(度王)에 추존(追尊)됨. [?-1342]

도조[3]【賭租】[명]남의 논밭을 부치고 그 세로 해마다 내는 곡식. 도지(賭地). ¶ ~를 바치다. *도전(賭錢).

도:조 히데키〔東條英機: とうじょうひでき〕[명]〖사람〗일본의 군인·정치가. 육사·육대를 거쳐 육군 차관·육상(陸相) 등을 역임, 1941년 수상이 되어 태평양 전쟁을 주도(主導)하였음. 1948년 국제 군사 재판에서 전범(戰犯)으로 유죄 선고를 받고 교수형에 처해짐. [1884-1948]

도족 [명]〈방〉도적(盜賊)(함북).

도:종[1]【道宗】[명]〖사람〗중국 당(唐)나라의 장군. 645년 당태종(太宗)의 고구려 침공 때, 요동도 행군 총관(遼東道行軍摠管)으로 대총관(大摠管) 이적(李勣)과 함께 6만 대군을 이끌고 쳐들어와 개모성(蓋牟城)·요동성(遼東城)을 함락시켰으나, 안시성(安市城)에서 대패(大敗)함. 뒤에 당태종은 그가 건의한 평양(平壤) 진격의 전략을 채택하지 않은 것을 후회하여 패전(敗戰)의 죄를 사하였음.

도:종[2]【導從】[명]행렬(行列)을 따르는 사람. 도(導)는 앞에 서는 사람, 종(從)은 뒤따라가는 사람.

도:종-지【道種智】[명]〖불교〗관음경(觀音經)의 삼지(三智)의 하나. 보살이 중생을 교화함에 있어서 도(道)의 종별(種別)을 다 알아내는 지혜.

도죄[1]【徒罪】[명]〖역〗도형(徒刑)에 상당하는 죄.

도죄[2]【盜罪】[명]절도죄(竊盜罪) 및 강도죄의 총칭.

도주[1]【逃走】[명]피하거나 쫓겨서 달아남. 도망(逃亡). ——-하다 [자][여불]

도주[2]【賭酒】[명]술을 걸고 내기를 함.

도주[3]【陶朱】[명]〖사람〗↗도주공(陶朱公).

도주[4]【陶鑄】[명]도공(陶工)이 옹기를 만들고 단공(鍛工)이 금속을 녹여 부어 그릇을 만듦. 전하여, 인재를 양성함. 도야(陶冶).

도-주공【陶朱公】[명]〖사람〗'범려(范蠡)'의 별칭. [준]도주(陶朱).

도주 방조죄【逃走幇助罪】[—죄][명]〖법〗죄수·피구금자(被拘禁者)를 탈취하거나 도망하게 함으로써 성립되는 죄.

도주 의돈【陶朱猗頓】[명]〔도주는 중국 춘추 시대 월(越)의 도주공, 곧 범여(范蠡), 의돈은 노국(魯國)의 부호〕막대한 재산. 또, 부자(富者).

도주-자【逃走者】[명]도주하는 사람. 도망자(逃亡者).

도주-죄【逃走罪】[—죄][명]〖법〗체포 또는 구금된 자가 도망함으로써 성립되는 죄.

도주 태풍【逃走颱風】[명]〖기상〗8월경에 흔한 태풍으로서, 불규칙한 진로(進路)를 취하는 것을 이름.

도중[1]【島中】[명]섬의 안.

도중[2]【徒衆】[명]사람의 무리.

도중[3]【途中】[명]①길을 가고 있는 동안. 왕래하는 사이. 길. ¶ 여행 ~. ②일이 미처 끝나지 못한 사이. 곧, 일의 중간. ¶ 일하는 ~.

도중[4]【都中】[명]①어떤 단체나 조직의 안. 또, 그 구성원(構成員) 전부. ②〖역〗조선 중기 이후, 서울 육의전(六矣廛) 상인의 동업자(同業者) 단체.

도중[5]【盜衆】[명]도적의 무리.

도:중[6]【道中】[명]①길 가운데. ②여행길. 노중(路中).

도중 계:시【途中計時】[명]중·장거리 경주나 마라톤 등에서, 한 바퀴 또는 일정한 거리마다 선수가 그 지점을 통과한 시간을 재는 일. 흔히, 정식 기록은 안됨.

도:-중생【度衆生】[명]〖불교〗중생을 제도(濟度)하는 일. 도생(度生).

도:중생-심【度衆生心】[명]〖불교〗중생을 제도(濟度)하려는 마음.

도중 하:차【途中下車】[명]차를 타고 가다가 목적지에 이르기 전에 중도에서 내림. ——-하다 [자][여불]

도:즈-안【—案】〔Dawes〕[명]〖역〗☞도스안(案).

도즉ᄒᆞ다 [타]〈옛〉도둑질하다. ¶ ᄂᆞ미 겨지블 ᄆᆞ마니 도즉ᄒᆞ야 얻노라(偸將去的時節)《朴解 上 35》.

도:증【道證】[명]〖사람〗신라 통일 시대의 중. 원측(圓測)의 제자. 당(唐)나라에 가서 원측에 따라 유식학(唯識學)을 배우고 효소왕(孝昭王) 1년(692)에 귀국하여 천문도(天文圖)를 왕께 바치었음. 생몰 연대 미상.

도지[1]【島地】[명]섬을 이루고 있는 땅. 섬.

도지[2]【桃枝】[명]복숭아나무 가지. 귀신이 겁낸다 하여 이것으로 귀신을 막고 내쫓기도 함.

도지[3]【賭只】[명]정조(定租).

도지[4]【賭地】[명]①일정한 도조를 물고 빌려 쓰는 논밭이나 집터. ②도조(賭租). ③〖역〗조선 시대 후기 17세기 무렵부터 말기에 걸쳐 성립된 일종의 정액제(定額制) 소작 형태. 도지권(賭地權)이 형성되며, 소작료는 보통 생산물의 약 25-33%였음. 「징(dodging).

도지[5]〔dodge〕[명]럭비나 하키에서, 몸을 피하면서 빠져 나가는 일. 도

도:지개 [명]①트집난 활을 바로잡는 틀. ②☞기지개. ¶ 은근한 대답이 계시고, 몸을 틀어 ~를 펴시었다《朴鍾和: 錦衫의 피》.

도지개를 틀다 [구]몸가짐을 단정히 하다. 자세를 바로 하다.

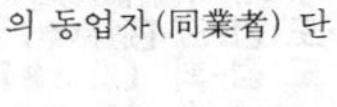
〈도지개❶〉

도지게 [명]〈옛〉도지개. ¶ 도지게 경(檠)《字會 下 10》.

도지-권【賭地權】[—꿘][명]〖역〗조선 시대 후기 17세기 무렵부터 말기까지에 형성된 도지(賭地) 제도에서의 소작농의 권리. 영구 소작권(永久小作權)과, 그 권리의 전대(轉貸)·양도(讓渡)·매매(賣買)·저당(抵當)·상속권(相續權)을 가짐.

도지기 [명]기생과 세 번째 상관하는 일. *갱짜.

도:지다[1] [자]나아가거나 나았던 병이 도로 덧나다. ¶ 병이 ~.

도지다[2] [자]〈옛〉돌아와 지다. ¶ 東窓에 도닷던 달이 西窓으로 도지도록《古時調》.

도:지다[3] [형]①매우 심하고 호되다. ¶ 세 살 먹은 아이가 때리는 것치고는 꽤 ~. ②몸의 부분이 단단하다.

도지 볼:〔dodge ball〕[명]구희(球戲)의 하나. 두 편으로 갈라져 마주 보고 한 개의 공을 던지고 받고 하면서 상대의 투구(投球)에 맞지 아니하게 하여, 보다 많이 상대를 맞힌 편이 이김. 피구(避球). 구칭: 데드 볼(dead ball). 「(道伯). [준]지사(知事).

도:-지사【道知事】[명]한 도의 행정 사무를 맡아 보는 지방 장관. 도백

도지슨〔Dodgson, Charles Lutwidge〕[명]〖사람〗영국의 수학자·작가. 루이스 캐럴(Lewis Carrol)이라는 필명으로 《이상한 나라의 앨리스(Alice)》 등의 아동 소설을 썼음. [1832-93]

도-지휘사【都指揮使】[명]〖역〗도지휘사사(都指揮使司)의 장관.

도지휘사-사【都指揮使司】[명]〖역〗중국 명대(明代)의 위소제(衛所制)의 한 지방 관청. 오군 도독부(五軍都督府)에 예속되어 위(衛)를 지휘한 관청으로, 전국에 10여 개 있었음.

도:진[1]【渡津】[명]나루[1]❶.

도진[2]【都津】[명]〖역〗사재감(司宰監)의 별칭. 「교외로 나가다.

도진[3]【都塵】[명]도회지의 먼지. 또, 도회지의 혼잡(混雜). ¶ ~을 피하여

도진[4] [명]〖민〗제주도에서, 무당굿의 '뒷전'.

도-진무【都鎭撫】[명]〖역〗조선 시대 초, 의흥 친군위(義興親軍衛)·삼군 진무소(三軍鎭撫所)·오위 진무소(五衛鎭撫所) 등에 딸린 으뜸 벼슬. 세조 12년(1466)에 도총관(都摠管)으로 고침.

도진무-사【都鎭撫司】[명]〖역〗고려 때, 정동행성(征東行省)의 한 기구. 군사 사무를 관장함. 「이름.

도:진 별장【渡津別將】[—짱][명]〖역〗'도승(渡丞)'을 고치어 부르던

도진-사【都津司】[명]〖역〗고려 충선왕이 사재시(司宰寺)를 한때 고쳐 부른 이름.

도질 토기【陶質土器】[명]환원(還元) 상태에서 구운 치밀하고 단단한 회색 또는 흑색의 토기.

도집【都執】[명]〖역〗조선 시대 후기에, 상품을 매점·독점하는 도고(都賈) 행위. 도취(都聚). ——-하다 [타][여불] 「삼위(第三位).

도-집강【都執綱】[명]〖역〗동학(東學)의 교직(敎職)인 육임(六任)의 제

도짓-논【賭地—】[명]도조(賭租)를 내고 짓는 논.

도짓-돈【賭地—】[명]①한 해 동안에 변리를 얼마씩 내기로 작정하고 꾸어 쓰는 돈. ②도조(賭租)로 내는 돈. 도전(賭錢).

도짓-밭【賭地—】[명]도조(賭租)를 내고 짓는 밭.

도짓-소【賭地—】[명]한 해 동안에 도조(賭租)를 얼마씩 내기로 작정하고 빌어서 부리는 소.

도징〔dodging〕[명]도지(dodge). 「4》.

도즉 [명]〈옛〉도둑. ¶ 도즉 도(盜), 도즉 구(寇), 도즉 적(賊)《字會 中

도즉ᄒᆞ다 [타]〈옛〉도둑질하다. ¶ 그 도ᄌᆞ기 後에 닛위여 도즉ᄒᆞ다가 王의 자피니《月釋 X:25》.

도짜구 [명]〈방〉돌쩌귀[1](경남).

도째구 [명]〈방〉돌쩌귀[1](충북).

도쪼고 [명]〈방〉돌쩌귀[1](전북).

도쭈구 [명]〈방〉돌쩌귀[1](경남).

도차[1]【陶車】[명]물레❷. 「퀴.

도:차[2]【導車】[명]〖공〗기계에 장치한 많은 바퀴에 동력을 전달하는 바

도-차지 [명]어느 일이나 물건을 혼자 전부 지배하거나 차지하는 일. 독차지. ——-하다 [타][여불]

도:착[1]【到着】[명]목적한 곳에 다다름. ¶ ~순(順). ——-하다 [자][여불]

도:착[2]【倒着】[명]옷 등을 거꾸로 입음. ——-하다 [타][여불]

도:착[3]【倒錯】[명]상하가 전도(顚倒)되어 서로 어긋남. ¶ ~증(症)/성적(性的) ~. ——-하다 [자][여불]

도:착 가격【到着價格】[명]〖경〗상품이 어느 지역 또는 사람에게 도착할 때 까지의 비용을 원가에 가산한 값.

도:착-도【到着渡】[명]〖경〗거래된 상품이 구입자가 지정한 장소까지 판매자의 책임하에 운반되어 인도되는 일. 「함.

도:착-순【到着順】[명]도착한 순서. 도착한 차례. ¶ ~으로 원서를 접수

도:착-증【倒錯症】[명]〖의〗동성애·애동증(愛童症)과 같이 성애(性愛)의 대상에 관한 도착(倒錯)이나 사디즘(sadism)·마조히즘(masochism)·노출증(露出症)·절시증(竊視症) 등, 성적 쾌감을 얻기 위하여 이상(異狀) 행위를 하는 습성. 변태 성욕(變態性慾).

도:착 체질【倒錯體質】[명]〖심〗정신 분석 용어로, 성적(性的) 도착의 선천적·유전적 인자(因子)를 가지는 이상(異常) 체질.

도찬[1]【逃竄】[명]도피(逃避)❶. ——-하다 [자][여불]

도찬[2]【塗竄】[명]글의 자구(字句)를 지워 고쳐 쓰는 일.

도찬[3]【圖讚】[명]그림의 여백(餘白)에 써 넣은 찬사 또는 시가(詩歌). 화찬(畫讚).

도찰[1]【刀擦】[명]잘못된 글자를 칼로 긁어 내어 고침. ——-하다 [타][여불]

도찰[2]【都察】[명]〖역〗조선 시대 때 내시부(內侍部)의 임시 벼슬의 하나.

도찰[3]【塗擦】[명]바르고 문지름. ——-하다 [타][여불]

도찰 요법【塗擦療法】[—료뻡][명]〖의〗약제를 지방질과 혼합하여 피부에 도찰하여, 체내에 흡수시키는 요법. 매독 요법에 있어서 수은 연고(水銀軟膏)의 도찰, 류머티즘(rheumatism)에 대한 살리칠산(salizyl酸)의 도찰 등.

도찰-원【都察院】[명]〖역〗①중국 명(明)·청(淸) 시대의 정무 감찰(政務監察) 기관. 홍무제(洪武帝)가 어사대(御史臺)를 바꾸어 설치하였음. 중앙에 감찰 도어사(監察都御使), 지방에 감찰 어사(監察御使)를 두고 행정 감찰을 맡게 하였으며, 명나라 중기 이후는 총독(總督)·순무(巡撫)가

도어사(都御使)를 겸하여 감찰권을 장악하였음. ②조선 시대 때 모든 벼슬아치의 잘하고 못함을 규찰(糾察)하기 위하여 둔 의정부의 한 분장(分掌). 고종(高宗) 31년(1894)에 설치하였다가 이듬해에 폐하였음.

도찰-제【塗擦劑】[—쩨] 명 〖의〗 수은 연고(水銀軟膏) 등과 같이 피부에 발라 문지르는 약제. 리니먼트. ㊀도제(塗劑).

도참【圖讖】명 장래의 길흉을 예언한 책. 정감록(鄭鑑錄) 따위. 도록(圖籙). *미래기(未來記).

도창[1]【刀創】명 칼에 다친 상처. *도흔(刀痕).

도창[2]【刀槍】명 칼과 창.

도창[3]【棹唱】명 배를 저으며 노래함. 또, 뱃노래.

도:창[4]【導唱】명 〖악〗 노래를 바르게 이끌어 나가는 일을 맡은 악인(樂人). 도창 악사(導唱樂師).

도:창 악사【導唱樂師】명 〖악〗 도창(導唱).

도채【荼菜】명 씀바귀나물.

도채비 명 〈방〉 도깨비(제주·전라·경북).

도채-장이【塗彩匠—】명 채색을 올리는 일을 업으로 삼는 사람.

도:처【到處】㊀ 명 가는 곳. 이르는 곳. 여러 곳. 방방 곡곡. ¶ ~에 산재(散在)하다. ㊁ 부 가는 곳마다. 이르는 곳마다.

도:처 낭:패【到處狼狽】명 ①하는 일마다 모두 실패함. ②가는 곳마다 봉변(逢變)함. ——-하다 자여불

도:처 선화당【到處宣化堂】명 가는 곳마다 대접을 잘 받음을 이르는 말. 감사(監司)가 도내(道內)를 시찰할 때에 이르는 곳이 곧 선화당이 된다는 뜻에서 온 말.

도:처 춘풍【到處春風】명 두루 춘풍(春風).

도척[1]【刀尺】명 ①포목을 마르고 재는 일. 전하여, 의복의 재봉. ②사람을 진퇴(進退)·임면(任免)시킴의 비유. ③〖역〗 칼자.

도척[2]【刀脊】명 ①칼등. ②험준한 길. 「나.

도:척[3]【度尺】명 ㊀ ①자[1]. ②평가의 기준. ㊁ 옛날의 길이의 단위의 하

도:척[4]【盜跖】명 〖사람〗 중국 춘추 시대의 큰 도적(盜賊)의 이름. 수천 명을 이끌고 천하를 횡행(橫行)하며 포악(暴惡)한 짓을 하였다 함. 현인(賢人) 유하혜(柳下惠)의 아우. 몹시 악한 사람을 비유하는 말로 쓰임. 생몰(生沒) 연대 미상.

【도척의 개 범 물어 간 것 같다】 미운 사람이 잘못되거나 불행해지는 것을 보고 매우 시원해 하며 기뻐하는 경우에 쓰는 말. ¶ 그 것 시원하고 상쾌하게 되었다. 도척의 개 범 물어 간 것 만이나 하구나《李海朝: 鬢上雪》.

도-척문【都尺文】명 조세를 몇 차례로 별러 바쳐, 그 때마다 받은 표(票)를 한데 몰아서 발행하여 주는 영수증. 도자문(都尺文).

도-척-침-협【刀尺針鋏】명 바느질에 쓰이는 제구인 칼·자·바늘·가위.

도천[1]【刀泉】명 도포(刀布). 「여불

도:천[2]【渡天】명 천축(天竺)에 건너가는 일. ¶ ~승(僧). ——-하다 자

도천[3]【盜泉】명 ①〖지〗 중국 산둥성(山東省) 쓰수이 현(泗水縣)에 있는 샘. 공자(孔子)는 그 이름이 좋지 못하여 마시지 아니하였다고 함. ②전(轉)하여, '불의(不義)'의 뜻으로 쓰임. ¶ 목이 말라도 ~의 물은 마시지 않는다.

도:천[4]【道薦】명 〖역〗 감사(監司)가 자기 도내(道內)의 유능한 인물을 천거 상주(上奏)하는 일. ——-하다 타여불

도천[5]【滔天】명 ①큰물이 하늘까지 창일(漲溢)함. ②하늘을 두려워하지 아니하고 업신여김. 죄악 등이 큼을 이름.

도천수 관음가【禱千手觀音歌】명 〖문〗 신라 때의 향가(鄕歌)의 하나. 35대 경덕왕(景德王) 때 희명(希明)이라는 여자가 지었다는 10구체(句體)로 된 노래. 희명의 아이가 눈이 멀어, 분황사(芬皇寺) 관음 보살의 벽화 앞에서 이 노래를 지어 부르며 기도를 드렸더니, 아이의 눈이 떠졌다 함. 도천수 대비가(禱天手大悲歌). 천수 대비가.

도천수 대:비가【禱千手大悲歌】명 〖문〗 도천수 관음가.

도:천-승【渡天僧】명 〖불교〗 천축(天竺)에 건너가는 중.

도천지-세【滔天之勢】명 하늘까지 창일(漲溢)하여 흐르는 기세(氣勢). 대단한 기세.

도철[1]【途轍】명 조리(條理). 도리(道理).

도철[2]【饕餮】명 ①재물과 음식을 탐냄. ②탐욕이 많고 사람을 잡아먹는다는 악수(惡獸)의 이름. 전하여, 탐욕이 많은 흉악한 사람. ③↗도철문(饕餮紋).

도철-문【饕餮紋】명 중국 고대의 기물(器物), 특히 주대(周代) 동기(銅器)에서 볼 수 있는 두 개의 눈을 주체(主體)로 하는 기이한 무늬. ㊀도철.

〈도철문〉

도첨【刀尖】명 칼의 끝.

도첨의 녹사【都僉議錄事】[—/—이—] 명 〖역〗 고려 때 도첨의사사(都僉議使司)의 정칠품 벼슬.

도-첨의령【都僉議令】[—/—이—] 명 〖역〗 고려 때의 도첨의사사의 으뜸 벼슬. 종일품. 충렬왕(忠烈王) 21년(1295)에 중서령(中書令)을 고친 이름.

도첨의-부【都僉議府】[—/—이—] 명 〖역〗 고려 공민왕 11년(1362) 중서 문하성(中書門下省)과 상서성(尙書省)을 고친 이름. 공민왕 18년(1369) 문하부(門下府)로 다시 바뀜.

도첨의사-사【都僉議使司】[—/—이—] 명 〖역〗 고려 때의 관청. 충렬왕(忠烈王) 19년(1293)에 '첨의부(僉議府)'를 고친 이름.

도첨의 사인【都僉議舍人】[—/—이—] 명 〖역〗 고려 때 도첨의사사(都僉議使司)의 정사품 벼슬. 충렬왕 24년(1298)에 둠.

도첨의 시:중【都僉議侍中】[—/—이—] 명 〖역〗 고려 때 도첨의사사(都僉議使司)의 으뜸 벼슬. 종일품. 좌우 두 사람이 있었는데, 충렬왕 24년(1298)에 좌우 첨의 중찬(左右僉議中贊)을 고쳐서 일컫다가, 곧 다시 처음의 중찬으로 다시 고쳤음.

도첨의 주서【都僉議注書】[—/—이—] 명 〖역〗 고려 때 도첨의사사(都僉議使司)의 정칠품 벼슬.

도:첩[1]【度牒】명 〖역〗 고려·조선 시대 때, 새로 중이 되었을 때 나라에서 주는 허가증(許可證). 입적(入寂) 또는 환속(還俗)을 하면 도로 반납(返納)함. 예전에는 예조(禮曹)에서 주었음. 현재는 각 본사(本寺)의 주지(住持)가 만들어 줌. 도연(度緣).

도첩[2]【圖牒】명 그림 첩. 「하여 나는 병.

도:첩 권:모증【倒睫卷毛症】[—쯩] 명 〖한의〗 속눈썹이 안쪽으로 향

도:첩-제【度牒制】명 〖역〗 나라에서 백성이 출가(出家)하는 것을 억제하기 위하여, 승려(僧侶)가 되려는 사람에게 일정한 보상(報償)을 받고 허가장(許可狀)을 내주던 제도. 고려 공민왕(恭愍王) 때는 포(布) 50필을 받고, 조선 시대에는 더 강화하여 양반 자제는 100필, 서민은 150필, 천민(賤民)은 200필을 받음. 성종(成宗) 때부터는 이 제도를 폐하고 백성이 출가하는 것을 금하였음.

도청[1]【島廳】명 섬의 행정 사무를 맡아 보는 관청. 「타여불

도청[2]【淘淸】명 탁한 액체를 가라앉혀서 맑고 깨끗하게 함. ——-하다

도청[3]【都請】명 여러 가지 사물을 통틀어서 한꺼번에 청구함. ——-하다 타여불

도청[4]【盜聽】명 몰래 엿듣는 일. ¶ ~ 장치/전화 ~. ——-하다 타여불

도청[5]【都廳】명 〖역〗 ①조선 초기에 흥인문(興仁門), 창덕궁 인정전, 수구문(水口門)의 개축 공사 등을 위하여 선공감(繕工監)에 설치한 임시 관청. ②실록청(實錄廳)의 한 부서. 낭관(郎官)이 초초(初草)를 종합·심사하여 중초(中草)를 편찬하면, 당상관이 그것을 바탕으로 정초(正草)를 작성함. ③가례 도감(嘉禮都監)·책례 도감(冊禮都監)·존호 도감(尊號都監) 등 도감에 딸린 관직. 보통, 홍문관의 응교(應敎)·교리(校理)가 임명되며, 실무 책임자로서 행사의 준비와 시행을 총괄함. ④격구(擊毬)를 시취(試取)할 때, 합격·불합격을 판정하는 벼슬아치. ⑤조선 후기 영조(英祖) 36년(1760)에 창설된 준천사(濬川司)의 실무 책임자인 정삼품 당상관직. 어영청(御營廳)의 천총(千摠)이 겸임하다가, 뒤에 훈련도감·금위영(禁衛營)·어영청의 별장(別將)이나 천총 중에서 겸직케 함. ⑥↗도회청(都會廳). ⑦각 군(郡)의 재인청(才人廳)을 총괄·감독하는 도(道)의 기구(機構).

도:청[6]【道廳】명 도(道)의 행정을 맡아 처리하는 지방 관청.

도청 도설【塗聽塗說】명 길거리에 퍼져 돌아다니는 뜬소문.

도:체[1]【道體】명 수도(修道)하는 사람의 체후(體候). 편지 같은 데에 쓰는 말. 「여불

도체[2]【圖體·圖遞】명 자기 스스로 벼슬 갈리기를 꾀함. ——-하다 타

도:체[3]【導體】명 〔conductor〕〖물〗 열 또는 전기의 전도율(傳導率)이 비교적 큰 물체의 총칭. 곧 열에는 금속, 전기에는 금속이나 전해 용액(電解溶液) 따위. 도전체(導電體). ↔부도체(不導體).

도체비 명 〈방〉 도깨비(전남).

도-체찰사【都體察使】[—싸] 명 의정(議政)이 겸임하는 임시직의 하나. 특정한 지역의 군정(軍政)과 민정(民政)을 총괄함. 별칭은 체상(體相).

도초-도【都草島】명 〖지〗 목포(木浦)에서 서남쪽 57km 해상, 전라 남도 신안군(新安郡) 도초면(都草面)을 이루는 섬. 수산업의 중심지임. [42.35 km²: 9,146 명(1984)]

도촉【圖囑】명 청촉(請囑)을 꾀함. ——-하다 타여불

도총【都總】명 도합(都合).

도-총관【都摠管】명 〖역〗 조선 시대 때 오위 도총부(五衛都摠府)의 정이품 벼슬. 그 전의 도진무(都鎭撫)를 세조(世祖) 12년(1466)에 이 이름으로 고침.

도총 도감【都摠都監】명 〖역〗 고려 말에, 군수품을 조달하는 일을 맡아 보던 기관의 하나. 31대 공민왕(恭愍王) 22년(1373)에 설치하였음.

도총-부【都摠府】명 〖역〗 ↗오위 도총부(五衛都摠府).

도-총섭【都摠攝】명 〖역〗 조선 중기 이후 최고위의 승직(僧職). 팔도(八道) 도총섭 외에, 뒤에 남한산성 개운사(開雲寺), 북한산성 중흥사(重興寺), 수원 용주사(龍珠寺) 등 6군데에 두었으며, 더 뒤에는 석왕사(釋王寺)·유점사(楡岾寺)·해인사·법주사의 4대 사찰 주지도 일컫게 됨.

도-총제사【都摠制使】명 〖역〗 고려 때의 삼군 도총제부(三軍都摠制府)의 으뜸 벼슬. 시중(侍中) 이상의 사람으로 시키었음.

도최 명 〈옛〉 도끼. =도치. ¶ 도최와 鉞와(斧鉞)《楞嚴 Ⅷ:85》.

도추[1] 명 〈방〉 도끼(전남).

도추[2]【刀錐】명 ①칼과 송곳. ②작은 이(利)의 비유.

도:추[3]【倒墜】명 거꾸로 떨어짐. ——-하다 자여불

도축【屠畜】명 가축을 도살함. ——-하다 자여불

도축-세【屠畜稅】명 〖법〗 지방세의 하나. 소·돼지 등의 도살에 대하여 그 도살자에게 부과하는 세.

도축-업【屠畜業】명 도축을 업으로 삼는 일. 도살업(屠殺業).

도축-장【屠畜場】명 도살장(屠殺場).

도출[1]【挑出】명 시비를 일으키거나 싸움을 돋움. ——-하다 타여불

도:출[2]【導出】명 결론 등을 논리적으로 이끌어 냄. ——-하다 타여불

도충[1]【桃冲】명 〖지〗 '타오충(桃冲)'을 우리 음으로 읽은 이름.

도충[2]【桃蟲】명 〖조〗 뱁새.

도충[3]【絛蟲】명 〖동〗 〔→조충(絛蟲)〕 촌충(寸蟲).

도충[4]【稻蟲】명 〖충〗 벼를 먹어 해치는 벌레의 총칭. 명충(螟蟲) 따위.

도취[1]【徒取】명 ①힘들이지 아니하고 취함. ②공로 없이 벼슬을 함. ——-하다 타여불

도취[2]【陶醉】명 ①흥취(興趣) 있게 술이 얼근히 취함. ②어떠한 것에 마음이 쏠려 취하다시피 됨. 법열(法悅). ¶ 감미로운 멜로디에 ~하다.

——-하다 [자][여불]

도취[3]【盜取】[명] 도둑질하여 가짐. ——-하다 [타][여불]

도취[4]【都聚】[명]〖역〗도집(都執). ——-하다 [타][여불]

도취-경【陶醉境】[명] ①술이 거나하게 취하였을 때와 같이 이루 말할 수 없이 좋은 기분. ②자연 및 예술미(藝術美)에 황홀하게 취하여 자기를 잃어버리는 경지(境地).

도취-적【陶醉的】[명][관] 황홀하여 자기를 잃어버리는 모양.

도칙 [명]〈옛〉도끼. =도치. ¶ 나라ᄒᆞᆯ 망ᄒᆞᆫ 도최오(爲喪國斧斤)≪內訓 Ⅱ:86≫.

도치[1] [명]〖어〗[*Eumicrotremus orbis*] 도칫과에 속하는 바닷물고기. 암색 무늬가 조금 있거나 전혀 없고, 두 눈 사이 중앙에 원뿔형의 혹 모양의 돌기(突起)가 있음. 한국 동해안·오호츠크 해·베링 해 등에 분포함.

도:치[2] [명]〈방〉도끼(제주·전라·충청·경상).

도:치[3]【倒置】[명] ①뒤바뀜. ②거꾸로 뒤바꾸어 둠. ③〖언〗문법이나 수사학(修辭學) 상의 이유로 정상적인 어순(語順)이 뒤바뀌는 일. '안된다. 가지 않으면' 따위. *도치법(法). ——-하다 [자][타][여불]

도치[4]【陶齒】[명]〖의〗도제(陶製)의 의치(義齒). 주로 장석(長石)이나 규산(珪酸)으로 만드는데, 여러 가지 색소(色素)를 섞어 천연치(天然齒)와 같은 빛깔을 냄.

도:치-고기 [명]〈방〉도끼나물.

도치기 현【一縣】〔栃木:とちぎ〕[명]〖지〗일본 간토(關東) 지방 북부의 현. 12시 7군. 견직물·메리야스·마(麻) 등을 산출함. 닛코(日光) 국립 공원을 비롯한 기누(鬼怒) 강 등 4대 관광지로 유명함. 현청 소재지는 우쓰노미야 시(宇都宮市). [6,413 km²: 1,936,900 명(1990)]

도:치-문【倒置文】[명]〖언〗강조하기 위하여 정상적인 어순(語順)을 뒤바꾸어 놓은 문장.

도:치-법【倒置法】[一뻡] [명]〖언〗글의 순서를 뒤바꿈으로써 효과를 노리는 문장 상의 한 범식. ↔정치법(定置法). *도치(倒置).

도칠-기【陶漆器】[명]〖공〗겉에 옻칠을 한 도기(陶器).

도침[1]【陶枕】[명] ①자기(瓷器)로 만든 베개. 주로 여름에 씀. 자침(瓷枕). ②도자기를 구울 적에 그 그릇을 괴는 데 쓰는 물건.

도침[2]【搗砧·擣砧】[명] 피륙이나 종이 따위를 다듬잇돌에 다듬어서 반드럽게 하는 것. ——-하다 [타][여불]

도침(을) 맞다 [구] 피륙·종이 따위가 다듬어져서 반드럽게 되다.

도:침[3]【道琛】[명]〖사람〗백제의 중. 의자왕(義慈王) 20년(660) 백제가 멸망한 후, 복신(福信)과 함께 일본에 질자(質子)로 갔던 풍왕(豐王)을 받들고 주류성(周留城)에서 백제 재흥을 꾀하여 싸우다가 내부 분란으로 복신에게 피살됨. [?-661]

도침-장【搗砧匠·擣砧匠】[명]〖역〗조선 시대 때 무명 또는 종이를 다듬어서 반드럽게 하던 공장(工匠).

도칫-과【一科】[명]〖어〗[Cyclopteridae] 진구강(眞口綱) 농어목에 속하는 어류의 한 과. 도치·미거지·꼼치·물메기·물미거지 등이 이에 속하는데, 일반적으로 체강(體腔)이 짧고 꼬리 부분은 다소 기름하며, 얕은 바다에 사는 것과 깊은 바다에 사는 것의 두 종류가 있음.

도치 [명]〈옛〉도끼. =도최·돗귀. ¶ 도치 부(斧)≪字會 中 16≫.

도-캐 [명] 윷놀이에서 도나 개. 또, 도와 개.

도캐-간【一間】[명] 윷놀이에서 도거나 개거나 둘 중의 하나.

도-컬 [명] 윷놀이에서 도나 걸. 또, 도와 걸.

도컬-간【一間】[명] 윷놀이에서 도거나 걸이거나 둘 중의 하나.

도케비 [명]〈방〉도깨비(경남).

도코로-마〔일 ところ〕[명]〖식〗[*Dioscorea tokoro*] 마과에 속하는 다년생 만초(蔓草). 근경(根莖)은 비후하고 줄기는 가늘며 길게 덩굴지어 다른 물건에 감김. 잎은 넓고 큰 심장형 또는 둥근 달걀꼴이며 호생함. 6-7월에 담녹색 꽃이 자웅 이가(雌雄二家)로 액출하는데, 수꽃은 총상 화서, 암꽃은 수상 화서로 핌. 과실은 삭과(蒴果)로 세 개의 날개가 있음. 산과 들에 나는데, 한국 각지 및 일본에 분포함. 근경(根莖)은 쓴 맛이 있으나 우려내어 식용함.

〈도코로마〉

도코사헥사엔-산【一酸】[명]〔Docosa-Hexaenoic Acid; DHA〕〖화〗고도 불포화 지방산의 일종. 뇌의 기억 학습 중추의 구성 물질이며, 혈전(血栓) 예방의 효과가 있음. 수산물 특히 다랑어·방어·참치·뱀장어·고등어·꽁치 등의 어개류에 많이 포함되어 있음. 노인성 치매증의 예방 및 치료제로도 그 효능이 기대되고 있음. 디 에이치 에이.

도:쿄〔東京:とうきょう〕[명]〖지〗①일본의 수도. 도쿄 도(都)의 동부 도쿄 만(灣)에 임하며 23 구(區)로 이루어짐. 원래 에도(江戶)라 부르던 곳으로, 1603년 도쿠가와 이에야스(德川家康)가 에도 막부(幕府)를 연 후로 번창하였으며, 메이지(明治) 유신(維新) 이후 도쿄로 개칭되고 수도가 되었음. 세계 굴지의 도시로 일본의 정치·문화·경제·공업·교통의 대중심지임. [589.92 km²: 8,163,127 명(1990)] ②↗도쿄 도.

도:쿄 도【一都】〔東京:とうきょう〕[명]〖지〗일본의 수도 도쿄(東京)를 포함하는 간토(關東) 지방에 있는 행정 구역의 하나. 26 시(市) 23 구(區) 1 군(郡). [2,145.5 km²: 11,639,000 명(1990)]

도:쿄 조약【一條約】〔東京:とうきょう〕[명] 항공기 상에서의 범죄와 그 밖의 행위에 관한 국제 조약. 1963년 9월 도쿄에서 열린 국제 민간 항공 기구 회의에서 작성, 1968년 12월에 발효(發效)함. 26개조로 되어 있는데, 특히 제5-10조에서 기장(機長)에게 범인을 단속하고 끌어내릴 권한을 주고 있음. 1974년 현재 48 개국이 가맹함.

도쿠가와 막부【一幕府】〔德川:とくがわ〕[명]〖역〗에도(江戶) 막부.

도쿠가와 이에야스〔德川家康:とくがわいえやす〕[명]〖사람〗일본의 도쿠가와 막부(德川幕府)의 제1대 쇼군(將軍). 처음에는 오다 노부나가(織田信長) 및 도요토미 히데요시(豊臣秀吉)에게 속하였으나 히데요시가 죽은 후 도요토미가(豊臣家)를 멸망시키고 전국을 통일하여 에도(江戶) 막부 260여 년의 기초를 확립함. [1542-1616]

도쿠멘타-전【一展】〔Documenta〕[명] 독일 헤센 주(Hessen 州)의 카셀 시(Kassel 市) 주최로 4 년마다 열리는 국제 미술 전람회. 1955년에 '20세기 미술의 전망'이라는 주제 아래 제1회 도쿠멘타전이 열림.

도쿠시마〔德島:とくしま〕[명]〖지〗일본 도쿠시마 현(德島縣) 북동부의 시. 현청 소재지. 면사·면직물·기계·목제품(木製品)·가구류(家具類)·목선(木船) 등을 산출함. [259,554 명(1991)]

도쿠시마 현 【一縣】〔德島:とくしま〕[명]〖지〗일본 시코쿠(四国) 섬의 동부의 현. 4 시 10 군. 산물은 쌀·보리·고구마·콩·죽순(竹筍)·잎담배·밀감·섬유 제품 등이며, 특산물로는 목공 가구(木工家具)·불단(佛壇)·불구(佛具) 등이 유명함. 현청 소재지는 도쿠시마 시(德島市). [4143.20 km²: 830,682 명(1991)]

도쿠차예프〔Dokuchaev, Vasili Vasilievich〕[명]〖사람〗러시아의 토양(土壤) 학자. 현대 토양학의 창시자. 토양과 그 생성 환경 사이에 불가분의 상호 관계가 있음을 발견, 비교 지리학적 방법과 토양의 자연 분류 체계(自然分類體系)를 만들어, 기후·식생(植生)·토양을 통일한 자연대론(自然帶論)의 체계를 세웠음. [1846-1903]

도큐먼테이션〔documentation〕[명] 문서·증거 서류·자료·문헌 등을 이용할 수 있도록 미리 정리하는 작업. 또, 고증(考證) 서류.

도큐먼트〔document〕[명] 기록(記錄). 문헌(文獻).

도:키 [명]〈방〉도끼(충북).

도킹〔docking〕[명] ①우주선끼리 우주 공간에서 결합하는 일. ②배를 독에 넣는 일.

도타[1] [형]〈방〉좋다(함북·평안).

도타[2]【逃躱】[명] 도망하여 피신함. ¶ 놈들허구 대적할 생각 말구 서장사는 틈만 있으면 몸을 빼어 ～허시우!≪洪盛原: 水賊≫. ——-하다 [자][여불]

도타우- [간] '도탑다'의 불규칙(不規則) 어간. ¶ ～ㄴ/～니.

도타-이 [부] 도탑게. <두터이.

도탄【塗炭·荼炭】[명] ①진구렁에 빠지고 불에 타는 듯하다는 뜻. 곧, 극도로 곤궁함을 이르는 말. ¶ ～에 빠진 민생(民生). ②진흙과 숯불. 전하여, 매우 더러운 것을 비유하는 말.

도탄지-고【塗炭之苦】[명] 진구렁에 빠지고 숯불에 타는 듯한 고생.

도:탈[1]【度脫】[명]〖불교〗〔↗제도 해탈(濟度解脫)〕중생을 제도(濟度)하여 번뇌·미망(迷妄)에서 벗어나 오도(悟道)의 경지에 이르게 함.

도탈[3]【逃脫】[명] 도망하여 벗어남. ——-하다 [타][여불]

도탈[3]【盜奪】[명] 훔쳐 빼앗음. ——-하다 [타][여불]

도탑다 [형][ㅂ불] 인정이나 사랑이 많고 깊다. 야박하지 아니하다. ¶ 토타운 인정. <두텁다.

도탕【滔蕩】[명] 넓고 성(盛)한 모양.

도태[1]【淘汰·陶汰】[명] ①여럿 있는 가운데서, 쓸데없거나 적당하지 아니한 것은 줄어 없어짐. 또, 줄여 없애 버림. ②물건을 물에 넣고 일어서, 쓸데없는 것은 흘려 버리고 좋은 것만을 골라 냄. 태사(汰沙). ③선택(選擇). ——-하다 [자][타][여불]

도태[2]【陶胎】[명]〖공〗도자기(陶瓷器)의 본바탕이 가지고 있는, 빨아들이는 성질.

도태 계:수【淘汰係數】〔selection coefficient〕〖생〗도태가 행해지는 정도를 나타내는 계수. 세대를 거듭하여 갈 때, 일정한 대립(對立) 유전자가 전달되는 비율을, 야성(野性) 집단에서 가장 많이 나타나는 야생형(野生型) 등의 대립 유전자 전달 비율과 비교한 척도.

도태-법【淘汰法】[一뻡] [명]〖광〗비중(比重)의 차를 이용하여 광립(鑛粒)·광사(鑛砂) 등을 선별(選別)하는 방법.

도태 징계【淘汰懲戒】[명] 교정(矯正) 징계에 대하여, 범칙자(犯則者)를 배제(排除)하는 징계. 곧, 면관(免官)·면직(免職) 따위.

도:터〔daughter〕[명] 딸. 계집아이.

도토[1]【陶土】[명] 도자기(陶瓷器)의 원료로 쓰이는 진흙의 총칭. 장석(長石) 따위가 자연히 분해되어 침적(沈積)한 것인데, 빛이 희고 차지며 도자기 외에 고급 타일(tile)·제지용(製紙用)에도 쓰임. 도석(陶石). 자토(瓷土).

도토[2]【塗土】[명] 진흙.

도토다 [타]〈옛〉다투다. =ᄃᆞ토다. ¶ 南風으란 외오 도토고 北녁 나그내란 踈히 ᄒᆞᄂᆞ다(誤競南風踈北客)≪重杜諺 XXV:48≫.

도토락 [명]〈방〉도투락댕기.

도토리 [명] 떡갈나무의 열매. 곡실(槲實). *상수리.

도토리-감 [명]〈방〉고욤(전남).

도토리 깍정이 [명] 도토리의 밑을 싸 받치는 깍정이.

도토리-나무 [명]〖식〗'상수리나무'의 별칭.

도토리 만두【一饅頭】[명] 고기로 소를 넣고 도토리만하게 만든 만두. 달걀·메밀 가루·밀가루 등을 풀어서 만두 위에 덧묻혀 삶음. 상실(橡實) 만두.

도토리-묵 [명] 도토리로 만든 묵. 상실유(橡實乳).

도토리 받침 [명]〈방〉도토리 깍정이.

도토리 수제비 [명] 물에 우리어 떫은 맛을 없앤 도토리 가루로 만든 수제비. 상실 운두병(橡實雲頭餠).

도토마리 [명]〈옛〉도투마리[1]. ¶ 북과 도토마리 새지븨 뷔엿도다(杼軸茅茨空). ≪杜諺 Ⅳ:28≫.

도톨-도톨 [부] 물건의 거죽이 들어가고 나오고 하여 매끈하지 아니한 모양. <두툴두툴. ——-하다 [형][여불]

도톨-밤 [명] 도토리같이 둥글고 작은 밤.

도톨왐 [명]〈옛〉도토리. ¶ 히마다 도톨왐 주수믈 나볼 조차 ᄃᆞᆫ니노니(歲拾橡栗隨狙公)≪杜諺 XXV:26≫

도톰-하다 [형][여불] 조금 두껍다. ¶ 도톰한 입술. <두툼하다. **도톰-히** [부]

도통[1]【悼痛】[명] 남의 불행이나 죽음을 슬퍼함. ——-하다 [자][타][여불]

도통[2]【都統】㊀ [명] ①도합(都合). ¶ ～ 3만 원이다. ②〖역〗중국의 관명. 남북조 시대에 문하성(門下省)에 속하였던 지의국(至衣局)의 무관(武官). 당대(唐代)에는 원수(元帥)의 차위(次位)로서 병마(兵馬)를 통솔한 대신. 청대(清代)에는 팔기(八旗)의 우두머리. 중화 민국에서는 어느 지방의 군령(軍令)·군정(軍政)을 통할한 벼슬. ③〖역〗↗도통사(都

統使). ⊟ 부 모두 한통 쳐서. 통틀어. ¶ 무슨 말인지 ~ 모르겠다.

도:통³【道通】명 사물의 오묘(奧妙)한 이치를 깨달아서 통함. ¶ 그 일에 ~한 사람. ——하다 자여불

도:통⁴【道統】명 도학(道學)을 전하는 계통.

도통-사【都統使】명〖역〗①고려 공민왕(恭愍王) 18년에 각 도(道)의 군대를 통솔하기 위하여 둔 무직(武職). ②조선 고종(高宗) 때 무위영(武衛營)을 거느리던 장수. 준도통(都統).

도투 명〈방〉〖동〗 돼지(함북).

도투다 타〈방〉 다투다(함경).

도투락 명 ↗도투락 댕기.

도투락 댕기 명 어린 계집아이가 드리는 댕기. 자줏빛의 헝겊을 두 끝이 뾰족하게 겹쳐 포개고 그 허리를 접은 곳에 댕기를 달았는데, 그 종댕기를 머리 가닥에 넣어서 땋음. 준도투락.

도투리 명〈방〉 도토리(강원).

도투마리¹ 명 베를 짤 때 날을 감아 베틀 앞다리 너머의 채머리 위에 얹어 두는 틀. *베틀.
【도투마리 잘라 넉가래 만들기】 만들기가 아주 쉬운 일을 이르는 말.

도투마리² 명〈방〉〖식〗 도꼬마리(함남).

도투매기-질 명〈방〉 말다툼(함경).

도트〔dot〕명 ①점(點). 포인트(point). ②옷감의 물방울 모양의 무늬. 작은 물방울을 핀 도트, 중간의 것을 폴카 도트, 큰 것을 코인 도트라고 하여 구별함.

도트 맵〔dot map〕명 점(點) 또는 원(圓)의 대소(大小) 또는 소밀(疏密)에 의하여 단위 지역에서의 수량을 나타내어, 인구(人口)·산물(產物) 등의 분포를 표시하는 지도. *점도표(點圖表).

도트 프린터〔dot printer〕명〖컴퓨터〗 미세한 핀으로 잉크 리본을 두드려, 문자나 도형을 점의 집합으로 나타내는 인쇄 장치.

도-틀어 부 ☞도파니.

도티다 자〈옛〉 돋치다. ¶ 須達이 부텨와 즁괏마롤 듣고 소홈 도텨 自然히 모수매 깃븐 쁘디 이실씨≪釋譜 Ⅵ:16≫.

도ᄐᆞ랏 명〈옛〉 명아주. =도ᄐᆞ랒. ¶ 도ᄐᆞ랏 례(藜)≪字會 上 13≫.

도ᄐᆞ랒 명〈옛〉 명아주. =도ᄐᆞ랏. ¶ 위안과 집괘 오직 다봇과 도ᄐᆞ라치로다(園廬但蒿藜)≪重杜諺 Ⅳ:11≫.

도ᄐᆞ이 부〈옛〉 도타이. ¶ 힝뎌글 도타이 ᄒᆞ며 恭敬 아니ᄒᆞ면(行不篤敬)≪內訓 Ⅰ:18≫.

도ᄐᆡ삿기 명〈옛〉 돼지새끼. ¶ 도ᄐᆡ삿기(猪豘)≪四聲 上 63 豘字註≫.

도파¹【刀把·刀欛】명 칼자루. 검파(劍把).

도:파²【道破】명 끝까지 다 말함. 딱 잘라 말함. *설파(說破). ——하다 타여불

도파³【蹈破】명 ①밟음. ②답파(踏破). ——하다 타여불

도파⁴【濤波】명 파도(波濤).

도:파-관【導波管】명〖물〗 마이크로파(micro波)의 발진(發振)에 쓰이는, 가운데가 빈 금속관. 마이크로파를 이 관에다가 통하게 할 때 그 단면(斷面)과 같은 정도의 파장(波長)을 가진 것밖에 통하지 아니함. 보통 단면은 직사각형 또는 원형임. 웨이브 가이드(wave guide).

도파니 부 이러니저러니 할 것 없이 죄다 몰아서. 통틀어.

도판¹【桃板】명 도부(桃符).

도판²【圖板】명 화용지(畫用紙)를 붙이는 판(板). 도화·제도(製圖) 등에 쓺.

도판³【圖版】명 책에 실린 그림.

도편【刀鞭】명 무장(武裝)할 때 갖추는 칼과 채찍.

도-편수【都一】명 집 지을 때 책임을 지고 일을 지휘하는 목수의 우두머리. 취음(取音): 都邊首.

도편 추방제【陶片追放制】명〖역〗 고대 아테네에서 참주(僭主)의 출현을 방지하기 위해서 도자기(陶磁器)의 조각을 사용하여 행한 시민(市民) 투표로 이단자(異端者)·위험 인물을 국외로 추방하던 일. 지명당한 사람은 10년간 추방되었음. 기원 전 487년에 처음 시행되어 후에 정쟁(政爭)에 이용됨. 오스트라시즘. 오스트라키스모스.

도평의사-사【都評議使司】[—/—이—] 명〖역〗 고려 충렬왕 5년에 도병마사(都兵馬使)를 고친 이름. 도병마사는 변방의 군사 문제만 의논하였는데, 이 이름으로 바뀐 뒤부터는 첨의(僉議)·밀직(密直)의 양부(兩府) 대신이 합좌(合坐)하여 일반 정치 문제도 논의하게 되어, 최고 의정(議政) 기관으로 변모하게 되고, 고려 말에는 서무(庶務)를 집행하는 권한도 갖게 되어 명실 공히 최고 정치 기관이 되기에 이름. 조선 시대에 그대로 계승되었다가 정종(定宗) 2년에 의정부(議政府)로 이름을 고침. 도당(都堂).

도폐【刀幣】명 도전(刀錢).

도포¹【刀布】명〖역〗 중국 주대(周代)의 화폐였던 도폐(刀幣)와 포폐(布幣). 도천(刀泉).

도포²【塗布】명 약 따위를 바름. ——하다 타여불

〈도포³〉

도:포³【道袍】명 통상 예복으로 입던 겉옷. 소매가 넓고 등 뒤에는 딴 폭을 대었음.
【도포를 입고 논을 갈아도 제 멋이다】 사람은 저마다 저 하고 싶은 대로 하는 것이라는 말.
【도포 입고 논 썰기】 격에 맞지 않아 어색한 일.

도-포수【都砲手】명 포수의 두목. 사냥할 때 자욱 포수·몰이 포수·목포수 들을 총지휘함.

도:포-제¹【倒飽劑】명〖한의〗 도포증(倒飽症)에 먹는 약제.

도포-제²【塗布劑】명 ①피부·점막(粘膜) 등에 바르는 약. ②나무의 지간(枝幹)의 상한 곳에 발라 충해(蟲害), 그 외의 것을 막는 약제.

도:포-증【倒飽症】[—쯩] 명〖한의〗 위가 늘어나거나 처져서 먹은 것이 다 소화된 뒤에도 배가 이상하게 부르고 토할 것 같은 병.

도:포-짜리【道袍—】명 도포 입은 이를 조롱하여 일컫는 말.

도:폭 명〈방〉 도포(道袍)(제주).

도:폭-선【導爆線】명 폭약을 가느다란 금속관에 넣거나, 종이나 실로 싸서 끈 모양으로 만든 일종의 도화선.

도:표¹【道標】명 길 가는 사람의 편의를 위하여, 이수(里數)나 방향을 돌·나무 같은 것에 표시하여, 길가에 세워 둔 푯말. 이정표(里程標). 노표(路標).

도표²【圖表】명 ①그림과 표(表). ②〖수〗 수학 상의 함수(函數) 관계나 그 밖의 관계를 숫자와 직선 또는 곡선의 그림으로 나타낸 표. 그래프(graph). 그림표.

도:표³【導標】명 항로 표지(航路標識)의 하나. 항행(航行)이 곤란한 수로(水路)나 좁은 만구(灣口) 등의 항로를 가리키는, 주간(晝間)에 유효한 표지.

도표-학【圖表學】명〔nomography〕〖수〗 여러 개의 변수(變數) 사이의 함수적(函數的) 관계를 적당한 좌표계(座標系) 및 좌표 척도(尺度)로써 그래프로 표시하며, 이로써 위의 변수 사이의 수치적(數値的) 관계를 용이하게 찾을 수 있음을 연구하는 학문.

도품【盜品】명〖법〗 강도나 절도에 의하여 그 점유(占有)를 빼앗긴 물품.

도:품혜-정【道品兮停】명〖역〗 신라 육기정(六畿停)의 하나. 남기정(南畿停).

도:프〔dope〕명〖화〗 아세틸 셀룰로오스나 니트로 셀룰로오스의 진한 용액. 긴축성(緊縮性)·내성(耐性)·내후성(耐候性)이 강하여 각종 기구나 가죽 등의 도료(塗料)로 쓰임.

도프슈〔Dopsch, Alfons〕명〖사람〗 오스트리아의 역사학자. 보헤미아 태생. 빈(Wien) 대학 교수. 철저한 반이론적 실증(實證)주의로 종래의 통설(通說)을 비판하였으며, 문화 연속설(連續說)을 주장하여 고대·중세의 문화적·경제적 연관을 연구함. 저서 ≪카롤링기(期)의 경제 발전≫·≪유럽 문화의 경제적·사회적 제(諸) 기초≫ 등. [1868-1953]

도:프 체크〔dope check〕명 올림픽 대회 등에서, 선수의 흥분제·자극제 등의 사용 여부를 검사하는 일. 경기 종료 후, 선수의 오줌·혈액을 분석 검사함. *섹스 체크(sex check).

도플러〔Doppler, Christian Johann〕명〖사람〗 오스트리아의 수학자·물리학자. 논문 ≪이중성(二重星) 색광론(色光論)≫ 속에서 '도플러 효과(效果)'를 발표하였음. [1803-53]

도플러 레이더:〔Doppler radar〕명〖군〗 도플러 효과를 이용하여 이동 목표를 탐지하는 레이더. 움직이는 전차(戰車)를 탐지하는 전장(戰場) 감시용 레이더 등에 이용되며, 또 항공기의 대지 속도계(對地速度計)에도 응용되고 있음.

도플러 효:과【—效果】명〔Doppler's effect〕〖물〗 파동(波動)의 원체(源體)나 관측자의 양쪽 또는 어느 한쪽이 움직이고 있을 때, 진동수(振動數)가 정지해 있을 때와 달리 관측되는 현상. 예를 들면, 기차가 기적소리를 내면서 다가올 때, 이 기적 소리는 정지하고 있을 때보다 높이 들리고 멀어지면 낮게 들리는 일.

도피¹【桃皮】명 ①복숭아 껍질. ②복숭아나무의 껍질.

도피²【逃避】명 ①도망하여 몸을 피함. 도찬(逃竄). 타피(躲避). ¶ 현실~. ②적극적으로 행하여야 할 사회 운동 같은 데서 피하여 나옴. ——하다 자여불

도피³【圖避】명 도면(圖免). ——하다 타여불

도피-구【逃避口】명 도피할 구멍. 내뺄 길.

도피네〔Dauphiné〕명〖지〗 프랑스 동남부에 위치하여, 동은 알프스 산지, 서는 론 강으로 싸인 산이 많은 지방. 옛 주명(州名)으로, 원래는 왕자(王子)의 영지(領地)로서 계승되어 왔음. [12,000 km²]

도피 문학【逃避文學】명〖문〗 현실을 멀리하고 소극적인 향락의 세계로 들어가는 태도의 문학.

도피 반:응【逃避反應】명〖생〗 짚신벌레 등이 어떠한 물체에 닿으면 조금 물러났다가 계속해서 멀리 달아나는 것과 같은 반응.

도피 사:상【逃避思想】명 현실 사회를 멀리 피하여 소극적인 안일(安逸)의 세계에 숨어 있으려는 사상. 은둔(隱遁) 사상.

도피-성【逃避城】명〖성〗 구약(舊約) 시대에, 실수로 살인한 사람을 '피는 피로'라는 복수에서 보호하기 위하여 특별히 설치하여 둔 여섯 성. 요단 강(Jordan江) 동쪽에 셋, 서쪽 가나안 땅에 셋이 있었는데, 살인한 사람이 재판을 받기 전에 맞아 죽지 아니하도록 이 성에 피해 들어가면 무리하게 죽이지 못하고 재판에 의하여 집행하도록 되어 있었음.

도:-피안【到彼岸】명〖불교〗〔범 pāramitā, 바라밀다(波羅蜜多)의 역어〕 생사(生死)의 경계인 차안(此岸)에서 피안(彼岸)인 열반(涅槃)에 다다르는 일. 또 그를 위한 보살(菩薩)의 수행(修行). 준피안(彼岸)·도안(到岸).

도:피안-사【到彼岸寺】명〖불교〗 강원도 철원군(鐵原郡) 동송읍(東松邑) 관우리(觀雨里) 화개산(花開山)에 있는 절. 신흥사(神興寺)의 말사(末寺). 신라 경문왕 5년(865)에 도선(道詵)이 창건하여 철조(鐵造) 비로자나불 좌상(坐像)을 봉안함.

도:피안사 철조 비로사나불 좌:상【到彼岸寺鐵造毘盧舍那佛坐像】[—쪼—] 명 강원도 철원군(鐵原郡) 도피안사에 있는 불상. 신라 경문왕(景文王) 5년(865)에 제작되었는데, 재료는 철(鐵)이며, 불상의 높이는 91 cm임. 조형(造形) 수법이 능숙하고 각부(各部)가 잘 조화되어 있어, 매우 안정감을 주는 불상임. 국보 제63호.

도피-자【逃避者】명 도망하여 몸을 피하고 있는 사람.

도피-적【逃避的】명관 자진해서 해야 할 일 또는 책임질 일 등을 피하여 이로부터 빠져나가려는 모양.

도피-주의【逃避主義】[—/—이] 명〔escapism〕〖철〗 현실에 직면하는 것을 피하고 방관하거나 또는 공상·관념의 세계로 도피하려는 태

도·주의. 관념론·초현실주의·예술 지상주의 등에서 볼 수 있음.

도피-처【逃避處】명 도망하여 몸을 피하는 장소.

도:-피침형【倒披針形】명 ①피침형(披針形)을 거꾸로 한 모양. ②〖식〗 식물의 잎 모양이 피침형을 거꾸로 한 것 같은 모양. 떡쑥·덧나무·노랑만병초 등의 잎 따위.

도피 피리【桃皮—】명〖악〗고구려·백제 때의 악기로서, 복숭아나무 껍질로 만든 피리. 향피리의 전신(前身). 도피 필률.

도피 필률【桃皮觱篥】명〖악〗도피 피리.

도피-행【逃避行】명 ①도망하여 피해 감. ②도피하여 떠나는 길. ¶ 사랑의 ~. ——-하다 자여불

도피 훈:련【逃避訓諫】[—훌—] 명〖심〗도구적(道具的) 조건부의 한 가지. 동물에게 전격(電擊) 등의 불쾌한 자극을 주어, 이 자극을 도피하여 자극 없는 곳으로 가도록 습득시키는 훈련. *회피 훈련.

도필【刀筆】명 ①중국에서, 종이가 발명되기 전에 대나무에 문자를 새기는 데에 썼던 칼. 또, 그 잘못된 곳을 긁어 고치는 데 쓰인 칼. 전(轉)하여, 붓. ②문서의 기록. 또, 그 기록을 맡은 소리(小吏).

〈도필❶〉

도필-리【刀筆吏】명〖역〗아전(衙前)을 얕잡아 일컫던 말. 예전에 죽간(竹簡)에 잘못 기록된 글자를 아전이 늘 칼로 긁고 고치는 일을 한 까닭에 생긴 말.

도:핑〔doping〕명 운동 경기에 출전하는 선수가 운동 능력을 증진시키기 위하여 사전에 흥분제를 복용하는 일. 부정 행위로 금지하고 있음.

도:핑 테스트〔doping test〕명〖체〗운동 경기에 출전한 선수의 흥분제·각성제 등 복용 여부를 확인하기 위해 실시되는 검사. 선수의 오줌을 채취하여 실시함. 올림픽에서는 1972 년부터 실시하였음. 약물검사.

도하[1]【逃河·陶河】명〖조〗사다새.

도하[2]【都下】명 ①서울 지방. ②서울 안. 서울. ¶ ~의 각 신문.

도:하[3]【渡河】명 강물을 건넘. 도강(渡江). ¶ ~ 작전. ——-하다 자여불

도하[4]〔Doha〕명〖지〗카타르(Qatar)의 수도. 항구 도시로 행정의 중심지. 금융 기관·발전소·공항 등과 해수(海水)로써 음료수를 만드는 시설이 있음. [217,294 명(1986)]

도-하기【都下記】명 내어 쓴 돈머리를 몰아서 적은 기록.

도:하 작전【渡河作戰】명〖군〗하천을 건너가 대안(對岸)을 점령하려는 전투. 도하전. 도강(渡江) 작전.

도:하-전【渡河戰】명 도하 작전.

도:하-점【渡河點】[—쩜] 명〖군〗도하 작전에서, 군대를 도하시키기 위한 지점.

도:학[1]【度學】명 측량(測量)의 학문.

도:학[2]【道學】명 ①도덕에 관한 학문. ②유학(儒學), 특히 송대(宋代)의 정주학파(程朱學派)의 학(學). 곧, 심성(心性)·이기(理氣)의 학. 송학(宋學). ③'심학(心學)'의 별칭. ④〖종〗도교(道教).

도:학-가【道學家】명 도학자(道學者).

도:학 군자【道學君子】명 도학을 닦아서 덕행이 높은 사람. 도덕 군자(道德君子).

도:학 선생【道學先生】명 도덕에 관한 이론만 캐고 실제의 세상 일에 어두운 학자. 또, 도리(道理)에 치우쳐, 융통성이 없는 완고한 학자를 조롱하여 일컫는 말. 도학자.

도:학-자【道學者】명 ①도덕에 관한 학문을 연구하는 학자. ②유교에서 정주학(程朱學)을 신봉하는 학자. ③도학 선생(道學先生). 도학가(道學家).

도:학-적【道學的】명관 판단이나 행동이 이념으로서의 도리·도덕에 너무나 충실하여 현실과 떨어진 모양.

도한[1]【盜汗】명 잠자는 사이에 저절로 나는 식은땀. 과로한 때나 악몽(惡夢)을 꾼 때에 일어나는 생리적인 것과 폐결핵·기관지염·심장병·자율 신경 실조증(自律神經失調症) 등에 의한 병적인 것이 있음.

도한[2]【屠漢】명 백장❶.

도할[1]【都轄】명〖역〗조선 시대 때 도할사(都轄司)의 종육품(從六品) 토관(土官) 벼슬.

도할[2]【屠割】명 베어 잡음. 베어 죽임. ——-하다 타여불

도할-사【都轄司】[—싸] 명〖역〗조선 시대 때 의주목(義州牧)·회령(會寧)·경원(慶源)·종성(鍾城)·온성(穩城)·부령(富寧)·경흥(慶興)·강계 도호부(江界都護府)에 두었던 토관(土官)의 동반 종육품 아문(衙門).

도:-함수【導函數】[—쑤] 명〖수〗어떤 함수를 미분(微分)하여서 얻어지는 함수. 미분 계수(微分係數)와 같은 값을 가짐. 곧 함수 $y=f(x)$의 미분 계수를 x의 함수로 생각하였을 때, 이것을 최초의 함수 $y=f(x)$의 도함수라 하며, $y' \cdot f'(x) \cdot dy/dx$ 등으로 나타냄. 함수의 도함수를 구하는 일을 그 함수를 미분한다 함. 순간 변화율. 유도(誘導) 함수.

도합【都合】㊀명 모두 한데 합한 셈. 도총(都總). 도통(都統). ㊁부 모두 한데 합해서. ¶ ~ 얼마냐.

도항[1]【都巷】명 서울 거리.

도:항[2]【渡航】명 ①배로 바다를 건너 감. ②해외(海外)에 감. ¶ ~증(證). ——-하다 자여불

도항-사【都航司】명〖역〗고려 초기의 관청의 하나, 수군(水軍)을 관장하였음.

도:해[1]【渡海】명 바다를 건넘. ——-하다 자여불

도해[2]【圖解】명 ①글로 된 설명을 보충하기 위하여, 그림을 끼워 넣어서 풀이함. 또, 그런 풀이나 책자. ②그림으로만 한 풀이. ③그림의 내용에 대한 설명. ——-하다 타여불

도해[3]【蹈海】명 ①바다에 몸을 던져 죽는다는 뜻으로, 고결한 절조(節操)의 일컬음. ②위험을 무릅쓰고 바다를 항해함. ——-하다 자여불

도행[1]【徒行】명 걸어서 감. 보행(步行). ——-하다 자여불

도:행[2]【倒行】명 순서에 의하지 않고 거꾸로 일을 행함. 도리에 어긋나게 일을 함. 도행 역시(逆施). ——-하다 타여불

도:행[3]【道行】명 ①〖불교〗불도(佛道)의 수행(修行). ②학도(學道)의 수행.

도:행 역시【倒行逆施】[—녁—] 명 차례를 바꿔서 행함. 거꾸로 행함. 도리에 어긋나게 일을 함. 도행(倒行). ——-하다 타여불

도:행-장【導行帳】[—짱] 명 ①〖역〗조선 시대 초에 각 고을에 갖추어 두었던 결세(結稅)의 장부. ②사물이 별로 다르지 않고 으레 같음을 비유하는 말. 옛날에 재상 경차관(災傷敬差官)의 조사 보고서는 실제로 조사한 것이 아니라 도행장 그대로만 베껴서 꼭 그와 같이만 하였으므로 이렇게 일컬음.

도향[1]【塗香】명〖불교〗육종 공양(六種供養)의 하나. 불상이나 수행자의 몸에 향을 발라 부정을 씻고 사기(邪氣)를 멀리함. 또, 그 향.

도향[2]【稻香】명〖사람〗나빈(羅彬)의 호(號).

도헌[1]【都憲】명〖역〗①대사헌(大司憲). ②조선 고종(高宗) 때 도찰원(都察院)의 벼슬의 하나.

도:헌[2]【道憲】명〖사람〗구산(九山)의 하나인 희양산(曦陽山)을 개산(開山)한 조사(祖師)의 이름. *구산 조사(九山祖師).

도:현[1]【倒懸】명 ①거꾸로 매달림. ②존비(尊卑)와 귀천(貴賤)의 위치가 거꾸로 됨. ③위험이 절박하여짐. ——-하다 자여불

도:현[2]【道顯】명〖사람〗고구려의 중. 일본으로 건너가 불법을 전하고, 《일본 세기(日本世紀)》를 저술하였음.

도혈【逃穴】명 굴혈(窟穴)에서 도망함. ——-하다 자여불

도형[1]【徒刑】명〖역〗오형(五刑)의 하나. 1-3 년간 복역(服役)하는 형벌. 이를 다시 5등(等)으로 나누고, 곤장 열 대 및 복역 반년을 한 등으로 하였음. 조선 고종(高宗) 32년(1895)에 폐지됨. ㊟도(徒).

도:형[2]【道兄】명〖대종교〗'도사교(都司教)'의 존칭.

도형[3]【圖形】명 ①그림의 형상. ②〖수〗입체·면·선·점 등이 모여서 이루어진 것. 삼각형·사각형·구(球)·원(圓) 따위. ③도식(圖式).

도형 인식【圖形認識】명〔pattern recognition〕컴퓨터에 문자나 도형을 판별(判別)시키는 일.

도-호[1]【島湖】명〖지〗대구 광역시 달성군(達城郡) 구지면(求智面)에 있는 못.

도호[2]【都護】명〖역〗중국 전한(前漢)의 선제(宣帝) 때부터 당대(唐代)에 걸쳐서, 변경(邊境)의 여러 번족(蕃族)의 위무(慰撫)나 정벌(征伐)의 일을 맡아 보던 벼슬.

도호[3]【滔乎】명 광대(廣大)한 모양.

도:호[4]【道號】명 ①〖불교〗불도에 들어간 뒤의 이름. ②〖불교〗승려 등이 자(字) 이외에 짓는 이름. ③〖천도교〗신앙 연수가 10년 이상 된 남자 교인에게 포상하는 교직(教職). *당호(堂號).

도호-부【都護府】명〖역〗①당(唐)나라 초기에 그 광대한 속지(屬地)의 지배를 위하여 설치하였던 기관. 안동(安東; 만주·조선 지방)·안서(安西; 톈산 남로(天山南路))·안남(安南; 인도 차이나와 남해(南海) 방면)·안북(安北; 외몽고)·선우(單于; 내몽고)·북정(北庭; 톈산 북로(天山北路))의 여섯 도호부가 있었음. ②고려 때부터 있던 지방 관아의 하나. 대도호부(大都護府)의 다음가는 고을에 둠. 조선 고종(高宗) 32년(1895)에 없어짐.

도호부-사【都護府使】명〖역〗도호부(都護府)의 으뜸 벼슬. 조선 시대 때는 종삼품(從三品)으로 임명하였음.

도:혼【倒婚】명 형제·자매 중에서, 혼인을 차례대로 하지 아니하고 나이 적은 사람이 먼저 함. 역혼(逆婚). ——-하다 자여불

도혼-식【陶婚式】명 결혼 기념식의 하나. 혼인한 지 20주년이 되는 날을 축하하여, 부부가 사기 제품을 선물로 주고받아 기념함. *상아혼식·진주혼식.

도홍[1]【桃紅】명 ↗도홍색(桃紅色).

도홍[2]【陶泓】명〔홍(泓)은 벼루의 물을 부어 두는 곳이라는 뜻〕도기제(陶器製)의 벼루. 또, 널리 벼루를 일컫는 말.

도-홍경【陶弘景】명〖사람〗중국 남송(南宋)의 도사(道士). 구곡산(句曲山) 즉, 모산(茅山)에 들어가 도를 닦았으며 호를 화양 은거(華陽隱居)라 하였음. 도교뿐만 아니라 불교·천문학에도 조예가 깊은 문인이었음. 저서에 《진령위업도(眞靈位業圖)》·《화양 도은거집(華陽陶隱居集)》·《진고(眞誥)》 등이 있음. [452-536]

도홍-띠【桃紅—】명〖역〗당상관(堂上官)이 겉옷 위에 띠던 도홍색의 술띠.

도홍-색【桃紅色】명 복숭아꽃 같은 엷은 분홍빛. 도화색(桃花色). ㊟도홍(桃紅).

도화[1]【刀火】명 ①칼과 불. ②심신(心身)에 고통을 주는 것을 일컫는 말.

도화[2]【刀貨】명〖역〗도전(刀錢).

도화[3]【挑禍】명 화(禍)를 도발(挑發)함. 화를 일으킴. ——-하다 자여불

도화[4]【桃花】명 복숭아꽃.

도화[5]【徒花】명 수꽃의 일컬음. 피어도 열매를 맺지 아니하는 꽃.

도화[6]【陶化】명 감화. 교화(教化). 도야(陶冶). ——-하다 자타여불

도:화[7]【道化】명 도법(道法)으로써 교화함. ——-하다 타여불

도:화[8]【道話】명 심학자(心學者)의 소설(所說). 또, 그 기록(記錄).

도화[9]【圖畫】명 ①그림과 도안(圖案). ②그림을 그림. ¶ ~지(紙).

도화[10]【稻花】명 벼의 꽃. 벼꽃.

도:화[11]【導火】명 ①화약을 터지게 하는 불. ¶~선. ②사건을 일으키는 동기.

도화 견:문지【圖畫見聞誌】명〖책〗중국 북송(北宋)의 곽약허(郭若虛)가 1080년경에 《역대 명화기》에 이어서 당말(唐末)부터 북송(北宋) 중기까지의 그림에 관한 사실 및 333명의 화가 전기를 쓴 책. 6 권.

도화-기【圖化機】명 두 장 한 벌로 촬영한 스테레오 사진을 사용하여 물체의 측정·측량을 하는 장치. 실체(實體) 도화기.

도화-녀【桃花女】명 도화랑(桃花娘).

도화-돔【桃花一】명〖어〗[*Ostichthys japonicus*] 얼게돔과에 속하는 바닷물고기. 흑돔과 비슷하나 몸길이 10cm 내외이고, 몸빛은 고운 도적색(桃赤色)에 광택이 나며, 주둥이 끝에서 눈을 지나는 폭 넓은 검은 줄이 있음. 제1등지느러미와 꼬리자루의 후단에 선명한 흑점이 있음. 한국 중부 이남·일본 남부에 분포함. 식용 가치는 적음.

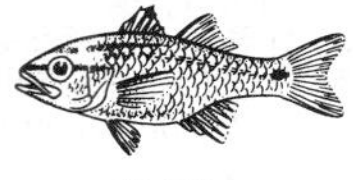
〈도화돔〉

도화-랑【桃花娘】명〖사람〗신라의 미녀. 진지왕(眞智王)이 궁중에 불러 들여 통정하려 하였으나 두 남편을 섬길 수 없다고 거절하였는데, 그 후 도화랑의 남편이 죽자 죽었던 진지왕이 그녀에게 나타나 동거하여 아들 비형(鼻荊)을 낳았다는 이야기가 있음. '삼국 유사(三國遺事)' 권 1에 전함. 도화녀(桃花女).

도화-망둑【桃花一】명〖어〗[*Chaeturichthys hexanema*] 망둑엇과에 속하는 물고기. 몸길이 13cm 내외인데, 몸빛은 청회색에 적색을 띠고, 꼬리지느러미는 암색 또는 회색(灰色)임. 좌우의 배지느러미가 합쳐져서 흡반(吸盤)을 형성하고 있으며 아래턱에 세 개의 수염이 있음. 연해·함수(鹹水)·기수(汽水)에 서식하는데, 한국·일본·중국에 분포함.

도화-반【桃花飯】명 흰밥을 매홍지(梅紅紙)에 떠 놓고 뒤섞어서 도홍색(桃紅色)으로 만든 밥.

도화-뱅어【桃花一魚】명〖어〗[*Neosalanx andersoni*] 뱅엇과에 속하는 민물고기. 한국의 서해에 유입하는 압록강·청천강·대동강·한강 등에 분포함.

도화-볼락【桃花一】명〖어〗[*Sebastes joyneri*] 양볼락과에 속하는 바닷물고기. 몸길이 20cm 가량으로 눈은 크고, 몸빛은 적색을 띤 갈황색 바탕에 여섯 줄의 푸르스름한 흑색 가로띠가 있고, 눈의 아래쪽에 날카로운 두 개의 가시가 있음. 온해성(溫海性) 태생어(胎生魚)로, 한국 남부 연해·일본 동경 이남의 연해에 분포함. 맛이 좋음.

도화-분【桃花粉】명 도홍색을 띤, 불그스름한 분(粉).

도화 사:희【桃花四喜】[—히] 명〖미술〗동양화의 화제(畫題). 복숭아꽃에 네 마리의 희작(喜鵲), 곧 까치를 그린 그림. 상서(祥瑞)로움을 나타냄.

도화-살【桃花煞】명 호색(好色)과 음란(淫亂)으로 집안을 망하게 하는 살기(煞氣). ¶ ~이 끼다 / ~이 센 여자.

도화-새우【桃花一】명〖어〗[*Pandalus hypsinotus*] 도화새웃과에 속하는 깊은 바다 새우. 몸빛이 도화색에 갈색 가로 줄무늬가 있음. 몸길이 17cm, 맛이 있음. 동해안·일본 북부 등지에 서식함.

도화-색【桃花色】명 도홍색(桃紅色).

도화-서【圖畫署】명〖역〗조선 시대 때, 그림에 관한 일을 맡아 보던 종육품 아문(衙門). 성종 2년(1471) 도화원(圖畫院)을 개칭한 것임.

도화-석【桃花石】명 엷은 홍점(紅點)이 있는 흰 돌.

도화-선[1]【桃花扇】명〖문〗청(淸)나라 때의 희곡의 하나. 명조(明朝) 멸망을 배경으로 하여, 후방역(侯方域)과 명기(名妓) 이향군(李香君)의 정사(情事)를 그린 전기물(傳奇物). 강희(康熙) 39년(1700)에 공상임(孔尙任)이 찬(撰)한 것으로, '장생전(長生殿)'과 더불어 청나라 희곡의 쌍벽(雙璧)을 이룸. 모두 4권.

도:화-선[2]【導火線】명 ①화약이 터지도록 점화(點火)하는 심지. 화약 심지. *화승(火繩). ②사건을 유발하는 직접 원인. ¶ 국교 단절의 ~이 되다.

도화-수【桃花水】명 도화가 필 무렵에 얼음이 녹아 흐르는 물이란 뜻 으로, 봄철의 시냇물.

도화심-목【桃花心木】명〖식〗마호가니.

도화-양태【桃花一】명〖어〗[*Callionymus altivelis*] 동갈양탯과에 속하는 바닷물고기. 몸길이 25cm 내외이고, 몸빛은 적색에 복부는 담적색이며, 각 지느러미는 도색(桃色)임. 희기어(稀奇魚)로서, 한국 남부·일본 중부 이남에 분포함.

도화 연필【圖畫鉛筆】명 도화를 그릴 적에 쓰는 심(芯)이 무른 연필.

도화-원【圖畫院】명〖역〗고려 시대와 성종(成宗) 때까지의 조선 초기에 그림 그리는 일을 맡은 관청. *도화서(圖畫署).

도화원-기【桃花源記】명〖책〗중국 진(晉)나라의 도연명(陶淵明)이 지은 책. 어떤 어부(漁夫)가 길을 잃고 헤매다가 도림(桃林)에 들어가서 진(秦)나라의 난리를 피한 사람의 자손(子孫)이 세상의 변천을 알지 못하고 평화롭고 유복(裕福)한 삶을 즐기고 있는 선경(仙境)을 보았다고 하는 가상(假想)의 고사(故事)를 썼음.

도화 유수【桃花流水】명〖미술〗동양화의 화제(畫題). 물가에 도화가 있는 그림. 이백(李白)의 《산중답인시(山中答人詩)》에 나오는 구절에서 유래함. 문인 화가(文人畫家)가 즐겨 그림.

도화잠-불명〈방〉황부루. 「《老解 下 8》.

도화잠불물명〈옛〉흰 털에 붉은 점이 박인 말. ¶ 도화잠블물(桃花馬)

도화-주【桃花酒】명 ①복숭아꽃을 넣어서 빚은 술. ②복숭아꽃 빛깔이 나는 술.

도화-죽【桃花粥】명 중국에서 한식(寒食)날 먹던 죽.

도화-지【圖畫紙】명 도화를 그릴 적에 쓰는 종이.

도화-채【桃花菜】명 복숭아 화채.

도화-타:령【桃花打令】명〖악〗경기 민요의 하나. 조선 고종(高宗)의 총애를 받게 된 평양 기생 도화(桃花)를 엄비(嚴妃)가 시새워, 바늘 끝으로 얼굴을 찔러 쫓아낸 일을 노래한 것.

도환【刀環】명 ①칼코등이. ②고향으로 돌아감. 참고 '環'은 '還'과 음이 같아 그 은어(隱語)로 쓰인 것임.

도-활자【陶活字】[—짜] 명 질그릇 만드는 차진 흙을 재료로 하여 구워 만든 활자.

도황【一黃】명〈방〉자황(雌黃)❷.

도회[1]【都會】명〖역〗①계회(契會)·종회(宗會) 및 유림(儒林)의 모임 등의 총회. ②고려 때 매년 여름에 시(詩)·부(賦)로 지방의 인재를 뽑는 모임. ——-하다 자여불 모두 모이다.

도회[2]【都會】명 ↗도회지(都會地).
[도회 소식을 들으려면 시골로 가거라] 제가 있는 곳, 가까운 곳의 일은 잘 모르지만, 먼데 일은 오히려 환히 알고 있다는 말.

도회[3]【屠膾】명 ①짐승을 잡아서 회로 함. ②마소 등을 도살하는 사람과 사형을 집행하는 사람. ③극악 무도한 사람을 비유하는 말.

도회[4]【韜晦】명 자기의 재능·지위·형적 같은 것을 숨기어 감춤. 권회(卷懷). 도광(韜光). ——-하다 타여불

도-회계【都會計】명 모두 통틀어 합친 계산. 총계산.

도회 문학【都會文學】명〖문〗도회지 생활에서 취재하여 그 사회상의 이모저모를 묘사한 문학. ↔농촌 문학·전원(田園) 문학.

도회-법【塗灰法】[—뻡] 명〖역〗뱃바닥에 석회(石灰)를 발라 충해(蟲害)를 방지하는 방법.

도회-병【都會病】[—뼝] 명 ①도회에 특유한 자연 환경·생활 조건 때문에 일어나는 건강 장애·노이로제 등. ②시골 사람이 종작없이 도회지를 동경하는 병통.

도회 보:감【圖繪寶鑑】명〖책〗중국 원(元)나라의 하문언(夏文彦)이 편집한 화론(畫論) 및 화가전(畫家傳). 삼국 시대의 오(吳)나라로부터 원(元)대까지의 화가의 약전을 실었음. 1366년 간행. 5권.

도회-소【都會所】명〖역〗불교 선(禪)·교(敎) 양종(兩宗)의 본산(本山). 고려 때에는 개경(開京)의 왕륜사(王輪寺)와 광명사(廣明寺), 조선 시대 때에는 서울 문안의 흥천사(興天寺)와 흥덕사(興德寺)를 도회소로 하였고, 이 곳에서 각기 승과(僧科)를 보이었음.

도회-시【都會試】명〖역〗조선 시대에 지방 유생(儒生)의 학업 장려를 위하여 해마다 6월에 각 도 관찰사가 도회소(都會所)를 설치하여 실시하던 시험. 우등자 3인에게는 생원·진사시의 초시를 거치지 않고 회시(會試)에 바로 응시하게 하는 특전을 주었음.

도회 잠실【都會蠶室】명〖역〗조선 시대 때, 각 고을에 둔 나라의 모범 양잠소. 이 곳에서 양잠과 제사(製絲)를 겸해서 함.

도회-지【都會地】명 인구가 조밀(稠密)하며 상공업이 발달하고 많은 문화적 시설을 갖춘 번화한 곳. 도시(都市). 도회처(都會處). ㊈도회. ↔시골.

도회-처【都會處】명 도회지.

도회-청【都會廳】명 계 모임이나 도중(都中) 모임 등을 위하여 마련한 집. ㊈도청(都廳).

도효【桃梟】명〖한의〗나무에 달린 채 저절로 마른 천엽도(千葉桃).

도:훈【導訓】명 지도하여 가르침. ——-하다 타여불

도흔【刀痕】명 칼에 베인 흔적. *도창(刀創).

도-흥정【都一】명 물건을 모개로 매매함. ——-하다 타여불

독[1] 명 간장·술·김치 같은 것을 담가 두는 데에 쓰는 큰 오지 그릇이나 질그릇. 운두가 높고 중배가 조금 부르며 전이 달렸음.
[독 안에서 푸념] ㉠속이 음흉하여 무슨 짓을 할 지 모르겠다는 말. ㉡마음이 옹졸하여 하는 짓이 답답할 때 이르는 말. [독을 보아 쥐를 못 친다] 미운 놈을 치고 싶지만 딴 데 미치는 영향을 생각하여 부득이 참는다는 말. [독 틈에도 용소(龍沼)] 독 틈에도 깊은 물웅덩이가 있다는 뜻으로 무슨 일에든지 남을 속이려는 수작들이 있으니 조심하라는 말. [독 틈에 탕관(湯罐)] 약자(弱者)가 강자(強者)들의 틈에 끼어 곤란을 당함을 비유하는 말.
독 안에 든 쥐 구 아무래도 벗어날 수 없는 처지.
독 안에 들다 구 이미 잡힌 것이나 다름 없다.
독 안에서 소리치기 구 평소에 남이 보이지 않는 곳에서나 큰소리하고 잘난 체한다는 말. *이불안 활개.

독[2] 명〈방〉돛[1](평북).

독[3] 명〈방〉돌[2](제주·전라·충남·경상).

독[4]【毒】명 ①생물의 건강 및 생명을 해치는 성분. ¶ 바이러스의 ~. ②↗해독(害毒). ¶ 사회의 ~. ③↗독약(毒藥). ¶ ~을 마시다. ④↗독살(毒殺). ¶ ~ 을 부리다. ⑤↗독기(毒氣). ¶ ~이 오른 얼굴. ——-하다 형여불 ①독기가 있다. ②맛이나 냄새가 지독하고 자극적이다. ③마음이 아주 잔인하고 악독하다. ④참고 견디는 힘이 심히 굳세고 모질다. ⑤정도가 지나치게 심하다. 지독하다.

독[5]【獨】명 성(姓)의 하나. 우리 나라에는 현존(現存)하지 아니함.

독[6]【獨】명〖지〗↗독일(獨逸).

독[7]【櫝】명 ↗주독(主櫝).

독[8]【牘】명〖악〗옛날 관악기(管樂器)의 하나. 1-2m 되는 길고 굵은 대롱으로 속이 비고 밑이 터지게 만들었는데 그 끝에는 두 구멍이 있으며 옻으로 그림이 그려져 있음. 마당에 벌여 놓고 두 손으로 쥐고 땅바닥을 쳐서 소리를 냄.
〈독8〉

독[9]【纛】명〖역〗→둑(纛).

독[10]〔dock〕명 ①선거(船渠). ②↗인간(人間) 독.

독-【獨】접 다른 말 위에 붙어서 '단독(單獨)'의 뜻을 나타내는 말. ¶ ~무대/~차지.

독-가스【毒一】명〔poison-gas〕〖화〗주로 군사상(軍事上), 적의 인축(人畜)을 해치기 위하여 쓰이는 독이 있는 기체 또는 증기를 뿜는 액체나 고체. 질식성(窒息性)·최체성(催嚔性)·최루성(催淚性)·중독성(中毒性)·미란성(糜爛性)·신경성(神經性)·수포성(水泡性) 등 여러 가지가 있음. 제1차 대전 때 독일 군대가 처음으로 사용하였음. 취음:독와사(毒瓦斯). ㊈가스. *화학 병기(化學兵器).

독가스-탄【毒一彈】〔gas〕명〖군〗독가스를 퍼뜨리게 하는 총탄·포탄(砲彈)이나 폭탄. ㊈가스탄.

독-가시치【毒一】명〖어〗[*Siganus fuscescens*] 독가시칫과에 속하는

바닷물고기. 몸길이 30cm 가량인데, 달걀꼴로 측편(側扁)하여 작고 둥근 비늘이 있으며, 주둥이는 둔하고 입은 작음. 몸빛은 개체 변화가 심해서 복잡 다양한데 회갈색의 것이 많음. 등지느러미·뒷지느러미에 가시가 많은데 거기에 독소가 있음. 해조(海藻)가 많은 연안이나 얕은 바다에 서식하는데, 한국 남부와 제주도·일본·중국 동해·필리핀·동인도 제도·인도 연해에 분포함. 식용으로 하나 별로 맛은 없음.

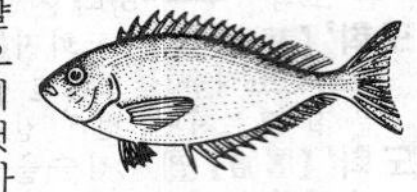
〈독가시치〉

독가시칫-과【毒—科】 명〔어〕[Siganidae] 농어목에 속하는 어류의 한 과. 이 과의 어류로는 독가시치 하나만 알려져 있음.

독각【獨脚】 명 외짝 다리. 하나뿐인 다리.

독각 대:왕【獨脚大王】 명 ①〔민〕 귀신의 한 가지. ②아주 괴벽하고 말썽 많은 사람.

독각-선【獨角仙】 명〔신〕 일각 선인(一角仙人).

독감【毒感】 명 ①매우 지독한 감기. ②〔의〕 인플루엔자(influenza).

독-개미【毒—】 명 독을 가진 개미.

독거【獨居】 명 혼자서 삶. 홀로 지냄. ——-하다 자여불

독거 감방【獨居監房】 명 죄수 한 사람만을 가두는 감방. ㊀독방(獨房).

독거 군도【獨巨群島】 명〔지〕 전라 남도 진도(珍島)의 남서쪽 진도군 조도면(鳥島面)에 있는 군도. 독거도(獨巨島)를 비롯하여 관매도(觀梅島)·청등도(靑藤島)·슬도(瑟島) 외에 10여 개의 작은 무인도로 이루어짐.

독거-도【獨巨島】 명〔지〕 전라 남도 서남 해상, 진도군(珍島郡) 조도면(鳥島面) 독거도리(獨巨島里)에 위치한 섬. [1.68 km²: 101 명(1984)]

독-거미【毒—】 명 강한 독을 갖고 있는 거미의 총칭. 남미·오스트레일리아·북미의 몇 종류가 알려져 있음.

독거 수용【獨居收容】 명〔법〕 수형자(受刑者)를 다른 사람에게서 분리시켜 홀로 가두는 일.

독거-제【獨居制】 명〔법〕 독방제(獨房制). ↔잡거제(雜居制).

독건【禿巾】 명 두건(頭巾)을 쓰지 아니함.

독경[1]【篤敬】 명 말과 행실이 도탑고 공손함. ——-하다 형여불

독경[2]【讀經】 명〔불교〕 경문(經文)을 소리 내어 읽음. ↔간경(看經). ——-하다 자여불

독경-대【讀經臺】 명〔불교〕 경전(經典)을 올려 놓고 읽게 만든 대(臺). 「성경대(聖經臺).

독경-장【篤慶章】[—짱] 명〔악〕 소무장(昭武章) 다음에 아뢰는 정대업지악(定大業之樂)의 두번째 악장(樂章). 목조(穆祖)의 무공(武功)을 노래한 것으로, 원래 4언 12구의 한시(漢詩)였으나, 지금은 4언 4구로 불림. 세종 때 회례악(會禮樂)으로 창작되었으나, 세조 때 개작, 축소되어 종묘 제례악으로 채택됨.

독경-품【讀經品】 명〔천주교〕 강경품(講經品).

독계【毒計】 명 악독스러운 계책.

독고[1]【毒鼓】 명〔불교〕 독을 바른 북. 그 소리는 능히 사람을 죽인다고 함. 불가(佛家)에서, 대승(大乘)의 극치(極致)를 설(說)하고 중생의 오역(五逆)·십악(十惡)을 살해(殺害)하여 불도(佛道)에 들게 함을 말함.

독고[2]【獨孤】 명 성(姓)의 하나. 본관은 '남원(南原)' 단본(單本)임.

독고[3]【獨鈷】 명〔불교〕 밀교(密敎)에서 사용하는 불구(佛具)의 하나. 금강저(金剛杵)의 양끝이 뾰족한 철 또는 동제(銅製)로 된 물건.

〈독고[3]〉

독고-령【獨鈷鈴】 명〔불교〕 독고(獨鈷)의 한쪽 끝에 방울을 단 것.

독공[1]【毒公】 명〔한의〕 초오두(草烏頭).

독공[2]【篤工】 명 열성을 가지고 착실히 공부함. ——-하다 자타여불

독공[3]【獨工】 명 혼자서 공부함. 혼자서 일함. ——-하다 자

독공[4]【篤恭】 명 인정이 많고 공손함. ——-하다 형여불

독과[1]【督過】 명 허물을 꾸짖음. 과실을 책망함. ——-하다 타여불

〈독고령〉

독과[2]【督課】 명 할당하여 맡긴 일을 감독함. ——-하다 자여불

독-과점【獨寡占】 명 독점과 과점.

독과점 가격【獨寡占價格】[—까—] 명〔경〕 시장의 독점 또는 과점에 의하여 결정되는 상품·용역(用役)의 대가.

독과점 사:업【獨寡占事業】 명〔경〕 어떤 사업 분야(事業分野)의 시장을 전적으로 또는 대부분 독차지하여 지배함으로써 실질적으로 경쟁을 제한하고 있는 단독 또는 소수의 사업.

독광【獨鑛】 명〔광〕 한 사람의 광주(鑛主)가 경영하는 광산.

독교【獨轎】 명 ①말 한 마리가 메고 끄는 가마. ②소 등에 싣고 뒤채를 소 모는 사람이 잡고 길잡이를 하며 가는 가마. 가마 멜 사람이 없을 때 이렇게 함.

독구방사리 명〈방〉 소꿉질(황해).

독-국【獨國】 명〔지〕 독일(獨逸).

독군【督軍】 명 중국에서 신해 혁명(辛亥革命) 후에, 종래의 총독(總督)·순무(巡撫) 대신에 성장(省長)과 함께 각 성에 둔 지방관. 원래는 군사 장관(軍事長官)이었으나, 대개 성장을 겸하여 문무의 권한을 장악, 거의 모두가 독립한 군벌(軍閥)을 형성하였음. 후에 독판(督辦)이라 개칭, 1928년의 국민 혁명에 의해 폐지되었음.

〈독교❷〉

독굽 장난 명〈방〉 소꿉질(황해).

독권-관【讀卷官】 명〔역〕 조선 시대 때, 임금이 친히 참석하는 과거(科擧)의 수석 시험관. 의정(議政) 1인과 종이품(從二品) 이상의 문관(文官) 2인으로써 임명하였음. 어전(御前)에서 응시자가 제출한 시제(試題)를 낭독함.

독균【毒菌】 명 유독한 균류(菌類).

독-그릇 명 ↗도깨그릇.

독-극물【毒劇物】 명〔법〕 약사법(藥事法)에서 규정하는 독물(毒物)과 극물(劇物). 보건 위생 상의 위해(危害)를 방지하기 위해 규정한 비(非)의약품임.

독금-법【獨禁法】[—뻡] 명 ↗독점 금지법(獨占禁止法).

독기[1] 명〈방〉 도끼(강원).

독기[2] 명〈방〉 돗자리(함북).

독기[3]【毒氣】 명 ①독의 성분이 들어 있는 기운. ②사납고 모진 기운. 독살스러운 기색. ㊀독(毒).

독-나방【毒—】 명〔충〕 ①독나방과에 속하는 곤충의 총칭. ②[*Euproctis flava*] 독나방과에 속하는 중형(中形)의 나방. 앞날개의 편 길이는 30-40mm이고 온 몸빛은 황색인데, 날개는 둥그스름하고 앞날개의 중앙에 앞뒤로 넓은 갈색의 띠가 있음. 성충은 6-7월에 출현하여 등불에 잘 날아 오며, 유충은 긴 털이 있는데 몸빛은 흑색에 적갈색의 줄무늬가 있고 제1-4복절(腹節)에는 독모(毒毛)가 있음. 유충은 밤나무·참나무·벚나무 등의 잎을 먹으며 5-6월에 고치를 만들고 우화(羽化)한 성충도 독모(毒毛)가 인편(鱗片)에 섞여 있어서 인체에 붙으면 발진(發疹)함. 한국·일본·중국·시베리아에 분포함. 독나비. 독아(毒蛾).

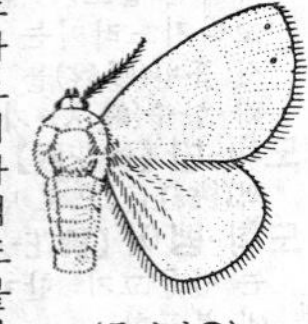
〈독나방❷〉

독나방-과【毒—科】[—꽈] 명〔충〕[Lymantridae] 나비목(目)에 속하는 한 과. 입은 없고 다리에 연한 털이 많이 났으며, 촉각(觸角)은 깃 모양임. 암컷은 복부(腹部) 끝에 털 뭉치를 가지고 있어서 이것으로 알 뭉치를 덮어 줌. 알·유충으로 월동하고, 유충은 모충(毛蟲)으로 긴 털이 있으며 독모(毒毛)가 있는 것이 보통이고, 성충은 날개의 인분(鱗粉)에 독이 있음. 암컷은 우화(羽化)할 때 고치 속의 털을 복단(腹端)에 붙이고 나옴. 수컷은 낮에도 나는 것이 있고, 유충은 주로 집단적으로 농작물·과수·원예(園藝)식물을 식해(食害)함. 인체에 해를 주는 것이 여러 종류 있음. 한국에는 40여 종, 전세계에는 1,200여 종이 분포함.

독나방살이-고치벌【毒—】 명〔충〕[*Apanteles liparidis*] 고치벌과에 속하는 벌. 암컷은 길이 2-6mm 가량, 몸빛은 흑색에 광택이 남. 다리는 대부분 적황색. 두흉부에는 점각(點刻)이 있고, 회색 털이 착생함. 독나방류의 유충에 기생하며 한국·일본에 분포함.

〈독나방살이고치벌〉

독나방 피부염【毒—皮膚炎】 명〔의〕 독나방의 독모(毒毛)에 찔려서 일어나는 피부병. 찔린 지 수분(數分) 또는 수시간 후에 가려워지며 긁으면 작은 홍반(紅斑)이 생김.

독-나비【毒—】 명〔충〕 독나방.

독납【督納】 명 세금을 바치도록 독촉함. 독세(督稅). ——-하다 자타여불

독낭【毒囊】 명〔충〕 독액이 들어 있는, 독침(毒針)과 연결된 주머니. 독주머니.

독녀【獨女】 명 외딸. ¶ 무남(無男)～.

독녀-호【獨女戶】 명 과부의 집. 또, 여자 혼자서 집을 이루고 있는 민호(民戶).

독념【毒念】 명 원망하고 미워하는 마음. 사악(邪惡)한 생각.

독농【篤農】 명 독농가.

독농-가【篤農家】 명 농사를 독실하게 짓는 사람. 독농.

독-니【毒—】 명 뱀 같은 짐승의 독을 분비하는 이. 독아(毒牙).

독다귀 명〈방〉〔동〕 도마뱀(제주).

독-다리 명〈방〉 ①돌다리². ②징검다리(제주·전라·경상·충청).

독단【獨斷】 명 ①남과 의논하지 아니하고 자기 혼자의 의견대로 결단함. ¶ ～적으로 처리하다. ②〔dogma〕〔철〕 근본적인 연구를 하지 아니하고 주관적 편견(主觀的偏見)만으로 판단을 내림. ——-하다 타여불

독단-가【獨斷家】 명 남과 상의하지 아니하고 자기 혼자서 결정하여 행동하는 경향이 있는 사람.

독단-론【獨斷論】[—논] 명〔dogmatism〕〔철〕 ①이론의 근거(根據)·전제(前提)에 관한 타당(妥當)·부당(不當)을 반성하지 아니하고 어떤 명제(命題)에 관하여 적극적·긍정적인 입론(立論)을 하려는 입장의 이론. ↔회의론(懷疑論). ②인식 능력(認識能力)을 맹목적으로 신뢰하지 않고, 몰비판적(沒批判的)으로 인식의 완전한 타당성을 믿는 입장의 이론. 독단설(獨斷說). 독단주의. ↔비판(批判) 철학.

독단 비:평【獨斷批評】 명〔dogmatic criticism〕〔문〕 일정한 정설(定說)을 표준으로 하지 아니하고 자기의 주견(主見)대로 판단하는 객관성 없는 비평. 따라서 보편성(普遍性)은 없으나 때로는 특색 있는 비평이 되는 경우도 있음.

독단-설【獨斷說】 명〔철〕 독단론.

독단-적【獨斷的】 명관 ①깊이 음미(吟味)함이 없이 혼자만의 판단을 옳다고 주장하는 모양. ②칸트 철학에서, 인식 능력(認識能力)의 한계를 음미하지 않은 채 형이상학(形而上學)으로 나아가, 순수한 이성(理性)만으로 예지계(叡知界)의 존재를 인식할 수 있다고 주장하는 모양.

독단 전행【獨斷專行】 명 자기 혼자만의 판단으로 멋대로 행동함. ——-하다 자타여불

독단-주의【獨斷主義】[—/—이] 명〔dogmatism〕 ①자기의 설(說)을 권위있는 것으로 단정적으로 주장하고, 그것이 불완전하고 틀렸을지도 모른다는 것을 전혀 인정하지 아니하는 태도. ②〔철〕 독단론(獨斷論). ↔비판주의.

독:-담[1] 명〈방〉 돌담(전라).

독담[2]【獨擔】 명 ①독담당(獨擔當). ②혼자서 부담함. ——-하다 타여불

독-담당【獨擔當】 명 혼자서 담당함. 독담(獨擔). ㊀독당(獨當). ——-하다 타여불

독:-담우락 명 〈방〉 돌담(전라).

독담-통【毒痰痛】명〘한의〙 잇몸이 몹시 아프고 기침과 가래가 나오는 이앓이.

독당【獨當】명 ↗독담당(獨擔當). ——-하다 타여불

독대¹ 명 ☞반두.

독대²【獨對】명〘역〙 벼슬아치가 홀로 임금을 대하여 정치에 관한 의견을 상주(上奏)함. 소대(召對)·*윤대(輪對). ——-하다 자여불

독-도¹【獨島】명〘지〙 울릉도 동남 약 79km 지점에 있는 동해 상의 화산도(火山島). 주도(主島)인 동도(東島)와 서도(西島)의 두 섬 및 부근의 여러 개의 작은 섬으로 되었는데, 해식 지형(海蝕地形)을 이루고 있음. 풍파가 세고 대부분이 암석으로 구성되어 있어 정주민이 없음. 등대(燈臺)가 설치되어 있음. 행정 구역 상으로는 경상 북도 울릉군(鬱陵郡) 남면(南面)에 속함. 부근 해역은 전갱이·고등어·미역·전복·해삼 등 해산물이 풍부한 어장임. [1.302km²]

독도²【讀圖】명 지도나 도면을 보고 그 내용을 해독함. ——-하다 자여불

독-도³【纛島】명〘지〙 →뚝도.

독-도마뱀【毒—】명〘동〙 독도마뱀과에 속하는 멕시코독도마뱀과 아메리카독도마뱀의 총칭. 이 두 종류만 알려지고 있음.

독도-법【讀圖法】[—뻡] 명 지도가 표시하고 있는 내용을 해독하는 기술.

독돔 명〘어〙 [*Banjos banjos*] 독돔과에 속하는 바닷물고기. 몸길이 30cm 가량으로 측편(側扁)하고 몸빛은 푸른 회색, 복부는 담색임. 난해성 어종으로 우리 나라 중남부·중국 동남·대만·일본 근해에 분포함.

독돔-과【—科】[—꽈] 명〘어〙 [Banjosidae] 농어목에 속하는 어류의 한 과. 독돔 하나가 이에 속함.

독-동이 명 독 모양으로 생긴 동이.

독두【禿頭】명 대머리. 독로(禿顱). 올두(兀頭).

독두-병【禿頭病】[—뼝] 명〘의〙 머리카락이 차츰차츰 빠져서 대머리가 되는 병. *탈모증.

독두-선【獨頭蒜】명 외톨 마늘.

독득【獨得】명 자기 혼자 터득함. ——-하다 타여불

독락【獨樂】[—낙] 명 혼자서 즐김. ——-하다 자타여불

독락-가【獨樂歌】[—낙—] 명〘문〙 독락당❷.

독락-당【獨樂堂】[—낙—] 명 ①〘지〙 경상 북도 경주시(慶州市) 안강읍(安康邑) 옥산리(玉山里) 소재 '옥산 서원(書院)' 안에 있는 건물. 조선 명종(明宗) 때의 학자 이언적(李彦迪)이 벼슬을 내놓고 이 지방에 내려와서 기거하던 곳임. 정면 4칸 40척, 측면 2칸 16척의 팔작(八作) 지붕 단층 건물. 보물 제413호. ②〘문〙 조선 선조(宣祖) 때에 노계(蘆溪) 박인로(朴仁老)가 지은 가사. 제작 연대는 미상(未詳). 이언적(李彦迪)이 살던 곳인 독락당을 찾아가 도학자로서의 그를 추모하고 그곳의 아름다운 경치를 읊은 것. 모두 255구로, ≪노계집(老溪集)≫에 실려 전함. 독락가. 독락당가.

독락당-가【獨樂堂歌】[—낙—] 명〘문〙 독락당❷.

독락-사【獨樂寺】[—낙—] 명〘불교〙 중국 허베이 성(河北省) 지셴(薊縣)에 있는 요대(遼代)의 사원. 이민족(異民族) 왕조인 요(遼)가 중국 문화를 모방하여 세운 절. 높이 3m의 관음 입상은 당풍(唐風)을 남기는 요대(遼代) 최고(最古)의 유품임.

독락 팔곡【獨樂八曲】[—낙—] 명〘문〙 조선 중종(中宗) 때부터 선조(宣祖) 때의 학자인 송암(松巖) 권호문(權好文)이 지은 경기체가(景幾體歌). 제작 연대는 미상. 퇴계(退溪)의 문인(門人)인 그가 진사(進士)에 급제하였으나 부모를 여의자 벼슬을 단념하고 평생을 한가로이 지내는 멋을 담은 노래. 8연(聯)으로 ≪송암집(集)≫에 전함.

독란【黷亂】[—난] 명 정치나 인륜(人倫)을 더럽히고 어지럽게 함. ——-하다 타여불

독량【獨梁】[—냥] 명 외나무다리.

독려【督勵】[—녀] 명 감독(監督)하며 격려(激勵)함. ¶ 부하를 ~하다. ——-하다 타여불

독력【獨力】[—녁] 명 혼자의 힘. 자기 한 사람의 역량(力量). ¶ ~으로 해결하다.

독로¹【禿顱】[—노] 명 대머리. 독두(禿頭).

독로²【篤老】[—노] 명 퍽 연로(年老)함. ——-하다 자여불

독로-강【禿魯江】[—노—] 명〘지〙 평안 북도 강계군(江界郡) 용림면(龍林面)에서 발원하여 강계·위원(渭源)을 지나서 압록강으로 흘러 들어가는 강. [238km]

독로 시:하【篤老侍下】[—노—] 명 일흔 살이 넘는 부모를 모시는 처지.

독로-회【獨老會】[—노—] 명〘기독교〙 [↗독립 노회(獨立老會)] 1907년에 설립된 한국 장로 교회의 전국적인 감독 기관. 1912년에 총회(總會)로 발전하였음.

독론【篤論】[—논] 명 물샐 틈 없는 독실한 의론.

독료【讀了】[—뇨] 명 독파(讀破). ——-하다 타여불

독룡【毒龍】[—뇽] 명 ①독이 있는 용. 또, 지벌을 입히는 괴물. ②번뇌(煩惱)의 비유.

독륜-차【獨輪車】[—뉸—] 명 일륜차(一輪車).

독륭【篤癃】[—늉] 명 병이 위중함. 위독함. 또, 위중한 병. 독질(篤疾).

독륭-인【篤癃人】[—늉—] 명 중병인.

독림-가【篤林家】[—님—] 명 모범적 산림 경영을 하고 사회적으로도 신망이 두터운 사람.

독립【獨立】[—닙] 명 ①남의 힘을 입지 않고 홀로 섬. 남의 속박·지배를 받지 않음. ②〘정〙 한 나라나 단체가 대내·대외적으로 완전한 주권(主權)을 행사하는 능력을 가짐. ③〘법〙 개인이 한 집안을 이루어 생계를 세우고 완전히 사권(私權)을 행사하는 능력을 가짐. ④다른 것과 완연히 별도임. ¶ ~ 가옥. ——-하다 자여불

독립 가옥【獨立家屋】[—닙—] 명 ①부근에 집이 없고, 단독으로 서 있는 집. ②독립 주택.

독립격 조:사【獨立格助詞】[—닙—] 명〘언〙 '복동아'의 '아', '철수야'의 '야' 등과 같이 사람이나 물건을 부를 때에 쓰이는 격조사. 호격 조사(呼格助詞).

독립 공원【獨立公園】[—닙—] 명〘역〙 조선 고종 33년(1896)에 독립 협회가 서울 독립문 일대에 조성한 공원.

독립-관【獨立館】[—닙—] 명 조선 고종 33년(1896) 독립 협회가 모화관(慕華館)을 개수하여 사용한 회관(會館).

독립 관청【獨立官廳】[—닙—] 명 헌법 상의 원칙, 특히 삼권 분립(三權分立)의 이념에 입각하여, 법원·감사원 등과 같이, 특수한 지위가 인정되어 있는 관청.

독립-국【獨立國】[—닙—] 명〘정〙 완전한 주권을 가지는 나라. 국제법 상의 주체(主體)로서 완전한 능력을 가지며, 대내외적인 문제를 홀로 결단할 수 있는 나라.

독립 국가 연합【獨立國家聯合】[—닙—] 명 [Commonwealth of Independent States ; CIS] 1991년 12월 러시아·우크라이나·벨로루시의 수뇌가 모여 소연방을 해체하고 대신 외교, 국방 및 핵통제권 등을 공동 관리하는 연합체 창설에 합의를 본 후 구소연방을 구성하던 15개 공화국 중 이미 독립을 선언한 발트 3국과 내란 중인 그루지아를 제외한 11개국으로 창설한 국가 연합. 1992년 1월 1일부터 발효. 1992년 10월 아제르바이잔 의회가 비준을 거부하여 가맹국은 10개국이 되었으나, 1993년 9월 아제르바이잔이 동년 12월 그루지아가 가입, 가맹국은 12개국이 되었음. 시 아이 에스.

독립-군【獨立軍】[—닙—] 명 나라의 독립을 위하여 싸우는 군대.

독립군-가【獨立軍歌】[—닙—] 명 일정 때 조국의 독립·광복을 위하여 조직된 독립군들이 불렀던 노래.

독립-권【獨立權】[—닙—] 명〘정〙 한 나라가 내치(內治)나 외교(外交)에 있어서, 외국의 간섭 없이 독립하여 주권을 행사할 수 있는 권리.

독립 규제 위원회【獨立規制委員會】[—닙—] 명 [Independent Regulatory Commission] 영·미국에 있어서, 개인의 경제 활동을 규제하기 위하여 설치하는 각종 위원회의 범칭. 그 지위가 일반 행정 계통으로부터 좀 독립적이며, 규칙 제정 같은 준(準)입법적인 권한 및 쟁송(爭訟)의 재결 같은 준사법적인 권한을 가지고 있음.

독립 기관【獨立機關】[—닙—] 명〘법〙 다른 기관의 지휘 감독을 받지 않고 오로지 헌법과 법률에 의해서만 그 직무를 수행할 수 있는 지위에 있는 기관의 총칭. 특히 국회·법원·감사원을 이름. 각급 교육 위원회·선거 관리 위원회 등을 말할 때도 있음.

독립 기념관【獨立紀念館】[—닙—] 명 외침(外侵)을 극복하고 민족의 자주와 독립을 지켜온 우리 민족의 국난 극복사(國難克服史)와 국가 발전사에 관한 자료를 수집·전시하여 투철한 민족 정신과 국가관을 정립(定立)하는 데 도움이 되게 하기 위하여 설립한 특수 법인. 문화 관광부 장관의 지도와 감독을 받음. 충청 남도 천안시(天安市) 목천면(木川面)에 있으며, 1987년 8월 15일에 개관함.

독립 노동【獨立勞動】[—닙—] 명 독립적인 자기 의사에 의한 노동.

독립-당【獨立黨】[—닙—] 명〘역〙 ①조선 말기에, 갑신 정변(甲申政變)을 주도한 김옥균(金玉均)·홍영식(洪英植)·박영효(朴泳孝)·서광범(徐光範)·서재필(徐載弼) 등을 비롯한 초기 개화파(開化派) 일당의 일컬음. 반대당인 사대당(事大黨)과 대립하였으나, 갑신 정변 후 청나라 군대의 반격으로 패배하여 세력을 잃음. 개화당(開化黨). *사대당. ②'독립 협회'의 1898년 이후의 통칭.

독립 독보【獨立獨步】[—닙—] 명 ①독립 독행(獨立獨行). ¶ ~의 인간. ②달리 나란히 겨룰 만한 것이 없음. ——-하다 자여불

독립 독행【獨立獨行】[—닙—] 명 남을 의지하지 않고 독자적으로 행동함. 독립 독보. ¶ ~의 굳은 의지. ——-하다 자여불

독립 등기【獨立登記】[—닙—] 명〘법〙 절차상 기존의 등기와 별개로 독립해 행하여지는 등기. 번호난(番號欄)에 독립의 번호가 붙여짐. 등기는 원칙적으로 독립 등기의 형식으로 행하여짐. 신등기.

독립 명:령【獨立命令】[—닙—녕] 명 법률의 위임에 의거하지 않고 내려지는 명령. 민주제(民主制)에서는 인정되지 않음.

독립-문【獨立門】[—닙—] 명〘지〙 서울 서대문구 현저동(峴底洞)에 있는 돌 문. 1897년 11월 20일에 독립 협회(獨立協會)가 각계 각층 국민의 헌금으로, 한국이 청국(淸國)의 기반(羈絆)을 벗어난 것을 기념할 목적으로 영은문(迎恩門)을 헐고 그 자리에 세웠던 것인데, 1980년 현재의 자리로 옮겨짐.

독립 법칙【獨立法則】[—닙—] 명〘생〙 멘델(Mendel) 법칙 중의 하나. 두 쌍 이상의 유전자를 생각할 경우에, 각각 대(對)를 이루는 유전자가 서로 독립하여 유전한다는 법칙. 독립 유전 법칙.

독립 변:수【獨立變數】[—닙—] 명 ①[independent variable]〘수〙 함수 관계에 있어서, 다른 변수의 변화와 관계 없이 독립적으로 변화할 수 있는 변수. 함수 $y=f(x)$에서 x를 강조하여 일컫는 말. 자변수(自變數). ↔종속 변수(從屬變數). ②〘심〙 행동주의적 경향의 심리학상 용어. 생체의 행동을 결정하는 물리적·사회적인 외적(外的) 조건 또는 자극. 실험적으로 조작(操作)이 가능한 데서 붙인 말임. ↔매개(媒介) 변수. 종속 변수. *변수(變數).

독립 불기【獨立不羈】[—닙—] 명 ①독립하여 남에게 속박을 받지 않음. ②남에게 제어(制御)되지 않고 자기 소신대로 일을 처리함.

독립 사:건【獨立事件】[—닙—껀] 명〘수〙 복(複)사건을 구성하는 몇 개의 사건 가운데, 그 중 어떤 사건이 일어나느냐 않느냐에 의하여 다른 사건이 일어나는 확률(確率)이 변하지 않는 경우의 사건. ↔종속 사건(從屬事件). *배반 사건(排反事件).

독립 사:상【獨立事象】[—닙—] 명〘수〙 '독립 사건'의 구용어.

독립-상【獨立像】[—닙—] 명 조각 작품의 하나. 건축·가구·집기류(什器類)의 장식으로서, 본체(本體)에 부속되어 있는 것에 대하여, 조각으로서 독립되어 있는 것을 이름.

독립 상:소【獨立上訴】[―닙―] 명《법》형사 소송에서, 재정(裁定) 신청에 의해 지방 법원의 심판(審判)에 부쳐진 사건과 다른 사건(事件)이 병합 심판되어 하나의 재판(裁判)이 있는 경우에, 검사의 직무(職務)를 행하는 변호사와 그 다른 사건의 검사가 그 재판에 대하여 각각 독립하여 행하는 상소.

독립 생산자【獨立生產者】[―닙―] 명《사》직접적 생산자.

독립 선언【獨立宣言】[―닙―] 명 한 국가가 독립함에 있어 그 뜻을 내외에 널리 선언하는 일. 또, 그 선언. ¶ ～서(書). ――-하다 자여불

독립 선언문【獨立宣言文】[―닙―] 명 독립 선언서.

독립 선언서【獨立宣言書】[―닙―] 명 ①한 국가의 독립을 내외에 선언하는 문서. ②《역》1919년 기미 운동 때에 한국의 독립을 선포한 문서. 최남선(崔南善)이 기초하고 민족 대표 33인이 서명하여 그 해 3월 1일 하오 2시에 서울 태화관(泰和館)에서 발표하였음. ③《역》〔Declaration of Independence〕 1776년 7월 4일 북미 합중국의 독립을 내외에 선언한 문서. 주로 제퍼슨(Jefferson)이 기초하여 대륙 회의(大陸會議)에서 가결 공표함. 그 내용은 자유·평등 및 행복의 추구라는 천부적(天賦的) 권리의 존재를 지적하고 그 권리의 확보를 위하여 정부가 조직됨을 선언하고, 구체적으로 영국 국왕의 압정의 사실을 열거했음. 독립 선언문.

독립-성【獨立性】[―닙―] 명 남에게 의지하지 않고 따로 자립하려고 하는 성향(性向)이나 성질. ¶ ～이 강한 사람.

독립-세【獨立稅】[―닙―] 명《법》구세법 상의 지방세 구분의 하나. 국세(國稅)와는 달리 지방 자치 단체가 자율적으로 만든 세목(稅目)에 의하여 독립적으로 부과하는 조세(租稅). 지방 특별세(地方特別稅). ↔부가세(附加稅).

독립 시:행【獨立試行】[―닙―] 명《수》확률론(確率論)에서, 각 시행 사이에 아무런 종속 관계가 없으며 각 사건(事件)이 일어나는 확률이 어떤 시행에 있어서나 같은 것. ↔종속 시행(從屬試行).

독립 신문【獨立新聞】[―닙―] 명 ①특정 정당으로부터 독립하여 독자적 견해를 가지고 있는 신문. ↔기관(機關) 신문. ②《역》건양(建陽) 원년(1896) 4월 7일에 독립 협회의 서재필(徐載弼)·윤치호(尹致昊)가 발간한 우리 나라 최초의 민간 신문. 순 한글로 되었는데 처음에 영자(英字) 독립 신문과 함께 발간하였음. ③중국 상하이에서 발간되던 임시 정부의 기관지(1924-25; 총 189호).

독립-심【獨立心】[―닙―] 명 남에게 의지하지 않고 세상을 살아 나가려는 마음.

독립-어【獨立語】[―닙―] 명《언》문장(文章)의 성분 이름의 한 가지. 어떤 문에 독립해 있는 어구(語句)로서, 감탄사·호격 조사가 붙은 명사 같은 것. 홀로말.

독립 영양【獨立營養】[―닙녕―] 명《생》영양소로서 무기 화합물을 섭취하고, 그것을 원료로 해서 체내에서 필요한 유기 화합물을 독력으로 합성해 나가는 식물의 영양 양식(營養樣式). 이산화탄소와 물로부터 당(糖)을 광합성(光合成)하는 녹색 식물(綠色植物), 화학(化學) 합성을 하는 일부 세균류 등이 그 예임. 자주 영양(自主營養). ↔종속(從屬) 영양.

독립 영양 생물【獨立營養生物】[―닙녕―] 명《생》독립 영양을 행하는 생물. 주로, 녹색 식물·광합성(光合成) 세균·화학 합성(化學合成) 세균 따위.

독립 운:동【獨立運動】[―닙―] 명 독립권을 주장·쟁취하려는 정치적 운동.

독립 유전 법칙【獨立遺傳法則】[―닙―] 명《생》독립 법칙.

독립-인【獨立人】[―닙―] 명《법》제 힘으로 생계(生計)를 세우고 사권(私權)을 완전히 행사할 수 있는 자연인(自然人). 「――-하다 타여불

독립 자영【獨立自營】[―닙―] 명 독립하여 사업을 스스로 경영함.

독립 자영 농민【獨立自營農民】[―닙―] 명《역》봉건적 토지 소유가 해체되는 과정에서 생긴 독립적이고 자유로운 중산층(中產層)의 농민. 영국의 '요먼(yeoman)'이 전형적임.

독립 자존[1]【獨立自存】[―닙―] 명 독립하여 자기의 존재를 스스로 지켜감. ――-하다 자여불

독립 자존[2]【獨立自尊】[―닙―] 명 독립하여 행세하며 자기의 인격과 위엄을 보전함. ――-하다 자여불 「――-하다 자여불

독립 자활【獨立自活】[―닙―] 명 독립하여 제 힘으로 생활을 유지함.

독립-적【獨立的】[―닙―] 명관 남에게 의존하지 아니하고 따로 제 힘으로 해 나가는 모양.

독립 전도자【獨立傳道者】[―닙―] 명 무교회(無敎會)주의를 신봉하는 사람.

독립 주택【獨立住宅】[―닙―] 명 단독 주택.

독립 중:리【獨立重利】[―닙―니] 명《경》연체(延滯)된 이자를 원금에 넣지 아니하고, 이것을 독립한 원금으로 하여 다시 이자를 가하는 일.

독립 중앙 태좌【獨立中央胎座】[―닙―] 명《식》씨방(房)의 바닥으로부터 독립된 중축(中軸)이 서고 그 주위에 생긴 태좌. 중앙 태좌. ＊중축(中軸) 태좌·측막(側膜) 태좌.

독립 참가【獨立參加】[―닙―] 명《법》갑을(甲乙) 간에 계속(繫屬) 중인 민사 소송의 결과에 의하여, 병(丙)의 권리가 침해당할 우려가 있을 경우에, 병이 당사자로서 그 소송에 참가하는 일. 권리자 참가(權利者參加). 주참가 병합 소송(主參加併合訴訟). 독립 당사자 참가(獨立當事者參加).

독립 채:산제【獨立採算制】[―닙―] 명《경》동일(同一)한 기업 안의 한 부문이 다른 부문과는 독립적으로 수지(收支)조절을 꾀하는 경영법.

독립-파【獨立派】[―닙―] 명〔Independents〕《역》영국 청교도 가운데의 한 종파(宗派). 장로파(長老派)에 대항하여 교회 내부로부터의 개혁을 단념하고, 교회의 자주 독립과 공화 정치(共和政治)를 주장하였음. 청교도 혁명 때에는 급진파(急進派)로서 크롬웰(Cromwell)을 선두로 하여 혁명을 주도하였음.

독립 프로덕션【獨立―】〔production〕[―닙―] 명《연》대기업에 의한 영화 제작에 대하여, 자기의 기획·자본으로 자주적으로 영화를 제작하는 프로덕션.

독립 행정 기관【獨立行政機關】[―닙―] 명《정》행정적으로 다른 기관의 지휘 감독을 받지 않는 독립 기관.

독립 현:가【獨立懸架】[―닙―] 명 자동차의 현가 장치에서, 좌우의 바퀴가 각각 자유롭게 상하로 움직일 수 있게 만든 구조.

독립 협회【獨立協會】[―닙―] 명《역》건양(建陽) 원년(1896)에 조직된 정치 사회 단체. 서재필(徐載弼)·이상재(李商在)·윤치호(尹致昊) 등이 중심이 되어, 국가의 독립과 민족의 자립을 위한 사회적·정치적 운동을 전개하였는데, 독립 신문 발간·독립문 건립 등 업적을 남김. 1898년 만민 공동회(萬民共同會)로 이름을 고쳤다가 그 이듬해 소멸되었음.

독립형 계:산기【獨立型計算機】[―닙―] 명〔stand-alone machine〕《전자》일시적 또는 항구적으로 주계산기(主計算機)로서 독립된 기능을 수행하는 기계.

독마랍 명〈방〉무릎(제주).

독막 명〈방〉돌멩이(충남).

독말-풀【毒―】명《식》[*Datura tatula*] 가짓과에 속하는 일년초. 줄기 높이 1-2m이고 자색이며, 잎은 호생하고 유병(有柄)이며 달걀꼴로 가에는 톱니가 있음. 6-7월에 자색꽃이 정생(頂生) 혹은 측생(側生)하는데 화관(花冠)은 깔때기 모양이며, 삭과(蒴果)는 달걀꼴이고 가시 모양의 표면 돌기는 길고 크며, 종자는 흑색에 입상(粒狀)임. 열대 아프리카 원산(原產)의 귀화 식물(歸化植物)인데, 촌락 부근에 재배 또는 야생(野生)함. 종자와 잎은 맹독성(猛毒性)이 있으며, 진통제·최면제(催眠劑) 등의 약재로 씀.

〈독말풀〉

독맥【督脈】명《한의》기경 팔맥(奇經八脈)의 하나. 인체(人體)의 중앙에 있어 상하(上下)를 관통하고 있는 맥(脈).

독-메【獨―】명 외따로 떨어져 있는 조그만 산. 독산(獨山).

독-멩이 명〈방〉돌멩이(충남).

독모【瀆冒】명 신성(神聖)한 것을 범(犯)하여 더럽힘. 모독(冒瀆). ――-하다 타여불

독목【禿木】명 잎이 다 떨어져 앙상하게 된 나무.

독목-교【獨木橋】명 외나무다리.

독목-선【獨木船】명 독목주(獨木舟).

독목-주【獨木舟】명 하나의 통나무를 우비어 파서 만든 작은 배. 독목선(獨木船). 마상이. 카누(canoe).

독무[1]【獨舞】명 혼자서 추는 춤. ↔군무(群舞).

독무[2]【毒霧】명 독이 있는 안개. 몸에 해로운 안개.

독-무대【獨舞臺】명 ①한 사람의 배우만이 나와서 연기하는 무대. ②독장치는 판. 독판. ＊독천장(獨擅場).

독-무덤 명《고고학》큰 독을 관(棺)으로 사용한 선사 시대 및 고대의 무덤. 옹관묘(甕棺墓).

독문【獨文】명 ①독일어 문장. ②독일 문학. ¶ ～과(科).

독-물[1] 명 짙은 빛깔의 빈물.

독물[2]【毒物】명 ①독성(毒性)이 있는 물질. 또, 독성이 있는 약물(藥物). ②악독한 사람이나 짐승의 일컬음.

독물-학【毒物學】명〔toxicology〕독물(毒物)의 작용, 중독의 예방과 치료의 방법을 연구하는 학문.

독미【牘尾】명 문서의 여백(餘白). 문서의 말미(末尾).

독-미나리【毒―】명《식》[*Cicuta virosa*] 미나릿과에 속하는 다년초. 줄기는 높이 1m 가량이고 잎은 호생하며 우상 복엽(羽狀複葉)에 소엽(小葉)은 피침형임. 6-8월에 백색 오판화(五瓣花)가 복산형(複繖形) 화서로 정생(頂生) 또는 잎과 대생하고, 열매는 거의 원형에 가까움. 연못이나 물가에 나는데, 한국 북부·일본 북부 및 북반구(北半球) 온대 지방에 분포함. 지하경(地下莖)은 녹색이고 죽순 모양이며 가운데가 비었는데 '연명죽(延命竹)' 또는 '만년죽(萬年竹)'이라고 함. 온 풀에 맹독 성분(猛毒成分)이 있어 위험함. 관상용으로 분재(盆栽)함.

〈독미나리〉

독민【篤敏】명 덕(德)이 있고 명민(明敏)함. ――-하다 형여불

독-바늘【毒―】명《충》독침(毒針).

독박【督迫】명 몹시 자주 독촉함. ――-하다 타여불

독발【禿髮】명 모발이 빠져 머리가 벗겨짐. 또, 그 머리.

독발 오고【獨髮烏孤】명《사람》중국 오호(五胡) 십육 국(十六國)의 하나인 남량(南涼)의 시조. 선비(鮮卑) 출생. 397년 대도독 대장군 대선우 서평왕(大都督大將軍大單于西平王)이라 칭하여 시핑(西平)에 도읍하고, 태초(太初)라 건원(建元)하였음. [?-399]

독방【獨房】명 ①혼자서 거처하는 방. 독실(獨室). ②↗독거 감방(獨居監房). ↔잡방(雜房).

독방 거처【獨房居處】명 혼자서 방 하나를 차지하여 거처하는 일.

독방-제【獨房制】명《법》죄수를 감방에 홀로 가두어 두는 제도. 밤낮 엄격히 독거(獨居)시키는 엄격 독방제와 낮에는 잡거 노동(雜居勞動)을 시키고 밤에만 독거시키는 오번제(auburn制)의 두 가지가 있음. 독거제(獨居制).

독:배[1] 명〈방〉아그배(전남).

독배[2]【毒杯·毒盃】명 독주(毒酒)·독약(毒藥)이 든 술잔.

독백【獨白】명 ①혼자서 중얼거림. ②《연》극(劇)에서 배우가 관객에게

자기의 마음 속을 알리기 위하여, 상대자 없이 혼자 말하는 대사(臺詞). 모놀로그. ——-하다 자여불

독백-체【獨白體】명 독백하는 식으로 쓴 문체.

독-버섯【毒—】명〖식〗독이 있어 먹으면 중독되는 버섯. 신경 조직·소화 기관·분비선 세포·혈관·피부 등을 파괴함. 대개 빛깔이 아름다움. 독이(毒栮).

독버섯 중독【毒—中毒】명〖의〗독버섯을 먹어서 발생하는 중독 증상. 먹은 지 수시간에서 수십 시간 후에 발병함. 구토·설사·하혈(下血)을 일으켜 혼수 상태에 빠짐.

독-벌【毒—】명〖충〗독을 가진 벌. 독봉(毒蜂).

독-벌레【毒—】명 독을 가진 벌레. 독충(毒蟲).

독법¹【獨法】명〖법〗①독일 법학(獨逸法學). ②독일법(獨逸法).

독법²【讀法】명 글을 읽는 법.

독벼리 부〈옛〉유달리. 특별히. =독별이. ¶ 독벼리(偏)≪老朴 單字解 3≫.

독변【毒辯】명 독설(毒舌).

독별【獨別】명 ①홀로 유별남. ②특히 우수함. ——-하다 형여불

독별-나다【獨別—】[—라—] 형 ①홀로 유별나다. ¶ 독별나게 굴다. ②특히 우수하다. ¶ 독별난 수재.

독별이 부〈옛〉특별히. 유다르게. =독벼리. ¶ 네 독별이 모르는고나(你偏不理會)≪老乞 上 24≫.

독보¹【獨步】명 ①홀로 걸음. 혼자서 걸음. ¶ 독립 ~. ②남이 따를 수 없이 뛰어남. 견줄 사람 없이 독장침. ¶ 고금 ~의 명인. ——-하다 자타여불

독보²【獨步】명〖사람〗조선 인조(仁祖) 때의 중. 초명(初名)은 중헐(中歇). 묘향산(妙香山)에서 불도를 닦다가 병자 호란(丙子胡亂)이 일어난 후 명(明)·청(淸)나라를 왕래하면서 공을 세웠으나 간신의 모함으로 울산(蔚山)에 유배되었음. 생몰 연대 미상.

독-보³【櫝褓】명 주독(主櫝)을 덮는 보. 신주보(神主褓).

독보⁴【讀譜】명〖악〗악보를 보기만 하고 즉시 그 악보에 적힌 선율·화음·음정·리듬을 실제의 악음(樂音)으로 재현·연주하는 일. 시창(視唱)·시주(視奏) 따위.

독-보리【毒—】명〖식〗[*Lolium temulentum*] 볏과에 속(屬)하는 일년초. 높이 60-90cm이고 잎은 긴 선형임. 꽃이삭은 길이 20cm, 소화(小花)는 길이 8mm 가량이며 외영(外穎)은 퇴화하였음. 밭이나 거친 땅에 나는 잡초(雜草)로, 유럽 원산(原産)임. 열매에 독(毒)이 있음. 성서(聖書)에는 '가라지'로 번역되어 있음.

〈독보리〉

독보-적【獨步的】명관 남이 따를 수 없을 만큼 홀로 뛰어난 모양. ¶ 고금(古今)에 ~인 존재.

독본【讀本】명 ①글을 읽어서 익히기 위한 책. ¶ 영어 ~/부~. ②일반인을 위한 입문서·해설서. ¶ 문장 ~/인생 ~.

독봉¹【毒蜂】명 독벌.

독봉²【督捧】명 세납(稅納)을 독촉하여 거두어 들임. 독쇄(督刷). ——-하다 타여불

독부¹【毒婦】명 성행(性行)이 악독한 계집. *간부(奸婦).

독부²【獨夫】명 ①인심을 잃어서 원조를 받을 곳이 없게 된 외로운 남자. ②독신(獨身)인 남자. ③악정(惡政)을 행하여 국민으로부터 따돌림을 받은 군주(君主).

독부³【獨婦】명 독신 여자.

독부-장【獨夫章】[—짱] 명 용비 어천가(龍飛御天歌) 제 72 장의 이름.

독불 장군【獨不將軍】명 ①따돌림을 받는 외로운 사람. ②무슨 일이나 제 생각대로 혼자서 처리하는 사람. ③혼자서는 장군이 못 된다는 뜻으로, 남과 협조하여야 한다는 말.

독불 전:쟁【獨佛戰爭】명〖역〗보불 전쟁(普佛戰爭).

독비-곤【犢鼻褌】명 쇠코잠방이.

독사¹【毒死】명 독약에 의하여 죽음. ——-하다 자여불

독사²【毒砂】명〖광〗'황비철광(黃砒鐵鑛)'의 속칭.

독사³【毒蛇】명〖동〗①이빨에 독액 분비선(毒液分泌腺)을 갖는 뱀의 총칭. 보통 두부(頭部)가 삼각형이고 몸이 굵으며, 꼬리가 짧은 것이 많음. 물 때, 독액을 냄. 살무사·코브라(cobra) 등. ②살무사.

【독사 아감지에 손가락을 넣는다】매우 위험한 짓을 한다는 뜻.

독사⁴【讀史】명 사서(史書)를 읽음. ——-하다 자여불

독사⁵〔그 doxa〕명〖철〗플라톤(Platon)이, 개념적인 참된 인식(認識)에 대하여, 낮은 주관적 인식을 가리켜 부른 말. 억견(臆見). ↔에피스테메(epistémé).

독사발 명〈방〉뚝배기(제주).

독-사진【獨寫眞】명 혼자서 찍은 사진.

독산¹【禿山】명 초목이 없는 산. 헐벗은 산. 민둥산.

독-산²【獨山】명〖지〗①평안 북도 후창군(厚昌郡) 동신면(東新面)에 있는 산. [1,175m] ②함경 남도 갑산군(甲山郡)에 있는 산. [1,065m]

독산³【獨山】명 ①동산소(同山所)가 아니고 혼자서만 따로 쓴 산소. ②외따로 떨어져 있는 산. 독뫼. *고산¹(孤山).

독-산림【獨山林】[—살—] 명〖불교〗한 사람의 중이 관리하는 절.

독살【毒殺】명 ①독약을 먹이거나 써서 죽임. 독해(毒害). ②악독한 마음을 품은 살기(殺氣). ¶ 나중은 ~이 나던지 주먹으로 두드리고 발길로 차…≪金敎濟 : 地藏菩薩≫. 준독(毒). ——-하다 타여불

독살(을) 부리다 구 악독한 성미로 남을 못 되게 저주(咀呪)하다.

독살(을) 피우다 구 악독한 살기를 나타내다.

독-살림【獨—】명 ①시하(侍下)에서나 남의 밑을 떠나 혼자서 따로 벌인 살림. ②〖불교〗암자(庵子)가 본사(本寺)의 힘을 입지 아니하고 단독으로 해 나가는 살림. ——-하다 자여불

독살-스럽다【毒殺—】형ㅂ불 성행(性行)이 살기(殺氣)가 있고 악독하다. ¶ 독살스러운 여자. 독살-스레【毒殺—】부

독살-풀이【毒殺—】명 품었던 악독한 살기를 목적한 대상에게 풀어 버림. 준독풀이. ——-하다 자여불

독삼-탕【獨蔘湯】명〖한의〗맹물에 인삼 한 가지만 넣고 달인 약. 더운 약으로 쓰이나 병이 매우 위태한 때에 흥분제로도 씀.

독상¹【獨床】명 한 몫으로 혼자 먹게 차린 음식상. 외상. ↔겸상.

독상²【獨相】명〖역〗영의정·좌의정·우의정의 세 사람 중 어느 한 사람만이 자리에 있어 겸무하던 일.

독새【毒—】명〈방〉〖동〗독사(毒蛇)(함북).

독새기 명〈방〉〖식〗둑새풀.

독새-풀 명〈방〉〖식〗둑새풀.

독생-자【獨生子】명〖기독교〗하느님의 외아들이란 뜻으로 '예수'를 일컫는 말.

독샤 명〈옛〉독사(毒蛇). ¶ 독샤 훼(虺), 독샤 복(蝮)≪字會 上 22≫.

독서¹【獨棲】명 홀로 삶. ——-하다 자여불

독서²【牘書】명 문서. 편지.

독서³【讀書】명 책을 읽음. ¶ ~ 인구(人口). ——-하다 자여불

독서 백편 의:자통(讀書百遍義自通) 구 같은 책을 백 번 되풀이하여 읽으면 저절로 뜻을 알게 된다는 말.

독서-가【讀書家】명 독서를 많이 하는 사람.

독-서당¹【獨書堂】명 한 집안이 전용으로 차린 서당.

독서-당²【讀書堂】명〖역〗조선 시대 때, 문관 중에 특히 문학에 뛰어난 사람에게 사가(賜暇)하여 오로지 학업을 닦게 하던 서재(書齋). 세종(世宗) 8년(1426)에 사가 독서의 제도를 두고, 성종(成宗) 22년(1491)에 지금의 용산(龍山)에 있던 폐사(廢寺)를 수리하여 처음으로 독서당을 베풀었음. 정조(正祖) 때에 규장각(奎章閣)의 기구를 넓히어 이를 폐하였음. 호당(湖堂).

【독서당 개가 맹자 왈 한다】어리석은 사람도 늘 보고 들으면 그 일을 능히 할 수 있게 된다는 말.

독서-대【讀書臺】명 책을 읽을 때 책을 펼쳐서 얹어 놓는 받침대.

독서-력【讀書力】명 책을 읽어서 이해하는 능력.

독서-루【讀書樓】명 독서를 하기 위하여 지은 누각. 서루(書樓).

독서 망양【讀書亡羊】명〔글을 읽는 데 정신이 팔려, 먹이고 있던 양을 잃었다는 뜻〕일에는 뜻이 없고, 딴 생각만 하다가 낭패본다는 말.

독서 민구기【讀書敏求記】명〖책〗중국 청대(淸代)의 시인 장서가(藏書家) 전증(錢曾 : 1629-?)이 자기의 장서에 적은 제발(題跋)을 모아서 편집한 해제(解題). 4권.

독서-법【讀書法】[—뻡] 명 독서하는 방법.

독서 삼도【讀書三到】명 독서의 법은 구도(口到)·안도(眼到)·심도(心到)에 있다 함이니, 즉 입으로 다른 말을 아니하고, 눈으로는 딴 것을 보지 말고, 마음을 하나로 가다듬고 반복 숙독(熟讀)하면, 그 진의(眞意)를 깨닫게 된다는 뜻. 삼도(三到).

독서 삼매【讀書三昧】명 오직 책 읽기에만 골몰하는 일.

독서 삼여【讀書三餘】명 독서를 하기에 적당한 세 여가(餘暇). 즉, 겨울·밤·비올 때. 삼여(三餘).

독서 삼품과【讀書三品科】명〖역〗신라의 관리 등용법. 원성왕(元聖王) 4년(788)에 태학(太學)에 설치한 과거 비슷한 제도로서, 좌전·예기·문선(文選)·논어·효경(孝經)에 밝은 자를 상품(上品), 곡례(曲禮)·논어·효경을 읽은 자를 중품(中品), 곡례·효경을 읽은 자를 하품(下品)으로 나누어, 이에 의해서 관료를 등용하기로 정함. 독서 출신과(讀書出身科).

독서 상우【讀書尙友】명 책을 읽음으로써, 옛날의 현인(賢人)들과 벗이 될 수 있다는 뜻.

독서-실【讀書室】명 책을 읽도록 따로 차려 놓은 방.

독서-열【讀書熱】명 책을 읽고자 하는 열성.

독서-욕【讀書慾】명 책을 읽고 싶은 욕망.

독서-인【讀書人】명 ①독서를 좋아하거나 많이 하는 사람. 또, 일반적으로 독서를 하는 지식층(知識層)의 사람. ②중국에서, 민간(民間)의 학자나 지식인을 일컫는 말.

독서 주간【讀書週間】명 일반 대중의 독서열을 앙양 고취하기 위하여 설정한 독서 지도 주간. 1919년 미국에서 제창되어 미국 도서관 협회를 통하여 추진된 것인데, 한국에서는 1927년 이후 매년 10월 20일부터 28일에 걸쳐 시행됨.

독서 지도【讀書指導】명 자신의 사상과 행동을 형성하기 위한 자료로서 책을 소화하여 가는 힘을 어린이나 일반 대중에게 갖게 하는 학교·가정·일반 사회의 지도.

독서-직【讀書職】명〖천주교〗성서 낭독의 책임을 맡은 직위. 예전에는 강경품(講經品)으로서 하급 성직의 품직에 속하였음.

독서 출신과【讀書出身科】[—꽈] 명〖역〗독서 삼품과.

독서-회【讀書會】명 책을 서로 돌려 보며, 읽은 감상과 의견을 서로 말하는 모임.

독선¹【毒腺】명〖생〗독액(毒液)을 분비하는 선(腺).

독선²【獨船】명 혼자 타려고 세를 주고 빌린 배.

독선(을) 잡다 구 배를 단독으로 세를 주고 빌리다.

독선³【獨善】명 ①자기 혼자만이 선(善)으로 생각되는 바를 행하는 일. 자기 혼자만이 옳다고 믿고 객관성을 생각지 아니하고 행동하는 일. ¶ ~적인 언동. ②↗독선 기신(獨善其身).

독선-가【獨善家】명 독선적인 사람.

독선 기신【獨善其身】명 자기 한 몸만을 온전하게 잘 하여 감. 준독선(獨善).

독-선생【獨先生】명 ①글방에서 주인집 아이만을 가르치는 선생. ②한 사람 또는 정해진 몇 사람의 공부를 혼자서 맡아 가르치는 선생. ¶ ~을 앉히다.

독선-적【獨善的】명관 독선에 치우친 모양. ¶ ~인 행동.

독선-주의【獨善主義】[— / —이] 명 ①〖윤〗남의 이해(利害)나 입장을

돌보지 아니하고 저 혼자만이 옳다고 생각하는 주의. ②저 혼자만이 옳다고 하는 생각. ¶ ~을 퍼붓다.

독설【毒舌】[명] 악독하게 혀를 놀려 남을 해치는 말. 독변(毒辯). 독언(毒言).

독설-가【毒舌家】[명] 독설을 잘 하는 사람. *험구가.

독성[1]【毒性】[명] 독기(毒氣)가 있는 성분. 독한 성질.

독성[2]【篤性】[명] 인정이 두터운 성향(性向).

독성[3]【獨聖】[명]〖불교〗혼자서 스승 없이 깨친 독각(獨覺)의 성자(聖者). 곧, 나반 존자(那畔尊者)의 일컬음.

독성[4]【瀆聖】[명]〔sacrilege〕〖천주교〗신성한 것을 모독하는 일. 신성 모독(神聖冒瀆). ──하다 [자][여불]

독성-각【獨聖閣】[명]〖불교〗독성(獨聖)인 나반 존자(那畔尊者)를 봉안(奉安)한 전각(殿閣). 천태각(天台閣).

독-성분【毒成分】[명] 독기(毒氣)의 성분.

독성 존자【獨聖尊者】[명]〖불교〗나반 존자(那畔尊者)의 일컬음.

독성 탱:화【獨聖幀畫】[명]〖불교〗독성인 나반 존자(那畔尊者)의 초상을 그려 거는 족자(簇子).

독세【督稅】[명] 세금을 바치도록 독촉함. 독납(督納). ──하다 [자][타][여불]

독소[1]【毒素】[명]〔toxine〕〖화〗유기(有機) 물질, 특히 고기나 단백질 등이 부패하여 생기는 유독성(有毒性) 물질. 주로 고분자 물질(高分子物質)로서, 세균성의 것을 균체(菌體) 독소, 그 밖의 것을 동물성(動物性) 독소·식물성(植物性) 독소 등으로 나눔. 톡신.

독소[2]【讀疏】[명] 상소문(上疏文)을 어전(御前)에서 소리 내어 읽음. ──하다 [자][여불]

독소루비신〔doxorubicin〕[명]〖약〗토양균 스트렙토마이세스 퓨세티우스(*Streptomyces peucetius*)에서 추출되는 항종양성(抗腫瘍性) 항생 물질. 육종·림프종(lymph 腫)·백혈병·간암·갑상선암 등에 항암제로 쓰임.

독-소리【禿―】[명]〈방〉〖조〗독수리(충청·함남).

독소 불가침 조약【獨蘇不可侵條約】[명]〖역〗①1939년에 독일과 소련 사이에 조인된 상호 불침략에 관한 조약. 1941년에 독일이 소련에 침입하자 자연히 파기되었음. ②1970년 8월에 독일 연방 공화국, 곧 서독과 소련 사이에 조인된 상호 무력 불행사에 관한 조약. 이 조약으로 제2차 세계 대전 후 25년만에 서독과 소련과의 관계는 새로운 차원에서 정상화되었고, 전후(戰後) 동서 유럽의 현상(現狀)이 고정(固定)되는 계기를 이루었음.

독소 전:쟁【獨蘇戰爭】[명]〖역〗제2차 세계 대전 중 독일과 소련 사이에 행해진 전쟁. 1941년 6월 22일 독일이 소련을 기습 공격함으로써 시작됨. 독일군은 우크라이나·레닌그라드·모스크바에 진격하였고, 스탈린그라드까지 전선을 확대하였으나, 1942년 11월부터 소련의 대반격(大反擊)으로 전환, 1943년에 레닌그라드를, 1944년에는 동유럽 제국을 독일군으로부터 해방하였고, 1945년 4월 하순에는 연합군과 더불어 베를린에 돌입, 동년 5월 8일에 독일이 무조건 항복함으로써 전쟁은 종식(終熄)됨.

독소 충격 증후군【毒素衝擊症候群】[명]〔toxic shock syndrome〕〖의〗여성이 삽입식 생리대 '탐폰'을 사용할 때 그 높은 흡수성으로 인하여 갑자기 고열·구토·설사·발진·혈압 강하 등을 일으키는 증상. 심하면 목숨을 잃기까지 함.

독소혈-증【毒素血症】[―쯩] [명]〖의〗세균의 독소가 혈액 속에 들어감으로써 전신적(全身的) 증상을 나타내는 질환. 디프테리아균·가스 괴저균(gas 壞疽菌)·파상풍(破傷風) 등으로 발생함.

독솔[1] [명]〈옛〉보득솔. ¶東門밧긔 독소리 것그니(東門之外矮松立折)《龍歌 89章》.

독솔[2]【督率】[명] 감독하여 인솔함. ──하다 [타][여불]

독솔러지〔doxology〕[명]〖천주교〗영광송(榮光誦).

독송【讀誦】[명] ①읽어서 욈. 외어 읽음. ②〖불교〗소리를 내어 경문을 읽음. 송독(誦讀). ──하다 [타][여불]

독쇄【督刷】[명] 독봉(督捧). ──하다 [타][여불]

독수[1]【禿樹】[명] 잎이 다 떨어진 나무.

독수[2]【毒水】[명] ①독이 있는 물. 독의 성분이 들어 있는 물. ②산성 또는 알칼리성이 강한, 생물의 생활 환경에 부적당한 육수(陸水).

독수[3]【毒手】[명] ①남을 살해하려는 짓. ¶ ~에 쓰러지다. ②악독한 수단. 독아(毒牙). ¶ ~에 걸리다.

독수[4]【毒獸】[명] 독한 짐승. 사람을 해치는 짐승.

독수[5]【獨守】[명] ①혼자서 지킴. ②독숙(獨宿)❷. ──하다 [자][타][여불]

독수[6]【獨修】[명] 독습[2](獨習). ──하다 [타][여불]

독수[7]【讀數】[명] 글을 읽은 횟수.

독수 공방【獨守空房】[명] ①빈 방에서 혼자 잠. ②부부가 서로 별거하여 여자가 남편 없이 혼자 지냄을 뜻함. 독숙 공방(獨宿空房).
[독수 공방에 유정 낭군(有情郎君) 기다리듯] 간절히 바라는 모양.

독-수리【禿―】[명]〖조〗[*Aegypius monachus*] 독수릿과에 속하는 새. 매·수리와 비슷한 대형(大形)의 맹조(猛鳥)로서 날개 길이 70-90cm, 꽁지는 35-40cm임. 몸빛은 암갈색에 부리는 흑갈색, 다리는 회색임. 여느 매와 다른 점은 자웅 동대(雌雄同大) 또는 수컷이 크고 후경부(後頸部)가 나출(裸出)되어 살이 비치고, 목도리를 두른 것 같은 솜털이 있음. 산림(山林)에 서식하는데, 공중에 떠돌면서 죽은 동물·작은 새·쥐 등을 찾아 포식하며 나무 위·바위 틈에 집을 짓고 2-4월에 한 개의 알을 낳음. 지중해(地中海) 연안·인도·중국·한국 등지에 분포함. 독취(禿鷲).

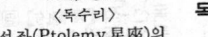

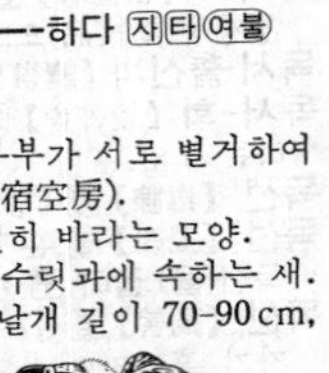
〈독수리〉

독수리-자리【禿―】[명]〔라 Aquila〕〖천〗톨레미 성좌(Ptolemy星座)의 하나. 궁수(弓手)자리의 북쪽에 있는 여름 하늘의 대표적인 성좌의 하나로서, 육안으로 보이는 별의 수는 123개 가량임. 가장 으뜸이 되는 별은 알타이르(Altair) 곧 견우성(牽牛星)인데, 거문고자리의 직녀성(織女星)과 서로 맞서 있어 칠석(七夕)의 전설(傳說)로 유명함. 독수리좌(座).

독수리-좌【禿―座】[명]〖천〗독수리자리.

독수리-팔랑나비【禿―】[명]〖충〗[*Bibasis aquilina*] 팔랑나빗과에 속하는 나비의 하나. 편 날개 길이 42mm 내외이고 몸빛은 단순함. 날개는 갈색, 외연부를 제외하고 날개 밑과 몸에는 황갈색의 인모(鱗毛)가 있음. 수컷의 앞날개 전연 중앙실에 두 개, 그 바깥쪽 외연에 여덟 개의 황색 반문이 각각 있음. 한국·일본·아무르 등지에 분포함.

〈독수리팔랑나비〉

독수릿-과【禿―科】[명]〖조〗[Accipitridae] 매목(目)에 속하는 한 과. 대형(大形)의 맹조(猛鳥)로 맷과(科)와 비슷하나 머리 위에는 정상적인 깃털이 없고, 목에도 약간의 면모(綿毛)가 있을 뿐임. 부리와 발톱이 날카롭고 큰데, 윗부리가 길고 끄부라져 질긴 고기를 찢어 먹기에 알맞음. 예민한 시력(視力)과 발달된 후각(嗅覺)으로 죽은 동물이나 새·물고기·뱀 등을 잘 찾아 포식함.

독숙【獨宿】[명] ①홀로 잠. 홀로 묵음. ②과부(寡婦)로 지냄. 독수(獨守).

독숙 공방【獨宿空房】[명] 독수(獨守) 공방. ──하다 [자][여불]

독순【讀脣】[명] 독순법(讀脣法). 독순술(讀脣術).

독순-법【讀脣法】[―뻡] [명] 독순술.

독순-술【讀脣術】[명] 상대방의 입술의 움직임이나 그 모양을 보고 상대방이 말하고자 하는 바를 알아내는 법술. 흔히 벙어리나 귀머거리 사이에 행하여짐. 이 법술을 사용하여 구화(口話)가 이루어짐. 독순(讀脣). 독순법(讀脣法).

독-술【禿―】[명]〈방〉〖조〗독수리(함남).

독습[1]【毒濕】[명] 화류병(花柳病). 매독(梅毒). 습독(濕毒).

독습[2]【獨習】[명] 스승 없이 혼자서 배워 익힘. 독수(獨修). ¶ ~서(書). ──하다 [타][여불]

독습[3]【讀習】[명] 글을 읽어서 익힘. ──하다 [타][여불]

독시[1]【毒矢】[명] 촉에 독을 바른 화살. 독전(毒箭).

독시[2]【毒弑】[명] 독약으로 임금이나 웃어른을 죽임. ──하다 [타][여불]

독시[3]【督視】[명] 감독·경계하여 지켜봄. 감시(監視). ──하다 [타][여불]

독식【獨食】[명] ①혼자서 먹음. ②이익을 독차지함. ──하다 [타][여불]

독신[1]【獨身】[명] ①형제 자매가 없는 사람. 흔히 독자(獨子)를 이름. ②배우자(配偶者)가 없는 사람. 홑몸. ¶ ~ 생활. [타][여불]

독신[2]【篤信】[명] 독실하게 믿음. 또, 그러한 신앙. ¶ ~자(者). ──하다

독신[3]【獨愼】[명] ①혼자서 스스로 근신(謹愼)하는 일. ②감옥 안에서 옥칙(獄則)을 어긴 죄수를 독방에 가두어 근신시키는 일.

독신[4]【瀆神】[명] 신을 모독(冒瀆)함. ──하다 [자][여불]

독신-묘【纛神廟】[명] →둑신묘(纛神廟).

독신 생활【獨身生活】[명] 아내나 또는 남편이 없이 혼자 지냄. ──하다 [자][여불]

독신-자[1]【獨身者】[명] 홑몸인 사람. 동기나 배우자가 없이 혼자 사는 사람.

독신-자[2]【篤信者】[명] 신앙심이 깊고 두터운 사람. 독실한 신자.

독신-주의【獨身主義】[―/―이] [명] 결혼하지 않고 일생을 독신으로 지내려는 주의. ¶ ~자(者).

독실[1]【篤實】[명] ①성실(誠實)하고도 극진함. ¶ ~한 신자. ②인정이 두텁고 친절함. ──하다 [형][여불]. ──히 [부]

독실[2]【獨室】[명] 혼자서 거처하는 방. 독방(獨房).

독심[1]【毒心】[명] 독살스러운 마음. 악독한 마음.

독심[2]【篤心】[명] 독실(篤實)한 마음.

독심-술【讀心術】[명]〔mind-reading〕얼굴의 표정이나 근육(筋肉)에 나타나는 미세(微細)한 운동을 통하여 다른 사람의 사념(思念)을 알아내는 법술. 보통 상대방의 손이나 이마를 만지거나, 한 끈의 양끝을 서로 마주 쥐고서 행함.

독아[1]【毒牙】[명] ①독사의 이와 같이 물 적에 독액(毒液)을 분비하는 날카롭고 긴 이. 독니. ②악랄(惡辣)한 수단. 독수(毒手).

독아[2]【毒蛾】[명]〖충〗독나방.

독아-론【獨我論】[명]〖철〗독재론(獨在論). 유아론(唯我論).

독악【毒惡】[명] 심히 나쁨. 흉악(凶惡). ──하다 [형][여불]

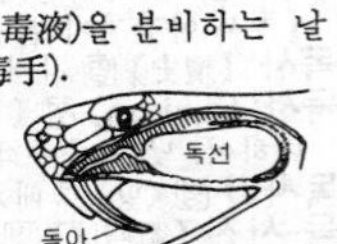

〈독아[1]❶〉

독안【獨眼】[명] 애꾸눈. 척안(隻眼).

독안-룡【獨眼龍】[―뇽] [명] ①애꾸눈의 영웅(英雄). ②〖불교〗애꾸눈의 고덕(高德).

독안-타【獨鞍駝】[명]〖동〗단봉(單峰) 낙타.

독액【毒液】[명] 독기가 들어 있는 액체. 독성(毒性)의 진액(津液). 독즙(毒汁).

독야【獨夜】[명] 홀로 지내는 밤.

독야 청청【獨也靑靑】[명] ①홀로 푸르름. ②홀로 높은 절개를 드러내고 있음. ¶ 백설이 만건곤할 때 ~하리라. ──하다 [형][여불]

독약【毒藥】[명]〖약〗사람이나 동물의 건강 및 생명을 해치는 독성(毒性)의 약제. 극히 적은 양으로 맹렬한 작용을 일으켜 쉽게 중독 증상(中毒症狀)을 나타내어 생명을 위태롭게 하는 것으로서, 극약(劇藥)보다도 한층 강함. 아비산(亞砒酸)·모르핀·염산(塩酸)·황린(黃燐) 등. 독제(毒劑). [준]독(毒). *극약(劇藥).
[독약이 고구(苦口)나 이어병(利於病)이라] 독한 약이 비록 입에는 쓰나 병에는 이롭다는 말. 좋은 일일수록 감당하기 힘들 때의 비유.

독어[1]【毒魚】[명]〖어〗독을 가진 어류의 총칭. 복어·물퉁돔처럼 내장이나 살에 독을 가진 것과 수염어·동자개처럼 독(毒)가시를 가진 것과 이

에 독선(毒腺)이 있는 곰치 따위가 있음.

독어[2]【督御】 명 바로잡아 다스림. ──-하다 타여불

독어[3]【獨語】 명 혼잣말. ──-하다 자여불

독어[4]【獨語】 명 ↗독일어(獨逸語).

독어 독문학과【獨語獨文學科】 명〖교〗대학에서, 독어·독문학을 전공하는 학과. *중어 중문학과(中語中文學科).

독언[1]【毒言】 명 ①타인의 명예를 손상하는 말. ②독설(毒舌). ──-하다 자여불

독언[2]【獨言】 명 혼잣말. ──-하다 자여불

독역【督役】 명 공사(工事)의 감독.

독역-자【督役者】 명 공사 감독을 하는 사람.

독연[1]【毒煙】 명 유독(有毒) 가스를 함유하는 연기. 또, 독가스. *장연(瘴煙).

독연[2]【毒緣】 명 이 세상의 더러운 나쁜 인연.

독연[3]【獨演】 명 다른 사람의 협력이나 공연(共演)을 구하지 아니하고, 혼자만이 하는 연예(演藝) 또는 강연(講演). ──-하다 자여불

독연-회【獨演會】 명 ①어떤 한 사람만이 하는 연예회(演藝會). ②비유적으로, 다른 사람이 말참견을 할 틈을 주지 아니하고 하는 강의(講義)·강연(講演).

독염【毒焰】 명 ①독기(毒氣)를 내뿜는 불꽃. ②악독한 무리들이 피우는 독살스러운 기세.

독영【獨泳】 명 ①혼자서 헤엄침. ②경영(競泳)에서, 다른 사람들을 제쳐놓고 훨씬 앞서서 헤엄침. ──-하다 자여불

독오【瀆汚】 명 더러움. 또, 더럽힘. 또, 더러워짐. ──-하다 형자타여불

독오 동맹【獨墺同盟】 명 독일 오스트리아 동맹.

독-오르다【毒─】 자 르불 독기(毒氣)가 퍼지거나 치밀다. 독살(毒殺)이 치밀다.

독오 전:쟁【獨墺戰爭】 명 독일 오스트리아 전쟁.

독오 학파【獨墺學派】 명 독일 오스트리아 학파.

독오 합방【獨墺合邦】 명 독일 오스트리아 합방.

독-올리다【毒─】 타 ①독이 오르게 하다. ②남을 집적거려서 독기가 치밀어 오르게 하다.

독옹【禿翁】 명 대머리진 늙은이.

독와【獨臥】 명 혼자서 누움. ──-하다 자여불

독-와사【毒瓦斯】 명〖화〗'독가스(毒gas)'의 취음(取音).

독와사-탄【毒瓦斯彈】 명〖군〗'독가스탄(毒gas彈)'의 취음(取音).

독왕【獨往】 명 ①홀로 감. ②남에게 의지하거나 간섭을 받지 아니하고 스스로의 힘이나 생각으로 떳떳이 행동함. ──-하다 자여불

독요-초【獨搖草】 명〖식〗멧두릅.

독우[1]【篤友】 명 ①극진하고 정이 두터운 우애(友愛). ②독실한 벗. 정이 두텁고 성실한 친구.

독우[2]【犢牛】 명 송아지.

독-우물 명 밑바닥이 없는 독을 묻어서 만든 우물. 옹정(甕井).

독유【獨有】 명 독력(獨力)으로 보존(保存)하는 일. ──-하다 타여불

독음[1]【獨吟】 명 혼자서 시가(詩歌)등을 읊음. ──-하다 자여불

독음[2]【獨淫】 명 자위(自慰). 수음(手淫).

독음[3]【讀音】 명 ①글을 읽는 소리. ②한자(漢字)의 음(音).

독이[1]【毒栮】 명〖식〗독버섯.

독-이[2]【獨─】 부 홀로. 혼자서. 단독으로.

독인[1]【毒刃】 명 흉한(兇漢)의 악독한 칼. 흉인(凶刃).

독인[2]【獨人】 명 독일 사람.

독일[1]【獨─】 명 단 하나. 유일(唯一).

독일[2]【獨逸】 명〔도 Deutschland의 취음〕〖지〗중부 유럽을 차지하는 나라. 동쪽은 폴란드, 서쪽은 네덜란드·룩셈부르크·프랑스, 남쪽은 체코·슬로바키아·오스트리아·스위스, 북쪽은 발트 해(海)·북해(北海) 및 덴마크와 각각 접경함. 843년 동(東)프랑크 왕국의 성립 이래 국가로서의 역사를 갖기 시작하였으며, 1871년에 이르러서야 프로이센에 의하여 통일 독일 제국(帝國)을 완성함. 제1차 대전에 패배하여 영토의 일부와 모든 해외 식민지를 잃고 제정(帝政)을 폐지하여 공화국을 수립하였으나 경제적인 파탄에 직면하여 나치스 당(Nazis黨)이 대두하였고, 1933년에 히틀러(Hitler)의 나치 정부가 삼국 동맹(三國同盟)을 맺고 제2차 대전을 일으켰으나 연합군에 패하여 1945년에 무조건 항복한 후, 국토는 미·영·불·소에 의하여 나뉘어 점령되었으며 1949년 자유 진영측의 점령지인 서독(西獨)에 독일 연방 공화국이 수립되자 소련측 점령지인 동독(東獨)에 독일 민주 공화국이 생겼음. 1990년 10월 동독은 독일 연방 공화국에 흡수 통일되었음. 주민은 대부분 튜턴족(Teuton族)이며 독일어를 쓰고 신교도가 많음. 내면적·의지적(意志的) 경향이 있는 독특한 사상·문화를 발전시켰음. 수도는 서독이 본(Bonn), 동독은 동베를린이었으나 통일 후 베를린이 되었음. 정식 명칭은 '독일 연방 공화국(Federal Republic of Germany)'. 덕국(德國). 독국(獨國). 저머니(Germany). 준 독(獨).

독일-가문비【獨逸─】 명〖식〗[*Picea abies*] 전나뭇과에 속하는 상록 침엽 교목(喬木). 잎은 침상(針狀)의 사각형임. 여름에 자웅 일가(雌雄一家)의 꽃이 피는데, 수꽃이삭은 원기둥꼴의 황갈색, 암꽃이삭은 긴 타원형임. 구과(毬果)는 원기둥꼴의 타원체로, 10월에 익음. 산지(山地)에 나는데, 독일의 원산으로 한국에는 중부 이남에 분포함. 정원에 심음.

독일 고:전파【獨逸古典派】 명〖악〗음악사(音樂史)에서 18세기 후반에서 19세기 전반(前半)에 걸쳐, 주로 빈(Wien)을 중심으로 음악 창작 활동을 하여 독일의 고전 음악을 완성시킨 작곡가들의 총칭. 하이든·모차르트·베토벤·슈베르트 등 낭만파 초기 작가도 포함됨. 소나타 형식의 완성, 화성과 대위법(對位法)의 조화적 사용, 관현악곡의 발달 등이 특징임.

독일 공작 연맹【獨逸工作聯盟】[─년─] 명 예술가·기술자·기업가가 협력하여 공업 제품의 디자인 향상을 목적으로 1907년 독일에서 창설된 단체. 나치스에 의하여 한때 폐쇄되었으나 1950년에 재건함.

독일 공:화국【獨逸共和國】 명〖역〗1918년 독일 혁명의 결과 수립된 공화국. 바이마르 헌법(Weimar憲法)을 제정하고 초대 대통령으로 에베르트(Ebert, F.; 1871-1925)가 취임하였음. 1929년부터 1932년 사이의 경제적 파탄으로 1933년 나치스(Nazis)가 정권을 잡자 사실상 해체되었음. 바이마르 공화국.

독일 관념론【獨逸觀念論】[─논] 명〔도 Deutscher Idealismus〕〖철〗칸트(Kant)의 선험적 유심론(先驗的唯心論)을 시작으로 피히테(Fichte)·셸링(Schelling)을 거쳐서 헤겔(Hegel)의 절대적 유심론(絕對的唯心論)에 이르기까지의 일련의 유심론 철학의 총칭. 유심론을 공통적인 세계관적 기반으로 하고 있음. 독일 유심론.

독일 관세 동맹【獨逸關稅同盟】 명〔도 Deutscher Zollverein〕〖역〗1834년 프로이센의 제창(提唱)으로 결성된 독일 연방 제국(諸國)간의 관세 동맹. 오스트리아를 제외한 거의 모든 독일 제방(諸邦)이 참가하였는데, 이 결과 프로이센에 의한 독일 통일의 경제적 기초를 만들게 되었음.

독일 국가 인민당【獨逸國家人民黨】 명〖역〗1918년 말에 결성된 독일의 정당. 독일 보수당과 자유 보수당이 합당한 것으로, 독일 공화국 최강(最強)의 우익 정당이었으며, 자본가·귀족·대지주·군부가 그 기반을 이룸. 전제적 제국(專制的帝國)과 강대한 군대의 부활을 기도하여 나치스와 동맹, 1933년 1월에 연합 내각(聯合內閣)을 형성하였으나 나치스에 압도되어 6월에 해당(解黨)함.

독일 국민에게 고:함【獨逸國民─告─】 명〔도 Reden an die deutsch Nation〕〖책〗프랑스군 점령 하인 베를린에서, 철학자 피히테가 1807년 12월부터 1808년 3월까지 학사원 강당에서 실시한 우국 충정(憂國衷情)의 강연 내용을 모아 엮은 책.

독일 기사단【獨逸騎士團】 명〔도 Deutscher Ritterorden〕〖역〗십자군(十字軍)에 그 기원을 두는 중세 독일의 전투적인 종교 기사단. 십자군에 종군하는 기독교도의 병상자(病傷者)들을 구호하기 위하여 천막 병원이 설치된 것을 시작으로, 점차 이교도(異敎徒)에 대한 전투의 임무를 띠게 되어, 1198년 독일 제후(諸侯)의 손으로 종교 기사단이 편성되고, 이듬해 교황(敎皇)의 인가를 얻었음. 13세기 이래 프러시아(Prussia)를 정복하여 기사단의 나라를 세웠다가, 종교 개혁 때 루터파(Luther派)로 개종(改宗)함과 동시에 해산되어 프로이센 공국(Preussen公國)이 되었음.

독일 노동 총:연맹【獨逸勞動總聯盟】[─년─] 명〔도 Deutscher Gewerkschaftsbund〕전(前) 서독의 노동 조합의 중앙 조직. 1949년 창립. 조직 노동자의 80%가 이에 가맹하였었음. 노사 협조 정책을 취하고 경제적 요구에 중점을 둔 것임.

독일 농민 전:쟁【獨逸農民戰爭】 명〖역〗서남부 독일을 중심으로 하여 일어난 대규모 농민 반란. 루터의 종교 개혁 운동에 자극을 받아 1524년 튀링겐(Thüringen)과 그 밖의 지방에서 연달아 봉기하였으나 이듬해 여름까지 제후(諸侯)의 용병군에 격파됨.

독일-론【獨逸論】 명〔프 De l'Allemagne〕〖책〗프랑스의 여류 평론가 스탈(Staël, G.)이 지은 문명 비평서. 두 차례의 독일 여행 및 괴테(Goethe)와 피히테를 만난 체험으로써 독일의 사상과 예술을 소개함. 프랑스의 로망티슴(romantisme) 문학에 영향을 끼침.

독일 무이【獨一無二】 명 유일 무이(唯一無二). ──-하다 형여불

독일 문자【獨逸文字】[─짜] 명〖언〗중세(中世)에 로마자(Roma字)로부터 발달된, 꾸밈새가 번거롭고 굵은 자체(字體)의 문자. 문예 부흥 뒤에는 독일에서만 쓰였으나 제2차 대전 후는 독일서도 거의 보통의 로마자로 바뀜.

독일 민주 공:화국【獨逸民主共和國】 명〔Deutsche Demokratische Republik〕독일의 통일 이전의 '동독(東獨)'의 정식 명칭. 독일 동부를 차지한 사회주의 국가. 국회는 단원제(單院制)의 인민 의회로, 사법·입법·행정의 3권을 통괄하며, 원수격인 국가 평의회 의장과 내각을 선출함. 바르샤바 조약 가맹국. 수도는 동베를린. 1990년 10월, 서독 측 독일 연방 공화국에 흡수 통합됨. 약칭 : D. D. R.

독일-법【獨逸法】[─뻡] 명 독일 현행법의 총칭. 독일 민법·독일 형법 등. 독법(獨法).

독일 보:수당【獨逸保守黨】 명 보수당(保守黨)❸.

독일 사회 민주당【獨逸社會民主黨】 명〔도 Sozialdemokratische Partei Deutschlands〕독일 사회주의 노동당의 후신으로 1890년에 결성된 정당. 바이마르 공화국을 수립하여 정치 주도권을 장악하기도 했으나 나치스 정권의 탄압으로 해산. 제2차 세계 대전 후에 부활하여 동독에서는 공산당과 합동하여 사회주의 통일당이 되고, 서독에서는 민주 사회주의를 지도 원리로 하는 국민 정당으로 탈피하여 1969년 9월 정권을 담당함.

독일 사회주의 노동당【獨逸社會主義勞動黨】[─/─이─] 명 1875년에 결성된 독일의 정당. 1890년 독일 사회 민주당으로 개칭됨.

독일 신비주의【獨逸神秘主義】[─/─이] 명〔도 Deutsche Mystik〕〖철〗독일의 도미니크회(Dominic會)에서 주로 일어난 신비주의의 총칭. 14세기에 이르러서는 에크하르트(Eckhart) 등 신학자 중에서 뛰어난 신비주의자가 많이 나왔음. 교지(敎旨)를 독일어로 풀이하였으며, 독일 민족의 범신론적(汎神論的) 경향을 띠었음.

독일-애기나방【獨逸─】 명〖충〗노랑애기나방.

독일-어【獨逸語】 명〖언〗인도 유럽 어족(Indo-Europe語族) 중, 게르만 어파(語派) 서(西)게르만 어군(語群)에 속하는 언어. 동서 독일·오스트리아 외에 스위스·룩셈부르크·벨기에 등의 일부에서 쓰임. 남부의 고지(高地) 독일어와 북부의 저지(低地) 독일어로 나뉘는데, 현재의 표준

독일어는 전자에서 나옴. 복잡한 어형 변화·풍부한 복합어 등이 특징임. 학술 용어 등 우리 나라에서도 많이 쓰임. 도이치말. [준]독어(獨語).

독일 연방【獨逸聯邦】[—련—] [명] 〔도 Deutscher Bund〕〖역〗1815년에 빈 회의(Wien會議)의 결정에 의하여 전독일의 35개 군주국(君主國)과 4개 자유 도시(自由都市)를 통합하여 조직된 연방. 1815년 6월에 프랑크푸르트(Frankfurt)에서 연방 회의까지 가졌으나 단합이 잘 안 되어 각 군주는 여전히 자기의 독립된 주권을 행사하게 되어 한 국가로 볼 수는 없었음. 보오 전쟁(普墺戰爭) 후에 정식으로 해체되었음.

독일 연방 공:화국【獨逸聯邦共和國】[—련—] [명] 〔Bundesrepublik Deutschland〕〖지〗①독일의 통일 이전의 서독(西獨)의 정식 명칭. 독일 서부를 차지한 연방 공화국. 제2차 세계 대전 후 눈부신 부흥을 거듭하여 자유 세계에서 미국 다음가는 공업국으로 발전함. EEC 가맹국이며, 북대서양 조약 기구의 일원(一員)임. 수도는 본. 원 이름은 '도이칠란트 연방 공화국'. ② 1990년 10월 3일, 서독이 동독 즉 '독일 민주 공화국'을 흡수 통합하면서 붙인 국호(國號). ＊독일 통일❷.

독일 연방 은행【獨逸聯邦銀行】[—련—] [명] 〔도 Deutsche Bundesbank〕제2차 세계 대전 후에 프랑크푸르트에 설립된 독일의 중앙 은행(中央銀行). 발권(發券) 및 통화·신용 정책은 모두 연방 은행 및 주(州) 중앙 은행의 총재 등으로 구성되는 중앙 은행 이사회에 의해서 결정·운영되게 되며, 주(州) 중앙 은행도 이 이사회의 결정에 따르기로 되어 있음.

독일 오스트리아 동맹【獨逸—同盟】[명] 〔German-Austrian Alliance〕〖역〗베를린 회의(Berlin會議)의 결과로 1879년에 빈(Wien)에서 독일과 오스트리아 사이에 조인된 군사 동맹. 러시아에 대한 양국의 제휴를 내용으로 하는 비스마르크(Bismarck)의 교묘한 외교 정책의 하나이며, 5년 동안 비밀로 되어 있다가 1887년에 비로소 공표되었음. 제1차 세계 대전 때까지 존속하였음. 독오 동맹(獨墺同盟).

독일 오스트리아 전:쟁【獨逸—戰爭】[명] 〖역〗1866년 프로이센과 오스트리아 사이에 벌어진 전쟁. 독오 전쟁(獨墺戰爭).

독일 오스트리아 학파【獨逸—學派】[명] 〔도 Deutsch-Österreichische Schule〕〖철〗볼차노(Bolzano)의 사상 계통을 밟아 오스트리아의 철학자 브렌타노(Brentano)를 시조로 하는 19세기 후반의 철학의 한 학파. 신칸트(新 Kant) 학파에 대립하여 일어난 학파로, 논리적 판단·추리(推理)의 심리학적 기초 탐구의 기운이 강하였으며 후세의 현상학(現象學) 및 실증주의(實證主義)에 커다란 영향을 미치었음. 브렌타노 학파(Brentano學派). 독오 학파(獨墺學派).

독일 오스트리아 합방【獨逸—合邦】[명] 〖역〗1938년, 독일의 나치스(Nazis) 정권이 영국·프랑스의 항의를 물리치고, 3월에 오스트리아의 중요 도시를 무혈(無血) 점령하여 자국에 병합한 일. 독오 합방(獨墺合邦).

독일 유심론【獨逸唯心論】[—논] [명] 〖철〗독일 관념론(獨逸觀念論).

독일 제:국【獨逸帝國】[명] 〖역〗1871년 프로이센을 중심으로 형성된 독일 통일 국가. 신성 로마 제국에 대하여 '제2 제국'이라고 칭함. 1918년 독일 혁명으로 붕괴함. ＊소(小)독일주의.

독일-주의【獨一主義】[—/—이] [명] 〖법〗고정주의(固定主義).

독일 철학【獨逸哲學】[명] 〖철〗독일어를 사용하는 나라에 특색 있게 일어난 철학. 그 특수한 경향은 내관적(內觀的)·관념적·사변적(思辨的)·이상주의적이며, 에크하르트(Eckhart) 등의 신비설, 라이프니츠의 관념적인 단자론(單子論), 칸트의 비판적 관념론, 피히테(Fichte)·헤겔·셸링(Schelling)의 사변적 유심론(思辨的唯心論) 및 신칸트 학파(新Kant學派) 등이 그 대표적인 것임.

독일 체조【獨逸體操】[명] 독일에서 발달한 기계 체조·기구(器具) 체조·도수(徒手) 체조의 총칭. 바제도(Basedow J. B)가 시조(始祖)이며, 그 후 얀(Jahn F.L) 등이 연구를 거듭하여 200년의 역사와 전통이 있음. 철봉·평행봉·안마(鞍馬)·링(ring) 등의 기계 기구를 다각적으로 이용하며, 도수 체조에서는 리듬을 중시함.

독일 통:일【獨逸統一】[명] 〖역〗①중세 이래 수많은 연방 국가로 분열되어 있던 독일이 프로이센의 주도 하에 1871년에 성취한 독일의 국가적 통일. 이로써 독일 제국(帝國)의 성립이 선포되었음. ②제2차 세계 대전 후 45년 간에 걸친 동·서 분단에 종지부를 찍고 1990년 10월 3일 실현된 독일의 통일. 동독이 서독 즉 독일 연방 공화국에 편입됨으로써 독일 민주 공화국은 소멸되었음.

독일 혁명【獨逸革命】[명] 〖역〗제1차 세계 대전의 말기에, 불리(不利)한 전국(戰局)과 러시아 혁명에 자극되어 일어난 독일의 혁명. 1918년 10월 킬 군항(Kiel軍港)의 수병(水兵)의 반란을 계기로 하여 11월에는 베를린에서도 큰 폭동이 일어나서 황제(皇帝)는 퇴위 망명하고 새로운 독일 공화국이 수립되어 연합국과 휴전 조약을 맺었음.

독일 황제【獨逸皇帝】[명] 〖역〗독일 제국의 황제. 1871년 독일 통일이 완성되어 프로이센 왕(王) 빌헬름 1세가 처음 독일 황제에 올랐으며 이어서 프리드리히 3세, 빌헬름 2세로 계승됨. 1918년 제1차 세계 대전에 패하고 혁명이 일어나 3대로 제정(帝政)은 끝남.

독임【獨任】[명] 한 사람에게 전부 맡김. 한 사람에게 온 직무를 장악시킴. ——-하다 [타][여불]

독임 공:화 정체【獨任共和政體】[명] 〖정〗독임 정체의 하나. 프랑스나 미국의 대통령제가 그 대표적인 것임.

독임 군주 정체【獨任君主政體】[명] 〖정〗독임 정체의 하나. 전제(專制) 독임 군주 정체와 입헌(立憲) 독임 군주 정체로 구분됨.

독임 정체【獨任政體】[명] 〖정〗정체의 하나. 국가의 원수(元首)를 특정의 개인으로 정하고 있는 정체. 독임 군주 정체와 독임 공화 정체로 구분됨.

독임-제【獨任制】[명] 〖법〗정부 또는 공공 기관 등의 조직이 한 사람의 자연인으로써 구성되어 있는 제도. 각부 장관·도지사·시장·세무서장 등이 있음. ↔합의제(合議制).

독자[1] [명] 〈옛〉 초례(醮禮). ¶ 녀죵이 닐오ᄃᆡ 겨지비 ᄒᆞᆫ 독자 바ᄃᆞ면 가시디 아니홀시(女宗曰 婦人一醮不改)《重三綱 女宗》.

독자[2]【獨子】[명] ①외아들. ¶ 삼대 ~. ②독신(獨身)❶.

독자[3]【獨自】[명] ①저 혼자. 자기의 한 몸. ②다른 것과 달라서 그 자체에만 특유함. ¶ ~적/~성(性).

독자[4]【讀者】[명] 책·신문·잡지 따위의 출판물을 읽는 사람. ¶ ~의 소리.

독-자가리 [명] 〈방〉 자갈[1](경기).

독-자갈 [명] 〈방〉 자갈[1](전남·경남).

독자-란【讀者欄】[명] 신문·잡지 등에서, 독자의 글을 싣는 난.

독-자배기 [명] 독을 굽는 가마에서 구워 만든 자배기.

독자-성【獨自性】[—썽] [명] 독자적인 성질.

독자-적【獨自的】[명][관] 다른 것과 달리 그 자체에 특유한 모양. ¶ ~으로 조사 연구하다/~인 견해(見解).

독자-층【讀者層】[명] 특정 간행물(刊行物)을 읽는 독자의 대부분이 속하는 사회적 계층(階層). 성(性)·연령(年齡)·교양(敎養)·직업(職業)의 공통성 등으로 나누어짐.

독작[1]【獨作】[명] 혼자서 만들어냄. 또, 그 물건. ——-하다 [타][여불]

독작[2]【獨酌】[명] 대작(對酌)할 상대가 없이 혼자서 술을 마심. ——-하다 [타][여불]

독장【毒瘴】[명] 열병을 일으키는 나쁜 기운. 장기(瘴氣).

독장 난:명【獨掌難鳴】[명] 고장 난명(孤掌難鳴).

독-장사【獨—】[명] 〈방〉 외목 장사.

독장사 경륜【—經綸】[—눈] [명] 〈방〉 독장수셈.

독장사 구구【—九九】[명] 〈방〉 독장수셈.

독장사 궁리【—窮理】[—니] [명] 〈방〉 독장수셈.

독-장수 [명] 독을 파는 것을 업으로 하는 사람.

독장수-놀이 [명] 〖민〗독장수가 독을 짊어지고 다니면서 파는 동작을 흉내내어, 한 아이가 다른 아이를 독으로 삼아 옆으로 짊어지고 다니면서 노는 놀이.

독장수-셈 [명] 〔옛날에 옹기 장수가 길가에서 잠이 들어 꿈에 큰 부자가 되어 좋아서 뛰는 바람에 꿈을 깨고 보니 독이 깨졌더라는 이야기에서 온 말〕실현성이 전혀 없는 허황한 계산을 하며 좋아하면 도리어 손해만 봄을 이르는 말. 옹산(甕算).

독장-치다【獨場—】[자] 어떠한 판을 혼자서 휩쓸어 기세를 올리다. 독판치다. ¶ 나는 임자를 이렇게 고맙게 하는데 임자는 걸핏하면 나를 못 먹겠다고 야단 독장을 치지《作者未詳 : 金菊花》. [준]장치다.

독재【獨裁】[명] ①독단으로 사물을 재결(裁決)함. ②〖정〗↗독재 정치(獨裁政治). ——-하다 [자][타][여불]

독재 국가【獨裁國家】[명] 〖정〗독재 정치를 하는 나라. ↔민주 국가.

독재 군주 정체【獨裁君主政體】[명] 〖정〗한 사람의 군주가 국가의 전 권력을 장악하고 마음대로 하는 정치 형태.

독재-론【獨在論】[명] 〔solipsism〕〖철〗진실(眞實)로 실재(實在)하는 것은 오직 자아(自我)와 그 의식(意識)뿐이고, 외물(外物)은 모두 자아(自我)의 관념(觀念) 또는 자아에 대한 현상(現象)에 지나지 아니하다는 철학 상의 이론. 주아론(主我論). 독아론(獨我論). 유아론(唯我論). 독지론(獨知論).

독재-성【獨裁性】[—썽] [명] 독단으로 사물을 재결(裁決)하려는 성질이나 성분.

독재-자【獨裁者】[명] ①독단(獨斷)으로 사물을 재결(裁決)하는 사람. ②절대 권력을 가지고 독재 정치를 하는 사람.

독재 정체【獨裁政體】[명] 〖정〗독재주의에 입각한 정치 형태. ↔민주 정체.

독재 정치【獨裁政治】[명] 〔dictatorship〕〖정〗인민(人民)의 합의의 법적 표현을 필수 조건(必須條件)으로 하지 아니하고, 단독의 지배자에 권력이 집중되어 지배가 행해지는 정치 형태. 고대 로마의 체제(體制) 및 독일의 나치즘(Nazism), 이탈리아의 파시즘(fascism) 등이 전형적(典型的)임. [준]독재(獨裁). ↔민주 정치(民主政治).

독재-주의【獨裁主義】[—/—이] [명] ①독단으로 사물을 재결(裁決)하려는 주의. ②〖정〗한 사람의 지배자가 절대적 권력을 가지고 정치를 지배하는 방법.

독-전[1]【—廛】[명] ☞옹기전(甕器廛).

독전[2]【毒箭】[명] 독시(毒矢).

독전[3]【督戰】[명] 전투를 감독하고 격려함. ——-하다 [자][여불]

독전[4]【牘箋】[명] 편지·시가(詩歌) 등을 쓰는 데 사용하는 종이.

독전-대【督戰隊】[명] 〖군〗전투중, 자기 편의 군사를 감독·격려하는 부대.

독-점[1]【—店】[명] 〖공〗도매그릇을 가마에 구워 만드는 곳.

독점[2]【獨占】[명] ①독차지. ②〔monopoly〕〖경〗어떤 개인 또는 단체가 다른 경쟁자를 배제하여 독차지로 판매 시장이나 원료 자원지(原料資源地) 등을 지배하여 자기만이 이익을 보는 경제 현상. 고도로 발달된 자본주의에 부수되는 현상인데 20세기초부터 영국·독일·미국 등의 나라에서 시작하여 점점 국제적인 현상이 되었음. ＊복점(復占). ——-하다 [타][여불]

독점 가격【獨占價格】[—까—] [명] 〖경〗매주(賣主) 또는 매주(買主)가 시장을 독점함으로써 결정되는 가격. 생산 가격을 상회하는 가격이 되고, 그 초과분이 독점 이윤(利潤)이 됨. ↔경쟁 가격.

독점 금융 자본【獨占金融資本】[—/—늉—] [명] 〖경〗독점 자본(獨占資本)❶.

독점 금:지법【獨占禁止法】[—뻡] [명] 〖경〗경제를 민주화하기 위하여 사적 독점(私的獨占)·부당한 거래의 제한·공정하지 아니한 경쟁 방법인 트러스트·콘체른(Konzern)·카르텔(Kartell)·보이콧·덤핑 등을 금지하고 자유로운 경쟁으로 국민 경제를 발달시키려는 법률. 1890년 미국의 연방 정부에 의하여 비로소 성문화(成文化)되었음. [준]독금법(獨禁法). ＊공정 거래법.

독점 기업【獨占企業】명〖경〗고도로 발달한 자본주의 경제에 있어서 시장의 독점 또는 조절(調節), 경영(經營)의 합리화나 또는 단순한 금융의 연락을 목적으로 기업 상호간의 결합과 조직으로 이루어진 것의 총칭. 카르텔(Kartell)·신디케이트(syndicate)·트러스트(trust)·콘체른(Konzern)의 네 가지로 나눔.

독점-도【獨占度】명〖경〗양적(量的) 측면에서 본 독점의 강도(強度). 한 기업 또는 몇 개의 기업이 그가 속하는 산업 내지 업종(業種)에서 차지하는 독점력을 가리키는 경우와, 일정수의 기업군(企業群)이 그 나라의 경제 내지 산업 전체에서 차지하는 독점적 지위를 가리키는 경우가 있음.

독점-력【獨占力】[一녁] 명〖경〗기업의 시장 지배력.

독점 사:업【獨占事業】명〖경〗①공중 생활 상에 필요한 사업으로 독점적인 성질의 것. 체신 사업, 철도 사업, 담배·소금 따위의 전매 사업 등. ②생산·판매 등을 한 사(社)에서 독점하고 있는 사업.

독점 영조물【獨占營造物】명〖경〗특허(特許)에 의하여 사인(私人)의 경영을 인정하고, 동종(同種)의 시설을 일반에게 허락하지 아니하는 영조물. 철도 따위.

독점-욕【獨占慾】[一뇩] 명 독차지 하려는 욕망.

독점 이:윤【獨占利潤】명〖경〗시장을 독점하여 취득하는 이윤. *독점 가격.

독점-자【獨占者】명 독점하는 사람.

독점 자본【獨占資本】명〖경〗〔monopoly capital〕①카르텔·트러스트(trust)·콘체른(Konzern)·콤비네이션(combination) 등의 형식을 취한, 규모가 거대한 산업 기업의 총칭. 독점을 기초로 하여 산업 자본과 은행(銀行) 자본이 결부되어 있음. 독점 금융 자본. ②거대한 산업 기업가(產業企業家). 또, 그 계급 전체.

독점 자본주의【獨占資本主義】[一/一이] 명〔monopoly capitalism〕〖경〗현대 자본주의 사회에 있어서 독점 자본이 갖는 경제·정치·군사·외교 등의 동향을 이름. 생산과 자본의 고도(高度)의 집적(集積), 은행 자본과 산업 자본의 융합(融合), 자본 수출 등이 중요한 의의(意義)를 갖게 되며, 국제적 독점의 성장, 지구(地球)의 영토적 분할(分割)이 자본주의적 열강(列強)에 의해 이루어지는 등의 특징이 있음.

독점-적【獨占的】명관 독점하는 경향이 있는 모양. 남을 배척하고 혼자 독차지하고 있는 모양.

독점적 경:쟁【獨占的競爭】명〖경〗공급 경쟁에서 한 공급자가 품질의 우수성 등으로 유리한 입장에 서게 되어 어느 정도의 독점력을 갖게 되는 경우의 경쟁.

독정1【禿丁】명 중을 욕하는 말.

독정2【禿頂】명 대머리1.

독정3【毒政】명 혹독한 정치. 혹정(酷政).

독정4【獨政】명〖역〗조선 시대 때, 이조 판서(吏曹判書)에 사고가 있을 경우 참판(參判)이나 참의(參議) 중의 한 사람이 대신하여 정사를 맡아 보던 일. ——-하다 자 여불

독제1【毒劑】명〖한의〗독성(毒性)이 있는 약제. 독약(毒藥).

독제2【纛祭】명〖역〗→둑제(纛祭).

독존1【獨存】명 홀로 존재함. ——-하다 자 여불

독존2【獨尊】명 ①혼자만 존귀함. ¶ 유아(唯我) ～. ②〖불교〗↗천상 천하 유아 독존. ——-하다 형 여불

독존-적【獨尊的】명관 혼자만 존귀한 모양. ¶ ～ 존재.

독종1【毒腫】명 몹시 악성(惡性)인 부스럼.

독종2【毒種】명 ①성행(性行)이 악독한 사람. ②동물이나 식물의 모질고 나쁜 품종(品種).

독좌【獨坐】명 홀로 앉아 있음. ——-하다 자 여불

독좌 문:견 일기【獨坐聞見日記】명〖책〗조선 인조(仁祖) 때에 안기호(安基浩)가 편찬한 견문기. 세조(世祖) 때부터의 조야(朝野)의 잡사 이담집(雜事異談集)임. 1책 39장.

독좌-상【獨坐床】명 혼인날 신랑·신부가 교배(交拜)할 때에 차려 놓는 음식상. 또, 그 음식을 차려 놓기 위하여 붉은 빛을 칠하여 만든 상.

독주1【毒酒】명 ①매우 독한 술. ②독약을 탄 술. *짐주(鴆酒).

독주2【獨走】명 ①단독(單獨)으로 달림. ②경주 상대를 앞질러 혼자 달림. 또, 남을 뒤떨어뜨리고 수위(首位)로 들어옴. ③남을 아랑곳하지 아니하고 자기 혼자서 날뜀. ¶ ～를 견제하다. ——-하다 자 여불

독주3【獨奏】명〖악〗한 사람이 주체(主體)가 되어 악기를 연주함. 반주(伴奏)가 있을 때도 있고 없을 때도 있음. 솔로(solo). ¶ ～회. ↔합주(合奏)·중주(重奏). ——-하다 타 여불

독주4【讀奏】명 상주(上奏)할 것을 어전(御前)에서 읽음. ——-하다 타 여불

독주-곡【獨奏曲】명〖악〗독주를 위하여 작곡한 곡. ↔합주곡.

독-주머니【毒一】명〖충〗독낭(毒囊).

독주-회【獨奏會】명 어떤 사람이 독주하는 음악회.

독준-어 명 〈방〉〖어〗송사리.

독-중석【毒重石】명〖광〗독중토석(毒重土石).

독중토-석【毒重土石】명〖광〗판상(板狀) 또는 주상(柱狀)의 결정(結晶)으로 된, 바륨염(barium塩)의 주요 원광(原鑛). 염산 용액(塩酸溶液)은 유독(有毒)함. 독중석(毒重石).

독즙【毒汁】명 독액(毒液).

독지1【獨知】명 남은 모르고 혼자만 깨달아 앎. ——-하다 타 여불

독지2【篤志】명 도탑고 친절한 뜻이나 마음. ¶ ～가(家).

독지3【篤摯】명 친절하고 진지(眞摯)함. ——-하다 형 여불

독지-가【篤志家】명 ①마음이 독실한 사람. ②사회 사업이나 공공(公共)의 일에 특히 마음을 쓰고 협력·원조하는 사람.

독지-론【獨知論】명〖철〗독재론(獨在論).

독직【瀆職】명 직책을 모독하는 일. 특히 공무원이 지위나 직무를 남용(濫用)하여 비행(非行)을 저지르는 일. 오직(汚職). ——-하다 자 여불

독직-죄【瀆職罪】명〖법〗공무원이 직무상의 의무를 어기고 공무(公務)를 더럽히는 행위에 의하여 성립되는 죄. 직권 남용죄(職權濫用罪)·직무 위배죄(職務違背罪)·뇌물죄(賂物罪)로 나뉨.

독진【獨鎭】명〖역〗독립하여 있는 진영(鎭營).

독진 대:아문【獨鎭大衙門】명〖역〗부산 광역시 동래구(東萊區) 온천동(溫泉洞)에 있는 조선 시대 관아 동래 부사청(東萊府使廳) 동헌(東軒) 입구의 문. 솟을지붕의 삼문(三門) 형식의 건물임.

독진 방어사【獨鎭防禦使】명 독진 수성장(守城將).

독진 수성장【獨鎭守城將】명〖역〗조선 후기에, 변방(邊方)이나 요지의 독진(獨鎭)의 책임자. 독진 방어사(防禦使).

독질1【毒疾】명 악성의 병. ¶ ～로 고생하다.

독질2【毒質】명 독한 성질.

독질3【篤疾】명 매우 위독한 병. 독륭(篤癃).

독차【犢車】명 송아지가 끄는 수레.

독-차지【獨一】명 혼자서 모두 차지함. 독점(獨占). 도차지. ¶ 이익을 ～하다. ——-하다 타 여불

독찰【督察】명 일을 살피어 밝힘. ——-하다 타 여불

독창1【禿瘡】명〖의〗머리에 생기는 피부병의 한 가지. 군데군데 둥근 홍색의 반점이 생기고, 나중엔 그 자리의 모발이 빠짐. *원형 탈모증(圓形脫毛症).

독창2【毒瘡】명 독기가 있는 종기. 악성의 부스럼.

독창3【獨窓】명〖건〗문짝이 한 쪽만 달린 창.

독창4【獨唱】명〖악〗가곡(歌曲)을 혼자서 부름. 솔로(solo). ↔합창(合唱). ——-하다 자타 여불

독창5【獨創】명 모방(模倣)하지 아니하고 자기 혼자의 힘으로 처음으로 생각해 내거나 만들어 냄. ——-하다 타 여불

독창-곡【獨唱曲】명 독창하기에 알맞은 가곡(歌曲).

독창-력【獨創力】[一녁] 명 독창(獨創)하는 재주나 능력(能力). ¶ ～의 발휘.

독창-성【獨創性】[一썽] 명 독창하려는 성향이나 성질. ¶ ～을 살리다.

독창-적【獨創的】명관 자기 혼자의 힘만으로 생각해 내거나 처음으로 만들어 내는 모양. ¶ ～인 작품.

독창-회【獨唱會】명〖악〗한 사람이 독창하는 음악회(音樂會). 리사이틀.

독채1【禿菜】명〖식〗소리쟁이2.

독-채2【獨一】명 따로 떨어져 하나로 된 집채. ¶ ～집.

독책【督責】명 ①몹시 재촉함. ②몹시 책망함. ¶ ～을 받다. ——-하다 타 여불

독처【獨處】명 홀로 거처함. ——-하다 자 여불

독천【獨擅】명 제 마음대로 쥐고 흔듦. 자기 멋대로 함. ——-하다 자 여불

독천-장【獨擅場】명 자기 마음대로 행동하는 장소. *독무대(獨舞臺).

독청 독성【獨淸獨醒】명 혼탁(混濁)한 세상에서 다만 홀로 깨끗하고 정신이 맑음. ——-하다 형 여불

독초【毒草】명 ①독이 있는 풀. 흰독말풀·바곳·독미나리 등이 있는 데, 유독 성분은 주로 알칼로이드(alkaloid)임. 독풀. ②쓰고 독한 담배. ¶ ～를 피우다.

독촉【督促】명 ①재촉함. ②〖법〗국세(國稅)·지방세(地方稅), 그 밖에 강제 징수가 인정되어 있는 공법 상의 금전 채권에 대해 채무자가 기한이 지나도 채무를 이행하지 아니하는 경우에 그 납부를 최고(催告)하는 행위. ——-하다 타 여불

독촉 수속【督促手續】명〖법〗독촉 절차(督促節次).

독촉 수수료【督促手數料】명 전에, '가산금(加算金)'을 일컫던 말.

독촉-장【督促狀】명 채무(債務)나 약속의 이행을 독촉하는 서장(書狀).

독촉 절차【督促節次】명〖법〗일정 금액의 지불이나 그 밖의 대체물(代替物) 또는 유가 증권(有價證券)의 일정 수량의 일정 기한내의 지급(支給)을 목적으로 하는 청구(請求)에 관한 특별 소송 절차. 채권자(債權者)의 신청에 따라 서면 심사를 거쳐 채무자에게 지급 명령을 발(發)하고 일정 기간 내에 채무자의 이의(異議)가 없을 때는 그 명령에 확정력과 집행력을 부여함.

독추【禿鷲】명〖조〗무수리1.

독축【讀祝】명 축문(祝文)이나 제문을 읽음. ——-하다 자 여불

독충1【毒蟲】명 ①독이 있는 벌레. 모기·벼룩·빈대같이 사람을 해치는 벌레. 독벌레. ②〖동〗살무사.

독충2【篤忠】명 독실한 충성(忠誠).

독취1【禿鷲】명〖조〗독수리.

독취2【毒嘴】명 악독한 말을 옮기는 주둥이.

독취 악조【毒嘴惡爪】명〔독이 있는 주둥이와 날카로운 손톱이라는 뜻〕포학(暴虐)한 것을 비유하는 말.

독-치【纛赤】명〖역〗고려 말 공민왕 때 군중(軍中)의 독기(纛旗)를 관리하던 관직.

독칙【督飭】명 감독(監督)하고 계칙(戒飭)함. ——-하다 타 여불

독침1【毒針·毒鍼】명 ①〖충〗벌·개미 등의 곤충의 암컷의 복부(腹部) 끝에 있는, 자기 방위 또는 포식(捕食)을 목적으로 딴 동물을 찔러 그 상처에 독액(毒液)을 주입하는 바늘 같은 기관. 암컷의 산란관(產卵管)이 변한 것임. 독바늘. ②남을 해치기 위한, 독을 묻힌 바늘이나 침.

독침2【獨寢】명 혼자서 잠. ——-하다 자 여불

독타 이그노란티아〔라 docta ignorantia〕명〖철〗〔'현명한 무지(無知)'라는 뜻. 본디, 프란체스코회(會)의 신학자(神學者) 보나벤투라(Bonaventura)에 의하여 사용된 말〕인식(認識)의 최고 수단은 오성(悟性)의 지적 직관(知的直觀) 또는 신비적 직관인데, 이 오성적 인식의 극한(極限)에서 자기의 무지(無知)를 지각(知覺)할 때, 신(神)의 절대적 인식에 도달하는 현명한 방법이 된다는 것임. 지적 무지(知的無知).

독탕【獨湯】명 혼자서 따로 쓰도록 설비된 목욕탕. 외탕. ↔공동탕(共

同湯). ——-하다 [자][여불]
독터 [doctor] [명] 닥터.
독통【毒痛】[명] 독으로 인한 아픔.
독트린 [doctrine] [명] ①교리. 교의(敎義). 교지(敎旨). ②주의(主義). 학설(學說). ¶ 닉슨 ~. ③가르침. 교훈.
독특【獨特】[명] ①특별나게 다름. ¶ ~한 맛. ②비교할 수 없을 만큼 훨씬 뛰어남. ——-하다 [형][여불]. ——-히 [부]
독파【讀破】[명] ①글을 막힘없이 죽 내리 읽음. ¶단숨에 ~하다. ②책을 끝까지 남김없이 다 읽음. 독료(讀了). ¶원서(原書)를 끝내 ~하다.
독파-력【讀破力】[명] 독파하는 능력. ⌊——-하다 [타][여불]
독팍 [명] 〈방〉 돌멩이(전남).
독판¹【督辦】[명] 〖역〗 ①↗독판 교섭 통상 사무(督辦交涉通商事務). ②↗독판 내무부사(督辦內務府事).
독-판²【獨—】[명] 혼자 판치는 판. 독장치는 판. 독무대(獨舞臺).
독판(을) 치다 [구] 혼자서 판을 치다. 독장치다.
독판 교섭 통상 사:무【督辦交涉通商事務】[명] 〖역〗 통리 교섭 통상 사무 아문(統理交涉通商事務衙門)의 장관. 외무 독판(外務督辦). [준]독판(督辦). ⌈독판(內務督辦). [준]독판(督辦).
독판 내:무부사【督辦內務府事】[명] 〖역〗 내무부(內務府)의 장관. 내무
독표【獨豹】[명] 〖조〗 능에.
독-풀【毒—】[명] 독이 있는 풀. 독초(毒草).
독-풀이【毒—】[명] ↗독살풀이. ——-하다 [자][여불]
독피-지【犢皮紙】[명] 무두질한 송아지 가죽을 건조시켜 활석(滑石)으로 문질러 윤을 낸 것. 서양에서는 고대 말기부터 종이가 보급된 근대까지 양피지(羊皮紙)와 함께 서사(書寫)용으로 사용하였음. *양피지.
독필¹【禿筆】[명] 끝이 거의 다 닳은 붓. 몽당붓.
독필²【毒筆】[명] 남을 해치어 비방·중상하려고 놀리는 붓끝. 또, 그 글. ¶ ~로 인신 공격을 하다.
독-하다【毒—】[형][여불] ①독기가 있다. ②맛이나 냄새가 지독하고 자극적이다. ¶ 독한 술/독한 냄새. ③마음이 아주 잔인하고 악독하다. ¶ 독한 계집. ④참고 견디는 힘이 심히 굳세고 모질다. ¶ 독하게 마음을 도스르다. ⑤정도가 지나치게 심하다. 지독하다. ⌈[여불]
독학¹【毒虐】[명] 사람을 해(害)치고 학대함. 몹시 괴롭힘. ——-하다 [타]
독학²【督學】[명] 학사(學事)를 감독함. 또, 그 사람. ——-하다 [자][여불]
독학³【篤學】[명] 학문에 충실함. 열성으로 학문을 닦음. ¶ ~자(者). ——-하다 [자][여불]
독학⁴【獨學】[명] 스승이 없이 또는 학교에 다니지 아니하고 혼자서 배움. ¶ ~도(徒)/~생(生). ——-하다 [자][타][여불]
독학 고루【獨學孤陋】[명] 독학하였기에 견문이 고루함을 일컫는 말.
독-학사【獨學士】[명] 독학에 의하여 대학 졸업자와 동등한 학력을 쌓고 국립 교육 평가원(評價院)이 시행하는 학위 취득 시험에 합격한 자에게 교육부 장관이 수여하는 학위. 1990 년에 도입(導入)된 제도.
독학-자【獨學者】[명] 독학한 사람. 또, 독학하는 사람.
독한【獨韓】[명] ①독일과 한국. ②독일어와 한국어. ③↗독한 사전. ↔한독³.
독한 사전【獨韓辭典】[명] 독일어의 단어·숙어·구(句) 등을 우리 말로 번역하여 만든 사서(辭書). ↔한독 사전. [준]독한.
독항-선【獨航船】[명] 원양 어업에 있어서, 고기를 잡아 모선(母船)에 넘기는 중형(中型)의 어선. ⌈[타][여불]
독해¹【毒害】[명] ①해침. ②독살(毒殺)❶. ③해독(害毒). 재앙. ——-하다
독해²【獨害】[명] 혼자서만 입는 해(害). 홀로 당하는 손해.
독해³【讀解】[명] 글을 읽어서 이해함. ——-하다 [타][여불]
독해-력【讀解力】[명] 글을 읽고서 이해하고 소화(消化)할 수 있는 능력.
독행¹【篤行】[명] 부지런하고 친절한 행실. 독실한 행실.
독행²【獨行】[명] ①혼자서 길을 감. 혼자서 여행함. ②남의 도움없이 혼자의 힘으로 일을 행함. ¶ 독립 ~의 노력가. ③세속(世俗)을 따르지 아니하고 높은 지조를 가지고 혼자 나아감. ——-하다 [자][타][여불]
독향-사【督餉使】[명] 〖역〗 [←독군 향어사(督軍餉御使)] 조선 인조 2년(1624) 이괄(李适)의 난이 일어났을 때, 군량을 거두기 위하여 충청도에 파견한 임시직(臨時職).
독혀 [부] 〈옛〉 특별히. ¶ 독혀(偏)《朴解》.
독현【督現】[명] 〖역〗 빨리 출두하여 현신(現身)하기를 독촉함. ¶ 이용익이 ~을 받고 나아가서 좌정하자마자…《金周榮 : 客主》. ——-하다 [타][여불]
독혈【毒血】[명] 병독(病毒)이 섞인 피. ¶ ~을 뽑아내다.
독혈-증【毒血症】[—쯩] [명] 〖의〗 혈액 전염병의 하나. 전신(全身)의 피가 세포에서 생기는 독소에 의하여 침해(侵害)당하는 증세인데, 대개 고열(高熱)을 내고 심장 쇠약으로 사망함. ⌈[여불]
독호¹【篤好】[명] 인정(人情)이 두텁고 선량함. 또, 그 모양. ——-하다 [형]
독호²【獨戶】[명] ①늙고 아들이 없는 구차한 집안. ②온전한 한 집 몫으로 세금이나 추렴을 내는 집. ↔반호(半戶)❶. ⌈[1,002 m]
독호암-산【獨弧岩山】[명] 〖지〗 평안 북도 후창군(厚昌郡)에 있는 산.
독화¹【讀畫】[명] 그림을 관상하며 음미(吟味)함. ——-하다 [자][여불]
독화²【黷貨】[명] 옳지 못한 수단으로 손에 넣은 재물.
독활【獨活】[명] ①〖식〗 멧두릅. ②〖한의〗 멧두릅의 뿌리. 감기나 습증(濕症)으로 사지(四肢)의 근육이 쑤시고 아픈 데에 씀. 토당귀(土當歸).
독활-채【獨活菜】[명] 멧두릅 나물.
독회【讀會】[명] 의회에서 중요한 법률안을 심의하는 제도의 하나. 흔히 제일(第一)·제이(第二)·제삼(第三) 독회의 제도를 채택하고 있는데, 제1 독회에서는 법률안에 대한 설명·질의·응답, 제2 독회에서는 축조 심의(逐條審議), 제3 독회에서는 의안(議案) 전체의 가부(可否)를 결정함. 독회 제도는 원래, 영국 의회에서 인쇄가 발달하지 아니한 시대에 서기관(書記官)으로 하여금 의안을 세 번 읽도록 한 데서 유래한다 함.
독효【篤孝】[명] 지극하고 돈후(敦厚)한 효행(孝行).
독후¹【篤厚】[명] 성실하고 인정이 두터움. 돈후(敦厚). ¶ ~한 인품(人品). ——-하다 [형][여불]
독후²【讀後】[명] 책을 읽고 난 뒤. ¶ ~평(評).
독후-감【讀後感】[명] 책을 읽고 난 뒤의 소감. 또, 그 감상을 적은 글.
독흉【獨凶】[명] 풍년에 한 지방이나 한 사람의 논밭만이 흉년(凶年)임.
독-흉년【獨凶年】[명] 독흉. ⌊독흉년(獨凶年).
돈:¹ [一][명] ①넓은 뜻으로의 화폐(貨幣). 금전(金錢). 아도물(阿賭物). 전문(錢文). 전폐(錢幣). 전화(錢貨). ②재산(財産). ¶ ~ 많은 사장. [二][의명] ①옛날 엽전(葉錢)의 열 푼. 전(錢). ¶ 엽전 한 ~ 두 푼. ②무게로 한 푼의 열 갑절. 또, 한 냥의 십분의 일. 전(錢). 돈쭝. ¶ 한 ~짜리 금반지. [돈 떨어지자 입맛 난다] 돈을 다 쓰고 나면 더 간절히 하고 싶어진다는 말. *뒤주 밑이 긁히면 밥맛이 더 난다. [돈만 있으면 개도 멍첨지라] 아무리 천한 사람이라도 돈만 있으면 남들이 높이 대하여 준다는 말. [돈만 있으면 귀신도 부릴 수 있다; 돈만 있으면 처녀 불알도 산다] 돈만 가지면 세상에 못할 일이 없다는 말. [돈 모아 줄 생각 말고 자식 글 가르쳐라] 황금도 글만 같지 못하니 가장 크고 훌륭한 유산(遺産)은 식덕(識德)이라는 말. [돈 없는 놈이 큰 떡 먼저 든다] 자격을 갖추지 못한 자가 도리어 먼저 나설 때 이르는 말. [돈은 더럽게 벌어도 깨끗이 쓰면 된다] 천한 일을 하여 번 돈이라도 보람있게 쓰면 된다는 말. [돈이 돈을 번다] ㉠돈이 많아야 이익을 많이 남길 수 있다는 말. ㉡돈이 많아야 사업을 벌이기가 쉽다는 말. [돈이라면 산 호랑이 눈썹이라도 빼 온다] 돈이 생기는 일이라면, 아무리 어렵고 위험한 일이라도 무릅쓴다는 말. [돈이 양반이라] 돈이 있어야 의젓하게 양반 행세도 할 수 있다는 말. [돈이 없으면 적막 강산이요 돈이 있으면 금수강산이라] 경제적으로 넉넉해야 삶을 즐길 수 있다는 말. [돈이 자가사리 끓듯 한다] 돈이 많음을 기화로 야비한 짓을 함부로 하는 사람을 두고 하는 말. [돈이 장사라; 돈이 제갈량(諸葛亮)] 세상 일이 돈으로 좌우됨의 비유. ¶ 세상에 돈이 참 장사이오 돈이 제갈량이라《李人稙:銀世界》 [돈 주고 못 살 것은 지개라] 지개(志慨) 있는 사람은 재물에 팔리지 아니한다는 말. [돈 한 푼을 쥐면 손에서 땀이 난다] 수전노(守錢奴)를 두고 이르는 말.
돈² [명][부] 〈속〉 모르스 부호의 짧은 부호 '-'의 이름. 또, 그 부호를 송신할 때의 소리를 나타내는 말. ¶ ~~쓰. *쓰.
돈³【囤】[명] 〖공〗 중국 한(漢)나라 때의 질그릇의 한 가지. 몸은 원통형(圓筒形)이고 세 발이 달렸으며 갓 모양의 뚜껑이 있는 항아리.
돈⁴【敦】[명] 성(姓)의 하나. 본관(本貫)은 청주(淸州) 단본(單本)임.
돈⁵【頓】[명] 성(姓)의 하나. 본관은 목천(木川) 단본임.
돈:⁶【頓】[명] ↗돈수(頓首)❷.
돈⁷ [스 don] [명] 스페인에서, 남자에 대한 높임말. ¶ ~ 호세.
돈⁸【噸】[의명] '톤(ton)'의 취음(取音).
돈-가스【豚—】[명] 포크 커틀릿.
돈:-값 [—깝] [명] ①돈의 가치. ¶ ~이 떨어지다. ②돈을 들인 만큼의 가치. ¶ ~도 못하다.
돈 강【—江】[Don] [명] 〖지〗 러시아 남서부에 있는 큰 강. 모스크바 남쪽의 이반 호(Ivan湖)에서 발원(發源)하여 로스토프 부근에 대삼각주(大三角州)를 만들고 아조프 바다로 흘러 들어감. 여름에는 감수(減水)하고 겨울철에는 결빙(結氷)하나 수운(水運)에 많이 이용되며 러시아 평원의 관개(灌漑) 수원으로 중요함. [1,970 km]
돈-견【豚犬】[명] ①돼지와 개. ②미련하고 못난 사람의 비유. 돈어(豚魚). ③자기 아들을 겸손하게 일컫는 말. 돈아(豚兒).
돈:-고지 [—꼬—] [명] 돈 모양으로 동글게 썰어서 말린 호박고지.
돈:-관【—貫】[—꽌] [명] 엽전 한 관(貫) 정도의 액수. 전관(錢貫). ¶ 위선 ~이나 챙 것이니, 약첩이나 지어먹고 조리하여라《作者未詳 : 根月》.
돈:교【頓敎】[명] 〖불교〗 점차로 수행(修行)하지 아니하고 단도 직입적으로 불과(佛果)를 성취하고 오입(悟入)하는 교(敎). 화엄(華嚴)·천태(天台)·진언(眞言)·선(禪) 등. ↔점교(漸敎).
돈:-구멍 [—꾸—] [명] ①엽전같이 쇠붙이 돈의 한가운데에 뚫린 구멍. ②돈이 생겨 나올 길. 돈의 출처(出處). ¶ ~을 찾다.
돈:-궤【—櫃】[—꿰] [명] 돈이나 그 밖의 중요한 물건을 넣어 두는 궤.
돈:-길 [—낄] [명] 돈이 융통되는 길. ¶ ~이 막히다. ⌊금고(金庫).
돈:-꾸밈음【—音】[명] [turn] 〖악〗 꾸밈음의 하나. 주요 음표를 끼고 2도(度) 상하를 거쳐서 주요음으로 되돌아 오는 것. 기호: ∽. 회음(回音). 턴.
돈:-꿰미 [명] 엽전을 꿰는 꿰미.
돈:-끈 [명] 엽전을 꿰어 묶는 끈.
돈:끽【頓喫】[명] 한꺼번에 마음껏 많이 먹음. ——-하다 [타][여불]
돈-나무 [명] 〖식〗 [*Pittosporum tobira*] 돈나뭇과(科)에 속하는 상록 활엽 관목. 높이 3m 가량이고 타원형의 잎은 호생하며 혁질이고 광택이 있으며, 가는 약간 뒤로 말려 있음. 5-6월에 백색에서 황색으로 변하는 오판화(五瓣花)가 취산(聚繖) 화서로 가지 끝에 피고, 직경 1.3cm의 둥근 삭과(蒴果)를 맺는데 12월에 익어 세 갈래로 갈라지면서 다각형·적갈색의 많은 씨를 냄. 자웅 이주(雌雄異株)임. 난지(暖地)의 해변에 나는데, 제주도·완도(莞島) 및 일본에 분포함. 잎·가지·뿌리에 특수한 냄새가 있음. 관상용으로 정원·공원(公園)에 심고, 줄기는 세공재(細工材)로 씀. 섬엄나무.

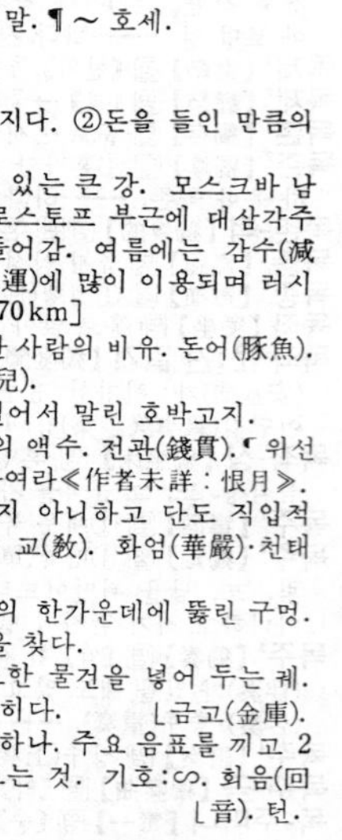

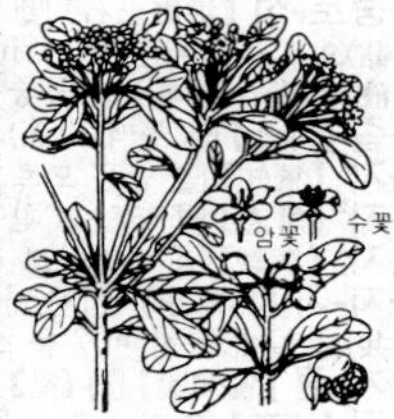

〈돈나무〉

돈-나물 명 〈방〉 돌나물.

돈-나뭇과【一科】명 〔식〕 [Pittosporaceae] 쌍자엽 식물 이판화류(離瓣花類)에 속하는 한 과. 전세계에 115종, 한국에는 돈나무 한 종만이 분포함.

돈:-내기 명 ①돈을 걸고 다투는 내기. ②도박(賭博)❶.

돈:-냥【一兩】명 쉽사리 셀 만한 그다지 많지 아니한 돈. 첫냥. 전냥(錢兩). 돈푼. ¶ ~이나 벌었지.

돈녕【敦寧】명 〔역〕 조선 시대에 종친(宗親)에 속하지 않는 왕실의 친척. 왕과 동성(同姓)은 9촌 이내, 이성(異姓)은 6촌 이내, 왕비와 동성은 8촌 이내, 이성은 5촌 이내, 세자빈(世子嬪)과 동성은 6촌 이내, 이성은 3촌 이내에 드는 사람.

돈녕-부【敦寧府】명 〔역〕 조선 시대 때, 왕친·외척의 친선을 도모하기 위한 사무를 처리하던 관청. 태종(太宗) 14년(1414)에 마련했다가 고종(高宗) 31년(1894)에 종정부(宗正府)에 합쳤음.

돈녕-사【敦寧司】명 〔역〕 광무(光武) 9년(1905)에 돈녕원(敦寧院)을 고쳐 부른 관아. 융희(隆熙) 원년(1907)에 폐하였음.

돈녕-원【敦寧院】명 〔역〕 대한 제국의 관청. 왕의 친척이나 외척에 대한 보첩(譜牒)을 관장함. 광무(光武) 4년(1900) 귀족원(貴族院)을 이 이름으로 고쳤다가, 광무 9년(1905) 돈녕사(敦寧司)로 개칭함.

돈:-놀이 명 남에게 빚을 주고 이자 받는 것을 업(業)으로 하는 일. 대금업(貸金業). 방채(放債). 변놀이. ——-하다 자여불

돈:놀이-꾼 명 돈놀이로 업을 삼는 사람. 대금업자(貸金業者).

돈:-놓이 명 〈방〉 돈놀이(평안).

돈-단독【豚丹毒】명 〔의〕 법정(法定) 가축 전염병의 하나. 돈단독균에 의하여 일어나며 주로 돼지를 침범하나, 사람이나 다른 가축에 감염되는 수도 있음. 급성 패혈증형(敗血症型)과 심마진형(蕁麻疹型)의 두 가지가 있음. 환경의 악화에 따라 발병함.

돈:단 무명【頓斷無明】명 〔불교〕 많은 사견(邪見)이나 번뇌를 일시에 끊음.

돈:단 무심【頓斷無心】명 사물에 대하여 도무지 탐탁하게 여기는 마음이 없음. 돈담 무심(頓淡無心). ——-하다 형여불

돈:담 무심【頓淡無心】명 돈단 무심(頓斷無心). ——-하다 형여불

돈:-답다 형 ㅂ불 돈으로서의 가치가 있고 귀중하다. ¶ 낭비 말고 돈답게 써라 / 돈답지도 못한 돈으로 무엇을 사랴.

돈대¹【惇大】명 두텁고 큼. ——-하다 형여불

돈대²【墩臺】명 조금 높직한 평지.

돈:-더미 [—떠—] 명 돈을 쌓아 놓은 더미.

돈:더미에 올라앉다 구 갑자기 많은 돈을 벌어 부자가 되다.

돈덕【惇德】명 도타운 덕행(德行).

돈:-도지【一賭地】[—또—] 명 빚내어 쓰고, 한 해에 돈이나 곡식으로 얼마씩 변리를 내는 도조(賭租). *생멧소.

돈:-독¹【一毒】[—똑] 명 돈맛을 알아서 돈에 대하여 지나치게 밝히게 되는 좋지 아니한 경향. ¶ ~이 오르다.

돈독²【敦篤】명 돈후(敦厚). ——-하다 형여불. ——-히 부

돈:-돈¹ [—똔] 명 몇 돈으로 헤아릴 만한 적은 액수의 돈.

돈돈²【惇惇】부 순후(淳厚)한 모양. ——-하다 형여불. ——-히 부

돈돈³【暾暾】부 햇빛·달빛·불빛이 환한 모양. ——-하다 형여불

돈:돈-쭝 [—똔—] 명 한 냥쭝이 못 되는 저울로 달아서 몇 돈이 될 만한 무게.

돈돌나리 [—라—] 명 〔악〕 함경도 민요의 하나. 북청(北靑) 사자놀이를 할 때 부름.

돈두깨비 명 〈방〉 소꿉질(전북·경북).

돈두배미 명 〈방〉 〔동〕 도마뱀.

돈드까리 명 〈방〉 소꿉질.

돈드깨미 명 〈방〉 소꿉질(경북).

돈드깨비 명 〈방〉 소꿉질.

돈드르글라스 〔네 donderglas〕 명 뇌우(雷雨) 따위를 관측하는 기구.

돈들-막 명 돈대(墩臺)의 가풀막.

돈:-등화【一燈花】명 촛불이나 등잔불의 심지 끝에 동그랗게 앉은 등화.

돈령【敦寧】명 〔역〕 ←돈녕(敦寧).

돈:-만【一萬】명 만(萬)으로 헤아릴 정도의 많은 돈. 전만(錢萬). ¶ 그 일에 ~이나 들었겠다.

돈:-맛 명 돈을 아끼어 모으는 재미. ¶ ~을 알면 인색해진다.

돈:-머리 명 얼마라고 이름을 붙인 돈의 액수. ¶ ~가 크다.

돈면【敦勉】명 〔역〕 교지(敎旨)로써 의정(議政)과 유현(儒賢)을 면려(勉勵)시키는 일. ——-하다 타여불

돈모¹【豚毛】명 저모(豬毛).

돈:모²【頓牟】명 '호박(琥珀)'의 딴이름.

돈목【敦睦】명 ①정이 두텁고 화목함. ②돈친(敦親). ——-하다 형여불

돈-바르다 형 르불 성질이나 인정이 너그럽지 못하고 까다롭다.

돈바스 〔Donbas〕 명 〔지〕 '도네츠 탄전(炭田)'의 약칭. 우크라이나 공화국 동부에서 러시아의 로스토프 지방에 걸친 큰 탄전. 18세기 후반부터 채굴되었으며, 제1차 5개년 계획으로 쿠즈네츠크의 철광과 더불어 중화학 공업 지대를 형성함.

돈박¹【豚拍】명 돼지의 겨드랑이살. 두(豆)에 담는 제물(祭物)의 하나임.

돈박²【敦朴】명 돈후(敦厚)하고 질박(質朴)함. ——-하다 형여불

돈박³【敦迫】명 자주 재촉함. ——-하다 타여불

돈:-반¹【一半】명 한 돈 위에 오 푼이 더 되는 분량의 무게. ¶ ~짜리 금반지.

【돈반 상 먹고 열 네 잎으로 사정한다】 남에게 줄 것을 조금이라도 덜 주려고 다랍게 구는 것을 말함.

돈:반²【頓飯】명 한꺼번에 밥을 많이 먹음. ——-하다 자여불

돈:반-쭝 명 돈반¹.

돈:-방석【一方席】[—빵—] 명 〈속〉 돈을 썩 많이 가지고 있음을 앉아 있기에 편한 방석에 비유한 말.

돈:방석에 앉다 구 썩 많은 돈을 가져 편안한 처지가 되다.

돈:-백【一百】[—빽] 명 백으로 헤아릴 정도의 돈. 전백(錢百). ¶ ~이나 가졌지.

돈:-벌다 자 돈이 생기게 하다.

돈:-벌이 [—뻘—] 명 돈을 버는 일. ¶ 좋은 ~. ——-하다 자여불

돈:벼락-맞다 [—뻐—] 자 갑자기 많은 돈이 생기다.

돈:-변【一邊】[—뻔] 명 ↗돈변리. ¶ 월 1할의 ~.

돈:-변리【一邊利】[—뻘—] 명 빚돈의 변리. 준돈변.

돈:병【頓病】명 갑자기 생기는 병. 급환(急患).

돈:병-사【頓病死】명 급환으로 갑자기 죽음.

돈 보스코 〔Don Bosco, Giovanni〕 명 〔사람〕 이탈리아의 가톨릭 성직자·사회 사업가·교육가·성인. 1841년에 사제(司祭)가 되고, 1862년에 살레시오 수도회를, 1874년에는 성녀 마자렐로와 함께 여성 교육을 위한 마리아 동정회를 창립하였음. 실업 학교·공업 학교·주일 학교·야간 학교를 창시하여, 빈민(貧民)의 자제에 대한 크리스천 교육을 평생의 사업으로 삼았는데, 강제(強制)와 체벌(體罰)을 부정하고, 청소년의 불량화 예방을 주지로 하는 독자적 예방 교육법으로 신생면(新生面)을 열었음. 축일(祝日)은 1월 31일. [1815-88]

돈:-복¹【一福】[—뽁] 명 돈을 타고 난 복. 애쓰지 아니하고 돈을 벌거나 모으게 되는 복. ¶ ~을 타고 나다.

돈:복²【頓服】명 약 따위를 여러 번에 버르지 아니하고 한꺼번에 많이 복용(服用)함. ——-하다 타여불

돈:복 관:장【頓服灌腸】명 〔의〕 피마자유 따위의 사하제(瀉下劑)를 돈복(頓服)하여 하는 관장.

돈:복-약【頓服藥】[—냑] 명 돈복용의 약. 설사약 따위.

돈부 명 〈방〉 〔식〕 광저기(경남).

돈:-불고견【頓不顧見】명 아주 돌아보지 아니함. 도무지 돌보지 아니함. ——-하다 타여불

돈비¹ 명 〈방〉 〔식〕 광저기(경남).

돈:비²【頓憊】명 좌절(挫折)하여 피곤함. ——-하다 형여불

돈:-뿌리다 자 돈을 함부로 마구 쓰다.

돈사¹【豚舍】명 돼지 우리.

돈:사²【頓死】명 심장·혈관·중추 신경의 병 같은 신체 내부의 원인으로 급사하는 일. *급사(急死). ——-하다 자여불

돈:사³【頓寫】명 〔불교〕 급히 사경(寫經)함. ↔점사(漸寫). ——-하다 타여불

돈:사⁴ 의명 돈을 몇 냥으로 세고 남은 돈. ¶ 한 냥 ~. *각수(角數)·푼사.

돈사-경【頓寫經】명 〔불교〕 하룻 동안에 다 베껴 쓴 사경(寫經). *점사경(漸寫經).

돈:-사다 타 〈방〉 팔다.

돈삼-계【敦蔘契】[—꼐] 명 〔역〕 돈피(敦皮)와 산삼(山蔘)을 공물(貢物)로 바치던 계(契).

돈:상【頓顙】명 이마를 땅에 대고 절함. 돈수(頓首). ——-하다 자여불

돈:생 보리【頓生菩提】명 〔불교〕 신속하게 보리의 불과(佛果)를 터득하는 일.

돈:성【頓成】명 빨리 깨침을 얻음. ——-하다 타여불

돈세【噸稅】명 〔법〕 '톤세(ton稅)'의 취음(取音).

돈세-법【噸稅法】[—뻡] 명 〔법〕 돈세 부과(賦課)에 관하여 규정한 법률.

돈:-세탁【一洗濯】명 돈의 흐름을 추적(追跡)할 수 없도록 수표(手票)를 현금으로 바꾸거나, 수표끼리 맞바꾸거나, 무기명 채권(無記名債券)을 사거나, 여러 은행에 분산시켜 예금하거나 하는 일.

돈:속【頓速】명 빠름. 신속함. 신속(迅速). ——-하다 형여불

돈:수¹【頓首】명 ①머리를 땅에 닿도록 굽히어 절함. 계수(稽首). 돈상(頓顙). ②편지 끝에 경의를 표하기 위하여 쓰는 말. 계수(稽首). 준돈(頓). ——-하다 자여불

돈:수²【頓修】명 오랜 수행(修行) 기간이나 단계를 밟지 아니하고 일시에 곧바로 득도(得道)에 이르는 수행을 성취함. ↔점수(漸修). ——-하다 타여불

돈수³【噸數】명 '톤수(ton數)'의 취음(取音).

돈:수 재:배【頓首再拜】명 머리를 땅에 닿도록 굽히어 절을 두 번 함. *계상(稽顙) 재배. ——-하다 자여불

돈신【惇信】명 두텁게 믿음. 든든히 믿음. ——-하다 타여불

돈신 대:부【敦信大夫】명 〔역〕 조선 시대 때 의빈(儀賓)의 종삼품의 품계(品階).

돈실【敦實】명 극진하고 부지런함. 인정이 많고 성실함. ——-하다 형여불

돈:- 썩다 형 ①돈의 가치가 없다. ②반어적으로, 돈이 많다.

돈-쓰 ㊀ 부 전신기(電信機)로 송신할 때의, 전건(電鍵)을 두드리는 소리. ㊁ 명 〈속〉 모스 부호의 일컬음. '돈'은 짧은 부호 '-', '쓰'는 긴 부호 '—'를 나타냄.

돈아【豚兒】명 어리석고 철이 없는 아이라는 뜻으로, 남에게 자기의 아들을 낮추어 부르는 겸사말. 가돈(家豚). 가아(家兒). 돈견(豚犬). 미돈(迷豚). 미아(迷兒). 미식(迷息).

돈:-약과【一藥果】[—냑—] 명 크기가 동전짝만하게 만든 약과.

돈어【豚魚】명 ①돼지와 물고기. ②미련하고 못난 사람의 비유. 돈견(豚犬).

돈역【豚疫】명 돈역균(豚疫菌)이 원인이 되는 돼지의 전염병. 늑막염 폐렴 또는 늑막염이나 심낭염증(心囊炎症)을 수반하는 패혈증(敗血症).

돈역-균【豚疫菌】명 돼지에게 돈역을 일으키는 병균.

돈:연-하다【頓然—】형여불 조금도 돌아보는 일이 없다. 조금도 고려하는 일이 없다. 돈:연-히【頓然—】부. ¶ "어서 좀 일어나셔요."하며 음성을 크게 하여도 옥선이는 ~ 대답이 없고, 다만 쇠잔한 등불이 창문에 컴컴히 비칠 뿐이라≪崔瓚植 : 春夢≫.

돈:오【頓悟】명 ①갑자기 깨달음. 별안간 깨달음. ②〔불교〕 불교의 참

뜻을 문득 깨달음. ——-하다 ㉰여불

돈오 점:수【頓悟漸修】 명 〖불교〗 선수행(禪修行) 방법 중의 하나. 부처가 되기 위해 먼저 진리를 깨친 뒤에 번뇌와 습기(習氣)를 차차 제거해 가는 수행 방법.

돈용 교:위【敦勇校尉】 명 〖역〗 조선 시대 때 무관의 정육품 관계(官階).

돈유¹【豚油】 명 돈지(豚脂). 「임금의 말.

돈유²【敦諭】 명 〖역〗 의정(議政)과 유현(儒賢)에게 면려(勉勵)를 권하는

돈 유안 〔Don Juan〕 명 〖악〗 '돈후안'의 독일어식 호칭.

돈육【豚肉】 명 돼지고기.

돈의 도위【敦義徒尉】 [—/—이—] 명 〖역〗 조선 시대 때 토관(土官)의 서반(西班) 정 칠품의 관계(官階).

돈의-문【敦義門】 [—/—이—] 명 〖지〗 서울 사대문(四大門)의 하나. 서쪽의 정문(正門). 서궐(西闕) 앞 서쪽의 마루턱에 있었는데, 1915년에 헐리었음. 속칭(俗稱)은 서대문(西大門)·새문·신문(新門).

돈:-잎 [—닙] 명 주조된 돈의 낱개.

돈장¹【敦牂】 명 〖민〗 고갑자 십이지(古甲子十二支)의 일곱째인 오(午).

돈장²【墩障】 명 흙으로 쌓아 올린 성채.

돈:-장사 명 〈방〉 돈놀이.

돈장-초【豘腸草】 명 〖식〗 메³❶.

돈:재【頓才】 명 임기 응변하는 재능. 때에 맞춰 자재(自在)로 돌아가는 지혜. 돈지(頓智).

돈:-저냐 명 쇠고기·생선 따위의 살과 두부·파 따위 채소를 잘게 다져서 섞어 주물러 돈 모양으로 동글납작하게 만들어 마른 밀가루를 묻히고 달걀을 씌워 지진 저냐.

돈:-전병【—煎餠】 명 찹쌀 가루를 반죽하여 돈 모양으로 동글납작하게 빚어서, 썬 대추를 박아 지진 전병.

돈:전-풀이【—錢—】 명 〖민〗 함경 남도의 망묵굿의 한 제차(祭次). 죽은 사람이 저승 사자에게 끌려 가는 동안 쓰도록 노란 종이돈, 흰 종이돈을 놓고, 알맞게 돈을 쓰라고 창송(唱誦)함.

돈:절【頓絕】 명 갑자기 끊어짐. 아주 끊어짐. ¶ 소식이 ～일세. ——-하다 ㉯여불

돈:-점¹【—占】 [—쩜] 명 〖민〗 척전(擲錢).

돈:점²【頓漸】 명 〖불교〗 돈교(頓敎)와 점교(漸敎).

돈:점-박이【—點—】 명 ①몸에 돈짝만한 점이 박힌 말. ②〖동〗 표범. ③바탕에 드문드문 돈짝만한 다른 색의 점이 있는 먹초.

돈:점-종이【—點—】 명 〈방〉 돈점박이❶.

돈정【敦定】 명 튼튼하게 정함. 자리를 잡아서 확실하게 정함. 뇌정(牢定). ——-하다 ㉰여불

돈제 양전【豚蹄穰田】 명 돼지 발굽을 신에게 바치고 풍년을 빈다는 뜻으로, 가진 것은 적으면서 바라는 것이 많음의 비유. 「안주.

돈제 우주【豚蹄盂酒】 명 돼지 발굽 하나와 한 잔의 술. 곧, 약간의 술과

돈 조반니 〔이 Don Giovanni〕 명 〖악〗 모차르트의 오페라. 2막짜리로, 1787년 프라하에서 초연(初演)됨. 스페인의 돈 후안 전설에서 취재하여, 호색적(好色的)인 귀족 돈 조반니를 주인공으로 하여, 인간성(人間性)을 희비(喜悲)가 엇갈리게 그리고 있음.

돈:족【頓足】 명 발을 구름. ——-하다 ㉯여불 「㉯여불

돈종【敦宗】 명 동종(同宗)끼리 정이 두텁고 화목하게 지냄. ——-하다

돈:좌【頓挫】 명 기세가 중도에서 갑자기 꺾임. 무슨 계획이나 사업이 중도에서 갑자기 틀어짐. ——-하다 ㉯여불

돈:-주다 ㉰ 돈치기에서, 맞힐 것을 손가락으로 짚어 가리키다.

돈:-주머니 [—쭈—] 명 돈을 넣는 주머니. 「¶ ～이 끊어지다.

돈:-줄 [—쭐] 명 돈을 대어 주는 연줄. 돈을 융통해서 쓸 수 있는 연줄.

돈:중지-돈【頓中之頓】 명 〖불교〗 돈교(頓敎) 가운데서도 가장 빨리 득도(得道)한다는 가르침. 곧, 정토교(淨土敎)를 이름.

돈:증 보리【頓證菩提】 명 〖불교〗 홀연히 보리의 불도(佛道)를 깨달아 얻는 일. 추천(追薦)·회향(回向)의 공덕으로 망자(亡者)가 성불(成佛)하기를 비는 말. 돈증 불과(頓證佛果).

돈:증 불과【頓證佛果】 명 〖불교〗 돈증 보리.

돈지¹【豚脂】 명 돼지의 지방. 백색으로 단단하며 방향(芳香)이 있는 것이 좋음. 올레인산(olein酸)·팔미틴산(palmitin酸)·스테아린산(stearin酸) 따위가 주성분(主成分)임. 양질의 것은 식용·약용·향장품(香粧品)의 제조 등에 쓰이며, 저질의 것은 비누·경화유(硬化油) 등의 원료로 쓰임. 돈유(豚油). 라드(lard). 돼지기름.

돈:지²【頓知】 명 즉지(卽知). 「기. 돈재(頓才).

돈:지³【頓智】 명 때를 따라 선뜻 재빠르게 나오는 지혜. 썩 민첩한 슬

돈:-지갑【—紙匣】 [—찌—] 명 돈을 넣는 지갑.

돈:-지네 명 〈방〉 〖동〗 그리마.

돈:-지랄 [—찌—] 명 분수없이 아무데나 돈을 함부로 쓰는 짓. ——-하

돈지-유【豚脂油】 명 돼지기름❷. 「다 ㉯여불

돈:진【頓進】 명 갑자기 나아감. 급진(急進). ——-하다 ㉯여불

돈:-질 명 노름판에서 현금을 주고받는 짓. ——-하다 ㉯여불

돈:-짝 명 엽전 둘레의 크기.

 돈:짝만하다 ㉭ 마음이 허황되게 부풀어, 세상이 조그마하게 보임을 이르는 말. ¶ 세상이 돈짝만하여 내가 내노라 돌이질치더라도 그 사람더러 정치를 물으면《李海朝:自由鍾》.

돈:-쭝 의명 귀금속이나 약물을 다는 무게의 단위. 한 돈쭝은 한 냥의 10분의 1이며 열 푼임. 돈. ¶ 금 두 ～.

돈:채-반【頓菜飯】 명 나물밥.

돈책【豚柵】 명 돼지 우리.

돈:-천【—千】 명 천 이상이 되는 적지 않은 돈의 액수. 전천(錢千). ¶ ～이나 들었네.

돈:-취:리【—取利】 명 〈방〉 돈놀이.

돈:-치기 명 돈치는 내기. 땅바닥에 구멍을 파고 뼘 가웃쯤 띄어서 금을 긋고, 그 금에서 세 걸음 물러서서 구멍 쪽에 몇 푼의 동전을 던진 뒤에 상대편이 지정한 돈을 목대로 맞힘. 투전(投錢). ——-하다 ㉯

돈:-치다 ㉯ 내기로 돈을 던지고 목대로 맞히다. 「여불

돈친【敦親】 명 친족(親族)끼리나 친척(親戚)끼리 정이 두터움. 돈목(敦睦). ——-하다 ㉱여불

돈 카를로스¹ 〔Don Carlos〕 명 ①〔Don Carlos de Austria〕 〖사람〗 스페인의 왕자. 펠리페(Felipe) 2세의 장자(長子). 왕위 계승자였으나 허약 체질 및 기타 이유로 부왕(父王)으로부터 배척을 당하게 되매 부왕을 암살하려고 음모(陰謀)를 꾸몄다가 옥사(獄死)함. [1545-68] ②〔Don Carlos, Infant von Spanien〕 〖문〗 실러(Schiller)의 운문 희곡(韻文戱曲). ❶을 제재(題材)로 하여 1787년에 완성함. 약혼자를 부왕에게 빼앗긴 왕자 카를로스가 새 시대의 인도주의(人道主義) 사상을 대표하는 친구에게 격려되어 사상적으로 성장하는 과정을 그림. 독일 문학사상(文學史上) 슈투름 운트 드랑(Sturm und Drang)에서 고전주의로의 이행(移行)을 보여 주는 작품임. 전 5막. ③〖악〗 ❷의 시극(詩劇)을 기초로 하여 베르디(Verdi, G.)가 작곡한 가극(歌劇). 1867년 파리 오페라 극장에서 초연(初演)됨.

돈 카를로스² 〔Don Carlos〕 명 〖사람〗 스페인 국왕 카를로스 4세의 차남(次男). 본 이름은 Carlos María Isidoro de Borbón. 왕위 계승권을 빼앗기고 항의하였다가 포르투갈로 추방되었으며, 형 페르난도(Fernando) 7세의 사후(死後), 보수파를 이끌고 카를로스 5세를 참칭하면서 내란을 일으켰으나 패하여 프랑스에 망명함. [1788-1855]

돈키호테 〔스 Don Quixote〕 명 ①〖책〗 스페인의 작가 세르반테스의 장편 소설. 1605-15년에 간행. 과대 망상증에 사로잡힌 돈키호테가 종자(從者) 산초 판사(Sancho Panza)와 더불어 기사 수련(騎士修練)을 떠나서, 현실에 직면하여 여러 가지 익살스러운 일과 모험을 한다는 줄거리. 공상적인 자기 이상에 도취하여 무조건 돌진하는 실행형인 인간의 모습을 풍자한 것. ②전(轉)하여, 공상적 이상주의자.

돈키호테-형【—型】 〔Don Quixote〕 명 현실을 무시하고 자기류(流)의 정의감에 빠져 무조건 이상을 향해 돌진하는 인간형(型). ↔햄릿형(Hamlet 型).

돈:-타령【—打令】 명 돈이 없어 푸념을 하거나 돈 쓸 일을 늘어놓는 사설. ——-하다 ㉯여불

돈트식 방법【—式方法】 〔d'Hondt〕 명 〖정〗 비례 대표(比例代表)를 결정하는 방식. 각 정당의 득표수(得票數)를 각각 1,2,3,…의 정수(整數)로 차례로 나누어 그 나눈 값이 큰 차례로 비례 대표의 정수(定數)까지 당선(當選)으로 치는 방식. 득표수가 많은 정당일수록 유리함. 벨기에의 수학자 돈트(d'Hondt, Victor)가 고안함. 「→돌팔이.

돈:-팔이 명 ①학문·기술·예술보다 오로지 돈벌이에만 애쓰는 일. ②

돈:-표【—票】 명 수표(手票)·어음 등 현금과 바꿀 수 있는 표. 전표(錢票). 「만을 편다.

돈:-푼 명 얼마 되지 아니하는 돈. 적은 돈. 돈냥. ¶ ～이나 벌었다고 거

돈:-풀이 명 〖역〗 대한 제국 말기(末期)에, 민간에서 일컫던 통화에 대한 풀이. 곧, 서울에서는 일 전을 닷돈, 이 전을 한 냥으로, 또 어느 지방에서는 일 전을 한 돈, 이 전을 두 돈 따위로 치던 셈.

돈피¹【豚皮】 명 돼지 가죽.

돈피²【㺚皮】 명 ①담비 종류 동물의 모피의 총칭. 품질에 세 등급이 있는데, 상등은 검은 담비의 모피인 '잘', 중등은 노랑가슴담비의 모피인 '초서피(貂鼠皮)'와 노랑담비의 모피인 '돈피', 하등은 흰담비의 모피인 '백초피(白貂皮)'임. 사피(斜皮). ②노랑담비의 모피(毛皮). 초피(貂皮). 서피(黍皮). 사피. ③〈옛〉 담비. ¶ 돈피 툐(貂)《字會 上 18》.

 [돈피 옷 잣죽에 자랐느냐] 호사스런 생활을 하려는 사람을 나무라는

돈:필【頓筆】 명 글씨 쓰기를 멈춤. ——-하다 ㉯여불 「말.

돈-하다 ㉱여불 ①매우 도지다. ②엄청나게 무겁다.

돈행【敦行】 명 정중하게 행함. 또, 그 행위.

돈혜【惇惠】 명 두터운 은혜.

돈:호-법【頓呼法】 [—뻡] 명 수사법(修辭法)에서, 사람이나 사물의 이름을 불러 읽는이의 주의를 강하게 환기(換起)시키는 방법. '여러분!' 또는 '산아! 푸른 산아!' 따위.

돈화¹【敦化】 명 백성을 두텁게 교화함. 또, 그 교화. ——-하다 ㉰여불

돈화²【敦化】 명 〖지〗 '둔화'를 우리 음으로 읽은 이름.

돈화-문【敦化門】 명 〖지〗 창덕궁(昌德宮)의 정문. 현재 서울에 남아 있는 목조 건물 가운데 가장 오래 된 것 중의 하나임. 보물 제383호.

돈황【敦煌】 명 〖지〗 '둔황'을 우리 음으로 읽은 이름.

돈황 천불동【敦煌千佛洞】 [—똥] 명 〖지〗 둔황 천불동.

돈후【敦厚】 명 인정이 두터움. 돈독(敦篤). 독후(篤厚). ——-하다 ㉱여불. ——-히 ㉮

돈 후안 〔Don Juan〕 명 ①14세기경의 스페인의 전설적인 방탕한 귀족의 이름. 어느 사령관의 딸을 유혹하고 다시 그 여자의 아버지를 죽여 성직자들에게 처형당했다고 함. 난봉꾼의 전형으로 후세에 와서 왕왕 문학이나 음악의 제재(題材)가 되었음. ②방탕자. 난봉꾼. 엽색꾼. 색골. ③〖악〗 독일의 작곡가 리하르트 슈트라우스(Richard Strauss)가 작곡한 교향시(交響詩). 프랑스어로는 '동 쥐앙'. 독일어로는 '돈 유안'. 「18》.

돋 명 〈옛〉 돼지. =돝. ¶ 돋 뎨(豬)《字會 上 19》/돋 희(豨)《字會 上

돋가이 ㉮ 〈옛〉 도탑게. ¶ 녯 法을 돋가이 ᄒᆞ니라(古制敦)《杜諺 Ⅷ:6》.

돋갑다 ㉱ 〈옛〉 도탑다. ¶ 풍쇽 ᄀᆞᄅᆞ치논 일을 돋갑게 ᄒᆞ며(以厚風敎)《飜小 Ⅸ:17》.

돋구다 ㉰ ['돋다'의 사동사] ①안경 따위의 도수를 더 높게 하다. ¶ 안경의 도수(度數)를 ～. ②☞ 돋우다.

돋-나물 명 〈방〉 돌나물.
돋다[1] 자 〔중세 : 돋다〕 ①달이나 해 따위가 솟아오르다. ¶ 해가 ~. ②새싹 따위가 생겨 나오다. ¶ 새싹이 ~/ 날개가 ~. ③살이 우툴우툴하게 내밀다. ¶ 두드러기가 ~/여드름이 ~. *돋아나다.
돋다[2] 타 ↗돋우다.
돋-배기 명 〈방〉 돋보기(함남).
돋-보기 명 ①알의 배가 볼록한 안경. 흔히 노인이 씀. 노안경(老眼鏡). 노인경(老人鏡). 돋보기 안경. ②근시경(近視鏡)과 원시경(遠視鏡)의 총칭. ③〔magnifying glass〕〖물〗 물체가 몇 갑절 늘여 보이는 돋보기 렌즈. 확대경(擴大鏡).
돋보기-눈 명 〖생〗 원시안(遠視眼).
돋보기 안:경【一眼鏡】 명 돋보기❶.
돋-보다 타 ↗도두보다. ↔얕보다·낮보다.
돋-보이다 자 ↗도두보이다.
돋-뵈다 자 ↗도두보이다.
돋-새김 명 돋을새김.
돋씌 〈옛〉 돗자리에. '돗'의 처격형. ¶ 돋씌 도로 누어 편안티 몯ᄒᆞ야셔 죽다(反席未安而卒)≪東國三綱 忠臣圖≫.
돋아-나다 자 거라불 ①싹이 또렷이 밖으로 나오다. ¶ 새싹이 ~. ②종기 같은 것이 생기다. *돋다[1].
돋우다 타 ①위로 끌어올리거나 높아지게 하다. ¶ 램프의 심지를 ~. ②기분·느낌·의욕 등의 감정을 자극하여 일어나게 하다. ¶ 남의 신경을 ~/용기를 ~. ③밑을 괴거나 쌓아 올려 높아지게 하다. ¶ 발을 ~/북을 ~. ④입맛이 좋아지게 하다. ¶ 입맛을 돋우는 보약. ⑤싸움을 충동질하다. 부추기다. ¶ 싸움을 ~. ㊀돋다.
【돋우고 뛰어야 복사뼈라】 ㉠아무리 도망쳐 보아야 별수 없다는 말. ㉡다 할 것같이 날뛰어야 기껏 조금밖에 더 못한다는 말.
돋움 명 높아지라고 밑을 괴어서 들리게 하는 물건.
돋을-무늬 [-니] 명 도드라지게 나타낸 무늬.
돋을-볕 [-뼏] 명 아침에 솟아오르는 햇볕.
돋을-새김 명 〖조각〗 부조(浮彫). 부각(浮刻). 양각(陽刻). 철조(凸彫). 초각(峭刻). *섭새김.
돋을-양지【一陽地】[-량-] 명 돋을볕이 비치는 양지.
돋음-갱이 명 당감잇줄에 총을 꿴 위에 모양을 내느라고 딴 줄을 덧대어 총갱기를 친 미투리.
돋치다 자 ①돋아서 내밀다 ¶ 뿔이 ~/가시가 ~. ②값이 오르다.
돌[1] 명 ①난 뒤에 한 해씩 차서 해마다 돌아오는 그 날. *주기(週期). ②↗첫돌. ③어느 시점(時點)으로부터 만 24 시간이 되는 때, 또는 만 1 년이 되는 날. ¶ 돌아가신 지가 어언 ~이 된다. ④때의 똑같은 동안이 여러 번 되풀이되는 경우의 한동안. ¶ 개교(開校) 열~ 맞이 기념 행사.
돌:[2] 명 ①바위의 조각으로 모래보다 큰 것. 넓은 뜻으로는 암석 및 광석의 통칭. ②석재(石材). ¶ ~을 떠내다. ③↗바둑돌. ④↗라이터 돌. ¶ ~을 갈아 넣다. ⑤굳은 것·찬 것·무정한 것의 비유.
[돌도 십 년을 보고 있으면 구멍이 뚫린다] 정성 들여 애써 하면 안 되는 일이 없다. 【돌로 치면 돌로 치고 떡으로 치면 떡으로 친다】 욕은 욕으로, 은혜는 은혜로 갚는다는 뜻. 【돌을 차면 발부리만 아프다; 돌부리 걷어차면 발끝만 아프다】 ㉠화가 난다고 해서 아무 관계 없는 일에 분풀이를 하면 오히려 자기에게 해가 미친다는 말. ㉡역경(逆境)을 참지 아니하고 거스르면 더 괴로움을 받는다는 말. 【돌 지고 방아 찧는다】 디딜방아를 찧을 때는 돌을 지고 하는 것이 더 쉬우니, 힘을 들여야 무슨 일이나 잘 된다는 말.
돌[3] 명 〈옛〉 도랑. ¶ 돌 구(溝), 돌 거(渠)≪類合 上 18≫.
돌[4] 명 〈옛〉 돌다리[1]. ¶ 돌 량(梁)≪字會 上 5≫.
돌[5] 〔doll〕 명 인형(人形).
돌- 튀 흔히 동식물명의 위에 붙어서 품질이 낮거나, 산과 들에 저절로 난 것을 나타내는 말. ¶ ~감/~미나리/~팥.
돌:-가닥다리 명 〈방〉 돌사닥다리.
돌-가시나무 명 〖식〗 ①[*Rosa maximowicziana* var. *adenocalyx*] 장미과에 속하는 낙엽 활엽 관목. 줄기는 복와생(伏臥生)이고 잎은 우상 복생(羽狀複生)인데 표면에 윤택이 있으며, 가장자리에 톱니가 있고 달걀꼴임. 여름에 흰 꽃이 거의 총상(總狀) 화서로 정생하여 피고, 과실은 구형(球形)이며 가을에 적색으로 익음. 산기슭 양지에 나는데, 영남·호남 및 일본·대만·중국에도 분포함. 관상용으로 심음. ②[*Cyclobalanopsis gilva*] 참나뭇과에 속하는 상록 활엽 교목. 찔레나무와 비슷하나 줄기가 땅으로 뻗어 덩굴지고 잎은 혁질(革質)에 도피침형이며, 잎 뒤에 엽병(葉柄)과 함께 밀모(密毛)가 있음. 4월에 수꽃이삭은 늘어지고 암꽃이삭은 세 개가 피며, 견과(堅果)는 가을에 익음. 산기슭에 나는데, 제주도·일본·대만·중국 남부에 분포함. 정원수(庭園樹)로 가꾸며 재목은 배의 노(櫓)를 만듦.
돌-가자미 명 〖어〗 [*Kareius bicoloratus*] 붕넙칫과에 속하는 바닷물고기. 몸길이 40-50 cm 에 달하는데 두 눈이 몸의 오른쪽에 있고, 몸에는 비늘이 없으며 성어(成魚)에서는 눈이 있는 쪽에 골반(骨盤)을 갖춤. 눈 있는 쪽의 빛깔은 황갈색으로 등 쪽에 따라 약 여섯 개, 배 쪽에 따라 4-5개의 백색의 둥근 무늬가 각각 한 줄로 있고, 눈 없는 쪽은 백색이며, 등지느러미·뒷지느러미·꼬리지느러미는 등황색임. 한국 연해·동북 지나해·일본 중부 이북·사할린 연해 등에 분포함. 맛이 좋음.

〈돌가자미〉

돌가지 명 〈방〉〖식〗 도라지(전라·경상·강원).
돌각【突角】 명 툭 불거진 모퉁이나 끝.
돌:-각다리 명 〈방〉 돌사닥다리.
돌:-각담 명 〈방〉 ①돌사닥다리. ②돌담(평북).
돌-갈매나무 명 〖식〗 [*Rhamnus parvifolia*] 갈매나뭇과에 속하는 낙엽 활엽 관목. 줄기에 가시가 나고, 잎은 달걀꼴 또는 타원형으로 거의 대생(對生)함. 자웅 이가(雌雄二家)로, 꽃은 한두 송이씩 액생(腋生)하여 여름에 피며, 과실은 구형(球形)의 장과(漿果) 모양인데 9월에 익음. 골짜기 및 산록 암석지(岩石地)에 나는데, 평북·함남북 및 중국·몽골·시베리아·만주·바이칼 등지에 분포함. 수피(樹皮)는 물감으로 쓰임.
돌-감 명 〖식〗 돌감나무의 열매. 「많아서 품질이 썩 낮음.
돌감-나무 명 〖식〗 씨에서 나서 그냥 자란 감나무. 열매는 작고 씨만
돌-감람나무【一橄欖一】[-남-] 명 〖식〗 팔레스타나에 야생하는 상록 교목. 솔로몬 성전(聖殿)의 그룹(Cherub)의 형상을 이 나무로 새기었다 함.
돌개 명 〈방〉〖식〗 도라지(경상).
돌개-물 명 〈방〉 소용돌이❶(함경).
돌:개-바람 명 ①구풍(颶風). ②회오리바람.
돌개-삼 명 〖민〗 경상 북도 영주(榮州)에서의 '두레길쌈'의 특칭(特稱).
돌:-검【一劍】 명 〖고고학〗 돌을 갈아 만든 청동기 시대의 칼. 버들잎 모양의 검신(劍身) 양측면에 날이 세워져 있고, 검신의 단면은 마름모꼴, 볼록렌즈 모양임. 석검(石劍).
돌격【突擊】 명 ①불시에 덤비어 침. ②〖군〗 돌진하여 공격함. ¶ ~을 감행하다. ——-하다 자 여불
돌격-대【突擊隊】 명 ①육상 전투(陸上戰鬪)에서, 날래게 적의 진지에 쳐들어가는 군대. ②〖역〗 나치 돌격대.
돌격-로【突擊路】[-노] 명 적진에 돌격하는 병사의 진로(進路).
돌격-장【突擊將】 명 뜻밖에 와락 달려들기를 잘하는 사람.
돌격-전【突擊戰】 명 돌격하여 싸우는 전투. 「말.
돌격 전:법【突擊戰法】[-뻡] 명 등산에서, '러시 택틱스'를 일컫는
돌격 항:공기【突擊航空機】 명 〔assault aircraft〕〖군〗 목표 지역으로 돌격 부대와 화물의 이송 및 재보급 지원 등을 수행하는 항공기. 헬리 └콥터가 이에 속함.
돌:-결 [-껼] 명 돌의 결. *나뭇결.
돌:-경【一磬】 명 〖악〗 돌로 된 경쇠. 석경.
돌:-계집 명 아이를 낳지 못하는 계집. 석녀(石女). 석부(石婦).
돌고 명 〈옛〉 돌달구. 돌공이. ¶ 돌고로 다가 날회여 다이되(着石杵慢慢兒打)≪朴解 上 10≫.
돌-고기 명 〖어〗 [*Pungtungia herzi*] 잉어과에 속하는 민물고기. 몸길이 10-15 cm인데 좀 뚱뚱함. 몸빛은 암갈색으로 체측 중앙에 검은 세로띠가 있음. 하천의 돌이 많은 곳에 사는데, 한국 서부의 여러 하천 및 일본 중부 이남에 분포함. 「돌고 돌게 마련.
돌:고 돌:다 자 자꾸 돌다. ¶ 돌고 도는 물레방아/돌고 도는 세상/돈은
돌:-고드름 명 〖광〗 석회로 된 동굴의 천장에 고드름같이 달리어 있는 석회암(石灰岩). 한방에서 보양약(補陽藥)과 안과약(眼科藥)으로 씀. 종유석(鍾乳石). 빙주석(氷柱石). 석종유(石鍾乳).
돌-고래[1] 명 〖동〗 ①몸길이 5-6 m 이하에 이가 있는 소형(小形)의 고래의 속칭. ②참돌고래.
돌:-고래[2] 명 돌로만 쌓아서 놓은 방고래.
돌:-고래[3] [-꼬-] 명 연기가 고래 밑으로 되돌아 빠져 나오게 만든 방고래.
돌고래-자리 명 〔라 Delphinus〕〖천〗 백조자리의 남쪽, 독수리자리의 북동쪽에 있는 별자리의 하나. 늦은 가을의 초저녁에 남중(南中)함. 해돈좌(海豚座).
돌고랫-과【一科】 명 〖동〗 [Delphinidae] 고래목(目) 치경 아목(齒鯨亞目)에 속하는 한 과. 소형(小形)의 고래의 종류로 두골(頭骨)에는 관상 융기(冠狀隆起)가 없고, 아래위 턱에 많은 이가 남. 콧구멍은 한 개, 물고기를 주식으로 하며 바다에 군생(群生)하는데 배를 쫓기도 함. 종류가 많음.
돌-곪다 [-곰따] 자 ☞돌곪기다.
돌-곪기다 자 종기가 겉은 딴딴하면서 속으로 몹시 곪기다.
돌:-공이 명 돌로 만든 공이. 길쭉한 돌덩이에 나무 자루를 박았는데 쌀을 쓿는 데 씀.
〈돌공이〉
돌과【突過】 명 세차게 돌진하여 지나감. ——-하다 자타 여불
돌관【突貫】 명 ①쑥 꿰뚫음. ②적의 진지로 돌격하여 들어감. ③단숨에 일을 완성시킴. ——-하다 타 여불
돌관 공사【突貫工事】 명 한달음에 기운차게 해내는 공사. 강행 공사(強行工事).
돌:구다 자타 〈방〉 돌리다[4](함경).
돌:-구멍 [-꾸-] 명 바위에 뚫려 있는 큰 구멍.
돌:구멍-안 [-꾸-] 명 〈속〉 〔돌로 쌓은 성문(城門)의 안이라는 뜻〕 서울 성안.
돌:-구유 명 돌을 파서 만든 구유.
돌궐【突厥】 명 〔Türküt〕〖역〗 6세기 중엽 알타이 산맥(Altai山脈) 부근에서 일어나 몽골·중앙 아시아에 대제국을 건설한 투르크계 유목 국가(遊牧國家). 봉건적 부족 사회를 이루고 샤머니즘(shamanism)을 신봉하였음. 수(隋)나라 때에 동서의 둘로 분열되고, 당(唐) 때에는 당의 지배를 받다가 회흘(回紇)이 일어나자 그 속에 휩쓸려 패망하였음.
돌궐 문자【突厥文字】[-짜] 명 돌궐어의 문자. 셈계(Sem系)의 아람(Aram) 문자에 유래한다고 하며 튀르크어(Türk語)의 가장 오랜 문헌이 이 문자로 적혀 있음. 1893 년 덴마크의 학자 톰센(Thomsen)이 처음 해독하였다고 함.
돌궐 비문【突厥碑文】 명 '오르콘(Orkhon) 비문'의 이칭.
돌궐-어【突厥語】 명 〖언〗 고대 튀르크어(Türk語)의 방언의 하나. 튀르크어의 가장 오래 된 비문(碑文)인 8세기경의 오르콘(Orkhon) 비문의 언어. 돌궐 문자로 새기어지어 있음.

돌궐-인【突厥人】 명 터키계의 민족. 6세기경 고차(高車)·유연(柔然)을 멸망시키고 몽골·중앙 아시아에서 활약하였음. 동서(東西) 돌궐로 갈린 후 당(唐)나라에 패망하였음.
돌궐-장【突厥章】[―짱] 명 용비 어천가 제 75 장의 이름.
돌귀요 명 〈옛〉 돌구유. ¶ 우믌ᄀᆞᅀᅢ 몰 를 머기ᄂᆞᆫ 돌귀요 잇ᄂᆞ니라(井邊有飮馬的石槽兒)《老乞 上 28》.
돌:-그릇 명 석기(石器).
돌기[1] 명 〈방〉 감기(感氣)(평북).
돌기[2]【突起】 명 ①갑자기 일어남. ②갑자기 우뚝 솟음. ③어떤 형체(形體)에서 뾰족하게 나온 부분. ¶ 가시 ~/충양 ~. ――하다 자 여불
돌기[3]【突騎】 명 적의 진지로 돌진하는 기병.
돌:-기둥 명 돌을 깎아 세운 기둥. 석주(石柱).
돌:-기와 명 지붕을 이는 얇은 돌 조각.
돌:기와-집 명 돌기와로 지붕을 인 집.
돌:기-총 명 질신·미투리의 중턱 양편에 앞총을 당기어 맨 굵은 총.
돌:-길[1] [―낄] 명 돌아가는 길. 궤도(軌道).
돌:-길[2] [―낄] 명 ①자갈이 많은 길. ②돌을 깐 길.
돌:-김 명 〖식〗 바닷물 속의 돌에 붙어 자란 김. 석태(石苔).
돌김-장사 명 〈방〉 도붓(到付) 장수(함북).
돌:깐 집터 명 〖고고학〗 바닥에 돌을 깔아 편평하게 만든 선사 시대의 집터. 부석 주거지(敷石住居址).
돌:-깔기 명 바닥에 돌을 고루 까는 일.
돌깨 명 〈방〉 도리깨(전남).
돌:곗 명 실을 감고 풀고 하는 데 쓰는 기구. 굴대의 꼭대기에 '+'자 모양으로 나무를 대고 그 네 끝에 각각 짧은 기둥을 박았는데, 굴대가 돌아감에 따라 이 기둥에 실이 감기거나 풀리거나 함.

〈돌곗〉

돌:곗-잠 명 누운 채 빙빙 돌면서 자는 잠.
돌:-꽃 명 〖식〗 [*Rhodiola elongata*] 돌나물과에 속하는 다년초. 근경(根莖)은 비대하고, 인편(鱗片)은 다수의 인차(鱗次)로 되었으며, 줄기는 족생(簇生)하고 높이는 10 cm 가량임. 잎은 호생하고 무병(無柄)이며, 피침형 또는 거꿀달걀꼴의 선형에 상반(上半)이 톱니 모양임. 자웅 이가(雌雄二家)로, 7-8월에 홍황색에 백색을 띤 꽃이 총상 취산(總狀聚繖) 화서로 피고, 과실은 삭과(蒴果)임. 깊은 산의 바위틈에 나는데, 평북·함남·함북도에 분포함.
돌-나물 [―라―] 명 〖식〗 [*Sedum sarmentosum*] 돌나물과에 속하는 다년초. 줄기는 포복성(匍匐性)으로 각절(各節)마다 뿌리가 나오고 잎은 보통 세 개씩 윤생(輪生)하며 무병(無柄)이고 소엽(小葉)은 긴 타원형 또는 피침형임. 5-6월에 황색 꽃이 취산(聚繖) 화서로 정생하여 피고, 과실은 골돌과(蓇葖果)임. 들에나 산록의 습한 언덕·돌 틈에 나는데, 거의 한국 각지에 분포함. 어린잎과 줄기는 식용함. 엽액(葉液)은 해독(解毒)·화상(火傷) 등의 약재로 씀. 불갑초(佛甲草).

〈돌나물〉

돌나물-과【―科】[―라―꽈] 명 〖식〗 [Crassulaceae] 쌍자엽 식물 이판화류에 속하는 한 과. 전세계에 500여 종, 한국에는 돌나물·바위솔·돌꽃·기린초·채송화·비름 등의 30여 종이 분포함.
돌-나물 김치 [―라―] 명 돌나물로 담근 김치.
돌:-난간【―欄干】[―란―] 명 돌로 만든 난간. 석란(石欄).
돌:-난대【―欄臺】[―란―] 명 난간(欄干) 위쪽에 나란히 돌려 댄 나무.
돌:-난돌【―欄―】[―란―] 명 돌난간의 맨 위쪽에 두른 손잡이 돌.
돌-날[1] [―랄] 명 첫돌이 되는 날.
돌-날[2] [―랄] 명 〖고고학〗 길이가 너비의 두 배를 넘는, 돌에서 떼어낸 긴 격지. 후기 구석기 시대에 발달한 것으로, 그대로 칼날처럼 쓰기도 하고, 약간의 잔손질을 하여 여러 가지 연모를 만들기도 하였음.
돌:날-격지 [―랄―] 명 〖고고학〗 중기와 후기 구석기 시대의 유물의 하나. 쐐기를 이용해서 몸돌에서 떼어낸 돌날 모양의 타원형·삼각형·긴 사각형의 돌조각. 석인 석편(石刃石片).
돌:날-떼기 [―랄―] 명 〖고고학〗 쐐기를 이용하여 몸돌에서 격지를 떼어내는 일. 중기 구석기 말에서 후기 구석기 시대에 발달하였음. 석인 기법(石刃技法).
돌:날 몸돌 [―랄―똘] 명 〖고고학〗 구석기 시대 유물의 하나. 돌날을 떼어낼 수 있게 다듬은 뭉치 돌. 또, 돌날을 떼어내고 남은 부분. 석인핵(石刃核).
돌:-낫 [―랃] 명 〖고고학〗 신석기 시대부터 청동기 시대까지 사용된 수확용 농구(農具)의 하나. 돌로 만든 낫으로, 직사각형에 등과 날이 같은 방향으로 약간 휘어져 있음. 석겸(石鎌).
돌:-널 [―럴] 명 〖고고학〗 시체를 넣기 위해 돌로 만든 궤. 석관(石棺). 석상(石箱).
돌:널 무덤 [―럴―] 명 〖고고학〗 청동기 시대의 묘제(墓制). 땅 속에 판석(板石)이나 강돌로 직사각형의 돌널 시설을 만들어 시신을 묻는 무덤. 석관묘(石棺墓). 석상분(石箱墳).
돌-능금 [―릉―] 명 저절로 나서 자란 나무에서 열린 능금. 작고 신맛이 많음.
돌:다 자타 ①물체가 중심을 축(軸)으로 하여 둥글게 움직이다. ¶ 팽이가 뱅뱅 잘도 ~/시계 바늘이 한 바퀴 도는 동안. ②무엇을 중심으로 하여 원을 그리며 움직이다. ¶ 달이 지구를 ~/집 주위를 한 바퀴 ~. ③볼일로 여기저기 걸어다니다. 차례차례 다니다. ¶ 순찰을 ~/세배(歲拜)를 ~/명산 대찰(名山大刹)을 죽 ~. ④가까운 길을 두고 먼 길로 가다. ¶ 돌아서 가는 길. ⑤소문이나 전염병 따위가 퍼지다. ¶ 소문이 ~/뇌염이 ~. ⑥차례로 거쳐가다. ¶ 술잔이 한 순배 ~. ⑦바로 가지 아니하고 구부러져 가다. ¶ 적의 배후로 ~/오른쪽으로 돌아서 가시오. ⑧기절하였다가 차츰 새 정신이 나다. 머리의 순환이 좋아지다. ¶ 새 정신이 ~. ⑨눈이나 머리 따위가 정신을 차릴 수 없을 만큼 아찔해지다. ¶ 머리가 핑 ~/눈이 핑핑 돌 정도로 바쁘다. ⑩몸에 퍼져서 작용이 나타나다. ¶ 술기운이 ~/약기운이 ~. ⑪무엇이 표면에 생기거나 나타나다. ¶ 얼굴에 웃음이 ~/눈물이 핑 ~/입 안에 군침이 ~. ⑫어떤 빛이나 윤기(潤氣)가 나타나다. ¶ 얼굴에 생기가 ~/살림에 윤기가 돌기 시작하다/검은 빛이 도는 청색. ⑬돈이나 물건 따위가 유통되다. ¶ 돌고 도는 것이 돈이다/운영 자금이 ~. ⑭일정한 기능을 나타내어 움직이다. 잃었던 기능을 회복하다. ¶ 공장이 다시 ~/혈관에 피가 ~/입맛이 ~. ⑮방향을 바꾸다. 자리를 옮기다. ¶ 사회주의에서 자유주의로 ~/지방 관청으로만 ~. ⑯〈속〉 미치다. ¶ 머리가 돈 사람이군.
[도는 개는 배 채우고 누운 개는 옆 챈다] 활동하면 얻는 바가 있지만 누워서 게으름이나 피우면 옆구리나 채기 마련이란 말. [돌다 보아도 마름] 물 위에 떠돌아다니는 마름은 아무리 떠돌아도 마름이 듯이, 이렇다 할 진보(進步) 없이 같은 일만 되풀이함을 이르는 말.
돌-다리[1] [―따―] 명 도랑에 놓은 조그마한 다리.
돌:-다리[2] 명 돌로 놓은 다리. 석교(石橋).
[돌다리도 두드려 보고 건너라] 모든 일에 세심(細心)히 조심해서 후환이 없도록 하라는 말.
돌:단-춤 명 〖민〗 양주 별산대놀이에서, 놀이마당 주위를 빙빙 돌면서 추는 춤. 잡귀가 범하지 못하게 하기 위하여 추는 춤임.
돌:-단풍【―丹楓】 명 〖식〗 [*Mukdenia rossii* var. *typica*] 범의귓과에 속하는 다년초. 줄기는 땅으로 뻗고 몹시 비대(肥大)하며 화경(花莖)의 높이는 30 cm 가량임. 근생엽(根生葉)은 족생(簇生)하고 장병(長柄)이며 5-7 갈래로 째지고 열편(裂片)은 달걀꼴의 타원형임. 5월에 담홍색을 띤 흰 꽃이 원추상(圓錐狀) 취산(聚繖) 화서로 정생하고, 과실은 삭과(蒴果)임. 물가의 바위 위에 나는데, 강원·경기·평북·함남에 분포함. 관상용으로 정원에 심고, 어린 잎은 식용함. 암홍엽(岩紅葉).

〈돌단풍〉

돌:-담 명 돌로 쌓은 담.
[돌담 구멍에 족제비 눈깔] ㉠흔하게 많이 있는 것. ㉡눈매가 날카롭다는 말. [돌담 배 부른 것] 해로운 존재.
돌-담부락 명 〈방〉 돌담(경남).
돌-담부랑 명 〈방〉 돌담(경남).
돌:-담불 [―땀―] 명 산이나 들에 있는 돌의 무더기.
돌-담장이 명 〈방〉 〖식〗 담쟁이(강원).
돌:-대 [―때] 명 회전축(回轉軸).
돌:-대가리 명 〈속〉 ①몹시 둔한 머리. 또, 그런 사람. ②융통성이 없고 완고한 사람. 석두(石頭).
돌:-대라미 명 〈방〉 〖충〗 하늘소.
돌대문 토기【突帶文土器】[―때―] 명 〖고고학〗 '돋을띠무늬 토기'의 「구용어.
돌-댐 명 〈방〉 돌담(경북).
돌:-더미 [―떠―] 명 ☞ 돌무더기.
돌:-덧널 명 〖고고학〗 관을 둘러싸 보호하는 돌궤. 석곽(石槨).
돌:덧널 무덤 명 〖고고학〗 자연 괴석(塊石)이나 자갈돌 따위로 묘실(墓室)을 만든 무덤. 널길이 없는 것이 특징임. 석곽분(石槨墳).
돌:-덩어리 [―떵―] 명 돌덩이.
돌:-덩이 [―떵―] 명 돌멩이보다 크고, 바위보다 작은 돌. 석괴(石塊). 돌덩어리.
돌:-도끼 명 돌로 만든 도끼. 석기 시대의 유물임. 석부(石斧).

〈돌도끼〉

돌:도끼-장이【―匠―】 명 자그마한 도끼로 돌을 쪼개고 다루는 일을 업으로 삼는 사람.
돌도래 명 〈방〉 〖충〗 하늘밥도둑.
돌독【突禿】 명 대머리짐.
돌돌[1] 부 ①여러 겹으로 둥글게 말거나 말리는 모양. ¶ 종이를 ~ 말다. ②둥근 물건이 가볍고 빨리 구르는 소리. ¶ 구슬이 ~ 구르다. 1)·2): ㅆ똘똘[1]. <둘둘.
돌돌[2]【咄咄】[―똘] 부 ①끌끌 혀를 차는 소리. 또, 신음하는 소리. ②경탄(驚歎)하는 소리. ③놀라면서 이상해 하는 소리. ④꾸짖는 소리.
돌돌 괴:기【咄咄怪奇】[―똘―] 명 돌돌 괴사.
돌돌 괴:사【咄咄怪事】[―똘―] 명 매우 놀랄만한 일. 십히 괴이한 일. 돌돌 괴기.
돌돌-하다 형 여불 똑똑하고 영리하다. ¶ 조금도 황겁지 않는 연산의 돌돌한 태도에 박원종의 담력이 오히려 주춤하고 꺾여졌다《朴鍾和 : 錦衫의 피》. ㅆ똘똘하다. 돌돌-히 부
돌:-돔 명 〖어〗 [*Oplegnathus fasciatus*] 돌돔과에 속하는 바닷물고기. 몸은 길이 40 cm 내외로 체고가 아주 높고 측편함. 몸빛은 청색을 띤 담흑색인데, 어릴 때에는 체측에 아홉 줄의 검은 가로띠가 있고 주둥이는 흑색임. 비늘은 몹시 작고 빗비늘이며 입이 작음. 한국 중남부 연해 및 일본에 분포함. 맛이 좋음.

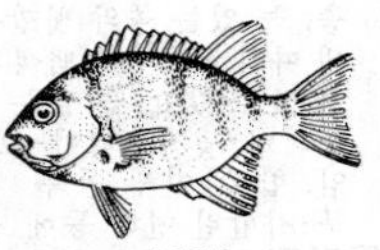
〈돌돔〉

돌:돔-과【―科】[―꽈] 명 〖어〗 [Oplegnathidae] 농어목에 속하는 한 과. 돌돔·강담돔이 있음.

돌따-서다 자 〈방〉 돌아서다(함경).
돌:-딴죽 명 씨름·태견에서 쓰는 재주. 한쪽 발뒤축만 디디고 홱 돌아서며, 딴 발로 걸어 치는 딴죽.
돌-떡 명 아이들의 돌날에 만들어 먹는 떡.
돌뚜구-편:지【一片紙】명 〈방〉 염서(艶書).
돌:-띠 명 어린 아이의 두루마기나 저고리에 달린 긴 옷고름. 등 뒤로 돌려 매게 되었음.
돌라-가다 타(거라불) 남의 물건을 뒤로 슬쩍 빼돌리어 가져 가다.
돌라-내다 타 ①남의 물건을 슬쩍 빼돌려 내다. ②돌려 내다❶.
돌라-놓다 [一노타] 타 ①여러 개를 둥글게 벌여 놓다. ②돌려놓다. 1)·2): <둘러놓다.
돌라-대다 타 ①돈이나 물건을 변통하여 대다. ②그럴 듯한 말로 꾸며대다. 1)·2): <둘러대다.
돌라-막다 타 가장자리로 돌아가며 가리어 막다. <둘러막다.
돌라-맞추다 타 다른 것으로 대신하여 그 자리에 맞추다. <둘러맞추다.
돌라-매다 타 ①한 바퀴 둘러서 두 끝을 마주 매다. <둘러매다. ②변리를 본전(本錢)에 얹어 매다.
돌라방-치다 타 소용되는 것을 빼돌리고, 그 빈 자리에 다른 것을 대신 넣다. <둘러방치다. ㊈돌라치다.
돌라-버리다 타 먹은 것을 억지로 게워버리다.
돌라-보다 타 이모저모로 골고루 살펴보다. <둘러보다.
돌라-붙다 타 기회를 보아서 이로운 쪽으로 돌아서 붙좇다. <둘러붙다.
돌라-서다 자 여러 사람이 둥글게 서다. <둘러서다.
돌라-싸다 타 안에 넣고 언저리를 둥글게 싸다. 둥글게 포위하다. <둘러싸다.
돌라-쌓다 [一싸타] 타 둘레를 무엇으로 둥글게 쌓다. <둘러쌓다.
돌라-앉다 [一안따] 자 여러 사람이 둥글게 앉다. <둘러앉다.
돌라-주다 타 몫몫이 나누어 여러 군데로 도르다.
돌라-치다 타 ↗돌라방치다.
돌랑-속옷 명 〈방〉 잠방이(함남).
돌래 명 〈방〉 도래[2].
돌런드 〔Dollond, John〕 명 『사람』 영국의 광학자(光學者). 색수차(色收差) 렌즈를 발명하여 천문학 연구의 실험에 큰 공헌을 함. [1706-61]
돌려-나기 명 〔식〕 줄기에 잎이 붙는 형식의 하나. 한 마디에 세 개 이상의 잎이 윤형(輪形)으로 나는 일. 윤생.
돌려-내다 타 ①남을 슬슬 꾀어, 있는 곳에서 빼돌리어 내다. 돌라내다. ②한 동아리에 넣지 아니하고 따돌리다.
돌려-놓다 [一노타] 타 ①방향을 바꾸어 놓다. 돌라놓다. ②고립시키거나 제외·도외시하다. ¶ 돌려놓은 사람.
돌려닐다 자 〈옛〉 돌려 가며 일어나다. ¶ 우리 돌려니러(咱們輪着起來) 《老乞 上 29》.
돌려-대다 타 ☞돌라대다.
돌려-떼기 명 『고고학』 르발루아(Levallois) 문화기에 유행하였던 석기 제작의 한 수법. 몸돌의 둘레에서 격지를 떼어낸 뒤에 윗부분을 쳐내는 수법으로, 이 때 남아 있는 몸돌은 거북등 모양과 비슷함.
돌려-버리다 타 어떠한 것으로 단정(斷定)하다. ¶ 그를 나쁜 놈으로 ~.
돌려-보내다 타 ①가져온 것을 도로 보내다. ¶ 선물을 ~. ②찾아온 사람을 만나 주지 않거나 용건을 들어 주지 않고 그냥 보내다. ¶ 손님을 ~.
돌려-보다 타 서로 돌려 가며 여럿이 다 보다. ¶ 동화 책을 ~.
돌려-뿌리치기 명 씨름에서, 두 선수가 무릎을 맞댄 엉거주춤한 자세에서 오른쪽으로 회전하여 돌면서 그 탄력과 회전 속도에 의하여 상대를 떨어뜨리는 허리 기술의 하나.
돌려-쓰다 타 ①돈이나 물건을 변통하여 쓰다. ¶ 돈을 ~. ②여러 사람이 돌려가며 쓰거나 또는 여러 가지로 용도(用途)를 바꾸어 가며 쓰다.
돌려-주다 타 ①도로 보내 주다. ②돈을 융통하여 주다.
돌려-짓기 명 『농』 여러 가지 곡류(穀類)·야채류(野菜類) 및 목초류(牧草類) 등을 같은 경지(耕地)에 일정한 순서에 따라, 일정한 연한마다 순환하여 재배하는 경작법. 비료의 절약, 병충해(病蟲害)의 방제(防除), 지질 개량(地質改良), 노력의 감소 등의 이점(利點)이 있음. 윤작(輪作). 윤재(輪栽). ¶ ~법(法). ↔이어짓기. ——-하다 타(여불)
돌로로소 〔이 doloroso〕 명 『악』 '슬픈 기분으로'의 뜻.
돌로마이트 〔dolomite〕 명 『광』 ①칼슘·마그네슘 등을 함유한 탄산염 광물(炭酸塩鑛物). ②백운석(白雲石)을 주성분(主成分)으로 하는 백색 또는 엷은 색의 암석. 고회암(苦灰岩). 백운암(白雲岩).
돌로미티 〔Dolomiti〕 명 『지』 이탈리아의 북부, 트렌토에서 동북방으로 뻗은 알프스 산맥의 한 지맥(支脈). 돌로마이트가 풍화되어 첨봉(尖峰)·암탑(岩塔)·침봉(針峰)이 이어지는 독특한 경관(景觀)을 이루고 암벽 등산의 호적지(好適地)임.
돌르다 타 〈방〉 도르다[2](충남·전북).
돌리 〔dolly〕 명 『연』 이동식 촬영기대(移動式撮影機臺). 텔레비전 카메라의 대(臺). 바퀴가 달려 있어 전후 좌우로 움직임.
돌리나 〔dolina〕 명 『지』 돌리네.
돌리네 〔doline〕 명 『지』 카르스트 지형(Karst 地形)의 하나. 석회암(石炭岩) 토지의 표면에 볼 수 있는 유발(乳鉢) 모양의 움푹 팬 땅. 직경이 100 m에 이르는 것도 있음. 석회정(石灰穽). 돌리나.
돌리다[1] 자 이치에 그럴 듯한 일로 남에게 속다. <둘리다[1].
돌리다[2] 자타 ①병의 위험한 고비를 면하게 되다. 또, 면하게 하다. ¶ 우선 병세나 돌리고 봅시다. ②기운이나 정신 상태를 정상적인 상태로 돌이키다. ¶ 모심기가 끝나고 한숨 ~. ③노염이 풀리다. 또, 풀게 하다. ¶ 시부모의 마음을 ~. ④없는 물건을 변통하다. 또, 변통되다. ¶ 급하게 돈을 ~ / 사업 자금을 ~.
돌리다[3] 타 ①한 동아리에 들지 못하게 하다. 따돌리다. ¶ 함께 다정하게 놀지 않고 왜 돌리니. ②소홀히 대접하다. 아무렇게나 취급하다. ¶ 물건을 함부로 ~ / 몸을 마구 돌려서 병이 나다.
돌리다[4] 타 〔중세 : 돌이다. '돌다'의 사동사〕 ①돌게 하다. ¶ 팽이를 ~. ②방향을 다른 쪽으로 바꾸다. ¶ 화제를 ~ / 발길을 ~. ③여기저기로 보내다. 여러 곳으로 배달하다. ¶ 돌떡을 ~ / 신문을 ~. ④어떤 범위의 안을 여기저기 돌아다니게 하다. ¶ 순찰을 ~. ⑤마음을 달리 먹다 ¶ 마음을 돌려서 열심히 일하다. ⑥경영하다. 운영하다. ¶ 혼자 힘으로 공장을 ~. ⑦영화나 환등 따위를 보이게 하다. ¶ 영사기의 필름을 ~. ⑧완곡하게 말하다. ¶ 그렇게 돌려서 말하지 말고 솔직하게 말하시오. ⑨차례로 다른 곳에 보내다. ¶ 술잔을 ~ / 서류를 ~. ⑩남에게 책임이나 공을 넘기다. ¶ 공을 남에게 ~ / 잘못을 친구에게 ~. ⑪뒤로 미루다. ¶ 이것은 뒤로 돌려라 / 수학은 내일로 돌리고 국어 공부부터 하자. ⑫어떤 무엇으로 생각하거나 그렇게 보다. ¶ 모든 일을 백지로 돌립시다 / 애교로 돌리고 용서한다. 주의 뒤에 '-로' 또는 '-으로'가 붙은 일부 명사 다음에 쓰임.
돌리틀 선생 이야기【一先生一】〔Dolittle〕 명 『책』 로프팅(Lofting)의 공상(空想) 소설집. 동물을 사랑하는 의사 돌리틀이 동물의 말을 익혀, 앵무새·오리·개·돼지·원숭이·생쥐 등과 함께 불쌍한 동물을 도우면서 갖가지 모험을 한다는 줄거리로 전 12권. 삽화도 저자가 직접 그렸으며, 1920-53년에 간행됨.
돌림 명 ①차례대로 돌아가는 일. ¶ ~잔. ②↗돌림병. ③항렬(行列). ¶ ~자(字). ④교제를 끊고 고립시키어 소외(疎外)되게 하는 일. ¶ ~쟁이.
돌림 감기【一感氣】[一깜一] 명 돌아가며 전염하는 감기. 유행성(流行性)의 감기. 시감(時感). 윤감(輪感).
돌림-구멍이 명 『건』 벽과 기둥을 통해서 그 밑에 길게 돌리어 판 구멍이.
돌림-노래 명 〔round〕 『악』 2성부 이상의 악곡에서, 같은 가락을 각 성부가 일정한 간격을 두고 순차로 따라 부르고, 노래가 끝난 성부는 다시 처음으로 돌아가는 모양을 여러 번 되풀이하는 방법. 윤창(輪唱). *푸가(fuga)
돌림-띠 명 『건』 벽·천장 따위의 가장자리를 산뜻하게 마무르거나 아름답게 꾸미기 위하여 돌려 댄 띠.
돌림-무늬 [一니] 명 ①『고고학』 신(新)석기 시대 토기에 나타나는 번개 모양의 네모 또는 마름모꼴의 무늬를 여러 겹 포개서 만드는 무늬. 전에는 '번개무늬'라 하였으나, 청동기 시대 거울에서 볼 수 있는 번개 모양 무늬와 구별하기 위하여 이 이름으로 고침. 뇌문(雷文). ②각종 기물 특히 발이나 등메 등의 가장자리에 둘러놓은 겹쳐진 번개 모양의 무늬.
돌림-배지기 명 씨름에서, 두 선수가 기본 자세로 맞잡은 상태에서 팔과 몸의 힘의 중심을 점차적으로 오른편 위로 올리는 나선형(螺旋形) 회전을 취하면서 상대를 배지기 형태로 돌려 던지는 허리 기술의 하나.
돌림-뱅이 명 〈방〉 도붓장사(평북).
돌림-병【一病】[一뼝] 명 돌아가며 전염하는 병. 시체병(時體病). 유행병(流行病). 윤증(輪症). 윤질(輪疾). 전염병. ㊈돌림.
[돌림병에 까마귀 울음] 매우 불길(不吉)한 징조.
돌림-술 명 차례로 돌려가며 마시는 술.
돌림-자【一字】[一짜] 명 항렬자(行列字).
돌림-잔【一盞】[一짠] 명 차례로 돌려 가며 마시는 술잔.
돌림-장사 명 〈방〉 도붓장수(함북).
돌림-쟁이 명 남들과 함께 한 동아리에 들지 못하고 따돌림을 받는 사람.
돌림-체【一體】명 『수』 '회전체(回轉體)'의 풀어 쓴 말.
돌림-턱 명 여러 사람이 돌아 가며 음식을 내는 턱.
돌림-통 명 돌림병이 돌아다니는 시기. 또, 그 병.
돌림-판【一板】명 ①물건을 얹어서 돌리는 판. ②자동식 전화기의 다이얼 따위의 판. ③회람판.
돌림-편지【一片紙】명 여러 사람 앞으로 온 것을 돌려 가며 보게 된 편지. 윤첩(輪牒).
돌림-포【一布】명 〈방〉 휘장(揮帳).
돌립【突立】명 치솟음. 쭈뼛하게 섬. ——-하다 자(여불)
돌마낫-적 명 첫돌이 될락말락한 어린애 때.
돌-마자 명 『어』 [*Microphysogobio yaluensis*] 돌상어과에 속하는 민물고기. 몸길이 5-10 cm. 모래주사와 비슷하나 몸이 짧고 머리에 무늬가 없음. 몸빛은 등이 푸른 갈색, 눈 아래에 뚜렷하지 않은 암색띠가 한줄 있으며 등지느러미에서 뒤쪽으로 석줄의 폭 넓은 가로띠가 있음. 우리나라 특산으로 압록강·낙동강 수계(水系)에만 분포함.
돌-마타리 명 『식』 [*Patrinia rupestris*] 마타릿과에 속하는 다년초. 줄기는 족생(簇生)하고 높이 20-60 cm인데, 잎은 대생하고 우상 심렬(羽狀深裂)하며, 열편(裂片)은 긴 타원형 또는 피침형에 톱니가 있는 것도 있음. 7-9월에 노란 좀 모양의 꽃이 가지 끝에 찬족(攢簇)하여 산방(繖房) 화서로 피며, 과실은 타원형임. 산지에 나는데, 한국의 중부 이북에 분포함.
돌막 명 〈방〉 돌멩이(충남·전북).
돌:-망치 명 『고고학』 구석기 시대 유물의 하나. 둥글거나 긴 강자갈 등으로 만든, 망치 구실을 하는 석기. 석퇴(石槌).
돌-맞이 명 돌이 다가와 맞는 일. ——-하다 자(여불)
돌:-매 명 맷돌. ↔목매.
돌매기 명 〈방〉 『어』 도루묵.
돌-매이 명 〈방〉 돌멩이(경상).
돌:-맹이 명 〈방〉 돌멩이(경기·강원·충청·전라·경상).
돌먼 소매 〔dolman〕 명 여성복 소매 모양의 한 가지. 진동없이 재단하여 만든 것으로, 소매의 위쪽은 낙낙하며 소맷부리 쪽으로가면서 좁아지는 형(型). 돌먼 슬리브.

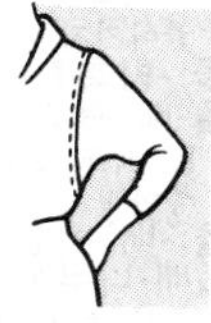
〈돌먼 소매〉

돌:-멍이 [명] 〈방〉 돌멩이.
돌:-메¹ [명] 돌로 만든 메. ↔목메.
돌:-메² [명] 〈방〉 돌멩이.
돌-메이 [명] 〈방〉 돌멩이(경남).
돌멘 〔dolmen〕 [명] 〖역〗 고인돌.
돌:-멩이 [명] 돌덩이보다는 작고 자갈보다는 큰 돌. 괴석(塊石).
돌:멩이-질 [명] 돌멩이를 던지는 짓. [준]돌질. ——-하다 [자][여불]
돌:-모란 【一牡丹】 [명] 〖동〗 말미잘❷.
돌:-무더기 [명] 돌덩이가 쌓인 무더기.
돌:-무덤 [명] 돌을 쌓아 올려 이룩한 높은 무덤. 우리 나라의 대표적인 돌무덤은 만주 지안 현 퉁거우(輯安縣通溝) 일대에 산재한 고구려의 고분(古墳)으로, 장군총(將軍塚)·태왕릉(太王陵)·천추총(千秋塚) 등이 그중 유명함. 석총(石塚).
돌:-무지 [명] ①〖고고학〗 선사 시대 무덤에서, 고인돌이나 돌널무덤의 둘레에 보호물로 돌을 쌓아 둔 구조물. 적석(積石). ②적석(積石)❶.
돌:무지-덧널무덤 [명] 〖고고학〗 지상 또는 지하에 시신을 안치한 나무널을 구덩이식으로 설치한 다음, 사람 머리만한 크기의 냇돌로 나무널을 덮고 다시 그 바깥에 흙을 입혀 다진 무덤. 신라 특유의 묘제임. 목곽 적석총(木槨積石塚). 적석 목곽분(積石木槨墳).
돌:무지-돌덧널무덤 [명] 〖고고학〗 지면 위에 돌을 쌓아 내부를 장방형의 돌덧널과 같은 형상으로 만든 무덤. 주로, 낙동강 유역 지방에 분포되어 있음. 적석 석곽분(積石石槨墳).
돌:무지-무덤 [명] 〖고고학〗 선사 시대에서 고구려·백제 초기의 묘제(墓制)의 하나. 시신 위에 흙 대신 돌을 쌓아올린 무덤. 적석총(積石塚).
돌-묵상어 [명] 〖어〗 [*Cetorhinus maximus*] 돌묵상엇과에 속하는 바닷물고기. 한해성(寒海性)의 큰 상어로 몸길이 15m에 달하는 것이 있음. 몸은 방추형(紡錘形)으로 주둥이가 둔하고, 눈이 작으며 분수공(噴水孔)도 작음. 피부는 노란빛인데 껄끄럽고 작은 가시가 분포되어 있음. 성질이 순하며 플랑크톤이나 작은 고기를 먹음. 태생으로 잉태 기간은 2년 이상, 출생시의 몸길이 1.8m라고 함. 북태평양 및 북대서양의 온대 지방에서 북방에 분포함.

〈돌묵상어〉

돌묵상엇-과 【一科】 [一꽈] [명] 〖어〗 [Cetorhinidae] 악상어목(目)에 속하는 상어무리의 한 과. 돌묵상어 하나만 알려져 있음.
돌:-문 【一門】 [명] ①돌로 만든 문. 석문(石門). ②바위가 자연적으로 문과 같이 된 곳. 암문(岩門). ③〖고고학〗 돌방무덤에서, 널길을 거쳐 널방으로 들어가는 입구에 세워진 문.
돌:-물레 [명] 바나 고삐를 꿀 때 새끼 한 끝에 달고 돌리어 꼬게 만든 기구. *자새.
돌:-뭉이 [명] 〈방〉 돌멩이.
돌-미: [명] 〈방〉 돌멩이(경상).
돌:-미낌 [명] 〈방〉 돌팔매질. ——-하다 [자]
돌-미나리 [명] 〖식〗 논·개천 같은 곳에 저절로 나는 미나리.
돌:-미륵 【一彌勒】 [명] 돌로 새겨 세운 미륵불(彌勒佛).
돌:-밍이 [명] 〈방〉 돌멩이(경상).
돌-바늘꽃 [명] 〖식〗 [*Epilobium cepalostigma*] 바늘꽃과에 속하는 다년초. 줄기 높이 70cm 가량이고 잎은 대생하며 몹시 단병(短柄)이고 달걀꼴에 긴 타원형 또는 피침형임. 7-8월에 담홍색 꽃이 줄기 끝·잎 사이에 하나씩 정생(頂生)하여 피고, 과실은 삭과(蒴果)임. 산지의 습지에 나는데, 제주·경북의 울릉도·충북·강원·경기·함남에 분포함.
돌-바람 [명] 〈방〉 회오리바람(경북).
돌바크 〔d'Holbach, Paul Henri〕 [명] 〖사람〗 프랑스의 철학자·계몽 사상가·백과 전서가. 독일 태생으로 프랑스에 귀화했으며, 백과 전서에서는 화학 및 광물학에 관한 많은 항목을 집필함. 저서 《자연의 체계》에서 무신론적 유물론을 전개, 계몽기(啓蒙期)의 대표적 유물론자로 꼽힘. [1723-89]
돌-반 【一盤】 [一빤] [명] 〈방〉 돌상(床).
돌:-반지기 [명] 잔돌이 많이 섞인 쌀.
돌발 【突發】 [명] 일이 뜻밖에 일어남. 돌연히 발생함. ¶ ~ 사고. ——-하다 [자][여불]
돌발성 난:청 【突發性難聽】 [一썽一] [명] 〖의〗 갑자기 귀가 들리지 아니하게 되는 병. 대부분 한쪽에만 일어나며 연령은 20-60세에 걸치나, 40세 전후가 의외로 많은데 원인은 불명함.
돌발성 발진증 【突發性發疹症】 [一썽一찐쯩] [명] 〖의〗 생후(生後) 3개월에서 1년 반 가량된 젖먹이에게 발병하는 바이러스성 전염병. 고열(高熱)이 2-3일 계속된 후 급히 열이 내리면 전신에 홍역(紅疫) 때와 같은 작고 붉은 발진(發疹)이 나타나고 2일 간이면 낫게 됨.
돌발-적 【突發的】 [一쩍] [명][관] 뜻밖에 일어나는 모양. ¶ ~ 사고.
돌:-방 【一房】 [명] 〖역〗 돌로 된 방. 천정·벽에 그 방위를 나타낸 그림이 있음. 조선 국초(國初)까지 왕릉(王陵)에 이 제도를 썼음. 석실(石室).
돌:방-무덤 【一房一】 [명] 〖고고학〗 돌로 널방을 쌓아 만들고 출입을 위한 널길을 베푼 무덤. 석실분(石室墳). 석실묘(石室墓).
돌:-방아 [명] ☞ 연자매.
돌:-방죽 【一防一】 [명] 〔←돌방축(防築)〕 거죽에 돌을 쌓아 속의 흙이 허물어지지 아니하게 한 방죽.
돌:-방축 【一防築】 [명] →돌방죽.
돌-배¹ [명] 〖식〗 ①☞ 똘배. ②돌배나무의 열매.
[돌배도 맛들일 탓] 처음에는 싫다가도 차차 재미를 붙이고 정이 들면 좋아질 수 있다는 말.
돌:-배² [명] 〖민〗 돌로 만들었다는 배. 석선(石船).
돌배-나무 [명] 〖식〗 ①야생(野生)하는 산돌배나무·좀돌배나무·콩돌배나무의 총칭. ②[*Pyrus montana*] 능금나뭇과에 속하는 낙엽 활엽의 작은 교목. 잎은 달걀꼴 또는 넓은 달걀꼴이고, 가에 톱니가 있음. 4-5월에 흰 꽃이 산방(繖房) 화서로 정생(頂生)하고, 이과(梨果)는 직경 2cm 가량으로 10월에 익음. 산이나 들에 나는데, 전남·경남·충북·강원도 및 일본·중국에도 분포함. 기구(器具)·기계 재료용, 접목(接木)의 대목용(臺木用)이고 과실은 '돌배'라고 하여 식용함. 야광나무.
돌변 【突變】 [명] 갑자기 변함. ¶ 태도가 ~하다. ——-하다 [자][여불]
돌변-적 【突變的】 [명][관] 뜻밖에 갑자기 변하는 모양.
돌:-보다 [타] ①도와 주다. ¶ 남의 일을 내 일처럼 ~. ②뒤를 보살피다. 보호하다. ¶ 아이를 ~/살림을 ~.
돌:보아-주다 [타] 뒤를 보살펴 주다.
돌:-부리 [一뿌一] [명] 돌멩이의 뾰족뾰족 내민 부분. ¶ ~에 채다.
[돌부리를 차면 발부리만 아프다] 쓸데없이 성을 내면 자기에게만 해롭다는 말.
돌-부채 [명] 〖식〗 [*Bergenia pacifica*] 범의귓과에 속하는 다년초. 뿌리는 비후(肥厚)하고 잎은 뿌리에서 총생(叢生)하며, 장병(長柄)이고, 타원형에 치아(齒牙) 모양의 톱니가 있음. 꽃은 백색으로 8-9월에 핌. 고산(高山)에 나는데, 평북의 노봉(鷺峰) 등지에 분포함.
돌-부채손 [명] 〖식〗 [*Mukdenia acanthifolia*] 범의귓과에 속하는 다년초. 근경(根莖)은 가로 벋거나 또는 직립(直立)하며, 길이 10cm 가량이고 화경(花莖)은 20cm 내외임. 잎은 줄기 끝에서 한둘이 나오며 장병(長柄)이고 난원형 또는 심상(心狀) 원형임. 7월에 흰 꽃이 원추상 취산(聚繖) 화서로 정생하고, 과실은 삭과(蒴果)임. 석회암굴의 벽 위 등에 나는데, 평남의 맹산(孟山) 등지에 분포함.
돌:-부처 [명] ①〖불교〗 돌로 새겨 세운 불상(佛像). 석불(石佛). ②감각이 둔하거나 고집이 센 사람. ¶ ~ 같은 사람.
[돌부처도 꿈적인다] 남편이 첩을 보면 아무리 무던한 아내도 화를 낸다. *시앗을 보면 길 아래 돌부처도 돌아앉는다.
돌:-비¹ 【一碑】 [명] 돌로 만들어 세운 비(碑). 석비(石碑).
돌비² 【突沸】 [명] 액체가 폭발하듯이 갑자기 끓어오름. ——-하다 [자][여불]
돌비³ 【突飛】 [명] 펄쩍 뛰어 낢. ——-하다 [자][여불]
돌:-비늘 [一삐一] [명] 〖광〗 운모(雲母).
돌비 시스템 [명] 〔Dolby noise reduction system〕 〖전자〗 영국의 돌비 연구소(Dolby 硏究所)가 개발한 잡음 저감 회로(雜音低減回路).
돌:-비알 [一삐一] [명] 깎아 세운 듯한 돌의 언덕. ¶ ~에 있는 집.
돌:-뺑이 [명] 〈방〉 돌멩이(경북).
돌-뽕나무 [명] 〖식〗 [*Morus tiliaefolia*] 뽕나뭇과에 속하는 낙엽 활엽의 작은 교목. 잎은 넓은 달걀꼴이고 꽃은 6월에 자웅 이가(雌雄二家)로 피는데, 수꽃이삭은 늘어지고 암꽃이삭은 액생(腋生)함. 과실은 장질(漿質)인데 과수(果穗)는 구형 또는 타원형이고, 7-8월에 흑색으로 익음. 해변의 산기슭 및 밭둑에 나는데, 재목은 기구·비파 제작·신탄재용이고 잎은 양잠(養蠶)의 사료 및 식용, 수피(樹皮)는 약용 및 제지용(製紙用), 과실은 약용 및 식용임. 전남의 진도·황해도·함남북 지방 및 일본에 분포함.

〈돌뽕나무〉

돌:-뿌다구니 [명] 〈방〉 돌부리.
돌:-뿌다기 [명] 〈방〉 돌부리.
돌-뿔내기 [명] 〈방〉 돌팔매질(함경).
돌:-삐: [명] 〈방〉 돌멩이(경북).
돌:-삥이 [명] 〈방〉 돌멩이(경상).
돌쌜 [명] 〈옛〉 돌부리. ¶ 돌쁘른 오솔 걸위여 헐우고(石角鉤衣破)≪初杜諺 XV:6≫.
돌:-사닥다리 [명] 돌덩이가 많아 아주 험한 산길.
돌:-사막 【一砂漠】 [명] 〖지〗 바위·돌·자갈로 된 사막. 암석 사막.
돌:-사자 【一獅子】 [명] 무덤을 지키도록 무덤 앞이나 둘레에 세운 돌로 만든 사자.
돌:-산¹ 【一山】 [一싼] [명] ①바위나 돌이 많은 산. 석산(石山). ②석재(石材)를 캐어 내는 산. 채석장.
돌산² 【突山】 [一싼] [명] 〖지〗 전라 남도 여천군 돌산읍을 이루는 한 고장. 돌산도(島)와 대경도(大鯨島) 등으로 이루어짐.
돌산-도 【突山島】 [一싼一] [명] 〖지〗 전라 남도 여천군(麗川郡)에 위치한 섬. 1980년 12월 1일 돌산읍으로 승격됨. [70.01km²: 16,728명(1990)]
돌:-살촉 [명] 돌로 만든 살촉. 석기 시대(石器時代)에 쓰던 것. 석촉(石鏃).
돌-삼 [명] 〖식〗 들에 저절로 난 삼.
돌-상 【一床】 [一쌍] [명] 돌잡힐 때 차려 놓는 상. 곧, 백완반(百玩盤).
돌-상어 [명] 〖어〗 [*Gobiobotia brevibarba*] 돌상엇과에 속하는 민물고기. 상어 비슷한데 몸길이 6-12cm 가량이고 머리는 편평하며 수염은 짧고, 몸에 많은 가로띠가 있음. 몸빛은 적색을 띤 황갈색으로 배 쪽은 담색, 등지느러미 뒤쪽에는 네 줄의 불분명한 갈색 가로띠가 있고 눈 아래에 한 줄의 암색 띠가 있음. 한강수계에만 분포함.
돌상엇-과 【一科】 [一꽈] [명] 〖어〗 [Gobiobotidae] 잉어목에 속하는 어류의 한 과. 돌상어·꾸꾸리·모래주사·돌마자·배가사리 등이 이에 속함.
돌:-상자 【一箱子】 [명] ☞ 돌함(函).
돌:-샘 [명] 돌 틈에서 나오는 샘. 석천(石泉).
돌:석-변 【一石邊】 [명] 한자 부수(部首)의 하나. '碧'·'碩'·'硏' 등에서 '石'의 이름.
돌:-소금 [명] 〖광〗 염소와 소다의 화합물. 빛은 희거나 잿빛이고 광택이 있음. 암염(岩塩).
돌:-솜 [명] 〖광〗 석면(石綿).
돌송 【突誦】 [一쏭] [명] 글을 거침없이 욈. ¶ 능히 시전을 ~하다. ——-하다 [타][여불]
돌:-송곳 [명] 〖고고학〗 길이 3cm 가량의 한 끝을 침상(針狀)으로 뾰족하게 만든 타제(打製)석기. 두부(頭部)를 납작하게 만든 것과 전체를 봉

상(棒狀)으로 한 것이 있음. 석추(石錐).
돌-송편【一松一】명 돌상에 차려 놓는 송편. 보통 송편보다 작게 빚음.
돌:-솥 명 돌로 만든 솥.
돌:솥-밥 명 개인용의 뚝배기 모양의 작은 돌솥에 쌀과 밤·대추·야채·버섯 등에 닭고기·새우·굴 등을 넣어 지은 밥.
돌수 온천【突水溫泉】명〖지〗함경 북도 경성군(鏡城郡) 주남면(朱南面) 칠향동(七鄕洞)에 있는 온천. 수온은 58℃. 만성 관절염·신경통·고혈압·비만증 등에 효과가 있다고 함.
돌:-순【一筍】명〖광〗석순(石筍).
돌숫 명〈옛〉검댕. ¶ 돌숫 믹(煤)《字會 中 15》.
돌실-낳이[一라一] 명〔돌실은 석곡(石谷)의 옛 이름〕전라 남도 곡성군(谷城郡) 석곡면(石谷面)에서 나는 삼베. 「하다 자여불
돌:-싸움 명〖민〗돌팔매질로 다투는 편싸움. 석전(石戰). 준돌쌈. ——-
돌:-쌈 명 ↗돌싸움.
돌:-쌓기[一싸키] 명〖건〗돌을 쌓는 일.
돌아-가다 一 자 거라불 ①물체가 축을 중심으로 둥글게 움직이다. ¶ 바퀴가 천천히 ~. ②사물이 본디 자리로 다시 가다. ¶ 집으로 ~/동심으로 ~. ③가까운 길을 두고 먼 길로 가다. ¶ 감시를 피하여 먼 길로 ~. ④한쪽으로 뒤틀어지다. ¶ 중풍으로 입이 약간 ~. ⑤어떤 테두리 안을 왔다갔다 하다. ¶ 집안에서 분주히 ~. ⑥차례로 옮기어 가다. ¶ 돌아가며 노래를 부르다. ⑦차례가 되거나 차지가 되다. ¶ 승리는 상대방의 손에 ~/한 사람 앞에 100 원씩~. ⑧끝나다. 낙착되다. ¶ 일이 수포로 ~. ⑨일이나 세상 형편이 어떤 상태로 되어 가다. ¶ 세상 돌아가는 꼴. ⑩돈이나 물건 따위가 융통되거나 유통되다. ¶ 자금이 순조롭게 ~. ⑪기능이 제대로 움직이다. ¶ 공장이 잘 ~/머리가 잘 돌아가는 사람. ⑫'죽다'의 높임말. ¶ 그의 부친께서 돌아가셨다. 二 타 거라불 바로 가지 아니하고 구부러져 가다. ¶ 모퉁이를 ~.
돌아-내리다 자 ①마음이 있으면서 일부러 사양하다. 비싸다. ②연(鳶) 같은 것이 빙빙 돌면서 떨어지다.
돌아-눕다 자 ㅂ불 ①방향을 바꾸어 눕다. ②같이 누운 사람의 반대쪽으로 방향을 바꾸어 눕다. ¶ 화가 나서 돌아누워 잤다. 「¶ 독감이 ~.
돌아-다니다 자타 ①여기저기 쏘다니다. ¶ 전국을 ~. ②널리 유행하다.
돌아-들다 자 ①돌고 돌아서 다시 제자리로 들어오다. ②흐르는 물 같은 것이 굽이를 꺾어서 들어오다.
돌아-보다 타 ①뒤로 고개를 돌리어 보다. ②지난 일을 살피다. 반성하다. ¶ 어린 시절을 ~. ③순시(巡視)하다. ¶ 공장 안을 ~. ④돌보다. ¶ 버리고 돌아보지 아니하다.
[돌아 본 마을, 뀌어 본 방귀] 무엇이나 하기 시작하면 재미가 붙어 그만둘 수 없다는 말.
돌아-서다 자 ①뒤로 향하고 서다. ②남과 등지다. ¶ 싹 돌아서서 말도 안 한다. ③병이 조금 나아 가다. ¶ 병이 조금씩 ~.
돌아-악【突阿樂】명〖악〗신라 탈해왕(脫解王) 때에 지은 노래. 가사는 전하지 아니하고 제목만 《삼국 사기》 악지(樂志)에 전함.
돌아-앉다[一안따] 자 ①앉았던 방향을 바꾸어 반대쪽으로 앉다. ¶ 돌부처도 돌아앉는다. ②사물이 있는 반대 방향을 향하고 앉다. 준돌앉다.
돌아-오다 자 너라불 ①다시 오다. ¶ 싸움터에서 돌아오는 아들/나에게로 ~. ②차례가 닥쳐오다. ¶ 내 차례가 ~. ③곧장 아니 오고 돌아서 오다. ¶ 먼 길로 ~.
돌아-치다 자 몹시 바쁘게 이리저리 왔다갔다하다. ¶ 분주하게 ~.
돌악【突顎】명〖생〗원숭이 종류와 같이 상악골(上顎骨)과 하악골(下顎骨)이 안면(顔面)의 전방으로 돌출한 모양의 턱.
돌-앉다[一안따] 자 ↗돌아앉다.
돌:-알¹ 명 수정(水晶)으로 만든 안경 알.
돌:-알² 명 삶은 달걀. 숙란(熟卵). 팽란(烹卵).
돌앗 명〈옛〉도라지. =도랒. ¶ 돌앗(桔梗)《牛方 12》.
돌:-앵초【一櫻草】명〖식〗[*Primula saxatilis*] 앵초과에 속하는 다년초. 화경(花莖)의 높이 30cm 내외이고, 잎은 근생(根生)하며 장병(長柄)에 원형 또는 넓은 달걀꼴임. 5-6월에 담자색 꽃이 산형(繖形) 화서로 정생(頂生)하고, 과실은 삭과(蒴果)임. 산지의 바위 위에 나는데, 함남의 갑산(甲山)과 함북 지방에 분포함.
돌:-양지꽃【一陽地一】[一량一] 명〖식〗[*Potentilla dickinsii*] 장미과에 속하는 다년초. 뿌리는 비후(肥厚)하고 목질(木質)이며 줄기에는 긴 털이 있고, 화경(花莖)의 높이 10-20cm임. 잎은 대개 뿌리로부터 족생(簇生)하는데 삼출(三出) 또는 우상 복생(羽狀複生)하고, 소엽(小葉)은 거꿀달걀꼴 능형(稜形) 또는 거꿀달걀꼴에 톱니가 있음. 6-7월에 황색 꽃이 취산(聚繖) 화서로 줄기 끝에 정생(頂生) 또는 액생(腋生)하여 피고, 과실은 수과(瘦果)임. 산의 돌이나 바위 틈에 나는데, 거의 한국 각지 및 일본에 분포함.

〈돌양지꽃〉

돌여¹【突如】명부 돌연(突然). ——-하다 형여불
돌여² 타〈옛〉돌려. '돌이다'의 활용형. ¶ 흔숨곤 돌여 치라(一宿家輪着喂)《朴解 上 21》.
돌연¹ 명〖건〗문틀이나 미닫이 울거미의 둘레를 반듯하게 한 것.
돌연²【突然】一 명 갑작스러움. 돌여(突如). ¶ ~의 사고. 二 부 갑자기. 별안간. 뜻밖에. 돌여(突如). 돌연히. ¶ 달리던 차가 ~ 정지하다. ——-하다 형여불. ——-히 부
돌연³【突燃】명 강렬한 열과 빛을 내며 급속히 타오르는 일. 마그네슘 가루·테르밋(Thermit) 따위가 그러함.
돌:-연대【一蓮臺】명 돌로 만든 부처의 대좌(臺座). 석연대(石蓮臺).
돌:-연모 명 돌로 만든 연모. 석기(石器).
돌연-변이【突然變異】명〔mutation〕〖생〗유전자(遺傳子) 또는 염색체(染色體)의 변이로 말미암아 어버이의 계통에는 없던 새로운 형질(形質)이 돌연히 자손이 되는 생물체에 나타나, 그것이 유전하는 일. 자연히 일어나기도 하고 방사선(放射線) 등 물리적인 자극(刺戟)을 주어 인공적으로 일으킬 수도 있음. 우연 변이(偶然變異). 우현(偶現) 변이. 인자(因子) 돌연변이. *배수성 육종법(倍數性育種法).
돌연변이-설【突然變異說】명〖생〗생물의 진화(進化)를 설명하는 학설의 하나. 네덜란드의 식물학자 드 브리스(De Vries)가 처음 제창한 것으로 '돌연변이에 의하여 생긴 신적응 형질(新適應形質)만이 신종(新種)의 형성(形成)에 기여(寄與)하며, 따라서 생물의 진화는 연속적이 아니다'라고 하는 설. 생물 돌변설. 우연 변이설.
돌연변이 원성【突然變異原性】[一썽] 명〔mutagenuity〕〖생〗유전자의 일부에 이상(異常)을 일으키어, 유전적인 성질을 바꾸는 작용. 담배 연기 속에 이 돌연변이 원성을 갖는 물질이 많이 포함되어 있으며, 탄 고기나 물고기에도 있다고 함.
돌연변이 유기 물질【突然變異誘起物質】[一찔] 명〔mutagenic substance〕〖생〗돌연변이를 일으키게 하는 화학 물질(化學物質). 6,000종이나 있으며, 돌연변이를 일으키는 작용이나 유전의 양태(樣態) 등은 불명(不明)함. 변이 유기 물질(變異誘起物質).
돌연변이 유발원【突然變異誘發原】명〔mutagen〕〖생〗돌연변이를 자연 발생 때보다 고율(高率)로 일으키는 요인.
돌연변이 육종법【突然變異育種法】[一뻡] 명〖생〗방사선이나 어떤 화학 약품에 의하여 인위적으로 돌연변이를 일으키어 새로운 형질을 형성시키는 품종 개량법의 하나. *분리(分離) 육종법.
돌연변이-체【突然變異體】명〖생〗돌연변이 한 유전자(遺傳子)를 갖는 개체(個體) 또는 세포(細胞). 「정된 종(種).
돌연 변:종【突然變種】명〖생〗돌연변이에 의하여 새로이 발생하여 고
돌연-사【突然死】명〖의〗건강한 일상 생활을 보내던 사람이 어느 날 갑자기 원인 불명으로 급사하는 일. 40 대 이후의 남성에 많음.
돌온 타〈옛〉두른. '도ᄅ다'의 활용형. ¶ 푼 류청비단 청셧 돌온 훠의(柳綠紵絲抹口的靴子)《朴解 上 26》.
돌올【突兀】명 높이 솟아서 오뚝함. ——-하다 형여불
돌-옷¹ 명 돌날에 입는 옷.
돌:-옷² 명 ①돌 거죽의 축축한 부분에 난 이끼. ②〈방〉이끼¹(강원·제주).
돌-외 명〖식〗[*Gynostemma pentaphyllum*] 박과에 속하는 다년생 만초(蔓草). 줄기는 권수(卷鬚)로 다른 것에 감겨 올라가며, 잎은 호생하고 새 발 모양의 장상 복엽(掌狀複葉)인데, 소엽(小葉)은 5-7개로 막질(膜質)이며 달걀꼴 피침형임. 자웅 이가(雌雄二家)로, 8-9월에 황록색 꽃이 원추(圓錐) 화서로 액출(腋出)하고 장과(漿果)는 구형(球形)임. 산이나 들의 숲 속에 나는데, 제주도·울릉도 등지에 본포함.

〈돌외〉

돌:-우물 명 벽을 돌로 쌓아 올린 우물. 석정(石井).
돌이 명〈심마니〉해.
돌이-금【一金】명〖역〗☞ 도리금. 「21》.
돌이다 타〈옛〉돌리다⁴. ¶ 흔숨곤 돌여 치라(一宿家輪着喂)《朴解 上
돌이-마음 명〖불교〗사심(邪心)을 돌려, 바르고 착한 길로 들어서는 마음. 회심(回心).
돌-이변【突而弁】명 어떤 경우나 모양을 갑자기 바꿈을 이르는 말.
돌이-옥【一玉】명〖역〗☞ 도리옥.
돌이켜-보다 타 ①반성하여 생각하다. ¶ 자기 자신을 ~. ②지난 일을 다시금 생각하다. ¶ 돌이켜보면 행복했던 그 시절.
돌이키다 타 ①방향을 돌리다. ¶ 몸을 ~/고개를 ~. ②먹었던 마음을 고쳐 달리 생각하다. ¶ 마음을 돌이켜서 웃는 얼굴로 대하다. ③원상(原狀)으로 돌아가게 하다. ¶ 돌이킬 수 없는 실패.
돌이킴 대:이름씨【一代一】명〖언〗'재귀 대명사(再歸代名詞)'의 풀어 쓴 이름.
「~하다. ——-하다 자여불
돌입【突入】명 막 뛰어 듦. 갑자기 뛰어듦. ¶ 적진에 ~하다/대기권에
돌입 내:정【突入內庭】명 내정 돌입(內庭突入).
돌-잉어[一링一] 명〖어〗[*Hemibarbus barbus*] 잉어과에 속하는 민물고기. 잉어와 비슷하며 입가에 한 쌍의 수염이 있음. 위쪽은 암회색, 밑은 은백색임. 몸길이는 30cm 가량. 비늘은 둥글고 크며 등지느러미는 열 줄, 뒷지느러미와 배지느러미는 아홉 줄의 여린 줄기를 갖춤. 고기 맛은 잉어만 못함.

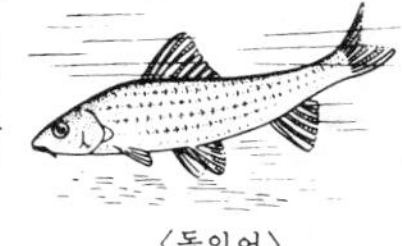
〈돌잉어〉

돌:-자갈[一짜一] 명 ☞ 자갈¹.
돌-잔치 명 돌날에 베푸는 잔치.
돌-잡이 명 돌잡히는 일. ——-하다 타여불
돌-잡히다 타 돌날에 여러 가지 음식과 물건을 상 위에 차려 놓고 돌장이에게 마음대로 잡게 하다.
돌:-장¹【一章】[一짱] 명〖악〗국악에서 되돌아 드는 악장(樂章). 반복되는 악장. 회장(回章).
돌장²【堗匠】명〖역〗조선 시대 때, 온돌(溫突)을 만들던 공장(工匠).
돌:-장이【一匠一】명 돌을 다루는 것을 업으로 삼는 사람. 석수(石手). 석공(石工).
돌:-재악 명〈방〉자갈¹.
돌-쟁이 명 첫돌이 되거나 그만한 시기의 아이.

돌전【突戰】[―쩐] 명 돌진하여 싸움. ――하다 자여불
돌:-절구 명 돌을 파서 만든 절구. 석구(石臼).
[돌절구도 밑 빠질 날이 있다] ㉠아무리 튼튼한 것도 오래 쓰면 결딴나는 날이 있다. ㉡명문 거족(名門巨族)이라고 영원히 몰락하지 않는 법은 없다. ¶ 돌절구도 밑 빠지고 마루 구멍에 별이 들거늘 이 놈이 매양 기승하랴≪古本 春香傳≫
돌제¹【突堤】[―쩨] 명〖토〗물결·토사를 막거나 하역(荷役)을 하기 위해 육지에서 강이나 바다로 길게 내밀어 둑같이 만든 시설.
돌제²【突梯】[―쩨] 명 거역하지 아니하고 순종하는 모양. 규각(圭角)이 없이 원만한 모양. ――하다 형여불
돌-제비 명〈심마니〉다람쥐.
돌:-조개 명〖조개〗[*Arca ocellata*] 돌조갯과에 속하는 조개. 패각(貝殼)의 길이 25 mm, 높이 16 mm, 폭 17 mm 내외이며, 각표(殼表)는 황갈색의 각피(殼皮)로 덮여 있음. 여러 가지 지방형이 있는데, 중국 대륙에서 한국·일본·인도·서태평양 등지에 걸쳐 널리 분포함.
돌:조갯-과【―科】명 [Arcidae] 부족류(斧足類) 사새목(絲鰓目)에 속하는 한 과. 돌조개·꼬막·새꼬막·피조개 등이 있음.
돌중개 명〈방〉〖어〗미꾸라지(함북).
돌:-중방【―中枋】명 골목에 들어오는 첫머리에 문지방처럼 가로질러 놓은 돌.
돌:-지내비 명〖충〗〈방〉하늘소.
돌-지치 명〖식〗[*Lappula hetracantha*] 지칫과에 속하는 다년초. 줄기 높이 30 cm 가량이고, 잎은 호생하며 무병(無柄)에 피침형임. 6월에 벽자색 꽃이 총상(總狀) 화서로 가지 끝에 정생(頂生)하여 피고, 골돌과(蓇葖果)는 가장자리가 거칠거칠하며 갈고리 모양의 털이 났음. 산이나 들에 나는데, 황해·평북·함북 지방에 분포함.
돌진【突進】[―찐] 명 거침없이 곧장 나아감. ――하다 자여불
돌:-질 명 ↗돌멩이질. ――하다 자여불
돌:-집 [―찝] 명 돌로 지은 집.
돌:짜구 명〈방〉돌쩌귀¹(충남·경상).
돌짜귀 명〈방〉돌쩌귀¹(경북).
돌-짜리 명 '돌쟁이'를 홀하게 이르는 말.
돌:짝 명〈방〉돌쩌귀¹(경상).
돌:짝-밭 명〈방〉자갈밭.
돌:-짬 명 갈라진 돌의 틈.
돌:쩌구 명〈방〉돌쩌귀¹(전남·경북).
돌:쩌귀¹ 명 문짝을 여닫게 하기 위하여, 암짝은 문설주에, 수짝은 문짝에 박아 맞추어 꽂게 된, 쇠붙이로 만든 두 개의 물건. *문지도리.

〈돌쩌귀¹〉

[돌쩌귀에 녹이 슬지 않는다] ㉠쉬지 않고 부지런히 하면 탈이 안 생긴다. ㉡항상 사용하는 물건은 썩지 않는다.
돌:쩌귀² 명 연의 전면(全面)을 네 개의 직사각형으로 나누어, 서로 다른 빛깔의 종이로 귀걸어 붙여 만든 연(鳶).
돌:쩌귀-격지 명〖고고학〗몸돌 겉면에서 약 120°의 각도로 때려 떨어져 나간, 끝이 휜 돌조각.
돌쩌기 명〈방〉돌쩌귀¹(충남).
돌:쩍 명〈방〉돌쩌귀¹(강원·경북).
돌쩨기 명〈방〉돌쩌귀¹(전남).
돌:쪼구 명〈방〉돌쩌귀¹(경기·강원·충청·전라·경남).
돌:쪼기 명〈방〉돌쩌귀¹(전남·경기·충남).
돌:-쪼시 명〈방〉석수(石手).
돌:쪽 명〈방〉돌쩌귀¹(충북·전남·경상).
돌쭈기 명〈방〉돌쩌귀¹(경기·경남).
돌쭉 명〈방〉돌쩌귀¹(전북·경상).
돌찌개 명〈방〉돌쩌귀¹(경남).
돌찌기 명〈방〉돌쩌귀¹(경남).
돌차【咄嗟】명 ①혀를 차며 애달프게 여김. ②꾸짖음. ――하다 자여불
돌차-간【咄嗟間】명 눈 깜짝할 사이. 순식간.
돌:-차기 명 땅바닥에 여러 형태의 선을 그어 놓고 차례에 따라 앙감질로 돌을 차면서 나가는 계집아이들 놀이의 하나.
돌:-창¹ 명 ①↗도랑창. ②〈방〉도랑¹(경기).
돌창²【突槍】명 ①찌르게 된 뾰족한 창. ②창으로 찌름. ――하다 타여불
돌창-새 명〈방〉〖조〗굴뚝새.
돌처귀 명〈방〉돌쩌귀¹(제주).
돌철귀 명〈방〉돌쩌귀¹(제주).
돌체 [이 dolce] 명〖악〗'우미(優美)하게'·'부드럽게'의 뜻.
돌쳐-서다 자〈방〉돌아서다. ¶ 아사녀가 또 돌쳐서며 개를 쫓는 소리는 목이 메이었다≪玄鎭健 : 無影塔≫.
돌:-촉【―鏃】명 석촉(石鏃).
돌출【突出】명 ①갑자기 쑥 나옴. 툭 튀어 나옴. ②쑥 내밀어 있음. ¶ 거리에 ~한 간판. ③언행(言行)이나 착상(着想)이 남의 의표(意表)를 찌름. ¶ ~ 행위. ――하다 자여불
돌출-극【突出極】명 [salient pole]〖전자〗발전기·전동기 또는 그와 유사한 기기(機器)에 자계 코일(磁界 coil)을 붙이도록 된 자성체(磁性體)의 구조물.
돌출-부【突出部】명 돌출된 부분.
돌:-춤 명〖민〗탈춤놀이에서, 한 사람을 가운데 두고 그 둘레를 돌며 추는 춤.
돌:-층계【―層階】명 돌로 쌓아 만든 층계.
돌:-층대【―層臺】명 돌층계.
돌치¹ 명〈방〉도끼(전북).
돌-치² 명〈방〉돌계집.
돌치다¹ 타〈방〉돌리다³❶.
돌치다² 자 ☞ 되돌다. ¶ 돌쳐 나가다.
돌치시모 [이 dolcissimo] 명〖악〗'가장 부드럽게'의 뜻.

돌:-칼 명 석기 시대의 유물(遺物)인, 돌로 만든 칼. 석도(石刀).
돌캉 명〈방〉도랑¹(경상).
돌캐 명〈방〉도리깨(충북).
돌-콩 명〖식〗[*Glycine soja*] 콩과에 속(屬)하는 일년생 만초(蔓草). 줄기는 가늘며 다른 것에 감겨 올라가고, 잎은 호생하는데 삼출 복엽(複葉)이며, 소엽(小葉)은 달걀꼴의 긴 타원형 또는 피침형임. 7-8월에 홍자색 꽃이 총상(總狀) 화서로 액출(腋出)하여 피고, 협과(莢果)는 갈색 털이 밀생함. 들에 나는데, 거의 한국 각지에 분포함.

〈돌콩〉

돌탄【咄嘆】명 혀를 차며 탄식함. ――하다 자타여불
돌탄 막급【咄嘆莫及】명 한없이 탄식하여 마지아니함.
돌:-탑【―塔】명 돌로 쌓은 탑. 석탑(石塔).
돌:-태 명〖농〗제주도에서, 흙덩이를 고르거나 씨앗이 바람에 날리지 않게 땅을 다지는 데 쓰는 농기구의 하나. 길이 70 cm 내외의 둥그스름한 돌덩이에 구멍을 뚫거나 쇠고리를 달아 끈을 매어 씀.
돌턴 [Dalton, John] 명〖사람〗영국의 화학자. 혼합 기체의 물리적 성질을 연구한 결과 '돌턴의 법칙'을 발견하고, 1803년에는 근대 원자론의 개념에 도달, 배수 비례(倍數比例)의 법칙을 수립함. 1808년 그의 원자론을 체계화한 ≪화학 철학의 신체계≫를 발표하여 이론적 기초를 확립함. [1766-1844]
돌턴의 법칙【―法則】[―/―에―] 명 [law of Dalton]〖물〗혼합 기체에 관하여, 1802년 돌턴이 세운 법칙. 즉 '여러 개의 기체의 혼합물의 압력은 그 성분인 각 기체가 그 혼합 기체와 같은 온도, 같은 부피에 있어서 나타내는 압력의 합(合)과 같다'는 법칙. 돌턴 정률(定律).
돌턴 정:률【―定律】[Dalton] [―뉼] 명〖물〗돌턴의 법칙.
돌턴 플랜 [Dalton plan] 명〖교〗1919년 미국의 교육가 파커스트(Parkhurst, Helen) 여사가 매사추세츠 주(州) 돌턴 시(Dalton 市)의 고등 학교에서 처음으로 시도한 교육 방안. 개성에 중점을 두어 협동을 기초로 하고, 실험(實驗)과 작업(作業)에 의해서 창조 능력(創造能力)을 육성하는데 목적을 둠.
돌통디 명〈옛〉흙이나 나무로 만든 담뱃대. ¶ 돌통디 기ᄉᆞ미 퓌여물고≪永言≫.
돌:-퇴【―退】명〖건〗건물의 둘레에 쭉 붙이어 지은 퇴간(退間).
돌파【突破】명 ①무찔러 깨뜨림. 뚫어 깨뜨림. 특히 전투 행위(戰鬪行爲)에서 적의 부대나 함대를 정면으로 공격해서 분단(分斷)함. ¶ 난관을 ~하다/적진 ~. ②어떤 기준에 도달하여 그것을 넘음. ¶ 관객이 10만 명 선을 ~하다. ――하다 타여불
돌파-구【突破口】명 ①견고한 진지(陣地) 등의 한쪽을 돌파하여 만든 공격로. ②곤란한 문제 따위를 해결하는 실마리. ¶ 경기 침체(景氣沈滯)의 ~로서.
돌:팍 명〈방〉돌멩이(충남·경북).
돌:팍-망둑 명〖어〗[*Pseudoblennius percoides*] 둑중갯과에 속하는 바닷물고기. 몸길이 15 cm 내외로 몸빛은 등 쪽이 청적색을 띤 갈색이고, 배 쪽은 청색을 띤 백색인데, 체측 중앙에 상당한 크기의 갈색 줄이 있으나 무늬는 없음.
돌:-팔매 명 무엇을 맞히려고 멀리 던지는 돌멩이. ¶ ~로 새를 잡다.
돌:-팔매-질 명 돌멩이를 멀리 던지는 짓. ――하다 자여불
돌:-팔이 명 [←돈팔이❷] 떠돌아다니며 점을 치거나, 기술 또는 물건을 팔아 가며 사는 사람.
돌:팔이 글방【―房】[―빵] 명 어린아이들을 모아 놓고 글을 가르치는 변변하지 못한 글방.
돌:팔이 무:당 명 돌아다니면서 굿을 하여 주고 살아가는 변변하지 못한 무당.
돌:팔이 선생【―先生】명 ①돌팔이 글방의 선생. ②엉터리 선생.
돌:팔이 의사【―醫師】명 돌팔이 의원.
돌:팔이 의원【―醫員】명 버젓한 의술(醫術)도 없이 돌아다니며 얼렁뚱땅 병을 고치는 의원. 돌팔이 의사. 졸의(拙醫).
돌:팔이 장:님 명 떠돌아다니며 점을 치며 살아가는 장님.
돌-팡구 명〈방〉바위.
돌-팥 명 알이 작고 단단하며 품질이 낮은 야생의 팥.
돌푸스 [Dollfuss, Engelbert] 명〖사람〗오스트리아의 정치가. 1932년 수상 겸 외상이 되어 오스트리아 병합을 획책하는 독일에 대항하였음. 1933년 쿠데타로 독재권을 장악하였으나, 1934년 나치에 의하여 암살됨. [1892-1934]
돌풍【突風】명 갑자기 거세게 일어나는 바람. 갑자기 세게 불다가 갑자기 잠잠해지는 바람. 비유적으로도 씀. ¶ 개혁의 ~.
돌풍 경도 거:리【突風傾度距離】명 [gust-gradient distance]〖항공〗돌풍이 일기 시작한 점(點)으로부터 돌풍의 풍속(風速)이 최대(最大)로 된 점까지를, 항공기의 비행 경로(飛行經路)를 따라서 잰 수평거리(水平距離).
돌풍 하중【突風荷重】명 [gust load] 돌풍 때에 안테나에 가해지는 풍압(風壓).
돌-피 명〖식〗[*Echinochloa crus-galli*] 볏과에 속하는 일년초. 피와 비슷하나 좀 작음. 줄기는 납작하고 직립하여 길이 30-90 cm이고 뿌리는 잔뿌리가 많으며, 잎은 길이 25 cm의 넓은 선형(線形)이고 잔톱니가 남. 여름에 꽃은 원추(圓錐) 화서로 피고, 열매는 달걀꼴로 길이 3 mm 가량임. 논이나 물가에 나는데, 한국 각지에 분포함. 가축의 사료(飼料)로 씀. 제미(稊米). *피².

〈돌피〉

돌핀〔dolphin〕명 ①〖동〗 돌고래❷. ②〖토〗 선박(船舶)을 잡아 매기 위하여 부두(埠頭)에 박은 쇠나 콘크리트의 말뚝.

돌핀 킥〔dolphin kick〕명 수영에서, 접영법(蝶泳法)에 사용하는 다리 동작의 하나. 크롤(crawl)과 같이, 발을 아래위로 동시에 물을 치는 수영 방법.

돌핀 테크닉〔dolphin technic〕명 스키에서, 회전 기술의 하나. 질주(疾走) 중 옆으로 미끄러져 일단 멈춘 그 반동으로 회전하는 방법.

돌:-하르방 명〖민〗 제주도 도민들이 안녕과 질서를 수호하여 준다고 믿는 수호 석신(守護石神). 우석목(偶石木).

〈돌하르방〉

돌-학 명〈방〉 돌확(경기).

돌:-함【一函】명 돌로 만든 함. 석실(石室). 석함(石函).

돌:-합【一盒】명 돌로 만든 합(盒).

돌해〈옛〉 돌에. ¶언 서믄 ᄆᆞᄂᆞᆫ 돌해 브텟고(凍泉依細石)《杜諺 IX:25》.

돌-확 명〈방〉 돌확(제주).

돌:-화덕【一火一】명 돌로 만든 화덕.

돌:-확 명 ①돌로 만든 조그만 절구. ②돌을 우묵하게 파서 절구 모양으로 만든 물건.

돌-황 명〈방〉 돌확(경기).

돌흔〈옛〉 돌은. ¶ᄀᆞᄅᆞ미 흘로ᄃᆡ 돌흔 옮디 아니ᄒᆞ얫ᄂᆞ니(江流石不轉)《重杜諺 V:54》.

돌히〈옛〉 돌이. '돌²'의 주격형(主格形). ¶禹ㅅ功애 그츤 돌히 하더니(禹功饒斷石)《杜諺 Ⅶ:11》.

돌ᄒᆞ로〈옛〉 돌로. ¶한 사ᄅᆞ미 막다히며 디새며 돌ᄒᆞ로 텨든《月釋 XVII:85》.

돌홀〈옛〉 돌을. ¶디새와 돌ᄒᆞᆯ ᄃᆞ토아 자바(競執瓦石)《永嘉 下 80》.

돐[돌] 명 ☞ 돌¹❸❹.

돐-날[돌랄] 명 ☞ 돌날.

돐비늘 명〈옛〉 돌비늘. ¶雲母는 돐비느리니《月釋 Ⅱ:35》.

돐쌜 명〈옛〉 돌부리. ¶돐ᄡᅳ리 다 北올 向ᄒᆞ얏도다(石角皆北向)《重杜諺 I:35》.

돔:¹ 명〖어〗 ↗도미.

돔:²〔dome〕명 ①반구형(半球形)으로 된 지붕 또는 천장. 원개(圓蓋). ②위가 반구형으로 된 산봉우리.

돔:구장【一球場】〔dome〕명 전체를 둥근 지붕으로 덮은 구장. 전천후 구장(全天候球場).

돔라〔러 domra〕명〖악〗 러시아의 민속 악기. 만돌린과 비슷하며 자루가 길고, 세 줄의 금속현(金屬絃)을 가짐.

돔:리스 망:원경【一望遠鏡】명〔domeless telescope〕〖천〗 망원경을 보호하기 위한 둥근 지붕이 없이, 경통부(鏡筒部)가 노출된 망원경. 미국의 새크러멘트 천문대의 것이 최초의 것임.

돔-바르다 형르불 ①매우 인색하다. ②조금도 인정이 없다.

돔바리 명〈방〉〖어〗 돔발상어.

돔발-상어 명〖어〗[*Squalus mitsukurii*] 곱상어과에 속하는 바닷물고기. 몸길이 1m 가량인데 주둥이가 길고 뾰족하며, 두 등지느러미 앞에 뿔모양의 크고 날카로운 가시가 하나씩 있음. 몸에는 흰 빛이 없고, 가슴지느러미가 김. 태생어로 한국 서남부에 흔하며 남일본·동남중국해 등에 분포함.

돔방애 명〈방〉 동옷.

돔방-중우 명〈방〉 잠방이(경남).

돔배 명〈방〉 도마¹(제주).

돔배-섬 명〖지〗 전라 남도의 서해상, 영광군(靈光郡) 백수읍(白岫邑) 대전리(大田里)에 위치한 섬. 육지와는 300m의 간석지로 연결되었고 썰물 때는 걸어서 읍까지 갈 수 있음. 도음소도(道音所島)라고도 함. [$0.11km^2$]

돔부 명〈방〉〖식〗 광저기(전역).

돔부창 부〈방〉 도무지.

돔:코:르〔도 Domchor〕명 대성당(大聖堂) 부속의 합창대.

돕 명〈옛〉 톱. ¶손돕 조(爪)《字會 上 26》.

돕:다 타ㅂ불 ①힘을 보태다. 조력하다. 협력하다. ¶과장을 ~/서로 도우며 살다. ②위험을 벗어나게 하다. 위난에서 구하다. ¶물에 빠진 사람을 ~. ③이끌어 잘못됨이 없도록 하다. 후견(後見)하다. ¶길 잃은 나를 도와 주시오. ④금전이나 물품을 주어 구제하다. ¶수재민을 ~. ⑤어떤 상태를 촉진·증진시키다. ¶이 약은 소화를 돕는다.

돕배 명〈방〉 도마(제주).

돕지 명 갑옷·마고자 등의 섶. 앞을 여미지 아니하고 두 쪽이 나란히 맞닿음. 개금(開襟).

돕다 타〈옛〉 돕다. ¶하ᄂᆞᆯ히 도ᄫᆞ실ᄊᆡ(天之佑矣)《龍歌 34章》.

돗¹ 명〈방〉 덫(경기·충청·전라).

돗² 명〈옛〉 돗자리. 자리. ¶돗연 筵《字會 中 11》.

-돗- 보간〈옛〉 과거나 감탄을 나타내는 보조 어간. -ㅆ-. -았-. -었-. -엿-. ¶山巖ㅅ 가온ᄃᆡ 景趣ᄅᆞᆯ ᄆᆞ장 議論ᄒᆞ돗더라(盛論巖中趣)《重杜諺 IX:13》/春風玉笛聲의 첫 ᄌᆞᆷ을 ᄭᆡ돗던디《松江 關東別曲》.

돗-가락 명 윷놀이에서, 윷을 던지기 전에 손에서 잘못 떨어져 '도'가 날 징조의 윷가락.

돗가비 명〈옛〉 도깨비. ¶魍魎은 돗가비니《月釋 XXI:105》.

돗갑다 형〈옛〉 도탑다. ¶양지 돗갑고 ᄠᅳ디 멀오 ᄆᆞᆰ고 眞實ᄒᆞ니(態濃意遠淑且眞)《杜諺 XI:17》.

돗고마리 명〈옛〉 도꼬마리. =돗ᄭᅩ말이. ¶돗고마리 시(葈)《字會 上 8》.

돗굉이 명〈방〉 회오리바람.

돗굽 장난 명〈방〉 소꿉질(황해).

돗귀 명〈옛〉 도끼. =돗긔. ¶一千 돗귀와 一萬 돗귀로 漸漸 버혀디면(千斧萬斧漸斫)《圓覺 上 一之一 112》.

돗그로〈옛〉 돗자리로. '돗³'의 조격형(造格形). ¶돗그로 ᄆᆡᆼᄀᆞ론 門을 避ᄒᆞᆯ가 젼노라(恐避席爲門)《初杜諺 XXI:6》.

돗글¹〈옛〉 돗자리를. =돗ᄀᆞᆯ. ¶돗글 피ᄒᆞ야(避席)《孝經 1》.

돗글²〈옛〉 돛을. ¶ᄇᆞᄅᆞᆷ이 급피 니러나니 위싱이 ᄇᆞᄅᆞᆷ을 타 돗글 ᄃᆞᆯ고 밧비 나가거ᄂᆞᆯ《太平廣記 I:3》.

돗긔¹ 명〈옛〉 도끼. =도치·돗귀. ¶돗긔ᄅᆞᆯ 메고 범의 자최ᄅᆞᆯ ᄯᆞ오니(荷斧跡虎)《五倫 I:60》.

돗긔²〈옛〉 돗자리에. =돗기. '돗³'의 처격형(處格形). ¶춤 츠ᄂᆞᆫ 돗긔 디놋다(落舞筵)《初杜諺 XV:33》.

돗ᄀᆞᆫ〈옛〉 돗자리는. '돗³'의 절대격형. ¶ᄀᆞᄂᆞᆫ 돗ᄀᆞᆫ 小乘의 여러 가짓 定 안존 쉬ᄂᆞᆫ 法을 가ᄌᆞᆯ비니(薦席譬小乘 諸定姑息之法)《妙蓮 Ⅱ:243》.

돗ᄀᆞᆯ〈옛〉 돗자리를. '돗³'의 목적격형. =돗글¹. ¶餘殘수레 돗ᄀᆞᆯ 다시 옮겨 ᄀᆞᄅᆞ셔 먹노라(殘樽席更移)《杜諺 Ⅶ:21》.

돗기〈옛〉 돗자리에. '돗³'의 처격형. =돗긔². ¶벼개와 돗기 몬저 오ᄂᆞ다(先枕席)《杜諺 XII:13》.

돗껭이 명〈방〉 회오리바람(제주).

돗-나물 명〖식〗〈방〉 돌나물.

돗-날 명〈방〉 돼지날.

돗대-치기 명〖민〗 농악 놀이에서, 상모 위에 달린 부포를 세우고 달려드는 동작.

-돗더라 어미〈옛〉 -았더라. -였더라. ¶山巖ㅅ 가온ᄃᆡ 景趣ᄅᆞᆯ ᄆᆞ장 議論ᄒᆞ돗더라(盛論巖中趣)《杜諺 IX:13》. *-돗-

-돗던가 어미〈옛〉 -았던가. -었던가. ¶어제 오던 눈이 沙堤에도 오돗던가《古時調》.

-돗던고 어미〈옛〉 -았던고. -었던고. ¶겨지븨 샹녯 이리어니 엇뎨 울이돗던고 ᄒᆞ더라(婦人之常 何異而戱之書)《三綱 烈女》. *-돗-.

-돗던디 어미〈옛〉 -었던지. 였던지. =-돗썬디. ¶春風 玉笛聲의 첫 ᄌᆞᆷ을 ᄭᆡ돗던디《松江 關東別曲》. *-돗-.

돗데기-시장【一市場】명 ☞ 도떼기시장.

돗-돔 명〖어〗[*Stereolepis ischinagi*] 농어과에 속하는 바닷물고기. 몸길이 2m 남짓한 큰 물고기로 몸은 타원형이고 입이 큼. 몸에는 작고 둥근 비늘이 있고, 몸빛은 갈색 바탕에 배 쪽이 희며, 유어(幼魚)는 체측에 4-6줄의 농흑갈색 세로띠가 있음. 400-500m 깊이의 심해의 암초부에 서식하는데 5-6월의 산란기에는 얕은 곳으로 옮김. 여름철에 맛이 좋으며, 부레로 갖풀, 간장에서 비타민 A의 원유(原油), 췌장에서 인슐린을 채취하는 등 이용 가치가 큼. 부산 이북의 동해 및 일본 중부 이북에 분포함.

〈돗돔〉

돗-바늘 명 돗자리 같은 것을 꿰매는 데에 쓰는 썩 크고 굵은 바늘.

돗바ᄂᆞᆯ 명〈옛〉 돗바늘. ¶돗바ᄂᆞᆯ 피(鈹)《字會 中 15》.

돗-밭 명 윷판의 맨 첫 밭. '도'가 나서 말을 쓰는 자리.

돗베기 명〈방〉 돗바늘.

돗보젓 명〈방〉 돗자리.

돗ᄭᅩ말이 명〈옛〉 도꼬마리. =돗고마리. ¶돗ᄭᅩ말이(卷耳)《詩諺 物名 1》.

-돗썬디 어미〈옛〉 -었던지. -였던지. =-돗던디. ¶이리야 교ᄐᆡ야 어ᄌᆞ러이 ᄒᆞ돗썬디《松江 續美人曲》.

돗-자리 명 왕골이나 골풀의 줄기를 잘게 쪼개서 친 자리. 골풀자리. 석자(席子). ㊈돗.

돗짚-요[一뇨] 명 다다미.

돗-총이 명 털빛이 검푸른 신기한 말.

돗치 명〈방〉 덫(전남).

돗토리〔鳥取:とっとり〕명〖지〗 일본 돗토리 현(鳥取縣) 동북부의 시로 현청 소재지. 소비 도시적인 성격이 강하나, 근년에 공업 단지가 조성되어 제재(製材)·목공 가구(木工家具)·제지업(製紙業) 등 상공업 도시로 발전하고 있음. [142,000 명(1990)]

돗토리 현【一縣】〔鳥取:とっとり〕명〖지〗 일본 주고쿠(中国) 지방 동북부의 현. 4시 6군. 배(전국 수위)·생사(生絲)·종이·바다참게 등을 산출하며, 육우(肉牛)·유우(乳牛)·돼지의 사육이 성함. 현청 소재지는 돗토리 시(鳥取市). [$3,498 km^2$: 615,258 명(1991)]

돗-틀 명 돗자리를 짜는 틀.

돗ㄱ 명〈옛〉 돗자리. 자리. ¶筵은 돗기라《楞嚴 I:29》.

동¹ ㊀명 윷놀이에서 말이 첫 밭으로부터 끝 밭을 거치어 나가는 차례. ¶두 ~ 나다. ㊁의명 묶어서 한 덩이로 만든 묶음. 또, 그 단위. 먹은 열 장, 붓은 열 자루, 무명·베·명주 따위는 50필, 백지는 100권, 조기·비웃 따위는 2,000마리, 생강은 열 접, 건시는 100접, 땅은 100뭇을 각각 일컬음.

동² 명 ①사물과 사물을 잇는 마디. 또, 사물의 조리(條理). ¶~떨어지다/~이 닿지 않는 말. ②언제서 언제까지의 동안. ¶~대다/~뜨다. ③저고리의 소매가 되는 부분의 조각. ¶색~ 저고리. ④사물의 끝장. 「정도.

동³ 명 상치에서 나오는 줄기. *장다리·종¹.

동⁴ 명〖광〗 ①첫줄에 섞분 함량이 대체로 적은 부분. ②뚫는 돌의 굳은

동⁵【仝】명 성(姓)의 하나. 우리 나라에는 현존(現存)하지 아니함.

동⁶【東】명 동쪽. ↔서(西).

[동에 번쩍 서에 번쩍] 정처가 없고 종적을 걷잡을 수 없을 만큼 이 곳 저 곳에 출몰(出沒)함을 이르는 말.

동⁷【東】명 성(姓)의 하나. 우리 나라에는 현존(現存)하지 아니함.

동⁸【垌】명 못에 쌓은 큰 둑. 동(垌)둑.

동:[9]【洞】 명 ①골[13]. ②지방 행정 구역의 하나. 시·읍·구(區)의 밑에 둠. ¶ 남산(南山)~/통의~. ③동사무소. *동네.
동[10]【胴】 명 ①격검(擊劍)할 때 가슴을 가리는 물건. ②몸. 동부(胴部).
동:[11]【動】 명 움직임. 변함. ¶ 정중(靜中) ~. ↔정(靜). ——-하다 자 여불 ①움직이다. ②느끼다. ¶ 구미가 ~. ③도지다. ¶ 해수병이 ~.
동[12]【棟】 ⊟ 명 ①〖건〗 종마루·추녀마루 등 지붕 위에 있는 마루. ②집의 덩이. *채. ⊟ 의명 집채의 수효를 세는 말. ¶ 8 ~.
동[13]【童】 명 족보(族譜)에서, 아직 결혼하지 아니한 남자를 가리키는 말. ↔관[4](冠).
동[14]【童】 명 성(姓)의 하나. 우리 나라에는 현존(現存)하지 아니함.
동:[15]【董】 명 성(姓)의 하나. 현재 우리 나라에는 본관이 광천(廣川) 하나뿐임.
동[16]【銅】 명 〖광〗 구리[1].
동[17]【同】 관 명사 위에 붙어서 '같은'의 뜻을 나타내는 말. ¶ 나폴레옹과 맬서스(Malthus)는 ~시대의 인물이다.
동[18] 부 북·거문고 등에서 나는 소리. <둥[5].
동가[1]【同家】 명 ①같은 집안. ②같은 집. ③그 집. 그 가정.
동가[2]【同價】 [—까] 명 같은 값. 동치(同値). 같은 가격. ¶ ~ 원소.
동가[3]【東家】 명 ①동쪽에 있는 이웃. ②머물러 있는 집의 주인.
동:가[4]【動駕】 명 임금이 탄 수레가 대궐 밖으로 나감. *거둥. ——-하다 자 여불
동:가[5]【童歌】 명 동요(童謠).
동가-강【佟佳江·佟家江】 명 〖지〗 퉁자 강.
동가-구【東家丘】 명 〔'구(丘)'는 공자의 이름인데, 어떤 어리석은 이웃 사람이 공자가 성인(聖人)인 줄 모르고 그저 동쪽 집에 사는 사람이란 뜻으로 동가구라고 불렀다는 고사(古事)에서 온 말〕 공자(孔子)의 일컬음.
동가리 명 〈방〉 동강.
동가리-톱 명 나무를 가로로만 자르는 톱. ㈜동톱. ↔내릴톱.
동가-선【東歌選】 명 〖책〗 시조 235 수를 모은 책. 작자(作者)를 아는 것과 모르는 것을 갈라 따로 실었는데, 끝에는 잡가(雜歌)라 하여 정철(鄭澈)의 '장진주사(將進酒辭)' 외에 두 수의 시조를 실어 놓았음. 연대와 편자는 미상(未詳). 편자를 순조 때의 백경현(白景炫)이라고 추정하는 설이 있음.
동-가슴 명 〈방〉 앙가슴.
동가식 서가숙【東家食西家宿】 명 〔옛날 중국의 어떤 계집이 재물이 많고 음식이 훌륭한 동쪽 집에서 먹고, 아름다운 사내가 있는 서쪽 집에서 잠을 자기를 원하였다는 이야기에서 나온 말〕 먹을 곳, 갈 곳이 없어 떠도는 일. ——-하다 자 여불
동가 홍상【同價紅裳】 [—까—] 명 '같은 값이면 다홍치마'라는 말과 같은 뜻.
동:각-류【洞角類】 [—뉴] 명 〖동〗 통각류(洞角類).
동간【胴間】 명 〖생〗 동부(胴部)의 길이.
동갈【恫喝】 명 을러대어 위협함. ——-하다 타 여불
동갈돔-과【—科】 [—꽈] 명 〖어〗 [Apogonidae] 농어목에 속하는 어류의 한 과. 먹얼게비늘·줄도화돔·세줄얼게비늘 등이 이에 속함.
동갈-메기 명 〖어〗 [*Sirembo imberbis*] 양메깃과에 속하는 바닷물고기. 몸은 길이 23 cm 내외로 메기와 비슷하나 머리에 비늘이 있고, 몸빛은 회색 바탕에 청색을 띠고 아래쪽은 은백색임. 몸 상부에 갈색 반점이 있고, 등지느러미·뒷지느러미 및 꼬리지느러미의 연변에 따라 폭이 넓은 갈색 가로 띠가 있으며, 몸은 잔 비늘로 덮였음. 한국 동남 연해 및 일본 동경 이남의 연해 또는 비교적 깊은 바다에 분포함.
동갈-민어【—民魚】 명 〖어〗 [*Nibea mitsukurii*] 민어과에 속하는 바닷물고기. 몸은 길이 60 cm 내외로 측편하며 주둥이는 둔하고 몸빛은 등 쪽이 담회청색이고 배 쪽은 담색임. 한국 서남부해 및 제주도·일본 남부 연해에 분포함.
〈동갈민어〉
동갈-방어【—魴魚】 명 〖어〗 [*Naucrates indicus*] 전갱잇과에 속(屬)하는 바닷물고기. 방어와 비슷하나 체측에 여섯 줄의 회흑색 가로띠가 있음. 한국 남부 연해와 제주도에 흔하고, 일본 중부 이남에 분포함.
동갈-삼치 명 〖어〗 [*Cybium commersoni*] 동갈삼칫과에 속(屬)하는 바닷물고기. 몸은 가늘고 긴 방추형인데 전신에 잔 비늘이 있음. 살이 희데 지방(脂肪)이 많아 삼치보다 맛이 좋음. 한국 서남부·제주도·일본 중부 이남·인도양·태평양 등에 분포함.
동갈삼칫-과【—科】 명 〖어〗 [Cybiidae] 농어목에 속하는 어류의 한 과. 삼치·동갈삼치·꼬치삼치·재방어 등이 이에 속함.
동갈-양태 [—량—] 명 〖어〗 [*Callionymus valneciennesi*] 동갈양탯과에 속하는 바닷물고기. 몸 길이 25 cm 가량이고, 머리는 측편하며 입은 작음. 몸빛은 등 쪽이 청갈색이고 배 쪽은 흰데, 많은 불규칙한 파상(波狀)의 담흑색 가로띠가 산재하며 식용함. 한국 남부·중국·일본 중부 이남에 분포함.
〈동갈양태〉
동갈양탯-과【—科】 [—량—] 명 〖어〗 [Callionymidae] 농어목에 속하는 어류의 한 과. 이 과에 속하는 것으로 꽁치·양태·찰양태·돗양태·동갈양태·도화양태·민양태 등이 있음.
동갈-자돔【—紫—】 명 〖어〗 [*Abudefduf notatus*] 점자돔과에 속하는 바닷물고기. 몸은 길이 10 cm 내외이며 빛은 자흑색이고 꼬리지느러미는 선황색, 가슴지느러미 기저의 상반부에는 하나의 자줏빛 점이 있음. 연안성 어종으로 50 m 미만의 얕은 곳에 서식하는데, 한국 남부와 일본 중부 이남 및 필리핀 등에 분포함.
동-갈치 명 〖어〗 [*Ablennes anastomella*] 동갈칫과에 속하는 바닷물고기. 몸은 길이 50-100 cm 로 꽁치와 비슷하나 동부(胴部)가 대부분이고 주둥이가 김. 몸빛은 등 쪽이 진한 녹청색, 체측 및 배 쪽은 은백색이고 뼈 빛깔은 청록색임. 산란기는 5월경이며, 식용함. 한국 서남부 연해 및 일본에 분포함.

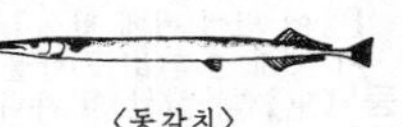
〈동갈치〉

동갈-횟대 명 〖어〗 [*Hemilepidotus gilberti*] 둑중갯과에 속하는 바닷물고기. 몸은 길이 30 cm 내외로 체측에 비늘 모양의 골판(骨板)으로 형성된 두 개의 폭 넓은 세로띠가 있음. 몸빛은 담갈색으로 약 여섯 줄의 불규칙한 흑갈색 가로띠가 있음. 수컷의 돌출한 배지느러미는 골질의 혹 모양의 돌기로 덮여 있음. 한국 동해 북부·베링 해·캄차카·오호츠크 해·일본 북부에 분포함.
동감【同感】 명 같은 느낌. 남과 같게 느낌. ¶ 너의 의견에 나도 ~이다. ——-하다 자 여불
동:감【動感】 명 움직이는 듯함. 또, 움직이는 듯한 느낌. ¶ ~이 넘치는 그림.
동감펭-볼락 명 〖어〗 [*Sebastes thompsoni*] 양볼락과에 속하는 바닷물고기. 몸은 길이 30 cm 내외로 도화볼락과 비슷하나 빛깔이 그보다 더 짙게 붉고 눈도 황금색임. 한국 동남해 및 일본에 분포함. 특히, 부산 근해에 많음.
동갑【同甲】 명 같은 나이. 나이가 같은 사람. 동경(同庚). 갑장(甲長). ¶ 나와 ~이다.
동갑-계【同甲契】 명 나이가 같은 사람끼리 주로 친목을 도모하기 위하여 맺는 계. 동경계(同庚契). ㈜갑계(甲契).
동갑-류【胴甲類】 [—뉴] 명 〖동〗 [Antiarchi] 어류의 한 아강(亞綱). 이에 속하는 고기는 현존하지 아니하고 다만 화석(化石)으로 발견될 뿐임.
동갑-숲【同甲—】 명 나이가 거의 같은 나무들로 이룬 숲. 동령림(同齡林).
동갑-회【同甲會】 명 같은 나이의 사람들끼리 모이는 회합.
동-값【同—】 [—갑] 명 ☞ 동가(同價).
동-갓 명 〖식〗 겨잣과에 속하는 갓의 한 가지.
동강[1] 명 긴 물건을 작고 짤막하게 자른 그 토막. ¶ 나무 ~.
동강(이) 나다 구 긴 물건이 잘라져서 토막이 되다.
동강(을) 내:다 구 '동강 나다'의 사역형.
동강(을) 치다 구 동강 나게 자르다.
동강[2]【東岡】 명 〖사람〗 김우옹(金宇顒)의 호(號).
동강-동강 부 한 물건을 여러 동강으로 자르는 모양.
동강-이 명 동강난 물건.
동강 치마 명 치맛단이 무릎에 오는 짧은 치마.
동개 명 활과 화살을 넣어 등에 지는 제구. 가죽으로 만드는데, 활은 반만 들어가고 살은 아랫도리만 들어가게 되었음. 고건(櫜鞬). 동아(筒兒).

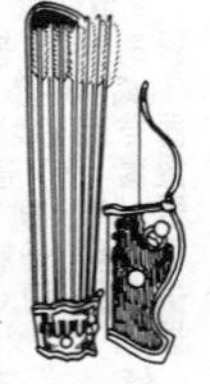
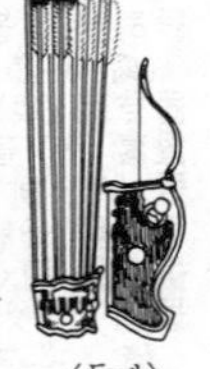
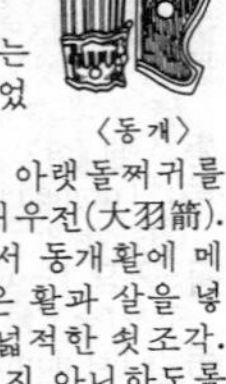
〈동개〉

동개-벽선【—壁線】 명 〖건〗 궁궐 문 같은 데에, 문짝의 아랫돌쩌귀를 받쳐 돌리도록 구멍을 판 짧은 기둥.
동개-살 명 깃을 좀 크게 댄 화살. 전시(戰時)에 말 위에서 동개활에 메워 쏨. 대우전(大羽箭).
동개-장【—匠】 명 조선 시대 때, 공장(工匠)의 하나. 작은 활과 살을 넣는 통을 만들던 공장.
동개-철【—鐵】 명 〖건〗 대문짝의 위아래 장부가 쪼개지지 아니하도록 싸서 대는 넓적한 쇳조각.
동개-활 명 전시(戰時)에 동개를 등에 지고 말을 달리며 쏘는 활. 각궁(角弓)과 같으나 썩 작음.
동갱【銅坑】 명 〖광〗 동산(銅山)에서 구리를 캐어 내는 구덩이.
동거[1]【同居】 명 ①한 집에 같이 거주함. ¶ ~ 생활. ↔별거(別居). ②가족이 아닌 사람이 어떤 가족과 같은 집에서 함께 생활함. ¶ ~인(人). ③〖법〗 두 사람 이상이 한 집에서 공동(共同)의 생활을 함. ④〖불교〗 성자(聖者)와 범부(凡夫)가 함께 거처함. ——-하다 자 여불
동-거[2]【董巨】 명 〖사람〗 북송(北宋) 초기의 화가인 동원(董源)과 거연(巨然)의 병칭(倂稱). 다 같이 강남(江南) 출신으로 산수화에 능하여 후에 남송 산수화의 개조(開祖)로 불림.
동-거리[1] 명 ①물부리 끝에 물린 쇠. ②〖건〗 집의 기둥 밑동이 썩거나 상했을 때, 그 부분을 잘라 버리고 성한 나무 동강으로 갈아 대는 일. 또, 그 기둥. ——-하다 타 여불
동-거리[2]【同距離】 명 똑같은 거리. 등거리(等距離).
동거 의:무【同居義務】 명 〖법〗 혼인의 효과로서 부부가 가지는 부부 동거의 본질적인 의무.
동거-인【同居人】 명 ①한 집에서 같이 거주하는 사람. ②가족이 아니면서 어떤 가족과 같은 집에서 함께 생활하는 사람. 동거자(同居者).
동거-자【同居者】 명 동거인(同居人).
동거지-정【同居之情】 명 같이 사는 정의(情誼).
동-거차도【東巨次島】 명 〖지〗 전라 남도(全羅南道) 진도군(珍島郡) 조도면(鳥島面) 서거차리(西巨次里)에 위치하는 섬. 서거차도(西巨次島)와 함께 거차 군도(巨次群島)를 이룸. [3.39 km^2]
동-거취【同去就】 명 거취(去就)를 함께 함. ——-하다 자 여불
동검【銅劍】 명 동(銅) 또는 청동(靑銅)으로 만든 칼. 동기·청동기 시대의 대표적 무기의 하나임. *석검(石劍).
〈동검〉
동-검구【銅鈐口】 명 〖공〗 도자기의 아가리를 구리로 싸서 물리는 꾸밈새. 동철환(銅綴環).
동검-도【東檢島】 명 〖지〗 경기도(京畿道) 강화군(江華郡) 길상면(吉祥面) 동검리(東檢里)에 위치하는 섬. [1.8 km^2]
동겐 〔Dongen, Kees van〕 명 〖사람〗 네덜란드 태생의 프랑스 화가. 포비슴(fauvisme) 운동에 일찍부터 참가, 1929년 프랑스에 귀화함. 처음에는 주로 풍경화를 그렸으나, 초상화와 풍속화로 기울어 퇴폐적이고 섬세한 화풍이 사교계의 환영을 받음. 대표작 《목욕하는 여인》·《화장하는 여인》 등. [1877-1968]
동겨-매다 타 〈방〉 동여매다(경기).
동격【同格】 [—껵] 명 ①같은 자격(資格). ¶ 장관(長官)과 ~인 처장(處長). ②〖언〗 한 문장에서, 어떤 단어나 문절(文節)이 다른 단어나 문절과 문장의 구성상 같은 기능을 갖는 일. 같은 자리. ¶ 주어와 ~인 말.

동:결【凍結】명 ①얼어 붙음. 빙결(氷結). ②〖경〗자산(資産)·자금(資金) 등의 사용 및 이동(移動)을 한동안 금지함. 또, 그 상태. ¶ 자금 ~/자산을 ~하다. ──-하다 자타여불

동:결 건조【凍結乾燥】명 〔lyophilization〕 원료의 수분이 극히 많아서 불안정하고 열(熱)에 대하여 민감(敏感)한 스트렙토마이신·페니실린 등의 약품 또는 일련(一連)의 항생 물질, 혈장(血漿)·혈청(血清) 등을 영하 80°C로 급속히 냉동(冷凍)시킨 다음 진공(眞空) 상태에서 수분을 증발시키는 건조 방법. 비 시 지(B.C.G.)의 백신 등을 산 채로 보존하는 데에도 이용함. 진공(眞空) 건조. 냉동(冷凍) 건조. 프리즈드라이법(freezedrying法).

동:결 고도【凍結高度】명 〔freezing level〕〖기상〗어떤 지점에서 기온이 0°C가 되는 최고의 고도.

동:결 공법【凍結工法】[—뻡] 명 〖토〗물이 많이 솟아나는 무른 지반(地盤)에 수갱(竪坑) 등을 팔 때 사용하는 공법. 공사 지점의 주위에, 냉동 설비에 연결한 다수의 동결관(凍結管)을 삽입하고 지반을 동결 경화(硬化)하여 팜.

동:결-선【凍結線】[—썬] 명 〔frost line〕〖지〗①겨울철에 동결하는, 땅의 최대 깊이. ②영구 동토(永久凍土)의 하한(下限).

동:결 외:과【凍結外科】[—꽈] 명 〖의〗환부를 극단적인 저온으로 냉동하여 조직을 괴사(壞死)시키는 수단을 쓰는 외과 요법. 마취가 불필요하고 출혈이 거의 없으며, 치료 시간이 짧은 것이 특색임. 뇌외과(腦外科) 분야, 비뇨기의 전립선(前立腺) 제거 따위에 이용됨.

동:결 작용【凍結作用】명 〔frost action〕〖지〗①지표의 크고 작은 구멍·균열처·개구부(開口部)에서, 물의 동결·해빙(解氷)의 반복으로써 일어나는 풍화 작용. ②물질에 함유된 물의 동결·해빙의 반복적 순환 작용.

동:-결절【洞結節】[—쩔] 명 〖생〗동방 결절(洞房結節).

동:결 정액【凍結精液】명 〖의〗인공적으로 채취하여 액체 질소로 급속히 동결하여 보존한 정액.

동경¹【同庚】명 동갑(同甲).

동경²【同慶】명 함께 경축(慶祝)함. 모두 다 경사스러워하고 기쁘게 여김. ¶ ~해 마지않습니다. ──-하다 타여불

동경³【東京】명〖역〗①고려 때의 사경(四京)의 하나. 지금의 경주(慶州). ②'낙양(洛陽)'의 이칭(異稱). 전한(前漢)의 도읍 장안(長安)에 대한 후한의 도읍 낙양. 또, 당(唐)의 수도인 장안(長安), 일명 서경(西京)에 대하여, 부도(副都)인 낙양을 일컫던 말.

동경⁴【東京】명〖지〗'도쿄'를 우리 음으로 읽은 이름.

동경⁵【東經】명〖지〗영국의 그리니치(Greenwich)를 지나는 본초 자오선(本初子午線)을 영도(零度)로 하여 동쪽으로 180도까지의 사이의 경선(經線). ↔서경(西經).

동:경⁶【動徑】명 〔radius vector〕〖수〗점(點)의 위치를 나타내는 데에 있어, 기준(基準)되는 점으로부터 그 점에 그은 직선을 벡터(vector)로 한 선분(線分). 경선(徑線) 벡터.

동경⁷【銅鏡】명 구리를 재료로 하여서 만든 거울. ↔석경(石鏡).

동:경⁸【憧憬】명 어떤 일에 마음이 팔리어 그것만을 그리워하고 못내 생각함. ¶ ~의 대상. ──-하다 타여불

동경-가【東京歌】명〖악〗신라 때의 노래. 송도(頌禱)의 노래라 하나 전하지 아니함.

동경-계【同庚契】명 동갑계(同甲契).

동경-곡【東京曲】명〖악〗작자·제작 연대 미상의 신라 노래. 현재는 전하지 아니함. 태평 성대가 되어 봉(鳳)이 내린 상서가 나타났으므로, 백성들이 이 노래를 지어 기뻐하였다 함.

동경 대:전【東經大全】명〖책〗동학의 성경(聖經)으로 고종 19년(1882)에 처음으로 간행된 책. 천도교의 경전(經典)의 기본이 됨.

동경 대:전 해:의【東經大全解義】[—/—이] 명〖책〗1911년 경에 저술된 동경 대전의 주석서. 김인국(金寅局)이 최시형(崔時亨)의 해설을 옮겨 적은 형식으로 되어 있음. 수필본 1책.

동경 민란【東京民亂】[—민—] 명〖역〗고려 때 명종(明宗) 20년(1190) 이후 동경(東京) 곧 지금의 경주(慶州)를 중심으로 예닐곱 차례에 걸쳐 계속적으로 일어난 민란. 신라(新羅)의 부흥(復興)을 표방하는 경우가 많았음.

동경-성【東京城】명〖역〗발해(渤海) 오경(五京)의 하나. 곧, 상경 용천부(上京龍泉府). 지금의 만주 닝안(寧安) 남방 약 40km 지점에 있음.

동:경-심【憧憬心】명 동경하는 마음.

동-경연【同經筵】명〖역〗↗동지경연사(同知經筵事).

동경-이【東京—】명 꼬리가 짧은 개. 예전에 경주(慶州) 지방에 많았다고 함.

동:경-자【憧憬者】명 동경하고 있는 사람.

동계¹【冬季】명 겨울의 계절(季節). 겨울철. 동절(冬節). ¶ ~ 올림픽. *동기(冬期).

동계²【同系】명 같은 계통(系統). ¶ ~ 회사.

동계³【東界】명〖역〗양계(兩界)의 하나. 고려 현종(顯宗) 때에 정한 지방 행정 구역으로 지금의 함경도 지방. ↔서계(西界). *양계(兩界).

동:계⁴【洞契】명 동네의 일을 위하여 동민(洞民)이 모으는 계. 동리계(洞里契).

동:계⁵【凍鷄】명 썩지 아니하도록 튀하여 내장을 빼어 털을 뽑고 얼린 닭.

동:계⁶【動悸】명 〔tachycardia〕〖생〗심장의 고동(鼓動)이 보통 때보다 심하여 가슴이 두근거리는 일. 갑자기 놀라거나 심한 운동을 한 경우는 특히 크고 빨라짐. 동기(動氣).

동계 교배【同系交配】명〖생〗계통이 같은 생물끼리의 교배. 농작물이나 가축 등의 품종의 유전자 조성(遺傳子組成)을 균일하게 하기 위하여 인위적으로 썩 연분이 가까운 것끼리 교배를 하는 일. *동계 번식.

동계 번식【同系繁殖】명〖생〗동계 교배(同系交配)에 의하여 자손을 번식시키는 일. *동계 교배.

동계 소:재【冬季小齋】명〖천주교〗사계 소재(四季小齋)의 하나로, 겨울철에 지키던 금육재(禁肉齋).

동계-어【同系語】명〖언〗같은 기원(起源)으로부터 파생한 둘 이상의 언어. 곧, 같은 계통의 언어.

동계 올림픽 경:기【冬季—競技】〔Olympic〕명 올림픽 동계 경기.

동고¹【同苦】명 함께 고생함. ¶ ~ 동락(同樂). ──-하다 자여불

동고²【東皐】명 ①봄의 논. ②동쪽의 강 둑. 또, 동쪽의 언덕.

동고³【棟高】명〖건〗마루높이.

동고⁴【銅鼓】명〖악〗꽹과리.

동고 곡선【同高曲線】명〖지〗등고선(等高線).

동고 동락【同苦同樂】[—낙] 명 괴로움과 즐거움을 함께 함. 같이 고생하고 같이 즐김. ──-하다 자여불

동-고리¹ 명 버들로 동글납작하게 만든 작은 고리.

동고리² 명〖민〗판굿에서 무동(舞童)이 성인의 어깨 위에 올라서서 추는 춤. *단동고리·삼동고리·오동고리.

동고리³ 명〈방〉도토리(제주).

동고리다 자〈옛〉동그라미를 그리다. ¶ 글 머리에 동고리다(字頭圈圈), 글조 겻히 동고리다(字旁圈圈)≪漢淸 Ⅳ:11≫.

동고-병【胴枯病】[—뼝] 명〖식〗줄기마름병.

동-고비 명〖조〗[*Sitta europaea*] 동고빗과에 속하는 새. 날개 길이 70-85mm이고 몸빛은 배면(背面)이 청회색, 하면(下面)은 백색이며, 가슴 이하는 담갈색을 띰. 꽁지는 짧고 모가 나며 밤빛 반점이 있음. 부리는 곧고 길며 뾰족한데 윗 부리는 흑갈색, 아랫 부리는 황백색임. 산지의 숲에 살며 4-6월에 일곱 개의 알을 낳고, 곤충·거미 또는 소나무·오리나무의 씨를 먹음. 곤충을 잡아먹는 익조(益鳥)로 한국·일본 및 아시아·유럽·북아프리카 등에 분포함. 오십작(五十作).

〈동고비〉

동고빗-과【—科】명〖조〗[Sittidae] 참새목(目)에 속(屬)하는 한 과. 소형(小形)의 조류로 부리는 길고 콧구멍은 강모(剛毛)나 깃털로 덮여 있음. 딱다구리처럼 나무에 잘 오르고, 나무의 빈 구멍에 둥지를 짓고 한배에 4-8개의, 백색에 적갈색의 반점이 있는 알을 낳음. 유럽·아시아 및 북아프리카에 50여 종이 분포함.

동고 서저【東高西低】명〖기상〗한국을 중심으로 한 동아시아의 기압 배치의 하나. 동쪽인 오호츠크 해 방면의 기압이 높고 서쪽인 시베리아 방면의 기압이 낮은 상태. 전형적인 여름형(型) 기압 배치임.

동고-선【同高線】명〖지〗등고선(等高線).

동-고트족【東—族】〔Goth〕명〖역〗게르만계의 한 부족인 고트족의 한 파. 2-3세기에 흑해 북쪽 연안 서부에 정착, 이후 자주 로마 영내(領內)에 침입함. 테오도릭 왕(Theodoric王; 455?-526) 때에 이탈리아에 침입하여 그 곳의 정복자 오도아케르(Odoacer; 434-493)를 쓰러뜨리고 전(全)이탈리아를 지배, 493년 동고트 왕국을 세웠으나, 535년 동로마 제국의 유스티니아누스 황제에게 멸망당하였음.

동고파리 명〈방〉소꿉장난(충남).

동:곡【童曲】명 어린이들이 연주하는 데 적합하게 지은 악곡(樂曲)의 구칭.

동곡-산【東谷山】명〖지〗함경 남도 풍산군(豐山郡)에 있는 산. 부전령(赴戰嶺) 산맥 중에 솟아 있는 고산(高山)의 하나. [2,165m]

동골 무문【銅骨無紋】명〖미술〗중국 송나라의 여요(汝窯)에서 나던 구릿빛에 무늬가 없는 도자기(陶瓷器).

동골 어자문【銅骨魚子紋】명〖미술〗중국 송나라 여요(汝窯)에서 나던 구릿빛 몸에 잔 금이 있게 잿물을 입힌 도자기(陶瓷器).

동골-태【銅骨胎】명〖미술〗황갈색의 구릿빛을 띤 도자기(陶瓷器).

동곳¹ 명 상투를 짠 뒤에 풀어지지 아니하도록 꽂는 물건. 금·은·옥(玉)·산호(珊瑚)·밀화(蜜花)·나무 등으로 만드는데, 대가리가 반구형(半球形)이고 밑이 조금 굽은 것과 굽지 아니한 것 또는 말뚝같이 생긴 것 등이 있음. ¶ 밀화 ~. *상투.

동곳(을) 빼:다 구 상투의 동곳을 빼어, 머리를 풀고 사죄하다. 곧, 잘못을 인정하고 굴복하다.

〈동곳¹〉

동곳² 명〈방〉고드름(제주).

동곳-잠【—簪】명 옥비녀의 한 가지. 동곳 모양과 같이 반구형(半球形)의 대가리가 있고 그 밑이 조금 가늘고 굽은 듯하게 되었음.

동공¹【同工】명 재주나 솜씨가 같음. 또, 같은 재주나 같은 솜씨.

동공²【同功】명 공로가 같음. 같은 공로.

동공³【銅工】명 구리로 물건을 만들거나 세공(細工)을 하는 일. 또, 그 일에 종사하는 사람.

동:공⁴【瞳孔】명〖생〗홍채(虹彩)의 한복판에 있는 동그란 작은 구멍. 광선(光線)은 여기를 거쳐서 안구(眼球) 속에 들어가는데, 광선의 강약(強弱)에 따라 홍채가 늘고 줄고 하여 그 구멍이 넓어지기도 하고 좁아지기도 함. 속이 어두우므로 밖에서 보면 까맣게 보임. 눈동자. 수륜(水輪). 수확(水廓).

동공-견【同功繭】명 쌍고치. 공동견(共同繭).

동:공 경직【瞳孔硬直】명 〔stiff pupil〕〖의〗동공 반사가 결여되는 상태. 홍채(虹彩)의 질병·신경 매독·당뇨병 등에서 볼 수 있음.

동:공 반:사【瞳孔反射】명 〔pupillary reflex〕〖생〗①광선 자극(刺戟)의 강약(強弱)에 따라 동공을 신축(伸縮)시키는 반사. ②가까이를 볼 때 동공이 수축하고 먼 곳을 볼 때 동공이 확대되는 일. ③눈을 감으려고 할 때 동공이 수축하는 일.

동:공 부동【瞳孔不同】명 〔naisocoria〕〖의〗좌우 동공의 크기나 모양이 다른 상태. 선천적인 것과 홍채염(虹彩炎)·진행성 마비 등의 후천적 원인의 것이 있음.

동:공 산:대【瞳孔散大】명 산동(散瞳).

동공 이:곡【同工異曲】명 기술이나 재주는 같으나 그 곡(曲)이 다름. 곧 모두 기교는 훌륭하나 그 내용이 다르다는 말. 동공 이체.

동공 이:체【同工異體】명 동공 이곡.

동공 일체【同功一體】명 ①공훈(功勳)과 지위(地位)가 같음. ②일의 공효(功效)가 서로 같음.
동:공-질【洞空質】명〔cavernous〕〖지〗많은 동굴 또는 공동(空洞)을 갖는 모양.
동:공 축소【瞳孔縮小】명 축동(縮瞳).
동과1【多瓜】명〖식〗동아1.
동과2【同科】명 ①등차가 없음. ②과거(科擧) 시험에 함께 합격한 사람. ③죄과(罪科)를 같이함. ④과(科)가 같음. *동류(同類).
동과【銅戈】명〖고고학〗찍거나 베는 데 쓰던, 청동기 시대에서 초기 철기 시대의 청동 무기의 하나. 과신(戈身)과 슴베 부분으로 이루어지는데, 슴베 부분에 긴 나무 자루를 수직에 가까운 각도로 묶어 사용함. 꺾창(槍).
동과-선【多瓜膳】명 동아선(膳).
동과-자【多瓜子】명〖한의〗동아의 씨. 이뇨(利尿)의 효과가 있어 부증(浮症)·소갈증(消渴症)에 약으로 쓰임.
동관1【多官】명〖역〗①중국 주대(周代)의 육관(六官)의 하나. 토목(土木)·공작(工作)을 맡아 보았음. ②중국 당대(唐代)의 공부성(工部省)의 별칭. ③'공조(工曹)'의 별칭.
동관2【同官】명 같은 관청에 다니는 같은 등급의 관리.
동관3【彤管】명 대에 붉은 칠을 한 붓. 흔히 여자가 씀. 「관장하던 곳.
동관4【東觀】명〖역〗한(漢)나라 때, 궁중에서 저작(著作)·장서(藏書)를
동:관5【童丱】명〔'丱'은 어린 아이의 머리를 두 가닥으로 나누어 땋아서 머리의 양쪽에 뿔 모양으로 잡아맨 것〕어린 아이. 동자(童子).
동관6【銅管】명 구리로 만든 관(管).
동:관7【潼關】명〖지〗'통관'을 우리 음으로 읽은 이름.
동:관 대:궐【一大闕】[一때一] 명〖지〗←동구안 대궐.
동관 아문【多官衙門】명〖역〗공조(工曹).
동-관왕묘【東關王廟】명〖지〗중국 삼국 시대의 장수 관우(關羽)의 영(靈)을 모신 서울 동대문 밖의 묘(廟). 임진 왜란 때 관우의 영이 때때로 싸움터에 나타나 조선과 명군(明軍)을 도왔다 하여 선조 33년(1600)에 명나라 신종 황제(神宗皇帝)의 칙명(勅命)으로 건립하여 2년 후인 선조 35년에 준공하였음. ㊕동묘(東廟). *북관왕묘(北關王廟).
동관-이【彤管貽】[一니] 명 여자가 글을 써 보내어 은근한 정을 통하는 짓. 「벼슬.
동관-정【多官正】명〖역〗고려 때 사천대(司天臺)의 종오품(從五品)의
동:관-진【潼關鎭】명〖역〗함경 북도 종성군(鐘城郡) 종성면 지역에 있었던 옛 진(鎭). 조선 세종 17년(1435) 여진(女眞)을 물리치고 진을 둠.
동광【銅鑛】명〖광〗①구리를 캐는 광산. 동산(銅山). 동점(銅店). ②구리가 든 광석. 적동광(赤銅鑛)·황동광(黃銅鑛)·유동광(黝銅鑛) 등인데 제련 상으로는 자연(自然) 동광·황화(黃化) 동광·산화(酸化) 동광으로 나눔.
동-광양【東光陽】명〖지〗전라 남도에 속했던 시(市). 광양만(光陽灣)에 면한 시로서 태금면(太金面)의 앞바다를 메우고 광양 제철소가 건설됨에 따라 1989년 1월 시로 승격하였으나, 1995년 1월 광양시에 통합됨.
동교1【同校】명 ①같은 학교. ②그 학교. 이 학교.
동교2【東郊】명 ①서울 동대문(東大門) 밖의 근처. ②동쪽에 있는 들. 동쪽의 교외(郊外). ③봄의 들. 예전에 중국에서 동쪽에 있는 들에서 봄의 제사를 지냈으므로 이렇게 부름.
동교3【東敎】명〖기독교〗동쪽의 종교라는 뜻으로 '그리스 정교(正敎)'를 이르는 말. *서교(西敎).
동교4【銅橋】명〖민〗'놋다리'의 한자말.
동교 각사【東郊各寺】명 서울 동대문(東大門) 밖에 있는 모든 절.
동교-치【東郊一】명 동대문(東大門) 밖으로부터 서울로 들어오는 바리 「나무.
동구1【東歐】명〖지〗↗동구라파. ↔서구(西歐).
동:구2【洞口】명 ①동네로 들어오는 길목의 첫머리. 동네의 어귀. ②절로 들어가는 산문(山門)의 어귀.
동구-권【東歐圈】[一꿘] 명〔Eastern Europe Bloc〕유럽의 동부 지역. 제2차 세계 대전 후, 국제 정치 상 서유럽 제국과 대립 관계에 있었던 폴란드·루마니아·헝가리·알바니아·불가리아·체코슬로바키아·유고슬라비아와 독일 통합 이전의 동독 등을 포함한 동부 유럽의 지역. ↔서구권(西歐圈).
동구깨비 명〈방〉소꿉장난(경북).
동-구능【東九陵】명〖지〗☞동구릉.
동-구라파【東歐羅巴】명〖지〗'동유럽(東Europe)'의 취음(取音). ㊕동구(東歐). ↔서(西)구라파.
동구래 명 ↗동구래저고리.
동구래-깃 명 깃부리를 반원형(半圓形)으로 둥글게 하는 옷깃 만듦새의 한 가지. ↔목판(木板)깃.
동구래-저고리 명 길이가 짧고 앞 섶이 좁으며 앞 도련이 썩 둥글고 뒷길이보다 좀 길게 만든 여자의 저고리. ㊕동구래.
동-구릉【東九陵】명〖지〗경기도 구리시(九里市)에 있는 조선 시대의 아홉 능(陵). 이 태조의 건원릉(健元陵), 문종(文宗) 및 문종비 현덕왕후(顯德王后)의 현릉(顯陵), 선조(宣祖)와 선조비 의인(懿仁) 왕후 및 계비(繼妃) 인목(仁穆) 왕후의 목릉(穆陵), 인조비(仁祖妃) 장렬(莊烈) 왕후의 휘릉(徽陵), 현종(顯宗) 및 현종비 명성(明聖) 왕후의 숭릉(崇陵), 경종비(景宗妃) 단의(端懿) 왕후의 혜릉(惠陵), 영조(英祖) 및 영조 계비 정순(貞純) 왕후의 원릉(元陵), 문조(文祖) 및 문조비 신정(神貞) 왕후의 수릉(綏陵), 헌종(憲宗)과 헌종비 효현(孝顯) 왕후 및 계비 효정(孝定) 왕후의 경릉(景陵)의 일컬음.
동구바리 명〈방〉소꿉장난(충북).
동구박-질 명〈방〉소꿉질(함남).
동:구-밖【洞口一】명 동네 어귀의 밖. ¶～ 사잇길.
동구뱅이 명〈방〉소꿉질.
동구새 명〈방〉동풍(東風)(전북). 「칭. →동관 대궐.
동:구안 대:궐【洞口一大闕】[一때一] 명〖지〗'창덕궁(昌德宮)'의 속
동구 우호 협력 상호 원:조 조약【東歐友好協力相互援助條約】[一녀一] 명〖정〗'바르샤바 조약'의 정식 명칭.
동구-인【東歐人】명 코카소이드(Cocasoid)의 하나. 러시아·폴란드·발트 해(Balt 海) 연안에 분포함. 피부색은 백색, 금발에 눈은 청색이고 신장은 북구인(北歐人)보다 크지 아니함.
동구파리 명〈방〉소꿉장난(충북).
동국1【多菊】명 한국(寒菊).
동국2【同國】명 ①같은 나라. 동방(同邦). ②그 나라. 이 나라.
동국3【東國】명 ①우리 나라를 중국에 대하여 일컫는 말. ②동쪽에 있는 나라.
동국 대:학교【東國大學校】명 사립 대학교의 하나. 1915년에 불교 중앙 학림(中央學林)으로 발족, 1940년에는 혜화 전문 학교, 1946년에 동국 대학으로, 1953년에 종합 대학교로 됨.
동국 명산기【東國名山記】명〖책〗조선 시대 정조(正祖) 때, 성해응(成海應)이 지은 지리책. 우리 나라 명산 승지(名山勝地)가 낱낱이 기록되어 있음. 원본(原本)은 서울 대학교 규장각(奎章閣) 도서에 있는데, 융희 3년(1909) 경성 외국어 학교 교우회(校友會)에서 경도(京都)·기내(畿內)·해서(海西)·관서(關西)·관북(關北)·호중(湖中)·호남(湖南) 등으로 나누어 편집 간행하였음. 1책 66장. 사본.
동국 문감【東國文鑑】명〖책〗우리 나라의 고대로부터 고려 말엽까지의 여러 사람의 시문(詩文)을 수록한 책. 고려 25대 충렬왕(忠烈王) 때 김태현(金台鉉)이 편찬. 우리 나라 시문을 모은 책으로는 최초의 것임. 6권 2책. 인본.
동국 문헌【東國文獻】명〖책〗조선 시대 태조(太祖) 때부터 순조(純祖) 때까지의 여러 명신들의 약전(略傳)을 수록한 책. 김성개(金性漑)가 교정(校正)하여 전라 북도 정읍(井邑) 충렬사(忠烈祠)에서 순조 4년(1804)에 발간. 1918년 한남 서림(翰南書林)에서 간행하여 널리 퍼졌음. 4권 4책. 목판본.
동국 문헌 비:고【東國文獻備考】명〖책〗조선 시대 영조(英祖)의 명(命)을 받들어 홍봉한(洪鳳漢) 등이 중국 마씨(馬氏)의 ≪문헌 통고(文獻通考)≫를 본떠 널리 공사(公私)의 기록에서 참고하여 편찬한 책. 상위(象緯)·여지(輿地)·예(禮)·악(樂)·병(兵)·형(刑)·직관(職官)·전부(田賦)·재용(財用)·호구(戶口)·시적(市糴)·선거(選擧)·학교(學校) 등 13개 항목에 걸쳐 조선 고금(古今)의 문물 제도(文物制度)를 수록(蒐錄)하였음. 고종(高宗) 때에 와서 이것을 증보(增補)함. 100권 40책. 활자본. ㊕문헌 비고.
동국 문헌 절요【東國文獻節要】명〖책〗≪동국 문헌 비고≫의 개요(概要)를 적은 책. 제1권은 역대 기년(歷代紀年)·팔도 군현 연혁(八道郡縣沿革)·도로(道路)·수로(水路)·전제 경계(田制經界)·양전 제전(量田諸田)·제언(堤堰), 제2권은 조세(租稅)·공제(貢制)·전부(田賦)·대동(大同), 제3권은 조적(糶糴)·호구(戶口)·재용(財用)·양역(良役)·균역(均役)·어염(魚塩), 제4권은 전화(錢貨)·면포(綿布)·병고(兵考)·군문(軍門)·전선(戰船)·수차(水車) 등의 항목으로 되어 있음. 4권 4책. 사본.
동국 병감【東國兵鑑】명〖책〗중국 한(漢)나라 무제(武帝) 때부터 이태조(李太祖)가 여진(女眞) 사람인 발도(拔都)를 격퇴한 고려 폐왕(廢王) 우(禑) 때까지의 조선과 대륙 사이에 일어난 삼십여 차례의 전쟁 사실을 들어서 기록한 책. 조선 문종(文宗)의 명(命)을 받들어 편찬함. 2권 2책.
동국사-략【東國史略】명〖책〗조선 시대 태종(太宗)의 명을 받들어 권근(權近)·이첨(李詹)·하윤(河崙) 등이 지은 편년체(編年體)의 역사 책. 단군 때부터 고려에 이르는 동안의 사실을 적었는데, 제1권은 단군·기자·위만 조선과 한사군(漢四郡)·삼한·신라·고구려·백제, 제2권은 신라, 제3-6권은 고려를 기록하였음. 6권 2책.
동국 세:시기【東國歲時記】명〖책〗우리 나라의 연중 행사 및 풍속을 설명한 책. 조선 23대 순조(純祖) 때 홍석모(洪錫謨)가 지음. 1책. 인본.
동국 시:호【東國諡號】명〖책〗우리 나라 역대의 문(文)·무(武) 여러 신하에게 준 시호를 적은 책. 엮은이와 연대는 미상. 4책. 사본.
동국 시:호고【東國諡號考】명〖책〗조선 16대 인조(仁祖) 때부터 23대 순조(純祖) 때까지의 명신(名臣)들의 시호(諡號)를 열거하고 주(註)를 붙인 책. 엮은이와 연대는 미상. 2책. 사본.
동국 신속삼강 행:실도【東國新續三綱行實圖】[一또] 명〖책〗조선 광해군(光海君) 6년(1614) 유근(柳根)이 왕명(王命)에 의하여 편찬한 ≪삼강 행실도≫의 속편. 광해군 7년에 간행되었으며, 임진 왜란 중에 목숨을 바친 사람들을 비롯하여 신라·고려·조선 시대에 걸친 충신·효자·열녀의 사적을 수록, 그 덕행을 찬양한 책임. 그림을 그리고 한문으로 적고 언해(諺解)하였음. 충신 2권, 효자 8권, 열녀 8권으로 18권 18책임. 목판본. *삼강 행실도.
동국 약운【東國略韻】[一냐一] 명〖책〗조선 태종(太宗) 14년(1414)에 편찬 간행되었다고 하는 최초의 한국 운서(韻書). 현재 그 내용이나 사실 여부를 확인할 수 없음.
동국 여:지 승람【東國輿地勝覽】[一녀一남] 명〖책〗조선 성종(成宗)의 명을 받들어 노사신(盧思愼) 등이 ≪대명 일통지(大明一統志)≫를 본떠 조선 각 도의 지리·풍속 그 밖의 특기할 만한 사실을 기록한 책. 중종(中宗) 때에 와서 증보(增補)한 것이 있음. ㊕여지 승람.
동국 이:상국집【東國李相國集】명〖책〗고려 고종(高宗) 때의 학자 이규보(李奎報)의 문집(文集). 그의 시문(詩文)과 함께 '동명왕 본기(東明王本紀)' 등의 역사도 수록한 귀중한 문헌(文獻)인데, 완성된 것은 고

종 38년(1251)임. 53권 14책.

동국 정:운【東國正韻】 명〖책〗 조선 세종 29-30년(1447-1448)에 간행(刊行)된 운서. 세종(世宗)이 당시의 우리 나라 한자음(漢字音)이 중국의 음과 다르므로, 중국의 운서(韻書) 《홍무 정운(洪武正韻)》 등을 참고하여 우리 나라의 한자음을 새로운 체계 하에 정리한 최초의 음운서(音韻書). 왕명에 의하여 신숙주(申叔舟)·최항(崔恒)·성삼문(成三問)·박팽년(朴彭年)·이개(李塏)·강희안(姜希顔)·이현로(李賢老)·조변안(曺變安)·김증(金曾) 등이 찬(撰)함. 모두 여섯 권으로 되었는데, 훈민 정음의 창제 원리 및 배경(背景) 연구에 유일 무이한 귀중한 사료(史料)임. 현존(現存)하는 원본(原本)은 권 1과 권 6뿐인 국보 제71호와 6책 한 질로 된 국보 제142호의 두 가지가 있음.

동국 중:보【東國重寶】 명〖역〗 고려 숙종(肅宗) 때에 만든 엽전의 한 가지.

〈동국 중보〉

동국 지도【東國地圖】 명〖역〗 ①조선 세조(世祖) 때 만든 우리 나라 최초의 실측 지도. 세조 9년(1463)에 정척(鄭陟)·양성지(梁誠之) 등이 왕명을 받들어 작성한 지도에다가 각 도(道)의 수령(守令)에게 명하여 그 지방의 위치, 산맥의 방향, 도로의 이수(里數), 인접군(隣接郡)과의 접경(接境) 등을 그려 넣게 한 것임. ②조선 영조 때 정상기(鄭尙驥)가 제작한, 우리 나라 최초로 축척(縮尺)이 표시된 지도. 채색 필사본으로 9폭의 지도첩(帖)에 전국도(全國圖)와 도별도(道別圖)로 구성됨. 도별도 약 42만분의 1 축척.

동국 지리지【東國地理誌】 명〖책〗 조선 시대 선조(宣祖) 때 한백겸(韓百謙)이 전한서(前漢書)·후한서(後漢書)에서 한국의 지리에 관한 기사를 뽑아 모으고, 간간이 자기 의견도 붙여서 지은 한 권의 책.

동국 통감【東國通鑑】 명〖책〗 조선 시대 성종(成宗) 15년(1484)에 왕명을 받들어 서거정(徐居正)·정효항(鄭孝恒) 등이 신라 시조 혁거세(赫居世)로부터 고구려·백제를 거쳐 고려 공양왕(恭讓王)에 이르기까지의 1,400년 동안의 사실을 기록·편찬한 56권 26책으로 된 역사책.

동국 통감 제:강【東國通鑑提綱】 명〖책〗 조선 시대 16대 인조(仁祖) 때 홍여하(洪如河)가 가숙용(家塾用) 교재로 엮은 역사책. 《동국 통감》을 취사(取捨) 절충(折衷)하여 편년체(編年體)로 개편한 것임. (正祖) 10년(1786)에 간행. 13권 7책. 목판본.

동국 통보【東國通寶】 명〖역〗 고려 숙종(肅宗) 때에 만든 엽전의 한 가지.

〈동국 통보〉

동군[1]【東君】 명 ①봄의 신(神). ②해. 태양. ③청제(青帝).

동:군[2]【洞君·洞軍】 명 동네 안의 한창 기운 쓰는 시기의 젊은 남자.

동군 연합【同君聯合】[—넌—] 명〖정〗 동일한 군주 밑에 둘 이상의 나라가 결합된 상태. 인적(人的) 동군 연합과 물적 동군 연합의 두 가지가 있음.

동:굴【洞窟】 명 ①깊고 넓은 굴. 동혈(洞穴). ②[cavern]〖지〗 석회암 속에 암석의 틈새에 의하여 만들어진 일정하지 않은 지하 공동(地下空洞)의 하나 또는 연결된 지하 공동.

동:굴 동:물【洞窟動物】 명〖동〗 석회동(石灰洞) 그 밖의 인공적·자연적 동굴 안에 사는 육생(陸生) 및 수생(水生) 동물. 암흑 속에 사는 결과 몸의 색소가 백화(白化)한 것, 눈이 퇴화한 것, 촉각·촉모(觸毛) 등이 발달한 것이 많음. 절지(節肢)동물, 점관목(粘管目)·직시목(直翅目)의 곤충, 등각류(等脚類) 등이 많으며, 박쥐도 이에 속함.

동:굴-물벌레【洞窟—】 명〖충〗 [*Paraplea inditinguenda*] 동굴물벌렛과에 속하는 곤충. 몸길이 1.5mm 가량이고, 몸빛은 대체로 황백색에 다소 갈색을 띠나 일률적이 아님. 몸의 하면은 흑색이고, 반시초(半翅鞘)와 전흉배에는 점각(點刻)이 있음. 물 속·풀 사이에 군서(群棲)하는데 한국·일본·대만·인도에 분포함.

동:굴물벌렛-과【洞窟—科】 명〖충〗[Pleidae] 매미목(目)에 속(屬)하는 한 과. 뒷다리의 경절과 부절(跗節)에 유영모(游泳毛)가 없고, 복부(腹部) 하면에 중종 융기선(中縱隆起線)이 없으며 구문(口吻)이 세 절로 되고 복안(複眼)이 두부에 비해 작은 것으로 송장헤엄치갯과와 구별됨. 유영(遊泳) 또는 보행성(步行性)임.

동:굴 미술【洞窟美術】 명 동굴의 벽면·천정에 그려진 석기 시대의 그림이나 조각. 주제는 주로 수렵(狩獵)의 대상이 된 각종 동물이며 주술적(呪術的) 의미와 내용을 표현함. 스페인의 알타미라(Altamira), 프랑스의 라스코(Lascaux)의 구석기 시대 벽화가 대표적인 것임. 동굴 회화(繪畫).

동:굴 유적【洞窟遺跡】[—뉴—] 명〖역〗 천연 또는 인공의 동굴을 주거·분묘(墳墓)·사원(寺院)·성소(聖所) 등으로 사용한 유적. 중국의 저우커우덴(周口店), 스페인의 알타미라(Altamira)의 동굴이 유명함.

동:굴의 비:유【洞窟—比喩】[—/—에—] 명 [도 Höhlengleichnis]〖철〗 그리스의 철학자 플라톤이 쓴 유명한 비유로, 철학자가 보는 이데아(Idea)의 세계가 태양의 세계라고 하면 일반 속인(俗人)의 세계는 동굴 속과 같이 어두운 세계라는 비유. 속인은 그 곳에 갇히어 있어 오직 감각적 경험만으로 실물의 그림자 모양에 지나지 아니하는 것을 바로 실물, 곧 진리로 그릇 인식하고 있으며, 그들을 구출(救出)하는 것이 철학자의 의무라 함.

동:굴의 우:상【洞窟—偶像】[—/—에—] 명 [idola specus]〖철〗 영국의 철학자 베이컨이 논설한 우상의 네 가지 가운데의 하나. 올바른 인식을 방해하는 선입견(先入見) 중 자기의 특수한 성질과 경우에 따라 오는 개인적인 편견(偏見).

동:굴 인류【洞窟人類】[—일—] 명〖인류〗 동굴 속에서 살던 구석기 시대의 인류의 총칭.

동:굴 주거【洞窟住居】 명〖역〗 자연 동굴을 이용한 주거. 주로 석기 시대 인류의 유적(遺跡)으로 알려지고 있음.

동:굴 회:화【洞窟繪畫】 명 동굴 미술(洞窟美術).

동굽사리 명〈방〉 소꿉질(강원).

동궃 명〈방〉 동곳[1](평안).

동궁[1]【多宮】 명〖지〗 러시아의 페테르부르크에 있는 궁전. 혁명 전까지는 역대 러시아 황제가 살던 곳으로, 러시아 바로크 건축물로는 최대의 것임. 현재는 러시아 국립 박물관의 일부로 쓰이고 있음. ＊에르미타주 미술관.

동궁[2]【彤弓】 명 붉은 칠을 한 활.

동궁[3]【東宮】 명〖역〗 ①황태자. 왕세자. ②태자궁(太子宮). 세자궁(世子宮). 동저(東邸).

「어.

동궁-마마【東宮媽媽】 명〖역〗 아랫 사람이 세자(世子)를 부르는 존칭

동궁 마:패【東宮馬牌】 명〖역〗 나라에서 동궁이 사용하는 마필(馬匹)을 조달하기 위하여 발급하던, 유자(柚子)로 만든 둥근 패. 각 역(驛)에서는 말을 1필에서 5필까지 지급하였음.

동궁 무:관부【東宮武官府】 명〖역〗 대한 제국 융희(隆熙) 2년(1908), 황태자를 보필하기 위해 설치한 기관. 황태자궁 배종 무관부(皇太子宮陪從武官府)를 개칭한 것. 우두머리는 장관급(將官級)인 동궁 무관장(東宮武官長).

동궁-아【東宮衙】 명〖역〗 신라 때 태자가 거처하는 궁을 관리하는 관서. 경덕왕(敬德王) 11년(752)에 설치함.

동권【同權】[—꿘] 명 같은 권리. 평등한 권리. 동등권. ¶ 남녀 ∼.

동권-론【同權論】[—꿘논] 명 사람은 모두 동등한 권리를 갖고 있다는 이론.

동권론-자【同權論者】[—꿘논—] 명 동권론을 주장하는 사람.

동궐【東闕】 명〖지〗 '창덕궁(昌德宮)'의 별칭.

동궐-도【東闕圖】[—또] 명〖역〗 창덕궁(昌德宮)과 창경궁(昌慶宮)을 조감도식(鳥瞰圖式)으로 그린 조선 후기의 궁궐 그림. 도화서(圖畫署) 화원(畫員)들이 그린 것으로 여겨짐. 16첩(帖) 병풍으로 꾸며져 있음. 궁궐도(宮闕圖).

동궤【同軌】 명 ①천하(天下)의 수레바퀴의 폭(幅)을 똑같이 함. 곧, 천하를 통일함. 동철(同轍). ②동일한 왕조(王朝)의 통치 하에 있음. 곧, 중국의 제후(諸侯)의 뜻.

동귀【同歸】 명 ①귀착점(歸着點)이 같음. ②함께 돌아감. ——-하다 자 여불

동귀 일철【同歸一轍】 명 마찬가지 결과로 돌아감.

동귀 일체【同歸一體】 명〖천도교〗 인간의 정신적 결합. 곧, 사람이 '한울님'의 큰 정신에 하나로 합치면 '내 마음이 곧 네 마음이라'는 지경에 이르게 되어 세상의 모든 악한 다툼과 분열(分裂)이 없어지고 한결같은 정신으로 통일되어 한 신체가 한 생명에 결합되는 현상.

동-귀틀 명〖건〗 마루의 장귀틀과 장귀틀 사이에 가로질러 청널의 잇몸을 받는 짧은 귀틀. ＊장귀틀.

동규[1]【多葵】 명〖식〗 '아욱'의 한자 이름.

동규[2]【同揆】 명 동일(同一)함.

동규-자【多葵子】 명〖한의〗 아욱의 씨. 이뇨제(利尿劑)이며, 난산(難產)·유종(乳腫)·이질(痢疾) 등에 약재로 씀.

동규 체절【同規體節】 명〖동〗 원시 환충류(原始環蟲類) 동물처럼 각 체절의 구조나 형태가 거의 같은 것. ↔이규(異規) 체절.

동:균-류【動菌類】[—뉴] 명〖생〗 균충류(菌蟲類).

동:귤【董橘】 명〖식〗 금귤(金橘).

동그라니 부 동그랗게. ㅆ똥그라니. <둥그러니.

동그라미 명 ①원[11](圓). ¶ ∼를 그리다. ②원 모양으로 둥글게 된 형상. ¶ ∼표. ③〈속〉 돈[1]. 1)-3):ㅆ똥그라미. <둥그러미.

동그라미-표【—標】 명 동그랗게 그리거나 적어서, 무엇이 맞다거나 옳음을 나타내는 표. 공표. ↔가새표.

동그라-지다 자 넘어지면서 구르다. ¶ 나∼. <둥그러지다.

동그랑-땡 명〈속〉 돈저냐.

동그랑-쇠 명 ①굴렁쇠. ②삼발이.

동그랑이 명〈방〉 동그라미.

동그랗다 [—라타] 형 ㅎ불 아주 동글다. 뚜렷하게 동글다. ¶ 동그란 원을 그리다. ㅆ똥그랗다. <둥그렇다.

동그래-지다 자 동그랗게 되다. ¶ 깜짝 놀라 눈이 ∼. ㅆ똥그래지다. <둥그래지다.

동그린:란드 해:류【東—海流】 명 [East Greenland Current]〖지〗 그린란드의 동해안을 따라 남으로 흐르는 해류. 온도가 낮으며 염분(塩分)이 적은 물을 운반함.

동그마니 부 ①홀가분하게. ¶ 혼자 ∼ 앉아 있다 / 남폿불 앞에 ∼ 앉아 바느질손을 잡고 있다가…《黃順元 : 타인의 후예》. ②외따로 오똑하게.

동그스레 부 동그스름하게. ㅆ똥그스레. <둥그스레. ——-하다 형 여불

동그스름-하다 형 여불 모나지 아니하고 좀 동글다. ¶ 동그스름한 얼굴. ㊀동긋하다. ㅆ똥그스름하다. <둥그스름하다. **동그스름-히** 부

동:극[1]【動極】 명〖생〗 동물극(動物極). ＊정극(靜極).

동:극[2]【童劇】 명〖연〗 ↗아동극(兒童劇).

동근[1]【同根】 명 ①근본(根本)이 동일함. ②그 자라난 뿌리가 동일함. 동근생(同根生). ③형제(兄弟). ④〖수〗 등근(等根).

동근[2]【同勤】 명 같은 근무. 같은 역할(役割).

동-근고【同勤苦】 명 함께 일하며 고생을 같이 함. ——-하다 자 여불

동근-생【同根生】 명 동근(同根)❷.

동글갸름-하다 형여불 동근 편으로 좀 긴 듯하다. ¶ 동글갸름한 얼굴.

동글납대대-하다 [—랍—] 형여불 생김새가 동글고 납작스름하다. <둥글넓데데하다.

동글납작-이 [—랍—] 부 동글납작하게. <둥글넓적이.

동글납작-하다 [—랍—] 형여불 생김새가 동글고 면(面)이 납작하다. <둥글넓적하다.

동글다 형 중심에서 둘레까지의 거리가 어느 곳이나 똑같다. 원형 또는 「구형(球形)으로 되어 있다. <둥글다.

동글-동글 부 ①동그라미를 그리며 연해 돌아가는 모양. ¶ 여럿이 손을 잡고 ~ 돌게 하다/주발 뚜껑이 ~ 도는구나. ②여럿이 모두 동근 모양. ¶ 송편을 ~ 예쁘게 빚다. 1)·2): ㅆ똥글똥글. <둥글둥글. ——-하다 형여불

동글리다 타 동글게 만들다. ¶ 새알심을 손바닥으로 동글동글 ~/모난 부분을 대패로 훑어 ~. <둥글리다.

동글반반-하다 형여불 생김새가 동그스름하고 반반하다. ¶ 동글반반하게 생긴 얼굴. <둥글번번하다. **동글반반-히** 부

동글-붓 명 끝을 동그스름하게 만든 붓. 그림 그리는 데에 씀.

동글-수시렁이 명 〘충〙 수시렁잇과의 곤충. 길이 3mm로, 동그스름한데, 흑색 바탕에 희고 누른 인모가 났음. 동물 표본의 해충임.

동금¹ 【同衾】 명 동침(同寢). ——-하다 자여불 「자여불

동:금² 【凍噤】 명 추위에 몸이 얼어 말이 잘 나오지 않게 됨. ——-하다

동금³ 【胴金】 명 ①쇠로 만든 가락지. ②창이나 칼의 자루 중간쯤에 끼우는 동근 쇠붙이의 테. 「반.

동급 【同級】 명 ①같은 등급. 동등(同等). ②같은 계급. ③같은 학급. 한

동급-생 【同級生】 명 같은 학급의 학생. 클라스메이트.

동급-체 【同級體】 명 〘화〙 같은 형(型)의 구조식(構造式)을 가지지만 다른 원자 혹은 원자단(原子團)으로 되어 있는 일련의 화합물. 이를테면 물(H_2O)의 동급체에는 황화 수소(H_2S) 등이 있음.

동긋 명 〈방〉 ① 동곳. ② 비녀.

동긋-하다 형여불 ↗동그스름하다. <둥긋하다. **동긋-이** 부

동:기¹ 【冬氣】 명 겨울의 기후.

동:기² 【冬期】 명 겨울 동안. 겨울철. 동절(冬節). ¶ ~ 방학. ↔하기(夏期). *동계(冬季). 「(間).

동기³ 【同氣】 명 '형제 자매'의 총칭. 동포(同胞). 친동기. 형제. ¶ ~간

동기⁴ 【同期】 명 ①같은 시기. 같은 무렵. ¶ ~의 작품. ②같은 훈련소나 학교 등에서의 같은 기(期). ¶ ~ 동창. ③↗동기생(同期生). ④〔synchronism〕〘전〙 교류(交流) 장치에 있어서의 주파수의 일치. 동기 검정기(同期檢定器)로 측정함. ⑤〔synchronization〕〘물〙 둘 이상의 주기 현상(周期現象)이 그들 사이의 상호 작용 또는 외부로부터의 신호(信號) 작용에 의하여, 같은 위상(位相) 또는 일정(一定)한 위상차(差)가 되는 일. 주파수의 일치 또는 정수비(整數比)의 관계로 됨.

동기⁵ 【同機】 명 ①〘불교〙 기능·작용이 같음. ②앞서 말한 그 기계를 가리킬 때 쓰는 말. 그 기계. ③앞서 말한 그 항공기를 가리킬 때 쓰는 ㄴ말. 그 항공기.

동:기⁶ 【動氣】 명 〘생〙 동계(動悸).

동:기⁷ 【動機】 명 ①일을 발동시키는 계기. 사람이 마음을 정하거나 행동을 일으키거나 하는 직접적인 원인. 또 그 목적. ¶ 범행의 ~. ②〔motive; 프 motif; 도 Motive의 역어(譯語)〕 윤리학에서, 대상(對象) 또는 목적의 관념에 이끌린 충동이나 욕망을 이르며, 심리학에서는 행동을 일으킨 의식적·무의식적인 원인을 이름. ③〘악〙 가락을 구성시키는 가장 작은 단위. 모티프. 1)·2): ↔결과. 「妓).

동:기⁸ 【童妓】 명 머리를 쪽찌지 아니한 어린 기생. 아이 기생. ↔노기(老

동기⁹ 【銅器】 명 구리로 만든 그릇.

동기-간 【同氣間】 명 형제 자매의 사이. ¶ ~의 정리(情理).

동기 검:정기 【同期檢定器】 명 〔synchronizer〕 〘물〙 일반적으로는 되풀이하여 일어나는 두 개의 현상이 같은 순간에 일어나는가 어떤가를 검정하는 장치를 말하나, 전력 공학에 있어서는 두 개의 교류 전원의 주파수와 위상(位相)과의 일치 여하를 검정하는 장치. 둘 이상의 교류 동기기(同期機)의 병렬 운전(並列運轉)을 해야 할 개폐기(開閉器)를 닫는 적당한 시간을 결정하는 데 쓰임.

동기-기 【同期機】 명 〘기〙 전기 기계의 한 가지. 기계에 공급되거나 기계에서 발생하는 교류(交流)의 주파수(周波數)와 회전자(回轉子)의 속도 및 자극수(磁極數)와의 사이에 일정한 관계가 있는 전기 기계. 동기 발전기·동기 전동기·동기 변류기(同期變流機) 등이 있음.

동기다 타 〈방〉 동이다(경기·충청·전남).

동기-동기 부 비파(琵琶)·가야금 따위를 뜯는 소리. ¶ 섬섬한 가는 손으로 ~ 비파를 뜯는 시비 하나 《朴鍾和 : 錦衫의 피》.

동:기-론 【動機論】 명 〘윤〙 동기설. 모티비즘(motivism). ↔결과론.

동기 발전기 【同期發電機】 [—쩐—] 명 〔synchronous generator〕 〘물〙 교류 발전기의 하나. 회전자(回轉子)와 고정자(固定子)의 상대 속도가 회전 자기장(磁氣場)과 동기(同期)해서 회전하는 발전기. 대부분의 교류 발전기는 이에 속함.

동기 방식 【同期方式】 명 〔synchronous system〕 〘통신〙 송신 장치와 수신 장치가 같은 속도로써 연속적으로 동작하는 유(類)의 통신 방식. 필요한 경우에는 송수신 장치의 내계를 일정하게 유지하기 위하여 보정 장치(補正裝置)를 사용함. 「하기(夏期) 방학.

동기 방:학 【冬期放學】 명 겨울 동안에 실시하는 방학. 겨울 방학. ↔

동기 변:류기 【同期變流機】 [—별—] 명 〔synchronous converter〕 〘전〙 직류를 교류로, 또 교류를 직류로 변하게 하는 동기기. 주로 교류를 직류로 변하게 하는 데 사용함. 전철용(電鐵用)·전기 화학 공업용에 쓰임. 회전 변류기.

동:기 부:여 【動機賦與】 명 〔motivation〕 ①〘심〙 인간을 포함하는 생활체(生活體)로 하여금 행동(行動)을 하게 만드는 일. ②〘교〙 특정 사물을 학습하려는 의욕을 불러일으키는 일.

동기 상구 【同氣相求】 명 동성 상응(同聲相應).

동기-생 【同期生】 명 동기(同期)에 강습(講習)·졸업·수료(修了) 등을 한 사람. ㊂동기(同期). *동창생(同窓生).

동:기-설 【動機說】 명 〔도 Motivismus〕 〘윤〙 행위의 도덕적 평가의 규준을 그 동기에 두는 학설. 목적은 수단을 신성하게 한다는 입장에서 행위의 중심인 목적 관념만 옳으면 수단·결과는 따질 것이 없다고 하는 주관적 동기설과, 동기의 목적 관념과 함께 그 실현의 수단 관념도 포함한 지향(志向)을 평가의 대상으로 하는 지향설(志向說)의 두 가지가 있음. 동기론. ↔결과설.

동:기성 망각 【動機性忘却】 [—썽—] 명 〔motivated forgetting〕 〘심〙 스스로의 억압이나 스스로 좋게 해석하면서 망각하는 일.

동기 속도 【同期速度】 명 〔synchronous speed〕 〘전〙 교류 전원(交流電源)이 동기(同期) 전동기나 유도(誘導) 전동기에 발생시키는 회전 자기장(磁氣場)의 회전 속도. 동기 속도를 n, 전원(電源)의 주파수를 f, 자기극(極)의 대수(對數)를 p.라고 할 때, $n = f/p(rps) = 60f/p(rpm)$의 관계가 성립됨.

동기 시대 【銅器時代】 명 〔copper age〕 〘역〙 고고학 상(考古學上)의 한 시대. 순동(純銅)으로 만든 이기(利器)를 쓰던 시대. 석기 시대에서 청동기 시대로 옮아가는 중간의 시대이나, 전체로서는 그 시기도 짧고 석기도 그대로 많이 쓰여지고 있었으므로, 일반적으로는 금석 병용 시대(金石併用時代)라 함.

동기 신:호 【同期信號】 명 〘전〙 텔레비전이나 팩시밀리(facsimile) 따위에서 송수신(送受信) 간의 화면 및 주사선(走査線)마다의 변환 시점(變換時點)을 맞추기 위하여, 송신하는 측에서 수신하는 측으로 보내는 ㄴ전기 신호.

동-기와 명 〈방〉 너새¹.

동기 일신 【同氣一身】 [—씬] 명 형제 자매는 한 몸이나 다름없음.

동기 전:동기 【同期電動機】 명 〔synchronous motor〕 〘전〙 교류 전동기의 하나. 전원(電源)의 주파수와 동기 속도로 운전하는 전동기. 구조는 동기 발전기와 같음. 직류로 계자(界磁)를 여자(勵磁)하여 전동자(電動子)에 교류를 통하면 교류 전원의 주파수에 의하여 정하여지는 회전수로 회전함. 전기 시계·분쇄기(粉碎機)·압축기 따위에 쓰임.

동기-정 【東畿停】 명 〘역〙 모지정(毛只停).

동:-기창 【董其昌】 명 〘사람〙 중국 명대(明代)의 문인 화가·서가(書家). 장쑤(江蘇) 출생. 호는 사백(思白). 행서(行書)·초서(草書)에 능하였으며, 동원(董源)·석거연(釋巨然)에게 그림을 배워 남화(南畫)의 완성에 공이 많음. [1555-1636]

동:-기후학 【動氣候學】 명 〔dynamic climatology〕 〘기상〙 기단(氣團)·전선(前線)·천기형(天氣型) 따위의 출현 과정이나 출현 도수에 의하여 기후의 형성을 논하는 기후학(氣候學). 또, 기후의 동태나 형성 과정을 연구하는 기후학. 고전(古典) 기후학에 대한 근대 기후학의 대표임.

동기 휴가 【冬期休暇】 명 겨울철, 몹시 추운 때 또는 연말에서 연초에 걸쳐 관청·회사 따위에서 실시하는 휴가. 또, 그 기간. ↔하기 휴가. *동휴(冬休).

동기 휴업 【冬期休業】 명 겨울철 몹시 추울 때에 학업(學業)이나 영업을 쉬는 일. ↔하기 휴업. *동휴(冬休).

동:-김치 명 〈방〉 동치미.

동꿀-딸기 명 〈방〉 덩굴딸기(제주). 「끊어지다.

동-끊기다 [—끈키—] 자 ①동안이 끊어지다. ②뒤가 계속되지 못하고

동-나다 자 ①늘 쓰던 물건이 다 떨어져 없어지다. ¶ 연탄이 ~. ②상품 ㄴ이 다 팔리다.

동-나무 명 단으로 묶어 땔나무로 파는 잎나무.

동:나치 명 〈방〉 동냥아치(전북·경남).

동난-젓 명 〈방〉 방게젓.

동난지 명 〈옛〉 방게젓. ¶ 宅드레 동난지들 사오려 匠事] 야 《永言》.

동남¹ 【東南】 명 ①동쪽과 남쪽. ②동쪽과 남쪽의 중간이 되는 방위(方位). 곧, 손방(巽方). 남동(南東). 1)·2): ↔서북(西北).

동:남² 【童男】 명 사내아이. 동자(童子). 진남(振男). ↔동녀(童女).

동남-간 【東南間】 명 동쪽과 남쪽의 사이. ↔서북간(西北間).

동남-도 【東南道】 명 〘역〙 동남해도(東南海道).

동-남동 【東南東】 명 동쪽과 남동(南東)과의 중간되는 방위(方位). ↔서북서(西北西).

동:남 동:녀 【童男童女】 명 사내아이와 계집아이.

동남 무:역 【東南貿易】 명 〘경〙 동쪽의 사회주의 국가들과 남쪽의 개발도상국(開發途上國)들 사이의 무역.

동남-방 【東南方】 명 동남의 방위(方位).

동남 방언 【東南方言】 명 〘언〙 경상 남북도 전지역에서 사용되는 말. 경상도 방언. 영남(嶺南) 방언.

동남-아 【東南亞】 명 〘지〙 ↗동남 아시아.

동남 아세아 【東南亞細亞】 명 〘지〙 '동남 아시아'의 취음. ㊂동남아.

동남 아시아 【東南—】 〔Asia〕 명 〘지〙 아시아의 동남부. 대개 인도 차이나 반도·인도네시아·필리핀, 그 밖의 지역을 가리킴. 동남아.

동남 아시아 국가 연합 【東南—國家聯合】 명 〔Association of South East Asian Nations〕 〘정〙 1967년 8월에 결성된 정부 단위(單位)의 지역 기구. 동남 아시아 연합(ASA)의 발전적 해산에 이어서 이를 계승한 것으로, 이 지역내의 경제적·사회적 협력 발전을 목적으로 함. 가맹국은 타이·인도네시아·말레이시아·필리핀·싱가포르. 약칭: 아세안(ASEAN).

동남 아시아 농업 개발 회:의 【東南—農業開發會議】 〔Asia〕 [—/—이] 명 〘경〙 1961년 일본 도쿄에서 개최된 회의. 참가국은 동남 아시아 9개국으로 이 지역의 농업 개발을 위한 기금(基金)의 설치를 결의함. 이 기금은 아시아 개발 은행 가운데 농업 특별 기금을 설치, 일반 자금보

다도 저리(低利)·장기(長期)로 동남아 지역의 농업 개발 융자에 돌려지도록 하였음.

동남 아시아 조약 기구【東南一條約機構】명〔South East Asia Treaty Organization〕『정』1954년에 마닐라에서 조인된 동남 아시아 집단 방위 조약에 따라 결성된 동남 아시아 태평양 지역의 집단적 반공(反共) 군사 동맹. 가맹국은 미국·영국·프랑스·오스트레일리아·뉴질랜드 및 타이·필리핀·파키스탄의 여덟 나라. 본부는 방콕(Bangkok)이었으며, 1977년에 해체됨. 시토(SEATO).

동남-참게【東南一】명『동』[*Eriocheir japonicus*] 바위겟과(科)에 속하는 게의 하나. 둥그스름하게 네모진 등딱지는 길이 10cm, 폭 8cm 가량임. 집게발은 짧고, 그 바깥쪽에 긴 털이 덮이어 있으며, 넷째 발이 가장 길고, 발마다 짧은 털이 줄을 지어 났음. 몸빛은 녹색을 띤 갈색인데, 등딱지 중앙에 'H'자 모양의 홈이 있으며, 배딱지는 흼. 가을 생식기에 암컷의 등딱지 속에 단맛이 있는 장이 들 때 잡아서 식용도 함. 폐디스토마의 중간 숙주(中間宿主)임. 강(江) 어귀나 강의 모래 속에 사는데, 사할린에서 홍콩에 이르는 지역에 널리 분포함.

〈동남참게〉

동남-풍【東南風】명 동남 간에서 불어 오는 바람. 경명풍(景明風). 남동풍. 손풍(巽風). ↔서북풍.

동남-해【東南海】명『역』동남해도(東南海道).

동남해-도【東南海道】명『역』고려 때, 경상·전라·양광(楊廣)의 3 도를 포괄한 지역. 동남해(東南海). 동남도(東南道).

동남-향【東南向】명 서북쪽에서 동남쪽을 바라보는 판. ↔서북향.

동-납월【多臘月】명 음력(陰曆)의 동짓달과 섣달.

동-납철【銅鑞鐵】명『광』주석(朱錫)❶.

동낭-아치 명〈방〉거지¹(전북·경남).

동낭-치 명〈방〉거지¹(전라).

동:내¹ 명〈방〉뒷간.

동:내²【洞內】명 동네 안. 동중(洞中). *동네.

동:내-방내【洞內坊內】명 ☞동네방네.

동:내-사랑【洞內舍廊】명 동네에서 공동으로 쓰이는 사랑.

동-내의【多內衣】[一/一이] 명 겨울에 입는 속옷.

동:냥 명『불교』①[←동령(動鈴)] 중이 시주를 얻으려고 돌아다니는 일. 동량(洞糧). ②거지·동냥아치가 돌아다니며 구걸하는 일. ——-하다 자타여불

[동냥은 아니 주고 자루 찢는다; 동냥은 안 주고 쪽박만 깬다] 남의 애원하는 일을 들어 주기는커녕 오히려 해치기만 한다는 말. [동냥하려다가 추수(秋收) 못 본다] 작은 것을 탐내다가 큰 것을 놓치게 된다.

동:냥-꾼 명 ☞동냥아치.

동:냥-바치¹ 명〈방〉동냥아치.

동냥-바치² 명〈방〉거지¹(제주).

동:냥-아치 명 ①동냥하러 다니는 사람. 거지보다는 조금 체면이 나은 사람을 이름. ㊎동냥치. ②〈방〉거지¹(충남·전북).

[동냥아치 쪽박 깨진 셈] 먹고 사는 데 쓰는 유일한 기술이나 연장이 못쓰게 된 것을 비유하는 말.

동냥-일 [一닐] 명〈방〉두렛일.

동:냥 자루 [一짜一] 명 동냥아치가 동냥할 때에 갖고 다니는 자루.

[동냥 자루도 마주 벌려야 들어간다] '백지장도 맞들면 낫다'와 같은 뜻. [동냥 자루도 제 맛에 찬다] ㉠모든 사람이 천시하는 동냥질도 제가 하고 싶어서 한다는 말. *동냥치 첩도 제 멋에 취한다. ㉡남들이 좋다고 하는 일은 아니 하고 나쁘다고 하는 일만 하는 사람을 빈정대는 말. [동냥 자루를 찢는다] 같이 동냥하여 모은 것을 서로 찢어 갖는다 함이니 변변하지 못한 이익이나 공을 서로 더 차지하려고 다투는 것을 이름. [동냥 자루를 찼나] 먹고도 곧 허기져서 또 먹을 궁리만 함을 비웃는 말.

동:냥-젖 명 남의 젖을 얻어 먹는 일. 또, 그 젖. ¶심청은 ~으로 자랐다.

동:냥-중 [一쭝] 명 동냥을 다니는 중. 자미승(慈米僧). 재미(齋米)중.

동:냥-질 명 동냥하러 다니는 짓. ——-하다 자타여불

동냥-치 명 ↗동냥아치.

[동냥치 첩도 제 멋에 취한다] 동냥치의 첩이니 그 이상 천한 것은 없을 것이로되, 그와 같은 것도 제가 하고 싶어서 한다는 말. *동냥자루도 제맛에 찬다.

동넌 명〈심마니〉산막(山幕).

동넝은 명〈심마니〉산막(山幕).

동:네【洞一】명 ①각기 자기가 사는 집의 근처. ②여러 가호(家戶)가 지역적으로 한 동아리를 이루어 모여 사는 곳. *마을·동(洞).

[동네 개 짖는 소리만 못하게 여긴다] 남의 말을 듣고도 무시함을 이르는 말. 어디 개가 짖느냐 한다. [동네마다 후레아들 하나씩 있다] ㉠사람이 모여 사는 곳에는 으레 악한 사람도 섞였다는 말. ㉡많은 것 가운데는 나쁜 것도 섞여 있다는 말. [동네 북] 이 사람 저 사람이 달려들어 함부로 침을 비유하는 말. [동네 색시 믿고 장가 못 든다] 막연하게 제 생각만 믿다가 일을 그르침을 비유하는 말. [동네 송아지는 커도 송아지다] 눈앞에 두고 늘 보는 것은 그 크고 자라는 것을 잘 알지 못한다는 말. [동네 쉬파리 모여들 듯한다] 음식을 했을 때 사람 떼거리가 모여드는 모양.

동:네 북 치듯 한다 ㉮ 여러 사람이 달려들어 함부로 때리는 모양.

동:네-논【洞一】명 동답(洞畓).

동:네-방네【洞一坊一】명 온 동네. 이 동네 저 동네. ¶~에 퍼진 소문.

동:네-산【洞一山】명 동리산(洞里山).

동:네 야:구【洞一野球】명 선수 아닌 보통 사람들이 동네 빈터 같은 데에 모여서 재미로 하는 야구.

동:네-조리【洞一】명 동네에서 죄진 사람을 조리돌리는 일.

동:넷-집【洞一】명 동네에 있는 집. *이웃집.

동:녀【童女】명 계집아이. 진녀(振女). ↔동남(童男).

동년¹【同年】명 ①같은 해. 그 해. ②같은 나이. 동령(同齡). 동치(同齒). ③『역』동방(同榜).

동:년²【童年】명 어린 나이. 유년(幼年).

동년-계【同年契】명『역』동방 급제(同榜及第)한 사람끼리 맺는 계.

동년-배【同年輩】명 나이가 같은 또래. 같은 연배.

동녕로 총:관부【東寧路摠管府】[一노一] 명『역』고려 충렬왕(忠烈王) 원년(1275)에 원(元)나라가 동녕부(東寧府)를 승격시켜 고친 이름.

동녕-부【東寧府】명『역』고려 원종(元宗) 11년(1270)에 중국 원(元)나라가 고려 서경(西京)에 설치한 관청. 원종 10년에 서북면 병마사(西北面兵馬使)의 기관(記官)이던 최탄(崔坦) 등이 난을 일으켜, 서경을 비롯한 북계(北界)의 54성(城)과 자비령(慈悲嶺) 이북 서해도(西海道)의 6성(城)을 들어 원나라에 항복하매, 원나라 세조(世祖)는 동녕부를 두어 자비령 이북을 원의 영토로 편입하였는데, 충렬왕(忠烈王) 원년(1275)에 동녕로 총관부(東寧路摠管府)로 승격했다가, 끊임없는 고려의 요구로 동왕 16년 이를 폐지하고, 이 지역을 고려에 반환함.

동녕부 총:관【東寧府摠管】명『역』고려 때, 동녕부를 관찰한 원(元)나라의 관직.

동-녘【東一】명 동쪽의 방향. ↔서녘.

[동녘이 번하니까 다 내 세상인 줄 안다] 세상 물정을 모르고 무슨 일이나 다 좋게만 될 것으로 과대 망상하고 있다는 말. [동녘이 훤하면 세상인 줄 안다] 날이 새면 날인가, 해가 지면 밤인가 하고 그것밖에 모르는 지극히 어리석고 모자라는 사람을 이르는 말.

동:뇌【凍餒】명 동아(凍餓).

동니¹ 명〈방〉동네(함북).

동니²【銅泥】명 구릿가루를 아교와 섞어서 만든 채료(彩料).

동다【東茶】명 한국 고유의 차(茶).

동다리니 명〈방〉반자틀.

동:-다회【童多繪】명『역』양반들이 예복(禮服)에 띠는 가는 끈목 띠. 품등(品等)에 따라서 빛깔이 다른데, 흔히 홍색·분홍색으로 물들임.

동단¹【東端】명 동쪽 끝. ↔서단(西端).

동단²【東壇】명『역』↗동방 토룡단(東方土龍壇).

동달이¹ 명『역』군복(軍服)의 한 가지. 검은 두루마기인데, 안을 다홍으로 하고, 붉은 소매를 달았으며 뒤를 터서 지었음. 협수(夾袖).

〈동달이¹〉

동-달이² 의명〈속〉『역』군복(軍服)의 소매 끝에 댄 줄로, 그 등급(等級)을 표하여 부르던 말. ¶외~/두~.

동-답¹【垌畓】명 바닷가에 둑을 쌓고 푼 논.

동:-답²【洞畓】명 동네 사람들이 공동으로 짓는 논.

동당¹【同黨】명 ①같은 당파(黨派). ②그 당. ③한 동아리. ④같은 일족(一族).

동당²【東堂】명 ①정침(正寢)의 동쪽에 있는 당(堂). ②시험장(試驗場)의 별칭. ③↗동당시(東堂試). ④『불교』선종(禪宗)에서, 본사(本寺)의 전임(前任) 주지(住持). 또, 그 거처.

동당 가다【東堂一】자〈옛〉과거(科擧) 보러 가다. ¶동당 갈제 가난ᄒᆞ여 길 나디 몯ᄒᆞ엿거ᄂᆞᆯ(赴擧貧不能上道)≪二倫 40≫.

동당 감시【東堂監試】명『역』고려 때, 국자감시(國子監試)에 합격한 사람을 대상으로 보이는 과거의 본시험. 동당시(東堂試).

동당-거리다 자타 작은 북이나 가야금 따위를 쳐서 계속 동당 소리를 내다. <둥덩거리다. 동당-동당 부. ——-하다 자타여불

동당-대다 자타 동당거리다.

동당 방:목【東堂榜目】명『역』문과(文科)의 방목(榜目)의 속칭.

동당 벌이【同黨伐異】명 당동 벌이(黨同伐異).

동당 복시【東堂覆試】명『역』문과(文科)의 복시(覆試)의 속칭.

동당-시【東堂試】명『역』①동당 감시(東堂監試). ②조선 시대의 문과(文科) 또는 대과(大科)의 속칭. ③증광시(增廣試). ㊟ 동당(東堂).

동당이-치다 타 ☞동댕이치다.

동당 초시【東堂初試】명『역』'문과 초시(文科初試)'의 속칭(俗稱).

동당-치기 명 투전 또는 골패로 하는 노름의 한 가지. ——-하다 자여불

동당 치마 명〈방〉몽당치마.

동당 형제【同堂兄弟】명 당형제(堂兄弟).

동-닿다 [一다타] 자 ①줄줄이 이어지다. ②조리(條理)가 맞다.

동대¹【銅帶】명 탄대(彈帶)❷.

동대²【銅鐓】명『고고학』창(槍)자루의 아래끝에 끼우는 원통형의 구리 장식.

동:-대구【凍大口】명 겨울에 얼린 대구. 냉동시킨 대구.

동대-굴【東臺窟】명『지』강원도 강릉시(江陵市) 옥계면(玉溪面) 산계리(山溪里)에 있는 석회 동굴. 길이 270 m.

동-대다 타 ①끊이지 아니하고 줄줄이 잇닿게 하다. ¶동대어 줄잇다. ②새 물건이 나올 때까지 잇대서 떨어지지 않게 하다. ③앞뒤의 조리가 맞게 하다.

동-대륙【東大陸】명 동반구(東半球)의 대륙. 곧, 아시아·아프리카·유럽·오스트레일리아의 여러 대륙. ↔서대륙(西大陸).

동-대문【東大門】명『지』'흥인지문(興仁之門)'을 서울 동쪽의 큰 성문(城門)이란 뜻으로 일컫는 별칭. *남대문.

동대문-구【東大門區】명『지』서울 특별시의 한 구. 동은 중랑구와 광진구, 서는 종로구, 남은 성동구, 북은 성북구에 접해 있음. 명승 고적은 흥인지문(興仁之門)·관왕묘(關王廟) 등. [14.20km²: 418,715명 (1996)]

동대문 봉:도【東大門奉導】[명]〖역〗거가(車駕)가 동대문에 들어올 때 하는 일. 선전관(宣傳官)이 '명금 이하(鳴金二下) 대취타(大吹打)하오' 하면 이에 응하여 '흥인지문 외(興仁之門外)요, 유마(留馬) 취타(吹打), 취품(就稟)하오. 선전관 지도(指導), 견마부(牽馬夫) 예시위(詣侍衛)'라고 부름. *남대문 봉도.

동대문 시:장【東大門市場】[명]〖지〗서울 특별시 종로구(鍾路區) 예지동(禮智洞)에 있는 상설(常設) 시장. 1905 년 설립된 광장 주식 회사(廣場株式會社)가 모체(母體)로서 '광장 시장(廣場市場)'이라 불리었으나, 지금은 종로 5가·6가 일대의 전체 상가(商街)를 가리키게 됨. *남대문 시장.

동대문 운:동장【東大門運動場】[명]〖지〗서울 특별시 중구(中區) 을지로(乙支路) 7 가에 있는 종합 경기장. 1926 년 준공. 옛 이름은 서울 운동장.

동대 배:우자【同大配偶子】[명]〖생〗동형(同形) 배우자.

동대-산【東臺山】[명]〖지〗강원도 강릉시(江陵市) 연곡면(連谷面)과 평창군(平昌郡) 진부면(珍富面) 사이에 위치하는 산. 오대산(五臺山) 중에 있는 산봉우리의 하나. [1,434 m]

동댕이-치다 [타] ①힘차게 내던지다. ②하던 일을 딱 잘라 그만두다.

동덕【同德】[인대]〖천도교〗천도교인(天道敎人)끼리 서로 부르는 칭호.

동덕 여자 대학교【同德女子大學校】[—녀—] [명] 사립 여자 종합 대학교의 하나. 1950 년 초급 대학으로 설립, 1952 년 4 년제 단과 대학으로 개편되고 1987 년 종합 대학으로 승격됨. 소재지는 서울 특별시 성북구(城北區) 월곡동(月谷洞).

동도¹【同度】[명] ①같은 척도(尺度). ②같은 정도(程度).

동도²【同途】[명] ①같은 길. ②같은 방법. ③같은 용도(用途).

동도³【同道】[명] ①같은 도(道). 또, 같은 도 안에서 삶. ¶~ 출신. ②그 도. 이 도. ③길을 같이 감. 동행(同行). ——-하다 [자][여불]

동-도⁴【東島】[명]〖지〗전라 남도 여수시(麗水市) 삼산면(三山面) 동도리(東島里)를 이루는 섬. 서도(西島)·고도(古島)와 함께 거문도(巨文島)를 이룸. [3.40 km²]

동도⁵【東都】[명]〖지〗중국 허난성(河南省)에 있는 '뤄양(洛陽)'의 별칭. '동주(東周)'의 서울이었음.

동도⁶【東道】[명] ①〖대종교〗천산(天山)을 중심으로 하여 그 동쪽 지방을 이르는 말. ②동쪽의 길.

동도⁷【銅刀】[명] 구리로 만든 칼.

동도 서기론【東道西器論】[명]〖역〗전통적인 제도와 사상은 지키되 근대적인 서구(西歐)의 기술을 받아들이자는 이론. 조선 시대 고종 17 년(1880)에 정치가·학자인 김윤식(金允植)이 주창함.

동도-서말【東塗西抹】[명] 이리저리하여 간신히 꾸며 댐. ——-하다 [타][여불]

동도-장【東都章】[—짱] [명] 용비어천가 제26장(章)의 이름. 별칭: 견피장(遣彼章).

동도-주【東道主】[명] 일정한 곳으로 지나는 길손을 늘 유숙시키고 대접하는 주인.

동-도지【東桃枝】[명]〖민〗동쪽으로 뻗은 복숭아나무의 가지. 술가(術家)에서 귀신 쫓는 데 씀.

동도짓 바람 [명]〈방〉동저고릿바람.

동독¹【東獨】[명]〖지〗전의 '독일 민주 공화국'의 통칭. ↔서독(西獨).

동독²【東瀆】[명]〖역〗사독(四瀆)의 하나. 지금의 낙동강(洛東江).

동:독³【董督】[명] 감시하며 독촉함. ¶압령하는 관원의 ~이 성화같다. ——-하다 [타][여불]

동-돈녕【同敦寧】[명]〖역〗↗동지돈녕부사(同知敦寧府事).

동-돌 [—똘] [명]〖광〗①한두 개만으로도 한 짐의 무게가 넘는 큰 덩어리의 버력. ②광물을 캐어 들어가는 중에 갑자기 만나는 단단한 모암(母岩).

동-돌궐【東突厥】[명]〖역〗중앙 아시아의 돌궐이 6세기 말에 동서로 분열하여 그 중 오르콘(Orkhon) 강 유역을 본거지로 몽골 지방을 지배했던 유목 민족의 국가. 630년 당(唐)나라에 멸망당하였다가 682년에 재흥(再興)하였으나, 8세기 중엽에 내부 분열과 위구르(Uigur)의 자립으로 인하여 붕괴함.

동:동¹【洞洞】[명] ①질박하고 성실한 모양. ②더할 나위 없이 효경(孝敬)스러운 모양. ③무형(無形)인 모양. ④검은 모양.

동:동²【動動】[명] ①〖문〗고려 가요의 하나. 13 절로 구성됨. 달거리 형식의 속요(俗謠)로, 정월부터 섣달까지의 풍물(風物)에 담아 남녀의 정을 노래한 것. *달거리. ②〖악〗↗동동무(動動舞). ③〖악〗궁중 연례악(宴禮樂)의 하나. 수제천(壽齊天)을 변주한 관현악임. 속칭 세가락 정읍(井邑).

동:동³【憧憧】[명] 걱정스러운 일이 있음. ——-하다 [형][여불] 걱정스러운 일이 있어 마음이 들뜬 상태에 있다.

동동⁴【曈曈】[명] 아침 해가 빛나는 모양. 해가 돋는 모양.

동동⁵ [부] 작은 북을 연해 칠 때 나는 소리. <둥둥. ——-하다 [자][여불]

동동⁶ [부] 발을 자꾸 구르는 모양. ¶발을 ~ 구르다.

동동⁷ [부] ↗동실동실. <둥둥.

동동-거리다¹ [一][자] 잇따라 동동 소리가 나다. <둥둥거리다. [二][타] ①몹시 급하게 서두르며 발을 자꾸 구르다 ②몹시 추워서 발을 자꾸 구르다. ③몹시 원통하거나 애가 타서 발을 자꾸 구르다. ¶발을 동동거리며 분해하다. ④잇따라 동동소리를 나게 하다. <둥둥거리다.

동동-걸음 [명] 다급하거나 추워서 발을 동동거리며 걷는 걸음. ¶~으로 걸어가다.

동:동-다리 [명]〖악〗'동동사(動動詞)'의 딴이름.

동동-대다 [자][타] 동동거리다.

동:동-무【動動舞】[명]〖악〗고려 때, 대궐 안의 잔치에 추던 춤의 한 가지. 맨 처음, 여기(女妓) 두 사람이 나와 북향(北向)으로 나란히 서서 염수(斂手)와 족도(足蹈)를 하며 절하고 다시 꿇어앉아 아박(牙拍)을 들고 동동사(動動詞)의 첫 구절을 부르면 다른 여기들이 따라서 부름. 이 때 악관(樂官)은 그 곡조를 아룀. 두 여기는 앉아 아박을 띠에 꽂고 곡조가 끝나면 일어서, 둘째 곡조가 끝나면 염수하고 무도(舞蹈)하며, 셋째 곡조가 끝나면 아박을 빼어 들고, 주악(奏樂)의 절차를 따라 춤을 춤. 주악이 끝나면 처음과 같이 몸을 꾸부리었다가 일어남. 아박무(牙拍舞). [준]동동(動動).

동:동-사【動動詞】〖악〗고려 가요 동동(動動)을 동동무(動動舞)로 출 때 부르는 창사(唱詞)로서 일컫는 이름. 동동다리.

동동-이¹ [명]〈방〉낚시찌.

동동이² [명]〈방〉동당치기.

동동-주【—酒】[명] 맑은 술을 떠내거나 걸러내지 아니하여 밥알이 담기어 동동 떠 있는 채의 막걸리.

동:동 촉촉【洞洞燭燭】[명] 공경하고 삼가서 매우 조심스러움. ¶시비 김순이를 …친생녀나 다름없이 애휼하며, 김순이는 위인이 영리하므로 ~하여 부인 앞에서 심부름을 하더니…《作者未詳 : 秋天明月》. ——-하다 [형][여불]

동동 팔월【—八月】[명] 음력 팔월은 분주한 가운데 어느새 갔는지도 모르게 쉬 지나간다 하여 이르는 말. *건들 팔월.

동두깨비-놀음 [명]〈방〉소꿉질(경북). ——-하다 [자]

동:-두민【洞頭民】[명] 동네의 어른. 또, 아는 것이 많은 사람.

동:-두부【凍豆腐】[명] 언 두부.

동두 서미【東頭西尾】[명] 제수를 차려 놓을 때, 생선의 머리는 동쪽, 꼬리는 서쪽을 향하게 놓는다는 말.

동두재비 [명]〈방〉소꿉질 (경남).

동-두천【東豆川】[명]〖지〗경기도의 한 시(市). 양주군(楊州郡) 북쪽에 위치한 한수(漢水) 이북의 상업 도시. 경원선(京元線)의 요역(要驛)으로, 1981년에 시(市)로 승격함. [71,448 명(1990)]

동두 철신【銅頭鐵身】[—씬] [명] 성질이 모질고 질기며 거만한 사람을 비유하는 말. 동두 철액(銅頭鐵額).

동두 철액【銅頭鐵額】[명] 동두 철신(銅頭鐵身).

동-둑【垌—】[—뚝] [명] 동(垌).

동드깨비 [명]〈방〉소꿉질 (경남).

동득-산【東得山】[명]〖지〗함경 남도 장진군(長津郡)에 있는 산. [1,673 m]

동등¹【冬等】[명] 등급을 춘하추동의 넷으로 나누었을 때의 넷째 등(等).

동등²【同等】[명] ①등급이 같음. 동급(同級). ②자격이나 수완 또는 입장이 같음. ③〖수〗두 명제(命題)가 같은 내용을 나타내고 있는 것. 동치(同値). ——-하다 [형][여불]

동등-관【同等官】[명] 같은 등급(等級)의 벼슬.

동등-권【同等權】[—꿘] [명] 서로 똑같이 누릴 수 있는 권리. 대등(對等)한 권리. 동권(同權).

동-떨어지다 [자] 서로 거리가 멀게 떨어지다. 서로 관계가 멀게 따로 떨어지다.

동떨어진 소리 [구] ①남에게 대하여 경어(敬語)도 반말도 아니게 쓰는 어리뻥뻥한 말씨. ②조리가 닿지 아니하는 말. ¶~만 횡설수설 늘어놓다.

동-뜨다 [형] ①다른 것보다 훨씬 뛰어나다. ¶영어를 동뜨게 잘하다/우리 행중이 저잣거리에서 찍자를 놓는 무뢰배 왈짜들보다는 동뜬 사람들이요, 딱짱대들이란 것을…《金周榮 : 客主》. ②↗동안 뜨다.

동-띄기 [명]〈방〉넉동내기.

동띠 [명] 서로 힘이 같음.

동라【銅鑼】[—나] [명]〖악〗징².

동락【同樂】[—낙] [명] 같이 즐김. 함께 즐김. ¶한평생 동고 ~하다/노소(老少) ~. ↔동고(同苦). ——-하다 [자][여불]

동락정 성황【同樂亭城隍】[—낙—] [명]〖역〗조선 시대 한양(漢陽)의 사성황(四城隍)의 하나. 북문(北門)인 창의문(彰義門) 바로 앞에 있었음. 속칭은 자하문(紫霞門) 서낭.

동락 태평【同樂太平】[—낙—] [명] 태평함을 같이 즐김. ——-하다 [자][여불]

동란¹【冬卵】[—난] [명]〖생〗지속란(持續卵).

동:란²【動亂】[—난] [명] 난리가 나서 세상이 소란해지는 일. 전(轉)하여, 전란(戰亂). ¶6·25 ~.

동람【銅藍】[—남] [명] [covellite]〖광〗구리의 황화(黃化) 광물. 육방 정계(六方晶系)의 육각 판상(板狀)의 형태로 산출됨. 불투명하고 빛은 암남청색(暗藍青色)인데, 흔히 동광산의 노두(露頭) 하부에서 휘동광(輝銅鑛) 등과 함께 발견됨.

동람-도【東覽圖】[—남—] [명]〖지〗동국 여지 승람(東國輿地勝覽)의 권수(卷首)에 첨부된 팔도 총도(八道總圖) 1 매와 각 도(道)의 첫머리에 첨부된 도별도(道別圖) 8 매의 지도(地圖). 판심(版心)에 '동람도'라고 판각(版刻)되어 있음.

동랑【東廊】[—낭] [명] 건물의 동쪽에 만들어 놓은 회랑(回廊).

동래【東來】[—내] [명] 동쪽에서 옴. ——-하다 [자][여불]

동래-강【東萊江】[—내—] [명]〖지〗평안 북도 구성군(龜城郡) 이현면(梨峴面)에서 나와 구성(龜城)·정주(定州) 등지를 지나 황해로 들어가는 강. [41.6 km]

동래-군【東萊郡】[—내—] [명]〖지〗부산 직할시와 양산군에 편입되어 없어진 경상 남도의 한 군. 북은 울산군(蔚山郡)과 양산군(梁山郡), 동은 바다, 서는 양산군, 남은 부산시에 맞닿았었음. 1963년에 남쪽 일부가 부산 직할시 동래구로 편입되고, 나머지는 1973년 양산군에 병합되었음.

동래 박의【東萊博義】[—내—/—내—이] [명]〖책〗중국 남송(南宋)의 동래 여조겸(東萊呂祖謙)이 1168년에 찬(撰)한, 《춘추 좌씨전(春秋左氏傳)》의 논평 주석서. 중요한 기사 168 항목을 뽑아 각각 제목을 달고, 역사적 사실에 대한 득실(得失)을 평론하였음. 고문(古文)에 대한 시문

(時文), 즉 과거문(科擧文)으로 씌어져서 문과 시험의 규범이 되었음. 25권. 동래 좌씨(左氏) 박의.

동래 상인【東萊商人】[—내—] [명]〖역〗조선 시대 후기에, 동래(東萊)를 중심으로 왜관 무역(倭館貿易)을 주로 담당한 큰 상인들. [준]내상(萊商).

동래 선생 교:정 북사 상절【東萊先生校正北史詳節】[—내—] [명]〖책〗조선 태종 연간(1403-18)에 간행된 중국 북조(北朝) 시대의 역사책. 중국 송(宋)나라의 동래(東萊) 여조겸(呂祖謙) 교편(校編)인 것을 계미자(癸未字)를 사용하여 간행한 것임. 권지사·오(卷之四·五) 2책, 권지육(卷之六) 1책, 모두 3책이 전함. 국보 제149호.

동래 싸움【東萊—】[—내—] [명]〖역〗조선 선조(宣祖) 25년(1592) 임진왜란 초전(初戰)에서 동래 부사(府使) 송상현(宋象賢)이 부산을 거쳐 밀어 닥친 왜병과 싸우다 끝내 성이 함락되고 전사한 싸움.

동래 야:류 가:면극【東萊野遊假面劇】[—내—] [명]〖민〗우리 나라 전래의 가면극. 음력 정월 보름날 마을 사람들이 사흘 동안 동서로 편을 갈라 줄다리기를 한 뒤 공연함. 극이 끝난 뒤에는 마을 사람 모두 손수 만든 탈바가지를 쓰고 밤새껏 흥겹게 놂. 1965년 문화재 관리국에서 무형(無形) 문화재로 지정함.

동래 온천【東萊溫泉】[—내—] [명]〖지〗부산 광역시 동래구(區) 금정산(金井山) 기슭에 있는 온천. 이미 1,000년 전부터 이용되었다고 함. 수온은 55-75°C, 천질(泉質)은 알칼리성, 즉 보통의 식염천(食塩泉)으로 무색 투명한 것이 특색임. 특히, 위장병·기관지염·부인병 등에 유효하다고 함.

동래 접왜 사:목초【東萊接倭事目抄】[—내—] [명]〖책〗조선 14대 선조 41년 (1608)부터 광해군(光海君)·인조(仁祖)·효종(孝宗)·현종(顯宗)·숙종(肅宗)에 이르기까지 동래부(東萊府)에서 다룬 일본 사절·표류인·범죄인 및 쓰시마(對馬) 도주(島主)와의 응답(應答), 무역 등에 관한 사실을 기록한 책. 예조(禮曹)에서 펴냄. 1책. 사본.

동래 좌:씨 박의【東萊左氏博義】[—내— / —내—이] [명]〖책〗동래 박의.

동래 학춤【東萊鶴—】[—내—] [명] 동래 지방에 전해지는 학의 동작을 표현한 춤. 흰 도포 차림에 갓을 쓰고 미투리를 신은 의상으로 농악 편성의 악기 반주에 맞추어 굿거리 장단으로 춤.

동:량¹【洞糧】[—냥] [명]〖불교〗동냥❶.

동량²【棟梁·棟樑】[—냥] [명] ①마룻대와 들보. ②↗동량지재(棟梁之材). ¶국가의 ~.

동량-재【棟梁材】[—냥—] [명] ↗동량지재(棟梁之材).

동량지-신【棟梁之臣】[—냥—] [명] 한 나라의 국정 대사(國政大事)를 맡아 다스릴 만한 신하.

동량지-재【棟梁之材】[—냥—] [명] 한 집이나 또는 한 나라를 맡아 다스릴 만한 큰 인재(人材). [준]동량(棟梁)·동량재(棟梁材).

동려【同侶】[—너] [명] 반려(伴侶).

동력¹【同力】[—녁] [명] 힘을 같이 함. 또, 그 힘.

동:력²【動力】[—녁] [명] ①〖물〗원동기(原動機)에 의해, 기계를 움직이게 하는 힘으로 변형·발생시킨 것. 전력(電力)·수력(水力)·풍력(風力) 등이 주요 동력원(源)이 됨. ②어떠한 물체를 움직이게 하는 힘. 또, 어떤 일을 추진하고 발전시키는 힘. 원동력(原動力).

동:력 경운기【動力耕耘機】[—녁—] [명]〖기〗자동(自動) 경운기.

동:력-계【動力計】[—녁—] [명] 원동기(原動機)·발동기(發動機) 등의 동력을 재는 장치. 흡수(吸收) 동력계와 전달(傳達) 동력계가 있음. 다이너모미터(dynamometer).

동:력-기【動力機】[—녁—] [명] 동력 기계.

동:력 기계【動力機械】[—녁—] [명]〖기〗자연계의 여러 형태의 에너지를 기계적 에너지로 바꾸어 쓰는 기계. 동력기.

동:력-로【動力爐】[—녁노] [명]〖물〗동력용(動力用) 원자로.

동:력 변:성 광:상【動力變成鑛床】[—녁—] [명]〖광〗동력 변성 작용에 의하여 암석 속의 성분이 재결정(再結晶)·재결합하여 생긴, 석면(石綿)·흑연(黑鉛)·활석(滑石) 등의 광상.

동:력 변:성암【動力變成岩】[—녁—] [명]〖광〗동력 변질암(動力變質岩).

동:력 변:성 작용【動力變成作用】[—녁—] [명]〖지〗동력 변질 작용.

동:력 변:질【動力變質】[—녁—] [명]〖광〗지각(地殼)의 수축(收縮)에 의해서 일어나는 센 압력(壓力)으로 암석(岩石)의 질이 변하는 일.

동:력 변:질암【動力變質岩】[—녁—] [명]〖광〗동력 변질의 작용에 의해 화성암(火成岩) 또는 수성암(水成岩)이 변질되어서 생긴 암석. 편마암(片麻岩)·결정 편암(結晶片岩)·각섬암(角閃岩)·밀로나이트(mylonite) 등. 동력 변성암(動力變成岩).

동:력 변:질 작용【動力變質作用】[—녁—] [명] 〔dynamometamorphism〕〖지〗지각 변동 또는 조산 작용의 응력(應力)에 의하여 화성암·수성암이 파쇄(破碎)되어 조성(組成)의 변화를 일으키는 일. 동력 변성 작용.

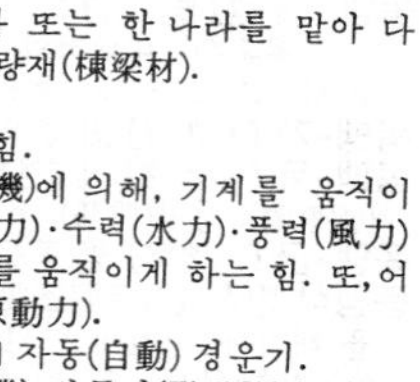
〈동력삽〉

동:력-삽【動力鍤】[—녁—] [명]〖기〗동력을 이용하여 흙 같은 것을 푸는 삽. 용량이 보통 삽의 수십 배 되는 큰 삽을 매달고 도르래 장치의 쇠줄을 늦추었다 감았다 하여 흙·모래 등을 품. 파워 셔블. 동력 셔블.

동:력-선¹【動力船】[—녁—] [명] 발동기선.

동:력-선²【動力線】[—녁—] [명]〖전〗배전선 가운데, 일반 전동기에 공급하는 회로(回路). ↔전등선(電燈線).

동:력 셔블【動力—】[—녁—] 〔shovel〕 [명]〖기〗동력삽.

동:력용 원자로【動力用原子爐】[—녁농—] [명] 〔power reactor〕 핵분열에 의해 생기는 열을 동력으로 사용하는 원자로. 발전용 원자로와 함선·항공기·로켓 등의 추진력을 얻기 위한 추진용원자로로 크게 나눌 수 있는데, 현재 실용화되고 있는 것은 발전용과 함선용뿐임. 동력로(爐).

「화력 같은 것.

동:력-원【動力源】[—녁—] [명] 동력의 근원이 되는 에너지. 수력·전력·

동:력-인【動力因】[—녁—] [명] 〔라 causa efficiens〕〖철〗아리스토텔레스가 구별한 운동의 네 가지 원인의 하나. 목적인(目的因)·형상인(形相因)·질료인(質料因)에 대하여 질(質)에 실제로 기동(起動)하는 원인. 가령 집을 지을 때 질료인인 건축 자재, 형상인인 설계, 목적인인 목적에 대하여 손 또는 도구·기술은 곧 동력인임. 작용인(作用因). 기생인(起生因). [준]동인(動因).

동:력 자원【動力資源】[—녁—] [명] 동력을 발생하는 자원. 곧, 석탄·석유·원자력·하수(河水) 따위.

동:력 자원부【動力資源部】[—녁—] [명] 행정 각부의 하나. 동력과 지하 자원에 관한 사무를 맡아봄. 1993년 '상공부'와 합쳐 상공 자원부로 됨. [준]동자부.

동:력 전달 장치【動力傳達裝置】[—녁—] [명]〖기〗기관에서 발생한 동력을 운전하고자 하는 기계의 축(軸)에 전달하는 장치. 클러치·변속 장치·구동축(驅動軸) 등으로 구성되어 있음.

동:력-차【動力車】[—녁—] [명] 철도 차량의 하나. 원동기를 가지고 있어 스스로 움직이는 차량. 동차(動車)와 기관차로 구분됨.

동련【同輦】[—년] [명] 같은 연(輦) 위에 함께 탐. ——-하다 [자][여불]

동련-호【東蓮湖】[—년—] [명]〖지〗함경 북도 경성군(鏡城郡)에 있는 호수. [2.88 km²] *서련호(西蓮湖).

동렬¹【同列】[—녈] [명] ①같은 줄. ②같은 동아리. ③같은 반열(班列). 같은 항렬(行列).

「[여불]

동:렬²【凍裂】[—녈] [명] ①얼어서 갈라짐. ②동상(凍傷). ——-하다 [자]

동:렴【凍簾】[—념] [명] 무덤 속의 송장이 찬 기운으로 얼어서 오래도록 썩지 않는 일.

동령¹【同齡】[—녕] [명] 같은 나이. 동년(同年).

동령²【東嶺】[—녕] [명] 동쪽에 있는 재.

동:령³【動令】[—녕] [명]〖군〗구령에서, 어떤 동작을 취하는가를 예시(豫示)하는 예령(豫令)에 대해, 그 동작을 바로 행동으로 옮기게 하는 구령. '우향 우'에서 끝의 '우'와 같은 것. ↔예령(豫令). *구령(口令).

동:령⁴【動鈴】[—녕] [명]〖불교〗→동냥❶.

동:령⁵【童齡】[—녕] [명] 어린이의 나이.

동령⁶【銅鈴】[—녕] [명]〖고고학〗초기 철기 시대의 방울 달린 청동기. 팔주령(八珠鈴)과 쌍두령(雙頭鈴)이 있음. 당시 지배 계급의 장신구로 추정됨.

동령 감:각【同齡感覺】[—녕—] [명]〖심〗나이가 같은 사람끼리 공통의 인자(因子)가 있다고 생각하는 사고(思考). 동갑(同甲)이 죽으면 귓속에서 윙윙 소리가 나서 자연히 알 수 있다는 따위의 감각을 이름.

동령-림【同齡林】[—녕님] [명] 연령이 거의 같은 나무들로 이루어진 숲. 동갑 숲. ↔이령림(異齡林).

동례¹【同隸】[—녜] [명] 같은 주인을 섬기는 사람.

동례²【僮隸】[—녜] [명] 동복(僮僕).

동:로【凍露】[—노] [명] 이슬이 동결(凍結)한 서리의 일종.

동로:마 제:국【東—帝國】〔Roma〕 [명]〖역〗로마 제국이 이분된 중의 하나. 395년 테오도시우스 대제(Theodosius大帝)의 사후 장자(長子)인 아르카디우스(Arcadius)가 이집트·소아시아·시리아·그리스 등지를 차지하고 콘스탄티노플(Constantinople)에 도읍한 제국을 이름. 이후 1천여 년 만인 1453년 터키에 망하기까지 그리스 정교(正敎)의 본산이었고, 찬란한 비잔틴(Byzantine) 문화를 낳았음. 비잔틴 제국(Byzantine帝國). 그리스 제국(帝國). ↔서로마 제국.

동록¹【東麓】[—녹] [명] 동쪽 기슭.

동록²【銅綠】[—녹] [명] 구리 거죽에 돋는 푸른빛의 물질. 독(毒)이 있음. 동청(銅靑). 상록(霜綠). [준]녹(綠).

동록(이) 나다 [구] ☞동록(이) 슬다.

동록(이) 슬다 [구] 동록이 돋아서 빛깔이 파랗게 되다.

동론【同論】[—논] [명] 생각하는 바나 도리(道理)가 같음. 같은 논의.

동뢰【同牢】[—뇌] [명] 부부가 음식을 같이 먹음.

동뢰-연【同牢宴】[—뇌—] [명] 신랑과 신부가 교배(交拜)를 마치고 나서 서로 술잔을 나누는 잔치.

동뢰연 과:부【同牢宴寡婦】[—뇌—] [명] 혼인을 한 후 얼마 아니 되어 과부가 된 여자.

동료【同僚】[—뇨] [명] 같은 곳에서 같은 일을 보는 사람. 임무가 같은 사람. 동제(等儕). 요우(僚友). ¶직장 ~.

동룡-굴【蝀龍窟】[—농—] [명]〖지〗평안 북도 영변군(寧邊郡) 용문산(龍門山) 남쪽에 있는 종유동(鍾乳洞). 기괴(奇怪)한 모양의 종유와 석순(石筍)이 천태 만상(千態萬象)을 이루어 마치 금강산의 그것과도 같아 '지하 금강(地下金剛)'이라고도 불림. 한국의 카르스트 지형(Karst地形)의 대표적인 것임. 길이 4-5km, 면적 1,000평 가량.

동루【東樓】[—누] [명] 동쪽에 있는 누각(樓閣).

동류¹【同流】[—뉴] [명] ①물의 같은 흐름. ②같은 유파(流派). ¶~에 속하는 작가. ③같은 유풍(流風). ④동배(同輩).

동류²【同類】[—뉴] [명] ①같은 종류. 동종(同種). 등류(等類). *동과(同科). ②같은 무리. ¶~로 취급되다.

동류³【東流】[—뉴] [명] 동쪽으로 흘러감. 또, 그 흐름. ——-하다 [자][여불]

동류-극【同類極】[—뉴—] [명] 〔analogous pole〕〖물〗결정(結晶)이 열을 받았을 때 양(陽)으로 대전(帶電)하는 극.

동류 의:식【同類意識】[—뉴—] [명] 〔consciousness of kind〕〖철〗남이

자기와 동류임을 의식하고, 그 의식 아래 사람들이 서로 동포적인 친화감(親和感)을 갖는 것을 말함. 사회 결합(社會結合)의 근본 의식으로 미국 사회학자 기딩스(Giddings, E. H.; 1855-1931)가 주장하였음.

동류-항【同類項】[—뉴—] [명] [similar term] 《수》 다항식에 있어서, 계수(係數)는 같지 않으나, 다른 인수(因數)는 각각 같은 지수(指數)를 갖는 문자(文字)로 된 두 개 이상의 항. $7a^3+a^2b+ab^2-b^3-3ab^2$에 있어서의 ab^2과 $3ab^2$ 같은 것.

동:륜[1]【動輪】[—눈] [명] 실린더(sylinder)나 원동기(原動機)의 주력용(走力用) 동력의 작용에 의하여 기관차를 움직이는 차륜(車輪). 동륜의 직경에 비례하여 속력은 빠르게 되나 견인력(牽引力)은 약해짐.

동륜[2]【銅輪】[—눈] [명] 《불교》 사륜(四輪)의 하나. 전륜왕(轉輪王)이 가지고 있는 동(銅)으로 만든 윤보(輪寶). 또 이것을 가지고 있는 동륜왕(銅輪王)을 이름.

동륜-왕【銅輪王】[—눈—] [명] 《불교》 사륜왕(四輪王)의 하나. 동륜을 가지고 있다는 전륜 성왕(轉輪聖王). 수미산(須彌山)을 둘러싼 사대주(四大洲) 중 이대주(二大洲)를 통치한다고 함.

동률[1]【同率】[—뉼] [명] 같은 율. 같은 비례. ¶ ~ 우승.

동:률[2]【動律】[—뉼] [명] 《악》 절주(節奏). 리듬.

동릉【東陵】[—능] [명] 《지》 '둥링'을 우리 음으로 읽은 이름.

동리[1]【同利】[—니] [명] 공동의 이익. 공공(公共)의 이익.

동리[2]【東籬】[—니] [명] ①동쪽의 울타리. ②'국화(菊花)'의 이칭(異稱).

동:리[3]【洞里】[—니] [명] ①마을❷. ¶ ~ 사람들이 모여들다. ②지방 행정 구역인 동(洞)과 이(里)의 총칭.

동:리[4]【洞裏】[—니] [명] 동굴의 내부.

동:리[5]【凍梨】[—니] [명] 서리를 맞아 얼어서 시든 배. 또, 그 배처럼, 쇠하고 시들어 검버섯이 난 노인의 피부를 비유하여 이름.

동리[6]【桐里】[—니] [명] 《사람》 신재효(申在孝)의 호(號).

동리[7]【疼羸】[—니] [명] 아프고 피로해짐.

동:리[8]【瞳裏】[—니] [명] 눈꺼풀의 안쪽.

동:리-계【洞里契】[—니—] [명] 동계(洞契).

동리 군자【東籬君子】[—니—] [명] '국화(菊花)'의 이칭.

동:리-매【洞里—】[—니—] [명] 《민》 마을의 규범을 어긴 사람에게 공개된 장소에서 가하는 태형(笞刑).

동:리-산【洞里山】[—니—] [명] 마을 또는 동리가 공유(共有)하고 있는 산. 동산(洞山). 동네산.

동리 여흥【東籬餘興】[—니—] [명] 《미술》 동양화의 화제(畫題)의 하나. 국화를 그린 것을 이름.

동:리-형【洞里刑】[—니—] [명] 《역》 마을의 이름으로 과하는 사형(私刑).

동린【東隣】[—닌] [명] 동쪽에 있는 이웃.

동림-당【東林黨】[—님—] [명] 《역》 명(明)나라 신종(神宗) 때 일어난 정치 상의 당파. 태자(太子)를 세우는 문제로 좌천을 당한 고헌성(顧憲成)과 고반룡(高攀龍)이 주동이 되어 동림 서원(東林書院)을 근거지로 삼아 재야(在野)의 학자나 불평 분자를 규합(糾合), 시사(時事)를 논한 것이 시초가 되었는데, 여기에 조정의 관리·환관(宦官)들도 모여들어 대정당이 되었음. 이에 대하여 반대파도 또한 결합하여서 서로 논전(論戰)과 정쟁(政爭)을 일삼게 되었는데, 이것이 결국 명나라를 멸망시킨 큰 원인이 되었다고 함.

동림-봉【東林峰】[—님—] [명] 《지》 평안 북도 후창군(厚昌郡) 동신면(東新面)과 동흥면(東興面) 사이에 있는 산봉우리. 낭림 산맥의 첫머리 부분에 속함. [1,523 m]

동림-산【東林山】[—님—] [명] 《지》 평안 북도 운산군(雲山郡) 판면(板面)과 북진읍(北鎭邑) 사이에 있는 산. [1,165m]

동림 폭포【東林瀑布】[—님—] [명] 《지》 관서 팔경(關西八景)의 하나. 평안 북도 선천읍(宣川邑) 서쪽, 옛날의 선천성(宣川城)에 있는 폭포. 폭포는 물이 많아 장관(壯觀)이며 기암과 반석이 잘 깔려 있음.

동-마구리【東—】[명] 《광》 동서맥(東西脈) 구덩이의 동쪽 마구리.

동-마루【棟—】[명] 《건》 기와로 쌓아 올린 지붕 마루.

동-마리 [명] 〈방〉 마루(경북).

동-마마【東媽媽】[명] 〈궁중〉 황태자(皇太子).

동:-마찰【動摩擦】[명] [kinetic friction] 《물》 운동 마찰(運動摩擦).

동-막이【垌—】[명] 둑을 쌓아 막는 일. ——-하다 [자][타][여불]

동-만다라【東曼荼羅】[명] 《불교》 태장계(胎藏界) 만다라의 이칭(異稱).

동-매 [명] 물건을 동여 묶는 데 쓰는 가로 묶는 매끼. ↔장매.

동:맥[1]【動脈】[명] ①《생》 심장에서 혈액을 몸의 각 부분에 원심적(遠心的)으로 보내는 혈관. 차차 나눠져 모세관(毛細管)이 됨. 일반적으로 정맥(靜脈)에 비하여 혈관의 벽이 두꺼우며 탄력성(彈力性)과 수축성(收縮性)이 많고, 몸 깊은 곳에 뻗음. 그 위치에 따라서 폐동맥(肺動脈)·경동맥(頸動脈)·상박(上膊) 동맥·관상(冠狀) 동맥 등으로 구분함. ↔정맥. ②비유적으로, 주간(主幹)이 되는 계통로(系統路)·교통로(交通路) 등에 쓰임. ¶ 경부선은 한국의 ~이다.

동-맥[2]【銅脈】[명] 구리의 광맥(鑛脈).

동:맥 경화【動脈硬化】[명] ①↗동맥 경화증. ②사고 방식(思考方式)이나 감수성(感受性) 등이 유연(柔軟)하지 못함.

동:맥 경화성 정신병【動脈硬化性精神病】[—썽—뼝] [명] [arteriosclerotic psychosis] 《의》 동맥의 경화(硬化)에 의해서, 뇌실질(腦實質)이 영양 불량과 그 밖의 병적 증상을 일으키어 여러 가지 정신 장애가 일어나는 병.

동:맥 경화증【動脈硬化症】[—쯩] [명] [arteriosclerosis] 《의》 동맥 벽(壁)의 탄력성이 없어지고, 벽의 비후와 내부에의 침착(沈着) 작용에 의해서 혈관의 내강(內腔)이 좁아지는 동맥의 노인성 병변(病變). 뇌졸중(腦卒中)과 심근 경색(心筋硬塞) 발생의 기반이 됨. 경화가 진행하면 그 결과 내장에 충분한 혈액을 보낼 수 없게 되므로, 내장에 갖가지 증상이 나타남. 고혈압과 밀접한 관계를 가짐. [준]동맥 경화.

동:맥-관【動脈管】[명] 《생》 동맥의 혈관.

동:맥관 개존증【動脈管開存症】[—쯩] [명] 《의》 보탈로 동맥관 개존증.

동:맥-류【動脈瘤】[—뉴] [명] [aneurysm] 《의》 동맥관(動脈管)의 한 부분이 이상을 일으키어 일어나는 병. 주로 동맥 경화증(硬化症)·매독·외상(外傷) 등에 기인하는데 가슴의 대동맥(大動脈)에서 잘 일어남.

동:맥-망【動脈網】[명] 《생》 동맥이 피를 보내는 가운데 여러 갈래로 갈라져 그물 모양을 이룬 부분. 말초(末梢)에 많음.

동:맥-벽【動脈壁】[명] 《생》 동맥관(動脈管) 안쪽의 벽.

동:맥 색전증【動脈塞栓症】[—쯩] [명] 《의》 동맥벽(動脈壁)의 염증이나 경화증으로 응고물이 혈관에 붙거나, 혈액의 통로를 막는 증세. 흔히 급사(急死)를 함. 동맥 전색(動脈栓塞). ↔정맥 색전증.

동:맥 수혈【動脈輸血】[명] 《의》 급증 쇼크(急症 shock)로 말미암아 급속히 수혈할 필요가 있을 때에 사타구니의 동맥이나 복부의 대동맥 안에 다 수혈하는 일. 혈류나 혈압의 회복이 현저함.

동:맥-염【動脈炎】[—념] [명] [arteritis] 《의》 티푸스균·인플루엔자균·매독균 등의 전신성(全身性) 전염 및 내분비 장애·알레르기 등의 원인으로 일어나는 동맥 및 그 주위의 염증.

동:맥 전색【動脈栓塞】[명] 《의》 동맥 색전증(動脈塞栓症).

동:맥 조:영법【動脈造影法】[—뻡] [명] 《의》 동맥 촬영법.

동:맥 주:사【動脈注射】[명] 《의》 치료 또는 진단의 목적으로, 피부를 거쳐서 또는 피부를 절개(切開)하여 노출된 동맥에 약액(藥液)을 주사하는 일. ↔정맥 주사.

동:맥 촬영법【動脈撮影法】[—뻡] [명] [arteriography] 《의》 혈관의 모양이나 주행(走行)을 조사하여 동맥 자체의 병변(病變) 및 동맥 주변의 조직의 병변을 알기 위해 동맥에 조영제(造影劑)를 주입, X선 촬영을 하는 방법. 동맥 조영법(造影法).

동:맥 충혈【動脈充血】[명] 《의》 동맥 가운데 특히 작은 동맥 또는 모세관에 피가 가득히 차서 충혈하는 일. 이것을 일으킨 원인이 없어지면 곧 원상태로 돌아감.

동:맥-피【動脈—】[명] 《생》 동맥혈. ↔정맥피.

동:맥-혈【動脈血】[명] 《생》 산소의 함유량이 많은 혈액. 정맥혈(靜脈血)보다 훨씬 많아 19%-21%를 함유하며 탄산 가스는 적음. 빛은 선홍색(鮮紅色)이며, 양분(養分)의 함유량도 많음. 몸 안에서는 동맥 속을 흐르나 폐(肺) 속에서는 정맥 속을 흐름. 동맥피. ↔정맥혈.

동맵싯-바람 [명] 〈방〉 동저고릿바람.

동맹[1]【同盟】[명] 《사》 개인·단체 및 국가가 서로 공동의 목적을 이루기 위하여 동일한 행동을 취할 것을 맹세하여 맺는 약속이나 언약. 또, 그 결과로서 성립된 제휴 관계. ¶ 군사 ~/삼국 ~. ——-하다 [자][타][여불]

동맹[2]【東盟】[명] 《역》 고구려 때 매년 시월에 지내던 일종의 추수 감사제(秋收感謝祭). 대대적인 행사로 온 나라 백성들이 모여 하늘에 제사하고 밤낮으로 노래와 춤을 즐기었음. 동명(東明).

동맹-가【同盟家】[명] 훈록(勳錄)을 같이한 공신(功臣)의 집안.

동맹-국【同盟國】[명] 《정》 서로 동맹 조약(同盟條約)을 체결한 당사국(當事國). 맹방(盟邦). 여국(與國)·맹약국(盟約國).

동맹-군【同盟軍】[명] 공동의 적을 타도하기 위해 서로 동맹을 맺은 군대.

동맹삭 반사【多孟朔頒賜】[명] 《역》 조선 시대 때, 관리들의 겨울철 녹봉을 해마다 10월에 주던 제도. 벼슬 품계에 따라 중미(中米)·조미(糙米)·황두(黃豆)·주(紬)·정포(正布)·저화(楮貨) 등을 차등을 두고 지급하였음.

동맹시 전:쟁【同盟市戰爭】[명] 《역》 기원전 91-88년에 있었던 이탈리아 동맹시의 로마에 대한 반란. 로마는 진압에 성공했으나, 이것이 계기가 되어 로마 시민권이 포 강(Po江) 이남의 이탈리아 전토(全土)로 확장되었음.

동맹-원【同盟員】[명] 서로 동맹 관계에 있는 사람이나 단체·국가. [준]맹원(盟員).

동맹 조약【同盟條約】[명] 《정》 둘 이상의 나라가 공통의 이익이나 또는 군사적 목적을 위하여 상호간에 원조를 약속하여 맺는 조약. ——-하다 [자][여불]

동맹 태업【同盟怠業】[명] 《사》 노동 쟁의(爭議) 수단의 하나. 노동자가 직무에 종사하면서 동맹하여 업무를 게을리하고 능률을 저하시킴으로써 기업주에게 손해를 주는 일. ¶ ~을 일으키다. ——-하다 [자][여불]

동맹 파:공【同盟罷工】[명] 《사》 동맹 파업.

동맹 파:업【同盟罷業】[명] 《사》 노동 조건의 유지(維持) 및 개선(改善) 또는 어떤 정치적 목적을 관철하고자 노동자가 집단적으로 일제히 작업을 중지하는 일. 동맹 파공(同盟罷工). 스트라이크(strike). [준]맹파·파업. ——-하다 [자][여불]

동맹 해:고【同盟解雇】[명] 《사》 동종(同種)의 기업주가 노동자의 요구를 물리치고자 서로 동맹하여 많은 노동자를 해고시키는 일. ——-하다 [타][여불]

동맹 휴교【同盟休校】[명] 어떤 목적이나 조건 아래 학생들이 단결하여 수업을 거부하고 일제히 등교하지 아니하는 일. 동맹 휴학. 스트라이크(strike). [준]맹휴(盟休). ——-하다 [자][여불]

동맹 휴업【同盟休業】[명] ①동업자들이 동맹으로 휴업함. ②동맹 휴학. [준]맹휴(盟休). ——-하다 [자][여불]

동맹 휴학【同盟休學】[명] 동맹 휴교.

동-먹다 [자] 《광》 쇳줄이 동이 날 상태에 있다.

동-메달【銅—】[medal] [명] 구리로 만든 상패(賞牌). 흔히, 삼등(三等) 입상자(入賞者)에게 수여함. 동패(銅牌).

동면[1]【冬眠】[명] [hibernation] 《동》 양서류(兩棲類)·파충류(爬蟲類)의 냉혈(冷血) 동물 등이 겨울에 생활 활동을 멈추고 다시 봄이 올 때까지 땅속이나 물속에서 수면(睡眠) 상태로 있는 현상. 고슴도치·박쥐 등의 포유 동물에서도 볼 수 있으나, 다람쥐·삵팽이·곰 등의 동면은 때때로 깨어서 배설(排泄)·섭식(攝食)을 하므로 의사 동면(擬似多眠)이라 함. 겨울잠. ↔하면(夏眠). *휴면(休眠)·휴면기(期). ——-하다 자 여불

동면[2]【東面】명 ①동쪽 면. ②동쪽으로 향함. ——-하다 자 여불

동면 마취【多眠痲醉】명 저온(低溫) 마취.

동면-선【多眠腺】명 동면하는 포유류(哺乳類)의 견갑골(肩甲骨)에 접하여 있는 지방(脂肪) 조직. 곰·다람쥐·고슴도치 등에 있음. 동면 유발(誘發) 및 각성(覺醒) 물질을 함유하고 있어 동면을 유발하거나 동면으로부터의 각성을 촉진하는 작용을 함. 갈색(褐色) 지방 조직.

동면 요법【多眠療法】[—뇨뻡] 명 약물(藥物)을 사용하여 인공적으로 동면 상태를 만들고 그 상태에서 외과(外科) 수술을 행하거나 또는 여러 가지 정신 질환(精神疾患)의 치료를 하는 방법.

동면 칵테일【多眠—】(cocktail) 명〖의〗동면 마취(痲醉) 때 쓰이는 주사약.

동명[1]【同名】명 같은 이름. 이름이 서로 같음. ¶ ~ 이인(異人).

동명[2]【東明】명〖역〗동맹(東盟).

동명[3]【東溟】명 동해(東海)❶.

동명[4]【東溟】명〖사람〗김세렴(金世濂)의 호(號).

동:명[5]【洞名】명 동네의 이름. 동(洞)의 이름.

동:-명사【動名詞】명 (gerund)〖언〗동사와 명사의 기능을 겸한 품사. 문법에서는 흔히 명사와 같이 처리하는데, 영어에 있어서의 '-ing'형의 명사가 이것임. 우리 말에 있어서는 '받음'·'놀기' 등 동사의 명사형을 말함.

동명 성:왕【東明聖王】명〖사람〗고구려의 시조. 성은 고(高). 휘(諱)는 주몽(朱蒙). 해모수(解慕漱)의 아들. 동부여(東扶餘)에서 피란하여 졸본천(卒本川)으로 이사한 후 송랑국(松浪國)·행인국(荇人國) 등 부근을 개척하고 나중에 북옥저(北沃沮)까지 정복하여 점차 대국의 기초를 만들었음. 동명왕(東明王). [58-19 B.C.; 재위 37-19 B.C.]

동-명수【同名數】[—쑤] 명 동일한 수의 사람.

동명-왕【東明王】명〖사람〗동명 성왕(東明聖王).

동명왕-릉【東明王陵】[—능] 명〖지〗고구려 시조 동명왕(東明王)의 능. 평안 남도 중화군(中和郡)에 있음.

동명왕-묘【東明王廟】명〖지〗고구려 시조 동명왕을 제사지내는 사당. 평양의 성문 밖의 숭령전(崇靈殿)에 있음. 2월과 8월에 향사(享祀)하였음.

동명왕-편【東明王篇】명〖문〗고려 고종 때의 문인 이규보(李奎報)가 지은 영웅 서사시. 동명왕의 계보(系譜)와 건국의 성업(聖業) 및 그 후계자인 유리왕(琉璃王)의 경력 등으로 구성되어 있으며, 오언(五言)의 운문체로 서문과 상세한 주(註)가 포함되어 있음. ≪동국 이상국집(東國李相國集)≫에 전함.

동명 이:인【同名異人】명 이름은 같으나 사람이 다름. 또, 그러한 사람.

동명 일기【東溟日記】명 '의유당 일기(意幽堂日記)'의 한 부분으로, 동해(東海)의 해 뜨는 광경을 중심으로 보고 들은 바를 적은 글.

동명-조【同名調】명〖악〗'같은 으뜸음조'의 한자 이름.

동:-명태【凍明太】명 겨울에 잡아 얼린 명태(明太). ㊂동태(凍太).

동모[1] 명〈방〉동무.

동모[2]【多毛】명 겨울털. ↔하모(夏毛).

동모[3]【多帽】명 겨울철에 쓰는 모자. ↔하모(夏帽).

동모[4]【同母】명 어머니가 같음.

동모[5]【同謀】명 어떤 일을 함께 도모함. 공모(共謀). ——-하다 타 여불

동모[6]【銅鉾】명 구리로 만든, 찌르는 무기. 청동기 시대의 대표적인 유물임.

동-모란【多牡丹】명 겨울에 꽃이 피는 모란. 한모란(寒牡丹).

동모-매【同母妹】명 동복(同腹) 누이. ㊂모매(母妹).

동모-산【東牟山】명〖역〗발해(渤海) 초기의 수도. 지금의 만주 지린 성(吉林省) 둔화 현(敦化縣)에 있었음.

동모-제【同母弟】명 동복(同腹) 아우. ㊂모제(母弟).

동모-형【同母兄】명 동복(同腹)에서 난 형(兄). ㊂모형(母兄).

동목【多木】명 겨울이 되어 잎이 시들어 떨어진 나무.

동-몰이 명〈방〉넉동대기.

동몽[1]【童蒙】명 어려서 아직 사리(事理)에 어두운 아이. 미성년(未成年)의 소년.

동몽[2]【䑋艨】명 몽동(艨䑋).

동몽 교:관【童蒙教官】명〖역〗'동몽 훈도'를 고친 이름. ㊂교관(教官).

동몽 선습【童蒙先習】명〖책〗조선 중종(中宗) 때에 박세무(朴世茂)가 지은 책. 오륜(五倫)의 요의(要義)를 서술하고, 부록(附錄)으로 중국과 조선의 개략한 역사를 덧붙인 것으로, 1권 1책으로 되었음. 천자문(千字文)을 뗀 어린이들이 소학(小學)을 배우기 전에 교과서로 널리 사용하였음.

동몽 선습 언:해【童蒙先習諺解】명〖책〗조선 숙종(肅宗) 때에 ≪동몽 선습≫을 언해하여 간행한 책. 전 1권. 작자는 미상(未詳).

동:몽 수지【童蒙須知】명〖책〗중국 송(宋)나라 주자(朱子)가 지은 아동 교육 교재. 어린이가 지켜야 할 기본적인 도리와 예절을 적은 수신책. 고려 말경에 우리 나라에 들어와, 조선 시대에는 아동 교육용으로 널리 쓰이었음.

동:몽-청【童蒙廳】명〖역〗조선 시대 보부상(褓負商)의 조직의 하나. 미혼자(未婚者)들의 모임으로, 대외적인 실력 행사를 담당함. 비방청(裨房廳).

동몽-훈【童蒙訓】명 어린이들을 대상으로 하는 교훈.

동몽 훈:도【童蒙訓導】명〖역〗조선 초기에, 군현(郡縣)에서 설치한 사학(私學)에서 향교(鄉校)에 들어가기 전의 어린 학동(學童)을 가르치던 유자(儒者). 사맹삭(四孟朔)인 1월·4월·7월·10월의 4회에 걸쳐 등용 시험을 보았으며, 재직 기간은 450일로 규정하였음. 뒤에 '동몽 교관'으로 개칭함.

동묘【東廟】명 ↗동관왕묘(東關王廟).

동무[1] 명 ①늘 친하게 어울리는 사람. 친구. 벗. ②어떤 일을 하는 데 서로 짝이 되거나 함께 일하는 사람. ¶ 길~/말~. ③〖광〗한 덕대 아래서 일을 하는 인부(人夫).

【동무 따라 강남(江南) 간다】자기는 할 마음이 없으나 동무에 끌려서 같은 행동을 함을 말함. 【동무 몰래 양식(糧食) 내기】추렴을 내는데 동무가 모르게 낸다면, 그 사실을 아무도 모를 것이니, 힘만 들이고 아무런 공이 나타나지 않음을 가리키는 말. [동무 사나워 뺨 맞는다] '모진 놈 옆에 있다가 벼락 맞는다'와 같은 뜻.

동무[2]【東武】명〖사람〗이제마(李濟馬)의 호(號).

동무[3]【東廡】명 문묘(文廟) 안에 유현(儒賢)들을 배향(配享)하는 동쪽의 행각(行閣). ↔서무(西廡).

동:무[4]【童舞】명 아이들이 추는 춤.

동무럼 명〈방〉무릎(제주).

동무 분철【—分鐵】명〖광〗분광(分鑛)에 있어서, 자본주 없이 인부들끼리 채광하여 그 이익을 분배함. ——-하다 자 여불

동무 장사 명 두 사람 이상이 합하여 함께 경영하는 장사. ——-하다 자 여불

동무 장수 명 동무 장사하는 사람들.

동-묵【銅—】명〈방〉동록(銅綠).

동문[1]【同文】명 ①같은 문자나 문장. ¶ 이하(以下) ~. ②둘 이상의 민족이나 국민이 언어로서 같은 종류의 문자를 사용하는 일. ¶ ~ 동종(同種). ③↗동문 전보.

동문[2]【同門】명 ①같은 학교 또는 같은 선생에게서 배우는 일. 또, 그 동무. 동학(同學). ¶ ~의 선배. ②같은 문중(門中)이나 종파(宗派). 또, 그 사람. ③같은 문.

동문[3]【東門】명 ①동쪽에 있는 문. ↔서문(西門). ②〖역〗중국 춘추 시대에 오왕(吳王) 부차(夫差)가 신하인 오자서(伍子胥)의 두 눈알을 빼어 매달았던 문.

동:문[4]【洞門】명 ①동굴의 입구. 또, 거기에 세운 문. ②동네 입구에 세운 문.

동문-계【同文契】명 조선 시대에, 한 스승 아래에서 동문 수학(同門修學)한 후학(後學)들이 스승의 학덕(學德)을 기리고 친목을 도모하기 위하여 결성하였던 계.

동문 고:래【同文古來】명 고서(古書)의 글을 인용할 때, 문맥(文脈)으로 보아 꼭 필요하지 않은 부분까지 써서 늘어놓는 일.

동문 동궤【同文同軌】명 ↗거동궤 서동문(車同軌書同文).

동:문 동:물【動吻動物】명〖동〗동문류(動吻類).

동문 동종【同文同種】명 두 나라가 서로 문자와 인종이 같음. 동종 동문(同種同文).

동문 동학【同門同學】명 동문 수학(同門受學). ——-하다 자 여불

동:문-류【動吻類】[—뉴] 명〖동〗[Kinorhyncha] 윤형(輪形) 동물에 속하는 한 강(綱). 몸은 둥근 대롱 모양으로 되고 구도(口道)는 문상(吻狀)으로 번출(飜出)할 수 있으며 자웅 이체(雌雄異體)임. 극피충(棘皮蟲) 등이 이에 속함.

동문-빨래 명〈속〉동문 서답(東問西答). ——-하다 자타 여불

동문-사【同文司】명〖역〗조선 고종 19(1882)년, 사대사(事大司)와 교린사(交隣司)를 합한 관아. 청(清)나라와 일본과의 외교를 맡았음. 설립 후 2년 만에 폐지됨.

동문-생【同門生】명 한 스승의 문하생(門下生). 또, 같은 학교의 출신자.

동문 서답【東問西答】명 어떤 물음에 대하여 당치도 않은 엉뚱한 대답을 함. 문동 답서. ——-하다 자타 여불

동문-선【東文選】명〖책〗조선 성종(成宗) 때에 왕명(王命)을 받아, 서거정(徐居正)이 신라로부터 조선 당대(當代)에 이르기까지의 우리 나라 시문(詩文)을 엮은 책. 모두 154권 45책이나 되는데, 그 중 15권은 속편(續編)으로 중종(中宗) 때의 신용개(申用漑)가 성종(成宗) 이후의 시문을 엮은 것임.

동문-수【東文粹】명〖책〗조선 성종(成宗) 때에, 김종직(金宗直)이 성삼문(成三問)의 뒤를 이어 편찬(編纂)한, 통일 신라로부터 조선 초에 걸쳐 제가(諸家)의 글을 뽑은 산문 선집. 2권. 사본.

동문 수학【同門受學·同門修學】명 한 스승 밑에서 같이 학문을 닦고 배움. 동문 동학(同門同學). ——-하다 자 여불

동문 유:해【同文類解】[—뉴—] 명〖책〗조선 시대 영조(英祖) 24년(1748)에 간행한 만주어(滿洲語)의 사전류(辭典類). 현문항(玄文恒)의 편찬으로 천문(天文)·시령(時令)·지리(地理) 등 항목별로 가르고, 한자와 우리 말로 만주어 밑에 주(註)를 달았음. 3권 2책.

동문 자모 분해【東文字母分解】명〖책〗음운(音韻) 연구서. 조선 시대 고종(高宗) 6년(1869) 강위(姜瑋)가 지음. 초성 16자, 중성 11자, 종성 8자의 특성을 밝히고, 그것이 합음(合音)·집음(集音)되어 글자를 이루는 현상을 설명함.

동문 전:보【同文電報】명 특수 취급 전보의 한 가지. 발신인이 같은 착신국(着信局)의 관할 안의 여러 곳이나 사람에게 동일한 문구로 보내는 특별한 전보. ㊂동문(同文).

동문지-보【同文之寶】명〖역〗조선 시대의 어보(御寶)의 하나. 임금이 책을 내려 줄 때 쓰던 네모난 도장. 영조 때부터 쓰임.

동문-학【同文學】명〖역〗조선 고종 20년(1883)에 설립된 관립 외국어 학교. 통리 교섭 통상 사무 아문(統理交涉通商事務衙門)의 부속 기관으로, 주로 영어·일어를 가르킴. 고종 23년(1886) 육영 공원(育英公院)이 세워지자 문을 닫음. 통변 학교(通辯學校).

동문 휘고【同文彙考】명〖책〗조선 정조(正祖)의 명(命)을 받들어 역관(譯官) 현계식(玄啓植) 등이 편찬한 책. 외국에 관한 조(詔)·자(咨)·표(表)·주(奏) 및 사신 별단(使臣別單)·역관 수본(譯官手本) 등에서 추

려 엮은 것으로 129권 60책으로 되었음.

동:물【動物】명〔animal〕《생》생물계를 식물과 함께 둘로 구분한 생물의 한 부문. 특징은 다세포(多細胞)이며, 종속 영양(從屬營養) 생활을 하고 엽록소(葉綠素)가 없음. 이동 능력(移動能力)이 있으며 신경(神經)·소화(消化)·배설·호흡·순환·생식(生殖) 등 여러 기관(器官)이 분화(分化)된 무리도 있고 그렇지 않은 무리도 있음. 분류학상 문(門)·강(綱)·목(目)·과(科)·속(屬)·종(種)의 계통이 있는데, 해면(海綿)·강장(腔腸)·편형(扁形)·선형(線形)·윤형(輪形)·환형(環形)·연체(軟體)·절지(節肢)·모악(毛顎)·극피(棘皮)·원색(原索)·척추(脊椎) 동물 등의 문(門)으로 구분함. 원생 동물과 후생(後生) 동물, 무척추 동물과 척추 동물로 크게 나누기도 함. 좁은뜻으로는, 인류를 제외한 모든 동물 또는 포유류 짐승을 일컬으며, 한편 조류(鳥類)·어류(魚類)를 제외한 동물을 이르기도 함. 전세계에 약 100만종이 존재함. 동물체(動物體). ↔식물(植物).

동:물 개:체군 생태학【動物個體群生態學】명《동》동물 개체군의 분산(分散)·동태·밀도·효과 등을 주요 대상으로 하는 동물 생태학의 한 부문. *동물 군집(群集) 생태학.

동:물 개:체 생태학【動物個體生態學】명《동》동물 개체와 무기적(無機的) 환경의 여러 인자(因子)와의 관계를 주로 실험적으로 연구하는 동물 생태학의 한 부문. *동물 개체군(個體群) 생태학.

동:물 검:역【動物檢疫】명 동물 및 축산물 등의 수출입에 임하여 해항(海港)이나 공항(空港)에서 검역하는 일. 전염병 등의 예방을 위하여 행함. ↔식물(植物) 검역.

동:물 경제학【動物經濟學】명《동》동물계에 있어서의 물질의 생산과 소비에 관한 법칙을 연구하는 동물 생태학의 한 부문. *동물 생태 지리학.

동:물-계【動物界】명 ①자연계 중에서 동물이 차지하고 있는 범위나 세계. ②〔animal kingdom〕식물·균(菌)·원생 생물(原生生物)·모네라(Monera)와 함께 생물 분류상 최대의 단위. 1)·2): ↔식물계·광물계.

동:물 고:생태학【動物古生態學】명《동》유체(遺體)의 군집(群集)으로 과거의 지질 시대의 동물 군집의 생태를 탐구하는, 동물 생태학의 한 부문. *동물 개체(個體) 생태학.

동:물 공:포【動物恐怖】명〔zoophobia〕《심》작은 벌레만 보아도 공연히 무서워하는 일종의 강박 관념(強迫觀念). 주로 정신 쇠약·강박 신경증으로 말미암아 일어남.

동:물-구【動物區】명《동》↗동물 지리구.

동:물 군집 생태학【動物群集生態學】명《동》산림·초원·호소(湖沼)·유수(流水)·해양 등의 동물 군집의 구조나 기능을 연구하는 동물 생태학의 한 부문. *동물 사회학.

동:물-극【動物極】명〔animal pole〕《생》①다세포 생물의 난세포(卵細胞)에서 극체(極體)가 생기는 극. ②단황란(端黃卵)에서 난황(卵黃)이 편재(偏在)하는 식물극(植物極)의 반대 쪽. 이 부분에서 신경계(神經系) 등 동물성 기관이 형성된다고 생각되었기에 붙인 이름. ↔식물극(植物極).

동:물-기【動物記】명《책》영국 출생의 미국 작가 시턴(Seton, E.T.)의 작품. 1898년에 간행된 최초의 저작 《내가 알고 있는 야생 동물》을 비롯하여 1900년에 낸 《회색 곰의 전기(傳記)》등 30여 편의 동물 이야기를 엮은 것. 파브르의 《곤충기》와 함께 동물 문학의 대표작이며 삽화도 저자 자신이 그렸음.

동:물-납【動物蠟】[—랍] 명《생》동물체나 그 분비물 속에 포함되어 있는 납. 꿀벌의 밀랍(蜜蠟), 백랍벌레의 충랍(蟲蠟), 고래에서 채취하는 경랍(鯨蠟) 등이 있음. *식물납.

동:물 녹말【動物綠末】명《화·생》'글리코겐'의 딴이름.

동-물림 명 가늘고 긴 물건들이 서로 맞대어 있는 마디에 대는 장식. ——하다 타여불

동:물 무늬【動物—】[—니] 명 동물을 도안화한 무늬. ↔식물 무늬·기하학적(幾何學的) 무늬.

동:물 바이러스【動物—】〔virus〕명《생》포유류(哺乳類)나 조류(鳥類) 따위 항온(恒溫) 동물에 감염하여 증식(增殖)하는 바이러스. 곤충에 감염하는 것은 특히 '곤충 바이러스'라고 함. 동물 비루스.

동:물 보:은담【動物報恩譚】명《문》동물과 사람의 교섭(交涉)을 다룬 전설 중에서, 동물이 사람에게 은혜를 갚는 일련(一連)의 이야기.

동:물 보:호법【動物保護法】[—뻡] 명《법》동물에 대한 학대 행위의 방지 등 동물을 잘 보호·관리하기 위하여 필요한 사항을 규정한 법률. 생명의 존중 등 국민의 정서 함양을 목적으로 함.

동:물 비루스【動物—】〔도 Virus〕명 동물 바이러스.

동:물 사회【動物社會】명〔animal society〕《동》개체(個體) 상호 간에 유기적 연관이 있는 동물 집단. 한 종류로만 이루어지는 종사회(種社會)와 두 종류 이상으로 이루어지는 종간(種間) 사회로 나눔.

동:물 사회학【動物社會學】명〔animal sociology〕《동》동물 상호 간의 관계로 인하여 생기는 동물 사회의 질서를 연구하는 동물 생태학의 한 부문. *동물 경제학.

동:물-상【動物相】[—쌍] 명〔fauna〕《생》어떤 지역 내에 살고 있는 동물의 모든 종족(種族). 곧, 동물을 지역적인 분포 상태로 보아서 하는 말. 만주의 동물상, 일본의 동물상, 등으로 말하고 있는데, 환경·상호 관계·지사적 변화(地史的變化) 등에 따라서 그 양상(樣相)에 차이가 있음. 또, 특정 동물군(動物群)에 대해서는 곤충 동물상, 연체(軟體) 동물상 따위로도 부름.

동:물 생태 지리학【動物生態地理學】명《동》동물의 분포를 환경과 관련시켜서 연구하는 동물 생태학의 한 부문. *동물 개체 생태학(動物個體生態學).

동:물 생태학【動物生態學】명〔animal ecology〕《동》동물과 무기적 및 생물적 환경과의 관계를 논하는 동물학 및 생태학의 한 부문.

동:물 섬유【動物纖維】명 동물성 섬유. 「광물성.

동:물-성【動物性】[—썽] 명 동물 본바탕의 체질이나 성질. ↔식물성·

동:물성 기관【動物性器官】[—썽—] 명《생》동물체에만 고도로 발달한 기관. 곧, 신경·운동·감각 등의 작용 기관. ↔식물성 기관.

동:물성 기능【動物性機能】[—썽—] 명《생》운동·감각 등, 특히 동물에게 뚜렷이 있는 기능. ↔식물성 기능.

동:물성 기름【動物性—】[—썽—] 명 동물유(動物油).

동:물성 단:백질【動物性蛋白質】[—썽—] 명 동물체(動物體)나 동물성 식품에 함유되어 있는 단백질. 비타민 B_{12}나 그 밖의 인자(因子)가 들어 있어서 식물성 단백질보다 영양가가 높음. ↔식물성 단백질.

동:물성 비:료【動物性肥料】[—썽—] 명 동물질 비료.

동:물성 섬유【動物性纖維】[—썽—] 명〔animal fiber〕동물체로부터 얻은 섬유. 주성분은 단백(蛋白)과 비슷해서, 태우면 노린내가 나고 재는 구슬 모양으로 동글동글함. 산성(酸性)에는 비교적 강하나 알칼리성(性)에는 약하고, 탄성(彈性)이나 보온성(保溫性)은 식물성 섬유보다 훨씬 큼. 양모(羊毛) 등의 수모(獸毛) 섬유와 양잠에 의한 견(絹)섬유가 있음. 동물 섬유. ↔식물성 섬유·광물성 섬유.

동:물성 식품【動物性食品】[—썽—] 명 동물성의 식품. 동물계로부터 얻는 물고기나 조수(鳥獸)의 고기 등. ↔식물성 식품.

동:물성 염:료【動物性染料】[—썽—뇨] 명 동물체로부터 얻는 물감. 코치닐(cochineal) 등. ㈜동물 염료. ↔식물성 염료·광물성 염료.

동:물성-유【動物性油】[—썽뉴] 명 동물유.

동:물 숭배【動物崇拜】명〔animal worship, zoolatry〕자연 숭배의 하나. 동물 그 자체를 직접 신(神)으로 섬기어 숭배하는 것과 간접으로 이것을 신의 화신(化身)으로 여기어 숭배하는 것 등이 있음. 토테미즘(totemism)과 깊은 관계가 있으며, 원시 시대에는 거의 세계적으로 행하여졌음. *동물 형태관(形態觀).

동:물 시험【動物試驗】명《의》생리학·병리학·약물학(藥物學)·세균학 등의 연구상 동물에 대하여 행하는 시험. 주로 쥐·기니 피그(guinea pig)·토끼·개·고양이 등 작은 동물을 사용함. 동물 실험.

동:물 식물【動物植物】명《식》'변형균(變形菌)'의 통속적인 이름.

동:물 실험【動物實驗】명 ①동물 시험. ②《생》생물 실험의 하나. 동물의 기능·형태를 조사 연구할 목적으로, 동물을 사용하여 행하는 실험.

동:물 심리학【動物心理學】[—니—] 명〔animal psychology〕《심》심리학의 한 부문. 인류를 제외한 모든 동물의 행동을 연구하는 심리학. 동물의 감각·지각(知覺)의 방면(方面), 반사(反射)·추성(趨性)·습관적 행동 등의 운동적인 측면과 동물의 사회 심리·신경증도 대상으로 함.

동:물-암【動物岩】명《광》유기암(有機岩)의 하나. 동물의 유해(遺骸)·겉껍질·부스러진 뼛조각·분비물 등의 퇴적(堆積)으로 이루어진 바위. 방사충석(放射蟲石)·규조토(硅藻土) 등.

동:물 애:호【動物愛護】명 동물을 사랑하여 보호하는 일. 사람이 박애(博愛)와 인자(仁慈)의 주지(主旨)에서 동물의 학대(虐待)를 방지하는 일. ↔동물 학대.

동:물 염:료【動物染料】[—뇨] 명 동물성 염료.

동:물 우:화【動物寓話】명《문》동물을 주인공으로 등장시켜 인간이 행동하는 것같이 묘사한 우화.

동:물-원【動物園】명 여러 가지 산 동물을 각 지방에서 수집(蒐集)·사육(飼育)하면서 일반에게 구경시키는 곳. 동물학의 지식과 동물 애호의 정신을 높이며, 희귀한 동물이나 절멸(絶滅)해 가는 동물의 보호·번식·연구 등을 꾀하는 데 목적이 있고, 한편 오락에 이바지하는 일종의 박물관임.

동:물-유【動物油】[—류] 명〔animal oil〕동물체에서 짜낸 기름. 해산(海產) 동물유인 어유(魚油)·간유(肝油)·경유(鯨油)와 육산(陸產) 동물유인 번데기 기름·우각유(牛脚油)·골유(骨油) 등의 두 가지로 나누는데, 모두 동물의 고기·비계·내장·뼈에서 채취함. 먹기도 하고 공업용으로 비누·지방산(脂肪酸)·글리세린(glycerine) 등을 만드는 데에도 쓰임. 동물성 유. 동물 유지. 동물성 기름. ↔광물유·식물유.

동:물 유지【動物油脂】[—류—] 명 동물유. *유지(油脂).

동:물의 사육제【動物—謝肉祭】[—/—에—] 명〔프 Carnaval des Animaux〕《악》1886년 생상스(Saint-Saëns, C.C.)가 작곡한 관현악 조곡(組曲). 여러 가지 동물의 특징이나 느낌을 표현하였음. 제13곡 '백조'는 첼로 독주곡으로 유명함. 전(全) 14곡.

동:물 의:장【動物意匠】명 동물을 도안화한 것. 스키타이(Scythai) 문화에서는 조수(鳥獸)의 투쟁상을 약동적으로 표현하였으며, 중국의 전국(戰國) 시대나 한(漢)나라 때의 것은 투쟁적 모양은 없이 신수(神獸) 등을 정적(靜的)으로 묘사하였음.

동:물 자기【動物磁氣】명〔animal magnetism〕《생》동물체에 있는 자기와 비슷한 유체(流體). 오스트리아의 의사 메스머(Mesmer; 1734-1815)는 사람에게는 손·발·눈 또는 전신에서 방출하는 일종의 자기가 있어, 이것이 신체에 치료적(治療的) 효과를 준다고 믿고 '동물 자기'라 이름지었음. 뒤에 이 자기설에 대신하여 전기설이 나왔음.

동:물-적【動物的】[—쩍] 명관 ①살아 움직이며 생활하는 생명체와 같은 모양. ②지각이 없이 본능대로만 행동하는 야만스러운 모양.

동:물 전:기【動物電氣】명《생》시끈가오리 등과 같이 동물의 몸에서 일어나는 전기. 활동 전류와 정지(靜止) 전류의 둘로 나누는데, 특히 강력하게 동물 전기를 일으키는 기관을 발전 기관이라 함. 1786년 이탈리아의 의사 갈바니(Galvani, L.A.)가 발견함. *생물 전기.

동:물 조직【動物組織】명《동》후생(後生) 동물의 체내에서 똑같은 작용을 하며 일정한 배열로 되어 있는 세포의 집단. 혈액 및 임파·상피(上皮) 조직·근육 조직·신경 조직·결체(結締) 조직 등이 있음.

동:물-주의【動物主義】[－/－이] [명] ‘애니멀리즘’의 역어(譯語). 야수(野獸) 주의.
동:물 지리구【動物地理區】[명]〔zoogeographic region〕〖동〗지구 상에서 다른 것과 구별할 수 있는 동물상(動物相)이 분포된 구역. 구분의 최고 단위는 계(界)라 하여 북계·남계·신계(新界)로 나누고 다시 구(區)·아구(亞區)·지방(地方)·아지방(亞地方)으로 세분되는데, 구는 구북구(舊北區)·신북구·동양구·에티오피아구·오스트레일리아구·신열대구로 나뉨. [준]동물구(動物區). ↔식물구계(植物區界).
동:물 지리학【動物地理學】[명]〔zoogeography〕〖생〗여러 가지 동물이 분포하는 지리적 구역을 수평·수직의 두 방면으로 조사 연구하여 그 분포 및 이동 상태의 원인이나 유래를 구명하는 학문.
동:물-질【動物質】[－찔] [명]〖생〗동물체를 조성(組成)하는 물질. 보통 탄수화물은 적고 지방질이 많음. ↔식물질·광물질.
동:물질 비:료【動物質肥料】[－찔－] [명]〖농〗동물체로부터 채취하는 비료. 어비(魚肥)·골비(骨肥) 등 보통 질소(窒素)·인산(燐酸)이 많고 칼륨(kalium)분이 부족함. 지효성(遲効性)이며, 유실되는 일이 적음. 밑거름으로 쓰임. 동물성 비료. 동물 비료. ↔광물질 비료·식물질 비료.
동:물 철학【動物哲學】[명]〔프 Philosophie zoologique〕〖책〗프랑스의 생물학자 라마르크의 저작으로 진화론의 중요한 고전(古典). 1809년에 2권으로 간행되었는데 제1부는 동물 분류의 종(種)의 개념 문제, 제2부는 생명론의 문제, 제3부는 감각 및 지각의 문제를 논하였음. 용불용설(用不用說)은 제1부에 나옴.
동:물-체【動物體】[명] ①동물의 몸. ②동물. ↔식물체.
동:물 최면【動物催眠】[명]〖동〗조류(鳥類)·기니피그·개구리·뱀·곤충 따위 동물에 수분(數分) 또는 수십 분간 일정하게 부자유스러운 자세를 강제적으로 취하게 하면, 그 자세를 풀어도 그 위치대로 부동(不動) 상태를 계속하는 현상.
동:물-탄【動物炭】[명] 동물의 피 또는 뼈의 가루를 구워서 만든 숯. 무미(無味)·무취(無臭)·흑색의 분말. 달라붙는 성질이 많음. 약용(藥用)으로 씀.
동:물 플랑크톤【動物—】[명]〔zooplankton〕〖생〗플랑크톤의 동물 부분. 크기에 따라 미소(微小) 플랑크톤·중형(中形) 플랑크톤·대형(大形) 플랑크톤으로 나뉘며, 유영(游泳)동물·저생(底生)동물과 함께 수생(水生) 동물의 3대 구성 부분을 이룸. 원생 동물·강장(腔腸) 동물·갑각류 등 이외에 유영(游泳) 동물의 알·유생(幼生) 따위가 주된 것임. 부유(浮游) 동물.
동:물-학【動物學】[명]〔zoology〕〖생〗동물의 분류·형태·발생·생리·유전(遺傳)·진화(進化) 등에 관하여 연구하는 과학. 생물학의 한 부분으로 순정(純正) 동물학과 응용 동물학으로 나뉘며, 동물의 대상에 따라 동물 형태학·동물 생리학·동물 분류학·동물 생태학으로, 연구 대상에 따라 조류학(鳥類學)·어류학·곤충학·양서류학(兩棲類學)·원생 동물학·포유 동물학·기생충학(寄生蟲學)·유전학(遺傳學) 및 진화학(進化學) 등으로 구분함. ↔식물학(植物學).
동:물학-과【動物學科】[명]〖교〗대학에서, 동물학을 전공하는 학과. *식물학과.
「↔동물 애호(愛護).
동:물 학대【動物虐待】[명] 동물을 가혹하게 다루거나 마구 부리는 일.
동:물학-자【動物學者】[명] 동물학을 연구하는 사람.
동:물 행동학【動物行動學】[명] 행동 생물학(行動生物學).
동:물 형태관【動物形態觀】[명] 고대인·미개인에 있어서, 숭배의 대상을 동물의 형태로써 표상하는 관념. 특히, 수류(獸類)의 형태를 취하는 관념을 수류 형태관, 사람과 동물의 형태를 반반으로 취하는 관념을 인수(人獸) 형태관이라 함. *동물 숭배.
동:물 호르몬【動物—】〔hormone〕[명]〖생〗동물체 안의 내분비선(內分泌腺) 등 일정 부위에서 만들어지는 호르몬. 넓은 뜻으로는 그와 같은 활성(活性)을 나타내는 화학 물질. 식물 호르몬과 구별하기 위해 쓰는 말.
「세(動勢) 표현이 중시됨.
동:물-화【動物畫】[명]〖미술〗곤충이나 짐승을 대상으로 그린 그림. 동
동미 [명]〈방〉동무(함경).
「남동의 가운데. *방위(方位).
동-미남【東微南】[명] 동쪽에서 조금 남으로 기울어진 방위. 곧, 동과 동
동-미리 [명]〖어〗[*Parapercis snyderi*] 양동미릿과에 속하는 바닷물고기. 체측에 좀 불명한 다섯 개의 V자형 암색(暗色) 무늬가 있고 체측 중앙을 달리는 폭 넓은 담색 띠 밑에 8-9개의 상하로 긴 암색 무늬가 있음. 한국 남부 연해 및 남일본에 분포함.
동-미북【東微北】[명] 동쪽에서 조금 북으로 기울어진 방위. 곧, 동과 동북동의 가운데. *방위(方位).
「(區民).
동:-민【洞民】[명] ①한 동네 안에서 사는 사람. ②동(洞)의 주민. *구민
동-바 [명] 짐을 싣고 눌러 동여매는 지게의 밧줄.
동-바리 [명] ①〖건〗툇마루나 좌판(坐板) 밑에 받쳐 대는 짧은 기둥. ②〖광〗광산에서, 구덩이 양쪽에 기둥처럼 버티어 세우는 통나무. 기둥과 기둥 사이에 드문드문 나무를 가로질러 대기도 함. [준]동발¹. ③〖건〗
동바릿-돌 [명]〖건〗동바리를 받친 돌. ⌊쪼구미.
동박-새 [명]〖조〗[*Zosterops palpebrosa*] 동박샛과에 속하는 새. 참새와 비슷한데 날개 길이 55-65mm, 꽁지는 38-47mm 쯤이고 몸빛은 배면(背面)이 황록색에 하면은 백색, 턱과 꽁지는 레몬빛, 옆구리는 포도빛을 띤 담갈색이고, 눈의 가장자리에 은백색의 고리무늬가 있음. 여름에는 얕은 산에 암수 한 쌍씩, 겨울에는 산록이나 시가지(市街地)·잡목림(雜木林)에 떼지어 서식하는데, 나무 열매·씨·거미·파리·개미·모기·잎벌레 등을 포식하고 4-6월에 4-5개의 알을 낳음. 아시아 동부와 남부에 널리 분포하며,

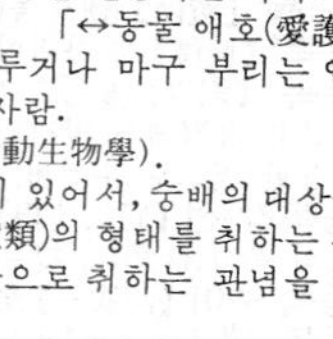
〈동박새〉

한국에는 울릉도·제주도에 많고 중국 남부에서 월동함. 농조(籠鳥)로 기르며 익조(益鳥)임. 백안작(白眼雀). 수안아(繡眼兒).
동박샛-과【—科】[명]〖조〗[Zosteropidae] 참새목(目)에 속(屬)하는 한 과. 눈의 주위가 흰 것이 특징이고, 배면은 감람(橄欖) 녹색, 복면은 백색에 황색 또는 갈색의 부분이 있음. 둥지를 나뭇가지나 덩굴에 짓고 한배에 청백색의 알을 3-4개 낳음. 농조(籠鳥)로 애완(愛玩)되고 있음. 주로 동반구의 열대 지방에 160여 종이 분포함.
동반¹【同伴】[명] 데리고 함께 다님. 길을 같이 감. ¶ 부부 ～. ——-하다
동반²【同班】[명] 서로 같은 반. 같은 반열(班列). ⌊[자][타][여불]
동반³【東班】[명]〖역〗문관의 반열(班列). 조하(朝賀) 때 문관은 동쪽, 무관은 서쪽에 각각 벌이어 섰으므로 일컫는 말. ↔서반(西班). *양반
동반⁴【銅盤】[명] 구리로 만든 쟁반. ⌊(兩班).
동반⁵【銅礬】[명]〔cuprum aluminatum〕〖약〗담녹색의 괴상(塊狀) 또는 봉상(棒狀)의 약품. 황산구리·초석(硝石)·명반(明礬)의 가루를 섞어서 열을 가하여 녹인 후 캠퍼(camphor) 가루를 넣어서 만듦. 약한 부식(腐蝕) 작용과 수렴성(收斂性)이 있으며, 점안약(點眼藥)·토제(吐劑)·부식제(腐蝕劑) 등으로 쓰임.
동-반구【東半球】[명]〖지〗지구를 동경(東經) 160도, 서경(西經) 20도 선에서 동서 두 쪽으로 나눈 것의 동쪽 부분. 아시아 주·유럽 주·아프리카 주·오세아니아 주 외에·인도양·태평양·대서양의 일부를 포함함. ↔서반구.
동반-성【同伴星】[명]〔companion star〕〖천〗연성계(連星系)에 있어서 작은 쪽의 별. 광도(光度)도 비교적 낮음. 반성(伴星). ↔주성(主星).
동반-자【同伴者】[명] ①함께 데리고 다니는 사람. 함께 데리고 온 사람. ②어떤 운동에 적극적으로 참가하지는 아니하나 그것을 이해하고 어느 정도의 조력(助力)을 하는 사람. 동조자(同調者).
동반자 문학【同伴者文學】[명]〔러 Poputnitcheskaya literatura〕〖문〗1921년경 소비에트 문학이 발생한 때로부터 1927년 신경제 정책이 끝나기까지의 사이에 문단의 주류(主流)를 이룬 당원(黨員) 아닌 인텔리겐차의 문학. 프롤레타리아 혁명의 필연성에 공명하나 직접 참가하지 아니하고 그에 동조하던 작가들의 문학. *동반 작가.
동반 작가【同伴作家】[명]〖문〗프롤레타리아 혁명의 필연성에 공명하면서도 직접 그 운동에 참가하지는 아니하고, 그 진전하는 대로만 따르던 인텔리겐차 작가. *동반자 문학.
동반-장¹【東班長】[명]〈속〉〖불교〗감사(監事).
동:-반장²【洞班長】[명] 동장과 반장. *통반장.
동발¹ [명] ①지게 몸채의 아래 부분. ②〖건·광〗↗동바리❶❷. 「제금¹.
동발²【銅鈸】[명]〖악〗①자바라(啫哮囉)·제금·향발(響鈸) 등의 총칭. ②
동발³【銅鉢】[명] ①금도금(金鍍金)한 놋쇠로 만든 주발. ②〖불교〗근행(勤行)할 때 치는 구리로 만든 방울.
동발-이음 [명]〖건〗기둥 뿌리를 잇는 일.
동방¹【同邦】[명] 같은 나라. 동국(同國).
동방²【同房】[명] 같은 방.
동방³【同榜】[명]〖역〗같은 때에 과거에 급제하여 방목(榜目)에 같이 적힘. 또, 그 사람. 동년(同年).
동방⁴【東方】[명] 동쪽. 동녘. 동쪽 지방. ↔서방(西方).
[동방 누룩 뜨듯] 사람의 얼굴이 누렇고 침울하게 보이는 모양의 비유.
동방⁵【東邦】[명] ①동쪽에 있는 나라. ②우리 나라. 「방 화촉(洞房華燭).
동:방⁶【洞房】[명] ①잠자는 방. 침방(寢房). ②↗화촉 동방(華燭洞房)·동
동방 견:문록【東方見聞錄】[－녹] [명]〖책〗이탈리아의 여행가 마르코 폴로가 지은 책. 1298년 완성. 1271-95년 동방 여행 중의 여러 가지 견문을 귀국한 뒤에 ‘세계의 불가사의(不可思議)’라는 제목으로 발표한 것. 1298-99년 제노바 감옥에 갇이 있었던 사람이 받아 쓴 것으로, 유럽 사람들의 동양에 대한 관심을 높이었고, 콜럼버스의 신대륙 발견에도 많은 영향을 끼치었음. 동양 견문록.
동:방 결절【洞房結節】[－쩔] [명]〖생〗심장의 우심방(右心房)으로 들어오는 상대정맥(上大靜脈) 개구부에 있는 특수한 근섬유로 이루어진 심근(心筋). 심장 박동의 리듬을 고르게 하는 역할을 함. 동결절(洞結節).
동방 교:회【東方敎會】[명]〔Eastern Church〕〖종〗기독교의 3대 교파의 하나. 로마 교회에서 1054년에 분리하여 그리스·러시아·서아시아·동유럽의 제국에 전파되었음. 그리스 정교회(正敎會).
동-방구리 [명] 동이보다 배가 불룩하게 생긴 질그릇.
동방 급제【同榜及第】[명]〖역〗같은 때에 대과(大科)에 급제함. ——-하다 [자][여불]
동방 무:역【東方貿易】[명]〖역〗신대륙·신항로(新航路) 발견 이전인, 고대 및 중세를 통한 동부 지중해의 여러 지역 및 아시아 여러 지방과의 사이에 행하여진, 유럽 사람의 무역의 총칭. 레반트(Levant) 무역.
동방 문:제【東方問題】[명]〖역〗①고대 그리스의 페르시아와의 관계 및 중세 기독교 국가의 이슬람교 국가와의 관계 등의 총칭. ②19세기의 오스만(Osman) 터키 제국의 쇠퇴 과정에 있어서, 1830년의 그리스의 독립 전쟁을 계기로 하여 그 지역의 영토와 그 곳의 여러 민족을 둘러싸고 전개된 유럽 여러 강국의 외교 문제. 이집트와 터키의 대립, 크림 전쟁과 러시아·터키 전쟁, 그리고 베를린 회의까지 포함됨.
동방 박사【東方博士】[명]〖성〗예수가 베들레헴에 강탄(降誕)하매 동쪽으로부터 별을 보고 와서 아기 예수에게 경배하고 황금·유향·몰약(沒藥)의 세 가지 예물(禮物)을 바쳤다고 하는 세 점성술가(占星術家).
동방-삭【東方朔】[명]〖사람〗중국 한(漢)나라 무제(武帝) 때의 사람. 자는 만청(曼倩). 벼슬이 금마문 시중(金馬門侍中)에 이르고 해학(諧謔)과 변설로 이름이 났음. 속설(俗說)에, 서왕모(西王母)의 복숭아를 훔쳐 먹어 죽지 아니하고 장수(長壽)하였으므로 ‘삼천 갑자(甲子) 동방삭’이라고 일컬음. 저서에 ≪동방 선생집(東方先生集)≫이 있음.

[동방삭이는 백지(白紙)장도 높다고 하였단다] 동방삭이가 불로 장생한 것은 백지장도 높다고 할 만큼 조심스러웠기 때문이니, 모든 일에 조심하여 실수가 없도록 하라는 말. [동방삭이 밤 깎아 먹듯 한다] 동방삭이 급하고 귀찮으면 밤을 반만 깎아 먹었다는 데서 조급하여 일을 반쯤 하다 맒을 이르는 말. [동방삭이 인절미 먹듯 한다] 음식을 오래 잘 씹어 먹음을 이르는 말.

동방 식민【東方植民】[명]〖역〗 12-14세기에 걸쳐 엘베 강(Elbe 江)과 잘레 강(Saale 江) 이서(以西)의 서부 독일 농민이, 당시 슬라브인의 거주 지역이었던 두 강 이동(以東)의 동부 독일 및 에스토니아에 이르는 지역으로 이주(移住)하여, 그 곳을 독일화·기독교화한 역사적 사실.

동-방애 [명] 〈방〉 동옷(전북).

동방 예:의지국【東方禮儀之國】[―/―이―] [명] 예의를 잘 지키는 동쪽의 나라. 옛날 중국에서 우리 나라를 가리키던 말.

동방 전:쟁【東方戰爭】[명]〖역〗 1853-56년의 크림 전쟁과 1877-78년의 제 6 차 노토(露土) 전쟁의 병칭(倂稱).

동방 정:교회【東方正敎會】[명]〖종교〗 그리스 정교회.

동방 정유리 세:계【東方淨瑠璃世界】[―뉴―] [명]〖불교〗 약사 여래(藥師如來)가 있는 정토(淨土).

동방 정유리 의왕【東方淨瑠璃醫王】[―뉴―] [명]〖불교〗 '약사 유리광 여래(藥師瑠璃光如來)'의 이칭.

동방 최:대 이각【東方最大離角】[명]〖천〗 지구에서 보아 내행성(內行星)인 수성(水星)과 금성(金星)이 태양으로부터 동쪽으로 가장 멀리 떨어진 때, 및 그 각도(角度). ↔서방 최대 이각. *최대 이각.

동방 토룡단【東方土龍壇】[명]〖역〗 오방 토룡제(五方土龍祭)를 지내던 제단(祭壇)의 하나. 서울 동대문(東大門) 밖 선농단(先農壇)의 옆에 있음. [준]동단(東壇).

동:방 화촉【洞房華燭】[명] 혼례(婚禮)를 치른 뒤에 신랑이 신부 방에서 자는 일. [준]동방(洞房).

[동방 화촉 노(老)도령이 숙녀 만나 즐거운 일] 매우 즐거운 일이라는 말. ¶ 동방 화촉 노도령이 숙녀 만나 즐거운 일 천리 타향 고인 만나 반가워서 즐거운 일 삼춘 고한 가물 적에 감우 오니 즐거운 일 ≪古本春香傳≫.

동방 흑연 광:산【東方黑鉛鑛山】[명]〖지〗 평안 북도 강계군(江界郡) 공북면(公北面)에 있는 인상(鱗狀)의 흑연 광산.

동배¹ [명] 사냥할 때 몰이꾼과 목을 지키는 사람이 각기 그 구실을 갈라 맡는 일.

동배² [명] 〈방〉 동백(多柏).

동배³【同輩】[명] 나이나 신분이 서로 같거나 비슷한 사이의 사람. 동류(同流). 제류(儕流). 제배(儕輩). 등이(等夷). 등륜(等倫). 등배(等輩).

동배-간【同輩間】[명] 나이·신분이 서로 같거나 비슷한 사람들 사이. 제배간(儕輩間).

동:-배우자【動配偶子】[명]〖생〗 편모(鞭毛)나 섬모(纖毛)가 있어 물 속을 헤엄쳐 다니는 배우자. ↔부동(不動) 배우자. *배우자(配偶子).

동백¹【多柏】[명] 동백나무의 열매.

동백²【東伯】[명]〖역〗 조선 때, '강원도 관찰사(觀察使)'의 일컬음.

동백 기름【多柏―】[명] 동백으로 짠 기름. 주로 머릿기름으로 쓰며 그 밖에 등잔 기름 또는 약용으로 씀. 동백유(多柏油).

동백-꽃【多柏―】[명] 동백화(多柏花).

동백-나무【多柏―】[명]〖식〗 [*Camellia japonica*] 후피향나뭇과에 속하는 상록 활엽의 작은 교목. 높이 7 m 가량이고 잎은 호생하는데 긴 타원형 또는 거꿀달걀꼴로 가에 톱니가 있고 두꺼우며 담녹색에 광택이 남. 4-5월에 홍색·자색 또는 백색의 큰 오판화(五瓣花)가 가지 끝에 정생(頂生)하는데, 특히 화밀(花蜜)이 많아 동박새 등이 날아와서 조매화(鳥媒花)의 한 예(例)가 됨. 과실은 삭과(蒴果)로 직경 4-5 cm의 구형(球形)인데, 그 안에 두세 개의 종자가 들어 있고 늦가을에 홍색으로 익어 세 쪽으로 갈라짐. 산지·해안 및 촌락 부근에 나는데, 한국의 중부 이남 및 일본·중국에 분포함. 관상용이며 종자는 머릿기름·등잔 기름 또는 약용, 목재는 황갈색으로 공예품·신탄재(薪炭材)로 쓰임. 산다(山茶). 다매(茶梅). 커멜리어.

〈동백나무〉

동백나무-겨우살이【多柏―】[명]〖식〗 [*Bifaria japonica*] 동백나무겨우살잇과에 속하는 상록 기생(寄生) 관목. 전체가 황록색인데 각절(各節)에 잔 인엽(鱗葉)이 남. 자웅 일가(雌雄一家)로 봄·여름에 황록색 꽃이 액생(腋生) 또는 정생(頂生)하고, 과실은 가장과(假漿果)로 가을에 익음. 동백나무·광나무·감탕나무 등에 기생하는데, 제주도·목포(木浦) 및 일본·대만·중국·인도·오스트레일리아 등에 분포함.

동백나무겨우살잇-과【多柏―科】[명]〖식〗 [Bifariaceae] 참나무겨우살이목(目)에 속하는 한 과. 동백나무겨우살이가 있음.

동백년-산【東百年山】[명]〖지〗 황해도 곡산군(谷山郡) 동촌면(東村面)과 함경 남도 덕원군(德源郡) 풍하면(豐下面) 사이에 있는 산. 마식령(馬息嶺) 산맥에 속함. [1,246 m]

동백-목【多柏木】[명]〖악〗 고려 충숙왕(忠肅王) 때, 채홍철(蔡洪哲)이 귀양 가서 덕릉(德陵)을 그리워하며 지었다는 노래. 전하지 아니함.

동백-산¹【東白山】[명]〖지〗 함경 남도 장진군(長津郡) 신남면(新南面)과 평안 남도 영원군(寧遠郡) 소백면(小白面) 사이에 있는 산. 낭림 산맥(狼林山脈) 중에 솟아 있는 고산(高山)의 하나. [2,096 m]

동백-산²【桐柏山】[명]〖지〗 통보 산.

동백-유【多柏油】[명] 동백 기름.

동:-백하【多白蝦】[명] 겨울에 잡히는 잔 새우.

동:백하-젓【多白蝦―】[명] 겨울에 잡히는 잔 새우로 담근 젓.

동백-화【多柏花】[명] 동백나무의 꽃. 동백꽃.

동-버들개 [명]〖어〗 [*Moroco percnurus*] 잉어과에 속하는 민물고기. 몸길이 6-10 cm로 모양이 버들치와 비슷함. 눈이 크며 머리와 몸은 측편하고 주둥이는 짧음. 몸빛은 황갈색 바탕에 등 쪽은 암갈색이고 배 쪽은 담색임. 북방계(北方系) 어종으로 시베리아 각지 및 함경도의 하천과 기수(汽水)에 분포함.

동번【同番】[명] 같은 순번·번호.

동벌【東伐】[명] 동방(東方)을 정벌함. 동정(東征). ――-하다 [자][여불]

동범¹【同笵】[명] 같은 주형(鑄型)으로 주조함.

동범²【東犯】[명]〖역〗 양안(量案)에, 어떠한 논밭이 그 앞 번호에 있는 논밭의 동쪽에 있음을 표시하는 이름.

동범-경【同笵鏡】[명] 같은 주형(鑄型)·원형(原型)을 사용하여 만든 거울. 주형에는 석형(石型)과 소형(燒型)이 있으며, 소형은 주조할 때마다 손상되므로 제작수(製作數)가 제한됨.

동법【同法】[―뻡] [명] ①같은 방법. ②같은 법률. 그 법률.

동벽¹【東壁】[명]〖역〗 벼슬아치가 사진(仕進)하여 모여 앉을 때, 좌석의 동쪽에 있는 벼슬. 곧, 의정부의 좌참찬(左參贊), 홍문관의 응교(應敎)와 부응교(副應敎), 통례원(通禮院)의 인의(引儀) 등. *남상(南牀·南床).

동:벽²【洞壁】[명] 동혈(洞穴)의 벽면.

동벽-토【東壁土】[명]〖한의〗 동쪽을 향하고 있어 오랫 동안 햇볕에 쬔 벽의 흙. 약으로 초에 반죽하여 종기(腫氣)에 붙임.

동변¹【東邊】[명] 동편(東便). ↔서변(西邊).

동:변²【童便】[명]〖한의〗 열두 살 미만 사내아이의 오줌. 두통(頭痛)·육혈(衄血)·학질(瘧疾)·번갈(煩渴)·해수(咳嗽)·골절상(骨折傷)·종창 등의 병에 약으로 쓰고 또는 약재를 잠그는 데에도 씀.

동:변 군사【童便軍士】[명]〖역〗 내의원(內醫院)의 사내아이 종.

동변-도【東邊道】[명]〖역〗 중국, 동북 지방의 구(舊)행정 구역의 하나. 압록강에 접하는 통화(通化) 주변의 땅. 철·석탄 등의 광산물이 많음.

동-별영【東別營】[명]〖역〗 훈련 도감(訓鍊都監)의 본영(本營). 지금의 서울 인의동(仁義洞)에 있었음. 훈국 동영(訓局東營). 동영(東營).

동병¹【同病】[명] 같은 성질의 병.

동:병²【凍餠】[명] 얼어 붙은 떡.

동:병³【動兵】[명] 군대를 움직이어 일으킴. ――-하다 [자][여불]

동병⁴【銅甁】[명] 구리로 만든 병.

동병 상련【同病相憐】[―년] [명] ①같은 병을 앓는 사람끼리 서로 가엾게 여김. ②어려운 처지에 있는 사람끼리 동정하고 도움. ――-하다 [자][여불]

동:보【洞報】[명] 동리에서 관청에 내는 보고.

동보 무선【同報無線】[명] 통신사에서, 뉴스를 지국이나 계약된 신문사에 일제히 속보하는 방법.

동복¹【多服】[명] 겨울철에 입는 옷. 겨울 옷. 겨우살이. ↔하복.

동복²【同腹】[명] 한 어머니가 낳은 동기. ↔이복(異腹).

동:복³【童僕】[명] 동복(僮僕).

동복⁴【僮僕】[명] 사내아이 종. 동예(僮隷). 동수(童豎). 가동(家僮).

동복⁵【銅鍑】[명]〖고고학〗 후기 청동기 시대 말 또는 초기 철기 시대의 분묘 유적에서 발견되는 큰 화분 모양의 구리 그릇. 고기를 삶는 데 사용한 것으로 추정됨.

동복각-선【同伏角線】[명]〖지〗 지구 표면 위에 있어서 지자기(地磁氣)의 복각(伏角)이 같은 여러 지점을 연결한 선. 등(等)복각선.

동복 누이【同腹―】[명] 동복에서 난 누이. 동모매(同母妹).

동복-댐【同福―】[dam] [명]〖지〗 전라 남도 화순군(和順郡) 이서면(二西面) 서리(西里)에 있는 동복천(同福川)을 가로지르는 댐. 광주 직할시 상수도의 수원용 댐임. 1985 년 준공됨.

동복 동생【同腹同生】[명] 동복에서 난 동생.

동복 아우【同腹―】[명] 동복에서 난 아우. 동모제(同母弟).

동복 평야【同福平野】[명]〖지〗 전라 남도 화순군(和順郡) 동복면(同福面) 일대에 펼쳐진 동복천(同福川) 유역 평야.

동복-형【同腹兄】[명] 동복에서 난 형. 동모형(同母兄).

동본【同本】[명] 같은 본관(本貫). ¶ 동성 ～.

동봉¹【同封】[명] 같이 넣어 함께 봉함. ――-하다 [타][여불]

동봉²【東峰】[명]〖사람〗 김시습(金時習)의 호(號).

동봉³【銅棒】[명] 구리로 만든 막대. 구리 막대.

동부¹ [명] ①〖식〗 [*Vigna sinensis*] 콩과(科)에 속하는 일년생 만초(蔓草). 잎은 삼출 복엽(三出複葉)으로 달걀꼴 능형(菱形)임. 여름에 담자색 꽃이 나비 모양의 총상(總狀) 화서로 피고, 협과(莢果)는 길이 30 cm 가량임. 인도 동북부 혹은 중앙 아프리카 원산이라 하는데 열대 및 온대에서 재배함. 품종이 많음. 씨와 어린 깍지를 먹음. 강두(豇豆). 광저기. ②동부의 익은 열매.

〈동부〉

동부²【同父】[명] 같은 아버지. 아버지가 같음. ↔이부(異父).

동부³【同符】[명] ①부호가 같음. 또, 그 부호. ②똑같이 들어맞음. ――-하다 [자][여불]

동부⁴【東父】[명] 동왕부(東王父).

동부⁵【東部】[명] ①동쪽 부분. ②〖역〗 서울 안의 구역을 오부(五部)로 가른 것 중의 하나로 동쪽의 부분. 또, 서울 안 오부(五部) 구역의 하나인 동부(東部)를 관할하던 관청. 1)·3):↔서부(西部). ③순노부(順奴部).

동부⁶【胴部】[명] ①목·팔·다리를 제외한 몸의 가운뎃 부분. 몸. 몸통. ②

〖생〗 생물체의 두부(頭部)와 미부(尾部)를 제외한 가운뎃 부분. 꼬리의 부분이 분명하지 아니한 것은 머리의 부분을 제외한 아랫몸의 전부를 말함. 그 바깥쪽에는 대개 팔·다리가 있고, 안쪽에는 내장·기관(器管) 등이 있음. 동(胴). 구간(軀幹).

동:부[7] 【動部】 명 움직이는 부분.

동부[8] 【銅斧】 명 구리나 청동(青銅)으로 만든 도끼. 동기(銅器)·청동기 시대의 산물임. 주로 벌채용(伐採用)·전투용 무기로 쓰이었음.

〈동부⁸〉

동부 고물 명 동부를 돌매에 갈아서 껍질을 벗기어서 만든 고물. 경단·시루떡·인절미 등에 쓰임.

동부 내:몽고 【東部內蒙古】 명 〖지〗 남부 싱안링(興安嶺)과 그 동쪽의 벌판 및 서쪽의 사막. 기후는 극단의 대륙성으로 한서의 차가 심함. 주민은 몽고족이며, 목축·수렵이 행하여짐.

동부 노굿 명 동부의 꽃.

동부 노굿 일:다 구 동부의 꽃이 피다.

동-부대언 【同副代言】 명 〖역〗 조선 시대 태종(太宗) 5년(1405)에 승정원(承政院)의 대언(代言) 다섯 사람을 여섯 사람으로 늘리어서 둔 정삼품 벼슬. 뒤에 동부승지(同副承旨)로 고침. *대언(代言).

동부 독일 【東部獨逸】 명 〖지〗 동독(東獨).

동:-부동 【動不動】 부 꼼짝할 수 없이 꼭. 반드시. ¶ 차표를 끊었으니 ~ 「오늘 갈 수밖에.

동부레기 명 뿔이 날 만한 나이의 송아지.

동부룩이 명 ☞동부레기. ¶ 다박머리 아이가 꼴망태를 한편 어깨에 메고 ~ 송아지를 이러 낄낄 몰아…≪作者未詳 : 홍도화≫.

동-부모 【同父母】 명 양친이 같음을 일컫는 말.

동부-묵 명 동부를 물에 불리어 갈아서 쑨 묵.

동부 사막 【東部砂漠】 명 〖지〗 '아라비아 사막❷'의 속칭.

동-부새 【東一】 명 '동풍(東風)'을 농가에서 일컫는 말.

동-부승지 【同副承旨】 명 〖역〗 조선 시대 때 승정원(承政院)의 정삼품 벼슬. 여러 승지 가운데의 끝 자리. 공방(工房)의 일을 맡음.

동-부여 【東扶餘】 명 〖역〗 고대 두만강(豆滿江) 유역, 부여 동쪽에 있었던 나라. 해부루(解夫婁)가 북부여에서 파생하여 세움. 대소왕(帶素王) 때, 고구려의 대무신왕(大武神王)에게 패하고, 또 광개토왕(廣開土王)에게 완전히 정복되어 멸망하였음. [59-294]

동-부인 【同夫人】 명 아내와 함께 동행(同行)함. ——-하다 자여불

동부 인절미 명 동부 고물을 겉에 묻히거나 혹은 작게 조각을 내어 양쪽에 박기도 한 인절미.

동부 전:선 【東部戰線】 명 ①동부 지방에서 전개되는 전선. ②6·25 동란 때 동해안 쪽에 전개된 전선. ③〖역〗 제1차 세계 대전 중, 독일·오스트리아의 동맹군이 러시아군과 대진하던 전선. ④〖역〗 제2차 세계 대전 때, 독일에서 본 동부 독일과 소련과의 전선.

동-북 【東北】 명 ①동쪽과 북쪽. ②동쪽과 북쪽의 중간이 되는 방위(方位). 곧, 간방(艮方). 북동(北東). 1)·2):↔서남(西南).

동북-간 【東北間】 명 동쪽과 북쪽의 사이.

동-북동 【東北東】 명 동쪽과 북동(北東)의 중간이 되는 방위. 곧, 동미북(東微北)과 북동미동(北東微東)의 중간임. ↔서남서.

동북-방 【東北方】 명 동북쪽.

동북 방언 【東北方言】 명 〖언〗 우리 나라 동북부 지역에서 쓰이는 언어. 함경도(咸鏡道) 방언.

동북 아시아 【東北一】 〔Asia〕 명 〖지〗 아시아의 동북부 지역.

동북 육진 【東北六鎭】 [一뉵一] 명 〖역〗 육진(六鎭).

동북 지방 【東北地方】 명 〖지〗 ①동북쪽에 있는 지방. ②둥베이 지방.

동북-쪽 【東北一】 명 동쪽과 북쪽의 중간이 되는 쪽. 동북방.

동북-풍 【東北風】 명 북동풍(北東風).

동북-향 【東北向】 명 서남쪽에서 동북쪽으로 향함. ↔서남향.

동분 【同分】 명 ①〖화〗 성질이 서로 다른 물질이 원소(元素) 및 그 화합(化合)의 비례를 같이함. ②〖불교〗 구사론(俱舍論)에서, 중생이 서로 닮도록 하는 힘을 가진 것. 예컨대, 사람은 사람, 소는 소와 닮은 것, 또, 사람의 좌우의 손이 서로 닮은 것 따위. ③똑같게 나눔. ——-하다 타여불

동-분리 【同分利】 [一불一] 명 동업하는 사람끼리 이익을 똑같이 서로 나눔. ——-하다 자여불

동-분모 【同分母】 명 〖수〗 두 개 이상의 분수(分數)에 있어서 분모가 서로 같음. 공(公)분모. ↔이분모(異分母).

동분 서주 【東奔西走】 명 사방으로 이리저리 바삐 돌아다님. 동주 서분(東走西奔). 동치 서주(東馳西走). 동행(東行) 서주. 진량(津梁). ¶ 화평 교섭차 ~하다. ——-하다 자여불

동분-어 【銅盆魚】 명 〖어〗 도미.

동분 이:성체 【同分異性體】 명 〖화〗 분자식은 같으나 성질이 다른 둘 또는 그 이상의 화합물의 총칭. 이성질체(異性質體). 준동분체.

동분-체 【同分體】 명 〖화〗 ↗동분 이성체(同分異性體).

동불[1] 명 〈방〉 〖식〗 동부(경남).

동불[2] 【銅佛】 명 구리로 만든 불상(佛像).

동붕 【同朋】 명 친구.

동비[1] 명 〈방〉 〖식〗 동부(경상·제주).

동비[2] 【東鄙】 명 동쪽 변두리. 동쪽의 변경(邊境).

동:비[3] 【動臂】 명 〖기〗 지브(jib).

동:빙 【凍氷】 명 물이 얼어서 얼음이 됨. 결빙(結氷). ——-하다 자여불

동-빙고 【東氷庫】 명 〖지〗 서울 동남방의 한강(漢江) 연안 두모포(豆毛浦)에 있었던 빙고의 하나. 봉상시(奉常寺)에서 주관하였으며, 저장한 얼음은 나라 제사에 썼음. *서빙고(西氷庫).

동:빙-제 【凍氷祭】 명 〖역〗 '사한제(司寒祭)'를 낮게 일컫는 말.

동:빙 한설 【凍氷寒雪】 명 얼어 붙은 얼음과 차가운 눈. 심한 추위.

동비 명 〈옛〉 동부[1]. ¶ 동비(豇豆)≪同文 下 3≫.

동사[1] 【同死】 명 ①같이 죽음. 죽음을 함께 함. ②동시 사망(同時死亡). ——-하다 자여불

동사[2] 【同社】 명 같은 회사. 그 회사.

동사[3] 【同舍】 명 같은 숙사. 숙사를 같이 함. 또, 그 사람. ——-하다 자 「여불

동사[4] 【同事】 명 ①공동으로 영업을 경영(經營)함. 같이 장사함. 동업(同業). ②〖불교〗 사섭법(四攝法)의 하나. 보살이 중생을 가까이 하여 고락을 함께 하며 인도함. ——-하다 자여불

동사[5] 【東史】 명 동국(東國)의 역사란 뜻으로, 옛날에 중국에서 우리 나라의 역사를 일컫던 말.

동사[6] 【東司】 명 〖불교〗 절의 뒷간.

동:사[7] 【洞祠】 명 마을의 신을 모시는 사당.

동:사[8] 【凍死】 명 얼어서 죽음. ——-하다 자여불

동:사[9] 【動詞】 명 〖언〗 사물의 동작이나 작용을 나타내는 품사. 그 뜻과 쓰임에 따라 본동사와 조동사로, 성질에 따라 자동사와 타동사로, 어미(語尾)의 변화 여하에 따라서 규칙 동사와 불규칙 동사로 나눔. 움직씨.

동사[10] 【銅絲】 명 구리로 가늘게 뽑은 철사. 구리 철사.

동사[11] 【銅鉈】 명 〖고고학〗 끝이 삼각형을 이룬 짧은 칼 모양의, 구리로 된 연장. 청동기 시대 후기 유적에서 발견됨.

동사 강목 【東史綱目】 명 〖책〗 조선 시대 영조(英祖) 때 안정복(安鼎福)이 저술한 역사 책. 기자(箕子)로부터 고려에 이르기까지의 국사를 교과용(教科用)으로 편집한 것임. 20권 20책.

동사 군도 【東沙群島】 명 〖지〗 둥사 군도(東沙群島).

동사리 명 〖어〗 [*Mogurnda obscura*] 구굴무칫과에 속하는 민물고기. 몸길이 15-30 cm로 짧고 굵으며 항문(肛門) 앞쪽이 측편(側扁)하고, 비늘은 크며 후두부와 볼에 작은 비늘이 있고 각 지느러미는 짧음. 몸빛은 개체 변화가 심하나 일반적으로 흑갈색인 것이 많음. 한국 서남해에 흐르는 각 하천과 호수 및 일본 중부 이남·중국·동인도에 분포함. 맛이 좋음.

〈동사리〉

동:사-문 【動詞文】 명 〖언〗 서술어가 동사인 문장. '나는 책을 읽는다' 따위.

동-사모아 【東一】 〔Samoa〕 명 〖지〗 남태평양의 중부에 있는 사모아 제도의 동부. 서경(西經) 171도선 이동(以東)의 섬들. 투투일라(Tutuila)섬·마누아(Manua)섬 등으로 이루어짐. 19세기 말부터 미국령(領)이 됨.

동:-사무소 【洞事務所】 명 행정 구역의 하나인 동(洞) 안의 여러 가지 행정 사무를 맡아 보는 곳. 구칭:동회(洞會).

동사 보:유 【東史補遺】 명 〖책〗 조선 광해군(光海君) 때의 대신(大臣) 조정(趙挺)이 지은 책. 단군 때부터 역대의 사실을 뽑아서 국사의 불비(不備)함을 보충한 것으로, 인조(仁祖) 24년(1646)에 그 아들 유도(有道)가 간행하였음. 4권 4책.

동사-봉 【東沙峰】 명 〖지〗 함경 북도 무산(茂山)군에 있는 산. [1,315 m]

동사 연표 【東史年表】 명 〖책〗 어윤적(魚允迪)이 작성한 책. 단군 기원 원년(B.C. 2333) 이래 융희(隆熙) 4년(1910) 한일 합방까지 4,243년 간의 연표. 역대의 흥망과 중대 사실 등을 적요란(摘要欄)에 기입하고, 동시에 일어난 열국(列國)은 층란(層欄)을 만들어 적어 두었으며, 그 아래에 일본·중국·서양의 기년(紀年)을 붙여 참고하게 하고 책머리에는 역대 일람표가 있음. 1책. 인본임.

동:사-자 【凍死者】 명 얼어 죽은 사람.

동사 찬요 【東史纂要】 명 〖책〗 조선 선조(宣祖) 때에 오운(吳澐)이 신라와 고려의 역사에 관해서 편저(編著)한 책. 기원전 57년 신라 시조부터 1392년 고려 공민왕(恭愍王)까지 1,449년간의 사적(事蹟)을 ≪동국 통감≫·≪삼국 사기≫·≪고려사≫ 등에 의거하여 요약하였음. 8권 8책.

동사 회:강 【東史會綱】 명 〖책〗 조선 숙종(肅宗) 때에 임상덕(林象德)이 지은 역사(歷史) 책. 삼국 시대로부터 고려 공민왕(恭愍王)까지의 1,490년 동안의 사실(史實)을 편년체(編年體)로 기록하였음. 27권 9책.

동산[1] 명 ①집 뒤에 있는 언덕이나 작은 숲. ②나지막한 언덕에 풍치있게 꾸민 공원이나 정원.

동산[2] 【同產】 명 동복 형제(同腹兄弟).

동산[3] 【東山】 명 〖지〗 ①평안 북도 초산군(楚山郡)에 있는 산. [1,040 m] ②'둥산'을 우리 음으로 읽은 이름.

동:산[4] 【洞山】 명 동리산(洞里山).

동:산[5] 【動產】 명 〖법〗 토지·정착물(定着物) 이외의 모든 유체물(有體物). 형상·성질을 변하지 아니하고 옮길 수 있는 재산. 무기명 채권(無記名債權)은 법률상 동산으로 간주하며, 선박은 부동산에 준하여 취급함. ↔부동산.

동:산[6] 【童山】 명 초목이 없는 황폐한 산.

동산[7] 【銅山】 명 〖광〗 구리를 캐는 광산. 동광(銅鑛).

동산[8] 【銅山】 명 〖지〗 ①'퉁산'을 우리 음으로 읽은 이름. ②청대(清代), 장쑤 성(江蘇省) 북서쪽 쉬저우(徐州)의 남쪽에 있던 현(縣)의 이름. 진말(秦末)에 항우(項羽)가 서초(西楚)의 패왕(霸王)이라 칭하고 여기에 도읍하였음.

동산 고와 【東山高臥】 명 〔진(晉)나라의 사안(謝安)이 속진(俗塵)을 피하여 저장 성(浙江省)의 둥산(東山)에 은서(隱棲)했다는 고사에서〕 속진을 피하여 산중(山中)에 은거(隱居)함을 일컫는 말.

동:산 금융 【動產金融】 [一/一늉] 명 〖경〗 동산을 담보로 하는 금융.

동산 금혈 【銅山金穴】 명 무진장으로 많은 재원(財源)을 두고 이르는 말.

동:산 물권 【動產物權】 [一꿘] 명 〖법〗 동산을 목적으로 하는 물권. 동산 물권의 변동은 의사 표시만으로도 그 효력이 발생하지만 그 양도

(讓渡)는 인도로써 대항(對抗)의 요건(要件)으로 함.

동산-바치 명 정원의 꽃나무 등을 가꾸며 예쁘게 손질하는 것을 업으로 하는 사람. 원예사(園藝師).

동산 별감【東山別監】명〖역〗조선 후기 정조 때 창덕궁의 건양현(建陽峴)을 관리하게 한 대전 별감(大殿別監)의 하나.

동:산 보:험【動產保險】명 손해 보험의 하나. 가재(家財)·귀중품·상품 등 동산의 화재·도난의 손해를 보상하는 보험. 일반적으로는 동산 화재 보험을 가리킴.

동산-색【東山色】명〖역〗조선 시대 때 장원서(掌苑署)의 전신(前身). 태조(太祖) 원년(1392)에 베풀어서 동 3년에 산림원(山林園)으로, 세조(世祖) 12년(1466)에 장원서로 고치었음.

동:산 설비 신:탁【動產設備信託】명 차량·트럭·선박·항공기 등 설비 동산을 신탁 재산으로 취득하여 임대하는 신탁. 설비 제조 업자인 위탁자 겸 수익자가 발주(發注)를 받고 생산한 설비를 신탁해서 수익 증권을 취득하고 신탁 회사가 발주자에 임대하여 신탁 종료(終了)까지 분할 구입시킴. 「씀. ——-하다 자여불

동-산소【同山所】명 ①같은 산소. ②두 집안에서 무덤을 한 땅에 같이

동:산 신:탁【動產信託】명 동산을 신탁 재산으로 받아들이는 신탁.

동:산 양개【洞山良价】명〖사람〗중국 당말(唐末) 조동종(曹洞宗)의 중. 조동종의 '동(洞)'은 그의 이름에서 유래하였다고 함. [807-69]

동:산 은행【動產銀行】명〖경〗유가 증권(有價證券)·사업 재산 등 동산을 담보로 하여 주로 공업 기업에 자금을 대부하며, 채권(債券)·주식(株式)의 응모 인수(應募引受)·모집 등을 행하는 은행.

동:산 저당【動產抵當】명〖법〗동산을 목적으로 하는 저당. 동산을 채무자가 점유한 채 담보로 함. 현재, 자동차·중기(重機)·항공기에 대하여 각기 특별법으로 저당권을 인정하고 있음. 「질.

동:산-질【動產質】명〖법〗동산을 목적물로 하는 질권(質權). ↔부동산

동:산 화:재 보:험【動產火災保險】명 가재(家財)·상품·귀중품 등의 동산이 화재를 당하여 입은 손해에 대하여 보상(補償)하는 손해 보험. ↔ 「부동산 화재 보험.

동-살¹【―쌀】명〖건〗창짝 등에 가로지른 살.

동-살²【―쌀】명 새벽에 동이 터서 훤하게 비치는 햇살. ¶그 밤을 자고, ~이 막 질리자 길을 떠날 새 자기 부인에게 편지 한 장을 써 병을 주며…《李海朝 : 雨中行人》.

동살(이) 잡히다 구 동트기 시작하여 햇살이 훤하게 비치다. ¶아득한 물아래쪽에 불그레한 동살이 잡히기 시작했다《金廷漢 : 뒷기미나루》.

동살-대 [―쌀때] 명〖건〗문짝 등에 가로 낀 문살. 동전(棟箭).

동살풀이 장단【―長短】명〖악〗전라 남도 무가(巫歌)나 호남 우도(湖南右道) 농악에 쓰이는 4분의 4박자 장단.

동삼¹ 명〈방〉동생(경기·강원·충북·경상).

동삼²【冬三】명 겨울¹.

동:삼³【童蔘】명 ↗동자삼(童子蔘). 「석 달.

동-삼삭【多三朔】명 겨울철의 석 달. 곧, 음력으로 시월·동짓달·섣달의

동-삼성【東三省】명〖지〗둥산 성(東三省).

동상¹ 명〈방〉동생(함남·전남·경남북).

동상²【同上】명 위에 적힌 사실과 같음. 상동(上同).

동상³【同床·同牀】명 잠자리를 같이 함. ¶~ 이몽. ——-하다 자여불

동상⁴【同狀】명 똑같은 상태.

동상⁵【東上】명 동쪽에 떠오름. ——-하다 자여불

동상⁶【東床·東牀·東廂】명 남의 새 사위를 높이어 일컫는 말. ¶미거한 자식으로 하여금 ~에 두고자 하시니 어찌 감히 성의를 저버리이까…《作者未詳 : 金菊花》.

동:상⁷【凍上】명 겨울에 추운 지방에서 흙 속의 수분이 얼어서 토양(土壤)·레일 등이 위로 솟아오르는 현상.

동:상⁸【凍傷】명〖의〗심한 추위로 피부가 얼어서 상하는 일. 몸의 일부분에 생기는 경우에는 심하게 아프고 살빛이 적자색(赤紫色)으로 되면서 붓고 가려워지며, 또 물이 잡히고 터져서 헒. 몸 전체인 경우에는 감각이 둔해지며 점차로 혼수 상태에 빠져 동사(凍死)하게 됨. 동렬(凍裂). 「총칭. *석상(石像).

동상⁹【銅像】명 구리로 그 사람의 형상을 만들어 세운 기념상(記念像)의

동상¹⁰【銅賞】명 상의 금·은·동으로 등급을 이름지었을 때의 3등상. *금상(金賞)·은상(銀賞).

동상 각몽【同床各夢】명 동상 이몽(同床異夢).

동-상갑【多上甲】명 입동(立冬)이 지난 뒤의 첫 갑자일(甲子日). 이날 비가 오면 소와 양이 동사(凍死)한다고 함.

동상-기【東廂記】명〖문〗조선 정조 연간(正祖年間)에 한문으로 쓰인 희곡(戲曲). 김희집(金禧集)이라는 노총각과 신씨(申氏)라는 노처녀가 국가의 구제책에 힘입어 결혼한 이야기를 이덕무(李德懋)가 엮어《김신부부전(金申夫婦傳)》을 지었는데, 이것을 희곡으로 꾸민 것. 중국의 《서상기(西廂記)》형식을 모방한 문인들의 유희 문학(遊戲文學)이었음. 사혼기(賜婚記).

동상-례【東床禮】[―녜] 명 혼례가 끝난 뒤에 신부 집에서 신랑이 자기 벗들에게 음식을 대접하는 일. ——-하다 자여불

동-상방【東上房】명 남향 대청(南向大廳)의 왼편에 안방이 있도록 만든 집. ↔서상방(西上房).

동상 이:몽【同床異夢】명 ①기거(起居)를 함께 하면서 서로 다른 생각을 함. ②비유적으로, 같은 입장·일인데도 목표가 저마다 다름을 일컫는 말. 동상 각몽(同床各夢).

동:상-자【凍傷者】명 동상에 걸려 있는 사람.

동상-전【東床廛】명 서울 종로의 종각(鐘閣) 뒤에서 재래식 잡화(雜貨)를 팔던 가게.

동:상-해【凍霜害】명 초겨울부터 이른봄에 걸쳐서, 약간의 급격한 냉각 현상으로 발생하는 기상 재해. 대륙성 고기압에서 분리된 이동성 고기압이 접근할 때 일어남. 「은 ~.

동새 명〈방〉동풍(東風)(강원).

동색¹【同色】명 ①같은 빛깔. ②같은 색목(色目). 한 당파(黨派). ¶초록

동색²【銅色】명 거무스름한 붉은 빛. 구릿빛.

동색 금:혼패【同色禁婚牌】명〖역〗조선 시대 때 영조(英祖)가 극심한 당쟁(黨爭)의 폐단을 막기 위하여 각호(各戶)마다 붙여, 같은 당파끼리의 혼인을 금하게 하던 패(牌).

동색-인【銅色人】명 동색 인종에 속하는 사람.

동색 인종【銅色人種】명 동갈색 살갗의 인종. 아메리카 인디언 등. ↔ 백색 인종(白色人種).

동색 측광【同色測光】명〖물〗측광한 빛과 표준 광원(光源)의 빛의 빛깔이 같은 경우의 측광. ↔이색(異色) 측광. 「구.

동색 친구【同色親舊】명 한 색목(色目)에 속하는 친구. 같은 당파의 친

동생【同生】명 ①아우나 손아래 누이. ②같은 항렬에서 자기보다 나이가 적은 사람.

[동생 줄 것은 없어도 도둑 줄 것은 있다] ㉠아무리 가난하여도 도둑이 가져 갈 것은 있다는 말. ㉡인색하여 동생에게 주는 것 조차 아까운 사람도 도둑이 빼앗아 가는 것은 막을 수 없다는 말.

동생 공:사【同生共死】명 서로 생사를 같이함. ——-하다 자여불

동생 광:상【同生鑛床】명〖광〗모암(母岩)과 같은 시기에 형성된 광상.

동서¹【同書】명 ①같은 책. ②그 책.

동서²【同棲】명 ①법적인 부부가 아닌 남녀가 한 집에서 같이 살면서 부부 관계를 유지함. ¶~ 생활. ②한 집에서 같이 삶. ——-하다 자여불

동서³【同壻】명 자매(姉妹)의 남편끼리 또는 형제의 아내끼리 서로 일컫는 말. ¶맏~/~간.

[동서 시집살이는 오뉴월에 서릿발 친다] 시집살이 중에서도 동서 밑에 지내는 시집살이가 가장 어렵다는 말. [동서 춤추게] '제가 춤추고 싶어 동서를 권한다'와 같은 뜻.

동서⁴【東西】명 ①동쪽과 서쪽. 묘유(卯酉). ②동양과 서양. ¶~ 고금을 통하여. ③소련이 붕괴되기 이전의 공산권과 자유 진영. ¶~ 양(兩)진영.

동서를 모르다 구 아주 쉬운 일이나 기본적인 사리(事理) 조차 분간할 줄 모르다. ¶저 어른은 시골 양반이라 말도 할 줄 모르고 일에 당하여도 동서를 몰라 저러하거니하고《崔 瓚植 : 金剛門》.

동서⁵【東署】명〖역〗조선 시대 말, 서울 안 오부(五部)의 하나인 동부(東部)를 관할하던 경무 관서(警務官署). 고종(高宗) 건양(建陽) 원년(1895)에서 순종(純宗) 융희(隆熙) 4년(1910)까지 존속하였음.

동서 고:금【東西古今】명 동양과 서양, 그리고 옛날과 오늘. 곧, '어디서나, 언제나'의 뜻.

동서 고속 도:로【東西高速道路】명〖지〗대구(大邱) 광역시와 광주(光州) 광역시를 잇는 고속 도로. 경상 북도 고령(高靈)·경상 남도 합천(陜川)·함양(咸陽) 및 전라 남도 남원(南原) 등지를 경유하여 동서로 달림. 1981년 착공(着工), 1984년 완공(完工). [171.5km]

동-서교【東西郊】명 동교(東郊)와 서교(西郊). 「든 절.

동서교 각사【東西郊各寺】명 동교(東郊) 및 서교에 자리잡고 있는 모

동서 남북【東西南北】명 ①동쪽·서쪽·남쪽·북쪽. 곧, 사방. ②동쪽과 서쪽 그리고 남쪽과 북쪽. 동서와 남북.

동서남북-인【東西南北人】명 ①주거(住居)가 일정하지 아니한 사람. ②각처(各處)에서 모인 사람.

동서 대:비원【東西大悲院】명〖역〗①고려 때 백성의 질병(疾病)을 고쳐 주기 위하여 베푼 의료 기관(醫療機關). ②조선 태조(太祖) 원년(1392)에 백성의 질병을 고치기 위하여 둔 의료 기관. 태종(太宗) 14년(1414)에 동서 활인원(東西活人院)으로 고침.

동서 대:취【東西貸取】명 동추 서대(東推西貸).

동서-독【東西獨】명 동독(東獨)과 서독(西獨).

동서-맥【東西脈】명〖광〗주향(走向)이 동쪽에서 서쪽으로 뻗은 광맥 「(鑛脈).

동서-무【東西廡】명 동무(東廡)와 서무(西廡).

동서 무:역【東西貿易】명 자유 진영과 공산 진영 사이의 무역 거래.

동서 문학【東西文學】명 동양 문학과 서양 문학.

동서-반【東西班】명〖역〗동반(東班)과 서반(西班).

동서 반:구【東西半球】명 동쪽과 서쪽의 지구 부분. 곧, 전지구.

동서 분경【東西奔競】명 ①동서가 서로 다툼. ②동서로 분주히 돌아다니며 싸움. ——-하다 자여불

동서 분당【東西分黨】명〖역〗조선 선조(宣祖) 8년(1575)에 일어난 사류(士類)간의 분열(分裂). 조선 시대 당쟁(黨爭)의 기원이 되는 사건으로, 당시 이름 높던 젊은 선비 김효원(金孝元) 일파와 명종 왕비(明宗王妃)의 아우로 권세 있는 심의겸(沈義謙) 일파의 반목·대립에 기인(起因)한 것임. 이에 대한 논쟁이 차차 확대되어 결국 조정의 관리와 전국의 선비들이 두 패로 나뉘게 됨. 김효원의 집이 서울 동쪽 낙산(駱山) 밑에 있었기 때문에 그 일파를 동인(東人), 심의겸의 집이 서쪽 정동(貞洞)에 있었기 때문에 그 일파를 서인(西人)이라 하였음.

동서 불변【東西不辨】명 동쪽과 서쪽도 분별 못할 정도로 아무 것도 모름. ——-하다 자여불

동-서상【董西廂】명〖책〗중국, 금(金)나라 시대에 동해원(董解元)이 지은 제궁조(諸宮調). 완전한 형태로 현존하는 유일한 제궁조로서 당(唐)나라의 전기(傳奇) 소설《회진기(會眞記)》에서 취재하였으며, 원곡(元曲)《서상기(西廂記)》의 원본이 되었음. 2권.

동서 생활【同棲生活】명 정식 결혼을 하지 않은 남녀가 부부 관계를 유지하며 한 집에 사는 생활.

동서 시:수【東西示數】명〖기상〗35°와 55°의 위도권 상(緯度圈上)의 평균 기압의 차. 편서풍의 강약을 아는 기준이 됨. 시수가 높으면 알류샨

저기압·아이슬란드 저기압·태평양 고기압이 강대해지고 시수가 낮으면 약해짐.

동서-양【東西洋】명〖지〗동양과 서양. 곧, 온 세계.

동서 육주【東西六洲】명〖지〗육대주. 곧, 아시아 주·아프리카 주·유럽 주·북아메리카주·남아메리카주·대양주의 총칭. 전세계를 일컬음.

동서-전【東西銓】명〖역〗동전(東銓)과 서전(西銓).

동서 체제【東西體制】명〖정〗제2차 세계 대전 후, 미국을 주축(主軸)으로 한 자유 진영과 소련을 중심으로 한 공산 진영으로 양분된 세계 질서.

동서 학당【東西學堂】명〖역〗고려 말기 원종 2년(1261)에 강도(江都)의 동쪽과 서쪽에 설치된 중등 정도의 관립 교육 기관. 국자감(國子監)에 진학하지 못한 중앙 학생들을 교육함. 공양왕 2년(1390)에 오부 학당(五部學堂)으로 개편됨.

동서 활인원【東西活人院】명〖역〗조선 태종(太宗) 14년(1414)에 동서 대비원(東西大悲院)을 고친 이름. 백성의 질병(疾病)을 고치기 위하여 베푼 의료 기관으로 세조(世祖) 12년(1466)에 다시 활인서(活人署)로 고침.

동서 효:과【東西効果】명〔east-west effect〕〖천〗우주선 입자(粒子)의 다수가 서쪽보다는 동쪽으로부터 지표(地表)에 도달하는 사실.

동석[1]【同席】명 ①같은 석차(席次)나 지위(地位). ②같은 자리. 자리를 같이함. 일좌(一座). ——-하다 자여불

동:석[2]【凍石】명〖광〗치밀(緻密)한 괴상(塊狀)의 활석(滑石). 보통은 회색이나 엷은 녹색의 것이 많으며 간혹 엷은 갈색의 것도 있음. 사문석(蛇紋石)이나 운모 편암(雲母片岩) 속에서 발견됨. 연마재(研磨材)나 조각(彫刻)의 재료로 쓰임.

동석-자【同席者】명 자리를 같이한 사람.

동선[1]【冬扇】명 ↗동선 하로(冬扇夏爐).

동선[2]【同船】명 ①같은 배. ②그 배. 이 배. ③배를 같이 탐. 같은 배를 탐. 동주(同舟). ——-하다 자여불

동:선[3]【動線】명〔traffic line〕건축 특히 주택(住宅) 등의 평면(平面)에서, 사람·탈것 따위의 움직이는 흐름을 나타내는 선(線).

동선[4]【銅線】명 구리로 만든 철사. 주로 전선(電線)으로 쓰임. 구리줄. 구리 철사.

동:선-기【洞仙記】명〖문〗작자·제작 연대 미상의 소설. 한문본과 국문본이 있음. 배경은 중국 명대(明代). 변경(汴京)의 서문적(西門勣)이 항주(杭州)의 명기 동선(洞仙)과 인연을 맺어 살던 중 난리로 갖은 고초를 겪으나 끝내 행복하게 살았다는 이야기.

동선 유적【一遺跡】〔Dong Son〕〔一뉴一〕명 베트남 타인호아(Thanh Hoa) 북동 4km에 있는 청동기 시대의 유적. 1924년 발견. 이 유적을 표준으로 하여 동선 문화가 설정됨. 이 문화는 기원전 4-3세기경부터 중국의 전국 시대 및 한대(漢代) 문화의 영향을 받아 인도네시아계(系)의 주민들이 형성한 것으로서, 동고(銅鼓)·동부(銅斧) 등에 큰 특징이 있음.

동선-자【同船者】명 같은 배를 타고 있는 사람.

동선 하:로【冬扇夏爐】명〔겨울철의 부채와 여름철의 화로란 뜻〕때에 맞지 아니하는 무용지물(無用之物)임을 비유하는 말. 준동선(冬扇).

동설[1]【同說】명 ①같은 의견이나 학설. ②그 설. 이 설.

동설[2]【銅屑】명 구리의 가루. 약으로 씀.

동섬 서홀【東閃西忽】명〔동에서 번쩍 서에서 얼씬한다는 뜻〕이리 왔다 저리 갔다 함을 일컫는 말. ——-하다 자여불

동성[1] 명〈방〉동생(경남).

동성[2]【同性】명 ①같은 성질(性質). ②성별(性別)이 같음. 곧, 같은 수컷이나 같은 암컷끼리의 성(性). 특히, 남자가 남자를, 여자가 여자를 가리키는 말. ¶ ~ 연애. 1)·2):↔이성(異性).

동성[3]【同姓】명 ①한 씨족(氏族). 동족(同族). ②같은 성(姓). 성씨(姓氏)가 같음. ↔이성(異姓).

[동성은 백대지친(百代之親)] 같은 종씨(宗氏)면 비록 멀더라도 역시 친척임에는 틀림없다는 말.

동성[4]【同聲】명 ①같은 소리. 함께 내는 소리. 동음(同音). ¶ 이구(異口)동~. ②단성(單聲).

동성[5]【東城】명〖지〗중국 진(秦)나라에서 한대(漢代)에 걸쳐 현재의 안후이 성(安徽省) 중부, 안둥 현(安東縣) 남부에 있었던 현(縣). 기원전 202년 항우(項羽)가 가이샤(垓下)에서 한고조(漢高祖)에게 패(敗)하여 도망 온 곳.

동성-고【東姓考】명〖책〗조선 정조(正祖) 때의 박경가(朴慶家)의 저서. 상권(上卷)에 한국 성인 토성(土姓), 중국에서 온 한국 성인 화성(華姓), 하권에 성씨와 본관(本貫)을 분류하였음. 이 책은 흔히 필사본으로 같은 저자의 ≪동언고(東言考)≫와 합본된 것이 전하고 있음. 2권 2책.

동성 광:산【東星鑛山】명〖지〗경상 남도 창원군(昌原郡) 구산면(龜山面)에 있는 구리 광산.

동-성균【同成均】명〖역〗↗동지성균관사(同知成均館事).

동성 동명【同姓同名】명 같은 성에 이름도 같음.

동성 동본【同姓同本】명 같은 성에다 같은 관향(貫鄕). 성도 같고 본도 같음.

동-성명【同姓名】명 같은 성명.

동성 불혼【同姓不婚】명 같은 부계(父系) 혈족 간의 결혼을 피하는 일. 외혼(外婚) 제도에 속함.

동성 상응【同聲相應】명 같은 무리끼리 서로 통하여 응함. 동기 상구(同氣相求). ——-하다 자여불

동성 아주머니【同姓一】명〈속〉고모(姑母).

【동성 아주머니 술도 싸야 사 먹지】아무리 친분이 두터워도 자기의 이익을 생각지 아니할 수 없다는 뜻.

동성-애【同性愛】명 동성 연애.

동성 연:애【同性戀愛】〔一년一〕명 동성(同性)끼리 사랑함. 또, 그러한 관계. 동성애(同性愛). ——-하다 자여불

동성-왕【東城王】명〖역〗백제 24대 왕. 이름은 모대(牟大)·마모(摩牟)·마제(摩帝). 고구려의 남진(南進)에 대비하여 신라·남제(南齊) 등과 화친을 맺으며, 특히 즉위 15년 만인 493년에는 신라와 혼인 동맹(婚姻同盟)을 맺고, 494-495년에는 신라와 연합하여 고구려와 싸움. 만년에는 방종과 사치를 일삼다가 신하에게 살해됨. [?-501; 재위 479-501]

동성-체【同性體】명〖화〗동위 원소(同位元素).

동성-파【桐城派】명〖역〗중국 청(淸)나라 때에 일어난 고문가(古文家)의 한 파(派). 대표자 방포(方苞)·유대괴(劉大櫆)·요내(姚鼐) 등이 안후이성(安徽省)의 한 도시인 동성(桐城)에서 살았으므로 이렇게 이름. 당(唐)의 한유(韓愈)나 송의 구양수(歐陽修)의 문장(文章)을 표준으로 삼고, 정호(程顥)·정이(程頤)·주희(朱熹) 등의 철학을 기반으로 하였음.

동성 할머니【同姓一】명 아버지의 어머니. 친할머니.

동성 할아버지【同姓一】명 아버지의 아버지. 친할아버지.

동성 합창【同聲合唱】명〖악〗남성(男聲) 또는 여성(女聲)만으로의 합창. 단성(單聲) 합창.

동성-혼【同姓婚】명 같은 성(姓)을 가진 사람끼리 하는 혼인. 현행 민법에서는 동성 동본(同姓同本) 사이의 결혼을 금지하고 있음.

동세[1]【同一】명〈방〉동서(同婿).

동:세[2]【動勢】명〖미술〗조각이나 회화 작품에서 볼 수 있는 운동감(運動感). 무브망(mouvement).

동-세공【銅細工】명 구리로 세공하는 일. 또, 그 물건이나 세공하는 장색.

동소[1]【同所】명 ①같은 장소. ②그 장소.

동소[2]【同素】명 같은 바탕. 같은 소질(素質). 같은 원소(元素).

동:소[3]【洞訴】명 동네의 송사(訟事).

동-소문【東小門】명〖역〗서울의 여덟 성문(城門) 중의 하나인 '혜화문(惠化門)'의 속칭(俗稱).

동-소우이도【東小牛耳島】명〖지〗전라 남도의 서해상(西海上), 신안군(新安郡) 도초면(都草面) 우이도리(牛耳島里)에 위치(位置)한 섬. [$0.48\,km^2$: 51명(1984)]

동-소임[1]【同所任】명 동일한 소임. 맡은 바 직책이 같음.

동:-소임[2]【洞所任】명 동임(洞任).

동소-체【同素體】명〔allotrope〕〖화〗동일 원소(元素)로 되어 있으나, 화학 결합의 방법이나 결정(結晶) 중의 원자 배열이 다른 분자 또는 결정. 가령 산소와 오존(ozone), 금강석과 목탄 등.

동소 고리 화합물【同素一化合物】명〖화〗단소(單素) 고리 화합물.

동속[1]【同俗】명 같은 풍속.

동속[2]【同屬】명 같은 종속(種屬). 같은 동아리. 또, 거기에 속하는 일.

동손【銅損】명〖전〗전동기나 발전기·변압기 같은 전기 기기(機器)의 코일 속에서 발생하는 저항손실(抵抗損失). 효율을 낮추고 온도를 올림. ↔철손(鐵損).

동:솔【董率】명 감독(監督)하며 거느림. ——-하다 타여불

동솟 명〈옛〉옹솥. ¶ 당니갑새 동솟츨 쑥 쎠여 닌다 ≪永言≫.

동송【東松】명〖지〗강원도 철원군(鐵原郡)의 한 읍(邑). 군의 남쪽, 한탄강(漢灘江)의 서안(西岸)에 위치함. 도피안사(到彼岸寺)에는 국보 철조 비로자나불 좌상(鐵造毘盧遮那佛坐像)이 있으며, 고석정(孤石亭)은 임꺽정의 일화가 얽힌 곳임. [17,765명(1990)]

동수[1]【同數】명 동일한 수. 같은 수효. ¶ 찬반(贊反) ~.

동수[2]【東首】명 머리를 동쪽에 두고 잠.

동수[3]【東陲·東垂】명 동쪽 끝. 동쪽 변경.

동:수[4]【洞首】명 옛날에, 한 동네의 우두머리.

동:수[5]【童豎】명 ①동자(童子). ②동복(童僕).

동:수 경사【動水傾斜】명 지하수의 유동(流動) 거리에 대한 물의 낙차(落差)의 비율. h를 낙차, l을 거리로 하면 동수 경사 I는 $I=h/l$로 나타냄. 동수 구배(勾配).

동-수구리【胴一】명〖어〗[*Rhynchobatus djiddensis*] 수구릿과에 속하는 바닷물고기. 몸길이는 수구리와 비슷한데 제일 등지느러미와 배지느러미가 대생(對生)하고, 몸빛은 회색이며 눈의 후방과 측방에 약간의 흑갈색 점이 있음. 한국 남해·일본·중국·필리핀·동인도 제도·인도양 및 홍해 등에 분포함.

〈동수구리〉

동:수 구배【動水勾配】명 동수 경사.

동-수국사【同修國史】명〖역〗고려 때 사관(史館)의 한 벼슬. 이품(二品) 이상이 겸(兼)함.

동수-묘【冬壽墓】명〖고고학〗황해도 안악군(安岳郡) 용순면(龍順面) 유순리(兪順里)에 있는 고구려 시대의 벽화(壁畫) 고분. 1949년에 발견됨. 무악대(舞樂隊)와 장송대(葬送隊)에 둘러싸인 주인 내외의 초상도(肖像圖)를 비롯하여 부엌·우사(牛舍)·마구고(馬具庫)·위병 등의 벽화를 배치하였음.

동:-수어【凍秀魚】명 →동숭어.

동숙【同宿】명 ①한 방에서 같이 잠. 반침(伴寢). ②같은 여관이나 같은 하숙에서 묵음. 또, 그 숙소(宿所). ——-하다 자여불

동숙-인【同宿人】명 동숙하는 사람. 동숙자.

동숙-자【同宿者】명 동숙인(同宿人).

동순【同順】명 차례가 같음. 같은 순서.

동-순태【同順泰】명〖역〗조선 시대 말기, 고종(高宗) 25년(1888)경부터 인천(仁川)을 중심으로 활동한 청(淸)나라 사람의 상사(商社). 상업·무역 외에 차관(借款) 대여, 선박 회사 업무에도 손을 뻗쳤으나, 청일 전쟁을 계기로 급속히 쇠퇴함.

동숫-간【一間】명〈방〉뒷간(전북·충남).

동숭 명〈방〉동생(경상).

동:-숭어【凍—】명〔←동수어(凍秀魚)〕겨울에 잡아서 얼린 숭어.

동슬라브-족【東—族】〔Slav〕명 동(東)슬라브계(系)의 언어를 사용하는 여러 민족의 총칭. 슬라브족 전체의 삼분의 이를 차지하며 현재 러시아의 기간적(基幹的) 주민임.

동승¹【同乘】명 같이 탐. ——-하다 자여불

동:승²【童僧】명 동자(童子)중❶.

동승-자【同乘者】명 한 탈것에 같이 탄 사람.

동시¹【多時】명 겨울철. 동절(多節).

동시²【同時】㊀명 ①같은 때. 같은 시간. ¶ ~ 통역. ②같은 시기(時期). 같은 시대(時代). ㊁부 ↗동시에.

동시³【同視】명 ①동일한 것으로 봄. 같게 봄. ②똑같이 대우함. 한결같이 대우함. 동일시(同一視). ——-하다 타여불

동시⁴【彤矢】명 붉게 칠한 화살. 옛날에 천자(天子)가 큰 공이 있는 제후(諸侯)에게 하사하였음.

동:시⁵【凍屍】명 얼어 죽은 시체. 강시(殭屍).

동:시⁶【童詩】명〖문〗어린이가 지은 시, 또는 어린이를 위한 시. 넓은 뜻으로는 동요(童謠)도 포함하여 일컬으나, 동요는 보다 더 율동적(律動的)인 데 비하여 동시는 형식이 자유로움. 조금 더 발전한 것을 소년시(少年詩)라고 함. ＊동요(童謠).

동시 관리【同時管理】[—괄—] 명〖경〗포드 자동차 회사에서 포드가 실시한 경영 합리화의 체계. 작업 조직의 철저한 합리화와 기계화를 도모하여 각종 작업의 동시적인 진행을 가능하게 하고 작업품(作業品)의 중간 저장(中間貯藏)을 배제(排除)하여 생산을 능률화하는 방법임. ——-하다 타여불

동시 낙양인【同是洛陽人】명 타향에서 만난 같은 서울 사람.

동시 녹음【同時錄音】명〔synchronous recording〕〖연〗영화·텔레비전 등의 촬영에서, 연기나 동작에 따른 음성·소리를 동시에 녹음하는 일. ——-하다 타여불

동-시대【同時代】명 같은 시대.

동시 대:비【同時對比】명〔simultaneous contrast〕〖심〗서로 반대되거나 대단히 틀리는 감각·관념·감정 등을 동시에 비교할 때, 그 한쪽이나 또는 양쪽의 특성이 한층 명백해지는 일. 이를테면 똑같은 잿빛의 원(圓)을 흰 종이와 검은 종이 위에 놓고 볼 때, 검은 종이 위에서는 희읍스름하여 보이고, 흰 종이 위에서는 검게 보이는 것 등. 동시적 대비. ↔계시 대비(繼時對比).

동시 묘:사【同時描寫】명〖문〗사르트르가 사용한 창작 수법. 서로 다른 장면을 서로 아무 관계없이 줄을 이어 함께 묘사함. 영화의 컷백(cutback)이나 플래시백(flashback)을 응용한 것.

동시-범【同時犯】명〖법〗둘 이상의 사람이 서로 의사(意思)의 연락이 없이 우연히 동시에 같은 장소에서 범죄 행위를 저지르는 일. 원칙적으로 각각 독립한 단독범(單獨犯)으로 다루는데, 상해(傷害)의 동시범은 특히 공범으로 다룸.

동시 보:험【同時保險】명〖법〗동시에 체결(締結)된 중복 보험(重複保險). ↔이시 보험(異時保險).

동시 사:망【同時死亡】명〖법〗두 사람 이상이 같은 사고로 사망하여 어느 편이 먼저 사망하였는지 불분명한 일. 민법상 동시에 사망한 것으로 추정(推定)함. 동사(同死).

동시-선【同時線】〔time line〕〖지〗대비표(對比表)에서, 같은 지질 시대(地質時代)를 나타내는 선(線).

동시 선:거【同時選擧】명 동시에 시행되는 두 가지 이상의 선거.

동시 설립【同時設立】명〖경〗단순 설립(單純設立).

동시-성【同時性】[—썽] 명〔도 Gleichzeitigkeit〕〖철〗키르케고르의 기독교 사상에 있어서 가장 중요한 개념의 하나. 시대의 격차를 초월하여 그리스도와 동시적(同時的)이 된다는 신앙의 자세.

동시식 컬러 텔레비전【同時式—】명〔simultaneous color television〕〖전자공학〗삼원색(三原色)에 대한 형광체(螢光體)가 순차적이 아니고 동시에 감광(感光)하는 컬러 텔레비전 방식.

동시 심:성암체【同時深成岩體】명〔synchronous pluton〕〖지〗관입(貫入)의 시기가 주조산 운동(主造山運動)과 일치하는 심성암체.

동시-아목【同翅亞目】명〖충〗[Homoptera] 매미목(目)에 속하는 곤충류의 한 아목. 좀매미충·말매미·뿔매미·풀멸구·나무진딧물·솜진딧물 등이 이에 속함. ＊이시 아목(異翅亞目).

동시-에【同時—】부 ①같은 시간에. 같은 시기에. ¶형이 돌아옴과 ~ 아우도 돌아왔다. ②아울러 함께. 한편으로는. ¶값이 싸과 ~ 질도 좋다/흥미가 있는 ~ 유익하기도 하다/장점인 ~ 단점이다. 1)·2):㊂동시(同時).

동시 이:상【同時異相】명〖지〗지질학상 같은 시기의 지층(地層)이 지역에 따라 그 상태가 다른 현상.

동시 이:행의 항:변권【同時履行—抗辯權】[—뀐/—에—뀐] 명〖법〗쌍무 계약에 있어서 당사자의 일방이, 상대방이 그 채무를 이행할 때까지 자기 채무의 이행을 거부할 수 있는 권리.

동시-적【同時的】명관 동시인 모양. 동시임.

동시적 대:비【同時的對比】명〖심〗동시 대비(同時對比).

동-시전【東市典】명〖역〗신라 때 서울의 동시(東市)를 관할하던 관청. 지증왕(智證王) 10년(509)에 설치되었으며, 감(監) 2 명, 대사(大舍) 2 명, 서생(書生) 2 명, 사(史) 4 명의 관원을 두었음. ＊남시전(南市典).

동시 제:출주의【同時提出主義】[—/—이] 명〖법〗민사 소송에 있어서, 당사자가 소송 자료를 모두 동시에 제출할 것을 요구하는 주의. 이 주의는 당사자의 책임을 가중시키거나 소송 자료를 쓸데없이 복잡하게 하는 폐단이 많아, 현재의 여러 나라 법은 원칙으로 이를 채택하지 아니하고 있으며, 우리 나라에서도 수시(隨時) 제출주의가 원칙임. ↔수시 제출 주의.

동시조-도【同時潮圖】명〖지〗일정한 해구(海區)내에서 같은 시각에 만조 혹은 간조가 되는 위치를, 일정 시간마다 지도 상에 선으로 기입한 것.

동시조-선【同時潮線】명〖지〗동시조시(同時潮時)가 같은 지점을 연결한 선. 조랑(潮浪)의 진행 상태를 아는 데에 편리함.

동시조-시【同時潮時】명〖지〗달이 어떤 표준이 되는 자오선을 통과한 후 각지(各地)에서 만조가 될 때까지의 시간. 보통 태음시(太陰時)로 나타냄.

동시 조음【同時調音】명〔coarticullation〕〖언〗어떤 음을 발음하기 위한 일차적인 조음(調音) 외에 다른 조음부(調音部)가 작용하여 기본적인 음가(音價)에 영향을 주게 되는 현상. 이중(二重) 조음.

동시-주의【同時主義】[—/—이] 명〖미술〗시뮐타네이슴(프 simultanéisme).

동시 통역【同時通譯】명 국제 회의 등에서, 말하는 사람과 거의 동시에 통역하는 일.

동시 통역사【同時通譯士】명 국제 회의·방송 등에서 동시 통역을 하는 사람. 보통 통역 대학원을 나온 사람들이 함.

동식¹【同食】명 함께 먹음. 같이 식사를 함. ——-하다 자여불

동:식²【動息】명 움직이는 일과 쉬는 일. 활동과 휴식.

동:-식물【動植物】명 동물과 식물(植物).

동:식물 바탕【動植物—】명 동물질(動物質)과 식물질(植物質).

동:식물-학【動植物學】명 동물학과 식물학.

동:신¹【童身】명 동정(童貞)인 몸. ¶마리아 ~께 나심을 믿음.

동신²【銅神】명 구리 귀신.

동:신³【洞神】명〖민〗마을 사람들이 공동으로 믿는 마을의 수호신.

동:신-제【洞神祭】명〖민〗마을을 지켜 주는 신께 드리는 제사. 대개, 정월 대보름 자정에, 산신당(山神堂)·서낭당·당산(堂山) 등에서 부락의 이름으로 오곡 풍등(五穀豐登)과 국태 민안(國泰民安)을 빌어 치성을 드림. 농악(農樂)·가면놀이·줄다리기 따위가 딸림. 동제(洞祭).

동실¹【同室】명 ①동일한 방. ②그 방. 이 방. ③방을 같이 함.

동실² 부 동동 떠 있는 모양. ¶하얀 구름이 ~ 떠 있다. <둥실.

동실 거생【同室居生】명 한 방에서 같이 살아감. ——-하다 자여불

동실-동실 부 작은 물체가 물 위나 공중에 떠서 가볍게 움직이는 모양. ¶종이배가 ~ 떠 내려간다. ㊂동동. <둥실둥실.

동실동실-하다 형여불 둥글고 토실토실하다. ¶동실동실한 아기 얼굴. <둥실둥실하다.

동심¹【同心】명 ①마음을 같이함. 또, 같은 마음. 일심(一心). ②〖수〗몇 개의 도형(圖形)이 다 같은 중심을 가지는 일. ——-하다 자여불

동:심²【動心】명 마음이 움직임. ——-하다 자여불

동:심³【童心】명 ①어린이의 마음. ②어린이와 같이 순진한 마음. ③어릴 적 마음.

동심-결【同心結】명 납폐(納幣)에 쓰는 실이나 염습(殮襲)의 띠를 매는 매듭처럼, 두 고를 내고 맞죄어서 매는 매듭. 결혼식인 초례식이나 폐백·환갑에는 청실·홍실을 이용함.

〈동심결〉

동심 동력【同心同力】[—녁] 명 마음과 힘을 같이함. ——-하다 자여불

동심-선【同深線】명〖지〗등심선(等深線).

동심-원【同心圓】명〖수〗하나의 중심(中心)으로 된 둘 이상의 원(圓).

동심원-문【同心圓文】명〖고고학〗겹고리무늬.

동심 합력【同心合力】[—녁] 명 마음을 같이하고 힘을 합함. ——-하다 자여불

동심 협력【同心協力】[—녁] 명 마음을 같이하여 힘을 내어 서로 도움. ——-하다 자여불

동싯-바람 명〈방〉동저고릿바람.

동싱 명〈방〉동생(경남).

동-씨【同氏】명 '앞에서 말한 그 사람'이란 뜻.

동:아¹ 명〖식〗[*Benincasa hispida*] 박과에 속하는 일년생의 만초(蔓草). 줄기는 굵고 단면이 사각(四角)으로 되었으며, 권수(卷鬚)로 다른 것에 기어오름. 잎은 호생하고 심장형 또는 장상(掌狀)임. 자웅 동주(雌雄同株)로 여름에 황색의 단성화(單性花)가 핌. 과실은 호박 비슷하여 긴 타원형이고, 표면에 모용(毛茸)이 많은데, 익으면 흰 가루의 시설(柿雪)이 앉아 맛이 좋음. 아시아의 열대 지방 원산(原産)으로 각지에서 재배함. 동과(多瓜).

【동아 속 썩는 것은 밭 임자도 모른다】남의 속에 깊이 있는 걱정은 아무리 가까운 사람이라도 모른다는 말.

〈동아¹〉

동아²【多芽】명〖식〗겨울눈.

동아³【東亞】명 ↗동아세아(東亞細亞).

동:아⁴【凍餓】명 입을 것과 먹을 것이 없어 춥고 배고픔. 헐벗고 굶주림. 동뇌(凍餒).

동:아⁵【童牙】명 어린이. 어린아이.

동아⁶【筒兒】명 동개.

동:아 김치 명 동아로 담근 김치.

동아 대학교【東亞大學校】명 사립 대학교의 하나. 1946년에 동아 대학으로 설립되어, 1959년 종합 대학교로 승격됨. 소재는 부산 광역시.

동아-따다 ㊀자〈속〉떨어지다. ㊁타〈속〉떨어뜨리다.

동아리¹ 명 큰 물건 또는 긴 물건을 몇 개의 부분으로 나누어 말할 때, 그 어느 한 부분을 일컫는 말. ¶아랫~/윗~.

동아리² 명 목적이 같은 사람들이 한패를 이룬 모양. ¶~끼리 모이다/한~가 되다. ＊서클.

동아리³ 명〈방〉또아리(충남).

동아 방:송【東亞放送】명 서울에 있던 라디오 방송국. 1963년 4월 25일 개국(開局), 1980년 11월 30일 언론 기관 통폐합 조치로 KBS에 흡수되었음.

동아-배미 명 〈방〉 『동』 도마뱀(전남).
동아-배암 명 〈방〉 『동』 도마뱀(충청).
동아-배얌 명 〈방〉 『동』 도마뱀(충남·전북).
동아-뱀 명 〈방〉 『동』 도마뱀(경기·충남·전남).
동아-뱜 명 〈방〉 『동』 도마뱀(충청).
동아-비암 명 〈방〉 『동』 도마뱀(전남).
동아-비얌 명 〈방〉 『동』 도마뱀(전북).
동:아 섞박지 명 동아로 담근 섞박지. 동아를 도려서 속을 긁어 내고, 그 자리에 고명과 조기 젓국을 넣고 도려 낸 뚜껑을 덮은 다음 종이로 봉하여 두었다가 겨울에 열려서 국물과 함께 동아를 썰어 먹음.
동:아-선 【—膳】 명 잘게 썰어 기름에 볶은 동아를 잣가루에 묻혔다가 겨자를 찍어서 먹는 술안주. 동과선(冬瓜膳).
동-아세아 【東亞細亞】 명 '동아시아(東 Asia)'의 음역. ㊟동아(東亞).
동-아시아 【東—】 〔Asia〕 명 『지』 아시아의 동부. 곧, 한국·중국·일본을 포함하는 지역을 이름.
동아시아 경:기 대:회 【東—競技大會】 〔Asia〕 명 동아시아 지역의 경기 향상을 위하여 2년마다 개최하는 경기 대회. 우리 나라를 위시하여 일본·중국·북한·타이완·홍콩·마카오·몽골의 8개국 및 지역이 참가하여 12경기를 겨룸. 제1회는 괌(Guam)이 특별 참가하여 1993년 5월 중국 상하이에서 개최함.
동아 식물구계 【東亞植物區系】 명 『식』 북대(北帶)에 속하는 식물구계의 하나. 한국·중국·일본 등을 포함하는 지역. 지형·기후의 변화가 많아서 식물의 종류도 풍부한데 고유종(固有種)으로는 동백나무·차나무·팔손이나무·은행나무·계수나무 등이 있음. *북아메리카 서안(西岸) 식물구계.
동아 일보 【東亞日報】 명 우리 나라 일간 신문의 하나. 1920년 4월 1일 전국 애국 지사 77인의 발기로 창간됨. 창립자 김성수(金性洙), 초대 사장 박영효(朴泳孝). 일제 강점기(強占期)에 민중 계몽과 민족 정신·독립 정신의 앙양에 이바지하는 한편, 일제를 규탄하는 데 선봉적인 역할을 하였음. 다섯 차례에 걸친 정간(停刊) 처분 끝에 8·15 해방과 더불어 그 해 12월 1일 속간(續刊)되어 현재에 이름.
동:아 정:과 【—正果】 명 늙은 동아의 살을 길게 썰어 삶아서 횟물에 이틀쯤 담갔다가 다시 맑은 물에 담가 회분(灰分)을 완전히 뺀 뒤에 꿀을 치고 조려서 빛깔을 누르게 만든 정과.
동아-줄 명 굵고 튼튼하게 꼰 줄.
동아프리카 해:안해:류 【東—海岸海流】 명 〔East Africa coast current〕 인도양(印度洋)의 계절풍에 의한 표류(漂流)에 영향을 받는 해류. 북반구(北半球)에서 겨울에 소말리아(Somalia) 해안을 따라 남서(南西)로 흐르고, 여름에는 북동(北東)으로 흐름.
동악 【東嶽】 명 『지』 '둥웨'를 우리 음으로 읽은 이름.
동악 대:제 【東嶽大帝】 명 '태산 부군(泰山夫君)'의 별칭. 동악묘(東嶽廟)의 본존(本尊)으로, 옥황 상제(玉皇上帝)를 대신하여 사람의 영혼과 생명을 관리함.
동악-묘 【東嶽廟】 명 중국 산둥 성(山東省) 타이안(泰安) 북쪽에 있는 태산(泰山)의 신을 모신 묘. 본존(本尊)은 동악 대제(東嶽大帝), 그 외에 낭랑(娘娘)·문창(文昌)·두모(斗母)·삼관(三官) 등의 무수한 도교(道教)의 신을 모셨는데 각기 신앙·기원(祈願)의 대상이 되고 있음.
동안[1] 명 어느 때로부터 어느 때까지의 사이. 시간적(時間的)인 사이. ¶ 살아 있는 ∼에.
동안(이) 뜨다 구 ㉠시간이 오래 걸리다. ㉡사이가 멀다. ㊟동뜨다.
동안[2] 【同案】 명 ①같은 안건(案件). ②그 안건. 이 안건.
동안[3] 【東岸】 명 동쪽에 있는 강가 또는 바닷가·물가. 동쪽 연안. ↔서안(西岸).
동:안[4] 【洞案】 명 『역』 동약(洞約)에 참여하는 인원의 명부(名簿).
동:안[5] 【動安】 명 『사람』 이승휴(李承休)의 호(號).
동:안[6] 【童顔】 명 ①어린 아이의 얼굴. ②어린 아이와 같은 얼굴. ¶ ∼의 노인(老人).
동-안거 【冬安居】 명 『불교』 해마다 음력 시월 열 엿샛날부터 그 이듬해 정월 보름날까지 일정한 곳에 살며 수도(修道)하는 일. 동하(冬夏). ↔하안거(夏安居). *안거(安居). ——-하다 자여불
동:안 거사 문집 【動安居士文集】 명 『책』 고려 말의 문인 동안 거사(動安居士) 이승휴(李承休)의 문집. 이승휴의 아들 이연(李衍)과 조카 사위 안극인(安克仁)에 의하여 공민왕(恭愍王) 8년(1359)에 간행됨. 4권 1책. 별책으로 《제왕 운기(帝王韻記)》가 있음.
동안 기후 【東岸氣候】 명 『지』 중위도(中緯度)의 대륙 서안(西岸)과 비교하였을 때의 동안 지역에 특유한 기후 특성의 총칭. 온대 계절풍 또는 그와 유사한 기류(氣流)가 탁월하며, 땅 위에는 편서풍이 발달하지 않음. 여름에 해양성 열대 기단(熱帶氣團), 겨울에 대륙성 한대 기단이 작용하므로 여름에는 온도가 높고 무더우며, 겨울에는 지나치게 온도가 낮음. 우량(雨量)도 일반적으로 여름에 많고 겨울에 적음.
동:안 신경 【動眼神經】 명 『생』 뇌신경의 하나. 제3뇌신경으로, 운동 신경 섬유와 부교감(副交感) 신경 섬유를 포함하며, 눈꺼풀을 움직이거나 안구(眼球)를 움직이는 일 따위를 맡음. 어류(魚類)로부터 포유류(哺乳類)에 이르는 거의 전부에서 볼 수 있음.
동:안 신경 마비 【動眼神經麻痺】 명 『의』 뇌신경(腦神經) 마비의 하나. 동안 신경이 마비되어 눈꺼풀을 내리는 일이나 동공의 크기의 변화, 동공의 대광(對光) 반사 등을 못 하게 됨. *활차(滑車) 신경 마비·시(視)신경 마비.
동암 【東巖】 명 『사람』 김가진(金嘉鎭)의 호(號).
동:압 【動壓】 명 〔dynamic pressure〕 『물』 흐르는 유체(流體)가 나타내는 총압력 가운데서 유동 방향에 수직으로 놓은 장애물이 받는 압력. 유체의 단위 체적당(單位體積當) 운동 에너지에 상당함. ↔정압(靜壓). *총압(總壓).
동:앗-국 명 동아를 잘게 썰어 넣고 새우젓 국물을 쳐서 끓인 국.
동애 【同愛】 명 동등하게 사랑함. 평등하게 사랑함. ——-하다 타여불
동애-등에 명 『충』 [*Ptecticus tenebrifer*] 동애등엣과에 속하는 곤충. 몸길이 13-30mm이고 몸빛은 흑색이며 흉배(胸背)의 후 부분 및 측연 융기선은 황갈색이고, 복배(腹背) 제2절은 유백색이며 중앙 후반의 삼각 반문 및 측연은 흑색인데, 3-5절 후연 양단에 백색 털로 된 무늬가 있음. 더러운 물·오물·변소 등에 서식하는데, 공중을 나는 도중에 다른 개체와 충돌하는 습성이 있고, 인가(人家)에 모여드는 위생 상의 해충임. 한국·일본·대만·중국에 분포함.

〈동애등에〉

동애등엣-과 【—科】 명 『충』 [Stratiomyiidae] 파리목(目)에 속하는 한 과(科). 소형으로 털이 전연 없거나 약간 있을 뿐, 몸빛은 금색에 백색·황색·적색·청색의 반문(斑紋)이 있는 것이 보통이고, 날개가 없는 종류도 있음. 방울동애등에·줄동애등에 등이 이에 속하는데, 전세계에 1,200여 종이 분포함.
동애-매다 타 〈방〉 동여매다(강원).
동애-배암 명 〈방〉 『동』 도마뱀(전남).
동애뱀 명 〈방〉 『동』 도마뱀(충북).
동애-비얌 명 〈방〉 『동』 도마뱀(전북).
동액[1] 【同額】 명 같은 액수(額數).
동액[2] 【銅液】 명 『화』 암모니아 합성(合成) 시의 원료 가스(gas)에 포함된 일산화 탄소(一酸化炭素)를 제거하는 데 쓰이는 액체. 흔히 탄산(炭酸) 구리·아세트산 구리 등의 암모니아 용액으로 되어 있음.
동:야[1] 【冬夜】 명 겨울 밤.
동야[2] 【同夜】 명 그날 밤. 같은 날 밤.
동:야[3] 【凍野】 명 『지』 '툰드라(tundra)'의 역어.
동야 휘집 【東野彙集】 명 『책』 조선 말기에 이원명(李源命)이 엮은 한문 소설집. 민담(民譚) 내지 야담을 소설체로 기록한 242편을 내용별로 분류하여 수록함. 8권 8책.
동:약 【洞約】 명 『역』 조선 중기 이후 사족(士族)들이 자기네들 중심의 신분 질서를 유지하기 위하여 만든 동(洞) 단위의 자치 조직. *동안(洞案).
동양[1] 명 〈방〉 거지[1](함경).
동양[2] 【同樣】 명 같은 모양.
동양[3] 【東洋】 명 ①우랄 산맥·카스피 해·흑해(黑海)·지중해·홍해(紅海)를 연결하는 선(線) 이동(以東)의 아시아 제국(諸國)의 총칭. 특히, 그 동부 및 남부, 곧 한국·중국·일본·인도·타이·미얀마·인도네시아 등의 일컬음. ↔서양(西洋). ②옛 중국의 일본에 대한 전칭(專稱).
동:양[4] 【動陽】 명 양기(陽氣)가 동함. ——-하다 자여불
동양 견:문록 【東洋見聞錄】 [—녹] 명 『책』 동방 견문록(東方見聞錄).
동양 광:산 【東洋鑛山】 명 『지』 충청 북도 충주시(忠州市) 목벌동(木伐洞)에 있는 우리 나라 최대 규모의 활석(滑石)광산.
동양-구 【東洋區】 명 『지』 동물 지리 분포 상의 한 구. 인도·중국 남부·말레이 제도·필리핀·대만 등 아시아의 열대·아열대 지역을 포함하는 지구. 북쪽 한계는 히말라야 산맥이고 남쪽 한계는 스리랑카·수마트라·보르네오 등임. 이 구에는 영장류(靈長類)가 발달하여 성성(猩猩)이·기본(gibbon) 등이 있고, 나무늘보 등의 의후류(擬猴類), 인도코끼리·무소 등의 유제류(有蹄類), 호랑이·표범·사향고양이 등의 식육류(食肉類)가 분포하고, 조류로는 공작·금계(金鷄) 등 몸빛 고운 것이 많음. 파충류로는 독사 종류가 많고, 양서류의 개구리는 이 구의 북부 지방(北部地方)에서 발상(發祥)한 것으로 생각됨. *구북구(舊北區)·구열대구(舊熱帶區).
동양 극장 【東洋劇場】 명 우리 나라 최초의 연주 전용 극장. 1935년 지금의 서울 서대문구 충정로(忠正路)에 세워져, 1976년 폐관(閉館)됨.
동양-란 【東洋蘭】 [—난] 명 『식』 춘란(春蘭)·한란(寒蘭) 등, 고래로 우리 나라·중국·일본 등 동양에서 재배되어 온 난초. *양란(洋蘭).
동양 먼로:주의 【東洋—主義】 〔Monroe〕 [—/—이] 명 『정』 아시아의 먼로주의. 곧, 아시아의 여러 나라는 구미(歐美) 제국의 정치 문제에 대하여 일체 관여하지 아니하며, 또한 아시아 여러 나라는 구미 제국의 정치적 간섭을 배격한다는 주의.
동양-모기 【東洋—】 명 『충』 [*Culex orientalis*] 모깃과에 속하는 곤충. 몸길이는 5.2mm, 날개 길이 4.1mm 가량이며, 암컷의 날개의 인편(鱗片)에는 흑갈색과 황백색의 뚜렷한 반문(斑紋)이 있고, 전연맥(前緣脈)에는 세 개의 황백색 반문이 있음. 복배(腹背)는 흑갈색이고, 각 마디의 기부(基部)에는 황백색의 바늘 같은 횡대(橫帶)가 있음. 사람 이외의 동물의 피를 빨아먹음. 한국·일본에 분포함.

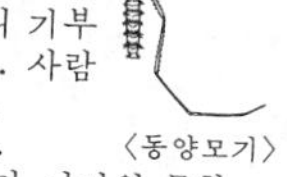
〈동양모기〉

동양-모양선충 【東洋毛樣線蟲】 명 『동』 동양털회충.
동양 문학 【東洋文學】 명 서양 문학에 대한 동양 여러 나라의 문학. ↔서양 문학.
동양-미 【東洋美】 명 동양적인 특색을 지닌 아름다움.
동양 방:송 【東洋放送】 명 서울에 있던 라디오 및 텔레비전 방송국(局). 1964년 5월 9일 개국(開局), 1980년 11월 30일 언론 기관 통폐합 조치에 의하여 KBS로 흡수·통합되었음.
동양 사:상 【東洋思想】 명 동양, 주로 중국·인도를 중심으로 하여 성립한 사상의 총칭. 서양에서는 유럽 이동(以東)의 아시아 전체에서 성립된 사상을 일컬음.
동양사학-과 【東洋史學科】 명 『교』 대학에서, 동양사에 관한 학문을 전

공하는 학과. *서양사학과.
동양안-충【東洋眼蟲】명〖동〗[*Thelazia callipaeda*] 동물의 눈에 기생하는 선충류(線蟲類). 몸길이 11-18 mm, 폭 0.2-0.3 mm, 드물게 사람의 결막에도 침입함.
동양 음악【東洋音樂】명〖악〗동양의 여러 민족 사이에 전승되거나 또는 고유한 풍토·양식 아래 만들어진 음악의 총칭. ↔서양 음악.
동양 의학【東洋醫學】명 동양 고유의 전통 의학. 좁은 뜻으로는 중국 의학 및 한방(韓方) 의학을 가리키며, 한방 약재에 의한 치료 및 침구(鍼灸) 치료를 담당함. ↔서양 의학.
동양-인【東洋人】명 동양 사람. 곧, 중국·인도·한국·일본·미얀마·타이·인도차이나·인도네시아 사람 등의 총칭. ↔서양인.
동양 자:수【東洋刺繡】명 동양에서 발달한 자수를 서양 자수에 상대하여 일컫는 말. 주로, 비단에 비단실로 수를 놓음. 문양(紋樣)은 동양화적인 사실 표현을 주로 함.
동양-적【東洋的】명관 ①특징이 동양의 것인 모양. ②범위가 동양 전체에 걸쳐 있는 모양. ↔서양적.
동양적 사회【東洋的社會】명〔oriental society〕〖사〗서양 사회와 같이 단계적(段階的)이 아니고 정체적(停滯的)으로 발전 과정을 밟는 사회. 역사적으로 중국이나 우리 나라와 같이, 강력한 중앙 집권적 전제 국가(專制國家)가 성립되어, 군대나 관리는 모두 왕실(王室)에 딸려 있고, 농민의 씨족적(氏族的)·공동체적(共同體的) 구속은 왕조(王朝)가 여러 번 바뀌어도 그 본질(本質)은 변하지 아니하는 것과 같은 사회.
동양-직【東洋織】명 ①면직물(綿織物)의 한 가지. 굵은 실을 사용한, 깔개용의 면직물. ②견면 교직물(絹綿交織物).
동양 척식 주식 회:사【東洋拓殖株式會社】명〖역〗일본이 1908년 한국에 설립한 특수 국책 회사. 전라도·황해도의 비옥한 전답을 강제로 사들이는 등의 온갖 수법으로 광대한 면적의 토지를 강점(強占), 5할 이상의 고율 소작료를 징수하는 한편 일본 패전시까지 막대한 양(量)의 양곡을 일본으로 반출하는 등 한국의 경제를 독점·착취함.
동양 철학【東洋哲學】명 동양 제국(諸國), 특히 인도·중국·한국 등지에서 발전한 고유의 철학. 그리스를 기원으로 하는 서양 철학에 비하여 불교 철학·유학 등과 같이 종교 또는 정치에 밀착(密着)한 사색(思索)에 특징이 있으며 비합리적(非合理的)·정서적 경향이 강함.
동양-털선충【東洋一線蟲】명〖동〗[*Trichostrongylus orientalis*] 털선충과에 속하는 기생충. 몸길이가 수컷은 3.8-4.8 mm, 암컷은 4.9-6.7 mm임. 몸빛은 백색인데 실같이 가늘며 미소한 체륜(體輪)이 있고 구순(口脣)은 세 개임. 사람 내장에 기생하는데, 그 발육·감염 증상은 십이지장충과 비슷함. 동양모양선충(東洋毛樣線蟲).
동양 통신【東洋通信】명 서울에 본사를 둔 일간 통신사(通信社)의 하나. 1952년 4월 창설. 1980년 11월 언론 기관 통폐합 조치로 연합 통신사가 신설되면서 이에 흡수되었음.
동양-풍【東洋風】명 동양적인 양식(樣式)이나 풍속. ↔서양풍.
동양-학【東洋學】명〖사〗동양의 언어·문학·역사·종교·철학·학문·기예(技藝)·풍속·관습·미술·음악 등 좁은 의미의 문화를 연구하는 학문. 처음에는 오리엔트(Orient) 지방 문화의 연구를 가리켰으나, 현재는 아시아 전체와 아프리카 일부까지 포함됨. ↔서양학.
동양-화【東洋畫】명〖미술〗동양 재래(在來)의 그림. 주로 먹이나 안료(顔料)를 쓰며, 산수화(山水畫) 등을 흔히 제재로 함. ↔서양화(西洋畫).
동어[1]【一魚】명〖어〗①숭어의 새끼. ②〈방〉빙어(충남).
동어[2]【同語】명 같은 언어. 같은 말.
동어[3]【鮦魚】명〖어〗가물치.
동어 반:복【同語反覆】명〔tautology〕〖논〗①정의(定義)의 허위(虛僞)의 하나. 정의에 있어서 정의하는 말이 정의되는 것을 되풀이하는 것에 불과한 일. ②주사(主辭)와 빈사(賓辭)가 동일한 개념(槪念)인 판단.
동어 반:복증【同語反復症】명〔palilalia〕〖의〗어구(語句)의 병적인 반복.
동:언【瞳焉】명 무지(無知)함. 망연 자실(茫然自失)한 모양.
동업【同業】명 ①같은 종류의 직업이나 영업. ②영업을 두 사람 이상이 공동으로 경영함. 동사(同事). ③그 영업. 그 사업. 그 직업. ——-하다 자여불
동업-자【同業者】명 ①직업이나 영업이 같은 사람. ②한 기업(企業)을 함께 경영하는 사람.
동업자 예:금【同業者預金】명〖경〗은행이 다른 은행·보험업자 등의 금융 기관으로부터 예치(預置) 받은 예금. *정부(政府) 예금.
동업 조합【同業組合】명 ①〖경〗같은 종류의 산업에 종사하는 기업자가 단결함으로써 영업 상의 피해를 방지하고 공동의 이익을 증진시킬 목적으로 조직한 조합. ②〖법〗한 지방의 중요 물산(物産)의 생산·제조·판매에 종사하는 동업자가 규약(規約)을 정하고 소할 관청(所轄官廳)의 인가(認可)를 얻어서 조직하는 법인(法人) 조합.
동:여【動輿】명〖역〗왕세자(王世子)가 대궐 밖으로 행차함. *행계(行啓). ——-하다 자여불
동여-도【東輿圖】명 ①↗대동 여지도(大東輿地圖). ②조선 철종(哲宗) 때 만들어진 분첩식(分帖式) 우리 나라 전국 지도. 작자는 미상으로, 대동 여지도와 유사한 내용이나 두만강·압록강 연안의 지명이 상세히 기록되어 있음.
동여-매다 타 ①묶어서 흩어지거나 떨어지지 아니하게 하다. ②어떤 규준(規準)으로써 행동의 자유를 제한하다. 속박(束縛)하다.
동여-체【同餘體】명〖화〗중성자(中性子)의 수에서 양성자(陽性子) 수를 뺀 수가 같은 핵종(核種) 사이의 상호간의 일컬음. 예를 들면 플루오르(Flour) 19, 알루미늄 27, 염소(塩素) 35 등은 중성자 수가 양성자 수(數)보다 하나씩 많아서 서로 동여체임.
동역[1]【同域】명 ①구역이 같음. 또, 같은 구역. ②그 구역.
동역[2]【東域】명 동방의 지역. 특히, 서역(西域)에 대하여 우리 나라·중국·일본을 일컫는 말.
동:역[3]【董役】명 역사(役事)를 감독함. ——-하다 자여불
동:-역학【動力學】[—녁—] 명〔dynamics〕〖물〗물체의 운동과 힘의 관계를 연구하는 역학의 한 부문. 뉴턴의 운동 제2법칙에 의하여, 물체에는 거기에 작용하는 힘에 비례하고 질량에 반비례하는 가속도가 작용하는 것으로 정의하고, 물체의 운동을 해석(解析)함. ↔정역학(靜力學).
동연[1] 명〈심마니〉산막(山幕).
동연[2]【同硯】명 동접(同接). ——-하다 자여불
동연[3]【同然】명 똑같이 그러함. 서로 마찬가지임. 다름이 없음. ——-하다 형여불 ——-히 부
동:연[4]【洞煙】명 동굴(洞窟)에서 솟아오르는 연기.
동:연[5]【凍硯】명 얼음이 언 벼루.
동:연[6]【童然】명 ①머리가 벗겨진 모양. 대머리진 모양. ②산에 나무가 없는 모양. ——-하다 형여불
동연[7]【銅硯】명 구리쇠로 부어 만든 벼루.
동연 개:념【同延槪念】명〖논〗등치 개념(等値槪念).
동-연배【同年輩】[—년—] 명 나이가 같은 또래. 같은 연배.
동:열【動熱】명〖불교〗임종(臨終) 때에 열기(熱氣)가 심히 동전(動轉)하여 괴로워하는 일. 악인(惡人)의 임종(臨終)이라고 함.
동영[1]【冬營】명 ①겨울의 진영(陣營) 또는 진영(陣營)을 구축하고 겨울을 넘기는 일. ②겨울을 나기 위한 경제 상의 준비.
동영[2]【東營】명〖역〗①강원도의 감영(監營). ②창덕궁(昌德宮)과 경희궁(慶熙宮)의 동쪽에 있던 어영청(御營廳)의 분영(分營). ③창덕궁의 동쪽에 있던 총융청(摠戎廳)의 분영. ④동별영(東別營).
동영[3]【東瀛】명 동방의 바다. 동해(東海).
동:-영상【動映像】명〖컴퓨터〗컴퓨터로 움직이는 물체의 영상을 텔레비전 화면의 영상처럼 볼 수 있게 만든 것. 동화상(動畫像).
동영이 명〈심마니〉산막(山幕).
동영-주【東瀛州】명〖역〗탐라국(耽羅國).
동예【東濊】명〖역〗2세기 후반에서 3세기 전반에 걸쳐 지금의 원산 일대에서 경상 북도 영덕(盈德)에 이르는 동해안 지역과 강원도 북부 지방에 살았던 고대 종족. 광개토왕 시절에 고구려에 정복되고, 강원도 남부 이남의 촌락은 신라에 병합됨.
동오리 명〈방〉둥우리(전남·경남).
동오-배:미 명〈방〉〖동〗도마뱀(경상).
동오스트레일리아 해:류【東一海流】명〔East Australia Current〕남적도(南赤道) 해류의 일부로 이루어지는 해류. 오스트레일리아의 동해안을 따라 남으로 흐름.
동-옥저【東沃沮】명〖역〗'옥저(沃沮)'를 중국에서 일컫는 이름. 고구려(高句麗)의 동쪽에 있다는 뜻.
동-온돌【東溫堗】명〖역〗대궐 안의 침전(寢殿) 동쪽에 있는 방. ↔서온돌(西溫堗).
동:온 하:정【冬溫夏凊】명 추운 겨울에는 따뜻하게, 더운 여름에는 서늘하게 함. 곧, 부모를 잘 섬기어 효도함. 준온정(溫凊). ——-하다 자여불
동-옷 명 남자가 입는 저고리. 겹과 핫의 다름이 있음. 동의(胴衣). 유의(襦衣).
동:와[1] 명〈방〉〖식〗동아[1].
동:와[2]【童瓦】명 수키와.
동와[3]【銅瓦】명 구리로 만든 기와.
동왕【同王】명 같은 왕. 그 임금.
동-왕공【東王公】명 동왕부(東王父).
동-왕부【東王父】명 중국 전설 상의 선인(仙人). 서왕모(西王母)와 대치(對置)되어서 시제(詩題)와 화제(畫題)로 유명함. 동왕공(東王公). 동부(東父). *서왕모(西王母).
동왜 명〈방〉동이[1](평북).
동외-곶【多外串】명〖지〗경상 북도 동해안 끝에 영일만(迎日灣)을 이루면서 바다에 뻗쳐 있는 갑(岬). 장기곶(長鬐串).
동:요[1]【動搖】명 ①흔들려 움직임. 또, 움직여 흔들림. ②어수선하고 떠들썩하여 갈팡질팡함. ¶ 마음의 ~. ——-하다 자여불
동:요[2]【童謠】명〖문〗어린이들의 생활 감정이나 심리(心理)를 나타낸 노래 또는 가요(歌謠). 아동 문학의 한 부문으로, 아동이 쓰는 말로 아동을 위하여 어른이 지은 가요와, 아동 자신이 지어서 아동이 부르는 노래 두 가지로 나눌 수 있는데, 전래(傳來) 동요와 아동 생활 중심으로 정서(情緖) 교육을 위하여 어른이 쓰는 현대의 동요로도 구분함. 동시(童詩) 보다는 율동적(律動的)이고 민요적(民謠的)임. 동가(童歌). *동시(童詩).
동:요 관절【動搖關節】명〖의〗근육·인대(靭帶)·관절낭(囊) 등이 상해를 입어서 관절이 정상적인 운동 범위 이상으로 움직이고 지지성(支持性)이 나빠진 상태.
동:용【動容】명 거동과 차림새. 동작과 의용(儀容).
동:용 주선【動容周旋】명 동작 의용(動作儀容)과 진퇴(進退). 거동(擧動). 행동 거지(行動擧止).
동우[1] 명〈방〉동이[1](전남).
동우[2]【多雨】명 겨울 비.
동우[3]【同友】명 마음과 뜻이 같은 벗.
동우[4]【同憂】명 근심을 함께 함. ——-하다 자여불
동:우[5]【凍雨】명 ①겨울에 내리는 찬 비 또는 진눈깨비. ②〖기상〗비가 올 때에 어는점(點) 이하의 한랭층(寒冷層)을 지나기 때문에 얼어서 떨어지는 비. 우박 비슷하나 그보다 맑고 투명함.
동:우 각마【童牛角馬】명 뿔이 없는 송아지와 뿔이 있는 말의 뜻으로, 도리(道理)에 어긋남을 비유해서 하는 말.
동우-때 명〈방〉절굿공이(전북).

동우-뱀 명 〈방〉 『동』 도마뱀(경남).
동우-통 명 〈방〉 절구통(전라).
동우-회【同友會】 명 어떤 목적을 위하여 동우들로 조직한 회.
동운[1]【同韻】 명 운율(韻律)이 같음. 같은 운.
동운[2]【彤雲】 명 붉은 빛을 띤 구름.
동운[3]【東雲】 명 ①동쪽에 뜬 구름. ②동이 틀 무렵. 새벽녘.
동:운[4]【凍雲】 명 눈 모양의 구름. 겨울 하늘의 구름.
동운 영:채색사【彤雲映彩色詞】[―녕―] 명 『악』 창사(唱詞)의 이름. 나라 잔치 때 수연장무(壽延長舞)에 불렀음.
동:원[1]【凍原】 명 『지』 '툰드라(tundra)'의 역어(譯語).
동:원[2]【動員】 명 ①『군』 군대의 전부 또는 일부를 평시 편제(編制)로부터 전시(戰時) 편제로 옮기는 일. 곧, 군인을 소집하고 군수 물자(軍需物資)를 징발하며, 전쟁에 필요한 모든 기관을 편성하여 싸울 수 있는 능력을 구비하는 일. ↔복원(復員). ¶3개 사단을 ～하다. ②전쟁에 즈음하여 나라 안의 인적(人的)·물적(物的) 자원을 정부의 통일적인 관리하에 집중시키는 일. ¶군수 물자를 ～하다. ③어떤 목적을 달성하기 위하여 사람이나 물건을 집중시키는 일. ¶주민을 강제 ～하다. ――-하다 자타여불
동:원[3]【董源】 명 『사람』 중국 오대(五代) 송(宋)나라 초기의 산수화가. 자(字)는 숙달(叔達). 남당(南唐)의 북원사(北苑使)였으므로 동북원(董北苑)이라고도 부름. 수묵화(水墨畫)를 왕유(王維)에게, 착색화(着色畫)를 이사훈(李思訓)에게서 배웠음. 양쯔 강(揚子江) 유역의 풍경을 처음으로 그림으로써 후에 남송화(南宋畫)에 큰 영향을 주었음. 생몰년 미상.
동원[4]【銅元】 명 중국 청(淸)나라 말기의 보조 화폐의 한 가지. 100장으로 은(銀) 1원(元)에 해당하는 동화(銅貨).
동:원-대【凍原帶】 명 『지』 '툰드라(tundra)'의 역어(譯語).
동:원-력【動員力】[―녁] 명 『군』 동원(動員)하여 전쟁에 대비(對備)할 수 있는 능력.
동:원-령【動員令】[―녕] 명 『군』 전쟁이나 사변(事變) 때에 군대의 동원을 행하는 명령. ↔복원령(復員令).
동원 부:기【東園副器】 명 『역』 조선 시대 때에 동원 비기(東園祕器)를 만들고 남은 판재(板材).
동원 비:기【東園祕器】 명 『역』 조선 시대 때 왕실에서 쓰던 관(棺). 장생전(長生殿)에서 만들어 두었다가 필요할 때 씀.
동:원-체【動原體】 명 『생』 염색체의 방추사(紡錘絲)의 부착점(附着點).
동원 탄:좌【東原炭座】 명 강원도 정선군(旌善郡) 사북읍(舍北邑)에 있는 탄좌. 국내 민영 탄광 중 생산 규모가 가장 큼.
동월[1]【冬月】 명 ①겨울 밤의 달. ②음력으로 시월·동짓달·섣달과 같은 겨울철의 달.
동월[2]【同月】 명 ①같은 달. ②그 달.
동:월[3]【洞越】 명 『악』 중국 고대 악기인 슬(瑟)의 밑바닥에 뚫린 구멍. 소리를 울리게 하는 것임.
동위[1]【同位】 명 같은 위치. 동일한 지위(地位).
동위[2]【東闈】 명 동궁(東宮)의 문이란 뜻으로 동궁, 곧 '황태자'의 이칭(異稱).
동-위[3]【東魏】 명 『역』 중국의 남북조 시대, 북조(北朝)의 북위(北魏)가 분열하여 업(鄴)을 도읍으로 세운 나라. [534-550] *서위(西魏)
동위[4]【胴圍】 명 몸통 둘레. 허리 둘레.
동위-각【同位角】 명 『수』 한 직선(直線)이 두 직선과 교차(交叉)할 때 제각기의 직선의 같은 쪽에 있어서 그 직선과 만드는 각. 두 직선 AB를 제3직선 C로 절단할 경우에 만들어지는 각(角) 중에서 α와 α', β와 β', γ와 γ', δ와 δ'의 각. 같은자리 각. 같은쪽각. 등위각(等位角).

〈동위각〉

동위 개:념【同位槪念】 명 〔coordinate concept〕 『논』 하나의 유개념(類槪念) 속에 내포되어 있는 종개념(種槪念) 사이의 상호간의 일컬음. 이를테면 생물에 있어서의 동물과 식물, 학문에 있어서 인문 과학(人文科學)과 자연 과학 등. 대위(對位) 개념. 등급(等級) 개념. 등위(等位) 개념. 병립(並立) 개념.
동-위도【同緯度】 명 같은 위도.
동위 사회【同位社會】 명 〔synusia〕 『생』 생활 형태 또는 나무 높이의 균일성(均一性) 등에 의해 특징지어지는 취락(聚落)의 구성 단위(構成單位).
동위 원리【同位原理】[―월―] 명 『논』 '동일률'·'모순율'·'배중률'의 총칭.
동위 원소【同位元素】 명 〔isotope〕 『화』 원자 번호는 같으나 원자량(原子量)이 다른 원소. 곧, 양성자(陽性子)의 수가 일정하고 중성자(中性子)의 수가 다른 원자핵(原子核)을 가진 원소. 이를테면 수소(水素) ^{1}H와 중수소(重水素) ^{2}H·^{3}H 등. 동성체(同性體). 동위체(同位體). 동위핵(同位核). 동위핵종(種). 아이소토프.
동위 원소 분리【同位元素分離】[―불―] 명 〔isotope separation〕 『물』 어느 원소의 서로 다른 동위 원소를 물리적으로 분리하는 일.
동위 원소 지질학【同位元素地質學】 명 『지』 동위 원소의 존재비(存在比)의 변동을 이용하며, 지질 현상의 해명을 연구하는 지질학의 한 분야.
동위-체【同位體】 명 『화』 동위 원소(同位元素).
동위-핵【同位核】 명 『화』 동위 원소.
동위핵-종【同位核種】 명 『화』 동위 원소.
동유[1]【同遊】 명 같이 놂. 함께 유람(遊覽)함. ――-하다 자여불
동유[2]【東遊】 명 동방(東方)으로 유력(遊歷)함. ――-하다 자여불
동:유[3]【童幼】 명 어린아이. 아이. 아동(兒童). 유동(幼童).
동:유[4]【童孺】 명 아이. 동자(童子).
동유[5]【桐油】 명 『화』 유동(油桐)의 씨에서 짜낸 건성(乾性)의 기름. 주성분은 올레인산(olein酸)의 글리세롤에스테르(glycerol-ester)로서 독(毒)이 있어 식용하지 못함. 니스·페인트·에나멜 등의 도료(塗料)와 인쇄 잉크의 원료 또는 동유지(桐油脂)를 만드는 데 씀.
동-유럽【東―】〔Europe〕 명 『지』 유럽 동부의 총칭. 제2차 세계 대전 후, 국제 정치상 서유럽 여러 나라와 대립 관계에 있었던 폴란드·체코슬로바키아·루마니아·헝가리 등의 나라 및 불가리아·동독·알바니아 등을 포함하고 있었음. 소연방(聯邦) 해체 후 정치적인 뜻이 배제된 지리적·경제적인 용어로 흔히 쓰임. 동구라파(東歐羅巴). ↔서유럽(西Eurpoe).
동유럽 경제 상호 원조 회:의【東一經濟相互援助會議】〔Europe〕[―/―이] 명 〔Council for Mutual Economic Assistance〕 동유럽 공산권의 경제 협력 기구. 1949년 소련을 비롯하여 체코슬로바키아·폴란드·헝가리·루마니아·불가리아·알바니아·동독(東獨)·몽골 등이 가맹하여 설립됨. 1991년 해체됨. 약칭 : 코메콘(COMECON).
동유-선【桐油扇】 명 동유지(桐油紙)를 발라서 만든 부채.
동유-수【桐油樹】 명 『식』 유동(油桐).
동유-지【桐油紙】 명 동유(桐油)를 짜서 결은 종이. 방수성(防水性)이 있어 포장지(包裝紙) 등을 만드는 데에 씀.
동유-칠【桐油漆】 명 동유에 활석(滑石)·밀타승(密陀僧) 등을 혼합하여 안료(顏料)를 가해서 만든 도료(塗料).
동음【同音】 명 ①같은 소리. 동일한 성음(聲音). 동성(同聲). ②같은 자음(子音). ③같은 높이의 소리. 동일한 음조(音調). ④동시에 같은 소리를 내는 일. 같은 소리를 일제히 내는 일.
동음-어【同音語】 명 동음이지만 뜻이 다른 낱말. 정의(正義)와 정의(定義) 같은 것. 동음 이의어(同音異義語).
동음 이:의【同音異義】[―/―이] 명 말의 소리는 같으나 뜻이 다름.
동음 이:의어【同音異義語】[―/―이이―] 명 동음어(同音語).
동음 이:자【同音異字】 명 발음(發音)은 같으나 글자가 다름. 또, 그 글자.
동읍【同邑】 명 ①같은 읍(邑). 또, 같은 읍내에서 삶. ②그 읍. 이 읍.
동의[1]【冬衣】[―/―이] 명 겨울 옷. 겨울철에 입는 옷. ↔하의(夏衣).
동의[2]【同義】[―/―이] 명 같은 뜻. 같은 의미. ¶～어(語). ↔이의(異義).
동의[3]【同意】[―/―이] 명 ①같은 의견. 같은 의사. ②『법』 사법상(私法上), 행위자의 단독 행위의 불완전을 보충하는 타인의 보조적 의사 표시(意思表示). 미성년자의 법률 행위에 법정 대리인(法定代理人)의 동의를 요하는 것과 같은 일. 또 형법상(刑法上), 피해자가 자기의 법익 침해(法益侵害)에 대하여 승낙하는 일. ③어떠한 의견에 찬성함. 의견을 같이함. ¶제의 안건(提議案件)에 ～하다. ――-하다 자타여불
동의[4]【同議】[―/―이] 명 의견이나 주의가 같은 의론(議論).
동의[5]【胴衣】[―/―이] 명 ①동옷. ②조끼.
동:의[6]【動議】[―/―이] 명 회의 중에 토의에 부치기 위하여 예정된 의안(議案) 이외의 사항을 회원이 제출함. 또, 그 의제(議題). ¶긴급 ～. ――-하다 자타여불
동의-계【同義契】[―/―이―] 명 의리를 숭상하자는 뜻의 계.
동-의금【同義禁】 명 『역』 ↗동지의금부사(同知義禁府事).
동의 낙태죄【同意落胎罪】[―쬐/―이―쮀] 명 『법』 의사·조산원·약사 이외의 일반인이 부녀의 동의를 얻어 낙태시킴으로써 성립되는 죄.
동-의대【胴衣襨】 명 ①〈궁중〉 저고리. ②저고리와 바지를 입은 뒤에 걸치는 짧은 도포 모양의 옷.
동의 대:학교【東義大學校】[―/―이―] 명 부산 광역시 부산진구(釜山鎭區) 가야동(伽倻洞)에 있는 사립 종합 대학교. 1976년 경동 공업 전문 학교로 설립되었다가, 1979년 동의 대학으로 개편되었고, 1984년 종합 대학으로 승격됨.
동-의리【同義理】 명 의리를 같이함. 같은 의리.
동의-머리 [―/―이―] 명 〈속〉 어여머리.
동의 보:감【東醫寶鑑】[―/―이―] 명 『책』 조선 선조(宣祖) 때 의관(醫官) 허준(許浚)이 왕명으로 편찬한 의서(醫書). 우리 나라와 중국의 의서를 모아서 저술한 것으로, 동양에서 가장 우수한 의학서의 하나로 꼽히며, 그 중의 탕약편(湯藥編)에는 수백 종의 우리 말 약물명을 한글로 번역해 놓은 것이 있음. 광해군(光海君) 5년(1613)에 완성하여 간행함. 25권 25책.
동의 살인죄【同意殺人罪】[―쬐/―이―쮀] 명 『법』 피해자의 촉탁 또는 승낙을 받아 살인함으로써 성립되는 죄. 피해자의 동의가 있다는 점에서 보통 살인죄보다 형이 경감(輕減)됨. 피해자의 동의는 그 진의(眞意)에서 나온 것이라야 함. 승낙 살인. *안락사(安樂死).
동의 수세 보:원【東醫壽世保元】[―/―이―] 명 『책』 이제마(李濟馬)의 사상(四象) 의학설을 전하는 의서(醫書). 조선 고종 31년(1894)에 저술, 광무 5년(1901)에 간행됨. 이 사상 의학설은 후계자에 의하여 《동의 사상 신편(東醫四象新編)》에서 전개됨. 4권 2책.
동의-어【同義語·同意語】[―/―이―] 명 〔synonym〕 『언』 어형(語形)은 다르나 뜻이 같은 말. '책'과 '서적', '태양'과 '해' 등. 시노님. ↔반의어(反意語)·상대어(相對語)·앤토님.
동의 유전자【同義遺傳子】[―/―이―] 명 『생』 한 형질에 대하여 같은 작용을 하는 몇 쌍의 유전자. *중복(重複) 유전자.
동의-자[1]【同意者】[―/―이―] 명 어떤 의견에 찬성하는 사람.
동-의자[2]【東椅子】 명 『지』 '천봉산(天奉山)'의 별칭.
동의 증서【同意證書】[―/―이―] 명 『법』 법률상 동의를 필요로 하는 사항(事項)에 대하여 동의함을 증명하는 문서.
동이[1] 명 질그릇의 한 가지. 모양은 일정하지 아니하나 일반적으로 둥글고 배가 부르며 아가리가 넓고, 양옆에 손잡이가 있음. 흔히 물 긷는

데에 쓰임. ¶ 물～/오지 ～.

동이²【同異】[명] ①같음과 다름. ②서로 같지 않음. 다름. 이동(異同).

동이³【東夷】[명] ①동쪽의 오랑캐. ②중국 사람들이 그들의 동쪽에 있는 족속들을 멸시하여 일컫던 말. 자세히는 황하(黃河)의 중간쯤으로부터 하류 동쪽의 이민족(異民族), 곧 일본·만주·한국 등을 가리킴. *서융(西戎)·북적(北狄).

-동이【童―】[미] ☞ -둥이.

동이-나물 [명]〖식〗[*Caltha minor*] 성탄꽃과에 속하는 다년초. 뿌리는 백색이고 수근(鬚根)이 많으며, 줄기는 높이 60cm 가량임. 근생엽(根生葉)은 총생(叢生)하고 장병(長柄)이며 경엽(莖葉)은 단병(短柄)에 신장상 원형(腎臟狀圓形)인데, 가에 톱니가 있음. 4-5월에 줄기 끝에 한두 개의 긴 화경(花梗)이 나와 황색 꽃이 하나씩 피고, 골돌과(蓇葖果)는 긴 타원형임. 산지의 습지 또는 물가에 나는데, 거의 한국 각지에 분포함. 다소 유독(有毒)함.

동이다 [타]〔중세 : 동이다〕 ①흩어지거나 떨어지지 아니하게 묶다. ②몸을 자유롭게 놀리지 못하게 묶다. ¶ 단단히 동여라.

동이-매다 [타]〈방〉 동여매다(강원).

동이-배지기 [명] 씨름에서, 물동이를 들어 이듯이, 상대방을 배 위까지 넝큼 들어 올리는 배지기.

동이-아래 [명]〈방〉 물동이 자리.

동이-연【―鳶】[명] 연의 하나. 연의 머리나 허리 부분에 흑색·홍색·청색 등의 띠를 두른 연.

동인¹【同人】[명] ①딴 사람 아닌 그 사람. 같은 사람. ②뜻을 같이하는 사람. ¶ ～지(誌). ③동문(同門)의 사람. ④〖민〗↗동인괘(同人卦).

동인²【同仁】[명] 친소(親疎)의 차별 없이 널리 평등하게 사랑하는 일. ¶ 일시(一視) ～.

동인³【同寅】[명] 신하(臣下)된 신분으로 다 같이 외경(畏敬)함. '동관(同官)'의 뜻으로 전용(轉用)하는 말.

동인⁴【東人】[명] ①동쪽 나라 사람. ②주인²(主人). ③〖역〗 사색 당파(四色黨派)의 하나로, 조선 명종(明宗) 때 심의겸(沈義謙)의 당파와 대립한 김효원(金孝元)의 당파. ↔서인(西人). *당론(黨論).

동인⁵【東人】[명]〖책〗 예전 사람들의 과문(科文)의 고풍(古風)을 모아 쓴 책.

동:인⁶【動因】[명] ①어떤 사물을 발동하여 일으키는 원인. 동기(動機)가 된 원인. 계기(契機). ②〖철〗↗동력인(動力因). ③〖심〗 기아(飢餓)·투쟁에 대한 욕구 등 생물이나 인간의 행동을 일으키게 하는 내부의 힘.

동인⁷【銅人】[명]〖한의〗 온몸에 침혈(鍼穴)을 뚫어서 침술(鍼術)을 연습할 때에 쓰는 구리로 만든 사람의 형상.

동인⁸【銅仁】[명]〖지〗 '퉁련'을 우리 음으로 읽은 이름.

동인⁹【銅印】[명] 구리로 만든 도장. 동장(銅章).

동:인¹⁰【瞳人·瞳仁】[명] 눈부처.

동인-경【銅人經】[명]〖책〗〔동인 수혈 침구경(銅人腧穴鍼灸經)의 약칭〕 송(宋)나라 인종(仁宗) 때 왕유덕(王惟德)이 지었다는 책. 우리 나라에서 침술(鍼術)을 배우는 데 이 책을 본보기로 하였으며, 조선 시대 때 전의감(典醫監)에서 베풀던 의과 초시(醫科初試)의 한 과목이었음.

동인-괘【同人卦】[명]〖민〗 육십 사 괘(六十四卦)의 하나. 건괘(乾卦)와 이괘(離卦)가 거듭된 것으로, 하늘과 불을 상징함. [준]동인(同人).

동인 교:회【同仁敎會】[명]〔Universalist Church〕〖기독교〗 예수교의 한 파(派). 영국인 머리(Murray)가 1770년에 미국 동부 여러 주(州)에서 성서(聖書)는 하나님의 계시(啓示)라는 것과, 죄악의 응보(應報)가 있다는 것과, 모든 사람은 구제(救濟)된다는 것을 선교하여 시작되었음. *유니버설리즘·유니버설리스트.

동-인도¹【東印度】[명]〖지〗 ①인도·인도 차이나·말레이 군도를 포함한 지역. ②↗동인도 제도.

동인-도²【銅人圖】[명]〖한의〗 침구학(鍼灸學)을 배우는 데 쓰는 인체도(人體圖). 14경락(經絡)의 부위(部位)와 160혈(穴)의 경혈(經穴)을 그린 것임.

동인도 제도【東印度諸島】[명]〖지〗 말레이 군도. [준]동인도(東印度).

동인도 회:사【東印度會社】[명]〔East India Company〕〖역〗 17세기 초엽, 영국·프랑스·네덜란드 등이 동양에 대한 무역을 경영하기 위하여 동인도에 설립한 무역 독점 회사. 1600년에는 영국, 1602년에는 네덜란드, 1664년에는 프랑스가 각각 설립한 것임. 특히, 영국의 것은 정치상으로도 발전하여 인도의 여러 왕족(王族)을 항복시키어 이것을 속령(屬領)으로 만들고 정치적 실권을 잡았으나, 1858년 인도령(印度領)을 영국왕에게 바치고 해산하였음. *영국 동인도 회사.

동인-승【銅人勝】[명]〖역〗 옛적 정월 초이렛날에 대궐 안에서 임금이 여러 신하에게 나누어 주던 거울. 구리로 둥글게 만들고 자루가 있으며 뒤에 신선(神仙)을 새기었음.

동인 시화【東人詩話】[명]〖책〗 신라 때로부터 조선 시대 초기까지의 시화(詩話)를 모아 엮은 책. 조선 성종(成宗) 때 서거정(徐巨正)이 편찬한 것으로, 그 후 인조(仁祖) 때에 중간(重刊)됨. 2권 1책.

동인 잡지【同人雜誌】[명] 사상·취미 등이 같은 사람끼리 편집 발행하는 잡지. 동인지(同人誌).

동인-전【同人展】[명] ↗동인 전람회.

동인 전:람회【同人展覽會】[―절―] [명] 동인끼리 여는 전람회. [준]동인전.

동인-지【同人誌】[명] 동인 잡지.

동인지-문【東人之文】[명]〖책〗 고려 공민왕(恭愍王) 때에 최해(崔瀣)가 우리 나라의 시문(詩文)을 모아서 엮은 책.

동일¹【冬日】[명] 겨울날. 동천(冬天). ↔하일(夏日).

동일²【同一】[명] ①둘이나 그 이상의 것이 서로 꼭 같음. 한결같음. ②차별이 없이 서로 같음. 평등함. ③역량(力量)·수준이 같은 정도임. ――하다 [형][여불]. ――히 [부]

동일³【同日】[명] ①같은 날. ②그 날.

동일 개:념【同一概念】[명]〖논〗 내포(內包)와 외연(外延)이 똑같은 개념. 이를테면 부모와 양친(兩親), 등변 삼각형(等邊三角形)과 등각 삼각형(等角三角形) 같은 개념.

동일 노동 동일 임:금【同一勞動同一賃金】[―로―] [명]〖사〗 인종·국적·신조(信條)·사회적 신분·성별·연령의 차이를 불문하고 같은 질의 노동에 대하여 동일액(同一額)의 임금을 주기로 하는 원칙.

동일-률【同一律】[명]〔principle of identity〕〖논〗 사유(思惟)의 법칙의 하나. '갑은 갑이다'의 형식으로 표시되어, 어떠한 사물이라도 그것이 사고(思考)될 경우에는 항상 동일한 의미에 있어서 풀어지지 아니하면 아니 된다는 논리학 상의 근본 요구를 나타내는 원리. 동일 원리(同一原理). 자동률(自動律). *동위 원리(同位原理).

동일-물【同一物】[명] 같은 물건. 동일한 물체.

동일-법【同一法】[―뻡] [명] ①같은 방법. ②〖논·수〗 다만 하나씩의 A와 B가 있고 'A는 B다'라는 명제(命題)가 참일 때, 이 명제의 역(逆)도 성립된다고 보는 일종의 추리 증명법. ③〖논〗 동일 원리.

동일-설【同一說】[―썰] [명]〖철〗 동일 철학(同一哲學).

동일-성【同一性】[―썽] [명] 두 개 이상의 사물·사상(事象)의 성질이 동일하다고 간주되는 범위 안에 있는 일. 두 개 이상의 물(物)이 서로 구별할 수 없도록 성질이 같은 일. 아이덴티티(identity).

동일성 논리【同一性論理】[―썽놀―] [명]〖논·철〗 동일률(同一律)을 근본 원칙으로 하는 논리. 나아가서는 동일률의 변화에 기본을 두는 범주(範疇)를 기초로 하는 논리 일반. 모순(矛盾)을 배척하고 자기 동일(自己同一)을 원칙으로 하는 점에 있어서는 도리어 모순의 대립과 모순의 동일을 사유(思惟)의 근본 원칙으로 하는 변증법(辨證法)의 논리와는 어긋나므로, 동일성 원리는 변증법 이외의 또는 비변증법적(非辨證法的) 논리를 가리키는 말이 됨.

동일-시【同一視】[―씨] [명] ①동일하게 봄. 차별을 두지 아니하고 평등하게 다룸. 동시(同視). ②〔identification〕 자기가 사랑하는 사람이나 존경하는 사람 또는 소설·영화의 주인공에 감정을 이입(移入)하여 사물을 느끼거나 생각하는 일. 동일화(同一化). ――하다 [타][여불]

동일 원리【同一原理】[―월―] [명]〖논〗 동일률(同一律). 동일법(同一法).

동일-인【同一人】[명] 같은 인물. ¶ ～의 소행.

동일-자【同一者】[―짜] [명]〖철〗 현실에서 동일하게 있는 사물. 곧, 같은 사물.

동일-점【同一點】[―쩜] [명] ①공통된 점이나 개소. ②〖생〗 양눈의 망막(網膜) 위의 각 중심점에서 같은 방향, 같은 거리에 있는 두 점. 이 점에 놓이는 두 개의 영상(映像)은 보통 한 점으로 지각(知覺)됨.

동일-철【同一轍】[명] 똑같은 수레의 자취라는 뜻으로, 사물의 똑같은 경과(經過). 특히 똑같은 나쁜 방향으로 이끄는 경로(經路).

동일 철학【同一哲學】[명]〖철〗 물질과 정신, 주관과 객관은 본질적으로 다른 것이 아니고, 하나의 절대적 실체(實體)의 그 나타나는 방법으로서만 다를 뿐이며 실상은 같은 것이라고 하는 철학. 스피노자(Spinoza)·셸링(Schelling) 등의 학설. 동일설(同一說).

동일-체【同一體】[명] ①같은 몸. 한 몸. ②질(質)이나 형상이 서로 같은 물체(物體). 동체(同體).

동일-화【同一化】[명] 동일시(同一視)❷. ――하다 [타][여불]

동:임【洞任】[명] 동리의 공무(公務)에 종사하는 사람의 총칭. 동소임(洞所任).

동자¹ [명]〔중세 : 동자〕 밥짓는 일. 부엌일. ¶ ～하는 여편네가 부엌문 앞에 나섰다가…≪洪命憙 : 林巨正≫. ――하다 [자][여불]

동자²【同字】[―짜] [명] 같은 문자.

동:자³【童子】[명] ①사내아이. 동남(童男). 동관(童丱). 동수(童竪). 수초(垂髫). ②〖불교〗〔범 kumāra〕 출가하지 아니한 사내아이. ③〖불교〗 '보살'의 이칭. ④〖불교〗 부처·보살·명왕 등을 섬기어 일하는 사람. ⑤〖불교〗 부처·보살·명왕의 사내아이 모양의 화신(化身).

동:자⁴【瞳子】[명] 눈동자.

동자개 [명]〖어〗[*Pelteobagrus fluvidraco*] 동자갯과에 속하는 민물고기. 몸길이는 15-50cm 가량인데 몸이 가늘고 길며 등지느러미와 가슴지느러미에 가시가 있어 찔리면 몹시 아픔. 잡았을 때 '꾸 꾸' 소리를 냄. 몸빛은 회갈색 바탕에 암갈색의 불규칙한 큰 무늬가 있으며 배 쪽은 담색인데 죽이면 노란 빛이 짙어짐. 기름지느러미가 있고 입에 네 쌍의 수염을 갖춤. 한국 낙동강에서 압록강까지의 서남해에 흘러 들어가는 각 하천 및 중국·일본에 분포함.

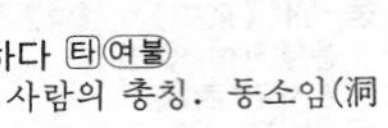
〈동자개〉

동자갯-과【―科】[명]〖어〗[Bagridae] 잉어목(目)에 속하는 어류의 한 과. 꼬치동자개·대농갱이·동자개 등이 이에 속함.

동:자 경법【童子經法】[―뻡] [명]〖불교〗 천태(天台)·진언(眞言)의 두 종파에서 금강 동자(金剛童子)를 본존(本尊)으로 하고 사내아이의 질병·재액을 제거하거나 안산(安産)을 위하여 기도하는 비밀의 수법.

동:자-군【童子軍】[명] 중국의 '보이스카우트'의 일컬음.

동:자 기둥【童子―】[명]〖건〗 들보 위에 세우는 짧은 기둥. 상량(上樑)·오량(五樑)·칠량(七樑) 등을 받치고 있음. 쪼구미. 동자주(童子柱).

동:자-꽃【童子―】[명]〖식〗[*Lychnis cognata*] 너도개미자릿과에 속하는 다년초. 줄기 높이 1m 가량으로 모여 나며 마디는 길고, 잎은 대생하며 무병(無柄)에 긴 달걀꼴 혹은 달걀 모양의 타원형임. 6-7월에 적색에 백색 또는 적백색의 무늬가 있는 꽃이 줄기 상부의 가지 끝에 하나씩 취산상(聚繖狀)으로 피고, 과실은 삭과(蒴果)임. 산지에 나는데, 한국의 각지에 분포함. 관상용임.

동자-꾼 [명] ☞동자아치.

동-자르다 [타][르불] ①동을 끊고 관계를 아니하다. 관계를 끊다. ②길게 토막을 내서 끊다.

동:자-마니【童子—】명〈심마니〉 사내아이.
동:자-목【童子木】명 장롱(欌籠) 같은 세간에 서랍이나 알갱이의 사이를 칸막아서 짜는 좁은 나무.
동:자 보살【童子菩薩】명〖민〗①무당의 말로서, 사내아이가 죽어서 된 귀신. 때때로 그 형제나 자매에게 접하여 앓게 한다 함. ②사람의 두 어깨에 있다는 신(神). 동자(童子) 부처.
동:자-부【動資部】명 ↗동력 자원부.
동:자 부처[1]【童子—】명〖민〗동자 보살❷.
동:자 부처[2]【瞳子—】명 눈부처.
동:자 삭발【童子削髮】명〖불교〗어릴 때에 출가(出家)하여 중이 됨. ——-하다 자여불
동:자-삼【童子蔘】명 어린 아이 형상으로 생긴 산삼(山蔘). 준동삼(童蔘).
동:자-석【童子石】명 ①동자(童子)의 형상으로 만들어서 무덤 앞에 세우는 돌. ②돌 난간(欄干)의 기둥 사이에 죽석(竹石)을 받치는 돌. 동자주(童子柱).
동:자-승【童子僧】명〖불교〗동자중❶.
동자-아치 명 밥짓는 일을 하는 여자 하인. 동자중. 찬비(爨婢). 준동자치.
동자-어미 명〈방〉동자아치.
동자 이:음【同字異音】명 글자는 같으나 음이 다름.
동:자-정【童子釘】명〖건〗문틀·교란(交欄) 같은 곳에 박는 잔못.
동:자-주【童子柱】명〖건〗①동자 기둥. ②동자석(童子石)❷.
동:자-중【童子—】명 ①〖불교〗나이가 어린 중. 곧, 동자 삭발(童子削髮)한 중. 동자승. 동승(童僧). ②동자아치.
동자-질 명 동자를 하는 짓. ——-하다 자여불
동자-치 명 ↗동자아치.
동작[1]【東作】명 봄철에 농사를 지음. 또, 그 농사.
동:작[2]【動作】명 ①어떤 일을 하기 위해서 몸을 움직이는 일. 또, 그 움직임. 거동. ¶기본 ~. ②〖윤〗의식적(意識的)인 행위(行爲). ③〖심〗어떤 조직 또는 형(型)을 갖춘 모든 운동에 대한 일반적 호칭. 특히, 어떠한 표상(表象)을 의식 중에 갖고, 이것과 상관(相關)하는 경우에 이름. ——-하다 자여불
동:작-각【動作角】명〔operating angle〕〖전자공학〗입력 신호(入力信號)의 1사이클 가운데, 진공관 증폭기 안에 양극 전류가 흐르는 부분의 전기적인 각도(角度).
동:작 경제【動作經濟】명〔motion economy〕〖경영〗작업에 필요한 노력(勞力)이나 피로를 경감하기 위하여, 신체의 동작을 가급적 간략하게 적정화(適正化)시키는 일.
동작-구【銅雀區】명〖지〗서울 특별시 22구(區)의 하나. 관내(管內) 18동(洞). 동은 강남구(江南區), 서는 영등포구, 남은 관악구(冠岳區), 북은 한강(漢江)을 사이에 두고 용산구(龍山區)에 접해 있음. 중앙 대학교·숭전 대학교 등이 있음. 국립 묘지를 비롯하여, 사육신 묘소(死六臣墓所)·노들 강변·양녕(讓寧) 대군 묘소 등의 명소도 있음. [16.38 km²: 404,836명(1990)]
동작-나루【銅雀—】명〖지〗서울 특별시 동작구(銅雀區) 동작동 근처 한강 남안(南岸)에 있던 나루터. 동작도(銅雀渡). 동작진(銅雀津).
동작-대【銅雀臺】명〖역〗중국 삼국 시대, 위(魏)나라의 조조(曹操)가 서울인 업(鄴)의 북서쪽에 지은 누대(樓臺). 구리로 만든 봉황으로 지붕 위를 장식하였다 하여 유래된 이름임.
동작 대:교【銅雀大橋】명〖지〗서울 특별시 용산구(龍山區) 이촌동(二村洞)과 동작구(銅雀區) 동작동(銅雀洞)을 잇는 다리. 한강(漢江) 위의 14번째 다리로, 1984년 준공됨. 우리 나라 최초의 철교·도로교 병용 교량임. [1,245m]
동작-도【銅雀渡】명〖지〗동작나루.
동:작-류【動作流】[—뉴] 명〖생〗동작 전류(動作電流).
동:-작빈【董作賓】명〖사람〗'둥 쭤빈'을 우리 음으로 읽은 이름.
동:작-상【動作相】명〖언〗동사가 의미하는 동작의 양상·성질을 나타내는 문법 형태. 한국어에는 완료상(完了相)·진행상(進行相)·예정상(豫定相)이 있음.
동작 서수【東作西收】명 봄에 농사를 지어 가을에 거두어 들임.
동:작 시스템【動作—】명〔actuating system〕〖공〗다른 장치나 시스템을 조작하기 위하여 에너지를 공급하고 전달하는 전기·수력 따위의 시스템.
동작-업【東作業】명 봄철에 짓는 농사.
동작-연【銅雀硯】명 동작대(銅雀臺)의 기와로 만든 벼루. 물이 스며들지 않아서 매우 귀중하게 여긴다 함. *동작와(銅雀瓦).
동:작 연:구【動作硏究】[—년—] 명〖심〗주로 산업 심리학(產業心理學)에 있어서, 작업자의 헛된 수고를 덜고, 능률적으로 작업할 수 있도록 설비·기계·기구·재료 등에 관하여 연구하며, 또 숙련공의 작업 중의 동작을 분석한 후, 거기에 준하여 일반 작업자의 작업 동작을 개선하고, 나아가서는 가장 합리적이고 적절한 작업 방법을 발견하려는 연구. 길브레스(Gilbreth, F.B.: 1868-1924)가 창시한 서블리그 부호(therblig 符號) 및 영화 등이 이용되고 있음.
동작-와【銅雀瓦】명〖공〗중국의 삼국 시대, 조조(曹操)가 지은 동작대(銅雀臺)의 지붕을 이었던 기와. 잿물을 덮어 만들었는데, 이것을 벼루로 하여 먹을 갈면 물이 도무지 스미지 아니하므로 매우 보배롭게 여긴다 함. *동작연(銅雀硯).
동:작-자【動作者】명 어떤 동작을 하는 사람.
동:작적 사고【動作的思考】명〖철〗직관적 사고(直觀的思考).
동:작 전:류【動作電流】[—절—] 명〖생〗활동 전류(活動電流).
동:작 전:위【動作電位】명〖생〗활동 전위(活動電位).
동작-진【銅雀津】명〖지〗동작나루.
동잔【銅盞】명 구리로 만든 잔. 동제(銅製)의 술잔.
동:잠【動箴】명 사물잠(四勿箴)의 하나. '예(禮)가 아니거든 동(動)하지 말라'는 규계(規戒).
동장[1]【冬藏】명 가을의 수확을 겨울에 저장함. 또, 그 물건. ¶추수(秋收) ~. ——-하다 타여불
동:장[2]【洞長】명 ①한 동네의 우두머리. 동수(洞首). ②동사무소의 장(長). 구칭은 동회장(洞會長).
동장[3]【銅匠】명 동기(銅器)를 제작하는 사람.
동장[4]【銅章】명 ①동인(銅印). ②구리로 만든 기념장(記念章) 같은 것의 총칭.
동-장군【冬將軍】명〔모스크바에 돌입한 나폴레옹이 혹한(酷寒)과 적설(積雪) 때문에 어려움을 겪고 패배한 사실(史實)에서〕'겨울'의 이칭(異稱). 인간이 대항할 수 없을 만한 겨울의 위력을 인격화(人格化)하여 일컫는 말임. *모스크바 원정(遠征).
동-장대【東將臺】명〖역〗산성(山城)의 동쪽에 만들어 놓은 대(臺). 장수가 지휘하는 곳.
동재[1]【同齋】명〖불교〗절에서 밥짓는 일. ——-하다 자여불
동재[2]【東齋】명〖역〗성균관(成均館)이나 향교(鄕校)의 명륜당(明倫堂) 앞의 동쪽에 있는 집. 유생(儒生)들이 거처하며 글을 읽었음.
동재 차례【同齋次例】명〖불교〗절에서 밥짓는 당차(當次).
동재 현:상【同在現象】명〔프 coexistence〕〖철〗라이프니츠(Leibniz)의 철학에서, 공간·면(面)·선(線)·점(點)이 부분적으로 합성되는 것이 아니라 동시에 실재(實在)하고 있음을 일컫는 말.
동저[1]【東儲】명 임금의 자리를 이을 왕자. 태자. 동궁(東宮).
동:저[2]【凍豬】명 오래 두어도 썩지 아니하도록, 내장을 빼고 튀해서 얼린 돼지.
동저[3]【銅杵】명 구리로 만든 절굿공이.
동-저고리 명〈속〉동옷.
동저고릿-바람 명 두루마기를 입지 아니하고 갓을 쓰지 아니한 차림새.
동:적[1]【洞籍】명 동민(洞民)의 이름·생년 월일·주소·직업·가족 관계 등 신상(身上)에 관한 기록. ¶~에 올리다.
동적[2]【銅赤】명 구리 콜로이드(colloid)를 분산(分散)시킨 빨간 유리. 색(色)유리로서 식기(食器)·미술품에, 유약(釉藥)으로서는 도자기에 각각 사용됨.
동:적【動的】[—쩍] 명 움직이고 있는 모양. 힘이 작용하고 있는 모양. 잘 활동하고 있는 모양. 활동력이 풍부한 모양. ↔정적(靜的).
동:적 계:획법【動的計劃法】[—쩍—] 명〔dynamic programming〕시간의 경과에 따르는 상황의 변화를 고려하여 매순간마다 최적(最適)의 정책을 결정, 최대의 이익을 얻고자 하는 수리적(數理的) 계획법. 투자 계획·생산 계획 등에 응용됨. 약칭:디 피(D. P.).
동:적 구조【動的構造】[—쩍—] 명 살아 움직이는 구조. 고정되지 아니하고 변하여 가는 짜임새.
동:적 램【動的—】[—쩍—] 명〔dynamic RAM〕〖컴퓨터〗컴퓨터의 기억 소자로, 정보의 소멸을 방지하기 위해 일정 주기의 재생 펄스를 공급해 주는 방식의 RAM. 정적(靜的) 램에 비하여 회로가 간단하고 작동 속도가 빠르며 가격이 저렴하여 다용량 기억 장치에 사용됨. 다이내믹 램. 디 램(DRAM). ↔정적(靜的) 램.
동:적-부【洞籍簿】명 전에 동사무소에서 동적을 적어서 갖추어 두던 공부.
동:적 안전【動的安全】[—쩍—] 명〖법〗일반 거래 활동에 있어서, 상당한 주의를 기울여 거래를 한 사람의 법률상 지위를 보호하는 일. 예컨대, 선의의 거래자에 대하여 일정한 요건 아래서 권리의 취득을 인정하는 따위. ↔정적(靜的) 안전.
동:적 위험【動的危險】[—쩍—] 명〖경〗사업가가 경영상 사회 사정의 변동으로 말미암아 받는 위험. ↔정적(靜的) 위험. *인적(人的) 위험·산업적(產業的) 위험.
동-적전【東籍田】명〖역〗서울 동쪽에 있던 적전(籍田). 묘사(廟社)의 제향(祭享)에 쓸 곡식을 심는 논밭. 흥인문(興仁門) 밖 전농동(典農洞)에 베풂.
동:적 질량 분석계【動的質量分析計】[—쩍—] 명〖물〗고주파 전기장(高周波電氣場)을 이용한 질량 분석계. *질량 분석계.
동전[1]【同前】명 먼젓 것과 같음. 먼저와 같음.
동전[2]【東銓】명〖역〗이조(吏曹)❷.
동:전[3]【動轉】명 변하여 달라짐. 이동 변전(變轉)함. ——-하다 자여불
동전[4]【棟箭】명〖건〗동살대.
동전[5]【銅錢】명 구리로 만든 돈. 동화(銅貨). 적동전(赤銅錢). 적동화(赤銅貨). *주화(鑄貨).
동:-전기【動電氣】명〖물〗유동(流動)하고 있는 전기. 반드시 자기(磁氣) 작용을 동반(同伴)함. ↔정(靜)전기. *전류(電流).
동:전기-학【動電氣學】명〔electrokinetics〕〖전자〗전하(電荷) 운동의 연구. 특히, 전기 회로 가운데의 정상(定常) 전류나 전계(電界)·자계(磁界) 중의 대전 입자(帶電粒子) 운동에 관해서 연구함.
동:-전력【動電力】[—절—] 명〖물〗기전력(起電力). 전동력(電動力).
동절【冬節】명 겨울철. 동계(冬季). 동시(冬時).
동점[1]【同點】[—쩜] 명 같은 점수(點數).
동점[2]【東漸】명 세력을 차츰차츰 동쪽으로 옮김. ——-하다 자여불
동점[3]【銅店】명〖광〗동광(銅鑛)❶.
동접【同接】명 같은 곳에서 함께 공부함. 또, 그 동무. 동연(同硯). 동학(同學). ——-하다 자여불
동정[1] 명 한복에서, 옷깃 위에 조붓하게 덧꾸미는 흰 헝겊 오리.
동정[2]【同正】명〖역〗고려 시대에, 문반(文班) 육품 이하, 무반(武班) 오품 이하에 설정되는 정직(正職)에 준하는 산직(散職). 초입사(初入仕)의 경우에 수여됨. 정직 이름 밑에 접미어적(接尾語的)으로 붙이어 씀. ¶영사(令史)~. *검교(檢校).
동정[3]【同定】명 동물·식물 등 분류학 상(分類學上)의 소속을 바르게 정하는 일.

동정[4]【同情】명 ①남의 불행(不幸)을 가엾게 여기어 따뜻한 마음을 씀. ②남의 슬픔·불행 따위를 이해하여 그 사람과 같은 느낌을 가짐. ¶～적(的). ——-하다 타여불 「월.
동정[5]【東井】명 ①이십 팔 수(二十八宿)의 하나. 정수(井宿). ②음력 오
동정[6]【東征】명 동쪽의 적을 정벌(征伐)함. 동벌(東伐). ——-하다 자여불
동정[7]【東庭】명 ①집안의 동쪽에 있는 뜰. ②성균관(成均館)의 명륜당(明倫堂) 동쪽에 있는 뜰. 승학시(陞學試)를 보는 유생(儒生)이 앉던 곳.
동:정[8]【洞庭】명 〖지〗 ↗동정호(洞庭湖).
동:정[9]【動靜】명 ①움직이는 일과 가만히 있는 일. 움직임과 고요함. 동지(動止). ②행동·사태·병세(病勢) 같은 것이 벌어져 나가는 낌새·형편 또는 모양. 움직임. ¶적의 ～을 살피다. ③기거(起居)❶.
동:정[10]【童貞】명 ①아직 이성(異性)과 성적 접촉이 없음. 또, 그 사람. 흔히 남자를 일컬음. ¶～을 지키다. ②〖천주교〗 수도자(修道者)를 일컫는 말.
동:정-귤【洞庭橘】명 품종이 좋은 귤을 일컫는 말. 「하다.
동정-금【同情金】명 남을 동정하여 돕는 뜻으로 내는 돈. ¶～이 답지
동:정-남【童貞男】명 동정인 남자. 숫총각. ↔동정녀.
동:정-녀【童貞女】명 ①동정 그대로 있는 여자. 숫처녀. 정녀(貞女). ↔동정남. ②〖천주교〗 '성모 마리아(Maria)'를 가리키는 말.
동정색 회유【銅呈色灰釉】명 〖공〗 산화(酸化) 불꽃에서는 녹색이 되고, 환원(還元) 불꽃에서는 적색이 되는 잿물.
동:정 생식【童貞生殖】명 〖생〗 단성 생식(單性生殖)의 하나. 무핵(無核) 또는 핵을 죽인 알에 정충(精蟲)이 들어가서 발육하는 현상. 난편 생식(卵片生殖). 메로고니(merogony). ↔단위(單爲) 생식.
동정 서벌【東征西伐】명 이리저리 여러 나라를 정벌(征伐)함. ——-하다 자여불
동정-설[1]【同情說】명 〖철〗 동류(同類) 사이의 동정이 사회 결합을 성립시킨다는 설(說). 홉스(Hobbes) 등의 이기설(利己說)에 대하여 주장된 것인데, 영국의 감정설(感情說)도 이 동정설의 하나이며, 특히 흄은, 동정은 직접 또는 간접으로 자기나 남에게 쾌감(快感)의 이익을 주는 것이므로 사회 공공의 이익을 가져오는 기초적 도덕이 된다고 주장하였음. 여기에 반대하는 입장은 니체의 초인 도덕(超人道德)임.
동:정-설[2]【童貞說】명 〖천주교〗 성모 마리아가 처녀의 몸으로 성령(聖靈)의 감응을 받아 잉태하여서 그리스도를 낳았다고 주장하는 설.
동정 세:포【一細胞】명 〔collar cell〕〔choanocyte〕〖생〗 해면(海綿) 동물의 위강(胃腔)의 전면(全面) 또는 편모실(鞭毛室)의 벽(壁)에 있는 세포. 세포체에서 각각 한 개의 편모가 나오고 그 기부(基部)는 '동정'이라고 불리는 원통 모양의 돌기에 의해 둘러싸임.
동정 스트라이크【同情—】〔strike〕명 〖사〗 동정 파업(罷業).
동정-식【同鼎食】명 한 솥의 밥을 먹음. 곧, 한곳에서 같이 산다는 뜻. ∟——-하다 자여불
동정-심【同情心】명 동정하는 마음.
동정-자【同情者】명 동정하는 사람.
동정-장【東征章】〔—짱〕명 〖악〗 용비 어천가(龍飛御天歌) 제40장(章)의 이름.
동정-적【同情的】명관 동정하고 있는 상태. 동정하고 있는 모양.
동:정 춘색【洞庭春色】명 감귤로 담근 술의 이름. 중국 송(宋)나라의 시인 소식(蘇軾)의 글에서 나온 말.
동정 파:업【同情罷業】명 〖사〗 노동자가 파업 중인 딴 직장의 노동자를 동정하여 행하는 파업. 동정 스트라이크.
동:정-호【洞庭湖】명 〖지〗 퉁팅(洞庭) 호.
【동정호 칠백리(七百里)】 대단히 광활(廣闊)함을 비유하는 말. 【동정호 칠백리 훤화(喧嘩) 사실한다】 부당한 일에 간섭하여 부당한 시비(是非)를 하는 것을 비유하는 말.
동제[1]【東帝】명 ①동방(東方)의 황제(皇帝). ②봄의 신(神). 청제(青帝).
동:제[2]【洞祭】명 동신제(洞神祭).
동:제[3]【童帝】명 어린 황제. 유제(幼帝).
동제[4]【銅製】명 구리로 만듦. 또, 구리로 만든 것. 「한 벼슬.
동-제거【同提擧】명 〖역〗 고려 때, 보문각(寶文閣)·국자감(國子監)의
동:제-답【洞祭畓】명 〖민〗 그 소출을 동제의 경비에 충당하기 위한, 부락 공유(共有)의 논.
동-제품【銅製品】명 구리로 만든 물품.
동조[1]【冬鳥】명 겨울새. 한금(寒禽). 한조(寒鳥).
동조[2]【同祖】명 조상(祖上)이 같음. 또, 같은 조상.
동조[3]【同調】명 ①〖악〗 같은 가락. ②〖문〗 시(詩) 같은 것의 음률(音律)이 같음. ③남의 주장에 자기의 의견을 일치시킴. 보조(步調)를 맞춤. ¶～자(者). ④〔tuning〕〖전〗 전기 회로의 인덕턴스(inductance) 또는 용량을 변화시킴에 따라 외부로부터 들어오는 전기 진동(振動)에 공명(共鳴)하도록 조절(調節)하는 일. 특히, 라디오·텔레비전 수상기 등에서, 회로의 공진(共振) 주파수를 목적하는 주파수에 맞추어 수신하는 일. ⑤〖물〗 어떤 진동체(振動體) 고유의 진동수를 밖으로부터 오는 진동력의 진동수에 일치시켜 공명을 일으키는 일. ——-하다 자여불
동조[4]【東朝】명 〖역〗 발을 늘이고 정사(政事)를 듣는 태후(太后).
동-조개 명 〖조개〗 ☞ 동죽조개.
동조-기【同調器】명 〖물〗 어떤 주파수(周波數)에 동조가 되도록 인덕턴스(inductance)나 커패시턴스(capacitance)를 맞춘 장치. 라디오·텔레비전 등의 동조 회로나 송신기의 발진(發振) 회로에 사용됨. 튜너(tuner).
동조 동근【同祖同根】명 조상이 같고 근본이 같음.
동조 바리콘【同調—】〔varicon〕명 〖물〗 라디오 수신기 같은 것의 동조 회로에 쓰이는 바리콘.
동조 배:양【同調培養】명 〖생〗 미생물이나 다른 세포 집단을 배양할 때, 대다수 세포의 생활 주기(生活周期)의 위상(位相)을 일치시키는 배양 방법.
동조잇-돌 명 〈방〉 봇돌[1]❶.
동조-자【同調者】명 〖정〗 어떤 운동에 적극적으로 참가하지는 아니하나 그것을 이해하고 어느 정도의 조력(助力)을 하는 사람.
동조 회로【同調回路】명 〔tuning circuit〕〖물〗 외부의 전기적(電氣的) 진동과 동일한 고유(固有) 진동수를 가지고 이것과 공진(共振)하는 것 같은 전기 회로. 공진(共振) 회로.
동족[1]【同族】명 ①같은 겨레. 동일한 종족(種族). 또, 혈족(血族). 동성(同姓). ②그 족속(族屬). 종족(宗族). *이족(異族). ③〖화〗 원소(元素)가 그 주기표 중의 같은 족(族)에 속하는 일.
동:족[2]【凍足】명 언 발.
동족 결혼【同族結婚】명 촌수(寸數)가 가까운 혈족(血族)끼리의 결혼.
동족 계:열【同族系列】명 〔homologous series〕〖화〗 분자 구조 중에서 에틸기($-CH_2$)만을 달리하는 일련의 유기 화합물. 알칸(alkane)·알켄(alkene) 따위. 화학적 성질이 비슷함. *동족체.
동족-단【同族團】명 동일 지역 집단에 있는 본가(本家)와의 혈연 분가(血緣分家)·비혈연 분가(非血緣分家). 이를테면 고용인 등이 주체가 되어 생활의 공동 연계(連繫)를 목적으로 이룬 집단.
동:족 방:뇨【凍足放尿·凍足放溺】명 언 발에 오줌 누기란 뜻으로, 어떠한 사물이 한때의 도움이 될 뿐, 바로 효력이 없어짐을 일컫는 말.
동족 상잔【同族相殘】명 동족(同族)끼리 서로 싸우고 죽임. 민족(民族) 상잔. ¶～의 비극. ——-하다 자여불
동족 상쟁【同族相爭】명 동족(同族)끼리 서로 다툼. ——-하다 자여불
동족-신【同族神】명 본가(本家)·분가(分家) 등 동족의 집에서 공동으로
동족-애【同族愛】명 동족에의 사랑. 동족끼리의 사랑. ∟모시는 신.
동족 원소【銅族元素】명 〖화〗 구리족 원소.
동족 제:도【同族制度】명 〖사〗 동일한 가족으로부터 갈라져 나간 각 분가(分家)들이 본가(本家)를 중심으로 하여 어떤 형태의 협력 및 종속 관계를 가지고 한 사회를 이루는 제도.
동족-체【同族體】명 〔homologue〕〖화〗 유기 화합물에서 분자식 중의 탄소수의 증가에 따라서 물리적 성질은 변화하여 가지만, 동족 계열(同族系列)을 이루며 화학적 성질은 서로 비슷한 일군(一群). 곧, 메탄올·에탄올·프로판올(propyl alcohol) 등. *동족 계열.
동족 회:사【同族會社】명 〖경〗 주주(株主) 또는 사원의 과반수(過半數)가 친족·사용인(使用人) 등, 특수한 관계에 있는 사람들로 구성되어 있는 회사.
동존【同存】명 같이 있음. 함께 생존함. 공존(共存). ——-하다 자여불
동종[1]【同宗】명 ①같은 종파(宗派). ②그 종파. 「류.
동종[2]【同種】명 ①같은 종류. 동류(同類). ②같은 인종(人種). ③그 종
동종 기생【同種寄生】명 〖생〗 기생 생물이 기생 과정을 같은 종류의 숙주(宿主)에게서 보내는 현상. 고등 식물에 기생하는 식물 중, 녹균류(菌類)의 일부를 제외한 거의 모든 기생균이 이에 속함. ↔이종(異種) 기생.
동종 동문【同種同文】명 인종도 문자도 같음. 동문 동종(同文同種).
동종 면:역【同種免疫】명 〔isoimmunization〕〖의〗 동종의 별개의 개체로부터 항원(抗原)을 뽑아 넣음으로써 개체를 면역시키는 일.
동종 발효성 젖산균【同種發酵性—酸菌】〔—썽—〕명 〔homo fermentative lactobacilli〕〖생〗 탄수화물(炭水化物)의 발효에서, 단일의 최종 생성물로서 젖산을 생성하는 균.
동종 요법 원리【同種療法原理】〔—뇨뻡월—〕명 〔isopathic principle〕〖심〗 원인(原因)이 결과를 치료한다는 원리. 죄책감은 죄의 표명으로써 경감(輕減)될 수 있다는 사실 등이 이 원리에 속함.
동종 용혈【同種溶血】〔—농—〕명 〔isohemolysis〕〖의〗 동종 용혈소의 작용에 의해 야기되는 용혈 현상.
동종 용혈소【同種溶血素】〔—농—쏘〕명 〔isohemolysin〕〖의〗 동종의 별개의 개체에서 적혈구(赤血球)를 주입 받은 개체가 만드는 용혈소.
동좌[1]【同左】명 왼편에 있는 것과 같음. 왼쪽에 기록된 것과 같음. 여좌(如左).
동좌[2]【同坐】명 자리를 같이하여 앉음. ——-하다 자여불
동죄【同罪】명 ①같은 죄. 동일한 범죄. ②져야 할 책임이 같음.
동주[1]【同舟】명 ①같은 배. ②배를 같이 탐. 동선(同船). ¶오월(吳越)～. ——-하다 자여불
동주[2]【同住】명 같은 곳에 함께 거주함. ——-하다 자여불
동주[3]【東州】명 〖지〗 강원도 '철원(鐵原)'의 고칭(古稱).
동주[4]【東周】명 중국의 주(周)가 동천(東遷)한 후의 일컬음. 제13대 평왕(平王) 때에 도읍을 장안(長安)에서 지금의 뤄양(洛陽)으로 옮긴 후의 이름. 제37대 난왕(赧王)이 진(秦)에 멸망되기까지 약 500년간 유지됨. 춘추 전국 시대에 해당함. [771-256 B.C.] *동천(東遷)·서주(西周).
동주[5]【東珠】명 명주(明珠)❷.
동주[6]【銅柱】명 구리로 만든 기둥.
동주-도【東州道】명 〖역〗 고려 성종 14년(995)에 정한 춘천(春川)·철원(鐵原) 일대의 영서(嶺西) 지방의 이름. 원종 4년(1263) 교주도(交州道)로 개칭됨.
동주 상구【同舟相救】명 이해를 함께하는 사람은 아는 사이건 모르는 사이건 서로 돕게 됨의 비유.
동주 서분【東走西奔】명 동분 서주(東奔西走). ——-하다 자여불
동주-조【同主調】명 〖악〗 '같은으뜸음조'의 한자 이름.
동죽 명 ①〖조개〗 ↗동죽조개. ②동죽조개를 깐 속살.
동죽-젓 명 동죽조개로 담근 젓. 고패해(沽貝醢).
동죽-조개 명 〖조개〗 [*Mactra veneriformis*] 개량조갯과에 속하는 조

개의 하나. 개랑조개와 비슷한데, 패각(貝殼)은 공 모양의 삼각형이며, 길이 5-6cm, 높이 5cm, 폭 4cm 가량. 표면에는 각정(殼頂) 부근을 제외하고 거친 윤맥(輪脈)이 많음. 각피(殼皮)는 회백색을 띤 담황색이고, 복연(腹緣) 가까이는 자색을 띠며, 내면은 백색임. 담수가 혼합되는 모래땅 속에 서식하는데, 잡아 내면 조수(潮水)를 분수(噴水)처럼 뿜어 내고, 특히 살에 모래가 많이 붙어 있음. 4-5월에 산란함. 한국·일본·중국의 연안에 분포함. 맛이 좋아 식용함. 고패(沽貝). ㊎동죽.

〈동죽조개〉

동-줄 [―쭐] 명 ①물레의 몸을 동이어 얽은 줄. ②↗동줄기.

동-줄기 [―쭐―] 명 마소에 실은 짐 위에 걸어, 배에 둘러서 졸라매는 줄. ㊎동줄.

동중¹【同衆】명 같은 무리.

동:중²【洞中】명 ①동내(洞內). ②동굴의 속.

동중국-해【東中國海】명〖지〗규슈(九州)·류큐 열도(琉球列島)·타이완과 양쯔 강구(揚子江口) 이남으로부터 타이완 해협 이북의 중국 대륙 사이의 바다. 북은 황해, 남은 남중국해에 이어짐. 대부분이 대륙붕(大陸棚)이고 간만(干滿)의 차가 큼. 평균 심도 177m임. 동지나해(東支那海). 중국명은 동해(東海).

동:-중(:)서【董仲舒】명〖사람〗중국 전한(前漢)의 유학자. 광찬(廣川) 출생. 호는 계암자(桂巖子). 춘추 공양학(春秋公羊學)을 수학하여 하늘과 사람의 밀접한 관계를 강조하였음. 무제(武帝)는 그의 의견을 받아들여 유교를 국교로 제정하였음. 저서는 《춘추 번로(春秋繁露)》 등. [179-104 B.C.]

동중 원소【同重元素】명〔isobar〕〖화〗서로 다른 원소의 원자로서 원자 번호는 다르나 질량수가 같은 원자. 곧, 원자핵을 구성하고 있는 핵자(核子)의 수가 같은 원자.

동중-체【同重體】명〖화〗동중 원소(同重元素).

동중-핵【同重核】명〖화〗동중 원소(同重元素).

동 쥐앙〔Don Juan〕명 ①'돈 후안'의 프랑스 이름. ②몰리에르(Molière)의 5막짜리 산문 희극. 1665년에 초연(初演). 아내를 버리고 길을 나선 호색가(好色家) 동 쥐앙이 그의 하인과 겪은 이야기들을 인간 탐구(人間探究)의 입장에서 풍자적으로 묘사한 작품.

동지¹【冬至】명 24 절기의 스물두째. 대설(大雪)과 소한(小寒) 사이에 드는데 황경(黃經)이 270°인 때로, 12월 22일경임. 음력으로 동짓달에 듦. 태양은 동지점에 이르러 북반구에서는 낮이 가장 짧고 밤이 가장 길며, 남반구에서는 낮이 가장 길고 밤이 가장 짧은 현상이 일어남. 겨울이 깊어지는 때임. 아세(亞歲). 이장(履長). ↔(夏至). ＊애동지·중동지·노동지.

[동지 때 개딸기] 동지 때에 개딸기가 있을 리 없으니, 도저히 얻을 수 없는 것을 바란다는 말.

동지²【同旨】명 취지(趣旨)가 같음. 같은 취지.

동지³【同地】명 ①같은 땅. 같은 곳. ②그 땅.

동지⁴【同志】명 뜻·주의(主義)·주장(主張)·목적이 서로 같음. 또, 그런 사람. ¶ ~애(愛)/김(金) ~.

동지⁵【同知】명〖역〗①↗동지중추부사(同知中樞府事). ②〈속〉직함(職銜)이 없는 노인의 존칭.

동:지⁶【動止】명 ①움직이는 일과 멈추는 일. 사물의 움직임. 동정(動靜). ②행동 거지(行動擧止). 거동(擧動).

동:지⁷【動地】명 ①대지(大地)를 움직임. ②커다란 세력이나 힘 같은 것이 세상을 크게 놀라게 함의 비유. ¶ 경천(驚天) ~.

동지⁸【僮指】명 노비(奴婢).

동-지경연사【同知經筵事】명〖역〗조선 시대, 경연청(經筵廳)의 종이품(從二品) 벼슬. ㊎동경연(同經筵). ＊동지사(同知事).

동-지공거【同知貢擧】명〖역〗고려 때, 과거의 고시관(考試官). 지공거(知貢擧)의 버금.

동-지깨 명〈방〉족집게(함남).

동지나-해【東支那海】명〖지〗동중국해(東中國海).

동-지다 타〈방〉동이다. 얽다(함경).

동-지돈녕부사【同知敦寧府事】명〖역〗조선 시대 때, 돈녕부(敦寧府)의 종이품 벼슬. ㊎동돈녕(同敦寧). ＊동지사(同知事).

동지 두죽【冬至豆粥】명 동지 팥죽.

동지-받이【冬至―】[―바지] 명 음력 동짓달 보름께에 함경 남북도의 바다로 몰려드는 명태의 떼. 몸이 굵고 등이 넓으며 알배기가 많음.

동지-사¹【冬至使】명〖역〗조선 시대 때, 해마다 정기적(定期的)으로 동짓달에 중국으로 보내던 사신(使臣). ＊정조사(正朝使).

동-지사²【同知事】명〖역〗①고려 때, 중추원·추밀원(樞密院)·밀직사(密直司)의 종 2품(從二品) 관직, 자정원(資政院)의 정 2품 관직, 춘추관(春秋館)의 종 2품 이상의 관직의 일컬음. ②조선 시대의 종 2품 관직. 돈녕부(敦寧府)에 1명, 의금부(義禁府)에 1-2명, 경연(經筵)에 3명, 성균관(成均館)에 2명, 춘추관(春秋館)에 2명, 중추부(中樞府)에 8명, 삼군부(三軍府)에 약간 명을 두었으며, 이들의 직함을 각각 동지돈녕부사(同知敦寧府事)·동지의금부사(同知義禁府事)·동지경연사(同知經筵事)·동지성균관사(同知成均館事)·동지춘추관사(同知春秋館事)·동지중추부사(同知中樞府事)·동지삼군부사(同知三軍府事)·동지훈련원사(同知訓鍊院事)라 칭하였음.

동-지삼군부사【同知三軍府事】명〖역〗조선 시대의 삼군부(三軍府)의 종이품 벼슬. 대장(大將)이 겸임하였음. ＊동지사(同知事).

동지 상:사【冬至上使】명〖역〗'동지사(冬至使)'의 우두머리.

동지-선【冬至線】명〖천〗'남회귀선(南回歸線)'의 별칭.

동지-섣달【冬至―】명 동짓달과 섣달을 아울러 이르는 말. ¶ ~ 긴긴 밤.

동-지성균관사【同知成均館事】명〖역〗조선 시대 때, 성균관(成均館)의 종이품 벼슬. 정원은 2명으로, 다른 관직과 겸임함. ㊎동성균(同成均). ＊동지사(同知事).

동지 시식【冬至時食】명〖민〗동지 팥죽.

동지-애【同志愛】명 동지로서의 사랑.

동지 어음【同地―】명〖경〗지급지(支給地)와 발행지가 같은 어음. ↔이지(異地) 어음.

동-지원사【同知院使】명〖역〗고려 때, 중추원(中樞院)의 종이품 벼슬.

동-지의금부사【同知義禁府事】[―/―이―] 명〖역〗조선 시대 때, 의금부(義禁府)의 종이품 벼슬. ㊎동의금(同義禁). ＊동지사(同知事).

동지-자【同志者】명 뜻이 같은 사람. 뜻을 같이하는 사람.

동지-적【同志的】명관 동지다운 모양.

동-지절제사【同知節制使】[―쩨―] 명〖역〗조선 시대초(初), 의흥 친군위(義興親軍衛)에 딸린 종 2품의 군직(軍職). 종실(宗室)이나 훈신(勳臣) 가운데서 임명됨.

동지-점【冬至點】[―쩜] 명〔winter solstice point〕〖천〗황도(黃道) 위에서 춘분점(春分點)의 서쪽 90°되는 점. 적도에서 남반구 쪽으로 가장 먼 점임. 동지에는 태양이 이 점에 이름. ↔하지점(夏至點).

동-지중추부사【同知中樞府事】명〖역〗조선 시대 때, 중추부(中樞府)의 종이품 벼슬. ㊎동지(同知)·동추(同樞). ＊동지사(同知事).

동지 지급 어음【同地支給―】명〖경〗지급지가 지급인의 소재지와 같은 어음. ↔타지(他地) 지급 어음.

동-지춘추관사【同知春秋館事】명〖역〗조선 시대 때, 춘추관(春秋館)의 종이품 벼슬. 타관이 겸직함. ㊎동춘추(同春秋). ＊동지사(同知事).

동지 팥죽【冬至―粥】명〖민〗동짓날 쑤어 먹는 팥죽. 찹쌀 새알심을 넣음. 차례(茶禮)를 지낼 때에 올리고, 귀신을 쫓아낸다는 뜻으로 대문짝에 뿌리기도 함. 동지 두죽(豆粥). 동지 시식(時食).

동-지훈련원사【同知訓鍊院事】[―훌―] 명〖역〗조선 시대 때, 훈련원(訓鍊院)의 종이품 벼슬. ㊎동훈련(同訓鍊). ＊동지사(同知事).

동직【同職】명 ①같은 직무. 같은 직업. ②이 직무. 이 직업.

동직 조합【同職組合】명 동일 부분의 수공업의 조합. 중세기의 경제 조직상 중요한 역할을 하였음. 수공업 길드(手工業 guild).

동진¹【同塵】명 속세(俗世)와 보조(步調)를 같이하는 일.

동진²【東晉】명〖역〗중국의 왕조(王朝). 남북조 시대의 남조(南朝)의 한 나라. 화북(華北)에 있던 진(晉)이 316년 멸망한 이듬해 왕족(王族)인 사마예(司馬睿)가 남경에 도읍하고 재흥(再興)한 왕조. 11대 103년 계속되다가 가신(家臣) 유유(劉裕)에게 멸망함. [317-420]

동진³【東眞】명〖역〗고려 고종(高宗) 2년(1215) 여진족(女眞族)인 포선 만노(蒲鮮萬奴)가 만주(滿洲)의 랴오양(遼陽)에 세운 나라. 고종 4년 몽고에 쫓기어 두만강(豆滿江) 유역으로 본거지를 옮기고 국호(國號)를 동하(東夏)라 하였음. 고종 5년 고려·몽고와 연합군을 이루어 강동성(江東城) 싸움에서 거란인(契丹人)을 쳐부수기도 하였으나, 고종 21년(1234) 몽고에게 멸망당함.

동진⁴【東進】명 동쪽으로 나아감. ¶ 태풍이 ~하다. ――하다 자여불

동:진⁵【童眞】명〖불교〗일생 동안 여색(女色)을 일체 가까이 하지 아니한 사람.

동진-강【東津江】명〖지〗전라 북도 정읍시 산외면(山外面)에서 발원하여 부안(扶安)·김제(金堤) 등지를 지나 황해(黃海)로 들어가는 강. [44.7km]

동:진 대:사【洞眞大師】명〖사람〗'경보(慶甫)'의 존칭.

동:진 보살【童眞菩薩】명〖불교〗불법(佛法)을 수호하는 보살. 범왕(梵王) 또는 위타천(韋陀天)을 동진 보살로 봄.

동-진사【同進士】명〖역〗고려 숙종(肅宗) 이후, 제술과(製述科) 합격자의 성적의 최하위. 병과(丙科)의 아래. 23명을 뽑음. ＊을과(乙科). 병과(丙科).

동질【同質】명 질(質)이 같음. 같은 물질. 또, 같은 성질.

동질 다상【同質多像】명〔polymorphism〕〖광〗동질 이상(同質異像). 동질 다형.

동질 다형【同質多形】명〖광〗동질 이상(異像). 동질 다상.

동질 사회【同質社會】명 문화의 내용이나 인종(人種)이 같은 성원(成員)으로 구성된 사회. ↔이질(異質) 사회.

동질 요인【同質要因】[―료―] 명〖심〗유동 요인(類同要因).

동질 이:상【同質異像】명〔allotropy〕〖광〗동일한 화학 성분을 가진 물질로서 서로 다른 결정계(結晶系)를 이루고 있는 일. 탄산 칼슘은 방해석(方解石)으로서는 육방 정계(六方晶系)로, 산석(霰石)으로서는 사방 정계(斜方晶系)로 각각 결정(結晶)함. 다형(多形). 동질 다상(同質多像). 동질 다형(多形).

동질 이:상 가:정【同質異像假晶】명〔paramorphism〕〖광〗조성(組成)이나 외형(外形)은 변하지 않고, 내부 구조가 변화하는 광물의 성질.

동질-적【同質的】[―쩍] 명관 동질인 모양.

동질 접합체【同質接合體】명〖생〗동형(同型) 접합체. ↔이질 접합체.

동짓-날【冬至―】명 동지가 되는 날.

동짓-달【冬至―】명 음력으로, 한 해의 열 한 번째 드는 달. 십 일 월. 지월(至月).

동:징【洞徵】명〖역〗조선 시대 후기에, 도망자·사망자·실종자의 각종 세(稅)의 체납(滯納)을, 그의 동네 사람에게 억지로 물리던 일.

동-쪽【東―】명 해가 떠오르는 쪽. 동(東). 동방. ↔서쪽.

동차¹【同次】명〔homogeneous〕〖수〗다항식·함수의 성질의 하나. 다항식에서는 각 항의 차수(次數)가 같은 일. 함수 $f(x, y, \cdots)$에서는 $f(tx, ty, \cdots)=t^r f(x, y\cdots)$ $(t \neq 0)$가 되는 r가 있는 일.

동차²【同車】명 ①같은 차(車). ②함께 같은 차에 탐. 동승(同乘). ――하다 자여불

동:차³【童車】명〖역〗돌·기와 등 작은 짐을 나르는 기구. 네모틀 각 귀에 네 개의 바퀴를 달고 앞뒤 가로대에 끈을 묶어 네 사람이 잡아 당김.

평지에서만 쓰임.

동:차[4]【童車】명 어린 아이를 태워서 끌고 다니는 조그마한 차. 유모차(乳母車).

동:차[5]【動車】명 여객이나 화물을 싣는 동력차의 하나. 전차·기동차 같은 것. *기관차(機關車).

동:차 사:무소【動車事務所】명〖교통〗동차·부속차(附屬車)의 정비·운용·운전에 관한 업무를 분장(分掌)하는, 지방 철도청 소속의 현업(現業) 기관.

동차-식【同次式】명〖수〗모든 항(項)의 차수(次數)가 같은 모양인 다항식(多項式). 가령 $a^3+b^3+c^3$ 은 a,b,c 에 대하여 삼차(三次)의 동차식임.

동차-형【同次形】명〖수〗미분 방정식 $y'=f(x, y)$가 $y'=g(x/y)$의 형태를 취한 것.

동착[1]【同着】명 결승점이나 목적지에 동시에 도착함. ——-하다 자여불

동착[2]【銅鑿】명〖고고학〗청동기 시대 및 초기 철기 시대의 청동제 끌.

동참【同參】명 ①〖불교〗승려(僧侶)와 신도(信徒)가 한 법회(法會)에 참례하여 같이 정업(淨業)을 닦는 일. ②함께 참가하는 것. ——-하다 자여불

동참 불공【同參佛供】명〖불교〗여러 사람이 적은 돈이나, 물품을 한데 모아서 한번에 드리는 불공(佛供). ——-하다 자여불

동참 재자【同參齋者】명〖불교〗한 법회(法會)에 적은 돈으로 동참(同參)하여 정업(淨業)을 닦는 사람.

동창[1]【同窓】명 ①↗동창생. ②같은 학교에서 공부를 한 관계.

동창[2]【東窓】명 동쪽으로 난 창. ↔서창(西窓).

동창[3]【東廠】명〖역〗중국 명(明)나라 성조(成祖) 때인 1420년에 창설되어 1644년 명이 망할 때까지 황제가 관민의 동정을 몰래 살피기 위하여 두었던 황제 직속의 정보 기관. 장관은 제독 동창(提督東廠)이라고 하였음. *서창(西廠).

동:창[4]【凍瘡】명〖의〗겨울철에 추위로 말미암아, 손발이나 얼굴이 얼어서 피부가 트고 심한 가려움과 아픔을 일으키는 국소성 동상(局所性凍傷)의 한 가지. 어린 아이·선병자(腺病者)·빈혈자(貧血者) 등에게 많은데, 흔히 피부가 헐고 물이 굄. 동탁(凍瘃).

동창-생【同窓生】명 ①같은 학교를 졸업한 사람. ②한 학교를 동기(同期)에 졸업한 사람. 준동창(同窓). *동기생(同期生).

동창 여각【東倉旅閣】[—녀—] 명〖역〗서울의 동창(東倉) 근처, 지금의 동대문 시장 부근에서 종로(鍾路) 4가에 이르는 지역에 있던 여각들. 주로, 호두·밤·잣·사과·배 따위 과물(果物)을 다루었음.

동창-회【同窓會】명 한 학교의 출신자가 상호간의 친목 또는 모교(母校)와의 연락 등을 목적으로 조직한 단체. 또, 그 회합(會合). 교우회(校友會).

동채 명 ①〈방〉수레바퀴. ②〖민〗경상 북도 안동(安東) 지방에서, 차전(車戰)놀이에 쓰이는 제구. 길이 20-30 척 되는 단단한 나무 두 대를 지겟다리 모양으로 엮고, 머리 쪽에 지름 4 척 되는 짚방석을 댐. 이것을 동채꾼이 메고, 대장이 방석 위에 올라타 지휘함. 동채꾼들이 이것을 밀었다 당겼다 하여 상대방의 동채를 공격, 먼저 땅에 닿게 한 편이 이김.

동채-꾼 명〖민〗차전(車戰)놀이에서, 동채를 메는 장정(壯丁).

동채-싸움 명〖민〗차전(車戰)놀이의 딴이름.

동처【同處】명 ①같은 곳. 동일한 처소(處所). ②그 곳. 그 처소. ③한방에서 같이 거처함.

동:척【童尺】명 짧은 나무자.

동천[1]【冬天】명 ①겨울 하늘. ②겨울 날씨. 동일(冬日).

동천[2]【東天】명 동쪽 하늘. 특히, 동를 녘의 동쪽 하늘. ↔서천(西天).

동천[3]【東遷】명 ①동쪽으로 옮김. ②〖역〗중국 주(周)나라가 장안(長安)에서 동쪽인 뤄양(洛陽)으로 천도(遷都)한 일. *동주(東周). ——-하다 자여불

동:천[4]【洞天】명 ①하늘에 잇닿음. ②신선(神仙)이 사는 곳.

동:천[5]【動天】명 하늘을 움직일 만큼 세(勢)가 성(盛)함.

동:천 경색사【洞天景色詞】명〖악〗창사(唱詞)의 이름. 궁전 안의 잔치 때에 포구락(抛毬樂) 춤에 불렀음.

동천-왕【東川王】명〖사람〗고구려 제11대 왕. 휘(諱)는 우위거(憂位居). 산상왕(山上王)의 아들. 왕 21년(247) 평양성으로 천도(遷都)하였고, 248년에는 신라와 통호(通好)하였음. [재위 227-247]

동:천지 감:귀신【動天地感鬼神】명〔천지를 움직이고 귀신을 감동하게 한다는 뜻〕시문(詩文)을 썩 잘 지었음을 비유하는 말.

동철[1]【冬鐵】명 ①얼음 위를 걸을 때, 미끄러지지 아니하게 하기 위하여 나막신의 굽에 박는 뾰족한 징. ②겨울날에 말편자에 박는 큰 대갈못.

동철[2]【同轍】명 ①간격이 같은 두 수레바퀴 자국. 전(轉)하여, 같은 길. ②동궤(同軌).

동-철[3]【銅鐵】명 구리와 쇠.

동-철환【銅掇環】명〖공〗동검구(銅鈐口).

동-첨절제사【同僉節制使】[—쩨—] 명〖역〗조선 시대 때, 절도사(節度使)의 관할에 속한 진(鎭)의 한 군직(軍職). 목(牧)·부(府)·군(郡)이 있는 곳에는 원이 겸임(兼任)하고, 전임(專任)인 때는 종사품(從四品)으로 임명(任命)됨. 병마(兵馬) 동첨절제사와 수군(水軍) 동첨절제사가 있었음. 준첨사(僉使).

동:첩【童妾】명 ①아주 나이 어린 첩. ②동기(童妓) 출신의 첩.

동:첩 견:패【動輒見敗】명 무슨 일이든지 해보려고 움직이기만 하면 번번이 해를 봄. ——-하다 자여불

동:첩 득방【動輒得謗】명 걸핏하면 남에게 욕을 먹음. ——-하다 자여불

동:청[1]【一靑】명〖미술〗석록(石綠)이나 양록(洋綠)으로, 그림의 먹점 위에 검은 테만 남기고 눌러 찍는 채색(彩色).

동청[2]【冬青】명〖식〗사철나무.

동청[3]【銅青】명 동록(銅綠).

동청-기【東青器】명〖공〗그릇의 한 가지. 중국 청(淸)나라 때에 북송(北宋)의 동청요(東青窯)를 본떠서 만든 것.

동청 철도【東淸鐵道】[—또] 명〖지〗'하얼빈 철도'의 구칭.

동체[1]【同體】명 ①한몸. 같은 몸. ¶일심(一心) ~. ②같은 물체. 동일체(同一體).

동체[2]【胴體】명 ①목·팔·다리를 제외한 부분의 몸. 몸통. 구간(軀幹). ②함선(艦船)·비행기 등의 몸체 부분.

동:체[3]【動體】명 ①움직이는 것. 움직이고 있는 것. ②〖물〗유동체(流動體).

동체 이:명【同體異名】명 몸은 같으나 이름은 다름.

동체 착륙【胴體着陸】[—뉵] 명 착륙 장치가 고장났을 때, 비행기의 동체를 직접 지면에 대어 착륙하는 일.

동초[1]【東樵】명〖사람〗최찬식(崔瓚植)의 호(號).

동:초[2]【動哨】명〖군〗일정한 지역 내를 왔다갔다 돌아다니면서 경계하는 초병(哨兵). ↔입초(立哨)·부동초(不動哨).

동촉【銅鏃】명 청동(青銅)으로 만든 활촉.

동촌[1]【同村】명 ①같은 마을. ②그 마을.

동촌[2]【東村】명 ①동쪽 마을. ②예전에, 서울 안에서 동쪽으로 있는 동네를 일컫던 말. 1)·2):↔서촌(西村).

동총[1]【多葱】명 ☞움파.

동:총[2]【動塚】명 무덤을 옮기려고 파냄. ——-하다 타여불

동추【同樞】명〖역〗↗동지중추부사(同知中樞府事).

동추 서대【東推西貸】명 여기저기 여러 곳에서 빚짐. 동서 대취(東西貸取). 동취 서대(東取西貸). ——-하다 타여불

동축 원기둥【同軸圓—】명〔coaxial cylinders〕〖수〗원통면이 어떤 평면의 동심원(同心圓)을 지나고, 그 평면에 수직인 직선으로 이루어지는 두 개의 원기둥.

동축 케이블【同軸—】〔cable〕명〖전〗지름 2 센티 정도의 까만 플라스틱 피막(被膜)에 싸인 고주파 전송용 케이블의 하나. 기다란 원통 모양의 외부 도체와 그 중심축에 놓인 한 개의 내부 도체로 이루어진 전송선로(傳送線路)임. 텔레비전 화상(畫像)을 원거리에 보낼 때 또는 주파수를 바꾸어 많은 전화를 보내는 데 쓰임.

동-춘추【同春秋】명〖역〗↗동지춘추관사(同知春秋館事).

동취[1]【同趣】명 취향을 같이함. 또, 생각이 같은 사람.

동취[2]【銅臭】명〔동전(銅錢)에서 나는 고약한 냄새라는 뜻〕재화(財貨)를 탐하여 그것을 자랑하거나, 재화로써 출세하는 따위, 모든 일을 금전으로 해결하는 사람의 행위를 비웃는 말.

동취[3]【銅嘴】명〖조〗잣새.

동취 서대【東取西貸】명 동추 서대(東推西貸). ¶넉넉지 못한 돈이나마 ~를 해 가지고 끼니마다 고량 진미를 해 먹인단 말이오≪玄鎭健:無影塔≫. ——-하다 타여불

동측 내:각【同側內角】명〔interior angle of same side〕〖수〗두 직선에 다른 한 직선이 교차하여 생기는 각 가운데서, 두 직선의 안쪽에서 마주보는 두 개의 각. a와 a'와 같은 것. 두 직선이 평행(平行)이면 이 두 각은 보각(補角)을 이룸.

〈동측 내각〉

동치[1]【同值】명〔equivalent〕〖수〗①두 개의 수학적 표현이 전혀 동일한 내용을 나타내고 있어, 그 어느 쪽을 사용해도 동일한 결과를 가져올 수가 있는 일. 가령 $(x-1)(x-2)<0$ 과 $1<x<2$ 와는 동치임. 등치(等值). 동등(同等). 등가(等價). ②집합에서, 하나의 동치 관계가 주어져 있을 때 그 집합의 두 요소의 관계를 일컬음.

동치[2]【同齒】명 같은 연령. 동년(同年).

동:치[3]【童穉】명 어린 아이. ¶내 아직 철없는 ~로 무얼 알아서 어떻게 처분하겠소이까≪金東仁:首陽大君≫.

동치 관계【同値關係】명〔equivalence relation〕〖수〗동치율(同值律)을 만족시키는 관계. 예로서 '닮다'·'합동(合同)이다' 등은 이러한 관계에 있지만, '크다'·'작다' 등은 이 관계에 있지 아니함.

동치다 타 칭칭 휘싸서 동이다. ¶벤 손가락을 붕대로 ~. <동치다.

동치-목【一目】명〖어〗[Belonida] 조기류(條鰭類)에 속하는 경골(硬骨) 어류의 한 목(目). 대개 몸이 가늘고 길며, 등지느러미와 뒷지느러미는 몸의 뒤쪽에 붙고 측선(側線)은 몸의 아래쪽에 있음. 상날치과·침어과·동갈치과 등이 이에 속함. 합내악류.

동:치미 명 무를 통으로 넣고 국물을 많이 부어 심심하게 담근 김치.

동:치밋-국 명 동치미의 국물. 맛이 새큼하고 시원함.

동치 서주【東馳西走】명 동분 서주(東奔西走). ——-하다 자여불

동치-성【同齒性】[—썽] 명〔homodont〕〖동〗앞니·송곳니·어금니 등의 구별이 없이 이의 형태가 모두 같은 성질. 돌고래·향유고래의 이 같은 것. ↔이치성(異齒性).

동치-율【同値律】명〔equivalence law〕〖수〗서로 동치의 관계를 이루는 반사율(反射律)·대칭률(對稱律)·추이율(推移律)의 병칭(倂稱).

동치 중흥【同治中興】명〖역〗중국 청(淸)나라 말엽, 동치제(同治帝)인 목종(穆宗) 때에 내치(內治)와 외교가 조금 나아져서 국세가 일시적으로 만회(挽回)된 일. 서태후(西太后)가 섭정(攝政)으로서 어린 목종을 도우며 공친왕(恭親王)의 협력을 얻어서 외국에 대하여는 친화(親和)를 도모하고 안으로는 이홍장(李鴻章)·증국번(曾國藩) 등을 중용(重用)하여 자강(自强)의 방법을 썼으므로 국세를 떨칠 수 있었음.

동:치-회[1]【凍雉膾】명 꿩의 회. 꿩의 살을 얼려 얇게 썰어서 초고추장이나 진장에 찍어 먹음.

동:치-회[2]【凍鯔膾】명 숭어회.

동-침[1]【一鍼】명〖한의〗침의(鍼醫)가 쓰는 가늘고 긴 침.

동침²【同寢】 명 ①남편과 아내가 같은 자리에서 잠. ②남자와 여자가 한 이불 속에서 잠. 동금(同衾). ——-하다 자여불

동칫-과【一科】 명 『어』 [Belonidae] 동치목(目)에 속하는 한 과. 동갈치·물동갈치·꽁치아재비 등이 이에 속함.

동칼리프 왕국【東一王國】〔Caliph〕 명 『역』 '아바스 왕조(Abbas王朝)'의 별칭.

동키〔donkey〕 명 ①당나귀. ②바보. 얼뜨기.

동키 펌프〔donkey pump〕 명 왕복식(往復式) 증기 펌프의 일종. 주로 선박의 급수(給水)에 사용됨.

동타 형극【銅駝荊棘】 명 〔'색정전(索靖傳)' 속의 진(晉)나라 색정(索靖)이 망국(亡國)을 탄한 고사(故事)에서 나온 말〕 가시밭에 파묻힌 낙타의 상(像). 전(轉)하여, 황폐함. 또, 그런 상태.

동:탁¹【凍瘃】 명 『한의』 동창(凍瘡).

동:탁²【童濯】 명 ①씻은 것같이 깨끗함. ¶왕기의 해사하고 ~한 얼굴이 전각 안에 나타났다≪朴鍾和 : 多情佛心≫. ②산에 초목이 없음. ——-하다 형여불

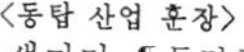

동탁³【銅鐸】 명 『고고학』 청동기 시대부터 쓰이기 시작한 방울소리가 나는 청동기. 작은 종을 옆에서 누른 모양이며, 윗면에 반원형 고리가 달려 있음.

동:탄 부득【動彈不得】 명 꼼짝 부득.

동탑 산:업 훈장【銅塔產業勳章】 명 제3 등급의 산업 훈장. 수(綬)는 중수(中綬)이며, 하늘색 바탕에 황색 줄이 여섯 줄이 있음. *산업 훈장·철탑 산업 훈장.

〈동탑 산업 훈장〉

동:탕-하다【動蕩一】 형여불 얼굴이 토실토실하게 잘 생기다. ¶동탕한 얼굴에 취기가 오르니 빛나는 달처럼 환하면서…≪朴花城 : 고개를 넘으면≫.

동태¹ 명 〈방〉 바퀴¹㊀(경상·함북).

동태²【同態】 명 같은 상태.

동:태³【凍太】 명 ↗동명태(凍明太). *명태(明太). [동태나 북어나] 이것이나 저것이나 매일반이라는 말.

동:태⁴【動胎】 명 『한의』 태아(胎兒)가 놀라 움직여서 배와 허리가 아프고 낙태(落胎)될 염려가 있는 병.

동:태⁵【動態】 명 움직이는 상태. 활동하는 상태. 변동하는 상태. ¶~ 조사/적의 ~를 살피다.

동:태 경제【動態經濟】 명 『경』 정적(靜的)인 경제 상태에 대하여, 여러 요소 간의 균형이 파괴되고 변화·발전하는 동적인 경제의 상태. ↔정태(靜態) 경제.

동:태-눈【凍太一】 명 ①동태의 눈. ②〈속〉 생기가 없고 시원찮은 사람의 눈.

동태 복수법【同態復讐法】[一뻡] 명 『법』 해를 입힌 자에게 그 복수로서 해를 입은 정도와 동일한 고통의 형벌을 주는 법제(法制). 반좌법(反坐法).

동:태 분석【動態分析】 명 어떤 현상에 대하여 일정 기간의 변동 상태(變動狀態)를 분석하는 일. 연간(年間) 인구 동태 분석 따위. ↔정태 분석(靜態分析).

동:태 비:율【動態比率】 명 『경』 손익 계산서(損益計算書)의 각 항목(項目)의 비율이나 손익 계산서와 대차 대조표(貸借對照表)의 항목 간의 비율 등, 기업의 동태면을 표시하는 비율. 자본 수익률(資本收益率)·재고 자산 회전율(在庫資產回轉率)·외상 매출금(外上賣出金) 회전율 등이 있음. ↔정태(靜態) 비율. *회전율(回轉率).

동:태 순대【凍太一】 명 내장을 뺀 동태 속에 쇠고기·돼지고기·숙주나물·두부·우거지 등을 다져 넣고, 아가리를 오므려 묶은 다음, 꼬챙이에 꿰어 얼린 식품. 찌거나 끓여서 먹음.

동:태 집단【動態集團】 명 일정 기간 안에 발생한 사물의 시간적인 연속 상태를 내용으로 하는 통계 집단. ↔정태(靜態) 집단.

동:태 촬영법【動態撮影法】[一뻡] 명 『의』 심장이나 대동맥 같은 움직이는 장기(臟器)의 운동 상태를 한 장의 필름에 기록하는 X선 촬영법.

동:태 통:계【動態統計】 명 동태 집단의 조사 결과인 통계. 예를 들면 출생·사망·혼인 등의 일정 기간에 걸친 시간적 발생 상태에 관한 통계 같은 것. ↔정태(靜態) 통계.

동태평양 해:령【東太平洋海嶺】 명 『지』 태평양의 중앙에서 동남쪽으로 치우친 곳의 해저(海底)에 있는 해령.

동:테 명 〈방〉 동티.

동토¹【東土】 명 ①동쪽의 땅. ②동방에 있는 나라. ③중국에 대하여 한국을 일컫는 말.

동:토²【凍土】 명 얼어 붙은 땅. 언 땅.

동:토³【動土】 명 →동티.

동토(가) 나다 구 →동티(가) 나다. ¶귀신도 빌면 듣느니라. 그러나 잘못 빌면 동토난다≪李人稙:牡丹峰≫.

동:토-대【凍土帶】 명 『지』 '툰드라(tundra)'의 역어(譯語).

동:톱 명 ↗동가리톱.

동:통【疼痛】 명 쑤시고 아픔. 또, 그 고통.

동:통 진:료【疼痛診療】[一질一] 명 『의』 페인 클리닉(pain clinic).

동퇴 서비【東頹西圮】 명 허술한 집이 이리저리 쏠림. ——-하다 자여불

동-트기【東一】 명 동쪽 하늘이 밝아 올 새벽녘.

동-트다【東一】 자 동쪽 하늘이 밝아 날이 새다.

동-틀 명 〈방〉 『역』 형틀.

동틀-돌 명 『건』 돌다리의 청판을 받드는 귀틀돌.

동:티 명 〔←동토(動土)〕 ①『민』 술가(術家)의 용어. 흙을 다루어 역사(役事)를 하다가 지신(地神)의 성냄을 입어 재앙을 받는 일. ②공연히 건드려서 스스로 걱정이나 해를 입음을 비유하는 말.

동:티(가) 나다 구 ㉠동티가 생겨서 집안에 재앙이 일어나다. ¶영감 영감. 여니 건 다 짓모아도 사당(祠堂)일랑 짓모지 마소. 사당 동티 나면 어찌하오≪鳳山 탈춤≫. ㉡공연히 건드리어 일이 잘못되다. ㉢비밀로 하는 일이 탄로되거나 소문이 나다.

동:티(를) 내:다 구 ㉠잘못 건드려서 일을 그르치다. ㉡못된 지저귀를 하여 말썽을 일으키다.

동파¹【多一】 명 ☞움파.

동파²【同派】 명 ①같은 파. 같은 종파(宗派)나 유파(流派). ②그 파.

동파³【東坡】 명 『사람』 중국, 송(宋)나라의 문인(文人) 소식(蘇軾)의 호(號).

동:파⁴【凍破】 명 얼어서 터짐. ¶수도 파이프가 ~했다. ——-하다 자여불

동파-관【東坡冠】 명 조선 시대에 사대부가 평상시에 쓰던 관. 말총으로 만들어, 탕건(宕巾) 위에 씀. 중국 송(宋)나라 문인 동파(東坡) 소식(蘇軾)이 썼던 관이라 함.

〈동파관〉

동:파-저【凍播菹】 명 얼갈이 김치.

동-파키스탄【東一】〔Pakistan〕 명 『지』 방글라데시 인민 공화국이 1971년 파키스탄 이슬람교 공화국으로부터 독립하기 이전의 호칭. 인도의 동서(東西)로 나누어져 있던 파키스탄 이슬람교 공화국의 동쪽 지역.

동판¹【一板】 명 광산에서, 방아확 앞에 비스듬히 깔아 놓은 널빤지. 확에서 계속적으로 조금씩 넘어 흐르는 물과 복대기를 받아서 복대기를 모으는 곳으로 보내는 장치.

동판²【銅板】 명 구리 철판.

동판³【銅版】 명 『인쇄』 구리판을 사용한 인쇄판식(印刷版式)의 총칭. 잘 연마(研磨)한 동면(銅面)에 조각칼로 파거나, 표면에 납(蠟) 등의 방식제(防蝕劑)를 바르고 그 위에 핀으로 글자나 그림을 파서 동면을 노출시키고 노출된 동면을 질산(窒酸)으로 부식시키는 조각 요판(凹版), 사진 제판을 응용한 사진 요판, 기타 동철판(銅凸版) 등이 있음.

동판-화【銅版畫】 명 동판에 새긴 그림. 또, 동판으로 인쇄한 그림.

동-팔참【東八站】 명 『역』 조선 시대 중국으로 가는 사행로(使行路)의 일부인 압록강(鴨綠江) 연변의 주련청(九連城)과 선양(瀋陽) 사이의 여덟 군데의 역참(驛站).

동패¹【同牌】 명 한패.

동패²【銅牌】 명 구리로 만든 상패(賞牌). 흔히, 삼위(三位)의 입상자(入賞者)에게 수여함. 동메달(銅 medal).

동패 서상【東敗西喪】 명 이르는 곳마다 실패하거나 패망함. ——-하다 자여불

동편¹【東便】 명 동쪽 방면. 동쪽 편. 동변(東邊). ↔서편(西便).

동편²【東偏】 명 동쪽으로 기울어짐. ↔서편(西偏).

동편³【銅片】 명 구리 조각.

동:-편사【洞便射】 명 『민』 골편사. ——-하다 자여불

동편-제【東便制】 명 『악』 판소리에서, 조선 말기의 명창(名唱) 송흥록(宋興祿)의 법제(法制)에 따라 부르는 창법(唱法)의 유파(流派). 웅건(雄健)·청담(清淡)함. 본디, 운봉(雲峰)·구례(求禮)·순창(淳昌) 등 섬진강(蟾津江)의 동쪽 지방에서 성하였음. *서편제(西便制).

동평-관【東平館】 명 『역』 조선 시대 때, 일본 사신(使臣)이 와서 머무르던 객관(客館). 지금의 서울 예관동(藝館洞)에 있었음.

동-평장사【同平章事】 명 『역』 〔↗동중서 문하 평장사(同中書門下平章事)〕 중국의 관명(官名). 당·송(唐宋) 시대의 재상의 실권을 장악하던 벼슬.

동:폐【洞弊】 명 동네 안의 모든 폐단.

동포¹【同胞】 명 ①같은 어머니로부터 태어난 형제 자매. 동기(同氣). ②한 나라 또는 한 민족에 속하는 백성. 같은 겨레. ¶해외 ~.

동포²【同袍】 명 〔친정한 친구는 어려울 때 솜옷을 서로 빌려 주며 돕는다는 '시경(詩經)'의 글에서〕 친구. 붕우(朋友).

동포³【東浦】 명 『사람』 맹사성(孟思誠)의 호(號).

동:포⁴【洞布】 명 『역』 조선 철종(哲宗) 이후 동네에서 공용으로 바치던 군포(軍布).

동포⁵【銅泡】 명 『고고학』 둥근 단추 모양의 굽은 뒷면에 고리를 만들어 의복(衣服)·장화(長靴) 등에 붙이는 청동 장신구(裝身具). 청동기 시대 전기의 유적에서 주로 발견됨.

동:포-계【洞布契】 명 『역』 마을 단위로 낸다는 뜻으로, 군포계(軍布契)를 일컫는 말.

동포 교:회【同胞教會】 명 『기독교』 18세기 중엽, 북아메리카의 펜실베이니아 주에서 시작된 프로테스탄트의 한 교파.

동포-애【同胞愛】 명 ①같은 국민 또는 같은 민족 간의 사랑. 겨레 사랑. ②형제 자매 간의 사랑.

동-포자【冬胞子】 명 『식』 겨울포자.

동표¹【同表】 명 ①같은 도표(圖表). 동일한 그래프. ②그 표(表).

동표²【同標】 명 ①같은 표시(標示). 동일한 표지(標識). ②그 표(標).

동품¹【同一】 명 ☞동침(同寢). ——-하다 자여불

동품²【同品】 명 ①같은 품계(品階). ②같은 물품. ③그 물품.

동풍¹【同風】 명 ①같은 풍습. 또, 천하가 통일되어 풍습이 같아지는 일. ②같은 모양. 같은 경향(傾向)·풍격(風格).

동풍²【東風】 명 동쪽에서 불어오는 바람. 곡풍(谷風). 명서풍(明庶風). ↔서풍(西風). *동부새.

[동풍 닷 냥이다] 난봉이 나서 돈을 함부로 날려, 낭비함을 조롱하는 말. [동풍 안개 속에 수숫잎 꾀듯] 심술이 사납고 성깔이 순순(順順)하지 못한 모양. [동풍에 곡식이 병난다] 한참 낟알이 익어갈 무렵에 때아닌 동풍이 불면 못 쓰게 된다는 말.

동:풍³【凍風】 명 얼듯 차가운 바람.

동:풍[4]【動風】명〖한의〗병으로 몸의 전체 또는 일부분에 경련(痙攣)이 일어남.

동풍 노래【東風一】명〖악〗제주도 민요의 하나. 황해도의 〈난봉가〉가 제주도에 전해져 형성된 곡임.

동풍 보:난사【東風報暖詞】명〖악〗나라 잔치 때 헌선도(獻仙桃) 춤에 맞추어 부르던 창사(唱詞)의 이름.

동풍-삭임【東風一】명 동풍이 불다가 사라진 뒤.

동풍 신연【東風新燕】명 동풍을 따라 새로 나온 봄의 제비.

동프랑크 왕국【東一王國】[Frank] 명〖역〗843년의 베르됭(Verdun) 조약, 870년의 메르센(Mersen) 조약으로 프랑크 왕국이 셋으로 갈라져서 생긴 왕국으로, 독일의 전신(前身)임. 카롤링거(Carolinger) 왕조의 루트비히 2세부터 시작, 884년 카를 3세가 동서 프랑크 왕국을 한때 재통일한 적도 있음. 911년 루트비히 4세의 죽음으로 카롤링거 왕조는 단절되고 선거왕제(選擧王制)가 되면서 멸망함. [843-911]

동-프로이센【東一】〔Preußen〕명〖지〗오스트프로이센(Ostpreußen).

동필[1]【同筆】명 같은 사람의 필적.

동:필[2]【凍筆】명 추위로 털끝이 언 붓.

동:-필무【董必武】명〖사람〗'둥 피우'를 우리 음으로 읽은 이름.

동하【冬夏】명〖불교〗동안거(冬安居)

동:-하다【動一】자여불 ①움직이다. ②느끼다. 특히, 욕심 같은 것이 일어나다. ¶구미(口味)가 ~. ③도지다. ¶해수병이 ~.

동:-하중【動荷重】명〖물〗하중의 한 가지. 운동체가 구조물에 주는 힘. 교량(橋梁)의 위를 통과하는 거마(車馬) 등의 중량. ↔정(靜)하중.

동학[1]【同學】명 한 곳에서 같이 공부함. 또, 그러한 사람. 동문(同門). 동접(同接). 동창(同窓). ——-하다 자여불

동학[2]【東學】명 ①〖역〗서울 사학(四學)의 하나. 동부(東部)에 있었음. ②〖천도교〗서학(西學)인 천주교(天主敎)에 반대하여, 최제우(崔濟愚)가 창도한 종교. 제3대 교주 손병희 때 천도교로 이름을 바꿈. 인간이 한울님의 복체(複體)라는 인내천(人乃天)의 진리를 전개, 무위이화(無爲而化)의 원리를 내걸고, 유교(儒敎)·불교·도교를 절충(折衷)한 것을 종지(宗旨)로 삼았음. ↔서학(西學). ＊동학교(東學敎).

동:학[3]【洞壑】명 동굴과 계곡.

동:학[4]【動學】명〖경〗경제 분석에서, 수급(需給)·가격 등 경제 제량(諸量)의 상호 관계를 시간적으로 파악하는 이론. ↔정학(靜學).

동학 가사【東學歌辭】명〖천도교〗동학 교단(敎團)에서 펴낸 가사(歌辭)의 총칭. 용담가(龍潭歌)·안심가(安心歌)·권학가(勸學歌)·도덕가(道德歌) 등이 있음.

동학-교【東學敎】명〖천도교〗수운(水雲) 최제우(崔濟愚)를 교조로 하는, 유교·불교·도교를 절충한 한 교(敎). 천도교의 전신임. 제우교(濟愚敎). ＊동학·동학군.

동학-군【東學軍】명〖역〗①동학당(東學黨)의 군사. 전봉준(全琫準)이 조직하여 관군(官軍)과 싸운 군대로서, 동학교의 신앙과 엄정한 군기(軍紀) 밑에 단결되었으며, 대부분은 농민이었음. 머리와 허리에 여러 가지 빛깔의 수건을 두르고, 창(槍)·칼·화승포(火繩砲)를 썼으며, 누른빛 기(旗)를 그 표지(標識)로 삼았음. ②동학당(東學黨). ＊동학교(東學敎)·동학 혁명(東學革命).

동학 농민 운:동【東學農民運動】명〖역〗조선 고종 31년(1894)에 일어난 동학 교도와 농민들의 혁명 운동. 동년 2월, 전라도 고부군(古阜郡)의 농민들이 군수 조병갑(趙秉甲)의 악정(惡政)에 항거하여 반란을 일으키자, 전봉준(全琫準)이 동학군을 조직하고 이에 합세하여 관군(官軍)과 싸워 각처에서 관청을 점령하고 무기를 빼앗고 죄수를 석방하였으며, 난리는 전라도·충청도의 대부분과 경기·강원·경상·평안도에까지 파급되었음. 일이 이에 이르자 조정은 1,000명 가량의 관군(官軍)을 군산(群山)에 상륙시키었으나 대패하고, 5월 31일 전주(全州)가 함락되자 조정에서는 청(淸)나라에 출병(出兵)을 청원하는 한편 동학군에 휴전을 제기하여 일단 난(亂)은 그치는 듯하였는데, 6월 초순에 거류민 보호의 구실로 일본군이 출병하여 동학군은 평정되었으며, 대외적으로 청일 전쟁(淸日戰爭)을 유발하게 되었음. ＊동학군(東學軍)·동학당(東學黨).

동학-당【東學黨】명〖역〗조선 시대 말기, 최제우(崔濟愚)를 교조로 하는 동학교(東學敎) 신자들의 집단. 동학(東學)을 종지(宗旨)로 삼고, 서학(西學) 곧 천주교를 배척하였음. 정부에서는 민심을 현혹시킨다 하여 최제우를 사형에 처하였으나, 그의 고제(高弟)인 최시형(崔時亨)이 2세 교주(敎主)가 되어 1894년에 동학란(東學亂)을 일으켰음. 동학군(東學軍). ＊동학교(東學敎)·동학군(東學軍).

동학-란【東學亂】[一난] 명〖역〗'동학 농민 운동'을 난리로서 부르던 종전의 용어.

동학-사【東鶴寺】명〖불교〗충청 남도 공주시(公州市) 반포면(反浦面) 학봉리(鶴峰里)의 계룡산(鷄龍山) 동쪽 기슭에 있는 절. 신라 성덕왕(聖德王) 때 회의 화상(懷義和尙)이 창건함. 단종(端宗)과 사육신(死六臣)의 제위가 있음. 마곡사(麻谷寺)의 말사(末寺).

동학 혁명【東學革命】명〖역〗동학 농민 운동.

동한[1]【冬寒】명 겨울의 추위.

동한[2]【同閈】명 마을을 이웃하여 삶. ——-하다 자여불

동한[3]【東漢】명〖역〗'후한(後漢)'의 별칭(別稱).

동:한[4]【凍寒】명 얼어 붙을 정도의 심한 추위.

동한-만【東韓灣】명〖지〗동해안에 있는, 함경 남도와 강원도에 의하여 이루어진 큰 만. 영흥만(永興灣)이 이에 포함되어 있음.

동한 해:류【東韓海流】명〖지〗한반도의 동해안을 따라 북상(北上)하는 해류. 쿠로시오 해류의 지류인 쓰시마(対馬) 해류가 쓰시마 남부에서 갈라져 흐르는 난류임. 이 해류를 따라서 오징어·꽁치·고등어·도미 등의 난류성 어족이 북쪽으로 회유하여 동해 중앙부에 좋은 어장을 형성함. 우리 나라 기후에 많은 영향을 끼치기도 함.

동:합【凍合】명 얼음이 얼어 붙음. ——-하다 자여불

동-합금【銅合金】명〖화〗구리 합금.

동항[1]【同行】명 항렬(行列)이 같음. 같은 항렬.

동:항[2]【凍港】명 겨울에는 바닷물이 얼어서 선박(船舶)이 출입을 못하는 항구. ↔부동항(不凍港).

동해[1]【東海】명 ①동쪽의 바다. 동명(東溟). 동영(東瀛). ②〖지〗한국 동쪽의 바다. 한반도와 일본 열도(列島), 러시아의 연해주 및 사할린 섬으로 둘러싸여 있음. [1,040,000 km²] ③황해 남쪽에 있는 바다. ④중국에서 동(東)중국해를 일컫는 말. 중국명 : 둥하이. ⑤〖역〗사해(四海)의 하나. 강원도 양양군(襄陽郡) 동쪽 바다. 광무(光武) 3년(1899)에 봉하였음. ＊사해(四海). ⑥〖성〗기독교에서, 지금의 사해(死海)를 일컫는 말.

동해[2]【東海】명〖지〗강원도 남쪽 동해에 면한 한 시. 1980년 4월 명주군 묵호읍(溟州郡墨湖邑)과 삼척군 북평읍(三陟郡北坪邑)을 통합하여 시(市)로 승격한 항구 도시로서, 무연탄과 시멘트를 국내외에 적출(積出)함. 해군 경비부(海軍警備府)가 있으며, 카바이드·석회·질소 등의 화학 공업이 성하고, 수산물로 명태·오징어·꽁치 등이 잡힘. 해수욕장이 있음. [180.20 km² : 89,162 명(1991)]

동:해[3]【凍害】명 ①추위로 얼어 붙어서 생기는 손해. ②〖농〗추위로 인한 농작물의 피해.

동:해[4]【童孩】명 어린 아이. 아해(兒孩).

동해[5]【銅海】명〖기독교〗유태인이 성전(聖殿)에 드나들 때 손을 씻는 그릇. 물을 만 두(萬斗)나 담을 수 있을 만큼 크다고 함.

동해 고속 도:로【東海高速道路】명〖지〗강원도 강릉(江陵)과 동해(東海) 사이를 잇는 고속 도로. 1975년 10월 14일 접속된 영동(嶺東) 고속 도로와 함께 개통되어 삼척(三陟)·동해 지방의 농수산물·공산품의 반출이 용이하게 됨. 정식 명칭은 동해 고속 국도. [32 km]

동해 남부선【東海南部線】명〖지〗부산과 경상 북도 포항(浦項) 사이의 기차 선로. 동해안을 따라 북상하여 경주에서 중앙선(中央線)과 접속하고 포항에 이름. 1935년 12월 16일 개통. [147.8 km]

동해 부인【東海夫人】명〖조개〗'홍합(紅蛤)'의 별칭.

동해 북부선【東海北部線】명〖지〗①함경 남도 안변(安邊)과 강원도 양양(襄陽) 간의 기차 선로. 동해안의 해산물과 연선 지방(沿線地方)의 광산물 반출을 목적으로 부설하였는데 동해안 지방의 산업 개발과 금강산 관광(觀光)에 편의를 주는 선로였음. [192.6 km] ②북평(北坪)에서 경포대(鏡浦臺)를 잇는 철도. 1962년 11월에 개통되었으나, 지금은 영동선(嶺東線)의 일부로 편입되었음. [56.9 km]

동-해안【東海岸】명 ①동쪽의 바닷가. ②우리 나라 동해의 연안(沿岸). 1)·2):↔서해안.

동해 양진【東海揚塵】명 바다가 육지로 변함.

동행[1]【同行】명 ①길을 같이 감. 또, 그 사람. 동도(同道). ②부역(賦役)에 함께 감. 반행(伴行). ——-하다 자여불

동행[2]【同行】명 ①문장(文章)에 있어서 글자의 같은 줄. 동일한 행(行). ②그 행(行). 이 행.

동행[3]【同行】명〖불교〗불교의 수행(修行)이 같음. 또, 같은 수행을 하는 사람.

동행[4]【東行】명 동쪽으로 감. ——-하다 자여불

동행 보:호소【同行保護所】명〖법〗보안 감호 처분을 하여야 할 사람 중, 긴급히 보호하여야 할 필요가 있는 사람을 일정 기간 보호하는 곳.

동행 서주【東行西走】명 이리저리 바삐 돌아다니는 일. 남행 북주(南行北走). 동분 서주(東奔西走).

동행-인【同行人】명 동행하는 사람. 동행자(同行者).

동행-자[1]【同行者】명 동행인(同行人).

동행-자[2]【同行者】명〖불교〗불교의 수행이 같은 사람. 같이 불도(佛道)를 닦는 사람.

동행-중【同行衆】명 같은 종파(宗派)의 사람들. 같은 종파의 신자(信者).

동행 친구【同行親舊】명 길을 같이 가는 벗. 길동무.

동향[1]【同鄕】명 같은 고향. 한고향.

동향[2]【東向】명 동쪽을 향함. ↔서향(西向). ——-하다 자여불

동:향[3]【動向】명 ①마음의 움직임. 개인이나 집단의 심리·행동이 움직이는 방향. ¶주민(住民)의 ~을 살피다. ②현상(現象)이 움직이는 방향. 사회나 조직·기구(機構)의 사조(思潮)·정세 따위가 움직이는 방향. ¶세계의 경제 ~.

동향 대:문【東向大門】[一때一] 명 동쪽으로 난 대문.

동향 대:제【冬享大祭】명〖역〗겨울철에 지내는 종묘(宗廟) 및 경모궁(景慕宮)의 제사.

동:향 사찰【動向査察】명 사상(思想)·행동의 경향(傾向)이나 상태를 조사하고 살핌. ——-하다 자여불

동향-인【同鄕人】명 같은 고향 사람. 한고향 사람.

동향-집【東向一】[一찝] 명 대청이 동쪽을 향하게 지은 집.

동향-판【東向一】명 동쪽을 향한 터전.

동향-회【同鄕會】명 동향인끼리의 모임.

동헌【東軒】명〖역〗지방의 고을 원이나 감사(監司)·병사(兵使)·수사(水使) 그 밖에 수령(守令)들의 공사(公事)를 처리하는 대청이나 집. [동헌에서 원님 칭찬한다] ㉠칭찬하지 않아도 스스로 추켜진 자리에서 칭찬함을 이름. ㉡아첨함을 이름.

동현【同縣】명 ①같은 현. ②그 현.

동현-곡【東峴谷】명〖지〗평안 남도 영원군(寧遠郡)에 있는 산. [1,144 m]

동혈[1]【同穴】명 ①한 구멍에 들어감. 한 구멍이에 묻힘. ②부부(夫婦) 사이가 원만함을 일컫는 말. ¶~의 맹세.

동:혈[2]【洞穴】명 벼랑이나 바위에 있는 굴의 구멍. 동굴(洞窟).

동:혈[3]【動血】명 희로 애락(喜怒哀樂)의 감정을 몹시 드러냄. ——-하다 자여불

동협【東峽】 명 〖지〗 경기도의 동쪽 지방과 강원도 지방을 어울러 일컫는 말.

동-협문【東夾門】 명 궁궐(宮闕)이나 관청의 삼문(三門) 가운데서 동쪽으로 난 문. ↔서협문(西夾門).

동형[1]【同形】 명 ①사물의 형상이 같음. 성질·모양 등이 같음. ②결정학(結晶學)에서, 같은 결정 구조형을 갖는 결정.

동형[2]【同型】 명 ①타입(type)이 같음. 동일한 형(型). ②그 타입. 그 형. ③〖수〗 두 개의 대수계(代數系)가 완전히 같은 구조(構造)를 가지는 일. ④〖심〗 심리학상 별개의 세계에 나타나는 현상이 서로 그 성질이나 내용은 달라도 그 현상을 지배하는 원리가 공통하고 그 과정에 대응(對應) 관계가 있는 일. 정신 현상과 대뇌 피질(大腦皮質)의 생리 과정 사이에는 동형 관계가 성립된다고 함. 동형설(同型說)의 주장. ⑤〖생〗 호모[5](homo)❶.

동형-률【同形律】[—뉼] 명 〖화〗 서로 동형을 이루고, 혼정(混晶) 또는 정용체(晶溶體)를 만들 수 있는 물질은 그 화학적 구조도 동일한 형식인 경우가 많다고 하는 법칙.

동형 배:우자【同形配偶子】 명 〔isogamete〕 〖생〗 생물의 유성 생식(有性生殖)에 있어서, 배우자(配偶子)의 크기나 모양이 똑같은 경우에 그 배우자를 일컬음. 유공충(有孔蟲)·포자충(胞子蟲) 등에서 볼 수 있음. 동대(同大) 배우자. ↔이형(異形) 배우자.

동형 분열【同型分裂】 명 〔homotypic division〕 〖생〗 감수 분열에서 두 번째 일어나는 분열. 각 염색체가 종렬면(縱裂面)으로 분열하여 양극(兩極)으로 갈리고 염색체의 수(數)에는 변화가 없음. 동형 핵분열. 제이(第二) 분열. ↔이형(異型) 분열.

동형-설【同型說】 명 〖심〗 이소모르피즘(isomorphism).

동형 접합체【同型接合體】 명 〔homozygote〕 〖생〗 대립 인자(對立因子)가 같은 유전자(遺傳子)인 접합체. 어떤 형질(形質)에 대하여 순수(純粹)한 배수 개체(倍數個體)임. 가령 AABbCc의 유전자를 가진 생물에 있어서, A·B·C를 우성(優性) 유전자, bc를 열성(劣性) 유전자라고 하면, 이 생물은 A에 대하여는 동형 접합체이며, B·b와 C·c에 대하여는 이형 접합체(異型接合體)라고 함. 동질 접합체(同質接合體). 호모 접합체(homo 接合體). ↔이형 접합체.

동형 치:환【同形置換】 명 〖화〗 결정 구조(結晶構造)를 바꾸는 일 없이, 결정 중의 원자가 다른 원자로 치환되는 일.

동형 포자【同形胞子】 명 〔homospore〕 〖식〗 동일 식물(同一植物)에서, 성(性)에 관계없이 만들어지는 같은 형의 포자. ↔이형포자(異形胞子).

동형 핵분열【同型核分裂】 명 〖생〗 동형 분열.

동호[1]【同好】 명 ①어떤 일이나 물건을 같이 좋아함. ②취미를 같이함. 또, 그 사람. *동호자(者). ——-하다 자타 여불

동호[2]【東胡】 명 중국 주(周)나라 말경에 동부 내몽고 지방에 있던 이족(夷族). 몽골족과 퉁구스족(Tunguses 族)과의 잡종. 오환(烏桓)·선비(鮮卑) 등은 그 후예임.

동호[3]【東湖】 명 〖지〗 함경 북도 부령군(富寧郡) 부거면(富居面)에 있는 호수. [$0.74 km^2$]

동호[4]【茼蒿】 명 〖식〗 쑥갓.

동:-호[5]【董狐】 명 〖사람〗 중국 춘추 시대, 진(晉)나라의 사관(史官). 폭군 영왕(靈王)을 조씨(趙氏) 일족인 조천(趙穿)이 살해하였을 때, 상경(上卿)인 조순(趙盾)이 이를 치지 아니하고 또 영왕을 간(諫)하지 아니함은 조순의 죄라고 직필(直筆)로 기록, 후세에 양사(良史)로 알려짐. 생몰년 미상.

동호[6]【銅壺】 명 구리로 만든 물시계.

동호 대:교【東湖大橋】 명 〖지〗 서울 특별시 성동구(城東區) 옥수동(玉水洞)과 강남구(江南區) 압구정동(狎鷗亭洞)을 연결하는 한강 위의 다리. 1984년에 준공되어 금호(金湖) 대교로 명명되었다가 개칭(改稱)됨. [1,095 m]

동호-부【銅虎符】 명 〖역〗 호부(虎符).

동호-인【同好人】 명 동호자.

동호-자【同好者】 명 어떤 사물을 같이 좋아하는 사람. 취미·오락이 같은 사람. 동호(同好). 동호인(同好人).

동:호지-필【董狐之筆】 명 사실을 숨기지 아니하고 사실대로 직필(直筆)함을 일컫는 말. *동호(董狐).

동호-채【茼蒿菜】 명 쑥갓나물.

동호-포【茼蒿包】 명 쑥갓쌈.

동호-회【同好會】 명 동호자들의 조직. 또, 그 모임. ¶ 낚시 ~.

동:혼[1]【童婚】 명 유아 결혼(幼兒結婚).

동혼[2]【僮昏】 명 어리석어 도리(道理)에 어두움. ——-하다 형 여불

동혼-식【銅婚式】 명 결혼 기념식의 하나. 혼인한 지 15주년 되는 날을 축하하여, 부부가 구리로 된 선물을 주고 받아 기념함. *도혼식(陶婚式).

동홍 선생【多烘先生】 명 '학구(學究)❸'의 별칭.

동화[1] 명 〈옛〉 동아[1]. ¶ 동화(多瓜)《老乞 下 34》.

동화[2]【同火】 명 ①같은 불을 서로 씀. 같은 불로 취사함. ②함께 생활함. 한솥의 밥을 먹음.

동화[3]【同化】 명 ①서로 다른 물건이 닮아서 같게 됨. 같은 성질로 변화함. ¶ 이민족(異民族)을 ~시키다. ②사물을 잘 듣고 보고 이해하여, 자기의 지식(知識)으로 만듦. ③〖생·광〗 ↗동화 작용. ④〔assimilation〕 〖심〗 사상·감정·표상(表象)·감각 등에 있어서 서로 다른 의식 요소(意識要素)가 직접 또는 재생적(再生的)으로 결합하여 하나의 전체를 형성하려는 형식. ⑤〖언〗 둘 이상의 소리를 계속하여 낼 때, 서로 다른 앞뒤 쪽의 것의 영향을 받아 서로 닮아지는 일. 모음(母音) 동화와 자음(子音) 동화로 대별되며, 이것은 또 자음 접변·모음 조화·구개음화 등의 여러 현상으로 나뉨. 또한 모음이나 자음의 동화하는 위치에 따라, 순행(順行)·역행(逆行)·상호(相互) 동화로 구분되며, 동화하는 정도에 따라 완전(完全)·불완전 동화로 나뉨. 3)·6): ↔이화(異化). ——-하다 자 여불

동화[4]【同和】 명 같이 화합(和合)함. ——-하다 자 여불

동:화[5]【動畫】 명 만화 영화(漫畫映畫)와 같이 화면의 한 장면 한 장면을 그려 촬영한 그림. 애니메이션(animation).

동:화[6]【童畫】 명 아동이 그린 그림. 아동화(兒童畫).

동:화[7]【童話】 명 ①아동(兒童) 문학의 한 부문. 어린이를 상대로 동심(童心)을 기조(基調)로 하여서 지은 이야기. 보통, 공상적(空想的)·서정적(抒情的)·교양적인 것이 많으나, 근자에 와서는 사실적(寫實的)인 작품도 있음. *소년 소설(少年小說). ②아이들이 하는 이야기.

동화[8]【銅貨】 명 동전(銅錢). 동화폐(銅貨幣).

동화-교【東華教】 명 〖종〗 증산 강일순(甑山 姜一淳)을 교조(教祖)로 하는 훔치교(吽哆教) 계통의 교의 하나.

동:화-극【童話劇】 명 〖문〗 어린이에게 보이기 위하여 동화(童話)를 각색(脚色)한 극.

동화-근【同化根】 명 〔assimilation root〕 〖식〗 편평(扁平)하고 엽록체(葉綠體)를 갖추고 있는 뿌리의 하나.

동화 녹말【同化綠末】 명 〖식〗 탄소 동화 작용(炭素同化作用)의 결과 세포(細胞) 속에 생기는 녹말. 동화 전분(同化澱粉).

동화-도【東花島】 명 〖지〗 전라 남도의 남해상, 완도군(莞島郡) 군외면(郡外面) 당인리(唐仁里)에 위치한 섬. [$0.10 km^2$]

동화-력【同化力】 명 동화하는 힘. 또, 동화시킬 수 있는 힘.

동화-록【東華錄】 명 〖책〗 중국 청(淸)의 태조(太祖)로부터 세종(世宗)의 옹정(雍正) 13년(1735)에 이르는 편년체(編年體) 사서(史書). 청의 장양기(蔣良騏)가 20권으로 편찬함. 별도로 청의 왕선겸(王先謙)이 태조에서부터 문종(文宗)·목종(穆宗)에 이르기까지 조장(朝章)을 기록한 524권, 속록(續錄) 100권의 《십조 동화록(十朝東華錄)》이 있음.

동화-사【桐華寺】 명 〖불교〗 대구 광역시(大邱廣域市)의 팔공산(八公山)에 있는 25교구 본사(教區本寺)의 하나. 신라 흥덕왕(興德王) 7년(832)에 심지(心地)가 지었는데, 그 때가 겨울인데도 오동꽃이 피었기 때문에 동화사라고 이름지었다 함. 종전에는 31본산(本山)의 하나였음.

동화사 쌍탑【桐華寺雙塔】 명 〖지〗 대구 광역시(大邱廣域市) 동화사에 있는 두 기(基)의 탑. 석가의 사리(舍利)를 넣고 남북으로 갈라 세웠는데 땅 속으로 길을 뚫어서 양쪽으로 통하게 되었음.

동화-율【同化率】 명 〔assimilatory quotient〕 〖생〗 광합성의 결과 방출되는 O_2와, 흡수되는 CO_2의 비율.

동화 은행【同和銀行】 명 시중 은행의 하나. 1989년 월남(越南)한 이북 오도민(以北五道民)이 출자(出資)하여 설립하였음.

동화 작용【同化作用】 명 〔assimilatory〕 ①〖광〗 암장(岩漿)이 외부의 암석을 녹여 암장 속에 흡수하는 일. 또, 외부의 암석과 화학 반응하여 성분이 바뀌는 일. 준동화(同化). ②〖생〗 생물체의 물질 대사 가운데서, 체내(體內)의 근본 물질의 화학적 복잡성을 증가시키는 작용. 에너지원(源)으로서 체외에서 취한 물질에 화학 변화를 가한 다음, 생물의 생활에 필요한 화학 구조물로 바꾸는 일. 또, 녹색 식물의 광합성(光合成)처럼 무기물인 물과 이산화 탄소로부터 유기물을 합성하는 일도 이름. 준동화(同化).

동화 전:분【同化澱粉】 명 〔assimilation starch〕 〖식〗 동화 녹말. ↔저장 전분.

동화 정책【同化政策】 명 〖정〗 식민지를 영유하는 국가가 식민지 원주민의 고유한 언어·역사·문화·생활 양식 등을 말살하고 그것을 자국민에 동화시키기 위하여 쓰는 정책.

동화 조직【同化組織】 명 〔assimilating tissue〕 〖식〗 탄소 동화 작용을 하는 유조직(柔組織)의 한 가지. 세포 속에 많은 엽록체(葉綠體)를 가지고 있으며, 오로지 탄소 동화 작용을 영위함.

동:화-집【童話集】 명 동화를 모아서 엮은 책.

동-화폐【銅貨幣】 명 구리를 재료로 주조한 화폐. 동화(銅貨). 동전(銅錢).

동화피-화【同花被花】 명 〔homochlamydeous flower〕 〖식〗 꽃받침과 화관(花冠)의 구별이 없이 된 화피(花被)를 가진 꽃. 튤립·백합의 꽃 따위. ↔이화피화(異花被花).

동:환[1]【洞還】 명 〖역〗 동네 사람에게 내어 주던 환곡(還穀).

동환[2]【銅鍰】 명 〖화〗 시멘트의 주요 성분인 산화철의 원료. 구리를 정련(精鍊)한 뒤의 광재(鑛滓)로 만듦.

동-활자【銅活字】[—짜] 명 구리로 만든 활자.

동:-활차【動滑車】 명 〖물〗 '움직도르래'의 한자 말.

동황【東皇】 명 청제(靑帝).

동홰 명 큰 홰.

동회[1]【多灰】 명 〖한의〗 여회(黎灰).

동:회[2]【洞會】 명 ①동네의 일을 협의하는 모임. ②'동사무소(洞事務所)'의 구칭.

동:회[3]【動蛔】 명 ①회가 동함. 뱃속의 회가 꿈틀거림. ②구미가 당기어 먹고 싶음. ——-하다 자 여불

동:회-장【洞會長】 명 '동장(洞長)'의 구칭.

동:효【動爻】 명 〖민〗 술가(術家)의 용어로, 점괘(占卦)가 바뀌는 일.

동-훈련【同訓鍊】[—훌—] 명 〖역〗 ↗동지훈련원사(同知訓鍊院事).

동:휴【多休】 명 겨울철 추운 때에 쉬는 일. 동기 휴학(多期休學)·동기 휴업(休業)·동기 휴가(休暇) 등.

동-흘림 명 〖건〗 초새김한 부분의 측면 바닥에 가로 색선(色線)을 긋는 단청(丹靑).

동-흥안령【東興安嶺】[—알—] 명 〖지〗 '소흥안령(小興安嶺)'의 별칭.

동히다 타 〈옛〉 동이다. ¶ 센머리 쏘바 내어 춘춘 동혀 두련마는 《古時調 金三賢》.

동힌두-어【東一語】 〔Hindu〕 명 〖언〗 인도어파(印度語派)에 속하는 언어. 동부 힌두인 약 1천만 명이 사용함.

동히 명 〈옛〉 동이¹. ¶ 동히 분(盆) ≪類合 上 27≫.
동 의명 〈옛〉 등². ＝똥³. ¶ 탕줏갑시 언메나 ᄒᆞᆫ동 몰래라(不理會的多少湯錢) ≪朴解 上 52≫.
동당 명 〈옛〉 과거(科擧). ¶ 동당이 갓가오니(科場近), 동당보고자 ᄒᆞ노이다(取應) ≪飜小 Ⅸ:49≫.
동히 명 〈옛〉 동이¹. ¶ 동히로 둡고(以盆蓋之) ≪救簡 Ⅰ:112≫.
돗살 명 서남 해안에서, 얕은 해변에 돌이나 나무로 울타리처럼 쌓아 막아 그물을 쳐놓고, 해류를 따라 흘러 들어온 물고기를 가두는 시설.
돛¹ 명 돛대에 달아, 바람의 힘을 받아 배가 밀려 가게 하는 제구. 큰 헝겊 조각에 가로 살을 여러 개 대고 살마다 벌이줄을 매었는데 바람을 따라 방향을 바꾸게 되어 있고 돛대에 달아서 펴 올렸다 접어 내렸다 하게 되어 있음. ¶ 순풍에 ～을 달다.
돛² 명 〈방〉 덫(경기·강원·충북·전북·경상).
돛단-배 명 돛을 단 배. 돛에 닿는 바람의 힘을 이용하여 나아가게 됨. 돛배. 범선(帆船).
돛-달다 자 배에 돛을 달다.
돛-대 명 돛을 달기 위하여 뱃바닥에 세운 기둥. 장간(檣竿). 마스트(mast). 범장(帆檣).

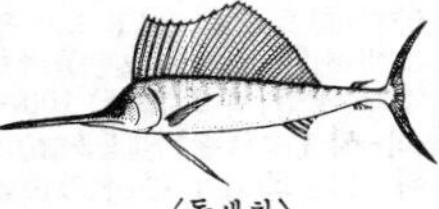

〈돛단배〉

돛-배 명 돛단배.
돛-새치 명 『어』 [*Histiophorus orientalis*] 돛새칫과에 속하는 바닷물고기. 몸은 길이 2m 가량이고, 비늘은 적고, 칼처럼 돌출한 양턱에 작은 이가 있음. 제1 등지느러미가 크고 길어 돛을 단 것 같고, 농청색의 고운 반점이 밀포(密布)되어 있으며, 배지느러미는 가슴지느러미보다 매우 길. 몸빛은 암청색으로 체측에 담청색 가로띠가 17줄 가량 있음. 한국 중남부 및 제주도 근해에 분포함. 여름철에 맛이 좋음. 파초기어(芭蕉旗魚).

〈돛새치〉

돛새칫-과【一科】 명 『어』 [Histiophoridae] 농어목(目)에 속하는 어류의 한 과. 돛새치·청새치·녹새치·백새치·황새치 등이 이에 속함.
돛-양태 [―냥―] 명 『어』 [*Callionymus lunatus*] 동갈양탯과에 속하는 바닷물고기. 몸길이 18cm 가량으로 기름하며, 입은 작고 밑으로 붙어서 위턱이 아래턱보다 더 길. 몸빛은 상부는 회갈색인데 다수의 작은 흑점과 백점이 산재함. 한국 남부 연해 및 일본 중부 이남에 분포함. 식용함.
돛-자리 명 〔라 Vela〕 『천』 남천(南天)에 있는 별자리. 큰개자리의 동남방에 있음. 4월 상순(上旬) 저녁에 남중(南中)함.
돝¹ 명 〈방〉 덫(강원).
돝² 명 〈옛〉 돼지. ＝돈. ¶ 玄武門 두 도티 ᄒᆞᆫ 사래 마ᄌᆞ니(玄武兩豝一箭俱中) ≪龍歌 33章≫.
돝의 우리 명 〈방〉 돼지 우리.
돝의 장【一欌】 명 〈방〉 돼지 우리.
돝의장-집【一欌一】 명 〈방〉 귀틀집.
돠르르 부 액체(液體)가 좁은 목으로 빨리 쏟아지는 소리. ㅆ똬르르.
돤시 〔端溪〕 명 『지』 중국 광둥 성(廣東省) 중부에 있는 계곡. 부근에서 질(質)이 좋은 벼룻돌이 남. 단계. ＊단계연(端溪硯).
돤 치루이 〔段祺瑞〕 명 『사람』 중국의 군벌 정치가. 안후이(安徽) 사람으로 안후이파(安徽派) 군벌의 수령. 독일에서 군사학을 배우고 돌아와 위안 스카이(袁世凱)의 심복 부하가 되었으며, 전후 다섯 번이나 국무총리가 되고, 제 2 펑즈(奉直) 전쟁 후에 임시 집정(執政)에 취임하였음. 혁명파와의 암투로 1926 년에 집정(執政)을 사임하고 정계에서 은퇴함. 단기서. [1864-1936]
돨:돨 부 먹은 것이 잘 삭지 아니하여 배가 끓는 소리. ㅆ뙬뙬.
돼: 준 '되어'가 줄어 변한 말. ¶ 일이 잘 ～ 나간다/그만하면 됐다.
돼:-가다 자 ↗되어가다.
돼기 명 〈방〉 『한의』 홍역(紅疫)(함경).
돼-먹다 자 ↗되어 먹다.
　돼먹지 않다 구 되지 못하다.
돼:지 명 ①『동』 [*Sus scrofa domesticus*] 멧돼짓과에 속하는 가축. 야생의 멧돼지를 사육(飼育)한 것으로 몸은 둥글고 비대(肥大)하여 몸무게 200-250kg 가량임. 피부는 두껍고 사지(四肢)는 짧으며 머리는 작으나 목이 굵음. 눈은 작고 삐죽한 입 위에 두꺼운 육질(肉質) 부분이 있으며 그 곳에 콧구멍이 있고 땅을 파는 데 적합함. 다리에는 네 개의 발톱이 있고 꼬리는 작음. 번식은 임신 4 개월 만에 8-15 마리를 낳음. 식용으로는 거세(去勢)를 하여 기르기도 함. 체질이 강건하여 기후·풍토에 대한 적응력이 크고 조숙(早熟)·다산(多産)하며 잡식성이므로 사육 관리(飼育管理)가 용이함. 고기 맛이 좋아 여러 가지로 가공(加工)되고 모피(毛皮)는 공예품의 원료가 되며 내장·뼈·지방·혈액 따위도 이용 가치가 많음. 품종(品種)은 재래종·요크셔·버크셔 등이 있음. ② 〈속〉 아무 것이나 잘 먹거나 많이 먹는 욕심쟁이. 또, 몹시 무디고 미련한 사람. 특히,음식을 서로 나누어 먹을 줄 모르는 사람을 비유하는 말. ¶ ～ 같은 녀석. ③윷놀이에서, '도'의 곁말.
　[돼지가 깃을 물어 들이면 비가 온다] 둔한 짐승인 돼지도 일기(日氣)를 미리 안다는 뜻으로, 미련하고 둔한 사람의 말이 사실과 맞을 때에 이르는 말. [돼지는 흐린 물을 좋아한다] 더러운 것은 더러운 것과 사귀기를 좋아한다는 말. [돼지를 그려서 붙이겠다] 좋은 음식을 자기 혼자만 먹겠다고, 친우간(親友間)에 농으로 하는 말. [돼지 발톱에 봉숭아를 들이다] '돼지 우리에 주석 자물쇠'와 같은 뜻. [돼지 밥을 잇는 것이 네 옷을 대기보담 낫다] 커가는 아이의 옷이 자주 찢어지고 쉽게 떨어짐을 비유하는 말. 돼지 밥 주듯이 자주 기워 주어야 한다는 뜻. 또, 한창 장난이 심한 아이의 더러워진 옷을 자주 갈아 입혀야 함을 귀찮게 여기어 이르는 말. [돼지에 진주] 값어치를 모르는 사람에게는 보물도 아무 소용이 없음을 비유한 말. [돼지 오줌통 몰아 놓은 이 갈다] 두툼하게 생긴 얼굴이 허여멀겋기만 하고 아름답지 못한 사람을 조롱하는 말. [돼지 왼 발톱] 상궤(常軌)에서 벗어난 일을 하였거나 남과 틀린 행동을 했을 때에 비유하는 말.
　돼지 꿈을 꾸다 구 돼지꿈을 꾸면 재수가 좋다는 데서, 재수좋은 일이 생겼을 때에 이르는 말.
돼:지-감자 명 『식』 뚱딴지¹.
돼:지-고기 명 식용하는 돼지의 고기. 돈육(豚肉). 제육(豬肉).
돼:지-기름 명 ①돼지의 지방(脂肪) 조직에서 채취한 반고체(半固體)의 지방. 백색으로 부드럽고 연하며 특이한 냄새가 남. 돈지(豚脂). 라드(lard). ②돈지를 정제(精製)한 기름. 비누의 원료·피혁유(皮革油)로 쓰임. 돈지유(豚脂油).
돼:지-날 명 『민』 '해일(亥日)'의 풀어 쓴 말.
돼:지-뒷다리 명 〈속〉 권총. 준 뒷다리.
돼:지-떡 명 알지 못할 물건이 지저분하기만 한 것을 가리키는 말.
　돼지떡 같다 구 돼지 먹이처럼 지저분하다.
돼:지-띠 명 '해생(亥生)'인 사람의 띠.
돼:지-벌레 명 『충』 잎벌레.
돼:지벌레-붙이 [―부치] 명 『충』 잎벌레붙이.
돼:지-시【一豕】 명 한자 부수(部首)의 하나. '豚'이나 '象'·'豫' 등에서 '豕'의 이름.
돼:지-여치 명 『충』 여치.
돼:지 우리 명 돼지를 가두어 기르는 곳. 돈사(豚舍). 돈책(豚柵). 시뢰(豕牢).
　[돼지 우리에 주석 자물쇠] 제격에 맞지 않는, 지나친 치장의 비유. ＊개에게 호패(號牌)·짚신에 구슬감기.
돼:지-이 명 『충』 [*Haematopinus suis*] 짐승닛과에 속하는 곤충. 이 종류 중에서 가장 큼. 몸길이 4-5mm, 폭 1.6-2mm이며, 전두부(前頭部)는 원뿔꼴이고 그 끝에 여섯 개의 가는 털과 각측(脚側)에 다섯 개의 짧은 털이 나고 복부(腹部)는 달걀꼴임. 돼지에 기생하는데, 세계 공통종(共通種)임.
돼:지-주둥이 명 ①돼지의 주둥이. ②광산에서 쓰는 무자위의 하부판(下部瓣)을 장치한 부분.
돼:지-주머니 명 『민』 궁낭(宮囊).
돼:지 창자찜 명 ☞순대찜.
돼:지 콜레라 〔cholera〕 명 돼지에 걸리는 급성 전염병. 여과성(濾過性) 바이러스에 기인하는 장점막(腸粘膜)의 염증. 괴사(壞死) 및 특이한 단추 모양의 결절 형성(結節形成)이 특징인데, 흔히 폐렴을 유발하며 급성증의 사망률은 80-90%임. 전염성이 맹렬하여 양돈가(養豚家)들이 매우 두려워함.
돼:지-풀 명 『식』 ①[*Ambrosia artemisiifolia* var. *elatior*] 국화과에 속하는 일년생 초본. 높이 1m 정도, 전체에 흰 털이 밀생하였고, 잎은 깃 모양으로 깊이 째짐. 여름부터 가을에 걸쳐 녹색의 길쭉하고 작은 두상화(頭狀花)가 많이 핌. 수꽃에는 꽃가루가 많고 꽃가루를 먹으면 기침이 나며 화분병(花粉病)을 일으킴. 북아메리카가 원산인데, 귀화(歸化)하여 도회지 부근에 저절로 남. 호그위드(hogweed). ②〈방〉 마디풀.

〈돼지풀 ❶〉

돼:지-해 명 '해년(亥年)'의 풀어 쓴 말.
돼:지해-밑【一亥一】 명 한자 부수(部首)의 하나. '亡'이나 '亨' 등에서 '亠'의 이름.
돼:짓-국 명 돼지고기를 넣고 끓인 국.
되¹ ㊀명 곡식·액체·가루 따위의 분량을 되는 데에 쓰는 그릇. 예전 것은 직사각형. 지금 것은 정사각형이고, 5작(勺) 되·1홉(合)되·5홉되 등이 있음. ㊁의명 곡식·액체·가루 등의 분량을 셈잡는 단위(單位)의 하나. 한 말의 십분의 일. 열 홉. 승(升).
　[되글을 가지고 말글로 써 먹는다] 글을 조금 배워 가지고 가장 효과적으로 써 먹는다는 말. [되로 주고 말로 받는다] 조금 주고 그 대가를 많이 받는다는 말.
되:² 명 ①옛날, 두만강(豆滿江) 근방과 그 북쪽에 살고 있던 미개 민족(未開民族). ②오랑캐. ¶ ～놈.
되³ 부 〈방〉 되게(황해).
되- 두 '도리어' 또는 '도로'·'다시'의 뜻을 나타내는 말. ¶ ～씹다/～묻다/～돌려 주다.
-되¹ 어미 'ㅆ'이나 'ㅄ'받침으로 끝나는 것 이외의 모든 어간(語幹)에 붙여 쓰는 말. ①앞 말의 사실을 인정하면서 뒷 말로 조건을 붙이려 할 때나, 뒷 말의 사실이 앞 말의 사실에 구속되지 아니함을 보일 때에 쓰는 말. ¶ 키가 크～ 여간 큰 키가 아니다 / 돈은 많～ 쓸 줄을 모른다. / 미인은 미인이～ 마음씨가 곱지 않다. ②다음 말을 인용할 때, 그에 앞서 쓰이는 말. ¶ 그가 답하～, '나는 결백하다'라고…. ＊-으되.
-되²【矣】 어미 〈이두〉 -뇌.
되-가웃 명 되로 되고 남은 반 가량의 분량. ＊말아웃.
되-갈다 타 ①논밭을 다시 갈다. ②가루 등을 다시 갈다. ¶ 곱게 되갈아서 체로 치다.
되-감고 명 〈방〉 말감고.
되-감재 명 〈방〉 『식』 고구마(평안).
되-강구 명 〈방〉 말감고.
되강-오리 명 『조』 논병아리. 벽체(鷿鷉).

되-개고마리 명 〖조〗 홍때까치.
되-거리 명 〈방〉 되넘기.
되거리 장사 명 〈방〉 되넘기 장사.
되-걸리다[1] 자 병이 나았다가 다시 걸리다.
되-걸리다[2] 자 〈방〉 되치이다.
되:게 부 몹시. 되우. 된통. ¶ ~ 춥다/~ 겁낸다.
되-곱쳐 부 도로. 또다시. ¶ ~ 오금만 박으시는 걸 보니 별다른 방도가 없으신 모양이군요《金周榮 : 客主》.
되:기 부 〈방〉 되게(경남).
되-깎이 명 ①〖불교〗 중 노릇하는 사람이 환속(還俗)하였다가 다시 중이 되는 일. 또, 그 중. 재삭(再削). 중삭(重削). 환삭(還削). ②〈속〉 한번 시집갔던 여자가 머리를 내리고 처녀로 행세하다가 다시 시집가는 일. 또, 그 여자.
되-깔다 타 다시 깔다. 도로 깔다. 고쳐 깔다. ¶ 요를 되깔아라.
되-깔리다 자 도리어 눌리다. ¶ 자빠진 상대에게 ~.
되깡-되깡 부 〈방〉 또깡또깡.
되:끼 명 〈방〉 도끼(경기).
되나지 명 〈심마니〉 똥.
되:남-하다 형 〈방〉 외람하다.
되-내기[1] 명 속임수로 손쳐서 많아 뵈게 다시 묶은 땔나무.
되:-내기[2] 명 〈방〉 된서리.
되:내기[3] 명 〈방〉 도내기.
되-내솟다 자 되받아 내솟다. ¶ 바닷가에서 살갗에 쬐인 햇빛이 되내솟는 느낌이었다《崔仁勳 : 태풍》.
되-넘기 명 물건을 사서 곧바로 넘겨 파는 일.
되-넘기다 타 되넘기를 하다.
되넘기 장사 명 되넘기는 장사.
되-넘다 [—따] 타 도로 넘다. ¶ 넘어 온 산을 되넘어 가다.
되:-놈 명 ①오랑캐를 하대하여 일컫는 말. ②'중국인'의 낮춤말. [되놈과 겸상을 하면 재수가 없다] 어떤 사람과 겸상하기 싫을 때 이르는 말. [되놈이 김풍헌(金風憲)을 안다더냐] 지위(地位)에 있는 사람을 몰라 보고 모욕한 경우에 쓰는 말.
되-놓다 [—노타] 타 도로 놓다. ¶ 들었던 물건을 ~.
되-뇌다 타 같은 말을 여러 번 되풀이하여 말하다. ¶ 같은 말을 ~.
되-누비다 타 다시 누비다.
되는-대로 부 함부로. 아무렇게나. 마구. ¶ ~ 살다/~ 지껄이다.
되다[1] 一자 ①물건이 다 만들어지다. 일정한 형태(形態)가 이루어지다. ¶ 맞춘 옷이 다 ~/예쁘게 ~. ②어떠한 신분(身分)이나 위치·상태에 놓이다. ¶ 부자가 ~/과장이 ~/형님뻘 되시는 분/안정이 ~. ③일이 성취되다. ¶ 일이 제대로 ~. ④어떠한 수량(數量)에 미치다. ¶ 합계가 만 원이 ~/얼마 되지 않는 밑천. ⑤소용에 쓰이다. ¶ 약이 ~. ⑥어떠한 때가 돌아오다. ¶ 봄이 ~. ⑦변하다. ¶ 노랗게 ~/물이 얼음이 ~. ⑧나이 따위를 먹다. ¶ 열 살이 ~. ⑨자라다. 생육(生育)하다. ¶ 벼가 잘 ~. ⑩경과하다. ¶ 떠난 지 5년이 ~. ⑪구성하다. ¶ 대표선수로 된 팀. ⑫가능하다. ¶ 될 수 있는 대로/되도록/될수록. ⑬필요한 요소를 갖춰 잘 이루어지다. 합당하거나 괜찮다. ¶ 그 사람 그만하면 됐어/된 소리 안 된 소리. ⑭결과를 가져오다. ¶ 싸움이 ~/농담이 되고 말았다/헛수고가 ~. 二보동 부사형 동사 어미 '-게' 밑에서 '그러한 상태에 놓이다'·'그것이 가능한 상황에 이르다'의 뜻을 나타내는 보조 동사. ¶ 마침내 졸업을 하게 ~/밥술이나 먹게 ~. [되는 것도 없고 안되는 것도 없다] 옳은 방법으로는 안되고, 부정한 방법으로는 되는, 어지러운 세상을 이르는 말. [되는 집에는 가지나무에 수박이 열린다] 잘 되어가는 집은 매사가 좋은 결과를 맺는다는 말. [되면 더 되고 싶다] 욕심이란 한이 없다는 말. *말 타면 경마잡히고 싶다.
되다[2] 타 〖농〗 논밭을 되갈다.
되다[3] 타 말이나 되 등으로 곡식·액체·가루 등의 분량을 헤아리다. ¶ 쌀을 말로 ~.
되:다[4] 형 ①물기가 적어서 빡빡하다. ¶ 반죽이 ~. ↔묽다·질다. ②줄 같은 것이 몹시 켕겨서 팽팽하다. ¶ 밧줄을 되게 드리다. ↔느리다. ③힘에 벅차다. 고되다. ¶ 일이 되거든 쉬어가며 해라. ④심하다. 호되다. ¶ 되게 책망을 듣다.
-되다 미 ①'하다'가 붙을 수 있는 명사에 붙어, 그 동작이 스스로 이루어짐을 나타내는 말. ¶ 걱정~/주목(注目)~. ②형용사적 명사나 부사적 어근(語根)에 붙어서 형용사를 이루는 말. ¶ 참~/망녕~/헛~.
되:-다랗다 [—라타] 형 ㅎ불 묽지 아니하고 매우 되다. *-된.
되-대패 명 바닥과 날의 가운데가 볼록한 대패. 둥근 바닥을 깎거나 바닥을 둥글게 만들 때에 씀.
되도록 부 될 수 있는 한. 될 수 있는 대로. ¶ ~ 일찍 가거라.
되-돌다 자 돌던 방향에서 되짚어 다시 돌다.
되-돌아가다 자 거라불 오던 길을 다시 돌아 되짚어 가다.
되-돌아들다 자 떠난 곳으로 되짚어 다시 돌아들다.
되-돌아보다 자타 앞서 보던 것을 다시 돌아보다.
되-돌아서다 자 먼젓번에 섰던 방향으로 다시 돌아서다.
되-돌아오다 자 너라불 가던 것을 그만두고 다시 되짚어 돌아오다. ¶ 원점(原點)으로 ~.
되돌이 교잡 【—交雜】 명 〔back-crossing〕 〖생〗 제1대(代)의 잡종(雜種)과 그 어버이의 어느 한쪽과의 교잡.
되돌이 운:동 【—運動】 명 〖생〗 반사(反射) 운동.
되되-이 부 한 되 한 되씩. 되마다.
되-두부 【—豆腐】 명 콩을 불려 갈아서 죽처럼 만든 뒤에 호박이나 호박순을 넣고 끓인 음식. 반두부(半豆腐).
되드리 의명 〈옛〉 한 홉의 10분의 1. 작(勺). ¶ 되드리 쟉(勺)《類合 下 58》.
되들고 되나다 구 많은 사람이 계속하여 출입(出入)하다.
되-들다[1] 자 다시 들거나 도로 들다.
되-들다[2] 타 얄밉게 얼굴을 쳐들다.
되:디-되다 형 몹시 되다. ↔묽디묽다.
되:-때까치 명 〖조〗 홍때까치.
되똑-거리다 자 작은 그릇이나 올리어 놓은 것이 쓰러질 듯이 양쪽으로 잇따라 흔들려 기우뚱거리다. <뒤뚝거리다. 되똑-되똑 부. ——-하다 자여불
되똑-대다 자 되똑거리다.
되똑하다 一자 작은 그릇이나 올리어 놓은 것이 한쪽으로 한번 기울어지다. 二형 오똑 솟아 있다. ¶ 선이 분명한 얼굴의 윤곽이며 조금 위로 들린 듯한 되똑하게 날이 선 코며, …《姜龍俊 : 사랑하는 그대》.
되똥-거리다 자 작은 물건이 이쪽저쪽으로 쓰러질 듯이 가볍게 기울어지며 잇따라 흔들리다. <뒤뚱거리다. 되똥-되똥 부. ——-하다 자여불
되똥-대다 자 되똥거리다.
되-뜨다 형 이치(理致)에 어긋나다.
되람직-하다 형여불 되람직하다.
되래 부 〈방〉 도리어(경기).
되랴 부 〈방〉 도리어(경기).
되람직-하다 형여불 ↗도리암직하다.
되러 부 〈방〉 도리어(충북).
되:레 부 ↗도리어.
되렌-님 명 〈방〉 도련님(충남).
되렝이 명 〈방〉 도롱이.
되려 부 〈방〉 도리어(경기·강원·충남·전라·경상·황해).
되련-님 명 〈방〉 도련님(충청).
되록-거리다 자타 ①또렷또렷한 눈알이 생기있게 번쩍이다. ②몸이 똥똥하여 둔하게 움직이다. ③성낸 빛을 행동에 나타내다. 1)-3): ㅆ 뙤록거리다. <뒤룩거리다. 되록-되록 부. ——-하다 자타여불
되록-대다 자 되록거리다.
되롱 명 〈옛〉 도롱이. ¶ 새원 원쥐 되여 되롱 삿갓 메오 이고《古時調 鄭澈》/헌 삿갓 쟈른 되롱 삷 집고 호믜 메고《古時調 趙顯命》.
되롱-거리다 자 가벼운 물건이 따로 매달려서 느리게 연달아 흔들리다. <뒤룽거리다. *대롱거리다. 되롱-되롱 부. ——-하다 자여불
되롱-농 명 〈방〉 〖동〗 도롱뇽.
되롱-대다 자 되롱거리다.
되롱이 명 〈옛·방〉 도롱이(평안). ¶ 삿갓의 되롱이 닙고 細雨中에 호미 메고《古時調 鄭澈》.
되롱춤 명 〈옛〉 도롱이춤. 어깨춤. ¶ 金風憲의 메더지에 朴勸農이 되롱춤 추니 《古時調 李鼎輔》/쨍과리가 제물에 급한 장단으로 바뀌자 춤도 굿거리에서 ~으로 나아갔다《金廷漢 : 뒷기미나루》.
되룡 명 〈옛〉 도롱뇽. ¶ 되룡 셕(蜥), 되룡 텩(蜴)《字會 上 23》.
되루 부 〈방〉 도리어(강원·충북·함남).
되룽-거리다 자 제가 잘난 체하여 거만하게 뽐내다. 주제넘게 거만을 부리며 젠 체하다. 되룽-되룽 부. ——-하다 자여불
되룽-대다 자 되룽거리다.
되:리[1] 명 거웃이 없는 여자.
되:리[2] 명 〈방〉 또아리(경기·강원).
되리어 부 〈방〉 도리어(경기·경북).
되립더 부 〈방〉 도리어.
되-마시 명 〈방〉 되풀이[1].
되-매기 명 참빗의 헌 살을 골라 다시 맨 빗.
되:-매다 타 〈방〉 동여매다(강원).
되-먹다 타 먹지 아니하다가 다시 먹다.
되-먹이 명 〈방〉 되넘기.
되먹이 장사 명 〈방〉 되넘기 장사.
되-먹임 명 〖전자〗 전기 회로에서, 출력(出力)의 일부를 입력(入力)측으로 돌리고 출력을 증대 또는 감소시키는 일. 귀환(歸還). 피드백(feedback).
되먹임 증폭기 【—增幅器】 명 귀환 증폭기.
되-먹히다 자 남에게 도로 먹히다.
되모시 명 이혼하고 처녀 행세를 하여 다시 시집간 여자. ¶ 재덕이 겸전한 ~를 내자로 들어앉혔다. *되깎이.
되-몰아치다 타 되받아서 몰아치다.
되-묻다 타ㄷ불 ①다시 묻다. ②묻는 것은 대답하지 아니하고 도리어 묻다. 반문(反問)하다.
되:미 명 〈방〉 〖어〗 도미(전북·충청·강원·경기·전라·경상).
되-밀 명 곡식을 되로 되고 한 되에 차지 않게 남은 부분. ¶ 나룻배 삯으로 인근동 사람들로부터 거둬들이는 보리는 ~이 좋았다《金廷漢 : 뒷기미나루》.
되-바라지다 형 ①아늑한 맛이 없다. ②너그럽지 못하고 편협되다. ¶ 사람이 워낙 되바라져서 친구가 없다. ③얄밉도록 지나치게 똑똑하다. 바라지다. ¶ 되바라진 처녀/팔도 뜨네기들이 다 모여드는 부산 항구다만 아이새끼들이 되바라져서 아무짝에도 못쓰겠다《朴景利 : 波市》.
되-박 명 〈방〉 되[1](강원·충남·전라·경북·제주).
되-박다 타 다시 박다. 도로 박다.
되-박이 명 '재판(再版)❶'의 풀어 쓴 말. ——-하다 타여불
되-박이다 피동 다시 박이다. 도로 박이다.
되반들-거리다 자 도리어 반들거리다. ¶ 얄미운 얼굴을 잠시 가만두지 아니하고 되반들거리는 것이 모두 사람같지 않게…《洪命憙 : 林巨正》.
되-받다 타 ①도로 받다. ②꾸짖음에 말대답을 하며 도리어 반항하다. <뒤받다.
되배 명 〈방〉 도배(塗褙)(함남·충청).

되배기 명〈방〉되¹(경상).
되배이 명〈방〉되¹(경남).
되-벗어지다 자 덮었거나 입었던 것이 도로 벗어지다.
되-베기 명〈방〉되¹(경상).
되베이 명〈방〉되¹(경남).
되-부르다 타 르불 다시 부르다.
되블린 〔Döblin, Alfred〕 명 〖사람〗 유태계의 독일 소설가. 혁명적인 표현주의 문학 잡지 ≪폭풍≫의 편집에 참여했고, 나치스의 박해를 피하여 프랑스·미국으로 망명하였음. 대표작으로 ≪베를린·알렉산더 광장(廣場)≫이 있음. [1878-1957]
되비 부〈방〉도로(함남).
되-비지 명 콩을 불려 곱게 갈아 두부를 빼지 않고 만든 비지. 콩비지.
되비지-탕 【一湯】 명 황해도 향토 음식의 하나. 되비지로 만든 비지 찌개.
되-빡 명〈방〉되¹(경기·강원·충청·전라·경북).
되사 명 말을 단위로 하여 셀 때에 남는 한 되 가량. ¶한 말 ~/일곱 말 ~. *가웃.
되-살다 자 ①먹은 음식이 내리지 아니하고 도로 불어오르다. ②거의 죽은 듯하던 것이 다시 살아나다. ¶인공 호흡으로 되살아나다/불길이 살아 오르다. ③헤어졌던 부부가 다시 살다.
되:-새 명 〖조〗 [*Fringilla montifringilla*] 참샛과에 속하는 새. 날개 길이 90-93mm, 꽁지 길이 60mm 가량이고, 몸빛은 배면(背面)이 흑색, 허리는 백색, 복면(腹面)과 어깨는 황적갈색임. 암컷은 배면에 암갈색의 반문이 있고, 날개와 꽁지는 흑색임. 대체로 담황색·흑색·백색의 고운 삼색반(三色斑)을 이룸. 대군(大群)을 지어 가을에 와서 벼 같은 곡물(穀物)을 먹어 큰 해를 줌. 식용으로 가을에 그물로 많이 잡음. 동반구 북부 삼림 지방에서 번식하고, 유럽·중부 아시아에서 월동함. 촌티새. 화계(花鷄).

〈되새〉

되-새기다 타 ①배가 부르거나 입맛이 없어서 내씹다. ②소 같은 동물이 먹은 것을 내씹다. 반추(反芻)하다. ③골똘하게 연해 생각하다. 다시 한번 깊이 생각하다. ¶옛 성인(聖人)의 말씀을 ~.
되-새김 명 「반추(反芻)」의 풀어 쓴 말. 새김질.
되새김 동:물 【一動物】 명 〖동〗 '반추 동물(反芻動物)'의 풀어 쓴 말.
되새김 밥통 【一桶】 명 〖동〗 '반추위(反芻胃)'의 풀어 쓴 말.
되새김-위 【一胃】 명 〖동〗 '반추위(反芻胃)'의 풀어 쓴 말.
되새김-질 명 소나 염소가 입으로 넘긴 음식을 다시 내어 씹어서 삼키는 일. 반추(反芻)하는 짓. 새김질. ——하다 자타 여불
되-성내 명〈방〉성냥(평북).
되-세우다 타 도로 세우다. 넘어진 것을 다시 세우다.
되:-솔새 [一쌔] 명 〖조〗 [*Phylloscopus tenellipes*] 휘파람샛과에 속하는 새. 솔새와 비슷한데 좀 작아서 날개 길이 61-68mm이고, 몸빛은 배면(背面)이 감람색, 얼굴의 미반(眉斑)은 회백색, 하면은 백색, 부리는 암갈색이며 날개에는 두 줄의 띠가 있음. 한국·일본·사할린·홋카이도에서 번식하며, 중국 남부·미얀마·말레이 반도 이남에서 월동함.
되순라-잡히다 [一술一] 피동 ☞되술래잡히다. ¶자식 잃고 되순라 잡힌 방가는 입맛을 쩍쩍 다시며…≪金敎濟:牧丹花≫.
되술래-잡다 타 〔범인(犯人)이 도리어 순라(巡邏)를 잡는다는 뜻에서〕 잘못을 빌어야 할 사람이 도리어 남을 나무라다.
되술래-잡히다 피동 〔순라(巡邏)가 범인에게 도리어 잡힌다는 뜻으로〕 나무라야 할 사람이 도리어 나무람을 당하다.
되-시기다 타〈방〉되새기다.
되-쌓다 [一싸타] 타 다시 쌓다. 도로 쌓다. ¶담을 ~.
되쌔우 부〈방〉대단히(함경).
되-쏘다 타 ①도로 쏘다. 반사(反射)하다. ②다시 쏘다. 반복하여 쏘다.
되-쏨 명 ①〖물〗 '반사(反射)'의 풀어 쓴 말. ②되쏘는 일.
되쏨-거울 명 〖물〗 '반사경(反射鏡)'의 풀어 쓴 말.
되쏨-빛살 명 〖물〗 '반사 광선(反射光線)'의 풀어 쓴 말.
되-쓰다 타 다시 쓰다. 도로 쓰다.
되-씌우다 [一씨一] 타 ①제가 당할 일을 도리어 남에게 넘기다. ②다시 씌우다. 도로 씌우다.
되-씹다 타 ①한 말을 연해 자꾸 되풀이하다. ②되새기다.
되아지 명〈옛〉돼지. ¶豕亦云되아지≪雅言 卷一≫.
되안지위 【成內節】〈이두〉될 때. 준안지위.
되알-지다 형 ①힘주는 맛이나 억짓손이 몹시 세다. ¶"성례시켜 달라지 뭘 어떡해."하고 되알지게 쏘아붙이고 얼굴이 빨개져서 산으로 그저 도망질을 친다≪金裕貞:봄봄≫. ②힘에 벅차서 괴롭다.
-되야 어미〈옛〉-려무나. ¶이 보오 벗님네야 흔드지나 말으되야≪古時調 李陽元≫.
되야기 명〈옛〉두드러기. ¶되야기 낫더니(出疹子來)≪老乞 下 4≫.
되야마놀 명〈옛〉통마늘. ¶되야마놀(獨頭蒜)≪救簡 Ⅲ:46≫.
되양되양-하다 형 여불 하는 짓이나 말이 무게가 없이 경솔하다.
되양-스럽다 형 ㅂ불 보기에 되양되양하다. ¶진주집은 자기 자신이 기생이었던 것을 잊은 듯이 되양스러워서 어떤 때는 정부인 윤씨보다도 지체 있는 양반인 체한다≪李無影:農民≫. 되양-스레 부
되어-가다 자 ①일이 이루어져 가다. 물건이 거의 다 만들어져 가다. ¶일이 잘 ~/뜻대로 ~. ②어떠한 때가 거의 다 되다. ¶저녁 때가 ~. 준돼가다.
되어-주다 타〈방〉똥겨 주다.
되어-지다 자 일이 이루어지다.
되오 부〈옛·방〉되우. ¶프른 뵈로 되오 ᄆᆞ라 노ᅀᅩ아(青布急卷爲繩)≪救方 下 63≫.
되오다 자〈옛〉되게 하다. ¶출혀 되오며 느초면(操縱之)≪小諺 V:32≫.

되-오색딱따구리 【一五色一】 명 〖조〗 [*Dryobates major japonicus*] 딱따구릿과에 속하는 새. 날개 길이 95mm 가량이고, 몸빛은 오색딱따구리와 비슷하나 훨씬 작고, 하복부(下腹部)는 백색임. 한국의 중부 이북 및 일본·시베리아·유럽에 분포함. 북(北)오색딱따구리.
되오왇다 형〈옛〉되알지다. ¶幽深ᄒᆞᆫ 비치 幸혀 秀發ᄒᆞ니 드믄 가지 또 되오와닷도다(幽色幸秀發踈柯亦昻藏)≪初杜諺 XVIII:14≫.
되-올라가다 자 거라불 ①낮은 데로 내려오다가 도로 올라가다. ②값이 내리다가 다시 올라가다. ¶내리던 쌀 값이 ~.
되우 부 몹시. 매우 심하게. 된통. 되게. ¶~ 앓다/양반의 댁 따님이라 창피는 ~ 아네.
되우-새 명 〖조〗 가창오리.
되우 치다 타 매를 때릴 때 몹시 치다. ¶그만하라 할 때까지 되우 쳐라.
되이다 자〈옛〉되다¹. ¶이 사ᄅᆞᄆᆞᆫ 다 厠蟲 되이리라 ᄒᆞ시고≪龜鑑 下55≫.
되작-거리다 타 물건을 찾느라고 이리저리 뒤집어가며 뒤지다. ¶그렇게 쌀을 붙여주면 그놈을 시세를 보아 가면서 눈치 빠르게 요리조리 되작거린다≪蔡萬植:濁流≫. ㅆ되착거리다. <뒤적거리다. 되작-되작 부. ¶문갑 위에 얹힌 그조마한 철궤를 열고 한참을 ~하더니 무엇 한 뭉치를 휴지에다 대강 싸서 금분이를 주며…≪李海朝:鬢上雪≫. ——하다 타 여불
되작-대다 타 되작거리다.
되작-이다 타 물건을 이리저리 들추어가며 뒤지다. ㅆ되착이다. <뒤적이다.
되잖다 [一잔타] 형 ↗되지 아니하다.
되-잡다 타 ①다시 잡다. 도로 잡다. ¶놓친 고기를 ~. ②〈방〉되씌우다.
되잡아 흥 구 나무람을 받을 사람이 도리어 나무라는 것을 보고 일컫는 말.
되-잡이 명〈방〉말감고.
되-잡히다 자〈방〉되치이다❶.
되-장이 명〈방〉말감고.
되:지 명〈방〉돼지(경북·전남·평북·함북).
되-지기¹ 명 찬밥으로 다시 지은 밥.
되:-지기² 명〈방〉되내기¹.
되-지기³ 의명 볍씨 한 되로 모를 부어 낼 수 있는 논의 넓이. 또, 씨 한 되를 뿌릴 수 있는 밭의 넓이. 열 되지기가 한 마지기임.
되지-못하다 형 여불 사람답지 못하다. 예의에 벗어나다. ¶되지못한 녀석.
[되지못한 풍잠(風簪)이 갓 밖에 어른거린다] 좋지도 못한 물건이 흔히 잘 나타나 눈에 띄어 번쩍인다는 말.
되:-지빠귀 명 〖조〗 [*Turdus hortulorum*] 지빠귓과에 속하는 새. 붉은배지빠귀와 비슷한데, 아무르 지방·우수리·만주에 번식하고 한국 남부·제주도 등에 분포함. 되티티.
되직-이 부 되직하게. ¶풀을 ~ 쑤다.
되직-하다 형 여불 묽지 아니하고 조금 되다. ¶되직한 죽.
되-질 명 ①곡식을 되로 되어서 헤아리는 일. ②〈방〉됫박질. ——하다 자타 여불
되-짚다 타 다시 짚다. ¶지팡이를 되짚고 가다.
되-짚어 부 한 번 생긴 동작에 대하여 그 반대 방향으로 곧 되돌아서는 뜻을 나타내는 말.
되짚어 흥 구 '되잡아 흥'과 같은 뜻. ¶상말에 되짚어 흥으로 심술을 부리고하는 양이≪崔瓚植:金剛門≫.
되짚어 가다 자 거라불 오던 길로 곧 다시 가다.
되짚어 보내다 타 온 사람이나 물건을 곧 되돌려 보내다.
되짚어 오다 자 너라불 어느 곳까지 갔다가 곧 돌아서서 다시 오다.
되착-거리다 타 물건을 이리저리 뒤집으면서 자꾸 뒤지다. ㅅ되작거리다. <뒤척거리다. 되착-되착 부. ——하다 타 여불
되착-대다 타 되착거리다.
되착-이다 타 뒤집으면서 뒤지다. ㅅ되작이다. <뒤척이다.
되-찾다 타 찾던 일을 그만두었다가 다시 찾다. 도로 찾다.
되-채다 타 ①혀를 제대로 순하게 놀려서 말을 똑똑히 하다. ②되받아서 채다. ¶내 말을 되채는군.
되처 부 또다시. 재차. ¶~ 가 찾아보아라.
되-치이다 자 ①남에게 덮어 씌우려다가 도리어 제가 당하다. ②이렇게 할 일이 뒤집혀서 저렇게 되다.
되퉁-스럽다 형 ㅂ불 몸이나 손 쓰는 것이 찬찬하지 못하여 일을 잘 저지르다. 경솔하여 낭패가 되게 하는 버릇이 있다. <뒤퉁스럽다. 되퉁-스레 부
되-틀다 타 ①가볍게 약간 뒤틀다. ②반대쪽으로 틀다.
되:-티티 명 〖조〗 되지빠귀.
되-풀기 명〈방〉되풀이¹.
되-풀다 타 다시 풀다. 도로 풀다.
되-풀이¹ 명 같은 말이나 몸짓을 자꾸 함. ¶~해서 이야기하다/역사는 ~한다. ——하다 타 여불
되-풀이² 명 ①곡식 한 되에 얼마씩 치이나 풀어 보는 셈. ②곡식을 말로 팔지 않고 되로 파는 일. ——하다 타 여불
되풀이진-굿 【一陣一】 명 〖민〗 호남 지방 농악에서, 멍석처럼 말아 들어갔다가 되돌아 나와 풀어진다는 뜻으로 멍석말이 ❷를 일컫는 말.
되ᄑᆞ람 명〈옛〉휘파람. =됫ᄑᆞ람. ¶ᄇᆞᄅᆞ미 ᄲᆞᄅᆞ며 하ᄂᆞᆯ히 놉고 나ᄇᆡ 되ᄑᆞ라미 슬프니(風急天高猿嘯哀)≪重杜諺 X:35≫.
된:- 부 ①'물기가 아주 적은'의 뜻. ¶~밥. ②'몹시 심한·모진'의 뜻. ¶~시집살이/~서리. ③〖언〗 발음을 할 때 '성문 파열음이 따르는'의 뜻. ¶~소리.
-된 미 명사에 붙어, 그 자격·요소·상태를 지니고 있음을 나타내는 관용사를 이루는 말. ¶자식~ 도리/어미~ 죄. *-되다.
된:-기역 명〈방〉쌍기역.
된:-내기 명〈방〉된서리. ¶밤 사이에 ~가 하얗게 내렸다.
된뎌이고 자〈옛〉되는구나. ¶ᄇᆞ롬이야 물결이야 어둥정 된뎌이고≪松

江 續美人曲≫. *-ㄴ더이고.
된:-디귿 [명] 〈방〉 쌍디귿.
된:-똥 [명] 되게 나오는 똥. 경변(硬便). ↔진똥.
된:-마 [명] ↗된마파람.
된:-마파람 [명] '동남풍(東南風)'의 뱃사람 말. [준]된마.
된:-바람 [명] ①빠르고 세게 부는 바람. ②'북풍(北風)'의 뱃사람 말. ③〖기상〗 풍력 계급의 하나. 초속 10.8-13.8 m로 부는 바람. 웅풍(雄風). *풍력 계급.
된:-밥 [명] ①되게 지은 밥. 또, 쌀알이 푹 퍼지지 못한 밥. ↔진밥. ②국이나 물에 말지 아니한 밥.
된:-변 【一邊】 [명] 썩 높은 변리.
된:-불 [명] ①바로 급소를 맞히는 총알. ↔선불. ②호된 타격.
된:불(을) 맞다 [구] ㉠바로 급소를 맞히는 총알을 맞다. ㉡호된 타격을 받다.
된:-비알 [명] 몹시 험한 비탈.
된:-비읍 [명]〖언〗 ①되게 발음(發音)되는 비읍 소리. 이를테면 ㅄ·ㅃ의 발음을 가리키는 말. ②한글의 첫소리로 쓰이는 자음(子音)의 왼쪽에 붙이어 쓰이는 비읍을 일컫는 말. 곧, ᄡᅵ·ᄢᅧ다·ᄣᅳ·ᄧ 등의 'ㅂ'. ③〈방〉 쌍비읍.
된:-새 [명] ↗된새바람. *높새.
된:-새바람 [명] '북동풍(北東風)'의 뱃사람 말. [준]된새.
된:-서리 [명] 늦가을에 아주 되게 많이 내린 서리. 숙상(肅霜). 엄상(嚴霜). ↔무서리.
된:서리 때리다 [구] 초목에 된서리가 내리다.
된:서리(를) 맞다 [구] ㉠되게 내린 서리를 맞다. ㉡모질고 악착한 억누름이나, 재앙을 당하여 풀이 꺾이다.
된:-서방 【一書房】 [명] 심악하고 까다로운 남편.
된:서방(을) 만나다 [구] ㉠심악하고 까다로운 남편을 만나다. ㉡몹시 어렵고 까다로운 일을 당함을 가리키는 말.
된:-소리 [명]〖언〗 'ㄲ·ㄸ·ㅃ·ㅆ·ㅉ' 등과 같이 되게 발음되는 단(單)자음. 경음(硬音). *거센소리·예사소리.
된:-시옷 [명]〖언〗 ①되게 발음(發音)되는 시옷 소리. 이를테면 ㅆ·ㅄ의 발음을 가리키는 말. ②한글의 첫소리로 나는 자음(子音)의 왼쪽에 붙이어 쓰는 'ㅅ'을 일컫는 말. 곧, ᄯᅮᆼ·ᄭᅮᆷ·ᄲᅴ다 등의 'ㅅ' 따위. ③〈방〉 쌍시옷.
된:-장 【一醬】 [명] ①간장을 담가서 떠내고 남은 건더기. 토장(土醬). ②메주에 소금물을 알맞게 부어 익혀서 장물을 떠내지 않고 그냥 먹는 장. 장재(醬滓).
【된장에 풋고추 박히듯】 어떤 한곳에 가서 자리를 떠나지 않고 꼭 들어박혀 있음을 말함. ¶ 된장 항아리에 풋고추 백이듯한 정길이를 어디가 만나보리요.
된:장-국 【一醬一】 [一꾹] [명] 된장을 거른 물에 채소·육류(肉類) 등을 넣고 끓인 국. 토장탕(土醬湯).
된:장-떡 【一醬一】 [명] 된장을 섞어서 만든 떡. 된장에 깻묵을 3분의 1쯤 섞고, 파·마늘·새앙·고춧가루를 한데 버무려서, 된장의 5분의 1쯤 되는 찹쌀 가루와 함께 찧은 뒤에 납작하게 반대기를 지어 바싹 말린 것. 기름을 발라 가며 구워서 먹음. 시병(豉餠).
된:장-잠자리 【一醬一】 [명]〖충〗 [*Pantala flavescens*] 잠자릿과에 속하는 곤충. 복부의 길이 30 mm, 뒷날개의 길이 40 mm 가량이고, 몸빛은 된장 빛이나 수컷은 복배(腹背)에 적색을 띰. 두부와 흉부에는 거의 반문(斑紋)이 없으며 복부 말단 3절 배면(背面)에 각각 삼각형의 흑색 무늬가 있고, 날개는 투명함. 메밀꽃이 한창일 때 날아다님. 한국·일본 등에 분포함. 메밀잠자리.
된:장 찌개 【一醬一】 [명] 찌개 거리를 된장에다 섞어 끓인 찌개.
된:장-풀 【一醬一】 [명]〖식〗 [*Desmodium caudatum*] 콩과에 속하는 낙엽 활엽의 작은 관목. 잎은 삼출 복생(三出複生)하고 거의 혁질(革質)이며, 소엽(小葉)은 긴 타원상 피침형임. 여름에 백색을 띤 꽃이 총상(總狀) 화서로 정생(頂生) 또는 액생(腋生)하여 피고, 협과(莢果)는 5-6 마디이며, 가을에 익음. 산이나 들에 나는데, 제주도·일본에 분포함. 된장의 벌레를 구제(驅除)하는 데 쓰임.

〈된장풀〉

된:-지읒 [명]〖언〗 ①되게 발음되는 지읒 소리. 이를테면 ㅄ·ㅉ의 발음을 가리키는 말. ②〈방〉 쌍지읒.
된:통 [부] 되우. 되게. ¶ ~ 걸렸다.
된:-풀 [명] 물을 타서 개지 아니한 풀. 쑨 채로 있는 풀.
된:-하늬 [一니] [명] '서북풍(西北風)'의 뱃사람 말.
될뻔-댁 【一宅】 [一땍] [명] 무슨 일이 될 뻔하다가 틀어진 사람을 놓으로 일컫는 말. ¶ 급제(及第) ~ / 그래도 못 알아듣겠니? 이 ~아≪玄鎭健 : 無影塔≫.
될 성부르다 [一썽一] [구] 될 성싶다.
【될 성부른 나무는 떡잎부터 알아본다】 ㉠장래에 크게 될 사람은 어릴 때부터 다르다는 뜻. ㉡결과가 좋은 것은 처음부터 잘된다는 뜻.
됨됨-이 [명] 사람이나 물건의 생긴 품. ¶ 야무진 ~.
됨:-박 [명] 〈방〉 뒤웅박(경남).
됨:박-벌레 [명] 〈방〉〖충〗 무당벌레.
됨직-하다 [형][여불] 되어갈 것 같다. 될 성부르다.
됩더 [부] 〈방〉 도리어.
됩데 [부] 〈방〉 도리어(전라·충청·강원).
됩띠 [부] 〈방〉 도리어(전라).
됫고마리 [명] 〈옛〉 도꼬마리. ¶ 됫고마릿 움(蒼茸苗)≪救方 下 74≫/됫고마릿 웅(蒼茸根)≪救簡 Ⅲ:12, Ⅲ:14≫.
됫-밀 [명] 되질을 다 하고 난 뒤에 조금 남는 곡식. * 말밀.
됫-바가지 [명] 〈방〉 됫박.
됫-바가치 [명] 〈방〉 됫박.
됫-박 [명] ①되 대신으로 쓰는 바가지. ②〈속〉 되[1].
됫박 구궁 【一九宮】 [명] 바둑에서, 가로 세로 석 집씩인 아홉 집으로 된 구궁(九宮).
됫박-적 [명] 〈방〉 됫박.
됫박-질 [명] ①됫박으로 되는 일. ②먹을 양식을 낱되로 조금씩 팔아 들이는 일. ——하다 [자][여불]
됫-밥 [명] 곡식 한 되 가량으로 지은 밥.
됫-수 【一數】 [명] 되로 된 수효(數爻).
됫-술 [명] ①한 되 가량의 술. ②되로 되어서 파는 술.
됫-쎄이 [부] 〈방〉 대단히(평안).
됫ᄑᆞ람 [명] 〈옛〉 휘파람. =뒤ᄑᆞ람. ¶ 나비 됫ᄑᆞ라미 슬프니(猿嘯哀)≪杜諺 Ⅹ:35≫/기리 됫ᄑᆞ람 불오(長嘯)≪杜諺 Ⅸ:7≫.
됭에-메다 [타] 〈방〉 동여매다(강원).
됭여-매다 [타] 〈방〉 동여매다(경기·충청·경북).
됭이다 [타] 〈방〉 동이다(강원·충청·전라·경남·제주).
됭케르크 [Dunquerque] [명]〖지〗 프랑스 북부 벨기에 국경 가까이 있는, 도버 해협에 면한 항구 도시. 철도·운하의 중심지로, 조선(造船)·제유(製油)·섬유·식품 등의 공업이 행하여짐. 제2차 대전 초기 1940년 5월 말에, 영·불의 연합군 약 30만이 공습을 받으며 감행한 소위 '됭케르크의 대철수 작전'이 있었던 곳. [78,000명(1981)]
됴건 [명] 〈옛〉 조건(條件). ¶ 됴건 건(件)≪類合 下 51≫.
됴로 【條以】 [부] 〈이두〉 될 수 있는 대로.
됴리 [명] 〈옛〉 조리(調理). ¶ 모ᄆᆞᆯ 편안히 ᄒᆞ야 잡ᄆᆞᅀᆞᆷ 업시 약을 머거 됴리ᄒᆞ라(身體安穩得以靜心服藥將息也)≪救簡 Ⅲ:27≫.
됴문 [명] 〈옛〉 조문(弔問). ¶ 됴문 됴(弔)≪類合 下 40≫.
됴코 [형] 〈옛〉 좋고. '됴타'의 활용형. ¶ 곶 됴코 여름 하ᄂᆞ니(有灼其華有蕡其實)≪龍歌 2章≫.
됴쿠즘 [명] 〈옛〉 좋고 궂음. 길흉(吉凶). ¶ 대변을 맛보아 됴쿠즈믈 알고져ᄒᆞ더라(嘗糞以驗吉凶)≪重續三綱 姜廉≫.
됴쿠지 [명] 〈옛〉 좋고 궂음. 길흉(吉凶). ¶ ᄯᅩ 病의 됴쿠지를 알오져ᄒᆞ야 大便을 맛보더니(又嘗糞以驗吉凶)≪續三綱 孝子圖≫.
됴쿳다 [형] 〈옛〉 좋고 궂다. 좋고 나쁘다. ¶ ᄆᆞᅀᆞ미 正티 몯ᄒᆞ야 됴쿠즈믈 묻그리ᄒᆞ야≪釋譜 Ⅸ:36≫.
됴타 [형] 〈옛〉 좋다. =둏다·좋다·죠타. ¶ 됴타됴타≪釋譜 Ⅸ:46≫/三十棒ᄋᆞᆯ 토티 됴토다(好與三十棒)≪蒙法 53≫.
됴토다 [형] 〈옛〉 좋도다. 「됴타」의 활용형. ¶ 오래 ᄀᆞᄆᆞ다가 비오미 ᄯᅩ 됴토다(久旱雨亦好)≪杜諺 ⅩⅫ:3≫.
됴해 [형] 〈옛〉 좋구나. ¶ 버곡댱이사 난 됴해≪鄕樂 維鳩曲≫.
됴홈 [형] 〈옛〉 좋음. '됴타'의 명사형. ¶ ᄒᆞ다가 ᄆᆞᄅᆡ의 됴홈 구즈므란(如馬好歹)≪老乞 下 17≫.
됴희 [명] 〈옛〉 종이(紙). ¶ 차 빠던 됴희와 나무 거플을 섯거(雜以茶紙樹皮)≪五倫 Ⅱ:30≫.
됴히 [부] 〈옛〉 좋게. ¶ ᄆᆞᅀᆞᄆᆞᆯ 어느 ᄢᅵ 시러곰 됴히 열려뇨(懷抱何時得好開)≪初杜諺 Ⅹ:39≫.
됴ᄒᆞ다 [형] 〈옛〉 좋다. ¶ 모미 곳 ᄉᆞ시로 디나갈시 저저도 됴ᄒᆞ고(身過花間露濕好)≪初杜諺 ⅩⅪ:22≫.
됴ᄒᆞ며 [형] 〈옛〉 좋으며. '됴타'의 활용형. ¶ 됴ᄒᆞ며 구주미(美惡)≪圓覺上 一之二 61≫. 「釋 Ⅱ:10≫.
됴ᄒᆞ샴 [형] 〈옛〉 좋으심. '됴타'의 명사형. ¶ 相好ᄂᆞᆫ 양ᄌᆞ 됴ᄒᆞ샤미라≪月
됴ᄒᆞᆫ [형] 〈옛〉 좋은. '됴타'의 활용형. ¶ 됴ᄒᆞᆫ 일 지ᅀᆞ면 됴ᄒᆞᆫ 몸 ᄃᆞ외오≪月釋 Ⅰ:37≫.
됴히오다 [타] 〈옛〉 낫게 하다. ¶ 녀나ᄆᆞᆫ 약으로 됴히오디 몯ᄒᆞᄂᆞᆫ ᄇᆞᄅᆞᆷ마ᄌᆞᆫ 병(諸藥不能瘥者)≪救簡 Ⅰ:28≫. 「訓 Ⅱ 下 45≫.
됴힝다 [형] 〈옛〉 좋다. 좋으이. ¶ 帝 깃그샤 됴힝다 ᄒᆞ시다(帝喜稱善)≪內
둏다 [형] 〈옛〉 좋다. ¶ 곶 됴코 여름 하ᄂᆞ니(有灼其華 有蕡其實)≪龍歌 2章≫.
두[1] [명] 〈방〉 뒤[1](함북).
두[2] 【斗】 [명]〖천〗 ↗두성(斗星)·두수(斗宿).
두[3] 【豆】 [명] 제기(祭器)의 하나. 고기붙이를 담는 데 쓰이는 것으로, 나무로 굽이 높고 뚜껑이 있게 만듦.

〈두[3]〉

두[4] 【頭】 [명] 〈속〉 골치. ¶ 아이고 ~야.
두[5] 【斗】 [의명] 곡식이나 액체를 되는 분량의 단위. 말.
두[6] 【頭】 [의명] 소나 말 따위 네 발 가진 큰 짐승의 수효를 세는 단위. 마리.
두:[7] [관] '둘'의 뜻. ¶ ~ 개/~ 사람/~ 마음을 먹다.
【두 계집 둔 놈의 똥은 개도 안 먹는다】 첩을 둔 자의 마음은 몹시 괴로워 속이 썩는다는 말. 【두 소경이 한 막대 잡고 걷는다】 똑같이 어리석은 두 사람이 같은 잘못을 저지른 경우를 두고 이르는 말. 【두 손뼉이 맞아야 소리가 난다】 ㉠무엇이든지 상대가 없으면 혼자서는 일이 이루어지기 어려움을 말함. ㉡말 상대가 되어야 싸움이 된다는 뜻. ㉢일을 하자면 두 편의 손이 맞아야 할 수 있음을 가리키는 말. *고장난명(孤掌難鳴). 【두 손에 떡】 어느 것을 먼저 하여야 할지 모름을 가리키는 말. 【두 절 개 같다】 두 절에 속한 개가 이 절로 갔다 저 절로 갔다 하다가, 결국 아무데서도 얻어먹지 못한다는 뜻으로, ㉠돌보아 주는 이가 많아, 서로 미루는 통에 도리어 아무런 도움도 못 받게 됨을 이르는 말. ㉡갈팡질팡하다가 끝내 아무 일도 이루지 못함을 이르는 말.
두: 눈의 부처가 발등걸이하다 [구] 눈이 뒤집히다. ¶ 너를 본 두 눈의 부처가 발등거리하고 왼 몸의 힘줄이 용대기 뒤풀이 되엿스니 어서 급히 밧비 가자≪古本 春香傳≫.
두: 눈이 뒤박히다 [구] 몹시 당황하여, 눈이 뒤집히다. ¶ 부인들은 얼굴이 푸르락붉으락하여 앉았고 섬원은 두 눈이 뒤박혀 돌아다니는지

라《金敎濟:牡丹花》.

두: 다리 걸다 ㉠ 양다리(를) 걸다.

두: 다리 걸치다 ㉠ 양다리(를) 걸치다.

두: 다리 쭉 뻗다 ㉠ 긴장을 풀고 평안한 기분으로 쉬다.

두: 손 맞잡고 앉다 ㉠ 아무 일도 하지 않고 가만히 있다. 공수(拱手)하다. ¶ 두 손 맞잡고 앉아 잔소리만 한다.

두: 손 털고 나서다 ㉠ 가지고 있던 것을 다 잃고, 남은 것 없이 되다.

두: 주머니 차다 ㉠ 슬쩍 후무리기 위해서나 아끼기 위해서, 돈의 일부를 따로 떼어 챙기다. 주로, 나쁜 뜻으로 쓰임.

두:[8] 갑 돼지를 몰아 쫓는 소리.

두[9] 조 ①〈방〉도. ¶ 나~ 가겠다/그게 뭔지 몰라~. ②〈옛〉내 닐오티 有ᄒᆞ라 ᄒᆞ야두 네 有티 말고(予曰有爾惟勿有)《書諺 君陳》/굿드리 ᄆᆞᆯ ᄇᆞ리디 아니ᄒᆞ야두 무면ᄒᆞ니라(不必下馬可也)《呂約 23》.

두[10]【置】㊀ 조 〈이두〉도. ㊁ 어미 〈이두〉-도다.

두가【痘痂】명 마마 딱지의 조각.

두가리 명 나무로 만든 식기.

두:-가시 명〖동〗[*Diplozoon nipponicum*] 흡충강(吸蟲綱) 이반목(異盤目)에 속하는 편형(扁形) 동물의 하나. 몸길이 4-6 mm, 폭 0.4-0.9 mm이고 후단(後端) 복면(腹面)에 두 줄로 된 여덟 개의 흡반(吸盤)이 있음. 유시(幼時)는 각 개체가 독립하여 생활하나, 어떤 시기에 이르면 다른 상대되는 두 개체가 만나 거의 십자형으로 교착하고 유합(癒合)하여 부착한 상태로 죽을 때까지 살아감. 부착하는 부분은 한 충체(蟲體)의 배면(背面)의 오목한 부분과 다른 것의 배면의 볼록한 부분으로 연결 유합함. 유충은 '디포르파(diporpa)'라고 함. 대개 잉어·붕어 등의 아가미에 기생함.

〈두가시〉

두각【頭角】명 ①짐승 따위의 머리에 있는 뿔. 또, 머리나 머리 끝. ②뛰어난 학식·재능·기예.

두각을 나타내다 ㉠ 뛰어난 학식·재능·기예(技藝) 따위를 가져서 남보다 빼어나다. 여럿 가운데서 우뚝 뛰어나다.

두간【蠹簡】명 좀먹은 서류(書類).

두:갈랫-길 명 두 갈래로 갈린 갈림길. 쌍갈랫길.

두갑【頭匣】명〖불교〗범패(梵唄) 짓소리의 하나. 영산재(靈山齋)를 올릴 때 대직찬(大直讚)·중(中)직찬·소(小)직찬에 각각 한번씩 부르면서 삼현 육각(三絃六角) 반주로 나비춤을 추게 됨.

두-강【杜康】명〔오랜 옛적 중국에서, 술을 최초로 빚었다는 두강이라는 사람의 이름에서 온 말로〕술의 딴이름.

두강-주【杜康酒】명 두강(杜康)의 방식으로 만든 술. 쌀가루로 죽을 쑤어 누룩과 섞고 2일간 익혔다가 찹쌀을 쪄서 덧술하여 만드는 속성(速成) 주류임.

두개【頭蓋】명〖생〗척추 동물의 머리 골격. 뇌와 청기(聽器)를 보호하는 뇌두개(腦頭蓋)와, 비강(鼻腔)·구강(口腔)·인두(咽頭)의 일부를 싸고 있는 안면 두개(顔面頭蓋)로 이루어짐. 두로(頭顱).

두개-강【頭蓋腔】명〖생〗뇌가 들어 있는 두개골 안의 빈 곳. 이것의 크기로써 뇌의 부피를 측정할 수 있음.

두개-골【頭蓋骨】명〖생〗두개를 이루고 있는 골격의 총칭. 뼈의 수는 진화(進化)의 과정에서 점감(漸減)하는 경향이며, 사람의 것은 23개의 뼈로 봉합(縫合) 또는 관절에 의하여 결합되어 있으며 뇌를 싸고 있는 뇌개골과 안면(顔面)을 이루고 있는 안면골로 구분됨. 두골(頭骨). 머리뼈. 두해(頭骸). ＊상악골(上顎骨).

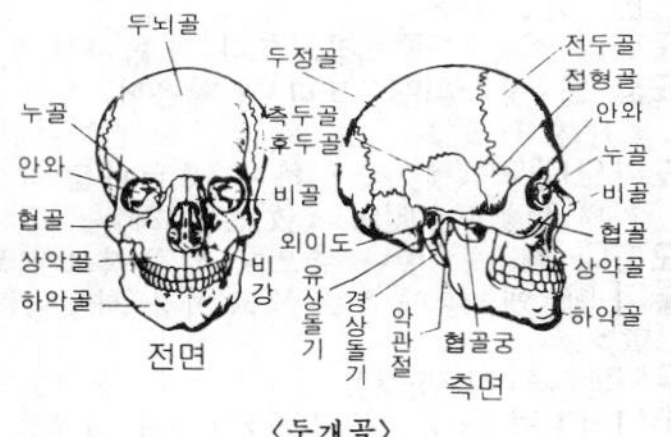

〈두개골〉

두개-근【頭蓋筋】명〖생〗두개에 붙어 있는 근육.

두개-로【頭蓋癆】명〖의〗조산아(早産兒)나, 구루병(傴僂病) 환자의 두개골이 몹시 연하여 마른지를 만지는 것처럼 누르면 쉽사리 오목하게 되는 상태.

두개 용량【頭蓋容量】[-냥] 명〖생〗뇌(腦)두개의 용량. 두개강(腔)의 크기는 뇌의 그것에 거의 비례하기 때문에, 이의 계측(計測)은 동물의 지능 비교에 중요한 의의를 가짐. 인류는 다른 동물에 비해서 매우 큼.

두개-저【頭蓋底】명〖생〗두개의 밑바닥을 이루는 부분. 또, 그 뼈.

두개저 골절【頭蓋底骨折】[-쩔] 명〖의〗높은 곳에서 떨어지거나 심한 두부 타박상에 의한 두개저의 골절. 동시에 뇌신경이나 뇌조직의 손상을 초래하는 수가 많음.

두개-정【頭蓋頂】명〖생〗두개의 상벽(上壁)을 이루는 부분. 또, 그 뼈.

두갱【豆羹】명 ①제기(祭器)에 담은 국. 전(轉)하여, 소량(小量)의 국. ②콩국.

두거【頭擧】명〖악〗〔처음에 소리를 들어 내기 때문에 온 이름〕옛 가곡(歌曲)의 한 가지.

두거리 명 〈방〉둑[2]❶(강원).

두건【頭巾】명 남자 상제나 어른 된 복인(服人)이 상중에 쓰는 베로 된 건. 효건(孝巾). 준건(巾).

〈두건〉

두건-동【頭巾童】명 상제의 몸으로 수태하여 낳은 아이.

두겁 명 ①가늘고 길게 생긴 물건의 끝에 씌우는 물건. ¶ 연필 ~. →투겁. ②↗붓두껍.

두겁-조상【一祖上】명 조상 가운데서 제일 이름을 떨친 사람.

두겨시다 타 〈옛〉두어 계시다. 두시다. 가지시다. ¶ 聲聞弟子를 두겨시니(有聲聞弟子)《阿彌 XIV》.

두견【杜鵑】명 ①〖조〗두견이. ②〖식〗진달래.

두견-류【杜鵑類】[-뉴] 명〖조〗두견이목(目).

두견-새【杜鵑-】명〖조〗두견이.

두견-성【杜鵑聲】명 두견이의 울음 소리.

두견-이【杜鵑-】명〖조〗[*Cuculus poliocephalus*] 두견잇과에 속하는 새. 뻐꾸기와 비슷한데, 날개 길이 15-17 cm, 꽁지 12-15 cm, 부리 2 cm 가량임. 몸빛은 배면(背面)이 암회청갈색 또는 석반회색(石盤灰色)이고 윗가슴은 회청색이며 그 아래쪽은 백색 바탕에 흑색 횡문(橫紋)이 있고, 복면(腹面)은 황갈색이고 꽁지는 흑색에 백색 무늬가 있음. 5월에 건너와서 8-9월에 건너가는데 숲 속에서 단독으로 살고 둥지를 짓지 않음. 꾀꼬리 등의 딴 새집에 한 개의 알을 낳아 그 새가 기르도록 내맡기는데, 익조(益鳥)임. 여름에 밤낮으로 처량하게 우는데 중국 촉(蜀)나라 망제(望帝)의 죽은 넋이 붙어 있다는 전설이 있으며, 고래로 시문학에 많이 등장함. 우수리·중국·한국·히말라야·일본 등지에서 번식하고 대만·인도·오스트레일리아 등지에서 월동함. 귀촉도(歸蜀道). 두견. 두견새. 두백(杜魄). 두우(杜宇). 망제(望帝). 망제혼(望帝魂). 불여귀(不如歸). 시조(時鳥). 자규(子規). 주연(周燕). 촉백(蜀魄). 촉조(蜀鳥). 촉혼(蜀魂). 촉혼조(蜀魂鳥).

[두견이 목에 피 내어 먹듯] 남에게 못할 짓을 하여 재물을 빼앗는 모양.

〈두견이〉

두견이-목【杜鵑一目】명〖조〗[Cuculida] 조류(鳥類)의 한 목(目). 발가락이 네 개인데 엄지발가락과 새끼발가락이 뒤쪽으로 향하고 앞뒤 두 개씩임. 새끼발가락만은 앞으로도 옮길 수 있음. 두견잇과·앵무샛과가 이에 속함. 두견류(杜鵑類).

두견잇-과【杜鵑一科】명〖조〗[Cuculidae] 두견이목에 속하는 한 과. 한국에 있는 종류는 대체로 배면(背面)이 회청색, 복면(腹面)은 백색에 갈색 가로 무늬가 있음. 전세계에 160여 종이 분포함.

두견 전병【杜鵑煎餠】명 진달래꽃을 듬성듬성 박아서 만든 부꾸미.

두견-주【杜鵑酒】명 진달래꽃을 넣어서 빚은 술.

두견-화【杜鵑花】명 진달래꽃.

두견화-전【杜鵑花煎】명 ①진달래꽃에 찹쌀 가루를 묻혀서 끓는 기름에 띄워 지진 떡. ②진달래꽃을 앞뒤로 많이 박아서 만든 차전병. 삼월 삼짇날에 천신(薦新)함.

두견 화채【杜鵑花菜】명 진달래꽃에 녹말을 씌워 데쳐서 찬물에 넣었다가 꿀물에 탄 화채.

두경【頭頸】명〖생〗두부(頭部)와 목. 또는 목.

두:-고[1]【竇固】명〖사람〗중국 후한(後漢)의 무장. 자(字)는 맹손(孟孫). 명제(明帝) 때 봉거 도위(奉車都尉)로서 흉노(匈奴)를 치고 이오로(伊吾廬(지금의 하미(哈密)))에 둔전(屯田)을 두었으며, 또한 부하를 파견하여 서역(西域)을 경략(經略)함. [? -88]

두고[2] 조 〈옛〉보다. =도곤·두곤. ¶ 福이 다아 衰ᄒᆞ면 受苦ᄅᆞ빙요미 地獄두고 더으니《月釋 Ⅰ:21》. 「지 않고 갚으리다.

두고-두고 부 오래도록. 영원히. ¶ ~ 내세워 말할 것이다/은혜는 ~ 잊

두고 볼 수 없:다 [-쑤업-] ㉠ 꼴사납거나, 가엾거나, 딱하거나 하여 그냥 내버려 두고 가만히 보고만 있을 수 없다.

두곡[1]【斗斛】명 ①곡식을 되는 말과 휘. ②되질하는 일.

두곡[2]【斗穀】명 말곡식.

두곡-류【豆穀類】[-뉴] 명〖식〗두숙류(豆菽類).

두곤 조 〈옛〉보다. =두고. ¶ 주구미 태산두곤 므거우니 이시며 터럭두곤 가ᄇᆡ야온니 잇ᄂᆞ니(死有重於泰山 輕於鴻毛)《三綱 枋得》.

두골【頭骨】명 ①〖생〗두개골(頭蓋骨). 머리뼈. ②↗우두골(牛頭骨).

두:골-밀이 명〖건〗홈을 두 줄로 파서 만든 장지틀. 또는 창틀.

두골 백숙【頭骨白熟】명 맹물에 삶아 낸 쇠머리 골. 약으로 먹음.

두골-회【頭骨膾】명 쇠머리 골을 씻지 않고 더운 채로 소금을 치고 버무린 회.

두공[1]【枓栱·杜空】명〖건〗공청(空廳)·불벽(佛壁)에 있어서 장화반(長花盤)을 쓰지 않는 대신으로 쓰는 나무. 공포(貢包).

두공[2]【頭工】명〖건〗주심포(柱心包) 주두(柱頭)에 가로 끼워 주심(柱心) 도리를 받친 공포(貢包).

두-과【痘科】[-꽈] 명〖의〗두진(痘疹)을 다스리는 의술.

두관【頭管】명〖악〗관악기 중의 으뜸이라는 뜻으로,「필률(篳篥)」의 별칭(別稱).

두괄-식【頭括式】명〖문〗주제문(主題文)이 문장의 첫머리에 있는 문장 구성 형식. 두괄형(型). ＊미괄식(尾括式)·양괄식(兩括式).

두구[1] 명 〈방〉두부(豆腐)(평북).

두구[2]【豆蔻】명〖식〗↗육두구(肉豆蔻).

두구[3]【頭垢】명〖생〗비듬.

두구래기 명 〈방〉뚝배기(함남).

두구리 명 ↗약두구리.

두국【頭局】명〖역〗군진(軍陣)의 행렬에 있어서 그 부대의 앞쪽 부분. ↔미국(尾局). 「여불

두국 병:민【蠹國病民】명 나라와 국민에게 해독을 끼침. ——-하다 자

두군 조 〈옛〉보다. =도곤. ¶ 님두군 달이 주사(殊錫)《杜諺 Ⅴ:46》.

두그르르 부 무겁고 큰 물건이 대번에 구르는 모양. ㅆ뚜그르르. >도그르르.

두근-거리다 자 몹시 놀라거나 겁이 나서 가슴 속이 뛰놀다. >도근거리다. 두근-두근 부. ——-하다 자여불

두근-대다 자 두근거리다.

두글-두글 부 크고 무거운 물건이 자꾸 구르는 모양이나 소리. ㅆ뚜글뚜글. >도글도글.

두기[1]【斗起】명 불끈 일어남. ——-하다 자여불

두-기[2]【斗箕】명〖천〗두성(斗星)과 기성(箕星).

두기[3]【逗機】명〖불〗중생(衆生)을 위한 설법이 중생의 능력에 걸맞음. 또, 그렇게 설법하는 일. ——-하다 자여불

두:길마-보기 명 일을 할 때 두 가지 마음을 품고, 제게 유리한 쪽으로 붙으려고 엿보아 살피는 짓. 두길보기. *기회주의.

두:길-보기 명 두길마보기. ¶윤원형과 이량의 사이에서 ~하는 축에는 …김명윤 같은 사람이 있었다《洪命憙:林巨正》. ——-하다 자여불

두깐 명〈방〉뒷간(경기·강원·충청·전남).

두깨비 명〈방〉두꺼비(전남·경북).

두꺼 명〈방〉두께(전북).

두꺼비[1] 명〖동〗[*Bufo bufo gargarizans*] 두꺼빗과에 속하는 양서 동물의 하나. 몸길이 10-12cm, 온 몸에 혹처럼 우툴두툴한 것이 많이 솟음. 입이 크며 앞다리는 짧고 뒷다리는 몸의 2.5배 가량이고 물갈퀴가 약간 있음. 몸빛은 흑갈색의 등에 검은 무늬가 있음. 지렁이·파리·모기 그 밖의 작은 곤충을 포식하며,낮에는 돌이나 풀 밑에 숨어 있음. 적을 만나면 몸을 팽창시켜 후두부(後頭部)의 등 위에 융기한 이선(耳腺)의 피부샘에서 흰 빛의 젖 같은 독액(毒液)을 분비함. 2-3월에 무논·연못에 2,000-8,000개가 들어 있는 알주머니를 낳음. 아시아·유럽에 분포함. 나흘마(癩疙麻). 섬여(蟾蜍). 풍계(風鷄).

[두꺼비 돌에 치었다] 까닭없이 칭원(稱寃)을 받음을 이르는 말.

두꺼비 꽁지만하다 구 아주 작아서, 거의 없는 듯하다. 게 꽁지만 하다.

두꺼비 파리 잡아 먹듯 구 닥치는 대로 널름널름 받아 먹는 모양.

〈두꺼비[1]〉

두꺼비[2] 명〈방〉두께(경북).

두꺼비-게 명〖동〗[*Hyas coarctatus alutaceus*] 물맞이겟과에 속하는 게. 배갑(背甲)의 길이 74mm, 폭 60mm 내외인데, 갑각(甲殼)은 양금(洋琴) 모양이고 갑면(甲面)에는 두꺼비 등처럼 잔 과립(顆粒)이 많으며, 이마와 아가미 부분에는 돌돌 말린 털이 모여 났음. 바닥이 모래인 20-200m 깊이의 바다에 서식하는데, 베링 해(Bering海)에서 한국·일본·중국까지 분포함.

두꺼비 기름 명〖한의〗두꺼비를 조려서 얻은 기름. 피부병의 약으로 「씀.

두꺼비-메뚜기 명〖충〗[*Trilophidia velnerata*] 메뚜깃과에 속하는 곤충. 몸길이 23-30mm이고,몸빛은 회색 또는 암회색이며 촉각에는 검은 테가 있고, 전흉배(前胸背)에는 혹 같은 돌기가 여러 개 있음. 날개에 흑갈색 무늬가 산재하고 후퇴절(後腿節)에 흑색 무늬가 있음. 한국에도 분포함.

두꺼비-씨름 명 ①겼다 이겼다 하여 승부가 나지 않음의 비유. ②서로 다투나 누가 옳고 그름이 없이 피차 일반이라는 뜻.

[두꺼비씨름 누가 질지 누가 이길지] 승패를 예측할 수 없다는 뜻.

두꺼비씨름 같다 구 ㉠승부가 나지 않다. ㉡누가 옳고 그름이 없이 피차 일반이다.

두꺼비-집 명 ①〖농〗보습의 술바닥이 들어 박히게 된 빈 속. ②〖건〗〈방〉두껍닫이. ③〖전〗〈속〉과도한 전류(電流)가 오는 경우 장치되어 있는 퓨즈가 녹아서 전로(電路)를 차단하게 되어 있는 스위치 장치. 안전기(安全器). ④연탄 아궁이의 연탄에 덮어 씌워 화기(火氣)를 방고래로 들여보내게 되어 있는 철판으로 된 기구.

〈두꺼비집❸〉

두꺼비-하늘소 [—쏘] 명〖충〗[*Plectrura metallica*] 하늘솟과에 속하는 곤충. 몸길이 9-12mm, 몸빛은 흑갈색(黑褐色)인데 칙칙한 황백색의 짧은 털이 온 몸을 덮고, 각 시초(翅鞘)에는 네 줄의 결절상(結節狀) 종늑선(縱肋線)이 있으며, 그 선상에 황색의 모여 난 털뭉치가 있음. 한국에도 분포함.

두꺼빗-과【—科】명〖동〗[Bufonidae] 무미류(無尾類)에 속하는 한 과.

두꺼우- 간 '두껍다'의 불규칙 어간. ¶~니/~면.

두껍 명〈방〉두겁.

두껍다 형ㅂ불 [중세:두텁다, 둗겁다] 두께가 크다. ¶책이 ~. ↔얇다·「엷다.

두껍-다랗다 [—라타] 형ㅎ불 생각보다 퍽 두껍다. ↔얄따랗다.

두껍-다리 명 골목 안의 도랑이나 시궁창에 걸쳐 놓은 이름 없는 작은 돌다리.

두껍-닫이 [—다지] 명〖건〗미닫이를 열 때 창짝이 들어가 가리게 된 빈 곳.

두껍닫이-자물쇠 [—다지—쐬] 명 자물쇠통 속에 좆대와 자물쇠청이 들어 있는 자물쇠.

두껍디-두껍다 형ㅂ불 몹시 두껍다. ↔얇디얇다.

두껍-미닫이 [—다지] 명〈방〉두껍닫이.

두껍-전【—傳】명〖책〗두꺼비가 주인공인 고전(古典) 소설의 통칭. 섬동지전(蟾同知傳) 따위.

두껍-창【—窓】명〖건〗☞ 두껍닫이.

두께 명 ①넓적한 물건의 운두. 두꺼운 정도. ¶손 ~/~를 재다. ②〖수〗한 면(面)과 그에 평행한 맞은면과의 사이의 너비. ③〈방〉뚜껑(충남).

두께-머리 명 ☞ 뚜께머리.

두께-버선 명 ☞ 뚜께버선.

두깨비 명〈방〉두꺼비.

두꾸 명〈방〉두께(전라·경남).

두꾸머리 명〈방〉①뗙둥구미. ②발뒤축(경기).

두:-끼 명 하루에 두 번 먹는 끼니. ¶하루에 ~만 먹다.

두끼비 명〈방〉두꺼비(경상).

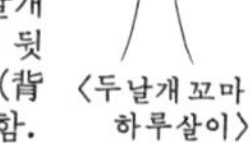

두:날개-꼬마하루살이 명〖충〗[*Cloeon dipterum*] 꼬마하루살잇과에 속하는 곤충. 몸길이 8-10mm, 앞날개는 8-10mm임. 몸빛은 황백색에 두부·흉부는 황갈색, 날개는 무색 투명하며 수컷의 전연(前緣)은 호박갈색이고, 뒷날개는 없음. 복부 제2-6절은 투명하며 각 절의 배면(背面) 각측(各側)에 갈색 세로띠가 있음. 한국에도 분포함.

〈두날개꼬마하루살이〉

두남【斗南】명 북두 칠성(北斗七星) 이남의 천지(天地). 곧, 온 천하를 이르는 말.

두남-두다 타 ①자기 마음에 드는 편만 힘을 써 주다. 편들다. ¶꼭 데리구 들어온 자식 두남두듯 속살루 은근히 두남두느라구 애를 부둥부둥 쓸 때가 많으니…《洪命憙:林巨正》. ②가엾게 여기어 도와 주다. 잘못을 용서하여 주고 도와 주다.

두남 일인【斗南一人】명 천하에 으뜸가는 현인(賢人).

두남-재【斗南才】명 천하에 으뜸가는 재주.

두낭【豆囊】명 체조 놀이 도구의 하나. 사방 30cm쯤의 질긴 포대(布袋)에 팥 따위를 넣은 물건.

두뇌【頭腦】명 ①뇌[4]. ②사물을 판단하는 슬기. ¶천재는 ~가 좋기만 한 것은 아니다. ③〖민〗풍수 지리에 있어서, 입수(入首)와 혈(穴)이 이루어진 곳에서 조금 높은 곳.

두뇌 유출【頭腦流出】명 과학자·기술자·의사 등 지식 수준이 높은 사람이 해외로 이주하는 현상.

두뇌 집단【頭腦集團】명 갖가지 영역의 전문가를 모아, 기초 연구나 응용 연구, 컨설팅 서비스 등에 응하는 조직체. 싱크탱크(think tank).

두뇌-형【頭腦型】명 〔라 cerebrotonia〕〖심〗셸던(Sheldon, W.H.)이 나눈 기질(氣質)의 한 형(型). 외배엽성(外胚葉性) 체형(體型)에서 볼 수 있는데, 자세나 동작이 어색하고 내향적(內向的)이며, 비사교적(非社交的)임. 고독(孤獨)을 즐기고 잠이 적으며, 신경이 과민하고 심리적 반응이 빠름.

두뇨【逗撓】명 적(敵)을 보고 두려워하여 피하고 나아가지 아니함. ——-하다 자여불

두:눈-박이 명 눈이 둘 달린 잣.

두:눈박이-반날개【—半—】명〖충〗[*Stenus alienus*] 반날갯과에 속하는 곤충. 몸길이 4mm 내외, 몸빛은 검으며 온몸에 큰 점각(點刻)이 있고, 각 시초(翅鞘) 중앙에는 황색의 작은 원형 무늬가 눈 모양으로 양쪽에 박혀 있음. 다리는 암적갈색, 촉각은 적갈색임. 논밭 등에 많이 모이는데, 한국·일본에 분포함.

두:닢-쌍대【—雙—】명〈심마니〉잎이 둘 난 산삼(山蔘).

두다 ㊀ 타 ①일정한 곳에 놓다. ¶쌀 가마를 창고에 ~/젖먹이를 두고 오다. ②일정한 시간이 미치는 동안을 있게 하다. ¶사흘을 두고 싸웠다. ③관계되는 사람을 머무르게 하다. 자기가 데리고 있거나 자기 집에 있게 하다. ¶식모를 ~/비서를 ~/그런 사람을 집에 두다니. ④간격이 생기게 하다. ¶휴전선에 10리의 비무장 지대를 ~. ⑤마음 속에 넣어 간직하다. ¶마음에 ~. ⑥마음을 어떤 대상물(對象物)에 쏟아 넣다. ¶정을 ~. ⑦수결(手決)을 쓰다. ¶도장 대신으로 수결을 ~. ⑧바둑이나 장기를 놀다. ⑨설치(設置)하다. ¶내무부에 지방국을 ~. ⑩밥이나 떡을 만드는 데 그 주장되는 재료 외에 다른 것을 섞다. ¶밥에 팥을 ~. ⑪솜을 넣다. ¶이불에 솜을 ~. ⑫남기다. ¶그만 먹고 두었다가 먹어라. ⑬대상(對象)으로 하다. ¶그 문제를 두고 한 시간이나 논쟁하다. ⑭버리다. ¶자식을 두고 개가하다/두고 온 산하(山河). ⑮그 상태를 보아 넘기다. ¶그냥 두지 않겠다/까불면 가만 안 둔다/한 번만 더 두고 보자. ㊁ 보동 타동사의 어미 '-아'나 '-어'의 아래에 붙어, 그 동작의 결과를 그대로 지니어 감을 뜻하는 말. ¶잘 보아 두어라/맛은 없으나 그냥 먹어 ~.

-두다 어미〈옛〉-구나. =-도다. ¶風雩에 춤처 오ᄂᆞᆫ돗 ᄒᆞ두다(若舞風雩至)《重杜諺 Ⅵ:21》/西窓을 여러ᄒᆞ니 桃花 發ᄒᆞ두다《樂詞 滿殿春》.

두다리다 타〈방〉두드리다.

두단-금【頭端錦】명〖건〗뻴목에 그린 단청(丹青). 머리끝금.

두담【斗膽】명 매우 큰 쓸개.

두당【杜堂】명〖사람〗전기(田琦)의 호(號).

두:대-박이 명 두 개의 돛대를 세운 배.

두더기 명〈방〉①누더기(전남·경상). ②두더지(충남).

두더리기 명〈방〉두드러기(경남).

두더쥐 명〈방〉두더지(충남).

두더지 명〖동〗①두더짓과에 속하는 포유 동물의 총칭. ②[*Talpa micrura coreana*] 두더짓과에 속하는 동물. 쥐와 비슷하나 좀 커서 길이 9-18cm, 꼬리 1-3cm이고, 앞뒤 다리는 짧으나 발바닥이 특별히 넓고 커서 삽 모양이며 발가락은 다섯 개씩임. 주둥이는 몹시 뾰족하여 땅 속에서 굴을 파기에 적합함. 몸빛은 암갈색 내지 흑갈색에 머리와 하면은 대(帶)황색이며 털은 비단같이 부드러워서 모물(毛物)로 사용됨. 볕이 쬐는 곳에서는 견디지 못하며, 눈은 몹시 작고 작용이 없을 정도인데, 귀와 코는 예민하여 외적을 피할 수 있음. 주로 땅 속에 굴을 파고 사는데 뚫은 굴로 밤에 다니며 지렁이·개구리·거미 또는 곤충을 잡아먹음. 5-6월에 낙엽 등으로 집을 짓고 2-5마리의 새끼를 낳음.

논두렁을 뚫어 물을 새게 하고 밭 밑을 파서 곡식의 뿌리를 헤쳐서 농작물에 큰 해가 됨. 한국의 특산종임. 언서(鼴鼠). 전서(田鼠). 【두더지 혼인】 ㉠훌륭한 상대와 혼인하려고 고르던 끝에, 결국 동류(同類)끼리 짝을 이루게 된다는 옛날 이야기. ㉡자기의 분수를 헤아리지 아니하고 엉뚱한 희망을 가짐을 비유하는 말.

〈두더지❷〉

두더지-소금 명 〖한의〗 두더지의 내장(內臟)을 빼고, 그 속에 넣어서 불에 구웠다가 꺼낸 소금. 너리 먹는 병에 이 소금으로 이를 닦아서 고침. 약소금.

두더짓-과 【一科】 명 〖동〗 [Talpidae] 식충목(食蟲目)에 속(屬)하는 한 과(科). 몸과 주둥이가 원통상(圓筒狀)인데 몸은 비중(肥重)하고 주둥이는 뾰족함. 눈은 작고 피막으로 덮였으며 외이(外耳)는 없음. 땅 속 생활을 하는 종류는 특히 앞발이 잘 발달하였으며 작은 동물을 포식함. 한국에는 두더지·큰두더지 등이 있는데, 중국 동북부·일본 및 전 세계의 북부 온대 지방에 30여 종이 분포함.

두덕 명 〈방〉 ①둔덕. ②누더기(강원·경북).

두덕-두덕 부 〈방〉 누덕누덕.

두덕지 명 〈방〉 누더기(전라). 「부(阜)《字會 上 3》.

두던 명 〈옛〉 두덩. 둔덕. ¶ 두던 구(丘), 두던 원(原), 두던 고(皐), 두던

두덜-거리다 자 혼잣말로 불평하다. ㅆ투덜거리다. ㅉ투덜거리다. 두덜-두덜 부. ——-하다 자여불

두덜-대다 자 두덜거리다.

두덩 명 우묵하게 빠진 땅의 가장자리로 두두룩한 곳. ¶ 논~.

두덩-톱 명 톱양이 짧고 배가 둥글게 생긴 톱. 널빤지에 홈을 팔 때에 쓰임. 「북). ③포대기(전남).

두데기 명 〈방〉 ①두더지(경북·충청·강원). ②기저귀. 누더기(충남·경

두데지 명 〈방〉 두더지(전남).

두:덴 〔Duden, Konrad〕 명 〖사람〗 독일의 언어학자. 1880년에 편찬한 《독일어 정서(正書) 사전》은 현재 《대(大)두덴》의 이름으로 독일어의 철자(綴字) 통일의 권위 있는 규범서가 되어 있음. [1829-1911]

두도-구 【頭道溝】 명 〖지〗 '통화(通化)'의 별칭.

두:도막 형식 【一形式】 명 〖악〗 〔binary form〕 한 개의 곡(曲)이 두 개의 부분으로 이루어지는 형식. 기초 형식으로서의 이 부분 형식은 두 개의 큰악절로 이루어지는 보통 16마디의 구조(構造)임. 제일부와 제이부가 같은 것과 다른 것이 있음. 이부분 형식(二部分形式).

두독¹ 【痘毒】 명 두창(痘瘡)을 일으키는 독.

두독² 【蠹毒】 명 남에게 해독을 끼침. 또, 그 해독. ——-하다 자여불

두-독아 【豆毒蛾】 명 〖충〗 콩독나방.

두돈 【斗頓】 명 →두둔. ——-하다 타여불

두:동가리-돔 명 〖어〗 [*Heniochus acuminatus*] 나비고깃과에 속하는 바닷물고기. 몸은 길이 약 18cm로 마름모꼴에 가깝고 체고가 심히 높고 측편하며 등의 능선은 삼각형임. 몸빛은 청색을 띤 백색 바탕에 체측에 두 줄의 폭넓은 흑갈색 띠가 있음. 한국 남부 근해·남일본·동남 중국해·대만·아프리카 동안에서 하와이까지에 분포함. 수족관(水族館)의 관상어로 적합함.

〈두동가리돔〉

두:동갈-얼게비늘 명 〖어〗 [*Apogon taeniatus*] 동갈돔과에 속하는 바닷물고기. 몸에 폭이 넓은 두 개의 가로띠가 있는데 하나는 제1 등지느러미 밑에, 또 하나는 제2 등지느러미 밑에 있음. 한국 남해·일본·중국·필리핀·동인도 제도·인도·홍해 등에 분포함.

두:동-그르다 형 〈방〉 두동지다.

두:동-무니 명 윷놀이에서, 두 동이 한데 어울러 가는 말. 두동사니.

두:동-사니 명 두동무니.

두:동-싸다 형 〈방〉 두동지다.

두:동-지다 형 앞뒤가 서로 모순이 되어 맞지 아니하다. ¶ 이방이 두동지게 대답한즉 선돌의 입가에 싸늘한 웃음이 지나갔다《金周榮 : 客主》.

두동 치활 【頭童齒闊】 명 머리털이 무이고 이가 빠져 성겨진 늙은이가 L됨.

두돼지 명 〈방〉 두더지(함경).

두:-두 감 돼지를 연해 몰아 쫓는 소리.

두두기 명 〈방〉 ①포대기(함경). ②기저귀(경북). ③두더지(경기).

두두래이 명 〈방〉 두드러기(경북).

두두러기 명 〈방〉 두드러기(전남).

두두룩 명 〈방〉 두드러기(전남). 「룩도도룩. ——-하다 형여불

두두룩-두두룩 부 여러 개가 모두 두두룩한 모양. ㊌두둑두둑. >도도

두두룩-이 부 두두룩하게. ¶ 고깃값이 좋아 ~ 벌었다 해도 마찬가지다 《洪性裕 : 사랑과 죽음의 세월》. ㊌두둑이. >도도록이.

두두룩-하다 형여불 가운데가 솟아서 불룩하거나 수북하다. ¶ 지갑이 ~. ㊌두둑하다. >도도록하다. 「時)《杜諺 I:4》.

두두륵ᄒ다 형 〈옛〉 두두룩하다. ¶ 두두륵ᄒᆞᆫ 鄽畤ᄅᆞᆯ ᄇᆞ라오니(坡陁望鄽

두두 물물 【頭頭物物】 명 모든 종류의 여러 가지. 가지가지.

두두지 명 〈방〉 두더지(강원).

두둑 명 〔중세 : 두듥〕 ①밭가의 지경을 이루어 두두룩한 곳. ②논이나 밭을 갈아 골을 타서 만든 우뚝한 바닥. 물갈이에는 두 거웃이 한 두둑, 마른갈이나 밭에서는 네 거웃이 한 두둑이 됨.

두둑-두둑 부 ↗두두룩두두룩. >도독도독. ——-하다 형여불

두둑-이 부 ↗두두룩이. >도독이.

두둑-하다 형여불 ①매우 두껍다. ¶ 두둑한 돈 다발/배짱이 ~. ②↗두두룩하다. 1)·2): >도독하다. ③넉넉하다. 풍부하다. ¶ 주머니가 ~/돈은 두둑하니 마음 놓고 먹게.

두둔 명 〔←두돈(斗頓)〕 편들어 덮어줌. ¶ 약한 편을 ~하다/제 아이만 ~하다. ——-하다 형여불

두둥게-둥실 부 아주 가볍게 떠오르는 모양. 또, 떠가는 모양. 두둥둥

두둥다리 명 〈방〉 두루마기(함남). L실.

두-둥둥 부 북이나 장구를 연해 쳐서 나는 소리. ¶ 북소리가 ~ 나다.

두둥-둥실 부 두둥게둥실. ¶ 수평선에서 ~ 떠오르는 아침 해.

두-둥실 부 물 위나 공중에 배나 달 등이 번듯이 떠오르거나 떠 있는 모양. ¶ ~ 떠오르는 쟁반 같은 둥근 달/~ 떠 가는 무심한 저 구름아. >

두드래기 명 〈방〉 두드러기(경상). L더덩실.

두드러기 명 약이나 음식의 중독으로 생기는 급성(急性) 피부병의 하나. 피부가 붉거나 희게 부르트며 몹시 가려움. 심마진(蕁麻疹). 은진(癮疹).

두드러기-은행게 【一銀杏一】 명 〖동〗 [*Cancer gibbosulus*] 은행겟과에 속하는 게의 하나. 두흉갑은 부채 모양인데 길이 25 mm, 폭 34 mm 내외임. 배갑(背甲)과 집게발의 표면에 짧은 털이 있고 보각(步脚)에는 긴 털이 났으며 배갑의 앞쪽 가장자리에는 아홉 개의 톱니가 있음. 황해에 면한 한국·중국 및 일본의 연안에 분포함. 뿔불거지.

〈두드러기은행게〉

두드러-지다¹ ㊀ 형 드러나서 뚜렷하다. ¶ 두드러지게 잘난 사람. >도드라지다㊀. ㊁ 자 두두룩하게 내밀다. ¶ 유난히 두드러진 배. >도드라지다㊁.

두드러-지다² 형 ①떳떳하다. 당연하다. ¶ 그게 무슨 두드러진 일이라고 그렇게 뻐기느냐. ②성질이 원만하지 못하다. 모나다.

두드럭 명 〈방〉 두드러기(전라).

두드럭-고둥 명 〖조개〗 [*Purpura bronni*] 뿔소라과에 속하는 조개. 몸은 짧은 방추형(紡錘形)으로 높이 60 mm, 직경 40 mm 내외, 입은 달걀꼴이며, 나층(螺層)은 5개 내외임. 패각(貝殼) 표면은 대황백색에 갈색 반문이 있으며 주걱 모양의 돌기(突起)가 많음. 4-8월에 산란하며 해안 암초에 사는데, 한국·일본 등지에 분포함. 식용 굴의 양식(養殖)에 큰 해를 끼침. *꼬마두드럭고둥.

두드럭-메뚜기 명 〖충〗 [*Trilophidia annulata*] 메뚜깃과에 속하는 곤충. 몸길이 30-60 mm이며, 몸빛은 회색이나 암색이고 사마귀 같은 것이 몇 개 뾰족하게 나와 있음. 촉각에는 검은 테가 감기었고, 앞날개의 뒤 끝은 몸보다 길며 날개 바탕에는 흑갈색 무늬가 흩어져 있고 뒷넓적다리에는 검은 무늬가 있음. 한국 각지에 널리 분포함.

두드럭-조개 명 〖조개〗 [*Lamprotula coreana*] 석패과(石貝科)에 속하는 조개의 하나. 패각(貝殼)은 높이 70 mm, 길이 82 mm 내외로 둥근 편이며, 두껍고 단단함. 각표(殼表)는 황색 바탕에 흑갈색을 띠며 돌기가 각표 전면에 분포함. 각정(殼頂)이 7 mm를 넘는 것이 있으며, 단추나 양식 진주(養殖眞珠)의 핵(核)으로 사용하기도 함. 서울 부근의 한강, 금강(錦江) 상류에 분포함.

두드럭-총알고둥 【一銃一】 명 〖조개〗 [*Littoraria intermedia*] 총알고둥과에 속하는 고둥의 하나. 몸은 경단(瓊團)만한데, 패각의 지름 12 mm, 높이 18 mm 내외의 달걀꼴임. 입은 짧은 달걀꼴이고 나층(螺層)은 약 7개, 나탑(螺塔)은 높은 원추형, 각표(殼表)에는 거친 나맥(螺脈)이 있고 담황색 바탕에 적갈색의 반점이 있음. 난해(暖海)의 간조선 부근의 바다에 서식하는데, 한국·일본에 분포함. 애기메추리경단고둥. *총알고둥.

두드레 명 〈옛〉 차꼬. ¶ 杻械ᄂᆞᆫ 두드레라《楞嚴 Ⅷ:57》/갈 ᄒᆞᆯ 믜오 두드레 ᄉᆞ랑호미오(憎枷愛杻也)《永嘉 下 121》.

두드려-맞다 자 두들겨맞다.

두드려-패다 자 두들겨패다. 「~. ㅆ뚜드리다.

두드리다 타 여러 번 때리다. 자꾸 툭툭 치다. ¶ 문을 ~/등을 가볍게

두드림-무늬 [一니] 명 〖고고학〗 토기의 몸통을 다지거나 부풀리기 위하여 안쪽에 판을 대고 두들개로 두드릴 때, 두들개에 새겨진 무늬에 의해 나타나는 무늬. 김해식(金海式) 토기나 삼국 시대, 특히 백제 토기에서 흔히 볼 수 있는데, 종류로는 꼰무늬, 문살무늬 등이 있음. 타날문

두득 명 〈방〉 두둑. L(打捺文).

두들 명 〈옛〉 두둑. 둔덕. =두듥. ¶ 두듨 읏 뷘 ᄆᆞᄋᆞᆯ핸(岸上空村)《重杜諺 I:44》.

두들-개 명 〖고고학〗 토기를 만들 때, 바탕흙을 두드려 단단하게 해주는 연장. 손잡이가 달린 펀펀한 나무 판으로 되어 있고 여기에 갖가지 무늬가 새겨져 있어 두드릴 때 토기 겉면에 무늬를 내기도 함. 토기방망이. 박자❸. 「다(到林丘)《杜諺 Ⅸ:12》.

두들게 〈옛〉 두둑에. 둔덕에. '두듥'의 처격형. ¶ 수픐 두들게 니르러 오

두들겨-맞다 자 ①매를 되게 얻어맞다. ②비판이나 비평을 세게 맞다. 두드려맞다.

두들겨-패다 자 세게 마구 때리다. 두드려패다.

두들그로 〈옛〉 두둑으로. '두듥'의 향진격형. ¶ 건너ᄂᆞᆫ 이픈 그츤 두들그로 ᄂᆞ려 가놋다(渡口下絕岸)《杜諺 I:28》. 「아니라《月釋 Ⅱ:76》.

두들기 〈옛〉 두둑이. 둔덕이. '두듥'의 주격형(主格形). ¶ 두들기 뵈히

두들기다 타 〔중세 : 두드리다〕 함부로 마구 두드리다. 함부로 쳐서 때리다. ¶ 두들겨 맞다/늘씬하게 ~. ㅆ뚜들기다.

두듥 명 〈옛〉 두둑. 둔덕. =두들. ¶ 가난ᄒᆞᆫ 사ᄂᆞᆫ 짜히 村ㅅ 두듥 곧ᄒᆞ니(貧居類村塢)《杜諺:XXII:4》/두듥 파(坡)《字會 上 3》.

두등 【頭等】 명 첫째 가는 등급. 제일 등.

두디기 명 〈방〉 ①누더기. 기저귀(경상). ②〖동〗 두더지. ③두드러기(충 L남).

두디러기 명 〈방〉 두드러기(경상).

두디리기 명 〈방〉 두드러기(전북·경상).

두디쥐 명 〈옛〉 두더지. ¶ 두디쥐 분(鼢)《字會 上 19》.

두라 유:로포스 유적【一遺跡】〔Dura Europos〕[명]〖지〗시리아 동부, 유프라테스 강 우안(右岸)에 있는 도시 유적. 기원전 300년경 셀레우코스 왕조(Seleukos王朝)가 처음 베풀어 기원전 2세기 후반에서 기원후 2세기경까지 파르티아(Parthia) 치하(治下)에서 동서 교역의 요지로 번성함. 사막 지대에 있기 때문에 잘 보존된 유물이 다수 출토되고 그리스식 건축과 동양식 신전 등의 건축 유구(建築遺構) 등이 많이 발견됨.
두락【斗落】[의명] 마지기².
-두락 [어미]〈방〉-도록.
두락기【斗落只】[의명]〈이두〉두락(斗落).
두란【杜蘭】[명]〖식〗목련(木蓮)의 딴이름.
두랄루민〔duralumin〕[명]〖화〗알루미늄에 구리 3.5-4.5%, 망간 0.5-1.0%, 마그네슘 0.5-1.0%를 가하여 만든 가벼운 합금(合金). 비중 2.8. 기계적인 성질이 우수하며, 열처리에 의하여 그 성질을 개선(改善)할 수 있어, 비행기·자동차·건축 기타의 강력 구조재로 널리 사용됨. 1903-1909년 독일의 야금학자(冶金學者) 빌름(Wilm, A.)이 발명함.
두량【斗量】[명] ①되나 말로 곡식을 되어서 셈. 또, 그 분량. 곡량(斛量). ②어떤 일을 두루 헤아리어 처리함. ¶ 살림 ~을 잘하다/"일부 종사했더라면 이녁같이 모양 좋고 짭짤하고 구석구석이 찾아서 ~하는 남정네는 못 만났지요"《金周榮: 客主》. ——-하다 [타][여불]
두량미지-정【豆良彌知停】[명]〖역〗신라 육기정(六畿停)의 하나. 서기정(西畿停).
두량-패【斗量牌】[명]〖역〗말감고들이 직권을 행사하기 위해서 갖고 있던 증표(證票).
두러메다 [타]〈옛〉둘러메다. ¶ 簞瓢를 두러메고 낫대를 두러메니《永言》.
두러스〔Durrës〕[명]〖지〗알바니아의 서부, 아드리아(Adria) 해안에 있는 항구 도시. 1912-21년 사이의 이 나라 수도였으며, 기원전 7세기에 그리스의 식민지로 건설됨. 상공업이 중심으로, 조선(造船)·제분·담배 공업이 행하여짐. [66,000명(1981)]
두럭¹ [명] ①놀기도 하고 또 노름하느라고 여러 사람이 모인 떼. ②여러 집이 한데 모인 집단. ③〈방〉둥우리.
두럭² [명]〈방〉①두렁. ②이랑(강원·전북).
두런-거리다 [자] 여러 사람이 둘러 모여 나직한 소리로 수선스럽게, 혹은 정답게 이야기하다. ¶ 여러 사람 중에는 공연히 두런거리는 사람도 있고 두런거리지 말라고 쉬쉬하는 사람도 있었다《洪命憙: 林巨正》. >도란거리다. 두런-두런 [부]. ——-하다 [자][여불]
두런-대다 [자] 두런거리다.
두럼 [명]〈방〉두름(전남·경상).
두렁 [명] 논이나 밭의 가장자리로, 작게 쌓여진 둑이나 언덕. ¶ 논~/밭~. [두렁에 누운 소] 아무 할 일 없이 편하여 팔자가 좋다는 말. [두렁에 든 소] 어디를 가든지 먹을 것이 많은 사람을 일컫는 말.
두렁-뚜리 [명]〈방〉〖어〗두렁허리.
두렁-쇠 [명] 농사꾼으로서 풍물을 잡아 농악을 연주하는 사람.
두렁이¹ [명] 어린아이의 배와 아랫도리를 둘러 주는, 치마같이 만든 옷. 겹 또는 솜을 두어서 만듦.
두렁이² [명]〈방〉〖어〗두렁허리.
두렁-치기 [명]〈방〉〖어〗두렁허리.
두렁-치마 [명]〈방〉두렁이¹.
두렁-허리 [명]〖어〗[*Fluta alba*] 두렁허릿과에 속하는 민물고기. 몸은 길이 40cm 내외의 원통형(圓筒形)으로 뱀처럼 가늘고 길며 조금 측편하고 꼬리 끝이 뾰족함. 머리는 조금 넓적하나 선단(先端)이 뾰족하여 원추형을 이루는데, 눈은 작고 배지느러미와 가슴지느러미가 없음. 몸은 평활하여 비늘이 없고, 몸빛은 적황색 바탕에 암갈색 반점이 산재하고 배쪽은 백색 바탕에 회갈색 무늬가 있음. 아시아 일대의 하천어(河川魚)로서 무논·도랑·연못 등에 서식하는데, 한국 서남방 전역 및 일본·중국·대만 등지에 분포함. 특히, 중국 요리에 쓰임. 논두렁의 허리를 뚫어 놓으므로 이 이름이 붙었음. 사선(蛇鱓). 선어(鱔魚).

〈두렁허리〉

두렁허리-목【一目】[명]〖어〗[Symbranchida] 경골어류(硬骨魚類) 조기아강(條鰭亞綱)에 속하는 한 목(目). 두렁허릿과가 이에 속함.
두렁허릿-과【一科】[명]〖어〗[Flutidae] 두렁허리목(目)에 속하는 한 과. 두렁허리가 이에 속함.
두레¹ [명]〖농〗①농사꾼들이 농번기에 공동으로 협력하기 위하여 이룬 부락이나 마을 단위의 모임. ②두렛일을 하면서 흥을 돋우거나 일을 진척시키기 위해 하는 전형적인 농악(農樂). ¶ ~를 놀다.
　두레(를) 먹다 [구] ㉠여러 사람이 둘러앉아서 먹다. ㉡음식을 장만하고 농군들이 모이어서 놀다.
두레² [명]〖농〗논에 물을 퍼붓는 나무로 만든 기구. 단단한 판자로 밑바닥은 좁고 위로 넓게 퍼지어 두서너 말 들게 되처럼 만들어, 네 귀에 줄을 달아서 두 사람이 얕은 데서 언덕진 높은 곳에 물을 퍼댐.
두레³ [명]〈옛〉둘레. ¶ 淮王의 術을 得고져 호니 ᄇᆞᄅᆞ미 부니 두레 ᄒᆞ마 나ᄂᆞ다(欲得淮王術風吹暈已生)《杜諺 XII:6》.
두레-굿 [명]〖민〗농사철에 두렛일로 김맬 때 따위에 하는 농악놀이.
두레 길쌈 [명]〖민〗주로 중부 이남에서, 7월에서 8월에 걸쳐, 밤에 부락의 부녀자들이 한 곳에 모여 공동으로 길쌈을 하는 일. *모시두레·돌개삼.
두레-꾼 [명]〖농〗두레에 참가한 농군.
두레 농사【一農事】[명]〖농〗①두레로 하는 농사. ②두렛일.
두레미 [명]〈방〉두름(충남).
두레-박 [명] 줄을 길게 매어 우물물을 긷는 기구. 바가지나 판자 또는 양철로 만듦.
두레박-줄 [명] 두레박에 맨 줄.
두레박-질 [명] 두레박으로 물을 긷는 일. ——-하다 [자][여불]
두레박-틀 [명] 우물가에 기둥을 세우고 그 위에 긴 나무를 가로질러, 한 끝에는 돌을 매달고 다른 한 끝에는 두레박을 매달아서 물을 퍼 올릴 때, 돌이 내려가는 힘으로 두레박 올리기에 힘이 덜 들게 하는 장치. 길고(桔槹).
두레-반【一盤】[명] ☞두리반(盤).
두레-반상【一盤床】[명] ☞두리반(盤).
두레-삼 [명]〖민〗음력 7월 보름부터, 각 부락의 부녀자들이 매일 저녁 차례로 집을 옮겨가며 두레를 이루어 하는 길쌈.
두레-상【一床】[명] 여러 사람이 둘러앉아 먹을 수 있게 만든 큰 상. *두리반.
두레 우물 [명] 두레박으로 물을 긷는 깊은 우물. ↔박우물.
두레-질 [명]〖농〗두레로 물을 푸는 일. ——-하다 [자][여불]
두레-패【一牌】[명] ①두렛일을 하기 위해 만든 조직체. 또, 그 사람들. ②두레를 노는 사람들의 무리.
두렛-거리다 [자]〈방〉두리번거리다(충청). 두렛-두렛 [부]. ——-하다 [자]
두렛-날 [명]〖농〗두레로 일을 하는 날. 두렛일을 하는 날.
두렛-논 [명]〖농〗두레로 일을 하는 논.
두렛-일 [一닐] [명]〖농〗여러 사람이 두레를 짜 가지고 협력하여 하는 농사일. 두레 농사.
두렝이 [명]〈방〉①두렁이¹. ②두루마기(함남).
두려디 [부]〈옛〉둥글게. ¶ 나ᅀᅡ며 므르며 두려디 돌며 모 것거도로매(進退周旋)《內訓 I:49》.
두려-빠지다 [자] 한 곳이 온통 널리 빠져 나가다. >도려빠지다.
두려-빼다 [타] 성(城)이나 적진(敵陣) 등을 두려 빠지게 공략(攻略)하다.
두려빙 [부]〈옛〉두렷이. 온전히. =두려이. ¶ 覺이 두려빙 ᄇᆞᆯ가 너비 다 비취실씨 正覺이라《月釋 Ⅷ·41》.
두려우- [간] '두렵다'의 불규칙 어간. ¶ ~니/~며.
두려운 [형]〈옛〉둥근. '두렵다²'의 활용형. ¶ 두려운 蓮은 효근 니피 ᄠᅥ고(圓荷浮小葉)《初杜諺 Ⅶ:5》.
두려움 [명] 두려운 느낌.
두려워 [형]〈옛〉둥글어. '두렵다²'의 활용형. ¶ 隨햇 ᄃᆞ리 사ᄅᆞᄆᆞᆯ 向ᄒᆞ야 두려웻도다(隨月向人圓)《杜諺 IX:24》.
두려워-하다 [타][여불] ①두려운 마음을 느끼다. 겁을 내다. ②공경하고 어려워하다. ¶ 신(神)을 두려워하지 않는 행위.
두려이 [부]〈옛〉두렷이. 온전히. 둥글게. =두려빙. ¶ 如來ㅅ 우 업슨 知見을 두려이 알에 ᄒᆞ쇼셔(圓悟如來無上知見)《圓覺 下 一之一 8》.
두렫다 [형]〈옛〉둥글다. =두렵다²·두렷다. ¶ 두렫 원(圓)《石千 35》.
두렫ᄒᆞ다 [형]〈옛〉둥글다. ¶ 두렫ᄒᆞᆯ 단(團)《類合 下 51》.
두렵다¹ [형][ㅂ불]〔중세: 두립다〕①마음에 꺼리어 무섭다. 겁이 나다. ¶ 잘못이 탄로 날까 ~. ②위풍이 있고 위엄이 있어 송구한 마음이 있다. 무서운 마음이 있다. 어렵다. ¶ 두려워서 고개를 못 들었다. ③염려스럽다. ¶ 그 아이의 장래가 ~.
두렵다² [형]〈옛〉둥글다. 온전하다. =두렫다·두리ᇦ다. ¶ ᄂᆞ치 두렵고 조호미 보ᄅᆞᆷᄃᆞᆯ ᄀᆞᄐᆞ시며《月釋 Ⅱ:56》.
두려ᇦ다 [형]〈옛〉둥글다. 온전하다. =두렵다². ¶ 圓은 두려ᄫᅳᆯ 씨오《月釋 Ⅱ:53》/조ᄒᆞᆫ ᄃᆞ리 두려ᄫᅥ 이즌 ᄃᆡ 업수미 ᄀᆞᆮ건마ᄅᆞᆫ《月釋 X:21》.
두렷다 [형]〈옛〉둥글다. =두렫다. ¶ ᄉᆞ랑이 엇더터니 두렷더냐 넙엿더냐《古時調》.
두렷-두렷 [부] ①여럿이 다 두렷한 모양. ②매우 두렷한 모양. 1)·2): ㅆ뚜렷뚜렷. >도렷도렷. ——-하다 [형][여불]
두렷-이 [부] 두렷하게. ¶ 그날부터 황은률의 생각이 나지마는 재상가 댁 부인이요, 남편이 ~ 있는 터에 어찌 생의나하여 볼 수가 있으리요《李海朝: 鬢上雪》. ㅆ뚜렷이. >도렷이.
두렷-하다 [형][여불] 엉클어지거나 흐리지 아니하고 똑똑하여 분명하다. ¶ 두렷한 존재. ㅆ뚜렷하다. >도렷하다.
두령【頭領】[명] 여러 사람을 거느리는 우두머리가 되는 사람. 두목(頭目).
두로¹【頭顱】[명]〖생〗①두개(頭蓋). ②두정골(頭頂骨). ③노정골(顱頂骨).
두로² [부]〈방〉두루².
두로-봉【頭老峰】[명]〖지〗강원도 강릉시(江陵市)·평창군(平昌郡)·양양군(襄陽郡) 군계(郡界)에 있는 산. 오대산의 한 봉우리. [1,422m]
두로 이:판【頭顱已判】[명] 늙어서 앞으로 희망이 거의 없음.
두록¹【斗祿】[명]〖역〗적은 녹봉.
두록²【巴豆】[조]〈이두〉까지.
두록-저:지〔Duroc-Jersey〕[명]〖동〗〔두록저지는 사육자가 갖고 있던 말의 이름이라고 함〕돼지의 한 품종. 미국 뉴욕 주(州)를 중심으로 1880년경에 개량한 것. 털빛은 적색 또는 암적색인데, 귀가 앞으로 늘어졌음. 몸무게는 평균 수컷이 270kg, 암컷이 230kg이며, 체질이 매우 강건(強健)하고 빨리 자람.
두룡-봉【頭龍峰】[명]〖지〗①평안 북도 강계군(江界郡)에 있는 산. 강남산맥 첫머리 부분에 속함. [1,173m] ②강원도 이천군(伊川郡) 이천면(伊川面)에 있는 산. [550m]
두루¹ [명]〈방〉들¹(함경).
두루² [부] 빠짐없이 골고루. ¶ ~ 찾아 봐라/~ 봐 주시오/~ 살피다.
두루-거리 [명]〈방〉①두리기. ②두루치기¹.
두루걷다 [자]〈옛〉배회(徘徊)하다. ¶ 두루거를 배(徘), 두루거를 회(徊)《類合 下 36》.
두루다¹ [타]〈옛〉두르다. 휘두르다. 번롱(翻弄)하다. ¶ 孔明이 웃고 너로 뵈 子敬은 나를 엿지 두루ᄂᆞ니《三譯 Ⅴ:19》.
두루다² [타]〈옛〉두르다. 둘러막다. ¶ 주검 相이 一定ᄒᆞ야 어버ᅀᅵ며 아ᅀᆞ미며 버디며 아로리며 두루에 ᄒᆞ야셔《釋譜 IX:30》.
두루-두루 [부] '두루'를 강조한 말. ¶ ~ 살펴 봐도 없습니다.
두루ᄃᆞᆫ니다 [자]〈옛〉돌아다니다. ¶ 두루ᄃᆞᆫ닐 순(巡)《類合 下 37》.

두루-마기 명 외투처럼 길게 생긴 것으로, 주로 예복 또는 외출할 때에 겉옷 위에 입는 한국 특유의 웃옷의 한 가지. 솜두루마기·겹두루마기·홑두루마기·박이두루마기 등의 구별이 있는데, 남자는 철을 찾아 바꾸어 가며 사철 입으나, 여자는 추울 때만 입는 것이 보통임. 주의(周衣). 주차의(周遮衣). 취음:주막의(周莫衣).

〈두루마기〉

두루-마리 명 ①종이를 가로 길게 이어서 둥글게 돌돌 만 물건. 주지(周紙). ¶ ~ 화장지/~의 그림을 펴다. ②윤전기 따위에 쓰는, 둥글게 이어 만 종이. 한 뭉치에서 신문지가 25,000 장이 나옴. 웨브(web).

두루마리-개판【—蓋板】 명 좌우 양끝이 번쩍 들려, 마치 두루마리를 편 것 같은, 경상(經床)의 반면(盤面)을 이루는 널.

두루마리-구름 명 〈속〉 권운(卷雲).

두루-마지 명 〈방〉 두루마리.

두루막 명 〈방〉 두루마기(경상·강원·제주).

두루-매기 명 〈방〉 두루마기(제주·전라·충청·경상·경기·함경).

두루맹이 명 〈방〉 두루마기(경상).

두루메기 명 〈방〉 두루마기(전남·경상).

두루멩이 명 〈방〉 두루마기(경남).

두루-뭉수리 명 ①어떤 일이나 형체가 꼭 이루어지지 못하고, 함부로 뭉쳐진 사물. ¶ "산 사람은 다 살게 마련입니다. 너무 걱정 마십시오." 하고 ~로 상회를 위로했다《朴榮濬:颱風地帶》. ㉳뭉수리. ②변변치 못한 사람을 조롱하는 말.

두루뭉술-하다 형여불 ①모나지도 않고 아주 둥글지도 않게 그저 둥그스름하다. ②언행·성격 따위가 이것도 저것도 아니게 또렷하지 않다.

두루믜나싀 명 〈옛〉 두루미냉이. ¶ 두루믜나싀(葶藶)《救簡 Ⅲ:75》.

두루미 명 〔조〕 ①두루밋과에 속하는 섭금류(涉禽類)의 총칭. ②[*Grus japonensis*] 두루밋과에 속하는 새. 날개 길이 62-66 cm, 부리 15-17 cm이고, 몸빛은 거의 순백색에 두정(頭頂)에는 붉은 나출부(裸出部)가 있는데 이것을 '단정(丹頂)'이라고 함. 이마와 눈 앞은 흑색, 목에서 목덜미에 걸치어 암회색(暗灰色)이고, 흑색 넓은 띠가 길게 있음. 꽁지는 짧고 백색이나 앉으면 날개의 흑색 부분에 덮이어 흑색처럼 보임. 부리는 감람색, 다리는 회색임. 6월경에 담황갈색의 알을 두 개 낳음. 연못·냇가·초원에 서식하며, 곤충·미꾸라지·미나리 등을 먹음. 수명(壽命)은 1,000 년이라고 하나, 실제는 40-50년에 불과함. 동부 아시아의 특산으로 우수리·중국의 동북부 등지에서 번식하고 한국·중국·일본에서 월동함. 천연 기념물로서 보호조임. 학(鶴). 백학(白鶴). 선금(仙禽). 선학(仙鶴). 야학(野鶴). 태금(胎禽). 단정학(丹頂鶴). 백두루미.

〈두루미❷〉

두루미 꽁지 같다 구 수염이 짧게 많이 나서 더부룩한 것을 비유하는 말.

두루미-꽃 명 〔식〕 [*Majanthemum bifolium*] 백합과에 속하는 다년초. 줄기의 높이 25 cm 가량, 잎은 두세 개가 호생(互生)하는데, 장병(長柄)이며 심장형임. 5-6월에 작은 백색 사판화(四瓣花)가 이삭 모양의 총상(總狀) 화서로 피고 구형(球形)의 장과(漿果)는 붉게 익음. 높은 산의 침엽수림 밑에 나는데, 한국 각지에 분포함.

〈두루미꽃〉

두루미-냉이 명 〔식〕 [*Stachys sieboldii*] 꿀풀과에 속하는 다년초. 줄기의 높이 60 cm 가량, 대생하는 잎은 긴 타원형을 이루며 유병(有柄)에 톱니가 있음. 잎과 줄기에 잔털이 있음. 꽃은 수상(穗狀)이며 정생(頂生)하여 홍자색으로 가을에 핌. 근경(根莖)은 작은 감자 모양의 흰 괴경(塊莖)인데, 봄부터 가을에 걸쳐 따서 식용함. 중국에서 들어온 재배 식물임. 정력(葶藶).

두루미-목【—目】 명 〔조〕 [Gruida] 조류에 속하는 한 목(目). 두루밋과·뜸부깃과 등이 이에 속함.

두루미-자리 명 〔라 Grus〕〔천〕 남천(南天)에 있는 별자리. 남쪽물고기자리의 바로 밑에 있음. 수성(首星)은 2 등성으로, 지평선 가까이에 보임. 약자 : Gru.

두루미-천남성【—天南星】 명 〔식〕 [*Arisaema heterophyllum*] 천남성과(科)에 속하는 다년초. 잎은 위경(僞莖) 끝에 단립(單立)하는데 장병(長柄)에 새발 모양으로 7-11 갈래로 전열(全裂)되었으며 열편(裂片)은 긴 타원형임. 5-6월에 자웅 이가(雌雄異家)의 꽃이 육수(肉穗) 화서로 정생(頂生)하며, 과실은 장과(漿果)임. 산지에 나는데, 제주·경기·평북 등지에 분포함. 유독(有毒)하며 구경(球莖)은 약재로 씀.

피경

〈두루미냉이〉

두루밋-과【—科】 명 〔조〕 [Gruidae] 두루미목(目)에 속(屬)하는 한 과(科). 대형의 조류로서 머리는 작고 목은 길며, 번식기 이외는 군서 생활을 함. 잡식성(雜食性)으로 지상에 둥지를 만들고 한배에 두 개의 알을 낳음. 알은 백색·황백색·담갈색에 자색 또는 적갈색의 반점이 있음. 주로 평야·해변·논밭에 서식하는데, 말레이 제도 부근을 제외한 전세계에 20여종이 분포함. 두루미·검은목두루미·재두루미·흑두루미 등이 이에 속함.

두루-바리 명 〈방〉〔동〕 범(함남).

두루박 명 〈방〉 두레박(경기·충남·전남).

두루 쓰다 타 널리 일반적으로 사용하다.

두루이 명 〈방〉 들[1](함북).

두루-이름씨 명 〔언〕 '보통 명사(名詞)'의 풀어쓴 말. ↔홀로이름씨.

두루-일컬음 명 ①공통으로 쓰이는 이름. ②일반에 널리 통하여 부르는 이름. 통칭(通稱).

두루-저이 명 〈방〉 범벅.

두루-주머니 명 아가리에 잔주름을 잡고 두 줄의 끈을 마주 꿰게 된 작은 주머니. 위는 모가 지고 아래는 둥근데 속에 물건을 넣고 끈을 졸라매면 아가리가 오그라져서 전체가 거의 둥글게 됨. 조끼와 양복 주머니가 나온 후부터는 흔하지 아니함. *염낭.

두루지 명 〈방〉 두루마기(함남).

두루-징이 명 〈방〉 두루마기(함남).

두루 춘풍【—春風】 명 ①항상 좋은 얼굴로 남을 대하여 누구에게든지 호감을 사는 것을 가리키는 말. 또, 그렇게 처신하는 사람. *팔방 미인. ②모든 것이 무사 태평하고 순조로움을 가리키는 말. 도처(到處)춘풍. 사면 춘풍(四面春風). 사시 춘풍(四時春風).

두루치 명 〈방〉〔어〕 참마자(충주).

두루-치기[1] 명 한 가지의 물건을 이리저리 둘러 쓰는 짓. ¶ 여러 목적에 ~로 쓸 수 있는 잭나이프.

두루-치기[2] 명 조개·낙지 따위를 슬쩍 데쳐서 양념을 한 음식.

두루티다 타 〈옛〉 휘두르다. ¶ 詩句를 일우니 구스리 붇 두루튜메 잇도다(詩成珠玉在揮毫)《初杜諺 Ⅵ:4》.

두루혀보다 타 〈옛〉 돌이켜 보다. ¶ 孔明이 밧비 비를 두루혀 보니《三譯 Ⅳ:18》.

두루힐후다 타 〈옛〉 마구 젓다. 휘두르다. 되풀이하다. ¶ 두루힐훠 虛妄ᄒᆞ야 어루 브툴딕 업스니라(宛轉虛妄 無可憑據)《楞嚴 Ⅳ:43》.

-두룩 미 〈방〉 -도록(평안).

두룸 명 〈방〉 두름(경기·전라·경상).

두룸-물 명 〈방〉 우물(평북).

두룽-박 명 〈방〉 ①뒤웅박. ②두레박(충북·전북).

두룽 명 〈방〉 두루마기(함북).

두룽-다리 명 추위를 막기 위하여 머리에 쓰는 모자의 한 가지. 모피(毛皮)로 둥글고 기름하게 만듦.

두룽다리-탈 명 〔민〕 민속극(民俗劇)에 나오는 탈의 하나. 들놀음극의 셋째 양반으로 나옴.

두-류[1]【豆類】 명 ①콩과(科)에 속하는 식물의 종류. ②콩 종류의 곡식. 「두숙류(荳菽類).

두류[2]【逗遛·逗留】 명 여행을 가서 머물러 있음. 머물러 있어 떠나지 않음. 체재(滯在). ——하다 자여불

두류-객【逗留客】 명 여행지에서 두류하고 있는 손님.

두류-령【頭留嶺】 명 〔지〕 평안 북도 영원군(寧遠郡)과 맹산군(孟山郡) 사이에 있는 재. [398 m]

두류-산【頭流山】 명 〔지〕 ①함경 남도 단천군(端川郡) 북두일면(北斗日面)과 함경 북도 길주군(吉州郡) 양사면(暘社面) 사이에 있는 산. 옛날부터 방장산(方丈山)·지리산(智異山)과 더불어 한국 삼신산(三神山)의 하나로 알려져 있음. [2,309 m] ②평안 남도 양덕군(陽德郡) 대륜면(大倫面)과 함경 남도 문천군(文川郡) 운림면(雲林面) 사이에 있는 산. 낭림 산맥에 속함. [1,324 m] ③'지리산(智異山)'의 별칭.

두륜-산【頭輪山】 명 〔지〕 전라 남도 해남군(海南郡) 삼산면(三山面)과 북일면(北日面)에 걸쳐 있는 산. 기슭에 대흥사(大興寺)가 있음. [703 m]

두르가: 〔Durgā〕 명 〔종〕 칼리(Kālī)의 이명(異名).

두르다 타르불 ①밖으로 싸서 가리다. ¶ 울타리를 ~/치마를 ~. ②원(圓)을 그리며 돌리다. ¶ 숯불을 담아서 휘휘 ~. ③사물(事物)을 이리저리 변통하다. ¶ 돈을 ~. ④사람을 마음대로 다루다. ¶ 손아귀에 넣고 ~. ⑤이치에 그럴 듯하게 남을 속이다. ¶ 그럴 듯하게 둘러대다. >도르다.

두르르[1] 부 말렸던 종이 따위가 펴졌다가 탄력(彈力) 있게 다시 말리는 모양. ㅆ뚜르르[1]. >도르르[1].

두르르[2] 부 바퀴가 굴러 가며 웅숭깊게 울리는 소리. ㅆ뚜르르[2]. >도르르[2].

두르뫼나이 명 〈옛〉〔식〕 두루미냉이. ¶ 두르뫼나이씨(葶藶)《方藥 18》.

두르잇다 타 〈옛〉 휘두르다. ¶ 부들 두르이즈니 綺繡ㅣ 펴는 ᄃᆞᆺ고(揮翰綺繡揚)《初杜諺 XXIV:25》.

두르키다 타 〈방〉 돌이키다.

두르티다 타 〈옛〉 돌이키다. 뒤치다. ¶ 그저 저컨대 두르티면(只怕反過來)《朴解 中 61》.

두르-풍【—風】 명 겨울에 어깨에 둘러 덧입는 웃옷의 하나. 모양은 망토 비슷하며, 늙은이가 방 속에서 흔히 입음.

두르혀다 타 〈옛〉 돌이키다. 뒤치다. =두르혀다. ¶ 그 根源을 두르혀 推尋ᄒᆞ면(反推其源)《圓覺 上 一之一 46》.

두르혀다 타 〈옛〉 돌이키다. 뒤치다. =두르혀다. ¶ 廻ᄂᆞᆫ 두르혈 씨라《月序 22》/能히 두르혀 보ᄂᆞ다(能反觀)《楞嚴 Ⅰ:61》.

두르혀샴 타 〈옛〉돌이키심. '두르혀다'의 명사형. ¶ 觀音ㅅ 普門과 妙嚴ㅅ 邪 두르혀샴과 普賢ㅅ 勸發이 다 實相行境을 뵈샤《月釋 XVIII:21》.

두름[1] 명 물고기나 나물을 짚으로 두 줄로 엮은 것. 물고기는 한 줄에 열 마리씩 스무 마리가 한 두름임. ¶ 굴비 한 ~/고사리 ~.

두름[2]【多音】 명 〈이두〉 두름[1].

두름-박 명 〈방〉 두레박.

두름-성【—性】〔—썽〕 명 주변을 부려서 이리저리 변통해 가는 재주. 주변성. ¶ ~이 없다.

두릅 명 두릅나무의 어린 순. 데쳐서 무쳐 먹음.

두릅-나무 명 〔식〕 [*Aralia elata*] 두릅나뭇과에 속하는 낙엽 활엽 관목.

높이 6 m 가량이고 줄기에 가시가 있으며, 잎은 호생하고 이회 우상 복엽(二回羽狀複葉)이며 소엽(小葉)은 타원형 또는 넓은 달걀꼴인데 가에 톱니가 있고 뒷면은 희고 잎꼭지와 엽축(葉軸)에도 잔털과 가시가 났음. 8월에 흰 오판화(五瓣花)가 줄기 끝에 복총상(複總狀) 화서로 모여 피고 구형의 장과(漿果)는 흑자색으로 10월에 익음. 산과 들에 나는데, 한국 각지 및 일본·중국·아무르·사할린 등지에 분포함. 수피(樹皮)는 당뇨병·신장병의 약재, 잎·뿌리·과실(果實)은 건위제(健胃劑), 잎은 식용(食用), 재목은 가볍고 연하기 때문에 쟁반·성냥개비 등으로 쓰임. 총목(楤木).

〈두릅나무〉

두릅나무-깨다시하늘소 【一茶一】 [一쏘] 명 〖충〗 [*Mesosa longipennis*] 하늘솟과에 속하는 곤충. 몸길이는 15-21 mm이고 시초(翅鞘)는 앞쪽 3분의 1과 3분의 2의 위치에 각각 여러 개의 긴 흑판이 물결 모양으로 배열되었고, 제 2 열은 회합선상(會合線上)에서 서로 접합. 두줄의 중간은 연회색(鉛灰色)이고 촉각에는 잔 털이 있음. 유충은 귤나무 뿌리의 해충임. 한국에도 분포함. 수염치레깨다식하늘소.

두릅 나물 명 두릅을 약간 삶아서 초고추장이나 소금·기름에 무친 반찬. 목두채(木頭菜). 문두채(吻頭菜). 요두채(搖頭菜).

두릅나뭇-과 【一科】 명 〖식〗 [Araliaceae] 쌍자엽(雙子葉) 식물 이판화류(離瓣花類)에 속하는 한 과. 전세계에 600여 종이 있는데, 한국에는 두릅나무·오갈피나무·엄나무·황칠나무 등 10여 종이 분포함.

두릅-적 【一炙】 명 두릅나무의 어린 잎을 약간 데쳐서 길이로 쪼개어 양념을 한 것과 다진 쇠고기를 대꼬챙이에 꿰어 밀가루를 묻히고 달걀을 씌워 번철에 지진 음식. 목두채적(木頭菜炙).

두릉-봉 【杜陵峰】 명 〖지〗 ①평안 북도 강계군(江界郡)에 있는 산. [1,612 m] ②함경 남도 삼수군(三水郡) 관흥면(館興面)과 삼서면(三西面) 사이에 있는 산. [1,925 m]

두리 ㊀ 명 〈방〉 둘레. ㊁ 수 〈방〉 둘(경북).

두리-광주리 명 둥근 광주리. ¶ 인제는 제가 입이 ～라도 아무 말도 못 하겠지《李海朝 : 鬢上雪》.

두리기 명 두리반에 음식을 차려 놓고 여러 사람이 둘러앉아 먹는 일.

두리-기둥 명 〖건〗 둥근 기둥. 원주(圓柱). ↔모기둥.

두리기-상 【一床】 명 여러 사람이 둘러앉아 먹게 차린 음식상.

두리넓적-하다 [一넙一] 형 여불 어떤 모양이 둥그스름하고 넓적하다. 두리넓적-히 부

두리다 타 〈옛〉 두려워하다. ¶ 놀라디 아니ᄒᆞ며 두리디 아니ᄒᆞ며(不驚不怖)《金剛 上 77》/두릴 황(惶), 두릴 구(懼)《類合 下 15》.

두리-도 【斗里島】 명 〖지〗 전라 북도의 서해상(西海上), 군산시(群山市) 옥도면(沃島面) 비안도리(飛雁島里)에 위치한 섬. [0.16km²]

두리두리-하다 형 여불 둘레가 더 넘치다. ¶ 아들 배는 절구통배라 배가 두리두리하게 부르고 딸 배는 바가지배라…《洪命憙 : 林巨正》.

두리-목 【一木】 명 둥근 재목.

두리-뭉수리 명 ☞ 두루뭉수리.

두리뭉실-하다 형 여불 두루뭉술하다.

두리미 명 〈방〉 두름¹(경상).

두리-박 명 〈방〉 두레박.

두리-반 【一盤】 명 크고 둥근 소반. ↔모반¹. *두레상(床).

〈두리반〉

두리번-거리다 자 어리둥절하여 눈을 크게 뜨고 이쪽저쪽을 휘둘러 보다. >도리반거리다. 두리번-두리번 부. ——-하다 자 여불

두리번-대다 자 두리번거리다.

두리-봉 【頭理峰】 명 〖지〗 강원도(江原道) 삼척시(三陟市)에 있는 산. [1,071 m]

두리붐 형 〈옛〉 두려움. '두립다'의 명사형. ¶ 이제 ᄒᆞ오사 무덤 서리옛 나모 아래 이셔도 두리부미 업소니《月釋 Ⅶ:6》.

두리본 형 〈옛〉 두려운. '두립다'의 활용형. ¶ 옛 禍福을 닐어든 곧 두리본 ᄠᅳ들 내야《釋譜 Ⅸ:36》.

두리깨 명 〈옛〉 들깨. ¶ 蘇油ᄂᆞᆫ 두리ᄭᅢ 기르미라《月釋 X:371》.

두리-산 【斗里山】 명 〖지〗 강원도 명주군(溟州郡)과 정선군(旌善郡) 사이에 있는 산. [1,020 m]

두리-새김 명 〖고고학〗 조각 기법의 하나. 만들려는 재료의 윤곽을 살려서 바깥 형태로 하고, 특징적인 부분에 약간의 손질을 함.

두리-새암 명 〈방〉 우물.

두리숭숭-하다 형 〈옛〉 뒤숭숭하다. ¶ 이러타 저러탄 말이 아마도 두리숭숭하다《永言》.

두리안 [durian] 명 〖식〗 [*Durio zibethinus*] 판야과(panja科)에 속하는 열대 지방의 상록 교목. 높이 25 m 가량이고, 잎은 긴 타원형으로 길기며 끝이 뾰족하고 뒷면에 은빛 털이 있음. 꽃은 대형의 황백색 오판화, 열매는 긴 타원형으로 사람 머리만하고 회록갈색이며 과피는 딱딱하고 가시가 돋쳤으며, 과육은 특유한 산미(酸味)와 단맛이 있음. 말레이 반도(Malay 半島) 원산(原產)임.

〈두리안〉

두리처-업다 타 ☞ 둘러업다. ¶ 도적의 소굴에 빠졌다가 도리어 구해달라 애걸하는 미인을 두리쳐업고, 급하게 벽을 타고 나오는 바람에…《朴鍾和 : 錦衫의 피》.

두리 하님 명 〖민〗 혼행(婚行) 때 새색시를 따라가는 계집 하인의 하나. 향꽃을 들고 당의(唐衣)를 입으며, 족두리를 씀.

두리 함지박 명 둥근 함지박.

두린-굿 명 〖민〗 제주도에서, 정신병을 낫게 하려고 벌이는 굿.

두림-주 【豆淋酒】 명 콩으로 담근 술의 한 가지. 약에 씀.

두립다 형 〈옛〉 두렵다¹. =두렵다. ¶ 샹네 環刀ㅣ며 막다히를 두르고 이셔도 두립더니《月釋 Ⅶ:6》.

두립다 형 〈옛〉 두렵다. =두립다. ¶ 옛 禍福을 닐어든 곧 두리본 ᄠᅳ들 내야《釋譜 Ⅸ:36》/이제 ᄒᆞ오사 무덤 서리옛 나모 아래 이셔도 두리부미 업소니《月釋 Ⅶ:6》.

두릿-거리다 자 〈방〉 두리번거리다. 두릿-두릿 부. ——-하다 자

두릿-그물 명 고기 떼를 둘러싸서 잡는 그물의 하나. 선망(旋網).

두릿그물 어업 【一漁業】 명 두릿그물로 어군(魚群)을 포위하여 잡는 어업.

두:마 〔러 Duma〕 명 〖역〗 제정(帝政 러시아의 의회(議會). 1905년 혁명 때 시월 선언(十月宣言)에서 개설(開設)이 약속되어, 제1 국회는 1906년 봄에 소집되었음. 1917년의 2월 혁명 때 제4 국회로 해체. 토지 소유자·도시민·농민·노동자의 4개 쿠리아별(curia 別) 다단계 선거(多段階選擧)로 선출되어, 극히 제한된 입법권이 부여되었을 뿐임.

두:-마음 명 이심¹(二心)❶.

두만-강 【豆滿江】 명 〔여진어 tumən(만). 女眞俗語謂萬豆漫以衆水至此合流故名之《龍飛御天歌》〕 〖지〗 백두산에서 근원을 발하여 우리 나라와 중국·연해주(沿海州)를 흘러서 동해(東海)로 들어가는 강. 주운(舟運)은 강구로부터 85 km까지 이용되나 결빙하지 않는 계절에는 유목(流木)이 성하고, 상류 유역은 얼면 국경을 보행으로 건널 수 있으며, 철·갈탄 등 지하 자원 지대로 유명함. [520 km]

두만강 곡지 【豆滿江谷地】 명 〖지〗 한국 동북부 두만강에 의하여 개석(開析)된 골짜기. 이 곳은 해풍(海風)의 영향을 받지 못하고 만주에 향하여 개방되어 있으므로 겨울에는 북풍이 강렬하고 추위가 매우 심함. 기후 관계로 농업 지대를 이루지 못함.

두만 지괴 【豆滿地塊】 명 〖지〗 두만강 남쪽과 마천령 산맥(摩天嶺山脈) 동쪽에 있는 지괴(地塊).

두:-말 명 이러니저러니 하는 말. 이랬다저랬다하는 말. 이언(二言). ——-하다 자 여불

두:말 말:고 구 이러니저러니 여러 말 하지 말고. ¶ ～ 잠자코 있어.

두:말 말:다 구 이러니저러니 여러 말 하지 말다. ¶ 다시는 두말 말게.

두:말 없:이 구 이러니저러니 여러 말 할 것 없이. 여러 말 하지 아니하고. ¶ ～ 승낙하다.

두:말 할 것 없:다 구 이러니저러니 여러 말 할 것이 없다.

두:말 할 나위 없:다 구 너무나 자명하여, 군말을 더 보탤 여지가 없다.

두:매-한짝 명 다섯 손가락을 가리키는 말. ¶ 건더기까지 ～으로 건져 먹는다《沈熏 : 常綠樹》.

두멍 명 ①물을 길어 붓고 쓰는 큰 가마 또는 큰 독. ②〖공〗 독만한 큰 동이나 통.

두메 명 깊은 산골에 있는 땅. 도회에서 멀리 떨어져 사람이 많이 살지 않는 산골. 벽지(僻地). 산촌(山村). 산추(山陬). 산협(山峽). 협(峽). 협중(峽中). 변읍(邊邑). ¶ ～ 산골.

【두메로 꿩 사냥 보내 놓고】 먼저 할 일은 먼저 하여야 한다는 말. 【두메 앉은 이방(吏房)이 조정(朝廷)일 알 듯】 출입 없이 집에만 들어앉은 사람이 세상 풍조나 먼 데 일을 잘 안다는 말.

두메-갈퀴 명 〖식〗 [*Galium paradoxum*] 꼭두서닛과에 속하는 다년초. 잎은 대생하고 유병(有柄)이며 막질(膜質)의 설형(楔形) 또는 넓은 타원형 혹은 원형임. 6-7월에 백색 꽃이 취산(聚繖) 화서로 피며, 과실은 구형(球形)이고 갈고리 모양의 털이 밀포함. 산지에 나는데, 한국 각지에 분포함.

두메-고들빼기 명 〖식〗 [*Lactuca triangulata*] 꽃상춧과에 속하는 월년초. 줄기 높이 1 m 가량이고 원기둥꼴임. 잎은 호생하며 심장형 혹은 삼각형이고 뒷면은 백색을 띠었으며 날개가 있고 상부의 잎은 무병(無柄)임. 7-8월에 황색 두상화(頭狀花)가 15개 내외로 핌. 깊은 산에 나는데, 제주·경상·강원 등지에 분포함.

두메-기름나물 명 〖식〗 [*Peucedanum coreanum*] 미나릿과에 속하는 다년초. 줄기는 곧고 높이 1.5 m 가량, 잎은 호생하고 근엽(根葉)은 장병(長柄)인데 족생(簇生)하며, 경엽(莖葉)은 약간 포경(抱莖)했으며, 홍자색을 띰. 8월에 백색 꽃이 복산형(複繖形) 화서로 줄기 끝이나 가지 끝에 정생(頂生)하며, 달걀꼴의 과실을 맺음. 높은 산에 나는데, 금강산(金剛山) 등지에 분포함.

두메-꿀풀 명 〖식〗 [*Prunella vulgaris*] 꿀풀과에 속하는 다년초. 줄기 높이 30 cm 내외, 잎은 대생하며 유병(有柄)에 달걀꼴 피침형을 이룸. 7-8월에 짙은 자색 꽃이 총상(總狀) 화서로 정생(頂生)하여 피고, 꽃부리는 순형(脣形)임. 깊은 산에 나는데, 부전(赴戰) 고원에 분포함.

두메-닥나무 명 〖식〗 [*Daphne kamtschatica*] 팥꽃나뭇과에 속하는 낙엽 활엽 관목. 잎은 도피침형(倒披針形)이고 가에 톱니가 없음. 봄에 아래는 녹색, 윗 부분은 황색인 꽃이 총상(總狀) 화서로 2-5송이가 가지 끝에 피며, 장과(漿果) 모양의 구형(球形)이거나 타원형 또는 둥근 핵과(核果)는 가을에 홍색으로 익음. 깊은 산 숲 속에 나는데, 한국의 전남·강원·평북·함북 및 사할린·캄차카·아무르·우수리 등지에 분포함. 관상용, 수피(樹皮)는 제지용(製紙用)임.

두메-담배풀 명 〖식〗 [*Carpesium triste* var. *manshuricum*] 국화과에 속하는 다년초. 줄기는 곧고 잎은 막질(膜質)이며 각엽(脚葉)은 달걀꼴 타원형 또는 긴 달걀꼴을 이루는데 날개가 있는 긴 잎자루가 있고 가에는 톱니가 있으며, 초엽(梢葉)은 달걀꼴 혹은 선상 피침형에 단병

(短柄)임. 7-9월에 황색 두화(頭花)가 가지 끝에 하나씩 수상(穗狀)으로 피고, 수과(瘦果)를 맺음. 산지에 나는데, 경상·강원·함경 등지에 분포함. 어린 잎은 식용함.

두메-대극 【一大戟】 명 〖식〗 [*Galarhoeus fauriei*] 대극과에 속하는 다년초. 줄기는 총생(叢生)하고 높이 10-15cm 내외이며 잎은 호생하고 달걀꼴 타원형 또는 긴 타원형에 단병(短柄)임. 6-7월에 황록색 꽃이 산형(繖形) 화서로 정생(頂生)하고 삭과(蒴果) 표면에는 혹 모양의 돌기(突起)가 있음. 산지에 나는데, 제주도에 분포함. 독(毒)이 있음.

두:메르그 〔Doumergue, Gaston〕 명 〖사람〗 프랑스의 정치가. 급진 사회당의 지도자로서 의회·내각의 요직을 역임하고 대통령도 지냄. 1934년 수상으로서 스타비스키 사건(Stavisky事件) 후의 정치 위기를 수습했으나 우경적(右傾的)인 개헌안(改憲案)을 제출, 실각함. [1863-1937]

두메-바늘꽃 명 〖식〗 [*Epilobium angulatum*] 바늘꽃과에 속하는 다년초. 줄기 높이 20cm 내외이고, 잎은 대생하며 무병(無柄)에 다소 포경(抱莖)한 넓은 타원형 또는 피침형을 이룸. 8월에 홍자색 꽃이 줄기 끝에 액생(腋生)하고, 삭과(蒴果)는 긴 관모(冠毛)가 있음. 높은 산에 나는데, 금강산(金剛山)·함북 등지에 분포함.

두메-방풍 【一防風】 명 〖식〗 [*Peucedanum paishanense*] 미나릿과에 속하는 다년초. 줄기는 직립하여 높이 50cm 가량이며, 잎은 호생하고 장병(長柄)에 재우상 복엽(再羽狀複葉)이고 소엽(小葉)은 달걀꼴임. 8월에 백색 꽃이 복산형(複繖形) 화서로 줄기 끝에 정생(頂生)하고, 타원형의 과실을 맺음. 깊은 산에 나는데, 강원·함남북 등지에 분포함.

두메-분취 【一粉一】 명 〖식〗 [*Saussurea alpicola*] 국화과에 속하는 다년초. 줄기 높이 10-20cm이고 각엽(脚葉)은 긴 달걀꼴, 초엽(梢葉)은 피침형 또는 긴 타원형임. 8월에 홍자색 꽃이 줄기 끝에 하나씩 관상화(管狀花)로 피고, 수과(瘦果)는 황갈색의 관모(冠毛)가 있음. 산지에 나는데, 평북·함남북 등지에 분포함.

두메-사초 【一莎草】 명 〖식〗 [*Carex aphanandra*] 방동사닛과에 속하는 다년초. 줄기는 총생(叢生)하며 높이 6-20cm이고, 잎은 뿌리에서 총생하며, 길이 6-10cm, 폭 1-3mm의 선형(線形)임. 5월에 2-4개의 화수(花穗)가 피는데, 수꽃이삭은 정생(頂生), 암꽃이삭은 측출(側出)하며, 수과(瘦果)의 과낭(果囊)은 거꿀달걀꼴의 피침형임. 산이나 들에 나는데, 전남·경남 및 일본 등지에 분포함.

두메 산골 【一山一】 [一꼴] 명 도시에서 멀리 떨어진 궁벽한 산골.

두메-싸립 명 싸리 껍질로 바닥을 거칠게 삼은 두멧 사람들의 미투리.

두메-애기풀 명 〖식〗 [*Polygala sibirica*] 원지과에 속하는 다년초. 뿌리는 가늘고 경질(硬質)이며, 줄기는 높이 20cm 내외임. 잎은 호생하며 몹시 단병(短柄)에 달걀꼴 타원형임. 7-8월에 자색 꽃이 총상(總狀) 화서로 액생(腋生)하여 피고, 과실은 삭과(蒴果)임. 산지에 나는데, 부전(赴戰) 고원에 분포함.

두메-양귀비 【一楊貴妃】 명 〖식〗 [*Papaver coreanum*] 양귀비과에 속하는 다년초. 화경(花莖)은 하나씩 또는 두세 개가 족생(簇生)하는데 높이 5-10cm임. 잎은 뿌리에서 총생(叢生)하고 다소 장병(長柄)에 달걀꼴 타원형임. 7-8월에 녹황색 꽃이 줄기 끝에 하나씩 달리며, 과실은 삭과(蒴果)임. 백두산(白頭山)에 분포함.

두메-오리나무 명 〖식〗 [*Alnus maximowiczii*] 자작나뭇과에 속하는 낙엽 활엽의 작은 교목. 흔히, 관목상(灌木狀)이며 수피(樹皮)는 검붉은 바탕에 녹백색의 반점(斑點)이 있고 잎은 넓은 달걀꼴에 가는 톱니가 있으며 뒷면은 거의 털이 없음. 5-6월에 갈색 꽃이 자웅 일가(雌雄一家)로 피는데, 수꽃이삭은 늘어지고 암꽃이삭은 총상(總狀)으로 정생하며, 타원형의 작은 견과(堅果)는 8-9월에 익음. 습지(濕地)나 골짜기 사이에 나는데, 한국의 울릉도·강원·평북·함북의 장백산(長白山)과, 일본 홋카이도·캄차카 등지에 분포함. 신탄재·사방림(砂防林)용으로 쓰임.

두메-오이풀 명 〖식〗 [*Sanguisorba obtusa*] 짚신나물과에 속하는 다년초. 줄기의 높이 60cm 가량이고, 잎은 호생하며 장병(長柄)인데 기수 우상 복생(奇數羽狀複生)하고 소엽(小葉)은 5-15개가 단병(短柄)이며, 심장상 달걀꼴 또는 원형인데 때로는 긴 타원형을 이룸. 8월에 홍자색 꽃이 수상(穗狀) 화서로 가지 끝에 정생하고 수과(瘦果)를 맺음. 산 중턱에 나는데, 평남·함북 등지에 분포함.

두메-자운 【一紫雲】 명 〖식〗 [*Oxytropis anertii*] 콩과에 속하는 다년초. 뿌리는 비대(肥大)하고 화경(花莖)은 하나씩 또는 두세 개씩 족생(簇生)하며 높이 7cm 가량임. 잎은 뿌리로부터 총생(叢生)하고, 장병(長柄)에 기수 우상 복엽(奇數羽狀複葉)인데 소엽(小葉)은 10-20쌍임. 7-8월에 홍자색 꽃이 총상(總狀) 화서로 정생(頂生)하고, 과실은 협과(莢果)임. 높은 산의 중턱에 나는데, 평북·함남북 등지에 분포함.

두메-잔대 명 〖식〗 [*Adenophora lamarkii*] 초롱꽃과에 속하는 다년초. 근경(根莖)은 비후(肥厚)하고 줄기의 높이 20-40cm이며, 잎은 호생 혹은 서너 개로 윤생(輪生)하는데 피침형 또는 달걀꼴임. 8월에 벽자색(碧紫色) 종상화(鐘狀花)가 줄기 끝에 정생(頂生)하여 핌. 높은 산에 나는데, 함남에 분포함. 뿌리는 식용임.

두메-취 명 〖식〗 [*Saussurea hoashi*] 국화과에 속하는 다년초. 줄기 높이 40cm 가량, 잎은 긴 달걀꼴 또는 달걀꼴 타원형이고 상부의 잎은 무병(無柄) 혹은 유병(有柄)에 톱니가 있음. 7-9월에 홍자색의 관상(管狀) 두상화(頭狀花)가 줄기 위에 피며, 수과(瘦果)는 회갈색의 관모(冠毛)가 있음. 깊은 산에 나는데, 백두산(白頭山)·장백산(長白山) 등의 특산임.

두메-층층이 【一層層一】 명 〖식〗 [*Satureia micrantha*] 꿀풀과에 속하는 다년초. 줄기는 방형(方形)이며 높이 80cm 가량임. 잎은 대생하며 유병(有柄)에 달걀꼴 또는 달걀꼴의 긴 타원형임. 8월에 담홍색 꽃이 윤산(輪繖) 화서로 정생(頂生)하는데, 화관(花冠)은 좁은 통상 순형(筒狀脣形)이며, 과실은 수과(瘦果)임. 깊은 산에 나는데, 제주·경남·함남 지방에 분포함.

두메-탑꽃 【一塔一】 명 〖식〗 [*Satureia umbrosa*] 꿀풀과에 속하는 다년초. 줄기는 총생하고 높이 20-40cm, 잎은 대생하고 장병(長柄)에 달걀꼴 또는 넓은 달걀꼴을 이루며, 가에 톱니가 있음. 6월에 백색에 홍색을 띤 꽃이 윤산(輪繖) 화서로 정생(頂生)하고, 수과(瘦果)는 사분과(四分果)임. 산지에 나는데, 제주·경남북·함남 등지에 분포함.

두멧-구석 명 두메의 아주 궁벽한 곳. 산간 벽지.

두멧-길 명 산골의 길. 협로(峽路).

두멧-놈 명 ①두멧사람을 낮게 이르는 말. ②새로운 사조(思潮)나 유행(流行)에 어두운 사람을 이르는 말. *촌놈.

두멧-사람 명 두멧구석에서 사는 사람.

두면[1] 【痘面】 명 얽은 얼굴.

두면[2] 【頭面】 명 머리와 낯.

두면[3] 【頭面】 명 ①〈궁중〉 갓. ②〈방〉 모자.

두면-창 【頭面瘡】 명 두창(頭瘡).

두-목[1] 【杜牧】 명 〖사람〗 중국 당(唐)나라 말기의 시인. 자는 목지(牧之). 호는 번천(樊川). 시풍(詩風)은 호방하면서도 또한 아름다움. 작품은 《아방궁부(阿房宮賦)》·《강남춘(江南春)》 등이 유명함. 두보(杜甫)에 대하여 소두(小杜)라고도 함. [803-853]

두목[2] 【頭木】 명 〖식〗 ↗두절목(頭切木).

두목[3] 【頭目】 명 ①여러 사람 중 그 우두머리가 되는 사람. 꼭대기. 두령(頭領). ¶ 도둑의 ~. ②〖역〗 중국 국사(國使) 일행 중 무역(貿易)을 목적으로 따라온 북경 상인(北京商人)의 일컬음.

두:몬다외 명 〈방〉 〖동〗 쌍봉(雙峯) 낙타.

두묘 【痘苗】 명 〖의〗 종두(種痘)에 쓰이는 병독(病毒). 천연두(天然痘)에 걸린 소의 두창(痘瘡)에서 뽑아 낸 것 빛깔의 묽은 우장(牛漿)이나 또는 두창(痘瘡) 환자에서 소에 옮기어서 얻은 병독물인데, 약화된 두창 바이러스(virus)의 부유액(浮遊液)임.

두무 【兜鍪】 명 투구.

두무-날 명 조수(潮水)의 간만(干滿)의 차를 볼 때 11일과 26일을 일컫는 말.

두무-산[1] 【斗霧山】 명 〖지〗 경상 남도 거창군(居昌郡) 가조면(加祚面)과 합천군(陜川郡) 묘산면(妙山面) 사이에 있는 산. 소백(小白) 산맥에 속함. [1,039m]

두무-산[2] 【杜霧山】 명 〖지〗 ①황해도 곡산군(谷山郡) 이령면(伊寧面)과 하도면(下圖面) 사이에 있는 산. 언진(彦眞) 산맥에 속함. [1,186m] ②황해도 곡산군(谷山郡) 서촌면(西村面)에 있는 산. [642m]

두문 【杜門】 명 〖민〗 팔문(八門)의 하나. 흉한 문으로 구궁(九宮)의 사록(四綠)이 본자리가 됨.

두문-동 【杜門洞】 명 〖지〗 경기도 개풍군(開豐郡) 광덕면(光德面) 광덕산(光德山) 서쪽 기슭에 있는 고적의 땅. 이성계(李成桂)가 1392년 조선 태조(太祖)로 개국하자, 고려의 유신(遺臣)인 신규(申珪)·신혼(申琿)·신우(申瑀)·신순(申晌)·조의생(曺義生)·임선미(林先味)·이경(李瓊)·맹호성(孟好誠)·고천상(高天祥)·서중보(徐仲輔) 등 72인의 충신·열사(烈士)들은 새 왕조를 섬기지 아니하고 개성(開城) 동남의 고개, 현재의 부조현(不朝峴)에 조복(朝服)을 벗어 걸어 놓고 헌 갓을 바꿔 쓰고 이 곳으로 들어갔음. 그 후 이들은 각지로 흩어져 여생을 마쳤다 함.

두문동 실기 【杜門洞實記】 명 〖책〗 조선 시대 초에 새 왕조를 섬기기를 부끄럽게 여겨, 두문동(杜門洞)에 들어간 고려 유신 72인의 실기. 72인의 한 사람인 성사제(成思齊)의 후손이 주로 자기 조상 성사제에 관계된 글을 모은 것임. 순조(純祖) 9년(1809)에 간행함. 3 권 1 책.

두문-방 【杜門方】 명 〖민〗 두문(杜門)의 방위(方位).

두문 불출 【杜門不出】 명 ①집에만 박혀 있어 밖에 나가지 아니함. ②집에서 은거(隱居) 생활만 하고 사회의 일이나 관직에 나오지 아니함. ——-하다 자 여불

두-문자 【頭文字】 [一짜] 명 머리글자.

두미[1] 【斗米】 명 ①한 말의 쌀. ②얼마 안 되는 녹미(錄米)·봉록(俸錄).

두미[2] 【頭尾】 명 ①머리와 꼬리. ②처음과 끝. 수미(首尾).

두미 관유 【斗米官遊】 명 얼마 안 되는 급료를 받기 위하여 관리가 되어 고향을 멀리 떠나 근무함.

두미-도 【頭尾島】 명 〖지〗 경상 남도 남해상(南海上), 통영시(統營市) 욕지면(欲知面) 두미리(頭尾里)에 위치한 섬. [4.43km²]

두미-없다 【頭尾一】 [一업一] 형 말의 앞뒤 순서가 맞지 않다. 말의 조리가 서지 않다. 두서(頭緖)없다.

두미-없이 【頭尾一】 [一업씨] 부 두미없게.

두민 【頭民】 명 동네의 나이가 많고 식견(識見)이 높은 사람.

두짝 명 〈옛〉 두 짝. 두 쌍. ¶ 두짝 쌍(雙) 《類合 下 47》.

두바이 〔Dubai〕 명 〖지〗 아라비아 반도 동부, 아랍 에미리트 연방(Arab Emirates 聯邦)을 구성하는 이슬람교 일곱 토후국(土侯國)의 하나. 페르시아 만(灣)에 위치함. 세계적인 금괴(金塊) 밀수·시계 밀수로 유명함. 수도 두바이는 아라비아 반도의 베네치아로 불리며, 이 지방 최대의 상업 도시로서 중계 무역항임. [3,885km² : 266,000명(1981)]

두박 【豆粕】 명 콩기름을 짜내고 남은 찌끼. 콩깻묵.

두-반묘 【豆斑猫】 명 〖충〗 콩잎가뢰.

두발 【頭髮】 명 머리털.

두:발-나귀 [一라一] 명 사람이 두 발로 걷는 것을 가리키는 말.

두:발-당성 명 두 발로 차는 발길질.

두발 부예 【頭髮扶曳】 명 서로 머리털을 꺼두르고 싸움. ——-하다 자 여불

두:발-자전거 【一自轉車】 명 '세발자전거'에 상대해서, 바퀴가 둘 달린

어린이용의 자전거.
두:발-제기 명 두 발로 번갈아 가며 차는 제기. ↔외발제기.
두:-밤중【一中】[一쭝] 명〈속〉한밤중.
두:방망이-질 명 ①두 손에 방망이를 각각 하나씩 들고 서로 바꾸어 가며 두드리는 방망이질. ②가슴이 몹시 두근거림. ——-하다 자여불
두:방-무덤【一房一】명〖고고학〗한 봉토 안에 두 개의 방이 만들어진 무덤. 이실분(二室墳).
두백【杜魄】명〖조〗〔두우(杜宇)의 넋이 된 새라는 뜻〕두견이.
두:번-깃끌겹잎[一닙] 명〖식〗'이회 우상 복엽(二回羽狀複葉)'의 풀어 쓴 말.
「어 쓴 말.
두:번-손끌겹잎[一닙] 명〖식〗'이회 장상 복엽(二回掌狀複葉)'의 풀
두:-벌 명 초벌 다음에 두 번째로 하는 일. ¶ ~ 도배를 하다.
두:벌-갈이 명〖농〗논이나 밭을 두 번째로 갊. 재경(再耕). ——-하다
두:벌-깎이 명〈방〉〖불교〗되깎이❶.
L자여불
두:벌-대【一臺】명〖건〗↗두벌장대.
두:벌-묻기 명〖고고학〗장사를 지내고 일정 기간 뒤에 다시 옮겨 묻는 일. 이차장(二次葬). ＊세골장(洗骨葬).
두:벌-솎음 명 두 번째로 솎아 내는 일. 또, 그 푸성귀. ——-하다 타여불
두:벌-장대【一長臺】명〖건〗장대석(長臺石)을 두 조각씩 포개어 쌓은 대. ㊜두벌대. ＊세벌장대.
두:벌-주검 명 해부(解剖)나 검시(檢屍)를 한 송장의 일컬음.
두벙 명〈방〉뚜껑(함남).
두베 명〈방〉뚜껑(함남).
두벵이 명〈방〉뚜껑(경상).
두변【頭邊】명 ①머리 근처. ②꼭대기 부분.
두병[1]【斗柄】명〖천〗북두 칠성(北斗七星)을 국자 모양으로 보고, 그 자루가 되는 세 개의 별. 표(杓).
두병[2]【痘病】명〖의〗천연두(天然痘).
두-보【杜甫】명〖사람〗중국 당나라 때의 시인. 자는 자미(子美). 호는 소릉(少陵). 이백(李白)·고적(高適) 등과 시주(詩酒)로 교제하였으며, 현종(玄宗)에게 환영을 받았으나 안녹산(安祿山)의 난(亂)으로 말년에는 빈곤하게 지냈음. 서사시에 뛰어나고 시격(詩格)이 엄정(嚴正)하며 구법(句法)이 변화가 많아 길이 후세의 궤범(軌範)이 됨. 두목(杜牧)에 대하여 노두(老杜)라고 일컬음. 대표작으로는 《북정(北征)》·《병거행(兵車行)》 등. [712-770]
두부[1]【豆腐】명 물에 불린 콩을 매에 갈아 베 자루에 넣고 짠 물을 끓여서, 여기에 간수를 쳐 엉긴 것을 보자기에 싸고 눌러서 네모나게 잘라 낸 식품. 중국 한(漢)나라 고조(高祖)의 손자 회남왕(淮南王) 유안(劉安)의 창시라 전해짐. 두포(豆泡).
[두부 먹다 이 빠진다] ㉠방심하는 데서 실수가 생기기 쉬우니 항상 조심하라는 말. ㉡틀림 없을 자리에서 뜻밖의 실수를 하다. [두부 살에 바늘 뼈] 몹시 허약하여 조금만 아파도 몹시 엄살부리는 사람을 조롱하는 말. [두부에도 뼈라] 운수 나쁜 사람이 하는 일은 으레 될 일에도 뜻밖의 재앙이 든다는 뜻.
두부[2]【頭部】명 ①〖생〗동물의 머리가 되는 부분. 머리. ②물건의 윗 부분. 수부(首部). 1)·2):↔미부(尾部).
두부 계:측법【頭部計測法】명〔cephalometry〕생체의 두부를 재는 학문. 특히, 어떤 인간 집단·성(性) 및 각 성장 단계 따위의 특징을 결정하기 위한 것임.
두부 골동【豆腐骨董】[一똥] 명 두부 비빔.
두부 과분【豆剖瓜分】명 콩이나 오이같이 갈라지고 나뉨. 곧, 국토(國土)가 손쉽게 갈라짐.
두부 껍질【豆腐一】명 두부가 익어서 엉기어 갈 때 그 겉을 긁어 낸 것.
두부 껍질 비빔【豆腐一】명 두부 껍질을 말렸다가 물에 불려 무르게 만들어서 기름과 초를 치고 마른 새우의 살·해삼·버섯·죽순 등을 불려 넣고 비빈 음식. 두부피 골동(豆腐皮骨董)
두부 백선【頭部白癬】명〔ringworm, 도 Trichophytie〕〖의〗머리의 피부에 생기는 백선. 머리에 둥그런 것이 여기저기 생기는데, 그 부분의 머리털은 광택이 없고 부러지거나 전부 빠지며 회색빛의 비듬이 많이 생김. ㊜백선(白癬). ＊기계충.
두부 비빔【豆腐一】명 두부에다 쇠고기나 돼지 고기를 섞어 볶거나 삶아서, 배추 김치를 썰어 넣고, 양념을 쳐서 주물러 만든 음식. 두부 골동(豆腐骨董).
두부-살【豆腐一】명 피부가 희고 무른 살. 또, 그러한 체질의 사람.
두부-선【豆腐膳】명 두부에다 난도질한 쇠고기를 섞고 양념을 쳐서 주무른 뒤에, 증편 틀에 보자기를 깔고 증편 안치듯이 하고 그 위에 석이·실고추·잣 등을 뿌려 쪄서 그 틀째 식히거나 얼려서 썰어 초장이나 겨자를 찍어 먹는 음식.
두부-어【杜父魚】명〖어〗①볼락. ②횟대❶.
두부 외:상【頭部外傷】명〖의〗두피(頭皮)·두골(頭骨)의 손상 또는 두골 내출혈이나 뇌의 손상에 대한 총칭. 후유증과 의식 장애를 일으키는 일이 많음.
「었다 꺼내 먹는 반찬.
두부-장【豆腐醬】명 두부를 주머니에 넣어 고추장에 박아서 오래 두
두부 장국【豆腐醬一】[一꾹] 명 두부를 넣고 끓인 맑은 장국.
두부 장수【豆腐一】명 두부를 파는 사람. 흔히 조석(朝夕)으로 메고 다
두부 장아찌【豆腐一】명 두부 조림.
L니며 팖.
두부 저:냐【豆腐一】명 두부를 지지거나 혹은 그대로 넓적넓적하게 저며서 소금을 뿌렸다가 밀가루·달걀을 씌워 부친 저냐.
두부-적【豆腐炙】명 두부를 기름하고 넓적하게 썰어서 소금을 뿌려 기름에 지진 음식.
두부 전:골【豆腐一】명 두부를 주로 하여 끓인 전골.
두부 조림【豆腐一】명 두부를 지지거나 간장에 조리어 고명을 한 반찬. 두부 장아찌.
「찌개.
두부 찌개【豆腐一】명 두부를 주로 하여, 고추장이나 새우젓국에 끓인
두부 침식【頭部浸蝕】명〔headward erosion〕〖지〗침식에 의하여 계곡이 상류 쪽으로 뻗어 가는 현상.
두부-콩【豆腐一】명 두부를 만드는 재료가 되는 콩.
두부피 골동【豆腐皮骨董】[一똥] 명 두부 껍질 비빔.
두부-한【豆腐干】명〖역〗관아의 주방(廚房)에서 두부를 만들던 사람.
두불-등기 명〈방〉등겨(경남).
두불 자손【一子孫】명〈방〉손자.
[두불 자손 더 귀엽다] 아들보다 손자가 더 귀엽다는 말.
두브체크〔Dubcěk, Alexandr〕명〖사람〗☞둡체크.
두블 ㊅〈옛〉둘. ¶ 二曰途孛《鷄類》.
두비[1] 명〈방〉두부(豆腐)(함북·경북).
두비[2]【豆肥】명〖농〗콩을 썩여서 쓰는 거름.
두:빛-밤나방 명〖충〗디크로수염나방.
두:-뿔 명 ☞ 날개[2].
「말.
두사【頭詞】명〖문〗표(表)나 또는 전문(箋文) 등의 허두(虛頭)가 되는
두사곰 명〈옛〉두 가지 새김. ¶ 이제 두사곰 ᄒᆞ노니(今爲二釋)《圓覺 下二之二 45》.
두:-사이 명 이것과 저것의 사이. 두 사람의 사이.
「動物).
두삭 동:물【頭索動物】명〖동〗두삭류에 속하는 동물. 무두 동물(無頭
두삭-류【頭索類】[一뉴] 명〖동〗[Cephalochorda] 원삭(原索) 동물에 속하는 한 강(綱). 몸은 좌우가 상칭(相稱)으로 측편(側扁)한 방추형(紡錘形)임. 몸의 등 쪽 전단(前端)에 가깝게 척삭(脊索)이 있으며 그 등 쪽에 연달아 신경관(神經管)이 뻗어 있어 척추동물의 원시형을 나타냄. 활유어(蛞蝓魚) 등이 이에 속함. 전세계에 분포하나 종류는 적음. 무두류(無頭類).
두상[1]【頭上】명 ①'머리'의 존칭. ②머리 위. ③〈방〉늙은이(평안·황해·함남).
두상[2]【頭狀】명 사람의 머리와 비슷하게 이루어진 형상.
「(像).
두상[3]【頭像】명〖미술〗머리 부분만을 표현한 상
두상-꽃차례【頭狀一】명〖식〗무한(無限) 꽃차례의 하나. 화축(花軸)의 끝이 편평(扁平)하거나 또는 공 모양을 이루고, 여러 개의 꽃이 붙어서 두상(頭狀)을 이루며 하부(下部)는 총포(總苞)에 싸여서 겉으로 보기에는 한 송이의 꽃과 같음. 두상 화서.

〈두상꽃차례〉

두상 대:감【頭上大監】명〖역〗신라 때의 지방관. 예성강(禮成江) 이북, 대동강(大同江) 이남 지역을 다스린 패강진(浿江鎭)의 장관. 위계(位階)는 아찬(阿飡)으로부터 급찬(級飡)까지임.
두상 제:감【頭上弟監】명〖역〗신라 때의 지방관. 패강진(浿江鎭)의 대감(大監)의 아래, 제감(弟監)의 위로, 위계(位階)는 사지(舍知)로부터 대나마(大奈麻)까지임.
두상-화【頭狀花】명〖식〗화축(花軸)의 끝에 많은 꽃이 뭉쳐 붙어서 두상(頭狀)을 이룬 꽃. 국화·금송화·민들레·엉겅퀴·해바라기 등의 꽃. 두화(頭花).
두상 화서【頭狀花序】명〖식〗두상(頭狀) 꽃차례.
두새기 명〈방〉늙은이(함남).
두새-바람 명 '동동남풍'의 뱃사람 말.
두색【杜塞】명 막음. 틀어막음. ——-하다 타여불
두색-류【頭索類】[一뉴] 명〖동〗☞ 두삭류.
두생이 명〈방〉늙은이(함남).
두샨베〔Dushanbe〕명〖지〗타지키스탄(Tadzhikistan) 공화국의 수도. 교통의 요지이며, 면직물·견직물·식품 가공·피혁(皮革) 제조 등이 성함. 구칭은 '스탈리나바드(Stahlinabad)'. [592,000 명 (1995 추계)]
두서[1]【頭序】명 머리가 되는 차례. 우수한 차례.
두서[2]【頭書】명 ①머리말❶. ②본문(本文) 앞에 쓴 글. ¶ ~에 대하여는.
두서[3]【頭緖】명 ①일의 단서. 실마리. ②조리(條理)❷. ¶ ~ 없는 말.
두서[4] ㊁〈옛〉두어. =두ᅀᅥ. ¶ 두서 ᄃᆞᆯ 월경 아니ᄒᆞ야(二三月經不行)《胎
두-서너 ㊁ 둘 혹은 서너. ¶ ~ 개의 실과.
L產集要 9》.
두-서넛 ㊅ 둘 혹은 서넛. ¶ ~ 먹어 보다.
두서 미동【頭西尾東】명 제상(祭床)에 제수(祭需)를 진설하는 방식의 하나. 생선 따위 머리는 서쪽으로 향하고 꼬리는 동쪽으로 가게 놓음. ＊홍동 백서(紅東白西)·어동 육서(魚東肉西).
두서-없다【頭緖一】[一업一] 형 말의 조리(條理)가 닿지 아니하다. 두미(頭尾)없다. ¶ 두서없는 말.
「지껄이다.
두서-없이【頭緖一】[一업씨] 부 말의 조리(條理)가 닿지 아니하게. ¶ ~
두서히 명〈옛〉두어 해. 수년(數年). ¶ 다시 사라 두서히를 디내여셔 죽거를(復蘇延數年而歿)《東國新續三綱. 孝子圖 Ⅵ:42》.
두석【豆錫】명 놋쇠.
두석린-갑【豆錫鱗甲】[一닌一] 명〖역〗바탕이 되는 옷에 어깨에서 배에 걸쳐 놋쇠 미늘을 빽빽하게 붙인 갑옷.
두석-장【豆錫匠】명 조선 시대에 놋쇠·백통 등으로 나무 그릇 등 각종 가구(家具)에 덧대는 쇠장식을 만들던 공장(工匠).
두선-거리다 자 ☞수선거리다. ¶ 문득 밖에서 꽤 많은 인마의 두선거리는 소리가 났다《金東仁 : 雲峴宮의 봄》.
두설【頭屑】명〖생〗비듬.
두성[1]【斗星】명〖천〗①두수(斗宿)❷. ②'남두 육성(南斗六星)'의 별칭(別稱). ③'북두성(北斗星)'의 별칭. ㊜두(斗).
두성[2]【斗城】명 중국 한(漢)나라 때 '장안(長安)'의 딴이름. 성남(城南)

은 남두(南斗), 성북(城北)은 북두(北斗) 모양을 한 데서 나온 말임.

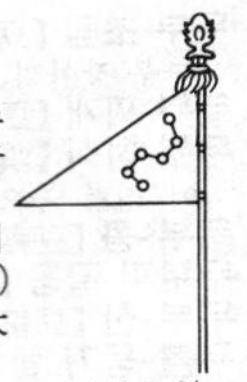
〈두성기〉

두성³【頭聲】[명] 〔head voice〕 주로 두부(頭部)·비부(鼻部)에서 공명(共鳴)시키어 내는 비교적 고음(高音)에 속하는 소리. ＊흉성(胸聲).

두성-기【斗星旗】[명]〖역〗대한 제국의 의장기(儀仗旗)의 하나. 세모진 기폭에 두성(斗星)을 그림. 광무 원년(1897) 고종(高宗)이 황제가 되어 노부(鹵簿)에 사용, 대가(大駕)·법가(法駕)가 나갈 때 뒤딸았음.

두-세 [관] 둘이나 셋의. ¶제비가 ～ 마리/～ 가지 물건.

두세두세-하다 [자][여불] ☞술렁술렁하다. ¶밖에서 두세두세하는 소리가 나더니…≪洪命憙：林巨正≫.

두세크 〔Dussek, Jan Ladislav〕[명]〖사람〗보헤미아의 작곡가·피아니스트. 칸타빌레 주법(奏法)에 뛰어났으며 보헤미아 악파의 선구임. [1760-1812]

두-셋 [수] 둘 혹은 셋. ¶참외 ～은 먹는다.

두소【斗筲】[명] ①〔한 말 두 되 들이의 그릇이라는 뜻에서〕 나라의 봉록(俸祿)이 얼마 되지 아니하다는 말. ②도량(度量)이 작음. ——-하다 [형][여불]

두소 소:인【斗筲小人】[명] 변변하지 못한 사람. 국량이 작은 사람. 두소지인.

두소지-기【斗筲之器】[명] 변변하지 못한 얕은 기량. 또, 그런 사람.

두소지-인【斗筲之人】[명] 두소 소인(斗筲小人).

두소지-재【斗筲之才】[명] 변변하지 못한 재주.

두:손-들다 [자] '손들다'를 힘주어 한 말.

두:손-매무리 [명] 무슨 일을 함부로 아무렇게나 거칠게 버무려 냄을 일컫는 말. ——-하다 [타][여불]

두송【杜松】[명]〖식〗노간주나무.

두송-실【杜松實】[명] 두송의 열매. 두송자(杜松子).

두송-유【杜松油】[명] 두송의 열매로 짜낸 기름. 한약제로 방광염(膀胱炎)·피부염·소화기 질환 등에 쓰임.

두송-자【杜松子】[명] 두송실(杜松實).

두송-주【杜松酒】[명] 두송의 열매로 담근 술. 주정분(酒精分)은 소주보다 강함.

두수¹【斗宿】[명]〖천〗①이십팔수(宿)의 하나. 북쪽 하늘에 있는 현무 칠수(玄武七宿)의 첫째 별자리. 두수(斗宿)·건성(建星)·천변(天弁)·천계(天雞)·구(狗)·구국(狗國)·천연(天淵)·별(鼈)의 여덟 별자리로 이루어짐. ②두수(斗宿)를 이루는 별자리의 하나. 두성(斗星). [준]두(斗).

두수²【斗數】[명] 말수¹.

두수³【抖擻】[명] ①물건을 듦. ②정신을 차리게 함. ③〖불교〗두타(頭陀). ——-하다 [타][여불]

두수⁴【頭首】[명] ①우두머리. 두목. ②〖불교〗선사(禪寺)의 직명(職名). 법당(法堂)의 서쪽에 차례에 따라 늘어서는 직위(職位)의 총칭. ③머리. 목. 수급(首級).

두수⁵【頭數】[명] 소·말 따위 동물의 수효. ¶사육 ～.

두수-없다 [—업—] [형] 달리 주선하거나 변통할 여지가 없다.

두수-없이 [—업씨] [부] 두수없게. ¶이제는 우리 왕가의 집안이 ～ 망하였지≪崔瓚植：桃花園≫.

두숙-류【豆菽類】[—뉴] [명]〖식〗씨를 먹이로 하는 콩과 식물의 총칭. 낙화생·완두·콩·팥 같은 것. 두류(豆類). 두곡류(豆穀類).

두-순【杜順】[명]〖사람〗중국 화엄종(華嚴宗)의 시조. 법명(法名)은 법순(法順). ≪법계 관문(法界觀門)≫·≪오교 지관(五敎止觀)≫을 저술하여 화엄 교학의 기초를 수립하였음. [557-640]

두:습 [명] 말이나 소의 두 살.

두승【斗升】[명] ①마되. ②근소(僅少)함의 뜻. ¶～지활(之活)/～지수(之水).

두시¹【豆豉】[명]〖한의〗약전국.

두시²【杜詩】[명] 두보(杜甫)의 시(詩).

두시 비:해【杜詩批解】[명]〖책〗조선 시대 중기의 문인 이식(李植)이 지은 두시에 대한 평석서(評釋書). 두시 약 1천 3백 수의 작품에 주(註)와 평석을 달았음. 정식 명칭은 '찬주 두시 택풍당 비해(纂註杜詩澤風堂批解)'. 영조(英祖) 15년(1739)에 간행. 26권 14책.

두-시수【頭示數】[명] 〔cranial index〕〖생〗두골(頭骨) 및 생체 두부(頭部) 여러 곳의 길이 사이의 백분비로 머리의 모양을 나타내는 수치. 두장폭(頭長幅) 시수·두장고(頭長高) 시수·두폭고(頭幅高) 시수의 세 가지가 흔히 쓰임. ＊두형(頭形).

두시 언:해【杜詩諺解】[명]〖책〗↗분류 두공부시 언해(分類杜工部詩諺解).

두식【蠹蝕】[명] ①좀이 먹음. ②좀이 먹듯이 개먹음. ——-하다 [자][여불]

두신¹【痘神】[명]〖민〗호구 별성(戶口別星).

두신²【頭身】[명] ①두부(頭部)와 몸. ②수사(數詞)에 붙어 두부(頭部)의 길이와 신장(身長)의 비율을 나타내는 말. ¶팔(八) ～.

두신 지수【頭身指數】[명] 신장(身長)을 머리의 길이로 나눈 몫.

두실【斗室】[명] 썩 작은 방. 두옥(斗屋).

두:쌍무늬-노린재【—雙—】[—니—] [명]〖충〗[*Urochela quadrinotata*] 상수리노린잿과에 속하는 곤충. 몸길이 15mm 내외, 몸빛은 배면(背面)이 암적갈색, 촉각이 흑색이며, 소순판(小楯板)의 기부 양단과 시초(翅鞘) 끝에는 한 개씩, 혁질부(革質部)에는 두 개의 검은 점이 있음. 오이·참외·수박 등의 뿌리를 갉아먹는 해충임.

두ᅀᅥ [관] 〈옛〉 두어. ＝두서. ¶種種方便으로 두ᅀᅥ 번 니르시니≪釋譜 Ⅵ:6≫.

두ᅀᅥᄃᆞᆯ [명] 〈옛〉 두어 달. ¶서울 드로ᄃᆡ 두ᅀᅥ ᄃᆞ래(入於京都數月)≪圓覺 上一之一 112≫.

두ᅀᅥᄒᆞᆯ 〈옛〉 두엇을. '두ᅀᅥᆺ'의 목적격형. ¶거유 ᄂᆞ랫짓 두ᅀᅥᄒᆞᆯ ᄉᆞ라 細末ᄒᆞ야(燒鵝翎數根末)≪救方 上 53≫.

두ᅀᅥ히 〈옛〉 두엇이. '두ᅀᅥᆺ'의 주격형(主格形). ¶거머리 두ᅀᅥ히 손ᄭᅡ락애 브터나거늘(水蛭數三 附手指而出)≪續三綱 孝子圖 姜廉鑿氷≫.

두아¹【豆芽】[명] 콩나물.

두아² 〔아랍 du 'ā'〕[명]〖이슬람〗기도(祈禱).

두아디라 〔Thyatira〕[명]〖성〗소아시아의 서해안 근처에 있는 도시. 이곳 교회는 계시록(啓示錄)에 있는 일곱 교회의 하나임.

두:아-원【竇娥冤】[명]〖악〗중국의 사곡(詞曲). 전(全) 4막. 젊은 미망인 두아(竇娥)는 악인(惡人)의 구혼을 거절하여 시아버지를 죽였다는 누명을 쓰고 처형을 당하자, 망령이 되어 친아버지인 지방 순찰관에게 호소하여 누명을 벗는다는 내용. 원대(元代) 잡극(雜劇)에서 최고의 비극. 원(元)나라 관한경(關漢卿)의 찬(撰). 감천 지동(感天地動) 두아원.

두안【頭眼】[명]〖동〗연체(軟體) 동물의 두부(頭部)에 있는 한 쌍의 눈. 외투안(外套眼)·배안(背眼)·각안(殼眼)에 상대하여 이르는 말.

두알라 〔Douala〕[명]〖지〗서아프리카, 카메룬(Cameroun) 서부 기니 만(Guinea 灣) 연안의 항구 도시. 이 나라 최대의 상공업 도시로 목재·커피·카카오·알루미늄 등을 수출함. [458,000 명(1981)]

두야머주저기 [명] 〈옛〉 두여머조자기. ¶두야머주저깃불휘(天南星)≪救簡 Ⅰ:2≫.

〈두약〉

두약【杜若】[명]〖식〗[*Alpinia japonica*] 양하과에 속하는 다년생의 숙근초(宿根草). 양하(蘘荷)와 비슷한데, 줄기 높이 30cm 가량, 잎은 호생(互生)하며 긴 타원형으로 끝이 뾰족함. 여름에 황적색의 수상화(穗狀花)가 액출하여 피고 타원형의 삭과(蒴果)는 빨갛게 익음. 따뜻한 지방의 산밑 응달에 남.

두어¹【蠹魚】[명] ①〖충〗반대좀❶. ②책을 읽고 활용할 줄 모르는 사람을 비웃는 말.

두어² [관] '둘 가량'의 수효의 뜻을 나타내는 말. ¶～ 개/～ 사람.

두어-두다 [타] 가만히 두고 돌아보지 아니하다. ¶가만히 ～. [준]둬두다.

두어리 [명] 〈옛〉 이삼리(二三里). 수리(數里). ¶도적이 ᄭᅳ어내여 두어리 예 가(賊曳出數里)≪東國新續三綱. 烈女圖 Ⅷ:36≫.

두어-서너 [관] 두어서넛 사이의. ¶사과 ～ 개.

두어-서넛 [수] 두엇이나 서넛.

두어설 [명] 〈옛〉 두어 살. ¶왕람이 두어설 머근제보고(覽年數歲見)≪二倫 X≫.

두어열 [명] 〈옛〉 수십(數十). 이삼십(二三十). ¶뵈옷니븐 두어열 사ᄅᆞ미(布衣數十人)≪重杜諺 Ⅵ:38≫.

두어-째 [수] 둘째쯤 되는 차례.

두어-춤 [명]〖민〗탈춤에서, 양반의 종 말뚝이가 양반을 희롱하는 몸짓의 춤.

두어ᄒᆞᆯ 〈옛〉 두엇을. '두엇'의 목적격형(目的格形). ¶겨집죵 두어ᄒᆞᆯ 서ᄅᆞ 마람내야 뵈니≪太平廣記 Ⅰ:39≫.

두어히 〈옛〉 두엇이. '두엇'의 주격형(主格形). ¶청의 두어히 다시 나와 문안ᄒᆞ기ᄅᆞᆯ≪太平廣記 Ⅰ:18≫.

두억-시니 [명] 〔←두억신+이. 중세 : 두억신〕〖민〗사나운 귀신의 하나. 야차(夜叉). ¶겉은 양 같고 속은 ～ 같다/마치 ～에게나 홀린 사람 같다. 취음(取音):두옥신(斗玉神).

두얼 [수] 〈방〉 둘(경남).

두엄 [명]〖농〗구덩이를 파고 그 안에서 풀이나 짚, 그 밖의 잡살뱅이를 썩인 거름. 퇴비(堆肥).

두엄-간【—間】[—깐] [명] 두엄을 쌓아 놓는 헛간. 구비사(廐肥舍).

두엄-걸채 [명]〖농〗두엄을 실어 내는 소의 걸채.

두엄-더미 [—떠—] [명]〖농〗두엄을 쌓은 더미.

두엄-발치 [명]〖농〗두엄을 넣어서 썩이는 구덩이.

두엄-자리 [—짜—] [명] 두엄을 쌓아 모으는 자리. 두엄터. 구비장(廐肥場).

두엄-탕 [명] 두엄터.

두엄-터 [명] 두엄자리.

두엄-풀 [명] 두엄으로 쓰는 풀.

두엇 [수] 둘 가량.

두에 [명] 〈옛〉 뚜껑. ¶가마 두에 덮고(鍋子上蓋覆了)≪老乞 上 19≫.

두에로 강【—江】〔Duero〕[명]〖지〗'도우루(Douro) 강'의 스페인어명.

두엠 〔Duhem, Pierre Maurice Marie〕[명]〖사람〗프랑스의 물리학자·과학사가(科學史家). 1895년 보르도 대학 교수. 마하(Mach)주의에 입각하여 에너지론(論)을 전개. 역학사(力學史)와 중세 르네상스 시대의 물리학사(物理學史)를 연구. 저서에 ≪정역학(靜力學)의 기원≫·≪전기 자기학 입문≫ 등이 있음. [1861-1916]

두여머-조자기 [명]〖식〗천남성(天南星)❶.

두역【痘疫】[명] 두창(痘瘡)을 전염병적인 성질로 보아서 부르는 말. 역신(疫神).

두연【斗然】[一] [부] 문득. 왈칵. [二] [명] 큰 모양. ——-하다 [형][여불]. ——-히 [부]

두열【頭熱】[명] 두통(頭痛)과 열이 나는 일.

두엽-장【豆葉醬】[명] 콩잎장.

두-예【杜預】[명]〖사람〗중국 진(晉)나라 때의 무장(武將)·학자. 자는 원개(元凱). 무제(武帝) 때에 오왕(吳王)을 굴복시켜 당양현후(當陽縣侯)에 봉함을 받음. 저서에≪춘추 좌씨 경전 집해(春秋左氏經傳集解)≫·≪석례(釋例)≫ 등이 있음. [222-284]

두오모 〔이 duomo〕[명] 대성당(大聖堂). 카테드랄(cathédral). 주교좌 성당.

두옥【斗屋】[명] ①아주 작은 집. ②아주 작은 방. 두실(斗室).

두옥-신【斗玉神】[명]〖민〗'두억시니'의 취음.

두옹【杜翁】[명]〖사람〗'톨스토이(Tolstoi)'를 한자식으로 쓰는 말.

두우¹【斗牛】[명]〖천〗이십팔수(宿) 가운데의 두성(斗星)과 우성(牛星).

두우²【斗牛】[명]〖역〗옛 형구의 하나. 목과 손발을 매는 기구.

두우³【斗宇】[명] 온 세상. 우주(宇宙).

두우⁴【杜宇】[명]〖조〗〔두우(杜宇)는 촉(蜀)나라 망제(望帝)의 이름〕 두견이.

두-우⁵【杜佑】[명]〖사람〗중국 당대(唐代)의 정치가. 자는 군경(君卿). 덕종(德宗) 때에 호부시랑 판탁지(戶部侍郞判度支)가 되어 혼란한 국가 재정을 정리하였고, 806년에는 사도 동평장사(司徒同平章事)가 되어 기국공(岐國公)에 봉하여졌음. 저서에 ≪통전(通典)≫·≪이도 요결(理道要訣)≫ 등이 있음. 시호는 안간(安簡). [735-812]

두-우슬【杜牛膝】[명]〖한의〗여우오줌풀의 뿌리. 회충(蛔蟲)을 죽이고 독기를 다스리는 데 씀.

두우쟁이 [명]〖어〗[*Saurogobio dabryi*] 잉어과에 속하는 민물고기. 몸길이 20-25cm로 모래무지와 비슷하여 몸이 아주 가늘고 길며 원통형임. 몸빛은 등 쪽이 푸른 갈색, 배 쪽은 은백색임. 큰 하천의 모래펄 바닥에 사는데, 맛이 좋음. 압록강·대동강·한강 및 중국 등지에 널리 분포함.

두우티다 타 〈옛〉 번드치다(飜). =드위티다 ¶ 이스레 두우티며 비 류둘 조쳐ᄒᆞ니(露飜兼雨打)≪重杜諺 XV:8≫.

두운【頭韻】명 〖문〗 구(句)의 첫머리에 같은 음을 갖는 글자를 되풀이해서 쓰는 수사법(修辭法). 얼리터레이션(alliteration). ¶ ～을 달다. ↔각운(脚韻).

두운-봉【頭雲峰】명 〖지〗 ①함경 남도 장진군(長津郡)과 풍산군(豐山郡) 사이에 있는 산. 두운봉 산맥에 속함. [2,487m] ②함경 남도 풍산군 안산면(安山面)과 천남면(天南面) 사이에 있는 산. [1,622m]

두운봉 산맥【頭雲峰山脈】명 〖지〗 부전령(赴戰嶺) 산맥 중의 명당봉(明堂峰)에서 갈려 허천강(虛川江)과 부전강(赴戰江)의 사이를 북쪽으로 달려 갑산 장진 고원으로 뻗은 산맥. 산맥 중에는 두운봉·차일봉(遮日峰)·북수백산(北水白山) 등이 있음. 「≪七大 2≫.

두울 수 〈옛〉 둘. ¶ 두울재ᄂᆞᆫ 므리니 내 모매 피와 눈믈와 곳믈와 춤괘오

두움 명 〈방〉 ①두엄, ②거름(평남). 「이에 있는 산. [1,466m]

두원-봉【斗圓峰】명 〖지〗 강원도 정선군(旌善郡)과 영월군(寧越郡) 사

두위[1]【頭位】명 머리의 위치. 특히, 태아(胎兒)의 머리가 있는 위치를

두위[2]【頭圍】명 머리 둘레. ∟말함.

두-위-건【斗爲巾】명 〖악〗 쟁(箏)의 현(絃)의 명칭. 13현으로 된 쟁의 위의 3현. 제11현을 두(斗), 제12현을 위(爲), 제13현을 건(巾)이라 하며, 칠현금(七弦琴)에서는 제5현을 두, 제6현을 위, 제7현을 건이라고 함. 「也)≪救簡 Ⅰ:84≫.

두위그우리다 타 〈옛〉 뒹굴리다. ¶ 두위그우리면 즉재 닐리라(展轉即起

두위눕다 자 〈옛〉 돌아눕다. ¶ 초 모미 고다 구브며 펴며 두위눕디 몯ᄒᆞ거든(身直不得屈伸反覆者)≪救簡 Ⅰ:28≫.

두위드듸다 타 〈옛〉 헛디디다. 차질(蹉跌)하다. ¶ 두위드듸여 알프거든

두위-리【斗圍里】명 '둥우리'의 취음. ∟(蹉跌疼痛)≪救急 下 27≫.

두위엇다 타 〈옛〉 번드치다. ¶ 노피 벼개 벼여쇼매 별와 ᄃᆞ리 두위엇고(高枕飜星月)≪重杜諺 Ⅲ:20≫. *두위잊다.

두위잇다 자 〈옛〉 뒤집혀지다. =두위잊다·두위티다. ¶ 두들겟 ᄇᆞᄅᆞᆷ맨 나죗 믌겨리 두위잇거놀(岸風飜夕浪)≪杜諺 Ⅱ:18≫.

두위잊다 자 〈옛〉 뒤집혀지다. =두위잇다·두위티다. ¶ 품 안해 제 이블 마리오니 두위이저 소리 더욱 怒ᄒᆞ야 ᄒᆞᄂᆞ다(懷中掩其口反側聲愈嗔)≪杜諺 Ⅰ:12≫.

두위저기다 타 〈옛〉 뒤적이다. ¶ ᄒᆞ다가 옮기ᄂᆞᆫ 고대 情을 두디 아니ᄒᆞ면 두위저교매 永히 那伽定에 이시리라(若於轉處 不留情 繁興永處那伽定)≪六祖 中 75≫. 「≪杜諺 Ⅲ:11≫.

두위치다 자 〈옛〉 번드치다. ¶ 붉근 새 두위쳐 ᄂᆞ라오고(赤雀飜然至)

두위틀다 자 〈옛〉 뒤틀다. ¶ 소놀 브르쥐며 모미 쉘활 두위트러 가드ᄒᆞ거든(搐搦角弓反張)≪救簡 Ⅵ:83≫.

두위티다 자 〈옛〉 뒤집혀지다. =두위잇다·두위잊다·드위잊다·드위티다. ¶ 히튼 술위 두위틸가 저허 시름ᄒᆞ노라(愁畏日車飜)≪杜諺 ⅩⅢ:23≫. 「訓 Ⅲ:6≫.

두위혀다 타 〈옛〉 번드치다. 뒤집다. ¶ 손ᄯᅡ당 두위혈ᄉᆞ시(反掌間)≪內

두위힐홈 자 〈옛〉 엎치락뒤치락 다툼. '두위힐후다'의 명사형. ¶ 人生애 두위힐호ᄆᆞᆯ 보니 초 더럽도다(人生反覆看亦醜)≪初杜諺 XXV:10≫.

두위힐후다 자 〈옛〉 엎치락뒤치락 다투다. 반복하여 다투다. ¶ 鄴城의 두위힐후믄 足히 妖恠롭디 아니ᄒᆞ니(鄴城反覆不足怪)≪杜諺 Ⅲ:60≫.

두위혀 부 〈옛〉 번드쳐. ¶ 이런ᄃᆞ로 特別히 두위혀 詰難ᄒᆞᄉᆞ오니라(故

두유[1]【豆油】명 콩기름❶. ∟特反難也)≪楞嚴 Ⅳ:33≫.

두유[2]【豆乳】명 진하게 만든 콩국. 두부를 만들 때, 간 콩에 물을 더하여 진하게 끓인 희고 걸쭉한 액체. 우유나 모유(母乳)의 대용으로 씀.

두으리 명 〈옛〉 둥주리. ¶ 두우리예ᄂᆞᆫ(鴈翅板上)≪朴解 上 28≫.

두을 수 〈옛〉 둘. ¶ 열두을 ᄂᆞ랫 지치여(十二翮)≪杜諺 XVII:10≫.

두음【頭音】명 〖언〗 음절(音節)의 첫소리. '어머니'의 ㅓ·ㅁ·ㄴ 등. 머리 소리. ↔말음(末音).

두음 경화【頭音硬化】명 〖언〗 첫소리가 된소리로 변하는 발음 경향의 한 현상. '가마귀'가 '까마귀', '벋다'가 '뻗다'로 되는 일 등.

두음-법【頭音法】[一뻡] 명 〖문〗 시(詩)의 형식의 한 가지. 구절마다 혹은 한 구절을 걸러서 두 구절마다 첫머리를 같은 음으로 하여 짓는 구법(句法).

두음 법칙【頭音法則】명 [initial law] 〖언〗 우리 국어에 있어 어두(語頭)에 오는 자음(子音)이 특수한 제한을 받기 때문에 일어나는 변화를 이름. ㄱ)'ㄹ'이 첫소리가 되는 것을 피함. '랑군(郎君)'이 '낭군', '리과(理科)'가 '이과'로 되는 것 등. ㄴ)ㅑ·ㅕ·ㅖ·ㅛ·ㅠ·ㅣ 등의 모음 앞에서 'ㄴ'이 첫소리가 되는 것을 피함. '녀학교(女學校)'가 '여학교'로 되는 것 등. ㄷ)둘 이상의 중자음(重子音)을 피함. 영어의 'steak', 'grand' 같이 첫머리에 자음이 겹쳐지는 예가 없음. ㄹ)'ㅇ'음은 초성(初聲)에 음가(音價)가 없음. ㅁ)탁음(濁音)을 피함. 머리소리 법칙.

두응-봉【頭應峰】명 〖지〗 평안 북도 후창군(厚昌郡) 후창면(厚昌面)에 있는 산. [1,266m]

두의걷다 자 〈옛〉 걷히다. ¶ 부리 두의걷고(捲尖)≪朴解 上 26≫.

두의잇다 자 〈옛〉 뒤집혀지다. ¶ 푸른 믌겨리 하ᄂᆞᆯ에 두의잇놋다(蒼濤鬱飛飜)≪重杜諺 Ⅵ:49≫. 「14≫.

두의틀다 자 〈옛〉 뒤틀리다. ¶ 모미 두의틀오(身體角弓反張)≪救簡 Ⅰ:

두의티다 타 〈옛〉 번드치다. ¶ 베 므레 누워 두의티디 몯ᄒᆞ얫도다(粳稻

두이 명 〈방〉 두부(豆腐)(함북). ∟臥不飜)≪重杜諺 XVI:4≫.

두:-이레 명 아이가 태어난 지 14일 되는 날. 이칠일(二七日).

두:이-부 【一二部】명 한자 부수(部首)의 하나. '云'이나 '亘' 등의 '二'의 이름.

두인[1]【豆人】명 콩만하게 보이는 사람. 멀리에 있는 사람이 작게 보이는 모양.

두인[2]【頭人】명 우두머리. 수령(首領). 「름. 중인변(重人邊).

두:인-변【一人邊】명 한자 부수의 하나. '往'이나 '德' 등의 '彳'의 이

두일-령【杜日嶺】명 〖지〗 평남 덕천군(德川郡) 일하면(日下面)과 평북 영변군(寧邊郡) 용산면(龍山面) 사이에 있는 재. [467m]

두임 [네 duim] 의명 네덜란드의 구제(舊制) 길이의 단위. 1cm와 같음.

두입【斗入】명 산세(山勢)가 유난스럽게 굽어 바다 쪽으로 쑥 들어간 형세. ↔두출(斗出).

두입-지【斗入地】명 〖역〗 경계선이 북두 칠성(北斗七星)처럼 위치해 있는 지역이란 뜻으로 '견아 상입지(犬牙相入地)'를 일컫는 딴이름.

두읍다 타 〈옛〉 두옵다. ¶ 拜辭호리라 闕下애 가 님금 두ᄋᆞᆸ고 나가ᄆᆞᆯ 젓ᄉᆞ와(拜辭詣闕下休惕)≪杜諺 Ⅰ:1≫.

두자【骰子】명 주사위.

두자-골【骰子骨】명 주사위뼈.

두자춘-전【杜子春傳】명 〖문〗 중국 당대(唐代)의 전기 소설(傳奇小說). 정환고(鄭還古)의 작품. 영락(零落)한 두자춘이 늙은 선인(仙人)에게서 받은 대금(大金)까지 탕진하고, 선인(仙人)이 되려고 수행(修行)을 하지만 속인(俗人)의 애착을 버리지 못하여 재차 속계(俗界)로 돌아온다는 줄거리. 원형(原形)은 서역(西域)의 설화(說話)로 추측됨.

두잠【豆簪】명 머리가 콩알 모양으로 생긴 비녀.

두장[1]【斗張】명 작은 장막(帳幕).

두장[2]【豆醬】명 콩장.

두장[3]【痘漿】명 두창(痘瘡)의 고름.

두장고 시수【頭長高示數】명 [length-height index] 〖생〗 두시수(頭示數)의 하나. 두부 또는 두골의 길이에 대한 높이의 백분율. 측면(側面)의 모양을 나타내며, 69.9 이하는 저두형(低頭型), 70.0-74.9까지는 정두형(正頭型), 75.0 이상을 고두형(高頭型)이라고 하는데, 몽고 사람은 정두형, 한국인과 중국인은 고두형임.

두장폭 시수【頭長幅示數】명 [cephalic index] 〖생〗 두부 또는 두골의 길이에 대한 폭의 백분율. 두골 및 두부의 상면(上面)의 모양을 나타내는 두시수(頭示數)의 하나. 두골로 계측했을 때 74.9까지의 사람을 장두형(長頭型), 75.0-79.9까지를 중두형(中頭型), 80.0 이상을 단두형(短頭型)이라고 함. 유럽인(人)은 대개 장두형, 아시아 사람은 대개 단두형임. 두지수(頭指數). *두폭고 시수(頭幅高示數)·두시수.

두저【斗儲】명 약간의 저축. 얼마 아니 되는 저축.

두저-골【頭底骨】명 〖생〗 설상골(楔狀骨)❶.

두적【蠹賊】명 좀먹듯이 사물을 해침. 또, 그런 사람.

두적-봉【豆積峰】명 〖지〗 강원도 이천시(伊川市) 고삽면(高揷面)에 있

두전【頭錢】명 구문(口文). ∟는 산. [1,281m]

두절[1]【斗絕】명 벼랑처럼 험준함. ——하다 형 여불

두절[2]【杜絕】명 교통이나 통신이 막혀서 끊어짐. ¶ 눈으로 교통이 ～되

두절[3]【頭切】명 ↗두절목(頭切木). ∟다. ——하다 자 여불

두:절-개 [一깨] 명 두 절로 다니는 개가 두 군데에서 다 밥을 얻어 먹지 못한다는 뜻으로, 두 가지 일을 하다가 한 가지도 이루지 못함을 이르는 말.

두절-목【頭切木】명 재목을 다듬을 때에 그 대가리를 잘라 낸 나무 토막. 끝동. 준두목(頭木)·두절(頭切).

두:점박이-강충이【一點一】명 〖충〗 쌍점박이매미충.

두:점박이-먼지벌레【一點一】명 〖충〗 [*Planetes puncticeps*] 딱정벌렛과에 속하는 곤충. 몸길이 13mm 내외, 몸은 편평함. 몸빛은 흑갈색인데 촉각·다리 및 시초(翅鞘) 위의 두 줄의 둥근 무늬는 갈황색이며, 온몸에 황색 털이 있음. 산간에 사는데, 한국·일본·중국 등지에 분포함. *먼지벌레.

두:점박이-민꽃게 【一點一】명 〖동〗 [*Charybdis bimaculata*] 꽃겟과에 속하는 게. 등딱지의 길이 22mm, 폭 34mm 내외이고 아가미 부분에 있는 많은 자질구레한 돌기의 중심에 자갈색의 반점이 한 쌍 있고 전측연(前側緣)과 이마에는 여섯 개의 삼각형의 이가 있음. 모래 바닥에 서식하는데, 한국에도 분포함.

두정【蠹政】명 백성을 해롭게 하는 정치. *비정(秕政)·악정.

두정-골【頭頂骨】명 [parietal bone] 〖생〗 두개골(頭蓋骨)의 한 부분. 대뇌의 뒤쪽 윗부분을 덮은 뼈 조각. 노정골(顱頂骨). 두로(頭顱). 천령개(天靈蓋).

두:제 [Duse, Eleonora] 명 〖사람〗 이탈리아의 여배우. 배우 집안에 태어나 13세에 데뷔. 1897년 파리에서 ≪춘희≫에 출연한 이래, 베르나르(Bernhardt Sarah)와 명성을 겨루는 세계적인 배우가 되었음. 단눈치오(D'Annunzio)와 친교를 맺고 그의 작품에 많이 출연하였으며, 비극에 능하였음. [1859-1924]

두제기 명 〈방〉 〖동〗 두더지(전라·충청·강원). 「의 발.

두족【頭足】명 ①소의 머리와 네 발. ②〖동〗 연체 동물 두족류(頭足類)

두족-류【頭足類】[一뉴] 명 〖동〗 [Cephalopoda] 연체 동물에 속하는 한 강(綱). 몸은 좌우쪽이 서로 대칭(對稱)이며, 머리·몸통·발의 세 부분으로 구분되는데 발이 두부(頭部)에 달린 것이 특징임. 발은 8개 또는 10개로 육식성(肉食性)이며, 간혹 조개껍데기를 가지고 있는 것도 있음. 낙지·오징어·앵무조개 등이 이에 속함. 아가미 수에 의하여 사새류(四鰓類)와 이새류(二鰓類)의 두 아강(亞綱), 발의 수에 의하여 이새류를 다시 십각목(十脚目)과 팔각목(八脚目)으로 분류함. *복족류(腹足類).

두주[1] 명 〈방〉 뒤주(경기).

두주[2]【斗酒】명 말술❶❷. ¶ ～ 불사(不辭).

두주[3]【頭註】명 본문(本文)의 위쪽에 적은 주석(註釋). 오두(鼇頭). ¶ ~를 달다. ↔각주(脚註).

두주기 명〘동〙〈방〉 두더지(전남).

두주 불사【斗酒不辭】[—싸] 명 말술도 사양하지 아니함. 주량(酒量)이 매우 큼. ——하다 자여불

두죽【豆粥】명 ①콩죽. ②팥죽.

두:줄-꼬마밤나방 명〘충〙[*Naranga aenescens*] 밤나방과에 속하는 곤충. 편 날개의 길이 18-25 mm, 몸길이 10 mm 가량임. 몸빛은 암황색에 복부와 뒷날개는 암갈색이며, 앞날개에는 암자갈색의 굵은 두 줄의 비스듬한 띠가 있고, 수컷의 복부와 뒷날개에는 황색 부분이 있음. 유충은 몸길이 22 mm 가량이고 몸빛은 녹색인데, 어린 벼의 엽맥(葉脈) 사이의 표피(表皮)만을 남기고 갉아먹는 해충임. 한국·일본·중국 등지에 분포함.

〈두줄꼬마밤나방〉

두:줄-나비 [—라—] 명〘충〙[*Neptis coenobita*] 네발나빗과에 속하는 나비. 편 날개의 길이 50 mm 내외이고, 날개는 흑갈색에 반문은 백색이며 굵은 백색띠가 뒷날개 중앙과 앞날개 중앙에 각각 한 줄씩 있음. 한국·일본·중국 등지에 분포함.

〈두줄나비〉

두:줄 나사 [—라—] 명 한 바퀴 회전할 때 2 피치 이동하는 나사.

두:줄-망둑 명〘어〙[*Tridentiger trigonocephalus*] 망둑어과에 속하는 민물고기. 몸길이 약 11 cm로 청색을 띤 담갈색 바탕에 두 줄의 갈색 세로띠가 있으며 좌우배지느러미는 융합하여 흡반(吸盤)을 이룸. 한국·중국·일본의 민물과 기수(汽水)에 분포함.

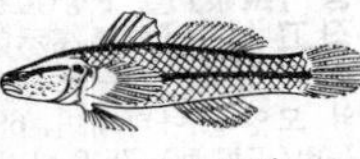
〈두줄망둑〉

두:줄-베도라치 명〘어〙[*Dasson trossulus*] 청베도라칫과에 속하는 바닷물고기. 몸길이 20 cm 내외로 머리는 가늘고 길며 전단이 날카로움. 몸빛은 회색 바탕에 두 줄의 폭 넓은 자흑색 세로띠가 있음. 등지느러미와 뒷지느러미에는 회색과 흑색의 무늬가 있음. 연해(沿海)의 암초에 사는데, 한국 남부 및 일본 남부에 분포함.

두:줄-애기나방 명〘충〙 끝무늬애기자나방.

두:줄-제비나방붙이 [—부치] 명〘충〙[*Epicopeia mencia*] 제비나방붙잇과에 속하는 곤충. 호랑나비와 비슷한데, 몸빛은 회흑색, 날개의 가장자리는 흑색이며, 뒷날개의 가장자리에는 적색 반점이 있고 촉각은 빗살 모양임. 생활사(生活史)는 잘 알려져 있지 않으나, 성충·유충을 붙잡으면 악취액(惡臭液)을 분비함. 한국·일본·중국·인도·말레이 등지에 분포함. 꼬리밤나비. 범나방.

〈두줄제비나방붙이〉

두:줄-촉수【—觸鬚】명〘어〙[*Pseudupeneus spilurus*] 촉수과에 속하는 바닷물고기. 몸에 폭이 넓은 두 줄의 담갈색 세로띠가 있고 위쪽에만 폭 넓은 녁 줄의 분명하지 아니한 담갈색 가로띠가 있음. 한국 남해(南海)·일본 남부에 분포함.

두중 각경【頭重脚輕】명 정신이 어찔하여 쓰러짐. ——하다 자여불

두쥐 명〈방〉 뒤주(경남).

두지[1] 명〈방〉 ①뒤주(제주). ②〘동〙 두더지(전북).

두지[2]【斗庋】명 '뒤주'의 취음.

두지[3]【頭指】명 집게손가락.

두지[4]【蠹紙】명 좀먹은 종이. 또, 좀먹은 낡은 서적의 책장.

두지기 명〈방〉〘동〙 두더지(전라·충청·강원).

두지-도【斗之島】명〘지〙 충청 남도 서쪽의 태안군(泰安郡) 안면읍(安眠邑) 중장리(中場里)에 위치한 섬. [0.13 km²: 26 명(1984)]

두-지수【頭指數】명〘생〙 두장폭 시수(頭長幅示數).

두-지정【頭支定】명 잡을 도조(賭租).

두진【痘疹】명〘한의〙 ①두창(痘瘡)의 드러난 증세를 일컫는 말. 앓기 시작할 때에 오한·발열을 하며, 얼굴과 전신에 붉은 점이 부르는 것이 홍역과 같음. ②천연두(天然痘)와 마진(痲疹).

두질【頭質】명 대질(對質). 무릎맞춤. ——하다 자여불

두:짝-열개 [—녈—] 명〘건〙 두 짝으로 여닫게 된 문.

두:-째 수 열을 넘은 한째의 다음 차례. ¶ 열 ~/스물 ~. *둘째.

두찬【杜撰】명〘문〙 ①전거(典據)가 확실하지 못한 저술. ②틀린 곳이 많은 작품.

두창[1]【痘瘡】명〘한의〙 천연두(天然痘).

두창[2]【頭瘡】명〘의〙 머리에 나는 부스럼의 총칭. 두면창(頭面瘡).

두창 경험방【痘瘡經驗方】명〘책〙 한방 의서(漢方醫書)의 하나. 조선 현종(顯宗) 4년(1663)에 박진희(朴震禧)가 편찬한 것으로 두창(痘瘡)의 치료서임.

두창 바이러스【痘瘡—】[virus] 명〘의〙 사람·동물에 천연두(天然痘)를 일으키게 하는 병원(病源) 바이러스의 총칭. 열에 약하며 직사 광선(直射光線)을 받으면 몇 시간 안에 활성(活性)을 잃음. 건조(乾燥)에는 강함.

두채[1]【豆彩】명〘미술〙 두청(豆靑)의 빛깔을 내는 채화(彩花).

두채[2] 수〈방〉 둘째(함남).

두첩-산【頭疊山】명〘지〙 ①평안 북도 희천군(熙川郡) 북면(北面)과 강계군(江界郡) 화경면(化京面) 사이에 있는 산. [1,744 m] ②평안 북도의 희천군(熙川郡)에 있는 산. [1,472 m]

두청【豆靑】명〘공〙 중국의 남경 청자(南京靑瓷)의 하나.

두체[1]【逗滯·逗遰】명 멈추고 나아가지 아니함. ——하다 자여불

두:체[2] [이 duce] 명 [지도자·통솔자의 뜻] 이탈리아에서 파시스트 당수 무솔리니에게 준 칭호.

두체비 명〈방〉〘동〙 두꺼비(제주).

두초【頭草】명〘건〙 기둥이나 대들보의 두부에 그린 단청.

두초-류【荳草類】명 가축의 먹이나 녹비(綠肥)에 사용되는 콩과 식물의 총칭. 자운영(紫雲英)·싸리 같은 것.

두출【斗出】명 산세(山勢)가 유난스럽게 바다 쪽으로 쑥 내민 형세. ↔두입(斗入).

두충【杜冲】명 ①〘식〙[*Eucommia ulmoides*] 두충과(杜冲科)에 속하는 낙엽 교목(喬木). 높이 20 m 가량이고, 잎은 호생하는데, 느릅나뭇잎과 비슷하며 타원형 또는 긴 달걀꼴인데 가에는 톱니가 있고, 뒤쪽의 엽맥(葉脈)이 우툴두툴함. 봄에 자웅 이가(雌雄異家)의 잔 꽃이 핌. 수피(樹皮)를 자르면 하얀 고무질 유즙(乳汁)이 나오고, 마른 뒤에 자르면 백색 사상물(絲狀物)이 서로 연하였음. 중국 허베이(河北) 지방의 원산임. 사선목(思仙木). ②〘한의〙 건조(乾燥)한 두충의 수피. 강장제(強壯劑)로 쓰는데 성질은 온(溫)하고 맛이 닮. 정기(精氣)를 돕고 근골(筋骨)을 강장(強壯)하게 하며, 허리·무릎 앓는 데와 음습증(陰濕症)에 씀.

〈두충❶〉

두취【頭取】명 '은행장(銀行長)'의 전(前) 이름.

두-치【頭峙】명〘지〙 전라 북도 임실군(任實郡)에 있는 재. [275 m]

두치오 [Duccio di Buoninsegna] 명〘사람〙 이탈리아의 시에나파(Siena 派)의 화가. 비잔틴 미술의 전통적 형식을 남기면서 부드러운 표현, 밝은 색채로 14세기 이탈리아 회화에 새로운 방향을 제시하였음. 대표작은 시에나 성당(聖堂)의 제단화(祭壇畫) ≪마에스타(Maesta)≫임. [1260-1319]

두침【頭枕】명〘고고학〙 '머리고임'의 한자말.

두카도 [스 ducado] 명 의명 1140년 이후 이탈리아에서 주조한 금화. 또, 그 화폐 단위. 유럽 제국에서 통용되었음.

두타【頭陀】명 [범 dhuta]〘불교〙 ①번뇌(煩惱)와 의식주에 대한 탐욕을 버리고 청정(淸淨)하게 불도(佛道)를 닦는 수행. ②산야(山野)를 다니면서 밥을 빌어먹고 노숙(露宿)하여 가면서 온갖 쓰라림과 괴로움을 무릅쓰고 불도를 닦음. 또, 그 중. 두수(抖擻). *행각승(行脚僧).

두타-대【頭陀袋】명〘불교〙 행각승(行脚僧)이 옷가지를 넣고 목에 걸고 다니는 자루.

두타-산【頭陀山】명〘지〙 강원도 동해시(東海市) 삼화동(三和洞)과 삼척군 하장면(下長面)·미로면(未老面) 사이에 있는 산. 태백 산맥의 동쪽 끝에 위치함. [1,353 m]

두타-행【頭陀行】명〘불교〙 ①두타(頭陀)❶의 수행(修行). ②특히, 걸식하는 수행.

두탁 명 ←투탁(投託).

두태【豆太】명 '콩팥'의 군두목.

두태-쥐【豆太—】명 소의 콩팥 속에 생긴 쥐. 소의 콩팥 속에 병적(病的)으로 뭉쳐진 고기로서, 전골을 만드는 데에 넣음.

두터빅니블 명〈옛〉 희첨(豨薟). ¶ 두터빅니블(豨薟)≪四聲 下 85 薟字註≫.

두터비 명〈옛·방〉 두꺼비. =두텁·둗거비. ¶ 두터비는 半돌에에셔 뛰놋다(蝦蟆動半輪)≪重杜諺 XII:2≫ /두터비 셤(蟾). 두터비 여(蜍)≪字會 上 24≫.

두터븐니 형〈옛〉 두꺼우니. '두텁다[2]'의 활용형. ¶ 우리 나랏 소리예셔 두터브니≪訓諺 15≫.

두터우- 간 '두텁다'의 불규칙 어간. ¶ ~니/~며.

두터-이 부 두텁게. >도타이.

두텁 명〈옛〉 두꺼비. =두터비·둗거비. ¶ 두텁爲蟾蜍 ≪訓例 24≫.

두텁다[1] 형 ㅂ불 정의(情誼)나 인정이 많다. 사랑이 깊다. ¶ 우정(友情)이 ~/인심이 ~. >도탑다.

두텁다[2] 형〈옛·방〉 두껍다(충남·전라·경상). =두텁다·둗겁다. ¶ 귀 두텁고 넙고 기르시고≪月釋 II:56≫ / 싸히 두텁다고 마이 밟지 마올거시≪永言≫.

두텁-단자【—團子】명 ☞ 두텁떡.

두텁-떡 명 시루떡의 한 가지. 만드는 법은 두 가지가 있음. 찹쌀 가루에 꿀이나 설탕을 쳐서 질게 반죽한 뒤에, 귤병(橘餠)과 대추를 잘게 하여 소를 박은 다음 경단(瓊團)처럼 둥글게 빚어 꿀팥으로 고물을 하고, 시루에 꿀팥을 두둑하게 뿌려 가며 켜켜이 안쳐서 쪄 내거나 꿀팥을 고물로 하고 밤과 대추를 두어서 쪄낸 뒤에 반듯반듯하게 베어 냄. 후병(厚餠).

두텁다 형〈옛〉 두껍다. =두텁다[2]·둗겁다. ¶ 우리 나랏 소리예셔 두터보니≪訓諺 15≫ /두터보시며≪月釋 II:57≫.

두:테 명〈방〉 두께(충남·경남).

두테비 명〈방〉 두꺼비(제주·함북).

두:톨-박이 명 밤알이 두 톨만 생겨서 여문 밤송이.

두통【頭痛】명 머리가 아픈 증세.

두통-거리【頭痛—】[—꺼—] 명 처리하기에 머리가 아프도록 귀찮게 된 사물이나 사람.

두통-고【頭痛膏】명 두통에 붙이는 고약.

두투 명〈방〉 두께(경남).

두툴-두툴 부 물건의 거죽이 울룩불룩하여 고르지 아니한 모양. 우툴두툴. >도톨도톨. ——하다 형여불

두툼-발이 명〈방〉 ①뒤뚱발이. ②뒤틈바리.

두툼-하다 형 여불 〔←둩-+-음+하다〕 ①조금 두껍다. ¶ 두툼한 입술. ②어지간히 넉넉하다. ¶ 호주머니가 ~. >도톰하다. **두툼-히** 부

두툽-상어 명 〖어〗 [*Scylliorhinus torazame*] 두툽상어과에 속하는 난태생(卵胎生) 바닷물고기. 몸은 길쭉한데 제1 등지느러미에서 앞 쪽은 종편(縱扁)되어 있으며 등과 배 쪽은 거의 평편하고 폭이 넓음. 몸빛은 회색을 띤 적갈색 바탕에 백색 원무늬가 불규칙하게 산재함. 부산 근해와 일본 홋카이도에서 다산함.

두툽상어-과 【一科】 [―꽈] 명 〖어〗 [Scylliorhinidae] 악상어목에 속하는 한 과. 대개 난생(卵生)인데, 복상어·두툽상어·불범상어·표범상어 등이 이에 속함.

두트레-방석 【一方席】 명 짚으로 엮은 둥글고 두툼한 방석. 한쪽에 고리를 달아 쉽게 걸 수 있게 하였음. 주로 독을 덮는 데에 쓰며, 깔고 앉기도 함.

두틈-하다 형 여불 ☞두툼하다.

두틔 명 〈옛〉 두께. ¶ 굳게 다아 두틔 두서 자만 ᄒᆞ고《家禮 Ⅶ:23》.

두틔 명 〈옛〉 두께. ¶ 대강 두틔 七八寸 맛감ᄒᆞ면《家禮 Ⅶ:26》.

두퍼 타 〈옛〉 덮어. '둪다'의 활용형. ¶ 無量業 미요믈 뫼화 佛性을 두퍼(積集無量業結覆蓋佛性)《金剛 上 83》.

두퍼시놀 타 〈옛〉 덮었거늘. '둪다'의 활용형. ¶ 마리를 퍼 두퍼시놀 부텨 불바 디나시고《月釋 Ⅰ:16》.

두폐 【杜弊】 명 폐단을 막음. 폐단이 생기지 아니하도록 함. ――하다 자 여불

두포 【豆泡】 명 두부(豆腐).

두폭고 시수 【頭幅高示數】 명 〔breadth-height index〕 〖생〗 두시수(頭示數)의 하나. 두부 또는 두골의 폭에 대한 높이의 백분율. 후면(後面)의 모양을 나타내는데 91.9 이하를 평두형(平頭型), 92.0-97.9를 중두형(中頭型), 98.0 이상을 첨두형(尖頭型)이라고 함. 몽고인은 평두형, 한국인과 중국인은 첨두형 또는 중두형임. *두장폭 시수(頭長幅示數).

두푸시논 타 〈옛〉 덮으시는. '둪다'의 활용형. ¶ 法界를 다 두푸시논 體니라(周覆法界之體)《楞嚴 Ⅰ:9》.

두푼 타 〈옛〉 덮은. '둪다'의 활용형. ¶ 露는 두푼 것 업슬씨라《楞嚴 Ⅰ:95》.

두품-제 【頭品制】 명 〖역〗 신라 시대의 골품제(骨品制) 가운데, 일반인의 족제(族制). 6등급으로 나뉘는데, 육두품(六頭品)·오두품(五頭品)·사두품(四頭品)은 귀족, 그 이하는 평민임. *골제(骨制).

두풍 【頭風】 명 〖한의〗 ①머리가 늘 아프고 또는 자꾸 부스럼이 나는 병. ②백설풍(白屑風).

두피 【肚皮】 명 ①뱃살. ②뱃속. 마음속. 복중(腹中).

두피다 피동 〈옛〉 덮이다. ¶ 보비옛 帳이 우희 두피고 寶華幡을 드리우고《月釋 XVIII:25》.

두-피-족 【頭皮足】 명 소의 머리와 가죽과 네 발.

두한 족열 【頭寒足熱】 [―녈] 명 머리는 차게 두고 발은 덥게 하는 일. 건강에 좋다고 함.

두함 【頭銜】 명 관리(官吏)의 위계(位階).

두해[1] 【頭骸】 명 〖생〗 두개골(頭蓋骨).

두해[2] 【蠹害】 명 ①잔해(殘害)함. ②해독(害毒). ――하다 자 여불

두:해-살이 명 〖식〗 '이년생(二年生)'의 풀어 쓴 말.

두:해살이-뿌리 명 〖식〗 '이년생근(二年生根)'의 풀어 쓴 말.

두:해살이-식물 【―植物】 명 〖식〗 '이년생 식물'의 풀어 쓴 말.

두:해살이-풀 명 〖식〗 '이년생 초본(草本)'의 풀어 쓴 말.

두향 【頭向】 명 〖고고학〗 '머리향'의 한자말.

두험 명 〈옛〉 두엄. ¶ 두험 우희 치ᄃᆞ라 안자《永言》.

두혈-종 【頭血腫】 [―쫑] 명 〖의〗 난 지 2-3일 후서부터 1주일 동안 두개골 밖으로 나오는 출혈(出血). 1-3개월이면 저절로 없어짐.

두형 【頭形】 명 두시수(頭示數)에 의하여 분류된 두부(頭部)의 형태. 단두(短頭)·중두(中頭)·장두(長頭)가 있음. *두시수(頭示數).

두호 【斗護】 명 남을 두둔하여 보호함. 가호(加護). ¶ 부처님의 ~. ――하다 타 여불

두혼 【杜魂】 명 〖조〗 두견이.

두화[1] 【痘禍】 명 두창(痘瘡)이 유행하는 화난(禍難).

두화[2] 【頭花】 명 〖식〗 두상화(頭狀花).

두:-활개 명 걸음을 걸을 때 호기 있게 내젓는 두 팔. 또, 새의 활개를 분명하게 강조하여 이르는 말.

두:활개를 펴다 구 의기 양양하여 혼자 판으로 놀다. ¶ 평양집은 유씨 간 후로 두 활개를 쭉 펴고 집안을 총찰하여《金宇鎭:花山雪》.

두황 【豆黃】 명 콩가루.

두회 기렴 【頭會箕斂】 명 사람의 머리 수에 따라 곡식을 내게 하여 키로 쓸어 모으듯이 이를 거두어 들임. 곧, 가혹하게 세금을 징수함을 일컫는 말.

두후 【蠹朽】 명 좀먹어 썩음. 좀먹음. ――하다 자 여불

두후 잡증 【痘後雜症】 명 〖한의〗 천연두(天然痘)를 앓고 난 후에, 몸조리를 잘못하여 생기는 여러 가지 병증.

두흉 【頭胸】 명 〖충〗 두흉부(頭胸部)❷.

두흉-갑 【頭胸甲】 명 〖동〗 절지 동물에 속하는 동물의 두흉부를 싸고 있는 딱지.

두흉-부 【頭胸部】 명 ①두부(頭部)와 흉부(胸部). ②〖동〗 두부와 흉부가 들러붙어 하나로 된 부분. 거미·갑각류(甲殼類)에서 볼 수 있음. 머리가슴. 두흉(頭胸).

두흔 【痘痕】 명 마마의 헌뎃자국. 얽은 자국. 마맛자국.

둑[1] 명 윷놀이에서의 두 동.

둑[2] 명 〖토〗 ①물이 넘치는 것을 막거나 물을 저장하기 위하여 가장자리에 흙이나 돌로 막아 쌓은 언덕. 방강(防江). 제방(堤防). 축담(築畓). ¶ ~을 쌓다. ②길을 만들기 위하여 흙이나 돌로 쌓아올린 언덕. ¶논~/철로~.

〈둑[3]〉

둑[3] 【纛】 명 ①〖역〗 〔←독〕 대가(大駕) 앞에나 군중(軍中)에서 대장(大將)앞에 세우는 기의 한 종류. 큰 삼지창에 붉은 삭모(槊毛)를 많이 달았는데, 행진(行陣)할 때에는 말 탄 장교가 받고 군사 둘 또는 넷이 벌이줄을 잡고 당김. ②〖악〗 고려와 조선 초기에, 아악(雅樂)에서 쓰인 기(旗). 두 사람이 하나씩 들고 좌우로 서서 문무(文舞)를 인도(引導)함.

둑-가다 자 거라불 윷놀이에서, 두 동째 가다.

둑-간 【一間】 명 〈방〉 뒷간.

둑-길 명 둑 위로 난 길.

둑-담 명 〈방〉 돌담(평안).

둑-도 【纛島】 명 〖지〗 〔←독도(纛島)〕 서울 특별시 광진구(廣津區) 성수동(聖水洞) 한강 가에 있는 유원지. 조선 시대 때에는 관마(官馬)를 기르던 곳이며, 왕가(王家) 소속의 별서 낙천정(別墅樂天亭)과 화양정(華陽亭)의 유지(遺址)가 남아 있음. 여름철 유원지로 유명함. 뚝섬.

둑둑-하다 형 〈방〉 ①두둑하다. ②수두룩하다.

둑-막이 명 둑을 막는 일. ――하다 자 여불

둑-뻥 명 〈방〉 둑[2]❶(충북).

둑-사초 【一莎草】 명 〖식〗 [*Carex thunbergii*] 방동사닛과에 속하는 다년초. 줄기는 삼각기둥 모양으로 총생(叢生)하며 높이 30-60 cm 가량, 잎은 줄기의 하부에 다소 밀착하여 호생하며 선형(線形)임. 흑갈색의 암꽃이삭은 3-5 개이고 그 위에 황색의 수꽃이삭이 한두 개 정생하여, 5월에 핌. 과실은 3 mm 가량의 타원형, 과낭(果囊)은 넓은 달걀꼴임. 발이나 들의 연못 가·습지에 군생(群生)하는데, 경기도의 광릉(光陵) 및 일본 홋카이도 등지에 분포함.

〈둑사초〉 〈둑새풀〉

둑새-풀 명 〖식〗 [*Alopecurus aequalis* var. *amurensis*] 볏과에 속하는 일년 또는 월년초. 줄기는 원기둥꼴이고 총생하며 높이 20-40 cm 이고 녹색임. 잎은 호생하고 선형(線形)이며, 길이 30 cm, 폭 8 mm 가량이고, 근생(根生) 또는 줄기 위에서 나며 백록색임. 5월경에 담녹색 꽃이 밀추(密錐) 화서로 정생하여 핌. 무논·밭 등의 습지에 나는데, 한국 각지와 아시아 동부에 널리 분포함. 녹비용(綠肥用), 소·말 등의 사료용(飼料用)임. 간맥랑(看麥娘).

둑성이 명 〈방〉 둑[2]❷.

둑-수리 명 〈방〉 〖조〗 독수리(전북·경상).

둑-시리 명 〈방〉 〖조〗 독수리(경남).

둑신-묘 【纛神廟】 명 〖역〗 〔←독신묘〕 군중(軍中)의 큰 기인 둑(纛)에 제사 지내던 묘우(廟宇).

둑-제 【纛祭】 명 〖역〗 〔←독제〕 둑(纛)에 지내는 제사.

둑중개 명 〖어〗 [*Cottus poecilopterus*] 둑중갯과에 속하는 민물고기. 몸길이 15cm 가량으로 길쭉하게 마르고 비늘이 없음. 등지느러미는 두 개이고 몸빛은 어두운 회색임. 압록강(鴨綠江)·청천강(淸川江)·대동강(大同江)·한강(漢江) 및 두만강(豆滿江)에 분포함.

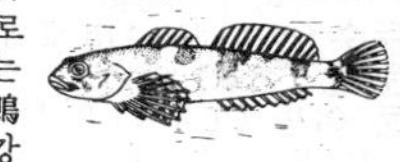
〈둑중개〉

둑중개-목 【一目】 명 〖동〗 [Cottida] 어류에 속하는 한 목. 꼼칫과·날개줄고깃과·눈양탯과·도치과·둑중갯과·물수배잇과·빨간양탯과·성댓과·양볼락과·양서댓과·양탯과·인어칫과·죽지성댓과·쥐노래밋과·풀미역칫과 등이 이에 속함. 머리 부분에는 일반적으로 가시가 많음.

둑중갯-과 【一科】 명 〖어〗 [Cottidae] 둑중개목(目)에 속하는 어류의 한 과. 이 과에 속하는 어종은 가시꺽정이·가시망둑·골판횟대·꺽정이·꼬마횟대·나횟대·대구횟대·동갈횟대·돌팍망둑·둑중개·베로치·뿔횟대·상어횟대·줄가시횟대 등이 있음. 등의 가시는 명백하고 연모부와 구별되며 머리에 일반적으로 가지 또는 혹 모양의 돌기가 있는 것이 특징임.

둑-지치 명 〖식〗 [*Lappula deflexa*] 지칫과에 속하는 다년초. 줄기는 높이 80 cm 에 달하고, 잎은 호생하며 단병(短柄) 또는 무병의 피침형임. 6월에 백자색 꽃이 총상(總狀) 화서로 가지 끝에 정생(頂生)하여 피고, 분과(分果)는 양면 주름이 있고, 낚시 모양의 가시가 열생(列生)함. 산지에 나는데, 함남의 부전(赴戰) 고원, 함북의 관모봉(冠帽峰), 주을(朱乙), 백두산(白頭山) 등지에 분포함.

둔:[1] 명 〈방〉 돈[1].

둔[2] 【屯】 명 〖민〗 ↗둔괘(屯卦).

둔:[3] 【遯】 명 〖민〗 ↗둔괘(遯卦).

둔:각 【鈍角】 명 〖수〗 1직각(直角)보다 크고 2직각보다 작은 각. 곧, 90° 이상 180° 이하의 각. ↔예각(銳角).

둔:각 삼각형 【鈍角三角形】 명 〖수〗 내각(內角)의 세 각 중에서 하나가 둔각인 삼각형.

둔감[1] 【屯監】 명 〖역〗 둔토(屯土)를 감독하던 사람.

둔:감[2] 【鈍感】 명 예민하지 못한 무딘 감각. 감각이 둔함. ¶ ~한 사람. ――하다 형 여불

둔:갑 【遁甲】 명 〖민〗 귀신을 부리어 변신(變身)하는 술법의 한 가지. ――하다 자 여불

둔:갑-법 【遁甲法】 명 〖민〗 둔갑술(遁甲術).

둔:갑-술 【遁甲術】 명 〖민〗 둔갑을 하는 술법(術法). 둔갑법. ㊂둔술(遁術).

둔:갑 장신 【遁甲藏身】 명 〖민〗 둔갑(遁甲)의 술법으로 남에게 보이지 아니하게 몸을 감춤. ――하다 자 여불

둔:거 【遁居】 명 은거(隱居). ――하다 자 여불

둔:-거치 【鈍鋸齒】 명 〖식〗 식물 잎의 가장자리가 무딘 톱니처럼 생긴 모양.

둔-계 【屯溪】 명 〖지〗 '툰시(屯溪)'를 우리 음으로 읽은 이름.

둔-괘[1] 【屯卦】 명 〖민〗 육십사 괘(卦)의 하나. 감괘(坎卦)와 진괘(震卦)가 거듭된 것으로 구름과 우뢰를 상징함. ㊂둔(屯).

둔:-괘[2] 【遯卦】 명 〖민〗 육십사 괘의 하나. 건괘(乾卦)와 간괘(艮卦)가 거듭된 것. 하늘 아래에 산이 있음을 상징함. 상형은 '☰☶'. ㊂둔(遯).

둔군 【屯軍】 명 군대를 주둔시킴. 또, 그 군대.

둔:기[1]【鈍器】[명] ①무딘 날붙이. ↔이기(利器). ②날이 붙어 있지 아니한 도구. 사람을 상해하기 위하여 사용하는 몽둥이·벽돌 따위.
둔기[2]【臀鰭】[명]〖어〗뒷지느러미.
둔답【屯畓】[명]〖역〗①과전법(科田法)의 실시에 따라, 각 지방 주둔병(駐屯兵)의 군량(軍糧)의 자급을 위하여 반급(頒給)하던 논. ②각 궁(宮)과 관아에 소속된 논. 그 소출(所出)로 경비에 충당하게 하였음. *둔토(屯土)·둔전(屯田).
둔:-대발이【鈍大一】[명]〈속〉성질이 둔하고 느린 사람.
둔덕 [명] 두두룩하게 언덕진 곳.
둔덕-지다 [형] 지면이 두두룩하게 언덕이 생기다.
둔덕-치【屯德峙】[명]〖지〗전라 남도 여수(麗水)시에 있는 재. [127 m]
둔덩 [명]〈방〉두덩.
둔:도[1]【鈍刀】[명] 날이 무딘 칼. 잘 안 드는 칼.
둔:도[2]【遁逃】[명] 달아남. 도망침. 포도(逋逃). ——-하다 [자][여불]
둔:두【鈍頭】[명]〖식〗잎사귀·꽃받침 조각·꽃잎 들의 끝이 무딘 것.
둔-땅【屯一】[명]〖역〗둔전(屯田)과 둔답(屯畓). 둔토(屯土).
둔:리【鈍利】[둘—] [명] 무딤과 날카로움.
둔:물【鈍物】[명] 우둔한 사람. 둔한(鈍漢).
둔:박-하다【鈍朴—】[형][여불] 노둔(魯鈍)하고 순박(淳朴)하다. **둔:박-히**【鈍朴—】[부]
둔박ᄒᆞ다 [형]〈옛〉투박하다. ¶ 이ᄂᆞᆫ ᄯᅩ 굵고 둔박ᄒᆞ다(這的却又麤倴)「《老乞 下 29》.
둔방【屯防】[명] 진을 치고 적을 막음. ——-하다 [자][여불]
둔병[1]【屯兵】[명] ①군사를 주둔시킴. 또, 주둔한 군사. ②〖역〗↗둔전병「(屯田兵).
둔:병[2]【鈍兵】[명] 예리하지 못한 무기. 또, 둔하고 약한 병사.
둔병-도【屯兵島】[명]〖지〗전라 남도 여수시 서남쪽 27 km 해상, 여수시(麗水市) 화정면(華井面) 조발리(早發里)에 위치하는 섬. [0.80 km^2]
둔:보【鈍步】[명] 더딘 걸음. 굼뜬 걸음걸이.
둔:부[1]【鈍夫】[명] 우둔한 사람. 우둔한 사나이. 둔한(鈍漢).
둔부[2]【臀部】[명]〖생〗하지(下肢)의 한 부분으로 골반(骨盤)에 접해 있는 곳. 곧, 궁둥이의 언저리. 근육과 지방이 많음. 볼기.
둔:사[1]【遁思】[명] 속세에서 은둔(隱遁)하려는 생각.
둔:사[2]【遁辭】[명] 관계나 책임을 회피하려고 억지로 꾸며서 하는 말.
둔상【臀上】[명]〈궁중〉엉덩이.
둔석【窀穸】[명] 무덤의 구멍. 광중(壙中).
둔:세【遁世·遯世】[명] ①속세(俗世)에서 은둔(隱遁)함. ②속세를 등지고 불문(佛門)에 들어감. 둔속(遁俗). ——-하다 [자][여불]
둔:세-자【遁世者】[명] 속세를 피하여 사는 사람. 은자(隱者).
둔:속【遁俗】[명] 세속을 피하여 불문(佛門)에 들어가는 일. 둔세(遁世). ——-하다 [자][여불]
둔수【屯戍·屯守】[명] 군영(軍營)을 지킴. 둔위(屯衛). ——-하다 [타][여불]
둔:술【遁術】[명] ↗둔갑술(遁甲術).
둔-아병【屯牙兵】[명]〖역〗남한 산성(南漢山城) 수어청(守禦廳)의 둔전(屯田)을 경작하던 군사.
둔야 [아랍 dunyā] [명]〖이슬람〗현세(現世).
둔:열-하다【鈍劣—】[형][여불] 굼뜨고 용렬하다. 둔하고 어리석다.
둔영【屯營】[명] 군사가 주둔하고 있는 군영(軍營).
둔옹【臀癰】[명]〖한의〗둔종(臀腫).
둔:완【鈍頑】[명] 우둔하고 고집이 셈. ——-하다 [형][여불]
둔위[1]【屯衛】[명] 군대가 주둔하여 지킴. 또, 그 수비(守備). 둔수(屯戍). ——-하다 [타][여불]
둔위[2]【臀位】[명]〖의〗분만(分娩) 때, 자궁 안에서 태아의 둔부(臀部)가 먼저 나오게 되어 산도(産道)를 강하(降下)시키는 태아의 자세.
둔위[3]【臀圍】[명] 엉덩이의 둘레. 히프(hip).
둔육【臀肉】[명] 볼기의 살.
둔:은【遯隱】[명] 피하여 숨음. 은둔(隱遁). ——-하다 [자][여불]
둔:일【遯逸】[명] 속세를 피하여 편안히 삶. ——-하다 [자][여불]
둔자 [명]〈방〉두루마기(경기·황해).
둔:재【鈍才】[명] 둔한 재주. 또, 그러한 사람.
둔:적【遁迹】[명] 종적(蹤迹)을 감춤. ——-하다 [자][여불]
둔전【屯田】[명]〖역〗①과전법(科田法)의 실시에 따라, 각 지방 주둔병(駐屯兵)의 군량(軍糧)의 자급을 위하여 반급(頒給)하던 밭. ②각 궁(宮)과 관아에 소속된 밭. 그 소출로 경비(經費)에 충당하게 하였음. *둔토(屯土)·둔답(屯畓)·군둔전(軍屯田).
둔전 경략사【屯田經略司】[—냑—] [명]〖역〗고려 때, 원(元)나라 주둔군의 식량을 조달하기 위한 둔전(屯田)을 관리하던 기구(機構).
둔-전답【屯田畓】[명]〖역〗둔전(屯田)과 둔답(屯畓). 둔토(屯土).
둔전-병【屯田兵】[명]〖역〗군사적 중요 지대나 또는 군사가 오래 머물러야 할 곳에 주둔하여 둔전답(屯田畓)을 짓는 병졸. 평시에는 농업에 종사함. [준]둔병(屯兵).
둔전-촌【屯田村】[명]〖역〗둔전을 경작하는 농민이 살던 마을. 둔촌(屯村).
둔:조【鈍調】[명]〖경〗거래에서, 시장에 활기가 없으며 시세가 내림세에 있고 매매도 활발하지 못한 상태. ——-하다 [형][여불]
둔:졸【鈍拙】[명] 둔하고 서투름. 또, 그 모양. ——-하다 [형][여불]
둔종【臀腫】[명]〖한의〗볼기짝에 나는 종기. 둔옹(臀癰).
둔:주【遁走】[명] 도망쳐 달아남. ——-하다 [자][여불]
둔:주-곡【遁走曲】[명]〖악〗'푸가(fuga)'의 역어(譯語).
둔:중【鈍重】[명] ①성질·동작이 둔하고 느림. 또, 그 모양. ¶ ~한 모습을 나타내다. ②분위기·상태 따위가 께느른하고 활발하지 못함. ¶ ~한 분위기. ③소리가 둔하고 무거움. ¶ ~한 폭음. ——-하다 [형][여불]
둔:질【鈍質】[명] 노둔(魯鈍)한 재질(才質). 아둔한 성질.
둔:-짜【鈍—】[명] 둔한 사람. ¶ 쥐어 줘도 모르는 ~.
둔:찬【遁竄】[명] 도망쳐 숨음. ——-하다 [자][여불]
둔촌【屯村】[명] ①〖역〗둔전촌(屯田村). ②〖사람〗민유중(閔維重)의 호「(號).
둔:총【鈍聰】[명] 아둔한 총기(聰氣).
둔취【屯聚】[명] 여러 사람이 한 곳에 모여 있음. ——-하다 [자][여불]
둔치[1] [명] 물이 있는 곳의 가장자리. 물가의 언덕.
둔:-치[2]【鈍—】[명]〈속〉감각이 둔하고 미련한 사람.
둔:-치다【屯—】[一][타] 군대·군중 등 많은 인원을 한 곳에 떼지어 놓다. [二][자] 많은 사람이 한 곳에 떼지어 머무르다.
둔:탁-하다【鈍濁—】[형][여불] ①성질이 굼뜨고 흐리터분하다. ②소리 따위가 둔하고 탁하다.
둔테 [명]〖건〗↗문둔테.
둔토【屯土】[명]〖역〗둔전(屯田)과 둔답(屯畓). 둔땅. 둔전답(屯田畓).
둔:통【鈍痛】[명] 희미한 아픔. 둔하고 무지근하게 느끼는 아픔. ↔극통「(劇痛).
둔:퇴【遁退】[명] 물러남. 도망감. ——-하다 [자][여불]
둔:파-하다【鈍—】[형][여불] 굼뜨고 어리석다. 미련하고 투미하다.
둔:-패기 [명] ↗아둔패기.
둔폄【窀窆】[명] 하관(下棺)하여 묻음. 시체를 묻음. ——-하다 [타][여불]
둔:피【遁避】[명] 속세에 나서지 아니하고 숨어서 피함. 속사(俗事)를 버리고 한적한 곳으로 피함. ——-하다 [자][여불]
둔:피 사:상【遁避思想】[명] 세속(世俗)의 일을 버리고 한적한 곳으로 피하여 살려는 사상.
둔:필【鈍筆】[명] ①굼뜬 글씨. 서투른 글씨. ②필적이 서투른 사람.
둔:필 승총【鈍筆勝聰】[명] 재치 없는 글재주가 더 총명하다는 뜻으로, 글씨가 서투른 사람이 더 총명하다는 말.
둔:-하다【鈍—】[형][여불] ①재주가 없다. ¶ 둔한 사람. ②언행이 어줍고 느리다. ¶ 행동이 ~. ③감수성(感受性)이 무디다. 이해가 늦다. ¶ 감각이 ~. ④소리가 무겁고 무디다. ¶ 둔한 소리.
둔:한【鈍漢】[명] 둔한 사람. 아둔패기인 사람. 둔부(鈍夫).
둔행【屯行】[명] 모이어 나아감. 대군(大軍)을 이루어 나아감. ——-하다「[자][여불]
둔:화[1]【鈍化】[명] 둔하여짐. ——-하다 [자][여불]
둔화[2]〔敦化〕[명]〖지〗중국 둥베이 지방 지린 성(吉林省)의 남부에 있는 도시. 창투(長圖) 철도의 연선(沿線)에 있으며, 콩·밀·재목 등의 집산지(集散地)임. 우리 나라의 항일 투사(抗日鬪士) 및 이민단(移民團)이 많이 이주한 바 있었음. 돈화(敦化).
둔황〔敦煌〕[명]〖지〗중국 간쑤 성(甘肅省)의 서북부에 있는 현(縣). 남쪽에 천불동(千佛洞)이 있음. 타클라 마칸 사막(Takla Makan 砂漠)에 이어지는 고원 지대의 오아시스에 위치하고 실크 로드의 요충지로 번영했음. 돈황(敦煌).
둔황 천불동【一千佛洞】〔敦煌〕[—똥] [명]〖지〗둔황(敦煌) 동남방의 석굴 사원(石窟寺院). 석굴군(石窟群) 약 500개. 353년 이래 개착(開鑿)하여 13세기말까지 계속되었음. 본생담(本生譚) 및 정토 변상(淨土變相)의 벽화·소상(塑像)이 있어 불교 사상의 세계적 유적임. 초기의 것은 간다라(Gandhara) 말기의 양식(樣式)을 나타냄. 20세기 초두에 우연히 발견되어 동양학 연구에도 커다란 기여(寄與)를 하고 있음. 돈황 천불동.
둗거비 [명]〈옛〉두꺼비. =두터비·두텁. ¶ 옴둗거비(癩蝦蟆)《四聲 下「31》.
둗거운 [형]〈옛〉두꺼운. '둗겁다'의 활용형. ¶ 블근 비치 둗거운 ᄯᅡ해 소모찻ᄂᆞ니(朱光徹厚地)《杜諺 X:19》.
둗거움 [형]〈옛〉두꺼움. '둗겁다'의 명사형. ¶ 열우며 둗거우믈 조차ᄒᆞ노라(隨薄厚)《杜諺 I:39》.
둗거이 [부]〈옛〉두껍게. 두텁게. 짙게. ¶ 親히 둗거이 ᄒᆞ야(而親厚之)《妙蓮 II:212》.「고《月釋 II:58》.
둗겁다 [형]〈옛〉두껍다. =두텁다[2]·두텁다·둗겁다. ¶ 빗보기 깁고 둗겁
둗겁다 [형]〈옛〉두껍다. =둗겁다. ¶ ᄒᆞᆫ 婆羅門의 ᄯᅮ리 前生ㅅ 福이 둗거버 모다 恭敬ᄒᆞ며《月釋 XXI:19》.
둗긔 [명]〈옛〉두께. ¶ 밧잣 둗긔(厚五寸)《救簡 I:72》.
둘[1] [명]〈방〉둑[2]❶(경남).
둘:[2] [수] 하나에 하나를 더한 수. 하나의 갑절인 수.
둘- [두] 새끼나 알을 배지 못하는 짐승의 암컷을 일컬을 때, 그 짐승의 이름 앞에 붙이는 말. ¶ ~암탉/~암소/~암캐. 「¶ 둘된 사나이.
둘-되다 [형] 상냥하지 못하고 미련하고 무디게 생기다. 둔팍하게 생기다.
둘둘 [부] ①물건을 여러 겹으로 말거나 감는 모양. ¶ 신문지를 ~ 말다. ②물건이 가볍고도 빨리 구르는 소리. 또, 물건이 가볍고도 싸게 돌아가는 소리. 1)·2):ㅛ뚤뚤[1]. >돌돌[1].
둘러-놓다 [—노타] [타] ①여럿을 둥글게 벌이어 놓다. ②방향(方向)을 바꾸어 놓다. ¶ 앞이 보이게 둘러 놓아라. 1)·2):>돌라놓다.
둘러-대다 [타] ①돈이나 물건 같은 것을 변통하여 대다. ¶ 모자라는 돈을 ~. ②그럴 듯한 말로 꾸미어 대다. ¶ 말을 이리저리 ~. 1)·2):>돌라대다.
둘러리 [명] ☞ 들러리.
둘러-막다 [타] 가으로 돌아가며 가리어 막다. ¶ 포장으로 ~. >돌라막다.
둘러-맞추다 [타] 둘러대어 맞추다. ¶ 말을 적당히 ~. >돌라맞추다.
둘러-매다 [타] 한 바퀴 둘러서 양끝을 맞매다. ¶ 짐짝을 ~. >돌라매「다.
둘러-머리 [명]〈방〉얹은 머리.
둘러-메다 [타] 조금 가벼운 물건을 번쩍 들어서 옆으로 둘러 어깨에 메다. ¶ 쌀자루를 ~. 「다. >돌라방치다.
둘러방-치다 [타] 무엇을 빼돌리고 그 자리에 다른 것을 대신 바꾸어 놓
둘러-보다 [타] 주위(周圍)를 두루 살피어 보다. ¶ 주변을 ~. >돌라보다.
둘러-붙다 [자] 자기에게 이로운 쪽으로 돌아서 붙좇다. ¶ 사장에게 ~. >돌라붙다. 「구경을 하다. >돌라서다.
둘러-서다 [자] 여러 사람이 둥글게 늘어서다. ¶ 길거리에 둘러서서 요술

둘러-싸다 (타) 빙 둘러서 에워싸다. 둥글게 포위하다. ¶ 적을 둘러싸고 공격하다. >돌라싸다.

둘러-싸이다 (피동) 빙 둘러서 에워싸이다. ¶ 산으로 둘러싸인 마을.

둘러-쌓다 [—싸타] (타) 주위(周圍)를 돌이나 흙 같은 것으로 쌓다. 빙 둘러서 쌓다. ¶ 성을 ~. >돌라쌓다.

둘러-쓰다 (타) ①둘러서 뒤집어 쓰다. ¶ 오버를 ~/이불을 ~. ②물건이나 돈을 변통하여 쓰다. ¶ 돈을 여기저기서 ~.

둘러-앉다 [—안따] (자) 여러 사람이 둥글게 벌이어 앉다. ¶ 난로 가에 ~. >돌라앉다.

둘러-업다 (타) 번쩍 들어 휘둘러서 등에 업다. ¶ 아이를 급히 둘러업고 나가다.

둘러-엎다 (타) ①들이부수어서 엎어 버리다. ¶ 술상을 ~. ②하던 일을 중단하고 떠엎어 버리다. ¶ 일을 둘러엎고 사직하다.

둘러-차다 (타) 몸에 둘러 매달려 있게 하다. ¶ 허리에 칼을 ~.

둘러-치다 (타) ①휘둘러서 세차게 내던지다. ②메·몽둥이 같은 것을 휘둘러서 세차게 때리다. ③병풍·그물 같은 것을 둘러 놓다. ¶ 담을 ~. [둘러치나 메어치나 일반] 수단과 방법은 여하튼 결과는 마찬가지임을 이르는 말.

둘레 (명) ①물건의 가로 둘린 테두리. 바깥 언저리. ¶ 스커트 ~의 레이스. ②주위(周圍). ¶ 집 ~를 돌아보다.

둘레-돌 (명) 〖고고학〗 능묘(陵墓)의 봉토(封土) 주위를 둘러쌓은 돌. 호석(護石).

둘레-둘레 (부) ①사방을 둘러가면서 살피는 모양. ¶ 둘레둘레해 보니 마침 논둑길에서 행길로 나오는 갓쟁이 두루마기짜리가 보인다≪劉賢鍾: 들꽃≫. ②여러 사람이 빙 둘러앉은 모양. ¶ ~ 둘러앉아 이야기 꽃을 피우다. ——-하다 (자)(여불)

둘레-바람 (명) 〈방〉 회오리바람(전남).

둘르다 (타) 〈방〉 두르다.

둘리다[1] (자) 그럴 듯한 꾀에 속다. >돌리다[1]. 「당하다.

둘리다[2] (피동) ①둘러서 막히다. 둘러막히다. ②둘러싸이다. ③휘두름을

둘:리틀 〔Doolittle, Hilda〕 (명) 〖사람〗 미국의 여류 시인. 젊었을 때 유럽으로 건너가서 영국의 시인 올딩턴(Aldington, Richard)과 결혼, 이미지즘(Imagism) 운동의 대표적 존재가 됨. 처녀 시집 ≪바다의 정원(庭園)≫을 비롯하여 장시(長詩) ≪이집트의 헬렌(Helen)≫ 등이 있음. 특히 고전적 작풍으로 유명함. [1886-1961]

둘매기 (명) 〈방〉 두루마기(평북·전남·경남).

둘베코 〔Dulbecco, Renato〕 (명) 〖사람〗 이탈리아 태생의 미국 의학자. 1949년 미국으로 유학하여 캘리포니아 공과 대학 연구생으로 출발, 동 대학 정교수를 역임하고, 1964년 미국 과학 아카데미상을 수상함. 동물의 배양 세포(培養細胞)에 종양(腫瘍) 바이러스를 감염(感染)시키는 기법(技法)을 1960년대에 개발하여, 감염 바이러스가 숙주(宿主) 세포의 유전자(遺傳子)에 넣어지면 암화(癌化)가 일어난다는 것을 확증하였음. 1975년 노벨 생리 의학상을 수상함. [1914-]

둘-소 (명) 새끼를 낳지 못하는 소. 곧 둘암소.

둘신 〔Dulcin〕 (명) 둘친(Dulzin).

둘-암소 (명) 새끼를 낳지 못하는 암소. 둘소.

둘-암캐 (명) 새끼를 낳지 못하는 암캐.

둘-암컷 (명) ☞둘치.

둘-암탉 [—탁] (명) 알을 낳지 못하는 암탉.

둘-암퇘지 (명) 새끼를 낳지 못하는 암퇘지.

둘어 (타) 〈옛〉 둘러. 에워싸. '두르다'의 활용형. ¶ 行宮에 도즈기 둘어 님그미 울어시놀(賊圍行宮天子泣涕)≪龍歌 33章≫. 「Ⅰ:28≫.

둘어 잇다 〈옛〉 둘러 있다. ¶ 그 밧긔 또 鐵圍山이 둘어 잇느니≪月釋

둘에 (명) 〈옛〉 둘레. ¶ 그르메 기우니 둘에 安티 아니호도다(影斜輪未安)≪杜諺 Ⅻ:1≫

둘:-이 ㊀(명) 두 사람. ㊁(부) 두 사람이서. [둘이 먹다가 하나가 죽어도 모르겠다] 음식의 맛이 대단히 좋음을 이르는 말.

둘:-잇단음표 【—音標】 (명) 〖악〗 동일한 음표 두 개를 그 음표 세 개의 길이와 같게 연주하라는 것으로, 두 음표 사이에 연결표와 숫자(數字)를 기입하여 표시함. 이연음부(二連音符).

둘:-잡이 (명) 장기(將棋)에서, 말 하나를 죽이고 상대방의 말 두 개를 잡는 수. 양득(兩得). ——-하다 (자)(타)(여불)

둘죽 【—粥】 (명) 〈방〉 〖식〗 들쭉.

둘:-째 (수) 첫째의 다음. 열 넘어서는 '두째', 곧 '열두째. 스물두째'들로 됨. 제이(第二). ¶ ~ 아들. *두째.
[둘째 며느리 삼아 보아야 맏며느리 착한 줄 안다] 비교할 것이 없으면 진가(眞價)를 알기 어렵다는 말.
둘:째 가라면 섧다 (구) 자타(自他)가 공인(共認)하는 첫째다. ¶ 둘째 가라면 섧다 할 여자.

둘:째-가리킴 (명) 〖언〗 '제이인칭(第二人稱)'의 풀어 쓴 말.

둘:째-밥통 【—桶】 (명) 〖생〗 '제이위(第二胃)'의 풀어 쓴 말.

둘:째-손가락 [—까—] (명) '집게손가락'을 차례를 따라 이르는 말. 식지(食指).

둘:째-아버지 (명) 결혼을 한 둘째 삼촌.

둘:째-어머니 (명) 둘째아버지의 아내.

둘:째-자리바꿈 (명) 〔second inversion〕 〖악〗 삼화음의 위치에서 다섯째 음 '사'가 제일 밑에 놓인 자리바꿈. 제이 전회(第二轉回).

둘:째-치고 (부) 이차적인 것으로 돌리거나 대수롭지 아니한 것으로 보고. ¶ 지고 이기고는 ~ 우선 경기에 참가를 해야 한다.

둘쨋-집 (명) 둘째 동생의 집. 또, 둘째 아들의 집.

둘쭝 (명) 〈방〉 〖식〗 두충(杜冲).

둘:-찌 (수) ☞둘째.

둘찻 〈옛〉 둘째의. ¶ 슬프다 둘찻 놀애 블로매(嗚呼二歌兮)≪杜諺 XXV:27≫.

둘-치 (명) 새끼를 낳지 못하는 암짐승.

둘친 〔도 Dulzin〕 (명) p-에톡시페닐 요소(尿素)를 주체(主體)로 한 합성 감미료(甘味料)의 상표 이름. 설탕의 250배의 단맛이 있으나, 계속해서 먹으면 혈액에 독이 되므로, 1968년부터 사용이 금지됨.

둘콤 (명) 〈옛〉 둘씩. ¶ 靑瑣門에 둘콤 드로몰 뫼시고(靑瑣陪雙人)≪杜諺 XXIV:51≫.

둘-하다 (형)(여불) 둔하고 미련하다. 「≪永嘉 上 65≫.

둘헤 〈옛〉 둘에. '둘'의 처소격형. ¶ 세 性이 둘헤 分호리라(三性兩分)

둘흐로 〈옛〉 둘로. '둘'의 조격형(造格形). ¶ 둘흐로 例호야 아롤디니라(以二例知)≪圓覺 下 一之一 28≫.

둘흔 〈옛〉 둘은. '둘'의 절대격형. ¶ 七淨은 호나훈 戒淨이오 둘흔 心淨이오 세흔 見淨이오 네흔 疑心 그츤 淨이오≪永嘉 序 9≫.

둘흘 〈옛〉 둘을. '둘'의 목적격형. ¶ 幽人의 貞正호몰 둘흘 오올에 호몰 붓그리노라(幽貞愧雙全)≪杜諺 Ⅵ:37≫.

둘히 〈옛〉 둘이. '둘'의 주격형(主格形). ¶ 定과 慧왜 둘히 노가샤(定慧雙融)≪永嘉 序 7≫.

둛다 (타) 〈옛〉 뚫다. ¶ 죠고만 구멍을 둛고(開一竅)≪痘瘡集要 上 8≫.

둠 (명) 〈방〉 ①못[3]. ②늪.

둠박 (명) 〈방〉 두레박(전북).

둠벙 (명) 〈방〉 웅덩이(충청).
[둠벙 망신을 미꾸라지가 시킨다] '어물전 망신은 꼴뚜기가 시킨다'와 같은 뜻. [둠벙을 파야 개구리가 뛰어들지] 원하는 것이 있으면 먼저 그에 대한 준비를 해야 한다는 말.

둠붕 (명) 〈방〉 못[3](경북).

둠비 (명) 〈방〉 두부(豆腐)(제주).

둠:즈데이 북 〔Domesday Book〕 (명) 〖역〗 1086년에 영국왕 윌리엄 1세가 징세(徵稅)의 목적으로 작성한 토지 대장. 전국의 도시·장원(莊園)의 면적, 주민·농민의 수, 쟁기의 숫자까지 상세히 기록되어 있어, 영국 중세사(中世史) 연구의 귀중한 자료가 되어 있음.

둠카 〔dumka〕 (명) 〖악〗 슬라브계(Slav系) 특히 보헤미아(Bohemia) 지방의 애수적(哀愁的)인 민요 또는 음악.

둡 (명) 〈옛〉 약탕관. ¶ 딜 둡기 또 됴하니라(陶盆亦可)≪煮硝 19≫.

둡게 (명) 〈옛〉 뚜껑❶. ¶ 槨 둡게롤 다대아 이리 뭇논더라(蓋棺事則已)≪杜諺 Ⅱ:32≫.

둡다[1] (타) 〈방〉 뚫다(함북).

둡다[2] (타) 〈옛〉 덮다. ¶ 둡다 니르고(言覆)≪妙蓮 Ⅱ:197≫.

둡덥다 (타) 〈옛〉 두둔하다. 덮다. 뒤덮다. =둣덥다. ¶ 제 惡을 둡덥디 마라(毋護其惡)≪內訓 Ⅲ:6≫.

둡체크 〔Dubček, Alexandr〕 (명) 〖사람〗 체코슬로바키아의 정치가. 1939년 슬로바키아 공산당에 입당하여 반(反)나치 운동에 참여, 1963년 슬로바키아 공산당 제1서기, 1968년 체코슬로바키아 공산당 제1서기, 1969년 연방 의회 의장을 겸하면서 체코 자유화(自由化)의 기수(旗手)가 되었으나, 터키 대사로 밀려나고 이어 1970년 당(黨)에서 추방되어 완전 실각(失脚)함. 1989년 말 공산 정권 붕괴와 더불어, 시민 포럼에 의해 상징적인 연방 의회 의장에 추대됨. [1921-1992]

둣다 (타) 〈옛〉 두었다. =뒷다. ¶ 取호며 捨호몰 모수매 둣거니(取捨居懷)≪南明 下 48≫.

둣덥다 (타) 〈옛〉 두둔하다. =둡덥다. ¶ 둣덥기 죠하호다(性好遮護)≪漢淸 Ⅵ:20≫.

둥[1] (명) 〖악〗 한국 고유의 음악에서, 음계(音階)의 하나인 제이음(第二音).

둥[2] (명) 〈옛〉 등[1]. ¶ 등(脊背)≪四聲 下 52 脊字註≫.

둥[3] (의명) 무슨 일을 하는 듯도 하고 아니하는 듯도 함을 나타내는 말. 어미 '-ㄴ·-은·-는·-ㄹ·-을' 밑에 붙어 그 아래에 '만 둥·마는 둥·말 둥'들의 말과 함께 어울리어 쓰임. ¶ 온 ~ 만 ~/좋은 ~ 만 ~/보는 ~ 만 ~/갈 ~ 말 ~/집을 ~ 말 ~. (주의) '만·마는·말'들의 아래에만 쓰임.

둥[4] (의명) 관형사형(冠形詞形) 어미 '-다는·-라는·-냐는' 밑에 붙이어 말이 많음을 뜻하는 말. ¶ 이것을 하라는 ~ 저것을 하라는 ~ 말이 많다/네가 옳다는 ~ 내가 옳다는 ~.

둥[5] (부) 북 같은 것을 치거나 거문고 따위를 타는 소리. >동[18].

둥가-타:령 【—打令】 (명) 〖악〗 남도 민요의 하나. 화락(和樂)한 애정 생활을 읊은 선소리. 후렴에 흥겨움을 나타내기 위하여 '둥가' 소리를 넣어 부름.

둥개 (명) 〈방〉 그네(전남·제주).

둥개다 (자)(타) 일을 감당하지 못하고 쩔쩔매다. 힘에 겨워서 처리를 하지 못하다. ¶ 일거리 하나 가지고 종일 ~.

둥개-둥개 (감) '둥둥[3]'을 더 재미 있게 하는 소리.

둥구-나무 (명) 크고 오래된 정자나무.

둥구리 (명) 〈방〉 동우리(전북·경북).

둥구멱 (명) 〈방〉 멱둥구미.

둥구미 (명) ↗멱둥구미.

둥굴다 (자) 〈방〉 뒹굴다.

둥굴-대 [—때] (명) 둥글게 만들어 굴리는 평미레.

둥굴레 (명) 〖식〗 [*Polygonatum odoratum* var. *pluriflorum*] 백합과에 속하는 다년초. 근경(根莖)은 직경 1 cm 가량의 원기둥꼴로, 군데군데 마디가 있고 수근(鬚根)이 많음. 줄기는 직립하여 높이 40-70 cm이고, 잎은 호생하며 달걀꼴 또는 긴 타원형임. 6-7월에 녹백색의 통상 종

〈둥굴레〉

형(筒狀鐘形)의 꽃이 화경(花梗) 끝에 액출(腋出)하여 피고, 구형(球形)의 장과(漿果)는 흑색으로 익음. 산과 들에 나는데, 지하경(地下莖)과 잎은 약용(藥用), 어린 잎은 먹음. 한국 각지 및 일본·중국에 분포함. 선인반(仙人飯). 위유(萎蕤). 토죽(菟竹).

둥굴레-아재비 명〖식〗 각시둥굴레.

둥굴이 명 껍데기를 벗긴 통나무.

둥그래-지다 자 ☞ 둥그레지다.

둥그러니 부 둥그렇게. ㅆ뚱그러니. >동그라니.

둥그러미 명 ①둥글게 된 모양. 둥근 도형(圓形). ②〈속〉 돈'. 1)·2):>동그라미.

둥그러-지다 자 넘어지면서 구르다. 나뚱그러지다. ¶ 돌에 채어 ~. >동그라지다.

둥그렇다 [-러타] 형ㅎ불 크게 둥글다. ¶ 달무리가 ~. ㅆ뚱그렇다. >동그랗다.

둥그레-모춤 명〖농〗 볏모 네 움큼을 한데 묶은 단.

둥그레-지다 자 둥그렇게 되다. ¶ 눈이 ~. ㅆ뚱그레지다. >동그래지다.

둥그렝이 명〈방〉 둥그러미.

둥그-쇠 명〈방〉 삼발이.

둥그스레 부 둥그스름하게. ㅆ뚱그스레. >동그스레. ——하다 형여불

둥그스름-하다 형여불 약간 둥글다. ¶ 둥그스름한 얼굴. ㊥둥긋하다. ㅆ뚱그스름하다. >동그스름하다. **둥그스름-히** 부

둥근가슴집게벌렛-과 【一科】 명〖충〗[Anisolabiidae] 집게벌레목(目)에 속하는 곤충의 한 과. 배 끝에 있는 미지(尾肢)가 집게 모양을 하고 있는 것이 특징임. 날개는 퇴화하여 배의 대부분이 드러나 있음. 흰수염집게벌레·애흰수염집게벌레·집게벌레·노랑다리집게벌레가 이에 속함.

둥근-귀 명〖건〗 재목(材木)의 귀를 둥글게 귀접이한 면(面). 원각(圓角).

둥근꼴-뿌리 명〖식〗 '구근(球根)'의 풀어 쓴 말.

둥근꼴-줄기 명〖식〗 '구경(球莖)'의 풀어 쓴 말.

둥근-끌 명 날이 호형(弧形)으로 된 끌.

둥근노린잿-과 【一科】 명〖충〗[Plataspididae] 매미목(目)에 속(屬)하는 곤충. 몸은 둥글고 뒤가 넓적하며 앞날개는 복부의 약 두 배이고 정지하였을 때는 소순판(小楯板) 밑에 덮임. 다리의 부절(跗節)은 2절, 촉각(觸角)은 5절임. 대개가 콩과(科) 식물의 해충임.

둥근-대패 명 대패의 하나. 대패의 날이 호형(弧形)으로 되어 있어, 재목(材木)의 면을 둥글게 깎아 내는 데 쓰임.

〈둥근대패〉

둥근-매듭풀 명〖식〗[*Kummerowia stipulacea*] 콩과에 속하는 일년초. 줄기 높이 40cm 가량이고, 잎은 호생하며 단병(短柄)에 삼출 복생(三出複生)하고, 소엽(小葉)은 거꿀달걀꼴임. 8-9월에 담홍색 꽃이 액출(腋出)하여 피고, 과실은 협과(莢果)임. 들에 나는데, 거의 한국 각지 및 일본에 분포함.

둥근-바닥 명〖고고학〗 그릇 따위의 바닥이 둥근 것. 원저(圓底).

둥근-바위솔 명〖식〗[*Orostachys malacophyllus*] 돌나물과에 속하는 다년초. 높이 30cm 가량이고 짧은 가지는 족생(簇生)함. 잎은 인차(鱗次)로 되어 있으며, 타원형 또는 긴 타원상 비형(篦形)이고 분백색 또는 녹색임. 8-9월에 백색 꽃이 길이 10cm 가량의 총상(總狀) 화서의 원기둥꼴로 피고 과실은 긴 타원형의 골돌과(蓇葖果)임. 산지의 바위에 나는데, 제주·경북·강원·함북 등지에 분포함.

둥근-박테리아 [bacteria] 명〖식〗 '구균(球菌)'의 풀어 쓴 말.

〈둥근바위솔〉

둥근-뱀차조기 명〖식〗[*Salvia japonica*] 꿀풀과에 속하는 다년초. 줄기는 사각형이고 높이 60cm 가량이며 잎은 대생하고 장병(長柄)에 기수 우상 복엽(奇數羽狀複葉)임. 6-8월에 담자색 꽃이 윤산(輪繖) 화서로 줄기 끝이나 가지 끝에 정생(頂生)하여 피고, 과실은 2분과(分果) 수과(瘦果)임. 산지에 나는데, 전남의 지리산, 경남의 진주 등지에 분포함. 서미초(鼠尾草).

둥근-비늘 명〖어〗 어류의 비늘의 한 가지. 뒤 끝 또는 노출 부분이 둥글매끈하고 가시가 없는 비늘진화 정도가 낮은 경골어류에 많음. 원린(圓鱗). ＊비늘.

〈둥근뱀차조기〉

둥근애기-고추나물 명〖식〗[*Hypericum thunbergii*] 물레나물과에 속하는 다년초. 줄기는 방주형(方柱形)이고 높이 30cm 가량임. 잎은 대생하고 무병(無柄)에 달걀꼴 또는 약간 원형임. 7-8월에 황색 꽃이 총상(總狀) 화서로 정생(頂生)하여 피고, 과실은 삭과(蒴果)임. 들의 습지에 나는데, 경남·강원·경기 등지에 분포함.

둥근-이질풀 【一痢疾一】 명〖식〗[*Geranium koreanum*] 쥐손이풀과에 속하는 다년초. 줄기 높이 1m 이상이고, 잎은 대생하며 근엽(根葉)은 장병(長柄), 경엽(莖葉)은 단병(短柄)임. 6-7월에 담홍색 꽃이 취산(聚繖) 화서로 정생하고, 과실은 삭과(蒴果)임. 산지에 나는데, 약용임. 거의 한국 각지에 분포함.

〈둥근애기고추나물〉

둥근-인가목 명〖식〗[*Rosa spinosissima* var. *pimpinellifolia*] 장미과에 속하는 낙엽 활엽 관목. 줄기에 가시가 많으며 잎은 우상 복생(羽狀複生)하고 소엽(小葉)은 타원형 또는 거꿀달걀꼴에 가에는 톱니가 있음. 여름에 흰 꽃이 하나씩 정생(頂生)하여 피고, 구형(球形)의 과실은 가을에 익음. 깊은 산의 중턱에 나는데, 강원·평북·함북 지방 및 중국·만주·시베리아 등지에 분포함. 관상용임. 동글인가목.

둥근잎-나팔꽃 [-닙-] 명〖식〗[*Pharbitis hispida*] 메꽃과에 속하는 일년생 만초. 줄기는 땅 위에 뻗거나 다른 물건에 감겨 뻗고 잎은 끝이 뾰족한 심장형임. 여름철에 담홍색·담자색·백색 등의 꽃이 산형(繖形) 화서로 핌. 한국 각지의 들에 남.

둥근잎-유홍초 【一留紅草】[-닙뉴-] 명〖식〗[*Quamoclit angulata*] 메꽃과에 속하는 일년생 만초(蔓草). 유홍초와 비슷한데 줄기는 길게 벋고 다른 초목에 감겨 올라감. 잎은 호생하는데 장병(長柄)에 달걀꼴 심장형이고 째지지 않음. 8-9월에 황홍색 꽃이 액출(腋出)하여 긴 화경(花梗) 끝에 4-5개씩 정생(頂生)하고, 삭과(蒴果)는 원형임. 열대 아메리카(熱帶 America) 원산으로 인가(人家) 부근에 재배함. 둥근잎누홍초(縷紅草).

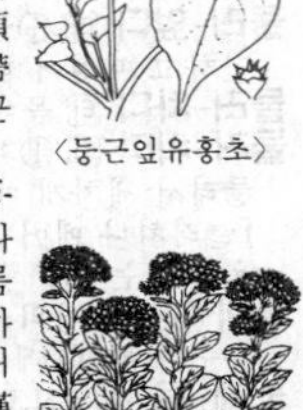

〈둥근잎유홍초〉

둥근잎-조팝나무 [-닙-] 명〖식〗[*Spiraea betulifolia*] 조팝나뭇과의 낙엽 활엽 관목. 잎은 달걀꼴 타원형 또는 거꿀달걀꼴이고 뒷면은 백색을 띰. 여름에 흰꽃이 총상 원추(圓錐) 화서로 가지 끝에 정생하고, 골돌과(蓇葖果)가 8월에 익음. 산봉우리의 바위틈에 나는데, 관상용으로 심음. 서울의 북한산(北漢山) 및 일본에 분포함. 둥근조팝나무.

둥근잎-참빗살나무 [-닙-] 명〖식〗[*Euonymus quelpaertensis*] 노박덩굴과에 속하는 낙엽 활엽의 작은 교목. 참빗살나무 비슷한데, 잎은 넓은 타원형 또는 원형임. 5-6월에 녹백색 꽃이 취산(聚繖) 화서로 액생(腋生)하여 피고, 삭과(蒴果)는 1월에 익음. 산지에 나는데, 정원수로 심어 가꿈. 제주도·함북 등지에 분포함.

〈둥근잎조팝나무〉

둥근잎-천남성 【一天南星】[-닙-] 명〖식〗[*Arisaema amurense* var. *typicum*] 천남성과에 속하는 다년초. 구경(球莖)은 납작한 구형이고, 잎은 위경(僞莖) 꼭대기에서 한 잎이 나며 잎꼭지가 길고, 잎사귀는 새발 모양으로 3-5갈래로 갈라졌음. 5-7월에 녹색·담자색 혹은 자색에 흰빛의 줄이 섞여 있는 꽃이 육수(肉穗) 화서로 줄기 끝에 정생함. 장과(漿果)가 육수축(肉穗軸)에 다수 달리고 빨갛게 익음. 구경은 약용함. 산지의 음습지에 나는데, 우리 나라 전역에 분포함.

둥근-잔대 명〖식〗[*Adenophora coronopifolia*] 초롱꽃과에 속하는 다년초. 줄기는 총생(叢生)하고 높이 15cm 내외이며 근경(根莖)은 비대(肥大)하여 더덕과 비슷함. 잎은 호생(互生)하고 달걀꼴 원형 또는 원형으로 길이와 폭이 1cm 내외이며 거의 무병(無柄)이고 가에 톱니가 있음. 7-8월에 자색 종상화(鐘狀花)가 핌. 뿌리는 식용함. 산지에 나는데, 제주도에 분포함.

둥근-줄 명 잔 이가 있는 면이 호상(弧狀)으로 된 줄. 둥근 면을 깎는 데 씀.

〈둥근잔대〉

둥근-지수 【一指數】 명〖고고학〗 자갈돌의 형태를 밝히기 위한 조사 기준으로 나타내는 자수. '(지름 / 길이)×100'으로 계산함.

둥근털-제비꽃 명〖식〗[*Viola collina*] 제비꽃과에 속하는 다년초(多年草). 무경성(無莖性)인데, 근경(根莖)은 비후(肥厚)하고 수근(鬚根)이 많이 나며, 잎은 총생(叢生)하고 장병(長柄)에 심장형의 넓은 달걀꼴을 이룸. 4-5월에 잎 사이에서 나온 여러 개의 섬약(纖弱)한 꽃꼭지 끝에 흰 꽃이 좌우 상칭으로 피며, 둥근 삭과(蒴果)를 맺음. 산지에 나는데, 거의 한국 각지에 분포함.

둥근-톱 명 기계 톱의 한 가지. 모양이 둥글게 생긴 톱. ↔띠톱.

둥근-파 명〖식〗☞ 양파.

둥근-함지 명 굵은 통나무를 둥글게 파서 만든 함지.

둥글-나무 명〈방〉 통나무.

둥글넙데데-하다 [-럽-] 형여불 생김새가 둥글고 넓적스름하다. ¶ 얼굴이 ~. >동글납대대하다.

둥글넓적-이 [-럽-] 부 둥글넓적하게. >동글납작이.

둥글넓적-하다 [-럽-] 형여불 모양이 둥글고 넓적하다. >동글납작하다.

둥글다 형 ①동그라미나 공과 같이, 그 중심에서 밖의 어느 곳이든지 거리가 똑같다. 모가 없이 보름달이나 바퀴 같다. ¶ 둥근 달. >동글다. ②모가 없이 원만하다. ¶ 그는 성격이 ~.

둥글-돔 명〖어〗[*Pseudopriacanthus niphonius*] 뿔돔과에 속하는 바닷물고기. 몸길이 25cm 가량, 비늘·입·눈이 몹시 큼. 몸빛은 선홍색이고 배지느러미 후면은 흑색이며 새끼 때는 체측에 4-5줄의 폭넓은 흑갈색 가로띠가 있음. 맛이 좋음. 한국 남해·일본 남해·말레이 군도에 분포함.

〈둥글돔〉

둥글-둥글 부 ①여럿이 모두 둥근 모양. ¶ ~하게 썰다. ②원을 그리면서 자꾸 돌아가는 모양. ¶ 물방아가 ~ 잘도 돈다. 1)·2):>동글동글. ③모가 없이 원만한 모양. ¶ 성격이 ~하다/~ 살아가다. 1)-3):ㅆ뚱글뚱글. ——하다 형여불

둥글리다 타 물건의 모난 곳이나 턱진 곳을 없애어 둥그렇게 만들다. ¶ 나무 기둥을 ~. >동글리다.

둥글-먼지벌레 명〖충〗[*Amara chalcites*] 딱정벌렛과에 속하는 곤충. 몸길이 8.5mm 내외이고 몸빛은 흑색·동색(銅色)·청색 또는 녹색의 광택이 나는 것도 있음. 수염·촉각의 기부(基部)는 3절이고 다리는 적갈색이며 시초(翅鞘)의 종구(縱溝)는 가늚. 건조(乾燥)한 지상(地

〈둥글먼지벌레〉

上)에 살며, 대개 1년내 볼 수 있고, 성충으로 월동함. 다른 곤충·지렁이 또는 볏과(科) 식물의 씨를 먹음. 한국·일본·중국·유럽 등지에 분포함. *먼지벌레.

둥글목-남가뢰【—藍—】 명〖충〗[*Meloe corvinus*] 가룃과에 속하는 곤충. 몸길이 11-27 mm이고, 몸빛은 흑청색이며 부절(跗節)의 뒷면에 흑색의 짧은 털이 밀생함. 시초(翅鞘) 표면에는 주름이 있고, 복부 배면(背面)의 대부분은 막질부(膜質部)가 자리잡고 있으며, 경질(硬質)인 배판(背板)은 퇴화(退化)하였음. 긴수염꿀벌에 기생하는데, 한국·일본·중국 등지에 분포함.

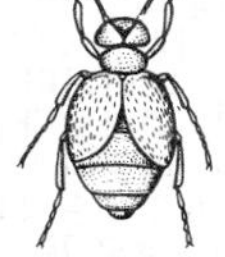
〈둥글목남가뢰〉

둥글무늬-바퀴[—니—] 명〖충〗 이질바퀴.

둥글뭉수레-하다 형여불 끝이 둥글고 뭉툭하다. ¶ 끝이 둥글뭉수레한 절굿공이.

둥글번번-하다 형여불 생김새가 둥그스름하고 번번하다. ¶ 얼굴이 ~. >동글반반하다. **둥글번번-히** 부

둥글-부채 명 둥그스름히 만든 부채.

둥글-쇠 명〈방〉 수소[1].

둥긋-이 부 둥긋하게. >동긋이.

둥긋-하다 형여불 ↗둥그스름하다. >동긋하다.

둥기미 명〈방〉 둥우리(경북).

둥당기-타:령【—打令】 명〖악〗 전라도 해안 지방의 민요의 하나. 본디, 대보름이나 한가위와 같은 명절날 달이 떠오를 때 부녀자들이 모여 바가지 위에 오래된 솜을 놓고 활줄로 그 솜을 타면서 원을 그리고 춤을 추며 부르는 소리로, 곡명은 후렴 노래말에서 유래함. 둥덩애타령.

둥당-지당 부 거문고나 가야금 등을 연해 뜯는 소리. ¶ 소옥은 시습의 옆으로 바싹 다가앉으며 가야금을 ~ 하고 튀기었다《張德祚 : 狂風》.

둥덩-거리다 타 큰 북 같은 것을 잇따라 쳐서 소리를 내다. >동당거리다. **둥덩-둥덩** 부. ——하다 타여불

둥덩-대다 타 둥덩거리다.

둥덩산 같다【—山—】 형 ①물건이 수북하게 쌓여 있는 모양을 가리키는 말. ②아이 밴 부인의 배를 두고 이르는 말. ¶ 배가 ~.

둥덩산-같이【—山—】[—가치] 부 둥덩산 같게.

둥-덩실 부 물건이 공중에 둥둥 떠 있는 모양.

둥덩애-타:령【—打令】 명〖악〗 둥당기타령.

둥덩이 명 소의 앞다리에 붙어 있는 고기의 한 가지. 장조림에 씀.

둥덩 팔월【—八月】 명〈방〉 건들 팔월.

둥두리 명〈방〉 둥우리(충남).

둥둥[1] 부 큰 북을 계속해서 치는 소리. >동동.
【둥둥하면 굿만 여긴다】 둥둥 소리만 듣고 그것이 굿하는 소리라 여긴다는 뜻으로, 무엇이든지 듣기만 하면 선입감(先人感)대로 유추(類推)함을 일컫는 말.

둥둥[2] 부 옷소매나 바짓가랑이 따위를 시원스럽게 둥그렇게 걷어 올리는 모양. ¶ 바지를 ~ 걷어 붙이다.

둥둥[3] 부 ↗둥실둥실. ¶ 수박이 물에 ~ 떠 간다. >동동.

둥둥[4] 감 어린 아기를 어르는 소리. ¶ 우리 아기 ~.

둥둥-거리다 자타 잇달아 둥둥 소리를 내거나 그런 소리가 나다. >동동거리다.

둥둥-대다 자타 둥둥거리다.

둥둥이-김치 명 국물이 많아서 건데기가 둥둥 뜨게 담근 김치.

둥뒤도개 명〈옛〉 전통(箭筒). ¶ 둥뒤도개 사쟈(買這弓箭撒袋)《老乞 下 29》.

둥릉〔東陵〕 명〖지〗 ①중국 랴오닝 성(遼寧省) 선양(瀋陽) 북동부, 톈주산(天柱山)에 있는 청(淸)나라 태조(太祖)의 능. 푸링(福陵). ②중국 허베이 성(河北省) 쭌화 현(遵化縣) 서북부, 창루이 산(昌瑞山)에 있는 청조(淸朝) 역대 제왕(歷代帝王)의 능. 세조(世祖)·성조(成祖)·고종(高宗)·문종(文宗)·목종(穆宗)의 능이 있음. 이 현(易縣)에 있는 시링(西陵)에 대하여 이르는 말. 동릉(東陵).

둥베이 지방【—地方】〔東北〕 명〖지〗 중국의 동북부에 있는 랴오닝(遼寧)·지린(吉林)·헤이룽장(黑龍江)의 삼성(三省)의 지역. 동북 지방.

둥사 군도【—群島】〔東沙〕 명〖지〗 중국 광둥성(廣東省) 남해상의 산호초 군도(珊瑚礁群島). 주도(主島)는 둥사 도(東沙島)이며 어촌·기상대·등대가 있음. 기후는 아주 덥고 구아노(guano)·약재(藥材)·자단목(紫檀木)·수산물을 산출함. 항해·군사상의 요지임. 동사(東沙) 군도.

둥산〔東山〕 명〖지〗 중국 저장 성(浙江省) 샤오싱(紹興)의 남쪽, 상위 현(上虞縣)의 서남쪽에 있는 산. 진(晉)나라의 사안(謝安)이 은서(隱棲)했던 곳. 원먼 산(雲門山). 동산(東山).

둥산 성【—省】〔東三〕 명〖지〗 중국 산하이관(山海關) 동쪽에 있는 만주의 랴오닝(遼寧)·지린(吉林)·헤이룽장(黑龍江)의 세 성(省). 동삼성.

둥실 부 무엇이 둥둥 떠 있는 모양. ¶ 달이 ~ 떴다. >동실.

둥실-둥실 부 물건이 떠서 움직이는 모양. ¶ 뒤웅박이 물에 ~ 떠내려간다. 준둥둥. >동실동실.

둥실둥실-하다 형여불 둥글고 투실투실하다. ¶ 둥실둥실한 얼굴이 복스러워 보인다. >동실동실하다.

둥싯-거리다 자 ①배 같은 것이 둔하게 둥실둥실 떠다니다. ②몸이 굼뜨게 움직이다. **둥싯-둥싯** 부. ——하다 자여불

둥싯-대다 자 둥싯거리다.

둥어리 명〈방〉 둥우리(전라·경북·제주).

둥어리-막대 명 길마의 둥글막대 아래에 수수잎처럼 틀어막아서 댄 나무.

둥에 명〈방〉 속곳(평북).

둥우리 명 ①짚이나 대싸리로 바구니 비슷하게 엮어 만든 그릇. ②기둥과 간살 등을 나무로 하고 새끼로 얽어 만들어 병아리 같은 것을 기르는 데 쓰는 제구. ③새 따위가 알을 낳거나 깃들이게 위하여 둥글게 만든 집. 보금자리. 취음: 두위리(斗圍里).
【둥우리의 찰밥도 쏟치겠다】 쏟아지지 않을 데다 담아 주어도 쏟뜨리겠다는 뜻으로, ㉠복 없는 사람은 좋은 수를 만나도 그것을 온전히 보존 못 한다는 말. ㉡행동이 경솔함의 비유.

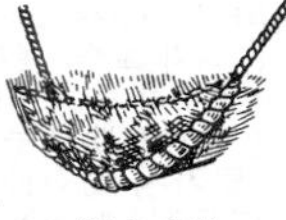
〈둥우리❶〉

둥우리-장수 명 둥우리에 쇠고기를 담아서 팔러 다니는 장수.

둥울 명〈옛〉 둥주리. ¶ 둥울 우희(鷹翅板上)《朴解 上 26》.

둥 웨〔東嶽〕 명〖지〗 중국 오악(五嶽)의 하나인 '태산(泰山)'의 이칭(異稱). 동악(東嶽).

둥이 명〈방〉 둥우리(함남).

-둥이 미 명사 아래에 붙어, 어떤 특징을 가지는 아이임을 나타내는 애칭. ¶ 해방~/막내~.

둥저리 명〈방〉 둥우리(경남).

둥제기 명〈방〉 ①둥우리. ②바구니(평북).

둥제리 명〈방〉 둥우리(경남).

둥주리 명 ①짚으로 두껍고 크게 엮은 둥우리. 옛날에 추울 때 밖을 지키는 사람이 들어앉아서 망을 봤고, 또 말을 타고 길 가는 사람이 말 등에 얹어서 타고 들어앉았음. *새둥주리. ②〈옛·방〉 둥우리(경기·경남). ¶ 둥주리 루(簍)《字會 中 13》.

둥주리-감 명 모양이 둥근 감의 한 가지.

둥주리-막대 명〈방〉 둥어리막대.

둥지 명 ①☞둥우리. ②〈방〉 바구니(평북·함북). ③보금자리❶.
 둥지(를) 치다 구 보금자리를 치다.
 둥지(를) 틀다 구 둥지치다.

둥지리 명〈방〉 둥우리(강원·전북·경상).

둥 쭤빈〔董作賓〕 명〖사람〗 중국의 고고학자. 허난 성(河南省) 난양 현(南陽縣) 태생으로 베이징 대학 졸업. 중앙 연구원 역사 언어 연구소원(中央研究院歷史言語研究所員). 대만 대학 교수 등을 역임. 은허(殷墟)를 발굴하여 갑골 문자(甲骨文字)를 연구, 《은허 문자》·《은력보(殷曆譜)》 등의 대저를 발표하였음. 동작빈(董作賓). [1895-1963]

둥천 명〈방〉 둑[2]❶(경남).

둥추리 명〈방〉 둥우리.

둥치 명 큰 나무의 밑동.

둥치다 타 ①휩싸서 동이다. ¶ 볏섬을 ~. >동치다. ②너절너절한 것을 몰아서 깎아 버리다.

둥치미 명〈방〉 동치미.

둥커기 명〈방〉 뿌리.

둥 하다 구 하는 모양과도 같고 아니하는 모양과도 같다. 주의 '만·마는·말' 등의 아래에서만 쓰임. ¶ 할 둥 말 ~. *둥[3].

둪다 타〈옛〉 덮다. ¶ 보비옛 帳이 큰 宮을 두프며《月釋 Ⅱ:32》.

뒤:-두다 타 ↗두어두다. ¶ 헛간에 뒤두어라.

뒤:-뒤: 감 벌 떼가 분봉(分封)하려고, 밖에 나가서 모이어 붙은 것을 받아들이기 위하여 수봉기(受蜂器)를 대고 몰아 넣을 때 부르는 소리. *드레드레[2].

뒤:-뒤:-뒤: 감 돼지를 몰거나 쫓을 때에 하는 소리.

뒈:뒈 감〈방〉 이런.

뒈:-쓰다 타 ↗뒤어쓰다.

뒈:지다 자〈비〉 죽다. ¶ 이놈아, 꼴도 보기 싫다, 나가 뒈져라.

뒵다 부〈방〉 도리어. 오히려(충북).

뒝:박 명 ☞뒤웅박.

뒝:-벌 명〖충〗 ①꿀벌과(科) 뒝벌속(屬)에 속하는 벌의 총칭. 먹뒝벌·어리노랑뒝벌 등이 있음. ②띠호박벌.

뒤:[1] 명 ①등이 있는 쪽. 정면(正面)·전면(前面)의 반대 방향. 또, 어떤 사물이나 공간의 후방(後方). ¶ 내 ~에 숨어라/저 ~로 가서 앉아라/학교 ~에 산다. ②그늘. 배후(背後). 보이지 않는 곳. ¶ 그 ~에는 반드시 무슨 곡절(曲折)이 있다/~를 밀어 주다/~에서 큰소리친다. ③이 다음의 때. 시간으로 장래. ¶ 뒷일을 생각해라/~에 다시 보자. ④일에 있어서 나중. 또, 그 다음. ¶ 이 일은 ~에 처리하자/~를 부탁한다/~는 내가 맡겠다. ⑤어떤 일의 자취나 흔적 또는 결과. ¶ 수술 ~가 좋지 않다/이 술은 ~가 깨끗하다. ⑥좋지 않은 감정이나 노기 등의 계속적인 작용. ¶ 버럭 화는 냈지만 그는 ~가 없다. ⑦대(代)를 이을 자손. ¶ 나이 40에 ~가 하나도 없어 탈이다/~가 끊기다. ⑧사람의 '똥'을 점잖게 이르는 말. ¶ ~ 좀 보고 와서 하자. ⑨↗망건뒤. ⑩↗뒷발❷.
【뒤로 오는 호랑이는 속여도 앞으로 오는 팔자는 못 속인다】 팔자 모면은 할 수 없다는 말. 【뒤를 캐면 삼거웃이 안 나오는 집안이 없다】 '털어서 먼지 안 나오는 사람 없다'와 같은 뜻. 【뒤에 난 뿔이 우뚝하다】 젊은 사람이 늙은 사람보다 더 훌륭한 경우에 하는 말. 【뒤에 볼 나무는 그루를 돋우어라; 뒤에 볼 나무는 뿌리를 높이 잘라라】 뒷일을 미리부터 깊이 생각하라. 【뒷독에 바람 든다】 너무 지나치게 즐거워하면 그 나머지는 반드시 화를 보게 된다는 말.
 뒤:가 구리다 구 행동이 깨끗하지 못하다. 결백하지 못하고 떳떳하지 못하다.
 뒤:가 꿀리다 구 ㉠자신의 약점 때문에 떳떳하지 못하고 마음이 켕기다. ㉡'뒤가 딸리다'와 같은 뜻.
 뒤:가 드러나다 구 비밀로 하거나 숨긴 일이 나타나거나 알려지다.
 뒤:가 딸리다 구 뒤를 댈 힘이 없어지다.
 뒤:가 켕기다 구 자신의 약점이나 과오로 후일에 좋지 못한 일이 있을까봐 겁이 나다.
 뒤:를 돌보다 구 뒤에서 돌보아 주다. 후원하다.
 뒤:를 캐:다 구 드러나지 않은 속내나 행동을 알아내려고 은밀히 뒷조사를 하다.

뒤[2] 명〈방〉 ①뒷멀미(전북). ②되[1](경북).

뒤[3] 명〈옛〉 북쪽. ¶ 뒤 북(北)《字會 中 4》/뒷심골(北泉洞)《龍歌 Ⅱ:32》.

뒤[4] 명〈옛〉 띠[2]. =뛰[2]. ¶ 뒤爲茅《訓例》.

뒤개다 타〈방〉 포개다.

뒤:-걷이 [—거지] 명 뒤를 거두는 일. ¶ 성호는 자수한 ~가 두렵거나 다

시 총을 잡고 싸우게 되는 것이 무서워서…《徐基源 : 전야제》.
뒤:-걸이 명 투전 등으로 놀음을 할 때, 돈을 걸라고 바닥에 몇 장 깐 것 중에 맨 끝의 것에 돈을 거는 일. 또, 거기에다 건 돈.
뒤:게 부 〈방〉 되게(경상).
뒤:-구르다 타 르불 ①일의 뒤끝을 말썽이 없도록 단단히 하다. ②총 같은것을 쏘았을 때, 그 자체가 반동으로 몹시 울리다.
뒤:-굴다 자 〈방〉 뒹굴다.
뒤기 〔Duguit, Léon〕 명 〖사람〗 프랑스의 법철학자·공법학자(公法學者). 실증주의적(實證主義的)인 입장에서, 형이상학적인 법학을 배척하고, 법의 근거를 주관적 권리가 아닌 사회적 연대의 사실에서 구함. 저서에 《헌법론》 등이 있음. [1859-1928]
뒤-까불다 타 몸을 뒤흔들며 행동을 방정맞게 하다.
뒤깐 명 〈방〉 뒷간(경기·강원·충청·전북·평안).
뒤:깨 명 〈방〉 설거지. ——-하다 자
뒤껌치 명 〈방〉 뒤꿈치(충북).
뒤:꼍 명 뒤뜰·뒷마당의 총칭. 후정(後庭). ¶ 집 ~에서 놀다.
뒤꼬마리 명 〈방〉 발뒤축(전남·경남).
뒤꼬머리 명 〈방〉 발뒤축(경북).
뒤-꼬방디 명 〈방〉 뒤통수(제주).
뒤:-꼭대기 명 〈방〉 꼭뒤❶(평안).
뒤:-꼭댕이 명 〈방〉 뒤통수(경북).
뒤:-꼭지 타 ☞ 뒤통수.
뒤: 꼭지(를) 치다 구 ☞ 뒤통수(를) 치다.
뒤꼽치 명 〈방〉 뒤꿈치(전북·경상).
뒤:-꽁무니 명 꽁무니❸. ¶ ~ 빼다.
뒤:-꽂다 타 윷놀이에서, 말을 뒷밭에 놓다. ㉠꽂다.
뒤:-꽂이 명 쪽진 머리 뒤에 덧꽂는 비녀 이외의 물건. 연봉·과판·귀이개 따위.
뒤:-꾸머리 명 ↗발뒤꾸머리.
뒤:꾸밈-음【—音】 명 〔after note〕 〖악〗 주요음(主要音)의 뒤에 작은 음표로 기입하는 꾸밈음. 후타음(後打音). ↔앞꾸밈음.
뒤:-꿈지 명 〈방〉 뒤꿈치(강원·충북).
뒤:-꿈치 명 ↗발뒤꿈치.
뒤-끓다 [—끌타] 자 ①뒤섞여서 마구 끓다. ¶ 찌개가 보글보글 ~. ②많은 사람이나 동물이 같은 곳에서 한데 섞여서 움직이다. ¶ 흥분으로 뒤끓는 관중/많은 인파가 ~.
뒤:-끝 명 ①일의 맨 나중. ¶ 일의 ~을 잘 맺다. ②어떤 일이 있은 바로 그 뒤. ¶ 비 온 ~이라 추워졌다. ③후단(後端).
뒤:끝(을) 보다 구 일의 나중 결과를 보다.
뒤낭 〔Dunant, Jean Henri〕 명 〖사람〗 스위스의 자선 사업가. 적십자(赤十字)의 창설자. 1859년 이탈리아 통일 전쟁의 체험에서 《솔페리노(Solferino)의 추억》을 지어 중립적인 구호 조직의 필요를 역설하였음. 이의 반향으로 '국제 적십자'가 조직되었고, 1901년에는 노벨 평화상을 받음. [1828-1910]
뒤-내다 자타 함께 일을 하다가 중도에서 싫증을 내다.
뒤:내려 긋다 자 ㅅ불 한글 글자 'ㅏ·ㅑ·ㅓ·ㅕ·ㅗ·ㅘ·ㅛ·ㅜ·ㅝ·ㅠ·ㅡ' 들의 오른 편에 'ㅣ'를 붙이어 긋다.
뒤:넘기-치다 타 ①뒤로 넘겨뜨리다. ②뒤집어 엎다.
뒤:-넘김 명 씨름에서, 상대편을 자기 어깨 뒤로 번쩍 들어 넘기는 기술의 하나.
뒤-넘다 [—따] 자 뒤집히어 넘어지다.
뒤넘-스럽다 형 ㅂ불 되지 못하게 건방지다. 어리석은 것이 주제넘다. 뒤넘-스레 부.
뒤-놀다 자 ①이리저리 몹시 흔들리다. ¶ 책상 다리가 ~/물결에 배가 ~. ②마음대로 여기저기 돌아다니다.
뒤-놉다 자 〈방〉 뒤놀다.
뒤-놓다 [—노타] 타 뒤집어 놓다.
뒤-눕다[1] 자 〈방〉 뒤놀다.
뒤눕다[2] 자 〈옛〉 뒤집히다. ¶ 滄海桑田이 슬ㅋ장 뒤눕ㄷ록《海謠》.
뒤:-늦다 형 제때가 지난 뒤에도 퍽 늦다. ¶ 뒤늦게 와서 말도 많다.
뒤다[1] 자 곧지 아니하고 틀어지거나 구부러지다.
뒤다[2] 타 ↗뒤지다[2].
뒤:-대 명 어느 지방을 중심으로 하여 그 북쪽 지방을 일컫는 말. ↔앞대.
뒤-대다[1] 타 ①빈정대는 태도로 비뚜로 말하다. ¶ 뒤대지 말고 바로 말해라. ②거꾸로 가르치다.
뒤:-대다[2] 타 뒤를 돌보아 주다. 뒷돈을 잇대어 주다. ¶ 뒤대어 줄 테니 돈 걱정일랑 말게.
뒤-대패 명 오목하게 굽은 재목의 안바닥을 깎아 내는 대패. 대팻집의 바닥이 원호형(圓弧形)이고 대팻날도 굽어졌음. 뒤접대패. 혹대패.

〈뒤대패〉

뒤더지 명 〈방〉 〖동〗 두더지(전남).
뒤-덮다 타 가려서 덮다. 죄다 덮다. ¶ 하늘을 뒤덮은 먹구름.
뒤-덮이다 피동 뒤덮음을 당하다. ¶ 온 세상이 백설(白雪)로 ~.
뒤데기 명 〈방〉 〖동〗 두더지(경북).
뒤:-돌다 타 뒤로 돌다. ¶ 뒤돌아 가다.
뒤-돌리다 타 빼서 뒤로 돌려 상대하지 아니하다.
뒤:-돌아보다 자타 ①뒤쪽을 돌아보다. ¶ 뒤돌아보니 고향 산천이 아득히 보인다/정든 고향 산천을 ~. ②앞서 생긴 일을 살펴보다. ¶ 어린 시절을 ~.
「지 않고 잘라 말하다.
뒤:-두다 타 ①다음 날로 밀다. ②나중을 생각하여 여유를 두다. ¶ 뒤두
뒤-둥그러지다 자 ①뒤틀려서 우그러지다. ②생각이나 성질이 바르지 아니하고 비뚤어지다. ¶ 지금의 저의 존재가 그만큼 끔찍함을 …깨닫고 짓궂이 씽글씽글 웃으며 한 번 더 뒤둥그러진 그리고 흘게 늦은 목소리로…《金裕貞 : 산골》.
뒤뒤리다 타 〈방〉 두드리다.
뒤듬-바리 명 투미하고 거친 사람.
뒤디기 명 〈방〉 ①포대기(함경). ②누더기(경북). ③〖동〗 두더지(경북).
뒤:-따라가다 타 거라불 뒤를 따라가다.
뒤:-따라오다 타 너라불 뒤를 따라오다.
뒤:-따르다 타 ①뒤를 따르다. ¶ 난관이 ~. ②먼저 사람의 뜻이나 사업 같은 것을 이어 받아 계속하다.
뒤:-딱지 명 시계 같은 것의 뒤에 붙은 뚜껑.
뒤:-땅 명 윷놀이에서, 상대편의 말이 다 앞선 뒤의 말밭들.
뒤-떠들다 타 와자하게 마구 떠들다. ¶ 와자지껄 뒤떠드는 소리.
뒤-떨다 타 몸을 몹시 흔들며 떨다. ¶ 신이 오른 듯 몸을 ~.
뒤:-떨미 명 〈방〉 뒷덜미.
뒤:-떨어지다 자 ①뒤에 처지다. ¶ 김군보다 뒤떨어져서 달리다. ②뒤에 남아 있다. ③남만 못하다. ¶ 수학이 좀 ~. ④시대에 맞지 아니하다. ¶ 뒤떨어진 사고 방식/유행에 ~.
뒤뚝-거리다 자 쓰러질 듯이 양쪽으로 연해 흔들리며 기울어지다. ¶ 뒤뚝거리며 도망가다. >되뚝거리다. 뒤뚝-뒤뚝 부. ——-하다 자여불
뒤뚝-대다 자 뒤뚝거리다.
뒤뚱-거리다 자 물건이 느리게 기울어지면서 양쪽으로 자꾸 흔들리다. ¶ 뚱보가 뒤뚱거리며 걷다. >되뚱거리다. 뒤뚱-뒤뚱 부. ——-하다 자여불
뒤뚱-대다 자 뒤뚱거리다.
뒤뚱-발이 명 걸음을 뒤뚱거리며 걷는 사람.
뒤-뜨다 자 ①뒤틀려서 들뜨다. ②뒤받아서 버티어 겨루다. 뒤받아 항거하다. ¶ 어른의 말을 함부로 뒤뜨지 마라.
뒤:-뜰 명 집채의 뒤에 있는 뜰. ↔앞뜰. ＊뒷마당.
뒤라스 〔Duras, Marguerite〕 명 〖사람〗 프랑스의 여류 작가. 인도차이나에서 태어나, 파리에서 법률·수학·정치학을 공부함. 1942년의 처녀작 《뻔뻔스런 사람들》 이후 네오리얼리즘 소설을 썼으나, 《타르키니아의 조랑말들》·《모데라토 칸타빌레》·《앙데스마씨의 오후》 등에서는 독자적인 사랑의 세계를 그린 추상적인 심리 소설을 추구함. 청신(淸新)한 수법 때문에 누보 로망 작가로 간주(看做)되기도 함. 이 밖에 시나리오 《히로시마, 내 사랑》·《그다지도 오랜 부재(不在)》 등이 유명함. [1914-]
뒤:란 명 집 뒤의 울안.
뒤러 〔Dürer, Albrecht〕 명 〖사람〗 독일의 화가·조각가. 유럽 북방의 고딕 양식과 남방의 르네상스 고전미(古典美)를 조화시켜 독자적인 화풍을 창조함. 독일 회화사상(繪畫史上) 가장 위대한 화가로 꼽힘. 작품으로 《자화상(自畫像)》 외에 목판화(木版畫) 《그리스도의 대수난(大受難)》, 동판화(銅版畫) 《성삼위 일체(聖三位一體)》·《우수(憂愁)》 등이 있음. [1471-1528]
뒤렌마트 〔Dürenmatt, Frederick〕 명 〖사람〗 스위스의 극작가. 그로테스크한 과장(誇張), 통렬한 풍자를 구사하여 희극을 씀. 대표작에 《귀부인 고향에 돌아오다》가 있음. [1921-90]
뒤:로-돌아 명감 서 있는 자리에서 뒤로 방향을 바꾸는 일. 또, 그 구령.
뒤:로-돌아가 명감 뒤로 180° 돌아서 앞으로 나아가는 일. 또, 그 구령.
뒤로-하다 타여불 뒤에 남겨 놓고 떠나다. ¶ 고국을 ~.
뒤:로-훑기 [—훌끼] 명 〖민〗 줄타기에서, 줄에서 발을 떼지 않고 뒤로 훑어 가는 재주.
뒤룩-거리다 자타 ①두리두리한 눈알이 열기 있게 번쩍이다. ②뚱뚱한 몸이 둔하게 움직이다. ③성낸 빛이나 불쾌한 마음을 행동에 나타내다. 1)·3): 쓰뛰룩거리다. >되룩거리다. 뒤룩-뒤룩 부. ¶ ~ 살찐 여자. ——-하다 자타여불
뒤룩-대다 자타 뒤룩거리다.
뒤룽-거리다 자 무거운 물건이 매달리어서 느리게 흔들리다. >되롱거리다. 뒤룽-뒤룽 부. ——-하다 자여불
뒤룽-다리 명 〈방〉 두룽다리.
뒤룽-대다 자 뒤룽거리다.
뒤르켐 〔Durkheim, Émile〕 명 〖사람〗 프랑스의 사회학자. 사회를 독자의 집단 표상(表象)으로 규정하고, 이를 물(物)로서 객관적으로 다루어야 한다고 하는 사회학의 방법론을 확립하고, 새로이 뒤르켐 학파를 형성하였음. 저서에 《사회 분업론》 등이 있음. [1858-1917]
뒤:링 〔Dühring, Karl Eugen〕 명 〖사람〗 독일의 철학자·경제학자. 유물론적인 실증주의(實證主義)의 입장에서 마르크스주의와 대결하였음. 엥겔스의 유명한 《반뒤링론(反 Dühring 論)》의 주제(主題) 인물임. [1833-1921]
뒤마[1] 〔Dumas, Alexandre〕 명 〖사람〗 ①〔A.D.fils〕 프랑스의 극작가·소설가. ❷의 사생아(私生兒). 1852년 소설 《춘희(椿姬)》의 극화로 성공. 불우한 자신의 처지에 비추어 남성과 금력의 횡포를 경계하여 《금전 문제》·《방탕한 아버지》 등을 발표함. [1824-95] ②〔A.D. père〕 프랑스의 극작가·소설가. 희곡 《앙리 삼세(Henri 三世)와 그의 궁정》의 성공으로 명성을 얻었으며, 역사 소설로 전향하여 《삼총사(三銃士)》·《몽테 크리스토 백작(Monte Cristo 伯爵)》 등 대중적 대작을 남김. [1802-70]
뒤마[2] 〔Dumas, Jean Baptiste André〕 명 〖사람〗 프랑스의 화학자. 소르본 대학 교수. 물의 조성(組成)을 정밀하게 측정. 증기 밀도(蒸氣密度) 측정법과 유기(有機) 화합물의 질소 정량법(定量法)을 창안함. 제2 제정기(帝政期)에는 교육상 등을 역임. [1800-84]
뒤-모가지 명 〈방〉 목덜미(경남).
뒤모금지 명 〈방〉 겸불(강원).

뒤물랭 (Dumoulin, Charles) 명 〖사람〗 프랑스 16세기의 최대 법학자. 로마법(Roma法)·국제 사법의 연구로 저명하고, 특히 국제 사법상의 의사 자치(意思自治) 원칙의 창시자로 알려짐. [1500-66]

뒤:-미처 부 사이를 뜰 나위 없이. 그 뒤에 곧 이어. ¶ ~ 따라가다/~ 그도 사직했다.

뒤:-미치다 자 뒤이어 곧 한정한 곳에 이르다.

뒤:-밀치기 명 씨름에서, 앉았다가 일어설 때에나 일어서서 있을 때에 갑자기 상대자를 뒤로 넘어뜨리는 재주의 하나.

뒤-바꾸다 타 뒤집어 바꾸다. 마구 뒤섞이게 바꾸다. ¶ 순서를 ~.

뒤-바꾸이다 자 반대로 바뀌어지다. 마구 뒤섞이게 바꾸이다. ¶ 순서가 ~. ㊌뒤바뀌다.

뒤-바뀌다 자 ↗뒤바꾸이다.

뒤:-바람 명 북풍(北風).

뒤-바르다 타 〈르불〉 거칠 것이 없이 함부로 아무데나 바르다. ¶ 색종이를 온 벽에 ~.

뒤박 명 〈방〉 되[1](경북).

뒤:-받다 타 잘못을 꾸짖을 때에 도리어 반항하다. >되받다.

뒤발-하다 타 〈여불〉 무엇을 온 몸에 뒤집어써서 바르다. ¶ 흙탕물을 ~/먼지를 뒤집어쓰고 땀으로 뒤발을 한 동혁의 몸…《沈熏:常綠樹》.

뒤:-밟다 [—밥—] 타 슬그머니 뒤를 따르다. ¶ 수상한 사람을 ~.

뒤:-방이다 타 윷놀이에서, 말을 뒷밭을 거쳐 방이다.

뒤배기 명 〈방〉 되[1](경남).

뒤-버무리다 타 뒤섞어서 함부로 버무리다. ¶ 나물을 ~.

뒤-벌 명 〈방〉〖충〗 땅벌. ¶ ~을 만들다.

뒤-범벅 명 함부로 뒤섞여서 하나하나가 따로 분명하지 못한 상태.

뒤범벅-되다 자 함부로 뒤섞여서 또렷또렷하지 못하게 되다.

뒤범벅 상투 명 짧은 머리털로 아무렇게나 뭉뚱그린 상투.

뒤 벨레 (Du Bellay, Joachim) 명 〖사람〗 프랑스의 서정 시인. 프랑스어(語)의 혁신에도 크게 공헌하였으며, '프랑스어의 옹호와 발양(發揚)'이란 선언문을 발표한 바 있음. 시집에 《롤리브(L'Olive)》가 있음. [1522-1600]

뒤벵이 명 〈방〉 뚜껑(경남).

뒤변덕-스럽다 【—變德—】 형 〈ㅂ불〉 야단스럽게 번잡하고 변덕스럽다. 뒤변덕-스레 【—變德—】 부

뒤:-보다[1] 자 '똥누다'를 점잖게 일컫는 말. ¶ 아마 뒤보러 간 모양이다.

뒤-보다[2] 타 잘못 생각하여 빗보다. ¶ 신호를 ~.

뒤:-보다[3] 타 ↗뒤보아 주다.

뒤보스 (Dubos, Charles) 명 〖사람〗 프랑스의 평론가. 음악 연주가처럼 작품을 해석하고 감상하려는 평론 태도를 취함. 평론집 《서기 논집(庶幾論集: Approximations)》이 유명함. [1882-1939]

뒤:보아 주다 타 뒤에서 돌보아 주다. 남의 뒤를 보호하다. ㊌뒤보다.

뒤부아 (Dubois, Théodore) 명 〖사람〗 프랑스의 작곡가·음악 이론가. 파리 음악원 원장. 저서에 《화성학(和聲學)》·《대위법(對位法)과 푸가(fuga) 교본》 등이 있음. [1837-1924]

뒤 부아레몽 (Du Bois-Reymond, Emil) 명 〖사람〗 독일의 생리학자. 동물 자기(動物磁氣)에 관한 연구에 전념하여, 신경·근육의 전류 현상(電流現象)에 관한 많은 발견을 함. 주저(主著)에 《자연 인식의 한계》·《우주의 일곱 가지 불가사의》 등이 있음. [1818-96]

뒤비 명 〈방〉 두부(경북).

뒤비비에 (Duvivier, Julien) 명 〖사람〗 프랑스의 배우·영화 감독. 《망향》·《무도회의 수첩》·《안나 카레니나》 등 약간 페시미스틱(pessimistic)한 사실적 작품으로 일류 감독의 지위를 얻음. [1896-1967]

뒤:뿔-치기 명 자립할 힘이 없고 남의 밑에서 고생하는 짓. ¶ 전향과 수근비는 …상감의 타는 듯한 사랑을 먼저 받았건만 제안궁에서 장녹수가 들어온 뒤에는 슬그머니 ~가 되었다《朴鍾和:錦衫의 피》. ——-하다 자 〈여불〉

뒤:뿔-치다 타 남의 밑에서 그의 뒷바라지를 하여 도와 주다.

뒤:-사리다 자 뒷일이 잘못될까 하여 미리부터 발뺌을 하느라고 언행을 조심하다.

뒤샹 (Duchamp, Marcel) 명 〖사람〗 프랑스의 화가. 미래파(未來派) 운동의 동시적(同時的) 표현을 결합시킨 《계단을 내리는 나체》를 내어 주목을 끌고, 도미하여 기관지 '베 베 베(V.V.V.)'를 창간, 미국 초현실파 운동의 선봉이 되었음. [1887-1968]

뒤:-서다 자 ①남의 뒤를 따르다. ¶ 뒤서거니 앞서거니 하며 같이 뛴다. ②뒤지다[1].

뒤-섞다 타 ①물건을 한데 그러모아 함부로 섞다. ②질서를 없게 하다.

뒤-섞이다 자 ①물건이 한데 모여서 섞여지다. ¶ 좋은 것과 나쁜 것이 뒤섞이어 있다. ②여러 가지가 한 가지 모양으로 되다. ③질서가 없어지다.

뒤-설레 명 서두르며 수선스레 구는 짓.
뒤설레(를) 치다 구 서두르며 수선을 부리다. ¶ 왜국의 장교란 놈이 뛰어들어 잔나비처럼 딩굴면서 뒤설레를 치는데 차마 눈뜨고 못볼 지경이라네《金周榮:客主》.

뒤:-세우다 타 뒤에 서게 하거나, 뒤따르게 하다.

뒤셀도르프 (Düsseldorf) 명 〖지〗 독일(獨逸) 노르트라인베스트팔렌(Nordrhein-Westfalen)의 주도(州都). 라인 강(Rhein江) 동안(東岸)의 하항(河港)이며, 루르 산업 지대를 배경으로 한 독일의 산업·금융의 중심지. 철강·화학·유리 따위 공업이 성하고, 오페라·연극 등의 문화 활동도 활발함. [589,000명(1981 추계)]

뒤쇼딕 타 〈옛〉 두어 있으되. 두었으되. '두다'의 활용형. ¶ 내 흔 ᄡᅮ를 뒤쇼딕 져며 어리오《釋譜 XI:28》.

뒤숭숭-하다 형 〈여불〉 ①정신이 어수선하다. ¶ 꿈자리가 ~. ②물건이 어수선하게 흩어져 있다. ¶ 옷가지들이 뒤숭숭하게 널려 있다.

뒤스럭-거리다 자 ①손을 연해 이리저리 뒤치다. ¶ 뒤스럭거리며 무엇을 찾다. ②번잡스럽게 변덕을 부리다. 뒤스럭-뒤스럭 부. ——-하다 자 〈여불〉

뒤스럭-대다 자 뒤스럭거리다.

뒤스럭-스럽다 형 〈ㅂ불〉 말과 짓이 얌전하지 못하고 늘 부산하다. ¶ 이전 그 뒤스럭스러운 모양은 조금도 없이 아주 생기가 없어지고…《李相協:눈물》. 뒤스럭-스레 부

뒤스르다 타 〈르불〉 일이나 물건을 가다듬느라고 이리저리 바꾸거나 변통하다. ¶ 밤낮 뒤스르기만 하고 끝을 못 맺는다.

뒤스부르크 (Duisburg) 명 〖지〗 독일 루르(Ruhr) 지방 서부의 중심적 공업 도시. 라인 강과 루르 강의 합류점에 있는 유럽 최대의 내륙항(內陸港). 철강·기계·섬유·화학 등의 공업이 행해짐. [556,000명(1981)]

뒤슬르다 타 〈방〉 뒤스르다.

뒤-쓰다 타 온통 뒤집어쓰다.

뒤아멜 (Duhamel, Georges) 명 〖사람〗 프랑스의 작가·비평가. 아카데미 회원. 일찍 위나니미슴(unanimisme) 운동에 참가하여 《순교자의 생활》·《심야의 고백》 등 가장 프랑스적인 소시민(小市民) 사상을 대표한 작품을 발표, 물질의 염오, 휴머니즘의 전통을 지키는 작풍을 지니었음. 이 외에 희곡·회고록 등이 있음. [1884-1966]

뒤:-악절 【—樂節】 명 (after phrase) 〖악〗 네 마디씩 두 개의 작은 악절로 구성된 여덟 마디의 큰 악절에서, 후반에 해당하는 작은 악절. 후악절(後樂節).

뒤안[1] 명 〈옛·방〉 뒤꼍. 뒷동산. 뒤터. ¶ 뒤안 원(園)《類合 下 28》/ 날회야 거러져근 뒤안홀 보노라(徐步視小園)《重杜諺 XI:49》.

뒤-안[2] 명 ☞뒤꼍.

뒤안-길 [—낄] 명 ①한길이 아닌 뒷골목의 길. 늘어선 집들의 뒤꼍 쪽으로 통한 길. ②햇볕을 못 보는 초라하고 음침한 생활. ¶ 인생의 ~.

뒤안홀 〈옛〉 뒤꼍을. '뒤안'의 목적격형. ¶ 날회야 거러 져근 뒤안홀 보노라(徐步視小園)《杜諺 XI:49》.

뒤애지 명 〈방〉〖동〗 돼지(경상).

뒤:-어금니 명 〖생〗 어금니의 바로 다음의 이. 대구치(大臼齒). 앞어금니.

뒤어-내다 타 ☞뒤져내다.

뒤어-보다 타 ←뒤져보다. ¶ 뒤어봐도 없다.

뒤어-쓰다 타 ①눈알이 위쪽으로 몰려서 흰자위만 나타나게 뜨다. 눈을 홉뜨다. ②들쓰다. 뒤집어쓰다. ㊌뒈쓰다.

뒤어-지다 자 〈방〉 뒈지다.

뒤-얽다 [—억—] 타 마구 얽다.

뒤-얽히다 [—얼키—] 피동 마구 얽히다.

뒤엄 명 〈방〉 퇴.

뒤-엉키다 자 마구 엉키다. ¶ 실이 ~.

뒤-엎다 타 뒤집어서 엎다. ¶ 밥상을 ~/학설을 ~.

뒤:-울 명 갑피(甲皮) 중에서 발꿈치를 싸는 뒷 부분의 가죽.

뒤웅-박 명 쪼개지 아니하고 꼭지 근처에 구멍만 뚫고 속을 파낸 바가지.
【뒤웅박 신은 것 같다】 되어가는 모양이 위태위태함을 이르는 말. 【뒤웅박 차고 바람 잡는다】 맹랑하고 허황된 짓을 하는 사람을 비유하는 말.

〈뒤웅박〉

뒤웅-스럽다 형 〈ㅂ불〉 생김새가 뒤웅박처럼 보기에 미련하다. ¶ 뒤웅스럽게 생겨 먹다. 뒤웅-스레 부

뒤웅이 명 ☞뒤웅박. ¶ 우리 곧 없으면 그것은 더구나 끈 떨어진 ~가 될 지경이오니…《李海朝:昭陽亭》.

뒤:-잇다 타 어떤 것의 끝과 다른 것이 끊어지지 않도록 뒤를 잇다. ¶ 뒤이어 내빈 축사가 있겠습니다.

뒤잊다 타 〈옛〉 뒤집다. 뒤적이다. ¶ 고기 녀허 뒤이즈며(下上肉)《老乞 上 19》.

뒤-잡다 타 마구 꽉 잡다.

뒤-장 【—醬】 명 〈방〉 된장(경남).

뒤재기 명 〈방〉〖동〗 두더지(경북).

뒤:-재다 타 〈방〉 뒤밟다.

뒤-재비 명 〈방〉 드잡이❶.

뒤재주-치다 타 ①물건을 함부로 내던져서 넘겨 박히게 하다. ②물건을 함부로 뒤집어 놓다.

뒤저구 명 〈방〉〖동〗 두더지(경북).

뒤적-거리다 타 물건을 찾느라고 이리저리 들추어 가며 뒤지다. ¶ 주머니를 ~. 쓰뒤척거리다. >되작거리다. 뒤적-뒤적 부. ——-하다 타 〈여불〉

뒤적-대다 타 뒤적거리다.

뒤적-이다 타 물건을 찾느라고 이리저리 뒤지다. 무엇을 이리저리 들추며 뒤지다. 쓰뒤척이다. >되작이다.

뒤-젓다 타 〈ㅅ불〉 함부로 마구 젓다.

뒤제기 명 〖동〗〈방〉 두더지(강원·경상).

뒤젭-대패 명 뒤대패.

뒤져-내다 타 샅샅이 뒤지어서 찾아 내다. ¶ 외래품을 샅샅이 ~/서랍에서 돈을 ~.

뒤져-보다 타 샅샅이 뒤지어서 찾아보다. ¶ 아무리 뒤져보아도 없다. ㊌뒤어보다.

뒤져올치-부 【—夊部】 명 한자 부수(部首)의 하나. '処'·'麦' 등의 '夊'의 이름.

뒤조지 명 〈옛〉 태의(胎衣). 태의 껍질. ¶ 뒤조지 몬 나ᄂᆞ니(胎衣不下)《救簡 目錄 7》.

뒤:-조지다 타 뒤끝을 단단히 다지다.

뒤:-좇다 타 뒤를 따라 좇다.

뒤:좇아-가다 타(거라불) ①뒤를 지체하지 아니하고 따라가다. ②남의 뜻을 따라 그대로 하다.

뒤:좇아-오다 자(너라불) 지체하지 않고 뒤를 따라오다.

〈뒤주〉

뒤주 명 쌀 같은 곡식을 담아 두는 세간의 한 가지. 나무로 궤짝같이 만들었는데, 네 기둥과 짧은 발이 있으며 위의 판의 절반 앞쪽이 문이 됨. 취음(取音): 두지(斗庋). [뒤주 밑이 긁히면 밥맛이 더 난다]'돈 떨어지자 입맛난다'와 같은 뜻.

뒤주 대:왕 【一大王】 명〖역〗뒤주에 갇혀 죽은 사도 세자(思悼世子)의 별칭.

뒤주대:왕-신 【一大王神】 명〖민〗무속(巫俗)에서 믿고 모시는 왕신(王神)의 하나. 뒤주 대왕 사도 세자(思悼世子)를 신격화(神格化)한 것.

뒤주재 명〈방〉밥통(평북).

뒤죽-박죽 명부 이것저것이 함부로 뒤섞이고 헝클어져 엉망이 된 모양. ¶한데 뒤섞여서 ~이 되다/일을 ~으로 만들어 놓다.

뒤-중그러지다 자〈방〉뒤둥그러지다.

뒤:-쥐 명〖동〗① 식충목(食蟲目) 땃쥣과(科) 뒤쥐속(屬)에 속하는 동물의 총칭. 좀뒤쥐와 뒤쥐 등이 있음. ✱땃쥣과(科). ② [*Sorex caecutiens annexus*] 땃쥣과에 속하는 동물. 가장 작은 포유류(哺乳類)의 하나로 쥐와 비슷한데, 몸길이 5-7 cm, 꼬리 4.5-5.5 cm이고, 몸의 상면(上面)은 암갈색, 체측(體側)은 회갈색, 하면(下面)은 회색의 비로드상(狀) 털이 나고, 이개(耳介)는 작고 눈은 극히 작음. 체측의 취선(臭腺)에서 악취(惡臭)가 심함. 숲 속에 서식하며 곤충·지렁이·달팽이·작은 쥐 등을 포식함. 시베리아·홋카이도·한국·일본 등에 분포함. 뾰족뒤쥐. 사향뒤쥐. ③〈방〉두더지(경남).

〈뒤쥐❷〉

뒤지¹ 명〈방〉①뒤주(전라·황해·함남·평안). ②뒤축. ③〖동〗두더지(경

뒤:-지² 【一紙】 명 밑씻개로 쓰는 종이. 휴지(休紙). ⌊남).

뒤지개 명〖고고학〗땅 속을 뒤지어 캐거나 땅에 구멍을 내는 데 쓰는, 나무나 뼈 등으로 만든 끝이 뾰족한 연장. 굴봉(掘棒).

뒤지기 명〈방〉〖동〗①두더지(전남). ②뒤축(경상).

뒤:-지다¹ 자 ①뒤떨어지다. 뒤서다. ¶문화(文化)가 뒤진 민족/시대에 ~. ②미치지 못하다. ¶계획보다 훨씬 ~.

뒤지다² 타 샅샅이 들추어 찾다. ¶집 안을 ~/주머니를 ~/앨범을 ~.

뒤:-지지다 타〈방〉뒤조지다. ⌊㊥뒤다.

뒤집개-질 명 일이나 물건을 뒤집어 놓는 짓 ——-하다 타(여불)

뒤집개 집다 자〈방〉뒷짐(을) 지다. 「고 핥듯이 잘 안다.

뒤집고 핥다 [一할따] 타 속속들이 자세히 알다. ¶그 집안 사정은 뒤집

뒤-집기 명 안과 겉을 맞추어서 뒤집는 일.

뒤-집다 타 ①안과 겉을 뒤바꾸다. ¶양말을 뒤집어 신다. ②위가 밑으로, 밑이 위가 되게 하다. ¶번철의 빈대떡을 ~/흙을 ~. ③일의 차례를 바꾸다. ¶순서를 ~. ④일을 아주 돌리어 틀어지게 하다. ⑤조용하던 것을 어지럽게 하다. ¶온 마을을 발칵 뒤집어 놓다. ⑥사물을 뒤엎다. ¶종래의 학설을 ~. ⑦눈을 크게 홉뜨다. ¶눈을 뒤집고 덤빈다.

뒤집어-쓰다 타 ①머리에 얹어 쓰다. ¶털모자를 ~. ②온 몸을 내리 덮다. ¶이불을 ~/물을 ~. ③남의 허물을 넘기어 맡다. ¶죄를 ~. ④생김새나 성질 따위가 누군가와 꼭 같다. ¶그 녀석은 저희 아범을 뒤집어썼군.

뒤집어-씌우다 [一씌一] 사동 남에게 뒤집어 쓰도록 하다. ¶누명을 ~.

뒤집어-엎다 타 ①안과 겉을 뒤집어서 엎다. ②물건을 뒤엎어서 그 속에 담긴 것을 엎지르다. ¶물 사발을 ~. ③어떤 일이나 상태를 전혀 딴 것으로 바꾸어 놓거나 망쳐 놓다. ¶당초 계획을 ~. ④어떤 국가·정권·제도·체제 따위를 폭력이나 그 밖의 방법을 써서 없애거나 또는 다른 새 것으로 바꾸다. ¶정권을 ~.

뒤-집히다 자 ①일이나 물건이 뒤집어지다. ¶우산이 ~/눈이 ~/승패가 ~. ②야단이 나다. ¶회사가 발칵 ~.

뒤:-짱구 명 뒤통수가 유난히 튀어나온 사람의 별명.

뒤:-쪽 명 어떠한 사물의 뒷 방면. 후방(後方). 후편(後便). ↔앞쪽.

뒤:쪽무늬-꼬마가시나방 [一니一] 명〖충〗[*Pogonitis cumulata*] 자벌레나방과의 곤충. 편 날개의 길이 26-28 mm이고, 몸빛은 황색인데, 앞날개의 기부와 후연부(後緣部) 및 뒷 날개의 기부에는 흑갈색의 짧은 줄이 많이 있고, 각 날개의 횡맥(橫脈)에는 흑색 무늬가 있음. 뒷 날개의 외횡선(外橫線)은 진한 황색임. 한국에도 분포함.

뒤:-쫓기다 피동 뒤쫓음을 당하다. ¶괴한에게 ~.

뒤:-쫓다 타 뒤를 쫓다. ¶범인을 ~.

뒤:쫓아-가다 타(거라불) 뒤를 쫓아서 가다. ¶도둑을 ~.

뒤:쫓아-오다 자(너라불) 뒤를 쫓아서 오다. ¶형사가 ~. 「↔앞차.

뒤:-차 【一車】 명 다음 번에 오는 차. 또, 뒤쪽에서 오는 차. 후차(後車).

뒤:-창 명 신이나 구두의 뒤꾸머리에 대는 창. 뒤축. ↔앞창.

뒤:-창자 명〖생〗후장(後腸). ✱앞창자·가운데창자.

뒤:-채¹ 명 뒤편에 있는 집채. ↔앞채¹.

뒤:-채² 명 ①가마·상여 등의 채의 뒷부분. ②뒷마구리. 1)·2):↔앞채².

뒤:-채다 자 너무 흔하여 발길에 걸리다. 「람. ↔앞채잡이.

뒤:채-잡이 명 가마나 상여 또는 들것 따위의 뒤채를 잡는 일. 또, 그 사

뒤:-처리 【一處理】 명 일이 벌어진 뒤나 끝난 뒤끝의 처리. 뒷갈망. ¶~도 못 하는 주제에 일만 저지른다. ——-하다 타(여불)

뒤:-처지다 자 어떤 동아리나 대열에 끼지 못하고 뒤로 처지거나 남게 되다. ¶성적이 점점 더 뒤처지고 있다.

뒤척-거리다 타 물건을 찾느라고 들추어 가며 뒤지다. 스뒤적거리다. >되착거리다. 뒤척-뒤척 부. ——-하다 타(여불)

뒤척-대다 타 뒤척거리다.

뒤척-이다 타 물건을 찾느라고 이리저리 뒤지다. 스뒤적이다. >되착이 ⌊다.

뒤:-철기 명〈방〉껑거리끈.

뒤쳐서 부 일이 사리에 뒤집혀서.

뒤쳐-지다 자 물건이 뒤집혀서 젖혀지다.

뒤:-초리 명 갈퀴의 여러 발의 대가리가 한데 모여 엇갈려진 곳.

뒤추거리 명〈방〉뒤축(경북).

뒤:-추리 명〈방〉뒤초리.

뒤:-추배 명 ☞뒤치다꺼리❶. ¶아버지와 나의 ~를 하시기에도 바쁘셨어요《崔貞熙 : 끝없는 낭만》. 「다. ②↗발뒤축.

뒤:-축 명 ①신이나 버선의 발뒤축이 닿는 부분. 뒤창. ¶구두 ~이 닳

뒤:축걸어-밀기 명 씨름에서, 상대를 들어올리지 아니하고 서 있는 자세에서 오른쪽 발뒤꿈치로 상대의 오른쪽 발뒤꿈치를 걸어당겨 상대를 밀어 뒤로 넘어뜨리는 다리 기술의 하나.

뒤측 명〈옛〉뒤축. ¶뒤측 근(跟), 뒤측 종(踵)《字會 上 29》.

뒤치거리 명〈방〉뒤축(경북).

뒤치기 명〈방〉〖동〗두더지(강원). 「자다/엎어진 삽을 ~.

뒤치다 타 자빠진 것을 젖히다. 젖혀진 것을 엎어 놓다. ¶잠을 뒤치며

뒤:-치다꺼리 명 ①뒤에서 일을 보살펴서 도와 주는 것. ¶애들의 ~. ②뒷수쇄. ——-하다 자(여불)

뒤치락-거리다 타 자빠진 것이나 젖혀진 것을 자꾸 젖히거나 엎어 놓다.

뒤치락-대다 타 뒤치락거리다.

뒤칙 명〈방〉뒤축(경북·제주).

뒤카 [Dukas, Paul] 명〖사람〗프랑스의 작곡가. 엄격하고 진실한 작품으로 근대 프랑스 악단의 독립파(獨立派)로 불리며, 비교적 과작(寡作)이나 교향시 《마법사(魔法師)의 제자》 등 이름 있는 곡을 남기었음. [1865-1935]

뒤:-켠 명 ①뒤. 뒤쪽. ¶~으로 물러서다. ↔앞켠. ②집의 뒤쪽 울안.

뒤콰 〈옛〉뒤와. '뒤³'의 공동격형. ¶白塩 노픈 묏 뒤콰 赤甲 녯 城ㅅ東녀긔(白鹽危嶠北赤甲古城東)《初杜諺 Ⅶ:16》.

뒤:-탈 【一頉】 명 어떤 일 뒤에 생기는 탈. 후탈. ¶~ 없이 수습되다/~이 두려워 말도 못 하다.

뒤:-태 【一態】 명 뒤쪽에서 본 자태나 맵시. ↔앞태.

뒤:-태도 【一態度】 명 ①뒤쪽에서 본 몸 가지는 모양. 뒷맵시. ②어떤 ⌊일이 있은 뒤의 태도.

뒤:-터주기 명〈방〉뒤통수.

뒤:-터지다 자 몹시 앓아 거의 죽게 된 때에 똥이 함부로 나오다.

뒤:-턱 명 ①노름판에서, 남에게 붙이어서 돈을 태어 놓는 짓. ②두 턱이 있는 물건의 뒤쪽에 있는 턱. ↔앞턱.

뒤:턱(을) 놓다 구 노름판에서, 따로 한 몫을 보지 아니하고 남에게 붙

뒤:턱(을) 보다 구 ☞뒤턱(을) 놓다. ⌊여서 돈을 태어 놓다.

뒤:-털미 명〈방〉뒷덜미(경기·전남).

뒤-통 명〈방〉뒤통수(전북).

뒤:-통생이 명〈방〉뒤통수(경기·강원·경북).

뒤:-통세 명〈방〉뒤통수(경기·강원).

뒤-통세기 명〈방〉뒤통수(전북). 「두(後頭). ¶~를 얻어 맞다.

뒤:-통수 명 머리의 뒤쪽. 뒷골. 뒷머리. 뇌후(腦後). 옥침관(玉枕關). 후

뒤:통수(를) 긁다 구 무안하거나 부끄러움·수줍음·쑥스러움을 얼버무리기 위하여, 저도 모르게 머리의 뒤쪽을 긁적거리다. 「다.

뒤:통수(를) 보이다 구 ㉠져서 달아나다. ㉡상대방에게 약점을 보이

뒤:통수(를) 치다 구 바라던 일이 실패하여 매우 낙심하다. ¶두 번째 시험에도 떨어져 뒤통수를 치고 돌아왔다.

뒤:-통시 명〈방〉뒤통수(강원).

뒤퉁-스럽다 형(ㅂ불) 사람이 미련하여 일을 잘 저지르다. >되퉁스럽다. ⌊뒤퉁-스레 부

뒤:-트기 명〈속〉창의(氅衣).

뒤트레-방석 【一方席】 명 또아리처럼 새끼를 둘둘 감아서 만든 방석.

뒤:-트임 명 신사복 상의의 뒷솔기 아래 부분을 타 놓은 것.

뒤:-틀 명〈방〉매화틀.

뒤-틀다 타 ①꼬아서 비틀다. ¶몸을 ~. ②일이 올곧게 나가지 못하게 하다. ¶흥정을 ~/남의 계획을 뒤틀어 놓다.

뒤-틀리다 ㊀피동 ①꼬여서 비틀어지다. ②이치에 어그러지다. ㊁자 감정이나 심사가 사납고 험해지다. ¶심사가 ~.

뒤틀어-지다 자 일이 올곧은 채로 있지 못하고 저절로 뒤틀리다. ¶계

뒤틈-바리 명 어리석고 미련하며 하는 짓이 거친 사람. ⌊획이 ~.

뒤티다 타〈옛〉뒤치다. ¶뒤틸 번(翻)《類合 下 56》. 「상태의 파도.

뒤:-파도 【一波濤】 명 [following sea] 고물에서 이물 쪽으로 나아가는

뒤파르크 [Duparc, Henri] 명〖사람〗프랑스의 작곡가. 프랑크(Franck, C.)에게 피아노와 작곡을 사사함. 프랑스어의 미(美)를 살린 가곡에 뛰어나 근대 프랑스 음악 성립에 공헌함. 정신병 때문에 1885년 스위스에 은거, 고독한 여생을 보냄. 500여 곡의 작품은 거의 파기되고 16곡의 가곡이 전하는데, 보들레르의 시를 작곡한 가곡 《여행에의 권유》는 그의 대표작임. [1848-1933]

뒤파리 명〈방〉〖동〗밴댕이(전남 진도(珍島)).

뒤:-판 명〖악〗바이올린이나 가야금 등 현악기 통의 뒷면의 판.

뒤 페 [Du Fay, Charles François de Cisternay] 명〖사람〗프랑스의 물리학자. 파리 왕립 식물원장. 후에 프랭클린에 의하여 양(陽)·음(陰)으로 명명(命名)된 두 종류의 전기가 있음을 발견함. 또, 정전기의 작용·물체의 전도성·대전성(帶電性) 등도 발견하여 전기학의 기초를 개

뒤:-편 【一便】 명 ①뒤편짝. ②후편(後便)❷. ⌊척함. [1698-1739]

뒤:편-짝 【一便一】 명 뒤로 있는 편짝. 뒤편. ↔앞편짝.

뒤포리 명〈방〉〖어〗밴댕이(전남 진도(珍島)).
뒤:-폭【一幅】명 ①옷의 뒤편 조각. 뒤품. ②나무로 짜는 세간의 뒤쪽에 대는 널조각. 후폭(後幅). ③물건의 뒤의 너비. 1)-3):↔앞폭.
뒤퐁 회:사【一會社】〔Du Pont〕명 미국 굴지의 재벌인, 프랑스 계통의 뒤 퐁이 경영하는 기업(企業)의 총칭. 미국의 고무·화약·약품·인조 섬유·연료 등 여러 회사를 가지며, 플라스틱·인조 고무·나일론의 발명 제조 및 원자로(原子爐) 건설 등으로 유명함.
뒤:-표지【一表紙】명 책의 뒷면의 표지. ↔앞표지.
뒤:-풀이 명 어떠한 말이나 글 아래에 그 뜻을 잇대어서, 풀이 비슷이 노래체로 지어 붙인 말. ¶ 천자(千字) ~.
뒤:-품 명 옷의 뒷길의 너비. 곧, 뒤편 조각의 너비. 뒤폭.
뒤프레[1]〔Dupré, Jules〕명〖사람〗19세기 프랑스의 화가·석판화가. 영국에서 특히 콘스타블(Constable, J.; 1776-1837)의 영향을 받고 프랑스에 돌아와, 루소(Rousseau, Thèodore)와 알게 되어 바르비종파(Barbizon派)의 대표적 화가의 한 사람이 됨. 시정(詩情)이 넘치는 풍경화, 특히 구름의 묘사에 정평이 있음. [1811-89]
뒤프레[2]〔Dupré, Marcel〕명〖사람〗프랑스의 오르간 주자(奏者)·작곡가. 1934년부터 성당 오르간 주자로 활약, 1954-56년에는 모교인 파리 음악원 원장을 지냈음. 바흐의 연주로 이름이 있고, 즉흥 연주도 뛰어남. [1886-1971]
뒤플렉스〔Dupleix, Joseph François〕명〖사람〗인도에서 활약한 프랑스의 식민지 경영자. 프랑스 동(東)인도 회사의 근거지인 퐁디셰리에서 개인적 투기 사업으로 거부가 되었고, 1742년 인도의 총독이 되어 영국에 대항하였으나, 본국 방침에 어긋나서 1754년에 소환되어 실의 속에 사망하였음. [1697-1763]
뒤피〔Dufy, Raoul〕명〖사람〗프랑스의 화가. 《르 아브르(Le Havre)의 일몰》로 데뷔, 이후 포비슴(fauvisme) 운동에도 참가하였음. 대담한 색채와 자유로운 환상적 스타일로 해안 풍경·경마 등을 즐기어 그리었음. [1877-1953]
뒤함박-치다 자〈방〉뒤범벅되다.
뒤헤〈옛〉뒤에. '뒤[1]'의 처소격형(處所格形). ¶ 뒤헤는 모딘 도ᄌᆞᆨ(後有猾賊)《龍歌 30章》.
뒤혀다 타〈옛〉뒤집다. ¶ 뒤혈 반(反)《類合 下 59》.
뒤흐로〈옛〉뒤로. '뒤[1]'의 향진격형(向進格形). ¶ 니르도록 니르도록 뒤흐로 가는 ᄃᆞᆺ혼 뜯 가지미《新語 Ⅳ:23》.
뒤-흔들다 타 ①함부로 흔들다. ¶ 천지를 뒤흔드는 폭음. ②큰 파문을 일으키다. ¶ 세상을 뒤흔들어 놓은 사건. ③거침 없이 마음대로 하다. ¶ 회사 일을 혼자서 ~.
뒤-흔들리다 피동 몹시 흔들리다.
뒤흘〈옛〉뒤를. '뒤[1]'의 목적격형. ¶ 뒤흘 몯 미츠며(而不及後)《妙蓮 Ⅵ:26》.
뒤히〈옛〉뒤가. '뒤[1]'의 주격형. ¶ 뎌 집 뒤히 곳 우믈이라(那房後便是井)《老解 上 28》.
뒨:-장【一醬】명〈방〉된장(경북).
뒨장-질 명 사람·짐승·물건 같은 것을 뒤지어 내는 짓. ¶ 도화의 집 사람을 한옆에 몰아놓고 ~을 시작하여 온 집안을 샅샅이 뒤졌으나 장물 잡아낼 것이 별로 없었다《洪命憙: 林巨正》. ——-하다 타여불
뒨장-하다 타여불 뒨장질하다.
뒬랭〔Dullin, Charles〕명〖사람〗프랑스의 배우·연출가. 제2차 대전 이전에 전위극(前衛劇)의 융성기를 구축함. 코포(Copeau)의 정신을 이어받아 진지한 연극미의 추구자로서 시종(始終)하였음. [1885-1949]
뒬롱〔Dulong, Pierre Louis〕명〖사람〗프랑스의 화학자·물리학자. 폭약 삼염화 질소(三塩化窒素) 및 '뒬롱 프티(Dulong-Petit)의 법칙'을 발견하였음. [1785-1838]
뒬롱의 법칙【一法則】〔Dulong〕[—/—에—] 명〖물〗뒬롱 프티의 법칙.
뒬롱프티의 법칙【一法則】[—/—에—] 명〔Dulong-Petit law〕〖물〗고체 원소의 원자열은 상온에서 소수의 예외, 곧, 탄소·붕소(硼素) 등을 제하고는 거의 다 같다는 법칙. 1841년 프랑스의 뒬롱과 프티가 발견하였음. 뒬롱의 법칙.
뒵들다 자 서로 덤벼들어 말다툼하다.
뒷:-가지[1] 명 길맛가지의 뒷 부분이 되는 나무.
뒷:-가지[2] 명〖언〗'접미사(接尾辭)'의 풀어 쓴 말. ↔앞가지.
뒷:-간【一間】명 대소변을 누는 곳. 변소(便所). 서각(西閣). 정방(淨房). 측간(廁間). 측실(廁室). 측청(廁圊). 혼측(溷廁). 회치장(灰治粧). 시뢰(豕牢). 화장실.
【뒷간 개구리한테 하문(下門)을 물렸다】창피스러운 일을 당하여서 그것을 큰 소리로 입 밖에 내어 말 못할 때 이르는 말. 【뒷간과 사돈집은 멀어야 한다】뒷간은 가까우면 냄새가 나고 사돈집이 가까우면 말이 많으므로 그것을 경계하는 말. 【뒷간 기둥이 방앗간 기둥을 더럽다 한다】'똥 묻은 개가 겨 묻은 개를 나무란다'와 같은 뜻. 【뒷간에 갈 적 맘 다르고 올 적 맘 다르다】제게 긴할 때는 다급하게 굴다가 저 할 일을 다하면 마음이 변함을 가리키는 말. 여측 이심(如廁二心). 【뒷간에 앉아서 개 부르듯 한다】제게 필요할 때만 찾는다는 말.
뒷:-갈망 명 일이 벌어진 뒤끝에 하는 처리. 뒤처리. 뒷담당. 뒷감당. ¶ ~도 못 할 녀석이 일은 왜 저질렀느냐. ——-하다 타여불
뒷:-갈이 명〖농〗①후작(後作). ②농작물을 베거나 뽑은 뒤에 논밭을 가는 일. *그루갈이. ——-하다 타여불
뒷:-감기 명 →뒷갱기.
뒷:-감당【一堪當】명 뒷갈망.
뒷:-개 명 ①윷놀이 판의 첫밭으로부터 앞밭에 꺾이지 아니하고 일곱째 되는 밭. ② ☞ 설거지.
뒷:-갱기 명〔←뒷감기〕짚신 또는 미투리의 도갱이를 감아서 싼 물건. ↔앞갱기.
뒷-거둠 명 일의 뒤끝을 거두어 처리함. ¶ 진이도 지게꾼 불러서 ~새를 맡기고 뒤를 따라 나섰다《洪命憙: 林巨正》. ——-하다 자타여불
뒷:-거래【一去來】명 뒷구멍으로 하는 거래. ¶ 전시에는 으레 ~가 성행하게 마련이다. ——-하다 타여불
뒷:-거름 명 ①인분(人糞). ②농작물을 심은 뒤에 주는 거름. 추비(追肥). ¶ ~을 주다.
뒷:-거리 명 ①도심지(都心地)의 뒤쪽 길거리. ¶ ~의 건달들. ②어떠한 처소의 뒤쪽 길거리. 1)·2):↔앞거리.
뒷:-거울 명 자기의 뒷모습을 보기 위하여 앞에 거울을 놓고, 머리 뒤쪽으로 갖다 대어 앞의 거울에 비추게 하는 손거울.
뒷:-거조【一擧措】명 어떤 일이 있은 다음에 취하는 행동 거지(行動擧止).
뒷:-걱정 명 뒤에 벌어질 일이나 또는 뒤에 남겨 둔 일에 대한 걱정. ¶ ~이 태산 같다. ——-하다 자여불
뒷:-걸 명 윷놀이 판의 첫밭으로부터 앞밭에 꺾이지 아니하고 여덟째 밭.
뒷:-걸음 명 발을 뒤로 떼어 놓으며 걷는 걸음.
뒷:걸음(을) 치다 구 ㉠뒤로 물러서다. ㉡뒤로 걷다. ㉢퇴보하다.
뒷:걸음-질 명 뒷걸음을 치는 짓. ——-하다 자여불
뒷:-겨드랑이 명 겨드랑이의 뒷 부분.
뒷:-결박【一結縛】명 두 손을 뒤쪽으로 젖히어서 묶음. 뒷짐 결박. ¶ ~을 지우다. ——-하다 타여불
뒷:-경과【一經過】명 일이 벌어진 뒤의 경과. ¶ 수술 후의 ~가 과히 좋지 않다.
뒷:-고대 명 깃고대의, 목의 뒤쪽이 닿는 부분.
뒷:-골 명 머리의 뒤쪽. 뒤통수. ¶ ~이 쑤신다.
뒷:-골목 명 큰길 뒤에 있는 좁은 골목.
뒷:-공 명 당구에서, 한번 친 공이 움직이다가 어느 지점에 섰을 때의 공. 고점자(高點者)일수록 이 뒷공의 위치를 잘 생각하여 침.
뒷:-공론【一公論】[—논] 명 ①일이 끝난 뒤에 쓸데 없이 비평하는 공론. ¶ ~을 아무리 해봐야 일을 돌이킬 수는 없다. ②겉으로 나서지 아니하고 뒤에서 이러니저러니 하는 짓. 뒷방공론. ——-하다 자여불
뒷:-구멍 명 ①뒤에 있는 구멍. ②드러내지 아니하고 넌지시 행동하는 길. ¶ ~으로 입학하다.
【뒷구멍으로 호박씨 깐다】겉으로는 얌전한 체하면서 속으로는 온갖 짓을 다 함을 비유하는 말.
뒷:귀-먹다 자 어리석어서 사물을 잘 이해하지 못하다.
뒷:귀-밝다〔—박—〕형 무엇을 듣고 이해하거나 판단하는 것이 빠르다.
뒷:-그루 명〖농〗두 그루로 짓는 농사에서 나중 번의 농사. 후작(後作). ¶ 보리 ~로 모내기를 했다. ↔앞그루.
뒷:-기약【一期約】명 후약(後約).
뒷:-길[1] 명 뒷날을 기약하는 희망(希望)의 길. ¶ ~이 있으니 힘을 내게. *앞길[1].
뒷:-길[2] 명 ①집채의 뒤쪽이나 마을의 뒤에 있는 길. ¶ ~로 다니다. ↔앞길[2]. ②남도 지방에서 서북도(西北道)를 이름.
뒷:-길[3] 명 웃옷의 뒤쪽에 대는 길. ↔앞길[3].
뒷:-나무 명 뒤지 대신으로 쓰는 가늘고 짧은 나뭇 가지 또는 나뭇잎. 측목(廁木).
뒷:-날 명 ①다음날. ②앞으로 닥쳐 올 세월. 앞날. 일후(日後). ¶ ~에 대성(大成)할 젊은이/~을 기약하다.
뒷:-날개 명 ①곤충의 뒷가슴마디 등에 달린 날개. 후시(後翅). ②비행기의 뒤쪽의 날개. 미익(尾翼). 1)·2):↔앞날개.
뒷:눈-질 명 뒤쪽으로 눈을 흘깃흘깃하는 짓. ¶ 대장부는 ~을 하는 법이 아니다. ——-하다 자여불
뒷다 타〈옛〉두어 있다. 가지고 있다. =둣다. ¶ 王ㄱ出令을 저ᄊᆞᄫᅡ 甁ㄱ 소배 ᄀᆞ초아 뒷더시니《月釋 Ⅰ:10》.
뒷:-다리 명 ①짐승의 몸 뒤쪽에 있는 다리. 후족(後足). 후각(後脚). 후지(後肢). ②두 다리를 앞뒤로 벌렸을 때의 뒤쪽에 놓인 다리. ③책상 따위의 뒤쪽의 다리. 1)-3):↔앞다리.
뒷:다리(를) 잡다 구 벗어나지 못하도록 상대방의 약점을 잡다.
뒷:다리(를) 잡히다 구 굽죄이는 일이 있어, 상대편에게 꼭 잡혀 벗어나지 못하게 되다.
뒷:-담 명 집채의 뒤쪽에 있는 담.
뒷:-담당【一擔當】명 일이 벌어진 뒤끝을 맡아서 처리함. 뒷갈망. 뒤처리. ¶ ~은 내가 할 테니 안심해라. ——-하다 타여불
뒷:-대문【一大門】명〖건〗정문(正門) 외로 집 뒤에 따로 있는 대문. ↔앞대문.
뒷:-대야 명 ☞ 뒷물 대야.
뒷-더겡이 명〈방〉뒤통수.
뒷:-덜미 명 목덜미 아래 어깻죽지 사이. ¶ ~를 잡혀 질질 끌려가다/어둠 속에서 오작녀는 ~나 잡힌 듯 그 자리에 서고 말았다《黃順元: 카인의 후예》. 준 덜미.
뒷:-도 명 윷판의 첫밭으로부터 앞밭에 꺾이지 아니하고 여섯째 밭.
뒷:-도랑 명 집채의 뒤쪽이나 마을의 뒤를 흐르는 도랑.
뒷:-도장【一圖章】명 약속 어음의 뒷보증을 설 때 찍는 도장.
뒷:-돈 명 ①뒤에 연해 잇대어 쓰는 밑천. ②장사판이나 노름판에서 뒤를 대어 주는 밑천. ¶ ~을 대어 주다.
뒷:-동 명 일의 뒤에 관련된 도막. ¶ ~을 살펴서 일하다.
뒷:-동산 명 집이나 마을 뒤에 있는 동산. ↔앞동산.
【뒷동산 모래 같다】재산이 많아 흔하게 써도 축이 안 날 정도이다.
뒷:-들 명 집이나 마을 뒤에 있는 들. ↔앞들.
뒷:-등 명 '등'을 힘주어 하는 말. ↔앞가슴.
뒷:-등성이 명 뒤에 있는 등성이.
뒷:-마감 명 일의 뒤를 마물러서 끝내는 짓. 뒷막이. ——-하다 타여불
뒷:-마구리 명 겉채의 뒤에 가로 댄 나무. 뒤채. ↔앞마구리.
뒷:-마당 명 집 뒤에 있는 마당. ↔앞마당. *뒤뜰.
뒷:-마루 명 집의 뒤쪽에 있는 마루. ↔앞마루.
뒷:-마무리 명 일의 뒤끝을 마무름. 또, 그 마무른 일. ——-하다 타여불
뒷:-마을 명 뒤쪽에 있는 마을. ↔앞마을.
뒷:-막이 명 ①나무로 만든 세간의 뒤쪽에 대서 막는 나무. ②뒷마감.
뒷:-말 명 ①계속되는 이야기의 뒤를 이음. 또는 그런 말. ②일이 끝난 뒤에 쓸데없이 이러니저러니 다시 하는 말. 뒷소리. ¶ 사돈간에는 으레

~이 많은 법이다. ——-하다 자여불

뒷:-맛 명 음식을 먹은 뒤에 입 속에 남은 맛. 비유적으로, 일이 끝난 다음의 느낌. 여미(餘味). 후미(後味). 뒷입맛. ¶ ~이 개운하다.

뒷:맛(이) 쓰다 구 무슨 일이 끝난 다음에 남는 느낌이 좋지 않다.

뒷:-맵시 명 뒤로 드러나는 맵시. 뒤태도. 뒷모양. ¶ ~만 보고 반하다.

뒷:-머리 명 ①넓이가 있는 크고 긴 물건의 뒤쪽. ②행렬의 뒷 부분. ③뒤통수. ④머리의 뒤쪽에 난 머리털. ¶ ~를 많이 치다. 1)-4):↔앞머리.

뒷:-면【—面】명 뒤쪽의 면. 후면(後面). ↔앞면.

뒷:-면도【—面刀】명 뒷머리털이 난 가장자리의 잔털을 깎는 일. ↔앞면도. ——-하다 자타여불

뒷:-모개 명 윷판의 뒷밭에서 안으로 꺾이어 둘째 밭. ↔앞모개.

뒷:-모도 명 윷판의 뒷밭에서 안으로 꺾인 첫째 밭. ↔앞모도.

뒷:-모습 명 뒤에서 본 모습. ¶ ~이 닮다. ↔앞모습.

뒷:-모양【—貌樣】명 ①뒤로 드러나는 모양. 뒷맵시. ↔앞모양. ②일의 끝난 뒤의 체면(體面).

뒷:-목[1] 명 타작할 때에 벼를 되거나 드린 다음 마당에 처진 찌꺼기 곡식.

뒷:-목[2] 명 〈방〉 목덜미(경남).

뒷:-목초 명【건】머리초의 뒤쪽에 그린 단청(丹靑).

뒷:-몸 명 몸의 뒷 부분. ↔앞몸.

뒷:-무릎 명【생】☞오금[1]❶.

뒷:무릎-치기 명 ☞뒷오금잡기.

뒷:-문【—門】명 ①집의 뒤쪽이나 옆으로 난 문. 후문(後門). 이문(裏門). ↔앞문. ②정당하지 못한 수단·방법으로 해결하는 길. ¶ ~으로 입학하다/~으로 들이밀다.

뒷:-물 명 남녀의 국부나 똥구멍을 씻는 물. 또, 그 일. ——-하다 자여불

뒷:물 대야 명 뒷물할 때 쓰는 대야.

뒷:-밀이 명 수레 같은 것의 뒤를 밀어 주는 일. 또, 그 사람.

뒷:-바닥 명 신바닥의 뒤쪽. ↔앞바닥❶.

뒷:-바라지 명 뒤에서 물건이나 수고를 아끼지 아니하고 도와 주는 일. ¶ 자식들의 ~에 여념이 없다. ——-하다 자여불

뒷-바람 명 북풍(北風).

뒷:-바퀴 명 수레 같은 것의 뒤에 있는 바퀴. ↔앞바퀴.

뒷:-받침 명 뒤에서 받쳐 주는 일. 또, 그 사람이나 물건. ¶ ~해 줄 사람. ——-하다 자타여불

뒷:-발 명 ①네발 짐승의 뒤에 달린 두 발. ②두 발을 앞뒤로 벌여 디디었을 때의 뒤쪽의 발. ¶ ~을 조금 앞으로 당겨라. ③뒤로 차는 발길. 1)-3):↔앞발.

뒷:발-굽 [—꿉] 명 마소 같은 짐승의 뒷발의 굽. ↔앞발굽.

뒷:-발길 [—낄] 명 뒷발로 걷어차는 기운. 또, 걸어가는 뒷발의 기운.

뒷:-발막 명 가죽신의 한 가지. 뒤는 발막처럼 솔기가 없고, 남자용임.

뒷:-발목걸이 명 씨름에서, 상대가 왼다리 자세일 때 오른쪽 다리 발목으로 상대의 왼발 발목을 바깥으로 걸어 밀어붙여 넘어뜨리는 다리 기술의 하나.

뒷:발-서기 명 태권도에서, 뒷발을 구부려 체중을 두고 앞발은 무릎을 구부려 발끝을 약간 땅에 대고 서는 동작. 가슴은 쭉 펴고 엉덩이는 뒤로 뺌.

뒷:발-질 명 뒷발로 차는 짓. ↔앞발질. ——-하다 자여불

뒷:-발톱 명 ①마소 같은 짐승의 뒷발에 달린 발톱. ②☞며느리발톱❶.

뒷:-방【—房】명 ①【건】몸채 뒤곁에 있는 방. 후방(後房). ②【건】집의 큰 방 뒤에 딸려 있는 방. ③【고고학】널방의 뒤쪽, 입구와 반대쪽에 위치한 방.

뒷:방-공론【—房公論】[—논] 명 뒷공론.

뒷:방 마:누라【—房—】명 시앗에게 권리를 빼앗기고 뒷방으로 쫓겨나 있는 마누라.

뒷:-밭 명 ①집 뒤에 있는 밭. ②윷판의 뒷윷의 다음 밭. 뒷모도와 찌도로 갈라짐. 준뒤. 1)·2):↔앞밭.

뒷:배 명 표면에 나서지는 아니하고 남의 뒤에서 보살펴 주는 일. ¶ ~를 봐 주다.

뒷:배(를) 보다 구 겉으로 드러나지 아니하게 남의 뒤에서 일을 보살펴 주다.

뒷:-배포【—排布】명 검도에서, 적을 치거나 찌르고도 더욱 마음을 다잡는 일. 후비심(後備心).

뒷:-벽【—壁】명 뒤쪽에 있는 벽. 후벽(後壁).

뒷:-보증【—保證】명【법】①정보증인(正保證人)이 의무를 이행하지 못할 경우, 뒤에서 대신 보증인의 의무를 이행하는 일. ②배서(背書)❷. ——-하다 자여불

뒷:보증 금:지【—保證禁止】명【법】배서 금지(背書禁止).

뒷:보증 양:도【—保證讓渡】명【법】배서(背書) 양도.

뒷:보증-인【—保證人】명【법】배서인(背書人).

뒷:-볼 명 버선을 깁는 데, 바닥의 뒤쪽에 덧대는 두 쪽 붙이의 헝겊 조각. ↔앞볼.

뒷:북-치다 구 뒤늦게 쓸데 없이 수선 떨다. ＊행차 뒤 나팔.

뒷:-불 명 산불이 꺼진 뒤에, 타다 남은 불이 다시 붙어 일어난 산불.

뒷:-사람 명 ①뒤에 있는 사람. ②뒤에 오는 세대(世代)의 사람.

뒷:-산【—山】명 집이나 마을 뒤에 있는 산. 후산(後山). ↔앞산.

뒷:산 타:령【—山打令】명【악】산타령(山打令)의 하나. 서울 뒤쪽에 있는 삼각산(三角山)·소요산(逍遙山)·백두산·금강산 등을 사설(辭說)에 넣어 부른 소리. ＊앞산 타령.

뒷:-생각 명 ①나중에 대한 생각. ②일이 끝난 다음에 일어나는 마음이나, 느끼는 의견. ——-하다 자여불

뒷:-설거지 명 ①설거지❶. ②큰 일을 치른 다음에 하는 뒤처리. ——-

뒷:-세상【—世上】명【불교】미래세(未來世).

뒷:-셈 명 어떤 일이 끝난 다음에 그 얽이를 잡음. 또, 그러한 일.

뒷:-소리 명 ①뒷말❶❷. ¶ 이러쿵저러쿵 ~가 많다. ②뒤에서 응원하는 소리.

뒷:소리(를) 치다 구 뒤에서 응원하는 소리를 지르다.

뒷:-소문【—所聞】명 어떠한 사건이 지난 뒤, 그 사건에 관계되는 여러 가지 소문. 후문(後聞). ¶ ~이 나돌다.

뒷:-손[1] 명 겉으로는 사양하는 체하고 뒤로 슬그머니 벌려서 받는 손. ¶ 싫다고 하면서도 슬그머니 ~을 내어 밀다.

뒷:손(을) 내:밀다 구 뒷손(을) 벌리다.

뒷:손(을) 벌:리다 구 겉으로는 사양하는 체하고 뒤로는 슬그머니 손을 내밀어 받다. 뒷손 내밀다.

뒷:-손[2] 명 뒷수쇄하는 손. ¶ ~이 많이 가는 일.

뒷:손(이) 가다 구 뒷수쇄하는 잔손질이 들다.

뒷:손(을) 보다 구 뒷수쇄하는 잔손질을 하다.

뒷:손(을) 쓰다 구 어떤 일이나 문제를 해결하기 위하여, 남몰래 대책을 강구하거나 뒤로 손을 쓰다.

뒷:손가락-질 [—까—] 명 남을 돌려 세워 놓고 손가락으로 가리키는 짓. ¶ 남에게 ~을 받다. ——-하다 자여불

뒷:손-없다 [—업—] 형 일의 뒤끝을 마무르는 성질이 없다.

뒷:손-없이 [—업씨] 부 뒷손 없게.

뒷:손-질 명 ①남 몰래 뒤로 손을 쓰는 짓. ②뒷수쇄하는 잔손질. ¶ ~이 많이 간다. ——-하다 자여불

뒷:-쇠 명 〈방〉 뒷막이❶.

뒷:-수쇄【—收刷】명 일이 끝난 뒤에 그 남은 일을 정돈(整頓)하는 일. 뒤치다꺼리. 뒷수습. ¶ 그러면 ~는 어떻게 했단 말인가. ——-하다 자여불

뒷:-수습【—收拾】명 일이 끝난 뒤에 하는 수습. 뒷수쇄. ¶ ~을 철저히 하여라. ——-하다 자여불

뒷:-시중 명 뒤를 보살펴 주며 시중 드는 일. ¶ 할머니의 ~을 들다. ——-하다 자여불

뒷:-심 명 ①남이 뒤에서 도와 주는 힘. ¶ ~을 믿고 막 덤빈다. ②끝판에 가서 회복하는 힘. ¶ ~이 있어 여간해서는 안 진다.

뒷:오금-잡기 [뒤—] 명 씨름에서, 상대의 자세가 왼다리 자세일 때 상대의 중심을 앞으로 약간 끌어당기면 상대가 뒤편으로 움찔 물러서려 할 때 상대의 왼다리 오금을 당기고 몸의 중심을 낮추면서 밀어붙이는 손기술의 하나. 뒷무릎치기.

뒷:-윷 [—늗] 명 윷판의 첫밭으로부터 앞밭에 꺾이지 아니하고 아홉째 밭. 뒷밭의 바로 앞의 밭.

뒷:-이야기 [—니—] 명 ①계속되는 이야기의 뒷 부분. ②후일담(後日譚).

뒷:-일 [—닐] 명 지나간 일에 관련(關聯)있는, 장차 생기는 일. 훗일. 후사(後事). ¶ ~이 걱정이 된다.

뒷:-입맛 [—닙—] 명 먹은 뒤의 맛. 뒷맛.

뒷:-자락 명 옷의 뒤에 늘어져 있는 자락. ¶ 치마 ~이 땅에 끌리다. ↔앞자락.

뒷:-자리 명 뒤에 있는 자리. ↔앞자리.

뒷:-자손【—子孫】명 후대의 자손. 후손(後孫).

뒷-잔등 명 〈방〉 등[1]❶(경기·황해·평안).

뒷:-전[1] 명 ①뒤쪽이 되는 부분. ¶ ~으로 빠지다. ②겉으로 드러나지 아니하는 배후나 이면(裏面). ¶ ~에서 공론하다. ③ 선후차로 보아 나중의 위치. ¶ ~에 앉다. ④뱃전의 뒷부분. ¶ 배의 ~. ⑤【민】무당의 열두 거리 굿의 마지막 거리. 보통, 마당에서 간소한 상을 차려 놓고, 무당이 평복(平服) 차림으로 잡귀(雜鬼)들을 한꺼번에 풀어서 먹이는 절차.

뒷:전(을) 놀:다 구 ㉠【민】무당이 열두 거리의 굿에서 마지막 번(番)의 굿거리를 놀다. ㉡일의 뒤치다꺼리를 하다.

뒷:전(을) 보다 구 뒤에서 슬며시 딴 짓을 하다.

뒷:-전[2]【—殿】명 종묘(宗廟) 안에 있는 '영녕전(永寧殿)'의 일컬음. ＊앞전(殿).

뒷전-꾼 명【민】어둥이놀이에서 어둥이역(役)으로 나와 창(唱)을 하는 화랑이. ↔께낑꾼.

뒷:전-놀이 명【민】뒷전풀이. ——-하다 자여불

뒷:전-소용돌이 명 [trailing edge vortex] 대형의 제트기가 비행한 뒤의 공기 중에 발생하는 소용돌이꼴의 난기류(亂氣流). 수반와(隨伴渦).

뒷:전-풀이 명【민】뒷전 노는 일. 곧, 무당이 성주에게 먼저 빌고 나중에 터주의 풀이를 하는 일. 뒷전놀이. ——-하다 자여불

뒷:-정리【—整理】[—니] 명 일의 뒤끝을 바로잡는 일. ——-하다 자여불

뒷:-조사【—調査】명 겉으로 드러나지 아니하게 은밀히 조사하는 일. 또, 그런 조사. 내사(內査). ——-하다 타여불

뒷:-줄 명 ①앞줄의 뒤에 있는 줄. ②셋줄.

뒷:-지느러미 명【어】어류의 지느러미의 하나. 항문과 꼬리지느러미 사이의 복중선(腹中線)에 있는 것으로서, 종류에 따라 없는 것도 있음. 꽁무니지느러미. 볼기지느러미. 둔기(臀鰭).

뒷:-질 명 물에 뜬 배가 앞뒤로 흔들리는 짓. 피칭(pitching). ＊옆질.

뒷:-짐 명 두 손을 뒤로 잦히어 마주 잡는 짓. ——-하다 자여불

뒷:짐(을) 지다 구 두 손을 뒤로 잦혀서 마주 잡다.

뒷:짐(을) 지우다 구 ㉠뒷짐을 지게 하다. ㉡뒷짐 결박을 하다.

뒷:짐 결박【—結縛】명 죄인의 두 팔을 뒤로 잦혀 짓는 결박. 뒷결박. ——-하다 타여불

뒷:-집 명 집 뒤쪽으로 이웃하여 있는 집. 후가(後家). ↔앞집.

【뒷집 마당 벌어진 데 솔뿌리 걱정한다】쓸데 없는 남의걱정을 하는 데에 비유하는 말. 【뒷집 며느리 시집살이 잘하는 바람에 앞집 며느리는 절로 된다】주위에 잘하는 사람이 있으면 그 본을 따서 못 하는 사람도 잘하게 된다는 말. 【뒷집 짓고 앞집 뜯어 내란다】㉠제게 방해가 되거나 손해가 된다 하여 저보다 먼저 한 사람의 일을 못 하게 한다는

말. ㉡사리(事理)는 제쳐놓고 제 경우와 제 욕심만을 옳다고 한다는 말. 「≪老乞 上 29≫.
뒷티기 [명]〈옛〉뒤치기. 뒤집기. ¶ 네 뒷티기 아디 못ᄒᆞ거든(你不會擺時)
뒷:-항【一項】[명] ①뒤에 적힌 조항(條項). ②〖수〗ㄱ의 수와 ㄴ의 수의 비에서 ㄴ의 수. 후항(後項). 1)·2):↔앞항.
뒹굴다 [자] ①누워서 몸을 이리저리 구르다. ¶ 잔디밭에 ~. ②한 곳에 늘어붙어 편히 놀다. ¶ 할 일은 않고 뒹굴기만 하면 못 써.
뒹굴뒹굴-하다 [자][여불] 누워서 이리저리 자꾸 구르다. ¶ 며칠씩 뒹굴뒹굴하며 누워 있었다.
뒹기 [명]〈방〉등겨(경북).
듀:공 〔dugong〕[명]〖동〗[*Dugong dugon*] 듀공과에 속하는 바다 짐승. 해우(海牛)와 비슷한데 몸길이 2.7m 가량, 꼬리지느러미는 고래와 같이 갈라지고 전지(前肢)에는 발톱이 없음. 몸빛은 청회색(青灰色)이고 구부(口部) 이외에는 털이 없음. 얕은 바다에 살며 수중 식물(水中植物)을 먹고 때로 5-10분 동안 물 위에 떠올라 호흡함. 수백 마리가 떼지어 살았으나 근래에는 많이 줄어 2-3마리가 모여 살며, 임신 12개월만에 한배에 한 마리를 낳음. 새끼를 가슴에 안고 새끼 두부(頭部)를 물 위에 내놓고 젖을 먹이어 '인어(人魚)'라고 상상되었다고 함. 아프리카·홍해(紅海)·인도·대만·오스트레일리아의 해안에 분포함. 고기 맛이 좋아 말레이 지방에서 식용하지만 오스트레일리아에서는 기름을 짬. 인어(人魚). 해마(海馬). 해상(海象).

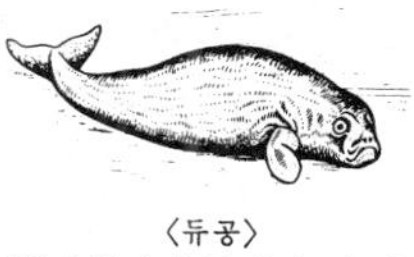
〈듀공〉

「유류의 한 과.
듀공-과【一科】〔dugong〕〔一꽈〕[명]〖동〗해우류(海牛類)에 속하는 포
듀: 라인 〔DEW line〕[명]〔Distant Early Warning Line의 약칭〕미국 공군의 원거리 조기(早期) 경보망. 알래스카·캐나다·그린란드를 연결하는 대공(對空) 레이더의 방벽(防壁)임. 여기서 포착된 적영(敵影)은 1,600km 후방의 미들 라인(middle line)에 인계되고, 다시 480km 후방의 파인스리 라인(pine-three line)에 인계되어 확인됨.
듀랜트 〔Durant, William Crapo〕[명]〖사람〗미국의 실업가. 포드의 단일 차종 대량 생산에 대항, 군소 회사를 합병하여 1908년 제너럴 모터즈 회사를 새로이 설립함으로써 자동차 왕국을 건설했으나, 1920년 금융 위기 때 문책을 받아 사임하였음. [1861-1947]
듀 비뇨 〔du Vigneaud, Vincent〕[명]〖사람〗미국의 화학자. 호르몬·폴리펩티드(polypeptide)·페니실린의 합성 등을 연구. 1953년 뇌하수체 후엽에 있는 옥시토신(oxytocin) 및 바소프레신(vasopressin)의 구조(構造)를 결정, 전합성(全合成)에 성공함. 1955년 노벨 화학상을 수상함. [1901-78]
듀셕 [명]〈옛〉①놋쇠. ¶ 眞實ㅅ 듀셕이라도 金을 밧고디 몯ᄒᆞᄂᆞ니라(眞鍮不換金)≪金三 Ⅱ:91≫. ②석(錫). =납³❷·놋갑. ¶ 듀셕 셕(錫)≪類合 寧邊府板 15≫.
듀:스 〔deuce〕[명] 테니스에서, 쌍방 득점 수가 40 대 40인 경우, 탁구나 9인제(人制) 배구에서는 20 대 20의 득점이 된 경우, 6인제 배구에서 14대 14인 경우를 각각 일컬음. 한 편이 연이어 2점을 득점해서 이길 때까지 승부(勝負)를 겨룸.
듀:스 어게인 〔deuce again〕[명] 테니스나 탁구에서, 경기자가 듀스 뒤에 다시 한 점씩을 같이 얻은 경우, 다음에 연속으로 두 점을 얻어 이길 때까지 승부를 겨룸. [준]어게인.
듀:어 〔Dewar, James〕[명]〖사람〗영국의 화학자·물리학자. 액체 산소·액체 수소 등 기체의 액화를 연구하고 보온병(保溫瓶)을 개량함. 또, 폭발물 위원회 회원으로서, 아벨(Abel)과 협동하여 무연 화약(無煙火藥)을 발명하였음. [1842-1923] 「(保溫瓶)'의 별칭.
듀:어-병【一瓶】〔Dewar〕[명]〔듀어(Dewar)의 이름에서 유래〕'보온병
듀얼 모:드 〔dual mode〕[명] 새 교통 시스템 중 복합 수송(複合輸送) 시스템에 속하는 한 형식. 도로에서는 보통의 자동차와 같이 달리나, 정해진 궤도에 들어서면 레일을 타고 고속 자동 운전이 되는 차량.
듀얼 모:드 시스템 〔dual mode system〕[명] 듀얼 모드에 의한 교통 시스템.
듀엣 〔duet〕[명]〖악〗①이중주(二重奏). ②이중창(二重唱). ③두 사람이
듀오 〔duo〕[명]〖악〗이중주곡(二重奏曲). ⌊추는 댄스.
듀:이¹ 〔Dewey, John〕[명]〖사람〗미국의 철학자·교육학자. 실용주의(實用主義)의 대성자(大成者)로서 개념 도구설(概念道具說)을 주장하여 새로운 행동적·자연주의적 휴머니즘(humanism)에 의한 진보주의 교육(進步主義教育)의 창시자가 되었음. 그 자신 고전적인 자유 민주주의의 이상을 발전하는 미국 사회의 요구에 적합하게 합치시키는 것을 철학의 과제로 알고, 주로 교육 혁명에 힘을 씀. 저서에 ≪민주주의와 교육≫·≪창조적 지성(創造的知性)≫ 등이 있음. [1859-1952]
듀:이² 〔Dewey, Melvil〕[명]〖사람〗미국의 교육가·도서관학자. 1887년 세계 최초의 도서관 학교를 컬럼비아 대학에 개설함. 세계에 보급되고 있는 도서 십진 분류법을 창시(創始)하였음. [1851-1931]
듀:이³ 〔Dewey, Thomas Edmund〕[명]〖사람〗미국의 법률가·정치가. 뉴욕 지방 검사로서 조직적인 범죄 소탕에 공헌함. 세 차례 뉴욕 주지사(州知事)를 지냈으며 두 차례 공화당 대통령 후보가 되었으나 루스벨트와 트루먼에게 패하였음. [1902-71]
듀:크 〔duke〕[명] 공작(公爵).
듀크레이 간균【一桿菌】〔Ducrey〕[명]〖의〗연성 하감균(軟性下疳菌).
듀:테론 〔deuteron〕[명]〖화〗중양성자(重陽性子).
듀:테륨 〔deuterium〕[명]〖화〗중수소(重水素).
듀: 프로세스 오브 로: 〔due process of law〕[명]〖법〗미국 헌법에서 이르는, 법의 적정한 절차(節次)의 뜻. 특히, 형벌 등 생명·재산·자유를 박탈하는 경우에는 이에 의하지 않으면 안 되는 것으로 되어 있음. 적법 절차(適法節次).
듁-담 [명]〈방〉돌담(함북).
듁댓불휘 [명]〈옛〉죽대의 뿌리. ¶ 듁댓불휘(黃精)≪湯液 卷二草部≫.
듁슌 [명]〈옛〉죽순(竹筍). ¶ 듁슌 순(筍)≪字會 上 13≫.
듐 [자]〈옛〉떨어짐. '디다¹'의 명사형. ¶ 고지 프며 고지 듀매(花開花落)≪金三 Ⅱ:6≫.
듕 [명]〈옛〉중. ¶ 물아래 그림재 디니 ᄃᆞ리 우희 듕이 간다≪古時調≫.
듕긷 [명]〈옛〉중깃. ¶ 듕긷 령(欞)≪字會 中 5≫.
듕독 [명]〈옛〉중독(中毒). ¶ 精神이 어즐고 안 눅눅ᄒᆞ면 곧 이 中毒이니(精神恍惚惡心即是誤中諸毒)≪救方 下47≫.
듕미 [명]〈옛〉중매. =듕인·듕신. ¶ 듕미 미(媒)≪類合 下 40≫.
듕쥬어리다 [자]〈옛〉중얼중얼하다. ¶ 듕쥬어리다(亂說貌)≪同文 下 57≫.
듕궁 [명]〈옛〉중궁. 왕후. ¶ 듕궁 후(后), 듕궁 비(妃)≪字會 中 1≫.
듕신 [명]〈옛〉중매. =듕미·듕인. ¶ 듕신도 유복ᄒᆞ도다(媒人也有福)≪朴解 上 46≫/듕신 미(媒), 듕신 쟉(妁)≪字會 中 3≫.
듕인 [명]〈옛〉중매. =듕신·듕미. ¶ ᄉᆞ나히와 겨집이 듕인 ᄃᆞᆫ니미 잇디 아니ᄒᆞ얏거든(男女非有行媒)≪小諺 Ⅱ:45≫.
드가 〔Degas, Hiliaire Germain Edgar〕[명]〖사람〗프랑스의 화가. 초기에는 앵그르(Ingres)를 스승으로 하여 역사화를 많이 그렸으나, 차츰 색채가 풍부해지고 제재(題材)도 근대 생활에서 구하게 되었음. 인상파 그룹에 참가하였다가 인상파를 떠나 독자적인 화풍에 도달하였음. 나부(裸婦)·무희(舞姬)·서커스의 연예인(演藝人) 따위를 화려하고 사실적으로 그림. [1834-1917]
드-가다 [자]〈방〉들어가다¹❶.
드 골 〔de Gaulle, Charles André Joseph Marie〕[명]〖사람〗프랑스의 군인·정치가. 사관 학교 출신으로, 2차 대전 당시 영국에 망명, 1941년 '자유 프랑스 전국 위원회'란 망명 정부를 수립. 종전 후 일시 수상(首相)을 지내고, 1947년 반공적(反共的)인 '프랑스 국민 연합'을 조직하였으나 선거에 패하여 해체하고 하야(下野)하였음. 1958년 알제리 전쟁의 위기에 다시 수상이 되어 헌법을 개정, 제5공화국의 대통령에 취임하여 권한을 강화하였고, 중공 승인 등 독자적인 구상에 의해 미·소와 대항하여 프랑스의 국제적 지위 향상에 노력하였음. [1890-1970]
-드구나 [어미] ☞-더구나. [준]-드군.
-드구려 [어미] ☞-더구려.
-드구먼 [어미] ☞-더구먼. [준]-드군.
-드군 [어미] ☞-더군.
드까비 [명]〈방〉도깨비(경북).
드끄럽다 [형][ㅂ불] ☞듣그럽다. ¶ 세상 귀가 드끄러워 사람이 살 수가 있나≪作者未詳 : 산천초목≫.
드나깃-간 [명]〈방〉뒷간(함남). 「리다.
드나-나나 [부] 들어가거나 나오거나. ¶ ~ 무엇을 먹는다/~ 말썽만 부
드나-들다 [자] ①자주 들어갔다 나왔다 하다. ¶ 관청에 ~. ②자주 이것저것이 갈아 들다. ③고르지 못하고 들쭉날쭉하다. [준]나들다.
[드나드는 개가 꿩을 문다] 부지런히 활동하는 사람이 일을 이루고 재물을 얻는다.
드나ᄃᆞ롬 [자]〈옛〉드나듦. '드나ᄃᆞᆮ다'의 명사형. ¶ 드나ᄃᆞ로ᄆᆞᆯ 어려이 아니ᄒᆞ나(出入無難)≪圓覺 序 47≫.
드나ᄃᆞᆮ다 [자]〈옛〉드나들다. ¶ 미양 드나ᄃᆞᄅᆞ라 殿門에 ᄂᆞ릴제(每出入下殿門)≪飜小 Ⅸ:37≫.
드난 [명] 종과 같이 신체의 구속을 받으며 종살이하는 것이 아니고 자유로 드나들며 고용살이를 하는 일. 일반적으로 여자에게 많이 쓰임. ¶ 복단이가 평양집 ~하는 것인가, 서방님 ~하는 것이지≪李海朝 : 鬢上雪≫. ——하다 [자][여불]
드난 살:다 [구] 남의 집에서 드난으로 살다.
드난-꾼 [명] 드난살이하는 사람.
드난-살이 [명] 남의 집에서 드난으로 살아가는 생활. ——하다 [자][여불]
드-날리다 [타] 손으로 들어서 날리다. 들날리다.
드내기-깐 [명]〈심마니〉뒷간. 변소.
-드냐 [어미] ☞-더냐. 「태평양.
드-넓다 〔一널따〕[형] 걸리는 것 없이 활짝 틔어서 매우 넓다. ¶ 드넓은
드네스트르 강【一江】〔Dnestr〕[명]〖지〗우크라이나 공화국 남부의 중요한 강. 카르파티아 산맥(Carpathia山脈)에서 발원해 흑해(黑海)로 흐름. 수력 발전과 수운(水運) 등으로 이용됨. [1,360km]
드네프로페트로프스크 〔Dnepropetrovsk〕[명]〖지〗우크라이나 공화국의 중동부 드네프르 강(Dnepr江) 연안의 항구 도시. 야금(冶金)·강관(鋼管)·기계 등 공업이 성함. [1,100,000명(1981)]
드네프르 강【一江】〔Dnepr〕[명]〖지〗우크라이나 공화국의 중요한 강. 발다이(Valdai) 구릉(丘陵)에서 발원(發源)하여 흑해에 흘러듦. 유럽 제3의 강으로, 여러 곳에 수력 발전소가 있음. [2,285km]
드-높다 [형] 번쩍 들려서 매우 높다. ¶ 드높은 가을 하늘.
드-높이 [부] 드높게.
드-높이다 [타] 드높게 하다.
드뇌:브 〔Deneuve, Catherine〕[명]〖사람〗프랑스의 여배우. 본성(本姓)은 Dorléac. 고등학교를 나와 영화계에 들어감. ≪셰르부르의 우산≫·≪메꽃≫ 등으로 프랑스 제일의 인기 여배우가 됨. 패션 등에서도 활약함. [1943-]
드니¹ 〔Denis〕[명]〖사람〗'데니스'의 프랑스 이름.
드니² 〔Denis, Maurice〕[명]〖사람〗프랑스의 화가. 고갱의 영향을 받고, 보나르(Bonnard) 등과 나비파(Nabis派)를 결성, 이의 이론화에 기여

하였으나 점차 여기서 이탈하여 만년에는 종교적 주제(主題)를 가진 작품을 많이 그림. 저작에 ≪회화론(繪畫論)≫이 있음. [1870-1943]

-드니 어미 ☞-더니[1·2·3].

-드니라 어미 ☞-더니라.

드 니로 〔De Niro, Robert〕 명 〖사람〗 미국의 영화 배우. 미국 영화계에서 손꼽히는 개성파 배우. 1969년 영화에 데뷔, ≪대부(代父) 2편≫으로 아카데미 조연상, 1980년 ≪레이징 블루≫로 아카데미 주연상을 받음. ≪택시 드라이버≫·≪디어 헌터≫ 등 화제작에서 주연함. [1943-]

-드니-마는 어미 ☞-더니마는. ㊟-드니만.

-드니만 어미 ☞-더니만.

드니케르 〔Deniker, Joseph〕 명 〖사람〗 러시아 출생의 프랑스 인류학자. 저서 ≪유럽의 인종≫에서의 인류의 인종학적(人種學的) 분류 방법은 근대 인류 분류법의 기초가 되었음. [1852-1918]

드-다루다 타 들어서 다루다. ¶ 자리를 깔아놓으려고 욧이불을 ~가 홀긋 이써를 치어다보고…≪洪命憙 : 林巨正≫.

드-다르다 형 르불 전연 다르다. 아주 다르다. 판이(判異)하다.

드대여 【導良·遂如】 부 〈이두〉 드디어.

드더지다 타 〈옛·방〉 드던지다. 들어 던지다. ¶ 함박쪽박 드더지며 逆情 내여 ≪古時調≫/六環杖 드더지며 ≪海謠≫.

드-던지다 타 성이 나거나 하여 물건을 마구 들어 내던지다.

드데기 명 〈방〉 포대기(경북).

드드여 부 〈방〉 드디어.

드듸다[1] 타 〈옛·방〉 디디다. =드디다. ¶ 호 발로 고초 드듸여 셔샤 ≪月釋 I:52≫/고기를 드듸는 듯 ᄒᆞ도다(如跋胡) ≪重杜諺 Ⅱ:7≫.

드듸다[2] 타 〈옛〉 앞의 말을 받아 이어 말하다. ¶ 後ㅣ 반드기 알ᄑᆞᆯ 드듸는 젼ᄎᆞ로(後必躡前故) ≪圓覺 上 二之三 2≫.

드듸여 부 〈옛〉 드디어. =드더여. ¶ 드듸여 슈(遂) ≪類合 下 29≫.

드듸여셔 부 〈옛〉 드디어. ¶ 드듸여셔ᄒᆞ다(就行) ≪老朴 單字解 5≫.

드디기 명 〈방〉 ①누더기(경북). ②포대기(경북).

드디다 타 〈방〉 디디다.

드디어 부 무엇으로 말미암아 그 결과로. 마침내. 결국. ¶ 고생하더니 ~ 성공했다.

드ᄃᆡ다 타 〈옛〉 디디다. =드듸다[1]. ¶ 즌ᄃᆡ를 드ᄃᆡ욜셰라 ≪樂範 井邑詞≫.

드ᄃᆡ여 부 〈옛〉 드디어. =드듸여. ¶ 드ᄃᆡ여 우리 私애 及ᄒᆞ라(遂及我私) ≪孟諺 滕文公 上≫.

드라 자 〈옛〉 떨어져. '듣다[3]'의 활용형. ¶ 블ᄒᆞᆯ 드르시니 보비옛 고지 드라 금金시翅 ᄃᆞ외야 룡龍ᄋᆞᆯ 자ᄇᆞ니 ≪月印 上 17≫.

-드라 어미 ☞-더라.

드라고 선언 【一宣言】 〔Drago〕 명 국가간의 채무 불이행이 무력 간섭이나 영토 점령의 정당한 이유가 될 수 없다는 주장. 1902년 베네수엘라에 대한 영국·독일·이탈리아 3국의 공동 무력 간섭에 반대하여 아르헨티나 외상(外相) 드라고(Drago, L.M.; 1859-1921)가 선언한 것.

-드라도 어미 ☞-더라도.

드라디다 자 〈옛〉 드리워지다. ¶ 머리를 드라디게 ᄒᆞ야(令頭垂下) ≪救簡 I:65≫.

드라마 〔ㄹ drama〕 명 ①희곡(戲曲). 각본(脚本). 연극(演劇). ¶ 홈 ~/라디오 ~. ②어떠한 극적(劇的)인 사건.

드라마 리:그 〔drama league〕 명 관극 연맹(觀劇聯盟). 영화 또는 연극 애호가(愛好家)의 감상·비평·연구를 위한 모임.

드라마민 〔Dramamine〕 명 〖약〗 뱃멀미나 비행기 멀미의 예방약의 상표명(商標名). 베나드릴(benadryl)이 주원료임.

드라마투르기 〔도 Dramaturgie〕 명 작극술(作劇術). 각본 작법(脚本作法). 오늘날에는 연극론(演劇論)·연극술(演劇術)·연출법(演出法)·극평(劇評) 등의 의미로도 쓰임.

드라마티스트 〔dramatist〕 명 극작가(劇作家). 각본가(脚本家).

드라마틱 〔dramatic〕 명 현실적이 아니고 감동적(感動的)·인상적인 모양. 극적(劇的)인 것. 연극적인 것. ¶ ~한 인생. ——-하다 형 여불

드라마틱 테너 〔dramatic tenor〕 명 〖악〗 극적인 기복(起伏)이 풍부한 표현에 능한 테너. *리릭(lyric) 테너.

-드라면 어미 ☞-더라면.

드 라발 〔de Laval, Gustav〕 명 〖사람〗 스웨덴의 기계 기술자. 우유의 원심(遠心) 크림 분리기(分離機)를 제작하였고, 이를 가동(稼動)시키기 위하여 증기(蒸氣) 터빈을 연구, 단식 충동(單式衝動) 터빈을 발명하고 1883년 특허(特許)를 얻었음. [1845-1913]

드라비다-어 【一語】 〔Dravida〕 명 인도 남부와 스리랑카 섬 동북부에서 쓰이는 드라비다족(族)의 여러 언어의 총칭. 계통적으로 고립(孤立)되어 있음. 타밀어(Tamil語)·텔루구어(Telugu語)·말라얄람어(Malayalam語) 등이 포함됨.

드라비다-인 【一人】 〔Dravida〕 명 드라비다족에 속하는 사람.

드라비다-족 【一族】 〔Dravida〕 명 남인도(南印度)와 스리랑카(Sri Lanka)의 동북부에 살며, 드라비다계(系)의 언어를 사용하는 민족. 피부는 흑색, 검은 곱슬머리에 코가 낮음. 현재의 인도 인구의 30% 이상을 차지함. 선사(先史) 시대로부터 인도에 살았으며 인더스 문명을 일으킨 것으로 추정됨. 후에 아리아인의 침입으로 정복되었지만 그 영향하에서 독자적인 문화를 발전시켰음.

-드라손 구 ☞-더라손.

드라이 〔dry〕 명 ①말라 있음. ②무미 건조. ③알코올이 들어 있지 아니함. ↔소프트. ④금주(禁酒). ⑤↗드라이 클리닝. ⑥〈속〉 극히 현실적인 사고 방식이나 행동의 경향. ↔웨트·소프트. ——-하다 형 타 여불

드라이 독 〔dry dock〕 명 건선거(乾船渠).

드라이든 〔Dryden, John〕 명 〖사람〗 영국의 계관(桂冠) 시인·극작가. 시세에 따라 변절(變節)을 반복하였음. 초기의 작품으로 ≪경이의 해≫가 우수하고, 영웅 시극 ≪그라나다(Granada)의 정복≫ 및 유명한 ≪극시론(劇詩論)≫ 등의 비평론이 있음. 청정 명랑한 문체로 모든 시형·운율을 자재로 구사하여 후대의 시·극의 모범이 됨. [1631-1700]

드라이 리허:설 〔dry rehearsal〕 명 〔'드라이'는 '카메라 없이'의 뜻〕 텔레비전 방송에서의 연습의 하나. 카메라를 사용하지 아니하고 의상과 장치를 갖추고 하는 연습.

드라이 밀크 〔dry milk〕 명 가루 우유. 분유(粉乳).

드라이버 〔driver〕 명 ①운전사(運轉士). ②나사 돌리개. ③골프에서, 원거리용의 타구봉(打球棒).

드라이브 〔drive〕 명 ①자동차 등을 타고 돌아다님. 자동차를 운전함. ②테니스·골프 등에서, 공을 깎아서 세게 침. ↔커트. ——-하다 자 타 여불

드라이브-웨이 〔driveway〕 명 드라이브하기에 적합한 도로(道路).

드라이브-인 〔drive-in〕 명 주로 자동차에 타고 있는 사람을 대상으로 한, 대로변에 있는 각종 서비스 시설. 식당·선물 가게·은행 따위.

드라이브인 시어터 〔drive-in theatre〕 명 자동차를 타고 들어가서 탄 채로 영화를 감상하게 된 야외 극장.

드라이브 클럽 〔drive club〕 명 ①자가용 자동차 애호가의 모임. ②자동차 임대(賃貸)업자.

드라이빙 레인지 〔driving range〕 명 골프에서, 연습장. 타석(打席).

드라이 아이스 〔dry ice〕 명 〖화〗 고체 이산화 탄소(固體二酸化炭素)의 딴이름. 이산화 탄소를 압축 액화한 후, 급격히 팽창시켜 만든 눈 모양의 고체. 공기 중에서 승화(昇華)하여 가스로 되는데, 이 때 −80°C까지 내려가므로 물기 없는 한제(寒劑)로서 중요시함. 고체 탄산(固體炭酸).

드라이어 〔drier, dryer〕 명 ①건조기(乾燥器). ②건조제(乾燥劑). ③감은 후의 머리나 로션 등으로 젖은 머리털을 말리는 기구.

드라이어드 〔dryad〕 명 숲의 님프(nymph).

드라이저 〔Dreiser, Theodore Herman Albert〕 명 〖사람〗 미국의 소설가. 처녀작 ≪황혼(黃昏)≫ 이래 자연주의의 영향으로 주로 사회 문제를 다룬 ≪아메리카의 비극≫·≪거인(巨人)≫ 등을 발표하였음. 거친 문장과 문법의 무시에도 불구하고 현실 사회의 동적인 파악은 근대 미국의 대표적인 자연주의 작품으로 인정됨. [1871-1945]

드라이 진 〔dry gin〕 명 보통의 쌉쌀한 진.

드라이 카레 〔dry curry〕 명 고기·야채 따위를 넣고 카레 가루로 맛을 낸 볶음밥.

드라이 클리:닝 〔dry cleaning〕 명 물 대신 벤진(benzine) 같은 세척액(洗滌液)을 사용하는 세탁. 건조 세탁. 클리닝. ㊟드라이.

드라이포인트 〔drypoint〕 명 판화(版畫)의 일종. 날카로운 철필로 셀룰로이드나 비닐판에 오목판을 만들어서 찍는 오목판화.

드라이 플라워 〔dry flower〕 명 자연의 꽃을 건조시킨 것. 장식으로 쓰임. 건조화(乾燥花).

드라켄즈버:그 산맥 【一山脈】 〔Drakensberg〕 명 〖지〗 남아프리카 공화국 남동단(南東端)에 있는 길이 약 1,000km의 산맥. 3,000m 이상의 고봉이 많음.

드라콘 〔Drakon〕 명 〖사람〗 기원전 7세기 후반의 아테네의 입법자(立法者). 기원전 621년 관습법(慣習法)을 성문화하여 '드라콘의 성문법'을 발표하였음. 생몰년 미상.

드라콘의 법 【一法】 〔Drakon〕 [一/一에一] 명 〖역〗 아테네의 입법자 드라콘이 기원전 621년에 공포했다고 전해지는 아테네 최고(最古)의 성문법. 사적 복수(私的復讐)를 규제, 경찰에 의한 국내 질서 유지에의 방향을 제시함. 형벌은 가혹해서 '피로 쓰여진 법'이라고 불리어졌음. 후에 일부를 제외하고 솔론이 폐지하였음.

드라큘라 〔Dracula〕 명 영국의 통속 작가(通俗作家) 스토커(Stoker, B.)가 쓴 괴기 소설(怪奇小說) ≪드라큘라≫ 속에 나오는 흡혈귀(吸血鬼)의 이름.

드라크마 〔drachma〕 ㊀ 명 〖경〗 고대 그리스의 은화(銀貨). 가치는 시대에 따라 일정하지 않음. ㊁ 의명 ①그리스의 현행 통화(通貨) 단위. 1드라크마는 100 렙타(Lepta). 약호 : Dr. ②영국이나 미국에서 약제를 칭량하는 저울의 단위. 즉 3.8879g에 해당함. *드램(dram).

드라크만 〔Drachmann, Holger〕 명 〖사람〗 덴마크의 시인. 브란데스(Brandes)의 영향으로 급진적 입장에 있었으나 곧 로맨틱한 연애시·해양시(海洋詩)로 전향함. ≪뱃사람의 신념과 약속≫·≪해변의 노래≫·≪노래의 책≫ 등 이외에 소설·희곡이 있음. [1846-1908]

드람멘 〔Drammen〕 명 〖지〗 노르웨이 남동부의 도시. 드람멘 강 어귀에 위치하는 항구 도시이며, 내륙(內陸)의 산림 지방을 배경으로 하여 목재(木材) 공업이 발달함. [50,573명(1982)]

-드랍니까 어미 ☞-더랍니까.

-드랍니다 어미 ☞-더랍니다.

-드랍디까 어미 ☞-더랍디까.

-드랍디다 어미 ☞-더랍디다.

드래건 〔dragon〕 명 ①유럽에서 날개와 발톱이 있다는 공상(空想)의 용(龍). ②드래건급(級)의 레이스용의 요트의 일종.

드래건-급 【一級】 [一끕] 명 〔dragon class〕 요트의 선급(船級)의 하나. 삼인승(三人乘)으로 길이 8.91m, 나비 1.95m, 돛의 넓이 22m².

드래그라인 〔dragline〕 명 삽굴착기(掘鑿機)의 하나. 기중기(起重機)에서 늘어뜨린 버킷을 강삭(鋼索)에 의해서 끌어 당겨 굴착하게 된 것.

드래그 번트 〔drag bunt〕 명 야구에서, 배트로 밀어 내듯이 가볍게 공에 대어 투수의 왼쪽 혹은 오른쪽으로 굴러가게 해서 1루에 뛰어가는 타격법.

드래그-셔블 〔dragshovel〕 명 보통의 파워 셔블에 정지용(整地用)의 부품을 장치한 토목(土木) 기계.

드래그 슈:트 〔drag chute〕 명 고속 제트기의 착륙시에 기체 후미(後尾)

에 다는 낙하산. 이것이 펴져서 공기 저항을 크게 하여 제동 작용을 함. 기체가 착륙할 때 고속 활주(滑走)로 차륜(車輪) 브레이크는 발열(發熱)이 높아 위험하므로 우선 슈트로 감속(減速)해서 안전한 착륙을 도모함. 제동용 낙하산. 저항산(抵抗傘). 제동산(制動傘).

드래그 히트 〔drag hit〕 명 야구에서, 배트를 가볍게 대어 맞추어 안타가 되게 하는 일.

-드래도 어미 ☞-더라도.

드래스틱 〔drastic〕 명 격렬함. 근본적임. 영단적(英斷的)임. ——-하다 형여불

드래프트 〔draft〕 명 ①사람을 선발하는 일. ¶ ~ 회의. ②복식(服飾)에서, 형지(型紙)로 윤곽(輪廓)을 그린 초벌 그림. ③방적 공정(紡績工程)에서, 랩(lap)·슬라이버(sliver) 및 조사(粗絲)를 롤러에 끼워 가늘게 하는 일. ④증기 기관차(蒸氣機關車) 등이 배기(排氣)하는 일.

드래프트 비어 〔draft beer〕 명 생맥주.

드래프트 시스템 〔draft system〕 명 실업 팀 간의 신인 선수 쟁탈로 인한 잡음과 폐해를 없애기 위해 미국 프리 에이전트 드래프트 제도를 본뜬 신인 선수 선택 제도.

드램¹ 〔dram〕 의명 영국에서 상용되는 무게의 단위(單位). 보통 1/16 온스로서 1.772 g에 해당함. 약물에 있어서는 1/8온스로서 3.8879 g에 해당함. *드라크마.

드램² 〔DRAM〕 명 디램.

드랭 〔Derain, André〕 명 〖사람〗 프랑스의 화가. 처음 포비슴(fauvisme) 운동을 일으켜 강렬한 색채를 써서 분방(奔放)하게 그렸으나, 차츰 남프랑스와 이탈리아의 풍경을 그리면서 안정된 구성(構成)을 추구하여 고전적 작풍(作風)으로 전향하였음. 그의 독특한 흑인풍(黑人風)의 색조 및 지성의 주입은 입체파(立體派)에도 영향을 주었음. [1880-1954]

드러 명 〈방〉 들¹.

드러가다 자 〈옛〉 들어가다¹. ¶ 하阿鼻 耳地獄애 드러가니《月印 上 47》.

드러그 〔drug〕 명 약제(藥劑). 의약품(醫藥品).

드러그 스토어 〔drug store〕 명 미국식 상점의 한 가지. 약·잡지류·일용 잡화(日用雜貨) 등을 팔며, 흔히 간이(簡易) 음식점을 겸하고 있음.

드러-나다 자 ①겉으로 보이게 나타나다. ¶ 갯바닥이 ~. ②감춘 것이 발각되다. ¶ 비밀이 ~.

[드러난 상놈이 울 막고 살랴] 세상이 다 아는 바니, 구태여 가난한 것을 숨기고 남부끄럽게 여길 것이 아니라는 말.

드러-내다 타 드러나게 하다. ¶ 본심을 ~.

드러냄-표 【—標】 명 〖언〗 문장 내용 중에서 중요한 부분이나, 주의가 미쳐야 할 곳을 특별히 드러내어 보일 때 쓰는 '˚, ·' 등의 이름. 가로쓰기에는 글자 위에, 세로쓰기에는 글자 오른쪽에 찍음.

드러-눕다 자 ㅂ불 제 마음대로 편하게 눕다. ¶ 풀밭에 ~.

드러머 〔drummer〕 명 드럼 주자(奏者).

드러먼드-광 【—光】 명 〔Drummond's light; 발명자인 스코틀랜드의 기사(技師) Thomas Drummond(1797-1840)의 이름에 유래〕 〖물〗 석회(石灰) 또는 백악(白堊)의 한 조각을 폭명 가스(爆鳴 gas)의 화염으로 태울 때 백열(白熱)되어 나타나는 찬란한 빛.

드러-쌓이다 〔—싸—〕 자 썩 많이 쌓이다. 한군데로 많이 모이다. ¶ 눈이 석 자나 ~. ㊀드러쌔다.

드러-쌔다 자 ↗드러쌓이다.

드러 얼이다 타 〈옛〉 들어 어우르게 하다. 들어 가지런히 놓다. ¶ 十二月ㅅ 분디남ᄀ로 갓곤 아으 나ᄉᆞᆯ 盤잇 져 다호라 니믜 알퓌 드러 얼이노니 소니 가재다 므르ᅀᆞᆸ노이다《樂範 動動》.

드러오다 자 〈옛〉 들어오다. ¶ 天威어시니 드러오리잇가(雜其天威 彼何敢入)《龍歌 62章》.

드러-장이다 자 많은 물건이 가지런히 정돈되어 차곡차곡 쌓이다. ¶ 옷장에 옷이 ~.

드러치다 자 〈옛〉 떨치다¹. ¶ 讚歎ᄒᆞᄉᆞᆸ 소리 天地 드러치며《月釋 Ⅱ:52》.

드러커 〔Drucker, Peter F.〕 명 〖사람〗 오스트리아 빈 태생의 미국 경영학자. 빈 대학을 나와 신문 기자 생활을 하다가 1943년 미국에 귀화, 1950년 뉴욕 대학 경영학 교수로 재직함. 기업 경영의 권위로, 저서에 《내일을 경영한다》·《단절(斷絶)의 시대》 등이 있음. [1909-]

드럼¹ 명 〈방〉 밭둑(평북).

드럼² 〔drum〕 명 ①〖악〗 서양 타악기(打樂器)의 한 가지. 짧은 원통형 금속 동체(胴體)의 양쪽에 가죽을 팽팽하게 붙이고 그 주변에 가죽을 죄는 나사못의 장치가 있음. 두 개 또는 한 개의 채로 침. 사이드 드럼·베이스 드럼 등이 있음. 북. 탕부르(tambour). ②드럼통❶. ③〖전〗 자기 드럼.

드럼린 〔drumlin〕 명 〖지〗 빙하(氷河)의 퇴적물(堆積物)로 된 타원형의 원정구군(圓頂丘群). 빙퇴구(氷堆丘).

드럼 브레이크 〔drum brake〕 명 자동차용의 브레이크 장치. 차바퀴 안쪽에 부착시킨 원통형(圓筒形) 드럼 내면에, 보통 두 개로 된 브레이크 슈를 미는 방식으로 됨. 슈에는 석면(石綿)을 고무·합성 수지(樹脂) 등과 고온 성형(高溫成形)한 라이닝이 접합(接合)되어 있음. 승용차로부터 트럭에 이르기까지 널리 사용되며 주로 유압식(油壓式)임.

드럼 캔 〔drum can〕 명 드럼통❶.

드럼-통 【—桶】 〔drum〕 명 ①비교적 두꺼운 철판(鐵板)으로 만든 원기둥꼴의 드럼같이 생긴 통. 휘발유 같은 액체나 반유동체(半流動體)를 넣는 데 사용함. 그 용적은 약 50갤런(gallon)임. 드럼. 드럼 캔. ②〈속〉 키가 작고 뚱뚱한 사람을 놀리어 일컫는 말.

드:럽다 형 〈방〉 더럽다(충청·경기·강원·충남).

드렁갱이 장단 【—長短】 명 〖악〗 경상 북도 오구굿의 무가(巫歌)와 강원도 강릉의 별신굿의 반주 음악으로 쓰이는 장단의 하나. 매우 빠른 3박과 2박이 섞여서 이루어짐.

드렁-거리다 자타 ①우렁차게 울리는 소리를 연해 내다. ②코를 짧게 고는 소리를 연해 내다. 1)·2):<드릉거리다. **드렁-드렁** 부. ¶ ~ 코를 골다. ——-하다 자타여불

드렁-대다 자타 드렁거리다.

드렁-뚜리 명 〈방〉 〖어〗 두렁허리.

드렁이¹ 명 〈방〉 도롱이.

드렁이² 명 〈방〉 〖어〗 두렁허리.

드렁-조 【—調】 〔—쪼〕 명 〖악〗 판소리에서, 처음부터 힘차게 소리 내어 부르는 창법(唱法).

드렁조로 듣다 구 남의 말을 오불관언(吾不關焉)의 태도로 듣다.

드렁치기 명 〈방〉 〖어〗 두렁허리.

드렁허리 명 〈옛〉 두렁허리. ¶ 드렁허리 션(鱔)《字會 上 20》.

드레¹ 명 사람의 됨됨으로서의 무게. 인격적(人格的)으로 점잖은 무게. ¶ 나이는 어린데 퍽 ~가 있어 보인다.

드레² 명 〈방〉 들¹(함남·평북).

드레³ 명 〈옛〉 두레박. =드레박지. ¶ 그저 줄드레로(只着繩子)《老乞 上 28》.

드레-나다 자 기계 같은 것의 바퀴가 헐거워서 흔들흔들하면서 돌다.

드레드노:트 〔Dreadnought〕 명 대함 거포주의(大艦巨砲主義)의 선구가 된 영국의 전함(戰艦). 1906년 진수(進水). 배수량(排水量) 17,900톤, 증기(蒸氣) 터빈을 설치하여 시속 21노트에 이르고, 30cm 포(砲) 10문(門)을 장비함. 이로부터 재래형 전함은 가치를 상실하고 각국이 다투어 이 형식의 전함을 건조하였는데, 흔히 노급함(弩級艦)으로 불리었음.

드레-드레¹ 부 물건이 매달리어 늘어져 흔들리는 모양. ¶ 그네줄이 ~ 한다 / 자줏빛 꽃방울들이 근처에 지천으로 떨어져… 나무에는 꽃받침만이 ~ 남아서《李孝石: 花粉》. >다래다래. ——-하다 자여불

드레-드레² 감 분봉(分蜂)하려고 밖에 모이어 붙은 벌떼를 받아들이기 위하여 수봉기(受蜂器)를 대고 벌비로 쓸어 넣을 때, 벌을 부르는 소리. *둬둬.

드레드 스콧 사:건 【—事件】 〔Dred Scott〕 〔—껀〕 명 〖역〗 1857년 미국 최고 재판소가 자유 신분 확인(自由身分確認)을 위해 소송을 제기한 흑인 드레드 스콧의 주장을 각하시킨 사건.

드레-물 명 〈방〉 우물¹(강원).

드레-박 명 ☞두레박.

드레쏙지 명 〈옛〉 두레박. =드레³. ¶ 물 담복써너는 드레쏙지 장ᄉ《永言》.

드레스 〔dress〕 명 ①옷. 의복. ②여성복. ③예복. 야회복(夜會服).

드레스 다운 〔dress down〕 명 〔본래는 '엄하게 나무라다, 채찍질하다'의 뜻〕 정장(正裝)·성장(盛裝)에 대하여, 편안한 차림새의 일컬음. *드레스 업.

드레스덴 〔Dresden〕 명 〖지〗 독일 작센 주의 주도. 문화 도시로 경승지(景勝地). 엘베 강에 의하여 신구 시가(新舊市街)로 나뉘어짐. 공예품으로 이름이 높고 근대 프랑스 양식을 본뜬 흔적이 건축물에 보이어 근대의 아테네라고 불리어짐. 전자 공업·정밀 기계 공업의 중심임. 예로부터 남동 유럽과의 교역(交易)의 요로(要路)이며, 15세기 이후 융성함. [521,205명(1988)]

드레스덴 미술관 【—美術館】 〔Dresden〕 명 독일 드레스덴의 츠빙거궁(Zwinger 宮)의 북쪽에 있는 국립 미술관. 16세기 이래 작센 선제후(選帝侯) 역대의 컬렉션으로 이루어지며 뒤러(Dürer)·홀바인(Holbein)·코레조(Correggio)·루벤스(Rubens)·렘브란트(Rembrandt) 등 15-19세기의 명작을 다수 수장(收藏)하고, 특히 라파엘로의 《시스티나의 성모(聖母)》는 유명함.

드레스 리허:설 〔dress rehearsal〕 명 연극 등에서, 정식으로 의상·분장을 갖추고서 하는 마지막 무대 연습.

드레스-메이커 〔dressmaker〕 명 여성복 재봉사(裁縫師).

드레스 업 〔dress up〕 명 정장(正裝)·성장(盛裝)의 일컬음. *드레스 다운.

드레스 폼: 〔dress form〕 명 양복 만드는 기구의 한 가지. 목에서 허리까지의 사람 형상의 틀. 시침 바느질을 한 양복을 입히어 놓고 그 모양을 고치는 데 씀. 스탠드. 스탠드 보이. 폼 스탠드.

〈드레스 폼〉

드레시 〔dressy〕 명 여성복의 의장(意匠)이나 모양 등에 있어서, 선(線)이나 형(型)의 생김새가 우미하고 부드러움. *스포티(sporty). ——-하다 형여불

드레싱 〔dressing〕 명 ①복장(服裝). 복식(服飾). 화장(化粧). 장식(裝飾). ②식품(食品)에 치는 소스(sauce) 등. ③상처의 치료. 또, 치료용 붕대·약품.

드레싱 가운 〔dressing gown〕 명 방에서 화장을 할 때나 식사할 때, 쉴 때에 입는 실내복의 일종.

드레싱 룸: 〔dressing room〕 명 ①화장실(化粧室). ②옷을 갈아입는 방.

드레우믈 명 〈방·옛〉 두레우물. ¶ 드레우므레 므를 길라 가고신턴《樂詞 雙花店》.

드레이크 〔Drake, Francis〕 명 〖사람〗 영국의 항해가·제독·탐험가. 1580년 영국 최초의 세계 주항(世界周航)을 성취하고, 1588년에는 영국 함대의 사령관(司令官)으로서 스페인 무적 함대(無敵艦隊)를 격파함. [1545-96]

드레이크 해:협 【—海峽】 〔Drake〕 명 〖지〗 남아메리카 대륙 남단 혼(Horn) 곶과 사우스셰틀랜드(South Shetland) 제도 사이의 해협.

드레이퍼 〔Draper〕 명 〖사람〗 ①〔Henry D.〕 미국의 천문학자. ❷의 아들. 항성(恒星)의 위치 및 스펙트럼형(spectrum 型)을 최초로 기재함. 후의 '드레이퍼 항성표(恒星表)'는 이를 기념하여 명명한 것임. [1837-82] ②〔John William D.〕 영국 출생의 미국 과학자·작가. 복사열(輻

射熱) 및 사진 화학(寫眞化學) 부문에 공적이 있으며, 《미국 남북 전쟁사》 등의 저작도 있음. [1811-82]

드레이퍼 항성표【一恒星表】〔Draper〕명〖천〗하버드 천문대에서 발행된 항성표. 9권. 전천(全天)에 걸쳐 9등(等) 이상의, 약 22만개 항성의 스펙트럼형(型)을 기재하고, 동시에 스펙트럼형의 분류법을 확립함. 그 후 많이 보충되어 현재 약 35만개의 항성을 수록(收錄)함. 이 이름은 헨리 드레이퍼(Henry Draper)를 기념하기 위한 것으로서, HD 성표(星表)라고도 함.

드레인 콕〔drain cock〕명 배수(排水) 마개.

드레저〔dredger〕명〖기〗준설기(浚渫機).

드레줄 명〈옛〉두레박줄. ¶ 드레줄 경(綆俗呼井繩)《字會 中 18》.

드레-지다 형 ①사람의 됨됨이가 틀거지가 잡혀 있어서 가볍지 아니하다. 점잖아 무게가 있다. ¶ 그 사람의 태도에는 어디엔지 드레진 데가 있다. ②물건의 무게가 가볍지 아니하다.

드레-질 명 ①사람됨의 가볍고 무거움을 떠보는 것. ②물건의 무게를 헤아리는 것. ——-하다 자여불

드레퓌스〔Dreyfus, Alfred〕명〖사람〗프랑스의 포병 대위. 유태인(猶太人)으로 드레퓌스 사건(Dreyfus 事件)의 희생자임. [1859-1935]

드레퓌스 사:건【一事件】〔Dreyfus〕[一껀] 명〖역〗1894년 프랑스 참모 본부에서 일어난 간첩(間諜) 의옥(疑獄) 사건. 유태계 포병 대위 드레퓌스가 육군의 기밀 서류를 독일에 매각했다는 혐의로 체포되어 종신 금고형(禁錮刑)에 처해졌으나 후에 새로운 증거가 나타나, 재심을 청구하는 작가 졸라(Zola, Emile) 등의 자유주의적 지식인과 재심을 반대하는 군부·우익 국수주의자가 대립하여 공화파(共和派) 대 반(反) 공화파의 정치적 항쟁으로까지 발전함. 1899년 드레퓌스는 대통령 특사로 석방되었고, 1906년에는 결국 최고 법원의 판결로 무죄가 확정되어 군에 복적(復籍)함. 당시 프랑스 공화정을 뒤흔들고 세계의 이목을 끈 사회적·정치적 대사건이었음.

드렌처〔drencher〕명 소화 설비의 하나. 수도·탱크 등의 급수원(給水源)으로부터 건물 내에 급수관(管)·제어판(制禦瓣)·배수관의 순서로 물을 도입하고 배수관 끝에 직경 9.5mm의 살수구(撒水口)를 부착시킨 것. 화재시에 제어판을 열면 물이 지붕·벽 등에 뿌려지면서 수막(水膜)을 형성하여 불이 번지는 것을 막음.

드렛다 자〈옛〉드리워 있다. 드리웠다. ¶ 하놀히 치운듸 橘柚ㅣ 드렛도다(天寒橘柚垂)《初杜諺 Ⅶ:18》.

드로라 자〈옛〉듣노라. ¶ 가다가 가다가 드로라 에정지 가다가 드로라 사소미 짒대예 올아셔 奚琴을 혀거를 드로라《樂詞 靑山別曲》. ＊-로라.

드로: 볼〔draw ball〕명 골프에서, 곧장 날아간 공이, 구속(球速)이 떨어질 무렵, 천천히 왼쪽으로 흐르듯이 낙하하는 상태.

드로아〔Troas〕명〖성〗소아시아(小 Asia)의 서북쪽의 한 구석에 있는 작은 항구. 바울이 이 곳에서 성령(聖靈)의 부름을 받아 마케도니아(Macedonia)로 건너가서 전도할 것을 결심하였음.

드로어즈〔drawers〕명 여성 팬츠의 하나. 무릎 길이의 낙낙한 속옷.

드로이젠〔Droysen, Johann Gustav〕명〖사람〗독일의 역사가·정치가. 킬 대학 교수. 소(小)독일주의의 입장을 취하고 독일 통일에 진력함. 저서에 《헬레니즘사(史)》·《프로이센 정치사》가 있음. [1808-84]

드로:잉〔drawing〕명 ①제도(製圖). ②각종 경기에 있어서, 참가팀의 대전(對戰) 편성을 위해서 하는 추첨(抽籤).

드로:잉 룸:〔drawing room〕명 ①응접실. ②그림을 그리는 방.

드로:잉 페이퍼〔drawing paper〕명 제도 용지. 제도에 쓰는 종이.

드론 자〈옛〉들은. 든. '들다[4]'의 활용형. ¶ 定覺支는 드론 定마티 여러 法돌홀 스뭇 알씨오《月釋 Ⅱ:37》.

드론: 게임〔drawn game〕명 '타이 게임'의 구용어.

드론딘 자〈옛〉든건대는. 든건대는. 들으니. '듣다[4]'의 활용형. ¶ 후물며 드론딘 안녁 金盤ㅣ 다 衛霍의 지븨 갓도다(況聞內金盤盡在衛霍室)《杜諺 Ⅱ:35》.

드론:-워:크〔drawnwork〕명 레이스(lace)의 일종. 양질(良質)의 마직물(麻織物) 등의 씨나 날을 뽑아서, 그 자리에 여러 가지 모양을 넣은 베. 손수건이나 식탁보에 쓰임.

드롮디니 타〈옛〉들을지니. '듣다[4]'의 활용형. ¶ 漸漸程節에 드롮디니(漸入程節)《蒙法 38》.

드롬 타〈옛〉들음. '듣다[4]'의 명사형. ¶ 키 아로므로써 門의 드로믈 사무시고(以大悟爲入門)《蒙法 37》.

드롭〔drop〕명 ①↗드롭 커브(drop curve). ②드롭스.

드롭 샷〔drop shot〕명 테니스에서, 상대편 코트의 네트 옆으로 짧게 떨어뜨리는 타구(打球).

드롭스〔drops〕명 설탕에 향료(香料)를 넣어 만든 사탕의 한 가지. 드롭(drop).

드롭-아웃〔dropout〕명 ①럭비에서, 방위하는 편이 터치 다운(touch down)한 뒤에, 공이 터치 인 골(touch in goal)에 들어간 뒤, 데드 볼 라인(dead ball line)에 닿거나 들어간 뒤에 25야드 라인의 뒤에서 하는 드롭 킥(drop kick). ②기존 사회 조직으로부터의 탈락. 또, 그러한 이단자. ＊프리크 아웃(freak out).

드롭-존데〔dropsonde〕명〖기상〗비행기로 투하하는, 파라슈트를 단 라디오 존데.

드롭 커:브〔drop+curve〕명 야구에서, 투수(投手)가 던지는 공이 타자(打者) 가까이에 와서 급작스럽게 아래로 떨어지는 일. 준드롭.

드롭-킥〔dropkick〕명 럭비에서, 공이 땅에 떨어졌다가 다시 튀어오를 때, 처음 튀어오르는 공을 차는 일. ——-하다 타여불

드롭트 골:〔dropped goal〕명 럭비에서, 드롭 킥 한 공이 골의 횡목(橫木)을 넘어서 된 골. 득점(得點)은 3점임.

드롭-포:지〔drop-forge〕명 단 쇠를 두들기어서 벼리는 일.

드롭 해머〔drop hammer〕명〖공〗내려치는 망치.

드룜 자〈옛〉들임. '들다[4]'의 명사형. ¶ 앏 境을 바다 드료미 일후미 受ㅣ오《月釋 Ⅱ:22》.

드루 명〈방〉들'(강원).

드루어리 레인 시어터〔Drury Lane Theatre〕명 런던에 있는 대극장. 찰스 2세의 칙허(勅許)에 의해 개설된 로열 극장이 그 전신임.

드루이드〔Druid〕명〖사람〗고대 켈트의 성직자. 켈트인(人)이 갈리아·브리타니아에 정착하여 농경(農耕)을 하던 시기의, 물활론적(物活論的) 경향이 강한 종교 생활을 지배하고, 또 재판·교육·전쟁의 조정 따위 실권을 장악하였으며, 불사(不死)에의 기대(期待)를 강설(講說)하였음.

드루이드-교【一敎】〔Druid〕명〖종〗로마 시대에 켈트(Celt)족의 이교(異敎) 성직자인 드루이드가 창시한 갈리아·영국 등에 있던 종교 단체의 한 파. 영혼 불멸과 주신(主神)을 중심으로 한 동식물·천공(天空)의 자연신을 믿고, 죽음의 신(神)을 세계의 주재자(主宰者)로 믿었음.

드루:즈-인【一人】〔Druse〕명 레바논 남부와 이에 인접한 시리아·이스라엘 일부에 사는 20만 미만의 소수 민족. 아라비아어를 쓰고, 이슬람교와 깊은 관계가 있는 드루즈교를 믿음. 개종(改宗)과 족외혼(族外婚)을 금함.

드룬다비 타〈옛〉들은 대로. '듣다[4]'의 활용형. ¶ 城邑과 巷陌과 聚落과 田里예 드룬다비 父母 宗親 善友 知識 爲ᄒᆞ야 히믈조차 불어 닐어든 이 사름돌히 듣고 隨喜ᄒᆞ야《月釋 XVII:68》.

드르[1] 명〈옛〉갓양태. ¶ 드러히 져고(簷兒小)《朴解 中 25》.

드르[2] 명〈방·옛〉들'. 평야(平野). =드ᄅᆞ. ¶ 드르헤 龍이 싸호아(龍鬪野中)《龍歌 69章》.

드르렁 부 코를 고는 소리. <다르랑.

드르렁-거리다 자타 코를 연해 길게 골아서 소리를 내다. >다르랑거리다. ＊드릉거리다. **드르렁-드르렁** 부. ¶ 코를 ~ 골다. ——-하다 자타여불

드르렁-대다 자타 드르렁거리다.

드르르[1] 부 ①큼직한 물건이 미끄럽게 구르며 부드럽게 나는 소리. ¶ 문을 ~ 열다. ②큼직한 물건이 연하게 떠는 모양. 1)·2):쓰뜨르르[1]. >다르르[1].

드르르[2] 부 ①글을 줄줄 읽어 내려가는 모양. ¶ 책 한 권을 삽시간에 ~ 읽어 치웠다. ②어떠한 일에 막힘이 없이 잘 통하는 모양. ¶ 물가 시세를 ~ 안다. 1)·2):쓰뜨르르[2]. >다르르[2].

드르륵[1] 부 코가 막혔을 때의 코고는 소리.

드르륵[2] 부 ①방문 따위를 거침없이 열 때 나는 소리. ¶ 창문을 ~ 열다. ②총 따위를 연해 쏠 때 나는 소리. 또, 그 모양. 1)·2):쓰뜨르륵.

드르륵-거리다 자타 코가 막혔을 때, 코를 연해 골아서 소리를 내다. 드르륵-드르륵[1] 부. ——-하다 자타여불

드르륵-대다 자타 드르륵거리다.

드르륵-드르륵[2] 부 총 따위를 계속 쏠 때 나는 소리, 또는 그 모양. 쓰뜨르륵뜨르륵.

드르릉 부 드르렁.

드르릉-거리다 자타 드르렁거리다. **드르릉-드르릉** 부. ——-하다 자타여불

드르헤 〈옛〉들에. '드르[2]'의 처격형(處格形). ¶ 드르헤 龍이 싸호아 四七將이 일우려니(龍鬪野中四七將濟)《龍歌 69章》.

드르홀 〈옛〉들을. '드르[2]'의 목적격형. ¶ 먼 드르홀 咫尺만 ᄒᆞ가 ᄉᆞ랑ᄒᆞ노라(曠野懷咫尺)《初杜諺 Ⅶ:23》.

드르히 〈옛〉들이. '드르[2]'의 주격형(主格形). ¶ 묏눈과 ᄀᆞᄅᆞᆷ 어르메 드르히 서늘ᄒᆞ니(山雪河氷野蕭颼)《杜諺 Ⅳ:4》.

드른 자〈옛〉떨어진. '듣다[2]'의 활용형. ¶ 드른 이사굴 衆人의게 미추믈 해ᄒᆞ고(遺穗及衆多)《初杜諺 Ⅶ:37》.

드릅-나무 명 ☞두릅나무.

드릅다 형〈방〉더럽다(강원).

드릉-거리다 자타 ①우렁차게 울리는 소리를 연해 내다. ¶ 자동차 엔진 소리가 ~. ②코를 연해 짧게 골아서 소리를 내다. 1)·2):>드렁거리다. ＊드르렁거리다. **드릉-드릉** 부. ——-하다 자타여불

드릉-대다 자타 드릉거리다.

드리 명〈방〉비지(함남).

드리개 명〖고고학〗길게 매달아 늘어뜨리는 꾸미개의 끝부분. 패식(佩飾).

드리고〔Drigo, Riccardo〕명〖사람〗이탈리아의 작곡가·지휘자. 러시아의 페테르부르크 궁정 가극장(宮廷歌劇場) 지휘자로 일했으며 발레 음악을 많이 작곡함. 발레곡 《할리퀸(Harlequin)의 백만금(百萬金)》 중의 세레나데가 유명함. [1846-1930]

드리다[1] 타 ↗드리우다.

드리다[2] 타 떨어 놓은 곡식을 위로부터 아래로 떨어뜨려 거기에 섞인 검불·티·쭉정이 등을 바람에 날리어 털어 버리다. ¶ 벼를 ~.

드리다[3] 타 두 가닥 이상을 가지고 꼬아 한 가닥으로 하다. ¶ 실을 ~.

드리다[4] 타 ①윗사람에게 물건을 주다. '주다[3]'의 존칭. ¶ 술을 사~. ②신·부처에게 정성을 바치다. ¶ 기도를 ~/불공을 ~. ③윗사람에게 말씀을 여쭈다. ¶ 문안을 ~.

드리다[5] 타 집을 지을 때 방·마루·광·창 등을 만들거나 구조를 바꾸어 꾸미다. ¶ 가게를 ~/방을 따로 ~.

드리다[6] 타 물건 팔기를 그치고 가게문을 닫다. ¶ 밤 열 한 시에 가게를 ~.

드리다[7] 타〈옛〉들이다[2]. ¶ 밧긧 말ᄉᆞ미 門안해 드리디 말오(外言不入於梱)《內訓 Ⅰ:4》.

드리다[8] 보동 동사의 아래에 붙어 웃어른을 위하여 하는 동작의 뜻을 나타내는 보조 동사. '주다[5]'의 존칭. ¶ 저 분을 모셔다 드리게/안내해 ~.

드리디다 타〈옛〉드리우다. ¶ 머리를 져기 드리디게 ᄒᆞ고(頭少垂下)《救簡 Ⅰ:72》.

드리디우다 타〈옛〉드리우게 하다. ¶ 머리털 거두기를 드리디우게 말며(斂髮毋髢)《小諺 宣祖版 Ⅲ:10》.

드리돋다 자 〈옛〉 들이닫다. ¶ 섈리 환도를 자바셔 패를 조차 드리ᄃᆞ롤 디니라(急取刀隨牌殺入)《武藝諸譜 16》.

드리블〔dribble〕명 ①축구 따위에서, 공을 두 발로 번갈아 차며 몰고 나가는 법. ②배구에서, 경기 중에 한 사람이 두 번 이상 공에 몸을 대거나 두 번 이상 공을 치는 반칙(反則). ③농구에서, 공을 손으로 땅에 튀기며 나가는 일. ──-하다 자여불

드리-없다〔─업─〕형 경우에 따라 이러하기도 하고 저러하기도 하여 일정하지 아니하다. ¶ 크고 작고 ~/값은 ~/혹은 병인이 있는 집은 치료를 해 주느라고 드리없이 찾아다니곤 했기 때문에 그 형편들은 낱낱이 잘 알고 있고…《蔡萬植 : 濁流》.

드리-없이〔─업씨〕부 드리없게.

드리염 부 〈옛〉 축 드리우게. 축 늘어지게. ¶ ᄀᆞ롮 ᄀᆞᇫ애 ᄒᆞᆫ 남ᄀᆞᆫ 드리염 프ᄂᆞ니(江邊一樹垂垂發)《初杜諺 XVIII:4》.

드리오다 타 〈옛〉 외상으로 하다. ¶ 내 네것 드리오디 아니코(我不賒你的)《老乞 下 54》.

드리우다 타 ①아래로 처지게 하다. 아래로 늘이다. ¶ 발을 ~. ②아랫사람에게 교훈을 하다. ¶ 어른이 드리우는 말을 명심해라. ③이름을 후세에 전하게 하다. ¶ 이름을 영원히 후세에 ~. ④땋은 머리 끝에 댕기를 물리다. 준드리다.

드리ᄎᆞ다 자 〈옛〉 들이 차다. ¶ 대를 두드리거나 드리ᄎᆞ거나 ᄒᆞ면 사ᄅᆞ미 다 두리여 숨ᄂᆞ니라《釋譜 XI:21. 月釋 XXI:218》.

드리티다 타 〈옛〉 들이치다[2]. ¶ 罪人ᄋᆞᆯ 글는 가마애 드리티ᄂᆞ니라《月釋 I:29》/그에 드리텨든《月釋 I:29》.

드리핑〔dripping〕명〖미술〗화포(畫布)에 엷게 푼 그림 물감을 흘려 떨어뜨리면서 그리는 현대 회화(繪畫)의 한 기법(技法).

드리혀다 타 〈옛〉 들이끌다. 들이켜다. 들이마시다. =드리혀다. ¶ 業ᄒᆞᆫ 가지 닐 드리혈서(則引同業)《圓覺 下 一之一 16》.

드리혀다 타 〈옛〉 들이끌다. 들이켜다. 들이마시다. =드리혀다. ¶ 塵을 드리혀몰(入塵)《楞嚴 III:1》.

드릴〔drill〕명 ①송곳. ②금속판이나 나무에 구멍을 뚫는 공구. 기계 가공으로는 보드반(Bohr 盤)·선반에 붙이고, 손으로 하는 작업으로는 전기 보르·핸드 보르에 붙여 사용함. ③기본적인 것을 되풀이하여 연습하는 일. 엄격한 훈련이나 연습.

〈드릴❷〉

드릴 게이지〔drill gauge〕명〖기〗드릴의 지름을 재는 게이지. 와이어 게이지(wire gauge)와 같은 형식임.

드릴링〔drilling〕명 드릴링 머신으로 공작물에 구멍을 뚫는 가공.

드릴링 머신〔drilling machine〕명 '보르반(Bohr 盤)'의 영어명.

드림[1] 명 ①길게 매달아 처지게 하는 물건. ¶ 장대 끝에 빨간 ~이 바람에 펄럭이고 있다/아얌 ~. ②〖역〗↗기(旗)드림. ③남에게 물건을 줄 때에 그 물건에 드린다는 뜻으로 적는 말. 증정(贈呈). ¶ 저자(著者) ~.

드림:[2]〔dream〕명 ①꿈. ②공상(空想). 환상(幻想).

드림-셈 명 한 번에 하는 셈이 아니고, 몇 차례에 나누어서 주는 셈.

드림 장막【─帳幕】명 위에서 아래로 드리우는 장막.

드림-줄〔─쭐〕명 마루에 오르내릴 때 붙잡을 수 있게 늘어뜨린 줄.

드림-추【─錘】명〖건〗벽·기둥 따위의 수직 여부를 알아 살펴보는 기구. 줄에 추를 달아 맨 것.

드림 흥정 명 물건을 사고 팔 때에 값을 한번에 셈하는 것이 아니고 여러 번에 주고 받기로 하고 하는 흥정. ──-하다 타여불

드립〔drip〕명〔drip coffee〕커피를 끓이는 방법의 하나. 잘게 빻은 커피의 원두(原豆)에 끓는 물을 부어 거르는 일.

드링크〔drink〕명 ①보건 음료(保健飮料)의 이름에 사용하는 말. 드링크제(劑) 따위. ②음식점 따위에서, 각종 음료.

드링크워터〔Drinkwater, John〕명〖사람〗영국의 시인·극작가. 시극(詩劇)의 부흥에 진력하고, 버밍엄 레퍼토리(Birmingham Repertory) 극장의 창설에 공헌하였음. 대표작에 《올리버 크롬웰(Oliver Cromwell)》이 있음. [1882-1937]

「액제(藥液劑).

드링크-제【─劑】〔drink〕명 조그만 병에 넣은 청량제(淸涼劑) 또는 약

드르 명 〈옛〉 들[1]. =드르[2]. ¶ 드르 야(野)《石千 27》.

드-맑다〔─막─〕형 매우 맑다. 드높게 맑다. ¶ 드맑은 하늘.

-드면 어미 ☞-더면.

드 모르간〔De Morgan, Augustus〕명〖사람〗영국의 수학자. 근대 논리 대수학(論理代數學)의 개척자의 한 사람. 논설가·문장가로서도 알려져 있으며 수학 교육·수학사(數學史)에서의 업적도 큼. [1806-71]

드 무아브르〔de Moivre, Abraham〕명〖사람〗프랑스의 수학자. 1688년 영국에 이주하여 뉴턴·핼리 등과 친교를 맺었으며, 1697년 왕립 협회(王立協會) 회원이 됨. 삼각법을 이용한 드 무아브르의 공식·확률로써 정규(正規) 분포 곡선을 발견함. [1667-1754]

드 무아브르의 정:리【─定理】〔─니/─에─니〕명〔de Moivre's theorem〕〖수〗복소수(複素數)와 삼각 함수가 연관된 정리의 하나. i를 허수(虛數) 단위, θ를 임의의 실수(實數), n을 임의의 유리수라 할 때 $(\cos\theta+i\sin\theta)^n=\cos n\theta+i\sin n\theta$라는 공식이 성립된다는 것. 복소수의 멱(冪)·멱근(冪根)의 계산 등에 쓰임.

드문-드문 부 ①시간으로 잦지 아니하게. 이따금. ¶ 손님이 ~ 찾아오다. ②공간적(空間的)으로 배지 아니하게. ¶ 나무를 ~ 심다. 1)·2): 쓰뜨문뜨문. >다문다문. ──-하다 형여불

[드문드문 걸어도 황소 걸음] 진도는 느리나 오히려 믿음직스럽고 속이 알차다는 말.

드문-솔방울〔─빵─〕명〖식〗[*Scirpus fuirenoides*] 사초과에 속하는 다년초. 줄기의 높이 60-90cm이고, 잎은 선형(線形)이며 빳빳함. 8-9월에 갈색 두상화(頭狀花)가 수상(穗狀)으로 액출(腋出)하여 핌. 물가에 저절로 나는데, 한국·일본 등지에 분포함.

드물다 형 ①잦지 아니하다. ¶ 왕래가 ~. ②흔하지 아니하다. ¶ 요즈음은 갓쓴 노인이 ~.

[드물어도 아이가 든다] 일이 더디기는 하나 이루어지기는 한다는 말.

드물-장어 명 〈방〉〖어〗뱀장어(부산).

드뭇-드뭇 부 〈방〉 드문드문.

드므 명 넓적하게 생긴 독.

「儔)《杜諺 XXII:1》.

드므다 형 〈옛〉 드물다. ¶ 모ᄅᆞᆷ 아로미 眞實로 ᄠᅡ기 드므도다(會心其罕

드므롬 형 〈옛〉 드뭄. '드믈다'의 명사형. ¶ 諫爭ᄒᆞᆯ 글워리 드므로믈 내 아노라(自覺諫書稀)《杜諺 XXII:1》.

「上 二之一 166》.

드므리 부 〈옛〉 드물게. ¶ 부텨 ᄒᆞ마 드므리 니ᄅᆞ시며(佛旣罕言)《圓覺

드믄-드믄 부 ☞드문드문.

드믈다 형 〈옛〉 드물다. ¶ 稀는 드믈 씨라《金剛 上 7》/諫爭ᄒᆞᆯ 글워리 드므로믈 내 아노라(自覺諫書稀)《杜諺 XXI:14》.

드미-타스〔프 demi-tasse〕명 작은 커피잔.

드 밸르와〔De Valois, Ninette〕명〖사람〗영국의 여류 무용가. 디아길레프(Diaghileff) 발레단의 독무자로 발레 학교·발레단을 조직, 1951년 데임(Dame)의 칭호를 받음. [1898-]

드베 명 ①〈방〉 뚜껑(함남). ②〖농〗조·수수·피·옥수수 따위의 씨앗을 뿌리는 데 쓰는 연장. 주로 함경도에서 쓰이는데, 바가지 양쪽에 구멍을 뚫고 각각 작대기를 꿰어, 하나는 손잡이로 삼고, 하나는 바가지에 담은 씨가 흘러 내리게 구멍이 뚫려 있음.

드보르자크[1]〔Dvořák, Antonín〕명〖사람〗보헤미아의 작곡가. 고학으로 비올라 연주가가 되고, 작곡을 브람스(Brahms)에 인정받았으며, 1873년 국가상을 받았음. 이후 미국에 건너가 교향곡 《신세계로부터》를 작곡, 그 외 많은 종교곡·실내악 등을 내어 체코(Czecho) 최대의 작곡가로 꼽힘. [1841-1904]

드보르자크[2]〔Dvořák, Max〕명〖사람〗오스트리아의 미술사가(美術史家). 미술사를 단지 작품의 형식적인 전개가 아닌 사회사적(社會史的)·정신적 관점에서 파악하고자 하였음. 주저(主著)로 《정신사(精神史)로서의 예술사》가 있음. [1874-1921]

드부 명 〈방〉 두부[1](경북).

드부룩-하다 형여불 ☞듬뿌룩하다.

드뷔시〔Debussy, Claude Achille〕명〖사람〗근대 프랑스의 대작곡가. 인상파(印象派)의 시조. 독일 낭만파 후기 음악의 감정에서 헤어나 새로이 근대 음악의 새 국면을 개척함. 작품 《목신(牧神)의 오후에의 전주곡》, 오페라 《펠레아스(Pelléas)와 멜리장드(Mélisande)》 등 풍부하고 새로운 화성(和聲), 색채적인 관현악법(管絃樂法)을 구사한 여러 작품이 있음. [1862-1918]

드 브로이〔de Broglie, Louis Victor〕명〖사람〗프랑스의 이론 물리학자. 아카데미 회원. 1923년에 논문 《파동과 양자(量子)》를 발표하여 물질의 파동설(波動說)을 제창, 파동 역학(力學)의 선구를 이루어 1929년 노벨 물리학상을 받음. [1892-1987]

드 브리:스〔De Vries, Hugo〕명〖사람〗네덜란드의 식물학자·유전학자. 암스테르담 대학 교수. 처음에 식물 세포의 팽압(膨壓)·삼투압(滲透壓) 등을 연구하였는데, 뒤에 달맞이꽃을 실험 관찰하여 돌연 변이설(突然變異說)을 발표함. 또, 멘델의 법칙을 재발견하는 등 유전학 발전의 기초를 다짐. [1848-1935]

드 브리:스 설【─說】〔De Vries〕명〖생〗드 브리스가 제창한 '돌연

드비 명 〈방〉 두부[1](함남).

⌊변이설'의 일컬음.

드비나 강【─江】〔Dvina〕명〖지〗러시아 북부의 강. 백해(白海)에 흘러 들어가는 큰 강으로 하구(河口) 가까이 삼각주(三角洲)에 아르한겔스크(Arkhangel'sk) 항구가 있음. [750km]

드비다 타 〈방〉 ①뒤집다. ②뒤치다(함남).

드 비트〔De Witt, Jan〕명〖사람〗네덜란드의 정치가. 도르트레히트 시(Dordrecht 市)의 귀족 출신. 1653년 연방 의회 의장이 되어 사실상 네덜란드 연방 공화국의 최고 지도자가 되었음. 총독파(總督派)를 누르고 주(州) 주권과 상인층의 이해(利害)를 대표하고 두 번에 걸친 영국·네덜란드 전쟁을 지도한 바 있는데, 1672년 프랑스군 침입 때 헤이그에서 학살됨. [1625-72]

드뿍 부 분량이 다소 범위에 넘치는 모양. ¶ 물건을 ~ 주다. >다뿍.

드뵈 명 〈옛〉 뒤웅박. ¶ 드뵈 爲瓠《訓例》.

⌊드뿍-드뿍 부

드사 자 〈옛〉 들어야. '들다[4]'의 활용형. ¶ 출히 說法마오 涅槃애 어셔 드사 ᄒᆞ리로다《釋譜 XIII:58》.

「룻밤을 ~.

드-새다 타 길을 가다가 집을 잡아 들어서 밤을 지내다. ¶ 주막에서 하

드세다 형 ①세력이 만만치 아니하게 세다. ¶ 그는 사내(社內)에서 세력이 ~. ②어떠한 일이 세차다. ③집터를 지키는 신(神)이 매우 딱딱하다. 집터가 무시무시하다. 터세다. ¶ 터가 ~. ④사람의 성질 따위가 세거나 사납다. ¶ 드센 여자.

드-솟다 자 ①힘차게 솟다. ②기운이나 감정이 강하게 일어나다.

드숩다 형 〈방〉 드습다.

드 스틸:〔네 De Stijl〕명〔양식(樣式)·스타일의 뜻〕화가 몬드리안(Mondriaan)·두스부르크(Doesburg)를 중심으로 1917년 네덜란드에서 창설되어 1930년대까지 있었던 미술가의 그룹. 또, 그 운동·기관지명(機關紙名). 건축·회화·그래픽 디자인 등의 추상적 표현을 기도함.

드스-하다 형여불 좀 드습다. 뜨뜨스하다. >다스하다.

드습다 형ㅂ불 알맞게 뜨뜻하다. 뜨뜨습다. >다습다.

「65》.

드시 부 〈옛〉 따뜻이. ¶ 거저ᄒᆞ고 드시 머기라(去滓溫服)《痘要下

드시다[1] 타 음식물을 들으시다. ¶ 진지 좀 드시죠/먼저 드세요.

드시다[2] 형 〈방〉 ①드습다. ②드세다.

드 시테르〔de Sitter, Willem〕명〖사람〗네덜란드의 천문학자. 1918

년 레이덴 천문대장(Leiden 天文臺長). 목성(木星)의 위성(衛星)의 궤도와 질량, 지구의 세차(歲差)·장동(章動) 등을 연구하고 일반 상대성 이론에 의거한 팽창 우주론(膨脹宇宙論)을 전개함. [1872-1934]

드야우스 〔범 Dyaus〕 명 〖신〗 인도 베다(Veda) 신화의 천공(天空)의 신.

드역 명 〈방〉 드난.

드역-꾼 명 〈방〉 드난꾼.

드우티다 자 〈옛〉 뒤치다. ¶ 震動ᄒᆞᄂᆞᆫ 울에예 뎐 지빗 져비 드우티고(震雷翻幙燕)≪杜諺 XII:31≫.

드위다 타 〈옛〉 ①뒤치다. 번드치다. =두위잊다. ¶ 모ᄆᆞᆯ 드위여 하ᄂᆞᆯ홀 向ᄒᆞ야 울워러 구루매 소니(翻身向天仰射雲)≪重杜諺 XI:16≫. ②뒤다². ¶ 그지블 드위라코져 ᄒᆞ나(索其家而)≪杜諺 XXV:37≫.

드위부치다 자 〈옛〉 번드쳐 부치다. ¶ 믌겨리 드위부치니 거믄 龍ㅣ 봄놀오(濤翻黑蛟躍)≪杜諺 I:49≫.

드위잊다 자 〈옛〉 뒤치다. =드위잊다. ¶ 梅花ㅣ ᄒᆞ마 ᄂᆞ라 드위잊ᄂᆞ다(梅花已飛翻)≪初杜諺 VIII:7≫.

드위잊다 자 〈옛〉 뒤치다. =두위티다·드위잊다. ¶ 어른어른ᄒᆞᆫ 믌겴고지 드위잊놋다(閃閃浪花翻)≪重杜諺 IX:37≫.

드위티다 자 〈옛〉 뒤치다. 번드치다. =두위티다. ¶ 靈利ᄒᆞᆫ 사ᄅᆞ미 바ᄅᆞ 드위텨 自己ᄅᆞᆯ 훤히 볼겨(靈利漢直下掀飜洞明自己)≪蒙法 61≫.

드위혀다 타 〈옛〉 뒤집다. =드위혀다. ¶ 우흘 드위혀닌 곧 다 이 그르시라(反上卽皆是器)≪圓覺 上 一之一 90≫.

드위힐우다 타 〈옛〉 되풀이하다. =드위힐후다. ¶ 드위힐워 므슴 ᄡᅮ믈 묻ᄌᆞ오샤(反覆徵問用心)≪圓覺 上 二之一 5≫.

드위힐후다 타 〈옛〉 되풀이하다. ¶ 닐오ᄃᆡ ᄭᅮ믜 이시며 업수미 드위힐훠 두 마리니(謂夢之有無反覆二說)≪圓覺 下 一之二 20≫.

드위혀다 ㊀ 타 〈옛〉 번드치다. 뒤집다. ¶ 無明을 드위혀 볼고ᄆᆞᆯ ᄆᆡᇰᄀᆞ로려 ᄒᆞᄂᆞ니라(欲飜無明爲明)≪楞嚴 IV:48≫. ㊁ 자 〈옛〉 반(反)하다. 어긋나다. ¶ 하ᄂᆞᆯ히 時節에 드위혀며(天反時)≪楞嚴 VII:59≫.

드잡이 명 ①서로 머리 또는 멱살을 그러잡고 싸우는 짓. ②빚을 갚지 못하여 솥을 떼어 가고 그릇 등을 가져 가는 짓. ③교군의 어깨를 쉬게 하기 위하여 다른 두 사람이 들장대로 가마채를 받쳐 들고 가는 짓. ——-하다 자타여불

드치다 자 〈방〉 더치다.

드 캉돌 〔de Candolle, Augustin Pyrame〕 명 〖사람〗 스위스의 식물학자. 파리에서 식물학을 연구하여 라마르크·퀴비에 등과 친교를 맺음. 1816년 이후는 제네바에 돌아와 전세계 고등 식물의 식물지(植物誌)를 완성하고자 아들 알퐁스(Alphonse)와 함께 100개 이상의 과(科)를 정리, 식물 분류학에 공헌함. 주저(主著)는 미완성인 ≪식물 자연 분류 서설(序說)≫이 있음. [1778-1841]

드 코:번 〔De Koven, Henry Louis Reginald〕 명 〖사람〗 미국의 작곡가. 1902년 워싱턴 교향악단을 창립, 지휘하였음. [1859-1920]

드 퀸시 〔De Quincey, Thomas〕 명 〖사람〗 영국의 문학자. 자신의 체험인 ≪어느 아편 중독자의 고백≫으로 문명(文名)을 얻었으며, ≪예술로서의 살인≫ 등으로 로코코조(rococo調)의 전형적인 산문을 발표하였음. [1785-1859]

드키 부 〈방〉 듯이(경상).

드틀 명 〈옛〉 티끌. ¶ 塵은 드트리라≪月釋 II:15≫. *듣글.

드티우다 타 〈옛〉 드티게 하다. ¶ ᄆᆡ 호량의 ᄂᆞ 줏ᄒᆞᆫ 은을 드티우면 ᄒᆞᆫ 돈식 나리라(每一兩傾白臉銀子出一錢裏)≪朴解 上 33≫.

드티다 자타 틈이 생기거나 날짜·기한 등이 조금씩 연기되다. 또, 틈을 내거나 날짜 등을 연기하다. ¶ 나무 사이를 드티어서 심자/돈 갚는 기한을 ~/어머니의 명령 아래서 어머니만 생각하던 나의 맘은 점점 드티기 시작하였습니다≪崔曙海: 餞迓辭≫.

드팀-새 명 틈이 생긴 정도나 기미. ¶ 조금의 ~도 주지 않고 몰아붙였다.

드팀-전 【一廛】 명 온갖 피륙을 파는 가게.

드 포리스트 〔De Forest, Lee〕 명 〖사람〗 미국의 발명가. 1906년에 발명한 삼극관(三極管)을 위시하여 무선 전신·전화·토키(talkie)·텔레비전 등에 관한 수백의 특허권을 얻어 미국에 있어서의 '라디오의 아버지'로 불림. [1873-1961]

득¹ 【得】 명 ↗소득(所得). ¶ 배우면 그만큼 ~이 된다. ——-하다 타여불 ①얻다. ②이익을 얻다.

득² 【得】 명 ①〖민〗 풍수 지리(風水地理)의 혈(穴). 또, 내명당(內明堂) 안에서 흐르는 물. *파(破). ②〔범 pārapdi〕〖불교〗 중생이 몸에 지닌 것을 잃지 아니하도록 붙들어 두는 힘. 반대로 몸에서 떨어져 나가게 하는 힘을 '비득(非得)'이라고 함.

득:³ 부 ①금이나 줄을 세차게 긋는 모양. 또, 그 소리. ②물이 갑자기 부쩍 어는 모양. ③세차게 긁는 모양. 또, 그 소리. 1)-3):>닥⁴.

득가 【得暇】 명 ①틈을 얻음. 겨를을 얻음. ②말미를 얻음. 득유(得由). ——-하다 자여불

득계 【得計】 명 득책(得策). ——-하다 자여불

득공 【得功】 명 성공(成功)함. 공을 이룸. ——-하다 자여불

득과 【得果】 명 ①행위에 대하여 그 결과를 몸으로 받는 일. ②〖불교〗 불도(佛道)를 수행하여 그 과보(果報)를 얻는 일. 오도(悟道)하거나 또는 정토(淨土)에 왕생(往生)하는 것을 이름. ——-하다 자여불

득군 【得君】 명 임금의 신임(信任)을 얻게 됨.

득기 【得氣】 명 〖한의〗 침구 요법(鍼灸療法)에서 침이 혈(穴)에 닿았을 때 시술자(施術者)·환자가 느끼는 감응.

득-기소 【得其所】 명 알맞은 자리를 얻음. ㊟득소(得所).

득난 【得難】 명 〖역〗 신라 때의 신분의 하나인 '육두품(六頭品)'을 차지하기 어렵다 하여 일컫던 이름.

득남 【得男】 명 아들을 낳음. 생남(生男). ¶ 나이 60에 ~하다. ——-하다 자여불

득남-례 【得男禮】[—녜] 명 득남한 것을 축하하기 위하여 한턱을 내는 일. 생남례(生男禮). ——-하다 자여불

득녀 【得女】 명 딸을 낳음. 생녀(生女). ——-하다 자여불

득달 【得達】 명 목적지(目的地)에 도달함. 목적을 달성함. ——-하다 자여불

득달-같다 형 잠시도 지체하지 아니하다.

득달-같이 [—가치] 부 득달같게. ¶ 도둑이 들어오자 ~ 경찰에 연락했다.

득담 【得談】 명 득방(得謗). ——-하다 자여불

득당-하다 【得當—】 형여불 틀림이나 잘못됨이 없이 아주 마땅하다.

득도¹ 【得度】 명 〖불교〗 불교(佛敎) 신자가 되어 부처의 제도(濟度)를 얻음. 득오(得悟). 도(度). ——-하다 자여불

득도² 【得道】 명 ①도(道)를 깨달음. ②오묘(奧妙)한 뜻을 깨달음. ——-하다 자여불

득도-자 【得度者】 명 득도한 사람. 출가(出家)한 사람. 승려. 도자(度者).

득돌-같다 형 마음먹고 있는 것과 같이 꼭꼭 잘 맞다.

득돌-같이 [—가치] 부 득돌같게.

득:-득 부 ①금이나 줄을 자꾸 세차게 긋는 모양. 또, 그 소리. ②물이 갑자기 부쩍 얼어붙는 모양. 또, 그 소리. ¶ ~ 얼어붙다. ③세차게 긁는 모양. 또, 그 소리. ¶ 솥바닥을 ~ 긁다. 1)-3):>닥닥.

득량-도 【得粮島】[—냥—] 명 〖지〗 전라 남도의 남해상, 고흥군(高興郡) 도양읍(道陽邑) 득량리(得粮里)에 위치하는 섬. [1.35 km^2 : 681 명 (1987)]

득력 【得力】[—녁] 명 숙달(熟達)하거나 또는 깊이 깨달아서 확고한 힘을 얻음. ——-하다 자여불

득롱 망:촉 【得隴望蜀】[—농—] 명 〔중국 위(魏)나라의 사마의(司馬懿)가 농(隴) 지방을 평정한 뒤, 그 승세를 몰아 촉(蜀)을 공략하려 하자, 조조(曹操)가 답한 말〕 한 가지 소원을 이룬 다음, 또다시 다른 소원을 이루고자 함을 이르는 말. 탐욕하여 만족할 줄 모름을 비유함. ㊟망촉(望蜀).

득률 【得率】[—뉼] 명 화학 공업 등에서, 원료(原料)에 대한 제품(製品)의 수율(收率). 생산 득률(生産得率).

득리¹ 【得利】[—니] 명 이익을 얻음. 획리(獲利). ——-하다 자여불

득리² 【得理】[—니] 명 사물의 이치를 깨달아 앎. ——-하다 자여불

득면 【得免】 명 재앙(災殃)이나 좋지 아니한 일 등을 잘 피하여 면(免)함. ——-하다 타여불

득명 【得名】 명 이름이 널리 알려짐. 명성이 높아짐. ¶ 그는 그 작품으로 ~했다. ——-하다 자여불

득문 【得聞】 명 얻어들음. ¶ ~한 바에 의하면. ——-하다 타여불

득물 【得物】 명 물건을 얻음.

득민 【得民】 명 학덕이 있고 정치를 잘 하여 백성이 충심으로 붙좇게 됨.

득방 【得謗】 명 남에게 비방·구설을 들음. 득담(得談). ——-하다 자여불

득배 【得配】 명 배필(配匹)을 얻음. 아내를 얻음. ——-하다 자여불

득법 【得法】 명 ①〖불교〗 불법의 진리를 체득함. 대오(大悟)하는 일. ②전하여, 오의(奧義)를 터득함. ——-하다 자여불

득병 【得病】 명 병을 얻음. 병에 걸림. ——-하다 자여불

득보 【得報】 명 〖불교〗 몸으로 받는 과보(果報).

득보기 명 아주 못난 사람.

득부 상부 【得斧喪斧】 명 득부 실부(得斧失斧).

득부 실부 【得斧失斧】 명 잃은 도끼나 얻은 도끼나 매일반이라는 뜻으로, 얻고 잃은 것이 없다는 말. 득부 상부(得斧喪斧).

득분 【得分】 명 ①얻은 부분. ②장원(莊園)의 영주(領主)·장관(莊官)·마름 등이 토지에서 연공(年貢)으로서 수득(收得)한 수익.

득불 【得佛】 명 〖불교〗 성불(成佛)❶.

득-불보실 【得不補失】 명 얻은 것으로는 그 잃은 것을 메워 채우지 못함. 곧, 손(損)이 됨.

득삼법인-원 【得三法忍願】 명 〖불교〗 아미타불(阿彌陀佛)의 사십 팔 원(四十八願) 중 최후의 원(願)을 일컬음. 시방(十方)의 보살들이 삼종(三種)의 법인(法忍)을 얻을 수 있도록 서원(誓願)한 것.

득상 【得喪】 명 득실(得失)❶.

득색 【得色】 명 득의(得意)한 빛. 일이 뜻대로 되어 뽐내는 빛. 또, 그 기세(氣勢).

득세 【得勢】 명 ①세력을 얻음. ¶ 온건파가 ~하다. ↔실세(失勢). ②시세(時勢)가 좋게 됨. ——-하다 자여불

득소 【得所】 명 ↗득기소(得其所).

득소 실다 【得少失多】[—따] 명 얻은 것은 적고, 잃은 것은 많음. 소득(所得)은 적고, 손실(損失)은 큼. ——-하다 자여불

득송 【得訟】 명 송사(訟事)에 이김. 승소(勝訴). ——-하다 자여불

득수¹ 【得水】 명 〖민〗 묘(墓)나 집터 등에서 보아 산 속에서 나와 산 속으로 흐르는 물의 처음 보이는 지점. ↔파문(破門). *파수(破水).

득수² 【得數】 명 〖수〗 몫².

득수 득파 【得水得破】 명 〖민〗 풍수 지리(風水地理)에서, 산 속에서 나와 산 속으로 흐르는 물을 일컫는 말. 묘(墓)나 집터 등에서 보아 처음 보이는 지점을 '득수', 물이 빠져나가는 끝 지점을 '파문(破門)'이라 함.

득승 【得勝】 명 싸움이나 경기 따위에서 승리를 얻음. ——-하다 자여불

득승지-회 【得勝之會】 명 〖천주교〗 구령 승천(救靈昇天)한 사람이 천당에 모임. 영승지회(榮勝之會). ——-하다 자여불

득시 【得時】 명 좋은 시기를 알맞게 얻음. 때를 만남. ——-하다 자여불

득시글-거리다 자 사람이나 동물·벌레 따위가 한 데로 모여 자꾸 움직이다. ¶ 몸에 이가 ~. ㊟득실거리다. 득시글-득시글 부. ¶ 구더기 떼가 ~ 끓다. ——-하다 자형여불

득시글-대다 자 득시글거리다.

득신¹ 【得辛】 명 〖민〗 음력 정월의 첫번 드는 신일(辛日). 초하룻날이면 '일일 득신(一日得辛)', 열흘이면 '십일 득신'이라 하여 그 해의 풍흉(豐凶)을 점침. 일일 득신이면 벼의 꽃이 벌어져 있는 동안이 하루고, 십일 득신이면 그 동안이 열흘이라 함.

득신² 【得伸】 명 ①뜻을 펴게 됨. ②소송(訴訟)에 이김. ——-하다 자여불

득신 기정【得伸其情】[명] 그 뜻을 펼 수가 있음. 그 뜻을 펴게 됨. ――-하다 [자][여불]

득실【得失】[명] ①얻음과 잃음. 득상(得喪). ¶ ~이 거의 반반이다. ②이익과 손해. 이해(利害). ¶ ~을 떠나서. ③성공과 실패. ④장처(長處)와 단처(短處). 실득(失得).

득실-거리다 [자] ↗득시글거리다. 득실-득실 [부]. ――-하다 [자][형][여불]

득실-대다 [자] 득실거리다.

득실 상반【得失相半】[명] 득실이 상반함. 이로움과 해로움이 서로 마찬가지임. ――-하다 [형][여불]

득심【得心】[명] 득의(得意)의 마음. 또, 민심을 얻음.

득업【得業】[명] ①어떠한 과정(課程)의 학과를 배워서 얻음. ②〖불교〗 정해진 불도 수행을 끝내는 일. 또, 그 사람. ――-하다 [타][여불]

득업-사【得業士】[명]〖일제〗의과(醫科) 대학 같은 학교를 마치고 면허장(免許狀)을 얻은 사람. ¶ 치과(齒科) ~.

득오¹【得悟】[명]〖불교〗득도(得度).

득오²【得烏】[명]〖사람〗신라 효소왕(孝昭王) 때, 모죽지랑가(慕竹旨郎歌)라는 향가를 지은 사람. 자세한 전기(傳記)는 미상. 득오곡(得烏谷).

득오곡【得烏谷】[명]〖사람〗득오.

득유【得由】[명] 말미를 얻음. 수유(受由)를 받음. 득가(得暇). ――-하다 [자][여변]

득음【得音】[명] 풍악·노래 등의 곡조(曲調)가 썩 아름다운 지경에 이름. 「――-하다 [형][여불]

득의【得意】[─/─이] [명] 바라던 일이 이루어져서 뽐냄. 뜻을 이루어 자랑함. ¶ ~에 찬 얼굴. ――-하다 [자][여불]

득의 만:면【得意滿面】[─/─이─] [명] 뜻한 바를 이루어서 기쁜 표정이 얼굴에 가득 참. ――-하다 [형][여불]

득의 양양【得意揚揚】[─/─이─냥] [명] 바라던 일이 이루어져서 우쭐거리며 뽐냄. 의기 양양(意氣揚揚). ――-하다 [형][여불]

득의지-색【得意之色】[─/─이─] [명] 바라던 일이 뜻대로 이루어진 기색.

득의지-추【得意之秋】[─/─이─] [명] 바라던 일이 뜻대로 이루어질 좋은 기회.

득익【得益】[명] 이익(利益)을 얻는 일.

득인【得人】[명] 쓸 만한 사람을 얻음. ――-하다 [자][여불]

득-인심【得人心】[명] 인심을 얻음. ↔실인심(失人心). ――-하다 [자][여불]

득점【得點】[명] 어떠한 시험이나 경기(競技) 같은 데서 점수를 얻음. 또, 그 점수. ¶ ~표/대량 ~. ↔실점(失點). ――-하다 [자][여불]

득점-자【得點者】[명] 득점한 사람. ¶ 최고(最高) ~.

득점-타【得點打】[명] 야구에서, 득점에 연결된 안타(安打).

득점-표【得點表】[명] 득점을 기록하는 표.

득정【得情】[명] 범죄의 실정(實情)을 알아냄. ――-하다 [자][여불]

득제【得題】[명] 소장(訴狀)이나 또는 청원서(請願書) 같은 데에, 이로운 제사(題辭)를 받음. ――-하다 [자][여불]

득죄【得罪】[명] 남에게 대한 큰 잘못으로 죄를 얻음. ――-하다 [자][여불]

득중【得中】[명] 지나치거나 모자람이 없이 꼭 알맞음. ――-하다 [자][여불]

득지【得志】[명] 바라던 것이 뜻대로 됨. 또, 뜻을 이룸. ――-하다 [자][여불]

득진【得眞】[명] ①사물의 진상(眞相)을 알게 됨. ②아주 진경(眞境)에 이름. ――-하다 [자][여불]

득참【得參】[명] 참여(參與)함을 얻게 됨. 참여할 수 있게 됨. ――-하다 「[자][여불]

득책【得策】[명] ①훌륭한 계책(計策). ②훌륭한 계책을 얻음. 득계(得計). ――-하다 [자][여불]

득첩【得捷】[명] 과거에 급제(及第)함. ――-하다 [자][여불]

득체【得體】[명] 체면(體面)을 유지함. ――-하다 [자][여불]

득총【得寵】[명] 지극한 사랑을 받음. ――-하다 [자][여불]

득측-산【得測山】[명]〖지〗평안 북도 초산군(楚山郡) 풍면(豐面)과 강면(江面) 사이에 있는 산. [1,081 m]

득탈【得脫】[명]〖불교〗불법의 참된 이치를 깨달아서 번뇌(煩惱)·고뇌(苦惱)의 지경에서 벗어나 불과(佛果)를 얻음. ――-하다 [자][여불]

득통【得通】[명]〖불교〗통력(通力)을 얻음. ――-하다 [자][여불]

득표【得票】[명] 투표(投票)에서 표를 얻음. 또, 얻은 표수(票數). ¶ ~ 공작. ――-하다 [자][여불]

득표-수【得票數】[명] 투표에서 얻은 표수(票數).

득표-자【得票者】[명] 선거 따위에서, 표를 얻은 사람.

득-하다¹【得─】[타][여불] ①얻다. ②이익을 얻다.

득:-하다² [형][여불] 날씨가 갑자기 추워지다.

득행【得幸】[명] 임금에게서 특별한 사랑을 받음. ――-하다 [자][여불]

득효【得效】[명] 효력을 봄. 약효(藥效)를 봄. ――-하다 [자][여불]

득효-방【得効方】[명]〔↗세의 득효방(世醫得効方)〕①〖책〗원(元)나라 위역림(危亦林)이 지은 의서(醫書). 우리 나라에서도 많이 쓰임. 20 권. ②〖역〗조선 시대 때, 의과(醫科) 초시(初試)의 시험 과목. 전의감(典醫監)에서 강서(講書)의 한 과목으로 시험 보여 18 명을 합격시켰음.

득희【得喜】[─히] [명]〖불교〗아람바(阿藍婆).

든 [조] ↗든지. ¶ 개~ 소~ 마찬가지다. *이든.

-든¹ [어미] ☞-던.

-든² [어미] ①↗-든지❷. ¶ 있~ 가~ 맘대로 해라. ②〈방〉-진. ¶ 가~ 않고 간다고만 한다.

든가 [조] ☞든지.

-든가¹ [어미] ☞-던가.

-든가² [어미] ☞-든지.

든-가난 [명] ☞든거지.

든-거지 [명] ↗든거지 난부자. ↔난거지.

든거지 난부자【─富者】[명] 집안 살림은 가난하여 거지 형편이면서, 밖으로는 부자같이 행세하는 사람. [준]든거지. ↔든부자 난거지·난거지 든부자.

-든걸 [어미] ☞-던걸.

-든고 [어미] ☞-던고.

-든구나 [어미] ☞-더구나.

든난-벌 [명] 든벌과 난벌.

든-눕다 [자]〈방〉드러눕다(평안).

-든데 [어미] ☞-던데.

든든-하다 [형][여불] ①약하지 아니하고 굳세다. 건강하다. ¶ 다리가 든든해서 백리 길은 문제 없다. ②무르지 아니하고 굳다. ¶ 든든하게 만든 물건. ③속이 배서 여무지다. 속이 차서 실속이 있다. 또, 잘못이나 부족함이 없다. ¶ 매사는 든든하게 하여야 된다. ④마음이 허수하지 아니하고 미덥다. ¶ 그 말을 들으니 ~. ⑤음식을 먹어 배부르다. ¶ 든든하게 먹고 길을 떠나라. 1)-4):ㅆ뜬뜬하다. >단단하다. 든든-히 [부]

-든들 [어미] ☞-던들.

든물 [명]〈방〉〖충〗진딧물(경북).

든-바람 [명]〈방〉동남풍.

든버릇 난버릇 [명] 후천적 습성이 선천적 성격처럼 되어 감을 이르는 말.

든-번【─番】[명] 당직(當直) 근무하러 들어가는 차례. ↔난번.

든-벌 [명] 집 안에서만 신는 신이나 입는 옷 등의 총칭. *난벌.

든-부자【─富者】[명] ↗든부자 난거지. ↔난부자.

든부자 난거지【─富者─】[명] 집안 살림은 풍족하면서도 밖으로는 거지같이 보이는 사람. [준]든부자. ↔든거지 난부자·난부자 든거지.

든-손 ㈠[명] 일을 시작한 손. 일하는 김. ¶ ~에 마저 해 버리자. ㈡[부] 망설이지 아니하고 곧. 그 자리에서 얼른. ¶ 그까짓 일은 ~ 해치울 수 있다.

든지 [조] 무엇이나 가리지 아니하는 뜻을 나타낼 때에 받침 없는 체언에 붙이어 쓰는 보조사. ¶ 배추~ 무~ 마음대로 사 오너라. [준]든. *이든지.

-든지 [어미] ①☞-던지. ②용언의 어간에 붙어 일의 내용이나 물건의 구별 같은 것을 가리지 아니하는 뜻을 나타내는 연결 어미. ¶ 가~ 말~ 마음대로 해라. [준]-든.

든:-지르다 [타]〈방〉들이지르다.

든직-하다 [형][여불] 사람됨이 경솔하지 아니하고 묵중(默重)하다. ¶ 사람이 든직하여 믿을 만하다. 든직-히 [부]

든:-질르다 [타]〈방〉들이지르다. ¶ 기껏해야 식모가 나서서 세숫물 한 대야 떠다가 든질르기가 고작이다《蔡萬植 : 濁流》.

든-침모【─針母】[명] 남의 집에 있으면서 바느질을 맡아 하는 침모. ↔난침모.

듣건대 [부] 들은 바에 의하면. ¶ ~ 내일 떠난다지.

듣고-놓기 [─노키] [명] 수판셈을 할 때, 다른 사람이 부르는 수(數)를 놓는 방식. *보고 놓기.

듣-그럽다 [형][ㅂ불] 떠드는 소리가 시끄러워 듣기 싫다. ¶ 듣그러운 소리.

듣글 [명]〈옛〉티끌. ¶ 뜬 듣글(浮塵)《楞嚴 Ⅱ:90》.

듣글ᄢᅵ [명]〈옛〉티끌과 때. =듣긄ᄢᅵ. ¶ 듣글ᄢᅵ 아숌 ᄀᆞᆮᄒᆞ야(如去塵垢)《楞嚴 Ⅸ:86》.

듣긄ᄢᅵ [명]〈옛〉티끌과 때. =듣글ᄢᅵ. ¶ 아모디도 마근 ᄃᆡ 업서 듣긄ᄢᅵ 걸위디 몯ᄒᆞᆯ 씨라《月序 8》.

듣기 [명]〖교〗국어 학습의 한 부분. 남의 말을 정확하게 알아듣고 이해하는 일. 쓰기·읽기·말하기 및 짓기보다 초보적인 것임. 히어링(hearing). ↔말하기.

듣기-감각【─感覺】[명]〖생〗'청각(聽覺)'의 풀어 쓴 말.

듣기다 [자]〈방〉들리다¹(경상).

듣기-신경【─神經】[명]〖생〗'청(聽)신경'의 풀어 쓴 말.

듣기-틀 [명]〖생〗'청기(聽器)'의 풀어 쓴 말.

듣놋다 [자]〈옛〉떨어지는구나. '듣다³'의 활용형. ¶ ᄆᆞᄂᆞᆫ 밀흔 가비야온 고지 듣놋다(細麥落輕花)《杜諺 Ⅶ:5》.

듣다¹ [자][ㄷ불] 빗물이나 눈물 등이 방울져 떨어지다. ¶ 빗방울이 뚝뚝 듣는다.

듣다² [자][ㄷ불] 약 따위가 효험을 나타내다. ¶ 두통에 잘 듣는 약/그에게는 뇌물이 안 듣는다.

듣다³ [자]〈옛〉떨어지다. ¶ 나못 니피 누르러 듣고(木葉黃落)《杜諺 XXV:29》.

듣다⁴ [타][ㄷ불] ①귀청이 울려서 소리를 느끼다. 귀로 소리를 느끼다. ¶ 음악을 ~. ②칭찬이나 꾸지람을 받다. ¶ 꾸지람을 ~. ③이르는 말대로 따라 하다. 부탁대로 실천하다. ¶ 말을 잘 듣는 착한 어린이/충고를 ~. ④허락하다. 승인하다. ¶ 들어 주실는지.

【듣기 좋은 이야기도 늘 들으면 싫다】아무리 좋은 일이라도 여러 번 되풀이 하면 싫증이 남을 이르는 말. 【들으면 병이요 안 들으면 약이다】들어서 걱정이 될 일은 듣지 아니함이 차라리 낫다는 말. 【들은 귀는 천년이요 한 입은 사흘이라】모진 말을 한 자는 곧 잊어버리나 그것을 들은 자는 좀처럼 잊지 못한다. 【들은 말 들은 데 버리고 본 말 본 데 버려라】말을 옮기지 말라는 뜻. 【들은 풍월 얻은 문자】정식으로 배워서 얻은 지식이 아니라, 얻어 듣고서 문자를 쓰는 사람을 비웃는 말. 【들을 이 짐작】옆에서 아무리 감언 이설로 말을 늘어놓아도, 듣는 사람은 자기 나름대로 짐작을 할 것이니, 말한 그대로만 될 리는 없다는 말.

듣다 못:해 [부] 어떠한 말을 듣고, 참고 참다가 더 이상 참을 수가 없어서. ¶ ~ 그 자리에서 나와 버렸다/~ 한마디 했다.

듣보기 장사 [명]〔←듯보기 장사〕들어박힌 장사가 아니고, 시세를 듣보아 가며 요행수를 바라고 하는 장사.

【듣보기 장사 애 말라 죽는다】요행수를 바라느라고 몹시 애를 쓰는 사람을 비유하여 일컫는 말.

듣-보다 [타] 무엇을 찾아 살피느라고 뜻을 두어, 듣고 보고 하다. ¶ 너는 다시 가합한 신랑을 사면 듣보아 시집을 보내주마《李海朝 : 彈琴臺》.

듣봄 [명]〈옛〉문견(聞見). ¶ 善惡을 ᄀᆞᆯᄒᆡ디 몯ᄒᆞ야 귀예 듣보미 업거든《月釋 XXI:126》.

듣소라 자 〈옛〉 듣노라. '듣다⁴'의 활용형. ¶ 金鐘ㅅ소리를 듣소라(聆金鐘)《杜諺 Ⅳ:21》.
듣잘것 없:다 [—껃업—] 구 [↗듣자고 할 것 없다] 듣고자 할 만한 것이 못 된다.
듣-잡다 타 ㅂ불 '듣다⁴'의 가장 겸손한 말. ¶ 말씀을 듣자오니.
듣져ᄒᆞ다 타 〈옛〉 듣고자 하다. ¶ 일후미 法華ㅣ니 ᄒᆞ리가 듣져ᄒᆞ야든《月釋 XⅦ:52》.
듣ᄌᆞ바도 타 〈옛〉 듣자와도. '듣ᄌᆞᆸ다'의 활용형. ¶ 비록 如來ㅅ 誠實ᄒᆞᆫ 마롤 듣ᄌᆞ바도《月釋 XXI:15》.
듣ᄌᆞ보니 명 〈옛〉 듣자온 이. 듣자온 사람. ¶ 淸淨蓮華目如來ㅅ 마롤 듣ᄌᆞ보니《月釋 XXI: 58》.
듣ᄌᆞᆸ다 타 〈옛〉 듣잡다. ¶ 法이 精微ᄒᆞ야 져믄 사ᄅᆞᆷ이 어느 듣ᄌᆞᄫᆞ리잇고《釋譜 Ⅵ:11》.
듣ᄌᆞᆸ다 타 〈옛〉 듣잡다. ¶ 아래 ᄌᆞ조 듣ᄌᆞᄫᆞᆫ 마ᄅᆞᆫ 즉자히 도로 니저《釋譜 Ⅵ:11》.
들:¹ 명 산이나 골이 아니고, 논밭을 풀 수 있는 평평하고 넓은 땅. 벌판. 평야. 교허(郊墟). ¶ ～에 나가 일하다. *벌¹.
[들 중은 소금을 먹고 산 중은 나물을 먹는다] 들에서 사는 중은 그 곳에서 흔히 구할수 있는 소금을 먹고 산에서 사는 중은 산에서 흔히 구할 수 있는 나물을 먹는다는 뜻으로, 무슨 일이든지 무리하지 말고 사정이 허락하는 대로 하라는 말.
들² 의명 두 개 이상의 사물을 벌여 말할 때 맨 끝에 씌이어, 그 여러 사물을 모두 가리키거나 또는 그 밖에 같은 종류의 사물이 더 있음을 나타내는 말. ¶ 전차·버스·택시 ～. *등(等)·따위.
들:³ 부 ☞덜.
들-¹ 부 [←들이·들입다] 마구 무리하게 힘을 들이어. 몹시. 굉장히. 무리하게. ¶ ～볶다/～부수다/～끓다.
들:-² 부 '들에서 자란'·'야생(野生)'의 뜻. ¶ ～개/～국화.
-들¹ 미 ①명사·대명사에 붙어서, 복수(複數)를 나타내는 말. ¶ 사람～/우리～. ②동작을 나타내는 말이나 부사에 붙어서, '여럿이 모두' '여럿이 저마다'의 뜻을 나타내는 말. ¶ 떠들지～ 말아라/다～ 떠났다/지각～ 만 하지 말고 일찍 나오렴.
들²【等】 미 〈이두〉 -들¹.
-들³ 어미 〈방〉 -질¹.
들:-가뢰 명 〖충〗 들길앞잡이.
들:-개 [—깨] 명 ①사육하는 주인이 없이 제멋대로 돌아다니며 자라는 개. 야견(野犬). ②〈속〉 맥없이 쏘다니는 사람.
들-것 [—껃] 명 거적 혹은 넓은 피륙으로 길게 만들어 좌우에 가로로 채를 대서, 앞뒤 두 사람이나 네 사람이 한 귀씩 들게 된 기구. 흙·눈 같은 것을 담아 나르며, 병원에서는 환자·시체 등의 운반용으로 씀. 담가(擔架). 나리(蘽梩). ¶ ～으로 나르다.
〈들것〉
들고-나가다 타 거라불 지연(紙鳶)을 얼려 줄을 주다가 다 풀어져서 더 줄 실이 없을 때, 얼레를 들고 지연을 따라 나가다.
들고-나다 자 ①남의 일에 참견하여 일어나다. ¶ 마을 사람들이 모두 들고나서 싸움을 말렸다. ②난봉이 나거나 가난하여 집안에 있는 물건을 팔려고 가지고 나가다. ¶ 가구를 들고나는 것을 보니 그 집 살림도 끝장이로군.
들고-뛰다 자 〈속〉 달아나다❷. ¶ 주인을 보더니 도둑놈은 들고뛰었다.
들고-버리다 자 〈속〉 달아나다❷.
들고-빼다 자 〈속〉 달아나다❷.
들고-일어나다 자 ①세차게 일어나다. ②어떤 일에 항의해 궐기하고 나서다. ¶ 감봉하는 바람에 한바탕 들고일어났지 뭐냐.
들고-주다 ㊀자 〈속〉 달아나다❷. ㊁타 난봉이 나서 있는 재물을 함부로 쓰다.
들고-튀다 자 〈속〉 달아나다❷. ¶ 그들은 어둠을 타서 들고튀었다.
들고-파다 타 한 가지만 가지고 열심히 연구를 하다. 공부를 열심히 하다. ¶ 영어만 죽어라 하고 ～/열심히 들고파더니 고시에 합격했구나.
들과【等果】 〈이두〉 -들과.
들괭이 명 〈방〉 〖동〗 달팽이.
들구-방애 명 〈방〉 절구¹(경북).
들구-주다 자 〈방〉 들고주다. ¶ 진작 알아채고 들구주는 것이 옳겠다《李海朝 : 九疑山》.
들:-국화【—菊花】 명 〖식〗 재배(栽培) 국화나 관상(觀賞) 국화에 대하여 산이나 들에 나는 야생종(野生種)의 국화. 감국(甘菊)·해국(海菊)·산국(山菊) 등. 야국(野菊).
들굴¹ 명 〈옛〉 등걸. =들궐¹. ¶ 고즌 니건 힛 들구레 펫도다(花發去年叢)《杜諺 Ⅲ:54》.
들굴² 명 〈옛〉 떼³. =들궐². ¶ 부러 ᄠᅳᆫ 들구를 두어 ᄆᆞ라 비예 드노라(故着浮槎替入舟)《重杜諺 Ⅲ:31》「下 6》.
들궐¹ 명 〈옛〉 등걸. =들굴¹. ¶ 불휫들궐 골(榾), 불휫들궐 돌(柮)《字會
들궐² 명 〈옛〉 떼³. =들굴². ¶ 들궐 사(槎亦作楂)《字會 下 3》.
들-그물 명 물속에 펼쳐 두었다가 들어올리어 물고기를 잡는 그물. 들망.
들그서-내다 타 안에 들어 있는 물건을 함부로 들들 뒤져 끄집어내다.
들:글기 명 〈방〉 궁이.
들기다 자 〈방〉 들키다(함남).
들-기름 명 들깨로 짠 기름. 등유(燈油) 또는 종이 우산·장판지·유지(油紙) 등에 쓰는 것은 볶지 아니하고 짜며, 먹는 것은 볶아서 짬. 법유(法油). *참기름.
들:-길 [—낄] 명 들에 난 길. 야로(野路). 야경(野徑).
들-까부르다 타 르불 몹시 흔들어서 까부르다. 준들까불다.
들까불-거리다 타 자꾸 들까부르다. 들까불-들까불 부. ——하다 타 여불
들-까불다 타 ↗들까부르다. ¶ 파아란 페인트칠을 한 똑딱이가 선체를 들까불며 들어온다《沈熏 : 常綠樹》.
들까불-대다 타 들까불거리다.
들-까불리다 피동 들까부름을 당하다.
들깡-들깡 감 〈방〉 달강달강.
들-깨 명 〖식〗 [*Perilla frutescens* var. *japonica*] 꿀풀과에 속하는 일년초. 차조기와 비슷한데 높이 80 cm 내외이고, 경엽(莖葉)은 크고 녹색에 잔털이 나며 유병(有柄)의 넓은 달걀꼴이고 윤생(輪生)함. 여름에 흰 빛의 잔 꽃이 줄기 끝에 총상(總狀) 화서로 핌. 수과(瘦果)의 꼬투리에 네 개의 씨가 동글동글하고 백색으로 익는데 쉽게 떨 수 있음. 씨는 볶아서 깨소금과 같이 쓰고, 기름을 짜서 쓰기도 함. 동부 아시아 원산(原產)으로 인도·중국·한국·일본 등지에서 재배함. 백소(白蘇). 수임(水荏). 야임(野荏). 임자(荏子). *참깨.

〈들깨〉

들깨-죽【—粥】 명 들깨와 쌀을 불려 매에 갈아서 쑨 죽. 앓고 난 뒤의 소복(蘇復)에나, 노인들에게 좋음.
들깨-풀 명 〖식〗 [*Mosla punctulata*] 꿀풀과(科)에 속하는 일년초. 줄기는 방형(方形)이고, 때때로 자색을 띠며 높이 60 cm 내외이고, 잎은 대생(對生)하며 다소 장병(長柄)에, 달걀꼴 피침형 또는 긴 타원형임. 8-9월에 담자색 꽃이 총상 화서로 가지 끝에 정생(頂生)하여 피고, 수과(瘦果)는 구형임. 들에 나는데, 한국 각지 및 일본에 분포함. 석제녕(石薺薴).

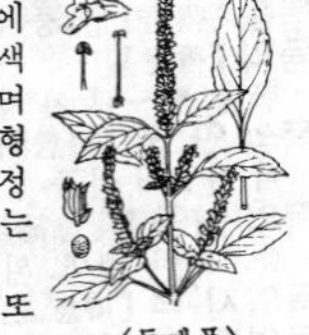

〈들깨풀〉

들깻-묵 명 들기름을 짜고 난 찌끼. 물고기의 먹이 또는 비료로 널리 쓰임. *참깻묵.
들깻-잎 [—닙] 명 들깨의 잎사귀. 둥근 모양으로 가에 톱니가 있음. 양념을 하여 쪄서 먹기도 하고 된장이나 간장에 담가 두었다가 먹기도 함. 특이한 냄새가 나며 입맛을 돋굼.
들:-꽃 명 들에 피는 꽃. 야화(野花).
들-꾀다 자 여럿이 많이 모여들다. ¶ 파리가 ～.
들:-꿩 명 〖조〗 [*Tetrastes bonasia vicinitas*] 들꿩과에 속하는 새. 뇌조와 비슷한데 날개 길이 165 mm, 꽁지 125 mm, 부리 21 mm 가량임. 배면(背面)은 회색에 적갈색의 횡문(橫紋)이 있고 목은 흑색, 수컷은 이마와 뒷목이 회색임. 복부(腹部)는 백색인데 흑색과 적갈색의 반문이 있으며, 꽁지의 위에 넓은 흑색 띠가 있고 끝은 백색임. 발굽까지 깃털로 덮이고 콧구멍에도 털이 있으며 눈 위에 나출부가 있음. 고산 지대에 서식하는데, 나무의 순과 열매를 먹음. 한국 특산의 꿩으로, 보호조임. 송계(松鷄). 수계(樹鷄).
〈들꿩〉
들:꿩-과【—科】 [—꽈] 명 〖조〗 [Tetraonidae] 닭목(目)에 속하는 한 과. 중형·대형의 조류로서 부리는 짧고 그 기부는 피막으로 싸임. 자웅의 색채가 다름. 발굽에도 깃털이 있음. 주로 초식성(草食性)이며, 둥지는 땅 위에 짓고 한 배에 6-10개씩 산란함. 알은 황색 또는 담갈색에 녹갈색의 반점이 있음. 유럽·아시아 및 북미의 중부 이북을 중심으로 50여 종이 분포함.
들-끓다 [—끌타] 자 한 곳에 많이 모여서 우글우글 물 끓듯 움직이다. ¶ 피서객으로 ～/집에 쥐가 ～.
들-나무 [—라—] 명 마소의 편자를 신기는 곳에 세운 기둥.
들:-나물 [—라—] 명 들에서 나는 나물.
들-낚시 [—락—] 명 씨름에서, 다리 재간의 하나. 상대자를 달싹 채어 들면서 안낚시를 걺.
들-날리다 [—랄—] 자타 ①세력이나 명성을 널리 떨치다. 또, 떨치게 하다. ¶ 이름을 전세계에 ～. ②드날리다.
들-내 [—래] 명 들깨나 들기름에서 나는 냄새.
들:-녘 [—력] 명 산에서 조금 떨어져 평야가 많이 있는 곳.
들:-노래 [—로—] 명 〖악〗 들이나 논에서 일하면서 부르는 소리의 통칭.
들-놀다 [—롤—] 자 들썩거리면서 이리저리 흔들리다.
들:-놀리다 [—롤—] 타 남을 함부로 막 놀려 주다.
들:-놀음 [—롤—] 명 〖민〗 경남 동래(東萊) 지방을 중심으로 발달한 오광대(五廣大) 놀음의 하나. 정월 보름날, 줄다리기를 한 뒤에 얼굴에 가면을 쓰고 함. 야유(野遊).
들:-놀이 [—롤—] 명 들에서 노는 놀이. 야유(野遊). ——하다 자 여불
들놋 명 〈방〉 다래끼²(제주).
들:-놓다¹ [—로타] 자 끼니때가 되어 논밭의 일손을 떼고 쉬거나, 집으로 헤져 가다.
들-놓다² [—로타] 타 들었다 놓았다 하다.
들-누에 명 〖충〗 〈방〉 산누에.
들다¹ 자 ①오던 비나 눈이 그치어 날이 개다. 궂은 날이 좋아지다. ¶ 장마가 ～. ②흐르던 땀이 그치다. ¶ 땀이 ～.
들다² 자 쇠붙이 연장의 날이 날카로워 물건을 잘 먹다.
[들지 않는 솜틀은 소리만 요란하다] ㉠못난 사람일수록 젠체하고 호령하고 나선다. ㉡되지도 않을 일을 소문만 크게 낸다는 말.
들다³ 자 나이를 꽤 많이 먹다. ¶ 나이가 들어 보이다.
들다⁴ 자 ①집이나 있을 곳을 마련하여 거기에 있게 되다. 있을 곳을 정하고 살다. ¶ 새집에 ～/여관에 ～. ②안으로 향하여 가거나 또는 오다. ¶ 잠자리에 ～. ③물빛이 물건에 스미어 옮아오르다. ¶ 빨간 물이

곱게 ~. ④어떠한 데에 돈이나 물건 같은 것이 쓰이다. 소용되다. ¶ 경비가 ~/재료가 ~/공이 ~. ⑤절기(節氣)나 풍년·흉년이 되다. ¶ 윤년이 ~/장마철에 ~/가뭄이 ~. ⑥마음에 꼭 맞다. ¶ 마음에 든 신랑감/주인의 눈에 ~. ⑦몸에 어떤 증세가 나타나거나 병이 생기다. ¶ 멍이 ~/감기가 ~. ⑧음식 맛이 알맞게 되다. 맛이 생기다. ¶ 간이 ~/이제야 술맛이 드는구나. ⑨버릇이 생기다. ¶ 고약한 버릇이 ~. ⑩원상태로 회복되거나 사리를 분별하게 되다. ¶ 정신이 ~/철이 ~. *나가다. ⑪안에 들어 있다. ¶ 주머니에 든 돈. ⑫도둑 등이 침입하다. ¶ 간밤에 도둑이 들었다. ⑬시중이나 주선 등을 해 주다. ¶ 중매를 ~/역성을 ~. ⑭해나 광선이 어느 테두리 안에 미치다. ¶ 햇볕이 잘 드는 남향집. ⑮어느 조직체에 가입하거나 합격되다. ¶ 계(契)에 ~/합격선에 ~. ⑯어떤 환경이나 상태에 빠지거나 놓이다. ¶ 고생길에 ~/곤경에 ~. ⑰어떤 행동으로 나오다. 어떤 행동을 취하려고 하다. ¶ 때리려고 ~/도망치려고 ~. ⑱애써 하려고 하다. ¶ 하려고 드는 사람.
[드는 정은 몰라도 나는 정은 안다] ㉠정이 들 때는 드는 줄 모르게 들어도, 정이 떨어져 싫어질 때는 역력히 알 수 있다는 말. ㉡정이 들 때는 드는 줄 몰라도 막상 헤어질 때는 그 정이 얼마나 두터웠던가를 새삼 알게 된다는 말. [드는 줄은 몰라도 나는 줄은 안다] 재물이나 식구가 붇는 것은 잘 뜨이지 않으나, 그것이 줄어들거나 나가는 것은 눈에 잘 뜨인다는 말. [들어서 죽 쑨 놈은 나가도 죽 쑨다] ㉠집에서 일만 하던 이는 나가도 일만 하게 된다. ㉡집에서 하던 버릇은 집을 나서도 버리지 못한다. [들 적 며느리 날 적 송아지] 며느리는 시집에 올 적에만 대접을 받고, 송아지는 날 임시에만 귀염을 받는다는 뜻으로, 며느리는 출가해 온 후 줄곧 일만하고 산다는 말.

들다[5] 타 ①손에 가지다. ¶ 가방을 ~. ②물건을 위로 올리다. ¶ 손을 들라. ③어떠한 사실이나 예(例)를 끌어 말하다. ¶ 예를 들자면/증거를 ~. ④음식을 먹다. ¶ 아침을 ~.
[드는 돌에 낯 붉는다] 힘을 들여 돌을 들고 나야만 얼굴이 붉어지듯이, 세상의 모든 것이 원인이 있어야만 결과가 있다는 말. 거석이홍안(擧石而紅顔). [들고 나니 초롱꾼] 초롱을 들고 나서면 초롱꾼이 되듯이, 사람은 어떤 일이라도 다 할 수 있다는 말. ¶ 들고 나니 초롱꾼에 팔자나 고쳐 볼까≪庸婦歌≫.

들다[6] 타 〈옛〉 펀들다. ¶ 나랏 臣下ㅣ 太子ㅅ 녀글 들면 須達이 願을 몯 일울까ᄒᆞ야≪釋譜 Ⅵ:25≫.

들당하여【等乘當爲】〈이두〉 들에 대하여.

들:-대 명 가까운 들녘.

들-도리 [—또—] 명 〖건〗 들연이 얹히는 도리. 곧, 가에 선 기둥 위의 도리인데, 상량(上樑) 도리에 대하여 구별 지어 일컬음.

들-돌 [—똘] 명 몸의 운동을 위하여 들었다 놓았다 하는 돌덩이. 역도(力道)하는 데에 썼음.

들-두드리다 타 마구 두드리다. 사정없이 함부로 두드리다. ¶ 대문을 ~.

들-두들기다 타 함부로 마구 두들기다. 몹시 두들기다.

들들 부 ①콩·깨 같은 것을 휘저어 가며 볶거나 맷돌에 가는 모양. ②사람을 마구 들볶는 모양. ③물건을 들쑤셔 가며 뒤지는 모양. ¶ 장 속을 ~ 뒤지다. 1)-3):>달달².

들들 볶다 타 ①콩·깨 등을 휘저어 가며 마구 볶다. ②사람을 못견디게 들볶다. ¶ 며느리를 ~. 1)·2):>달달 볶다.

들때-밑 명 세력 있는 집에 사는 오만하고 완악한 하인의 별칭.

들-떠들다 자 여럿이 들끓어서 떠들다.

들-떡쑥 명 〖식〗 [*Antennaria leontopodioides*] 국화과에 속하는 다년초. 줄기는 다소 총생(叢生)하고 높이 6-10cm인데, 각엽(脚葉)은 비형(篦形)이며 다소 모여 났고, 경엽(莖葉)은 도피침형(倒披針形)으로, 호생하여 전연(全緣)임. 6-8월에 백색 두상화(頭狀花)가 정생하고, 수과(瘦果)는 타원형이며 백색 관모(冠毛)가 있음. 산에 나는데, 제주·강원·경기·평북·함북 등지에 분포함.

들떼-놓고 [—노코] 부 사물을 바로 집어 말하지 아니하고. ¶ ~ 말하다.

들-떼리다 타 남의 감정을 건드려 덧내다.

들똘-같이 [—가치] 부 ☞득돌같이. ¶ 포교 하나만 주시면 소인이 같이 가서 ~ 잡아다 바치겠소이다≪洪命憙:林巨正≫.

들-뛰다 자 들입다 뛰다.

들-뜨다 자 ①단단한 데에 붙은 물건이 떨어져 틈이 벌다. ¶ 장판이 ~/풍치로 이가 ~. ②마음이 가라앉지 아니하고 들썽거리다. ¶ 들뜬 마음을 가라앉히다. >달뜨다. ③살빛이 누르고 부석부석하게 되다. ¶ 누렇게 들뜬 얼굴.

들-뜨리다 타 ↗들이뜨리다. ¶ 애경이가 은종이에 싸인 고무 쪼가리를 문틈으로 들뜨린다≪李文熙:解血의 對岸≫.

들-뜨이다 피동 어떤 충동이나 자극을 받아서 마음이 가라앉지 아니하고 들썽거려지다. ㊥들띄다.

들뜬 상태【—狀態】 명 〔excited state〕〖물·화〗 원자 또는 분자의 가장 바깥쪽에 있는 전자(電子)가 그 에너지에 있어서 기준 상태에 있다가 외부의 자극을 받아 고(高)에너지 준위(準位)로 옮겨 갈 때의 원자 또는 분자의 상태. 여기(勵起) 상태. ↔ 바닥 상태.

들-띄다 [—띠—] 피동 ↗들뜨이다.

들-띄우다 [—띠—] 사동 들뜨게 하다.

들라로슈 〔Delaroche, Hippolyte Paul〕 명 〖사람〗 프랑스의 역사화가. 주로 영국사 등에서 극적 장면을 취하여 그렸음. [1797-1856]

들라주 〔Delage, Yves〕 명 〖사람〗 프랑스의 동물학자. 인공 단위 생식(人工單爲生殖)·난편 생식(卵片生殖) 등을 연구하여 동물의 재생·교잡(交雜)·유전에 관한 권위자가 되었음. 저서에는 ≪진화학설≫·≪유전과 생물학의 중대 문제≫ 등이 있음. [1854-1920]

들라크루아 〔Delacroix, Ferdinand Victor Eugène〕 명 〖사람〗 프랑스의 화가. 19세기 낭만주의 예술의 대표적 화가임. 처녀작 ≪단테(Dante)의 배≫로 데뷔, 이어 ≪시오(Scio)의 학살≫을 발표, 반(反)고전주의의 기수(旗手)가 되었는데, 주로 극적 사건에서 취재한 구도(構圖)에 자유로운 생명의 율동과 풍부한 색채감이 일치된 걸작을 많이 내었음. [1798-1863]

들락-거리다 자 들랑거리다.

들락-날락 부 연달아 들어왔다 나갔다 하는 모양. 자꾸 드나드는 모양. 들랑날랑. ¶ 쥐가 ~하다. ——-하다 자여불

들락-대다 자 들락거리다.

들랑【等乙良】〈이두〉 ①-들은. ②-들랑. -든.

들랑-거리다 자 자꾸 들어왔다 나갔다 하다. 들락거리다. ¶ 이 집 저 집 분주하게 ~.

들랑-날랑 부 들락날락. ——-하다 자여불

들랑-대다 자 들랑거리다.

들러-가다 자타 거라불 지나는 길에 어떠한 데를 들렀다가 가다. ¶ 잠깐 들러가게.

들러리 명 결혼식에서, 신랑이나 신부를 식장(式場)으로 인도하며 곁에서 부축하는 사람.
들러리(를) 서다 구 ㉠결혼 식장에서 들러리 노릇을 하다. ㉡남의 곁다리 노릇을 하다.

들러-붙다 자 [←들어붙다] ①어떠한 물건이 끈기 있게 잘 붙다. ¶ 셔츠가 몸에 찰싹 ~. ②대인 관계에 있어서 바싹 붙어 떨어지지 아니하다. 맺어진 관계가 깊게 되다. ¶ 사장에게 들러붙어 아첨하다. ③한군데에만 꼭 붙어 있다. ¶ 책상에 들러붙어 공부만 한다/온 식구들이 모십기에 ~. 1)-3):>달라붙다.

들레 명 〈방〉 들러리.

들레다 자 야단스럽게 떠들다. ¶ 들레던 뒤끝에 휘젓한 적막은 다시 돌아왔다≪玄鎭健:無影塔≫.

들려-주다 타 [←들리어 주다] 듣도록 하여 주다. ¶ 음악 한 곡을 ~.

들로【等以·等乙以】〈이두〉 까닭에. 때문에.

들로네 〔Delaunay, Robert〕 명 〖사람〗 프랑스의 화가. 신(新)인상파풍(風)의 ≪탑(塔)≫의 연작(連作)과 큐비즘에 의한 ≪에펠탑≫ 등을 그린 뒤 오르피슴(orphisme)을 주장하여 프랑스에 있어서의 추상화의 선구자가 됨. 빛과 리듬을 중시하는 그의 작품은 클레(Klee, P.)와 마르크(Marc, F.)에게 적지 아니한 영향을 주었음. 부인 소니아도 화가임. [1885-1941]

들롱 명 〈방〉 〖식〗 달래¹(강원).

들르다 자 지나는 길에 잠깐 거치다. ¶ 약방에 들러서 회사에 가다.

들리다[1] ㊀자 ①소리가 귀청을 울려 감각이 일어나다. ¶ 천둥 소리가 ~. ②소문이 퍼져 남들이 듣게 되다. ¶ 들리는 소문에 의하면. ㊁사동 남을 시켜서 듣게 하다. ¶ 그에게도 그 말을 들리는 게 좋다.

들리다[2] 자 나쁜 귀신이 들러붙거나 병이 덮치다. ¶ 귀신 들린 집/병이 ~/그는 무엇에 들린 듯이 이야기를 계속했다.

들리다[3] 자 물건이 뒤가 끊어져 다 없어지다. 바닥나다. ¶ 밑천이 ~.

들리다[4] 자 〈방〉 들키다.

들리다[5] 자 ☞들르다.

들리다[6] ㊀피동 남에게 듦을 당하다. ¶ 몸이 번쩍 ~. ㊁사동 남을 시켜서 들게 하다. ¶ 짐을 들리고 가다.

들마 명 가게 문을 닫을 때. ¶ 외상값은 ~에 주지/~에 전화 좀 걸어 주게.

들-마루[1] 명 방문 바로 앞에 잇달아 들인 쪽마루.

들-마루[2] 명 들어 옮길 수 있게 만든 마루. ¶ 마당에 ~를 내다놓고 바람을 쐬다.

들-망【—網】 명 ①들그물. ②☞후릿그물.

들-맞추다 타 겉으로만 얼렁거려서 남의 비위를 맞추다. ¶ 사장 기분을 ~.

들매-나무 명 〈방〉 〖식〗 산딸나무.

들-매다 자 〈방〉 ①쩔쩔매다. ②헤메다.

들-머리 명 들어가는 맨 첫머리.

들머리-판 명 있는 대로 다 들어먹고 끝장나는 판. ㊥들판.
들머리판(을) 내:다 구 들머리판이 되게 만들어 끝장을 내다. 볼장을 다 보다. 파국(破局)을 당하게 만들다. ㊥들판(을) 내다.
들머리판(이) 나다 구 ㄱ 다 들어먹고 끝장이 나다. ㄴ 다하여 없어지다. ㊥들판(이) 나다.

들먹-거리다 자타 자꾸 들먹이다. 연해 들먹이다. ¶ 바위가 ~/회소식에 마음이 ~/그 분을 들먹거릴 필요가 있을까. 쓰뜰먹거리다. >달막거리다. 들먹-들먹 부. ¶ 마음이 ~하다. ——-하다 자타여불

들먹다 형 못나고도 마음이 올바르지 못하다.

들먹-대다 자타 들먹거리다.

들먹-이다 ㊀자 ①묵직한 물건이 들렸다 가라앉았다 하다. ¶ 집의 기초가 ~. ②마음이 흔들리다. ¶ 마음이 들먹여 일이 손에 안 잡히다. ③어깨나 궁둥이가 아래위로 움직이다. 1)-3):쓰뜰먹이다. ④값 따위의 변동을 가져오려는 상태가 지속하다. 1)-4):>달막이다. ㊁타 ①묵직한 물건을 올렸다 내렸다 하다. ②남의 마음을 흔들리게 하다. ③어깨나 궁둥이를 아래위로 움직이다. ¶ 어깨를 들먹이며 춤을 추다. ④남을 들추어 말하다. ¶ 그 사람 이름을 들먹이지 마라. 1)-4):쓰뜰먹이다. >달막이다.

들멍-하다 형 〈방〉 들썽하다.

들메 명 벗어지지 아니하게 신을 들메는 일. ——-하다 자여불

들메-끈 명 신을 들메는 끈.

들메-나무 명 〖식〗 [*Fraxinus mandshurica*] 물푸레나뭇과에 속하는 낙엽 활엽 교목. 높이 20m 가량, 수피(樹皮)는 황흑색을 띠며, 잎은 대생하고 우상복생(羽狀複生)이며, 4-6쌍의 소엽(小葉)은 달걀꼴의 긴 타원형이고 뒷면에 적갈색의 털이 밀생하고 무병(無柄)임. 5월에 자웅 이가(雌雄二家)의 꽃이 원추(圓錐) 화서로 한 해 묵은 가지 끝에 액생(腋生)하여 피고, 시과(翅果)는 9월에 익음. 산의 습지에 나는데, 거의 한국 각지 및 일본·사할린·중국·만주 등지에 분포함. 목재는 건축재·기구재·선재로 쓰임.

〈들메나무〉

들메-나무좀 명〖충〗[*Hylesimus tristis*] 나무좀과에 속하는 곤충. 몸은 길이 2.9-3.8mm의 타원형이며, 몸빛은 흑색에 두부에는 점각(點刻)이 밀포(密布)하며, 회색 털로 덮이었고, 시초(翅鞘)의 점각열(點刻列)은 깊은 홈을 이룸. 들메나무·물푸레나무 등에 기생(寄生)하는데, 한국·일본·대만 등지에 분포함.

들메다 타 신이 벗겨지지 아니하게 끈으로 신을 발에다 동여매다.

들:-모란【一牡丹】명〖식〗[*Melastoma candidum* var. *nobotan*] 들모란과에 속하는 상록 관목. 줄기는 분지(分枝)함. 잎은 대생(對生)하며, 짧은 잎꼭지가 있고, 달걀꼴 또는 타원형에 길이는 7-10cm임. 꽃은 7-8월경 가지 끝에 담자색(淡紫色)의 아름다운 오판화(五瓣花)가 3-7개 모여 피며, 과실(果實)은 달걀꼴로 비늘 모양의 털이 밀생하는데, 식용으로 쓰이기도 함. 오키나와·대만·중국 대륙 등지에 분포되어 있으며, 관상용으로 재배함.

들-목 명 어떤 곳으로 들어가는 목.

들무새 명 ①뒷바라지에 쓰이는 물건. 무엇을 만드는 데 쓰이는 재료. ②남의 막일을 힘껏 도움. ——-하다 타여불

들-물 명〈방〉밀물(평북).

들므죽하다 형〈옛〉싱겁다. ¶이 술이 들므쥬군ᄒᆞ니(這酒忓禿)《朴解》.

들ᄧᅢ 명〈옛〉들깨. =듧ᄡᅢ·듧ᄢᅢ. ¶들ᄧᅢ(蘇子)《字會 上 14》.

들:-바람 [一빠一] 명 ①들에서 불어오는 바람. ②〈방〉동풍(東風)(강원).

들:-바람꽃 명〖식〗[*Anemone amurensis*] 미나리아재빗과에 속하는 다년초. 포복경(匍匐莖)은 굵고 줄기 높이 1.5m 가량임. 잎은 근생(根生)하여 1-2개가 이회삼출(二回三出)하고, 소엽(小葉)은 우상 전열(羽狀全裂)하고 총포엽(總苞葉)의 세 개가 대생하며 세 갈래로 깊게 갈라졌음. 5월에 백색 꽃이 총포 속에서 화경(花梗)이 나와 하나씩 정생(頂生)하고, 과실은 수과(瘦果)임. 습지의 숲 밑에 나는데, 강원·함남 등지에 분포함.

〈들바람꽃〉

들박 명〈방〉두레박(전남).

들:-밥 [一빱] 명〖농〗들일할 때, 들판에서 먹는 밥.

들:-배 명〖식〗[*Pyrus uyematsuana*] 능금나뭇과에 속하는 낙엽(落葉) 활엽 교목. 잎은 달걀꼴의 넓은 타원형 또는 피침형이고, 4-5월에 백색 꽃이 총상 산형(總狀繖形) 화서로 피고, 이과(梨果)는 여름에 익음. 촌락 부근에 나는데, 전남 해남군(海南郡)의 두로봉(頭露峰) 및 일본에도 분포함. 도구재로 쓰이며 과실은 식용함.

들-배지기 명 씨름에서, 샅바를 단단히 잡고 무릎을 굽히면서 상대를 무릎 위까지 높이 들어올려 배지기 기술로 연결시켜 던지는 허리 기술의 하나.

들:-버들 명〖식〗[*Salix subopposita*] 버드나뭇과에 속하는 낙엽 활엽 관목. 잎은 긴 타원형, 가에 톱니가 없고 뒷면에는 백색의 잔털이 났음. 봄에 잎보다 먼저 자웅 이가(雌雄二家)의 꽃이 유제(葇荑) 화서로 피고, 삭과(蒴果)는 여름에 익음. 산지의 건조지에 나는데, 제주도·일본 등지에 분포함. 관상용으로 심음.

들병-이 [一甁一] [一뼝一] 명〈속〉들병장수.

들병-장수 [一甁一] [一뼝一] 명 병술을 들고 다니며 파는 장수.

〈들버들〉

들-보¹ [一뽀] 명 남자의 자지나 똥구멍에 병이 생겼을 때 샅에 차는 헝겊.

들-보² [一뽀] 명〖건〗칸과 칸 사이의 두 기둥을 가로질러서 도리와는 'ㄱ'자 모양, 마룻대와는 '十'자 모양을 이루는 나무. ㊥보.

들-볶다 타 까다롭게 굴거나, 잔소리를 하여 사람에게 몹시 굴다. ¶며느리를 ~.

들-볶이다 피동 들볶음을 당하다. ¶시어머니에게 ~.

들부드레-하다 형여불 조금 연하게 들큼하다. >달보드레하다.

들-부딪다 타 함부로 막 부딪다. 「~.

들부셔-내다 타 지저분하고 더러운 것을 깨끗이 씻어 내다. ¶요강을

들-부수다 타 ↗들이부수다.

들:-불 [一뿔] 명 들에 난 불. 야화(野火).

들-붓다 타㈀불 ↗들이붓다.

들:-비둘기 [一삐一] 명 야생(野生)의 비둘기. ↔집비둘기.

들-비비다 타 자꾸 세게 비비다. ¶빵과 빵을 대고 ~.

들:-뽕나무 명 산이나 들에 저절로 나는 뽕나무.

들-살 [一쌀] 명〖건〗넘어져가는 집을 살잡이할 때 쳐들어서 바로잡는 「지레.

들:-새 [一쌔] 명〖조〗들에서 사는 새. 야생(野生)의 새.

들:-소 [一쏘] 명〖동〗①솟과(科)에 속하는 야생종(野生種)의 소의 총칭. 들·삼림 속에 사는데, 인도·아메리카·자바·미얀마 종이 있음. 야우(野牛). 바이슨(bison). *물소. ②[*Bison bison*] 솟과에 속하는 들소의 하나. 보통 소와 비슷하나 거대(巨大)하고 어깨 높이 1.7m, 몸길이 3m, 무게 1톤가량임. 늑골(肋骨)이 14-15쌍이고 원통형 뿔은 후두(後頭)의 아래 옆쪽에 위로 만곡되어 났음. 어깨 부분이 불룩하게 솟고 뒷다리는 짧음. 흑갈색의 몸 털은 짧은데 어깨·목·머리 부분의 털이 현저하게 길어서 몸의 전부(前部)가 크게 보임. 평원에 수천 마리씩 떼지어 다녔으나, 혀를 비롯한 고기 맛이 좋고 가죽이 좋아서 예로부터 사람들이 마구 잡았으므로 현재는 보호 구역내에서 반(半)야생의 상태로 잔존하고 있을 뿐임. 암컷은 잡종 번식에 이용함. 북아메리카 특산종임. 아메리카들소.

〈들소❷〉

들-손 [一쏜] 명 그릇 같은 데에 달려 있는 손잡이의 한 가지. 족자리나 꼭지가 아니고, 흔히 반달 모양으로 휘어 만들어서 그릇의 몸체에 댐. ¶주전자 ~.

들손-잡이 [一쏜一] 명 ☞들손.

들-쇠 [一쐬] 명 ①분합(分閤)이나 걸창 같은 것을 떠올리어 거는 갈고리. 쇠촛대에 고리 모양이나, 혹은 타원형의 딴 조각을 꺾어 냈는데, 한 끝을 보꾹에 달아서 늘이게 되었음. 조철(銚鐵). ②세간의 설합이나 문짝 같은 데에 박는 쇠손잡이. 반달 모양으로 되었음.

〈들쇠❶〉

들-쇠통 [一筒] [一쐬一] 명〈방〉양동이.

들숨 [一쑴] 명 들이쉬는 숨. 흡기(吸氣). ↔날숨.

들숨-날숨 [一쑴一쑴] 명 들이쉬는 숨과 내쉬는 숨.

들숨날숨 없:다 구 꼼짝할 수 없다. ¶발길 닿는 대로 들숨날숨 없이 달아나기만 하였다《玄鎭健：無影塔》.

들:-신선나비 [一神仙一] 명〖충〗[*Nymphalis xanthomelas*] 네발나빗과에 속하는 곤충. 편 날개 길이 67-70mm이고 몸빛은 갈색을 띤 황적색에 흑색 반문이 있는데, 앞날개 전연(前緣)의 시단부(翅端部)에는 황백색의 반문이 있고 외연(外緣)은 넓으며 암갈색의 반달 같은 무늬가 있으며 뒷면에는 작은 황색 무늬가 있어서 언뜻 보기에 수피(樹皮)와 같은 의태(擬態)·보호색이 됨. 유충은 팽나무·버드나무 등을 파먹으며 성충은 6월에 발생하여 낙엽·나무 구멍 등에서 여름·가을·겨울을 지나 이듬해 3월에 산란함. 우화(羽化)할 때 혈적색(血赤色)의 수액(水液)을 분출함. 일본·한국·대만·중국·유럽에 분포함.

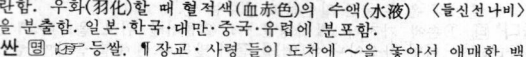

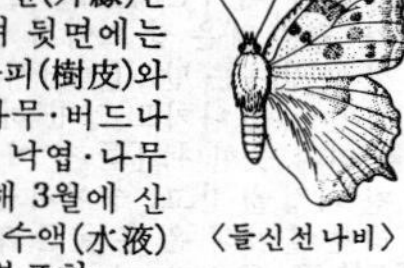
〈들신선나비〉

들쌀 명 ☞등쌀. ¶장교·사령 들이 도처에 ~을 놓아서 애매한 백성들만 부대낌을 받았다《洪命憙：林巨正》.

들썩-거리다 자타 자꾸 들썩이다. ㅆ뜰썩거리다. >달싹거리다. 들썩-들썩 부. ¶홍이 나서 어깨가 ~하다. ——-하다 자타여불

들썩-대다 자타 들썩거리다.

들썩-이다 ㊀자 ①갭직한 물건이 들렸다 가라앉았다 하다. ¶물이 끓어 남비 뚜껑이 ~. ②마음이 흔들리다. ③어깨나 궁둥이가 가벼이 아래위로 움직이다. ¶홍이 나서 어깨가 저절로 들썩인다. 1)-3): ㅆ뜰썩이다. >달싹이다. ㊁타 ①갭직한 물건을 들었다 놓았다 하다. ¶돌을 들썩이며 지렁이를 잡다. ②남의 마음을 흔들리게 하다. ③어깨나 궁둥이를 가벼이 아래위로 움직이다. ¶어깨를 들썩이며 춤을 추다. 1)-3): ㅆ뜰썩이다. >달싹이다. 「닿아 그럴 듯하다.

들썩-하다 형여불 ①↗떠들썩하다¹'². >달싹하다. ②하는 말이 이치에

들썽-거리다 자 하고 싶은 것을 뜻대로 이루지 못한 때에 들뜬 마음이 가라앉지 아니하고 자꾸 들뜨다. ¶마음이 들썽거려 견딜 수가 없다. 들썽-들썽 부. ——-하다 자여불

들썽-대다 자 들썽거리다.

들썽-하다 자여불 들뜬 마음이 가라앉지 아니하다.

들-쑤시다 자타 ↗들이쑤시다. ¶구멍을 ~.

들쑥-날쑥 부 들쭉날쭉. ——-하다 형여불

들쑹-날쑹 부〈방〉들쭉날쭉(평안).

들-쓰다 타 ①이불 등을 푹 덮어 쓰다. ¶이불을 들쓰고 자다. ②모자·갓 등을 머리에 들어 얹듯이 함부로 쓰다. ¶모자를 ~. ③물 따위를 온 몸에 받다. ¶먼지를 ~. ④어떤 허물이나 책임을 넘겨 맡다. 뒤어쓰「다. ¶누명을 ~.

들쓰아【等乙用良】조〈이두〉으로써.

들-씌우다 [一씨一] 타 들쓰게 하다. ¶머리에 이불을 ~/죄를 남에게 「~.

들안두【等乙良置】〈이두〉-들도 또한.

들안아-놓기 [一노키] 명 씨름에서, 양무릎을 굽히고 상대의 왼편 무릎을 안다리 오금 안쪽으로 당겨 상대를 무릎 위에 높이 들어올리면서 오른손으로 상대의 오금을 감는 듯 짚으면서 윗몸으로 밀어붙이는 허리 기술의 하나.

들-앉다 [一안따] 자 ↗들어앉다. ¶방에 ~.

들-앉히다 [一안치一] 타 ↗들여앉히다.

들어-가다¹ 자거라불 ①밖에서 안으로 향해 가다. ¶눈이 쑥 ~/사지(死地)로 ~. ↔나오다. ②취직이나 입학을 하다. ¶회사에 ~/관계(官界)에 ~. ③구멍이나 사이에 끼이다. ¶사진이 많이 들어간 책/바늘귀에 실이 ~. ④경비나 재료가 어떤 용도에 쓰이다. ¶양념이 골고루 들어간 김치. ⑤글이나 말의 내용이 잘 이해되다. ¶새벽 공부는 머리에 잘 들어간다. ⑥새로운 시기나 상태 따위가 비롯되다. ¶겨울 방학에 ~.

들어-가다² 타거라불 물건을 들어서 가져 가다. ¶도둑이 금궤를 ~.

들어-내다 타 ①물건을 들어서 밖으로 내놓다. ¶장농을 ~. ②있던 곳에서 쫓아내다. 쫓아서 보내다. ¶폐거지를 ~.

들어-놓기 [一노키] 명 씨름에서, 상대를 무릎 위 또는 가슴 부근까지 들어올려 몸에다 바싹 붙이고 허리를 당겨 조이면서 그대로 상대가 엉덩방아를 찧게 하고 힘을 가하여 온 몸으로 누르는 허리 기술의 하나.

들어니-쓰기 명 거드렁이. ——-하다 타여불

들어-닥치다 자〈방〉들이닥치다.

들어-대다 타〈방〉들이대다.

들어-뜨리다 타 집어서 속에 넣다.

들어-마시다 타〈방〉들이마시다. 「나 들어 치는 일.

들어-막기 명 태권도에서, 공격해 오는 손·발을 주먹으로 들어 올리거

들어-맞다 자 틀림이 없이 딱 맞다. 꼭 맞다. ¶발에 꼭 들어맞는 구두/꿈이 들어맞았다. 「~.

들어-맞히다 타 틀림이 없이 꼭 맞추다. 꼭 맞게 하다. ¶장부 숫자를

들어-먹다¹ 타 있는 재물이나 밑천을 모조리 털어 없애다. 탕진하다.

¶ 밀천을 다 ~.

들어-먹다² 타 〈속〉 '듣다'를 낮게 이르는 말. ¶ 원 들어먹어야 말이지.

들어-박히다 피동 ①빈틈없이 촘촘히 박히다. ¶ 인가가 빽빽이 ~. ②떠날 줄을 모르고 한군데만 꼭 붙어 있다. ¶ 방안에만 ~.

들어번쩍-하다 자 여불 〈속〉 물건이 나오거나 내놓기가 무섭게 금새 없어지다. *불티나다.

들어-붓다 ㊀ 자 ㅅ불 비가 퍼붓듯이 막 쏟아지다. ¶ 소나기가 ~. ㊁ 타 ㅅ불 ①술을 퍼붓듯이 들이마시다. ¶ 술을 입에 ~. ②그릇에 담긴 물건을 들어서 다른 그릇으로 옮겨 쏟다. ¶ 흙을 들어부어 구멍을 메우다.

들어-붙다 자 →들러붙다.

들어-서다 자 ①밖에서 안쪽으로 다가서다. ¶ 처마 밑에 들어서서 비를 긋다. *나서다. ②어떤 테두리 안에 자리잡다. ¶ 집이 빽빽이 ~. ③막 대들고 버티고 서다. ④계통을 잇다. ¶ 정부가 ~. ⑤어느 시기에 접어들다. ¶ 장마철에 ~.

들어-앉다 [―안따] 자 ①밖에서 안쪽으로 다가앉다. ¶ 좀 안으로 들어앉으시오. *나앉다·내앉다. ②어떤 자리·지위를 차지하고 앉다. ¶ 본처로 ~/고문으로 ~. ③바깥 활동이나, 직장을 그만두고 집안에 있다. ¶ 집안에 들어앉아 살림을 하다. 준들앉다.

들어-열개 명 〖건〗 위쪽으로 들어 열게 된 문.

들어-오다 자 너라불 ①밖에서 안쪽으로 향해서 오다. ¶ 모기가 ~/도둑이 ~. ↔나가다. ②어떤 자리에 끼려고 오다. ③입학·취직되어 오다. ¶ 새로 들어온 선생. ④수입 등이 생기다. ¶ 매달 만 원씩 들어온다. 준들오다.

[들어오는 복도 문 닫는다] 방정 맞은 짓만 함을 나무라는 말. **[들어온 놈이 동네를 팔아먹는다]** 도중에 새로 온 것이 전체를 망친다는 말.

들어-올리기 명 인상(引上)❸.

들어-잡채기 명 씨름에서, 오른다리를 상대방의 다리 사이에 넣고 상대방을 가슴 가까이 당겨 든 자세에서 왼쪽으로 젖혀 넘어뜨리는 혼합 기술의 하나.

들어-주다 타 청이나 원하는 것을 듣고 허락하거나 원을 풀어 주다. ¶ 부탁을 ~.

들어-차다 자 많이 들어 있어서 꽉 차다. ¶ 사람이 꽉 ~.

들어-트리다 타 들어뜨리다.

들엉 의명 장사치들이 물건을 사라고 외칠 때에 '들'의 복수(複數)의 뜻으로 쓰는 말. ¶ 배추 ~ 사려.

들-엉기다 자 한데 착 들러붙어서 엉기다.

들-엎드리다 자 밖에는 나가지 아니하고 집에만 들어앉아서 활동을 아니하다. ¶ 집에 들엎드려 낮잠만 자다.

들에다 자 〈옛〉 들레다. 떠들썩하다. ¶ 오직 이 心識이 들에며 뮈논 허므를 여희요미라(但是心識離喧動過患)≪圓覺 上 一之一 99≫.

들에욤 자 〈옛〉 떠들썩함. '들에다'의 명사형. ¶ 이 定 닷글제 수픐 ᄉᆞᅀᅵ예 가마괴 들에요ᄆᆞᆯ 니브며(修此定時林間被鴉鳥喧噪)≪圓覺 上 一之二 129≫.

들에윰 자 〈옛〉 떠들썩함. '들에다'의 명사형. ¶ 들에유미 아니라(非喧)≪永嘉 下 78≫.

들에ᄒᆞ다 타 〈옛〉 들게 하다. ¶ 반ᄃᆞ기 됴ᄒᆞᆫ 마ᄉᆞ로 ᄒᆡ여 내 이베 들에 ᄒᆞ라(當令美味入吾脣)≪杜諺 Ⅲ:32≫.

들여 자 〈옛〉 들려. '들이다¹'의 활용형. ¶ ᄆᆞ ᅀᆞᆯ히 盛ᄒᆞ야 ᄃᆞᆯ기 소리 서르 들여≪月釋 Ⅰ:46≫.

들여-가다 타 거라불 ①밖에 있는 것을 안쪽으로 가져 가다. ¶ 밥상을 ~. ↔내오다. ②가게에서 물건을 사서 집으로 가져 가다. ¶ 가게에서 쌀을 ~.

들여-놓다 [―노타] 타 ①밖에 있는 것을 안쪽으로 갖다 놓다. ¶ 책상을 방에 ~. ↔내놓다. ②물건을 사서 집에 갖다 놓다. ¶ 전축을 월부로 ~. ③관계를 맺다. 진출하다. ¶ 정계에 발을 ~.

들여다-보다 타 ①밖에서 안쪽을 엿보다. ¶ 문틈으로 안을 ~. ↔내다보다. ②가까이 대고 자세히 보다. ¶ 꼼꼼히 ~. ③어떤 곳에 들르다. ¶ 입원중인 친구를 ~.

들여다-보이다 피동 속에 있는 것이 눈에 뜨이다. ¶ 속살이 ~/속셈이 훤히 ~. 준들여다뵈다. *내다보이다.

들여다-뵈다 피동 ↗들여다보이다.

들여-대다 타 아주 가깝게 바싹 접근하여 대다. ¶ 차를 ~.

들여-디디다 타 안쪽으로 발을 옮겨 디디다. ¶ 떨어질라, 이쪽으로 발을 들여디뎌라. ↔내디디다.

[들여디딘 발] 이미 손을 대어 시작한 일을 가리키는 말.

들여-보내다 타 ①밖으로부터 또는 겉으로부터 안쪽으로나, 속으로 들어가게 하다. ¶ 방으로 ~/딸을 궁중으로 ~. ②일할 곳이나 살 곳으로 들어가 정착하게 하다. ¶ 양자로 ~. 1)·2):↔내보내다.

들여-세우다 타 비어 있는 자리에 계통을 잇기 위하여 후보자를 구하여 들어서게 하다. ¶ 양자를 ~/대군(大君)의 아들을 임금으로 ~.

들여-쌓다 [―싸타] 타 들이쌓다❶. ¶ 쌀을 창고에 ~.

들여-앉히다 [―안치―] 타 ①밖에만 나다니는 것을 나가지 못하게 하고 집에 있게 하다. ¶ 집에 들여앉혀 공부만 시키다. ②뒤로 물러나 앉게 하다. ↔내앉히다. ③여자를 나다니는 직업으로부터 물러나게 하여 집안에 있게 하다. ¶ 아내를 집에 ~. ④첩 등의 여자를 자기 집에서 살도록 데려오다. ¶ 첩을 ~. 준들앉히다.

들여-오다 타 너라불 ①밖에 있는 물건을 안쪽으로 가져 오다. ¶ 짐을 ~. ↔내가다. ②가게·외국 따위에서 물건을 장만하여 집·나라 안에 가져 오다. ¶ 미국의 양곡을 ~.

들:-연 【一椽】 [―련] 명 〖건〗 오량(五樑)에서 도리로 걸친 서까래. 야연(野椽). 장연(長椽). 하연(下椽). 평연(平椽).

들-오다 자 너라불 ↗들어오다.

들:-오리 명 집오리에 대하여 야생하는 오리.

들온-말 명 〖언〗 '외래어(外來語)'의 풀어 쓴 말.

들:-완두 【一豌豆】 명 〖식〗 [*Vicia tridentata*] 콩과에 속하는 월년초(越年草). 줄기는 사각주(四角柱)이고 높이 30cm 가량이며, 잎은 호생하고 유병(有柄)에 우상 복생(羽狀複生)하며 끝에 권수(卷鬚)가 있는데 3-5쌍의 소엽(小葉)은 거꿀달걀꼴 또는 선형임. 5월에 자색 꽃이 총상(總狀) 화서로 액출하고, 과실은 협과(莢果)임. 산이나 들에 나는데, 경기·평남·함남북 등지에 분포함.

〈들완두〉

들욤 자 〈옛〉 들림. '들이다¹'의 명사형. ¶ 시혹 일홈 들요ᄆᆞᆯ 즐기며(或似名聞)≪圓覺 序 82≫.

들우다 타 〈옛〉 뚫다. =듧다. ¶ 穿鑿ᄋᆞᆫ 들울시니 ≪圓覺 上 一之二 66≫/들울 천(穿)≪類合 下 46≫.

들워 타 〈옛〉 뚫어. '들우다'의 활용형. ¶ 서근 뼈에 가야미 구무 들워 드렛고(朽骨穴螻蟻)≪杜諺 Ⅴ:33≫.

들윰 자 〈옛〉 들림. '들이다¹'의 명사형. ¶ 松聲迴ᄋᆞᆫ 솔소리 머리셔 들유미오≪杜諺 Ⅰ:5≫.

들으믈 명 〈옛〉 그물의 하나. ¶ 들으믈(扮罾)≪四聲 下 60 罾字註≫.

들은 【等隱】 〈이두〉 -들은.

들은-귀 명 ①들은 경험. ¶ ~가 있어서 물어보는 거다. ②자기에게 도움이 될 말을 듣고, 그 기회를 놓치지 아니하려고 함을 가리키는 말. ¶ ~가 밝다.

들은-풍월 【一風月】 명 자기가 고안(考案) 또는 창작한 것이 아니고, 남에게 들은 것을 그대로 흉내냄을 가리키는 말.

들을 【等乙】 〈이두〉 들을.

들음-들음 명 ①가끔 조금씩 들음. 또, 그러한 견문. ¶ ~이 반갑지 못하다. ②비용·물자 등이 조금씩 잇따라 드는 모양. ¶ 결혼 비용이 ~ 꽤 들었다.

들음직-하다 형 여불 흥미가 있어 들을 만하다. ¶ 들음직한 이야기다.

들의 【等矣】 〈이두〉 들의.

들이¹ 명 〖수〗 용적(容積). ¶ ~를 구하라.

들이² 부 ↗들입다.

들이- 두 안으로 들이는 동작을 나타내는 말. ¶ ~밀다/~쉬다. ↔내-.

-들이 미 그릇의 용량을 나타내는 말. ¶ 한 말~/한 되~ 병.

들이-곱다 자 안쪽으로 고부라지다. <들이굽다. ↔내곱다.

들이-굽다 자 안쪽으로 구부러지다. ¶ 팔이 들이굽지 내굽나. >들이곱다. ↔내굽다¹.

들이-긋다 ㊀ 자 ㅅ불 병독(病毒)이 밖으로 나가지 아니하고 몸 안으로 몰리다. ㊁ 타 ㅅ불 안쪽으로 금을 긋다. ¶ 줄을 좀 안쪽으로 들이그어라.

들이-끌다 타 안쪽으로 잡아 끌다.

들이-끼우다 타 틈 사이로 들여밀어 끼우다.

들이-끼이다 피동 틈 사이로 들어가서 끼워지다.

들이다¹ 자 〈옛〉 들리다¹. ¶ 名稱이 너비 들이샷다(名稱普聞)≪永嘉 序 12≫.

들이다² 타 ①안으로 들어오게 하거나 또는 들어가게 하다. ¶ 자식을 불러 ~. *내다². ②일에 대하여 비용을 내거나 힘을 쓰다. ¶ 돈을 들여서 수리하다/공을 ~. ③부릴 사람을 불러서 집에 있게 하다. ¶ 가정부를 ~. ④맛을 붙이다. ¶ 중이 고기 맛을 ~. ⑤잠을 이루게 하다. ¶ 아가에게 젖을 물려 잠을 ~. ⑥잘 가르쳐서 길이 들게 하다. ¶ 황소를 길을 들여 부리다. ⑦종이·피륙 같은 것에 물감을 올리다. ¶ 예쁘게 빨간 물을 ~.

들이다³ 타 땀을 그치게 하다. ¶ 땀이나 들이고 가시오.

들이-닥치다 자 아주 바싹 가까이 닥치다. ¶ 학생들이 우르르 ~/액운이 ~.

들이-대다 ㊀ 자 뻿뻿한 말로 자꾸 대들다. ¶ 사장에게 ~. *내대다. ㊁ 타 ① 물건을 가져다가 마주 대다. ¶ 증거물을 ~. ②남의 뒤를 돈이나 물건으로 잇대어 주다. ¶ 밑천은 얼마든지 들이대겠네.

들이-덤비다 자 남에게 막 덤벼들다. ¶ 윗사람에게 ~.

들이-뜨리다 타 안쪽으로 아무렇게나 막 집어넣다. 준들뜨리다. *내뜨리다.

들이-마시다 타 액체나 기체를 빨아들여서 목구멍으로 넘기다. ¶ 물을 ~/신선한 공기를 ~.

들이-맞추다 타 제자리에 들이대어 꼭 맞게 하다. ¶ 쐐기를 구멍에 ~.

들이-몰다 타 ①안쪽을 향해서 몰다. ¶ 닭을 닭장에 ~. ↔내몰다. ②몹시 심하게 몰다. ¶ 차(車)를 시속 100 킬로로 ~.

들이-몰리다 자 ①안쪽을 향해 몰려 가다. ¶ 소가 외양간으로 ~. *내몰리다. ②한 군데로만 몰리다. ¶ 군중이 이쪽으로 ~.

들이-밀다 타 ①안쪽 또는 한쪽으로 밀거나 들여보내다. ¶ 뒷구멍으로 ~/문을 ~. ②함부로 냅다 밀다. ¶ 배를 삿대로 ~. 준디밀다. *내밀다.

들이-밀리다 ㊀ 자 ①안쪽으로 또는 한 곳으로만 쌓여 밀리다. ↔내밀리다. ②한 곳으로만 냅다 밀리다. ¶ 사람들이 백화점에 ~. ㊁ 피동 안쪽으로 들이밂을 당하다. ¶ 대문 안으로 들이밀리며 들어왔다. ↔내밀리다.

들이-박다 타 ①속으로 깊이 들어가게 박다. 막 함부로 박다. ¶ 긴 못을 ~. ②안쪽으로 다가서 박다.

들이-받다 타 ①대가리를 들이대고 받다. ¶ 소가 사람을 ~. *내받다. ②함부로 받다.

들이-부수다 타 손에 닥치는 대로 막 두들겨 부수다. ¶ 집을 ~. 준들부수다.

들이-불다 자 ①바람이 안을 향해서 불다. ¶ 바람이 방안으로 ~. *내불다. ②바람이 몹시 불다. ¶ 바람이 들이불더니 집이 무너졌다.

들이-붓다 타 ㅅ불 그릇 속으로 쏟아 붓다. ¶ 솥에 물을 ~. 준들붓다.

들이-비추다 타 밖에서 안쪽으로 비치다. ¶ 회중 전등으로 방안을 ~.
들이-비치다 자 ①밖에서 안으로 비추다. ¶ 빛이 방으로 ~. ②잇따라 세차게 비치다.
들이-빨다 타 힘있게 빨다. 맛있게 빨다. ¶ 젖꼭지를 ~/담배를 ~.
들이-세우다 타 ①안으로 들여다 세우다. ¶ 우산을 방에 ~. ②정통 아닌 사람을 정통의 자리로 들이밀어 세우다. ¶ 조카를 양자로 ~.
들이-쉬다 타 숨을 속으로 들이켜 쉬다. ↔내쉬다.
들이-쌓다 [—싸타] 타 ①밖에 있는 것을 안쪽에 가져다가 쌓다. 들여 쌓다. ¶ 쌀가마를 곳간에 ~. ↔내쌓다. ②마구 쌓다.
들이-쌓이다 [—싸—] 자 한 곳에 많이 쌓이다. ¶ 눈이 골짜기에 ~.
들이-쏘다 타 ①밖에서 안으로 쏘다. ②들입다 쏘다. ¶ 범인은 총을 들이쏘고 도망쳤다. *내쏘다.
들이-쏨 명 〖물〗 '입사(入射)'의 풀어 쓴 말.
들이쏨 빛살 명 〖물〗 '입사 광선(入射光線)'의 풀어 쓴 말.
들이-쑤시다 ㊀자 들입다 쑤시는 듯이 아프다. ¶ 생안손이 ~. 준들쑤시다. ㊁타 ①남을 가만히 있지 못하게 들썩이다. ¶ 들이쑤셔 싸움을 붙이다. ②무엇을 찾으려고 샅샅이 헤치다. ¶ 구멍을 ~. 준들쑤시다.
들이-지르다 타르불 ①들이닥치며 세게 지르다. ¶ 옆구리를 ~. ②닥치는 대로 흉하게 많이 먹다. ③큰 소리를 함부로 마구 내다. ¶ 소리를 고래고래 ~. *내지르다.
들이-질르다 타 ☞들이지르다.
들이-치다[1] 자 비나 눈 같은 것이 바람에 의해서 안쪽으로 마구 세차게 뿌리다. ¶ 비가 창문에 ~.
들이-치다[2] 타 ①마구 들어가면서 세차게 치다. ②안쪽으로 치다.
들이-켜다 타 세게 들이마시다. ¶ 허기져 물을 벌떡벌떡 ~.
들이-키다 타 안쪽으로 다그다. ¶ 발을 ~/책상을 한 구석으로 들이켜 놓다. ↔내키다[2].
들이-트리다 타 들이뜨리다.
들이-퍼붓다 ㊀자ㅅ불 비나 눈이 마치 퍼서 붓듯이 마구 쏟아지다. 몹시 내리다. ¶ 비가 ~. ㊁타ㅅ불 ①그릇 같은 데에 액체(液體) 같은 것을 마구 퍼붓다. 함부로 퍼서 붓다. ¶ 물통에 물을 ~. ②욕설을 마구 퍼붓다. *내퍼붓다.
들:-일 [—릴] 명 밭이나 논 같은 들에서 하는 일. 야업(野業). ↔집일.
들입다 부 〔근대 : 드립더〕 막 무리하게 힘을 들여서. ¶ ~ 밀다. 준딥다·들이. *냅다[2].
들입-부 【—入部】 [—립—] 명 한자 부수(部首)의 하나. '全'이나 '兩' 등의 '入'의 이름.
들잇다 자 〈옛〉 흔들리다. ¶ 들잇는 믌겨렌 비예 헤텻는 書帙이 妨害코(擺浪散帙妨)《杜諺 I:51》.
들-장대 【—長—】 [—짱때] 명 가마를 메고 가는 사람들이 어깨를 쉬기 위하여, 가마의 양쪽에서 가마채 밑을 받쳐서 들어 주는 장대.
들:-장미 【—薔薇】 [—짱—] 명 들에 저절로 나는 장미. 야(野)장미.
들:장미-진딧물 【—薔薇—】 [—짱—] 명 〖충〗 [*Macrosiphum rosae ibarae*] 진딧물과에 속하는 곤충. 몸길이 2.5-2.8mm, 몸빛은 선녹색에 두부는 적황색 또는 암황색, 촉각은 흑색, 날개는 투명함. 복부에는 점 무늬가 없으며, 날개가 없는 것도 있음. 장미에 많이 기생(寄生)하는데, 한국·일본 등지에 분포함.
들-장수 [—짱—] 명 〈방〉 도붓 장수.
들-장지 【—障—】 [—짱—] 명 〖건〗 들어 올려서 매달아 놓게 된 장지.
들-재간 【—才幹】 [—째—] 명 씨름 재간의 하나. 배지기의 총칭.
들접 【—椄】 명 〖농〗 대목(臺木)을 파내어 옮겨 심은 후에 접목(椄木)하는 일. 실내에서 작업할 수 있으며, 심은 다음 잔뿌리가 많이 나며 묘목이 상하는 일이 적어 좋음. 양접(揚椄) *거접(据椄). ——하다 타여불
들접-법 【—椄法】 명 〖농〗 들접으로 접목(椄木)하는 방법.
들:-정향나무 【—丁香—】 명 〖식〗 [*Ligustrina reticulata*] 물푸레나뭇과의 낙엽 활엽 교목. 잎은 달걀꼴 또는 넓은 타원형이고 가에 톱니가 없음. 7월에 황백색 꽃이 원추(圓錐) 화서로 가지 끝에 액생(腋生)하여 피고, 삭과(蒴果)는 10월에 익음. 산지에 나는데, 경남북·충북·강원·평북·함북 및 일본에 분포함. 정원수로 심음.

〈들정향나무〉

들:-쥐 [—쮜] 명 〖동〗 집쥐에 대하여 들에 서식하는 쥐의 통칭. 곧, 갈밭쥐·멧밭쥐 등의 일컬음. 야서(野鼠). ↔집쥐.
들지즈로 【等乙仍于·等因于】 〈이두〉 -들로 인하여. -들 때문에.
들:-지치 명 〖식〗 [*Lappula echinata*] 지칫과에 속하는 다년초. 줄기 높이 45cm 내외이고 잎은 호생하며 거의 무병(無柄)에 피침형임. 8월에 벽자색(碧紫色) 꽃이 총상(總狀) 화서로 줄기 끝이나 가지 끝에 정생(頂生)하여 피고, 분과(分果)는 양면이 조삽(糙澁)하며 가에는 갈고리 모양의 가시가 열생(列生)하였음. 산이나 들에 나는데, 평남·함남북 등지에 분포함.
들:-짐승 [—찜—] 명 들에서 사는 짐승. *산짐승.
들쩍-거리다 타 ☞들큰거리다. 들쩍-들쩍 부. ——하다 타여불
들쩍지근-하다 형여불 조금 들큼한 맛이 있다. ㅆ들척지근하다. >달짝지근하다.
들쭉 명 〖식〗 들쭉나무의 열매. 빛은 진홍색임. 지분자(地芬子).
들쭉-나무 명 〖식〗 [*Vaccinium uliginosum*] 석남과에 속하는 낙엽 활엽 관목. 높이 2m 이하이며 줄기는 암갈색이고 잎은 거꿀달걀꼴 또는 타원형인데 거의 톱니가 없고 뒷면은 백색임. 7월에 녹백색 또는 담홍색 꽃이 2-3개씩 가지 끝에 정생(頂生)하고, 구형(球形)의 장과(漿果)는 가을에 흑색으로 익으며, 백분(白粉)이 덮혔음. 높은 산 및 고원(高原)의 한대(寒帶)에 흔히 나는데, 한국의 전남·강원·평북·함남북 및 일본·유럽·아시아·북미(北美)에 분포함. 과실은 '들쭉'이라 하여 단맛과 신맛이 있어서 생으로 먹고 잼과 양주용(釀酒用)으로 씀. 수홍화(水紅花).

〈들쭉나무〉

들쭉-날쭉 부 조금 들어가기도 하고 조금 나오기도 하여 고르지 아니한 모양. 들쑥날쑥. ¶ ~한 해안선. ——하다 형여불
들쭉-술 명 들쭉으로 담근 술.
들쭉 정:과 【—正果】 명 들쭉으로 만든 정과. 들쭉을 말려서 만듦. 순장정과(蓴杖正果).
들-차다 형 뜻이 굳세고 몸이 튼튼하다.
들-참례 【—參禮】 [—녜] 명 〖민〗 어떤 조직이나 공동체에 가입하기 위한 의식. 입사식(入社式).
들-창 【—窓】 명 〖건〗 벽의 위쪽으로 자그맣게 만든 창. 원래는 들어서 여는 외짝으로 된 창이었으나, 지금은 미닫이 모양으로 되고, 겉창이 따로 있게 된 것도 있음. 들창문.
들창-눈이 【—窓—】 명 보통으로 마주 볼 때에도 위를 쳐다보는 것처럼, 늘 눈 위 꺼풀을 쳐드는 사람. *먼산바라기.
들창-문 【—窓門】 명 들창.
들창-코 【—窓—】 명 코 끝이 위로 들려서 콧구멍이 위로 드러나 보이는 코. 또, 그런 사람.
들척-거리다 자 무엇을 찾으려고 물건을 이리저리 쑤시어 뒤지다. ¶ 지난날에 보던 책들을 ~가도 문득 정신을 놓고 의미없이 하늘을 우러러 보는 때가 많다《李孝石 : 들》.
들척지근-하다 형여불 조금 들큼한 맛이 있다. ㅆ들쩍지근하다. >달착지근하다. 준들치근하다.
들쳐-내:다 타 〈방〉 들추어내다.
들추다 타 ①잊은 일·지난 일·숨은 일 들을 끄집어 일으키다. ¶ 남의 과거를 ~. ②물건을 찾으려고 자꾸 뒤지다. ¶ 샅샅이 ~.
들추어-내다 타 들추어서 나오게 하다. ¶ 남의 비밀을 ~/서랍에서 서류를 ~. 준추어내다.
들추어-보다 타 ①물건을 들추어서 찾아보다. ¶ 아무리 들추어보아도 없다. ②드러내어 살펴보다. ③시험삼아 들추다.
들치근-하다 형여불 ↗들척지근하다. >달치근하다.
들-치기 명 〈속〉 집안에 있는 물건이나 가게 물건을 주인의 눈을 속여 잽싸게 훔쳐서 들어 내가는 좀도둑. 또, 그러한 짓. *날치기. ——하다 타여불
들치다 타 ①물건의 한쪽 머리를 쳐들다. ¶ 이불을 ~. ② ☞ 들추다.
들치어 내다 타 ☞들추어내다. 준들쳐내다.
들:-칠면조 【—七面鳥】 명 〖조〗 너새[2].
들컥-거리다 타 ☞들큰거리다. 들컥-들컥 부. ——하다 타여불
들컹-거리다 타 ☞들큰거리다. 들컹-들컹 부. ——하다 타여불
들퀘다 자 〈옛〉 떠들다. ¶ 일즉 밤의 強盜 두어열히 막대 가지고 놀뻐며 들퀘여 담 넘어드니(嘗夜有強盜數十持杖鼓譟踰垣而入)《小諺 VI:66》.
들크무레-하다 형여불 좀 들큼한 듯하다. ¶ 느끼하고 들크무레한 맛이 양분 있는 느낌이 들었다《崔仁勳 : 태풍》.
들큰-거리다 타 불쾌한 말로 남의 비위를 거슬리게 건드리다. 들큰-들큰 부. ¶ 복단 어머니는 공연히 남을 볼 적마다 ~하네《李海朝 : 鬢上雪》. ——하다 타여불
들큰-대다 타 들큰거리다. ¶ 좋지 아니한 말이 나도록 들큰대어 복단 어미와 이렇거니 저렇거니 입에 못담을 악담을 드러내어 놓으니…《李海朝 : 鬢上雪》.
들큰-하다 형여불 ☞들큼하다.
들큼-하다 형여불 맛이 조금 달다. >달큼하다. 들큼-히 부
들키다 자 숨기려던 일이 남의 눈에 뜨이어 알려지다. ¶ 물건을 훔치려다가 ~.
들:-타작 【—打作】 명 들에서 하는 타작. ——하다 자여불
들통[1] 명 들머리판이 되어 복잡하게 된 판세.
 들통(이) 나다 구 숨긴 일이 드러나서 발각되다.
 들통(을) 내:다 구 숨긴 일을 드러내다.
들-통[2] 【—桶】 명 큰 들손이 달린 쇠붙이 또는 법랑제(琺瑯製)의 그릇. 밑바닥이 둥그스름하고 좀 우묵함.
들-트리다 타 들뜨리다.
들티다 타 〈옛〉 수습(收拾)하다. ¶ 들틸 두(枓), 들틸 수(擻)《字會 下 9》.
들-판[1] 명 ↗들머리판.
 들판(을) 내:다 구 ↗들머리판(을) 내다.
 들판(이) 나다 구 ↗들머리판(이) 나다. ¶ 들판이 난 사람이라 한가한 것뿐이지요 《李鳳九 : 旅愁》.
들:-판[2] 명 들을 이룬 벌판.
들판이 명 〈방〉 〖동〗 달팽이.
들팡 명 〈방〉 뜰(충남).
들팽이 명 〈방〉 〖동〗 달팽이(경북·강원).
들:-풀거미 명 〖동〗 [*Agelena limbata*] 가게거밋과에 속하는 절지(節肢) 동물의 하나. 몸길이 15-17mm, 온몸이 황갈색인데 배갑(背甲)에는 흑갈색의 줄무늬가 두 개 있고, 복부 배면(背面)에는 흑색의 점무늬가 두 줄 나란히 있음. 5월에 출현하여 8-10월에 산란(産卵)하고 새끼 거미는 알주머니에서 부화하여 월동함. 관목(灌木)·풀밭 등에 누두상(漏斗狀)으로 거미줄을 늘이고, 여름 이슬을 맞으면 아름다움. 한편에 구멍이 있어 적에 쫓기면 재빨리 들어가서 숨어 버리는 습관이 있음. 한국·홋카이도·일본·대만·중국 등지에 분포함. 풀거미. 팔팔풀거미.

〈들풀거미〉

들피 명 굶주려서 몸이 여위고 기운이 쇠약해지는 일. ¶ …이놈도 빼앗아가고 저놈도 빼앗아가서 정작 나는 다만 몇 술을 먹어보는 수 없으니 당장 ~가 나서 꼭 죽을 지경이오《李海朝 : 花의 血》.

들피-지다 자 굶주려서 몸이 여위고 기운이 쇠약하여지다.

들:-하늘지기 명 〖식〗 [*Fimbristylis kraussiana*] 방동사니과에 속하는 다년초. 뿌리는 강한 수상(鬚狀)이고 줄기는 편편한 삼릉주(三稜柱)이며 높이 40 cm 가량임. 잎은 근생(根生)하고 선형(線形)임. 꽃은 6-8월에 산형(繖形) 화서로 복생(複生)하여 피고, 과실은 거꿀달걀꼴의 수과(瘦果)임. 들이나 산록의 양지 바른 습지에 나는데, 제주·전남 등지에 분포함.

〈들하늘지기〉

들:-하다 자타형 〈방〉 덜하다.

들혀다 타 〈옛〉 들다. 높이 들다. ¶ 들혈 게(揭)《類合 下 39》.

들:-현호색【一玄胡索】명 〖식〗 [*Corydalis ternata*] 양꽃주머니과에 속하는 다년초. 지하경이 가로로 뻗고, 여러 곳에 몇 개의 괴경(塊莖)이 생겨 번식함. 줄기 높이 15cm 가량이고, 잎은 호생하며 장병(長柄)에 삼출 복생(三出複生)하고 소엽은 달걀꼴 또는 달걀꼴 타원형임. 4월에 홍자색 꽃이 총상(總狀) 화서로 정생(頂生)하여 피고, 과실은 삭과(蒴果)임. 밭에나 들에 나는데, 경기도 광능·서울 등지에 분포함. 괴경은 약재로 씀.

들흔 〈옛〉 들은. '들²'의 절대격형. ¶ 사괴논 사름들흔 氣槩ㅅ 가온딕 잇도다(交親氣槩中)《杜諺 V:43》. *-돌.

들히 〈옛〉 들에. '들¹'의 처격형(處格形). ¶ 만일 거츤 벌과 뷘 들히(若荒郊曠野)《無寃錄 Ⅲ:95》. *드르².

듧다 타 〈옛〉 뚫다. =들우다·돓오다. ¶ 따해 구무 듧고 흙지여(穴地負土)《妙蓮 Ⅶ:154》/종돌흔 대수흘 들워가 말ᄒ거늘(僕夫穿竹語)《杜諺 Ⅱ:4》.

듧쁘다 자 〈옛〉 들뜨다. =듧뻐다. ¶ 여러번 비를 마즈면 다 듧쁠 양이로다(着了幾遍雨時都走了樣子)《朴解 中 25》.

듧빼 명 〈옛〉 들깨. =들빼. ¶ 듧빼(蘇子)《四聲 上 40》. 「解 下 37》.

듧깨 명 〈옛〉 들깨. =들빼. ¶ 듧빼 싐(荏)《字會 上 13》/듧빼(蘇子)《朴

듧써버 자 〈옛〉 거들거려. 들까부려. '듧업다'의 활용형. ¶ 듧써버 조심 아니ᄒ다가 귓거시 精氣를 아사 橫死홀 씨오《釋譜 Ⅸ:37》.

듧섭다 자 〈옛〉 거들거리다. ¶ 지조 믿고 듧써워(負才放誕)《內訓 Ⅰ:59》. 「씨라《月釋 Ⅱ:11》.

듧설다 자 〈옛〉 거들거리다. 들까부르다. ¶ 麤率은 듧써버 천천티 몯홀

듧쓰다 자 〈옛〉 들뜨다. =듧쁘다. ¶ 손상혼 곳은 듧쓴 갓치 만히 희고(損處浮皮多白)《無寃錄 Ⅰ:35》.

듬 명 〈방〉 두메.

듬박 명 〈방〉 가위다리.

듬벙 명 〈방〉 웅덩이(경상·충청).

듬부기¹ 명 〈방〉 〖식〗 모자반.

듬부기² 명 〈옛〉 듬부기. ¶ 藻 本國又呼 듬부기 제《字會 上 17》.

듬북-장【一醬】명 〈방〉 담북장.

듬뿌룩-하다 형여불 ☞ 더부룩하다.

듬뿍 부 ↗듬뿍이. ¶ 밥을 그릇에 ~ 담다. >담뿍. 「——-하다 형여불

듬뿍-듬뿍 부 그릇마다 듬뿍하게. 여러 곳이 듬뿍한 모양. >담뿍담뿍.

듬뿍-이 부 듬뿍하게. 그릇에 썩 많이. 준듬뿍. >담뿍이.

듬뿍-하다 형여불 그릇 같은 데에 많이 담기어 수북하다. >담뿍하다.

듬성-듬성 부 드물고 성긴 모양. ¶ ~ 난 콧수염. >담상담상. ——-하다 형여불 「청하다. >담쏙.

듬쑥 부 탐스럽게 손으로 쥐거나 팔로 안는 모양. ¶ ~ 손을 잡고 악수를

듬쑥-듬쑥 부 여러 번 듬쑥 쥐거나 안는 모양. >담쏙담쏙.

듬쑥-하다 형여불 사람의 됨됨이가 가볍지 아니하여 속이 깊숙하고 차 있다. ¶ 사람이 듬쑥하여 믿을 만하다.

듬직-이 부 듬직하게.

듬직-하다 형여불 ①사람됨이 무게가 있고 믿음직스럽다. ②나이가 제법 많다. ③사물이 크고 묵직하다.

듭새 명 〈심마니〉 버섯. 「에 ~.

듭시다 자 '들어가다'를 썩 존대하는 뜻으로 쓰는 말. ¶ 임금께서 침소

듯¹ 의명 어미(語尾) -ㄴ·-은·-는·-ㄹ·-을 등의 아래에 붙어서, 그러한 것 같기도 하고, 그렇지 아니한 것 같기도 한 어떠한 상태를 추상적으로 나타내는 말. 그 아래에 '만 듯·마는 듯·말 듯' 들의 말과 함께 어울리어 쓰임. ¶ 먹은 ~ 만 ~ 하다/비가 올 ~ 말 ~ 하다.

듯² 부 ↗듯이. ¶ 부러운 ~ 바라보다/자기가 제일인 ~ 행동한다.

-듯 어미 ↗-듯이. ¶ 잠을 자~ 눈을 감고 있다/총알이 비오~ 날아오다.

듯다 자 〈옛〉 듣다¹. 떨어지다. ¶ 淸江에 비 듯는 소리 긔 무엇이 우읍관듸《古時調 孝宗》/비듯다(雨點)《同文 上 2》. 「르며《海謠》.

듯들다 자 〈옛〉 떨어지다. =뜯듣다. ¶ 대쵸볼 붉근 골에 밤은 어이 듯드

듯듯다 자 〈옛〉 떨어지다. =뜯듣다. ¶ 東風 細雨에 듯듯느니 桃花로다 「《海謠》.

듯보기 장사 명 →듣보기 장사.

듯보다 타 〈옛〉 듣고 보다. ¶ 나도 듯보니(我也打聽得)《老解 上 49》.

듯 싶다 구 의존 명사 '듯'과 보조 형용사 '싶다'의 합친 말. *듯 하다.

듯이 부 듯하게. ¶ 미친 ~ 날뛰다. 준듯.

-듯이 어미 어간(語幹)의 밑에 붙어서 '그 어간의 뜻하는 내용과 거의 같게'의 뜻을 나타내는 연결 어미. ¶ 바늘 가는 데 실 가~/떡먹~ 쉽게 되다. 준-듯.

듯-하다 보형여불 어미 '-ㄴ·-은·-는·-ㄹ·-을' 뒤에 쓰이어 '것 같다'의 뜻으로 객관적인 추측을 나타내는 말. ¶ 좀 큰 ~/비가 올 ~.

등¹ 명 ①〖생〗 사람이나 동물의 가슴과 배의 반대쪽. ¶ ~이 가렵다. ② 물건의 밑바닥의 반대쪽. 서 있는 물건의 뒤쪽. 배면(背面). ¶ 의자의 ~/칼 ~.
[등 시린 절 받기 싫다] 자기가 푸대접을 한 사람에게서 간곡한 대접을 받는 것은 등에 소름이 끼치어 기분 좋은 일이 아니라는 말. [등에 풀 바른 것 같다] 등이 빳빳하다는 뜻으로, 몸의 움직임이 자유롭지 못함을 이르는 말. [등이 더우랴 배가 부르랴] 등을 덥게 할 의복이나 배를 부르게 할 밥이 생기지 아니한다는 뜻으로, 어떠한 일이 자기에게 아무 이익됨이 없음을 가리키는 말. [등이 따스우면 배 부르다] ㉠옷을 잘 입고 있는 사람이면 배도 부른 사람이라는 말. ㉡추운 날 더운 데 누워 있으면 먹지 않아도 배고픈 줄 모른다는 말.
등에 찬물을 끼얹는 것 같다 구 정신이 아찔하고 졸지에 몹시 긴장된다는 말.
등을 벗겨 먹다 구 옳지 못한 방법으로 남의 재물을 빼앗아 먹다.

등²【登】명 〖공〗 오랜 옛날에 쓰던 그릇의 한 가지. 질로 만들었으며 모양이 두(豆)와 같음.

등³【登】명 성(姓)의 하나. 우리 나라에는 현존(現存)하지 아니함.

등:⁴【等】명 ①'등급(等級)'의 뜻. ¶ 일 ~. ②〖역〗 ↗등내(等內).

등⁵【燈】명 불을 켜서 어두운 곳을 밝게 하는 기구. 석유등·전기등·형광등(螢光燈) 등 여러 가지 종류가 있음. ¶ ~을 밝히다.

등⁶【橙】명 등자(橙子)와 등자나무의 총칭. 오렌지(orange).

등⁷【藤】명 〖식〗 ①↗등나무. ②등나무의 줄기.

등⁸【籐】명 ①〖식〗 [*Calamus margaritae*] 야자과에 속하는 만목(蔓木). 대나무와 비슷한데, 줄기는 길게 뻗어 200m 까지도 되고, 마디가 있으며 굵기는 2-3mm 가량부터 팔뚝만한 것도 있음. 잎은 우상 복엽(羽狀複葉)인데 길이 1.5m나 되고 엽단(葉端)에서 권수(卷鬚)가 나와 다른 물건에 감아 붙어서 올라감. 잔 꽃이 수상(穗狀) 화서로 많이 모여 핌. 열대 아시아·오스트레일리아 북부·대만·동인도 지방에 분포하고 한국에서도 재배함. 줄기는 윤이 나고 질기며 잘 휘므로, 침대·의자·지팡이·등거리·토시 같은 기구나 가구(家具) 등의 겉에 감는 데 쓰임. 성등(省籐). ②〖공〗 수공품의 재료로 쓰이는 등(籐)의 줄기.

〈등⁸❶〉

등:⁹【等】의명 ①그 밖에도 같은 유(類)의 것이 있는 중에서 한 예로서 보이는 뜻을 나타내는 말. ¶ 호랑이·사자 ~을 맹수라 한다/좀처럼 여행 ~을 한 적이 없다/집기(什器)를 부수는 ~ 난동을 부렸다. ②열거(列擧)한 사물의 낱낱 또는 집합의 뜻으로 한정함을 나타내는 말. ¶ 김씨·박씨·이씨 ~ 세 분이 주역이다. *들·따위·등등(等等).

등:가¹【等價】[一까] 명 ①가치 혹은 가격이 같음. 또, 그러한 가치나 가격. 동가(同價). ②〖경〗 유가 증권(有價證券)의 매매에 있어서, 그 매매 가격 곧, 시가(時價)와 액면 가격(額面價格)이 같은 일. ③〖수〗 동치(同値)❶. 「遐).

등가²【登假】명 〔먼 하늘에 오른다는 뜻〕 천자의 붕어(崩御). 등하(登

등가³【登歌】명 〖악〗 궁궐의 섬돌 위와 같은 당상(堂上)에 올라가 연주하고 노래함. *헌가(軒架)·등가악(樂).

등가⁴【燈架】명 등경(燈檠)걸이.

등가⁵【藤架】명 네 기둥을 세우고 그 위에 등나무의 덩굴을 올리도록 만든 것. 등나무 시렁.

등:가 개:념【等價槪念】[一까一] 명 〖논〗 동치 개념(等値槪念).

등:가 계:수【等價係數】[一까一] 명 〖경〗 유사(類似) 제품의 원가를 분해하는데 이용되는 환산 기수(換算基數). 유사품들의 종합 원가(綜合原價)를 산출하고 이에 대하여 각 제품들이 각종 원료를 소비한 정도에 따라 가중 평균(加重平均)하여 각 제품의 원가를 분해해 냄.

등:가 교환【等價交換】[一까一] 명 〖경〗 같은 크기의 가치를 가지고 있는 상품과 상품 또는 상품과 화폐의 상호 교환.

등:가 교환 방식【等價交換方式】[一까一] 명 지주(地主)와 개발자와의 합작 방식의 하나. 토지(土地) 소유자가 토지를 제공하고, 건설업자 등이 건물의 공사비를 부담하기로 하여 완성된 건물의 스페이스를 출자비율(出資比率)에 따라 분할하는 방식.

등-가구【籐家具】명 등으로 만든 가구.

등:가-량【等價量】[一까一] 명 〖화〗 당량(當量).

등:가 비:율【等價比率】[一까一] 명 〖경〗 유사품의 어느 한 등급의 제품의 생산량에 등가 계수를 곱한 수(數)의, 각 등급의 제품에 대하여 적용한 이들 수치(數値)의 총합에 대한 비.

등:가 비:율법【等價比率法】[一까一뻡] 명 〖경〗 등가 비율에 따라 종합 원가를 안분하고 각 등급의 제조 원가를 계산하는 방법. 연산품(連産品)의 원가 계산에 사용됨.

등:가속도 운:동【等加速度運動】명 〔uniformly accelerated motion〕 〖물〗 가속도가 항상 일정한 운동. 포물선 운동(拋物線運動) 등.

등-가시치 명 〖어〗 [*Zoarces gillii*] 등가시칫과(科)에 속하는 바닷물고기. 눈은 머리 꼭대기에 있고, 두 눈 사이는 넓음. 체측에 약 열 두 개의 불선명한 큰 그물 모양의 무늬가 있고, 등지느러미에 윤곽이 불선명한 하나의 암색(暗色) 무늬가 있음. 부산 및 원산(元山)에서 채집되었음.

등가시칫-과【一科】명 〖어〗 [Zoarcidae] 농어목(目)에 속하는 어류의 한 과. 등가시치·먹갈치·벌레문치·자갈치·청자갈치 등이 있음. 지느러미에 전혀 가시가 없고, 아가미 구멍이 머리의 측면에 있는 것이 특징임.

등가-악【登歌樂】명 〖악〗 〔'등가(登歌)'는 당상(堂上)에 올라가 노래한다는 뜻〕 아악(雅樂) 편성(編成)의 하나. 노래와 현악(絃樂)을 주로 하는 소규모의 주악 형식. 중국 주(周)나라에 유래되어 한(漢)나라·당(唐)나라 때 발전하여 원(元)나라 이후에 쇠했음. 우리 나라에는 고려 예종(睿宗) 때 송(宋)나라로부터 전래됨. 당상악(堂上樂). ↔헌가악(軒架樂).

등:가 원리【等價原理】[—까월—] 명〖물〗일반 상대성 이론의 기초 원리의 하나. 질량(質量)을 가진 물체가 중력(重力)을 받는 계(系)와, 같은 물체가 존재하는, 균일하게 가속(加速)된 계와는 물리적으로 동등하다고 하는 원리.

등:가 자:극【等價刺戟】[—까—] 명〔equivalent stimulus〕〖심〗문제가 되어 있는 측면에 관하여 하등 행동의 차이를 주지 않는 일련(一連)의 자극. 곧 자극이 얼마간 변하여도 같은 반응을 일으킬 때의 자극들. 예를 들면 동물에게 두 도형의 변별(辨別) 훈련을 행한 뒤에 한 도형을 약간 고쳐도 반응의 정도(精度)가 변하지 않을 경우의 신구(新舊) 도형 같은 것.

등-가죽 [—까—] 명 등에 붙어 있는 가죽.

등:각¹【等角】명〖수〗서로 같은 각. 서로 상등(相等)한 각.

등각²【登閣】명 누각(樓閣)에 오름. ——하다 자여불

등:각³【等覺】명〖불교〗①부처의 딴 칭호. 모든 부처의 각오(覺悟)는 평등하고 한결 같다는 데서 나온 이름. ②수행(修行)이 꽉 차서 지혜와 공덕(功德)이 바야흐로 불타(佛陀)의 묘각(妙覺)과 같아지려고 하는 지위(地位). 곧, 보살(菩薩)의 가장 높은 자리. 등정각(等正覺). ③평등 일여(平等一如)함을 깨닫는 일.

등:각 다각형【等角多角形】명〖수〗내각(內角)이 모두 같은 다각형. 곧 정다각형(正多角形)은 항상 등각 다각형이나, 등각 다각형은 반드시 정다각형이 안됨.

등:각 도법【等角圖法】[—뻡] 명〖지〗정각(正角) 도법.

등:각-목【等脚目】명〖동〗[Isopoda] 연갑류(軟甲類)에 속하는 한 목(目). 몸은 편평하고 소수의 것은 원통형임. 전형적인 특징은 두부(頭部)는 5절(節), 흉부는 8절, 복부는 7절로 모두 20절이고 두흉갑(頭胸甲)이 없고 흉각(胸脚)은 서로 비슷한 모양이며, 그 기부(基部)에 '육아(育兒) 주머니'가 있고, 복지(腹肢)에 엽상(葉狀)의 아가미가 있음. 단독으로 생활하거나 또는 고기의 입 속에 기생하기도 함. 민물·짠물에 사는 갯강구·무좀, 모래 땅에서 사는 쥐며느리 등이 이에 속함.

등:각 사다리꼴【等脚—】명〖수〗등변 사다리꼴.

등:각 사상【等角寫像】명〖수〗사상(寫像)의 하나. 정의역내(定義域內)의 두 곡선간의 각이 상(像)의 곡선간의 각과 항상 같은 것.

등:각 일전【等覺一轉】[—쩐] 명〖불교〗〔등각(等覺)에서 일전(一轉)하여 묘각(妙覺)의 자리에 이른다고 한 마하지관(摩訶止觀)에서 유래〕깊은 경지에 이르러 그 길의 한 파(派)를 새로 엶.

등:각 제형【等脚梯形】명〖수〗'등각 사다리꼴'의 구용어.

등:각 투영도【等角投影圖】명 ①투영도의 하나. 서로 직교(直交)하는 세 축(軸)이 120°씩 교차하고 있는 것같이 보이는 방향에 투영한 그림. ②지도의 하나. 지구상의 각도가 정확히 보이도록 표현한 지도.

등:각 화:법【等角畫法】[—뻡] 명〖수〗균등(均等) 화법.

등간【燈竿】명 ①등대³❸. ②끝에 등불을 단 기둥. 방파제 등의 돌단부(突端部)에 야간 항행의 안전을 도모하여 표지로 설치함.

등갈【藤葛】명 갈등(葛藤)❶.

등-갈비 명 갈비의 등 쪽에 붙어 있는 부분. 등에 붙은 갈비.

등-갈색【橙褐色】[—쌕] 명 등색을 띤 갈색.

등갈퀴-나물 명〖식〗[*Vicia cracca*] 콩과에 속하는 다년생의 만초(蔓草). 줄기는 잔 털이 많고, 길이 70-80cm 가량이며, 잎은 호생하고 무병(無柄)의 우상 복엽(羽狀複葉)에 권수(卷鬚)가 있어서 다른 물건에 감아 오르며, 소엽(小葉)은 3-10쌍이고 선상(線狀)의 긴 타원형임. 6월에 남자색 꽃이 수상(穗狀)의 총상(總狀) 화서로 액출(腋出)하고, 과실은 긴 타원형의 협과(莢果)임. 산과 들에 나는데 한국 북부·일본 및 북반구(北半球)의 온대·아한대(亞寒帶)에 분포함. 사료(飼料)로 쓰며, 어린 잎은 식용함.

〈등갈퀴나물〉

등감【橙柑】명 감귤류(柑橘類).

등:감도-면【等減度面】명〔equisignal surface〕〖전자〗송신 안테나 주위의 전기장 강도(電氣場強度)가 일정한 점(點)에 의해서 형성되는 면. 전기장 강도는 V/m로 측정됨.

등-갓【燈—】명 ①등불이나 촛불 위를 가려서 그을음을 받아내는 제구. ②전등(電燈)이나 램프 등의 위에 씌워서 빛을 반사(反射)시켜 더 밝게 하는 갓 모양의 것. *등피(燈皮).

등강【登降】명 ①오름과 내려옴. 승강(昇降). ②늚과 줆. 증감(增減). ③지위·신분 등의 높음과 낮음. 존비(尊卑). ——하다 자여불

등:강-목【等腔目】명〖동〗[*Homocoela*] 석회 해면강(石灰海綿綱)에 속하는 한 목(目). 대개가 깊은 못에 사는데, 구계(溝系)는 가장 간단한 아스콘형(ascon型)이고, 편모실(鞭毛室)은 없으며, 위강(胃腔)의 전면(全面)에는 동정 세포(細胞)가 늘어 놓였음. 아스콘류(ascon類). *이강목(異腔目).

등개 명〈방〉등겨(경상).

등-거리¹ 명 ①등만 덮을 만하게 걸쳐 입는 홑옷. 조끼처럼 깃이 없고 주머니를 달기도 하며, 소매는 짧게 하거나 아주 없게 만듦. 베로 만든 것은 맨살에 그냥 입고, 무명으로 만든 것은 봄 가을에 속옷 위에 입음. ②〈방〉조끼. ③〈방〉등¹❶(전남).

등:-거리²【等距離】명 ①같은 거리. 동거리(同距離). ②여러 가지 사물에 같은 비중을 두는 일. ¶ ～ 외교.

등:거리 외:교【等距離外交】명 등거리 중립 외교(等距離中立外交).

등:거리 중립 외:교【等距離中立外交】[—닙—] 명 어떤 나라에도 치우치지 아니하고, 각 나라에 동등(同等)한 비중을 두면서 중립을 지향하는 외교 정책.

등-걸 명 줄기를 잘라 낸 나무의 밑동. 곧, 그루터기의 몸.
[등걸이 없는 휘추리가 있나] 부모가 있어야 자식이 있는 것이니, 부모에게 효도하라는 말.

등걸-문【—文】명 ↗등글월문.

등걸-밭 명 나무 등걸이 묻혀 있는 땅.

등걸-불 명 ①나무의 등걸을 태우는 불. ②타다가 남은 불.

등걸-숯 명 나무의 뿌리나 등걸로 만든 숯. 골동탄(骨董炭). 근탄(根炭).

등걸음-치다 자 ①시체는 자빠져서 간다는 데서 나온 말로, 시체를 옮기어 길을 간다는 뜻으로 쓰이는 말. ②덜미를 짚어서 몰아 가다.

등걸-잠 명 아무 것도 덮지 아니하고 옷을 입은 채 아무데서나 쓰러져 자는 잠.

등걸짝 명〈방〉등¹❶(전북).

등검은-메뚜기 명〖충〗[*Euprepocnemis shiraki*] 메뚜깃과에 속하는 곤충. 몸길이는 날개 끝까지 31-40mm이고, 몸빛은 갈색에 두정 돌기(頭頂突起)는 수평이며, 전흉배(前胸背)는 농갈색, 측연선(側緣線)은 굵고 황색임. 앞날개는 담갈색 내지 황갈색에 흑갈색 반문이 있고, 후경절(後脛節) 기부(基部)는 황색에 세 개의 흑갈색 테가 있음. 한국에도 분포함.

등검은-물뱀 명〖동〗[*Hydrus platurus*] 물뱀과에 속하는 독사의 하나. 몸길이 80-120cm 가량이며 주둥이는 길고 목은 뚱뚱한데 허리통은 짧고, 두동부(頭胴部)는 아래위로 넓죽함. 대가리와 허리통의 등 쪽은 검은 갈색인데, 구름 같은 무늬가 있음. 비늘은 육각형인데 중간에 사마귀 같은 것이 나고, 독아(毒牙)는 짧고 잘며, 안으로는 낚시같이 오그라진 이가 있음. 바닷가에 사는데, 태평양·인도양 및 오키나와·대만(臺灣) 등지의 연안에 분포하고 난류(暖流)를 따라서 그 이상의 북방까지 갈 때도 있음.

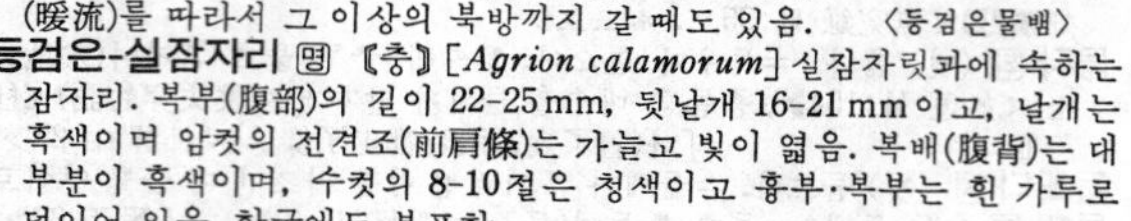
〈등검은물뱀〉

등검은-실잠자리 명〖충〗[*Agrion calamorum*] 실잠자릿과에 속하는 잠자리. 복부(腹部)의 길이 22-25mm, 뒷날개 16-21mm이고, 날개는 흑색이며 암컷의 전견조(前肩條)는 가늘고 빛이 엷음. 복배(腹背)는 대부분이 흑색이며, 수컷의 8-10절은 청색이고 흉부·복부는 흰 가루로 덮이어 있음. 한국에도 분포함.

등검은-쌍말벌【—雙—】명〖충〗[*Polistes japonicus jadwigae*] 말벌과에 속하는 벌. 암컷의 몸길이 23mm 내외이고, 몸빛은 흑색에 촉각·흉배(胸背)는 여러 무늬임. 날개는 적갈색, 복부(腹部)는 방추형이고, 각절의 후연은 황갈색이며, 제5절 이하의 황갈색 띠는 양측이 활 모양으로 굽어 있음. 흔한 종류로서 처마 밑 같은 곳에 집을 짓고 서식하는데, 한국·일본 등지에 분포함. 바더리.

〈등검은쌍말벌〉

등겁-하다 자여불 ☞ 덴겁하다. ¶상투 밑이 뜨끔하여 손이 절로 올라가서 만져보니 화살이 와서 꽂히었었다. 등겁하여 말께서 뛰어내려서 군사 뒤에 숨었다≪洪命憙: 林巨正≫.

등게¹【燈偈】명〖불교〗범패(梵唄) 악곡 중, 촛불을 밝힐 때 부르는 소리.

등게² 명〈방〉등겨(경기·강원·충청·전북·경상).

등겨 명 벼의 껍질. 벼의 겨. 겉겨는 왕겨, 속겨는 쌀겨라 함.
[등겨가 서 말만 있으면 처가살이 안한다] 처가살이는 할 것이 아니라는 말. 겉보리 서 말만 있으면 처가살이 하지 마라. [등겨 먹던 개가 말경에는 쌀을 먹는다] '바늘 도둑이 소 도둑 된다'와 같은 뜻. [등겨 먹던 개는 들키고 쌀 먹던 개는 안 들킨다] 크게 나쁜 일을 한 자는 들키지 아니하고, 그리 크지 아니한 범죄를 범한 자가 들키어서 애매하게 남의 허물까지 뒤집어 쓰게 된 것을 비유하는 말. 똥싼 놈은 달아나고 방귀뀐 놈이 잡히었다. [등겻섬에 새앙쥐 엉기듯] 이끗을 탐내어 여러 사람이 몰려드는 모양.

등경【燈檠】명 등경걸이.

등경-걸이【燈檠—】명 ☞ 등잔걸이.

등계【鷭鷄】명〖조〗뜸부기.

등고¹【登高】명 높은 곳에 오름. 등척(登陟). ——하다 자여불

등:고²【等高】명 높이가 똑 같음.

등:고 곡선【等高曲線】명 등고선(等高線).

등:고도-원【等高度圓】명〖천〗지평 좌표에서 지평선에 평행인 소원(小圓). ↔수직권(垂直圈).

등:고면 일기도【等高面日氣圖】명〖기상〗고도(高度)가 같은 면에 있어서의 상태를 나타내는 일기도. *등압면(等壓面)·등온위면 일기도.

등:고-선【等高線】명〖지〗지도에 있어서 표준 해면(海面)으로부터 같은 높이에 있는 지점(地點)을 연결하여 놓은 꼬불꼬불한 선. 동고 곡선(同高曲線). 동고선(同高線). 등고 곡선. 수평 곡선.

등:고선 경작【等高線耕作】명〖농〗경사지에서, 등고선을 따라 수평으로 도랑을 파서, 빗물로 흘러내리는 흙의 유실(流失)을 막는 경작 방법. *등고선 재배.

〈등고선〉

등:고선-법【等高線法】[—뻡] 명〖지〗등치선도(等値線圖).

등:고선 재:배【等高線栽培】명〖농〗토양 침식(浸蝕)을 방지하기 위하여 등고선식으로 농작물을 재배하는 방식.

등고 자비【登高自卑】명 ①높은 곳에 올라가려면 낮은 곳에서부터 오른다는 말로, 일을 하는 데는 반드시 차례를 밟아야 한다는 말. ②지위가 높아질수록 스스로를 낮춘다는 말.

등-골¹ [—꼴] 명〖생〗①등골뼈. ②척수(脊髓).
등골(이) 빠:지다 구 힘들고 고생스러운 일을 해서 몸의 진기가 빠지다.
등골(을) 뽑다 구 등마루의 뼈 속의 골을 뽑아 먹다시피 한다는 뜻으로, 노는 계집이 오입장이의 재물을 훑어 먹거나 애써 번 돈을 딴사

람이 낭비함을 일컫는 말.

등골(을) 우리다 (구) 남의 재물을 우려 먹다.

등-골[2] [-꼴] (명) 등 뒤 한가운데로 길게 고랑이 진 곳.

등골이 서늘해지다 (구) 공포를 느끼어 등줄기의 중심이 오싹해지다.

등골이 오싹하다 (구) 심한 공포감 따위로 등줄기의 중심에 소름이 끼쳐지는 것 같다.

등골[3]【鐙骨】(명)〖생〗 등자뼈. *청골(聽骨).

등골-나물 [-라-] (명)〖식〗[*Eupatorium japonicum*] 국화과의 다년초. 줄기는 높이 1-2m 이고, 잎은 대생하며 달걀꼴 혹은 긴 타원형임. 가에 톱니가 있으며, 양쪽에 잔 털이 나고, 뒤쪽에는 선점(腺點)이 있음. 7-10월에 백색 또는 자색 두상화(頭狀花)가 밀생 방상(密生房狀) 화서로 피며, 과실은 흰 관모(冠毛)가 있는 수과(瘦果)임. 산이나 들에 나는데, 한국 각지 및 일본·중국·필리핀에 분포함. 어린 잎은 식용함. 산란(山蘭).

〈등골나물〉

등골-막【-膜】[-꼴-] (명)〖생〗 척수막(脊髓膜).

등골 백숙【-白熟】[-꼴-] (명) 양념 없이 맹물에 삶은 소의 등골. 소금이나 초간장을 찍어 먹음.

등골-뼈 [-꼴-] (명)〖생〗 등골의 뼈. 척추골(脊椎骨).

등골 신경【-神經】[-꼴-] (명)〖생〗 척수 신경(脊髓神經).

등골 신경계【-神經系】[-꼴-] (명)〖생〗 척수 신경계(脊髓神經系).

등골-회【-膾】[-꼴-] (명) 소의 등골을 토막쳐서 만든 회. 척수회(脊髓膾).

등공【騰空】(명) 하늘에 오름. ──-하다 (자)(여불)

등과【登科】(명)〖역〗 과거에 급제함. 등제(登第). ──-하다 (자)(여불)

등과-기【登科記】(명)〖역〗 과거(科擧)의 합격자 명부.

등과 외:방【登科外方】(명)〖역〗 과거에 급제하여 지방관에 임명되는 일.

등과-전【登科田】(명)〖역〗 고려·조선 때에 과거에 급제한 사람에게 지급하던 전지(田地).

등관【登官】(명) 관직(官職)에 오름. ──-하다 (자)(여불)

등광【燈光】(명) 등불의 빛.

등교【登校】(명) 학교에 출석함. 출교(出校). ↔하교(下校). ──-하다 (자)(여불)

등교 거:부아【登校拒否兒】(명) 심인성(心因性)에 의한 정서 장애아. 병적으로 등교를 거부하는 아동으로 사춘기 이전의 등교 거부는 가정에서의 과잉 보호의 결과이며, 사춘기의 경우는 대개 부모의 지나친 간섭·명령·기대로 행동의 자유가 억압된 경우에 많음.

등교 기봉【騰蛟起鳳】(명) [올라가는 교룡과 날아 오르는 봉새] 문장이 화려하여 재기(才氣)가 환발(渙發)함의 비유.

등교-생【登校生】(명) 등교하는 학생.

등-교의【籐交椅】[-/-이] (명) 등(籐)의 줄기로 엮어 만든 의자.

등굣-길【登校-】[-낄] (명) 학생이 학교에 가는 길.

등국【藤菊】(명)〖식〗 공작고사리.

등굽잇-길 (명) 등처럼 굽은 길.

등귀【騰貴】(명) 물건 값이 뛰어오름. 상귀(翔貴). 앙귀(昻貴). 등약(騰躍). 앙등(昻騰). 용귀(踊貴). ¶ 물가 ～. ──-하다 (자)(여불)

등귀-세【騰貴勢】(명) 오름세. 등세(騰勢). ↔낙세(落勢).

등귤【橙橘】(명) 감귤류(柑橘類).

등극【登極】(명) 임금의 지위에 오름. 즉위(即位). 등조(登祚). 등위(登位). ¶ 새로 ～한 임금. ──-하다 (자)(여불)

등:극 결합【等極結合】(명)〖화〗 공유 결합(共有結合).

등극-사【登極使】(명)〖역〗 조선 시대 때, 국왕의 등극을 중국에 알리러 가던 사신.

등:근【等根】(명)〖수〗 둘 이상의 근(根)의 값이 같음. 동근(同根).

등글개-첩【-妾】(명) [등의 가려운 곳을 긁어 주는 첩이라는 뜻] 늙은이의 젊은 첩의 일컬음.

등-글기[1] (명) 그림을 새로 초잡아 그리지 아니하고, 남의 그림이나 다른 데 쓰던 그림을 그대로 본뜨는 일.

등-글기[2] (명)〈방〉 긍이.

등글레 (명)〈방〉〖식〗 민들레.

등글월-문【-文】(명) 한자 부수(部首)의 하나. '改'나 '敎' 또는 '敵' 등의 '攴'·'攵'의 이름. (준)등결문.

등-긁이 [-글기] (명) 등을 긁는 데 쓰는 물건. 옥수수 알을 따 낸 것에 나무 자루를 박은 것이 보통 쓰임.

등:급[1]【等級】(명) ①신분(身分)·값·품질 등의 높고 낮음의 차례를 분별한 층수. 또, 위아래를 구별한 등수. 등위(等位). ¶～을 매기다. *등(等). ②〖천〗 별빛의 강도(強度)를 구별하는 계급. 육안으로 보이는 가장 희미한 별을 6등, 가장 밝은 별은 1등으로 함. 광도(光度)가 2.512배가 될 때마다 1등급씩 감소하며 측정 방법에 따라 실시(實視) 등급·사진 등급·복사계(輻射計) 등급이 있음. 등위(等位). *절대 등급(絶對等級).

등급[2]【謄給】(명)〖역〗 관부(官府)로부터 소지(所志)·초사(招辭)·다짐·제사(題辭) 따위 소송 자료를 발급(發給) 받음.

등:급 개:념【等級概念】(명)〖논〗 동위 개념(同位概念).

등:급-비【等級比】(명) [magnitude ratio]〖천〗 등급이 1.0만큼 다른 두 천체(天體)의 상대 광도비(相對光度比).

등:급 선:거【等級選擧】(명)〖정〗 선거 제도의 하나. 납세액(納稅額)·교육·신분·직업 등에 따라서, 선거인(選擧人)을 둘 혹은 세 등급으로 나누고, 각 등급이 각각 독립하여 의원을 뽑는 일. 문명 국가에서는 거의 쓰지 아니함.

등기[1] (명)〈방〉 ①등겨(경북). ②〖충〗 등에(강원).

등기[2]【登記】(명)〖법〗 ①민법상(民法上)의 권리 또는 사실(事實)을 널리 밝히기 위하여 일정한 사항(事項)을 등기부(登記簿)에 적는 일. 주로 권리의 보호, 거래의 안전을 도모하기 위하여 행하여짐. 부동산(不動産) 등기·부부 재산 계약(夫婦財産契約) 등기·법인(法人) 등기 등 여러 가지가 있음. *중간 생략 등기(中間省略登記). ②↗등기 우편. ──-하다 (타)(여불)

등:기[3]【等棄】(명) 탐탁하지 않게 여겨서 버림. ──-하다 (타)(여불)

등기[4]【謄記】(명) 등초(謄抄).

등기 공무원【登記公務員】(명)〖법〗 등기에 관한 사무를 취급하는 공무원. 지방 법원·등지원(同支院)과 등기소에 근무하는 법원의 서기관(書記官) 또는 서기(書記) 중에서 지방 법원장이 지정함.

등기 권리자【登記權利者】[-궐-] (명)〖법〗 등기를 신청할 권리가 있는 사람. 곧, 어떤 등기를 함으로써 등기부상 권리를 취득하거나 또는 그 권리가 증대되는 사람. 예를 들면 매매의 등기에 있어서 사는 사람이 이것임. ↔등기 의무자.

등기-료【登記料】(명) 등기를 하는 데 드는 수수료.

등기 명의【登記名義】[-/-이] (명) 등기부에 권리자로서 기재되어 있는 명의.

등기 명의인【登記名義人】[-/-이-] (명)〖법〗 어떤 등기의 권리가 있는 사람으로 그 이름이 등기부(登記簿)에 등록되어 있는 사람.

등기-법【登記法】[-뻡] (명) 등기에 관한 법규의 총칭. 부동산 등기(不動産登記)·선박 등기(船舶登記)·상업 등기(商業登記) 등에 관한 여러 가지 특별법이 있음.

등기-부【登記簿】(명)〖법〗 등기 사항을 적어서 등기소에 마련해 둔 공공(公共)의 장부(帳簿). 부동산 등기부·선박 등기부, 그리고 각종 법인의 등기부 등이 있음. ¶ ～ 열람.

등기 사:항【登記事項】(명)〖법〗 법률에서 등기할 것을 명하고 또는 등기하는 것을 인정하고 있는 사항. 부동산(不動産) 등기에서는 권리의 설정(設定)·보존(保存)·이전(移轉)·변경(變更)·소멸(消滅) 같은 것이 있고, 기타 상업(商業) 등기, 선박(船舶)의 소유권의 보존·이전의 등기 같은 것이 있음.

등기-선【登記船】(명) 선박 등기법(船舶登記法)에 의하여, 선박 등기부(登記簿)에 등기된 선박. 곧 총톤수 20 t 이상의 선박. 등부선(登簿船).

등기-소【登記所】(명) 등기 사무를 취급하는 관공서. 관할 등기소는 등기할 권리의 목적인 부동산의 소재지를 관할하는 지방 법원·동지원(同支院) 또는 등기소임.

등기 수속【登記手續】(명) 등기 절차(節次).

등기 용:지【登記用紙】(명)〖법〗 하나의 부동산에 대하여 등기된 한 벌의 종이. 한 필(筆)의 토지, 한 동(棟)의 건물마다 독립하여 작성함.

등기 우편【登記郵便】(명)〖법〗 우편물 특수 취급의 한 가지. 우체국에서 우편물을 받을 때 발송인(發送人)에게 수령증(受領證)을 주고 우편물을 배달할 때 수취인(受取人)의 도장을 받는 절차로 우편 취급을 확실히 하려는 것임. (준)등기(登記).

등기 원인【登記原因】(명)〖법〗 부동산을 등기할 원인이 되는 사실. 매매(賣買)·증여(贈與)·저당권 설정(抵當權設定) 등.

등기 의:무자【登記義務者】(명)〖법〗 등기를 할 의무가 있는 사람. 곧 어떠한 등기를 함으로써 등기부상 권리를 상실하거나 또는 그 권리가 줄어드는 사람. 예를 들면 매매의 등기에 있어서 파는 사람이 이것임. ↔ 등기 권리자.

등기 절차【登記節次】(명) 등기에 관한 것을 등기소에 신청하는 일정한 절차. 등기 수속(手續).

등기 청구권【登記請求權】[-꿘] (명)〖법〗 부동산 물권의 변동, 그의 원인으로 등기가 진실의 권리 관계와 합치하지 않을 적에, 등기 권리자가 등기 의무자에 대하여, 등기 신청에 관한 협력을 요구할 수 있는 권리.

등기필-증【登記畢證】[-쯩] (명)〖법〗 등기가 되었음을 증명하기 위하여 등기소에서 교부하는 증명서. 권리증(權利證).

등-꼬부리 (명) 등이 꼬부라진 늙은이.

등-꼽장이 (명)〈방〉 곱사등이.

등-꽃【藤-】(명) 등나무의 꽃. 등화(藤花).

등꽃 나물【藤-】(명) 등꽃으로 만든 나물. 등꽃을 따서 소금 물에 술을 치고 한데 버무려서 시루에 쪄 낸 뒤 식히어 소금과 기름에 무침. 등화채(藤花菜).

등-나무【藤-】(명)〖식〗[*Wistaria japonica*] 콩과에 속하는 낙엽 활엽 만목(蔓木). 줄기는 길게 뻗어 오른쪽으로 감아 붙고, 잎은 기수(奇數) 우상복생(羽狀複生)의 유병(有柄)이며, 소엽(小葉)은 달걀꼴이고 11-19개 있는데 전연(全緣)임. 4-5월에 어린 가지 끝에 수상(穗狀)·나비 모양의 자색 또는 백색 꽃이 많이 늘어져서 총상(總狀) 화서로 피고, 잔 털 있는 협과(莢果)가 가을에 익음. 한국의 중부 이남 및 일본·중국에 분포함. 줄기는 '등(藤)'이라 하여 수공품에 쓰고, 관상용으로 정원에 심음. 어린 씨와 잎은 식용함. 이계초(二季草). (준)등(藤).

〈등나무〉

등-날 (명) 등마루 꼭대기의 날카로운 줄.

등:내【等內】(명)〖역〗 벼슬아치가 그 벼슬을 살고 있는 동안. (준)등(等).

등-널 (명) 의자의 등이 닿는 곳에 댄 널빤지. 배판(背板).

등년【登年】(명) 여러 해가 걸림.

등노래-굿【燈-】(명)〖민〗 동해안 지역의 별신굿, 강릉(江陵) 단오굿 등에서, 약 1.5m 크기의 탑등(塔燈)을 무녀(巫女)가 여럿이 번갈아 돌리고, 등노래를 부르면서 춤추는 절차. 굿이 끝나면 등은 태움.

등다리 (명)〈방〉 등[1]❶(경남).

등단【登壇】(명) ①〖역〗 대장(大將)의 벼슬에 오름. ②연단(演壇) 또는 교단(敎壇)에 오름. ↔하단(下壇). ③〖불교〗 입단(入壇). ──-하다 (자)(여불)

등달【騰達】(명) ①위로 올라감. ②출세함. ──-하다 (자)(여불)

등-달다 자 일이 몹시 급하게 몰려 등이 화끈화끈하여지다. ¶ 일이 급하게 되니 등달아서 이리 뛰고 저리 뛰고 하다/ 입맛을 펄썩 다시고 노름에 등단 사람같이 애를 부등부등 쓰는 모양이더니…≪作者未詳: 산천초목≫

등-닿다 [—다타] 자 ①말이나 소의 등 가죽이 길마에 닿아 상하여 벗어지다. ② 뒤를 봐 줄 사람이 있다.

등:대[1]【等待】명 미리 준비하고 기다림. 등후(等候). ¶ 그 말이 떨어지기를 ~나 하고 있었던 것처럼 배에서 쪼르륵 소리가 일어났다≪玄鎭健: 無影塔≫. ——-하다 타 여불

등:대[2]【等對】명 같은 자격으로 마주 대함. ——-하다 자 여불

등-대[3]【燈—】[—때] 명 ①〖민〗관등절(觀燈節)에 등을 달기 위하여 세우는 긴 대. 인가(人家)에서는 길이 5m 가량, 꼭대기에 장목이나, 일월권(日月圈)을 꽂아서 바람에 돌게 함. 등을 오르내리게 하려고 장목 아래에 남빛 또는 붉은 빛의 드림을 닮. 3월 하순부터 종이나 천으로 만든 잉어등을 달다가 4월 초 엿새부터 아흐레까지 탈등을 닮. 등은 아이들의 수대로 닮. 관부(官府)나 시전(市廛)은 수십 개의 돛대를 잦다가 길이 18m 이상의 높이로 높게 세웠다 함. ②과유(科儒)들이 동접(同接)의 표치(標幟)로 장내(場內)에 가지고 가는 3m 가량의 대. ③선술집에 술등을 단, 길이 4m 가량의 대. 등간(燈竿).

등대[4]【燈臺】명 항로 표지(航路標識)의 하나. 밤중에 뱃길의 위험한 곳을 비추어 주거나 목표로 삼게 하기 위하여 등불을 켜 놓는 대(臺). 해변·섬·방파제 같은 곳에 탑 모양으로 높이 쌓아서 꼭대기에 광실(光室)을 만들어 불을 켜게 만들었음. 광탑(光塔).

등대 감시선【燈臺監視船】명 전국 각 등대의 상황을 시찰하면서 돌아다니는 배. 감시 외에도 물자의 공급이나 여러 가지 일을 봄.

등대-국【燈臺局】명〖역〗대한 제국 때 항로 표지(航路標識)의 일을 맡아 보던 관아(官衙). 순종(純宗) 융희(隆熙) 2年(1908)에 베풀었다가 동 4년에 폐하고, 항로 표지 관리소(航路標識管理所)를 둠.

등-대다 자 뒤로 남의 세력을 의지하다. 의존하여 기대다. ¶ 돈원이나 더 뺏아 가지고 갈 작정으로 아직 등을 대고 있으나≪金宇鎭: 花上雪≫.

등대-도【燈臺島】명〖지〗경상 남도의 남해상(南海上), 통영시(統營市) 한산면(閑山面) 매죽리(每竹里)에 위치한 섬. [$0.01\,km^2$]

등대-뼈 명〈방〉등골뼈.

등대-산【登垈山】명〖지〗함경 북도 명천군(明川郡) 상우북면(上雩北面)에 있는 산. [1,261 m]

등대-선【燈臺船】명 등선(燈船).

등대-수【燈臺手】명 등대지기.

등대-시호【—柴胡】명〖식〗[*Bupleurum euphorbioides*] 미나릿과에 속하는 다년초. 줄기 높이 30 cm 내외이고, 잎은 호생하고 무병(無柄)에 달걀꼴의 피침형임. 7-8월에 황색 꽃이 산형(繖形) 화서로 줄기 끝과 가지 끝에 정생(頂生)하고, 과실은 길이 3mm의 타원형임. 산과 들에 나는데, 강원·평북·함남·함북 등지에 분포함.

등대-원【燈臺員】명 선박 직군(船舶職群) 등대 직렬(職列)에 속하는 기능직 국가 공무원 직급 명칭의 하나. 7급에서 10급까지의 네 등급이 있음.

등대-장【燈臺長】명 선박 직군(船舶職群) 등대 직렬(職列)에 속하는 기능직 국가 공무원 직급 명칭의 하나. 등대원(燈臺員)·표지원(標識員)의 위. 6급·7급의 두 등급이 있음.

등대-지기【燈臺—】명 등대를 지키는 사람. 등대수.

등:대-치다【等待—】자 등대(等對)하다.

등대-표【燈臺表】명〖해〗수로 서지(水路書誌)의 하나. 항로 표지나 보시(報時) 신호 등의 세목을 적은 표.

등대-풀【燈臺—】명〖식〗[*Galarhoeus helioscopia*] 대극과에 속하는 월년초. 줄기는 원기둥꼴에 총생(叢生)하고 단단하게 직립하여 높이 25-33 cm 이고, 절단하면 백색의 유즙(乳汁)이 나옴. 잎은 호생하고 무병(無柄)이며 줄기 끝의 분기점에 다섯 잎씩 윤생한 거꿀달걀꼴의 설형(楔形) 또는 비형(篦形)임. 5월에 황록색 꽃이 거칠은 산형(繖形) 화서로 피고, 삭과(蒴果)는 세 갈래로 갈라져서 종자가 나옴. 들에 나는데 한국 남부·일본 등지에 분포함. 유독(有毒)하여 뿌리는 약용(藥用)임. 오봉초(五鳳草). 택칠(澤漆).

〈등대풀〉

등더리 명〈방〉등[1]❶(경상).

등덕 명〈방〉언덕(함남).

등-덜미 [—떨—] 명 뒷 등의 윗부분. ¶ ~를 잡다.

등-덩굴【藤—】명 등나무의 뻗은 덩굴.

등-덮개 명 ①겨울에 입는 솜저고리 같은 것. ②소나 말의 등을 덮어주는 거적대기 같은 것.

등도[1]【登途】명 길을 떠남. 등정(登程). ——-하다 자 여불

등도[2]【磴道】명 돌이 많은 비탈길.

등돈【登頓】명 높은 데를 올라가 잠깐 쉼. *등척(登陟). ——-하다 자 여불

등-돌리다 자 무관심한 태도를 보이다. 책임을 피하다. 상대를 하지 아니하다.

등-뒤 명 등의 뒤. 배후(背後).

등드리 명〈방〉등[1]❶(경상).

등:등【等等】의명 여러 사물을 죽 들어 말할 때, 그 체언(體言)이나 용언(用言)의 아래에 붙어서 '무엇 무엇 들'의 뜻으로 쓰는 말. ¶ 옷·모자·신 ~ 살 것이 많다. *등[9](等).

등-등거리【籐—】명 등의 줄기를 가늘게 오려서 드문드문 엮어 소매 없이 만든 등거리. 여름에 적삼의 밑에 입어 땀이 배지 않도록 함.

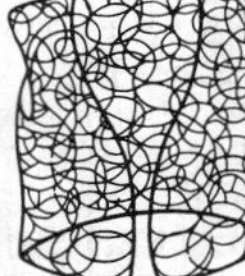
〈등등거리〉

등등-하다【騰騰—】형 여불 기세를 뽐내는 모양이나 마음에 느낀 것을 나타내는 태도가 아주 단단하다. ¶ 살기(殺氣) ~/기세가 ~.

등-따리 명〈방〉등[1]❶(경상).

등-딱지 명 게·거북 따위의 등을 이룬 단단한 딱지. 배갑(背甲).

등-때기 명 '등[1]①'의 낮은말.

등-땡이 명〈방〉등[1]❶(경기·제주).

등-떠리 명 ☞ 등때기.

등-떼기 명 ☞ 등때기.

등라【藤蘿】[—나] 명 등나무의 덩굴.

등락[1]【登洛】[—낙] 명 상경함. 상락(上洛). ——-하다 자 여불

등락[2]【登落】[—낙] 명 등급제(登及第)와 낙제(落第).

등락[3]【騰落】[—낙] 명 물가(物價)의 오름과 내림. ——-하다 자 여불

등람【登覽】[—남] 명 올라가서 바라봄. ——-하다 자 여불

등:량【等量】[—냥] 명 같은 양.

등:렬【等列】[—녈] 명 대등(對等)되는 반열(班列). 격(格)이 서로 같은 신분 등급의 차례.

등록[1]【登錄】[—녹] 명 ①문서에 올림. ¶ 주민 ~/새 학기 ~을 마치다. ②〖법〗법령의 규정에 의한 어떠한 사항을 공증(公證)하기 위하여 관계되는 관청의 공부(公簿)에 기재하는 일. 등록에 의하여 그 사실이 확정되며 여러 가지 법률 관계의 조건이 됨. ——-하다 타 여불

등록[2]【謄錄】[—녹] 명 ①전례(前例)를 적은 기록(記錄). ②베끼어 기록함. 등 사(謄寫). ——-하다 타 여불

등록 공채【登錄公債】[—녹—] 명〖법〗공채 증권부(公債證券簿)에 채권자와 채권액 등을 등록할 뿐 증권(證券)은 발행하지 않는 공채.

등록-관【謄錄官】[—녹—] 명〖역〗조선 시대 때, 수권관(收卷官)이 거둔 시권(試卷)을 받아, 거자(擧子)의 필적(筆跡)을 알 수 없게 하기 위하여 답안(答案)을 주묵(朱墨)으로 딴 종이에 옮겨 베끼는 일을 주관하던 관원. *사동관(査同官).

등록 국채【登錄國債】[—녹—] 명〖법〗채권자(債權者)의 성명·채권액을 정부의 장부에 등록한 국채. 증권 발행에 대신하는것과, 기명 증권(記名證券)을 발행하는 것의 두 가지가 있음.

등록-금【登錄金】[—녹—] 명 대학생이 입학할 때나 학년초·학기초 등에 학교에 등록할 적에 내는 납입금(納入金).

등록 기관【登錄機關】[—녹—] 명〖법〗회사의 발행 주권의 번호나 수(數)를 기록하여 발행의 적법(適法) 여부를 심사하는 기관.

등록 사채【登錄社債】[—녹—] 명〖법〗사채(社債) 등록 기관에 비치된 사채 등록 원부(登錄原簿)에 등록하여 사채를 표시하기만 하고, 채권(債券)을 발행하지 아니하는 사채.

등록 상표【登錄商標】[—녹—] 명〖법〗상표의 특수한 문자·도형(圖形) 또는 결합(結合) 같은 것을 관계 관청에 등록한 상표. 등록에 의하여 상표에 대한 전용권(專用權)이 발생함.

등록-세【登錄稅】[—녹—] 명 지방세의 하나. 재산권 기타 권리의 취득·이전·변경 또는 소멸에 관한 사항을 공부(公簿)에 등기 또는 등록할 때 부과함.

등록-소【登錄所】[—녹—] 명 등록 사무를 취급하는 곳.

등록 실용 신안【登錄實用新案】[—녹—] 명〖법〗특허청(特許廳)에 등록을 마친 실용 신안.

등록 의:장【登錄意匠】[—녹—] 명〖법〗등록의 절차(節次)를 마친 의장. 등록을 함으로써 그 의장에 대한 전용권(專用權)이 발생함.

등록-지【登錄地】[—녹—] 명 등록한 곳.

등록-질【登錄質】[—녹—] 명〖법〗질권(質權)의 설정에 있어서 목적물을 인도(引渡)하지 아니하고 해당 기관의 등록부에 등록함으로써 설정되는 질권(質權). 영업질(營業質). ↔약식질(略式質).

등록-폭【登錄幅】[—녹—] 명 [register breadth] 선체(船體)의 가로폭(幅). 특히, 선체 외측의 가장 폭이 넓은 부분의 폭.

등록 협회【登錄協會】[—녹—] 명〖사〗가축(家畜)의 혈통(血統)을 등록하여 그 순종(純種)을 유지하며 개량종을 발전시키고자 설립한 단체(團體).

등롱【燈籠】[—농] 명 대오리나 쇠사슬로 살을 만들고 종이를 씌워 둥글거나 모나게 만들어, 그 속에 촛불을 켜는 기구. 걸어 놓기도 하며, 작대기에 달아 들고 다니기도 함.

등롱-꾼【燈籠—】[—농—] 명 의식(儀式)을 행할 때에 등롱을 들고 다니는 사람.

등롱-대【燈籠—】[—농때] 명 등롱을 걸어서 드는 대. 직경 3 cm, 길이 93 cm 가량 되는 막대기의 위 끝에 길이 18 cm 가량의 황새목을 달고, 아래끝에 길이 13 cm 가량의 물미를 붙이어 전체의 길이 124 cm 가량 되게 만듦.

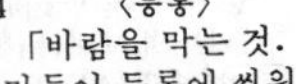
〈등롱〉

등롱-의【燈籠衣】[—농—/—농이] 명 깁이나 종이로 만들어 등롱에 씌워 바람을 막는 것.

등롱-초【燈籠草】[—농—] 명〖식〗꽈리❶.

등루【登樓】[—누] 명 ①다락에 오름. ②창루(娼樓)에 놀러감. ——-하다 자 여불

등루-가【登樓歌】[—누—] 명〖악〗조선 시대 때의 가사(歌詞). 공자(孔子)의 집을 구경하는 데 비기어 수신 역행(修身力行)하기를 가르친 노래인데, 시대와 작자는 미상임.

등루 거:제【登樓去梯】[—누—] 명 다락에 오르게 하고 사다리를 치운다는 뜻으로, 사람을 꾀어서 어려운 곳에 빠지게 함을 가리키는 말.

등:류[1]【等類】[—뉴] 명 같은 종류. 동류(同類).

등:류[2]【等流】[—뉴] 명〖불교〗등류과(等流果).

등류[3]【藤柳】[—뉴] 명〖식〗갯버들.

등:류-과【等流果】[—뉴—] 명〖불교〗오과(五果)의 하나. 원인에서 결과가 생길 때, 그 원인과 똑같은 성질이 있는 결과를 가리켜 일컫는 말. 등류(等流).

등:류 불신【等流佛身】[―뉴―씬] [명]〖불교〗 밀교(密敎)에서, 사종(四種)의 불신의 하나. 부처이면서 부처 이외의 것과 같은 모습으로 나타나는 부처를 일컬음.

등륙【登陸】[―뉵] [명] 상륙(上陸). ――하다 [자][여불]

등:륜【等倫】[―뉸] [명] 동배(同輩).

등리【藤梨】[―니] [명]〖식〗 다래나무.

등림【登臨】[―님] [명] ①↗등산 임수(登山臨水). ②높은 곳에 오름. 「――하다 [자][여불]

등:립 조직【等粒組織】[―닙―] [명]〖광〗 광물 집합체에서, 구성(構成) 광물의 크기가 거의 같은 조직.

등-마루 [명]〖생〗 등의 가운데, 등골뼈가 있어 두두룩하게 줄이 진 부분.

등매 [명]〈방〉 등메.

등-멍석【籐―】[명] 등덩굴을 가느스름하게 쪼개서 엮어 만든 멍석.

등메 [명] 헝겊으로 가선을 두르고 뒤에 부들자리를 대서 만든 돗자리. ＊꽃돗자리.

등:면-엽【等面葉】[명]〖식〗 기공(氣孔)·책상 조직(柵狀組織) 등의 표리(表裏) 양면이 똑같이 발달하여 양면이 거의 같은 빛깔이며, 겉과 안의 구별이 없는 잎. 수선화의 잎 등이 이에 속함.

등명【燈明】[명] 신불(神佛)에게 올리는 등불. ¶～을 올리다.

등명-대【燈明臺】[명] 등명을 켜는 대.

등명 접시【燈明―】[명] 심지를 놓고 기름을 부어서 불을 켜는 데에 쓰는 「접시.

등:묘【等妙】[명]〖불교〗 보살(菩薩) 52위(位) 중, 51위의 등각(等覺)과 52위의 묘각(妙覺).

등:묘각-왕【等妙覺王】[명]〖불교〗 부처의 존칭(尊稱). 보살이 수행(修行)을 완성하고 묘각으로서 오도(悟道)한 것을 왕에 비유한 말.

등문-고【登聞鼓】[명]〖역〗 ①남북조 이후 송(宋)나라 때 '신문고'를 일컫던 이름. ②조선 태종(太宗) 원년(1401)에 처음으로 '신문고'를 설치할 때 이르던 이름.

등-물[1] [명] 목물[1]❷.

등:물[2]【等物】[명] 같은 종류의 물건.

등미 [명]〈방〉 등메.

등-미역 [명]〈방〉 등물(총칭). ――하다 [자]

등:밀도 혼:합【等密度混合】[―또―] [명] [caballing]〖해〗 온도·염분이 다른데도 밀도가 같은 수괴(水塊)의 혼합. 혼합물은 무거워져서 가라앉음.

등-밀이 [명] ①등을 대패로 오목하게 밀어서 만든 창살. ②함지박이나 나막신 같은 것의 구붓한 등 바닥을 밀어 깎는 연장. ③〈속〉 목욕탕에서 목욕하는 사람의 등의 때를 밀어 주고 씻어 주는 사람.

등몰 [명]〈옛〉 등마루. ═둥므로. ¶등몰 쳑(脊)《字會 上 27》.

등-바대 [―빠―] [명] 홑옷의 깃고대 안쪽에 길고 넓게 덧붙이어서 등까지 대는 헝겊.

등-바리 [명]〈방〉 발판(함북).

등:반[1]【等半】[명] ①두 분량(分量)이 같음. ②이등분(二等分).

등반[2]【登攀】[명] 산이나 높은 곳에 오름. 반등(攀登). ¶알프스 ～/～대(隊). ――하다 [자][여불]

등반-근【登攀根】[명]〖식〗 줄기가 자람에 따라 부정근(不定根)이 나와 나무나 바위에 밀착하여 줄기를 꽉 버티는 역할을 하는 뿌리. 칡·담장이 등에서 볼 수 있음.

등반-대【登攀隊】[명] 산이나 높은 곳에 올라갈 목표를 세우고 그것을 수행하기 위하여 조직한 무리.

등-받이 [―바지] [명] ① ☞ 등거리[1]❶. ②의자에 앉을 때 등이 닿는 부분.

등:발진시-선【等發震時線】[―찐―] [명]〖지〗 발진시가 같은 지점을 지도 위에서 연결한 곡선. 지각(地殼) 속에서의 지진파(地震波)의 속도가 장소에 따라 다르기 때문에 진앙(震央)을 중심으로 조금 비뚤어진 원이 됨. 진앙의 위치를 결정하거나 지진파의 전파(傳播) 속도의 이상 조사(異常調査)에 사용됨.

등:방[1]【等方】[명] 기체·액체·유리 따위 물체의 물리적 성질이 그 물체 내의 방향에 따라 다르지 아니하고 같음. ↔이방(異方).

등방[2]【燈榜】[명] 광명두.

등:방-성【等方性】[―썽] [명] ①〖물〗 물체의 팽창율이나 열전도율(熱傳導率)과 같은 물리적 성질이 방향(方向)에 의하여 달라지지 아니하는 일. 액체와 기체는 대개 등방성이고, 결정체(結晶體)는 이방성(異方性)임. 분자(分子)의 배열이 일정하지 아니하므로 이와 같은 현상이 생김. ↔비등방성(非等方性). ②〖철〗 공간(空間)은 모든 방면에 있어서 성질이 같음. 곧, 특이성(特異性)이 없음.

등:방성 복사【等方性輻射】[―썽―] [명] [isotropic radiation]〖전자〗 ① 발생원(發生源)으로부터 전체 방향에 같은 강도로 방출되는 복사. ② 하나의 위치에 전체 방향으로부터 같은 강도로 전해져 오는 복사.

등:방성 유체【等方性流體】[―썽―] [명] [isotropic fluid]〖물〗 그 성질이, 측정되는 방향에 의존하지 않는 유체.

등:방 우:주【等方宇宙】[명] [isotropic universe]〖천〗 어떤 방향에서 보아도 똑같은 성질을 갖는, 가설적(假說的) 우주.

등:방위각-선【等方位角線】[명] [isogonic line]〖지〗 지표상(地表上)에서 자기 자오선(磁氣子午線)의 방위각이 같은 여러 개의 지점(地點)을 지도 위에 연결해서 표시하여 놓은 선. 곧, 지표상(地表上)에서 지자기(地磁氣)의 편각(偏角)이 같은 여러 점을 결합해서 생기는 선(線). 등편각선(等偏角線). [준]등방위선(等方位線).

등:방위-선【等方位線】[명]〖지〗 ↗등방위각선(等方位角線).

등:방적 선원【等方的線源】[명] [isotropic radiator]〖물〗 모든 방향에 균일하게 방사되는 에너지원(energy 源).

등:방-체【等方體】[명] [isotropic body]〖물〗 등방성(等方性)을 가지고 있는 물체. ↔비등방성 물체(非等方性物體).

등:배【等輩】[명] 동배(同輩).

등:배-수【等倍數】[명]〖수〗 공통되는 배수(倍數)를 갖는 몇 개의 수(數)의 하나.

등배 운:동【―運動】[―빼―] [명] 체조의 한 가지. 다리를 벌리고 서서 등과 배의 운동을 하기 위하여 허리를 뒤로 젖혔다 앞으로 구부렸다 함.

등:변【等邊】[명]〖수〗 다변형(多邊形)에 있어서 각 변의 길이가 같음. 또, 길이가 같은 변. ¶～형(形). ↔부등변(不等邊).

등:변 다각형【等邊多角形】[명]〖수〗 각 변의 길이가 서로 같은 다각형.

등:변 사:각형【等邊四角形】[명]〖수〗 마름모.

등:변 사다리꼴【等邊―】[명]〖수〗 평행하지 아니하는 두 변의 길이가 똑같은 사다리꼴. 등각(等脚) 사다리꼴.

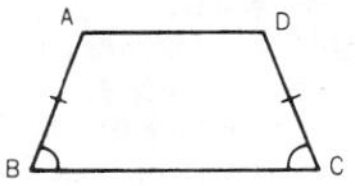

〈등변 사다리꼴〉

등:변 삼각형【等邊三角形】[명]〖수〗 각 변의 길이가 같은 삼각형.

등:변-선【等變線】[명]〖기상〗 기압(氣壓)·기온(氣溫) 등 기상 요소(氣象要素)의 변화도(變化度)가 같은 지점을 일기도(日氣圖) 상에 이은 선. 등변화선(等變化線).

등:변 쌍곡선【等邊雙曲線】[명]〖수〗 직각 쌍곡선(直角雙曲線).

등:변 제형【等邊梯形】[명]〖수〗 '등변 사다리꼴'의 구용어.

등:변-형【等邊形】[명]〖수〗 각 변의 길이가 같은 도형(圖形).

등:변화-선【等變化線】[명]〖기상〗 등변선.

등:복각-선【等伏角線】[명]〖지〗 지표상(地表上)에서 자침(磁針)의 복각(伏角)이 같은 여러 개의 지점(地點)을 연결하여 지도(地圖) 위에 표시하여 놓은 선. 동복각선(同伏角線). [준]등복선(等伏線).

등:복-선【等伏線】[명]〖지〗 ↗등복각선(等伏角線).

등본[1]【謄本】[명]〖법〗 ①원본(原本)의 내용 전부를 그대로 복사하거나 옮겨 베낀 서류. ¶호적 ～/등기부 ～. ②↗호적 등본(戶籍謄本). ③↗주민 등록 등본. 1)-3):↔초본(抄本).

등본[2]【藤本】[명]〖식〗 전요(纏繞) 식물과 반연(攀緣) 식물의 총칭. 곧, 줄기·권수(卷鬚) 또는 그 밖의 것으로써 딴 물체에 얽혀서 벋어 올라가는 식물. 덩굴성 식물. 만성(蔓性) 식물.

등부【登簿】[명] 관공서의 소정(所定)의 장부에 등기·등록함. ¶～선(船). ――하다 [타][여불]

등부기 [명]〈방〉〖식〗 모자반.

등부 돈수【登簿噸數】[―쑤] [명] '등부 톤수'의 취음.

등부-선【登簿船】[명]〖법〗 등기선(登記船).

등부 톤수【登簿―數】[ton] [―쑤] [명] 실지로 짐을 실을 수 있는 선박의 적재량. 총톤수에서 기관실·승무원실을 제외하고 화물·여객을 적재하는 용적(容積). 취음: 등부 돈수.

등-부표【燈浮標】[명] 등표(燈標).

등:분[1]【等分】[명] ①〖수〗 어떤 수나 양을 두 개 또는 몇 개의 똑같은 부분으로 나눔. ②서로 같은 분량. ③균일한 분배. ――하다 [타][여불]

등분[2]【登盆】[명] 땅에 심었던 화초(花草)를 분(盆)에 옮겨 심음. ↔퇴분(退盆). ――하다 [타][여불]

등분[3]【騰奔】[명] ①뛰어올라 달림. ②물가가 갑자기 뛰어오름. ――하다 [자][여불]

등:-분배【等分配】[명] [equipartition]〖화〗 ①등압력하(等壓力下)에서, 똑같은 평균 분자간 거리(平均分子間距離)를 유지하고 있는 기체(氣體)의 상태. ②어떤 화합물이 두 종류의 매체 사이에 똑같이 분배되는 일. ③원자가 규칙적으로 배열되어 있는 일. 결정(結晶)에서 볼 수 있음.

등:분-제【等分除】[명]〖수〗 주어진 것을 등분한다는 뜻의 나눗셈. ↔포함제(包含除).

등-불【燈―】[―뿔] [명] ①등에 켠 불. 등화(燈火). ②등잔불.

등불-베짱이【燈―】[―뿔―] [명]〖충〗 베짱이.

등불-여치【燈―】[―뿔려―] [명]〖충〗 실베짱이.

등:비【等比】[명]〖수〗 두 개의 비(比)가 서로 똑같게 된 비.

등:비 급수【等比級數】[명]〖수〗 급수의 하나. $a, ar, ar^2, ar^3, \cdots, ar^{n-1}$($r$는 공비(公比))의 등비 수열(等比數列)을 '+' 기호로써 연결시킨 형식, $a+ar+ar^2+ar^3+\cdots+ar^{n-1}$를 말함. $1+2+4+8+16+\cdots$ 따위. 기하급수(幾何級數). ↔등차 급수(等差級數). ＊등비 수열(等比數列).

등:비 수:열【等比數列】[명]〖수〗 수열의 하나. 어떤 수로부터 시작하여 차례로 같은 수를 곱하여 만들어진 수열. $1, 2, 4, 8, 16, 32, \cdots$ 및 $1, \frac{1}{3}, \frac{1}{9}, \frac{1}{27}, \cdots$ 따위. 기하 수열(幾何數列). ＊등비 급수(等比級數).

등:비의 법칙【等比―法則】[―/―에―] [명]〖수〗 비례식(比例式)에 관한 법칙의 하나. $a:b=a':b'$, $b:c=b':c'$가 성립되면 $a:c=a':c'$도 성립된다는 법칙.

등:비 중항【等比中項】[명]〖수〗 수(數) a를 초항(初項), 수 b를 말항(末項)으로 하는 등비 수열(等比數列) $a, x_1, x_2, \cdots, x_r, b$의 중간의 항 $x_1, x_2, \cdots, x_r$의 a, b에 대한 이름. r가 1일 때는 $a:x=x:b$가 성립하므로 x_1은 a와 b와의 상승 평균(相乘平均)과 같음.

등빙【登氷】[명] 얼음 위를 건너감. ――하다 [자][여불]

등빨간-먼지벌레 [명]〖충〗 [*Dolichus halensis*] 딱정벌렛과에 속하는 곤충. 몸길이 19mm 내외이고, 몸빛은 흑색이며 두부 전배판(前背板)과 몸의 하면은 광택이 남. 앞 머리의 무늬·촉각 전배판의 측연(側緣)과 시초(翅鞘)의 회합선(會合線)에 있는 장형(長形)의 반문과 다리는 모두 적갈색이고 윤이 흐름. 밭의 흙 속에 서식함. 한국·일본·중국·시베리아·유럽 등지에 분포함. 밭딱정이.

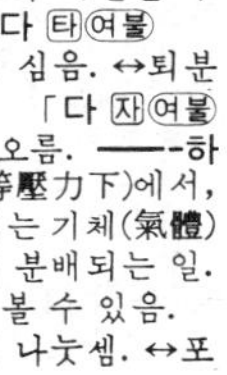
〈등빨간먼지벌레〉

등-뼈 [명]〖생〗 척추골(脊椎骨).

등뼈 동:물【―動物】[명]〖동〗 '척추 동물'의 풀어 쓴 말. ↔민등뼈 동물.

등사[1]【螣蛇】[명] ①〖민〗 용(龍) 비슷한 신사(神蛇). 운무(雲霧)를 일으키며 몸을 감추고 난다고 함. ②별의 이름. ③말의 목 위쪽에 있는 선모(旋毛).

등사[2]【縢絲】[명] 사립(絲笠)에 있어서 싸개 대신에 촘촘하게 늘어놓아 붙이는 명주실.

등사[3]【謄寫】[명] ①등사기로 박음. ②등초(謄抄). ――하다 [타][여불]

등사-기¹【騰蛇旗】명〖역〗대오방기(大五方旗)의 하나. 진영(陣營)의 한가운데에 세워 중군(中軍)을 지휘함. 누른 바탕에 나는 뱀과 운기(雲旗)를 그리고, 가장자리와 화염(火焰)은 붉은 빛이며, 영두(纓頭)·주락(珠絡)·장목이 있음. *대오방기(大五方旗).

등사-기²【謄寫機】명〖인쇄〗간편한 인쇄기의 한 가지. 같은 서화(書畫)를 많이 박아 낼 때에 등사 원지에 필요한 서화를 등사판에 받치고 철필로 긁거나 그리어 틀에 끼워 그 위를 등사 잉크를 바른 롤러(roller)로 밀어서 박아 냄. 등사판. 속사판(速寫板).

〈등사기¹〉

등-사데 명〈방〉등¹(함북).

등사-랑【登仕郞】명〖역〗고려 때 문반(文班)의 한 품계(品階). 문종(文宗)이 정구품(正九品) 하(下)로 정하고 충렬왕(忠烈王) 원년(1275)에 폐했다가 24년(1298) 다시 회복, 34년(1308)에 다시 폐함. 뒤에 공민왕(恭愍王) 5년(1356)에 다시 구품(九品)으로 정하였다가 11년에 또 폐하였음. *통사랑(通仕郞).

등:사 습곡【等斜褶曲】명〖지〗습곡 축면(褶曲軸面)과 그 양측의 지층의 경사(傾斜)가 같은 방향이고 같은 각도일 때의 습곡. *경사(傾斜) 습곡·정습곡(正褶曲)·횡와(橫臥) 습곡.

등사 원지【謄寫原紙】명 등사할 원고를 쓰는 기름종이. 얄팍한 종이에 팔라핀·와셀린·송진 같은 것을 섞어 만든 기름을 먹이어 만듦. 철필로 쓰는 것과 붓으로 쓰는 것의 두 가지가 있음. 등사지.

등사 잉크【謄寫―】〔ink〕명 등사기로 서화를 박아 내는 데 쓰이는 잉크.

등사-지【謄寫紙】명 등사 원지(謄寫原紙).

등사-판【謄寫版】명 등사기(謄寫機).

등산【登山】명 ①산에 오름. ↔하산(下山). ②〖불교〗수도(修道)를 위하여 승려가 산에 들어가 머무름. ——-하다 자여불

등산-가【登山家】명 등산을 잘하거나 즐기는 사람. 알피니스트.

등산-객【登山客】명 운동 등의 목적으로 산에 오르는 사람.

등산-기【登山期】명 등산하기에 알맞은 시기. 곧, 봄이나 가을 같은 때.

등산-로【登山路】[―노] 명 산에 오르는 길. 등산하는 코스.

등산-모【登山帽】명 등산할 때 쓰는 간편한 모자.

등산-복【登山服】명 등산하기에 알맞게 만든 옷. 등산옷.

등산-열【登山熱】[―녈] 명 등산에 대한 열성.

등산-옷【登山―】명 등산복(登山服).

등산 임수【登山臨水】[―님―] 명 산에 오르고 물로 나아감. ㊌등림(登臨). ——-하다 자여불

등산 전:차【登山電車】명 등산 철도를 달리는 전차.

등산 지팡이【登山―】명 등산할 때 쓰이는 곡괭이 같은 손잡이가 있는 지팡이. 피켈(pickel).

등산 철도【登山鐵道】[―또] 명 등산객을 위하여 관광(觀光) 겸용으로 부설된 철도. 산록(山麓)에서 산복(山腹) 또는 산복에서 산정(山頂) 부근 사이에 부설함.

등산-화【登山靴】명 창이 두껍고 편하게 지은 등산용 구두.

〈등산화〉

등살 [―쌀] 명 등에 있는 근육.
【등살이 꼿꼿하다】일이 매우 거북하여 꼼짝달싹할 수가 없다.
등살(이) 바르다 구 신경의 탈로, 등의 힘살이 빳빳하여 굽혔다 폈다 하기에 거북하다.

등:상¹【等像】명 등신(等神).

등:상²【凳床·凳牀】명 나무로 만든 세간의 한 가지. 발돋움으로도 쓰고 걸터앉기도 함. 등성이.

등상³【騰上】명 힘차게 오름. ——-하다 자여불

등상⁴【籐牀】명 등(籐)의 줄기로 만든 걸상.

등색【橙色】명 익은 귤빛과 비슷한 빛깔. 오렌지색. 등자색(橙子色). 등황색(橙黃色). 울금색(鬱金色).

등:생물 기후구【等生物氣候區】명〔isobiochore〕〖생〗비슷하게 닮은 동식물이 있는 환경 조건을, 세계 지도상에 구분한 것.

등생이 명〈방〉산봉우리(경기·강원·평안).

등서【謄書】명 등초(謄抄). ——-하다 타여불

등석¹【燈夕】명〖불교〗관등절(觀燈節)날 저녁. *관등²(觀燈).

등석²【籐席】명 등(籐)으로 짜서 만든 자리.

등-석여【鄧石如】명〖사람〗중국 청나라의 서도가(書道家). 안후이성(安徽省) 화이닝(懷寧) 사람. 자는 완백(頑伯), 호는 완백 산인(完白山人). 진한(秦漢)의 금석문(金石文)을 배우고 비학(碑學)에 입각한 새로운 서도의 선구자로서의 그의 청신한 서풍은 높이 평가됨. 전각(篆刻)에서도 등파(鄧派)라는 새로운 유파(流派)를 개척함. [1743-1805]

등-선¹【―線】명 ①등마루의 선. ②물건의 밑바닥의 반대 쪽이나 입체(立體)의 뒤쪽 선.

등선²【登仙】명 ①신선(神仙)이 되어 하늘로 올라감. ②귀인(貴人)의 죽음을 가리키는 말. ——-하다 자여불

등선³【登船】명 배에 오름. 승선(乘船). ——-하다 자여불

등선⁴【登禪】명 선양(禪讓)에 의하여 즉위(卽位)함. ——-하다 자여불

등선⁵【燈船】명 항로 표지(航路標識)의 배. 등대를 세우기 곤란한 하구(河口)·천해(淺海)·암초(暗礁)가 있는 곳에 정박(停泊)하여 두고, 그 선상(船上)에 높이 등화(燈火)를 걸어 놓고 항로를 알리어 주는 배. 등대선(燈臺船).

등섭【登涉】명 산에 오르고 물을 건넘. ——-하다 자여불

등성¹【登城】명 성 위에 오름. ——-하다 자여불

등:성²【等星】명〖천〗별의 밝기를 표시하는 단위.

등성-마루 명〖생〗등마루의 거죽 쪽. 척량(脊梁).

등성마루-뼈 명〈방〉〖생〗등골뼈.

등성이¹ 명 ①등성마루의 위. ②↗산등성이.

등성이² 명 등상(凳牀).

등:세¹【等勢】명 동등한 세력. 호각(互角)의 세력.

등세²【登歲】명 곡식이 잘 여묾. 또, 그런 해. 풍년(豐年).

등세³【騰勢】명 물건값이 오르는 형세. 오름세. 등귀세(騰貴勢). ↔낙세(落勢).

등-세공【籐細工】명 등의 줄기로 세공을 하는 일. 또, 그 세공품.

등:소【等訴】명 등장(等狀). ——-하다 자여불

등-소(:)평【鄧小平】명〖사람〗'덩 샤오핑(鄧小平)'을 우리 음으로 읽은 이름.

등:속¹【等速】명 속도가 같음. 또, 그러한 속도.

등:속²【等屬】형명 명사 밑에 붙어서 그것과 비슷한 것들을 몰아서 이르는 말. 붙이. ¶복숭아, 배, 사과 등의 과일 ~.

등:속도 운:동【等速度運動】명〔uniform motion〕〖물〗속도가 일정한 운동. 일직선으로 진행하거나 방향이 변하여도 속력은 변하지 아니하는 운동임. ↔부등속 운동(不等速運動).

등:속-선【等速線】명〖물〗유체(流體)의 운동에서 각 순간의 속도가 같은 점을 이은 곡선.

등:속 원운동【等速圓運動】명〔uniform circular motion〕〖물〗속도가 일정한 원운동.

등-솔 [―쏠] 명 ↗등솔기. ¶저고리의 ~을 박다.

등-솔기 [―쏠―] 명 옷의 뒷길을 맞붙여 꿰맨 솔기. ㊌등솔.

등:쇄【等殺】명 줄임. 깎아 냄. ——-하다 타여불

등-쇠 [―쐬] 명 아주 가늘고 좁은 톱을 메는 활등같이 휘어 만든 틀.

등:수¹【等數】[―쑤] 명 ①차례를 매겨붙인 번호. ②같은 수(數).

등수²【燈穗】명〔등화의 불꽃이 이삭과 같은 모양인 데서〕등화(燈火).

등-수국【藤水菊】명〖식〗[*Hydrangea petiolaris*] 범의귓과에 속하는 낙엽 활엽 만목(蔓木). 줄기 높이 10m 이상이고 잎은 달걀꼴 또는 끝이 뾰족한 원형으로, 두 바닥에 작은 털이 많음. 꽃은 6월에 취산(聚繖) 화서로 피는데, 꽃잎의 가장자리는 흰 빛 화판(花瓣)의 네모진 조각이 있는 식화(飾花)로 되고, 열매는 삭과(蒴果)로 9월에 익음. 산에 나는데, 제주도·울릉도 및 일본·사할린 등지에 분포함. 넌출수국.

〈등수국〉

등:수 용액【等數溶液】[―쑤―] 명〖화〗두 가지 이상의 용액을 혼합하였을 때, 그 해리(解離) 평형(平衡)이 혼합하기 전과 똑같이 되는 액(液).

등순【籐楯】명 등줄기를 엮어 만든 방패.

등시¹【登時】명 ①즉시(卽時). ②죄를 범한 그 때 그 자리.

등:시²【等時】명 똑같은 시간. 동시(同時).

등:시-류【等翅類】명〖충〗흰개미목(目).

등:시-성【等時性】[―썽] 명〔isochronism〕〖물〗주기 운동(週期運動)의 각 주기가 진폭(振幅)의 대소에 관계 없이 서로 똑같은 성질. 단진동(單振動) 같은 것이 이 성질을 가짐.

등:시성 조속기【等時性調速機】[―썽―] 명〔isochronous governor〕〖기〗부하(負荷)의 크기에 관계 없이, 원동기의 속도를 일정하게 유지시키기 위한 조속기.

등:시성 회로【等時性回路】[―썽―] 명〔isochronous circuits〕〖전〗같은 공진 주파수(共振周波數)를 갖는 회로.

등시 포:착【登時捕捉】명 죄(罪)를 저지른 그 때 그 자리에서 곧 잡음. ¶간부간부(姦婦姦夫)를 죽였다구 하지만 아무리 간부간부라두 ~이 아니면 살인죄를 면치 못하는 법인데…《洪命憙: 林巨正》. ——-하다 타여불

등:식【等式】명〖수〗두 개 또는 그 이상의 식을 같음표 '='로 묶어 그것이 서로 같음을 표시하는 관계식(關係式). 이러한 관계가 무조건으로 성립함을 표시하는 항등식(恒等式)과 그것을 하나의 조건으로서 규정하는 방정식(方程式)의 두 가지가 있음. ↔부등식(不等式).

등:신¹【等身】명 제 키와 똑같은 높이.

등:신²【等神】명〔쇠·돌·풀·나무·흙 같은 것으로 만든 사람의 형상(形像)의 뜻으로〕어리석은 사람을 가리키는 말. 어림없는 사람. 등상(等像). ¶~ 같은 소리.

등:신-대【等身大】명 사람의 크기와 똑같은 크기. ¶~의 동상(銅像).

등:신-불【等身佛】명〖불교〗사람의 키와 똑같게 만든 불상.

등:신-상【等身像】명 크기가 실물과 같은 조상(彫像)이나 그림.

등심¹【―心】명 소의 등골뼈에 붙은 고기. 연하고 기름기가 많음. 심육(心肉). 등심살.

등심²【燈心】명 ①심지. 등주(燈炷). ②〖한의〗골풀의 속. 곧 '골속'으로서, 성질은 약간 찬데, 소변을 순하게 하고, 해열하는 약. 습열(濕熱)·황달(黃疸)·후종(喉腫)·부종(浮腫) 같은 병에 씀.

등심-대【―心―】[―때] 명〖생〗'척주(脊柱)'의 풀어 쓴 말.

등:심-도【等深圖】명〔bathymetric chart〕바다 깊이를 등심선(等深線)으로 나타낸 해도(海圖).

등심-머리【―心―】명 방아살 위에 붙은 쇠고기. 구이·전골 등에 씀.

등심붓-꽃 명〖식〗[*Sisyrinchuim angustifolium*] 붓꽃과에 속하는 다년초. 잎은 가늘고 길며 줄기 밑에서 무더기로 남. 높이 10-20cm로 초여름에 가는 꽃줄기 끝에 꽃이 피는데 아침에 피었다가 저녁에 짐. 관상용(觀賞用)임.

등심-살【―心―】[―쌀] 명 등심¹.

등:심-선【等深線】명〔isobath〕〖지〗지도에서 바다·호수 같은 것의 심도(深度)가 같은 점을 연결한 곡선. 동심선(同深線). *심천도(深淺圖).

등심-초【燈心草】명〖식〗골풀❷.

등쌀 명 몹시 귀찮게 굴고 야단을 부리는 형세. ¶아이들 ~에 책도 못 읽겠다.
등쌀(을) 놓다, 등쌀(을) 대:다 구 남에게 짓궂이 몹시 귀찮게 굴거나 수선을 부리다.

등씸 명 팽이 날 복판에 두두룩하게 선 줄.

등아[1] 명 〈방〉 진딧물(경기).
등아[2]【燈蛾】명 〖충〗 불나방.
등아리 명 〈방〉 등[1]❶(강원).
등:암-선【等岩線】명 〔isolith〕〖지〗 하나 이상의 암석으로 된 층서 단위(層序單位) 가운데서, 각 암석의 층(層)의 합계를 나타내는 등층고선형(等層高線型) 지도상의 선(線).
등:압【等壓】명 〖물〗 압력이 같음. 또, 같은 압력.
등:압-면【等壓面】명 〖기상〗 대기 중에서 기압이 같은 점을 지나는 곡면(曲面). 등압면의 고도는 고기압 부분이 높고, 저기압 부분은 낮음.
등:압면 기구【等壓面氣球】명 〔constant-level balloon〕〖항공〗 내부 압력이 일정한 레벨을 유지하도록 설계된 기구.
등:압면 비행【等壓面飛行】명 〖항공〗 같은 침로(針路)에서 같은 기압면(氣壓面)을 비행하여, 두 지점 사이에 있어서의 실제의 고도와 기압고도(氣壓高度)와의 차의 변화로부터 바람의 방향과 강도(強度)를 산출(算出)하여 이를 이용하여 비행하는 일.
등:압면 일기도【等壓面日氣圖】명 〖기상〗 기압(氣壓)이 같은 면의 상태(狀態)를 나타내는 일기도. *등고면(等高面) 일기도·등온위면(等溫位面) 일기도.
등:압면 통보 방식【等壓面通報方式】명 〔contour code〕〖기상〗 등압면의 형태에 관한 데이터를 전달하기 위한 통보 방식. 국제 해석 통보 방식(國際解釋通報方式)의 변형임.
등:압-선【等壓線】명 〔isobar〕〖지〗 일기도(日氣圖) 위에 기압(氣壓)이 서로 같은 지점을 이어 맺어 그린 선. *등온선(等溫線).
등애 명 〈방〉 ①〖충〗 등에. ②진딧물(경기·강원·충북).
등애-파리 명 〈방〉 진딧물(경기).
등약【騰躍】명 ①뛰어오름. ②물가(物價)가 오름. 등귀(騰貴). 등용(騰踊). ──하다 자여불
등양【騰揚】명 기세와 지위가 높아서 떨침. ──하다 자여불
등어리 명 〈방〉 등[1]❶(전라·제주·경남·충청).
등:어-선【等語線】명 〔프 ligne d'isoglosse〕〖언〗 방언 조사(方言調査)를 할 경우, 동일한 언어 현상(言語現象)을 가진 지점을 지도상(地圖上)에서 연결하여 이루어진 선.
등에 명 〖충〗 ①등엣과·재니등엣과·꽃등엣과 등에 속하는 곤충의 총칭. 노랑등에·소등에·왕소등에·재등에·꽃등에 같은 것이 있음. 비망(蜚蝱). 목망(木蝱). 망충(蝱蟲). ②소등에. ③〈방〉 진딧물(강원).
등에살이-뭉뚝맵시벌 명 〖충〗 [*Bassus laetatorisus*] 맵시벌과에 속하는 곤충. 암컷의 몸길이 6.5mm이고 몸빛은 대체로 흑색에 제1 복절 후연과 제2-3 복절은 적갈색, 기타의 복부는 흑색이며 촉각은 흑갈색, 다리도 황적색임. 등에류의 유충에 기생하는데 전세계에 분포함.
등에-잎벌 명 〖충〗 등에잎벌과에 속하는 곤충의 총칭. 사과등에잎벌·왜장미등에잎벌·장미등에잎벌·청등에잎벌 등이 있음.
등에잎벌-과【一科】[一꽈] 명 〖충〗 [Argidae] 벌목(目)에 속하는 한 과. 촉각은 3절, 제3절은 분할되어 있으며 수컷의 것은 차상(叉狀)임. 앞날개의 경실(經室)은 분할되지 아니함. 유충은 벚나무·장미·버드나무·딸기류에 모이는데, 전세계에 분포함.
등에-풀 명 〖식〗 [*Dopatrium junceum*] 현삼과에 속하는 일년초. 줄기 높이 20cm 가량이고, 잎은 육질(肉質)로 대생하며 피침형 또는 인형(鱗形)임. 7-8월에 자색 꽃이 액출(腋出)하여 하나씩 달리고 화관(花冠)은 순형(脣形)이며, 삭과(蒴果)는 구형(球形)임. 연못·무논·습지에 나는데, 한국 중부 이남 및 일본 등에 분포함.
등엣-과【一科】명 〖충〗 [Tabanidae] 파리목(目)에 속하는 한 과. 파리와 비슷한데 탈피(脫皮)를 하고 유충은 두부(頭部)가 불안전하며 촉각이 짧은 것이 다름. 몸은 대체로 황갈색이며, 투명 또는 반투명의 날개가 있고, 촉각은 3-8절, 두부는 반원형 또는 삼각형, 흉부 복부에는 털이 있음. 꽃의 꿀 또는 동물의 피를 암컷이 빨아먹어 인축(人畜)에 큰 해충으로, 피부병·정신병의 한 병원충(病原蟲)을 매개함. 전세계에 2,500여 종이 분포함. *재니등엣과(科).

〈등에풀〉

등연【登筵】명 중신(重臣)이나 대신(大臣)이 용무로 말미암아 임금께 나아가 뵘. ──하다 자여불
등:염분-선【等塩分線】명 〔isohaline〕〖해〗 등염도의 지점을 연결한 해도상(海圖上)의 선.
등영【燈影】명 등불의 그림자.
등영-각【登瀛閣】명 〖역〗 조선 시대 홍문관(弘文館)의 서고(書庫). 효종(孝宗) 때 내의원(內醫院) 서쪽에 2층 건물로 지었음.
등-영주【登瀛洲】[一녕一] 명 〔영주는 신선이 있다는 곳〕 영예스러운 지위에 오름을 가리키는 말. ──하다 자여불
등-영초【鄧穎超】명 〖사람〗 '덩 잉차오(鄧穎超)'를 우리 음으로 읽은 이름.
등:온【等溫】명 온도가 똑같음. 또, 그러한 온도.
등:온 동:물【等溫動物】명 〖동〗 정온(定溫) 동물. 항온(恒溫) 동물. 상온(常溫) 동물. 온혈(溫血) 동물.
등:온 변:화【等溫變化】명 〔isothermal change〕〖물〗 기체(氣體)의 온도를 일정하게 보유하면서 그의 압력(壓力) 또는 체적(體積)을 변화시키는 일. ↔단열(斷熱) 변화.
등:온-선【等溫線】명 〔isotherm〕 ①〖지〗 흔히 일기도 위에 온도가 서로 같은 지점을 맺어서 그린 선. *등압선(等壓線). ②〖물〗 물체가 일정한 온도에서 압력의 변화를 받았을 때의 압력(壓力)과 체적(體積)과의 관계를 보인 곡선(曲線).
등:온위면 일기도【等溫位面日氣圖】명 〖기상〗 온위(溫位)가 같은 면에 있어서의 상태를 나타내는 일기도. *등고면(等高面) 일기도·등압면(等壓面) 일기도.
등:온-층【等溫層】명 〖지〗 높은 공중의, 기온이 같은 공기의 층. 성층권(成層圈). *상온층(常溫層).
등:온 팽창【等溫膨脹】명 〔isothermal expansion〕〖물〗 일정한 온도 밑도에서 이루어지는 물질의 팽창.
등왕-각【滕王閣】명 〖역〗 중국 당(唐)나라 태종(太宗)의 동생 등왕 이원영(滕王 李元嬰)이 강서 성(江西省) 난창(南昌)의 서남방에 세운 누각(樓閣). 당초(唐初)의 시인 왕발(王勃)의 서(序)로 유명함.
등:외【等外】명 정한 등급에 들지 못한 그 밖. ¶ ~품.
등:외-상【等外賞】명 정한 등급(等級)에 들지 못하였으나 그 중의 우수한 작품이나 사람에게 주는 상.
등:외-품【等外品】명 등급 안에 들지 못한 물품.
등요【登窯】명 〖고고학〗 굴가마.
등용[1]【登用·登庸】명 인재(人材)를 골라 뽑아서 씀. 거용(擧用). ¶ 인재를 ~하다. ──하다 타여불
등용[2]【登龍】명 ↗등용문. ──하다 자여불
등용[3]【燈用】명 등(燈)에 사용함. ¶ ~ 석유(石油).
등용[4]【騰踊】명 등약(騰躍).
등용 가스【燈用一】〔gas〕명 등(燈)에 사용하는 가스.
등-용문【登龍門】명 〔용문(龍門)은 황하(黃河) 강 상류에 있는 급류(急流)로 잉어가 거기에 올라가서 용이 된다는 전설이 있음〕 입신 출세(立身出世)에 연결되는 어려운 관문(關門). 또, 운명을 결정짓는 중요한 시험의 비유. ¶ 문단의 ~. ㊟등용. ──하다 자여불
등용 부:위【騰勇副尉】명 〖역〗 조선 시대 때, 잡직(雜職)의 서반(西班) 정칠품(正七品) 품계(品階). *선용(宣勇) 부위.
등:우량-선【等雨量線】명 〖지〗 우량의 배포(配布)를 표시하기 위하여 우량이 동등한 지점을 일기도(日氣圖) 위에 연결한 선.
등-울【燈一】명 〖고고학〗 등잔을 받치기 위해 살대 같은 것으로 얽어 만든 것. 삼국 시대 고분에서 출토됨.
등원[1]【登院】명 ①원(院)의 이름이 붙는 곳에 출석하거나 출두함. ②국회 의원이 국회에 나감. ¶ 첫 ~. ──하다 자여불
등:원[2]【等圓】명 〖수〗 지름이 같은 원.
등월【騰越】명 〖지〗 '등충(騰衝)'의 구칭.
등위[1]【登位】명 등극(登極). ──하다 자여불
등:위[2]【等位】명 ①등급(等級)❶❷. ②같은 위치(位置). ③〔coordinate〕〖논〗 하나의 유개념(類概念)에 속하는 많은 종개념(種概念) 상호간의 관계. 이를테면 금속에 속하는 '금 과 '철'과의 관계 따위.
등:위-각【等位角】명 〖수〗 동위각(同位角).
등:위 개:념【等位概念】명 〖논〗 동위 개념(同位概念).
등:위상-대【等位相帶】명 〔equiphase zone〕〖천〗 두 개의 전파 위상이 구별되지 않는 우주 공간 영역(宇宙空間領域).
등:위 접속사【等位接續詞】명 〔coordinate conjunction〕〖언〗 서양 문법 용어. 접속사를 종위 접속사(從位接屬詞)에 상대하여 일컫는 말. "and"·"but"·"or"·"for" 같은 것. ↔종위(從位) 접속사.
등유【燈油】명 석유 제품의 하나. 원유를 상압 증류(常壓蒸溜)하여 산출되는 비점(沸點) 범위 약 150-280°C의 유분(溜分)으로서 인화점은 40°C 이상. 전등(電燈)이 사용되기 이전에 등화에 사용된 데서 불린 이름. 케로신(kerosene).
등유 기관【燈油機關】명 내연 기관(內燃機關)의 한 가지. 등유(燈油)를 증발기(蒸發器)로 가열하여 기화(氣化)하여서, 이것을 점화 폭발(點火爆發)시키어 동력(動力)을 발생시키는 기관(機關). 주로 소마력(小馬力)의 어선(漁船)이나 농업 기구에 사용됨. *석유 기관(石油機關).
등의 명 〈옛〉 등에. ¶ 등의 밍(蝱)《字會 上 22》.
등-의자【籐椅子】명 등의 덩굴로 결어 만든 의자.
등:이【等夷】명 동배(同輩). 제배(儕輩).
등:인【等因】명 〖역〗 서면으로 알리어 준 사실에 의한다는 뜻으로, 회답하는 공문 첫머리에 쓰던 말.
등:-입상【等立像】명 양다리에 체중을 등분(等分)하고 서있는 조상(彫像).
등:자[1]【等子】명 묵등(墨等).
등:자[2]【凳子】명 의자. 걸상.
등자[3]【橙子】명 등자나무의 열매. 오렌지.
등자[4]【藤子】명 〖동〗 광삼(光參).
등자[5]【鐙子】명 말을 탔을 때 두 발로 디디는 제구. 안장에 달아서 말의 양쪽 옆구리로 늘어뜨리게 되어 있음. 말등자.
등자(를) 치다 구 무슨 글이나 조목을 맞추어 보거나 참고할 때 그 글줄의 서두에 틀림없다는 뜻으로 '△ 자의 표를 하다.

〈등자[5]〉

등자가리 명 〈방〉 〖충〗 진드기(경기).
등자-걸이 명 호미의 한 가지. 섬에가 볼에서 곧게 나가다가 높게 휘고 슴베가 뒤로 젖혀졌음. *낚시걸이[2].
등자-나무【橙子一】명 〖식〗 [*Citrus aurantium amara*] 운향과(芸香科)에 속하는 상록 활엽의 작은 교목. 높이 3m 가량이고 가시가 있음. 잎은 두껍고 길이 6-8cm에 달걀꼴의 긴 타원형이며 잎꼭지에 깃이 있음. 첫여름에 백색 오판화가 총상(總狀) 화서로 액생하고, 직경 8cm의 구형(球形)의 장과(漿果)는 등황색으로 익으며, 이듬해까지 매달려 있음. 인도 원산으로 야생(野生) 또는 재배하는데, 전세계에 분포함. 과실은 '등자 라 하는데 산미(酸味)가 많고, 발한제(發汗劑)·건위

〈등자나무〉

제·조미료·향료로 씀.

등:-자력선【等磁力線】 명 지구의 지자력(地磁力)의 크기가 동등한 지점을 연결한 선.

등-자룡【鄧子龍】 명〖사람〗 중국 명(明)나라 부총병(副總兵). 임진 왜란(壬辰倭亂) 때, 응원군으로 나와 각지에서 전전(轉戰)하다가 전사하였음. 선조(宣祖) 23년(1599)에 왕이 친히 나가 위령제를 지냈음. [?-1598]

등-자리【燈—】 명〖고고학〗 등잔을 놓기 위해 벽의 한 부분을 파서 만든 자리.

등자-뼈【鐙子—】 명〖생〗 청소골(聽小骨)의 하나. 포유류(哺乳類)의 이소골(耳小骨) 중 마지막 셋째 번의 뼈. 귓구멍을 통하여 들어온 음파를 난원창(卵圓窓)에 전달함. 등골(鐙骨).

등자-색【橙子色】 명 등색(橙色). 등황색(橙黃色).

등잔【燈盞】 명 등불을 켜는 그릇. 사기·쇠붙이 등으로 만듦. ¶ ~불. *유등(油燈).

[등잔 뒤가 밝다] 가까이서 보다는 좀 떨어져 보는 편이 더 잘 알 수 있다는 말. *등잔 밑이 어둡다.

[등잔 밑이 어둡다] 가까이 있는 것이 도리어 알기 어렵다는 말. 등하 불명(燈下不明).

등잔-걸이【燈盞—】 명 나무나 놋쇠 같은것으로 촛대 비슷하게 만든 등잔을 얹어 놓는 기구. 등가(燈架). 등경(登檠).

〈등잔〉 〈등잔걸이〉

등잔-불【燈盞—】 [—뿔] 명 등잔(燈盞)에 켠 불. 등화(燈火). 등불. *기름불.

[등잔 불에 콩 볶아 먹을 놈] 어리석고 옹졸하여 하는 짓마다 답답한 「일만 하는 자.

등장¹【登場】 명 ①소설·영화 또는 무대(舞臺) 같은 데에 나옴. ¶ 일류 배우 총~/소설 속의 ~ 인물. ②무슨 일에 어떠한 사람이 나타남. ¶ 독직 사건에 ~한 인물들. ↔퇴장(退場). ③새로운 제품(製品) 같은 것이 세상에 처음으로 나옴. ——-하다 자여불

등:장²【等狀】 [—짱] 명 여러 사람이 이름을 잇대어 써서 관청에 어떠한 요구를 하소연하는 일. 등소(等訴). ——-하다 자여불

등:장³【等張】 명 [isotonic] 두 용액의 삼투압(滲透壓)이 서로 같음. 주로 생물학에서 각종 용액의 농도를 체액(體液)이나 혈액과 비교할 때 쓰는 말. *고장(高張)·저장(低張). ——-하다 형여불

등장-국【燈檣局】 명〖역〗 갑오 경장(甲午更張) 이후, 공무 아문(工務衙門)의 한 국(局). 등대(燈臺) 사무를 맡던 곳.

등:장-성【等張性】 [—썽] 명〖의〗 어떤 삼투압(滲透壓)이 사람의 혈액의 삼투압과 똑같은 성질.

등:장-액【等張液】 명 [isoronic solution]〖생〗 체액(體液)이나 혈액과 같은 삼투압(滲透壓)을 가지고 있어서 원형질막(原形質膜)을 통하여 하등의 용액의 출입이 행하여지지 않는 일정한 농도를 가진 수용액. 생리적 식염수(食鹽水) 같은 것. *고장액(高張液)·저장액(低張液).

등:장 용액【等張溶液】 [—농—] 명〖생〗 등장액.

등장 인물【登場人物】 명 ①무대(舞臺)나 영화 장면 같은 데 나타나는 인물. ②어떤 사건에 관련(關聯)하여 나타나는 인물. ③소설·희곡(戲曲) 들의 작품 안에 묘사(描寫)되는 인물. *작중(作中) 인물.

등재¹ 명〈방〉 등겨(전남).

등재²【登梓】 명 출판물(出版物)을 판에 새김. ——-하다 타여불

등재³【登載】 명 ①서적(書籍) 또는 잡지(雜誌) 같은 데에 올려 적음. ②일정한 사항을 장부나 대장에 올림. 기재(記載). 게재(揭載). ——-하다 타여불

등저 명〈방〉 등겨(충남).

등-저리 명〈방〉 등¹❶.

등:적【等積】 명 ①면적이 같음. ②부피가 같음. 체적(體積)이 같음.

등:적 도법【等積圖法】 [—뻡] 명〖수〗 정적(正積) 도법.

등적-색【橙赤色】 명 등자빛을 띤 붉은 빛.

등전【燈前】 명 등불 앞. 등불 가까운 곳. *등하(燈下).

등:전위-면【等電位面】 명 [equipotential surface]〖물〗 전위(電位)의 같은 점(點)을 연결하여서 이루어지는 면.

등:전위-점【等電位點】 [—쩜] 명〖화〗 등전점(等電點).

등:전-점【等電點】 [—쩜] 명〖화〗 ①양성 전해질 용액(兩性電解質溶液)에 있어서, 동일한 원소(元素)가 염기(塩基)와 산(酸)으로 해리(解離)될 경우에, 두 전리도(電離度)가 같아지는 때의 수소 이온 농도(水素ion濃度)의 수치(數值). ②교질 입자(膠質粒子)가 분산매(分散媒)의 pH에 의하여 하전(荷電)될 경우에, 양음(陽陰)의 전하수(電荷數)가 같아져서 전하(電荷)를 잃을 때의 pH의 수치. 이 점에서 점성(粘性)·삼투압(滲透壓)이 극소(極少)가 되고, 응결(凝結)이 극대(極大)가 됨. 등전위점(等電位點).

등절【燈節】 명 ↗연등절(燃燈節).

등정¹【登頂】 명 산 따위의 정상(頂上)에 오름. ¶ 마나슬루 산 ~에 성공하다. ——-하다 자여불

등정²【登程】 명 길을 떠남. 등도(登途). ——-하다 자여불

등:-정각【等正覺】 명〖불교〗 등각(等覺). 정등각(正等覺).

등제¹ 명〈방〉 등겨(강원·충북·전남·경북).

등제²【登第】 명 ①〖역〗 과거에 급제함. 등과(登科). ②시험에 급제함. ——-하다 자여불

등:제³【等第】 명〖역〗 조선 시대에 벼슬아치의 근무 성적을 사정하여 등급을 매기던 일.

등:제⁴【等儕】 명 동료(同僚). 친구.

등제⁵【登躋】 명 높은 곳에 오름. 제반(躋攀). ——-하다 자여불

등조¹【登祚】 명 등극(登極). ——-하다 자여불

등조²【登朝】 명 조정(朝廷)에 출사(出仕)하는 일. ——-하다 자여불

등:조-선【等潮線】 명〖지〗 동시에 간만(干滿)의 크기가 같은 지점을 연결한 지도상(地圖上)의 선(線).

등:족【等族】 명〖정〗 같은 신분이나 계급에 속하는 무리. 이 말은 중세기의 봉건적 신분 제도(封建的身分制度)에서 유래하였음.

등:족 국가【等族國家】 명〖정〗 ①등족(等族)의 통제(統制)를 받고 있는 국가. 중세의 길드 국가(Guild國家)처럼 신분적 조합(身分的組合)에 의하여 통제되고 있는 국가. ②등족을 통제하는 국가. 파시즘(fascism)의 조합 국가(組合國家)와 같이 국정 참여(國政參與)의 자격(資格)을 개인(個人)에게 주지 아니하고, 오직 조합에 부여(賦與)하고 국가가 그 조합을 통제하는 국가.

등:족 군주제【等族君主制】 명〖정〗 제한 군주제의 하나. 중세에 군주가 등족 회의(等族會議)의 제약을 받았던 정치 체제.

등:족 회:의【等族會議】 [—/—이] 명〖정〗 신분제 의회(身分制議會).

등-종자【燈鍾子】 명 등종지.

등-종지【燈—】 명 등불을 켜는 데 기름을 담는 종지. 등종자.

등주¹【燈炷】 명 불의 심지. 등심(燈心).

등주²【騰走】 명 힘차게 올라감. ——-하다 자여불

등준-시【登俊試】 명〖역〗 조선 세조(世祖) 12년(1466)에, 특별히 베풀어 경재(卿宰) 이하의 문무관과 종친(宗親)을 시험하던 임시 과거(科擧).

등-줄기 [—쭐—] 명〖생〗 등마루의 두두룩하게 줄기진 부분. 「리다.

[등줄기에서 노린내가 나게 두들긴다] 등에서 피가 날 정도로 몹시 때

등줄-먼지벌레 [—쭐—] 명〖충〗 [*Agonum daimio*] 딱정벌렛과에 속하는 곤충. 몸길이 7 mm 내외, 몸빛은 광택 있는 황갈색에 두부(頭部)는 금속 광택이 있는 청록색, 촉각은 암갈색이고, 시초(翅鞘)의 회합선(會合線)에 따라 암녹색의 세로띠가 있음. 나비류의 유충 등을 포식함. 한국·일본·중국에 분포함. 줄딱정벌레.

등줄-모기 [—쭐—] 명〖충〗 [*Acdes dorsalis*] 모깃과에 속하는 곤충. 몸길이 6.2 mm, 암컷의 날개 길이 4.7 mm 가량이고, 몸빛은 다백색(茶白色)에 흉배(胸背)에는 갈색을 띤 황금색의 세로띠가 있으며, 그 양측 중앙에 한 개의 조선(條線), 어깨에는 한 개의 조반(條斑)이 있고, 복배(腹背)의 중앙에는 세로줄이 있는데 측연(側緣)과 함께 모두 황백색이며, 그 외는 농갈색임. 주행성(晝行性)이고 흡혈성(吸血性)인데, 한국에도 분포함.

등줄-쥐 [—쭐—] 명〖동〗 [*Apodemus agrarius coreae*] 쥣과에 속하는 동물. 등쪽의 정중선(正中線)에 한 개의 흑색 세로 줄무늬가 있는 들쥐로, 하모(夏毛)에는 가시털이 섞여 있고, 배쪽은 적갈색이며, 등쪽의 털의 기부(基部)는 회색인데, 털끝은 백색임. 4-5월에서 10월까지 1-6 마리의 새끼를 낳음. 밤·호도 같은 나무의 열매·곤충 등을 포식하며 삼림 지대에 서식하는데, 한국·일본 등지에 분포함. 참줄쥐.

〈등줄쥐〉

등:지¹【等地】 의명 땅 이름 아래에 쓰이어 '그러한 곳들'의 뜻을 나타내는 말. ¶ 고흥(高興)·완도(莞島) ~에서 생산되는 김.

등지²【籐紙】 명 당지(唐紙)의 한 가지.

등지개 명〈방〉 등자(鐙子)(평북).

등-지게 명〈방〉 등거리(평안).

등-지느러미 명〖어〗 물고기의 등에 있는 지느러미. 물고기에 따라 지느러미 수가 다른데, 두 개 이상일 때는 첫째 것을 제1 등지느러미, 다음 것을 제2 등지느러미라고 함. 배기(背鰭)·척기(脊鰭).

등-지다 ㊀ 자 남과 서로 사이가 틀어져서 돌아서다. 배반하다. ¶ 두 사람은 서로 등진 사이다. ㊁ 타 ①무엇을 등 뒤에 두어 의지하다. ¶ 나무를 등지고 서다. ②어떤 것을 뒤로 두다. ¶ 북악산을 등지고 남산을 바라보는 위치. ③관계하지 않고 멀리하다. ¶ 정계를 ~/속세를 ~. ④떠나다. ¶ 고향을 ~/세상을 ~.

등진 가재 구 등뒤에 남의 세력을 의지하고 있는 사람을 이르는 말.

등진【登進】 명 관직(官職)·지위 따위가 올라감. ——-하다 자타여불

등:진도-선【等震度線】 명〖지〗 등진선(等震線).

등:진-선【等震線】 명〖지〗 지도상에 지진(地震)의 강도(強度)가 같은 지점을 이은 선. 등진도선(等震度線).

등:질【等質】 명 균질(均質).

등:질 우유【等質牛乳】 명 특수한 장치로써 지방구(脂肪球)를 미세(微細)하게 해서 정치(靜置)하여도 크림이 분리되지 아니할 정도의 이멀션(emulsion) 상태로 만들어 놓은 우유.

등:질 집단【等質集團】 명〖교〗 한 학교의 학생을 일정한 기준에 따라 종합된 집단으로 조직한 것. *이질 분단(異質分團).

등-짐 [—찜] 명 등에 진 짐. ¶ ~을 지다.

등짐 장수 [—찜—] 명 물건을 등에 지고 팔러 다니는 사람.

등짝 명〈방〉 등¹❶(전라).

등:차¹【等次】 명 단계(段階). 순서.

등:차²【等差】 명 ①등급을 따라서 생기는 일이나 물건의 차이. 또, 대비(對比) 관계에서 생기는 차이. 품계(品階). ¶ 물건에 따라 ~를 두다 / 빈부(貧富)의 ~. ②〖수〗 차(差)가 똑같음. ¶ ~ 수열.

등:차 급수【等差級數】 명〖수〗 이웃한 두 항(項)의 차(差)가 늘 같은 급수. 그 일정한 차를 그 급수의 공차(公差)라 함. 등차 수열을 '+'로써 연결시킨 형식임. 1+3+5+7+9 또는 2+4+6+8+10+12 같은 것. 산술 급수(算術級數). ↔등비 급수(等比級數). *등차 수열(數列).

등:차-세【等差稅】 명〖법〗 맨 아래 등급(等級)부터 맨 위 등급까지의 사이에 등급의 금액의 차이가 똑같은 세금.

등:차 수:열【等差數列】 명〖수〗 어떤 수(數)로부터 시작하여 차례차례로 일정한 숫자를 가해서 이루어지는 수열. 1, 3, 5, 7, 9,… 또는 2, 4, 6, 8, 10, 12,… 같은 것. 산술 수열(算術數列). *등차 급수(等差級數).

등:차 중항【等差中項】 명〖수〗 수(數) a를 초항(初項), 수 b를 말항(末項)으로 하는 등차 수열 $a, x_1, x_2 \cdots x_r, b$의 중간의 항(項)인 $x_1, x_2, \cdots x_r$를 a, b에 대하여 이르는 말. r가 1일 때 사용되는 일이 많으며 이 때 x_1은

*a*와 *b*의 상가 평균(相加平均)과 같음.

등-창【一瘡】명〖한의〗등에 나는 큰 부스럼. 배창(背瘡).

등-채【籐一】명〖역〗옛날 무장(武裝)의 하나로 쓰던 채찍. 굵은 등(籐)의 도막의 머리 쪽에 색녹비(色鹿皮) 혹은 비단의 끈을 달았음. 등편(籐鞭).

〈등채〉

등-채기 명 씨름에서, 허리띠를 잡고 있는 오른편 손이 상대의 어깨너머로 띠를 잡아서 앞으로 힘껏 잡아당기면서 던지는 혼합 기술의 하나.

등척【登陟】명 높은 곳에 오름. 등고(登高). *등돈(登頓). ——하다 자여불

등:척성 수축【等尺性收縮】명〖생〗근육이 조금도 단축되지 아니하고 강한 장력(張力)이 생기는 수축. 이를 악물 때의 교근(咬筋)의 수축 같은 것.

등천[1]【登天】명 승천(昇天)❶. ——하다 자여불

등천[2]【騰踐】명 밟아 넘어감. 서로 밟고 밟히며 넘어감. ——하다 자여불

등-천료【藤天蓼】[—철—] 명〖식〗다래나무.

등철【登徹】명 상주문(上奏文)을 임금에게 올림. 입철(入徹). ——하다 타여불

등청【登廳】명 관청에 출근함. ↔퇴청(退廳). ——하다 자여불

등쳐-감아돌리기 명 씨름에서, 오른쪽 다리로 상대의 오른쪽 바깥 오금을 감는 동시에 등띠를 잡고 왼쪽 다리를 축으로 하여 왼편으로 중심 회전을 하되 감겨 있는 다리를 위로 올리면서 윗몸을 앞으로 굽히면서 크게 회전하는 혼합 기술의 하나.

등쳐-감아젖히기 명 씨름에서, 등띠를 잡은 자세에서 오른쪽 다리로 상대의 오른쪽 다리를 감고 등쳐감아돌리기의 기술과 반대로 몸을 뒤로 당겨 젖히는 혼합 기술의 하나.

등초【謄草·謄抄】명 원본(原本)에서 옮겨 베낌. 등기(謄記). 등사(謄寫). 등서(謄書). 등출(謄出). ——하다 타여불

등-촉【燈燭】명 등불과 촛불.

등촉-계【燈燭契】명〖불교〗부처 앞에 등촉(燈燭)을 켜기 위하여 모으는 계.

등촉-방【燈燭房】명〖역〗궁중(宮中)에서 등촉을 맡은 내관(內官)의 직소(職所).

등:추-류【等椎類】명〖어〗[*Isopondyli*] 조기류(條鰭類)에 속하는 한 아목(亞目). 전어·청어·준치·정어리 등이 이에 속함.

등:축【等軸】명 똑같게 된 결정체(結晶體)의 축(軸).

등:축 정계【等軸晶系】명〖광〗결정계(結晶系)의 하나. 서로 직교(直交)하는 등치(等値)의 세 개의 결정축(結晶軸)을 가진 결정군(結晶群)의 총칭으로 정팔면체의 금강석, 육면체의 암염(岩塩) 등이 여기에 속함.

등출【謄出】명 등초(謄抄). ——하다 타여불

등충【騰衝】명〖지〗'텅충'을 우리 음으로 읽은 이름.

등:충선-도【等充線圖】명〔isoarithmatic map〕〖지〗지도에 있어서 인구 밀도나 산액(產額) 같은 것의 대소를 기호(記號)의 대소나 농담(濃淡)으로 나타내는 대신에 등고선(等高線)같이 선으로 나타낸 것.

등:측-도【等測圖】명〖수〗등각 투영도(等角投影圖)에서, 직교 삼축(直交三軸)을 축소하지 아니하고 원치수 크기로 그린 그림.

등:측-류【等側類】[—뉴] 명〖동〗유판류(有板類).

등:측 투영【等測投影】명 공간의 엑스 축(*x*軸)·와이 축(*y*軸)·제트 축(*z*軸)과 등각(等角)을 이루는 평면상에 물체를 투영하는 일.

등:치【等値】명 ①값이 같은 일. ②〖수〗동치(同値)❶. ③개념(槪念)의 외연(外延)이 일치하는 일.

등:치 개:념【等値槪念】명〖논〗두 개의 개념(槪念)이 내포(內包)는 달리하나 외연(外延)은 완전히 일치할 때, 두 개념의 상호 관계를 말함. 예를 들면 아침에 뜨는 '샛별'과 저녁에 보는 '개밥바라기'는 전연 어감(語感)이 달라 내포는 달리하지만 외연은 같은 금성(金星)을 가리키는 따위. 등가 개념(等價槪念). 동연(同延) 개념.

등-치기 명 씨름에서, 손을 상대방의 어깨너머로 넘겨서 잡고 메어치는 재주.

등-치다 자타 ①어루만지는 태도로 남의 등을 두드리다. ②위협하여 남의 재물을 빼앗아 먹다. ¶ 약한 자를 ~.
[등치고 간 내먹다] 겉으로는 가장 위해 주는 체하면서 속으로는 해를 끼친다는 뜻. [등치고 배 문지르다] 남을 은연(隱然)한 가운데 위협하고 슬며시 어루만져서 달래는 체함을 가리키는 말.
등쳐 먹다 구 위협해서 남의 재물을 빼앗아 먹다.

등:치-법【等値法】[—뻡] 명〖수〗연립 방정식 해법(解法)의 하나. 각 방정식에서 각각 어떤 미지수를 다른 미지수로 보인 관계식을 만들어, 그 두 개의 값을 같게 하여 풂. 대입법. 가감법.

등:치선-도【等値線圖】명〖지〗지도에 있어서 등우량 분포(等雨量分布)와 같이 같은 수치의 지점을 연결한 분포도(分布圖). 등고선법(等高線法).

등:친【等親】명〖법〗친등(親等).

등-칡【藤一】[—칙] 명〖식〗①[*Hocquartia manshuriensis*] 쥐방울과에 속하는 낙엽 활엽 만목(蔓木). 잎은 둥근 심장형, 잎 밑이 깊게 들어갔고 톱니가 없음. 꽃은 여름에 액생(腋生)하여 피고, 긴 타원형의 삭과(蒴果)는 가을에 익음. 산록에 나는데, 경남북·강원·함북 및 우수리 지방에 분포함. 줄기는 약재로 씀. ②☞ 등나무.

등침【籐枕】명 등의 줄기를 가늘게 오려서 결어 만든 여름철용 베개.

등-침대【籐寢臺】명 등을 결어 만든 침대.

등커기 명〈방〉뿌리❶.

등크래기 명〈방〉그루터기(충북).

등크럭 명〈방〉그루터기(충북).

등클 명〈방〉그루터기(충북).

등-타다 자 산등성이로만 가다.

등-타령【燈打令】명〖악〗충청 남도 부여 지방의 민요. 등의 종류와 남녀의 정을 읊은 것.

등탁【登擢】명 인재를 뽑아 씀. ——하다 타여불

등-태 명 짐을 질 때에 등이 배기지 않게 걸치는 물건.

등태-세장이 명〈방〉허리세장.

등-토시【籐一】명 등을 가늘게 오려서 엮어 만든 토시. 여름에 땀이 옷에 배지 아니하게 낌.

〈등토시〉

등-판[1] 명 ①사람이나 짐승의 등을 이루는 넓적한 부분. ¶ 방바닥에 ~을 대고 눕다. ②옷의 등을 이루는 부분. ③등성이의 평평하게 넓은 곳.

등판[2] 명〈방〉시렁[1](강원).

등판[3]【登板】명 야구에서, 투수가 마운드에 서는 일. 투수로서 출장(出場)하는 일. ——하다 자여불

등판 능력【登坂能力】[—녁] 명 차량·전차(戰車) 등이 경사지를 오르는 능력.

등:패[1]【等牌】명〖역〗역사(役事)를 할 때에 일꾼을 감독하던 사람.

등패[2]【籐牌】명〖역〗①등으로 엮은 둥근 방패의 한 가지. 직경 석 자 일곱 치. 중심이 거죽으로 불룩하고 거죽 한복판에는 귀면(鬼面)을 하여 붙이는데 안쪽에는 손잡이가 있음. ②무예 육기(武藝六技), 십팔기 또는 이십 사반 무예(二十四般武藝)의 한 가지. 표창(鏢槍)·요도(腰刀)·등패 등을 가지고 시석(矢石)을 무릅써 가며 돌진하여 적을 공격하는 무술(武術).

〈등패[2]❶〉

등:퍼텐셜-면【等一面】명〔equipotential surface〕〖물〗퍼텐셜의 일정한 값을 가진 점(點)의 모임으로 표시된 면(面).

등편【籐鞭】명〖역〗등채.

등:편각-선【等偏角線】명〖지〗등방위각선(等方位角線).

등:표[1]【等標】명〖수〗등호(等號).

등표[2]【燈標】명 등화(燈火)를 사용한 항로 표지(航路標識). 암초(岩礁) 나 얕은 곳의 위치를 표시함.

등:품【等品】명 물건의 내용과 정도.

등풍【登豐】명 풍년이 듦. ——하다 자여불

등-피[1]【一皮】명 등 가죽.

등피[2]【橙皮】명〖한의〗등자(橙子) 따위의 껍질을 말린 것. 방향(芳香)과 쓴 맛이 있음. 건위제(健胃劑)·구취 교정제(口臭矯正劑) 등에 쓰임.

등피[3]【燈皮】명 ①램프에 덧씌워 불을 반사시켜 밝게 하는 유리 꺼펑이. *등갓. ②〈방〉남포등(燈).

등피-유【橙皮油】명 감귤류(柑橘類)의 과피(果皮)를 건조하여 수개월간 물에 담가 두었다가 증류(蒸溜)하여 얻는 무색 혹은 등황색의 향유(香油). 비누·향수 등의 원료가 됨.

등:피-화【等被花】명〖식〗꽃받침과 꽃잎의 빛이 서로 같은 유피화(有被花). 백합·꽃창포 따위. 같은꽃덮이꽃. ↔이피화(異被花).

등하[1]【登遐·登假】명 제왕(帝王)의 붕어(崩御). ——하다 자여불

등하[2]【燈下】명 등불의 아래. 등잔 밑. 촉하(燭下). *등전(燈前).

등하 불명【燈下不明】명 '등잔 밑이 어둡다'는 뜻으로, 가까이 있는 것이 도리어 알아내기 어려움을 이르는 말. *등잔(燈盞).

등하-색【燈下色】명 남녀가 불빛 아래서 성교(性交)하는 일.

등:한-시【等閒視·等閑視】명 마음에 두지 아니하고 대수롭지 아니하게 보아 넘김. ¶ 교육을 ~하다. ——하다 타여불

등:한-하다【等閒一·等閑一】형여불 마음에 두지 아니하고 예사로 여기다. ¶ 매사에 등한한 사람. 등:한-히【等閒一·等閑一】부

등:한히-하다【等閒一·等閑一】타여불 등한하게 다루다. ¶ 대인(對人) 관계를 ~.

등:할【等割】명〔equal cleavage〕〖생〗크기가 같은 할구(割球)로 분열되는 난할(卵割). 섬게·활유어 같은 등황란(等黃卵)에서 볼 수 있음. ↔부등할(不等割).

등-해파리【燈一】명〖동〗[*Charybdea rastonii*] 모해파리목(目) 등해파릿과에 속하는 강장(腔腸) 동물. 몸길이 8-9cm, 폭 3.5cm 정도이고, 관(冠)처럼 된 몸의 상부(上部)의 등갓 부분은 높이 3cm 가량이고 사각(四角)의 입방형임. 한천질(寒天質)이며, 표면에는 많은 쐐기 세포가 있음. 등갓 부분의 가에는 네 개의 굵은 촉수(觸手)가 늘어져 있는데, 자포(刺胞)에 격렬한 독이 있어서, 몸에 닿으면 염증(炎症)을 일으킴. 근육을 수축시켜 너울너울 떠서 물속을 헤엄쳐 다님. 8-9월에 태평양·동해에 나타나 수영(水泳)·어업(漁業)을 방해함.

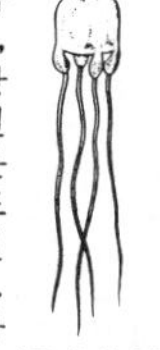
〈등해파리〉

등행【登行】명 높은 곳으로 올라감. ——하다 타여불

등-허리 명 ①등과 허리. ②허리의 등 쪽.

등-헤엄 명 '배영(背泳)'의 풀어쓴 말.

등현-례【登舷禮】[—네] 명〖군〗승무원 전원이 양쪽 뱃전에 벌여 서서 행하는 해군 예식의 하나. 귀빈(貴賓)의 마중과 배웅, 출정 또는 원양 항해(遠洋航海)를 떠나는 군함에 대하여 행함. ——하다 자여불

등:호[1]【等號】명〔equality sign〕〖수〗두 식(式) 또는 두 수가 같음을 보이는 데에 쓰는 부호. '='로 표시함. 같음표. 등표(等標). 상등표(相等標).

등호[2]【燈號】명〖역〗과거에 응하는 이가 등(燈)에 표로 쓴 글자.

등화[1]【登花】명〖식〗완전한 암꽃술을 가지고 꽃이 핀 다음에 열매를 맺는 꽃. 임성화(稔性花). ↔부등화(不登花).

등화[2]【燈火】명 ①등불❶. ¶ ~ 관제(管制). ②등잔불. ¶ ~ 가친(可親).
등화 가:친(燈火可親) 구 '가을 밤은 등불을 가까이 하여 글 읽기에 심기(心氣)가 좋다'는 뜻.
등화 가:친지절(燈火可親之節) 구 밤에 등불을 가까이하여 글 읽기에 심기(心氣)가 좋은 시절. 곧, 가을철을 이름.

등화[3]【燈花】명 불심지 끝이 타서 맺힌 불똥.
 등화(가) 앉다 구 심지 끝에 등화가 생기다. 등화(가) 지다.
 등화(가) 지다 구 등화(가) 앉다.
등화[4]【藤花】명 등나무의 꽃. 등꽃.
등화 관제【燈火管制】명 야간에 적의 공습 따위에 대비하여 일정한 구역에서 등불을 줄이거나 가리거나 끄게 하는 일. ――하다 자여불
등화-구【燈火具】명 등불을 켜는 데 필요한 기구.
등:화-기【等化器】명〔equalizer〕〖전〗시스템이나 구성 성분이 바람직스럽지 못한 진폭(振幅)이나 위상(位相)의 주파수 응답을 보정(補正)할 목적으로 설계된 회로망(回路網). 흔히 코일·콘덴서·저항(抵抗)을 적절히 짜맞춘 것임.
등화 신:호【燈火信號】명 등화로 신호하는 일. ――하다 자여불
등화-유【橙花油】명 지중해 연안을 주산지로 하는 운향과(芸香科) 식물의 꽃을 수증기로 증류하여 채취(採取)하는 정유(精油). 고급 화장품의 향료(香料)로 쓰임. 네롤리유(neroli 油).
등화-채【藤花菜】명 등꽃 나물.
등:화학 계:열【等化學系列】명〔isochemical series〕같은 화학적 조성을 가진 암석군(岩石群).
등:활【等活】명〖불교〗↗등활 지옥(等活地獄).
등:활-도【等活道】〔―또〕명〖불교〗등활 지옥(等活地獄).
등:활 지옥【等活地獄】명〖불교〗팔열 지옥(八熱地獄)의 첫째. 이 지옥에 떨어지면 옥졸(獄卒)한테 몸이 찢기고 뼈가 바수어지는 등, 갖은 형벌을 받다가 숨이 끊어지는데 찬바람이 불어 오면 다시 소생하여 그 책고(責苦)를 한량없이 되풀이한다는 데서 이 이름이 있음. 등활도(等活道). ㊅등활.
등황【橙黃】명 ①노랗게 익은 등자(橙子). ②등황색. ③자황(雌黃)❷.
등:-황란【等黃卵】〔―난〕명〔isolecithal egg〕난황이 극히 적어 미립상(微粒狀)을 형성하여서 등분(等分)하여 분포하고 있는 알. 포유류 및 많은 무척추(無脊椎) 동물의 알이 이 종류에 속함. 「(橙黃). 등자색.
등황-색【橙黃色】명 조금 붉은 누른 빛깔. 오렌지색. 등색(橙色). 등황
등황-석【橙黃石】명〖광〗광석의 한 가지. 빛깔이 등황색임.
등:후【等候】명 미리 기다리고 있음. 등대(等待). ――하다 자여불
등흰-모기〔―힌―〕명〖충〗〔*Culex whitmorei*〕모깃과에 속하는 곤충. 몸길이 4.8mm, 날개 길이 3.7mm 가량. 몸빛은 백색에 암갈색을 띠며 시맥(翅脈)의 가에 있는 비늘은 선상(線狀)이고 날개끝 부근에는 흑갈색의 비늘이 밀집하여 한 개의 점반(點斑)을 이룸. 등과 배의 각 절에 황백색 비늘의 삼각형 가로띠가 있음. 야행성이며, 흡혈성(吸血性)임. 한국·일본·대만 등지에 분포함.
등-힘 명 활을 쏠 때에 활을 잡은 손목으로부터 어깨까지 뻗는 힘.
둥곧다 형〈옛〉풍병으로 등이 빳빳하다. ¶둥곧돌 딜(痓)《字會 中 34》.
둥ᄆᆞ르 명〈옛〉등마루. =등ᄆᆞᆯ. ¶둥ᄆᆞᄅᆞ 척(脊)《類合 下 51》/둥ᄆᆞᄅᆞ 뼈(脊梁)《語錄 19》. 「와다(豎超脊梁)《法語 13》.
둥ᄆᆞᄅᆞᆯ〈옛〉등마루를. '둥ᄆᆞᄅᆞ'의 목적격형(目的格形). ¶둥ᄆᆞᄅᆞᆯ 니르
둥위 명〈옛〉등에. ¶蘇ᄂᆞᆫ 둥위라《楞嚴 IX:68》.
둥의 명〈옛〉등에. ¶가얌빌 게과 모기 둥의(蝼蟻蚊虻)《龜鑑 下 60》.
둥즈 명〈옛〉등자(鐙子). ¶둥즛둥(鐙)《字會 中 27》.
듸 의명〈옛〉데. ¶이제ᅀᅡ 도라오ᄂᆞ니 년듸 ᄆᆞᅀᆞᆷ 마로리《陶山十二曲》.
듸골이 명〈옛〉대가리. ¶슈박 갓튼 듸골이를《永言》.
듸듸다 타〈방〉디디다.
디[1] 명〈방〉되(경상).
디:[2]〔D, d〕명 ①영어 자모의 넷째. ②로마 숫자의 500. ③〖악〗서양 음이름의 하나. 우리 나라 음이름 '라'와 같음. ④단위 데시(deci)의 약호. ⑤〖화〗중수소의 기호(記號). ⑥〖화〗유기 화합물의 광학적 우회전성(右回轉性)을 나타내는 약호. ⑦〖화〗유기 화합물의 입체 구조의 계통을 나타내는 약호. ⑧〖수〗a, b, c 다음의 기지수(旣知數). ⑨동륜축(動輪軸)이 4축(軸)인 기관차임을 나타내는 기호. ⑩철도 차량의 분류에서 디젤카·디젤 기관차임을 나타내는 기호.
디[3]〈옛〉것이. ¶이ᄂᆞᆫ 齋米를 求ᄒᆞ야 온 디 아니라《月釋 Ⅷ:90》.
-디[1] 어미 ①형용사의 뜻을 세게 나타내기 위하여 어간을 겹쳐 쓸 때, 그 첫 줄기에 붙는 연결 어미. ¶크~ 크다/차~ 차다. ②↗-더냐. ¶얼마나 크~/온다~.
-디[2] 어미〈옛〉①-지. ¶흐리디 아니ᄒᆞ며 ᄉᆡ디 아니홀ᄊᆡ(不濁不漏故)《圓覺 序 3》. ②-기. ¶가져가디 어려볼ᄊᆡ《月釋 Ⅰ:13》.
디:개 부〈방〉되게(경북).
디거고 자〈옛〉떨어졌구나. '디다'의 활용형. ¶ᄋᆞ자 내 黃毛試筆 墨을 뭇쳐 窓밧긔 디거고《古時調》.
디거:스〔Diggers〕명 영국 청교도 혁명의 최좌익(最左翼) 당파. 1649년 윈스턴리의 지도 아래 황무지를 개간하여 토지 공유의 공동 사회를 만들려고 했는데 크롬웰의 탄압을 받아 해산되었음. 그 사유 재산 폐지의 주장은 사회주의의 선구로서 주목을 끌고 있음.
디과 명〈방〉〖식〗고구마(평북).
디굼 타〈옛〉찍음. '딕다'의 명사형. ¶나못 거프를 들우며 서근 닐 디구메 부우리 무월ᄃᆞᆺᄒᆞ니(穿皮啄朽嘴欲禿)《杜諺 XVII:6》.
디그르르-하다 형여불 여러 개의 가늘거나 작은 물건 가운데서 조금 굵다. ㅆ띠그르르하다. >대그르르하다. *디굴디굴하다.
디그리:〔degree〕명 ①등급. 정도. ②지위. ③학위(學位).
디그리:-데이〔degree-day〕명〖기상〗기온 편차(氣溫偏差).
디귿 명〖언〗한글의 자모 'ㄷ'의 이름.
디글-디글 부〈방〉데굴데굴.
디글디글-하다 형여불 여러 개의 가늘거나 작은 물건 중에서 몇 개가 좀 굵다. ㅆ띠글띠글하다. >대글대글하다. *디그르르하다.
디:-글루쿠로놀락톤〔D-glucuronolactone〕명〖화〗수용성(水溶性) 결정성 화합물. 식물 고무 속에서 다른 탄수화물과의 중합체(重合體)로서 발견되고 있으며, 동물의 모든 섬유 조직·결합 조직의 중요한 구성 성분임. 관절염의 치료약으로 쓰임. [$C_6H_8O_6$]
디:기 부〈방〉되게(경상).
디기다 타〈옛〉눌러 짜다. =딕이다[2]. ¶내 며를 디기디 못홀로다(我不掐他)《朴解 下 6》.

〈디기탈리스〉
디기탈리스〔digitalis〕명〖식〗〔*Digitalis purpurea*〕현삼과에 속하는 다년초. 줄기 높이 1m 내외이며, 잎은 총생(叢生)하고, 달걀꼴 혹은 난상 피침형임. 7-8월에 홍자색 꽃이 줄기 끝에 장수(長穗)를 이루어 밑에서부터 순차로 피고, 꽃부리는 깔때기 모양 순형(脣形)에 짙은 반점이 있음. 삭과(蒴果)는 원추형. 유럽 원산인데, 잎을 응달에 말리어 심장병 등의 약재로 쓰고 관상용으로 재배함.
디기탈리스 엽말【一葉末】〔digitalis〕명〖약〗응달에서 말리어 만든 디기탈리스잎의 분말(粉末). 강심제로 쓰임.
디기톡신〔digitoxin〕명〖약〗디기탈리스의 잎으로부터 얻은 식물 심장독(心臟毒)의 하나. 녹는점은 235°C이며 용혈(溶血) 작용이 있음.
디깐 명〈방〉뒷간(전남).
디껑이 명〈방〉지팡이(평안).
디-꼭대기 명〈방〉뒤통수(경북).
디-꼭지 명〈방〉뒤통수(전남).
디나가다 자〈옛〉지나가다. ¶虛空ᄋᆞ로 디나가거늘《月釋 Ⅱ:51》.
디나거다 자〈옛〉지나가다. ¶디나건 일로 해야《月釋 Ⅰ:21》.
디나거신 자〈옛〉지나가신. '디나거다'의 활용형. ¶文殊師利ᄂᆞᆫ 法王ㅅ 아ᄃᆞ리라 디나거신 無量諸佛ᄭᅴ ᄒᆞ마 親近히 供養ᄒᆞᅀᆞᄫᅡ 이실써《釋譜 XIII:15》.
디나건 관〈옛〉지난. 지나간. '디나거다'의 활용형. ¶過去ᄂᆞᆫ 디나건 뉘오《月釋 Ⅱ:二十一之一》.
디나다 자〈옛〉지나다. ¶넌기 디나리잇가(誰得能度)《龍歌 48章》.
디나르〔dinar〕의명 이란·이라크·요르단·쿠웨이트·유고슬라비아·튀니지 등의 현행 화폐 단위.
디나르-알프스 명〔Dinaric Alps〕〖지〗남유럽 전(前) 유고슬라비아 서해안에 연한 신기 습곡 산맥(新期褶谷山脈). 그리스의 핀도스 산맥(Pindos 山脈)에 이어짐. 최고봉은 디나라 산.
디나르 인종【一人種】〔Dinar〕명 유럽 동남부, 발칸 산지(山地) 아드리아 해(海) 주변에 거주하는 인종. 아드리아 인종이라고도 함. 단두(短頭)에 얼굴은 길고 눈과 머리털은 갈색임. 알프스 인종과 비슷하나 보다 장신(長身)임.
디나미스〔그 dynamis〕명〖철〗이 세상의 모든 사물이 발전하여 한층 높은 형상(形相)을 실현(實現)하는 소질(素質). 곧, 소재(素材) 속에 있는 가능성. 아리스토텔레스가 쓴 말임. *에네르게이아(energeia).
디나아가다 타〈옛〉지나가다. ¶정精舍를 디나아가니《月印 上 2》.
디내다 ㊀ 사동〈옛〉지나게 하다. ¶굴헝에 ᄆᆞᄅᆞᆯ 디내샤(深巷過馬)《龍歌48章》. ㊁ 타 지내다. 겪다. ¶喪亂 디내오ᄆᆞ로브터(自經喪亂)《杜諺 Ⅵ:43》. 「峒西極過崑崙)《杜諺 Ⅴ:20》.
디내히 부〈옛〉지나게. 지나도록. ¶崆峒 西極으로 崑崙山애 디내히(崆
디너〔dinner〕명〔원래는 하루의 끼니 중에서 가장 잘 먹는 식사를 말함〕. ①오찬(午餐). ②만찬(晩餐)❶.
디너 드레스〔dinner dress〕명 디너 때 입는 드레스. 이브닝 드레스보다 약식(略式)이고 편한 느낌을 줌. 스커트 길이는 길지만 소매 길이는 자유이고, 예장(禮裝)에 비하면 빛깔과 디자인(design)이 모두 수수한 것이 많음.
디너 슈:트〔dinner suit〕명 이브닝 드레스를 필요로 하지 않을 정도의 비공식 만찬회 때 여자가 착용하는 슈트. 주로 비단·빌로도·레이스 등이 사용됨. 남성의 턱시도를 이를 때도 있음.
디너 재킷〔dinner jacket〕명 디너 코트.
디너 코:트〔dinner coat〕명 턱시도(tuxedo). 디너 재킷.
디너 파:티〔dinner party〕명 ①오찬회(午餐會). ②만찬회(晩餐會). 축하회(祝賀會).
디녀 타〈옛〉지니어. '디니다'의 활용형. ¶부텨 업스신 後에 法 디녀 後世에 퍼디게 호미 이 大迦葉의 히미라《釋譜 Ⅵ:13》.
디노미네이션〔denomination〕명〖경〗화폐 칭호의 변경. 곧, 새로운 화폐 단위명(貨幣單位名)을 만들어 구(舊)화폐 단위명과 환치(換置)하는 일. 대규모의 인플레이션 후에 계산·기장(記帳)·지불 등의 일상의 수속을 간략화하기 위하여 행하여지는 것으로, 그 자체는 경제 활동에 실질적인 변화를 일으키는 것이 아님. 1953년 우리 나라 화폐 개혁 당시 100원(圓)을 1환(圜)으로 한 것 따위.
디노사우르〔dinosaur〕명〖동〗〔무서운 도마뱀의 뜻〕공룡(恐龍). 브론토사우루스(Brontosaurus)·스테고사우루스(Stegosaurus)·티라노사우루스(Tyranosaurus) 따위가 있음. *공룡류(恐龍類).
디뇸 타〈옛〉지님. '디니다'의 명사형. ¶法과 디뇸과로 ᄠᅳᆺᄒᆞ니(軌持爲義)《圓覺上 一之二 14》.
디늄 타〈옛〉지님. '디니다'의 명사형. =디뇸. ¶ᄒᆞᆫ갓 警戒 디뉴ᄆᆞ로 道理 사마 가질씨라《月釋 Ⅶ:46》. 「深)《小諺 Ⅱ:10》.
디놀다 자〈옛〉임(臨)하다. =디놀다. ¶깁픈ᄃᆡ 디ᄂᆞᄃᆡ 아니ᄒᆞ며(不臨
디니다 명〈옛〉지니다. 가지다. ¶持戒ᄂᆞᆫ 警戒ᄅᆞᆯ 디닐 씨오《月釋 Ⅱ:25》/디니며 닐그며 외오딘(受持讀誦)《佛頂 上 3》.
디놀다 자〈옛〉임(臨)하다. ¶디놀림(臨)《石千 11》.

디다[1] ㊀ 자 〈옛〉 떨어지다. ¶ 雙鵲이 훈 사래 디니(維彼雙鵲 墮於一縱)《龍歌 23章》/兄이 디여 뵈니(兄墜而示)《龍歌 36章》. ㊁ 타 〈옛〉 떨어뜨리다. =디이다. ¶ 방핫고 디여 디ᄒᆞ니(落杵)《杜諺 VII:18》.

디다[2] 타 〈옛〉 주조(鑄造)하다. =디우다[2]. ¶ 佛像을 디여 일움 ᄀᆞᄐᆞ니(如鑄成佛像)《佛頂 中 8》.

디다[3] 형 〈옛〉 싸다[5]. ¶ 빗 갑시 ᄊᆞ던가 디던가(布價高低麼)《老乞 上 8》.

디다[4] 자 〈옛〉 지다[4]. ¶ 中原과 되왜 서르 이긔락 디락ᄒᆞ니(漢虜互勝負)《重杜諺 V:34》.

디:대 명 〈심마니〉 신.

디덜뭬 명 〈방〉 뒷덜미(전남).

디:-데이 〔D-day·D-Day〕 명 〖군〗 ①제2차 세계 대전 때 미군과 영국군이 북프랑스 공략(攻略)을 시작한 날인 '1944년 6월 6일'을 이름. ②공격 개시 예정일. *에이치 아워(H-hour). ③계획 실시 예정일. ④동원(動員) 해제일. *엠데이(M-day).

디:데이-군 【一軍】 명 〔D-day force〕 〖군〗 공격 행동을 취할 준비가 되어 있는 군대.

디덴덤 〔dedendum〕 명 〖기〗 톱니바퀴에서, 톱니뿌리 부분을 연결하는 원과 피치원(pitch 圓)의 거리.

디명 【卜定】 명 〈이두〉 복정[2](卜定).

디명다으다 자 〈옛〉 지정닺다. ¶ 디뎡 다으다(打地脚)《同文 上 36》.

디도[1] 〔Didō〕 명 〖신〗 그리스 신화에서, 카르타고를 건설한 여왕. 영웅 아이네이아스 (Aineiās)에게 실연(失戀)하여 자살함.

디도[2] 〔Titus〕 명 〖성〗 사도(使徒) 바울의 유능한 전도(傳道) 보조자. 헬라 사람으로, 바울에게서 디도서(書)를 받았고, 코린도 교회(敎會)와 바울과의 분쟁 때에는 크게 활약하였음.

디도-서 【一書】 〔Titus〕 명 〖성〗 신약(新約) 성서 중의 목회 서간(牧會書簡)의 하나. 바울이 그레데(Crete) 섬에서 전도(傳道)하고 있는 디도에게 쓴 편지라고 전하여지나 내용으로 보아 그 씌어진 연대가 바울이 죽은 70년 후인 120-140년경으로 추측되므로 바울의 글로는 믿기 어려움. 교회(敎會)의 조직·지도·직책·감독·신자의 생활 지침 등의 내용이 삼장(三章)으로 씌어져 있음.

디도에게 보낸 편:지 【一片紙】 〔Titus〕 명 〖성〗 디도서(書).

디드다 자 〈옛〉 찌들다. ¶ 입시우리 드리디 아니ᄒᆞ며 읎디 아니ᄒᆞ며 디드디 아니ᄒᆞ며 《釋譜 XIX:7》.

디드로 〔Diderot, Denis〕 명 〖사람〗 프랑스 계몽기(啓蒙期)의 철학자. 달랑베르와 함께 《백과 전서》를 편찬, 출판함. 무신론(無神論)·유물론에 가까운 입장에 서서, 철학·문학 및 연극·회화·음악을 비평함. 저서로 《자연 해석에 관한 사색(思索)》·《달랑베르와의 대화》, 소설 《라모의 조카》 등이 있음. [1713-84]

디든 형 〈옛〉 짙은. '딛다'의 활용형. ¶ 다만 디든 야청 직금 흉븨훈 비단을 ᄒᆞ고져ᄒᆞ노니(只要深青織金胷背段子)《老乞 下 24》.

디들 자 〈옛〉 땔. 불땔. '딛다'의 활용형. ¶ 블디들찬(爨)《字會 下 12》.

디들다 자 〈옛〉 찌들다. ¶ 이 衆生이 다ᄒᆞ마 衰老ᄒᆞ야 나히 八十이 디나 머리 세오 ᄂᆞᄎᆡ 디드러 아니 오라 ᄒᆞ마 주그리니 《月釋 XVII:47》.

디디 의명 〈방〉 켤레(함북).

디디개 명 〈심마니〉 ①다리[1]. ②신.

디디기 명 〈방〉 〖동〗 두더지(경남).

디디다 타 ①발을 올려놓고 서다. 발을 대고 누르다. ¶ 발 디딜 곳이 없다. ②반죽한 누룩이나 메주 등을 싸서 발로 밟아 덩어리를 만들다. ¶ 누룩을 ~. 준 딛다.

디: 디: 디: 【D.D.D.】 명 〔direct distant dialing〕 시외 자동 전화. 원거리 즉시 통화.

디디뮴 〔didymium〕 명 〖화〗 1840년 모잔더(Mosander, C.G.)가 란탄에서 분리한 새로운 원소에 붙인 이름. 기호는 Di. 그 후 프라세오디뮴(praseodymium)과 네오딤(Neodym)과의 혼합물임이 밝혀져 원소명으로는 쓰이지 않으나, 위의 두 원소를 합쳐 부를 때에는 쓰임.

디디미 명 〈심마니〉 신발.

디: 디: 브이 피: 【D.D.V.P.】 명 〔dimethyl-dichlorovinyl phosphate의 약칭〕 〖약〗 유기인계(有機燐系) 살충제의 일종. 적용 범위는 넓으며 파리·야도충·진디 등에 특히 유효함. 작용은 속효성(速效性)이나 잔효(殘效)가 짧음. 차(茶)나무나 뽕나무의 해충 방제(防除)에도 쓰임. 유제(油劑)·유제(乳劑) 외에 증산제(蒸散劑)도 있음. 인축(人畜) 독성은 중(中) 정도로 극물(劇物)임.

디:디: 원유 【DD 原油】 명 〔direct deal crude〕 리야드 협정(Riyadh 協定)에 의하여, 산유국(產油國) 정부 또는 이를 대행하는 산유국의 국영 석유 회사가 국제 석유 자본(國際石油資本)을 거치지 않고 직접 판매하는 원유.

디: 디: 티: 【D.D.T.】 명 〔dichloro-diphenyl-trichloroethane의 약칭〕 〖약〗 유기 염소계(有機塩素系) 살충제의 한 가지. 무색·결정성의 방역(防疫)용·농업용 살충제. 특이한 냄새는 없고, 알코올에 잘 녹으며, 곤충이 이에 닿으면 신경 계통이 상함. 분제(粉劑) 또는 유제(油劑)로 희석(稀釋)하여 사용함. 인축(人畜)에 대한 경구 독성(經口毒性)은 적으나 잔류독(殘留毒)의 위험성이 있어, 현재 우리 나라에서는 제조·판매·사용이 금지되어 있음. 스위스의 화학자 뮐러(Müller, Paul : 1899-1965)가 살충성을 발견하였음.

디딜-방아 [一빵一] 명 발로 디디어 곡식을 찧게 된 방아. 굵은 나무 한 끝에 공이를 박고 다른 한 끝은 보통 두 갈래가 나게 하여, 그 끝을 발로 디디게 되었으며 공이 아래에 방아 확을 파 놓음. 답구(踏臼).

〈디딜방아〉

디딜-풀무 명 발로 디디어 바람을 내는 풀무.

디딤-널 명 발로 디디기 위하여 놓은 널.

디딤-돌 [一똘] 명 디디고 오르내리게 된 돌. 마루 아래 같은 곳에 놓음. ¶ 실패를 성공의 ~로 삼다.

디딤-쇠 [一쐬] 명 전주나 나무 등에 오르기 위하여 신바닥에 대는, 뾰족한 쇠못이 달린 물건.

디라 〈옛〉 것이라. ¶ 歌唄讚頌ᄒᆞ야 無量 千萬億劫에 이 供養혼디라 《月釋 XVII:38》.

디락시니 명 〈심마니〉 뒷간.

디랙 〔Dirac, Paul Adrien Maurice〕 명 〖사람〗 영국의 물리학자. 양자역학(量子力學)에 상대성 이론을 도입하여 소위 '변화 이론(變化理論)'을 전개, 다시 디랙 방정식(Dirac 方程式)을 도출하여 양전자(陽電子)의 존재를 예언, 1933년 노벨 물리학상을 받았음. [1902-84]

디:-램 【DRAM】 명 〖컴퓨터〗 〔dynamic random access memory의 약칭〕 콘덴서에 전하(電荷)를 축적함으로써 정보를 기억하는 메모리 집적회로. 집적도가 높고 속도가 빠르므로 컴퓨터에서 주기억 장치로 가장 많이 사용됨. 동적(動的) 램.

디러 자 〈옛〉 임하여. '디르다[3]'의 활용형. ¶ ᄒᆞ마 주글쩨 디러(臨欲終時)《妙蓮 II:222》.

디:럽다 형 〈방〉 더럽다(충남·전남·경남).

디레다-보다 타 〈방〉 들여다보다(함남).

디레다와 〔Diredawa〕 명 〖지〗 에티오피아 동부, 표고 약 1,300미터의 고원(高原)에 있는 도시. 교통과 상업의 중심지로, 커피·피혁 등의 거래가 이루어짐. [82,000명(1980)]

디렉터 〔director〕 명 ①지도자. 지휘자. 지배인. 이사(理事). ②영화 감독. ③악장(樂長).

디렉터리 〔directory〕 명 〖컴퓨터〗 파일 시스템을 관리하고 각 파일이 있는 장소를 쉽게 찾을 수 있도록 디스크의 요소를 분할·검색하는 정보를 포함하는 레코드의 집합. 목록.

-디록 어미 〈옛〉 -ㄹ수록. ¶ 어와 聖恩이야 가디록 罔極ᄒᆞ다《松江 關東別曲》/엇디 훈 江山을 가디록 나이 녀겨 《松江 星山別曲》/가디록 새비촐 내여 그믈 뉘롤 모론다《古時調 鄭澈》.

디룽-거리다 자 매달린 물건이 가볍게 흔들리다. ¶ 방 안을 들여다보고 있는 눈들이 디룽거리는 것 같아 애주는 몸을 움직이지도 못했다《朴榮濬 : 여인 삼대》. >대롱거리다. **디룽-디룽** 부. ——-하다 자 여불

디룽-대다 자 디룽거리다.

디르다[1] 타 〈옛〉 찌르다. ¶ 사ᄅᆞ몰 주머귀로 디르고 닐오ᄃᆡ 《月釋 VII:8》/ 디를 ᄌᆞ(刺)《類合 下 47》.

디르다[2] 자 〈옛〉 ①임(臨)하다. 다다르다. ¶ 기픈 못 디러 보ᄃᆞᆺ하며(如臨深淵)《永嘉 下 112》. ②굽어보다. ¶ ᄆᆞᄅᆞ몰 버므렛ᄂᆞᆫ 길히 니그니 프른 ᄆᆡ홀 디렛도다(緣江路熟俯青郊)《杜諺 VII:1》.

디르덕다 자 〈옛〉 남다. 없어지고 조금 남다. ¶ 四更에 뫼히 ᄃᆞᆯ올 비와 ᄐᆞ니 디르더근 바ᄆᆡ 믈비치 樓에 ᄇᆞᆯ갓도다(四更山吐月殘夜水明樓)《重杜諺 XII:3》.

디리 부 〈방〉 들이(평안).

디리다 타 〈방〉 드리다(평안).

디리-대다 타 〈방〉 들이대다(평안).

디리-박 명 〈방〉 두레박(함남).

디리클레 〔Dirichlet, Peter Gustav Lejeune〕 명 〖사람〗 독일의 수학자. 파리에 유학하고 베를린 대학·괴팅겐 대학 등에서 교수를 역임함. 디리클레 급수(級數)를 정수론(整數論)에 응용하여 해석적 수론(解析的數論)을 논술하는 한편, 퍼텐셜론(potential 論)으로 디리클레의 문제를 논하였고, 푸리에 급수(Fourier 級數)의 연구에서 함수(函數)의 개념을 변혁하는 등 많은 업적을 남겼음. [1805-59]

디립다 부 〈방〉 들입다(평안).

디ᄅᆞ다[1] 타 〈옛〉 찌르다. =디르다[2]·지르다[4]. ¶ 또 夜叉ㅣ 鐵戟 자바 罪人의 모몰 디ᄅᆞ며 시혹 ᄇᆡ와 등과 뒬어《月釋 XXI:43》/御府엣 부들 와 머리에 디ᄅᆞ고(來簪御府筆)《杜諺 XXI:13》.

디ᄅᆞ다[2] 타 〈옛〉 (불을) 지르다. ¶ 블디ᄅᆞᆯ분(焚)《類合 下 41》.

디ᄅᆞ저겨알ᄑᆞ다 구 〈옛〉 찌르듯이 아프다. ¶ 또 理中湯은…또 胃脘애 痰이 담겨(胃脘은 가ᄉᆞ미라) 冷훈 氣分이 디ᄅᆞ저겨 알ᄑᆞ닐 고티ᄂᆞ니(又方理中湯…兼治胃脘停痰冷氣刺痛《救方 上 6》.

디마니 부 〈옛〉 지망지망하게. 경솔하게. ¶ 너희 디마니 혼 이리 잇ᄂᆞ니 ᄲᆞᆯ리 나가라 《月釋 II:6》.

디마니ᄒᆞ다 타 〈옛〉 소홀히하다. ¶ 四肢 ᄎᆞᄂᆞ니 藥을 디마니ᄒᆞ면 아니한 ᄉᆞᅀᅵ예 救티 몯ᄒᆞᄂᆞ니(四肢逆冷用藥遲緩須臾不救)《救方 上 31》.

디만ᄒᆞ다 형 〈옛〉 지망지망하다. 경솔하다. =지만ᄒᆞ다. ¶ 훈번도 디만훈 일 업수니 《釋譜 VI:4》.

디맨드 풀 인플레이션 〔demand pull inflation〕 명 〖경〗 초과 수요 인플레이션.

디먼 〔demon〕 명 마신(魔神). 사신(邪神). 악마. 본래는 초인간적인 신이었으나 뒤에 신과 인간과의 중간적 존재로서 인간의 운명을 좌우한다고 여겨졌으며 그리스도교 시대에 이르러서는 악령(惡靈)·악마로 부르게 되었음. 철학에서는 인간에 있는 신적(神的)인 것을 가리키며, 전(轉)하여 인간에게 존재하는 초능력, 예술적 창조의 근원이 되는 충동력 따위를 이름.

디메트로돈 〔Dimetrodon〕 명 〖동〗 페름기(Perm 紀) 후기의 육서(陸棲) 파충류의 일종. 몸길이 4m 정도의 육식(肉食) 동물로 에다호사우루스와 비슷하여 큰 부채꼴 돌기를 등에 갖고 있음. 화석은 얕은 강에 생긴 지층(地層) 속에서 흔히 물고기의 뼈와 함께 발견되므로 강가에 서식했던 것으로 추측됨.

디멘셔널 컬러링 〔dimensional coloring〕 명 자연스럽게 디자인된 머리에 악센트를 주고, 머리털이 지닌 자연스러운 움직임이나 흐름의 아름다움을 강조하는 헤어 다이(hair dye)의 특수 기술. 프로스팅(frosting)·메시 콜로레(meche colore)·티핑(tipping)·스트리킹(streaking) 등의 종류가 있음.

디멘션 〔dimension〕 명 차원(次元).

디며 〈옛〉 것이며. ¶ 說法 호몰 보논 디며 《月釋 XVII:35》.

디모데 〔Timotheos〕 명 〖성〗 바울의 가장 사랑하는 제자. 소아시아의

루스드라 출신. 아버지는 헬라 사람, 어머니는 그리스도 신자인 유태인임. 바울의 첫 전도 여행에 동반하였음.

디모데 전서【一前書】명〔Timotheos〕〖성〗신약 성서의 목회 서간(牧會書簡) 중의 하나. 바울이 에베소에 머물러 있는 디모데에게 써 보냈다고 하는 편지인데, 교회의 이단(異端)과의 투쟁, 신자들의 기도, 남녀간의 태도, 집사의 사명 등을 6장(章)으로 기록하였음. 일부를 제외하고는 120-140년경에 씌어진 것이므로 전체가 바울의 글이라고 보기는 어려움. *디모데 후서.

디모데 후:서【一後書】명〔Timotheos〕〖성〗신약(新約) 성서의 목회 서간(牧會書簡) 중의 하나. 바울이 그의 전도 보조자 디모데에게 보낸 편지인데, 사신(私信)적인 색채가 많으나, 하느님의 은혜와 복음을 위한 인내, 예수의 병정이 될 것, 전도사의 직분 등, 신자들에게 주는 위대한 교훈을 4장(章)으로 기록하였음. *디모데 전서.

디-모인〔Des Moines〕명〖지〗미국 아이오와 주의 주도(州都). 교통의 요지이며, 옥수수·쇠고기·돼지 고기의 대집산지. 식품 가공 외에 농업 기계 공업이 성함. [194,150명(1988)]

디모테오에게 보낸 둘째 편:지【一片紙】〔Timotheos〕명〖성〗디모데 후서(後書).

디모테오에게 보낸 첫째 편:지【一片紙】〔Timotheos〕명〖성〗디모데 전서(前書).

디몯기술 명〈옛〉송이술. ¶ 俗稱醅酒 디몯기술《字會 中 21》.

디 몰토〔이 di molto〕명〖악〗'아주'의 뜻. ¶ 알레그로(allegro) ~/아다지오(adagio) ~.

디미누엔도〔이 diminuendo〕명〖악〗'차차 약하게 연주하라'의 뜻. 기호: dim.

디미누엔도 알 피아니시모〔이 diminuendo al pianissimo〕명〖악〗'피아니시모까지 차차 약하게'의 뜻. 기호: dim. al pp.

디미누엔도 에 리타르단도〔이 diminuendo e ritardando〕명〖악〗'차차 약하게 하면서 차차 느리게'의 뜻. 기호: dim. e rit.

디미뉴:션〔diminution〕명 ①감소. 축소. ②〖악〗대위법(對位法)에서 주제(主題)의 리듬을 2분의 1로 축소하여 나타내는 일. 가령 4분 음표는 8분 음표로, 8분 음표는 16분 음표로 축소하는 일.

디미트로프〔Dimitrov, Georgi Mikhailovich〕명〖사람〗불가리아의 혁명 운동가. 불가리아 노동 사회 민주당·불가리아 공산당의 지도적 인물. 1923년 이후 코민테른 집행 위원, 1935-43년 동 서기장. 제2차 세계 대전 후 1946-49년 수상으로 국가 재건을 지도함. [1882-1949]

디바이〔Debye, Peter Joseph Wilhelm〕명〖사람〗네덜란드 출생의 독일 물리학자. 분자 구조에 관한 연구로 1936년 노벨 화학상(化學賞) 수상. 미국에 이주하였음. [1884-1966]

디-밀다 타 ↗들이밀다.

디-밀리다 자 디밂을 당하다.

디바이더〔divider〕명 분할기(分割器). 컴퍼스처럼 생겼으며 양각(兩脚) 끝에 모두 바늘이 끼어져 있는 제도(製圖) 용구. 벌어진 양쪽 바늘로 일정한 치수를 다른 곳에 옮기거나 분할(分割)하는 데에 쓰임.

디바이디드 스커:트〔divided skirt〕명 슬랙스(slacks)처럼 가랑이가 갈라진 스포츠용 스커트.

디바이스〔device〕명 ①〖전〗특정한 목적을 위하여 구성한 전기적·기계적·전자적인 장치. ②〖전〗전자 회로에 사용〈디바이더〉되는 트랜지스터 등의 능동 장치. ③〖컴퓨터〗컴퓨터 시스템 중 특정한 기능을 수행하는 장치. 모니터·자기 디스크·자기 테이프·프린터 등의 주변 장치.

디뱅이 명〈방〉①지팡이(평북). ②두껑❶(함북).

디:버그〔debug〕명〔bug는 벌레의 뜻〕컴퓨터에서, 프로그램상(上)의 착오(錯誤)를 제거(除去)하는 일.

디:버깅〔debugging〕명〖컴퓨터〗프로그램상의 오류를 수정하는 일. 또는 그것을 위한 소프트웨어. 오류 수정.

디베다 타〈방〉①뒤치다(경북). ②뒤집다(경북).

디베랴〔Tiberias〕명〖성〗갈릴리 호수 서쪽 가에 있던 도시. 20년경에 로마 황제에게 경의를 표하는 뜻으로 이름지었음. 지금은 아라비아 말로 '다바리야'라고 함.

디베르티멘토〔이 divertimento〕명〖악〗오락에 알맞도록 짜인 무도곡(舞蹈曲)의 한 가지. 희유곡(嬉遊曲).

디베르티스망〔프 divertissement〕명〖연〗막간극(幕間劇).

디베지다 자〈방〉자빠지다(함남).

디벨트〔Die Welt〕명 서독(西獨)의 유력 일간지. 1946년 함부르크에서 창간됨. 중립지로 외국에서도 높이 평가되며 발행 부수는 약 26만 부.

디-보란〔diborane〕명〖화〗보란의 일종. 상온에서 무색이며 특이한 냄새가 나는 기체. 자극성이 있고 매우 유독함. 다른 보란에 비해 비교적 안정하지만 습한 공기와 접촉하면 폭발적으로 반응함. 가연성(可燃性)이 높아, 로켓의 연료로 씀. 이(二)보란. [B_2H_6]

디: 브이 디:【DVD】명 디지털 비디오 디스크.

디비다 타〈방〉①뒤집다(함남). ②뒤집다(경북).

디비다그-교【一橋】〔Dywidag〕명 강현(鋼弦) 콘크리트로 된 게르버 트러스(Gerber truss) 다리의 중앙 경간(中央徑間)을 고도로 강한 케이블을 심(芯)으로 한 상판(床板) 부분으로 연결하여, 케이블을 팽팽하게 당겨서 캔티레버 부분에 접속시키는 공법(工法)으로 놓은 다리. 서울의 원효대교(元曉大橋) 같은 것.

디비시〔이 divisi〕명〖악〗관현악(管絃樂)의 현(絃)의 부에 있어서 각 부를 다시 두 부 이상으로 나누어 연주하는 일.

디비전 라인〔division line〕명 농구에서, 프런트 코트와 백코트를 나누는 중앙선.

디: 비: 피【D.B.P.】명〔dibutyl phthalate의 약칭〕〖화〗프탈산 디부틸.

-디비 어미〈옛〉-지. -ㄴ지라. -지마는. =-디외·-디웨·-디위. ¶ 大鬼王 모믈 現ᄒᆞ디비 實엔 鬼아니라《月釋 XXI:129》. *굳히디비.

디새 명〈옛〉기와. ¶ 디새와 돌과를 뵈샤(示之以瓦礫)《圓覺 上 一之二 61》/디새 와(瓦)《字會 中 18》.

디서넌스〔dissonance〕명〖악〗불협화음(不協和音).

디:-선【D線】명〖악〗현악기의 현(絃) 중에서 D인 라음(音)에 조현(調絃)된 것.

디세-강【一腔】명〔Disse's spaces〕〖의〗딴세포삭(細胞索)과 간(肝) 모세관과의 사이에 갇혀 있는 혈관주(血管周) 림프강(腔). 독일의 해부학자 디세(Disse, Josef)가 발견함.

디센딩 링〔descending ring〕명 등산에서, 암벽(岩壁)을 타고 내려올 때 사용하는 쇠고리. 카라비너 대신 슬링(sling)에 겁.

디스로케이션〔dislocation〕명 전위(轉位).

디스-인플레이션〔disinflation〕명〖경〗인플레이션을 억제하여, 통화량·물가 수준 등을 현상태로 안정시켜, 디플레이션이 되지 않도록 하는 경기 조정책.

디스-카운트〔discount〕명 할인(割引). 할인율(割引率). ──-하다 자타여불

디스카운트 세일〔discount sale〕명 염가 매출(廉價賣出). 할인 판매(割引販賣).

디스카운트 스토어〔discount store〕명 현금에 의한 할인(割引) 판매의 소매점. 할인 소매점. 염매점(廉賣店).

디스카운트 하우스〔discount house〕명 할인 상점. 슈퍼마켓이 식료품 중심인 데 대해 주로 전기 제품 등 내구(耐久) 소비재를 취급하며 생산자로부터 유명 상표의 상품을 직접 구입, 판매 경비 절감에 의한 현금 염가 판매를 함. 제2차 세계 대전 이후 미국서 유행함.

디스-커뮤니케이션〔discommunication〕명 커뮤니케이션이 되어 있지 않음. 의사 소통이 되어 있지 않음.

디스커버러 위성【一衛星】〔Discoverer〕명 미국 육군의 초기 군사적 실험용 인공 위성. 1959년 2월 제1호 발사 이래 1962년 2월까지 38개를 발사하여, 회수(回收) 실험, 극궤도(極軌道) 등 각종 실험을 행함.

디스커션〔discussion〕명 토의(討議). 토론.

디스커스¹〔discus〕명 원반(圓盤).

디스커스²〔discuss〕명 몇 사람이 모여서 토의함. 또, 검토함. ──-하다 타여불

디스켓〔diskette〕명〖컴퓨터〗플로피 디스크(floppy disk).

디스코〔disco〕명 ↗디스코테크(discothéque).

디스코 걸:〔disco girl〕명 디스코테크의 플로어 한 모퉁이의 댄서 스테이지에서 춤을 추어 보이는 직업 무용수.

디스코 댄스〔disco dance〕명 디스코 음악의 리듬에 맞추어 분위기를 즐기면서 자유롭게 추는 춤.

디스코볼로스〔Diskobolos〕명 미론(Myron)의 대표적인 조각《원반(圓盤)을 던지는 사나이》를 이름. 대담한 구성과 운동감(運動感)의 표현에 혁신적 작풍(作風)이 나타나 있음. 원작(原作)은 없고 로마의 란체로티 궁전에 있는 대리석상이 가장 충실한 모작(模作)이라 함.

디스코테:크〔discothèque〕명 생연주(生演奏)가 아니고 디스크를 틀어놓고 고고 등의 춤을 추게 하는 댄스 홀. 준 디스코.

디스크〔disk〕명 ①원반(圓盤). 원판(圓板). ②축음기의 레코드. ③〖생〗추간 연골(椎間軟骨). ④〈속〉추간 연골 헤르니아. ¶ ~에 걸리다. ⑤컴퓨터에서, 보조 기억 장치로 사용되는 플라스틱 또는 금속 따위로 만들어진 원형의 얇은 판. 자기(磁氣) 디스크와 광학식 디스크가 있음.

디스크 대:상【一大賞】〔disk〕명 프랑스에서 전해에 발표·판매된 우수한 레코드에 수여하는 상. ADF, 곧 아카데미 드 디스크 프랑세(Académie de disque français) 주최의 것과 ACC, 곧 아카데미 샤를 크로(Académie de Charles Cros) 주최의 두 가지가 있음.

디스크 드라이브〔disk drive〕명〖컴퓨터〗디스크에 들어 있는 정보를 읽어 내어 컴퓨터의 주기억 장치로 보내어 주거나, 주기억 장치에 있는 정보를 받아서 디스크에 기록하는 일을 맡아 하는 장치.

디스크 바퀴〔disk〕명 바퀴살이 없이 원판형으로 된 자전거의 바퀴. 공기 저항을 덜 받음.

디스크 브레이크〔disk brake〕명 바퀴나 차축(車軸)에 장치한 원판(圓板)에 패드(pad)를 눌러서 제동(制動)하는 브레이크. 원판 브레이크.

디스크 자키〔disk jockey〕명 라디오 방송에서 레코드를 틀어 주고, 그 사이사이에 짧은 해설이나 즉흥적 화제를 곁들여 이야기하며, 청취자의 리퀘스트에도 응하는 프로. 또, 그 프로의 담당자. 약칭: 디 제이(D. J.).

디스크 클러치〔disk clutch〕명〖기〗원판 클러치(圓板 clutch).

디스크 팩〔disk pack〕명〖컴퓨터〗디스크 원판을 여러 장 겹쳐서 같은 축에 고정시켜 놓은 것. 보통 6장을 1조로 함. 주로 대형 컴퓨터에서, 디스크 드라이브 장치에 넣어 사용함.

디스-클로:저〔disclosure〕명〖경〗투자가(投資家) 보호를 목적으로 기업(企業)이 재무 내용(財務內容)을 공개하는 일. 투자 신탁(信託)의 운영 내용을 공개하는 경우에도 쓰임.

디:스터베크〔Diesterweg, Friedrich Adolf Wilhelm〕명〖사람〗독일의 교육학자. 중학교 교사를 거쳐 사범 학교장을 역임함. 후에 베를린 시(市) 의회에서 반동 문교 정책과 싸우고 종교와 교육의 분리에도 공헌함. 교수학 연구를 중심으로 교직의 독립·전문성의 문제를 이론화하였음. 프로이센의 페스탈로치로 불림. [1790-1866]

디스턴스 레이스〔distance race〕명 스키에서, 장거리 경주(長距離競走). 곧, 30-50km의 경주를 이름.

디스-템퍼〔distemper〕명 ①개 특히 강아지가 잘 걸리는 급성 전염병. 설사와 폐렴, 점막(粘膜)의 카타르 등을 일으키며 하복부(下腹部) 또는 살에 농포(濃胞)가 생김. 견온병(犬瘟病). ②〖미술〗풀가루를 섞은 진흙같이 생긴 채료(彩料). 색채는 불투명(不透明)하고 혼탁함.

디스토마〔라 distoma〕명〖동〗흡충강(吸蟲綱) 전구목(前口目)에 속하

는 편형 동물의 하나. 주로 사람과 가축의 소화관(消化管)에 기생하나, 간장·폐장·신장(腎臟) 등에도 기생하여 심한 해를 입히는 것도 있음. 몸은 편평(扁平)하여 엽상(葉狀)·원반(圓盤)·원통상(圓筒狀) 등 변화가 많고, 몸의 전단(前端)과 복면에 한 개씩의 흡반(吸盤)이 있음. 이 두 개의 흡반을 입으로 잘못 알고 이구충(二口蟲), 곧 디스토마라 명명했음. 중간 숙주를 필요로 하며, 네 차례나 숙주를 간 뒤에 성충이 되는 것도 있음. 거의가 자웅 동체. 포유류의 간(肝)과 폐(肺)에 기생하는데, 그 기생 부분에 따라 간장 디스토마·폐장 디스토마로 구별함.

디스토피아〔dystopia〕명 유토피아에 대해, 그와는 반대로 가장 부정적인 암흑 세계의 픽션을 그려냄으로써 현실을 예리하게 비판하는 문학 작품(文學作品). 또, 그 사상. 역(逆)유토피아. ↔유토피아(Utopia).

디스트로피〔dystrophy〕명〖의〗세포 내지 조직의 물질 대사(代謝) 장애 중에서 형태에 변화를 수반하는 것. 근육의 유전성 대사 장애로 근위축(筋萎縮)을 나타내는 것을 근 디스트로피증(筋dystrophy症)이라 하고, 선천적(先天的)으로 연골(軟骨)의 발육 장애(發育障礙)를 나타내는 것을 연골 디스트로피증(症)이라 함.

디스틸러스 회:사【一會社】〔Distillers Co., Ltd.〕명 1877년 유력한 6개 업자의 합병으로 설립된 영국 최대의 위스키 트러스트. 경쟁기업의 합병을 거듭하여 조니 워커·화이트 호스 등 스카치의 주요 상표 태반을 손에 넣었으며, 생산의 60%를 차지함. 진(gin)·공업용 알코올 등의 점유율(占有率)도 압도적이며, 의약품·화학 약품에도 진출하고 있음.

디스포:저〔disposer〕명 부엌 찌꺼기 처리기(處理機). 부엌에서 나오는 야채나 생선의 찌꺼기를 분쇄 처리하는 기구. 모터로 연모의 날을 고속 회전시켜 찌꺼기를 미세화(微細化)해서 배수와 함께 흘려보냄.

디스프로슘〔dysprosium〕명〖화〗희토류(稀土類) 원소의 하나. 자성(磁性)이 가장 강하고 이온(ion)은 황색, 산화물(酸化物)은 무색(無色)임. [66번 : Dy : 162.46]

디스플레이〔display〕명〔전시(展示)·진열(陳列)·과시(誇示)의 뜻〕① 〖미술〗상품진열장이나 진열실·전람 회장 등에서 특정 계획과 목적에 따라 상품과 작품을 전시(展示)하는 기술. 평면적인 진열뿐만 아니라 전시용의 방이나 건물 등 공간의 설계까지를 포함함. ②동물이 구애(求愛)나 위협(威脅)을 하기 위해 자신을 아름답게 또는 크게 보이게 하는 모양이나 동작. 조류(鳥類)에 그런 예가 많음. 보통 화려한 깃 빛깔을 갖는 수컷에 현저하며 공작(孔雀) 등이 그 좋은 예임. 소위 학(鶴)의 춤도 그 일종임. 디스플레이를 행하는 종류는 일반적으로 일부 다처(一夫多妻)이며 포란(抱卵)이나 육추(育雛)는 암컷의 임무임.

디스플레이 장치【一裝置】명〔display unit〕〖컴퓨터〗데이터를 볼 수 있는 화면으로 나타내는 출력 장치의 총괄적인 용어. 브라운관 면에 문자나 도형의 형식으로 데이터를 표시함.

디스플레폰〔Displephone〕명〖통신〗새 전화 통화 시스템의 하나. 통화중의 두 사람이 스크린을 보면서 전화기의 단추를 눌러 통화는 물론 복잡한 숫자나 도형을 간단히 송·수신할 수 있게 한 장치.

디: 시:【D.C.】명〖악〗'다 카포(da capo)'의 약호. 도돌이표(標).

-디시 어미〈옛〉-듯이. ¶ 주근 벌에 드외야늘 보시고사 안디시 ᄒᆞ시니 ≪月印 上 16≫.

디시램브〔dithyramb〕명〖문〗그리스 서정시(抒情詩)의 한 형식. 열광적인 시·연설·글.

디시전〔decision〕명 ①결심. ②결정. 판정승.

디시전 룸:〔decision room〕명 기업의 최고 경영자가 모여, 신속히 경영의 의사 결정(意思決定)을 할 수 있게 시청각 기기·컴퓨터 단말기 등 특별한 설비를 갖춘 회의실.

디시다 자〈옛〉지새다. 달이 지며 날이 새다. ¶ 새벽서리 디신 돌에 외기러기 우러 네다≪古詩調≫.

디아【DIA】명 '디아파종(Diapason)'의 약칭.

디아길레프〔Diaghilev, Sergei Pavlovich〕명〖사람〗러시아의 무용가. 러시아 발레단을 창립하고, 종합 예술로서의 혁신적(革新的)인 현대 발레에의 길을 열었음. [1872-1929]

디아나〔Diana〕명〖신〗'다이애나'의 라틴어 이름.

디아뎀〔ㅍ Diadème〕명 프랑스의 측지(測地) 위성. DIC, DID로 각각 호칭(呼稱)되며 1호는 1967년 2월 8일, 2호는 동년 2월 15일에 각각 사하라의 아마길 기지(基地)에서 발사됨.

디아도코이〔ㄱ diadochoi〕명〖역〗〔후계자의 뜻〕알렉산더 대왕의 유장(遺將)들. 안티고노스·카산드로스·류시마코스·셀레우코스 1세·프톨레마이오스 1세 등은 서로 대왕의 후계자로 자처하고 유령(遺領) 쟁탈전을 되풀이하였음. 기원 전 280년 셀레우코스 1세의 죽음에 의해 디아도코이 시대는 끝남.

디아망〔ㅍ Diamant〕명 프랑스의 위성 발사용 로켓. 1965년 11월 26일 A_1을, 동년 2월 17일에 디아(DIA)를 아마길 기지에서 발사함.

디아볼로〔diabolo〕명 북의 동체와 비슷하게 생긴 팽이. 실 위에 놓고 실의 양끝을 두 손으로 잡고 교대로 오르내리게 하여 회전시킴.

디아스[1]〔Dias, Gonçalves〕명〖사람〗브라질의 시인. 원주민의 생활을 노래한 시로 알려지며 브라질 국민 문학의 창시자임. [1823-64]

디아스[2]〔Diaz, Porfirio〕명〖사람〗멕시코의 정치가. 막시밀리안의 제정(帝政)에 대한 싸움을 통하여 두각을 나타내어 1876년에 정권을 잡았음. 이후 반대파를 탄압하고 외자 도입에 의한 산업 개발을 추진했으나 1911년 마데로의 혁명에 의해 망명(亡命), 파리에서 객사(客死)하였음. [1830-1915]

디아스[3]〔Dias, Bartholomeu〕명〖사람〗포르투갈의 항해가. 아프리카 탐험 도중 희망봉(喜望峰)을 발견하였음. '바르톨로메우 디아스(Bartholomeu Dias)'라고도 이름. [1450?-1500]

디아스 델 카스티요〔Diaz del Castillo, Bernal〕명〖사람〗스페인의 탐험가. H. 코르테스의 멕시코 정복에 참가하고 이에 관한 상세한 기록 ≪누에바 에스파냐 정복 실록(征服實錄)≫을 썼음. 정복을 코르테스 개인의 업적으로 하지 않고 한 병사(兵士)의 입장에서 기술한 것이 특색임. [1492?-1581?]

디아스타아제〔diastase〕명〖화〗① 녹말로부터 만든 아밀라아제(amilase). 1833년 프랑스의 페앵(Payen, A. : 1795-1871)과 페르소(Persoz, J.F. : 1805-68)가 발견·명명(命名)함. 효소(酵素) 제품의 최초의 것. ② 일본의 약학자 다카미네 조키치(高峰讓吉)가 1909년에 만든 소화제(消化劑). 다카디아스타아제. *아밀라아제.

디아스테레오 이:성질체【一異性質體】명〔diastereoisomer〕〖화〗서로 경상(鏡像) 이성질체가 아닌 광학(光學) 이성질체 중의 하나. 편좌우(偏左右) 이성질체.

디아스포라〔ㄱ diaspora〕명〔'흩어 뿌려진 사람'의 뜻〕바빌론 유수(幽囚)를 계기로 하여 팔레스타인을 떠나 온 세계로 흩어진 유대인. 처음에는 주로 이집트, 후에 지중해 연안의 여러 나라에서 삶. 그들의 대부분은 고유의 신앙인 유대교와 관습을 고수(固守)하였음.

디: 아이【D.I.】명〖경〗'디퓨전 인덱스(diffusion index)'의 약칭.

디: 아이 엔 감:광도【DIN 感光度】명〔Deutsche Industrie-Normen〕독일 규격에 의한 사진 감광 재료의 성능을 나타내는 수치(數值).

디: 아이 와이【DIY】명〔Do it yourself〕전문 직업인이 아닌 사람이 제 손으로 무엇을 만들거나 수리하는 일.

디: 아이 와이 산:업【DIY産業】명 조립식 가구와 같은 일요 목수의 작업에 필요한 상품을 생산·공급하는 산업.

디아조【diazo】명〖화〗탄소의 원자와 질소의 원자 두 개가 화합함. 또, 그것.

디아조 감:광지【一感光紙】〔diazo〕명〖화〗디아조늄염(塩)의 감광성을 이용하여, 이것을 종이에 바른 것. 발색(發色)은 청색의 것이 많으나, 값이 싸서 복사지(複寫紙)로서 널리 사용됨.

디아조늄-염【一塩】〔一념〕명〔diazonium salt〕〖화〗방향족(芳香族) 제1급 아민(amine)의 산성 용액(酸性溶液)에 아질산을 작용시켜 얻는 염(塩). 디아조 화합물(diazo 化合物).

디아조-마이신〔diazomycin〕명〖약〗암(癌)에 듣는 항생 물질의 하나.

디아조-메탄〔diazomethane〕명〖화〗황색 무취(無臭)의 유독성 기체. 니트로소 메틸 우레탄에 수산화(水酸化) 칼륨을 작용시키면 생성됨. 녹는점 −145°C, 끓는점 −24°C. 메틸레이트(methylate) 화합물 합성에 쓰임. [CH_2N_2]

디아조 반:응【一反應】명〔diazo reaction〕〖화〗방향족 제1급 아민으로부터 디아조화(diazo化)에 의하여 디아조늄염(塩)을 만들고, 여기에서 여러 가지 화합물을 합성하는 모든 반응의 총칭.

디아조-타이프〔diazotype〕명 청사진과 함께 문서나 도면의 복사에 널리 쓰이는 인화법(印畫法)의 하나. 어떤 종류의 디아조 화합물과 발색제(發色劑)·안정제(安定劑)의 혼합물을 바른 감광지(感光紙)에다 도면을 복사시키고, 암모니아 가스 또는 발색제(發色劑)를 가한 알칼리성 용액으로 처리함. 적사진(赤寫眞).

디아조-화【一化】명〔diazotization〕〖화〗방향족(芳香族) 제1급 아민(amine)을 디아조화합물(化合物)로 만드는 일.

디아조 화-물【一化物】명〔diazo-compound〕〖화〗①디아조기(基) $=N_2$를 갖는 화합물의 총칭. ②디아조늄염(塩).

디아졸〔diazole〕명〖화〗두 개의 질소(窒素) 원자와 세 개의 탄소 원자로 이루어지는 오원 환화합물(五員環化合物). [$C_3H_4N_2$]

디아테르미〔도 Diathermie〕명〖의〗전기 투열(透熱)에 의한 요법 및 치료 기구. 고주파의 강한 전류를 신체의 국소(局所) 또는 전신에 통하여 조직을 통과하는 줄열(joule熱)을 이용하여, 환부를 가온(加溫) 치료함. 신경통·류머티즘 등 신경성 동통(疼痛) 질환(疾患)에 사용함.

디아파종〔ㅍ Diapason〕명 1966년 사하라의 아마길 기지(基地)에서 발사된 프랑스의 인공 위성. 약칭: 디아(DIA).

디알〔dial〕명〖약〗수면제의 일종. 알로 바르비탈의 상품명으로, 디에틸 바르비투르산(酸) 계통의 바르비탈(barbital)의 3.5배의 효력(効力)이 있음.

디알렉티크〔도 Dialektik〕명〖철〗변증법(辨證法).

디어본:〔Dearborn〕명〖지〗미국 미시간 주(州)의 공업 도시. 디트로이트의 위성 도시로 포드 자동차(自動車) 회사의 본사(本社) 공장이 있음. [91,000명(1980)]

디에고-수아레스〔Diego-Suarez〕명〖지〗말라가시 북단(北端), 마다가스카르 만에 있는 항구 도시. 조선·제염 등의 공업이 성함. 1901년 이래 프랑스의 해군 기지였음. [40,000명(1981)]

디: 에스 시: 에스【D.S.C.S.】명〔Defense Satellite Communications System의 약칭〕미국의 국방 위성 통신망(國防衛星通信網). 미국 군사 통신 위성 계획 가운데에 장거리 중계가 가능한 것으로, 전세계의 미국 군사 기관에 대한 긴급 지령, 정보·경보 전달이나 대통령 등의 특별 사용에 활용하기 위한 것임. 1966-68년에 23개의 통신 위성을 쏘아 올림.

디:-에스컬레이션〔de-escalation〕명 단계적으로 축소되는 일.

디: 에이【D.A.】명〔documents against acceptance의 약칭〕〖경〗일람 출급(一覽出給) 어음 이외의 어음이 추심지(推尋地)에 도착하여 추심 은행(推尋銀行)이 지명인(指名人)에게 어음을 인수(引受)할 것을 요구(要求)할 경우, 지명인이 현금 지불을 하기 전에 선하 증권(船荷證券)의 인도를 먼저 받고 현금을 나중에 지불하는 일. 인수 인도. ↔디 피(D.P.).

디: 에이치 에이【DHA】명 도코사헥사엔산(酸)의 약칭.

디: 에프【D.F.】명〔direction finder의 약칭〕방향 탐지기.

디: 에프 디: 아:르【DFDR】명〔digital flight data recorder의 약칭〕〖항공〗디지털 비행 데이터 기록 장치.

디엔계 탄:화 수소【—系炭化水素】〔diene〕명〖화〗탄소와 탄소 간의 이중 결합을 두 개 포함하고 있는 탄화 수소. 화학적으로 활성(活性)이 높고, 합성 고무·합성 수지(合成樹脂) 등의 원료로서 중요함. 부타디엔·시클로펜타디엔 따위.

디엔 비엔 푸〔Dien Bien Phu〕명〖지〗베트남(Vietnam)의 도시. 북부 라오스(Laos)와 중국과의 국경에 있는 교통의 요지. 1954년 3-5월에 인도차이나 전쟁의 승패를 결정하는 공방전(攻防戰)이 벌어져 프랑스군이 항복한 격전지.

디: 엔 에이【DNA】명〔deoxyribonucleic acid의 약칭〕〖화〗디옥시리보 핵산(核酸). ＊핵산.

디: 엔 에이 생물【DNA 生物】명〔DNA-organism〕〖생〗디옥시리보 핵산(核酸)을 유전 물질(遺傳物質)로서 가지고 있는 생물. 현존하는 대부분의 생물이 이에 속함. ↔아르 엔 에이 생물(RNA 生物).

디: 엔 에이 암:호【DNA暗號】명〖화〗DNA의 분자 구조상에 있는 유전 형질(遺傳形質)을 전하는 성질. 암호는 DNA의 구성 염기(塩基)의 배열에 따라 결정됨.

디: 엔 에이 지문【DNA指紋】명 DNA의 4 종류의 염기 배열이 사람마다 다름을 이용하여 과학 수사에서 지문(指紋)처럼 응용할 때의 그 염기 배열의 일컬음. 1985년 영국의 알렉 제프리 박사가 이 사실을 발견함.

디엔 합성【—合成】명〔diene synthesis〕〖화〗켤레 이중 결합(二重結合)을 한 화합물에 이중 결합 또는 삼중 결합을 한 화합물이 부가(附加)하여 고리 모양 화합물을 만드는 반응(反應). 1928년 딜스(Diels)와 알더(Alder)가 발견했기 때문에 '딜스 알더 반응(Diels Alder 反應)'이라고도 함.

디엘드린〔dieldrin〕명〖약〗유기 염소계(有機塩素系)의 살충제. 소위 드린계 농약(農藥)의 하나. 지속성이 강력한 접촉 살충제로, 과수·야채의 해충 방제(害蟲防除)에 사용함.

디엘비크〔Diel'vig, Anton Antonovich〕명〖사람〗러시아의 시인. 푸시킨과 함께 '문학 신문'을 편집. 작품 ≪휘파람새≫ 등. [1798-1831]

디: 엘 에프【D.L.F.】명〔Development Loan Fund의 약칭〕〖경〗1954년도의 미국 예산상에 설치되기 시작한 개발 차관 기금(開發借款基金). 후진국(後進國)의 경제 개발을 위한 차관은 이 자금에서 대여하기로 되어 있음.

디: 엠 지:【DMZ】명〔Demilitarized zone의 약칭〕비무장 지대.

디: 오:¹【D.O.】명〔defence order의 약칭〕미국 국방 당국이 민간 제조업자로부터 군수품(軍需品)을 매입하는 경우의 지령.

디: 오:²【DO】명〔disolved oxygen〕용존 산소량(溶存酸素量).

디오게네스〔Diogenes〕명〖사람〗①고대 그리스의 철학자. '시노페의 디오게네스'라 불림. 통을 집으로 삼고 세계 시민(世界市民)임을 자칭하며, 극히 무욕적인 생활을 하였음. 소위 키니코스(Kynikos) 학파의 시조. [412?-323? B.C.] ②고대 그리스의 철학자. '셀레우키아(Seleukia)의 디오게네스' 또는 '바빌로니아의 디오게네스'로 불림. 스토아 학파(學派)인 제논(Zenon)의 후계자. 로마에 와서 학설을 폄. 생몰년(生沒年) 미상(未詳).

디오니소스〔Dionysos〕명〖신〗그리스 신화 중의 신(神). 제우스(Zeus)와 세멜레(Semele)의 아들로, 자연의 생성력(生成力) 및 포도·포도주를 관장, 문화를 촉진하고 입법(立法)도 하는 대신(大神)이며, 로마 신화의 바커스(Bacchus)에 해당함.

디오니소스-적【—的】〔dionysos〕명관〖예〗창작에서 현실적·동적(動的)·정의적(情意的)인 작풍을 주로 하는 모양. ↔아폴론적(apollon的).

디오니소스-형【—型】〔dionysos〕명〖문〗예술 활동에 있어서 정적(情的)·동적(動的)·군집적(群集的)인 특징을 가진 유형으로 심리학상 도취(陶酔)의 영역에 속함. 니체(Nietzsche)가 그의 예술론에서 처음 쓴 말로, 문예사상(文藝史上)에서는 흔히 로맨티시즘의 경향으로 해석됨. ↔아폴론형(apollon型).

〈디오니소스〉

디오니시우스 일:세【—一世】〔Dionysius Ⅰ〕〔—쎄〕명〖사람〗시라쿠사(Siracusa)의 참주(僭主). 평민 계급을 이용, 기원 전 405년 이후 권력을 얻어 시칠리아 섬을 지배하고 카르타고 세력에 대항, 그의 동진(東進)을 막고 남부 이탈리아로 진출하여 식민 도시를 건설함. 문예(文藝) 애호가로서도 유명함. [430-367 B.C.; 재위 405-367 B.C.]

디오라마〔프 diorama〕명〖미술〗길고 큰 마포(麻布)에 연속된 광경을 그린 유화(油畫)의 앞쪽에 여러 가지 물건을 놓고, 그것을 잘 조명하여 실물을 보는 듯한 느낌을 일으키는 일. 투시화(透視畫).

디오르〔Dior, Christian〕명〖사람〗프랑스의 의상 디자이너. 처음 화랑(畫廊)을 설립하였다가, 유행(流行) 디자인계에 진출, 뉴 루크·알파벳 라인 등 새로운 디자인으로 파리 및 세계의 패션계(fashion 界)를 리드하였음. [1905-57]

디오메데스〔Diomedes〕명〖신〗①그리스 신화에 나오는 인물. 트로야(Troja) 전쟁의 맹장(猛將)으로, 오디세우스(Odysseus)를 도왔음. ②그리스 전설 중에 나오는 트라키아왕(Thracia王). 암말에 인육(人肉)을 먹인 죄로 헤라클레스(Herakles)에게 살해됨.

디오스쿠로이〔Dioskouroi〕명〖신〗그리스 신화에서, 카스토르(Castor)와 폴리데우케스(Poludeukēs)의 쌍둥이 형제. 제우스(Zeus)와 레다(Leda)의 아들. 용감하고 전술에 뛰어나 아테나이에 끌려간 헬레네(Helenē)를 구출하기도 하고, 아르고선(Argo船) 원정대(遠征隊)에 참가하기도 하였음. 항해의 보호자이며 세인트 엘모(St. Elmo)의 불이 되어 나타난다고도 함.

디: 오: 에이【D.O.A.】명〖화〗'아디핀산(酸) 디옥틸'의 약칭.

디: 오: 에이치 시:【DOHC】명〔double overhead camshaft〕한 개의 실린더 상부에 엔진의 밸브를 여닫게 하는 캠축이 두 개씩 달린 고속차용 엔진 형식의 하나. 일반 엔진보다 출력이 20-30% 높음.

디오클레티아누스〔Diocletianus, Gaius Aurelius Valerius〕명〖사람〗고대 로마 황제. 병졸에서 입신(立身)하여 제위(帝位)에 올라 제국을 재통일함으로써 후기 로마 제국의 전제 군주제의 기초를 확립하였음. 또한 제국 분치(分治) 제도를 정하여 행정 제도를 개혁하고, 농업 과세 제도를 신설, 재정의 재건을 꾀하였음. 그러나 물가 앙등에 대한 최고 공정 가격령의 발표와 그리스도교도 박해로 인하여 민심을 잃고 퇴위함. [245-313; 재위 284-305]

디오판토스〔Diophantos〕명〖사람〗고대 그리스의 수학자. 대수학(代數學)의 시조. 250년경 알렉산드리아에서 활약하였음. 주저 ≪산수론(算數論)≫에서 디오판도스 해석(解析)이라는 일종의 부정 방정식(不定方程式) 해법을 연구함. 생몰 연대 미상.

디: 오: 피:【D.O.P.】명〖화〗'프탈산(酸) 디옥틸'의 약칭.

디옥시리보오스〔deoxyribose〕명〖화〗리보오스(ribose)가 갖는 한 개의 히드록시기(基)가 수소 원자(水素原子)와 치환(置換)된 것. 디옥시리보 핵산(核酸)의 주성분임. [$C_5H_{10}O_4$]

디옥시리보 핵산【—核酸】명〔deoxyribonucleic acid〕〖생〗오탄산(五炭酸)의 일종인 디옥시리보오스를 당성분(糖成分)으로 하는 핵산. 단백과 결합해 유전자(遺傳子)의 본체(本體) 및 많은 바이러스의 중요 성분을 이루며 리보 핵산과 더불어 생체의 종(種)이나 조직에 고유한 단백질 합성에 관여함. 약칭: 디 엔 에이(DNA).

디올레핀〔diolefin〕명〖화〗분자 내의 두 개의 에틸렌 결합을 갖는 지방족 탄화 수소. 첨가 반응(添加反應)이나 중합(重合) 반응을 일으키기 쉬움. 알렌(allene)·메틸 알렌·부타디엔 등. [C_nH_{2n-2}]

디옵터〔diopter〕의명〖물〗'디옵트리'의 영어명.

디옵트리〔도 Dioptrie〕의명〖물〗안경의 도수를 표시하는 단위. 초점(焦點) 거리가 1m인 안경의 도수를 1디옵트리라 함. 곧, 안경 렌즈의 초점 거리를 미터 단위로 나타낸 수의 역수(逆數). 볼록 렌즈는 양(陽), 오목 렌즈는 음(陰)으로 나타냄. 동일한 안경에서는 39를 도수로써 나누면 디옵트리로 표시한 수가 됨. 디옵터(diopter).

-디옷 어미〈옛〉-ㄹ수록. -을수록. ¶하ᄂᆞᆯ 돌히 놉디옷 목수미 오라ᄂᆞ니 「≪月釋 Ⅰ:37≫.

-디외 어미〈옛〉-지. -지마는. ＝-디비·-디웨·-디위. ¶혼갓 ᄃᆞ니가ᄂᆞᆫ 나그내 눉므를 보디외 主人의 恩惠ᄂᆞᆫ 얻디 몯ᄒᆞ리로다(空看過客淚莫覓主人恩)≪初杜諺 Ⅶ:10≫.

디욤 타〈옛〉떨어뜨림. '디다¹'의 명사형. ¶비드믈 디요믈 조히 ᄒᆞ라(將風屑去的爽利着)≪朴解 上 44≫.

디우¹〔Diu〕명〖지〗인도 서부 카티아와르 반도(Kathiawar半島) 남단에 있는 섬. 제염(製塩)·어업이 성함. 1535년 이래 포르투갈이 영유, 중계 무역항으로 번영하였으며, 1961년 12월 인도 연방 정부가 무력으로 병합함. 가톨릭 건축이 많음. [38.5 km²: 24,000명(1971)]

디우² 부〈옛〉지게. 못하게. ¶앗교ᄆᆞᆯ 錦繡段애 디우아니 너기노라(重之不減錦繡段)≪初杜諺 XVI:34≫.

디우다¹ 타〈옛〉싸게 하다. ¶내녀손ᄃᆡ 디워프라 주마(我濫賤賣與你)「≪老乞 下 21≫.

디우다² 타〈옛〉쇠를 끓이어 녹이다. 쇠를 끓이어 녹여 부어 쇠그릇을 만들다. ＝디다². ¶쇠디울 주(鑄)≪類合 下 7≫.

디우레틱 호르몬〔diuretic hormone〕명〖생〗신경 호르몬의 하나. 곤충류에서, 말피기관(Malpighi 管)으로 분비하는 액체량을 증가시키고 물의 배출을 촉진함.

디우레틴〔도 Diuretin〕명〖약〗백색 무취(白色無臭)의 짠맛이 있는 분말의 극약(劇藥). 강력한 이뇨제(利尿劑)로서 잘 쓰이나 신장 장애(腎臟障礙)가 있을 때는 주의하여야 함. 또, 혈관 확장제(擴張劑)로 고혈압증·협심증(狹心症)에 쓰임. 1회 극량 1.0g임.

-디웨 어미〈옛〉-지. -지마는. ＝-디비·-디외·-디위. ¶혼갓 ᄃᆞ니가ᄂᆞᆫ 나그내 눉므를 보디웨 主人의 恩惠ᄂᆞᆫ 얻디 몯ᄒᆞ리로다(空看過客淚莫覓主人恩)≪重杜諺 Ⅶ:10≫.

디위¹ 명〈옛〉경계(境界). ¶디위예 新都形勝이샷다≪樂詞 新都歌≫.

디위² 의명〈옛〉번²(番)▤. ＝지위⁵. ¶우믌 므를 ᄒᆞᆫ 五百 디위옴 길어 더시니≪月釋 Ⅷ:91≫.

-디위 어미〈옛〉-지. -지마는. ＝-디비·-디외·-디웨. ¶오직 ᄃᆞᆫ 緣ᄯᅳ로미디위 法供養이 아닐씨(持愛緣耳디위 非法供養故로)≪妙蓮 Ⅵ:144≫.

디위풀다 타〈옛〉소매(小賣)하다. ¶닷돈 은을 디위 ᄑᆞ노라(小賣了五錢銀)≪朴解 中 38≫.

디위ᄒᆞ다 자〈옛〉지휘하다. 명령하다. ¶이제 구의 人家애 디위ᄒᆞ여(今官省會人家)≪老乞 上 44≫.

디윰 타〈옛〉쇠를 부어 만듦. '디다²'의 명사형. ¶갌놀과 삽미트로 農器 디유믈 듯고져 願ᄒᆞ노니(願聞鋒鏑鑄)≪杜諺 Ⅲ:10≫.

디의 명〈옛〉지의¹(地衣). ¶디의 연(筵)≪石千 19≫.

디이다 타〈옛〉떨어뜨리다. 떨어지게 하다. ＝디다¹▤. ¶화ᄅᆞᆯ ᄲᅡ 欻와 鶡와ᄅᆞᆯ 디요라(抨弓落欻鶡)≪杜諺 Ⅱ:4≫.

디:이즘〔deism〕명〖종〗이신론(理神論). 자연신교(自然神敎). 자연신론(自然神論).

디자이너〔designer〕명 ①설계자. ②도안가. ③음모자(陰謀者). ④양복이나 직물의 의장(意匠)·도안을 입안(立案)하는 사람.

디자인〔design〕명 ①입안(立案). 설계. 특히, 생활에 필요한 제품을 만듦에 있어, 그 재질(材質)·기능·기술 및 미적 조형성(美的造形性) 등의 여러 요소와 생산·소비면에서의 각종 요구를 검토·조정하는 종합적 조형 계획. ②무늬. 본. ——-하다 타여불

디자인 운:동【—運動】〔design〕명 생산된 실용품의 기능적인 형태에 조형적(造形的) 디자인을 가미(加味)하려는 운동. 19세기말 영국의 모리스(Morris, W.) 등의 공예 부흥 운동으로 시작되어 아르 누보(art

nouveau) 등에 이어져 점차 산업 디자인으로 발전함.
디자인 정책【一政策】〔design policy〕[명] 한 기업 중에서 제품 설계로부터 선전 판매에 이르기까지 일관된 통일적인 디자인 방침.
디자인 포장 진:흥 기금【一包裝振興基金】〔design〕[명]〖경〗디자인 포장의 연구·개발·진흥에 관한 종합적인 시책을 시행하기 위하여 정부의 출연금 등으로 조성한 기금. 한국 디자인 포장 센터가 관리함.
디자인 프로모:터〔design promoter〕[명] 새로운 디자인이나 아이디어를 고안하여 그것을 파는 것을 업으로 하는 사람.
디-장 [명]〈방〉뒷장(경남).
디저:트〔dessert〕[명] ①양식(洋食)에서 식사 끝에 내는 과일·과자·아이스크림 등. 영국에서는 과자류(菓子類)의 다음에 내놓는 과실을 이름. ②↗디저트 코스.
디저:트 코:스〔dessert course〕[명] 정식(正式)의 양식(洋食)의 최후 과정. 다과(茶菓) 등을 먹고 마시며 테이블 스피치도 함. [준]디저트.
디저:트 파:티〔dessert party〕[명] 저녁 후에 케이크·파이·과일·아이스크림·차 등의 후식을 같이하는 파티.
디: 제이【D.J.】[명] '디스크 자키(disk jocky)'의 약칭.
디:젤〔Diesel, Rudolf〕[명]〖사람〗독일의 기계 기사(機械技師). 1893년에 ≪합리적 열기관(熱機關)의 이론 및 구조≫로써 디젤 기관의 원리를 발표, 1897년에 실제의 기관을 완성하였음. [1858-1913]
디:젤 기관【一機關】[명]〔diesel engine〕〖기〗1897년 독일의 디젤이 발명한 내연 기관. 그 특징은 실린더내에서 공기만을 피스톤으로 급격히 압축하여 고온으로 하고, 그 곳의 중유(重油)를 세공(細孔)으로부터 분무(噴霧)하여 자연 점화(點火) 폭발시키는 것임. 선박·차량·항공 등에 널리 쓰임. 중유 기관. 디젤 엔진.
디:젤 기관차【一機關車】[명]〔diesel locomotive〕디젤 전기 기관차.
디:젤 동:차【一動車】〔Diesel〕[명] 디젤 기관을 원동기로 갖고 여객 또는 화물을 적재하여 자주(自走)하는 철도 차량. 기관차와 마찬가지로 전기식(電氣式)·기계식(機械式)·유체식(流體式)의 3 종류가 있는데, 최근에는 대부분 유체식임.
디:젤 발전기【一發電機】〔一쩐一〕〔Diesel〕[명] 디젤 기관을 원동기로 사용하는 발전기.
디:젤 엔진〔diesel engine〕[명] 디젤 기관.
디:젤-유【一油】〔一류〕[명]〔diesel oil〕디젤 기관에 사용되는 연료.
디:젤 전:기 기관차【一電氣機關車】[명]〔diesel electric locomotive〕디젤 기관으로 발전기를 움직이고 그 전류로 전동기를 회전시키어 달리는 기관차. 디젤 기관차.
디:젤-차【一車】〔Diesel〕[명] 디젤 엔진으로 운전하는 자동차·열차. 디젤카.
디:젤 카:〔diesel car〕[명] 디젤차.
디좇ᄒᆞ다 [자]〈옛〉자취를 밟아가다. 뒤를 밟아가다. =디좇기시다. ¶捕盜官이 디좇ᄒᆞ여가(捕盜官躡將去)≪老乞 上 27≫.
디좇기시다 [자]〈옛〉뒤를 밟아 가다. =디좇ᄒᆞ다. ¶ᄂᆞ미 나라해 婬女 디좇기시ᄂᆞ니≪月釋 Ⅶ:17≫.
디즈 [명]〈옛〉밀. ¶부리 것고 디즈에 분칠ᄒᆞ고(捲尖粉底)≪朴解 下 24≫.
디즈니〔Disney, Walt〕[명]〖사람〗미국의 만화 영화 제작가. 만화 영화 ≪미키 마우스(Mickey Mouse)≫·≪백설 공주(白雪公主)≫로 크게 성공하였으며, 또 과학 기록 영화도 제작하였음. 1955년 로스앤젤레스에 디즈니랜드를 베풀고, 독자의 영화 프러덕션도 만들었음. [1901-66]
디즈니-랜드〔Disneyland〕[명] 1955년 미국의 만화 영화 제작가 디즈니가 로스앤젤레스 교외에 설립한 어린이 놀이터.
디즈니 월드〔Disney World〕[명] 미국의 만화 영화 제작가 디즈니가 미국의 플로리다 주 올랜드 시 교외 습지대에 건설한 광대한 레크리에이션 센터. 1971년에 완성됨.
디즈레일리〔Disraeli, Benjamin〕[명]〖사람〗영국의 정치가·소설가. 유태인. 보수당(保守黨)으로 1852년 이래 입각(入閣), 1868년·1874년에 두 번 수상이 됨. 정치인으로서 대영주의(大英主義)를 주창하여 인도를 직할하고, 선거법을 개정함. ≪코닝스비(Coningsby)≫ 등의 정치 소설도 썼음. [1804-81]
디즈멀 사이언스〔dismal science〕[명] 음울한 학문이라는 뜻으로, '경제학'을 칼라일(Carlyle, Thomas)이 비꼬아 일컫은 말.
디지 [명]〈방〉뒤주(전남·경북).
디지기 [명]〈방〉〖동〗두더지(경상).
디지털〔digital〕[명]〖물〗데이터(data)를 유한(有限)의 자리수의 수값으로 나타내는 방법. 전류·전압 등의 연속량(連續量)으로 나타내는 아날로그(analogue)에 대한 용어. *아날로그.
디지털 계:기【一計器】〔digital〕[명] 측정량을 연속된 양(量)으로서 취급하는 대신에 일정한 구간으로 구분하여 각 구간에 할당한 수치로 불연속적으로 나타내게 한 계기. 시시 각각 변화하는 양은 순간치(瞬間値)를 연속적으로 표시하여도 알아보기 어려우므로 일정 시간 간격마다 측정치(測定値)를 표시함.
디지털 녹음【一錄音】〔digital〕[명] 음성 신호를 디지털 부호로 전환하여 기록하는 방식.
디지털 비디오 디스크〔digital video disk〕[명] 일반 콤팩트 디스크 크기인 지름 12 cm의 디스크 한 장에 콤팩트 디스크 7배 용량의 동영상과 음악 등의 정보를 기록할 수 있는 매체. 디브이디(DVD).
디지털 비행 데이터 기록 장치【一飛行一記錄裝置】[명]〔digital flight data recorder ; DFDR〕〖항공〗블랙 박스에 내장되어, 항공기의 고도·대기 속도·기수 방향·수직 가속도 등 19가지 데이터를 기록함. 25시간 짜리 엔드리스 테이프가 돌아가면서 항상 마지막 25시간에 걸친 비행 기록을 보존함. 약칭 : 디 에프 디 아르.
디지털 시계【一時計】[명]〔digital clock〕시간 표시를 바늘이 아닌 숫자(數字)로 표시하는 시계.
디지털 신:호【一信號】〔digital〕[명] 0 또는 1과 같은 유한 개(有限個)의 기호의 조합으로 표현되는 신호.
디지털 영:상 특수 효:과 장치【一映像特殊效果裝置】〔digital〕[명] 텔레비전에서, 느린 동작의 영상으로, 앞서의 장면을 차례대로 재현(再現)하는 장치. 시청자들에게 마치 앨범의 페이지를 넘겨가는 듯한 시각(視覺) 효과를 줌.
디지털 전:화【一電話】[명]〔digital telephone〕사람의 음성을 부호화(符號化)하여 보내고, 이것을 수신자측(受信者側)에서 목소리로 재생하는 방식의 전화. 전화 요금이 절약되고, 도청(盜聽)을 방지할 수 있음.
디지털 컴퓨:터〔digital computer〕[명] 모든 정보를 수치화(數値化)하여 처리하는 컴퓨터. 과학 기술 계산이나 사무 정보 처리 등 대부분의 용도에 널리 쓰이며 보통 컴퓨터라고 하면 이것을 말함. 수치형(數値型) 전산기. 디지털 전산기. *아날로그(analogue) 컴퓨터.
디지털 통신【一通信】〔digital〕[명] 정보를 모두 디지털 신호로 전송·교환하는 통신 방식.
디질 [명]〈옛〉치질. ¶디질 티(痔)≪字會 中 34≫.
디쩍 [명]〈방〉뒤축(경남).
디쳐ᄒᆞ다 [타]〈옛〉처치하다. ¶일즙 디쳐 아니 ᄒᆞ야시니(不曾發落)≪老乞 下 19≫.
디:츠겐〔Dietzgen, Joseph〕[명]〖사람〗독일의 철학자·사회주의자. 노동자 출신으로 독학하여 독자적으로 변증법적 유물론에 가까운 입장에 도달하였음. 1848년 3월 혁명에 참가하였다가 후에 미국으로 망명하였으며, 국내외에서 활약함. 저서 ≪인간의 두뇌 노동의 본질≫·≪철학의 과실(果實)≫ 등. [1828-88]
디:-층【D 層】[명]〔D layer〕〖기상〗지구에 가장 가까운 전리층(電離層). 평균 고도 70 km, 최대 전자(電子) 밀도는 1cm^3 당 10^2-10^3개. 야간에는 거의 소멸됨. 단파는 투과(透過)하므로 전파 전달 운반에는 이용되지 아니하나 전파에 감쇠(減衰)를 줌. *전리층(電離層).
디:컨-법【一法】〔deacon〕〔一뻡〕[명]〖화〗〔발명자 디컨(Deacon)의 이름에서 유래〕염화 수소를 염화 구리와 같은 촉매 아래에서 직접 공기로 산화하여 염소(塩素)를 얻는 방법.
디: 케이【D.K.】[명] ①〔dining kitchen〕조리실을 겸한 주방. 주방 겸 식당. ②〔don't know〕↗디 케이 그룹.
디:케이 그룹〔D. K. group〕[명]〔D.K. 는 don't know의 준말〕여론 조사 등에서 '모른다'고 대답하는 사람들. 사회 동향에 무관심한 집단. [준]디 케이.
디: 케이 티:【DKT】[명]〔도 Dikaliumtartrat〕〖화〗'타르타르산 칼륨'의 약칭.
디:코:더〔decoder〕[명] 디코드(decode)하는 장치 혹은 회로(回路). 해독기(解讀器). 판독기(判讀器).
디:코:드〔decode〕[명] 컴퓨터 등의 출력(出力)을 인간 혹은 다른 기기(機器)에 적합한 형식으로 변환하는 일. 해독(解讀). 판독(判讀). ——-하다 [타][여불]
디 콕〔D. cock〕[명]〔↗drain cock〕전차의 도어 엔진(door engine)의 압착 공기를 배출하여 문이 열리게 하는 장치의 손잡이.
디: 쿼크〔D quark〕[명] 다운 쿼크.
디크로-수염나방【一鬚蛾一】[명]〖충〗〔*Dichromia claripennis*〕밤나방과에 속하는 곤충. 편 날개는 26-32 mm이고 몸빛은 암갈색에 복부와 뒷날개는 황색, 앞날개는 다갈색, 외횡선(外橫線) 바깥은 회색임. 아랫입술에는 긴 수염이 나서 앞으로 돌출하였음. 한국에도 분포함. 두빛밤나방.
디클로로-에탄〔dichloroethane〕[명]〖화〗①염화(塩化) 에틸렌. ②염화 에틸리덴.
디킈다 [타]〈옛〉지키다. =딕킈다. ¶디킐 슈(守)≪石千 17≫.
디킈우다 [타]〈옛〉지키게 하다. =디킈오다·딕희우다. ¶사룸 여러흘 디킈워 뒷거늘 趙氏 버서나디 몯ᄒᆞ올 알오≪三綱 烈女 17≫.
디:킨〔Deakin, Arthur〕[명]〖사람〗영국의 노동 운동 지도자. 운수 일반 노동 조합 서기장, TVC 의장, 세계 노련(勞聯) 회장을 역임. 후에 미국의 마샬 플랜을 지지하고, 국제 자유 노련을 창설하여 부회장이 되었음. [1890-1955]
디킨스〔Dickens, Charles〕[명]〖사람〗영국의 소설가. ≪피크 위크(Pick Wick)의 기록≫으로 데뷔, ≪크리스마스 캐롤≫·≪올리버 트위스트(Oliver Twist)≫·≪데이비드 코퍼필드(David Copperfield)≫를 내어 성공을 거두었음. 이후, 특유한 기지와 해학(諧謔)에 넘치는 희화적(戲畫的) 수법으로 ≪두 도시 이야기≫·≪위대한 유산≫ 등 하층 사회를 그린 걸작을 남겼음. [1812-70]
디킨슨〔Dickinson, Emily Elizabeth〕[명]〖사람〗미국의 여류 시인. 실연(失戀)으로 일생 독신으로 지냈음. 사후에 시가 발표되어 비로소 진가(眞價)가 알려졌고, 1924년 정본(定本)의 ≪시집≫이 간행되었음. [1830-86]
디타 [타]〈옛〉찧다. =딯다. ¶일천 ᄡᅵ빅번을 디코(杵一千二百下)≪救簡 Ⅰ:79≫/精히 디허 힌 ᄡᆞ래 어울우리라(精鑿傳白粲)≪杜諺 Ⅶ:37≫/디흘 도(擣), 디흘 용(舂)≪字會 下 6≫.
디터:미넌트〔determinant〕[명]〖수〗행렬식(行列式).
디터:미니즘〔determinism〕[명]〖철〗결정론(決定論).
디터:스도르프〔Dittersdorf, Karl Ditters von〕[명]〖사람〗오스트리아의 작곡가. 각지의 궁정 악장(宮廷樂長)으로 있었으며 바이올린의 명수로도 알려졌음. 수많은 교향곡·협주곡·오페라·오라트리오·기악곡(器樂曲)을 지었음. [1739-99]
디턴 [타]〈옛〉찧던. '디타'의 활용형. ¶藥 디턴 드트리 기텻고(餘搗藥塵)≪杜諺 Ⅸ:5≫.
디털미 [명]〈방〉뒷덜미(전남).

디테일〔detail〕 명 ①세부. 세목(細目). ②상기(詳記). 상세(詳細). ③〖미술〗 미술품의 전체에 대하여, 그 부분.

디텍터〔detector〕 명〖물〗 ①검파기(檢波器). ②검전기(檢電器).

디텍티브 스토:리〔detective story〕 명〖문〗 탐정 소설(探偵小說).

디투 부〈옛〉질게. ¶계피 디투 글힌 믈 훈 되를 먹고(濃煮桂汁 服一升)≪救簡 Ⅰ:17≫. ＊딜다.

디트로이트〔Detroit〕 명〖지〗 미국 북동부, 미시간 주에 있는 중공업 도시. 휴런 호(Huron 湖)와 이리 호(Erie 湖) 사이에 있으며 철강(鐵鋼) 및 차량 공업이 성한데, 상공업의 중심지이기도 함. 특히, 자동차 공업은 세계적으로 유명함. [1,027,974 명(1990)]

디트리히〔Dietrich, Marlene〕 명〖사람〗 독일 태생의 미국 배우. 무성 영화 시대에 각선미(脚線美)와 허스키 보이스·퇴폐미(頹廢美)로 인기가 있었음. [1901-92]

디튼 형〈옛〉질은. '딜다'의 활용형. ¶디튼병 고(痼)≪類合 下 18≫.

디티어리어레이션〔deterioration〕 명 등산에서, 높은 곳에 장기간 체류함으로써 일어나는 신체의 쇠약.

디티온-산【一酸】 명〔dithionic acid〕〖화〗 이(二)티온산.

디파:트〔depart〕 명 ↗디파트먼트 스토어.

디파:트먼트〔department〕 명 ↗디파트먼트 스토어

디파:트먼트 스토어〔department store〕 명 백화점(百貨店). 준디파트·디파트먼트.

디팽이 명〈방〉지팡이(함북·평안).

디퍼렌셜〔differential〕 명〖기〗 차동 장치(差動裝置).

디퍼렌셜 기어〔differential gear〕 명〖기〗 차동(差動) 톱니바퀴.

디퍼 준:설선【一浚渫船】〔dipper〕〔一썬〕 명 파워 셔블(power shovel)을 장치한 준설선.

디:-퍼:지〔depurge〕 명〖정〗 추방 해제(追放解除). ——하다 타여불

디펜스〔defence〕 명 방어(防禦). 수비(守備). ↔오펜스(offence)·어택(attack).

디펠〔Dippel, Johann Andreas〕 명〖사람〗 독일 태생의 오페라 테너 가수. 뉴욕 메트로폴리탄 오페라 극장에서 가티-카사자(Gatti-Casazza)와 함께 공동 감독으로 일함. 뒤에 시카고 오페라단(團)을 조직, 희가극(喜歌劇)의 감독을 맡아 봄. [1866-1933]

디포:〔Defoe, Daniel〕 명〖사람〗 영국의 작가. 처음 풍자시 ≪토박이 영국 사람≫으로 주목을 끌었고, 한때 정치 운동으로 투옥, 출옥 후 유명한 ≪로빈슨 크루소(Robinson Crusoe) 표류기≫를 내어 인기를 얻었음. 이래 ≪왕당 기사(王黨騎士)의 기록≫ 등 250여 편의 실화 소설을 발표하여 유례없는 리얼리즘의 개척으로, 근대 소설의 비조(鼻祖)로 불림. [1660?-1731]

디포스겐〔diphosgene〕 명〖화〗 포스겐과 흡사한 질식성 냄새를 가진 무색의 액체. 독 작용은 포스겐과 비슷하나 중독의 지속성이 높음. 독가스로 이용. 엷은 농도의 것이라도 들이마시면 몇 시간 후에 갑자기 죽는 수가 있음. [$ClCOOCCl_3$]

디-포스핀〔diphosphine〕 명〖화〗 인화(燐化) 칼슘에 물을 작용시켜 발생하는 기체를 한제(寒劑)로 냉각시킬 때 생기는 액체상의 인화 수소. 자연히 발화(發火)하는데, 중성이며 햇볕에 쬐면 고체상(固體狀)으로 변함. 이(二)포스핀. [P_2H_4] ＊포스핀.

디퓨:전 인덱스〔diffusion index〕 명〖경〗 경기 동향 지수(景氣動向指數).

디프레션〔depression〕 명〖경〗 물가 저락(物價低落). 불경기(不景氣).

디:프 사우스〔Deep South〕 명〖지〗 미국의 루이지애나·미시시피·앨라배마·조지아 등 남부 여러 주(州)의 통칭. 가장 남부다운 특징을 지닌 지역이며 흑인 차별 문제가 자주 일어남.

디프테리〔도 Diphtherie〕 명〖의〗 디프테리아(diphtheria).

디프테리아〔diphtheria〕 명〖의〗 디프테리아균으로 인한 급성 법정(法定) 전염병의 하나. 2-7살의 어린애가 잘 걸리는데, 1-4월에 가장 많고, 여름에는 적음. 처음에는 열이 나고 음식물을 잘 넘기지 못하며, 더 심하게 되면 편도선이 붓고 목젖의 점막에 흰 위막(僞膜)이 생김. 위막은 디프테리아균의 번식부(繁殖部)인데, 여기에 독물(毒物)이 생기고, 몸 안에 흡수되어 여러 가지 장애를 일으킴. 후두(喉頭)가 협착하여지고 심장에 마비를 일으키며 사망률은 5-10%임. 마비풍(馬脾風). 디프테리.

디프테리아-균【一菌】 명〔diphtheria bacillus〕〖의〗 디프테리아의 병원(病原)인 간상균(桿狀菌). 인두 점막면(咽頭粘膜面)에서 잘 번식함. 1884년에 독일의 뢰플러(Löffler)가 발견하였음.

디프테리아성 결막염【一性結膜炎】〔diphtheria〕〔一썽一념〕 명〖의〗 디프테리아균의 침입으로 일어나는 전염성의 결막염. 눈꺼풀이 붉게 부어, 눈이 가려워지고, 결막은 혼탁된 황색으로 변하여 실명(失明)하게 됨. 유아(幼兒)는 생명을 잃는 수도 있음.

디프테리아 혈청【一血淸】〔diphtheria〕 명〖의〗 디프테리아균에서 생겨난 독소로, 말을 면역(免疫)하고 그 혈청을 채취, 정제(精製)한 디프테리아의 특효약. 베링(Behring, Emil von)이 창제(創製)함.

디프테리아 후:마비【一後痲痺】〔diphtheria〕 명〔도 Postdiphtherische Lähmung〕 디프테리아균에 감염한 뒤에 독소 감염 부위에 남는 마비 장애. 신경이 침해당하여 비성(鼻聲)이 되거나, 물건이 두 개로 보이거나, 사시(斜視)가 되거나 잘 걷지 못하게 됨.

디플레 명 ↗디플레이션(deflation). ↔인플레.

디플레 갭 명〔deflationary gap〕〖경〗 유휴(遊休) 설비나 실업이 존재하지 아니하는 완전 고용 경제에서 실현되는 생산 수준, 곧 총공급(總供給)을 기준으로 하여, 의도(意圖)된 투자·정부 지출·소비 등의 총수요(總需要)가 총공급보다 부족할 때의 그 차액(差額). ↔인플레 갭.

디플레이션〔deflation〕 명〖경〗 인플레이션에 의하여 저락한 화폐 가치를 등귀시킬 수단으로서 과도히 팽창한 화폐를 수축시키는 방법. 또, 그러한 현상. 통화(通貨)가 그것에 상당한 상품량의 축소를 상반하지 않고 수축되는 것이므로, 필연적으로 물가의 하락을 초래하여 고정 소득자 또는 일반 채권자 특히 금융 자본가에게 유리하고, 산업 자본가에게 불리한 결과가 나타나며, 환시세가 등귀하고 금융이 핍박하여짐. 준디플레. ↔인플레이션.

디플레이터〔deflator〕 명〖경〗 경제의 제량(諸量)을 계열별로 분석할 때, 실질적 가격 변동를 산출하기 위하여 이용하는 가격 수정 인자(修正因子).

디플레이트〔deflate〕 명〖경〗 경제의 제량(諸量)을 계열별(系列別)로 분석할 때 디플레이터를 사용하여 실질적 가격 변동을 산출하는 일.

디플렉터〔deflector〕 명 ①기류(氣流)·가스·광선 등의 전향 장치(轉向裝置). ②〖해〗 편침의(偏針儀).

디플로도쿠스〔diplodocus〕 명〖동〗 쥐라기(Jura紀) 후기의 초식 공룡(恐龍). 네 발 보행으로 몸길이 약 30 m, 몸무게 10톤 반(半)으로 추정됨. 수륙 양서(水陸兩棲)로, 브론토사우루스(Brontosaurus) 만큼 무겁지는 않으나 몸길이는 공룡 중에서 최대임. 긴 목과 꼬리를 갖고 있으며 태반을 수중(水中)에서 지낸 것으로 생각됨. 비공(鼻孔)이 머리 꼭대기 가까이 있고 이는 빈약함.

디플로머시〔diplomacy〕 명 ①외교(外交). 외교술. ②권모 술수.

디플리:티드 우라늄〔depleted uranium〕 명〖화〗 천연 우라늄으로부터 열확산법 등으로 우라늄 235를 분리할 때, 다 사용한 연료 처리 과정에서 생기는 0.7% 이하의 우라늄 235를 함유하는 우라늄.

디피[1] 명〈옛〉격구(擊毬)할 때 쓰던 말. ¶擊毬之法. 先趨馬而進. 以排至비지 動毬. 以持彼디피 回之. 毬若入凹. 則亦用排至. 以杖之內面. 斜引毬使高起. 俗謂之排至. 以杖之外面. 推去毬而擲之. 謂之持彼≪龍歌 Ⅵ:39≫.

디:피:[2]【D.P.】 명〔displaced person의 약칭〕〖정〗 전재(戰災)나 통치자의 변경으로 인하여 피난하여 온 사람. 난민. 유민(流民).

디:피:[3]【D.P.】 명〔documents against payment의 약칭〕〖경〗 일람출급(一覽出給) 어음 이외의 어음이 추심지(推尋地)에 도착하여 추심 은행이 지명인에게 어음을 인수할 것을 요구하였을 경우, 지명인의 현금 지불이 끝난 다음에 은행에서 선하 증권(船荷證券)을 인도(引渡)하는 일. 지급 인도(支給引渡). ↔디 에이(D.A.).

디:피:[4]【D.P.】 명〔dynamic programming의 약칭〕〖경〗 동적 계획법(動的計劃法).

디:피:[5]【D.P.】 명 ↗디 피 이(D.P.E.).

디:피:이:【D.P.E.】 명〔developing, printing, enlarging의 약칭〕 사진의 현상과 인화와 확대. 또, 그러한 일을 하는 가게. 준디 피(D.P.).

디:피:티:【D.P.T.】 명〔diphtheria＋pertussis＋tetanus〕〖약〗 디프테리아·백일해·파상풍의 예방 혼합 백신.

디함 명〈옛〉구덩이. ¶텨 죽여 디함에 드리티고(打殺撇在坑裏)≪朴解 中 27≫.

디허 타〈옛〉찧어. '디타'의 활용형. ¶藥草ㅣ 色香美味 다 ᄀᆞᄌᆞᆫ닐 求ᄒᆞ야 디허 처 和合ᄒᆞ야 아ᄃᆞᄅᆞᆯ 주어 먹게ᄒᆞ야≪月釋 ⅩⅦ:13≫.

디혜 명〈옛〉지혜(智慧). 슬기. ¶디혯디(智)≪字會 下 26≫/디혜 디(智)≪類合 下 1≫.

디훔 타〈옛〉찧음. 디타'의 명사형. ¶ᄒᆞ마 당당이 디후믈 細히 ᄒᆞ얫ᄂᆞ니(已應春得細)≪初杜諺 Ⅶ:39≫.

딕녕옷 명〈옛〉직령(直領). 옛 무관의 웃옷. ¶ᄒᆞ다가 딕령옷곳 지으면(若做直身襖)≪老乞 下 26≫.

딕누리 명〈옛〉징두리. ¶딕누리 헌(軒), 딕누리 함(檻)≪字會 中 5≫.

딕다 타〈옛〉찍다. 점찍다. ＝딕주리다. ¶還丹 ᄒᆞᆫ 나치 鐵에 디그면 金이 ᄃᆞ외며(還丹一粒點鐵成金)≪圓覺 上 一之二 155≫.

딕먹다 타〈옛〉찍어 먹다. 쪼아 먹다. ¶金ㅅ 비쳇 복셩화ᄅᆞᆯ 딕먹놋다(啄金桃)≪杜諺 Ⅸ:38≫.

딕 반:응【一反應】 명〔Dick test〕〖의〗 성홍열(猩紅熱)에 대한 감수성 또는 면역을 검사하는 피부 반응. 시카고의 임상의(臨床醫) 딕(Dick, G.F.; 1981-1961)이 1924년에 그의 처와 함께 안출하였음.

딕셔너리〔dictionary〕 명 사전(辭典).

딕스〔Dix, Otto〕 명〖사람〗 독일의 화가. 제1차 대전에 종군하여, 초기의 작품은 전쟁 체험을 주제로 하는 표현주의적 경향을 띠고 있었으나, 그 후, 전후의 혼란한 세태를 독특한 사실주의와 날카로운 풍자성(諷刺性)을 갖고 그려 그로스(Gross, G.)와 함께 신즉물주의(新卽物主義)를 대표하는 화가의 한 사람으로 불림. 드레스덴(Dresden)의 시세션(Secession)과 다다이슴(dadaisme) 운동에도 참가하였음. [1891-1969]

딕시〔Dixie〕 명 ①〖지〗 미국 남부 여러 주(州)의 이칭(異稱). 특히, 남북 전쟁 때, 남부에 참가한 주. 또, 루이지애나 주의 뉴올리언스 지방. 딕실랜드. ②1859년 에미트(Emmet, D.D.)가 지은 노래. 남군(南軍)의 노래로 지금도 애창(愛唱)되고 있음. ③↗딕실랜드 재즈.

딕시크래트〔Dixiecrat〕 명〖정〗 주(州)의 권한 존중을 주장하고 아메리카 합중국 정부가 남부 여러 주의 인종 문제에 간섭하는 것을 반대하여 1948년 민주당을 떠나 주권 민주당(州權民主黨)을 조직했던 사람들의 속칭. 현재도 그 흐름을 이어받는 정치가가 많음.

딕실랜드〔Dixieland〕 명 ①딕시❶. ②↗딕실랜드 재즈.

딕실랜드 재즈〔dixieland jazz〕 명〖악〗 재즈가 처음 일어났을 때의 즉흥적(卽興的)인 연주를 주로 한 재즈 형식의 하나. 준딕시·딕실랜드.

딕이다[1] 타〈옛〉지키다. ＝디킈다. ¶딕일 션븨ᄒᆞ여 어피고(敎當直的學生背起)≪老乞 上 3≫.

딕이다[2] 타〈옛〉눌러 짜다. ＝디기다. ¶네 긴 손톱으로 날을 딕여 주고려(你的長指甲饋我掐一掐)≪朴解 下 6≫.

딕좃다 타〈옛〉찍어 쪼다. ¶뜰흘 딕조사 벌에며 개야미를 주서 머거니

(啄啄庭中拾蟲蟻哺之)≪飜小 Ⅸ:100≫.
딕주리다 타〈옛〉 찍다. =딕다. ¶ 우르적시는 黃雀이 딕주리ᄂᆞ니(啾啾黃雀啅)≪杜諺 ⅩⅧ:18≫.
딕킈다 타〈옛〉 지키다. =딕희다·딕ᄒᆞ다·디킈다. ¶ 또 일후미 주검 딕킌 귓것이니라(亦名守屍鬼子)≪龜鑑 上 28≫.
딕킈오다 타〈옛〉 지키게 하다. =딕희오다·딕희우다. ¶ 더욱 사ᄅᆞᆷ ᄒᆞ야 딕킈오더니 ≪三綱·烈女 17≫.
딕타토르 〔라 dictator〕 명〖역〗 로마 공화정(共和政) 시대의 관직. 비상시에 군사와 행정에 관한 일체의 권력이 부여되는 독재관(獨裁官)으로서 임기는 반년임.
딕터폰: 〔dictaphone〕 명 말을 취입(吹入)하여 둔 수화통(受話筒)을 필요할 때에 축음기에 걸어, 내용을 재생시켜서 듣는 기계. 구수(口授)축음기. 구술(口述) 축음기. 속기 축음기.
딕테이션 〔dictation〕 명 ①구술. 구수(口授). 받아쓰기. ②명령. 지시.
——-하다 타여불
딕희다 타〈옛〉 지키다. =딕킈다·딕ᄒᆞ다. ¶ 念은 能히 딕희여 간슈ᄒᆞ시ᄂᆞ니(念能守護)≪圓覺 上 二之二 106≫.
딕희오다 타〈옛〉 지키게 하다. =딕희우다. ¶ 그 어미 이 ᄯᆞ니믈 東山 딕희오고 스싀로 가 밥 어더 스싀로 먹고 ≪釋譜 Ⅺ:40≫.
딕희우다 타〈옛〉 지키게 하다. =딕희오다·딕킈우다. ¶ 고쟈로 딕희워(閽寺守之)≪小諺 Ⅱ:50≫.
딕ᄒᆞ다 타〈옛〉 지키다. =딕킈다·딕희다. ¶ 샹녜 念ᄒᆞ야 딕ᄒᆞ야 護持ᄒᆞ야(常念而守護)≪妙蓮 Ⅵ:56≫.
딘:[1] 〔Dean, James〕 명〖사람〗 미국의 영화 배우. 솔직 대담한 연기로 인기를 얻었으나 일찍 죽었음. 출연 작품 ≪이유없는 반항≫·≪에덴의 동쪽≫ 등. [1933-56]
딘:[2] 〔theine〕 명〖화〗 카페인.
딘[3] 【卜】 一 타〈이두〉 '지다'의 활용형 '진'의 뜻. 二 명 짐.
딘개 명〈옛〉 땅이름. ¶ 至舒川鎭浦딘개入于海≪龍歌 Ⅲ:15≫.
딘논 자〈옛〉 불때는. '딛다[1]'의 활용형. ¶ 불딘ᄂᆞᆫ 구들(火炕)≪字會 中 9 炕字註≫. 「取名者)≪圓覺 下 三 之二 87≫.
-딘댄 미〈옛〉 -진대. ㄹ받침 뒤에만 쓰임. ¶ ᄒᆞ다가 일후믈 取ᄒᆞᆯ딘댄(若
딘뗑이 명〈방〉 덴둥이.
딘역 【卜役】 명〈이두〉 공역(公役).
딘장 명〈방〉 김장(평북).
딘장-밭 명〈방〉 김장밭(평북).
딛다[1] 자〈옛〉 불때다. ¶ 불디들 찬(爨)≪字會 下 12≫ / 블게 수픐 가온ᄃᆡ 서블 딛고(明燃林中薪)≪杜諺 Ⅸ:14≫.
딛다[2] 타 ↗디디다. ¶ 남을 딛고 일어서다.
딛다[3] 형〈옛〉 짙다. ¶ 어미 病이 딛거늘≪續三綱 孝子圖≫.
딛옷 명〈옛〉 최마(衰麻). 상복. ¶ 딛옷 닙고 나날 粥 머그며(被衰麻日食飦粥) ≪續三綱 孝子 王中感天≫.
딛음 명 쇠살쭈의 은어(隱語)로, 쇠발을 일컫는 말.
딜 명〈옛〉 질그릇. 진흙. ¶ 딜 부(缶)≪字會 中 18≫.
딜가마 명〈옛〉 질가마. 진흙으로 구워 만든 가마솥. ¶ 딜가마 조히 싯고 바회 아래 심물 기러≪古時調 金光煜≫.
딜것 명〈옛〉 질것. =딜엇. ¶ 딜것 도(陶)≪石千 5≫.
딜굽다 자〈옛〉 질그릇 굽다. ¶ 딜구울 도(陶)≪字會 中 9≫.
딜그릇 명〈옛〉 질그릇. ¶ 딜그릇 ᄀᆞᆮᄐᆞᆫ 거스로 김아니 나게 더퍼(上用瓦盞之類蓋之存性研爲末頓)≪痘方 3≫. 「Ⅰ:4≫.
딜다 자〈옛〉 임(臨)하다. 굽어보다. ¶ 君親이 디르시니(君親臨之)≪內訓
딜동희 명〈옛〉 질동이. ¶ 딜동희 분(盆), 딜동희 앙(盎)≪字會 中 12≫.
딜둙 명〈옛〉 질로 만든 두구리. 질솥. 질로 만든 단지. ¶ 딜둙기 ᄯᅩᄒᆞᆫ 됴ᄒᆞ니라(陶盆亦可)≪煮硝 19≫.
딜:러 〔dealer〕 명 ① 판매업자. 특히, 자동차 판매 등에서 메이커의 특약 소매업자. ② 증권 회사나 은행 등 금융 기관에서 하는 위탁 매매에 상대하여 자기 부담으로 증권 매매를 하는 업자 ③ 카드의 패를 돌리는 사람.
딜:러 헬프스 〔dealer helps〕 명 판매점의 매상을 올리는 데 필요한 조력·원조를 주는 일. 또, 그러한 업. 점포의 입지(立地)·설계·장식 등에 대한 지도, 광고·상품 진열·판매원의 교육·훈련·회계 장부·세무 등의 관리면에 대한 지도 등을 행함.
딜-럭스 〔de luxe; deluxe〕 명 '호화판·사치물'의 뜻. ¶ ~ 쇼 / ~판.
——-하다 형여불
딜런 〔Dylan, Bob〕 명〖사람〗 미국의 싱어송라이터. 본명은 Robert Zimmerman. 1960 년대에 포크 송 싱어로 데뷔, 때마침 베트남 전쟁과 공민권(公民權) 운동이 격화되는 가운데 프로테스트 송의 교조적(教祖的)인 존재가 됨. 1965 년 이후 로큰롤로 전향하여 슈퍼스타가 됨. [1941-]
딜레마 〔dilemma〕 명 ①양도 논법(兩刀論法). ②진퇴 양난(進退兩難). ¶ ~에 빠지다.
딜레탕트 〔프 dilettante〕 명 ①예술이나 학문을 업으로 하는 것이 아니고 취미로서 애호(愛好)하는 사람. ②정통한 지식을 가진 전문가가 아닌 호사가(好事家).
딜레탕티슴 〔프 dilettantisme〕 명〖문〗 ①향락적(享樂的) 문예 취미(文藝趣味). ②예술·문학 등을 취미로 하는 입장.
딜리 〔Dili〕 명〖지〗 인도네시아 티모르(Timor) 섬 북쪽 해안에 있는 도시로 양항(良港). 여름은 비교적 서늘하며, 건기(乾期)가 길. 코프라·카카오·커피·고무 등의 집산지임. [10,753 명(1971)]
딜리버리 오:더 〔delivery order〕 명〖경〗 선주(船主) 또는 그 대리자가, 외국 화물을 싣고 수입항에 들어온 본선의 선장 또는 그 대행자와 만나, 본선 지참자에게 그 화물을 인도하도록 지시한 문서. 「산.
딜리셔스 〔Delicious〕 명 사과의 한 품종. 향기롭고 맛이 좋음. 미국 원
딜-목 【一木】 명〖광〗 광 구덩이의 천장을 떠받치는 나무.
딜믈 명〈옛〉 썰물. ¶ 딜믈 셕(汐)≪字會 上 5≫.
딜바리 명〈옛〉 질로 만든 바리때. ¶ 내 오ᄂᆞᆯ브터 대간과 딜바리 장망ᄒᆞ야(小僧從今日準備笤笠瓦鉢)≪朴解 上 37≫.
딜병 명〈옛〉 질병. 질로 만든 병. ¶ 딜병을 거후리혀 박구기에 브어다고 ≪古時調 尹善道≫. 「온 딜병ᄃᆞ리 더욱 됴해≪古時調≫.
딜병드리 명〈옛〉 질병. 질로 만든 병. ¶ ᄃᆞ나 쓰나 니 濁酒 됴코 대테 메
딜:스 〔Diels, Otto Pail Hermann〕 명〖사람〗 독일의 유기(有機) 화학자. 함부르크 출생. 피셔(Fischer, E.)에게 배우고, 베를린 대학과 킬 대학 교수를 역임함. 아산화 탄소(亞酸化炭素)를 발견하고, 유기 합성 화학에 많은 업적을 남기었음. 특히 '딜스 알더 반응'의 발견은 유명하여, 플라스틱 공업에 크게 공헌함. 이 공적으로 1950년 공동 연구자인 제자 알더(Alder, K.)와 함께 노벨 화학상을 수상함. *디엔 합성(diene 合成). [1876-1954]
딜시르 명〈옛〉 질로 만든 시루. ¶ 딜시루(瓦甑)≪救簡 Ⅰ:84≫.
딜엇 명〈옛〉 질것. =딜것. ¶ 陶師ᄂᆞᆫ 딜엇 굽ᄂᆞᆫ 사ᄅᆞ미라≪月釋 Ⅱ:9≫.
딜우다 타〈옛〉 찌르다. ¶ 내 네 槍을 사 도로 네 방패 딜우리라 ᄒᆞᆫ대(我買汝矛 還刺汝盾)≪永嘉 下 116≫.
딜위 명〈옛〉 때찔레. =댓딜위. ¶ 댓딜위 당(棠)≪字會 上 11≫/딜위여름(棠實) ≪湯液 Ⅱ:52≫.
딜타이 〔Dilthey, Wilhelm〕 명〖사람〗 독일의 철학자. 뛰어난 정신사가(精神史家)로서, 자연 과학에 대한 정신 과학의 방법론적인 확립을 기도하고, 생(生)의 내면적인 직접 체험에 기초를 둔 생의 철학을 주장하였음. 또한 일반적인 정신 과학의 기초학(基礎學)으로서 구조 심리학을 제창하고 이 관점에 서서 철학사·문화 의식의 문제에까지 심오한 논문을 발표하였음. 저서에 ≪정신 과학 서설≫·≪철학의 본질≫·≪체험과 문학≫ 등이 있음. [1833-1911]
딜ᄒᆞᆰ 명〈옛〉 진흙. ¶ 딜ᄒᆞᆰ 짜ᄒᆞᆯ 푸고 흥동인 믈(地漿)≪救簡 Ⅰ:34≫.
딤 【卜】 명〈이두〉 짐[1].
딤질ᄒᆞ다 타〈옛〉 지어붓다. ¶ 딤질ᄒᆞᆯ 주(籌)≪字會 下 16≫.
딤치 명〈옛〉 김치. ¶ 딤치 조(菹)≪字會 中 22≫.
딤플 〔dimple〕 명 골프 볼의 겉면에 새겨진 오목금. 역학상(力學上)으로 볼의 나는 거리가 증대한다는 사실이 밝혀졌음.
딥 명〈옛〉 짚. =딮. ¶ 딥 고(藁)≪類合 下 25, 石千 21≫ / 딥과 콩이 다 이시되(草料都有)≪老乞 上 10≫.
딥다[1] 타〈옛〉 짚다. =딮다. ¶ 딥ᄂᆞᆫ 막대(杖)≪字會 下 17≫.
딥다[2] 부 ↗들입다. ¶ ~ 누르다.
딥-덩어리 명〈방〉 짚가리(평북).
딥-신 명〈방〉 짚신(평안·함북).
딥지즑 명〈옛〉 짚으로 짠 기직. ¶ 딥지즑(俗呼藁薦)≪字會 中 11≫.
딥퍼온 타〈옛〉 짚고 온. '딥다[1]'의 활용형. ¶ 섈리 우리 딥퍼온 막대 가져와(疾快取將咱們的拄杖來)≪老乞 上 30≫.
딧다[1] 타〈옛〉 불때다. ¶ 블 아니 딧ᄂᆞᆫ 구들을 ᄒᆞ랴 블 딧ᄂᆞᆫ 구들을 ᄒᆞ랴 (死火炕燒火炕)≪朴解 下 5≫. 「33≫.
딧다[2] 형〈옛〉 짙다. 깊다. =딛다. ¶ 빗치 딧단 말이라(濃) ≪無寃錄 Ⅰ:
딧-모가지 명〈방〉 목덜미(전남). 「鄭澈≫.
딩 명〈옛〉 징. ¶ 굽격지 보요 박은 잣딩이 무듸ᄃᆞ록 ᄃᆞᆫ녀 보새≪古時調
딩검ᄃᆞ리 명〈옛〉 징검다리. ¶ 딩검ᄃᆞ리(跳過橋)≪譯語 上 14≫.
딩고 〔dingo〕 명〖동〗 [*Canis familiaris dingo*] 갯과(科)에 속하는 짐승. 몸은 비대하며 어깨 높이 60 cm, 몸길이 90 cm, 꼬리 30 cm 가량임. 귀는 쫑긋하며 꼬리는 큰데, 몸털은 적갈색 내지 황갈색이나 때로는 백색·흑색을 나타냄. 들에나 숲 속에서 한 마리 또는 여러 마리가 모여 살며, 4-8마리의 새끼를 낳음. 오스트레일리아에 토착(土着)하여 분포하는데, 원주민(原住民)과 함께 말레이 지방에서 옮겨 간 단 하나의 야생(野生) 식육류(食肉類)로서 유명함.

〈딩고〉

딩굴다 자 ☞뒹굴다.
딩굴딩굴-하다 자여불 ☞뒹굴뒹굴하다.
딩기[1] 명〈방〉 ①등겨(전북). ②진딧물(강원).
딩기[2] 〔dinghy〕 명 가장 작은 경주용 요트. 외대 마스트에 돛을 한두 장 닮. 조종이 간단하고, 고속을 얻을 수 있음. 전장 3-6 m.
딩딩-하다 형여불 ①힘이 세다. ¶ 노인이 아직 ~/딩딩한 주먹에 면상을 얻어맞다. ②마주 켕기어 핑핑하다. ¶ 젖이 불어 ~/배가 불러 ~. ③본바탕이 튼튼하다. ¶ 살림이 ~/딩딩한 부자. ④굳다. 무르지 않다. ¶ 종기가 밑이 들어 ~. 1)-4): 쓰띵띵하다. >댕댕하다.
딩 링 〔丁玲〕 명〖사람〗 중국(中國)의 여류 작가. 본명은 장 웨이(蔣褘). 후 예핀(胡也頻)의 아내. 월간지 '홍흑(紅黑)'·'북두(北斗)'를 주재(主宰). 좌익 작가 연맹에 가입하여 항일 운동을 전개했음. 대표작은 ≪태양은 쌍간허(桑乾河)을 비춘다≫. 정령. [1907-86]
딩 원장 〔丁文江〕 명〖사람〗 중국의 지리 학자. 장쑤 성(江蘇省) 타이싱(泰興) 사람. 자는 쥐쥔(左君). 유럽을 유학한 후 베이징 대학 교수가 됨. 초창기의 중국 지리·지리학에 크게 공헌함. 저서에 ≪중국 관변(官辦) 광업사략(鑛業史略)≫·≪중화 민국(中華民國) 신지도(新地圖)≫ 등이 있음. [1887-1935]
딩이다 타〈방〉 동이다(경남).
딩쥔 산 【一山】 〔定軍〕 명〖지〗 중국 쓰촨 성(四川省)에 있는 산. 역사적·군사적으로 유명함. 정군산(定軍山).
딩춘 유적 【一遺跡】 〔중 丁村〕 명〖지〗 중국 산시 성(山西省) 샹펀 현(襄汾縣) 딩춘에 있는 구석기 시대의 유적. 황토층 밑의 사력층(沙礫層)

에서 다변체(多邊體)의 석핵(石核), 고타기(敲打器), 곡괭이 모양의 석기, 장대(長大)한 석편(石片) 등과 포유(哺乳) 동물의 화석, 인간의 이의 화석 등이 출토되었음. 구석기 시대 중간쯤의 것으로 생각됨.

딩후 〔鼎湖〕 명 〖지〗 중국 허난 성(河南省) 원상 현(閿鄕縣)의 남쪽 징산(荊山) 산 기슭에 있는 호수(湖水). 상고(上古)의 제왕인 황제(黃帝)가 여기에서 구리로 큰 정(鼎)을 만들었다는 데서 유래함. 정호(鼎湖).

딭다 형 〈옛〉 짙다. 깊다. =딧다². ¶디튼 초록빗체(栢枝綠)《老解 下 22》/디틀 륭(隆), 디튼병 고(痼)《類合 下 18》.

딮 명 〈옛〉 짚. =딥. ¶딮동올 ᄐᆞ샤《月釋 Ⅷ:85》.

딮다 타 〈옛〉 짚다. =딥다. ¶막대 디퍼 도ᄅᆞ오니 ᄯᅩ 나조히로다(杖策廻且暮)《杜諺 Ⅸ:14》.

딮신 명 〈방〉 짚신(평안·함북). 「처《月釋 XVII:17》.

딯다 타 〈옛〉 찧다. =디타. ¶藥草ㅣ色香美味 다 ᄀᆞᄌᆞ닐 求ᄒᆞ야 디허

ᄃᆞ¹ 의명 〈옛〉 것. ¶이런 ᄃᆞ로 金剛ᄋᆞ로 가ᄌᆞᆯ비시고(是故以金剛爲喩)《金剛 序 5》. *ᄃᆞᆫ·ᄃᆞᆯ³.

ᄃᆞ² 의명 〈옛〉 데¹. 곳. =ᄃᆡ. ¶飮食이 自然히 오나ᄃᆞᆫ 夫人이 좌시고 아모 ᄃᆞ라셔 온동 모ᄅᆞ더시니《月釋 Ⅱ:25》.

-ᄃᆞ니 어미 〈옛〉 -더냐. ¶비록애 푸새엣 거신들 긔 뉘 ᄯᅡ헤 낫ᄃᆞ니《古時調 成三問》.

ᄃᆞ님 명 〈옛〉 달님. ¶金色 모야히 ᄃᆞ닚 光이러시니《月釋 Ⅱ:51》.

ᄃᆞ다¹ 자 〈옛〉 달다¹❹. =ᄃᆞᆯ다¹. ¶ᄲᅡᆷ귀 ᄃᆞ다(耳面俱凍)《同文 下 56》.

ᄃᆞ다² 타 달다²❾. 저울에 달다. =ᄃᆞᆯ다². ¶내 집의셔 ᄃᆞ니 일ᄇᆡᆨ 열 근이러니(我家裏稱了一百一十斤)《老乞 下 52》.

ᄃᆞ다³ 형 〈옛〉 달다⁴. =ᄃᆞᆯ다⁴. ¶마시 ᄯᅩ ᄃᆞ더니 그 머근 後에 우ᅀᅮᆷ우ᅀᅵ 나니라《月釋 Ⅰ:43》. 「快)《老乞 下 60》.

-ᄃᆞ라 어미 〈옛〉 -더라. ¶도로혀 님자 어듬이 ᄲᆞᄅᆞ다 ᄒᆞᄃᆞ라(倒着主兒

ᄃᆞ라가다 자 〈옛〉 달려 가다. ¶ᄲᆞᆯ리 ᄃᆞ라가거늘《月釋 XIII:13》.

ᄃᆞ라나다 자 〈옛〉 달아나다. ¶미처 어미를 업고 ᄃᆞ라나디 몯ᄒᆞ야(及負母而逃)《東國新續三綱 孝子 Ⅶ:14 思仁救母》.

ᄃᆞ라들다 자 〈옛〉 달려들다. ¶迦尺王의 ᄃᆞ라들어늘《月釋 Ⅶ:17》.

ᄃᆞ라미 명 〈옛〉 다람쥐. ¶ᄃᆞ라미 오(鼯), ᄃᆞ라미 싱(鼪)《字會 上 19》.

ᄃᆞ라치 명 〈옛〉 다래끼¹. ¶ᄃᆞ라치 람(籃)《字會 中 13》.

ᄃᆞ래 명 〈옛〉 다래¹. ¶ᄃᆞ래 션(梗)《字會 上 12》.

ᄃᆞ랫다 타 〈옛〉 달았다. 달아 있다. ¶ᄆᆞᆯᄀᆞᆫ 보ᄆᆞᆫ ᄇᆞᆯᄀᆞᆫ 거우뤼 ᄃᆞ랫ᄂᆞᆫ ᄃᆞᆺ고(清鑑懸明鏡)《杜諺 Ⅳ:17》. *ᄃᆞᆯ다³.

ᄃᆞ려 ㊀ 부 〈옛〉 더불어. ¶吾子ㅣ子路로 ᄃᆞ려 뉘 賢ᄒᆞ뇨(吾子與子路孰賢)《孟諺 公孫丑 上》. *ᄃᆞ리다¹㊀. ㊁ 조 〈옛〉 더러. ¶부톄彌勒ᄃᆞ려 니ᄅᆞ샤ᄃᆡ 내 이제 分明히 너ᄃᆞ려 닐오리라《月釋 X:49》.

ᄃᆞ려가다 자 〈옛〉 데려가다. ¶宗親ᄃᆞᆯᄒᆞᆯ ᄃᆞ려가시니《月印 上 9》. *ᄃᆞ리다¹㊁. 「ᄒᆞ거늘《月釋 Ⅰ:44》.

ᄃᆞ려들다 자 〈옛〉 달려들다. ¶그ᄢᅴ 밍ᄀᆞᆯ오 남진 ᄃᆞ려드러 더러ᄫᅳᆫ 이ᄅᆞᆯ

ᄃᆞ로 〈옛〉 것으로. 까닭으로. ¶이런 ᄃᆞ로 金剛ᄋᆞ로 가ᄌᆞᆯ비시고(是故以金剛爲喩)《金剛 序 5》. *ᄃᆞ¹. 「XXI:63》.

ᄃᆞ록 조 〈옛〉 토록. 까지. ¶엇뎨 이제ᄃᆞ록 ᄉᆞᆫ지 度脫호ᄆᆞᆯ 몯그쳐《月釋

-ᄃᆞ록 어미 〈옛〉 -도록. ¶내 이 얼굴 ᄆᆞᆺᄃᆞ록《月釋 XXI:128》.

ᄃᆞᄅᆞᆷ¹ 자 〈옛〉 달림. 달아남. 달음질함. 'ᄃᆞᆮ다'의 명사형. ¶나ᄇᆡ 놀내 ᄃᆞᄅᆞᄆᆞᆯ 기우시 놀라고(側驚猿猱捷)《杜諺 Ⅰ:58》.

ᄃᆞᄅᆞᆷ² 형 〈옛〉 닮. 'ᄃᆞᆯ다⁴'의 명사형. ¶뉘 엿귀ᄅᆞᆯ ᄡᅳ다 니ᄅᆞᄂᆞ뇨 ᄃᆞᄅᆞ미 나ᅀᅵ ᄀᆞᆮ도다(誰謂荼苦甘如薺)《杜諺 Ⅷ:18》.

ᄃᆞ뢰다 타 〈옛〉 당기다. =ᄃᆞ릐다. ¶내 ᄃᆞ뢰여 보와 힘이 잇거든 내 사리라(我試扯氣力有時我買)《老乞 下 97》.

ᄃᆞ리¹ 명 〈옛〉 ①다리². ¶ᄃᆞ리 爲橋《訓例》/ᄃᆞ리예 ᄲᅥ딜 ᄆᆞᄅᆞᆯ(橋外隕馬)《龍歌 87章》. ②사닥다리. ¶城 높고 ᄃᆞ리 업건마ᄅᆞᆫ(城之高矣 雖無梯矣)《龍歌 34章》. ③섬돌. ¶階ᄂᆞᆫ ᄃᆞ리라《月釋 XXI:201》.

ᄃᆞ리² 〈옛〉 ①다리가. 'ᄃᆞ리¹'의 주격형. ¶헤여뎌 내해 ᄃᆞ리 업도다(蕩析川無梁)《初杜諺 XXV:7》. ②다리이-. 'ᄃᆞ리¹'의 서술격형. ¶梁ᄋᆞᆫ ᄃᆞ리라《月釋 XXI:77》.

ᄃᆞ리다¹ ㊀ 자 〈옛〉 더불다. =더블다. ¶善을 人으로 ᄃᆞ려 ᄒᆞ샤(善與人同) 《孟諺 公孫丑 上》. *ᄃᆞ려㊀. ㊁ 타 데리다. ¶네 사ᄅᆞᆷ ᄃᆞ리샤(遂率四人)《龍歌 58章》. *ᄃᆞ려가다. 「Ⅱ:52》.

ᄃᆞ리다² 자 〈옛〉 달리다⁴. ¶ᄃᆞ려가ᄂᆞᆫ 두어 公子ㅣ(驅馳數公子)《重杜諺

ᄃᆞ린사회 명 〈옛〉 데릴사위. ¶ᄃᆞ린사회(贅婿) 《同文 Ⅱ:52》.

ᄃᆞ림 명 〈옛〉 다림¹. ¶ᄃᆞ림 츄(錘), ᄃᆞ림 권(權)《字會 中 11》. *ᄃᆞ림쇠.

ᄃᆞ림쇠 명 〈옛〉 저울 추. ¶ᄃᆞ림쇠 권(權)《類合 下 20》.

ᄃᆞᄅᆞᆷ¹ 명 달음질. ¶그 ᄃᆞᄅᆞᆷ을 보고(見其走)《東國新續三綱 孝子 Ⅵ:60 天民引賊》. 「4》.

ᄃᆞᄅᆞᆷ² 의명 〈옛〉 따름. =ᄯᆞᄅᆞᆷ. ¶士ᄂᆞᆫ ᄀᆞᆺ만 辟ᄒᆞᆯ ᄃᆞᄅᆞᆷ이라《家禮圖解

ᄃᆞᄅᆞᆷ질 명 〈옛〉 달음질. ¶젼년에 牢子들희 ᄃᆞᄅᆞᆷ질을 네 본다(年時牢子們走的你見來麽)《朴解 中 52》. 「28》.

ᄃᆞᄅᆡ다 타 〈옛〉 당기다. =ᄃᆞ뢰다. ¶날회여 ᄃᆞᄅᆡ라(慢慢的扯)《老乞 下

ᄃᆞ몸 자 〈옛〉 잠김. 'ᄃᆞᆷ다㊁'의 명사형. ¶놀며 ᄃᆞ모ᄆᆞᆯ 좃ᄂᆞ니(逐其飛沉)《楞嚴 Ⅳ:26》.

ᄃᆞᄆᆞ며 자 〈옛〉 잠기며. 'ᄃᆞᆷ다㊁'의 활용형. ¶엇뎨 ᄃᆞᄆᆞ며 ᄠᅳ며호ᄆᆞᆯ 혜리오(豈料沉與浮)《杜諺 XXII:38》. 「釋 XVII:16》.

-ᄃᆞᄫᆡ 미 〈옛〉 -답게. -대로. =-다이·다ᄫᅵ. ¶病을 病ᄃᆞᄫᆡ 너기시며《月

ᄃᆞᄫᆡ다 자 〈옛〉 되다¹. =도외다·ᄃᆞ외다·도의다. ¶山ᄋᆡ 草木이 軍馬ㅣ ᄃᆞᄫᆡ니이다(山上草木 化爲兵衆)《龍歌 98章》. 「方 2》.

ᄃᆞ스ᄒᆞ다 형 〈옛〉 따스하다. ¶ᄃᆞ스ᄒᆞᆫ 믈의 ᄀᆞ야 머기되(溫水送下)《痘

ᄃᆞ시 부 〈옛〉 듯이. ¶주근 ᄃᆞ시 자다가 헌 갓옷 두퍼셔 놀라오라(尸寢驚弊裘)《杜諺 XXII:1》.

ᄃᆞ시ᄒᆞ다 타 〈옛〉 따뜻이 하다. ¶골오 프러 ᄃᆞ시 ᄒᆞ야 다 머기라(攪匀煖過頓飮之)《救方 上 27》.

ᄃᆞᄉᆞ게 ᄒᆞ다 〈옛〉 따스하게 하다. 따뜻하게 하다. ¶ᄃᆞᄉᆞ게 ᄒᆞ여 머그되(溫服)《痘方 18》.

ᄃᆞᄉᆞ니 명 〈옛〉 따스한 것. ¶ᄃᆞᄉᆞ닐 머그라(溫服)《救方 上 6》.

ᄃᆞᄉᆞ다 형 〈옛〉 따스하다. ¶ᄃᆞᄉᆞᆯ 온(溫)《石千 12, 類合 上 2》.

ᄃᆞᄉᆞ히 ᄒᆞ다 〈옛〉 따스하게 하다. 따뜻하게 하다. ¶다시 ᄒᆞᆫ 소솜 달혀 ᄃᆞᄉᆞ히 ᄒᆞ여 먹고(再煮一拂溫服)《辟溫新方 3》.

ᄃᆞᄉᆞᆫ 형 〈옛〉 따스한. 따뜻한. 'ᄃᆞᄉᆞ다'의 활용형. ¶그듸ᄂᆞᆫ ᄃᆞᄉᆞᆫ ᄃᆡᆯ 좃ᄂᆞᆫ 그려기ᄅᆞᆯ 보라(君看隨陽鴈)《杜諺 Ⅸ:33》.

ᄃᆞᅀᅡ홈 타 〈옛〉 사랑함. 'ᄃᆞᆺ다²'의 명사형. =ᄃᆞ아홈. ¶그듸를 ᄃᆞᅀᅡ호ᄆᆞᆯ 弟兄ᄀᆞ티 ᄒᆞ노라(憐君如弟兄)《初杜諺 Ⅸ:11》.

ᄃᆞᅀᆞᆷ 타 〈옛〉 사랑함. 'ᄃᆞᆺ다²'의 명사형. ¶믜윰과 ᄃᆞᅀᆞᆷ과ᄅᆞᆯ 니르와다(起憎愛)《圓覺 下 一之二 19》.

ᄃᆞᅀᆞᄃᆡ 타 〈옛〉 사랑하되. 'ᄃᆞᆺ다²'의 활용형. ¶저호ᄃᆡ ᄃᆞᅀᆞ며 ᄃᆞᅀᆞᄃᆡ 그 왼 이ᄅᆞᆯ 알며(畏而愛之 愛而知其惡)《內訓 Ⅰ:7》.

ᄃᆞᅀᆞ리 명 〈옛〉 사랑할 이. ¶我ᄅᆞᆯ ᄃᆞᅀᆞ리 잇거든(有愛我者)《圓覺 下 三之一 20》. *ᄃᆞᆺ다².

ᄃᆞᅀᆞ며 타 〈옛〉 사랑하며. 'ᄃᆞᆺ다²'의 활용형. ¶저호ᄃᆡ ᄃᆞᅀᆞ며 ᄃᆞᅀᆞᄃᆡ 그 왼 이ᄅᆞᆯ 알며(畏而愛之 愛而知其惡)《內訓 Ⅰ:7》.

ᄃᆞᅀᆞᄫᆞ니이다 타 다옵니다. ¶本來 ᄇᆞᆯᄀᆞᆫ 光明에 諸佛도 비취시며 明月珠도 ᄃᆞᅀᆞᄫᆞ니이다《月釋 Ⅱ:30》. *ᄃᆞᆯ다³·-ᅀᆞᄫᆞ-·-니이다.

ᄃᆞᅀᆞ샤 타 〈옛〉 사랑하시어. 'ᄃᆞᆺ다²'의 활용형. ¶어마닚 山陵을 ᄃᆞᅀᆞ샤(戀妣山陵)《龍歌 93章》.

ᄃᆞᅀᆞ실ᄊᆡ 타 〈옛〉 사랑하실새. 사랑하시므로. 'ᄃᆞᆺ다²'의 활용형. ¶討賊이 겨를 업스샤ᄃᆡ 션ᄇᆡᄅᆞᆯ ᄃᆞᅀᆞ실ᄊᆡ(不遑討賊且愛儒士)《龍歌 80章》.

ᄃᆞ아홈 타 〈옛〉 사랑함. 'ᄃᆞᆺ다²'의 명사형. =ᄃᆞᅀᅡ홈. ¶그듸ᄅᆞᆯ ᄃᆞ아호ᄆᆞᆯ 弟兄ᄀᆞ티 ᄒᆞ노라(憐君如弟兄)《重杜諺 Ⅸ:11》.

ᄃᆞ오다 자 〈옛〉 되다¹. =ᄃᆞ외다. ¶모ᄆᆡᆺ ᄢᅵ ᄃᆞ올만 ᄒᆞᄂᆞ니라(適足爲身累)《內訓 Ⅰ:11》. 「12》.

ᄃᆞ외다 자 〈옛〉 되다. =ᄃᆞᄫᆡ다·도외다·ᄃᆞ오다. ¶爲ᄂᆞᆫ ᄃᆞ욀 씨라《訓諺

ᄃᆞ외오다 타 〈옛〉 되게 하다. ¶敎化ᄂᆞᆫ ᄀᆞᄅᆞ쳐 어딜에 ᄃᆞ외올 씨라《月釋 Ⅰ:19》.

-ᄃᆞ이 미 〈옛〉 -답게. -되게. =-다이-ᄃᆞᄫᆡ. ¶그 잘호ᄆᆞ로 ᄂᆞᄆᆞᆯ 病ᄃᆞ이 너기디 아니 홀ᄊᆡ(不以其所長病人故)《圓覺 序 10》.

ᄃᆞ토다 자타 〈옛〉 다투다. ¶競은 ᄃᆞ톨씨오《月序 2》.

ᄃᆞ톰 자타 〈옛〉 다툼. 'ᄃᆞ토다'의 명사형. ¶일훔 ᄃᆞ토ᄆᆞᆫ 녜브터 엇뎨 그러티 아니ᄒᆞ리오(爭名古豈然)《杜諺 XXIV:30》.

ᄃᆞᆫ 〈옛〉 바는. 것은. ¶願ᄒᆞᆫ ᄃᆞᆫ 내 生生애 그딋 가시 ᄃᆞ외이지라《月釋 Ⅰ:11》. *ᄃᆞ¹·-ㄴᄃᆞᆫ.

ᄃᆞᆫ기다 자 〈옛〉 다니다. =ᄃᆞᆮ니다. ¶우리 사ᄅᆞᆷ이 서르 두워라ᄒᆞ여 서르 더브러 ᄃᆞᆫ기면 됴ᄒᆞ니라(咱們人厮將就厮附帶行時好)《老解 下 40》.

ᄃᆞᆫ너삸불휘 명 〈옛〉 단너삼 뿌리. ¶ᄃᆞᆫ너삸불휘(黃耆末)《救簡 Ⅰ:93》.

ᄃᆞᆫ뇨라 자 〈옛〉 다니노라. 'ᄃᆞᆫ니다'의 활용형. ¶風水ㅅ 氣運의 어득ᄒᆞᆫ ᄃᆡ ᄌᆞ조 구펴 ᄃᆞᆫ뇨라(屢跼風水昏)《杜諺 Ⅰ:27》.

ᄃᆞᆫ니다 자 〈옛〉 다니다. =ᄃᆞᆮ니다. ¶두루 ᄃᆞᆫ닐 슌(巡)《類合 下 37》.

ᄃᆞᆫᄂᆞ니 자 〈옛〉 닫나니. 'ᄃᆞᆮ다'의 활용형. ¶ᄇᆡ 녀ᄆᆞᆯ 因ᄒᆞ야 ᄃᆞᆫᄂᆞ니(因舟行而驚驟)《圓覺 序 56》.

ᄃᆞᆫᄃᆞᆫ 부 〈옛〉 단단히. ¶올ᄒᆞᆫ손 당가락의 버곰次ᄌᆞᄅᆞᆯ ᄡᅥ ᄃᆞᆫᄃᆞᆫ 쥐고 가라(以右手中指書次字握固)《救荒辟溫 辟瘟 3》.

ᄃᆞᆫᄃᆞᆫᄒᆞ다 형 〈옛〉 단단하다. ¶우리 나라ᄂᆞᆫ 禮ㅣ ᄃᆞᆫᄃᆞᆫᄒᆞ여 《新語 Ⅲ:24》/금셕ᄀᆞᆺ치 ᄃᆞᆫᄃᆞᆫ코나《찬양가 : 38 》.

ᄃᆞᆫ비 명 〈옛〉 단비. 감우(甘雨). ¶時節로 ᄃᆞᆫ비ᄅᆞᆯ ᄂᆞ리워《月釋 X:68》.

ᄃᆞᆫ술 명 〈옛〉 단술. ¶ᄃᆞᆫ술 례(醴)《字會 中 21》.

ᄃᆞᆫ장 명 〈옛〉 진간장. ¶俗呼甜醬 ᄃᆞᆫ장《字會 中 21》.

ᄃᆞᆮ건니다 자 〈옛〉 달려 다니다. ¶覽의 겨집도 ᄯᅩ ᄃᆞᆮ건녀 ᄒᆞᆫ가지로 ᄒᆞ거늘(覽妻亦趨而共之)《飜小 Ⅸ:70》.

ᄃᆞᆮ니다 자 〈옛〉 다니다. =ᄃᆞᆫ니다·ᄃᆞᆫ기다. ¶攻戰에 ᄃᆞᆮ니샤(攻戰日奔馳)《龍歌 113章》.

ᄃᆞᆮ다 자 〈옛〉 닫다¹. =ᄃᆞᆺ다¹. ¶늘근 한아비ᄂᆞᆫ 다ᄆᆞᆯ 너머 ᄃᆞᆮ거늘《重杜諺 Ⅳ:7》/ᄃᆞᄅᆞᆯ 포(跑)《字會 下 27》/ᄃᆞᄅᆞᆯ 주(走)《類合 下 5》.

ᄃᆞᆮ디르 자 〈옛〉 달려들어. '딜어'는 '디르다²'의 뜻. ¶모딘 즁ᄉᆡᆼᄃᆞᆯ히 ᄃᆞᆮ딜어 자바머그며《月釋 XXI:23》.

ᄃᆞᆮᄃᆞᆮᄒᆞ다 형 〈옛〉 빳빳하고 굳다. ¶가히 고기 먹고 삭디 아니ᄒᆞ야 ᄆᆞᅀᆞᆷ 가온ᄃᆡ ᄃᆞᆮᄃᆞᆮᄒᆞ며(食狗肉不消心中堅)《救急方 下 61》.

ᄃᆞᆯ¹ 명 〈옛〉 달¹. ¶ᄃᆞᆯ爲月《訓例》/ᄃᆞ리 두려우며 ᄃᆞ리 이즈며(月圓月缺)《金三 Ⅱ:6》.

ᄃᆞᆯ² 의명 〈옛〉 들². ¶구르미 ᄃᆞ리면 ᄃᆞ리 뮈윰ᄃᆞᆯ ᄀᆞᆮᄒᆞ니라(如雲駛月運等)《圓覺 上 一之一 10》.

ᄃᆞᆯ³ 〈옛〉 것을. 줄을. ¶不解甲이 현나리신 ᄃᆞᆯ 알리(幾日不解甲)《龍歌 112章》. *ᄃᆞ¹·-ㄴ ᄃᆞᆯ².

-ᄃᆞᆯ¹ 미 〈옛〉 -들¹. ¶사ᄅᆞᆷᄃᆞᆯ콰 하ᄂᆞᆯᄃᆞᆯ히 내내 기리ᅀᆞᆸ디 몯ᄒᆞᄒᆞᄂᆞᆫ 배시며(人天所不能盡讚)《釋譜 序 2》. 「Ⅱ:21》. *-들¹.

-ᄃᆞᆯ² 어미 〈옛〉 -질². ¶잢간도 무저글 좃ᄃᆞᆯ 아니ᄒᆞ고(不曾逐塊)《金三

ᄃᆞᆯ고지 명 〈옛〉 달구지¹. ¶ᄃᆞᆯ고지 요(軺)《字會 中 26》. 「44》.

ᄃᆞᆯᄀᆡ알 명 〈옛〉 달걀. ¶啐ᄋᆞᆫ ᄃᆞᆯᄀᆡ알히 이러 ᄀᆞᆺ 낤젯 우루미라 《蒙法

ᄃᆞᆯ님 명 〈옛〉 달님. ¶ᄃᆞᆯ닚긔 구룸 몯ᄃᆞᆺ더시니《月印 上 30》.

ᄃᆞᆯᄂᆡ 명 〈옛〉 다리³. =ᄃᆞᆯ외. ¶왼나라 안흐로 ᄒᆞ여곰 다시 ᄃᆞᆯᄂᆡ를 니지 아니케 ᄒᆞ시면(使一國內不復戴髢髻則)《加髢 5》. 「34》.

ᄃᆞᆯ다¹ 자 〈옛〉 달다¹❹. =ᄃᆞ다¹. ¶ᄃᆞᆯ 군(皸), ᄃᆞᆯ 탁(瘃, 凍瘡)《字會 中

ᄃᆞᆯ다² 타 〈옛〉 달다²❾. 저울에 달다. =ᄃᆞ다². ¶ᄆᆞᅀᆡ 업서 ᄃᆞᆯ며 혜디 몯ᄒᆞ

리다(無有邊際不可稱計)《金剛 上 25》.

돌다[3] 타〈옛〉 달다[2]❶. ¶ 조수로윈 깊이메 旌旗를 드랏고(懸旌要路口)《杜諺 IX:7》/돌 현(懸)《類合 下 46, 石千 40》. *드수ᄫᆞ니이다.

돌다[4] 형〈옛〉 달다[4]. =드다[3]. ¶ 쏘마시 쭐마티 돌오《月釋 I:42》/돈果ᄂᆞᆫ 고고리예 수ᄆᆞᆺ 돌오(甜果徹蒂甜)《金三 II:50》.

돌뢰 명〈옛〉 달래[1]. ¶ 돌뢰(小蒜)《字會 上 13》.

돌마기 명〈옛〉 단추[1]. ¶ 수돌마기 뉴(紐), 암돌마기 구(紉)《字會 中 23》/또 비단으로 드르 두녁 가르 빠돌마기 돌온 갓애(又有紵絲剛叉帽兒)《老解 下 47》.

돌모로 명〈옛〉 달무리. ¶ 돌모로(月暈)《字會 下 1 暈字註》.

돌아들다 자〈옛〉 달려들다. ¶ 바로 압히 돌아들어 범을 무지져(直前叱虎)《重三綱 婁伯》. 「27》.

돌애 명〈옛〉 말다래. ¶ 돌애 쳠(韂)《字會 中 27》/돌애(鞊)《老解 下

돌여 자〈옛〉 달리어. '돌이다[1]'의 활용형. ¶ 두 性이 굴와 돌여(兩性並驅)《楞嚴 X:30》.

돌연는 자〈옛〉 달려 있는. 달린. '돌이다[1]'의 활용형. ¶ 棧道ㅣ 돌연는 뎌란 비스기 돌홀 避ᄒᆞ고(棧懸斜避石)《重杜諺 II:4》.

돌엿다 자〈옛〉 달렸다. '돌이다[1]'의 활용형. ¶ 하ᄂᆞᆳ 가온ᄃᆡ 볼근 ᄃᆞ리 돌엿ᄂᆞ니(中天懸明月)《杜諺 V:31》.

돌오다 타〈옛〉 뚫다. =듧다. ¶ 돌올 천(穿)《字會 下 19》.

돌외 명〈옛〉 다리[3]. =돌늬. ¶ 돌외 피(髲), 돌외 톄(髢)《字會 中 25》.

돌욋곶 명〈옛〉 진달래꽃. ¶ 三月 나며 開ᄒᆞᆫ 아으 滿春 돌욋고지여 ᄂᆞᄆᆡ 브롤 즈을 디녀 나샷다 아으 動動다리《樂範 動動》.

돌욤 명〈옛〉 달리기. '돌이다'의 명사형. ¶ 그 風俗ᄋᆞᆫ ᄆᆞᆯ 돌요ᄆᆞᆯ 즐기ᄂᆞ니라(其俗喜馳突)《杜諺 I:7》. 「騎)《杜諺 III:3》.

돌이니다 자〈옛〉 달려가다. ¶ 恒山앤 오히려 ᄆᆞᆯ을 돌이니고(恒山猶突

돌이다[1] 자〈옛〉 달리다[1]. ¶ 프른 거시 돌여시니 薜荔ㅣ 기도다(青懸薜荔長)《重杜諺 XVI:45》.

돌이다[2] 자〈옛〉 달리다[4]. ¶ 돌일 티(馳)《字會 下 9, 石千 26》/虛히 돌이디 아니ᄒᆞ며(不虛馳)《圓覺 序 9》.

돌이다 타〈옛〉 ①당기다. 잡아당기다. ¶ 돌이야 싸혀 地獄애 여희에 ᄒᆞᆯ 시라(挽拔……離地獄)《圓覺 下 三之一 118》. ②달다[2]. ¶ 兩斛力은 兩斛올 활 시우레 돌일시니 이는 ᄇᆞᄅᆞ미 치워 활히미 셀 시라 《杜諺 XXV:45》.

-돌토 미〈옛〉 -들도. ¶ 六師의 弟子돌토 다 舍利佛의 와 出家ᄒᆞ니라《釋譜 VI:35》. *-돌[1]. 「方 下 77》.

돌파니 명〈옛〉 달팽이. ¶ 돌파니를 눌러 汁 내야(蝸牛捺汁取汁)《救急

돌판이 명〈옛〉 달팽이. ¶ 돌판이 와(蝸)《類合 上 16》.

돌팡이 명〈옛〉 달팽이. ¶ 돌팡이 과(蝸)《字會 上 21》. 「簡》.

돌포 명〈옛〉 달포. ¶ 나도 못 뵈완디 돌포 되오니《諺簡集 49 肅宗諺

-돌해 미〈옛〉 -들에. '-돌[1]'의 처격형(處格形). ¶ 世間阿羅漢과 阿羅漢 向ᄒᆞᆯ 사ᄅᆞᆷ돌해 《月釋 IX:35》. 「《妙蓮 VI:145》.

돌히 부〈옛〉 달게. ¶ 孔聖이 나죄 주구믈 돌히 너기니(孔聖甘於夕死)

-돌히 미〈옛〉 -들이. '-돌[1]'의 주격형(主格形). ¶ 되돌히 千秋에 오히려 關中에 드니라(胡虜千秋尙入關)《杜諺 V:44》.

-돌ᄒᆞ로 미〈옛〉 -들로. '-돌[1]'의 조격형(造格形). ¶ 회광이 군ᄉᆞ돌ᄒᆞ로 볘혀 머그라 ᄒᆞ야늘(懷光使士臠食之)《三綱 演芬》.

돌흔 의명〈옛〉 들은. '돌[2]'의 절대격형. ¶ 오ᄂᆞᆯ브터 아돌ᄆᆞ티 호리라 닐옴 돌흔(言自今如子等者)《妙蓮 II:214》.

-돌홀 미〈옛〉 -들을. '-돌[1]'의 목적격형. ¶ 뻘며 업게ᄒᆞ샴돌홀 브틀시(由拂泯等故)《圓覺上 二之二 61》.

ᄃᆞᆰ 명〈옛〉 닭. ¶ ᄆᆞ술히 盛ᄒᆞ야 ᄃᆞᆯᄀᆡ 소리 서르 들여《月釋 I:46》.

ᄃᆞᆰ빼 명〈옛〉 유시(酉時). ¶ ᄃᆞᆰ빼(酉時)《訓例》.

ᄃᆞᆰ찜 명〈옛〉 닭찜. ¶ ᄃᆞᆰ찜 개찜의 오려 點心 날 시기조 《古時調 金光

ᄃᆞᆰ새기 명〈옛〉 달걀. ㄴ煜》.

ᄃᆞᆱ빼 명〈옛〉 유시(酉時). ¶ ᄃᆞᆱ빼(酉時)《訓例 合子解》.

ᄃᆞᆲ다[1] 자타〈옛〉 뚫어지다. 뚫다. ¶ ᄂᆞ니 ᄃᆞᆲ게 ᄇᆞ라오ᄆᆞᆯ ᄃᆡᄂᆞᆫ ᄒᆡ롤 當호니(眼穿當落日)《杜諺 V:5》.

ᄃᆞᆲ다[2] 형〈옛〉 다르다. ¶ 다 ᄃᆞᆲ습데 한심ᄒᆞ고 이ᄃᆞᆯ을샤《勸禪曲 2》.

ᄃᆞᆷ기다 자〈옛〉 잠기다[2]. ¶ 沉은 ᄃᆞᆷ길 씨니 《圓覺 序 56》.

ᄃᆞᆷ다 ㊀타〈옛〉 담그다. ¶ ᄂᆞ며 ᄃᆞᄆᆞ모ᄆᆞᆯ 조ᄎᆞᄂᆞ니(逐其飛沉)《楞嚴 IV:26》. ㊁자 잠기다[2]. ¶ 믈ᄃᆞᄆᆞᆯ 엄(淹)《類合 下 27》.

-ᄃᆞᆸ다 미〈옛〉 -답다. ¶ 샹녜 겨샤미 아니신가 疑心ᄃᆞᆸ거신마ᄅᆞᆫ(疑非常在)《妙蓮 V:135》. *-ᄃᆞᄫᆡ.

ᄃᆞᆺ[1] 의명〈옛〉 듯[1]. ¶ 黃昏의 ᄃᆞᆯ이조차 벼마티 비최니 늣기ᄂᆞᆫ ᄃᆞᆺ 반기ᄂᆞᆫ ᄃᆞᆺ 님이신가 아니신가《松江 思美人曲》.

ᄃᆞᆺ[2] 부〈옛〉 듯하다가. 하자마자 바로. ¶ 가시ᄂᆞᆫ ᄃᆞᆺ 도셔 오쇼셔《樂詞 가시리》/炎凉이 때를 아라 가ᄂᆞᆫ ᄃᆞᆺ 고텨오니《松江 思美人曲》.

-ᄃᆞᆺ 어미〈옛〉 -듯. ¶ 運은 時節이라 ᄒᆞᆫᄃᆞᆺ ᄒᆞᆫ 마리가《月釋 II:10》.

ᄃᆞᆺ다[1] 자〈옛〉 닫다[1]. 달리다. =ᄃᆞᆮ다. ¶ ᄃᆞᆺ다(走作)《語錄 14》.

ᄃᆞᆺ다[2] 타〈옛〉 사랑하다. =ᄃᆞᆺ다. ¶ 神變을 ᄃᆞᆺᄂᆞᆫ 젼ᄎᆞ로(以愛神變故)《楞嚴 IX:109》. *ᄃᆞᆺ오다[2]·ᄃᆞᆺ옴. 「先温其心)《救急方 上 8》.

ᄃᆞᆺ다[3] 형〈옛〉 따스하다. =ᄃᆞᆺᄒᆞ다.¶ ᄒᆞ다가 그 ᄆᆞᅀᆞᄆᆞᆯ ᄃᆞᆺ게 아니코(若不

ᄃᆞᆺᄃᆞ시 부〈옛〉 따뜻이. ¶ 즈의 앗고 ᄃᆞᆺᄃᆞ시 ᄒᆞ야 ᄌᆞ조 머그라(去滓溫溫頻服)《救簡 III:94》. 「溫冷服)《救簡 I:4》.

ᄃᆞᆺ미욘히 부〈옛〉 온랭(溫冷)히. ¶ 즈의 앗고 ᄃᆞᆺ미욘히ᄒᆞ야 머그라(去滓

ᄃᆞᆺᄇᆞᆺᄒᆞ다 형〈옛〉 습습(習習)하다. 훈훈하다. ¶ 덥듯ᄒᆞᆫ ᄇᆞᄅᆞ미 ᄃᆞᆺᄇᆞᆺᄒᆞ야 프르며 누르니 짜해 ᄆᆞ독ᄒᆞ도다(熏風習習青黃滿地)《金三 IV:18》.

ᄃᆞᆺ오다[1] 타〈옛〉 사랑하다. ¶ 凄凉ᄒᆞᆫ 부듸 양ᄌᆞᄅᆞᆯ ᄃᆞᆺ오고(凄涼憐筆勢)《初杜諺 VIII:25》.

ᄃᆞᆺ오다[2] 형〈옛〉 사랑스럽다. =ᄃᆞᆺ오다. ¶ 愛心은 ᄃᆞᆺ온 ᄆᆞᅀᆞ미오《月釋 II:》. *ᄃᆞᆺ다[2].

ᄃᆞᆺ온[1] 타〈옛〉 사랑하는. 'ᄃᆞᆺ오다[1]'의 활용형. ¶ 즐급드리워 ᄃᆞᆺ온 ᄠᅳ들 몬ᄡᅥ리 ᄇᆞ리ᄂᆞ니《釋譜 VI:6》.

ᄃᆞᆺ온[2] 형〈옛〉 사랑스러운. 'ᄃᆞᆺ오다[2]'의 활용형. ¶ 즉재 ᄃᆞᆺ온 거슬 ᄇᆞ려《月釋 XXI:54》. 「二之二 148》.

ᄃᆞᆺ옴 명〈옛〉 사랑. =ᄃᆞᆺ옴. ¶ 아쳐롬과 ᄃᆞᆺ옴과 恭敬과 믜욤과《圓覺 上

ᄃᆞᆺᄒᆞ다[1] 형〈옛〉 다스하다. ¶ 溫은 ᄃᆞᆺ홀씨라《月釋 II:34》. *ᄃᆞᄉᆞ다.

ᄃᆞᆺᄒᆞ다[2] 보형〈옛〉 듯하다. ¶ 빗보기 깁고 돗겁고 ᄇᆞ얌 서린 ᄃᆞᆺᄒᆞ야《月釋 II:58》.

ᄃᆞ다 타〈옛〉 사랑하다. =ᄃᆞᆺ다[2]. ¶ 션비ᄅᆞᆯ ᄃᆞᄉᆞ실ᄊᆡ(且愛儒士)《龍歌 80章》/愛心이나 ᄃᆞᅀᅡ 取ᄒᆞᄂᆞ니《月釋 II:二十二之一》. *ᄃᆞᅀᅩ다[1].

ᄃᆞᅀᅩ니 명〈옛〉 사랑하는 사람. ¶ 八苦ᄂᆞᆫ 人中이니…ᄃᆞᅀᅩ니 여희욤과 怨讐 믜우니와(八苦人中也…愛別怨憎…)《圓覺 上 一之二 148》. *ᄃᆞᆺ다[2].

ᄃᆞᅀᅩ다 형〈옛〉 사랑스럽다. =ᄃᆞᆺ오다[2]. ¶ 境界ᄅᆞᆯ 브터 ᄆᆞᅀᆞ매 ᄃᆞᅀᅩ며 아니ᄃᆞᅀᅩᆷ 골히요ᄆᆞᆯ 니ᄅᆞ와ᄃᆞᆯ 씨라《楞嚴 VI:16》. *ᄃᆞᅀᆞ다.

ᄃᆞᅀᆞᆫ 타〈옛〉 사랑하는. 'ᄃᆞᆺ다[2]'의 활용형. ¶ 境界ᄅᆞᆯ 브터 ᄆᆞᅀᆞ매 ᄃᆞᅀᅩᆷ과 아니 ᄃᆞᅀᆞᆫ 分別을 니ᄅᆞ왇ᄂᆞᆫ 젼ᄎᆞ라《圓覺 上 一之一 81》.

ᄃᆞᅀᆞᆫ말 명〈옛〉 사랑하는 말. ¶ 布施와 ᄃᆞᅀᆞᆫ 말와 利ᄒᆞᆯ 行패라(布施愛語利行)《圓覺 下 一之一 61》.

ᄃᆞᅀᅩᆷ 타〈옛〉 사랑. =ᄃᆞᆺ옴. ᄃᆞᆺ다의 명사형. ¶ 自와 他와 믜욤과 ᄃᆞᅀᅩᆷ과 도 ᄯᅩ 이 ᄀᆞᆮᄒᆞ니라(自他憎愛亦復如是)《圓覺 下 三之一 125》.

ᄃᆞᆼ오다 타〈옛〉 사랑하다. =ᄃᆞᆺ오다[1]. ¶ 楚ㅅ 겨지븨 허리와 ᄉᆞ지ᄂᆞᆫ ᄯᅩ 可히 ᄃᆞᆼ오도다(楚女腰支亦可憐)《重杜諺 XI:13》. 「V:24》.

ᄃᆞᆼᄀᆡ다 타〈옛〉 당기다. ¶ 左ㅅ녀글 기우루 ᄃᆞᆼᄀᆡ시고(偏掣其左)《楞嚴

ᄃᆡ 의명〈옛〉 데[1]. 곳. =ᄃᆞ[2]. ¶ 도ᄌᆞᆨ기 겨신 ᄃᆡᆯ 무러(賊問牙帳)《龍歌 62章》/춤츠ᄂᆞᆫ ᄃᆡ 다시 고지 ᄂᆞ치 ᄆᆞ독ᄒᆞ야쇼ᄆᆞᆯ 보리ᄂᆞ니(舞處重看花滿面)《杜諺 X:1》/ 예수좃치면붉은ᄃᆡ도니네《찬양가 : 27》.

-ᄃᆡ 어미〈옛〉 -되. ¶ 말ᄊᆞᄆᆞᆯ ᄉᆞᆯᄫᆞ리 하ᄃᆡ(獻言雖衆)《龍歌 13章》/御製예 ᄀᆞᆯᄋᆞ샤ᄃᆡ《訓諺》.

ᄃᆡ골 명〈옛〉 머리통. ¶ ᄃᆡ골 로(顱)《字會 上 24》/머릿 ᄃᆡ골 독(髑)《字會 上 28》. 「40》.

ᄃᆡ답 명〈옛〉 대답. ¶ ᄃᆡ답 응(應)《類合 下 40》/ ᄃᆡ답 ᄃᆡ(對)《類合 下

ᄃᆡ되 부〈옛〉 모두. 통틀어. =대되. ¶ 十斤 여믈에 ᄃᆡ되 두돈 銀이오(十斤砍草共該二錢銀)《華解 上 17》.

ᄃᆡ모 명〈옛〉 대모(玳瑁). ¶ ᄃᆡ못 ᄃᆡ(蝳), ᄃᆡ못 모(蝐)《字會 上 24》.

ᄃᆡ미 명〈옛〉 대모(玳瑁). ¶ ᄃᆡ미(玳瑁)《四聲 上 43 玳字註》.

ᄃᆡᄡᆞ리 명〈옛〉 댑싸리. ¶ ᄃᆡᄡᆞ리ᄡᅵ(地膚子)《方藥 18》.

ᄃᆡ신 명〈옛〉 대신[3]. ¶ 의인이죄인의ᄃᆡ신죽엇네《찬양가 : 19 》.

-ᄃᆡ여 어미〈옛〉 -기를 바라노라. ¶ 네 손조 ᄆᆞᆯ 졔계 ᄀᆞᆯᄒᆡ여 사라가ᄃᆡ여(你自馬市裏揀着買去)《朴解 上 63》.

ᄃᆡ쵸 명〈옛〉 대추[1]. =대초. ¶ 묏ᄃᆡ쵸ᄡᅵ(酸棗)《方藥 33》.

ᄃᆡᄐᆞᆯ 명〈옛〉 티끌. =드틀. ¶ ᄃᆡᄐᆞ리 城에 ᄆᆞ독ᄒᆞ니(塵滿城)《重杜諺 ㄴXI:16》.

ᄃᆡ파 명〈옛〉 대패[1]. =ᄃᆡ패. ¶ ᄃᆡ파(推鉋)《字會 中 16》.

ᄃᆡ패 명〈옛〉 대패[1]. =ᄃᆡ파. ¶ ᄃᆡ패 산(鏟)《類合 下 42》.

ᄃᆡ혀두다 타〈옛〉 대어 두다. 물을 대다. ¶ 道上無源水을 반만ᄯᅡᆫ ᄃᆡ혀두고《蘆溪 陋巷詞》.

ᄃᆡᆼ【幀】 명〈옛〉 탱화(幀畫). ¶ 世宗ㅅ 일우샨 佛像 다ᄉᆺ ᄃᆡᆼ과(世宗所成佛五幀)《金剛 下 事實 3》.

ㄸ [쌍디귿]〖언〗'ㄷ'의 된소리. 목젖으로 콧길을 막으면서 숨길을 닫고, 혀 끝을 윗 잇몸에 단단히 대어 입길을 막았다가 뗄 때에 나는 맑은 소리.

따가우- 간 '따갑다'의 불규칙 어간. ¶ 따가워(←따가우어)/~ㄴ/~니/ㄴ~면.

따가워-지다 자 점점 따갑게 되다. <뜨거워지다.

따가워-하다 타여불 따갑게 느끼다. <뜨거워하다.

따갑다 형ㅂ불 ①아주 몹시 더운 느낌이 있다. ¶ 석양볕이 ~. <뜨겁다. ②바늘같이 뾰족한 끝으로 살을 찌르는 듯한 느낌이 있다. ¶ 상처가 따갑고 아프다/귀가 ~.

따개 명 병이나 깡통 등을 따는 물건. 오프너.

따개비 명〖동〗① 따개빗과에 속하는 절지(節肢) 동물의 총칭. 따개비·삼각따개비·줄따개비 같은 것이 있음. ② [*Balanus amphitrite albicostatus*] 따개빗과에 속하는 절지(節肢) 동물의 하나. 직경 10-15 mm이고 원(圓)뿔꼴의 각(殼)의 표면은 광택나는 암회색·암회자색이며 그 표면에 가로 세로로 백색의 융기(隆起)가 있음. 입은 크고 마름모꼴임. 함도(鹹度)가 낮은 전세계의 연안에 널리 분포하는데, 간만선보다 깊은 선저(船底)나 암초(暗礁)에 착생 생활함. 굴등.

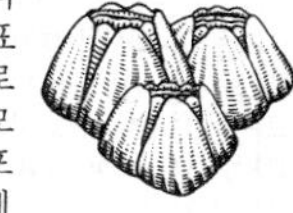

〈따개비〉

따개빗-과【-科】 명〖동〗[Balanidae] 만각목(蔓脚目)에 속하는 절지(節肢) 동물의 한 과. 몸은 굳은 석회질(石灰質)의 각(殼)으로 덮이고 원(圓)뿔꼴임. 몸빛은 담홍색·흑색·백색 등이 있으며, 몸길이는 5-80 mm 정도임. 6 쌍의 족부(足部)는 마디가 많아 식물(植物)의 넌출 같은데 이 발로 물을 입에 운반하여 그 속의 플랑크톤을 포식함. 흔히 굴조개·암석(岩石)·거북·고래·선박 등에 고착 생활을 함. 맛이 좋은 식용종(食用種)도 있음. 거북손과 가까운 종류로, 삼각따개비·따개비 같은 것이 이에 속함.

따:구 명〈방〉 빰따귀(경기·충북).

따굽다 형〈방〉 따갑다(황해).

따:귀 명 ↗빰따귀. ¶ ~를 때리다.

따:귀(를) 떨:다 구〈속〉 빰따귀를 때리다.

따그랭이 명〈방〉 딱지[1]❶.

따그뱅이 명 〈방〉 뚜껑(경남).
따:기 명 〈방〉 〖식〗 딸기(전남).
따까리 명 〈방〉 뚜껑(경상).
따까이 명 〈방〉 뚜껑(경북).
따깜-질 명 어떤 큰 덩이의 사물에서 조금씩 뜯어 내는 짓. ——-하다 자 타 여불
따깡 명 〈방〉 뚜껑(충남).
따깨비 명 〈방〉 뚜껑(경북).
따깽이 명 〈방〉 뚜껑(경북).
따-꽃 명 〈방〉 〖식〗 채송화(菜松花).
따끈-따끈 부 연해 따끈한 모양. ¶ 국을 ~하게 끓이다. <뜨끈뜨끈. ——-하다 형 여불
따끈-하다 형 여불 조금 따뜻한 느낌이 있다. 또, 따가울 만큼 제법 덥다. ¶ 숭늉이 ~. <뜨끈하다. 따끈-히 부 ¶ 술을 ~ 데우다.
따끔-거리다 자 무엇에 찔리거나 얻어맞거나 또는 결리는 곳이 바늘 같은 것으로 찌르는 것처럼 자꾸 아프다. ¶ 벌에 쏘인 데가 ~. <뜨끔거리다. 따끔-따끔 부 ¶ ~ 아프다. ——-하다 자 여불
따끔-나리 명 옛날에 순검(巡檢)을 조롱하여 일컫던 말.
따끔-대다 자 따끔거리다.
따끔-령 【—令】 [—녕] 명 정신을 바싹 차리도록 따끔하게 내리는 명령.
따끔-하다 형 여불 ①회초리로 맞거나, 찔리어서 살을 꼬집히는 듯 아픈 느낌이 있다. ¶ 찔린 데가 ~. ②몹시 자극되어 따가운 듯한 느낌이 있다. ¶ 그놈 따끔한 맛을 봐야겠다. 1)·2): <뜨끔하다. 따끔-히 부 ¶ ~ 타이르다.
따낸-돌 명 바둑에서, 때려 낸 돌.
따:니 명 돈치기의 한 가지. 쇠돈을 바람벽에 부딪쳐서 그 반동(反動)으로 멀리 나가게 하고, 그 거리의 차례대로 돈 떨어진 자리에 서서 그 돈으로 다음 자리에 떨어진 돈을 맞히어서, 차차로 몇 푼이든지 따먹는데, 맞히지 못할 경우에는 다음 사람이 그 다음의 돈을 맞히어서 먹게 됨. *딴지.
따:니(를) 치다 타 따니의 내기를 하다. *딴지(를) 치다.
따님 명 남의 딸을 존대하여 이르는 말. ↔아드님.
따다[1] 타 ①무엇에 붙어 있거나, 매달려 있는 것을 잡아 떼다. ¶ 사과를 ~/꽃을 ~/호박을 ~. ②진집을 내거나 찔러 터뜨리다. ¶ 곪은 데를 ~. ③꽉 봉한 것을 뜯다. ¶ 깡통을 ~. ④필요한 부분을 골라 내다. ¶ 이 말은 춘향전(春香傳)에서 딴 말이다. ⑤노름·내기 등에서 이겨 돈을 얻다. ¶ 돈을 많이 ~. ⑥점수·자격 따위를 얻다. ¶ 100점을 ~/박사 학위를 ~.
따다[2] 타 ①찾아온 사람을 무엇이라 핑계 대고 만나 주지 아니하다. ¶ 손님을 ~. ②싫어하는 사람에게 알리지 아니하거나, 돌려 내서 그 일에 관계되지 아니하게 하다. ¶ 그 사람은 따고 우리만 가자. *따돌리다.
따다[3] 형 상관없이 다르다. ¶ 그것과는 전혀 딴 문제다/내가 생각한 바와는 전혀 ~.
따다닥 부 기관총을 쏘는 소리.
따다-바리다 타 ①뜯어내서 죽 벌이어 놓다. ②얄미운 태도로 이야기를 꺼내서 늘어놓다. 1)·2): <뜯어벌이다.
따다 쓰다 타 남의 말이나, 글의 한 부분을 가려 내어 제 것으로 삼아 쓰다. ¶ 남의 글귀를 ~.
따대미 명 〈방〉 다듬이질(경상).
따-돌리다 타 무슨 일을 할 때 밉거나 싫은 사람을 떼내어 관계를 못하게 하다. 돌리다. ¶ 친구를 ~/따돌림을 당하다. *따다[2].
따드미 명 〈방〉 다듬이질(충북·경상).
따드미-질 명 〈방〉 다듬이질(강원·충청·전라·경상).
따들싹 -하다[1] 형 여불 물건이 잘 덮이거나 가려지지 아니하여 밑이 조금 떠들려 있다. 달싹하다. <떠들썩하다[1].
따들싹 -하다[2] 형 여불 ①여러 사람이 큰 목소리로 지껄여서 시끄럽다. ②소문이 널리 퍼져서 왁자하다. 1)·2): <떠들썩하다[2].
따듬-거리다 자 타 ①말이 자꾸 막혀서 순하게 나오지 아니하다. ②글을 읽을 때 순하게 내려가지 아니하고 자꾸 거치다. 1)·2): ㅅ다듬거리다. <떠듬거리다. 따듬-따듬 부. ——-하다 자 타 여불
따듬다 [—따] 타 〈방〉 다듬다(경상).
따듬-대다 자 타 따듬거리다.
따듬작-거리다 자 타 느릿느릿하게 연해 따듬거리다. ㅅ다듬작거리다. <떠듬적거리다. 따듬작-따듬작 부. ——-하다 자 타 여불
따듬작-대다 자 타 따듬작거리다.
따듬-질 명 〈방〉 다듬이질(전라·경북).
따듯이 부 따뜻하게. ¶ ~ 대하다/방을 ~ 하여라. <뜨듯이.
따듯하다 형 여불 '따뜻하다'를 부드럽게 이르는 말. ¶ 따듯한 날씨. <뜨듯하다.
따디미 명 〈방〉 다듬이질(충북·경상).
따디미-질 명 〈방〉 다듬이질(강원·전북·경상).
따-따-따 부 나팔을 부는 소리.
따따부따 부 딱딱한 말씨로 시비(是非)하는 모양. ¶ 왜 ~하는 거야/그렇게 어려운 이론을 가지고 ~할 필요가 없다고 내가 말했잖소≪崔仁浩 : 미개인≫. ——-하다 자 여불
따땃-하다 형 〈방〉 따뜻하다(평안).
따떠버리 명 〈방〉 말더듬이.
따뜻 -이 부 따뜻하게. ¶ 손님을 ~ 맞이하다. <뜨뜻이.
따뜻 -하다 형 여불 ①견디기에 알맞게 덥다. ¶ 방안이 ~. <뜨뜻하다. ②감정이나 분위기가 정답고 포근하다. ¶ 따뜻한 마음씨.
따라[1] 【依良】 〈이두〉 따라.
따라[2] 부 ↗따라서.
따라-가다 타 거라불 ①남의 뒤를 좇아가다. ¶ 어머니를 ~/따라갈 사람이 없다. ②남의 행동을 좇아 하거나 또는 시키는 대로 좇아 하다. ¶ 성현(聖賢)의 행적을 ~.
따라-다니다 타 ①남의 뒤를 좇아다니다. ¶ 여자 꽁무니를 ~. ②뒤를 좇듯 붙어다니다. ¶ 자유와 책임은 서로 따라다닌다.
따라-마시다 타 〈속〉 따라먹다.
따라-먹다 타 ☞ 앞지르다.
따라-붙다 타 앞지른 것을 따라가서 바싹 붙다.
따라서 부 '그러므로'·'그렇기 때문에'의 뜻의 접속 부사. ¶ 품질이 좋으니 ~ 값도 비싸다. 준따라.
따라-오다 타 너라불 ①남의 뒤를 좇아서 오다. ¶ 나의 뒤를 따라오시오. ②남이 하는 대로 좇아오다.
따라-잡다 타 앞지른 것을 따라가서 잡다.
따라지 명 ①보잘 것 없이 키와 몸이 작은 사람. 땅보. 주유(侏儒). 초요(僬僥). ②노름판에서 '한 끗'을 일컫는 말. ¶ 삼팔(三八) ~. ③따분한 처지에 놓여 있는 사람. 따분한 존재. ¶ ~ 신세.
따라지 목숨 명 비참한 목숨. 밑바닥 인생.
따:래 명 〈방〉 키[3](강원).
따래비 명 〈방〉 ①다리미(경북). ②또아리(경남).
따로 부 ①한데 뒤섞이지 아니하고 떨어져서. ¶ ~ 두어라. ②서로 다르게. 딴 셈으로. 별도로. ¶ 월급 이외에 ~ 수입이 있다/천재가 ~ 있는 게 아니다.
따로-국밥 명 밥을 말지 않고 따로 밥그릇에 담아 내는 해장국·곰탕·갈비탕 등의 일컬음.
따로-나다 자 거라불 가족의 일부가 딴살림을 벌이고 재산을 나누어 가지고 나가다. ¶ 따로나서 신접 살림을 차리다.
따로-내다 타 가족의 일부를 딴살림을 벌이어 나가게 하다. ¶ 작은 아들의 살림을 ~.
따로-따로[1] 부 한데 뒤섞이지 아니하고 다 각각 떨어져서. 제각기 딴 셈으로. ¶ ~ 살다.
따로-따로[2] 감 ↗따로따로 따따로.
따로따로 따따로 감 어린 아이가 처음으로 따로 서기를 익힐 때에 어른이 붙들었던 손을 떼려고 하면서 부르는 소리. 섬마섬마. 준따로따로.
따로 서다 자 ①한데 뒤섞이지 아니하고 떨어져서 서다. ②어린 아이가 처음으로 남에게 의지하지 아니하고 저 혼자 서다.
따로-이 부 ☞따로.
따로 풀이 명 '각론(各論)'의 풀어 쓴 말.
따루 부 〈방〉 따로.
따루다 타 〈방〉 따르다[2].
따루-따루 부 〈방〉 따로따로[1].
따:루-면 〔중 大滷麵〕 명 맑은 고기 국물에 국수를 만 중국식 가락국수.
따르다[1] 자 타 ①남의 뒤를 좇다. ¶ 그를 따라 교실에 들어가다. ②관례나 법규 따위를 좇다. 남을 본떠서 하다. ¶ 전례(前例)에 ~. ③남을 좋아하여 붙좇다. ¶ 그 아이는 나를 몹시 따른다/그는 미남자라 처녀들이 줄줄 따른다. ④병행(並行)하다. 수반하다. ¶ 성공에는 흔히 고생이 따른다. ⑤무엇을 끼고 나아가다. ¶ 계곡을 따라 내려가다/강을 따라 철로가 있다. ⑥복종하다. 준수(遵守)하다. ¶ 결정에 ~. ⑦목적·입장에 각기 의거하다. ¶ 학자에 따라서 해석이 다르다/목적에 따라 방법이 다르다.
따르다[2] 타 물이나 기름 같은 액상의 물질을 기울여서 붓다. 또, 쏟다. ¶ 술을 ~.
따르르[1] 부 ①작은 물건이 미끄럽게 구를 때 세차게 나는 소리. 또, 세차게 구르는 모양. ¶ 구슬이 ~ 굴러가다. ②작은 물건이 세차게 떠는 모양. 또, 그 소리. ¶ 자명종(自鳴鐘)이 ~ 울리다. 1)·2): ㅅ다르르[1]. <뜨르르[1].
따르르[2] 부 ①글을 줄줄 읽어 내려가는 모양. ②어떠한 일에 막힘이 없이 잘 통하는 모양. 1)·2): ㅅ다르르[2]. <뜨르르[2].
따르미 명 〈방〉 〖충〗 쓰르라미.
따름 의명 용언(用言)의 어미 'ㄹ'·'을' 아래에 쓰이어 '그 뿐'의 뜻을 나타내는 말. ¶ 학생은 오직 공부할 ~이다/진리는 하나가 있을 ~이다.
따름-수 【—數】 명 〖수〗 '함수(函數)'의 풀어 쓴 말.
따리[1] 명 ①키의 물 속에 잠기는 아래 부분에 달린 넓적한 나무판. ②〈방〉 키[3](강원·경남).
따:리[2] 명 아첨. 아첨하는 말.
따:리(를) 붙이다 구 아첨하다. 살살 꾀다.
따리[3] 명 〈방〉 딸기(경북).
따리개 명 〈방〉 씨아(함남).
따 : 리-꾼 명 따리를 잘 붙이는 사람.
따리다 ㊀ 자 〈방〉 딸리다. ㊁ 타 〈방〉 때리다.
따-먹다 타 ①과일을 따서 먹다. ¶ 열매를 ~. ②바둑·장기·고누 같은 것을 둘 때에 남의 말·돌을 따내어 자기에게 유리하게 하다. ¶ 상(象)으로 말을 ~. ③〈속〉 속이거나 또는 어떤 수단을 써서 여자의 정조를 빼앗다.
따문 의명 〈방〉 때문(전라).
따바리 명 〈방〉 또아리(강원·충남·전북·경상·함경).
따발-총 【—銃】 명 〈속〉 소련식 기관 단총. 다발총(多發銃).
따방구 명 〈방〉 또아리(경남).
따배 명 〈방〉 또아리(경북).
따배기 명 〈방〉 또아리(경남).
따뱅이 명 〈방〉 또아리(충북·경상).
따-벌이 명 〈방〉 〖충〗 땅벌(평북).
따베이 명 〈방〉 또아리(경상).
따벵이 명 〈방〉 또아리(경상).
따부 명 〈방〉 따비.
따부이 명 〈방〉 보습[1](경남).
따분-하다 형 여불 ①착 까부러져서 맥이 없다. 느른하다. ②처치하기 어렵다. 난처하다. ¶ 뭐라고 대답해야 할지 ~. ③생기가 없어 처량하다. 싱겁고 재미가 없어 지리하고 답답하다. ¶ 신세가 ~/따분한 이야기.

따분-히 [부]

따비 [명]〖농〗①풀뿌리를 뽑거나 밭을 가는 기구의 한 가지. 돌이 많은 땅을 가는 가장 원시적인 농구로서, 코끼리 이빨처럼 생긴 두 날의 것, 말굽쇠 모양의 것, 통날로 된 주걱 모양, 송곳 모양의 것 등이 있음. ②〈방〉보습¹(경남).

따비-밭 [명] 따비로나 갈 만한 좁은 밭.

따사-롭다 [형][ㅂ불] 좀 따뜻한 듯하다. ㅅ다사롭다. 따사-로이 [부]

따사-하다 [형][여불] 좀 따삽다. 좀 따뜻한 기운이 있다. ㅅ다사하다. <따스하다.

따삽다 [형][ㅂ불] 알맞게 따뜻하다. 따뜻한 기운이 있다. <따숩다.

따스비 〔아랍 tasbih〕[명]〖이슬람〗염주(念珠).

따스-하다 [형][여불] 좀 따숩다. ¶ 방바닥이 ~. ㅅ다스하다. >따사하다. <뜨스하다.

따습다 [형][ㅂ불] 알맞게 따뜻하다. ¶ 방이 ~. ㅅ다습다. >따삽다. <뜨습다.

따시다 [부]〈방〉따뜻하다(전라·경상).

따오기 [명]〖조〗·[*Nipponia nippon*] 따오깃과에 속하는 새. 날개 길이 암컷은 37-40 cm, 수컷은 40-43 cm이고, 꽁지는 15-18 cm임. 해오라기와 비슷한데 온 몸이 희고 검은 부리는 원통형에 밑으로 굽었음. 앞머리는 나출(裸出)하여 등홍색이며 뒷머리·뒷목의 깃털이 길어 우관(羽冠)을 형성함. 산간의 무논·연못에 단독 또는 2-10마리씩 떼지어 살며, '따옥따옥'하고 욺. 물고기·개구리·게·곤충·우렁이 등을 포식함. 4-5월에 나무 위에 집을 짓고 두세 개의 알을 낳음. 동부 시베리아·만주·중국·한국·일본 등지에 분포함. 흔하지 아니하여 천연 기념물로 보호함. 주로(朱鷺).

〈따오기〉

따오깃-과【一科】[명]〖조〗[Threskiornithidae] 백로목(目)에 속하는 한 과. 대형의 조류로서 몸빛은 대체로 백색인데 회색·적색·금녹색인 것도 있음. 머리의 앞쪽에 털이 없는 것이 보통이고, 둥지는 해안 부근의 연못가 또는 삼림의 나무 위에 짓고, 2-4개의 알을 낳음. 알은 창백색에 담황갈색 또는 담적색의 반문이 있음. 저어새·따오기 등이 이에 속하는데 전세계에 30여 종이 분포함.

따-오다 [타][너라불] 남의 말이나 글 가운데에서 한 부분을 끌어 쓰다. 인용(引用)하다.

따오리 [명]〈방〉〖조〗따오기.

따옥-따옥 [부] 따오기가 우는 소리.

따올 [명]〈방〉딸기(전북).

따올기 [명]〈방〉딸기(전북).

따옴-꼴 [명]〖언〗'인용형(引用形)'의 풀어 쓴 말.

따옴-말 [명]〖언〗'인용어(引用語)'의 풀어 쓴 말.

따옴-월 [명]〖언〗'인용문(引用文)'의 풀어 쓴 말.

따옴-표【一標】[명] 문장 부호(文章符號)의 하나. 특별한 의미 있는 단어·문장의 인용이나 어떤 부분을 강조하기 위하여 그 말이나 글의 앞뒤에 찍는 '큰따옴표'·'겹낫표'·'작은따옴표'·'낫표'. 인용부(引用符). 인용점(引用點).

따우 [의명]〈방〉따위(함남).

따위 [의명] ①사람이나 사물을 얕잡아 일컫는 말. ¶ 너 ~는 열이 덤벼도 당해 낼 수 없다/이 ~ 물건을 무엇에 쓰나. ②종류나 정도의 뜻을 나타내는 말. ¶ 그런 ~/ 같은 ~의 것. ③그 밖에도 같은 유(類)의 것이 있는 중에서 한 예로서 보이는 뜻을 나타내는 말. ¶ 호랑이·사자 ~를 맹수라 한다/좀처럼 여행 ~를 한 적이 없다. *들·등(等).

따이얌뭄 〔아랍 tayammum〕[명]〖이슬람〗물이 없을 때, 흙이나 모래를 사용하는 우두.

따-쥐 [명]〈방〉〖동〗뒤쥐.

따지기 [명] 이른봄 얼었던 흙이 풀리려고 할 무렵. *해토머리.

따지기-때 [명] 따지기의 때. 이른봄 얼었던 흙이 풀리려고 할 그때.

따지다 [타] ①수를 계산하다. ¶ 이자(利子)를 ~. ②시비를 밝히어 가르다. ¶ 따지고 덤비다/위약(違約)을 ~.

따짜구리 [명]〈방〉〖조〗딱따구리(경북).

따짜꿍-따짜꿍 [부]〈방〉따짝따짝.

따짝-거리다 [타] 손톱이나 날카로운 물건 같은 것으로 조금씩 뜯거나 긁어 내어 진집을 내다. ¶ 아픈 상처를 … 그날 밤 미란이 따짝거려서 뜨끔뜨끔 쑤시기 시작하게 만든 것이었다《李孝石 : 花粉》. <뜨적거리다. **따짝-따짝** [부]. ¶ 지난날을 생각해 볼 때 날카로운 반성의 바늘이 가슴을 ~ 찌르면서…《李孝石 : 花粉》. **——하다** [타][여불]

따짝-대다 [타] 따짝거리다.

딱¹ [부] 단단한 물건이 마주치거나 부러질 때에 나는 소리. ¶ ~ 부러지다. <뚝². **——하다** [자][여불] 딱 소리가 나다.

딱² [부] ①일을 겯기 있게 작정하는 모양. ¶ ~ 잘라 말하다/그것은 ~ 질색이다/담배를 ~ 끊다. ②완전히 그치거나 멎는 모양. ¶ 비가 ~ 그쳤다/애 울음 소리가 ~ 멎었다. <뚝³.

딱³ [부] ①활짝 바라진 모양. ¶ 입을 ~ 벌리고 자다. ②완전히 맞닿거나 들어맞는 모양. ¶ 옷이 ~ 맞다/몸을 벽에 ~ 붙이고 숨다/시선이 ~ 마주치다. ③야무진 힘이나 얌전한 태도가 나타나는 모양. ¶ 입을 ~ 오므리고 얌전히 앉아 있다/눈을 ~ 감다. ④굳세게 버티는 모양. ¶ ~ 버티고 서 있다. 1)·2)·4): <떡⁵.

딱가지 [명]〈심마니〉〖동〗뱀.

딱게우 [명]〈방〉〖조〗거위¹(전북).

딱-굴 [명]〈방〉지하실(地下室)(함북).

딱다-거리다 [자] ☞딱딱거리다.

딱다그르르 [부] ①천둥이 가까운 데서 갑자기 요란스럽게 울리는 소리. ②딴딴한 물건이 딴 것에 부딪치며 구르는 소리. ㅅ닥다그르르. 1)·2): <떡더그르르.

딱다글-딱다글 [부] ①딴딴한 물건이 딱딱한 바닥에 연해 부딪치며 굴러가는 소리. ②천둥이 가까운 곳에서 갑자기 요란스럽게 잇따라 울리는 소리. ㅅ닥다글닥다글. 1)·2): <떡더글떡더글.

딱닥-새 [명]〈방〉〖조〗딱따구리(함북).

딱따구리 [명]〖조〗딱따구릿과에 속하는 새의 총칭. 까막딱따구리·메딱따구리·오색딱따구리·청딱따구리·크낙새 등이 있음. 탁목조(啄木鳥). 산탁목(山啄木).
【딱따구리 부작】무엇이든지 완벽을 기하지 아니하고 명색만 갖춘다는 뜻.

딱따구릿-과【一科】[명]〖조〗[Picidae] 딱따구리목(目)에 속(屬)하는 한 과(科). 소형 또는 중형의 조류로서 몸빛은 녹색·흑색 등이며 현저한 반문이 있고, 머리에는 대체로 선홍색부(鮮紅色部)가 있음. 삼림 속에서 살며 날카롭고 단단한 부리로 나무를 쪼아 구멍을 내고 갈고리같이 생긴 혀로 그 속에 든 벌레를 찍어 내어 주식(主食)으로 함. 발가락은 네 개인데 앞뒤로 두 개씩 향하였으며, 꽁지는 빳빳하여 몸을 떠받치게 되어 있음. 군서(群棲) 생활을 하지 아니하며, 번식기에는 나무 줄기에 구멍을 파고 3-7개의 흰 알을 낳음. 오스트레일리아를 제외한 전 세계에 400여 종이 분포함.

딱따기¹ [명]〖동〗딱총새우.

딱따기² [명]〈방〉똑딱단추.

딱따-깨비 [명]〖충〗[*Gelastorrhinus bicolor*] 메뚜깃과에 속하는 곤충. 방아깨비와 비슷한데 몸이 가늘고 길며, 몸길이 수컷은 35 mm, 암컷은 50 mm이고 날개 끝까지 40-57 mm임. 몸빛은 황록색인데 배면(背面)이 홍갈색인 것도 있음. 두부 양측에 흑갈색 세로줄이 있음. 전흉배에 있는 세 개의 세로로 돌출한 융기(隆起)는 두 개의 가로된 홈에 의하여 끊어짐. 촉각은 칼 모양임. 가을에 출현하여 풀밭에 많으며, 발음(發音)하지 않고 날 때에 '딱딱딱' 소리가 남. 열대 지방에 널리 분포하고, 일본·중국·한국 등지에도 분포함.

〈딱따깨비〉

딱따리 [명]〈방〉딱따구리(경북).

딱-딱 [부] ①단단한 물건이 연해 마주치는 소리. ¶ 손뼉을 ~ 치다. ②단단한 물건이 잇따라서 꺾어지는 소리. 또, 그 모양. ¶ 나뭇가지를 ~ 부러뜨리다.

딱딱-거리다 [자] 딱딱한 말씨로 소리를 크게 내어 을러대다. ¶ 그 사람은 누구에게나 딱딱거린다.

딱딱-대다 [자] 딱딱거리다.

딱-딱-딱 [부] 딱딱이나 망치 같은 것을 연해 두드리는 모양. 또, 그 소리.

딱딱-새 [명]〈방〉〖조〗딱따구리.

딱딱-이 [명] ①밤에 나무 토막을 치며 순경(巡更) 도는 사람. 또, 그 나무 토막을 통속적으로 이르는 말. ¶ 야경꾼이 ~를 치다. ②극장에서 막을 열 때에 신호로 치던 나무 토막.

딱딱이-꾼 [명] 딱딱이를 치며 야경 도는 사람을 낮잡아 이르는 말. 야경꾼.

딱딱이-패【一牌】[명] 조선 시대, 서울 중심의 경기 일대에서 산대놀이를 놀던 사람들.

딱딱-하다 [형][여불] ①조금도 물렁물렁한 기가 없이 배우 굳고 단단하다. ¶ 딱딱한 돌/딱딱한 떡. ②온순한 맛이 없고 거세다. ¶ 손님을 대하는 태도가 ~. ③분위기 같은 것이 유연한 맛이 없고 엄격하다. ¶ 딱딱한 규칙/딱딱한 분위기/딱딱한 문장. ④보기에 만질만질한 기가 없고 처리하기에 힘들다. **딱딱-히** [부] 딱딱하게.
【딱딱하기는 삼 년 묵은 물박달나무 같다】고집이 센 사람을 두고 이르는 말.

딱-바라지다 [자] ①몸이 똥똥하고 키가 작달막하여 옆으로만 바라지다. ¶ 어깨가 딱바라진 청년. <떡벌어지다. ②물건의 형체가 얕고 넓다. ¶ 딱바라진 항아리.

딱-부릅뜨다 [타] 성이 나서 눈을 크게 뜨고 깜짝거리지도 아니하며 보다. ¶ 눈을 딱부릅뜨고 노려보다.

딱부리 [명] ↗눈딱부리.

딱부리-먼지벌레 [명]〖충〗[*Notiophilus impressifrons*] 딱정벌렛과에 속하는 곤충. 몸길이 4 mm 내외이고, 몸빛은 흑색에 표면은 구리빛 광택이 남. 수염·촉각(觸角)·다리 등은 적갈색 또는 암적갈색이고, 시초(翅鞘)에는 불규칙한 가로띠가 3-5줄 있으며, 그 가에는 털이 없음. 한국에도 분포함.

딱-새 [명]〖조〗①딱샛과와 지빠귓과 딱새속(屬)에 속하는 새의 총칭. ②[*Phoenicurus auroreus*] 지빠귓과 딱새속에 속하는 새의 하나. 참새보다 좀 큰데 날개 길이 65-77 mm, 꽁지 길이 55-68 mm이고, 몸빛은 암컷은 감람갈색에 복부 옆·상미통(上尾筒)·꽁지는 등황적색, 수컷은 복부·가슴이 등황적색이고, 흑색 날개 중앙에 큰 백색 반문이 있음. 가을·겨울에 정원·밭·인가 근처에 서식하며, 곤충을 포식하는 익조(益鳥)임. 아시아 북동부·우수리·한국 북부·중국·몽고·홋카이도 등지에도 번식하고, 일본·대만·말레이·인도 등지에서 월동함. 상옹(常鶲). 상딱새.

〈딱새❷〉

딱샛-과【一科】[명]〖조〗[Muscicapidae] 참새목(目)에 속(屬)하는 한 과(科). 지빠귓과와 비슷한데, 몸빛은 자웅(雌雄)이 다름. 꽁지가 긴데, 삼광조(三光鳥) 종류에 있어서는 중앙의 두 개가 특히 긺. 나무 위에서 생활하며 군서하지 아니하고, 창백색에 갈색 반점이 있는 알을 한 배에 2-6개 낳음. 삼광조·노랑딱새·솔딱새·쇠솔딱새·제비딱새·흰꼬리딱새 등이 있는데, 남북극 지방을 제외한 동반구의 각지에 분포함.
딱-선【—扇】명 살이 몇 개 안 되는 접부채.
딱-성냥 명 성냥의 한 가지. 대가리에 바른 발화약을 단단한 곳이면 아무 데나 그어도 불이 일어나게 만든 성냥. 위험하여서 지금은 거의 쓰지 아니함. 내풍 인촌(耐風燐寸).
딱-쇠 명〈방〉대장장이.
딱-이 부 ☞확실히. ¶ 그렇대서 ~ 살이 있으리라는 것도 종잡을 수 없었다《吳有權 : 방앗골 혁명》.
딱-잡아떼다 자 확고한 태도로 결기 있게, 아니라고 또는 모른다고 우기다.
딱장-대〔—때〕명 ①온화한 맛이 없고 성질이 딱딱한 사람. ¶ ~ 같은 사람. ②성질이 사납고 굳센 사람.
딱장-받다 타 도둑을 때려 가며 그 죄를 불게 하다. ¶ 화적을 잡아 딱장받아도 불지 않는다면 어떻게 할 것이며…《金周榮 : 客主》.
딱장-버러지 명〈방〉〖충〗딱정벌레.
딱장-벌레 명〈방〉〖충〗딱정벌레.
딱장이 명〈방〉①〖충〗딱정벌레❶. ②딱지¹❶.
딱재기 명〈방〉〖조〗달궁이.
딱쟁이 명〈방〉①〖충〗딱정벌레❶. ②딱지¹❶.
딱정-벌레 명〖충〗딱정벌렛과 딱정벌레속(屬)에 속하는 곤충의 총칭. 풀색딱정벌레·곤봉딱정벌레·민딱정벌레·명주딱정벌레·애딱정벌레 등이 있음. 갑충. ＊딱정벌렛과.
딱정벌레-목【—目】명〖충〗[Coleoptera] 유시류(有翅類)에 속하는 곤충의 한 목(目). 대체로 앞날개가 딱딱한 혁질(革質)로 되어 '시초(翅鞘)'라고 하며, 정지(靜止)하면 등 위의 정중선(正中線)에서 좌우 날개가 회합(會合)함. 뒷날개는 막질(膜質)이고 입은 저작구(咀嚼口)임. 땅 위·땅 속·나무 위·동물의 사체(死體) 등에 서식하는 육생(陸生)과 담수(淡水)·염수(塩水) 등의 수생(水生) 곤충으로, 갑충(甲蟲)·딱정벌레 등이 있으며, 전세계에 25만여 종, 100여 과(科)로 분류하는데, 길앞잡잇과(科)·물방갯과·물진드깃과·딱정벌렛과·물장군과 등의 포식아목(飽食亞目), 반날갯과·개똥벌렛과·머리대장과·쌀도적과·목대장과·표본벌렛과·풍뎅잇과·하늘솟과·곰보벌렛과 등의 다식아목(多食亞目)이 이에 속함. 초시류(鞘翅類).
딱정벌레-붙이〔—부치〕명〖충〗[*Craspedonotus tibialis*] 딱정벌렛과에 속하는 곤충. 몸길이 22mm 내외이고, 몸빛은 흑색이며 촉각은 흑갈색이나 기절(基節)은 등황색, 말단(末端)은 적갈색임. 시초(翅鞘)는 흑색의 불규칙한 점각 종렬(點刻縱列)이 있음. 다른 곤충의 유충 또는 성충을 포식하는 익충(益蟲)임. 바닷가나 강변의 모래 속에 구멍을 파고 그 속에서 서식하는데, 한국·일본·중국·시베리아 등지에 분포함.

〈딱정벌레붙이〉

딱정벌렛-과【—科】명〖충〗[Carabidae] 딱정벌레목(目)에 속하는 한 과. 몸은 미소(微小) 또는 대형이고, 촉각은 채찍 또는 실 모양에 11절(節)임. 복부(腹部)는 5-8절이며 종류에 따라서 좌우의 시초(翅鞘)가 유착(癒着)한 것 또는 뒷날개가 퇴화한 것 등이 있음. 입술은 길게 뻗어 있고 잘 걸어다님. 성충은 지상(地上)·수상(樹上) 또는 나무 껍질 밑에 많이 모이며, 다른 곤충을 포식함. 전세계에 21,000여 종이 분포함. 딱정벌레속(屬)·딱정벌레붙이속·먼지벌레속·명주딱정벌레속 등으로 나눔.
딱정이 명〈방〉①딱지¹❶. ②〖충〗딱정벌레❶.
딱쥐 명〈방〉〖식〗잔대.
딱지¹ 명〔근대 : 덕지〕①다쳐서 상하였거나 또는 헌데가 난 자리에 피나 진물이나 고름이 나와 말라 붙은 조각. ¶ 종기에 ~가 앉다. ②종이에 붙은 티. ¶ 종이에 ~가 붙어 있다. ③몸시계나 팔뚝시계의 겉 뚜껑. ¶ 금~ 시계. ④〖동〗게·소라·거북 같은 것의 몸을 싸고 있는 뼈같이 단단한 물질로 된 껍데기. 패각(貝殼)·갑각(甲殼) 등. ¶ 게~ 같은 집. ⑤딱정벌레의 날개 같은 단단한 물질.
딱지가 덜: 떨어지다 구 어린 아기의 쇠딱지가 미처 다 떨어지지 못하다. 전(轉)하여, 아직 치기(稚氣)를 덜 벗은 상태이다.
딱지² 명〈속〉①거절(拒絶). ¶ ~ 맞다. ②퇴짜. ③물러감. ——-하다 자여불〈속〉물러가다.
딱지(를) 놓다 구 퇴짜를 놓다. 물리쳐 받아들이지 아니하다.
딱지³【—紙】명 ①우표(郵票)나 증지(證紙) 또는 어떤 마크를 그린 종이 조각의 속칭. ¶ 상품에 가격표 ~를 붙이다. ②↗놀이딱지. ③↗괄련 딱지. ④어떤 명사 다음에 와서 그 명사가 나타내는 것으로 규정하는 좋지 않은 평가나 인정. ¶ 위험 인물이라는 ~가 붙다. ⑤〈속〉↗빨간 딱지❸❹.
딱지(가) 붙다 구 나쁜 정평(定評)이 붙다. ¶ 전과자의 ~.
딱지(를) 떼:다 구〈속〉㉠물건을 사용하기 위하여, 그에 붙어 있는 상표(商標)·증지(證紙) 따위의 딱지를 떼어 버리다. ㉡전(轉)하여, 개시하다. 사용하기 시작하다. ㉢교통 순경이 교통 규칙을 위반한 차량에 대하여, 빨간 딱지를 발행하여 교부하다.
딱지(를) 치다 구 딱지치기를 하다.
딱지-꽃 명〖식〗[*Potentilla chinensis*] 장미과에 속하는 다년초. 뿌리는 비대하고 줄기는 총생(叢生)하여 높이 60cm 가량이고 잎은 호생인데, 우상 복생(羽狀複生)하고, 탁엽(托葉)은 달걀꼴 또는 넓은 타원형임. 6-7월에 황색 꽃이 산방상(繖房狀) 취산(聚繖) 화서로 정생(頂生)하고, 과실은 수과(瘦果)임. 해변이나 개울 가에 나는데, 거의 한국 각지 및 일본에 분포함. 어린 잎은 식용함. 위릉채(萎陵菜).

〈딱지꽃〉

딱지-날개 명〖충〗갑충류(甲蟲類)의 겉날개. 앞날개를 말하며 매우 단단하여 뒷날개와 배를 보호하는 구실을 함. 시초(翅鞘).
딱지-놀이【—紙—】명 놀이딱지를 가지고 노는 일.
딱지-본【—紙本】명〖인쇄〗구활자본(舊活字本)의 속칭. 국문 소설류를 신식 활판 인쇄 기계에 의하여 인쇄 발간한 것을 일컬음. 대개 그 책들의 표지가 아이들 놀이에 쓰이는 딱지처럼 울긋불긋하게 인쇄되어 있는 데서 이 이름이 유래된 듯함.
딱지-붙임〔—부침〕명 아주 얇은 널빤지에 아교(阿膠)를 발라서, 다른 두꺼운 데에 붙이는 일. ——-하다 자타여불
딱지 어음 명〈속〉부도(不渡) 날짜가 정해져 있는 약속어음.
딱지 장수【—紙—】명〈속〉①역(驛) 주변을 배회하면서 여객에게 암차표(闇車票)를 팔아 수수료를 버는 사람. ②부정 수표·어음·증지(證紙)·입장표 등 종이나 표로 된 것을 부정 매매하는 사람들의 일컬음.
딱지-조개 명〖조개〗[*Liolophura japonica*] 딱지조갯과에 속하는 고등의 하나. 패각(貝殼)은 길이 4-7cm, 지름이 5cm의 타원형을 이루며 갈색 또는 회갈색이나, 주위의 바위 빛에 따라 다르며, 그 표면에는 둥글고 자질구레한 융기(隆起)가 있고 머리판에는 군데군데 안점(眼點)이 있음. 폭이 넓고 잔 가시가 있는 육대(肉帶)에는 석회질의 작은 가시가 두 개 있고, 자웅 이체(雌雄異體)임. 간만선(干滿線)의 바위 위에 서식하는데, 한국 및 일본에 분포함. 식용으로 함.

〈딱지조개〉

딱지조갯-과【—科】명〖조개〗[Chitonidae] 쌍신경류(雙神經類)에 속하는 연체(軟體) 동물의 한 과.
딱지 종이【—紙—】명 딱지를 만드는 데 쓰는 딱딱한 종이.
딱지-치기【—紙—】명 아이들의 놀이의 한 가지. 종이 딱지를 땅바닥에 놓고, 다른 딱지로 그 옆을 쳐서 땅바닥의 딱지가 뒤집히면 따먹게 됨. ——-하다 자여불
딱-총【—銃】명 화약을 종이나 대통 같은 것의 속에 다져 넣고, 그 끝에 심지를 붙이어 불을 댕겨서 터지게 만든 불놀이 제구의 한 가지. 종류가 많은데, 소리만 들게 된 것을 폭죽(爆竹), 불을 보게 된 것을 화포(火砲)라 함. 지총(紙銃). 지포(紙砲).
딱총-나무【—銃—】명〖식〗[*Sambucus williamsii*] 인동과에 속하는 낙엽 활엽 관목. 잎은 우상 복생(羽狀複生)하고 소엽(小葉)은 피침형 또는 넓은 피침형에 무딘 톱니가 있음. 5월에 황록색 꽃이 원추(圓錐) 화서로 정생(頂生)하여 피고, 핵과(核果)는 9월에 붉게 익음. 산록의 습지 및 골짜기에 나는데, 한국 각지 및 일본·중국·우수리·만주 등지에 분포함. 말린 가지는 약재, 어린 잎은 식용, 수(髓)는 공업용임.

〈딱총나무〉

딱총나무-독나방【—銃—毒—】명〖충〗[*Topomesoides jonasii*] 독나방과에 속하는 곤충. 편 날개의 길이 30-37mm이고 몸빛은 담황색에 복부와 뒷날개는 백색, 앞날개 중앙의 전연(前緣) 언저리에 암갈색의 둥근 무늬가 있고, 날개의 앞쪽 절반은 갈색임. 유충은 딱총나무·장미 등의 잎의 해충으로 한국에도 분포함.

〈딱총나무독나방〉

딱총-새우【—銃—】명〖동〗[*Alpheus brevicristatus*] 딱총새웃과에 속하는 새우의 하나. 몸길이 50mm 내외이고, 몸빛은 담황색에 겸각(鉗脚)은 적황색임. 두흉갑(頭胸甲)에는 가시가 없고, 첫째 발가락의 겸부(鉗部)는 두흉갑의 1.7-1.9 배나 되는 점이 특징임. 눈은 두흉갑의 전연(前緣)으로 덮이고 액각(額角)은 짧음. 해안의 간조선(干潮線) 부근 모래 진흙에 서식하며, 큰 겸각을 여닫아 '딱딱' 소리를 냄. 낚시의 미끼로 사용됨. 식용은 적음. 딱따기.

〈딱총새우〉

딱총-새웃과【—銃—科】명〖동〗[Alpheidae] 십각목(十脚目)에 속하는 한 과. 눈은 두흉갑 전연(頭胸甲前緣)으로 덮이고 액각(額角)은 짧으며, 첫째 다리는 강대하고 좌우가 같지 아니한 겸각(鉗脚)으로 되고, 둘째 다리는 가늘고 완절(腕節)은 몇 개의 환절(環節)로 됨. 해변의 모래 속에 사는 보통의 새우임.
딱-콩 부 소식 장총(蘇式長銃)을 쏘는 소리.
딱콩-총【—銃】명〈속〉〔총소리에서 온 말〕소식 장총(蘇式長銃).
딱-하다 형여불 ①애처롭다. 가엾다. 불쌍하다. ¶ 딱하게 여기다/딱한 사정을 호소하다. ②처리하기가 어렵다. 민망하고 난처하다. ¶ 입장이 ~. 딱-히¹ 부. ¶ ~ 여기다.
딱-히² 부 딱 잘라서 무어라 하기 어려움을 나타내는 말. ¶ ~ 무어라 말하기가 어렵구나.
딲다 타〈방〉닦다(경상).
딲-쇠 명 구두닦이에서, '찍쇠'가 거둬온 닭을 구두를 작업장에 앉아서 닦기만 하는 사람의 변말. ↔찍쇠.
딴:¹ 명〖역〗↗딴군❶.
딴² 의명 자기로는 아무쪼록 잘한다는 주제. 이유가 될 만한 생각. ¶ 제 ~엔 남을 위한답시고/내 ~은 그래도 잘 하려고 하였소.
딴³ 관 다른. 틀리는. ¶ ~ 집/~ 책.
딴⁴【段·叱段】조〈이두〉은. 는.
딴-가루받이〔—바지〕명〖식〗↗딴꽃가루받이.
딴-것 명 다른 것. ¶ ~은 젖혀 놓고/~을 보여 주시오.
딴기【—氣】명 냅뜰 기운(氣運).
딴기(가) 적:다 구 기력이 약하여 냅뜰 기운이 없다. ¶ 간신히 일어 앉으며 "일찍이 나오셨습니다"하고 딴기 적은 말소리로 인사하였다《洪命憙 : 林巨正》.
딴꽃-가루받이〔—바지〕명〖식〗'타가 수분(他家受粉)'의 풀어 쓴 말. ㈜딴가루받이. ↔제꽃가루받이.

딴꽃-정받이【—精—】[—바지] [명]〖식〗'타가 수정(他家受精)'의 풀어 쓴 말. [준]딴정받이. ↔제꽃정받이.
딴:-꾼 [명] ①〖역〗포도청(捕盜廳)에 매여 있어 포교(捕校)의 심부름을 하며 도둑을 잡는 데 거들던 사람. [준]딴. ②언행이 패려궂은 사람.
딴두【段置】[조]〈이두〉조사(助詞) '도'의 뜻을 세게 쓰는 말.
딴따라 [명]〈속〉연예인.
딴따라-패【—牌】[명]〈속〉연예인(演藝人).
딴딴-하다 [형][여불] ①무르지 아니하고 몹시 굳다. ②약하지 아니하고 매우 야무지고 굳세다. ③뱃속이 차서 힘차다. ④마음이 허수하지 않고 미덥다. 1)-4):↗단단하다. <뜬뜬하다. 딴딴-히 [부]
딴-마음 [명] ①주의하지 아니하고 다른 것을 생각하는 마음. ¶ ～ 가지고 공부를 하면 되나. ②배반하는 마음. 이심(異心). ¶ ～을 품다.
딴-말 [명] 본뜻에 어그러지는 말. 아무 관계도 없는 말. ¶ ～을 하지 말라. *딴소리.
딴말 쓰기 [명] 윷판 없이 입으로 말하면서 말을 쓰는 윷놀이.
딴-맛 [명] 다른 맛. 색다른 맛. ¶ 오랫만에 먹으니 ～이 난다.
딴-머리 [명] 여자의 머리에 덧대어서 얹는 머리털. ↔본머리. *다리².
딴-사람 [명] ①다른 사람. ¶ ～은 아무도 모릅니다. ②전과 달라진 사람. ¶ 수염을 깎으니 ～같이 보인다/그는 아주 ～이 되었다.
　딴사람(이) 되다 [구] ㉠얼굴이 변하다. ㉡마음이 달라지다. ㉢신분이 달라지다.
딴-살림 [명] 따로 사는 살림. ¶ ～을 차리다. ——하다 [자][여불]
딴-살이 [명] ☞딴살림.
딴-상투 [명] 자기 머리 아닌 다른 머리털로 만들어 얹은 상투.
딴-생각 [명] ①엉뚱한 생각. ¶ ～을 먹지 말라. ②다른 데로 쓰는 생각. ¶ ～ 하느라 잘 못 들었다. ——하다 [자][여불]
딴-소리 [명] '딴말'을 조금 낮추어 쓰는 말. 본뜻과 다른 말. ¶ ～만 늘어놓다. ——하다 [자][여불]
딴-솥 [명] 불을 때도 방고래와는 상관 없도록 따로 걸어 놓고 쓰는 솥.
딴-요대【—腰帶】[—뇨—] [명] 허리띠의 한 가지. 여러 가닥의 실을 어슷비슷하게 땋아서 넓적하게 만들고, 양끝에 술을 닮.
딴은 [부] 남의 말을 긍정(肯定)하여 그 이유(理由)가 그럴 듯하다는 뜻을 나타내는 말. 하기는. 과연. ¶ ～ 그것이 옳은 말이야/～ 그렇군.
딴-이 [명]〖언〗한글 자모(字母)의 'ㅣ'가 다른 모음(母音)에 붙을 때의 일컬음. ¶ '아'자에 ～를 더하면 '애'가 된다.
딴이름 한소리 [명] (enharmonic)〖악〗내림 '마'와 올림 '라' 사이에는 순정 조율(純正調律)에서는 작은 거리가 있으나 평균율(平均率)에서는 같은 음이므로 이름은 다르나 같은 소리임. 이명 동음(異名同音). 엔하모닉(enharmonic).
딴-자【—字】[명]〈방〉딴이.
딴-전 [명] 그 일과는 아주 다른 짓을 하는 일. 딴청. ¶ 뻔뻔한 낯짝으로 시치미를 떼면서 ～을 피우고 있었다《崔仁浩 : 잠자는 신화》.
　딴전(을) 부리다 [구] 그 일과는 아주 딴 짓을 부리다.
딴-정받이【—精—】[—바지] [명]〖식〗↗딴꽃정받이.
딴-죽 [명] (←딴족) 씨름이나 태껸 같은 운동에서 쓰는 재주. 자기의 발로 상대자의 다리를 옆으로 치거나 끌어당기어 넘어뜨리는 일.
　딴죽(을) 걸:다 [구] 발로 상대자의 다리를 걸어당기다. 딴죽(을) 치다.
　딴죽(을) 치다 [구] ㉠발로 남의 다리를 후려치다. 딴죽(을) 걸다. ㉡동의(同意)하였던 일을 딴전으로 어기다. ¶ 언약해 놓고 이제 와서 딴죽 치네.
딴:지 [명] ☞따니.
　딴:지(를) 치다 [구] ☞따니(를) 치다.
딴-채 [명] 본채와 별도로 떼어서 지은 집채. 별채.
딴-청 [명] 딴전.
　딴청(을) 부리다 [구] 딴전(을) 부리다.
딴-판 [一][명] ①다른 판. ¶ ～을 벌이다. ②아주 다른 모양. ¶ 갓난 아기의 얼굴이 며칠 동안에 ～이 되었구나/생각과는 아주 ～이다. ③아주 다른 판국. ¶ 하루 아침에 정세가 ～으로 변해 버렸다. [二][부] 전혀 다른 판. ¶ 그들 형제는 성격이 ～ 다르다.
딸¹ [명] 여자로 태어난 자식. 자기가 낳은 여자. 여식(女息). 여아. 규애(閨愛). 아녀(阿女). ↔아들.
[딸 덕에 부원군] 출가한 딸의 도움으로 무슨 일을 하거나 잘 지내게 됨을 이르는 말. [딸 먹는 것은 쥐 먹는 것 같다] ㉠딸에 드는 비용이 조금씩 자꾸 드는 것을 합쳐 보면 양이 많음을 이르는 말. ㉡쥐 먹는 것을 못 먹게 할 수 없듯이, 딸에게 드는 비용은 어쩔 수 없이 써야 된다는 말. [딸 삼형제 시집보내면 고무도둑도 안 든다; 딸이 셋이면 문 열어 놓고 잔다; 딸 셋을 여의면 기둥 뿌리가 팬다] 혼비(婚費)도 많이 들고 시집간 딸들이 무엇이고 가져가는 버릇이 있어, 도둑도 안 들어올 정도로 살림이 줄어 딸이 많으면 재산이 다 없어진다는 말. [딸 손자는 가을 볕에 놀리고 아들 손자는 봄 볕에 놀린다] 딸 손자를 아들 손자보다 더욱 귀엽게 여긴다는 말. [딸 없는 사위] ㉠실상이 없으면 거기 딸릴 것은 귀할 것이 없다는 말. ㉡인연이 끊어지면 정의(情誼)도 따라서 없어진다는 뜻. ㉢쌍을 이루고 있던 것이 한쪽이 없어져서 허수하다는 뜻. [딸은 두 번 서운하다] 딸은 처음 날 때 아들이 아니라서 서운하고, 시집 보낼 때 서운하다는 말. [딸은 산적(散炙) 도적(盜賊)이라 하네] 딸은 시집간 뒤면 친정(親庭)의 물건을 이것저것 다 가져간다는 뜻. [딸의 굿에 가도 전대(纏帶)가 셋] 아무리 남을 위해서 하는 일이라도 자기의 이익을 은연중에 바라고 있다는 뜻. [딸의 시앗은 바늘 방석에 앉히고 며느리 시앗은 꽃방석에 앉힌다] 딸은 귀하니 어떻게든지 그 시앗을 없애려 하나, 며느리를 미워하는 심정으로 며느리가 시앗을 보고 괴로워하는 것을 도리어 통쾌하게 여긴다 하여 이르는 말. [딸의 집에서 가져온 고추장] 물건을 몹시 아껴 두고 쓴다는 말. [딸이 여럿이면 어미 속곳 벗는다] 딸 키우고 시집보내려면 부담이 크다는 말. [딸이 하나면 과하고 반이면 모자란다] 딸은 하나만 되어도 과하다고 여길 만큼 부모의 부담이 크다는 말.
딸² [명]〈심마니〉성냥.
딸³ [명]〈방〉〖식〗딸기(강원·충북·전라·경상).
딸:⁴ [명]〈방〉키³(강원).
딸가닥 [부] 딴딴하고 작은 물건이 맞닿아서 나는 소리. ¶ 부엌에서 ～ 소리가 나다. [준]딸각. ↗달가닥. <떨거덕. ——하다 [자][여불]
딸가닥-거리다 [자][타] 연해 딸가닥 소리가 나다. 연해 딸가닥 소리를 나게 하다. [준]딸각거리다. ↗달가닥거리다. <떨거덕거리다. 딸가닥-딸가닥 [부]. ¶ ～하는 나막신 소리. ——하다 [자][타][여불]
딸가닥-대다 [자][타] 딸가닥거리다.
딸가당 [부] 쇠붙이 따위 작은 물건이 맞닿아서 울려 나는 소리. ↗달가당. <떨거덩. ——하다 [자][여불]
딸가당-거리다 [자][타] 연해 딸가당 소리가 나다. 연해 딸가당 소리를 나게 하다. ↗달가당거리다. <떨거덩거리다. 딸가당-딸가당 [부]. ——하다 [자][타][여불]
딸가당-대다 [자][타] 딸가당거리다.
딸각 [부] ↗딸가닥. ↗달각. <떨걱. ——하다 [자][여불]
딸각-거리다 [자][타] ↗딸가닥거리다. ↗달각거리다. <떨걱거리다. 딸각-딸각 [부]. ——하다 [자][타][여불]
딸각-대다 [자][타] 딸각거리다.
딸각-발이 [명] ☞딸깍발이.
딸갱이 [명]〈방〉〖식〗딸기(충남).
딸:구 [명]〈방〉〖식〗딸기(경기·강원·충청·경북).
딸귀 [명]〈방〉〖식〗딸기(경북).
딸그락 [부] 단단하고 작은 물건이 움직이어 맞부딪거나 스쳐서 나는 소리. ¶ 어디선가 ～하는 소리가 들리다. ↗달그락. <떨그럭. ——하다 [자][여불]
딸그락-거리다 [자][타] 연해 딸그락 소리가 나다. 연해 딸그락 소리를 나게 하다. ↗달그락거리다. <떨그럭거리다. 딸그락-딸그락 [부]. ——하다 [자][타][여불]
딸그락-대다 [자][타] 딸그락거리다.
딸그랑 [부] 얇은 쇠붙이로 된 물건이 맞부딪거나 스쳐서 울리는 소리. ↗달그랑. <떨그렁. ——하다 [자][여불]
딸그랑-거리다 [자][타] 연해 딸그랑 소리가 나다. 연해 딸그랑 소리를 나게 하다. ↗달그랑거리다. <떨그렁거리다. 딸그랑-딸그랑 [부]. ——하다 [자][타][여불]
딸그랑-대다 [자][타] 딸그랑거리다.
딸:기 [명]〖식〗나무딸기·양딸기 등의 총칭. 또, 그 열매.
딸:기-난초【—蘭草】[명]〖식〗닭의난초.
딸:기-메밀덩굴 [명]〖식〗나도닭의덩굴.
딸:기 소주【—燒酒】[명] 딸기의 즙을 짜서 넣은 소주.
딸:기 송이 [명] 딸기가 한 꼭지에 모여 달린 한 덩이.
딸:기-술¹ [명] ①딸기에 설탕을 넣어 발효시켜 만든 술. ②딸기의 즙을 짜서 넣은 술. *딸기 소주.
딸:기-술² [명] 술의 하나. 머리 부분의 속에 종이나 나무 등을 받쳐, 딸기 윗부분처럼 도도록 볼록하게 만든 술.
딸:기-잎벌레 [명]〖충〗[*Galerucella distincta*] 잎벌렛과에 속하는 곤충. 몸길이 4mm 내외이고 몸의 등 쪽은 황갈색에 황색 털이 밀생하며, 어깨 부분에는 보통 흑색 반문(斑紋)이 있고, 두정(頭頂)·촉각(觸角)·복안(複眼) 및 복부 쪽은 흑색임. 딸기류의 해충으로, 한국·중국·일본·시베리아 등지에 분포함.
딸:기-코 [명] 코 끝이 딸기처럼 빨갛게 된 코.
딸:기-편 [명] 익은 딸기를 삶아 체에 거르고, 꿀과 강즙과 녹말을 넣어서 뭉근한 불로 익혀 휘저어 엿과 같이 된 뒤에 굳힌 음식.
딸:기-혀 [명]〖의〗매설(莓舌).
딸:기 화채【—花菜】[명] 딸기를 납작납작하게 썰어 넣고 만든 화채.
딸:깃-물 [명] 딸기에서 짜낸 물.
딸깍-발이 [명] ①(신이 없어서 마른 날에도 나막신을 신는다는 뜻으로) 가난한 선비를 가리키는 말. ②일본 사람을 가리키는 말. *쪽발이.
딸깍-질 [명]〈방〉딸꾹질.
딸꼭-단추 [명] ☞똑딱단추.
딸꼭-질 [명] ☞딸꾹질. ——하다 [자][여불]
딸꾹 [부] 딸꾹질하는 소리.
딸꾹-거리다 [자] 연해 딸꾹 소리가 나다. 딸꾹-딸꾹 [부]. ——하다 [자][여불]
딸꾹-대다 [자] 딸꾹거리다.
딸꾹-질 [명] 횡격막(橫隔膜)의 경련으로 호흡근(呼吸筋)과 성대(聲帶)가 동시에 경련을 일으키기 때문에 들이마시는 숨이 방해되어 특수한 소리를 내는 증세. 폐기(肺氣). 흘역(吃逆). 애역(呃逆). ——하다 [자][여불]
딸내미 [—래—] [명] (←딸남이) 어린 딸을 귀엽게 일컫는 말. ↔아들내미.
딸-년 [—련] [명] ①'딸자식'을 겸손하게 이르는 말. ②'딸¹'을 낮게 이르는 말.
딸따니 [명] 어린 딸을 귀엽게 일컫는 말.
딸딸 [부] 단단한 바닥에 굳은 바퀴 같은 것이 구르는 소리. ↗달달¹. <떨떨.
딸딸-거리다 [자][타] 연해 딸딸 소리가 나다. 또, 연하여 딸딸 소리를 나게 하다. ↗달달거리다¹. <떨떨거리다. 딸딸-딸딸 [부]. ——하다 [자][타][여불]
딸딸-대다 [자][타] 딸딸거리다.

딸딸-이 명 ①자명종(自鳴鐘)이나 전령(電鈴) 등에서, 종을 때리어서 소리를 내는, 망치 노릇을 하는 작은 쇠방울. ②도시 변두리 지역에서 물역 등의 운반용으로 쓰이는 자가제(自家製)의 무면허 간이 화물 자동차.
딸뚜기 명〈방〉게다¹(평북).
딸랑¹ 부 ①작은 방울 따위가 흔들리어 세게 울리는 소리. ②침착하지 못하고 까불거나 넝큼 행동하는 모양. 1)·2):ㅅ달랑. <떨렁. ——-하다¹ 자타여불
딸랑² 부 겁나는 일을 갑자기 당하여 가슴이 따끔하게 울리는 모양. ㅅ달랑². <떨렁². ——-하다² 자여불
딸랑-거리다 자타 ①작은 방울이 자꾸 흔들리어 연해 딸랑 소리가 나다. 또, 딸랑 소리를 연해 나게 하다. ②침착하지 못하고 연해 까불다. 1)·2):ㅅ달랑거리다. <떨렁거리다. 딸랑-딸랑 부. ——-하다 자타여불
딸랑-대다 자타 딸랑거리다.
딸랑-이 명 빈 깡통 속에 쇠 막대기 따위를 달아 흔들면 소리가 나게 된 기구. 사립문에 달아 놓거나 줄에 매달아 새를 쫓는 데 씀.
딸리다 자 ①어떠한 것에 부속되다. 붙어 있다. ¶ 가구 딸린 셋집. ②남의 밑에 들다. 밑에 있다. ¶ 간호사가 ~.
딸린-곱은옥【—玉】명〖고고학〗곱은옥의 등·배·옆 부분에 작은 혹이 붙어 있는 옥(玉). 모자 곡옥(母子曲玉).

〈딸린곱은옥〉

딸린-무덤 명〖고고학〗주(主)된 무덤 옆에 딸린 조그만 무덤. 배총(陪塚). 배분(陪墳).
딸림-마디 명〖언〗'종속절(從屬節)'의 풀어 쓴 말. ↔으뜸마디.
딸림-월 명〖언〗'종속문(從屬文)'의 풀어 쓴 말.
딸림-음【—音】명〔dominant〕〖악〗두 음계(音階)의 제5음. 으뜸음 다음으로 중요한 음으로서, 으뜸음보다 완전 5도(度) 위이거나, 완전 4도 아래인 음. 속음(屬音). 도미넌트.
딸림음-조【—音調】[—쪼] 명〖악〗관계조의 하나. 어떤 조의 5도 위, 곧, 딸림음을 으뜸음으로 한 곡조. 속음조(屬音調). *버금딸림음조.
딸림-화음【—和音】명〖악〗3화음의 하나. 딸림음 위의 삼화음. 속화음(屬和音).
딸막-거리다 자타 자꾸 딸막이다. 연해 딸막이다. ㅅ달막거리다. <뜰먹거리다. 딸막-딸막 부. ——-하다 자타여불
딸막-대다 자타 딸막거리다.
딸막-이다 ㊀ 자 ①묵직한 물건이 들렸다 가라앉았다 하다. ②마음이 흔들리다. ③어깨나 궁둥이가 아래위로 움직이다. 1)-3):ㅅ달막이다. <뜰먹이다. ㊁ 타 ①묵직한 물건을 떠들었다 놓았다 하다. ②남의 마음을 흔들리게 하다. ③어깨나 궁둥이를 아래위로 움직이다. ④남을 들추어 말하다. 1)-4):ㅅ달막이다. <뜰먹이다.
딸:보 명 ①속이 좁은 사람. ②키가 작은 사람. 따라지.
딸-세포【—細胞】명〖생〗세포 분열에 의하여 생긴 두 개의 세포. 낭세포(娘細胞). ↔ 모세포(母細胞).
딸싹-거리다 자타 자꾸 딸싹이다. ㅅ달싹거리다. <뜰썩거리다. 딸싹-딸싹 부. ——-하다 자타여불
딸싹-대다 자타 딸싹거리다.
딸싹-이다 ㊀ 자 ①약간 가벼운 물건이 들렸다 가라앉았다 하다. ②마음이 흔들리어 움직이다. ③어깨나 궁둥이가 가볍게 위아래로 움직이다. 1)-3):ㅅ달싹이다. <뜰썩이다. ㊁ 타 ①약간 가벼운 물건을 떠들었다 놓았다 하다. ②마음을 흔들어 움직이다. ③어깨나 궁둥이를 가볍게 움직이다. 1)-3):ㅅ달싹이다. <뜰썩이다.
딸-아기 명 남의 '딸'을 귀엽게 이르는 말.
딸-아이 명 남에게 자기 딸을 이르는 말. ㊣딸애. ↔아들아이. *딸아기.
딸-애 명 ↗딸아이. ↔아들애.
딸-자식【—子息】명 남에게 자기 딸을 일컫는 말. ↔아들자식.
딸코다 타〈방〉따르다¹(평북).
딸쿠다 타〈방〉따르다²(경상).
딸팽이 명〈방〉〖동〗달팽이(경기).
딸-핵【—核】명〖생〗세포 분열에서 핵분열로 생긴 두 개의 핵(核). 낭핵(娘核).
땂다 [딸타] 타 ☞따르다².
땀¹ 명 포유류의 피부에 분비(分泌)되는 진액. 신진 대사에 의한 배출물로서 체온 조절의 작용을 하나, 정신적 긴장에 의하여 나오기도 함. 염분(塩分)·지방산·요소(尿素) 등이 있어 특유한 냄새가 남. ¶ 손에 ~을 쥐다 / ~이 비 오듯 하다.
땀² 명 바느질할 때에 바늘을 한 번 뜬 그 눈. ¶ 몇 ~ 더 기워라 / ~이 곱다.
땀³ 명〈방〉①뜸⁴. ②담¹(전남).
땀-구멍 [—꾸—] 명 몸 안으로부터 몸 밖으로 땀을 내보내는 살갗의 구멍. 한공(汗孔).
땀-국 [—꾹] 명 때가 낀 옷 같은 데에 흠뻑 젖은 땀.
땀-기【—氣】[—끼] 명 약간 땀이 나는 기운. ¶ ~가 있다.
땀-나다 자 ①땀이 몸 밖으로 나오다. ②몹시 힘이 들다. ¶ 땀나는 일.
땀-내 명 몸에서 땀이 난 뒤에 나는 특유한 냄새. 땀에서 나는 냄새.
땀-내다 자 ①땀을 많이 흐르게 하다. ②열병을 앓아 땀을 많이 흘려서 치료하다. ¶ 이 땀을 낼 놈아.
땀-들이다 자 ①땀이 날 때 몸을 서늘하게 하다. ②잠시 휴식하다. ¶ 산마루에 올라서서 땀을 들이다.
땀-등거리 [—뜽—] 명 베나 모시로 지어 여름에 가슴과 등에만 걸쳐 땀을 받아 내는 옷. *땀받이.
땀-따구 명〈방〉땀띠(경북).
땀-따기 명〈방〉땀띠(경북).
땀땀-이 부 바느질할 때 바늘로 뜬 땀마다. ¶ ~ 누님의 정성이 깃든 옷.
땀-때 명〈방〉땀띠(경기·강원·경상).
땀-때기 명〈방〉땀띠(경기·충청·전라·경상·평안).
땀-떠러기 명〈방〉땀띠(경남).
땀-떼기 명〈방〉땀띠(충남·경남).
땀-또야기 명〈방〉땀띠.
땀-뙤기 명〈방〉땀등거리.
땀-뚜럭 명〈방〉땀띠(전남).
땀-뜨래기 명〈방〉땀띠(전남).
땀-뜨러기 명〈방〉땀띠(전남).
땀-띠 명〖의〗여름철에 땀을 너무 많이 흘림으로 피부가 자극(刺戟)되어서 생기는 발진(發疹). 좁쌀알갈이 돋고 빛은 붉은색을 띠나 때로는 무색일 경우도 있으며 가렵고 따끔따끔함. 한우(汗疣). 한진(汗疹). 한창(汗瘡). ¶ ~약.
땀-띠기 명〈방〉땀띠(경상·경기·충남).
땀띠-약【—藥】명 땀띠에 쓰는 약. *탤컴 파우더(talcum powder).
땀-받기 명〈방〉땀받이.
땀-받이 [—바지] 명 땀을 받아 내려고 껴입는 속옷. 또는 옷 속에 받친 헝겊. 한삼(汗衫). 한의(汗衣). *땀등거리.
땀-방울 [—빵—] 명 구슬같이 된 땀의 작은 덩이. 땀의 물방울.
땀-버섯 명〖식〗[*Inocybe rimosa*] 송이버섯과에 속하는 독버섯의 하나. 여름에서 가을에 걸쳐 숲이나 정원에 나는 독균(毒菌)으로, 갓의 지름은 3-5cm, 표피(表皮)는 다갈색으로 섬유질임. 갓은 원추형(圓錐形)으로 다 편 경우에도 중앙부는 위로 돌출(突出)함. 먹으면 땀이 많이 나는 중독 증상을 일으킴.
땀-빠지다 자 ①진땀이 나다. ②진땀이 나도록 애를 많이 쓰다. 진땀나다. ¶ 땀빠지게 일하다.
땀-빼다 자 매우 힘들거나 어려운 고비를 당하여 크게 욕을 보다. ¶ 당일치기로 하느라 땀뺐다.
땀:-살이 명〈방〉머슴(전남).
땀-샘 명〔sweat gland〕〖생〗피부의 진피(眞皮) 또는 결합 조직(結合組織) 안에 있어 땀을 분비(分泌)하고 체온을 조절하는 관상(管狀)의 분비샘. 피부에 널리 퍼져 있으나 특히 얼굴·손바닥·발바닥·겨드랑이·사타구니 등에 많으며, 끝이 둥글고 구부러져 모세 혈관과 연락되어 혈액 중의 땀 성분을 분비하며, 개인 또는 인종적(人種的)인 체취(體臭)를 발산함. 한선(汗腺).
땀-수【—數】[—쑤] 명 바느질의 땀의 수.
땀-수건【—手巾】[—쑤—] 명 땀을 씻는 수건.
땀-언치 명〈방〉〖조〗언치².
땀지근-하다 형여불 느긋하며 느리게 땀직하다. <뜸지근하다.
땀직-땀직 부 말마다 또는 행동마다 모두 땀직하게. <뜸직뜸직. ——-하다 형여불
땀직-이 부 땀직하게. <뜸직이.
땀직-하다 형여불 말이나 행동이 겉모양보다는 무게가 있어 보이다. ¶ 땀직한 사람. <뜸직하다.
땀질 명 소목 일에서 나무 같은 것을 끌이나 칼 등으로 쓸데없는 부분을 따내는 짓. ——-하다 자타여불
땀치¹ 명〈방〉펨치.
땀-치² 명〈방〉〖조〗언치².
땃-두릅 명〖식〗①[*Aralia cordata*] 두릅나뭇과(科)에 속하는 다년초. 줄기 높이는 2-3m 이상이고, 잎은 2회 삼출(三出)하고 우상 복엽(羽狀複葉)이며, 소엽(小葉)은 넓은 달걀꼴 또는 타원형임. 7-8월에 담녹색 꽃이 자웅 일가(雌雄一家)로 된 산형(繖形) 화서의 원추상(圓錐狀)으로 피고, 과실은 장과(漿果)임. 산지에 나는데, 한국 각지 및 일본·중국에 분포함. 향기가 좋으며 뿌리는 약재로 쓰고, 어린 줄기와 싹은 데치어서 소금과 기름에 무치어 먹음. 토당귀(土當歸). ②땃두릅나무의 어린 순. 데치거나 삶아 식용함.

〈땃두릅 ❶〉

땃-두릅나무 명〖식〗[*Oplopanax elatum*] 두릅나뭇과에 속하는 낙엽 활엽 관목(灌木). 줄기에 침상(針狀)의 가시가 밀생하고, 잎은 단엽(單葉)이며 큰 장상(掌狀)으로 주맥(主脈)이 나와 5-7갈래로 갈라졌으며, 잎 뒤의 맥 위에 가시가 났음. 6월에 황록색의 두상화(頭狀花)가 산형(繖形) 화서로, 다시 총상(總狀)으로 배열하여 피고, 구형(球形)의 핵과(核果)는 8-9월에 홍색으로 익음. 깊은 산의 숲속에 나는데, 경남북·강원·평남북·함남북·만주·중국 각지에 분포함. 어린 순은 '땃두릅'이라 하여 식용, 줄기와 가지는 약재로 씀.

〈땃두릅나무〉

땃-딸기 명〖식〗[*Fragaria negleta*] 장미과에 속하는 다년초. 꽃꼭지의 높이는 30cm 가량이고, 잎은 삼출(三出)하고 능상(稜狀) 달걀꼴 또는 타원형을 이루는데 잎꼭지는 길. 8-9월에 흰 오판화(五瓣花)가 하나씩 피고, 수과(瘦果)를 맺음. 산지에 나는데, 강원·평남북·함남북 등지에 분포함. 과실은 식용함. *뱀딸기.
땃벌 명〈방〉〖충〗땅벌.
땃자구리 명〈방〉〖조〗딱따구리(함남).
땃-쥐 명〖동〗① 식충목(食蟲目) 땃쥣과(科) 땃쥐속(屬)에 속하는 동물의 총칭. 땃쥐·고려땃쥐·제주땃쥐·토머스땃쥐 등이 있음. *땃쥣과.

② [*Crocidura suaveolens shantungensis*] 땃쥣과에 속하는 동물의 하나. 쥐와 비슷한데 몸길이 6-7cm이고, 주둥이가 길고 뾰족하게 돌출하였으나 붉지 아니하며, 꼬리의 털이 많은 것이 특징임. 몸의 배면(背面)은 회갈색, 복면(腹面)은 암회백색임. 이개(耳介)와 눈이 몹시 작고, 몸 옆구리에 악취(惡臭)의 분비선(分泌腺)이 있어서 고양이·족제비가 잡아도 먹지 아니함. 삼림·초원·들에 서식하며, 밤에 나와 곤충·거미·지렁이 등을 포식하고 초여름에 한배에 4-7마리의 새끼를 여러 번 낳음. 북아프리카·중국·일본·한국·만주 등지에 분포함.

〈땃쥐❷〉

땃쥣-과【一科】 명 〖동〗 [Soricidae] 식충목(食蟲目)에 속하는 한 과. 크기는 생쥐만한데, 모양은 두더지 비슷하나 주둥이가 몹시 뾰족하며, 귀는 약간 나타나거나 혹은 털 속에 숨어 보임. 옆구리에 악취(惡臭)가 나는 취선(臭腺)이 있어 다른 동물에게 잡혀도 먹히지 않음. 뒤쥐속(屬)과 땃쥐속으로 나뉘며 아프리카·유럽·아시아·남북 아메리카에 120여 종이 분포함. ＊뒤쥐❶.

땅[1] 명 ①바다를 제외한 지구의 겉면. ¶ ~에 묻다. ②논·밭의 총칭. ¶ 기름진 ~. ③영토. ¶ 독도(獨島)는 한국 ~이다. ④토지. 택지. ¶ ~을 담보로 융자를 받다. ⑤지방. ¶ 전라도 ~.

[땅 넓은 줄을 모르고 하늘 높은 줄만 안다] 키만 훌쭉하게 크고 마른 사람을 놀리는 말. **[땅에서 솟았나, 하늘에서 떨어졌나]** ㉠전혀 기대하지 않던 일이 갑자기 나타남을 이르는 말. ㉡부모나 조상을 몰라보는 자를 깨우치는 말. **[땅을 열 길 파면 돈 한 푼이 생기나]** ㉠돈을 아껴 쓰라는 뜻. ㉡아무리 해도 소득없을 일을 하는 사람을 깨우치는 말. **[땅 짚고 헤엄치기]** ㉠무슨 일이 틀림이 없고 의심할 여지가 없다는 말. ㉡아주 쉽다는 뜻.

땅에 떨어지다 구 권위·명성 따위가 떨어지다. 쇠락(衰落)하다.

땅[2] 부 총포를 쏠 때 나는 소리. ㅆ탕[7]. ――하다 자여불

땅[3] 부 쇠붙이를 몹시 쳐서 울리는 소리. <떵. ――하다 자여불

땅-가뢰 [一까一] 명 〖충〗 가뢰❶.

땅-가물 명 가물어서 푸성귀들이 마르는 재앙. ¶ ~이 들어서 곡식이 결단났다.

땅갈 명 〈방〉〖식〗 꽈리(경남).

땅-감자 명 〈방〉〖식〗 감자[1]❶(경남).

땅-값 [一깝] 명 ①땅의 가격. ¶ ~이 오르다. ②땅을 빌려서 사용할 때 내는 돈.

땅-강아지 [一깡一] 명〖충〗[*Gryllotalpa africana*] 땅강아짓과에 속하는 곤충의 하나. 몸길이 29-31mm이고, 몸빛은 다갈색 내지 흑갈색임. 온몸에는 잔털이 나고, 두부는 대흑색, 복부의 끝 두 절은 양측에 빽빽한 털이 많음. 앞다리는 땅파기에 적합하나 뛰지는 못함. 날개는 짧으나 등불에도 날아오고, 유충은 성충과 비슷하나 날개가 없으며, 땅 속을 뚫고 다님. 수컷은 밤에 잘 욺. 화본과(花本科) 식물의 뿌리나 싹을 갉아먹는 해충임. 한국·일본·중국 및 열대 아시아·오스트레일리아 등지에 분포함. 누고(螻蛄). 석서(石鼠). 토구(土狗). 하늘밥도둑.

〈땅강아지〉

땅강아짓-과【一科】 [一깡一] 명 〖충〗 [Gryllotalpidae] 메뚜기목(目)에 속하는 한 과. 몸은 길고 앞가슴과 뒷가슴 사이가 잘룩하여 자유로이 굽힐 수가 있으며 촉각은 짧고 단안(單眼)은 두 개임. 날개에 있는 발음기(發音器)는 수컷이 잘 발달되어 있으며 밤에 지렁이가 운다는 것은 이 곤충의 울음 소리임. 앞다리는 땅파기에 적합하고, 앞가슴은 달걀꼴로 둥글고, 뒷날개는 꽁무니를 덮고 남음. 보통 땅 속에 살며, 농작물의 뿌리를 갉아먹는 해충임. 전세계에 50여 종이 분포함.

땅-개 [一깨] 명 〈속〉 ①키가 매우 작은 개. ②키가 작고 됨됨이가 단단하며, 잘 싸다니는 사람.

땅-개미 명 〈방〉〖충〗 메뚜기(전북).

땅:-개비 명 〈방〉〖충〗 ①메뚜기(전남). ②버마재비(경기).

땅-거미[1] 명 해가 진 뒤로 컴컴하기 전까지의 어스레한 동안. 박모(薄暮). 훈일(曛日). ¶ ~가 질 때.

땅-거미[2] [一꺼一] 명〖동〗 ①거미목(目) 땅거밋과에 속하는 지중(地中) 혈거성(穴居性) 거미의 총칭. ②[*Atypus karschi*] 땅거밋과에 속하는 거미의 하나. 몸길이는 16-17mm 내외이고, 몸빛은 갈색인데 두부가 크고 큰 턱이 발달하여 앞으로 돌출(突出)함. 단안(單眼)은 배갑(背甲)의 중앙에 두 개, 양측에 각각 세 개가 모여 있음. 담이나 나무 줄기 밑에 긴 주머니 모양의 집을 짓고 사는데, 암컷은 항상 들어 있고 수컷은 먹이를 구하러 나다님. 8-9월에 산란함. 한국·일본에 분포함.

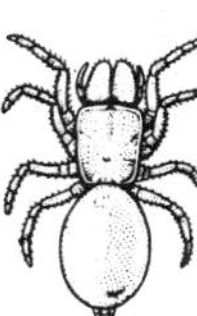
〈땅거미[2]❷〉

땅거밋-과【一科】 [一꺼一] 명〖동〗 [Atypidae] 거미목(目)에 속하는 한 과. 땅거미가 이에 속함.

땅-거죽 [一꺼一] 명〖지〗 땅의 거죽. 지표(地表).

땅-걸 [一껄] 명 〔뒤집힌 '걸'이라는 뜻〕 윷놀이에서, '도'를 장난으로 일컫는 말.

땅-겉 명〖지〗 지표(地表).

땅-고르기 명 땅을 다듬거나 다져 고르는 일. 정지(整地). ――하다 자여불

땅-고름 명〖건〗 땅바닥을 평평히 고르는 일. ――하다 자여불

땅-고집【一固執】 [一꼬一] 명 융통성이 없는 심한 고집.

땅-광 [一꽝] 명 지하실(地下室).

땅구 명 〈방〉〖충〗 메뚜기(전북).

땅-굴【一窟】 [一꿀] 명 ①땅 속으로 뚫린 굴. ¶ 북괴(北傀)의 남침용 ~. ②땅을 파낸 큰 구덩이. 토굴(土窟).

땅굽-성【一性】 명〖식〗 '향지성(向地性)'의 풀어 쓴 말.

땅-귀개 명〖식〗 [*Utricularia bifida*] 통발과에 속하는 다년생 식충 식물. 지하경은 백색에 사상(絲狀)이고, 분기단(分岐端)에 다수의 소형 포충낭(捕蟲囊)이 있음. 잎은 선형(線形)에 녹색이며, 지하경에서 발생하여 왕왕 수 개의 포충낭이 달렸음. 8-9월에 10cm 내외인 꽃꼭지 끝에 선황색(鮮黃色) 꽃이 총상 화서(總狀花序)로 5-8개 핌. 과실을 둘러싼 숙존 악편(宿存萼片)은 귀개와 같음. 습지(濕地)에 나는데, 제주·전남·전북·경북·경기 등지에 분포함.

〈땅귀개〉

땅-그네 명 땅에 기둥을 세우고 맨 그네.

땅기 명 〈방〉 딴기.

땅기다[1] 자 몹시 켕기어지다. ¶ 목줄기가 ~.

땅기다[2] 타 ☞ 당기다[3].

땅-까불 명 암탉이 혼자서 땅바닥에 대고 흐르는 짓. ――하다 자여불

땅-까비 명 〈방〉〖충〗 방아깨비.

땅-깎기 명〖토〗 평지나 법면(法面)을 만들기 위하여 흙을 깎아 내는 일. ――하다 자여불

땅깔 명 〈방〉〖식〗 꽈리(경남).

땅-깨비 명 〈방〉〖충〗 ①방아깨비. ②메뚜기.

땅-껍질 명〖지〗 지각(地殼).

땅-꽁아리 명 〈방〉〖식〗 토마토(평북).

땅-꽃이 명 지축(地軸).

땅-꽈리 명〖식〗 [*Physalis angulata*] 가짓과에 속하는 일년초. 줄기 높이 30-40cm, 잎은 호생하며 유병(有柄)이고 달걀꼴 또는 타원형임. 7-8월에 녹황색 꽃이 액출(腋出)하여 피며 꽃부리는 백녹색, 꽃밥은 자색이고 과실은 장과(漿果)임. 난대(暖帶) 지방의 원산으로 들이나 길가에 나는데, 제주도·울릉도·경기도 및 일본에 분포함.

〈땅꽈리〉

땅-꾼 명 ①뱀을 잡아 파는 사람. ②몹시 인색하고 이기적인 사람을 일컫는 말. ③〖역〗 ☞ 딴꾼❶.

땅낌 명 〈방〉 땅뙴.

땅-나리 명〖식〗 [*Lilium callosum*] 백합과에 속하는 다년초. 높이 60cm 가량이고, 잎은 호생하는데, 무병(無柄)이고 선형(線形)이며 끝이 날카롭고 털이 별로 없음. 꽃은 지름 3-5cm이고 짙은 홍색이며 7월에 줄기끝에 피는데, 1-8개가 조금 머리를 숙이고 달림. 산야(山野)에 나는데, 제주·경기·강원·황해도에 분포함.

땅-남날개하늘소【一藍一】 [一쏘] 명〖충〗 [*Chreonoma fortunei japonica*] 하늘솟과에 속하는 곤충. 몸길이 9-12mm이고, 몸빛은 황갈색에 흑갈색의 털이 밀생하며 몸의 아래쪽에 회백색의 털이 있고, 겉날개는 검은 남색(藍色)이며, 금속 광택이 나고 촉각은 흑색임. 유충은 배나무·장미과 식물의 해충임. 한국·일본·중국 등지에 분포함.

땅-내 명 땅에서 나는 냄새. 흙내.

[땅내가 고소하다] 오래지 아니하여 죽어서 땅에 묻히겠다는 말.

땅내기 명 〈방〉 턱주가리(황해·함경·평북).

땅내-맡다 자 ①옮겨 심은 식물이 뿌리를 박아 살기 시작하다. ②동물이 그 땅에서 삶을 얻다.

땅-덩어리 [一떵一] 명 땅덩이.

땅-덩이 [一떵一] 명 땅의 큰 덩이. 대륙·국토·지구 등을 가리키는 말. 땅덩어리.¶ 중국은 ~가 크다/이 ~ 위의 인류.

땅돌-놀음 [一똘롤一] 명 〈방〉 풍계묻이(함북).

땅-두릅 [一뚜一] 명〖식〗 땃두릅.

땅-두릅나무 [一뚜一] 명〖식〗 땃두릅나무.

땅-두멍 [一뚜一] 명〖공〗 도자기(陶瓷器)를 만드는 흙의 앙금을 가라앉히기 위하여 땅에 파놓은 구덩이.

땅-따먹기 명 땅뺏기.

땅-딸기 명〖식〗 땃딸기.

땅딸막-하다 형여불 키가 짤막하고 옆으로 딱 바라지다. ¶ 땅딸막한 사내.

땅딸-보 명 키가 땅딸막한 사람.

땅-땅[1] 부 연달아 총포를 쏠 때에 나는 소리. ㅆ탕탕[2]. ¶ ~ 총을 쏘다.

땅-땅[2] 부 쇠붙이를 연해 몹시 칠 때에 나는 소리. ¶ ~ 쇠를 벼르다. <떵떵[1].

땅땅[3] 부 기세 좋게 으르대는 모양. ¶ 큰 소리를 ~ 치다. ㅆ탕탕[3]. <떵떵[2].

땅땅-거리다[1] 자타 연해 땅땅 소리가 나다. 연해 땅땅 소리를 나게 하다. <떵떵거리다[1].

땅땅-거리다[2] 자 세력이나 재산이 있어서 호화롭게 잘 지내다. 근심 걱정 없이 큰소리 치며 살다. <떵떵거리다[2].

땅땅-구리 명 〈방〉 맹꽁구리.

땅땅-대다 자타 땅땅거리다[1·2].

땅-뙈기 명 얼마 안 되는 논밭의 조각. ¶ ~나 부쳐 먹고 사는 사람.

땅-띔 [一띰] 명 무거운 물건을 들어 지면(地面)에서 뜨게 하는 일.

땅띔(도) 못하다 구 ㉠무거운 물건을 땅에서 조금도 들어 올리지 못하다. ㉡조금도 알아내지 못하다. ¶ 글뜻은 별루 모를 것이 없지만 유서(儒書)루는 뜻을 땅띄임두 못하겠소.《洪命憙: 林巨正》. ㉢감히 생각조차 못하다.

땅띔(을) 하다 구 감히 생심(生心)을 내다.

땅-마지기 명 몇 마지기의 논밭. ¶ ~나 가졌다고 제법 우쭐낸다.

땅-말벌 명 〖충〗 [*Vespula lewisii*] 말벌과에 속하는 벌의 하나. 몸길이는 암컷이 16mm, 일벌은 12mm 가량 됨. 몸빛은 흑색 바탕에 흉부(胸部)·복부(腹部)의 배면(背面)에 각각 황색을 띤 백색의 반문(斑紋)과 선문(線紋)이 있음. 땅 속에 집을 짓고 서식하여 흔히 '땅벌'이라고 하는데, 비교적 건조한 땅 속에 지름 30-50cm의 구형(球形)에 여러 층의 유충실(幼蟲室)이 있게 지음. 유충은 비대하고 귀중한 식용종인데, 약품 또는 불을 놓아 연기를 굴 안에 넣어 성충을 죽이고 발굴(發掘)함. 한국·중국·일본 등지에 분포함. 땅벌. 바다리. 토봉(土蜂).

〈땅말벌〉

땅-문서 【-文書】 명 땅의 소유권(所有權)을 등기 증명한 문서. *논문서.
땅-바닥 [-빠-] 명 아무 것도 깔지 않은 땅의 맨바닥. ¶ ~에 앉다.
땅-버들 [-뻐-] 명 〖식〗 갯버들❶.
땅-버섯 [-뻐-] 명 땅에서 나는 버섯의 총칭.
땅-벌 [-뻘] 명 〖충〗 ①땅에 집을 짓고 사는 벌의 총칭. 토봉(土蜂). ②땅말벌. ③먹조롱박벌.
[땅벌 집 보고 꿀 돈 내어 쓴다] ㉠될지 안 될지도 모를 일을 가지고 미리 그 이익을 당겨 씀을 웃는 말. ㉡일을 매우 급히 서두른다는 말.
땅-벌레 [-뻘-] 명 〖충〗 땅풍뎅이의 유충(幼蟲).
땅범-하늘소 [-쏘] 명 〖충〗 [*Chlorophorus japonicus*] 하늘솟과에 속하는 곤충. 몸길이 10-15mm이고 몸빛은 대녹회색 또는 암회색에 전배면(前背面) 중앙에 신장형(腎臟形)의 흑색 무늬가 있고 각 시초(翅鞘)에는 한 개의 구부러진 흑색 무늬가 있으며, 두 줄의 띠무늬와 한 개의 긴 타원형 무늬가 있음. 한국에도 분포함.
땅-보탬 명 죽어서 땅에 묻힘을 가리키는 말. ——하다 자여불
땅-볼¹ [-뽈] 명 〖농〗 낫의 날이 땅 쪽으로 닿는 면.
땅-볼:² [ball] [-뽈] 명 축구·야구 경기 등에서, 땅 위에 굴러 가도록 치거나 찬 공.
땅-불 명 〈방〉 지동(地動)(경북).
땅-비늘 [-삐-] 명 〈방〉 돌비늘.
땅-비름 명 〖식〗 색비름.
땅-비수리 명 〖식〗 [*Lespedeza cytissides*] 콩과에 속하는 다년초. 줄기는 곧고 높이는 약 1m 내외이고 잎은 호생(互生)하며 소엽(小葉)은 타원형 또는 피침형(披針形)임. 9월에 황백색(黃白色)의 꽃이 총상 화서(總狀花序)로 액생(腋生)하고, 화관(花冠)은 나비 모양이고 길이 약 7mm임. 들에 나며 우리 나라의 전남·경북·황해·경기도 및 일본·만주·중국 등지에 분포함.
땅-비싸리 명 〖식〗 [*Indigofera kirilowii*] 콩과에 속하는 낙엽 활엽 관목. 잎은 우상 복생(羽狀複生)하고 소엽(小葉)은 타원형임. 5월에 담홍색 꽃이 총상(總狀) 화서로 액생하고, 선형(線形)의 협과(莢果)가 10월에 익음. 산록 및 산복(山腹)의 양지에 나는데 함북을 제외한 한국 각지 및 중국·만주에 분포함. 관상용임.

〈땅비싸리〉

땅-빈대 명 〖식〗 [*Euphorbia humifusa*] 대극과에 속하는 일년초. 줄기는 땅 위로 뻗으며 근생(根生)한 많은 가지가 갈라지는데, 높이 25cm 가량임. 잎은 단병(短柄)이며 타원형임. 8-9월에 담적자색 꽃이 줄기 끝이나 가지 끝에 액생(腋生)하고 삭과(蒴果)는 편평한 달걀꼴이며 익으면 세 쪽으로 갈라짐. 잎이나 가지를 자르면 흰 유즙(乳汁)이 나옴. 거친 땅·밭에 나는데 한국·일본 및 아시아·시베리아 등지에 분포함. 지금(地錦). 지짐(地朕). 초혈갈(草血竭). 혈견수(血見愁). 혈풍초(血風草).

〈땅빈대〉

땅-빠치 명 〈방〉〖충〗 땅벌.
땅-뺏기 명 정한 땅을 말을 튕기어서 금을 긋고 뺏어 나가는 어린이들의 놀이.
땅-삐 명 〈방〉〖충〗 땅벌.
땅-설법 【-說法】 [-뻡] 명 〖불교〗 중들이 땅 위에서 하는 여흥(餘興)의 한 가지. ——하다 자여불
땅-세 【-貰】 명 남의 땅을 빌어 쓰는 대가로 내는 세. 지대(地代). 지세(地貰).
땅-속 [-쏙] 명 땅의 속. 지중. 지하. ¶ ~에 묻히다.
땅속-뿌리 [-쏙-] 명 〖식〗 땅 속에 묻혀 있는 식물의 보통 뿌리. ↔땅위 뿌리.
땅속-줄기 [-쏙-] 명 [subterranean stem] 〖식〗 땅 속에 있는 식물의 줄기. 뿌리와 비슷하나 관다발의 배열 양식이 다르며, 연(蓮)과 같이 땅 속을 옆으로 뻗는 근경(根莖), 감자와 같이 괴상(塊狀)을 이루는 괴경(塊莖), 토란과 같이 구상(球狀)을 이루는 구경(球莖), 백합과 같이 인상(鱗狀)을 이루는 인경(鱗莖)이 있음. 땅줄기. 지하경. ↔땅위줄기.

〈땅속줄기〉

땅-심 명 '지력(地力)'의 풀어 쓴 말.
땅-울림 명 ①무거운 물건이 떨어지거나 통과할 적에 지면이 울려서 소리가 나는 일. ¶ 기차가 ~을 내고 지나가다. ②지진이나 분화(噴火) 때에 지반(地盤)이 흔들리는 일. ——하다 자여불
땅위-뿌리 명 〖식〗 줄거리에서 뿌리가 땅 위로 벋어서 공기 가운데의 물기를 빨아들이는 뿌리. 석골풀이나 풍란(風蘭) 따위. ↔땅속뿌리. *공기(空氣) 뿌리.
땅위-줄기 명 〖식〗 땅 위로 나온 식물의 줄기. 보통의 줄기를 이름. 기경(氣莖). 지상경. ↔땅속줄기.
땅의-아재 명 〈방〉〖충〗 버마재비.
땅-임자 [-님-] 명 논밭 등 토지의 소유자(所有者).
땅-자리 [-짜-] 명 참외나 호박 같은 것의 거죽이 땅에 닿아 빛이 변한 부분.

땅-재기 명 ①땅뺏기. ②땅을 재는 일. 측지(測地).
땅-재먹기 명 땅바닥에 경계를 그어 범위를 정한 다음, 가위 바위 보를 하여 이긴 사람이 자기 뼘만큼 땅을 재서 차지해 나가는 땅뺏기의 일종.
땅-재주 [-才-] [-째-] 명 광대가 땅 위에서 뛰어넘는 재주.
땅-주낙 명 해저 또는 해저 가까이에 있는 물고기를 잡는 주낙. 추를 달아 낚시를 가라앉히고 뻗쳐 놓은 어구의 양끝에는 닻을 놓아서 어구를 고정시켜 두었다가, 들어 올리어 낚은 고기를 떼어 냄. 바닥주낙.
땅-줄기 [-쭐-] 명 ①땅으로 뻗어 나간 줄기. ②〖식〗 땅속줄기.
땅-중우 명 〈방〉 잠방이(경상).
땅질-성 【-性】 [-썽] 명 〖동·식〗 배지성(背地性).
땅짤막-하다 형 〈방〉 땅딸막하다.
땅-찜 명 ☞땅뜀. ¶ 아이들이 수월하게 지고 일어나는 볏섬을 ~도 못 시키었다는 사실…≪李無影: 흙의 노예≫.
땅-차 【-車】 명 〈속〉 불도저. ¶ ~로 다지다.
땅-채송화 【-菜松花】 명 〖식〗 [*Sedum oryzifolium*] 돌나물과에 속하는 다년초. 줄기는 땅 위에 총생(叢生)하여 뻗으며, 높이 7cm 가량이고 잎은 호생하며 무병(無柄)에 원기둥꼴 또는 거꿀달걀꼴의 타원형임. 6-7월에 황색 꽃이 곁가지 끝에 정생(頂生)하여 피고, 과실은 골돌과(蓇葖果)임. 해변의 바위 위에 나는데, 제주·경남·경북·충남·황해 등지에 분포함.

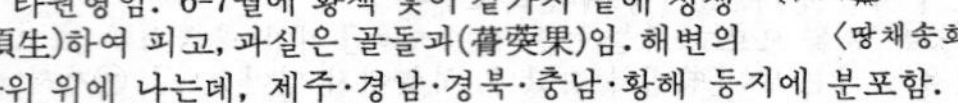
〈땅채송화〉

땅-켜 명 〖지〗 '지층(地層)'의 풀어 쓴 말.
땅-콩 명 〖식〗 [*Arachis hypogaea*] 콩과에 속하는 일년초. 유근(幼根)이 자라서 굵은 주근(主根)으로 지중(地中)에 뻗어 지근(支根)과 세근(細根)을 발생하고, 타원형의 근립(根粒)이 생김, 줄기의 길이는 30-55cm이고 각절(各節)에 네 개의 우상 복엽(羽狀複葉)이 나옴. 소엽(小葉)은 달걀꼴이고 수면 운동(睡眠運動)을 함으로 밤에는 두 잎을 합침. 6-9월에 나비 모양의 황색 꽃이 액출(腋出)하여 피고 자화 수분(自花受粉)을 함. 협과(莢果)는 '땅콩' 혹은 '낙화생'이라고 하는데, 자방이 땅 속에서 발육하여 고치 모양으로 익고, 단백질과 지방질이 있어서 맛이 좋으며, 기름도 짜 냄. 브라질 원산인데, 북아메리카·프랑스·중국을 거쳐 한국에 들어왔음. 대개 모래땅에 재배함. 낙화생(落花生). 호콩. 피넛.

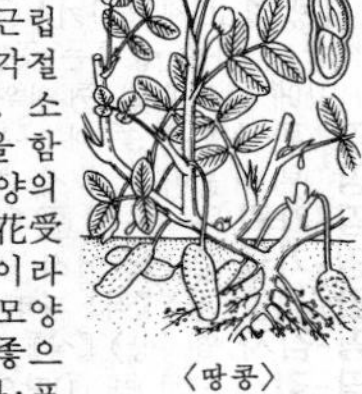
〈땅콩〉

땅콩 기름 명 땅콩에서 짜 낸 기름. 낙화생유.
땅콩-물방개 명 〖충〗 [*Agabus japonicus*] 물방갯과에 속하는 갑충(甲蟲). 몸길이 6.5-7.5mm이고 빛은 흑색이며 광택이 남. 시초(翅鞘)는 암갈색이고 날개 밑과 바깥 가장자리는 다소 담색임. 전배면(前背面)의 바깥 가장자리는 적갈색이고, 두정(頭頂)에는 두 개의 적색 무늬가 있고, 촉각 수염은 황갈색임. 못·늪에 서식하는데 한국에도 분포함.

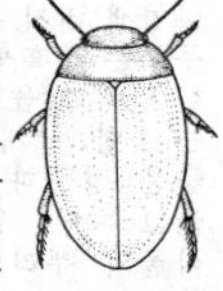
〈땅콩물방개〉

땅콩 버터 [butter] 명 땅콩을 으깨어 이겨서 버터 모양으로 조미(調味)한 식품. 피넛 버터.
땅-토란 【-土卵】 명 〖식〗 토란(土卵).
땅-파기 명 ①땅을 파는 일. ②땅을 아무리 파도 밑바닥을 낼 수 없다는 뜻에서, 사리를 깨닫지 못하는 어리석은 사람과의 시비를 일컫는 말. ¶ 장모가 ~로 조르는 것도 답답한데…≪洪命熹: 林巨正≫.
땅-파다 자 ①땅을 파다. ②땅을 아무리 파도 밑바닥을 낼 수 없듯이, 어리석은 사리(事理)에 닿지 않는 시비를 하다. ¶ 신 교장 부인은 그 형님이 땅파듯 하는 말이 일변 불안도 하고 일변 화증이 와락 나서≪崔瓚植: 金剛門≫.
[땅파다가 은(銀) 얻었다] 대수롭지 않은 일을 하다가 뜻밖의 이익을 얻었다는 말.
땅파-먹다 자 농부나 광부(鑛夫)의 생활을 하다.
땅-풍뎅이 명 〖충〗 [*Anomala rufocuprea*] 풍뎅잇과에 속하는 갑충(甲蟲). 몸길이 15mm 가량이고, 몸빛은 아름다운 금속 광택이 나는데, 개체(個體)에 따라 녹색·청색·동적색·구리빛 등이 있음. 촉각은 붉은 갈색, 앞등은 황갈색이며 배에는 누르스름한 털이 있음. 성충은 7월경에 출현하여 해질 무렵부터 콩·팥·포도나무·버들·복숭아·감나무 같은 식물의 잎을 먹음. 유충은 '땅벌레'라고 하는데 몸길이 30mm 가량이고, 몸빛은 담황백색에 두부는 황갈색이며 복면(腹面)으로 만곡하고, 발은 세 쌍 있고, 땅 속에서 보리·옥수수·팥·나무·풀뿌리를 갉아먹는 해충임. 한국·중국·일본에 분포함.

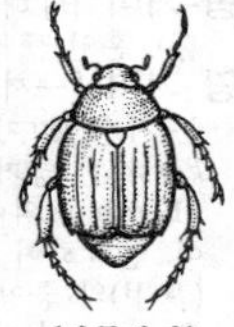
〈땅풍뎅이〉

땋다 [따타] 타 머리털이나 실 같은 것을 세 가닥이나 다섯 가닥으로 갈라서 서로 엇결어 짜 엮어서 한 가닥으로 하다. ¶ 머리를 ~.
땋은-머리 [따-] 명 〖민〗 관례(冠禮)를 올리지 않은 남녀가 땋아서 뒤로 늘인 머리 모양. 변발(辮髮).
때¹ 명 ①시간의 어떤 점이나 부분. 시간. 광음(光陰). ¶ ~를 어기지 않고/~를 알리는 종소리. ②좋은 기회나 운수. 알맞은 시기(時期). 시절(時節). ¶ ~를 만나다/~를 놓치지 않다/~를 기다리다. ③하루 세 끼니를 먹는 시간. ¶ 두 ~를 굶으니. ④경우. ¶ 실패했을 ~에는/괴로운 ~도 많았다. ⑤시대나 연대. 그 당시. ¶ 신라 ~/어렸을 ~. *시(時).
때² 명 ①동물의 몸이나 물건 같은 데에 묻거나 앉은 더러운 것. ¶ 옷에 ~가 묻다. ②땀·피지(皮脂) 등, 피부의 분비물과 먼지 같은 것이 혼합한 것. ③다랍게 인색한 짓. ¶ 하는 짓에 ~가 끼었다. ④까닭없이 쓰는 더러운 이름. 오명(汚名). ¶ 도둑의 ~를 벗다. ⑤시골티나 어린 티.

세련되지 않은 티. ¶ 아직 ~도 못 벗은 놈.
때³ [명] 〈방〉 대야¹(경상).
때:-가다 [자][거라불] 〈속〉 잡혀 가다. ¶ 경찰에 ~.
때각 [부] 단단하고 작은 물건이 부딪쳐서 나는 소리. ㅅ대각. ㅆ대깍·때깍. <떼걱. ——-하다 [자][여불]
때각-거리다 [자][타] 연달아 때각 소리가 나다. 연달아 때각 소리를 나게 하다. ㅅ대각거리다·대깍거리다. ㅆ때깍거리다. <떼걱거리다. 때각-때각 [부]. ——-하다 [자][타][여불]
때각-대다 [자][타] 때각거리다.
때구라기 [명] 〈방〉 〖동〗 개구리.
때구루루 [부] 작고 딴딴한 물건이 딴딴한 바닥에 떨어져서 구르는 소리. 또, 그 모양. ㅅ대구루루. <떼구루루.
때국-밀 [명] 〈방〉 〖식〗 귀리(전남·경남).
때굴-때굴 [부] 작고 딴딴한 물건이 연달아 굴러가는 모양. ㅅ대굴대굴. <떼굴떼굴.
때그락 [부] 여러 개의 딴딴한 물건이 서로 맞닿아서 나는 소리. ㅅ대그락. <떼그럭. ——-하다 [자][여불]
때그락-거리다 [자][타] 연하여 때그락 소리가 나다. 또, 연하여 때그락 소리를 나게 하다. ㅅ대그락거리다. <떼그럭거리다. 때그락-때그락 [부]. ——-하다 [자][타][여불]
때그락-대다 [자][타] 때그락거리다.
때그르르 [부] 〈방〉 때구루루.
때그르르-하다 [형][여불] 여러 개의 가늘거나 작은 물건 중에서 드러나게 굵다. ㅅ대그르르하다. <떠그르르하다.
때글-때글 [부] 〈방〉 때굴때굴.
때글때글-하다 [형][여불] 여러 개 가운데에서 몇 개가 월등하게 굵다. ㅅ대글대글하다. <떠글떠글하다.
-때기 [미] 어떤 명사 밑에 붙어서 그 명사를 속된 말로 만드는 말. ¶ 귀 ~/배 ~/팔~.
때까리 [명] 〈방〉 뚜껑(경남).
때까우 [명] 〈방〉 〖조〗 거위¹(전라).
때까우리 [명] 〈방〉 〖조〗 거위¹(전라).
때까위 [명] 〈방〉 〖조〗 거위¹(전라).
때까-중 [명] ☞ 중대가리.
때까-중이 [명] ☞ 중대가리.
때-까치 [명] 〖조〗 ①때까칫과에 속하는 새의 총칭. ②[*Lanius bucephalus*] 때까칫과에 속하는 새의 하나. 날개 길이 8-9 cm, 꽁지 8-10 cm 임. 몸빛은 자웅 이색(雌雄異色)으로 수컷은 두정(頭頂)이 적갈색이며 배면(背面) 이하는 감람색이고, 날개는 흑색인데 뚜렷한 한 개의 백색 반문(斑紋)이 있음. 얼굴과 몸 하면은 백색이며 측면에는 암색의 좁은 파상(波狀) 횡문이 가슴에 나타남. 부리가 매와 비슷하나 한 개의 치상(齒狀) 돌기가 있으며, 구부(口部)에는 강모(剛毛)가 있음. 숲·평지·풀밭 등에 단독 또는 한 쌍이 살며, 작은 새·거미·개구리·지렁이 등을 포식하는데, 잡은 것을 나뭇가지에 꿰어 건조시키는 습성이 있음. 중국·한국·일본 등지에서 번식하고 말레이 지방에서 월동함. 개고마리. 산작(山鵲). 격(鶪). 박로(博勞). 반설(反舌). 백로(伯勞). 백설조(百舌鳥).

〈때까치❷〉

때까칫-과【一科】 [명] 〖조〗 [Laniidae] 참새목(目)에 속(屬)하는 한 과. 소형의 조류로서 성질이 사나워 싸움을 즐김. 군서(群棲) 생활을 하지 아니하며, 동물질만을 먹음. 둥지는 나뭇가지에 짓고, 4-7월에 한 배에 4-7개의 알을 낳음. 동반구(東半球)와 북아메리카에 분포하는데, 때까치·되때까치·물때까치·재때까치·칡때까치·흙때까치 등이 이 과에 속함.
때깍 [부] 올차고 작은 물건이 부딪쳐서 나는 소리. ㅅ대각·때각·대깍. <떼꺽. ——-하다 [자][여불]
때깍-거리다 [자][타] 연해 때깍 소리가 나다. 연해 때각 소리를 나게 하다. ㅅ대각거리다·대깍거리다·때각거리다. <떼꺽거리다. 때깍-때깍 [부]. ——-하다 [자][타][여불]
때깍-대다 [자][타] 대깍거리다.
때깔¹ [명] 피륙 같은 것이 눈에 선뜻 비치는 태(態)와 빛깔. ¶ 포목점 진열장에 ~ 좋은 옷감만 내놓았다.
때깔² [명] 〈방〉 〖식〗 ①딸기(전남). ②파리(경남).
때깨비 [명] 〈방〉 〖충〗 딱따깨비.
때깨우 [명] 〈방〉 〖조〗 거위¹(전라).
때깨-장이 [명] 〈방〉 소매치기.
때깨-중이 [명] 〈방〉 중대가리.
때꺼우 [명] 〈방〉 〖조〗 거위¹(전북).
때껴우 [명] 〈방〉 〖조〗 거위¹(전북).
때꼭 [감] 아이들이 술래잡기할 때에 숨었던 아이가 잡히지 아니하고 떠났던 자리에 무사히 돌아오면서 술래를 놀리는 소리.
때-꼽자기 [명] 〈방〉 때꼽재기.
때-꼽재기 [명] 더럽게 엉겨 붙은 때의 조각이나 그 부스러기. ¶ 한 위인이 길목 버선을 벗어 쥐고 발샅의 ~을 훑어내니…《金周榮：客主》.
때꽐 [명] 〈방〉 〖식〗 파리(전라).
때:꾼-하다 [형][여불] 기운이 지쳐서 눈이 쑥 들어가고 몹시 생기가 없다. ¶ 감기와 몸살을 앓더니 눈이 때꾼하구나. ㅅ대꾼하다. <떼꾼하다.
때-늦다 [형] 정한 시간보다 늦다. ¶ 때늦은 감이 있다.
때:다¹ [자] 〈속〉 도둑이 잡히다. ¶ 도둑질하다가 때어 갔다.
때:다² [자] 남에게 배척을 당하다.
때:다³ [타] 덥게 하기 위하여 물건을 태우다. 아궁이 속에 불을 넣다. ¶ 군불을 ~/연탄을 ~.
때:다⁴ [타] ↗때우다.
때딴지 [명] 〈방〉 뻬²(경북).
때때 [명] 〈소아〉 ①↗때때옷. ②어린애가 새옷·새것들을 가리키는 말. 「고까. 꼬까.
때때-로 [부] 가끔. 시시(時時)로. 이따금. ¶ ~ 생각이 난다.
때때시 [명] 〈방〉 〖충〗 딱따깨비.
때때-신 [명] 〈소아〉 빛이 알록달록하여 고운, 아이의 신. 고까신. 꼬까신.
때때-옷 [명] 〈소아〉 알록달록한 색을 넣어 곱게 지은 어린 아이의 옷. 고까옷. 꼬까옷. [준]때때.
때때-중 [명] 나이가 적은 중.
때려 누이다 [타] 때려 눕히다.
때려 눕히다 [타] 때려서 쓰러지게 만들다. 타도(打倒)하다.
때려 부수다 [타] 주먹이나 몽둥이 같은 것으로 때려서 부수다.
때려 죽이다 [타] 주먹이나 몽둥이 같은 것으로 때려서 죽이다.
때려-치우다 [타] 하던 일을 중단하고 결딴내다. ¶ 월급장이를 ~.
때-로 [부] 경우에 따라서. ¶ 원숭이도 ~ 나무에서 떨어진다.
때로-는 [부] '때로'를 강조한 말. 경우에 따라서는.
때리다 [타] ①사람이나 짐승이나 물건 같은 것을 손으로나 손에 쥔 물건으로 후려서 치다. ¶ 뺨을 ~. ②글이나 말로 다른 사람의 잘못을 비난하여 치다. ¶ 재벌의 횡포를 신문이 ~. ③옳게 맞추다. ¶ 저 선수는 볼을 잘 때린다.
[때리는 시늉하면 우는 시늉을 한다] 서로 손이 잘 맞는다는 말. [때리는 시어머니보다 말리는 시누가 더 밉다] 겉으로는 자기를 위해 주는 체하면서 속으로 해(害)하는 사람이 더 밉다는 뜻. [때린 놈은 가로 가고 맞은 놈은 가운데로 간다; 때린 놈은 다릴 못 뻗고 잔다] 가해자(加害者)는 뒷일이 걱정되어 마음이 불안하나 피해자는 마음만은 편안하다는 뜻.
때림-끌 [명] 끌의 한 가지. 나무 자루 위에 쇠가락지가 끼어 있음.
때림-도끼 [명] 볼이 좁고 채가 썩 길게 생긴 도끼. 멧목이나 굵은 장작을 패는 데 씀.
때-마침 [부] 그 때에 마침. ¶ ~ 들어오다.
때-맞다 [형] 늦지도 아니하고 이르지도 아니하여 때가 꼭 알맞다. ¶ 때맞게 비가 오다.
때-맞추다 [자] 때를 맞추다. 시기에 알맞도록 하다.
때-매김 [명] 〖언〗 '시제(時制)'의 풀어 쓴 말.
때문 [의명] 어떠한 까닭이나 원인. ¶ 네가 왔기 ~에 집안이 화목하다.
때문-에 [부] 앞선 사물이 원인이 되어 뒤에 이어져서 일어남을 나타내는 접속 부사. 그런 까닭에.
때-묻다 [자] ①무엇에 때가 묻어 더러워지다. ②너무 인색하게 남에게 대하여, 더럽다. ③순수성을 잃거나 마음이 더러워지다. ¶ 때묻지 않은 정치인/때묻은 사람.
[때묻은 왕사발 부시듯] 때가 묻은 큰 사발을 물에 부시듯 소리가 요란스럽게 들린다는 뜻으로, 대수롭지 않은 일을 크게 벌여 만드는 짓을 말함.
때물 [명] 툭 트이거나 미끈하게 잘 생기지 못한 때깔. ¶ 서울에 올라와 취직을 하더니 ~을 벗었구나. *벳물.
때-밀이 [명] 목욕탕에서 손님의 때를 밀어주는 사람.
때-벗다 [자] ①때물을 벗다. ②촌티가 없어지다. ③누명을 벗다. 혐의(嫌疑)를 벗다. ¶ 이씨 부인은 남의 말에 제 때가 벗어져 건넌방으로 돌아오더라《李相協：再逢春》. ④미비점(未備點)을 떨어 버리다.
때-빠지다 [자] 촌스럽고 어리숭한 티가 빠지고, 반질반질하게 세련이 되다.
때-아닌 [관] 적당한 때가 아닌. ¶ ~ 큰 장마/~ 눈이 내리다.
때알 [명] 〈방〉 파리(전남).
때야 [명] 〈방〉 대야¹(충북·경북·평남).
때-어찌씨 [명] 〖언〗 '시간 부사(時間副詞)'의 풀어 쓴 말. 「골.
때-없이 [—업씨] [부] 일정한 때가 없이. ¶ ~ 멧돼지가 출몰하는 두메 산
때와 [명] 〈방〉 대야¹(경남·황해).
때왈 [명] 〈방〉 〖식〗 ①딸기(전라). ②파리(전남).
때우다 [타] ①깨어졌거나 뚫어진 물건에 다른 조각을 대어 고치거나 깁다. ¶ 깨진 그릇을 ~. ②대용 음식으로 끼니를 넘기다. ¶ 빵으로 끼니를 ~. ③다른 고생 따위로써 곤욕을 대신하여 넘기다. ¶ 벌금을 노역으로 ~/굿을 하여 액(厄)을 ~. ④남는 시간을 다른 일로 보내다. ¶ 시간을 ~. [준]때다.
때움-질 [명] →땜질. ——-하다 [타][여불]
때음【汗音】 [명] 〈이두〉 땜¹.
때죽-나무 [명] 〖식〗 [*Styrax japonica*] 때죽나뭇과에 속하는 낙엽 활엽교목. 줄기는 높이 10 m, 둘레 1 m 가량이고, 잎은 호생하며 달걀꼴의 타원형 또는 거의 마름모꼴을 이룸. 5월에 백색 오판화(五瓣花)가 총상(總狀) 화서로 늘어져서 피고, 둥근 핵과(核果)를 맺는데 10월에 녹백색으로 익음. 산기슭 및 산 중턱의 양지에 나는데, 한국 중부 이남 및 일본·중국에 분포함. 과실은 제유용(製油用), 어린 과피(果皮)는 세탁용 또는 물에 띄워 어독용(魚毒用), 목재(木材)는 지팡이·장기·기구재 등으로 씀. 제돈과(齊墩果).

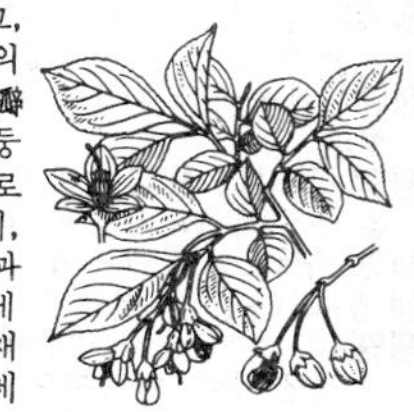

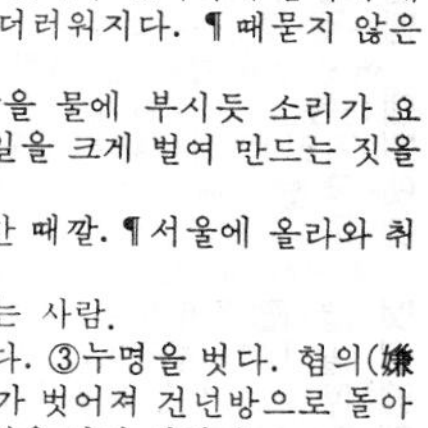
〈때죽나무〉

때죽나뭇-과【一科】 [명] 〖식〗 [Styracaceae] 합판화군(合瓣花群)에 속(屬)하는 한 과(科). 관목이나 교목으로 북반구(北半球)의 열대·아열대 지방 및 북미(北美)·일본·중국 등지에 나는데, 전세계에 8 속(屬) 100여 종, 한국에는 때죽나무·쪽동백 등 1 속 2 종이 분포함.
때지기 [명] 〈방〉 언청이(함북).

때짜구리 명 〈방〉〚조〛 딱따구리(전북).
때-찔레 명 〈식〉 해당화(海棠花).
때찔레-꽃 명 때찔레의 꽃.
때-타다 자 때가 잘 묻다. 때가 쉬 앉다. ¶ 때타는 옷.
땍꾸리 명 〈방〉〚조〛 딱따구리(경남).
땍대-구루루 부 ①작고 딴딴한 물건이 땅바닥이나 마룻 바닥 같은 곳에 되게 떨어져서 구르는 소리. ②우뢰가 가까운 곳에서 갑자기 부딪치는 듯이 들려 오는 소리. 1)·2):ㅅ댁대구루루. <떽데구루루.
땍대굴-땍대굴 부 ①작고 딴딴한 물건이 땅바닥이나 마룻바닥 같은 곳에 되게 떨어져서 튀면서 굴러가는 소리. ②우뢰가 가까운 곳에서 부딪치는 듯이 갑자기 잇따라 울리는 소리. 1)·2):ㅅ댁대굴댁대굴.<떽데굴떽데굴.
땍-대그르르 부 ☞땍대구루루.
땍대글-땍대글 부 ☞땍대굴땍대굴.
땍때구리 명 〈방〉〚조〛 딱따구리(전북·경남).
땐지다 타 〈방〉 던지다(전남).
땔:-감 [—깜] 명 불때는 데 쓰이는 온갖 물건. 땔거리. 연료(燃料). *땔나무.
땔:-거리 [—꺼—] 명 땔감.
땔:-나무 [—라—] 명 불때는 데 쓰는 모든 나무붙이. 시목(柴木). 시신(柴薪). 신초(薪樵). 신목(薪木). 화목(火木). 준나무.
땔:나무-꾼 [—라—] 명 아주 순박(純朴)하기만 하고 꾸밀 줄 모르는 사람을 농으로 이르는 말.
땜:[1] 명 ↗땜질. ——-하다 타여불
땜:[2] 명 〔←때움〕 어떠한 액회(厄會)나 액운(厄運)을 넘기거나 또는 다른 고생으로 대신 겪는 일. ¶ 팔자~/액~/수~. ——-하다 자여불
땜:-가게 [—까—] 명 뚫어졌거나 깨어진 쇠붙이 그릇을 땜질하여 고치는 가게.
땜:-납 명 납과 주석의 합금. 불에 잘 녹고 쇠붙이에 잘 붙으므로 생철·함석 같은것을 때워 붙이거나 구멍 뚫린 곳의 접합제(接合劑)로 쓰이며, 구리 그릇이나 청동(靑銅) 그릇 같은 것의 안에 녹나지 말라고 바르기도 함. 양은에는 붙지 아니함. 납(鑞). 백랍(白鑞). 접랍(接鑞). 준납.
땜:-벽 명 〈방〉 벽(壁)(평남).
땜-시 부 〈방〉 때문에(전라).
땜-에 준 때문에. ¶ 너~ 야단맞았어.
땜:-인두 명 ↗납땜 인두.
땜:-일 [—닐] 명 쇠붙이를 땜질하는 일. 또, 그 일을 업으로 삼는 일. ——-하다 타여불
땜:-장이 【—匠—】 명 땜일을 업으로 삼는 사람.
땜:-쟁이 명 연주창으로 목에 큰 흠이 있는 사람의 별명.
땜:-질 명 〔←때움질〕 ①깨어지거나 뚫어진 것을 때워 고치는 일. ②떨어진 옷을 깁는 일. ③한 부분만 고치는 일. 준땜. ——-하다 타여불
땜:-통 명 〈속〉 머리의 흠집.
땟-거리 명 끼니때를 때울 먹을거리.
땟-국 명 ①때가 몹시 많은 물기. ¶ ~이 흐르는 옷. ②☞땟물❷.
땟-물 명 ①겉으로 나타나는 자태. 몸매. ¶ ~이 훤하다. *때물. ②때를 씻어 낸 물. 때가 많이 섞이어 있는 더러운 물.
땟-솔 명 목욕할 때, 때를 문지르는 솔. 때를 벗기는 솔.
땡[1] 명 ①↗땡땡구리. ②뜻밖에 좋은 수가 나는 일. ¶ ~ 잡았다.
땡[2] 부 얇고 작은 쇠붙이의 그릇을 칠 때에 나는 소리. ㅅ댕. <뗑.
땡-감 명 덜 익어 떫은 감.
[땡감을 따 먹어도 이승이 좋다] 구차하게 살아도 죽는 것보다는 사는 것이 낫다는 말.
땡강 부 ①↗땡그랑. ②작은 물방울이 한 번 떨어지는 소리. 1)·2):ㅅ댕강. <뗑겅. ——-하다 자타여불
땡강-거리다 자타 ①↗땡그랑거리다. ②작은 물방울이 연해 떨어져 소리를 내다. 1)·2):ㅅ댕강거리다. <뗑겅거리다. 땡강-땡강 부. ——-하다 자타여불
땡강-대다 자타 땡강거리다.
땡그랑 부 방울이나 풍경이 세게 흔들리어 나는 소리. 준땡강. ㅅ댕그랑. <뗑그렁. ——-하다 자타여불
땡그랑-거리다 자타 연해 땡그랑 소리가 나다. 또, 연해 땡그랑 소리를 나게 하다. 준땡강거리다. ㅅ댕그랑거리다. <뗑그렁거리다. 땡그랑-땡그랑 부. ——-하다 자타여불
땡그랑-대다 자타 땡그랑거리다.
땡글-땡글 부 땡땡하고 둥글둥글한 모양. ——-하다 형여불
땡기다 타 〈방〉 던지다(전남).
땡깔 명 〈방〉〚식〛 꽈리(전남·경남).
땡-땡[1] 부 작은 종이나 꽹과리 같은 쇠붙이를 연해 세게 두드릴 때에 나는 소리. ㅅ댕댕. <뗑뗑.
땡땡[2] 부 속에서 불어나 겉으로 켕기는 모양. ㅆ탱탱. <띵띵.
땡땡-거리다 자타 연해 땡땡 소리가 나다. 연해 땡땡 소리를 나게 하다. ㅅ댕댕거리다. <뗑뗑거리다.
땡땡-구리 명 골패나 투전의 노름에서 같은 짝을 뽑는 일. 준땡.
땡땡-대다 자타 땡땡거리다.
땡땡-이[1] 명 ①둥근 대통에 종이를 바르고 양쪽에 구슬을 단 실을 달아, 이리저리 흔들면 땡땡 소리가 나는 애들의 장난감의 하나. ②〈속〉 종(鐘)❶.

〈땡땡이[1]❶〉

땡땡이[2] 명 〈속〉 공사판 등에서 인부 따위가 감독자의 눈을 피해 게으름을 피우는 일.
땡땡이(를) 부리다 구 〈속〉 꾀를 부려 일을 열심히 아니 하다.
땡땡이(를) 치다 구 〈속〉 땡땡이(를) 부리다.
땡땡이-중 명 〚불교〛 꽹과리를 치면서 동냥을 다니는 중. *탁발승.
땡땡이-판 명 〈속〉 끝판.
땡땡-하다 형여불 ①힘이 세다. ②느즈러지지 아니하고 켕기어 팽팽하다. ¶ 종기가 부어 ~. ③빈 구석이 없이 속이 옹골지게 차다. ¶ 땡땡한 공/땡땡한 부자. 1)-3):ㅅ댕댕하다. <띵띵하다.
땡-뜨다 자 〈방〉 땡잡다.
땡-별 명 가리움 없이 따갑게 내리쬐는 뙤약볕.
땡삐 명 〈방〉〚충〛 땅벌(경상).
땡애 명 〈방〉 대야[1](함남).
땡이 명 〈방〉 대야[1](평북).
땡-잡다 자 〔노름판에서 땡땡구리를 잡아 크게 이긴다는 뜻에서〕 뜻밖에 큰 수가 생기다. ¶ 증권에 투자하여 땡잡았다.
땡추 명 〚불교〛 ①조선 중기 이후 학문이나 수행(修行)이 없는 중들이 모여서 조직한 비밀 결사. 당취(黨聚). ②↗땡추중.
땡추-절 명 〚불교〛 땡추중들만이 있는 절.
땡추-중 명 〚불교〛 주색을 즐기고 육식을 멋대로 하는 중답지 아니한 가짜 중. 준 땡추.
떠 준 '뜨다'의 활용된 '뜨어'의 준말. ¶ ~오르다/물을 ~마시다.
떠-가다 자거라불 하늘이나 물 위를 떠서 가다. ¶ 구름이 ~. ↔떠오다.
떠구지 명 〚역〛 큰머리를 틀 때, 머리 위에 얹는, 나무로 만든 머리 틀. 머리를 땋은 것처럼 음각(陰刻)을 하고, 전체에 옻칠을 하며, 아래쪽에 비녀 두 개를 꽂음.
떠구지 댕기 명 〚역〛 예장(禮裝)할 때, 떠구지의 옆이나 아래에 꾸밈새로 동여 매는 댕기.
떠구지-머리 명 큰머리.
떠깽이 명 〈방〉 뚜껑(평안·경북).
떠꺼리 명 〈방〉 뚜껑(경남).
떠꺼-머리 명 ①장가나 시집 갈 나이가 넘은 총각이나 처녀가 땋아 늘인 긴 머리. ②↗떠꺼머리 총각. ③↗떠꺼머리 처녀.
떠꺼머리 처:녀 【—處女】 명 시집갈 나이가 지난 몸으로 머리를 길게 땋아 늘인 처녀. 준떠꺼머리.
떠꺼머리 총:각 【—總角】 명 장가들 나이가 지난 몸으로 머리를 길게 땋아 늘인 총각. 준떠꺼머리.
떠껑-지 명 한지(韓紙) 백 권을 한 덩이로 하여, 그 덩이를 싸는 두꺼운 종이. ¶ 드높은 가지 위에는 ~로 만든 방패연 하나가 걸려 바람에 찢기고 있었다《金周榮 : 客主》.
떠껭이 명 〈방〉 뚜껑(평안).
떠나-가다 자거라불 본디 자리를 떠서 옮겨 가다. ¶ 집이 떠나가게 소리를 지르다.
떠나다 자타거라불 ①다른 곳을 향하여 옮겨 가다. 출발하다. ¶ 고향을 ~/배가 ~. ↔이르다[1]❶. ②어떠한 일과 관계를 끊다. ¶ 직책을 ~/이해 관계를 떠나서 이야기하자. ③죽다. ¶ 세상을 ~. ④사라지다. 없어지다. 떨어지다. ¶ 떠나지 않는 생각/집안에 우환이 떠나지 않다.
떠나-보내다 타 떠나서 가게 하다. ¶ 막내를 서울로 ~.
떠-내다 타 ①액체의 얼마를 퍼내다. ¶ 국자로 국을 ~. ②초목(草木) 등을 흙과 함께 파내다. ¶ 뗏장을 ~. ③살이나 다른 고체의 얼마를 도리어 내다.
떠-내려가다 자거라불 물 위에 둥둥 떠서 물을 따라 내려가다.
떠-내려보내다 타 떠내려가게 하다.
떠-넘기다 타 자기 자신의 일이나 책임을 억지로 남에게 넘기다. 떠맡기다.
떠-놓다 [—노타] 타 액체·가루·곡식·흙 같은것을 떠 놓다. ¶ 국을 ~.
떠:는-잠 【—簪】 명 여자의 머리 또는 화관(花冠)에 꽂는 장식품의 하나. 걸을 때마다 흔들려 떨림. 보요(步搖). 떨잠.
떠-다니다 자타 ①공중이나 물 위로 떠서 오고 가고 하다. ¶ 구름이 ~. ②떠돌다.
떠다-밀다 타 ①손으로 세게 내밀다. ¶ 벼랑 아래로 ~. ②제 일을 남에게 넘기다. 1)·2):준떠밀다.
떠다-박지르다 타르불 떠박지르다.
떠-대다 타 거짓으로 꾸미어 대답하다.
떠더리 명 〈방〉 떠버리.
떠-돌다 자타 ①↗떠돌아다니다. ¶ 떠도는 사람. ②소문이 널리 퍼지다. 떠다니다. ¶ 그런 소문이 떠돌고 있던데.
떠돌-뱅이 명 '떠돌이'를 홀하게 이르는 말.
떠돌아-다니다 자타 정처없이 이리저리 굴러 다니다. ¶ 떠돌아다니는 신세/ 낯선 도시를 ~. 준떠돌다.
떠돌-이 명 정처없이 떠돌아다니는 사람. ¶ ~ 신세.
떠돌이-별 명 〚천〛 행성(行星).
떠돌이-새 명 〚조〛 아주 가까운 지역을 이리저리 철을 따라 옮겨 다니는 새. 꾀꼬리·후루룩비쭉새 따위.
떠둥그-뜨리다 타 떠들고 밀어 엎어지거나 기울어 쓰러지게 하다. 준떠둥그리다.
떠둥-그리다 타 ↗떠둥그뜨리다.
떠둥그-치다 타 〈방〉 떠둥그뜨리다.
떠둥그-트리다 타 떠둥그뜨리다.
떠:들다[1] 자 ①시끄럽게 큰 소리로 지껄이다. ¶ 술을 먹으면서 ~. ②비밀을 폭로하다. ¶ 떠들면 목숨이 없어. ③소문이 크게 나다. ¶ 세상에서 떠드는 소리. ④매우 술렁거리다.
[떠들기는 천안 삼거리라] 늘 끊이지 아니하고 떠들썩한 데를 비유하는 말.
떠-들다[2] 타 덮이거나 가린 것을 조금 걷어 쳐들다. ¶ 이불을 떠들어 보다.
떠들썩-거리다 자 연해 떠들썩하게 굴다. ¶ 술 마시며 ~/임금 인상을 요구하며 ~.
떠들썩-대다 자 떠들썩거리다.
떠들썩-하다[1] 형여불 잘 덮이거나 가려지지 아니하여 조금 떠들려 있다. ¶ 이불귀가 ~. 준들썩하다. >따들싹하다[1].
떠들썩-하다[2] 형여불 ①여러 사람이 큰 목소리로 지껄이어 시끄럽다. ¶ 떠들썩한 교실. ②소문이 널리 퍼져서 왁자하다. ¶ 세상을 떠들썩하

게 하다. ㈜들썩하다. 1)·2):＞따들싹하다².
떠들어-내다 자 〈방〉 떠들어대다.
떠들어-대다 자 몹시 시끄럽게 떠들다. ¶ 하찮은 일로 ~.
떠-들어오다 자 정처없는 사람이나 짐승이 들어오다. ¶ 방랑객이 ~.
떠-들치다 타 ①조금 힘 있게 들치다. ¶ 바위를 ~. ②남의 비밀을 들추어 내다. ¶ 회사의 비밀을 ~.
떠듬-거리다 자타 ①말이 자꾸 막혀서 술술 나오지 아니하다. ¶ 떠듬거리며 말하다. ②글을 읽는 데 술술 읽어지지 아니하고 자꾸 막히다. 1)·2):ㅅ더듬거리다. ＞따듬거리다. 떠듬-떠듬 부. ——-하다 자타여불
떠듬-대다 자타 떠듬거리다.
떠듬적-거리다 자타 느릿느릿하게 자꾸 떠듬거리다. ㅅ더듬적거리다. ＞따듬작거리다. 떠듬적-떠듬적 부. ——-하다 자타여불
떠듬적-대다 자타 떠듬적거리다.
떠-떠버리 명 〈방〉 말더듬이.
떠뚜벅-거리다 자타 〈방〉 떠듬거리다(함경).
떠뜻-거리다 자타 〈방〉 떠듬거리다.
떠럽다 형 〈방〉 떫다(충남·전라).
떠르르-하다 형여불 ☞ 뜨르르하다❸. ¶ 형편이 요족(饒足)하기로 가근방에선 떠르르하는 편이라우《金周榮 : 客主》.
떠름-하다 형여불 ①조금 떫다. ¶ 떠름한 감. ②마음이 썩 내키지 아니하다. ¶ 밤길을 혼자 가기가 좀 ~. ③좀 떨떨한 느낌이 있다. ¶ 그 일 때문에 마음이 ~. 떠름-히 부
떠릿-보 명 〖건〗 대청 위의 큰 보.
떠-맡기다 타 자기가 할 일을 억지로 남에게 넘기다. 떠맡게 하다. 떠넘기다. ¶ 말썽거리를 ~.
떠-맡다 타 남이 할 일을 자기가 맡아서 처리하다. ¶ 책임을 ~/부채(負債)를 ~.
떠-메다 타 땅에 닿지 아니하게 들어서 메다.
떠무치 명 〈방〉 〖충〗 진딧물(경북).
떠물 명 〈방〉 뜨물¹(경상).
떠-밀다 타 ↗떠다밀다. →떼밀다.
떠-박지르다 타르불 힘껏 걷어 차거나 떼밀다. 떠다박지르다.
떠-박질리다 자 떠박지름을 당하다. ¶ 그 사람은 무엇에 떠박질린 것처럼 여러 사람이 있는 위에 쓰러져 버렸다《金東里 : 사반의 십자가》.
떠-받다 타 머리나 뿔로 치켜 올려 밀다. ¶ 소가 사람을 ~.
떠-받들다 타 ①쳐들고 위로 받치다. ¶ 어린애를 두 손으로 ~. ②공경하여 섬기다. ¶ 스승으로 ~/남편을 ~. ③소중하게 다루다.
떠-받들리다 피동 떠받듦을 받다.
떠-받치다 타 떨어지거나 쓰러지지 아니하도록 밑에서 위로 받쳐서 버티다. ¶ 담을 통나무로 ~.
떠-받히다 [—바치—] 피동 떠받음을 당하다. ¶ 소에게 ~.
떠버리 명 늘 시끄럽게 떠드는 사람.
떠-벌리다 타 ①일을 지나치게 과장(誇張)하여 떠들어 놓다. ¶ 공연한 이야기를 ~. ②굉장한 규모로 차리다. ¶ 잔치를 ~.
떠-보다 타 ①저울로 물건을 달아 보다. ②말과 행동으로 사람의 인격을 헤아리다. ¶ 그의 인간성을 ~. ③남의 속뜻을 슬며시 알아보다. ¶ 그의 의향을 ~.
떠부 명 〈방〉 두부¹(경남).
떠세 명 돈이나 남의 세력을 믿고 젠체하고 억지를 쓰는 짓. ——-하다 타여불
떠-안기다 타 떠안게 하다. ¶ 살림을 며느리에게 떠안기고 물러났다.
떠-안다 [—따] 타 일이나 책임 따위를 떠맡아 가지다.
떠-엎다 타 ①떠들어서 뒤집어 엎다. ¶ 흙을 ~. ②하던 일을 걷어치우다. ¶ 장사를 ~/어물전 떠엎고 꼴뚜기 장사 한다.
떠-오다 자너라불 물 위나 공중에 떠서 이쪽으로 오다. ↔떠가다.
떠-오르다 자르불 ①가라앉았던 것이 솟아서 위로 오르다. ¶ 시체가 ~. ②해나 달이 뜨다. ¶ 달이 ~. ③생각이 나다. ¶ 묘안이 머리에 ~.
떠오르는 달이라 구 인물이 훤하고 아름답다는 말.
떠-이다 타 ①높이 쳐들어 이다. ②무엇을 소중하게 여겨 받들다. ¶ 이순신 장군은 우리 겨레가 떠이고 받드는 성웅(聖雄)이다.
떠죽-거리다 자 ①젠체하고 되지 못하게 지껄여대다. ②싫은 체하고 자꾸 사양하다. 떠죽-떠죽 부. ——-하다 자여불
떠죽-대다 자 떠죽거리다. ¶ 도척 같은 인사가 한갓 자기 재물 자세만 하고 떠죽댄다고 손떠중이라고…《作者未詳 : 恨月》.
떠죽-이다 자 ①젠체하고 되지 못하게 지껄이다. ②싫은 체하고 사양하다.
떠-지껄이다 자 떠들썩하게 지껄이다.
떠지껄-하다 형여불 큰 소리로 지껄이는 것이 떠들썩하다. ¶ 무엇을 떠지껄하게 지껄이느냐.
떠-지다 자 눈이 뜨이게 되다. ¶ 아침 일찍 눈이 ~.
떡¹ 명 곡식 가루를 시루에 안쳐 찌거나 삶거나 또는 소댕에 부치어서 만든 음식의 총칭. 흰떡·시루떡·송편·인절미 등.
[떡 고리에 손 들어간다] 오래도록 탐내던 것을 마침내 가지게 된다는 말. [떡 다 건지는 며느리 없다] 사람은 누구나 남의 눈을 속여 자기의 실속을 차리는 성향(性向)이 있음을 지적한 말. [떡도 떡같이 못 해 먹고 생떡국으로 망한다] 무슨 일을 다 해 보지도 못한 채 실패를 하게 되었음을 이르는 말. [떡도 떡같이 못 해 먹고 찹쌀 한 섬만 다 없어졌다] 그것에 상당한 효과나 이익도 보지 못하고 많은 비용만 허비하였음을 이르는 말. [떡도 떡이려니와 합(盒)이 더 좋다] 내용도 물론 좋지만 형식이 더 잘 되어 있음을 이르는 말. [떡 도르라면 덜 도르고 말 도르라면 더 도른다] 사람들이 말을 남에게 전해서 소문이 돌기를 좋아한다는 말. *말은 보태고 떡은 뗀다. [떡도 먹어 본 사람이 먹는다] 무슨 음식이나 늘 먹어본 사람이 더 잘 먹는다는 뜻. [떡 먹은입 쓸어 치듯 한다] 시치미를 뗌을 이르는 말. [떡 본 김에 굿한다; 떡 본 김에 제사 지낸다] 하려고 생각하던 중 마침 본 김에 해 버린다는 뜻. [떡 사 먹을 양반은 눈꼴부터 다르다] 참으로 그 일을 하려는 사람은 겉으로 봐도 알 수 있다는 말. [떡 삶은 물에 중의(中衣) 데치기; 떡 삶은 물에 풀한다] 한 가지 일을 하면서 또 다른 일을 같이 겸해서 해치우거나 또는 버린 물건을 이용해서 소득을 봄을 이르는 말. [떡에 밥주걱] 떡 시루 앞에 밥주걱을 들고 덤비는 사람처럼, 무슨 일을 도무지 모르는 사람을 두고 이르는 말. [떡으로 치면 떡으로 치고 돌로 치면 돌로 친다] 착한 일에는 착한 일로, 악한 일에는 악한 일로 대함을 이르는 말. [떡이 별떡 있지 사람은 별사람 없다] 떡의 종류는 많으나 사람은 대차없다는 말. [떡 줄 사람은 아무 말도 없는데 김칫국부터 마신다] 상대자는 생각지도 않는데 미리부터 다 된 일로 알고 행동함을 이르는 말. ㈜김칫국부터 마신다. [떡 해 먹을 세상] 뒤숭숭하고 궂은 일이 잦은 세상. 귀신에게 떡을 하여 고사를 지내야 가라앉을 것이라는 말. [떡 해 먹을 집안] 화합하지 못하고 어려운 일만 연해 일어나는 집안. 귀신에게 떡을 하여 고사를 지내야 화목해질 것이라는 말.
떡을 할 구 못마땅함을 나타내거나 아무 뜻 없이 하는 말. ¶ ~, 오늘은 재수가 없구나/이런 ~ 놈.
떡 주무르듯 하다 구 저 하고 싶은 대로 마음대로 다루다.
떡² 명 마음이 무척 유순하고 무던히 좋은 사람의 속칭(俗稱). ¶ 그 사람은 익은 ~이다.
떡³ 명 〖건〗 인방(引枋)이 물러나거나 기둥이 벌어지는 것을 막기 위하여 겹쳐 대는 나무쪽.
떡⁴ 명 〈방〉 〖광〗 몸약.
떡⁵ 부 ①크게 벌어진 모양. ¶ 입을 ~ 벌리다. ②빈틈없이 맞닿거나 들어맞는 모양. ¶ ~ 들어맞아서 흔들리지 않는다. ③굳세게 버티는 모양. ¶ ~ 버티고 서다. ④태도가 매우 점잖거나 엄한 모양. ¶ 방 안에 ~ 앉아 있더라. 1)-4):＞딱³.
떡-가래 명 가래떡의 낱개. ¶ ~가 굵다.
떡-가루 명 떡을 만드는 곡식의 가루.
[떡가루 두고 떡 못 할까] 으레 되기로 정해져 있는 일을 했다고 자랑할 것이 무어냐고 핀잔 주는 말.
떡가지-나무 명 〈방〉 〖식〗 감탕나무.
떡갈-나무 [—라—] 명 〖식〗 [*Quercus dentata*] 참나뭇과의 낙엽 활엽 교목. 높이 10 m 가량, 잎은 호생하며 단병(短柄)에 넓은 거꿀달걀꼴이고 길이 15-30 cm, 폭 10-15 cm 가량임. 잎 뒤에 성상모(星狀毛)가 밀포해 있으며, 마른잎은 겨우내 가지에 붙어 있음. 4-5월에 자웅 일가로 된 황갈색의 수꽃이삭이 길게 늘어지며, 암꽃이삭은 1-2개로 피고, 길이 2 cm의 둥근 달걀꼴의 견과(堅果)는 10월에 갈색으로 익음. 해변 지대 및 산복(山腹) 이하의 토양 깊은 곳에서 잘 자라는데, 한국 각지 및 일본·대만·중국·만주·몽고에 분포함. 목재는 침목(枕木)·선박재(船舶材)·신탄재·기구재, 수피(樹皮)는 타닌제(tannin 劑), 어린 잎은 녹비용(綠肥用), 열매는 '도토리'라고 하여 묵을 만들고 떡·밥에 넣어 먹기도 함. 견목(樫木). 곡목(槲木). 곡속(槲樕). 박속(樸樕). 역목(櫟木). 작목(柞木). 착자목(鑿子木). 포목(枹木). 조리참나무. 참풀나무. ㈜갈나무.

〈떡갈나무〉

[떡갈나무에 회초리 나고 바늘 간 데 실이 따라 간다] 두 가지 사물의 연관성이 썩 밀접함을 이르는 말.
떡갈나무-진딧물 [—라—] 명 〖충〗 [*Tuberculatus stigmata*] 진딧물과에 속하는 곤충. 몸길이 약 2.5 mm. 두부는 흑갈색이며 앞 두부에 네 개의 긴 강모(剛毛)가 있고, 촉각은 담황색이고 날개는 투명하며 암갈색 반문(斑紋)이 있음. 떡갈나무의 잎에 기생(寄生)하는데, 한국·일본·중국 등지에 분포함.

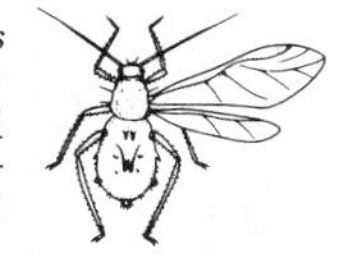
〈떡갈나무진딧물〉

떡갈-잎 [—립] 명 〖식〗 떡갈나무의 잎. ㈜갈잎.
떡갈잎-풍뎅이 [—립—] 명 〖충〗 왕풍뎅이.
떡-값 [—갑] 명 ①〈속〉 음력설이나 추석 때, 회사 등에서 직원들에게 주는 특별 수당. ②〈속〉 공사(工事) 입찰에서 담합(談合)하여 낙찰된 업자가 다른 업자들에게 분배하는 담합 이익금.
떡-고물 명 떡의 켜 사이에 깔거나 겉에 묻히는 고물.
떡-고추장 [—醬] 명 흰무리와 메줏가루를 섞어서 담근 고추장.
떡-국 명 흰떡을 잘게 썰어서 맑은 장국이 끓을 때 넣어 익힌 국. 한국 특유의 음식으로, 대개 설날에 끓여 먹음. 병탕(餠湯).
[떡국이 농간(弄奸)한다] 재질(才質)은 부족하되 오랜 경험으로 일을 잘 감당해 나감을 이르는 말. ¶ 그러나 넌이 떡국이 농간을 해서 나보담 한결 의뭉스럽다《金裕貞 : 아내》.
떡국-점 [—點] 명 떡국을 끓이려고 잘게 썬 흰떡 조각.
떡국 차례 [—茶禮] 명 〖민〗 설날에 떡국으로 지내는 차례. 새해 차례.
떡-느릅나무 명 〖식〗 느릅나무.
떡더그르르 부 ①크고 딴딴한 물건이 다른 단단한 물체에 세게 부딪치면서 구르는 소리. 또, 그 모양. ②천둥이 먼 곳에서 갑자기 맹렬하게 부딪치는 듯이 울리는 소리. 1)·2):ㅅ떡더그르르. ＞딱다그르르.
떡더글-떡더글 부 ①크고 딴딴한 물건이 다른 딴딴한 물체에 세게 부딪치며 굴러가는 소리. ②천둥이 먼 곳에서 갑자기 맹렬하게 부딪치는 듯이 울리는 소리. 1)·2):ㅅ떡더글떡더글. ＞딱다글딱다글.
떡-돌 명 떡을 칠 때에 안반 대신으로 쓰는 판판한 돌.
떡-돌멩이 명 바둑 둘 때에 다닥다닥 한데 붙어 모이게 놓은 바둑돌.

떡-되다 [자] 일이 엉키어 크게 곤욕을 당하다.
떡두꺼비 같다 [형] 아기가 보기에 허여멀겋고 살팍지게 생겼다. ¶ 떡두꺼비 같은 아들.
떡떠구리 [명] 〈방〉 〖조〗 딱따구리(황해·평안).
떡-떡 [부] ①물이 금방금방 얼어 붙는 모양. ¶ 물이 ~ 얼어 붙다. ②단단한 것이 마주치거나 부러질 때 나는 소리. ¶ 이가 ~ 마주치다.
떡-마르미 [명] 〖어〗 마래미보다 작은 방어(魴魚) 새끼.
떡 먹듯 [구] 어렵지 않게 예사로 하는 모양. ¶ 남 속이기를 ~ 한다/끼니를 ~ 굶는 가난한 사람들.
떡-메 [명] 떡을 치는 메. 썩 굵고 짧은 나무 토막의 중간에 구멍을 뚫어 긴 자루를 박았음.

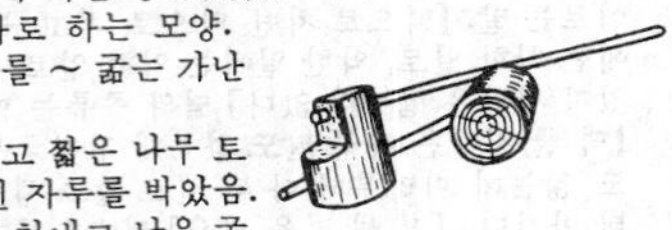
〈떡메〉

떡-무거리 [명] 떡가루를 체에 쳐내고 남은 굵고 거친 찌끼.
떡-밥 ① [명] 낚시 미끼의 하나. 쌀겨에 콩가루·번데기 가루 등을 섞어 반죽하여 적당한 크기로 조그마하게 뭉쳐서 낚시에 꿰어 줌. 또, 그 원료가 되는 가루. ②퍼티(putty).
떡-방아 [명] 떡쌀을 찧는 방아. ¶ ~를 찧다.
[떡방아 소리 듣고 김칫국 찾는다] 상대편의 속도 모르고 제 짐작으로만 무엇을 서둘러 바란다는 말.
떡-버들 [명] 〖식〗 [*Salix hallaisanensis*] 버드나뭇과에 속하는 낙엽 활엽 관목. 잎은 원형·타원형 또는 넓은 달걀꼴에 전연(全緣) 또는 톱니연(緣)임. 봄에 자웅이가(雌雄二家)의 꽃이 유제(葇荑) 화서로 피고, 삭과(蒴果)는 여름에 익음. 산복(山腹) 이상에 나는데, 제주도에 분포함. 관상용으로 가꿈.

〈떡버들〉

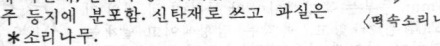

떡-벌어지다 [자] ①넓게 퍼지다. ¶ 떡벌어진 어깨. >딱바라지다. ②소문이 널리 나다. ③틈이 크게 나다. ¶ 떡벌어진 밤송이. ④잔치가 크게 열리다. ¶ 떡벌어지게 차린 회갑 잔치.
떡-벌이다 [타] ①넓게 퍼지게 하다. ②소문을 널리 내다. ③잔치를 크게 열다.
떡-보¹ [명] 떡을 몹시 즐겨서 남달리 많이 먹는 사람.
떡-보² [명] 〈방〉 〖건〗 ①고미받이. ②대들보(강원).
떡-보³ 【—褓】 [명] 흰떡·인절미 등을 안반에 놓고, 처음 칠 때에 흩어지는 것을 막기 위하여 싸는 보자기.
떡-볶이 [명] 흰떡을 토막토막 자른 것에 쇠고기와 나물을 섞고 여러 가지 양념과 고명을 얹어 볶은 음식. 오병(熬餠).
떡-부엉이 [명] 너절하고 상스러운 사람.
떡-산적 【—散炙】 [명] 흰떡을 짧게 자른 것에 쇠고기와 갖은 양념을 하여 꼬챙이에 꿰어서 구운 음식. 병산적(餠散炙).
떡-살 [명] 흰떡 같은 것을 눌러 떡의 모양과 무늬를 찍어 내는데 쓰는 판. 흔히 나무로 만드는데 간혹 사기로 만든 것도 있음.
떡석 [명] 〈방〉 덕석(경남).
떡-소 [명] 송편 등의 떡 속에 넣는 물건. 팥·콩·대추 같은 것.
떡-속소리나무 [명] 〖식〗 [*Quercus fabri*] 참나뭇과에 속(屬)하는 낙엽 활엽 교목. 잎은 거꿀달걀꼴이고, 무병(無柄)이며 뒷면에 갈색의 성상모(星狀毛)가 났음. 꽃은 4-5월에 자웅 일가로 피는데, 수꽃이삭은 늘어졌고, 암꽃이삭은 한 개이며, 과실은 긴 타원형의 견과(堅果)로 10월에 익음. 산록(山麓)의 양지에 나는데, 전남의 홍도(紅島)와 황해도 및 중국·만주 등지에 분포함. 신탄재로 쓰고 과실은 식용함. *소리나무.

〈떡속소리나무〉

떡-손 [명] 〈방〉 떡살.
떡-시루 [명] 떡을 찌는 데 쓰는 시루.
떡-신갈나무 [一라一] [명] 〖식〗 [*Quercus dentato-mongo-lica*] 참나뭇과에 속하는 낙엽 활엽 교목. 넓은 거꿀달걀꼴의 잎은 꼭지가 없는데, 가장자리는 치아와 같고 뒷면에 잔 털이 있으며 백색을 띰. 꽃은 자웅 일가(雌雄一家)로 6월에 피는데, 수꽃이삭은 늘어졌고, 암꽃이삭은 짧음. 과실은 넓은 타원형 각두(殼斗)의 견과(堅果)로 10월에 익음. 산기슭 양지에 나는데, 황해도 장수산(長壽山)에 분포함. 신탄재로 쓰고, 과실은 식용함.

〈떡신갈나무〉

떡-심 [명] ①억세고 질긴 심줄. ¶ 쇠고기의 ~. ②성질이 검질긴 사람을 비유하여 이르는 말.
떡심(이) 풀리다 [구] 기진 맥진하고 낙망(落望)하여 맥이 풀리다.
떡-쌀 [명] 떡을 만드는 쌀. ¶ ~을 담그다.
떡-쑥 [명] 〖식〗 [*Gnaphalium affine*] 국화과에 속하는 월년초. 전주(全株)에 백색 솜털이 밀생(密生)하며, 줄기는 기부(基部)에서 갈라지고, 직립(直立)하여 높이 20-30cm임. 잎은 호생하며, 도피침형(倒披針形)이고 5-7월에 황색 두상화(頭狀花)가 정생(頂生)하고, 과실은 황백색의 관모(冠毛)가 있는 수과(瘦果)임. 인가 부근인 산지에 나며, 동부 아시아에 널리 분포되어 있음. 잎과 어린 싹은 떡에 섞어서 식용으로 함. 불이초(佛耳草). 서국초(鼠麴草).

〈떡쑥〉

떡-암죽 【—粥】 [명] 말린 흰무리를 빻아서 쑨 암죽. 젖이 적은 아이나 앓고 난 사람이 먹음.
떡-오리나무 [명] 〖식〗 [*Alnus borealis*] 자작나뭇과에 속하는 낙엽 활엽의 작은 교목. 잎은 넓은 타원형이고 고르지 않은 톱니연(緣)임. 3월에 자웅 일가(雌雄一家)의 꽃이, 수꽃이삭은 정생(頂生)한 총상(總狀) 화서로, 암꽃이삭은 긴 타원형으로 피고 달걀꼴의 작은 견과(堅果)는 10월에 익음. 산복(山腹)의 골짜기 사이에 나는데, 거의 한국 각지 및 일본에 분포함. 기구재·신탄재로 사용하고 사방림(砂防林)으로 심음.
떡-윤노리나무 [명] 〖식〗 [*Pourthiaea brunnea*] 능금나뭇과에 속하는 낙엽 활엽의 작은 교목. 잎은 거꿀달걀꼴이고 단병(短柄)에 톱니가 있음. 4-5월에 백색 꽃이 복산방(複繖房) 화서로 가지 끝에 정생(頂生)하여 피고, 구형(球形)의 이과(梨果)는 10월에 홍색으로 익음. 해안(海岸) 지방에 나는데, 전남 지방에 분포함. 쇠코뚜레 같은 것을 만듦. 떡잎윤노리나무.

〈떡윤노리나무〉

떡-잎 [—닙] [명] 〖식〗 씨앗에서 처음부터 싹이 터서 나오는 잎. 자엽(子葉). ¶ 될성부른 나무는 ~부터 알아본다.
떡잎-윤노리나무 [—닙는—] [명] 〖식〗 떡윤노리나무.
떡-점 【—占】 [명] 〖민〗 제주도에서 정월 대보름날 마을 사람들이 각각 쌀을 가지고 모여 그 쌀가루로 시루떡을 쪄서 떡의 됨됨이를 보고 그 해의 신수를 알아보는 점.
떡-조개 [명] ①〖어〗 썩 작은 전복(全鰒). ②〖조개〗 백합(白蛤).
떡-조팝나무 [명] 〖식〗 [*Spiraea chartacea*] 조팝나뭇과에 속하는 낙엽 활엽의 관목(灌木). 잎은 타원형 또는 달걀꼴의 넓은 타원형이고, 톱니가 있으며 뒷면에는 잔털이 있음. 꽃은 여름에 다수의 총상(總狀) 화서로 피고, 골돌과(蓇葖果)는 가을에 익음. 산지의 바위 틈에 나는데, 전남의 흑산도(黑山島) 등지에 분포함. 신탄재로 씀.

〈떡조팝나무〉

떡-졸참나무 [명] 〖식〗 [*Quercus mc-cormickii*] 참나뭇과에 속하는 낙엽 활엽의 교목. 잎은 거꿀달걀꼴 또는 긴 거꿀달걀꼴에 톱니가 있고, 잎 뒤에 약간 털이 났음. 5월에 자웅 일가(雌雄一家)의 꽃이, 수꽃이삭은 늘어지고, 암꽃이삭은 총포(總苞) 속에서 나와 핌. 타원형의 견과(堅果)는 9월에 익음. 산록의 숲 속에 나는데, 한국 중부 이북에 분포함. 과실은 식용, 어린 잎은 녹비용(綠肥用)임.
떡-줄 [명] 찌꺼기 실로 만든 연줄.
떡-집 [명] 떡을 만들어서 파는 집.
떡-충이 [명] ☞ 떡보¹.
떡-치다 [자] ①떡을 떡판에 놓고 떡메로 치다. ②〈속〉 방사(房事)하다. ③일이 힘에 겨워 두서를 못 차리다.
[떡 친 데 엎드러졌다] 무엇에 골똘하여 떠날 줄을 모른다는 뜻.
떡-판 【—板】 [명] ①기름틀의 한 부분으로, 기름떡을 올려 놓는 판. 길쭉하고 두꺼운 널빤지의 가에다가 고랑을 파서 기름이 흘러 내리도록 되어 있음. ②절편판. ③〈속〉 여자 엉덩이.
[떡판에 엎드러지듯] 무엇에 골똘하여 떠날 줄 모르는 모양.
떡-팥 [명] 떡고물이나 떡소로 쓰는 삶은 팥.
떡-풍이 [명] 〖충〗 꼬리박각시.
떤:-꾸밈음 【—音】 [명] 〔trill〕 〖악〗 어떤 음을 연장하기 위하여, 그 음과 이도(二度) 높은 음과를 교대로 빨리 연주하여 파상(波狀)의 음을 내는 꾸밈음. 전음(顫音). 트릴(trill). 트릴로(trillo). *잔결꾸밈음.
떤지다 [타] 〈방〉 던지다(강원·충북·전라).
떨 [명] 〈방〉 ①들¹(경남). ②뜰(경상).
떨거덕 [부] 단단하고 큰 물건이 세게 맞닿으면서 울리는 소리. [준]떨걱. ㅅ덜거덕. >딸가닥. ——하다 [자][여불]
떨거덕-거리다 [자타] 연해 떨거덕 소리가 나다. 연해 떨거덕 소리를 내다. [준]떨걱거리다. ㅅ덜거덕거리다. >딸가닥거리다. **떨거덕-떨거덕** [부]. ——하다 [자타][여불]
떨거덕-대다 [자타] 떨거덕거리다. ⌈하다 [자][여불]
떨거덩 [부] 큰 물건이 맞닿아서 울리는 소리. ㅅ덜거덩. >딸가당. ——
떨거덩-거리다 [자타] 떨거덩 소리가 연해 나다. 연해 떨거덩 소리를 내다. ㅅ덜거덩거리다. >딸가당거리다. **떨거덩-떨거덩** [부]. ——하다 ⌊[자타][여불]
떨거덩-대다 [자타] 떨거덩거리다.
떨거지 [명] 제 붙이에 속하는 무리. 가까이 지내는 사람들. ¶ 처가집 ~.
떨걱 [부] ↗떨거덕. ㅅ덜걱. >딸각. ——하다 [자][여불]
떨걱-거리다 [자타] ↗떨거덕거리다. ㅅ덜걱거리다. >딸각거리다. **떨걱-떨걱** [부]. ——하다 [자타][여불]
떨걱-대다 [자타] 떨걱거리다.
떨걱-마루 [명] 〖건〗 긴 널 조각을 가로 대어 아무렇게나 함부로 만들어서 디디는 대로 떨걱떨걱 소리가 나는 마루. ㅅ덜걱마루.
떨구다 [타] ①고개·눈길 따위를 아래로 향하다. ¶ 고개를 ~/시선을 발끝에 ~. ②떨어뜨리다.
떨그럭 [부] 큰 덩이로 된 단단한 물건이 움직이어 맞부딪치거나 서로 스쳐서 나는 소리. ㅅ덜그럭. >딸그락. ——하다 [자][여불]
떨그럭-거리다 [자타] 연해 떨그럭 소리가 나다. 연해 떨그럭 소리를 나게 하다. ㅅ덜그럭거리다. >딸그락거리다. **떨그럭-떨그럭** [부]. ——하다 ⌊[자타][여불]
떨그럭-대다 [자타] 떨그럭거리다.
떨그렁 [부] 얇은 쇠붙이로 된 좀 큰 물건이 움직여 맞닿거나 서로 스쳐서 울리어 나는 소리. ㅅ덜그렁. >딸그랑. ——하다 [자][여불]
떨그렁-거리다 [자타] 연해 떨그렁 소리가 나다. 연해 떨그렁 소리를 내다. ㅅ덜그렁거리다. >딸그랑거리다. **떨그렁-떨그렁** [부]. ——하다 ⌊[자타][여불]
떨그렁-대다 [자타] 떨그렁거리다.

떨기 명 풀이나 나무 같은 것이 하나의 뿌리에서 여러 개의 줄기가 나와 더부룩하게 되어 있는 그 전체. ¶ 한 ～ 장미꽃.
떨기-나무 명 〖식〗 관목(灌木). ↔큰키나무.
떨기나무-대【—帶】 명 〖식〗 관목대(灌木帶).
떨꺼둥 부 ☞떨거덩.
떨꺼-둥이 명 의지하고 지내던 곳에서 쫓겨난 사람.
떨:다¹ 자타 ①생물체나 물체가 작은 폭으로 빠르고 탄력 있게 계속 흔들려 움직이다. ¶ 문풍지가 ～/개구리가 파르르 떨면서 죽었다. ②몹시 춥거나 무섭거나 또는 분할 때에 몸이나 몸의 한 부분을 벌벌 흔들다. 또, 몸이 벌벌 흔들리다. ③두려워하다. ¶ 뭘 그렇게 떠나. ④몹시 인색하여 좀스럽게 굴다. ¶ 단돈 십 원에 벌벌 떠는 구두쇠.
떨:다² 타 ①붙었던 것을 흔들거나 손으로 털어서 떨어지게 하다. ¶ 먼지를 ～/벼의 낟알을 ～. ㅆ털다. ②어떠한 속에서 얼마를 덜어 내다. ¶ 내 몫은 떨고 주겠네. ③주어야 할 셈 속에서 받을 셈을 빼다. ¶ 월급에서 세금을 ～/우수리를 ～. ④팔다 남은 것을 몽탕 팔거나 사다. ¶ 재고품을 ～/보따리를 ～. *떨이. ⑤어떠한 성질이나 행동을 겉으로 나타내어 부리다. ¶ 아양을 ～/엄살을 ～/능청을 ～/수다를 ～.
떨떠름-하다 형여불 ①매우 떠름하다. ¶ "아뇨, 별말씀을…"하였으나 아닌게아니라 입장은 떨떠름하다《康信哉 : 琉璃의 덫》. ②마음이 내키지 아니하다. ¶ 떨떠름한 얼굴로 승낙하다. 떨떠름-히 부
떨-떠리다 타 〈방〉 떨뜨리다.
떨떨 부 단단한 바닥에 쇠로 만든 수레 바퀴 같은 것이 좀 투박하게 굴러가는 소리. ㅅ덜덜¹. >딸딸.
떨떨-거리다 자타 연해 떨떨 소리가 나다. 또, 연해 그런 소리를 내다.
떨떨-대다 자타 떨떨거리다. ㅅ덜덜거리다¹. >딸딸거리다.
떨떨-하다 형여불 ①어울리지 아니하여 조금 천하다. ¶ 맵시가 좀 ～/떨떨한 사내. ②마음에 좀 흡족하지 못한 듯하다. ¶ 마음에 좀 떨떨하여 그만두었다. 떨떨-히 부
떨:-뜨리다 타 위세(威勢)를 드러내서 뽐내다. 거만하게 뽐내다. ¶ 외교관의 부인이나 되는 듯이 양복을 떨뜨리고 나왔데그려《趙重桓 : 長恨夢》.
떨렁¹ 부 ①큰 방울이 흔들리어 나는 소리. ②침착하지 못하고 까부는 모양. 1)·2):ㅅ덜렁. >딸랑. ——-하다¹ 자타여불
떨렁² 부 갑자기 겁나는 일을 당하였을 때 가슴이 뜨끔하게 울리는 모양. ㅅ덜렁⁴. >딸랑². ——-하다² 자여불
떨렁-거리다 자타 ①연해 떨렁 소리가 나다. 또, 연해 떨렁 소리를 나게 하다. ②침착하지 아니하고 자꾸 덤벙거리다. 1)·2):ㅅ덜렁거리다. >딸랑거리다. 떨렁-떨렁 부. ——-하다 자타여불
떨렁-대다 자타 떨렁거리다.
떨리다¹ 자 ①몹시 춥거나 무섭거나 또는 분하여 몸이나 몸의 한 부분이 재게 흔들리다. ¶ 분해서 치가 ～. ②작은 폭으로 가늘게 흔들려 움직이다. ¶ 떨새가 가늘게 떨리고 있다.
떨리다² 자 ①달렸던 곳에서 떨어져 나오다. ¶ 먼지가 다 떨리어 깨끗하다/낟알이 잘 떨린다. ②떨어 내는 통에 같이 끼어 떨어져 나오다. ¶ 불량 학생이 학교에서 떨리어 나갔다.
떨림-판【—板】 명 진동판(振動板).
떨:-새 명 수식(首飾)의 과판이나 족두리의 장식의 하나. 은사(銀絲)로 매우 가늘게 용수철을 만들고 그 위에 은으로 새 모양을 만들어 붙이는데, 흔들리는 대로 한들한들 떨리게 되었음.
떨어-가다 타거라불 ①팔다 조금 남은 물건을 몽땅 사 가다. ¶ 도매값으로 ～. ② ☞털어가다.
떨어-내다 타 떨어져서 나오게 하다. ¶ 먼지를 ～.
떨어-뜨리다 타 ①위에 있던 것을 아래로 내려지게 하다. ¶ 날아가는 새도 떨어뜨릴 만한 세도. ②붙었던 것을 떨어지게 하다. ¶ 나무를 흔들어 사과를 ～/ 사이를 ～. ③가졌던 것을 빠뜨려서 흘리다. ¶ 연필을 ～. ④뒤에 처지게 하다. ¶ 속력을 ～/이등을 떨어뜨리고 일등으로 골인했다. ⑤값을 깎아서 싸게 하다. ¶ 값을 ～. ⑥옷·신 같은 것이 해져서 못쓰게 되다. ¶ 구두를 ～. ⑦쓰이던 물건이 없어져서 뒤가 딸리게 하다. ¶ 재고품을 ～. ⑧입찰 또는 시험 같은 것에 붙지 아니하게 하다. ¶ 시험에서 10명을 ～. ⑨가치·명성·지위 따위를 잃게 하다. ¶위신을 ～/품질을 ～/신용을 ～.
떨어-먹다 타 ☞털어먹다.
떨어-버리다 타 어떤 생각이나 시름 따위를 없애다. ¶ 걱정을 ～.
떨어-지다 자 ①위에 있던 것이 아래로 내려가다. ¶ 이층에서 ～/빗방울이 ～/지옥에 ～. ②서로 붙었던 것이 각각으로 갈라지다. ¶ 단추가 ～. ③헤어지다. ¶ 부모와 떨어져 살다. ④붙었던 것이 흩어져 없어지다. ¶ 정(情)이 ～. ⑤흘러서 빠지다. ¶ 주머니에서 지갑이 ～. ⑥이익이 나다. 남다. ¶ 본전을 빼고 천 원이 ～. ⑦값이 내려서 싸게 되다. ¶ 쌀값이 ～/물가가 ～. ⑧옷·신 같은 것이 해어지다. ¶ 다 떨어진 옷/양말이 ～/구두가 ～. ⑨쓰이던 물건이 바닥이 나서 뒤가 달리다. ¶ 밑천이 ～/식량이 ～/일감이 ～. ⑩딴 것만 못하다. ¶ 아무래도 기술이 ～. ⑪거리·간격이 있다. 뒤로 처지다. ¶ 일등에서 이등으로 ～/외따로 떨어진 마을. ⑫손 안에나 자기에게 넘어오다. ¶ 경쟁 입찰이 그에게로 ～. ⑬꾐이나 술책에 넘어 가다. ¶ 감언 이설에 ～. ⑭병이나 버릇이 없어지다. ¶학질이 ～. ⑮시험이나 선거 같은 것에 붙지 못하다. ¶ 입사 시험에 ～. ⑯함락되다. ¶ 요새가 적군에게 ～/성(城)이 ～. ⑰명령·호령 등이 내리다. ¶ 구령이 ～/불호령이 ～. ⑱전보다 나쁜 상태로 되다. 감퇴하다. ¶ 성적이 ～/위신이 ～/능률이 ～/속력이 ～/손님이 ～. ⑲일이 끝나다. ¶ 일이 내일이면 떨어진다. ⑳부합되다. ¶ 숫자가 맞아 ～. ㉑숨이 끊어지다. ¶ 막 숨이 떨어지는 참이었다. ㉒두 지점 사이에 거리가 있다. ¶ 집에서 많이 떨어진 곳. ㉓유산(流産)되다. ¶ 아이가 떨어지다. ㉔우수리 없이 나뉘다. ¶ 나뉘어 ～.

[떨어진 주머니에 어패(御牌) 들었다] 겉 모양은 보잘 것 없으나, 실속은 뜻밖에 훌륭하고 소중한 것일 때 이르는 말.
떨어-치다 타 힘을 들이어서 세게 떨어지게 하다.
떨어-트리다 타 떨어뜨리다.
떨이 명 팔다가 조금 남은 것을 다 떨어서 싸게 파는 물건. ¶ ～판/～로 팔다. *떨다².
떨:-잠【—簪】 명 부인들의 예장(禮裝)에 꽂는 비녀의 한 가지. 떨새를 붙인 과판 같은 것. 떠는잠.
떨:-채 명 〈방〉 먼지떨이.
떨쳐-나서다 자 어떤 일에 세차게 나서다.
떨치다¹ ㊀자 위세나 명성 같은 것이 널리 알리어져 있다. ¶ 문명(文名)이 ～. ㊁타 위세나 명성 같은 것을 일으키어서 널리 알게 하다. ¶ 명성을 ～/맹위(猛威)를 ～.
떨치다² 타 세게 흔들어서 떨어지게 하다. ¶ 소매를 떨치고 일어서다.
떨-켜 명 〖식〗 낙엽 질 무렵 잎꼭지가 가지와 붙은 곳에 생기는 특수한 세포층(細胞層). 굳어져서 수분(水分)을 통하지 못하게 하고 이 부분에서 잎이 떨어지며 잎 떨어진 자리를 보호함. 이층(離層). 분리층(層).

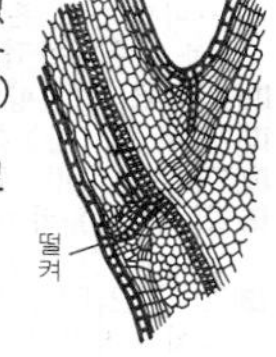

〈떨켜〉

떨:-판【—板】 명 진동판(振動板).
떫:다 [떨따] 형 맛이 거세어 입 안이 부덕부덕하다. 날감 맛과 같다.
[떫기로 고욤 하나 못 먹으랴] 다소 힘들다고 해서 그만 일이야 못 하겠느냐는 뜻. [떫은 배도 씹어 볼 만하다] 처음에는 좋지 않더라도 정을 붙이고 지내노라면 차츰 재미를 느끼게 된다는 말.
떫:디-떫다 [떨떠떨따] 형 몹시 떫다.
떫:은-감 [떨븐—] 명 맛이 떫은 날감. 삽시(澁柿).
떫:은-맛 [떨븐—] 명 거세고 입 안이 부득부득한 맛. 날감 맛. 삽미(澁味).
떰부기 명 〈방〉〖조〗 뜸부기(경북).
떰북-새 명 〈방〉〖조〗 뜸부기(경북).
떰불 명 〈방〉 덤불(경상).
떰치 명 소의 길마 밑에 덮는 짚 방석 비슷이 된 물건.
떱다¹ 형 〈방〉 덥다(경남).
떱:다² 형 〈방〉 떫다(강원·충남·전라·경상).
떳떳-이 부 떳떳하게. ¶ ～ 부부가 되다.
떳떳-하다 형여불 [중세 : 덛덛ᄒᆞ다] 반듯하고 굽힘이 없다. 언행이 바르고 어그러짐이 없다. 버젓하고 어엿하다. ¶ 떳떳한 행동.
떴다-방【—放】 명 〈속〉 일정하게 매인 데 없이 훌쩍 나타나는 짓. 또, 그런 행동을 하는 사람. ¶ 달동네 주민은 ～ 인생.
떵 부 두꺼운 쇠붙이를 몹시 쳐서 울리는 소리. >땅³.
떵기다 타 〈방〉 던지다(전남).
떵-떵¹ 부 두꺼운 쇠붙이를 연해 몹시 쳐서 울리는 소리. >땅땅².
떵떵² 부 헛된 장담을 예사롭게 하는 모양. 기세 좋게 으르대는 꼴. ¶ 큰소리만 ～ 치더니. ㅆ텅텅³. >땅땅³.
떵떵-거리다¹ 자타 연해 떵떵 소리가 나다. 연해 떵떵 소리를 내다. >땅땅거리다¹.
떵떵-거리다² 자 권세와 돈이 많아 호화롭게 지내다. ¶ 떵떵거리며 살던 집안. >땅땅거리다².
떵떵-대다 자타 떵떵거리다¹·².
떼¹ 명 목적과 행동을 같이하는 무리. ¶ 거지～/벌～/～를 짓다.
떼² 명 흙까지 아울러 뿌리째 떠낸 잔디. ¶ ～를 뜨다/～를 입히다. *뗏장.
떼³ 명 ①나무 토막이나 대 토막을 엮어 물 위에 띄워서 타고 다니게 된 물건. ¶ ～를 띄워 보내다. ②재목이나 화목(火木) 등을 물 위로 흘려 내릴 때에 길이를 길게 엮어서 사람이 타고 오게 된 물건. *뗏목.
떼⁴ 명 부당한 일을 억지로 요구하거나 고집하는 짓. ¶ ～를 쓰다.
떼-강도【—強盜】 명 여럿이 떼를 지어 저지르는 강도.
떼:-개 명 〖고고학〗 구석기 시대에 돌의 격지를 떼어 내는 데 쓰는 도구의 총칭. 돌망치·나무 공이·뿔·뼈 따위.
떼-거리 명 〈속〉 떼⁴.
떼거리(를) 쓰다 구 〈속〉 떼쓰다.
떼-거지 명 ①떼를 지어 다니는 거지. ②나라의 큰 재변으로 갑자기 거지처럼 된 많은 사람들. ¶ 전쟁 때문에 ～가 생겼다.
떼걱 부 울차고 큰 물건이 부딪쳐서 나는 소리. ㅅ데걱. ㅆ떼꺽. >때각.
떼걱-거리다 자타 연해 떼걱 소리가 나다. 연해 떼걱 소리를 나게 하다. ㅅ데걱거리다. ㅆ떼꺽거리다. >때각거리다. 떼걱-떼걱 부. ——-하다 자타여불
떼걱-대다 자타 떼걱거리다.
떼:-걸다 타 관계하던 일에서 손을 떼다.
떼게우 명 〈방〉〖조〗 거위¹(전라).
떼-과부【—寡婦】 명 전쟁이나 재난으로 말미암아 한 집안이나 한 마을에서 한꺼번에 떼로 생기는 과부.
떼-관음보살【—觀音菩薩】 명 떼지어 행동하는 무리. 한동아리.
떼구루루 부 좀 크고 딴딴한 물건이 딴딴한 바닥에 떨어져서 구르는 소리. 또, 그 모양. ㅅ데구루루. >때구루루.
떼굴-떼굴 부 크고 딴딴한 물건이 계속하여 굴러가는 모양. ¶ ～ 굴러가다. ㅅ데굴데굴. >때굴때굴.
떼그럭 부 여러 개의 딴딴한 물건이 서로 부드럽게 부딪쳐 나는 소리. ㅅ데그럭. >때그락.
떼그럭-거리다 자타 연하여 떼그럭 소리가 나다. 연하여 떼그럭 소리를 나게 하다. ㅅ데그럭거리다 >때그락거리다. 떼그럭-떼그럭 부. ——-하다 자타여불
떼그럭-대다 자타 떼그럭거리다.
떼그렁이 명 〈방〉 떼거리.
떼그르르 부 〈방〉 떼구루루.
떼글-떼글 부 〈방〉 떼굴떼굴.
떼기¹ 명 〈방〉 뙈기²❶.

떼-기² 명 ①학질 따위 병을 떨어지게 하는 일. ②전체에서 얼마를 덜어 내는 일. ¶개평 ~. ③〖고고학〗 석기를 만들 때, 몸돌에서 격지 따위를 떼어 내는 일. 박리(剝離).

떼-까마귀 명 〖조〗[*Corvus frugilegus pastinator*] 까마귓과에 속하는 새. 까마귀와 비슷한데 날개 길이 30-33cm, 꽁지 16-28cm 가량이고, 온몸이 새까맣고 자줏빛 광택을 띠며, 부리 밑에 털이 없고 피부가 나출(裸出)하여 있는 것이 특색임. 산·들·바닷가에 흔히 서식하는데, 동부 아시아에 분포함. 당까마귀.

〈떼까마귀〉

떼까우리 명 〈방〉 〖조〗 거위¹(전라).
떼깨우 명 〈방〉 〖조〗 거위¹(전라).
떼꺼우 명 〈방〉 〖조〗 거위¹(전북).
떼꺽 부 ①올차고 좀 큰 물건이 부딪쳐서 나는 소리. ㅅ데걱·떼꺽·떼걱. >때깍. ②서슴지 아니하고 곧. ¶ ~ 해치우다. ㅅ데꺽. *제꺽².
떼꺽-거리다 자타 연해 떼꺽 소리가 나다. 연해 떼꺽 소리를 나게 하다. ㅅ데걱거리다·떼꺽거리다·떼걱거리다. >때깍거리다. 떼꺽-떼꺽 부. ——-하다 자타여불
떼꺽-대다 자타 떼꺽거리다.
떼-꾸러기 명 늘 떼를 쓰는 버릇이 있는 사람을 얕잡아 이르는 말. *떼쟁이.
떼-꾼 명 〈방〉 떼쟁이.
떼꾼-하다 형여불 기운이 몹시 지쳐서 눈이 쑥 들어가고 생기가 없다. ¶온종일 굶었더니 눈이 ~. ㅅ데꾼하다. >때꾼하다.
떼-꿩 명 떼를 지어 날아다니는 꿩.
[떼꿩에 매 놓기] 너무 한꺼번에 이익을 바라다가는 오히려 소득이 없게 된다는 말. ¶그러나 사면팔방 통한 길이 떼꿩에 매 놓으니 갈사와 어디로 방향을 하고 찾을 길이 없사오니…≪李海朝 : 昭陽亭≫.
떼:논 당상【一堂上】 명 ↗떼어논 당상.
떼는-목 명 〖악〗 판소리 창법에서, 소리를 하다가 한때 맺어서 잘라 떼는 목소리.
떼:다¹ 타 ①붙었던 것을 떨어지게 하다. ¶간판을 ~/회충을 ~/코를 떼었다/애기가 밭을 ~. ②두 쪽 사이를 멀게 하다. 한군데에 있던 것을 갈라지게 하다. ¶한 줄 사이를 떼어 놓다/이간질을 하여 부부의 정을 ~. ③봉한 것을 뜯다. ¶편지를 떼어 보다. ④먹던 것을 못 먹게 하다. ¶젖을 ~. ⑤요구를 거절하다. ¶청을 뗄 수가 없어서. ⑥제(除)하다. 덜다. 빼다. ¶월급에서 1할을 ~. ⑦수표나 어음을 발행하다. ¶5만 원짜리 수표를 ~. ⑧관계하던 것을 그만두다. ¶밀수에서 손을 ~. ⑨배우던 것을 끝내다. ¶천자책을 다 ~. ⑩병이나 버릇을 고치다. ¶학질을 ~. ⑪낙태하다. ¶아이를 ~. ⑫말문을 열다. 말을 시작하다. ¶입을 ~.
[떼어 둔 당상(堂上) 좀 먹으랴] 당상은 옥관자(玉貫子)의 뜻으로, 어떤 일이 틀림없음을 이르는 말.
떼:다² 타 하고서도 아니한 체하다. ¶시치미를 ~/딱 잡아 ~.
떼다-밀다 타 ☞떠다밀다.
떼-도둑 명 떼를 지어 하는 도둑. 떼도적.
떼-도망【一逃亡】 명 한 집안이나 어떤 구성원이 모두 도망함. ——-하다 자여불
떼-도적【一盜賊】 명 떼도둑.
떼-돈 명 졸지에 한꺼번에 많이 생긴 돈. ¶ ~을 벌다. ↔푼돈.
떼-된장【一醬】 명 〈방〉 된장❶.
떼떼 명 '말더듬이'를 조롱하여 이르는 말.
떼떼-바리 명 〈방〉 말더듬이(경기).
떼-말 명 〈방〉 뗏말.
떼:-먹다 타 ↗떼어먹다. ¶남의 돈을 ~.
떼-목【一木】 명 〈방〉 뗏목.
떼:-밀다 타 [←떠밀다] 몸을 기대고 앞으로 밀다. ¶문 밖으로 ~/떼밀지 마시오.
떼-배 명 ①뗏목처럼 통나무를 엮어 만든 배. 주로, 내해(內海)에서 고기를 잡거나, 물건을 실어 나르는 데 씀. ②〈방〉 뗏목(전라·경남·강원).
떼:-버리다 타 ↗떼어버리다.
떼-보 명 〈방〉 떼쟁이.
떼-살이 명 동물이 한 곳에 많이 모여서 삶. 군서(群棲). ——-하다 자여불
떼-새 명 ①떼를 지어 날아다니는 새. ②↗물떼새.
떼-서리 명 〈방〉 떼전❷.
떼-섬 명 〖지〗 경상 남도의 남해상(南海上), 남해군(南海郡) 삼동면(三東面) 영지(靈芝) 4리(里)에 위치한 섬. [0.03 km²]
떼-송장 명 갑자기 한때에 많이 죽어서 생긴 송장.
떼-쓰다 자 이치에 맞지 아니한 말로 억지로 요구하거나 고집하다. ¶떼쓰는 아이/자기 주장만이 옳다고 ~.
떼어논 당상【一堂上】 명 으레 될 것이니 조금도 염려 없다는 뜻. 또, 으레 자기가 차지하게 될 것이 틀림없음을 이르는 말. ¶합격은 ~이다. ㊟떼논 당상.
떼어-놓다 [—노타] 타 ①뒤에 처지게 하여 놓다. ¶외갓집에 떼어놓고 왔다. ②붙은 것을 갈라놓다. ¶싸움하는 두 소년을 ~/부모와 자식을 ~.
떼:어-먹다 타 ①한 덩이가 된 것에서 한 부분을 잘라 먹다. ¶떡을 한입 ~. ②남에게 갚아야 할 것을 갚지 아니하다. ¶술값을 ~. ③남에게 가는 것을 중간에서 잘라먹다. ¶남의 물건을 ~. ㊟떼먹다.
떼어-버리다 타 붙었던 것을 뜯어 멀리하다. ¶간판을 ~. ㊟떼버리다.
떼우적 명 〈방〉 떼적.
떼이다 피동 ①남에게 빌려 준 것을 못 받게 되다. ¶돈을 ~. ②돈이나 물건을 소매치기에게 도둑맞다.
떼-잠자리 명 〈방〉 〖충〗 메밀잠자리.
떼-장【一醬】 명 〈방〉 된장❶.
떼-쟁이 명 늘 떼를 잘 쓰는 버릇이 있는 사람. 떼를 잘 쓰는 사람. *떼꾸러기.
떼적 명 무엇을 막으려고 치는 거적 같은 것.
떼전 명 ①한 사람이 경작하는 한 물꼬에 딸려 쭉 잇달아 있는 여러 배미의 논. ②떼를 이룬 한 무리.
떼-죽음 명 한꺼번에 모조리 또는 떼로 죽는 일.
떼-집다 타 착 달라붙은 것을 집어서 떼다. ¶종아리에 붙은 거머리를 떼집어 버리다/진드기를 ~.
떼-짓다 자ㅅ불 여럿이 모이어 떼를 이루다. ¶떼지어 사는 동물/기러기가 떼지어 날아가다.
떼짱 명 〈방〉 뗏장(전남).
떼:-치다 타 ①달라붙는 것을 거절하여 물리쳐 버리다. ¶우는 아이를 떼치고 나가다/먹고 살게 해내라고 매어달리니 인정에 차마 떼칠 수가 있어야지요≪洪命憙 : 林巨正≫. ②거절하여 물리쳐 버리다.
떼-판 명 식물의 생태학상, 동일한 자연 환경에서 생육하는 식물떼의 일컬음. 군락(群落).
뗵-데구루루 부 ①크고 딴딴한 물건이 다른 물건에 부딪치면서 굴러가는 소리. ②우뢰가 먼 데서 갑자기 세게 부딪치는 듯이 나는 소리. 1)·2):ㅅ덱데구루루. >땍대구루루.
뗵데굴-뗵데굴 부 ①크고 딴딴한 물건이 다른 물건에 부딪치어 연해 튀면서 굴러가는 소리. 또, 그 모양. ②우레가 먼 데서 갑자기 부딪치는 듯이 잇따라 우는 소리. 1)·2):ㅅ덱데굴덱데굴. >땍대굴땍대굴.
뗀:-석기【一石器】 명 〖고고학〗 돌을 깨어 격지를 떼어 내기만 하여 만든 돌 연장. 구석기·신석기 시대 유적에서 출토됨. 타제 석기(打製石器).
뗌비다 자 〈방〉 덤비다(함남).
뗏대구루루 부 〈방〉 땍대구루루.
뗏대굴-뗏대굴 부 〈방〉 땍대굴땍대굴.
뗏-말 명 떼를 지어 다니는 말.
[뗏말에 망아지] 여럿의 틈에 끼어 뛰어다님을 이르는 말.
뗏-목【一木】 명 떼로 엮어서 물에 띄워 운반하는 재목. 떼를 만든 재목.
뗏목-다리【一木一】 명 뗏목으로 가설(假設)한 다리.
뗏-밥 명 무덤의 잔디를 잘 살게 하려고 한식(寒食)날에 뿌리는 흙.
뗏밥(을) 주다 구 무덤의 잔디를 잘 살게 하기 위하여 흙을 뿌리는 일.
뗏-솔 명 흙이 붙은 채로 뿌리를 떠낸 소나무 묘목.
뗏-일 [—닐] 명 〖토〗 둑이나 비탈진 면을 보호하기 위하여 떼를 입히는 일.
뗏-장 명 흙이 붙은 채로 뿌리째 떠낸 잔디의 조각. *떼².
뗑 부 두껍고 큰 쇠붙이로 된 그릇을 칠 때에 나는 소리. ㅅ뎅. >땡.
뗑겅 부 ①↗뗑그렁. ②큰 물방울이 한 번 떨어지는 소리. 1)·2):ㅅ뎅겅. >땡강. ——-하다 자타여불
뗑겅-거리다 자타 ①↗뗑그렁거리다. ②큰 물방울이 잇따라 떨어져서 연해 뗑겅 소리를 내다. 1)·2):ㅅ뎅겅거리다. >땡강거리다. 뗑겅-뗑겅 부. ——-하다 자타여불
뗑겅-대다 자타 뗑겅거리다.
뗑그렁 부 큰 방울이나 풍경 같은 것이 흔들리거나 부딪쳐서 한 번 나는 소리. ㊟뗑겅. ㅅ뎅그렁. >땡그랑. ——-하다 자타여불
뗑그렁-거리다 자타 뗑그렁 소리가 연해 나다. 또, 연해 뗑그렁 소리를 나게 하다. ㊟뗑겅거리다. ㅅ뎅그렁거리다. >땡그랑거리다. 뗑그렁-뗑그렁 부. ——-하다 자타여불
뗑그렁-대다 자타 뗑그렁거리다.
뗑-뗑 부 큰 쇠붙이나 그릇 따위를 연해 칠 때에 나는 소리. ¶ ~ 종을 친다. ㅅ뎅뎅. >땡땡.
뗑뗑-거리다 자타 연해 뗑뗑 소리가 나다. 연해 뗑뗑 소리를 나게 하다. ㅅ뎅뎅거리다. >땡땡거리다.
뗑뗑-대다 자타 뗑뗑거리다.
또 부 ①같은 짓을 거듭하여서. ¶ ~ 불이 났다/~ 뵙겠습니다. ②'그뿐 아니라 다시 더'의 뜻의 접속 부사. ¶그는 정치가이며 ~ 문학가이다/용기도 있고 ~ 슬기도 있다. ③'그래도'의 뜻의 접속 부사. ¶혼자 간다면 ~ 모르겠지만.
또가리 명 〈방〉 또아리(전라).
또강 명 〈방〉 못³(충남).
또개미 명 〈방〉 또아리(전라).
또고막 명 〈방〉 똥구멍.
또굽-질 명 〈방〉 소꿉질(평북).
또그르르 부 작고 무거운 것이 대번에 세게 구르는 모양. ㅅ도그르르. <뚜그르르.
또글-또글 부 작고 무거운 둥그스름한 것이 자꾸 굴러가는 모양. ㅅ도글도글. <뚜글뚜글.
또깜-놀음 명 〈방〉 소꿉질(함남).
또깡-또깡 부 언행이 흐리터분하지 아니하고, 똑똑 자른 듯이 분명한 모양. ——-하다 형여불
또깨비 명 〈방〉 도깨비(강원·전남·경상).
또꼬방-질 명 〈방〉 소꿉질(평안).
또꾸방-살이 명 〈방〉 소꿉질(평안).
또는 부 '그렇지 않으면'·'혹은'의 뜻의 접속 부사. ¶내일이나 ~ 모레.
또-다른 관 다른 어떤 것 이외의 두 번째의 다른. ¶ ~ 부정.
또-다시 부 ①두 번째. 재차(再次). ¶ ~ 실수하다. ②한 번 더.
또닥-거리다 자타 작고 단단한 물건으로 다른 단단한 물건을 두드려서 연해 또닥 소리를 내다. 또, 연하여 또닥 소리가 나다. ¶연필을 가지고 책상을 ~. ㅆ토닥거리다. <뚜덕거리다. 또닥-또닥 부. ¶책상을 ~ 두드리다. ——-하다 자타여불
또닥-대다 자타 또닥거리다.
또드락-거리다 자타 망치나 마치 같은 것으로 가락이 있게 두드림을 따라 연하여 또드락 소리가 나다. 또, 연하여 그런 소리를 나게 하다. <뚜드럭거리다. 또드락-또드락 부. ——-하다 자타여불
또드락-대다 자타 또드락거리다.
또드락-장이【一匠一】 명 금박(金箔)을 두드려서 만드는 사람.

또라-젓 [명] 숭어 창자로 담근 젓.
또랑 [명] 〈방〉 도랑²(경기·강원·경남·전라·충청).
또랑또랑-하다 [형][여불] 아주 밝고 똑똑하여 조금도 흐린 점이 없다. ¶ 어린이의 또랑또랑한 목소리. 「아이들.
또래 [명] 나이 또는 무슨 정도가 같거나 어슷비슷한 무리. ¶ 같은 ~의
또렷-또렷 [부] ①여럿이 다 또렷한 모양. ¶ 글씨를 ~ 쓰다. ②매우 또렷한 모양. 1)·2):ㅅ도렷도렷. 〈뚜렷뚜렷. ——-하다 [형][여불]
또렷-이 [부] 또렷하게. ¶ 그전 일이 ~ 생각난다. ㅅ도렷이. 〈뚜렷이.
또렷-하다 [형][여불] 엉클어지거나 흐리지 아니하고 썩 분명하다. ¶ 윤곽이 또렷한 얼굴. ㅅ도렷하다. 〈뚜렷하다.
또로-또로 [부] 〈방〉 따로따로²(경상).
또르르¹ [부] 말렸던 종이 같은 것이 풀렸다가 튀기는 힘으로 다시 저절로 세게 말리는 모양. ¶ 필름이 ~ 말리다. ㅅ도르르¹. 〈뚜르르¹.
또르르² [부] 작고 둥그스름한 것이 가볍게 구르는 모양. 또, 그 소리. ¶ 동전이 ~ 굴러간다. ㅅ도르르². 〈뚜르르².
또마 [명] 〈방〉 도마¹ (충북).
또매 [명] 〈방〉 도마¹ (강원·전북·경상).
또매기 [명] 〈방〉 도마¹(황해).
또바기 [부] 언제나 한결같이 꼭 그렇게. ¶ 인사를 ~ 잘 한다. *꼬바기.
또바리 [명] 〈방〉 또아리(전라·충청·강원).
또박-거리다 [자] (발소리를 또렷이 내며) 거만한 태도로 점잔을 빼고 걸어가다. 〈뚜벅거리다. 또박-또박¹ [부]. ——-하다 [자][여불]
또박-대다 [자] 또박거리다.
또박-또박² [부] ①흐리터분하지 않고 똑똑히. 난잡하지 않고 또렷하게. ¶ 글씨를 ~ 쓰다. ②차례를 거르지 않고 일일이. ¶ 세금을 ~ 잘 내다. *꼬박꼬박. ——-하다 [형][여불]
또뱅이 [명] 〈방〉 또아리(충청·경북).
또아기 [명] 〈방〉 똘기.
또아리 [명] ☞ 똬리.
또애기 [명] 〈방〉 똘기.
또애-복숭아 [명] 〈방〉〖식〗 감복숭아.
또야기¹ [명] 〈방〉 돼기².
또야기² [명] 〈방〉 두드러기. 땀띠.
또야-머리 [명]〖역〗 내외 명부(內外命婦)가 예장(禮裝)할 때에 트는 머리. 금으로 만든 첩지를 두 가닥의 다리 위에 붙이고 이것을 가리마 위에 얹은 뒤에 그 다릿가닥을 본 머리에 합쳐서 땋는 머리. [준]또머리.
또야치 [명] 〈궁중〉 또야머리. ⌊*또야치.
또에-복숭아 [명] 〈방〉〖식〗 감복숭아.
또우-부【一又部】[명] 한자 부수(部首)의 하나. '友'나 '取' 등의 '又'의 이름. 「의 이름.
또이-부【一而部】[명] 한자 부수(部首)의 하나. '耎'이나 '耐' 등의 '而'
또한¹ [부] ①'마찬가지로·한가지로·역시(亦是)·역(亦)'의 뜻의 접속 부사. ¶ 나도 ~ 가리라/그도 ~ 인간이었다. ②'그 위에 더'. ¶ 학력도 좋고 ~ 실력도 있다/돈도 있고 ~ 권세도 있다.
또한²【且亦】[부] 〈이두〉 또한.
똑¹ [부] ①좀 작은 물건이 떨어질 적에 나는 소리. 또, 그 모양. ¶ 배가 하나 ~ 떨어지다. ②가늘거나 작은 물건이 부러지며 나는 소리. ¶ 지팡이가 ~ 부러졌다. ③조금 단단한 물건을 한 번 가볍게 두드릴 때 나는 소리. 1)-3): 〈뚝². ——-하다 [자][여불] 똑 소리가 나다.
똑² [부] ①계속되던 것이 갑자기 그치는 모양. ②거침없이 따거나 떼는 모양. ¶ 사과를 ~ 따먹다. 1)·2): 〈뚝³.
똑³ [부] 아주 틀림없이. ¶ ~ 같다/둘이 ~ 닮았구나.
똑감-노름 [명] 〈방〉 소꿉질(함남).
똑감질-노름 [명] 〈방〉 소꿉질(함남).
똑-같다 [형] 조금도 다른 데가 없이 같다. ¶ 모습이 ~/두 변의 길이가 ~.
똑-같이 [一가치] [부] 똑같게. ¶ ~ 생겼다/~ 나누어 먹어라.
똑구바지-노름 [명] 〈방〉 소꿉질(함남).
똑대기 [명] 〈방〉 ①똑딱선(船). ②깍두기(전북).
똑딱-거리다 [자타] 단단한 물건을 연해 가볍게 두드릴 때와 같은 소리가 나다. 또, 연하여 그와 같은 소리를 나게 하다. ¶ 똑딱선이 똑딱거리며 간다. 〈뚝딱거리다. 똑딱-똑딱 [부]. ¶ ~ 밤의 고요를 깨는 시곗소리. ——-하다 [자타][여불]
똑딱-단추 [명] 쇠로 만든 단추의 한 가지. 서로 이가 맞아 끼고 뺄 때 똑딱 소리가 나는데, 속옷 같은 데에 많이 닮. 스냅 파스너. 프레스 단추.

〈똑딱단추〉

똑딱-대다 [자타] 똑딱거리다.
똑딱-선【一船】[명] 발동기로 움직이는 작은 배. 모터 보트.
똑딱-이 [명] ①〈방〉 똑딱선(船). ②〈방〉 똑딱단추.
똑딱지 [명] 〈방〉 깍두기(전라). 「없지만.
똑-떨어지다 [자] 꼭 일치하다. 맞아 떨어지다. ¶ 똑떨어지게 말할 수는
똑또기 [명] ①↗똑또기 자반. ②〈방〉 깍두기.
똑또기 자:반【一佐飯】[명] 살코기를 잘게 썰어 여러 가지 양념을 하여 서 볶은 뒤에 흰 깨를 버무린 반찬의 한가지. 장똑또기. [준]똑또기.
똑-똑 [부] ①작은 물건이나 물방울이 연해 떨어지며 나는 소리나 모양. ¶ 처마에서 물이 ~ 떨어지다/눈물이 ~ 떨어진다. ②작은 물건이 연해 부러지며 나는 소리나 모양. ¶ 연필이 ~ 부러지다. ③조금 단단한 물건을 연해 두드릴 때 나는 소리. ¶ 문을 ~ 두드리다. 1)-3): 〈뚝뚝¹. ⌊——-하다¹ [자][여불]
똑똑-이¹ [명] 똑똑한 사람. 똑똑한 아이. ¶ 겉~.
똑똑-이² [부] ☞ 똑똑히.
똑똑-자:반【一佐飯】[명] 〈방〉 똑또기 자반.
똑똑-장【一醬】[명] 〈방〉 육장(肉醬).
똑똑-하다² [형][여불] ①분명하여 환히 알 수 있다. 흐린 점이 없어 선명(鮮明)하다. 분명하고 정확하다. ¶ 발음(發音)이 ~/뚝뚝하게 처리하여라. ②보기에 반반하고 매우 영리하다. ¶ 그는 아주 ~. 똑똑-히 [부]
똑-바로 [부] ①한쪽으로 치우치지 아니하고 곧 바르게. ¶ ~ 앉다/자세를 ~ 하다. ②조금도 틀림없이 아주 바른 대로. ¶ ~ 대라.
똑-바르다 [형][르불] ①어느 쪽에도 기울지 아니하고 아주 바르다. ¶ 똑바른 길. ②도리(道理)나 사실에 꼭 맞다. ¶ 그는 똑바른 사람이다.
똑수리 [명] 〈방〉〖조〗 독수리(강원·경북).
똑:-하다 [형][여불] 꼭하다.
똘: [명] 〈방〉 도랑¹(충청·전라).
똘-감 [명] 〈방〉 고욤(전남).
똘강 [명] 〈방〉 도랑¹(충남).
똘기 [명] 채 익지 아니한 과실.
똘-두덕 [명] 〈방〉 둑²❶(전북).
똘또지 [명] 〈방〉〖동〗 돼지(경북).
똘똘¹ [부] ①물건을 여러 겹으로 말거나 말리는 모양. 또, 여러 겹으로 뭉쳐진 모양. ¶ 두루마리를 ~ 말다/~ 뭉치다. ②물건이 가볍고도 세게 구르는 소리. ¶ ~ 구르다. 1)·2):ㅅ돌돌¹. 〈뚤뚤¹.
똘똘² [감] 〈방〉 오래오래(경북·함경).
똘똘-이 [명] 똑똑하고 영리한 아이.
똘똘-하다 [형][여불] 똑똑하고 영리하다. ¶ 똘똘하게 생긴 녀석. ㅅ돌돌하다. 똘똘-히 [부]
똘마니 [명] 〈속〉 왕초의 나이 어린 부하.
똘방똘방-하다 [형] 〈방〉 또랑또랑하다.
똘-배 [명] 똘배나무의 열매. 보통 배보다 훨씬 작고 단단하며 시고 떫음.
똘배-나무 [명]〖식〗 콩배나무. ⌊산리(山梨).
똠방 [부] 〈방〉 통틀어(경기). ¶ 청상과부가 되어서 ~ 나 하나를 길러 주신 어머님이 …《李無影 : 사랑의 화첩》.
똥 [명] ①사람 또는 동물이 음식물을 먹고 삭이어 항문으로 내보낸 찌끼. 분(糞). ②갈아 쓰던 먹물이 벼루에 말라서 붙은 찌끼.
[똥 때문에 살인 난다] 보잘 것 없는 것을 가지고 이(利)를 다투다가 사고(事故)를 일으킬 때 쓰는 말. [똥덩이 굴리듯 하다] 아무데도 소용되지 않는 물건이므로 아무렇게나 함부로 다룬다는 말. [똥 먹던 개는 안들키고 재 먹던 강아지는 들킨다] 크게 나쁜 일을 저지른 놈은 들키지 아니하고 조그마한 일을 저지른 사람만 들켜서 애매하게 남의 허물까지 뒤집어 쓰게 된다는 뜻. [똥 묻은 개가 겨 묻은 개 나무란다] 제 허물은 더 많으면서 대단치 않은 남의 허물을 흉본다는 뜻. [똥 묻은 속옷을 팔아서라도] 일이 궁박하면 염치를 돌보지 아니하고 무슨 방법이라도 하여 힘쓰겠다는 말. [똥은 건드릴수록 구린내만 난다] 악한 사람을 건드리면 불유쾌한 일만 생긴다는 뜻. [똥은 말라도 구린내 난다] ㉠한 번 저지른 허물은 쉽게 벗을 수 없다는 뜻. ㉡본바탕이 나쁜 사람은 언제라도 또 나쁜 짓을 하게 마련이라는 뜻. [똥을 주물렀나 손속도 좋다] 똥을 주무르면 재수가 있다는 말인데, 노름판에서 운수 좋게 돈을 잘 딴다는 뜻으로 씀. [똥이 무서워 피하나 더러워 피하지] 악한 사람을 상대하지 아니하고 그냥 두는 것은 내가 비겁해서가 아니고 상대할 대상이 못 되기 때문이라고 자부하는 말. [똥 친 막대기] 아주 더럽거나 천하게 되어서 아무 짝에도 쓰지 못하게 된 물건. 또는 버림 받은 사람. 타분장(打糞杖).
똥-간【一間】[一깐] [명] 〈비〉 뒷간.
똥-갈이 [명] 제사(除砂)❷. ——-하다 [자][여불] 「는 말.
똥-감태기 [명] 머리에서부터 온 몸에 똥을 흠뻑 뒤집어 쓴 것을 가리키
똥-값 [一깝] [명] 말할 수 없이 싼 값. 갯값. ¶ ~으로 팔다.
똥-개 [一깨] [명] ①잡종(雜種)의 개. 흔히 똥을 잘 먹는 개. ¶ ~만도 못한 놈. ②〈속〉 똥집. 즉, 체중(體重). ¶ ~가 무겁다.
똥-거름 [명] 똥으로 된 거름. 거름으로 쓰는 똥.
똥거름 장수 [명] 도시(都市)의 각 집의 뒷간을 쳐내서 농가에 거름으로 파는 일을 업으로 삼는 사람.
똥겨-주다 [타] 똥기어 주다. 일러서 깨닫게 하여 주다. 똥기다. ¶ 글뜻을 ⌊~.
똥-경낭 [명] 〈방〉 뒷간.
똥-구녁 [명] 〈방〉 똥구멍(전남).
똥-구녕 [명] 〈방〉 똥구멍(전남).
똥구리 [명] 〈방〉〖식〗 조롱박(충북·경북).
똥구-망이 [명] 〈방〉 똥보❶(함남).
똥-구멍 [一꾸一] [명]〖생〗 사람이나 고등 포유 동물 등의 똥·방귀를 몸 밖으로 내보내는 구멍. 개구리·뱀·새 같은 종류는 생식기(生殖器)와 함께 있는데, 이것을 배출강(排出腔)·배설강(排泄腔)이라고도 함. 분문(糞門). 항문(肛門).
[똥구멍으로 호박씨 까다] 겉으로는 어리석은 체하고 속은 엉큼하여 우물쭈물하면서 엉뚱한 짓을 한다는 뜻. [똥구멍이 찢어지게 가난하다] 비길 수 없이 가난함을 일컫는 말. [똥구멍 찔린 소 모양] 어쩔 줄 모르고 참지 못하여 쩔쩔매는 모양. 「러니.
똥그라니 [부] 똥그랗게. ¶ 아이들이 ~ 앉아서 논다. ㅅ동그라니. >뚱그
똥그라미 [명] ①똥그란 형상. ②〈속〉 돈. ¶ ~가 없다. 1)·2):ㅅ동그라미.
똥그랑-땡 [명] 〈속〉 돈저냐. 「그렇다.
똥그랗다 [一라타] [형][ㅎ불] 아주 동글다. ¶ 똥그란 눈. ㅅ동그랗다. 〈뚱
똥그래미 [명] 〈방〉 똥그라미.
똥그래-지다 [자] 똥그랗게 되다. ¶ 놀라서 눈이 ~. ㅅ동그래지다. 〈뚱그레지다.
똥그랭이 [명] 〈방〉 똥그라미(평안).
똥그스레 [부] 똥그스름하게. ㅅ동그스레. 〈뚱그스레. ——-하다 [형][여불]
똥그스름-하다 [형][여불] 대강만 동글다. 모나지 아니하고 퍽 동근 편이다. ㅅ동그스름하다. 〈뚱그스름하다. 똥그스름-히 [부]
똥글-똥글 [부] ①여러 개가 다 똥그란 모양. ②동그라미를 그리면서 자꾸 돌아가는 모양. ㅅ동글동글. 1)·2): 〈뚱글뚱글. ——-하다 [형][여불]

똥기다 타 모르는 것을 일러 주어 깨닫게 하다. 똥겨 주다. ¶ 옆에서 보더은 … 빼먹고 읽는 글자와 토달고 읽을 것을 똥기어 주었다≪朴鍾和 : 錦衫의 피≫.
똥꼬 명 〈소아〉 똥구멍.
똥-뀌다 자 〈방〉 방귀 뀌다.
[똥 뀐 년이 바람맞이에 선다] 미운 자가 더욱 미운 짓만 한다는 말.
똥-끝 명 똥구멍으로부터 먼저 나온 똥자루의 대가리.
똥끝(이) 타다 구 ㉠애타서 똥자루가 굳어지고 빛이 까맣게 되다. ㉡몹시 마음을 졸이다. ¶ 날짜가 촉박하여 ~.
똥-넉가래 명 똥을 치는 데 쓰는, 넉가래 비슷한 나무 기구.
똥넉가래 내세우듯 구 대단치도 않은 일을 걸핏하면 들먹여 내세우는 모양. ¶ 경들이 예니 법이니 하고 아무리 똥넉가래 내세우듯 해도 소용이 없소≪朴鍾和 : 錦衫의 피≫.
똥-누다 자 똥을 몸 밖으로 내보내다. 뒤보다.
[똥누고 간 우물도 다시 먹을 날이 있다] 두 번 다시 그 사람에게 신세지지 않을 것처럼 혹독하게 괄시하여도 오래지 않아 또다시 찾아가서 부탁할 일이 생기게 마련이니, 사람은 누구에게나 항시 좋게 대하라는 말. [똥누고 밑 아니 씻은 것 같다] 일의 끝을 완전히 맺지 아니하여 마음에 꺼림칙하다는 말. [똥누는 놈 주저앉히기] 대항할 힘 없는 상대를 짓눌러, 기어코 못된 구렁텅이에 밀어 넣는, 고약한 심사와 잔인한 행동을 이르는 말. [똥누러 가서 밥 달라고 하느냐] 처음에 목적하던 일을 잊고 전연 딴 짓을 한다는 말. [똥누러 갈 적 마음 다르고 올 적 마음 다르다] 자기 일이 아주 급한 때와 그 일을 무사히 다 마친 때와의 남을 대하는 마음이 다르다는 말. [똥누면 분칠하여 말려 두겠다] 사람의 똥에다 분을 칠하여 하얗게 말려 두었다가, 흰 개의 흰 똥을 약으로 구하는 사람이 있으면 팔아먹겠다는 뜻으로, 악독하게 인색한 사람을 이르는 말.
똥-더푸리 명 〈방〉 〖조〗 소리개(강원).
똥-독[1] [―똑] 명 똥이 담기도록 뒷간에 묻어 놓은 독.
똥-독[2] 【―毒】 [―똑] 명 똥 속에 채독(菜毒) 같은 것이 있어 몸에 해로운 독. 더운 똥을 밟거나 똥의 김을 쐰 때 걸리며 그 부분이 가렵고 오돌오돌하게 부르터 터짐. ¶ ~이 오르다.
똥-되다 자 면목·체면이 형편없이 되다.
똥-둑간 [―뚝―] 명 ☞뒷간.
똥-뒷간 【―間】 [―뒷―] 명 ☞뒷간.
똥똥-하다 형 여불 ①키나 키보다는 부피나 덩치가 크다. ¶ 똥똥한 사람. ②살이 터질 것같이 부어오르거나 찌다. 1)·2): <뚱뚱하다. *통통하다. 똥똥-히 부
똥-뚜재비 명 〈방〉 〖조〗 소리개(강원).
똥마랍팽 명 〈방〉 복사뼈(제주).
똥-마렵다 형 ㅂ불 똥이 나올 듯한 느낌이 있다.
[똥마려운 계집 국거리 썰듯] 제 일이 급하여 일을 아무렇게나 마구 해치움을 이름.
똥-물 명 ①똥이 풀리어 섞인 물. ②구토(嘔吐)가 심할 때 먹었던 음식물이 다 나오고 나중에 누르스름하게 나오는 물.
똥물에 튀할 놈 구 지지리 못나서 아무 짝에도 못쓸 놈이라는 뜻으로 남을 욕하는 말.
똥-바가지 [―빠―] 명 똥이나 똥물을 퍼내거나 퍼담거나 하는 데 쓰는 바가지. 보통, 자루가 달려 있음.
똥-받기 명 가축의 똥을 받아 내는 제구.
똥-방개 명 〈방〉 〖충〗 먹물방개.
똥-배 [―빼] 명 〈속〉 똥똥하게 불러서 나온 배. ¶ ~가 나오다.
똥-소로기 명 〈방〉 〖조〗 소리개(제주).
똥수-깐 명 〈방〉 뒷간(충남·함북).
똥-수레기 명 〈방〉 〖조〗 독수리(제주).
똥시 명 〈방〉 뒷간(경상).
똥시-깐 명 〈방〉 뒷간(경남).
똥-싸개 명 ①똥을 가누지 못하는 아이. ¶ 오줌싸개 ~. ②똥을 가눌 줄 알면서도 잘못하여서 똥을 싼 아이를 놀리는 말. *오줌싸개.
똥-싸기 명 〈방〉 똥싸개.
똥-싸다 자 ①모르는 사이에나 또는 미처 수습할 사이가 없이 똥이 나오다. *오줌싸다. ②〈속〉 몹시 힘이 들다. ¶ 하루에 다 하느라고 똥쌌네.
[똥싸고 매화 타령한다; 똥싼 주제에 매화 타령한다] 제 허물을 부끄러워할 줄 모르고 비위좋게 날뛴다. [똥싸고 성낸다] 제가 잘못하고서는 도리어 큰소리로 야단스럽게 군다. [똥싼 년이 핑계 없을까] 무슨 일에든지 핑계는 있다는 말. *핑계없는 무덤이 없다·처녀가 애를 낳고도 할 말이 있다. [똥싼 누덕 바지 추키듯] 남을 연해 추어주는 모양. 난쟁이 허리춤 추키듯.
똥아리 명 〈방〉 똬리(충청·전라).
똥애미 명 〈방〉 똬리(전북).
똥-오줌 명 똥과 오줌. 분뇨(糞尿). ¶ ~을 가리다.
똥-요강 【―尿鋼】 [―뇨―] 명 똥을 받아 내는 요강. 흔히 오지 항아리를 씀. 똥항아리.
똥-자루 [―짜―] 명 굵고도 긴 똥덩이.
똥-주머니 [―쭈―] 명 지지리 못나서 아무 짝에도 쓸모가 없는 사람을 가리키는 말.
똥-줄 [―쭐] 명 급히 내깔기는 똥의 줄기.
똥줄(이) 나다 구 똥을 쌀 것 같다는 뜻에서, 몹시 다급하게 달아남을 이르는 말. ¶ 그 집안 식구대로 무더기 욕을 퍼붓는 서슬에 똥줄이 나서 쫓겨 왔는데 ≪李海朝 : 鬢上雪≫.
똥줄(이) 당기다 구 몹시 두려워 겁내다.
똥줄(이) 빠:지다 구 똥을 쌀 것 같다는 뜻에서, 몹시 혼이 나 급하게 달아남을 가리키는 말. ¶ 똥줄 빠지게 달아나다.
똥줄(이) 타다 구 〈속〉 똥끝(이) 타다.
똥-줌치 명 〈방〉 똥주머니.
똥-집 명 [―찝] 명 〈속〉 ①대장(大腸). ②체중. ¶ ~이 무겁다. ③위(胃).
똥-차 【―車】 명 ①똥을 퍼서 담아 내는 차. 분뇨차(糞尿車). *배큐엄 카(vacuum car). ②〈속〉 오래 되거나 낡아서 잘 고장나는 차를 비웃는 말. ¶ 이런 ~를 굴리고 다니다니.
똥차(가) 밀리다 구 위로 미혼인 형이 있어 그 지차들이 결혼을 못하다.
똥창 명 소의 창자 중 새창의 한 부분. 국도 끓여 먹고 소금을 발라서 구워 먹기도 함.
똥창(이) 맞다 구 〈속〉 뜻이 서로 맞다.
똥-칠 【―漆】 명 ①똥을 묻히는 짓. ②'더러운 망신'을 비유하여 일컫는 말. ¶ 얼굴에 ~하다. ――하다 자 여불
똥-탈 명 〈비〉 배탈.
똥탈(이) 나다 구 ㉠똥탈이 생기다. ㉡〈비〉 급한 탈이 나다.
똥-털 명 똥구멍 가에 난 털.
똥-통 【―桶】 명 ①뒷간에 똥이 담기는 통. ¶ ~에 빠지다. ②똥을 담아 쳐내는 통. ¶ ~을 메다. ③똥을 담는 통. ④〈속〉 좋지 아니하거나 낡아 빠진 것을 비유하는 말. ¶ ~ 학교.
똥통-쟁이 【―桶―】 명 똥통을 메고 다니며 똥을 치는 사람.
똥-파리 명 ①똥에 잘 모이는 파리. ②〖충〗 [*Scatophaga stercoraria*] 똥파릿과에 속하는 파리. 몸길이 8-11 mm이고, 몸빛은 황갈색이며 황색 털이 밀생함. 흉배(胸背)에 있는 네 개의 암색 세로줄은 분명치 아니함. 두부와 다리는 황색에 흑색 반문이 있고, 날개는 황색을 띰. 세계 공통으로 주로 똥·오줌에 모임. ③〈속〉 아무 일에나 함부로 간섭을 하거나 얻어먹으려고 덤비는 사람을 가리키는 말. *파리[1].

〈똥파리❷〉

똥파릿-과 【―科】 명 〖충〗 [Scatophagidae] 파리목(目)에 속(屬)하는 한 과(科). 복안(複眼)은 서로 멀리 떨어져 있고, 이마에는 교차 극모(交叉棘毛)가 없음. 유충은 부패한 식물질에 모이고, 성충은 작은 곤충을 잡아먹음. 똥파리·왕똥파리가 이에 속하는데, 대개 위생(衛生) 해충임.
똥풍이 명 〈방〉 〖충〗 풍뎅이.
똥-항아리 명 ①똥요강. ②지위만 높고 아무 재능이 없는 사람의 별명. ③먹기만 하고 하는 일이 없는 사람의 별명.
똬르르 부 물 같은 것이 좁은 목으로 쏟아지는 소리. ㅅ돠르르.
똬:리 명 ①짐을 일 때에 머리 위에 얹어서 짐을 괴는 고리 모양의 물건. 짚이나 헝겊 같은 것을 둥글게 틀어서 만듦. ②갈퀴코를 가운데 치마에 잡아맨 뒤에 뒤초리의 목장이와 장치 사이에 가는 새끼 네 가닥을 허리 질러 끼고 두 가닥씩 갈라서 장치와 뒤초리를 휘감아 매는 물건. 누수(耬籔).

〈똬리❶〉

[똬리로 눈 가린다] 가린다고 가렸으되 가장 요긴한 데를 덮지 못했다는 말.
똬:리-굴 【―窟】 명 〈속〉 루프식 터널(loop式 tunnel).
똬:리-쇠 명 볼트를 죌 때에, 고정시키기 위하여 너트 밑에 받쳐 끼우는 얇은 쇠붙이판의 고리. 와셔(washer).
똬:-머리 명 ↗또아머리.
똬뱅이 명 〈방〉 똬리(경북·충남).
똴:똴 부 먹은 것이 잘 삭지 아니하여 배가 끓는 소리. ㅅ돨돨.
뙈기[1] 명 〈방〉 언청이(함북).
뙈:기[2] 명 ①논밭의 한 구획(區劃)의 일컬음. ¶ 밭 한 ~ 없는 농사꾼. ②작은 한 조각.
뙈:기[3] 명 〈방〉 태[1].
뙈:리 명 〈방〉 똬리.
뙈야기 명 〈방〉 뙈기[2]❶.
뙤 명 〈방〉 ①도[1](경상). ②떼[2](강원·전남).
뙤-놈 명 ☞되놈.
뙤다[1] 자 ①그물코나 바느질 땀 같은 것이 터지다. ¶ 그물코가 ~. ②물건의 어느 한 귀가 깨져서 떨어지다. ¶ 책상귀가 ~.
뙤다[2] 타 〈방〉 똥기다.
뙤뙤 부 말더듬는 소리.
뙤뙤-거리다 자 말을 연해 더듬다. ¶ 말을 ~.
뙤뙤-대다 자 뙤뙤거리다.
뙤록-거리다 자타 ①또렷또렷한 눈알이 열기 있게 번쩍이다. ¶ 눈을 뙤록거리며 주위를 살피다. ②똥똥한 몸이 둔하게 움직이다. ¶ 몸을 뙤록거리며 둔하게 걷다. ③성낸 빛을 행동에 나타내다. 1)-3): ㅅ되록거리다. <뛰룩거리다. 뙤록-뙤록 부. ――하다 자타 여불
뙤록-대다 자타 뙤록거리다.
뙤새 명 〈방〉 똬리(황해).
뙤새-집 명 똬리처럼 안뜰을 중심으로 ㅁ자 모양의 평면을 가진 집.
뙤야기 명 〈방〉 뙈기[2]❶.
뙤약-볕 명 되게 내리쬐는 뜨거운 볕. 폭양(曝陽). ¶ ~ 아래서 일을 하다. *땡볕.
뙤어-주다 타 〈방〉 똥겨 주다.
뙤-창 【―窓】 명 ↗뙤창문.
뙤창-문 【―窓門】 명 작은 창을 단 문. 준뙤창.
뚜[1] 명 ↗뚜쟁이.
뚜:[2] 부 기적(汽笛)이나 나팔에서 나는 외마디 소리. ¶ ~ 사이렌이 불다.
뚜가리 명 〈방〉 뚝배기(강원·충북).
뚜거리 명 〈방〉 뚝배기(전남).
뚜겅 명 〈방〉 뚜껑(전라).
뚜그르르 부 크고 무겁고 둥그스름한 물건이 대번에 세게 구르는 모양. ㅅ두그르르. >또그르르.
뚜글-뚜글 부 크고 무겁고 둥그스름한 물건이 자꾸 세게 굴러가는 모양. ㅅ두글두글. >또글또글.
뚜기 명 〈방〉 ①무식(無識)(함남). ②두께(제주).
뚜기다 형 〈방〉 무식(無識)하다(함남).
뚜까리 명 〈방〉 〖식〗 파리(경남).

뚜깔 명 〔식〕 ①[*Patrinia villosa*] 마타릿과에 속하는 다년초. 마타리와 비슷한데, 줄기 높이 60-150 cm이고, 잎은 대생하며 우상 분열(羽狀分裂)하고 털이 많으며 유병(有柄) 또는 무병(無柄)임. 7-8월에 흰 꽃이 가지 끝에 산방(繖房) 화서로 피고, 화관(花冠)은 종형(鐘形)이며, 과실은 거꿀달걀꼴의 타원형임. 산이나 들에 나는데, 한국 각지 및 중국·일본 등지에 분포함. 어린 잎은 식용함. ②〈방〉 파리(경남).

〈뚜깔❶〉

뚜깔-나물 [—라—] 명 뚜깔을 익혀 양념한 나물.
뚜깔-지짐이 명 뚜깔을 고추장에 지진 지짐이.
뚜깨 명 〈방〉 ①두께(경남). ②뚜껑(전남·경북).
뚜깨비 명 〈방〉 〔동〕 두꺼비(전남·경상).
뚜깽 명 〈방〉 뚜껑(전라).
뚜깽이 명 〈방〉 뚜껑(경북).
뚜꺼비 명 〔동〕 〈방〉 두꺼비.
뚜껍다 형 〈방〉 두껍다(강원·전라·경상).
뚜껑 명 ①물건이나 그릇의 아가리를 덮는 제구. 덮개. ¶ 남비 ~. ②〈속〉 모자(帽子).
　뚜껑(을) 덮다 구 ㉠ 입을 봉하여 옳고 그름을 가리어 말하지 않다. ㉡ 남이 알지 못하도록 숨기다.
　뚜껑(을) 열:다 구 일의 실정이나 결과 따위를 보다.
　뚜껑(이) 열리다 구 ㉠일이 시작되다. ㉡일의 실정이나 결과 따위가 드러나다.
뚜껑-덩굴 명 〔식〕 [*Actinostemma racemosum*] 박과에 속하는 일년생의 만초(蔓草). 줄기는 길이 2 m 내외이고 덩굴손으로 다른 것에 감겨 올라가며, 잎은 달걀꼴의 삼각형임. 8-9월에 황록색 오판화(五瓣花)가 소형(小形)의 총상(總狀)으로 액출(腋出)하여 피며, 대추 모양의 삭과(蒴果)에는 흑색 종자가 두 개 있음. 물가에 나는데, 제주도·동부 아시아·일본 등지에 분포함.

〈뚜껑덩굴〉

뚜껑-돌 명 〔고고학〕 무덤칸을 직접 덮기 위한 판돌로 된 뚜껑. 개석(蓋石).
뚜껑-받이 [—바지] 명 〔고고학〕 굽다리접시 등의 그릇에 뚜껑이 덮이는 자리.
뚜껑-밥 명 ①사발 안에 다른 작은 그릇이나 접시를 엎어 놓고 많아 보이도록 담은 밥. ②안에는 잡곡밥을 담고 위에만 이밥을 담은 밥. ③겉으로만 잘 먹이는 체하는 음식.
뚜껑-버선 명 ☞뚜께버선.
뚜껑-이불 [—니—] 명 이불잇을 시치지 않아 안팎만 있는 솜이불.
뚜껑-접시 명 〔고고학〕 굽이 없고 뚜껑이 덮여 있는 토기로서, 굽을 떼어 낸 굽다리접시 같은 그릇. 개배(蓋杯).
뚜껑-항아리 명 〔고고학〕 항아리에 뚜껑이 덮여 있는 토기. 유개호(有蓋壺).
뚜께 명 〈방〉 ①뚜껑(강원·제주). ②두께(강원·전남·경상).
뚜께-머리 명 머리를 잘못 깎아 층이 져서 뚜껑을 덮은 것처럼 보기 흉하게 된 머리.
뚜께-버선 명 바닥은 다 해지고 발등만 덮게 된 버선.
뚜께비 명 〈방〉 〔동〕 두꺼비(경상·강원·충북·전라).
뚜껭이 명 〈방〉 뚜껑(강원·경남·제주).
뚜꾸 명 〈방〉 두께(강원·경북).
뚜꾸비 명 〈방〉 〔동〕 두꺼비(경상).
뚜꿉다 형 〈방〉 두껍다(경상).
뚜꿍 명 〈방〉 뚜껑(경북).
뚜끼비 명 〈방〉 〔동〕 두꺼비(경상).
뚜낑이 명 〈방〉 뚜껑(경북).
뚜덕-거리다 자타 잘 울리지 아니하는 물체를 조금 세게 연해 뚜드리는 소리가 나다. 또, 연하여 뚜덕 소리를 내다. ㅆ투덕거리다. >또닥거리다. **뚜덕-뚜덕** 부. **——-하다** 자타여불
뚜덕-대다 자타 뚜덕거리다.
뚜덜-거리다 자 불평하는 말로 혼자 중얼거리다. ⊥두덜거리다. ㅆ투덜거리다. **뚜덜-뚜덜** 부 **——-하다** 자여불
뚜덜-대다 자 뚜덜거리다.
뚜데기 명 〈방〉 ①포대기(경북). ②기저귀(경북).
뚜두두둑 부 ①소낙비나 우박이 연해 떨어지는 소리. ②나뭇가지 같은 것이 서서히 부러지는 소리. **——-하다** 자여불
뚜두러기 명 〈방〉 두드러기(전남).
뚜두룩 명 〈방〉 두드러기(전남).
뚜드래기 명 〈방〉 두드러기(전남).
뚜드러기 명 〈방〉 두드러기(경북).
뚜드럭 명 〈방〉 두드러기(전남).
뚜드럭-거리다 자타 망치나 마치 같은 것으로 연하여 가락 있게 두드리는 소리가 나다. 또, 연하여 그런 소리를 나게 하다. >또드락거리다. 뚜드럭-뚜드럭 부. **——-하다** 자타여불
뚜드럭-대다 자타 뚜드럭거리다.
뚜드레기 명 〈방〉 두드러기(전남).
뚜드려 내다 타 끌·대패 등의 연장을 속내기 위해서 날의 안쪽을 마치로 자꾸 뚜드려서 우묵하게 하다. 참고 이렇게 한 뒤에 철판이나 숫돌에 대고 갈게 됨.
뚜드리다 타 세게 여러 번 때리다. 자꾸 힘있게 두드리다. ¶ 문을 ~. ⊥두드리다.
뚜들기다 타 마구 세게 뚜드리다. ⊥두들기다.
뚜-뚜 부 기적(汽笛)이나 나팔을 연해 부는 소리.
뚜럭 명 〈방〉 둑[2]❶(전남).
뚜럭-질 명 〈속〉 좀도둑질.
뚜레-질 명 〈방〉 투레질[1].

뚜렷-뚜렷 부 ①모두가 다 한결같이 뚜렷한 모양. ②아주 뚜렷한 모양. 1)·2): ⊥두렷두렷. >또렷또렷. **——-하다** 형여불
뚜렷-이 부 뚜렷하게. ¶ ~ 생각나다. ⊥두렷이. >또렷이.
뚜렷-하다 형여불 엉크러지거나 흐리지 아니하고 똑똑하고 분명하다. ¶ 맑은 호수에 산 그림자가 ~/뚜렷한 사실. ⊥두렷하다. >또렷하다.
뚜루박 명 〈방〉 두레박(경북).
뚜룸박 명 〈방〉 두레박(충북).
뚜르다 타 〈방〉 뚫다(평안).
뚜르르[1] 부 말렸던 종이 같은 것이 탄력 있게 다시 말리는 모양. ⊥두르르[1]. >또르르[1].
뚜르르[2] 부 바퀴가 굴러가며 웅숭깊게 울리는 소리. 또, 그 모양. ⊥두르르[2]. >또르르[2].
뚜물 명 〈방〉 ①진딧물(경기·충청·전남·경상). ②뜨물[1](경기·강원·전남·경남).
뚜벅-거리다 자 거만한 걸음으로 점잖게 걸어가다. >또박거리다. 뚜벅-뚜벅 부. **——-하다** 자여불
뚜벅-대다 자 뚜벅거리다.
뚜벙 명 〈방〉 뚜껑(전남·경남).
뚜베 명 〈방〉 뚜껑(경북).
뚜부 명 〈방〉 두부(豆腐)(전라·경남).
뚜아리 명 〈방〉 똬리(충북·경기·황해).
뚜애 명 〈방〉 뚜껑.
뚜에 명 〈방〉 뚜껑. ¶ …과연 노피득이 우물 ~를 열고 내려다보며 혀를 끌끌 차는지라…≪金敎濟：地藏菩薩≫.
뚜-쟁이 명 남녀의 야합(野合)을 중매하는 것으로 업을 삼는 사람. 여쾌(女儈). (준)뚜.
뚜지기 명 〈방〉 〔동〕 두더지(경북).
뚝[1] 명 ☞둑[2]❶.
뚝[2] 부 ①큰 물건이나 굵은 물방울 따위가 갑자기 떨어지는 소리. 또, 그 모양. ¶ 호박이 ~ 떨어지다/물방울이 ~ 떨어지다. ②큰 물건이 갑자기 부러지는 소리. ¶ 나뭇가지가 ~ 부러지다. 딱[1]. ③조금 단단한 물건을 한번 두드릴 때 나는 소리. 1)-3): >똑[1]. **——-하다** 자여불 뚝 소리가 나다.
뚝[3] 부 ①계속되던 것이 갑자기 그치는 모양. ¶ 울음을 ~ 그치다/편지가 ~ 끊어지다. <똑[2]. ②거리·순위·성적 같은 것이 현저하게 떨어지는 모양. ¶ 성적이 ~ 떨어지다/도회지에서 ~ 떨어진 산골. ③말이나 행동 또는 일처리 따위를 망설이지 않고 단호히 하는 모양. ¶ 시침이를 ~ 떼다/재산을 한 몫 ~ 떼어주다. >똑[2].
뚝-감자 명 〈방〉 〔식〕 뚱딴지[1].
뚝겅 명 〈방〉 뚜껑(경기·황해).
뚝-나무 명 〔식〕 느릅나무.
뚝다 타 〈방〉 뚫다(함북).
뚝-딱 부 ①일을 거침없이 시원스럽게 해치우는 모양. ¶ 숙제를 ~ 해치우다. ②단단한 물건을 연달아 두드릴 때에, 한번 나는 소리.
뚝딱-거리다 자타 ①조금 단단한 물건을 잇따라 두드릴 때에 울려서 소리가 나다. 또, 연하여 그런 소리를 나게 하다. >똑딱거리다. ②갑자기 놀라거나 겁이 났을 때 가슴이 두근거려 뛰다. **뚝딱-뚝딱** 부. **——-하다** 자타여불
뚝딱-대다 자타 뚝딱거리다.
뚝-뚝[1] 부 ①큰 물건이나 물방울 따위가 잇따라 떨어져서 나는 소리. 또, 그 모양. ¶ 비바람에 감이 ~ 떨어지다. ②큰 물건이 잇따라 부러지며 나는 소리나 모양. ③단단한 것을 연해 뚜드려 내는 소리. 1)-3): >똑똑. **——-하다** 자여불
뚝-뚝[2] 부 ①여럿 사이의 거리가 현저하게 떨어져 있는 모양. ¶ 사이를 ~ 떼어놓다/형제 자매가 모두 ~ 떨어져서 산다. ②값·순위(順位) 같은 것이 계속해서 현저하게 떨어지는 모양. ¶ 물건 값이 ~ 떨어지고 있다.
뚝뚝-감 명 〈방〉 〔식〕 칠감.
뚝뚝-새 명 〈방〉 〔조〕 딱따구리(함남).
뚝뚝-이 부 뚝뚝하게.
뚝뚝-하다 형여불 ①나긋나긋한 맛이 없이 거세고 단단하다. ¶ 뚝뚝한 말씨. ②인정미(人情美)가 없고 굳기만 하다. ¶ 사람이 너무 ~. (준)뚝하다.
뚝바구 명 〈방〉 뚝배기(강원).
뚝바리[1] 명 〈방〉 뚝배기(경남).
뚝바리[2] 명 〈방〉 곰배팔이(평북).
뚝-발이 명 ↗절뚝발이.
뚝-방 명 〈방〉 둑[2]❶(경기·경남).
뚝배기 명 찌개나 지지미 같은 것을 끓이거나 설렁탕 같은 것을 담을 때 쓰는 오지 그릇. 아가리가 넓고 속이 좀 깊은데, 보통 다흑색(茶黑色)의 잿물을 칠하였으며, 외양은 좀 투박함.
　[뚝배기 깨지는 소리] 음성이 곱지 못하고 탁한 것을 이름. 잘 못하는 노래나 말의 비유. [뚝배기보다 장맛이 좋다] 겉 모양은 보잘것없으나 내용은 보다 나음을 가리키는 말.
뚝별-나다 [—라—] 형 뚝별씨의 성질이 있다. ¶ 제발 뚝별나게 굴지 말아라.
뚝별-스럽다 형ㅂ불 뚝별난 경향이 있다. **뚝별-스레** 부
뚝별-씨 명 걸핏하면 불뚝불뚝 성을 잘 내는 성질. 또, 그런 사람.
뚝비기 명 〈방〉 뚝배기(경북).
뚝사리 명 〈방〉 뚝배기(경남).
뚝-섬 명 〔지〕 둑도(纛島).
뚝수리 명 〈방〉 ①뚝배기. ②〔조〕 독수리(경남).
뚝-심 명 ①굳세게 버티어 가는 힘. 뚝뚝하게 당해 내는 힘. ¶ ~ 센 사람. ②좀 미련하게 불쑥 내는 힘. ¶ ~을 쓰다.
뚝-쌀 명 〈방〉 옴쌀.
뚝저기 명 〈방〉 〔어〕 꺽저기❶.
뚝정이 명 〈방〉 절뚝발이.
뚝지[1] 명 〔어〕 ①[*Aptocyclus ventricosus*] 도칫과에 속하는 바닷물고기. 배에 흡반(吸盤)이 있어서 바위 등에 부착하면 쉽게 떨어지지 않음. 한국 동해안·일본·오호츠크 해·베링 해·캄차카 등지에 널리 분포함. 멍텅구리. ②〈방〉 꺽저기❶.
뚝지[2] 명 〈방〉 어깨(제주).

뚝-하다 형 여불 ↗뚝뚝하다.
뚠물 명 〈방〉 뜨물¹(전남).
뚤구다 타 〈방〉 뚫다.
뚤뚤¹ 부 ①물건을 여러 겹으로 말거나 감는 모양. ¶ 신문지를 ~ 말다. ②좀 묵직한 물건이 가볍고도 세게 굴러가거나 돌아가는 소리. 1)·2): ㄴ스둘둘. >똘똘¹.
뚤뚤² 감 〈방〉 오래오래.
뚤레-뚤레 부 ☞둘레둘레.
뚤루게 [몽고 禿魯花] 명 〖역〗 [볼모의 뜻] 중국 원(元)나라에 볼모로 잡혀 간 고려의 왕자와 고관의 자제들의 일컬음.
뚧다 타 〈방〉 뚫다(경상).
뚫다 [뚤타] 타 ①구멍을 내다. ¶ 단추 구멍을 ~. ②길을 통하게 하다. ¶ 산을 뚫어 길을 내다. ③깊은 이치에 통하다. ¶ 학문의 깊은 이치를 ~. ④틈을 비집다. ¶ 군중 속을 뚫고 들어가다. ⑤장애나 난관 따위를 헤치고 길을 열다. ¶ 적의 포위망을 ~/고난을 뚫고 나아가다. ⑥어떤 곬을 알아 내다. ¶ 돈구멍을 ~.
뚫고 샐:데 없:다 구 ㉠영락없다. 필연적이다. ㉡일이 워낙 빈틈없이 철저하게 이루어져 있다.
뚫리다 [뚤―] 피동 ①뚫음을 당하여 구멍이 나다. ¶ 구멍이 ~. ②길이 통하게 되다. ¶ 터널이 ~/길이 ~. ③깊은 이치에 통하게 되다. ¶ 학문의 깊은 이치가 ~. ④틈이 생기게 되다. ⑤어떤 곬이 알리어지다. ¶ 돈구멍이 ~.
뚫린-골 [뚤―] 명 막히지 아니하고 통하여 있는 골목. ↔막다른골.
뚫어-내다 [뚤―] 타 ①힘을 들이어 구멍을 만들다. ¶ 송곳으로 판자에 구멍을 ~. ②힘을 들이어 길을 통하게 하다. ¶ 터널을 ~. ③깊은 이치를 끝내 알아내다. ¶ 학문의 깊은 이치를 ~. ④힘을 들이어 틈을 비집다. ¶ 인파(人波)를 ~. ⑤장애물이나 난관을 끝내 헤쳐 나아가다. ¶ 적진을 ~. ⑥어떤 곬을 끝내 알아 내다. ¶ 돈구멍을 ~.
뚫어-뜨리다 [뚤―] 타 힘을 들여서 뚫어지게 하다.
뚫어 새기다 [뚤―] 타 조각에서, 아주 내뚫어 구멍이 통하게 새기다.
뚫어-지다 [뚤―] 자 ①구멍이나 틈이 생기어지다. ¶ 이 송곳이면 잘 뚫어진다. ②길이 통하여지다. ③이치를 통하게 되다. ④어느 곬을 찾게 되다.
뚫어지게 보다 구 정신을 모아서 한 군데만을 똑바로 보다.
뚫어진 벙거지에 우박 맞듯 구 정신을 못 차릴 정도로 무엇이 억세게 마구 쏟아짐을 비유하는 말. ¶ 뚫어진 벙거지에 우박 맞듯, 좁은 수도에 물 퍼붓듯, 한참 이 모양으로 폭백을 당하며 ≪李海朝:鬢上雪≫.
뚫어-트리다 [뚤―] 타 뚫어뜨리다. 「의 이름. 셈대세울신부(部).
뚫을-곤 【―丨】 [뚤―] 명 한자 부수(部首)의 하나. '中'이나 '丰'의 '丨'
뚬물 명 〈방〉 ①뜨물¹(경기·전남). ②진딧물(전북·경북).
뚬배기 명 〈방〉 〖조〗 뜸부기(강원).
뚬버기 명 〈방〉 〖조〗 뜸부기(경남).
뚬벙 명 〈방〉 못³(전남).
뚬벙-새 명 〈방〉 〖조〗 뜸부기(경남).
뚬베기 명 〈방〉 〖조〗 뜸부기(경기·전남).
뚬부기 명 〈방〉 〖조〗 뜸부기(경기·충북·전남·경북).
뚬북-새 명 〈방〉 〖조〗 뜸부기(경남).
뚬비기 명 〈방〉 〖조〗 뜸부기(경상).
뚱게-질 명 〈방〉 뜸베질.
뚱겨-주다 타 〈방〉 뚱겨주다.
뚱그러니 부 뚱그렇게. ㄴ스둥그러니. >똥그라니.
뚱그러미 명 ☞둥그러미.
뚱그렇다 [―러타] 형 ㅎ불 크게 둥글다. ㄴ스둥그렇다. >똥그랗다.
뚱그레-지다 자 뚱그렇게 되다. ¶ 놀라서 눈이 ~. ㄴ스둥그레지다. >똥그래지다.
뚱그렝이 명 〈방〉 둥그러미(평안).
뚱그스레 부 뚱그스름하게. ㄴ스둥그스레. >똥그스레. ――하다 형 여불
뚱그스름-하다 형 여불 약간 둥글다. ㄴ스둥그스름하다. >똥그스름하다. 뚱그스름-히 부
뚱글-뚱글 부 ①여럿이 다 둥그런 모양. ②동그라미를 그리면서 자꾸 돌아가는 모양. 1)·2):>똥글똥글. ③모가 없이 매우 원만한 모양. 1)-3): ㄴ스둥글둥글. ――하다 형 여불
뚱기다 타 끝을 들어 탄력성 있게 퉁기어지게 하다.
뚱기-치다 타 세차게 뚱기다. ¶ 과단성이 없는 사람이라 앞장서서 뚱기칠 김종서만 없으면 자기가 앞장서지는 못할 사람이다≪金東仁:首陽大君≫.
뚱-녀 【―女】 명 〈속〉 뚱뚱한 여자의 별명.
뚱-딴지¹ 명 〖식〗 [*Helianthus tuberosus*] 국화과에 속하는 다년초. 지하경(地下莖)은 땅 속에 감자 모양의 괴경(塊莖)을 이루어 번식하고, 줄기는 높이 1.5-2.5 m이며 잔털이 나 있음. 잎은 유병(有柄)이며 하부(下部)는 대생하고, 상부는 호생하며 달걀꼴 혹은 달걀꼴의 긴 타원형임. 8-9월에 황색 두상화(頭狀花)가 줄기 끝이나 가지 끝에 정생(頂生)하여 핌. 북아메리카 원산으로 인가(人家) 부근에 재배 또는 자생(自生)함. 관상용이고, 괴경은 식용 및 사료용(飼料用)이며 '이눌린(inulin)' 성분을 함유하고 있어 제당(製糖) 또는 알코올 원료로도 쓰임. 돼지감자.

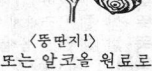

〈뚱딴지¹〉

뚱-딴지² 명 ①완고하고 우둔하며 무뚝뚝한 사람의 별명. ②뚱보❶. ③전기 절연체(絕緣體)로 쓰는 사기로 만든 통. 애자(碍子).
뚱딴지 같은 구 행동이나 사고 방식 따위가 엉뚱하다. ¶ 뚱딴지 같은 「사람.
뚱땅-거리다 자타 ①여러 가지 악기나 물건을 잇따라 불거나 두들기어서 소리를 내다. ②노래를 하거나 두들기면서 흥겹게 놀다. ¶ 뚱땅거리며 놀다/신나게 ~. 뚱땅-뚱땅 부. ――하다 자타 여불
뚱땅-대다 자타 뚱땅거리다.
뚱뚱-보 명 뚱뚱이. ㊀뚱보.
뚱뚱-이 명 살이 많이 쪄서 뚱뚱한 사람. 뚱뚱보. ↔홀쭉이.
뚱뚱-하다 형 여불 ①살이 쪄서 몸이 가로퍼지다. ②팽창하여 부피가 크다. 1)·2):>똥똥하다. *퉁퉁하다. 뚱뚱-히 부
뚱뛩-이 명 〈방〉 뚱뚱이(평안).
뚱-보 명 ①심술난 것처럼 뚱한 사람. 뚱딴지. ②↗뚱뚱보.
뚱:-하다 형 여불 ①말수가 적고 묵직하다. ¶ 뚱하여 말이 적다. ②못마땅하여 심술이 드러나 보이다. ¶ 제 청을 안 들어 준다고 뚱해 있다.
뛔:기 명 〈방〉 따리(황해).
뛰¹ 명 〈방〉 ①〖식〗 띠²(전남). ②떼²(강원·충남·전라·경상).
뛰:² 부 기적(汽笛) 소리.
뛰고디니 명 〈방〉 소라.
뛰꿈치 명 〈방〉 뒤꿈치(전북).
뛰-놀다 자 ①이리 뛰고 저리 뛰어다니면서 놀다. ¶ 뛰노는 어린이들. ②맥박 따위가 세게 뛰다.
뛰다¹ 자 ①물방울, 진흙덩이 같은 것이 공중으로 튀어 흩어지다. ¶ 잉크가 뛰어 옷에 묻다. ②〈속〉 달아나다. ③겁이 나거나 흥분하거나 별안간 놀랐을 때에 가슴이 두근두근하다. ¶ 가슴이 ~/맥이 ~. ④값 따위가 갑자기 오르다. ¶ 땅값이 ~.
뛰다² 자타 ①몸을 날리어 달음질치다. ¶ 100 m를 10 초대에 ~. ②몸을 솟구치어 무엇을 넘다. ¶ 담을 뛰어 넘다. ③순서 따위를 거르거나 넘기다. ¶ 1악장에서 3악장으로 ~.
[뛰는 놈이 있으면 나는 놈이 있다; 뛰는 놈 위에 나는 놈이 있다] 아무리 재주가 뛰어났다 하더라도, 그보다 더 뛰어난 사람이 있다는 뜻으로, 스스로 뽐내는 사람을 경계하여 이르는 말. 치 위에 치가 있다. [뛰면 벼룩이요 날면 파리] 벼룩과 파리는 귀찮은 존재라, 제 뜻에 맞지 않는 자는 무슨 짓을 하나 밉게만 보인다는 말. [뛰어야 벼룩] 도망쳐 보았자 별수 없다는 말.
뛰다³ 타 ①그네에 올라 서서 앞뒤로 나갔다 물러났다 하다. ¶ 단오날에 그네를 ~. ②널에 올라 서서 몸을 솟구쳐 올라갔다 내려왔다 하다. ㄴ¶ 설날에 널을 뛰고 놀다.
뛰더지 명 〈방〉 〖동〗 두더지.
뛰딴지 명 〈방〉 떼²(경북). 「리.
뛰뛰-빵빵 부 자동차 클랙슨이 굵게 맑게 번갈아 가며 연해 울리는 소
뛰룩-거리다 자타 ①두리두리한 눈알이 열기 있게 번쩍이다. ②뚱뚱한 몸이 둔하게 움직이다. ③성낸 빛을 행동에 나타내다. 1)-3): ㄴ스뒤룩거리다. >뙤룩거리다. 뛰룩-뛰룩 부. ――하다 자타 여불
뛰룩-대다 자타 뛰룩거리다.
뛰막-질 명 〈방〉 달음박질(함남).
뛰미 명 〈방〉 까닭(함남).
뛰방 명 〈방〉 〖건〗 문둔테.
뛰아리 명 〈방〉 따리.
뛰애기 명 〈방〉 뙈기²❶.
뛰어-가기 명 〖악〗 같은 화음(和音) 안의 음(音)을 찾아서 뛰어 오르내리는 가락의 형태. 힘찬 느낌이 있으나 딱딱하고 노래하기에 힘든 것이 결점임. 도약 진행(跳躍進行).
뛰어-가다 자타 거라불 달음박질로 빨리 가다. 달려가다. ¶ 단숨에 ~.
뛰어-나가다 자타 거라불 몸을 솟치면서 빨리 달려서 밖으로 나가다. 달려나가다.
뛰어-나다 형 여럿 가운데서 훨씬 낫다. 우수하다. ¶ 뛰어난 성적.
뛰어-나오다 자타 너라불 몸을 솟치면서 빨리 달려서 밖으로 나오다. ¶ 방에서 ~. 「~.
뛰어-내리다 자타 몸을 솟구쳐 높은 데서 아래로 내리다. ¶ 기차에서
뛰어-넘다 [―따] 타 ①몸을 솟쳐서 높거나 넓은 물건을 넘다. ¶ 담을 ~/개울을 ~. ②순서를 걸러서 진행하거나 앞으로 가다.
뛰어-다니다 자타 ①경중경중 뛰면서 여기저기 돌아다니다. ②이리저리 바삐 돌아다니다. ¶ 종일 바삐 ~. 「뛰어드는 동작.
뛰어-들기 명 수영(水泳)에서, 자세를 가다듬고 일정한 높이에서 물에
뛰어-들다 자 ①높은 데서 물 속으로 몸을 던지다. ¶ 한강에 ~. ②몸을 던져 위험한 속으로 들어가다. ¶ 불길 속에 ~/철길에 ~. ③사람이나 차 따위가 갑자기 들어오다. ¶ 자동차가 인도(人道)에 뛰어들어 사람을 놀라게 하다. ④스스로 어떤 일이나 사건에 관련을 가지다. ¶ 싸움에 ~/정치 운동에 ~. ⑤↗뛰어들어오다. ¶ 창문으로 ~.
뛰어-들어오다 자 너라불 몸을 솟구쳐 빨리 달려 들어오다. ¶ 방 안으로 ~. ㊀뛰어들다. 「여기까지 죽 뛰어왔다.
뛰어-오다 자타 너라불 달음박질로 빨리 오다. 급히 오다. 달려오다. ¶
뛰어-오르다 자타 르불 ①몸을 솟치어 높은 곳으로 오르다. ¶ 언덕에 ~/달리는 기차에 ~. ②값이나 지위 따위가 갑자기 많이 오르다. ¶ ㄴ물가가 ~/지위가 ~.
뛰엄-젓 명 개구리로 담근 젓.
뛰엄-줄기 명 〖식〗 만초(蔓草)나 만목(蔓木)의 가늘고 긴 덩굴과 같이 되어 땅 위에 뻗고, 마디에서 잎과 부정근(不定根)을 뻗치어 번식하는 줄기. 양딸기·고구마 따위의 줄기가 이것임. 포복경(匍匐莖).
뛰엄-질 명 〈방〉 뜀박질.
뛰-장 【―醬】 명 〈방〉 된장(경북).
뛰장이 명 〈방〉 뚜쟁이.
뛰재기 명 〈방〉 〖동〗 두더지(경북).
뛰지기 명 〈방〉 〖동〗 두더지(경상).
뛰집 명 〈옛〉 띳집. ¶ 山水間 바회아래 뛰집을 짓노라ㅎ니 ≪古時調≫.
뛰쳐-나가다 ㊀ 자 거라불 ①세게 뛰어나가다. ¶ 바깥으로 ~. ②어디에

서 떠나 나가다. ¶ 그 집에서 뛰쳐나가고 싶었다. 二 타 거라불 어디를 떠나 나오다. ¶ 그 집을 뛰쳐나갔다.
뛰쳐-나오다 一 자 너라불 ①세게 뛰어나오다. ②어디에서 떠나 나오다. ¶ 그 집에서 뛰쳐나와 버렸다. 二 타 너라불 어디를 떠나 나오다. ¶ 집을
뛰치다 타 〈방〉 뛰다[3]❷. ㄴ뛰쳐나왔는데….
뜀 명 ①두 발을 모으고 앞으로 뛰어 나가는 짓. ②몸을 날리어 높은 곳으로 오르거나 넘는 짓. ③빨리 뛰는 짓.
뜀-다리 명 〈방〉 징검다리.
뜀-뛰기 명 육상 경기의 하나로, 높이뛰기·멀리뛰기·줄넘기·장대높이뛰기·세단 뛰기 따위의 총칭. ——-하다 자 여불
뜀뛰기 경:기【一競技】 명 육상 경기의 한 가지. 멀리뛰기·높이뛰기·세단 뛰기·장대높이뛰기 따위의 경기. 도약(跳躍) 경기.
뜀뛰기 운:동【一運動】 명 도약(跳躍) 운동.
뜀-뛰다 자 두 발을 모으고 몸을 솟쳐서 앞으로 나가거나 또는 높은 곳으로 오르다. ¶ 뜀뛰기 운동.
뜀-바위 명 험한 산길에서, 틈이 갈라져 있어 뛰어 넘어야만 하는 바위.
뜀박-질 명 ①뜀을 뛰는 짓. ㊟뜀질. ②달음박질. ——-하다 자 여불
뜀-질 명 ↗뜀박질. ——하다 자 여불
뜀-틀 명 기계 체조 용구의 하나. 찬합처럼 여러 층으로 포개 놓을 수 있는 상자 모양으로 만든 나무 틀. 정면이나 측면으로 달려와서 그 위에 손을 짚거나 그대로 뛰어넘음.
뜀틀-넘기 [一끼] 명 체조 경기의 한 종목. 뜀틀을 뛰어넘는 경기.
뙹뙹-하다 형 〈방〉 뚱뚱하다(함남).
뙹이 명 〈방〉 둥우리(함남).
뜨개-것 명 뜨개질하여 만든 물건. 편물(編物).
뜨개 바늘 명 ↗뜨개질 바늘.
뜨개이 명 〈방〉 뚜껑(경북).
뜨개-질 명 ①털실·실 따위로 셔츠·양말·장갑 같은 것을 결어서 만드는 일. ——-하다 자 여불
뜨개질 바늘 명 뜨개질에 쓰이는 바늘. 대나 쇠로 가늘고 길게 만들며 양끝이 뾰족한 것, 혹은 한쪽 끝에 미늘이 달린 것 등 그 모양이 여러 가지임. ㊟뜨개 바늘.

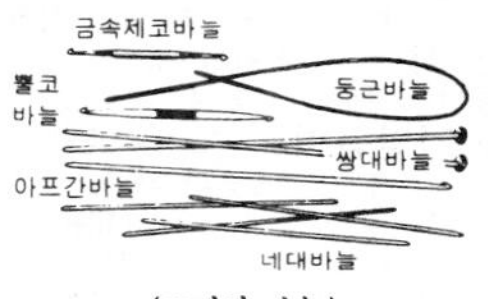

〈뜨개질 바늘〉

뜨거우- 간 '뜨겁다'의 불규칙 어간. ¶ ~ㄴ/~니/~며/뜨거워(←뜨거
뜨거워-지다 자 점점 뜨겁게 되다. >따가워지다. ㄴ우어).
뜨거워-하다 타 여불 뜨겁다는 기색을 밖으로 나타내다. 뜨겁게 느끼다. >따가워하다.
뜨겁다 형 ㅂ불 차지 않고 몹시 더운 느낌이 있다. 비유적으로도 쓰임. ¶ 몸이 ~/뜨거운 사이/뜨거운 눈물/낯이 ~. >따갑다. *덥다.
[뜨거운 국에 맛 모른다] ㉠사리를 알지 못하고 날뛰거나 혹은 무턱대고 행동한다는 말. ㉡급한 경우를 당하면 정확한 판단을 할 수 없다는 말. [뜨겁기는, 박태보(朴泰輔)가 살았을라구] 뜨겁기는 하지만, 참으라는 말. 박태보는 조선 숙종(肅宗) 때 인현 왕후(仁顯王后)의 폐위를 반대하다가 불의 혹형(酷刑)을 받은 문신(文臣).
뜨거운 맛을 보다 구 뜨거운 것이 살갗에 닿을 때와 같은 호된 고통을
뜨겁디-뜨겁다 형 ㅂ불 몹시 뜨겁다. ㄴ수반하는 시련을 겪다.
뜨게-질 명 〈방〉 뜬게질(평안).
뜨과-하다 형 〈방〉 뜨악하다.
뜨그리 명 〈방〉 뚜껑(경북).
뜨그배이 명 〈방〉 뚜껑(경남).
-뜨기 미 명사 아래 붙어서 그 사람을 조롱하여 이르는 말. ¶ 시골~/사
뜨깔-나무 명 〈방〉 『식』 석남(石南). ㄴ팔~.
뜨깽이 명 〈방〉 뚜껑(경북).
뜨꺼리 명 〈방〉 뚜껑(경남).
뜨껑 명 〈방〉 뚜껑(경남).
뜨께-질 명 남의 마음속을 떠보는 짓. ——-하다 타 여불
뜨끈-뜨끈 부 매우 뜨뜻한 느낌이 연해 일어나는 모양. ¶ ~한 군고구마. >따끈따끈. ——-하다 형 여불
뜨끈-하다 형 여불 매우 뜨뜻한 느낌이 있다. ¶ 뜨끈한 국. >따끈하다.
뜨끌 명 〈방〉 티끌(전남). ㄴ뜨끈-히 부
뜨끔-거리다 자 뾰족한 것으로 찔리거나, 얻어 맞거나 또는 결리거나 해서 아픈 느낌이 자꾸 일어나다. ¶ 상처가 ~. >따끔거리다. 뜨끔-뜨
뜨끔-대다 자 뜨끔거리다. ㄴ끔 부. ——-하다 자 여불
뜨끔-따끔 부 뜨끔거리고 따끔거리는 모양. ——-하다 자 여불
뜨끔-하다 형 여불 ①찔리거나 맞아서 아픈 느낌이 있다. ②몹시 자극(刺戟)을 받아서 뜨거운 듯한 느낌이 있다. ¶ 뜨끔한 맛을 뵈다. ③놀라거나 양심의 가책을 받아 가슴이 뛰는 듯하다. ¶ 그 한 마디에 가슴이 뜨끔했다. 1)·2): >따끔하다.
뜨내기 명 ①일정한 거처가 없이 이리저리 떠돌아다니는 사람. ¶ ~ 일꾼. ②어쩌다가 간혹 하는 일. ¶ ~ 장사.
뜨내기 손님 명 늘 오지 아니하고 어쩌다가 한두 번 찾아오는 손님. ¶ ~에게 바가지를 씌우다. 「장사. ——-하다 자 여불
뜨내기 장사 명 늘 하지 아니하고 어쩌다가 한번 하는 장사. *간거리
뜨다[1] 자 ①물 표면에 솟아서 가라앉지 아니하다. ¶ 배가 ~/물 위에 떠 있는 나뭇잎. ②공중에서 움직이거나 머물러 있어 땅으로 떨어지지 아니하다. ¶ 비행기가 ~. ③해나 달 따위가 높이 돋아오르거나 공중에 걸려 있다. ¶ 해가 ~/떠 있는 달. ④연을 날릴 때 줄이 끊어져서 연이 제 멋대로 날아가다. ⑤착 달라붙지 아니하고 틈이 생기다. ¶ 장판이 ~. ⑥공간적으로 사이가 벌어지다. ¶ 10리나 사이가 ~. ⑦어떠한 동안이 멀어지다. ¶ 일요일이 되어 차가 ~. ⑧남에게 꾸어 준 것을 받지 못하고 잃어버리다. ¶ 빌려 준 돈이 ~.
뜨다[2] 자 ①물기 있는 물건이 제 몸의 훈김으로 썩기 시작하다. ¶ 메주가 ~/누룩이 ~. ②병이나 굶주림 또는 볕을 오래 못 보아서 얼굴빛이 누르고 부운 것같이 되다. ¶ 얼굴이 누렇게 ~.
뜨다[3] 타 『한의』 병을 다스리기 위하여 병난 자리나 거기에 관계되는 혈(穴)에 약쑥을 비벼 놓고 불을 붙여 태우다. 뜸을 놓다. ¶ 뜸을 ~.
뜨다[4] 타 ①자리를 비우다. ¶ 자리를 ~. ②다른 곳으로 옮기려고 있던 자리를 내놓다. ¶ 고향을 ~. ③죽다. ¶ 세상을 ~.
뜨다[5] 타 ①잔디 밭에서 뗏장을 베어 내다. ¶ 잔디를 ~. ②바위·얼음 같은 것의 큰 덩어리에서 조각을 쪼개어 내다. ¶ 강에서 얼음을 ~. ③어떠한 곳에 담겨 있는 물건을 퍼내거나 덜어 내다. ¶ 물을 ~. ④숟갈로 음식을 조금 먹다. ¶ 배고픈데 한 술 떠라. ⑤쑤어 놓은 풀을 덩이로 만들어 내다. 지통(紙筒)에 발을 넣어서 종이를 만들어 내다. ¶ 손으로 뜬 종이. ⑥죽거나 죽인 짐승을 해체(解體)하다. ¶ 각을 ~. ⑦고기를 얇게 저미다. ¶ 포(脯)를 ~. ⑧피륙에서 옷감이 될 만큼 끊다. 또, 피륙을 옷감이 될 만큼 끊어서 사오다. ¶ 혼수감을 ~.
뜨다[6] 타 ①감거나 감겨진 눈을 벌리다. 또, 잃었던 시력을 되찾다. ¶ 장님이 눈을 떴다. ↔감다[1]. ②귀청의 신경에 청각(聽覺)을 느끼다. 귀청에 소리가 울리다. ¶ 가는 귀가 ~.
[뜨고도 못 보는 당달 봉사] 무식해서 글을 못 보는 눈뜬 장님.
뜨다[7] 타 ①그물·망건·탕건(宕巾) 같은 것을 얽어서 만들다. 어떠한 것을 털실로 짜서 만들다. ¶ 장갑을 ~/그물을 ~. ②바늘을 뺐다 꽂았다 하여 한 땀 한 땀 바느질을 하여 가다. ¶ 터진 데를 한두 바늘 ~.
뜨다[8] 타 소가 뿔로 물건을 들이받아서 내밀다.
뜨다[9] 타 무엇을 본떠서 그와 똑같게 만들다. ¶ 지형을 ~/본을 ~.
뜨다[10] 형 ①느리고 더디다. 민활(敏活)하지 못하다. ¶ 걸음이 ~. ②감수성(感受性)이 둔하다. ¶ 눈치가 ~. ③입이 무겁다. 말수가 적다. ¶ 입이 뜬 사람. ④칼날 같은 것이 날카롭지 못하다. ¶ 칼날이 ~. ⑤다리미·인두 같은 쇠붙이가 불에 잘 더워지지 아니하다. ¶ 다리미가 ~. ⑥물매의 경사가 완만하다. ¶ 물매가 ~. 1)·2)·3)·6): ↔싸다[4].
[뜬 소 울 넘는다] 평소에 동작이 느린 사람이 뜻밖에 장한 일을 이루었을 때 이르는 말. [뜬 솥도 달면 힘들다; 뜬 쇠도 달면 어렵다] 불에 둔한 쇠도 불에 달면 만지기가 어렵듯이, 성질이 유순한 사람도 한 번 노하게 되면 무섭다는 말. 「——-하다 타 여불
뜨더귀 명 조각조각으로 갈가리 뜯어 내거나 찢어 내는 짓. 또, 그 물건.
뜨더귀-판 명 어떠한 일이나 물건을 여러 갈래로 뜯어 내거나 찢어 내는
뜨덜기 명 〈방〉 떨기(함남). ㄴ판. 또, 그러한 경우.
뜨덤-뜨덤 부 글이 서툴러 뜻을 간신히 뜯어보는 모양. ¶ 편지를 ~ 읽
뜨데기 명 〈방〉 수제비(강원). ㄴ다.
뜨드리 명 〈방〉 떠버리.
뜨듯-이 부 뜨듯하게. >따듯이.
뜨듯-하다 형 여불 '뜨뜻하다'를 부드럽게 이르는 말. >따듯하다.
뜨뜻미지근-하다 형 여불 ①온도가 뜨뜻한 듯하면서 미지근하다. ¶ 목욕물이 ~. ②태도에 결단성과 적극성이 없다. ¶ 뜨뜻미지근한 태도.
뜨뜻-이 부 뜨뜻하게. ¶ 옷을 ~ 입다. >따뜻이.
뜨뜻-하다 형 여불 알맞을 정도로 덥다. 너무 덥지 아니하여 견디기에 알
뜨락 명 뜰. ㄴ맞다. ¶ 방이 ~. >따뜻하다.
뜨란 명 〈방〉 뜰(경상).
뜨람매라지 명 〈방〉 『충』 쓰르라미.
뜨럭 명 〈방〉 뜰(경북·충남·전북).
뜨럽다 형 〈방〉 떫다(전라).
뜨렁 명 〈방〉 뜰(전북).
뜨레 명 〈방〉 두레박(경북).
뜨레-물 명 〈방〉 우물[1](강원).
뜨레박 명 〈방〉 두레박(강원·충북·경북).
뜨르르[1] 부 ①큼직한 물건이 미끄러져서 구르며 세게 나는 소리. ②큼직한 물건이 세게 떠는 모양. 1)·2): ㅅ드르르[1]. >따르르[1]. ——-하다 자 여불
뜨르르[2] 부 ①글을 줄줄 읽어 내려가는 모양. ¶ 영문 편지를 ~ 읽다. ②어떠한 일에 막힘이 없이 잘 통하는 모양. ¶ 이야기책의 내용을 ~ 주워 섬기다. ③널리 잘 알려져 소문이 자자한 모양. ¶ 이 지방에서는 뜨르르하는 지도자층이다. 1)·2): ㅅ드르르[2]. >따르르[2]. ——-하다 형 여불
뜨르륵 부 ①무거운 방문 따위를 거침없이 열 때 나는 소리. ②연발 총 따위를 연해 사격할 때 나는 소리 또는 그 모양. 1)·2): ㅅ드르륵[2].
뜨르륵-뜨르륵 부 총 따위를 연해 쏠 때 나는 소리 또는 그 모양. ㅅ드
뜨르박 명 〈방〉 두레박(경북). ㄴ르륵드르륵.
뜨:릅다 형 〈방〉 떫다(전북).
-뜨리- 미 동사 어미(語尾) '-아·-어'의 밑이나 동사의 어간, 혹은 어근(語根)에 붙어 그 동작에 힘을 주어 결정지음을 나타내는 어간 형성 접미사. -트리-. ¶ 떨어~다/자빠~다/깨~다. *-치-.
-뜨리다 미 어간 형성 접미사 '-뜨리-'와 어미를 이루는 접미사 '-다'가 합친 말. -트리다.
뜨막-하다 형 여불 한참 동안 뜨음하다. ¶ 일요일이 되어 버스가 ~.
뜨문-뜨문 부 ①시간적으로 잦지 아니하게. 이따금. ②공간적으로 배지 아니하게. ¶ 무늬가 ~ 있는 벽지. 1)·2): ㅅ드문드문. ——-하다 형 여불
뜨문-하다 형 〈방〉 경성드뭇하다(평안). 뜨문:-히 부
뜨물[1] 명 ①곡식을 씻어 낸 부옇게 된 물. ②〈속〉 막걸리.
[뜨물 먹고 주정한다] ㉠취한 체하고 행패를 부리다. ㉡거짓말을 몹시 한다. [뜨물 먹은 당나귀 청] 혼탁한 목소리를 조롱하는 말. [뜨물에도 아이가 든다] 하찮은 일이 뜻밖에 성공할 수도 있다는 말. [뜨물에 빠

진 바뀌 눈 같다] 정신이 혼미하고 눈망울이 기운 없어 희미함을 가리키는 말.
뜨물[2] [명] 〈방〉 진딧물(강원·충청·전라·경상).
뜨범 [명] 〈방〉 뚜껑(경남).
뜨베 [명] 〈방〉 뚜껑(함남).
뜨부 [명] 〈방〉 두부(전남·경남).
뜨붕 [명] 〈방〉 뚜껑(경남).
뜨붕이 [명] 〈방〉 뚜껑(함남).
뜨세다 [형] 〈방〉 드세다.
뜨숩다 [형] 〈방〉 뜨습다.
뜨스-하다 [형][여불] 좀 뜨습다. ¶ 방바닥이 ~. ㅅ드스하다. > 따스하다.
뜨습다 [형][ㅂ불] 알맞게 뜨뜻하다. ㅅ드습다. > 따습다.
뜨시다 [형] 〈방〉 뜨습다(경상).
뜨아하다 [형][여불] ☞ 뜨악하다.
뜨악-하다 [형][여불] 마음이 선뜻 내키지 아니하다. 마음에 당기지 아니하다. 싫어서 꺼리는 생각이 있다. ¶ 뜨악한 마음으로 내키지 않는 걸음을 하다/안 씨는 전번에 소옥을 유혹하려다가 괄시를 당한 이후로 다시 그 집에 가기를 뜨악해하는 중이다《張德祚 : 狂風》.
뜨음-하다 [형][여불] 도수(度數)가 잦거나 정도가 심하던 것이 한참 동안 머츰하다. ¶ 길에 행인이 ~. [준]뜸하다.
뜨이다 [자] ①감았던 눈이 열리다. ¶ 새벽에 눈이 ~. ②몰랐던 사실이나 숨겨졌던 본능을 깨닫게 되다. ¶ 귀가 번쩍 뜨이는 이야기/성(性)에 눈이 ~. ③눈에 들어오다. 또, 발견되다. ¶ 남의 눈에 ~/겨울 용품이 눈에 ~. ④두드러지게 드러나다. ¶ 눈에 뜨이게 발전한 모습. [준]띄다.
뜨임 [명] 〘야금〙 담금질한 강철을 적당한 온도로 다시 가열하였다가 공기 속에서 냉각하여, 조직을 연화(軟化)시키고 안정시켜 내부 응력(應力)을 없애 주는 조작. 사용중에 변형되거나 갈라지는 폐단을 막기 위함임. 템퍼링(tempering).
뜨직-하다 [형] 〈방〉 뜨악하다.
뜨쩌꿍-뜨쩌꿍 [부] 〈방〉 뜯적뜯적.
뜩다 [형] 〈방〉 뜨겁다(함경).
뜬-것 [명] ①〘민〙 떠돌아다니는 못된 귀신. 부행신(浮行神). 뜬귀신. ②우연히 관계를 맺게 되는 사물(事物). ③〈방〉 뜬계집.
뜬-계집 [명] 우연히 어찌다가 상관하게 된 여자.
뜬-고기 [명] 〘어〙 돌 밑이나 굴 등에 들어박혀 엎드려 살지 않고, 부레에 바람을 넣어 물 표층(表層)에 떠서 유영(游泳)하는 민물고기. 피라미 등.
뜬-구름 [명] ①하늘에 떠다니는 구름. 부운(浮雲). ②덧없는 세상 일을 비유하는 말. ¶ ~ 같은 인생.
뜬-귀신 【-鬼神】 [명] 〘민〙 뜬것❶.
뜬-금 [명] 시세의 변동에 따라 달리 정해지는 값. ¶ ~으로 거래하다.
뜬금-없다 [-업-] [형] 갑작스럽고 엉뚱하다. ¶ 뜬금없는 소리.
뜬금없-이 [-업씨] [부] 뜬금없게. ¶ ~ 그게 무슨 소리요.
뜬-눈 [명] 밤에 잠을 자지 못한 눈. ¶ ~으로 밤을 새다.
뜬-돈 [명] 뜻하지 아니한 우연한 기회에 얻은 돈.
뜬뜬-하다 [형][여불] ①약하지 아니하고 매우 굳세다. 건강하다. ②속이 차서 야무지다. ③매우 흡족하여 허수하지 아니하다. ④무르지 않고 굳다. 1)-4):ㅅ든든하다. > 딴딴하다. 뜬뜬-히 [부]
뜬-말 [명] ☞ 뜬소문.
뜬물 [명] 〈방〉 뜨물[1](전남·경남).
뜬-벌이 [명] 일정하게 정해진 벌이가 아니고 닥치는 대로 버는 벌이. ——하다 [자][여불]
뜬살이 동:물 【-動物】 [명] 〘동〙 물 위나 물 속에서 물의 흐름에 따라 떠다니며 사는 동물. 방산충·태양충·화살벌레·해파리 따위 및 게나 조개 들의 유생(幼生)이 이에 속함. 부유 동물(浮游動物).
뜬-세상 【-世上】 [명] 덧없는 세상. 부세(浮世).
뜬-소리 [명] ☞ 뜬소문.
뜬-소문 【-所聞】 [명] 이 사람 저 사람 입에 오르내리며 떠돌아다니는 근거 없는 소문. *헛소문·낭설(浪說).
뜬-쇠 [명] 〘민〙 광대의 행중에서, 한 가지 기예(技藝)의 우두머리.
뜬-숯 [명] 장작을 때고 난 뒤에 꺼서 만든 숯. 또, 피었던 참숯을 다시 꺼 놓은 숯.
뜬-용 【-龍】 [-뇽] [명] 〘건〙 궁전이나 절의 법당 같은 데의 천장에 만들어 놓은 용 모양의 장식. 부용(浮龍).
뜬-잎 [-닙] [명] 〘식〙 부유 식물(浮遊植物)의 잎. 부엽(浮葉).
뜬-재물 【-財物】 [명] ①뜻하지 아니한 우연한 기회에 얻은 재물. ¶ ~이 굴러 들어오다. ②남에게 빌려 주거나, 맡기거나 하여 다시 받지 못하게 된 재물.
뜬-저울 [명] 〘물〙 '부칭(浮秤)'의 풀어쓴 말.
뜬-주낙 [명] 부표와 뜸을 주낙의 모릿줄에 달아 물 속에 떠 있도록 설치해 놓은 주낙. 또, 이를 이용하여 물고기를 잡는 방법.
뜬-창방 [명] 〘건〙 동자주(童子柱)나 마룻대공에 끼워 얹힌 창방. 부창방.
뜯-검이 [명] 〈방〉 뜯게.
뜯게 [명] 헐어서 입지 못하게 된 옷.
뜯게-질 [명] 뜯게 옷의 솔기를 뜯어내는 일. 빨래할 옷의 솔기를 뜯어내는 일. ——하다 [타][여불]
뜯기다 [一] [피동] ①빈대·벼룩·모기와 같은 물것에 물리다. ¶ 벼룩한테 뜯긴 자리. ②남에게 돈이나 물건 같은 것을 빼앗기다. 뜯음을 당하다. ¶ 점심값을 ~. ③놀음판에서 돈을 잃다. 내기에 지다. [二] [사동] 말이나 소에 풀을 뜯어 먹게 하다. ¶ 소에 풀을 ~.
뜯다 [타] ①붙어 있는 것을 잡아떼다. 조각조각 떼어내다. ¶ 봉투를 ~/기계를 ~/옷을 ~. ②놀음판에서 돈을 얻다. ¶ 섰다판에서 돈을 ~. ③남의 물건이나 돈 같은 것을 조르거나 위력으로 얻어 내다. ¶ 백성한테 돈을 ~. ④현악기(絃樂器)의 줄을 퉁겨서 소리를 내다. ¶ 가야금을 ~. ⑤이로 물어 떼다. ¶ 갈비를 ~. ⑥손가락으로 비틀어 자르다. ¶ 봄나물을 ~/나물 뜯는 아가씨.
뜯물 [명] 〈방〉 ①뜨물[1](평안·충남·전라). ②진딧물(충남·전라).
뜯어-고치다 [타] 근본적으로 새롭게 고치다. ¶ 집을 ~/나쁜 습관을 ~.
뜯어-내다 [타] ①붙어 있는 것을 떼어내다. ¶ 옷에서 실밥을 ~. ②조각조각 떼어내다. ¶ 기계를 ~. ③남을 졸라서 돈이나 물건 같은 것을 얻어 내다. ¶ 삼촌한테 용돈을 ~. ④손가락으로 비틀어 잘라내다. ¶ 잡초를 ~.
뜯어-말리다 [타] ①마주 붙어 싸우는 것을 떼어서 못 하게 말리다. ¶ 싸움을 ~. ②풀 같은 것을 뜯어서 마르게 하다.
뜯어-먹다 [타] ①마소가 풀을 뜯어서 먹다. ¶ 소가 풀을 ~. ②이로 물어서 떼어 먹다. ¶ 갈비를 ~. ③붙은 것을 손으로 잡아 떼어 먹다. ¶ 옷에 붙은 엿을 ~. ④남을 조르거나 압력을 가하여 얻어먹다. ¶ 놀음판에서 돈을 ~.
뜯어-버리다 [타] 붙어 있는 것을 뜯어 치우다. 붙어 있는 것을 뜯어서 내버리다.
뜯어-벌이다 [타] ①어떠한 것을 뜯어내어 죽 벌이어 놓다. ¶ 기계를 ~. ②얄미운 태도로 이야기를 꺼내서 늘어놓다. ¶ 이야기를 ~. 1)·2):> 따다바리다.
뜯어-보다 [타] ①봉한 것을 헤치고 그 속을 살피다. ¶ 편지를 ~. ②여러 모로 갈라 가며 자세히 살피다. ¶ 요모조모 뜯어볼수록 미인이다. ③서투른 글 뜻을 이리 풀고 저리 풀고 하여 겨우 알아서 읽다. ¶ 편지를 간신히 ~.
뜯이 [뜨지] [명] 헌 옷을 빨아 가지고 뜯어서 새로 만드는 일. ——하다 [타][여불]
-뜯이 [뜨지] [미] 어떠한 명사 아래에 붙어서, 거기에서 뜯어 내거나 또는 그것만을 뜯어 낸 물건의 뜻을 표하는 말. ¶ 뼈~/알~.
뜯이-것 [뜨지-] [명] 뜯이하여 지은 옷.
뜯적-거리다 [타] 손톱이나 칼 끝으로 자꾸 긁어 떼다. 뜯어 진집을 내다. > 따짝거리다. 뜯적-뜯적 [부]. ——하다 [타][여불]
뜯적궁-뜯적궁 [부] 〈방〉 뜯적뜯적.
뜯적-대다 [타] 뜯적거리다.
뜰[1] [명] ①집 안에 있는 마당. ¶ 앞~/뒤~. ②집안의 앞이나 뒤 혹은 좌우로 가까이 있는 섬돌 위의 평평한 곳. 정하(庭下). *마당.
뜰[2] [명] 〈방〉 들[1](전남·평북).
뜰겁다 [형] 〈방〉 떫다.
뜰-길앞잡이 [-낄-] 〘충〙 [*Cicindela hybrida japonensis*] 길앞잡잇과에 속하는 곤충의 하나. 몸길이 11 mm 가량이고, 몸빛은 두흉부(頭胸部)는 청동색, 시초(翅鞘)는 흑록색 또는 암자갈색에 네 개의 황백색 무늬가 있고, 복면(腹面)과 다리는 금록색임. 한국·일본·중국 등에 분포함. *길앞잡이.
뜰-낚시 [-락-] [명] 띄울낚시.
뜰:다 [형] 〈방〉 떫다.
뜰뜨리 [명] 〈방〉 말더듬이.
뜰뜰 [부] ①비탈진 곳을 수레가 급히 구르는 소리. ㅅ들들. > 딸딸. ②명령이나 위력 같은 것이 썩 잘 시행되는 모양. ¶ 열에 한 번을 선뜻 들어가본 적이 없는 서방님이 평양집 분부라면 ~ 구는 터이라《李海朝 : 鬢上雪》.
뜰라미 [명] 〈방〉 〘충〙 쓰르라미.
뜰람 [명] 〈방〉 〘충〙 쓰르라미.
뜰람매라지 [명] 〈방〉 〘충〙 쓰르라미.
뜰먹-거리다 [자타] 자꾸 뜰먹이다. 연해 뜰먹이다. ㅅ들먹거리다. > 딸막거리다. 뜰먹-뜰먹 [부]. ——하다 [자][타][여불]
뜰먹-대다 [자타] 뜰먹거리다.
뜰먹-이다 [一] [자] ①묵직한 물건이 처들렸다 가라앉았다 하다. ②마음이 흔들리다. ③어깨나 궁둥이가 아래 위로 움직이다. ¶ 흥이 나서 절로 어깨가 ~. 1)-3):ㅅ들먹이다. > 딸막이다. [二] [타] ①묵직한 물건을 올렸다 내렸다 하다. ②남의 마음을 흔들리게 하다. ③어깨나 궁둥이를 위아래로 움직이다. ④남을 들추어 말하다. ¶ 그 사람을 뜰먹이지 마라. 1)-4):ㅅ들먹이다. > 딸막이다.
뜰박 [명] 〈방〉 두레박(경북).
뜰방[1] [명] 〈방〉 뜰[1](전라).
뜰-방[2] [명] 〈방〉 토방.
뜰뱅이 [명] 〈방〉 두레박(경북).
뜰썩-거리다 [자타] 자꾸 잇달아 들썩이다. ㅅ들썩거리다. > 딸싹거리다. 뜰썩-뜰썩 [부] ¶ 지붕 함석이 바람에 ~하다. ——하다 [자][타][여불]
뜰썩-대다 [자타] 뜰썩거리다.
뜰썩-이다 [一] [자] ①갭직한 물건이 들렸다 가라앉았다 하다. ②마음이 흔들리어 움직이다. ③어깨나 궁둥이가 가벼이 아래위로 움직이다. 1)-3):ㅅ들썩이다. > 딸싹이다. [二] [타] ①갭직한 물건을 들었다 놓았다 하다. ¶ 돌을 뜰썩이어 게를 잡다. ②남의 마음을 흔들어 움직이다. ③어깨나 궁둥이를 가벼이 아래위로 움직이다. 1)-3):ㅅ들썩이다. > 딸싹이다.
뜰아래-채 [명] 한집 안에 있는 몸채 밖의 집채. [준]아래채.
뜰아랫-방 【-房】 [명] 안뜰을 사이에 두고 몸채의 건너 편에 있는 방. [준]아랫방.
뜰안 [명] 〈방〉 뜰[1](강원)
뜰역 [명] 〈방〉 들[1](전남).
뜰-채 [명] 〘낚시〙 떠돌아다니는 물고기나 낚은 물고기를 뜨는 데 쓰는 오구 모양의 그물 달린 채.
뜰-층계 【-層階】 [명] 마당에서 마루로 올라가게 마련된 층계.
뜰팡[1] [명] 〈방〉 토방(충청).
뜰팡[2] [명] 〈방〉 뜰[1](강원·충남·전북).
뜸[1] [명] 띠·부들 같은 것의 풀로 거적처럼 엮어 만든 물건. 비 올 적에 물건을 덮거나, 볕 가리는 데 씀. 초둔(草芚).
뜸[2] [명] 〘한의〙 병을 치료하기 위하여, 약쑥으로 살 위의 어떠한 혈(穴)에 놓고 불을 붙여서 살을 뜨는 일. 구(灸). 육구(肉灸).
뜸[3] [명] 무엇을 찌거나 삶아 익힐 때, 불을 흠씬 땐 뒤에도 얼마 동안 그대로 두어서 푹 익게 하는 일. ¶ ~을 푹 들이다.
뜸[4] [명] 한 동네 안에서 따로따로 몇 집씩이 한데 모여 있는 구역.
뜸[5] [명] 발효(醱酵).
뜸[6] [명] 물에 띄워서 그물·낚시 따위의 어구(漁具)를 위쪽으로 지탱시키는 물건.
뜸-깃 [-낃] [명] ①뜸을 엮어 만드는 데에 쓰이는 재료의 총칭. 곧, 띠나

부들 같은 것. ②뜸의 겉에 에넘느레하게 내민 풀잎.
뜸꼴-돌기【一突起】명〖동〗'방적 돌기(紡績突起)'의 풀어쓴 말.
뜸-놓다 타〈방〉뜸뜨다.
뜸다리 명〈방〉〖조〗뜸부기(경북).
뜸-단지 [一딴一] 명 ☞ 부항단지.
뜸-닭 명〈방〉〖조〗뜸부기(경북).
뜸-뒤주 [一뛰一] 명〈방〉통가리². 「¶ 밥이 ~.
뜸-들다 자 음식물에 뜸이 들다. 찌거나 삶은 음식물이 속속들이 익다.
뜸-들이다 타 ①음식물을 찌거나 삶을 때에 뜸이 들게 하여 잘 익히다. ¶ 밥을 ~. ②일을 하다가 쉬기 위해서나 또는 그 일을 단단히 하기 위하여 잠시 그 일을 중단하고 가만히 있음을 이르는 말.
뜸딸 명〈방〉〖조〗뜸부기(경북).
뜸-뜨다 자 약쑥을 자질구레하게 비벼서, 살의 어느 혈(穴)에 놓고 불을 붙여, 그 기운이 살 속에 들어가게 하다.
뜸-밀 명〖식〗효모(酵母).
뜸배기 명〈방〉〖조〗뜸부기(전라·경북).
뜸버기 명〈방〉〖조〗뜸부기.
뜸베기 명〈방〉〖조〗뜸부기(전남·경남).
뜸베이 명〈방〉〖조〗뜸부기(경남).
뜸베-질 명 소가 뿔로 물건을 몹시 받아 내는 짓. 소가 들이받는 일. └──-하다 자여불
뜸보기 명〈방〉〖조〗뜸부기(강원).
뜸부기 명〖조〗①뜸부깃과에 속하는 새의 총칭. ②[*Gallicrex cinerea*] 뜸부깃과에 속하는 새의 하나. 날개 길이 10-12cm, 꽁지 4.5cm 가량이며, 몸빛은 배면(背面)은 일률적으로 감람 갈색이고 눈가와 가슴에 걸쳐 적동색(赤銅色), 목은 백색, 홍채와 다리는 적색, 부리는 녹갈색임. 여름 철에 냇가·연못·풀밭·수전(水田)에서 한두 마리가 서식하는데, 흔히 풀숲이나 벼포기 사이를 기어다니나 잘 날아가지는 아니함. 5-8월에 백색에 담갈색 반문이 있는 알을 5-6개 낳음. 조석(朝夕)으로 '뜸북 뜸북' 하고 욺. 한국·일본·중국 등지에서 번식하고 인도·스리랑카·말레이 반도 등지에서 월동함. 등계(鷝雞). *쇠뜸부기사촌·조선뜸부기.

〈뜸부기❷〉

뜸부깃-과【一科】명〖조〗[Rallidae] 두루미목(目)에 속(屬)하는 한 과(科). 온 몸이 흑색인 것과, 갈색 바탕에 복부에 백색의 가로 반점이 있는 것이 있음. 습지와 논에 서식하며 풀숲이나 나뭇가지에 둥지를 짓고 한배에 4-5개, 드물게는 10개를 산란함. 뜸부기·쇠뜸부기·쇠물닭·알락뜸부기·큰물닭·흰눈썹뜸부기 등이 이에 속하는데, 전세계에 200여 종이 분포함.
뜸부기-구이 명 뜸부기 고기를 얇게 저미고 양념을 하여 구운 음식.
뜸북-꽃 명〈방〉〖식〗채송화(菜松花).
뜸북-뜸북 부 뜸부기의 우는 소리.
뜸북-새 명〈방〉〖조〗뜸부기(전남·경북).
뜸-새끼 명 길마와 걸채를 얼러 매는 새끼.
뜸-손 명 뜸을 엮는 줄.
뜸-씨 명〖화〗효소(酵素).
뜸-자리 명 ①뜸뜨는 자리. ②뜸을 떠서 생긴 흉터.
뜸지근-하다 형여불 느리게 뜸직하다. >땀지근하다.
뜸직-뜸직 부 하는 언행(言行)이 모두 뜸직하게. ¶ ~ 말을 하다/걸음을 ~ 걷다. >땀직땀직. ──-하다 형여불
뜸직-이 부 뜸직하게. >땀직이.
뜸직-하다 형여불 말이 잦지 아니하고 행동이 경솔하지 아니하여 사람됨이 수더분하다. 언행이 외양보다는 무게가 있어 보이다. ¶ 뜸직한 사람. >땀직하다. 「여불
뜸-질 명 ①뜸을 뜨는 일. *침구(鍼灸). ②☞ 찜질❷. ──-하다 자
뜸-집 [一찝] 명 지붕을 띠나 부들 같은 것으로 인 작은 집. 뜸으로 지붕을 이어서 간단하게 지은 집.
뜸치 명〈방〉멸치.
뜸-팡이 명 ①〖식〗효모(酵母). ②〖화〗효소(酵素).
뜹:-하다 형여불 ↗뜨음하다.
뜹:다 형〈방〉떫다(강원·충청·전북·경북).
뜻 명 ①어떠한 것을 하겠다고 속으로 먹는 마음. ¶ ~을 세우다/~대로 되다. *의지(意志). ②말이나 글의 가진 속내. 의미(意味). 의체(義諦). ¶ ~이 통하지 않는 말/그런 ~으로. ──-하다 타여불
【뜻과 같이 되니까 입맛이 변해진다】오래 바라던 것이 이루어지니까 벌써 싫증을 느낀다는 말.
뜻-글¹ 명〖언〗뜻글자. ↔소리글.
뜻글² 명〈방〉티끌(황해).
뜻-글자【一字】[一짜] 명 표의 문자(表意文字). 뜻글. ↔소리 글자.
뜻낄 명〈방〉티끌(평남).
뜻-대로 부 ①마음 먹은 대로. 생각과 같이. ¶ 일이 ~되어 나가다. ②의미와 같이. ¶ 그 책의 ~.
뜻-맞다 자 ①서로 뜻이 같다. ¶ 뜻맞는 친구끼리. ②마음에 들다. ¶ 뜻맞는 일. 「타여불
뜻-매김 명 어떠한 사물의 뜻을 밝히어 정함. 정의(定義). ──-하다 자
뜻-밖 명 생각 밖. 예상외. 의외(意外). ¶ 참 ~이다/~의 일.
뜻밖-에 부 생각 밖에. 의외로. ¶ 일이 ~ 잘 되었다.
뜻-받다 타 남의 뜻을 받아서 그대로 하다.
뜻-하다 타여불 ①어떠한 것을 할 마음을 먹다. 무엇을 할 생각을 가지다. ¶ 뜻하는 바 있어. ②사물이 어떠한 속내를 가지다. 의미하다. ¶ 무엇을 뜻하는지 알겠다.

뜽컬 명〈방〉그루터기(전남).
띄¹ 명〈방〉〖식〗띠².
띄² 명〈방〉떼²(전라·경상).
띄끌 명〈방〉티끌(함남).
띄:다 [띠一] ㊀ 자 ↗뜨이다. ¶ 첫눈에 ~. ㊁ 타 ↗띄우다. ¶ 미소를 ~.
띄어-쓰기 [띠一] 명〖언〗글을 쓸 때에 조사 이외의 각 단어(單語)를 띄어 쓰는 일.
띄어-쓰다 [띠一] 타 글을 쓸 때에 낱말 사이를 띄어서 쓰다.
띄엄-띄엄 [띠一띠一] 부 ①드물게 있는 모양. ¶ ~ 있는 집들. ②순서 없이 여기저기 있는 모양. ③느릿느릿한 모양. ¶ ~ 걸어가다/~ 읽다.
【띄엄띄엄 걸어도 황소 걸음】'느릿느릿 걸어도 황소 걸음'과 같은 뜻.
띄우다 [띠一] 타 ①물에나 공중에 뜨게 하다. ¶ 배를 ~. ②물건에 훈김이 생겨서 뜨게 하다. ¶ 메주를 ~. ③물건과 물건의 사이를 뜨게 하다. ¶ 석자 간격으로 띄워라. ④편지를 부치거나 전해 줄 사람을 보내다. ¶ 전보를 ~. ⑤밖으로 나타나게 하다. ¶ 입가에 엷은 미소를 ~. 1)-5):㊂띄다.
띄울-낚시 [띠一락一] 명 낚싯바늘이 물 밑바닥에 닿지 않고 수심 중간 또는 아래쪽에 뜨게 하는 낚시. 피라미 등의 낚시에 쓰임. 뜰낚시.
띄움-낚시 [띠一] 명 띄울낚시.
띄푸리 명〈방〉〖어〗밴댕이(경상).
띙-하다 형〈방〉떵하다.
띠¹ 명 ①허리를 둘러매는 끈. 요대(腰帶). ②띠와 같이 좁고 기다랗게 생긴 것. ¶ 흑색의 가로~. ③띠와 같이 둘러매어 쓰는 물건의 총칭. ④책의 겉장에 겉장보다 좁게 입힌 종이 따위. 흔히 광고의 글을 적어서 둘로 접어 둠. ⑤청색·홍색의 다섯 끗짜리 사각형을 가운데에 덧그린 화투 패. 모두 열 장임.
띠² 명〖식〗[*Imperata cylindrica* var. *koenigii*] 볏과에 속(屬)하는 다년초. 근경은 가늘고 길게 땅 속으로 뻗으며, 줄기는 직립하여 높이 80-100cm의 원주형임. 잎은 총생(叢生)하여 근생(根生)하고 길이 30-60cm, 폭 10mm 가량임. 5-6월에 백색 또는 흑자색 꽃이 원추(圓錐) 화서의 수상(穗狀)으로 가지 끝이나 줄기 끝에 정생(頂生)하여 핌. 산과 냇가·황무지(荒蕪地)에 군생(群生)하는데, 한국 각지와 동부 아시아의 동부 지방에 널리 분포함. 근경은 '백모근(白茅根)'이라 하여 이뇨(利尿)·지혈(止血)·발한제(發汗劑)로 쓰이고, 잎으로는 도롱이 같은 우장(雨裝)을 엮고 지붕도 임. 어린 꽃이삭은 감미(甘味)가 있어서 '삘기'라고 하여 어린아이들이 뽑아 먹음. 모초(茅草). 모자(茅茨). 백모(白茅).
〈띠²〉
띠³ 명 활터에서 한패 중에 몇 사람으로 나눈 패.
띠⁴ 명〈방〉떼²(강원·충남·전라·경상).
띠⁵ 명 사람의 난 해를 지지(地支)의 속성(屬性)으로 상징하여 일컫는 말. ¶ 나는 돼지 ~, 동생은 말 ~. 「가 사납다.
띠가 세:다 구 태어난 해의 지지(地支)가 나쁘다. *사주가 세다·팔자
띠-고리 명〖고고학〗띠를 매기 위해 양끝을 서로 끼워 맞추는 고리. 교구(鉸具). 대구(帶鉤).
띠-그래프 [graph] 명 띠 모양으로 그린 그래프의 한 가지. 일정한 길이의 띠 모양의 직사각형을 길이로 나누어서, 그 구분된 직사각형으로 크기를 나타내는데, 전체와 부분, 부분과 부분의 차이를 알아보는 데 편리함. 띠그림표. 대(帶)그래프.
띠그르르-하다 형여불 가늘거나 작은 물건의 여러 개 중에서 드러나게 굵다. ㅅ디그르르하다. >때그르르하다.
띠-그림표【一表】명 띠그래프.
띠글-띠글 부〈방〉떼굴떼굴.
띠글띠글-하다 형여불 가늘거나 작은 물건 중에서 여러 개가 드러나게 굵다. ㅅ디글디글하다. >때글때글하다.
띠깅 명〈방〉뚜껑(경북).
띠-까마귀 명〖조〗[*Trypanocorax frugilegus pastinator*] 까마귓과에 속하는 새. 까마귀와 비슷하여 날개 길이 320mm 가량이고, 몸빛은 자색이 더욱 진하며, 부리의 기부에 깃털이 없는 것이 특징임. 한국·대만·일본·중국·몽고·동부 시베리아에 분포함.
띠깨이 명〈방〉뚜껑(경북).
띠껼 명〈방〉티끌(전북).
띠끄 명〈방〉티끌(경북·제주).
띠끌 명〈방〉티끌(평안).
띠낍이 명〈방〉뚜껑(경상).
띠낑이 명〈방〉뚜껑(경상).
띠-노래기벌 명〖충〗[*Cerceris arenaria*] 구멍벌과(科)에 속(屬)하는 벌. 수컷은 몸길이 11-16mm이고, 몸빛은 흑색에 점각(點刻)이 있으며, 후흉배상(後胸背上)의 횡선과 복부 제1절(節) 양측의 점반(點斑)과 제2-6절 후연(後緣)의 전반(前半)과 뒷다리 각 마디의 횡반(橫斑) 등은 황색임. 한국·일본에 분포함.
띠-놀이 명〖민〗열두 띠의 동물의 속성에 빗대어 조선 단종(端宗)의 일생을 풍자한 민속 놀이. 강원도 영월(寧越)에 전승됨.
띠다¹ 타 ①띠를 두르다. ¶ 허리띠를 ~. ②물건을 몸에 지니다. ¶ 몸에 비수를 ~. ③용무(用務)·직책(職責)·사명(使命)을 가지다. ¶ 중요한 사명을 띠고 간다. ④빛깔을 약간 가지다. ¶ 녹색을 띤 감람 갈색. ⑤기색을 약간 품다. ¶ 노기를 띤 얼굴.
띠다² 타〈방〉띄우다❹.
띠-도【一島】명〖지〗경상 남도의 남해상(南海上), 사천시(泗川市) 곤양면(昆陽面) 중항리(中項里)에 위치한 섬. [0.06km^2]
띠-돈 명〖역〗조복(朝服)에 띠는 띠에 붙이는 납작한 장식. 품계에 따

라, 서각(犀角)·금·은(銀)으로 만듦.
띠-동갑【一同甲】명〈방〉자치동갑.
띠-드리개 명〖고고학〗허리띠에 장식으로 주렁주렁 늘어뜨리는 긴 패물(佩物). 요패(腰佩).
띠디기 명〈방〉〖동〗두더지(경북).
띠띤-애매미충【一蟲】명〖충〗[*Erythria zonata*] 애매미충과에 속하는 곤충. 몸길이 4mm 내외, 몸빛은 담황색, 시초(翅鞘) 중앙에 한 개의 흑색 가로띠가 있음. 활엽수·과수의 해충임. 한국에도 분포함. 띠띤애멸구.
띠-명나방【一螟一】명〖충〗[*Sybrida fasciata*] 명나방과(科)에 속하는 곤충. 편 날개의 길이는 28mm 내외이고, 몸빛은 적갈색에 복부만이 회갈색이며, 앞 날개에는 두 개의 회백색 가로줄이 있고 뒷날개는 암갈색에 기부에는 갈색의 줄무늬가 있음. 유충은 북가시나무·졸참나무 등의 잎의 해충으로, 한국·일본·시베리아 등지에 분포함. 띠명충나방.
띠-무늬[一니]명 띠 모양으로 된 무늬. 대문(帶紋).
띠무늬-메뚜기[一니一]명〖충〗콩중이.
띠무늬메뚜기-붙이[一니一부치]명〖충〗콩중이붙이.
띠방[1] 명〈방〉〖건〗깔찌.
띠방[2]【一枋】명〖건〗판장에 가로 댄 띠 모양의 재목. 대방(帶枋).
띠-배 명 용왕제 등에서, 바다에 띄워 보내는 띠풀로 엮어 만든 모형 배.
띠베 명〈방〉뚜껑.
띠빙이 명〈방〉뚜껑(함경).
띠-살문【一門】명〖건〗상·중·하의 문살이 띠 모양으로 된 세전문(細箭門)의 한 가지.

〈띠살문〉

띠-스펙트럼 명〔band spectrum〕〖물〗많은 휘선(輝線)이나 흡수선(吸收線)이 모이어 띠 모양을 이룬 스펙트럼. 주로 분자(分子)로 이루어진 기체가 발광(發光)할 때 볼 수 있음. 대상(帶狀) 스펙트럼.
띠-씨름 명 허리에 띠를 매어 그것을 서로 잡고 하는 씨름. ——하다 자여불
띠알-머리 명 ☞띠앗머리.
띠앗 명 ↗띠앗머리.
띠앗-머리 명 형제나 자매 사이에 우애하는 정의(情誼). ¶～ 없다. ㊀띠앗.
띠열장-붙임[一짱부침]명〖건〗판대기의 뒤쪽에 띠의 한쪽을 열장으로 만들어 박아서 판대기가 뒤틀어지거나 떨어지지 아니하도록 하는 방식.

〈띠열장붙임〉

띠우다 타〈방〉띄우다.
띠-이론【一理論】명〔band theory〕〖화〗밴드 이론.
띠-장【一醬】명〈방〉된장(경북).
띠지기 명〈방〉〖동〗두더지(경상).
띠집 명〈방〉개간(開墾). ——하다 타여불

띠짠대기 명〈방〉폐[2](경북).
띠-톱 명 기계톱의 한 가지. 얇은 쇠오리에 톱니가 있고, 바퀴 모양으로 되어 있어 빙빙 돌며 나무를 자르게 됨. 대거(帶鋸). ↔둥근톱.
띠-해파리 명〖동〗[*Cestum amphitrites*] 띠해파릿과에 속하는 몸은 길이 1m 가량인데 띠 모양으로 편평하고 투명하며 촉수(觸手)에는 주체(主體)가 없이 잔가지로만 이루어짐. 독자포(毒刺胞)가 없음. 수면(水面) 근처에서 헤엄도 치고 난류(暖流)에 떠다님.

〈띠해파리〉

띠해파리-목【一目】명〖동〗[Cestidea] 유즐(有櫛)동물에 속하는 한 목(目). 몸은 허리띠 모양으로 되고 촉수초(觸手鞘)는 있으나 촉수(觸手)는 없음. 몸 하면(下面)에 있는 세구(細溝) 안에는 촉수모(觸手毛)가 있음. 띠해파릿과 등이 이에 속함.
띠-호박벌 명〖충〗[*Bombus speciosus*] 꿀벌과(科) 뒝벌속에 속하는 벌의 하나. 거의 꿀벌과 비슷하나 몸길이 20mm 가량으로 통통하고, 몸빛이 자웅 이색(雌雄異色)임. 암컷은 흑색인데 복부 끝의 3절이 적갈색, 2절은 백색 띠가 있고, 수컷은 황색에 흑색 띠가 있으며 복부 끝의 3절은 적갈색임. 일벌은 수컷과 비슷하고 작으며, 수컷은 가을에만 출현하고 암컷이 월동함. 땅 속에 영소(營巢)함. 유럽의 북부 및 시베리아·만주·한국·일본 등지에 분포함. 뒝벌.

〈띠호박벌(수컷)〉

띤-죽 명〈방〉수제비(전남).
띨광이 명〈방〉아가위(평안).
띰-목【一木】명〈방〉〖광〗멧장❶.
띰비기 명〈방〉〖조〗뜸부기(충남). 「되었음. ＊품대(品帶).
띳-과【一銙】명〖역〗공복(公服)의 띠의 꾸밈새. 금(金)·은(銀) 따위로
띳-돈 명〖역〗관복에 띠를 띠고 칼을 차기 위하여 그 띠에 다는 갈고리 같은 쇠.
띳-목【一木】명〈방〉〖광〗멧장❶.
띳-술 명〖역〗공복(公服)의 품대(品帶)에 다는 술. 술 속에 흔히 호패(號牌)를 달았음.
띳-장 명 ①〖광〗광산에서 굿을 드릴 때, 좌우 기둥 위에 가로 걸쳐 얹는 굵은 나무. 굿의 천장의 뼈대가 됨. ②〖건〗판장(板牆) 같은 것에 가로 대는 나무 오리.
띳-집 명 지붕을 띠로 인 집. 모옥(茅屋). 「하다 형여불
띵 부 ①속 깊이 아픈 모양. ②머리가 아파서 정신이 흐릿한 모양. ——
띵까-띵까 부 악단(樂團)이 음악을 요란하고 신나게 연주해대는 소리.
띵띵 부 속에서 켕기어 겉으로 불어 난 모양. ¶얼굴이 ～ 부었다. ㅆ팅팅. >땡땡[2].
띵띵-하다 형여불 ①힘이 세다. ②본바탕이 튼튼하다. ③마주 켕기어서 몹시 팽팽하다. 1)-3):ㅅ딩딩하다. >땡땡하다.
띵-하다 형여불 ①웅숭깊게 아프다. ¶상처가 ～. ②머리가 아파서 정신이 흐릿하다. ¶머리가 ～.

ㄹ[1] (리을) ①한글 자모의 넷째 글자. ②〖언〗자음의 하나. 혀끝을 윗잇몸에 살짝 대었다가 뗄 때에 나는 유성음(有聲音). 받침으로 그칠 때는 혀끝을 윗잇몸에 꼭 붙이고 혀의 양쪽으로 숨을 흘리어서 내는 유음(流音). ¶ㄹ는 半혀쏘리니 閭령ㆆ字ᄍᆼ 처ᅀᅥᆷ 펴아나ᄂᆞᆫ 소리 ᄀᆞᄐᆞ니라《訓諺》.

ㄹ[2] [조] ↗를. ¶뭐~ 먹을까/가마~ 타고 가다.

-ㄹ [어미] ①받침 없는 어간에 붙어, 그 말이 일반적 사실을 나타내는 관형사형(冠形詞形) 전성 어미. ¶그를 보~ 때마다 지난 일이 생각난다/슬프~ 때는 실컷 울어라. ②받침 없는 어간에 붙어, 미래의 일을 나타내는 관형사형 전성 어미. ¶되~ 일도 안 되겠다/내가 이기~ 것이다. *-을[1].

-ㄹ-값에 [―깝세] [어미] 〈방〉 -ㄹ망정. *-을값에.

-ㄹ 거나 [―꺼―] [어미] 받침 없는 동사의 어간에 붙어서 영탄조(詠嘆調)로 '그렇게 하자꾸나'의 뜻을 나타내는 종결 어미. ¶그럼 바다로 가~. *-을거나.

-ㄹ 거냐 [―꺼―] [어미] 받침 없는 어간에 붙어 '-ㄹ 것이냐'의 뜻을 나타내는 종결 어미. ¶오~ 가~/얼마나 기쁘~. *-을거냐.

-ㄹ 거다 [―꺼―] [어미] 받침 없는 어간에 붙어 '-ㄹ 것이다'의 뜻을 나타내는 종결 어미. ¶내 마음을 알아 주~/그는 범인이 아니~/굉장히 아프~/저기가 목적지이~. *-을거다.

-ㄹ 거야 [―꺼―] [어미] 〔←-ㄹ 것이야〕 ①받침 없는 동사의 어간에 붙어 상대방의 의사를 묻는 종결 어미. ¶하~ 안 하~. ②받침 없는 동사의 어간에 붙어 자기의 의사를 표시하는 데에 쓰는 종결 어미. ¶곧 가~. ③받침 없는 어간에 붙어 사실에 대한 가능성 또는 추측을 나타내는 종결 어미. ¶그는 합격하~/저 이는 선생이~/그는 사장이 아니~/그 물은 차~. *-을거야.

-ㄹ걸 [―껄] [어미] ①〔←-ㄹ 것을〕 받침 없는 동사의 어간에 붙어서 이미 한 일에 대하여 달리 하였더면 좋았으리라고 탄식하는 뜻을 나타내는 종결 어미. ¶시험을 치러 보~/약이나 더 써 보라고 하~. ②받침 없는 어간에 붙어서 불확실한 추측을 나타내는 종결 어미. ¶아마 내일 아침 일찍 떠나~/내가 더 크~/저 여자는 안내원이~/이것은 금이 아니~. * -을걸.

-ㄹ게 [―께] [어미] 받침 없는 동사의 어간에 붙어서, 어떤 행동을 하는 데 대하여 자기의 의사를 표시하면서 상대방에게 약속의 뜻을 나타내는 종결 어미. ¶다음에 가~/또 오~. *-을게.

-ㄹ까 [어미] 받침 없는 어간에 붙어서 미래나 현재의 일을 추측할 때, 의문이나 의심 또는 자기 의사를 아랫 사람 또는 스스로에게 나타내는 종결 어미. ¶왜 이리 더우~/일을 망치~ 걱정된다/내일 떠나~ 합니다/다음 차례는 누구이~. *-ㄹ꼬·-을까.

-ㄹ까 말:까 [구] ①받침 없는 동사의 어간에 붙어서 행동을 망설이는 뜻을 나타내는 말. ¶주~/하~ 하다가 때를 놓쳤다. ②받침 없는 동사 어간에 붙어, 어떤 정도에 이를 것 같기도 하고 그렇지도 않은 것 같은 상태를 나타내는 말. ¶겨우 한 자가 되~ 하다. *-을까말까.

-ㄹ까 보냐 [구] 받침 없는 어간에 붙어서 '어찌 그러할 리가 있겠느냐'의 뜻을 나타내는 말. ¶너에게 지~/아는 것이 많다고 다 학자이~. *-을까 보냐.

-ㄹ까 보다 [구] ①받침 없는 용언의 어간에 붙어서 미래의 일이나 과거의 일을 추측하되 의심스러움을 나타내는 말. ¶이것이 더 크~. ②받침 없는 동사의 어간에 붙어서 불확정한 자기 의사를 나타내는 말. ¶내버리~/아주 그만 두~. *-을까 보다.

-ㄹ께 [어미] ☞-ㄹ게.

-ㄹ꼬 [어미] 받침 없는 어간에 붙어서 장래나 현재의 일을 깊은 생각을 가지고 추측할 때, 아랫사람 혹은 스스로 의문이나 의심 또는 자기 의사를 나타낼 때 쓰는, '-ㄹ까' 보다 예스러운 말투의 종결 어미. 흔히, 지정하지 아니한 대명사나 부사 같은 것이 앞에 있을 때 씀. ¶그가 언제나 오~/날이 왜 이렇게 더우~/여기가 어디이~/무엇을 하~ 하니. *-ㄹ까·-을꼬.

-ㄹ꾸 [어미] 〈방〉 -ㄹ꼬.

-ㄹ 나위 없:다 [―라―업―] [구] 받침 없는 동사의 어간에 붙어서 '더 어찌할 수 있는 힘이나 필요가 없다'는 뜻을 나타내는 말. ¶말하~/더할 나위 없이 기쁘다.

-ㄹ낫다 [어미] 〈옛〉 -렷다. =-ㄹ랏다. ¶날 ᄀᆞᄐᆞᆫ 愚拙은 ᄇᆞ라도 못ᄒᆞᆯ낫다《古時調》.

-ㄹ는지 [―른―] [어미] 받침 없는 어간에 붙는 종결 또는 연결 어미. ①추측의 뜻을 나타냄. ¶이번 수석은 자네이~ 모르겠다/비가 오~ 안 오~ 모르겠다/떼어 먹히는 것이 아니~. ②의지의 뜻을 나타냄. ¶내 뜻을 알아 주~. ③가능성의 뜻을 나타냄. ¶그 일이 가능하~. *-을는지.

-ㄹ다[1] [어미] 〈옛〉 -다. -로다. ¶한번 가고 아니오니 이내 마음 수심일다《民謠》.

-ㄹ다[2] [어미] 〈옛〉 -겠느냐. -ㄹ 것인가. =-ㄹᄯᅡ. ¶뎌 漢ㅅ글 ᄇᆡ화 므슴ᄒᆞᆯ다(學他漢兒文書怎麼)《老乞 上 4》. *-을다.

-ㄹ돠 [어미] 〈옛〉 -겠다. ¶ᄀᆞ장 밥 먹디 못ᄒᆞᆯ돠(好生喫飯)《朴解 下 45》.

-ㄹ 듯이 [―뜻―] [구] 받침 없는 어간에 붙어 '줄기의 내용과 같게'의 뜻을 나타내는 말. ¶금방이라도 비가 오~ 날이 흐렸다. *-을 듯이.

-ㄹ디니라 [어미] 〈옛〉 -ㄹ지니라. =-ㄹ띠니라. ¶밧글 向ᄒᆞ야 얻디 마롤디니라(莫向外覓이니라)《六祖 中 23》.

-ㄹ디어다 [어미] 〈옛〉 -ㄹ지어다. =-ㅭ디어다·-ㄹ띠어다. ¶一切 法에 執着을 두디 마롤디어다(於一切法에 勿有執着이어다)《六祖 中 4》.

-ㄹ디언뎡 [어미] 〈옛〉 -ㄹ지언정. =-ㅭ디언뎡. ¶道ᄂᆞᆫ 모로매 通히 흘롤디언뎡(道須通流ㅣ언뎡)《六祖 中 5》.

-ㄹ띠나 [어미] 〈옛〉 -ㄹ지나. ¶父沒홈애 그 行을 볼띠나(父沒觀其行)《論諺 學而》.

-ㄹ띠니 [어미] 〈옛〉 -ㄹ지니. ¶君子ᄂᆞᆫ 本을 힘ᄡᅳᆯ띠니(君子務本)《論諺 學而》.

-ㄹ띠니라 [어미] 〈옛〉 -ㄹ지니라. =-ㄹ디니라. ¶過ㅣ어든 改홈을 憚티 말올띠니라(過則勿憚改)《論諺 學而》.

-ㄹ띠라 [어미] 〈옛〉 -ㄹ지라. ¶말을띠라(已矣乎)《論諺 公治長》.

-ㄹ띠라도 [어미] 〈옛〉 -ㄹ지라도. ¶比ᄒᆞ야 禽獸ᄅᆞᆯ 得홈이 비록 丘陵 ᄀᆞᄐᆞᆯ띠라도 ᄒᆞ디 아니ᄒᆞ니(比而得禽獸 雖若丘陵 弗爲也)《孟諺 滕文公 下》.

-ㄹ띠어다 [어미] 〈옛〉 -ㄹ지어다. =-ㅭ디어다. ¶子ㅣ 반ᄃᆞ시 勉ᄒᆞᆯ띠어다(子必勉之)《孟諺 滕文公 上》.

-ㄹ띤댄 [어미] 〈옛〉 -ㄹ진대. =-ㄹ썬대. ¶너펴 닐올띤댄 劫은 ᄲᆞᆯ리 다ᄋᆞ려니와《月釋 Ⅸ:49》.

-ㄹ띤뎌 [어미] 〈옛〉 -ㄹ진저. ¶반ᄃᆞ시 名을 正ᄒᆞᆯ띤뎌(必也正名乎)《論諺 子路》.

-ㄹ똘 [어미] 〈옛〉 -ㄹ 줄을. ¶世尊이 須達이 올똘 아ᄅᆞ시고《釋譜 Ⅵ:20》.

-ㄹ라[1] [어미] 받침 없는 어간에 붙어서 '해라' 할 손아랫 사람에게 행여 잘못 될까 또는 행여 그러할까·그것일까 염려함을 나타내는 종결 어미. ¶조심해라 떨어지~/그 돈이 위조 지폐이~. *-을라[1].

-ㄹ라[2] [어미] 〈방〉 -려. *-을라[2].

-ㄹ라고 [어미] ①받침 없는 어간에 붙어, 의심과 반문을 나타내는 종결 어미. ¶설마 너만 떼어 놓고 가~/그렇게 빠르~/설마 가짜이~. ②상대방에게 타이르는 투로 '그만한 일을 가지고 그러느냐'의 뜻을 나타내는 종결 어미. ¶어렵다 하지 말게. 나 같은 사람도 하~. ③☞-려고. *-을라고.

ㄹ라믄 [조] 〈방〉 ㄹ랑은. ¶그래서~.

ㄹ라와 [조] 〈옛〉 보다. =라와. ¶널라와 시름한 나도 자고 니러 우니노라《樂詞 靑山別曲》.

-ㄹ라-치면 [어미] 받침 없는 동사의 어간에 붙어서, 몇 번 경험한 일을 추상적으로 가정하는 뜻을 나타내는 연결 어미. ¶밤이 되~ 네온 사인이 찬란하다. *-을라치면.

-ㄹ락 [어미] 주로 '-ㄹ락 말락'의 꼴로 받침 없는 동사 어간에 붙어서 거의 되려다가 말고 되려다가 말고 함을 나타내는 연결 어미. ¶피~ 말락 하는 모란꽃. *-락·-을락.

ㄹ란 [조] 〈옛〉 ㄹ랑. ㄹ랑은. =란[2]. ¶글란 싱각 마오 미친 일이 이셔이다《松江 續美人曲》.

-ㄹ랏다 [어미] 〈옛〉 -렷다. =-ㄹ낫다·-ㄹ럿다. ¶어즙어 崔瑩 곳 잇ᄯᅳ면 석은 풀 치듯 ᄒᆞᆯ랏다《古時調》.

ㄹ랑 [조] ①'는'의 뜻을 특히 강조하는 보조사. ¶너~ 집에 있거라/너~ 꽃처럼 곱게 자라라. *일랑·을랑. ②조사 '서' 밑에 붙어서 뜻을 좀더 똑똑하게 강조하는 보조사. ¶거기서~ 놀지 마라. *설랑.

ㄹ랑은 [조] 'ㄹ랑'을 더 힘 있게 하는 말. ¶너~ 나하고 여기서 살자/거기 가서~ 몸조심해라. *설랑은·일랑은·을랑은.

-ㄹ래 [어미] ①'-련'의 구어(口語) 및 소아어. ¶누가 가~. ②'-련다'의 구어 및 소아어. ¶내가 가지~. *-을래.

-ㄹ래도 [어미] ☞-려도.

-ㄹ래야 [어미] ☞-려야.

-ㄹ랴고 [어미] ☞-려고.

ㄹ러는 [조] 〈옛〉 에게는. 더러는. ¶날러는 엇디 살라ᄒᆞ고 ᄇᆞ리고 가시리잇고《樂詞 가시리》.

-ㄹ러니 어미 받침 없는 어간에 붙어서 '-겠더니'의 뜻을 나타내는 연결 어미. ¶뜻을 모르~ 이제야 알겠더라. *-을러니.

-ㄹ러라 어미 받침 없는 어간에 붙어서 '-겠더라'의 뜻을 나타내는 종결 어미. ¶이틀은 걸리~/일은 더디~/밤 새워 해야 하~/한글이야 말로 우리의 자랑이~. *-ㄹ레라·-을러라.

-ㄹ런가 어미 ①받침 없는 어간에 붙어서 '-겠던가'의 뜻으로 물음을 나타내는 종결 어미. ¶일이 잘 되~/얼마나 빠르~. *-을런가. ②'-런가'의 뜻을 더 강조하는 종결 어미. ¶꿈이~ 생시~/꿈은 아니~. *-ㄹ런고.

-ㄹ런고 어미 ☞ -ㄹ런가.

-ㄹ런지 어미 ☞ -ㄹ는지.

-ㄹ럿다 어미 〈옛〉-렷다. =-ㄹ랏다. ¶舟師이 시럼은 젼혀 업게 삼길럿다《蘆溪 船上嘆》.

-ㄹ레[1] 어미 받침 없는 어간에 붙어서 '-겠데'의 뜻을 나타내는 종결 어미. ¶그의 말로는 일이 더디~/그는 큰 사람이 되~/그가 바둑의 명수이~. *-ㄹ러라·-을레[1].

-ㄹ레[2] 어미 ①☞-련. ¶누가 가~. ②☞-련다. *-을레[2].

-ㄹ레라 어미 받침 없는 어간에 붙어, 막연하게 '-겠더라'의 뜻을 나타내는 종결 어미. ¶일이 더 빠르~/바다로 흐르~/하이얀 고깔은 고이 접어서 나비~. *-ㄹ러라·-을레라.

-ㄹ려고 어미 ☞ -려고. *-을려고.

-ㄹ려야 어미 ☞ -려야. *-을려야.

ㄹ로 조 〈옛〉로. ¶널로ᄒᆞ야 ᄇᆡ호라 ᄒᆞᄃᆞ냐(教你學來)《老乞》.

-ㄹ로다 어미 〈옛〉-겠도다. ¶밤이니 감히 먹기를 만히 못ᄒᆞᆯ로다(黑夜不敢喫多)《朴解 下 45》. 「고 내어라《古時調》.

-ㄹ만뎡 어미 〈옛〉-ㄹ망정. =-ㄹ만졍. ¶아ᄒᆡ야 박쥬 산칠만뎡 업다 말

-ㄹ만졍 어미 〈옛〉-ㄹ망정. =-ㄹ만뎡. ¶비록 이 셰간 판탕ᄒᆞᆯ만졍 고온님 괴기 옷 괴면 그ᄅᆞᆯ 밋고 살리라《松江 下 5》.

-ㄹ 말로는 구 받침 없는 어간에 붙어서 '-ㄹ 것으로 말하고 보면'의 뜻을 나타내는 말. ¶꼭 성공하~ 누군들 그걸 사양하겠소. *-을 말로는.

-ㄹ 말로야 구 받침 없는 어간에 붙어서 '-ㄹ 것으로 말하고 보면야'의 뜻을 나타내는 말. ¶내가 가지~ 썩히기야 하겠소. *-을 말로야.

-ㄹ망정 어미 받침 없는 어간에 붙어서 '비록 그러하지만 그러나'의 뜻을 나타내는 연결 어미. ¶나이는 어리~ 철은 다 들었다/굶주리~ 그에게 머리는 안 숙이겠다/입은 옷은 누더기이~ 마음만은 깨끗하다오. *-을망정.

-ㄹ 바에 [—빠—] 구 받침 없는 어간에 붙어서 '어차피 그러하기로 된 일이면'의 뜻을 나타내는 말. ¶이왕 떠나~ 뒤돌아 봐선 무얼 하나/주~ 기분 좋게 빨리 주어라. *-ㄴ 바에·-는 바에·-은 바에·-을 바에.

-ㄹ 바에야 [—빠—] 구 받침 없는 어간에 붙어서 '어차피 그렇게 하기로 된 일이면야'의 뜻을 나타내는 말. ¶헤어지~ 깨끗하게 남남이 되자. *-을 바에야.

-ㄹ 밖에 [—빡—] 구 받침 없는 어간에 붙어 '-ㄹ 수밖에 다른 수가 없다'는 뜻을 나타내는 말. ¶달라니 주~. *-을 밖에.

ㄹ받침 변:칙 【—變則】[리을—] 명 'ㄹ불규칙' 활용.

ㄹ 불규칙 활용 【—不規則活用】[리을—] 명 어간의 'ㄹ' 받침이 'ㄴ'·'ㅂ'·'오', 또는 미래의 'ㄹ', 존경의 '시' 앞에서 줄어지는 불규칙 활용의 형식. 'ㄹ' 받침을 가진 동사·형용사가 이 형식을 따름. 곧, '밀다'가 '미는', '밉니다', '미시다'와 같이 되는 일. 학교 문법에서는 규칙적인 음운(音韻) 탈락으로 보아 불규칙 활용으로 인정치 않음.

-ㄹ빼 구 〈옛〉-ㄹ바가. ¶人君의 공경ᄒᆞᆯ빼 오직 하ᄂᆞᆯ과 밋 祖宗이실 ᄯᆞᄅᆞᆷ이라(人君所敬惟天暨祖宗而已)《常解 10》.

-ㄹ뿐더러 어미 받침 없는 어간에 붙어 어떤 일이 그뿐만으로 그치지 않고 그 밖의 어떤 다른 일이 더 있음을 나타내는 연결 어미. ¶값이 비싸~ 귀하다/공부를 잘 하~ 운동도 잘 한다. *-을뿐더러.

-ㄹ싸 어미 〈옛〉-겠냐. =-ㄹ다[2]. ¶네 뎌를 ᄎᆞ자 므슴ᄒᆞᆯ싸(你尋他怎麽)《老乞 下 1》.

-ㄹ쫑 어미 〈옛〉-ㄹ는지. ¶올쫑 말쫑ᄒᆞ여라《海謠》.

-ㄹ쏀대 어미 〈옛〉-ㄹ진대. =-ㄹ뎐댄. ¶男兒ㅣ 되여 ᄃᆞ닐쏀대(做男兒行時)《老乞 下 43》.

-ㄹ쑤니언뎡 어미 〈옛〉-ㄹ지언정. =-ㄹ쑨이언뎡·-ㅭ디언뎡. ¶오직 알핏法을 體ᄒᆞ야 미러 行ᄒᆞᆯ 쑤니언뎡 다시 各別ᄒᆞᆫ 法이 업스니《月釋 XⅧ:13》. 「我頭上이언뎡)《妙蓮》.

-ㄹ쑨뎡 어미 〈옛〉↗-ㄹ쑨이언뎡. ¶출히 내 머리 우희 오ᄅᆞᆯ쑨뎡(寧上

-ㄹ쑨이언뎡 어미 〈옛〉-ㄹ지언정. =-ㄹ쑤니언뎡·-ㅭ디언뎡. ¶ᄒᆞ디 아닐쑨이언뎡 能티 몯홈이 아니니(不爲也非不能也)《孟諺 梁惠王 上》.

-ㄹ사록 [—싸—] 어미 〈방〉-ㄹ수록. [준]-ㄹ쑨뎡.

-ㄹ새 [—쌔] 어미 받침 없는 어간에 붙어서 그 일의 전제 또는 원인으로서 이미 사실화된 것이나 진행중인 일을 설명하는 연결 어미. ¶예수께서 거기서 떠나가시~ 두 소경이 따라오며 소리 질러 가로되/막 물을 마시~ 문득 괴성이/때는 전시이~ 세상이 몹시 어지러웠다. *-을새.

-ㄹ샤 어미 〈옛〉-구나. =-도다·-ㄹ쌰·-ㄹ쎠. ¶孤臣去國에 白髮도 하도할샤《松江 關東別曲》.

-ㄹ세 [—쎄] 어미 '이다'·'아니다'의 어간에 붙어서 '하게'할 자리에 자기의 생각을 설명하는 종결 어미. ¶오늘이 초하루이~/똑똑하기가 여간 아니~/그것은 내 것이 아니~.

-ㄹ세-그려 [—쎄—] 어미 '이다'·'아니다'의 어간에 붙어, '하게'할 자리에서 감탄의 뜻으로 자기의 생각을 말할 때 쓰는 종결 어미. ¶굉장이 큰 소이~/이건 말이 아니~/그 사람 여간 아니~.

-ㄹ세라 [—쎄—] 어미 받침 없는 어간에 붙어서 행여 그렇게 될까 염려하는 뜻을 나타내는 연결 또는 종결 어미. ¶빼앗기~ 잔뜩 움켜 쥐고 있다/불면 나~ 쥐면 꺼지~/행여 감기이~ 덮어놓고 약을 먹인다. *-을세라.

-ㄹ세-말이지 [—쎄—] 어미 받침 없는 어간에 붙어서 남이 예상하여 말한 전제 조건을 객관적으로 부인하는 종결 어미. ¶글쎄 비가 그치~/여간 크~/나 보고 자꾸 물으니 글쎄 그게 나~. *-을세 말이지.

-ㄹ셔 어미 〈옛〉-구나. =-ㄹ쌰·-ㄹ쎠·-도다. ¶클셔 萬物이 ᄇᆞ터 비르수미여(大矣哉萬法資治也)《圓覺 序 31》. *-을셔.

-ㄹ션뎡 어미 〈옛〉-ㄹ지언정. =-ㄹ션졍. ¶오직 芝蘭ᄋᆞ로 ᄒᆡ여 됴케ᄒᆞᆯ션뎡 엇뎨 구틔여 지블 이웃ᄒᆞ야 살라ᄒᆞ리오《杜諺 XX:29》.

-ㄹ션졍 어미 〈옛〉-ㄹ지언정. =-ㄹ션뎡. ¶眞實로 能히 侵勞ᄒᆞᄂᆞ닐 制馭ᄒᆞᆯ션졍 엇뎨 해 주규메 이시리오(苟能制侵陵豈在多殺傷)《重杜諺 Ⅴ:28》/먹고 醉ᄒᆞᆯ션졍《永言》.

-ㄹ셰라 어미 〈옛〉-ㄹ세라. =-ㄹ쎄라. ¶어긔야 즌ᄃᆡᄅᆞᆯ 드ᄃᆡ욜셰라《樂範 井邑詞》.

-ㄹ소냐 어미 〈옛〉-ㄹ 것인가. -ㄹ쏘냐. =-ㄹ쏜가. ¶이 富貴 가지고 저 富貴 부를소냐《莎堤曲》. 「時調》.

-ㄹ손 어미 〈옛〉-ㄴ 것은. -ㄹ 것은. =-ㄹ쏜. ¶어엿불손 諸葛武侯《古

-ㄹ쇠 어미 〈옛〉-ㄹ세. -로구나. ¶그 더ᄃᆡ 엇디ᄒᆞ야 下界예 ᄂᆞ려오니 올저긔 비슨 머리 헛틀언디 삼년일쇠《松江 思美人曲》.

-ㄹ수록 [—쑤—] 어미 받침 없는 어간에 붙어서 어떤 일이 더하여 감에 따라 다른 일이 그와 정비례 또는 반비례로 더하여짐을 나타내는 연결 어미. ¶가~ 태산이라/빠르~ 좋다/여문 이삭이~ 고개를 수그린다. *-을수록.

-ㄹ슨 어미 〈옛〉①-ㄴ 것은. ¶一生에 얄뮈올슨 거뮈 外에 ᄯᅩ 잇ᄂᆞᆫ가《古時調》. ②-ㄹ 것인가. ¶엇디 ᄒᆞᆯ슨 이 一半 갑ᄉᆞᆯ 주고 므르기고(怎的是一半兒錢贖)《朴解 下 56》.

-ㄹ싀 어미 〈옛〉-ㄹ새. ¶보면 반기실싀 나도 조차 ᄃᆞᆫ니ᄃᆞ니《永言》.

-ㄹ시 [—씨] 어미 '이다'·'아니다'의 어간에 붙어서 '-ㄹ 것이'·'-ㄴ 것이'의 뜻으로, 추측하여 판단한 사실이 틀림 없음을 나타내는 연결 어미. ¶기록 착오이~ 분명하다/그의 필적이 아니~ 분명하다.

-ㄹ시니 어미 〈옛〉-는 것이니. ¶懺은 아릿 허물 懺 ᄒᆞᆯ시니(懺者 懺其前愆)《六祖 中 25》. 「로다《古時調》.

-ㄹ슨 어미 〈옛〉-ㄴ 것은. -ㄹ 것은. ¶답답은 ᄒᆞ다마ᄂᆞᆫ 閑暇ᄒᆞᆯ슨 밤이

-ㄹ슬 어미 〈옛〉-ㄴ 것을. -ㄹ 것을. ¶種種發明ᄒᆞᆯ슬 名爲妄想이니《楞嚴 Ⅱ:53》. 「食栢餐霞也ㅣ라《杜諺 Ⅲ:24》.

-ㄹ식 어미 〈옛〉-ㄹ새. =-ㄹ씨. ¶此ᄂᆞᆫ 甫ㅣ 貧甚ᄒᆞ야 囊橐이 空乏ᄒᆞᆯ식

-ㄹ싸 어미 〈옛〉-구나. -네. =-도다·-ㄹ쌰·-ㄹ쎠. ¶結繩을 罷한 後에 世故도 하도할싸《古時調》.

-ㄹ쌰 어미 〈옛〉-구나. -네. =-ㄹ샤·-ㄹ셔·-ㄹ싸·-도다. ¶얼일쌰 져 鵬鳥야 웃노라 져 鵬鳥야《古時調》.

-ㄹ쎄라 어미 〈옛〉-ㄹ세라. =-셰라. ¶꾀꼬리 날렸으나 가지 위에 울릴쎄라《古時調》. 「ᄒᆞᆯ쎠《月釋 Ⅹ:15》.

-ㄹ쎠 어미 〈옛〉-구나. =-ㄹ샤·-ㄹ셔·-ㄹ싸·-도다. ¶無常ᄒᆞᆫ 이리 甚

-ㄹ쎼라 어미 〈옛〉-ㄹ세라. =-ㄹ셰라. ¶즑어온 오ᄂᆞᆯ이 幸혀 안이 졈을쎼라《古時調》.

-ㄹ쏘냐 어미 받침 없는 어간에 붙어 '-ㄹ 것인가'의 뜻을 나타내는 종결 어미. ¶어찌 나를 이길~. *-을쏘냐.

-ㄹ쏜 어미 〈옛〉-ㄴ 것은. -ㄹ 것은. =-ㄹ손. ¶암아도 數多ᄒᆞᆫ 風中에 測量키 어려올쏜 多至ᄯᆞᆯ 甲子日에 東南風인가 ᄒᆞ노라《古時調》.

-ㄹ쏜가 어미 〈옛〉-ㄹ 것인가. =-ㄹ소냐. ¶白玉京 琉璃界ㄴ들 이에서 더ᄒᆞᆯ쏜가《古時調》.

-ㄹ쐬 어미 〈옛〉-ㄹ세. -로구나. -ㅂ니다. =-ㄹ쇠. ¶一身이 사쟈ᄒᆞᆫ이 물엇 겨워 못견될쐬《古時調》. 「11》.

-ㄹ씨 어미 〈옛〉-ㄹ시. ¶萬行이 眞實로 ᄇᆞᆯ골씨 明行足이라《月釋 Ⅸ:

-ㄹ씨고 어미 〈옛〉-구나. ¶어화 베힐씨고 落落長松 베힐씨고《古時調》. *-을씨고. 「章》.

-ㄹ씩 어미 〈옛〉-ㄹ새. =-ㄹ식. ¶ᄇᆞᄅᆞ매 아니 뮐씩(風亦不扤)《龍歌 2

-ㄹ 양으로 [—량—] 구 받침 없는 동사의 어간에 붙어서 '-ㄹ 예정으로'의 뜻을 나타내는 말. ¶모조리 베끼~ 책을 빌려 오다/책을 사~ 돈을 둘렀다. *-을 양으로.

-ㄹ 양이면 [—량—] 구 받침 없는 동사 어간에 붙어서 '-ㄹ 예정이면'의 뜻을 나타내는 말. ¶금강산 구경을 다 하~ 몇 날이 될지 모르겠구나/그를 만나~ 틈을 내라. *-을 양이면.

-ㄹ에 어미 〈옛〉-게. -르게. ¶菩提에 니를에 몯ᄒᆞ면《月釋 XⅪ:51》.

-ㄹ작시면 [—짝—] 어미 받침 없는 동사 어간에 붙어서 '그러한 입장에 이르게 되면'의 뜻을 나타내는 연결어미. ¶그 꼴을 보~ 가관이다/여기를 오~ 온단 말이라도 해야 될 것 아니오《玄鎭健: 無影塔》. *-을작시면.

-ㄹ쟉시면 어미 〈옛〉-ㄹ작시면. ¶네 이리 漢ㅅ 글을 ᄇᆡ홀쟉시면 이 네 ᄆᆞᄋᆞᆷ으로 ᄇᆡ호ᄂᆞᆫ다 네 어버이 널로 ᄒᆞ여 ᄇᆡ호라 ᄒᆞᄂᆞ냐《老解 上 5》.

-ㄹ지 [—찌] 어미 받침 없는 어간에 붙어서 추측으로 의심을 나타내는 연결어미. ¶언제 완성되~ 모르겠다/언제 나를 만나러 오~ 모르겠다/내 몫이 얼마이~ 두고 보아야겠다. *-ㄴ지·-던지·-은지·-을지.

-ㄹ지나 [—찌—] 어미 받침 없는 어간에 붙어서 '마땅히 그러할 것이나'의 뜻을 나타내는 연결 어미. ¶내가 가~ 사정이 있어서 애를 대신 보내오/네가 공부로는 첫째이~ 몸이 약해서 반장을 못 시키겠다. *-을지나.

-ㄹ지니 [—찌—] 어미 받침 없는 어간에 붙어서 '마땅히 그러할 것이니'의 뜻을 나타내는 연결 어미. ¶마땅히 책임을 져야 하~/세안에 다

가리～ 그리 아오/통일이 우리의 지상 목표이～ 힘써 국력을 배양하자. *-을지니.

-ㄹ지니라 [—찌—] 어미 받침 없는 어간에 붙어, '마땅히 그러할 것이니라'의 뜻을 나타내는 종결 어미. ¶부모에게 효도하～/그렇게 함이 순리이～. *-을지니라.

-ㄹ지라 [—찌—] 어미 받침 없는 어간에 붙어서 '마땅히 그러할 것이라'의 뜻을 나타내는 연결및 종결어미. ¶내일은 모두 일찍 일어나～, 일찍 자거라/가는 것이 마땅하～/그것이 급선무이～. *-을지라.

-ㄹ지라도 [—찌—] 어미 받침 없는 어간에 붙어서 '비록 그러하더라도'의 뜻으로 미래의 일을 양보적으로 가정하는 연결 어미. ¶결과가 어찌 되～ 계산해 보자/날씨가 나쁘～ 떠나겠다/백만 장자이～ 절약을 해야지. *-을지라도.

-ㄹ지어다 [—찌—] 어미 받침 없는 동사의 어간에 붙어서 '마땅히 그러하여라'의 뜻을 나타내는 종결 어미. ¶나라에 충성을 다하～/병역의 의무를 다하～. *-을지어다.

-ㄹ지언정 [—찌—] 어미 서로 반대되는 일에 대해 그 중 한 가지를 양보적으로 시인하거나 부인하고, 다른 한 가지를 부인하거나 시인할 때 받침 없는 어간에 붙어서 쓰이는 연결 어미. ¶이 옷이 네게 크～ 작지는 않다/낙제를 하～ 커닝은 안 한다. *-을지언정.

-ㄹ진대 [—찐—] 어미 ①받침 없는 어간에 붙어서 '가령 그러할 터이면'의 뜻을 나타내는 연결어미. ¶출세를 못 하～ 돈이나 벌자. ②받침 없는 어간에 붙어서 '-ㄹ것 같으면'의 뜻을 나타내는 연결 어미. ¶내가 보～ 그는 결코 성공할 위인이 아니다/기왕 낙제이～ 멋지게 놀아나 보자. *-을진대.

-ㄹ진대는 [—찐—] 어미 '-ㄹ진대'의 힘줌말. ㊟-ㄹ진댄. *-을진대는.

-ㄹ진댄 [—찐—] 어미 ↗-ㄹ진대는. *-을진댄.

-ㄹ진저 [—찐—] 어미 받침 없는 어간에 붙어서 '마땅히 그러할 것이다' 또는 '아마 그러할 것이다'의 뜻을 나타내는 종결 어미. ¶자식된 자 모름지기 부모의 명을 받드～/더욱 빛나～/그야말로 한국의 명사이～. *-을진저.

-ㄹ 테다 구 받침 없는 어간에 붙어, '-ㄹ 터이다'의 뜻을 나타내는 말. ¶나도 가～. 주의 '-ㄹ 테면' '-ㄹ 테야' '-ㄹ 텐데' '-ㄹ 테니' '-ㄹ 테냐' 등 국한적으로만 활용함. *-을 테다. 「63》.

-ㅭ 어미 〈옛〉-ㄹ. ¶이 經 디닗 사ᄅᆞ미 이ᄉᆞ에 住ᄒᆞ야셔《月釋 XVII:

-ㅭ다 어미 〈옛〉-려느냐. ¶大臣올 請ᄒᆞᇙ다 婆羅門居士를 請ᄒᆞᇙ다《月釋 XXI:195》. 「라《訓諺》.

-ㅭ디면 어미 〈옛〉-는 것이면. -려면. ¶初聲을 合用ᄒᆞᇙ디면 則 並書ᄒᆞ

-ㅭ디어다 어미 〈옛〉-ㄹ지어다. =-ㄹ디어다. ¶또 깃븐 ᄆᆞᅀᆞᆷ 내디 마롫디어다(亦莫生喜心)《蒙法 18》.

-ㅭ디언뎡 어미 〈옛〉-ㄹ지언정. =-ㄹ뿌니언뎡·-ㄹ쑨이언뎡. ¶모ᄆᆞ로 端正히 ᄒᆞᇙ디언뎡(放敎身體端正)《蒙法 24》.

-ㅭ딘댄 어미 〈옛〉-ㄹ진대. ¶王이 녀를 禮로 待接ᄒᆞᅀᆞᇙ딘댄 모로매 願이 이디 말오라 ᄒᆞ더니《釋譜 XI:30》.

-ㅭ돌 어미 〈옛〉-ㄹ 것을. -ㄹ 줄을. =-ㄹ뚤. ¶아독ᄒᆞᆫ 後世에 釋迦佛 ᄃᆞ외싫돌 普光佛이 니ᄅᆞ시니이다《月釋 I:3》.

〈라³〉

라¹ 명 〖악〗 '레(re)' 음(音)의 우리 나라 이름.

라² 〔이 la〕 명 〖악〗 ①음계 이름의 하나. 장조(長調) 음계의 제6음, 단조(短調) 음계의 제1음. ②'A'음(音)의 이탈리아 음이름. 우리 나라 음이름 '가'와 같음.

라³: 〔Ra〕 명 〖신〗 이집트 신화 중의 최고신인 태양신(太陽神). 광명·생명·정의의 지배자이며, 배를 타고 천계(天界)·명계(冥界)를 왕래한다고 함. 독수리의 머리 위에 태양을 나타내는 구(球)와 왕자(王者)의 상징인 뱀을 올린 모양으로 나타냄.

라⁴ 조 ①↗-라고❶. ¶'내가 이겼다'～ 하더라. ②↗라서. ¶뉘～ 나를 당하랴. *이라.

라⁵ 조 〈옛〉 ①라고. ¶엇더라 모딘 官吏의 므른(奈何黜吏徒)《杜諺 II:62》. ②로⁸. ¶ᄒᆞᆫ가지라 差別이 업고(等無差互)《蒙法 49》.

-라¹ 어미 ① '이다'·'아니다'의 어간에 붙어서 어떤 사실을 서술(敍述)하는 종결 어미. ¶그게 정의이～/신사의 할 것이 아니～. ②'이다'·'아니다'의 어간에 붙어서 아랫말의 전제적 사실을 서술하는 연결 어미. ¶대단한 노력가이～ 남이 노는 데도 일을 한다/밤이 아니～ 바로 대낮 같구나. ③받침 없는 동사의 어간에 붙어서 명령을 나타내는 종결 어미. ¶일어나～/보～/가～. ④↗-라고. ¶일찍 떠나～ 하여라. ⑤↗-라서. ¶기대했던 것이 아니～ 실망했다. *-으라.

-라² 어미 〈옛〉 ①-려고. ¶날돌이 추거늘 어마님이 毗藍園을 보라 가시니《月釋 II:27》. ②-다. -다가. ¶잡간 안ᄌᆞ라 ᄂᆞᆫ 가마괴ᄂᆞᆫ(暫止飛烏)《杜諺 VII:1》.

-라³ 어미 〈방〉-러.

라:가 〔rāga〕 명 〖악〗 인도 음악에서 두 종류의 음계(音階)를 기초로 한 다수의 선법(旋法)에 리듬을 더해서 만든 일종의 선율형(旋律型). 인도 음악 구성상 중요한 요소의 하나임.

라가시 〔Lagash〕 명 〖지〗 고대 수메르(Sumer)의 도시. 유적은 이라크 동남부, 티그리스 강과 유프라테스 강의 중간에 있음. 초기 왕조 시대의 풍부한 자료와 구데아(Gudea) 시대의 지하 분묘가 발견됨.

라:거 〔도 Lager〕 명 포로 수용소(捕虜收容所).

라:거 비어 〔lager beer〕 명 병 또는 깡통에 들어 있는 보통 맥주. 저장(貯藏) 맥주. ↔생맥주(生麥酒). 「자세.

라:게 〔도 Lage〕 명 성행위를 할 때, 남녀가 취하는 체위(體位). 또, 그

라:게르크비스트 〔Lagerkvist, Pär Fabian〕 명 〖사람〗 스웨덴의 시인·소설가·극작가. 제1차 대전 후의 혼란기에 전위적(前衛的) 작가로서 근대인의 불안과 고뇌를 묘사하였음. 시(詩) 《행복한 자의 길》 이외에 소설·극작도 발표, 1951년 노벨 문학상을 받았음. [1891-1974]

라:겔뢰프 〔Lagerlöf, Selma Ottiliana Lovisa〕 명 〖사람〗 스웨덴의 여류 작가. 《예스타 베를링의 이야기(Gösta Berlings saga)》가 출세작. 그의 작품은 따뜻한 인간애, 자연에 대한 친애감, 종교적 신비주의에 바탕을 두고 있으며, 여러 나라 말로 번역되어 애독됨. 1909년 여성 최초로 노벨 문학상을 받음. [1858-1940]

라고 조 ①직접 인용(直接引用)을 나타내는 부사격 조사. ¶'언제 왔소'～ 물었다. ㊟라. *고. ②받침 없는 체언에 붙어 그 사물을 특별히 지적해서 가리키는 보조사. ¶나～ 못 하겠나/여기가 어디～ 감히 들어오느냐. *이라고.

-라고 어미 ①받침이 없거나 'ㄹ받침'의 동사 어간에 붙어서 명령의 내용을 나타내는 연결 어미. ¶빨리 오～ 일러라. *-으라고. ②'이다'·'아니다'의 어간에 붙어서, 미심하게 여기거나 해괴하게 여기는 제삼자에게 내용을 확인시키는 뜻을 나타내는 연결 어미. ¶범인은 자기～ 고백하다/자기는 모범생이 아니～ 수줍어 하는 학생/진리가 아니～ 우기다. ㊟-라.

라고【要】 어미 〈이두〉-라고.

라고스 〔Lagos〕 명 〖지〗 나이지리아(Nigeria)의 도시. 기니 만안(Guinea 灣岸)의 최대의 항구 도시. 근대적인 항만 시설을 갖추고 있어 나이지리아 무역 총액의 대다수를 차지함. [3,770,000명(1989 추계)]

라-과이라 〔La Guaira〕 명 〖지〗 베네수엘라의 북부, 카리브해안의 항구 도시(港口都市). 수도 카라카스의 외항(外港) 구실을 함. 주변에 경치가 아름다운 휴양지(休養地)가 많아 남미(南美) 유수의 관광지를 이룸. [20,000명(1985)]

라귀 명 〈옛〉 당나귀. ¶人間애나 쇠어나 ᄆᆞ리어나 라귀어나 ᄃᆞ외야《月釋 IX:15》.

라그나뢰크 〔Ragnarök〕 명 〖신〗 북유럽 신화에서, 세계 종말의 날. 신(神)들과 괴물들의 종국적(終局的)인 싸움으로 말미암아 세계는 파멸되고 전(全)세계의 멸망이 온다고 함.

라그랑주 〔Lagrange, Joseph Louis〕 명 〖사람〗 이탈리아 출생의 프랑스 수학자·천문학자. 등주(等周) 문제에서 변분법(變分法)을 정립함. 저서 《해석 역학(解析力學)》에 의한 역학에의 기여 외에 수학의 정수론·미분 방정식론·불변식론(不變式論) 등에 많은 공헌을 함. [1736-1813]

-라나 어미 ①'이다'·'아니다'의 어간에 붙어, 무엇을 무관심하게 여기거나 빈정거리는 태도로 말할 때 쓰는 종결 어미. ¶그런 작품이 명작이～/자기가 무슨 지도자～/자기는 폭군이 아니～. ②받침 없는 동사 어간에 붙어, 시키는 일에 대해 못마땅하게 또는 귀찮게 여기는 뜻을 나타내는 반말투의 종결 어미. ¶날더러 또 가보～. *으라나. ③↗-라 하나. ¶훌륭한 사람이～ 돈은 없다/범인이 아니～ 증거가 있다.

라낫 〔타이 ranāt〕 명 〖악〗 타이(Thai)의 악기. 나무 상자 위에 대쪽 건(鍵)을 가로 늘어놓고 두 채로 때려서 연주하는 목금(木琴).

〈라낫〉

라:너 〔Rahner, Karl〕 명 〖사람〗 독일의 신학자. 하이데거에게 철학을 배우고 이어 신학(神學)을 연수한 후, 1949년 인스브루크(Innsbruck) 대학 신학 교수, 제2회 바티칸 공의회의 신학 고문 등을 지냄. [1904-84]

-라네 어미 ①↗-라 하네. ¶빨리 가～/자네더러 하～. *-으라네·-다네. ②'이다'·'아니다'의 어간에 붙어, 어떤 사실에 대해 가볍게 감탄하거나 주장할 때 쓰는 말. ¶이것은 사실이～/그것은 내 본심이 아니～.

라놀린 〔lanoline〕 명 〖화〗 양모(羊毛)에 있는 지방질 분비물로 만든 유지(油脂) 혼합물. 황색으로 점성(粘性)이 있으나 자극성이 없고 피부에 흡수되는 성질이 있어서 고약이나 좌약(坐藥)을 만드는 데 기제(基劑)로 사용됨. 양모지(羊毛脂). 양모랍(羊毛蠟).

라눙쿨루스 〔ranunculus〕 명 〖식〗 [*Ranunculus aconitifolius*] 미나리아재빗과에 속하는 다년초. 줄기 높이 30-50cm 가량이고 잎은 쐐기형 달걀꼴로 삼렬(三裂)함. 4-5월에 가지 끝에 지름 3cm정도의 오판화(五瓣花)가 피는데 노랑·분홍·흰 빛 등의 여러 가지 아름다운 큰 꽃이 하나씩 핌. 소아시아의 원산인데 관상용으로 재배함.

-라느냐 어미 ↗-라고 하느냐. ¶누가 널 보고 바보～/뭘 보～/섬이 아니～. *-다느냐·-으라느냐.

-라느니 어미 ①이리 하라 하기도 하고, 저리 하라 하기도 함을 나타낼 때, 받침 없는 동사의 어간에 붙는 연결 어미. ¶하～ 그만두～ 명령이 엇갈려 어리둥절하다. *-다느니·-으라느니. ②이러하다 하기도 하고 저러하다 하기도 함을 나타낼 때, '이다'·'아니다'의 어간에 붙는 연결 어미. ¶가짜～ 진짜～ 한바탕 입씨름이 벌어졌다/진범이～ 그게 아니～ 추측이 엇갈리다.

라는 조 〔↗라고 하는〕 ①받침 없는 체언에 쓰이어 어떤 사실을 특별히 지적해서 가리키는 말. ¶교사～ 직업. ②어떤 사실의 인용을 나타내는 말. ¶'첫 술에 배 부르랴'～ 속담. ㊟란. *이라는.

-라는 어미 ① ↗-라고 하는. ¶출두하～ 명령/변상하～ 판결을 받았다. ㊟-란. *-다는·-으라는. ②〈방〉-려는.

-라니¹ 어미 ①'이다'·'아니다'의 어간에 붙어서, 미심한 말을 되짚어 묻거나 해괴하게 느끼는 감정을 나타내는 종결 어미. ¶미스터 고～, 누구말인가/그 여자가 아니～. ②↗-라고 하니. ¶당장 나가～ 어디로 가나. *-으라니.

-라니² 어미 〈옛〉-더니. -러니. ¶내 아랫 네 버디라니 부텻 法 듣ᄌᆞᄫᆞᆫ 德으로《釋譜 VI:20》.

-라니까 어미 ①↗-라고 하니까. ¶가～ 순순히 물러 가더라/공짜～ 양

잿물도 마시려 든다. ②받침 없는 동사나 형용사 '계시다'의 어간에 붙어, 그리 하라고 일렀는데도 듣지 않는 상대에게, 재차 강력히 촉구하는 뜻을 나타내는 종결 어미. ¶빨리 오~ / 여기 계시~. 1)·2): ✱-다니까 · -으라니까. ③'이다' · '아니다'의 어간에 붙어, 의심하거나 깨닫지 못하고 있는 상대에게, 다그쳐서 깨우쳐 주는 뜻을 나타내는 특별한 활용형의 종결 어미. ¶그는 분명히 수재~ / 그게 아니~.

-라니까는 어미 '-라니까'의 힘줌말. ㊥-라니깐. ✱-다니까는 · -으라니까는.

-라니깐 어미 ↗-라니까는. ✱-으라니깐.

라니냐 현:상 【一現象】〔스 la niña〕 명 〖기상〗〔라니냐는 '계집아이'란 뜻으로, '사내아이'란 뜻인 엘니뇨에 대응(對應)해서 붙여진 이름〕 태평양의 중부 및 동부의 적도 지역의 해면 수온이 평년보다 낮아지는 현상. 세계 각지의 기상 · 기후에 큰 영향을 미침. ✱엘니뇨(el niño) 현상.

라니탈 〔이 Lanital〕 명 이탈리아제(製) 우유 카세인 섬유의 상품명.

라논 조 〈옛〉 은. 이라는 것은. ¶マ쇲 믈라논 몱고(秋水澄)《杜諺》.

라다 【RADA】 명 〔random access discrete address의 약칭〕 다중 통신(多重通信) 방식의 하나. 시간축(時間軸)을 이용하여 비교적 소수의 주파수(周波數)로 다수의 회선을 확보함.

라다만토스 〔Rhadamanthos〕 명 〖신〗 그리스 신화에 나오는 제우스와 에우로페의 아들. 정의의 무사로 알려지고 있으며 살아 있으면서 사자(死者)의 심판을 함.

라다크리슈난 〔Radhakrishnan, Sarvepalli〕 명 〖사람〗 인도의 철학자·정치가·교육가. 미국·영국·인도 등지에서 철학 교수를 역임하고, 인도 독립 이후 정부 요직(要職) 및 인도 펜클럽 의장을 지낸 뒤, 1952년 부통령(副統領)에 취임, 1962-67년 대통령을 지냄. 《인도 철학》 등의 저서가 있음. [1888-1975]

라덴부르크 〔Ladenburg, Albert〕 명 〖사람〗 독일의 화학자. 알칼로이드의 합성 연구로 아트로핀 등의 합성에 성공함. 저서에 《화학 사전(化學辭典)》 · 《방향족(芳香族) 화합물의 이론》 등이 있음. [1842-1911]

라도 조 ①받침 없는 말에 붙어, 강조하는 뜻으로 쓰이는 보조사. ¶꿈에서~ 만나 보고 싶다 / 걸어서~ 집에 가야겠다. ②받침 없는 말에 붙어서 같지 아니한 사물을 구태여 구별하지 않음을 나타내는 보조사. ¶너~ 잘 되어라. ✱이라도.

-라도 어미 '이다' · '아니다'의 어간에 붙어서, 설사 그렇다고 가정하여도 상관 없음을 나타내는 연결 어미. ¶네가 아니~ 좋다 / 금덩어리~ 거저는 싫다.

라도가 호 【一湖】〔Ladoga〕 명 〖지〗 러시아와 핀란드 국경 지방에 있는 유럽 최대의 호수. 백해(白海)와 발트 해 사이의 단층(斷層)에 빙하의 퇴적 작용이 가하여져서 생겼음. 수운(水運)과 어업의 이편(利便)이 있으나 겨울 4개월 동안은 결빙함. [18,000 km²]

라돈 〔radon〕 명 〖화〗 라듐이 알파 붕괴(α 崩壞)할 때 생기는, 비활성 기체에 속하는 자연 방사성 원소. 천연으로는 질량수(質量數) 222, 220, 219의 세 가지가 있는데, 이 가운데에서 ^{222}Rn의 수명이 가장 길어 협의(狹義)로는 이것을 말하며, 이의 반감기(半減期)는 3.824일(日)임. 인공 방사성 원소로는 질량수 211, 209, 221 등 18종이 있음. 천연적으로는 우라늄광(uranium鑛) 또는 지하수나 온천수(溫泉水) 등에 함유되어 있음. [86번 : Rn]

라돈-계 【一計】 명 〔radonoscope〕〖물〗 라듐 또는 라돈의 정량(定量)에 사용되는 감도(感度)가 높은 검전기(檢電器).

라돔 〔Radom〕 명 〖지〗 폴란드 중부의 도시. 폴란드에서 가장 오래된 도시의 하나로 철도의 중심지이며, 피혁·담배·가구 공업(家具工業) 등이 성함. [198,000 명(1982)]

라두¹ 조 〈옛〉 라도. ¶矛曰宥ㅣ라두 爾惟勿宥ᄒᆞ고 《書諺 君陳》.

라두² 【良置】〈이두〉 라도.

라듐 〔radium〕 명 〖화〗 자연 방사성 동위 원소의 하나. 천연으로는 질량수(質量數) 226, 228, 223, 224의 것이 있으며, 인공 방사성 동위 원소로는 질량수 225, 230, 227, 213, 222, 221, 220, 229 등의 것이 있음. 1898년 퀴리 부처(夫妻)가 발견한 것으로서, 우라늄과 함께 피치블렌드(pitchblende) 속에 존재함. 은백색(銀白色)의 금속으로 알파(α)·베타(β)·감마(γ)의 세 가지 방사선을 방사하며, 가장 안정된 ^{226}Ra의 반감기(半減期)는 1602년이며 라돈(radon)으로 변화하고 마지막에 납이 됨. 화학적 성질은 알칼리 토금속(alkali 土金屬) 중 가장 활발하여 공기 중에서는 곧바로 산화(酸化)하여 흑색으로 됨. 천연 라듐은 물리 화학 실험과 의료용으로 사용되었으나 지금은 인공 방사선원(人工放射線源)으로 대체됨. [88번 : Ra]

라듐 금침 【一金針】〔radium〕 명 〖의〗 라듐을 침상 용기(針狀容器) 속에 밀봉한 것. 끝은 백금 이리듐(白金 iridium)으로 되어 있으며 종양 조직 속을 찔러 치료함. 몸에 지니고 있으면 피가 마르고 백혈구(白血球)가 파괴됨.

라듐-에마나치온 〔도 Radiumemanation〕 명 〖화〗 라듐 에머네이션.

라듐 에머네이션 〔radium emanation〕 명 〖화〗 라돈(radon)의 동위 원소의 하나. ^{222}Rn을 이름.

라듐 요법 【一療法】〔radium〕〔一뻡〕 명 〖의〗 라듐 방사선의 조직 파괴성(組織破壞性)을 응용하는 치료법. 암종(癌腫)·육종(肉腫) 등의 악성 종양(惡性腫瘍)에 사용함.

라듐-천 【一泉】〔radium〕 명 라듐의 함유량이 많은 광천(鑛泉). 류머티즘에 특효가 있다고 함. 대전(大田) 광역시의 유성(儒城) 온천 등. ✱방사능천(放射能泉).

라듐 피부염 【一皮膚炎】〔radium〕 명 〖의〗 라듐을 직업적·연구적으로 취급하는 경우나 라듐 요법을 받았을 때에 일어나는 피부염. 급성과 만성이 있으며, 피부에 붉은 색의 수포(水泡)가 생김.

라:드 〔lard〕 명 돼지의 지방(脂肪)을 정제한, 유백색 반고체 기름. 식용으로 하는 외에 약용(藥用)·화장품용으로도 사용됨. 돼지 기름. 돈지(豚脂).

라든지 조 여러 가지 사물을 열거할 때 쓰이는 보조사. ¶지위~ 명예~를 탐하는 사람. ✱이라든지.

-라든지 어미 ↗-라고 하든지. ¶가~ 그만두~ 하시오 / 그렇다든지 아니~ 똑바로 대어라. ✱-으라든지.

라디게 〔Radiguet, Raymond〕 명 〖사람〗 프랑스의 시인·소설가. 혜성과 같이 나타났다 사라진 천재(天才)로, 20세에 요절함. 조숙(早熟)한 소년의 대담한 연애를 그린 《육체의 악마》로 문단의 주목을 끎. 프랑스의 심리 소설의 전통을 이은 새로운 형태의 소설 《도르젤 백작(d'Orgel伯爵)의 무도회》는 그의 대표작임. 그 외에 희곡·시집도 있음. [1903-23]

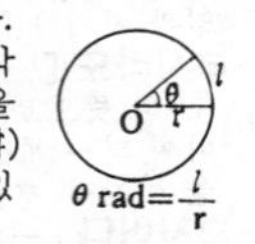

θ rad = $\frac{l}{r}$

라디안 〔radian〕 의명 〖수〗 평면각의 단위. 라디안은 원의 둘레 위에서의 반지름의 길이와 같은 길이의 호(弧)를 절취한 2개의 반지름 사이에 포함되는 평면각임. 원주(圓周) 전체에 대한 중심각은 4직각 곧 2π이므로 1 라디안은 약 57°17′44.8″가 됨. 30°는 π/6, 60°는 π/3, 180°는 π 라디안임. 기호는 rad. 호도(弧度).

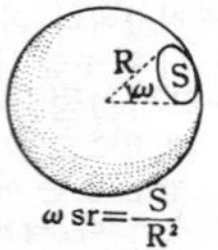

ω sr = $\frac{S}{R^2}$

〈라디안〉

라디에이션 〔radiation〕 명 〖물〗 복사(輻射).

라디에이터 〔radiator〕 명 ①증기(蒸氣)나 온수(溫水)의 열을 이용한 난방(暖房) 장치의 방열기(放熱器). ②자동차의 엔진 냉각기. ③무전(無電)의 전파 발생기(電波發生器). 라디오의 안테나. 가공선(架空線).

라디오 〔radio〕 명 ①방송국으로부터 일정한 시간내에 음악·연극·뉴스·강연 등의 음성(音聲)을 전파로 방송하여 수신 장치를 갖추고 있는 여러 청취자에게 듣게 하는 것. 또, 그 방송 내용. ②무선 전화. 무선 전신. ③↗라디오 수신기.

라디오 게임 〔radio＋game〕 명 라디오 방송에 의하여 행하는 오락·문답 등의 게임.

라디오 공학 【一工學】〔radio〕 명 〖공〗 라디오에 관한 것을 연구하는 전자(電子) 공학의 한 분과.

라디오-그래머폰: 〔radiogramophone〕 명 라디오를 겸용(兼用)할 수 있는 전축(電蓄). 라디오그램.

라디오-그래프 〔radiograph〕 명 방사선 사진(放射線寫眞). 특히, 뢴트겐 사진.

라디오-그램 〔radiogram〕 명 ①무선 전보. 라디오 텔레그램(radio telegram). ②라디오그래머폰(radiogramophone). ③엑스선(X線).

라디오-뉴:스 〔radionews〕 명 라디오로 방송되는 그날그날의 뉴스. 라디오 보도.

라디오 닥터 〔radio＋doctor〕 명 라디오에 출연하여 질병과 보건(保健) 등의 질문에 대한 상의(相議)와 해설을 담당하는 의사.

라디오 덕트 〔radio duct〕 명 〖물〗 지상 10-15km 범위 안에서는 대기 속의 산소·질소·아르곤·이산화 탄소·수증기 등 기체의 영향을 받아 전파 진행 방향이, 근소하지만 상하로 굴절하는데 이 굴절한 전파를 포착하여 이를 먼 거리에까지 전달시키게 되는 대기층(大氣層).

라디오 드라마 〔radio drama〕 명 〖연〗 라디오를 통하여 하는 연극. ✱방송극.

라디오-디텍터 〔radiodetector〕 명 〖물〗 무선 검파기(無線檢波器).

라디오 레인지 〔radio range〕 명 〖물〗 무선 항로 표지.

라디오-로케이터 〔radiolocator〕 명 전파 탐지기. '레이더'를 1943년까지 영국에서 일컫던 말.

라디오 리사이틀 〔radio recital〕 명 주로 일류 연주가에 의한 독창·독주 및 실내악(室內樂) 연주의 방송 프로그램.

라디오-메탈 〔Radiometal〕 명 〖화〗 니켈 합금(nickel 合金)의 상품 이름의 하나. 철과 니켈이 반반(半半)의 합금으로서 주물(鑄物) 또는 자성(磁性) 재료로 쓰임.

라디오-미터 〔radiometer〕 명 〖물〗 복사계(輻射計).

라디오 바서 〔도 Radio Wasser〕 명 〖약〗 라듐 수용액으로 만든 무색 투명한 액체. 라돈(radon)을 함유하고 있어 신경통·류머티즘 같은 데에 온욕(溫浴)이나 찜질의 재료로 씀.

라디오 방:송 【一放送】〔radio〕 명 라디오에 의해서 뉴스·음악·오락·강연 등을 청취자에게 보내는 일. ✱텔레비전 방송. ——하다 타여불

라디오-별 〔radio〕 명 전파별.

라디오 보:도 【一報道】〔radio〕 명 라디오뉴스.

라디오 부이 〔radio buoy〕 명 무선 부표(無線浮標).

라디오 비:컨 〔radio beacon〕 명 무선 방향 탐지기에 쓰기 위하여 식별이 가능한 신호를 발사하는 무선 시설. 무선 표지(無線標識). ㊥비컨.

라디오-성 【一星】〔radio〕 명 〖천〗 전파(電波)별.

라디오 세트 〔radio set〕 명 라디오 수신기.

라디오 소켓 〔radio＋socket〕 명 코드(cord)를 잇도록 옆에 플러그(plug)를 끼우는 장치가 되어 있는 소켓.

〈라디오 소켓〉

라디오 송:신기 【一送信機】〔radio〕 명 라디오 방송에서 소리를 고주파 전류로 바꿔서 송신 안테나에 의해 내보내는 기계 장치. 방송기(放送機). ↔라디오 수신기(radio 受信機).

라디오 수신기 【一受信機】〔radio〕 명 라디오의 방송을 수신하는 기계 장치(機械裝置). 보통, 고주파 증폭 회로(高周波增幅回路)·동조(同調) 회로·검파(檢波) 회로·저주파(低周波) 증폭 회로·전원(電源) 회로 등으로 구성되어 있으며, 가장 간단한 광석(鑛石) 라디오는 동조 회로·검파 회로·음성(音聲) 장치의 세 부분만으로 되어 있음. 회로의 방식에

따라 스트레이트 수신기·재생 검파(再生檢波) 수신기·뉴트로다인(neutrodyne) 수신기·슈퍼헤테로다인(superheterodyne) 수신기 등으로 대별되며, 사용한 전원(電源)에 따라 전지식(電池式)·변압기식(變壓器式)·트랜슬리스식(transless式)으로 구별되고, 수신 파장의 영역에 따라 중파용(中波用)·단파용·올 웨이브(all wave) 수신기 등으로 분류됨. 또, 수신 전파에 따라 AM수신기·FM수신기, 사용 부품(部品)에 따라 진공관(眞空管) 수신기·트랜지스터 수신기 등으로 분류됨. 라디오 세트. 방송 수신기(放送受信器). [준]라디오. ↔라디오 송신기.

라디오 스테이션 〔radio station〕 [명] 미국에서, 라디오 방송국을 이름.

라디오 시티 〔Radio City〕 [명] 뉴욕 시의 번화가의 한 구획을 차지하는 굉장히 큰 건축물의 이름. 전국의 방송 회사를 비롯한 여러 회사의 사무소·극장·영화관 등이 안에 있는데, 록펠러 재단이 10년 이상의 공기(工期)를 들여서 세웠음. 록펠러 센터.

라디오 시티 뮤직 홀: 〔Radio City Music Hall〕 [명] 미국 뉴욕 시의 록펠러 센터에 있는 극장. 1932년 개장, 객석 6200, 영화 상영 및 스테이지 쇼 등을 상연함.

라디오-아이소토:프 〔radioisotope〕 [명] 〖화〗 방사성 동위 원소(放射性同位元素).

라디오-악티늄 〔radioactinium〕 [명] 〖화〗 토륨(thorium)의 방사성 동위 원소. 악티늄의 베타 붕괴(β 崩壞)에 의하여 생기며, 자신은 α·γ선을 방출하여 ^{223}Ra가 됨. 반감기(半減期)는 18.7일(日). 1906년 독일의 한(Hahn)이 발견하였음. [90번:RdAc:227]

라디오-오:토그래피 〔radioautography〕 [명] 〖물〗 방사능의 사진 효과를 이용하여, 물질내의 방사성을 함유하고 있는 부위(部位)를 정확히 사진 건판(乾板) 또는 필름(film)에 영상(影像)으로 나타낸 것. 이것으로 방사성 물질의 조직 중에서의 분포를 육안(肉眼)으로 또는 현미경으로 관찰함. 오토라디오그래프(autoradiograph).

라디오 인터뷰 〔radio interview〕 [명] 방송국의 아나운서가 탐방(探訪)한 사람과의 대담을 방송하는 프로그램.

라디오 자동차 【一自動車】 〔radio〕 [명] 동시에 송수화(送受話)할 수 있는 초단파 장치를 갖춘 자동차. 경찰·헌병의 순찰차 등으로 사용함. 유효 통신 거리는 50km. 라디오 카(radio car).

라디오-존데 〔도 Radiosonde〕 [명] 〖물〗 전파를 이용하여 대기 상층(大氣上層)의 기온·습도·기압의 기상 요소를 측정하는 기계. 기구(氣球)·로켓 따위에 소형 무선 송신기를 장치하고 통과하는 고층 대기의 상태에 따라 변화하는 전파 신호를 수신함으로써 측정함. 상층 대기의 우주선·자외선·오존(ozone) 농도·우주선의 강도·전기장(電氣場)의 세기·방사능 상태·구름의 높이 및 농도 등을 측정하는 것도 있음. 존데.

라디오 체조 【一體操】 〔radio〕 [명] 일정한 시간에 라디오에서 방송되는 구령(口令)과 반주에 맞춰서 하는 보건 체조.

라디오 카: 〔radio car〕 [명] 라디오 자동차.

라디오카:본 데이팅 〔radiocarbon dating〕 [명] 방사성 탄소 연대 측정법(放射性炭素年代測定法).

라디오 컨트롤 〔radio control〕 [명] 〖물〗 전파를 사용하여 행하는 원격 제어(遠隔制御).

라디오 컴퍼스 〔radio compass〕 [명] 무선 방향 탐지기.

라디오 코:드 〔radio code〕 [명] 라디오 방송의 중대성에 비추어 대중에 끼칠 영향을 생각하여 그 기획·제작·실시 등에서 지켜야 할 방침과 한계를 정한 윤리적 강령(綱領).

라디오 코미디 〔radio comedy〕 [명] 〖연〗 라디오로 방송하는 희극.

라디오-텔레그램 〔radiotelegram〕 [명] 무선으로 하는 전보(電報).

라디오-텔레폰: 〔radiotelephone〕 [명] 무선으로 하는 전화나 전화기(電話機). 무선 전화기. [준]라디오폰.

라디오-토륨 〔radiothorium〕 [명] 〖화〗 토륨(thorium)의 방사성 동위 원소(放射性同位元素). 1905년 독일의 한(Hahn)이 질산 나트륨(窒酸natrium) 속에서 발견함. α선·γ선을 방사(放射)하고 ^{224}Ra가 됨. 반감기(半減期)는 1.91년. [90번:RdTh:228]

라디오 통신 【一通信】 〔radio〕 [명] 라디오로 하는 통신.

라디오 팬 〔radio fan〕 [명] 라디오에 각별한 취미를 가진 사람. 라디오 애호가(愛好家).

라디오-폰: 〔radiophone〕 [명] ①↗라디오텔레폰. ②광선(光線) 전화.

라디오-프레스 〔radiopress〕 [명] 방송 보도를 바탕으로 만든 신문.

라디오 플레이 〔radio play〕 [명] 라디오 방송에 적합한 무대극. 방송 무대극.

라디올라리아 〔radiolaria〕 [명] 〖동〗 방산충(放散蟲).

라디우스 〔radius〕 [명] 등산용의 휴대용 버너(burner). 본디는 스웨덴제(製)의 한 상품명이었으나 성능이 우수하여 널리 보급되었기 때문에 일반적인 통칭이 되었음.

라디칼 〔radical〕 [명] ①〖수〗 근호(根號). 근수(根數). ②〖화〗 기(基). 근(根). 자유 라디칼. ③〖언〗 어간(語幹).

라디칼 반:응 【一反應】 〔radical〕 [명] 〖화〗 반응의 과정(過程)에 자유 라디칼이 관여하는 반응. 기상(氣相)에서의 광화학(光化學) 반응, 열(熱)화학 반응에는 이 반응이 많음. 유리기(遊離基) 반응.

라디칼 중합 【一重合】 [명] 〔radical polymerization〕 〖화〗 단위체(單位體)의 첨가 중합(添加重合)의 한 형식으로 성장해 가는 연쇄(連鎖)의 말단(末端)이 자유 라디칼인 중합. 이온 중합에 상대되는 말로, 과산화(過酸化) 벤조일을 개시제(開始劑)로 하는 비닐 화합물의 중합 따위.

라라[1] 【LARA】 [명] 〖사〗 〔Licensed Agency for Relief of Asia의 약칭〕 1946년 미국에서 종교·교육·사회 사업 단체를 중심으로 조직된 공인(公認) 아시아 구제(救濟) 기관. 식량 등 생활 필수품의 기증을 주로 함. 아시아 구제 연맹(救濟聯盟).

라라[2] [조] 〈옛〉 라 하여도. ¶山茶라라 관계ᄒᆞ랴《永言》.

라-로셸 〔La Rochelle〕 [명] 〖지〗 프랑스 서부 비스케 만(Biscay 灣)에 면한 항구 도시. 대서양 횡단 항로의 발착 지점(發着地點)이며 조선(造船)·화학·수산 가공 등의 공업이 성함. [76,000명(1982)]

라 로슈푸코 〔La Rochefoucauld, François, de〕 [명] 〖사람〗 프랑스의 도덕가. 재상(宰相) 리슐리외(Richelieu)에 대한 음모에 가담했다가 투옥되었으며 또, 프롱드(Fronde)의 난(亂)에는 주모자로 가담하고 패하여 은퇴함. 《잠언집(箴言集)(1665)》은 정확·간결한 문체(文體)로 인간의 밑바닥에 있는 자아애(自我愛)·이기심(利己心)·위선(僞善)을 통박했고 그 외에 《회고록》 등이 있음. [1613-80]

라루스 〔Larousse, Pierre Athanase〕 [명] 〖사람〗 프랑스의 문법학자·사서(辭書) 편찬자. 교과서류를 편찬하여 교육 쇄신(刷新)에 힘쓰고, 라루스 출판사를 창립하여 많은 전집(全集)·사전(辭典) 등을 출판하였음. [1817-75]

라루스 백과 사전 【一百科辭典】 〔Larousse〕 [명] 〖책〗 라루스 출판사 발행의 백과 사전. 《20세기 라루스(Larousse du XXe siècle)》는 6권으로 1928-33년에 간행되었으며, 그 밖에 《라루스 대백과 사전(10권)》·《분류 계통별 라루스 백과(2권)》·《소(小)라루스》 등이 있음.

라르간도 〔이 largando〕 [명] 〖악〗 '점점 느리게'의 뜻.

라르게토 〔이 larghetto〕 [명] 〖악〗 ①'좀 느리게' 의 뜻. '라르고'보다는 빠르고 '아다지오'보다는 느린데 메트르놈의 박절(拍節)이 1분 동안에 사분 음표(四分音標) 66-96의 속도임. ②연주의 좀 느린 속도. 또, 그러한 악장이나 악곡.

라르고 〔이 largo〕 [명] 〖악〗 ①'느리게 그리고 폭이 넓게 의 뜻. 메트로놈의 박절(拍節)이 1분 동안에 사분 음표(四分音標) 40-69의 속도임. ②곡의 빠르기가 '라르고'인 악장이나 악곡. 헨델의 오페라 《크세르크세스(Xerxes)》에 나오는 아리아 '나무 그늘이여 영원히'가 특히 유명함.

라르기시모 〔이 larghissimo〕 [명] 〖악〗 '가장 폭이 넓고 느리게'의 뜻.

라르보 〔Larbaud, Valéry〕 [명] 〖사람〗 프랑스의 시인·소설가. 고전(古典)과 외국어에 통하여 조이스(Joyce)·버틀러(Butler) 등의 영문학의 이식(移植)에 노력하였음. 세련된 심리 소설을 썼으며, 대표작 《행복의 골짜기》 등이 있음. [1881-1957]

라르질리에:르 〔Largillière, Nicolas de〕 [명] 〖사람〗 프랑스의 화가. 당시의 대표적 초상화가로 부유한 시민을 대상으로 우미(優美)·경쾌(輕快)한 그림을 그림. 대표작에 《화가와 그 가족》이 있고, 이 밖에 역사화·풍속화 등도 남김. [1656-1746]

라르 푸르 라르 〔프 l'art pour l'art〕 [명] 〖예〗 예술을 위한 예술. 예술 지상주의(藝術至上主義). ↔라르 푸르 라 비.

라르 푸르 라 비 〔프 l'art pour la vie〕 [명] 〖예〗 인생을 위한 예술. ↔라르 푸르 라르(l'art pour l'art).

라리 〔拉里〕 [명] 〖지〗 중국 장시 성(江西省)의 서쪽에 있는 작은 도시. 납리(拉里).

라마[1] 〔Lama〕 [명] 〖불교〗 〔티베트말로 무상자(無上者)의 뜻〕 라마교의 고승(高僧). 나마(喇嘛).

라마[2] 〔llama〕 [명] 〖동〗 ☞ 야마.

라:마[3] 〔Rāma〕 [명] 〖신〗 인도 신화 중의 비슈누신(Viṣṇu神)의 일곱번째 화신(化身)이라고 하며 발미키(Vālmīki)가 쓴 것이라고 전해지는 '라마야나(Rāmāyana)'의 주인공으로 여러 고난을 겪은 다음 왕이 됨.

라마-교 【一敎】 〔Lama〕 [명] 〖불교〗 티베트를 비롯하여 만주·몽고·네팔 등지에 퍼져 있는 불교의 한 파. 8세기 중엽 인도에서 전래(傳來)한 대승(大乘) 불교의 비밀교가 티베트 재래의 풍속·신앙과 동화되어 발달한 종교로, 티베트 왕 스론츠안감포(Sron-btsan-sgampo)가 창시하였음. 주문(呪文)을 외어 극락 왕생하려는 관음(觀音) 신앙으로서, 금주(禁呪)·기도를 주된 행사로 함. 18교파 중 황모파(黃帽派)와 홍모파(紅帽派)가 가장 큰 세력을 차지하고 있음. 승려들은 불법승(佛法僧)의 화신으로 존경을 받는데 교주(敎主)인 달라이 라마(Dalai Lama)는 라사((Lhasa)에, 부교주인 판첸 라마(Panchen Lama)는 테슈룬포(Teshoo Lunpo)에 각각 살며, 종교·정치·사회의 절대권(絶對權)을 쥐고 있었으나 1959년 중공에 항거하는 봉기가 있은 후 달라이 라마는 인도로 망명함. 나마교(喇嘛敎).

라마단 〔아랍 Ramadan〕 [명] 이슬람교(敎)에서 단식 등 재계(齋戒)를 지키는 달. 회교력(回敎曆)으로 제9월(月). 이 기간에는 일출(日出)부터 일몰(日沒)까지 신도들은 전혀 음식을 들지 않고 향료도 사용하지 않으며 성행위 등도 금해야만 함.

라 마들렌 유적 【一遺跡】 〔프 La Madeleine〕 [명] 〖역〗 프랑스의 도르도뉴 현(Dordogne縣)에 있는 후기 구석기 시대 종말기(後期舊石器時代終末期)의 유적. 이를 대표하는 문화를 마들렌 문화라고 부름. 출토품(出土品)으로는 소형(小型) 석기가 많으며 순록(馴鹿)의 뿔을 사용한 골각기(骨角器)는 꽤 발달하고, 동굴 회화(洞窟繪畫)에도 뛰어난 기술이 보임.

라 마르세예:즈 〔프 La Marseillaise〕 [명] 프랑스 국가(國歌)의 이름. 1792년 스트라스부르에 주둔하고 있던 젊은 장교 루제 드 릴(Rouget de Lisle; 1766-1830)이 작사·작곡하여 '라인군(Rhein軍)의 군가(軍歌)'라고 명명(命名)한 것인데, 마르세유 의용군이 파리 입성 때 이 노래를 불러 이름이 붙었음. 1879년에 정식 국가로 제정됨. 마르세예즈.

라마르크 〔Lamarck, Jean Baptiste Pierre Antoine de Monet〕 [명] 〖사람〗 프랑스의 박물학자(博物學者). 저서 《프랑스 식물지(植物誌)》로 뷔퐁(Buffon)과 알게 되고 그의 도움으로 파리 식물원에 들어가 일하는 사이에 무척추 동물 부장에 임명되어, 미개척인 이 분야의 연구에 종사하며, 다시 《동물 철학》을 발간, 생물 진화에 있어 독특한 환경 변화설을 발표했음. [1744-1829]

라마르크-설【一說】〔Lamarck〕[명]〖생〗라마르크의 진화설. 외계의 영향에 의한 변이(變異)나 용불용(用不用)에 의한 기관의 발달 또는 퇴화(退化) 등과 같은 변화가 유전되어 진화가 일어난다는 설. 생물은 항상 보다 높은 적응(適應)의 상태로 진화하려는 욕구를 갖는다고도 설명함. 일종의 생기론(生氣論)으로 다윈(Darwin)의 자연 선택설(自然選擇說)과 대조가 됨. 라마르키즘. 용불용설(用不用說).

라마르키슴〔프 Lamarckisme〕[명]〖생〗라마르크설(說).

라마르틴〔Lamartine, Alphonse Marie Louis de Prat de〕[명]〖사람〗프랑스의 시인·정치가. 《명상시집》·《그라지엘라(Gragiella)》 등의 시집을 내고, 표현에 있어 고전주의, 사상적으로는 낭만주의의 입장을 고수하여, 18세기 이래 잊혀졌던 서정시를 부활시킴. 한때 외무 대신을 역임하였으나 말년에는 불우(不遇)하였음. [1790-1869]

라 마스코트〔프 La Mascotte〕[명]〖악〗프랑스 사람 오드랑(Audran)의 대표적 희가극. 3막. 1880년에 초연. 어떤 시골 색시를 마스코트에 풍자한 것으로 경쾌한 선율이 풍부함.

라마-승【一僧】〔Lama〕[명]〖불교〗라마교의 승려. 나마승(喇嘛僧).

라:마:야나〔범 Rāmāyana〕[명]인도의 발미키(Vālmiki)작으로 전해지는 범어로 된 대서사시(大敍事詩). 영웅 라마(Rāma)가 마왕(魔王) 라바나(Ravana)에게 약탈된 왕비 시타(Sita)를 도로 빼앗는 줄거리. 기원전 5-3세기경의 작품이라고 함. 마하바라타(Mahabharata)와 더불어 인도의 이대(二大) 서사시의 하나임. 7편, 24,000 송(頌).

라마즈-법【一法】〔Lamaze〕〔一뻡〕[명]〖의〗무통 분만법의 하나. 호흡과 긴장을 푸는 훈련을 반복함과 동시에 남편이 분만에 적극적으로 입회함으로써 분만 때의 진통을 덜게 함. 프랑스의 산부인과 의사 라마즈(Lamaze Fernand)가 개발함.

라마크리슈나〔Ramakrishna〕[명]〖사람〗인도의 신비주의적 종교가. 불이 일원론(不二一元論)에 바탕을 두고, 모든 종교에 있어서 신(神)에 이르는 길은 같다고 주장함. [1834-86]

라마 탑【一塔】〔Lama〕[명] 중국 원대(元代)에서 시작된 티베트계의 불탑. 인도의 스투파와 비슷하여, 사각·원·삼각·반달·보주(寶珠)의 5가지 형태를 이루고 있음. 베이징의 묘응사(妙應寺)의 백탑(白塔)이 최초인 듯하고, 화베이(華北)·양쯔 강 유역까지 퍼짐.

라마트-간〔Ramat Gan〕[명]〖지〗이스라엘 중부에 위치한 도시. 1921년에 창건된 신흥 도시로 텔아비브야파(Tel Aviv-Jaffa)와 더불어 이스라엘 공업의 중심지. 많은 정원과 국립 공원이 있으며 근로자의 휴양 시설이 잘 갖추어져 있음. [116,000 명(1987)]

라만[1]〔Raman, Chandrasekhara Venkata〕[명]〖사람〗인도의 물리학자. '멜데(Melde)의 실험'을 개량하고 빛의 산란(散亂)에 대하여 연구하였으며, 1928년 '라만 효과(Raman 効果)'의 발견으로 1930년 노벨 물리학상을 받음. [1888-1970]

라만[2]〔Rahman, Tengku Abdul〕[명]〖사람〗말레이시아의 정치가. 제2차 대전중 영국에 살다가 1949년에 귀국, 이후 정계에 투신하여 1955년 영령(英領) 말레이 연방 수상. 1957년 말레이시아가 영연방(英聯邦) 내의 자치 공화국으로 독립 후 초대 수상 겸 외상, 1963년 말레이 연방의 발족과 더불어 수상을 역임하고 1970년 9월에 하야함. [1903-90]

라만[3]〔Ramann, Emil〕[명]〖사람〗독일의 토양학자(土壤學者). 1918년에 출판된 《토양 생성과 토양 분류》는 풍화(風化)에 대한 기후의 영향을 중시, 현대 토양학의 기초를 다진 명저(名著)임. 습윤 온대(濕潤溫帶)의 활엽수림(闊葉樹林) 아래에서 생성 분포하는 갈색 삼림토(褐色森林土)를 처음 정의함. [1851-1926]

라-만차〔La Mancha〕[명]〖지〗스페인의 중앙부 지역. 건조하여 수목이 거의 없는 고원으로 표고(標高) 500-600 m. 세르반테스의 《돈키호테》의 무대로 유명함.

라만 효:과【一効果】[명]〔Raman effect〕〖물〗단색광(單色光)을 물질에 비쳐 산란(散亂)시킬 때, 산란광(散亂光) 속에서 입사광(入射光)과는 다른 파장의 빛이 섞여 나오는 현상. 이 새로운 빛을 라만 스펙트럼선(Raman spectrum 線)이라고 하며, 이에 의한 스펙트럼 진동수 변화는 산란 물질에 따라 특유(特有)하기 때문에 분자 구조의 결정에 이용됨.

라메[1]〔프 lamé〕[명] 금속박(金屬箔)의 실의 총칭. 보통, 금·은·주석·알루미늄박(箔)의 것을 이름. 또, 그것을 짜 넣은 천이나 피륙.

라메[2]〔Lamé, Gabriel〕[명]〖사람〗프랑스의 수학자·물리학자. 해석학(解析學)·확률론(確率論)·탄성론(彈性論)·열학(熱學)을 연구하였고, 2차 곡면체(曲面體)의 온도 평형(溫度平衡)에 관한 문제를 해명하기 위하여 '라메 함수'를 도입하였으며, 탄성에 있어서의 '라메의 상수(常數)'를 발견함. [1795-1870]

라메스 이:세【一二世】〔Rames Ⅱ〕[명]〖사람〗람세스 이세(Ramses 二世).

라 메트리〔La Mettrie, Julien Offroy de〕[명]〖사람〗프랑스의 의학자·철학자. 프랑스 유물론(唯物論)의 대표자의 한 사람으로, 혼(魂)도 육체의 소산이라 하고, 뇌수(腦髓)는 '생각하는 근육'으로 정의하였음. 저서로는 데카르트의 '동물 기계론'을 인간에게 적용한 《인간 기계론》 등이 있음. [1709-51]

라:멘〔도 Rahmen〕[명]〖건〗기둥과 들보를 이루는 철골(鐵骨)이 연속적으로 강접합(剛接合)된 빌딩 건축의 구조 형식. 부재(部材)간의 각도가 외력(外力)을 받아도 변형되지 않음. 정정(靜定) 라멘·합성 라멘·구형(矩形) 라멘·이형(異形) 라멘·유벽(有壁) 라멘 등이 있음.

라:멘-교【一橋】〔도 Rahmen〕[명]〖토〗다리의 도리와 교각(橋脚)을 강접합(剛接合)한 라멘 구조의 다리. 철근 콘크리트 다리나 철도의 고가선(高架線) 따위에 이용됨.

라멘타빌레〔이 lamentabile〕[명]〖악〗'슬픈 듯이'의 뜻. 라멘토소(lamentoso).

라멘토소〔이 lamentoso〕[명]〖악〗라멘타빌레.

-라며 [어미] ↗-라면서. ¶힘이 장사~ 뽐낸다/빨리 오~ 손짓한다. *-다며·-으라며.

라면〔중 拉麪·老麪〕[명] ①중국 음식의 한 가지. 밀가루에 달걀·소금을 넣고 반죽하여 국수 가락처럼 만들어, 이것을 삶아 간장 같은 맛이 나는 국에 말아서 먹음. ②인스턴트 라면.

-라면 [어미] ↗-라고 하면. ¶가~ 갈 것이지 웬 군소리냐/사과~ 하나 먹어 볼까. [준]-람. *-으라면·-다면.

-라-면서 [어미] ①받침 없는 어간에 붙어, '-라고 하면서'의 뜻을 나타내는 연결 어미. ¶먼저 떠나~ 여비를 주었다/그게 아니~ 극구 변명을 한다/제가 바보~ 자학(自虐)에 빠져 있다. ②받침 없는 동사 어간 및 '이다'·'아니다'·'계시다'의 어간에 붙어, 직접 간접으로 받은 명령이나 들은 사실을 다짐하거나 빈정거려 묻는 데 쓰이는 종결 어미. ¶할아버지는 여기 계시~/미리 가~/네가 대표~/자원한 것이 아니~. [준]-라며. *-다면서·-으라면서.

라모〔Rameau, Jean Philippe〕[명]〖사람〗프랑스의 작곡가·음악 이론가. 처음 오르가니스트(organist)로서 여러 교회에서 근무함. 최초의 《화성론(和聲論)》을 썼고, 가극에도 손을 댔음. 클라브생(clavecin)의 연주와 클라브생을 위한 작곡집은 유명하며, 근대 화성학의 기초를 세운 공적이 큼. [1683-1764]

라몬 이 카할〔Ramón y Cajal, Santiago〕[명]〖사람〗스페인의 의학자. 마드리드 대학의 해부학 교수를 역임함. 골지(Golgi)의 은염색법(銀染色法)을 써서 뇌(腦) 및 신경의 조직학적 연구에 업적을 세움. 1906년 골지와 함께 노벨 생리 의학상을 수상함. 주저로 《현미경에 의한 기초적 정상 조직학(基礎的正常組織學)》·《신경계 교본(敎本)》 등이 있음. [1852-1934]

라무네 [명] ←레모네이드(lemonade).

라무스〔라 Ramus, Petrus〕[명]〖사람〗프랑스의 철학자·문법학자. 아리스토텔레스 논리학에 반대, 독자적인 논증술(論證術)을 형성함. 신학자 칼뱅(Calvin)에 공명, 생 바르텔르미(Saint Barthélemy) 학살 때 살해됨. 저서로 《아리스토텔레스 변증법론 주해》·《변증법 교정(敎程)》 등이 있음. 본명은 라메(Ramée, Pierre de La). [1512-72]

라:무트-족【一族】〔Lamut〕[명] 북방 퉁구스족의 하나로 오호츠크해 연안 및 캄차카의 서북부에 분포되어 있는 종족. 수렵과 어로(漁撈)에 종사하며 1970년 현재 약 12,000명 가량이 있었음.

라미〔ramie〕[명]〖식〗모시풀.

라미나〔lamina〕[명]〖지〗엽층(葉層).

라미-사【一絲】〔ramie〕[명] 라미의 섬유로 만든 실.

라바〔lava〕[명]〖지〗용암(熔岩).

라바라크-수【一水】〔Labarraque〕[명]〖화〗탄산 나트륨 수용액(水溶液)에 염소(塩素)를 넣어서 얻는 하이포아염소산 나트륨과 염화 나트륨의 혼합 수용액. 표백·살균·소독제로 쓰임.

〈라바브〉

라바:브〔아랍 rabāb〕[명]〖악〗이슬람(Islam) 주민들의 이현(二弦) 악기. 호궁(胡弓) 비슷이 활로 켜서 연주함. 리바브.

라바울〔Rabaul〕[명]〖지〗남서 태평양에 있는 파푸아뉴기니의 비스마르크 제도(Bismarck 諸島)의 주도(主島)인 뉴브리튼 섬 동북단(東北端)에 있는 항구 도시. 공항이 있으며 코프라·카카오·목재를 수출함. [15,000 명(1980)]

라바트〔Rabat〕[명]〖지〗모로코(Morocco)의 수도. 부레그레그 강(Bou Regreg 江) 하구의 항구 도시. 북아프리카의 인구 10만 이상의 도시 중에서 가장 아름다운 도시로 알려짐. 회교 사원 외에 유적(遺蹟)이 많으며 그 외에 정청(政廳)·궁전·대학이 있음. 섬유 공업이 성하며, 수직(手織)의 깔개가 유명함. [1,600,000 명(1995 추계)]

라반〔Laban, Rudolf von〕[명]〖사람〗독일의 무용가. 1차 대전 후 독일의 신무용 운동의 이론적 지도자로 연구소를 설치하고 많은 문하생을 내었음. 나치스 대두 후에는 영국에 도피, 문화 생활 전반에 걸친 인체 운동의 과학적 연구를 하였음. 저서에 《무용가의 세계》·《무용 방법론》 등이 있음. [1879-1958]

라발〔Laval, Pierre〕[명]〖사람〗프랑스의 정치가. 1914년 이래 정계에 들어가, 2차 대전중 비시(Vishy) 정부의 수상(首相)으로 대독(對獨) 협력을 유지하다가, 전후 총살되었음. [1883-1945]

라발핀디〔Rawalpindi〕[명]〖지〗파키스탄 북동부의 도시. 철도의 요지로 차량·철강·화학·제유(製油)·가구·제분 등의 공업이 발달함. 수도를 이슬라마바드(Islamabad)로 옮기기 전인 1975년까지 파키스탄의 임시 수도였음. [795,000 명(1981)]

라:베〔Raabe, Wilhelm〕[명]〖사람〗독일의 시인·소설가. 시정인(市井人)의 생활을 서정시적(敍情詩的)인 작풍(作風)으로 그렸음. 대표작에 《슈페를링(Sperling) 거리의 연대기(年代記)》가 있음. [1831-1910]

라-베가〔La Vega〕[명]〖지〗서인도 제도(諸島), 도미니카 중앙부의 도시. 풍요한 농업 지대의 중심으로 쌀·커피·면화·설탕 등의 거래가 활발함. [22,638 명(1967 추계)]

라베송-몰리앵〔Ravaisson-Mollien, Jean Gaspard Félix Lacher〕[명]〖사람〗프랑스의 철학자. 주저인 《습관론(習慣論)》에서 유심론적 실재론을 전개, 감각론(感覺論)과 실증주의에 반대하여 베르그송 등에게 영향을 미쳤음. [1813-1900]

라베카〔포 rabeca〕[명]〖악〗줄이 넉 줄이고 시위로 긁어서 탄주하는 포르투갈의 악기. 호궁(胡弓)과 비슷함.

라벤나〔Ravenna〕[명]〖지〗이탈리아 북부의 고도(古都). 역사적인 관광(觀光) 도시. 단테(Dante)는 이 도시에서 죽었고 바이런(Byron)도 이곳을 사랑하였음. 시내에는 로마 및 비잔틴 시대의 유적이 많으며, 철도의 요지로 농산물의 집산·가공이 성함. [138,000 명(1984 추계)]

라벤더 〔lavender〕 명 《식》 [*Lavandula spica*] 꿀풀과에 속하는 상록 다년초. 지중해 연안 원산인데, 높이 60 cm 가량이고 잎은 4 cm 정도되는 선상(線狀) 타원형으로 거죽에 흰 솜털이 덮여 있음. 담자색의 작은 통상(筒狀) 순형화(脣形花)가 수상 화서(穗狀花序)로 윤생(輪生)하며, 꽃을 증류하여 라벤더 향유(香油)를 채취함.

라벤더-유 【一油】〔lavender〕 명 《화》 라벤더로부터, 주로 꽃을 증류하여 만든 향유(香油). 무색 또는 엷은 누른 빛의 방향(芳香) 있는 액체로, 향수와 비누 제조에 이용됨.

〈라벤더〉

라벨[1] 〔프 label〕 명 레터르(letter).

라벨[2] 〔Ravel, Maurice Joseph〕 명 《사람》 프랑스의 작곡가. 피아노곡 《물의 희롱》 등을 작곡하여 주목받고, 1911년 무용곡 《다프니스(Daphnis)와 클로에(Chloé)》로 결정적인 명성을 얻었음. 작풍은 인상주의적인 기초 위에 고전적인 형식미와 다성적(多聲的) 기법을 구사하여 스페인풍의 정서를 나타내고 있으며, 세계 근대악파의 지도적인 지위를 지니고 있었음. 대표작에 무용곡 《볼레로》가 있음. [1875-1937]

라 보엠 〔프 La Bohème〕 명 《악》 푸치니 작곡의 가극. 1896년 초연(初演), 4막. 세 사람의 예술가와 한 사람의 철학도(哲學徒)가 엮는 보헤미안 생활의 애환(哀歡)을 묘사하였음.

라부아지에 〔Lavoisier, Antoine Laurent〕 명 《사람》 프랑스의 화학자. 공기의 조성(組成)을 연구, 연소(燃燒)의 원리를 발견하고, 물의 조성을 밝히었으며 기타 원소(元素)의 연구로 근대 화학의 기초를 세웠음. 프랑스 혁명 때, 징세 청부인(徵稅請負人)이라는 이유로 처형되었음. 주저(主著)에 《화학 입문》이 있음. [1743-94]

라브랑 〔Laveran, Charles Louis Alphonse〕 명 《사람》 프랑스의 세균학자. 1880년 말라리아(malaria) 병원체를 발견, 1907년 노벨 의학상을 받았음. [1845-1922]

라브뤼예:르 〔La Bruyère, Jean de〕 명 《사람》 프랑스의 모랄리스트. 테오프라스토스(Theophrastos)의 《성격론(性格論)》을 번역하였는데, 그 부록의 형식으로 출판된 《사람은 가지가지》는 많은 격언(格言)과 함께 여러 종류의 인간상을 묘사하였고, 당대의 귀족 사회를 풍자하였음. [1645-96]

라블레 〔Rabelais, François〕 명 《사람》 프랑스 르네상스기(期)의 작가·의사·성직자·휴머니스트. 저작 《가르강튀아와 팡타그뤼엘(Gargantua et Pantagruel)》은 풍부하고 다채로운 어휘, 필치의 웅대함, 풍자의 통렬한 점, 뛰어난 성격 묘사 등에서 르네상스기(期)의 최대 걸작(傑作)으로 꼽힘. [1494?-1553]

라비[1] 〔헤 rabbi〕 명 랍비.

라비[2] 〔Rabi, Isidor Isaac〕 명 《사람》 오스트리아 태생의 미국 물리학자. 1937년 이래 컬럼비아 대학 교수를 지냄. 원자핵(原子核)의 자기적(磁氣的) 성질을 측정하는 자기 공명 실험법(磁氣共鳴實驗法)의 연구로 1944년 노벨 물리학상을 수상하였음. [1898-1988]

라비네반: 〔도 Lawinebahn〕 명 라비넨추크.

라비넨추크 〔도 Lawinenzug〕 명 등산에서, 매년 정해 놓고 눈사태가 일어나는 길목. 눈사태길. 라비네반.

라비린토스 〔Labyrinthos〕 명 《신》 그리스 신화 중 크레타(Creta)의 왕 미노스(Minos)가 미노타우로스(Minotauros)를 감금하기 위하여 다이달로스(Daedalos)로 하여금 만들게 하였다는 미궁(迷宮). 복잡한 미로(迷路)로서 한 번 들어가면 빠져 나가기 힘들다고 하는데, 이에 유래하여 일반적으로 미궁·미로의 뜻으로 쓰임. 래버린스(labyrinth).

라비린툴라 〔labyrinthula〕 명 《식》 [*Labyrinthula*] 변형균류(變形菌類) 라비린툴라목(目)에 속하는 대표적 미생물. 몸에 세포막이 없고 방추형(紡錘形)의 단세포로 되었으며, 그 속에 한 개의 핵(核) 및 수축 능력이 있는 공포(空胞)가 있음. 담수·해수 중의 조류(藻類)의 세포 중에 기생(寄生)하는데 현재 *L. Chattonii* 등의 일곱 종류가 알려져 있음.

〈라비린툴라〉

라비슈 〔Labiche, Eugène Marin〕 명 《사람》 프랑스의 극작가. 150편 이상의 희곡을 썼는데 모두 경쾌한 희극(喜劇)임. 부자연스러운 과장(誇張)도 있으나, 경묘(輕妙)한 대사와 날카로운 관찰력은 때로 깊은 사상(思想)을 간직하고 있어서 관심을 끌었음. 대표작에 《이탈리아의 밀짚 모자》가 있음. [1815-88]

라비올리 〔이 ravioli〕 명 이탈리아 요리의 하나. 밀가루를 반죽하여 얇게 편 다음, 잘게 썬 고기·야채 따위를 싸서 익힌 것.

라사 〔Lhasa〕 명 《지》 중국 시짱(西藏) 자치구의 주도(主都). 시짱 서남부 라사 강(江)의 우안(右岸), 해발 3,630 m의 고대(高臺)에 위치함. 달라이 라마(Dalai Lama)의 궁전인 포탈라궁(Potala宮)이 있으며 시짱 자치구의 행정·상업·종교의 중심지임. 1959년 달라이 라마가 중공에 항거 반란을 일으켰으나, 중공군이 이를 제압한 후 1965년 시짱 자치구가 성립되고 그 주도가 됨. 대상(隊商)의 거래가 성하며, 모직물(毛織物)·피혁·금속 제품·불구(佛具) 제조 등의 공업이 성함. 라싸. 납살(拉薩). [약 100,000명(1984 추계)]

라사-열 【一熱】 명 〔Lassa fever〕 《의》 서아프리카에서 건조기에 간헐적으로 유행하는 열병. 고열·인두(咽頭) 궤양·호흡 곤란·피하(皮下) 출혈이 있으며, 심장·폐·신장이 침식당함. 1969년 나이지리아의 라사에서 최초로 보고됨. 병원체는 RNA 바이러스이며, 어떤 종류의 들쥐가 매개함. 사망률이 높음.

라산 〔lassan〕 명 《악》 헝가리의 민속(民俗) 무곡 차르다시(Czardas)의 도입 부분을 이루는 느리고 우울한 느낌을 주는 악곡.

라 살[1] 〔La Sale, Antoine de〕 명 《사람》 프랑스의 소설가. 전사(戰士)로서 유럽 각지를 편력(遍歷)하였음. 주저(主著)인 중세 말기의 기사도(騎士道)의 모습을 그린 《르 프티 장 드 생트레(Le Petit Jehan de Saintré)》는 근대 사실(寫實) 소설의 선구적 작품임. [1385?-1460?]

라 살[2] 〔La Salle, Jean Baptiste de〕 명 《사람》 프랑스의 교육자·성직자(聖職者). 가톨릭주의에 의거한 교사 양성 학교를 설립하고, 청소년 교육에 진력, 프랑스의 학제(學制)에 커다란 영향을 미침. [1651-1719]

라 살[3] 〔La Salle, Robert Cavelier de〕 명 《사람》 프랑스의 아메리카 대륙 탐험가. 1666년부터 캐나다의 오지(奧地)를 탐험하기 시작하여, 세인트로렌스 강을 거슬러 올라가 온타리오 호(Ontario湖)에 달하였고, 계속 미시시피 강 계곡을 탐험하여, 1882년 미시시피 강 일대를 국왕 루이 14세의 이름을 따서 '루이지애나'라 이름지어 국왕에게 바침으로써 북아메리카 부왕(副王)에 임명되었음. [1643-87]

라살[4] 〔Lassalle, Ferdinand〕 명 《사람》 독일의 사회주의 사상가·노동운동 지도자. 1848년 이래 한때 마르크스(Marx)의 감화를 받았으나 후에는 독자적인 사회주의를 선전하여 전독일 노동자 동맹을 창설하였음. 연애 사건으로 결투 끝에 사망함. 주저 《헤라클레이토스의 철학》·《기득권(旣得權)의 체계》 등. [1825-64]

라서 조 받침 없는 말에 붙어서 주격(主格) 조사 '가'의 뜻으로 '감히'·'능히'의 뜻을 포함하는 주격 조사. ¶ 뉘~ 이것을 꺾으리오. 준 라. *이라서.

-라서 어미 '이다'·'아니다'의 어간에 붙어, '때문에'의 뜻으로 쓰이는 연결 어미. ¶ 이런 날씨~ 못 가겠소 / 수석 합격이 아니~ 좀 실망했다. 준 -라[1].

라-세레나 〔La Serena〕 명 《지》 칠레 중앙부의 코킴보(Coquimbo) 주(州)의 주도인 항구 도시. 1543년에 건설된 옛 도시로, 1818년 이 곳에서 칠레의 독립 선언이 행해졌음. [100,000명(1984 추계)]

라세미-산 【一酸】 명 〔racemic acid〕 《화》 포도산(葡萄酸).

라세미-체 【一體】 명 〔racemic body〕 《화》 라세미 화합물(化合物) 또는 상대되는 한 쌍의 대장체(對掌體)의 등량(等量) 혼합물 중 광학 활성(光學活性)을 잃은 물질.

라세미체 분할 【一體分割】 명 〔resolution of racemate〕 《화》 라세미체(體)를 대장체(對掌體)로 분할하는 일. 라세미 화합물을 용액에서 결정(結晶)시킬 때 온도에 따라 분할되는 자연 분할, 라세미체에 미생물을 배양(培養)시킬 때 분할되는 생화학적(生化學的) 분할, 산성(酸性) 또는 염기성(鹽氣性) 라세미체에 광학 활성(活性)의 염기 또는 산을 가하여 분할시키는 화학적 분할 등 방법이 있음.

라세미 혼:합물 【一混合物】 명 〔racemic mixture〕 《화》 라세미 화합물(化合物).

라세미-화 【一化】 명 〔racemization〕 《화》 광학 활성(光學活性) 물질이 온도의 변화 또는 접촉 작용에 의하여 선광성이 감소하거나 또는 전혀 없어짐. ──하다 자 타 여불

라세미 화합물 【一化合物】 명 〔racemic compound〕 《화》 서로 상대되는 관계가 있는 우회전성체(右回轉性體)와 좌(左)회전성체와의 등량(等量) 혼합물. 라세미체의 일종. 우회전 타르타르산(酸)과 좌회전 타르타르산의 혼합물인 포도산(葡萄酸) 따위.

라셀 명 《의》 〔도 Rasselgeräusch의 준말〕 호흡기에 이상이 있거나 기관(氣管)에 분비(分泌)가 있을 때 청진기에 들리는 호흡음(音) 이외의 잡음. 건성과 습성이 있음. 음역: 나음(囉音). *수포음(水泡音).

라셔 조 〈옛〉 라서. ¶ 뉘라셔 놀내관듸 《松江 關東別曲》.

라소 〔Lasso, Orlando di〕 명 《사람》 네덜란드의 작곡가. 플랑드르 악파(Flandre樂派)의 최후의 거장(巨匠). 나폴리·밀라노·뮌헨·로마·베네치아 등지에서 활약. 2,000 곡 이상의 세속곡(世俗曲)·종교곡을 썼으며 '음악의 왕'·'벨기에의 오르페우스(Orpheus)'라고 칭송됨. 극적인 표현과 폴리포니 기법(polyphony技法)에 의한 풍부한 하모니가 특색임. [1532?-94]

-라-손 어미 '이다'·'아니다'의 어간에 붙어, '치다'와 함께 쓰이어 가정하는 뜻을 나타내는 연결 어미. ¶ 가령 그가 도둑이 아니~ 치자 / 아무리 영웅이~ 치더라도 그 일은 할 수 없겠지. *-더라손.

라슈누 〔Rashnu〕 명 《신》 고대 페르시아 신화의 정의와 운명의 신(神). 미트라(Mithra)와 함께 사후(死後)의 영혼의 운명을 결정함. 사후 4일째되는 날 아침 라시누와 미트라는 죽은 자의 영혼을 정의의 저울에 달아 악행이 많으면 지옥으로 쫓는다고 함.

라슈타트 조약 【一條約】 〔Rastatt〕 명 《역》 1714년, 스페인 계승 전쟁(繼承戰爭)을 종결하기 위해 프랑스와 신성 로마 제국이 독일 서남부에 있는 라슈타트에서 맺은 조약. 위트레히트(Utrecht) 조약을 보완한 것으로, 스페인은 왕위를 승인받았으나 남(南)네덜란드를 오스트리아에 양도했음.

라슈트 〔Rasht〕 명 《지》 이란 북서부(北西部)의 상공 도시. 비옥(肥沃)한 평원과 숲에 둘러싸여 목공업(木工業)이 성하며, 견직물 공업의 중심지이기도 함. 기후가 온화하여 여름철 피서지(避暑地)로서도 유명함. [187,000명(1976)]

라술 〔아랍 Rasūl〕 명 《이슬람》 종교를 널리 펴기 위해 성전(聖典)과 함께 파견된 사도(使徒), 곧 마호메트.

라:스 〔lath〕 명 벽의 외(椳)를 단단하게 하는 가는 나무·못·철사 따위. ¶ 와이어 ~.

라스무센 〔Rasmussen, Knud Johan Victor〕 명 《사람》 덴마크의 북극 탐험가·민속학자. 1902년 이후 30년 동안 그린란드 각지와 북극권을 탐험, 특히 에스키모를 조사 연구하여 에스키모가 북아메리카 인디언과 동종(同種)이며 아시아에서 옮겨 왔다는 가설을 세움. [1879-1933]

라스베이거스 〔Las Vegas〕 명 《지》 미국 네바다 주(州) 남단의 관광·오

락 도시. 호화로운 호텔·극장 등이 즐비하며, 주(州) 공인의 도박장이 있음. 이혼 절차가 간단한 곳으로도 유명하며, 그 때문에 미국 전국에서 많은 사람이 모여듦. [165,000 명(1984 추계)]

라:스-보:드 〔lath-board〕 명 『건』 구멍이 있는 석고판(石膏板). 내벽용(內壁用) 건축재로, 내화성(耐火性)이 좋으며 값이 쌈.

라스웰 〔Lasswell, Harold Dwight〕 명 『사람』 미국의 정치학자. 예일 대학 교수. 신(新)시카고 학파를 이끌고 프로이트의 정신 분석학 방법을 도입하여 현대 정치학의 행동주의적 연구 방법의 기초를 만듦. 주저(主著)에 《정신 병리학과 정치》·《정치학》·《권력과 사회》 등이 있음. [1902-78]

라스 카사스 〔Las Casas, Bartolomé de〕 명 『사람』 스페인의 성직자. 미국에 건너가 쿠바·멕시코 등지의 인디언에 대한 전도(傳道)와 보호 사업을 벌였으나, 아프리카 흑인 노예의 도입을 처음 주창한 사람이었다고도 함. 귀국 후 《인디언 통사(通史)》를 저술함. [1474-1566]

라스커-쉴러 〔Lasker-Schüler, Else〕 명 『사람』 독일의 유태계 여류 시인. 표현주의 운동에 참여, 유태인의 희망과 슬픔을 독특한 환상적 수법으로 표현함. 《헤브라이의 발라드(ballade)(1913)》·《나의 푸른 피아노(1943)》 등의 시집 외에 희곡과 산문(散文)이 있음. [1876-1945]

라스코 동:굴 【—洞窟】 〔Lascaux〕 명 『지』 프랑스 남서부(南西部), 베제르(Vézère) 강변 언덕 위에 있는 동굴 유적. 구석기 시대 후기를 대표하는 벽화가 있음. 1940년, 그 고장 소년들에 의해 발견되었으며, 소·말·사슴 등 100 점 이상의 채색(彩色) 동물화가 그려져 있음.

라스콜니코프 〔Raskol'nikov〕 명 『문』 도스토옙스키의 소설 《죄와 벌》의 주인공. 비범한 자는, 여러 사람들을 위한 일이라면, 평범한 시민을 위해 만들어진 법을 초월할 수 있다고 믿고, 고리 대금업자인 노파를 죽이지만 뒤에 양심의 가책(呵責)을 받고 또, 소녀 소냐의 사랑에 감명을 받아 자수함. 이성(理性)과 심정(心情)의 분열로 고뇌(苦惱)하는 전형적 인물임.

라스크 〔Lask, Emil〕 명 『사람』 독일 서남 학파(西南學派)의 철학자. 리케르트(Rickert)·빈델반트(Windelband)에게서 배워, 그 영향으로 신(新)칸트 학파의 선험(先驗) 논리주의를 객관주의의 방향으로 보다 철저히 하고, 칸트의 이세계설(二世界說)에 대한 이요소설(二要素說), 철학의 논리에 관한 이대상설(二大象說)을 전개하였음. 제1차 대전에 종군하여 전사함. 저서에 《판단론》 등이 있음. [1875-1915]

라스텍스 〔Lastex〕 명 고무 유상액(乳狀液)인 라텍스(latex)를 가느다란 고무실로 만든 다음 거기에다 무명실을 덧얽어서 만든 실의 상표 이름.

라스트 〔last〕 명 마지막. 최후(最後). 끝.

라스트 스퍼:트 〔last spurt〕 명 경주(競走) 따위에서, 최후의 역주(力走). 최후의 역영(力泳).

라스트 신: 〔last scene〕 명 영화 같은 데서, 제일 마지막 장면.

라스트 이닝 〔last inning〕 명 야구에서, 마지막 회(回). 곧, 제9회 째.

라스트 헤비 〔last heavy〕 명 최후의 노력.

라스파이레스의 산:식 【—算式】 〔—/—에—〕 〔Laspeyres' formula〕 명 1864년 독일의 경제학자 라스파이레스(Laspeyres, Étienne)가 고안한 물가 지수 작성의 산식. 기준시의 각 상품 가격과 그 거래량을 각각 p_0, q_0라 하고, 비교시의 물가 지수와 상품 가격을 I_{01}, P_1라 하면 $I_{01}=\sum p_1q_0/\sum p_0q_0$의 관계가 성립됨. 현재도 널리 사용됨.

라스파이레스 지수 【—指數】 〔Laspeyres〕 명 국가 공무원의 평균 급여액(給與額)을 100 으로 하여 산정(算定)한 지방 공무원 평균 급여액의 지수.

라스-팔마스 〔Las Palmas〕 명 『지』 아프리카 북서안(北西岸)에 있는 스페인령(領) 카나리아 제도(諸島) 최대의 항구 도시. 라틴 아메리카·아프리카 항로의 연료 보급지로, 야채·과실·포도주 등을 수출하며 세계적인 관광지로 유명함. [358,000 명(1986)]

라-스페치아 〔La Spezia〕 명 『지』 이탈리아 서북부, 제노바 만(灣) 연안의 항구 도시. 군항으로 조선소·병기 공장이 있음. 기계·피혁·의류·식품 가공 공업이 성함. [115,000 명(1981 추계)]

라스푸틴 〔Rasputin, Grigori Efimovich〕 명 『사람』 시베리아 농부 출신의 러시아 수도사(修道士). 신의 영감을 설교하면서 각지를 방랑, 궁중에까지 들어가 황제 니콜라이(Nikolai) 2세와 황후의 신임을 얻어 국정을 마음대로 하였기 때문에 암살당하였음. [1872-1916]

라시오 〔Lashio〕 명 『지』 미얀마 동부의 도시. 샨(Shan) 고원 지방 북부의 중심이며, 만달레이(Mandalay)로부터의 철도의 종점이고, 중국 윈난 성(雲南省)에 이르는 통로의 관문을 이룸.

라신 〔Racine, Jean Baptiste〕 명 『사람』 프랑스의 시인·극작가. 희곡 《앙드로마크(Andromaque)》·《페드르(Phèdre)》 등으로 심리의 섬세한 묘사와 명쾌한 터치로 변하기 쉬운 여자의 정열과 욕망 등을 그렸음. 17세기 프랑스 고전주의의 대표적 작가로 꼽힘. [1639-99]

라싸 〔拉薩〕 명 『지』 라사.

라야 조 받침 없는 체언에 붙어서, 사물을 지정하는 보조사. ¶ 너～ 능히 그 일을 해낸다/판 뚜껑에 못을 박은 뒤에～ 그 사람의 진가를 알 수 있다. ＊이라야.

-라야 어미 '이다'·'아니다'의 어간에 붙는 연결 어미. ①꼭 그러해야 함을 나타냄. ¶ 불구자가 아니～ 뽑힌다 / 대졸자～ 한다. ② ☞ -래야❷.

라야-만 조 '라야'를 힘있게 하는 말. ¶ 꼭 너～ 되겠다. ＊이라야만.

-라야-만 어미 '-라야'를 힘있게 하는 말. ¶ 거짓말쟁이가 아니～ 신용을 얻을 수 있다. 「니～ 않겠나.

-라야지 어미 ↗-라야 하지. ¶ 팀의 리더는 경험자～ / 성격 파탄자는 아

라에네크 〔Laënnec, René Théophile Hyacinthe〕 명 『사람』 프랑스의 의학자. 파리에서 의학을 수학(修學)하고 병원장과 프랑스 의학교(醫學校) 교수 등을 역임함. 청진기(聽診器)를 발명하여 내과학에 혁명을 가져왔으며, 간경병(肝硬病)을 발견하고, 폐결핵·늑막염에 관한 저술을 남겼음. [1781-1826]

라에티 〔Raeti〕 명 고대 알프스(Alps) 지방에 거주하던 민족. 기원전 15년 로마에 정복된 바 있는데, 현재도 스위스 남동부 지방에서는 그들의 레토로만어(語)가 사용됨.

-라오 어미 ①↗-라 하오. ¶ 거기서 기다리～. ＊-으라오. ②'-라'와 '-오'가 합쳐서 된 말. '이다'·'아니다'의 어간에 붙어서 어떤 사실이 아님을 설명하되 좀 대접하거나 친근한 맛을 나타내는 종결 어미. ¶ 뭐니 뭐니 해도 건강이 제일이～ / 그는 수재가 아니～.

라오까이 〔Laokay〕 명 『지』 베트남 북서쪽, 중국과의 국경 부근에 있는 작은 도시. 송꼬이 강(Song Coi 江)에 면하고 하노이로부터 철도로 약 290 km, 쿤밍(昆明)과도 철도가 통함. 교통·군사의 요지이고 철광석·인회석(燐灰石)이 산출됨.

라오디게아 〔Laodicea〕 명 『성』 에베소의 동쪽 200 km, 골로새 부근에 있는 소아시아의 도시. '일곱 교회'의 하나가 이 곳에 있었음.

라오서 〔老舍〕 명 『사람』 중국의 소설가. 본명은 수 칭춘(舒慶春). 자(字)는 서유(舍豫). 영국에 유학, 순수한 북경 말과 특이한 풍자로 유명함. 작품에 《낙타 상자(駱駝祥子)》·《사세 동당(四世同堂)》 등이 있음. [1898-1967]

라오스 〔Laos〕 명 『지』 인도차이나 반도 북동부의 인민 민주주의 공화국. 서남부는 타이와의 국경인 메콩 강과 그 지류의 유역으로 되어 있고, 북부는 1,000-2,000 m의 고원으로 밀림을 이룸. 주산물은 쌀·수수·감자·담배·목화·티크재(材)이며, 이 밖에 주석·철 등의 광산물이 나고, 담배·성냥 공업이 행하여짐. 주민은 라오스인인데, 10 세기 이래 메콩 강 중류 지역과 차오 프라야 강 상류 지역을 영유했으나, 1893년에 프랑스 보호령이 됨. 1949년 프랑스 연합 안에서 입헌왕국으로서 독립했는데, 동년에 반(反) 프랑스 자유 정부가 성립되어 인도차이나 전쟁이 발발하였음. 1954년 완전 독립을 달성한 이래 좌우파(左右派)와 중립파간의 내전이 끊이지 않다가 1975년 베트남의 공산화에 이어, 왕정(王政)이 폐지되고, 좌파에게 정권이 넘어감. 수도는 비엔티안(Vientiane). 정식 명칭은 라오스 인민 민주 공화국. [236,800 km² : 4,290,000 명(1991 추계)]

라오스-인 【—人】 〔Laos〕 명 타이 북쪽에서 중부의 코라트 지방에 이르는 지역과 라오스에 사는 타이족의 하나. 키는 작고 머리는 단두(短頭)이며 머리털은 검은색임. 소승(小乘) 불교도가 많고, 언어는 타이어, 문자는 산스크리트계를 각각 씀.

라오-어 【—語】 〔Lao〕 명 『언』 라오스 및 타이의 북부 지역에 분포하는 라오족(族)의 언어. 인도차이나 어족에 속함. 동·서의 두 방언(方言)으로 대별되며, 동(東)라오스어는 라오스의 국어로 되어 있음. 타이어(語)와 비슷하나 어두 자음군(語頭子音群) 중의 유음(流音)이 탈락되어 있는 것이 특징임.

라오-족 【—族】 〔Lao〕 명 라오스인.

라오주 〔중 老酒〕 명 찹쌀 또는 조·수수·옥수수 등으로 양조한 중국의 술. 중국 남부의 사오싱주(紹興酒)와 북부의 황주(黃酒)가 그 대표이며, 알코올분(分)은 9-13%임. 오래된 것일수록 귀하게 여기는 데서 붙인 이름임. 노주(老酒).

라오콘[1] 〔Laokoon〕 명 『신』 그리스 신화 중의 트로이아(Troea)의 왕자이며, 아폴로 신전의 사제(司祭). 트로이아 함락 때 아테네(Athene)의 사주(使嗾)를 받은 두 마리의 큰 뱀에 의해 두 아들과 함께 교살(絞殺)되었음. ＊라오콘 군상.

라오콘[2] 〔Laokoon〕 명 〔Laokoon oder über die Grenzen der Malerei und Poesie의 속칭〕 『책』 레싱(Lessing, G.E.)의 저서. 라오콘 군상(群像)에서부터 시작하여 그리스의 조각과 로마의 시(詩)를 비교하면서 문학과 조형(造形) 미술의 차이(差異)와 본질(本質)을 밝힌 예술 비평서임. 1766년 간행.

라오콘 군상 【—群像】 〔Laokoon〕 명 두 아들과 함께 뱀에게 교살(絞殺)당하는 라오콘의 임종(臨終) 때의 고민을 나타낸 대리석상. 기원전 1 세기경의 작품으로 1506년 로마에서 발견되어 바티칸 궁전에 소장(所藏)되어 있음.

〈라오콘 군상〉

라오터우거우 〔老頭溝〕 명 『지』 중국 지린 성(吉林省) 동부, 젠다오(間島)에 있는 지명. 탄광이 있고 매장량 1,500 만 톤으로 추정됨. 노두구.

라오테 산 【—山】 〔老鐵〕 명 『지』 중국 뤼다 시(旅大市) 부근에 있는 산. 한(漢)나라 때의 목양성(牧羊城)의 유적이 있음. 부근에서 석기(石器)·토기(土器)·동기(銅器)가 발견됨. 노철산.

라오펑유 〔중 老朋友〕 명 구우(舊友). 옛친구.

라온 관 〈옛〉 즐거운. =나온. ¶ 人生애 슬프며 라온 이리 서르 半만ᄒᆞ니(人生半哀樂)《杜諺 Ⅶ:25》.

라와 조 〈옛〉 보다. ¶ 셔근 션비라와 느도다(勝腐儒)《杜諺 Ⅵ:40》. ＊이라와.

라완 〔lauan〕 명 『식』 →나왕(羅王).

라왈핀디 〔Rawalpindi〕 명 『지』 파키스탄의 북동부, 펀자브 지방의 상공업 도시. 이슬라마바드의 남쪽에 위치하여 밀·양털 등의 집산지이며 정유(精油) 공업이 발달하였음. 1975 년까지 파키스탄의 임시 수도였음. [794,000 명(1981)]

라우 〔Rau, Karl Heinrich〕 명 『사람』 독일의 경제학자. 처음에는 관방학파(官房學派)에 속하였으나 후에 정통(正統) 학파로 옮겼음. 독일 경제학이 원론학(原論學)·정책학(政策學)·재정학(財政學)의 세 분야로 분류됨은 그에게서 비롯됨. 주저(主著)에 《경제학 강요(綱要)》가 있음. [1792-1870]

-라우 어미 〈방〉 -라¹(평안). ¶ 빨리 가~.

라우드-스피:커 〔loudspeaker〕 명 확성기(擴聲器). 준스피커(speaker).

라우라나 〔Laurana, Francesco da〕 명 〖사람〗 이탈리아의 조각가·건축가. 프랑스에서도 널리 활약하였고, 르네상스 양식을 프랑스에 전파한 점에서 중요한 위치를 차지함. 최초의 작품으로 알려지고 있는 ≪나폴리의 개선문≫ 등의 걸작이 있고, 만년(晩年)에는 프랑스에서 메다용(médaillon) 제작가로 활약하였음. [1420-1503]

라우르-산 【一酸】 명 〔lauric acid〕 〖화〗 세제(洗劑)인 라우릴 알코올(lauryl alcohol)의 원료. 백색의 결정(結晶)으로, 물에 녹지 아니하고 에타놀에 녹음. 야자유(椰子油) 중에 글리세롤 에스테르로 존재함. 녹는점 44°C, 끓는점 176°C(15 mm Hg). $[CH_3(CH_2)_{10}\cdot COOH]$

라우스 〔Rous, Francis Peyton〕 명 〖사람〗 미국의 의학자. 록펠러 연구소원. 닭의 육종(肉腫)의 이식성(移植性) 및 그 육종이 여과성(濾過性) 인자(因子)에 의해서 생긴다는 것을 1910-11년에 보고(報告)하여 암의 바이러스를 연구하는 길을 열었음. 1966년 노벨 생리 의학상을 받음. [1879-1970]

라우에 〔Laue, Max Theodor Felix von〕 명 〖사람〗 독일의 이론 물리학자. 결정체(結晶體)에 의한 X선의 회절(回折) 현상을 연구하여 엑스선의 전자기파(電磁氣波)로서의 성질을 확인하고, 결정 해석학(解析學)을 개척하였으며, 이 밖에 상대성 이론 등의 연구로 1914년 노벨 물리학상을 받음. [1879-1960]

라우에 반점 【一斑點】 〔Laue〕 〔一쩜〕 명 〖물〗 라우에 점무늬.

라우에-법 【一法】 〔一뻡〕 명 〔Laue method〕 〖물〗 단결정(單結晶)을 고정시키고, 여기에 가늘게 엑스선(X線)을 비추어 회절(回折)을 일으키어 그 사진을 찍는 방법. 결정 구조를 해명하는 데에 이용됨.

라우에 점무늬 【一點一】 〔一니〕 명 〔Laue spot〕 〖물〗 라우에법으로 촬영한 사진 위의 점무늬. 결정을 통과한 엑스선을 사진 건판(乾板)에 수직이 되게 입사(入射)시킬 때 건판 위에 나타나는, 규칙적으로 배열된 까만 점무늬. 결정 구조 해석의 한 방법으로 이용됨. 1912년 라우에가 발견함. 라우에 반점.

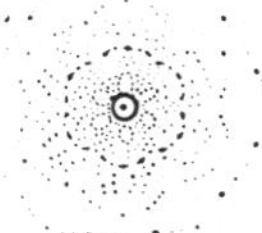
〈라우에 점무늬〉

라우탈 〔도 Lautal〕 명 〖화〗 알루미늄 합금(合金)의 한 가지. 성분은 알루미늄과 구리·규소(硅素)·망간 등이며 두랄루민처럼 단단함. 독일의 라우탈사(Lautal社)에서 만들었으며, 일반 주물용 금속으로 쓰임.

라우퍼 〔Laufer, Berthold〕 명 〖사람〗 미국의 동양학자·인류학자. 독일 쾰른에서 태어나 1898년에 도미(渡美)한 후 중국·티베트·몽골 등지를 탐험하고 민족학 관계 자료를 수집하였음. 아시아의 여러 언어에 정통하며, 주저(主著)에 ≪한도고(漢陶考)≫·≪이란계(系) 중국 문물고(文物考)≫ 등이 있음. [1874-1934]

라우헨 〔도 Rauchen〕 명 ①연기를 뿜음. ②바람에 날려서 산등으로부터 아래로 눈보라가 몰아침.

라운드 〔round〕 명 ①연속(連續). ②과정(課程). ③일주(一周). 순환(循環). ④운동 경기에서, 한 판. 한 경기. ⑤권투 경기에서, 한 회. ¶ 3 ~에서 케이오시키다. ⑥골프에서, 18홀을 한 바퀴 도는 한 코스. ⑦육상 경기의 트랙 경기에서, 제1 예선·제2 예선·준결승·결승 등을 일컫는 말.

라운드 넘버 〔round number〕 명 우수리 없이 0으로 끝나는 숫자.

라운드 테이블 〔round table〕 명 원탁(圓卓).

라운드-헤즈 〔Roundheads〕 명 〖역〗 영국 청교도 혁명 시대의 의회파(議會派)의 별칭. 원정당(圓頂黨).

라운지 〔lounge〕 명 호텔이나 여객선 같은 데의 휴게실·사교실(社交室). ¶ 스카이 ~/칵테일 ~.

라운지 셔츠 〔lounge shirt〕 명 〖복식〗 와이셔츠나 블라우스의 기장을 무릎 위까지 늘어뜨린 것과 같은, 품이 가낙한 셔츠 드레스.

라운지 슈:트 〔lounge suit〕 명 평소에 입는 신사복. ↔비지니스 슈트.

라운지 웨어 〔lounge wear〕 명 편안히 쉴 때 입는 옷.

〈라운지 셔츠〉

라운지 체어 〔lounge chair〕 명 등과 발받침이 조절되는 길쭉한 안락 의자.

라울의 법칙 【一法則】 〔一/一에一〕 명 〔Raoult's law〕 〖화〗 불휘발성(不揮發性) 물질의 묽은 용액의 증기압(蒸氣壓)이나 응고점(凝固點)의 강하(降下)는 용질(溶質)의 분자율(分子率)과 같고, 용매 및 용질의 종류에 무관계하다는 화학상의 법칙. 1888년 프랑스의 라울(Raoult, F.M.; 1830-1901)이 발견하였음.

라유 〔중 辣油〕 명 참기름에 고추를 볶아 우려낸 기름. 중국 요리의 조미료로 쓰임. 고추기름.

라이¹ 〔lie〕 명 ①골프채의, 헤드와 샤프트의 각도를 이름. ②골프의 공의 위치.

라이² 〔Ray, Satyajit〕 명 〖사람〗 인도의 영화 감독. 1955년 ≪대지(大地)의 노래≫로 세계적 명성을 얻음. 이 작품은 ≪대하(大河)의 노래≫·≪아프의 세계≫와 함께 3부작을 이루고 있으며, 동양적인 서정(敍情)이 깃들인 리얼리즘이 특징임. [1922-]

라이거 〔liger〕 명 〔lion+tiger〕 〖동〗 사자(獅子)의 수컷과 호랑이의 암컷과의 교배 잡종. 사자보다 약간 크며, 몸빛은 사자와 비슷한데 갈색 무늬가 있음. 불임성(不姙性)이 강함. ＊타이곤(tigon).

라이나흐 〔Reinach, Adolf〕 명 〖사람〗 독일의 법철학자. 후설(Husserl, E.)의 영향을 받아 현상학적인 방법을 법철학에 도입하였음. 제1차 대전 때 전사함. [1883-1917]

라이너¹ 〔liner〕 명 ①야구에서, 타자(打者)가 공을 쳤을 때, 일직선을 이루고 날아가는 센 공. 라인 드라이브. ②정기선(定期船). ③정기 항공기(定期航空機). ④코트의 안에 대는 천이나 털 따위. ¶ ~ 코트.

라이너² 〔Reiner, Fritz〕 명 〖사람〗 미국의 지휘자. 헝가리 태생으로 부다페스트 음악원에서 수학한 후, 1922년 미국으로 건너가서 메트로폴리탄 가극장의 오페라 지휘자와 시카고 교향악단의 상임(常任) 지휘자 등을 역임하였음. [1888-1963]

라이네케 〔Reinecke, Karl〕 명 〖사람〗 독일의 피아니스트·작곡가. 멘델스존과 슈만에게 사사(師事)함. 라이프치히(Leipzig)에서 연주가·지휘자로 활약하였는데, 특히 모차르트(Mozart)의 작품을 해석하는 데 뛰어나 니키시(Nikisch, A.)를 앞섰음. [1824-1910]

라이네케 여우 명 〔도 Reineke Fuchs〕 ①중세(中世) 게르만 민족의 동물 설화(說話). '라이네케'는 그 주인공인 교활한 여우. 책으로는 12세기 초엽의 라틴어판(版)을 원형(原型)으로 하여 독일·프랑스·플랑드르(Flandre) 등지에 전파되고, 15세기의 저지(低地) 독일어판에 이름. ② 〖문〗 괴테의 대표적 서사시. 프랑스 중세의 운문(韻文)인 ≪여우 이야기≫에 입각하여 교활한 여우 라이네케를 주인공으로 설정하고 봉건 사회를 근세 시민의 감각으로 풍자(諷刺)하였음. 1793년 완성. 라이네케 푹스.

라이네케 푹스 〔도 Reineke Fuchs〕 명 라이네케 여우.

라이노-바이러스 〔rhinovirus〕 명 〖생〗 피코나바이러스(picornavirus)의 한 가지로, 상기도(上氣道) 점막에 감염되어 코감기를 일으키는 병원체(病原體). 리노비루스.

라이노-타이프 〔Linotype〕 명 〖인쇄〗 미국에서 만든 자동 식자기(自動植字機)의 상품명. 활자의 주조·조립(組立)·제판(製版)을 연속적으로 할 수 있는 기계. 키(key)를 누르면 기계적으로 한 줄씩의 글자가 한 덩이로 집합되어 활자가 주조되어 나오게 되어 있음. 1883년 미국의 메르겐탈러(Mergenthaler, O.)가 발명하여 활판 인쇄법에 혁명적 변화를 주었음. 자동 식자기. 자동 주식기. 인터타이프.

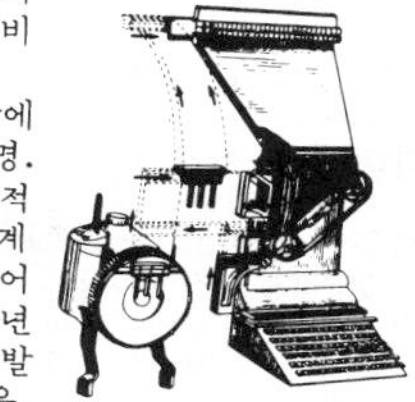
〈라이노타이프〉

라이니아 〔rhynia〕 명 〖식〗 〔스코틀랜드의 라이니(Rhynie)에서 발견됨에 유래〕 실루리아기(紀)·데본기(Devon紀)에 났던 원시적인 양치(羊齒) 식물. 초본성(草本性)으로, 짧은 지하경(地下莖)과 가늘고 긴 줄기로 되어 있고, 잎도 뿌리도 없으며 외양은 조류(藻類)와 비슷함.

라이닝 〔lining〕 명 ①약물의 침식을 막기 위하여 고무나 에보나이트 등을 용기의 안쪽에 대는 일. ②코트(coat) 등의 안에 라이너를 대는 일.

라이다: 〔lidar〕 명 〖기상〗 레이저를 이용하여, 대기 중의 습도·온도·시정(視程) 등을 측정하는 장치. 대기 오염 대책이나 항공의 안전 분야에서 응용됨.

라이덴-병 【一甁】 명 〔Leiden jar〕 〖물〗 축전기(蓄電器)의 한 가지. 유리병의 바닥과 안팎에 주석박(朱錫箔)을 바르고, 병마개에 금속 막대기를 꽂아 아래 끝에 쇠사슬을 늘어 안의 주석박에 접촉시킨 것인데, 겉면의 주석박은 땅에 통하게 하고 기전기(起電機)로써 금속 막대기에다 전기를 보내면 전기가 안의 주석박에 모이고, 다시 유도에 의하여 겉의 주석박에 반대되는 전기가 생기므로 전기가 축적됨. 1746년 레이던 대학의 뮈스헨브룩(Musschenbroek, P. van; 1692-1761)이 발명하였으며, 이보다 앞서 1745년 독일의 클라이스트(Kleist, E.G. von; ?-1748)가 따로 발명하였음. 레이던병.

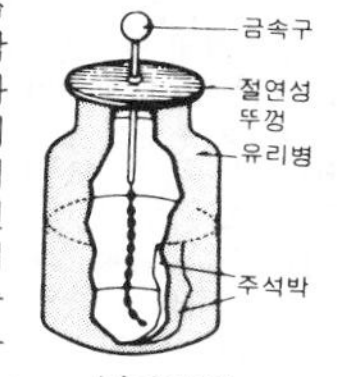

〈라이덴병〉

라이도케인 〔lidocaine〕 명 〖약〗 희거나 노란 결정성(結晶性) 분말. 마취·진정·진통·진경(鎭痙) 작용 및 심장 억제 작용 등을 갖고 있음. 국소 마취제로서 피부 및 점막에 국소 적용하며 심실성 부정맥(心室性不整脈) 치료에도 쓰임. 리도카인. 리그노케인(lignocaine).

라이머 빈: 〔lima bean〕 명 〖식〗 '리마콩'의 미국식 이름.

라이먼 〔Lyman, Theodore〕 명 〖사람〗 미국의 물리학자. 분광학(分光學)을 연구하여 자외선과 X선의 중간 파장(波長)을 가진 라이먼선(線)을 발견하였음. [1874-1954]

라이문트 〔Raimund, Ferdinand〕 명 〖사람〗 오스트리아의 극작가. 빈(Wien)의 서민적인 연극의 전통 위에서 '요정 희극(妖精喜劇)'이라는 문학 형태를 완성하였음. 한때는 희극 배우로도 활약하였고, ≪백만 장자가 된 농부≫·≪낭비가≫ 등의 작품이 있음. [1790-1836]

라이-밀 〔rye〕 명 밀과 호밀의 교잡을 통한 잡종 식물. 호밀의 강건성이 도입되어 내한성이 강함. 사료용으로 일부 외국에서 재배되고 있음.

라이 반 〔Ray Ban〕 명 테가 가는 색안경의 상품명. ＊선글라스.

라이벌 〔rival〕 명 ①경쟁자(競爭者). 호적수(好敵手). ②연적(戀敵)❹.

라이베리아 〔Liberia〕 명 〖지〗 아프리카 서부 사하라 사막의 남서쪽에 있는 흑인 공화국. 해안부 평야는 열대 강우림에 덮이고 내륙부는 사바나(savanna)의 낮은 고원임. 주민은 소위 아메리카 라이베리아인을 비롯하여 약 30의 부족이 살며, 공용어는 영어지만 각 부족어도 사용됨. 농업국으로 1847년 아프리카에서 최초의 흑인 공화국으로 독립하였음. 쌀·커피·고무·카카오·야자유(椰子油) 등을 산출함. 철광이 풍부하고 목재의 산출도 많으며 철광·고무가 주요 수출품임. 선박세(船舶稅)가 싸기 때문에 외국 선박의 편의 치적선(便宜置籍船)이 많아, 선박 등록수는 세계 유수임. 1822년 미국 식민(植民) 회사가 노예 해방 당시, 흑인을 이주시켜 건설한 나라로 수도는 몬로비아(Monrovia). 정식 명칭은 '라이베리아 공화국(Republic of Liberia)'. 리베리아.

[111,370 km² : 2,610,000 명(1990 추계)]

라이-보리 [rye] 명 『식』 호밀.

라이브러리 [library] 명 ①도서관(圖書館). 도서실. ②문고(文庫). ③장서(藏書). ④전자 계산기의 프로그램에서 잘 사용되는, 부분 프로그램이 모인 것. 자유스럽게 인용할 수 있도록 정비되어 있음.

라이브 리코딩 [live recording] 명 주로, 팝뮤직의 실황 녹음(實況錄音). 또, 그 음반.

라이브 액션 [live action] 명 만화 영화의 제작에서, 작화(作畫)에 앞서 대사(臺詞)·주제가 등 음악의 녹음, 특수한 동작 등을 배우의 실연(實演)이나 실경(實景) 촬영으로 하는 일.

라이브 하우스 [live house] 명 밴드(band)를 두고 언제고 생연주(生演奏)를 들려 주는 재즈 클럽.

라이블 [Leibl, Wilhelm] 명 『사람』 독일의 화가. 19세기 후반의 독일 사실주의를 대표함. 1869-70년의 파리 체재 중 쿠르베(Courbet) 등의 사실주의에 자극을 받아, 농민의 생활을 사실적인 필치로 그렸음. 대표작에 《부친상(父親像)》·《시골 정치가》 등이 있음. [1844-1900]

라이블리 볼: [lively ball] 명 미국의 프로 야구에서, 1920년 이래 사용하는 잘 튀는 공.

라이샤워 [Reischauer, Edwin O.] 명 『사람』 미국의 역사가. 일본 도쿄(東京)에서 출생하였으며, 부인도 일본 사람임. 일본·프랑스·중국에 유학하여 1945년에 국무성 극동 특별 보좌관, 1946년 하버드 대학 극동어과(極東語科) 교수를 역임, 극동 언어 및 역사에 정통하여, 저서도 많음. 1961-66년 주일(駐日) 대사를 지냈으며, 하버드 대학 교수로 복직함. [1910-90]

라이선스 [license] 명 ①행정상의 면허. 또, 그 면허장. ②수출입 기타 대외 거래의 허가. 또, 그 허가증.

라이선스 상품 【一商品】 [license] 명 로열티를 지불하고 브랜드 이름과 생산 기술을 제공받아 국내에서 생산·판매하는 상품.

라이선스 생산 【一生産】 [license] 명 해외에서 개발된 제품을 허가료(許可料)를 지불하고 생산하는 방법.

라이소자임 [lysozyme] 명 『화』 타액(唾液)·눈물·난백(卵白) 등에 널리 존재하며, 일종의 감염 방어(感染防禦)의 역할을 하는 항균성(抗菌性) 물질. 식염수(食塩水)에 녹으며, 아세톤·알코올 등에 의해 침전(沈澱)함. 널리 세균을 용균(溶菌)하며, 특히 소구균(小球菌)에 대하여 강력함. 용균 효소. 리조침.

라이스¹ [Reis, Johann Philipp] 명 『사람』 독일의 물리학자. 독일에서의 최초의 전화기 발명자. 1861년과 1864년 학회(學會)에서 공개 실험을 하는 등, 미국의 벨(Bell, A.G.)보다 15년 앞서 전화기를 고안하였으나 생전에는 실용화하지 못하였음. [1834-74]

라이스² [rice] 명 ①쌀. ②음식점에서의 쌀밥.

라이스³ [Rice, Elmer] 명 『사람』 미국의 극작가. 처녀작 《심리중(審理中)》 이래, 기계 문명을 비판한 《계산기(計算器)》로 압도적 인기를 획득하고 영화의 커트 백(cut back) 기교를 써서 표현주의(表現主義) 수법을 구사하였으며, 그 후 《거리의 풍경》에 의하여 사회적 현실주의에 입각한 특이한 경지를 보였음. [1892-1967]

라이스 밀 [rice mill] 명 컨트리 엘리베이터에 쌀의 도정 공장(搗精工場)을 부설한 농업 창고.

라이스-지 【一紙】 [rice] 명 라이스 페이퍼.

라이스 카레 [rice + curry] 명 ☞카레 라이스.

라이스 페이퍼 [rice paper] 명 질이 좋은 삼·아마(亞麻)·무명 등을 원료로 하여 만든 썩 얇은 종이. 궐련을 만드는 데 씀. 라이스지(紙).

라이신 [lysine] 명 『화』 리신(lysine).

라이어 [lyre] 명 『악』 ①주악(奏樂) 행진 때, 취주악대(吹奏樂隊)가 악기에다 다는 악보 걸이. 보가(譜架). ②리라(lyra).

라이엘 [Lyell, Charles] 명 『사람』 영국의 지질학자. 저서 《지질학 원론》에서 '현재는 과거를 여는 열쇠'라는 견해 밑에 지질 현상을 계통적으로 설명하여, 근대 지질학을 확립시킴으로써 후에 다윈의 진화론(進化論)에 큰 영향을 주었음. 이 밖의 저서로 인류의 진화를 논(論)한 《고대의 인류》가 있음. [1797-1875]

라이온 [lion] 명 『동』 사자(獅子).

라이온스 클럽 [Lions Club] 명 [라이온스는 liberty, intelligence, our nation's safety의 약칭] 1917년 미국의 실업가들이 창설한 국제적인 민간 사회 봉사 단체. 우리 나라는 1959년 가입하여 309 지구(地區)로 일컬어짐. 본부는 일리노이 주의 오크 브루크(Oak Brook)에 있음.

라이카 [도 Leica] 명 ↗라이카 카메라.

라이카 카메라 [도 Leica Kamera] 명 독일의 에른스트 라이츠사(Ernst Leitz社)에서 제조하여 1925년에 발표한, 35 mm 고급 카메라의 상품명. 여러 개의 교환 렌즈를 갖춘 것이 특징임. 1913년부터 바르나크(Barnack, O)가 개발하였으며 소형 카메라의 선구가 되었음. ㊟라이카.

라이카-판 【一判】 [도 Leica] 명 가로 36 mm, 세로 24 mm의 사진판의 일종. 라이카 카메라가 처음 채택한 데에 연유함. 35 밀리판(判).

라이터¹ [lighter] 명 주로 담배 피울 때 성냥 대신 쓰는 자동 점화기(自動點火器). 발화 합금(發火合金) 등의 라이터돌을 쇠 톱니바퀴로 마찰시켜서 생긴 불꽃으로 벤젠·휘발유·액화 부탄(Butan) 가스에 점화함. 또, 전압 소자(電壓素子)에 충격을 가하여 튀는 불꽃으로 점화하는 전자 라이터도 있음. 시가레트 라이터(cigaret lighter).

라이터² [writer] 명 ①저자(著者). 작자(作者). 저술가(著述家). ¶ 시나리오 ~. ②기자(記者). ③필자(筆者).

라이터-돌 [lighter] 명 라이터에 사용하는 발화석. 보통 쇠 30%와 세륨 70%의 합금을 사용함. ㊟돌.

라이트¹ [light] 명 ①빛. 광선. ②등불. 등(燈). ③가벼움. 경편(輕便). ↔헤비(heavy).

라이트² [right] 명 ①정의(正義). 정당(正當). 도리(道理). ②권리. ③오른쪽. 우측(右側). ④우익(右翼). ⑤↗라이트 필드(right field). ⑥↗라이트 필더. ⑦↗라이트 윙. ⑧↗라이트 하프. 3)-8): ↔레프트(left).

라이트³ [Wright] 명 『사람』 ①[Orville W.] 미국의 비행기 제작가. 형 윌버와 함께 비행기를 연구·제작하였음. [1871-1948] ②[Wilbur W.] 비행기 제작가. 복엽(複葉) 비행기를 연구하여 1903년 동력에 의한 인류 최초의 비행에 성공하였음. [1867-1912]

라이트⁴ [Wright, Frank Lloyd] 명 『사람』 미국의 건축가. 시카고파(派)의 지도적 존재이며, 기능주의(機能主義) 건축에 대하여 유기적(有機的) 건축을 주장하였음. 특히, 그의 건축 양식은 라이트식 건축이라 하여 오늘날까지 영향을 미치고 있음. 대표작으로는 밀라드 하우스(Millard House)·구겐하임(Guggenheim) 미술관·존슨 왁스 회사 연구소 등이 있음. [1869-1959]

라이트⁵ [Wright, Richard] 명 『사람』 미국의 흑인 작가. 단편집 《엉클 톰(Uncle Tom)의 후예들》에 이은 장편 《아메리카의 아들》로 흑인 소년의 비극(悲劇)을 그려 저항 문학(抵抗文學)의 기수가 됨. 자전(自傳) 소설 《블랙 보이(Black Boy)》를 발표한 후, 파리로 가서 《아웃사이더(The Outsider)》·《블랙 파워(Black Power)》를 발표하였음. [1908-60]

라이트-급 【一級】 [light] [一끕] 명 권투나 역도 같은 경기에서, 선수의 체중에 따라 나눈 등급의 하나. 아마추어 권투에서는 57-60 kg, 프로 권투에서는 58.98-61.23 kg, 레슬링에서는 64-67 kg, 역도에서는 61-67.5 kg임.

라이트 딜리버리 트럭 [light delivery truck] 명 경화물 운송용의 트럭. 짐 싣는 상자가 따로 없이 통채로 한 덮개 안에 있으며, 뒷문으로 짐을 싣게 되어 있음. ＊라이트 밴.

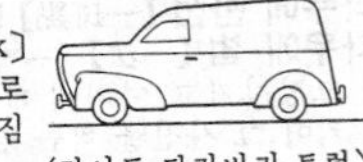

〈라이트 딜리버리 트럭〉

라이트 런치 [light lunch] 명 간단한 요리. 가벼운 요리.

라이트 레드 [light red] 명 『미술』 서양화의 채료(彩料)의 하나. 엷고 맑게 붉은 빛깔. 산화철이 주성분이며, 동양화의 석간주(石間硃)와 빛이 같음. 천연토(天然土)를 구워 만든 것과 인공으로 만든 것이 있음.

라이트모티프 [도 Leitmotiv] 명 ①『악』 절주적(節奏的)·화성적(和聲的)·선율적(旋律的)으로 반복되는 특정한 악구(樂句)로, 어떤 악곡의 중요한 관념이나 극중(劇中)의 인물·물상(物象)·행위·감정 등을 상징하는 동기. 바그너(Wagner)가 처음 악극(樂劇)에서 이것을 확립하고 베를리오즈(Berlioz)가 종종 사용하였음. 시도 동기(示導動機). 지도 동기. ②어떤 사항, 특히, 예술 작품 등의 근저(根底)를 이루는 관념. 주요한 동기.

라이트 미들급 【一級】 [light middle] [一끕] 명 아마추어 권투에서, 체급의 하나. 67-71 kg의 체급.

라이트 백 [right back] 명 축구 등에서, 골 앞의 오른쪽을 맡아 보는 자리. 또, 그 사람. 라이트 풀백. ↔레프트 백.

라이트 밴 [light + van] 명 자동차의 형식의 하나. 소형의 화객 양용차(貨客兩用車)로, 차체는 뒤끝까지 지붕이 있고, 4-6인승의 두 줄의 좌석 뒤에 화물을 실을 수 있는 공간이 있음. 뒤쪽 좌석을 앞으로 젖혀 짐 싣는 공간을 넓게 할 수가 있음. ＊라이트 딜리버리 트럭.

라이트 밸류 [light value] 명 사진에서, 노출 지수(露出指數). 사용하는 필름의 감광도(感光度)와 셔터 속도, 조리개의 수치와의 조합(組合)을 나타내는 수치.

라이트 블루: [light blue] 명 밝은 청색.

라이트 스트레이트 [right straight] 명 권투에서, 오른 팔을 앞으로 일직선으로 뻗쳐 상대편의 얼굴이나 턱을 치는 위력(威力) 있는 타격. ↔레프트 스트레이트.

라이트식 건:축 【一式建築】 [Wright] 명 『건』 라이트가 창시(創始)한 건축 양식. 수평선(水平線)을 강조하며 굵은 창틀, 경사가 느린 지붕, 깊숙이 들어간 처마, 특유한 세부 조각(細部彫刻) 등의 특징을 지님.

라이트 오페라 [light opera] 명 『악』 경가극(輕歌劇).

라이트 오:픈 [light open] 명 『연』 연극에 있어서, 조명이나 불이 켜져 있는 채로 막을 여는 일. ㊟엘 오(L.O.). ↔다크 오픈.

라이트웨이트 [lightweight] 명 라이트급 선수(選手).

라이트 웰터급 【一級】 [light welter] [一끕] 명 아마추어 권투에서, 체급의 하나. 60-63.50 kg의 체급.

라이트 윙 [right wing] 명 ①축구·하키에서, 포워드 중 오른쪽 끝 위치의 선수. ②럭비에서, 드리쿼터 백 중 우익(右翼)에 위치하는 선수. 우익(右翼). ㊟라이트. 1)·2): ↔레프트 윙(left wing).

라이트 이너 [right inner] 명 축구에서, 포워드 중, 오른쪽에서 두번째에 위치하는 선수. 라이트 인사이드. ↔레프트 이너.

라이트-이어 [light-year] 명 『천』 광년(光年).

라이트 인사이드 [right inside] 명 ①라이트 이너. ②하키에서, 포워드 중 오른쪽에서 두번째에 위치하는 선수. ↔레프트 인사이드.

라이트 체인지 [light change] 명 『연』 연극에 있어서, 조명이나 불이 켜져 있는 채로 무대를 전환(轉換)시키는 일. ↔다크 체인지.

라이트 커:튼 [light curtain] 명 『연』 연극에 있어서, 조명이나 불이 켜져 있는 채로 막을 내리는 일. ↔다크 커튼.

라이트 테이블 [light table] 명 젖빛 유리 내부에 전등을 달아 투과광(透過光)을 이용할 수 있도록 만든 작업용 테이블.

라이트 펜 [light pen] 명 『컴퓨터』 광(光)펜.

라이트 풀백 [right fullback] 명 축구·하키·핸드볼 등에서, 풀백 중 오른쪽에 위치하는 선수. 라이트 백.

라이트 플라이급 【一級】 [light fly] [一끕] 명 아마추어 권투에서, 48 kg 이하의 몸무게를 가진 체급(體級). 가장 가벼운 체급으로, 플라이급의 아래임.

라이트 플레인 [light plane] 명 『항공』 ①동력(動力)이 약한 발동기를 갖춘 저성능(低性能)의 비행기. 경비행기. ②고무 동력(動力)으로 날리는 간단한 모형 비행기.

라이트 필:더 〔right fielder〕 [명] 야구에서, 우익수(右翼手). [준]라이트.

라이트 필:드 〔right field〕 [명] 야구에서, 우익(右翼)④. [준]라이트.

라이트 하:프 〔right half〕 [명] ①축구·하키에서, 하프 백 중 오른쪽 위치의 선수. ②핸드볼 등에서, 중위(中衛) 중 오른쪽 위치의 선수. [준]라이트. 1)·2):↔레프트 하프.

라이트 헤비급 【—級】 〔light heavy〕 [—끕] [명] 권투·역도 등에서, 체급의 하나. 미들급과 헤비급과의 중간. 아마추어 권투에서는 75-81 kg, 프로 권투에서는 72.58-79.38 kg, 레슬링에서는 80-87 kg, 역도(力道)에서는 76-82.5kg 임.

라이트 헤비웨이트 〔light heavyweight〕 [명] 라이트 헤비급 선수.

라이팅 데스크 〔writing desk〕 [명] ①서랍이 달린 책상. ②뚜껑을 열면, 책상이 되는 가구.

라이팅 뷰로: 〔writing bureau〕 [명] 책상이 될 널빤지가 책장이나 장식 선반과 세트로 되어 있어, 보통 때는 세워 두고 사용할 때는 펴서 쓰는 형식의 책상.

라이프¹ 〔life〕 [명] ①생명. ②생활. ③인생. 생애.

라이프² 〔Life〕 [명] 〖책〗 미국에서 발행되던 주간 화보(畫報). 1936년 타임 라이프사(社)가 창간. 사진이 지닌 사실성(寫實性)과 뛰어난 인쇄 기술을 살리어, 인간 생활의 광범위한 영역을 취재(取材)하였음. 1972년에 폐간되었다가 1978년에 월간(月刊)으로 복간되었음.

라이프니츠 〔Leibniz, Gottfried Wilhelm von〕 [명] 〖사람〗 독일의 철학자·수학자·물리학자·신학자(神學者). 독일 근세 철학의 원조(元祖). 대륙 합리론(大陸合理論)의 대표자이며, 독일 학사원을 창설하고 미적분학을 안출하였음. 신학적·목적론적 세계관과 자연 과학적·기계적 세계관과의 조정(調停)을 기도하고, 《단자론(單子論)》에서 '우주의 질서는 신(神)의 예정 조화(豫定調和) 속에 있다'라는 예정 조화설을 전개하였음. 주저(主著)에 《형이상학 서론》·《단자론》·《변신론(辯神論)》·《인간 오성 신론(人間悟性新論)》 등이 있음. [1646-1716]

라이프니츠 볼프 철학 【—哲學】 〔Leibniz-Wolf〕 [명] 〖철〗 라이프니츠의 철학을 계승하여 볼프가 조술(祖述) 정돈하고 통속화한 철학.

라이프니츠식 계:산법 【—式計算法】 [—뻡] [명] 〔도 Leibnizsche Methode〕 생명 침해에 의한 일실 이익(逸失利益)의 산정 등 기한 도래 전의 무이식(無利息) 채권의 현재 가격을 산출하는 방식의 하나. 채권의 액면을 S, 변제기까지의 햇수를 n, 법정 이율을 r로 하면 현재 가격 X는 $X=S/(1+r)^n$이 됨.

라이프-보:트 〔lifeboat〕 [명] 구명정(救命艇). 구조정(救助艇).

라이프 사이언스 〔life science〕 [명] 생명 과학(生命科學). 곧, 새로운 약제(藥劑)의 개발, 이상(異常) 환경의 조절, 전자 계산기의 의학에의 응용, 인공 장기(臟器)나 장기 이식, 유전자(遺傳子)의 의문(疑問)을 해명하는 등 생명이나 생체의 유지 보호에 관한 과학·기술을 이름.

라이프 사이클 〔life cycle〕 [명] ①〖생〗 생활사(生活史). ②사회학에서, 출생에서 사망까지의 인간의 생활 주기. ③상품의 수명. 상품이 시장에 등장해서 매상(賣上)이 끊어질 때까지의 과정.

라이프-워:크 〔lifework〕 [명] ①일생의 사업. 필생(畢生)의 사업. ②어떤 개인의 기념비적(記念碑的) 업적으로 들 수 있는 작품·연구.

라이프 재킷 〔life jacket〕 [명] 항공기·선박 등의 구명 동의(救命胴衣).

라이프치히 〔Leipzig〕 [명] 〖지〗 독일 중부의 도시. 교통의 요지로 철강·기계·화학 공업 및 출판업이 번성함. 12세기에는 성곽(城郭) 도시로서 자치권을 가지고 있었으며, 18-19세기에는 학문·예술의 중심지였음. [562,000명(1981)]

라이프치히 게반트하우스 관현악단 【—管弦樂團】 〔Leipzig Gewandhaus〕 [명] 독일 라이프치히에 있는 세계에서 가장 오래된 관현악단. 1743년에 창립됨.

라이프치히 대학 【—大學】 〔Leipzig〕 [명] 독일 라이프치히에 있는 대학. 1409년 창립. 16세기에는 독일 최대의 대학이 되었으며, 2차 대전 후 '칼 마르크스 대학'으로 개칭됨.

라이프치히의 싸움 〔Leipzig〕 [—/—에—] [명] 〖역〗 1813년 10월에 프로이센·러시아·오스트리아 등의 연합군이 라이프치히에서 나폴레옹 1세를 격파한 싸움. 이 결과 나폴레옹 지배에 대한 해방 전쟁의 승패가 판가름남.

라이프치히 토:론 【—討論】 〔Leipzig〕 [명] 1519년 루터(Luther, M)와 가톨릭 신학자 에크(Eck, J.M)와의 논쟁. 루터는 교황이나 종교 회의라 할지라도 잘못을 범하는 일은 있을 수 있다고 명언하여, 가톨릭 교회와의 틈을 더욱 벌어지게 하였음. ＊종교 개혁.

라이플 〔rifle〕 [명] ①탄환에 회전성(回轉性)을 주어, 나가는 힘을 강하게 하기 위하여 총신(銃身)의 안벽에 나선상(螺旋狀)의 홈을 만든 총. 명중도가 높으며, 관통력도 강함. 15세기경부터 있었던 것으로 현재에는 가스 작동식(作動式)으로 된 것도 있음. 선조총(旋條銃). ②소총.

라이플 사격 경:기 【—射擊競技】 〔rifle〕 [명] 라이플·권총·에어 라이플(air rifle)을 사용하여 행하는 사격 경기의 총칭. 13 종목이 있음.

라이하르트 〔Reichardt, Johann Friedrich〕 [명] 〖사람〗 독일의 작곡가·지휘자. 프리드리히 이세(Friedrich Ⅱ; 1712-86)의 왕실 악장(王室樂長)이 되어 작품 소개와 연구에 힘썼음. 독일 최초의 가요극 《사랑과 진실》 외에 가곡·실내악 등 많은 작품을 남겼으며 가극 발전에 공헌이 큼. [1752-1814]

라이헨바흐 〔Reichenbach, Hans〕 [명] 〖사람〗 독일의 철학자. 논리 실증주의(論理實證主義)를 대표하는 한 사람. 상대성 이론·양자(量子) 역학의 기초를 해명하고, 빈도(頻度) 이론에 바탕을 둔 확률론(確率論)의 정립 등으로 알려짐. 주저(主著)에 《확률론》·《경험과 예언》·《과학 철학의 대두(擡頭)》 등이 있음. [1891-1953]

라이히 〔Reich, Wilhelm〕 [명] 〖사람〗 오스트리아의 정신 병리학자·사회 비평가. 성(性)의 억압은 인간의 종교적 성격 형성의 원인이 되고, 사회적으로 지배 계급에 대한 봉사가 되기 때문에 성의 사회적 해방으로 문화 혁명이 가능하다고 주장하였음. 저서에 《변증법적 유물론과 정신 분석학》·《파시즘의 집단 심리학》 등이 있음. [1897-1957]

라이히슈타인 〔Reichstein, Tadeus〕 [명] 〖사람〗 폴란드 출신의 스위스 유기(有機) 화학자. 바젤 대학 교수. 1933년 비타민 C의 합성에 성공함. 코티존(cortisone) 등 부신 피질(副腎皮質) 호르몬의 연구로 1950년 노벨 생리 의학상을 수상함. [1897-]

라이히스-마르크 〔도 Reichsmark〕 [명] 독일의 라이히스방크가 1924년에 발행한 본위 화폐(本位貨幣). 구(舊)지폐 1조(兆) 마르크를 1라이히스마르크로 교환하여 1948년 통화 개혁을 실시할 때까지 유통되었음.

라이히스-방크 〔도 Reichsbank〕 [명] 제2차 세계 대전이 끝날 때까지의 독일의 중앙 은행. 1945년 5월에 폐쇄됨.

라이히스-아우토반: 〔도 Reichsautobahn〕 [명] 독일의 자동차 국도(國道). 히틀러(Hitler)가 산업·군사상의 필요에서 1933년에 기공한 근대적인 고속 도로. 1934-45 년까지의 아우토반의 호칭.

라인 〔line〕 ㊀ [명] ①선(線). 줄. ②행(行). ③항공기·선박의 항로(航路). 철도 노선(路線). ¶ 에어 ~. ④〖복식〗 윤곽(輪廓). 양장(洋裝)의 선(線). ¶ A~/색~. ⑤계열. 계통. 혈통(血統). ⑥기준이 되는 일정한 높이나 수량. 레벨. ⑦기업 조직 중 국(局)·부(部)·과(課)·계(係)와 같은 직선적 조직. ⑧기업에서, 구매·제조·운반·판매 등 기본적(基本的)인 활동을 분담 수행(分擔遂行)하고 있는 부문. ＊스태프(staff). ⑨일관 작업에 의하여 물건을 생산하는 과정. ㊁ [의명] 야드 파운드법에서, 길이의 단위. 1 라인은 12 분의 1 인치.

라인 강 【—江】 〔Rhein〕 [명] 〖지〗 서(西)유럽을 흐르는 큰 강. 스위스의 알프스에서 발원하여, 리히텐슈타인·오스트리아·독일·프랑스의 국경을 지나 독일의 서부로 들어갔다가 네덜란드를 횡단하여 북해(北海)로 들어감. 지류(支流)와 운하(運河)에 의해 지중해(地中海)·발트 해(Balt 海)·흑해(黑海)와 통하며, 유럽의 대수로망(大水路網)을 형성하고 있음. 특히, 중류는 넓어 수운(水運)에 이용되며, 루르 공업 지대의 발달을 촉진하였음. [1,326 km]

라인 강의 파수 【—江—把守】 [—/—에—] [명] 〔Die Wacht am Rhein〕 〖악〗 1854년에 제정된 옛날의 독일 국가(國歌).

라인 네트워:크 〔line network〕 [명] 한 계열(系列) 밑의 라디오·텔레비전 방송국 사이를 중계 회선(中繼回線)으로 연결하여, 중앙 방송국에서 프로를 보내면 다른 방송국이 그것을 받아서 동시 방송하는 체제.

라인 댄스 〔line+dance〕 [명] 많은 무희(舞姬)가 한 줄로 늘어서서 추는 레뷰 댄스.

라인 도시 동맹 【—都市同盟】 〔Rhein〕 [명] 〖역〗 1254년 라인 강 연안 도시를 중심으로 결성된 동맹. 대공위(大空位) 시대의 정치적 분열과 제후(諸侯)의 포악한 과세(課稅)에 대항하고, 평화와 사회 질서의 유지, 제국(帝國)의 통일을 목적으로, 마인츠(Mainz) 등 여러 도시들로 결성되었었으나 1400년경 소멸되었음.

라인 동맹 【—同盟】 〔Rhein〕 [명] 〖역〗 라인 연방(Rhein 聯邦).

라인 드라이브 〔line drive〕 [명] 야구에서, 라이너(liner).

라인-란트 〔Rheinland〕 [명] 〖지〗 독일의 서부, 라인 강의 중류와 하류 유역 일대의 지방. 인구가 조밀(稠密)하며 남부는 과실·포도 재배가 성하고, 북부인 루르 지방에서는 철강업(鐵鋼業)·기계 공업 등의 중공업이 활발함. 1815년 프로이센령(領)이 되고, 제1차 대전 때는 비무장 지대였으며 1936년 나치스 정권이 진주하였었음.

라인 마인 도나우 강 운하 【—江運河】 〔Rhein-Main-Donau〕 [명] 〖지〗 도나우 강과 라인 강의 지류인 마인 강을 연결하는 운하. 3조 6천억 원의 공사비를 투입, 32년의 공사 끝에 1992년 9월 25일 개통. 독일 바이에른 주(Bayern州) 동북부의 밤베르크(Bamberg)와 도나우 강 중류의 켈하임(Kelheim)을 운하로 연결함으로써 북해(北海) 연안에서 흑해(黑海)까지 유럽의 15개국이 한 가닥의 대형 선박 항로로 연결됨. 인공 운하이면서 자연 상태를 그대로 보존하였다하여 '꿈의 운하'로 불림. 마인 도나우 강 운하. [171 km]

라인-맨 〔lineman〕 [명] 미식 축구에서, 전위(前衛).

라인 샤프트 〔line shaft〕 [명] 〖기〗 주축(主軸)에서 벨트를 통하여 동력을 받아서, 다시 그것을 중간축(中間軸)에 전하는 축. 선축(線軸). 전도축(傳導軸).

라인 스위치 〔line switch〕 [명] 전화의 자동 교환을 담당하는 스위치. 각 가입자의 전화선에 하나씩 달려 있어 상대방의 전화에 자동적으로 접속시킴.

라인-스톤: 〔rhinestone〕 [명] 인조(人造) 다이아몬드. 거울과 같은 종류의 재질(材質)을 한쪽 면에 바르고 커트한 유리. 드레스의 장식이나 단추로 쓰임.

라인 아웃 〔line out〕 [명] ①럭비에서, 공이 터치 라인의 밖으로 나간 뒤, 게임을 다시 시작할 때 양팀의 포워드(forward)가 두 줄로 서서 공을 서로 빼앗는 일. ②야구에서, 주자(走者)가 베이스 사이를 달리고 있을 때, 야수(野手)의 터치를 피하려고 그 선에서 3피트 이상 밖으로 나갔을 경우에 아웃되는 일.

라인 앤드 스태프 조직 【—組織】 [명] 〔line and staff organization〕 〖경〗 경영 관리 조직의 한 형태. 라인 조직의 지휘·명령 계통의 장점을 살림과 동시에 그것을 보강·촉진하는 구실을 수행하는 전문적·기술적 스태프 부문을 절충시킨 조직.

라인-업 〔line-up〕 [명] ①야구에서, 출전한 선수의 타순(打順). 또, 그 배치. 배팅 오더(batting order). ②운동 경기 개시 전의 양쪽 선수의 정렬(整列). ③어떤 공동의 목적을 이루기 위하여 모인 사람들의 구성. 진용(陣容). ¶ 새로운 ~으로 새출발하다.

라인 연방【一聯邦】〔Rhein〕 명 〖역〗 1806년 독일 서남부의 16개 국가가 오스트리아와 프로이센에 대항할 목적으로 나폴레옹 1세의 지도 하에 결성한 연방. 이 연방 수립으로 신성 로마 제국은 멸망하였음. 1813년 나폴레옹의 몰락과 함께 해체되고, 빈(Wien) 회의의 결과 독일 연방에 편입되었음. 라인 동맹(Rhein同盟).

라인 조직【一組織】 명 〔line organizntion〕 〖경〗 경영 관리 조직의 한 형태. 최고 경영자의 의사(意思)가 상층부에서 하층부까지 일원적(一元的)인 명령과 권한으로 유지되어 있는 직계적(直系的)인 조직.

라인즈-맨〔linesman〕 명 축구·배구·테니스에서, 선심(線審).

라인 지구대【一地溝帶】〔Rhein〕 명 〖지〗 라인 강의 중류부 곧 스위스의 바젤(Basel)에서 독일의 마인츠(Mainz) 사이의 너비 35 km, 길이 약 280 km에 이르는 지구대. 주변에 고기 조산대(古期造山帶)인 슈바르츠발트 산지(Schwarzwald 山地)와 보주 산백(Vosges 山脈)이 있음.

라인 크로스〔line cross〕 명 ①배드민턴·배구에서, 서버(server)가 코트의 선을 밟거나 넘는 반칙. ②핸드볼에서, 선을 넘거나 밟는 반칙. ③하키에서, 손·발 또는 스틱이 선을 넘어가는 일.

라인 프린터〔line printer〕 명 〖컴퓨터〗 처리된 결과를 종이에 한 자씩이 아닌 1행씩을 한 번에 인쇄하는 장치. 대형 컴퓨터에서 많은 데이터를 고속으로 인쇄하는 데 이용됨.

라인하르트〔Reinhardt, Max〕 명 〖사람〗 독일의 연출가(演出家)·극장 경영자. 유태인. 1905년 베를린의 독일 극장 지배인이 된 후 신고전파(新古典派)·상징파·표현주의 등의 희곡 연출의 새로운 기축(機軸)을 열고 현란(絢爛)·웅대한 무대를 창조하여 일세를 풍미하였음. 1933년 이후는 미국에 가서 활약함. [1873-1943]

라일[1]〔Reil, Johann Christian〕 명 〖사람〗 네덜란드 출신의 독일 생리학자. 할레(Halle)·베를린의 각 대학 교수를 역임함. 정신병학의 시조로 불리며 생기론(生氣論)을 주장함. [1759-1813]

라일[2]〔Ryle, Gilbert〕 명 〖사람〗 영국의 철학자. 1945-68년 옥스퍼드 대학 교수를 지내고, 1947-71년 철학 잡지 '마인드'의 편집을 주관함. 주저(主著)《마음의 개념》은 고전적인 철학책으로 꼽힘. [1900-76]

라일락〔lilac〕 명 〖식〗 [*Syringa vulgaris*] 물푸레나뭇과에 속하는 낙엽 활엽의 교목. 높이는 5-7 m이고, 잎은 대생하며 장병(長柄)에 달걀꼴 또는 심장형이고 짙은 녹색을 띰. 5월 상순에 1 cm 가량으로 네 갈래로 갈라진 작은 통상(筒狀)의 합판화(合瓣花)가 원추(圓錐) 화서로 피는데, 품종에 따라 담자색·적색·청색 등이 있음. 과실은 삭과(蒴果)인 데 9월에 익음. 유럽 원산으로 꽃 향기가 좋아 관상용으로 많이 재배함. 릴라. 자정향(紫丁香). ＊정향나무.

〈라일락〉

라임[1]〔lime〕 명 〖식〗 [*Citrus aurantifolia*] 운향과(芸香科)에 속하는 상록 관목. 인도 원산. 꽃은 희고 총상(總狀) 화서로 핌. 과실은 지름 약 4 cm의 기름한 구형(球形)으로 노랗게 익는데 수확은 초록색일 때 함. 과피(果皮)는 얇고 과육(果肉)은 청백색(靑白色)이며 과즙(果汁)이 많고 신맛과 강한 향기가 남. 날로 먹거나 라임 주스·시트르산(酸)의 원료로 쓰임. 인도·실론·지중해 연안·멕시코 등지에서 재배됨.

라임[2]〔rhyme〕 명 〖문〗 운(韻). 압운(押韻).

라임라이트〔limelight〕 명 ①석회(石灰) 막대기를 산수소염(酸水素焰) 속에서 가열했을 때 생기는 강렬한 백광(白光). 19세기 후반에 구미(歐美)의 극장에서 이 광선을 무대 위에 선 주요 배우의 조명에 썼음. ②명성(名聲). 평판(評判).

라임-병【一病】[一뼝] 명 〔Lyme disease〕 〖의〗 진드기가 매개하는 스피로헤타에 의하여 일어나는 감염증. 증상은 피부의 붉은 반점, 두통, 오한, 발열, 권태감, 림프절종(節腫)·수막염(髓膜炎), 신경계나 순환기의 장애, 관절염 등으로 나타남. 미국 코네티컷 주의 올드라임에서 처음 보고됨.

라임 주:스〔lime juice〕 명 라임의 과즙(果汁).

라:자〔Rāja〕 명 ①고대 인도 아리아족의, 부족의 왕. ②인도의 귀족의 칭호. 동남 아시아에서는 군주(君主)의 칭호임.

라자그리하〔Rājagrha〕 명 왕사성(王舍城).

라자스타니-어【一語】〔Rajasthani〕 명 〖언〗 인도 유럽 어족(語族)의 인도 이란 어파(語派)에 속하는 인도 아리아 제어(諸語)의 하나. 인도의 북서부 라자스탄 지방을 중심으로 사용됨.

라자스탄 주【一州】〔Rajasthan〕 명 〖지〗 인도 서북부의 주(州). 원래 18 토후주(土侯州)였으나, 1949년에 합병되었음. 전의 라지푸타나(Rajputana) 지방. 북서반(北西半)은 타르 사막(Thar沙漠), 남서반은 데칸 고원(Deccan高原)으로, 여름은 덥고 건조한 지방임. 특히 건축 용재의 산출로 유명하며, 소금·양모 등을 산출함. 주도는 자이푸르(Jaipur). [342,214 km^2 : 34,103,000 명(1981 추계)]

라-장조【一長調】[이 la][一쪼] 명 〖악〗 '라'음이 으뜸음 '도'가 되는 장조. 조표(調標)로서 '#'가 두 개 붙어 있음.

라제스〔Rhazes〕 명 〖사람〗 이란의 의학자(醫學者). 아라비아 이름은 알 라지(Al Razi). 의학·철학·천문학·화학 등 다방면에 걸쳐 연구함. 의학의 백과 사전인 《관련(關聯)의 서(書)》, 연금술(鍊金術)에 관한 《비전(祕傳)의 서》 등은 중세(中世) 유럽에 커다란 영향을 끼쳤음. [865-925]

라-조【一調】[이 la][一쪼] 명 〖악〗 '라'음(音)을 주음(主音)으로 하여 구성된 음조.

라주모프스키 사:중주곡【一四重奏曲】〔Rasumovsky〕 명 〖악〗 베토벤 작곡의 세 편의 현악 사중주곡. 1806년에 작곡하여 당시 빈(Wien)의 러시아 대사이던 라주모프스키에게 바쳤음.

라즈노친치〔러 raznochintsy〕 명 〔잡계급인(雜階級人)의 뜻〕 러시아 농노(農奴)의 해체기에 나타난 인텔리층(層).

-라지 어미 ①↗-라 하지. ¶ 할 테면 하~/마시고 싶다면 마시~. ＊-으라지. ②'이다'·'아니다'의 어간에 붙어, 캐어 물음을 나타내는 종결 어미. ¶ 네가 범인이~/고래는 어류가 아니~.

라:지 볼:〔large ball〕 명 골프공의 하나. 아메리칸 사이즈라 불리며, 지름 1.68인치. 스몰 볼에 비하여 0.06인치 큼.

라:지코트〔Rajkot〕 명 〖지〗 인도 서부, 카티아와르 반도(Kathiawar 半島) 중부에 있는 도시. 철도의 요지이며 공업 단지(工業團地)가 있음. [444,000 명(1981 추계)]

라지푸타나〔Rajputana〕 명 〖지〗 라지푸트족(Rājpūt族)이 사는 인도 서북부의 지방. 지금의 라자스탄(Rajasthan)에 해당함.

라지푸트-족【一族】〔Rājpūt〕 명 그리스 사람과 이란 사람 등의 혼혈(混血)로 된 아리아족. 인더스 강(Indus江) 남쪽 지방 일대에 사는데, 힌두교(敎)를 믿음. 5세기 중기에 중앙 아시아에서 인도 북서부에 침입한 후 인도화(化)하여 왕조를 세우기도 하였음. 반(反)이슬람교로 일관하고 문예에도 뛰어난 점이 있음. '라지푸트 회화'가 유명함.

라지푸트 회:화【一繪畫】〔Rājpūt〕 명 〖미술〗 16세기부터 19세기 중엽에 걸쳐 주로 북서 인도의 펀자브(Punjab)나 라자스탄(Rajasthan) 왕후(王侯)의 보호 하에 융성하던 미니어처(miniature).

라:진〔Razin, Stepan Timofeevich〕 명 〖사람〗 러시아의 초기 농민 운동의 지도자. 돈 코사크(Don Cossack)의 빈농 출신. 1670-71년 볼가(Volga) 연안 지방에서 반란을 일으켰으나 실패하여 처형되었음. 의인(義人) 스텐카 라진(Stenka Razin)의 이름으로 시가(詩歌) 등에 의하여 널리 알려짐. [?-1671]

라:진의 난:【一亂】〔Razin〕[一/一에一] 명 〖역〗 17세기 러시아에서 돈 코사크의 수령인 라진이 주로 농민을 모아 일으킨 대반란. 1671년에 라진의 처형으로 진압되었음.

라첼〔Ratzel, Friedrich〕 명 〖사람〗 독일의 지리학자. 뮌헨 공업 전문학교 및 라이프치히 대학 교수를 역임함. 다윈니즘의 영향을 받아 인류와 자연의 관계를 체계화하여 환경론(環境論)으로 정리, 인문 지리학의 기초를 만듦. 저서에 《인문 지리학》 2권·《정치 지리학》 등이 있음. [1844-1904]

라카〔포 lacca〕 명 래커(lacquer).

라카유〔Lacaille, Nicolas Louis de〕 명 〖사람〗 프랑스의 천문학자. 1750-54년 남아프리카의 희망봉에서 자오선의 길이, 달의 시차(視差)를 측정하였고, 또 별자리 14개를 설정하고 남천(南天)의 항성표(恒星表)를 만들어 간행함. [1713-62]

라캉〔Racan, Honoré de Bueil〕 명 〖사람〗 프랑스의 시인. 앙리 4세를 섬겼음. 뒤에 고향에 있으면서 애수와 진지한 자연 정감이 담긴 전원극시(劇詩)를 씀. [1589-1670]

라케다이몬〔Lakedaimon〕 명 ①〖역〗 고대 그리스의 도시 국가. 펠로폰네소스의 동남쪽에 있어 삼각형의 비옥한 분지(盆地)와 그 주위를 둘러싼 산백 지대로 이루어졌음. 라코니아(Laconia). ②〖신〗 그리스 신화 중의 라코니아왕(Laconia王). 제우스(Zeus)의 아들로, 그 수도(首都)를 처(妻)의 이름인 스파르타라 이름지었음. 이로써 스파르타의 고명(古名)으로도 불림.

라켓〔racket〕 명 테니스·배드민턴·탁구 등에서, 공을 치는 기구. 테니스·배드민턴에서는 자루가 달린 타원형의 틀에 현(弦)을 그물 모양으로 결었고, 탁구에서는 자루가 달린 원형 또는 직사각형 판에 스펀지나 고무를 발랐음.

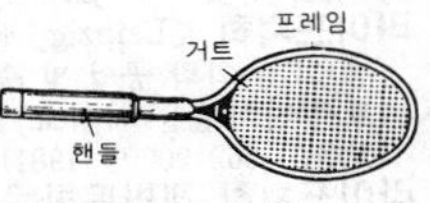

〈라켓(테니스)〉

라켓 볼:〔racquetball〕 명 1949년 미국에서 고안된 스포츠. 폭 6 m, 길이 12 m, 높이 6 m의 직육면체의 실내 코트에서 테니스 라켓보다 짧은 라켓으로 벽을 향하여 고무 공을 친 뒤 튀어나오는 공을 번갈아가며 쳐내는 경기. 2명 또는 4명이 함.

라켓 오:버〔racket over〕 명 테니스에서, 공을 칠 때 라켓이 네트 또는 네트 포스트를 넘어갔을 때를 이름.

라코니아〔Laconia〕 명 〖역〗 라케다이몬❶.

라-코루냐〔La Coruña〕 명 〖지〗 스페인의 북서단에 있는 라코루냐 주(州)의 주도. 코루냐 만(Coruña灣)에 임한, 중남미·북서 유럽 항로의 기항지(寄港地)이며, 또 어업의 중심지임. 통조림·담배·조선(造船) 등의 공업이 성함. 중세에는 이슬람 지배하에서 번영하였고, 1588년 스페인 무적 함대의 출항지였음. [232,000 명(1985)]

라코르데르〔Lacordaire, Jean Baptiste Henri〕 명 〖사람〗 프랑스의 성직자·신학자. 가톨릭의 교의(敎義)와 근대 사상과의 융합(融合)에 힘썼으며, 명설교(名說敎)로 알려졌음. 주저(主著)로는 《성서(聖書)》·《노트르담 드 파리의 설교》 등이 있음. [1802-61]

라 코사 노스트라〔이 La Cosa Nostra〕 명 미국의 '마피아(Mafia)'의 정식 명칭.

라코시〔Rákosi Mátyás〕 명 〖사람〗 헝가리의 정치가. 제1차 대전 중 러시아의 포로가 되어 공산주의의 영향을 받고 귀국한 후, 헝가리 공산당 창당에 참가함. 1944년 당(黨)서기장을 역임하고 1952년 수상이 되었으나 1956년 헝가리 동란으로 실각, 소련으로 망명함. [1892-1963?]

라 콩다민〔La Condamine, Charles Marie de〕 명 〖사람〗 프랑스의 수학자·탐험가. 1735년에 적도 부근의 경도 1°의 길이를 측정하기 위해 페루로 간 탐험대를 지휘, 지구의 정확한 형태를 정하는 데 공헌하였음. 귀국하는 길에 아마존 강(江) 유역을 처음으로 학술 탐험한 일도 유명함. [1701-74]

라크〔Lacq〕 명 〖지〗 프랑스 남서부 피레네(Pyrénées) 산맥의 북쪽 포(Pau) 부근에 있는 프랑스 최대의 천연 가스 산지(産地). 채취된 가스는 프랑스 각지에 파이프 라인으로 공급되며, 가스를 이용한 화력 발전소·알루미늄 공장과 석유 화학 콤비나트가 있음.

라크로스 〔lacrosse〕 명 ①캐나다의 국기(國技)이며, 영국·미국에 보급되어 있는, 하키 비슷한 구기(球技). 끝에 그물을 친 크로스라는 막대로 고무 공을 상대방 골에 던져 넣음. 남자는 10명, 여자는 12명으로 팀을 이룸. ②〖군〗 미국의 지대지(地對地) 전술 미사일의 하나.

라크르텔 〔Lacretelle, Jacques de〕 명 〖사람〗 프랑스의 소설가. 심리 소설의 전통에 서서 인간 내면 생활을 정확·간결히 그린 ≪질베르만(Silbermann)≫과 대작 ≪높은 다리≫ 등을 발표하여 1930년에 아카데미 소설 대상을 받음. [1888-1967]

라클로 〔Laclos, Pierre Ambroise François Choderlos de〕 명 〖사람〗 프랑스의 군인·소설가. 상류 사회의 부패를 제재(題材)로 하여 근대적 심리 분석 소설 ≪위험한 관계≫를 썼음. [1741-1803]

라키 화:산 【一火山】〔Laki〕 명 〖지〗 아이슬란드 남부에 있는 현무암질의 용암 대지(熔岩臺地). 1873년에 크게 분화, 12 km^3의 용암을 분출하여 565 km^2의 지역을 덮음으로써 전체 인구의 20%에 이르는 사망자를 내었음. [약 650 m]

라:킨 〔Larkin, Philip〕 명 〖사람〗 영국의 시인. 1950년대의 무브먼트파(Movement派)의 대표적 시인. 정확한 이미지와 단정한 시형(詩型)으로 이름을 떨쳤으며, '무관(無冠)의 계관(桂冠) 시인'이라 불림. 시집 ≪북쪽의 배≫ 등과 소설이 있음. [1922-85]

라타크 제도 【一諸島】〔Ratak〕 명 〖지〗 서태평양, 마셜 제도 공화국의 동쪽에 있는 열도(列島). 밀리(Mili)·마주로(Majuro)·말로엘랍(Maloelap) 등 열 여섯 개의 환초(環礁)로 되었음. 마주로 섬은 마셜 제도의 행정 중심지임. 한때 미국의 신탁 통치령이었음.

라타키아 〔Latakia〕 명 〖지〗 시리아 서부, 지중해 연안의 항구 도시. 지중해(地中海)에 면한 시리아 최대의 무역항으로 담배의 수출로 유명함. 알파벳의 점토판(粘土板)이 출토된 우가리트(Ugarit)는 북부에 있음. [249,000 명(1988)]

라테 〔도 Ratte〕 명 흰쥐를 의학 실험용으로서 일컫는 말.

라테나우 〔Rathenau, Walther〕 명 〖사람〗 독일의 실업가·정치가. 제1차 세계 대전 중에는 전시 경제의 조직화를 꾀하고 전후(戰後)에 부흥상(復興相)으로서 이상주의적인 계획 경제로써 독일의 복구에 진력함. 1922년 외상이 되어 소련과 라팔로 조약을 체결하였으나 반혁명파에게 암살당함. [1867-1922]

라테라이트 〔laterite〕 명 〖광〗 열대권(熱帶圈)의 사바나(Savanna) 기후 지역을 중심으로 분포된 적색·다공질(多孔質)의 토양. 철·알루미늄을 많이 함유하였으며 생산력은 비교적 낮음. 홍토(紅土).

라테란 공의회 【一公議會】〔Lateran〕〔一/一이一〕 명 〖역〗 로마의 라테란 대성당에서 열린 공의회. 네 차례의 공의회가 열렸는데 1215년에 이노센트 3세(Innocent Ⅲ)가 소집한 제4회 라테란 공의회는 동서 교회의 대표와 서구 여러 나라의 군주 등이 출석하여 교리의 대강(大綱)을 정하고 이단파의 배척, 프란체스코회(會)와 도미니크회(會)의 창립을 공인하는 등 교황권의 절정을 이룩함.

라테란 조약 【一條約】〔Lateran〕 명 〖역〗 1929년 2월 로마 라테란 궁전에서 교황 비오 11세와 이탈리아 수상 무솔리니 사이에 조인된 조약. 국제적 의의를 지닌 정치적 조약으로 콩코르다(concordat)의 종교 협약 및 부속 재정 협정으로 되어 있음.

라테르네 〔도 Laterne〕 명 '랜턴(lantern)'의 독일어명.

라텍스 〔latex〕 명 〖화〗 고무나무의 수피(樹皮)에 흠집을 내었을 때 흐르는 유백색의 유탁액(乳濁液). 30-50%의 고무를 함유한 콜로이드로서, 포름산(酸)을 가하여 생고무를 만들고 위생 기구·풍선·고무 장갑의 제조와 종이의 함침(含浸)·코팅(coating)에 이용됨.

라 텐 문화 【一文化】〔La Tène〕 명 〔스위스의 뇌샤텔(Neuchâtel) 호반(湖畔)의 유적(遺蹟) 이름에서 유래〕 할슈타트(Hallstatt) 문화에 뒤이어 기원전 500년경부터 기원 전후에 걸쳐 있었던 유럽 철기(鐵器) 시대 후반기의 문화. 켈트인 최성기(最盛期)의 기마(騎馬) 민족 문화로서 유럽의 대부분에 분포되었었음. 무기·농기구 등과 금·은·청동·철의 금속 세공이 뛰어났음.

라토 〔Rateau, Camille Edmond Auguste〕 명 〖사람〗 프랑스의 기계 기술자. 광산 기술자를 거쳐 광산 전문 학교 교수 역임. 광산용 송풍기와 증기 터빈을 연구. 1896년 압력 복식 충동 터빈을 완성함. [1863-1930]

라 토스카 〔프 La Tosca〕 명 ①〖연〗 프랑스의 사르두(Sardou)가 쓴 5막(幕)으로 된 비극. 1887년에 초연(初演)되었음. 가희(歌姬) 토스카와 화가(畫家)와의 사랑을 그렸음. ②〖악〗 이탈리아의 작곡가 푸치니(Puccini)가 사르두의 극에서 취재(取材)하여 작곡한 3막으로 된 가극. 1900년 로마에서 초연됨.

라 투:르[1] 〔La Tour, Georges de〕 명 〖사람〗 프랑스의 화가. 명쾌한 형태 파악과 예리한 명암 대비(明暗對比)로 독특한 정감(情感)과 정적(靜寂)이 감도는 풍속화·종교화 특히, 야경(夜景)을 잘 그림. 확실한 작품은 적음. 대표작은 ≪그리스도 강생(降生)≫·≪목수 성(聖)요셉≫ 등임. [1593-1652]

라 투:르[2] 〔La Tour, Maurice Quentin de〕 명 〖사람〗 프랑스의 화가. 파스텔(pastel)로 초상화를 제작하였으며 섬세한 심리 묘사로 명성을 얻음. 1746년 아카데미 회원, 1750년 왕실(王室) 화가가 됨. 대표작 ≪자화상≫·≪퐁파두르 부인상≫. [1704-88]

라 트라비아타 〔이 La Traviata〕 명 〖악〗 뒤마가 1848년에 지은 장편 연애 소설 '춘희(椿姬)'를, 1853년 베르디가 작곡한 오페라.

라트브루흐 〔Radbruch, Gustav〕 명 〖사람〗 독일의 법학자. 신(新)칸트학파에 속하여, 법의 이념은 정의(正義)이며, 그 정의에 대하여, 세계관(世界觀)의 차이에서 서로 다른 해답이 나올 수 있다는 상대주의적 이론을 전개함. 바이말 공화국의 사법상(司法相)을 지내고, 독일 신법전(新法典)의 입법에 관여함. [1878-1949]

라트비아 〔Latvia〕 명 〖지〗 러시아 연방의 북서쪽 끝 발트 삼국 중앙에 자리잡고 있는 작은 공화국. 호수가 많은 저지로서, 국토의 4분의 1이 산림 지대인데, 주요 산물은 목재·버터·아마(亞麻) 등이며, 양돈업이 발달하고, 수도를 중심으로 제지·섬유 공업도 성함. 주민은 라트비아인으로, 16세기 이후 러시아·폴란드·덴마크 등의 영토였다가 1919년 공화국으로 독립하였으나, 1940년 제2차 세계 대전초에 소련이 점령하여 그 연방 공화국의 하나로 병합되었다가 1991년 다시 독립하였음. 수도는 리가(Riga). 정식 명칭은 '라트비아 공화국(Republic of Ratvia)'. [63,700 km^2 : 2,690,000 명(1991 추계)]

라트비아-어 【一語】〔Latvia〕 명 〖언〗 인도 유럽 어족의 발트 어파(語派)에 속하는 라트비아 공화국의 공용어. 16세기에 가톨릭 교회의 교리 문답서를 번역한 것이 최고(最古)의 문헌으로 남음. 같은 파(派)의 리투아니아어(語)에 비해 변천이 많음.

라트비아-인 【一人】〔Latvia〕 명 라트비아 지방에 살며 라트비아 공화국을 구성하고 있는 동발트해인(東Balt海人)의 하나. 9세기경부터 민족 형성이 시작되어 15-16세기에 완성됨. 농업·목축을 기본 산업으로 삼고 공업·운수 교통업에 종사하며 독자적인 풍속·습관을 가짐.

라티 〔Lahti〕 명 〖지〗 핀란드 남부의 신흥 공업 도시. 철도의 요지로 제재(製材)·목재 가공업이 성함. 그곳에 있는 동계 경기장은 세계적으로 유명함. [95,000 명(1981)]

라티오 〔라 ratio〕 명 〔사고하여 계량한다는 뜻〕 ①추리. 추리력. ②이성. 근거. 학설. ③비(比). 율(率).

라티움 〔Latium〕 명 ①〖역〗 이탈리아의 중부, 티베르 강(Tiber江)가의 동남부에 있었던 옛 왕국. 기원전 1000년경에 남하한 라틴인이 정주하여 고대 로마의 발상지(發祥地)가 되었음. 5세기경부터는 로마에 압도되어 그 문화도 로마에 흡수되었는데, 라틴말의 본원지(本源地)임.

라티푼디움 〔라 latifundium〕 명 〖역〗 노예를 두고 경영하는 고대 로마의 대토지 소유제(大土地所有制). 로마의 지중해 세계 정복에 따라, 기원전 2세기경부터 로마 및 그 속주(屬州)에서 발달하였으나, 3세기경부터 콜로누스제(colonus制)로 이행(移行)함.

라틴 〔Latin〕 ㊀ 명 ↗라틴어(Latin語). ㊁ 관 라틴어나 라틴 민족 계통의. 취음: 나전(羅甸)·납전(拉典)·납정(拉丁).

라틴 동맹 【一同盟】〔Latin〕 명 〖역〗 1865년에 프랑스·벨기에·이탈리아·스위스 및 그 후에 참가한 그리스까지 합하여 다섯 나라가 화폐 제도에 관하여 맺은 동맹. 가맹국은 금은(金銀) 양본위제(兩本位制)를 채택하되 금 1에 은 15.5로 비례 가치를 정하여, 이 제도를 1880년까지 계속하기로 약속하였음. 그러나 시대의 추세(趨勢)에 따라 이 여러 나라가 나중에는 모두 금본위국(金本位國)이 되었음.

라틴 리듬 〔Latin rhythm〕 명 〖악〗 남미·중미 등의 음악 리듬의 총칭. 탱고·룸바·맘보·삼바·바이앙((baião) 등으로 세별(細別)할 수 있음. *아프로큐반 리듬(Afro-Cuban rhythm).

라틴-말 〔Latin〕 명 〖언〗 라틴어(Latin語).

라틴-명 【一名】〔Latin〕 명 라틴어의 문법에 따라 명명(命名)된 동식물의 이름. 학명(學名)을 이름.

라틴 문자 【一文字】〔Latin〕〔一짜〕 명 〖인〗 로마자(Roma字).

라틴 문학 【一文學】〔Latin〕 명 〖문〗 고대 로마 제국 및 중세 이후의 라틴어로 된 문학. 기원 전후 약 700년간에 걸쳐서 그리스 문학을 섭취하고 거기에 스스로의 특색을 가미(加味)한 문학으로 근대 유럽 문학의 기초를 이루고 있음.

라틴 민족 【一民族】〔Latin〕 명 아리안 인종(Aryan人種) 중 남부 유럽에 분포한 민족. 오랫 동안 로마의 문화에 젖어 라틴어에서 변천된 언어를 사용하며, 종교는 주로 구교(舊敎)를 믿는 점에서 슬라브·튜튼의 양민족과 구별됨. 이탈리아·스페인·포르투갈·프랑스 등 여러 나라의 주민이 이에 속함.

라틴 방진 【一方陣】〔Latin〕 명 〖수〗 n 개의 서로 다른 기호를 써서, n 행(行) n 열(列)의 정사각으로 늘어놓을 때, 각 행, 각 열에 딱 한 번씩만 나타나도록 한 방진(方陣).

라틴 십자 【一十字】〔Latin〕 명 십자형(十字形)의 하나. 세로의 아랫 부분이 긺. 그리스도교의 십자가(十字架)나 교회당 건축의 평면도(平面圖)에 이러한 모양이 많음.

라틴 아메리카 〔Latin America〕 명 〖지〗 북아메리카 남부로부터 서인도 제도를 포함한 남아메리카에 걸친 지방의 총칭. 원래 스페인·포르투갈 양국의 식민지였던 곳으로, 스페인어·포르투갈어·프랑스어 등 라틴어 계통의 언어를 사용하며, 현재 약 30개의 독립 공화국이 있음. 미국의 세력권(勢力圈) 안에 있으나 문화적으로는 프랑스가 지배하고 있음. 그 중에서 멕시코·아르헨티나·브라질·칠레가 강대(强大)함. 중남미(中南美). [20,566,000 km^2:342,000,000 명(1977 추계)]

라틴 아메리카 경제 위원회 【一經濟委員會】 명 〔Economic Commission for Latin America; E.C.L.A.〕 국제 연합 경제 사회 이사회의 지역 경제 위원회의 하나. 중남미 여러 나라의 경제 개발·경제 통합을 원조함을 목적으로 하며, 1948년 2월에 설치됨. 가맹국은 중남미 24개국에 미국·캐나다·영국·프랑스·네덜란드를 합한 29개국이고, 영국령 온두라스와 서인도 연합 국가는 준가맹국. 본부는 칠레의 산티아고.

라틴 아메리카 자유 무:역 연합 【一自由貿易聯合】 명 〔Latin American Free Trade Association; L.A.F.T.A.〕 〖경〗 중남미 여러 나라에 의해서 1961년 6월에 발족한 지역적 경제 통합 조직. 1980년까지 역내(域內)관세를 점차 철폐하고 역내 무역 확대와 공업 부문의 상호 보완을 목적으로 함. 가맹국은 아르헨티나·브라질·칠레·파라과이·페루·우루과이·멕시코·콜롬비아·에콰도르·볼리비아·베네수엘라의 11개국. 본부는 몬테비데오. 1981년 '라틴 아메리카 통합 연합'으로 개편됨.

라틴 아메리칸 뮤:직 〔Latin American music〕 [명] 〖악〗 라틴 음악.

라틴-어 【一語】 〔Latin〕 [명] 〖언〗 그리스어와 더불어 유럽 문화와 가장 관계가 깊은 언어로, 인도 유럽 어족(語族) 이탤릭 어파(語派)의 한 가지. 원래 라티움 지방의 언어였는데, 기원전 75년경부터 로마 제국의 흥륭(興隆)과 더불어 고전 라틴어가 형성되고, 175년경부터는 후기(後期) 라틴어가 형성되어 본국은 물론 널리 유럽 각국과 아프리카 서부 일대의 공용어(公用語)·문학어(文學語)로 사용되었음. 4세기 이후로는 로마 제국의 쇠미(衰微)와 더불어 민간 용어로서 속(俗)라틴어가 발달하여 로망스어(Romance語)의 본원(本源)이 되고, 그 후에 이탈리아·프랑스·스페인·포르투갈의 각 말로 분파되었음. 현대에 있어서는 고전 라틴어가 천주교의 공용어 및 학술 용어로서 사용되고 있음. 나전어. 라틴말. [준]라틴.

라틴 음악 【一音樂】 〔Latin〕 [명] 〖악〗 중남미·서인도 제도의 음악의 총칭. 탱고·룸바·맘보·삼바·보사 노바(bossa nova)·칼립소(calypso) 등. 중남미 음악. 라틴 아메리칸 뮤직.

라틴-인 【一人】 〔Latin〕 [명] 〖역〗 이탈리아인에 속하며, 테베레 강 연안의 라티움 평원에 거주한 인종. 팔라티노 언덕을 중심으로 한 로마인도 그 종족에 속함. 처음 라틴인은 로마와 동맹을 맺었지만 차차 정복당하였으며, 뒤에 로마 시민권을 획득함.

라틴 제:국 【一帝國】 〔Latin〕 [명] 〖역〗 제4차 십자군(十字軍)의 결과로 구(舊)동로마 제국의 영내(領內)에 건설된 나라. 1204년 베네치아 함대(Venezia 艦隊)가 콘스탄티노플을 공락(攻落)하여 건국, 십자군의 기사(騎士)에게 봉토(封土)를 나누어 주고, 현지인을 지배하였음. 플랑드르 백(Flandre 伯) 보두앵(Baudouin) 3세가 초대 황제가 되었으나, 불가리아인(人)·알바니아인의 저항과 동(東)로마의 반항으로 6대 58년으로 멸망하였음.

라파르그 〔Lafargue, Paul〕 [명] 〖사람〗 프랑스의 사회주의자. 마르크스(Marx)의 사위. 프랑스 노동당 창당 멤버. 프랑스에 마르크스주의를 도입하였음. 아내와 함께 염세(厭世) 자살하였음. [1842-1911]

라파스 〔La Paz〕 [명] 〖지〗 볼리비아 공화국의 사실상의 수도. 정치·경제·문화의 중심지로 국회 의사당·대통령 관저·대학 등이 있음. 해발 3,600 m의 고원에 있으며, 견직물(絹織物)·메리야스 등의 공업이 행하여짐. [1,050,000 명(1990)]

라파엘 〔Raphael〕 [명] ①〖종〗 후기 유태교에서, 삼대 천사의 하나. 히브리어로 '신(神)은 병을 고친다'는 뜻이 있는데, 여행자와 병자(病者)의 보호자라고 함. ②'라파엘로'의 영어 이름.

라파엘로 〔Raffaello, Sanzio di Urbino〕 [명] 〖사람〗 이탈리아 르네상스기의 화가·건축가. 1504년 피렌체(Firenze)에서 다 빈치(da Vinci)·미켈란젤로(Michelangello) 등을 연구하고 그 영향을 받았음. 그 후 교황의 청으로 바티칸궁(Vatican宮)의 벽화 등 많은 작품을 제작하였는데, 특히 초상화 등에 우미(優美)·전아(典雅)한 수완을 발휘하여 미술사에 독자적인 자리를 차지하였으며, 조화된 공간 표현·인체(人體) 표현 등으로 르네상스 고전 양식을 확립함. 대표작은 ≪시스틴(Sistine)의 성모(聖母)≫·≪아테네의 학원≫ 등. 영어명은 라파엘. [1483-1520]

라파엘 전파 【一前派】 〔Raphael〕 [명] 〖미술〗 19세기 중엽 영국에 일어난 예술 운동. 특히 미술 운동을 가리킴. 라파엘로 이전의 편밀하고 사실적인 수법을 다시 일으키고, 진실과 자연의 영감(靈感)을 중시(重視)하였음. 헌트(Hunt, H.W., 1827-1910)·로세티(Rossetti) 등은 그 대표자임.

라파예트 〔Lafayette, Marie Joseph Paul Yves Roch Gilbert du Motier〕 [명] 〖사람〗 프랑스의 군인·정치가. 후작(侯爵). 전형적인 자유주의자로 미국 독립 전쟁에 참가하였음. 프랑스 혁명 당시 ≪인권 선언≫을 기초하고, 국민군 사령관으로서 활약하였으나, 인권 정치를 위한 활동으로 이후 투옥 및 망명을 거듭하였음. 프랑스 삼색기(三色旗)의 창안자임. [1757-1834]

라 파예트 부인 【一夫人】 〔La Fayette〕 [명] 〖사람〗 프랑스의 여류 작가. 심리 소설의 비조(鼻祖)로, 이성(理性)과 양식(良識), 심리의 성찰(省察)에 의한 고전주의 소설 작품을 창립하였음. 대표작 ≪클레브(Clèves) 공작 부인≫은 프랑스 연애 소설의 고전으로 불리움. [1634-93]

라팔로 조약 【一條約】 〔Rapallo〕 [명] 〖역〗 ①1920년 이탈리아의 라팔로에서 이탈리아와 유고슬라비아 사이에 체결된 조약. 양국간의 분쟁지인 피우메(Fiume)의 일부를 유고령(領)으로, 나머지는 독립 자유국으로 정함. ②1922년 이탈리아의 라팔로에서, 베르사유 체제에서 소외된 소련과 독일 사이에 체결된 조약. 외교 관계 부활·상호 최혜국 대우(最惠國待遇) 등을 협정함. 이로써 소련 정부가 자본주의 국가로부터 처음으로 승인을 받음.

라펠 〔lapel〕 [명] 양재(洋裁)에서, 접은 옷깃.

라포:르 〔프 rapport〕 [명] 〖심〗 심리학 용어. 친밀도(親密度)를 이름. 정신 분석 치료를 할 때, 의사와 환자 사이의 신뢰 관계(信賴關係)의 기본이 됨.

라포르그 〔Laforgue, Jules〕 [명] 〖사람〗 우루과이 태생의 프랑스시인. 염세감(厭世感)에 젖어 불교 사상에도 접함. 데카당파(派)의 대표적 시인으로 자유시(自由詩) 창시자의 한 사람임. 시집(詩集) ≪애가(哀歌)≫·≪달님 흉내≫와 산문(散文) ≪전설 우화집(傳說寓話集)≫ 등이 있음. [1860-87]

라폴레트 〔La Follette, Robert Marion〕 [명] 〖사람〗 ☞ 러폴릿.

라퐁텐[1] 〔Lafontaine, Henri〕 [명] 〖사람〗 벨기에의 정치가·법률가. 국제 사법 재판소 설립을 추진하였고, 국제 연맹 대표를 지냄. 1913년 노벨 평화상을 수상함. [1854-1943]

라 퐁텐[2] 〔La Fontaine, Jean de〕 [명] 〖사람〗 프랑스 고전주의의 시인. 음악적·회화적(繪畫的)인 시구(詩句)를 구사하여 자연스럽고 우아한 시를 썼음. 철저한 리얼리스트로서 일생 귀부인들의 비호(庇護)를 받아 시작(詩作)으로 생활하였는데, 대표작은 ≪우화 시집(寓話詩集)≫ 등. [1621-95]

라프라드 〔Laprade, Pierre〕 [명] 〖사람〗 프랑스의 화가. 거친 터치(touch)와 독특한 백록색(白綠色)으로 프랑스의 시골 풍경을 잘 그렸음. 앵티미스트(intimiste)의 한 사람. [1875-1931]

라프-족 【一族】 〔lapp〕 [명] 스칸디나비아 반도 라플란드 지방을 중심으로 러시아 연방·핀란드·노르웨이·스웨덴에 분포하는 약 3만 6천 명의 몽골계 인종. 키가 작고 얼굴이 짧은 것이 특징임. 정주(定住)하여 어렵(漁獵) 생활을 하는 해안(海岸) 라프, 순록(馴鹿)을 치면서 이동 생활을 하는 산지(山地) 라프, 두 가지를 겸하는 초지(草地) 라프로 분류됨. 라플란드인(Lapland人).

라플라스 〔Laplace, Pierre Simon Marquis de〕 [명] 〖사람〗 프랑스의 수학자·천문학자. 라그랑주(Lagrange)와 더불어 학계의 쌍벽을 이루고 18세기 후반의 천체 역학(天體力學)의 황금 시기를 열었음. 만유 인력의 이론과 이의 태양계에의 응용, 우주 창조에도 논급(論及)하고 ≪천체 역학≫을 발표하여 유명한 성운설(星雲說)을 주장하였음. 이 밖에 해석 수학과 열(熱) 현상의 연구에도 많은 공적을 남겼음. [1749-1827]

라플라스 변:환 【一變換】 [명] 〔Laplace transformation〕 〖수〗 함수 $f(t)$가 주어졌을 때, 라플라스 적분 $F(s)=\int_{\infty}^{0} f(t)e^{-st}dt\,(s>0)$을 $f(t)$의 라플라스 변환이라고 함.

라-플라타 〔La Plata〕 [명] 〖지〗 남아메리카, 아르헨티나의 항구 도시. 농축산물 산지인 팜파스(pampas)가 뒤에 있으며, 아르헨티나 제3의 항구로서 밀·육류를 수출하며 산업이 성함. 1882년에 창설된 정치 문화 도시로 대학·박물관 등이 있음. [457,000 명(1980)]

라플라타 강 【一江】 〔La Plata〕 [명] 〖지〗 남아메리카, 아르헨티나와 우루과이 사이를 흐르는 큰 강. 파라나 강(Parana江)과 우루과이 강(Uruguay江)이 합류하는 지점에서 강어귀까지를 이르며, 강어귀 북안(北岸)에 몬테비데오와, 남서안(南西岸)에 부에노스아이레스가 있음. [300 km]

라플란드 〔Lapland〕 [명] 〖지〗 스칸디나비아 반도의 기부(基部) 지방. 핀란드·스웨덴·노르웨이·러시아 연방의 네 나라에 걸침. 북극권 내에 드는데 호수가 많고 대부분이 산지·툰드라·습지·산림 등으로 구성되었으며 광업·어업 및 순록(馴鹿)의 사양(飼養)이 주요 산업임. 주민은 라프족(Lapp族)임. [400,000 km²]

라플란드-인 【一人】 〔Lapland〕 [명] 라프족(Lapp族).

라플레시아 〔rafflesia〕 [명] 〖식〗 [*Rafflesia arnoldi*] 포도과(科) 나무의 뿌리에 기생하는 기생(寄生)식물. 잎·줄기가 없고 양배추 모양인데, 수개월 성장한 후에 직경(直徑) 1 m 가량 되는, 세계에서 제일 큰 오판화(五瓣花)가 3-7일 동안 핌. 꽃잎은 육질(肉質)인데 표면에 반문(斑紋)이 있고 내부는 단지 모양이며, 고기 썩는 악취(惡臭)가 나서 곤충이 많이 모여들므로 충매화(蟲媒花)의 한 예(例)로 꼽힘. 수마트라·레이야·필리핀 등지의 산림 속에 10여 종이 분포함.

〈라플레시아〉

라피다멘테 〔이 rapidamente〕 [명] 〖악〗 '빠르게'의 뜻.

라피아-야자 【一椰子】 [명] 〖식〗 [*Raphia ruffia*] 야자과에 속하는 상록 교목. 마다가스카르 특산의 야자로 높이 8-10 m. 잎은 길이 약 1.5 m인데 각 소엽(小葉)은 넓은 선형(線形)이며 길이는 1 m 내외이고 우상(羽狀) 복엽임. 잎에서 섬유를 뽑아 끈 따위를 만들며, 모자·구둣솔로도 쓰임.

라헬 〔Rachel〕 [명] 〖성〗 야곱의 아내. 이스라엘 열 두 지파(支派) 중의 두 지파를 이루는 요셉과 베냐민의 어머니.

라호:르 〔Lahore〕 [명] 〖지〗 파키스탄의 북동부, 펀자브 지방의 중심 도시. 파키스탄 최대의 문화·학술 도시. 인도로 가는 교통의 요지(要地)이며 상업의 중심지이기도 함. 모스크·고성(古城) 등 무굴 제국 시대의 건축물과 박물관·대학·원자력 연구소 등이 있음. [2,953,000 명(1981)]

라훌라 〔범 Rāhula〕 [명] 〖사람〗 '나후라(羅睺羅)'의 본이름.

라훌라타 〔범 Rāhulata〕 [명] 〖사람〗 '나후라다(羅睺羅多)'의 본이름.

라흐마니노프 〔Rakhmaninov, Sergei Vassil'evich〕 [명] 〖사람〗 러시아의 작곡가·피아니스트. 소년 시절부터 연주·작곡 활동을 함. 러시아·런던 등지에서 피아노의 명수로 활약함. 이외에 후기 낭만파적 경향과 고전적 수법을 절충한 작품으로 피아노 협주곡·오페라·교향곡·랩소디 등을 작곡하였고, 1919년 이래 미국에 거주하여 많은 활동을 하였음. 대표작 ≪피아노 협주곡 제 2 번≫. [1873-1943]

라흐만 〔Lachmann, Karl Konrad Friedrich Wilhelm〕 [명] 〖사람〗 독일의 고전학자. 고전 연구에서의 원전(原典) 연구로 유명함. ≪일리아드(Iliad)≫·≪니벨룽겐(Nibelungen)의 노래≫ 등을 연구함. [1793-1851]

-락 [어미] 뜻이 상대되는 두 동사나 형용사의 받침 없는 어간에 붙어서 각각 그 두 동작이나 상태가 번갈아 되풀이됨을 나타내는 연결 어미. ¶ 비가 오~ 가~ 한다/얼굴빛이 푸르~ 누르~ 한다/눈은 오~말락/나그네는 들~날~. *-으락.

락사토르 〔Laxator〕 [명] 〖약〗 완하제(緩下劑)의 상품명. 백색 결정성(結晶性) 분말로 대장(大腸) 운동에 작용하며 부작용이 적음.

락슈미 〔범 Lakṣmi〕 [명] 〖종〗 고대 인도 신화에서, 미(美) 또는 행운의 여신. 비슈누(Vishnu)의 아내. 수련 꽃을 손에 들고 있음. 길상천(吉祥天).

락스네스 〔Laxness, Halldór Kiljan〕 [명] 〖사람〗 아이슬란드의 작가. 마르크스와 니체의 영향을 받아, 피압박자에의 공감과 풍자의 묘사에 뛰어났음. 1955년 노벨 문학상 수상. 작품으로 ≪살카 발카(Salka Valka)≫·≪독립민(獨立民)≫ 등이 있음. [1902-]

락시 명 〈옛〉 낚시. ¶ 고기 락신가 놀라고(魚驚釣)《百聯解 13》.

락타아제 〔lactase〕 명 〖화〗 젖당을 가수 분해(加水分解)하여 갈락토오스(galactose)와 포도당을 만드는 효소(酵素). 어른이 우유를 마신 후 설사할 경우는 우유 속의 젖당을 분해하는 락타아제가 부족하기 때문임. 젖당 분해 효소.

락타아제 결핍증 【一缺乏症】 명 〔lactase deficiency〕 〖의〗 우유를 마시면 설사를 하는 증세. 우유 속의 젖당을 분해하여 포도당과 갈락토오스(galactose)로 만드는 락타아제가 결핍하여 생기는 증세. 젖당 분해 효소(分解酵素) 결핍증.

락탐 〔lactam〕 명 〖화〗 환상 구조(環狀構造)를 가지며, 환(環)의 일부에 -CONH-라는 원자단(原子團)을 가지는 유기 화합물의 총칭. 아미노산의 아미노기(基)와 카르복시기(carboxyl 基)가 분자 안에서 탈수(脫水)하여 결합한 모양의 화합물이라고도 할 수 있음.

락토글로불린 〔lactoglobulin〕 명 〖화〗 포유 동물의 젖 속에 함유되어 있는 글로불린의 총칭. α-락토글로불린과 β-락토글로불린이 있음. β-락토글로불린은 우유 속의 단백질에서 카세인을 뺀 유장(乳漿) 단백질의 55%를 차지하는 주성분임.

락토겐 〔lactogen〕 명 우유를 농축하여 가루로 만든 것. 생우유 대신 인공 영양으로 사용함. 건조 분말 우유(乾燥粉末牛乳). 가루 우유.

락토오스 〔lactose〕 명 〖화〗 포유 동물(哺乳動物)의 젖 속에 존재하는 이당류(二糖類). 무색의 결정으로 단맛이 약간 나며, 어린 아이의 영양제로 쓰임. 가수 분해하면 갈락토오스(galactose)와 글루코오스(glucose)가 됨. α형과 β형이 있음. 젖당(糖). 락토오제. [$C_{12}H_{22}O_{11}$]

락토오제 〔도 Laktose〕 명 〖화〗 '락토오스'의 독일어 이름.

락토플라빈 〔lactoflavin〕 명 〖화〗 '비타민 B_2'를 영국·프랑스·독일 등에서 부르는 이름. ＊리보플라빈(riboflavin).

락톤 〔lactone〕 명 〖화〗 옥시산의 한 분자의 히드록시기와 유기산기(有機酸基)가 축합(縮合)하여 한 분자의 물을 방출해서 생겨난 것 같은 구조를 가지는 화합물의 총칭.

락트-산 【一酸】 명 〔lactic acid〕 〖화〗 젖산.

란¹ 조 ↗라는. ¶ '흥진 비래(興盡悲來)'~ 격언. ＊이란⁴.

란² 조 〈옛〉 ㄹ랑. =ㄹ란. ¶ 四書란 다 晦庵註넌 이룰 ㅎ자(四書都是晦庵集註)《老乞 下 63》.

-란¹ 【卵】 미 어떤 명사 밑에 붙어서 알·난자(卵子)의 뜻을 나타내는 말. ¶ 무정(無精)~.

-란² 【亂】 미 어떤 명사 밑에 붙어서 난리·병란(兵亂) 등의 뜻을 나타내는 말. ¶ 임진(壬辰)~.

-란³ 【欄】 미 신문·잡지의 편집상의 한 구분. 또, 일정한 지면. ¶ 독자 투고~. ＊-난(欄).

-란³ 어미 ↗-라고 한·-라고 하는·-라고 하는 것은·-라는. ¶ 우리 집 개~ 놈은 먹으면 자기만 한다/아니~ 말이냐/그를 없애~ 사람이 누구냐/개~ 사납게 길러야 한다. ＊-으란.

-란다 어미 ①↗-라고 한다. ¶ 그의 말로는 화가~/곧 오~/빨리 가~. ＊-으란다. ②'이다'·'아니다'의 어간에 붙어, '-란 말이다'의 뜻으로, 친근하게 서술하는, 특별한 종결 어미. ¶ 성경 말씀은 곧 진리~/사실은 그게 아니~. ＊-단다.

란다우¹ 〔Landau, Edmund〕 명 〖사람〗 독일의 수학자. 1909년 괴팅겐 대학(Göttingen大學) 교수. 해석적 정수론(解析的整數論)·함수론의 발전에 이바지하고 소수 분포론(素數分布論)·피카르의 정리(定理) 연구 등으로 유명함. 나치스로부터 공직 추방을 당함. [1877-1938]

란다우² 〔Landau, Lev Davidovich〕 명 〖사람〗 소련의 물리학자. 자기구역(磁氣區域)·반강자성(反強磁性)·상전이(相轉移)·초전도(超傳導) 및 액체 헬륨의 초유동(超流動)·제2 음파(音波) 등 극저온(極低溫) 현상을 연구함. 1962년 노벨 물리학상 수상. [1908-68]

〈란도셀〉

란도셀 〔일 らんどせる, 네 ransel〕 명 주로 국민학교 학생들이 사용하는 어깨에 메는 네모난 가방. 흔히, 가죽이나 즈크로 만들며 멜빵이 두 개 달려 있음.

란도프스카 〔Landowska, Wanda〕 명 〖사람〗 폴란드 출생의 미국 여류 하프시코드(harpsichord) 연주가. 바로크 시대의 하프시코드곡(曲)을 연구·연주하고, 하프시코드의 부흥에 이바지함. 1940년 미국에 귀화함. 저서로 《현대 음악사》 등이 있음. [1877-1969]

-란디 어미 〈옛〉 -건대·-건댄. ¶ 여히므론 질삼뵈 ㅂ리시고 괴시란디 우러곰 좃니 노이다《樂詞 西京別曲》.

란세타 〔스 lancetta〕 명 〖의〗 '랜싯(lancet)'의 스페인어 이름.

란수이 〔藍水〕 명 〖지〗 중국 산시 성(陝西省)의 남동부 란톈(藍田) 근처를 흐르는 강. 남수(藍水).

란저우 〔蘭州〕 명 〖지〗 중국 간쑤 성(甘肅省)의 수도. 황하(黃河)를 남쪽으로 끼고 있고, 간쑤 분지(甘肅盆地)의 중심이며, 내륙 교통의 요지임. 양털·담배·보리·축산물이 집산되며, 방직물·초·기계 등을 산출함. 근래에는 석유 정제(石油精製)를 기초로 한 화학 공업 도시로 발전하고 있음. 난주.

란제리 〔프 lingerie〕 명 여성의 양장용 속옷.

란제리 룩 〔lingerie look〕 명 속옷인 란제리에 방불한 의상(衣裳). 레이스가 달린 얇은 천의 블라우스·캐미솔(camisole) 드레스·슬립(slip) 드레스 따위.

란창 강 【一江】 〔瀾滄〕 명 〖지〗 중국 남서부의 강. 칭하이(青海)의 탕구라(唐古喇) 산맥의 북쪽 사면에서 발원하여 창두(昌都)를 거쳐 닝징(寧靜) 산맥과 누산(怒山) 산맥 사이를 깊은 계곡을 지으면서 남남동으로 흘러 윈난 성(雲南省)으로 들어감. 윈난 성 내에서도 약 400 km 사이는 깊은 계곡으로 지류도 거의 없으나 바오산(保山) 동쪽에 이르러 윈난 고원으로 들어가 거기서부터 여러 지류가 합쳐져 라오스로 들어가 메콩 강으로 불림. 난창강. [1,612 km]

란체라 〔ranchera〕 명 〖악〗 아르헨티나의 민요. 또, 그에 맞춰 추는 춤. 4분의 3이나, 8분의 6 박자로 템포가 좀 빠름.

란:치 〔launch〕 명 ☞론치.

란타나 〔lantana〕 명 〖식〗 [*Lantana involucrata*] 마편초과에 속하는 낙엽 관목. 높이 30-100 cm 가량인데 가시가 있으며, 잎은 달걀꼴임. 꽃은 작은 합판화(合瓣花)가 처음에는 황색 또는 담홍색이고 나중에는 등색 또는 심홍색(深紅色)으로 변하며 일년 내내 개화(開花)함. 열대 아메리카 원산인데 관상용으로 재배함.

〈란타나〉

란타늄 〔라 lanthanium〕 명 〖화〗 란탄.

란타니드 〔lanthanide〕 명 〖화〗 란탄족 원소의 전 이름.

란탄 명 〔lanthanum, 도 Lanthan〕 〖화〗 희토류(稀土類) 원소의 하나. 잿빛의 칙칙한 금속인데, 보기에 주석과 비슷하고 단단하며 공기 중에서 산화(酸化)하기 쉬움. 란타늄. [57번 : La : 138.91]

란탄족 원소 【一族元素】 〔도 Lanthan〕 명 〖화〗 원자 번호 57인 란탄으로부터 71인 루테튬까지의 15개의 희토류 원소(稀土類元素)의 총칭. 란탄 계열. ＊희토류 원소.

란톈 〔藍田〕 명 〖지〗 중국 산시 성(陝西省) 시안(西安) 시의 남동쪽, 리산(驪山) 산의 남쪽에 있는 산 이름. 아름다운 옥(玉)을 산출함. 남전.

란트-법 【一法】 〔도 Land〕 [一뻡] 명 〖법〗 독일 법제사상(法制史上) 프랑크 시대의 속인적 부족법(屬人的部族法)이 중세에 들어와서 속지적(屬地的)인 지방법으로 변화한 법. 독일 전국에 통용되는 제국법(帝國法)에 대하여는 지방법인 동시에 도시법이지만, 봉건법·장원법(莊園法) 등의 특별법에 대해서는 일반법·보통법적 성질을 가짐.

란트슈타이너 〔Landsteiner, Karl〕 명 〖사람〗 오스트리아 출신의 미국의 병리학자. 혈액형학(血液型學)을 창시, 1910년 ABO식 혈액형을, 뒤에 Rh인자(因子)를 발견하였고, 바서만 반응(Wassermann 反應)의 증명 등의 업적이 있음. 1930년 노벨 생리 의학상을 받음. [1868-1943]

랄 명 〈옛〉 날. ¶ 랄마다 모로미 冠帶ㅎ야(日必冠帶)《飜小 Ⅸ:21》.

-랄 어미 ↗라고 할. ¶ 너더러 가~ 수는 없지/한 달도 못 되어서 그만두~ 수야 있나. ＊-달·-으랄.

랄랑드 〔Lalande, Joseph Jérôme Le Français de〕 명 〖사람〗 프랑스의 천문학자. 1795년 파리 천문대장. 1751년 베를린에서 달의 시차(視差)를 관측. 1801년 4만 7천 개의 항성(恒星)을 기재(記載)한 성표(星表)를 간행함. [1732-1807]

랄렌탄도 〔이 rallentando〕 명 〖악〗 '점점 느리게'의 뜻.

랄로 〔Lalo, Edouard Victor Antoine〕 명 〖사람〗 프랑스의 작곡가. 스페인적 정열이 넘치는 《스페인 교향곡》으로 유명하며, 교묘한 관현악법을 구사하여 인상파에 큰 영향을 주었음. [1823-92]

랄리크 제도 【一諸島】 〔Ralik〕 명 〖지〗 서태평양 마셜 제도(Marshall 諸島) 공화국의 서편쪽의 열도(列島). 18개의 환초(環礁)가 1,200 km에 걸쳐 산재(散在)하며, 수폭(水爆) 시험지였던 비키니 섬 등이 있음. 한때 미국의 신탁 통치령(信託統治領)이었음.

랄지 〔一찌〕 조 〈방〉 라든가(전라). ¶ 배~ 사과~.

랄호여 부 천천히. =날호야·날호여. ¶ 섀르며 랄호여 호매 유예 볼거시니(疾徐足以見之矣)《飜小 Ⅷ:14》.

-람 어미 ①받침 없는 동사 및 '이다'·'아니다'의 어간에 붙어 '-란 말인가'의 뜻을 나타내는 종결 어미. ¶ 그게 무슨 아내의 도리~/그래도 내가 이긴 것이 아니~/그래도 내일 가 보~. ② ↗-라면. ¶ 스승이~ 좀더 신중히 해야지/가~ 가겠다. ＊-으람·-담.

람네 〔Lamennais, Félicité Robert de〕 명 〖사람〗 프랑스의 종교 철학가. 처음 가톨릭 성직자였으나 사회·정치 개혁의 사상을 품고 7월 혁명 때 로마 교회와 단절, 독자적인 기독교적 사회주의 입장에서 활약함. 2월 혁명 이후 국민 의회 의원. 주저에 《한 신자(信者)의 말》·《종교 무관심론》 등이 있음. [1782-1854]

람다 〔그 Λ,λ〕 명 〔lambda〕 그리스 자모의 11번째.

람다 입자 【Λ粒子】 명 〖물〗 중입자(重粒子)의 하나. 중성(中性). 스핀 1/2, 질량은 양성자(陽性子)의 약 1.2배, 전자(電子)의 2,183배로 1115.6 메가볼트(MeV). 평균 수명 2.6×10^{-10}초로 양성자와 π 중간자 등으로 붕괴함.

람다 파지 〔lambda phage〕 명 〖유전학〗 대장균을 숙주(宿主)로 하는 바이러스로, 숙주에 감염하여 행동을 함께 하는 박테리오파지의 하나. 대장균의 유전자(遺傳子)를 수용(受容)하여 다른 조직으로 전송(傳送)하는 능력이 있음. 모양이 그리스 문자의 람다(Λ)와 비슷하게 생겼음.

람 모한 로이 〔Rām Mohan Roy〕 명 〖사람〗 인도의 종교 개혁자. 범천(梵天)에의 절대 귀의(歸依)를 주장하고 우상 숭배를 배척하였으며, 학교 설립 등 교육 활동과 과부 분사(寡婦焚死) 등의 인습 타파, 여성 해방 운동에 힘씀. 도영(渡英)하여 인도의 독립을 주장하다가 브리스톨(Bristol)에서 객사함. [1774-1833]

람바다 〔lambada〕 명 〔브라질 말로 '관능(官能)의 춤'의 뜻〕 브라질 북서부 지방에서 생겨나, 살사(salsa)·레게(reggae) 등의 라틴 음악이 바탕이 되고 카리브 해나 아프리카 음악이 혼합된 댄스 음악. 섹시한 춤이 특징임.

람베르트 〔Lambert, Johann Heinrich〕 명 〖사람〗 독일의 철학자·천문학자·물리학자·수학자. 16세 때 혜성의 궤도 결정에 대한 '람베르트 정리(定理)'를 발견하고 은하(銀河)의 설명, 광도계·온도계의 발명, 비(非)유클리드 기하학의 형성, 지도 투영법 등을 창안했음. [1728-77]

람베르트 도법【一圖法】〔Lambert〕[一뻡] 명 〖지〗 지도 투영법(投影法)의 한 가지. 람베르트가 창안한 것으로, 지구를 싸는 원통에 지심(地心)에서 경선(經線)을, 그리고 무한대의 거리에서 위선(緯線)을 투영(投影)하는 방법. 세계의 한 지방이나 국가의 한 지방을 표시할 경우에 이용함.

〈람베르트 도법〉

람베르트의 법칙【一法則】[一/一에一] 명 〔Lambert's law〕〖물〗 빛의 흡수에 있어서, 입사광(入射光)의 강도(強度)와 투과광의 강도의 비(比)의 로그는 물질층(物質層)의 두께에 비례한다는 법칙.

람보〔Rambo〕 명 1985 년에 발표(發表)된 실베스터 스탤론(Sylvester Stallone) 주연의 영화 《람보, 분노의 탈출》의 주인공의 이름. 상상을 초월하는 강력한 힘과 최신 무기로 수많은 적을 몰살시키고 위기(危機)를 탈출하는 내용으로, 실추된 미국인의 자존심(自尊心)을 살려준 영웅으로 상징됨.

람사르 조약【一條約】 명 〔Ramsar Convention〕 물새의 서식지로서 국제적으로 중요한 습지 및 그곳의 동식물의 보전을 촉진하기 위한 국제 조약. 1971 년 12 월에 이란의 람사르에서 채택됨. 국제 습지 조약(國際濕地條約).

람세스 이:세【一二世】〔Ramses II〕 명 〖사람〗 이집트 제19 왕조의 왕. 아마르나(Amarna) 혁명으로 쇠미(衰微)한 이집트를 재건, 세계 제국(世界帝國)으로 만듦. 테베(Thebes)의 라메세움, 누비아(Nubia)의 아부심벨(Abu-Simbel) 신전(神殿) 등을 조영(造營)함. 라메스(Rames) 이세. [재위 1290-24 B.C.]

람포링쿠스〔rhamphorhynchus〕 명 〖동〗 파충류 익룡류(翼龍類)에 속하는 쥐라기(Jura紀)의 화석(化石) 동물. 취구룡(嘴口龍).

람프레히트〔Lamprecht, Karl〕 명 〖사람〗 독일의 역사가. 처음에는 중세 경제사를 연구, 뒤에 경제·사회·문화의 총체를 통일적·법칙적(法則的)으로 파악하는 것으로서의 역사를 주장, 객관적 사실의 기술(記述)을 주장하는 랑케 사학파(Ranke 史學派)와 문화사 논쟁을 일으킴. 저서에 《독일사》·《근대 역사학》 등이 있음. [1856-1915]

랍 명 〈옛〉 납. 연(鉛). ¶ 今俗呼錫鑞 랍《四聲 下 79》.

-랍니까 어미 ↗-라고 합니까. ¶ 자기가 임자~/언제 또 오~/제 탓이 아니~. *-으랍니까·-더랍니까.

-랍니다 어미 ①↗-라고 합니다. ¶ 그이가 회사의 책임자~/책을 사~. *-으랍니다·-더랍니다. ②'이다'·'아니다'의 어간에 붙어, 어떤 사실을 친근하게 따져서 설명하는 종결 어미. ¶ 어제 찾아간 게 바로 저~/우습게 볼 게 아니~.

-랍디까 어미 ↗-라고 합디까. ¶ 박사(博士)~/본인이 아니~/언제 나오~. *-으랍디까·-더랍디까.

-랍디다 어미 ↗-라고 합디다. ¶ 대단한 겁쟁이~/자기가 아니~/먼저 자~/그게 호랑이~. *-으랍디다·-더랍디다.

랍비〔헤 rabbi〕 명 〖성〗〔헤브라이어로 '나의 위대하신 분' 또는 '우리 주(主)'라는 뜻〕 유태교에서 율법사(律法師)에게 심령상(心靈上)의 선생이란 뜻으로 쓰는 존칭. 신약에서는 '스승'이라 하였음. 랍오니.

-랍시고 어미 '이다'·'아니다'의 어간에 붙어서, 스스로 그러함을 자처(自處)하는 꼴을 빈정거리는 연결 어미. ¶ 무슨 인기 가수~ 우쭐거리더니/제딴에는 보통내기가 아니~ 정신을 바짝 차렸건만 결국 당했다. *-ㄴ답시고·-답시고.

랍오니〔ㄱ rabboni〕 명 〖성〗 랍비(rabbi).

랍콘〔rapcon〕 명 〔radar approach control의 약칭〕〖항공〗 항공 교통량이 많은 공항에 설비하는 레이더 유도 관제(誘導管制) 장치. 30 m 이상의 높은 탑(塔) 위에 크고 작은 두 개의 레이더 안테나를 장치하여 지상(地上)의 레이더 스크린을 보고 공중 교통(空中交通)을 정리하게 되어 있음.

랍테프 해【一海】〔Laptev〕 명 〖지〗 북극해의 일부. 시베리아 북쪽의 타이미르(Timyr) 반도와 노보시비르스크 제도(Novosibirsk 諸島) 사이의 해역(海域). 최대 수심(最大水深) 3,347 m. 거의 일 년 내내 동결(凍結)함. [약 650,000 km²]

랐다 타 〈옛〉 낚다. ¶ 랏갈 됴(釣)《石千 39》.

랑[1]〔Lang, Fritz〕 명 〖사람〗 오스트리아 출생의 미국 영화 감독. 현대 스릴러 영화의 기초를 확립한 거장(巨匠). 1920년대에 《사멸(死滅)의 골짜기》·《마부제 박사(Mabuse 博士)》 등 스릴러 명작을 발표하여 독일의 대영화 감독으로 유명해졌으나, 나치스에게 쫓겨 1934년에 도미(渡美), 《격노(激怒)》·《암흑가(暗黑街)의 탄흔(彈痕)》·《공포의 정부(政府)》 등 문제작을 발표했음. [1890-1976]

랑[2] 조 받침 없는 체언에 붙어 두 개 이상의 사물을 동등 자격으로 열거할 때 쓰이는 접속 조사. ¶ 사과~ 배~ 많이 먹어라. *이랑[2].

-랑【郞】 미 〖역〗 벼슬의 품계(品階)에 붙이는 칭호. 중국 명(明)나라 및 청(淸)나라 때에 육품(六品) 이하의 문관에 붙이고, 조선 시대 때에는 문관(文官) 오품(五品) 이하와 잡직(雜職) 및 토관직(土官職)의 동반(東班)에 붙임. ¶ 통덕(通德)~/장사(將仕)~. *대부(大夫).

랑가주〔프 langage〕 명 〖언〗 스위스의 언어학자 소쉬르(Saussure)의 용어. 사람들의 '말하기'와 '듣기'의 활동의 총체(總體)를 말하며, 언어 활동(言語活動)이라고 풀이됨. *파롤(parole)·랑그(langue).

랑게[1]〔Lange, Christian Louis〕 명 〖사람〗 노르웨이의 정치가. 헤이그 국제 평화 회의 대표·국제 의회 연맹 서기장·국제 연맹 대표 등을 역임함. 1921년 노벨 평화상 수상. [1869-1938]

랑게[2]〔Lange, Friedrich Albert〕 명 〖사람〗 독일의 철학자. 신칸트 학파(新Kant學派)의 선구자. 주저 《유물론(唯物論)의 역사와 이의 현대에 있어서의 의의(意義) 비판》으로 유물론을 비판하고 신칸트주의로 이를 극복하고자 함. 그 밖에 《노동자 문제》·《논리학 연구》 등의 저작이 있음. [1828-75]

랑게[3]〔Lange, Oskar〕 명 〖사람〗 폴란드의 경제학자. 시카고 대학과 바르샤바 대학 교수, 국가 경제 회의 의장 등을 역임. 사회주의하에서의 균형 가격(均衡價格)의 성립 문제를 비롯하여 마르크스 경제학과 근대 경제학의 대비 구명(對比究明)에 업적을 남김. 주저(主著)에 《사회주의 경제 이론》·《가격 신축성과 고용(雇用)》 등이 있음. [1904-65]

랑게르한스 섬〔Langerhans〕 명 〖생〗 동물체에서 인슐린(insulin)을 분비하는 세포군(細胞群). 고등 척추(脊椎) 동물에서는 췌장(膵臟) 조직 안에 섬 모양으로 산재해 있으며, 하나의 섬의 직경은 100-200 μ 인 것이 제일 많음. 어류(魚類)에서는 독립 기관으로서 존재함.

랑게서〔Langgässer, Elisabeth〕 명 〖사람〗 독일의 여류 시인·소설가. 결혼 후에 가톨릭으로 개종(改宗). 기독교적 전통에 뿌리박은 서유럽인의 실존적인 문제를 고구(考究)함. 시 《쾰른의 비가(悲歌)》와 세례(洗禮)의 은총(恩寵)을 이야기한 장편 《지울 수 없는 인호(印號)》 등을 씀. [1899-1950]

랑고바르드 왕국【一王國】〔Langobard〕 명 동(東)게르만족의 한 파인 랑고바르드족(族)이 북(北)이탈리아의 롬바르디아(Lombardia) 지방에 세운 왕국(568-774). 수도는 파비아(Pavia). 판도(版圖)는 전성기에 중부 이탈리아에서 남부 이탈리아까지 미쳤음. 8 세기 교황을 구원한 프랑크 왕국과 싸워 패하고 병합됨. 랑고바르드는 롬바르드라고도 하여 롬바르디아의 지명(地名)이 여기서 유래함. 롬바르드 왕국.

랑고바르드-족【一族】〔Langobard〕 명 〖역〗 고대 게르만 민족의 한 파. 568 년 북부 이탈리아에서 건국하였는데, 774 년 프랑크의 샤를마뉴 대제(Charlemagne大帝)에게 멸망하였음. 롬바르디아족(族).

랑군:〔Rangoon〕 명 〖지〗 '양곤'의 구칭.

랑그〔프 langue〕 명 〖언〗 스위스의 언어학자 소쉬르(Saussure)의 용어. 어떤 집단의 사람들의 '말하고 듣는' 전달(傳達) 행동과 그 때 생기는 음성(音聲)에 함유되는 사회 관습적 요소를 일컬음. 각 개인의 뇌리(腦裏)에 축적(蓄積)되며, 이를 사용하여 전달 행동이 행하여짐. *랑가주·파롤.

랑그도크〔Languedoc〕 명 〖지〗 프랑스 남부 지방. 본디 랑그도크어(語)를 사용하던 지역 전체를 이름. 어업·방적업·목축업·농업 등이 성하며, 특히 레이스 수공업(lace 手工業)·포도 재배와 양주업(釀酒業)은 유명함. 1681년에 가론(Garonne)과 토(Thau) 사이에 랑그도크 운하(運河)가 개통됨.

랑글레스〔Langlès, Louis Mathieu〕 명 〖사람〗 프랑스의 동양학자. 아라비아어·만주어 등을 연구하고 파리에 동양어 학교를 창립, 스스로 교수 겸 교장이 됨. [1763-1824]

-랑께 어미 〈방〉-라니까(전라). ¶ 빨리 하~.

랑데-부〔프 rendez-vous〕 명 ①밀회(密會). ②둘 이상의 우주선이 도킹 비행을 하기 위하여 우주 공간에서 만나는 일. ③군대·선박이 집결하는 장소나 지점. ——-하다 자 여불

랑데부 비행【一飛行】〔프 rendez-vous〕 명 두 개의 인공 위성 중 하나를 운전하여 접근, 동일 궤도에 들어가서 함께 비행하는 일. 처음 성공한 것은 1965년의 미국의 제미니 6호와 7호로 30 cm 까지 접근함.

랑드리 마비증【一痲痺症】〔Landry〕[一쯩] 명 〖의〗 건강하던 사람이 갑자기 발열한 뒤, 열이 내리면서 마비기에 들어가는 병. 우선 하지(下肢)에 운동 장애가 일어나고 곧 위로 올라가서 전신 마비에 이르며, 호흡 마비로 죽는 일이 많음. 20-35 세의 청장년에 많고, 원인은 바이러스 또는 자기 면역 질환(自己免疫疾患)이라고 함.

랑바레네〔Lambaréné〕 명 〖지〗 가봉의 서부, 오고우에 강(Ogowe 江)에 면(面)한 소도시. 1913년 슈바이처 박사가 건설한 병원의 소재지로서 널리 알려짐. 공항(空港)이 있음. [18,000 명(1984 추계)]

랑부예 메리노〔Rambouillet Merino〕 명 〖동〗 면양(緬羊)의 한 품종. 프랑스 원산의 모용종(毛用種)임. 암컷은 뿔이 없고 수컷은 선회(旋回)한 뿔이 있음. 몸무게는 암컷은 70-80 kg, 수컷은 90-120 kg. 모량(毛量)은 암컷이 4.5-9.0 kg, 수컷이 6.0-11 kg. 털의 품질이 좋음.

랑부예 후작 부인【一侯爵夫人】〔Rambouillet〕 명 〖사람〗 프랑스의 살롱(salon) 창시자. 1608년 자택을 개방하여 많은 정치가·군인·성직자들을 초대하고 이름 있는 예술가들과도 사귀어, 이후 문예 운동에 크게 기여하였음. [1588-1665]

랑산〔langshan〕 명 〖조〗 닭의 한 종류. 외형은 코친(cochin)과 비슷하나 몸이 무겁고 큼. 가슴에 고기가 많으며 맛이 좋으므로 육용(肉用)으로 애용됨. 산란(産卵) 능력은 중(中) 정도임.

랑송〔Lanson, Gustave〕 명 〖사람〗 프랑스의 문학사가·비평가. 소르본 대학 교수. 자료의 엄밀한 검토, 작가의 환경·시대, 역사와의 관련성 추구를 특색으로 하는 실증적 문학사 연구 방법을 확립함. 주저(主著)에 《프랑스 문학사》·《볼테르》·《근대 프랑스 문학사 서지 제요(書誌提要)》 등이 있음. [1857-1934]

랑잠〔도 Langsam〕 명 〖악〗 느리게 연주하는 속도.

랑주뱅〔Langevin, Paul〕 명 〖사람〗 프랑스의 이론 물리학자. 물질의 자성(磁性)을 연구하여 '퀴리의 법칙'을 입증하고, 그 밖에 브라운 운동과 X 선에 의한 전리(電離) 현상, 반자성(反磁性)·상자성(常磁性)을 연구, 아인슈타인의 특수 상대성 원리의 지지 보급에 힘씀. [1872-1946]

랑케〔Ranke〕 명 〖사람〗 ①〔Leopold von R.〕 독일의 역사가. 수사(修史)의 실지 경험에서 이야기나 전설보다 자료·문헌에 의한 객관적·과학적 기술(記述)을 창도하여 근대 실증적 역사학을 수립하였음. 저서로는 《근세사(近世史)의 제시기(諸時期)》·《강국론(強國論)》·《세

계사≫ 등이 있음. [1795-1886] ②〔Johannes R.〕 독일의 인류학자(人類學者). ❶의 조카. 뮌헨 대학 인류학 교수. 두개(頭蓋) 연구의 대가(大家). 남(南)독일인의 두개 형상에 관한 연구 따위가 있으며, 독일에 있어서의 인류학 학립에 기여함. [1836-1916]

랑한스〔Langhans, Karl Gotthard〕 명 〖사람〗 독일의 건축가. 독일 고전주의 건축의 최고봉으로, 대표작 ≪브란덴부르크(Brandenburg)의 문(門)≫과 그 밖의 걸작을 남김. [1732-1808]

랑한스 거:세포【一巨細胞】〔Langhans〕 명 〖의〗 결핵 결절(結核結節) 중에 볼 수 있는 특이한 다핵(多核) 거세포. 그 모양과 크기는 일정하지 않으나 대체로 원형 또는 타원형이며, 흔히 주위에 가느다란 돌기(突起)가 나와 있음. 때로 결핵균을 탐식(貪食)함.

-래【來】 미 그 때부터 지금에 이르기까지. ¶ 10 년～의 가뭄.

-래 어미 ↗-라고 해. ¶ 그이가 바로 김박사～/ 다음에 오～. ＊-으래.

래그타임〔ragtime〕 명 〖악〗 미국 미주리 주(州)의 흑인 피아노 주자(奏者)들이 시작하여 1890-1910년경에 유행한 음악 형태. 멜로디의 리듬이 싱코페이션(syncopation)이 많은 것이 특징. 재즈의 원형(原型)이라 볼 수 있음.

래글런〔raglan〕 명 양복의 소매형(型)의 하나. 소매 둘레의 선(線)이 목둘레에서 겨드랑이로 비스듬하게 되어 있음. 고안자인 19세기 영국의 장군 래글런(Raglan)의 이름에서 유래. 래글런 슬리브.

〈래글런〉

래글런 슬리:브〔raglan sleeve〕 명 래글런.

래더트론〔laddertron〕 명 〖물〗 하전 입자(荷電粒子) 가속 장치의 하나. 금속판과 플라스틱의 절연체를 사다리꼴로 늘어놓은 구조로, 전류 벨트가 이루어져 있음.

-래도 어미 ↗-라 하여도. ¶ 누가 뭐～ 가야겠다 / 그것이 아니～ 좋다.

래드〔rad〕 의명 〖물〗 방사선의 흡수선량(線量)을 나타내는 단위. 방사선의 종류에 상관 없이, 쬐이는 물체 1 g 당 100 erg의 에너지를 받을 경우를 1 래드라 함. 기호는 rd. ＊렘(rem).

래드클리프〔Radcliffe, Ann〕 명 〖사람〗 영국의 여류 작가. 대표작 ≪유돌포(Udolpho)의 괴기(怪奇)≫ 외에 ≪시칠리아 이야기≫·≪숲의 로맨스≫·≪이탈리아인(人)≫을 써서 공포 소설을 유행하게 함. [1764-1823]

래드클리프-브라운〔Radcliffe-Brown, Alfred Reginald〕 명 〖사람〗 영국의 문화 인류학자. 서(西)오스트레일리아·아프리카·미국의 원주민을 조사, 문화를 사회 구조와의 관계에서 분석하였음. 주저(主著) ≪오스트레일리아 원주민의 사회 조직≫. [1881-1955]

래디시〔radish〕 명 무.

래디얼 타이어〔radial tire〕 명 타이어의 몸통 부분을 구성하는 나일론·레이온의 층이 원둘레 방향에 직각으로 배열되어 있는 타이어.

래디컬〔radical〕 명 ①근본적. 급진적(急進的). ②라디칼. ——-하다 형여불

래디컬리스트〔radicalist〕 명 급진파(急進派). 급진주의자. 과격론자(過激論者).

래디컬리즘〔radicalism〕 명 급진주의(急進主義). 과격론(過激論).

래버러토리〔laboratory〕 명 ①실험실. 연구실. ②약품이나 화학 제품 등의 제조소. ③제작소(製作所).

래버린스〔labyrinth〕 명 〖신〗 '라비린토스(labyrinthos)'의 영어명.

래브라도〔Labrador〕 명 〖지〗 캐나다 동부, 래브라도 반도 북동부의 뉴펀들랜드(Newfoundland) 주에 속하는 지역. 표고 300～1,000 m의 파상의 대지(臺地)로 로렌시아 대지의 일부를 이루고, 그 표면은 나암(裸岩)과 습지와 호소(湖沼)로 되어 있음. 광물(鑛物) 자원이 풍부하나 래브라도 한류(寒流)의 영향으로 기후가 한랭하여 9월부터 6월까지 눈에 덮이기 때문에 개발이 늦음. 주민은 주로 에스키모와 알곤킨(Algonkin)임. [292,202 km² : 31,000 명(1981)]

래브라도 반:도【一半島】〔Labrador〕 명 〖지〗 캐나다 동부, 허드슨 만(Hudson 灣)과 대서양 사이에 돌출한 삼각상(三角狀)의 반도. 캐나다 순상지(楯狀地)의 한 부분. 중앙부는 래브라도 고원을 이루고 퀘벡 주와 뉴펀들랜드 주에 분속(分屬)됨. 툰드라(tundra) 기후로서 상주 인구는 적고 경제적 활동이 부진함. [1,370,000 km²]

래브라도 해:류【一海流】〔Labrador〕 명 〖지〗 북(北)대서양 서부를 흐르는 한류(寒流). 북아메리카 동부 해안을 따라 남류(南流)하여 뉴펀들랜드에서 멕시코 만류(灣流)와 합침. 어장(漁場)으로 유명함.

래빗〔rabbit〕 명 토끼.

래빗 볼:〔rabbit ball〕 명 야구에서, 반발력을 강하게 하여 멀리 날 수 있도록 만들어진 공.

래빗 안테나〔rabbit antenna〕 명 〖물〗 텔레비전 수신용 실내 안테나의 하나. 다이폴(dipole) 안테나를 토끼의 귀처럼 두 개 세워, 길이와 벌린 폭의 각도를 조정할 수 있도록 되어 있음.

래빗 펀치〔rabbit punch〕 명 권투에서, 상대편이 앞으로 굽혔을 때 뒷덜미나 머리 아랫편을 치는 일. 반칙(反則)임.

-래서 어미 ↗-라고 하여서. ¶ 내 아우～ 두둔하는 것이 아니다 / 읽어 보～ 실력을 테스트하자. ＊-으래서·-대서.

-래서야 어미 ↗-라고 하여서야. ¶ 무자격자～ 채용할 수가 없지 않나 / 두 달도 못 돼서 그만두～ 되겠소. ＊-으래서야·-대서야.

래셔널〔rational〕 명 이성적. 합리적. ——-하다 형여불

래셔널리제이션〔rationalization〕 명 ①합리화(合理化). ②산업(產業) 합리화.

래셔널리즘〔rationalism〕 명 이성론(理性論). 이성주의(理性主義). 합리주의(合理主義).

래스【RAS】 명 〖컴퓨터〗 컴퓨터 시스템의 성능을 평가할 때 기준 사항이 되는 신뢰성(reliability)·가용성(availability)·편리성(serviceability)의 머리 글자로 구성한 약어.

래스키〔Laski, Harold Joseph〕 명 〖사람〗 영국의 정치학자·문명 비평가. 런던 대학 교수로 오래 있었으며, 노동당 집행 위원회 의장으로서 실제 정치에도 참여함. 마르크스주의의 영향도 받았으나 사회주의와 개인주의의 조화(調和)를 추구하고 프롤레타리아 독재를 비판함. 주저에 ≪정치학 강요≫·≪근대 국가의 자유≫ 등이 있음. [1893-1950]

래스터〔raster〕 명 〖물〗 브라운관의 형광면(螢光面) 위에 나타나는 주사선(走査線)에 의한 가로줄 무늬. 전파를 수신하지 아니하고 수상기의 전원(電源)을 켰을 때 나타남.

래시-선【LASH船】 명〔lighters aboard ship의 약칭〕 수운 화물(水運貨物)의 대양(大洋) 수송에 쓰이는 배. 짐을 가득 실은 채로의 상자 모양의 많은 거룻배를, 강력한 기중기로써 선미(船尾)로부터 배안으로 끌어 넣고, 배가 목적하는 항구에 도착하면 그 거룻배들을 차례로 선외(船外)로 내보내게 되어 있음. 계선 안벽(繫船岸壁)을 이용하지 않고도 신속한 하역(荷役)이 가능하고, 내수로(內水路) 수송과 대양(大洋) 수송을 능률적으로 접속할 수 있는 이점(利點)이 있음.

-래야 어미 ①↗-라고 하여야. ¶ 열녀(烈女)～ 옳은 평가가 되겠다 / 그에게 곧 가～ 되겠다. ＊-으래야·-대야. ②'이다'·'아니다'의 어간에 붙어, 대수롭지 않게 여기어 접어 주는 뜻을 나타내는 연결 어미. ¶ 집이～ 겨우 10 평 남짓밖에 안 된다.

래야-만 조 〈방〉 라야만.

-래야-만 어미 〈방〉 -라야만.

-래요 어미 ↗-라 하여요. ¶ 그이는 부자～/ 지금 곧 떠나～. ＊-으래요.

래칫〔ratchet〕 명 〖기〗 움직이고 있는 작은 갈고리에 의해서 간헐적인 회전 운동을 하는 동시에 반대로 돌지 못하게 되어 있는 톱니바퀴.

래칫 기어〔ratchet gear〕 명 래칫.

래칫 휠〔ratchet wheel〕 명 래칫.

래카다이브 제도【一諸島】〔Laccadive〕 명 〖지〗 인도의 케랄라 주(Kerala 州) 서쪽 아라비아 해상에 있는 제도. 코코야자의 산지(產地). 주민의 대부분은 맬라바르(Malabar) 지방에서 이주한 이슬람교도임. 인도 중앙 정부의 직할지. [28.5 km² : 31,798 명(1971)]

래커〔lacquer〕 명 도료의 하나. 니트로셀룰로오스 따위 유도체를 용제(溶劑)로 하고 수지나 가소제(可塑劑)·안료(顔料) 따위를 가하여 만듦. 건조(乾燥)가 빠르고 오래감. 라카(lacca).

래크〔rack〕 명 ①선반. 격자(格子)로 된 선반. 또, 다른 말에 붙어 '대(臺)'·'걸이'의 뜻으로 씀. '스테레오래크(stereorack)'·'매거진래크(magazinerack)' 등. ②〖공〗 평판(平板)에 톱니를 붙인 일종의 톱니바퀴. 피니언(pinion)과 맞물려서 회전 운동을 왕복 운동으로 바꾸는 데나 왕복 운동을 회전 운동으로 바꾸는 데 쓰임.

래크 레일〔rack rail〕 명 보통 레일의 가운데에 부설하여 톱니바퀴를 맞물리도록한 톱니 달린 레일. 아프트식(Abt式) 기관차를 운전하는 구간(區間)에 사용함.

래틀〔rattle〕 명 〖악〗 ①악기의 하나. 목제(木製)의 톱니바퀴를 핸들로 돌리면 목제 또는 금속제의 탄력성이 있는 용수철에 맞아 연속음을 내는 악기. ②흔들면 소리를 내는 체명 악기(體鳴樂器)의 총칭. 마라카스(maracas) 따위.

래티건〔Rattigan, Terence〕 명 〖사람〗 영국의 극작가. ≪윈드로가(家)의 아들≫·≪검푸른 바다≫·≪각자(各者)의 테이블≫ 등으로 현대 영국의 대표적 풍속 희극 작가의 지위를 굳힘. 영화된 작품이 많고, TV 극본도 씀. [1911-77]

래티튜:드〔latitude〕 명 사진기의 노출 허용도(露出許容度)를 이름. 필름에는 피사체(被寫體)의 명암(明暗)을 정확하게 조절하는 범위가 있는데 이 범위를 필름의 래티튜드라 함. 일반적으로 감광도가 높은 필름일수록 래티튜드가 넓음. 노출 관용도(露出寬容度).

래프팅〔rafting〕 명 급류 타기.

래플스〔Raffles, Thomas Stamford〕 명 〖사람〗 영국의 식민지 정치가. 자바·수마트라 등지에서 자유주의적인 식민지 경영을 행하고, 뒤에 싱가포르에 자유항을 건설하였음. 주저≪자바지(Java誌)≫. [1781-1826]

래피드 스타:트 형광 방:전등【一螢光放電燈】〔rapid start〕 명 〖전〗 스위치를 넣으면, 곧 시동(始動)하는 구조 및 부속 장치를 가진 형광등. 가정용으로 널리 쓰임.

래핑〔lapping〕 명 〖기〗 랩연마(lap 研磨).

랙〔lac〕 명 ①랙깍지벌레가 체표(體表)에 분비한 수지상(樹脂狀)의 고형(固形) 물질. 이 벌레가 기생하고 있는 나뭇 가지를 잘라 모은 것은 스틱 랙(stick lac)이라고 하며, 이것을 정제하여 랙 물감과 셸락(shellac)을 만듦. 도료(塗料)·접착제·전기 절연용 피막(皮膜) 따위에 널리 쓰임. 인도·미얀마에서 산출됨. ②↗랙칠(漆).

랙-깍지벌레〔lac〕 명 〖충〗 [*Tachardia lacca*] 사철깍지벌렛과의 곤충. 몸길이 5 mm 내외, 암컷은 거의 둥긂. 몸빛은 붉은 빛을 띠고, 촉각·다리·복안(複眼)이 있으나 성장하면 대개 퇴화함. 보리수·고무나무 등에 붙어 나무진을 빨아 먹는데, 인도·타이·버마 등지에 분포함. 수지상(樹脂狀)의 랙을 분비하는데 이것이 도료(塗料)·접착제 따위의 원료로 쓰임. 랙벌레.

랙 니스 명〔lac varnish〕 셸락 니스.

랙-벌레〔lac〕 명 〖충〗 '랙깍지벌레'를 달리 이르는 말.

랙 염:료【一染料】〔lac〕〔一뇨〕 명 스틱 랙을 물이나 희석(稀釋) 알코올로 우려낸 액체를 건조하여 만든 붉은색 물감. 추출(抽出)한 나머지로 셸락(shellac)을 만듦.

랙-칠【一漆】〔lac〕 명 ①목재 등에 바르는 도료(塗料)의 한 가지. 랙벌레의 분비물을 정제(精製)하여 만듦. ⓒ랙. ②랙칠을 바르는 일. ——-하다 자여불

랜〔LAN〕 명〔local area network의 약칭〕 구역 통신망.

랜덤〔random〕 명 '아무렇게나'·'되는 대로'의 뜻. 무작위(無作爲).

랜덤 샘플링 〔random sampling〕 명 통계법(統計法)의 하나. 전체를 조사할 수 없을 적에 일부분을 조사하여 전체를 예측(豫測)하는 여론 조사의 한 방법. 무작위 추출법(無作爲抽出法). 임의(任意) 추출법. 표본 추출. ㊂샘플링.

랜덤 워크 〔random walk〕 명 ①〖물〗 공간적 위치 변화의 확률론(確率論) 모델의 하나. 원점(原點)에서 출발하여 임의의 방향으로 어느 거리만큼 운동하고, 거기서 방향을 멋대로 바꾸어 다시 어느 거리만큼 운동하여, 이와 같은 운동을 계속해 나간 결과로서 생기는 위치의 변화 또는 특정한 방향으로의 이동을 구함. 기체(氣體)의 확산(擴散) 모델이나 브라운 운동 등의 통계에 쓰임. ②〖경〗 장래의 주가(株價) 동향은 과거의 주가 변동의 움직임으로 예측(豫測)할 수 없고, 장래에 관하여 현재 얻을 수 있는 정보를 반영(反映)하고 있다는 설(說). 「같음.

랜드 〔rand〕 의명 남아프리카 공화국의 화폐 단위. 1랜드는 100센트와

랜드레이스 〔Landrace〕 명 〖동〗 돼지의 한 품종. 덴마크의 재래종에 큰 요크셔를 교배시켜 개량한 것. 몸이 희며, 길고 늘씬하게 자람. 베이컨용의 우량 품종임.

랜드 로:버 〔Land Rover〕 명 〔대지(大地)를 방황하는 자의 뜻〕 영국의 자동차의 상표명.

랜드-마:크 〔landmark〕 명 ①토지의 경계표(境界標). ②항해할 때 목표가 되는 육상의 목표. 육표(陸標).

랜드 브리지 〔land bridge〕 명 해로(海路)와 대륙 횡단을 일관적으로 연계(連繫)하여 하는 국제 수송 방식. 컨테이너 이용으로 가능해졌음.

랜드샛 〔Landsat〕 명 〔Land satellite의 약칭〕 미국 항공(航空) 우주국(NASA)의 지구 자원 탐사 위성. 특수 카메라로 지구의 수자원(水資源)·광물 자원·토지 이용·해양 오염 따위 정보를 얻고 있음. 1982년 랜드샛 4호가 발사됨.

랜드 연:구소 【RAND研究所】 명 〔Research And Development Corporation〕 1948년에 미국 공군을 원조한 민간 과학자·기술자들이 모여 창설한, 비영리적(非營利的)인 연구·개발 기관. 국제 문제·군사력 계획·인종·공해 등 현대 사회 문제, 수학·컴퓨터 등 여러 분야에 걸친 연구를 하고 있음.

랜딩 〔landing〕 명 ①비행기 따위의, 착륙. ②(스키에서) 점프를 한 뒤, 땅에 떨어지며 취하는 동작. 또, 그 지점.

랜서스 〔lancers〕 명 〖악〗 쿼드릴의 일종. 악곡·무용이 모두 좀 느림.

랜섬 〔Ransom, John Crowe〕 명 〖사람〗 미국의 시인·비평가. 케니언 대학의 시학(詩學) 교수. 1939년 '케니언 레뷰(Kenyon Review)'지(誌)를 창간, '신비평(新批評)'의 유력한 중심 인물이 됨. 저서에 ≪세계의 육체≫·≪신비평≫, 시집에 ≪신에 대한 시≫ 등이 있음. [1889-1975]

랜스 미사일 〔Lance Missile〕 명 〖군〗 미국 육군의 지대지(地對地) 전술 유도 미사일의 하나. 액체 연료를 사용하며, 관성(慣性) 유도 장치에 의해 발사되는데, 사정 거리 110km이며, 길이 6m, 지름 55cm, 속도는 초음속(超音速)이고 핵탄두(核彈頭)를 적재(積載)할 수 있음. 명중률이 높음. 1965년 첫 발사 실험에 성공, 1972년에 미국 육군에 배치됨.

랜싯 〔lancet〕 명 〖의〗 양날의, 끝이 뾰족한 의료용(醫療用)의 칼. 길이 6cm, 폭이 7mm 가량. 우두(牛痘)를 놓을 때 사용함. 란세타. 유엽도(柳葉刀). 피침(披針).

랜싱 〔Lansing〕 명 〖지〗 미국 미시간 주의 주도(州都). 디트로이트의 서북서(西北西)에 위치하며, 자동차 공업과 공작 기계 생산 따위가 성함. 미시간 중부의 금융·보험의 중심지이기도 함. [129,000명(1986)]

랜턴 〔lantern〕 명 등(燈). 각등(角燈). 제등(提燈).

랠리 〔rally〕 명 ①테니스에서, 서로 그라운드 스트로크로 계속하여 치는 일. ②권투에서, 서로 계속하여 때리는 일. ③자동차 경주의 한 가지. 규정된 시간과 속도로 공로상(公路上)의 일정 코스를 달리게 하여 실점차(失點差)로 우열(優劣)을 정함. 몬테카를로 랠리, 사파리(Safarie) 랠리가 유명함.

램¹ 〔Lamb, Charles〕 명 〖사람〗 영국의 수필가·비평가. 오랫동안의 회사원 생활 중에 누이와 함께 쓴 ≪셰익스피어 이야기≫ 외에 대표작 ≪엘리아(Elia) 수필집≫ 등을 발표한 세계적 수필가임. 일생 독신으로 지냄. [1775-1834]

램² 〔Lamb, Willis Eugene〕 명 〖사람〗 미국의 이론 물리학자. 수소 스펙트럼(水素 spectrum)의 미세(微細) 구조에 관한 연구로 1955년 노벨 물리학상을 받았음. [1913-]

램³ 〔lamb〕 명 ①어린 양의 털가죽. 특히, 램스킨 장갑을 만드는 어린 양의 가죽 또는 그와 비슷한 천. ②어린 양의 고기. 머턴(mutton) 보다 연하여 별미로 침.

램⁴ 【RAM】 명 〔random access memory〕 〖컴퓨터〗 컴퓨터 본체에 설치하는 기억 소자(記憶素子)의 한 가지. 사용자의 요구에 따라 정보와 명령을 처리·수행하며, 수시로 입력과 삭제가 가능하여 컴퓨터의 주기억 장치로 널리 이용됨. 막기억 장치. 랜덤 액세스 메모리.

램⁵ 〔ram〕 명 ①수양. 모양(牡羊). ②(R-)〖천〗 양자리. ③내리쳐서 말뚝을 박는 데 쓰이는 망치. ④〖기〗 수압기(水壓機)나 실린더 안을 왕복하는 피스톤. ⑤〖기〗 형삭반(形削盤) 따위의 프레임(frame) 위를 왕복 운동(往復運動)하는 부분.

램버스 회:의 【—會議】 〔Lambeth〕 〔— / —이〕 명 〖종〗 영국 런던에서 열리는 영국 국교회의 최고 정기 총회. 1930년 이래 매 10년마다 국교회의 주교들이 모여 국교에 관한 여러 가지 문제 및 일상 교리 등을 토의함. 그 사회(司會)는 캔터베리(Canterbury)의 대주교가 맡아 봄.

램버:트¹ 〔Lambert, Constant〕 명 〖사람〗 영국의 작곡가·음악 평론가. 런던 왕립 음악원 졸업. ≪로미오와 줄리엣≫을 작곡하였으며, 이후 만년까지 발레곡의 지휘와 작곡 이외에 대본도 쓰고 편곡·연출도 함. 주요 작품에 발레곡 ≪천궁도(天宮圖)(Horoscope)≫, 영화 음악 ≪안나카레니나(1947)≫ 등이 있으며, ≪현대 음악론≫ 등의 저서(著書)도 있음. [1905-51]

램버:트² 〔Rambert, Marie〕 명 〖사람〗 바르샤바 태생의 영국 여류 무용가. 연극 평론가 듀크스(Dukes, A.)의 부인. 1913년 런던에 발레 학교를 설립. 1930년, 다시 '발레 클럽'을 창설하였는데, 이것이 다음해 '램버트 발레단(團)'이 됨. 많은 안무가·무용가를 양성, 영국 발레 발전에 크게 기여함. [1888-1982]

램-스킨 〔lambskin〕 명 ①어린 양의 가죽. ②어린 양의 가죽과 같은 촉감의 면직물. 주로 코트지(地)로 쓰임. ③램의 털과 같이 보풀이 일게 짠 면(綿)·방모(紡毛) 직물.

램-제트 〔ram jet〕 명 제트 엔진의 하나. 터빈식과 달라 회전식 공기 압축기가 없이 고속도로 빨아들인 공기를 원통 속에서 압축(壓縮)하고 연료를 분사(噴射)하여 점화(點火)·연소(燃燒)시켜서 추진력을 얻음. 운전이 가능한 3.5-5기압의 압축력을 얻기 위하여, 시속 2000km이상의 속도가 필요하고 연료 소비가 큰 것이 결점이나, 마하 1.5-2 이상의 초음속기(超音速機)에 적당함.

램지¹ 〔Ramsay, Allan〕 명 〖사람〗 스코틀랜드의 시인(詩人). 어려서 양친을 잃고 에든버러에 나와 가발상(假髮商)의 점원으로 있으면서 시를 쓰기 시작함. 스코틀랜드의 생활을 소박하고 정감 있게 묘사했고, 스코틀랜드와 잉글랜드의 옛 시를 모아 출판하기도 함. 그의 걸작은 ≪상냥한 목동(The Gentle Shepherd)≫임. [1686-1758]

램지² 〔Ramsay, William〕 명 〖사람〗 영국의 화학자. 화학량론(化學量論)에 관한 여러 정률(定律)을 발견함. 또 아르곤(Argon)·네온(Neon) 등의 희유 원소(稀有元素)를 발견하는 한편 방사성 원소의 붕괴설(崩壞說)을 확인했음. 1904년 노벨 화학상을 받았음. [1852-1916]

램프¹ 〔lamp〕 명 ①→남포등(燈). ②알코올 램프 같은 가열(加熱) 장치.

램프² 〔ramp〕 명 ↗램프웨이.

램프 셰이드 〔lamp shade〕 명 램프 또는 전등의 갓.

램프 스탠드 〔lamp stand〕 명 주로 탁상용으로, 서재 또는 침실에 놓는 전기 스탠드(電氣 stand). ㊂스탠드.

램프식 교환기 【—式交換機】 〔lamp〕 명 전화 교환기의 한 가지. 전화 가입자가 교환원을 불러내었을 때 또는 통화가 끝났을 때, 전등의 명멸(明滅)로 교환원이 알아 볼 수 있도록 장치한 교환기.

램프-웨이 〔ramp-way〕 명 고속 도로(高速道路)가 입체 교차할 때, 인터체인지와 고속 도로가 접속하는 경사진 부분. ㊂램프(ramp).

램프하우스 〔lamp house〕 명 영사기(映寫機)의 영사용 광원(光源)을 간직하는 장치. 광원·반사경·집광 렌즈·조절 장치·냉각 장치 등으로 되어 있음.

랩¹ 〔lap〕 명 ①육상 경기와 스피드 스케이트에서, 트랙을 2회 이상 도는 경기의 그 한 바퀴. ②수로(水路)의 한 왕복. ③비행기의 항정(航程). ④랩연마(研磨)에 사용하는 도구. 판자 모양·원통형·바퀴형 등 여러 가지 모양이 있음. ⑤ ↗랩타임.

랩² 〔rap〕 명 〖악〗 다이내믹한 리듬에 맞춰서 말하듯이 발라드풍(風)으로 읊조리는 음악. 1970년 후반부터 뉴욕의 흑인들 사이에 퍼졌음.

랩³ 〔wrap〕 명 ①몸에 둘둘 감듯이 입는 낙낙한 겉옷의 총칭. 보통, 의복 위에 착용함. 야회용 이브닝 드레스 따위. ②특히, 식료품 포장용의 폴리에틸렌제의 얇은 막.

랩⁴ 〔Lapp, Ralph E.〕 명 〖사람〗 미국의 원자 물리학자. 1940년 시카고 대학 졸업. 제2차 세계 대전 중에 맨해튼 계획에 참여, 야금(冶金) 부분을 담당하였으며, 전후에도 군(軍)의 핵개발에 깊이 관여함. 1961년 '과학자 회사'를 설립, 과학의 실용화를 꾀하는 실업적(實業的) 과학자로 활약함. 저서 ≪핵전쟁이 되면≫·≪무기(武器) 문화≫ 등으로 핵군비 확대로 말미암은 위험을 지적함. [1917-]

랩 디졸브 〔lap dissolve〕 명 〖연〗 영화나 텔레비전에서 하나의 화면이 서서히 꺼져 가면서, 그 위에 다음 화면이 서서히 나타나는 일. 오버랩(over lap).

랩-보:드 〔lapboard〕 명 무릎 위에 올려 놓고 책상 대신에 쓰는 평판(平板).

랩소디 〔rhapsody〕 명 〖악〗 다소 관능적인 자유로운 형식을 갖는 환상적·기교적인 악곡. 흔히 민요의 멜로디나 리듬에서 취재(取材)함. 리스트 작곡의 ≪헝가리 광시곡≫ 같은 것. 광시곡(狂詩曲).

랩소디 인 블루 〔Rhapsody in Blue〕 명 〖악〗 미국의 거슈윈(Gershwin)이 작곡한 피아노와 관현악을 위한 작품. 심포닉 재즈의 대표작으로, 1924년에 초연(初演)되었음.

랩어라운드 스커:트 〔wraparound skirt〕 명 한 장의 천의 양끝을 겹쳐서 몸에 둘둘 감아 입는 스커트. 옆을 꿰매지 않고 앞이나 뒤로 엇맞춤. 임부(姙婦)용으로 적합함. 스코틀랜드의 킬트(kilt)가 이런 유(類)의 전통적인 것임.

〈랩어라운드 스커트〉

랩-연마 【—研磨】 〔lap〕 명 〖기〗 공작물의 표면에 '랩'을 대고 연마제를 쳐서 공작면을 정밀하게 다듬는 작업. 래핑(lapping).

랩 코:트 〔wrap coat〕 명 애프터눈드레스(afternoon-dress)나 야회복(夜會服) 위에 걸치는 여자용 외투의 하나. 주로 모피(毛皮)를 사용하며, 그 밖에 수자(繻子)·본견(本絹)·빌로도 등을 재료로 함. 단추나 띠를 달지 아니하고 어깨에 그냥 걸침.

랩 타임 〔lap time〕 명 ①중·장거리 육상 경기에서, 트랙 한 바퀴마다의 소요된 시간. ②수영에서, 도중의 일정한 단위 거리에 소요된 시간. 보통 100m마다 발표됨. ③스피드 스케이트에서, 결승전에 있어서의 한 바퀴마다의 도중 계시(途中計時). ㊂랩.

랩톱 컴퓨:터 〔laptop computer〕 명 무릎 위에 올려놓고 쓸 수 있는 가볍고 작은 컴퓨터(보통 컴퓨터보다 작고 노트북 컴퓨터보다는 큼).

-랬자 어미 받침 없는 동사 및 '이다'·'아니다'의 어간에 붙어, '-라 하였자'의 뜻을 나타내는 연결 어미. ¶ 집이~ 겨우 눈비를 가릴 정도다 / 가~ 안 갈걸. *-으랬자.

랭 [Lang, Andrew] 명 〖사람〗 영국의 고전학자·종교학자. 문학·역사·신화·민족학 등 다방면에 통하고, 호메로스(Homeros)의 《일리아드(Iliad)》·《오디세이(Odyssey)》를 번역하였으며, 저서로 《습관과 신화》·《종교의 생성》 등이 있음. [1844-1912]

랭귀지 래버러토리 [language laboratory] 명 칸막이 교실에서 테이프 리코더 등 기기(機器)를 이용하여 학습하는 언어 교실(言語敎室).

랭글런드 [Langland, William] 명 〖사람〗 영국의 시인. 우의시(寓意詩) 《농부 피어즈의 환상(The Visions of Piers Plowman)》을 씀. 중세 영문학의 걸작으로 치는 이 작품은 농부 피어즈가 꾼 꿈을 통해 중세적 신비 사상과 통렬한 사회 풍자를 담고 있음. [1332?-1400]

랭글리 [Langley, Samuel Pierpont] 명 〖사람〗 미국의 물리학자·천문학자. 태양 광선을 연구하였으며 만년(晩年)에 이르러 최초의 모형(模型) 비행기를 만들었음. [1834-1906]

랭데 [Linder, Max] 명 〖사람〗 프랑스의 영화 배우·감독. 프랑스 영화 초기에 희극 영화에서 활약. 검은 모닝 코트에 실크 해트의 복장으로 멋진 연기를 창시(創始)하였음. [1883-1925]

랭뮤어 [Langmuir, Irving] 명 〖사람〗 미국의 물리 화학자. 텅스텐 전구(tungsten電球)·열전자(熱電子)·활성 수소(活性水素) 등에 관한 연구 및 물질의 화학적 설명을 시도한 표면(表面) 화학의 연구로 1932년 노벨 화학상을 받았음. [1881-1957]

랭보 [Rimbaud, Jean Nicolas Arthur] 명 〖사람〗 프랑스 상징파의 시인. 조숙한 천재로서, 17세에 시집을 발간하였으며, 《지옥의 계절》을 완성한 후 19세로 문필 생활을 청산, 37세로 죽기까지 유럽·아프리카 등지를 방랑하였음. 근대시(近代詩)에 끼친 영향이 큼. [1854-91]

랭스 [Reims] 명 〖지〗 프랑스 북부(北部) 샹파뉴(Champagne) 지방의 상공업 도시. 샴페인 거래로 유명하고 모직물(毛織物) 공업도 17세기 이래 전통이 있음. 로마 시대부터 종교 도시로 번영하고, 클로비스(Clovis)가 영세받은 이후 역대 프랑스왕의 대관식이 이 곳 성당에서 베풀어졌음. 또, 1945년 5월 독일군이 항복한 곳임. [178,000 명(1982)]

랭스 성:당 【一聖堂】 [Reims] 명 프랑스의 랭스에 있는 성당. 흔히 노트르 담(Notre Dame)이라고 불림. 1211년에 착공, 15세기 전반에 완성. 샤르트르 성당(Chartres聖堂)과 더불어 프랑스의 대표적 고딕 건물이며, 여기에 장식된 《성모상》과 《최후의 심판》 등 고딕 조각들로 유명함. 노트르담 드 랭스.

랭커셔 [Lancashire] 명 〖지〗 영국 잉글랜드 북서부, 아이리시 해(Irish海)에 면한 주. 풍부한 탄전(炭田)과 편리한 수운(水運)에 힘입어, 산업 혁명 이후 면방적(綿紡績) 공업의 세계적 중심이 되었음. 오늘날에는 조선(造船)·기계·화학·금속 등의 중공업도 발달함. 주도(主都)는 프레스턴. [3,039 km²: 1,372,000 명(1981 추계)]

랭커스터[1] [Lancaster] 명 〖지〗 영국, 잉글랜드 랭커셔 주의 전의 주도. 룬 강(Lune江)의 어귀에 있으며 프레스턴·맨체스터 등에 운하가 통함. 고대 로마 시대의 성채, 15세기의 교회 등이 있는, 종교적·역사적 색채가 짙은 도시임. [46,000 명(1984)]

랭커스터[2] [Lancaster, Burt] 명 〖사람〗 미국의 배우. 서커스단·극단 등 여러 직업을 전전하다가 《살인자》로 영화계에 데뷔한 이래, 선이 굵은 남성적 연기로 《오 케이 목장의 결투》 등에 주연하였고, 이 밖에 제작에도 관계함. 아카데미상 수상. [1913-94]

랭커스터[3] [Lancaster, Joseph] 명 〖사람〗 영국의 교육가. 상급생을 조교(助敎)로 하는 조교법(助敎法)의 창시자로서 초등 교육의 보급에 공헌하였음. [1778-1838]

랭커스터-가 【一家】 [Lancaster] 명 〖역〗 중세말(中世末), 요크가(家)와 쌍벽을 이룬 영국의 이대 왕가(二大王家)의 하나. 붉은 장미가 가문(家紋)임. 1399년 플랜태저넷가(Plantagenet家)의 리처드 2세를 폐(廢)한 헨리 4세가 초대 왕. 장미 전쟁 중인 1461년 헨리 6세가 요크가(家)의 에드워드 4세에게 폐위되었다가 1471년에 살해됨으로써 이 왕가의 지배는 끝남.

랭크 [rank] 명 순위(順位). 순위 매기기.

랭크-되다 [rank—] 자 권투 등 스포츠 분야에서, 선수가 어떤 순위를 차지하게 되다. ¶ 세계 2 위에 ~.

랭크 앤드 파일 [rank and file] 명 간부에 대하여 평당원이나 평조합원(平組合員).

랭킨 [Rankine, William John Macquorn] 명 〖사람〗 영국의 공학자·물리학자. 열역학(熱力學)·탄성론(彈性論)·파동론(波動論)을 연구, '랭킨 사이클'을 고안하여, 근대 열역학의 기초를 세움. 또, 응용 역학·토목 공학·증기 기관에 관한 편람(便覽)을 써서 공학(工學) 이론을 정리·체계화함. [1820-72]

랭킨 사이클 [Rankine cycle] 명 〖물〗 증기 원동소(原動所)에 있어서의 가장 기본적인 사이클. 급수(給水) 펌프에서의 물의 단열(斷熱) 압축, 보일러에서 등압 가열(等壓加熱), 증기 터빈에서의 증기의 단열 팽창(斷熱膨脹) 및 복수기(復水器)에서의 등압 냉각(等壓冷却)의 네 과정으로 이루어지는 순환적(循環的) 변화를 일컬음. 기준(基準) 사이클.

랭킹 [ranking] 명 성적 순위. 등급(等級) 매기기. ¶ 미들급 세계 ~ 2위.

랭킹 플레이어 [ranking player] 명 랭킹(ranking)에서 베스트 텐(best ten)으로 선발된 운동 선수.

-랴[1] 어미 ①받침 없는 어간에 붙어서 이치로 미루어 '어찌 그러할 것이냐' 하는 뜻을 나타내는 종결 어미. ¶ 어찌 그것이 군자(君子)의 도리~ / 무엇을 바라~ / 누굴 탓하~. ②받침 없는 동사 어간에 붙어서 장차 자기가 할 일에 대하여 상대자의 뜻을 묻는 종결 어미. ¶ 내가 네게 가~ / 돈 주~. ③받침 없는 동사 어간에 붙어, 두 가지 이상의 동작을 하는 뜻을 나타내는 연결 어미. ¶ 애보~ 빨래하~ 바쁜 나날. *-으랴.

-랴[2] 어미 〈옛〉 -려[2]. ¶ 草草ᄒᆞᆫ 浮生애 모ᄉᆞᆷ 일을 ᄒᆞ랴 ᄒᆞ야 《松江》.

-랴거든 어미 〈방〉 -려거든.

-랴고 어미 〈방〉 -려고.

랴노스 [스 Llanos] 명 〖지〗 ☞ 야노스.

-랴는 어미 〈방〉 -려는.

-랴는데 어미 〈방〉 -려는데.

-랴더니 어미 〈방〉 -려더니.

-랴든 어미 〈방〉 -려던.

-랴면 어미 〈방〉 -려면.

-랴오 어미 〈방〉 -려오.

랴오닝 성 【一省】 [遼寧] 명 〖지〗 중국 둥베이 지구 남동부의 성. 1954년 랴오시 성(遼西省)과 랴오둥 성(遼東省)의 일부를 합병하여 성립된 후 1956년 러허 성(熱河省)의 일부를 합함. 남동쪽은 압록강을 건너 한반도와 접함. 콩·수수·조 등의 곡물 및 금·은·동·석탄·철·아연·망간·모리브덴 등 광물도 산출함. 안산(鞍山)·다롄(大連)·푸순(撫順)·선양(瀋陽) 등을 중심으로 철강·기계·화학·조선·차량·제지·면방적 공업 등이 성함. 중국의 중요 공업 지대의 하나. 성도(省都)는 선양. 요령성. [230,000 km²: 35,720,000 명(1982)]

랴오둥 [遼東] 명 〖지〗 중국 동북 지구 남쪽과 랴오허(遼河) 강의 동쪽 지역에 대한 이름. 또는 이 지방에 있던 군(郡)과 나라의 이름. 군(郡)은 진(秦)나라 때에 시작되어 전한(前漢)·후한(後漢) 이후에 설치되고 진(晉)나라 때에 이르러 요동국(遼東國)이라고 함. 이 군과 나라는 대략 지금의 랴오양(遼陽) 부근을 가리킴. 요동.

랴오둥 만 【一灣】 [遼東] 명 〖지〗 중국 둥베이 지구의 랴오닝 성(遼寧省)과 허베이 성(河北省) 사이에 들이민 보하이 만(渤海灣)의 동북부 한 부분을 이룬 만. 동은 랴오둥(遼東) 반도, 서는 랴오시(遼西)에 연하고 연안에는 후루다오(葫蘆島)와 잉커우(營口) 등의 상항(商港)이 있으며 다링 강(大凌河)과 랴오허(遼河) 강 등의 굴곡 출입(屈曲出入)이 많고 만 안에서는 어업이 성하고 연안 각지에서는 제염(製塩)도 널리 행함. 요동만.

랴오둥 반:도 【一半島】 [遼東] 명 〖지〗 중국 동북 지구의 남부에 있는 큰 반도. 보하이 해협(渤海海峽)을 사이로 산둥(山東) 반도와 대하며 보하이(渤海)를 안고 있음. 구릉지(丘陵地)가 많음. 수수·옥수수·콩·조·사과·멧누에 등을 산출함. 남단부에 뤼다(旅大)가 있으며 해상 교통은 다롄(大連) 지구가 중심임. 한때 일본·러시아의 지배 아래 있었으며, 제 2차 세계 대전 후에는 소련군의 점령 관리 아래 있다가 중국에 반환됨. 요동 반도.

랴오둥 성 【一省】 [遼東] 명 〖지〗 중국 동북 지구의 서남부 압록강(鴨綠江)을 사이로 한국과 인접했던 구성명(舊省名). 1949년에 성립되었다가 1954년 6월 일부는 지린 성(吉林省)에 편입되고, 그 밖은 랴오시 성(遼西省)과 합병하여 랴오닝 성(遼寧省)이 되었음. 성도(省都)는 지금의 단둥(丹東)인 안둥(安東)이었음. 요동성. *랴오닝 성.

랴오시 [遼西] 명 〖지〗 중국 진대(秦代)에 현재의 랴오닝 성(遼寧省)의 랴오허(遼河) 강 이서(以西) 및 허베이 성(河北省) 북부를 합친 땅에 두었던 군명(郡名). 전(轉)하여, 이 지방 일대의 지역의 통칭(通稱).

랴오시 성 【一省】 [遼西] 명 〖지〗 중국 둥베이(東北) 지구 서남부의 구성명(舊省名). 1949년에 성립되었다가 1954년 6월 랴오둥 성(遼東省)의 대부분과 합병하여 랴오닝 성(遼寧省)이 되었음. 성도(省都)는 진저우(錦州)이었음. *랴오닝 성. [56,000 km²]

랴오양 [遼陽] 명 〖지〗 중국 랴오닝 성(遼寧省) 중부의 도시. 타이쯔 강(太子江) 남안에 위치함. 창다(長大) 철도 연변에 있으며, 방적·양조·착유(搾油) 등의 경공업이 행해짐. 한대(漢代) 이래의 중진(重鎭)이며, 광유사(廣佑寺)의 백탑(白塔)은 유명한 고적임. 또 타이쯔 강안(太子江岸)의 랴오양 한묘(遼陽漢墓)는 한대 벽화(漢代壁畫)로 유명함. 요양.

랴오 핑 [廖平] 명 〖사람〗 중국 청말(淸末)부터 중화 민국 초기의 유학자. 쓰촨 성(四川省) 징옌 현(井硏縣) 사람. 처음 금문파 공양학(今文派公羊學)의 입장에서 고학(古學)을 부정하고, 캉 유웨이(康有爲)에게 영향을 주었다고 함. 저서로 《금고학고(今古學考)》·《하씨 공양 훈고(何氏公羊訓詁)》 등이 있음. 요평. [1852-1932]

랴오허 [遼河] 명 〖지〗 중국 둥베이(東北) 지구 남부를 흐르는 강. 동·서 랴오허 강이 있는데, 동 랴오허 강은 지린 성(吉林省) 남서부 구릉(丘陵) 지대에서, 서 랴오허 강은 내몽고 자치구 남부에서 발원하여 싼장커우(三江口) 남방에서 합류하여 남쪽으로 흘러 예전에는 잉커우(營口)에서 보하이(渤海)로 흘러 들어갔으나, 현재는 판진(盤錦) 지구를 거쳐 보하이로 흘러 들어감. 유역은 광대한 농업 지대임. 요하. [1,390 km]

랴잔 [Ryazan'] 명 〖지〗 러시아 연방 모스크바 남동방 오카 강(Oka江) 연안의 도시. 공작 기계·농업 기계·식품·석유 등의 공업이 발달. 11세기의 연대기(年代記)에 그 이름이 나올 정도의 고도(古都)로, 오랜 건축물이 남아 있음. [483,000 명(1983)]

-략 【略】 미 어떤 명사 밑에 붙어서 그것을 생략한 것임을 나타내는 접미어. ¶ 십팔사(十八史)~.

량 【輛】 의명 차량의 수를 셀 때 쓰는 단위. ¶ 화차 30 ~.

-량 【量】 미 어떤 명사 밑에 붙어서 분량·수량 등의 뜻을 나타내는 접미어. ¶ 계획~/생산~.

량산-포 [梁山泊] 명 〖지〗 중국 산둥 성(山東省) 량산(梁山) 근처에 있는 지명. 본디 쥐예쩌(鉅野澤)라 하였음. 《수호전(水滸傳)》에 송강(宋江) 등이 이곳에 산채(山寨)를 만들어 활동하였다고 하여 유명해짐. 양산박❷.

량 치차오 [梁啓超] 명 〖사람〗 중국 청말(淸末)·민국 초(民國初)의 사상가. 자는 줘루(卓如). 호는 런궁(任公)·음빙실 주인(飮氷室主人). 광둥 성(廣東省) 신후이(新會) 출생. 민족 혁명을 고취하고, 공화제를 선전함. 민국(民國) 초기에 진보당 당수·사법 총장을 역임하였으며, 경학(經學)·사학(史學)·불교학에 능통하였음. 저서에 ≪중국 역사 연구법≫ 등이 있음. 양계초. [1983-1929]

량태 명 〈옛〉 대울타리. ¶ 량태 격(籬竹障)≪字會 下 18≫.

-러 어미 받침 없는 동사 어간에 붙어서 가거나 오거나 하는 동작의 직접 목적을 나타내는 연결 어미. ¶ 공부하~ 간다/꽃보~ 가자. ＊-으러.

러거 〔rugger〕 명 ①럭비[2]. ②럭비 경기자(競技者).

러그 〔rug〕 명 주로 바닥에 까는 거칠게 짠 직물 제품.

러너 〔runner〕 명 ①육상 경기의 경기자. ②야구에서, 주자(走者). ③커튼 레일의 커튼을 미끄러지게 하는 작은 바퀴. 「40≫.

-러뇨 미 〈옛〉 -냐. ¶ 陰陽ᄒᆞᆫ 사ᄅᆞᆷ은 이 뉘러뇨(陰陽人是誰)≪朴解 下

-러니 어미 '이다'·'아니다'의 어간에 붙어 '-더니'의 뜻으로 예스럽게 서술하는 연결 어미. ¶ 결혼한 것이 엊그제이~ 벌써 두 아들을 두셨소/그는 진실한 신자가 아니~ 끝내 개종(改宗)했군.

-러니라 어미 '이다'·'아니다'의 어간에 붙어서 '-더니라'의 뜻으로 예스럽게 서술하는 종결 어미. ¶ 기품 있는 규수(閨秀)~ / 주객(酒客)이 아니~.

러니어 〔Lanier, Sidney〕 명 〖사람〗 미국의 시인. 남북 전쟁에 참가, 포로 생활을 함. 심한 병과 빈곤 속에서도 시와 음악에 전념함. 포(Poe) 이후의 가장 음악적인 시인이라고 하나, 음악적 요소에 유념(留念)한 나머지 표현이 애매한 곳도 없지 않음. 폐병으로 요절함. 주요 작품에 ≪시집≫·≪영시(英詩)의 과학≫ 등이 있음. [1842-81]

-러니이까 어미 '이다'·'아니다'의 어간에 붙어서 '-더니이까'의 뜻으로 예스럽게 사용하는 의문형 종결 어미. ¶ 나이는 얼마 정도~/댁은 시인이 아니~. 준 -러이까.

-러니이다 어미 '이다'·'아니다'의 어간에 붙어 '-더니이다'의 뜻으로 예스럽게 서술하는 종결 어미. ¶ 선녀(仙女) 같은 아내~ / 사실이 아니~. 준 -러이다.

러닝 〔running〕 명 ①경주(競走). ②스키에서, 활강(滑降). ③요트에서, 배가 바람을 등지고 달리는 일. ④↗러닝 셔츠(running shirt).

러닝 로:열티 〔running royalty〕 명 특허 사용료(特許使用料).

러닝 메이트 〔running mate〕 명 ①미국에서 헌법상 밀접한 관계에 있는 두 관직 중 차위(次位)의 직의 선거에 출마한 입후보자. 특히, 부통령 입후보자를 말함. ②어느 일에 보조격으로 종사하는 동료. ③어느 특정한 사람과 항상 상종하여 늘 함께 볼 수 있는 사람.

러닝 브로:커 〔running broker〕 명 〖경〗 사는 사람과 파는 사람의 중간에서 구문(口文)을 받는 일. 또, 그 사람.

러닝 샤쓰 〔running shirt〕 명 러닝 셔츠. 「구법(打球法).

러닝 샷 〔running shot〕 명 골프에서, 공을 굴리면서 구멍에 넣는 타

러닝 셔츠 〔running shirt〕 명 소매 없는 메리야스 셔츠. 흔히 경주 또는 경기할 때 입음. 준러닝.

러닝 슈:즈 〔running shoes〕 명 스파이크 슈즈(spike shoes).

러닝 슛 〔running shoot〕 명 농구·핸드볼 등에서, 링·골을 향해 뛰어 들어가며 하는 슛.

러닝 스톡 〔running stock〕 명 〖경〗 재생산을 계속하기 위하여 기업체가 상시 보유하고 있는 제품 및 원재료. 정상 재고.

러닝 스티치 〔running stitch〕 명 프랑스 자수에서, 홈질하는 수법. 칼라 끝이나 포켓 등의 장식으로 쓰임. 「일.

러닝 캐치 〔running catch〕 명 야구에서, 타구(打球)를 달리면서 잡는

러닝 코스트 〔running cost〕 명 〖경〗 호불황(好不況)에 관계 없이 경영을 유지해 나갈 수 있는 코스트의 상하(上下)의 한도. 경영 유지 한계 내의 생산비. 운전 자금.

러닝 패스 〔running pass〕 명 럭비에서, 달리면서 패스하는 일.

러닝 호:머 〔running homer〕 명 야구에서, 외야수가 굴러다니는 공을 쫓고 있는 사이에, 베이스를 돌아 홈인하는 홈런. 그라운드 홈런.

러ᄂᆞ다 형 〈옛〉 너르다. ¶ 코는 크게 러ᄂᆞ고(鼻要寬大)≪馬經≫.

러다이트 운:동 【一運動】 〔Luddite〕 명 〖역〗 1811-17년경에 영국의 중부와 북부의 직물·편물 공업 지대에서 일어났던 노동자의 기계 파괴 운동. 산업 혁명의 급속한 발달로 실업의 위험에 처한 가내 수공업자 및 수공업 노동자의 반(反)자본주의 운동.

러더포:듐 〔Rutherfordium〕 명 〖화〗 4 족(族)에 속하는 인공 방사성 원소의 하나. 플루토늄(plutonium) 242 와 네온(neon) 22 의 핵융합 반응으로 만들어지며, 반감기(反減期)는 10^{-2}-10^{-1} 초. 물리적·화학적 성질은 하프늄(hafnium)과 비슷함. [104 번 : Rf : 261]

러더퍼드[1] 〔Rutherford, Daniel〕 명 〖사람〗 스코틀랜드의 의사·식물학자·화학자. 질소(窒素)의 발견자로 유명하며, 최고 최저 온도계의 고안과 공기 펌프의 개량에도 공헌함. [1749-1819]

러더퍼드[2] 〔Rutherford, Ernest〕 명 〖사람〗 영국의 물리학자·화학자. 방사성(放射性) 물질의 $\alpha \cdot \beta \cdot \gamma$ 선을 발견함. 원자 붕괴설을 세우고 원자핵의 실험에서 원자 모형(模型)을 완성, 또 α 선에 의한 최초의 원자핵 인공 변환에 성공하여 1908년 노벨 화학상을 받았음. [1871-1937]

러더퍼드[3] 〔rutherford〕 의명 〖물〗 방사능 물질의 붕괴 속도를 나타내는 단위. 1 러더퍼드는 1 초에 100 만 개의 원자 붕괴를 일으키는 양. 실험자인 러더퍼드의 이름에서 유래함. 기호 rd.

러더퍼드 산:란 【一散亂】 [一살一] 명 〔Rutherford scattering〕 〖물〗 쿨롱의 힘에 의한 하전 입자(荷電粒子)의 산란. α입자의 원자핵에 의한 산란의 실험 결과로 원자의 양전하(陽電荷)는 원자의 중심에 집중해 있으며, 그 산란의 각분포(角分布)는 그러한 가정 위에 섰던 고전 역학(古典力學)의 계산값과 같음을 보여 주었음. 1901 년 러더퍼드가 실험함.

-러라 어미 〈옛〉 -더라. ¶ 苗則槁矣러라 ≪孟諺 公孫丑 上≫.

러버[1] 〔lover〕 명 사랑하는 사람. 애인. 특히, 남자 애인. ＊스위트하트 ⌊(sweetheart).

러버[2] 〔rubber〕 명 고무.

러버 라켓 〔rubber racket〕 명 표면에 고무를 붙인 탁구 라켓. 표면에 돌기물(突起物)이 있는 것과 없는 것 등이 있음.

러버 솔: 〔rubber sole〕 명 고무 바닥의 가죽신.

러버 슈:즈 〔rubber shoes〕 명 고무로 만든 우화(雨靴).

러버 시멘트 〔rubber cement〕 명 고무를 붙이는 풀.

러버 실크 〔rubber silk〕 명 고무를 입힌 견직물. 레인코트에 쓰임.

러벅 〔Lubbock, John〕 명 〖사람〗 영국의 인류학자·고고학자. 분묘(墳墓)·거석(巨石) 기념물·패총(貝塚) 등의 유적을 비교 연구함. 저서에 ≪선사 시대≫·≪문명의 기원과 인류의 원시 상태≫ 등. 대영(大英) 박물관장을 지내고 은행가·국회 의원으로도 활약함. [1834-1913]

러:번 지역 【一地域】 〔rurban〕 명 농촌과 도시가 결합된 사회. 이 지방의 소도시(小都市)는 주위의 농장에 대한 사회적 서비스를 제공하고 농산물의 시장(市場) 구실을 함. 미국 중서부 지방에서 볼 수 있음.

러변칙 활용 【一變則活用】 명 〖언〗 러불규칙 활용. 「하는 용언.

러불규칙 용:언 【一不規則用言】 [一농一] 명 〖언〗 러불규칙 활용을

러불규칙 활용 【一不規則活用】 명 〖언〗 어미가 '-어'로 될 것이 '-러'로 변하는 형식. 동사 '이르다(到·至)'가 '이르러'로 바뀌는 따위. 동사는 '이르다', 형용사는 '푸르다·누르다(黃)' 뿐임.

러브[1] 〔Loeb, Jacques〕 명 〖사람〗 독일 태생의 미국 생리학자. 단위 생식(單爲生殖)·재생(再生)·추성(趨性) 등을 연구하여 생리 현상의 물리학적 연구 방법을 확립하였음. [1859-1924]

러브[2] 〔love〕 명 ①연애. 사랑. 애정. ②애인. 연인(戀人). 주로 여자에 대하여 씀. ＊러버(lover). ③테니스에서, 무득점(無得點).

러브 게임 〔love game〕 명 ①테니스에서, 한쪽 편이 무득점 곧 제로(zero)인 경우. 영패(零敗). ②연애 유희(戀愛遊戲).

러브 레터 〔love letter〕 명 연애 편지.

러브 사운드 〔love sound〕 명 〖악〗 레코드 회사 및 프로모터가 초빙한 연예인을 위해 사용한 선전 문구. 「세트를 마친 경우.

러브 세트 〔love set〕 명 테니스에서, 한쪽이 한 게임도 이기지 못하고

러브 송 〔love song〕 명 연애시(戀愛詩). 사랑의 노래.

러브 스토리 〔love story〕 명 연애 소설. 사랑의 이야기.

러브 식 〔love sick〕 명 연애병(戀愛病). 상사병(想思病).

러브 신: 〔love scene〕 명 〖연〗 연극이나 영화 같은 데서 남녀의 애정·연정(戀情)을 연출하는 장면. 연애 장면.

러브 어페어 〔love affair〕 명 연애 사건.

러브 차일드 〔love-child〕 명 사생아(私生兒).

러브-파 【一波】 명 〔Love wave〕 〖물〗 영국의 물리학자 러브(Love, A. E.H.)에 의하여 수학적으로 유도된 비변용 탄성파(非變容彈性波)의 하나. 반무한(半無限) 탄성체의 표면에 특수한 얇은 층이 존재할 때 생긴다고 하는데, 지구 표면을 전파하는 지진파(地震波)의 관측에서 이의 존재가 인정되고 있음.

러브 호텔 〔love+hotel〕 명 애인끼리 밀회(密會)를 즐기려는 손님을 대상으로 하는 양풍(洋風)의 여관(旅館). 「≪龜鑑 下 49≫.

러비 부 〈옛〉 널리. 넓게. ＊너비. ¶ 러비 드로믈 즐기ᄂᆞᆫ 사ᄅᆞᆷ(好博聞者)

러셀[1] 〔russell〕 명 ①등산(登山) 용어. 큰 눈이 와서 쌓였을 때 눈을 쳐내어 길을 트면서 나아가는 일. ②↗러셀차(車). ③↗러셀식 제설 기관차.

러셀[2] 〔Russell, Bertrand Arthur William〕 명 〖사람〗 영국의 철학자·수학자·사회 평론가. 사회 운동과 저술에 전념했음. 논리학에서는 ≪수학원리≫를 화이트헤드(Whitehead)와 함께 저술했으며, 철학에서는 신실재론(新實在論)을 주장하여 ≪철학의 제(諸)문제≫를 내었음. 또한 사회 운동가로서는 처음의 무정부주의적 급진주의에서 탈피, 점차 보수화하였으나, 원폭(原爆) 금지 운동·베트남 전쟁 반대 등 평화 운동에 앞장을 섰음. 기타 저서에 ≪사회 개조의 제원리≫·≪심리 분석≫·≪물질의 분석≫ 등이 있음. 1950년 노벨 문학상을 받았음. [1872-1970]

러셀[3] 〔Russell, George William〕 명 〖사람〗 영국 아일랜드의 시인·비평가. 동양적인 신비적 색채의 서정시(抒情詩)로 알려짐. 주저(主著)에 ≪시집선(詩集選)≫·≪돌들의 목소리≫ 등이 있음. [1867-1935]

러셀[4] 〔Russell, Henry Norris〕 명 〖사람〗 미국의 천문학자. 프린스턴의 천문대장(天文臺長). 스펙트럼을 연구, 에이치아르 도(H-R 圖)의 작성 및 항성 진화 등을 추정하여 천체 물리학의 기초를 쌓음. [1877-1957]

러셀[5] 〔Russell, John〕 명 〖사람〗 영국의 정치가. 휘그계(Whig 系) 명문 출신으로, 1813년 하원 의원이 되어 선거법 개정안·심사율 폐지(審査律廢止)·곡물법(穀物法) 폐지 등 자유주의적 개혁에 힘씀. 1846년과 1865년에 수상이 되었음. [1792-1878]

러셀-도 【一圖】 〔Russell〕 명 〖천〗 에이치아르 도(H-R 圖). 「(宣言).

러셀 성명 【一聲明】 명 〔Rusell Statement〕 〖정〗 러셀 아인슈타인 선언

러셀식 제설 기관차 【一式除雪機關車】 〔Russell〕 명 쐐기 모양의 가래를 가진, 러셀식 장치를 장비한 디젤 기관차. 자주(自走)할 수 있으므로 높은 기동성(機動性)을 발휘하며, 겨울 이외에는 일반 기관차로 쓰임. 준러셀.

러셀 아인슈타인 선언 【一宣言】 〔Russell-Einstein〕 명 영국의 철학자 러셀이 1955년 7월 아인슈타인과 함께, 미국·소련·영국·프랑스·중공·캐나다의 원수(元首) 또는 수상에게 보낸 편지. 핵무기 전쟁에 의한 인류 멸망의 위기를 경고하고 전쟁 회피를 강조함. 브리지먼·인펠트·파울리·묄러·유카와 히데키(湯川秀樹) 등 세계적 과학자 9명이 찬성 서명하였음. 러셀 성명(聲明).

러셀-차 【一車】 〔Russell〕 명 〔제조 회사의 이름에서 유래〕 차체 앞에 있는 쐐기 모양의 삽으로 철로에 쌓인 눈을 쳐내면서 가는 차. 제설차

(除雪車). ㊟러셀.　　　　「운 음식.
러스크¹ 〔rusk〕 명 빵이나 카스텔라를 얇게 썰어 버터나 설탕을 발라 구
러스크² 〔Rusk, David Dean〕 명 『사람』 미국의 정치가. 1946년 국무성에 들어가 1950년 극동 담당 국무 차관보로서, 한국 동란의 수습, 대일(對日) 평화 조약의 체결 등에 중요한 역할을 함. 케네디·존슨 두 대통령 아래서 국무 장관을 지내며 대소(對蘇) 접근책을 추진함. [1909-94]
러스킨 〔Ruskin, John〕 명 『사람』 영국의 미술 평론가·사회 사상가. 《근대 화가론(畫家論)》으로 미술 비평의 높은 경지를 보이고, 점차 사회 비평에 눈을 돌려 인간 정신의 개조에 의한 사회 개량을 주장하고 또한 사회 개량 사업에도 진력(盡力)하였음. [1819-1900]
러스킨 칼리지 〔Ruskin College〕 명 영국 옥스퍼드에 있는 저명한 노동자 계급을 위한 고등 교육 기관. 1899년 2명의 미국인에 의하여 창립. 노동 조합이나 지방 자치 단체 등에 의하여 유지됨.
러시 〔rush〕 명 ①돌진(突進). ②쇄도(殺到). ③축구에서, 공을 가지고 적진을 돌파하여 골로 향해 쇄도하는 일. 또, 그것을 하는 전위선(前衛線)의 한 사람. ——하다 자여불
-러시니 어미 〈옛〉 -시더니. ¶金ㅅ비치러시니 《月釋 Ⅱ:65》.
러시 라인 〔rush line〕 명 축구에서, 전위선(前衛線).
러시모어 산 【—山】 〔Rushmore〕 명 『지』 미국 사우스 다코타 주(South Dakota州) 서부에 있는 블랙 힐스 산지(Black Hills山地)의 산. 화강암의 절벽에 워싱턴·제퍼슨·링컨·시어도어 루스벨트 등 네 대통령의 거대한 조각이 있음. 100 km 밖에서도 이 조각상이 보이며, 1927-41년에 완성된 이래, 고정 기념물로 지정되어 있음. [1,707 m]
러시아 〔Russia〕 명 『지』 ①9세기에 러시아 평원(平原)의 서부(西部)에서 일어나서, 후에 유럽 동부에서 시베리아에 걸치는 광대한 지역을 지배한, 슬라브 민족을 중심으로 한 나라. 1917년의 2월 혁명으로 로마노프가(家)의 지배가 붕괴되고, 이어 10월 혁명으로 소비에트 사회주의 공화국 연방을 구성하였다가 1991년 12월 소련의 해체로 러시아 연방이 성립됨. 아라사(俄羅斯). 노서아(露西亞). 노국(露國). ②↗러시아 연방.
러시아 독일 재:보장 조약 【—獨逸再保障條約】 〔Russia〕 명 『역』 1887년 6월 17일, 러시아와 독일 사이에 맺어진 비밀 조약. 1885년 3국 협상의 갱신(更新)이 불가능해지자, 외교상·군사상으로 기지(基地)가 필요한 양국이 조건부로 서로의 우호적 중립을 약속한 것. 기한은 3년. 1890년 비스마르크가 갱신을 거부, 해소됨.
러시아 문자 【—文字】 〔Russia〕 〔—짜〕 명 『언』 키릴(Cyrill) 문자에다 라틴 문자를 가하고 근대화·간소화시킨 문자. 자모수(字母數)는 31자. 러시아·불가리아·유고슬라비아에서 쓰이고 있음.
러시아 문학 【—文學】 〔Russia〕 명 『문』 슬라브 민족의 문학. 주로 혁명 이전의 문학을 말함. 19세기에 들어 푸시킨(Pushkin)에 의하여 리얼리즘(realism)이 대두하고, 톨스토이·도스토예프스키에 이르러 그 금자탑(金字塔)을 이루었음. 그 뒤 곤차로프(Goncharov)에 의한 프롤레타리아 문학이 일어나 혁명기까지 이름. *소비에트 문학.
러시아 발레 명 〔Russian ballet〕 제정 시대의 러시아에서 일어난 발레. 18세기 초엽 이후 발달, 19세기 중엽 페티파(Petipa)가 차이코프스키의 곡(曲)에 안무(按舞)하여 장려(壯麗)한 로맨틱 발레를 완성함.
러시아 발레단 【—團】 〔Russia Ballet〕 명 1909년 디아길레프(Diaghilev, S.P.)의 주재로 파리에서 창설된 발레단. 무용·안무에 파블로바·니진스키, 음악에 스트라빈스키·드뷔시, 미술에 피카소·마티스 등이 참여하여, 1929년 해체될 때까지 다채로운 무대 예술 운동을 벌여, 종합 예술로서의 혁신적인 현대 발레의 길을 열었음.
러시아-어 【—語】 〔Russia〕 명 『언』 인구 어족(印歐語族) 중 슬라브 어파(Slav語派)에 속하며, 그 동부 방언(方言)을 이룬 언어. 폴란드·세르비아·체코·슬로바키아 등의 말과 가장 가까움. 대(大)러시아어·소(小)러시아어·백(白)러시아어로 나뉘는데, 정치적·문화적으로 세력이 있는 것은 대러시아어이고, 그 표준어는 모스크바 방언임. 노어(露語).
러시아 연대기 【—年代記】 〔Russia〕 명 『역』 고대 러시아의 편년체(編年體) 역사서(歷史書). 수사(修士) 네스토르(Nestor)가 집성(集成)한 《원초 연대기(原初年代記)》·《키예프 연대기》 등이 포함됨. 정확한 서술(敘述)로 고대 러시아 문학의 대표작임.
러시아 연방 【—聯邦】 〔Russia〕 명 『지』 독립 국가 연합 구성 공화국의 하나. 유럽 러시아에서 극동에 걸치며, 면적으로 독립 국가 연합 전토의 70% 이상, 인구도 약 55%를 차지함. 수도는 모스크바. 20개의 자치 공화국과 7개의 자치주, 10개의 민족 자치 관구(民族自治管區)를 포함함. ㊟러시아. [17,075,400 km² : 148,040,000 명(1990)]
러시 아워 〔rush hour〕 명 출퇴근이나 통학(通學) 등으로 교통 기관이 혼잡을 이루는 시간.
러시아 원:정 【—遠征】 〔Russia〕 명 『역』 1812년 5월에서 10월에 걸쳐, 나폴레옹 1세가 대륙 봉쇄의 목적으로 행한 러시아에의 대원정. 70만 대군으로 러시아에 침입, 모스크바를 점령하였으나, 러시아군의 초토(焦土) 전술·식량 부족·추위 등으로 패퇴함.
러시아-인 【—人】 〔Russia〕 명 인도 유럽계 슬라브족(族)의 동방군(東方群)에 속하는 대(大)러시아인·백(白)러시아인·우크라이나인 등의 총칭.
러시아 정:교회 【—正教會】 〔Russia〕 명 동방 교회(東方教會)에 속하는 그리스도교(教)의 한 파. 10세기말 키예프 공국(公國)의 블라디미르가(Vladimir家)가 귀의(歸依)하면서부터 러시아에 퍼짐. 1453년 동로마 제국 멸망 후는 모스크바 대공(大公)이 동방 교회의 상속자가 됨으로써 세력을 확대, 제도적으로 국가의 보호를 받음.
러시아 터:키 전:쟁 【—戰爭】 명 〔Russo-Turkish War〕 『역』 러시아 투르크 전쟁.
러시아 투르크 전:쟁 【—戰爭】 명 〔the Russo-Turkish War〕 『역』 흑해(黑海)로 부터 발칸으로 진출하려는 러시아의 전통적인 동방(東方) 정책이 야기한 투르크와의 전쟁. 보통 18세기 후반부터 19세기 후반까지의 6차에 걸친 전쟁을 가리키며 특히 제6차 러시아 투르크 전쟁(1877-78)을 가리킴.
러시아 프랑스 동맹 【—同盟】 명 〔Franco-Russian Dual Alliance〕 『역』 ①프로이센 프랑스 전쟁 뒤 독일·오스트리아·이탈리아 사이에 맺어진 삼국 동맹에 대항하여 1894년 3월 러시아와 프랑스 사이에 맺어진 군사 동맹. 나중에 영국이 가입하여서 삼국 협상을 이루고 독일에 대한 포위 공세(包圍攻勢)를 취하였음. ②나치스의 침략 정책에 대항하여 1935년 5월 러시아와 프랑스가 맺은 상호 원조 협정. 1938년에 이르러 유명 무실하게 되었음.
러시아 혁명 【—革命】 〔Russia〕 명 『역』 1917년의, 러시아의 삼월 혁명(三月革命)·시월 혁명(十月革命)의 총칭.
러시아 형식주의 【—形式主義】 명 〔—/—이〕 〔Russia Formalism〕 『문』 1910년대 중반부터 러시아의 언어학자·문예학자를 중심으로 전개된 문학 비평 운동. 문학 작품을 자율적인 언어 세계로서 해명함을 지향하였으며, 구조주의·문화 기호론의 선구로 간주됨.
러시안 룰렛 〔Russian roulette〕 명 각자가 차례로 6연발 권총에 총알 한 발을 재고, 아무렇게나 회전식 실린더를 돌린 다음 머리에 대고 방아쇠를 당겨서, 확률 6분의 1의 죽음을 가름하는, 목숨 내건 내기.
러시 택틱스 〔rush tactics〕 명 등산에서, 베이스 캠프에서 목적지를 향하여 단숨에 등정(登頂)하는 방식. 돌격 전법(突擊戰法). ↔시지 택틱스(siege tactics).
러시 프린트 〔rush print〕 명 『연』 편집이 안 된 영화 필름. 이것을 보고 일부를 다시 촬영하거나 변경하거나 하는 이점이 있음.
러울 명 〈옛〉 너구리. ¶러울 爲獺 《訓例 用字例》. *넝우리.
-러이까 어미 ↗-러니이까.
-러이다 어미 ↗-러니이다.
러일 전:쟁 【—日戰爭】 명 『역』 한국과 만주에 대한 지배권을 둘러싸고 러시아와 일본 사이에 일어난 전쟁. 1904년 2월 일본의 기습 공격으로 시작된 이 전쟁은 뤼순(旅順) 공방전·펑톈 회전(奉天會戰)·대마도 해협에서의 해전(海戰) 등에서 일본이 승리하여 1905년 9월 미국 대통령 루스벨트의 알선으로 포츠머스(Portsmouth)에서 휴전 조약이 성립되고, 10월 11일 강화 조약이 공포되었음. 이 결과로 일본은 당시 한국에 있어서의 정치·군사·경제상의 우월권을 가지게 되고, 러시아는 만주에서 철병(撤兵)하고 뤼순·다롄(大連) 부근의 조차지(租借地) 및 창춘(長春)·뤼순간의 철도를 일본에 양도하였으며, 북위 50도 이남의 사할린을 할양(割讓)하였음. 일로 전쟁(日露戰爭). 노일 전쟁.
러일 협약 【—日協約】 명 『역』 1907년부터 네 차례에 걸쳐 러시아와 일본 사이에 맺어진 비밀 협약. 영토 보전·동아시아에서의 두 나라의 권익의 상호 승인 따위를 결정함. 일로 협약. 노일 협약.
러커 플랜 〔Rucker plan〕 명 『경』 미국의 경영 콘설턴트 러커(Rucker, A.W.)가 고안한 생산성(生產性) 향상을 전제로 한 임금(賃金) 배분 방법(配分方法)의 하나. 부가 가치(附加價值)의 증감에 따라 자동적으로 임금 배분액(賃金配分額)을 정하려는 방식.
러크나우 〔Lucknow〕 명 『지』 인도 북부, 우타르 프라데시 주(Uttar Pradesh州)의 한 도시. 1857년의 토인병(土人兵) 반란 때 영국군이 포위되었던 곳임. 갠지스 강의 지류 줌나 강(Jumna江)에 임한 농산물의 집산지임. 또, 면·견직물·자수(刺繡) 등의 제조와 금은·상아 세공 등이 행하여짐. [1,007,000 명(1981)]
러키 〔lucky〕 명 행운. 행복.
러키 세븐 〔lucky seven〕 명 야구에서, 경기의 9회 중 7회째. 이 회를 행운의 회라 하여 득점이 있기를 기대함.
러키 존: 〔lucky zone〕 명 외야(外野)가 넓은 야구장에서, 1루와 3루쪽 외야 펜스 안쪽에 울타리를 쳐 만든 구역. 이 구역에 타구(打球)가 들어가면 홈런이 됨. 홈베이스에서의 거리를 단축, 홈런이 비교적 쉽게 나오게 하여 관중의 흥미를 돋우기 위한 것임.
러키 펀치 〔lucky punch〕 명 권투에서, 우연히 맞아 상대를 다운시키거나 KO시키는 펀치. 행운의 타격.
러폴릿 〔La Follette, Robert Marion〕 명 『사람』 미국의 정치가. 1901년, 위스콘신 주 지사가 되어 일련(一連)의 혁신적 입법을 제정함. 그 뒤에는 상원(上院)에서 제1차 대전 참전·국제 연맹 가맹 반대 등 고립주의를 표방함. 혁신당(革新黨)을 조직하여 대통령에 출마한 적도 있음. [1855-1925]
러프 〔rough〕 명 ①거침. 감촉이 거칠거칠함. ②예절이 없음. 난폭함. ③테니스에서, 경구용(硬球用) 라켓의 장식 장선(裝飾腸線)이 있는 면(面). ④↗러프 페이퍼(rough paper). 1)-3):↔스무스(smooth). ——하다 형여불
러프 페이퍼 〔rough paper〕 명 거죽이 거칠거칠하고 부푼 인쇄 용지의 한 가지. ㊟러프(rough).
러플 〔ruffle〕 명 큼직큼직하게 물결 모양으로 만든 주름 장식. 흔히, 치맛자락 같은 데에 이 방식을 사용함.
러피다 타 〈옛〉 넓히다. =너피다. ¶眞實로 최여 러피시다 니르리로다(誠日偏弘) 《永嘉 序 7》.
러핑 〔luffing〕 명 요트 레이스에서, 지금보다 더욱 바람 부는 방향으로 나가기 위하여 코스를 바꾸는 일.
러허 〔熱河〕 명 『지』 중국 '청더(承德)'의 옛이름. 열하.
러허 성 【—省】 〔熱河〕 명 『지』 중국 북동부에 있었던 성. 한족(漢族)과 몽고족이 잡거(雜居)함. 산지 구릉이 많고 평야가 적으며 기후는 대륙성 초원성(大陸性草原性)이고 우량이 적음. 목축이 성하여 양모(羊毛)

의 산출이 많으며, 남동부에서 고량·조·맥류(麥類) 등이 생산됨. 방적·모직·피혁·견직물 등의 공업이 행하여지고, 교통은 진구(錦古)·예츠(葉赤)의 두 철도가 있음. 1955년에 허베이 성(河北省)·랴오닝 성(遼寧省)·내몽고 자치구에 분할 편입되었음. 열하성.

러허 이궁【一離宮】〔熱河〕 명 《지》 중국 허베이 성(河北省) 청더(承德)에 있는 궁. 1703-1708년에 강희제(康熙帝)가 지은 피서 산장(山莊)임. 열하 이궁.

럭〔ruck〕 명 럭비에서, 지상(地上)에 있는 공의 주위에 두 사람 이상의 경기자(競技者)가 선채로 몸을 밀착(密着)하고 밀집(密集)하는 상태. 러크 중의 공은 손으로 다룰 수 없음.

럭비[1]〔Rugby〕 명 《지》 영국 중부의 워릭셔(Warwickshire) 동부에 있는 도시. 중요한 철도 요역이며, 특히 1567년에 설립된 럭비 학교로 특히 유명함. [60,000명(1981)]

럭비[2]〔Rugby〕 명 ↗럭비 축구(Rugby蹴球).

럭비-공:〔Rugby〕 명 럭비 축구에 사용하는 넉 장의 가죽으로 꿰맨, 긴 타원형의 공. 길이 28-28.6cm, 세로 둘레는 76-79cm, 가로 둘레 61-65cm, 무게 383-425g임.

〈럭비공〉

럭비 축구【一蹴球】〔Rugby〕 명 구기의 한 가지. 1823년 영국의 럭비 학교에서 창안된 것으로 사커(soccer)와 더불어 영국의 국기(國技)임. 각각 15명씩의 두 팀이 일정한 규칙 아래서 한 개의 긴 타원형 공을 손으로 넘기고 발로 차면서 서로 빼앗아 상대방 진지의 문(門)의 선(線)에 트라이하는 등으로 득점함. 경기 시간은 5분 동안의 휴식(休息)을 두고 전반전(前半戰)·후반전(後半戰) 각각 40분씩임. 럭비 풋볼(Rugby football). 러거(rugger). ㊟럭비(Rugby). *미식(美式) 축구.

럭비 풋볼〔Rugby football〕 명 럭비 축구.

럭스〔lux〕 의명 《물》 조명도(照明度)의 국제 단위. 1 m² 넓이에 1 루멘(lumen)의 광속(光束)이 일정하게 분포하고 있을 경우의 표면 조명도. 기호 Lx. 미터 촉광.

럭스-계【一計】〔lux〕 명 《물》 조명계(照明計).

럭스 미터〔lux meter〕 명 《물》 조명계(照明計).

런〔run〕 명 ①흥행이 계속됨. ¶롱(long) ~. ②흥행의 순번. ¶세컨드(second) ~. ③야구에서, 베이스(base)의 한 순(巡). 1점. ¶투~ 호머(homer).

-런가 어미 '이다'·'아니다'의 어간에 붙어서 '-던가'의 뜻으로 예스럽게 쓰는 의문형 종결 어미. ¶꿈이~ 생시~/꿈은 아니~. *-ㄹ런가.

-런고 어미 〈옛〉-던고. ¶이 진실로 엇딘 므음이런고(是誠何心哉)≪孟諺 梁惠王 上≫. *-ㄹ런고.

런던[1]〔London〕 명 《지》 영국의 수도(首都). 잉글랜드의 동남부 템스 강(Thames江)의 양안(兩岸)에 걸쳐 있는 항구 도시. 좁은 뜻의 런던은 런던 주(州)라 하여, 특별구(特別區)와 웨스트민스터 등 28개의 행정구로 이루어지며, 넓은 뜻의 런던은 런던 주 외에 에식스·켄트·서리·하트퍼드셔 주(州)의 일부를 포함하는 지역으로, 대(大)런던이라 함. 이 나라 상공업·금융·문화·정치의 중심일 뿐 아니라 세계 금융·보험의 중심임. 런던항은 이 나라 제일의 무역항이며, 런던 대학·대영 박물관(大英博物館)·그리니치 천문대·세인트 폴 대성당(Saint Paul大聖堂) 등이 있음. 윤돈(倫敦). [6,740,000명(1990)]

런던[2]〔London, Fritz〕 명 《사람》 독일 출신의 미국 물리학자. 1927년 하이틀러(Heitler) 등과 함께 수소 분자의 구조를 양자(量子) 역학적으로 논하여 화학 결합에 관한 '하이틀러 런던의 이론'을 제창함. 또, 초전기 전도(超電氣傳導)에 관한 '런던의 방식'을 세우고 액체 헬륨에 관한 연구도 함. [1900-54]

런던[3]〔London, Jack〕 명 《사람》 미국의 소설가. 여러 직업을 전전하다 출세작 ≪야성(野性)의 절규≫ 이래 ≪바다의 이리≫·≪백아(白牙)≫ 등의 동물 소설 및 자서전적인 ≪마틴 이든(Martin Eden)≫을 발표, 40세로 자살하기까지 생물의 환경에의 불가항력을 그린 50여 권의 작품을 내었음. [1876-1916]

런던 공항【一空港】〔London〕 명 히스로 공항.

런던 과학 박물관【一科學博物館】〔London〕 명 영국 과학 박물관.

런던 교향 관현악단【一交響管絃樂團】 명 〔London Symphony Orchestra〕 《악》 1904년에 창설된 영국 일류의 교향악단. 「약.

런던 군축 회:의【一軍縮會議】〔London〕〔一/一이〕 명 런던 해군 조

런던 금시장【一金市場】〔London〕 명 《경》 런던의 국제적인 자유 금시장. 17-18세기부터 시작, 제2차 대전으로 일시 중단되었다가 1954년 재개되어 로스차일드 상회 사무실에 개설됨. 이곳의 금값이 전세계를 주도(主導)하며, 국제 통화 체제에도 큰 영향을 미침.

런던 대학【一大學】〔London〕 명 런던에 있는 대학. 1836년 칙령에 의하여 설립, 45개의 칼리지와 대학 본부로 됨. 처음, 시험에 의한 학위를 수여하는 대학으로 설립됨. 학문을 교수하는 대학으로 발족한 것은 1900년임.

런던데리〔Londonderry〕 명 《지》 영국 북아일랜드 북서부의 항구 도시. 의류(衣類) 생산에 특색이 있으며, 조선(造船)·피혁(皮革)·양조·식품 가공 등의 공업이 행하여짐. 의류·축산물을 수출함. [95,300명(1985)]

런던 동:물 공원【一動物公園】〔London〕 명 런던의 리젠트(Regent) 공원 안에 있는 동물원. 런던 동물학 협회의 경영으로 1828년에 창립되고 수용 동물이 1천 종을 넘어 세계 제일임.

런던 밀약【一密約】〔London〕 명 《역》 런던 조약❻.

런던 선언【一宣言】〔London〕 명 《정》 전시 국제법에 있어서, 해전(海戰) 법규에 관한 선언. 1909년에 런던 해군 법규 회의가 설정한 것으로 전시에 있어서 공해(公海)의 선박 항행을 규정하였음.

런던 슈렁크〔London shrunk〕 명 모직물에 가하는 최후의 완성 공정(工程). 공장 제품에서 나타난 짙은 광택과 딱딱한 촉감을 배제하고, 동시에 그 너비 및 길이가 다시금 수축되지 않도록 직물을 물에 넣었다가 자연적으로 건조시키는 일.

런던 조약【一條約】〔London〕 명 《정》 런던에서 체결된 국제 조약. ①1827년 7월, 영국·프랑스·러시아 사이에 맺어진 조약. 그리스 독립 전쟁 지지에 관한 것. ②1831년 영국·프랑스·프로이센·러시아·오스트리아와 벨기에 사이에 체결된 것. 벨기에의 영세 중립국으로서의 지위를 규정. ③1840년, 터키의 술탄(Sultan)과 이집트의 메메트 알리와의 분쟁에 간섭하여 영국·러시아·프로이센·오스트리아 사이에 체결된 동맹 조약. 이집트와 남부 시리아를 이집트 태수 메메트 알리의 영토로 할 것을 투르크에 승인시켰음. ④1871년, 영국·프로이센·오스트리아·프랑스·이탈리아·투르크 사이에 체결된 조약. 흑해·다뉴브 강 항행에 관한 것. ⑤1913년에 맺어진 제1차 발칸 전쟁의 강화 조약. 투르크는 유럽의 영토의 태반을 잃음. ⑥1915년, 영국·프랑스·러시아·이탈리아 사이에 체결된 비밀 조약. 이탈리아의 참전(參戰)의 대가(代價)로 남(南)티롤·트리에스테·달마티아(Dalmatia) 해안·소(小)아시아의 일부, 아프리카 식민지의 확대를 약속하였음. 베르사유 조약에서는 요구(要求)의 태반이 공문화(空文化)되어 있었음. 런던 밀약.

런던 타임스〔London Times〕 명 '타임스'를 '뉴욕 타임스'에 대해서 일컫는 통칭(通稱). 영국의 일류 일간 신문. 1785년 '데일리 유니버설 레지스터(Daily Universal Register)'로 창간하여 1788년에 '타임스'로 개칭하여 현재에 이름. 성격은 온건하고 보수적인데 발행 부수는 적으나 영향력은 상당히 큼. 타임스.

런던-탑【一塔】〔London〕 명 런던의 템스 강 북안에 있는 옛 성채(城砦). 감옥으로 사용하여 정쟁(政爭)의 희생자가 된 왕족·귀족들이 유폐되었었음. 현재는 병기고(兵器庫)와 박물관으로 사용됨.

런던 필하:모니 명 〔London Philharmonic Orchestra〕 《악》 1932년에 비첨(Beecham)이 창설한 대표적인 영국 관현악단의 하나.

런던 학파【一學派】〔London〕 명 《경》 1931년 이후, 영국의 런던 대학에 하이에크와 로빈스(Robbins, L.; 1898-1984)를 중심으로 모인 근대 경제학. 특히, 한계 효용 학파의 한 분파.

런던 해:군 조약【一海軍條約】〔London〕 명 《역》 1930년의 런던 회의에 의해서 체결된 해군 군축(軍縮)에 관한 조약. 영국·미국·일본 사이에 10 : 10 : 7의 비율이 협정되었음. 런던 군축 회의(軍縮會議).

런던 회:의【一會議】〔London〕〔一/一이〕 명 《역》 런던에서 개최되었던 국제 회의. ① 1831년 벨기에의 독립을 승인한 회의. ② 1852년의 회의. 덴마크의 영토 보전과 슐레스비히·홀슈타인 두 공국(公國)의 독립을 원칙적으로 인정. ③ 1867년, 룩셈부르크 문제를 결정한 회의. ④ 1871년의 회의. 러시아의 흑해(黑海) 중립 조항의 폐기를 정함. ⑤ 1913년, 제1차 발칸 전쟁의 강화 회의. ⑥ 1915년, 제1차 대전 중, 이탈리아가 3국 동맹을 탈퇴, 연합국측에 참전하는 조건을 정한 회의. ⑦ 1921-22년에 걸친 회의. 대독(對獨) 배상 문제에 관한 회의.

-런들 어미 '이다'·'아니다'의 어간에 붙어서 '-던들'의 뜻으로 예스럽게 쓰이는 연결 어미. ¶친어머니~ 나에게 이런 고생을 시키겠나/병자가 아니~ 우는 소리를 하겠는가.

-런디 어미 〈옛〉-인지. ¶모로리로다 언머런디(知他是多多少少)≪朴解 下 30≫.

-런마른 어미 〈옛〉-련마는. ¶即時예 正覺올 일우련마른≪月釋 Ⅱ:36≫.

런민 일보【一日報】〔중 人民〕 명 중국 공산당 중앙 위원회 기관지. 1948년 창간 당시는 화북구(華北區)의 당기관지였음. 사설(社說)은 중국 공산당의 견해를 대변함.

런스 배티드 인〔runs batted in〕 명 야구에서, 타점(打點). 타격점.

런지〔lunge〕 명 하키에서, 스틱을 길게 내뻗쳐 주로 상대방의 볼 컨트롤을 저지하는 방어상(防禦上)의 테크닉.

런치〔lunch〕 명 ①점심. 주식(晝食). ②간단한 양식. 경식사(輕食事).

런치 타임〔lunch time〕 명 점심 시간.

런치 홀:〔lunch hall〕 명 경양식점(輕洋食店).

럴 조 〈방〉 를(전라·경남).

럼[1]〔rum〕 명 당밀 또는 사탕수수의 찌끼에 물을 부어 발효(醱酵)시켜서 만드는 증류주(蒸溜酒). 서인도 제도의 특산으로 자메이카(Jamaica) 섬의 킹스턴(Kingston)이 가장 유명함. 럼주(rum酒).

럼[2]〔rhm〕 명 〔roentgen hour meter〕 《물》 방사선원(放射線源)으로부터 1미터 떨어져서 그 선량률(線量率)이 매시(每時) 1뢴트겐일 때의 선원(線源) 유효 강도(強度). 기호는 rhm로 표시함.

럼버 페이퍼〔lumber paper〕 명 《경》 목재 어음. 즉, 목재를 담보로 하여 발행하는 어음 또는 대목재상이 발행하는 우량(優良) 어음.

럼-주【一酒】〔rum〕 명 럼[1].

럼지〔Rumsey, James〕 명 《사람》 미국의 발명가. 증기(蒸氣) 기관으로 펌프를 움직여 배를 추진시키는 데 성공하였음. [1743-92]

레:[1]〔Leh〕 명 《지》 인도 북서부 카슈미르의 도시. 인더스 강 좌안(左岸)에 가까우며 해발 3,434 m의 고지에 있음. 티베트와의 교통의 요로(要路)이며 상업지(商業地)임. [8,718명(1981)]

레[2]〔이 re〕 명 《악》 ①음계 이름의 하나. 장조(長調) 음계의 제2음, 단조(短調) 음계의 제4음. ②D음(音)의 이탈리아 음이름. 우리 나라 음이름 '라'와 같음.

레가스피〔Legaspi〕 명 《지》 필리핀 루손 섬 남동단의 항구 도시. 스페인 초대 총독인 레가스피의 이름을 딴 것임. 부근에서는 쌀·코코야자·마닐라삼 따위를 산출하며, 서북쪽에 마욘(Mayon) 화산이 있음. [100,000명(1980)]

레가타〔regatta〕 명 보트 레이스(boat race).

레가토 〔이 legato〕 명 〖악〗 두 개 이상의 음(音)을 끊지 아니하고 부드럽게 이어서 주창(奏唱)하는 일.

〈레가토〉

레가티시모 〔이 legatissimo〕 명 〖악〗 '가장 원활하게'의 뜻.

레갈리엔 〔도 Regalien〕 명 〖법〗 절대 군주가 가지는 국왕의 특권(特權). 국법상의 통치권 및 자신의 영유에 대한 면세 등의 특권과 교회법상 교회에서 국왕에게 부여한 세속적 권리를 의미하는 두 개념이 있음.

레거 〔Reger, Max〕 명 〖사람〗 독일의 작곡가. 브람스(Brahms)의 경향을 계승하여 신고전적(新古典的) 형식의 많은 실내악곡·관현악곡 등을 작곡하여 후기 낭만파로부터 현대 음악에의 과정을 나타내는 작곡가의 한 사람으로 꼽힘. [1873-1916]

레게: 〔reggae〕 명 라틴계의 뉴 뮤직 스타일과 그 리듬. 자메이카 고유의 애프로라틴 리듬의 음악이 리듬 앤드 블루스의 영향을 받아 이루어진 것으로, 칼립소(calypso)·록(rock) 등의 혼성(混成)으로도 볼 수 있음.

레겐데 〔도 Legende〕 명 〖악〗 '서사곡(敍事曲)'의 독어명.

레겐스부르크 〔Regensburg〕 명 〖지〗 독일 남동부 바이에른 주(Bayern 州)의 한 도시. 도나우 강변에 있는 하항(河港) 도시로, 조선(造船)·기계 공업·정당(精糖)·양조업 등이 성함. 13세기에 지은 교회(敎會), 12세기에 지은 석교(石橋) 등이 있음. [125,600 명(1985)]

레구민 〔legumin〕 명 〖화〗 콩 종류에 다량으로 포함되어 있는 단백질의 한 가지. 염화 마그네슘(塩化 magnesium)을 만나면 엉기는 성질이 있음. 두부(豆腐)는 간수로 레구민을 굳힌 것임.

레굴루스 〔라 Regulus〕 명 〖천〗 봄의 밤하늘에 보이는 항성(恒星)의 이름. 사자자리의 α성에 해당하며, 등급(等級)은 1.3등. 자주 달에 가리어 보이지 않음.

레귤러 〔regular〕 명 ①정식. 정칙(正則). 규칙적. ②↗레귤러 플레이어.

레귤러 멤버 〔regular member〕 명 정식 멤버. ↔게스트 멤버.

레귤러스 유도 미사일 【一誘導一】 명 〔Regulus guided missile〕 〖군〗 제트 추진 장치의 해상 대 해상(海上對海上) 미사일. 핵탄두(核彈頭)가 장비되어 해상에 부상한 잠수함 또는 순양함으로부터 발사됨.

레귤러 웨이 〔regular way〕 명 〖경〗 미국 증권 시장(證券市場)의 주식 매매 거래의 하나. 보통 거래(普通去來)를 총칭하는 용어로 현금에 의한 거래와 신용 거래(信用去來)를 포함하는데, 후자는 특히 마진 거래(margin 去來)라고 불림.

레귤러 커:피 〔regular coffee〕 명 원두(原豆)를 볶아서 가루로 빻은 커피. *인스턴트 커피·배전두(焙煎豆) 커피.

레귤러 포지션 〔regular position〕 명 각 운동 선수의 정식 위치.

레귤러 플레이어 〔regular player〕 명 경기의 정선수(正選手). ㊈레귤러(regular). ↔후보(候補) 선수.

레귤레이션 게임 〔regulation game〕 명 야구의 정식 경기.

레귤레이터 〔regulator〕 명 ①조정기(調整器). ②정리자(整理者). ③표준 시계(標準時計).

레그 가:드 〔leg guard〕 명 하키 선수나 야구의 포수·주심이 착용하는 「방호용(防護用)의 정강이받이.

레그니차 〔Legnica〕 명 〖지〗 폴란드 서남부의 상공업 도시. 철도의 중심지로 화학 섬유·식품 공업이 발달. 제2차 세계 대전중의 격전지였음. [98,600 명(1985)] *리그니츠(Liegnitz).

레그 다이빙 〔leg diving〕 명 태클(tackle).

레그 워:머 〔leg warmer〕 명 무릎에서 발목까지를 덮어 추위로부터 보호하는 털실로 짠 발 토시. 부녀자들이 씀.

레그-혼:[1] 〔Leghorn〕 명 〖지〗 '리보르노(Livorno)'의 영어명.

레그혼:[2] 〔leghorn〕 명 〖조〗 〔→네공〕 닭의 한 품종. 이탈리아 북부의 도시 레그혼의 원산으로 대표적인 난용종(卵用種)임. 안면과 볏은 붉으며 귀는 희고 다리는 누르며 몸빛은 갈색·백색·흑색 등인데, 특히 백색종이 유명함. 알을 1년에 200개 가량 낳음. ¶ 백색 ~. *리보르노.

〈레그혼[2]〉

레기오몬타누스 〔Regiomontanus〕 명 〖사람〗 르네상스기(期)의 독일 천문학자·수학자. 본명은 요한 뮐러(Johann Müller). 그리스어(語)로 된 ≪알마게스트(Almagest)≫를 번역했으며, 또 삼각법(三角法)의 교과서를 지음. 1471년에 유럽 최초의 근대적 천문대를 뉘른베르크(Nürnberg)에 세움. [1436-76]

레기온 〔라 legion〕 명 고대 로마에 있었던 군대의 한 부대. 시기에 따라 다르지만 3,000-6,000명의 보병과 기병으로 구성됨.

레깅스 〔leggings〕 명 ①정강이 부분을 보호하기 위하여 대는 헝겊이나 가죽 조각. 정강이받이. 각반(脚絆). ②어린 아이의 양복의 하나. 양복 바지 비슷하되 좀 기름하고 가랑이 끝에 고무 고리를 달아서 발에 꿰게 되어 있음.

레나 강 【一江】 〔Lena〕 명 〖지〗 시베리아의 큰 강. 바이칼 산맥 서쪽에서 발원하여 알단(Aldan)·비팀(Vitim)·올레크마(Olekma) 등의 지류와 합쳐 대삼각지를 만들며 북극해에 들어감. 강이 얼어 붙지 아니하는 여름철에는 선박의 항행이 가능하여 중요한 수송로(輸送路)의 구실을 함. [4,270 km]

레나르트 〔Lenard, Philipp Eduard Anton〕 명 〖사람〗 독일의 물리학자. 금속(金屬)의 광전(光電) 효과, 인광(燐光)·형광(螢光) 및 음극선(陰極線)의 연구 등으로 1905년 노벨 물리학상을 받았음. [1862-1947]

레나우 〔Lenau, Nikolaus〕 명 〖사람〗 헝가리 태생의 오스트리아 시인. 슬라브적(的)인 우수(憂愁)와 헝가리적인 정열이 조화된 특색 있는 서정시를 발표하여 괴테(Goethe) 이래의 저명한 시인으로 꼽힘. 정신 착란으로 일생을 마침. ≪시집(詩集)≫ 등이 있음. [1802-50]

레네 〔Resnais, Alain〕 명 프랑스의 영화 감독. 아우슈비츠의 과거와 현재를 그린 기록 영화 ≪밤과 안개≫로 프랑스 시네마 대상 수상. ≪24시간의 정사(情事)≫·≪프로비당스≫·≪지난해 마리엔바트에서≫ 등 개성이 넘치는 작품을 발표함. [1922-]

레노[1] 〔이 leno〕 명 〖악〗 '조용하게'의 뜻.

레노[2] 〔Reynaud, Paul〕 명 〖사람〗 프랑스의 정치가. 1940년 수상(首相)을 역임하였고, 2차 대전중 포로가 되었으나 전후에 복귀하여 유럽 의회 운동의 지도자의 한 사람으로 활약함. [1878-1966]

레노[3] 〔Raynaud, Maurice〕 명 〖사람〗 레이노.

레늄 〔rhenium〕 명 〖화〗 희유 원소(稀有元素)의 하나. 1925년 독일의 노닥 부부(Noddack 夫婦)가 발견한 것으로 백금광(白金鑛)·휘수연광(輝水鉛鑛) 등에 극소량 함유되어 있는 은백색(銀白色)의 금속. 질산과 황산에 녹으며, 전구(電球)의 필라멘트·촉매(觸媒)로 사용됨. [75번 : Re : 186.207]

레니 〔Reni, Guido〕 명 〖사람〗 이탈리아의 화가. 볼로냐 절충파(Bologna 折衷派)의 지도자. 감미로운 감상적 작풍(感傷的作風)으로 벽화(壁畫)를 많이 제작. 종교화를 그림. [1575-1642]

레니에 〔Régnier, Henri de〕 명 〖사람〗 프랑스의 시인·소설가. 상징파(象徵派)에서 출발하여 아나톨 프랑스 등과 함께 프랑스 문단의 쌍벽(雙璧)을 이루었음. 대표작으로 ≪타오르는 청춘≫·≪심야의 결혼≫ 등이 있음. [1864-1936]

레닌[1] 〔Lenin, Nikolai〕 명 〖사람〗 러시아의 혁명가. 본명은 Vladimir Ilich Ulyanov. 마르크스주의 이론의 혁명적 실천가로서 소련 공산당을 창시하였으며, 소련 혁명을 지도하고, 1917년 케렌스키 정권을 타도하여 프롤레타리아 독재 정권을 세웠음. ≪국가와 혁명≫·≪제국주의론≫ 등의 저서가 있음. [1870-1924]

레닌[2] 〔renin〕 명 〖화〗 신피질(腎皮質) 안에 있는 일종의 단백 분해 효소. 소위 신장(腎臟) 호르몬 중 가장 알려진 것임. 신장 장애(障碍) 때, 이의 분비가 항진(亢進)하면 혈청 속의 타물질에 작용, 동맥벽(壁)을 수축시켜 혈압을 높이는 물질을 만듦.

레닌[3] 〔rennin〕 명 〖화〗 송아지 등 어린 반추(反芻) 동물의 위액 속에 있으며, 응유 작용(凝乳作用)을 하는 효소(酵素). 유즙(乳汁) 속의 카세인(casein)을 파라카세인(paracasein)으로 변환시킴. 키모신(chymosin). 키마아제(Chymase). 응유 효소.

레닌그라드 〔Leningrad〕 명 〖지〗 '상트페테르부르크'의 전 이름.

레닌그라드 필하:모닉 오:케스트라 〔Leningrad Philharmonic Orchestra〕 명 소련 시절의 '상트페테르부르크 필하모닉 오케스트라'의 이름.

레닌-상 【一賞】 〔Lenin〕 명 소련에서 문학·예술·과학·기술 등에서 가장 업적이 뛰어난 사람에게 주던 상.

레닌-주의 【一主義】 〔Lenin〕 〔一/一이〕 명 〖사〗 마르크스의 사상에서 출발하여 그것을 더욱 발전시킨 레닌의 주의·사상. 프롤레타리아 혁명 및 독재에 관한 이론과 전술을 주로 하는 공산주의 이론임.

레닛 〔rennet〕 명 〖화〗 레닌(rennin)을 함유하는 제제(製劑). 송아지의 위액(胃液) 속에서 추출하며, 치즈를 만들 때 우유를 응고(凝固)시키기 위하여 씀.

레다 〔Leda〕 명 〖신〗 그리스 신화 중의 스파르타(Sparta) 왕비. 백조(白鳥)로 변신한 제우스(Zeus)와 성교하여 두 알을 낳았는데, 그 하나에서 카스토르(Kastor)와 폴리듀케스(Polydeukes)가, 또 하나에서 헬레네(Helene)가 생겨났다 함.

레더 〔leather〕 명 ①무두질한 가죽. ②↗레더 클로스(leather cloth).

레더먼 〔Lederman, Leon M.〕 명 〖사람〗 미국의 물리학자. 컬럼비아 대학 교수·페르미 국립 가속기(加速器) 연구소장을 지냄. 뉴트리노의 발견과 연구로, M. 슈와르츠·J. 스타인버거와 함께 1988년 노벨 물리학상을 수상함. [1922-]

레더버:그 〔Lederberg, Joshua〕 명 〖사람〗 미국의 미생물 유전학자. 위스콘신 대학·스탠퍼드 대학 교수. 살모넬라균(salmonella 菌)으로 형질 도입(形質導入)의 현상(現象)을 발견. 1958년 노벨 생리 의학상(生理醫學賞)을 받음. [1925-]

레더 코:트 〔leather coat〕 명 모조 가죽으로 만든 저고리나 외투. 주로, 자동차·비행기·오토바이 같은 것을 탈 때 입음.

레더 클로스 〔leather cloth〕 명 ①방수포(防水布)의 한 가지. 거죽에 칠을 하여 가죽처럼 보이게 만든 튼튼한 무명. 모조(模造) 가죽. ②멜턴(melton) 가공을 한 면모 교직물(綿毛交織物). ㊈레더(leather).

레드 〔red〕 명 ①붉은 빛. 적색. ②공산주의적. 혁명적. 또, 이 사상·운동·정당 및 그 당원. 빨갱이.

레드 데이터 북 〔Red Data Book〕 명 멸종될 우려가 있는 야생 생물의 목록을 작성하여 그 분포와 생식 상황을 상세히 소개하는 조사서. 위기를 뜻하는 붉은 표지(表紙)에서 이름이 연유됨. 1966년 국제 자연 보호 연합(INCN)이 세계적인 규모로 멸종 우려가 있는 야생 동물의 목록을 작성한 것이 처음이며, 이후 세계 각국은 독자적으로 만들고 있음.

레드-아이 〔red eye〕 명 ①〖군〗 낮게 나는 비행 물체를 공격 목표로 하는 미국의 견착식(肩着式) 지대공(地對空) 미사일. ②플래시나 스트로보를 사용한 컬러 인물 사진에서 사람의 눈이 붉게 되는 현상.

레드우드 점도계 【一粘度計】 〔Redwood〕 명 〖화〗 기름 따위의 점성도(粘性度)를 측정하는 기구. 규정된 양이 구멍을 통하여 떨어지는 시간을 잼. 이 소요 시간을 레드우드 초(秒)라고 함.

레드-톱 〔redtop〕 명 〖식〗 [*Agrostis alba*] 볏과(科)에 속하는 다년생 목초(牧草). 높이 1m 내외로 줄기는 가늘고 잎은 선상(線狀)인데 이른봄부터 늦가을

〈레드톱〉

까지 자람. 6-7월에 홍자색의 작은 꽃이 수상(穗狀)으로 핌. 유럽 원산으로, 토양에 대한 적응력·재생력(再生力)이 강하므로 방목지(放牧地)에 많이 재배함.

레드 파워 〔Red Power〕 명 미국에서, 인종 차별과 편견을 타파하고 문화적·정치적 위상(位相)을 확보하기 위한 인디언들의 인권운동. ＊블랙 파워.

레드 퍼:지 〔red purge〕 명 적색 분자(赤色分子)를 공직(公職)·기업 등으로부터 숙청·추방하는 일.

레들리키아 〔redlichia〕 명 〖동〗 삼엽충류(類)에 속하는 화석 동물. 아시아·오스트레일리아 및 아프리카 등지에서 발견되어서 캄브리아기(Cambria紀)의 표준 화석으로 중요시됨. 두부(頭部)는 반원형에 가까와 다소 볼록하고 동부(胴部)의 환절(環節)은 10절 이상이며 미판(尾板)은 작음.

레디[1] 〔Redi, Francesco〕 명 〖사람〗 이탈리아의 의사·박물학자. 파리의 발생에 관하여 확인하고 그 자연 발생설을 부정하였음. 이 외에 무척추 동물 및 사독(蛇毒)에 관한 연구가 있음. [1626?-97]

레디[2] 〔ready〕 감 〔'준비(準備)'의 뜻〕 경주·경기·작업 등에 있어 시작을 예고하여 준비 태세를 취하게 하는 구호. ¶ ～, 고(go).

레디니스 〔readiness〕 명 〖교〗 아동이 학습에 대하여 준비된 상태에까지 성장되어 있는 일. 곧, 교육을 받을 준비가 이루어지고 심신의 준비가 갖추어지는 일임. 물론 연령의 성숙이 큰 요인이 되지만 교시(敎示)의 방법, 동기(動機)의 부여, 경험의 정도, 학습 장면 등의 외적(外的)인 영향도 이에 관계됨.

레디-메이드 〔ready-made〕 명 기성(既成). 기성품(品). ↔오더 메이드(order made). ＊하프 메이드.

레디-믹스 〔ready-mix〕 명 〖건〗 현장에서 혼합하지 아니하고 시멘트 공장에서 미리 혼합하여 콘크리트 공사 현장으로 운반해 오는 시멘트·모래·자갈·물 등의 혼합물. ＊레미콘.

레디아 〔redia〕 명 〖생〗 흡혈류(吸血類) 발육의 제2 단계로서, 스포로시스트(sporocyst)의 체내에 생기는 특이한 낭상(囊狀)의 충체(蟲體).

레디-투-웨어 〔ready-to-wear〕 명 기성복.

레룸 노바룸 〔라 Rerum Novarum〕 명 〖천주교〗 1891년에 교황 레오 13세가 노동자의 생활 개선에 관하여 발표한 회칙(回勅). 사유 재산을 자연권(自然權)으로서 옹호하고, 근로자에게도 인간적 생활을 영위할 수 있는 적정(適正) 가족 임금을 지불할 것과 국가도 근로자 보호에 적극 힘쓸 것을 제창하였음.

레르몬토프 〔Lermontov, Mikhail Yurievich〕 명 〖사람〗 러시아의 시인. 러시아 낭만파 최후의 사람으로 푸슈킨과 견줌. 상류 사회에 대한 반발과 아름다운 자연 묘사의 그의 작품은 비판적 리얼리즘의 최고의 위치를 차지함. 《현대의 영웅》·《악마》 등을 남김. 결투(決鬪)로 요절(夭折)함. [1814-41]

레마르크 〔Remarque, Erich Maria〕 명 〖사람〗 독일의 소설가. 1차 대전에 종군하여 종군기 《서부 전선 이상 없다》로 인기를 모은 후 반전(反戰) 사상으로 나치스에 쫓겨 미국에 이주해 《개선문(凱旋門)》을 발표, 세계적으로 저명하게 되었음. [1898-1970]

레:만[1] 〔Lehmann, Alfred Georg Ludwig〕 명 〖사람〗 덴마크의 심리학자. 정신 현상을 하나의 에너지 현상이라 생각하며 실험 측정에 의해 수량적 법칙을 세우고자 하였음. [1858-1921]

레:만[2] 〔Lehmann, Lilli〕 명 〖사람〗 독일의 소프라노 가수. 1865년 프라하에서 첫공연을 가져 바그너 가수(歌手)가 됨. 모차르트·바그너에 능하며 19세기 후반 최고의 여성 가수로 일컬어짐. [1848-1929]

레:만[3] 〔Lehmann, Lotte〕 명 〖사람〗 독일 태생의 미국 소프라노 가수. 1910년 함부르크 국립 극장에 데뷔, 《로엔그린》에 출연하였고 1930년에 미국으로 건너가 뉴욕 메트로폴리탄 가극장에서 노래를 부름. 20세기 전반기(前半期)의 최대의 소프라노 가수로 꼽히는데, 특히 바그너와 리하르트 슈트라우스의 작품이 장기였음. [1888-1976]

레:만[4] 〔Lehmann, Rosamond〕 명 〖사람〗 영국의 현대 여류 소설가. 버지니아 울프(Woolf)의 영향을 받아 풍부한 꿈과 환상의, 여성다운 섬세한 감수성이 넘치는 서정적 작품을 씀. 저서에 《모호한 대답》·《거리의 계절》 등이 있음. [1904-]

레만 호 【一湖】 〔Leman〕 명 〖지〗 스위스 서부, 프랑스와의 국경에 있는 호수. 초승달 모양의 호수로, 호안(湖岸)에 제네바·로잔·몽트뢰(Montreux) 등이 있음. 풍광(風光)이 아름다움. 제네바 호(湖). [583 km²]

레모네이드 〔lemonade〕 명 청량 음료(淸凉飮料)의 한 가지. 레몬즙에 물·설탕·시럽이나 탄산을 탄 음료. 레몬수. 리모나드. →라무네.

레몬 〔lemon〕 명 〖식〗 [*Citrus limon*] 운향과에 속하는 상록 교목. 높이 3 m 가량이고 잎은 타원형임. 밀감꽃과 비슷한 흰 오판화(五瓣花)가 일 년 내내 핌. 과실은 방추형(紡錘形)으로 처음에는 껍질 빛이 짙은 초록색이었다가 익으면 노란 빛이 되는데 향기가 많음. 과즙(果汁)은 향기가 좋고 시트르산(酸)·비타민을 함유하여 음식에 향기를 돋구는 데 널리 씀. 내한성(耐寒性)이 약함. 인도 원산(原産)으로, 이탈리아·북미·지중해(地中海) 연안 등지에 분포함. 구연(枸櫞). 영몽(檸檬).

〈레몬〉

〈레몬 그래스〉

레몬 그래스 〔lemon grass〕 명 〖식〗 [*Cymbopogon citratus*] 볏과(科)에 속하는 다년초. 높이 1-1.5 m 가량이고 근생엽(根生葉)은 가늘고 길이와 폭이 1 cm 정도이며 경엽(莖葉)은 길. 대형의 원추 화수(圓錐花穗) 수개가 나오는데 화병(花柄)이 있는 소수(小穗)는 웅성(雄性)이므로 결실하지 않음. 풀 전체에서 레몬과 비슷한 방향(芳香)이 있어 열대 지방의 습지에서 재배함. 그 정유(精油)를 채취함.

레몬 린스 〔lemon rinse〕 명 머리를 감은 뒤에 헹구는 데 사용하는 레몬즙(汁)을 탄 액(液).

레몬-산 【一酸】 〔lemon〕 명 〖화〗 시트르산(酸).

레몬-수 【一水】 〔lemon〕 명 ①레몬유(油)를 풀어 넣은 물. ②레모네이드.

레몬 스쿼시 〔lemon squash〕 명 레몬즙(汁)을 탄 청량 음료.

레몬 옐로: 〔lemon yellow〕 명 〖미술〗 서양화의 채색의 하나. 곱고 연한 노랑. 연노랑.

레몬-유 【一油】 〔lemon〕 명 레몬 껍질에서 짜 낸 기름. 빛은 담황색(淡黃色)으로 특유의 상쾌한 향기와 씁쌀한 맛이 있음. 음식물 등의 향기를 내는 데 침.

레몬 주:스 〔lemon juice〕 명 레몬의 과즙(果汁)에 감미(甘味)를 첨가한 음료(飮料).

레몬-차 【一茶】 〔lemon〕 명 레몬 티(lemon tea).

레몬 티: 〔lemon tea〕 명 레몬즙(汁)을 탄 홍차. 레몬차.

레미니선스 〔reminiscence〕 명 〖심〗 아동의 학습 과정에서, 학습 직후보다 그 기억이 더욱 확실한 사실. 보통 학습 중단 이후 기억이 차츰 감퇴됨이 보통이나, 어느 시기에 이상적(異常的)으로 기억이 또렷해지는 시기가 있는데 이 현상을 말함. 잠재적 기억.

레 미제라블 〔프 Les Misérables〕 명 〖책〗 프랑스의 빅토르 위고의 소설. 주인공 장 발장의 불우한 일생을 중심으로 사회의 가혹한 박해 밑에 비꼬이고 인생을 저주하던 영혼(靈魂)이 깨끗한 사랑으로 인하여 다시 살아나는 경과를 묘사한 장편 소설. 1862년에 간행되었으며, 한국에서는 《인간 무정(人間無情)》이란 이름으로 번안(飜案) 소개되었음.

레미콘 〔remicon〕 명 〔ready mixed concrete의 약어〕 물·모래·시멘트를 믹서차(mixer車)로 배합한 콘크리트. 또, 그 믹서차(車). 본디, 일본의 상품명.

레바논 〔Lebanon〕 명 〖지〗 서아시아 지중해 동안(東岸)의 공화국. 북은 시리아에 접하고 남북으로 레바논 산맥이 달리고 있음. 해안은 지중해성 기후, 내륙은 대륙성 기후. 주민은 주로 아랍인(Arab人)이지만 인종 구성은 복잡하고, 기독교도와 이슬람교도가 반반씩임. 공용어(公用語)는 아라비아어(語). 과실·담배·생사·면화 등을 산출함. 1923년 프랑스 위임 통치령(領)이 되었다가 1944년 독립함. 수도는 베이루트(Beirut). 정식 명칭은 '레바논 공화국(Republic of Lebanon)'. [10,230 km²: 2,745,000 명 (1991 추계)]

레바논 산맥 【一山脈】 〔Lebanon〕 명 〖지〗 레바논 공화국의 중앙부를 지중해와 병행하여 남북으로 달리는 산맥. 석회암으로 되었으며 지중해 사면은 경작이 행해져 과수의 재배가 성함. 최고봉은 해발 3,086 m인 쿠르네트아스사우다(Qurnet as Sauda)임. [약 160 km]

레반트 〔Levant〕 명 〖지〗 〔이탈리아어로 '동방(東邦)'의 뜻〕 그리스와 이집트 사이의 동지중해 연안 지역의 총칭. 협의(狹義)로는 시리아·레바논 두 나라를 가리킴.

레반트 무:역 【一貿易】 〔Levant〕 명 〖역〗 십자군(十字軍) 이후 레반트를 중심으로 행하여졌던 무역. 유럽의 은·직물(織物)과 인도·동남 아시아의 비단·후추·상아·보석과의 교역(交易)이 주였음. 동방 무역(東方貿易).

레버 〔lever〕 명 〖물〗 지렛대.

레버리지 〔leverage〕 명 〖경〗 기업 등이 사채(社債)나 은행 차입금(借入金) 등 타인 자본을 지렛대처럼 이용하여 자기 자본의 이익률을 증가시키는 일.

레벌루:션 〔revolution〕 명 혁명(革命)❸.

레벤 〔도 Leben〕 명 생명. 생활.

레벤후크 〔Leeuwenhoek, Anton van〕 〖사람〗 명 네덜란드의 박물학자. 현미경을 만들어 미생물·적혈구(赤血球)·모세관(毛細管) 등을 관찰하고 전성설(前成說)을 주장하였음. [1632-1723]

레벨 〔level〕 명 ①표준. 수준. 라인(line). ¶ ～이 높은 사람. ②수준기(水準器).

레비레이트 〔levirate〕 명 역연혼(逆緣婚)의 한 가지. 과부가 망부(亡夫)의 형제와 다시 결혼하는 풍속. 형제 역연혼. ↔소로레이트(sororate).

레비몬탈치니 〔Levi-Montalcini, R.S.C.〕 명 〖사람〗 이탈리아의 생물학자. 신경 성장 인자 및 상피(上皮) 세포 성장 인자를 발견한 업적으로 1986년 노벨 생리 의학상을 받음. [1909-]

레비-브륄 〔Lévy-Bruhl, Lucien〕 명 〖사람〗 프랑스의 사회학자. 뒤르켐 학파(Durkheim學派)의 학풍(學風)을 계승, 인식 사회학에 공헌하고 이 외에 미개인의 정신 구조를 고찰하여 원시 심성(原始心性)을 주창하였음. 주저(主著)는 《콩트(Comte)의 철학》·《미개 사회의 사유(思惟)》 등. [1857-1939]

레비-스트로스 〔Lévi-Strauss, Claude〕 명 〖사람〗 프랑스의 인류학자. 구조(構造)주의적 인류학을 발전시킴. 저서에 《친족의 기본 구조》·《슬픈 열대(熱帶)》·《날것과 불에 익힌 것—신화 연구 제1부》·《꿀에서 재로—신화 연구 제2부》 등이 있음. [1908-2009]

레비-치비타 〔Levi-Civita, Tullio〕 명 〖사람〗 이탈리아의 수학자. 리만 공간(Riemann空間)에, 오늘날 레비치비타의 평행성(平行性)이라 일컬어지는 개념을 도입하여 그 이론에 새로운 면을 엶. [1873-1942]

레빈 〔Lewin, Kurt〕 명 〖사람〗 독일의 심리학자. 나치스의 핍박을 받아 미국에 이주, 사회적 장(場)의 역학적 합성 및 인과 관계를 설명하기 위하여 집단 행동 등에 게슈탈트(Gestalt) 구상을 전개하였고, 토폴로지(topology) 심리학을 제창하였음. [1890-1947]

레세르핀 〔reserpine〕 명 〖화〗 협죽도과(夾竹桃科) 식물인 인도사목(印度蛇木) 등 라우월피아 속(*Rauwolfia* 屬) 식물에서 발견되는 인돌 알칼로이드의 하나. 정신 안정제로 쓰이었으나 요즈음은 주로 고혈압 치료약으로 쓰임. [$C_{33}H_{40}O_9N_2$]

레세-페:르 〔프 laissez-faire〕 명 '하는 대로 두어 두라'는 뜻으로 경제적 자유주의의 슬로건. 국가의 간섭을 배제하고 일체의 경제 활동을 자유 방임하자는 중농주의자(重農主義者)의 주장. 자유 방임.

레셉스 〔Lesseps, Ferdinand Marie de〕 명 〖사람〗 프랑스의 외교관. 수에즈 운하를 완성하고 뒤에 파나마 운하 개착(開鑿)에도 착수하였으나 실패하였음. [1805-94]

레소토 〔Lesotho〕 명 〖지〗 아프리카 남부, 남(南)아프리카 공화국에 둘러싸인 왕국. 국토의 대부분이 표고(標高) 2,000-3,000 m의 고원이며, 주민의 약 80%가 바수토족(Basuto族)이고 대부분이 기독교도임. 공용어는 영어와 세수토어(Sesuto語)이고 경제적으로는 남아프리카 공화국에 종속함. 경지(耕地)가 적고 대부분이 목초지(牧草地)로 양모(羊毛)·모헤어(mohair)·피혁 등이 주요 수출품임. 영국의 보호령이었으나 1966년 영연방내의 일원으로 독립함. 수도는 마세루(Maseru). 정식 명칭은 '레소토 왕국(Kingdom of Lesotho)'. [30,355 km² : 1,770,000명(1990 추계)]

레스메스린 〔resmethrin〕 명 〖약·화〗 제충국(除蟲菊)의 살충 성분인 피레트린(pyrethrin)에서 얻어지는 합성 살충제.

레스보스 섬 〔Lesbos〕 명 〖지〗 에게 해(海) 동부, 터키 본토에서 약 10 km지점에 있는 그리스령(領)의 섬. 지중해식 기후로 올리브·포도주(酒)·해면(海綿) 등을 산출함. 고대 이오니아인(人)의 식민지로 기원전 7-6세기에 상업의 중심지로 번영했음. 여류 시인 삽포(Sapphō)의 출생지임. *레스비언(Lesbian). [1,630 km² : 117,000명(1984)]

레스비언 〔Lesbian〕 명 동성애의 여성. 고대, 여성의 동성애가 성행하였다는 에게 해(Aegae海)의 레스보스(Lesbos) 섬과 관련지어 붙여진 이름. ↔호모.

레스코프 〔Leskov, Nikolai Semyonovich〕 명 〖사람〗 러시아의 작가. 민중의 세태 풍속에 관한 광범한 지식을 이용하여 설화적인 독자적 작품 세계를 구축함. ≪므첸스크 군(Mtsensk郡)의 막베트(Makbet) 부인≫·≪수도원(修道院)의 사람들≫·≪매혹된 나그네≫ 등이 대표작임. [1831-95]

레스터 〔Leicester〕 명 〖지〗 영국 잉글랜드 중부 레스터셔(Leicestershire)의 주도. 소어 강(Soar江)에 연하여 있으며 메리야스, 특히 양말의 제조로 이름 높음. 제철·농산 가공(農産加工)도 성함. 부근의 레스터종(種) 젖소는 양과 더불어 유명함. 영국의 최고(最古) 도시의 하나로 노르만인의 성터와 1143년에 지은 교회당 등이 있음. [280,000명(1981)]

레스터런트 〔restaurant〕 명 '레스토랑'의 영어명.

레스턴 〔Reston, James Barrett〕 명 〖사람〗 미국의 저널리스트. 스코틀랜드 태생. AP의 기자를 거쳐 1939년 '뉴욕 타임스'에 입사(入社), 1968년 편집국장, 1969년 부사장이 됨. 1945년 퓰리처상(Pulitzer賞)을 수상하였으며, 외교 문제에 정통하여 국제적으로 유명함. [1909-]

레스토랑 〔프 restaurant〕 명 서양 요리점. 양식점(洋食店). 레스터런트.

레스토랑 시어터 〔restaurant theater〕 명 무대를 갖춘 큰 레스토랑.

레스트 룸: 〔rest room〕 명 ①역·극장·백화점 등의 변소. 화장실. ②역·극장 등의 휴게실.

레스트 하우스 〔rest house〕 명 유원지 등의 휴게소나 숙박소.

레스푸블리카 〔라 respublica〕 명 ①공공의 사물이란 뜻으로, 널리 국사(國事)·국제(國制)의 의미로 쓰임. ②플라톤(Platon)의 저서 ≪국가(Politeia)≫의 라틴어명.

레스피기 〔Respighi, Ottorino〕 명 〖사람〗 이탈리아의 작곡가. 비올라(viola)의 연주가로, 화성(和聲)과 대위법(對位法)에 정통하고 기악을 위주한 이탈리아 가극을 재건하였음. 작품에 3부작인 교향시 ≪로마의 샘≫·≪로마의 소나무≫·≪로마의 축제≫ 외에 오페라·가곡 등이 있음. 한때 림스키코르사코프(Rimskii-Korsakov)에게 사사(師事)하였으며, 색채적인 관현악법이 특징임. [1879-1936]

레스피레이터 〔respirator〕 명 폐에 산소 또는 공기를 넣어 팽창시켜 강제적으로 호흡하게 하는 장치. 일정압(一定壓) 또는 일정량(一定量)의 공기를 일정 간격 또는 환자의 호흡에 맞추어 불어넣음. 인공 호흡기(人工呼吸器).

레슨 〔lesson〕 명 ①일과(日課). 교과(敎科). 학과. ②수업. 연습. 특히, 일정한 시간에 받는 개인 지도. ¶피아노의 ～을 받다.

레슬러 〔wrestler〕 명 레슬링 선수.

레슬링 〔wrestling〕 명 유도(柔道) 또는 씨름과 비슷한 서양식 경기의 한 가지. 8 m 사방의 매트(mat) 위에서 두 사람의 경기자가 일정한 규칙 밑에 상대자의 양어깨를 동시에 1초 동안 매트에 댄 자가 이기며 그렇지 못한 경우에는 심판의 판정으로 승부를 결정함. 경기자의 몸무게에 따라 10체급(體級)으로 나누며, 또 경기 방식에 따라 그레코로만형(Greco-Roman型)과 자유형(自由型)의 두 가지가 있음.

레시린 〔lecirin〕 명 〖생〗 곤충에서 발견된 단백질의 하나. 벼룩의 퇴절(腿節)에 압축된 형태로 저장되었다가 뒷다리에 접속된 건(腱)으로 급히 전달되고, 그 저장된 에너지의 97%가 방출되면서 벼룩에게 굉장한 도약력(跳躍力)을 줌.

레시터티브 〔recitative〕 명 〖악〗 '레치타티보(recitativo)'의 영어명.

레시테이션 〔recitation〕 명 낭송(朗誦). ——-하다 타여불

레시틴 〔lecithin〕 명 〖화〗 인(燐)을 함유하는 인지질(燐脂質)의 하나. 동물의 뇌(腦)·척수(脊髓)·혈구(血球)·난황(卵黃)과 식물의 종자(種子) 등에 다량으로 함유되어 있음. 식품(食品)이나 의약품의 유화제(乳化劑)로 쓰임. 포스파티딜 콜린(phosphatidyl choline).

레시페 〔Recife〕 명 〖지〗 브라질 동북부, 대서양 연안의 도시. 대서양 연안의 2개 섬과 본토에 걸쳐 시가지가 발달, 많은 다리로 연결됨. 유럽으로 가는 해공로(海空路)의 요지이며 제당·면(棉) 공업이 발달함. 옛 이름은 페르남부쿠(Pernambuco). [1,290,000명(1985)]

레 실피드 〔Les sylphides〕 명 〖악〗 쇼팽(Chopin)의 작품을 관현악으로 편곡하여 모은 발레곡. 편곡은 스트라빈스키(Stravinski)·라벨(Ravel)·그레차니노프(Grechaninov) 등이 담당함. 일명 '바람의 정(精)'.

레싱 〔Lessing, Gotthold Ephraim〕 명 〖사람〗 독일의 극작가·평론가·계몽 사상가. 프랑스 고전극의 모방을 배격하고, 최초의 시민극 ≪미스 사라 삼프손(Miss Sara Sampson)≫을 발표하고, 평론 ≪라오콘(Laokoon)≫에서 시와 회화의 구별을 논하였음. 주로 계몽주의의 입장에서 종교상의 자유와 관용을 주장하였음. 독일 고전 문학의 수립자이며, 일세의 문명 비평가·교육가이기도 함. [1729-81]

레아[1] 〔Rhea〕 명 〖신〗 그리스 신화 중 대지(大地)의 여신(女神). 남편인 크로노스(Kronos)가 그 아들에게 왕좌(王座)를 빼앗긴다는 예언을 두려워하여 아들을 낳는 대로 잡아먹기 때문에 막내 아들 제우스(Zeus)만을 감춰두었다가 성장 후 그로 하여금 왕좌를 잇게 하였음.

레아[2] 〔Rhea〕 명 〖천〗 토성(土星)의 다섯째 위성(衛星). 광도는 10등, 공전 주기는 4.5175일, 반지름은 764 km임. 1672년 카시니(Cassini)가 발견하였음.

레아[3] 〔rhea〕 명 〖조〗 〔*Rhea americana*〕 레아과(rhea科)에 속하는 새. 타조(駝鳥)와 비슷하나 훨씬 작아 몸높이 1.2 m, 길이 1.3 m, 부척(跗蹠)은 30 cm 가량임. 몸빛은 회색이고 아랫부분은 회백색을 이루는데 자웅이 거의 한 빛임. 다리는 길고 황갈색을 띠며 발가락은 세 개임. 목은 가늘고 길며, 흰 털로 덮이고 어깨에 검은 띠가 둘렸음. 일웅 다자(一雄多雌)로 20-60개의 알을 한군데에 낳으면 수컷이 품어 깜. 시력(視力)이 예민하여 적을 보면 날개를 펴고 뛰어 달아나거나 땅 위에 납작 엎드려 숨기도 함. 초원에 20-30마리씩 떼지어 사는데, 남아메리카에 분포함. 아메리카 타조.

〈레아[3]〉

레안드로스 〔Leandros〕 명 〖신〗 그리스 전설상의 미청년(美青年). 헤로(Hero)와 서로 사랑하여 매일밤 헤로가 피우는 화톳불을 목표로 삼아 헬레스폰트(Hellespont : 다다넬스 해협) 바다를 건너 그녀와 만났으나, 폭풍이 부는 날 밤, 그 화톳불이 꺼져 목표를 잃어 익사(溺死)하자, 헤로도 슬픈 나머지 자살하였음.

레알리테 〔프 réalité〕 명 '리얼리티(reality)'의 프랑스어.

레오나르도 다 빈치 〔Leonardo da Vinci〕 명 〖사람〗 이탈리아 문예 부흥기의 화가·건축가·조각가. 피렌체(Firenze)의 빈민 출신으로 탁월한 묘선(描線)과 심리적 표현에 의해 천재적 수완을 보였고, 엄밀한 자연 과학적 정신 밑에 회화·건축 이외에 공업·이학 방면에도 조예가 깊음. 회화 작품으로 유명한 ≪최후의 만찬≫·≪모나 리자(Mona Liza)≫ 등이 있음. 다 빈치. 빈치. [1452-1519]

레오나르도 다 피사 〔Leonardo da Pisa〕 명 〖사람〗 이탈리아의 수학자. 본명은 Leonardo Fibonacci. 상용(商用)으로 지중해 연안을 여행하면서 수학 서적을 모으고 피사에 돌아와서 ≪아바쿠(Abacu)의 서(書)≫를 저술, 유럽에 아라비아 기수법(記數法)을 소개함. ≪기하학≫·≪수론(數論)≫의 저서도 있음. [1180?-1250]

레오노프 〔Leonov, Leonid Maksimovich〕 명 〖사람〗 소련의 작가. 모스크바 상인(商人)의 집에 태어남. 도스토예프스키의 전통을 이어 받아 깊은 사상성과 날카로운 심리 해부로 알려짐. 대전중의 희곡 ≪내습(來襲)≫과 스탈린 시대를 비판한 최초의 문학 작품이 된 ≪러시아의 숲≫이 유명함. [1899-1984]

레오니다스 〔Leonidas〕 명 〖사람〗 고대 그리스 스파르타(Sparta)의 왕. 테르모필레(Thermopylae)의 싸움에서 페르시아의 대군을 맞아 싸우다 전사, 스파르타 정신의 화신(化身)으로 일컬어짐. [?-480 B.C.]

레오뮈르 〔Réaumur, René Antoine Ferchault de〕 명 〖사람〗 프랑스의 과학자·동물학자. 열씨 온도계(列氏溫度計)의 눈금법을 고안해 냈으며, 동물학에서도 곤충이나 해서(海棲) 동물에 관한 많은 연구가 있음. [1683-1757]

레오 삼세[1] 【一三世】 〔Leo Ⅲ〕 명 〖사람〗 비잔틴(Byzantine) 황제. 시리아 왕조(Syria王朝)를 세워, 전후 두 차례에 걸쳐 이슬람세(勢)의 콘스탄티노플 공격을 격퇴하고 외적의 위협으로부터 제국을 구하였으나 우상 파괴령(偶像破壞令)으로 성상 논쟁(聖像論爭)을 일으켜, 교회의 동서 분열, 나아가서는 동(東)로마 제국과 서(西)유럽을 결정적으로 분열시켰음. [675?-741; 재위 717-741]

레오 삼세[2] 【一三世】 〔Leo Ⅲ〕 명 〖사람〗 로마 교황. 799년 정적(政敵)의 폭행으로 눈알이 빠지고 혀를 잘렸으나 목숨을 건져 프랑크왕 카를(Karl) 1세에게로 도망함. 이듬해 카를 1세의 도움을 받아 교황으로 복위하고 그를 서(西)로마 황제로 대관(戴冠)시킴. 교황령(敎皇領)의 통치, 교회 보호에 공헌함. [?-816; 재위 795-816]

레오스탯 〔rheostat〕 명 〖전〗 가변 저항기(可變抵抗器).

레오 십삼세 【一十三世】 〔Leo XIII〕 명 〖사람〗 로마 교황. 즉위 전부터 사회 문제와 노동 문제에 관심을 표명, 국제 우호에도 수완을 발휘함. 1891년의 회칙 '레룸 노바룸(Rerum Novarum)'은 노사(勞使) 관계에 대한 교회의 입장을 천명한 것임. [1810-1903; 재위 1878-1903]

레오 십세 【一十世】 〔Leo X〕 명 〖사람〗 로마 교황. 메디치가(Medici家)의 출신. 르네상스의 학예(學藝)의 보호자. 산피에트로 성당 재건 자금 조달을 위하여 면죄부(免罪符)를 발행하지 않을 수 없게 되어, 루터(Luther, M.)의 비판을 초래하여 종교 개혁의 원인을 만듦. [1475-1521; 재위 1513-21]

레오 일세 【一一世】 〔Leo Ⅰ〕 〔一쎄〕 명 〖사람〗 로마 교황. 민족 대이동의 혼란기에 교회를 보호하고 사회 질서를 유지하는 데 힘을 기울임. 452년 아틸라(Attila)의 로마 침입을 막음. 고전 학예(古典學藝)·신학

에 밝아 교회 박사·성인(聖人)·대교황 등의 존칭으로 불림. [390?-461; 재위 440-461]

레오타:드 [leotard] 명 에어로빅 댄스나 체조를 할 때 입는 몸에 꼭 끼는 옷. 신축성 있는 감으로 위아래 내리닫이로 만듦. 19세기 프랑스의 공중 곡예사 레오타르(Léotard, Jules)가 디자인하여 입은 데서 유래함.

레오파르디 [Leopardi, Giacomo] 명 《사람》 이탈리아의 시인·언어학자. 어려서부터 열광적인 면학으로 10대에 이미 수개 국어에 능통하였으며, 동시에 건강을 몹시 해침. 이탈리아 고전을 간행하여 고전파의 대표적 시인으로 꼽힘. 작품에 ≪이탈리아에 부침≫·≪고독한 참새≫ 등이 있음. [1798-1837]

레오폰 [leopon] 명 《동》 사자의 암컷과 표범의 수컷과의 1대 잡종. 암컷은 표범을 닮지만 수컷은 어미인 사자를 닮으며, 생식 능력은 없음. *라이거(liger)·타이곤(tigon).

레오폴드-빌 [Léopoldville] 명 《지》 자이르 공화국(Zaire 共和國)의 수도 '킨샤사(Kinshasa)'의 구칭(舊稱).

레오폴드 삼세 【—三世】 [Léopold Ⅲ] 명 《사람》 벨기에의 국왕. 2차 대전 때, 벨기에군(軍) 최고 사령관으로 독일에 항전(抗戰)하다가 무조건 항복함으로써 인망(人望)을 잃음. 독일군에 생포되어 연금되었으나 나치에의 협력을 거부하였음. 전후에 석방되었지만, 벨기에 국회가 그의 복위(復位)를 거부하자 스위스로 망명함. 1950년 복위파(復位派)의 승리로 복위, 곧 황태자에게 대권을 이양하여, 정식으로 퇴위했음. [1901-83; 재위 1934-51]

레오폴드 일세 【—一世】 [Léopold Ⅰ] [—쎄] 명 《사람》 벨기에 국왕. 작센 코부르크공(Sachsen-Coburg 公)의 아들. 러시아군에 가담하여 나폴레옹 전쟁에 종군함. 1830년 그리스 국왕으로 추대되었으나 사퇴하고, 이듬해 독립 직후의 벨기에 국왕으로 추대되어 내외 다난한 국정을 맡아 명군(名君)이란 이름을 얻음. [1790-1865; 재위 1831-65]

레오폴드 호 【—湖】 [Léopold] 명 《지》 자이르 서부의 호수. 콩고 분지(盆地)의 가장 저지대(低地帶)에 있으며 우기(雨期)의 출수(出水)에 따라 모양도 여러 가지로 변함. [약 2,300 km²]

레오폴트 이:세 【—二世】 [Leopold Ⅱ] 명 《사람》 신성 로마 황제. 요제프(Joseph) 2세의 아우. 토스카나 대공(大公) 시절에는 사형 폐지 등 혁신 정치를 베풀다가 황제 즉위 후에는 내란 진압, 영토 확장, 프랑스 혁명 반대 선언을 함. [1747-92; 재위 1790-92]

레오폴트 일세 【—一世】 [Leopold Ⅰ] [—쎄] 명 《사람》 신성 로마 황제. 터키와 싸워서 한때는 빈까지 포위당했으나 오이겐(Eugen) 등의 활약으로 1699년 카를로비츠(Karlowitz) 협약을 맺고 발칸을 지배하에 두어 동유럽의 패권을 확립함. 스페인 계승(繼承) 전쟁에도 참가함. [1640-1705; 재위 1658-1705]

레온¹ [León] 명 《지》 스페인 서북부, 레온 지방의 중심 도시. 칸타브리아 산맥의 남쪽 기슭에 위치하는 교통·상업의 요지(要地). 피혁·마직물(麻織物)·브랜디를 산출함. 중세에는 레온 왕국의 주도(主都)로 번영하였으며 11세기 이래의 성당이 있음. [131,000 명 (1981)]

레온² [León] 명 《지》 멕시코 중부의 도시. 표고(標高) 2,000 m의 고원에 위치함. 피혁 공업의 중심지이며 은(銀)장식품 등의 제조도 성함. [593,000 명 (1980)]

레온³ [León] 명 《지》 니카라과 서부 모모톰보(Momotombo) 화산 기슭의 도시. 농목(農牧) 지대의 상공업 도시로 피혁·양조 공업이 성함. 이 나라 문화의 중심지이며 대학과 중미(中美) 최대의 성당이 있음. 식민지 시대부터 1857년까지 니카라과의 수도였음. [158,577 명 (1981)]

레온 왕국 【—王國】 [León] 명 《역》 중세에 이베리아 반도(Iberia 半島) 북부에 있던 작은 왕국. 레콩키스타(Reconquista) 운동의 전진 기지로, 그 초기인 10세기에 레온을 주도(主都)로 하여 수립됨. 11세기에 카스티야(Castilla) 왕국에 병합되었다가 한때 자립하였으나 1230년 다시 병합됨.

레온카발로 [Leoncavallo, Ruggiero] 명 《사람》 이탈리아의 가극 작곡가. 나폴리 음악원 출신. 요리집 등의 악사로 전전하다가, 1892년 가극 ≪팔리아치(Pagliacci)≫로 성공함. 사실파(寫實派)의 대표적 작가임. [1858-1919]

레온티예프 [Leontief, Wassily] 명 《사람》 러시아 출신의 미국 계량(計量) 경제학자. 하버드 대학 교수. 발라(Walras L.)의 계량 경제학적 분석을 미국에 적용, 각(各) 산업 부문의 재화(財貨)의 투입량과 산출량으로 산업 연관(產業聯關) 분석을 하여 유명해짐. 1973년 노벨 경제학상 수상. 주저(主著)는 ≪미국 경제의 구조≫. [1906-1999]

레온티예프-표 【—表】 [Leontief] 명 《경》 '산업 연관표(產業聯關表)'를 그 창안자(創案者)인 미국의 계량 경제학자 바실리 레온티에프의 이름을 따서 부른 이름.

레요낭 양식 【—樣式】 [프 rayonnant] 명 《건》 프랑스의 고딕식(gothic 式) 건축 양식의 하나. 13세기 중엽에 가장 성하였는데, 창의 원면에 방사상(放射狀) 원륜(圓輪)을 더한 점이 특색임.

레용 [프 rayon] 명 '레이온'의 프랑스어명.

레우 [루마니아 leu] 의명 루마니아의 화폐 단위. 1레우는 100바니(bani). 복수(複數)는 레이(lei).

레우키포스 [Leukippos] 명 《사람》 기원전 5세기경의 그리스의 철학자. 데모크리토스(Democritos)에 앞서 원자론(原子論)을 주장하였음. 저서에 ≪대우주(大宇宙)≫가 있음.

레위 [Levi] 명 《성》 야곱의 셋째 아들. 시몬과 함께 누이 동생의 억울함을 '세겜' 족속에 복수하였음.

레위-기 【—記】 명 《성》 [Leviticus: 제사장의 글이란 뜻] 구약(舊約) 성서의 세째 권. 모세 5경의 하나로 레위 사람들이 행하던 제사(祭祀)에 관한 기록임.

레위니옹 [Réunion] 명 《지》 마다가스카르 섬 동쪽, 인도양상의 섬. 프랑스의 해외주(海外州). 주민의 4분의 3이 유럽계(系)임. 주산물은 럼주(酒)·향료(香料) 따위. 주도는 생드니(Saint Denis). [2,512 km²: 555,000 명 (1984)]

레위 사:람 명 [Levites] 《성》 유태교에서, 예루살렘 신전(神殿)의 제사장 밑에 일하던 하급(下級) 종교가들의 족속. 신전 의식(神殿儀式)의 준비와 신전의 유지·보전 및 풍류 잡는 일 등을 맡음.

레위 족속 【—族屬】 명 《성》 레위의 후손(後孫)들이 성전(聖殿)의 일을 맡아 본 데서 이르는 말로, 직접 예루살렘 성전에서 제사장(祭司長) 직분을 맡은 사람들의 통칭. *레위 사람.

레이¹ [lei] 명 원래 하와이의 카나카(Kanaka) 사람들의 화환(花環). 지금은 하와이에서 빈객(賓客)의 목에 걸어 주어 기념으로 하는 풍습이 되었음.

〈레이¹〉

레이² [Ray, John] 명 《사람》 영국의 생물학자. 단자엽 식물(單子葉植物), 쌍자엽 식물(雙子葉植物)을 구별하고 분류학의 '종(種)의 개념'을 명확히 세운 생물학자임. [1627?-1705]

레이³ [Ray, Man] 명 《사람》 미국의 사진가·화가(畫家). 1921년 다다이즘에 흥미를 갖고 도불(渡佛)한 후 쉬르레알리슴(surréalisme) 집단에 가담하여 전위적 운동에 참가하는 한편 인화지에 직접 피사체(被寫體)를 놓고 빛을 비추어 상(像)을 만드는 사진의 새로운 표현 방식으로 반향을 불러일으킴. [1890-1976]

레이⁴ [Ray, Satyajit] 명 《사람》 라이².

레이거노믹스 [미 Reaganomics] 명 《경》 〈속〉 감세(減稅)를 골자로 하는 미국 레이건 대통령의 경제 정책(經濟政策).

레이건 [Reagan, Ronald Wilson] 명 《사람》 미국의 정치가. 스포츠 아나운서로 출발하여 1937년 이래 배우로서 영화·텔레비전에 출연하였음. 1966-74년 캘리포니아 주지사(州知事)를 지내어 공화당 보수파(保守派)의 실력자로 부각, 1980년 현직 대통령 카터를 누르고 제40대 대통령에 당선되고, 1984년 제41대 대통령에 재선됨. [1911-]

레이노 [Raynaud, Maurice] 명 《사람》 프랑스의 의사. 손끝의 동맥에 있어서의 혈관 경련(血管痙攣)으로 인한 증후군(症候群)의 관찰로 알려짐. 레노. [1834-81]

레이노-병 【—病】 [Raynaud] [—뼝] 명 《의》 혈관 운동 신경을 주징(主徵)으로 하는 병. 이렇다 할 원인 없이 사지(四肢)의 동맥이 간헐적(間歇的)인 경련을 보이며 레이노 현상(現象)을 일으키는 병.

레이노 현:상 【—現象】 [Raynaud] 명 《의》 추울 때, 손끝이 창백해지고, 이어서 보랏빛이 되었다가 냉감(冷感)·동통을 느끼며, 따뜻하게 하면 회복되는 현상. 혈관 운동 신경 장애로 인한 것인데, 때로는 교원병(膠原病)의 증상 또는 진동 공구(振動工具)를 사용할 때 일어나는 직업병으로도 나타남.

레이놀즈¹ [Reynolds, *Sir* Joshua] 명 《사람》 영국의 화가. 로열 아카데미의 초대 회장. 이탈리아 및 플랑드르(Flandre)의 기법(技法)을 도입한 작풍(作風)으로 수많은 초상화를 그렸음. 특히, 순진한 어린이의 모습을 그린 작품은 유명함. [1723-92]

레이놀즈² [Reynolds, Osborne] 명 《사람》 영국의 공학자. 유체(流體) 운동을 연구함. 난류(亂流)의 연구 분야를 개척하여 근대 유체 역학(流體力學)의 기초를 닦았음. [1842-1912]

레이놀즈-수 【—數】 명 [Reynolds number] 《물》 흐름의 상태(狀態)를 규정짓는 무차원(無次元)의 양(量). 흐름의 관성력(慣性力)과 점성력(粘性力)과의 비(比). 유체(流體)의 밀도(密度), 흐름의 속도, 흐름 속에 놓은 물체의 길이에 비례하며, 유체의 점성률(粘性率)에 반비례함.

레이놀즈 현:상 【—現象】 [Reynolds] 명 《화》 다일레이턴시(dilatancy).

레이니 니켈 [Raney nickel] 명 《화》 [발명자 레이니(Raney)의 이름에서 유래] 니켈·규소(珪素) 또는 니켈·알루미늄 합금을 알칼리 용액으로 처리하고 규소 또는 알루미늄을 용출시킨 미분상(微粉狀) 니켈.

레이니어 산 【—山】 [Rainier] 명 《지》 미합중국 서북부 캐스케이드 산맥(Cascade 山脈) 북단의 최고봉. 산정(山頂)이 빙하로 덮여 있는 휴화산(休火山)임. 경치가 장려하며 1870년 처음 등정(登頂)한 이래 관광객도 많아 1899년 국립 공원으로 지정되었음. [4,392 m]

레이더 [radar] 명 [radio detecting and ranging의 약칭] 마이크로파(micro 波)를 발사하여 그 반사를 받아서 상대방의 상태나 방위·높이·거리를 수상관(受像管)에 비춰 목표물을 찾아 내는 탐지기. 전파 탐지기. 라디오 로케이터(radio locator).

레이더 고감도 목표 【—高感度目標】 명 [radar conspicuous object] 《전자》 강한 레이더 에코(radar echo)를 반사해 오는 물체.

레이더 관제 【—管制】 [radar] 명 《항공》 항공기를 지상의 레이더로 관제하는 일. 계기(計器) 비행중의 항공기 상호간의 간격 단축이 가능하며 동시에 보다 많은 항공기의 관제를 안전하게 할 수 있음.

레이더 기구 【—氣球】 [radar] 명 《기상》 레이더 장치와 기구(氣球)를 사용하여 상층풍(上層風)을 관측하는 방식. 무선 발전기를 장비한 기구의 비행 상황을 무선 방향 탐지기로 탐지하여 상층권의 풍향(風向) 및 풍속(風速)을 관측함.

레이더 기상 관측 【—氣象觀測】 명 [radar meteorological observation] 《기상》 기상 레이더의 지시 장치에 나타나는 에코를, 그 방위·범위·강도·높이·움직임 및 독특한 성격 등의 견지에서 평가하는 일.

레이더 기지 【—基地】 [radar] 명 《군》 레이더를 설치한 방공(防空) 경계나 통신 따위를 위한 기지.

레이더 기후학 【—氣候學】 명 [radar climatology] 《기상》 기후에 관한 레이더 에코(radar echo)의 시간적·공간적 통계학.

레이더-망 【—網】 [radar] 명 레이더를 많이 갖추어, 그 가시(可視) 범위로 뒤덮은 방비 태세.

레이더 사격【—射擊】〔radar〕 명 레이더로 목표를 포착하여 미사일이나 총포의 사격을 행하는 일.

레이더 사정【—射程】 명 〔radar range〕『전자』 레이더 장치가 검출할 수 있는 목표의 최대 거리.

레이더 사진술【—寫眞術】 명 〔radar photography〕 레이더로써 얻어진 상(像)을 사진으로 촬영하는 일.

레이더 세트〔radar set〕 명『공』 탐지와 측거(測距)를 위한 레이더 장치의 완전한 기구. 원칙적으로는 송신기·안테나·수신기·지시기로 구성됨.

레이더 에코:〔radar echo〕 명 레이더의 전파가 목표에 닿아 반사, 수신된 신호.

레이더 제:어【—制御】 명 〔radar control〕『전자』 항공기·유도 미사일·중화기 또는 이들과 유사한 물체에 대해서 레이더를 이용하여 유도·방향 지시를 행하는 일.

레이더-존데〔radarsonde〕 명 라디오 존데에 전파 반사판(反射板)을 장치한 고층 기상 관측 장치. 지상에서 레이더로 추적하여 상공의 기압·기온·습도와 더불어 기류(氣流)도 관측함.

레이더 주파수대【—周波數帶】 명 〔radar frequency band〕『전자』 레이더가 동작하는 마이크로파의 주파수대.

레이더 지령 유도【—指令誘導】〔—뉴—〕 명 〔radar command guidance〕『공』 미사일 유도 시스템의 하나. 발사 기지의 레이더 장비가 목표물과 미사일 쌍방의 위치를 연속적으로 추적하게 되며, 필요한 미사일 진로의 수정(修正)을 계산하여 지령을 무선으로써 미사일에 송신(送信)함.

레이더 지시기【—指示器】 명 〔radar indicator〕『전자』 레이더 세트에 의해서 포착된 에코 신호(echo信號)를 표시하는 음극선관(陰極線管)과 그 관련 장치.

레이더 천문학【—天文學】〔radar〕 명『천』 전파(電波) 천문학의 하나. 몇 cm 내지 몇 m 정도의 파장의 전파를 지상으로부터 발사하여 그 반사에 의해서 천체 또는 지구 대기권을 연구함. 유성(流星)의 추적이나 달·혹성의 레이더 펄스(pulse)의 반사 따위 연구도 포함됨.

레이더 초계선【—哨戒船】 명 〔picket ship〕『군』 레이더를 장비한 초계선. 정박(停泊)하여, 레이더에 의한 조기 경보망을 외해(外海)를 향해 펼침.

레이더 한:계점【—限界點】〔—쩜〕 명 〔radar threshold〕『공』 주어진 하나의 레이더와 특정 목표에 대해서, 최초의 탐지 기준이 만족될 수 있는 안테나의 초점상의 공간점(空間點).

레이던〔Leiden〕 명『지』 네덜란드의 서안, 헤이그(Hague) 북방에 있는 도시. 운하(運河)가 종횡으로 흐르며, 르네상스 시대의 건축물이 많이 남아 있음. 이 나라 최고(最古)의 레이던 대학과 천문 관측소·박물관은 특히 유명함. 중세 말기부터 모직물 공업이 행하여지고 있으며 인쇄·출판업의 중심인데, 버터·치즈의 거래도 많음. 렘브란트의 출생지이기도 함. 〔107,000 명(1987 추계)〕

레이던-병【—瓶】〔Leiden〕 명 라이덴 병.

레이돔〔radome〕 명 〔radar+dome〕『전』 레이더 안테나용의 덮개. 전파의 통과를 방해하지 않으며, 풍압(風壓)·온도 변화를 견디어 내는 구조로 되어 있음.

레이드[1]〔lathe〕 명『기』 선반(旋盤).

레이드[2]〔Reid, C.F.〕 명『사람』 미국의 선교사. 1896년 조선에 파견되어, 서울·개성·원산·김화(金化) 등지에 교회를 설립하고, 개성에 한영서원(韓英書院)·남성 병원(南星病院)을 설립함. [1849-1915]

레이들〔ladle〕 명 서양의 국자. 스푼의 한 가지로, 조리용(調理用)과 식탁의 서비스용이 있으며, 직접 입에 넣지 않는 것을 이름.

레이디〔lady〕 명 귀부인. 숙녀. ↔젠틀맨.

레이디스 캘린더〔lady's calendar〕 명『의』 오기노식 피임법 이론을 응용한, 안전일(安全日)과 위험일(危險日)을 자동적으로 알리는 장치. 액정 표시식 수정 시계(液晶表示式水晶時計)를 내장(內藏)한 달력. 일본에서 개발됨.

레이디얼 타이어〔radial tire〕 명 고속용으로 개발된 타이어의 하나. 타이어의 접지면(接地面)및 측면을 구성하는 섬유층(纖維層)이 접지면에 대하여 직각으로 된 타이어. 타이어를 옆에서 보았을 때, 섬유층이 방사상(放射狀)으로 배열되어 있는 데서 나온 말.

레이디스 앤드 젠틀멘〔ladies and gentlemen〕 명 신사 숙녀 여러분. 흔히 강연이나 연설의 허두에 쓰는 말.

레이디-킬러〔lady-killer〕 명 여자들을 설레게 하는 매력적인 남성.

레이디 퍼:스트〔lady first〕 명 여성을 존중하는 의미에서 모든 면(面)에 여성을 우선시키는 태도. 또, 그런 풍습.

레이먼드〔Raymond, Henry Jarvis〕 명『사람』 미국의 저널리스트·정치가. 뉴욕 타임스의 공동 설립자로 명주필(名主筆)이었음. [1820-69]

레이몬트〔Reymont, Wladyslaw Stanislaw〕 명『사람』 폴란드의 소설가. 사실주의의 작가로 장편 4부의 대작 《농민》을 내어 명성을 얻고 1924년 노벨 문학상을 받았음. [1868-1925]

레이버 데이〔Labor Day〕 명 노동절(勞動節). 미국의 거의 대부분의 주에서 공인된 법정 휴일(法定休日)로, 9월 첫째 월요일. 유럽의 메이데이(May Day)에 상당함.

레이보비츠〔Leibowitz, René〕 명『사람』 폴란드 출신 프랑스 작곡가·이론가·지휘자. 프랑스에서 12음(音) 음악의 제일인자. 12음 기법(技法)에 의한 작품을 많이 쓰고 12음 음악에 관한 저서도 많음. [1913-]

레이블〔label〕 명 라벨(label). 레터르(letter).

레이블링〔labeling〕 명 제품의 상표·품질·내용 따위를 포장(包裝)에 인쇄하거나 또는 부표(附票)를 붙여서 그것을 표시하는 일. 그 목적은 제품의 품질이나 내용을 표시하여 소비자의 편의를 꾀하는 데 있음.

레이서〔racer〕 명 ①경주자(競走者). ②경기용의 자동차·오토바이·요트 따위.

레이션〔ration〕 명 휴대 식량❷.

레이스[1]〔lace〕 명 무명실·명주실·베실 같은 실을 코바늘 등으로 떠서 그 짜임새나 크기에 의해서 여러 가지 구멍 뚫린 무늬를 나타낸 서양식의 수예(手藝) 제품. 상보·꽃병 받침 등을 만들며 또는 옷의 장식으로 사용함. 현재는 기계 공업에 의해서 대량으로 생산되어 커튼 감이나 여자 옷감으로 사용됨.

레이스[2]〔race〕 명 ①경주(競走). ②경조(競漕). ¶ 보트 ~.

레이스-초【—草】〔lace〕 명『식』〔*Aponogeton fenestralis*〕〔잎에 살이 없고 레이스 편물(編物)처럼 투명해 보이므로 이 이름이 있음〕 레이스초과에 속하는 침수생(沈水生) 다년초. 잎은 길게 뻗친 줄기에 타원형 또는 긴 타원형으로 나고, 수개의 엽맥(葉脈)이 있고 살이 없음. 꽃줄기는 높이 30 cm 이상이고 수술 여섯 개, 암술에는 수개의 난자(卵子)가 있음. 마다가스카르의 원산(原産)인데, 온실(溫室)이나 열대어(熱帶魚)의 수조(水槽) 안에 관상용으로 재배함.

〈레이스초〉

레이스 코:스〔race course〕 명 ①경주로(競走路). ②경조로(競漕路).

레이시즘〔racism〕 명 인종주의(人種主義).

레이싱카:〔racing car〕 명 ①경주용으로 만들어진 자동차. ②홈이 패여 있는 레일 위를 원격 조정으로 달리게 하는 장난감 자동차.

레이-아웃〔layout〕 명 ①서적이나 신문·잡지 등의 지면(紙面)의 정리와 배치. 편집 배정. ②양재(洋裁)에서, 패턴(pattern) 종이의 배열. ③정원(庭園) 같은 것의 설계(設計).

레이어드 룩〔layered look〕 명 옷을 여러 겹으로 껴입는 패션 스타일. 격식(格式)에 매이지 아니하고 각자의 센스로 손쉽게 갖출 수 있음.

레이오프〔layoff〕 명 일시적 해고(一時的解雇). 휴직(休職).

레이온〔rayon〕 명 인조 견사(人造絹絲). 또, 인조 견사로 짠 피륙. 레용.

레이온 펄프〔rayon pulp〕 명 비스코스(viscose)·레이온 등을 만드는 데 쓰이는 펄프. 린터(linter) 또는 목재로부터 만듦.

레이윈〔rawin〕 명 〔radio-wind finding의 약칭〕『기상』 소형 무선 송신기를 기구(氣球)에 매달아 띄우고, 지상에서 무선 방향 탐지기로 위치를 측정하여 상층의 풍향(風向)·풍속(風速)을 탐지하는 장치.

레이윈-존데〔rawinsonde〕 명『기상』 라디오존데와 레이윈을 함께 갖춘 고층 기상 관측 장치(高層氣象觀測裝置). 상층의 기온·습도·기압·풍향(風向)·풍속(風速) 등을 동시에 측정할 수 있음.

레이저[1]〔laser〕 명 〔light amplification by stimulated emission of radiation의 약칭〕『물』 유도 방출(誘導放出)에 의한 빛의 증폭(增幅) 장치. 또, 이에 의하여 방출되는 주파수(周波數)·위상(位相)이 모두 일정한 평행(平行) 광선. 고체(固體) 레이저·기체(氣體) 레이저·반도체(半導體) 레이저 등이 있음. 초원거리(超遠距離) 통신·물성 연구(物性研究)·의료 등 다방면에서 응용되고 있음.

레이저[2]〔razor〕 명 면도칼.

레이저 가공【—加工】〔laser〕 명 레이저 광선을 이용하는, 정밀하고 미세한 가공 기술. 금속이나 나무의 용접·절단, 반도체 집적 회로의 프로세스 기술 따위에 쓰임.

레이저 거:리계【—距離計】 명 〔laser geodimeter〕『물』 일정한 파장(波長)의 강한 평행 광선이며 원거리에 투사(投射)할 수 있는 레이저 광선을 이용하여, 두 점 사이의 거리를 정밀하게 측정하는 기계(器械). 광학 측거의(光學測距儀).

레이저 거:리 측정법【—距離測定法】〔—뻡〕 명 〔laser ranging〕『우주』 레이저 광선을 목표에 조사(照射)하여 반사된 뒤에 되돌아오는 시간을 측정하여 거리를 아는 방법.

레이저 광선【—光線】〔laser〕 명『물』 레이저에서 방출되는 단색성(單色性)의 광선. 초원거리(超遠距離)에 도달하며 렌즈 등으로 극히 작은 점에 집중할 수 있음. 우주 통신·정밀 공작 등에 널리 응용됨.

레이저 그라인더〔razor grinder〕 명 면도칼을 가는 데 쓰이는 길쭉한 가죽 띠. 가죽 숫돌.

레이저 내:시경【—內視鏡】〔laser〕 명『의』 내시경의 끝에 레이저 광선 발사 장치를 붙인 의료 기계. 소화관(消化管)의 내출혈 부위를 확인한 다음, 혈액을 광응고(光凝固)에 의하여 지혈(止血)시켜 치료함.

레이저 농축법【—濃縮法】 명 〔uranium enrichment by laser〕 농축 우라늄 제조법의 하나. 천연(天然) 우라늄의 증기(蒸氣)에 특정한 파장(波長)의 레이저 광선과 자외선(紫外線)을 쬐어서 우라늄 235의 원자만을 이온화(ion化), 여기에 전장(電場) 또는 자장(磁場)을 걸어 분리하는 것으로 추측됨.

레이저 다이오드〔laser diode〕 명 반도체 다이오드로 구성된 레이저.

레이저 디스크〔laser disk〕 명『물』 비디오 디스크의 한 가지. 디스크에 기록되어 있는 음성·화상(畫像) 자료를 레이저 광선으로 조사(照射)하여 재생함. 픽업과 디스크가 접촉되지 않으므로 디스크의 수명이 오래 감. 엘디(LD).

레이저 라만 레이더〔laser Raman radar〕 명 라만 효과(Raman 効果)를 응용한 레이저 레이더. 대기 오염(大氣汚染)의 측정에 쓰임.

레이저 레이더〔laser radar〕 명『광』 미사일 추적 장치의 하나. 미사일의 속도·방향·고도·사정(射程)을 측정하는 데 마이크로파 대신에 가시광(可視光)을 사용하는 것임.

레이저 메스〔laser+네 mes〕 명 수술시에 미세한 혈관을 자른 뒤의 출혈(出血)을 막기 위해 높은 에너지의 레이저 광선으로 신체의 혈류(血流)가 많은 조직을 베는 방법. 간장(肝臟) 수술에 유용함.

레이저 무:기【—武器】〔laser〕 명 레이저 광선을 이용한 무기. 레이저로 빛을 증폭시켜 사람을 살상하거나 목표를 파괴하는 무기 및 통신·

탐지 무기를 가리킴.

레이저 분광학【一分光學】명〔laser spectroscopy〕『광』레이저를 강력한 단색 광원(單色光源)으로 하여 이용하는 분광학의 한 분야. 라만(Raman) 분광법에의 레이저 광원의 이용과 포화 분광법(飽和分光法) 등 여러 가지 기술이 포함됨.

레이저 빔: 프린터〔laser beam printer〕명 레이저 광선을 컴퓨터의 출력으로 변조시켜 감광 드럼(感光 drum) 위에 문자나 도형을 그리고, 토너(toner)로 현상하여 상(像)을 보통 종이에 전사(轉寫)하는 인쇄기. 고도의 정밀한 상을 고속으로 얻을 수 있음. 레이저 프린터.

레이저 수폭【一水爆】〔laser〕명『군』강력한 레이저 광선을 기폭용(起爆用)으로 쓰는 수소 폭탄.

레이저 스크라이버〔laser scriber〕명『물』반도체(半導體)나 집적 회로(集積回路)를 만들 때, 얇은 규소(珪素)의 기판(基板)을 작게 베기 위하여 레이저 광선으로 줄을 긋는 장치.

레이저 용접【一鎔接】명〔laser welding〕『공』레이저 광선을 이용하는 용접. 지극히 작은 국소부 용접에 이용함.

레이저우〔雷州〕명『지』중국 '하이캉(海康)'의 옛 이름.

레이저우 반:도【一半島】〔雷州〕명『지』중국 광둥 성(廣東省) 서남부의 반도. 남쪽에 남해(南海) 해협을 사이로 하이난 섬(海南島)과 대하고, 동쪽에는 광저우 만(廣州灣)이 있음. 뇌주(雷州) 반도.

레이저 원자로【一原子爐】〔laser〕명『물』레이저 광선을 사용하여 소규모의 핵폭발을 연속적으로 일으켜서 에너지를 얻는 원자로.

레이저 유도 폭탄【一誘導爆彈】〔laser〕명『군』레이저 광선을 목표에 맞혀 거기서 반사하는 레이저 광선을 폭탄의 레이저 탐지기가 포착하여, 폭탄의 안전 날개를 적당히 움직여서 목표로 향하는 유도 폭탄. 미공군이 페이브웨이(Paveway) 계획이라는 이름으로 개발해 베트남 전쟁에서 사용하였음. *스마트(SMART) 폭탄.

레이저 지진 경:보기【一地震警報器】명〔laser earthquake alarm〕『공』지진의 조기 경보 시스템의 하나. 기지(既知)의 지질학적 단층(斷層)을 사이에 두고, 서로 직교(直交)하는 두 대의 레이저 광선 장치를 설치, 단층 사이를 연속적으로 감시함.

레이저 추적【一追跡】명〔laser tracking〕『공』간섭성(干涉性) 빛의 반사를 이용, 표적(標的)의 거리와 방향을 측정하는 방법.

레이저 커터〔laser cutter〕명 레이저 광선의 강력한 파괴력을 사용한, 종이나 천의 절단기. 「타여불

레이저 커트〔razor cut〕명 면도칼로 머리털을 커트하는 일. ——-하다

레이저 통신【一通信】명〔laser communication〕『전』레이저 광선을 사용하는 통신. 마이크로파(波)보다 많은 신호나 정보를 동시에 보낼 수 있기 때문에 장래의 통신 수단으로 주목되고 있음. 단, 태양광(太陽光)이나 전등(電燈) 따위는 잡음(雜音)이 되어 작용하기 때문에 보통의 전자(電子)처럼 공중으로 직접 반송하기에는 난점이 있어서, 도광관(導光管)이라는 파이프로 빛을 보낼 필요가 있음.

레이저 포:토〔laser photo〕명 레이저 광선을 이용한 전송 사진 수신 장치. AP 통신사가 미국의 매사추세츠 공과 대학과 협력, 1973년 4월에 개발함. 광원(光源)에 레이저 광선을 사용하여 특수 인화지(印畫紙)에 인화하므로 현재와 같은 화학 약액(藥液)에 의한 처리가 불필요함.

레이저 프린터〔laser printon〕명 레이저 빔 프린터.

레이저 핵융합【一核融合】〔laser〕〔—늉—〕명『물』레이저 광선을 표적(標的)에 비추어 고온(高溫)의 플라스마를 만들고 그곳에서 제어된 열(熱)핵융합을 일으키는 일. 자기장(磁氣場)으로 플라스마를 밀폐시키는 방식의 핵융합로(爐)에 비하면, 단(短)시간이지만 고(高)밀도의 플라스마를 얻을 수가 있음.

레이존 폭탄【一爆彈】명〔razon bomb; range (항속 거리)와 azon (방향 조정 폭탄)의 합성어〕『군』활공 폭탄(滑空爆彈)의 하나. 후부(後部)에 무선 신호(無線信號)로 조정되는 가동 조종익(可動操縱翼)이 있어, 사거리(射距離)와 방위각을 제어함.

레이진〔raisin〕명 건포도(乾葡萄).

레이캬비크〔Reykjavik〕명『지』아이슬란드(Iceland)의 수도. 아이슬란드 섬 서해안의 항구 도시. 가까이에 온천과 빙하(氷河)가 있어 관광객도 방문함. 상업·어업·수산 가공(水產加工)의 중심지이며, 인쇄·출판도 성함. 또, 대학·조각(彫刻) 미술관·공항(空港)이 있으며, 부근에서는 목축업을 주로 함. [70,000 명(1990 추계)]

레이콘〔racon〕명『항공』레이더용 비컨(beacon). 신호 전파를 발사하여 항공기나 선박에 그 위치 및 방향을 알림.

레이크[1]〔lake〕명 호수(湖水).

레이크[2]〔lake〕명『화』철(鐵)·크롬·알루미늄 등의 금속의 수산화물(水酸化物)과 물감을 결합시킨 불용성(不溶性)의 안료(顏料). 피복력(被覆力)이 세지 않으므로 카올린 같은 것을 함께 섞어 피복력을 높게 만들어서 사용함.

레이크[3]〔rake〕명『농』흙을 고르거나 풀을 긁거나 또는 난로불의 숯이나 석탄을 일구는 데 쓰는 쇠갈퀴.

레이크-석세스〔Lake Success〕명『지』미합중국 동해안 뉴욕 서남 교외, 롱아일랜드에 있는 작은 도시. 뉴욕의 위성 도시의 하나로, 1946년 국제 연합 본부가 설치되었었음.

레이크 스쿨:〔Lake school〕명『문』영국 서북부의 호수 지방에 살면서 자연을 벗삼아 서정시를 쓴 호반 시인(湖畔詩人)의 일파. 워즈워스 등이 이에 속함. *레이크 지방.

레이크 지방【一地方】명〔Lake District〕『지』영국 서북부의 산악 지대. 웨스트모얼랜드(Westmoreland)·컴벌랜드(Cumberland) 및 랭커셔(Lankashire) 등지에 걸쳐 아름다운 호수가 많은 산악 지방. 워즈워스와 그 밖의 영국 시인들이 즐기던 보양지(保養地).

레이테 섬〔Leyte〕명『지』필리핀 제8의 큰 섬. 길이 200 km, 폭 70 km 이며 그 외의 섬들과 더불어 레이테 주를 구성하며 주요 도시는 타클로반(Tacloban). 해안선은 굴곡이 심하여 양항(良港)이 많음. 또, 땅이 기름져 쌀·옥수수·코코야자·사탕수수의 재배가 성함. 광물 자원도 풍부하지만 아직 개발되지 않음. 제2차 대전중 미국·일본의 격전지(激戰地)였음. [7,750 km^2 : 1,559,000 명(1980)]

레이트〔rate〕명 ①율(率). 비율(比率). ②환율(換率).

레이티스트 패션〔latest fashion〕명 최신 유행(最新流行).

레인[1]〔lane〕명 ①차선(車線). ②볼링에서, 앨리(alley). ③육상 경기에서, 세퍼릿 코스의 개개(個個)의 코스. ④보트 레이스에서, 각 정(艇)의 조로(漕路).

레인[2]〔rain〕명 비[1]. 「靴).

레인 슈:즈〔rain shoes〕명 비올 때 신는 신. 흔히, 고무로 만듦. 우화(雨

레인워:터〔Rainwater, James〕명『사람』미국의 물리학자. 원폭 개발의 맨해튼 계획에 참여함. 1953 년 중성자·핵산란(核散亂)의 단면적의 측정, μ입자의 관측 및 그에 의한 원자핵의 하전(荷電) 반지름의 결정 따위로 유명함. 1975 년 보어(Bohr, A. N.)와 함께 노벨 물리학상을 받음. [1917-86]

레인저〔ranger〕명『군』기습 공격이나 정찰 등을 위하여 적전선(敵前線)의 후방에 잠입할 목적으로, 밀림 기타 위험한 지형에서 장기간 생존할 수 있는 특수한 훈련을 받은 정규군(正規軍)의 전투원.

레인저 계:획【一計畫】〔Ranger〕명 1961-65년에 시행된 미국의 월면(月面) 탐사 계획. 아폴로 계획 준비의 하나. 1-6호까지는 실패하고, 7-9호는 각기 4,000-6,000장의 사진을 보내는 데 성공하였음.

레인저 부대【一部隊】〔ranger〕명『군』특수 훈련을 받은 정규군의 유격 부대. 기습 공격 부대.

레인지〔range〕명 ①오븐(oven) 위에 풍로를 얹힌 조리(調理) 기구. 열원(熱源)으로는 전기·가스·석유·석탄 따위를 이용함. ②통계(統計)에서, 범위. 영역. 분포대(分布帶).

레인지 비:컨〔range beacon〕명『항』무선 항로 표지.

레인지 파인더〔range finder〕명 ①사격용의 칙거의(測距儀). ②사진기의 거리 측정기(距離測定器).

레인-코:트〔raincoat〕명 비올 때 입는 외투. 비옷. 우장옷.

레인 해트〔rain hat〕명 비올 때 쓰는, 방수제(防水劑)를 바른 모자.

레일〔rail〕명 ①철도 차량이나 전동차 등을 달리게 하기 위해 땅 위에 까는 긴 강재(鋼材). 단면(斷面)이 T자형과 홈형의 두 가지가 보통임. 궤철(軌鐵). 궤조(軌條). 철궤. ②궤도(軌道).

레일건〔railgun〕명『군』화약 대신에, 콘덴서에 저장해 둔 큰 전류(電流)를 포신(砲身) 안쪽의 2개의 레일에 순간적으로 흐르게 함으로써 플레밍의 왼손 법칙에 따라 포탄을 내쏘는 포. 원리적(原理的)으로 탄환 속도를 빛의 속도까지 끌어올릴 수 있음. 미국의 SDI 계획의 일환으로 개발(開發) 중임. 전자기파포(電磁氣波砲).

레일리〔Rayleigh, John William Strutt〕명『사람』영국의 물리학자. 음성·색채·전기 등에 관한 고전적 연구 및 공동(空洞) 복사(輻射)에 관한 '레일리의 법칙'으로 유명하며, 1894년 램지(Ramsay)와 함께 아르곤(argon)을 발견하여 1904년 노벨 물리학상을 받았음. [1842-1919]

레일리의 산:란【一散亂】〔Rayleigh〕〔—살— / —에살—〕명『물』물질의 작은 미립자(微粒子)에 빛이 닿았을 때에 산란(散亂)이 일어나는 현상. 태양 광선이 공기 속을 통과할 때 파장이 짧은 파랑이나 자줏빛이 공기 중의 작은 분자나 먼지들로 인하여 산란되어 하늘이 파랗게 보이는 것과 틴들 현상(Tyndall現象)이 바로 이 예임.

레일리-파【一波】〔Rayleigh〕명 ①『물』1884년경 레일리에 의하여 탄성론적으로 도출된 일종의 표면파. 곧, 탄성체의 표면 근처에 에너지가 모여 표면에 따라 전해지는 일종의 파동임. ②『물』지진학에서, 자유 표면에 타원 진동하는 표면파(表面波).

레일리-판【一板】〔Rayleigh〕명『물』소리의 강도의 절대치를 측정하는 장치. 직경 5-10 mm의 얇은 운모판을 소리의 진행 방향에 45°가 되도록 가는 백금 또는 석영(石英)의 가는 선으로 매달아 놓은 것인데, 이 운모판이 소리의 강도에 비례하는 각도만큼 회전하여 정지하므로 그 각도를 재서 소리의 세기를 측정함.

레일 버스〔rail bus〕명 철도에서, 버스처럼 간단한 구조의 기동차.

레일 본드〔rail bond〕명『공』전기 철도에서 레일의 전기 저항을 감소하기 위하여 레일의 접속 부분에 동선(銅線)을 용접하여 두 레일을 연결한 선. 레일 접합재(接合材).

레일-웨이〔railway〕명 철로(鐵路). 철도(鐵道).

레일 접합재【一接合材】〔rail〕명 레일 본드.

레일 탐상차【一探傷車】〔rail〕명 달리면서 레일의 흠을 검출하는 기계류를 장비한 시험용 차량.

레임 덕〔lame duck〕명〔발을 저는 오리란 뜻〕재선(再選)이 못 되고 임기가 남아 있는 의원이나, 임기 만료를 앞에 둔 대통령.

레장스 양식【一樣式】〔프 régence〕명〔레장스는 섭정(攝政)의 뜻〕프랑스의 오를레앙공 필리프(Philippe)가 루이 15세의 섭정을 하던 시대(1715-23)의 미술, 특히 실내 장식이나 공예품 양식. 루이 14세 시대의 장려·중후한 양식에서 유연(柔軟)·우아한 형식으로의 과도적 양식임. 섭정(攝政) 양식.

레저〔leisure〕명 ①일이나 공부 따위에서 해방된 자유로운 시간. 여가(餘暇). ②여가를 이용한 놀이나 휴식.

레저 농원【一農園】〔leisure〕명 과수원이나 밭 등을 도시 봉급 생활자 등의 일요 채원용(日曜菜園用)으로서 분할 대여하고, 농가가 그것을 관리하는 농원. 「을 가리킴.

레저 랜드〔leisure land〕명 여가를 보내는 장소. 전(轉)하여, 유원지 등

레저 보:험【一保險】〔leisure〕 명 스포츠나 레저 등에서 발생한 사고를 종합적으로 보상하는 보험. 골프 보험·테니스 보험·스키 보험·낚시 보험 등이 있음.

레저 붐〔leisure boom〕명 여가를 이용하기 위하여, 오락이나 관광 따위로 쏠리는 경향(傾向)·풍조(風潮).

레저브와〔reservoir〕명 석유 광상(鑛床) 또는 천연 가스 광상에서, 석유나 천연 가스 또는 이에 딸린 지하수가 괸 곳.

레저 산:업【一產業】〔leisure〕명 대중의 여가 이용에 관련된 산업. 여행·스키·해수욕·보트 등을 알선하는 관광업이나 그 공급 기관 및 레저 용품(用品)의 제조·판매업 등.

레저 스포:츠〔leisure+sports〕명 여가 선용으로서의 스포츠.

레저 스톡〔leisure stock〕명〖경〗레저 산업의 주식(株式). 관광 회사나 오락·스포츠 상품의 메이커 및 오락장 등의 주식.

레저 하우스〔leisure house〕명 레저를 위한 소형 간이 주택. 금속·플라스틱·나무 따위를 자료로 하여 만들어지며, 피서지 등에 세우는데 이동하기에 편리함. 트레일러 하우스(trailer house)·모빌 하우스(mobile house)·캠핑 카 따위가 있음.

레전드〔legend〕명 ①전설(傳說). 신화(神話). ②성자(聖者)나 성도(聖徒) 또는 위인의 전기.

레제〔Léger, Fernand〕명〖사람〗프랑스의 화가. 입체파 운동의 유력한 지도자로 근대 기계미(機械美)를 반영하는 명쾌한 구도(構圖) 중에 정물·인물 등을 그렸음. 무대 장치에도 유명함. [1881-1955]

레제드라마〔도 Lesedrama〕명 낭독 희곡(朗讀戲曲). 연극성이 희박하여 상연에 부적합한 희곡. 괴테의 《파우스트》 제2부 같은 것. ↔뷔넨드라마(Bühnendrama).

레제폴 이:론【一理論】명〔Regge-pole theory〕〖물〗소립자 반응(素粒子反應)을 수리적 축(數理的軸)을 설정(設定)하여 기술(記述)하려는 이론. 이탈리아의 이론 물리학자 레제(Regge, Tullio)에 유래함.

레조-넬에밀리아〔Reggio nell'Emilia〕명〖지〗이탈리아 북부의 도시. 옛날부터 시장 거리로 유명함. 기관차·전기 기기·시멘트·포도주 등을 생산함. [130,174 명(1985)]

레조-디-칼라브리아〔Reggio di Calabria〕명〖지〗이탈리아의 남단에 있는 도시. 메시나(Messina) 해협을 사이에 두고 시칠리아(Sicilia) 섬과 마주함. 고대 그리스·로마 시대부터 요항(要港)으로 알려져 있으며, 극장·욕탕 등 많은 유적들이 남아 있음. 가구·향수·마카로니 등을 산출함. [178,190 명(1985)]

레조르시놀〔resorcinol〕명〖화〗이가(二價) 페놀(phenol)의 하나로 카테콜(catechol) 및 히드로퀴논(hydroquinone)의 이성질체(異性質體). 나무진에 수산화 칼륨(水酸化kalium)을 작용시켜서 얻는 무색 사방 주상(無色斜方柱狀)의 결정. 맛이 달고 독특한 냄새가 나며 환원 작용이 강함. 기관지염(氣管支炎)의 약으로 쓰이며, 또 에오신(eosine) 등의 색소(色素)의 제조에도 사용됨. 레조르신(Resorcin). [$C_6HG_4(OH)_2$]

레조르신〔도 Resorcin〕명〖화〗레조르시놀.

레조 마:크〔reseau mark〕명 사진(寫眞)의 뒤틀림을 알기 위한 십자 기호(十字記號). 월면(月面) 사진이나 천체(天體) 사진의 전송(電送)에 사용됨.

레종 데타〔프 raison d'État〕명〖정〗국가 이성(國家理性).

레종 데트르〔프 raison d'être〕명 ①존재 이유. 존재 가치. ②〖철〗충족 이유율(充足理由律).

레쥐메〔프 résumé〕명 개설(概說). 적요(摘要).

레지 명〔←register〕다방(茶房) 같은 데서 손님을 접대하며, 차를 나르는 여자.

레지던트〔resident〕명 ①거주자. 정주자(定住者). 더부살이. ②인턴 과정을 마친 수련의(修鍊醫). 수련 기간은 4년임.

레지쇠:르〔프 régisseur〕명〖연〗①무대 감독. 연출가. ②발레단 등에서 단원의 훈련을 담당하는 사람.

레지스〔Régis, Jean Baptiste〕명〖사람〗프랑스의 예수회(會) 선교사·지리학자. 중국에 건너가 수학·천문학의 학식으로 조정에 영입(迎入)됨. 강희제(康熙帝)가 기획한 중국 총도(總圖)의 제작에 종사, 그 성과가 자르투(Jartoux)의 《황여 전람도(皇輿全覽圖)》임. [1663-1738]

레지스탕스〔프 résistance〕명 ①저항(抵抗). 특히, 권력이나 침략자에 대한 저항 운동. 좁은 뜻에서는 제2차 대전중, 프랑스 국민이 벌인, 독일 점령군이나 이에 협력하는 정부 등에 대한 저항 운동을 일컬음. ②〖문〗세계 제2차 대전중 독일군 점령하의 프랑스에서 항독(抗獨) 운동을 전개하였던 시인·작가들의 정치적·문학적 지하 운동.

레지스탕스 문학【一文學】〔résistance〕명 제2차 대전중 또는 전후에 나온 레지스탕스를 주제로 한 기록·시(詩)·소설 등을 이름. 주로 비합법적(非合法的)으로 출판되었음. 아라공(Aragon)의 시집 《프랑스의 기상 나팔》, 베르코르(Vercors)의 《바다의 침묵》, 엘뤼아르(Eluard)의 《시와 진실》, 모리아크(Mauriac)의 《검은 수첩》 등이 유명함. *저항 문학(抵抗文學).

레지스터〔register〕명 ①기록(記錄). 등록(登錄). 등록부(簿). ②금전 등록기. 캐시(cash) 레지스터. ③〖연〗영화 촬영에서, 배우가 얼굴 표정·동작으로 감정을 나타내는 일. ④전자 계산기의 계산 회로 등에 장치하여 특정한 목적을 위한 정보를 기억시켜 필요한 때 그 내용을 이용하도록 한 장치. ⑤상점·음식점 등에서 손님에게서 돈을 받는 장소. 또, 그 계원. ⑥각종 경기의 참가자가 이름·자격 등을 등록하는 일. 또, 그 등록부.

레지스터 용량【一容量】〔一냥〕명〔register capacity〕컴퓨터에서, 레지스터에 의해서 처리될 수 있는 수(數)의 상한(上限)과 하한(下限).

레지스트레이션〔registration〕명〖악〗오르간·아코디언 따위의 리드(lied) 악기, 특히 파이프 오르간에서, 음전(音栓)을 당기거나 미는 조작(操作). 또, 이를 위한 연주상(演奏上)의 지정(指定).

레지에로〔이 leggiero〕명〖음〗'경쾌하게, 가볍게'의 뜻.

레지오 마리에〔라 Legio Mariae〕명〔성모 마리아의 군단(軍團)의 뜻〕〖천주교〗로마 군대 조직을 본뜬 천주교의 평신도 조직. 우리 나라에는 서울·광주 두 곳에 그 최고 평의회(評議會)인 세나투스가 있음.

레지옹 도뇌:르〔프 Légion d'honneur〕명 프랑스의 최고 훈장. 5등급으로 나뉘어 있으며 군사상·문화상의 공로자에게 대통령이 직접 수여함. 1802년 나폴레옹이 처음으로 제정함.

〈레지옹 도뇌르〉

레진-화【一化】〔resin〕명〖화〗유기물이 중합(重合) 혹은 축합(縮合)되어 수지상(樹脂狀)이 되는 일. ——하다 자타여불

레치워:스〔Letchworth〕명〖지〗런던의 위성(衛星) 도시. 전원(田園) 도시로 알려짐. 하워드(Howard)의 《내일(來日)의 도시》에 자극되어 교외의 청정(淸淨)과 저렴한 지가를 구하여 1903년에 런던 북방 55km 지점에 건설한 것임. [32,000 명(1984)]

레치타티보〔이 recitativo〕명〖악〗가극(歌劇)이나 종교극(宗敎劇) 등에서 서술이나 회화적 부분에 사용되는 낭독조(朗讀調)의 가창(歌唱). 선서조(宣敍調). 서창(敍唱). 레시터티브(recitative).

레커〔wrecker〕명 ↗레커차.

레커-차【一車】〔wrecker〕명 노상(路上)에서 고장 또는 노상에 위법 정차중인 자동차를 달아 올려서 수리 공장이나 적법(適法)한 장소에 옮기기 위한 견인차(牽引車). 보통, 크레인(crane)을 후부(後部)에 장비하고 있음. 구난차(救難車). ㊌레커.

레켑툼 책임【一責任】〔라 receptum〕명〖법〗해륙(海陸) 운송업자·여관 주인 등이 운송품 또는 기탁(寄託)받은 물건에 관한 보관상의 무과실(無過失) 책임.

레코:드[1]〔record〕명 ①기록(記錄). ②육상·수상(水上) 등 각종 경기의 그 시점에서의 최고 기록. ③축음기(蓄音器)에 사용하는 녹음된 음반(音盤). 전에는 셀락(shellac)에다 고무·카본 블랙 등을 섞은 혼합물로 만든 78회전 판이 일반적이었으나 지금은 플라스틱으로 만든 33⅓·45·78회전 등의 장시간 레코드가 널리 보급됨. 축음기판. 유성기판(留聲器板). 디스크(disk). ④녹음. ——하다 타여불

레코:드[2]〔Recorde, Robert〕명〖사람〗르네상스기(期)의 영국의 수학자·의학자. 수학서 4권, 의학서 1권을 남김. 산술책 《제예(諸藝)의 기초》에서 +·−·= 등의 기호를 쓰기 시작하였음. [1510?-58]

레코:드-브레이킹〔record-breaking〕명 종래의 기록보다도 더 나은 기록을 보이는 일. 기록 돌파(突破).

레코:드 음악【一音樂】〔record〕명 레코드에 의한 음악.

레코:드 캐비닛〔record cabinet〕명 레코드를 수납(收納)하기 위한, 칸막이가 달린 캐비닛.

레코:드 콘서:트〔record concert〕명〖악〗레코드에 의한 음악 감상회.

레코:드-판【一板】〔record〕명 유성기판. 축음기판.

레코:드 플레이어〔record player〕명 레코드에 녹음되어 있는 신호(信號)를 재생하는 장치. 모터·픽업·턴 테이블(turn table) 등으로 구성됨.

레코:드 홀:더〔record holder〕명 가장 우수한 기록을 보유(保有)하고 있는 사람. 기록 보유자(記錄保有者).

레콩키스타〔스 Reconquista〕명〖역〗중세 후기의 이베리아 반도에 있어서의 그리스도 교도의 국토 회복 운동. 당시의 이베리아 반도는 이슬람 교도의 지배하에 있어 그리스도 교도는 미미한 세력이었으나 꾸준히 이 운동을 계속해서 12세기초에는 포르투갈, 15세기에는 스페인이 독립하여 이 운동은 종식됨. 국토 회복 운동.

레퀴엠〔라 requiem〕명〖악〗위령곡(慰靈曲).

레크리에이션〔recreation〕명 일이나 공부의 피로를 즐거움이나 기쁨에 의해서 풀어 정신적·육체적으로 새로운 힘을 북돋는 일. 휴양(休養). 오락(娛樂). ¶ 건전한 ~. ——하다 자여불

레크리에이션 요법【一療法】〔recreation〕〔一뇨뻡〕명〖의〗심적 장애(心的障碍)나 부적응(不適應) 등이 있을 때, 레크리에이션을 통하여 치료하는 정신 요법.

레클람〔도 Reclam〕명 ①독일의 유명한 출판사 이름. ②↗레클람 문고.

레클람 문고【一文庫】〔Reclam〕명 독일의 레클람 출판사에서 발행하는 문고판의 소형 총서(小型叢書). 독일을 비롯한 세계 각국의 고전(古典) 및 학술 전반(全般)에 걸친 염가 보급판으로서, 내용의 엄선과 교정의 정확으로 유명함. ㊌레클람.

레클링하우젠-병【一病】명〔Recklinghausen's disease〕〖의〗독일의 병리학자 레클링하우젠이 처음 기재(記載)한 다발성(多發性)의 신경초종(神經鞘腫). 유전성이 농후하여, 몇 대에 걸쳐 동일 가계(家系)에 발생함. 피부에 좁쌀알만한 것으로부터 사람의 머리만한 크고 작은 둥근 종양이 무수히 나타나며, 피부는 위축해서 색소 침착(沈着)을 보이거나 빈혈성 모반(母斑)을 병발함.

레 탕 모데른〔프 Les Temps Modernes〕명 프랑스의 월간 문예 평론지. 1945년 사르트르가 주필(主筆)이 되어 실존주의자들에 의하여 창간됨. 이 잡지에서의 카뮈와 사르트르의 논쟁은 유명함.

레터〔letter〕명 ①편지. ②서류. ③로마자의 자모.

레터르〔네 letter〕명 상표를 표시하기 위하여 상품에 붙이는 종이나 헝겊 따위의 조각. 상표(商標). 라벨(label). 레이블(label). 네임.

레터링〔lettering〕명 인쇄물·영화·텔레비전·간판·표지(標識)·네온 사인 등의 문자 배열에 관한 디자인. 또, 그것을 위한 스타일의 창작. 문자 도안(文字圖案).

레터 파일 〔letter file〕 명 편지지·봉투 기타 우표 등을 넣어 두는 책 표지 같은 물건. 서류꽂이.

레터 페이퍼 〔letter paper〕 명 편지지(紙). 서간전(書簡箋).

레테 〔그 Lethe〕 명 〖신〗 그리스 신화에서, 죽은 사람의 혼이 그 냇물을 마시면 자기의 과거를 모두 잊어버린다고 하는 명계(冥界)의 망각(忘却)의 내.

레테르 〔네 letter〕 명 ☞레터르.

레토 〔Leto〕 명 〖신〗 그리스 신화 중의 여신(女神). 제우스(Zeus)의 사랑을 받았으나, 헤라(Hera)의 질투로 자식을 낳을 장소가 없어서 유랑하다가, 델로스(Delos) 섬에서 쌍둥이 아폴론(Apollon)과 아르테미스(Artemis)를 낳았다 함.

레토로맨스-어 【一語】 〔Rhaeto-Romance〕 명 〖언〗 인도유럽 어족 중 라틴어에서 파생한 로만어군(語群)에 속하는 언어. 제2차 대전 전에 스위스의 제4 국어였음. 어휘는 라틴어 외에 게르만어를 차용(借用)함. 스위스 그라우뷘덴 주(Graubünden 州)에 남아 있음.

레토르트 〔retort〕 명 〖화〗 ①유리 또는 금속제의 목이 굽은 플라스크 모양의 화학 실험용 기구. 증류(蒸溜)·건류(乾溜)에 쓰임. ②대기 압력(大氣壓力) 이상의 압력 하에서, 110-140℃의 온도로 통조림·익힌 식품 따위를 가열·살균하는 장치. ＊레토르트 식품. ③↗레토르트로(爐).

〈레토르트❶〉

레토르트-로 【一爐】 〔retort〕 명 〖화〗 고체 간접 가열형의 공업용 요로(窯爐)의 하나. 석탄을 건류하여 석탄 가스를 만드는 장치나 아연(亞鉛) 증류로·활성탄 제조로(活性炭製造爐) 등에 사용됨. 근래에는 코크스로(爐)로 많이 바뀌었음. ㊀레토르트.

레토르트 식품 【一食品】 명 〔retort food〕 레토르트❷를 사용하여 살균(殺菌)한, 플라스틱이나 알루미늄 따위 용기(容器)에 넣은 익힌 식품. 장기간 보존할 수 있음.

레토르트 카:본 〔retort carbon〕 명 〖화〗 석탄 가스를 제조할 때 레토르트 속에 석탄의 분해로 인해서 생긴 탄소(炭素). 전지(電池)·전극(電極) 등으로 씀. 가스 카본. 가스탄(炭).

레토릭 〔rhetoric〕 명 〖문〗 수사학(修辭學). 수사법.

레트[1] 〔let〕 명 테니스나 탁구에서, 서브한 공이 네트(net)를 스치고 코트에 들어가거나 상대가 받을 자세에 있지 않을 때의 서브를 노카운트하는 일. 서브를 다시 고쳐 할 수 있음.

레트[2] 〔Lett〕 명 발트 해 동남 해안, 라트비아에 사는 한 종족. 현재의 레트족은 혼혈이 되어 있어서 약간 단두형(短頭形)으로 키는 170 cm 가량임. 언어는 최고(最古) 형태의 아리안어(Aryan語)를 사용함.

레트로-바이러스 〔retrovirus〕 명 〖의〗 역전사 효소(逆轉寫酵素)를 갖는 RNA 바이러스. 감염 후 바이러스의 유전 정보가 역전사되어 숙주(宿主) 세포의 DNA에 짜여져 듦. 동물의 각종 종양의 바이러스, 사람의 성인 T세포 백혈병 바이러스, 에이즈 바이러스 등을 포함함.

레트로-워:킹 〔retro-walking〕 명 뒤로 달리기. 1980 년 미국의 존 오스틴 박사에 의해 창안됨.

레티나 〔Letina〕 명 미국의 이스트먼(Eastman) 회사의 독일 지사(支社)에서 만든 카메라의 상품명. 25 mm 필름을 사용하며 성능이 라이카와 대차 없으나 렌즈를 교환할 수 없음.

레티날 〔retinal〕 명 〖화〗 레티넨(retinene)

레티넨 〔retinene〕 명 〖화〗 레티놀의 알데히드. 음식물에서 흡수된 카로틴이 산화 효소에 의하여 형성되며, 비타민 A 활성을 가짐. 망막(網膜) 내에서 옵신(opsin)과 결합하여 감광 색소(感光色素)를 형성함. 레티날(retinal).

레티놀 〔retinol〕 명 〖화〗 '비타민 A_1' 의 화학명.

레파르티미엔토 〔스 repartimiento〕 명 〖정〗 〔분배·할당의 뜻〕 근세 전기 스페인의 식민지 경영 형태. 식민지를 정복한 후 부장(部將)들에게 그 땅을 할당하여 주었음.

레판토 〔Lepanto〕 명 〖지〗 '나프팍토스(Návpaktos)'의 이탈리아어 이름.

레판토 앞바다의 해:전 【一海戰】 〔Lepanto〕 〔一/一에一〕 명 〖역〗 1571년 레판토 항구의 앞바다에서 스페인·베네치아(Venezia)·로마 교황의 연합 함대가 상승(常勝)의 오스만 투르크 함대와 싸워 대승한 전쟁. 터키가 기울어지기 시작하는 계기가 되었음.

레퍼런스 그룹 〔reference group〕 명 〖사〗 준거 집단(準據集團).

레퍼런스 서:비스 〔reference service〕 명 도서관이 이용자에게 행하는 서비스의 하나. 필요로 하는 문헌·참고 도서에 관한 문의에 응하거나 검색(檢索)에 협력하는 일.

레퍼렌덤 〔referendum〕 명 〖정〗 헌법 개정이나 국가 안위(安危)에 관한 중대한 사항 등을 정함에 있어 직접 국민 투표에 의하여 찬부(贊否)를 묻는 제도. 국민 투표.

레퍼리 〔referee〕 명 (축구·농구·배구·권투 등에서) 심판원.

레퍼리 볼: 〔referee ball〕 명 수구(水球)에서, 양편이 모두 반칙(反則)을 범했을 경우에 심판원이 공평하게 공을 던져서 시합을 계속시키는 일. 또, 그 공.

레퍼리 스톱 〔referee stop〕 명 ①↗레퍼리 스톱 콘테스트. ②레슬링에서, 선수가 상대에게 상처를 입히는 등, 심한 반칙을 범했을 때의 조처로 그 선수에게 주는 실격패(失格敗).

레퍼리 스톱 콘테스트 〔referee stop contest〕 명 아르 에스 시(R.S.C.). ㊀레퍼리 스톱.

레퍼리 타임 〔referee time〕 명 배구·핸드볼·럭비·풋볼 등에서, 시합 중, 필요에 따라 심판 자신이 명하는 휴지 시간(休止時間). 선수에 부상자가 생겼을 경우나 기구가 손상되었을 경우 따위에 취해짐.

레퍼리 포지션 〔referee position〕 명 레슬링에서, 한 선수가 밑에 드러누운 자세로 경기를 시작할 때, 두 경기자의 자세.

레퍼메이션 〔reformation〕 명 ①개량. 개혁. ②특히, 16세기에 일어난 종교 개혁(宗敎改革).

레퍼토리 〔repertory〕 명 ①극단(劇團) 또는 연주가가 어느 때라도 상연 또는 연주하기로 준비된 작품의 목록. 연출 목록(演出目錄). 상영(上映) 목록. 연주 곡목(演奏曲目). 레페르투아르. ②식품(食品) 등의 저장소(貯藏所).

레퍼토리 시스템 〔repertory system〕 명 〖연〗 극단 등이 일정한 기간 동안에 미리 결정된 여러 작품을 차례차례 연출해 나아가는 상연 방법. 흥행 성적에 중점을 두지 아니하고 주로 예술적인 관점에 서는 흥행 방식임. 수많은 인원과 과대한 부담을 필요로 하므로 실험용 이외는 별로 행하여지지 않음. ＊롱런 시스템.

레페 〔Reppe, Walter Julius〕 명 〖사람〗 독일의 화학자. 1921년, 바스프사(BASF社)에 입사. 물감·장뇌(樟腦)·시안화 수소(cyan 化水素)의 합성, 아세트 알데히드의 수소화(水素化), 합성 고무의 공업화 연구를 행하여 레페 반응(Reppe反應)을 개발하고 새로운 근대 화학 공업을 개척함. [1892-1969]

레페르투아르 〔프 répertoire〕 명 '레퍼토리(repertory)'의 프랑스어.

레페 반:응 【一反應】 〔Reppe〕 명 〖화〗 1930년경부터 레페 연구진(研究陣)에 의하여 연구 개발된 고압 아세틸렌(高壓 acetylene)을 사용한 합성 반응. 특수한 촉매를 써서 가압하(加壓下)에서, 합성 수지·합성 섬유·합성 고무 따위의 원료 제조에 이용되며, 공업 분야에서 광범위(廣範圍)하게 응용되고 있음. 레페법(法). 레페 합성(合成).

레페-법 【一法】 〔Reppe〕 〔一뻡〕 명 〖화〗 레페 반응.

레페 합성 【一合成】 〔Reppe〕 명 〖화〗 레페 반응.

레포 명 ①↗리포트(report). ②↗리포터(reporter).

레포:츠 명 〔leisure+sports〕 레저를 겸한 스포츠. 골프·스키·스카이다이빙 등이 있음.

레프 명 ↗리플렉터(reflector).

레프라 〔라 lepra〕 명 〖의〗 나병(癩病). 문둥병. ＊한센병.

레프리제 〔도 Reprise〕 명 〖의〗 백일해(百日咳)에 있어서, 연속적(連續的)인 경련성 해수(痙攣性咳嗽)에 뒤이어서 숨을 들이쉴 때 휘파람 같은 소리가 나는 증상.

레프트 〔left〕 명 ①왼쪽. 좌측(左側). ②좌익(左翼). ③↗레프트 윙. ④↗레프트 필드. ⑤↗레프트 필더. ⑥↗레프트 하프. 1)-6): ↔라이트(right).

레프트 백 〔left back〕 명 축구에서, 골(goal) 문 앞 왼편 자리. 또, 그 자리를 맡아 보는 선수. ↔라이트 백(right back).

레프트 스트레이트 〔left straight〕 명 권투에서, 왼팔을 앞으로 직선으로 뻗어 상대편의 얼굴이나 턱을 치는 위력있는 타격. ↔라이트 스트레이트.

레프트 온 베이스 〔left on base〕 명 야구에서, 잔루(殘壘)❷.

레프트 윙 〔left wing〕 명 축구 경기 같은 데의, 좌익(左翼). ㊀레프트. ↔라이트 윙(right wing).

레프트 이너 〔left inner〕 명 축구에서, 포워드(forward) 중, 왼쪽에서 두 번째에 위치하는 선수. 레프트 인사이드. ↔라이트 이너.

레프트 인사이드 〔left inside〕 명 ①레프트 이너. ②하키에서, 포워드 중 왼쪽에서 두 번째에 위치하는 선수. 1)·2): ↔라이트 인사이드.

레프트 잽 〔left jab〕 명 권투에서, 왼손으로 치는 잽.

레프트 풀백 〔left fullback〕 명 축구·하키·핸드볼에서, 풀백 중 왼편에 위치하는 선수. ↔라이트 풀백.

레프트 필:더 〔left fielder〕 명 야구의, 좌익수(左翼手). ㊀레프트. ↔라이트 필더.

레프트 필:드 〔left field〕 명 야구의, 좌익. ㊀레프트. ↔라이트 필드.

레프트 하:프 〔left half〕 명 축구에서, 왼쪽에 있는 하프 백(half back)의 위치. 또, 그 위치의 선수. 레프트. ↔라이트 하프(right half).

레플리카 〔replica〕 명 ①여러 경기에서, 우승을 기념하여 주어지는 복제(複製)의 우승컵. ②〖미〗 원작자에 의하여 만들어지는 원작의 모사(模寫) 또는 모작(模作).

레피도시클리나 〔라 Lepidocyclina〕 명 〖지〗 신생대(新生代) 제3기, 에오세 후기(後期)로부터 마이오세 중기(中期)에 걸쳐 생존하였던 대형(大形)의 유공충(有孔蟲). 석회질(石灰質)로서 양철(兩凸) 렌즈상(狀) 또는 원반상(圓盤狀)의 껍질이 있으며 직경은 수 cm임.

레피두스 〔Lepidus, Marcus Aemilius〕 명 〖사람〗 고대 로마의 정치가. 공화정 말기에 카이사르(Caesar)의 지지자로 등장. 안토니우스(Antonius)·옥타비아누스(Octavianus)와 더불어 2차 삼두 정치(三頭政治)에 참여하여 아프리카의 지배권을 차지하였으나 옥타비아누스와의 대립으로 정계에서 은퇴함. [?-13 B.C.]

레핀 〔Repin, Ilya Efimovich〕 명 〖사람〗 근대 러시아 회화(繪畫)의 거장(巨匠). 풍속화에 많은 걸작을 남김. 대표작 ≪볼가 강(江)의 배를 끄는 사람들≫은 사회 체제에 대한 비판을 내포하고 있어 사회주의 리얼리즘의 선구가 됨. 톨스토이·무소르그스키(Musorgski) 등의 초상화는 모델의 복잡한 심리도 잘 표현되어 있음. [1844-1930]

레하:르 〔Lehár, Franz〕 명 〖사람〗 헝가리의 작곡가·지휘자. 오페레타(Operetta)·행진곡·교향곡 등을 작곡. 그 중 오페레타 ≪메리 위도(Merry Widow)≫, 원무곡 ≪금과 은≫ 등이 유명함. [1870-1948]

렉스 리부아리아 〔lex Ribuaria〕 명 〖법〗 게르만족의 부족법(部族法). 프랑크 부족에 속하는 리부아리아인(人)의 법. 또, 그 법전.

렉스 베고니아 〔rex begonia〕 명 〖식〗 [*Begonia rex hybrida*] 추해당과(秋海棠科)에 속하는 관엽(觀葉) 식물의 대표적 종류. 줄기 전체에 거친 털이 나 있고 잎은 대형(大形)의 달걀꼴로, 길이 30 cm, 폭 20 cm에 달하며, 잎면에는 보라·빨강·은백·구릿빛 등 품종에 따라 다양한 무늬가 있음. 인도 아샘(Assam) 지방 원산인데, 지금의 것은 수대 교배(數代交配)한 것임. 온실성(溫室性)이며 분재(盆栽)함.

렉스 살리카 〔lex Salica〕 명 〖법〗 프랑크 부족에 속하는 살리안(Salian)의 법. 또, 그 법전. 게르만 부족법 중에서 가장 대표적인 것임.

렉스-종【一種】 〔Rex〕 명 〖동〗 모피용 집토끼의 한 품종. 전모(剪毛)·염색의 필요 없이 그대로 고급 모피로 이용됨. 체질은 좀 약함. 여러 빛깔의 종류가 있음.

렉스프레스 〔L'Express〕 명 프랑스의 주간지(週刊紙). 온건 좌파(穩健「左派)의 경향을 띰.

렉시스트 〔프 Rexistes〕 명 〖정〗 벨기에의 드그렐(Degrelle, L.; 1906-)이 이끌던 파시스트당(黨). 독일 나치스의 원조를 받고 한때 다수 의석을 차지했으나 2차 대전의 종료와 함께 소멸됨.

렉시콘 〔lexicon〕 명 사전(辭典). 특히, 그리스어·라틴어·헤브루어 등의 「사전.

렉싱턴 〔Lexington〕 명 〖지〗 미국 매사추세츠 주(州), 보스턴시 서북 16 km 지점에 있는 도시. 1775년 4월 19일, 미국 독립 전쟁의 발단이 된 전투지(戰鬪地)로 유명함. [29,000 명(1980)]

렉처 〔lecture〕 명 강의(講義). 강연(講演). 강화(講話).

렉틴 〔lectin〕 명 〖생〗 세포막을 구성하는 당단백질이나 당지질(糖脂質)의 당 부분에 결합함으로써 세포 응집·세포 분열의 유발 등을 일으키는 물질의 총칭. 단백질로 이루어졌으며, 식물 씨앗, 세균, 동물의 체액이나 조직 속에서 발견됨. 세포 표면의 당의 검색, 복합 당질의 특이적 정제 등에 이용됨.

렌 〔Lehn, Jean-Marie〕 명 〖사람〗 프랑스의 화학자. 효소(酵素)와 같은, 반응의 선택성이 높은 분자의 합성으로, 1987 년 페더센(Pedersen, C.J.)과 크램(Cram, D.J.)과 함께 노벨 화학상을 받음. [1939-]

렌 〔Wren, *Sir* Christopher〕 명 〖사람〗 영국의 건축가·과학자. 처음 물리학·천문학을 연구, 왕립 협회(王立協會)의 창립에 기여함. 그 후, 건축으로 전향, 고전주의를 기초로 바로크(baroque) 양식 등도 받아들인 작풍(作風)으로 영국의 고전주의 건축을 완성시켰음. [1632-1723]

렌더링 〔rendering〕 명 디자인·건축 등 분야에서, 완성을 예상하고 그린 투시도.

렌즈 〔lens〕 명 〖물〗 두 측면(側面)이 두 개의 구면(球面) 또는 구면과 평면(平面)으로 된 투명체. 보통 유리나 수정(水晶)을 갈아서 만듦. 가운데가 볼록한 것을 '볼록렌즈', 오목한 것을 '오목렌즈'라고 함. 볼록렌즈는 광선을 굴절시켜 모으고, 오목렌즈는 굴절시켜 분산시킴.

1. 양철(兩凸) 렌즈
2. 평철(平凸) 렌즈
3. 철요(凸凹) 렌즈
4. 양요(兩凹) 렌즈
5. 평요(平凹) 렌즈
6. 요철(凹凸) 렌즈

〈렌즈〉

렌즈 구름 〔lens〕 명 〔lenticularis〕 〖기상〗 볼록렌즈를 모로 본 형상을 가진 구름. 강풍(強風)이 불 때 일어남.

렌즈상-층【一狀層】 〔lens〕 명 〖지〗 다른 지층(地層) 속에 렌즈 모양으로 끼어 있는 지층. 곧, 끝이 볼록렌즈의 양끝처럼 얇아진 지층.

렌즈 셔터 〔lens shutter〕 명 카메라 셔터의 하나. 금속제의 얇은 플레이트(plate)를 렌즈부(部)에서 개폐(開閉)시키는 노광(露光) 장치.

렌즈 터:릿 〔lens turret〕 명 여러 종류의 렌즈를 신속히 전환하며 사용할 수 있게 하기 위하여 카메라의 전방에 여러 가지 렌즈를 장치한 「회전 원판.

렌즈 후드 〔lens hood〕 명 카메라의 렌즈 씌우개.

렌츠[1] 〔Lenz, Heinrich Friedrich Emil〕 명 〖사람〗 독일의 물리학자. 페테르부르크(Peterburg) 대학 교수. 신학에서 물리학으로 전향, 전류 현상(電流現象)을 연구하여 도체(導體)의 전기 저항이 온도가 높아질수록 증대함을 밝히고, 전자 유도(電磁誘導)에 관한 '렌츠의 법칙'을 발견함. [1804-65]

렌츠[2] 〔Lenz, Jakob Michael Reinhold〕 명 〖사람〗 독일의 극작가. 슈트룸 운트 드랑 시대(Strum und Drang 時代)의 특성(特性)을 체현(體現)한 작가로 괴테와 친했음. 사회 문제를 다룬 희극 《가정 교사》·《병사들》과 혁신적인 연극론 《연극 각서》를 발표했으나, 뜻을 이루지 못하고 발광(發狂), 모스크바의 거리에서 동사(凍死)함. [1751-92]

렌츠-부치풍뎅이 〔lenz〕 명 〖충〗 〔*Onthophagus lenzii*〕 풍뎅잇과에 속하는 곤충. 몸길이 8-12mm이고, 몸빛은 광택 있는 흑색 내지 흑갈색이며, 두부에는 호상(弧狀)의 두 개의 가로 융기(隆起)가 있고 촉각은 황갈색임. 짐승의 똥에 모이는데, 한국·일본·중국·만주 등지에 분포함. *부치풍뎅이.

〈렌츠부치풍뎅이〉

렌츠의 법칙【一法則】 〔ㅡ/ㅡ에ㅡ〕 명 〔Lenz's law〕 〖물〗 '자석(磁石) 또는 코일의 운동으로 인해서 생기는 유도 기전력(誘導起電力)의 방향은, 자기력선속(磁氣力線束)의 변화를 방해하는 방향이다'라고 하는 법칙. 1834년 독일의 물리학자 렌츠(Lenz, H.F.)가 발견함.

렌치 〔wrench〕 명 〖기〗 너트(nut)나 볼트(bolt) 또는 파이프를 꽉 물어 비틀어 돌리는 공구(工具). *스패너(spanner).

〈렌치〉

렌탄도 〔이 lentando〕 명 〖악〗 '차차 느리게'의 뜻.

렌터-카: 〔rent-a-car〕 명 세(貰)자동차. 임대 자동차.

렌털 시스템 〔rental system〕 명 내구재(耐久財)의 단기 임대(短期賃貸) 방식. 3-5 년간의 장기(長期) 임대인 리스(lease)와 구별됨. 자동차·복사기 등에 많이 이용되고 있는데, 최근에는 비디오 카메라·브이티아르(VTR)·텔레비전·컴퓨터·휠체어·텐트·여행용 가방·장난감·예복·미술품·화분 등 생활 용품 전반에 이르고 있음. *리스 산업(lease産業).

렌털 카: 〔rental car〕 명 세(貰)자동차. 렌터카.

렌텐-마르크 〔도 Rentenmark〕 명 제1차 세계 대전 후, 독일에 심한 인플레이션이 일어났을 때, 화폐 가치의 하락을 막고 안정시키기 위하여 1923년에 설립된 렌텐 은행이 발행한 은행권. 또, 그 화폐 단위.

렌토 〔이 lento〕 명 〖악〗 '느리게'의 뜻.

렌트 〔Lent〕 명 〖천주교〗 사순절(四旬節).

렌틀러 〔도 Ländler〕 명 〖악〗 남부 독일·오스트리아의 민속 무곡(舞曲). 원무곡과 비슷한데, 8분의 3 또는 4분의 3박자이며, 템포는 중용(中庸)이고 활기를 띰.

렌티시모 〔이 lentissimo〕 명 〖악〗 '아주 느리게'의 뜻.

렐루아르 〔Leloir, Luis F.〕 명 〖사람〗 아르헨티나의 생화학자. 1932 년에 부에노스아이레스 대학 의학부 졸업, 1962 년부터 부에노스아이레스 대학 교수. 미국의 캄포말 생화학 연구소에서 연구하여 글리코겐 생합성 기구(機構)의 해명 등 탄수화물의 생합성(生合成)에 있어서 당누클레오티드(糖 nucleotide) 유도체(誘導體)가 수행하는 역할에 대한 연구로 함. 1970 년 노벨 화학상을 받음. [1906-87]

렐리지오소 〔이 religioso〕 명 〖악〗 '경건(敬虔)하게'의 뜻.

렘 〔rem〕 의명 〖의〗 〔roentgen equivalent man의 약칭〕 잠정적으로 국제 단위계와 함께 쓰이는 선량 당량(線量當量)의 단위. 1 렘은 1/100 시버트(Sv).

렘니스케이트 〔lemniscate〕 명 〖수〗 직각 쌍곡선의 접선(接線)에 쌍곡선의 중심에서 내린 수선(垂線)의 발의 궤적(軌跡)으로 주어지는 평면 곡선. 방정식은 $r^2=2a^2\cos\theta$.

렘니처 〔Lemnitzer, Lymann〕 명 〖사람〗 미국의 군인. 육군 대장. 2차 대전중 아이젠하워(Eisenhower) 사령부의 참모 부장(參謀副長)을 거쳐 1955년 극동 유엔군 총사령관에 임명되었으며, 육군 참모 총장·연합 참모 회의 의장·나토군 최고 사령관 등을 역임함. [1899-]

렘마 〔그 lemma〕 명 〖수〗 한 정리(定理)를 인도하는 도중에 얻어지는 명제(命題). 논증이나 증명을 할 때에 보조적 정리로서 사용됨.

렘베르크 〔Lemberg〕 명 〖지〗 우크라이나 '리보프(L'vov)'의 독일어명.

렘브란트 〔Rembrandt, Harmensz van Rijn〕 명 〖사람〗 네덜란드의 화가·판화가. 처음 초상화가로서 명성을 얻었음. 색조(色調)와 명암(明暗)의 배합(配合)에 뛰어났으며, 말년에 파산하여 비참하게 죽을 때까지 주로 유태인이나 성서에서 제재(題材)를 구하여 예술의 깊은 경지에 도달, 유화(油畫) 기교의 완성자로서 유럽 최대의 화가 중의 하나로 꼽힘. 작품에 《해부 교수(解剖教授)》·《야경(夜警)》·《자화상(自畫像)》 등이 있음. [1606-69]

렘:브루크 〔Lehmbruck, Wilhelm〕 명 〖사람〗 독일의 조각가. 독일 표현주의 조각의 선구자. 작품은 고딕풍이며, 직선적으로 인체(人體)를 구성하였음. 작품에는 《무릎 꿇는 여자》 등이 있음. [1881-1919]

렘샤이트 〔Remscheid〕 명 〖지〗 독일의 서부, 루르 지방의 공업 도시. 철강·기계·섬유 등의 공업이 성함. [121,500 명(1985)]

렘 수면【一睡眠】 〔REM〕 명 〔rapid eye movement의 약칭〕 수면의 한 형태. 깊이 잠들었으나 뇌파(腦波)는 깨어 있을 때와 같은 형을 보이는 상태. 사지나 몸통의 근긴장(筋緊張)은 소실되었으나 빠른 안구(眼球) 운동을 수반하며, 꿈을 꾸는 일이 많음. 하룻밤 수면에 근 2 시간 걸려 20-30 분 계속됨.

렙 〔rep〕 의명 〖의〗 〔roentgen equivalent physical의 약칭〕 인체 조직 속의 방사선 흡수 선량(放射線吸收線量)을 나타내는 단위. 인체 조직 1그램에 대하여 93에르그(erg) 에너지를 부여하는 흡수 선량을 이름. 지금은 거의 쓰이지 않음. 생리적 뢴트겐 당량(當量).

렙차-어【一語】 〔Lepcha〕 명 〖언〗 시킴(Sikkim)을 중심으로 네팔의 동단(東端), 부탄의 서부, 인도 서(西)벵골 주(州)의 다질링(Darjeeling) 주변에서 사용되는 렙차인(人)의 언어. 티베트 버마 어족(語族)에 속함. 롱어(Rong語).

렙토스피라 〔라 leptospira〕 명 〖생〗 스피로헤타(spirochaeta)에 속하는 「사상(絲狀) 미생물.

렙토스피라-증【一症】 〔라 leptospira〕 〔ㅡ쯩〕 명 〖의〗 렙토스피라에 의한 감염증. 핏속에서 렙토스피라가 만연(蔓延)하여, 주로 간·신(腎)·중추 신경계에 기생함. 바일병(Weil病)·추계(秋季) 렙토스피라·칠일열(七日熱) 렙토스피라 등이 있음.

렙톤 〔lepton〕 명 〖물〗 경입자(輕粒子).

-려[1] 어미 ↗려고. '하다' 앞에만 쓰임. ¶ 떠나~ 하다 / 해가 지~ 한다. *-으려.

-려 들다 구 ↗-려고 들다.

-려[2] 어미 〈옛〉 -랴. ¶ 이 良醫의 虛妄호 罪를 能히 니르려 몯니르려《月釋 XVII:21》.

-려거든 어미 ↗려고 하거든. ¶ 가~ 지금 떠나라. *-으려거든.

-려고 어미 받침이 없거나 'ㄹ받침'의 동사 어간에 붙어서 장차 하고자 하는 뜻 또는 그렇게 될 듯 하다는 뜻을 나타내는 연결 어미. '하다'꼴 앞에서만 쓰임. ¶ 장사를 해 보~ 한다 / 눈이 내리~ 한다 / 옷을 만들~ 한다. 준-려. *-으려고.

-려고 들다 구 받침이 없거나 'ㄹ받침'의 동사 어간에 붙어서 곧 그렇게 할 듯이 행동함을 나타내는 말. ¶ 따지~. *-으려고 들다.

-려구 어미 〈방〉 -려고.

-려기에 어미 ↗-려고 하기에. ¶ 슬쩍 달아나~ 붙들어 놓았다. *-으려기에.

-려나 어미 ↗-려고 하나. --려는가. ¶ 언제 오~. *-으려나.

-려네 어미 ↗-려고 하네. ¶ 모레 돌아오~. *-으려네.

-려뇨 어미 〈옛〉 -려는고. -려는가. ¶ 뫼해가 사오나온 바톨 사려뇨(歸山買薄田)《初杜諺 XV:13》.

-려느냐 어미 ↗-려고 하느냐. ¶ 무엇을 하~. 준-련. *-으려느냐.

-려는 어미 ↗-려고 하는. ¶ 주~ 사람은 꿈도 안 꾸는데 김칫국부터 마신다. *-으려는.

-려는가 어미 ↗-려고 하는가. ¶ 언제 떠나~. 준-려나. *-으려는가.

-려는고 어미 ↗-려고 하는고. ¶ 왜 싸우~. *-으려는고.

-려는데 어미 ↗-려고 하는데. ¶집을 나서~ 비가 왔다. *-으려는데.
-려는지 어미 ↗-려고 하는지. ¶언제나 오~/무엇을 가르치~ 모르겠다. *-으려는지.
-려늘 어미 〈옛〉-ㄹ 것인데. ¶우리ᄅᆞᆯ 어엿비 너겨 能히 救護ᄒᆞ려늘《月釋 XVII:21》.
-려니[1] 어미 받침 없는 어간에 붙여 쓰는 연결 어미. ①혼자 속으로만의 추측으로 '그러하겠거니'의 뜻을 나타냄. ¶그래도 양심가이~ 여겼다/이 달에는 취직이 되~ 하고 기다렸다. ②'…하려고 하니'의 뜻을 나타냄. ¶막상 자~ 잠이 안 온다. *-으려니.
-려니[2] 어미 〈옛〉-ㄹ 것이니. ¶드르헤 龍이 싸호아 四七將이 일우려니오라 ᄒᆞᆫ ᄃᆞᆯ 오시리잇가《龍歌 69章》.
-려니와 어미 받침 없는 어간에 붙어서, 미래의 일이나 가정적인 일에 관하여 '그러하겠거니와'·'-지마는'의 뜻을 나타내는 연결 어미. ¶너도 너~ 내 입장도 생각해 봐라/그는 학자도 아니~ 정치가도 아니다/공부도 잘 하~ 말도 잘 듣는 학생이다. *-으려니와.
-려다[1] 어미 ↗-려다가. ¶차를 타~ 떨어졌다. *-으려다.
-려다[2] 어미 〈옛〉-ㄹ 것이다. ¶ᄇᆞᆷ 고ᄌᆞᆯ ᄆᆞᄅᆞ듣게 ᄑᆞ디 아니ᄒᆞ려다 시름 아니카니와(春花不愁不爛漫)《初杜諺 X:46》.
-려다가 어미 ↗-려고 하다가. ¶목을 자르~ 말다. ㊟-려다. *-으려다가.
-려더니 어미 ↗-려고 하더니. ¶책을 훔쳐 가~ 인기척을 듣고 그냥 도망쳐 버렸다. *-으려더니.
-려더라 어미 ↗-려고 하더라. ¶그는 책 두 권을 깡그리 베끼~. *-으려더라.
-려던 어미 ↗-려고 하던. ¶자~ 사람이 왜 일어나오. *-으려던.
-려던가 어미 ↗-려고 하던가. ¶내일 떠나~. *-으려던가.
-려도 어미 ↗-려고 하여도. ¶아무리 뒤를 캐~ 못 캐겠다. *-으려도.
-려면 어미 ↗-려고 하면. ¶빨리 도착하~ 기차로 가라. *-으려면.
-려면야 어미 ↗-려고 하면야. ¶이기~ 이길 수도 있지. *-으려면야.
-려면은 어미 ↗-려고 하면은. ¶버스를 타~ 토큰이 있어야 한다. *-으려면은.
-려무나 어미 '해라' 할 자리에서 받침 없는 동사 어간에 붙어서 제 뜻대로 하라는 뜻을 나타내는 종결 어미. ¶일찍 자~/읽어 보~. ㊟-렴. *-으려무나.
-려서는 어미 ↗-려고 하여서는. ¶꾀를 부리~ 못 쓰네. *-으려서는.
-려서야 어미 ↗-려고 하여서야. ¶이 마당에 일을 포기하~ 되나/그걸 죽이~ 쓰겠나. *-으려서야.
-려야 어미 ①↗-려고 하여야. ¶배우~ 가르치지. ②'-려도'의 힘줌말. ¶가~ 갈 수 없는 형편이다. *-으려야.
-려오 어미 ↗-려고 하오. ¶내일 방문하~. *-으려오.
-력【力】 미 어떤 명사 밑에 붙어서 능력·힘 등의 뜻을 나타내는 접미어. ¶경제~/생활~이 강하다.
-련 어미 ↗-려느냐. ¶네가 가~/언제 오~. *-으련.
련곳 명 〈옛〉 연(蓮)꽃. =련꽂. ¶련곳 부(芙)《字會 上 7》.
련꽂 명 〈옛〉 연꽃. =련곳. ¶비 저즌 블근 蓮ㅅ고존 冉冉히 곳답도다(雨裛紅蕖冉冉香)《杜諺 VII:2》.
-련다 어미 ↗-려고 한다. ¶떠나~/일찍 자~. *-으련다.
-련뎌 어미 〈옛〉-려는구나. ¶사ᄅᆞᆷ이 주글 거시여니와 혼자 ᄂᆞᄆᆡ 싸해 ᄲᅧᄅᆞᆯ 던디련뎌(人生有死 獨委骨異壤耶)《二倫》.
-련마는 어미 받침 없는 어간에 붙어서 미래의 일이나 가정(假定)의 사실을 말할 때 '-겠건마는'의 뜻으로 쓰는 연결 어미. ¶잘 타이르면 알아들을 사람이~/바보는 아니~ 참 일솜씨도 엉망이구나/오라면 기꺼이 가~ 기별이 없다. ㊟-련만. *-으련마는.
-련만 어미 ↗-련마는. ¶선물을 사 주면 좋아하~ 돈이 없다. *-으련만.
-렬 어미 ↗-려고 할. ¶사고가 잦으니 타~ 사람이 있나. *-으렬.
-렴 어미 ↗-려무나. ¶마음대로 해보~. *-으렴.
-렴은 어미 〈옛〉-려무나. ¶낙텨ᄒᆞ나 빌니렴은《永言》.
-렵니까 어미 ↗-려고 합니까. ¶어디로 가시~. *-으렵니까.
-렵니다 어미 ↗-려고 합니다. ¶의사가 되~. *-으렵니다.
-렷다 어미 ①받침 없는 어간에 붙어, 경험이나 이치로 미루어, 일이 으레 그렇게 될 것을 또는 그러할 것을 추정(推定)함을 나타내는 종결 어미. ¶내일은 비가 오~/내게는 좀 크~. ②받침 없는 어간에 붙어 추상(推想)되는 사실에 대해 인정하는 뜻을 다지는 데 쓰는 종결 어미. ¶네가 바로 범인이~/이제는 내 말대로 순종하~. ③받침 없는 동사 어간에 붙어, 명령을 나타내는 종결 어미. ¶어른의 분부대로 거행하~/네 죄를 이실직고하~. *-으렷다.
-령[1]【令】 미 어떤 명사 밑에 붙이어 '법령 또는 명령'의 뜻을 나타내는 접미어. ¶시행~/모다기~/총동원~.
-령[2]【領】 미 국명(國名) 밑에 붙이어 그 나라의 영토임을 나타내는 말. ¶프랑스~ 폴리네시아.
-령[3]【嶺】 미 재나 산(山)의 이름을 이루는 말. ¶대관~/추풍~.
령ᄒᆞ다 형 〈옛〉 영하다. 신령(神靈)하다. ¶령ᄒᆞᆯ 령(靈)《類合 下 24》.
-례【例】 미 어떤 명사 밑에 붙어서 예(例)의 뜻을 나타내는 접미어. ¶판결~/작도(作圖)~.
례비 명 〈옛〉 예배②. ¶례비날이됴코나 몸과ᄆᆞᄋᆞᆷ태평ᄒᆞ다《찬양가 : 12》.
롄윈강 〔連雲港〕 명 〖지〗 중국 장쑤 성(江蘇省) 북동부의 황해에 면한 도시. 수륙 교통의 요지로 상하이(上海)·칭다오(靑島) 등지로 정기 항로가 열려 있음. 몰리브덴·인회석(燐灰石) 따위가 산출되어 화학 공업이 활발하고 소금의 산지임. 옛 이름은 신하이롄(新海連). 연운항.
로:[1] 명 〈옛〉 비단. =노[3]. ¶로 나(羅)《萬曆本 千字》.
로:[2] 〔law〕 명 법(法). 법률(法律). 법칙(法則).
로:[3] 〔Law, Andrew Bonar〕 명 〖사람〗 캐나다 태생의 영국의 정치가. 1900년 보수당 소속 하원 의원. 1911년 원내 총무. 제1차 대전 발발 후에는 연립 내각의 식민상(植民相)·장상(藏相) 및 파리 강화 회의 대표를 역임. 1922-23년 보수당 내각 수상(首相)을 지냄. [1858-1923]
로:[4] 〔Law, John〕 명 〖사람〗 스코틀랜드 태생의 영국의 재정가(財政家). 프랑스의 오를레앙공(Orléans 公)의 비호 아래 프랑스 총은행(總銀行) 설립의 특허장을 얻고, 또 프랑스 식민지를 위해 루이지애나 회사를 설립, 미시시피 회사로 확장하였음. 아울러, 재정 총감(財政總監)으로서 중상주의(重商主義) 이론에 의거한 재정 재건을 행하였으나, 지폐 남발과 투기(投機)로 공황을 초래하여, 이탈리아로 도망하였음. [1671-1729]
로:[5] 〔low〕 명 ①자동차의, 전진(前進) 제1 속도. 저속 위치(低速位置). ¶~ 엔진/~ 기어. *세컨드·서드·톱·백. ②펜싱에서, 몸의 아랫부분. 허리.
로:[6] 〔Low, David Alexander Cecil〕 명 〖사람〗 영국의 만화가. '스타'·'데일리 헤럴드'·'가디언' 등 여러 신문에 기고, 극좌(極左)·극우(極右)를 비판하는 경묘(輕妙)한 한 컷 짜리 만화로 유명함. [1891-1963]
로:[7] 〔Roe, Thomas〕 명 〖사람〗 영국의 외교관. 무굴 제국(Mughul 帝國)에 대사로 파견되어, 동인도(東印度) 회사의 특권 확대에 힘씀. 그의 체재 일기(滯在日記)는 귀중한 사료(史料)가 되어 있음. [1581?-1644]
로[8] 조 받침이 없거나 또는 ㄹ받침이 있는 체언에 붙는 부사격 조사. ①수단·방법 또는 연장을 나타냄. ¶코~ 숨을 쉬다/주머니칼~ 연필을 깎다. *로써. ②재료를 나타냄. ¶나무~ 집을 짓다/털실~ 모자를 짜다. *로써. ③이유·원인을 나타냄. ¶배탈~ 결근하다/폭등하는 물가고~ 가계가 곤란해지다. ④장소·방향을 나타냄. ¶그리~ 가면 길이 막힌다/큰 길~ 나서다. ⑤신분·지위·자격을 나타냄. ¶선배~ 앉아서 가만히 보고 있을 수가 없다/이사~ 승진하다. *로서. ⑥그렇게 되는 대상임을 나타냄. ¶친구의 딸을 며느리~ 삼다/점심으로 볶음밥을 먹기~ 했다. ⑦때·시간을 나타냄. ¶회의는 내일~ 정해졌다/봄 가을~ 재배하는 농작물. ⑧결과를 나타냄. ¶뽕밭이 푸른 바다~ 변해도 내 마음은 변하지 않는다/장구벌레가 자라 모기~ 변태한다. ⑨구성·비율 등을 나타냄. ¶연리(年利)를 10 퍼센트~ 정하다/물은 산소와 수소~ 이루어진다. ⑩근거·표준·목표 등을 나타냄. ¶친절을 모토~ 하다. *으로[1].
로[9] 조 〈방〉 를(경상).
-로[1]【路】 미 ①어떤 명사 밑에 붙어서 '길'의 뜻을 나타내는 말. ¶교차~/항공~/보급~. ②도회지의 큰 도로를 가운데 둔 동네의 이름을 구성하는 접미어. ¶을지~/세종~/태평~.
-로[2] 어미 〈방〉-러. ¶영화 보~ 간다.
로가리듬 〔logarithm〕 명 〖수〗 로그.
로건 산【一山】〔Logan〕 명 〖지〗 매킨리 산(Mackinley 山)의 다음가는 북아메리카 제2의 고봉(高峰). 캐나다 북서부 유콘 주와 미국 알래스카의 국경에 가까운 세인트일라이어스 산맥(St. Elias 山脈)에 속함. [6,050 m]
로고[1] 〔LOGO〕 명 〖컴퓨터〗 프로그래밍 언어의 하나. 어린이용(用)으로 대화식으로 고안되어, 기호 처리나 화상(畫像) 표현이 용이함. 주로 교육 및 인공 지능 연구에 쓰임.
로고[2] 〔logo〕 명 ↗로고타이프(logotype).
로고[3] 조 〈옛〉 고. ¶너도 兄弟로고 우리도 兄弟로다《永言》.
-로고 어미 '이다'·'아니다'의 어간에 붙어서 '-로군'의 뜻으로 혼자 괴이한 느낌을 나타내는 종결 어미. ¶알 수 없는 일이~/그건 유익한 일이 아니~.
로고스 〔그 logos〕 명 ①말. 언어(言語). ②〖철〗 그리스 철학에서, 언어를 매체(媒體)로 하여 표현되는 이성(理性). 또, 그 이성의 작용. ↔파도스(pathos). ③〖철〗 만물간의 질서(秩序)를 구성하는 조화적·통일적 원리로서의 이성(理性). ④〖기독교〗 삼위 일체(三位一體)의 한 위. 곧 성자(聖子). (하느님의) 말씀.
로고-타이프 〔logotype〕 명 ①〖인쇄〗 합자 활자(合字活字). in·the·and 따위의 한 단어 또는 한 음절, 회사명 등 자주 쓰이는 말을 하나의 활자로 주조한 것. ②회사 이름·상표 따위를 독특한 글씨체·디자인으로 나타낸 심벌 마크. ㊟로고.
-로괴야 미 〈옛〉-로구나. ¶그저 간대로 혜아리ᄂᆞᆫ 이로괴야(只是胡商量的)《老乞 下 11》.
-로구나 어미 '이다'·'아니다'의 어간에 붙어서, '해라'할 자리에나 또는 스스로 새삼스러운 감탄을 나타내는 종결 어미. ¶벌써 낙엽 지는 가을이~/진짜가 아니~. ㊟-로군·-구나.
-로구려 어미 '이다'·'아니다'의 어간에 붙어서 '하오'할 자리에 새삼스러운 감탄을 나타내는 종결 어미. ¶어허 벌써 눈 내리는 겨울이~/개인 재산이 아니~. ㊟-구려.
-로구료 어미 ☞-로구려.
-로구먼 어미 '이다'·'아니다'의 어간에 붙어서 반말이나 혼잣말에 새삼스러운 감탄을 나타내는 종결 어미. ¶이게 바로 그것이~/사람의 짓이 아니~. ㊟-로군·-구먼.
-로구면 어미 ☞-로구먼.
-로군 어미 ①↗-로구나. ¶훌륭한 사람이~/꼭 나무랄 짓이 아니~. ②↗-로구먼. ¶자네도 백발이~/신통한 일이 아니~.
로그[1] 〔log〕 명 〖수〗 〔↗로가리듬(logarithm)〕 정수(正數) a와 N이 주어졌을 때 $N=a^b$라는 관계를 만족시키는 실수(實數) b의 값을, a를 밑으로 하는 N의 로그라 하며, $b=\log_a N$으로 나타냄. 10을 밑으로 하는 로그를 특히 상용(常用) 로그라 함. 대수(對數). * 자연 로그(自然 log).
로그[2] 〔log〕 명 ①항해 일지. 항공 일지(航空日誌). ②배의 속력과 항정(航程)을 재는 계기. 측정기(測程器).
로그 계:산【一計算】〔log〕 명 〖수〗 로그를 써서 하는 계산. 곱셈·나눗

셈이 각각 덧셈·뺄셈에 귀착(歸着)하므로 계산이 매우 간단해짐. 대수 계산(對數計算).

로그 곡선【一曲線】[명]〔logarithmic curve〕『수』 a를 밑으로 하는 로그 함수를 $y=\log_a x$라고 할 때의 그 곡선. 대수(對數) 곡선.

로그 눈금[一끔]〔log〕[명]『수』 로그 함수 $f(x)=\log_{10}x$의 함수 눈금. 곧, 원점(原點)에서 $\log_{10}x$가 되는 곳에 x라고 쓴 것임. 거리의 덧셈·뺄셈은 눈금 수값의 곱셈·나눗셈에 대응함. 대수(對數) 눈금.

로그 모눈종이〔log〕[명]『수』 로그자에 의하여 그려진 모눈종이. 대수 방안지(對數方眼紙).

로그 미분법【一微分法】〔log〕[一뻡] [명]『수』 미분 계산(微分計算)의 간편법(簡便法). 주어진 함수(函數)에 로그를 취하여 미분하는 일. 대수 미분법(對數微分法).

로그 방정식【一方程式】〔log〕[명]『수』 미지수 또는 미지수를 포함하는 식이 로그를 포함하고 있는 방정식. 이를테면 $\log x+\log(2x+3)=1$. 대수 방정식(對數方程式).

로그아웃〔logout〕[명]『컴퓨터』 네트워크와의 접속을 끊는 절차. 컴퓨터 시스템에 로그인하여 중앙에 있는 컴퓨터나 다른 단말기와 메시지를 주고받던 단말기가 교신을 끝내고 네트워크에서 나오는 일. ↔로그인.

로그우드-나무〔logwood〕[명]『식』[*Haematoxylon campechianum*] 콩과에 속하는 상록 교목. 중부 아메리카의 원산으로 키가 10-15 m 가량인데 잎은 우상 복엽이며 소엽(小葉)은 도심장형(倒心臟形)임. 꽃은 노란데 긴 화축(花軸)에 총상 화서로 피며 방향(芳香)이 있음. 암자색(暗紫色)의 심재(心材)를 로그우드라고 하여 세공물(細工物)을 만드는 데 쓰며, 또한 헤마톡실린(haematoxylin)이라는 물감을 빼냄.

로그인〔login〕[명]『컴퓨터』 다중 사용자 시스템을 사용하기 위하여 컴퓨터에 사용자임을 알리는 일. 대개의 경우, 사용자의 이름과 비밀 번호를 입력하여 네트워크에 접속함. ↔로그아웃.

로그-자〔log〕[명]『수』 기점(基點)으로부터 $\log x$의 길이의 점에 x라는 눈금을 표시한 자. 대수척(對數尺). *건터(Gunter, E.).

로그-표【一表】〔log〕[명]『수』 많은 상용(常用) 로그를 나열(羅列)해 놓은 표. 대수표(對數表).

로그 함:수【一函數】〔log〕[一쑤] [명]『수』 x를 변수(變數)로 하고 $y=\log_a x$에 의하여 정의(定義)되는 함수를, a를 밑으로 하는 x의 로그 함수라고 함. 대수 함수(對數函數).

로는 [조] '로'와 '는'이 겹쳐 된 부사격 조사. ¶ 서~ 황해, 동으로는 동해 / 그 길~ 못 간다 / 여자 혼자~ 감당키 어려운 일이다. [준]론. *으로는.

-로다 [어미] '이다'·'아니다'의 어간에 붙어서 '-로구나'의 뜻을 예스럽게 나타내는 종결 어미. ¶ 과연 명창이~ / 도리가 아니~.

로다민〔rhodamine〕[명]『화』 아미노 페놀(amino phenol) 또는 그 유도체와 프탈산 무수물(phthal酸無水物)과를 축합(縮合)시켜서 얻어지는 붉은 빛의 색소. 비단의 염색, 식료품이나 잡화의 착색(着色)에 쓰는 로다민 B, 무명의 날염(捺染)에 사용하는 로다민 6 G 등이 있음.

로단테〔라 rhodanthe〕[명]『식』[*Helipterum manglesii*] 국화과에 속하는 일년초. 높이 40 cm 내외이고 잎은 넓은 타원형이며, 엷은 분홍색의 두상화(頭狀花)가 핌. 오스트레일리아 원산인데, 관상용으로 재배함.

로댕〔Rodin, François Auguste René〕[명]『사람』 프랑스의 조각가. 조각에 있어 인상주의(印象主義)를 창시하여 그 영향이 전유럽에 미쳤으며 근대 사실파(寫實派)의 대표자임. 그의 작품은 날카로운 사실적(寫實的) 기법을 구사하여, 희로애락(喜怒哀樂)의 감정과 인간의 내면에 깃들인 생명의 약동을 표현하였음. 조각이 근대 예술의 한 분야로서 확고한 위치를 점하게 된 것은 그에게 힘입은 바 크며, 대표작에 《지옥의 문》·《키스》·《묵상(默想)》·《생각하는 사람》·《발자크상(Balzac像)》 등 다수가 있음. [1840-1917]

로:더[1]〔loader〕[명]『기』 석탄·암석 등의 적화기(積貨機).

로:더[2]〔loader〕[명]『컴퓨터』 어셈블러 또는 컴파일러가 생성한 재배치 가능한 목적 모듈(module)이나 링키지 에디터가 만들어낸 로드 모듈(module)을 실행 가능한 형식으로 하여 메모리에 배치하는 역할을 하는 프로그램. 적재기(積載機).

로데오〔미 rodeo〕[명] 미국의 서부 각주를 중심으로 하여 연중 행사로서 행해지는 카우보이(cowboy)들의 목축 경기회. 그 중 야생마(野生馬)나 사나운 소를 타고 이를 이겨 길들이는 경기가 가장 인기를 끌고 있음.

로덴바흐〔Rodenbach, Georges〕[명]『사람』 벨기에의 시인. 법률학을 전공한 후 독자적인 감각으로 표현한 《비애》·《하얀 청춘》 등의 시집을 내었으며, 소설도 있음. [1855-98]

로도 [조] '로'와 '도'가 겹친 부사격 조사. ¶ 기계~ 이틀이 걸린다 / 이 길은 학교~ 통해 있다. *으로도.

로:도스 섬〔Rodos〕[명]『지』 지중해 동부 에게 해(Aege海)의 동쪽 한계를 이루는 그리스령의 섬. 소아시아 반도 서남단에 접근해 있음. 산뿐이나 해안은 비옥한 평지(平地)이며 지중해성 산물이 많고 휴양지로 알려져 있음. 그리스 문화의 유적(遺蹟)이 많고 관광객도 그치지 아니함. 주도(主都)는 로디(Rhody). [1,340 km² : 41,000 명(1984)]

로도피 산맥【一山脈】〔Rodopi〕[명]『지』 불가리아 서남부에서 그리스 동북단(東北端)에 이르는 산맥. 침엽수림(針葉樹林)에 뒤덮여 있으며 납·아연(亞鉛)·구리 등의 광물 자원도 있음. 고대 로마 시대에 마케도니아와 트라키아의 경계(境界)였음. 연장(延長) 약 300 km, 표고(標高) 1,000-2,000 m.

로돕신〔rhodopsin〕[명]『생』 척추 동물의 망막(網膜)의 간상(桿狀) 세포에 들어 있는 색소. 어두운 곳에서는 자홍색을 띠나, 빛을 보면 퇴색하여 버리고 빛을 막으면 다시 회복됨. 녹색 빛이 가장 퇴색 작용이 현저함. 카로티노이드(carotinoid)의 한 종류와 단백질의 한 종류가 결합하여 된 물질. 빌산염(bile酸塩)의 수용액으로 망막에서 추출(抽出)할 수 있음. 시홍(視紅). 시홍소(視紅素).

-로되 [어미] ①'이다'·'아니다'의 어간에 붙어서 앞말의 사실을 인정하면서 뒷말로 조건을 덧붙여 말할 때 '-되'보다 좀 더 힘있게 쓰는 연결 어미. ¶ 학자는 학자이~ 어용 학자다 / 생모는 아니~ 아기를 귀애한다. ②'이다'·'아니다'의 어간에 붙어서 뒷말의 사실이 앞말에 상반되거나 대립됨을 나타내는 연결 어미. ¶ 명색은 시장이~ 전혀 실권이 없다 / 부자는 아니~ 큰 주택을 갖고 있다.

로두【以置】[조]〈이두〉 로도.

로듐〔rhodium〕[명]『화』 백금족(白金族) 원소의 하나. 은백색을 띤 단단한 희유 금속으로 전성(展性)·연성(延性)이 풍부하며 산(酸)·알칼리에 녹지 아니함. 백금이나 금의 광석 중에 극히 미량(微量)으로 섞이어 있으며 귀금속 중에서 가장 비쌈. 백금과 합금을 만들어 열전쌍(熱電雙)으로서 고온 온도계에 쓰임. [45번:Rh:102.9055]

로드[1]〔Laud, William〕[명]『사람』 영국의 성직자(聖職者). 찰스 1세에게 중용(重用)되어 의회와의 싸움에서 왕을 도왔음. 국교 강제(國敎強制)를 강행(強行)하려다가 실패, 뒤에 장기 의회(長期議會)에서 탄핵되어 처형되었음. [1573-1645]

로:드[2]〔Lord〕[명] ①『기독교』 하느님. 천주. ②영국에서, 후작(侯爵)·백작(伯爵)·자작(子爵)·남작(男爵)·대주교(大主教)·주교(主教) 및 공작(公爵)·후작의 아들과 백작의 장남에 대한 존칭. 경(卿).

로드[3]〔rod〕[명] ①장대. ¶ ~ 안테나. ②신축(伸縮)이 자유로운 서양식 낚싯대.

로:드[4]〔road〕[명] 길. 도로(道路).

로드[5]〔rod〕[의명] 야드 파운드법의 단위. 길이 1로드=5.5 yd=5,029 m, 면적 1로드=30.25 yd²=25.29 m².

로:드 게임〔road game〕[명] 원정(遠征) 경기. 특히 프로 야구에서, 본거지(本據地)의 구장(球場)을 떠나서 행하는 경기. ↔홈 게임.

로:드 드라마〔road drama〕[명] 로드 무비(road movie)처럼, 이 곳 저 곳 옮겨 다니며 촬영함으로써 다양성과 연속성을 돋보이게 하는 TV 방송 드라마.

로:드 레이서〔road racer〕[명] ①도로 경기의 경기자. ②로드 레이스를 위한 자전거나 오토바이 따위. 비포장 도로를 달리는 데 대비하여 전용의 브레이크·타이어·변속기 등을 갖추고 있음.

로:드 레이스〔road race〕[명] 도로 위를 달리는 경주. 마라톤도 그 하나이나, 특히 자전거 경주를 가리킴.

로:드 롤:러〔road roller〕[명]『기』 토목 건설 기계의 하나. 축(軸)이 둘 내지 세 개의 평활(平滑)한 원통상(圓筒狀)의 롤러로써 자주(自走)하여, 도로의 노반(路盤) 다지기나 포장면(鋪裝面)의 마무리를 함. [준]롤러(roller).

〈로드 롤러〉

로드리게스 섬〔Rodrigues〕[명]『지』 인도양 서부의 섬. 모리셔스(Mauritius)의 속령(屬領)으로, 그 동북동 약 560 km에 위치함. 최고점 396 m의 화산도(火山島)로서, 농어업이 행해짐. 1645년 포르투갈 사람이 발견, 뒤에 프랑스 식민지로 있다가 1810년 영국령(領), 1968년 모리셔스 독립과 함께 그 속령이 됨. [103 km² : 33,000 명(1981 추계)]

로:드 무:비〔road movie〕[명] 여행·방랑 등의 도중에 갖가지 사건을 만나거나 주인공이 변모해 가는 과정을 그린 영화. 특히 미국 영화. 1940년 제작의 스타인벡 원작의 《분노(憤怒)의 포도(葡萄)》, 1969년 제작의 《이지 라이더》 따위.

로드 밀〔rod mill〕[명]『기』 공업용 분쇄기(粉碎機)의 하나. 원통(圓筒) 안에 직경 50 mm 내지 110 mm의 고탄소강(高炭素鋼) 막대 다수(多數)와 함께 분쇄할 재료를 넣어, 천천히 회전시켜 분쇄하는 기계임. *볼밀(ball mill).

로:드 사인〔road sign〕[명] ①도로 표지. ②새로운 광고술(廣告術)의 하나. 등에 걸머진 통으로부터 고무줄을 통해 물이 펠트(felt) 신창에 흘러 내려서 도로 위에 상품명·상표 등을 그리게 되어 있음.

로:드 쇼:〔road show〕[명]『연』〔원래, 연극 흥행 전에 도로상에서 선전으로 하던 일부 상연(上演)〕 일반 영화관에 앞서서 특정한 극장에서 특별 요금을 받고 하는 대작(大作) 영화의 독점 개봉(開封) 흥행.

로:드 스탬프〔road stamp〕[명] 새로운 광고술의 하나. 도로 위에 소석회(消石灰) 가루를 뿌려 흰 글자를 씀.

로:드스터〔roadster〕[명] 승용(乘用) 자동차의 한 형식. 좌석이 한 줄뿐이고, 포장(布帳)을 접을 수 있으며, 차체(車體)의 뒤쪽은 경사가 져서 짐을 넣게 되어 있음.

로:드아일랜드 레드〔Rhode Island Red〕[명]『조』 닭의 한 품종. 미국의 로드아일랜드 주(州) 원산의 난육 겸용종(卵肉兼用種)으로 털이 새빨갛고 꽁지는 검음. 성질이 순하고 몸이 튼튼한데 1년의 산란수는 약 150개 가량임.

로:드아일랜드 주【一州】〔Rhode Island〕[명]『지』 미국 동북부 뉴잉글랜드 지방 남안에 있는 미국 최소(最小)의 주. 인구 밀도는 최대임. 낙농지(酪農地)로부터 출발하여 상공업지가 되었음. 고급 의류·보석 세공·은(銀)제품 등의 특색 있는 공업 외에, 근년에는 전자 공업(電子工業)이 발달. 주도는 프로비덴스(Providence). [2,732 km² : 947,154 명(1980)]

로드 안테나〔rod antenna〕[명] 막대기 모양의 안테나. 신축(伸縮)할 수 있는 형식의 것도 있음.

로:드-워:크〔roadwork〕[명] 체력과 다릿심을 양성하기 위한 노상(路上) 트레이닝. 권투에서는 5,000-6,000 m 사이를 속도를 가감하거나 줄넘기를 하면서 뜀.

로:드 테스트〔road test〕[명] 자동차의 성능을 노상(路上)에서 실지로

시험하는 일.

로:드 홀:딩 〔road holding〕 명 주행(走行)중인 자동차의 노면(路面)에 대한 안전성.

로:드 히:팅 〔road heating〕 명 『전』 포장(鋪裝) 밑에 전열선(電熱線)을 배치하여, 여기에 전류를 통함으로써 적설(積雪)을 녹이는 설비. 또, 그렇게 만들어진 도로·육교(陸橋) 등.

로디 왕조 【一王朝】 〔Lodi〕 명 『역』 1451년부터 1526년까지 있었던 인도의 이슬람 왕조(王朝)의 하나. 아프간족(Afghan族)의 한 부족인 로디족에 의해 왕조가 수립되었으나, 계속된 내분(內紛) 끝에 무굴 제국(帝國)에 의해 멸망되었음.

로디지아 〔Rhodesia〕 명 『지』 아프리카 중남부의 지방. 자이르(Zaire)와 남아프리카 공화국의 사이임. 잠베지 강(Zambezi江)을 경계로 남북 로디지아로 나뉨. 1924년부터 영국 보호령(保護領)이었으나, 북(北)로디지아는 1964년 잠비아 공화국으로 독립하고, 남(南)로디지아는 1965년 백인 소수 지배에 의한 남로디지아로 일방적 독립 선언을 하였다가, 1980년 짐바브웨로 완전 독립함.

로디지아 니아살랜드 연방 【一聯邦】 〔Rhodesia-Nyasaland〕 명 『지』 아프리카의 남로디지아·북로디지아 및 니아살랜드가 1953년에 결성했던 연방. 1963년에 해체되었음. 중앙 아프리카 연방.

로디지아-인 【一人】 〔Rhodesia〕 명 [*Homo rhodesiensis*] 북로디지아, 지금의 잠비아 공화국의 브로컨 힐 광산(Broken Hill鑛山)에서 1921년 화석골(化石骨)로 발굴된 원생(原生) 인류의 하나. 네안데르탈인(Neanderthal人)과 거의 같은 정도의 진화 과정에 있는 인류로서, 입언저리 같은 것은 현대인과 비슷하나 눈썹 언저리의 뼈가 쑥 내민 점이 원숭이를 닮았음.

로:딩 〔loading〕 명 『컴퓨터』 ①로더가 프로그램을 보조 기억 장치에서 주기억 장치로 올림. ②어떤 장치나 프로그램에 일을 줌. ③통신 회선에서 반송파의 진폭 변형을 줄이기 위하여 전송 회선에 로드 코일을 접속하여 인덕턴스를 줌.

로ᄃᆡ 조 〈옛〉 로되. ¶ 入聲은 點 더우믄 ᄒᆞᆫ 가지로ᄃᆡ ᄲᆞᄅᆞ니라(入聲加點同而促急)《訓諺 14》.

-로라[1] 어미 '이다'·'아니다'의 어간에 붙어서 말하는 사람이 자기의 동작을 의식적으로 쳐들어 말할 때 '-다'의 뜻을 나타내는 연결 어미. ¶ 내~ 하고 뽐낸다/제 딴에는 시인이~ 큰소리 치지만/도둑이 아니~ 억지를 쓰다. *-노라.

-로라[2] 어미 〈옛〉 -노라. ¶ 簞食瓢飮을 이도 足히 너기로라《蘆溪 陋巷詞》.

로:라시아 〔Laurasia〕 명 『지』 선(先)캄브리아대에 지구의 넓은 북대륙을 형성하던 지대로, 현재의 아시아·유럽·북아메리카에 걸쳐 있던 지대.

로란 【LORAN】 명 〔long range navigation의 약칭〕 전파를 이용하는, 180km 이상의 새로운 장거리 항법(航法). 충분한 거리를 두고 동시에 주파수가 같은 중파 또는 단파의 전파를 발사하는 두 곳의 발신국(發信局)을 설정하여 놓고 항공기 또는 선박이 두 발신국의 전파를 수신하여 그 도달 시간의 차에 의해서 위치를 결정함.

로란 수신기 【LORAN 受信機】 명 로란 방식의 수신(受信) 장치. 수신 지시부(指示部)·안테나·전원(電源) 장치 등으로 구성됨.

로랑생 〔Laurencin, Marie〕 명 『사람』 프랑스의 여류 화가. 입체파(立體派)의 영향으로 독자적인 화풍을 수립. 여자다운 감상을 담은 작품이 많음. [1885-1956]

로랑스 〔Laurens, Henri〕 명 『사람』 프랑스의 조각가. 초기에는 폴리크롬(polychrome)의 기하학적 구성을 시도했으나 점차 부드러운 포름(forme) 속에 힘찬 구성을 내포한 여성상을 많이 제작했음. 대표작에 《아침》·《인어(人魚)》 등이 있음. [1885-1954]

로래 명 〈옛〉 노래. ¶ 안ᄌᆞᆫ 손이 로래 블롤 者ㅣ 잇거든 엇디 ᄒᆞ리잇고《家禮 Ⅵ:34》.

로랭 〔Lorrain, Claude〕 명 『사람』 프랑스의 풍경화가. 본명은 Claude Gellée. 역사와 신화에서 취재한 웅대한 구도(構圖)의 작품이 많으며, 빛의 효과를 세밀히 관찰하고 전경(前景)으로부터 지평선에 이르는 빛의 발뢰르(valeur)의 미묘한 계단을 교묘히 표현. 푸생(Poussin)과 더불어 프랑스 고전주의 회화를 대표함. 《클레오파트라의 상륙(上陸)》·《시바(Sheba) 여왕의 승선(乘船)》 등의 명작을 남겼음. [1600-82]

로:러 〔Rohrer, Heinrich〕 명 『사람』 스위스의 물리학자. 주사형(走査型) 터널 전자 현미경 개발에 공헌한 업적으로, 1986년 비니히(Binnig, Gerd)와 더불어 노벨 물리학상을 받음. [1933-]

로:러 신체 충실 지수 【一身體充實指數】 〔도 Rohrer〕 명 로러 지수.

로:러 지수 【一指數】 명 〔Rohrer's index〕 몸무게를 신장의 세 제곱으로 나누고 1000만배 한 지수. 지수가 114 이하는 수척형, 115-144는 표준, 145-159는 보통 비만, 160 이상은 비만형(肥滿型)임. 로러 신체 충실 지수. *비만아(肥滿兒).

로럴 〔laurel〕 명 월계수(月桂樹).

로렌 〔Lorraine〕 명 『지』 프랑스 북동부, 독일과의 국경에 있는 지방. 중요한 철산지(鐵産地)이며 석탄도 많이 남. 낭시(Nancy)·메츠(Metz) 등을 중심으로 공업도 발달함. 중세 로렌 왕국으로서 독일이 지배하였고 10세기 로렌 공령이 되어 이후 프랑스가 지배하였음. 1871년 프로이센·프랑스 전쟁 후 독일령이 되었으나 제1차 대전에서 프랑스에 귀속함. 독일명은 로트링겐(Lothringen).

로렌슘 〔lawrencium〕 명 『화』 초(超)우라늄 원소의 하나. 1961년 기오소(Ghiorso) 등이 캘리포니아 대학 방사선 연구소의 선형(線型) 가속 장치로 가속한 붕소 이온을 칼리포르늄(californium)에 충격시켜 α 붕괴(崩壞)를 하는 반감기(半減期) 8±2초인 핵종(核種)을 만들었음. [103번:Lr:260]

로:렌스[1] 〔Lawrence, David Herbert〕 명 『사람』 영국의 소설가. 미천한 출신으로 은사(恩師)의 부인과 함께 도피하여 세계의 이목을 끌었고, 각지를 방랑하면서 노골적이며 강렬한 성적(性的) 묘사로써 《흰 공작》·《아들과 연인들》 및 《채털리(Chatterley) 부인의 사랑》 등을 발표하여 수차 발금(發禁)을 당하기도 함. 그의 작품은 칭찬과 비난이 엇갈리는 가운데, 이른바 '전인적(全人的)인, 조화된 삶'을 위한 시도로서 지어진 것임. [1885-1930]

로:렌스[2] 〔Lawrence, Ernest Orlando〕 명 『사람』 미국의 물리학자. 리빙스턴(Livingston)과 함께 사이클로트론(cyclotron)을 발명하여 1939년 노벨 물리학상을 받았고, 이어 대형 전자석(電磁石)을 써서 ^{235}U의 공업적 분리에 성공하였음. [1901-58]

로:렌스[3] 〔Lawrence, Thomas〕 명 『사람』 영국의 초상화가. 일찌기 궁정 화가로 뽑힘. 로열 아카데미 회원으로 귀족 취미에 맞는 화풍으로 많은 유명 인사의 초상을 그려 이름을 떨침. 대표적 작품으로 《교황 비오 7세》·《조지 3세》 등이 있음. [1769-1830]

로:렌스[4] 〔Lawrence, Thomas Edward〕 명 『사람』 영국의 탐험가·고고학자·저술가. 대영 박물관의 탐험대에 참가하여 메소포타미아·시리아 등지를 답사하였음. 아랍(Arab) 독립 운동에 참여하고 전쟁중의 체험기 《사막의 반란》을 내었음. '아라비아의 로렌스'로 잘 알려짐. [1888-1935]

로:렌스-관 【一管】 명 〔Lawrence tube〕 크로마트론(chromatron).

로렌시아 대:륙 【一大陸】 명 〔Laurentian Continent〕 『지』 지질 시대(地質時代)의, 북아메리카의 허드슨 만(灣)을 중심으로 한 로렌시아 순상지(楯狀地) 지역에 있었던 대륙의 이름.

로렌시아 순상지 【一楯狀地】 명 〔Laurentian Highlands〕 『지』 캐나다 동부, 허드슨 만(灣)을 둘러싼 U자형의 순상지. 선캄브리아대(先Cambria代)의 화성암·수성암이 기초 암석인데 현저히 변질되어 있음. 불모지(不毛地)가 많으며 침엽수(針葉樹)가 퍼져 있으나 북부는 툰드라(tundra)로 이행(移行)함. 캐나다 순상지(楯狀地).

로렌체티 〔Lorenzetti, Pietro〕 명 『사람』 이탈리아의 화가. 아우인 암브로지오(Ambrogio; 1300?-48?)와 더불어 14세기 전반의 시에나파(Siena派)를 대표함. 엄격하고 장엄한 작풍으로 극적 표현을 추구. 대표작은 아시시의 산 프란체스코 성당 별당의 벽화 《십자가 강하도(降下圖)》. 아우는 경묘한 조형 감각을 살려 시에나 시(市) 공회당의 벽화 《선정과 악정》에 원근법을 써서 특히 유명함. [1280?-1348?]

로렌초 데 메디치 〔Lorenzo de Medici〕 명 『사람』 피렌체의 부호. 피렌체의 독재자로서 정치적 수완을 발휘하는 한편, 문예·미술을 애호하여 피렌체를 르네상스의 중심지로 만드는 데 이바지함. [1449-92]

로렌초 모나코 〔Lorenzo Monaco〕 명 『사람』 이탈리아의 화가. 장식적(裝飾的) 요소가 짙은 제단화(祭壇畫)·벽화·미니어처(miniature) 등을 제작함. 대표작에 벽화 《성고(聖告)》 등이 있음. [1370-1425]

로렌츠[1] 〔Lorentz, Hendrik Antoon〕 명 『사람』 네덜란드의 이론 물리학자. 제만 효과(Zeeman效果)의 이론을 세워, 물질 원자내의 전자(電子)의 존재를 확인하였으며, 자유 전자(自由電子)·속박 전자(束縛電子) 및 자화 전자(磁化電子)의 작용을 생각하여 맥스웰(Maxwell)의 기본 방정식을 유도, 전자 이론의 개척자로 꼽히게 되었음. 1902년 노벨 물리학상 수상. [1853-1928]

로렌츠[2] 〔Lorenz, Konrad Zacharias〕 명 『사람』 오스트리아의 동물학자. 1951년 이래 막스 플랑크 연구소 교수로 있었고, 1973년 동물의 선천적인 반응 기구의 연구로 노벨 생리 의학상을 수상함. 근대 동물 행동학의 창시자의 한 사람임. [1903-89]

로렌츠 곡선 【一曲線】 명 〔Lorenz curve〕 『경』 소득 분포(所得分布)의 불평등도(不平等度)를 측정하기 위해 사용하는 특수한 도수 곡선(度數曲線). 미국의 경제학자 로렌츠(Lorenz, M.O.)가 고안(考案)함.

로렌츠 변:환 【一變換】 명 〔Lorentz transformation〕 『물』 상대 운동을 하고 있는 두 관성계(慣性系) 사이의 좌표 변환. 아인슈타인의 특수 상대성 이론이 나오기 전에 마이컬슨 몰리의 실험을 설명하기 위하여 로렌츠(Lorentz, H.A.)가 유도하였음.

로렌츠 수축 【一收縮】 명 〔Lorentz contraction〕 『물』 로렌츠 피츠제럴드 수축.

로렌츠 피츠제럴드 수축 【一收縮】 명 〔Lorentz-FitzGerald contraction〕 『물』 1893년 로렌츠 (Lorentz, H.A.)가 제창한 물리학상의 한 가설. '모든 운동 물체는 $\sqrt{1-v^2/c^2}$ (v는 물체의 속도, c는 빛의 속도)의 비율로 수축한다'는 이론. 특수 상대성 이론 발견의 기초가 됨. 피츠제럴드도 이런 가설을 세웠으므로 이 이름이 붙었음. 피츠제럴드 로렌츠의 수축.

로렌츠 힘 명 〔Lorentz force〕 『물』 자기장(磁氣場) 속을 운동하고 있는 하전(荷電) 입자에 작용하는 힘. 입자 속도와 자기력선속(磁氣力線束) 밀도의 벡터곱에 전하(電荷)를 곱한 것. 전기장(電氣場)에 의한 힘, 곧 전기장에 전하를 곱한 것을 더하여 이를 때도 있음. *전자론.

로렐라이 〔도 Lorelei〕 명 라인 강 중류의 오른쪽 강가에 있는 큰 바위의 이름. 지나 가던 뱃사람이 그 바위 위에 쉬고 있는 물의 요정(妖精)의 노래 소리에 취하면 배와 함께 깊은 물 속에 잠겨 들어간다는 전설이 있으며, 하이네 작시(作詩), 질허(Silcher, Friedrich; 1789-1860) 작곡의 가곡(歌曲)으로 더욱 유명함.

로렝수 마르케스 〔Lourenço Marques〕 명 『지』 '마푸토(Maputo)의' 구칭.

로르샤흐 테스트 〔Rorschach test〕 명 『의』 독일의 정신병의(精神病醫) 로르샤흐(Rorschach, H.; 1884-1922)가 고안한 테스트. 잉크의 오점(汚點)이 무엇으로 보이는가에 따라, 그 사람의 성격이나 정신 내부의 콤플렉스를 찾아내려는 검사.

로르카 〔Lorca, Federico García〕 명 『사람』 가르시아 로르카.

로리스 〔loris〕 명 『동』 슬렌더 로리스(slender loris)와 슬로 로리스(slow loris)의 총칭. 늘보원숭이.

로ᄅᆞᆺ바치 명 〈옛〉 재인(才人). 광대. =노ᄅᆞᆺ바치. ¶ 敎坊읫 여라믄 樂工

과 ᄋᆞᆺ듬 뎡ᄌᆡᄉᆡᆫ과 여러 가짓 로ᄅᆞᆺ바치ᄃᆞᆯ 블러오라(叫教坊司十數箇樂工和做院本諸般雜劇的來)《朴解 上 5》.

로:마 〔Roma〕 명 ①〖지〗 이탈리아 중서부의 한 주(州). [8,438 km²] ②〖지〗 이탈리아의 수도. 반도 중서부의 테베레 강(Tevere江)에 연하여 있음. 일곱 개의 구릉(丘陵)을 중심으로 고대로부터 정치·문화의 중심 도시로 번영하여 유적(遺跡)이 많음. 로마 제국이 멸망한 후에도 가톨릭교의 총본산(總本山)으로서 중요한 지위를 차지하게 되었으며, 1871년 이탈리아의 수도로서 부활하였음. 세계적 관광 도시로 유명하며 교육·문화 시설도 많음. 공업은 크게 성하지 않지만 인쇄·식품 가공·섬유 등의 공업이 행하여짐. 시의 서쪽에 바티칸 시국(Vatican市國)이 있음. [2,820,000 명(1990 추계)] ③〖역〗 ↗로마 제국(帝國).

로:마 가톨릭교【一敎】 명 〔Roman Catholicism〕〖종〗 정통파 로마 교회의 교의(敎義)를 신봉하는 기독교. 천주교. ㊜로마교(敎).

로:마 가톨릭 교:회【一敎會】 명 〔Roman Catholic Church〕〖종〗 기독교의 한 파. 정통파(正統派) 교회 중 가장 유력하며, 로마의 사도 베드로(Petrus)의 뒤를 계승하는 교황을 세계 교회의 최고 지배자로 받듦. 천주교회. 가톨릭 교회. ㊜로마 교회(Roma 敎會).

로:마 공:화정【一共和政】〔Roma〕 명〖역〗 고대 로마의 전반기의 공화정 시대. 기원 전 510년경 성립. 지중해 일대를 지배하였으나, 기원 전 2세기 중엽부터 내란(內亂) 시대에 들어가서, 1·2차 삼두(三頭) 정치를 거쳐, 기원 전 27년 아우구스투스(Augustus)에 의하여 프린키파투스(Principatus)가 성립, 사실상의 제정(帝政)으로 이행(移行)함.

로:마-교【一敎】〔Roma〕 명〖종〗 ↗로마 가톨릭교.

로:마 교:황【一敎皇】〔Roma〕 명〖종〗 로마 가톨릭 교회의 최고위 성직자라는 뜻으로, '교황(敎皇)'을 분명히 일컫는 이름.

로:마 교:황청【一敎皇廳】〔Roma〕 명〖천주교〗 ①전세계의 가톨릭 교회를 통치하는 교회 행정의 최고 기관. 교황을 중심으로 하며, 바티칸 시국(市國)에 있음. ②로마 교황의 거청(居廳).

로:마 교:회【一敎會】〔Roma〕 명〖종〗 ↗로마 가톨릭 교회(敎會).

로:마 국립 가극장【一國立歌劇場】〔Roma〕〔一닙一〕 명 〔이 Teatro dell' Opera〕 로마에 있는 오페라 극장. 전신은 1628년에 창건(創建)된 왕실 가극장으로, 1880년과 1928년에 두 차례 개조, 제2차 세계 대전 후 현재의 이름으로 됨.

로마나이즈 〔romanize〕 명 ①로마화(化)함. ②로마자(字)로 표기함. 「로마자 표기. ──하다 타여불

로마네스크 〔Romanesque〕 명 ①〖건〗 10세기말경 프랑스에서 일어나 12세기 중엽까지 서유럽 각지에 미쳤던 미술·건축의 한 양식(樣式). 고대의 클라식 양식의 여러 요소를 부활시키고 동양 취미의 감화(感化)를 가미(加味)한 것이 특징인데 교회당 건축에 그 예가 많음. ②〖문〗 소설적인 맛. 속세(俗世)를 떠난 풍치(風致). ③〖악〗 이탈리아의 민속 무곡. 4분의 3 박자.

로마노 〔Romano, Giulio〕 명〖사람〗 이탈리아의 화가·건축가. 라파엘로한테 배워 그 조수가 되었으며, 스승의 사후(死後)에는 그 제일의 후계자가 됨. 라파엘로의 양식(樣式)을 이으면서 그 마니에리슴적(maniérisme的)인 측면을 강조하였음. [1499-1546]

로마노프 왕조【一王朝】〔Romanov〕 명〖역〗 러시아의 전제(專制) 왕조. 1613년 미카엘 로마노프의 즉위에서부터 1917년 러시아 혁명으로 니콜라이 2세가 퇴위할 때까지 18대 304년 동안 존속함.

로마니스트 〔Romanist〕 명〖법〗 ①로마 비잔틴(Byzantine) 시대의 로마법을, 고전 시대의 로마법의 자연적 발전이라고 주장하던 독일 학파. ②독일 고유법에 대하여, 로마법 연구만을 중요시하던 19세기의 역사 법학파. ↔게르마니스트❷. ③로마법 연구가.

로:마 대:상【一大賞】〔Roma〕 명 〔프 Grand Prix de Rome〕 프랑스 예술원이 회화·조각·건축·판화·음악 부문에 걸쳐 해마다 콩쿠르를 실시하며 1위 입상자에게 수여하는 상. 루이 14세가 로마에 아카데미 드 프랑스를 설립하여 유능한 예술가를 로마로 유학시켰던 데서 유래함.

로:마 대학【一大學】〔Roma〕 명 로마에 있는 이탈리아 최대의 국립 종합 대학. 1303년 법학 연구 기관으로 교황이 설립하였음. 1871년 이탈리아 왕국이 성립한 후로는 국가적 대학으로 발전하여, 오늘날 법률·정치·경제·사회·교육·의학·공학·항공 등의 각 학부가 있음.

로:마-력【一曆】〔Roma〕 명〖천〗 기원전 8세기경부터 기원전 45년까지 사용된 고대 로마의 태양력(太陽曆). 1년을 10개월 304일로 하여, 달 이름은 신화 중의 인물로 붙였으며, 후에 2개월을 더하여 썼음.

로:마 미술【一美術】〔Roma〕 명〖미술〗 로마를 중심으로 하여 주로 로마 제국의 영토 안에서 번영한 미술. 시기적(時期的)으로는 로마 건국 시대로부터 4세기경에 이르나, 그리스 미술을 흡수한 기원전 2세기부터 2세기경 사이에 특히 성하였음. 그리스 미술의 영향을 강하게 받으면서 초상 조각·공공 건축 등 실용적인 분야에 그 특징을 발휘하였음.

로:마-법【一法】〔Roma〕〔一뻡〕 명〖법〗 ①고대 로마 시대에 제정된 법률 및 규정의 총칭. 기원전 451년에 12표법(表法)이 제정되고 그 후 로마 국민을 위한 시민법(市民法)과 로마 국민과 외국인에 공통으로 적용되는 만민법(萬民法)이 생겼음. ②특히 6세기경 동로마 제국의 유스티니아누스(Justinianus) 황제가 집대성(集大成)한 법전(法典). 공법(公法)과 사법(私法)을 분리한 것 등이 특징이며 근대법(近代法)의 정신의 원류(源流)가 됨. 로마법 대전(大全). 로마 법전. 유스티니아누스 법전.

로:마법 대:전【一法大全】〔Roma〕〔一뻡一〕 명〖법〗 로마법❷.

로:마 법왕【一法王】〔Roma〕 명〖천주교〗 로마 교황(敎皇).

로:마법의 정신【一法一精神】〔Roma〕〔一뻡一/一뻡에一〕 명〖책〗 〔도 Geist des römischen Recht〕 예링(Jhering)의 저서. 로마법의 연구를 통한 법의 일반 원리를 밝힌 명저로 1852-65년에 발간하였음. 전 3권.

로:마 법전【一法典】〔Roma〕 명〖법〗 로마법(Roma法)❷.

로:마-서【一書】〔Roma〕 명〖성〗 신약 성서 중의 한 편. 사도(使徒) 바울이 55년 고린도(Corinth)에 체재중 로마 교회에 보낸 16장(章)의 편지로서, 그리스도교 원리와 신앙 체험을 가장 명료하게 서술하여 갈라디아서(書)와 함께 종교 개혁자들에게 큰 영향을 준 것임. 로마인들에게 보낸 편지.

로:마 숫:자【一數字】〔Roma〕 명 로마 시대에 생긴 숫자. 현재 세계 각국에서 번호나 시계의 문자반(文字盤) 등에 사용되고 있음.

아라비아 숫자	1	2	3	4	5	6	7	8	9	10	50	100	500	1000
로 마 숫 자	I	II	III	IV	V	VI	VII	VIII	IX	X	L	C	D	M

로:마식 오:더 【一式一】 명 〔Roman order〕 콤포짓 오더(composite order).

로:마 신화【一神話】〔Roma〕 명 로마인(人)이 그리스 신화를 본보기로 하여 고전승(古傳承)을 바탕으로 구성한 신화. 등장하는 신(神)들도 거의 그리스 신화 속의 신에 대응(對應)하며, 동일시(同一視)되었음.

로:마 악파【一樂派】〔Roma〕 명 16세기에 팔레스트리나(Palestrina, G.)에 의하여 로마를 중심으로 확립된 교회 음악(敎會音樂)의 한 유파(流派). 아카펠라(acappella) 양식에 의하여 19세기 중엽까지 계속되었음. 팔레스트리나 양식.

로:마의 평화【一平和】〔Roma〕 〔一/一에一〕 명 〔라 Pax Romana〕〖역〗 로마 제정(帝政) 초기, 1세기말의 아우구스투스(Augustus) 황제의 치세(治世)로부터 거의 2세기말의 마르쿠스 아우렐리우스(Marcus Aurelius) 황제에 이르는 2세기 동안의 일컬음. 치안(治安)이 확립되고 평화를 구가(謳歌)한 로마의 황금 시대임.

로:마-인【一人】〔Roma〕 명 고대 로마를 건설한 라틴인(人). 고도의 문명을 가진 대제국(大帝國)을 건설하고, 도시와 건조물(建造物)을 축조(築造)하였음.

로:마인들에게 보낸 편:지【一人一片紙】〔Roma〕 명〖성〗 로마서 「(書).

로:마-자【一字】〔Roma〕 명 라틴어(Latin語)를 표기하는 문자로서, 로마 시대에 발달하여 현재 구미(歐美) 각국에서 사용되고 있는 표음 문자. 보통 26자(字). 기원 전후에는 23자였으나 중세에 J, U, W가 파생하여 현재에 이르렀고, 8세기에 소문자가 생겨 병용하게 되었음. 라틴 문자. 「일. 로마나이즈.

로:마자 표기【一字表記】〔Roma〕 명〖언〗 로마자로 국어를 표기하는

로:마 제:국【一帝國】〔Roma〕 명〖역〗 서양의 고대 최대의 제국. 이탈리아 반도에서 일어난 라틴인(Latin人)의 도시 국가로, 전설에는 기원전 753년에 로물루스(Romulus)가 건설하였다 함. 처음 왕정(王政)이 실시되었으나 기원전 510년에 공화정이 되고, 2차의 삼두 정치(三頭政治)를 거쳐 기원전 27년 옥타비아누스(Octavianus)가 통일하여 제정(帝政)을 실시하였음. 이때 그 판도(版圖)는 최대이었으나 395년에 제국은 동서로 갈렸음. 문화·예술 등에는 그리스의 모방이 많았으나, 군사·토목·법률 등에는 드문 재주를 발휘하였음. ㊜로마(Roma).

로:마 제:국 쇠망사【一帝國衰亡史】〔Roma〕 명 〔The History of the Decline and Fall of the Roman Empire〕〖책〗 기번(Gibbon, E.)이 지은 역사책. 로마 제국의 융성기(隆盛期)로부터 콘스탄티노플 함락까지의 쇠망의 역사를 3단계로 나누어 논술하였음. 1776-88년 간행. 전 6권.

로:마 제:정【一帝政】〔Roma〕 명〖역〗 고대 로마의 후반기의 군주정(君主政) 시대의 일컬음. 로마 공화정(共和政) 말기의 내란(內亂) 시대의 수습자(收拾者) 아우구스투스(Augustus)가 기원전 27년 프린키파투스(Principatus) 즉, 실질상의 제정(帝政)을 시작하고서부터 3세기말에 디오클레티아누스(Diocletianus)가 도미나투스(Dominatus) 곧, 전제(專制) 군주정을 베풀고, 395년의 동(東)로마 제국과 서(西)로마 제국의 분리를 거쳐 476년의 서(西)로마 제국의 멸망에 이르는 시대. 전반기는 '로마의 평화'를 향수(享受)한 시대, 후반기는 국운(國運)의 쇠퇴기(衰退期)였음.

로:마 조약【一條約】〔Roma〕 명〖역〗 ①1950년 유럽 회의가 중심이 되어 로마에서 체결한 조약. 정식 명칭은 '인권 및 기본적 자유를 보호하기 위한 조약'. 세계 인권 선언과 유엔 헌장 인권 규정에서 빠져 있는 법적 보장을 국제법적으로 확립함. 유럽 인권 위원회·유럽 인권 재판소를 두고 있음. 유럽 인권 조약. ②1957년 프랑스·독일·이탈리아 및 베네룩스 3국이 로마에서 체결한 유럽 경제 공동체 설립 조약과 유럽 원자력 공동체 설립 조약의 통칭.

로:마 진:군【一進軍】〔Roma〕 명〖역〗 1922년 10월 24일 이탈리아의 국민 파시스트당(黨)이 나폴리에서 파시스트 돌격대를 결집(結集)하여 정권을 요구하며 로마에 무혈(無血) 입성한 일. 이에 국왕은 무솔리니에게 조각(組閣)을 명하고 파시스트 정권이 성립되었음.

로:마 클럽 〔Roma Club〕 명 국제적인 미래 연구 단체. 1968년 4월, 서유럽 제국과 일본 등의 학자 및 정계·재계(財界) 인사들이 로마에 모여 결성했음. 과학 기술의 진보와 이에 따르는 인류의 위기(危機)를 시스템 분석하여 구체적인 대책을 세우는 일을 목적으로 하고 있음.

로:만 노:즈 〔Roman nose〕 명 로마인(人)에게 현저히 나타나는 코의 형태. 콧대가 높고, 층(層)이 있음. 매부리코.

로망 〔프 roman〕 명〖문〗 ①속어의 산문(散文)으로 쓴 이야기. 흔히 장편(長編)으로서, 전기적(傳奇的) 요소가 많은 소설. ②로맨스어(Romance 語). ③로마네스크(Romanesque).

로망스-어【一語】〔프 Romance〕 명〖언〗 ☞로맨스어.

로망티슴 〔프 romantisme〕 명 로맨티시즘.

로망 플뢰브 〔프 roman fleuve〕 명〖문〗 대하 소설(大河小說).

로맨스 〔romance〕 명 ①〖문〗 중세기 프랑스의 로망스어(語)로 씌어진 전기담(傳奇譚). ②연애 이야기. 정화(情話). ③연애 사건. ¶ ~를 주제로 한 영화. ④〖악〗 음유 시인(吟遊詩人)들이 부른 서정적·서사적인 노래 곡조. ⑤〖악〗 감미(甘美)로운 정조(情調)를 가진 자유 형식의 소악곡

(小樂曲). 화상곡(華想曲).

로맨스 그레이 〔romance+grey〕 명 머리가 희끗희끗한, 매력 있는 초로(初老)의 신사. 또, 그 머리.

로맨스 룸 〔romance+room〕 명 카페(café)나 바(bar) 같은 데서 로맨스 시트(romance seat)를 마련하여 놓은 특별실. 비밀실(祕密室).

로맨스 시:트 〔romance+seat〕 명 극장이나 자동차 같은 데에 남녀 한 쌍이 앉게 마련한 좌석.

로맨스-어 【—語】 〔Romance〕 명 〖언〗 통속(通俗) 라틴어를 공통의 모어(母語)로 하고 이로부터 분기(分岐) 발전된 여러 언어의 총칭. 이탈리아어·프랑스어·스페인어 등. 로망.

로맨스 카: 〔romance+car〕 명 로맨스 시트가 마련되어 있는 차(車).

로맨티시스트 〔romanticist〕 명 ①낭만주의자. 낭만파. ②공상가(空想家). 몽상가(夢想家).

로맨티시즘 〔romanticism〕 명 낭만주의. 로망티슴.

로맨틱 〔romantic〕 명 공상적. 감정적. 전기적(傳奇的). 낭만적. ——하다 형 여불

로맹 〔Romains, Jules〕 명 〖사람〗 프랑스의 시인·극작가·소설가. 위나니미슴(unanimisme)을 창도(唱導). 창작 《일체(一體)의 생활》에서 그 봉화를 올리고 역작 《선의(善意)의 사람들》을 발표하여 대하(大河) 소설의 정점(頂點)을 지향하는 격조 높은 구상(構想)으로 크게 평가됨. [1885-1973]

로메 〔Lomé〕 명 〖지〗 아프리카 중서부 토고의 수도. 기니 만(灣)에 면하는 무역항으로 코코아·야자유·목화 등을 출하(出荷)하며 경공업이 성함. [360,000 명(1990 추계)]

로메오 〔Romeo〕 명 〖군〗 소련 해군의 공격형 잠수함의 나토(NATO) 코드 네임. 1958-61 년에 20 척이 건조되었으나 원자력 추진 잠수함의 실용화로 건조가 중단됨. 현재, 해양 연구 및 관측에 사용되고 있음.

로멜 〔Rommel, Erwin〕 명 〖사람〗 독일의 군인. 원수(元帥). 2차 대전 중 북아프리카 전선에서 전차 사단(戰車師團)을 지휘, 영국군을 압도하였으나 후에 몽고메리 장군에게 패하고, 히틀러 암살 미수 사건에 연좌되어 자살함. [1891-1944]

로모노소프 〔Lomonosov, Mikhail Vasilievich〕 명 〖사람〗 러시아의 과학자·문학자. 물질 불멸의 법칙, 기체 분자 운동(氣體分子運動)을 논하고 야금술(冶金術)을 발전시켰음. 이 밖에 문학 작품으로 단시(短詩)·희곡도 많이 씀. 저작에 《수사학(修辭學)》·《러시아 작시학(作詩學)》 등이 있음. [1711-65]

로:몬타이트 〔laumontite〕 명 〖광〗 탁비석(濁沸石).

로물로 〔Romulo, Carlos Pena〕 명 〖사람〗 필리핀의 정치가·외교관. 필리핀 대학 및 컬럼비아 대학 졸업. 주미(駐美) 대사 등을 거쳐 1949년 유엔 총회 의장(議長)을 지냄. 또, 필리핀 대학 학장 등을 역임했으며 두 차례 외상(外相)도 지냄. [1901-85]

로물루스 〔Romulus〕 명 〖신〗 전설상의 로마 건국자. 군신(軍神) 마르스(Mars)와 베스타(Vesta) 여신(女神)의 사제(司祭)인 레아 실비아(Lea Sylvia)의 아들로 쌍둥이인 레무스(Remus)와 함께 암이리의 젖을 먹고 자랐는데, 후에 레무스를 죽이고 로마 시(市)를 건설하였다고 함.

로미오와 줄리엣 명 〔Romeo and Juliet〕 ①〖문〗 셰익스피어 작(作)의 희곡(戲曲). 1594년 또는 1595년 성립. 서로 사이가 나쁜 이탈리아의 명문(名門) 몬타규가(Montague家)의 아들 로미오와 캐풀렛가(Capulet家)의 딸 줄리엣과의 비련(悲戀)을 묘사한 비극임. ②〖악〗 베를리오즈(Berlioz) 작의 교향곡. 1839년 완성, 초연(初演)된 것으로 ❶에 근거한 독창·합창이 있는 표제 음악. ③〖악〗 차이코프스키의 1870년에 완성된 관현악곡. ❶에 근거한 악상으로 된 환상적 서곡. ④〖악〗 1935년 완성, 1940년 초연된 프로코피에프(Prokof'ev)의 발레곡. ❶에 근거한 현대의 대표적 발레 음악의 하나.

로ᄡᅥ 조 〈옛〉 로써. ¶ 튱이로ᄡᅥ ᄉᆞ졸을 격동ᄒᆞ니 《五倫 Ⅱ:30》.

로바쳅스키 〔Lobachevski, Nikolai Ivanovich〕 명 〖사람〗 러시아의 수학자. 카잔(Kazan) 대학의 교수·학장을 지냄. 비(非)유클리드 기하학의 창시자임. 저서에 《평행선 학설에 관한 기하학적 연구》·《범(汎)기하학》 등이 있음. [1793-1856]

로버 〔rover〕 명 ①야구에서, 외야수(外野手). ②럭비에서, 스리 쿼터와 풀백의 중간에 있는 플레이어.

로버:츠 〔Roberts, Richard J.〕 명 〖사람〗 영국 태생의 미국의 생화학자. 1977 년 감기의 병원체인 아데노바이러스의 단백질(蛋白質)을 만들어내는 유전자(遺傳子)는, DNA의 사슬에 연속되어 기록되어 있지 않고 몇 개로 절단되어 있음을 발견함. 이 공로로 1993 년 미국의 샤프(Sharp, Phillip)와 공동으로 노벨 의학·생리학상을 수상함. [1943-]

로버트슨 〔Robertson, Dennis Holme〕 명 〖사람〗 영국의 경제학자. 케임브리지 대학 교수. 피구(Pigou)·케인스(Keynes)에 비견(比肩)하는 케임브리지 학파의 대표자. 경기(景氣) 변동의 실물적(實物的) 측면의 분석 및 화폐적 측면의 분석으로 저명함. [1890-1963]

로베스피에:르 〔Robespierre, Maximilien François Marie Isidore de〕 명 〖사람〗 프랑스의 혁명 정치가. 자코뱅 당(Jacobin黨)의 지도자로서 왕정(王政)을 폐지하였으며, 1793년 공안 위원회(公安委員會) 의장에 취임하여 공포(恐怖) 정치를 행하였으나 1794년 테르미도르(Thermidor)의 쿠데타로 처형되었음. [1758-94]

로베코 〔Robeco〕 명 〖경〗 〔Rotterdamsch Beleggings consortium N. V.의 약칭〕 1933년에 설립된 네덜란드의 국제 투자 신탁 회사. 유럽 최대의 규모를 가짐. 로베코는 같은 그룹 안에 롤링코(Rolinco, N.V) 외에 채권 투자 회사와 부동산 투자 신탁 회사가 있음.

로벨리아 〔lobelia〕 명 〖식〗 ①〔*Lobelia inflata*〕 도라지과에 속하는 일년초. 높이 50cm 가량이고 잎은 타원형 또는 달걀꼴임. 여름에 파란 빛 또는 흰 빛의 잔꽃이 총상(總狀) 화서로 핌. 북아메리카 원산으로 천식 또는 백일해(百日咳)의 약용 식물로서 널리 재배함. ②〔*Lobelia erinus*〕 도라지과에 속하는 일년초 또는 다년초. 높이 15-30cm 가량이며 줄기가 여러 개의 가지로 갈라지고 잎은 거꿀달걀꼴임. 여름에 청자색의 순형화(脣形花)가 핌. 남아프리카 원산인데 관상용으로 재배함.

〈로벨리아❷〉

로보스 제도 【—諸島】 〔Lobos〕 명 〖지〗 남아메리카 페루 북쪽에 있는 2군(群)의 작은 섬들. 건조지이며 구아노를 채굴함. 실(Seal) 제도.

로보토미 〔lobotomy〕 명 〖의〗 뇌(腦)의, 전두엽(前頭葉)의 백질(白質) 일부를 절단하여 시상(視床)과의 연락을 끊는 수술. 여러 정신병 환자의 수술에 이용함. 포르투갈의 의사 모니스(Moniz, E.A.)가 창시하였음. 백질 절제법(白質切除法).

로보트 〔robot〕 명 ☞로봇.

로볼루:션 〔robolution〕 명 〔robot과 revolution의 합성어(合成語)〕 로봇의 출현으로 인한 인간 사회의 혁명적인 변화.

로봇 〔robot〕 명 〔체코말로 '일하다'의 뜻인 'robota'에서 유래〕 ①전기와 자기(磁氣)를 이용한 복잡 정교한 기계 작용에 의하여 손발 및 신체 각부가 규칙적으로 활동하며 일정한 소리도 낼 수 있는 자동 인형. 1923년에 체코의 작가 차페크(Chapek)가 희곡 《인조 인간》 중에 처음 이 개념을 썼음. 인조 인간. ②형태에 관계 없이 작업을 자동적으로 행하는 기계나 장치. 로봇 운전(運轉). 자동 제어(自動制御). 오토메이션(automation). ③남의 조종으로 움직이는 자. 실력이 없이 어떤 지위(地位)에 앉아만 있는 자. 허수아비. 바지저고리. ¶ 명색은 사장이나 실은 ～이다.

로봇 공학 【—工學】 명 〔robotics〕 로봇 제작을 위한 공학의 한 분야.

로봇 관측 【—觀測】 〔robot〕 명 〖천〗 무인 지대 또는 절해(絕海)의 고도 등에서 자동적으로 기상을 관측하는 기계 장치.

로봇 문학 【—文學】 〔robot〕 명 〖문〗 독창성과 개성이 없는 문학.

로봇 우:량계 【—雨量計】 명 〔robot rain gauge〕 우량(雨量)을 자동 계측하는 장치. 관측원(觀測員)을 상주(常住)시킬 수 없는 깊은 산에 설치하는데, 수시로 우량의 변화를 초단파 무선 전신 기호로 산록(山麓)의 측후소(測候所)에 자동적으로 송신함. 홍수 예보나 댐 컨트롤 등에 유력한 자료를 제공함.

로봇 운전 【—運轉】 〔robot〕 명 자동 제어 장치(自動制御裝置)로 기계 같은 것을 운전하는 일. 자동 제어(自動制御).

로봇 폭탄 【—爆彈】 명 폭탄을 실은 분사식(噴射式) 소형 무인기(無人機).

로봇-학 【—學】 〔robot〕 명 〔robotology〕 〖공〗 현재의 컴퓨터를 개발·발전시켜, 궁극적으로는, 인간과 같은 기능을 갖는 기계를 만들어 내기 위한 학문. 이동(移動)하는 다리, 작업(作業)하는 손, 의식(意識)을 가진 두뇌의 세 요소를 갖춘 기계를 최종 목표로 삼음. *로봇 공학.

로-부터 조 받침이 없거나 ㄹ받침으로 끝나는 체언에 붙어 '에서부터'의 뜻을 나타내는 부사격 조사. ¶ 친구～ 빌려온 책/서울～의 인편. *으로부터.

로브¹ 〔lob〕 명 테니스에서, 상대편의 머리 위로 높이 쳐 올린 공. *로빙¹(lobbing).

로브² 〔프 robe〕 명 ①아래위가 내리닫이로 되어 있는 길고 푹신한 겉옷. ②성직자의 제의(祭衣). 법관의 법복(法服). ③의복.

로브-그리예 〔Robbe-Grillet, Alain〕 명 〖사람〗 프랑스의 작가. 사물 그 자체를 면밀하게 표현하는 것을 특색으로 하는 반소설(反小說) 작가. 작품으로 《고무 지우개》·《질투》를 발표하고 앙티로망의 기수로 활약함. 단편집 《스냅숏(snapshot)》, 평론 《새로운 소설을 위하여》 등이 있음. [1922-]

로브 데콜테 〔프 robe décolletée〕 명 여자의 서양식 예복의 하나. 남자의 연미복(燕尾服)에 상당하며, 이브닝 드레스와 거의 같은 모양이나, 소매가 없고 등이나 가슴이 드러나도록 깃을 팠음. (준)데콜테.

로:-브라우 〔lowbrow〕 명 지성의 정도가 낮은 사람. 저급(低級)한 사람. 교양이 없는 사람. ↔하이브라우(highbrow).

로브 몽탕트 〔프 robe montante〕 명 여자의 통상(通常) 예복. 깃을 깊게 파지 아니하고 어깨나 가슴을 감추고 손목까지 소매가 달리었음. 하이넥 드레스(high-neck dress).

로브스터 〔lobster〕 명 서양 요리에 쓰는 새우의 이름. 집게발이 크고 큰 가재 비슷한데, 때로는 대하(大蝦)를 이르기도 함.

로: 블로: 〔low blow〕 명 권투에서, 벨트 라인 아래를 치는 일. 반칙임.

로비 〔lobby〕 명 ①국회 의사당 같은 곳에 있는 의원의 휴게실. ②복도. 대합실. ③미국에서, 늘 의회의 로비에 드나들면서 특정의 단체·그룹의 이해(利害)를 대표하여 압력을 가하는 원외단(院外團). *로빙².

로비니아 〔robinia〕 명 〖식〗 꽃아카시아.

로비스트 〔lobbyist〕 명 〖정〗 의회의 로비를 무대로 특정 압력 단체의 이익을 위하여 청원·진정을 중개하는 원외(院外) 단체의 운동원. 미국의 의회 용어에서 비롯되었음.

로비토 〔Lobito〕 명 〖지〗 아프리카 서남부, 앙골라(Angola)의 도시. 대서양 연안의 항구 도시로 공항도 있음. 아프리카 횡단 철도의 종점. 커피 등을 수출함. [98,000 명(1984)]

로빈스¹ 〔Robbins, Frederick Chapman〕 명 〖사람〗 미국의 의학자. 하버드 대학 의학부 소아과 교수. 웰러(Weller)와 공동으로 소아 마비(小兒痲痺)의 병원(病源) 바이러스(virus)의 배양에 성공하여 1954년 함께 노벨 생리 의학상을 받았음. [1916-]

로빈스² 〔Robbins, Jerome〕 명 〖사람〗 미국의 무용가·안무가. 뮤지컬 《왕과 나》·《웨스트사이드 스토리》 등을 안무하였음. [1918-]

로빈슨¹ 〔Robinson, Edwin Arlington〕 명 〖사람〗 미국의 시인. 시인으로서 인정을 못 받다가 시집 《하늘을 등진 사나이》로 알려짐. 《두 번 죽은 사나이》·《트리스트람(Tristram)》 등으로 세 번 퓰리처상(Pulitzer賞)을 수상하여 현대 미국의 대표적 시인으로 꼽힘. [1869-1935]

로빈슨² 〔Robinson, James Harvey〕 명 〖사람〗 미국의 역사가. 단순한

정치사(政治史)보다도 인류의 과학·사회·문화의 진보에 중점(重點)을 둔 《새로운 역사》를 저술하여 미국의 사학계(史學界)에 큰 영향을 주었음. [1863-1936]

로빈슨³ [Robinson, Joan Violet] 명 『사람』 영국의 케인스파(Keynes派) 여류 경제학자. 케임브리지 대학 교수. 종래의 완전 경쟁하의 가격 이론을 수정한 《불완전 경쟁의 경제학》, 자본 축적률과 이윤율의 관계를 규명하여 케인스 이론의 동학화(動學化)를 제시한 《자본 축적론》 등으로 유명함. [1903-83]

로빈슨⁴ [Robinson, Robert] 명 『사람』 영국의 유기 화학자. 옥스퍼드 대학 교수. 식물 색소, 페난트렌(phenanthrene) 유도체(誘導體), 알칼로이드(alkaloid)의 생합성(生合成) 이론, 유기 전자론(有機電子論) 등의 연구로 1947년 노벨 화학상을 수상함. [1886-1975]

로빈슨 크루:소 [Robinson Crusoe] 명 『문』 1719년에 간행된 디포(Defoe)의 소설. 로빈슨 크루소라는 소년이 집을 나가 뱃사람이 되어 항해를 하다가 난파(難破)하여 무인도(無人島)에 표류(漂流)한 후 가지 가지 모험을 하고 돌아온다는 줄거리임. 로빈슨 표류기(漂流記).

로빈슨 표류기 【一漂流記】 [Robinson] 명 『문』 로빈슨 크루소.

로빈슨 풍속계 【一風速計】 [Robinson] 명 풍속계의 하나. 자유롭게 회전하는 직립축(直立軸)에 3-4개의 풍배(風杯)를 부착하여, 직립축의 회전수(回轉數)로 풍속을 구함. 아일랜드의 천문학자·물리학자 로빈슨(Robinson, John Thomas Romney; 1792-1882)이 1850년 발명.

로빈 후드 [Robin Hood] 명 영국 중세의 전설적 의적(義賊). 활의 명수로, 리처드 일세(Richard 一世) 때 노팅엄(Nottingham) 주 셔우드(Sherwood)의 숲에 근거지를 두고 부하를 거느리고 포악(暴惡)한 관원(官員)을 혼내주며, 욕심 많은 성직자들의 돈을 빼앗아 빈민(貧民)에게 나누어 주는 등 민중의 인기를 모았다고 함.

로빌 [프 rhovyl] 명 프랑스의 로빌 회사에서 생산되는 폴리 염화 비닐 「섬유의 하나.

로빙¹ [lobbing] 명 ①테니스에서, 공을 높이 쳐서 상대편의 머리 위를 넘기어 코트의 구석에 떨어뜨리는 일. *로브¹(lob). ②축구에서, 완만한 포물선을 그리듯이 차올린 공. ——-하다 자타여불

로빙² [lobbying] 명 『정』 정당(政黨)과 원외 이익 단체(院外利益團體)를 연결시키는 역할을 하는 일. 원외 운동. 진정 운동(陳情運動). *로비.

로:사¹ [Rosa, Salvator] 명 『사람』 이탈리아의 화가. 전쟁화와 풍경화를 잘 그리고, 특히 환상적인 산악 풍경으로 유명함. 그의 명쾌한 터치와 색채 처리는 인상파에 가까움. 희극 배우·풍자(諷刺) 시인으로도 활약하였음. [1615-73]

로사² 【以沙】 조 〈이두〉 으로야. 로야. 로서야. 으로서야.

로사리오¹ [Rosario] 명 『지』 남아메리카 아르헨티나의 중부 파라나 강(Parana 江) 연안의 항구 도시. 대형 기선의 종항점(終航點)임. 이 나라 제 2 의 대도시인데, 밀·양모(羊毛)의 집산으로 번영하고, 금속·화학·피혁·제분 공업도 행해짐. 부에노스아이레스의 항만 시설 개선으로 개항장으로서의 기능이 감소되고 있음. [794,000 명(1980)]

〈로사리오²〉

로사리오² [포 rosario] 명 『천주교』 '로사리오의 기도'를 드릴 때 쓰는 성물(聖物). 큰 구슬 6개, 작은 구슬 53개를 꿰고 끝에 작은 십자가를 단 염주. 묵주(默珠).

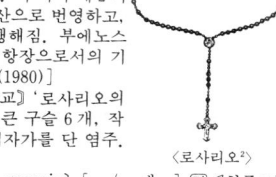

로사리오의 기도 【一祈禱】 [이 rosario] [一/一에一] 명 『천주교』 ① 묵주를 가지고 '사도 신경'에서 시작하여 '주의 기도'·'영광송'을 곁들여 가며 '성모송'을 외워나가는 기도. 묵주 신공. 매괴 신공. ②성모 마리아를 받들고 그의 전구(轉求)함을 바라는 기도문. 매괴경. 묵주의 기도.

로새 명 〈옛〉 노새. ¶로새 라(騾)《石千 38》.

-로새라 어미 〈옛〉 -로구나. ¶드러 내 자리를 보니 가ᄅ리 네히로새라 「《樂範 處容歌》.

로서 조 받침이 없거나 ㄹ받침으로 끝나는 체언에 붙는 부사격 조사. ① 어떠한 '자격·지위·신분을 가지고'의 뜻을 나타냄. ¶학자~ 발언하다 / 부모~ 자식에게 그런 말을 해서야 되나. *로. ②어떤 동작이 '그곳으로부터' 시작됨을 나타냄. ¶바람이 남쪽 바다~ 불어온다. *으로서.

-로세 어미 '이다'·'아니다'의 어간에 붙어서 '-ㄹ세'의 뜻으로 감탄을 나타내는 종결 어미. ¶훌륭한 문장이~ / 쉬운 일이 아니~.

로세티 [Rossetti] 명 『사람』 ①[Christina Georgina R.] 영국의 여류 시인. ❷의 동생. 영원한 안식을 희구, 현세의 공허함을 노래한 시가 많으며, 일면 공상적인 《요마(妖魔)의 저자》 등의 우수한 동화집이 있음. [1830-94] ②[Dante Gabriel R.] 영국의 시인·화가. 라파엘로 전파(Raphaello 前派)의 중심 인물로, 시집 《블레시드 다모셀(The Blessed Damosel)》로 낭만적인 풍격을 보이고, 최후의 시집 《민요와 소네트》 중의 《생명의 집》에서는 신비주의를 완성, 회화적 감각미를 옛 민요를 써서 표현하였는데 단테의 영향이 큼. [1828-82]

로셀리니 [Rossellini, Roberto] 명 『사람』 이탈리아의 영화 감독. 기록 영화의 즉흥적인 연출이 특색으로, 나치 점령하의 저항 운동을 그린 도큐멘터리 영화 《무방비 도시》로 네오레알리스모의 기초를 이룸. 《화형대(火刑臺)의 잔 다르크》 등 명작을 내었음. [1906-77]

로셔¹ [Roscher, Wilhelm] 명 『사람』 독일의 역사학파 경제학의 창시자. 역사적 방법의 경제학에의 적용을 주장. 역사적으로 생성하는 국민 경제의 진화 법칙을 규명하는 것을 경제학이라고 하고, 여러 나라의 국민 경제 생활에 관한 자료를 광범하게 수집하여 기술적 분석(記述的分析)을 행하였음. 저서에 《국민 경제 체계》·《독일 경제학사》 등이 있음. [1817-94]

로셔² 조 〈옛〉 로서. 에서. 로부터. =으로셔. ¶어드레로셔 브터(從那裏)《老乞》. 「水). ¶스킨 ~.

로:션 [lotion] 명 주로 알코올분이 많은 화장수(化粧水). 미안수(美顔

로셸-염 【一塩】 [rochelle] 명 [프랑스의 지명 로셸에서 유래] 타르타르산(酸) 칼륨 나트륨의 결정으로, 무색(無色) 사방 정계(斜方晶系)의 물질. 대표적인 강유전체(強誘電體)로서 압전기(壓電氣)를 이용하는 재료로 사용되며, 화학상으로는 당류(糖類) 검출의 펠링 시약(Fehling 試藥)의 원료로 쓰임. [$KNaC_4H_4O_6$] 「上 21》. *-도소니.

로소니 조 〈옛〉 니¹. ¶ᄒ오니 돈이 百열히로소니(該一百一十錢)《老乞

로소이다 조 〈옛〉 올시다. ¶샹이 무르시되 눌을 니른 말인다 되하여 ᄀᆞ오디 쟝우로소이다(上問誰對曰張禹)《五倫 Ⅱ:15》.

-로쇠 어미 〈옛〉 -리로다. ¶吾東方 文憲이 漢唐宋애 비기로쇠《蘆溪》.

로슈미트-수 【一數】 [Loschmidt] 명 『화』 [오스트리아의 물리학자 로슈미트(Loschmidt, Joseph; 1821-95)에서 유래된 이름] ①섭씨 0도, 1기압의 1 cm^3의 이상(理想) 기체 속에 포함되어 있는 분자의 수. 곧, 2.6868×10^{19}. ②한 때 아보가드로수(Avogadro 數)의 일컬음.

로스¹ [loss] 명 손실. 낭비. ¶송전(送電) ~/~를 내다.

로스² [Rosse] 명 『사람』 영국의 천문학자. 본명은 William Parsons. 오리온자리 대성운(大星雲) 등 많은 성운을 발견하였음. [1800-67]

로스³ [Ross, James Clark] 명 『사람』 영국의 극지 탐험가. 북극을 4회 탐험하여 북자극(北磁極)을 발견하였으며, 남극에도 수차 탐험하여 로스 해(Ross 海) 등을 발견하였음. [1800-62]

로스⁴ [Ross, *Sir* Ronald] 명 『사람』 영국의 의학자. 인도에서 군의(軍醫)로 근무하면서 말라리아 연구에 종사, 말라리아 원충(原蟲)은 모기가 매개한다는 사실을 발견하고, 모기 체내에서의 말라리아 원충의 발육 상태를 연구하여 1902년 노벨 생리 의학상을 수상함. [1857-1932]

로스⁵ 명 '로스트(roast)'의 와음(訛音). ¶~구이.

로스-구이 명 고기 따위를 불에 굽는 일. 또, 그렇게 한 고기. *로스트.

로스미니-세르바티 [Rosmini-Serbati, Antonio] 명 『사람』 이탈리아의 철학자. 이탈리아 철학의 부흥을 꾀하고, 종교·교육·정치 분야에서도 활약하였음. 자기 관찰을 철학의 출발점으로 하고, 관념학적(觀念學的) 심리주의라 자칭(自稱)하였음. 주저(主著)에 《윤리학 원리와 윤리 체계 비교사(比較史)》·《법철학》 등이 있음. [1797-1855]

로스비 [Rossby, Carl-Gustaf Arvid] 명 『사람』 스웨덴 태생의 미국 기상학자·해양학자. 대기의 열역학적 해석을 위한 로스비도(圖)의 고안, 편서풍대(偏西風帶) 속의 장파(長波)의 발견 등 수많은 연구 업적이 있음. 스톡홀름에 국제적인 기상학 연구소를 설립하였음. [1898-1957]

로스 빙붕 【一氷棚】 명 [Ross Ice Shelf] 『지』 로스 해(海) 남부에 펼쳐져 있는 대지상(臺地狀)의 얼음판. 대략 동경 160°에서 서경 150° 사이의 남위 78° 이남 부분을 차지함. 얼음의 두께는 200 m 내외로 상당한 부분이 해저(海底)에 접하고 있으며, 외연(外緣)은 높이 20-40 m의 빙애(氷崖)를 이룸.

로스-앤젤레스 [Los Angeles] 명 『지』 미국 캘리포니아 주 서남부의 대도시. 산페드로(San Pedro)를 외항(外港)으로 함. 농업 중심지로부터 석유 공업과 영화 산업으로 크게 발전하였음. 서부의 상업 중심지로, 항공기 등의 기계 공업과 화학 공업이 성함. 영화 제작의 중심지인 할리우드는 서북 약 13 km 떨어진 곳에 있음. 또, 보양지(保養地)로서도 알려짐. 속칭 엘 에이(LA). [3,402,342 명(1988)]

로스-앨러모스 [Los Alamos] 명 『지』 미국의 서부 뉴멕시코 주의 소읍(小邑). 헤메스 산맥(Jemez 山脈) 중 해발 2,400 m에 있음. 1942년 원자 폭탄 연구소가 건설되고 1945년 원자 폭탄 제1호가 여기에서 완성되었음. 1946년 이래 연구소는 미원자력 위원회의 관할 아래 캘리포니아 대학에 의해 운영되고 있는데, 종합 원자력 연구소로서 세계 유수의 규모임. [11,000 명(1980)]

로스차일드 [Rothschild, Nathan Meyer] 명 『사람』 독일 태생 영국의 유태계 자본가. 마이어 암셸 로트실트(Meyer Amschel Rothschild)의 아들. 나폴레옹 시대부터 영국의 전쟁 금융 조달(調達)로, 많은 재산을 모아 런던 중심에 '로스차일드 은행'을 경영하였음. 그 일족 중에 명사(名士)들이 많이 나서 영국 사교계의 존경을 받게 됨. [1777-1836]

로스차일드-가 【一家】 [Rothschild] 명 세계적으로 유명한 금융업자의 일가. 유태족(族)인 시조 마이어 암셸 로트실트가 18세기말 독일에서 많은 재산을 모아 가업의 기초를 이룬 후, 그의 다섯 아들을 독일·오스트리아·영국·이탈리아·프랑스 등에 정주케 하여 가족적 협조로써 국제적 금융업자로 성장, 그 손자의 대에 이르러 영국 귀족의 지위를 얻었음. 1848년의 혁명 이후, 타격을 받았으나, 지금도 영국과 프랑스 금융계에 영향력을 행사하며 특히 런던에서는 국제 금시세를 좌우할 정도의 힘을 가지고 있음.

로스켈리누스 [Roscellinus] 명 『사람』 프랑스의 스콜라 철학자. 보편논쟁(普遍論爭)에 있어서 유명론(唯名論)의 최초의 대표자. 유명론을 신학(神學)에도 적용, 삼위 일체의 교리를 삼신론적(三神論的)으로 해석했으나, 수아송 공의회(Soissons 公議會)에서 비난하자 철회하였음. 그의 제자 아벨라르(Abelard)에게 보낸 서간(書簡)만이 남아 있음. [1050?-1120?]

로스키우스 [Roscius, Quintus] 명 『사람』 고대 로마의 배우. 노예 출신인데 배우로서 천분을 보여 자유의 몸이 된 후 희극·비극에 재능을 발휘하여 키케로(Cicero)의 찬사를 받았음. 이래 명배우의 대명사로 불림. [126?-62? B.C.]

로스 타임 [loss time] 명 축구 경기 등에서, 선수의 부상 같은 사정으로 정규의 경기 시간 중에 낭비된 시간. 신판의 판단에 따라 그 만큼 연장하게 됨.

로스탕 [Rostand, Edmond] 명 『사람』 프랑스의 시인·극작가. 시집

≪뮈자르디즈(Musardises)≫로 문단에 데뷔, 자연주의에서 탈피하고 청신 경묘한 희곡을 발표하여 극단에 신기운을 주입하였음. ≪시라노 드 베르주라크(Cyrano de Bergerac)≫은 큰 인기를 얻었으며 우유극(寓喩劇) ≪샹트클레르(Chantecler)≫도 걸작임. [1868-1918]

로:스터 〔roaster〕 [명] 생선을 굽기 위한 조리 기구. 가스 또는 전기를 사용하며, 불꽃에 기름이 직접 떨어지지 아니하게 되어 있음.

로스토 〔Rostow, Walt Whitman〕 [명] 〖사람〗 미국의 경제사학자(經濟史學者). 옥스퍼드 및 케임브리지 대학에서 교육을 받고, 엠 아이 티(MIT) 교수로 재직, 한때 케네디 대통령의 브레인 트러스트로 활약함. 인간의 행위(行爲)를 경제 요인(經濟要因)과 사회·정치·문화 등의 비(非) 경제 요인 사이의 비교 교량(較量)과 택일적인 균형의 산물(產物)이라는 전제(前提) 아래 새로운 경제학의 확립을 주장하고, 특히 경제 성장 과정을 5 단계로 구분하는 이론을 제시하였음. [1916-]

로스토의 이:론 【―理論】 〔Rostow〕 [―/―에―] [명] 1700년 이후의 경제 사회의 역사를 분석한, 미국의 경제학자 로스토의 성장 단계설. 농업 중심의 전통적 단계, 농업에서 공업으로 옮기는 과도(過渡) 단계, 생산이 비약적으로 신장하는 도약(跳躍) 단계, 공업화(工業化)가 달성되어 정착(定着)하는 성숙(成熟) 단계, 내구(耐久) 소비재가 널리 일반화하는 고도 대중 소비(高度大衆消費) 단계의 다섯 단계로 구분함.

로스토프 〔Rostov〕 [명] 〖지〗 러시아 아조프 해(Azov 海) 동단 돈 강(Don 江) 강구에 가까운 항구 도시. 혁명 후 공업화해 농업 기계·조선·담배·식료품 등의 공업이 성함. 모스크바 바쿠 철도(Moskva-Baku 鐵道)의 요지(要地)임. [1,020,000 명 (1989)]

로스톱체프 〔Rostovtzeff, Michael Ivanovich〕 [명] 〖사람〗 러시아 태생의 미국 역사가. 페테르부르크 대학의 고대사(古代史) 교수. 1902년 미국에 망명하여 예일 대학 교수가 됨. 고고학적 사료(史料)에 의거하여 고대의 사회 경제 기구를 해명, 고대 문화사 분야에 새로운 영역을 개척하였음. 주저(主著)에 ≪헬레니즘 세계 사회 경제사≫·≪로마 제국 사회 경제사≫ 등이 있음. [1870-1952]

로:스트 〔roast〕 [명] ①고기 따위를 직접 불에 굽는 일. 또, 그렇게 한 요리나 재료. ②뜨겁게 단 재에 묻어서 구움. ③불고기에 적당한, 소·돼지·양 등의 어깨나 등 부분의 살. ④↗로스트 비프.

로스트로포비치 〔Rostropovich, Mstislav〕 [명] 〖사람〗 러시아 출신의 미국 재주(在住) 첼로 연주가·지휘자. 많은 콩쿠르에서 우승, 세계적 명성을 얻음. 21세 때부터 모교인 모스크바 음악원에서 교수하는 한편 정력적인 연주 활동을 폈으나, 1974년 추방(追放)을 당해 미국으로 건너가 1977년부터 워싱턴 내셔널 교향악단의 음악 감독 겸 지휘자로 있음. [1927-]

로스트 볼: 〔lost ball〕 [명] 골프에서, 때린 공이 낙하 지점에서 발견되지 아니하는 일. 분실구(紛失球).

로:스트 비:프 〔roast beef〕 [명] ①뜨거운 재에 묻어서 구운 쇠고기. ②쇠고기를 커다란 덩어리째로 오븐(oven)에 구운 요리. [준]로스트.

로스트 제너레이션 〔Lost Generation〕 [명] 〖예〗 제1차 대전 후 종교·도덕 등 사회의 모든 기성 개념의 가치를 불신, 절망과 허무를 절감(切感)하고, 이것을 여러 작품에 반영시켰던 미국 작가의 일군(一群). 여류 작가 스타인(Stein, G.; 1874-1946)이 명명함. 잃어버린 세대(世代).

로: 스피드 촬영 【―撮影】 〔low speed〕 [명] 〖연〗 저속도 촬영.

로스 해 【―海】 〔Ross〕 [명] 〖지〗 남극 대륙(南極大陸)의 태평양 쪽에 있는 만입부(灣入部). 동안(東岸)은 킹 에드워드 칠세 랜드(King Edward 七世 Land), 서안(西岸)은 빅토리아랜드(Victorialand)임. 영국의 탐험가 로스가 발견하였음.

로:슨 조건 【―條件】 [―껀] [명] 〔Lawson's criterion〕 〖물〗 핵융합 반응이 지속되는 조건. 핵융합 반응에서 발생한 에너지가 플라스마를 만들어 내기 위해 소비한 에너지와 균형을 이룰 때 핵융합은 지속됨. 이 조건을 구한 영국의 물리학자 로슨(Lawson, J.D.)의 이름에서 유래함.

로시니 〔Rossini, Gioacchino Antonio〕 [명] 〖사람〗 이탈리아의 오페라 작곡가. 특히, 오페라 부파(opera buffa)의 작곡에 뛰어나, 유려(流麗)·경쾌한 선율(旋律)과 밝고 생생한 인물 묘사로 이탈리아 오페라에 새로운 시대를 열었음. 대표작으로 ≪세빌랴(Sevilla)의 이발사≫·≪윌리엄텔(William Tell)≫이 있음. [1792-1868]

로:시 돌출 【―突出】 [명] 〔Roche lobe〕 〖천〗 천체 상호의 인력 작용에 의하여 천체에 생기는 가스 모양의 돌출부. 로시(Roche, Edouard A. 1820-83)는 프랑스의 수학자.

로써 [조] 받침이 없거나 ㄹ받침이 붙는 체언에 붙어서 '를 가지고서'의 뜻을 나타내는 부사격 조사. ¶석굴암과 고려 자기～ 한국 예술의 자랑으로 삼는다/의협과 용기～ 사건에 대처하여라. [준]로. *으로써.

로아 [조] 〈옛〉 로라야. 라야. ¶사괴욤 議論호믄 엇데 구티여 몬졋 同調로아 ᄒᆞ리오(論交何必先同調) ≪杜諺 Ⅰ:11≫.

로어 매니지먼트 〔lower management〕 [명] 하부 관리층(下部管理層). 미들 매니지먼트의 아래에 위치하는 관리자층. 계장과 현장 감독 등 직접 말단의 업무 수행을 지휘·통제하는 직능을 가짐.

로:엔그린 〔도 Lohengrin〕 [명] ①〖문〗 13 세기 독일의 서사시(敍事詩). 성배 기사(聖杯騎士) 로엔그린과 브라반트(Brabant)의 미녀(美女) 엘자(Elsa)와의 연애를 그린 작품. ②〖연〗 ❶을 소재로 한 바그너작(作)의 가극(歌劇). 3막. 1850년 바이마르에서 초연(初演).

로:열 더치 셸 그룹 〔Royal Dutch Shell Group〕 [명] 네덜란드의 로열 더치 석유 회사와 영국의 셸 무역 운송 회사가 1907년 자산을 합동 제휴한 국제 석유 트러스트. 미국의 스탠더드 석유 회사와 비견하는 국제 석유 자본임. 셸 석유 회사. [준]셸.

로:열 로:드 〔royal road〕 [명] 쉬운 수단. 가까운 길. 왕도(王道).

로:열 박스 〔royal box〕 [명] 극장·경기장 따위의 귀빈석·특별석.

로:열 발레단 【―團】 〔Royal Ballet〕 [명] 영국의 대표적 발레단. 1931년 드 발루아(de Valois)가 빅웰스(Vic-Wells) 발레단으로 창립(創立)함. 1956년 국왕의 윤허(允許)로 현재의 이름이 됨. 새들러스 웰스(Sadler's Wells) 발레단.

로:열 셰익스피어 극단 【―劇團】 [명] 〔Royal Shakespeare Company〕 영국의 대표적인 극단. 고전주의의 새로운 해석과 전위(前衛) 실험극을 채택하는 등 셰익스피어 극 이외에도 폭넓게 활동함. 1960 년 셰익스피어 기념 극장의 소속 극단을 개편하여 붙인 이름.

로:열 소사이어티 〔Royal Society〕 [명] 〔Royal Society of London for Improving Natural Knowledge의 약칭〕 런던에 있는 영국 일류의 자연 과학 학회. 1662년 찰스 2세의 윤허로 법인 조직이 되었음. 자연 과학 지식의 보급을 목적으로 하며 연구자에 대하여 여러 종류의 장학상패(獎學賞牌)를 줌. 왕립 학회. 영국 학사원(學士院).

로:열 아카데미 〔Royal Academy〕 [명] 〔Royal Academy of Arts in London의 약칭〕 영국의 왕립 미술원. 1768년 조지 3세가 창립하였음. 회화·조각·건축 등의 여러 예술을 교육하여 그의 진보 향상을 꾀하며, 매년 2회 전람회를 주최함. 왕립 미술 협회(王立美術協會).

로:열 인스티튜:션 [명] 〔Royal Institution of Great Britain; 약칭 : R.I.〕 1799년에 설립된 영국의 학술 연구 단체. 로열 소사이어티보다 더욱 실제 생활에의 응용을 중요시하는 점이 특색이며, 매년 회보(會報)를 내고 있음. 왕립 과학 연구원.

로:열 젤리 〔royal jelly〕 [명] 왕봉(王蜂)이 될 새끼를 기르기 위하여 꿀벌이 분비한 하얀 자양분의 액체. 왕유(王乳).

로:열 코:트 극장 【―劇場】 [명] 〔Royal Court Theatre〕 영국 런던에 있는 극장. 1888 년에 개장. 1956 년 5 월에 상연한 오즈번의 ≪성난 얼굴로 돌아보아라≫로 일약 세계적으로 유명해짐. 이후 현대극 혁신의 메카로 되어 있음.

로:열티 〔royalty〕 [명] 남의 산업 재산권이나 저작권을 사용하는 대가로 지급하는 사용료.

로:열 페스티벌 홀: 〔Royal Festival Hall〕 [명] 영국 런던에 있는 왕립(王立)의 연주회 시설. 1951년 개장. 무대가 객석(客席)의 중앙에 있고 음향 효과가 뛰어남.

로:열 필하:모닉 오:케스트라 〔Royal Philharmonic Orchestra〕 [명] 1813년에 창립된 악단을 모태(母胎)로, 1946년에 영국의 명지휘자 비첨(Beecham)이 재건한 관현악단.

-로외다 [미] 〈옛〉 -롭다. =-ᄅᆞᆸ디-·-ᄅᆞ외다. ¶甚히 淳朴ᄒᆞ며 녜로외니(甚淳古) ≪杜諺 Ⅸ:31≫.

-로왼 [미] 〈옛〉 -로운. =-ᄅᆞᄫᆡᆫ·-ᄅᆞ왼. ¶苦로왼 알포믈 受ᄒᆞ더(受其苦楚) 「≪佛頂 上 3≫.

로욜라 〔Loyola, Ignatius〕 [명] 〖사람〗 스페인의 가톨릭 성직자(聖職者). 성인(聖人). 1534년 예수회(會)를 창립하고 프로테스탄트의 발흥(勃興)에 대항하여 교회내의 숙정(肅正)과 교황권(敎皇權)의 회복에 진력함. [1491-1556]

로웰[1] 〔Lowell, Amy〕 [명] 〖사람〗 미국의 여류 시인. 시집 ≪남자와 여자와 유령≫·≪몇시입니까≫ 등이 있는데, 시각적(視覺的) 이미지가 우선한다고 일컬어짐. 이 밖에 프랑스와 미국의 시에 관한 평론도 있음. [1874-1925]

로웰[2] 〔Lowell, Percival〕 [명] 〖사람〗 미국의 천문학자. 1894년 애리조나주(州)에 로웰 천문대를 세움. 행성 특히 화성 표면 관측에 진력하고, 화성인의 존재를 주장하였음. 해왕성(海王星) 외에 알려지지 않은 행성이 있을 것으로 예상하며 궤도를 계산, 명왕성(冥王星) 발견의 실마리를 만듦. [1855-1916]

로웰[3] 〔Lowell, Robert〕 [명] 〖사람〗 미국의 시인. 보스턴의 명문 출신. 그의 시는 바로크풍의 긴밀성과 뛰어난 기교를 지니고 있으며, 강렬한 신앙심을 나타냄. 1947년 시부문(詩部門)에서 퓰리처상을 받음. 작품에 ≪닮지 않은 땅≫·≪위어리경(卿)의 성(城)≫·≪인생 연구(人生研究)≫ 등이 있음. [1917-77]

-로이 [미] -롭게의 뜻으로, 접미어 '-롭다'가 붙는 형용사의 어간에 붙이어 부사를 만드는 접미어. ¶새～/공교～.

로이드[1] 〔Lloyd, Harold〕 [명] 〖사람〗 미국의 희극 배우. 무성 영화 시대부터 허다한 영화에 주연하였으며, 채플린·키턴(Keaton)과 더불어 무성 영화 시대의 삼대(三大) 희극 배우의 한 사람으로 꼽힘. 대표작에 ≪맹진(猛進) 로이드≫·≪호용(豪勇) 로이드≫·≪우유 장수 로이드≫ 등이 있음. [1893-1971]

로이드[1] 〔Lloyd, Selwyn Brooke〕 [명] 〖사람〗 영국의 정치가. 보수당(保守黨) 출신. 제2차 대전 때 준장으로 종군 후 유엔 대표·외교 담당 국무상 등을 지내고, 1957년 맥밀런(Macmillan) 내각의 외상(外相)을 지냄. [1904-78]

로이드 선급 협회 【―船級協會】 [명] 〔Lloyd's Register of British and Foreign Shipping〕 〖해〗 1834년에 설립된, 세계적으로 권위가 있는 선박 검사 및 등록 기관. 해상 보험업도 경영함.

로이드 안:경 【―眼鏡】 〔Lloyd〕 [명] 〔미국의 희극 배우 로이드가 쓰고 영화에 나온 데서 유래〕 둥글고 굵은 셀룰로이드 테의 안경.

로이드 조:지 〔Lloyd George, David〕 [명] 〖사람〗 영국의 정치가. 1908년 장상(藏相)이 된 후, 사회 보장에 주력하기 위해 부자(富者)에 대한 과세 증대(課稅增大)를 포함한 획기적인 정책을 강행. 자유당수(自由黨首)로 1916년 수상(首相)에 취임, 1차 대전을 승리로 이끎. 대전 후 파리 강화 회의에서 활약하였음. 저서에 ≪대전 회고록(大戰回顧錄)≫이 있음. [1863-1945]

로이스 〔Royce, Josiah〕 [명] 〖사람〗 미국의 철학자. 신(新)헤겔주의자. 독일 관념론과 프래그머티즘의 영향 밑에, 정신 생활과 실천 생활을 동일시하면서도 개인적 의지(意志) 위에 보편적인 절대적 의지를 인정하는, 절대적 프래그머티즘의 입장을 취했음. 주저(主著) ≪세계와 개

인》·《충성(忠誠)의 철학》. [1855-1916]

로이즈 〔Lloyd's〕 명 〖경〗 영국 런던에 있던 개인적인 보험 인수 업자의 집단. 독특한 보험 기구인데 세계 손해 보험 시장의 중심이 되고 있음. 17세기말경 에드워드 로이드가 경영하는 다방에 출입하던 개인 업자의 모임에서 발달해 1871년에 법인이 되었음. 회원수 약 6,000명으로 독립 책임제·무한 책임제를 특색으로 하고 있음.

로이카르트 〔Leuckart, Rudolf〕 명 〖사람〗 독일의 동물학자. 기생충의 연구를 행하여, 기생충학의 기초를 정립(定立)함. 또, 무척추 동물의 분류(分類)에 관한 업적도 큼. [1822-98]

로이코플라키 〔도 Leukoplakie〕 명 〖의〗 류코플라키아.

로이터[1] 〔Reuter, Fritz〕 명 〖사람〗 독일의 작가. 북부 독일의 사투리로 창작하여 향토 문학의 선구자가 됨. 대표작에 《프랑스 시대》·《농민 시대》 등이 있음. [1810-74]

로이터[2] 〔Reuter, Paul Julius von〕 명 〖사람〗 독일 태생의 영국 저널리스트·통신사 경영자. 아헨(Aachen)에 통신사를 창설, 1851년 영국 런던에 옮겨 '로이터 통신사'를 세웠음. [1816-99]

로이터[3] 〔Reuters〕 명 ↗로이터 통신사.

로이터 통신사 【一通信社】 〔Reuter〕 명 영국의 국제 통신사. 독일인 로이터가 1851년에 영국에 귀화(歸化)하여 런던에 설립한 세계적 대통신사. 현재 영국 신문 연맹의 공동 기관으로 국가적 통신사로서의 성격을 지니며, 전세계에 통신망을 뻗쳤는데 경제·외교 기사에 권위가 있음. ㊥로이터.

로이힐린 〔Reuchlin, Johann〕 명 〖사람〗 독일의 고전학자·인문주의자. 그리스학(Greece學)을 창설, 고대어 특히 헤브루어(語) 연구로 저명함. 교황(敎皇)에게는 반대 입장을 취하였으나 종교개혁 운동에 동조하지는 않았음. [1455-1522]

-로온 미 〈옛〉 -로운. ¶길ᄒᆞ며 흉ᄒᆞ며 영화로온 이리며 욕도인 이리(吉「凶榮辱)《飜小 Ⅷ:10》.

로어 명 〈옛〉 농어. ¶로어 로(鱸)《字會 上 21》.

로자닐린 〔rosaniline〕 명 〖화〗 푹신.

로잔 〔Lausanne〕 명 〖지〗 스위스의 서부, 레만 호(Leman湖) 북안의 도시. 시가는 구릉(丘陵) 위에 있고, 금속·피혁(皮革)·섬유·식품 공업이 행하여지며 학술의 중심지임. 1922, 1923년에 로잔 조약이 체결되었고, 1932년에 로잔 회의가 개최되었음. 국제 올림픽 위원회 본부가 있음. 관광객도 많음. [124,000명(1987)] *로잔 회의.

로잔 조약 【一條約】 〔Lausanne〕 명 〖역〗 1922년과 23년에 로잔 회의에서 체결된 조약. 1920년의 세브르(Sèvres) 조약을 개정하고 터키를 완전한 독립국으로 인정하였음. *로잔 회의(會議).

로잔 학파 【一學派】 〔Lausanne〕 명 〖경〗 1870년대의 한계 효용(限界効用) 이론의 창시자의 한 사람인 로잔 아카데미 교수 발라(Walras)에서 비롯하여 파레토(Pareto)·바로네(Barone) 등에 의하여 계승되고 발전한 학파. 일반 균형 이론을 근간으로 하는 수리(數理) 경제 학파로 케임브리지 학파와 더불어 학계의 두 주류(主流)를 이루었음.

로잔 회:의 【一會議】 〔Lausanne〕 [一/一이] 명 〖역〗 ①1922년 11월과 1923년 9월에 로잔에서 열린 터키 대 영국·프랑스 등 7개국의 세브르(Sèvres) 조약 개정 회의. 터키에 유리하게 되었으며 케말 파샤(Kemal Pasha)의 터키 국민당의 주장이 인정되었음. *로잔 조약. ②1932년 독일의 배상 지불 불능(不能) 문제에 관하여 열린 국제 회의. 독일의 배상액 삭감과 지불 연기를 결의하였음.

로저스[1] 〔Rodgers, John〕 명 〖사람〗 미국의 해군 소장(少將). 1870년 아시아 함대 사령관이 되자, 이듬해 조선에 대하여 통상(通商)을 요구하기 위하여 주청(駐淸) 미국 공사 로(Low)와 함께 군함 5척을 거느리고 물치도(勿淄島), 곧 지금의 작약도(芍藥島)에 내침(來侵), 강화도 공격을 꾀하다가 신미 양요(辛未洋擾)를 일으킴. [1812-82]

로저스[2] 〔Rodgers, Richard〕 명 〖사람〗 미국의 작곡가. 극작가이며 뮤지컬 작사가인 해머스타인(Hammerstein)과 손을 잡고 《오클라호마》 등 많은 뮤지컬을 씀. [1902-79]

로저 와그너 합창단 【一合唱團】 〔Roger Wagner〕 명 미국 로스앤젤레스에 본부를 둔 합창단. 레퍼토리는 종교 음악에서 민요·대중 가요에 이르기까지 다양함. 런던과 파리에도 분단(分團)이 있음. 1946년 지휘자 로저 와그너가 조직함.

로제거 〔Rosegger, Peter〕 명 〖사람〗 오스트리아의 소설가. 향토(鄕土)로부터 주제(主題)를 얻은 대중 소설을 썼음. 대표작 《치터(Zither)와 침발(Cymbal)》. [1843-1918]

로:제봄: 〔Roozeboom, Hendrik Willem Bakhuis〕 명 〖사람〗 네덜란드의 물리 화학자. 암스테르담 대학 교수. 기브스(Gibbs, J.W.)의 상률(相律)을 일반화하였는데, 특히 이것을 합금(合金)에 응용(應用)하여 합금학의 연구에 획기적(劃期的)인 공적을 남겼음. [1854-1907]

로제스트벤스키 〔Rozhdestvensky, Gennady〕 명 〖사람〗 러시아의 지휘자. 1954년 모스크바 음악 학교 졸업. 1955년 볼쇼이 극장 발레 지휘자로 데뷔, 모스크바 방송교향악단을 비롯해 영국의 BBC 교향악단 등에서 활약함. 므라빈스키 사망 후로는 러시아의 대표적 지휘자로 꼽힘. [1931-]

로제타 〔Rosetta〕 명 〖지〗 이집트의 동북부, 나일 강 어귀 근처에 있는 상업 도시. 쌀 생산의 중심지임. 9세기에 건설되었고, 1799년 로제타석(石) 발견으로 유명함.

로제타-석 【一石】 〔Rosetta〕 명 1799년 나폴레옹의 이집트 원정군(遠征軍)이 나일 강 어귀의 로제타에서 발견한 비석. 기원전 196년 고대 이집트의 왕 프톨레마이오스 5세를 위하여 세운 송덕비의 일부로서, 상형(象形) 문자·민간(民間) 문자 및 그리스 문자의 세 서체(書體)로 새겨진 것인데, 이것이 이집트 표상(表象) 문자 해독의 열쇠가 되었음. 현재 런던의 대영 박물관에 있음.

로제트 〔rosette〕 명 ①로즈형(型)의 다이아몬드. ②〖전〗 천장으로부터 전등선을 끌기 위하여 반자에 다는 하얀 사기 등으로 만든 반구형(半球形)의 기구. 실링 로제트.

〈로제트❷〉

로제 합금 【一合金】 〔Rose〕 명 〖화〗 납·주석(朱錫)·비스무트 등으로 된 합금.

로:젠버:그 〔Rosenberg, Julius〕 명 〖사람〗 미국의 유대계 전기 기사. 원자탄의 스파이 혐의로 1950년 2월 아내 에셀(Ethel)과 함께 체포되어 최후까지 무죄를 주장하였으나 증거 불충분인 채 처형되었음. 저서에 옥중 서간집인 《사랑은 죽음을 초월하여》가 있음. [1918-53]

로:젠베르크[1] 〔Rosenberg, Alfred〕 명 〖사람〗 독일 나치스의 정치가. 당기관지의 주필(主筆)로, 특히 선전면에 활약하다가 종전 후에 처형되었음. 주저(主著)에 《20세기의 신화(神話)》가 있음. [1893-1946]

로젠베:르크[2] 〔Rozenberg, David Iokhelevich〕 명 〖사람〗 소련의 경제학자. 《자본론》의 가장 훌륭한 해설서의 하나라고 하는 《자본론 주해》 외에 《경제학사》·《초기 마르크스 경제학설의 형성》 등의 저작이 있음. [1879-1950]

로:젠부슈 〔Rosenbusch, Karl Harry Ferdinand von〕 명 〖사람〗 독일의 암석학자. 하이델베르크 대학 교수. 《주요 조암(造岩) 광물의 현미경 기술학(顯微鏡記述學)》·《화성암의 현미경 기술학》·《암석학 강요》 등을 저술, 치르켈(Zirkel)과 함께 현미경에 의한 암석 기술학을 수립하였음. [1836-1914]

로젠스톡 〔Rosenstock, Joseph〕 명 〖사람〗 미국의 지휘자. 폴란드 태생. 빈 음악원 등에서 배우고, 피아니스트로 데뷔. 제2차 세계 대전 후 도미하여 귀화, 뉴욕에서 오페라 지휘자로 활약함. [1895-1985]

로젤 〔roselle〕 명 〖식〗 [*Hibiscus sabdariffa*] 아욱과에 속하는 일년초. 높이 2m 내외의 붉은 줄기 기부에서 가지가 군출(群出)함. 6월에 엽액(葉腋)에서 황색 꽃이 단생(單生)함. 섬유 식물로 재배되고, 씨는 완하제(緩下劑)·강장제(強壯劑)로 씀. 열대 지방의 원산임.

로조 〔Roseau〕 명 〖지〗 도미니카 연방의 수도. 도미니카 섬의 서남부에 위치하며, 이 나라의 최대 항구 도시임. 바나나·코프라 따위가 남. [18,000명(1990)]

로:즈[1] 〔Rhodes, Cecil John〕 명 〖사람〗 영국의 식민지 정치가. 남(南)아프리카에서 다이아몬드 광산을 발견하여 거부(巨富)가 되고 케이프(Cape) 식민지의 수상(首相)이 되었음. 사후 유산 전부를 옥스퍼드(Oxford) 대학에 기증하였음. [1853-1902]

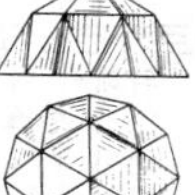

〈로즈[2]❸〉

로:즈[2] 〔rose〕 명 ①장미(薔薇). 장미화. ②장미 빛. 담홍색(淡紅色). ③24면의 다이아몬드.

로즈[3] 〔Roze, Pierre Gustave〕 명 〖사람〗 프랑스의 해군 소장(少將). 인도차이나 함대 사령관으로 있을 때, 조선 고종 3년(1866) 병인 박해(丙寅迫害)를 피해 탈출한 프랑스 신부 리델(Ridel)의 말을 듣고, 군함 3척을 거느리고 와서 물치도(勿淄島), 곧 지금의 작약도(芍藥島) 앞바다에 정박, 군함 2척을 서울의 서강(西江)까지 보냈다가 퇴거, 이듬해 7척의 군함을 이끌고 강화도에 이르러 병인 양요(丙寅洋擾)를 일으킴.

로:즈메리 〔rosemary〕 명 〖식〗 [*Rosmarinus officinalis*] 꿀풀과에 속하는 상록 소형 관목(常綠小形灌木). 높이 1-2m, 잎은 대생(對生)하며, 선형(線形)으로서 길이 2-3cm. 봄부터 여름에 걸쳐 가지 끝의 엽액(葉腋)에서 담자색(淡紫色)의 순형화(脣形花)가 몇 개 핌. 남유럽 원산으로, 전체적으로 향(香)이 있고 약용식물로서 재배됨. 가지나 잎은 주로 향료로 쓰임.

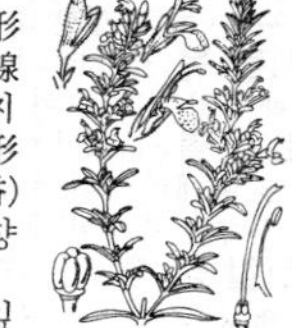

〈로즈메리〉

로:즈메리-유 【一油】 〔rosemary〕 명 로즈메리의 잎과 꽃에서 나는 연두빛의 향유(香油). 향수(香水)·리큐어(liqueur) 등을 만드는 데 쓰임.

로:즈버리 〔Resebery, Archibald Primrose〕 명 〖사람〗 영국의 정치가. 원래 귀족이었으나 자유당에 속하여 상원에서 활약, 웅변으로 알려짐. 글래드스턴(Gladstone) 내각의 외상을 거쳐 수상을 역임하였으며, 자유당내의 제국주의자로 알려짐. 정계(政界)에서 은퇴 후 교육에 진력, 각 대학 총장을 역임하였음. [1847-1927]

로지[1] 〔lodge〕 명 산에 있는 간이 숙박소.

로지[2] 〔Lodge, Henry Cabot Jr.〕 명 〖사람〗 미국의 정치가. 처음에 신문기자로 활약하다가 뒤에 상원 의원에 당선되었고 1952년 이래 유엔 상임 대표였음. 1960년에 공화당의 부통령 후보 지명을 받았으나 낙선함. 1963-65년 주월(駐越) 대사, 1968년 주서독 대사를 거쳐, 1969년 파리 회담 수석 대표를 역임함. [1902-85]

로지[3] 〔Lodge, Oliver Joseph〕 명 〖사람〗 영국의 물리학자. 전자기에 의한 무선 통신을 연구하였으며 만년(晩年)에는 심령술(心靈術)에도 관심을 가졌음. [1851-1940]

로지아 〔이 loggia〕 명 〖건〗 이탈리아 건축에서, 한쪽에 벽이 없는 특수한 방. 복도 또는 거실로 씀. 베란다(veranda)보다는 집의 본질적 일부를 이루고 있음.

〈로지아〉

로지컬 〔logical〕 명 논리적. 논리학적. ——-하다 형 여불

로직 〔logic〕 명 논리(論理). 논리학(論理學).

로진 〔rosin〕 명 〖화〗 송진(松津)에서 테레빈유(terebin油)를 증류한 뒤에 남은 찌꺼기. 니스 제조의 원료로 또는 바이올린(violin) 활에 바르는 데 사용함.

로진 백 〔rosin bag〕 명 야구에서, 투수(投手)나 타자(打者)가 미끄러움을 방지하기 위하여 손에 바르는 송진 가루를 넣은 작은 주머니.

로진스키 〔Rodzinski, Arthur〕 명 〖사람〗 미국의 지휘자. 폴란드에서 태어나 빈 음악원을 나옴. 처음에는 바르샤바에서 오페라를 지휘하였으며, 도미(渡美)하여 시카고 교향악단 상임 지휘자(常任指揮者)가 되었음. [1894-1958]

로체 〔Lotze, Rudolf Hermann〕 명 〖사람〗 독일의 철학자. 철학 교수로서 자연 과학적 사조와 사변(思辨) 철학을 조화하여 새로운 형이상학을 시도하였음. [1817-81]

로체 산 【—山】 〔Lhotse〕 명 〖지〗 히말라야 산맥 에베레스트 산군(山群)의 한 봉우리. 에베레스트 산의 남쪽 약 3km, 네팔·중국 국경에 위치하며 남쪽에 로체 빙하·서(西)로체 빙하·동(東)로체 빙하가 있음. 1956년 스위스 등반대가 처음 오름. [8,501 m]

로체스터 〔Rochester〕 명 〖지〗 미국 뉴욕 주(州) 북서부 온타리오 호(Ontario湖) 남안의 항구 도시. 이리(Erie) 운하의 개통 이래 교통의 중심으로 발전함. 폭포로 인한 수력이 풍부하며 제분·차량·사진 재료·광학 기계·가죽·담배 등의 공업도 성하고 관광(觀光) 행락지로도 유명함. [242,000 명(1980)]

로카 【ROKA】 명 〔Republic of Korea Army의 약칭〕 대한 민국 육군. 아르 오 케이 에이.

로카 곶 〔Roca〕 명 〖지〗 포르투갈의 수도 리스본(Lisbon)의 서쪽, 유럽 대륙의 최서단(最西端)에 있는 곶. 리스본암(岩)이라고도 하는 화강암(花崗岩)으로 되어 있음.

로카르노 〔Locarno〕 명 〖지〗 스위스 남부 이탈리아 국경의 마조레 호(Maggiore湖) 북안의 관광 보양지. 해발 200m로 스위스에서 가장 낮은 곳임. 원래는 밀라노령(領)이었으나 1512년에 스위스 땅이 되었음. 전기 화학 공업·양조업·보석 세공 등이 행하여짐. 1925년의 로카르노 조약으로 알려짐. [14,604 명(1987)]

로카르노 방식 【—方式】 〔Locarno〕 명 〖정〗 로카르노 조약 같은 상호 안전 보장 조약을 맺음으로써 지역적 평화 기구를 만드는 방식. 1953년 처칠 영국 수상이 이 방식에 의한 유럽의 안전 보장(安全保障)을 제창한 것이 시초임.

로카르노 조약 【—條約】 〔Locarno〕 명 〖역〗 1925년 로카르노 회의에 의해서 독일·영국·프랑스·이탈리아·벨기에 사이에 맺어진 조약. 독일·프랑스 국경, 독일·벨기에 국경의 유지와 라인란트(Rheinland)의 군비 금지 등 유럽의 안전 보장을 약속함으로써 유럽에 평화가 확립되었으나 1936년 히틀러에 의해 파기됨.

로카르노 회:의 【—會議】 〔Locarno〕 〔— / —이〕 명 〖역〗 1925년 유럽의 안전 보장에 관하여 영국·프랑스·이탈리아·벨기에·독일 등 여러 나라가 스위스의 로카르노에서 열었던 국제 회의. 그 결과 로카르노 조약이 맺어짐.

로커 〔locker〕 명 자물쇠가 달린 서랍이나 반닫이 같은 것. 각자의 옷이나 소유물을 넣어 두는 데 사용함.

로커모티브 〔locomotive〕 명 기관차.

로커빌리 〔rock-a-billy〕 명 〖악〗 〔rock and roll과 hillbilly song의 합성어〕 광열적인 리듬의 재즈 음악. 또, 그것에 맞추어 추는 춤.

로:컬 〔local〕 명 ①지방적. 국부적(局部的). ②↗로컬 방송(local放送). ——-하다 형 여불

로:컬 뉴:스 〔local news〕 명 지방 소식(消息). 지방적인 신문 기사. 텔레비전·라디오의 지방 소식 방송.

로:컬 룰: 〔local rule〕 명 골프에서, 그 코스의 지리적 특수 조건 등으로 플레이어의 구제 조치로서 특별히 정해진 코스. 또, 그 경기에만 적용되는 특별한 골프 규칙.

로:컬 방:송 【—放送】 〔local〕 명 지방 방송국에서 특정 지방의 청취자를 대상으로 하는 방송. 로컬 프로그램(local program). 준 로컬(local).

로:컬-선 【—線】 〔local〕 명 ①국내 항공 노선. ②대도시에서 떨어진, 특정한 지방 철도(地方鐵道).

로:컬 엘시: 〔local L/C〕 명 로컬 크레디트.

로:컬 컬러 〔local color〕 명 지방색(地方色). 향토색(鄕土色).

로:컬 크레디트 〔local credit〕 명 〖경〗 상품 수출업자가 외국의 수입업자로부터 받은 원(原)신용장을 담보로 하여 그 상품의 제조업자에 대하여 개설(開設)·발행하는 신용장. 내국 신용장(內國信用狀). 로컬 엘시.

로:컬 토탄 【—土炭】 명 〔local peat〕 〖지〗 지하수(地下水)에 의해서 형성된 토탄.

로:컬 프로그램 〔local program〕 명 로컬 방송.

로케 명 〖연〗 ↗로케이션(location). ——-하다 자 여불

로케 세트 명 〖연〗 ↗로케이션 세트(location set).

로케이션 〔location〕 명 〖연〗 〔본디는 선정(選定)된 위치·장소의 뜻〕 영화에서 실경(實景)을 배경으로 하는 촬영. 촬영소 밖에서 하는 야외 촬영. 준 로케. ——-하다 자 여불

로케이션 세트 〔location set〕 명 〖연〗 로케이션할 곳의 자연 풍경을 그대로 배경으로 한 세트. 준 로케 세트.

로케이션 헌팅 〔location hunting〕 명 〖연〗 로케이션에 적당한 장소를 탐사(探査)하는 일. 또, 그런 사람들의 일행. 준 로케헌. ——-하다 자 여불

로케-헌 명 〖연〗 ↗로케이션 헌팅(location hunting).

로켓[1] 〔locket〕 명 여자 장신구(裝身具)의 하나. 사진 같은 것을 넣고 목걸이에 다는 조그마한 갑. 모양이 여러 가지이며 흔히 금이나 백금으로 만듦.

〈로켓[1]〉

로켓[2] 〔rocket〕 명 고체 또는 액체 연료를 폭발시켜 다량의 가스를 분사하여 그 반동으로 추진되는 비행체. 또, 그 추진 기관. 폭발에 필요한 산소를 자체내에 가지고 있는 점이 제트(jet) 엔진과 다름. 이 밖에, 이온 로켓·원자력 로켓·플라스마(plasma) 로켓·광자(光子) 로켓 등의 각종 추진 방식이 연구되고 있음. 우주 개발(宇宙開發)·병기(兵器)·기상 관측 등에 이용됨.

로켓 가:대 【—架臺】 명 〔rocket station〕 〖공〗 로켓이 넘어지지 않도록 지지하는 가대. 로켓을 세운 채로 운반하는 장치가 장비(裝備)되어 있음.

로켓 관측 【—觀測】 〔rocket〕 명 로켓을 이용한 대기(大氣)의 초고층(超高層) 관측(觀測). 180km 정도의 고도(高度)까지 로켓을 발사하여, 태양·우주선·전리층(電離層)·지자기(地磁氣)·우주진(宇宙塵) 등과 기온·기압 등의 기상 요소, 고공(高空)의 대기 조성 등을 연구함.

로켓-기 【—機】 명 〔rocket airplane〕 로켓을 동력으로 하는 비행기. 공기가 없어도 소형 경량(小型輕量)의 기관으로 극히 큰 추력(推力)을 낼 수 있으며 제트기(機)로는 불가능한 고속도·고고도(高高度) 비행이 가능함. 그러나 연료 소비가 커, 동력 비행은 짧은 시간에 한정되므로, 현재에는 특수한 연구 실험기(機)로밖에 사용되지 아니함.

로켓 발사대 【—發射臺】 〔rocket〕 〔—싸—〕 명 로켓을 정확하게 발사(發射)할 수 있도록 보조하는 장치. 안정 장치와 조종 장치가 없는 로켓에 있어서는 특히 중요한 몫을 차지함. 로켓의 종류와 성능에 따라 여러 가지 형(型)이 있음.

로켓 병기 【—兵器】 〔rocket〕 명 〖군〗 추진에 필요한 연료·장치를 내장(內藏)한, 분사(噴射) 추진체를 이용한 병기의 총칭. 우주 비행용으로부터 개인 휴대용에 이르는 각종 탄두(彈頭)의 운반 수단이 되는데, 유도(誘導) 장치를 가진 것을 '미사일'이라 통칭함.

로켓 안테나 〔rocket antenna〕 명 〖전〗 로켓에 장치한 안테나. 로켓 제어 신호를 수신하고, 탑재 장치에 의한 측정 결과를 송신함.

로켓 엔진 〔rocket engine〕 명 로켓을 이용한 엔진.

로켓 연료 【—燃料】 〔—열—〕 명 〔rocket fuel〕 〖화〗 로켓을 추진시키는 데 쓰이는 연료. 고체·액체로 대별됨. 로켓 추진제.

로켓 천문학 【—天文學】 명 〔rocket astronomy〕 〖천〗 태양·행성·항성 그 밖의 천체(天體)로부터의 전자기파(電磁氣波) 방사 가운데서, 고도 250km 이하에서는 거의 흡수되어 버리는 파장 영역을 로켓으로써 측정 연구하는 과학 부문. 로켓은 관측 기재를 탑재하고 250km 이상 고도에 쏘아 올려짐.

로켓 추진제 【—推進劑】 명 〔rocket propellant〕 로켓 연료.

로켓-탄 【—彈】 〔rocket ammunition〕 명 〖군〗 로켓 장치에 의해서 발사하는 탄환. 1895년 산화 질소(酸化窒素)와 석유를 사용하는 로켓탄이 발명된 이래 제2차 대전중 급격히 발달하여 대전차포(對戰車砲)로서의 미국의 바주카 포탄 등은 특히 유명하며 근래에는 전자관(電子管) 장치를 결합시켜 유도탄(誘導彈)으로 발전되어 가고 있음.

로켓-포 【—砲】 〔rocket〕 명 〖군〗 로켓탄을 발사하는 대포. 바주카포(bazooka砲) 등.

로켓-학 【—學】 명 〔rocketry〕 〖항공〗 ①로켓에 관한 이론·연구·개발·실험 등을 포함하는 연구 또는 과학. ②로켓을 이용하는 기술 및 과학.

로켜 〔Lockyer, Joseph Norman〕 명 〖사람〗 영국의 천문학자. 태양과 일식(日蝕)을 관측하여, 1868년 홍염(紅焰)의 평시(平時) 관측법을 고안함. 또, 태양 스펙트럼 속에서 미지(未知)의 스펙트럼선(線)을 발견, 그 원소를 헬륨이라고 명명함. 항성 물리학·태양 물리학의 기초를 만듦. [1836-1920]

로코소프스키 〔Rokossovski, Konstantin〕 명 〖사람〗 폴란드 출신의 소련 군인. 1차 대전 후에 러시아 공산당에 입당하여 적군(赤軍)에서 근무, 2차 대전중 소련내의 여러 전선에서 사령관을 지냄. 전후 폴란드에 돌아가 부수상 등을 역임함. [1896-1968]

로: 코스트 〔low cost〕 명 저비용.

로코코 〔프 rococo〕 명 〖미술〗 프랑스의 루이 15세 시대의 건축·장식(裝飾) 양식. 1723년부터 1760년경까지 프랑스 궁전을 중심으로 하여 유행하였던 것으로, 전유럽의 왕족·귀족들에게 영향을 주었음. 복잡한 소용돌이·당초(唐草) 무늬·꽃과 잎의 무늬 등 곡선 무늬에 담채(淡彩)와 금빛을 병용하였음.

로코코 음악 【—音樂】 명 〔프 rococo musique〕 〖악〗 18세기의 프랑스를 중심으로 한 음악. 또, 그 영향을 받은 독일 및 이탈리아의 음악 양식(樣式). 화성적(和聲的)인 양식과 단순한 형식을 특징으로 함. 후기 바로크(baroque)로부터 고전파에의 과도적인 양식으로, 쿠프랭(Couperin)·라모(Rameau)·텔레만(Telemann, G.P.) 등에 의하여 대표됨.

로쿤: 〔rockoon〕 명 〖기상〗 〔rocket+baloon〕 20,000m 이상의 높은 공중에 띄운 기구(氣球) 위에서, 관측 로켓을 자동 점화로 발사하는 장치. 우주선(宇宙線)·지자기(地磁氣)·고층 대기 등의 관측에 사용되었으나 오늘날에는 거의 쓰이지 아니함.

로크[1] 〔lock〕 명 레슬링에서, 팔 또는 손으로 끼어서 상대를 꼼짝 못하게 하거나 비틀어 올리는 일.

로크[2] 〔Locke, John〕 명 〖사람〗 영국의 철학자·정치학자. 애슐리경(Ashley卿)의 정치 고문 역할을 하다가 그의 실각 후 반역죄로 몰려 네덜란드에 망명중 집필한 《인간 오성론(人間悟性論)》은 인식론(認識論)에 있어서 경험설(經驗說)을 확립한 철학상의 획기적 산물임. 또한 《관용론(寬容論)》·《교육론》에서 신앙·교육의 자유를 논하였으며 이외 사회 계약설·삼권 분립론 등의 정치 사상은 당시의 명예 혁명(名譽革命)을 합리화하였음. [1632-1704]

로크[3] 〔아랍 rokh〕 명 전설상의 거대한 괴조(怪鳥). 《아라비안나이트》의 '신드바드(Sindbad)'의 모험 등에 등장함.

로크너트 〔locknut〕 명 〖기〗 볼트에 끼워서 죈 너트가 진동이나 무게

로 인하여 느슨해짐을 방지하기 위하여 그 밑에 덧끼우는 너트.

로크-아웃 〔lockout〕 명 노동 쟁의(勞動爭議)에서 자본가측이 쟁의를 신속히 종결시킬 수단으로 사용하는 직장 폐쇄(職場閉鎖). 공장 폐쇄

로크-액 【一液】〔Locke〕 명 〖약〗 링거 로크액(Ringer Locke液).

로크포르 치:즈 〔Roquefort cheese〕 명 프랑스 남부의 로크포르 마을에서 양젖으로 만드는 반경질(半硬質)의 치즈.

로큰-롤: 〔미 rock'n'roll〕 명 〖악〗 1950년을 전후해서, 리듬 앤드 블루스와 웨스턴 음악의 요소(要素)를 융합하여 생긴 미국 음악의 하나. 2박(拍) 강조(強調)의 비트(beat)가 특징임. 정식 명칭은 록 앤드 롤(rock and roll). ㊥록.

로키[1] 〔Loki〕 명 〖신〗 북유럽 신화 중의 화신(火神). 신들을 비방하여 사기(邪氣)와 해독을 끼쳤으므로 신들에게 쫓겨, 연어로 변신(變身)하였다가 나중에 붙들려 뱀의 독즙(毒汁)을 받았다 함.

로:-키:[2] 〔low-key〕 명 사진에서, 노출(露出)을 계산하거나 인화지를 선택하거나 하여 작위적(作爲的)으로 암조(暗調)로 만든 사진. ↔하이키(high-key).

로키 산맥 【一山脈】〔Rocky〕 명 〖지〗 북아메리카 대륙 서부의 대산맥. 멕시코의 중부에서부터 미국·캐나다를 종단(縱斷)하여 멀리 알래스카에까지 이름. 해양(海洋)으로부터 멀기 때문에 건조(乾燥) 기후를 이룸. 산맥 중에는 고봉(高峰)이 많고 금·은·구리 등의 대광맥(大鑛脈)이 있음. [4,500 km]

로키산-열 【一山熱】 명 〔Rocky Mountain spotted fever〕 〖의〗 미국의 각지, 특히 로키 산맥 지방에서 볼 수 있는 일종의 리케차(rickettsia) 질환. 진드기의 일종에 의해 매개되고, 발진 티푸스와 비슷한 증상을 보임.

로키탄스키 〔Rokitansky, Karl von〕 명 〖사람〗 오스트리아의 병리학자. 수많은 시체 해부를 행하여 체액(體液) 혼합에 의한 병리설(病理說)을 주장하였음. 저서 《병리 해부학 교과서》. [1804-78]

로:키: 톤: 〔low-key tone〕 명 사진·영화에서 화면이 암조(暗調)로 통일되어 음영(陰影)이 많은 느낌을 주는 일. *하이키 톤(high-key tone)·노멀 톤(normal tone).

로킹 모:션 〔rocking motion〕 명 야구에서, 투수가 투구(投球)하기 전에 팔과 몸통을 앞뒤로 흔드는 준비 동작.

로타 〔Rota, Nino〕 명 〖사람〗 이탈리아의 작곡가. 로마의 산타체칠리아 음악 학교와 커티스 음악 학교에서 작곡과 지휘를 배움. 1950년에 바리 음악 학교장 취임. 《길》·《태양은 가득히》 등 영화 음악의 명작이 많음. [1911-79]

로:터 〔rotor〕 명 〖기〗 회전자(回轉子).

로:터리 〔rotary〕 명 ①교통이 빈번한 시가의 네거리 같은 곳에 교통 정리를 목적으로 베푼 원형(圓形)의 시설. 환상 교차로(環狀交叉路). ②〔rotary press의 약칭〕 회전기(回轉機). 윤전 인쇄기.

로:터리 기관 【一機關】〔rotary〕 명 로터리 엔진.

로:터리 기관차 【一機關車】〔rotary〕 명 기관차의 앞 부분에, 눈을 쳐내기 위한 수직 회선차(垂直回旋車)를 장비한 기관차. 선로 위에 쌓인 눈을 회선차로 날려 보내면서 전진함.

로:터리 보:링 〔rotary boring〕 명 〖기〗 회전식 보링의 하나. 보링 로드(rod) 끝에 관(管)과 비트(bit)를 붙여, 강력한 힘으로 밀면서 회전시킴. 유전(油田)의 굴착에 흔히 쓰임.

로:터리 스위치 〔rotary switch〕 명 〖전〗 회전에 의하여 회로(回路)의 접속(接續)을 바꾸는 스위치. 텔레비전의 채널 변환용(變換用) 스위치가 그 한 예임. 회전 개폐기.

로:터리 스태커 〔rotary stacker〕 명 회전하는 환상(環狀)의 벨트를 사용하는 새로운 자동 창고(自動倉庫).

로:터리식 착정법 【一式鑿井法】〔rotary〕 〔一뻡〕 명 〖광〗 회전식 천공(穿孔).

로:터리 엔진 〔rotary engine〕 명 〖기〗 ①내연 기관의 하나. 둥그스름한 삼각형의 회전자(回轉子)에 의하여, 흡입·압축·폭발·배기(排氣)의 전 행정(全行程)이 행해져서, 직접 회전 운동을 얻음. 피스톤의 왕복 운동을 회전 운동으로 바꾸는 식(式)에 비해, 동력(動力)의 손실이 적고, 진동(振動)이 없으며, 구조가 간단한 것이 특색임. 1959년에 독일에서 시작(試作)에 성공함. ②항공기용 기관 형식의 하나. 기관 자체가 회전하여 플라이휠(flywheel)의 작용을 함으로써 원활한 회전을 얻으며, 또한 프로펠러에 의한 공랭(空冷)이 가능함.

로:터리 오프셋 〔rotary offset〕 명 〖인쇄〗 윤전식(輪轉式) 오프셋 인쇄기.

로:터리 클럽 〔Rotary Club〕 명 사회 복지·국제 친선을 모토(motto)로 하는 국제적인 사교 단체. 한 도시에 하나, 회원은 1개 업체 한 사람이 원칙임. 1905년 미국에서 처음 생김. 클럽의 회원이 윤번(輪番)으로 장소를 옮기면서 회합을 갖은 데서 유래된 이름임. *국제 로터리.

로:터리 펌프 〔rotary pump〕 명 〖물〗 회전 펌프.

로:터리 포:토그라비어 〔rotary photogravure〕 명 그라비어 윤전식 사진 요판(輪轉式寫眞凹版). ㊥로토그라비어·그라비어. *그라비어.

로:터미:터 〔rotameter〕 명 〖기〗 액체의 유량(流量)을 측정하는 장치. 끝이 가는 유리관 안에 팽이 모양의 부자(浮子)를 넣고, 밑에서부터 액체가 흘러 들어오면 그 힘에 의하여 뜨게 만들었으며, 그 뜬 높이로서 측정하게 됨. 부자가 고정되어 회전하는 방식의 것도 있음.

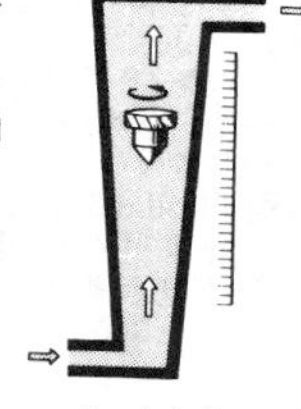
〈로터미터〉

로:터 펌프 〔rotor pump〕 명 회전 펌프(回轉pump)의 한 가지. 회전자가 펌프의 안 벽에 닿으면서 회전하여 펌프 안에 진공(眞空)을 만들어서 물을 자아 올리는 식의 펌프로, 1-3개의 회전자를 사용함. 주로 관개용(灌漑用)으로 씀.

로테논 〔rotenone〕 명 〖화〗 데리스(derris) 뿌리의 주성분. 물에 녹지 아니하고 유기 용매에 녹으며, 독성이 있어서 피부의 약한 데 닿으면 염증을 일으킴. 살충제·방충제로서 널리 쓰임. *데리스제(derris劑).

로테르담 〔Rotterdam〕 명 〖지〗 네덜란드 서남부 라인 강(Rhein江) 하구 삼각주(三角洲) 위에 있는 도시. 상공업 도시이며 무역항(貿易港). 라인 공업 지대와의 통과(通過) 무역도 많음. 조선업(造船業)으로 유명하며, 그 외에 제분(製粉)·제당(製糖)·정유(精油)·기계·피혁(皮革) 등의 공업도 성함. [573,000(1987)]

로:테이션 〔rotation〕 명 ①야구에서, 투수의 등판(登板) 순위. ②배구에서, 서브를 넣는 팀의 선수가 차례로 시계 방향으로 자리를 옮기는 일. ③테니스 등의 더블스(doubles)에서, 선수가 서로의 수비 위치를 바꾸어가는 전법. ④배드민턴에서, 더블스의 공수 진형(攻守陣形). ⑤스키에서, 상체를 스키의 회전 방향으로 돌리는 일. ⑥〖농〗 윤작(輪作). ⑦당구에서, 공의 회전. ⑧순환. 교류. 교대. ——-하다 자타여불

로토 〔Lotto, Lorenzo〕 명 〖사람〗 이탈리아 르네상스기(期)의 베네치아파(Venezia派) 화가. 따뜻한 친근감과 베네치아파 특유의 색채가 아름다운 회화성(繪畫性)을 지닌 벽화와 제단화(祭壇畫)·초상화를 그렸음. 대표작은 베르가모(Bergamo)에 있는 성(聖) 바르톨로메오 성당의 《성모와 성인들》임. [1480-1556?]

로:토-그라비어 〔rotogravure〕 명 ↗로터리 포토그라비어(rotary photogravure).

로톤다 〔이 rotonda〕 명 〖건〗 원형(圓形)이나 타원형의 평면을 가진 건축 또는 방(房). 로마의 판테온(Pantheon) 등이 유명함. 원형 건축.

로:트[1] 〔Lhote, André〕 명 〖사람〗 프랑스의 화가. 조각에서 회화(繪畫)로 전환, 세잔(Cézanne)의 영향을 받아 입체파로 전향했음. 미술 평론가로서도 활약했으며, 많은 저술 가운데서 《풍경화론》이 특히 뛰어남. [1885-1962]

로트[2] 〔lot〕 명 ①추첨. 제비뽑기. ②몫. ③〖경〗 검사나 조사를 위해 재료·부품·제품 등의 단위체 또는 단위량을 하나로 종합한 것. 이에 포함되는 단위체 또는 단위량의 수(數)를 '로트의 크기'라고 하며, 로트에서 표본을 추출하여서 검사하여, 합격·불합격을 판정함.

로:트[3] 〔Roth, Joseph〕 명 〖사람〗 오스트리아의 유태계 작가. 오스트리아 제국(帝國) 몰락의 만가(挽歌) 《라데츠키(Radetzky) 행진곡》 등의 장편과 《주정꾼 성전(聖傳)》 등의 단편으로, 독특한 설화(說話) 작가로 알려짐. [1894-1939]

로트레아몽 〔Lautréamont〕 명 〖사람〗 프랑스의 초현실파 시인. 백작(伯爵). 본명은 Isidore Lucien Ducasse. 이지(理智)와 논리를 배격하고 상징주의의 선구로서 낭만파 작가군에 영향을 끼쳤음. 대표작으로 《말도로르(Maldoror)의 노래》 등이 있음. [1847-70]

로트레크 〔Lautrec, Henri de Toulouse-〕 명 〖사람〗 프랑스의 화가. 어릴 때 다리를 부러뜨려 불구(不具)가 된 후 회화에 전념함. 몽마르트르에 살면서, 댄서·가수·창부 등을 주제로, 성격 표현이 뛰어난 풍속화·초상화를 제작함. 포스터·석판화도 많이 남김. 대표작은 《물랭 루주(Moulin rouge)》 등. [1864-1901]

로트 번호 【一番號】 명 〔lot number〕 로트(lot)에 붙인 번호.

로트베르투스 〔Rodbertus, Johann Karl〕 명 〖사람〗 독일의 경제학자·정치가. 노동 가치설의 선구자로서, 지대(地代)·이윤(利潤)을 불불 노동(不拂勞動)으로 간주하고, 공황(恐慌)은 노동자에 대한 분배의 저하(低下)에 기인(基因)한다고 하여 과소(過少) 소비설을 전개, 국가적 시책에 의한 노동자 구제책을 제창하였음. 주저(主著)에 《국가 경제의 현상(現狀) 인식을 위하여》가 있음. [1805-75]

로트 시스템 〔lot system〕 명 〖공〗 일관(一貫) 작업의 한 가지. 공장의 생산 과정에서 부분품이 일정한 무더기가 되면 자동적으로 다음 작업 부문으로 운반되는 방식. 벨트 컨베이어 시스템과 택트 시스템의 중간적 시스템임.

로트-유 【一油】〔Rot〕 명 〖화〗 아주까리 기름에 황산(黃酸)을 작용시켜서 물에 녹게 만든 기름. 유지(油脂)나 광유(鑛油)에 대하여 유화력(乳化力)이 강하고 섬유 공업에서 세척제(洗滌劑)로 씀. 황산화유(黃酸化油). 튀르키슈로트윌.

로티 〔Loti, Pierre〕 명 〖사람〗 프랑스의 소설가. 해군 사관으로 세계 각지를 순회, 《마담 크리장템(Madame Chrysanthème)》 등의 이국적(異國的) 작품을 발표하고 《빙도(氷島)의 어부》 등의 자연주의적인 작품을 내었음. [1850-1923]

로: 틴: 〔low teen〕 명 10대(代) 전반(前半)의 연령. 또, 그 나이의 소년·소녀. 보통, 13-14세를 이름. *하이 틴·미들 틴.

로: 패트 음:료 【一飮料】〔low fat〕 〔一뇨〕 명 보통의 우유보다 지방분을 적게 첨가한 우유. 우유에는 지방분 3% 이상, 무지유(無脂乳) 고형분(固形分) 8% 이상인데 비하여, 지방분 1.5% 정도, 무지유 고형 성분이 9.5% 전후로 되어 있음.

로퍼 〔Lauper, Cyndi〕 명 〖사람〗 미국의 여성 싱어송라이터. 1980년 가수로 데뷔, 젊은이들로부터 인기를 얻음. 1984년 그래미상 최우수 신인상을 받고, 이듬해 최우수 여성 비디오 퍼포머 상을 수상함. [1953-]

로페스 〔López, Carlos Antonio〕 명 〖사람〗 파라과이의 정치가. 1844년에서 1862년까지 대통령을 지냈음. 독재적이었으나 군대 개혁·교육보급·산업 진흥·대외 무역의 확대 등 파라과이의 근대화에 크게 기여하였음. [1790?-1862]

로포텐 제도 【一諸島】〔Lofoten〕 명 〖지〗 노르웨이 서북안에 이어진 군도. 세계 최대의 대구·연어 어장의 하나. 어렵(漁獵) 계절에 따라 인구 변동이 심함. [1,230 km²]

로:프 〔rope〕 몡 굵은 밧줄. 베실이나 무명실로 꼰 바를 다시 여럿 반대 방향으로 드린 직사(織絲) 로프와 강철로 만든 강삭(鋼索)의 두 가지가 있음. 보통 둘레가 1-10 인치의 것을 말함. 자일. *코드(cord)·케이블(cable).

로프-노르 〔Lop Nor〕 몡 〖지〗 뤄부포 호(羅布泊湖).

로:프 브레이크 〔rope brake〕 몡 〖기〗 축마력(軸馬力) 측정기의 한 가지. 제동(制動) 바퀴의 주위에 직경 10-20 mm의 로프를 감은 장치이며, 로프의 한 끝을 천장에 매어 두고 다른 편에 무거운 추를 매달아서, 제동 바퀴가 회전할 때 그 추의 무게에 따라 제동되는 힘을 계기(計器)로 읽음. 〈로프브레이크〉

로:프-웨이 〔ropeway〕 몡 가공 삭도(架空索道). 공중(空中) 케이블 카. 삭도(索道). *케이블 카.

로:프 전동 【一傳動】〔rope〕 몡 〖기〗 로프로 감아서 힘을 전달하는 장치의 하나. 벨트(belt)와 그 작용은 같으나 이보다 힘이 있고, 멀리 전달할 수 있음.

로:프-지 【一紙】〔rope〕 몡 마닐라삼 또는 마닐라삼에 화학 펄프를 섞은 것을 원료로 하는 강도가 높은 종이. 포장 용지(包裝用紙)·전기 기계의 절연용(絶緣用)으로 사용됨.

로프트 〔loft〕 몡 골프에서, 클럽 헤드(club head)의 페이스(face)의 경사도(傾斜度).

로하스 〔Roxas, Manuel〕 몡 〖사람〗 필리핀의 정치가. 주지사·하원(下院) 의장을 역임하였음. 제2차 대전중에는 일본군에 잡혀 있다가, 전후 독립(獨立)과 동시에 초대 대통령으로 뽑혔으나 사고(事故)로 죽었음. [1892-1948]

로하스-소리야 〔Rojas-Zorrilla, Francisco de〕 몡 〖사람〗 스페인의 극작가. 스페인 고전극의 대표자의 한 사람. 작품에 비극 《왕 이외는 용서하지 아니한다》 등이 있음. [1607-48]

로 하여금 囝 받침이 없거나 ㄹ 받침으로 끝나는 체언에 붙어서 '를'·'에게'의 뜻을 나타내는 말. 뒤에 반드시 사역(使役)의 뜻을 가지는 말이 이어짐. ¶ 그~성공하게 한 원인. *으로 하여금.

로: 허:들 〔low hurdle〕 몡 남자 육상 경기 종목의 하나. 200 m 코스에 높이 76 cm의 허들 열 개를 놓고 하는 경기. 저(低)장애 경주. ↔하이 허들(high hurdle).

로: 힐: 몡 〔low-heeled shoes〕 굽이 낮은 여자 구두. ↔하이 힐.

로힐라-족 【一族】〔Rohillá〕 몡 18세기에 북인도의 로힐칸드(Rohilkhand)를 지배하던 아프간족(Afgan族) 계통의 부족.

로ᄒᆞ다 짜 〈옛〉 노하다. ¶ 샹위 로ᄒᆞ샤 ᄂᆞ비촐 달이 ᄒᆞ시고 됴회를 파ᄒᆞ시니(上怒變色而罷朝)《飜小 Ⅸ:39》.

록¹ 〔rock〕 몡 ①암석. 바위. ②암초(暗礁). ③위험물. 장애물. ④럭비에서, 스크럼의 둘째 줄. ⑤↗온 더 록.

록² 〔미 rock〕 몡 〖악〗 ↗로큰롤.

록³ 【ROK】 몡 〔The Republic of Korea의 약칭〕 대한 민국. 아르 오 케이. ¶ ~ 아미(army).

록 조 〈옛〉 로부터. ¶ 일록 후에 다시 서르 보면(今後再斯見時)《老乞 下 66》.

-록 【錄】 미 어면 명사 밑에 붙어서 '기록'의 뜻을 나타내는 접미어. ¶ 비망~/속기~.

록 가:든 〔rock garden〕 몡 바위와 암생(岩生) 식물로 만든 정원(庭園).

록 그룹 〔미 rock group〕 몡 로큰롤 음악을 연주하기 위하여 편성한 그룹 사운드.

록 비:트 〔미 rock beat〕 몡 〖악〗 로큰롤 음악의 주조(主調)를 이루는 비트. 주로, 에이트 비트임.

록 세:대 【一世代】〔미 rock〕 몡 1960년대 초부터 크게 유행한 로큰롤 음악의 기호(嗜好)로 특징지어지는, 유럽·미국의 젊은이 세대. 마약·사랑·장발(長髮)·자유·평화 등이 그들의 공통된 행동 윤리로 깔려 있음.

록 앤드 롤: 〔미 rock and roll〕 몡 〖악〗 〔'록'·'롤' 모두 뒤흔들다의 뜻〕 '로큰롤'의 정식 명칭.

록웰 경도계 【一硬度計】〔Rockwell〕 몡 〖기〗 공작 재료의 경도를 측정하는 기구. 시험 재료 위에 강철구(球) 또는 다이아몬드(diamond) 송곳을 수압기(水壓機)로 눌러서 박아, 이에서 생긴 구멍의 깊이를 게이지(gauge)로 재서 경도를 구함.

록웰 인터내셔널 회:사 【一會社】 몡 〔Rockwell International Corp.〕 미국의 자동차 및 항공기용 부품 생산 회사. 자동차용 액셀러레이터·브레이크·변속기 따위와 항공기용 항행 시스템·조종 장치·자동 파일럿 시스템·미사일 유도(誘導) 시스템 따위를 생산함. 본사는 피츠버그에 있음. 1928 년에 설립됨.

록-클라이밍 〔rock-climbing〕 몡 등산에서, 바위를 기어 오르는 일. 암벽 등반. ㊟클라이밍. ——하다 자여불

록 파이버 〔rock fiber〕 몡 화산암(火山岩)으로 만든 섬유. 석면(石綿)의 대용품으로 사용함.

록 페스티벌 〔미 rock festival〕 몡 대대적인 록 음악의 연주 집회(集會).

록펠러 〔Rockefeller〕 몡 〖사람〗 ①〔John Davidson R.〕 미국의 자본가. 농산물 도매업으로 상업을 시작, 1870년 스탠더드(Standard) 석유 회사를 창립하여 치부(致富)함. 또, 시카고(Chicago) 대학을 건립, 록펠러 재단을 일으켜 자선 사업에도 출자하였음. [1839-1937] ②〔John Davidson R. Jr.〕 미국의 자선 사업가. ❶의 아들. 부친의 사업에 협력하여, 록펠러 센터(Rockefeller Center)를 함께 설립하였음. [1874-1960] ③〔Nelson Aldrich R.〕 미국의 정치가. ❶의 손자. 1938년 록펠러 센터 이사장을 역임. 이후 정계에도 나서 뉴욕 주지사(州知事)·부통령을 지냄. [1908-79]

록펠러 센터 〔Rockefeller Center〕 몡 뉴욕시의 중심가에 1931-39년에 걸쳐 건설된 고층 건물군(建物群)의 총칭. 기능적인 높이·채광(採光)·왕래의 편리 등의 면으로 사무소 건축의 전형이 되었음. 라디오 시티(Radio City).

록펠러 재단 【一財團】〔Rockefeller Foundation〕 몡 1913년에 록펠러 1세가 설립한 재단. 기금 182,814,000 달러로 시작, 세계 인류의 복지(福祉) 향상을 목적으로 여러 가지 문화 사업을 원조함.

록펠러 재벌 【一財閥】〔Rockefeller〕 몡 석유업(石油業)으로부터 일어난 미국의 대재벌. 모건 재벌과 함께 미국의 경제계를 이분(二分)함. 미국내의 석유업과 은행을 통하여 다른 산업도 지배하고, 록펠러 재단을 창설하여 광범한 사회 사업을 행하고 있음.

록필 댐 〔rock-fill dam〕 몡 댐의 구축(構築) 형식의 하나. 큰 암석(岩石)을 쌓아올리고 흙을 발라 물을 막음. 상류면(上流面)에 콘크리트를 바르거나 댐 속에 점토벽(粘土壁)을 쌓아 보강(補強)함.

록히:드 〔Lockheed〕 몡 미국의 항공기 제작 회사. 또, 그 개발·제작에 의한 항공기의 이름. 회사는 1932년 설립되어 제2차 대전 이전부터 군용기 분야에서 성장, 대전 후에는 군용·민간의 거의 전(全)분야에 걸친 기종(機種)을 개발·제작하며 로켓·미사일도 생산하고 있음.

론:¹ 〔lawn〕 몡 잔디. 잔디밭.

론:² 〔lawn〕 몡 얇은 평직(平織)의 무명 천. 본디 프랑스산(產)의 린네르를 가리킴.

론:³ 〔loan〕 몡 차관(借款). 대부(貸付). 대부금.

론⁴ 조 ↗로는. ¶ 국민 학교 아이~ 어려운 문제다. *으론.

-론 【論】 미 ①어떤 명사 밑에 붙어 그것에 관하여 논술(論述)한 것임을 나타내는 접미어. ¶ 작가~/대학~. ②어떤 명사 밑에 붙어서 주장·의견·이론의 뜻을 나타내는 접미어. ¶ 감각~/유물~.

론: 강 【一江】〔Rhône〕 몡 〖지〗 프랑스 남동부의 강. 알프스의 론 빙하(Rhône 氷河)에서 발원하여 프랑스의 동남부를 거쳐 지중해의 리옹만(Lyon 灣)으로 들어감. 1920년 이래 수운(水運) 개발이 활발하고, 상류부(上流部)에서는 수력 발전이 성함. [810 km]

론: 거:래 【一去來】〔loan〕 몡 〖경〗 머니 론(money loan)과 스톡 론(stock loan)에 의한 주식(株式)의 거래 방식. ↔신용 거래.

론-놀 〔Lón Nol〕 몡 〖사람〗 캄보디아의 군인·정치가. 1970 년 쿠데타를 일으켜 우익 정권을 수립하고 1972 년 대통령에 취임. 좌익과 내전을 계속하였으나 1975 년 1 월 1 일의 전기 공세로 그 해 4 월 1 일 국외로 망명함. [1913-85]

론다다 〔rondada〕 몡 〖기상〗 북서쪽에서 북쪽·동쪽·남쪽·서쪽 등등으로 날마다 변화하는 스페인의 바람.

론도 〔이 rondo〕 몡 〖악〗 ①프랑스에서 일어난 2 박자 계통의 경쾌한 무곡. 합창과 독창이 서로 번갈아 섞이어 구성됨. ②주제가 최소한 세 번 반복되는 동안에 딴 가락을 가진 두 개의 부주제(副主題)가 사이사이에 삽입되는 형식의 기악곡(器樂曲). 회선곡(回旋曲).

론도 소나타 형식 【一形式】 몡 〔rondo sonata form〕 〖악〗 론도 형식이 발달된 것으로, 론도 형식과 소나타 형식이 결합된 형식. 세 부분으로 이루어지며 제1·제3부에서 각각 제1 주제·제2 주제가 반복되고 제2부에 에피소드가 하나 삽입되는 형식. 모차르트와 베토벤 이후의 론도는 대개 이 형식임.

론도 형식 【一形式】 몡 〔rondo form〕 〖악〗 무곡 또는 기악곡의 론도에 사용된 음악 형식. 제1 주제(主題)가 적어도 세 번 반복되는 사이에 서로 다른 두 개의 에피소드가 삽입되는 형식.

론:드리 〔laundry〕 몡 세탁소.

론디 조 〈옛〉 론지. 로인지. ¶ 오직 이 ᄒᆞᆫ 實相智론디(但是一實相智)《圓覺 上 一之 二 18》.

론: 모어 〔lawn mower〕 몡 잔디를 깎는 기계.

론슨 〔Ronson〕 몡 미국 뉴저지에 본사를 둔 라이터 회사. 또, 그 제품명.

론: 스키: 〔lawn ski〕 몡 눈 대신 잔디로 된 슬로프(slope)에서 타는 스키.

론치 〔launch〕 몡 ①군함 같은 데에 실려 있는 대형 보트. ②작은 증기선. 기정(汽艇).

론: 코:트 〔lawn court〕 몡 잔디가 깔린 테니스 코트.

론: 테니스 〔lawn tennis〕 몡 '테니스'의 정식 명칭.

론 풀랑 회:사 【一會社】〔프 Rhône-Poulenc〕 몡 프랑스 최대의 화학 공업 회사. 석유 화학 제품·무기 화학 제품을 중심으로 의약품·화학 섬유·필름 따위를 생산함.

롤: 〔roll〕 몡 ①감는 일이나 감아서 만드는 일. 또, 그 감은 것. ②롤러(roller)❶. ③롤링❷❸.

롤:-기 【一機】〔roll〕 몡 〖기〗 ①롤을 사용하여 금속 재료를 필요한 형태로 가공하는 소성(塑性) 가공 기계. 교정(矯正) 롤·벤딩 롤러 머신(bending roller machine)·베어링 머신(bearing machine)의 세 종류가 있음. ②롤러 밀(roller mill).

롤:드 캐비지 〔rolled cabbage〕 몡 양배추를 데쳐서 말거나 또는 그 속에 소를 넣어서 말아 수프에 넣어 익힌 음식. 롤 캐비지.

롤라다 짜 〈옛〉 놀라다. ¶ 도ᄌᆞ기 뵈야호로 롤라ᄒᆞ더니(盜方驚駭)《飜小 Ⅸ:66》/롤랄 경(驚)《類合 下 11》.

롤라이-플렉스 〔Rolleiflex〕 몡 1929 년 독일의 프랑케 하이데케 회사에서 발매한 이안(二眼) 리플렉스 카메라.

롤랑 〔Rolland, Romain〕 몡 〖사람〗 프랑스의 작가·사상가. 현대 프랑스의 가장 열렬한 이상주의자(理想主義者)이자 행동적인 평화주의자로서, 반전(反戰)·반파시스트 운동의 제일선에서 활약하였음. 일련의 위인 전기(傳記)를 발표한 후 프랑스적 사회 의식과 독일 음악적 정신의 종합인 《장 크리스토프(Jean Christophe)》로 1915년 노벨 문학상을 받았음. 그 밖에 《매혹된 혼(魂)》·《사랑과 죽음의 장난》 등의 걸작을 남김. [1866-1944]

롤랑의 노래 몡 [—/—에—] 〔프 Chanson de Rolland〕 〖문〗 중세 프랑스 최고(最古)의 무훈시(武勳詩). 작자 미상. 11세기말부터 12세기초

에 이루어졌음. 회교도 토벌을 위해 스페인에 원정한 샤를마뉴 대제(Charlemagne大帝)의 충신 롤랑이 아군의 배반으로 적군의 기습을 받아 용감히 싸우다 비장(悲壯)한 전사를 한다는 줄거리임.

롤래다 타 〈옛〉 놀래다. ¶ 모로매 白鷺롤 롤래디 마라(莫須驚白鷺)《重杜諺 XV:26》.

롤:러 〔roller〕 명 ①회전시켜서 쓰는 원통형의 물건. 금속 등의 압연(壓延), 정지용(整地用)의 굴림대, 인쇄할 때 잉크칠을 하는 굴림대 등 용도가 많음. 롤. ②롤러 카나리아.

롤:러 날염 【一捺染】〔roller printing〕 명 《미술》 평면 구성의 한 기법. 종이 위에 실물을 놓고 롤러로 민 다음, 실물을 떼내어 무늬를 만듦.

롤:러 밀 〔roller mill〕 명 《기》 여러 개의 속도를 달리하는 일련의 평평한 수평 롤을 조립하고, 그 사이의 전단력(剪斷力)을 이용하여 재료의 분쇄·혼합·착유(搾油) 등을 하는 기계. 롤기(roll機).

롤:러 베어링 〔roller bearing〕 명 《기》 회전축(回轉軸)과 축받이 사이에 몇 개의 롤러를 끼워 마찰을 적게하기 위한 베어링. ↔볼 베어링(ball bearing).

롤:러 블레이드 〔roller blade〕 명 롤러가 일직선으로 박혀 있는 롤러 스케이트. 종전의 것에 비하여 회전이 쉽고 속도가 빠름.

〈롤러 스케이트〉

롤:러 스케이트 〔roller skate〕 명 바닥에 작은 바퀴 네 개가 달린 스케이트. 또, 그것을 신고 하는 활주(滑走). 흔히, 마룻 바닥이나 콘크리트 바닥에서 탐.

롤:러 스케이팅 〔roller skating〕 명 롤러 스케이트를 신고 마룻 바닥이나 콘크리트 바닥 위에서 지치는 일.

롤:러 체 명 〔roller screen〕 《기》 제분용 체의 한 가지. 제분기 따위에서 둥글게 돌며 체와 같은 구실을 함. 롤러 스크린.

롤:러 카나리아 〔roller canaria〕 명 《조》 카나리아의 한 품종. 울음 소리를 감상하기 위하여 독일을 중심으로 개량된 것임. 롤러.

롤:러 코:스터 〔roller coaster〕 명 경사진 레일의 미끄럼대에 차대(車臺)를 끌어 올렸다가 급속도로 미끌어져 내려가게 하는 오락 장치.

롤:런드 〔Rowland, Henry Augustus〕 명 《사람》 미국의 물리학자. 존스 홉킨스 대학 교수. 1878년 운동하는 하전 입자(荷電粒子)의 주위에 자기장(磁氣場)이 발생하는 사실을 실증하였고, 1883년 회절(回折) 발을 고안하여 태양 스펙트럼을 상세히 관측함으로써 천체 분광학(天體分光學)의 발전에 기여하였음. [1848-1901]

롤렉스 〔Rolex〕 명 스위스 제네바에 있는 시계 회사. 또, 그 회사가 만든 시계 이름. 성능·품격에 있어 세계 최고급품의 하나임.

롤로 〔Rollo〕 명 《사람》 노르망디(Normandie) 공국의 건설자. 노르만인(人)의 한 부족장(部族長)으로 고국 노르웨이로부터 북(北)프랑스로 이동하여, 911년 서(西)프랑크 왕국의 샤를(Charles) 3세로부터 노르망디를 봉토(封土)로 받았음. [860?-933]

롤로 문자 【一文字】〔Lolo〕〔一짜〕 명 《언》 이족(彝族)이 쓰던 이어(彝語)를 표기하는 음절(音節) 문자. 1자 1음절을 나타냄. 옛날에는 표의(表意) 문자였던 듯, 같은 음이 다른 문자로 쓰이어 3천 이상의 문자가 있었으나 복합어의 발생에 따라 단순히 각 요소의 음만을 나타내게 되었음. *롤로족(Lolo族).

롤로브리지다 〔Lollobrigida, Gina〕 명 《사람》 이탈리아의 여우(女優). 남국적인 요염(妖艶)한 미모와 육체적 매력으로 국제적인 인기를 모으고, 이탈리아 은리본상(銀ribbon賞)을 획득하였음. 출연작으로는 《외인 부대》·《노트르담의 꼽추》 등이 있음. [1927-]

롤로-족 【一族】〔Lolo〕 명 이족(彝族). 롤로는 예전에 이족을 '盧鹿·羅羅' 따위로 이름한 데서 온 말.

롤:리[1] 〔Raleigh〕 명 《지》 미국 노스캐롤라이나 주 중앙의 공업 도시로 주도(州都). 폭포선 도시(瀑布線都市)의 하나이기도 함. 면화·목재의 가공·거래가 행하여짐. [188,310 명(1988)]

롤:리[2] 〔Raleigh, Walter〕 명 《사람》 영국의 탐험가(探險家)·군인. 엘리자베스 1세의 총애를 받아, 1584년 북미(北美)에 식민지 건설을 꾀하였으나 실패하였음. 제임스 1세 즉위 후, 음모죄로 런던탑에 유폐되어 옥중에서 《세계사》 등을 집필하였음. 1617년 다시 북미에 건너갔으나 귀국 후 처형되었음. [1552?-1618]

롤리[3] 〔Raleigh, Walter Alexander〕 명 《사람》 영국의 문학가. 옥스퍼드 대학 교수를 지냄. 그가 지은 《공중전(空中戰)》은 영국 공군 전사(空軍戰史)로서는 최초의 것임. 평론가로서도 뛰어남. [1861-1922]

롤리타 콤플렉스 〔Lolita complex〕 명 소녀에게만 성욕을 느끼는 이상 심리. 미국의 작가 나보코프(Navokov, V.V.)의 1955년작 소설 《롤리타》의 주인공 이름에서 유래함.

롤:린슨 〔Rawlinson, Henry Creswicke〕 명 《사람》 영국의 아시리아 학자·외교관. 1835-47년 베히스툰(Behistun)의 비문을 연구하여 이를 해독(解讀), 아시리아학(學)의 기초를 닦음. 그 후 동(東)인도 회사의 중역, 페르시아 대사 등을 역임하였음. 주저(主著)에 《베히스툰의 페르시아 쐐기 문자》 등이 있음. [1810-95]

롤:링 〔rolling〕 명 ①회전하는 일. ②배나 비행기가 진행 방향에 대하여 좌우로 흔들리는 일. 옆질. 롤. *피칭(pitching). ③바다의 놀. ④수영에서, 경영(競泳)중에 몸이 좌우로 움직이는 일. ⑤《기》 회전하는 롤 사이에 금속 소재(素材)를 넣어 압연(壓延)하는 일. ——하다 자여불

롤:링 밀 〔rolling mill〕 명 회전하는 롤 사이에 금속의 소재(素材)를 통과시켜 판상(板狀)이나 레일 모양으로 압연(壓延)하는 기계. 압연기.

롤:링 방식 【一方式】〔rolling〕 명 《경》 중·장기(中長期)의 경제·재정 계획에 있어서, 계획 기간은 같은 햇수를 유지하되, 당해(當該) 연도를 계획의 실시 초년도(初年度)로 잡고, 과년도(過年度)와 대비(對比), 연도마다 계획에 수정을 가해 나가는 방식.

롤:링 오펜스 〔rolling offence〕 명 농구에서, 상대방의 방어선 앞을 몇 사람의 경기자가 재빠르게 얼찡거려 상대방을 혼란하게 만들면서 공격하여 들어가는 전법.

롤: 반:지 【一半紙】〔roll〕 명 한쪽 면만 윤이 나는, 질이 거친 인쇄 용지.

롤:백 정책 【一政策】 명 〔Roll-Back policy〕 《정》 상대자를 방어하는 입장에서 벗어나 적극적인 공세로써 상대자의 힘을 돌려 치는 정책. 미국의 페어 딜(Fair Deal) 정책에 뒤이어 채택된 아이젠하워(Eisenhower) 행정부의 소련에 대한 정책의 하나였음. ↔컨테인먼트 정책(Containment 政策).

롤: 분쇄기 【一粉碎機】〔roll〕 명 《기》 한 쌍의 원통형 롤을 서로 반대 방향으로 회전시키고, 그 사이에 원료를 넣어 분쇄하는 장치. 암석류(類)에서 곡물(穀物)·점토(粘土)에 이르기까지 용도가 많음. 크러싱 롤(crushing roll).

롤: 빵 〔roll+포 pão〕 명 둥글게 말아 구운 빵.

롤:스 〔Rawls, John〕 명 《사람》 미국의 철학자. 매사추세츠 공과 대학·하버드 대학 교수를 지냄. 현대의 정의(正義)를 기본적 자유와 기회 평등의 견지에서 설명한 《정의론(正義論)》은 유명함. [1921-]

롤:스로이스 회:사 【一會社】〔Rolls-Royce〕 명 영국의 자동차·항공기 제조 기업체. 최고급 승용차의 제조 및 세계 제1급의 우수한 제트 엔진의 생산으로 유명함. 1906년 설립.

롤애 명 〈옛〉 노래. ¶ 롤애 요(謠)《類合 下 23》.

롤: 오:버 〔roll over〕 명 높이뛰기에서, 바의 위에서 몸을 옆으로 눕고 굴리면서 뛰어 넘는 방법.

롤: 용접 【一鎔接】 명 〔roll welding〕 《야금》 접합시킬 금속을 노(爐)로 가열한 후 롤로 가압(加壓)하여 단접(鍛接)하는 방법.

롤:-운 【一雲】〔roll〕 명 《기상》 회전 기류(回轉氣流)로 생기는 권운(卷雲).

롤의 정:리 【一定理】〔一니/一에一니〕 명 〔Rolle's theorem〕 《수》 〔롤(Rolle, Michel; 1652-1719)은 프랑스의 수학자〕 실함수(實函數) $f(x)$가 폐구간(閉區間) $[a, b]$에서 연속, 개구간(開區間) (a,b)의 각 점에서 $f'(x)$가 존재할 때, $f(a)=f(b)$이면 $f'(c)=0$이 되는 c가 (a, b) 안에 존재한다는 정리.

롤: 인 〔roll-in〕 명 ①하키에서, 공이 사이드 라인 밖으로 나갔을 때에 심판의 신호로 공을 굴려 들여 다시 경기를 하는 일. ②럭비에서, 스크럼을 짠 후 그 사이에 공을 굴려 넣는 일. ——하다 타여불

롤: 인쇄기 【一印刷機】〔roll〕 명 《인쇄》 활판 인쇄기의 하나. 반반한 판면(版面)을 롤러로 눌러서 인쇄하는 방식의 기계.

롤: 칼라 〔roll collar〕 명 목을 따라 되집어 꺾여 있는 옷깃의 총칭. 그 높이에 따라 하이 롤 칼라·하프 롤 칼라 등으로 불림. ↔플랫 칼라(flat collar).

롤:콜: 방식 【一方式】〔roll-call〕 명 유엔에서의 투표 방식의 하나. 추첨으로 정하여진 나라부터 알파벳순으로 호명(呼名)하면 각국 대표들이 가부(可否) 또는 기권의 의사 표시를 함.

롤: 크러셔 〔roll crusher〕 명 《기》 쇄석기(碎石機)의 하나. 두 개의 롤러를 서로 맞물리게 회전시키면서 광석 등을 압착 분쇄함.

롤:-플레잉 〔role-playing〕 명 《심》 개인 및 집단의 사회적 적응(適應)을 높이기 위한 치료 및 훈련의 한 방법. 사람의 일상 생활에 있어서의 여러 역할을 모의적(模擬的)으로 실연(實演)하고 이를 평가하여 개량함. 심리극(心理劇)·사회극(社會劇)은 이의 일종임. 모의 연습(模擬演習).

롤: 필름 〔roll film〕 명 스풀(spool)에 만 긴 필름.

롬:[1] 〔loam〕 명 ①《지》 점토(粘土)에 석영(石英)·운모(雲母)의 가루나 수산화철(水酸化鐵) 등이 섞이어 황갈색으로 보이는 토양(土壤). 건조하면 부서지기 쉬움. ②거푸집을 만들 때 사용하는 흙의 하나. 모래와 점토(粘土)의 혼합물임.

롬[2] 〔ROM〕 명 〔read only memory〕 《컴퓨터》 읽기 전용 기억 장치. 한 번 데이터를 기록하면 다시는 그 내용을 바꿀 수 없고 읽을 수만 있음. 이에는 제조시에 미리 내용을 기록하는 마스크 롬, 이용자가 롬 라이터를 써서 필요한 내용을 써 넣을 수 있는 피롬(PROM), 강한 자외선이나 전기로 내용을 지운 후 몇 번이나 새로 쓸 수 있는 이피롬(EPROM) 등의 종류가 있음. 읽기 전용 기억 장치. *마스크 롬. 피롬. 이피롬.

-롬 미 〈옛〉 -라는 것. -임. ¶ 세히 業이 ᄒᆞᆫ가지로몬 因ᄒᆞᆫ씨(三者業同)《楞嚴 Ⅳ:25》.

롬니 마:시 〔Romney Marsh〕 명 《동》 면양(緬羊)의 품종의 하나. 영국 남동부 켄트(Kent) 지방 원산으로 켄트종이라고도 함. 긴 털을 가진 육용(肉用) 품종임. 몸무게 60-110 kg이고 뿔이 없으며, 특히 허벅다리가 발달함. 몸 전체가 긴 털로 덮여 있으며 습기와 불량한 환경에 대한 저항력이 강하고, 육질(肉質)이 좋음. 영국·오스트레일리아 등지에서 많이 기름.

롬바:드 가 【一街】 명 〔Lombard Street〕 《지》 런던의 시티(City)에 있는 거리. 또, 그 주변 시가의 이름. 중세(中世)에 롬바르디아 출신의 은행가가 이 곳에서 은행업을 시작했음. 은행·증권 거래소 등이 즐비하고, 영국이 국제적으로 우위에 있을 때는 세계 금융의 중심지였음. *월가(Wall街).

롬바:드 레이트 〔Lombard rate〕 명 보통, 유통 증권을 담보로 대부한 돈의 이자율.

롬바르드 왕국 【一王國】〔Lombard〕 명 《역》 랑고바르드 왕국(Langobard 王國).

롬바르드-족 【一族】 명 〔Lombards〕 《역》 랑고바르드족(Langobard 族).

롬바르디아 〔Lombardia〕 명 《지》 이탈리아 북단(北端)의 주(州). 북부는 알프스 산지, 남부는 포 강(Po江) 북안에 펼쳐지는 비옥한 평야로 이루어져 농업이 행하여짐. 또, 주도(州都) 밀라노(Milano)를 중심으로 각종 공업이 발달하고 수력 발전도 성함. 6세기에 이탈리아의 태반

을 지배한 랑고바르드 왕국(Langobard王國)의 중심이었음. 스페인·오스트리아·프랑스령(領)을 거쳐서 1859년에 이탈리아령이 되었음. 롬버디(Lombardy). [23,832 km²: 8,899,000 명(1985)]

롬바르디아 동맹【―同盟】〔Lombardia〕 명 『역』 신성 로마 황제 프리드리히 1세의 제권 신장(帝權伸張)에 대항하여 북(北)이탈리아 롬바르디아 지방의 여러 도시가 1167년에 결성한 동맹. 1183년 콘스탄츠(Konstanz)의 화의(和議)로 황제의 형식적인 종주권을 인정하는 대신 여러 도시의 자치권을 회복함. 전성기의 참가 도시는 약 30.

롬바르디아 화:파【―畫派】〔Lombardia〕 명 『미술』 롬바르디아 지방에서 일어난 지방 화파. 만토바(Mantova)·모데나(Modena)·크레모나(Cremona) 및 밀라노(Milano) 화파 등을 종합한 명칭임. 15-16세기에 걸쳐 가장 성하였음.

롬버:디〔Lombardy〕 명 『지』 '롬바르디아(Lombardia)'의 영어 이름.

롬베르크 증후【―症候】 명 〔Romberg's sign〕 『의』 〔롬베르크(Romberg, Moritz Heinrich ; 1795-1873)는 독일 의사〕 두 발을 딱 붙이고 곧추서서 두 눈을 감았을 때, 머리와 상반신이 몹시 흔들리는 증후. 심한 것은 척수병으로 인한 운동 실조의 증상임.

롬복 섬〔Lombok〕 명 『지』 인도네시아의 중부 소순다(小Sunda) 열도의 한 섬. 북부에 린자니 산(Rindjani山)이 솟아 있고 그 남쪽 기슭에는 넓은 사바나(savanna)가 펼쳐져 있음. 목축이 성하고 쌀·커피를 산출함. 주도는 서부의 마타람(Mataram). [4,727 km²: 1,957,128 명(1980)]

롬복 해:협【―海峽】〔Lombok〕 명 『지』 인도네시아 소(小)순다 열도 중의 발리(Bali) 섬과 롬복 섬 사이에 있는 해협. 아시아 주와 오스트레일리아 주와의 생물의 경계선을 이루는 월리스 선(Wallace線)이 통과함.

롬브로소〔Lombroso, Cesare〕 명 『사람』 이탈리아의 범죄학자(犯罪學者). 저서 《범죄인》에서 범죄의 유전적 요인을 강조, 또한 《천재론》은 간질(癎疾)과의 관계를 밝힌 데서 유명하며, 범죄 인류학을 창시(創始)하였음. [1836-1909]

롬퍼 룸:〔romper room〕 명 아이들의 놀이 방.

롬퍼스〔rompers〕 명 저고리와 블루머(bloomer)와를 이어 붙인 모양의 어린이 옷의 하나. 서너살 먹은 아이들의 놀이옷으로 쓰임.

〈롬퍼스〉

-롭- 미 받침 없는 명사나 어간(語幹) 밑에 붙어서 '그러하다' '그럴 만하다'의 뜻으로 형용사를 만드는 말. ¶ 향기~다 / 새~다 / 해~다 / 다채~다. ＊-스럽-.

-롭다 미 ㅂ불 접미사 '-롭-'과 어미(語尾)를 이루는 접미사 '-다'가 합친 말. ＊-스럽다.

롯 조 〈옛〉 로부터. ¶ 虛無自然ᄒᆞᆫ 큰 道理ᄂᆞᆫ 하ᄂᆞᆯ롯 몬져 나니《月釋 Ⅱ: 70》.

-롯다 어미 〈옛〉 -는구나. =-놋다. ¶ 歲時ㅣ 三伏과 臘日애 ᄆᆞᄋᆞᆯ 한아비 ᄃᆞᆯ히 ᄃᆞ니롯다(歲時伏臘走村翁)《初杜諺 Ⅵ:32》.

-롯더라 어미 〈옛〉 -더라. -었더라. ¶ ᄯᅩ 達達人家로셔 도망ᄒᆞ야 나온 이롯더라(却是達達人家走出來的)《老乞 上 45》.

롱[1]〔long〕 명 ①길. 장거리. 장기간. ②탁구에서, 독특한 기술의 하나. 탁구대로부터 떨어져 서서 길게 치는 법. ↔쇼트.

롱[2]〔Long, Marguerite〕 명 『사람』 프랑스의 여류 피아니스트. 티보(Thibaud)와 함께 롱티보 콩쿠르를 창설. 1906-40년 모교인 파리 음악원 교수로서 많은 명수(名手)를 양성하였음. [1878-1966]

롱게트〔프 longuette〕 명 〔길다는 뜻〕 1970년경부터 유행한, 장딴지 또는 복사뼈까지 닿는 스커트·드레스·코트 따위의 길이.

롱기〔Longhi, Pietro〕 명 『사람』 이탈리아의 화가. 본명은 Pietro Falca. 풍속화를 즐겨 그렸고 베네치아 시민의 생활, 특히 귀부인을 중심으로 한 쾌락 생활을 아름답게 그려 18세기 베네치아의 로코코 회화를 대표함. 대표작 《댄스 교사》·《여자 예언자》 등. [1702-85]

롱기누스〔Longinus, Dionysius Cassius〕 명 『사람』 고대 그리스 말기의 아테네의 문헌 학자(文獻學者)·수사학자(修辭學者). 그리스 고전 문학의 비평서 《숭고한 문체(文體)에 대하여》의 저자(著者)로 오전(誤傳)되었음. [217-273?]

롱도〔프 rondeau〕 명 ①『악』 '론도(rondo)'의 프랑스 이름. ②『문』 프랑스의 시체(詩體)의 하나. 두 개의 운(韻)으로 10행 또는 13행으로 이루어지며 첫 말이 두 번 첩구(疊句)로서 사용됨.

롱 런〔long run〕 명 『연』 연극이나 영화의 장기 흥행.

롱런 시스템〔long-run system〕 명 『연』 흥행 일수를 미리 정하지 아니하고 관객의 다과에 따라 기간을 신축 상연하는 제도. 흔히 프로듀서 시스템과 결부하는 흥행 방식. 장기 흥행제. ＊레퍼토리 시스템.

롱 레일〔long rail〕 명 한 개의 길이가 200 m 이상 되는 긴 레일. 20 m에서 25 m까지의 표준 길이의 레일을 용접하여 만들며, 길이 2,000 m에 이르는 것도 있음. 장대(長大) 레일.

롱 부:츠〔long boots〕 명 무릎 높이의 긴 부츠. ＊앵클 부츠·하프 부츠.

롱북 빙하【―氷河】〔Rongbuk〕 명 『지』 히말라야 산맥 중부, 에베레스트 산(山)의 북쪽 사면(斜面)의 빙하. 남북으로 길이가 약 15 km인데, 동·서 롱북 빙하로 갈라짐.

롱-비:치〔Long Beach〕 명 『지』 ①미국 캘리포니아 주 남서부 샌피드로 만(San Pedro灣) 연안에 있는 항구 도시. 로스앤젤레스의 남방에 위치하는 관광·휴양(休養) 도시이며, 14 km에 이르는 긴 해변은 해수욕장으로 유명하고, 호텔·별장이 많음. 정유(精油)·항공기·조선 등의 공업이 성함. 동부(東部)에 해군 기지가 있음. [413,670 명(1988)]. ②미국 롱아일랜드 섬 남안(南岸)의 오락지(娛樂地).

롱사르〔Ronsard, Pierre de〕 명 『사람』 프랑스의 궁정(宮廷) 시인. 르네상스기의 대표적인 문인으로, 그리스·라틴의 고전 이입(移入)에 노력하는 한편, 국어 옹호 운동에 힘씀. 작품 《연애 시집》·《엘레네의 소네트(Sonnets pour Hélène)》 등으로 프랑스의 근대 서정시의 아버지로 일컬어짐. [1524-85]

롱샹〔Longchamp〕 명 『지』 파리의 불로뉴 숲 근처에 있는 경마장. 파리의 모든 유행이 몰려들어 여성 패션의 경시장(競示場)으로서 유명함.

롱 셀러〔long seller〕 명 상품이 인기를 얻어 장기(長期)에 걸쳐 계속 팔리는 일. 또, 그 상품. 보통, 책이나 레코드에 대하여 이름.

롱 숏〔long shot〕 명 영화 등에서, 카메라가 멀리 떨어져서 넓은 장면을 촬영하는 일. 원사(遠寫). ↔클로즈업. ――-하다 타 여불

롱 슛〔long shoot〕 명 ①축구에서, 멀리서 골(goal)을 향하여 공을 차는 일. ②농구에서, 먼 거리에서 바스켓을 향하여 공을 슛하는 일. ――-하다 자 타 여불

롱스 산【―山】〔Longs Peak〕 명 『지』 미국의 로키 산맥 중 가장 동쪽에 있는 프런트 산맥(Front山脈) 중의 한 봉우리. 미국 제14위의 산임. 로키 산악 국립 공원을 이루고 있음. 롱스 피크. [4,350 m]

롱 스윙〔long swing〕 명 야구에서, 장타주의(長打主義). 배트를 길게 쥐고 장타를 노리는 타법(打法).

롱 스커:트〔long skirt〕 명 기장이 긴 스커트. ↔쇼트 스커트.

롱 스트라이드〔long stride〕 명 ①육상 경기에서, 긴 보폭(步幅)의 주법(走法). 800-1,500 미터의 주법에 적합함. ②스피드 스케이팅에서, 한 번 지쳐서 활주(滑走)하는 거리가 길음을 이름.

롱스-피:크〔Longs Peak〕 명 롱스 산.

롱아일랜드 섬〔Long Island〕 명 『지』 미국 뉴욕 주(州)에 속하는 대서양 연안의 섬. 동서로 가늘게 뻗어 길이 약 190 km, 폭 19-37 km. 북부는 롱아일랜드 만(灣)을 건너 본토와 마주 대함. 서부는 뉴욕 시(市)의 브루클린 구(Brooklyn區)와 퀸스 구(Queens區)를 이루며 교외 주택지로 발전함. 남안(南岸)에 코니아일랜드(Coney Island), 롱비치(Long Beach) 등의 오락지가 있음. [4,356 km²: 6,721,515 명(1980)]

롱 앤드 쇼:트 스티치〔long and short stitch〕 명 프랑스 자수에서, 길고 짧게 땀을 연속해 뜨는 수(繡)의 한 가지. 실의 빛깔을 변화 있게 하여, 꽃잎이나 선을 두를 때 등에 쓰임.

롱-어【―語】〔Rong〕 명 『언』 렙차어(Lepcha語).

롱 이브닝 탱크〔long evening tank〕 명 길이가 웨스트의 아래까지 내려오는, 반짝이는 저지로 만든 탱크톱(tank-top).

롱-클로스〔longcloth〕 명 가는 무명실로써 매우 촘촘하게 평직(平織)으로 짠 무명 직물.

롱 토르소〔long torso〕 명 〔'토르소'는, 사람의 몸통이라는 뜻〕 보통의 웨스트 위치보다 아래에 벨트 등의 포인트를 두고 몸통의 선(線)의 아름다움을 나타낸 것.

롱 톤〔long ton〕 의명 영국톤(英國ton). 1롱 톤은 2,240 파운드. 그로스 톤(gross ton). 기호는 lt. ↔쇼트 톤(short ton).

롱티보 콩쿠르〔프 Long-Thibaud Concours〕 명 『악』 1943 년부터 프랑스 파리에서 2년에 한 번씩 열리는 피아노와 바이올린의 콩쿠르. 프랑스의 여류 피아니스트 롱과 바이올리니스트 티보가 창설함.

롱 패스〔long pass〕 명 축구·농구·핸드 볼 등에서, 공을 길게 차거나 던져서 하는 패스.

롱펠로〔Longfellow, Henry Wadsworth〕 명 『사람』 미국의 시인. 처녀 시집 《밤의 소리》로 명성을 얻었는데, 시적인 깊이는 의문이나, 단순하고 교훈적(教訓的)인 점에서 널리 읽히었음. 그 밖에 운율의 새로운 시도로 평가되는 대표작 《에반젤린(Evangeline)》은 특히 유명하며, 유럽의 민요를 소개하는 등 많은 작품을 발표함. [1807-82]

롱 프리머〔long primer〕 명 『인쇄』 10 포인트 활자.

롱-플레잉〔long-playing〕 명 ↗롱플레잉 레코드.

롱플레잉 레코:드〔long-playing record〕 명 엘피반(LP盤). ㊀롱플레잉.

롱-헤어〔longhair〕 명 긴 머리. 장발.

롱-홀:〔long hole〕 명 골프에서, 기준 타수가 5타인 홀. 보통 430 m 이상의 홀.

롱 히트〔long hit〕 명 야구에서, 이루타(二壘打)·삼루타(三壘打)·본루타(本壘打)의 총칭. 장타(長打).

롱ᄉ 명 〈옛〉 용수. =롱ᄉ. ¶ 롱ᄉ 추(篘)《字會 中 12》.

-롸 어미 〈옛〉 -노라. ¶ 내 高麗 王京으로셔브터 오롸(我從高麗王京來)《老乞 上 1》. ＊-으롸.

롼저우〔灤州〕 명 『지』 중국 허베이 성(河北省) 동부에 있는 도시. 잡곡·과일의 집산지이며, 부근에 유명한 카이롼 탄전(開灤炭田)이 있음. 롼현 정청(灤縣政廳)의 소재지.

-뢰 어미 〈옛〉 '-노라'와 비슷하되 좀 더 가볍게 또는 친밀하게 서술하는 종결 어미. ¶ 날을 뭇지 말아 前身이 柱下史뢰《海謠》.

뢰메르〔Römer, Olaus〕 명 『사람』 덴마크의 천문학자. 코펜하겐 천문대장을 역임하였음. 목성(木星)의 위성(衛星)을 연구중, 그 잠식(蠶蝕)하는 간격이 계절에 따라 변동하는 사실로부터 광속도(光速度)가 유한(有限)함을 발견, 처음으로 그 수치를 매초 227,000 km로 산출하였음. 또, 자오의(子午儀)를 고안하여 많은 관측을 행하였음. [1644-1710]

뢰베〔Loewe, Johann Karl Gottfried〕 명 『사람』 독일의 작곡가. 오르간 연주가·지휘자로서 유럽 각지에서 활약하였음. 작품은 여러 가지가 있으나, 극적(劇的)인 발라드(ballade)를 중심으로 하는 368곡의 가곡(歌曲)이 중요한 몫을 차지함. [1796-1869]

뢰비[1]〔Loewi, Otto〕 명 『사람』 독일의 약학자. 신경 자극의 화학적 전달에 관한 연구를 행하여, 1936년 노벨 생리 의학상을 수상. 1940년 도미(渡美), 뉴욕 대학 교수를 지냄. [1873-1961]

뢰비² 〔Loewi, Robert Heinrich〕 [명] 〖사람〗 오스트리아 출신의 미국 인류학자(人類學者). 아메리카 인디언의 실태를 실지 답사하여 독자적인 연구를 이룩함. 저서에 《미개 사회》·《고대 사회》 등. [1883-1957]

뢰스 〔loess〕 [명] 〖광〗 황토(黃土)³❷

뢰이스달 〔Ruisdael, Jacob van〕 [명] 〖사람〗 17세기 네덜란드의 대표적인 풍경 화가. 풍경 화가로서 유명한 뢰이스달가(家)의 한 사람. 뛰어난 기교로 정서가 넘치는 안정된 풍경화를 제작하였으나 야성적인 자연의 모습도 즐겨 그렸음. 대표작 《풍차가 있는 풍경》. [1628?-82]

뢰플러 증후군【一症候群】〔Löffler〕 [명] 〖의〗 〔독일의 세균학자 뢰플러(Löffler, Friedrich, A.J.; 1852-1915)에서 유래〕 백혈구(白血球)의 일종인 호산구(好酸球)의 혈중 증가(血中增加)를 수반하는 일과성(一過性)의 폐침윤(肺浸潤).

뢴트겐¹ 〔도 Röntgen〕 ㊀ [명] 〖물〗 ①↗뢴트겐선(Röntgen線). ②↗뢴트겐 사진. ¶ ~을 찍다. ㊁[의명] 〔r-〕 〖물〗 엑스선(X線)이나 감마선(γ線)의 조사 선량(照射線量)의 단위. 표준 상태의 공기 1 cm^3 안에서 1 CGS 정전(靜電) 단위의 양(陽)·음(陰)의 이온쌍(ion雙)을 생기게 하는 조사 선량. 전하(電荷)로 나타내면 1 뢴트겐은 2.58×10^{-4} 쿨롬매킬로그램(C/kg). 기호는 R.

뢴트겐² 〔Röntgen, Wilhelm Konrad〕 [명] 〖사람〗 독일의 실험 물리학자. 1895년 크룩스관(Crookes管)으로 음극선(陰極線)을 연구 중 미지의 방사선을 발견, 이를 엑스선(X線)이라 이름지었음. 이것이 곧 뢴트겐선으로, 1901년 최초의 노벨 물리학상을 받았음. [1845-1923]

뢴트겐 검:사【一檢査】〔Röntgen〕 [명] 〖의〗 엑스선 검사.

뢴트겐-관【一管】〔Röntgen〕 [명] 〖물〗 엑스선관(X線管).

뢴트겐 단:층 촬영【一斷層撮影】〔Röntgen〕 [명] 〖의〗 엑스선(X線) 촬영 방식의 하나. 신체의 어떤 심층부(深層部)만을 촬영하는 방법. 호흡기 질환뿐이 아니고 심장병·뇌종양 등의 진단에도 사용됨.

뢴트겐 미터 〔Röntgen meter〕 [명] 〖물〗 엑스선(X線) 또는 감마선(γ線)의 조사 시간에 관계 없이, 누적 선량(累積線量)을 측정하는 계기(計器).

뢴트겐 사진【一寫眞】〔Röntgen〕 [명] 〖물〗 엑스선(X線)으로 찍은 사진. 체내 이상(異常)의 발견, 골절(骨折)·폐결핵(肺結核) 등의 진단에 사용함. [준]뢴트겐.

뢴트겐-선【一線】〔Röntgen〕 [명] 〖물〗 엑스선(X線). [준]뢴트겐.

뢴트겐 숙취【一宿醉】〔Röntgen〕 [명] 〖의〗 뢴트겐선을 과도하게 쬔 뒤에 일어나는 증상. 심한 피로감·식욕 부진·백혈구 감소 등을 나타냄.

뢴트겐 암【一癌】〔Röntgen〕 [명] 〖의〗 방사선 암.

뢴트겐 요법【一療法】〔Röntgen〕 [一뇨뻡] [명] 〖의〗 엑스선(X線)의 물질을 투과(透過)하는 성질과 병적 조직(病的組織)을 파괴하는 성질을 이용하여 병을 치료하는 방법.

뢴트겐 촬영【一撮影】〔Röntgen〕 [명] 〖물〗 엑스선(X線)을 이용하여 물체 속을 사진 찍는 일.

뢴트겐 텔레비전 〔Röntgen television〕 [명] 〖의〗 내장(內腸) 특히, 식도(食道)·위·십이지장 따위를 엑스선(X線)으로 조영(造影) 검사할 때, 그 영상을 텔레비전으로 방영하는 장치. 의사가 뢴트겐실(室) 밖에서 기계 조작하므로 의사를 뢴트겐 장애로부터 보호하는 이점이 있음.

뢴트겐 화:상【一火傷】〔Röntgen〕 [명] 〖의〗 엑스선(X線)을 과량(過量)으로 조사(照射)한 경우에 일어나는 화상. 급성과 만성의 두 가지가 있는데 머리가 빠지고 피부의 꺼풀이 벗어지며 심하면 고질의 궤양(潰瘍)을 일으키고 동통(疼痛)을 느낌.

료 [명] 〈방〉 모이(함북).

-료¹【料】 [미] 어떤 명사 밑에 붙어서 '대금·요금'의 뜻을 나타내는 접미어. ¶ 보험~/통화~/수업~.

-료²【寮】 [미] 어떤 말 밑에 붙어서 학교 같은 데의 기숙사의 명칭을 이루는 접미어.

-료³ [어미] 〈옛〉 ↗-리오. ¶ 므스거시 긴ㅎ료(打甚麽緊)《老乞 上 37》.

료화 [명] 〈옛〉 여뀌꽃. 여뀌. ¶ 료화 홍(葒俗呼水葒花. 一名 海蓮科草)《字會 上 9》.

룡병 [명] 〈옛〉 문둥병. ¶ 룡병 뢰(癩)《字會 中 33》.

룡ᄉ [명] 〈옛〉 용수. =롱ᄉ. ¶ 룡ᄉ 추(篘)《四聲》.

루¹ 〔Roux, Wilhelm〕 [명] 〖사람〗 독일의 동물학자·해부학자. 1888년 브레슬라우(Breslau)에 발생 기구 연구소(發生機構研究所)를 창립, 발생 기구학의 창시자로 알려지며 그 밖에 실험 발생(實驗發生)에 관한 연구가 있음. [1850-1924]

루² [조] 〈방〉 로(경기). ¶ 신문지~ 쌌다.

-루【樓】 [미] 어떤 명사 밑에 붙어서 '높은 건물'·'다락집'·'요리집' 등의 뜻을 이루는 접미어. ¶ 경회~/부벽~/태평~.

루가 〔Lucas〕 [명] 〖성〗 누가.

루가노 〔Lugano〕 [명] 〖지〗 스위스 남부의 도시. 루가노 호(湖) 북안(北岸)의 관광지. 담배·초콜릿·견직물을 산출함. 로마네스크식 벽화와 후기 고딕식 프레스코화(fresco畫)를 간직하고 있는 산 로렌초(San Lourenzo) 교회가 있음. 1512년에 스위스령(領). [28,084 명(1987)]

루가의 복음서【一福音書】〔Luke〕 [一/一에一] [명] 〖성〗 누가 복음.

루간다-어【一語】〔Luganda〕 [명] 〖언〗 동(東)아프리카의 빅토리아 호(湖) 북부·서북부에 분포하는 반투(Bantu) 어족(語族)에 속(屬)하는 언어. 우간다의 넓은 지역에서 공통어로서 쓰이는 외에 초·중등 교육에도 사용됨.

루간스크 〔Lugansk〕 [명] 〖지〗 '보로실로브그라드(Voroshilovgrad)'의 구명(舊名).

루강 〔鹿港〕 [명] 〖지〗 타이완 타이중저우(臺中州)에 있는 항구 도시. 장화(彰化) 서쪽 11 km에 있음. 일대 이록 삼맹(一臺二鹿三艋)이라 불리는 대만 3대 항구의 하나로, 무역이 성하였으나 항구가 얕아져 큰 선박의 출입이 불편한 관계로 쇠퇴하여 옛 모습을 잃었음. 부근에서는 제염업(製鹽業)이 성함. 녹항(鹿港).

루거우차오 〔蘆溝橋〕 [명] 〖지〗 중국 베이징(北京) 서남쪽의 교외, 융딩강(永定江)에 있는 대리석 다리. 또, 그 부근의 마을. 다리는 금(金)나라 때 세운 것으로 매우 아름다우며, 13 세기 경에 마르코 폴로(Marco Polo)가 유럽에 소개한 바 있어 '마르코 폴로교'라고도 불렀음.

루거우차오 사:건【一事件】〔蘆溝橋〕 [一껀] [명] 〖역〗 1937 년 7 월 7 일, 루거우차오 부근에서 훈련 중인 일본 군대와 중국 군대가 충돌한 사건. 중국의 쑹 저위안(宋哲元)의 군대가 먼저 발포하였다 하여 일본군이 루거우차오를 점령하였는데, 이 사건은 그 후, 중일 전쟁(中日戰爭)으로 발전하였음.

루골-액【一液】〔Lugol〕 [명] 〖약〗 〔프랑스의 의사 루골(Lugol, J.G.A.; 1786-1851)에서 유래〕 요오드·요오드화 칼륨·글리세린 등의 혼합액. 후두염·바제도병(病) 같은 데에 바르는 외용약.

루공 마카르 총서【一叢書】〔Rougon-Macquart〕 [명] 〖책〗 프랑스의 소설가 졸라(Zola, E.)의 장편 소설 총서. 1871년부터 1893년에 걸쳐 20 권으로 발표됨. '제2 제정(帝政) 시대에 있어서의 한 가족의 자연적 및 사회적 역사'라는 부제목이 붙어 있음. 미치광이·알코올 중독자·범죄자 등의 혈통이 있는 제2 제정 시대의 루공 집안과 마카르 집안과의 자손이 유전(遺傳) 및 환경에 의하여 지배되는 상태를 묘사한 작품. 《나나》·《선술집》 등이 포함됨.

루ᄀ [명] 〈옛〉 누각(漏刻). ¶ 루ᄀ 루(漏)《字會 上 2》.

루:나¹ 〔라 Luna〕 [명] 그리스 신화의 여신(女神) 셀레네(Selene)의 로마 이름.

루:나² 〔라 Luna〕 [명] 〔'달'의 뜻〕 소련의 달 무인(無人) 탐사기. 1959년 1월 2일에 제1호가 발사됨. 3호까지는 루니크(Lunik)라고 불림. 9호와 13호는 연착륙(軟着陸)에 성공하였는데, 9호의 연착륙 성공은 사상 최초의 일로 8장의 월면(月面) 사진을 지상에 전송함. 12호는 달의 위성으로 카메라와 텔레비전 장치를 적재하여 고도 100-1,740 km에서 월면 사진(月面寫眞)을 전송하였고 24 호는 달의 흙 표본을 채취하고 돌아왔음.

루나차르스키 〔Lunacharski, Anatori Vasil'evich〕 [명] 〖사람〗 소련의 극작가·비평가. 학생 때부터 혁명 운동에 참가하고, 볼셰비키(Bolsheviki)의 기관지(機關紙)에도 참여하였으며, 혁명 후에는 교육의 쇄신에 노력하였음. 주저(主著) 《종교와 사회주의》·《해방된 돈 키호테(Don Quijote)》 등. [1875-1933]

루난 〔汝南〕 [명] 〖지〗 중국의 허난 성(河南省) 남동부에 있는 현의 이름. 여남.

루:너 오:비터 계:획【一計劃】 [명] 〔Lunar Orbiter는 '달의 둘레를 도는 자(者)'의 뜻으로 달 탐사기(探査機)의 이름〕 1966-67년 미국 항공우주국(NASA)의 달 탐사기 계획. 아폴로 계획의 준비 단계로 이루어졌는데, 1966년 8월 10일에 제1호 발사, 1967년 8월 2일에 제5호를 발사하여 성공적으로 계획을 마침. 1-3호는 월면(月面)으로부터 수십 km의 저(低)고도에서, 4호는 고(高)고도에서 월면 전체를, 5호는 달의 이면(裏面) 사진을 각각 지구에 전송함.

루:너 파:크 〔lunar park〕 [명] ①월세계(月世界). ②밤에 들어가 놀게 된 오락장.

루네베리 〔Runeberg, Johan Ludvig〕 [명] 〖사람〗 핀란드의 시인. 스웨덴어(語)를 사용하여 낭만적·고전주의적 시를 발표함. 대표작 《고라니 사냥꾼》 이후에, 열렬한 애국 서사시 《기수(旗手) 스톨의 이야기(Fänik Ståls sänger)》를 발표하여 해외에도 알려짐. [1804-77]

루노호트 〔러 Lunokhod〕 [명] 소련이 달 표면에 보낸 자주식(自走式) 무인(無人) 탐사기(探査機). 1호는 1970년 11월 17일, 루나 17호에 실려서 달 표면의 '비의 바다'에 착륙하여 달 표면을 시속 2 km 정도로 주행하면서 관측 데이터를 지상으로 송신함.

루니크 〔Lunik〕 [명] 〔Luna+Sputnik〕 소련의 달 탐사용 로켓. 1959년 1월 2일에 발사된 1호는 달에 명중되지 않아 인공 행성 제1호가 되었으며, 2호는 월면에 충돌, 3호는 자동 행성간 스테이션 1호로서 지구와 달을 회전하는 인공 위성 궤도에 진입, 처음으로 달의 이면 사진 촬영에 성공함. 4호 이후는 루나(Luna)로 불림.

루데-삭 〔네 roed-zak〕 [명] 콘돔(condom).

루돌프 일세【一一世】〔Rudolf I〕 [一쎄] [명] 〖사람〗 합스부르크(Habsburg) 왕조 초대의 신성 로마 황제. 1273년 황제로 뽑혀 대공위(大空位) 시대에 막을 내림. 교황으로부터 제관(帝冠)을 받지 못했으며 아들을 황제 계승자로 지명하는 데 실패, 세습제(世襲制)를 확립하지 못함. [1218-91; 재위 1273-91]

루돌프 호【一湖】〔Rudolf〕 [명] 〖지〗 케냐 북단(北端)에 있는 호수. 동서로 길게 뻗친 가느다란 호수로 수심 약 73 m, 수면의 해발 고도 375 m. 여러 하천이 유입하지만 배수(排水) 하천은 없고 염분(塩分)이 있음. 증발량(蒸發量)이 많아서 면적은 좁아지고 있는데 어류(魚類)가 풍부하고 악어·하마가 서식함. [7,100 km^2]

루드베키아 〔rudbeckia〕 [명] 〖식〗 [*Rudbeckia* spp.] 국화과에 속하는 원예 식물. 일년생·이년생·다년생 등 30 종류가 있는데 북미 원산임. 보통 높이 30-100 cm 가량인데 근생엽(根生葉)은 호생함. 7-10 월경에 초록·노랑·자주·까망 등의 두상화(頭狀花)가 줄기 끝에 정생(頂生)함.

루디아나 〔Ludhiana〕 [명] 〖지〗 인도 서북부, 서틀레지 강(Sutlej江) 남안(南岸)에 가까운 도시. 밀·면화·양모의 집산지이며 공업 단지의 중심으로 발전함. 농업 대학이 있음. [607,000 명(1981)]

루딘 〔Rudin〕 [명] 〖책〗 러시아의 작가 투르게네프(Turgenev)의 대표적인 중편 소설. 1856년 작. 작자는 같은 이름의 주인공을 통해서 당시 러시아 사회에서 많이 볼 수 있었던, 뛰어난 두뇌(頭腦)를 가지고 있으면서도, 현실을 직시(直視)하여 여기에 적응(適應)하는 능력이 없는, 지식인(知識人)의 비참한 인생 참패상(人生慘敗相)을 그림.

루:르¹ 〔프 loure〕 [명] 〖악〗 3 박자의 사라방드(sarabande) 리듬을 가진 무곡(舞曲).

루:르² 〔Ruhr〕 명 《지》 독일의 서북부, 라인 강의 지류(支流)인 루르 강 및 리페 강(Lippe江) 사이에 자리한 유럽 굴지의 공업 지대. 루르 탄전(炭田)을 중심으로 19세기 후반 이래 철강(鐵鋼)·기계·금속·화학 공업이 발달하고 에센(Essen)·도르트문트(Dortmund) 등의 공업 도시가 있음. 제1차 세계 대전 후 한때 프랑스에 점령됨.

루르다 타 〈옛〉 누르다. ¶ 루를 거(據)《石千 18》.

루르드 〔Lourdes〕 명 《지》 프랑스 남부, 피레네 산(Pyrénées山) 기슭의 마을. 대리석·슬레이트(slate)를 산출함. 1858년 성모 마리아 출현의 기적이 일어났다고 하는 동굴(洞窟) 위에 로사리오 성당이 세워져 매년 약 150만 명의 순례자가 찾아듦. [17,000명(1982)]

루리스탄 문화 【─文化】 〔Luristan〕 명 《역》 기원전 2,500년부터 기원전 1000년경까지 이란 서부에서 번영하였던 고대 문화. 특히, 청동기(靑銅器)가 유명하며, 동물의 도안(圖案)을 새긴 도끼·칼·항아리·장신구(裝身具) 등 작은 공예품이 많음.

루리스탄 청동기 【─靑銅器】 〔Luristan〕 명 이란의 서남부 루리스탄 지방에서 출토하는 청동기. 1929년경부터 도굴품이 유럽에 나돌면서 주목됨. 청동기 시대 말부터 철기 시대초(1500-500 B.C.)의 기마(騎馬) 민족이 만든 것으로 도끼·칼·은행 잎·장식 핀 등 여러 가지 훌륭한 동물 의장(動物意匠)으로 장식되어 있음.

루리아 〔Luria, Salvador Edward〕 명 《사람》 이탈리아 태생의 미국 생화학자. 1940년 도미(渡美), 컬럼비아 대학·매사추세츠 공과 대학 교수. 델브뤼크(Delbrück)와 공동 연구, 박테리오파지(bacteriophage)의 돌연 변이 등을 이용하여 유전자의 실체와 증식 기구를 연구함. 1969년 노벨 생리 의학상을 수상함. [1912-91]

루:리크 〔Rurik〕 명 《사람》 러시아의 전설적 건국자. 《러시아 연대기(年代記)》에 의하면 스웨덴의 노르만 수장(首長)으로, 핀인(Finn人)과 슬라브인(Slav人)에게 추대되어, 862년 노브고로드(Novgorod)에서 건국한 것으로 전해짐. [?-879]

루:리크 왕조 【─王朝】 〔Rurik〕 명 중세에서 근세 초기까지 계승된 러시아의 왕조. 9세기 후반에 러시아 국가를 이룩한 루리크(Rurik)의 혈통을 계승한 것으로 전해짐. 올레그(Oleg)의 키예프 공국(公國)에서 비롯하여 1598년 러시아 황제 표트르(Pyotr) 1세의 죽음으로 막을 내림.

루린 산 【─山】 〔綠林〕 명 《지》 중국 후베이 성(湖北省) 당양 현(當陽縣)에 있는 산. 전한(前漢)말, 왕망(王莽)이 신(新)나라를 세워 즉위하자 왕광(王匡)·왕봉(王鳳) 등은 반민(叛民)들을 모아 이곳을 근거로 도적이 되어 관군(官軍)에 반항하였음.

루:마니아 〔Rumania〕 명 《지》 발칸 반도 동북부에 있는 공화국. 14세기 이후 터키의 지배 밑에 있었는데 1829년 독립하여, 1881년 왕국(王國)으로 되었다가 제2차 세계 대전 후 인민 공화국. 1965년에 사회주의 공화국이 되었고 1989년 12월 혁명으로 새 정권이 들어섰음. 전체 인구의 약 75%는 식민(植民)의 후손인 루마니아인이며 대부분이 그리스 정교(正敎)를 믿고 언어는 루마니아어임. 농업·목축·임업을 주산업으로 하며 석유의 산출이 많음. 수도는 부쿠레슈티(București). 정식 명칭은 '루마니아 공화국(Republic of Romania).' [237,500 km² : 23,190,000명(1991 추계)]

루:마니아-어 【─語】 〔Rumania〕 명 《언》 루마니아 사람들의 언어. 인도 유럽 어족, 이탈리어파에 속하는 로맨스 어군(Romance語群)의 하나. 인접 민족으로부터의 차용어(借用語)가 많이 섞였음.

루:멘 〔lumen〕 의명 《광학》 광속(光束)을 나타내는 SI 유도 단위. 1칸델라의 점광원(點光源)을 중심으로 하여 1m 반경으로 그린 구면(球面)상 1m²의 면적을 통과하는 광속. 곧, 1루멘을 1칸델라·스테라디안. 기호 1m.

루:멘-시 【─時】 의명 〔lumen-hour〕 《광학》 광량(光量)의 단위. 1시간에 1루멘의 광속(光束)을 방사 또는 수광(受光)하는 광량과 같음. 기호 lm·h.

루:멘-초 【─秒】 의명 〔lumen-second〕 《광학》 광량(光量)의 단위. 1초간에 1루멘의 광속(光束)을 방사 또는 수광(受光)하는 광량과 같음. 기호 lm·s.

루멜리아 〔Rumelia〕 명 《지》 발칸 반도(Balkan半島)의 구(舊)터키령인 지방. 불가리아 남부는 동(東)루멜리아라 하여 전세기말에는 독립국이었으나 1908년 남(南)불가리아 주가 됨. 서(西)루멜리아는 그리스와 알바니아(Albania)에 병합됨.

루뭄바 〔Lumumba, Patrice〕 명 《사람》 콩고의 정치가. 콩고 독립 운동의 지도자. 1960년 벨기에로부터의 독립과 동시에 초대 수상. 콩고 동란이 발생하자 반(反)제국주의·반(反)식민주의와 국가 통일을 주장함. 1961년 반대파에게 살해됨. [1925-61]

루미날 〔Luminal〕 명 《약》 강력한 진경 최면제(鎭痙催眠劑)의 상품명. 흰 결정으로 물에 잘 녹지 아니함. 녹는점 173°-175°C. 페노바르비탈(phenobarbital).

루미네선스 〔luminescence〕 명 《물》 물질이 열·엑스선(線)·방사선·입자선(粒子線)을 받거나 또는 기계적 및 화학적 자극을 받아서 열이 없는 빛을 내는 현상. 자극을 받을 때만 빛을 내는 형광(螢光)과 자극이 없어진 후에도 빛을 내는 인광(燐光)의 두 가지로 구분됨. 냉광(冷光). 발광(發光).

루미놀 〔luminol〕 명 《생》 유기 물질의 하나. 알칼리성 수용액(水溶液)을 과산화 수소(過酸化水素)·오존 따위로 산화(酸化)하면 파란 형광(螢光)을 냄. 녹는점 332°-333°C. 혈흔(血痕)의 감식(鑑識)에 이용함. [$C_8H_7N_3O_2$]

루미놀 시험 【─試驗】 〔luminol〕 명 《화》 육안으로 볼 수 없는 혈흔(血痕)의 검출법. 범죄 수사에 이용되는데, 루미놀의 알칼리성 용액에 과산화 수소(過酸化水素)를 가한 시약(試藥)을 어두운 곳에서 분무(噴霧)시키면, 청백색의 화학 발광(化學發光)을 나타냄.

루미 라인 〔roomy line〕 명 의상 디자인에서, 어딘가에 낙낙한 헐거움이 있는 실루엣.

루미솜 〔lumisome〕 명 《동》 ①세포 내의 발광하는 입자. ②생물의 발광을 측정하는 단위 입자.

루바:브 〔rhubarb〕 명 《식》 [*Rheum rhaponticum*] 마디풀과에 속하는 다년생 풀. 시베리아 남부 원산임. 줄기는 큰 그루를 이루고, 잎자루는 길며, 잎은 심장형으로 가는 물결 모양임. 맛이 신데 어린 순을 따서 먹음. 구미 각국에서 널리 재배함. 식용 대황(食用大黃).

루바시카 〔러 rubashka〕 명 러시아식의 남자 웃저고리. 풍신하게 만들어 깃을 세우고 왼쪽 앞가슴에서 단추로 여미며 허리를 끈으로 둘러맴. 화가들이 즐겨 입음.

〈루바시카〉

루바이야트 〔Rubā'īyāt〕 명 《책》 오마르 하이얌(Omar Khayyám)이 지은 페르시아의 4행 시집(詩集). 피츠제럴드(FitzGerald, E.)의 영역(英譯)으로 유명하여졌음.

루바토 〔이 rubato〕 명 《악》 표정(表情)을 살리기 위하여 자유스럽게 템포를 잡는 주법(奏法)이나 창법(唱法).

루:버 〔louver〕 명 《건》 직사 광선이나 비를 막기 위하여 창문 따위에 단 미늘 널. 또, 그러한 창이나 문.

루베 〔Roubaix〕 명 《지》 프랑스 북부 벨기에 국경에 가까운 플랑드르(Flandre) 지방의 상공업 도시. 플랑드르 지방의 모직물 공업의 일익(一翼)을 이룸. 17세기에 큰불이 일어나 옛 건축물들은 소실(燒失)하였음. [102,000명(1982)]

루베리트르-산 【─酸】 명 〔ruberythric acid〕 《화》 꼭두서니의 뿌리에 함유되어 있는 배당체(配糖體). 이 속에서 천연 알리자린(天然 alizarin)이 생성됨.

루:벤스 〔Rubens, Peter Paul〕 명 《사람》 플랑드르(Flandre)의 화가. 이탈리아에 유학하여 고대 미술을 배우고, 귀국 후 플랑드르 최대의 화가로서 밝은 색조(色調), 힘찬 동감(動感), 조소적(彫塑的)인 명확성을 지닌 2,000여 점의 종교·역사·우의화(寓意畫)를 그렸음. 바로크 형식(baroque形式)의 대가. [1577-1640]

루붐바시 〔Lubumbashi〕 명 《지》 자이르 동남부의 도시. 표고(標高) 1,500m의 고원에 있는 근대적인 도시로 샤바 주(Shaba州)의 광업 개발에 따라 급격히 발전하였음. 구리제련(製鍊)·양조(釀造)·제분(製粉)·제재 등의 공업이 발달함. 대학·공항(空港)이 있음. 구명은 엘리자베스빌(Elizabethville). [543,000명(1984)]

루브루크 〔Rubruck, William of〕 명 《사람》 플랑드르(Flandre) 태생의 프란체스코회(會) 선교사. 루이 9세의 명을 받고 원(元)나라 헌종(憲宗) 때에 사신(使臣)으로 몽고(蒙古)에 갔다가 9개월간 머무른 후 귀국하여, 루이 9세에게 보고서를 바쳤는데 이는 중세 몽고 연구의 귀중한 사료(史料)임. [1220-93]

루:브르 〔Louvre〕 명 루브르 미술관.

루브르 궁전 【─宮殿】 〔Louvre〕 명 프랑스 파리의 센 강변에 있는 궁전. 13세기에 성채(城砦)로 축조한 이래 여러 차례에 걸쳐 수축(修築)·증축하여 나폴레옹 3세 때 완성됨. 르네상스 양식을 갖춘 대규모의 건축물임. 18세기 중엽부터 미술관으로 사용되고 있음.

루:브르 미술관 【─美術館】 〔Louvre〕 명 프랑스 파리에 있는 국립 미술관. 본디 궁이었던 것을 나폴레옹 1세가 미술관으로 개장(改裝)함. 고대 이집트·그리스·로마의 미술품, 중세에서 현대에 이르는 회화(繪畫)·조각 등 다양한 예술품 등을 수장(收藏)하고 있는 세계 굴지의 미술관임. 루브르.

루:브리케이션 〔lubrication〕 명 급유(給油). 주유(注油).

루:블 〔rouble, 러 rubl'〕 의명 독립 국가 연합의 화폐 단위. 1루블은 100코페이카(kopeika)임. 류(留). 기호는 Rub.

루:블린 〔Lublin〕 명 《지》 폴란드 동부의 공업 도시. 기계·섬유·피혁·식품 공업이 발달되어 있으며, 3개 대학이 있음. 한때 오스트리아·러시아 등의 지배를 받음. 제2차 대전까지는 주민의 반수가 유태인이었음. [331,000명(1987)]

루:비 〔ruby〕 명 ①《광》 강옥석(鋼玉石)의 한 변종. 붉은 빛을 띤 단단한 보석. 홍보석(紅寶石). 홍옥(紅玉). ②《인쇄》 7호 활자.

루비듐 〔rubidium〕 명 《화》 알칼리 금속의 하나. 은백색의 금속으로 칼륨 광물에 소량 함유됨. 질량수 85와 87의 2종의 동위체(同位體)가 있는데 후자는 베타(β)선을 방사하며 반감기(半減期)는 4.8×10¹⁰년임. 공기 중에서 산화(酸化)하며 물과 만나면 강하게 반응함. 1860년에 분젠(Bunsen)이 발견하였음. [37번 : Rb : 85.47]

루비듐 스트론튬법 【─法】 〔rubidium strontium〕 [─뻡] 명 《화》 루비듐의 방사성 동위체 루비듐 87과 그것의 괴변 생성물(壞變生成物) 스트론튬 87을 이용하는 연대(年代) 측정법. 암석과 광물의 생성시의 연대 측정에 쓰임.

루비아 〔Rubbia, Carlo〕 명 《사람》 이탈리아의 물리학자. 양성자(陽性子) 반(反)양성자 충돌형 가속기를 사용하여, 소립자(素粒子) 간의 약한 상호 작용을 매개(媒介)하는 W·Z⁰ 보손(boson)을 발견하는 데 공헌(貢獻)하여 1984년 노벨 물리학상을 받음. [1934-]

루:비 유리 【─琉璃】 〔ruby〕 명 유리 속에 금·은·구리·셀렌(Selen) 등을 교질상(膠質狀)으로 분산시켜 루비처럼 착색(着色)한 유리. 공예(工藝)유리·필터·신호기(信號機) 등에 쓰임.

루비콘 강 【─江】 〔Rubicon〕 명 《지》 로마 시대, 이탈리아와 갈리아 키살피나(Gallia Cisalpina)의 경계를 이루던 작은 강. 기원전 49년 로마 원로원(元老院)이 카이사르(Caesar)를 갈리아 지사(知事)에서 해직,

부하를 해산하고 로마로 귀환할 것을 명령하였으나 카이사르가 이에 따르지 않고, '주사위는 던져졌다'라고 선언하고, 군대를 이끌고 도하(渡河) 귀국하여 폼페이우스 일당을 제압하였다는 일화로 유명함.

루빅 큐브 게임 〔Rubik's Cube game〕 명 여섯 가지 빛깔의 플라스틱 주사위 27개로 된 정육면체의 각 면(面)을 한 빛깔로 맞추는 놀이. 각 면은 가로 세로 석 줄로 나뉘고 각 줄마다 360° 회전이 가능함. 헝가리의 건축가 루빅이 고안(考案)하였음.

루:빈스타인 〔Rubinstein, Arthur〕 명 『사람』 폴란드 출생의 미국 피아니스트. 12세 때부터 유럽과 미주 각지를 순회 연주, 놀라운 기교와 뛰어난 해석을 보였으며 1937년 미국에 정주 이후, 굴지의 연주가로 활약함. 1966년에 내한(來韓)한 바 있음. [1886-1982]

루:빈시테인[1] 〔Rubinshtein, Anton〕 명 『사람』 러시아의 작곡가·피아니스트. 일찍이 피아노의 신동(神童)이라는 평판을 들은 이래 유럽 각지를 순회, 거인적(巨人的) 성격과 열광적 정열로써 청중을 압도하였음. 1862년 페테르부르크에 음악원을 창립하여 음악 교육에 힘쓰고, 교향곡·피아노곡·오페라 등 많은 작품을 남겼음. [1829-94]

루:빈시테인[2] 〔Rubinshtein, Ida〕 명 『사람』 러시아의 여류(女流) 무용가. 1909년 댜길레프(Diaghilev)의 러시아 발레단이 파리에서 공연할 때 데뷔하였음. 그 후 스스로 발레단을 조직하였고 수많은 발레 명작을 남겼음. 사재(私財)로써 많은 안무가·미술가·작곡가 들을 지원하였음. [1880-1960]

루사카 〔Lusaka〕 명 『지』 잠비아(Zambia)의 수도. 표고 1,270 m의 고원인 잠비아 중부에 있으며, 아프리카 남부 간선 철도상(幹線鐵道上)에 있음. 농목업(農牧業)의 중심지이며 잠비아 대학·공항(空港) 등이 있음. [820,000명(1991 추계)]

루산 〔廬山〕 명 『지』 중국 장시 성(江西省) 북부에 있는 산. 경치가 아름답고 불교에 관한 고적(古蹟)이 많음. [1,600 m]

루산 회:의 【一會議】 〔廬山〕 [—/—이] 명 『역』 중국의 장시 성(江西省)의 루산 산에서 개최된 중국 국민 정부(中國國民政府)의 수뇌(首腦) 회의. 민국 16년(1926) 8월, 난징(南京)과 우한(武漢) 양정부(兩政府)의 합동을 협의한 일을 필두로 종종 중요한 회의가 열렸음. 여산 회의.

루 성 【一省】 〔魯〕 명 『지』 중국 '산둥 성(山東省)'의 약칭.

루세 〔Ruse〕 명 『지』 불가리아 동북부, 다뉴브 강(Danube江) 우안(右岸)의 항구 도시. 철도·도로의 중심으로 대안(對岸)에 있는 루마니아의 지우르지우(Giurgiu)와는 철교로 연결됨. 조선(造船)·기계·제유(製油)·화학·섬유·식품 등의 공업이 행하여짐. [186,428명(1987)]

루:셀 〔Roussel, Albert Charles Paul Marie〕 명 『사람』 프랑스의 작곡가(作曲家). 해군 장교로 복무하는 동안 음악을 독학하고, 제대 후에는 파리에서 앵디(Indy, Vincent d'; 1851-1931)에게 사사(師事)하였음. 그의 작품은 북방(北方)적인 중후(重厚)한 성격을 지니면서 한편 발랄한 활기가 깃들이어 있는 것이 특징임. 작품으로 《거미의 향연》·《제 3 교향곡》·《제 4 교향곡》·《F조 조곡(組曲)》 등이 있음. [1869-1937]

루:셰 〔Rouché, Jacques〕 명 『사람』 프랑스의 연출가. 예술 극단(藝術劇團)을 주재(主宰)하여 라인하르트(Reinhardt)·스타니슬라프스키(Stanislavski) 등을 소개했고, 근대 연출의 선구자가 됨. [1862-1957]

루소[1] 〔Rousseau, Henri〕 명 『사람』 프랑스의 화가. 세관원(稅關員)으로 일하다 40세가 지나서 그림을 시작하여 1886년 이래 회화를 출품함. 소박한 화풍으로 민중의 생활·교외 풍경 등을 그렸는데, 초현실주의의 경향을 보였음. 대표작에 《잠자는 집시》·《원시림》·《시인(詩人)과 그 여신(女神)》 등이 있음. [1844-1910]

루소[2] 〔Rousseau, Jean Jacques〕 명 『사람』 프랑스의 작가·사상가. 빈곤 속에서 성장하여 귀족 부인들의 후원으로 독학하여 38세 때 《학예론》을 발표한 이래 저작에 몰두, 《인간 불평등 기원론(人間不平等起源論)》·《신엘로이즈(新Héloïse)》·《사회 계약론(社會契約論)》·《에밀(Émile)》 등의 걸작을 발표하였음. 자연미에의 감성적 지각, 감정의 우위 및 자아의 해방 등은 신낭만주의의 아버지로 불리는 소이(所以)이며, '자연에 돌아가라'라는 자유 사상·계몽주의는 프랑스 혁명의 사상적 근거로서 커다란 영향을 주었고, 나아가 서(西)유럽 근대 사상의 확립을 가져왔음. 만년에 《에밀》의 일종의 성선설(性善說)적인 사상이 원인이 되어 스위스에 망명, 갖은 박해를 받으며 고독하게 지내다가 죽었음. [1712-78]

루소[3] 〔Rousseau, Pierre Etienne Théodore〕 명 『사람』 프랑스의 화가. 바르비종파(Barbizon派) 중견의 한 사람으로 못·숲, 특히 우후(雨後)의 경치를 정취가 넘치는 필치로 그렸음. 대표작으로 《퐁텐블로(Fontainebleau) 숲의 출구(出口)》가 있음. [1812-67]

루손 섬 〔Luzon〕 명 『지』 필리핀 북부, 필리핀 제도 최대의 섬. 지형과 해안선이 복잡하고, 마닐라 부근의 지경부(地頸部) 이북에는 평야가 전개되어 있으나 남부에는 화산이 많음. 주민은 타갈로그(Tagalog)족을 주로 함. 쌀·담배·코프라·마(麻)·면화·사탕·커피 등의 농산물 외에 금광을 비롯한 광산도 많음. 중심 도시는 마닐라. 여송도(呂宋島). [105,700 km²: 23,790,000명(1980)]

루솔로 〔Russolo, Luigi〕 명 『사람』 이탈리아의 화가. '미래파 선언'에 서명한 한 사람. 《집·빛·하늘의 상호 침투》·《가을 풍경의 분해》 등 공간과 양감(量感)을 표현한 작품을 그림. 1913년 '소음(騷音) 예술 선언'을 발표. 소음 악기에 의한 작곡도 있음. [1885-1947]

루 쉰 〔魯迅〕 명 『사람』 중국의 작가. 본명은 저우 수런(周樹人). 1901년 일본에 유학하여 의학을 배우다가 신해 혁명(辛亥革命) 후 차이 위안페이(蔡元培) 밑에서 교육부에 근무하고 북경 대학에서 문학사를 강의하였음. 문학에 의한 민족성의 개조에 뜻을 두어 창작·사회 비평·해외 문학의 소개 등에 노력하였음. 작품으로는 《광인 일기(狂人日記)》·《아큐정전(阿Q正傳)》 등이 있으며 《중국 소설사략(小說史略)》 등의 학문적 노작(勞作)도 있음. 노신. [1881—1936]

루:스[1] 〔loose〕 명 ①헐렁함. 훌게늦음. ¶ ~한 성격. ②방종함. ③↗루스 스크럼. ——-하다 형 여불

루:스[2] 〔Ruth, Babe〕 명 『사람』 미국의 야구 선수. 본명 George Herman Ruth. 1915년 아메리칸 리그 최우수 투수. 1927년 연간 홈런 60개의 기록을 세움. 아메리칸 리그 홈런왕(王) 12회, 통산 홈런 714개, 통산 타율 3할 4푼 2리였으며, 1936년 '야구의 전당(殿堂)'에 듦. [1895-1948]

루:스 리:프 〔loose leaf〕 명 페이지를 자유로 바꾸어 꽂을 수 있게 만든 장부나 공책.

루:스벨트 〔Roosevelt〕 명 『사람』 ①〔Anna Eleanor R.〕 미국의 평론가·사회 운동가. ❷의 처(妻). 유엔 인권 위원회 위원장을 역임. 세계 인권 선언을 기초하고 평화 운동에도 활약함. [1884-1962] ②〔Franklin Delano R.〕 미국의 정치가. 제32대 대통령. ❸의 종제(從弟). 민주당원으로 상원 의원·뉴욕 주 지사 등을 역임하고 1933년 이래 연속 4회나 대통령에 당선, 뉴 딜(New Deal) 정책을 수행하여 대공황(大恐慌)을 극복했고 중남미 여러 나라에 대해 선린 정책을 취하고 연합국에 경제 원조를 제공하는 등 대외적으로도 고립주의를 탈피하였으며 2차 대전을 승리로 이끌었고, 대서양 헌장(大西洋憲章)을 선언하여 유엔의 기초를 세웠음. [1882-1945] ③〔Theodore R.〕 미국의 정치가. 제26대 대통령. 공화당의 부통령 재임중 1901년 대통령 매킨리(McKinley)의 피살로 대통령직을 계승. 1904년 재선(再選)되어 독점 기업의 규제, 자원 보호 정책 등으로 연방 정부의 권한을 보호하고 파나마 운하 지대의 확보, 극동 진출의 도모 등 내치(內治)·외교에 실적을 올렸고, 1906년 노벨 평화상을 받았음. [1858-1919]

루:스 볼: 〔loose ball〕 명 농구에서, 어느 편의 것도 아닌 상태의 공.

루:스 스크럼 〔loose scrum〕 명 럭비에서, 스크럼의 하나. 공의 주변에 두 사람 이상의 양편 선수가 밀집하여 있을 때 수시로 짓는 스크럼. ㊌ 루스. ↔타이트 스크럼(tight scrum).

루스티카나 〔이 rusticana〕 명 『악』 루스티코(rustico).

루스티코 〔이 rustico〕 명 『악』 '전원적(田園的)으로'·'민요적(民謠的)으로'의 뜻. 루스티카나.

루스티히 〔도 lustig〕 명 『악』 '유쾌함·활기가 있음'의 뜻.

루:시타니아 〔Lusitania〕 명 『지』 이베리아(Iberia) 반도 중서부의 옛 이름.

루:시타니아호 사:건 【一號事件】 〔Lusitania〕 [—껀] 명 『역』 제1차 세계 대전중인 1915년 5월 7일, 아일랜드 남쪽 해상에서 독일 잠수함이 영국 상선 루시타니아호를 격침한 사건. 1,198명이 사망하였음. 그 속에는 중립국인인 미국 사람이 100여 명 타고 있었으므로 미국의 여론을 자극하여 참전(參戰)의 큰 원인의 하나가 되었음.

루:시퍼 〔Lucifer〕 명 ①샛별. ②마왕(魔王). 사탄(Satan).

루시페라아제 〔luciferase〕 명 『화』 반딧불이 같은 발광체내에 있는 단백질성(蛋白質性) 물질. 공기 속에서 산화성(酸化性) 물질인 루시페린을 산화시키며 그 산화 에너지로 빛을 냄. 발광(發光) 효소.

루시페린 〔luciferin〕 명 『화』 반딧불이 따위의 체내에 있는 발광 물질. 루시페라아제 효소 작용에 의해 산화(酸化)할 때 빛을 냄. 발광소(發光素).

루아르 강 【一江】 〔Loire〕 명 『지』 프랑스 중앙부를 동서로 흐르는 강. 마시프 상트랄(Massif Central)에서 파리 분지(盆地)를 지나 비스케이만(Biscay灣)으로 들어감. 상류는 발전에, 하류는 수운에 이용되며, 중앙 운하(中央運河)로 론 강(Rhône江)과 연결되는 프랑스 최대의 강임. [1,020 km]

루안다 〔Luanda〕 명 『지』 아프리카 서남부, 앙골라(Angola)의 수도. 앙골라 서북부, 대서양 연안의 항구 도시로 철도의 기점(基點)임. 커피·사탕·야자유(椰子油)·다이아몬드 등을 수출하고, 섬유·제지(製紙)·담배·식품 가공(食品加工) 등의 공업이 행하여짐. 앙골라 대학이 있음. [1,020,000명(1990 추계)]

루앙 〔Rouen〕 명 『지』 프랑스 서북부 센 강(Seine江) 하구로부터 88 km 되는 곳에 있는 오랜 상공업 도시. 조선·금속·석유·염색·섬유 공업이 성함. 파리의 외항으로 석탄·석유·목재·광석을 수입하고 공업 제품을 수출함. 잔 다르크(Jeanne d'Arc)의 분형지(焚刑地)임. 독일군에 의하여 여러 번 전화(戰禍)를 입음. [108,000명(1982)]

루앙-종 【一種】 〔프 Rouen〕 명 『동』 오리의 한 품종. 프랑스의 루앙 지방에서 물오리를 개량한 것으로 육용(肉用)임.

루앙-프라방 〔Luang Prabang〕 명 『지』 라오스의 전 왕도(王都)로 현재는 루앙프라방 성(省)의 주도(主都). 메콩 강(Mekong江) 상류의 하항(河港)으로 상업이 성함. 티크 등 임산물과 암염(岩塩)의 집산지임. [40,000명(1979 추계)]

루어 낚시 〔lure〕 명 인조 미끼를 사용하여 물고기를 잡는 낚시질. 주요 장비로는 릴·릴대·루어 따위가 있는데, 쏘가리·메기·농어·가자미 등을 그 대상으로 함.

루오 〔Rouault, Georges〕 명 『사람』 프랑스의 화가. 《어린 예수와 동방 박사》 등 많은 종교화의 걸작을 남겨 금세기 최대의 종교 화가로 꼽힘. 굵고 강렬한 윤곽에 적(赤)·흑(黑)·청(靑)을 기조로 한 색채를 특색으로 하며, 이 밖에 창녀들을 그린 작품과 《미제레레(Miserere)》 등의 판화(版畫)도 있음. [1871-1958]

루오프 〔Lwoff, André Michel〕 명 『사람』 프랑스의 미생물학자. 소르본 대학 교수 겸 파스퇴르(Pasteur) 연구소원. 용원균(溶原菌)의 연구에서 프로파지(prophage)의 존재를 발견하고, 바이러스 활성(活性)의 제어(制御) 및 유전자(遺傳子)의 작용이 나타나는 기구(機構)를 해명하는 기초를 확립함. 자코브(Jacob)·모노(Monod)와 함께 1965년 노벨 생리 의학상을 수상함. [1902-]

루:웬조리 산 【一山】 〔Ruwenzori〕 명 『지』 동아프리카 우간다(Uganda)

와 자이르와의 경계에 있는 화산군(火山群). 표고 4,500-5,000 m급의 고봉(高峰)이 6개 있으며 설선(雪線)은 4,400 m이고, 빙하가 발달하였음. 최고봉은 마르가리타(Margarita) 산으로 5,119 m.

루:이 〔Louÿs, Pierre〕 명 『사람』 프랑스의 시인·소설가. 탐미적(耽美的)인 세기말적 상징파로서, 그리스의 고전적 조화를 취함. 박식과 기교를 육감적·환상적 작품 속에 살려, 프랑스 산문(散文) 중 가장 아름다운 문장으로 손꼽힘. [1870-1925]

루이 구세 【一九世】 〔Louis Ⅸ〕 명 『사람』 프랑스 카페 왕조(Capet王朝)의 왕. 로마 교회의 성인으로서, 성왕(聖王)이라고 일컬어짐. 법전의 편찬·중앙 집권제화 등 공적이 많으나, 제6차 및 제7차 십자군을 일으켜 실패, 튀니스에서 죽음. [1214-70; 재위 1226-70]

루이빌 〔Louisville〕 명 『지』 미국 켄터키 주(Kentucky州)의 북경(北境) 오하이오 강(江) 남안의 상공업 도시로 교통의 요지. 폭포가 있어 발전(發電)에 이용되며, 담배·가축의 큰 시장이 있고, 전기 기기·합성 고무·위스키·식품 가공 등의 공업이 행하여짐. 5월의 행사인 경마(競馬)는 유명함. [281,880명(1988)]

루이사이트 〔lewisite〕 명 『화』 미국의 화학자 루이스(Lewis, W.L.; 1878-1943)가 발명한 강렬한 미란성(糜爛性) 독가스의 하나. 삼염화 수소(三塩化水素)와 아세틸렌의 화합물인데, 무색이며 악취가 나는 액체로 공기와 접촉하면 초록색이 됨. [ClCH=CHAsCl₂]

루이스[1] 〔Lewis, Cecil Day〕 명 『사람』 영국의 시인·비평가. 엘리엇(Eliot, T.S.) 문하 세 시인중의 한사람으로, 행동주의적인 시·희곡을 발표한 외에 《창작의 혁명》 등 비평도 있음. [1904-72]

루이스[2] 〔Lewis, Clarence Irving〕 명 『사람』 미국의 철학자. 진위(眞僞) 외에 필연(必然)·가능 등의 양상(樣相)도 구별하는 다가(多價) 논리학의 가능성도 제시, 기호 논리학(記號論理學)의 발달에 공헌함. 저서 《기호 논리학》·《지식과 평가의 분석》·《정(正)의 근거와 본성(本性)》 등. [1883-1964]

루이스[3] 〔Lewis, Gilbert Newton〕 명 『사람』 미국의 물리학자. 1908년 활동도(活動度)를 열역학 함수로 나타내어 열역학적 용액론(溶液論)의 기초를 확립했음. 1916년 분자의 구성에 관한 루이스 랭뮤어의 원자가(原子價) 이론을 제창하였고, 1931년에는 전해(電解)에 의한 중수(重水)의 농축에 성공함. [1875-1946]

루이스[4] 〔Lewis, John Llewellyn〕 명 『사람』 미국의 노동 운동가. 광부(鑛夫) 출신으로, 시 아이 오(C.I.O.)를 결성하여 회장이 되었으며, 전후(戰後) 에이 에프 엘(A.F.L.)에도 관계하였음. [1880-1969]

루이스[5] 〔Lewis, Matthew Gregory〕 명 『사람』 영국의 작가. 공포 소설(恐怖小說)로서 유명한 《몽크(the Monk)》의 작자. 희곡(戲曲)과 시(詩)도 썼음. [1775-1818]

루이스[6] 〔Lewis, Percy Wyndham〕 명 『사람』 미국 출생의 영국 작가. 소설 《타르(Tarr)》·《신(神)을 흉내내는 원숭이》 등 풍자 작품을 발표하였으며, 대표적 평론에 《시간과 서구인(西歐人)》이 있고 이 밖에 화가로서도 이름이 있음. [1884-1957]

루이스[7] 〔Lewis, Sinclair〕 명 『사람』 미국의 소설가. 처음 신문 기자 등을 하면서 소설을 쓰기 시작하여 《메인 스트리트(Main Street)》로 문단에 데뷔하고, 《배빗(Babbitt)》·《애로스미스(Arrowsmith)》 등을 발표, 예리한 풍자 속에 견실한 리얼리즘의 수법을 구사하였음. 1930년 노벨 문학상을 받았으며, 만년에는 사회주의적인 경향을 보였음. [1885-1951]

루이스[8] 〔Lewis, *Sir* William Arthur〕 명 『사람』 세인트루시아 출신의 미국 경제학자. 영국 맨체스터 대학에서 수학하여, 자메이카의 웨스트 인디스 대학 총장을 거쳐, 1963년 이후 미국 프린스턴 대학교 교수를 지냄. 발전 도상국 문제의 특수성을 고려한 경제 발전 조사의 선구적인 연구로 1979년 노벨 경제학상을 탐. [1915-91]

루이스[9] 〔Louis, Joe〕 명 『사람』 미국의 흑인 권투 선수. 1937년 헤비급(heavy級) 세계 선수권을 획득, '갈색의 폭격기'라 불리었는데, 1949년에 12년 간의 왕좌에서 은퇴하였음. [1914-81]

루이스 건 〔Lewis gun〕 명 『군』 미국 육군 대령 루이스(Lewis, I.N.; 1858-1931)가 발명한 공랭식(空冷式) 자동 기관총. 혼자 들고 쏠 수 있음.

루이스의 산염기 【一酸塩基】 〔Lewis〕 〔一념一/一에一념一〕 명 미국의 물리학자 루이스(Lewis, G.N.)가 제창한 산과 염기에 대한 정의. 전자쌍(電子雙)을 주어 화학 결합을 시키는 쪽을 염기, 전자쌍을 받는 쪽을 산이라 함. 산과 염기는 전자쌍을 받는 전자받게, 전자쌍을 주는 전자주게로 정의함.

루이 십사세 【一十四世】 〔Louis XIV〕 명 『사람』 프랑스 부르봉 왕조(Bourbon王朝)의 왕. 어릴 때는 모후(母后)·재상이 섭정. 1661년 이후의 친정기(親政期)에는 콜베르(Colbert)를 등용, 왕권 신수설(王權神授說)을 주창하여 국내적으로는 중앙 집권·중상주의 정책을 수행, 대외적으로는 플랑드르 전쟁·네덜란드 전쟁·스페인 계승 전쟁 등을 치루어 영토 확대를 꾀함. 문화적으로는 베르사유 궁전을 중심으로 하는 프랑스 문화의 황금 시대를 현출(現出)하였는데 과도한 지출로 재정이 악화, 이후 혁명의 원인(遠因)을 이루었음. [1638-1715; 재위 1643-1715]

루이 십사세식 【一十四世式】 명 〔프 Style Louis XIV〕 『미술』 루이 14세 시대에 번영한 프랑스의 미술 양식. 재상(宰相) 콜베르(Colbert)·화가 르 브룅(Le Brun)의 지도 아래, 베르사유 궁전을 중심으로 하여 건축·실내 장식·공예·회화 등에 바로크(Baroque) 양식을 나타냄.

루이 십삼세 【一十三世】 〔Louis XIII〕 명 『사람』 프랑스 국왕. 앙리 4세의 아들. 1624년 리슐리외(Richelieu)를 재상으로 등용한 후 귀족 세력의 타도, 위그노(Huguenot)의 탄압, 국제적 지위의 향상을 꾀하고, 합스부르크가(Habsburg家)에 대항해서 부르봉(Bourbon) 왕권에 의한 중앙 집권화(中央集權化)를 추진하여, 절대 왕정(絕對王政)의 기초를 다짐. [1601-43; 재위 1610-43]

루이 십오세 【一十五世】 〔Louis XV〕 명 『사람』 프랑스 국왕. 루이 14세의 증손. 오를레앙공(Orléans公) 필리프(Philippe)의 섭정 정치로 시작된 그의 치세는 경제적으로는 호황이 계속되었으나 7년 전쟁 등에 휩쓸려 인도·캐나다를 잃고, 국고(國庫)는 바닥을 드러내 절대 왕정의 내부적 붕괴를 가져옴. [1710-74; 재위 1715-74]

루이 십오세식 【一十五世式】 명 〔프 Style Louis XV〕 『미술』 프랑스에서, 루이 15세 시대, 특히 1730-60년경에 번영한 미술 양식. 건축·실내 장식·공예 등에 세련된 풍부한 장식성(裝飾性)을 특징으로 하는 로코코(rococo) 양식을 나타냄.

루이 십육세 【一十六世】 〔Louis XVI〕 〔一뉵一〕 명 『사람』 프랑스 부르봉 왕조(Bourbon王朝) 최후의 왕. 루이 14세 집정 시대의 여파(餘波)인 재정난의 처리에 실패, 결국 대혁명이 일어나 부득이 헌법을 승인하였으나 반혁명을 기도, 1792년 왕권을 정지당하고 다음해 반역자로서 왕비 마리 앙투아네트(Marie Antoinette)에 앞서서 처형되었음. [1754-93; 재위 1774-93]

루이 십육세식 【一十六世式】 〔一뉵一〕 명 〔프 Style Louis XVI〕 『미술』 프랑스에서, 루이 15세 재위중의 1760년경부터 루이 16세 시대에 걸쳐 유행한 미술 양식(美術樣式). 특히, 건축·공예에서 간소하며 명쾌한 구성(構成)을 특징으로 함.

루이 십이세 【一十二世】 〔Louis XII〕 명 『사람』 프랑스 국왕. 종형(從兄) 샤를르(Charles) 8세를 계승. 거듭된 이탈리아 원정에는 실패했으나, 법제(法制)의 정비와 세금의 경감으로 경제적 번영을 가져오고 학예(學藝)를 보호, 프랑스 르네상스를 꽃피게 하여 '국민의 아버지'로 불림. [1462-1515; 재위 1498-1515]

루이 십일세 【一十一世】 〔Louis XI〕 〔一씨一〕 명 『사람』 프랑스 발루아 왕조(Valois王朝)의 왕. 법제(法制)·병제(兵制)를 개혁하고, 인쇄술을 채용한 외에 왕령(王領)의 회복 및 확장을 꾀하고 절대 왕정과 통일 국가의 기초를 닦았음. [1423-83; 재위 1461-83]

루이 십칠세 【一十七世】 〔Louis XVII〕 〔一쎄〕 명 『사람』 루이 16세의 아들. 프랑스 혁명 발발 후 부왕(父王)과 함께 잡혀 부왕이 처형된 후에는 반(反)혁명파에 의해 국왕으로 지명됨. 국민 공회(國民公會)의 명령으로 자코뱅파(派)에 의한 감시와 학대 속에 병사함. [1785-95?]

루이 십팔세 【一十八世】 〔Louis XVIII〕 〔一쎄〕 명 『사람』 프랑스 국왕. 루이 16세의 아우. 프랑스 혁명중에는 망명, 나폴레옹의 실각 후에 탈레랑(Talleyrand)의 도움으로 새 헌장을 재가하고 즉위함. 나폴레옹의 백일(百日) 천하에서 한때 망명, 복위(復位) 후에는 반동적인 정치 체제를 폄. [1755-1824; 재위 1814-24]

루이 일세 【一一世】 〔Louis I〕 〔一쎄〕 명 『사람』 ☞ 루트비히 일세.

루이지애나 구입 【一購入】 〔Louisiana〕 명 『역』 1803년 미국이 광대한 프랑스령 루이지애나를 1,500만 달러로 구입한 일. 영국의 위협과 루이지애나 흑인 반란에 골머리를 앓던 나폴레옹 1세의 제안에 의함. 미국은 이로써 서부(西部) 진출의 계기를 마련하였음.

루이지애나 주 【一州】 〔Louisiana〕 명 『지』 미국 남부 멕시코 만(灣) 연안의 주(州). 미시시피 강 하구와 그 서안(西岸)에 있어 남부는 지대(地帶)가 낮고 평탄(平坦)하며 호소(湖沼)가 많고 농경(農耕)은 적지만, 중부 이북은 프레리(prairie)로 기후가 온화하여 면화·사탕수수·쌀·옥수수 등이 산출됨. 석유·천연 가스 등의 광산(鑛産)과 식품 가공·제지·펄프·화학 등의 공업이 성(盛)함. 주도(州都)는 배턴루지(Baton Rouge). [115,309 km² : 4,400,800명(1988 추계)]

루이진 〔瑞金〕 명 『지』 중국 장시 성(江西省) 남부에 있는 푸젠 성(福建省)과 접경하고 있는 도시로, 1931-34년까지 중화 소비에트 공화국의 근거지였음. 서금.

루이진 소비에트 〔중 瑞金, 러 Soviet〕 명 『역』 1931년 중국 공산당이 처음으로 세운 중화 소비에트 공화국(中華Soviet共和國)의 임시 정부. 마오 쩌둥(毛澤東)이 주석이 되어 수도를 장시 성(江西省) 루이진(瑞金)에 둠. 1934년에 장 제스(蔣介石)에게 쫓기어 옌안으로 옮김.

루이팡 〔瑞芳〕 명 『지』 타이완 타이베이 현(臺北縣) 지룽 군(基隆郡)의 작은 도시. 지룽의 동쪽에 위치한 석탄 산지로, 이란 선(宜蘭線)이 통함. 서방.

루이 필리프 〔Louis Philippe〕 명 『사람』 프랑스의 왕(王). 대혁명 초기의 자유주의적인 귀족. 7월 혁명으로 왕이 되었으나, 금권(金權) 정치에 의한 부패로 다시 2월 혁명에 의해 왕좌에서 쫓겨났음. [1773-1850]

루:제의 세:포 【一細胞】 〔一/一에一〕 명 〔Rouget cell: 루제(Rouget, Charles; 1850-1903)는 프랑스의 생리학자〕 『생』 모세관(毛細管)의 벽에 있는 세포. 이것이 오므라들면 혈관이 좁아져서 혈액의 순환이 나빠짐.

루:주 〔프 rouge〕 명 ①입술 연지와 연지의 총칭. ②입술 연지. 립스틱.

루:지 〔luge〕 명 ①스위스에서, 산을 타는 데 쓰이는 1인승의 썰매. ②동계 올림픽 경기 종목의 하나. 두 개의 목제(木製) 활주면에 쿠션으로 엮은 썰매를 두 사람이 뒤로 누워 타고, 고삐로 방향을 조정하며 얼음 사이의 도랑처럼 뚫린 길을 내리닫는 썰매 경기임. 남자 1인승·여자 1인승·남자 2인승의 3개 종목이 있음. 1964년 제9회 대회 때부터 정식 종목으로 채택되었음.

루:지치카 〔Ružička, Leopold〕 명 『사람』 유고슬라비아 태생의 스위스의 유기 화학자. 위트레흐트 대학 교수를 거쳐 1929년 취리히 공과 대학 교수가 됨. 케톤(keton)을 합성하고, 스테롤류(sterol類)·성호르몬(性hormone)의 연구에서 남성 호르몬 안드로스테론(androsteron)과 테스토스테론(testosterone)의 합성에 성공하여, 1939년 노벨 화학상을 받았음. [1887-1976]

루체른 〔Luzern〕 명 『지』 스위스 중앙부의 도시. 루체른 호(湖)의 서안

(西岸) 해발 438 m 지점에 있으며 8세기에 건설되었음. 관광(觀光)의 중심지임. [60,600명 (1985)]

루:츠 송:풍기【—送風機】[명]〔Roots blower〕〖기〗송풍기의 일종. 표주박 모양의 두 개의 회전자(回轉子)가 항상 케이싱(casing) 속을 맞닿으면서 반대 방향으로 회전하고, 회전자와 송풍기 상자가 서로 접촉되어 있으므로 회전에 따라 일정량의 공기가 나오게 됨. 용접장(鎔接場)·대장간 등에서 씀.

루카누스〔Lucanus, Marcus Annaeus〕[명]〖사람〗스페인 출신의 로마 시인. 철인(哲人) 세네카(Seneca)의 조카. 네로의 총애를 받았는데 피소(Piso)의 음모에 가담했다가 자살. 카이사르(Caesar)와 폼페이우스(Pompeius)의 싸움을 읊은 서사시 《내란(內亂: Pharsalia)》 10권이 현존(現存)함. [39-65]

루:카스〔Lucas, George〕[명]〖사람〗미국의 영화 감독·제작자. 1971년 《THX-1138》로 극영화 감독으로 데뷔하고, 이후 《아메리칸 그러피티》·《스타 워즈》를 발표함. 또 《제국의 역습》·《레이더즈》·《인디아나 존스》 등을 제작함. [1944-]

루카스 반 라이덴〔Lucas van Leyden〕[명]〖사람〗네덜란드의 르네상스 미술을 대표하는 화가. 초상화를 잘 그렸으며 판화가로서의 재능도 뛰어났음. 유화의 대표작은 《최후의 심판》, 판화로서는 《성(聖)안토니우스의 유혹》·《이 사람을 보라》 등이 있음. [1494-1533]

루커우전〔淥口鎭〕[명]〖지〗중국 후난 성(湖南省) 리링 현(醴陵縣)의 서쪽 46 km에 있는 도시. 루수이(淥水) 강이 샹장(湘江) 강에 합류하는 곳에 있음. 녹구술(淥口戌). 녹구진(淥口鎭).

루쿠〔아랍 rukū〕[명]〖이슬람〗예배 때의 넷째 자세. '알라는 위대하다' 고 외치면서 머리 숙이고 두 손을 무릎 위에 두며 앞으로 숙임. 반(半)절.

루크레티우스〔Lucretius〕[명]〖사람〗고대 로마 에피쿠로스 학파(Epikuros學派)의 시인·철학자. 정식 이름은 Titus Lucretius Carus. 저서 《만유(萬有)의 본성》에서 유물론을 창도, 데모크리토스(Demokritos)와 함께 원자론(原子論)을 주창하였음. [96?-55? B.C.]

루키〔미 rookie〕[명] ①신병(新兵). ②신입(新入) 선수. 특히, 야구에서 신인 선수. ③신출나기. 신인.

루:타〔ruta〕[명]〖식〗[*Ruta graveolens*] 운향과(芸香科)에 속하는 다년초. 유럽 원산. 줄기의 높이는 약 30 cm인데, 그 기부(基部)는 목질(木質)임. 잎은 자록색인데 우상(羽狀)으로 분열함. 초여름에 황색의 작은 꽃이 취산(聚繖) 화서로 핌. 풀 전체에 강한 향기가 있어, 구풍(驅風)·통경(通經)의 약용 및 관상용으로 함.

루터〔Luther, Martin〕[명]〖사람〗독일의 종교 개혁가·신학 교수. 1517년 면죄부(免罪符) 남발 등으로 부패해 가는 가톨릭 교회에 대한 항의서 95개조를 발표하여 파문당했으나, 이에 굴하지 아니하고 종교 개혁의 계기를 마련하였음. 비텐베르크(Wittenberg) 성에서 성서의 독일어역(譯)을 완성, 신교(新敎)의 한 파를 창시하였음. [1483-1546]

루터 교:회【—敎會】〔Luther〕[명]〖기독교〗복음 교회(福音敎會)❶.

루:턴〔Luton〕[명]〖지〗영국 잉글랜드 남동부의 도시. 밀짚 모자의 생산지로 유명했으나, 근래에 자동차·물감·화학 등의 공업이 발달함. [164,000명(1981 추계)]

루:테늄〔ruthenium〕[명]〖화〗백금족(白金族) 원소의 하나. 매우 드문 원소로 회백색 또는 은백색의 단단하고 부서지기 쉬운 금속. 공기 속에서 가열하면 표면은 산화되어 흑색이 되며, 물과 산(酸)에는 안정(安定)되나 왕수(王水) 또는 공기를 포함하는 염산에는 서서히 녹음. 백금과 함께 소량 산출되는데 수소화 반응(水素化反應)의 촉매(觸媒), 파라듐과의 합금은 장식이나 만년필의 펜촉 등으로 쓰임. 1844년에 크라우스가 발견하였음. [44번 : Ru : 101.1]

루:테니아〔Ruthenia〕[명]〖지〗중유럽 카르파티아 산맥(Carpathia山脈)의 남사면(南斜面), 티서 강(Tisza江) 상류 지방. 원래 왕국을 건설하였으나 제1차 대전으로 체코슬로바키아의 한 주(州)가 되었음. 제2차 대전 때는 헝가리령(領)이었고 현재는 우크라이나에 편입되었음.

루:테인〔lutein〕[명]〖생〗난소(卵巢)의 황체(黃體) 세포내에 있는 호르몬으로, 황색 색소. 엽록소와 더불어 초록색의 잎에 또는 에스테르(ester)로서 여러 꽃 속에 있음. 크산토필. [$C_{40}H_{56}O_2$]

루테튬〔lutetium〕[명]〖화〗희토류(稀土類) 원소의 하나. 은백색의 금속으로 녹는점 1,660℃, 끓는점 3,400℃. 공기 중에서는 표면이 산화(酸化)되며, 고온에서는 산화물을 생성함. 뜨거운 물·산(酸)에 녹음. [71번 : Lu : 175.0]

루토스와프스키〔Lutosławski, Witold〕[명]〖사람〗폴란드의 작곡가. 바르샤바 음악원(音樂院)에서 수학하고 처음에는 피아니스트로 활약함. 2차 대전 후 작곡을 주로 하여, 독자적인 신고전주의 작품을 확립, 폴란드 전위파(前衛派)의 지도적 위치에 있음. 1981년에는 폴란드 연대 노조(勞組)를 지지하는 운동을 벌이고, 89년 동유럽 혁명의 물결이 일 때에는 지식인 '백명 위원회'를 결성, 민주화에 앞장섬. 작품에 《앙리 미쇼에 의한 3개의 시(詩)》·《교향곡 3번》 등이 있음. [1913-]

루툴리〔Luthuli, Albert John〕[명]〖사람〗남아프리카 공화국의 민족 운동 지도자. 줄루족(Zulu族)의 수장(首長)의 한 사람. 1952년 아프리카 국민 회의를 결성, 총재가 됨. 유색 인종에 대한 차별과 격리 정책에 반대, 여러 차례 체포 수감됨. 1960년 노벨 평화상 수상. [1889-1967]

루:트[1]〔root〕[명] ①뿌리. 근본. 기초. ②〖수〗근(根). 근수(根數). 거듭제곱근. ③〖언〗어근(語根). ④〖악〗화음의 기초가 되는 음. 밑음(音).

루:트[2]〔Root, Elihu〕[명]〖사람〗미국의 정치가. 공화당의 유력자로 쿠바·필리핀에 대한 지배 정책을 수행, 국무 장관으로서 중남미와의 우호 정책을 추진함. 국제 중재 재판소(國際仲裁裁判所) 판사 및 워싱턴 회의 대표를 지냄. 1912년 노벨 평화상 수상. [1845-1937]

루:트[3]〔route〕[명] ①길. ②통로(通路). 경로(經路). ¶ 밀수 ~.

루:트 맵〔route map〕[명]〖지〗지질 조사에 있어서, 조사하는 노선에 따라 관찰한 사항을 기입한 지도. 노선도(路線圖).

루:트비히〔Ludwig, Otto〕[명]〖사람〗독일의 극작가·소설가. 처음 음악에 뜻을 두었으나 문학으로 전향함. 상상력의 현실화를 주장하여, 이를 철저히 한 입장을 스스로 '시적 리얼리즘(詩的realism)'이라 명명하였음. 주로 전원의 세계를 병적인 음울한 공상으로 엮은 《하늘과 땅 사이》·《세습 산림관(世襲山林官)》 등이 유명함. [1813-65]

루:트비히스하:펜암라인〔Ludwigshafen am Rhein〕[명]〖지〗독일 서남부의 도시. 라인 강 좌안(左岸)의 항구 도시로, 만하임(Mannheim)의 대안(對岸)에 있음. 화학·금속·건축 재료·식품 등의 공업이 발달, 한촌(寒村)에서 산업 도시로 급격히 발전함. [152,162명(1987)]

루트비히 일세【——世】〔Ludwig Ⅰ〕[—쎄] [명]〖사람〗프랑크 국왕·서(西)로마 황제. 카롤루스(Carolus) 대제의 아들. 경건왕(敬虔王)으로 불렸으며 부왕(父王)이 생존시에 공동 통치자가 됨. 신앙은 두터웠으나 정치적으로는 무능했음. 제국을 세 아들에게 분할했다가 제2왕비 소생의 카를을 위해 제국을 재분할하여 내란을 유발, 한때 폐위됨. [778-840]

루:틴[1]〔routine〕①정해진 일. 일상적인 일. ②〖컴퓨터〗프로그램의 일부분으로, 특정한 기능을 수행할 수 있도록 마련된 일련(一連)의 명령군(命令群). 입력 루틴·출력 루틴·진단(診斷) 루틴 등이 있음.

루:틴[2]〔rutin〕[명]〖생·화〗담배의 잎이나 토마토의 줄기·메밀 등에 포함되어 있는 배당체(配糖體)의 하나. 담황 또는 담황록색의 결정성(結晶性) 분말로 모세 혈관이 약해짐을 방지하고, 고혈압(高血壓)이나 뇌일혈(腦溢血)의 치료 및 예방약으로 쓰임. [$C_{27}H_{30}O_{16}$]

루:틸〔rutile〕[명]〖광〗금홍석(金紅石).

루페〔도 Lupe〕[명] 확대경(擴大鏡). 돋보기.

루:프[1]〔loop〕[명] ①고리. 동그라미. ②피겨 스케이팅에서, 한 쪽 스케이트의 끝으로 그린 도형(圖型). ③테니스에서, 부드러운 호(弧)를 이루는 타구(打球). ④피임(避妊) 용구의 하나. 자궁내에 장치하는 금속제·플라스틱제의 고리. ⑤↗루프 안테나. ⑥↗루프선(線). ⑦〖컴퓨터〗일련의 명령문을 일정한 횟수 또는 주어진 조건이 이루어질 때까지 반복해서 수행하는 일. 순환.

루:프[2]〔roof〕[명] 지붕. 옥상(屋上).

루:프 가:든〔roof garden〕[명] 빌딩 따위의 옥상에 만든 정원. 옥상 정원(屋上庭園).

루:프 드라이브〔loop drive〕[명] 탁구나 테니스에서, 공을 밀기보다 비비듯이 하여 치는 것으로, 속도를 죽이고 급격히 전진 회전을 건 타구. 공이 바운드하여 급격히 낙하함.

루:프-선【—線】〔loop〕[명] 지형(地形)이 가파른 산지(山地) 등에서 경사를 완만히 하기 위하여, 소용돌이처럼 환상(環狀)으로 부설한 철도 선로. 또, 종착역이나 조차장(操車場) 같은 데서 한 열차의 편성 순서를 바꾸지 아니하고 진행 방향을 거꾸로 할 경우에도 이를 이용함. 환상선(環狀線). [준]루프.

루:프식 터널【—式—】[명]〔loop-tunnel〕경사가 심하여 기차가 오르기 힘드는 지점의 선로를 나선형으로 우회시키어 경사를 완만하게 한 터널. 우리 나라 중앙선(中央線)의 죽령(竹嶺) 터널 등이 바로 이것임. 나선형 터널. *파리굴.

루:프 안테나〔loop antenna〕[명] 안테나 소자(素子)의 도선(導線)을 환상(環狀)으로 한 안테나. 주로 실내용(用)임. 프레임 안테나. [준]루프.

루:프 투열법【—透熱法】[—뻡] [명]〔loop diathermy〕〖의〗자궁암을 조기에 정확히 진단하고 동시에 효과적으로 치료할 수 있는 방법. 미세한 루프형의 둥근 텅스텐 와이어를 사용, 전기 투열(電氣透熱)에 의하여 자궁암 발생 부위의 조직을 손상 없이 절제하는 방식.

루프트한자 독일 항:공 회:사【—航空會社】[명]〔Deutsche Lufthansa A.G.〕1926년에 창립된 독일의 항공 회사. 1930년대에 남북 아메리카와 극동에 진출했다가 제2차 대전으로 중단, 1953년 재건. 약칭 L.H.

루:피〔rupee〕[의명] 인도·스리랑카·파키스탄 등의 화폐 단위.

루:피아〔rupiah〕[의명] 인도네시아의 현행 통화 단위(通貨單位). 1루피아는 100 센(sen).

루:핀〔lupine〕[명]〖식〗[*Lupinus perennis*] 콩과에 속하는 다년초. 북아메리카 원산으로 키는 70 cm 가량이고, 잎은 장상(掌狀)으로 째지고 복엽(複葉)임. 이른 여름에 자주빛 또는 흰 꽃이 총상 화서로 줄기 끝에 핌. 관상용으로 재배함.

루:핑〔roofing〕[명]〖건〗섬유품(纖維品)에 아스팔트로 가공하여 만든 방수지. 지붕의 기와 밑에 까는 데 씀.

룩[1]〔Look〕[명] 1936년 창간된 미국의 격주간지(隔週刊紙). 한때 발행부수 790만 부를 기록하였으나 1971년 10월에 폐간됨.

룩[2]〔look〕[명]〖복식〗옷차림의 인상이나 모양.

룩색〔rucksack〕[명] 륙색.

룩셈부르크[1]〔Luxemburg〕[명]〖지〗①서유럽의 벨기에·독일·프랑스 사이에 있는 작은 입헌 군주국. 주민은 대부분 독일계로 가톨릭교도임. 1867년 이후 영세 중립국이었는데 1·2차 세계 대전 때 독일에 점령당하기도 하였으며, 지금은 NATO에 가맹하고 있음. 해발 500 m 전후의 고원(高原)으로 삼림(森林)이 많은 구릉성 산지를 차지하고 있어 밀·보리·감자의 산출이 많고, 소·돼지의 축산도 활발함. 철광의 산출이 많아 철공업이 성함. 수도는 룩셈부르크. 정식 명칭은 '룩셈부르크 대공국(大公國) (Grand Duchy of Luxembourg)'. [2,586 km² : 410,000명 (1995 추계)] ②룩셈부르크 대공국의 수도. 천연의 요새이며 오랜 역사를 자랑할 뿐만 아니라, 상공업 도시로서 섬유(纖維)·금속(金屬)·기계·담배를 산출함. 궁전·고고(考古) 박물관·성지(城址) 등이 있음. [75,000명(1995 추계)]

룩셈부르크[2]〔Luxemburg, Rosa〕[명]〖사람〗독일의 여류 혁명가·경제학자. 사회 민주당 좌파로, 1차 대전중 리프크네히트(Liebknecht) 등과 함께 반전 운동(反戰運動)을 전개하였는데, 전후 스파르타쿠스단(Spartakhus團)에 의한 혁명에 실패하여 살해(殺害)되었음. 저서에 《자본 축적론》 등이 있음. [1870-1919]

룩셈부르크 왕조【一王朝】〔Luxemburg〕 명 《역》 신성 로마 제국의 왕조. 하인리히(Heinrich) 7세가 시조이며, 그의 아들 요한은 보헤미아 왕국을 영유하고 그 지방에 세력을 부식(扶植)함. 2대째인 카를(Karl) 4세 때 최성기(最盛期)를 이루었으나, 이후 급속히 쇠퇴함.

룩소르〔Luxor〕 명 《지》 이집트 나일(Nile) 강 동안(東岸)의 도시. 아멘호테프(Amenhotep) 3세가 건립한 룩소르 신전(神殿)이 있으며, 동방의 카르나크(Karnak)와 더불어 고대 테베(Thebes)의 중요 유적임. 현재 이집트의 주요한 관광지의 하나임. [93,000명(1976)]

룬:〔loon〕 명 《군》 미국 육해군의 직사용(直射用) 로켓탄.

룬:-문자【一文字】〔rune〕〔一짜〕 명 《언》 게르만 민족이 3-4세기경부터 중세말까지 사용한 문자. 고대 튜턴 인종이 스칸디나비아 반도·영국에서 오랫동안 사용하였음. 라틴 문자 또는 그리스 문자를 조각하기에 적합하도록 변형한 것으로, 나뭇조각이나 돌에 새기되 신비적 기호 또는 기록으로 사용되었음.

f u p a r k g w h n i j e p z ʀ s t b e m l ng o d

〈룬문자〉

룬수이〔潤水〕 명 《지》 중국 안후이 성(安徽省) 서부를 흐르는 화이허(淮河) 강의 한 지류(支流). 윤수.

룰:〔rule〕 명 ①규칙. 규정. 흔히, 운동 경기에서 씀. ¶야구의 ~. ②지배. 통치.

룰:러〔ruler〕 명 ①지배자. 통치자. 위정자(爲政者). ②자[1].

룰렛〔roulette〕 명 ①도박 도구의 한 가지. 장방형의 테이블 중앙에 1에서 36까지 숫자(數字)를 기입한 구멍 뚫린 원반(圓盤)을 놓고, 원반을 돌리면서 작은 공을 던져 원반을 정지시켰을 때에 공이 들어간 구멍의 수자로 내기를 함. ②양재(洋裁)에서, 점선을 치기 위하여 쓰는 톱니바퀴. 또, 우표 같은 데에 절취선(切取線)을 넣는 연장. ③《수》 정곡선 A에 접하면서 그 위를 다른 곡선 B가 미끄러지지 않고 구를 때, B에 대하여 고정된 점 P가 그리는 자취.

〈룰렛❶〉

〈룰렛❷〉

룸:〔room〕 명 방(房). 실(室).

룸: 라이트〔room light〕 명 실내등(室內燈) 특히, 자동차의 객석(客席)에 켜는 작은 전등. 룸 램프(room lamp).

룸: 램프〔room lamp〕 명 룸 라이트(room light).

룸:-메이트〔roommate〕 명 하숙이나 기숙사 따위에서, 한 방을 같이 쓰는 사람.

룸바〔스 rumba〕 명 《악》 쿠바의 민속 무곡(舞曲)의 총칭. 마라카스(maracas) 등의 특수한 악기를 사용함이 특징이며 4분의 2 박자 계통임. 또, 그로부터 발달한 사교 댄스의 일종으로 4분의 4박자인 룸바 폭스트로트.

룸비니〔범 Lumbini〕 명 《지》 '남비니원'의 원어.

룸:-살롱〔room+salon〕 명 칸막이된 방에서 양주나 맥주 따위의 술을 마시게 된 고급 술집.

룸: 서:비스〔room service〕 명 호텔 따위에서 객실(客室)에 음식물을 날라다 주는 일. 또, 그 담당자. ¶~를 부르다.

룸:-쿨러〔room cooler〕 명 냉동기(冷凍機)의 압축기·증발기·응축기(凝縮機)·송풍기·공기 여과기·온도 조절기·기동기(起動機) 등을 하나의 용기 속에 넣고 이것을 실내에 두어서 냉방(冷房)하는 장치의 총칭.

룸펜〔도 Lumpen〕 명 부랑자(浮浪者). 실업자(失業者).

룸펜 인텔리겐치아〔Lumpen intelligentsia〕 명 《사》 실직한 지식 계급의 사람.

룸펜프롤레타리아:트〔도 Lumpenproletariat〕 명 《사》 자본주의 사회의 최하층에 위치하는 극빈층. 자본주의의 발전에 따라 불가피하게 생겨난 것으로서, 오랜 실업·빈곤에 의해 노동 의욕을 상실, 노동자 계급으로부터 탈락하여 심신(心身)이 피폐(疲弊)된 층.

룹다 자 〈옛〉 눕다. ¶아기란 모른뎌 누이고 즌뎌 룹는은(廻乾就濕恩)《恩重諺》.

룻:-기【一記】〔Ruth〕 명 《성》 구약 성서의 한 편(編). 과부가 된 후, 시어머니 나오미에게 효도를 다하다가 뒤에 보아스와 결혼한 모압의 여인 룻(Ruth)에 관한 고대의 문학적 전원시(田園詩)로서, 인정미(人情美)·효성·이방인(異邦人)에 대한 관용성이 그 내용으로 되어 있음.

룽가〔이 lunga〕 명 《악》 ①한 소절(小節) 휴지(休止) 또는 긴 휴지. ②연음(延音)❷.

룽게[1]〔도 Lunge〕 명 ①폐(肺). ②'폐결핵'의 속칭.

룽게[2]〔Lunge, Georg〕 명 《사람》 독일의 공업 화학자. 1876년부터 32년간 취리히(Zurich) 공과 대학 교수로서 재직(在職)함. 연실법(鉛室法) 황산 제조에 관한 연구를 비롯하여 공업 화학 발전에 힘썼고 저작도 많음. [1839-1923]

룽게[3]〔Runge, Friedlieb Ferdinand〕 명 《사람》 독일의 유기 화학자. 1823년 브레슬라우(Breslau) 대학 교수. 화학 공장에서 연구, 아트로핀(atropine)의 독(毒)작용 및 카페인·퀴닌·푸르푸린(purpurin)의 발견으로 푸린(purine) 화학의 발전에 이바지함. 1834년 콜 타르를 분류(分溜)하여 산성(酸性) 및 염기성 성분을 분리함으로써 타르 물감 공업의 선구자가 됨. [1795-1867]

룽게[4]〔Runge, Philipp Otto〕 명 《사람》 독일의 화가. 독일 로망파 회화의 대표적 화가의 한 사람. 신비적 상징이 넘치는 작품을 그림. 초상화에도 뛰어났으며, 예술론도 남김. [1777-1810]

룽관〔隴關〕 명 《지》 중국 산시 성(陝西省) 룽저우(隴州) 서쪽에 있는 관(關). 지금은 다천관(大震關)이라 부름. 룽산(隴山) 산 아래의 요애(要隘)에 설치되어 한(漢)나라 때부터 서방과 통하는 요충지의 하나이었음. 농관.

룽기〔lungi〕 명 미얀마·인도 등에서 남녀가 사용하는 허리띠. 면포(綿布)·견포(絹布) 또는 인견(人絹) 등으로 만드는데, 표면에는 얼룩무늬가 있음. *사롱(sarong).

룽먼〔龍門〕 명 《지》 중국 황허 강 중류의 급한 여울목. 산시 성(山西省) 허진(河津)의 서북, 산시 성(陝西省) 한청(韓城)의 동북에 있는 산악이 대치한 성경(省境). 잉어가 이곳을 뛰어 오르면 용이 된다는 전설이 있음. 용문.

룽먼 석굴【一石窟】〔龍門〕 명 《지》 중국 허난 성(河南省) 뤄양(洛陽)의 남쪽에 있는 석굴 사원(寺院). 이수이(伊水) 강 양안(兩岸)의 석회암의 산에 있으며, 493년에 북위(北魏)의 효문제(孝文帝)가 뤄양으로 천도한 후에 기공하기 시작하여 당대(唐代)까지 조영(造營)하였음. 고양동(古陽洞)이 가장 오래된 것이고, 빈양동(賓陽洞)은 형식적으로 완비한 것이며, 제왕 후비(帝王后妃)의 공양 부조(浮彫)는 유명함. 또, 조상기(造像記) 중에 서법(書法)에 뛰어난 4품은 특히 룽먼 4품이라 하여 서도사상(書道史上)의 귀중한 자료임. 용문 석굴.

룽먼 이:십품【一二十品】〔중 龍門〕 명 룽먼 석굴의 고양동(古陽洞)에 새겨진 조상기(造像記) 가운데서 서법(書法)이 뛰어난 20개를 일컬음. 495년에 만들어진 《우궐 조상기(牛橛造像記)》에서 519년에 만들어진 《자향 혜정 조상기(慈香慧政造像記)》까지로 필자는 거의 불명. 용문 이십품.

룽산〔隴山〕 명 《지》 중국 산시 성(陝西省) 룽 현(隴縣) 서북쪽에 있는 산. 관중(關中)에 있어서 서면(西面)의 요해(要害)임. 농산.

룽산 문화【一文化】〔중 龍山〕 명 중국의 신석기 시대 후기의 문화. 산둥 성 룽산전(山東省龍山鎭)의 청즈야(城子崖) 유적에서 발견되었기 때문에 이렇게 부름. 양사오(仰韶) 문화에서 파생된 듯하며 흑도(黑陶)를 특징으로 함. 생활은 농경과 목축을 주로 하며, 농경 기술이 발달했음. 산둥(山東)과 허난(河南)을 중심으로 산시(陝西)·산시(山西)·랴오둥 반도(遼東半島) 등에 분포하지만 산둥에서 가장 전형적인 흑도(黑陶)가 출토(出土)되었음. 용산 문화. 흑도 문화.

-룽이다 어미 〈옛〉 -ㅂ니다. -로소이다. ¶敢히 아독ᄒ고 어즐홈이 아니룽이다(不敢迷亂이로이다)《小諺 Ⅵ:42》.

룽저우〔隴州〕 명 《지》 중국 산시 성(陝西省) 서부의 도시. 농축업이 발달, 예로부터 말과 양의 명산지임. 농주.

룽중 산【一山】〔隆中〕 명 《지》 중국 후베이 성(湖北省) 북부, 샹양 현(襄陽縣)의 서쪽에 있는 산. 삼국 시대에, 제갈 량(諸葛亮)이 기슭에 초막(草幕)을 짓고 은거(隱居)하였음.

룽진〔龍津〕 명 《지》 중국 광시(廣西) 장족 자치구 서남부의 도시. 남쪽은 베트남, 북쪽은 난닝(南寧)에 통하는 요지임. 1887년에 교역(交易)을 열어 인도차이나와의 통상지가 되었음. 내륙(內陸) 철도의 연선(沿線)이 아니어서 상업은 부진(不振)함. 구명은 룽저우(龍州). 용진.

룽징춘〔龍井村〕 명 《지》 중국 지린 성(吉林省) 동부, 간도(間島)에 있는 개시장(開市場). 3·1 운동 이후 일본의 압박을 피하여 한민족(韓民族)이 8·15 광복 전까지 유착(留着)하였었음. 간도의 상업 중심지로, 잡곡·목재·수피(獸皮) 등을 생산하고 쌀은 한국인에 의하여 간도미(間島米)의 본고장이 되었음. 용정촌.

룽취안 요【一窯】〔중 龍泉〕 명 중국 저장 성(浙江省) 룽취안 현(龍泉縣) 일대에 있었던 중국 최대의 청자요(靑磁窯). 기원은 북송(北宋) 시대부터였는데, 특히 남송(南宋) 시대에 아름다운 청자를 많이 산출했음. 용천요.

룽하이 철도【一鐵道】〔隴海〕〔一또〕 명 《지》 중국의 화중(華中) 횡단 철도의 하나. 장쑤 성(江蘇省)의 롄윈강(連雲港)을 기점으로, 쉬저우(徐州)·정저우(鄭州)·시안(西安)을 거쳐 간쑤 성(甘肅省) 란저우(蘭州)에 이름. 농해 철도. [1,737 km]

뤄부포 호【一湖】〔羅布泊〕 명 《지》 중국 신장웨이우얼(新疆維吾爾) 자치구의 남부 타림 분지 동단의 내륙 염호(內陸塩湖). 타림 강(江)이 유입(流入)하나 무구호(無口湖)임. 호면(湖面)의 높이 732 m, 길이 95 km, 너비 25-40 km. 타림 강의 유로(流路)가 바뀜에 따라 위치·면적 등이 크게 바뀌고 한때 호수가 사라진 적도 있었음. 헤딘(Hedin)의 탐험에 의하여 1921년부터 타림 강이 다시 옛 호상(湖床)으로 유입하고 있음이 밝혀져 '방황하는 호수'로 호칭됨. 부근에 누란(樓蘭)의 유지(遺址)가 있음. 로프노르(Lop Nor). 나포박.

뤄 빈지〔駱賓基〕 명 《사람》 중국의 작가. 지린 성(吉林省) 사람. 중일 전쟁(中日戰爭) 초기에 상하이(上海) 지구의 전투에 참가한 경험을 토대로 쓴 작품 《대상해적 일일(大上海的一日)》로 인정을 받은 후, 단편 《북망원(北望園)의 봄》, 장편 《혼돈(混沌)》 등을 발표하였음. 섬세하고 치밀한 작풍(作風)이 특징임. 낙빈기. [1917-]

뤄수이〔洛水·雒水〕 명 《지》 중국 산시(陝西)·허난(河南)의 두 성(省)을 동류(東流)하는 황허(黃河)의 지류. 산시 성 동남부의 종링산(冢嶺山)에서 발원(發源)하여 허난 성 뤄양(洛陽)의 남쪽을 통과하여 황허에 들어감. 낙천(洛川). 낙수. [320 km]

뤄양〔洛陽〕 명 《지》 중국 허난 성(河南省) 북쪽의 도시. 북쪽에 망산(邙山) 산이 있고 남쪽에 뤄수이 강(洛水)을 끼고 있으며, 화베이(華北) 평야와 웨이수이 분지(渭水盆地)를 잇는 요지로, 룽하이 철도(隴海鐵道)가 지남. 광산 기계·트랙터·방적(紡績) 등 공업이 행해지며, 부근에서 면화가 많이 나고 석탄·금속 자원도 풍부함. 기원전 11세기에 주(周)나라 성왕(成王)이 왕성(王城)을 쌓은 후, 후한(後漢)·조위(曹魏)·서진(西晉)·북위(北魏)·후당(後唐)의 도읍지로 번창하였음. 백마사(白馬寺)·남문(南門)·톈진 교(天津橋)·룽먼 석굴(龍門石窟) 등 명승 고적이 많음. 동경(東京). 동도(東都). 하남(河南). 낙경(洛京). 낙사(洛師). 뤄청(洛城). 낙성. 낙읍(洛邑). 낙양.

뤄 전위 〔羅振玉〕 명 《사람》 중국 고고 금석학자(考古金石學者). 자는 숙언(叔言) 또는 숙온(叔蘊). 은허(殷墟)·금석문(金石文)·갑골문(甲骨文)의 연구로 알려짐. 둔황(敦煌)에서 발견된 고서(古書)·고사본(古寫本) 및 은허(殷墟) 출토(出土)의 갑골문 등의 수집·연구에 진력(盡力)함. 저서에 《은허 서계고(殷墟書契考)》 등이 있음. 나진옥. [1899-1940]

뤄 창페이 〔羅常培〕 명 《사람》 중국의 음운학자. 베이징 대학 교수. 1950년부터 중국 과학원 언어 연구소장을 지냄. 저서에는 《아모이 음계(Amoy 音系)》·《당오대 서북 방언(唐五代西北方言)》·《임천 음계(臨川音系)》 등이 있음. 나상배. [1889-1958]

뤄청 〔洛城〕 명 《지》 ①뤄양(洛陽). ②뤄양 성(洛陽城). 중국 허난 성(河南省) 뤄양 현(洛陽縣)의 동쪽에 있었음. 낙성.

뤄푸 산 【—山】〔羅浮〕 명 《지》 중국 광둥 성(廣東省) 광저우(廣州) 시의 동쪽, 쩡청(增城)·보뤄(博羅)의 현계(縣界)에 있는 산 이름. 동해(東海)로부터 표류해 온 푸산 산(浮山)이 뤄산 산(羅山)과 합체(合體)하여 이루어졌다 함. 나부(羅浮).

뤼넨 〔Lynen, Feodor〕 명 《사람》 독일의 생화학자. 막스 플랑크(Max Plank) 세포 화학 연구소장 겸 뮌헨 대학 교수. 지방산(脂肪酸)의 β산화와 TCA 회로에 중요한 아세틸 조효소 에이(acetyl 助酵素 A)를 단리(單離) 고정하고, 그 구조를 해명하여 동맥 경화증의 치료법을 발견하였음. 1964년 노벨 생리 의학상을 수상함. [1911-79]

뤼다 〔旅大〕 명 《지》 중국 랴오닝 성(遼寧省)의 옛 뤼순(旅順)·다롄(大連) 및 그 주변의 여러 섬을 포함하는 랴오둥(遼東) 반도 남단의 지역. 면적 약 3,400 km². 여대. 1981년 다시 다롄(大連)으로 돌아감.

뤼더스-선 【—線】 명 〔Lüders' lines〕 《물》 재료가 탄성 한계(彈性限界)를 넘을 때, 재료의 원자간의 결합력(結合力)이 약한 곳에 생기는 단층(斷層)의 경계선.

뤼드 〔Rude, François〕 명 《사람》 프랑스의 조각가. 초기에는 고전주의적 작품 활동을 하다가 점차 자유롭고 힘찬 동감(動感)과 극적인 감정 표현을 특색으로 하는 새로운 양식을 창조하고, 프랑스에 있어서의 낭만주의 조각의 대표적 존재가 됨. 대표작은 파리 개선문의 부조(浮彫) 《라 마르세예즈》·《잠을 깬 나폴레옹》 등. [1784-1855]

뤼르사 〔Lurçat, Jean〕 명 《사람》 프랑스의 화가. 퀴비슴의 영향을 받아 시정(詩情)이 넘치는 장식적 화풍을 확립. 45세경부터 태피스트리(tapestry)의 제작에 주력하여 중세의 단순한 수법을 써서 현대에 다시 태피스트리를 부흥시킴. [1892-1966]

뤼미에:르 〔Lumière, Louis Jean〕 명 《사람》 프랑스의 화학자. 그의 형인 화학자 뤼미에르(Lumière, A.M. Louis Nicolas)의 협력을 얻어 시네마토그래프(cinematograph)를 발명, 1903년에는 3색 컬러 사진을 고안함. [1864-1948]

뤼베크 〔Lübeck〕 명 《지》 독일 북부의 고도(古都)이며 발트 해안 최대의 항구 도시. 함부르크 동북 56km 지점에 있음. 조선(造船)·기계·식품 등의 공업이 행하여짐. 중세에는 발트 해 최대의 무역항이었고 13-15세기의 한자 동맹시(Hansa 同盟市)였음. 역사가 오랜 성당·교회가 많음. [209,159명(1987)]

뤼수이 〔瀘水〕 명 《지》 중국의 삼국 시대 촉(蜀)나라의 제갈공명이 남만(南蠻)을 쳤을 때 건넜던 강. 쓰촨 성(四川省)과 윈난 성(雲南省)의 경계를 흐르는 진사 강(金沙江) 또는 그 지류(支流)의 뤄수이 강(若水) 부근이라 추측됨. 여수.

뤼순 〔旅順〕 명 《지》 〔예전에 산둥(山東)에서 랴오둥(遼東)으로 들어가는 여정(旅程)의 순로(順路)에 있었다는 데서 유래〕 중국 랴오닝 성(遼寧省) 랴오둥 반도의 서남단에 있는 다롄 시(大連市)의 한 구역. 동쪽의 황진 산(黃金山)과 서쪽의 랴오후웨이(老虎尾) 반도 사이에 폭(幅) 270m의 수로(水路)가 있어 요해(要海)가 됨. 만내(灣內)에 동서의 두 항구가 있는데, 동항(東港)은 구시가를 이루고 군항(軍港), 서항(西港)은 신시가를 이루고 상항(商港)임. 당나라 때부터 해상 교통의 요지로 러일 전쟁 후 일본이 조차(租借), 제2차 대전 후 소련군이 점령 관리하다가 철퇴, 중국 해군의 군항이 됨. 여순.

뤼 위안훙 〔黎元洪〕 명 《사람》 중국의 정치가. 신해 혁명(辛亥革命) 때에 청군(清軍) 제21기 협통(協統)에서 혁명군을 통일하여 청(清)에 항쟁함. 진보당 이사장. 1913년 부총통 등을 지내고, 위안 스카이 실각 후, 1916-17년, 1922-23년에 대총통을 지냄. 여원홍. [1866-1928]

뤼첸의 싸움 〔Lützen〕 [—/—에—] 명 《역》 30년 전쟁 중의 결전(決戰)의 하나. 1632년, 라이프치히(Leipzig) 서남의 뤼첸에서 구스타프 아돌프(Gustaf Adolf)가 지휘하는 스웨덴 군과 발렌슈타인(Wallenstein)이 지휘하는 독일 황제군 사이에 벌어진 싸움. 스웨덴군은 독일 황제군을 격파하였으나 구스타프 아돌프는 전사함.

뤼팽 〔Lupin, Arsène〕 명 프랑스의 소설가 르블랑(Leblanc)의 추리 소설의 주인공인 괴도(怪盜).

뤽상부:르 궁전 【—宮殿】 〔프 Luxembourg〕 명 《지》 파리에 있는 옛 프랑스 왕실의 왕궁. 1615-25년 앙리 4세의 비(妃)가 건조함. 지상 3층의 토스카나풍(Toscana風)의 건축 양식으로, 1879년 이래 상원(上院)이 이곳에 자리잡음. 부속 정원(庭園)에는 나무와 조상(彫像)이 많으며, 뤽상부르 공원으로서 파리 명소(名所)의 하나가 되어 있음.

륄리 〔Lully, Jean Baptiste〕 명 《사람》 이탈리아 출신의 프랑스 작곡가. 1652년부터 루이 14세의 궁정에 들어가서 궁정 발레를 발전시켜 프랑스 오페라의 전통을 세움. 극음악과 발레 및 오페라 등 무대 음악이 많음. [1632-87]

류 【留】 의명 숫자 밑에서 '루블'의 뜻으로 쓰는 말.

-류[1] 【流】 回 어떤 사람이나 그 파(派)의 특유한 방식·풍류를 나타내는 접미어. ¶ 자기～의 해석은 삼가라.

-류[2] 【類】 回 ①어떤 명사 밑에 붙어서 그와 같은 종류에 속하는 것을 가리키는 접미어. ¶ 금속～/염기～. *무리·따위. ②《생》 생물 분류학(分類學)에 있어서 '강(綱)'·'목(目)'·'과(科)'·'속(屬)' 따위에 해당하는 분류군(分類群)을 관용(慣用)으로 쓰는 접미어. ¶ 곤충～/양치～/식육(食肉)～.

류거흘 명 〈옛〉 털이 검고 배만 흰 말. ¶ 驟騾馬白腹 류거흘 《才物譜7》.

류:리크 〔Ryurik〕 명 《사람》 루리크(Rurik).

류:머티스성 관절염 【—性關節炎】 〔네 rheumatisch〕 [—썽—렴] 명 《의》 관절 류머티즘.

류:머티즘 〔rheumatism〕 명 《의》 근육이나 관절(關節)에 동통(疼痛)과 염증(炎症)이 다발(多發)하고 그것이 신체 각부에 옮겨가듯이 느껴지는 운동 기관의 질환. 관절 류머티즘 및 근육 류머티즘 등이 있는데 주로 고령자(高齡者)에 많이 발생함. 한자음은 누마질사(僂麻質斯). *관절 류머티즘·근육 류머티즘.

류:머티즘 결절 【—結節】 〔rheumatism〕 [—쩔] 명 《의》 급성기의 류머티즘 증세를 경과한 후에 관절 주변의 연부(軟部)와 대동맥 주위, 편도선 주위나 근(筋)·건(腱)에 생기는 좁쌀알만한 결절성 육아(肉芽). 아쇼프 결절.

류:머티즘성 심염 【—性心炎】 〔rheumatism〕 [—썽—념] 명 《의》 급성 류머티즘열(熱)의 부분 현상으로 일어나는 심염.

류:머티즘-열 【—熱】 〔rheumatism〕 [—녈] 명 《의》 교원병(膠原病)의 한 가지. 용련균(溶連菌)의 감염에 의해, 어느 특정한 소질을 가지는 어린이에게 생기는 세균 알레르기성 질환. 고열(高熱)·상기도염(上氣道炎)·관절통을 일으키고, 약 반수의 환자가 심장염(心臟炎)을 병발(並發)하며, 병후에 가끔 심장 판막증(心臟瓣膜症)을 일으킴.

류 보청 〔劉伯承〕 명 《사람》 중국의 군인·정치가. 원수(元帥). 1926년에 공산당에 입당, 1946년 인민 해방군 사령관, 1967년 군 문혁 소조(文革小組) 고문, 1969년 당 정치국원을 역임(歷任)하였음. 유백승. [1892-1986]

류:블랴나 〔Ljubljana〕 명 《지》 발칸 반도의 북서부, 슬로베니아 공화국의 수도(首都). 고대 로마의 도시로, 빈(Wien)·트리에스테에 통하는 교통의 요지임. 기계·자동차·맥주·담배·피혁 공업이 성하며, 거리에는 오스트리아풍의 건축물이 많음. [310,000명(1991 추계)]

류 사오치 〔劉少奇〕 명 《사람》 중국(中國)의 정치가. 후난 성(湖南省) 출신. 1921년 중국 공산당에 입당하여, 이후 당의 이론(理論)과 조직(組織)의 지도자로 두각을 나타냄. 1949년 중공 정권 수립과 더불어 중앙 위원회 부주석, 1959년 주석에 피임됨. 1966년 문화 혁명에서, 자본주의 노선의 당내 실권파(實權派) 거두라는 비판을 받고 실각, 1968년 중공당(中共黨) 2차 확대 중앙 위원회 총회에서 제명(除名)되어, 모든 직위(職位)에서 해직됨. 저서에 《국제주의(國際主義)와 민족주의(民族主義)》·《류 사오치 선집(選集)》 등이 있음. 유소기. [1898-1969]

류신 〔leucine〕 명 《화》 췌장(膵臟)·비장(脾臟) 속에 있는 중성(中性)의 필수(必須) 아미노산의 하나. 널리 단백질(蛋白質)에 존재하며, 유리상(遊離狀)의 것도 있음. 단리(單離)하면 백색의 판상 결정(板狀結晶)이 됨. 기호는 Leu 또는 L. [$C_6H_{13}NO_2$]

류저우 【柳州】 명 《지》 중국 광시 좡족 자치구(廣西壯族自治區) 중부에 있는 도시. 수륙 교통의 중심지로 구이저우(貴州) 남부와 광시 좡족 자치구 북부의 물산의 대집산지이며 제재(製材)·제지·황산(黃酸)·주정(酒精) 등의 공업이 발달하였음. 유종원(柳宗元)의 유배지로 시역(市域) 일대는 경승지(景勝地)임. 유주. 구칭: 마평(馬平)·유강(柳江).

류청빗 명 〈옛〉 유녹색(柳綠色). ¶ 류청빗체 무룹도리흔 비단(柳青膝欄) 《老乞 下 21》.

류코트리엔 〔leukotriene〕 명 《화》 사람의 전립선(前立腺)에서 검출되는 물질. 기관지(氣管支) 수축 작용이 있어 기관지 천식의 병인(病因)으로 주목을 받고 있음.

류:코플라키아 〔leukoplakia〕 명 《의》 백반증(白斑症).

류:콘-형 【—型】 명 〔Leucon type〕 《동》 석회 해면류(石灰海綿類) 구계(溝系)의 한 형. 편모실(鞭毛室)은 위강(胃腔)에서 완전히 분리되어 소형화(小形化)하고 모양은 둥긂. 물은 편모실·위강을 통하여 큰 구멍으로 배출됨. 석회 해면류의 대부분이 이 형에 속함. *사이콘형·아스콘형.

류:큐: 〔琉球〕 명 《지》 일본 규슈(九州) 남쪽에서 타이완(臺灣)까지의 해상에 흩어져 있는 열도. 오키나와 제도(沖繩諸島)·미야코 제도(宮古諸島)·야에야마 제도(八重山諸島) 등을 포함하는 50여 개의 섬으로 구성되어 있음. 주민(住民)은 일본 민족과 같은 계통임. 7세기 이후 이미 중국·한국·일본 등과 교섭이 있었고 조공(朝貢)을 바쳐 왔는데, 14세기에 중국 명(明)나라의 책봉(冊封)을 받았음. 1871년 일본 영토가 되어 1879년에 오키나와 현(縣)을 두었음. 제2차 세계 대전 후에는 한때 미군의 관리 지역이 되어 미국의 극동 방위의 제일선 기지가 되었음. *오키나와 현(沖繩縣). 유구. [2,388.24 km²]

류:큐: 열도 【—列島】 〔琉球〕 [—또] 명 《지》 일본 본토와 타이완 간에 있는 크고 작은 여러 개의 섬. 오키나와 제도(沖繩諸島)와 사키시마 제도(先島諸島)의 총칭.

류탸오후 〔柳條湖〕 명 《지》 중국 랴오닝 성(遼寧省) 선양(瀋陽) 북쪽에 있는 지명. 1931년 일본의 간토 군(關東軍)이 고의로 남만주 철도를 폭파하여 만주 사변(滿洲事變)의 전단(戰端)이 되었던 곳임. 유조호.

류탸오후 사:건【一事件】〔중 柳條湖〕〔一껀〕 명 〖역〗 1931년 9월에 만주 선양(瀋陽) 북방의 류탸오후에서 돌발한 철로(鐵路) 폭파 사건. 일본의 간토 군(關東軍)의 모략에 의한 폭파로, 일본은 이것을 구실로 하여 만주 사변을 일으켰음.

류:트〔lute〕 명 가장 오래된 종류의 현악기의 하나. 이집트·아라비아를 거쳐 중세 때 유럽에 들어와, 18세기 말엽까지 독주 및 합주용으로 쓰이었음. 모양은 만돌린 비슷한데, 현(絃)을 손가락이나 피크(pick)로 튀겨서 연주함.

〈류트〉

류판 산맥【一山脈】〔六盤〕 명 〖지〗 중국 산시 성(陝西省)에서 닝샤 후이족 자치구(寧夏回族自治區)에 이르는 산맥. 산시 성의 가장 서쪽 끝의 웨이수이(渭水) 강 북쪽에서 일어나 간쑤 성(甘肅省)의 동부를 북으로 뻗어 닝샤 후이족 자치구에 들어가 황허(黃河) 강에 이름. 산세(山勢)가 매우 험하여 교통에 큰 장애가 됨. 칭기즈 칸이 이 산맥 줄기 중에서 죽은 것으로 유명함. 육반 산맥.

륙색〔rucksack〕 명 등산이나 하이킹을 할 때, 필요한 물건을 넣어 등에 지는 배낭의 한 가지. 룩색.

-률[1]【律】〔뉼〕 미 ㄴ받침을 제외한 받침있는 명사 밑에 붙어서 '율(律)'의 뜻을 나타내는 접미어. ¶ 도덕~. *-율(律).

-률[2]【率】〔뉼〕 미 ㄴ받침 이외의 받침 있는 명사 밑에 붙어, '비율'의 뜻을 나타내는 말. ¶ 합격~ / 사망~ *-율.

률모 명 〈옛〉 율무. ¶ 薏苡者草珠也. 方言云栗母《雅言 卷一》.

르[1] 조 〈방〉 를(함경).

르[2] 조 〈옛〉 로. ¶ 오직 호 큰 잀 因緣젼ᄎ르(爲一大事因緣故)《圓覺 序 6》.

르나:르〔Renard, Jules〕 명 〖사람〗 프랑스의 소설가·극작가. 페시미스틱(pessimistic)한 풍자와 깊은 유머로 엮은 걸작 《홍당무》·《포도밭의 포도지기》 등은 어린 시절의 미묘한 심리를 그린 작품이며, 그의 《일기》 4권은 독특한 풍격을 갖춘 인간 기록임. [1864-1910]

르낭〔Renan, Joseph Ernest〕 명 〖사람〗 프랑스의 철학자·종교 사가(宗敎史家). 실증주의(實證主義) 및 다위니즘(Darwinism)의 영향을 받았으며, 문필에도 능하여, 저서 《기독교 기원사(起源史)》 7권 중의 제1권 《예수전(傳)》의 역사 과학적인 비판 정신은 커다란 반향(反響)과 문제를 불러일으켜, 마침내 교회로부터 추방되었음. [1823-92]

르네〔René〕 명 〖책〗 프랑스의 작가 샤토브리앙(Chateaubriand)의 소설. 1802년 《기독교의 진수(眞髓)》의 일부로서 발표된 것인데, 프랑스 대혁명의 이상적 사회 변동을 배경으로, 한 청년이 묵은 폐허(廢墟)를 보는 적막감과 그 위에 새로 건설될 미래에 대하여 불안에 잠기는, 혼돈된 감정을 묘사한 산문시 같은 소설임. 소위 '세기병(世紀病)'의 선구(先驅)를 이룬 작품.

르네상:스〔프 Renaissance〕 명 〔본디는 재생(再生)·부활(復活)의 뜻〕 14세기 말엽부터 16세기초에 걸쳐 이탈리아에서 일어나, 이어 전(全) 유럽을 휩쓸었던 예술 및 문화상의 혁신 운동. 중세기의 기독교적 속박에서 벗어나 개인과 개성(個性)의 해방 및 존중, 자연인(自然人)의 발견 등을 주안(主眼)으로 하였음. 봉건제를 타도한 상공 도시의 상층 시민이 그 보호자·추진자로서 미술·문예 등에 새 분야를 개척했으나, 그 보수화(保守化)와 함께 장식적(裝飾的)인 경향이 짙어졌음. 16세기에는 알프스 이북에 파급하여 종교 개혁과 결부됨. 문예 부흥(文藝復興).

르노:[1]〔Renaud, Madeleine〕 명 〖사람〗 프랑스의 배우. 코메디 프랑세즈(Comédie-Française)에서 인기를 얻음. 청순 가련한 처녀 역에서부터 노인 역까지 폭넓은 연기력의 소유자. 《하얀 처녀지(處女地)》 등 많은 영화에도 출연함. [1903-]

르노:[2]〔Renault, Louis〕 명 〖사람〗 프랑스의 국제법학자. 1907년 헤이그 평화 회의에 프랑스 대표로 참석하였으며, 평화에의 노력에 의하여 모네타(Moneta, E. T.; 1833-1918)와 함께 1907년 노벨 평화상을 받았음. [1843-1918]

르노: 공단【一公團】〔프 Renault〕 명 파리 교외에 있는 프랑스의 국유 자동차 기업. 1898년 창립. 제2차 세계 대전 후 독일에 협력한 탓으로 국가에 몰수된 것인데, 승용차 등 여러 종류의 차량을 생산하고 있음.

르노도-상【一賞】 명 〔프 prix Renaudot〕 〖문〗 프랑스의 문학상(文學賞)의 하나. 프랑스의 최초(最初)의 신문(新聞) '라 가제트(La Gazette)'의 창시자인 르노도(Renaudot, Théophraste; 1586-1653)를 기념하여 1925년 창설됨. 실험적(實驗的)인 작품에 수여되며, 공쿠르상(賞)과 같은 날 발표되는데, 상금은 없음.

르노르망〔Lenormand, Henri René〕 명 〖사람〗 프랑스의 극작가. 프로이트(Freud)의 영향으로 잠재 의식(潛在意識)의 탐구 등에 흥미를 가졌으며, 재래의 이성적(理性的)인 심리 분석에 대한 반발을 보여 1차 대전 후 이색적(異色的)인 작가로 알려졌음. 대표작은 《시간은 꿈》·《낙오자의 무리》 등. [1882-1951]

르뇨:〔Regnault, Henri Victor〕 명 〖사람〗 프랑스의 물리학자·화학자. 열학(熱學)에 관한 각종 실험·측정을 하여, 기체(氣體)가 엄밀하게는 '보일(Boyle)의 법칙'에 따르지 않으며, 또 이상 기체(理想氣體)의 정압 비열(定壓比熱)이 온도와는 관계가 없다는 '르뇨의 법칙'을 밝혔음. [1810-78]

르누아르[1]〔Lenoir, Etienne〕 명 〖사람〗 룩셈부르크 출신의 프랑스 기계 기술자. 1838년 파리에 나와 여러 가지 직업에 종사하면서 독학, 1860년 무압축(無壓縮)·전기 점화(點火) 방식의 실용 가스 기관을 완성하고, 전기 제동기·양수기(量水器) 등도 발명함. 1870년 프랑스에 귀화(歸化)함. [1822-1900]

르누아르[2]〔Renoir〕 명 〖사람〗 ①〔Auguste R.〕 프랑스의 화가. 젊을 때 모네·마네 등과 알게 되어 인상파(印象派) 운동에 참가. 한때 고전주의에도 경도(傾倒)하였으며, 밝고 선려(鮮麗)한 원색(原色)의 대비(對比)에 의한 발랄한 감각 표현으로 장미·아이·나부(裸婦) 등을 즐겨 그렸음. [1841-1919] ②〔Jean R.〕 프랑스의 영화 감독. ❶의 차남. 화가를 지망하였다가 영화로 전향하여 문예 작품을 주로 다루었음. 대표작은 《보바리 부인》·《강(江)》 등. [1894-1979]

르동〔Redon, Odilon〕 명 〖사람〗 프랑스의 화가·식물학자. 들라크루아(Delacroix)로부터 감화(感化)를 받음. 기괴한 환상을 목탄화(木炭畫)·석판화(石版畫)로 표현한 상징주의적 작품이 많음. 만년(晩年)에는 파스텔과 유채(油彩)로 몽환적(夢幻的)인 테마를 다루어 쉬르레알리슴의 선구가 됨. [1840-1916]

르-망〔Le Mans〕 명 〖지〗 프랑스의 서북부, 사르트 강(Sarthe江)에 면한 상공업 도시. 농산물 거래의 중심지이며, 자동차·농경(農耕) 기계·섬유·식품 공업이 발달. 로마 시대의 유적(遺跡), 11세기 창건(創建)의 고딕식 성당이 있음. [145,976명(1982)]

르메트르〔Lemaître, François Elie Jules〕 명 〖사람〗 프랑스의 평론가·극작가. 인상 비평(印象批評)의 대표자의 한사람으로, 섬세한 감정 표현이 유명하였음. 평론집인 《근대의 작가》·《연극의 인상》 등 외에 시·희곡·소설도 있음. [1853-1914]

르메트르의 우:주【一宇宙】〔Lemaître〕〔一/一에一〕 명 최초로 생각된 팽창 우주(膨脹宇宙). 우주의 전질량(全質量)에 해당하는 단일 원자(單一原子)가 서서히 분열하면서 확산(擴散), 지금처럼 되었다고 보는 우주. 벨기에의 수학자·천문학자인 르메트르(Lemaître, Georges Edouard; 1894-1966)가 고안함.

르 몽:드〔Le Monde〕 명 프랑스의 유력한 석간(夕刊) 신문. 기독교 사회주의적 색채를 띤 중립지(中立紙)로서, 인텔리 층(層)에 강한 영향력을 가짐. 1944년에 파리에서 창간됨.

르발루아 문화【一文化】〔Levallois〕 명 후기 아쉬르(Achur) 문화와 무스티에(Moustier) 문화에 병행하는 유럽 초기 구석기 시대의 박편 석기계(剝片石器系)의 문화. 파리 근교인 르발루아 페레에서 그 유물이 발견된 데서 명명됨. 북프랑스·남잉글랜드·독일·벨기에·루마니아 등에 널리 분포하고 석기는 타원형 또는 첨단형임.

르베그 적분【一積分】〔Lebesgue〕 명 〖수〗 프랑스의 수학자 르베그(Lebesgue, Henri; 1875-1941)가 발견한 새로운 적분 개념. 집합(集合)의 측도(測度)의 관점에서 종래의 적분 개념을 일반화하여 적용 범위를 비약적으로 넓힌 것으로 해석학(解析學)의 현저한 진보의 소인(素因)이 되었음.

르베리에〔Leverrier, Urbain Jean Joseph〕 명 〖사람〗 프랑스의 천문학자. 천체 역학·행성(行星)의 운동론에 권위적 저술을 남겼으며, 천왕성의 궤도 측정으로 미지(未知)의 행성이 존재함을 예언하여, 해왕성의 발견에 이바지함. [1811-77]

르변:칙 활용【一活用】 명 〖언〗 르불규칙 활용.

르보프〔Lwów〕 〖지〗 '리보프(L'vov)'의 폴란드 명.

르 봉〔Le Bon, Gustave〕 명 〖사람〗 프랑스의 심리학자·사상가. 외교관으로서 여러 민족의 정신적 특성을 연구하였으며 다시 군중 심리(群衆心理)를 연구, 이로부터 국가·전쟁 등을 설명하여 근대 사회 심리학의 선구자가 되었음. 주저(主著) 《군중 심리학》. [1841-1931]

르불규칙 용:언【一不規則用言】〔一뉴一〕 명 〖언〗 르불규칙 활용을 하는 용언.

르불규칙 활용【一不規則活用】 명 〖언〗 어간의 끝 음절 '르'와 관계되는 불규칙 활용으로, 어간의 끝 음절 '르'가 모음 위에서 'ㄹ' 받침으로 줄고 어미 '아'·'어'·'이'가 각각 '라'·'러'·'리'로 변하는 형식. 예를 들면 '고르다'가 '골라'로, '빠르다'가 '빨라'로 변하는 따위.

르뷔〔프 revue〕 명 리뷰[2].

르 브룅〔Le Brun, Charles〕 명 〖사람〗 프랑스의 화가·실내 장식가. 베르사유(Versailles) 궁전·루브르(Louvre) 궁전의 장식을 담당, 1662년 국왕의 수석 화가, 1668년 왕립 아카데미 총재가 됨. 여러 유파의 절충식 화법으로 종교화·역사화·초상화 등을 남겼음. 대표작에 《성스테파누스(聖Stephanus)의 순교》 등이 있음. [1619-90]

르블랑[1]〔Leblanc, Maurice〕 명 〖사람〗 프랑스의 탐정 소설 작가. 괴도(怪盜) 뤼팽(Lupin)을 주인공으로 하는 많은 탐정 소설을 썼음. 대표작 《신사 강도 아르센 뤼팽》 등. [1864-1941]

르블랑[2]〔Leblanc, Nicolas〕 명 〖사람〗 프랑스의 외과의(外科醫)·화학자. 오를레앙공(公)의 주치의(主治醫)로 근무함. 아카데미 데 시앙스의 현상 모집에 응모(應募)하여, 1790년 식염(食塩)에서 탄산 나트륨을 만드는 공업적 제법을 발견함. [1742-1806]

르블랑-법【一法】〔Leblanc〕〔一뻡〕 명 〖화〗 프랑스의 화학자 르블랑이 1790년에 고안한 탄산 나트륨 제조법. 식염(食塩)에 황산을 작용시켜서 황산 나트륨을 만들어, 이것을 석회석(石灰石) 및 석탄과 혼합하고 고열을 가하여 탄산 나트륨으로 변화시키는 방식. 암모니아 소다법이 발명되기까지 널리 이용되어, 근대 무기 화학(無機化學) 공업의 기초가 되었음.

르사:주〔Lesage, Alain René〕 명 〖사람〗 프랑스의 소설가·극작가. 악한(惡漢) 소설에 흥미를 느껴 《절름발이 악마》·《주인과 겨루는 크리스팽(Crispin)》 등을 발표하였으며, 이 밖에 《질 블라스(Gil Blas)》 등의 희극이 있음. [1668-1747]

르상티망〔프 ressentiment〕 명 〖심〗 원한(怨恨). 복수감.

르 샤틀리에〔Le Châtelier, Henri Louis〕 명 〖사람〗 프랑스의 화학자. 고온(高溫)하에서의 물질 상태를 연구하여 '평형 이동(平衡移動)의 법칙'을 발견하였고, 또 고온 합금 등을 연구, 금속 검사용의 현미경을 발명함. [1850-1936]

르 샤틀리에 브라운의 법칙【一法則】〔一/一에一〕 명 〔Le Châtelier-Braun's law〕 〖물〗 평형 상태(平衡狀態)에 있는 계(系)에서, 온도·압력·

농도 등의 조건을 바꾸면, 그 변화를 될수록 적게 하는 방향으로 평형이 이동한다는 법칙. 1884년 르 샤틀리에가 발표, 1887년 브라운(Braun, K.F.)이 보완(補完)함. 평형 이동의 법칙.

르 샤틀리에의 원리【一原理】[-월-/-에월-] 명 〔Le Chatelier's principle〕〖화〗 평형(平衡) 상태에 있는 물질계는 온도·압력 등 외력에 의한 변화에 대하여 이를 없애려는 방향으로 평형이 이동한다는 화학 상의 원리. 반항률(反抗律).

르샷다 조 〈옛〉 시더라. ¶ 天下 ㅣ 定홀 느지르샷다(迺是天下始定之徵) 《龍歌 100章》.

르 시드 〔Le Cid〕 명 〖연〗 코르네유(Corneille)가 지은 희곡. 프랑스 고전극의 선구로, 1636년에 초연(初演)되었음. 주인공 돈 로드리그가 망부(亡父)의 원수인 고메스를 죽이자, 서로 사랑하는 사이인 고메스의 딸 시멘이 로드리그의 처형을 법에 호소하지만 왕의 배려로 둘은 맺어지고, 또 무명(武名)을 떨치게 된다는 줄거리. 의무와 사랑의 상극(相克)을 표사한 극임.

르-아:브르 〔Le Havre〕 명 〖지〗 프랑스의 영국 해협에 임한 센 강(Seine 江) 하구 북안의 항구 도시. 19세기 이래 영국과 미국 방면과의 무역이 성하며, 조선(造船)·기계·화학·시멘트·섬유·식품 등의 공업도 행하여짐. 대서양 항로의 발착지(發着地)임. [198,700 명(1982)]

르완다 〔Rwanda〕 명 〖지〗 아프리카 중앙부의 공화국. 국토는 표고(標高) 1,200~1,500미터의 고원으로 남위 2-3도의 열대에 있으나 연(年) 평균 기온은 19°C임. 주민의 약 80%가 바후투족(Bahutu族), 약 15%가 바투치족(Batutsi族). 공용어(公用語)는 프랑스어. 농업이 주산업이며 커피·차·면화·제충국(除蟲菊) 등이 중요한 수출품이고, 주석·텅스텐·녹주석(綠柱石) 등의 광산(鑛產)도 있음. 독일령, 벨기에령을 거쳐, 1962년 부룬디(Burundi)와 분리하여 독립함. 수도는 키갈리(Kigali). 정식 명칭은 '르완다 공화국(Republic of Rwanda)'. [26,338 km²: 7,180,000 명(1990 추계)]

르완다-어【一語】〔Rwanda〕 명 〖언〗 르완다·부룬디(Burundi)·우간다(Uganda)의 일부에서 사용되는 반투(Bantu) 어족에 속하는 언어. 사용자는 약 230만 명. 바후투족(Bahutu族)과 바투치족(Batutsi族) 사이에 발음의 차이가 있음.

르웨탄 〔日月潭〕 명 〖지〗 타이완(臺灣) 중부 난터우 현(南投縣) 산중 위치상(魚池鄉)을 흐르는 줘수이 강(濁水溪) 가까이에 있는 호수. 호안에 수목이 무성하고 풍경이 좋아 타이완 팔경(臺灣八景)의 하나임. 부근에 원주민 부락이 있음. [8 km²]

르장:드르[1] 〔Legendre, Adrien Marie〕 명 〖사람〗 프랑스의 수학자. 타원 함수(楕圓函數)를 연구하여 다원 적분(積分)을 분류(分類)하고, 회전 타원체의 인력(引力)을 논하여 포텐셜(potential)의 개념이 불리는 르장드르 함수를 도입(導入)함. 《기하학 원론》을 썼고, 가우스(Gauss)에 앞서서 최소 제곱법을 논함. 또, 정수론(整數論)·적분학을 연구하였으며, 측지(測地) 작업에 참가하였음. [1752-1833]

르 장드르[2] 〔Le Gendre, Charles William〕 명 〖사람〗 프랑스 출신의 미국 군인·외교관. 남북 전쟁에 참전한 뒤, 1872년 일본의 외교 고문이 되어, 일본의 대만(臺灣) 정책을 거듦. 조선의 주일 공사관 참찬관(參贊官) 김가진(金嘉鎭)의 주선으로, 1890년 내무 협판(內務協辦)이 되어 러시아 공사 웨베르(Waeber)와 협력하여 배일(排日)을 주장함. 양화진(楊花津) 외인 묘지에 묻힘. 한국명은 이선득(李仙得). [1830-99]

르카쩌 〔日喀則〕 명 〖지〗 중국 시짱(西藏) 자치구 남부의 도시. 해발 3,640 m의 고소(高所)에 있으며, 티베트에서 인도로 빠지는 교통의 요지임. 부근은 토지가 비옥하여 농산물이 많음. 라사(拉薩)의 포탈라궁(Potala宮)과 함께 정치·종교의 중심지임.

르 코르뷔지에 〔Le Corbusier〕 명 〖사람〗 스위스 태생의 프랑스 건축가·화가·저술가. 본명은 Charles Edouard Jeanneret. '레스프리 누보(L'Esprit Nouveau)' 지를 발간, 1927년에는 기능주의(機能主義) 디자인의 가장 명쾌한 이론으로 여겨지는 '근대 건축의 5원칙'을 발표함. 이후 소련·남북 아메리카에까지 폭넓은 활동을 전개하면서 건축 일반에 대한 기능주의파(派)의 주류를 이루었음. 작품 '국제 연합 본관' 등. [1887-1965]

르콩트 드 릴: 〔Leconte de Lisle, Charles Marie〕 명 〖사람〗 프랑스의 시인. 고답파(高踏派)의 대표로 활약하였으며, 열광적인 공화주의자였으나, 2월 혁명 후 정치에 환멸을 느끼는 한편 낭만주의에 반감을 가짐. 고대에서 시의 소재(素材)를 구해 비정의 미(美)를 탐구하고, 과학·객관주의를 제창하였음. 원시적 다채로운 이교주의(異敎主義)에 입각한 《야만 시집》·《비극 시집》 등을 냄. [1818-94]

르클랑셰 전:지【一電池】 명 〔Leclanché cell〕 〖물〗 1866년 프랑스의 르클랑셰(Leclanché, Georges; 1839-82)가 발명한 전지. 염화 암모늄 용액이 든 유리병 속에 수은을 바른 아연 막대기를 세우고, 한쪽에는 탄소 가루와 이산화 망간과의 혼합물을 넣은 탄소 원통(圓筒)을 꽂아 놓은 것으로, 탄소 원통이 양극이 되고 아연 막대기가 음극이 됨. 기전력(起電力)은 약 1.5 볼트. 건전지로 이용됨. 이것을 개량한 것이 현재 널리 쓰이는 망간 건전지임.

르페브르 〔Lefebvre, Georges〕 명 〖사람〗 프랑스의 역사가. 소르본 대학 교수. 사회사적 측면에서 프랑스 혁명을 연구하고, 혁명에 있어서의 농민 혁명의 의의(意義)를 밝힌 공적이 큼. 《혁명사 연보(革命史年報)》의 책임 편집자로서 다음 대의 연구자에게 절대적인 영향을 주었음. 주저(主著) 《프랑스 혁명기의 노르 현(縣)의 농민》. [1874-1959]

르포 명 ↗르포르타주. ¶ 현지(現地) ~/~ 라이터.

르 포:르 〔Le Fort, Gertrud von〕 명 〖사람〗 독일의 여류 작가. 선조는 프랑스에서 이주한 신교도. 1926년 가톨릭으로 개종함. 제1차 대전 전후의 시대를 배경으로 하는 자전적(自傳的) 장편인 2부작 《베로니카(Veronika)의 성백(聖帛)》 외에, 《단두대의 최후의 여인》 등 깊은 신앙과 인간애에 바탕을 둔 단편 가작(佳作)이 많음. [1876-1971]

르포르타:주 〔프 reportage〕 명 ①(신문·잡지·방송 따위에서) 현지 보고 기사. ②〖문〗 제1차 세계 대전 후에 생긴 문학상의 한 장르(genre). 사회적인 현실을 보고자의 주관을 가미하지 아니하고 객관적으로 서술한 문학이며 전시중 전쟁 문학으로 널리 쓰이기 시작하였음. 기록 문학. 보고 문학. ㊣르포.

를 조 받침없는 체언에 붙어서 목적격을 만드는 목적격 조사. ¶ 나~ 보라/노래~ 부르다. ㊣ㄹ. *을.

-릉【陵】 미 제왕·후비(后妃)의 무덤에 붙이는 말. ¶ 서오(西五)~/선(宣)~/무열왕(武烈王)~. *능[3].

릉만ㅎ다 타 〈옛〉 모욕하다. 업신여기다. ¶ 릉만 릉(陵)《類合 下 28》.

릉히 부 〈옛〉 능히. ¶ 릉히 어딜에 도일 사룸이 젹그니라 ㅎ더시다(而能有成者少矣)《飜小 Ⅸ:5》.

릉ㅎ다 형 〈옛〉 능하다. ¶ 릉홀 릉(能)《類合 上 1》.

리:[1] 〔Lee, Robert Edward〕 명 〖사람〗 미국의 군인. 처음 남북 전쟁에 반대하다가 고향을 위해 남부군의 사령관으로 분전하여 '남부의 영웅'이라고 존경받았으나, 북군의 그랜트(Grant)에 패하였음. 전쟁이 끝난 후 워싱턴 대학 학장에 취임하였음. [1807-70]

리:[2] 〔Lee, Tsung Dao〕 명 〖사람〗 중국 출신의 미국 물리학자. 중국 이름은 리 정다오(李政道). 1946년 도미(渡美), 시카고 대학에서 페르미(Fermi, E.)에게 배움. 1951년 프린스턴 고급 연구소원, 1956년 컬럼비아 대학 교수를 역임함. 1956년 양(Yang, C.)과 함께 소립자론(素粒子論) 및 통계 역학(統計力學)의 연구를 추진, 약한 상호 작용에서는 패리티(parity)의 보존칙(保存則)이 성립되지 않음을 예언하여, 1957년 공동으로 노벨 물리학상을 수상함. [1926-]

리:[3] 〔Lee, Yuan Tseh〕 명 〖사람〗 중국 태생의 미국 화학자. 중국 이름은 '리 유안체'. 캘리포니아 대학 화학과 주임 교수. 1986년 분자 빔 교차법 연구로 노벨 화학상을 수상함. [1937-]

리:[4] 〔Leigh, Vivien〕 명 〖사람〗 영국의 여배우. 무대 배우 출신. 미국에서 《바람과 함께 사라지다》·《욕망이라는 이름의 전차》의 두 영화에 출연하여 2차 아카데미 주연상(主演賞)을 획득하였음. 셰익스피어 작품에도 출연하였음. [1914-67]

리:[5] 〔Lie, Jonas〕 명 〖사람〗 노르웨이의 소설가. 《도선사(導船士)와 그 아내》 등의 해양 소설(海洋小說) 및 가정 소설을 써서 노르웨이 문학의 전통을 쌓음. [1833-1908]

리:[6] 〔Lie, Marius Sophus〕 명 〖사람〗 노르웨이의 수학자. 오슬로 대학의 교수. 변환(變換)의 일반 이론을 연구하는 기초를 확립하고, 연속군론(連續群論)을 창시함. 주저(主著) 《변환군론(變換群論)》·《미분 방정식론》 등. [1842-99]

리:[7] 〔Lie, Trygve Halvdan〕 명 〖사람〗 노르웨이의 정치가. 1935년 이래 법무상·상무상(商務相)·외상 등을 역임하고, 1946년 초대 유엔 사무 총장에 취임하여 유엔의 기초를 굳히는 데 공헌함. [1896-1968]

리[8]【里】 의명 우리 나라의 거리 단위로 약 0.4 km. ¶ 십 ~/백 ~.

리:[9]【理】 의명 어미 '-ㄹ' 밑에 붙어서 '까닭'·'이치'의 뜻으로 쓰이는 말. ¶ 그럴 ~가 없다/그 사람이 도둑일 ~가 있나. 주의 반드시, 부정하는 말이나 반문하는 말로 뒤가 이어짐.

리[10]【釐·厘】 수 의명 숫자 밑에서 이(釐)의 뜻으로 쓰는 말. ¶ 일 전 오 ~/2푼 5~.

-리-[1] 선어미 받침 없는 용언의 어간에 붙어, 미래를 나타내는 시제(時制) 표현의 선어말 어미. ¶ 내가 가~다/아니~라. *-으리-.

-리-[2] 미 어간의 끝 음절이 'ㄹ'·'ㄹㅎ', 또는 'ㄹ'인 동사를 사역(使役) 또는 피동(被動)으로 만드는 어간 형성 접미사. ¶ 실~다/굴~다/곯~다. *-구-·-기-·-우-·-이-·-추-·-치-·-히-.

-리[1] 미 어떤 형용사(形容詞)의 어근에 붙어서 부사를 만드는 접미어. ¶ 달~/빨~/게을~. *-이.

-리[2]【利】 미 이자(利子)의 뜻을 나타내는 접미어. ¶ 오푼(五分)~.

-리[3]【里】 미 지방 행정의 말단 구획의 하나인 이(里)의 명칭을 이루는 말. ¶ 명천면 대치~.

-리[4]【裡】 미 어떤 명사 밑에 붙어서 '안'·'가운데'·'속' 등의 뜻을 나타내는 접미어. ¶ 암암~에/비밀~에/성황~에.

-리[5] 어미 ①↗-리요. ¶ 그가 무슨 훌륭한 학자이~/난들 어이 하~. ②↗-리라. ¶ 자유의 역군이 되~. *-으리.

리가 〔Riga〕 명 〖지〗 라트비아(Latvia) 공화국의 수도. 리가 만(灣)에 임한 발트 해(Balt海)의 가장 중요한 항구임. 해륙 교통(海陸交通)의 요지이며, 전기 기기(機器)·섬유·비료·수송 기계·식료품·화차·고무 등의 공업이 성함. 중세기의 성당(聖堂)·고성(古城)·대학 등이 있음. [915,000 명(1989)]

리가아제 〔ligase〕 명 〖화〗 두 분자(分子)를 결합시키는 반응을 촉매하는 효소(酵素)의 총칭. ATP 등 고(高)에너지 인산(燐酸) 결합을 분해할 때 방출되는 다량의 에너지가 이용됨. 연결 효소. 생성 효소. 신타아제(synthase). *리아제.

리가 페데 병【一病】[-뼝] 명 〔Riga-Fede disease〕〖의〗〔리가(Riga, Antonio)는 1822년에 이 병을 보고한 이탈리아 의사, 페데(Fede, Francesco; 1832-1913)는 1876년에 보고한 이탈리아의 소아과 의사〕 유아의 질환. 아래턱에 난 앞니가 혀의 하면(下面)에 있는 설소대(舌小帶)에 닿아서 발생하는 궤양. 궤양부에 육아종(肉芽腫)·섬유종(纖維腫) 등이 나타나므로 아래턱 앞니를 갈거나 뽑아 내거나, 종양을 도려 내야 함.

리간드 〔ligand〕 명 〖화〗 착화합물(錯化合物)에서, 중심 원자 또는 이온(ion)에 배위(配位)하고 있는 원자·원자단·분자·이온. 배위자(配位

子).

리:거〔leaguer〕명 야구에서, 리그에 들어 있는 선수.

리거리즘〔rigorism〕명 ①엄숙. 엄격. ②엄숙주의. 엄정주의.

리겔〔Rigel〕명 〖천〗 오리온자리의 베타성(β星). 겨울철 저녁 때 남동쪽 하늘에 빛나는 백색광(白色光)의 0.1등성으로, 700 광년(光年)의 거리에 있음.

리고동〔프 rigaudon〕명〖악〗프랑스 프로방스 지방에서 시작된 무곡(舞曲). 4 분의 2 또는 4분의 3 박자의 쾌활한 곡. 16-17세기에 유행함.

리골레토[1]〔이 rigoletto〕명〖악〗4 분의 3박자의 이탈리아 무곡(舞曲). 또, 그에 맞추어서 추는 춤.

리골레토[2]〔Rigoletto〕명〖악〗위고(Hugo)의 비극을 소재로 하여 이탈리아의 베르디(Verdi)가 작곡한 3 막의 비가극(悲歌劇). 1851년에 베네치아(Venezia)에서 초연(初演)되었음.

리고로소〔이 rigoroso〕명〖악〗'박자를 정확하게'의 뜻.

리:-군【一群】〔Lie〕명〖수〗군(群)의 요소가 연속 집합체를 이루는 것. 집합 G가 군(群)의 성질을 지니고, 해석적 다양체이며, 두 원의 결합 및 각 원의 역을 만드는 조작이 해석적일 때 G를 리군이라 함.

리:그[1]〔league〕㊀명 ①맹약(盟約). 동맹. 연맹. ②야구·축구·농구 등의 경기 연맹. ㊁의명 고대 유럽 대륙에서 사용하였던 거리의 단위. 약 3 마일에 해당함. 아직도 영국·미국 등 일부에서 사용되고 있음.

리그[2]〔rig〕명 유정(油井), 특히 해저 유정의 채굴(採掘) 장치.

리그노이드〔Lignoid〕명 마그네시아(magnesia)에 톱밥·석면(石綿)·코르크(cork) 가루 따위를 섞어 고염(苦塩)으로 반죽한, 건물 바닥에 바르는 재료의 상품명.

리그노케인〔lignocaine〕명〖약〗라이노케인.

리:그니츠〔도 Liegnitz〕명〖지〗'레그니차(Legnica)'의 독일어 이름.

리:그니츠 전:투【一戰鬪】〔Liegnitz〕명〖역〗슐레지엔(Schlesien)의 한 도시 리그니츠에서의 전투. ①1241년 몽골군이 폴란드·독일의 연합군을 격파하고 전(全)유럽을 위협한 전투. ②7년 전쟁중인 1760년 프로이센(Preussen)의 프리드리히(Friedrich) 2세가 오스트리아군을 격파하고 러시아와 오스트리아의 제휴를 저지하는 데 성공한 전투.

리그닌〔lignin〕명〖식〗고등 식물의 물관(管)·섬유(纖維) 등의 세포벽(細胞壁) 중간층에 축적되는 고분자 중합체(高分子重合體). 이것에 의하여 세포가 목화(木化)하고 단단하여짐. 목재의 부분은 대부분 셀룰로오스(cellulose)와 이 물질로 이루어짐. 목질소(木質素).

리그로인〔ligroin〕명〖화〗끓는점 범위가 75-125°C 정도의 가솔린. 페인트나 니스 및 실험실용의 각종 용매로 쓰임. 석유 에테르나 벤진과 같은 뜻으로 쓰이는 수가 있음.

리그-베다〔범 Rig-Veda〕명〖종〗고대 인도의 브라만교(Brahman教)의 종교 문헌으로 4 베다의 하나. 고대 아리안족(Aryan族)이 읊은 천지 자연신(天地自然神)을 찬탄(讚嘆)한 1,028 의 운문 시가(韻文詩歌)로 되어 있음. 10권. 이구폐타(梨倶吠陀).

리:그-전【一戰】〔league〕명 경기 대전(對戰) 방식의 하나. 전체 참가 팀(team)이 적어도 한 번씩 다른 모든 팀과 경기를 갖게 되는데, 가장 많이 이긴 팀이 우승하게 됨. 연맹전. ↔토너먼트.

리:글〔Riegl, Alois〕명〖사람〗오스트리아의 미술사가(美術史家). 예술은 그 시대의 정신 생활에 기초한 '예술 의욕'의 표현이라고 주장하여 뵐플린(Wölfflin)과 함께 현대 미술사학의 2대 조류를 이루었고, 소위 빈(Wien) 학파를 창시하였음. 주저(主著)에 《양식(樣式) 문제》·《후기 로마 시대의 공예(工藝)》 등이 있음. [1858-1905]

리기다-소나무〔rigida〕명〖식〗[*Pinus rigida*] 소나뭇과에 속하는 상록 침엽 교목. 잎은 세 잎이 속생(束生)함. 자웅 일가인데 수꽃이삭은 긴 원기둥꼴로 황자색이고 암꽃이삭은 달걀꼴로 5월에 핌. 과실은 구과(毬果)로 다음해 10월에 익음. 다른 소나무와 달라 베어도 다시 움이 터서 자라나므로 일반 조림(造林)에 유용함. 북미 원산으로 한국에서도 재배함. 수지용(樹脂用)·재목용·신탄재·정원수로 쓰임. 미국삼엽송(美國三葉松). 아메리카소나무.

리깅〔rigging〕명 돛대를 고정하는 고정 밧줄과 화물 밧줄처럼 움직이는 밧줄 등의 삭구(索具).

-리까 어미 '합쇼'할 자리에서, 받침 없는 동사 어간에 붙어서 손윗 사람에게 미래의 일을 물을 때 쓰는 종결 어미. ¶어떻게 하~. ＊-으리까.

리날로올〔linalool〕명〖화〗방장유(芳樟油)의 주성분으로 특유한 방향이 있는 무색의 알코올. 라벤더유(lavender油)·베르가모트유(bergamote油)·방유(芳油) 같은 데에 유리(遊離)되어 있거나 에스테르(ester)로서 존재함. 인조 화정유(人造花精油)의 조합 원료(調合原料)로서 중요하며 비누·화장품의 향료로 널리 이용됨. [$C_{10}H_{17}OH$]

리넨〔linen〕명 리넨 아마(亞麻)의 섬유로 짠 얇은 직물의 총칭. 굵은 실로 짠 것은 양복지, 가는 실로 짠 것은 셔츠·칼라 등으로 씀. 린네르. 아마포(亞麻布).

리노〔Reno〕명〖지〗미국 네바다 주(Nevada州) 서쪽 끝에 있는 관광 도시. 라스 베이거스(Las Vegas)와 마찬가지로 공인 도박장이 있고 이혼 절차가 간단하기 때문에 미국 각지에서 많은 사람이 모임. 호화로운 호텔·극장·음식점이 즐비하고, 스키어·등산객도 많음. 1874년에 창립한 대학이 있음. [120,080 명(1988)]

리노비루스〔도 Rhinovirus〕명〖생〗라이노바이러스.

리녹신〔linoxyn〕명〖화〗건성유(乾性油) 또는 반건성유가 산화 중합(酸化重合)한 경우에 생기는 수지성 응고물. 탄력이 있고 단단하며, 용제(溶劑)에 잘 녹지 않음. 페인트·인쇄 잉크 등은 이의 생성(生成)을 응용한 것이라 할 수 있음.

리놀레-산【一酸】명〔linoleic acid〕〖화〗필수 지방산의 하나. 무색 무취의 액체. 녹는점 −5℃, 끓는점 210℃(5 mmHg). 식물유 특히 건성유·반(半)건성유 속에 글리세롤 에스테르로서 존재하는데 면실유(綿實油)·옥수수유에서 단리(單離)시켜 정제함. 동맥 경화 예방(動脈硬化豫防)·도료(塗料)·비누 등에 쓰임. [$C_{17}H_{31}COOH$]

리놀렌-산【一酸】명〔linolenic acid〕〖화〗필수 지방산의 하나. 무색 무취의 액체. 녹는점 −11℃, 끓는점 139℃(0.07 mmHg). 식물유 특히 아마인유(亞麻仁油) 등의 건성유 속에 글리세롤 에스테르로서 존재함. 의약·도료(塗料) 등에 쓰임. [$C_{17}H_{29}COOH$]

리놀륨〔linoleum〕명 아마인유(亞麻仁油)의 산화물인 리녹신(linoxyn)에 수지(樹脂)·고무질 물질·코르크 가루 같은 것을 섞어 삼베 따위에 발라서 두꺼운 종이 모양으로 눌러 편 물건. 서양식 건물의 바닥이나 벽에 붙임. 내구성(耐久性)·내열성(耐熱性)·탄력성 따위가 뛰어남.

리놀륨 판화【一版畫】〔linoleum〕명〖미술〗리놀륨판을 사용한 철판(凸板)의 판화.

리뉴 콕시넬〔프 ligne coccinelle〕명〖복식〗〔리뉴(ligne)는 선(線), 콕시넬(coccinelle)은 무당벌레〕무당벌레가 날개를 편 것과 같은 스커트의 실루엣.

〈리뉴 콕시넬〉

-리니 어미 받침 없는 어간에 붙어서 '-ㄹ 것이니'의 뜻을 나타내는 연결 어미. ¶답장을 써 주~ 받아 오너라 / 훌륭한 분이~ 잘 따르렷다 ＊-으리니.

-리니라 어미 받침 없는 어간에 붙어서 '-ㄹ 것이니라'의 뜻을 나타내는 종결 어미. ¶사월이면 꽃이 피~ / 벌써 봄이~. ＊-으리니라.

리니먼트〔liniment〕명〖약〗도찰제(塗擦劑).

리니어〔linear〕명〖컴퓨터〗문제가 독립 변수(獨立變數)에 대한 일차식(一次式)으로 표시할 수 있음을 나타내는 말. 선형(線形).

리니어먼트〔lineament〕명〖지〗지하에 숨겨져 있는 지질 구조를 반영(反映)하고 있는 선상 지형(線狀地形).

리니어 모:터〔linear motor〕명 새로 고안된 고속(高速) 교통 기관의 하나. 이론상 철도의 최고 속도의 한계인 350 km/h 이상인 500 km/h를 목표로 연구 개발되고 있는 차세대(次世代) 철도 전동기(電動機). 현재의 회전 모터를 선상(線狀)으로 한 것이며, 차체(車體)를 바퀴로 버티지 않고 에어 쿠션(air cushion) 또는 자기(磁氣)로 부상(浮上)시켜 달리게 함. 바퀴가 없기 때문에 소음·진동·고장 따위가 거의 없음. 초고속 철도의 주동력원으로서 주목되고 있음.

리니어 모:터카〔linear motorcar〕명 리니어 모터를 추진력으로 하는 차량.

리니어 액셀러레이터〔linear accelerator〕명〖물〗양성자(陽性子)·전자(電子) 등의 하전(荷電) 입자를 고주파 전기장(高周波電氣場)을 이용 가속하여 고(高)에너지의 입자선(粒子線)을 얻기 위한 직선형 가속기. 원자핵 실험용·공업용·의료용의 방사선원(放射線源)으로 사용됨. 또, 싱크로트론(synchrotron)에 전자 또는 양성자를 입사(入射)하기 위한 전단(前段) 가속기로서도 쓰임.

리니어 프로그래밍〔linear programming〕명〖경〗산업 관계의 분석표를 이용하여, 자금·자재 등 자원(資源)이 가장 효과적으로 분배되도록 계획을 세우는 방법. 투입량과 산출량과의 사이에 1차 함수 관계가 있는 것을 전제로 하여, 그 관계를 나타내는 연립 방정식의 효과를 극대(極大)가 되도록 풂. 선형(線型) 계획법. 약칭:L.P.

-리다 어미 ①받침 없는 동사 어간에 붙어서 '하오'할 자리에 '즐겨 그리 하겠소'의 뜻으로 자기의 의사를 서술하는 종결 어미. ¶그 곳에는 내가 가~. ②받침 없는 어간에 붙어서 '그러할 것이오'의 뜻으로 '하오'할 자리에서 추측·경고하는 뜻을 나타내는 종결 어미. ¶무리하면 병이 나~ / 필시 도둑이~. ＊-으리다.

리댁션〔redaction〕명 ①편집. 교정(校訂). ②개조(改造).

리:더[1]〔leader〕명 ①지도자. 지휘자. ②신문의 사설(社說)이나 논설(論說). ③〖연〗영화에서 실제 장면에 동작으로 표현할 수 없는 사건을 설명하는 자막(字幕). 설명 자막. ④〖인쇄〗차례(次例) 따위에서 빈 칸의 행(行)을 나타내는 점선 또는 파선(破線). 점선(點線).

리:더[2]〔reader〕명 ①독본(讀本). ¶영어 ~. ②독자(讀者).

리 더성〔李德生〕명〖사람〗중국의 군인, 정치가. 후베이 성(湖北省) 황안(黃安) 출생. 1937 년 팔로군(八路軍)의 연대장이 되고, 한국 전쟁 때 출전(出戰)했음. 1967 년에 안후이 성(安徽省)의 군구 사령(軍區司令)과 혁명 위원회 주임을 겸임하고, 1970 년 군 정치부 주임을 거쳐 1973 년 당 부주석, 1982 년 정치국원이 됨. 이덕생. [1916-]

리:더스 다이제스트〔Reader's Digest〕명〖책〗미국의 월간 잡지. 흥미 기사를 요약 기재하는 것이 특징임. 1922년 창간되어 우리 나라를 포함하여 13 개 국어에 의한 29 개의 국제판이 나오는 세계 최대의 국제적 잡지임. ㊟다이제스트

리:더-십〔leadership〕명 ①지휘자로서의 지위 또는 임무. ②지도. 지휘. ③통솔. 통솔력.

리 더취안〔李德全〕명〖사람〗중국의 여성 정치가. 허베이 성(河北省)에서 목사(牧師)의 딸로 태어남. 셰허(協和) 여자 대학을 졸업하고, 29세 때 군벌 펑 위샹(馮玉祥)과 결혼, 중일 전쟁 때에는 난징(南京)·충칭(重慶)에서 여성 운동을 지도함. 전후 1949 년에 정무원(政務院) 위생부장(衛生部長), 1950 년 중국 홍십자회(紅十字會) 회장이되고, 58 년 중국 공산당에 입당(入黨)함. [1896-1972]

리:더타펠〔도 Liedertafel〕명〖악〗①1890년 베를린에 창설된 남성(男聲) 합창단. ②남성 합창단.

리덕션 기어〔reduction gear〕명〖기〗감속(減速) 장치. 감속 톱니바퀴.

리 덩후이〔李登輝〕명〖사람〗중화 민국의 정치가. 대만의 타이베이(臺北) 교외의 농가 출신. 일본 교토(京都) 대학과 타이완(臺灣) 대학을 졸업, 미국 코넬 대학에서 농경 박사(農經博士) 학위를 취득함. 1948 년부터 타이완 대학에서 강의를 하며 농촌 개혁에 공헌, 장 징궈(蔣經國) 총

통의 인정을 받아 타이베이 시장, 타이완 성(省) 주석을 역임. 1988 년 최초의 대만 출신 중화 민국 총통이 됨. [1923-]

리델 [Ridel, Félix Clair] 명 『사람』 프랑스의 천주교 신부(神父). 파리 외방 전교회(外邦傳敎會) 소속으로 1861년 한국에 입국하였으나, 박해로 추방되어 일본에서 《한불(韓佛) 문전》을 감수하였음. 한국명은 이복명(李福明). [1830-84]

리도카인 [lidocaine] 명 『약』 라이도카인.

리:드¹ [lead] 명 ①선두에 섬. 앞장섬. 인도. 지휘. ②운동 경기에서, 몇 점을 앞서 얻음. 우세(優勢)한 입장에 있음. ¶ 3점 ~/1 m ~. ③『연』 연극의 주역 배우. ④야구에서, 주자(走者)가 도루(盜壘)하려고 베이스(base)에서 떨어짐. ¶ 2-3 m ~하다. ⑤신문의 뉴스 기사에서 본문(本文)의 제일 앞에 그 요점을 추려서 쓴 짧은 문장. ——-하다 자타여불

리:드² [lied] 명 『악』 '리트(Lied)'의 영어.

리:드³ [Read, Herbert] 명 『사람』 영국의 시인·비평가. 전쟁시(戰爭詩)와 종군기 《퇴각하면서》를 발표, 미술에도 조예가 깊음. 《영어 산문의 스타일》·《미술과 공업》 등의 저서가 있음. [1893-1968]

리:드⁴ [Reade, Charles] 명 『사람』 영국의 소설가·극작가. 작풍은 기록에 입각한 철저한 사실주의를 추구함. 극작으로는 《귀부인의 싸움》·《황금》·《가면과 얼굴》 등이 있으며 소설 《수도원의 노변(爐邊)》은 영문학의 역사 소설 중 백미(白眉)로 꼽히는 걸작임. [1814-84]

리:드⁵ [reed] 명 『악』 ①피리·리드 오르간(reed organ)·오보에(oboe)·클라리넷 등의 악기에 장치하는 얇은 떨림판. 쇠나 갈대로 만드는데, 불면 떨리어 소리를 냄. 혀. ②바순(bassoon)·클라리넷 등 리드를 가지는 악기의 총칭.

리:드⁶ [Reed, Carol] 명 『사람』 영국의 영화 감독. 제2차 대전 후 《방해자는 죽여라》·《떨어진 우상(偶像)》·《제3의 사나이》로 세계적 명성을 획득하였음. 화려한 카메라 워크로 빛과 그늘을 교묘하게 배합하고, 독특한 분위기와 환상(幻想)을 자아내는 음악 효과를 특색으로 함. [1906-76]

리:드⁷ [Reed, Walter] 명 『사람』 미국의 군의(軍醫)·세균학자. 황열병(黃熱病) 조사단을 지휘하여 병원(病原)과 전염 경로를 연구, 이 병이 일종의 모기에 의하여 전염됨을 발견하였음. 워싱턴의 유명한 '월터 리드 병원'은 그의 이름을 기념한 것임. [1851-1902]

리:드⁸ [Reid, Thomas] 명 『사람』 영국의 철학자. 스코틀랜드 학파(學派)의 창시자. 진위(眞僞) 판정의 근원적 능력으로서의 상식(常識)을 기본 원리로 하여 이성론적 직각설(理性論的直覺說)을 주장함. 저서에 《상식 원리에 의한 인간 정신의 연구》가 있음. [1710-96]

리:드 기타: [lead guitar] 명 『악』 그 곡의 주선율(主旋律)을 맡는 기타.

리드만 [Lidman, Sara] 명 『사람』 스웨덴의 여류 작가. 황야의 자연과 인간을 묘사하는 데 뛰어남. 소설 《산딸기 밭》 외에 아프리카 흑인 사회를 주제로 한 《다섯 개의 다이아(dia)로》가 있음. [1923-]

리:드-맨 [leadman] 명 『악』 재즈 합주(jazz 合奏)의 지휘자.

리드미컬 [rhythmical] 명 율동적(律動的). 음률적(音律的). ¶ ~한 동작. ——-하다 형여불

리드베리 [Rydberg, Johannes Robert] 명 『사람』 스웨덴의 물리학자. 룬드(Lund) 대학 교수. 분광학(分光學)의 개척자. 스펙트럼(spectrum)의 발머(Balmer) 계열의 식을 일반화해서 '리드베리 공식'을 도출(導出)하고, 모든 물질의 스펙트럼 계열에 공통된 '리드베리 상수(常數)'를 발견하였음. 또, 1896년에는 슈스터(Schuster)와 함께 스펙트럼 계열에 관한 '리드베리 슈스터의 규칙'을 발견하였음. [1854-1919]

리드베리 상수 【一常數】 [Rydberg constant] 『물』 수소와 알칼리 금속의 스펙트럼(spectrum) 계열을 표시하는 공식 속에 나타나는 보편(普遍) 상수. 리드베리가 스펙트럼 계열식을 만들 때 발견함.

리:드 오르간 [reed organ] 명 『악』 금속으로 만든 리드(reed)가 있고, 페달(pedal)을 밟아서 공기를 불어 넣어 리드를 떨게 하여서 소리를 내는, 작은 오르간. 옛날 미국이 개척지(開拓地)였을 때 운반이 편리한 까닭에 많이 사용하였으므로 아메리칸 오르간(American organ)이라고도 함. 각 음에 한 개 이상의 금속제 리드를 사용하는 것이 보통이고 손잡이에 의해 리드의 계열을 선택할 수 있도록 한 것도 있음. 우리가 흔히 말하는 풍금(風琴)은 이것임. *파이프 오르간(pipe organ).

〈리드 오르간〉

리:드-오프 [leadoff] 명 ①야구에서, 일번 타자(一番打者). ②권투에서, 공격의 제일격(第一擊).

리:드오프 맨 [lead-off man] 명 ①야구에서, 1번 타자. 톱 배터(top batter). ②볼링에서, 한 팀의 처음으로 투구(投球)하는 사람. ③선두에 서서, 사람들을 이끌어 가는 사람.

리:드 형식 【一形式】 [lied] 명 『악』 리트 형식(形式).

리듬 [rhythm] 명 ①율동(律動). ②『문』 운율(韻律). ③『악』 음악의 3 요소 중의 하나. 음의 센박과 여린박을 규칙적으로 배치하여 시간적인 흐름에 질서감(秩序感)을 나타냄. 박자(拍子)는 이의 근본적인 상태임. ¶ ~ 악기. *가락·화성. ④『미술』 선(線)·형(形)·색(色)의 비슷한 요소를 반복하여 이루는 통일된 율동감. 특히 선의 리듬은 운필(運筆)·커브(curve)·윤곽 등으로 나타내어짐.

리듬 교:육 【一敎育】 [rhythm] 명 『교』 리듬의 감각이나 능력을 기르기 위한 교육. 특히 유치원 원아(園兒)로부터 국민 학교 저학년까지의 유아기(幼兒期)에 유익함.

리듬 댄스 [rhythm dance] 명 사교 댄스 중 비교적 자유로운 형의 댄스. 일정한 형식이 없이 혼잡한 장소에서도 쉽게 출 수 있게 고안된 무도형의 총칭. 폭스 트롯(fox trot)·왈츠(waltz)·탱고(tango) 등은 모두 이에 속함. ↔경기형(競技型) 댄스.

리듬 악기 【一樂器】 [rhythm] 명 『악』 리듬의 감각이나 능력을 기르기 위한 악기. 유치원·초등 학교 등의 교육에서 씀. 또, 리듬감(感)을 강조하는 악기. 캐스터네츠(castanets)·탬버린(tambourine)·작은북·트라이앵글(triangle) 등이 포함됨.

리듬 앤드 블루:스 [rhythm and blues] 명 『악』 흑인들의 원시적인 대중 음악의 하나. 둘 또는 네 소절(小節)의 리드미컬(rhythmical)한 악구(樂句)로 된 후렴을 되풀이하는 합창이 곁들인 것으로, 야성적인 흥분감을 자아내는 노래. 아르 앤드 비(R & B).

리듬 운:동 【一運動】 [rhythm] 명 댄스에서, 운동량이 많은 리드미컬한 몸짓·움직임을 이름. 또, 댄스 그 자체를 이르기도 함.

리듬 체조 【一體操】 명 [rhythmic sports gymnastics] 반주 리듬에 맞추어, 소도구를 들고 하는 여자의 무용 체조. 개인과 6명이 하는 체조가 있으며, 매트는 12 m 사방, 소도구는 공·로프·리본·곤봉·링의 다섯 종류임. 물구나무서기와 공중제비가 금지되어 있는 외에는 자유로운 연기로 율동미·도약미 등의 아름다움을 표현함. 1968년부터 한 해 걸러 세계 선수권 대회가 열리고 있으며, 1984년의 로스앤젤레스 올림픽부터는 체조경기의 정식 종목이 됨.

리디아 [Lydia] 명 『역』 소아시아의 서부 지방에 있었던 옛 왕국. 기원전 6세기경의 크로이소스(Kroisos)왕 때에는 소아시아의 대부분을 차지해 전성 시대를 이루었음. 그리스 문화를 흡수하여 학예(學藝)가 발달하고 염직(染織)·야금(冶金)·채광(採鑛)도 진보하였었음. 기원전 6세기 중엽에 페르시아에 멸망당함. 지금의 터키의 주요부(主要部)에 해당함.

리:딩 [reading] 명 ①낭독. ②독서. ¶ ~ 룸. ③영어·프랑스어 등 외국어의 읽기. ↔히어링(hearing).

리:딩 배터 [leading batter] 명 수위 타자(首位打者).

리:딩 히터 [leading hitter] 명 수위 타자(首位打者).

리라¹ [그 lyra] 명 『악』 ①고대 그리스의 작은 발현(撥絃) 악기. 조그만 하프 비슷한데, 'U'자형 또는 'V'자형의 틀의 위쪽에 막대기를 지르고 넷·일곱 또는 열 줄을 세로 걸었음. 칠현금(七絃琴). ②취주악에 사용하는 휴대(携帶) 연주용의 리라형(型) 철금(鐵琴).

리라² [이 lira] 의명 이탈리아의 화폐 단위의 하나.

〈리라¹❶〉

-리라¹ 어미 받침 없는 어간에 붙어서 '-ㄹ 것이다'의 뜻으로 추측이나 미래의 의사를 나타내는 종결 어미. ¶그가 바로 영주이~/훨씬 아름다우~/무릉 도원이 바로 이런 곳이~/뒷일은 내가 감당하~. *-으리라.

-리라² 어미 〈옛〉 -고자. ¶ 日出을 보리라 밤듕만 니러ᄒᆞ니《松江. 關東別曲》.

-리라스이다 어미 〈옛〉 -리로소이다. ¶ 아독ᄒᆞ야 兩頭에 가리라ᄉᆞ이다(茫然趣兩頭ㅣ라ᄉᆞ이다)《六祖 中 82》.

리:라이트 맨 [rewrite man] 명 기사를 고쳐 쓰는 편집 기자.

리 란칭 [李嵐淸] 명 『사람』 중국의 정치가. 장쑤(江蘇) 성 출생. 상하이(上海)의 푸단(復旦)대 졸업. 1982 년 대외 경제 무역부의 외자 관리 국장을 거쳐 1987 년 대외 경제 무역부 부부장, 1990 년 부장을 역임함. 1992 년 정치국 위원이 되고 1993 년 국무원 부총리로 승격함. 이남청. [1932-]

-리랏다 어미 〈옛〉 -리로다. ¶ 머리셴 사ᄅᆞᄆᆞᆯ 시름케 ᄒᆞ리랏다(愁殺白頭人)《杜諺 XII:2》.

-리러니 어미 〈옛〉 -겠더니. ¶ 讒口ㅣ 만ᄒᆞ야 罪ᄒᆞ마 일리러니(讒口旣嗷嗷垂將及罪戮)《龍歌 123章》.

-리러니라 어미 〈옛〉 -ㄹ 것이더니라. ¶ 넘ᄃᆞ려 니ᄅᆞ디 아니ᄒᆞ더든 阿耨多羅 三藐 三菩提ᄅᆞᆯ ᄲᆞᆯ리 得디 몯ᄒᆞ리러니라《釋譜 XIX:34》.

-리러라 어미 〈옛〉 -겠더라. ¶ 이러트시 고텨 ᄃᆞ외샤미 몯 니ᄅᆞ혜리러라《月釋 I:21》.

리-레코 [←re-recording] 명 『연』 영화의 재녹음. ——-하다 타여불

-리로다 어미 받침 없는 어간에 붙어서 감탄조로 '-리라'의 뜻을 나타내는 종결 어미. ¶ 헌 담을 그냥 놔두면 곧 무너지~/내 주님 앞에 이르~. *-으리로다.

-리로소냐 어미 〈옛〉 -ㄹ쏘냐. -ㄹ 것이냐. =-리로소녀. ¶ 알리로소냐 아디 몯ᄒᆞ리로소냐(省的那省不的)《老乞 上 5》.

-리로소녀 어미 〈옛〉 -ㄹ쏘냐. =-리로소냐. ¶ 네 數ᄅᆞᆯ 알리로소녀《月釋 XXI:14》.

-리로소니 어미 〈옛〉 -ㄹ지니. ¶ ᄀᆞᅀᆞᆳ 구루믜 뮈유믈 보디 몯ᄒᆞ리로소니(不見秋雲動)《杜諺 XVI:52》.

-리로소이다 어미 〈옛〉 -ㄹ 것입니다. ¶ 供養ᄒᆞᅀᆞᄫᅡᅀᅡ 호리로소이다《月釋 IX:52》.

-리로쇵다 어미 〈옛〉 -리로다. ¶ 어제 그딋 마ᄅᆞᆯ 드로니 ᄆᆞᅀᆞ매 來往ᄒᆞ야 닛디 몯ᄒᆞ리로쇵다(昨聞爾言호니 往來方寸閒하야 不能忘이로다)《內訓 II 下 37》.

리르다 자 〈옛〉 이르다. =니르다². ¶ 리를 지(至)《類合 下 8》.

리리시즘 [lyricism] 명 서정(抒情)주의. 주관적 정서를 나타내는 서정시적 기분. 서정시조(抒情詩調). 서정시풍(風).

리리컬 [lyrical] 명 서정적(抒情的). ——-하다 형여불

리리컬 커:튼 [lyrical curtain] 명 레이스 커튼감에 알루미늄을 증착(蒸着)시키어 자외선은 통과하되 열선(熱線)은 차단하게 만든 것의 상품명. 실내가 시원하고, 가구나 깔개의 퇴색률(褪色率)이 적음.

리릭 [lyric] 명 ①『문』 서정시. ↔에픽(epic). ②서정적(抒情的). ——-하다 형여불

리릭 소프라노 [lyric soprano] 명 『악』 목소리가 서정적인 노래를 부르기에 적합한 소프라노.

리릭 테너 [lyric tenor] 명 『악』 목소리가 서정적인 노래를 부르기에 적합한 테너. *드라마틱 테너.

리:마 [Lima] 명 『지』 페루의 수도. 페루의 중부, 태평양 연안에 가까운

고원(高原)에 있음. 서쪽으로 11km의 해안에 외항 카야오(Callao)가 있음. 정치·경제·문화의 중심지로 면방적·제분·양조·유리 등의 공업이 성함. 스페인 통치 시대에는 라틴 아메리카 전체의 물자의 집산지였음. [6,050,000 명(1990 추계)]

리마솔 〔Limassol〕 명 『지』 키프로스(Kypros) 남부의 항구 도시. 아크로티리 만(Akrotiri灣)에 면하고 있으며, 포도주·콩류(類)의 무역이 성(盛)함. 영국의 리처드(Richard) 1세가 결혼식을 올렸다는 성채(城砦)가 남아 있음. [120,000 명(1988)]

리:마-콩 〔Lima〕 명 『식』 [*Phaseolus lunatus*] 콩과에 속하는 일년생 만초(蔓草). 강낭콩 비슷한데 꽃은 희고 잘며, 열매는 희고 큼. 식용함. 열대 아메리카 원산으로 북아메리카에서 널리 재배함. 리마 빈. 라이머 빈(Lima bean).

리:마 협정 【一協定】 〔Lima〕 명 『정』 1973년 페루의 리마에서 채택된 라틴 아메리카 에너지 기구의 행동 규약을 정한 협정. 발전 도상국의 자원 보존, 자주 개발 체제의 확립, 공통 자원 정책의 결정, 에너지 공동 시장의 설정, 금융 기관의 설립, 기술 협력 등에 관하여 규정하고 있음.

리:만¹ 〔Riemann, Georg Friedrich Bernhard〕 명 『사람』 독일의 수학자. 원래 언어학과 신학을 전공하였으나 가우스(Gauss)에 사사하고 《일반 함수론(一般函數論)》 및 《기하학의 기초에 있는 가정(假定)에 관하여》라는 논문을 발표하여, 오늘날의 함수론과 리만 기하학의 기초를 세웠음. 그 밖에 이론 물리학에도 많은 공헌을 하였는데, 폐결핵으로 요절하였음. [1826-66]

리:만² 〔Riemann, Hugo〕 명 『사람』 독일의 음악학자. 음악학 연구소를 창설하고 과학적인 음악 이론을 연구하여 많은 저술을 내었음. 그 중 《음악 사전》은 가장 저명함. 20세기의 대표적 음악학자(音樂學者)로 꼽힘. [1849-1919]

리:만 기하학 【一幾何學】 〔Riemann〕 명 『수』 비유클리드(非 Euclid) 기하학의 한 분야. 1854년 리만이 발표한 새 공간의 기하학으로, 종래의 3차원(次元)에 대하여 n차원을 다루어 길이의 미분(微分)이 불변하게 되는 변환(變換)에 있어서의 불변량(不變量)을 주대상으로 삼음.

-리-만큼 어미 받침 없는 동사·형용사 어간에 붙어서 '-ㄹ 정도로'의 뜻을 나타내는 연결 어미. ¶ 진땀을 빼~ 혼이 나다/몸을 못 가누~ 마시다/모내기에 흡족하~ 비가 많이 왔다. *-으리만큼.

리만 해:류 【一海流】 〔Liman〕 명 『지』 동해 바다를 흐르는 한류(寒流)의 하나. 오호츠크 해(Okhotsk海)의 북동쪽에서 시작하여 타타르 해협(海峽)을 남하(南下)하여 연해주(沿海州) 연안 및 우리 나라 동해안에까지 이름. 세 가닥의 해류로 이루어짐. 북한(北韓) 해류.

리:머 〔reamer〕 명 『기』 드릴 따위로 뚫은 구멍을 정밀하게 다듬는 공구.

〈리머〉

리머릭 〔Limerick〕 명 『지』 아일랜드의 서남부, 섀넌 강(Shannon江) 어귀의 항구 도시. 제분(製粉)·식육(食肉) 등의 식품 가공업이 발달하고 있으며, 연어잡이 어업의 근거지. 영국과 미국을 연결하는 항공로의 중계지이기도 함. [61,000 명(1981)]

리메인 〔remain〕 명 럭비에서, 스크럼 또는 루스 스크럼을 지을 때, 한편의 경기자가 오프사이드의 위치에 남아 있는 일. 반칙이 되며 상대편에 페널티 킥이 허용됨.

리:멘슈나이더 〔Riemenschneider, Tilman〕 명 『사람』 독일의 초기 르네상스의 대표적 조각가. 작품은 명쾌한 사실성 속에 경건하고 조용한 종교적 감정이 담겨 있는 것이 많음. 대표작으로 《아담과 이브》 및 로텐부르크(Rothenburg)에 있는 성(聖)야곱 성당의 제단(祭壇) 등이 있음. [1460?-1531]

-리며 어미 〈옛〉 -ㄹ 것이며. ¶ 解脫을 得디 몯ᄒᆞ리며(不得解脫)《金剛 28》.

리모나드 〔프 limonade〕 명 '레모네이드(lemonade)'의 프랑스어.

리모넨 〔limonene〕 명 레몬(lemon) 비슷한 향기가 나는 비수용성(非水溶性) 액체. 등피유(橙皮油)·베르가모트유(bergamote油) 등에 함유되어 있음. 끓는점 178°C. 향료(香料)로 쓰임. [$C_{10}H_{16}$]

리모:주 〔Limoges〕 명 『지』 프랑스 중서부 비엔 강(Vienne江)에 면한 상공업 도시. 구두 제조, 모사와 모직물의 생산 및 가축의 매매가 성함. 가장 유명한 것은 역사를 자랑하는 도자기 제조인데, 양질(良質)의 도토(陶土)와 독특한 기술은 널리 알려져 있음. 로마 시대에 생긴 도시로 구적(舊跡)이 많음. [140,000 명(1982)]

리모-컨 명 ①↗리모트 컨트롤. ②원격 제어용의 장치.

리모:트 센싱 〔remote sensing〕 명 원격 탐사.

리모:트 컨트롤 〔remote control〕 명 ①먼 곳에서 신호를 보내어 기계 장치를 조작 또는 조종하는 일. 공기압(空氣壓)·유압(油壓)을 사용하는 기계적 방법과 유선·무선에 의한 전기적 방법이 있고, 제어 대상의 상태를 아는 데는 원격 감시 장치가 사용됨. 공장·발전(發電) 등에서 많은 장치를 총괄적으로 제어하는 데, 또 로켓이나 항공기의 유도(誘導) 등에 이용됨. ②전(轉)하여, 뒤에서 사람을 조종하는 일. 원격 조작(遠隔操作). 준 리모컨. ——-하다 타 여불

리무진 〔프 limousine〕 명 ①승용차의 한 가지. 운전석과 뒷 좌석 사이를 간막이한, 호화로운 대형 승용차. ②공항(空港)의 여객을 나르는 소형 버스.

리밋 〔limit〕 명 한계. 한도. 범위. 극한.

리밋 게이지 〔limit gauge〕 명 한계 게이지(限界gauge).

리바놀 〔Rivanol〕 명 『약』 살균제(殺菌劑) '아크리놀(acrinol)'의 상품명. 상처의 소독이나 양치질에 쓰임.

리바:브 〔rebab〕 명 『악』 '라바브(rabab)'의 영어 이름.

리바운드 〔rebound〕 명 ①배구에서, 상대편 손의 방어벽(防禦壁)에 공이 닿아 되돌아올 경우에, 다시 공격을 되풀이하는 일. 또, 그 볼. ②럭비에서, 공이 손·발·다리 이외의 곳에 맞고, 상대편의 방향으로 나아가는 일. ③농구에서, 슛한 공이 골인하지 아니하고, 링이나 백보드(backboard)를 맞고 되돌아 나오는 일. 또, 그 볼.

리바운드 샷 〔rebound shot〕 명 농구에서, 공이 링이나 백보드에 맞고 되나오는 것을 이용한 슛.

리바이벌 〔revival〕 명 ①소생(蘇生). 부활(復活). ②『연』 오래된 영화·연극 등의 재상영(再上映). 재연(再演). ¶ ~ 붐. ③『기독교』 신앙 부흥(信仰復興).

리바이어던 〔Leviathan, The〕 명 『책』 〔리바이어던은 성서 욥기(Job記)에 나오는, 지상 최강의 수서 동물(動物)임〕 영국 사람 홉스(Hobbes)가 지은 책. 1651년에 간행되었음. 국가를 리바이어던에 비유하여 국가 유기체를 설명하였음. 레비아탄.

리:밥 〔미 rebop〕 명 비밥(be'bop).

리버 〔liver〕 명 『생』 간장(肝臟).

리버럴 〔liberal〕 명 ①자유주의적. ②자유주의자. ——-하다 형 여불

리버럴리스트 〔liberalist〕 명 자유주의자(自由主義者).

리버럴리즘 〔liberalism〕 명 자유주의(自由主義).

리버럴 아:트 〔liberal arts〕 명 ①근대 대학의 교양 학과. 어학·자연 과학·철학·역사·예술·사회 과학 등을 포함함. 문리과(文理科). ②중세기의 학예 또는 문예. 문법·논리학·수사학(修辭學)·산술·기하·음악·천문의 7 과목을 가리킴. 자유 칠과(自由七科).

리:버만¹ 〔Liebermann, Karl〕 명 『사람』 독일의 유기 화학자. 베를린 대학 교수. 1868년 그레베(Graebe)와 함께 알리자린(alizarine)을 합성, 독일 염료 공업의 기초를 닦음. 이 밖에 천연색 색소·당류(糖類)·알칼로이드 등 여러 방면에 걸친 연구가 있음. [1842-1914]

리:버만² 〔Liebermann, Max〕 명 『사람』 독일의 화가. 동판 화가(銅版畫家). 시세션(secession) 운동의 중심 인물로, 풍속화·풍경화·초상화를 그림. 독일에 근대 프랑스의 회화(繪畫)를 전파하고, 독일 회화의 부흥을 위해 활약함. [1847-1935]

리버:서블 코:트 〔reversible coat〕 명 〔리버서블이란 '뒤집어 앞뒤 모두 사용할 수 있는'의 뜻〕 필요에 따라 뒤집어 입을 수 있는 코트. 레인코트 따위에 이용됨. 양면 코트·투 페이스 코트(two face coat)·더블페이스 코트(double face coat)라고도 함.

리버:설 필름 〔reversal film〕 명 반전(反轉) 현상 처리에 의하여, 직접 투명한 양화(陽畫)를 얻을 수 있는 필름.

리버:스 롤: 〔reverse roll〕 명 퍼머넌트 웨이브(permanent wave)를 한 머리를 손질할 때, 말아 올리는 롤(roll)을 안쪽으로 틀어 마는 일. 또, 그 머리 모양.

리버티 〔liberty〕 명 자유. 해방.

리버티 라인 〔liberty line〕 명 디오르(Dior)가 1957년 봄에 발표하여, 전 세계에 유행했던 양장(洋裝)의 한 스타일. 디자인이 자유롭고 기동성(機動性)이 있는데, 롱 스커트(long skirt)에 실루엣(silhouette)이 가는 것이 특징임.

리버티-선 【一船】 〔Liberty〕 명 미국이 제2차 세계 대전중에 1만 톤급(級)으로서 15노트 정도의 규격으로 대량 건조(建造)한 기선. 선박의 소모를 보충하기 위해 건조한 전시(戰時) 표준형 화물선으로, 최소의 생산비와 신속 건조 및 운항 조작의 간편을 목표로 2,300척을 건조하였고, 전후 일부는 외국에 매각하기도 하였음.

리버티 캡 〔liberty cap〕 명 자유의 모자. 옛날, 노예 등을 해방할 때, 그들에게 준 부드러운 삼각형 두건. 프랑스 혁명 때부터, 자유의 표징으로 쓰이고 있음.

리버 페이스트 〔liver paste〕 명 소·돼지·닭 따위의 간장(肝臟)을 삶아 다져서, 양파·조미료·향신료(香辛料)·버터 따위를 섞어 버무린 음식. 빵 따위에 발라 먹음.

리버풀: 〔Liverpool〕 명 『지』 영국, 잉글랜드 서부 랭커셔(Lancashire)의 항구 도시. 맨체스터의 외항(外港)임. 런던 다음가는 영국 제2의 무역항. 면화·곡물(穀物)·목재·담배·석유 등을 수입하고, 면(綿) 및 양모(羊毛) 제품·기계·철강 등을 수출함. 조선(造船)·담배·제당(製糖) 등의 공업이 행해짐. [476,000 명(1987)]

리버풀: 사운드 〔Liverpool sound〕 명 『악』 영국의 공업 도시인 리버풀을 중심으로 하여, 젊은이들에 의하여 만들어진 로큰롤 그룹 연주의 총칭. 전기 기타(電氣guitar)를 주체로 한 소편성(小編成)으로, 비틀스(Beatles)를 비롯한 롤링 스톤스·애니멀스 등에 의하여 세계적으로 유행했음.

리:베 〔도 Liebe〕 명 애인(愛人). 연인(戀人).

리베라¹ 〔Ribera, Jusepe de〕 명 『사람』 스페인의 화가. 1616년 이후 거의 나폴리(Napoli)에 정착, 스페인 미술과 이탈리아 미술의 중개자적(仲介者的) 구실을 함. 작풍(作風)은 카라바조(Caravaggio)와 같은 날카로운 명암 대비(明暗對比)를 특색으로 하지만, 늘그막에는 밝은 빛깔을 많이 썼음. 스페인·이탈리아의 바로크 회화에 큰 영향을 주었으며 대표작에 《발장다리의 소년》 등이 있음. [1588-1652]

리베라² 〔Rivera, Diego〕 명 『사람』 멕시코의 화가. 1907년 유럽에 건너가, 신(新)인상파와 큐비즘(cubism)의 화가와 접촉하고, 1921년 귀국하여 화가 조합을 조직, 벽화 운동을 전개함. 멕시코 민중의 생활과 역사에서 제재(題材)를 취한 것이 많음. [1886-1957]

리베르 〔라 Liber〕 명 『신』 고대 로마의 신(神). 생산과 풍년 또는 술의 신.

리:베르만 방식 【一方式】 〔Liberman〕 명 『경』 공산 체제의 국영 기업이 채택하고 있는 이윤 도입 방식의 신경제 제도. 종합적 능률 지표(指標)로서 이윤(利潤)을 도입하고, 이윤율의 다과(多寡)에 따라 종업원에게 보상금을 주는 방식으로, 1962년 하리코프 대학 리베르만 교수의 제창에 의해 1966년부터 경공업 부문에 채용됨. 이윤 도입 방식.

수소 원자 하나를 히드록시기(基)로 치환(置換)한 히드록시산(酸). 글리세롤 에스테르로서 피마자 기름의 주성분을 이루는 지방산(脂肪酸)이며, 섬유 처리용의 계면(界面) 활성제의 제조 등에 쓰임. 끓는점은 230-235°C(9mmHg). [$C_{17}H_{32}(OH)COOH$]

리시:버 [receiver] 명 ①수령자(受領者). ②수화기. 이어폰(earphone). ③리시브(receive)하는 사람. ↔서버(server). ④앰프·튜너는 한데 합쳐져 있고, 스피커와 테이프 데크·레코드 플레이어가 각각 분리되어 있는 오디오 시스템. *컴포넌트 시스템.

리시:버 제:도【一制度】 [receiver] 명 〖경〗 미국에서 주식 회사가 경영 곤란에 빠졌을 때, 파산 절차에 의하지 아니하고 정리를 행하는 제도. 이해 관계인의 신청에 의하여, 법원이 1명 내지 수 명의 관재인(管財人)을 임명하고, 그들로 하여금 경영해 나가면서 정리하는 방식.

리시:브 [receive] 명 ①접수(接受). ②수신³(受信). ③테니스·탁구·배구에서, 서브(serve)한 공을 받아 넘김. ——-하다 타여불

리시스트라테 [Lysistrate] 명 〖연〗 아리스토파네스(Aristophanes)가 지은 희극. 기원전 411년 초연. 스파르타 전쟁중의 아테네(Athene)의 여성들이 여주인공 리시스트라테를 중심으로, 전쟁을 중지하지 않으면 성적(性的)인 욕구에 응하지 않는다는 선언을 남자들에게 들이대어, 마침내 화평을 실현시킨 그 시기까지를 그림.

리시아스 [Lysias] 명 〖사람〗 고대 그리스 아테네(Athene)의 웅변가. 참주(僭主)를 규탄하였는데, 그의 작품은 단편(斷片)으로 몇몇이 전할 뿐임. [450?-380?B.C.]

리시아 운모【一雲母】 [lithia] 명 〖광〗 운모의 하나. 리튬을 함유하는 주요 광석.

리 시쩡 [李石曾] 명 〖사람〗 중국의 학자·정치가. 이름은 위잉(煜瀛). 시쩡은 자(字)임. 허베이 성(河北省) 출신. 청말(淸末)에 프랑스에 유학, 중국 혁명 동맹회에 가입. 베이징 대학 교수·중파(中法) 대학 학장 역임. 국민당의 요직을 거쳐 총통 자정(總統資政)이 됨. 저서에 크로포트킨의 《상호 부조론(相互扶助論)》의 번역과 《노장(老莊)의 변증법》 등이 있음. 이석증. [1881-1973]

리시:트 [receipt] 명 영수증. 특히, 레지스터(register)에서 금액이 기입되어 나오는 쪽지.

리시포스 [Lysippos] 명 〖사람〗 그리스의 조각가. 기원전 4세기에 알렉산드로스 대왕의 궁전에서 활약함. 대왕의 초상·경기자상(競技者像) 등 현실적인 표현을 한 작품을 제작. 생몰년은 미상임.

리시피언트 [recipient] 명 〖의〗 수혈자(受血者). 또, 조직 장기(組織臟器)를 제공받아 이식(移植) 수술 받는 사람.

리신¹ [lysine] 명 〖화〗 영양상 필수(必須)의 아미노산. 동물 발육에 가장 필요한 요소임. 동식물성 단백질 중에 많이 함유되어 있음. 라이신(lysine). [$H_2N(CH_2)_4CH(NH_2)COOH$]

리신² [ricin] 명 〖화〗 피마자 씨 안에 함유된 식물성 단백질. 독성(毒性)이 있어 피마자의 날 씨를 많이 먹거나 주사(注射)를 하면 내장 기관(內臟器官)에 출혈(出血)을 일으키고 죽음.

-리아 어미 〈옛〉 -랴. -ㄹ 것인가. -리요. =-리여. ¶ 되의 목수믄 그 能히 오라리아(胡命其能久)《杜諺 I:8》.

리아드 [Riad] 명 〖지〗 '리야드(Riyadh)'의 딴이름.

리아스식 해:안【一式海岸】 [rias] 명 〖지〗 침식(浸蝕)된 산지가 지각(地殼) 운동 또는 해수면(海水面)의 변화로 말미암아 골짜기는 익곡(溺谷)이 되고, 산모퉁이는 곶이 되어, 들쭉날쭉 극히 복잡한 해안선을 이루고 있는 해안. 침강(沈降) 해안의 전형적인 예임.

리아우 군도【一群島】 [Riau] 명 〖지〗 인도네시아의 수마트라 동쪽, 말레이 반도의 남동쪽에 산재(散在)하는 군도. 바탐(Batam)·렘팡(Rempang) 섬 등 1000여 개의 섬으로 이루어짐. 고무·코코야자·후추 따위의 농업과 어업이 성함. 보크사이트가 대량 산출됨. [5,900 km²: 279,000명(1990)]

리아제 [lyase] 명 〖화〗 기질(基質)에서 어느 기를 제거하고 이중 결합(二重結合)을 남기거나, 역(逆)으로 이중 결합에 어떤 기를 부가하는 반응을 촉매(觸媒)하는 효소(酵素)의 총칭. 부가 효소. *리가아제(ligase). 「와 같음.

리알 [rial] 의명 이란의 통화 단위의 하나. 1리알은 100디나르(dinar)

리알푸르 [Lyallpur] 명 〖지〗 파키스탄 동북부 펀자브 주에 있는 도시. 상업의 중심지이며 면화(棉花)의 집산지(集散地)임. 농업 대학·실험 농장이 있고, 직물·의약품(醫藥品)·자전거·섬유 기계 등의 공업(工業)이 성함. [1,104,000명(1981 추계)]

리액션 [reaction] 명 ①반동(反動). ②반응(反應). ③역행(逆行).

리액터그레이드 지르코늄 [reactor-grade zirconium] 명 〖화〗 원자로(原子爐)의 구조 재료로 쓸 수 있도록, 하프늄(hafnium)의 함유량이 0.01% 이하가 되게 만든 지르코늄.

리액턴스 [reactance] 명 〖전〗 교류 회로(交流回路)의 임피던스(impedance)의 허수(虛數) 부분. 부호가 양(陽)이면 유도성(誘導性), 음(陰)이면 용량성(容量性)이고 각기 전류(電流)의 위상(位相)은 뒤지거나 앞서게 됨. 단위는 옴(Ω), 기호는 *X*.

리야:드 [Riyadh] 명 〖지〗 사우디아라비아의 수도. 아라비아 반도의 동북부 내륙 지대에 있으며 아라비아어로 '정원(庭園)'을 뜻함. 본시 네지드(Nejd)의 주도(主都)로 관청·각국 공관·대학이 있고 철도가 통하며, 페르시아 만(灣)과 메카(Mecca)를 연결하는 대상로(隊商路)에 위치하여 상업이 크게 발달함. [2,000,000명(1990 추계)]

리야:드 협정【一協定】 [Riyadh] 명 1972년에 사우디아라비아의 리야드에서 조인된 협정. 산유국(産油國)이 국제 석유 회사의 산유 부문(產油部門) 자회사(子會社)에 투자하기로 결정한 자본 참가 협정.

리야카 명 '리어카(rear-car)'의 와음(訛音).

리얄 [riyal] 의명 사우디아라비아의 통화 단위의 하나. 1리얄은 22쿠르시(qursh).

-리어니 어미 〈옛〉 -ㄹ 것이거니. ¶ 모맷 고기라도 비는 사르ᄆᆞᆯ 주리어니 ᄒᆞᄆᆞᆯ며 녀나ᄆᆞᆫ 천량이ᄯᆞ녀《釋譜 IX:13》.

-리어니와 어미 〈옛〉 -ㄹ 것이거니와. ¶ ᄒᆞᆫ 劫이 남ᄃᆞ록 닐어도 몯다 니르리어니와《釋譜 IX:10》. 「Ⅷ:87》.

-리어다 어미 〈옛〉 -ㄹ 것이다. ¶ 내몸이 正覺나래 마조 보리어다《月釋

-리어며 어미 〈옛〉 -ㄹ 것이며. ¶ 부텨를 念ᄒᆞ야 恭敬ᄒᆞᅀᆞᄫᆞ면 다 버서나리어며《釋譜 IX:24》.

〈리어엔진 버스〉

리어엔진 버스 [rear-engine bus] 명 엔진이 차체(車體)의 뒤쪽에 있는 버스. 운전사의 시계(視界)가 넓어, 앞 바퀴의 바로 옆까지 볼 수 있으며, 시끄러운 엔진 소리를 피할 수 있는 장점이 있음.

리어 왕【一王】 [Lear] 명 〖문〗 셰익스피어의 사대(四大) 비극의 하나. 1605-06년의 작품. 맏딸과 둘째 딸의 감언(甘言)에 속아, 효성이 지극한 셋째 딸 코델리아(Cordelia)를 추방한 리어 왕이, 그 두 딸의 배신으로, 비참하게 죽는다는 줄거리.

리어윈도 와이퍼 [rear-window wiper] 명 자동차의 후부 유리의 와이퍼.

리어-카: [rear-car] 명 자전거 뒤에 달거나, 사람이 직접 끌기도 하는, 바퀴가 둘달린 작은 수레.

〈리어카〉

리언 [lien] 명 〖법〗 영국 법률상의 선취득권(先取得權). 채무자의 재산으로부터 우선적으로 변제를 받는 권리. 「的). ——-하다 형여불

리얼 [real] 명 ①실재적(實在的). 현실적. ②진정한 모양. 사실적(寫實

리얼라이즈 [realize] 명 실현(實現). 현실화(現實化). ——-하다 타여불

리얼리스트 [realist] 명 ①실재론자(實在論者). ②사실주의자. 사실파(寫實派)에 속하는 사람. ③현실주의자. 실제가(實際家).

리얼리스틱 [realistic] 명 ①현실적. 현실주의적. ②사실적(寫實的). 사실파적. 생생함. 박진(迫眞). ¶ ~한 묘사. ——-하다 형여불

리얼리즘 [realism] 명 ①현실주의. ②사실주의. ③실재론(實在論).

리얼리티 [reality] 명 ①진실성. 현실성. 사실성(寫實性). 핍진성(逼眞性). ②실재(實在). 실재성(實在性). 레알리테.

리에종 [프 liaison] 명 연음(連音). 인도 유럽어(語)에서, 보통 때에는 발음되지 아니하는 어미의 자음이, 다음 어두(語頭)의 모음과 결합해서 발음되는 현상. 프랑스어에 특히 많음.

리에:주 [Liège] 명 〖지〗 벨기에의 동부 뫼즈(Meuse) 강변의 도시. 석탄·철강·병기(兵器)·기계·유리 등 각종 공업이 행하여지며, 이 나라 공업 지대의 중심을 이룸. 중세 학술·미술의 중심지로서, 대학·교회·미술관 등이 많이 남아 있음. [202,000명(1986)]

리-엔지니어링 [re-engineering] 명 컴퓨터나 정보 처리(情報處理) 시스템의 도입 효과(導入效果)가 오르도록 사전(事前)에 작업 과정이나 일의 흐름을 재구성(再構成)하는 일.

리엔초 [Rienzo, Cola di] 명 〖사람〗 14세기 로마의 민중 운동의 지도자. 고대 문화를 이상(理想)으로 하고, 공화정(共和政)의 부흥을 목표로 하여, 한때는 시정(市政)을 장악했으나 실각하였음. 바그너의 가극을 비롯하여 많은 예술 작품에 그려짐. [1313-54] 「같음.

리엘 [riel] 의명 캄보디아의 통화 단위의 하나. 1리엘은 100센(sen)과

-리여 어미 〈옛〉 -랴. -리요. =-리아. ¶ 四海ᄅᆞᆯ 년글주리여(維彼四海肯他人錫)《龍歌 20章》.

리예카 [Rijeka] 명 〖지〗 크로아티아의 서부, 아드리아 해(Adria海)에 면한 항구 도시. 조선·제유·제지·식품 가공 등의 공업이 성함. 한때, 헝가리·이탈리아의 영토였음. 피우메(Fiume). [159,000명(1981)]

리오 [Lyot, Bernard Ferdinand] 명 〖사람〗 프랑스의 천문학자. 편광(偏光)을 이용하여 행성(行星)의 표면 상태를 관측, 일식(日蝕) 때가 아니라도 태양의 내측(內側) 코로나 사진을 촬영할 수 있는 신형 코로나그래프(coronagraph)를 고안함. 극히 좁은 파장역(波長域)의 빛만을 통과시키는 리오 필터를 발명하여, 태양면 폭발, 홍염(紅炎) 등의 단색광 사진 촬영을 가능하게 함. 1930년 스펙트럼 사진에 의해서, 코로나가 광구(光球)와 같은 속도로 회전하고 있음을 증명함. [1897-1952]

리오그란데 강【一江】 [Rio Grande] 명 〖지〗 북아메리카 콜로라도 고원에서 발원하여, 미국·멕시코 국경을 동남으로 흘러, 멕시코 만(灣)에 삼각주를 만드는 큰 강. 그란데 강(Grande江). [3,025 km]

리오네 [Lyonnet, Pierre] 명 〖사람〗 네덜란드의 박물학자(博物學者). 처음 법률을 공부하였으나, 다재 다능(多才多能)한 사람이라, 《곤충학(昆蟲學)》 등의 삽화(揷畫)를 그린 다음부터 곤충의 해부에 관한 연구에 몰두, 미세한 곤충 해부도(解剖圖)를 발표함. [1707-89]

리오-데-오로 [Río de Oro] 명 〖지〗 북서 아프리카 전(前) 스페인령 서(西)사하라의 북위 26° 이남의 지역. 북부에서 농경 목축이 행하여지는 외에는 사막이 대부분을 차지하고 있음. 주도는 다클라(Dakhla). [190,000 km²]

리오-무니 [Río Muni] 명 〖지〗 아프리카 서안(西岸), 적도 기니(赤道 Guinea) 공화국의 대륙 쪽 영토. 고온 다습하고 열대 우림(熱帶雨林)으로 덮였으며, 주민은 팡족(族)이 많고, 커피·목재를 산출함. 주도는 바타(Bata). [26,017 km²: 280,000명(1982 추계)]

리오:테 [Lyautey, Louis Hubert Gonzalve] 명 〖사람〗 프랑스의 군인. 알제리·모로코 등의 식민지 경영(經營)에 활약하였음. 저서 《군대의 식민지에서의 역할》. [1854-1934]

리올러지 〔rheology〕 명 〖물〗 물질의 변형(變形)과 유동(流動)에 관한 과학. 20세기에 들어와서 성립한 학문으로서, 기름이나 플라스틱·생물 세포 등, 광범위한 물질의 탄성(彈性)·점성(粘性)·가소성(可塑性)·점탄성(粘彈性)·틱소트로피(thixotropy) 등을 종합적(綜合的)으로 다룸. 유동학(流動學).

리옹 〔Lyon〕 명 〖지〗 프랑스 남동부, 론(Rhône) 강과 손(Saône) 강의 합류점에 있는 상공업 도시. 프랑스 제3의 도시로 15세기 이래, 견직물 공업으로 발전하였으며 기계·금속·화학 공업도 행해짐. 12세기 고딕(Gothic) 양식의 교회, 15세기의 대주교관(大主敎館)·대학 등이 있음. 기원전 43년에 로마의 식민지로서 건설됨. [409,000 명(1985 추계)]

-리요 어미 받침 없는 어간에 붙어서, '-랴'의 뜻으로 혼자 스스로의 물음이나 탄원(嘆願)을 나타내는 종결 어미. ¶ 얼마나 현명한 처사~/ 어찌 그것이 망언이 아니~/ 넨들 어이하~/ 오죽 기쁘~. ＊-으리요.

리우-데-자네이루 〔Rio de Janeiro〕 명 〖지〗 1960년까지의 브라질 공화국의 옛 수도. 세계 3대 미항(美港)의 하나로서, 경제·문화·교통의 중심지임. 기후가 온난(溫暖)하여 관광객도 많음. 조선·화학·금속·식품 등의 공업이 성함. [5,615,000 명(1985 추계)]

리우데자네이루 식물원 【一植物園】〔Rio de Janeiro〕 명 리우데자네이루에 있는, 세계에서 가장 아름다운 열대 식물원. 19세기초에 설립되었는데, 박물관·연구실 등도 있음.

리우데자네이루 조약 【一條約】〔Rio de Janeiro〕 명 〖역〗 1947년 미국을 비롯한 미주(美洲) 21개국이 참가하여 리우데자네이루에서 열린, 서반구(西半球) 공동 방위 회의의 결과로 체결된 미주 공동 방위 조약. 전미(全美) 상호 원조 조약. 리우 협정.

리우빌 〔Liouville, Joseph〕 명 〖사람〗 프랑스의 수학자. 콜레주 드 프랑스의 교수. 해석학의 분야에 많은 공헌이 있음. 프랑스의 대표적 수학 전문지 '순수 및 응용 수학 잡지'를 창간. 이 잡지는 그의 이름을 따서 '주르날 드 리우빌(Journal de Liouville)'이라고도 부름. [1809-82]

리우 선언 【一宣言】 명 〔Rio Declaration on Environment and Development〕 1992년 6월에 브라질의 리우데자네이루에서 열린 환경과 개발에 관한 국제 연합 회의에서 채택된 지구 환경 보전을 위한 선언. 정식 명칭은 '환경과 개발에 관한 리우데자네이루 선언'. 지구 헌장(地球憲章).

리우 협정 【一協定】〔Rio〕 명 〖역〗 리우데자네이루 조약.

리:워드 제도 【一諸島】〔Leeward〕 명 〖지〗 카리브 해(海)의 소앤틸리스(小 Antilles)제도에 속하는 섬들. 북쪽의 솜브레로(Sombrero) 섬으로부터 남쪽의 도미니카(Dominica) 섬에 이름. 주산물은 설탕·면화. 1625년부터 영국의 식민지가 되어, 세인트키츠 네비스 제도(諸島), 안티과(Antigua) 제도, 몬트서랫(Montserrat) 섬, 버진(Virgin) 제도의 4관구(管區)로 나뉘어 통치되어 오다가, 1967년 자치권(自治權)을 획득했으며, 지금은 앤티가 바부다(Antigua and Barbuda), 도미니카 공화국, 세인트크리스토퍼 네비스(St. Christopher and Nevis) 등 독립 국가와 영국·프랑스·네덜란드의 영토로 분리되어 있음.

리을 명 〖언〗 한글 자모의 자음 'ㄹ'의 이름.

-리이다 어미 〈옛〉 -리다. =-링이다·-리이다. ¶ 백성으로 더블어 ᄒᆞᆫ가지로 樂ᄒᆞ시면 왕ᄒᆞ시리이다(與百姓同樂則王矣)《孟諺 梁惠王 下》.

-리잇고 어미 〈옛〉 -ㄹ 것입니까. ¶ 德이 엇더ᄒᆞ면 가히 써 王ᄒᆞ리잇고(德何如則可以王矣)《孟諺 梁惠王 上》.

리어 명 〈옛〉 잉어. ¶ 리어 리(鯉)《字會 上 21》.

-리이다 어미 〈옛〉 -리다. -ㄹ 것입니다. =-리이다. ¶ 敬天勤民ᄒᆞ샤사 더욱 구드시리이다(敬天勤民迺益永世)《龍歌 125章》. 「15章》.

-리잇가 어미 〈옛〉 -리까. =-링잇가. ¶ 뉘 마ᄀᆞ리잇가(誰能禦止)《龍歌

-리잇고 어미 〈옛〉 -ㄹ 것입니까. ¶ 어듸 머러 威不及ᄒᆞ리잇고(何地之遐而威不及)《龍歌 47章》.

리자 샤: 팔레비 〔Riza Shāh Pahlevi〕 명 〖사람〗 이란 국왕. 1921년 쿠데타에 성공, 군사령관이 되어 국정(國政)의 실권을 장악함. 1925년 의회의 결의로 카자르(Kajar) 왕조를 대신하여, 팔레비(Pahlevi) 왕조를 창시하고 즉위하여, 국명을 페르시아에서 이란으로 개칭, 근대화를 추진함. 제2차 대전중, 영국·소련의 압력으로 퇴위, 남아프리카에서 객사함. [1878-1944; 재위 1925-44]

리자이예 〔Rizaiyeh〕 명 〖지〗 '우르미아(Urmia)'의 구칭.

리자이예 호 【一湖】〔Rizaiyeh〕 명 〖지〗 '우르미아 호'의 구칭.

리저널리즘 〔regionalism〕 명 〖정〗 인종·언어·종교 따위 공통적인 요소를 갖는 각 지역을 단위로 지역적 통합을 도모하려는 사고 방식. 유럽 공동체 따위.

리저:브 〔reserve〕 명 예약(豫約)❶. ──-하다 타 여불

리저:브 트랑슈 〔reserve tranche〕 명 〖경〗 국제 통화 기금 가맹국이 출자 할당액의 25% 이내에서 자유로이 인출할 수 있는 외화(外貨)의 한도 ＊크레디트 트랑슈(credit tranche).

리:제강 현:상 【一現象】〔Liesegang〕 명 〖화〗 소량의 이(二)크롬산 칼륨을 함유하는 젤라틴에 진한 질산은(窒酸銀) 용액을 떨어뜨렸을 때, 고리 모양의 침전물(沈澱物)이 생기는 현상. 1896년 독일의 리제강(Liesegang, R. E. ; 1869-1947)이 발견하였음.

리:젠슬랄롬 〔도 Riesenslalom〕 명 '자이언트 슬랄롬'의 독어명.

리:젠트 〔regent〕 명 앞머리를 높게 하여 위로 빗어 넘기고, 옆머리를 붙인 남자 머리 모양의 하나.

리조침 〔도 Lysozym〕 명 〖화〗 라이소자임(lysozyme).

리조:텔 〔resortel〕 명 〖'리조트'와 '오피스텔'의 합성 조어〗 휴양지의 오피스텔이라는 뜻. 사무 및 주거 기능은 물론 휴양 기능까지 겸한 건축물. 팩시밀리나 텔렉스·복사기 등 공용(共用) 사무 기기를 갖추고, 상업 지구에만 건립할 수 있으며, 개인 또는 2,3명에게 분양되어 소유권 등기가 가능함.

리조:트 〔resort〕 명 보양지(保養地). 행락지(行樂地).

리조:트 웨어 〔resort wear〕 명 피서지나 피한지(避寒地) 등에서 입는 옷. 빛깔·무늬가 화려하고 밝으며, 디자인도 기발한 것을 볼 수 있음.

리조푸스 〔rhizopus〕 명 〖식〗 〔*Rhizopus* spp.〕 조균류(藻菌類)에 속하는 곰팡이. 토양·유기물·효모 등에 생기며, 균사(菌絲)는 보통의 영양균사 이외에 기생(氣生) 균사가 있어서, 물체에 접하여 흑갈색의 가근(假根)을 냄. 수십 종이 있으며, 주정(酒精)의 발효에 이용되는데 동물의 병원(病源), 음식물의 부패 등을 일으키기도 함.

리졸: 〔도 Lysol〕 명 크레졸 비눗물. 0.5%의 수용액(水溶液)으로 묽게 만들어 소독제·청정제(淸淨劑)로 사용함.

리졸: 중독 【一中毒】〔도 Lysol〕 명 〖화〗 리졸류(類)에 의하여 일어나는 중독. 잘못해서 마시게 되면 위부(胃部)에 격통(激痛)이 일어나며, 구토·혼수·허탈 등이 나타남.

리:즈 〔Leeds〕 명 〖지〗 영국 잉글랜드 북부 웨스트요크셔의 에어 강(Aire江)에 임한 공업 도시. 철도·운하 등으로 잉글랜드의 동서안(東西岸)을 연결하는 교통의 요지. 14세기 이래의 양모(羊毛) 공업 이외에, 섬유·인쇄·농업 기계·피혁 등의 공업도 성함. [709,000 명(1987)]

리:즈너블 〔reasonable〕 명 ①조리에 맞음. ②이성적(理性的). 합리적. ──-하다 형 여불

리:즌 〔reason〕 명 ①이성(理性). ②이유(理由).

리지 〔ridge〕 명 산등성이.

리지스터 〔resistor〕 명 〖전〗 저항기(抵抗器).

리지스테이트 〔resistate〕 명 〖지질〗 화학적으로 저항력이 있으며, 풍화 작용의 잔류물이 풍부한 광물로써 된 퇴적물.

리지웨이 〔Ridgway, Mathew Bunker〕 명 〖사람〗 미국의 군인. 육군 대장. 2차 대전중 북아프리카에서 공수(空輸) 부대를 지휘함. 1950년 제8군 사령관으로 한국 전선에서 활약, 이어 주한 유엔군 사령관·나토(NATO)군 최고 사령관 및 미육군 참모 총장을 지냄. [1895-1993]

리진 〔도 Lysin〕 명 〖화〗 리신.

리 쭝런 〔李宗仁〕 명 〖사람〗 중국의 정치가. 자는 더린(德隣). 1926년 제3로군(路軍) 총지휘관, 1945년에 제5 전구(戰區) 총사령관, 1948년에는 부총통, 1949-50년에 총통 대리였으나, 장제스(蔣介石)와 알력이 생겨 미국으로 망명함. 이종인. [1890-1969]

리처드 삼세 【一三世】〔Richard Ⅲ〕 명 〖사람〗 영국의 요크 왕조(York 王朝) 최후의 왕. 에드워드 4세의 아우. 형이 죽은 뒤에 즉위한 조카 에드워드 5세를 폐(廢)하고 스스로 즉위하였으나, 1485년 튜더가(Tudor 家)의 헨리(Henry)에게 패(敗)하여 전사함으로써, 장미 전쟁의 막을 내림. [1452-85; 재위 1483-85]

리처드슨[1] 〔Richardson, Dorothy M.〕 명 〖사람〗 영국의 여류 작가. '의식의 흐름'의 수법을 쓰는 작가로서 주목을 끌었음. 미리엄 핸더슨(Mirriam Handerson)이란 직업 여성을 통하여, 의식에 반영되는 실생활상을 그린 12권의 거작 《인생 행로》가 유명함. [1872-1957]

리처드슨[2] 〔Richardson, Owen Willans〕 명 〖사람〗 영국의 물리학자. 열전자 방출 이론에 관한 '리처드슨 효과'를 발견하고 열전자관(熱電子管) 발전의 기초를 세워, 1928년 노벨 물리학상을 수상함. [1879-1959]

리처드슨[3] 〔Richardson, Samuel〕 명 〖사람〗 영국의 작가. 50세에 비로소 낸 장편 《파멀러(Pamela)》가 환영받자, 다시 영국 문학사상 가장 장편인 《클러리서 할로(Clarissa Harlowe)》로 시민 문학으로서의 실사적 묘사를 시험하여 성공하였음. 영국 근대 소설의 아버지로 불림. [1689-1761]

리처드슨 효:과 【一効果】〔Richardson〕 명 〖물〗 금속 또는 금속 산화물 등을 높은 온도로 가열(加熱)하였을 때, 열전자(熱電子)를 방출하는 현상. 영국의 물리학자 리처드슨이 연구한 것으로, 이극(二極) 또는 삼극(三極) 진공관(眞空管)에 응용됨.

리처드 이:세 【一二世】〔Richard Ⅱ〕 명 〖사람〗 영국의 플랜태저넷(Plantagenet) 왕조 최후의 왕. 에드워드 흑태자(黑太子)의 아들. 와트 타일러(Watt Tyler)의 난을 진압하였으나, 후에 전제 정치(專制政治)를 펴서 반항을 초래, 랭커스터가(Lancaster家)의 헨리에게 폐위(廢位)되어 살해됨. [1367-1400; 재위 1377-99]

리처드 일세 【一一世】〔Richard Ⅰ〕〔一쎄〕 명 〖사람〗 영국의 왕. 헨리 2세의 아들. 제3차 십자군에 참가, 이집트의 살라딘(Saladin)과 싸워서 용맹을 떨쳐, 사자심왕(獅子心王)이라는 별명을 얻음. 원정에서 돌아오는 길에 독일에서 체포되어, 몸값을 물고 귀국하였고, 프랑스왕 필리프 2세와 교전중 전사함. 그의 무용(武勇)은 기사도의 정화(精華)라고 일컬어짐. [1157-99; 재위 1189-99]

리처즈[1] 〔Richards, Dickinson Woodruff〕 명 〖사람〗 미국의 의학자. 컬럼비아 대학 교수를 역임. 쿠르낭(Cournand)과 공동으로 심장 카테터법(catheter法)을 실시, 심장병의 진단에 성과를 올림. 1956년 노벨 생리 의학상을 수상함. [1895-1973]

리처즈[2] 〔Richards, Ivor Armstrong〕 명 〖사람〗 영국의 문예 비평가. 베이식 잉글리시(Basic English)의 창도자. 대학에서 영어를 가르치면서, 의미론'의 과학적 연구를 하였음. 심리학이 문학 비평상 기본적 조건임을 입증하여, 근대 문예 비평의 기초를 세웠음. 저서 《문예 비평 원리》·《기본 영어와 용법》 등. [1893-1979]

리처즈[3] 〔Richards, Theodore William〕 명 〖사람〗 미국의 화학자. 원자량(原子量)의 정확한 측정에 공헌하여, 1914년 미국인으로서는 최초의 노벨 화학상을 받았음. 이 외에 열화학·열역학·고압 화학 등의 연구도 있음. [1868-1928]

리츨 〔Ritschl, Albrecht〕 명 〖사람〗 독일의 프로테스탄트 신학자. 경건파에 대항하는 자유주의 신학의 거두로, 조직 신학에 대하여 종교의

독자성을 강조하였으며, 리츨 학파의 중심이 되어, 슐라이어마허(Schleiermacher) 이후 최대의 영향을 끼쳤음. [1822-89]

리:치[1] 〔Leach, Bernard〕 명 《사람》 영국의 도예가(陶藝家). 홍콩에서 태어나, 런던 미술 학교 수학(修學), 1909년 일본에 건너가서 도예(陶藝)를 배움. 1920년 귀국 후 세인트아이브스(Saint Ives)에 가마를 열어 제작 활동을 함. 중국 송(宋)나라 및 고려(高麗)와 일본의 옛 도기와 영국의 전통을 융합하여 독특한 경지를 이룩함. [1887-1978]

리:치[2] 〔reach〕 명 권투 등에서, 상대방까지 닿는 팔의 길이.

리치먼드 〔Richmond〕 명 《지》 ①미국 버지니아 주의 주도. 체사피크만(Chesapeak灣) 입구로 들어가는 제임스 강(James江) 중류에 있음. 대형선의 소항(遡航)이 가능하며 교통이 매우 편리함. 부근에서 석탄을 산출하고, 제철·제분·기계 등의 공업이 성하며 담배의 대집산지임. 남북 전쟁 때 남부의 수도였음. [203,056 명(1990)] ②캘리포니아주 서부의 도시. 샌프란시스코 만의 동해안에 있음. 상항(商港)이며, 정유(精油)·조선(造船) 등의 공업이 성함. [75,000 명(1980)] ③뉴욕 시 서남부의 한 구(區). 스태튼(Staten) 섬이 주(主)이며, 주택가(住宅街)임. [352,000 명(1980)]

리카:도 〔Ricardo, David〕 명 《사람》 영국의 경제학자. 유태인. 스미스의 《국부론(國富論)》을 읽고 경제학에 뜻을 두어, 지대(地代) 문제를 논한 이래, 지대론(地代論)을 기초로 하여 분배의 여러 법칙을 구명하였으며, 스미스의 '노동 가치설'을 더욱 확고히 함. 정통 학파의 이론 체계를 완성, 후세의 경제학에 큰 영향을 끼쳤음. 주저에 《경제학 및 과세의 원리》 등이 있음. [1772-1823]

리카:도파 사:회주의 【—派社會主義】 [—/—이] 명 〔Ricardian socialism〕 《철》 1820년대에, 영국에서 리카도의 가치 및 잉여 가치의 이론을 자본주의적 생산에 대한 공격에 역이용한, 프롤레타리아트 이론의 한 파. 에드먼즈(Edmonds)·톰프슨(Thompson) 등이 그 대표자였음.

리카:도 효:과 【—効果】 〔Ricardo〕 명 《경》 실질 임금이 하락하면, 기업가는 기계 대신에 노동력을 보다 많이 사용하여, 생산을 하게 된다는 명제(命題). 일반적으로 호황(好況)의 후반에 나타남. 리카도가 발견하였다 하여 하이에크(Hayek, F.)가 명명(命名)함.

리커버리 샷 〔recovery shot〕 명 골프에서, 소생구(蘇生球). 곤란한 상태에 있는 공, 즉 미스 샷(miss shot)을 만회하는 샷.

리:컨스트럭션 〔reconstruction〕 명 개조(改造). 재건(再建).

리케르트 〔Rickert, Heinrich〕 명 《사람》 독일의 철학자. 서남 독일학파의 완성자. 빈델반트(Windelband)의 제자로, 처음 실증주의(實證主義)의 연구에서 출발하였으나, 이와 반대의 칸트 선험(先驗) 논리학에 정위(定位)하여 주로 인식 문제를 논하고, 문화 과학을 규정, 몰가치적인 자연 과학에 대하여, 가치 관계적인 역사학의 독자성을 주장한 사상을 체계화하였음. 저서로는 《인식의 대상》 등이 있음. [1863-1936]

리케차 〔rickettsia〕 명 《의》 〔발견자 리케츠의 이름에서 유래〕 세균보다 작고 바이러스(virus)보다 큰 미생물의 총칭. 이·빈대·진드기 등에 기생(寄生)하는데, 크기는 약 0.3-0.5 미크론 정도로 자외선(紫外線) 현미경으로 볼 수 있음. 모양은 구형(球形) 또는 단간상(短桿狀)임. 대사(代謝)·번식 방법은 세균에 가까우나, 생활 세포 안에서가 아니면 번식하지 못함. 발진 티푸스·홍반열(紅斑熱) 등의 병원체임.

리케츠 〔Ricketts, Howard Taylor〕 명 《사람》 미국의 세균학자. 1909년 로키 산 홍반열(Rocky山紅斑熱) 및 발진 티푸스의 매개물을 발견, 멕시코에서 연구중 이 병에 걸리어 죽었음. '리케차'는 이 학자를 기념한 이름임. [1871-1910]

리코:더 〔recorder〕 명 ①기록계. 기록원. ②기록기. ¶타임 ~. ③녹음 장치. ¶테이프 ~.

리코:딩 〔recording〕 명 레코드·라디오 따위의 녹음. 취입(吹入).

리코프 〔Rykov, Aleksei Ivanovich〕 명 《사람》 소련의 정치가. 10월 혁명 때의 볼셰비키 지도자의 한 사람으로, 혁명 후에 내무 인민 위원, 1924년 레닌의 뒤를 이어 인민 위원회 의장 등 요직을 역임하였으나 스탈린과 대립하여 1928년 실각, 대숙청으로 처형됨. [1881-1938]

리콜: 〔recall〕 명 ①소환(召還). ②취소(取消). ③철수(撤收). ④《정》 국민 소환(國民召還). ⑤요트 레이스에서, 출발할 때 출발 신호보다 먼저 달려 나간 요트를 다시 불러들이는 일.

리콜:-제 【—制】 〔recall〕 명 ①《정》 소환제(召還制). ②비행기·자동차 등의 결함이 설계나 생산 과정의 부주의에 의해 생긴 경우, 생산자는 이를 공표하고, 무료 회수·수리할 의무를 지게 하는 제도.

리 콴유 〔李光耀〕 명 《사람》 싱가포르의 정치가. 변호사 출신. 영국 케임브리지 대학 유학. 1954년 인민 행동당(人民行動黨)을 창설하여 서기장(書記長)이 되고, 1959년 싱가포르 자치국(自治國) 수상, 1963년에 말레이지아 연방(聯邦) 발족(發足)으로 싱가포르 주(州) 정부 수상에 취임, 1965년 말레이시아 연방에서 탈퇴하여 독립을 쟁취한 뒤 수상이 됨. 이광요. [1923-]

리쿠르고스 〔Lycourgos〕 명 《사람》 스파르타의 전설적 입법자. 기원전 9세기경, 특이한 스파르타의 쇄국주의적 국제(國制), 군국주의적 시민 생활 등 이른바 리쿠르고스의 제도를 규정한 것으로 전함. 그러나 그 속에는 후세의 제도도 들어 있어, 실재 인물이 아니라는 이설(異說)도 있음.

리퀘스트 〔request〕 명 ①요구. 청구. 주문. ②라디오나 텔레비전 방송에서, 시청자(視聽者)의 희망곡의 신청.

리퀘스트 프로그램 〔request program〕 명 라디오나 텔레비전 방송에서, 청취자(聽取者)의 희망에 응하여 보내는 프로그램.

리퀴드 로켓 〔liquid rocket〕 명 액체 추진 연료를 사용하는 로켓. 별도로 산화제(酸化劑)를 액체로 갖고 있음. 산화제로서는 액체 산소·과산화 수소 등이 쓰이며, 연료로는 알코올·휘발유 등이 실용(實用)되고 있음. 구조가 간단하여, 같은 중량이라도 고체인 경우보다 장거리 비행이 가능한 장점이 있으나, 고체 연료보다 불안정하고 위험성이 많은 단점도 있음. 연료와 산화제를 별개의 용기에 넣는 복액식(復液式)과, 연료·산화제를 같은 용액에 넣는 단액식(單液式)의 두 종류가 있음. 액체 로켓.

리큐:어 〔liqueur〕 명 재제주(再製酒)의 하나. 각종 발효액(醱酵液)이나 그 증류액(蒸溜液) 또는 정제(精製) 알코올에 설탕·식물성 향료·색소(色素) 등을 합성해 만듦. 베르무트(vermouth)·압생트(absinthe)·큐라소(curaçao) 따위.

리:크[1] 〔leak〕 명 ①누설(漏泄). ②《전》 누전(漏電). 리키지(leakage).

리:크[2] 〔leek〕 명 《식》 양파의 한 품종. 뿌리가 똥똥하고 짧은데, 단 냄새가 나며, 맛은 달콤하고 매움.

리:크 디텍터 〔leak detector〕 명 《기》 가스의 누설을 검출하는 기계. 가스 상태인 할로겐(Halogen)을 트레이서(tracer)로 해, 이것을 장치(裝置) 안에 도입(導入)하여 가압(加壓)하면, 새는 곳에 디텍터가 접근했을 때, 지침이 흔들리게 되어 있음. 누설 검출기(漏泄檢出機).

리:-크리에이션 〔re-creation〕 명 개조(改造). ＊레크리에이션.

리클라이닝 시:트 〔reclining seat〕 명 뒤로 젖힐 수 있는 좌석.

리:키 〔Leakey, Louis Seymour Bazett〕 명 《사람》 영국의 인류학자·고고학자. 동(東)아프리카를 중심으로, 화석 인류(化石人類)와 그 문화 유물을 조사함. 올두바이(Olduvai) 유적에서의 진잔트로푸스(Zinjanthropus)의 발견으로 유명함. [1903-72]

리키니우스[1] 〔Licinius〕 명 《사람》 로마 황제. 정식 이름은 Valerius Licinianus Licinius. 처음 콘스탄티누스 대제(大帝)와 맺고, 제국 동부를 통일. 밀라노 칙령(勅令)을 발하여 그리스도교를 공인하였으나, 후에 그리스도교를 탄압하였기 때문에, 콘스탄티누스와 싸워 패하였음. [270?-325; 재위 308-324]

리키니우스[2] 〔Licinius Calvus Stolo, Gaius〕 명 《사람》 기원전 4세기경의 로마 정치가. 기원전 367년에 호민관(護民官)이었으며, 섹스티우스(Sextius)와 더불어 '리키니우스 섹스티우스 법(法)'을 제정, 평민을 옹호하였음. 생몰년 미상.

리키니우스 섹스티우스 법 【—法】 [—뻡] 명 〔라 Leges Liciniae Sextiae〕 《역》 기원전 367년에 제정된 고대 로마의 법. 호민관(護民官)인 리키니우스와 섹스티우스가 제출한 법. 두 사람의 집정관(執政官) 중 한 사람은 평민(平民)으로부터 선출할 것, 신관(神官) 단체에 평민을 넣을 것, 공유지 점유 면적을 제한할 것 등을 규정함. 귀족 대 평민의 신분 투쟁의 해결책으로서 기대되었으나, 정치적 효과에만 그치고, 경제적 격차를 줄이지는 못하였음.

리:키지 〔leakage〕 명 ①누출(漏出). 새는 일. ②《전》 누전(漏電). 리크「(leak).

리타 〔범 Rita〕 명 《종》 〔자연·인륜을 일관하는 법칙이란 뜻〕 모든 자연율(自然律)·도덕률(道德律) 등을 초월·포괄하며 지배·통제하는 근본적 원리 또는 초월적 실재(實在).

리타나이 〔도 Litanei〕 명 《천주교》 연도(連禱). 기도(祈禱).

리타르단도 〔이 ritardando〕 명 《악》 '점점 느리게'의 뜻. 랄렌탄도. ↔ 아첼레란도. 약호(略號)는 rit.

리타이어 〔retire〕 명 자동차 경주 등에서, 퇴장·기권을 이름.

리터[1] 〔Ritter, Gerhard〕 명 《사람》 독일(獨逸)의 역사가. 함부르크 대학·프라이부르크 대학 교수. 독일의 근세사 연구에 있어서 프로이센의 전통을 적극 평가하고, 또 종래의 독일 사학(史學)이 외교사·국가사에 치우친 점을 비판함. 주저에 《정치와 군사》·《16세기에 있어서의 유럽의 혁신》 등이 있음. [1888-1967]

리터[2] 〔Ritter, Johann Wilhelm〕 명 《사람》 독일의 물리학자. 물을 전기분해하여 수소와 산소를 유리(遊離)하고, 황산(黃酸) 구리 용액의 전기분해로 구리의 침전을 얻음. 자외선의 화학 작용에 근거하여, 태양광속에서 그 존재를 발견(1801)하고, 또 전지(電池)의 분극 작용을 발견하여, 축전지 제작의 선구자가 됨. [1776-1810]

리터[3] 〔Ritter, Karl〕 명 《사람》 독일의 지리학자. 베를린 대학 교수. 근대 지리학의 창시자의 한 사람. 지리학의 지위 향상에 노력하고, 방법론으로서의 비교, 자연과 인간 생활의 관계에 있어서 역사적 요소 등을 중시하여, 인문 지리학과 지지(地誌) 연구 분야에 지대한 영향을 남김. 주저 《일반 비교 지리학》. [1779-1859]

리터[4] 〔liter〕 의명 부피의 단위. 전에 1기압 아래 4°C의 순수한 물 1kg의 부피를 말하였으나, 1964년 국제 도량형 총회에서 정의(定義)가 변경되어 $1dm^3$의 특별 호칭이 됨. 우리 나라 계량법(計量法)에서는 특수 계량 단위로 인정하고 있으며, 약 5홉 5작에 해당함. 기호는 L 또는 ℓ.

리터-구트 〔도 Rittergut〕 명 《역》 중세 봉건 시대의 기사령(騎士領).

리터-병 【—病】 〔Ritter〕 [—뼝] 명 《의》 〔Ritter는 19세기 말의 독일의 의사 이름〕 포도상 구균(葡萄狀球菌)의 감염(感染)에 의하여 발생한다고 생각되는 신생아(新生兒)의 피부염. 생후 1-2 주쯤부터 발병함. 입 언저리부터 벌겋게 붓기 시작하여, 급속히 전신에 퍼져 물집이 생기며, 열이 나고 중태에 빠짐. 「는 가필(加筆).

리:터치 〔retouch〕 명 회화·조각·사진·사진 제판 등에 있어서, 수정 또

리턴[1] 〔Lytton, Edward George Earle Lytton Bulwer〕 명 《사람》 영국의 작가·정치가. 교육계에도 종사하였으며, 한때 식민지상(植民地相)을 지냄. 많은 대중 소설을 썼는데 《폼페이(Pompeii) 최후의 날》 등은 널리 읽힘. [1803-73]

리턴[2] 〔Lytton, Victor Alexander George Robert〕 명 《사람》 영국의 정치가. 인도의 총독(總督) 대리를 역임, 1932년 국제 연맹의 만주 사변 조사 원위장으로서, '리턴 보고서'를 작성하였음. [1876-1947]

리턴: 매치 〔return match〕 명 권투 등 경기에서, 선수권자가 타이틀전(戰)에서 졌을 경우, 그 새로 선수권을 딴 선수와 다시 한번 하는 경

기. 복수전.

리턴: 패스 〔return pass〕 명 럭비·축구 등에서, 자기에게 공을 패스한 선수에게 되돌려 주는 패스.

리테누토 〔이 ritenuto〕 명 《악》 '그 부분에서부터 좀 느리게'의 뜻. 약호(略號)는 riten.

리:테일 스토어 〔retail store〕 명 소매점(小賣店)

리토-그라피 〔프 lithographie〕 명 《미술》 석판술(石版術). 석판화(石版畫).

리토폰: 〔lithopone〕 명 《화》 황산 바륨(黃酸Barium)과 황화 아연(黃化亞鉛)으로 된 흰 안료(顔料). 고무 공업·에나멜 공업에 사용함.

리투아니아 〔Lithuania〕 명 《지》 러시아 북서쪽의 발트 해에 면한 독립국. 구발트(舊Balt) 3국의 하나. 전에는 폴란드 영토였다가 18세기에 러시아에 합병되고, 제1차 세계 대전 후 독립하였다가, 다시 제2차 세계 대전 후 소련에 병합됨. 1991년 소련의 와해로 독립국이 됨. 국토의 대부분은 낮은 평원이고 산림이 국토의 22%를 차지함. 주산업은 농업이지만 이탄(泥炭)이 풍부하고, 기계·조선·시멘트·섬유·제지·제당·알코올·양조(釀造) 등의 공업도 행하여짐. 수도는 빌뉴스(Vil'nyus). 정식 명칭은 '리투아니아 공화국(Republic of Lithuania)'. [65,200 km²: 3,690,000명(1990 추계)]

리투아니아-어 【一語】〔Lithuania〕 명 《언》 인도 유럽 어족의 발트 어파에 속하는 언어. 리투아니아 공화국의 공용어. 최고(最古)의 문헌으로는 16세기에 쓰인 루터파(派)의 교리 문답서를 번역한 것이 있음. 특기할 만한 문학도 없고 문어(文語)가 확립된 것도 얼마 되지 않지만, 악센트 등에 인도 유럽어의 옛 모습을 간직하고 있어, 인도 유럽어의 비교 연구에 귀중한 자료가 됨.

리튬 〔lithium〕 명 《화》 알칼리 금속 원소의 하나. 부드럽고 은백색의 광택이 나며 모든 금속 중에서 가장 가벼움. 건조한 공기 속에서는 안정되며 성질은 알칼리 토금속(土金屬), 특히 마그네슘을 닮음. 물과 작용하여 수산화물(水酸化物)이 되며 수소를 발생시킴. 유기 화합물의 환원제·원자로의 제어봉(制御棒) 등으로 쓰이며, 핵융합(核融合)의 연료로서 중요시됨. [3번: Li: 6.941]

리튬 장석 【一長石】〔lithium〕 명 《광》 단사 정계(單斜晶系)의 광물. 리튬과 알루미늄의 규산염(珪酸塩). 보통, 괴상(塊狀) 또는 엽상(葉狀)으로 유리 광택이 있으며, 무색 내지 회백색인데 때로는 홍색 또는 녹색을 띤 백색임. 리튬을 채취함. 페탈라이트(petalite). 엽장석(葉長石).

리튬 전:지 【一電池】〔lithium〕 명 《물》 리튬을 음극(陰極)으로 하는 일차(一次) 전지. 전해질(電解質)로는 유기 용매(有機溶媒)나 고체 전해질을 사용함. 리튬은 이온화(ion化) 경향이 커서 3V 가까운 기전력(起電力)을 얻을 수 있고, 또, 가볍기 때문에 에너지 밀도가 매우 높음. 1973년에 미국에서 개발되었음.

리튬 폭탄 【一爆彈】〔lithium〕 명 《군》 수소화(水素化) 리튬의 열핵 반응(熱核反應)을 이용한 융합형(融合型) 수소 폭탄. 고체 형태의 수소화 리튬을 사용하므로, 수소 폭탄에 비해서 부피가 작고 비행기에 실을 수도 있음. 1953년에는 소련이, 그 이듬해에 미국이 각각 실험에 성공하였음.

리:트 〔도 Lied〕 명 《악》 독일에서 발달된, 시와 음악의 융합에 의한 성악곡으로, 서정적인 가곡(歌曲). 슈베르트·슈만·브람스 등의 것이 특히 유명함. 가곡. 리드(lied).

리트레 〔Littré, Maximilien Paul Émile〕 명 《사람》 프랑스의 언어학자·철학자. 처음 콩트(Comte)를 추종하여, 실증주의 사상의 보급에 힘썼으나 종교상의 이유로 그와 헤어졌음. 《프랑스어 사전》의 편찬은 큰 업적임. [1801-81]

리트머스 〔litmus〕 명 《화》 리트머스이끼 등의 이끼 종류 식물에서 짜낸 자주빛 색소의 하나. 주성분은 아조리트민(azolitmin)이라는 약산성(弱酸性)의 흑갈색 가루임. 알칼리를 만나면 청색이 되고 산(酸)을 만나면 붉은 빛이 되는데, 이 성질을 이용하여 알칼리성 또는 산성 반응의 지시약(指示藥)으로 사용함.

리트머스 시험지 【一試驗紙】〔litmus〕 명 《화》 리트머스 종이.

리트머스-이끼 〔litmus〕 명 《식》 [*Roccella tinctoria*] 지의류(地衣類)에 속하는 이끼의 하나. 몸은 나뭇 가지 모양으로 갈라지고 끝이 뾰족한데, 높이 4-8cm이고 빛은 담황색이며 혁질(革質)임. 바닷가의 바위 위에 붙어 사는데, 희망봉(喜望峰) 부근·지중해 지방 및 남반구에 분포함. 체내에 함유되어 있는 색소로부터 리트머스액을 짜 냄.

〈리트머스이끼〉

리트머스 종이 명 〔litmus paper〕 《화》 리트머스의 수용액(水溶液)에 적시어 물들인 종이. 산성·알칼리성의 두 액성(液性)을 판별하기 위한 청색과 붉은 색의 두 가지가 있음. 리트머스 시험지.

리트미크 〔프 rythmique〕 명 《악》 음악 교육법의 하나. 리듬에 기초를 두는 것으로, 스위스의 작곡가이며 교육가인 달크로즈(Dalcroze)가 창안함. 신체의 여러 감각 및 기능을 발달시키고 심신의 조화를 꾀함. 장애아(障礙兒)의 치료 등에도 응용됨. 율동 교육(律動敎育).

리트비노프 〔Litvinov, Maksim Maksimovich〕 명 《사람》 소련의 외교관. 유태인. 혁명 운동에 참가하고 오랜 망명 생활 끝에, 1917년 소련의 초대 주영(駐英) 대사가 되었고, 그 후 각종 국제 회의 대표를 지냄. 1930-39년 외무 인민 위원으로서, 소련의 국제 연맹 가입과 군축·집단 안전 정책 등 친서구(親西歐)·반(反)파시즘 외교를 전개, 소련 외교 정책에 신기원(新紀元)을 수립함. [1876-1951]

리:트 형식 【一形式】〔도 Lied〕 명 《악》 기악곡 형식의 하나. 가곡풍의 단순한 형식으로 이부 형식(二部形式)·삼부 형식(三部形式) 등이 있음. 가곡 형식.

리틀-록 〔Little Rock〕 명 《지》 미국, 아칸소 주(Arkansas州) 중앙부의 도시. 주도(州都). 아칸소 강(江) 남안(南岸)의 하항(河港)으로, 교통의 중심지임. 면화·쌀·목재 등의 집산지이며, 농(農)·임산(林産) 가공·시계·카메라 등의 공업이 발달함. 1957년 고등 학교의 흑인 입학 문제로 폭동이 일어나, 세계의 눈길을 끌었음. [175,795명(1990)]

리틀 리:그 〔Little League〕 명 1939년 미국에서 탄생된 소년 야구 리그. 9-12세의 소년 소녀로 짜여진 팀들이 6이닝의 경기를 벌이며, 매년 8월 펜실베이니아 주 윌리엄스포트(Williamsport)에서 세계 8 블럭 대표에 의한 세계 선수권 대회가 열림.

리틀 매거진: 〔little magazine〕 명 《문》 영리(營利)주의 풍조에 대항하여, 20세기초부터 나타난 발행 부수(發行部數)가 적고 비영리적인 문예·평론 잡지.

리틀 메이드 드레스 〔little maid dress〕 명 옛날에 하녀들이 입었던 것과 같은, 흰 깃과 커프스가 달린 드레스. 제1차 대전 후 샤넬이 만들어 낸 이래, 여성 의상의 하나가 된 것으로 고상하고 유행에 좌우되지 아니하며, 항상 신선한 매력을 지님.

리틀-병 【一病】〔Little〕 명 《의》 〔최초의 보고자인 영국인 의사 리틀(Little, William John; 1810-94)의 이름에서 유래〕 뇌성 소아마비(腦性小兒痲痺)의 하나. 주로 선천적 원인에 의한 것을 가리키는데, 양쪽 아랫 다리의 강직성(強直性) 마비가 주요 증세이며, 때로는 지적(知的) 장애를 수반함.

리틀 아메리카 〔Little America〕 명 《지》 남극 대륙 로스 해(Ross海), 훼일스 만(Whales灣) 남쪽 빙원(氷原) 위의 탐험 기지(探險基地). 미국의 버드(Byrd)가 명명했음. 1929년 이래 4회에 걸쳐 이용되었으나, 영구(永久) 기지로서 결함이 많아 1959년 폐쇄됨.

리틀턴 〔Littleton, Analias Charles〕 명 《사람》 미국의 회계학자. 일리노이 대학 교수. 회계사(會計史)로 유명하며, 또 회계 이론으로는 시가론(時價論)에 대하여, 투하 원가설(投下原價說)을 제창하였음. 주저 《회계 이론의 구조》. [1886-1974]

리티곤 〔litigon〕 명 《동》 타이곤 수컷과 암사자를 교배시켜 태어난 잡종. 몸이 사자나 호랑이보다 크고, 사자의 갈기와 황갈색 털을 갖고, 배는 회고 호랑이처럼 검은 줄무늬가 있음.

리티아 운모 【一雲母】〔lithia〕 명 《광》 운모의 하나. 리튬을 함유하는 주요 광석.

리파르 〔Lifar, Serge〕 명 《사람》 러시아 출신의 프랑스 무용가·안무가. 1923년 디아길레프(Diaghilev)의 러시아 발레단에 참가. 1930년 이후, 파리 오페라 극장 발레단을 중심으로, 프랑스의 발레 육성에 힘을 기울임. 주요 안무 작품에 《백설 공주》 등이 있음. [1905-86]

리파리 제도 【一諸島】〔Lipari〕 명 《지》 이탈리아의 시칠리아 섬 북쪽 티레니아(Tyrrhenia) 해상의 화산 군도. 일곱 개의 주된 섬과 열 개의 바위 섬으로 되어 있음. 포도 재배·목양(牧羊)·경석(輕石) 채취·어업 등이 행하여짐. 고대로부터 시(詩)로 읊어지고 전설로 이야기되어 왔으며, 또 화산의 활동으로 유명함. 에올리에 제도(Eolie 諸島). [114 km²: 14,000명(1981)]

리파-마이신 〔rifamycin〕 명 《약》 이탈리아의 센시(Sensi) 등에 의하여 발견된 항생 물질의 하나. 그람 양성균(Gram陽性菌)에 대하여 강한 발육 저지 작용(發育阻止作用)을 보이는 동시에, 항산성균(抗酸性菌)에도 유효하다고 하며, 또한 나균(癩菌)에 대해서도 효과가 있다고 함.

리파아제 〔lipase〕 명 《화》 중성 지방(中性脂肪)을 지방산(脂肪酸)과 글리세롤로 가수 분해하는 효소(酵素). 동물의 폐(肺)나 지방 조직(脂肪組織)·혈청(血淸), 특히 이자·이자액(液)에 많으며 소화(消化) 효소로서 작용함. 식물에서는 피마자 등의 씨 속에 함유되어 있음. 지방 분해 효소.

리파이너리 가스 〔refinery gas〕 명 석유를 정제(精製)할 때에 생성되는 가스의 총칭.

리파인 〔refine〕 명 ①세련(洗鍊). ②정제(精製). ③순정(純正).

리팜피신 〔rifampicin〕 명 《약》 항결핵제(抗結核劑)의 하나. 항생 물질(抗生物質) 리파마이신의 유도체(誘導體)로, 결핵균·포도상 구균·변형균(變形菌)·녹농균(綠膿菌) 등에 대하여 강한 항균성을 가지고 있음. 다른 항결핵약(抗結核藥)의 내성균(菌)에도 잘 들어, 히드라지드와 병용하면 치료 효과가 우수함. 동물 세포에 해(害)가 없기 때문에, 새로운 항(抗)바이러스제로서 널리 쓰임.

리:퍼 〔reaper〕 명 《기》 가축 또는 트랙터(tractor)로 끄는 곡물 수확기.

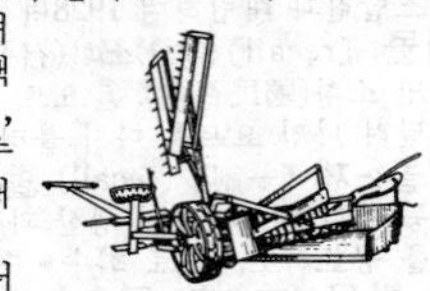

〈리퍼〉

리퍼블리컨 〔Republican〕 명 《정》 미국의 공화당 당원.

리퍼블릭 〔republic〕 명 공화국(共和國). 공화 정체(共和政體).

리 펑 〔李鵬〕 명 《사람》 중국의 정치가. 저우 언라이(周恩來)의 양자. 상하이(上海) 출생. 1941년 옌안(延安) 자연 과학원을 졸업하고 1948년 모스크바에 유학. 1955년 펑만(豐滿) 수력 발전소 부소장을 거쳐 요직에 들어서 1983년 국무원 부총리, 1987년 당정치국 상무 위원에 오름. 1988년 국무원 총리가 됨. 이붕. [1928-]

리페르 〔Ripert, Georges〕 명 《사람》 프랑스의 민법·상법학자. 파리 대학 교수. 《해상법(海商法) 원론》은 고전적 명저라고 일컬어지며, 실증(實證)주의에 바탕을 둔 《민법 교과서》·《상법 교과서》도 유명함. 법사회학·법철학적 연구도 있음. [1880-1958]

리페츠크 〔Lipetsk〕 명 《지》 러시아 연방, 보로네슈 강(Voronezh江) 연안의 도시. 야금(冶金)·트랙터·라디에이터 등의 공장이 있음. 광천(鑛泉)도 있어 휴양지로 알려짐. [456,000명(1986)]

리:펜슈탈: 〔Riefenstahl, Leni〕 명 《사람》 독일의 여류 영화 감독·사진가·작가. 베를린 올림픽의 기록 영화인 《민족의 제전》·《미(美)의 제전》 2부작을 만들어 크게 성공함. 제2차 대전 후 프랑스와의 합작

영화 ≪저지(低地)≫를 발표하고, 사진집과 아프리카 관계 저서를 냄. [1902-]

리포 다당류【一多糖類】[一뉴] 명 [lipopolysaccharide]〖화〗공유 결합(共有結合)으로 된 지질(脂質)과 다당류의 복합체. 주로 세균의 세포막 성분으로서 존재함.

리포 단:백질【一蛋白質】명 [lipoprotein]〖생〗지질(脂質)과 단백질이 결합한 복합 단백질의 하나. 혈장(血漿)·노른자·세포막·세포질 따위에 들어 있음.

리포:밍 [reforming] 명〖물〗열 또는 촉매(觸媒)를 사용해 석유 나프타를 옥탄가(價)가 높은 휘발성 물질로 전화(轉化)하는 일. 분류(分溜)·중합(重合)·탈수소(脫水素)·이성화(異性化) 등 동시에 일어나는 반응의 효과를 포함함. 개질(改質).

리포-산【一酸】명 [lipoic acid]〖화〗비타민과 같은 작용을 하는 물질의 하나. 젖산균(酸菌) 따위 미생물 발육에 필요한 인자(因子)로서 발견됨. 황색의 판상 결정(板狀結晶)으로 녹는점 47.5℃. 인체에서는 필요량만큼 체내에서 합성되며, 간(肝)이나 효모(酵母) 등에 존재함. 티옥트산. [$C_8H_{14}O_2S_2$]

리포솜 [liposome] 명〖화〗지방산(脂肪酸)·지방 아민 및 콜레스테롤 등으로부터 인공적으로 만들어지는 극히 미세한 피막 입체(被膜粒體). 막 사이에 약물을 봉입하여, 목표로 하는 환부로의 약제 운반체 등으로 쓰임.

리포:스트 [riposte] 명 펜싱에서, 상대방의 공격을 피함과 동시에 공격하는 일. 되찌르기.

리포이드 [lipoid] 명〖화〗유지질(類脂質)❶.

리포:터 [reporter] 명 ①보고자(報告者). ②보도자(報道者). 신문이나 잡지 등의 탐방 기자(探訪記者). ㊔레포.

리포:트 [report] 명 ①보고(報告). ②보도(報道). ③보고서. ④학술 연구 보고. ㊔레포.

리포트로:핀 [lipotropin] 명 뇌하수체에서 분비되는 지방 분해 호르몬.

리포:팅 시스템 [reporting system] 명 상급자에 대한 하급자의 커뮤니케이션의 하나인 보고 제도.

리폴드 [Lippold, Richard] 명〖사람〗미국의 조각가. 시카고 미술 연구소를 나와 공업 디자이너로 활약. 1940년초에 조각으로 전향(轉向). 금빛 철사를 이용한 섬세하고도 시적(詩的)인 선(線)의 조형(造形)으로 유명함. [1915-]

리폼: [reform] 명 낡은 옷에 손질을 하여, 새로운 감각의 옷으로 다시 만드는 일.

리프 [riff] 명〖악〗재즈 음악에서, 2-4 마디의 악구(樂句)를 반복해서 연주하는 일. 멜로디라고 할 수 없는 짧은 악구를 되풀이 연주함으로써 힘차고 역동적(力動的)인 느낌을 나타낼 수 있음.

리프레서 [repressor] 명〖생〗특정한 유전자군(遺傳子群)의 형질 발현(形質發現)을 억제하는 단백질. 억제 물질.

리프레션 [repression] 명〖경〗일시적인 경기(景氣) 후퇴와는 다른 정체적(停滯的)인 경제의 양상. 디프레션(depression)과 리세션(recession)의 사이에 위치하는 경제 상태.

리프레시먼트 [refreshment] 명 상쾌한 기분을 주는 음료(飮料). 홍차·커피·아이스크림·사이다·레몬수 따위.

리프레인 [refrain] 명 시나 악곡(樂曲) 중에서, 두 번 이상 되풀이되는 각 절(節)의 마지막 부분. 후렴(後斂).

리:프로덕션 [reproduction] 명 ①모사(模寫). 복사(複寫). 복제(複製). ②재생산(再生産). ③서적의 번각(飜刻).

리:프린트 [reprint] 명 ①사진·자료 등을 복사하는 일. ②서적 등을 사진적(寫眞的) 수법으로 판을 되만들어, 원본대로 복제하는 일. 또, 그 판(版). ③녹음 테이프를 복제하는 일. ——-하다 타여불

리:프만[1] [Liebmann, Otto] 명〖사람〗독일의 철학자. 주저 ≪칸트와 그 아류(亞流)(1865)≫의 각장(各章)을 '칸트로 돌아가라'로 끝맺어, 신칸트파(新Kant派)의 발흥(勃興)을 자극함. 저서에 ≪현실의 분석에 관해서≫·≪사랑과 사실≫ 등이 있음. [1840-1912]

리프만[2] [Lipmann, Fritz Albert] 명〖사람〗미국의 생화학자. 독일 태생으로, 1944년 미국에 귀화. 비타민 B 및 에너지 대사에 있어서의 인산(燐酸) 결합의 연구와 코엔자임(coenzyme) A의 발견으로, 1953년 크레브스(Krebs)와 함께 노벨 생리·의학상을 수상함. [1899-1986]

리프만[3] [Lippmann, Gabriel] 명〖사람〗프랑스의 물리학자. 1883년 파리 대학 교수. 1873년 전기 모관(電氣毛管) 현상을 연구하여 모관 전기계(毛管電氣計)를 발명함. 1881년 컬러 사진을 고안, 1891년 실험에 성공하였음. 1908년 노벨 물리학상을 수상함. [1845-1921]

리프먼 [Lippmann, Walter] 명〖사람〗미국의 평론가·저널리스트. '뉴욕 헤럴드 트리뷴'지(紙)의 기고가(寄稿家)로 미국의 외교 문제와 세계 평론에 특이한 논설을 발표하였으며, '냉전(cold war)'의 개념은 그가 쓰기 시작한 것임. [1889-1974]

리:프 스티치 [leaf stitch] 명 프랑스 자수에서, 나뭇잎 모양으로 수놓는 방법의 하나. 나뭇잎의 윤곽을 그리고 그 선 안에 수놓음.

리프-족【一族】[Rif] 명 모로코(Morocco)의 북부 산지에 사는 베르베르(Berber)족의 한 부족. 베르베르족 가운데서 피부색이 가장 흼. 대부분 이슬람교도로 대가족·씨족이 전통적인 기초 집단임. 1차 대전 후 민족 자결 운동을 일으켜, 한때 세계의 주목을 끌었음.

리:프크네히트 [Liebknecht] 명〖사람〗①[Karl L.] 혁명가. ❷의 아들. 사회 민주당 좌파의 지도자. 마르크스주의의 원칙을 고수(固守), 1차 대전에 반대, 탈당함. 1918년 독일 혁명 때 룩셈부르크 등과 스파르타쿠스 단(Spartakus團)을 조직하였고, 또 독일 공산당을 창립하였으나, 봉기(蜂起)에 실패하여 살해되었음. [1871-1919] ②[Wilhelm L.] 독일의 사회주의자. 바덴(Baden) 혁명에 참가하고 런던으로 망명, 마르크스·엥겔스의 영향을 받고 귀국 후, 베벨(Bebel, A.; 1840-1913)과 함께 사회주의 운동의 선두에 서서, 독일 사회 민주 노동당을 창립함. [1826-1900]

리프트 [lift] 명〖기〗①기중기(起重機). ②펌프(pump)의 양정(揚程). 양력(揚力). ③〖광〗갱내용(坑內用) 양수(揚水) 펌프. ④엘리베이터(elevator). 승강기. ⑤스키장(場)이나 관광지에서, 낮은 곳으로부터 높은 곳으로 사람을 실어 나르는 의자식의 탈것.

리프트 밸브 [lift valve] 명 승강(昇降)에 따라, 열렸다 닫혔다 하는 밸브의 총칭.

리프트 업 바:지 공법【一工法】[一뻡] 명 [lift up barge method] 무거운 다리 도리를 단번에 가설하는 공법. 공장에서 만든 다리 도리를 가설 지점까지 배로 운반하여 기중 장치(起重裝置)로써 밀어 올려 교각(橋脚) 사이에 얹는 방법.

리플 [ripple] 명 ①잔 물결. ②잔 물결 모양의 짜임새. 주로, 잔 물결 모양으로 오글쪼글하게 짠, 얇은 바탕의 평직물(平織物).

리:플러 시계【一時計】명 [Riefler clock] 독일의 기사(技師) 리플러(Riefler, Siegmund; 1857-1912)에 의하여 1899년에 고안된 정확한 진자(振子) 시계. 진자의 길이 1m이며, 전지(電池)와 전자석에 의해 감아지는 추의 중력(重力)을 동력원으로 함. 한동안 각국의 천문대 등에서 표준 시계로 쓰이었음.

리플레 명〖경〗↗리플레이션(reflation).

리플레이션 [reflation] 명〖경〗디플레이션에 의하여 지나치게 내린 일반 물가 수준을, 정상의 높이까지 끌어올리기 위하여, 인플레이션이 되지 아니할 정도로 통화량을 팽창시키는 일. ㊔리플레.

리플레이스 [replace] 명 골프에서, 룰에 따라, 주워 올린 공을 본디 자리에 놓는 일.

리플렉스 [reflex] 명 빛 따위가 장애물에 닿아 반사되는 일. 또, 그렇게 만든 장치나 카메라.

리플렉스-법【一法】[reflex] [一뻡] 명〖전〗라디오 수신기의 결선법(結線法)의 하나. 고주파 증폭기를 이용하여, 검파(檢波) 후의 저주파 전류까지 동시에 증폭하는 방법.

리플렉스 카메라 [reflex camera] 명 일안(一眼) 리플렉스 카메라와 이안(二眼) 리플렉스 카메라의 총칭. 피사체(被寫體)의 상(像)이 반사경에 의해 위쪽에 있는 핀트 글라스에 비치는 형식이며 파인더가 불필요함. ㊔레프.

리플렉터 [reflector] 명 사진 찍을 때의 채광용(採光用) 반사판(反射板).

리:플릿 [leaflet] 명 ①종이 한 장을 몇 페이지로 접은, 간단한 인쇄물. ②광고·선전용의 인쇄물.

리플 마:크 [ripple mark] 명 모래 위에 남는 파도의 자국.

리피 [Lippi] 명〖사람〗①[Filippino, L] 이탈리아의 피렌체파(Firenze派) 화가. 보티첼리(Botticelli)에게 배웠으며, 우미(優美)하나 다소 통속적인 작풍을 지닌 제단화(祭壇畫)·벽화를 제작하였음. [1457-1504] ②[Filippo, L] ❶의 아버지로서 피렌체파의 화가. 수사(修士)이었으나 분방(奔放)한 생활을 하면서, 현세적(現世的)인 표현을 지닌 성모자상(聖母子像) 등을 그렸음. [1406?-69]

리피:트 [repeat] 명〖악〗도돌이표.

리필 제:품【一製品】[refill] 명 소비자가 원래의 용기(容器)에 내용물만 갈아 채워 넣고 쓰는 상품.

리:허빌리테이션 [rehabilitation] 명〖의〗상병(傷病)이 거의 나아서 증상이 고정화한 사람 또는 일반 환자에 대하여, 정상적인 사회 생활에 복귀할 수 있도록 정신적·신체적·직업적인 치료와 훈련을 행하는 일. 사회 복귀(復歸) 요법.

리허:설 [rehearsal] 명〖연〗연극이나 음악·방송 등에서, 공개를 앞두고 하는 연습. 시연(試演). ¶ 드레스 ～.

리 홍장 [李鴻章] 명〖사람〗'이홍장(李鴻章)'을 중국 음으로 읽은 이름.

리히터[1] [Richter, Adrian Ludwig] 명〖사람〗독일의 화가. 동화집(童話集)이나 민화집(民話集) 등에 목판으로 소박하고 친근한 삽화를 그려, 그 제1인자가 됨. 유화(油畫)로는 ≪저녁 기도≫·≪봄, 신부(新婦)의 행렬≫ 등이 있음. [1803-84]

리히터[2] [Richter, Burton] 명〖사람〗미국의 실험 물리학자. 스탠퍼드 대학 교수. 1974년 가속기(加速機)를 사용하여 새로이 참 쿼크(quark)와 그 반입자(反粒子)로 된 무거운 소립자(素粒子) 제이프사이(J/ψ) 입자를 발견하여 소립자 물리학에 신기원을 엶. 이 업적으로 1976년 팅(Ting, S.C.C.)과 더불어 노벨 물리학상을 받음. [1931-]

리히터[3] [Richter, Charles Francis] 명〖사람〗미국의 지진학자(地震學者). 캘리포니아 대학 교수. 남(南)캘리포니아 지방의 지진 활동을 연구하고, 지진의 진도(震度)를 처음으로 정의(定義)하는 등 지진학의 기초를 구축하는 데 지대한 공헌을 함. [1900-85]

리히터[4] [Richter, Hans] 명〖사람〗독일의 지휘자. 바그너에 사사(師事)하고, 빈 궁정 오페라 악장, 바이로이트(Bayreuth) 축제(祝祭) 극장의 수석 지휘자가 되어, 바그너의 작품을 많이 연주하였음. 19세기 후반의 대표적 지휘자로 일컬어짐. [1843-1916]

리히터[5] [Richter, Johann Paul Friedrich] 명〖사람〗독일의 소설가. 필명(筆名)은 장 파울(Jean Paul). 무한의 세계에서 동경(憧憬)과 현실적인 일상 생활과의 분열상을 제재(題材)로 하였음. 주요 작품으로 ≪거인(巨人)≫·≪퀸투스 픽슬라인(Quintus Fixleins)의 생애≫ 등이 있음. [1763-1825]

리히텐베르크 [Lichtenberg, Georg Christoph] 명〖사람〗독일의 물리학자. 사진 건판의 전극(電極) 실험에서 '리히텐베르크의 도형(圖形)'을 얻었음. [1744-99]

리히텐베르크의 도형【一圖形】[Lichtenberg] [一/一에一] 명〖물〗사진 건판을 금속판에 올려 놓고 이것을 전극으로 하여, 다시 사진막

의 상면에 다른 작은 전극을 놓아, 이 양극 사이에 방전(放電)을 일으키면서 현상(現像)을 하면 상면의 극을 중심으로, 방사상(放射狀)의 화려한 모양이 나타나는 도형.

리히텐슈타인 〔Liechtenstein〕 명〖지〗 스위스와 오스트리아의 국경에 있는 공국(公國). 보덴 호(Boden 湖) 남쪽, 라인 강 최상류 우안(右岸)에 있는 농목지(農牧地)임. 주민은 독일계(系)로 가톨릭 교도가 많음. 공용어는 독일어. 밀·포도의 재배와 목축이 행해짐. 금속 가공·견직물·피혁 등의 공업도 행하여짐. 세습군주제(世襲君主制)이며 15명 정원의 국회가 있음. 영세 중립국으로 외교(外交)는 스위스에 위임함. 수도는 파두츠(Vaduz). 정식 명칭은 '리히텐슈타인 공국(公國)(Principality of Liechtenstein)'. [160 km² : 30,000 명(1991 추계)]

리히트호:펜 〔Richthofen, Ferdinand von〕 명〖사람〗 독일의 지리학자·지질학자. 1869-72년에 중국 본토의 오지(奧地)까지 답사하였고, 야외 관찰에 의거한, 지표(地表)의 학문(學問)으로서의 지리학의 이론적 기초를 확립함. 주저 《중국(中國)》. [1833-1905]

릭 천문대【一天文臺】 〔Lick〕 명 〔릭(Lick, James; 1796-1876)은 시설을 기부한 시카고의 부호(富豪)의 이름〕 미국 캘리포니아 대학 부속의 천체 관측 시설. 캘리포니아 주의 해밀턴 산(Hamilton 山)의 표고(標高) 1,283 m 지점에 있으며, 1888년 창설됨. 구경 305 cm의 반사 망원경 등이 있는데, 천체의 시선(視線) 속도나 스펙트럼 등을 관측·연구함.

릭터[1] 〔Richter, Burton〕 명〖사람〗 리히터[2].

릭터[2] 〔Richter, Caharles Francis〕 명〖사람〗 리히터[3].

린: 〔Lean, David〕 명〖사람〗 영국의 영화 감독. 제3작 《밀회(密會)》로 영국 리얼리즘을 세계에 주지시킴. 《위대한 유산》·《전장에 놓는 다리》·《아라비아의 로렌스》·《닥터 지바고》 등의 명작이 있음. [1908-91]

-린 어미 〈옛〉 -ㄹ 것인. ¶ 므춤내 成佛 몯ᄒᆞ린 젼ᄎᆞ로 니르디 몯ᄒᆞ리라 (終不成佛故言不可說也)《金剛 43》.

린나 〔Linna, Väinö〕 명〖사람〗 핀란드의 작가. 전쟁 소설 《무명 용사》로 문단에 데뷔, 이어 《여기 북극성 아래》의 3부작으로 유명해짐. [1920-]

린네 〔Linné, Carl von〕 명〖사람〗 스웨덴의 박물(博物)학자. 저서 《자연의 분류》에서 생물의 학명(學名)을 속명(屬名)과 종명(種名)으로 나타내는 '이명법(二名法)'을 창안, 현재의 생물 분류학(生物分類學)의 방법을 확립하였음. 저서에 《식물의 종(種)》·《식물의 강(綱)》 등이 있음. [1707-78]

린네르 명 〔리니에르(linière)의 와음(訛音)〕 리넨.

린네-종【一種】 〔Linné〕 명 생물 분류의 기본 단위. 생물 형태의 명료(明瞭)한 불연속성을 분류의 기초로 함. 18세기 중간에 린네에 의해서 확립되었으며, 현재의 종(種)의 대부분은 이것에 상당함.

린네-풀 〔Linné〕 명〖식〗 [*Linnaea borealis*] 인동과에 속하는 포복성(匍匐性) 상록 소관목(小灌木). 작은 잎이 타원형 또는 넓은 거꿀달걀꼴로 대생함. 7월경에 긴 종 모양의 작은 흰 꽃 또는 분홍 꽃이 높이 10 cm 내외의 화경(花莖) 끝에 피며, 10월에 열매가 맺음. 높은 산의 나무 밑에 나는데, 평북·함남북 및 일본·북반구 한대(寒帶)에 분포함. 관상용으로 심음.

〈린네풀〉

-린댄 어미 〈옛〉 -ㄹ 것인댄. ¶ 因果롤 쁘러ᄇᆞ리린댄 至極ᄒᆞᆫ 큰 害니라 (撥無因果 ᄒᆞ리린댄 極爲大害니라)《蒙法 47》.

린덴 〔lindane〕 명〖약〗 살충제의 하나. 비 에이치시(B.H.C. : benzen hexachloride)의 γ 이성체(異性體)로서 순도 99% 이상의 γ-B.H.C.를 말함. 1949년 미국 농무성(農務省)이 발명자인 네덜란드의 반 데르 린덴(van der Linden)의 이름을 따서 명명함. 디 디 티(D.D.T.)보다 살충력이 빠르고 강하며, B.H.C. 특유의 자극적인 냄새가 없는 것이 장점이나, 잔류 독성(殘留毒性) 때문에 사용이 제한되고 있음.

린덴바움 〔도 Lindenbaum〕 명〖식〗 보리수[3](菩提樹).

-린뎌 어미 〈옛〉 -ㄹ 것이여. -ㄹ 것이로구나. ¶ 鳴呼 ㅣ 라 그 힘 쓰며 鳴呼 ㅣ 라 그 힘 쓰면 邦國이 그 거의 ᄒᆞ리며 吾東이 그 거의 ᄒᆞ린뎌(鳴呼其勉旃 鳴呼其勉旃 邦國 其庶幾 吾東 其庶幾也夫《常訓 7》.

린드 〔Lynd, Robert〕 명〖사람〗 영국의 수필가·비평가. 런던의 '뉴스 크로니클(News Chronicle)'지의 문예란 편집자. 저서로 《도로의 양쪽》·《책과 작가》가 있음. [1879-1949]

린드그렌 〔Lindgren, Waldemar〕 명〖사람〗 스웨덴 출신의 미국 지질학자(地質學者). 매사추세츠 공과 대학 교수. 미국 지질학회·응용 지질학회 회장 역임. 대부분의 금속 광상(金屬鑛床)의 성인(成因)이 마그마(magma) 활동과 관계가 있다고 주장, 그의 저서 《광상학(鑛床學)》은 이 부문의 유명한 교과서의 하나가 됨. [1860-1939]

린드버:그 〔Lindbergh, Charles Augustus〕 명〖사람〗 미국의 비행가·군인. 1927년 최초로 대서양 횡단 무착륙(無着陸) 단독 비행에 성공하여 인기를 모았음. [1902-74]

린드블라:드 〔Lindblad, Bertil〕 명〖사람〗 스웨덴의 천문학자. 스톡홀름 천문대장을 지냄. 처음에는 구상 성단(球狀星團)·소우주(小宇宙)의 빛깔 등을 연구하였는데, 은하계(銀河系)의 구조에 관한 연구가 그의 가장 큰 업적으로 꼽힘. 은하계가 자전(自轉)하고 있음이 밝혀진 것은 그의 연구에 힘입은 바 큼. [1895-1965]

린샤 〔臨夏〕 명〖지〗 중국 간쑤 성(甘肅省) 중서부에 있는 다샤허강(大夏河) 북안의 도시. 린샤 후이족(臨夏回族) 자치주(自治州)의 주청(州廳) 소재지. 이슬람교도의 중심지로 성내에는 한족(漢族), 성의 향진(鄕鎭)에는 이슬람교도가 거주함. 교통의 요지이며 농산물이 풍부하고 유목을 행하는데 점차 공업이 발달함. 융징 현(永靖縣)과의 경계에 병령사(炳靈寺)석굴이 있음. 구명은 허주(河州). 임하. [148,000 명(1984)].

린샹 〔臨湘〕 명〖지〗 '창사(長沙)'의 별칭.

린스 〔rinse〕 명 세발(洗髮)한 뒤 샴푸나 비누의 알칼리 성분(成分)을 중화(中和)시키고 머리에 윤기를 주기 위하여, 레몬즙이나 유성제(油性劑) 등으로 머리를 헹구는 일. 또, 그것에 쓰이는 것. 산성 린스·크림 린스·오일 린스·컬러 린스 등이 있음.

린스호:텐 〔Linschoten, Jan Huyghen van〕 명〖사람〗 네덜란드의 여행가. 1583-88년 인도의 고아에 체재하여 동양 사정을 연구, 귀국한 후 이들 자료를 기초로 하여서 《동방 안내기(東方案內記)》·《포르투갈인 동양 항해기》·《아프리카·아메리카 지지(地誌)》를 간행하였음. 또, 북방 항로를 탐험하여 《북방 항해기》를 출판함. [1563-1611]

린 썬 〔林森〕 명〖사람〗 중화 민국의 정치가. 푸젠 성(福建省) 출신. 청말(淸末)에 미국에 체재하여 쑨원(孫文)의 혁명 운동을 지원함. 신해(辛亥) 혁명 후 귀국, 국민당원으로서 베이징 정부 안에서 활약하였음. 1927년 난징 국민 정부에 참가, 1931년 이래 정부 주석(主席)을 지냄. 임삼. [1858-1943]

린 위탕 〔林語堂〕 명〖사람〗 중국의 평론가·작가. 베이징(北京) 대학 등에서 문명론(文明論)을 강의하는 한편, 루 쉰(魯迅) 등과 함께 신문학(新文學) 운동을 전개(展開)하였음. 1936년 이후 주로 미국에서 살며, 유네스코 예술 문학부장, 프린스턴 대학 교수 등을 역임하고, 1953년 국부(國府) 유엔 대표 고문을 지냈음. 저서에 구미(歐美)에 대한 중국 문명 소개서 《우리 국토, 우리 국민》, 수필 《생활의 발견》 등, 소설 《북경 호일(北京好日)》·《폭풍우 속의 나뭇잎》 등이 있음. 임어당. [1895-1976]

린을 명 〈옛〉 갑옷 미늘. ¶ 갑옷 린을(甲葉) 《漢淸 V:3》/갑옷 아릿동에 박은 광친 린을(甲裙明葉)《漢淸 V:3》.

린촨 〔臨川〕 명〖지〗 중국 장시 성(江西省) 북동부에 위치한 도시. 시가는 성벽으로 둘러싸여 있고, 쌀·모시풀·여름베·붓 따위의 집산지이고, 부근에는 중정석(重晶石)·도토(陶土) 따위가 매장되어 있음. 송대(宋代)의 명재상인 왕안석(王安石)의 출생지로 알려져 있음. 임천. [615,000 명(1982)]

린최핑 〔Linköping〕 명〖지〗 스웨덴 남동부의 도시. 록센 호(Roxen 湖) 남단(南端)에 있으며, 제강(製鋼)·철도 차량·섬유·제당(製糖)·담배 등의 공업이 행하여짐. 중세(中世)에는 상업의 중심지였으며, 13세기 이래의 교회·성(城) 등이 있음. [119,000 명(1987)]

린츠 〔Linz〕 명〖지〗 오스트리아 북부의 도시. 다뉴브 강(江)에 면한 항구 도시로서, 철강(鐵鋼)·조선(造船)·전기(電氣)·화학(化學)·섬유(纖維)·담배 등의 공업이 행하여짐. 교통의 요지로, 중세 이래의 상업 도시이기도 함. [200,000 명(1981)]

린치 〔lynch〕 명 〔미국 독립 때, 반혁명(反革命) 분자를 즉결 재판으로 처형한 버지니아 주의 치안 판사 린치(Lynch, C.W.)의 이름에서 유래〕 ①미국에서 백인종이 흑인종에게 가하는 사형(私刑). ②사적 제재(私的制裁). 사형(私刑). *사(私)매.

린타오 〔臨洮〕 명〖지〗 중국 간쑤 성(甘肅省)에 있는 현 이름. 란저우(蘭州)의 남쪽, 타오허(洮河) 강 기슭에 위치함. 만리 장성(萬里長城)의 기점(起點)임. 임조.

린터 〔linter〕 명 목화씨에 붙어 있는 잔털. 평균 3-5 mm. 특수한 채취기(採取機)로 모아, 인조 섬유·사진 필름·면화약(綿火藥)의 원료나 침대의 심(心)·붕대 따위에 쓰임.

린턴 〔Linton, Ralph〕 명〖사람〗 미국의 인류학자. 문화를 습득(習得)한 행동 및 그 결과의 종합 형태라 하고, 문화와 퍼서낼리티 이론 형성에 공헌함. 저서 《퍼서낼리티의 문화적 배경》. [1893-1953]

린트 〔lint〕 명 ①〖식〗 아마(亞麻). ②리넨이나 면포 등을 기모 가공(起毛加工)하여 보드랍게 한 천. 외과용(外科用) 가제·붕대 따위에 쓰임.

린 퍄오 〔林彪〕 명〖사람〗 중국의 군인·정치가. 허베이 성(河北省) 출신. 6·25 동란 초기에 중공 지원군 총사령. 1959년 펑 더화이(彭德懷)가 실각한 후 국방부장이 됨. 1969년 공산당 부주석. 마오 쩌둥의 후계자로 지목되었으나 반(反)마오 쩌둥 음모가 발각되어 비행기로 탈출하다가 몽골에서 추락사함. 임표. [1908-71]

린포르차토 〔이 rinforzato〕 명〖악〗 '특별히 그 소리를 강하게'의 뜻. 린포르찬도.

린포르찬도 〔이 rinforzando〕 명〖악〗 린포르차토(rinforzato).

린하이 〔臨海〕 명〖지〗 중국 저장 성(浙江省) 동부, 링장(靈江)강 북안(北岸)에 있는 도시. 부근에서는 농업·어업(漁業)·염업(塩業)이 성함. 원저우(溫州)와 더불어 귤 산지로 알려짐. 임해. [1,024,000명(1982)]

린호프 〔Linhof〕 명 독일제인 전문가용 대형 정밀 카메라의 상품명. 고성능의 상업 사진용·신문사용·항공 카메라 등이 있음.

릴:[1] 〔Lille〕 명〖지〗 프랑스 북동부 벨기에 국경에 가까운 도시. 군사상의 요지로 중세 플랑드르(Flandre) 지방의 주도였음. 역사가 오랜 모직물을 비롯하여 부근의 석탄 산출에 힘입어, 철강·맥주·식품·야금·기계·방적 등의 공업이 성함. [165,000 명(1982)]

릴:[2] 〔reel〕 ㊀ 명 ①실·철사 등을 감는 얼레. ②낚싯대의 밑 부분에 달아서, 낚싯줄을 풀고 감을 수 있게 한 장치. 감개. ③〖악〗 스코틀랜드 고지인(高地人)의 무곡(舞曲). 또, 그에 맞춰서 추는 춤. ㊁ 의명 영화용 필름 길이의 단위. 약 300 m임. 권(卷).

릴:[3] 〔Riehl, Wilhelm Heinrich von〕 명〖사람〗 독일의 민속학자·작가. 신문 기자·대학 교수를 거쳐 바이에른(Bayern) 국립 박물관장을 역임함. 민족 문화를 반성하는 학문으로서 민속학(民俗學)을 수립함. 저서에 《독일 사회 정책의 기초로서의 민족의 자연사(自然史)》·《문화사적 소설(文化史的小說)》 등이 있음. [1823-97]

릴:-낚시 〔reel〕 〔—락—〕 명 낚싯대에 릴을 장치하고, 릴의 꼭지마리를 돌려서 줄을 풀었다 감았다 하여 잡는 낚시.

릴:-낚싯대 〔reel〕 〔—락—〕 명 밑동에 릴을 단 낚싯대. ↔민낚싯대.

릴라 〔프 lilas〕 명 《식》 라일락.

릴라당 〔L'Isle-Adam, Auguste de Villiers de〕 명 《사람》 프랑스의 작가. 시·희곡에서 소설로 전향함. 신비적인 정신주의에 입각하여, 물질 만능의 현대 사회를 풍자하였음. 대표작에 《기담집(奇譚集)》·《미래의 이브》 등이 있음. [1838-89]

릴랙스 〔relax〕 명 심신(心身)의 긴장을 푸는 일.

릴레이 〔relay〕 명 ①교대(交代). 중계(中繼). ②《전》 계전기(繼電器). ③↗릴레이 경주.

릴레이 경:주 【—競走】 〔relay〕 명 육상 경기의 경주의 하나. 보통 네 사람이 한 편을 짜고, 각자가 일정한 경주 거리를 분담하여 배턴(baton)을 주고받아 이어 달리는 운동. 이어달리기. 계주(繼走). ㊥릴레이.

릴레이 등산 【—登山】 〔relay〕 명 릴레이식(式)으로, 각각 일정한 거리를 분담하여 행하는 등산 형태.

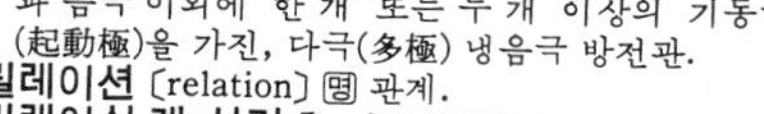

릴레이 방:전관 【—放電管】 〔relay〕 명 《공》 양극과 음극 이외에 한 개 또는 두 개 이상의 기동극(起動極)을 가진, 다극(多極) 냉음극 방전관.

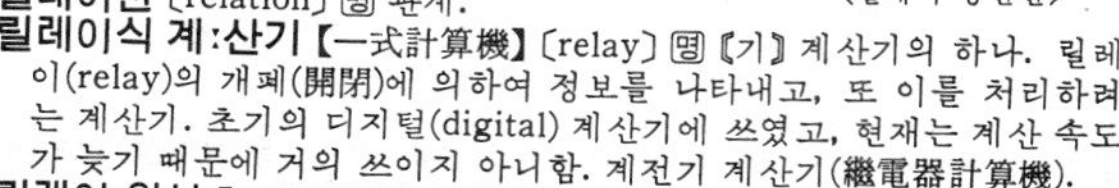

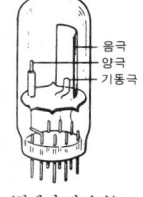

〈릴레이 방전관〉

릴레이션 〔relation〕 명 관계.

릴레이식 계:산기 【—式計算機】 〔relay〕 명 《기》 계산기의 하나. 릴레이(relay)의 개폐(開閉)에 의하여 정보를 나타내고, 또 이를 처리하려는 계산기. 초기의 디지털(digital) 계산기에 쓰였고, 현재는 계산 속도가 늦기 때문에 거의 쓰이지 아니함. 계전기 계산기(繼電器計算機).

릴레이 위성 【—衛星】 〔Relay〕 명 미국 항공 우주국의 저고도(低高度) 증폭 중계 실험용 통신 위성. 팔각주(八角柱)의 항아리 모양임. 제1호는 1962년 12월 13일에 발사됨.

릴롱궤 〔Lilongwe〕 명 《지》 아프리카의 말라위(Malawi) 공화국의 수도(首都). 공화국의 서남부, 말라위 호(Malawi湖) 서남간에 위치하며, 1975년 수도(首都)가 된 후 많은 발전을 보임. 공항(空港)이 있음. [200,000명(1991)]

릴리¹ 〔lily〕 명 《식》 백합(百合). 나리.

릴리² 〔Lyly, John〕 명 《사람》 영국의 작가·극작가. 소설 《유퓨이스(Euphues)》는 기교적인 화려한 문체를 구사, 당시의 작가들에게 큰 영향을 끼쳐 유퓨이즘이라는 말을 만듦. 《엔디미언(Endimion)》 등의 산문 희극(散文喜劇)도 있음. [1554?-1606]

릴리:서 〔releaser〕 명 《생》 동물의 종(種)에 고유한 행동을 일으키게 하는 요인(要因). 같은 종의 동물의 모양·빛깔·음성·냄새·몸짓 또는 그것들이 복합된 것.

릴리:스 〔release〕 명 ↗케이블 릴리스.

릴리:스 프린트 〔release print〕 명 영화에서, 개봉할 수 있도록 필름을 인화하는 일. 또, 그 필름.

릴리 얀: 〔lily yarn〕 명 수예(手藝) 재료의 하나. 인조 견사를 폭이 좁은 끈처럼 짠 실. 편물(編物)·마크라메(macramé) 레이스 등에 사용함.

릴리언솔: 〔Lilienthal, David Ely〕 명 《사람》 미국의 정치가. 티브이에이(T.V.A.) 이사장과 원자력 위원회 위원장을 역임하고, 원자력 국제 관리안을 기초하였음. [1899-1981]

릴리엔탈: 〔Lilienthal, Otto〕 명 《사람》 독일의 항공 기사. 최초의 글라이더(glider)를 만들어 공기 역학을 실험하여, 뒷날의 비행기 발달의 기초를 이루었음. 1896년 활공(滑空) 시험 중 추락 사망함. [1848-96]

릴리엔펠트 스키: 〔Lilienfeldt ski〕 명 오스트리아의 릴리엔펠트 숲에 살던 철학자 츠다르스키(Zdarsky, M.)가 완성한 스키술(ski術). 두 개의 스틱(stick)을 사용하는 종래의 노르웨이식 스키와는 달리, 길고 굵은 스틱 하나를 가지고 타는 것이 특징임. 알펜스키(alpenski).

릴리옴 〔헝가리 Liliom〕 명 《연》 몰나르(Molnar, Ferenc) 작의 희곡. 1909년 부다페스트에서 초연(初演). 태어나는 어린애 때문에 강도질을 하였으나 실패하여 자살한 불량배인 릴리옴이, 16년 후 선행(善行)을 약속하고 하룻 동안만 이 세상에 돌아왔으나, 타고난 급한 성미 때문에 딸을 때려서 유일한 기회를 놓친다는 줄거리.

릴리펏 〔Lilliput〕 명 ①스위프트의 작품 《걸리버 여행기》에 나오는 상상상(想像上)의 난장이 나라. ②작은 사물의 비유.

릴리:프 〔relief〕 명 ①구조(救助). 구원(救援). ②교대(交代). 교대자. ③《미술》 부조(浮彫). ④야구에서, 구원 투수(救援投手).

릴리:프 사진 【—寫眞】 〔relief〕 명 부조 효과(浮彫效果)를 낸 사진. 음화(陰畫) 원판에, 그것으로부터 만든 양화(陽畵) 원판을 약간 비껴서, 겹으로 맞추어 인화(印畫)하여 만듦.

릴리:프 조각기 【—彫刻機】 〔relief〕 명 《인쇄》 평행선(平行線)의 조밀(粗密)로써 부조감(浮彫感)을 인쇄로 나타내는 판(版)을 만드는 기계. 원형(原型)의 요철(凹凸)에 따라 움직이는 바늘의 상하 운동(上下運動)을 조각 바늘의 좌우 운동으로 바꾸어, 판재(版材)를 직접 조각함.

-릴시 어미 〈옛〉 -ㄹ 것이매. =-릴씨. ¶ 黎民이 飢에 阻ᄒᆞ릴시(黎民阻飢)《書諺 I:16》. 「《龍歌 38章》.

-릴씨 어미 〈옛〉 -ㄹ 것이매. =-릴시. ¶ 오샤사 사ᄅᆞ시릴씨(來則活己)

릴케 〔Rilke, Rainer Maria〕 명 《사람》 독일의 시인. 러시아에 여행 후 파리에서 로댕(Rodin)의 비서(祕書)로 있으면서 부단히 시작(詩作)에 정진하여, 이른바 물상시(物象詩)의 신분야를 개척하였음. 감상적인 서정시 《형상(形象) 시집》, 소설 《말테의 수기(手記)》 등 우수한 작품을 남겼음. [1875-1926]

릴 흑피증 【—黑皮症】 〔Riehl〕 〔—쯩〕 명 《의》 주로 중년 여성의 이마·관자놀이·뺨·측경부(側頸部)에 가려움이 심한 홍반(紅斑)이 생겼다가, 몇 주일 후에는 그물 모양의 회흑색의 색소 침착(沈着)이 생기는 증상. 제1차 세계 대전 후에 많이 생겼으므로, 전쟁 흑피증이라고도 이름. 화장 크림 중의 철광유(鐵鑛油) 또는 자율 신경성 소질(素質)에 의한다고 함.

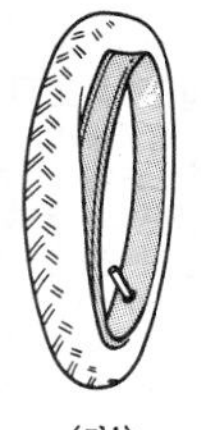
〈림¹〉

림¹ 〔rim〕 명 수레바퀴 따위의 테. 바퀴의 환상(環狀) 부분.

림:² 〔ream〕 의명 서양에서 양지(洋紙)를 세는 단위. 1첩(帖)은 24매(枚)인데 그 20첩을 이름. 곧 480매(枚). *연(連).

-림 【林】 미 어떤 명사 밑에 붙어서 '숲'·'산림'의 뜻을 나타내는 접미어. ¶ 보호~/국유~.

림금 명 〈옛〉 능금. =닝금. ¶ 큰 림금 빈(檳)《字會 上 12》.

림드-강 【—鋼】 〔rimmed〕 명 《공》 제강 작업의 최종 단계에서 탈산(脫酸)이 덜 된 채로 굳은 강. 주형(鑄型)에 접한 바깥쪽은 조직이 치밀하지만, 안쪽은 가스를 함유한 작은 기포가 산재하는 등 불순물이 많음.

림보¹ 〔limbo〕 명 〔수용소(收容所)의 뜻〕 중앙 아메리카에서 발생한 곡예 댄스. 춤을 추면서, 낮게 가로놓인 막대 밑으로 빠져 나가기도 함.

림보² 〔라 limbus〕 명 《천주교》 〔변경(邊境)의 뜻〕 자기의 본죄는 없지만 원죄의 사함을 받지 못하여, 천국에 들어가지 못한 영혼들이 그리스도의 구속 공로로 천국에 가기까지 체류하는 장소 또는 그 상태. 두 가지가 있는데 ①구약 시대의 성조(聖祖)들이 기다리던 성조들의 고성소. ②세례받지 못하고 죽은 어린 아이들이 천국에는 들지 못해도 자연적 축복 속에서 기쁨을 누리며 체류하는 곳 또는 그 상태. 임보. *고성소(古聖所).

림빅 명 〈옛〉 앞. ¶ 福으란 림빅예 받ᄌᆞᆸ고《樂範 動動》. ↔곰빅.

림스키-코르사코프 〔Rimskii-Korsakov, Nikolai Andreevich〕 명 《사람》 러시아의 작곡가. 국민 음악파 '오인조(五人組)'의 일원으로 활약, 독특한 악기 용법과 화려한 악상을 구사하여 이름이 남. 가극 《금계(金鷄)》·《사드코(Sadko)》, 교향곡 《세에라자드(Scheherazade)》·《스페인 광시곡》 등은 특히 유명함. 지휘자로서도 활약, 러시아 음악의 세계적 진출에 힘썼음. [1844-1908] 「결되는 클러치.

림 클러치 〔rim clutch〕 명 《기》 회전체의 원주면의 마찰에 의해서 연

림팩 【RIMPAC】 명 〔Rim of the Pacific Exercise〕 《군》 환태평양(環太平洋) 합동 연습. 1971년 이후 실시되어 온 미국 주도(主導)의 태평양 지역의 서방측 해군의 합동 연습. 참가국은 미국·캐나다·오스트레일리아·뉴질랜드·일본 등. 1986년 뉴질랜드가 탈퇴하고 1990년부터는 우리 나라도 참가하기 시작하였음.

림포카인 〔lymphokine〕 명 《의》 항원(抗原)의 자극 따위를 받은 림프구(球)가 방출하는 가용성(可溶性)의 생물 활성 인자. 대부분은 분자량 1만-10만의 단백질이며, 100종 가까이 있음. 면역 응답을 촉진하거나 억제하는 인자, 티(T) 림프구 증식 인자, 매크로파지(macrophage) 활성화 인자 따위.

림포포 강 【—江】 〔Limpopo〕 명 《지》 동남 아프리카에 있는 강. 남(南)아프리카 공화국과 보츠와나(Botswana) 공화국의 경계를 따라 흐르다가, 모잠비크를 경유하여 인도양에 들어감. 교통상의 이용 가치는 적음. [1,600km]

림프 〔lymph〕 명 《생》 고등 동물의 조직(組織) 사이를 채우는 무색(無色)의 액체. 모세 혈관을 통하여 혈액과 합쳤으며, 백혈구를 가지고 체외에서는 서서히 고화(固化)하나 완전히 굳어지지 아니함. 혈관과 조직을 연결하며, 장(腸)에서는 지방(脂肪)의 흡수·운반을 함. 세균의 침입을 막고 체표(體表)를 보호함. 임파(淋巴). 림프액.

림프-강 【—腔】 〔lymph〕 명 《의》 림프가 되는 조직액(組織液)이 괴어 있는 조직 간극(組織間隙)으로, 림프관계(管系)의 출발점이 되는 곳.

림프-계 【—系】 〔lymph〕 명 〔lymphatic system〕 《생》 림프관, 림프선 내지 림프 조직의 총칭. 주체가 림프관이기 때문에 림프관계(管系)라고도 하며, 혈관계와 합하여 맥관계(脈管系)라고도 함. 림프계의 기능은 감염에 대한 방위, 림프구의 생산, 지방의 운반 등임. 림프관계.

림프-관 【—管】 〔lymph〕 명 〔lymphatic vessel〕 《생》 림프액이 흐르는 관(管). 조직(組織)에서 시작해서 림프선을 통과하여 정맥(靜脈)과 합침. 특히, 장(腸)에서 생긴 것은 유미관(乳糜管)이라 함.

림프관-계 【—管系】 〔lymph〕 명 《생》 림프계.

림프관-염 【—管炎】 〔lymph〕 〔—념〕 명 〔lymphangitis〕 《의》 연쇄상 구균·포도상 구균 기타의 화농균에 의하여 림프관에 일어나는 염증(炎症). 표재성(表在性)과 심재성(深在性)이 있는데, 전자는 임상(臨床) 진단(診斷)이 가능한데, 가려운 증상과 긴장·열감(熱感) 등의 증상이 있으며, 후자는 별다른 증상은 없으나, 림프관 부근에 압통(壓痛)을 느낌. 전신적으로 오한·발열(發熱)이 심함.

림프관-종 【—管腫】 〔lymph〕 명 〔도 Lymphangioma〕 《의》 림프관의 신생(新生)이 주체가 되어 있는 종양(腫瘍). 호발 부위(好發部位)는 피부·피하 조직·근육내 조직 등이며, 내장(內臟)에도 일어나는 수가 있음.

림프-구 【—球】 〔lymph〕 명 〔lymphocyte〕 《생》 림프의 유형 성분(有形成分). 림프선·비장(脾臟) 기타 림프 조직에서 산출되는데, 핏속으로도 이행(移行)하는 백혈구의 일종임. 둥근 세포로 일반적으로 과립(顆粒)은 없고, 있다고 해도 극소수임. 면역(免疫) 물질의 생성(生成) 내지 운반의 기능을 갖는다고 함.

림프구 감:소증 【—球減少症】 〔lymph〕 〔—쯩〕 명 〔lymphocytopenia〕 《의》 말초혈(末梢血)에 있어서의 단위 체적당 림프구의 수가 감소된 증상.

림프구 증다증 【—球增多症】 〔lymph〕 〔—쯩〕 명 〔lymphocytosis〕

〖의〗 림프구의 수가 정상보다 많은 상태. 급성 림프성 백혈병·선열(腺熱)·결핵·매독·급성 전염병의 회복기 등에 볼 수 있음.

림프상 조직【一狀組織】〔lymph〕[명]〖생〗망양 조직(網樣組織).

림프-샘〔lymph〕[명] 림프선.

림프샘 결핵【一結核】〔lymph〕[명]〖의〗림프절 결핵.

림프-선【一腺】〔lymph〕[명]〖생〗〔lymphatic gland〕 림프가 흐르는 림프관 각처에 있는 둥근 조직. 작은 것은 좁쌀만하고 큰 것은 콩만함. 목·겨드랑이·샅 등에 특히 많으며, 이들의 조직은 세망 내피계(細網內皮系)에 속해 있어, 림프에 들어온 병원균을 다른 데로 못 가게 잡아 놓음. 임파선(淋巴腺). 림프샘.

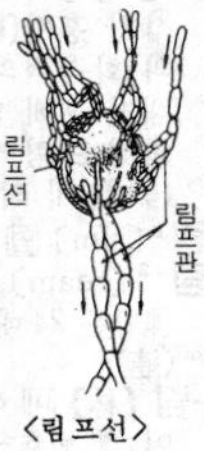

〈림프선〉

림프선 결핵【一腺結核】〔lymph〕[명]〖의〗림프절 결핵.

림프선-염【一腺炎】〔lymph〕〔一념〕[명]〖의〗림프절염.

림프선-종【一腺腫】〔lymph〕[명]〖의〗림프절종.

림프성 백혈병【一性白血病】〔lymph〕〔一썽一뼝〕[명]〔lymphoid leukosis〕〖의〗림프선이 전신에 걸쳐 종창(腫脹)을 일으키고, 림프샘에서 증식한 림프구(球)가 혈류(血流) 속에 이행(移行)하여, 백혈구 증다증을 일으키는 질병. 급성과 만성의 두 가지가 있음.

림프성 체질【一性體質】〔lymph〕〔一썽一〕[명]〖의〗전신의 림프 조직이 비대(肥大)하거나, 증생(增生)하는 것을 주징(主徵)으로 하는 체질. 자극에 대한 저항성이 극히 낮으며, 사소한 자극으로 급사(急死)를 초래하기도 함.

림프 소:절【一小節】〔lymph〕[명]〖의〗내장의 여러 장기(臟器), 특히 소화관(消化管)의 점막 고유층(粘膜固有層)에 있는 림프구(球)의 집단.

림프 소질【一素質】〔lymph〕[명]〖의〗선병질(腺病質).

림프 심장【一心臟】〔lymph〕[명]〖동〗파충류 이하의 하등 척추 동물에서, 근육벽(筋肉壁)을 가지고 율동적으로 수축하여, 림프액을 혈관 속으로 보내는 역할을 하는 림프관의 불룩한 부분. 「(前驅體).

림프 아구【一芽球】〔lymph〕[명]〔lymphoblast〕〖생〗림프구의 전구체

림프-액【一液】〔lymph〕[명]〔lymph fluid〕〖생〗림프.

림프 울체【一鬱滯】〔lymph〕[명]〖의〗흉관(胸管) 등에 사상충(絲狀蟲)이 기생하였을 때 또는 암(癌)의 전이(轉移)가 일어날 때 생기는 병. 유미성 복수(乳糜性腹水)·유미뇨(乳糜尿)가 일어남.

림프 육아종【一肉芽腫】〔lymph〕[명]〖의〗악성 종양(腫瘍)의 일종. 전신의 림프선이 붓고 비장(脾臟)도 커짐.

림프 육종증【一肉腫症】〔一쯩〕[명]〔lymphosarcoma〕〖의〗림프구계(球系) 세포에 유래하는 악성 종양. 장간막(腸間膜)·방대동맥(傍大動脈) 림프선(腺)에 잘 생기는데, 어린이나 중년인 사람에게 흔히 나타나며 방사선에 대한 감수성이 높음.

림프-절【一節】[명]〔lymph node〕〖생〗림프샘.

림프절 결핵【一節結核】〔lymph〕[명]〔tuberculosis of the lymph node〕〖의〗림프절에 결핵균이 침입하여 생긴 결핵병. 특히, 목·기관지·장간막(腸間膜)이 그 호발(好發) 부위임. 한방(韓方)에서는 '유주력(流注癧)'이라 함. 림프샘 결핵.

림프절-염【一節炎】〔lymph〕〔一렴〕[명]〔lymphadenitis〕〖의〗염증(炎症)을 발생시키는 미생물 또는 독소·화학적 물질이 림프관을 통해서 림프절에 도달하여 생기는 염증(炎症). 목 또는 샅에 많이 생기는데, 급성은 종창(腫脹)과 동통(疼痛)을 일으키나, 화농성인 것은 낭벽(囊壁)이 파괴되고 몹시 아프며, 만성인 것은 결핵균 또는 매독균으로 발생함. 동통을 느끼지 아니함. 림프샘염.

림프절-종【一節腫】〔lymph〕〔一쫑〕[명]〖의〗결핵균·매독균이 림프절에 침입하여 종창(腫脹)을 일으키는 병. 국소성과 전신성이 있음. 염증(炎症)에 의한 것과 종양(腫瘍)에 의한 것이 있음. 림프샘종. 멍울.

림프-질【一質】〔lymph〕[명]〖심〗점액질(粘液質)❷.

림프 총:관【一總管】〔lymph〕[명]〖생〗림프액이 통하는 통로의 하나. 림프관 중, 정맥(靜脈)에 연락하는 흉관(胸管)을 좌림프 총관(左 lymph 總管)이라 하고, 이에 대하여 우림프 총관이 있음.

림프행-성【一行性】〔lymph〕〔一썽〕[명]〖의〗세균이 림프액을 통하여 다른 곳으로 옮겨 가, 그 곳에서 병변(病變)을 일으키는 성질.

립〔lip〕[명] 입술. 입.

립 글로스〔lip gloss〕[명] 입술에 영양과 윤기를 주는 화장품. 입술 연지 위에 바르든가 또는 직접 바름. 립 샤이너.

립 레이어드〔lip layered〕[명] 빛깔이 다른 두 가지 이상의 입술 연지를 섞어 발라, 입술의 매력을 강조하는 화장술.

립 밴 윙클〔Rip van Winkle〕[명] ①〖문〗어빙(Irving)의 ≪스케치 북(Sketch Book)≫ 중에 수록된 한 편. 주인공이 사냥을 가서, 난쟁이들의 놀이에 끼어서 잠을 자다가 깨어나니, 세상이 온통 뒤바뀌어 있더라는 이야기. 미국 초기의 단편 소설의 하나. ②전(轉)하여, 시대에 뒤떨어진 사람.

립 샤이너〔lip shiner〕[명] 립 글로스.

립 서:비스〔lip service〕[명] 사탕발림하는 일. ——-하다 [자][여불]

립스〔Lipps, Theodor〕[명]〖사람〗독일의 심리학자·미학자·철학자. 심리학을 논리학·미학·윤리학 및 형이상학의 기초로 생각하고, 내성(內省)이 곧 이의 방법이라 하였음. 또, 인격 가치를 도입(導入)한 윤리학, 감정 이입(感情移入)을 도입한 미학은 널리 알려졌음. ≪윤리학의 근본 문제≫·≪미학≫·≪심리학 연구≫ 등 저서가 많음. 〔1851-1914〕

립스컴〔Lipscomb, William Nunn〕[명]〖사람〗미국의 무기 화학자(無機化學者). 미네소타 대학·하버드 대학 교수. 일찍부터 수소화(水素化) 붕소, 곧 보란(borane) 화합물의 구조 및 조성(組成)을 연구하여 이 계열의 화학을 계통화함으로써 화학 결합의 의의를 넓혔음. 이 업적으로 1976년 노벨 화학상을 수상함. 〔1919- 〕

립-스틱〔lipstick〕[명] 여자들이 화장할 때 입술에 바르는 연지로, 손가락만한 막대기 모양으로 된 것. 입술 연지. 루주(rouge).

립시츠〔Lipchitz, Jacques〕[명]〖사람〗리투아니아 출신의 조각가. 퀴비슴(cubisme)의 영향을 받아, 대상(對象)의 기하학화(幾何學化)를 꾀한 다음, 추상에 가까운 조형(造形)에 도달함. 1924년 프랑스에 귀화, 1941년 이래 미국에 정주함. 〔1891-1973〕

립 싱크〔lip sync〕[명]〖연〗텔레비전이나 발성 영화에서, 녹음된 사운드에 영상을 일치시키는 일. 녹음된 화면의 입술 움직임에 맞춰, 딴 나라말로 재녹음하는 일.

립턴-차【一茶】〔Lipton〕[명] 영국의 립턴 회사에서 만든 홍차(紅茶).

립 포마:드〔lip pomade〕[명] 입술이 튼 데 또는 그 예방에 쓰는 무색(無色)의 스틱.

링[1]〔Ling, Pehr Henrik〕[명]〖사람〗스웨덴의 체육 지도자. 스웨덴 체조의 창시자(創始者). 체조를 신체의 완성을 목표로 하는 일련의 육체 운동이라 생각하고, 생리학과 해부학에 바탕을 두어, 교육·의료·미용·군대식 등 네 부문의 체조를 창안(創案)하였음. 〔1776-1839〕

링[2]〔ring〕[명] ① 반지. ②고리. 또, 고리 모양의 물건. ③원형(圓形)의 경기장. ④권투(拳鬪) 경기장. 4피트 이하의 높이로 된 대(臺)에, 석 줄의 로프를 네 기둥에 매어, 그 안의 넓이를 20×20피트 이하로 함. ⑤기계 체조 기구의 하나. 위에서 내려뜨린 두 줄의 로프 끝에 쇠고리를 달아 놓은 것. ⑥↗링 운동. ⑦피임구의 하나. 자궁에 삽입함. *아이 유 디.

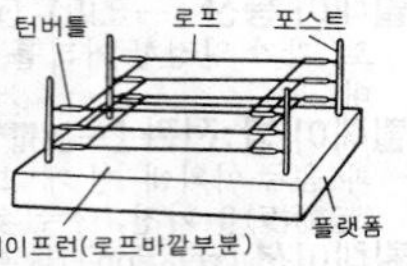

〈링² ❹〉

링가〔범 linga〕[명] 인도에서 숭배하는 신(神)의 표상. 음경(陰莖) 모양의 돌기둥으로, 시바 사당(Siva 祠堂)에 모심. 양석(陽石).

링가 숭배【一崇拜】〔linga〕[명] 인도에서의 생식기 숭배. 링가상(像)의 기부(基部)에 요니(yoni)란 여자 음부의 상을 조각하여, 생식 창조의 상징으로서 예배함. 원래는 풍작을 축원하는 의미로 행하였음.

링가:야타〔Lingayata〕[명] 인도의 힌두교의 한 파. 시바(Siva)파에 속하며, 남근(男根)을 숭배하여 끈에 링가상(像)을 달아 목에 걸고 있음.

링가:옌〔Lingayen〕[명]〖지〗필리핀 루손 섬 북부, 링가옌 만에 면한 항구 도시. 쌀·옥수수·코프라(copra) 등의 집산지임. 〔65,000명(1980 추계)〕

링거〔Ringer〕[명]〖약〗↗링거 액(液).

링거로크 액【一液】[명]〔Ringer-Locke solution〕〖약〗영국의 의사 로크(Locke, F.S.)가 링거액을 개량하여 정온(定溫) 동물용으로 만든 생리적 식염수(生理的食塩水). 성분은 염화 나트륨 0.9g, 염화 칼륨 0.042g, 염화 칼슘 0.024g, 산성 탄산 나트륨 0.01-0.03g, 포도당 0.1-0.25g, 탄산 수소 나트륨 0.01-0.03g을 증류수에 풀어서 100g으로 만든 용액, 중병 환자나 출혈이 심한 사람에게 혈액 대용으로, 피하(皮下) 또는 정맥에 주사함. 링거액. 로크액(Locke液).

링거-액【一液】[명]〔Ringer's solution〕〖약〗①이온의 결항성(結抗性)을 이용한 생리적 식염수(食塩水)의 하나. 주로 변온(變溫) 동물의 조직용으로 영국의 약리학자 링거(Ringer, S.; 1835-1910)가 고안한 용액. 성분은 염화(塩化) 나트륨 8.2-9.0g, 염화 칼륨 0.25-0.35g, 염화 칼슘 0.3-0.36g을 1000ml의 증류수에 풀어서 만든 용액. ②링거로크액. [준]링거.

링거 주:사【一注射】〔Ringer〕[명]〖의〗피하나 정맥(靜脈)에 링거액을 놓는 주사. 출혈·쇠약·중독 때에 수분 손실·혈액 부족을 보충함.

링게르〔Ringer〕[명]〖약〗↗링게르액(液).

링게르-액【一液】〔Ringer〕[명]〖약〗'링거액'을 독일식으로 일컫는 이름.

링 게이지〔ring gauge〕[명]〖물〗바깥 지름 치수의 측정에 쓰이는 한계(限界) 게이지. 보통, 플러그(plug) 게이지와 한 조(組)가 되어 있음.

링겔만 농도표【一濃度表】〔Ringelmann〕[명] 매연(煤煙)의 농도를 측정하는 기준표. 0-5도까지의 6단계로 나누어, 굴뚝에서 나오는 연기의 농도를 측정하는 데 이용함. 표의 검은 정도와 연기의 농도가 일치하는 번호로 연기의 농도를 나타냄.

링궈-폰:〔Linguaphone〕[명] 어학(語學) 자습용 레코드의 상표 이름.

링궈 프랭커〔lingua franca〕[명]〖언〗이탈리아·스페인·프랑스어(語)의 혼합어(混合語). 지중해 연안에서 사용됨.

링귀스트〔linguist〕[명] 언어학자. 어학자. 「센(sen).

링깃〔ringgit〕[의명] 말레이시아의 통화 단위(通貨單位). 1링깃은 100

링-네임〔ring-name〕[명] 프로 권투나 레슬링 선수가 링에서 사용하는

링 노:트〔ring note〕[명] 링 북(ring book). 「별명.

링딩-양〔零丁洋〕[명]〖지〗중국 광둥성(廣東省) 주장 강(珠江) 어귀에 있는 여울. 영정양.

링 로:프〔ring rope〕[명] 권투·프로레슬링 따위에서, 링의 사방에 둘러치는 로프.

링 롤:러 밀〔ring roller mill〕[명]〖기〗비교적 작은 고속도 분쇄기. 링과 그 내면을 움직이는 여러 개의 롤러 또는 볼(ball)에 의하여 갈게 부수는 장치의 총칭.

링반데룽〔도 Ringwanderung〕[명] 등산에서, 짙은 안개나 폭풍우를 만났을 때 또는 밤중에, 방향 감각을 잃고 같은 지점을 맴도는 일.

링 밸런스〔ring balance〕[명]〖공〗압력의 차를 측정하는 고리 모양의 천칭(天秤). 위쪽에 격벽(隔壁)을 붙인 고리의 아래쪽 일부에 액체를 채우고, 측정하고자 하는 두 압력을 고무관을 통하여 작용시켜서, 중심 바늘에 전달토록 하는 장치가 있음.

링 버:너〔ring burner〕[명] 화구가 둥근 고리같이 배열된 버너.

링 북 〔ring book〕 명 표지의 등의 안쪽에 열렸다 물렸다 하는 쇠고리가 달려 있어, 종이를 마음대로 더 꿰게 된 공책. 링 노트.

링-사이드 〔ringside〕 명 권투·프로레슬링 등에서, 링에 가까운 맨 앞 줄의 관람석.

링 아나운서 〔ring announcer〕 명 프로 복싱이나 프로 레슬링 따위의 시합에서, 링 위에서 의식을 진행하고 선수를 소개하는 사람.

링 아웃 〔ring out〕 명 프로 레슬링 등에서 경기자의 한 사람이 링 밖으로 나가거나 던져진 경우 카운트 20을 넘으면 지게 되는 일.

링 안테나 〔ring antenna〕 명 고리 모양의 안테나.

링 운:동 【一運動】 〔ring〕 명 남자 체조 경기의 한 종목. 2개의 로프에 매달린 2개의 링을 사용해 물구나무서기·십자버티기 따위의 연기를 통하여 기술과 동작의 아름다움을 겨룸.

링위안 〔凌源〕 명 〖지〗 중국 랴오닝 성(遼寧省) 남서부의 도시. 토명(土名)은 타쯔거우(塔子溝). 다링 강(大凌河)의 수원(水源)에 가깝고 진청(錦承) 철도에 연하여 있는 상업 도시로 견직물의 산지로 알려짐. 능원(凌源). [562,000명(1982 추계)]

-링이다 어미 〈옛〉 -리다. =-리이다. ¶ 어마님올 뵈ᄋᆞ링이다《二倫 范張死友》.

-링잇가 어미 〈옛〉 -리까. =-리잇가. ¶ 엇디 남기링잇가 《新語 Ⅲ:5》.

링 제네럴십 〔ring-generalship〕 명 권투에서, 채점 기준이 되는 요소의 하나. 경기 태도가 당당하고, 전략적으로 뛰어나 경기의 주도권을 잡는 일.

링커 〔linker〕 명 축구에서, 포워드와 풀백을 연결하는 하프 백을 이르는 말. 오늘날의 축구에서는 공수(攻守) 양면에서 활약하는 중요한 위치임.

링컨[1] 〔Lincoln〕 명 〖지〗 ①미국 네브래스카 주(州) 동남부의 도시. 주도(州都). 옥수수·밀 등의 농산물과 돼지·소 등 축산물의 집산 가공지. 제2차 세계 대전 후, 전화기·시계·섬유 등의 공업이 발전하였음. 네브래스카 주립 대학이 있음. [191,972명(1990)] ②영국 잉글랜드 동부의 도시. 사적(史跡)이 많은 고도(古都)로, 교통·상업의 중심지. 기계 공업(機械工業)의 중심을 이루어, 자동차 부품·보일러·트랙터 등의 생산이 많음. [77,000명(1981)]

링컨[2] 〔Lincoln〕 명 〖동〗 육용(肉用) 면양의 한 품종. 털은 굵고 길어서 30cm 내외로 전신을 덮고 있는데, 견사(絹絲)같이 광택이 있어 아름다움. 몸집이 크고 강건(強健)하여, 마구 기를 수 있음. 고기의 질은 과히 좋지는 아니하나 양(量)이 많음. 영국의 링컨셔(Lincolnshire)가 주산지이며, 남아메리카·오스트레일리아·캐나다 등지에서도 많이 사육함.

링컨[3] 〔Lincoln〕 명 미국의 포드(Ford) 회사에서 제조하는 대형 고급 승용차 및 자전거의 상품명.

링컨[4] 〔Lincoln, Abraham〕 명 〖사람〗 미국의 정치가. 제16대 대통령. 공화당원으로 대통령에 당선, 1862년 남북 전쟁에 승리하여, 민주주의의 전통과 연방제(聯邦制)를 지킴. 인도주의에 의거한 노예 제도 폐지를 주장, 1863년 노예 해방 선언을 행함. 게티스버그에서 행한 '인민의, 인민에 의한, 인민을 위한 정치'라는 연설은 유명함. 1864년 대통령에 재선되었으나, 이듬해 암살당하였음. [1809-65]

링컨 대:성당 【一大聖堂】 〔Lincoln〕 명 영국 링컨에 있는 대성당. 12-14세기에 재건된 영국 고딕식 건축물의 대표적인 것으로, 그 중의 회랑(回廊) 위에 큰 탑을 세움. 천사의 조각군(彫刻群)으로 장식한 에인젤 콰이어(Angel Choir)는 미술의 걸작임.

링컨 센터 〔Lincoln Center〕 명 미국 뉴욕 시 맨해튼에 있는 종합 공연 예술 센터. 1966년 완성됨. 필하모닉 홀·메트로폴리탄 오페라 극장·주립 극장·음악 학교 따위가 있음.

링크[1] 〔link〕 ㊀ 명 ①연결(連結)하는 일. ②쇠사슬의 고리. ③〖기〗 연동(聯動) 장치. 연접봉(連接棒). ④〖경〗 ↗링크 제도(制度). ⑤〖컴퓨터〗 연결. ㊁의명 측량(測量)에서, 거리의 단위. 1체인(chain)의 1/100. 약 0.2m 가량임.

링크[2] 〔rink〕 명 옥내 스케이트장(skate場).

링크 무:역 【一貿易】 〔link〕 명 〖경〗 링크 제도에 의한 무역.

링크-사이드 〔rinkside〕 명 스케이트에서, 링크의 주위. 링크 바로 곁의 관람석.

링크 스토어 〔link store〕 명 같은 제조 업체의 상품을 파는 각지(各地)의 소매점이 중앙의 대자본(大資本)에 의하여 경영되는 판매 조직. 체인 스토어.

링크 장치 【一裝置】 〔link〕 명 〖기〗 ①링크의 조합(組合)에 의해서 생기는 기계 구조. 마찰 손실이 적어, 운동이 경쾌함. ②증기 기관에서 출력(出力)을 역전(逆轉)시키는 특별 장치.

링크 제:도 【一制度】 〔link〕 명 〖경〗 ①수입 제한의 한 방법으로, 제품의 수출과 그 원료의 수입과를 연계(連繫)시키는 제도. 수출과 같은 액(額)의 수입을 허가하는 제도. 수출입 링크제. ②통제 경제에서, 물건을 판 액만큼 구입(購入)하게 하는 제도. ㊟링크.

링크 체인 〔link chain〕 명 짤막한 판(板)을 회전이 자유로운 핀(pin)으로 연결한 쇠사슬. 동력 전달용으로 쓰이는 일반적인 쇠사슬.

링크 트레이너 〔Link trainer〕 명 〖항공〗 지상에서 비행 연습(飛行練習)을 하기 위한 장치.

링키지 〔linkage〕 명 ①〖생〗 연관(連關)❸. ②〖정〗 외교 교섭에 있어서, 쌍방의 양보(讓步)를 교묘하게 연결시켜서, 교섭을 성립시키는 일. ③〖컴퓨터〗 메인 루틴과 몇 개의 서브루틴을 연결시켜서 하나의 실행 가능한 프로그램이 되도록 편집하는 일. 연계(連繫).

링키지-군 【一群】 명 〔linkage group〕 〖생〗 연관군(聯關群).

링 패스 〔ring pass〕 명 하키에서, 스틱이 두께의 제한에 통과하는 일. 스틱은 주위에 감은 테이프류(類)를 포함하여, 내경(內徑) 2인치의 링을 통과하여야만 경기에 사용할 수 있음.

링어 명 〈옛〉 잉어. ¶ 링어 니(鯉魚齒)《救簡 Ⅲ:86》.

ᄅᆞ리오다 자 〈옛〉 내리다. =ᄂᆞ리오다. ¶ 다 ᄒᆞᆫ층을 ᄅᆞ리오고 私親의 ᄒᆞ기도 ᄯᅩ 그리ᄒᆞ라《家禮 Ⅵ:31》.

-ᄅᆞᄫᅵ 미 〈옛〉 -로이. -롭게. ¶ 受苦ᄅᆞᄫᅵ 딕희여《釋譜 Ⅸ:12》.

-ᄅᆞᄫᆡ니 미 〈옛〉 -로우니. '-ᄅᆞᆸ다'의 활용형. ¶ 三界 다 受苦ᄅᆞᄫᆡ니《月釋 Ⅱ:38》.

-ᄅᆞᄫᆡ다 미 〈옛〉 -롭다. =-ᄅᆞ외다. ¶ 聰明ᄒᆞ며 智慧ᄅᆞᄫᆡ며《釋譜 Ⅸ:20》.

-ᄅᆞᄫᆡ며 미 〈옛〉 -로우며. '-ᄅᆞᆸ다'의 활용형. ¶ 受蘊은 受苦ᄅᆞᄫᆡ며 즐거ᄫᅳ며 受苦ᄅᆞᆸ도 즙겁도 아니호ᄆᆞᆯ 바ᄃᆞᆯ씨오《月釋 Ⅰ:35》.

-ᄅᆞᄫᆡ욤 미 〈옛〉 -로움. =-ᄅᆞ외욤. ¶ 受苦ᄅᆞᄫᆡ요ᄆᆞᆯ 보며 ᄆᆞᅀᆞ미 無常호ᄆᆞᆯ 보며《月釋 Ⅶ:70》.

-ᄅᆞᄫᆞᆫ 미 〈옛〉 -로운. =-ᄅᆞ왼. ¶ 智慧ᄅᆞᄫᆞᆫ 사ᄅᆞ미 ᄯᅩ ᄀᆞᄅᆞ쳐《月釋 Ⅷ:43》.

-ᄅᆞ외다 미 〈옛〉 -롭다. =-ᄅᆞᄫᆡ다. ¶ ᄯᅩ 風流ᄅᆞ외리라(亦風流)《杜諺 Ⅸ:16》/草書ㅣ 자모 키 ᄂᆡᄅᆞ외니(草書何太古)《杜諺》.

-ᄅᆞ외욤 미 〈옛〉 -로움. =-ᄅᆞᄫᆡ욤. ¶ 神奇ᄅᆞ외요미 업디 아니토다(不無神)《杜諺》.

-ᄅᆞ왼 미 〈옛〉 -로운. =-ᄅᆞᄫᆞᆫ. ¶ 慈悲ᄅᆞ왼 ᄇᆡ예 오르고(上慈航)《杜諺》.

ᄅᆞᆯ 조 〈옛〉 를. ¶ 셔ᄫᅳᆯ 使者ᄅᆞᆯ 써리샤(憚京使者)《龍歌 18章》/ 예수나ᄅᆞᆯ ᄉᆞ랑ᄒᆞ오 성경에말솜일세《찬양가 : 21》. ＊올.

-ᄅᆞᆸ다 미 〈옛〉 -롭다. =-ᄅᆞᄫᆞ다. ¶ 變怪ᄂᆞᆫ 常例ᄅᆞᆸ디 아니ᄒᆞᆫ 妖怪라《釋譜 Ⅸ:33》.

-ᄅᆞᄫᆞ다 미 〈옛〉 -롭다. =-ᄅᆞᆸ다. ¶ 受苦ᄅᆞᄫᆞᆫ 소리 업고《釋譜 Ⅸ:10》.

ᄛ [가벼운 리을] 〈옛〉 혀를 윗잇몸에 잠깐 대어 내는 반설경음. 실례는 없음. ¶ ㅇ連書ㄹ下 爲半舌輕音 乍附上腭《訓例》.

ㅁ (미음) ①한글 자모(字母)의 다섯째 글자. ②〖언〗자음의 하나. 입술을 다물어 입 속을 비게 하고 목에서 나오는 소리를 콧구멍으로 나오게 하여 내는 유성음(有聲音)으로, 비음(鼻音)의 하나. ¶ㅁ는 입시울쏘리니 彌밍ㆆ字쫑 처섬 펴아나는 소리《訓諺》/脣音 ㅁ象口形《訓諺》/ㅁ眉音《字會 凡例》.

-ㅁ[1] 미 ㄹ 받침 이외의 받침 없는 용언의 어근에 붙어 추상 명사를 만드는 접미사. ¶기쁘~/살~.

-ㅁ[2] 어미 ①'이다' 또는 ㄹ받침 이외의 받침 없는 용언의 어간에 붙는 명사형 전성 어미. ¶네 일은 네가 하~이 옳다/오래 살~은 경하할 일이다/좋은 사람이~이 확인되었다. *-기. ②ㄹ받침 이외의 받침 없는 용언의 어간에 붙는 서술형 종결 어미. 흔히 고지문(告知文)이나 기록문 등에 쓰임. ¶출입을 금하~/다음과 같이 결정을 내리~. ③↗-면. ¶그러~ 못 쓴다. *-음.

-ㅁ마 어미 〈방〉 -마[3].

-ㅁ세 어미 ㄹ 받침 이외의 받침 없는 동사의 어간에 붙어 '하게'할 자리에 기꺼이 자기가 하겠다는 뜻을 나타내는 종결 어미. ¶내가 하~/책을 사다 주~. *-음세.

-ㅁ에도 어미 명사형 어미 '-ㅁ'에 조사 '에'와 '도'가 붙은 것으로 주로 '불구하고'와 연결되기 위하여 쓰이는 연결 어미. ¶눈이 오~ 불구하고. *-음에도.

-ㅁ에랴 어미 받침 없는 어간에 붙어, 반문(反問)의 뜻을 가지는 종결 어미. ¶바람이 차가운데 비까지 오~. *-음에랴.

ㅁ자-집 【一字一】[一짜一] 명 앞마당을 중심으로 방(房)들이 ㅁ자로 배열되어 있는 집. 정자(井字)집. 입구(口)자 집.

-ㅁ즉ㅎ다 미 〈옛〉 -ㅁ직하다. ¶오늘은 건넘즉ㅎ 구롬 가기도 잇고《新語 I:8》

-ㅁ직-스럽다 미 ㅂ불 받침 없는 동사의 어간에 붙어 그럴 만한 값어치나 특성을 가지고 있음을 나타내는 말. ¶바라~. *-음직스럽다.

-ㅁ직-하다 미 여불 ①받침 없는 동사의 어간에 붙어 '할 것 같다'·'해도 좋다'·'할 수 있다'·'하면 좋을 것 같다'의 뜻을 나타내는 말. ¶바라~/하~. *-음직하다. ②일부 형용사의 어간에 붙어 '꽤 그러하다'의 뜻을 나타내는 말. ¶크~. *-직하다.

마[1] 명 〖악〗 '미(mi)' 음(音)의 한국명.

마[2] 명 ①뱃사람이 남쪽을 일컫는 말. ②〈옛〉 마파람. ¶南風謂之麻卽景風《星湖 八方風》.

마[3] 명 〈옛〉 장마. ¶마히 미양이랴, 장기 연장 다스려라《永言》.

마:[4] 명 〖식〗 ①맛과(科)에 속하는 만초(蔓草)의 총칭. ②[*Dioscorea batatas*] 맛과에 속하는 다년생 만초. 참마와 비슷한데 괴근(塊根)은 원통형임. 높이 1m 가량. 잎은 대생 또는 호생하고 난상의 긴 타원형에 톱니가 없음. 여름에 자색을 띤 단성화(單性花)가 피는데, 수꽃이삭은 한두 개가 위로, 암꽃이삭은 한 개가 길게 늘어짐. 열과(裂果)는 황회색에 세 개의 날개가 있음. 중국 원산종(原産種)으로 산과 들에 나는데, 한국·일본·타이완 등지에 분포함. 육아(肉芽)는 식용, 괴근은 산약(山藥)이라 하여 강장제로 씀. 밭에 재배함. 서여(薯蕷). 산우(山芋).

수꽃이삭
열매
〈마[4]❷〉

마[5] 【馬】 명 ①성(姓)의 하나. 우리 나라에는 목천(木川)·장흥(長興)의 두 본관(本貫)이 있음. ②장기짝의 말의 정식 이름.

마[6] 【麻】 명 〖식〗 삼[4]❷.

마[7] 【麻】 명 성(姓)의 하나. 우리 나라에는 영평(永平)·열산(烈山)의 두 본관(本貫)이 있음.

마[8] 【魔】 명 ①일에 생기는 헤살. ¶~가 끼다. ②자주 궂은 일이 일어나는 장소나 때를 '이상한 힘이 있어 나쁜 일을 일어나게 한다'는 뜻으로 일컫는 말. ¶~의 건널목. ③극복하기 어려운 장벽. ¶~의 10분 벽. ④〖불교〗↗마라[1](魔羅)❶. ⑤↗마귀(魔鬼)❶.

마[9] 【碼】 의명 '야드(yard)'의 한자 이름. 주로 천을 잴 때 씀.

마[10] 조 〈옛〉 만. 만치. 만큼. =매[16]. ¶느외야 머리터럭마도 업서도(更無毫髮許)《南明 下 4》.

마:[11] 준 금지(禁止)의 뜻을 나타내는 보조 동사 '말다'의 반말투의 명령형 '마라'의 준 꼴. ¶가지 ~.

-마[1] 【媽】 미 〖역〗 내시(內侍)집 하인들이 상전(上典)을 부를 때 쓰던 말.

-마[2] 【魔】 미 어떠한 명사 밑에 붙어 '악마'의 뜻을 나타내는 말. ¶살인~/병(病)~.

-마[3] 어미 받침 없는 동사 어간에 붙어 '해라'할 자리에 자기가 기꺼이 하겠다는 생각을 나타낼 때 쓰는 종결 어미. ¶도와 주~/내일 가~. *-으마.

마:가[1] 【馬加】 명 〖역〗 부여(扶餘)의 관명(官名). 사방(四方)의 일우(一隅)를 관할하던 벼슬. *가(加).

마가[2] 【摩訶】 명 마하(摩訶).

마가[3] 〔Mark〕 명 〖사람〗 마가 복음(福音)의 저자. 모친인 마리아가 그의 집을 신도들의 집회장으로 제공하였기 때문에 그들과 친교를 맺어 베드로와 바울의 전도 보조자가 됨. '마가 요한'이라고도 하여, 사도 후 시대(使徒後時代)의 대표적 인물임. 생몰년 미상.

마가다 국 【一國】〔범 Magadha〕 명 〖역〗 불교가 생기기 전부터 기원전 1세기말(末)까지 갠지스 강(Ganges江) 유역에 있던 나라. 석가(釋迦)가 성도(成道)하여 불교를 일으킨 나라이기도 함. 시수나가(Sisunaga)·난다(Nanda)·마우리아(Maurya) 등 여러 번 왕조가 바뀌었으나 고대 인도에 있어서 가장 강한 나라이었음. 기원전 27년 안드라 국(Andhra國)에 망하였음. 마가타(摩伽陀). 마갈타(摩竭陀).

마가디-회 【一灰】〔Magadi〕 명 동아프리카 마가디 호(湖)에서 산출되는 천연(天然) 소다를 정제하여 얻은 소다회.

마가리 명 〈방〉 오막살이(평북).

마:가린 〔margarine〕 명 인조 버터. 우유를 살균하여 유산균(乳酸菌)을 넣고 발효시켜 산성유(酸性乳)를 만든 다음, 우지(牛脂)·면실유·낙화생유·돈지(豚脂)·경화유·콩기름 등의 적당한 혼합 유지에 섞고 식염·색소·비타민류를 넣어 급속 냉각시켜 만듦.

마가-마야 【摩迦摩耶】 명 〔범 Mahamaya〕 〖사람〗 마야 부인(摩耶夫人).

마:가-목 명 〖식〗 [*Sorbus commixta*] 장미과에 속하는 낙엽 활엽 교목. 높이 5-10m이고 잎은 우상 복생(羽狀複生)하며 긴 타원형이고 아린(芽鱗)에 털이 없음. 5-6월에 흰 꽃이 정생(頂生)하여 방상(房狀) 화서로 피고, 이과(梨果)는 10월에 붉게 익음. 깊은 산의 숲 속에 나는데, 전남·경남·강원 및 일본·사할린·아무르 등지에 분포함. 지팡이 재료로 쓰이며 껍질과 과실은 약용함. 남등(南藤). 석남등(石南藤). 정공등(丁公藤).

〈마가목〉

마가 복음 【一福音】〔Mark〕 명 〖성〗 신약(新約) 성서의 둘째 편. 사복음(四福音)의 하나로 가장 오래 된 복음이며 저자(著者)는 마가임. 전 16장(章)으로, 주로 예수의 활동을 기술하였는데, 갈릴리에 있어서의 천국(天國)의 설교, 제자의 교육, 환자에 대한 의유(醫癒), 오병 이어(五餠二魚)의 기적, 적과의 대항, 예수의 수난·죽음·부활 등을 기술하고 있는데, 전체적으로 '하느님의 아들'로서의 예수에 관한 사실을 전하는 것으로, 믿을 만한 사서(史書)임. 마르코의 복음서.

마가야네스 〔Magallanes〕 명 〖지〗 ①칠레의 최남단에 있는 주(州). 해안선이 복잡하고 좁은 수로(水路)나 섬이 많으며, 안개·눈보라와 강수량이 많음. 산업은 농업·목축업·임업 등이 발달함. [132,025 km^2: 132,000 명(1982)] ②'푼타아레나스'의 구칭.

마가타 【摩伽陀】 명 〖역〗 마가다 국(Magadha國)의 음역(音譯).

마:각 【馬脚】 명 ①말의 다리. ②연극에서, 말의 다리 역할을 하는 이.
마:각을 드러내다 구 간사하게 숨기고 있던 일을 부지중에 드러내다.

마:각 노출 【馬脚露出】 명 마각이 드러남. 마각을 드러냄.

마:간-석 【馬肝石】 명 〖광〗 벼루를 만드는 데 쓰는 붉은 돌.

마:간-홍 【馬肝紅】 명 짙게 붉은 빛깔.

마갈-궁 【磨羯宮·磨蝎宮】 명 〖천〗 황도(黃道) 십이궁의 열 번째. 대부분이 궁수(弓手)자리 가운데에 있으며, 동지(冬至)에서 대한(大寒)까지 태양이 이 궁에 있음. 사람의 명궁(命宮)이 이 궁에 있을 때는 일생을 남의 험담만 듣는다고 함. *황도(黃道) 십이궁.

마갈타 【摩竭陀】 명 〖역〗 마가다 국(Magadha國)의 음역(音譯).

마감[1] 명부 〈방〉 나중.

마감[2] 명 어떤 한도에서 일의 끝을 막음. ¶~ 시간/원서 접수 ~. ——-하다 타여불. 주의 '磨勘'으로 쓴은 취음(取音).

마감[3] 【磨勘】 명 옛날 중국에서 관리들의 행적(行績)을 고사(考査)하던 일. ——-하다 타여불

마-감구 명 〈방〉 말감고.

마감-재【一材】명 건축 자재에서 타일·문짝·위생 도기·단열재 등 마무리용 자재.

마감-채【磨勘債】명〖역〗조선 시대 후기에 앞으로 병역 면제가 될 자로부터 불법으로 미리 앞당겨 거두는 군포(軍布).

마:갑【馬甲】명 말의 갑옷.

마-강구 명〈방〉말갈고.

마개[1] 명〔중세 : 마개. ←막-+애〕그릇의 아가리나 구멍 같은 데에 끼워서 막는 물건. ¶ 병~.
마개(를) 하다 구 마개를 막다.

마개[2]【麻稭】명 겨릅대.

마개-뽑이 명 마개를 뽑는 기구.

마-거리 명〈방〉마수걸이.

마:거리트〔marguerite〕명〖식〗〔*Chrysanthemum frutescens*〕국화과에 속하는 관목상의 다년초. 높이 60-100cm, 잎은 심렬(深裂)하고 흰 빛을 띠며, 여름에 흰 설상화(舌狀花)가 정생(頂生)함. 카나리아섬 원산임.

〈마거리트〉

마:-건(:)상【馬建常】명〖사람〗중국 청(淸)나라 덕종(德宗) 때의 정치가. 마건충의 형. 조선 고종 19년(1882)에 청나라 이홍장(李鴻章)의 천거로 조선에 와서 협판 교섭 통상 사무(協辦交涉通商事務)를 맡아, 군국(軍國)의 기무(機務)와 내정의 일체를 장악하였으나, 속국의 관직을 받을 수 없다는 청나라의 항의로 석 달 만에 해임됨. 생몰년 미상(生沒年未詳).

마:-건(:)충【馬建忠】명〖사람〗중국 청나라의 외교관. 자는 미숙(眉淑). 프랑스 파리 대학에서 국제 공법(國際公法)을 연구한 법률학자. 이홍장(李鴻章)의 부하로서, 일본·조선·월남 등지에서 외교 활동에 종사함. 조선 고종 19년(1882)에 임오 군란이 일어나자, 청병(淸兵)을 거느리고 우리 나라에 들어와, 흥선 대원군(大院君)을 바오딩(保定)에 압송해 가고, 우리 나라 외교 문제에 간섭, 미국·영국·독일 등과의 수호 조약을 맺을 때 반드시 그를 통하게 했음. 중국 문법책의 효시인 ≪마씨 문통(馬氏文通)≫을 지었음. [1845-99]

마:경[1]【馬耕】명 말을 부려서 논밭을 갊.

마경[2]【麻莖】명 삼대[1].

마경[3]【魔境】명 ①악마가 있는 곳. 악마의 경내(境內). 마계(魔界). ②밀림 등, 인적이 드물고 생명에 위험이 있는 무서운 땅.

마:경 언:해【馬經諺解】명〖책〗마경 초집 언해(馬經抄集諺解).

마:경 초집 언:해【馬經抄集諺解】명〖책〗말에 관한 항목 100여 개를 그림을 곁들여 풀이한 책. 조선 인조(仁祖) 때에 이서(李曙)가 찬(撰)함. 한국 수의학 고전(獸醫學古典) 중 말에 관한 것으로 주목할 만한 것임. 마경 언해(馬經諺解).

마:계[1]【馬契】명〖역〗말을 세(貰)주는 일로 업을 삼던 계.

마:계[2]【馬薊】명 ①〖식〗삽주. ②〖한의〗백출(白朮).

마계[3]【魔界】명 악마의 세계. 마귀의 세계. 마경(魔境).

마:계 도가【馬契都家】[一또一] 명〖역〗마계의 일을 처리하던 도가.

마:겟-말【馬契一】명 ①〖역〗마계(馬契)에서 세(貰)주던 말. ②마계에서 기르는 늙은 말. ③〈속〉교태(嬌態)가 있는 늙은 여자.

마고[1]【麻姑】명 ①중국의 옛적 선녀(仙女)의 이름. 한(漢)나라 환제(桓帝) 때에 고여산(姑餘山)에서 수도하여, 그 새 발톱같이 긴 손톱으로 가려운 데를 긁으면 한없이 시원하였다 함. ②↗마고 할미.

마고[2]【蔴菰】명〖식〗표고[1].

마고[3] 부〈옛·방〉마구. ¶ 즈느나 마고 써허 쥐비져 괴야 내니≪古時調 金光煜≫.

마고리 명〈방〉마구리.

마고믈다 타〈옛〉다물다. ¶ 엇뎨 能히 다 이블 마고므러시리오(那能總鉗口)≪杜諺 Ⅸ:21≫.

마고 소양【麻姑搔痒】명 '마고가 긴 손톱으로 가려운 곳을 긁는다'는 뜻으로,일이 뜻대로 됨을 가리키는 말.

마고자 명 저고리 위에 덧입는 옷. 모양은 저고리와 비슷하나 섶이 좁고 깃이 없으며 앞을 여미지 아니하고, 두 자락을 맞대기만 함. 마괘자(馬褂子).

〈마고자〉

마고-채【蔴菰菜】명 표고 나물.

마고 할미【麻姑一】명 ①늙은 신선(神仙) 할미. 준마고(麻姑). ②'노파(老婆)'의 이칭.

마곡〔Magog〕명〖성〗세상의 종말에 곡(Gog)과 더불어 나타난다는 반기독교(反基督敎)의 지도자.

마곡-사【麻谷寺】명〖불교〗충청 남도 공주군(公州郡) 사곡면(寺谷面) 운암리(雲岩里) 태화산(泰華山) 속에 있는 25교구 본사(敎區本寺)의 하나. 신라 때 지었으며, 중국 원(元)나라의 영향을 받은 나마(喇嘛) 형식의 오층탑(五層塔)이 있음. 종전에는 31본산(本山)의 하나였음.

마곡-석【磨穀石】명〖고고학〗갈판[3].

마골【麻骨】명 겨릅대.

마골-참【麻骨站】명〖지〗계립령(鷄立嶺).

마곰 조〈옛〉만큼. ¶ 환 밍ᄀ로터 머귀여름마곰 ᄒᆞ야(爲丸如桐子)≪救簡 Ⅰ:9≫.

마:공[1]【馬公】명〖지〗'마궁'을 우리 음으로 읽은 이름.

마공[2]【麻貢】명〖역〗고려 때의 세제(稅制)의 하나. 마전(麻田)에 대한 현물 세공(現物歲貢)으로, 마전 1결(結)에 대하여 백마(白麻)와 생마(生麻) 1근 3목(目) 2도(刀)의 현물 지대(現物地代)를 징수하였음.

마과 회:통【麻科會通】[一꽈一] 명〖책〗조선 정조 24년(1800)에 정약용(丁若鏞)이 편찬한 의서(醫書). 마진(痲疹) 관계 약방(藥方)을 총망라하였고, 부록 신증 종두 기법(新證種痘奇法)의 1편에서 제너(Jenner)의 우두방(牛痘方)을 소개한 것은 주목할 만함.

마:관【馬官】명〖역〗찰방(察訪).

마:관 조약【馬關條約】명〖역〗〔마관은 시모노세키(下関)의 예스러운 딴이름〕시모노세키(下関) 조약.

마괄 명〈방〉마고자.

마광[1]【摩鑛】명〖광〗선광(選鑛) 공장에서 볼 밀(ball mill)을 사용하여 행하는 습식 분쇄(濕式粉碎). ——-하다 타여불

마광[2]【磨光】명 ①옥이나 돌 따위를 갈아서 광을 냄. ②옥이나 돌 따위가 갈려서 나는 빛. ——-하다 타여불

마광-기【摩鑛機】명〖광〗광석(鑛石)을 자디잘게 부스러뜨리는 기계.

마괘-자【馬褂子】명 마고자.

마괴【魔魁】명 악마의 괴수(魁首). 요괴(妖怪)의 우두머리.

마:교【馬鮫】명〖어〗삼치[1].

마구[1]【麻屨】명 삼으로 만든 신의 하나. 미투리.

마:구[2]【馬具】명 ①말을 부리는 데 쓰는 기구. ②말갖춤.

마:구[3]【馬韭】명〖식〗맥문동(麥門冬)❶.

마:구[4]【馬廐】명 ①↗마구간. ②〈방〉외양간(강원·경상).

마구[5]【魔球】명 구기(球技)에서, 상대편을 현혹시키는 공.

마구[6] 부 ①아주 심하게. 몹시 세차게. ¶ 비가 ~ 쏟아지다. ②분별 없이 함부로. 앞뒤를 헤아리지 않고 닥치는 대로. ¶ ~ 지껄이다 / ~ 부리다. 준막.
【마구 뚫은 창구멍】질서나 순서도 없이 되는 대로 함부로 하는 행동을 이르는 말.

마:구-간【馬廐間】[一깐] 명 ①말을 기르는 곳. 구사(廐舍). 준마구(馬廐). ②〈방〉외양간(경기·강원·전남·경상·함경).

마:구간 지신풀이【馬廐間地神一】[一깐一] 명〖민〗동래 지신밟기의 셋째 마당인 김 생원댁 지신풀이나 수영 야유(水營野遊) 등에서 소와 말의 건실(健實)을 비는 풀이. 마구간에 가서 '소를 낳거든 왕대를 낳고 말을 낳거든 용마를 낳고' 하는 등의 사설을 늘어놓음.

마구-다지 명 ☞마구잡이. ¶ 모든 종류의 술을 ~로 퍼마셨다≪崔仁浩 : 잠자는 신화≫.

마구리 명 ①물건의 양쪽 머리의 면. ¶ 베개 ~. ②길쭉한 물건의 두 끝에 덮어 끼우는 쇠붙이 같은 물건.

마구리-테 명〖악〗장구의 마구리 가장자리에 대는 쇠테.

마구리-판 명 나무 토막의 마구리를 직각으로 깎는 틀.

마구모 명〖악〗막목(莫目).

마구-발방 명 법도(法度) 없이 함부로 하는 언행(言行). ——-하다 자여불

마:구 발치【馬廐一】명 마구간의 뒤쪽.

마구-썰기 명 무, 배추, 파 따위를 아무렇게나 써는 일.

마구자 명〈방〉마고자.

마구-잡이 명 이것저것 헤아리지 아니하고 마구 하는 짓. ¶ ~로 단속하다.

마구-청 명〈방〉외양간(전남).

마구-초【一草】명〈방〉궐련.

마:군[1]【馬軍】명〖역〗①기병. ②총융청(摠戎廳)의 별효사(別驍士). 또, 지방 각 영문의 기병.

마군[2]【魔軍】명〖불교〗① 악마의 군병(軍兵). 석가모니가 득도(得道)할 때, 득도를 방해하려고 온 마왕(魔王)과 그 권속(眷屬). ② 모든 불도(佛道)를 방해하는 악사(惡事).

마굴【魔窟】명 ①마귀가 있는 곳. ②못된 무리들이 모여 있는 곳. ③매춘부·아편 중독자 따위가 모여 있는 곳.

마궁〔馬公〕명〖지〗타이완 해협에 있는 펑후(澎湖) 제도의 서안(西岸)에 위치한 항만 도시. 예로부터 군사상의 요지임. 마공.

마:권[1]【馬券】[一꿘] 명 경마(競馬)에서, 승마(勝馬) 투표권의 통칭.

마권[2]【魔圈】[一꿘] 명 마(魔)의 세력 범위. 마계(魔界).

마:권-세【馬券稅】[一꿘一] 명 지방세의 하나. 마권(馬券)의 발매(發賣)에 의하여 얻은 금액에 대하여 한국 마사회(馬事會)에 부과함.

마권 찰장【摩拳擦掌】[一짱] 명 주먹과 손바닥을 비빔. 곧, '기운을 모아서 용진할 태세를 갖추고 기회를 엿본다'는 뜻. ——-하다 자여불

마귀【魔鬼】명 ①요사스럽고 못된 잡귀의 총칭. 마신(魔神). 준마(魔). ②〖기독교〗하느님과 대립 존재하여 여러 악귀(惡鬼)를 거느리고 사람을 유혹하여 죄를 짓게 하고 병에 걸리게도 하는, 죄악의 원천(源泉)으로서의 인격적 실재(人格的實在). 아담과 하와로 하여금 원죄(原罪)를 짓게 한 주체로 알려져 있으며, 헤브라이 시대부터 '사탄(Satan)'으로 불리어짐. 악마(惡魔). 사탄(Satan). ③〖천주교〗삼구(三仇)의 하나.
마귀(가) 들다 구 몸에 마귀가 접하다.

마귀-굴【魔鬼窟】명 복마전(伏魔殿).

마귀 할멈【魔鬼一】명 옛이야기에 나오는 요사스럽고 못된 귀신 할머니.

마그나 그라에키아〔라 Magna Graecia〕명 '대(大)그리스'의 뜻으로, 남부 이탈리아의 그리스인(人) 식민시군(植民市群)을 이름. 기원전 8세기 이래 식민시가 많이 건설되었는데, 시바리스(Sybaris)·타렌툼(Tarentum) 등은 유명함. 이탈리아에 있어서 그리스 문화의 중심이었으나 기원전 3세기말까지에는 거의가 로마의 지배하에 들어갔음.

마그나 카르타〔라 Magna Carta〕명〖역〗영국 헌법의 근거가 된 최초의 문서. 1215년 6월에 영국왕 존(John)이 봉건 귀족에게 강제되어 승인한 것으로, 인민의 권리 및 자유 확보 등을 규정하여, 근대 헌법의 남상(濫觴)으로서 권리 청원(權利請願)·권리 장전(權利章典)과 더불어 영국 헌법의 성서(聖書)로 불리어짐. 대헌장(大憲章).

마그나플럭스〔magnaflux〕명 자기 탐상법(磁氣探傷法).

마그날륨〔magnalium〕명〖화〗마그네슘을 1.75-10% 함유하는 알루미늄 합금(合金). 매우 가볍고 강하나 부식(腐蝕)하기 쉬움.

마그네사이트〔magnesite〕명〖광〗고토석(苦土石).

마그네슘〔magnesium〕명〖화〗은백색(銀白色)의 가벼운 금속 원소. 천연으로는 탄산염(炭酸鹽)·황산염(黃酸鹽)·규산염(硅酸鹽) 등으로, 바위 속이나 바닷물·광천(鑛泉)·넷물·동식물의 체내 같은 데에 함유하

며 전해법(電解法)에 의해서도 만들 수 있음. 산(酸)에 잘 녹는데, 수소를 발생시키고 염류(塩類)를 이루며 두랄루민(duralumin)의 성분으로서 중요함. 또, 공기(空氣) 중에서 가열(加熱)하면 강한 빛을 내면서 연소(燃燒)하므로 사진술(寫眞術)·발화 신호(發火信號)·불꽃놀이 등에 쓰임. [12번 : Mg : 24.305]

마그네슘 경합금【一輕合金】〔magnesium〕 명 〖화〗 경합금의 일종. 마그네슘을 주성분으로 하여, 알루미늄·아연·망간·지르코늄 등을 함유하는데, 이것들의 다과(多寡)에 의하여 여러 가지 성질을 얻을 수 있음.

마그네슘 전:지【一電池】 명 〔magnesium cell〕〖물〗 보통 전지의 전해액(電解液) 대신에 가루로 된 마그네슘과 염화 제일 구리를 저장한 전지. 재래식의 전지보다 가볍고 오래 쓸 수 있는 것이 특징임.

마그네슘 폭탄【一爆彈】 명 〔magnesium bomb〕〖군〗 마그네슘을 연소제(燃燒劑)로 하는 소이(燒夷) 폭탄.

마그네시아〔magnesia〕 명 〖화〗 '산화 마그네슘'의 관용명(慣用名).

마그네시아 벽돌【一甓一】 명 〔magnesia brick〕 염기성(塩基性) 내화(耐火) 벽돌의 한 가지. 주로 산화 마그네슘으로 되어 있으며, 질이 치밀하여 제철이나 석회 질소로(石灰窒素爐) 등에 쓰임.

마그네시아 시멘트〔magnesia cement〕 명 산화(酸化) 마그네슘을 염화(塩化) 마그네슘의 용액에 섞어서 만든 시멘트. 다른 것과 혼합하여 건축 재료를 만드는 데 씀.

마그네시아질 내:화물【一質耐火物】〔magnesia〕 명 산화 마그네슘을 주성분으로 하는 마그네사이트 및 바닷물로부터 합성한 마그네시아를 주원료로 하여 만든 염기성(塩基性) 내화물. 내화도(耐火度)는 대단히 높으나, 높은 온도에서는 약간 무르게 되는 성질이 있고, 무게에 견디는 힘이 약하며, 온도 변화에 따라 표면이 부스러지는 흠이 있음.

마그네시아질 석회암【一質石灰岩】 명 〔magnesian limestone〕〖광〗 90%의 방해석(方解石)과 10%의 백운석(白雲石)으로 된 석회암. 1.1-2.1%의 산화 마그네슘과 2.3-4.4%의 탄산 마그네슘을 함유하고 있음.

마그네타이트〔magnetite〕 명 〖광〗 자철광(磁鐵鑛).

마그네토〔magneto〕 명 〖기〗 내연 기관(內燃機關)이나 점화 장치에 사용하는 영구 자석식의 소형 자석 발전기.

마그네토-그래프〔magnetograph〕 명 〖물〗 태양면의 자기장의 분포를 자동적으로 기록하는 장치. 흑점의 자기장은 1,500 가우스(gauss)까지 오름. 일반적으로 자기(磁氣)의 남북 양극을 함께 관측하도록 되어 있으나 단극(單極)으로도 관측됨. 자력 기록기(磁力記錄機).

마그네토-다이오:드〔magneto-diode〕 명 〖물〗 외부로부터 가(加)해진 자기장에 따라 전압 전류 특성이 변하는 반도체 소자(半導體素子). 자기(磁氣) 다이오드. 감자성(感磁性) 다이오드.

마그네트론〔magnetron〕 명 극초단파(極超短波)를 발진(發振)하기 위한 특수 진공관. 원통(圓筒)을 양극(陽極)으로 하고, 축(軸)에 음극(陰極)을 두어 전체에 자기장(場)을 마련하여, 음극에서 나온 전자(電子)의 나선상(螺旋狀) 궤도(軌道)가 양극의 면(面)에 접촉하도록 할 때, 이곳에서 극초단파가 생김. 실용 주파수 범위는 1-200 GHz. 레이더의 발달에 크게 도움이 되었음. 자전관(磁電管).

마그네트론 발진기【一發振器】〔一진一〕 명 〔magnetron oscillator〕〖물〗 마그네트론을 사용한 발진기.

마그네틱〔magnetic〕 명 자기적(磁氣的).

마그네틱 스피:커〔magnetic speaker〕 명 영구 자석(永久磁石)으로 음성(音聲) 전류를 통하는 코일에 의하여 철편(鐵片)의 운동을 일으켜, 종이로 된 진동막(振動膜)을 진동시켜서 소리를 내는 확성기.

마그네틱 플러그〔magnetic plug〕 명 마그네토(magneto)를 사용한 내연 기관의 점화전(點火栓).

마그넷〔magnet〕 명 〖물〗 자석(磁石). 자기체(磁氣體).

마그넷 레저〔magnet ledger〕 명 〖경〗 자기 장부(磁氣帳簿). 장부(帳簿) 낱장의 뒷면에 자기(磁氣) 테이프의 단편(斷片)을 붙인 것으로, 보통 장부로도 쓸 수 있으며, 또 소형 컴퓨터를 사용하여 기입·개서(改書)·기록 따위의 처리도 할 수 있게 되었음.

마그녹스〔magnox〕 명 〔magnesium no oxidatios〕〖화〗 마그네슘을 주체로 하여, 1%의 알루미늄, 각각 0.05% 정도의 칼슘·베릴륨으로 된 합금. 영국의 콜더 홀(Calder Hall) 원자로의 천연 우라늄 연료봉(燃料棒)의 피복재(被覆材)로서 연구 개발된 것임.

마그누스〔Magnus, Heinrich Gustav〕 명 〖사람〗 독일의 물리학자·화학자. 베를린 대학 교수. '마그누스 효과(效果)'를 발견하고, 셀렌(Selen)·텔루륨(tellurium)을 연구함. 혈액 중의 가스에 관한 호흡 생리적 연구도 있음. [1802-70]

마그누스 효:과【一効果】 명 〔Magnus' effect〕〖물〗 구(球) 또는 원기둥이 회전하면서 유체(流體) 속을 지나갈 때 회전축(回轉軸)과 진행 방향의 양쪽에 수직으로 힘을 받는 현상. 1852년 독일의 물리학자 마그누스에 의하여 연구되었음.

힘

〈마그누스 효과〉

마그니토고르스크〔Magnitogorsk〕 명 〖지〗 러시아 연방(聯邦)에 속(屬)하는, 우랄 산맥 남단(南端)의 광공업 도시. 시가(市街)는 우랄 강(江)의 양안(兩岸)에 걸쳐 있으며 노천굴(露天堀)의 자철광(磁鐵鑛)과 대제철소가 있음. 1929-31년 제1차 5개년 계획기(期)에 세워진 신흥 공업 도시임. [413,000 명(1981)]

마그달레나 강【一江】〔Magdalena〕 명 〖지〗 콜롬비아 최대의 강. 안데스 산맥(山脈)에서 발원(發源), 카리브 해로 흘러 들어감. 강 어귀에 대규모 삼각주가 있으며, 유역에서는 석유·커피·바나나·담배 등이 산출됨. [약 1,530 km]

마그데부르크〔Magdeburg〕 명 〖지〗 독일 동부 작센안할트 주의 주도. 엘베 강(Elbe江) 중류에 연한 상공업 도시로 독일 동부 최대의 하항(河港) 도시. 기계·화학·식품 공업 등이 발달함. 오토 대제(大帝)의 묘소인 초기 고딕식 성당과 박물관 등이 있음. 중세 한자(Hansa) 동맹 도시로서 번영하였으나 30년 전쟁으로 황폐했음. [290,000 명(1987)]

마그데부르크 반:구【一半球】 명 〔Magdeburg hemisphere〕〖물〗 1654년, 정치가·물리학자인 게리케(Guericke)가 독일의 마그데부르크 시장(市長)이었을 때, 공개 진공(公開眞空) 실험에 사용한 금속제의 반구. 지름 약 40 cm의 금속제 반구 2개를 합쳐 내부의 공기를 빼고, 대기압 때문에 밀착된 이 양반구에 8 마리씩의 말로 이것을 분리시키는 실험을 하여 대기압의 세기를 증명하였음.

〈마그데부르크 반구〉

마그레브〔Maghreb〕 명 〖지〗 북아프리카의 서부 모로코·알제리·튀니지 세 나라 일대의 일컬음. 언어(言語)·종교가 공통임.

마그레브-비전〔Maghreb-Vision〕 명 마그레브 3개국의 방송 기관이 조직한 네트워크. 1970년에 설립함.

마그리트〔Magritte, René〕 명 〖사람〗 벨기에의 화가. 한때 큐비즘에 경도(傾倒)하였으나 쉬르리얼리즘으로 전향(轉向)했음. 트롱프뢰유(trompel'œil)를 즐겨 쓰고 사물의 일상성(日常性)을 사상(捨象)하여 물자체(物自體)의 성질을 드러내 상징적 화면을 구성했음. [1898-1967]

마그립〔아랍 maghrib〕 명 〖이슬람〗 하루의 넷째 예배(禮拜). 저녁 예배.

마그마〔magma〕 명 〖지〗 땅 속 깊은 곳에서 암석이 용융하여 된 고온(高溫)의 조암(造岩) 물질. 지각 내부의 지열(地熱)로 일체의 물질이 유동상으로 녹아 있다고 믿어짐. 이것이 지각 상층 또는 지표에 올라가 냉각·고결(固結)되면 화성암이 됨. 암장(岩漿).

마그마 광:상【一鑛床】〔magma〕 명 〖광〗 화성(火成) 광상.

마그마 동화 작용【一同化作用】〔magma〕 명 마그마 중의 주위의 퇴적암과 기타의 암석이 들어가면 차차로 마그마와 비슷한 성분으로 변하여 가는 현상. 암장 동화 작용.

마그마 분화 광:상【一分化鑛床】〔magma〕 명 〖광〗 하나의 마그마로부터, 광물 성분이 다른 암석을 생성하는 작용에 있어서, 금속 광물이 나뉘어 농집(濃集)해서 이것이 관입 암체(貫入岩體)의 일부로서 굳거나 분리된 관입 광체(鑛體)가 되고 고결된 광상. 크롬 철광·자철광·자황철광·니켈광 등의 광상이 있음. 정(正)마그마 광상. 암장 분화 광상.

마그마 분화 작용【一分化作用】〔magma〕 명 〖광〗 여러 가지 원인으로 마그마가 분화(分化)하여 각종의 제2차적인 딴 마그마로 되는 작용. 암장 분화 작용.

마그마 수【一水】〔magma〕 명 〖지〗 마그마에 함유되어 있던 수증기가 마그마의 냉각에 따라 응결(凝結)하여, 암석의 틈을 지나서 올라오는 고온도의 물. 온천은 대개 지하수(地下水)에 이 물이 섞여서 됨. 암장수(岩漿水).

마그막 명 〈방〉 마지막.

마그사이사이〔Magsaysay, Roman〕 명 〖사람〗 막사이사이.

마그웨:〔Magwe〕 명 〖지〗 ① 미얀마 중서부의 성(省). 성도(省都)는 미얀마의 석유 산액(産額)의 90%를 산출하는 예난지아웅(Yenangyaung). 강수량이 적은 건조 지대로 관개(灌漑)에 의한 쌀·면화(綿花) 등을 산출함. [44,797 km² : 3,241,000 명(1982)] ② 미얀마의 마그웨 성(省) 중부(中部)에 있는 도시. 이라와디 강 중류의 강수량이 적은 하바나 지대에 있으며, 벼농사·목우(牧牛) 등이 행하여지는 농촌 지대의 중심 도시. [13,000 명]

마:극【馬克】 의명 '마르크(Mark)'의 취음(取音).

마근【麻根】 명 〖한의〗 삼 뿌리. 오래된 학질(瘧疾)에 복용함.

마글레모:제 문화【一文化】〔Maglemose〕 명 북구 중석기 시대(北歐中石器時代)의 문화. 덴마크의 셸란(Sjælland) 섬 서부의 저습지(低濕地)에 있는 마글레모제의 유물층(遺物層)에서 유래한 이름인데, 주로 어로(漁撈)에 관계되는 것들로서, 작살·낚시 바늘 등의 골각기(骨角器)가 발달함. 석기(石器)로서는 세석기(細石器)가 있음. 가축으로서의 개의 출현은 최초의 예로서 주목됨.

마금 명 〈방〉 마감(평북). ——-하다 타

마:금산 온천【馬金山溫泉】 명 〖지〗 경상 남도 창원시(昌原市) 북면(北面) 신촌리(新村里)에 있는 온천. 식염천(食塩泉)으로, 수온은 35-48℃ 가량이며, 만성 류머티즘·관절염·근육통 등에 효과가 있음.

마긔오다 타 〈옛〉 증거 대다. 증명하다. =마기오다. ¶ 證은 마긔와 알씨라《月序 XⅧ》.

마기[1] 명 〈옛〉 쇠두겁. ¶ 마기 존(鐏). 마기 답(錔)《字會 下 16》.

마기[2]【一氣】 명 〈방〉 매기(霉氣).

마:기[3]【馬技】 명 마상재(馬上才).

마기[4]〔Magi〕 명 본디, 고대 페르시아의 사제(司祭) 계급. 아랍어(語)로는 조로아스터교도(Zoroaster 敎徒)의 일컬음. 예수 탄생 때의 동방의 세 박사도 마기임.

마기[5] 부 ☞ 막상.

마기[6]【的只·的是】〈이두〉 적확(的確).

마기거든【的只去等】〈이두〉 적확(的確)하거든.

마기견다해【的是在如中】〈이두〉 ①적확(的確)한 때에. ②적확한 터에.

마기-말로 부 실상이라고 가정하고 하는 말로. ¶ ~ 내가 그런 누명을 썼다면 그냥 안 두지.

마기삶온맛【的只白乎味】〈이두〉 확실합니다 하고.

마기삶온일【的只白乎事】〈이두〉 확실하온 일.

마기온맛【的只乎味】〈이두〉 딱 들어맞게 적확한 것으로.

마기온일【的只乎事】〈이두〉 딱 들어맞게 적확한 일.

마기이나【的只是刀】〈이두〉 딱 들어맞게 적확하나. 딱 들어맞게 적확하지만.

마기이신고로【的只敎是故】〈이두〉 딱 들어맞게 확실하오므로.

마기ᄒᆞ다 타 〈옛〉 막이 하다. 막다. ¶ 약대쎠로 마기ᄒᆞ고(駝骨底子)《朴解 上15》.

마ᄀᆞ시니 타 〈옛〉 막으시니. '막다'의 활용형. ¶ ᄆᆞᆯ겨틔 엇 마ᄀᆞ시니(馬外橫防)《龍歌 44章》.

마기오다 타 〈옛〉 증거하다. 증명하다. ¶ 請호ᄃᆡ 몬져 마기오리라《楞嚴 I:16》.

마까-질 명 물건의 무게를 달아 보는 짓. ——-하다 타여불

마-꾼【魔—】명 일에 헤살을 부리는 무리.

마-끼다【魔—】자 일에 마(魔)가 끼어 들다.

마:나[1] 명〖생〗☞ 만화[1].

마나[2]〔mana〕명〖종〗〔멜라네시아의 토어(土語)로 '세력 있는'·'이겨 냄' 등의 뜻〕멜라네시아를 비롯한 태평양 제도의 미개 민족 사이에서 볼 수 있는 관념으로, 비인격적(非人格的)·초자연적 힘. 곧, 사람·생물·무생물·기물(器物) 등 일체의 것에 작용하여 외포(畏怖)의 정을 야기시키는 영력(靈力).

마나[3]〔manna〕명〖약〗마나나무의 껍질에 상처를 내어 얻은 수액(樹液)으로부터 만든, 끈끈하고 단맛이 있는 담황색의 액체. 완하제(緩下劑)로 쓰임.

마나[4] 보동 〈옛〉 말거나. ¶ ᄂᆞᆯ거든 ᄠᅱ디마나 셧거든 솟디마나. 峰마다 ᄆᆡ쳐 잇고 긋마다 서린 긔운 ᄆᆞᆰ거든 조티마나 조커든 ᄆᆞᆰ디마나《松江 關東別曲》.

마나:과〔Managua〕명〖지〗니카라과(Nicaragua)의 수도. 마나과 호(湖)의 남안(南岸)에 있는데, 커피·면화(綿花) 등의 거래 중심지이며 시멘트·비누 등의 공업도 행하여짐. 1931년 지진(地震)으로 괴멸(壞滅)했으나 그 후 부흥되어 상업의 발달이 현저함. [1,000,000명(1990 추계)]

마나:과 호【—湖】〔Managua〕명〖지〗니카라과 서북의 호수. 남안(南岸)에 수도 마나과가 있으며 담수산(淡水產)의 상어가 삶. 최대 수심 약 60m. [1,134km²]

마나-나무〔manna〕명〖식〗[*Fraxinus ornus*] 물푸레나뭇과에 속하는 나무. 남유럽·소아시아 원산(原產). 수액으로 마나를 만듦.

마:나-님 명 나이 많은 부인(婦人)의 존칭.

마나라【摩拏羅】명〖불교〗스물두째 조사(祖師)로 석가모니의 제22대 제자. 인도 나열(羅閱) 땅 사람으로, 그 나라 임금의 둘째 아들임. 학륵라(鶴勒羅)에게 전법(傳法)하였음.

마나마〔Manama〕명〖지〗바레인(Bahrein)의 수도. 석유가 발견되기 전까지는 어업과 진주 채취가 주된 생업이었으나, 1932년 석유가 발견된 후 상업 도시로 발전함. 왕궁·정청(政廳)·외국 상사 등이 있으며, 범선(帆船) 건조도 성함. [150,000명(1990 추계)]

마나사로:와르 호【—湖】〔Manasarowar〕명〖지〗중국 티베트 남서부에 있는 호수. 불교의 성지(聖地)로 많은 순례자가 이 곳을 찾음. 호면(湖面) 표고(標高) 4,602m. [약 560km²]

마나슬루 산【—山】〔Manaslu〕명〖지〗네팔 히말라야에 속하는 산(山). 세계에서 여덟 번째로 높은 봉우리로, 1956년 일본 등반대가 처음 정상(頂上)을 정복함. [8,125m]

마나우스〔Manáos〕명〖지〗브라질 북부, 아마존 강의 하항(河港) 도시. 아마존 강을 1,600km 가량 거슬러 올라가서 네그루 강(Negro江)과의 합류점에 있는 아마존 주(州)의 주도(主都). 해발 35m로, 외양선(外洋船) 소항(遡航)의 종점(終點)임. 야생 고무·목재 및 카카오의 집산지인데, 고무 시장의 쇠미(衰微)에 따라 인구도 감소되고 있음. [613,000명(1980)]

마나이즘〔manaism〕명〖종〗종교의 기원을 마나(mana)의 관념에서 구하려는 학설.

마날 명〖식〗〈방〉 마늘(강원·경남).

마내 조 〈옛〉 만에. ¶ 열ᄒᆞᆳ마내 원녁 피ᄂᆞᆫ 男子ㅣ ᄃᆞ외오《月釋 I:8》.

마:냄 명 〈방〉 마님.

마냐니〔Magnani, Anna〕명〖사람〗이탈리아의 여우(女優). 가수에서 전향하여 1955년 《추억(追憶)의 장미》로 아카데미 주연상을 받았음. [1908-73]

마냥[1] 명 늦모내기.

마냥[2] 부 ①전과 다름없이 언제나. ¶ ~ 그립다. ②욕심에 부족함이 없이. 만판. ¶ ~ 먹다 / ~ 즐기다. ③다른 것이 섞이지 않고 한 가지로. ¶ 하늘은 ~ 푸르렀다. ④늦잡아 느릿느릿. ¶ 시간이 있으니 ~ 걸어가도 된다.

마냥[3] 조 ☞ 처럼. ¶ 어린애~ 놀다.

마냥-모 명 늦게 심는 모. 늦모.

마널 명〖식〗〈방〉 마늘(전북·경상).

마네〔Manet, Edouard〕명〖사람〗프랑스의 화가. 인상파(印象派)의 개척자로서 근대 회화의 아버지로 불리며, 《피리 부는 소년》·《풀밭 위에서의 식사》·《올랭피아》 등의 걸작이 있음. [1832-83]

마네시에〔Manessier, Alfred〕명〖사람〗프랑스의 화가. 시원시원한 시정(詩情)이 넘치는 추상적 회화를 그림. 열렬한 가톨릭 신자로 프랑스 각지의 성당에 스테인드 글라스(stained glass)를 제작함. [1911-]

마네킹〔mannequin〕명〔살아 있는 인형, 곧 영혼이 없는 인간의 뜻〕①백화점이나 의류점·화장품점 등에서 상품의 선전을 위해 옷이나 장신구 따위를 입혀 놓은 등신대(等身大)의 인체 모형(人體模型). ②'마네킹 걸'의 준말.

마네킹 걸:〔mannequin girl〕명 의복·화장품·장신구 등을 입거나 사용하고 그 제품을 선전 판매하는 여성. 준마네킹.

마녀【魔女】명 ①유럽의 민간 전설에 나오는 요녀(妖女). 악마와 결탁, 마약(魔藥)을 쓰거나 주법(呪法)을 행하여, 사람을 해친다고 함. 위치. ②악마 같은 여자. 또, 남자의 마음을 사로잡아 떨어지지 않는 괴상한 매력을 지닌 여자. ③이상할 정도의 훌륭한 능력을 가진 여자. ¶ 배구 코트의 ~.

마녀 재판【魔女裁判】명〖역〗중세 말기 이후 유럽에서 로마 교황의 공인 아래, 이단자(異端者)를 마녀로 몰아, 심판하여 화형(火刑)에 처하던 종교 재판의 하나. 가장 심했던 1590-1680년 사이에 약 10만 명이 처형(處刑)되었는데, 18세기경부터 계몽 사상의 영향으로 이 제도가 없어졌음.

마노【瑪瑙】명〖광〗석영(石英)·단백석(蛋白石)·옥수(玉髓)의 혼합물. 화학 성분(化學成分)은 교상 규산(膠狀硅酸)으로, 수지상 광택(樹脂狀光澤)이 있으며, 때때로 다른 광물질(鑛物質)이 스며서 적갈색·백색의 무늬를 나타냄. 예로부터 장식물·세공물(細工物)·조각 재료 등으로 사용됨. 단석(丹石). 문석(文石).

마노라 명 〈옛〉 마누라(남녀에 두루 높이어 일컬음). ¶ 제 죵이 ᄯᅩ 닐오ᄃᆡ 마노랏 父母ㅣ 늘그시니(其僕亦慰解曰 公父母春秋高)《三綱 忠臣若水効死》.

마노-미터〔manometer〕명〖물〗①진공계(眞空計)의 하나. 한 끝을 막은 유자형(U字形)의 유리관(管)을 배기(排氣)한 뒤, 수은(水銀)을 넣은 것으로, 수 토르(torr) 이상의 압력을 측정하는 데 쓰임. ②압력계.

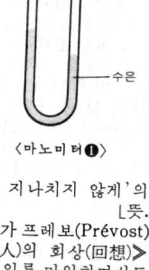

측정용기
고진공
수은
〈마노미터❶〉

마노-색【瑪瑙色】명 광택이 있는 적갈색.

마노 세:공【瑪瑙細工】명 마노로 세공을 하는 일. 또, 그 세공품.

마노-유【瑪瑙釉】명〖미술〗마노(瑪瑙)와 같은 빛깔의 잿물.

마 논 탄토〔이 ma non tanto〕명〖악〗'그러나 너무 지나치지 아니하게'의 뜻.

마 논 트로포〔이 ma non troppo〕명〖악〗'그러나, 지나치지 않게'의 뜻.

마농 명 〈방〉〖식〗①마늘(제주). ②파[1]❷(제주).

마농 레스코〔Manon Lescaut〕명〖책〗프랑스의 작가 프레보(Prévost)의 대표작. 자전적(自傳的)인 소설 《어느 귀인(貴人)의 회상(回想)》 8권 중의 제7권임. 창부(娼婦) 마농의 비도덕적 행위를 미워하면서도 그 매력에 사로잡혀, 몸을 망치는 귀족 청년의 로맨스를 그림. 1731년 간행.

마:뇨-산【馬尿酸】명〔hippuric acid〕〖화〗포유 동물의 간장에서, 벤조산(酸)의 해독(解毒) 반응에 의해 생성되는 무색의 결정. 오줌으로 배설됨. 히푸르산(酸).

마누〔Manu〕명〖신〗인도 신화 중의 인류의 조상. 신(神)들에게 최초의 희생을 바친 사람. 마누 법전(Manu法典)은 그의 계시에 의해 성립되었다 함.

마누라[1] 명 〈방〉 손님 마마(황해·함남).

마:누라[2] 명 ①나이 지긋한 아내를 허물 없이 부르는 말. ②중년 이상의 여자를 속되게 이르는 말. ¶ 주인 ~.

마:누라-쟁이 명 '마누라'를 홀대(忽待)하여 일컫는 말.

마누래 명 〈방〉 손님 마마(황해·함남·평안).

마누 법전【—法典】〔Manu〕명〖역〗기원전 200년경에 구래(舊來)의 법을 집대성(集大成)하여 성립된 인도의 법전. 12장에 걸쳐 시가체(詩歌體)로 서술(敍述)하였는데, 종교적 색채가 짙으며, 종교·민법·형법·행정·경제·카스트 제도 및 인도인의 일상 생활의 규범(規範) 등을 규정하였음. 인도의 조화(造化)의 신 브라마의 아들 마누(Manu)의 계시에 의해 성립되었다 함.

마누엘 일세【—一世】〔Manuel I〕[—쎄] 명〖사람〗포르투갈 국왕. 바스코 다 가마(Vasco da Gama)·알부케르케(Albuquerque) 등을 새로운 식민지를 발견하도록 파견하여, 왕국의 황금 시대를 이룩했음. 스페인 왕위를 노렸으나 이루지 못하였고, 유태인 추방으로 경제적 발전에도 실패함. [1469-1521]

마눌 명 〈방〉〖식〗마늘.

마눙 명 〈방〉〖식〗파.

마는 조 종결 어미에 붙어, 그 말을 시인하면서 거기에 구애되지 아니하고 다음 말에 의문이나 불가능 또는 어긋나는 뜻을 나타내게 하는 보조사. 곧 '…그렇지마는'의 뜻으로 쓰임. ¶ 사고 싶다~ 돈이 없다/먹고 싶지~ 참아야지. 준만.

마는-목 명〖악〗판소리 창법(唱法)에서, 느린 목소리를 차차 빨리 돌려 차근차근 몰아들이는 목소리.

마늘 명〖식〗[*Allium sativum*] 백합과에 속하는 다년초. 인경(鱗莖)은 난구형(卵球形)인데 3-4쪽의 작은 인경으로 구분되고 갈색을 띤 오백색(汚白色)의 외피(外皮)로 싸였음. 잎은 넓고 긴 선형(線形)이며 청록색에 분백(粉白)을 띰. 여름에 높이 60-100cm의 속이 빈 원주형의 화경이 엽액(葉腋)에서 나와 담자색의 두상화(頭狀花)가 산형(繖形) 화서로 핌. 서아시아 원산(原產)으로 중국을 거쳐 한국·일본에서 많이 재배됨. 결실(結實)을 하지 않아 인경을 캐어 두었다가 가을에 논밭에 심음. 종류로는 육젓 마늘·쪽 마늘 등이 있음. 잎·뿌리·화경(花莖)은 심한 냄새가 나서 향신료(香辛料)·강장제·양념으로 많이 쓰임. 대산(大蒜). 호산(葫蒜).

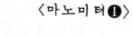

〈마늘〉

마늘 고동〔—꼬—〕명 〈방〉 마늘종.

마늘-동〔—똥〕명 〈방〉 마늘종.

마늘-모 명 ①마늘의 쪽과 같이 세모진 모양. ②바둑에서, 입구(口)자로 놓는 수. 구자 행마(口字行馬). *계마(桂馬). ③한자 부수(部首)의 하나. '去'나 '參'의 '厶'의 이름. 마늘모부.

마늘모-부【一部】명 마늘모❸.

마늘잎 조림 [一립一] 명 풋마늘잎을 기름에 볶아서 진간장에 조린 반찬.

마늘 장아찌 명 봄에 캔 마늘이나 마늘종·잎을 초와 설탕에 절여 진간장에 넣었다가 간이 든 다음에 먹는 반찬.

마늘-적【一炙】명 마늘로 만든 적. 산적(蒜炙).

마늘-종 [一쫑] 명 마늘의 꽃줄기. 육질(肉質)이며 연하여 찌거나 장아찌로 만들어 먹음. 산대(蒜薹).

마늘종 구이 [一쫑一] 명 마늘종을 물에 담갔다가 말려서, 꼬챙이에 꿰고 장물에 밀가루를 타서 묻혀 구운 반찬. 산대구(蒜薹炙).

마니[1] 명 〈심마니〉 사람. ¶ 선채(善採) ~. 주의 흔히 접미사로 쓰임.

마니[2]【摩尼】명 〔범 manism〕〖불교〗 ①악을 제거하고 탁수(濁水)를 맑게 하며 염화(炎禍)를 없애는 공덕이 있다는 보주(寶珠). 마니주(摩尼珠). 마니 보주(摩尼寶珠). ②여의 보주(如意寶珠).

마니[3]【摩尼】명 ①〔Mani〕〖사람〗 고대 페르시아의 마니교(教) 창시자. 생애는 불명(不明). 30세 때 예언자(豫言者)의 자각을 얻어 포교하였고, 조로아스터교도(敎徒)의 박해를 받아 화형을 받았다 함. [215?-276] ②↗마니교(敎).

마니-교【摩尼敎】명 〔Manichaeism〕〖역〗 3세기 초엽에 페르시아 사람 마니(Mani)가 배화교(拜火敎)·기독교·불교 및 바빌로니아(Babylonia)의 원시 신앙을 혼성(混成)하여 만든 일종의 자연 종교. 선(善)은 광명(光明), 악(惡)은 암흑(闇黑)이라는 이원설(二元說)을 제창하고, 교도는 채식(菜食)·불음(不淫)·단식(斷食)·정신(淨身) 기도를 행하였음. 마니의 처형(處刑)과 함께 페르시아에서는 박해를 받았으나, 사마르칸트를 중심으로 지중해와 중국에까지 퍼져 14세기까지 성하였음. 준마니(摩尼).

마니라【摩尼剌】명 〖지〗 '마닐라(Manila)'의 음역.

마니 보:주【摩尼寶珠】명 〖불교〗 마니[2](摩尼)❶

마니-산【摩尼山】명 〖지〗 인천 광역시 강화군(江華郡) 화도면(華道面)에 있는 산. [467 m]

마니산 참성단【摩尼山塹城壇】명 강화도(江華島)의 마니산(摩尼山) 산상(山上)에 있는 단(壇). 방형(方形)의 누석단(累石壇)으로, 예로부터 단군(檀君)의 제천지(祭天地)로 널리 알려져 왔음. 강화도 길상면(吉祥面)에 있는 삼랑성(三郞城)과 함께 중요한 단군 관계 유적임.

마니살레스 〔Manizales〕 명 〖지〗 콜롬비아 중서부의 도시. 표고(標高) 약 2,000 m의 고원에 있으며, 커피 재배 지역의 중심으로 농산물의 거래가 많고, 직물(織物)·맥주 등의 공장이 있음. [264,000 명(1978 추계)]

마니아 〔mania〕 명 ①열중(熱中). 열광(熱狂). ②어떤 한 가지 일에만 몹시 열중하는 사람. 또, 그 일. ¶ 재즈 ~.

마니:어 〔도 Manier〕명〖예〗 예술적인 제작에 있어서의 특수한 표현 방법. 작품의 형식·기교면에 나타나는 특색으로, 독자적이고도 가치가 있는 수법을 습관적(習慣的)으로 반복하거나 모방(模倣)하는 방법. 곧, 자기의 특이성을 강렬하게 표현함을 가리키나, 나쁜 뜻으로는 매너리즘과 동의어로 쓰임. 마니에르(manière).

마니에:르 〔프 manière〕 명 '마니어(Manier)'의 프랑스어.

마니에리스모 〔이 manierismo〕 명 〖예〗 르네상스로부터 바로크에의 과도기에 해당하는 1520년경부터 16세기말에 걸쳐 로마·피렌체(Firenze)를 중심으로 서(西)유럽 전체에 미친 예술 양식. 외형적인 신선함과 화사한 기교를 즐겨 쓰는 궁정적(宮廷的)·귀족적 성격이 짙음. 19세기까지는 르네상스 예술이 타락하여 정형화(定型化)한 양식으로 여겨졌으나, 근년에 와서는 종교 개혁·정치적 동란 등에 의한 불안한 사회상과 정신적 위기를 표현한 것으로 재평가됨. 마니에리슴.

마니에리슴 〔프 maniérisme〕 명 〖예〗 '마니에리스모'의 프랑스어.

마니-주【摩尼珠】명 〖불교〗 마니[2](摩尼)❶.

마니페스트 〔도 Manifest〕 명 '매니페스토(manifesto)'의 독일어명.

마니히키 제도【一諸島】〔Manihiki〕 명 〖지〗 중부 태평양 쿡 제도(Cook 諸島) 북쪽에 있는 일곱 섬. 1822년에 미국인이 발견하여 1901년부터 뉴질랜드 행정구에 속하다가, 1965년 이후 자치령이 됨. 주도(主島) 마니히키는 '험프리(Humphrey) 섬'이라고도 하는데, 12개의 환초(環礁)로 되었음. 코프라·진주조개 등을 산출함. [5.2 km²: 405 명(1981)]

마닐라 〔Manila〕 명 〖지〗 필리핀 공화국의 수도. 루손섬의 남서부 마닐라 만에 임한 항구 도시로, 예로부터 동양 무역(東洋貿易)의 기지(基地)로서 발전해 옴. 코프라·마닐라삼·설탕·담배 등을 수출함. 1975년 11월에 케손시티 등 수도권(首都圈) 4시(市) 등을 통합하여 대(大) 마닐라를 이룸. [1,600,000 명(1995)]

마닐라 로:프 〔Manila rope〕 명 마닐라삼의 섬유를 원료로 하여 만든 로프. 매우 질기고 내수성(耐水性)이 강하여 선박용·구명(救命) 기구용 등으로 쓰임.

마닐라-마【一麻】〔manila〕 명 〖식〗 마닐라삼.

마닐라-삼 〔Manila〕 명 ①〖식〗 [*Musa textilis*] 파초과에 속하는 다년초. 바나나와 비슷한데 높이 2-7 m이고, 잎은 긴 타원형에 표면은 녹색, 하면은 백색이며 층층이 싸여 줄기 모양을 이룸. 줄기의 중심부에서 화경이 나와 수상화(穗狀花)가 피고, 과실은 바나나와 비슷함. 필리핀 원산(原產)으로 보르네오·수마트라 등지에서 재배됨. 줄기에서 뽑은 섬유(纖維)는 로프·그물·제지(製紙) 및 해저(海底)의 전선(電線) 등의 피복재(被覆材)로 쓰임. ②마닐라삼에서 채취한 섬유. 아바카.

〈마닐라삼❶〉

마닐라-지【一紙】명 〔Manila paper〕 목재 펄프에 마닐라삼을 섞어서 만든 담갈색 또는 황갈색의 질긴 종이. 전화 케이블 심선(心線)의 피복재(被覆材)·포장지 등으로 쓰임.

마닐라 판지【一板紙】명 〔Manila board〕 마닐라삼 섬유를 섞어 넣은 튼튼하고 비교적 얇은 백판지(白板紙)의 하나. 제본용, 작은 상자용, 그림 엽서용 등으로 쓰임.

마닐마닐-하다 형 여불 음식 등이 씹어 먹기에 알맞게 연하고 보드랍다. ¶ 입에 마닐마닐한 것은 밤에 다 먹고 남은 것으로 요기될 만한 것이 피낭 여남은 개와 흰무리 부스러기뿐이었다《洪命憙 : 林巨正》.

마:님 명 지체가 높은 집 부인에 대한 존칭. 말루하주(抹樓下主).

-마:님 미 '나리·대감·영감' 따위에 붙어 존대의 뜻을 나타내는 말. ¶ 나리~ / 대감~ / 영감~.

마ᄂᆞᆫ 조 〈옛〉 마는. ¶ 잡사와 두어리마ᄂᆞᄂᆞᆫ 《樂詞 가시리》.

마ᄂᆞ다 자 만다. 마는구나. ¶ 止ᄂᆞᆫ 마ᄂᆞ다 ᄒᆞᄂᆞᆫ ᄠᅳ디라 《釋譜 序 4》.

마ᄂᆞᆫ 조 〈옛〉 마는. ¶ 엇데 成都애 수리 업스리오마ᄂᆞᆫ(豈無成都酒) 《重杜諺 XXV:21》.

마ᄂᆞᆯ 명 〈옛〉 마늘. ¶ 마ᄂᆞᆯ 쉰(蒜) 《字會 上 13》.

마다[1]【摩多·摩哆】명 〔범 mātā〕〖언〗 범자(梵字)의 모음(母音)을 일컫는 말.

마:다[2] 타 짓찧어서 부스러뜨리다. ¶ 짓~.

마:다[3] 타 〈방〉 마르다[2](경남). 「~ 공부만 한다.

마다[4] 조 낱낱이 다 그러함을 나타내는 보조사. ¶ 해~/웃을 때~/날

마다가스카르 〔Madagascar〕 명 〖지〗 ①동아프리카의 인도양 서부에 있는 세계 제 4의 큰 섬. ②아프리카 동남부의 마다가스카르 섬에 세워진 민주 공화국. 기후는 열대성이며, 동해안은 농경지, 서해안은 삼림 지대를 이룸. 주민의 대부분은 말라가시족(族)으로 말라가시어(語)·프랑스어(語)를 사용함. 농업을 주로 하여, 쌀·바나나·옥수수·커피·사탕수수·바닐라 등을 산출함. 1500 년 포르투갈인(人)에게 발견되어 1896 년 프랑스령(領)이 된 후, 1958 년 프랑스 연방내의 자치 공화국, 1960 년 6 월에 완전 독립하였음. 수도는 안타나나리보(Antananarivo). 정식 명칭은 '마다가스카르 민주 공화국(Democratic Republic of Madagascar)'. [587,041 km²: 14,760,000 명(1995 추계)]

마다가스카르-손가락원숭이 〔Madagascar〕 [一손까一] 명 〖동〗 아이아이(ayeaye).

마:다다 타 ↗마다하다. ¶ 돈 마달 사람이 있을까 / 자네가 술을 마다니 웬 일인가 / 고생을 마다지 않고.

마:다-하다 타 여불 싫다고 거절하다. 싫다고 말하다. ¶ 마다하지 말고 꼭 받아 주게. 준마다다.

마닥 조 〈방〉 마다[4](전남).

마담 〔프 madame〕 명 ①부인(婦人). ¶ 유한(有閑) ~. ②술집이나 다방 또는 여관 같은 데의 안주인.

마담 뚜 〔madam〕 명 〔'뚜'는 '뚜쟁이'의 준말〕〈유행〉 특수층·부유층을 상대로 하는 직업적인 여자 중매쟁이.

마담 버터플라이 〔Madame Butterfly〕 명 〖악〗 푸치니 작곡의 가극. 1904년 밀라노에서 초연됨. 미국인 롱(Long, John)의 원작(原作)으로, 미국 해군 장교와 일본 여자와의 국제 결혼의 비극을 주제로 하였음. 나비 부인(夫人).

마:답 명 농가에서 마소를 매어 두는 공터. 두서너 발 간격으로 양쪽 기둥을 세우고 그 위에 긴 장대를 가로질러 놓음.

마당[1] ㊀명 집 앞이나 뒤 또는 어떠한 곳에 닦아 놓은 단단하고 평평한 땅. *뜰. ㊁의명 ①'판소리'를 세는 단위로 쓰이는 말. ¶ 흥부전은 춘향전·심청전·토끼전·적벽가·변강쇠타령과 함께 판소리 여섯 ~에 든다. ②어떤 일이 일어나거나 일을 하는 그 때 또는 경우. ¶ 이 급한 ~에 그게 무슨 짓인고 / 이왕 이렇게 된 ~에. ③탈춤·산대놀음 등 민속극의 단락을 세는 단위.

【마당 벌어진 데 웬 솔 뿌리 걱정】 '마당 터진 데 솔 뿌리 걱정한다'와 같은 말. 【마당 삼을 캐었다】 힘들이지 아니하고 무슨 일을 쉽게 성공하였을 때 이르는 말. 【마당이 환하면 비가 오고 계집 뒤가 반지르르하면 애가 든다】 쇠약했던 아이 어머니의 몸이 다시 회복되고 몸매가 반지르르하게 되면 또 아이를 가지게 된다는 말. 【마당 터진 데 솔 뿌리 걱정한다】 그릇 터진 데를 깁는 솔 뿌리는 마당 터진 데는 쓸데 없다는 말이니, 당치 않은 공론으로 수습하려 한다는 말.

마당(을) 빌리다 구 신랑이 신부집에 가서 초례식(醮禮式)을 지내다.

마당[2] 조 〈옛〉 마다. ¶ 사롬사롬마당 君子를 願ᄒᆞᄂᆞ니《竹溪志 君子歌》.

마당 과:부【一寡婦】명 옛날에, 신부의 집 마당에서 초례(醮禮)나 겨우 올리고 이내 남편을 잃은 청상 과부의 일컬음.

마당-굿 명 〖민〗 굿의 마지막 순서로, 굿에 모여들었던 잡귀(雜鬼)들을 퇴송(退送)시키는 과정. 대문 밖의 마당에서 행함.

마당-꿇림 [一꿀一] 명 전에, 죄인을 마당에 꿇리던 벌.

마당-너구리 명 〈심마니〉〖동〗 개[3].

마당-너울 명 〈방〉〖동〗 개[3].

마당-놀이 명 〖민〗 ①옥내의 무대가 아닌 탁 트인 마당에서 벌이는 민속적인 연희(演戱). ②북청(北靑) 사자놀음의 한 장면.

마당-돌기 명 〖민〗 마을의 집집마다 돌아다니며 하는 굿.

마당 맥질 명 우툴두툴한 마당에 흙을 이기어서 고르게 하는 일. 대개 농가에서 추수하기 전에 함. ——하다 자 여불

마당-발 명 ①볼이 넓고 바닥이 평평한 발. ↔채발. ②비유적으로, 발이 넓음. 또, 그런 사람.

마당-밟기 명 〈방〉 마당밟이.

마당-밟이 [一발비] 명 〖민〗 지신 밟기.

마당-비 [一삐] 명 마당을 쓰는 데 쓰는 비.

마당-쇠 명 ①전에 '마당 쓰레질이나 하는 자'라는 뜻으로 머슴을 이름처럼 부르던 말. ②가산 오광대(駕山五廣大) 제 6 과장에 나오는 탈의 이름. 또, 그 탈을 쓰고 춤추는 사람.

마당 쓰레기 명 ①마당을 쓸어서 모은 쓰레기. ②곡식을 다룰 때 마당

에 떨어진 것을 쓸어 모은, 쓰레기가 섞인 곡식.
마당-쓰리 명 〈방〉 쓰레기(평북).
마당-씻이 명 『민』 남사당패 탈놀음의 첫째 마당 이름.
마당-여 [—녀] 명 바다 속 바닥에 벋어 있는 넓고 평평한 바위.
마당-조개 명 『조개』 백합(白蛤).
마당-질 명 기계를 쓰거나 두드리어서 곡식의 이삭을 털어 거두는 일. ——하다 자타여불
마당-춤 명 허튼 춤 가운데 주로 마당에서 추는 춤. 동작이 활발하고 오락성이 농후한 서민적인 춤임.
마당-통 명 마름이 소작료(小作料)를 받아들일 때에, 수북하게 되어 받은 섬. 지주(地主)에게 바칠 때는 평두(平斗)로 되어, 그 나머지가 마름의 차지가 됨. ↔가량통.
마대¹ 명 〈심마니〉 지팡이.
마:대² 【馬隊】 명 말 탄 군대. 기병대(騎兵隊).
마:대³ 【馬臺】 명 농장(籠欌)의 맨 밑의 받침 다리.
마대⁴ 【麻袋】 명 ①거친 삼실로 짠 큰 자루. ②〈방〉 포대기(함북).
마:대-산 【馬岱山】 명 『지』 ①함경 남도 함주군(咸州郡)과 장진군(長津郡) 사이에 있는 산. [1,744 m] ②강원도 영월군(寧越郡) 하동면(下東面)에 있는 산. [1,052 m]
마대서리 명 〈심마니〉 지팡이.
마대시리 명 〈심마니〉 지팡이.
마대실 명 〈심마니〉 지팡이.
마데이라 강 【—江】 〔Madeira〕 명 『지』 남아메리카 아마존 강의 큰 지류. 볼리비아 산지에서 발원하여 비야베야(Villa Bella) 부근을 북류(北流)하여 마나우스(Manãos)의 하류에서 아마존 강의 본류와 합류함. 폭포(瀑布)로 인하여 주운(舟運)이 불편함. [3,360 km]
마데이라 제도 【—諸島】 〔Madeira〕 명 『지』 모로코(Morocco) 앞바다 약 700 km 지점에 있는 세 개의 화산성의 섬으로 된 제도. 포르투갈 본토의 일부이며, 해양성의 온난한 기후와 명미(明媚)한 풍광을 가진 휴양지임. 설탕·바나나 등을 산출하며, 마데이라주(酒)가 유명함. 주도(主都)는 푼샬(Funchal). [796 km²]
마데이라-주 【—酒】 〔Madeira〕 명 마데이라 제도에서 산출되는, 독한 백포도주.
마:도¹ 【馬刀】 명 『조개』 말조개.
마:-도² 【馬島】 명 『지』 ①충청 남도의 서해상(西海上), 서산시(瑞山市) 근흥면(近興面) 신진도리(新津島里)에 위치한 섬. [0.25 km²] ②경상 남도 삼천포시(三千浦市) 마도동(馬島洞)에 속하는 섬. [0.112 km²]
마:도³ 【馬圖】 명 말을 그린 그림.
마도⁴ 【魔道】 명 ①부정(不正)한 도리. 나쁜 길. ②『불교』 악마의 세계.
마도⁵ 조 〈옛〉 만도. 만큼도. ¶ 다 ᄒᆞᆫ 터럭마도 제 實ᄒᆞᆫ 體性 업스니 《圓覺 上 一之一 57》.
마:도-령 【馬道嶺】 명 『지』 충청 남도 대덕군(大德郡)에 있는 고개. [180 m]
마도로스 〔네 matroos〕 명 뱃사람. 선원(船員).
마도로스 파이프 〔네 matroos+pipe〕 명 담배통이 뭉툭하고 크며 대가 짧은 파이프. 그 모양과 크기가 여러 가지임. 곰통대.
마도-수 【磨刀水】 명 『한의』 칼을 갈아 낸 숫돌물.
마-도요 명 『조』 [*Numenius arquata orientalis*] 도욧과에 속하는 새. 도요류 중 가장 큰 종류로서 날개 길이 28-32 cm이고 부리가 길며 밑으로 굽음. 몸의 배면(背面)은 흑갈색에 황적색의 세로 무늬가 있고 하면은 백색이며, 목·가슴에는 흑갈색의 잔무늬가 있음. 봄·가을에 해안·하구(河口) 등에서 20-30마리 또는 그 이상이 떼지어, 부리를 모래땅 속에 박고 게·물고기·새우 등을 잡아먹는데, 아시아의 동북부에서 번식하고 한국 동해안·일본·중국 남부·대만·인도·아메리카 등지에서 월동함.

〈마도요〉

마도우 〔중 碼頭〕 명 부두. 나루터.
마:-도위 【馬—】 명 말을 사고 파는 데의 흥정꾼.
마:도-창 【馬刀瘡】 명 『한의』 연주창의 한 가지.
마:도-패 【馬刀貝】 명 『조개』 긴맛.
마돈나¹ 〔이 Madonna〕 명 〔'나의 부인'이란 뜻으로 귀부인에 대한 존칭〕 ①성모 마리아(聖母 Maria). ②『미술』 성모 마리아를 그린 그림 또는 조각. 흔히, 어린 예수를 안고 있음. ③기품 있는 여자나 애인을 가리키는 말.
마돈나² 〔Madonna〕 명 『사람』 미국의 여성 록 가수·영화 배우. 본명은 Madonna Louise Ciecione. 미시건 주(州) 베이시티 출생. 어빈 에어리 댄스 스쿨에서 수학. 1983년 영국 TV의 록 쇼에서 데뷔하고, 1984년 《라이크 어 버진》의 히트 이후 가장 인기 있는 가수의 한 사람으로 꼽힘. 최근에는 많은 영화에 출연함. [1960-]
마동 조 〈방〉 마다⁴.
마되 명 말과 되. 두승(斗升).
마되-질 명 말이나 되로 곡식 등을 되는 일. ——하다 자여불
마두¹ 〔Matthew〕 명 『천주교』 '마태오'의 구칭.
마:두² 【馬頭】 명 ①『역』 역마(驛馬)를 맡아 보는 사람. ②『불교』 지옥의 옥졸(獄卒).
마:두 관세음 【馬頭觀世音】 명 『불교』 육관세음(六觀世音)의 하나. 보관(寶冠)에 말 머리를 이고 노한 얼굴을 하고 있으며, 보통 삼면(三面)으로, 여덟 개의 팔이 있으며, 분노상(忿怒相)을 보이고 있는 유일한 관음상(觀音像)임. 마두 관음(馬頭觀音). 마두명왕(馬頭明王).

〈마두 관세음〉

마:두 관음 【馬頭觀音】 명 『불교』 마두 관세음(馬頭觀世音).
마:두-금 【馬頭琴】 명 『악』 몽고의 찰현 악기(擦絃樂器). 호궁(胡弓)과 같은 종류로 대형(大形)임. 동체(胴體)는 육각(六角)·팔각·대형(臺形) 등이 있으며, 말 가죽으로 팽팽하게 싸이어 있음. 줄 매는 부분 위쪽 끝에 말 머리의 조각이 있음. 2현(絃)임.
마:두 납채 【馬頭納采】 명 혼인날 가지고 가는 납채. 보통으로는, 납채를 혼인 전에 보냄. ——하다 자여불
마두라 〔Madura〕 명 『지』 마두라이(Madurai).
마두라이 〔Madurai〕 명 『지』 인도 타밀나두 주(Tamil Nadu 州) 데칸 반도 남부의 공업 도시. 메린스·목각(木刻)·면사(綿絲) 등을 산출함. 사원과 17세기의 건축물 등이 있음. 마두라(Madura). [904,000명(1981)]
마:두-령 【馬兜鈴】 명 『식』 쥐방울.
마두리 명 〈방〉 마투리.
마:두 명왕 【馬頭明王】 명 『불교』 마두 관세음(馬頭觀世音).
마:두 성운 【馬頭星雲】 명 〔Horsehead Nebula〕 『천』 오리온자리에 있는 암흑 성운. 배후의 빛을 가로막아 말 머리처럼 보이는 데서 붙여진 이름임.
마:두 출령 【馬頭出令】 명 갑자기 내리는 명령.
마두-충 【麻蠹蟲】 명 『충』 삼벌레.
마:두-희 【馬頭戲】 [—히] 명 『민』 줄다리기.
마둥 조 〈방〉 마다⁴.
마드라스 〔Madras〕 명 『지』 ①인도 반도의 동안(東岸) 코로만델(Coromandel) 해안 제1의 항구 도시. 1640년 영국의 동인도 회사가 건설한 도시로, 타밀나두 주(州)의 주도. 봄베이·캘커타 다음가는 무역항으로 피혁·식물유(油)·크롬철광·면화·커피 등을 수출하며, 키나(Quina) 제조 공장이 있음. 인도 최고(最古)의 기독교회와 박물관·대학 등이 있음. 1640년 영국 동인도 회사가 세인트 조지(St. George) 성(城)을 쌓음으로써 비롯됨. [4,277,000명(1981)] ②인도 공화국 타밀나두(Tamil Nadu) 주(州)의 전이름.
마드리갈 〔프 madrigal〕 명 『악』 14세기 이탈리아에서 일어난, 자유 형식의 가요. 목가(牧歌)와 연애시(戀愛詩)에 곡을 붙인 소곡(小曲)임. 또, 같은 형식의 무반주 합창곡(無伴奏合唱曲).
마드리드 〔Madrid〕 명 『지』 스페인의 수도. 스페인의 거의 중앙에 위치함. 이 나라 정치·문화의 중심지로 시가가 썩 아름다우며, 기계·화학 비료·섬유·식품·가구 등의 공업이 행하여짐. 7세기에 창건된 산 이시도로 성당(聖堂)을 비롯하여 왕궁·박물관·투우장(鬪牛場) 등이 있음. [3,020,000명(1995 추계)]
마드리드 조약 【—條約】 〔Madrid〕 명 이탈리아 전쟁 중 독일의 카를 5세가 프랑스의 프랑수아(Francois) 1세와 맺은 강화 조약. 프랑수아 1세가 포로가 되어 마드리드로 잡혀갔을 때인 1526년 1월 카를 5세는 프랑수아 1세와 조약을 체결, 플랑드르(Flandre)를 비롯한 이탈리아의 수개 지역을 확보했는데, 프랑수아 1세는 귀국 후 조약 불이행을 선언하고 영국과 동맹을 맺어 전쟁을 계속하였음. ＊이탈리아 전쟁.
마드리드 협정 【—協定】 〔Madrid〕 명 『경』 1891년 마드리드에서 체결된 협정. 화물(貨物) 원산지의 허위 표시 방지에 관한 조항, 제조표(製造標)·상표의 국제 등록에 관한 조항 등으로 되어 있는데, 1934년 런던에서 최종적으로 개정되어 오늘에 이르고 있음.
마드무아젤 〔프 mademoiselle〕 명 영양(令孃). 양(孃). 미스(Miss). ＊세뇨리타.
마드바 〔Madhva〕 명 『사람』 인도의 종교 사상가. 신과 인간과의 이원론(二元論)을 내세워 다원론적 실재론(多元論的實在論)을 주장함. 해탈(解脫)은 비슈누 신(Viṣṇu神)의 은총에 의해서만 가능하며, 그러기 위해서는 지식이 필요하다 하여 브라흐마나(Brāhmaṇa)를 고찰하도록 권장함. [1199-1278]
마득사리 감 〈옛〉 노래의 장단을 맞추는 소리. ¶ 다롱디우셔 마득사리 마득너즈세 너우지 《樂詞 履霜曲》.
마들-가리 명 ①나무의 가지가 없는 줄기. ②땔나무의 잔 줄거리. ③해진 옷의 남은 솔기. ④새끼나 실 같은 것이 훑이어 맺힌 마디.
마들-가지 명 〈방〉 마들가리.
마-들다 【魔—】 자 마가 생기다. 마가 생기어 일이 그릇되다. 마가 끼다. ¶ 일마다 실패니 필연 마가 들었나 보오.
마들렌 문화 【—文化】 〔Madeleine〕 명 유럽 구석기 시대의 최종기(最終期) 문화. 프랑스의 마들렌 유적에서 비롯된 명칭임. 뛰어난 동굴(洞窟) 회화와 많은 골각기(骨角器)를 남겼음.
마들이 명 〈방〉 마투리.
마등-갱이 명 〈방〉 ①마디¹ ❶❷. ②마들가리.
마:등-령 【馬等嶺】 [—녕] 명 『지』 강원도 인제군(麟蹄郡) 북면(北面)과 양양군(襄陽郡) 강현면(降峴面)과의 경계에 있는 고개. 설악(雪嶽) 산맥을 가로지르는 높은 고개의 하나. [1,220 m]
마디¹ 명 ①대·갈대 등의 줄기에 사이를 두고 바퀴처럼 두드러지거나 잘록한 부분. ¶ 대나무 ~. ②나무 줄기에 가지나 잎이 붙은 곳. ③동물의 뼈와 뼈가 맞닿은 곳. 관절(關節). ¶ 뼈~가 쑤시다. ④『생』 체절(體節)이나 환절(環節)에서의 한 부분. ⑤말이나 노래 곡조의 한 동가리. 구절(句節). ¶ 한 ~로 거절하다. ⑥노래의 한 곡(曲). ¶ 한 ~ 부르게. ⑦『언』 절(節). ⑧〔measure〕 『악』 악보의 세로줄로 구분된 작은 부분. 마디 안의 박자 수는 악곡의 정해진 박자에 맞도록 되어 있어, 어느 마디나 같은 박자 수임. 소절(小節). ⑨〔node〕 『물』 정상(定常) 진동 또는 정상파(定常波)에서, 진폭이 0 또는 극소가 되는 곳을 이름. 절(節). [마디에 옹이 닿아] 상(傷)할까 아끼는 곳에 더욱 상하기 쉬운 흠이 있음을 이르는 말. [마디에 옹이] ㉠어려운 일이 겹쳤다는 말. ㉡일이 공교롭게도 잘 아니 된다는 말.
마디² 명 〈방〉 매듭(전남·경상).
마:디³ 〔Mahdi〕 명 『종』 회교(回敎)의 구세주(救世主). 상제(上帝)의 사자(使者)로서 마호메트의 유업을 완성하고 불신자(不信者)를 멸하여 전인류를 낙원으로 인도한다고 함.
마디⁴ 타 〈옛〉 말지. '말다'의 활용형. ¶ 잢간도 마디 아니 ᄒᆞ샤ᄆᆞᆫ 《月釋 XIV:45》.

마디꼬리-맵시벌 명 〖충〗 [*Ephialtes manifestator*] 맵시벌과에 속하는 곤충. 암컷의 몸길이 23 mm 가량이고 몸빛은 흑색에 촉각은 농갈색임. 온몸에 점각(點刻)이 있고, 복부 제 1-4절은 길이보다 폭이 짧으며 산란관은 31mm나 됨. 한국·일본·사할린·유럽·시베리아 등지에 분포함. 하늘소류의 유충에 기생함.

〈마디꼬리맵시벌〉

마디-꽃 명 〖식〗 [*Rotala uliginosa*] 부처꽃과에 속하는 일년초. 복와생(伏臥生)이고 마디에서 백색의 수근(鬚根)이 남. 줄기는 높이 15cm 내외이며, 잎은 대생(對生)하고 무병(無柄)이며, 거꿀달걀꼴 또는 다소 빗 모양의 긴 타원형임. 7-8월에 꽃자루가 없는 연분홍의 작은 꽃이 잎 사이에 하나씩 나서 피고, 과실은 삭과(蒴果)임. 밭의 습지에 나는데, 제주·전남·경남·경기에 분포함.

〈마디꽃〉

마디-누에 명 병에 걸려 마디가 부어 오른 누에.

마디다 형 〔중세 : ᄆᆞ디다〕 ①써서 없어지는 물건이 오래 지탱(支撑)하다. ¶ 천 원 돈도 아껴 쓰면 ~/나무가 마디게 타다. ↔헤프다. ②자라는 속도가 더디다. ¶ 마디게 자라는 아이.

마디-마디 명부 마디마다. ¶ ~가 아프다/~ 깊은 뜻이 담긴 명언.

마디발 동:물 【一動物】 명 〖동〗 절지 동물(節肢動物).

마디-지다 ⊟ 형 마디가 있다. ¶ 마디진 담뱃대. ⊟ 자 마디가 생기다.

마디촌-부 【一寸部】 명 한자 부수(部首)의 하나. '射'나 '專'등의 '寸'의 이름.

마디-충 【一蟲】 명 〖충〗 ①식물의 줄기 속을 파먹는 곤충의 총칭. ②명나방의 유충. 명충(螟蟲).

마디충-나비 【一蟲一】 명 〖충〗 이화명나방.

마디-풀 명 〖식〗 [*Polygonum aviculare*] 마디풀과에 속하는 일년초. 줄기 높이 30cm 가량으로, 잎은 호생하는데, 단병(短柄)이고, 긴 타원형 또는 피침형이며, 초상 탁엽(鞘狀托葉)은 막질(膜質)이고 백색임. 6-7월에 엽액(葉腋)에서 홍백색의 작은 꽃이 하나씩 또는 여러 개씩 모여서 피고, 과실은 수과(瘦果)임. 들이나 길가에 나는데 한국 각지에 분포함. 어린 잎은 먹으며, 줄기와 잎은 황달(黃疸)·곽란·복통 등의 약재로 씀. 편죽(扁竹). 편축(扁蓄). 변축(萹蓄).

〈마디풀〉

마디풀-과 【一科】 [一꽈] 명 〖식〗 [Polygonaceae] 쌍자엽 식물 이판화류(離瓣花類)에 속하는 한 과. 줄기에 뚜렷한 마디가 있음. 온대 지방에 750여 종, 한국에는 닭의덩굴·범꼬리·여뀌·메밀·며느리배꼽·쪽·개싱아·마디풀 등 80여 종이 분포함.

마딧-줄 명 〖악〗 마디를 구분하기 위하여 보표(譜表) 위에 세로 그은 줄. 보표에서 박자의 셈여림을 뚜렷이 하기 위하여 셈박 앞에 그음. 소절선(小節線).

마딕 명 〈옛〉 맨 위. ¶ 마딕 샹(上) 《字會下 34》.

마따나 조 '말' 밑에만 붙어 '말한 바와 같이, 말대로, 말과 같이' 등의 뜻을 나타내는 부사격 조사. ¶ 네 말~ 그것이 더 낫다.

마딱 부 〈방〉 다[3].

마땅-찮다 [一찬타] 형 ↗마땅하지 아니하다. ¶ 마땅찮은 얼굴.

마땅-찮이 [一찬一] 부 마땅찮게. ¶ 남의 충고를 ~ 여기다.

마땅-하다 형여불 ①사물이 제자리에 옳게 들어서서 잘 어울리다. 알맞다. ¶ 마땅한 혼처(婚處)가 나서다. ②그렇게 하는 것이 옳다. 당연하다. ¶ 벌을 받아 ~. 마땅-히 부. ¶ 학생은 ~ 공부를 해야 한다.

마뜩-이 부 마뜩하게.

마뜩-잖다 [一잔타] 형 ↗마뜩하지 아니하다. ¶ 그의 태도가 ~/ 설분할 곳이 없어 성깔이 꽤나 괴팍해진 신석주는 마뜩잖은 상판이 되어 물었다《金周榮 : 客主》.

마뜩-하다 형여불 마음에 마땅하다. ¶ 마뜩한 반찬.

마라[1] 【魔羅·摩羅】 명 〖불교〗 ①〔범 māra; 장애(障礙)·교란(攪亂)〕 수도(修道)를 장애하는 귀신 또는 사물. 악마(惡魔). 준마(魔). ②〔본디 중들이 쓰던 은어(隱語)〕 음경(陰莖).

마라[2] 〔mara〕 명 〖동〗 [*Dolichotis patagona*] 남(南)아프리카의 대초원(大草原)이나 바위가 많은 황무지에 사는 설치류(齧齒類)의 하나. 토끼와 비슷하게 생겼으나 귀가 짧고 다리가 길. 몸길이 69-75cm, 몸무게 9-16kg로 몸의 윗면은 잿빛, 아랫면은 흰 빛을 띰. 군거성(群居性)이 있어 10-30마리씩 떼를 지어 삶. 초식성(草食性)으로 풀·뿌리 등을 먹으며 구애 중(求愛中)의 수컷은 오줌을 암컷에 끼얹는 버릇이 있음.

마라[3] 〔Marat, Jean Paul〕 명 〖사람〗 프랑스 혁명의 지도자. 의사 출신인데, 신문 '인민의 벗'을 발행하여 파리 민중의 혁명적 민주주의를 옹호함. 지롱드당(Gironde黨)에 대항하여 파리에서 국민 공회 의원으로 뽑혀 산악당(山岳黨)의 중심 인물이 되었다가, 산악당의 독재 성립 후 목욕(沐浴) 중에 한 소녀에게 척살(刺殺)되었음. [1743-93]

마라가 【馬剌加】 명 〖지〗 '말라카(Malacca)'의 음역.

마라-난타 【摩羅難陀】 명 〖사람〗 백제(百濟)에 처음으로 불교를 전한 인도의 중. 제15대 침류왕(枕流王) 원년(384)에 중국의 진(晉)나라를 거쳐 들어와서 불도(佛道)를 폄.

마:라-도 【馬羅島】 명 〖지〗 제주도의 서남단 모슬포(摹瑟浦) 남해상, 남제주군(南濟州郡) 대정읍(大靜邑) 가파리(加波里)에 있는 섬. 연안 일대에서 김·미역·소라·전복·해삼 등이 많이 채취되며, 특히 전복은 통조림으로 수출됨. [0.3km²: 90 명(1984)]

마라리-벌 명 〈방〉 〖충〗 말벌.

마라스키:노 〔maraschino〕 명 혼성주(混成酒)의 하나. 보스니아 헤르체고비나 공화국 서부 달마티아(Dalmatia)에서 나는 마라스카(marasca) 버찌를 원료로, 알코올·설탕을 섞어 증류해서 만든 리큐어(liqueur).

마라조 섬 〔Marajó〕 명 〖지〗 브라질의 북부 아마존 강과 토칸틴스 강(Tocantins江)의 강구에 있는 섬. 적도(赤道) 밑의 고온 열대 저습지(低濕地)임. 천연(天然) 고무 채취(採取), 후추 재배, 목우(牧牛)가 행하여짐. [48,000km²]

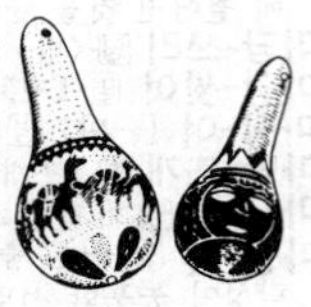

〈마라카스〉

마라:카스 〔maracas〕 명 〖악〗 라틴 아메리카 음악에 쓰이는 리듬 악기의 일종. 원래 야자과 식물인 마라카의 열매를 말려 속에 건조한 그 씨나 구슬을 넣어서 양손에 한 개씩 쥐고 흔들어 소리를 냄. 에보나이트·합성수지 제품 등으로도 대용하며, 룸바·삼바·맘보 등의 연주에 쓰임.

마라카이 〔Maracay〕 명 〖지〗 베네수엘라 북부의 도시. 카라카스 서쪽 약 80km, 발렌시아 호(Valencia湖) 근처에 있음. 농업 지역의 중심지이며 섬유·제당·제지·고무·시멘트 등의 공업이 행해짐. 주요한 육군 기지(基地)이며, 국립 농사 시험장도 있음. [333,000 명(1979)]

마라카이보 〔Maracaibo〕 명 〖지〗 베네수엘라 서부의 유전(油田) 도시. 마라카이보 만(灣)과 마라카이보 호(湖)의 접속점(接續點) 서안에 있으며, 석유의 적출항(積出港)으로 유명함. 1914년 대유전(大油田)의 발견으로 급속히 발달하였으며 조선(造船)·피혁 공업(皮革工業)도 행하여짐. [874,000 명(1979)]

마라카이보 호 【一湖】 〔Maracaibo〕 명 〖지〗 남아메리카 베네수엘라 북서부, 마라카이보 분지에 있는 함호(鹹湖). 호안 일대는 남아메리카 최대의 유전 지대로 약 20억 m³의 석유 매장량을 가지며, 마라카이보 만(灣)까지 운하가 통함. [12,950km²]

마라:케시 〔Marrakech〕 명 〖지〗 모로코 중부의 도시로서 농업의 중심지. 1062년 창건(創建)되었으며, 무라비트 왕조(Murabit王朝)·무와히드 왕조(Muwahhid王朝)의 수도였음. 1912년 프랑스령(領)이 되어 근대적 도시로 발달함. [440,000 명(1982)]

마라:타 동맹 【一同盟】 〔Maratha〕 명 〖역〗 18세기 전반(前半)에서 19세기 전반에 걸쳐 인도의 마라타 왕국의 재상(宰相) 페시와(Peshwā)를 중심으로 결성된 봉건 제후(諸侯)의 연합체. 무굴 세력에 대항하여 전 인도의 패권을 잡았으나 18세기 말기부터 19세기 초두의 세 차례에 걸친 영국과의 충돌로 지배권을 잃음.

마라:타 전:쟁 【一戰爭】 〔Maratha〕 명 인도의 마라타 동맹 제후(諸侯)와 영국 동인도 회사와의 3차에 걸친 전쟁(1775-85, 1803-05, 1817-18). 동맹측의 제후는 각개 격파되어, 동맹은 해체되고 영국은 서(西)인도의 지배권을 확립했음.

마라:타-족 【一族】 〔Maratha〕 명 인도 힌두족(Hindu族)에 속하며 인도 서부에서 중부에 걸쳐 사는 호전적(好戰的)인 민족. 일반적으로 마라티어(Marathi 語)를 사용하는 주민(住民)을 일컬음.

마라톤 〔Marathon〕 명 ①〖지〗 그리스의 아테네(Athenae) 동북방 32km 지점에 있는 한촌(寒村). '마라톤 싸움'의 고전장(古戰場)임. ②↗마라톤 경주.

마라톤 경:주 【一競走】 〔marathon〕 명 ①육상 경기의 한 종목(種目). 그리스의 한 용사가 전장(戰場)인 마라톤에서 아테네까지 단숨에 달려 승리(勝利)의 희보(喜報)를 전하고 쓰러져 죽었다는 고사(故事)에서 연유하며, 인내·지구력·국기심과 애국·애족·정의를 상징하는 경기로서 높이 평가됨. 거리는 42.195km, 곧 26마일 385야드임. ②전(轉)하여, 내구 경쟁(耐久競爭)을 일컬음. 준마라톤.

마라톤 금융 【一金融】 [一/一늉] 명 〔marathon loan〕 〖경〗 마라톤처럼 자금을 다음에서 다음으로 굴려 가는 부정 금융의 한 방법. 처음에 자금의 뒷받침이 없는 A은행 지급의 수표를 B은행에 예금한 다음, 즉시 이 예금을 찾아서 유용(流用)하는 한편, A은행에 C은행 지급의 수표를 불입하고, 먼저 발행한 A은행 지급의 수표를 결제하기 위하여 D은행 지급의 수표를 발행하는 식으로, 최종의 지급을 자꾸 뒤로 미루어 나가는 방법.

마라톤 싸움 〔Marathon〕 명 〖역〗 제2 페르시아 전쟁 중의 한 전투. 기원전 490년 밀티아데스(Miltiades)의 아테네군이 마라톤에서 열 배가 넘는 페르시아의 다리우스(Darius) 왕의 대군을 요격하여 크게 승리함.

마라톤 코:스 〔marathon course〕 명 육상 경기에서, 마라톤 경기의 경주로(競走路)를 이름. 42.195km임.

마라톤 회:담 【一會談】 〔marathon〕 명 주요 의제 따위를 놓고 장시간에 걸쳐 휴회도 없이 내리 회담을 계속하는 일. 또는 한 사람이 여러 사람과 차례로 접촉하여, 특정 문제의 해결을 위하여 회담을 계속하는 일.

마라티-어 【一語】 〔Marathi〕 명 〖언〗 인도 마라타족이 쓰는 언어. 인도어파(印度語派)에 속하는 산스크리트어(Sanskrit語)로 인도의 봄베이 및 그 부근에서 쓰임.

마람[1] 명 〈옛·방〉 〖식〗 마름[2](전라·평북). ¶ 마람 닙희 브람나니 蓬窓이 서놀코야 《尹善道 漁夫四時》.

마람[2] 명 〈방〉 마름[1](전라).

마:람[3] 【馬藍】 명 〖식〗 쪽의 한 가지. 판람(板藍).

마람바 〔Maramba〕 명 〖지〗 '리빙스턴(Livingstone)'을 고친 이름. 아프리카 잠비아(Zambia)의 남단, 잠베지 강(Zambezi江) 연변의 도시. 농·축산물의 집산지이며, 관광의 중심지임. 탐험가 리빙스턴을 기념하기 위한 리빙스턴 박물관이 있음. [72,000 명(1980)]

마랍가 【馬拉加】 명 〖지〗 '말라카(Malacca)'의 음역.

마:랑 【馬郞】 명 중국 묘족(苗族) 사이에서, 미혼의 남자를 이르는 말.

마랑구 명 〈심마니〉 기름.

마랑두 명 〈심마니〉 기름.

마:랑-부 【馬郞婦】 명 〖불교〗 중남(衆男)을 교화하기 위해 관음 보살이 화신(化身)하였다는 미녀. 마(馬)씨에게 시집갔으나, 곧 죽었다고 전함.

마랑부 관음.

마:랑부 관음【馬郞婦觀音】[명]〖불교〗마랑부.

마래[1] [명]〈방〉마루[1](전남).

마래[2]【馬來】[명]〖지〗'말레이'의 취음.

마래 군도【馬來群島】[명]〖지〗'말레이 군도(Malay 群島)'의 취음.

마래기 [명] 중국 사람들의 모자의 한 가지. 청(淸)나라 때 관리들이 쓰던 모자인데, 둘레가 넓고 운두가 납작하여 투구와 비슷하며, 증자(鏳子)에서부터 거듭한 상모로 빙 둘러 덮었음. 취음:말액(抹額).

마:래미 [명] ①〖어〗방어의 새끼. ②〈방〉마름[3]. ③〈방〉마름[2](함남·평북).

마래 반:도【馬來半島】[명]〖지〗'말레이 반도(Malay 半島)'의 취음.

마래-어【馬來語】[명]〖언〗'말레이어(Malay 語)'의 취음.

마래 연방【馬來聯邦】[명]〖지〗'말레이시아'의 전신(前身).

마래-인【馬來人】[명] '말레이인(Malay 人)'의 취음.

마랭이[1] [명]〈방〉마루[1](경북).

마랭이[2] [명]〈방〉〖식〗마름[2](강원).

마랭이[3] [명]〈방〉산봉우리(전북·경북).

마:량【馬糧】[명] 말의 사료(飼料).

마레[1]〔Marais, Jean〕[명]〖사람〗프랑스의 배우. 콕토(Cocteau)에 발견되어 여러 영화에 출연, 《유리의 성》 등에서 북구적(北歐的)이고 현대적인 세련미로 훌륭한 연기를 보임. [1914-]

마레[2]〔Marées, Hans von〕[명]〖사람〗독일의 화가. 뵈클린(Böcklin) 등과 함께 신이상주의(新理想主義) 화가의 대표자로, 단순한 화면과 암색(暗色)을 즐겨 썼으며, 작품 《디아나(Diana)의 목욕》 등이 유명함. [1837-87]

마레샬〔Maréchal, Maurice〕[명]〖사람〗프랑스의 첼로 연주가. 일급의 연주가로 많은 연주회를 가졌음. [1892-1964]

마레이징-강【—鋼】[명]〔maraging steel〕초강력강(超強力鋼)의 한 가지. 니켈 18%, 코발트 8%, 몰리브덴 5%를 표준으로 하여 여러 가지가 있음. 고온 강도가 뛰어나기 때문에 항공기·제트 엔진·초고압(超高壓) 화학 장치 부품 등에 쓰임.

마레트〔Marett, Robert Ranulph〕[명]〖사람〗영국의 인류학자. 타일러(Tylor)와 프레이저(Frazer)의 학설을 비판하면서 원시 종교의 해명에 공헌함. 종교의 원시적 형태를 애니머티즘 또는 프리애니미즘이라고 이름하고 주술(呪術)과 종교의 일원론(一元論)을 제창함. 저서에 《종교의 시작》이 있음. 매럿. [1866-1943]

마려【磨礪】[명] 쇠붙이나 돌 따위를 문질러 갊. ——-하다 [타][여불]

마려우- [간] '마렵다'의 불규칙 어간. ¶ 오줌이 ~면/~니/~ㄹ 때.

마력[1]【魔力】[명] 괴상한 힘. 사람을 현혹시키고 매혹하는 이상한 힘.

마:력[2]【馬力】[一] [의명]〔horse power〕〖물〗일률(率)의 실용 단위. 약 한 필의 말의 힘에 해당하는데, 매초당(每秒當) 75kg·m의 일의 양에 상당하며, 746와트(watt)의 전력에 상당함. 'HP'의 약호(略號)로 표시함. [二] [명] 동력(動力)의 다소(多少).

마:력-시【馬力時】[의명] 일의 단위의 하나. 1마력의 일률(率)로 한 시간에 행하는 일을 나타냄.

마련【磨鍊】[명] ①일이나 물건을 이리저리 마름질하여 계획을 세움. 또, 그 준비. ¶ 무슨 ~이 있을 게다. ②서술격 조사 '이다' 앞에 쓰이어 '당연히 그러할 것임'의 뜻을 나타냄. ¶ 돈은 지니고 있으면 쓰게 ~이다. ——-하다 [타][여불] ①일이나 물건을 이리저리 마름질하여 계획을 세우다. 또, 준비하다. ¶ 돈을 ~ / 선물을 ~. ②'마련해서는'의 꼴로 쓰이어, '그러한 것치고는', '그러한 것에 비해서는'의 뜻을 나타내는 말. ③〈방〉마르다[2](전북).

마련 그:림【磨鍊—】[명] 설계도(設計圖).

마련 아니다 [구]〈방〉형편없다.

마련-없다 [형]〈방〉형편없다. ¶ 살림이 ~.

마련-통이 [명] ☞ 배련통이.

마:렵【馬鬣】[명] 말갈기.

마렵다 [형][ㅂ불] 대소변이 나오려는 느낌이 있다. ¶ 오줌이 ~.

마:령[1]【馬齡】[명] 마치(馬齒).

마:령[2]【馬鈴】[명] 말방울.

마:령-서【馬鈴薯】[명]〖식〗감자[1]❶.

마로〔Marot, Clément〕[명]〖사람〗프랑스의 시인. 종교 개혁의 동조자(同調者)로 몰려 박해를 받아, 망명처인 토리노에서 객사함. 이탈리아 문학의 영향을 받아 프랑스 최초의 소네트(sonnet)를 씀. 박해의 고난 속에서도 서간시(書簡詩)·에피그램(epigram) 등에서 경묘하고 깔끔한 재능을 발휘함. [1496-1544]

마로니에〔프 marronnier〕[명]〖식〗[*Aesculus hippocastanum*] 참나뭇과에 속(屬)하는 낙엽 교목. 줄기의 높이 30m, 둘레 6m에 달하는 것도 있음. 잎은 장상 복엽(掌狀複葉)으로 길이 20cm 가량이고, 선단이 뾰쪽하며 가에 둔한 톱니가 있음. 5-6월경에 백색에 적색 무늬가 있는 종상화(鐘狀花)가 피고, 과실은 구형의 삭과(蒴果)로 가시가 있으며 속에 한두 개의 씨가 들어 있음. 지중해 연안 원산(原産)으로, 이탈리아·프랑스 등지에서 가로수로 많이 재배함. *마롱.

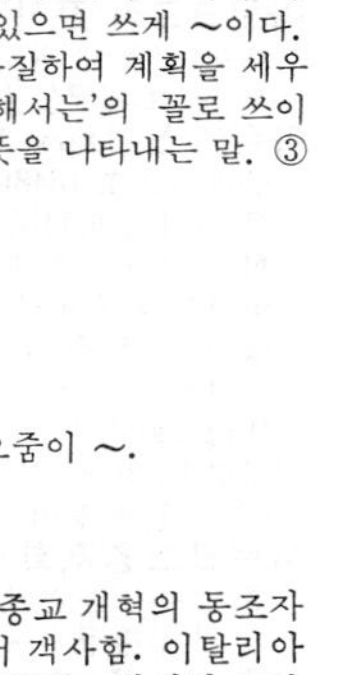
〈마로니에〉

마:록【馬鹿】[명]〖동〗고라니.

마롧디니라 [보동]〈옛〉말지니라. '말다[4]'의 활용형. ¶ 도라보디 마롧디니라(不必顧着)《蒙法 36》.

마롬 [타]〈옛〉맒. '말다[3]'의 명사형. ¶ 구위실 마로미 또 사ᄅᆞᄆᆞ로 브테 어늘(罷官亦由人)《杜諺 X:29》.

마롱[1] [명]〈방〉마루[1](강원).

마롱[2]〔프 marron〕[명]〖식〗마로니에의 열매. 밤의 일종으로 지름 6cm 가량의 구형이며, 가시 모양의 돌기(突起)가 있는데 안에 한두 개의 씨가 들어 있음. 구워서 먹기도 함.

마롱 글라세〔프 marrons glacés〕[명] 마롱을 설탕과 향료로써 연하고 윤이 나게 삶아서 만든 과자.

마:료[1]【馬料】[명] 말먹이.

마:료[2]【馬蓼】[명]〖식〗말여뀌. 개여뀌.

마루[1] [명]〔중세 : ᄆᆞᄅᆞ〕〖건〗집 안에 바닥과 사이를 띄워 널조각으로 깔아 놓은 곳. 말루(抹樓). 청사(廳事).

마루[2] [명]〔중세 : ᄆᆞᄅᆞ〕①지붕이나 산에 길게 등성이가 진 곳. ¶ 산~. ②일의 한창인 고비. ③↗용마루. ④〖악〗국악(國樂)에서, '절(節)'의 일컬음. ¶ 가사(歌詞) 춘면곡(春眠曲)은 일곱 ~로 구성된다. ⑤〈방〉산봉우리(충남).

[마루 넘은 수레 내려가기] 마루턱을 넘어서 내려가는 수레의 속도와 같이, 사물의 진행 속도가 매우 빠르거나 걷잡을 수 없는 기세임을 이르는 말.

마루 높이 [명]〖건〗지면(地面)으로부터 용마루까지의 높이. 동고(棟高).

마루-머리 [명] 용마루의 옆면(面).

마루-방【—房】[명]〖건〗구들을 놓지 않고 널을 깔아 놓은 방. ↔구들방.

마루-새 [명]〈방〉용마루(평안).

마루 씨름 [명]〈방〉상씨름.

마루야마 오:쿄〔円山応挙:まるやまおうきょ〕[명]〖사람〗일본의 화가. 객관적 사생주의(寫生主義)를 주장함. [1733-95]

마루 운:동【—運動】[명] 체조 경기의 하나. 12m 사방의 매트 위에서, 남자는 50-70초 이내에, 도수 체조와 도약, 힘, 정지, 평균, 도립 회전(倒立回轉), 공중제비 등의 기술을 배합하고, 여자는 70-90초 이내에, 음악에 맞추어 도약, 회전, 공중제비 등의 기술과 무용적인 움직임, 스텝을 조합하여 연속해서 연기함.

마루 적심【—積心】[명]〖건〗용마루의 뒷목을 눌러 박은 적심(積心).

마루-중방【—中榜】[명]〖건〗①옆의 마룻널이 끼거나 위쪽에 걸쳐지는 중방. ②다락마루 밑에 있는 큰 중방.

마루-창 [명]〈방〉마루청.

마루-청【—廳】[명]〖건〗마룻바닥을 까는 널조각.

마루-터기 [명] 산마루나 용마루의 두드러진 턱. [준]마루턱.

마루-턱 [명] ↗마루터기.

마루트〔Marut〕[명]〖신〗인도, 베다 신화 속의 한 무리의 풍신(風神)·강우신(降雨神). 인드라(Indra)의 시종(侍從)으로 무쇠 갑옷을 입고 투창(投槍)과 같은 뇌전(雷電)을 가졌으며, 황금 수레를 타고 천지를 뒤흔듦. 무용(武勇)과 치병(治病)의 신이라고도 함.

마루-폭【—幅】[명] 바지나 고의(袴衣) 같은 것의 허리와 사폭(邪幅)에 대는 긴 헝겊.

마룩 [명]〈방〉국물(개성).

마룻-구멍[1] [명] ①마루와 밑바닥의 사이가 뜬 곳. ¶ ~에 숨다. ②마루청에 뚫린 구멍. ¶ ~을 틀어막다.

마룻-구멍[2] [명]〖건〗서까래와 보·도리와의 사이에 있는 구멍.

마룻-귀틀 [명] 마루청이 끼이거나 얹히게 된 길고 튼튼한 나무.

마룻-대 [명]〖건〗용마루 밑에 서까래가 걸리게 된 도리. 마룻도리. 기축(機軸). 상량(上樑).

마룻-대공【—臺工】[명]〖건〗종량(宗樑) 위에 마루를 받쳐 세운 동자(童子) 기둥. 종대공(宗臺工).

마룻-도리 [명]〖건〗마룻대.

마룻-바닥 [명] 마루의 바닥.

마룻-보 [명]〖건〗①두 겹으로 얹는 보에 있어서 마룻대가 되는 보. ②마룻대의 밑까지 높이 쌓아 올린 보.

마룻-줄 [명] 용총줄.

마룽 [명]〈방〉마루[1](강원·충남·전라).

마:륙【馬陸】[명]〖동〗노래기[1].

마:르〔도 Maar〕[명]〖지〗화산의 형태 분류의 하나. 화산이 폭발하기 이전에 있던 암석이, 소규모의 가스 폭발로 인하여 화구(火口)의 주위에 쌓여서 된, 작은 폭렬 화구(爆裂火口). 구멍의 지름은 수십 내지 수백 미터 정도이며, 바닥에 물이 괴어 있는 것이 있음.

마르그레테〔Margrete〕[명]〖사람〗덴마크·스웨덴·노르웨이의 사실상의 여왕. 덴마크의 왕 발데마르(Valdemar) 4세의 딸로 노르웨이 왕(王) 호콘(Hakaon) 6세와 결혼하고 아버지와 남편이 죽자, 두 나라의 섭정이 되었다가 1387년 여왕이 됨. [1353-1412]

마르그리트 드 나바:르〔Marguerite de Navarre〕[명]〖사람〗프랑스의 여류 작가. 프랑수아(François) 1세의 누이로, 나바르의 여왕. 인문주의자(人文主義者)·종교 개혁자 들을 비호하고 자신도 플라톤의 사상과 그리스도교적 신비감을 조화시킨 서정시·극작(劇作) 및 《데카메론》을 모방한 《에프타메롱(Heptaméron)》을 씀. [1492-1549]

마르는 [조]〈옛〉지마는. ¶ 西京이 셔울히마르는《樂詞 西京別曲》. *히마르는.

마르다[1] [자][르불] ①물기가 날아가 없어지다. ¶ 옷이 ~. ②야위어서 살이 없다. 살이 빠지다. ¶ 몸이 ~. ③몸이나 목에 물기가 없어 갈증이 나다. ¶ 목이 ~. ④강이나 내 같은 곳에 물이 없어지다. ¶ 우물이 ~. ⑤〈속〉돈이 없어 군색하게 되다. ¶ 주머니가 ~.

[마른 나무 꺾듯 한다] 일을 단번에 쉽게 해치운다는 말. [마른 나무를 태우면 생나무도 탄다] 아니 되는 일도 대세(大勢)를 타면 될 수 있다는 말. [마른 나무에 물이 날까] 원인 없는 데서 결과가 있을 수 없다는 말. [마른 나무에서 물 짜기] 분명 없을 데 가서 내놓으라고 억지를 부린다는 말. [마른 나무에 좀 먹듯] 건강이나 재산이 부지중에 점점 쇠하거나 없어짐을 일컫는 말. [마른 논에 물 대기] ㉠일이 매우 힘들다는 뜻. ㉡힘들여 해 놓아도 성과가 없을 때 쓰는 말. [마른 논에 물 잦듯 하다] 마른 논에 물을 대면 곧 배어 들어 잦아들듯, 물건이 금세 녹아 없어짐을 이름. ¶ 가난한 양반이 돈을 보면 마른 논에 물 잦듯 하

는지라《李人稙:牧丹峰》. 【마른 말은 꼬리가 길다】 마르고 여위면 같은 것이라도 더 길게 보인다는 말. 「을~.

마르다² 타|르불 옷감이나 재목 등을 치수에 맞추어 베고 자르다. ¶ 옷감

마르둑 〔Marduk〕 명 《신》 고대 바빌로니아의 주신(主神). 본래는 바빌론의 시신(市神). 수메르(Sumer)의 주신 엔릴(En-lil)과 합체(合體)하여 모든 신화의 주인공이 됨. 티아마트(Tiamat)를 죽이고 천지를 창조하였다고 전해짐.

마르래 명 〈방〉 모자(帽子)(함남).

마르마라 해 【一海】 〔Marmara〕 명 《지》 발칸 반도와 소아시아 사이의 바다. 북쪽은 보스포루스 해협(Bosporus 海峽)을 거쳐 흑해(黑海)로 통하고, 남쪽은 다르다넬스 해협(Dardanelles 海峽)을 거쳐 에게 해(Aegea 海)로 통함. [동서 약 250 km, 남북 약 70 km]

마르멜루 〔포 marmelo〕 명 《식》 [*Cydonia oblonga*] 장미과에 속하는 낙엽 교목. 높이 5-8 m 가량이고 잎은 달걀꼴 또는 긴 타원형으로 길이 5-10 cm, 하면에 회백색의 면모(綿毛)가 밀생함. 봄에 백색 또는 담홍색의 오판화(五瓣花)가 피고, 과실은 노랗고 둥근데 겨죽에 면모(綿毛)가 있으며 단맛과 향기가 있어 생식(生食)하거나, 잼(jam)을 만들어 먹음. 중앙아시아 원산(原産)으로, 프랑스 남부·스페인·포르투갈 등지에 분포함.

〈마르멜루〉

마르모트 〔프 marmotte〕 명 《동》 '마멋(marmot)'의 프랑스명(名).

마르몰라다 산 【一山】 〔Marmolada〕 명 《지》 이탈리아 북부, 돌로미티 알프스(Dolomiti Alps)의 최고봉. 장대한 빙하가 있음. [3,342 m]

마르미 명 〈방〉 《어》 마래미 ❶.

마:르부르크 〔Marburg〕 명 《지》 독일 중부, 헤센 주(Hessen 州)의 대학 도시. 13-15세기 후기 고딕 양식의 성(城)을 비롯하여 초기 고딕 양식의 성당과 신교(新教) 최초의 종합 대학교 등이 있음. [77,000명(1981)]

마:르부르크 병 【一病】 〔Marburg〕 명 《의》 바이러스성(性)의 악성 전염병. 1967 년에 독일의 마르부르크에서 집단 발생하여 발견되었는데, 아프리카긴꼬리원숭이가 매개체이며, 두통·발열·구토 등을 수반하고, 중증(重症)일 때에는 죽음에 이르기도 함.

마:르부르크 학파 【一學派】 〔Marburg〕 명 《철》 신(新)칸트 학파의 하나. 19세기 말, 독일 마르부르크 대학의 교수 코엔(Cohen)·나토르프(Natorp) 등이 창시하였음.

마르-새끼 명 〈방〉 《동》 망아지(강원).

마르샤:크 〔Marshak, Samuil Yakovlevich〕 명 《사람》 소련의 시인. 소련 아동 문학 창시자의 한 사람. 어린이를 위한 밝고 명랑한 시를 많이 쓰고, 민화 형식(民話形式)의 희곡 《숲은 살아 있다》 등을 발표함. [1887-1964]

마르샹 〔Marchand, André〕 명 《사람》 프랑스의 화가. 루브르(Louvre)에서 독학, 각지를 여행하며 현대 회화의 여러 파의 영향을 받았으며, 현대 화가 중 가장 주목되는 존재로서 활약함. 회화 이외에 의상(衣裳)과 무대 장치에도 손을 댐. [1907-]

마르세예즈 〔프 Marseillaise〕 명 라 마르세예즈.

마르세:유 〔Marseille〕 명 《지》 프랑스 남쪽, 론 강(Rhône江) 어귀에서 동쪽으로 40 km에 있는 지중해 최대의 프랑스 무역항. 프랑스 제2의 도시이며, 조선(造船)·기계·화학·정유(精油)·제당(製糖) 등의 공업이 성함. 그리스 시대의 고명(古名)은 마실리아(Massilia). 마이새(馬耳塞). [879,000명(1982)]

마르세일 비누 〔Marseille〕 명 냉수에 녹기 쉬운 중성 비누. 올리브유·낙화생유 등으로 만드는데, 견직물이나 모직물 등의 세탁에 쓰임.

마르셀 〔Marcel, Gabriel〕 명 《사람》 프랑스 현대의 철학자. 가톨릭에 귀의(歸依)하여 실존적(實存的) 체험의 자유로운 기술로서 주체적 실존(主體的實存)과 객체적 존재(客體的存在)를 구별, 가톨릭적 실존주의의 대표적 인물 및 프랑스 실존주의의 선구적 존재가 됨. 저서에 《형이상학적 일기》·《성상(聖像) 파괴자》 등이 있음. [1889-1973]

마르소호트 〔러 Marsokhod〕 명 소련에서 개발한 것으로 전해진 무인 화성 주행차(無人火星走行車).

마르스¹ 〔MARS〕 명 〔Magnetic electoronic Automatic Reservation System의 약칭〕 각 역(驛) 창구의 컴퓨터 단말(端末) 장치를 조작(操作)함으로써 중앙(中央)의 장치를 통하여 자동적으로 열차 좌석이 예약되는 제도.

마:르스² 〔Mārs〕 명 ①《신》 로마 신화 중의 군신(軍神). 그리스 신화의 아레스(Arēs)에 해당함. ②《천》 화성⁵.

마르-재:다 타 〈방〉 마르다².

〈마르스²❶〉

마르치알레 〔이 marciale〕 명 《악》 '행진곡조(行進曲調)로'의 뜻.

마르카브 〔Markab〕 명 《천》 페가수스자리의 알파(α)성. 청백색의 2.5 등성(等星)으로, 거리는 80광년.

마르카토 〔이 marcato〕 명 《악》 '악센트(accent)를 붙여서 똑똑이'의 뜻.

마르케 〔Marquet, Albert〕 명 《사람》 프랑스의 화가. 마티스(Matisse)와 교우(交友), 1905년 포비슴(fauvisme) 운동에 참가한 후 끝내 이 양식을 지켜, 거리와 해변의 풍경을 즐겨 그림. 마티스보다 온건한 작풍(作風)으로 순수색보다 중간색의 뉘앙스를 재치 있게 살림. [1875-1947]

마르코 〔Marcus〕 명 《천주교》 '마가'를 고친 이름. 말구.

마르코니 〔Marconi, Guglielmo〕 명 《사람》 이탈리아의 전기공학자. 전자석을 이용한 통신 장치를 발명. 처음으로 무선 전신에 성공하여 1909년 노벨 물리학상을 받았음. [1874-1937]

마르코브니코프의 규칙 【一規則】 〔Markovnikov〕 [ㅡ/ㅡ에ㅡ] 명 《화》 러시아의 유기 화학자 마르코브니코프(Markovnikov, V.V.)가 1868 년에 발견한 유기 반응(有機反應)의 한 법칙. 탄소와 이중 결합·삼중 결합에 할로겐화 수소·황산·메르캅탄(Merkaptan)·시안화 수소 등이 부가될 경우, 그 부가의 방향은 불포화(不飽和) 결합을 구성하는 탄소에 직접 붙어 있는 수소의 수가 많은 쪽의 탄소에 부가체(附加體)의 수소가 부가한다는 법칙.

마르코의 복음서 【一福音書】 〔헤 Mark〕 [ㅡ/ㅡ에ㅡ] 명 《성》 마가 「복음.

마르코 폴:로 〔Marco Polo〕 명 《사람》 이탈리아의 여행가. 베네치아(Venezia) 사람으로, 1260년 아버지를 따라 중국에 왕래, 1271년 다시 몽고의 상도(上都) 카이핑(開平)에 가서 쿠빌라이(Khubilai)의 우대(優待)를 받으며 정치에도 관여하다가 귀국하여 옥중에서 유명한 《동방견문록(東方見聞錄)》을 구술(口述)함. [1254?-1324]

마르코프 〔Markov, Andrei Andreevich〕 명 《사람》 러시아의 수학자. 확률론·수리 통계학(數理統計學)에 중요한 업적이 있으며, 확률론에서의 마르코프 과정(課程)을 창시(創始)했음. [1856-1922]

마르코프 과:정 【一課程】 〔Markov〕 명 《수》 확률 과정의 하나. 어떤 확률의 법칙에 따라서 사상(事象)이 진행하는 경우, 현 시점의 상태에만 의존하고 과거의 이력(履歷)에는 관계 없이 전개하는 과정. 기체의 확산 이론, 유전학, 사회 과학 등 행동 과학 방면에 응용됨. 수학자 마르코프의 이름에 유래함.

마르쿠스 아우렐리우스 〔Marcus Aurelius〕 명 《사람》 로마의 황제. 정식 이름은 Marcus Aurelius Antoninus. 오현제(五賢帝)의 한 사람. 하드리아누스(Hadrianus) 황제의 근친(近親)으로 로마에서 출생. 안토니누스 피우스(Antoninus Pius) 황제의 양자(養子)가 되어 즉위함. 즉위 후 끊임없이 변방의 게르만 민족과 싸웠고, 국사가 다난했지만 내치(內治)에도 공이 컸음. 멀리 후한(後漢)과도 통하여 《후한서(後漢書)》에 '안돈(安敦)'으로 기록됨. 그는 스토아적인 윤리적 엄격성에다가 로마적인 순박성을 지녔으며, 교양과 학문을 사랑했고, 스토아 학파의 철학에 영향을 받아 '철학자'라는 별명이 있음. 그리스 어로 씌어진 그의 저서 《명상록(瞑想錄)》 12 권은 로마 제정기(帝政期) 스토아 철학의 대표적인 문헌의 하나로 꼽힘. 아우렐리우스. [121-180 ; 재위 161-180]

마르쿠:제 〔Marcuse, Herbert〕 명 《사람》 독일 태생의 미국의 비평가. 캘리포니아 대학, 버클리 대학 정치학 교수. 베를린에서 유태인 집안에 태어나, 1932년 나치스의 대두로 미국에 망명, 1940년에 미국에 귀화함. 기성 질서를 정면으로 비판하고, 기성 반체제(反體制) 운동의 한계를 맹렬히 공격하며, 또 성(性)의 추구를 포함하는 생(生)의 본능의 해방을 부르짖는 그의 사상은 1960년대 서구(西歐)의 학생 운동의 기폭제(起爆劑)가 되었음. 저서에 《에로스와 문명(文明)》·《소련 마르크스주의》·《일차적 인간(一次的人間)》 등이 있음. [1898-1979]

마르크¹ 〔Marc, Franz〕 명 《사람》 독일의 화가. 표현파(表現派)의 대표자로, 칸딘스키(Kandinskii) 등과 함께 '청기사단(靑騎士團)'을 조직. 주관이 이입된 동물화를 그렸으나, 차츰 형체는 무기화(無機化)되어 순수 추상(純粹抽象)에 접근하였음. [1880-1916]

마르크² 〔도 Mark〕 의명 독일의 화폐 단위. 마극(馬克).

마르크 공:동체 【一共同體】 〔도 Mark〕 명 《사》 게르만의 민족 이동 당시까지 존재했던 고유한 원시적 촌락 공동체.

마르크그라:프샤프트 〔도 Markgrafschaft〕 명 《역》 프랑크 왕국 카를 대제(大帝)에 의하여 국경 지구에 설치된, 특별한 군사적 국경 수비 제도 및 그 지구(地區).

마르크스 〔Marx, Karl〕 명 《사람》 독일의 정치학자·경제학자·철학자. 유태인으로 1848년 이래 런던에 거주하였음. 처음 헤겔 좌파(Hegel 左派)에서 출발하여, 독일 관념론·공상적(空想的) 사회주의 및 고전 경제학의 비판과 함께 과학적 사회주의를 창시하였음. 빈곤과 박해 속에서 역사의 유물 변증법적(唯物辯證法的)해석으로 프롤레타리아(prolétariat)의 역할을 인식하고 이의 해방을 뜻하여, 자본주의 체제를 신랄히 공격하고 계급 투쟁의 이론을 수립하였음. 공산당에 가입하여 엥겔스(Engels)와 함께 《공산당 선언》을 기초하고 제1 인터내셔널을 지도하였음. 저서로서 《신성 가족(神聖家族)》·《철학의 빈곤》·《자본론(資本論)》 등이 있음. [1818-83]

마르크스 경제학 【一經濟學】 〔Marx〕 명 《경》 마르크스·엥겔스(Engels)를 창시자로 하여, 힐퍼딩(Hilferding)·레닌(Lenin) 등에 의해서 발전된 사적 유물론(史的唯物論)에 입각한 사회주의 경제학으로서 전개(展開)되고 있는 경제학.

마르크스 레닌주의 【一主義】 〔Marx-Lenin〕 [ㅡ/ㅡ이] 명 《사》 레닌을 통하여 발전한 마르크스주의.

마르크스-주의 【一主義】 〔Marx〕 [ㅡ/ㅡ이] 명 《사》 19 세기 중엽에 마르크스에 의하여 창시되어, 엥겔스·레닌 등에 의하여 한층 진전을 보게 된 세계관 및 그것에 바탕을 둔 실천 활동. 그 철학적 기초를 이루는 것은 유물 변증법(唯物辯證法)이고, 역사와 사회관은 계급 투쟁의 이론을 중심으로 하는 유물사관(唯物史觀)이며, 또한 그 정책은 재산의 사유(私有) 폐지와 생산 수단의 사회화에 의한 무계급 사회의 실현을 기(期)하려는 주의임. 마르크시즘.

마르크스주의 국가관 【一主義國家觀】 〔Marx〕 [ㅡ/ㅡ이ㅡ] 명 《사》 사회적 생산력과 생산 관계가 국가 발전의 결정적 요소이며, 이것이 국가의 형태 및 기능의 조건이라고 하는 국가관.

마르크스주의 법률학 【一主義法律學】 〔Marx〕 [ㅡ뉼ㅡ/ㅡ이ㅡ뉼ㅡ] 명 변증법적인 사적(史的) 유물론의 입장에서, 역사 사회에 있어서의 법적인 모든 형태의 성립과 추이(推移)를 고찰하여, 거기에 존재하는 발전의 객관적 합법칙성(合法則性)을 인식하는 것을 연구의 대상으로 함과 동시에, 이러한 법적 제현상(諸現象) 그 자체에 있어서 법의 본질과 기능을 구명(究明)함을 과제(課題)로 하는 학문.

마르크스주의-자 【一主義者】 〔Marx〕 [ㅡ/ㅡ이ㅡ] 명 마르크스주의

를 신봉하는 사람. 마르크시스트.

마르크시스트 〔Marxist〕 명 마르크스주의자.

마르크시즘 〔Marxism〕 명 〖사〗 마르크스주의.

마르키:즈 제도 【一諸島】〔Marquises〕 명 〖지〗 남태평양, 프랑스령(領) 폴리네시아에 속하는 화산도군(火山島群). 11개의 비교적 큰 화산도와 그 속도(屬島)로 이루어짐. 가장 순수한 폴리네시아인(Polynesia人)이 살고 있어 민족학상 중요함. 코프라를 산출함. 1842년에 프랑스령이 되었음. 마키저스 제도(諸島). [1,274 km² : 5,400 명(1981)]

마르타 강 【一江】〔Marta〕 명 〖지〗 이탈리아 중서부(中西部), 로마의 서북방을 흐르는 강. 볼세나 호(Bolsena湖)를 근원으로 하고 서남으로 흘러 티레니아 해(Tyrrhenia海)에 이름. [40 km]

마르탱 뒤 가:르 〔Martin du Gard, Roger〕 명 〖사람〗 프랑스의 소설가·극작가. 처녀작 《생성(生成)》으로 등장하여, 아무 파에도 속함이 없이 평범히, 그러나 높은 휴머니스트의 안식(眼識)과 냉정한 두뇌로, 특히 사상면의 묘사에 주력하여 대장편 《티보가(Thibault家)의 사람들》 등을 내었으며, 1937년 그 제7부 《1914년 여름》으로 노벨 문학상을 받았음. [1881-1958]

마르텔라토 〔이 martellato〕 명 〖악〗 '하나하나에 힘을 넣어서'의 뜻.

마르톤 〔Martonne, Emmanuel de〕 명 〖사람〗 프랑스의 지리학자. 소르본 대학 교수. 국제 지리학 연합회장을 지냄. 전공(專攻)은 지형학(地形學)이며 주된 업적으로는 알프스의 지형, 니스(Nice) 부근의 건조 지역의 건조 한계에 관한 연구 등이 유명함. 저서에 《자연 지리학 개론》·《알프스 일반 지리》 등이 있음. [1873-1955]

마르트노 〔프 martenot〕 명 고주파 발진기(高周波發振器)를 사용하는 전기 악기. 프랑스의 마르트노(Martenot, M.)가 발명, 1928년에 공개함. 전기의 작동으로 금속선이 진동하여 소리를 내는데, 단선율(單旋律)밖에 낼 수 없음.

마르틀레 〔프 martelé〕 명 〖악〗 〔망치로 친다는 뜻〕 찰현(擦絃) 악기의 한 주법. 활에 탄력을 주면서 현(絃)을 누르듯이 하고 힘차게 켬. ——하다 타여불

마르티 〔Martí, José Julian〕 명 〖사람〗 쿠바의 문인·혁명가. 소년 시절부터 반(反)스페인 독립 운동에 참가했으며, 미국에서 쿠바 혁명당을 조직하여, 1895년 혁명파를 이끌고 쿠바에 귀국 후 곧 전사했음. '쿠바 독립의 아버지'로 불림. 시와 평론도 있음. [1853-95]

마르티농 〔Martinon, Jean〕 명 〖사람〗 프랑스의 작곡가·지휘자. 인상파의 작곡가 알베르 루셀, 지휘자 샤를 뮌시에 사사(師事)하고, 오페라 《헤크바》를 비롯하여, 오라토리오·콘체르토 등을 작곡함. 시카고 교향악단의 상임(常任) 지휘자를 거쳐, 프랑스 국립 방송 관현악단의 지휘자를 맡았음. [1910-76]

마르티누 〔Martinu, Bohuslav〕 명 〖사람〗 체코슬로바키아의 작곡가. 바이올리니스트로 데뷔한 후, 《제2 현악 4중주곡》과 린드버그(Lindberg)의 대서양 횡단 비행을 기념한 《대소동(大騷動)》 등을 작곡함. 이후, 체코슬로바키아 민족성에 재즈의 요소를 가미한 많은 오페라·발레·실내악곡 등을 만듦. [1890-1959]

마르티니 〔Martini, Simone〕 명 〖사람〗 이탈리아의 화가. 조토 디 본도네 이후의 1300년대 이탈리아의 회화를 대표하는 화가. 종래의 비잔틴 양식을 버리고 북방(北方) 고딕 양식을 받아들여, 조토 디 본도네의 세밀한 구성과 두치오 디 부오닌세냐의 부드러운 색채를 종합, 감미롭고 정서 깊은 종교화를 그림. 시에나(Siena) 성당의 《수태 고지(受胎告知)》 외에 뛰어난 미니아튀르(miniature)를 남김. [1283 ?-1344]

마르티니크 섬 〔Martinique〕 명 〖지〗 카리브 해(海)의 소앤틸리스(小 Antilles) 제도에 속하는 프랑스의 해외주(海外州). 1635년 프랑스령(領), 1946년 주(州)로 승격됨. 본국에 하원 3, 상원 2명의 대표를 파견함. 주산물은 사탕·바나나. 주도(州都)는 포르드프랑스(Fort de France). [1,100 km² : 327,000 명(1982)]

마르티알리스 〔Martiālis, Marcus Valerius〕 명 〖사람〗 로마의 시인. 《에피그램집(Epigram集)》 14권으로 당시의 로마 사회의 여러 가지 사건과 인간상(人間像)을 사실적·풍자적으로 묘사하여, 외양(外樣) 속에 숨겨진 거짓과 악덕을 단도 직입적으로 들추어냈음. [40?-104?]

마르틴 〔Martin, Rudolf〕 명 〖사람〗 독일의 인류학자. 버마·말레이 등 동남 아시아 여러 인종의 형질(形質) 인류학적 연구를 행함. 또, 자연 인류학의 계측 기준(計測基準)을 확립했고, 그의 저서인 《인류학 교범(教範)》은 고전적 교과서로서 유명함. [1864-1925]

마르틴-로 【一爐】〔Martin〕 [一노] 명 〖공〗 평로(平爐).

마르틴손 〔Martinson〕 명 〖사람〗 ①〔Harry M.〕 스웨덴의 시인·작가. 기선(汽船)의 화부(火夫) 노릇을 하며 세계 각지를 편력한 낙관적 문학자로, 자전(自傳) 소설 《쐐기풀 꽃이 피다》, 방랑(放浪) 소설 《종(鐘) 나라로 가는 길》, 시 《유령선(幽靈船)》·《매미》 등이 대표작임. 1974년에 노벨 문학상을 탐. [1904-78] ②〔Moa M.〕 스웨덴의 여류 작가. ❶의 전처(前妻). 본명은 Helge Svarts. 중년부터 작가 생활로 들어가, 《여자들과 사과나무》를 비롯하여 자전적(自傳的)인 소설 《어머니가 결혼한다》로 프롤레타리아 작가의 지위를 굳힘. [1890-1964]

마르팡 증후군 【一症候群】〔Marfan〕 명 〖의〗 〔프랑스의 소아과 의사 Bernard-Jean Antonin Marfan(1858-1942)의 이름에서 유래〕 주로 손가락·발가락이 이상적(異狀的)으로 길어지는 질병의 하나. 선천성 발육 이상의 일종으로, 골(骨)·근(筋)·심장혈 관계의 발육 이상을 동시에 수반하는 일이 많음. 지주지증(蜘蛛指症).

마른 자 〈옛〉 마는. ¶ 社稷을 돕ᄉᆞ오면마른《重杜諺 Ⅵ:53》.

마른-간법 【一法】 [一뻡] 명 식품 저장법의 하나. 날식품을 직접 소금을 뿌려서 저장함. 얼간 따위. 건염법(乾塩法).

마른-갈이 명 〖농〗 마른논을 가는 일. ↔물갈이·진갈이. ——하다 타여불

마른 강 【一江】〔Marne〕 명 〖지〗 북프랑스 분지를 흐르는 강. 주운(舟運)이 편리함. 1914년 9월 제1차 세계 대전 때, 독일군이 이 강반(江畔)에서 프랑스군에게 패하였던 고전장(古戰場)임. [525 km]

마른-걸레 명 물기가 없는 걸레. ¶ ~질. ↔진걸레·물걸레.

마른-고기 명 물기가 없게 말린 고기. 보통, 어물(魚物)의 경우에 일컬음.

마른-과자 【一菓子】 명 수분이 없이 바싹 마르게 만든 과자. 건과자(乾菓子). ↔진과자.

마른-구역 【一嘔逆】 명 〈방〉 헛구역.

마른-국수 명 ①뽑은 그대로 말려 놓은 국수. ②국에 말거나 비비지 아니한 국수. 건면(乾麵). 괘면(掛麵).

마른-금점 【一金店】 명 〖광〗 다른 사람이 파낸 광석을 사고 팔거나, 광산을 사고 파는 데에 대한 구문 등의 중간 이익을 보는 일. ——하다 자여불

마른-기침 명 가래가 나오지 아니하는 기침. ——하다 자여불

마른-나무 명 ①물기 없이 바싹 마른 나무. ↔생나무❷. ②죽어 시든 나무.

[마른나무 꺾듯 한다] 일을 쉽게 해치운다는 뜻. [마른나무를 태우면 생나무도 탄다] 안 되는 일도 대세(大勢)를 타면 될 수 있다는 말. [마른나무에 꽃이 피랴] 가망이 없는 일에 희망을 걸고 있을 필요가 없다는 말. [마른나무에 물내기라] 없는 것을 짜 내려고 억지를 쓴다는 말. [마른나무에 물날까] 분명히 없을 데 가서 내놓으라고 억지를 부린다는 뜻.

마른-날 명 눈비가 내리지 않고 갠 날. ↔진날.

[마른날에 벼락 맞는다] 뜻하지 아니한 큰 재앙을 당했다는 말. *청천 벽력(青天霹靂).

마른-날씨 명 강우량이 증발량보다 적은 지방의 날씨.

마른-내 명 조금만 가물어도 곧 물이 마르는 내.

마른-논 명 건답(乾畓).

[마른논에 물대기라] ㉠일이 몹시 힘들다는 뜻. ㉡아무리 힘을 들여 일을 해도 뚜렷한 성과가 없을 때 하는 말.

마른-눈 명 비가 섞이지 아니하고 오는 눈. ↔진눈.

마른-대우 명 나무 그릇이나 마루 따위에 걸레나 행주 따위로 문질러 반들반들하게 낸 광택.

마른-땅 명 ①흙이 메마른 땅. ②남사당패가 '경기도'를 일컫던 말.

마른-똥 명 물기가 적은 똥. ↔진똥.

마른-목 명 〖악〗 판소리 창법에서, 아주 깔깔하게 말라 버린 목소리.

마른-못자리 명 건(乾)못자리.

마른-바가지 명 곡식을 담거나 퍼내는 데 쓰고, 물에 넣지 아니하는 바가지.

마른-박살 【一撲殺】 명 앞뒤를 가리지 않고 모질게 마구 쳐부수는 짓.

마른-반찬 【一飯饌】 명 건어물(乾魚物)·포육(脯肉) 같은 바싹 마른 반찬.

마른-밥 명 ①둥글둥글하게 뭉쳐서 단단하게 만든 밥. ②국이 없이 반찬만으로 먹는 밥. ③〈방〉 맨밥.

마른-버듬 명 〈방〉 버짐(충남).

마른-버슴 명 〈방〉 버짐(경남).

마른-버짐 명 〖한의〗 피부병의 한 가지. 대개는 영양 불량으로 얼굴 같은 데 까슬까슬하게 번지는 흰 버짐. 건선(乾癬). 풍선(風癬). ↔진버짐.

마른-번개 명 비가 내리지 않는 하늘에서 치는 번개.

마른-벼락 명 마른 하늘에서 치는 벼락.

마른-빨래 명 ①물 속에 넣지 않은 빨랫감. 또는 빨아서 말린 빨래. ②흙 묻은 옷을 그냥 비비어 말짱하게 하는 일. ③드라이 클리닝. ④옷에 이가 많은 사람이 새옷 갈아입은 사람 곁에서 자서, 이가 그리로 옮아가 없어지게 하는 일. ——하다 자여불

마른-손 명 물에 젖지 않은 손. ↔진손.

마른-신 명 ①기름으로 결지 아니한 가죽신. ↔진신. ②마른 땅에 신는 신. 건혜(乾鞋).

마른써레-질 명 〖농〗 논이나 밭에 물을 대지 않고 하는 써레질.

마른-안주 【一按酒】 명 육포(肉脯)·어포(魚脯)·과자 등과 같이 물기가 없는 안주. ↔진안주.

마른-오징어 명 오징어의 배를 따고 내장(內臟) 등을 제거하고 말린 식품(食品). 건(乾)오징어. 건오적어(乾烏賊魚). 오징어.

마른-옴 명 〖의〗 피부병(皮膚病)의 한 가지. 몹시 가려워서 긁으면 허물이 벗어지는 옴. 건개(乾疥). ↔진옴.

마른 이 죽이듯 [一른니一] 부 무슨 일이든지 곰상스럽게 함의 비유.

마른-일 [一닐] 명 여자의 바느질·길쌈 등과 같이 물에 손을 적시지 아니하고 하는 일. ↔진일. ——하다 자여불

마른-입 [一닙] 명 ①국물을 먹지 아니한 입. ②잔입. *맨입.

마른-자리 명 축축하지 않은 자리. ↔진자리.

마른-장 【一醬】 명 물에 타서 쓰도록 가루로 된 간장. 건장(乾醬).

마른-장마 명 강우량이 현저하게 적거나 또는 맑은 날이 계속되는 장마철.

마른 전복 【一全鰒】 명 건복(乾鰒). 건전복(乾全鰒).

마른-점 【一點】 명 〔dry point〕 〖화〗 플라스크의 바닥에서 마지막 한 방울이 증류될 때의 온도.

마른-찜질 명 뜨겁게 구운 돌이나 탕파(湯婆) 따위를 헝겊에 싸서 맨몸에 대거나, 뜨거운 김이나 공기를 몸에 쬐는 찜질. 「↔진찬합.

마른-찬합 【一饌盒】 명 마른 반찬이나 다식(茶食)붙이 등을 담는 찬합.

마른-천둥 명 마른 하늘에서 우는 천둥. ——하다 자여불

마른-침 명 음식물을 대했을 때나, 몹시 긴장했을 때에 무의식중에 힘들여 삼키는, 물기 적은 침.

마른침을 삼키다 구 일이 되어가는 형편을 보고 몹시 걱정하여 긴장 초조해 할 때 그 모양을 이르는 말.

마른-타작【一打作】 명 벼를 베어서 바싹 말린 뒤에 하는 타작. ↔물타작. ——-하다 자 여불

마른-편포【一片脯】 명 바싹 말려서 먹게 된 편포(片脯). ↔진편포.

마른-풀 명 꼴이나 퇴비(堆肥) 원료로 쓰는 말린 풀. 건초(乾草).

마른-하늘 명 말갛게 갠 하늘.
[마른하늘에 벼락 맞는다] '마른 하늘에 생벼락'과 같은 뜻. [마른하늘에 생벼락] 뜻밖의 재앙을 가리키는 말.

마른-행주 명 물에 적시지 아니한 행주. ↔진행주.

마른-홍두깨 명 좀 녹진하게 한 다듬이를 홍두깨에 올리는 일. ↔진홍두깨.

마름1 명 이엉을 엮어서 말아 놓은 단. ¶ 큰 ～/작은 ～.

마름2 명 〘식〙 [*Trapa bispinosa*] 마름과에 속하는 일년초. 뿌리는 진흙 속에 박으나 줄기는 물 속에서 길게 자라서 물 위에 나오며, 잎은 능형(菱形)의 삼각형이고 방사상(放射狀)으로 밀생하며, 잎꼭지에 공기가 들어 있는 불룩한 부낭(浮囊)이 있어서 뜨는 역할을 함. 7-8월에 백색의 사판화가 액출(腋出)하여 피며, 핵과(核果)도 '마름'이라 하는데 능형으로 네 개의 가시가 있고 씨가 한 개 있으며, 생식(生食) 또는 가루를 만들어 식용함. 연못·무논 등에 나는데, 한국·일본·중국·대만에 분포함. ＊능실(菱實).

〈마름2〉

마름3 명 〔중세 : ᄆᆞᄅᆞᆷ. 이두 : 舍音〕〘사〙 지주의 위임을 받아서 소작권(小作權)을 관리하는 사람. 사음(舍音). ＊농감(農監).

마름4【舍音】 명 〈이두〉 마름3.

마름5 의명 이엉을 세는 단위. ¶ 이엉 세 ～.

마름개-질 명 ☞마름질. ——-하다 자타 여불

마름-꽃 명 마름의 꽃. 능화(菱花).

마름 다식【一茶食】 명 마름으로 만든 다식. 능실 다식(菱實茶食).

마름-돌 명 〘토〙 정사각형이나 직사각형 측면을 갖게 자른 석재(石材).

마름 둥글이 명 소요(所要)의 길이로 마름질한 둥글이.

마름-모 명 〘수〙 네 변의 길이가 모두 같으나 모든 각이 직각이 아닌 사각형. 구용어:능형(菱形).

마름모 무늬 [一니] 명 〘고고학〙 줄이나 점으로 이루어진 마름모 모양의 기하학적 무늬. 능형문(菱形文).

마름모 석기【一石器】 명 〘고고학〙 마름모꼴을 한 석기로, 네 모퉁이가 모두 찌르개의 기능을 갖고 있는 것. 능형기(菱形器).

마름-새1 명 마른 정도. 마른 상태.

마름-새2 명 옷감이나 재목 따위를 말라 놓은 맵시.

마름-쇠 명 〘고고학〙 길 위에 뿌려 놓아 적측(敵側)의 말이나 사람을 막기 위한 마름 모양의 무쇠덩이. 약 5 cm 길이의 끝이 뾰족한 가지가 네 가닥으로 되어 있으며, 아무렇게나 놓아도 한 가닥은 반드시 위로 향하게 되어 있음. 능철(菱鐵). 여철(藜鐵). 질려철(蒺藜鐵). 철질려(鐵蒺藜). 철려(鐵藜).
[마름쇠도 삼킬 놈] 남의 물건이나 돈이라면 무엇이나 잘라먹는 버릇이 극도(極度)에 달한 사람을 이르는 말.

〈마름쇠〉

마름-자 명 마름질하는 데 쓰는 자.

마름 재목【一材木】 명 소요(所要)되는 크기로 마름질한 재목.

마름-죽【一粥】 명 마름의 속살로 쑨 죽. 능실죽(菱實粥).

마름-질 명 옷감이나 재목 등을 치수에 맞추어 마르는 일. 재단(裁斷). ——-하다 자타 여불

마리1 명 〈방〉〘동〙 말1(함북).

마리2 명 〈방〉 마루1(경상·전북·제주·충남).

마리3【麻履】 명 삼을 결어 만든, 운두 낮은 신.

마리4 ㊀ 명 〈옛·궁중〉 머리. 머리털. ¶ 옷과 마리롤 路中에 펴아시놀 《月釋 I:4》/마리 두(頭), 마리 슈(首)《字會 上 24》. ㊁ 의명 〈옛〉 시(詩)의 편 수를 세는 단위. 수(首). ¶ 봆 興에 아디 몯게라 믈읫 몃마릿 그를 지스니오(春興不知凡幾首) 《杜諺 XXII:16》.
마리(를) 아뢰다 구 〈궁중〉 머리를 빗겨드리다.

마리5 의명 〔중세 : 마리〕 짐승이나 물고기의 수효를 셀 때에 쓰는 말. 두(頭). 수(首).

-마리 어미 〈옛〉 -니. -ㄴ즉. =-말이. ¶ 正陽寺 眞歇臺 고텨 올나 안즌마리 廬山 眞面目이 여긔야 다 뵈ᄂᆞ다《松江 關東別曲》.

마리-굴팡 명 〈방〉 툇마루(함남).

마리기【莫離支】 명 〘역〙 막리지(莫離支).

마리:나 〔marina〕 명 요트 계류(繫留) 시설과 요트를 즐기기 위한 숙박(宿泊) 그 밖의 시설을 갖춘 종합 시설.

마리네라 〔스 marinera〕 명 〘악〙 무곡(舞曲)의 하나. 남미(南美)의 페루에서 뱃사람의 춤과 함께 발달, 8분의 6박자의 화려하고 쾌활한 리듬을 가짐. 구애(求愛)의 곡이라 함.

마리네티 〔Marinetti, Emilio Filippo Tommaso〕 명 〘사람〙 이탈리아의 시인·평론가. 미래파(未來派)의 대표자로, 1905년 동인(同人)들과 함께 시지(詩誌) '포에시아(Poesia)'를 발간하고 '미래파 선언(未來派宣言)'을 발표하였음. 모든 전통을 부인하고 전쟁을 예찬하였으며 파시즘에 동조하다 파멸함. 저서로 《미래파》가 있음. [1876-1944]

마리니 〔Marini, Giambattista〕 명 〘사람〙 이탈리아의 조각가. 본시 전통에 대한 감수성이 강한 작가로서, 원시 조각의 진지한 연구로 이루어진 말이나 기사(騎士)를 주제로 한 일련의 작품은, 전통성과 현대성의 훌륭한 융합으로 높이 평가됨. [1901-80]

마리다 타 〈방〉 마르다2(경북).

마리:루이:즈 〔Marie Louise〕 명 〘사람〙 나폴레옹 1세의 비(妃). 오스트리아 프란츠 1세의 딸. 1810년 조제핀(Joséphine)과 이혼한 나폴레옹과 결혼. 나폴레옹이 엘바 섬에 유배(流配)된 후 재회(再會)하지 아니하고 귀국하여 재혼하였음. [1791-1847]

마리마-머리【磨里馬一】 명 〘역〙 조선 시대 때, 대궐 안의 의녀(醫女)들이 얹던 큰머리의 일종.

마리:-버드-랜드 〔Marie Byrd Land〕 명 〘지〙 서경(西經) 100-150°의 태평양 남쪽에 있는 남극 대륙의 일부. 1929년 이래로 미국이 영유(領有)를 주장. 현재는 남극 조약에 의해서 영토권이 동결됨.

마리-병【一病】 명 〔Marie's disease〕〘의〙 1893년 마리(Marie, Pierre; 1853-1940)가 제일 먼저 기재(記載)한 가족성(家族性)·유전성의 소뇌성(小腦性) 운동 실조증(失調症). 보통 성인기(成人期)에 발병하며, 사지의 운동 실조·언어 장애·근긴장(筋緊張) 저하 등의 증상을 일으킴.

마리보 〔Marivaux, Pierre Carlet de Chamblain de〕 명 〘사람〙 프랑스의 극작가·소설가. 상류 사회 여성의 심리 묘사에 능함. 《사랑과 우연의 장난》·《마리안(Marianne)의 생애》 등 30여 편의 극작품이 있음. [1688-1763]

마리보르 〔Maribor〕 명 〘지〙 슬로베니아 북동(北東)쪽의 도시. 오스트리아와의 국경에 가까우며, 드라바 강(Drava 江)에 접함. 교통·상공업의 중심지이며 자동차·섬유·피혁 공업이 행해짐. 12세기부터 지방적 중심지로 알려짐. [95,000 명(1981)]

마리사기 명 〈옛〉 여자 옷·띠 등을 꾸미는 술. 유소(流蘇). ¶ 流蘇俗稱 마리사기 《樂範 目錄 8》.

마리아 〔Maria〕 명 〘성〙 ①성모(聖母) 마리아. ②갈릴리(Galilee) 호수(湖水)가에 있는 막달라(Magdala)의 여인. '일곱 사귀'에 걸려 고생하던 중 예수의 구원을 받아 충실히 순종하였으며 부활한 예수를 최초로 보고 제자들에게 알렸음. 막달라 마리아. ③마르다(Martha)의 동생이고 나사로(Lazarus)의 누이. 깊이 예수를 존경하여 그의 발에 향유(香油)를 뿌리고 머리털로 닦았다 함. ④야곱과 요셉의 어머니. 예수를 섬긴 부인의 하나. ⑤마가의 어머니. 예루살렘에 살면서 신자의 집회소로 집을 바쳤다 함.

마리아나오 〔Marianao〕 명 〘지〙 쿠바 서북부의 도시. 수도 아바나의 서남쪽 약 10 km 지점에 위치한 교외 도시로, 혁명 전에는 고급 주택지·별장지였음. 맥주·약품·종이·담배 등의 공업이 행해짐. 주요 군사기지의 하나. [128,000 명(1981)]

마리아나 제도【一諸島】〔Mariana〕 명 〘지〙 서태평양의 미크로네시아 북서쪽에 있는 제도. 주도(主島)인 사이판 등 15개의 섬으로 이루어짐. 산이 많고, 태풍이 잦으며, 코프라·사탕수수 등을 산출함. 현재 미국령인 괌(Guam) 섬을 제외하고 미국의 신탁 통치령임. [1,018 km²: 17,000 명(1980 년)]

마리아나 해:구【一海溝】〔Mariana〕 명 〘지〙 태평양의 서쪽에 있는 해구. 마리아나 제도의 동쪽에 위치함. 길이 2,550 km,.폭 70 km이며, 평균 수심(水深) 6,000 m를 넘음. 남서쪽에는 지구상에서 가장 깊은 곳인 비티아즈 해연(Vityaz 海淵 : 깊이 11,034 m)과 그 다음인 챌린저 해연(Challenger 海淵 : 깊이 10,863 m)이 있음.

마리아 라:흐 수도원【一修道院】〔Maria Laach〕 명 독일의 쾰른(Kōln)과 마인츠(Mainz)의 중간 라흐 호반(湖畔)에 있는, 베네딕트회(Benedict 會) 수도원. 1093년에 설립되었는데 12-13세기에 세워진 부속 성당은 독일의 대표적 초기 로마네스크 건축으로 유명함.

마리아 막달레나 〔Maria Magdalena〕 명 〘성〙 막달라 마리아.

마리아치 〔스 mariachi〕 명 〘악〙 20세기 초부터 멕시코에서 발달한 댄스 음악을 위한 악단 편성. 현악기에 트럼펫·기타 등을 섞어서 풍부한 민족색을 가짐.

마리아 테레지아 〔Maria Theresia〕 명 〘사람〙 오스트리아의 여제(女帝). 신성 로마 제국 황제 프란츠 1세의 아내. 카를 6세의 뒤를 이어 즉위했으나, 제국(諸國)이 반대하여 오스트리아 계승 전쟁, 7년 전쟁 등을 치르어 실레지아(Silesia) 등을 실지(失地)하였으나 제위는 확보함. 후에 중앙과 지방의 행정 조직과 군제(軍制)의 정비 등으로 국내 개혁의 실적을 올렸음. [1717-80]

마리 앙투아네트 〔Marie Antoinette〕 명 〘사람〙 프랑스 루이(Louis) 16세의 비(妃). 마리아 테레지아(Maria Theresia)의 딸로, 행실이 나빴고 대혁명 때 반혁명파(反革命派)의 중심으로 활약하여 반역자로서 처형되었음. [1755-93]

마리여【而亦】〈이두〉 이기에. 이라도.

마리오네트 〔프 marionette〕 명 ①인형극(人形劇)에 쓰는 인형. ②인형극의 한 가지. 인형의 마디마디에 실을 매어, 무대의 뒤나 위 같은 데에 사람이 숨어서 그 실을 조종하여 인형을 움직이게 함. ＊인형극. ③괴뢰(傀儡).

마리오트 〔Mariotte, Edme〕 명 〘사람〙 프랑스의 물리학자. 기체(氣體)를 연구하여 1676년 보일(Boyle)의 법칙을 재발견함. 이 밖에 맹점(盲點)을 발견하였고, 수역학(水力學)을 연구하였음. [1620?-84]

마리오트의 법칙【一法則】〔Mariotte〕[一/一에一] 명 〘물〙 1676년에 프랑스의 물리학자 마리오트가 발견한 법칙. 보일의 법칙과 같음.

마리우스 〔Marius, Gaius〕 명 〘사람〙 고대 로마의 장군·정치가. 평민당(平民黨)의 영수로 게르만(German)의 침입을 막고, 부민당의 술라(Sula)와 다투어 한때 이겼으나 사후 평민당은 패하였음. [152?-86? B.C.]

마리우풀 〔Mariupol〕 명 〘지〙 우크라이나 공화국의 동남부, 아조프 해(Azov海)에 임한 항구 도시. 야금·기계·제강 등의 공업이 행해짐. 19세기 후반(後半) 돈바스(Donbass)의 개발과 더불어 발전. 1948 년 주다노프(Zhdanov, A.A.)를 기념하여 주다노프(Zhdanov)로 개칭(改稱)하였다가 다시 환원(還元)됨. [511,000 명(1981)]

마리 유적【一遺跡】〔Mari〕 명 시리아 동부, 유프라테스 강(江) 중류 텔 하리리(Tell Harīri)에 있는 메소포타미아 문명의 유적. 1933-39년 프랑스 조사대의 발굴로, 기원전 3000년경의 선사(先史) 시대 초기 왕조로부터 마리 왕조를 거쳐 사산 왕조에 이르는 유적이 드러남. 대표적인 것으로는 기원전 18세기 바빌론 제1 왕조 시대의 궁전터를 비롯하여, 당시의 신전(神殿)·고문서(古文書)·벽화 등의 유물이 다수 출토됨.

마리-전【麻履典】 명 『역』 신라 시대 내성(內省)에 소속된 관청. 짚신 등의 생산을 담당함.

마리-조개 명 『조개』 [*Comphina veneriformis*] 참조갯과에 속하는 조개. 대합과 비슷한데 패각(貝殼)의 길이는 50 mm, 높이 37 mm, 폭 20 mm 내외임. 표면의 윤맥(輪脈)은 뚜렷하지 아니하고 백색 또는 담갈색에 회청색의 방사상(放射狀)의 구름 모양 무늬가 있음. 한국·일본·타이완의 연안에 분포함. 식용종임. 접박이울조개.

〈마리지천〉

마리지-천【摩利支天】 명 『불교』〔범 Mārīci: 위광(威光)·아지랑이라 번역〕 인도의 민간(民間)에 신앙되던 신의 하나. 늘 그 모습을 숨기고 모든 장애를 제거하며 이익을 준다고 함.

마리차 강【一江】〔Maritsa〕 명 『지』 유럽 남동부를 흐르는 강. 불가리아 서부 무살라 산(Musala山)에서 발원, 불가리아 남부를 동류(東流)하여 그리스·터키의 국경을 지나 에게 해(海)로 흐름. 유역은 풍요한 농업 지대임. [480 km]

마리탱〔Maritain, Jacques〕 명 『사람』 프랑스 현대의 철학자. 베르그송(Bergson)의 직관(直觀)을 비판하고, 신토머스설(新 Thomas說)을 받들어 가톨릭의 입장에서 데카르트(Descartes) 이래의 근대적 관념론을 비판함. 저서 《베르그송 철학》·《철학 원리》 등. [1882-1973]

마리화나〔marihuana·marijuana〕 명 인도산(産) 대마초(大麻草). 대마의 잎과 이삭을 말려 가루로 만든 것인데, 담배에 섞어 피우면 시간·공간의 감각을 상실하고 환각에 빠져 범죄의 원인이 되기도 함. 그 중독 작용은 강하나, 아편·헤로인과는 달리 금단(禁斷) 증세는 일어나지 않는다고 함.

마리화나 중독【一中毒】〔marihuana〕 명 대마 중독(大麻中毒).

마:린¹【馬藺】 명 『식』 꽃창포.

마:-린²【馬麟】 명 『사람』 중국 남송(南宋)의 화가. 마원(馬遠)의 아들. 이종(理宗)을 섬겨 화원 지후(畫院祗候)가 됨.

마린³〔Marin, John〕 명 『사람』 미국의 화가. 처음 건축가가 되었으나 1899년 화가로 전신(轉身), 1905-10년 유럽에 체재함. 수채 화가(水彩畫家)로 알려졌으며, 해안 풍경이나 뉴욕의 도시 풍경을 즐겨 그렸음. 매린. [1870-1953]

마:린-자【馬藺子】 명 『한의』 꽃창포의 씨. 통리(通利)·지혈(止血)의 약재(藥材)로 씀. 여실(蠡實).

〈마림바〉

마림바〔marimba〕 명 『악』 타악기(打樂器)의 한 가지. 멕시코 지방에서 유행되는 악기로, 목금(木琴)의 음판 밑에 공명관(共鳴管)을 장치한 것인데, 목금(木琴)보다 큼. 음역(音域)이 넓으며 독주·합주에 사용함.

마립간【麻立干】 명 『역』 신라 왕의 칭호. 내물왕(奈勿王)·실성왕(實聖王)·눌지왕(訥祗王)·자비왕(慈悲王)·소지왕(炤知王)·지증왕(智證王)의 여섯 임금이 이 칭호를 썼음.

마릿-돌: 명 〈방〉 댓돌(함북).

마릿-수【一數】 명 마리를 단위로 하여 헤아리는 수. ¶ ~가 불어나다 / ~를 세어 보다.

마ᄅᆞᆫ 조 〈옛〉 마는. ¶ 아바님도 어이어신마ᄅᆞᄂᆞᆫ 어마님 ᄀᆞ티 괴시리 업세라 《樂詞 思母曲》.

마ᄅᆞᆫ 조 〈옛〉 〔←마ᄅᆞᄂᆞᆫ〕 마는. ¶ 믈 깊고 배 업건마ᄅᆞᆫ(江之深矣 雖舟無矣) 《龍歌 34章》.

마:마¹【媽媽】 명 ①『한의』〈속〉 천연두(天然痘). ②↗별성 마마(別星媽媽). ③↗손님 마마(媽媽). ④↗역신 마마(疫神媽媽). ⑤『역』 아주 존귀한 사람을 부를 때 존대하여 일컫는 말. ¶ 중전(中殿) ~/동궁(東宮) ~. ⑥『역』 벼슬아치의 첩(妾)을 높여 부르는 말. ——-하다 자여불 두창(痘瘡)을 치르다. 천연두를 앓다.

[마마 그릇되듯] 무슨 일의 좋지 않은 징조가 보인다는 말. [마마 손님 배송하듯] 행여나 가지 않을까 염려하여 그저 다칠세라 잘 보내기만 한다는 말.

마마²〔mamma〕 명 〈소아〉 엄마.

마:마-꽃【媽媽一】 명 마마할 때 얼굴이나 살갗에 부스럼처럼 돋는 것.

마:마-님【媽媽一】 명 『역』 조선 시대 때, 아랫사람이 상궁(尙宮)을 부르던 경칭(敬稱).

마:마-딱지【媽媽一】 명 마마한 자국이 말라 붙은 딱지.

마:마-떡【媽媽一】 명 마마할 때에 꽃이 잘 솟으라고 해 먹는 떡. 흰무리에 소금을 치지 아니하고 붉은 팥을 넣어 만듦. 마마병.

마:마 배:송굿【媽媽拜送一】 명 『민』 천연두(天然痘)를 물리치기 위한 굿. 손님굿.

마:마-병【媽媽餠】 명 마마떡.

마마 코차〔Mama Cocha〕 명 『신』 인도 신화의 모신(母神). 모든 인류의 어머니라고 하며, 연안민(沿岸民)에게 물고기를 베풀어 주는 바다의 여신(女神)이라고도 함.

마:맛-자국【媽媽一】 명 마마 딱지가 떨어진 자리에 나타난 얽은 자국. 두흔(痘痕).

마말리 명 〈방〉 수말.

마맹이 명 〈방〉 할머니(함북).

마:멀레이드〔marmalade〕 명 오렌지·레몬의 표피(表皮)로 만든 잼(jam).

〈마멋〉

마:멋〔marmot〕 명 『동』 [*Marmota marmota*] 토끼목(目) 다람쥣과에 속하는 짐승. 타르바간(tarbagan)의 일종으로 몸의 크기는 토끼만하고 온 몸이 회색 털로 덮임. 꼬리가 거의 없음. 건조한 초원(草原)에 몇 마리씩 떼를 지어 군생(群生)하며 여름에는 얕은 굴속에 살고 9월부터 이듬해 4월까지는 깊은 굴 속에서 동면(冬眠)함. 유럽·북아메리카 등지에 분포함. 흔히 쥣과에 속하는 '기니 피그'를 '모르모트'라고 불러 온 것은 이것과 혼동하여 오칭(誤稱)한 것임. 마르모트(marmotte). ＊모르모트.

마:면【馬面】 명 『고고학』 말머리 꾸미개.

마면-사【麻綿絲】 명 삼에 면사(綿絲)를 섞어 드린 실.

마:면-주【馬面胄】 명 『고고학』 말머리 가리개.

마멸【磨滅】 명 갈리어 닳아서 없어짐. ——-하다 자여불

마멸 광:물【磨滅鑛物】 명 〔detrital minerals〕 『광』 침적물(沈積物) 속에서 발견되는 무거운 광물의 작은 낟알. 모암(母岩)의 기계적 파쇄에 의해서 생김.

마:명【馬鳴】 명 〔범 Aśvaghosa〕 『사람』 1-2세기 때의 인도의 시인·불교학자. 바라문(婆羅門) 계급 출신임. 불교 음악·불교 문학의 창시자적 존재로 카니슈카 왕(Kanishka王)의 보호를 받아, 대월지국(大月氏國)으로 가서 대승(大乘) 불교를 설법하였음. 대승 불교의 시조라 일컬어짐. 저서에 《건추범찬(犍椎梵讚)》·《대승 기신론(大乘起信論)》 등. 마명 보살(菩薩). 아수바고샤.

마:명-간【馬鳴肝】 명 『한의』 잠사(蠶砂).

마:명 보살【馬鳴菩薩】 명 '마명(馬鳴)'의 존칭.

마:모¹【馬毛】 명 말의 털.

마모²【磨耗】 명 닳아서 없어짐. ——-하다 자여불

마모로다 타 〈옛〉 마무르다. ¶ ᄒᆞᆫ 겨집은 手帕를 마모로되 마모로기를 ᄀᆞᄂᆞᆯ고 고로게 ᄒᆞ라(又一箇女兒緻手帕着 緻的細勻着) 《朴解 中 55》.

마모 시험【磨耗試驗】 명 재료의 내마모성(耐磨耗性)을 알아 내는 시험. 마모 시험기를 통해서 마모량과 마모 저항 등을 측정함.

마모-열【磨耗熱】 명 〔heat of ablation〕 『열역학』 마모 물질의 유효 열용량(有效熱容量)의 지표(指標). 수치적(數値的)으로는 열의 유입 속도를 마모에 의한 물질의 소실 속도(消失速度)로 나눈 것.

마모-층【磨耗層】 명 〔wearing course〕 역청(瀝靑) 포장의 표층(表層)의 최상부.

마목¹ 명 『광』 광맥(鑛脈) 속에 섞여 있는, 광석(鑛石)이 될 것 이외의 광물의 총칭.

마목² 명 〈방〉 갈기²(평북).

마:목³【馬木】 명 ①가마나 상여 등을 올려 놓을 때 괴는, 네 발 달린 나무 받침틀. ②『건』 집 따위를 지을 때에 딛고 서서 일하는 받침대.

마목⁴【痲木】 명 『한의』 ①근육이 굳어져 감각이 없어지며 굴신(屈伸)을 못 하는 병. ¶ 송장을 내려누이고 부인이 다리 팔을 주무르니, 사지가 ~이 되었던 신체에 온기가 차차 돌며…《崔瓚植: 金剛門》. ②문둥병이 처음으로 피부에 나타날 때에 허는 자리. ¶ ~이 박히다. ③오래 앉아서 다리가 저린 것.

마:목-지기【馬木一】 명 상여의 마목을 지고 가는 상여꾼.

마몬〔Mammon〕 명 ①『신』 고대 시리아(Syria)의 부신(富神). 기독교에서는 우상 숭배·탐욕의 화신(化身)으로 간주함. ②밀턴(Milton)의 《실낙원(失樂園)》에 나오는 타락한 천사. ③부(富). 재화. 금전. ④재계(財界)의 거두(巨頭).

마몬트〔러 mamont〕 명 『동』 '매머드(mammoth)'의 러시아어 이름.

마무【摩撫】 명 무마(撫摩). ——-하다 타여불

마무르다 타르불 ①물건의 가장자리를 꾸미어서 끝을 마치다. ②일을 바로잡다. ③일의 뒤끝을 맺다.

마무리 명 ①일의 끝단속. ¶ 일을 깨끗이 ~하다. ——-하다 타여불 ②논설에서 결론 부분. 맺음말. 결어(結語).

마:무-재【馬舞災】 명 화재(火災). 무마지재(舞馬之災).

마:무-전【馬武傳】 명 『문』 제마무전(諸馬武傳).

마:묵¹【馬墨】 명 『한의』 마황(馬黃).

마묵²【磨墨】 명 벼루에 먹을 갊. ——-하다 자여불

마물【魔物】 명 요망하고 간사한 사물.

마:미【馬尾】 명 ①말의 꼬리. ②말총.

마:미-군【馬尾裙】 명 말총으로 짜서 바지 모양으로 만든 옛날 여자의 옷.

마:미-단【馬尾緞】 명 말총을 씨실, 무명실·삼실·털실 등을 날실로 짠 서양 피륙의 한 가지. 양복의 깃의 심, 의류·커버류 등에 쓰임.

마:미-봉【馬尾蜂】 명 『충』 말총벌.

마:미 사장【馬尾篩匠】 명 『역』 조선 시대 때, 선공감(繕工監)에 속했던 공장(工匠)의 하나. 말총으로 체를 만들던 공장.

마미야 해:협【一海峽】〔間宮:まみや〕 명 『지』 사할린(Sakhalin) 섬과 아시아 대륙 사이의 바다. 1809년, 일본의 마미야 린조(間宮林蔵)가 처음으로 이 해협을 건너 대안(對岸)에 도달한 것을 기념하여 명명(命名)된 것으로 최협부(最狹部)는 약 10 km임. 타타르 해협(Tatar 海峽).

마:미-전【馬尾廛】 명 『역』 말총을 팔던 전.

마:미절-장【馬尾節匠】 명 『역』 조선 때, 선공감(繕工監)에 딸려 말꼬리로 솔 따위를 만들던 공장(工匠).

마:미-조【馬尾藻】 명 『식』 모자반.

마:미 향집【馬尾香一】〔一찝〕 명 말총으로 짜서 만든 향집.

마ᄆᆞᄅᆞ다 형 〈옛〉 메마르다. ¶ 마ᄆᆞᄅᆞᆯ 교(磽), 마ᄆᆞᄅᆞᆯ 각(确), 마ᄆᆞᄅᆞᆯ 척(墌) 《字會 下 17》.

마몰오다 타 〈옛〉 마무르다. =마모로다. ¶ 銷繳句銷回繳也 鄕言 마몰오다 ≪吏文輯覽 Ⅲ:19≫.
마:-바람 명 〈방〉 마파람.
마-바름 명 〈방〉 마파람(제주).
마-바리[1] 명 〖농〗 한 마지기에 두 섬 곡식이 나는 것을 일컫는 말.
마:-바리[2]【馬―】 명 짐을 실은 말. 또, 말에 실은 짐.
마:바리-꾼【馬―】 명 마바리를 끄는 것을 업으로 하는 사람.
마:바릿-집【馬―】 명 ☞ 마방집.
마:발[1]【馬勃】 명 〖식〗 말불버섯.
마발[2]【麻勃】 명 〖한의〗 ①삼꽃❶. ②마분(麻蕡)❶.
마:방【馬房】 명 ①마구간의 설비가 있는 주막집. ②절 안에 손님의 말을 매어 두는 곳.
마:방-간【馬房間】〔―깐〕 명 마방(馬房)이나 마방집 따위에서 말을 매어 두는 곳.
마:방 객주【馬房客主】 명 말과 함께 다니는 나그네나 장사꾼을 상대로 영업을 하는 주막(酒幕).
마-방진【魔方陣】 명 〔magic square〕 〖수〗 자연수를 정사각형 모양으로 배열하여 가로나 세로나 대각선(對角線)으로나 그 합친 수가 모두 같아지게 한 것. 방진(方陣).

4	9	2
3	5	7
8	1	6

〈마방진〉

마:방-집【馬房―】〔―찝〕 명 말을 두고 삯짐을 싣는 일을 업으로 하는 사람의 집.
【마방집이 망하려면 당나귀만 들어온다】 사업과는 관계 없는 잡것만 끼어 들어 일이 잘 아니 된다는 말.
마:벌〔Marvell, Andrew〕 명 〖사람〗 영국의 시인. 청교도로 애국적인 시 ≪크롬웰의 에이레로부터의 귀환에 부치는 노래≫를 쓰고, ≪정원(庭園)≫·≪수줍은 애인≫ 등으로 형이상(形而上) 시인으로서의 원숙한 지성(知性)을 나타내었음. 왕정 복고(王政復古) 후에는 국회 의원이 되고, 풍자시(諷刺詩)를 썼음. [1621-78]
마법【魔法】 명 마력(魔力)을 작용시켜, 불가사의한 일을 행하는 술법(術法). ＊마술(魔術).
마법-사【魔法師】 명 마법(魔法)을 부리는 사람. ＊요술쟁이·마술사.
마법-수【魔法數】 명 〔magic numbers〕 〖핵물리〗 양성자수(陽性子數) 2, 8, 20, 28, 50, 82 와 중성자수(中性子數) 2, 8, 20, 50, 82, 126 의 수치. 양성자수(陽性子數)·중성자수 또는 그 쌍방이 동시에 이 수치를 가질 때 핵(核)은 안정되고 비교적 큰 결합 에너지를 지니게 됨. 위 마법수의 다음 수는 양성자수 114, 중성자수 184 가 예상되고 있음. ＊원소 백십사.
마:-별초【馬別抄】 명 〖역〗 고려의 무신 집권 때에 최씨의 가병(家兵)의 하나. 고종 16년(1229) 최이(崔怡)에 의하여 조직된 특선 기병대(特選騎兵隊)로 추측됨. 최이 이후에도 그 일족의 집권 시대를 통하여 존속하였음.
마:병[1] 명 ①오래되어 허름한 물건. ② ☞ 넝마.
마:병[2]【馬兵】 명 ①〖군〗 기병(騎兵). ②〖역〗 훈련 도감(訓鍊都監)에 속하던 기병.
마:병 장수 명 허름한 물건이나 넝마 같은 것을 팔고 사는 장수. 넝마장수.
마:보[1]【馬步】 명 〖민〗 말에 재해(災害)를 끼친다는 귀신. 선목(先牧)·마사(馬社)와 함께 모신 제단(祭壇)이 서울 동대문 밖 북쪽에 있었음.
마:보[2]【馬寶】 명 〖불교〗 전륜 성왕(轉輪聖王)이 가지고 있는 칠보(七寶)의 하나.
마:보-병【馬步兵】 명 〖역〗 마병(馬兵)과 보병(步兵).
마복【磨璞】 명 거친 옥(玉)을 갊. ――하다 자타여불
마:봉【馬蜂】 명 〖충〗 말벌❶.
마:부[1]【馬夫】 명 ①말구종. ②말을 부리는 사람. 마정(馬丁). 마차꾼. 마차부. ③〖민〗 배송(拜送)을 낼 때에 싸리말을 모는 사람.
마:부[2]【馬部】 명 〖역〗 백제의 관청. 내관(內官) 12부 중의 하나로, 말의 사육과 관리를 맡음.
마:부-신【馬夫神】 명 〖민〗 마구간(馬廐間)과 가축을 주장(主掌)하는 가신(家神)의 하나.
마:부-좌【馬夫座】 명 〖천〗 마차부자리.
마:부-타:령【馬夫打令】 명 〖민〗 배송 낼 때 싸리말을 모는 마부가 부르는 타령.
마:분[1]【馬分】 명 마삯. ――하다 자여불
마:분[2]【馬糞】 명 말똥.
마분[3]【麻蕡】 명 〖한의〗 ①삼꽃의 화분(花粉). 맛이 쓰고 독한 성질이 있는 약재(藥材)인데, 그 효력은 삼씨와 같음. 마발(麻勃). ②삼씨.
마분[4]【磨粉】 명 마사(磨砂).
마:분-석【馬糞石】 명 말의 위장 속에서 똥과 함께 배설되는 결석(結石).
마:분 여물【馬糞―】〔―녀―〕 명 〖건〗 말똥을 물에 담가 뜨는 짚을 건져 흙 따위에 섞어 쓰는 미장 재료.
마:분-지【馬糞紙】 명 ①종이의 한 가지. 짚으로 만드는데, 빛이 누르고 품질이 낮음. ②판지(板紙).
마:블〔marble〕 명 ①〖광〗 대리석. ②〖미술〗 대리석의 조각물.
마:블링〔marbling〕 명 〖미술〗 물 위에 유성(油性) 물감이나 등사 잉크 등을 적당히 떨어뜨려 저은 다음 종이를 물 위에 덮었다가 꺼내 말려 대리석 모양의 무늬가 생기게 하는 평면 구성상의 한 기법(技法).
마비【痲痺·麻痺】 명 ①〔paralysis〕〖의〗 신경이나 근육이 형태적 변화가 없으면서, 그 기능을 잃는 현상. 또, 그 병. 운동 마비와 지각(知覺) 마비가 있음. ¶ 심장 ～. ＊소아 마비. ②어떠한 사물의 기능이 정지되거나 소멸되어, 그 구실을 제대로 발휘하지 못하게 되는 일. 또, 그러한 현상. ¶ 큰 눈으로 육상 교통이 ～되다.
마비성 분비【痲痺性分泌】〔―썽―〕 명 〔paralytic secretion〕〖생〗 신경 지배(神經支配)가 제거된 선(腺)에서 일어나는 선분비.
마비성 치매【痲痺性癡呆】〔―썽―〕 명 〖라 dementia paralytica〗〖의〗 진행 마비(進行痲痺).
마비-약【痲痺藥】 명 〖약〗 마취약.
마:비-저【馬鼻疽】 명 〖의〗 마비저 간균(桿菌)에 의한 말·당나귀 등의 전염성 종양(腫瘍). 사람도 감염되는 수가 있음. 피비저. 비저.
마비-탕【痲沸湯】 명 〖한의〗 삼의 잎·줄기·뿌리 따위를 달인 물. 골절통(骨折痛)·피하 일혈(皮下溢血) 등에 복용함.
마:비-풍【馬脾風】 명 〖한의〗 디프테리아(diphtheria).
마빗다 타 비집어 내다.
마-빠람 명 〈방〉 마파람(경기·강원·충북·전북·경남).
마빡 명 〔↗이마빡〕〈속〉 이마.
마:사[1]【馬史】 명 〖책〗 사마천(司馬遷)이 지은 ≪사기(史記)≫의 별칭.
마:사[2]【馬事】 명 ①말을 기르고 부리고 다루는 데에 관한 모든 연구를 하며, 또 그것을 실행하는 일. ②말에 관한 사무.
마:사[3]【馬社】 명 〖민〗 승마술(乘馬術)을 창시(創始)했다는 사람. 또, 그를 제사하는 집. 선목(先牧)·마보(馬步)와 함께 제사 지냈는데, 그 제단(祭壇)이 서울 동대문 밖 북쪽에 있었음.
마사[4]【麻絲】 명 베실[1]. 삼실.
마사[5]【摩挲】 명 손으로 주물러 어루만짐. 손으로 문지름. ――하다 타여불
마사[6]【磨砂】 명 금속제의 기물을 닦는 데에 쓰는 점성(粘性)이 없는 백악(白堊). 마분(磨粉).
마사-기【磨絲機】 명 〖기〗 실을 마찰하여 돌기(突起)한 작은 털을 없애고, 장력(張力)을 갖춰 광택이 나게 하는 기계.
마-사니 명 추수 때에 마름을 대신하여 곡식을 되는 사람.
마사리크〔Masaryk〕 명 〖사람〗 ①〔Jan Garrigue M.〕 체코슬로바키아의 정치가. ❷의 아들. 아버지를 도와 체코슬로바키아 건국에 노력했으며, 2 차 대전 중에는 망명 정부의 외상(外相), 해방 후에는 공산당과의 연립 정부의 외상을 지냄. [1886-1948] ②〔Tomáš Garrigue M.〕 체코슬로바키아의 철학자·정치가. 1 차 대전 중 국외에서 독립 운동을 지도하였으며, 1918 년 초대 대통령에 취임하여 네 차례 중임(重任)하였음. [1850-1937]
마사이-어【―語】〔Masai〕 명 〖언〗 동(東)아프리카의 케냐·탄자니아 북부에 사는 마사이 족(族)의 언어. 나일 햄 어군(Nile Ham語群)에 속하며 약 20만 명이 이를 사용함.
마사이-족【―族】〔Masai〕 명 동(東)아프리카에 분포하는 흑인종의 한 종족. 여러 부족이 있고 서로 다른 생활 습관을 가지고 있는데, 특히 유목(遊牧) 마사이는 잘 알려져 있음. 소·염소·양을 기르고 미혼 남자로 전사(戰士) 계급을 구성하며, 외혼적(外婚的) 부계 씨족(父系氏族)으로 반족 조직(半族組織)을 가짐.
마사:지〔massage〕 명 ①안마(按摩). ②피부를 문질러 곱고 건강하게 하는 미용법의 한 가지. 흔히 콜드 크림으로 함. ――하다 타여불
마사:-지다 자 〈방〉 부서지다❶(함북).
마사초〔Masaccio〕 명 〖사람〗 이탈리아의 화가. 본명은 Tommaso Guidi. 조토 디 본도네의 유산을 계승하면서, 건축가 브루넬레스키(Brunelleschi)의 투시도법(透視圖法)과 조각가 도나텔로(Donatello)의 조소성(彫塑性)을 배워 초기 르네상스 회화의 기초를 확립하였으며 '이탈리아 근대 미술의 아버지'로 불림. ≪낙원 추방≫ 등의 명작을 남김. [1401-29]
마:사-회【馬事會】 명 말의 품종 개량이나 말을 기르고 부리고 다루는 법, 말에 관한 행사 및 말에 관한 모든 일을 연구하고 실천·장려하는 단체.
마삭【麻索】 명 삼으로 꼰 밧줄.
마삭-나무 명 〖식〗 ①마삭나뭇과에 속하는 식물의 총칭. ②〔*Trachelospermum asiaticum* var. *intermedium*〕 마삭나뭇과에 속하는 상록 활엽 만목(蔓木). 잎은 대생하고 타원형 또는 달걀꼴 피침형으로 두꺼우며, 상면은 광택이 나고 뒷면에는 털이 났음. 첫여름에 흰 꽃이 가지 끝에 정생하거나 액출(腋出)하여 취산(聚繖) 화서로 핌. 과실은 길이 15 cm의 원통형이고 가을에 익으면 은백색 털이 있는 종자가 살포(撒布)됨. 산과 들·숲 속·바위 틈에 나는데, 한국 남부·일본·대만 등지에 분포함. 꽃 향기가 좋아 관상용으로 재배하고 경엽(莖葉)은 해열(解熱)·강장제로 씀. 마삭줄. 낙석(絡石).

〈마삭나무❷〉

마삭나뭇-과【―科】 명 〖식〗 〔Apocynaceae〕 쌍자엽 식물 합판화류(合瓣花類)에 속(屬)하는 한 과(科). 숙근초(宿根草) 혹은 만상(蔓狀) 교목(喬木)으로 드물게 관목(灌木)도 있음. 대개 열대산인데 전세계에 32 속 1,000여 종, 한국에는 마삭나무·백화등·당마삭나무·왕마삭나무 등의 5 속(屬) 수종(數種)이 분포함.
마:삭-도【馬朔島】 명 〖지〗 전라 남도의 남해상(南海上), 완도군(莞島郡) 노화면(蘆花面) 신량리(新良里)에 위치한 섬. [0.11 km²: 83 명(1984)]
마삭-줄 명 〖식〗 마삭나무❷.
마:-삯【馬―】〔―삭〕 명 말을 세내는 삯. 마세(馬貰). 마분(馬分).
마:산【馬山】 명 〖지〗 ①경상 남도의 한 시(市). 진해만(鎭海灣) 깊숙이 자리잡은 양항(良港)으로, 진주선(晋州線)의 요역(要驛)이며 수산 및 농산물의 집산지. 총면적 50만 평에 달하는 '마산 수출 자유 지역'이 설정되면서 각종 섬유 공업과 경공업이 크게 발달하여 여기에 따른 제품의 산출이 많음. 또, 부근의 마금산 온천과 해수욕장 및 온화한 기후 등으로 우수한 휴양지로 발전함. 국립 결핵 병원이 있으며, 마산성지(馬山城址)·저도(猪島)·몽고정(蒙古井)·월영대(月影臺)·서원곡(書院谷) 등의 명승 고적이 있음. [496,639 명(1990)] ②함경 남도 북청군(北青郡) 이곡면(泥谷面)과 상거서면(上車書面) 사이에 있는 산. [1,709 m] ③강원도 고성군(高城郡)에 있는 산. [1,052 m]
마:산-도【馬山島】 명 〖지〗 전라 남도 신안군(新安郡) 압해면(押海面) 매화리(梅花里)에 위치하는 섬. [0.90 km²: 195 명(1984)]
마:산 발전소【馬山發電所】〔―쩐―〕 명 〖지〗 경상 남도 마산에 있는 화력 발전소. 1956년에 건설되었음.

마:산 사:건【馬山事件】[—껀] 명 경상 남도 마산에서 부정 선거를 규탄하는 데모 군중과 경찰이 충돌한 사건. 1960년 3월 15일, 제1차 데모에서 경찰의 발포로 100여 명의 사상자를 내었으며, 동년 4월 11일, 데모 때 사망한 학생 김주열(金朱烈)의 시체가 눈에 최루탄이 박힌 채 바다에서 발견되자 이에 격분한 학생·시민들이 다시 궐기, 마침내 전국 각지로 파급되어 4·19 의거의 도화선(導火線)이 됨.

마:산 온천【馬山溫泉】 명 〖지〗 황해도 해주(海州) 서쪽 옹진군(甕津郡)에 있는 온천. 수온(水溫)은 80°C 이상이며, 천질(泉質)은 염류천(鹽類泉)으로 약(弱)알칼리성을 띠고 있음.

마:산-창【馬山倉】 명 〖역〗 조선 시대 후기 경상 남도 마산시 합포구(合浦區)에 있던 조창(漕倉). 창원(昌原)·함안(咸安)·진해(鎭海)·거제(巨濟) 등 8 읍(邑)의 세곡(歲穀)을 수납·보관하였음. 좌조창(左漕倉).

마상[1] 명 마상이. 주의 '亇尙·亇尙·馬上·麼相'으로 씀은 취음(取音).

마:상[2]【馬上】 명 ①말의 위. 말의 등 위. ②말을 타고 있을 경우의 일컬음. ¶ ~의 용자(勇姿).

마상개 명 농악에서, 몸을 구부려 소구를 바닥에 대듯이 끌면서 뒤로 물러나는 동작.

마:상-객【馬上客】 명 말을 타고 있는 사람.

마:상 당음【馬上唐音】 명 〖책〗 그 책의 첫머리가 송지문(宋之問)의 한식시(寒食詩) '마상 봉한식(馬上逢寒食)'의 구로 시작되었다 하여, 통속적으로 '당음(唐音)'을 일컫던 이름. 「음을 이르는 말.

마:상 득지【馬上得之】 명 말을 타고 싸우며 동분 서주하여 천하를 얻었

마상-령【麻上嶺】[—녕] 명 〖지〗 평안 북도 벽동군(碧潼郡) 송서면(松西面)에 있는 고개. 강남(江南) 산맥에 속함. [403 m]

마:상-배【馬上杯】 명 말 위에서 사용하는 술잔.

마:상 봉:도【馬上奉導】 명 〖역〗 능행(陵幸) 때 임금이 마상에 오르면, 일산(日傘)을 우긋하게 받쳐 들리고 편안하게 모시라고 경계하는 봉도. 봉도 별감(奉導別監)이 먼저 '일산 우버 시위(侍衛)'라 부르면 여러 별감이 '일산 휘 우버 시위라, 견마부(牽馬夫) 안가(安駕) 뫼라'고 연달아 부름.

마:상 봉:지인【馬上奉持人】 명 〖역〗 임금이 거둥할 때 교룡기(蛟龍旗)를 받들고 말을 타고 앞서 가는 금군(禁軍).

마상-산【麻桑山】 명 〖지〗 함경 남도(咸鏡南道) 안변군(安邊郡) 위익면(衛益面)과 강원도(江原道) 평강군(平康郡) 고삽면(高揷面) 사이에 있는 산. [1,126 m]

마:상-선【馬尙船】 명 〖역〗 조선 시대에 평안도·함경도의 하천에서 군대 이동·곡물 운반 기타 잡용(雜用)에 쓰인 배. ＊마상이.

마:상 쌍검【馬上雙劍】 명 〖역〗 이십사반 무예(二十四般武藝)의 한 가지. 갑옷 투구에 완전 무장한 무사(武士)가 말을 타고서 두 손에 요도(腰刀)를 하나씩 가지고 하는 검술(劍術).

〈마상 쌍검〉

마:상 월도【馬上月刀】[—또] 명 〖역〗 이십사반 무예(二十四般武藝)의 한 가지. 갑옷 투구에 완전 무장한 무사(武士)가 말을 타고서, 월도(月刀)를 가지고 하는 검술로, 그 자세는 여러 가지가 있음.

마:상 유삼【馬上油衫】 명 말을 탈 때에 입는 유삼.

마상이 명 [근대 : 마샹이] ①거루 따위 작은 배. ②통나무를 파서 만든 작은 배. 독목주(獨木舟). 통나무배. 더그아웃(dugout). ＊쪽배. 주의 '馬上伊'로 씀은 취음(取音).

〈마상 월도〉

마:상-장【馬上章】[—짱] 명 〖악〗 용비어천가 제87장의 이름.

마:상-재【馬上才】 명 〖역〗 무예 이십사반(武藝二十四般)의 하나로, 임진 왜란 때에 시작되어 각 영문(營門)의 마군(馬軍) 사이에 시행하던 기병 무예(騎兵武藝). 내닫는 말 위에서 총 놓기, 옆에 매어달리기, 엎디어 달리기, 거꾸로 서서 달리기, 자빠져서 달리기, 가로 누워서 달리기, 옆에 거꾸로 매달려서 달리기, 쌍마(雙馬) 타고 서서 총 놓기 등 여러 가지가 있었음. 마예(馬藝). 마기(馬技). 원기(猿騎). 편마(騙馬).

〈마상재〉

마:상재-꾼【馬上才—】 명 〖역〗 마상재를 하던 군졸.

마:상-전【馬床廛】 명 마구(馬具)나 관복(官服) 등을 팔던 가게.

마:상-초【馬上草】 명 〖역〗 면사무소(面事務所)에 비치되어, 납세자 및 납세액의 이동(異同)을 기록하던 장부. 「총.

마:상-총【馬上銃】 명 기병(騎兵)이 쓰는 작은

마:상-치【馬上—】 명 말을 탈 때에 입는 우장옷이나 가죽신.

마:상 편곤【馬上鞭棍】 명 〖역〗 이십사반 무예(二十四般武藝)의 한 가지. 갑옷 투구에 완전 무장한 무사(武士)가 말을 타고서 편곤을 가지고 하는 무예.

〈마상 편곤〉

마:새 명 〈방〉 말썽.

마:새(를) 부리다 구 〈방〉 말썽(을) 부리다.

마:색【馬色】 명 〖역〗 조선 시대에, 병조(兵曹)의 한 분장(分掌). 벼슬아치가 공무로 여행할 때의 입마(立馬)·노문(路文)·초료(草料) 등에 관한

마생이 명 〈방〉 마상이. ㄴ일을 맡아 보았음.

마샹이 명 〈옛〉 마상이. ¶ 마샹이(槽舡) ≪譯語 下 20≫.

마서웁다 형 〈방〉 매섭다. 「다 자여불

마석【磨石】 명 ①맷돌. ②돌이나 돌로 된 물건을 반드럽게 갊. ——하

마-석기【磨石器】 명 〖역〗 ↗마제 석기(磨製石器).

마석-먹다【一石—】 자 한 마지기 논에 곡식 두 섬이 나다.

마석-암【磨石岩】 명 〖지〗 외금강(外金剛)에 솟아 있는 고봉의 하나.

마선[1] 명 〖동〗 〈방〉 고둥(함북). ㄴ[1,364 m]

마:선[2]【馬癬】 명 〖한의〗 말버짐.

마섭다 형 〈방〉 매섭다. 「질. ¶ ~을 지닌 여자.

마성【魔性】 명 ①악마의 성질. ②사람을 미혹(迷惑)시키는 악마적인 성

마-세[1]【一貰】 명 예전에, 추수 때 마름이 소작인에게서 소작료 외에 마질 삯으로 덧받는 벼.

마:세[2]【馬貰】 명 마삯. 「는 방법.

마세[3] [프 massé] 명 당구(撞球)에서, 큐(cue)를 수직으로 세워 공을 치

마세도나이트 [macedonite] 명 ①〖지질〗 현무암질의 암석. 정장석(正長石), 소다 사장석(斜長石), 흑운모(黑雲母), 감람석(橄欖石) 및 드물게 휘섬석(輝閃石)을 포함함. ②〖광〗 납 및 티탄의 산화물로써 된 광물. [P_6TiO_3]

마세루 [Maseru] 명 〖지〗 레소토(Lesotho)의 수도. 남(南)아프리카 공화국과의 국경에서 약 2 km 지점에 있으며 상업의 중심지. [90,000 명(1990 추계)]

마세이오 [Maceió] 명 〖지〗 브라질 동부, 대서양안(大西洋岸)의 항구 도시. 알라고아스(Alagoas) 주(州)의 주도(州都). 사탕·면화의 수출항이며, 면직물·제당(製糖)·담배 등의 공업이 행해짐. 포르투갈 식민지 시대의 잔재(殘滓)인 정청(政廳) 등이 남아 있음. [376,000 명

마세크 명 조개탄(炭). ㄴ(1980)]

마셔브룸 산【—山】[Masherbrum] 명 〖지〗 카슈미르 북서부, 카라코람(Karakoram) 산맥 중의 산. 봉우리가 두 개인데 주봉(主峰)은 표고 7,821 m 임. 1960년 미국·파키스탄 등반대가 처음으로 등정(登頂)함.

마:셜[1] [marshal] 명 육군 원수.

마:셜[2] [Marshall, Alfred] 명 〖사람〗 영국의 경제학자. 케임브리지(Cambridge) 대학 교수. 영국 신고전 학파(新古典學派)의 창시자로, 수학의 경제학에의 응용 및 가치론에서의 중요한 이론 등을 내세웠음. [1842-1924]

마:셜[3] [Marshall, George Catlett] 명 〖사람〗 미국의 군인·정치가. 2차 대전 당시 육군 참모 총장을 역임하였고, 1947년 국무 장관으로서 '마셜 플랜(Marshall Plan)'을 입안하였음. 1953년 노벨 평화상을 받았음. [1880-1959]

마:셜 제도 공화국【—諸島共和國】[Marshall] 명 〖지〗 태평양의 미크로네시아 지역에 있는 공화국. 1945 년 미국 신탁 통치령이었으나 1982 년 미국과 자유 연합 협정을 체결하고 1986 년 독립을 선포함. 농업·어업이 주요 산업임. 수도는 마주로(Majuro). [181 km² : 48,091 명(1991)]

마:셜 플랜 [Marshall Plan] 명 2차 대전 후의 유럽 경제 부흥을 위한, 미국의 서(西)유럽 17개국에 대한 원조 계획. 1947년 6월, 당시의 국무 장관이던 마셜이 하버드(Harvard) 대학에서 행한 연설을 기초로 파리에서의 유럽 부흥 회의 보고서를 검토하여 작성한 계획으로, 그 때까지의 국가별 원조를 지양(止揚)하고 지역적인 원조로 한 것이 특색임. 그 후 동서 냉전(冷戰)의 격화로 차차 북대서양 조약에 의한 군사 원조로 변모하였음. 유럽 부흥 계획. 구주 부흥 계획(歐洲復興計劃). 이 아르 피(E.R.P.).

마소 명 말과 소.

【마소의 새끼는 시골로, 사람의 새끼는 서울로】 사람은 도회지에서 자라고 배워야 견문이 넓어진다는 말.

마소-일 명 말이나 소가 하여야 할 힘든 일.

마-속[1] 명 곡식을 되는 말의 용량(容量).

마:-속[2]【馬謖】 명 〖사람〗 중국 삼국(三國) 시대 촉한(蜀漢)의 장수. 후베이(湖北) 사람. 자는 유상(幼常). 뛰어난 지략(智略)을 인정받아 제갈량(諸葛亮)의 중명(重命)으로, 북벌(北伐) 때 일군(一軍)의 통수가 되었으나 가정(街亭)의 싸움에서 군령(軍令)을 어겨 위(魏)에 참패(慘敗)하고 처형되었음. '읍참 마속(泣斬馬謖)'의 고사로 알려진 인물임. [190-228] 「하다 자여불

마손【磨損】 명 금속 표면 따위가 서로 쓸리어 닳음. ¶ ~도(度). ——-

마솔리:노 [Masolino] 명 〖사람〗 이탈리아의 화가. 본명은 Tommaso di Cristoforo Fini. 고딕에서 르네상스로 옮아 가는 시기의 과도적인 존재로서 중요한 지위를 차지함. 작품으로는 일부 성당의 벽화 등 종교

마송[1] [프 maçon] 명 석수(石手). ㄴ화가 남아 있음. [1383-1447?]

마송[2] [Masson, André] 명 〖사람〗 프랑스의 화가. 큐비즘의 감화(感化)로 1925년 쉬르레알리즘에 접근, 1929년 추상 회화(抽象繪畫)로 옮김. 후에 다시 구상(具象)으로 돌아와 독특한 표현주의적 리얼리즘을 전개함. [1896-1987] 「자타여불

마쇄【磨碎·磨碎】 명 갈아 부숨. 또, 갈려 부서짐. 갈부수기. ——-하다

마쇄-물【磨碎物】 명 갈리어 부서져 부스러기나 가루로 된 물질.

마쇼 [Machaut, Guillaume de] 명 〖사람〗 프랑스의 작곡가. 아르스 노바(ars nova)를 대표하는 음악가. 미사(missa)·모테트(motet) 등 교회 음악 외에 론도(rondo)와 발라드(ballade) 등 가곡도 있음. [1305?-77]

마수[1] 명 ①첫번에 팔리는 것으로 미루어 말하는, 그 영업이나 그 날의 운수. ¶ ~ 좋다. ②↗마수걸이. ¶ ~도 못 했다. ——하다 자타여불

마수(를) 걸:다 구 영업을 시작할 때에나 또는 어느 날에 처음으로 물

마수[2] 명 〈방〉 마투리. ㄴ건을 팔다.

마-수[3]【一數】 명 '말[5]'의 수량.

마수[4]【魔手】 명 ①악마의 손. ②음흉하고 흉악한 사람의 손길. 검은손. ¶ 유혹의 ~를 뻗다/~에 걸리다.

마:수[5]【馬首】 명 말의 머리. 또, 말이 향하는 방향. ¶ ~를 돌리다.

마수-걸이 [명] 마수 거는 일. 첫 개시로 파는 일. 개시(開市). [준]마수. ——-하다 [자][타][여불]

마수:디 〔Masudi, al-〕 [명] 〖사람〗 사라센의 여행가·역사학자·지리학자. 아랍어 이름은 Abu-al-Hasan 'Ali al-Mas'ūdi. 그의 발자취는 동쪽으로는 자바, 서쪽으로는 아프리카에까지 미침. 주저(主著)에 일종의 백과 전서인 ≪황금의 목장과 보석의 광산≫이 있음. [?-956]

마:수-령 【馬樹嶺】 [명] 〖지〗 마식령(馬息嶺).

마수륨 〔masurium〕 [명] 〖화〗 1925년 레늄(rhenium)과 함께 원자 번호 43번 원소로서 발견되었다고 하여 명명(命名)된 원소 이름. 그 후에 보고가 없는데, 현재에는 43번 원소로서 인공 원소 테크네튬(technetium)이 확인되었음.

마수-손님 [명] 마수걸이한 손님.

마:술¹ 【馬術】 [명] ↗승마술(乘馬術). ¶ ~ 경기.

마술² 【魔術】 [명] ①〖성〗 마귀(魔鬼)가 하느님의 적(敵)으로서 행하는 이적(異蹟). ②요술(妖術). 특히, 비교적 규모가 큰 것을 일컬음.

마술-사 【魔術師】 [—싸] [명] 마술을 행하는 것을 업으로 삼는 사람. ＊마법사(魔法師)·요술쟁이·마술쟁이.

마술-장이 【魔術—】 [명] ☞ 마술쟁이.

마술-쟁이 【魔術—】 [명] 마술사를 홀하게 일컫는 말.

마술적 관념론 【魔術的觀念論】 [—쩍—논] [명] 〔도 Magischer Idealismus〕 〖문〗 노발리스(Novalis)가 자신의 낭만적인 세계관(世界觀)을 특색지어 부른 말.

마숩다 [형] 〈방〉 무섭다(제주).

마:스 강 【—江】 〔Maas〕 [명] 〖지〗 프랑스 동부 랑그르(Langres) 고원(高原)에서 발원하여, 벨기에·네덜란드를 거쳐 북해(北海)로 흘러 들어가는 강. [933 km]

마스네 〔Massenet, Jules Émile Frédéric〕 [명] 〖사람〗 프랑스의 작곡가. 19세기 프랑스 가극의 대표적 작가로, 감미로운 선율과 정묘(精妙)한 악기법에 특색이 있음. 작품에 오페라 ≪마농(Manon)≫·≪노트르담의 곡예사≫ 등이 있음. [1842-1912]

마스다 [타] 〈방〉 마다². 부수다(함북).

마스짓 〔아랍 masjid〕 [명] 〖이슬람〗 성원(聖院).

마스카:니 〔Mascagni, Pietro〕 [명] 〖사람〗 이탈리아의 작곡가. 오페라 ≪카발레리아 루스티카나(Cavalleria Lusticana)≫·≪이리스(Iris)≫ 등을 작곡했음. [1863-1945]

마스카:라 〔mascara〕 [명] 속눈썹을 짙게 하는 화장품. 고형(固形)·액상(液狀)·크림상 등이 있음.

마스케라:데 〔도 Maskerade〕 [명] ①가면극(假面劇). ②가면 무도회(舞蹈會).

마스코트 〔mascot〕 [명] 행운의 신(神). 행운을 가져온다고 믿어 간직하거나 위하는 상징물(象徵物) 또는 사람. ↔징크스. ＊부적.

마스크¹ 〔mask〕 [명] ①병균이나 먼지 같은 것을 막기 위하여 코·입을 가리는 물건. 호흡 보호기(保護器). ②탈²❶❷. ③야구에서, 포수(捕手)가 얼굴을 보호하기 위해 쓰는 기구. ④〖군〗 포대(砲臺)의 엄폐물(掩蔽物). 차폐 각면보(遮蔽角面堡). ⑤↗데스 마스크(death mask). ⑥얼굴. ¶ 좋은 ~와 균형 잡힌 몸매. ⑦ 사진·영화를 촬영하거나 인화할 때, 화면의 일부가 찍히지 않도록 빛을 막기 위하여 사용하는 불투명한 물체.

마스크² 〔프 masques〕 [명] 〖연〗 가면극(假面劇). 16세기에 궁정(宮廷)에서 행하여진 가극의 하나. 오페라의 선구(先驅)가 되었음.

마스크 롬 〔mask ROM〕 [명] 〖컴퓨터〗 고밀도 집적 회로 제조시에 프로그램 등의 정보를 내장시킨 롬. 한 번 수록된 데이터는 사용자가 수정할 수 없는 것이 특징이며, 제조 방법이 간단하고 대용량화(大容量化)하기 쉬워, 컴퓨터·OA 기기 등에 널리 사용됨.

마스크 워:크 〔mask work〕 [명] 〖연〗 영화 촬영에서 배우가 일인 이역(一人二役)으로 한 화면에 나와야 할 경우에, 화면의 일부를 잘라서 두세 번으로 촬영해서 합하는 일.

마스크 플레이 〔mask play〕 [명] 〖연〗 가면극(假面劇).

마스크 효:과 【—效果】 〔mask〕 [명] 어떤 음을 듣고 있을 때, 다른 음이 어느 정도 크게 들리면 원음(原音)을 듣고 있는 감도(感度)가 떨어지거나 들리지 아니하는 현상.

마스타바 〔mastaba〕 [명] 〖역〗 고대 이집트에서, 직사각형의 돌이나 볕에 말린 벽돌로 만든, 측면이 경사지고 정상(頂上)이 평평한 묘상(墓上)의 건조물. 시체는 그 지하실에 묻음. 피라미드에 선행하는 것임.

마스터 〔master〕 [명] ①주인. ②우두머리. 두목(頭目). ¶ 밴드 ~. ③교장. 선생. ④대가(大家). ⑤석사(碩士). ⑥선장(船長). ⑦(기술·내용 따위의) 숙달. 터득. ——-하다 [타][여불] 정복하거나 숙달(熟達)하다. 정통(精通)하다. ¶ 영어를 ~.

마스터베이션 〔masturbation〕 [명] 수음(手淫). ——-하다 [자][여불]

마스터스 보:고 【—報告】 〔Masters〕 [명] 미국 워싱턴 대학의 산부인과 교수 마스터스(Masters, M.)가 1966년에 발표한 보고서. 인간의 성적 반응(性的反應)이나 능력(能力)에 대해서 과학적으로 실험 검토한 보고서임.

마스터 스테이션 〔master station〕 [명] 키 스테이션.

마스터스 토:너먼트 〔Masters Tournament〕 [명] 미국 조지아 주(州) 오거스타(Augusta)에서 매년 4월 둘째 주(週)에 개최되는 세계적인 골프 경기 대회. 천재적인 아마추어 골프 선수였던 미국의 보비 존스(Bobby Jones)가 은퇴 후 창설, 1934년에 제1회 대회가 열렸음. 주최자가 초청한 각국의 유명 선수만 참가할 수 있음.

마스터슬레이브 조작기 【—操作機】 〔master-slave〕 [명] 〖물〗 방사능(放射能)이 강한 물질을 다루기 위하여 사용되는 기계.

마스터 오브 로: 〔Master of Law〕 [명] 〖교〗 영국·미국의 대학에서, 법학을 수업한 사람에게 주어지는 칭호. 엠 엘(M.L.).

마스터 오브 사이언스 〔Master of Science〕 [명] 미국·영국의 대학에서, 이과계(理科系)의 학과를 마친 사람에게 수여하는 칭호. 우리 나라의 이학 석사(理學碩士)에 해당함. 엠 에스(M.S.).

마스터 오브 아:츠 〔Master of Arts〕 [명] 〖교〗 미국·영국의 대학에서, 문학부를 졸업하여 배철러 오브 아츠(B.A.)의 칭호를 얻은 후, 약 1년을 경과하여 논문을 제출한 사람에게 심사 후 수여하는 학위. 우리나라의 문학 석사(文學碩士)에 해당함. 엠 에이(M.A.).

마스터 코:스 〔master course〕 [명] '마스터'의 학위를 주는 대학원의 교육 과정. 수료 연한은 2년 이상임. 석사(碩士) 과정.

마스터 키: 〔master key〕 [명] 호텔 등에서 비상시에 쓰이는, 모든 자물쇠에 맞는 열쇠. 원칙으로 관리자가 보관함. 곁쇠.

마스터-판 【—版】 〔master〕 [명] 마스터 인쇄 때 인쇄판으로 쓰이는 판. 질긴 종이에 염화 카드뮴과 금속염 따위를 칠하여 만든 판 위에 디아조 화합물을 감광제(感光劑)로 덧칠하여 씀.

마스터 플랜 〔master plan〕 [명] 전체의 기본이 되는 계획. 기본 계획. 기본 설계.

마스터-피:스 〔masterpiece〕 [명] 걸작(傑作). 명작(名作).

마스토돈 〔mastodon〕 [명] 〖동〗 ①원시적 장비류(長鼻類)에 속하는 화석 동물의 총칭. 코끼리의 진화(進化)의 근간(根幹)을 이루는 종류임. ②[*Mastodon americanus*] 장비류 마스토돈과(科)에 속하는 화석 동물의 하나. 상하(上下) 양턱에 상아(象牙) 모양의 앞니가 발달하였음. 수천 년 전 인디언족(族)과 공존(共存)했던 것으로, 북미(北美)의 제3기 마이오세(世)에서 홍적세(洪積世)에 걸쳐 번성했음. 북미의 중동부 특히 켄터키 주의 토탄지(土炭地)에서 발굴되며, 시베리아에서도 비슷한 종류가 발견되었음.

〈마스토돈❷〉

마스토돈-사우루스 〔Mastodonsaurus〕 [명] 〖동〗 트라이아스기(紀)에 살았던 대형 양서류(大形兩棲類). 형태는 개구리와 비슷한데, 가장 큰 종류로는 머리만도 1 m, 길이는 3 m 이상임. 어류(魚類)를 포식했던 것으로 추측됨.

마스트 〔mast〕 [명] 돛대. 선장(船檣).

마:스트리히트 〔Maastricht〕 [명] 〖지〗 네덜란드 동남단(東南端), 벨기에와의 국경 근처에 있는 도시. 농축산물(農畜産物)의 거래, 섬유·화학 공업이 행하여짐. 6세기 이래의 역사를 지닌 네덜란드 최고(最古)의 성당이 있음. [111,000명(1982)]

마:스트리히트 조약 【—條約】 〔Maastricht〕 [명] 1991년 12월, 유럽 공동체 수뇌들이 네덜란드의 마스트리히트에 모여 맺은 조약. 99년까지의 단일 화폐(ECU) 채택 외에 공통 외교·안전 보장 정책의 도입, 유럽 방위 기구체 설립 등이 규정되었음.

마스티프 〔mastiff〕 [명] 개의 품종. 영국 원산으로, 크고 사나워 투견(鬪犬)·호신견(護身犬) 등으로 씀.

〈마스티프〉

마스페로: 〔Maspero〕 [명] 〖사람〗 ①〔Gaston Camille Charles M.〕 프랑스의 고고학자. ❷의 아버지. 고대 이집트를 연구, 1880년 이집트에 파견되어 카이로에 고고학 연구소를 세우고, 카이로의 고대 유물 관리청장을 역임함. 사카라(Saqqara) 등의 피라미드를 조사, 처음으로 현실(玄室)에 들어가 미라의 관(棺)을 여는 등 고대 이집트 연구에 크게 공헌했음. [1846-1916] ②〔Henri M.〕 프랑스의 중국학자. ❶의 아들. 1908년부터 하노이 극동 학원에서 중국·베트남의 언어·역사를 연구, 1911년부터는 그 곳 교수를 지냄. 1918년 콜레주 드 프랑스 교수. 1944년 나치스의 강제 수용소에 수용되었다가 병사함. 저서에 ≪중국 고대사≫·≪도교(道敎)≫ 등이 있음. [1883-1945]

마슬 [명] 〈방〉 마을(전남·경기·강원·제주).

마슴 [명] 〈방〉 마음(제주).

마습 【魔襲】 [명] 〖천주교〗 마귀가 사람의 육신 밖에서 그 사람을 괴롭히는 일. ＊부마(付魔). ——-하다 [자][여불]

마:승¹ 【馬乘】 [명] 〔'승(乘)'은 '사(四)'의 뜻〕 네 필의 말.

마승² 【麻繩】 [명] 삼으로 꼰 바. 삼노.

마시¹ [명] 〈방〉 모시(충남).

마:시² 【馬市】 [명] ①말을 매매하는 시장. ②〖역〗 조선 시대 때, 우리 나라와 여진(女眞) 사이의 교역(交易)을 위하여 국경에 설치한 무역소. ③〖역〗 중국의 명(明)나라에서 여진과의 무역을 위하여 요동(遼東) 근방에 설치한 무역소.

마:시 검:출법 【—檢出法】 〔Marsh〕 [—뻡] [명] 〖화〗 미량의 비소(砒素), 특히 아비산(亞砒酸)을 비소경(砒素鏡)으로 검출하는 법.

마시넨 링 〔도 Maschinen Ring〕 [명] 1957-58년경, 서독의 바이에른 농협(農協)에서 시작된 '농업 기계 은행'을 이름. 은행이 예금을 대부하는 것처럼 농업 기계의 이용·교환의 중계를 행하는 조합.

마시다 [타] ①물이나 술 같은 것을 목구멍으로 넘기다. ¶ 물을 ~. ②공기 같은 것을 빨아 들이다. ¶ 신선한 공기를 ~/연탄 가스를 ~.

마:시-멜로: 〔marshmallow〕 [명] 젤라틴·난백(卵白)·설탕·향료·식용 색소 따위를 섞어 거품이 일게 한 다음 굳힌 양과자. 말랑한 고무 공과 같은 감촉이며 원래는 마시맬로 곧, 당아욱 뿌리의 점액을 섞어 만든 데서 온 이름임.

마:시탄 사:건 【馬嘶灘事件】 [—껀] [명] 〖역〗 1924년 5월, 평안 북도 위원군(渭原郡) 마시탄 강변에서, 당시의 사이토 마코토(斉藤実) 조선 총독을 저격한 사건. 임정(臨政) 소속 육군 주만 참의부(駐滿參議府)의 소대장 한권웅(韓權雄)과 현성희(玄成熙) 등 8명이 서북 국경 시찰에 나선 사이토를 마시탄 강변에서 저격했으나 실패하였음.

마:식¹ 【馬食】 [명] ①말먹이. ②말처럼 많이 먹음. ¶ 우음(牛飮) ~. ——

하다 타여불

마식²【磨蝕】명〖지〗물이나 바람 등에 의해 지각(地殼)이나 바위가 깎이는 현상. ──-하다 타여불

마:식-령【馬息嶺】[─녕] 명〖지〗〔이성계(李成桂)가 이 재에서 말을 달리었다는 데서〕 함경 남도 덕원군(德源郡) 풍상면(豐上面)과 문천군(文川郡) 문천면(文川面) 사이에 있는 재. 마수령(馬樹嶺). [788m]

마:식령 산맥【馬息嶺山脈】[─녕─] 명〖지〗낭림 산맥(狼林山脈)의 남쪽 마식령에서 갈려 황해도와 경기도의 도계(道界)를 이루면서 서남쪽으로 뻗어 내린 산맥. 서쪽은 예성강(禮成江), 동쪽은 임진강이 흐르는데, 편마암으로 된 구릉성(丘陵性) 산지로, 산맥 중에는 마식령·입암산(立岩山)·천마산(天摩山) 등이 솟아 있음.

마신¹ 명〈방〉무당(강원).

마:신²【馬身】명 경마에서, 말의 코끝부터 궁둥이 뒤끝까지의 길이. 주로 승부의 거리 차를 나타내는 데 쓰임. ¶1 ~의 차로 이기다.

마신³【魔神】명 재앙을 주는 신. 악마(惡魔). 마귀.

마신:⁴〔Massine, Léonide〕명〖사람〗러시아 출신의 미국 무용가·안무가. 디아길레프(Diaghilev)의 러시아 발레단 등 여러 발레단에서 활약하였고, 《기묘한 가게》·《삼각(三角) 모자》 등 경묘한 안무 작품으로 신생면(新生面)을 개척하였음. [1896-1979]

마:신-제【馬神祭】명 음력 10월 중 말날에 마구간에 떡을 차려 놓고 말의 건강을 빌던 고사(告祀).

마실 명〈방〉마을(경기·강원·충청·전북·경상).

마실-것 [─껃] 명 물·술·차·주스 등 마시는 액체. 음료(飮料).

마짜잇짜 타〈옛〉맡아 있다. 맡았다. ¶ 덕월이 마짜잇짜가(直月掌之) 《呂約 2》.

마쓰야마〔松山:まつやま〕명〖지〗일본 에히메 현(愛媛縣) 중부의 시로, 현청 소재지. 근년에, 섬유·화학·석유 공업 등 임해 공업 도시로 발전하였음. 온천·공항이 있으며, 시인(詩人)들의 시비(詩碑)가 많음. [463,632명(1996)]

마쓰에〔松江:まつえ〕명〖지〗일본 시마네 현(島根縣) 동부, 신지 호(宍道湖) 동안(東岸)의 시로, 현청 소재지. 칠기(漆器)·도기(陶器) 등의 전통 공예 외에 기계·조선(造船) 공업이 발달함. [146,153명(1996)]

마쓰오 바쇼:〔松尾芭蕉:まつおばしょう〕명〖사람〗바쇼(芭蕉).

마:씨 문통【馬氏文通】명〖책〗중국 최초의 서구식(西歐式) 문전(文典). 1898년에 청(淸)나라의 마건충(馬建忠)이 지음. 실자(實字)·허자(虛字)·조자(助字)·구두(句讀)·문장론(文章論) 등을 설명했음. 10권.

마:씨 오:상【馬氏五常】명 한 가지로 재주가 뛰어난, 중국 촉한(蜀漢)의 마량(馬良)의 다섯 형제. 형제의 자(字)에 모두 '상(常)'이 들어 있음.

마슬 명〈옛〉마을❶. 관청. =마을. ¶ 開封府ㅣ 랏 마슬 戶籍의 일훔을 여 둥당보고자 ᄒᆞ노이다(貫開封戶籍取應)《飜小 Ⅸ:49》.

마손 수〈옛〉마흔. =만순. ¶ 마순 여듧(四十八)《月釋 Ⅷ:59》.

마ᅀᆞᆯ 명〈옛〉마을❶. 관청. =마을. ¶ 마ᅀᆞᆯ 셔(署), 마ᅀᆞᆯ 국(局), 마ᅀᆞᆯ 부(府)《字會 中 7》/마ᅀᆞᆯ 아(衙), 마ᅀᆞᆯ 스(司)《類合 上 18》.

마아만 마아만ᄒᆞ니여 구〈옛〉어마어마하게 많은 사람이여. 많고도 많은 사람이여. ¶ 處容 아비롤 누고 지어 세니오, 마아만 마아만ᄒᆞ니여 《樂範 處容歌》.

마아지 명〈방〉망아지(경남).

마:아-초¹【馬牙草】명〖식〗시금치.

마:아-초²【馬牙硝】명〖한의〗망초⁴(芒硝).

마:안¹【馬鞍】명 안장(鞍裝)❶.

마안² 수〈방〉마흔(경남).

마:안-도¹【馬安島】명〖지〗전라 남도의 남해상(南海上), 완도군(莞島郡) 노화면(蘆花面) 내리(內里)에 위치한 섬. [0.13km²]

마:안-도²【馬鞍島】명〖지〗평안 북도 용천군(龍川郡) 신도면(薪島面) 남주동(南洲洞)에 있는 섬. 우리 나라의 가장 서쪽을 이룸. [0.3km²]

마:안-산【馬鞍山】명〖지〗함경 남도 신흥군(新興郡) 원평면(元平面)에 있는 산. [1,189m]

마알 명〈방〉마을❷(경상).

마암 명〈방〉마음(경상).

마:암-산【馬岩山】명〖지〗함경 남도 덕원군(德源郡) 풍상면(豐上面)에 있는 산. [1,042m]

마:앙【馬鞅】명 뱃대끈❷.

마애【磨崖】명 석벽(石壁)에 글자나 그림을 새김. ──-하다 자여불

마애-불【磨崖佛】명〖불교〗암벽(岩壁)에 선각(線刻) 또는 부각(浮刻)한 불상(佛像). 우리 나라에서는 신라 시대, 중국에서는 당대(唐代)의 것이 많음.

마야¹【摩耶】명〖사람〗마야 부인(摩耶夫人).

마야²〔Maya〕명〖인류〗마야족.

마야³〔범 Māyā〕명 고대 인도(印度)에서, 환영(幻影)·허위(虛僞)에 충만된 물질계(物質界)를 뜻하던 베단타 학파(Vedanta學派)의 술어(術語). 또, 그것을 주는 여신(女神)의 초자연력(超自然力).

마야-력【─曆】〔Maya〕명 마야족이 창안한 일종의 태양력. 태양을 중심으로 달·금성을 이용하여 만든 것임. 1년을 365일, 18개월로 나눔. 1개월은 20일 나머지 5일은 액일(厄日)로 쳤음. 5년마다 이 역(曆)의 비(碑)를 세웠는데, 378년에서 536년 사이의 것이 발견되었음.

마야 문화【─文化】〔Maya〕명 멕시코 고대 문명을 대표하는 마야족의 원시 문화. 중앙 아메리카 유카탄(Yucatan) 반도를 중심으로 6세기경에 발달하였음. 잉카 문화와 더불어 인디언 문화의 쌍벽을 이루었는데, 거석 건조물(巨石建造物)이 특색이며 천문(天文)·역법(曆法)·수학·미술이 발달하였고, 일종의 상형 문자(象形文字)도 사용하였음. 주민은 도시 국가를 이루었으며, 토지 소유에 바탕을 둔 계급 제도가 발달하여 귀족제(貴族制)가 실시되었다 함. *마야족.

마야 부인【摩耶夫人】명〔범 Māyā〕〖사람〗고대 중인도 구리 성주(拘利城主) 선각(善覺)의 누이동생. 일설에는 딸이라고도 함. 가비라 성주(迦毘羅城主) 정반왕(淨飯王)의 아내가 되어, 실달 태자(悉達太子) 즉 후의 석가 여래를 낳고 7일 후에 죽었음. 불모(佛母). 마가마야(摩迦摩耶). 마야(摩耶). [?-483 B.C.]

마야-어【─語】〔Maya〕명 아메리카 인디언의 한 종족인 마야족(族)의 언어. 유카탄 반도와 그 인접 지역에서 쓰임. 고대 마야 문자로 쓰인 자료가 있으나 해독(解讀)은 불충분함.

마야-족【─族】〔Maya〕명〖인류〗중앙 아메리카를 지배하였던 인디언의 고족(古族). 우수한 고대 문명을 이룩하였으나 유럽인의 진출로 1500년경부터 쇠미(衰微)하였음. 마야. *마야 문화(Maya文化).

마야지 명〈방〉망아지.

마야콥스키〔Mayakovski, Vladimir Vladimirovich〕명〖사람〗소련의 시인. 미래파(未來派)의 그룹을 조직하여 '미래파 선언'에 참가하였음. 소시민성(小市民性)·관료성을 비판하였으며, 10월 혁명에 가담 후에, 사상적 번민으로 자살하였음. 대표작에 《바지를 입은 구름》 등이 있음. [1893-1930]

마야판〔Mayapan〕명〖지〗멕시코의 유카탄(Yucatan) 반도 북부에 있는 마야 문명의 유적. 마야 신제국(Maya新帝國) 때의 도시 유적으로 대신전(大神殿)·궁전·이중 성벽(二重城壁) 등 석조 건축(石造建築)의 유구(遺構)가 있음.

마약【痲藥·麻藥】명〖약〗①보통 아편·모르핀 및 코카인 등과 같이, 마취 작용을 하며 습관성을 지닌 약으로, 장복(長服)하면 중독 증상을 나타내는 물질의 총칭. 법률상 단속 대상임. 마취약. ②모르핀. 아편.

마약 감시원【痲藥監視員】명〖법〗마약 취급자에 대한 행정상의 감시·감독과 사법 경찰 관리의 직무를 수행하는 직원. 보건 복지부·서울 특별시·광역시·도(道)에서 지정하는 기관에 둠.

마약-법【痲藥法】명〖법〗마약의 해독을 방지하기 위하여 마약의 사용을 정당한 의료용 및 과학용에 국한하며, 그 취급의 적정(適正)을 기하기 위한 법률.

마약 분석【痲藥分析】명〖심〗마약 종합(痲藥綜合).

마약 종합【痲藥綜合】명〖심〗정신 상태를 분석 관찰할 때, 마약을 써서 인간의 마음 속에 억압되어 표면에 드러나지 않는 잠재 의식(潛在意識)을 밝히는 방법. 마약 분석(痲藥分析).

마약 중독【痲藥中毒】명〔narcotic intoxication〕〖의〗마약을 장기간 사용함으로써 마약을 쓰지 아니하고는 정상적인 생활을 영위할 수 없게 된 상태. 아편 중독·모르핀 중독·코카인 중독 등.

마약 중독자【痲藥中毒者】명 ①마약 중독에 걸린 사람. 건강을 해침은 물론, 마약에 대한 이상 욕구(異常慾求) 및 금단 현상(禁斷現象) 때문에 도의심(道義心)을 잃고, 파렴치죄를 범하게 되며, 사회에 무서운 해독을 끼치게 됨. ②아편 중독자. 아편쟁이.

마약 취:급자【痲藥取扱者】명〖법〗마약의 수입(輸入)·제조·정제(精製)·제제(製劑)·도매·소매를 업으로 하는 자, 의사, 병원의 마약 관리 책임자, 마약 연구자 등 마약 취급 면허를 받은 사람.

마:양-도【馬養島】명〖지〗함경 남도 북청군(北青郡) 신포읍(新浦邑)에 있는 섬. 신포항(港) 전면을 가로막아 천연 방파제 구실을 함. 조선 시대에는 군마(軍馬) 양육으로 이름이 났음. [7.064km²]

마어【麻魚】명〖어〗삼치¹.

마에마 교:사쿠〔前間恭作:まえまきょうさく〕명〖사람〗일본의 한국어 통역관·고서(古書) 연구가. 쓰시마(対島) 출신으로 일찍이 한국말을 익혀 1891년 유학생으로 조선에 와서 1911년까지 총독부 통역관으로 근무하면서, 고서(古書) 연구에 전념, 수천 권의 고서를 수집하여 해제(解題)를 붙였음. 저서에 《조선의 판본(板本)》·《고선 책보(古鮮册譜)》·《선책 명제(鮮册名題)》 등이 있음. [1868-1942]

마에바시〔前橋:まえばし〕명〖지〗일본 군마 현(群馬縣) 남부의 시로, 현청 소재지. 생사(生絲)를 중심으로 한 제사(製絲) 공업이 성(盛)함. [284,810명(1996)]

마에스토소〔이 maestoso〕명〖악〗'장엄(莊嚴)하게'의 뜻.

마:역【馬疫】명 말의 역병(疫病).

마:연¹【馬煙】명 말이 달릴 때 일어나는 먼지.

마연²【磨研】명 연마(研磨)❶. ──-하다 타여불

마연³【魔緣】명〖불교〗악마가 정도(正道)를 방해하는 일. 사람을 혹란(惑亂)하게 하여 악마에 접근시키는 인연.

마연-지【磨研紙】명 유리 가루나 금강사(金剛砂)를 종이나 헝겊에 발라 판(板)·금속 등의 면(面)을 가는 데 쓰는 물건. 샌드페이퍼(sandpaper).

마염【魔炎】명 악마가 일으키는 화염(火炎).

마엽【麻葉】명〖한의〗삼의 잎. 오래 된 학질에 약으로 쓰임.

마:영【馬纓】명 말의 가슴걸이.

마:예【馬藝】명〖역〗마상재(馬上才).

마오 둔〔茅盾〕명〖사람〗중국의 작가·비평가. 본명은 선 떠훙(沈德鴻). 문학 연구회 발기인의 한 사람으로 여러 가지 필명(筆名)으로 평론을 써 리얼리즘을 고취함. 대표작《자야(子夜)》. 문화 혁명(文化革命) 때에는 《임가 포자(林家舖子)》가 비판의 대상이 됨. 모순(茅盾). [1896-1981]

마오라기 명〈옛〉마래기. ¶ 마오라기(帽子)《才物譜 卷之一 地譜》.

마오려 보동〈옛〉말구려. 말진저. '말다'의 활용형. ¶ 제 남진 제 계집 아니어든 일홈 뭇디 마오려 《古時調 鄭澈》.

마오리-어【─語】〔Maori〕명〖언〗뉴질랜드 원주민의 언어. 폴리네시아 어파(Polynesia語派)에 속하며, 음운(音韻) 구조는 간단함.

마오리-족【─族】〔Maori〕명〖인류〗뉴질랜드의 원주민으로 폴리네시아인(Polynesia人)의 한 종족. 피부는 약간 암갈색을 띠며, 두발은 노란데 곱슬곱슬함. 추장제(酋長制)가 현저히 발달하였으며, 특이한 문신(文身)으로 유명함. 백인과 혼혈(混血)하면서부터 풍습이 급속히 유럽화(化)하였음.

마오 쩌둥 〔毛澤東〕 [명] 〖사람〗 중국의 정치가. 후난 성(湖南省) 샹탄 현(湘潭縣)의 빈농 출신. 1921 년 상하이(上海)에서 공산당 창립에 후난 대표로서 참가하였음. 제 1 차 국공 합작 때, 국민당 중앙 선전 부장 대리로 활약하다가, 분열 후 후난에서 추수 폭동(秋收暴動)을 지휘하였으며, 1949 년 공산 정권 수립과 동시에 초대 국가 주석에 취임, 1959 년에 사임하고 당 주석(主席)에 전임(專任). 1965 년 이후 문화 혁명을 지도함. 저서에 ≪후난 농민 운동 시찰 보고≫·≪실천론≫·≪모순론(矛盾論)≫이 있음. 모택동. [1893-1976]

마오 쩌둥 어:록 【一語錄】〔중 毛澤東〕 [명] 〖책〗 중국의 마오 쩌둥의 연설문·저서 중에서 정수 부분만 뽑아 엮은 책. 1964 년 문화 혁명 초기에 당시의 국방상 린 뱌오(林彪)가 마오 쩌둥 사상을 중공군에게 학습시키기 위해 편찬함. 모택동 어록.

마오타이-주 【一酒】〔중 茅臺〕 [명] 중국 구이저우 성(貴州省) 마오타이전(茅臺鎭)에서 주로 생산하는 술. 고량과 밀 및 보리의 효소를 발효시킨 증류주로, 알코올 성분은 55 도 이상임.

마온 [수] 〈방〉 마흔(경남).

마왕 【魔王】 [명] ①마귀의 왕. ②〖불교〗 천마(天魔)의 왕. 정법(正法)을 해치고 중생(衆生)이 불도(佛道)에 들어가는 것을 방해하는 귀신. ③〖악〗 슈베르트 작곡의 가곡. 괴테의 시에 곡을 붙인 것으로, 아버지·아들·마왕·해설자 등 각기 다른 음성의 이야기를 한 사람이 독창으로 엮어 나가는 극적인 기교가 있는 독창곡.

마요 [명] 〈옛〉 매화틀. ¶ 厠牏뒤 보는 마요 테엿 거시라 ≪小諺 Ⅵ:89≫.

마요네:즈 〔프 mayonnaise〕 [명] 샐러드용 소스의 한 가지. 달걀 노른자·샐러드유 또는 다른 식물성유·소금·식초 및 후춧가루 등으로 만듦.

마요르카 섬 〔Mallorca〕 [명] 〖지〗 지중해 서부 스페인령 발레아레스 제도(Baleares 諸島)의 주도(主島). 대표적인 지중해성 기후로, 포도·올리브·오렌지·레몬 등을 산출하며, 납·구리·철광 등 광산물도 있음. 스페인 내란 때 이탈리아의 원조 기지로 쓰임. 주도(主都)는 팔마(Palma). 마조르카 섬. [3,640 km^2 : 561,200 명(1981)]

마욘 산 【一山】〔Mayon〕 [명] 〖지〗 필리핀 루손(Luzon) 섬 동부에 있는 활화산(活火山). 전형적인 성층(成層) 화산. 휘석 안산암(輝石安山岩)으로 이루어지고 때때로 대폭발을 일으켜 주변에 큰 피해를 끼침. [2,421 m]

마욜: 〔Maillol, Aristide〕 [명] 〖사람〗 프랑스의 조각가. 처음에는 화가를 지망하여 작품 활동을 하다가 조각으로 전향함. 모든 주제를 풍만한 여성의 육체의 양감(量感)으로 표현하고 지중해적(地中海的)인 조용한 조화를 이룬 작품을 발표함. 대표작에 ≪지중해≫·≪일드프랑스(Île-de-France)≫ 등이 있음. [1861-1944]

마우나로:아 산 【一山】〔Mauna Loa〕 [명] 〖지〗 미국 하와이 섬 남반부를 차지하는 활화산(活火山). 1832년 이래 대분화(大噴火)가 약 20회에 이르며, 분출(噴出)한 용암량(熔岩量)은 세계 최대임. 킬라우에아 산(Kilauea 山)과 더불어 하와이 화산 국립 공원을 이룸. [4,168 m]

마우나케아 산 【一山】〔Mauna Kea〕 [명] 〖지〗 하와이 섬 북부에 있는 아스피테형(Aspite 形)의 사화산(死火山). 하와이 제도의 최고봉으로, 깊이 5,000 m 를 넘는 해저부(海底部)의 화산체(火山體)의 높이를 합하면 세계 제1의 높이임. 산록(山麓)에 비옥한 토양을 제공하여 감자밭이 많음. [4,214 m]

마우나케아 천문대 【一天文臺】〔Mauna Kea〕 [명] 하와이의 마우나케아 산 정상에 있는 천체 관측소.

마우드갈리아야나 〔범 Maudgalyayana〕 [명] 〖불교〗 '목건련(目犍連)'의 범어 이름.

마우러 〔Maurer, Georg Ludwig von〕 [명] 〖사람〗 독일의 정치가·중세사가(中世史家). 그리스 국왕 오토(Otto) 1세의 정치 고문, 바이에른의 사법·외무의 요직을 역임. 관직에서 물러난 후 고(古)게르만 민족의 공동체 연구에 전념함. 주저 ≪독일 공동체 연구≫. [1790-1872]

마우리아 왕조 【一王朝】〔Maurya〕 [명] 〖역〗 찬드라굽타(Chandragupta)에 의하여 창설된 마가다국의 제3 왕조. 제3대 아소카왕(Aśoka 王) 때에 최성기(最盛期)를 맞아 인도와 아프가니스탄의 태반을 영유(領有)하여 인도 사상 최초의 통일 국가를 이루었다가 숭가(Sunga) 왕조에 멸망하였음. 불교를 보호하였기 때문에, 불교가 국토 전역에 유포(流布)되어 한때 바라문교 대신에 사회 생활의 준거(準據)가 되어 불교 시대를 이루었음. 공작 왕조(孔雀王朝). [321-184 B.C.]

마우리츠후이스 미술관 【一美術館】〔Mauritshuis〕 [명] 네덜란드의 헤이그에 있는 왕립 미술관. 건물은 1633-44년에 캄펜(Campen)이 세운 이탈리아 고전 양식의 궁전 건축(宮殿建築)으로, 렘브란트(Rembrandt)·할스(Hals)·멤링크(Memlinc) 등 플랑드르 회화(繪畫)의 명화(名畫)를 다수 수장(收藏)함.

마우 마우 단 【一團】〔Mau Mau〕 [명] 영국령이던 케냐(Kenya) 주민의 반백인(反白人) 테러 비밀 결사. 키쿠유족(Kikuyu 族)을 중심으로 한 케냐 민족 운동의 총본산이었으며, 1952년 반란을 시작하였는데, 1957년 영국이 대군을 투입해서 진압했으나, 이것을 계기로 케냐 독립 운동은 더욱 고조되었음.

마우솔레움 〔Mausoleum〕 [명] 그리스의 할리카르나소스(Halikarnassos)에 있는 칼리아왕(Kallia 王) 마우솔로스(Mausolos)의 묘(廟). 세계 칠대 불가사의(七大不可思議)의 하나. 기단(基壇) 위에 열주(列柱)를 세우고 피라미드형의 지붕을 얹은 장려(壯麗)한 건축이었으나 오늘날 그 자취를 남기지 아니함. 후세에 분묘 건축(墳墓建築)을 뜻하는 보통명사로 쓰이게 됨.

마우스[1] 〔도 Maus〕 [명] 의학 실험용(醫學實驗用) 또는 애완용(愛玩用)으로 사육되는 작은 쥐.

마우스[2] 〔mouse〕 [명] 〖컴퓨터〗 컴퓨터의 화면 상에서 커서나 다른 물체를 이동시킬 때 사용하는 입력 장치의 일종. 손에 쥐기 편한 쥐 모양의 상자에 하나 또는 세 개까지의 버턴이 있어, 이것을 손에 잡고 책상 바닥 등 평평한 곳에서 움직이면 그에 따라 화면에서는 화살표나 십자 모양의 마우스 포인터가 움직이게 됨. 입력 좌표의 정확성과 손쉬운 커서 이동 기능, 그리고 버튼 기능의 다양한 조합으로 사용이 매우 편리함.

마우스 유닛 〔mouse unit〕 [의명] 복·조개류 따위의 마비성 독성(痲痺性毒性)을 나타내는 단위. 몸무게 19-21 g의 생쥐를 죽이는 데 필요한 독(毒)의 양.

마우스-피:스 〔mouthpiece〕 [명] ①〖악〗 관악기의 입에 대고 부는 부분. ②권투에서, 선수의 입 속이나 이를 보호하기 위한 방구(防具). 고무나 스폰지로 만듦. ③전화기의 송화구(送話口).

마우어하:켄 〔도 Mauerhaken〕 [명] 등산할 때에 확보의 기점으로 하기 위하여 바위 사이에 박는 못. [준]하켄.

마우이 섬 〔Maui〕 [명] 〖지〗 하와이 제도 중앙부에 있는 하와이 주(州) 제2의 섬. 두 개의 화산이 붙어서 이루어짐. 사탕수수·파인애플의 재배와 목축이 성함. 주도(主都)는 와일루쿠(Wailuku). [1,886 km^2: 71,000 명(1980)]

마우재 [명] 〈방〉 러시아 사람(함경).

마:우-전 【馬牛廛】 [명] 마소를 매매하는 곳.

마운 [수] 〈방〉 마흔(전라).

마운드 〔mound〕 [명] ①야구에서, 투수(投手)가 서는 곳. 다른 부분보다 15 인치, 미국에서는 10 인치 높게 되어 있음. 투수판(投手板). ¶ ～에 오르다. ②골프에서, 벙커나 그린 주위의 작은 언덕이나 둑.

마운-령 【摩雲嶺】 [一울一] [명] 〖지〗 함경 남도 이원군(利原郡) 동면(東面)과 단천군(端川郡) 복귀면(福貴面)의 경계에 있는 고개. 마운령비(碑)가 있음. [416 m]

마운령-비 【摩雲嶺碑】 [一울一] [명] 〖지〗 함경 남도 이원군(利原郡) 마운령에 있는 비석. 신라 24대 진흥왕(眞興王)이 영토를 확장하고 친히 영내(領內)를 순행한 후에 세운 순수비(巡狩碑)의 하나임.

마운트 〔mount〕 [명] ①렌즈 교환이 가능한 카메라에 있는, 교환 렌즈를 고정시키는 부분. ②사진을 붙이는 대지(臺紙). 슬라이드용 필름을 끼우는 틀.

마운틴 뮤:직 〔mountain music〕 [명] 〖악〗 미국 남부 애팔래치아 산악 지대의 농민이나 나무꾼들 사이에서 일어난 음악. 서부 음악 초기의 스타일임.

마운틴 바이시클 〔mountain bicycle〕 [명] 1970 년대 중반부터 80 년대에 걸쳐 미국 서해안 산악 지방에서 개발·정형화(定形化)한 비(非)도로용 자전거. 또, 이 자전거에 의한 레포츠나 경기. 고속 주행·급경사 등판(登板) 등에 알맞도록 경량화하고 내(耐)충격성 등을 향상시키기 위해 광폭(廣幅) 타이어, 변속비가 큰 체인지 기어 등이 장착됨. 마운틴 바이크. 산악 자전거. 약칭 : 엠 티 비(MTB).

마운틴 바이크 〔mountain bike〕 [명] 마운틴 바이시클. 약칭 : 엠 티 비(MTB).

마울 [명] 〈방〉 마을.

마:웃-간 [명] 〈방〉 마구간.

마:-원[1] 【馬援】 [명] 〖사람〗 중국 후한(後漢)의 무장·정치가. 자(字)는 문연(文淵). 광무제(光武帝) 때 강족(羌族)을 평정, 교지(交趾)의 난을 진압하고 흉노(匈奴) 오환(烏丸)을 쳐서 공을 세움. 후에 남방의 무릉만(武陵蠻) 토벌 중 병사함. [14 B.C.-A.D. 49]

마:-원[2] 【馬遠】 [명] 〖사람〗 중국 남송(南宋) 중기의 화가. 산시 성(山西省) 출생. 북종화(北宗畫)의 대표적 인물로 여백(餘白)이 많은 좁은 경관(景觀)의 구도를 좋아하여 거기서 시적 정취(情趣)의 표출(表出)을 노렸음. 대표작 ≪우중 산수도(雨中山水圖)≫. 생몰년(生沒年) 미상.

마:위-답 【馬位畓】 [명] 〖역〗 조선 시대 때, 추수한 곡식을 역마(驛馬)의 먹이로 쓰던 논. 마윗논. 역위답(驛位畓).

마:위-땅 【馬位一】 [명] 〖역〗 마위답(馬位畓)과 마위전(馬位田)의 총칭.

마:위-전 【馬位田】 [명] 〖역〗 조선 시대 때, 추수한 곡식을 역마(驛馬)의 먹이로 쓰던 밭. 역위전(驛位田).

마:윗-논 【馬位一】 [명] 〖역〗 마위답.

마:유[1] 【馬腧】 [명] 매화틀.

마유[2] 【痲油】 [명] 삼씨 기름.

마유[3] 【魔乳】 [명] 〖생〗 남녀의 구별 없이 생후 3-4일경부터 신생아(新生兒)의 유방(乳房)에서 나오는 초유(初乳) 비슷한 액체. 귀유(鬼乳).

마:유-산 【馬乳山】 [명] 〖지〗 함경 북도 부령군(富寧郡)과 경성군(鏡城郡) 사이에 있는 산. [1,511 m]

마:유-주 【馬乳酒】 [명] 말젖을 효모(酵母)로 발효시킨 일종의 술. 1-2%의 알코올을 포함한 크림상(狀) 음료로 상쾌하고 신맛이 있음. 쿠미스.

마:유-현 【馬踰峴】 [명] 〖지〗 평안 남도 순천군(順川郡)·평원군(平原郡)·안주군(安州郡) 사이에 있는 고개. [155 m]

마:육 【馬肉】 [명] 말의 고기.

마은 [수] 〈옛·방〉 마흔(충남·전라·경상). =마ᄋᆞᆫ. ¶ 올히 마은이오(今年四十也) ≪老乞 下 64≫.

마을 [명] 〔중세 : ᄆᆞᅀᆞᆯ〕 ①〖역〗 관원이 모여 나라의 사무를 처리하던 곳. 공서(公署). 공아(公衙). 관부(官府). 관사(官司). 관서. 관아(官衙). 관청(官廳). 전아(殿衙). ②시골에서 여러 집이 모여 사는 곳. 동리(洞里). 방촌(坊村). 촌(村). 촌락(村落). 촌리(村里). *동네. ③주로 시골서 이웃에 놀러 가는 일. ¶ 밤낮 ～만 다니는 노인. [준]말.

마을(을) 가다 [구] 이웃에 놀러 가다.

마을-계 【一契】 [명] 마을의 복리 증진과 상호 부조를 위하여 공유(公有) 재산을 마련하고 관리하는 자치적(自治的)인 조직. 동계(洞契). 촌계(村契).

마을-굿 [명] 〖민〗 마을의 평안을 빌어 무당이 벌이는 굿.

마을 금고 【一金庫】 [명] 자금의 조성(造成) 및 이용을 목적으로 마을 사람들이 자체적으로 조직 운영하는 신용 협동 조합의 하나.

마을-꾼 명 ①마을 다니는 사람. 마을 온 사람. ②살림은 돌보지 아니하고 밤낮 마을만 다니는 여자. 말꾼.

마을리-변【一里邊】명 한자 부수(部首)의 하나. '野'나 '量' 등의 '里'의 이름.

마을 문고【一文庫】명 농어촌 주민의 자질(資質) 향상을 도모할 목적으로 1961년 이후 각 마을에 설치된 문고.

마을 버스〔bus〕명 정기 노선 버스가 운행되지 않는, 대도시의 고지대, 대단지(大團地) 아파트 및 농촌 벽지 마을 등에 운행되는 버스. 주로, 도시에서는 일정 구역 간의 직행 편의, 농촌에서는 정기 노선과의 연계(連繫) 역할을 목적으로 함.

마을 회:관【一會館】명 마을 주민의 모임을 위해 세워진 공공(公共) 건물.

마음 명〔중세 : ㅁᆞᅀᆞᆷ〕사람의 정신 기능을 관장하는 기관. 또, 그 작용. '육체'·'물질'에 대립되는 개념으로서 쓰임. ①사람의 지(智)·정(情)·의(意)의 움직임. 또, 그 움직임의 근원이 되는 정신적 상태의 총체. 감정. ¶ ~을 정리하다. ②시비 선악을 판단하고 행동을 결정하는 정신 활동. 사려 분별. ¶ ~이 흐리다. ③겉으로는 알 수 없는 마음의 본래의 상태. 본심(本心). ¶ 네 ~을 모르겠다. ④성격. 천성. ¶ ~이 바르다. ⑤기분(氣分). 감정. 가슴. ¶ ~이 편하다. ⑥인정(人情). 인심. ¶ ~이 후하다. ⑦의사(意思). 의향. ¶ 공부할 ~이 없다. ⑧성의. 정성. ¶ ~을 다하다. ⑨도량(度量). ¶ ~이 넓다. ⑩〖성〗심령(心靈)❷. 1)-10): 준맘. 【마음 없는 염불】즐겨 하고 싶은 마음이 없이, 마지못하여 하는 일을 일컫는 말. 【마음에 있어야 꿈도 꾸지】도무지 생각이 없으면 아무것도 이루어지지 않는다는 뜻. 【마음을 잘 가지면 죽어도 옳은 귀신이 된다】착한 마음씨를 지니고 살면 죽어도 유감됨이 없다는 말. 【마음이 열두 번씩 변사(變詐)를 한다】하루에도 열두 번씩 요변스럽게 마음이 변한다. 【마음이 맞으면 삶은 도토리 한 알을 가지고도 시장 멈춤을 한다】가난하더라도 서로 마음이 맞으면 역경(逆境)을 극복할 수 있다는 말. 【마음이 풀어지면 하는 일이 가볍다】마음에 맺혔던 근심 걱정이 없어지고 부아가 풀리면 하는 일도 힘들지 아니하고 쉽게 된다는 뜻. 【마음이 화합하면 부처도 곤다】서로 화합하면 어떤 어려운 일이라도 이룰 수 있다는 말. 【마음이 흔들비쭉이라】심지(心志)가 굳지 못하고 감정에 좌우되어 행동하는 사람을 두고 이르는 말. 【마음 잡아 개 장수라】방탕하던 사람이 마음을 다잡는다고 하지만, 결국 오래 가지 못해, 헛일이라는 말. 【마음처럼 간사한 건 없다】사람의 마음이란 이해 관계에 따라 간사스럽게 변하는 것이라는 뜻. 【마음 한 번 잘 먹으면 북두 칠성(北斗七星)이 굽어 보신다】마음을 바르게 쓰면 신명(神明)도 알아 보살핀다는 말.

마음(이) 가다 구 생각이나 관심이 쏠리다.

마음(이) 간지럽다 구 단작스럽거나 겸연쩍어서, 마음이 자리자리하게 느껴지다.

마음(이) 끌:리다 구 유혹이나 매혹(魅惑)이 되어, 마음이 그리로 당기어져 쏠리다.

마음(이) 나다 구 어떤 것에 생각이나 관심이 가다.

마음(이) 내:키다 구 하고 싶은 마음이 들다. ¶ 마음내키도록 권하다. 준맘(이) 내키다.

마음(을) 놓다 구 믿고 의심하거나 걱정하지 아니하다. 안심하다. ¶ 마음놓고 먹어라. 준맘(을) 놓다.

마음(이) 누그러지다 구 마음의 동요나 어지러운 감정이 가라앉아, 평정(平靜)되다.

마음(이) 달:다 구 일이 뜻대로 되지 아니하여, 마음이 몹시 타다. 준맘(이) 달다.

마음(을) 돌리다 구 품고 있던 마음을 달리 가지다.

마음(을) 두다 구 어떤 것에 생각이나 관심을 가지다.

마음(이) 들뜨다 구 마음이 가라앉지 않고 들썽거리는 상태가 되다.

마음(을) 먹다 구 ㉠하고 싶은 생각이나 뜻을 가지다. ¶ 세상의 일은 나의 마음먹은 대로 차착(差錯)이 없이 진행되기는 실로 어려운 일이라《趙重桓:菊의 香》. ㉡마음을 한 군데로 딱 작정하다. ¶ 진학(進學)하기로 ~. 준맘(을) 먹다.

마음(을) 붙이다 구 마음을 기울이어 전념(專念)하다.

마음(을) 사다 구 흥미를 끌어 관심을 갖게 하다. 호감(好感)을 품게 하다.

마음(을) 쓰다 구 ㉠신경을 써서 배려(配慮)하다. ¶ 마음쓸 일이 많다. ㉡마음을 가지다. 마음을 품다. 준맘(을) 쓰다.

마음(을) 주다 구 마음을 숨기지 않고 기꺼이 내보이다.

마음(이) 쓰이다 구 어떤 일에 생각이 자꾸 가다. ¶ 과년한 딸의 외출이 잦으니 마음 쓰일 수밖에.

마음에 걸리다 구 마음이 편안하지 않고 걱정되거나 불안을 느끼다. 께림칙하다.

마음에 두다 구 잊지 아니하고 마음 속에 새겨 두다. 염두에 두다. 의식하다.

마음에 들다 구 어떤 대상이 마음이나 감정에 좋게 여겨지다.

마음에 맺히다 구 마음 속에 잊혀지지 않고 뭉치어 있다. ¶ 마음의 매친 실음 疊疊이 싸혀 이셔《松江:思美人曲》.

마음에 새기다 구 잊어버리지 않게 기억하여 두다. 명심하다.

마음에 없:다 구 무엇을 하고 싶은 생각이 없다.

마음에 있다 구 ㉠무엇을 하고 싶은 생각이 있다. ㉡관심을 가질 만큼 마음에 들다.

마음에 차다 구 마음에 흡족하게 여기다.

마음은 굴:뚝 같다 구 마음은 간절하다.

마음을 가라앉히다 구 들떴던 마음을 진정시키다.

마음을 끌:다 구 관심을 그리로 돌리게 하다.

마음을 빼앗기다 구 마음이 사로잡혀 쏠리다.

마음을 썩이다 구 몹시 마음 아파하다.

마음의 문을 열:다 구 자기의 속마음을 드러내 보이다.

마음이 가라앉다 구 들떴던 마음이 진정되다.

마음이 돌아서다 구 틀어졌던 마음이 도로 정상적인 상태로 되다.

마음이 맞다 구 생각하는 것 따위가 같아 잘 어울리다.

마음이 쏠리다 구 마음이 한 군데로 기울어지다.

마음이 잡히다 구 마음이 가라앉거나 바로 가지게 되다.

마음이 통하다 구 서로 생각이 같아 이해가 잘 되다.

마음(을) 잡다 구 들뜬 마음, 헛된 생각을 다잡아 가라앉히거나 바로잡다. ¶ 마음잡고 일을 시작하다.

마음(을) 졸이다 구 걱정되어 마음이 몹시 쓰이다. 몹시 걱정하다. 준맘(을) 졸이다.

마음(이) 좋:다 구 ㉠인정이 있다. 동정심이 많다. ㉡양심적이다. ㉢너그럽다. ¶ 마음 좋은 양반.

마음(이) 죄이다 구 마음을 불안히 가지다. 조마조마하여 걱정되다. 준맘(이) 죄이다.

마음(에) 짚이다 구 마음에 짐작이 가다.

마음-가짐 명 ①마음을 쓰는 태도. ¶ 올바른 ~. ②결심(決心). ¶ ~을 단단히 하라. 준맘가짐.

마음-결〔一껼〕명 마음의 움직이는 바탕. 마음의 바탕. ¶ ~이 비단 같다. 준맘결.

마음 고생【一苦生】〔一꼬一〕명 마음 속으로 하는 고생. 정신적인 고통. ¶ ~이 심하다.

마음 공부【一工夫】〔一꽁一〕명 정신적인 수양.

마음-껏 부 ①마음을 다하여. ¶ ~ 도와 주다. ②마음에 차도록. 흡족하도록. 실컷. ¶ ~ 먹다. 1)·2):준맘껏.

마음-눈 명 사물의 참모습을 똑똑이 식별하는 마음의 힘. 또, 그 작용. 심안(心眼).

마음-대로 부 하고 싶은 대로. 생각나는 대로. 준맘대로.

마음-보〔一뽀〕명 마음을 쓰는 본새를 나쁘게 이를 때 쓰는 말. 심보. ¶ ~를 고쳐라. 준맘보.

마음-성〔一썽〕명 마음을 쓰는 성질. 심성정(心性情). 준맘성.

마음-세〔一쎄〕명〈방〉마음씨.

마음-셍이 명〈방〉마음씨.

마음-속〔一쏙〕명 마음의 속. 심중(心中). ¶ ~이 편치 않다. 준맘속.

마음-씨 명 마음을 쓰는 태도. 심정(心情). ¶ ~ 고운 처녀. 준맘씨. 【마음씨가 고우면 옷 앞섶이 아문다】아름다운 마음씨는 그의 겉 모양에도 나타난다는 말.

마음-자리〔一짜一〕명 마음의 본바탕. 심지(心地). 준맘자리.

마:음-장【馬陰藏】명〖불교〗석가모니의 삼십이 상호(三十二相好)의 하나. 부처의 자지는 뱃속에 숨겨져서 보이지 아니함을 일컬음.

마:의[1]【馬醫】〔一/一이〕명 말의 병을 보는 수의(獸醫).

마:의[2]【馬蟻】〔一/一이〕명〖충〗왕개미❷.

마의[3]【麻衣】〔一/一이〕명 삼베로 지은 옷.

마:의 사복【馬醫司僕】〔一/一이一〕명〖역〗고려와 조선 시대 때, 사복시(司僕寺)에 속하던 마의(馬醫).

마의 산【魔一山】〔一/一에一〕명〔도 Der Zauberberg〕독일의 작가 만(Mann, Thomas)의 장편 소설. 1924년에 발표. 청년 한스 카스토르프는 7년 동안 스위스의 결핵 요양소에서 투병 생활을 하면서, 질병과 건강, 생(生)과 사(死), 계몽과 신비 등등 다양한 지적(知的) 체험을 쌓고 생(生)과 미래에 봉사할 것을 결심, 제1차 세계 대전이 발발하자 종군하기 위하여 하산한다는 줄거리임.

마의 태자【麻衣太子】〔一/一이一〕명〖사람〗신라 경순왕(敬順王)의 태자. 경순왕이 왕건(王建)에게 항서(降書)를 보내자 이를 반대하여 개골산(皆骨山)으로 들어가 마의(麻衣)를 입고 여생을 보냈음.

마이[1] 명〈방〉〖조〗매[7].

마이[2] 명〈방〉모이[1](강원).

마이[3] 부〈방〉매우(경북).

마이나데스〔Mainades〕명〖신〗그리스 신화에 나오는, 디오니소스(Dionysos)를 수종(隨從)하는 여정(女精)들. 등나무를 엮어 솔방울을 단 지팡이를 휘두르며 노래하고 춤춤. 단수(單數)는 마이나스(Mainas).

〈마이나데스〉

마이너〔minor〕명〖악〗①단조(短調). ②단음계(短音階).

마이너 리:그〔minor league〕명 미국 프로 야구에서, 메이저 리그(major league) 외의 소(小)리그의 총칭. 그 강약(強弱)에 따라 3A·2A·A·루키(rookie)의 네 등급으로 나뉨.

마이너스〔minus〕명 ①〖수〗수학에서 쓰는 감표 '一'의 이름. 음호(陰號). ②〖수〗감산(減算)함. ③〖수〗음[3](陰)❷. ④반응 검사 등에서 음성(陰性)임을 나타내는 말. ¶ RH ~형(型). ⑤부족. 불이익(不利益). 손해. 1)-5):↔플러스(plus). ──하다 타여불

마이너스 성장【一成長】〔minus〕명〖경〗경제 성장률이 마이너스로 되는 일. 곧, GNP의 실질 규모가 전해에 비하여 적어지는 일.

마이넛〔Minot, George Richards〕명〖사람〗미국의 내과(內科) 의학자. 1926년 머피(Murphy)와 함께 악성 빈혈에 관한 간장 요법(肝臟療法)을 발표하여 1934년 노벨 생리(生理) 의학상을 받았음. [1885–1950]

마이네케〔Meinecke, Friedrich〕명〖사람〗독일 현대의 대표적 역사가. 정치 사상사를 정신사적으로 고찰(考察)하여 일반 사상계에 큰 영향을 주었음. 제2차 대전 후에는 서독의 자유 베를린 대학 초대 총장이 됨. 저서에 《세계 시민주의와 국민 국가》·《역사주의의 성립》 등이 있음. [1862–1954]

마이노리티〔minority〕명 ①〖법〗미성년자(未成年者). ②〖정〗소수파(少數派). 소수당. 소수 민족. ③소수(少數). 열등(劣等).

마이농〔Meinong, Alexius〕명〖사람〗오스트리아의 철학자. 스승 브렌타노(Brentano)에서 떨어져 독자적인 대상론(對象論)을 발표하였음. 독오 학파(獨墺學派)의 대표적인 학자로 불림. [1853–1920]

마이니니 임:신 시험【一妊娠試驗】명〔Mainini pregnancy test〕〖생〗

아르헨티나(Argentina)의 의사 마이니니(Mainini, C.G.)가 창시한 생물학적인 임신 조기 진단법의 하나. 피험뇨(被驗尿) 10 cc를 수컷의 두꺼비나 식용 개구리 등의 배측(背側) 림프낭 안에 주입해서 일정 시간이 지난 후 모세관 피펫을 총배설강(總排泄腔) 안에 삽입하여 가볍게 마찰해서 오줌을 빨아 내어 그대로 검경(檢鏡)하는데, 임신뇨일 때 정자(精子)가 배설되어 있음을 증명할 수 있음.

마:이 동풍【馬耳東風】 명 남의 비평이나 의견을 조금도 귀담아 듣지 아니하고 곧 흘려 버림을 일컫는 말. *쇠 귀에 경읽기.

마이마이청〔賣買城〕명〖지〗'알탄불라크(Altanbulak)'의 중국 이름.

마이모니데:스〔Maimonides, Moses〕명〖사람〗유태 철학자. 아리스토텔레스 철학과 유태교적 신앙을 결합, 구약 성서의 상징적 가르침에 대한 합리적 해석을 꾀함. 윤리학에서는 의지의 자유와 중용(中庸)의 덕(德)을 논함. 저서 《의혹자(疑惑者)의 입문서(入門書)》·《의학 지언집(醫學至言集)》. [1135-1204]

마이몬〔Maimon, Salomon〕명〖사람〗폴란드 태생의 유태계 독일 철학자. 칸트 철학, 특히 '물자체(物自體)'의 개념에 대한 독창적 비판으로 피히테 및 신(新)칸트 학파의 선구자가 됨. 저서에 《선험적 시론(先驗的試論)》 등이 있음. [1753-1800]

마이봄-샘〔Meibom〕명〖생〗포유류(哺乳類)의 눈꺼풀 안과 결막(結膜) 사이에 있는, 지방(脂肪)을 분비하는 샘. 이 샘에서 액체가 분비되어 눈알이나 눈꺼풀의 움직임을 매끄럽게 하는데, 막히면 다래끼가 생김. 독일의 해부학자 마이봄(Meibom, Heinrich; 1638-1700)이 발견함.

마:이-산【馬耳山】 명〖지〗전라 북도 진안군(鎭安郡)의 진안 고원(鎭安高原) 위, 진안읍(邑)과 마령면(馬靈面)의 경계에 있는 산. 말귀 모양으로 돌출한 백악기의 두 만암(彎巖)이 침식 작용에 의하여 이루어진 기봉(奇峰)으로, 동쪽 봉우리인 수마이산(678 m)과 서쪽 봉우리인 암마이산(685 m)으로 이루어짐.

마이소:르〔Mysore〕명〖지〗인도 공화국의 남쪽에 있는 카르나타카(Karnataka) 주 제2 의 도시. 옛 마이소르번왕국(藩王國)의 주도, 장대한 마하라자(Mahārāja) 궁전이 있어 유명함. 콜라르 금광(Kolar 金鑛)에 가까움. 상아 세공(象牙細工)과 상업이 성하고, 광산업(鑛山業)의 중심지임. [476,000 명(1981)]

마이스너〔Meisner, Fritz Walther〕명〖사람〗독일의 실험 물리학자. 뮌헨 공과 대학 교수. 저온(低溫) 물리학, 특히 초전도(超傳導)를 연구, 옥센펠트(Ochsenfeld, R.)와 함께 초전도체(體)가 전이 온도(轉移溫度) 아래에서 완전 반자성체(反磁性體)임을 발견하여 초전도체 연구 발전에 한 전기(轉機)를 이룸. [1882-1974]

마이스너 기관【一器官】〔Meissner〕명〖생〗마이스너 소체(Meissner 小體).

마이스너 소:체【一小體】〔Meissner〕명〖생〗〔마이스너는 19세기 후반 독일의 해부학자·생리학자로 이 기관의 발견자〕피부 진피(眞皮)의 유두내에 있어 촉각(觸覺)·압각(壓覺) 등을 지배하는 기관. 촉각 소체(觸覺小體). 마이스너 기관(Meissner 器官).

마이스너 효:과【一効果】 명〖물〗〔Meisner effect〕초전도체(超傳導體)에 자기장(磁氣場)을 가했을 때, 자기장이 어떤 일정한 세기, 곧 임계 자기장(臨界磁氣場)을 넘지 않는 한, 초전도체 내부에 자기력 선속(磁氣力線束)이 침입하지 않는 현상. 초전도체에 특징적인 성질로, 이 효과 때문에 초전도체에 자석을 가까이 대면 강한 척력(斥力)을 받음. 1933년 독일의 물리학자 마이스너(Meisner, F.W.)와 옥센펠트(Ochsenfeld, R.)가 발견함. *초전도(超傳導).

마이스터〔도 Meister〕명 ①대가(大家). 거장(巨匠). ②스승. 지도자.

마이스터게장〔도 Meistergesang〕명〖문〗중세의 미네장(Minnesang)의 뒤를 이어, 수공업자(手工業者) 중의 시재(詩才)가 있는 자에 의하여 엄격하고 복잡한 법칙에 따라 작사·작곡 및 영창(詠唱)된 일종의 기교시(技巧詩). 공장가(工匠歌).

마이스터 베르트람〔Meister Bertram〕명〖사람〗14세기 후반의 북방 독일의 대표적 화가의 한 사람. 현존 작품은 적으나, 함부르크의 성(聖)베드로 성당, 성(聖) 요한 성당을 위해 성서에서 취재한 제단화(祭壇畫)를 그림. [1345? -1415]

마이스터징거〔도 Meistersinger〕명 15세기 초부터 독일의 각 도시에 존재하던 마이스터게장의 작자(作者)들. 일종의 직업 시인임.

마이신〔mycin〕명〖약〗↗스트렙토마이신(streptomycin).

마이신 귀머거리〔mycin〕명 스트렙토마이신의 부작용으로 된 귀머거리. 청각 신경에 장애를 받은 것임.

마이실린〔mycillin〕명〖약〗스트렙토마이신과 페니실린의 복합제. 두 가지의 약효를 겸하고 있어 혼합 감염증(混合感染症)이나 병원균 불명의 감염 초기에 유효함. 페니마이.

마이애미〔Miami〕명〖지〗미국 플로리다(Florida) 반도의 끝에 가까운 도시. 바하마 제도(Bahama 諸島)의 요지로 플로리다 반도 동해안 연안 수로 교통의 종점임. 기후 온난하여 아열대 식물의 풍경이 아름다워 피한(避寒)·보양(保養)의 유람객이 많으며, 부근에는 해수욕장으로 유명한 마이애미 비치가 있음. [358,548 명(1990)]

마이어[1]〔Mayer, Julius Robert von〕명〖사람〗독일의 생물학자·물리학자·의사. 생체(生體) 에너지의 문제를 물리학과 연관시켜 연구하여 유명한 '에너지 불멸(不滅)의 법칙'을 세웠음. [1814-78]

마이어[2]〔Mayer, Maria Goeppert〕명〖사람〗독일 태생의 미국 물리학자. 원자핵의 각(殼) 구조에 관한 연구로 옌젠(Jensen, H.)과 함께 1963년 노벨 물리학상을 받음. [1906-72]

마이어[3]〔Meyer, Conrad Ferdinand〕명〖사람〗스위스의 독일계(獨逸系) 시인·역사 소설가. 대표작에 《후텐 최후의 날》·《수도사의 혼례(婚禮)》 등이 있음. [1825-98]

마이어[4]〔Meyer, Eduard〕명〖사람〗독일의 고대 역사가. 비판적이고 실증적인 연구 태도와 해박한 지식으로 《고대사(古代史)》를 엮음. 1차 대전시의 독일의 입장을 정당화시켰음. [1855-1930]

마이어[5]〔Meyer, Julius Lothar〕명〖사람〗독일의 물리학자·화학자. 튀빙겐(Tübingen) 대학 교수. 1864년 《근대 화학 이론》을 저술, 원소를 원자량과 원자가(原子價)의 차례로 놓고, 멘델레예프(Mendeleev)와는 별도로 원소의 주기율(週期率)을 발견함. 또, 원자량과 원자 부피의 관계를 밝힘. [1830-95]

마이어[6]〔Meyer, Viktor〕명〖사람〗독일의 유기 화학자. 하이델베르크 대학을 비롯하여 여러 대학의 교수를 역임. 분자량의 증기 밀도 측정법(蒸氣密度測定法)을 개량하고 케톡심(ketoxime)을 발견하였음. 방향족(芳香族) 카르복시산(酸)의 에스테르화(ester 化) 반응에 있어서의 입체 장애(立體障碍), 고온도에 있어서의 할로겐(halogen) 분자의 분해, 티오펜(thiophene)의 구조와 생성 등에 관해 연구하였는데 고온도에서 거듭된 실험으로 건강을 해쳐 자살함. [1848-97]

마이어-그레페〔Meier-Graefe, Julius〕명〖사람〗루마니아 출신의 독일 미술 평론가. 인상파(印象派)의 연구가로 현대 미술의 여러 경향을 독일에 소개함. 주저 《현대 예술 발전사》 3권, 《뭉크(Munch)》·《쿠르베(Courbet)》·《마네(Manet)》·《고흐(Gogh)》 등. [1867-1935]

마이어 백과 사전【一百科事典】〔Meyer〕명〖책〗독일 라이프치히 시(Leipzig 市)의 서적 학원(書籍學院) 간행(刊行)의 백과 사전. 마이어(Meyer, Joseph; 1796-1856)가 주재(主宰)하여, 1840-52년에 초판을 간행하고, 1924-30년에 개정하였음.

마이어베어〔Meyerbeer, Giacomo〕명〖사람〗독일의 가극 작곡가. 유창한 선율·강인한 화성(和聲)·발랄한 율동으로써 이탈리아·독일·프랑스의 가극을 종합하여, 큰 성공을 거두었음. 대표작에 《아프리카의 여자》·《예언자》 등이 있음. [1791-1864]

마이어 상사【一商社】〔Meyer〕명〖역〗조선 시대 말기, 1883년에 조선에 들어와 제물포(濟物浦)에 세창 양행(世昌洋行)을 개설한 독일 함부르크의 상사(商社).

마이어-푀르스터〔Meyer-Förster, Wilhelm〕명〖사람〗독일의 극작가·소설가. 소설 《카를 하인리히(Karl Heinrich)》를 극화한 《알트 하이델베르크(Alt Heidelberg)》로 성공하였음. [1862-1934]

마이어호:프〔Meyerhof, Otto〕명〖사람〗독일의 유태계 생화학자(生化學者). 근육의 해당 작용(解糖作用)의 연구에서 출발하여 발효도식(醱酵圖式)을 완성하였으며, 1922년 근수축(筋收縮)의 화학 및 에너지론(論)으로 힐(Hill, A.V.)과 함께 노벨 생리 의학상을 받았음. [1884-1951]

마이오-세【一世】 명〔Miocene epoch〕〖지〗신생대(新生代) 신제삼기(新第三紀)에 속하는 지질 시대의 하나. 플라이오세(世)의 전 시대로 약 2,400만 년전부터 약 1,200만 년전까지의 기간. 고(古)제삼기로부터 계속되던 따뜻한 기후가 찬 기후로 비교적 급격하게 변화했으며 생물은 현재와 큰 차가 없었음. 또, 알프스·히말라야 지대는 고제삼기에 바다였던 것이 마이오세 이후로 현재까지 융기(隆起)를 계속하여 높은 산맥(山脈)을 이루었음. 구칭 : 중신세(中新世). *올리고세.

마이즈루〔舞鶴 : まいづる〕명〖지〗일본 교토 부(京都府) 북부의 도시. 동해(東海)에 면한 양항(良港)임. 조선(造船)·차량·기계·화학·방적 공업이 행하여짐. [95,239 명(1992)]

마이지 산 석굴【一山石窟】〔麥積〕명〖지〗중국 간쑤(甘肅) 성 톈수이 현(天水縣)에 있는 석굴. 194 개의 석굴·마애불(磨崖佛)이 있으며, 석굴 안에는 소상(塑像)·벽화(壁畫)·석상(石像) 등 중요한 역사적 자료가 많음. 제작 연대는 북위(北魏) 때이며, 송대(宋代)에 와서 대수리가 행하여졌음. 맥적산 석굴(麥積山石窟).

마이카[1]〔mica〕명〖광〗운모(雲母).

마이카:[2]〔my＋car〕명 자기 소유의 자동차. 자가용차. ¶～ 시대.

마이카나이트〔Micanite〕명〖전〗〔미국 마이카 인슐레이터(Mica Insulator) 회사의 상품명〕열 및 전기 절연물의 하나. 운모의 박편(薄片)을 교착물(膠着物)로 점착(粘着)시켜, 고압·고온을 가하여 만든 물건.

마이카돈〔micadon〕명〖물〗마이카 콘덴서(mica condenser).

마이카 콘덴서〔mica condenser〕명〖물〗보통 주석박(朱錫箔)인 금속판 사이에 전기 용량을 크게 하기 위하여 운모를 끼운 축전기. 마이카돈.

마이컬슨〔Michelson, Albert Abraham〕명〖사람〗독일 태생의 미국 물리학자. 정묘(精妙)한 간섭계(干涉計)를 발명하여 광파(光波)의 간섭 현상을 실측하였으며, 계단 격자(階段格子)를 발명하여 1907년 노벨 물리학상을 받았음. [1852-1931]

마이컬슨 몰:리의 실험【一實驗】〔Michelson-Morley〕〔一/一에一〕명〖물〗1881년에 미국의 물리학자 마이컬슨이 실험한 후 1887년에 마이컬슨과 몰리(Morley, Edward Williams; 1838-1923)가 같이 반복 실험한 에테르의 지구에 대한 운동을 검출하려는 실험. 에테르설을 부정하는 결과가 되어, 상대성 이론 탄생의 계기가 되었음.

마이코프〔Maikop〕명〖지〗러시아 연방의 도시. 흑해안(黑海岸)에 가까운 아디게이 자치주(Adygei 自治州)의 주도(州都)로, 알코올·통조림류(類)·담배 등의 공업이 성함. [128,000 명(1979)]

마이크 명〖물〗↗마이크로폰.

마이크러:지〔micrurgy〕명〖생〗현미경 하에서 극히 작은 조작기를 사용하여, 단일 세포의 분리·해부·주사·핵(核) 교환 실험 등을 행하는 새로운 연구 기술.

마이크로-〔micro-〕튀 ①'미소(微小)'의 뜻을 나타내는 말. 미크로. ↔매크로. ②미터법의 단위 위에 붙어 100만분의 1을 나타내는 말.

마이크로 경제학【一經濟學】〔micro〕명 미시(微視) 경제학. 미크로 경제학. ↔매크로 경제학.

마이크로-그램 〔microgram〕 의명 100만분의 1그램. 미크로그람.

마이크로-레이어 〔micro-layer〕 명 《지》 바다와 대기의 접촉 부분으로, 해양 표면의 두께 1mm 정도의 얇은 해수(海水)의 층.

마이크로-렌즈 〔microlens〕 명 카메라의 접사(接寫) 촬영용 렌즈.

마이크로-리:더 〔microreader〕 명 마이크로필름이나 마이크로카드를 확대하여 읽기 위한 장치. 「을 나타내는 말.

마이크로-마이크로- 〔micro-micro〕 부 '100만분의 1의 100만분의 1'

마이크로마이크로-패럿 〔micromicro-farad〕 의명 《물》 10^{-12}패럿에 해당하는 전기 용량의 단위. 기호 μμF로 표시함.

마이크로-모듈 〔micromodule〕 명 미국의 아르 시 에이(RCA) 회사가 개발한 고밀도 조립(高密度組立) 방식의 초소형 회로(超小形回路).

마이크로-미크론 〔micro-micron〕 의명 밀리미크론의 1,000분의 1. 기호는 μμ. 미크로미크론.

마이크로-미터[1] 〔micrometer〕 명 《물》 기계의 정밀한 부분의 치수나 지름 같은 미소한 길이를 재는 기구. 100분의 1mm까지 잴 수 있음. 종이의 두께, 철사의 지름 따위를 잴 수 있는 외측(外側) 마이크로미터, 너트(nut) 따위의 안지름을 잴 수 있는 내측(內側) 마이크로미터, 구멍 따위의 깊이를 잴 수 있는 디프스(deeps) 마이크로미터, 인디게이터를 내장하여 측정값을 지시하는 지시(指示) 마이크로미터 등이 있음.

〈마이크로미터[1]〉

마이크로-미:터[2] 〔micrometer〕 의명 100만분의 1미터. 곧, 1mm의 1000분의 1.

마이크로-밸런스 〔microbalance〕 명 《물》 미량(微量) 천칭(天秤). 화학 실험 따위에서 1mg 이하의 적은 양을 재는 천칭.

마이크로-버스 〔microbus〕 명 20여 명이 탈 수 있는 소형의 버스.

마이크로 분석 【一分析】 명 〔microanalysis〕 《경》 개개의 생산자·소비자의 경제 행위의 원칙을 통계적·객관적으로 파악하고, 이것을 기초로 하여 경제 사회 전체의 움직임을 밝히려는 일. 가격 분석(價格分析). 미시적(微視的) 분석. ↔매크로 분석.

마이크로-세컨드 〔microsecond〕 의명 100만분의 1초(秒). 컴퓨터의 연산(演算) 속도 등에 흔히 쓰임. 마이크로초(秒). 기호는 μs.

마이크로-솜: 〔microsome〕 명 《생》 세포(細胞)의 세포질(細胞質) 속에 있는 썩 작은 입자(粒子). 그 성분은 여러 가지가 있음.

마이크로-스코픽 〔microscopic〕 명관 미시적(微視的). 현미경적. ↔매크로스코픽. 「기호: μΩ.

마이크로-옴 〔microhm〕 의명 《물》 전기 저항의 단위. 100만분의 1옴.

마이크로-웨이브 〔microwave〕 명 《물》 마이크로파(micro波).

마이크로-인디케이터 〔microindicator〕 명 길이를 정밀하게 측정하는 컴퍼레이터(comparator)의 하나. 측미 지시계(測微指示計).

마이크로-일렉트로닉스 〔microelectronics〕 명 엘에스아이(LSI)나 초(超) 엘에스아이와 같이, 고체 소자의 초미세화(超微細化)를 겨냥하는 반도체 기술을 중심으로 한 새로운 전자 공학. ¶∼ 산업.

마이크로-초 【一秒】 〔micro〕 명 마이크로세컨드(microsecond).

마이크로-카:드 〔microcard〕 명 도서관 용품(圖書館用品). 길이 12.5cm, 넓이 7.5cm의 인화지에 보통 책의 80페이지 분을 축소 복사(複寫)한 카드. 마이크로카드 리더에 걸어 24배로 확대하여 읽음.

마이크로카:드 리:더 〔microcard reader〕 명 《기》 마이크로카드의 글자를 24배로 확대시켜서 읽도록 장치한 독서기(讀書機).

마이크로-컴퓨터 〔microcomputer〕 명 《컴퓨터》 중앙 제어와 산술 요소로서 마이크로프로세서를 사용하는 컴퓨터 시스템. 사용하기가 쉽고 간편하며 응용 프로그램이 많아 주로 개인이 혼자 사용하므로 퍼스널 컴퓨터(personal computer; PC)라고도 함.

마이크로-코즘 〔microcosm〕 명 《철》 미크로코스모스. ↔매크로코즘.

마이크로-퀴리 〔microcurie〕 의명 방사능량의 단위. 100만분의 1퀴리.

마이크로-톰: 〔microtome〕 명 생물 조직을 현미경용 표본으로 얇게 자르는 장치. 그 종류가 많음.

마이크로-파 【一波】 명 〔microwave〕 《물》 파장(波長)이 1m에서 수 mm, 주파수 300에서 수십만 메가헤르츠의 전자기파(電磁氣波). 데시미터파(波)·센티미터파·밀리미터파로 세분됨. 레이더·텔레비전에 이용되며 물질의 분자 구조 연구에 중요한 역할을 함. 또, 이것은 장파·중파가 통하지 못하는 성층권(成層圈)을 통하므로 우주 물리학에도 이용됨. 마이크로웨이브. 극초단파. 「방식.

마이크로파 다중 통신 【一波多重通信】 〔micro〕 명 《전》 마이크로파

마이크로파 방식 【一波方式】 〔micro〕 명 《전》 마이크로파를 이용한 장거리 다중식(多重式) 통신 방식. 즉 높은 탑을 세우거나 산정(山頂)을 이용하여 중계소를 만들어 지향성(指向性) 안테나로 전파의 다리를 놓게 된 방식인데, 가선(架線) 공사가 필요 없고, 수십 회선 이상의 통화를 할 수 있으며, 천재(天災)에도 두절되지 아니하는 등의 이점(利點)이 있음. 마이크로파 다중 통신.

마이크로파 분광학 【一波分光學】 〔micro〕 명 《물》 파장(波長) 수십 cm에서 0.5mm 정도까지의 고주파 전자파, 즉 마이크로파를 저압(低壓)의 기체 시료(氣體試料)에 흡수시켜서 기체·액체 및 고체의 흡수(吸收) 스펙트럼(spectrum)을 연구하는 과학.

마이크로-파이로미터 〔micropyrometer〕 명 《기》 아주 가는 물체의 온도를 측정하는 데 쓰는 광고온계(光高溫計)의 한 가지. 광고온계 안에 있는 전구의 니크롬선이 특히 가는 것과 접안 렌즈(接眼lens)의 배율이 큰 것이 특징임. 「의 1패럿드. 기호는 μF.

마이크로-패럿 〔microfarad〕 의명 《물》 전기 용량의 단위. 100만분

마이크로-포:토미터 〔microphotometer〕 명 사진 원판의 미소부(微少部)의 빛의 투과율 곧 흑화도(黑化度)를 측정하는 장치. 현미경적 광학계(光學系)를 사용하여 일정 광원(光源)으로부터의 빛을 사진 원판의 미소 부분에 비추고, 투과광(透過光)의 강도를 육안이나 광전지(光電池)·광전관(光電管)·열전쌍(熱電雙) 등에 의하여 측정하는데, 스펙트럼 사진 측정 등에 쓰임.

마이크로-폰: 〔microphone〕 명 《물》 ①전화나 라디오의 송화기(送話器) 등과 같이 음파를 음성(音聲) 전류로 바꾸는 장치의 총칭. 특히 라디오나 확성기에 연결시키는 것을 일컬음. ②확성기. ㊕마이크.

마이크로-프로그램 〔microprogram〕 명 《컴퓨터》 ①디지털 컴퓨터의 부속 명령어를 이용하여 프로그래머가 만들고자 하는 분석 명령어들로 구성된 프로그램. ②하드웨어가 기계어 부속 명령어로 곧바로 번역할 수 있는 일련의 의사(擬似) 명령어. ③컴퓨터 부속 명령어 구조에서 충분히 다양한 종류의 분석 명령어를 만드는 수단. ④컴퓨터 부속 명령어를 효율적으로 사용하여 컴퓨터의 능력을 극대화하려는 방법.

마이크로-프로세서 〔microprocessor〕 명 《컴퓨터》 마이크로컴퓨터의 가장 중요한 구성 요소인 반도체 중앙 처리 장치. 고정된 명령어 집합을 갖는 마이크로컴퓨터에서의 마이크로프로세서는 연산 장치와 제어 장치로 구성되며, 한 개의 칩 속이나 단일 패키지, 또는 여러 개의 칩으로 분산되기도 함. 마이크로컴퓨터의 단말기, 복사기나 팩시밀리, 가전제품, 비디오 게임기, 자동화 기계 등에 널리 이용됨.

마이크로-피시 〔microfiche〕 명 수십 내지 수백 컷의 마이크로 화상(畫像)을 평면상(平面狀)으로 배열한 카드 모양의 필름.

마이크로-필름 〔microfilm〕 명 중요한 자료나 문헌 따위를 축사(縮寫) 보존할 때 쓰이는 롤필름. 필요에 따라 마이크로리더로 확대해서 씀.

마이크로 회선 【一回線】 명 〔micro circuit〕 텔레비전 방송국에서 원거리의 방송국에 프로를 송출하거나 또는 중계를 받을 때 이용하는 마이크로파의 회로 시설.

마:이 탑사 【馬耳塔舍】 명 《지》 전라 북도 진안군(鎭安郡) 마령면(馬靈面) 마이산(馬耳山)의 암마이산 절벽 밑 골짜기에 있는 80여 기(基)의 돌탑(塔) 무리. 조선 고종 25년(1885)에 처사(處士) 이갑용(李甲用)이 자연석으로 쌓아 올렸음.

마이토-마이신 〔mitomycin〕 명 제암성 항생 물질(制癌性抗生物質). A, B, C 등의 종류가 있는데, 특히 마이토마이신 C는 제암제(制癌劑)로서 각종 악성 종양에 쓰임. 부작용은 백혈구 감소 등. 미토마이신.

마이트너 〔Meitner, Lise〕 명 《사람》 오스트리아 출신의 스웨덴 여류 물리학자. 빈에서 태어나 빈 대학에서 수학하고 베를린으로 옮겨 한(Hahn, O.)과 함께 방사능을 연구하여 프로탁티늄을 발견하였으며 중성자(中性子)에 의한 핵분열(核分裂)을 연구하였음. 나치스(Nazis)를 피해 스웨덴으로 탈출, 귀화하여 원자핵 실험을 계속하였음. [1878-1968]

마이트너륨 〔Meitnerium〕 명 《화》 9족(族)에 속하는 인공 방사성 원소의 하나. 오스트리아의 물리학자 마이트너(Meitner, Lise)의 이름에서 유래함. [109번 : Mt : 268]

마:인[1] 【馬印】 명 말의 산지(産地)를 표시하기 위하여 말의 볼기에 찍는 └낙인(烙印).

마인[2] 【麻仁】 명 《한의》 삼씨.

마인 강 【一江】 〔Main〕 명 《지》 라인 강(Rhein江)의 가장 큰 지류(支流). 바이에른(Bayern)에서 발원하여 서쪽으로 흘러 마인츠(Mainz)에서 합류함. 상류부(上流部)는 수력 발전에 이용됨. [515km]

마인 도나우 강 운하 【一江運河】 〔Main-Donau〕 명 《지》 라인 마인 도나우 강 운하.

마인드 〔mind〕 명 마음. 정신.

마인츠 〔Mainz〕 명 《지》 독일의 마인 강과 라인 강의 합류점에 있는 하항(河港). 라인 협곡(Rhein峽谷)의 남문(南門)에 가까운 요지로 포도 재배 및 포도주의 집산지임. 금속·기계·화학·식품 공업이 행하여짐. 독일 로마네스크 건축을 대표하는 마인츠 성당을 비롯하여 많은 교회·대학이 있음. 구텐베르크의 탄생지이기도 함. [187,000명(1981)]

마인 캄프 〔도 Mein Kampf〕 명 《책》 나의 투쟁(鬪爭).

마:일[1] 【馬日】 명 《민》 말날. 「(漢譯名).

마일[2] 【麻逸】 명 《역》 필리핀 제도의 민도로(Mindoro) 섬의 옛 한역명

마일[3] 〔mile〕 의명 야드파운드법의 거리의 단위. 1,760야드 또는 5,280피트와 같으며, 1,609.4m에 해당함. 영리(英里). 이(哩).

마일드 커:피 〔mild coffee〕 명 브라질 이외의 각지(各地)에서 산출되는 커피의 통칭. 산출지(産出地)의 기후·풍토·재배 방법에 따라 종류가 많고, 향미(香味)도 다양함. 브라질 커피에 비해, 신맛이 덜하고, 맛이나 향기가 부드러움. *브라질 커피.

마일러 〔miler〕 명 《경마》 1마일 정도의 경주(競走)를 특히 잘하는 말.

마일스톤:[1] 〔Milestone, Lewis〕 명 《사람》 미국의 영화 감독. 러시아에서 태어나 벨기에의 간 대학을 졸업하고, 1918년 미국으로 건너가 필름 편집자(編輯者)가 됨. 헐리우드에서 영화 제작에 착수, 처음에 희극(喜劇)을 손대고, 토키 탄생 후에 많은 명작을 남김. 《서부 전선 이상 없다》·《비》·《범죄 도시》·《개선문》 등. [1895-1980]

마일-스톤:[2] 〔milestone〕 명 이정표(里程標).

마일-포:스트 〔milepost〕 명 ①배의 속력을 계측하기 위하여 해안에 설치해 놓은 표주(標柱). ②이정표(里程標).

마임 〔mime〕 명 《연》 실생활을 주제로 한, 흉내와 춤에 의한 즉흥 희극(卽興喜劇). 고대 그리스 및 로마에서 성행하였음. 「Ⅱ:13》.

마은 수 〈옛〉 마흔. =마순. ¶이제 마은 히로다(于今四十年) 《重杜諺

마을 명 〈옛〉 관청. 관가. =마올. ¶群公이 各各 마ᄋᆞᆯ ᄆᆞᄋᆞ마랏도다(群公各典司)《重杜諺 Ⅲ:4》/마올 부(府)《石千 21》.

마음 명 〈옛〉 마음. =ᄆᆞᅀᆞᆷ·ᄆᆞᅀᆞᆷ. ¶그러나 暮年적 마음은 減호 일이 업세라《古時調 金三賢》.

마자[1] 【麻子】 명 삼씨. 「《佛頂 上 4》.

마자[2] 타 〈옛〉 맞아. '맞다'의 활용형. ¶오샤 이 사ᄅᆞᆯ 마자(來迎是人)

마자[3] 뭐 〈옛〉 마침. ¶ 마자 분별 업거다(適然無慮커다)《永嘉》.
마자[4] 조 〈방〉 마저.
마자랭〔Mazarin, Jules〕 명 『사람』 프랑스의 정치가. 이탈리아 출신. 교황 사절로서 프랑스 궁정에 접근함. 1641년 추기경(樞機卿), 1642년 리슐리외(Richelieu)가 죽자 재상이 됨. 1643년 루이 13세의 사후에는 섭정 모후(攝政母后)와 함께 국정의 실권을 장악, 뛰어난 외교 수완으로 프랑스의 국제적 지위를 높이고 왕권의 절대화에 노력, 부르봉(Bourbon) 절대 왕제(王制)의 기초를 굳힘. [1602-61]
마자렐로〔Mazzarello, Maria Domenica〕 명 『사람』 이탈리아의 가톨릭 수녀·성녀(聖女). 농부의 딸로 태어나, 1872년 성(聖) 돈 보스코와 함께 '도움이신 마리아의 딸 수도회', 일명 '살레지오 수녀회'를 창립하고, 그 초대 총장을 지냄. 버림받은 젊은이에 대한 교화에 힘썼음. 축일(祝日)은 5월 13일. [1837-81]
마자:르-어【一語】〔Magyar〕 명 헝가리어(Hungary語).
마자:르-인【一人】〔Magyar〕 명 『인류』 몽고인(蒙古人)의 한 파. 9세기경에 중앙 아시아로부터 서방(西方)에 진출하여 헝가리(Hungary)를 건국함. 백색 인종과 혼혈하여 문화·종교 등도 서구화(西歐化)함.
마:자-수【馬訾水】 명 『지』 '압록강'의 옛이름.
마:자-유【麻子油】 명 삼씨 기름.
마자이【斗尺】 명 〈이두〉 말잡이.
마자파힛 왕조【一王朝】〔Madjapahit〕 명 1294-1518년 사이에 존속하여 1350-89년에 전성 시대를 이루어 전(全)자바를 통일하였던 나라. 인도네시아 전역과 말레이의 일부를 점유하였음.
마작[1] 명 〈옛〉 근처. 근방. ¶ 남녁 마작 뒤짐 즈음ᄒᆞ야(迸南隔着兩家兒人家)《老乞》.
마작[2] 명 〈방〉 매듭(제주).
마작[3]【麻雀】 명 중국에서 건너 온 실내 오락(室內娛樂)의 한 가지. 상아(象牙)나 골재(骨材)에 대로 뒤쪽을 붙인 직사각형으로 된 136개의 만자(萬子)·통자(筒子)·삭(索)·삼원(三元)·사희(四喜) 등 다섯 가지 패(牌)로, 일정한 룰에 따라 짝을 맞추는 놀이이며, 보통 네 사람이 함. 마장. ——하다 자여불

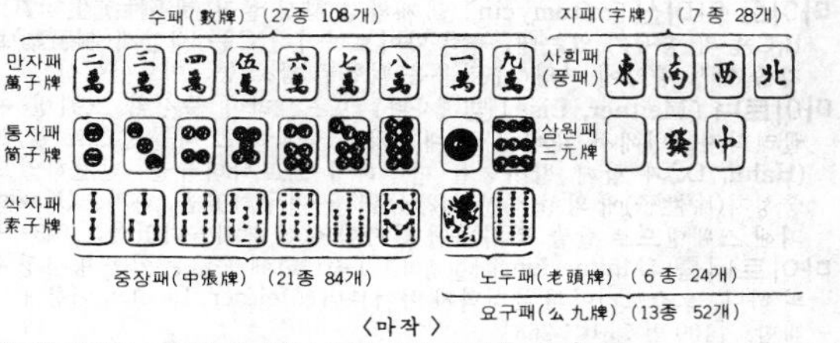

수패(數牌) (27종 108개) 자패(字牌) (7종 28개)
만자패 萬子牌 / 사희패(풍패) / 통자패 筒子牌 / 삼원패 三元牌 / 삭자패 索子牌
중장패(中張牌) (21종 84개) 노두패(老頭牌) (6종 24개)
요구패(么九牌) (13종 52개)
〈마작〉

마작-꾼【麻雀一】 명 마작을 잘 하거나 즐기는 사람.
마 잔산〔馬占山〕 명 『사람』 중국의 군인. 자(字)는 슈팡(秀芳). 만주 사변 후 헤이룽장 성(黑龍江省)의 성장(省長)으로 취임, 일본 관동군(關東軍)의 북진에 항전했으나 패하여 투항함. 이후 헤이룽장 성장 겸 군정부(軍政府) 총장에 취임, 반만 항일군(反滿抗日軍)을 조직했으나 재차 패하여 소련으로 탈출함. 1933년 상하이(上海)로 귀환하여 내몽고에서 대일 작전(對日作戰)에 종군함. 마점산(馬占山). [1884-1950]
마:장[1]【馬場】 명 ①말을 놓아 기르는 곳. ②경마장(競馬場).
마장[2]【魔障】 명 어떠한 일에 마가 생기는 일. 마희(魔戲).
마:장[3]〔mah-jongg〕 명 마작(麻雀).
마장[4] 의명 거리의 단위. 주로, 십 리가 못 되는 거리를 이를 때에, 리(里) 대신으로 쓰는 말. ¶ 두어 ~/세 ~. *리(里).
마:장 마:술【馬場馬術】 명 마술 경기의 한 가지. 60m×20m의 마장 안에서 일정 시간에 정하여진 각종 연기를 하여 정확함과 아름다움을 겨룸.
마-장수 명 팔 물건을 말에다 싣고 다니면서 장사하는 사람.
마장-스럽다【魔障一】 형ㅂ불 무슨 일이 막 되려는 때에 방해가 들다. 일에 헤살이 들다. **마장-스레**【魔障一】 부
마:장-전【馬駔傳】 명 『책』 조선 시대 때 박지원(朴趾源)이 지은 한문 소설. 당시, 소위 군자(君子)로 행세하던 문인(文人)·학자들의 교도(交道)가 극도로 부패하여 말 거간꾼만도 못함을 통탄하는 내용임.
마저[1] 부 전부. 남음이 없이 모두. ¶ 이것도 ~ 잡수시오.
마저[2] 조 '까지도'·'까지 모두'의 뜻을 나타내는 보조사(補助詞). ¶ 이 책~ 가져라/밥맛~ 없어졌다/너~ 그러기냐.
마:적[1]【馬賊】 명 말을 탄 비적. 또, 그 떼. 중국 청말(淸末)에 주로 만주(滿洲)에서 말을 타고 떼를 지어 다니며 도적질하던 패거리를 일컬음. ¶ ~에게 쫓기다.
마적[2]【魔笛】 명 마법(魔法)의 피리. 마력(魔力)을 가진 피리.
마적[3]【魔笛】 명 〔도 Die Zauberflöte〕 『악』 모차르트의 가극(歌劇). 젊은 왕자가 마적을 가지고 밤의 여왕의 딸을 구원하러 가는 이야기를 주제(主題)로 함. 독일의 고전파 가극의 대표작의 하나로, 낭만파 가극에 큰 영향을 줌. 1791년에 초연(初演)되었음. 마술 피리.
마:적-굴【馬賊窟】 명 마적의 소굴(巢窟).
마전[1] 명 〔중세 : 마전〕 피륙을 바래는 일. ¶ ~하지 않은 무명. ——하다 타여불
마전[2] 명 장터에서 곡식을 마질하는 곳.
마:전[3]【馬田】 명 『역』 역마(驛馬)를 기르는 데 필요한 경비를 마련하기 위하여 각 역(驛)에 주던 논밭. 마위답(馬位畓)과 마위전(馬位田)이 있었음.
마:전[4]【馬廛】 명 마구(馬具)를 파는 가게.
마:전[5]【馬錢】 명 『식』 [*Strychnos nux-vomica*] 마전과에 속하는 상록 교목. 높이 4-5m 가량인데, 잎은 대생하며 넓은 달걀꼴이고 혁질(革質)임. 녹백색의 소화(小花)가 취산(聚散) 화서로 피며 사과보다 좀 큰 노란 장과(漿果)를 맺음. 씨는 '마전자(馬錢子)'라고 하며, 알칼로이드를 함유하여 흥분제 등 약제로 씀. 관상용으로 심음. 동인도(東印度)가 원산(原産)임.

〈마전[5]〉

마전[6]【麻田】 명 『역』 신라 때, 공물(貢物)을 마련하기 위해 촌락(村落) 공동으로 삼을 재배하던 밭.
마전[7]【麻典】 명 『역』 신라 때, 왕의 의복 제작을 맡은 내성(內省) 소속의 관청. 경덕왕(景德王) 때 일시 직방국(織紡局)으로 고쳤음.
마전[8]【磨典】 명 『역』 신라 때, 토기(土器)의 제작, 생산을 맡은 내성(內省) 소속의 관청. 경덕왕(景德王) 때 일시 재인방(梓人房)으로 고쳤음.
마전[9]【磨箭】 명 사냥이나 강무(講武) 때 쓰던, 깃이 좁고 쇠로 된 촉을 가진 작은 화살.
마:전-과【馬錢科】[—꽈] 명 『식』 [Loganiaceae] 쌍자엽 식물 합판화류(合瓣花類)에 속하는 한 과. 전세계에 31속(屬) 550여 종이 열대 및 온대 지방에 분포하는데, 한국에는 마전·영주치자·큰벼룩아재비 등의 3속, 수 종(種)이 있음.
마전-령【麻田嶺】[—절—] 명 『지』 평안 북도 강계군(江界郡) 동서면(東西面)과 자성군(慈城郡) 삼풍면(三豐面) 사이에 있는 고개. [717m]
마전-봉【麻田峰】 명 『지』 함경 북도 무산군(茂山郡)에 있는 산. [1,016m]
마:전-자【馬錢子】 명 『약』 마전(馬錢)의 씨. 회색을 띤 누른 빛의 원판형(圓板形)으로 생겼음. 스트리키닌(strychinine)과 브루신(brucine)의 알칼로이드 성분을 함유하고 있어 스트리키닌과 브루신의 제조 원료가 되며 엑스와 정기(丁幾)는 각기 충심(脚氣衝心)과 혈관 마비에 유효함. 번목별(番木鼈).
마전-장이【一匠一】 명 피륙의 마전을 하여 살아가는 사람. [마전장이 놀 듯한다] 쉴 사이 없이 늘 빨래만 한다.
마전-터 명 피륙의 마전을 하는 곳.
마:-점산【馬占山】 명 『사람』 '마 잔산'을 우리 음으로 읽은 이름.
마접【魔接】 명 귀신에 접함. 신이 내림. *신접(神接). ——하다 자여불
마:정[1]【馬丁】 명 ①말을 끄는 사람. 마부. ②말구종.
마:정[2]【馬政】 명 말의 사양(飼養)·품종 개량·번식(繁殖)·수출입(輸出入) 등에 관한 국가의 행정(行政).
마정 방:종【摩頂放踵】 명 정수리로부터 마멸(摩滅)시켜 발뒤꿈치까지 이른다는 뜻. 분골 쇄신(粉骨碎身)함을 이르는 말.
마:정-스럽다 형 〈방〉 매정스럽다.
마정-하다 형 〈방〉 매정하다.
마:제[1]【馬蹄】 명 ①말굽❶. ②『건』 말굽❷.
마:제[2]【禡祭】 명 『역』 군대를 움직일 때 그 군대가 머무르는 곳에서 군신(軍神)에게 제사지내는 일.
마제[3]【磨製】 명 돌 같은 것으로, 곱게 갈아서 물건을 만드는 일. ——하다 타여불
마:제 결명【馬蹄決明】 명 『식』 초결명(草決明).
마:제굽 토시【馬蹄一】 명 토시의 부리를 말굽 모양으로 만들어서 손등을 덮게 된 토시. 준마제 토시.
마:제-단【禡祭壇】 명 『역』 군(軍)이 출정(出征)할 때 하루 전에 전쟁 승리와 군의 안전을 위하여 군신(軍神)인 치우신(蚩尤神)에게 제사 지내던 제단(祭壇). 조선 초에 동북교(東北郊)에 있었는데, 숙종(肅宗) 15년(1689)에 폐지됨.
마제 산호류【魔除珊瑚類】 명 『동』 각산호류(角珊瑚類).
마:제-석【馬蹄石】 명 『광』 창흑색(蒼黑色)으로 표면에 말굽과 같은 무늬가 있는 돌.
마제 석검【磨製石劍】 명 『고고학』 '간돌검'의 구용어.
마제 석기【磨製石器】 명 『고고학』 '간석기'의 구용어.
마제 석부【磨製石斧】 명 『고고학』 '간돌 도끼'의 구용어.
마:제-신【馬蹄腎】 명 『의』 신장(腎臟)의 선천적 기형(畸形)의 하나. 척주 양쪽에 하나씩 있어야 할 것이 한 덩어리로 붙어 말굽 모양으로 된 신장.
마:제-연[1]【馬蹄硯】 명 물을 붓는 곳이 말굽 모양으로 생긴 벼루.
마:제-연[2]【馬蹄椽】 명 『건』 말굽 추녀.
마:제-은【馬蹄銀】 명 말굽은.
마:제-채【馬蹄菜】 명 『식』 참취.
마:제-철【馬蹄鐵】 명 ①대접쇠. ②말편자.
마:제-초【馬蹄草】 명 『식』 참취.
마:제 추녀【馬蹄一】 명 『건』 말굽 추녀.
마:제 토시【馬蹄一】 명 ↗마제굽 토시.
마:제-형【馬蹄形】 명 말굽처럼 된 모양. 요형(凹形) 같은 것.
마:제형 사구【馬蹄形砂丘】 명 『지』 철면(凸面)은 탁월풍(卓越風)이 불어 오는 쪽에, 요면(凹面)은 바람이 불어 나가는 쪽에 향해 있는 사구. 바람이 불어 오는 쪽은 경사가 덜 지고 바람이 불어 나가는 쪽은 경사가 급함.
마:제형 자석【馬蹄形磁石】 명 말굽 자석.
마:제형 패:총【馬蹄形貝塚】 명 패총의 모양의 한 가지. 반원형 또는 말굽 모양으로 조개 껍데기가 두껍게 퇴적한 패총.
마젠타〔magenta〕 명 『화』 푹신(fuchsin).
마젤〔Maazel, Lorin〕 명 『사람』 프랑스 출생의 미국 지휘자. 일찍이 미국으로 이주, 어려서부터 일류 교향악단을 지휘하여 신동(神童)으로 불리었으며, 1952년 풀브라이트 장학금을 얻어 이탈리아에 유학함. 1965년에 베를린 방송 교향악단의 수석 지휘자가 됨. 현대인의 입장에서 관현악의 효과를 나타내는 선명하고 화려한 연주로 이름이 나 있으며, 바이올린의 명수로도 알려짐. [1930-]

마젤란 〔Magellan, Ferdinand〕 명 〖사람〗 포르투갈의 항해가. 세계 일주의 뜻을 품고 스페인의 카를로스 1 세로부터 원조를 받아 1519 년에 출발, 마젤란 해협을 발견하고 다시 태평양을 횡단하고 필리핀 군도(群島)에 도착하여 토민(土民)들과 싸우다가 죽었음. 그러나 살아 남은 승무원들이 항해를 계속하여 본국으로 귀항함으로써 지구가 둥글다는 것, 아메리카 대륙이 아시아 대륙과 떨어진 신대륙임이 최초로 증명되었음. [1480 ? -1521]

마젤란-운 【一雲】 명 〔Magellanic cloud〕 〖천〗 남반구에서 육안으로 보이는 불규칙 은하. 황새치자리에 있으며 대(大)마젤란운과 소(小)마젤란운으로 이루어짐. 15 세기 말엽에 남반구에 항해가 가능하게 되면서부터 스페인·포르투갈의 선원들에 의하여 발견되었음. 태양계로부터 16 만 광년의 거리에 있으며, 은하계와 삼중 은하(三重銀河)를 이루고 있음. 마젤란 은하.

마젤란 은하 【一銀河】 명 〔Magellanic galaxies〕 〖천〗 마젤란운.

마젤란 해:협 【一海峽】 〔Magellan〕 명 〖지〗 남미 대륙의 남단과 푸에고(Fuego) 섬 등의 도서부 사이의 해협. 전장 약 560 km. 부동(不凍)이나 한랭(寒冷)하여 농무(濃霧)의 발생이 심함. 파나마 운하 개통 전에는 태평양·대서양 연락의 요로(要路)였음. 기항지(寄航地)는 푼타아레나스. 1520년 포르투갈의 항해가 마젤란이 발견, 처음으로 통과하였음.

마져 조동 〈옛〉 말고 싶은 것이여. 말자. '말다'의 활용형. ¶ 일돌 일뎡훈 후에 고티디 마져(定體已後不得故別) ≪朴通事上 25≫. *-져.

마져ᄒᆞ다 보동 〈옛〉 말고자 하다. ¶ 머리 셰도록 서르 ᄇᆞ리디 마져ᄒᆞ더라(白首不相棄) ≪杜諺 XVI:18≫.

마젼 명 〈옛〉 마전¹. ¶ 마젼 련(練) ≪類合下 13≫.

마-조¹ 【一調】 [一쪼] 명 〖악〗 '마'음(音)을 주음(主音)으로 하여 구성된 음조(音調).

마:조² 【馬祖】 명 〖사람〗 중국의 선승(禪僧) 도일(道一)의 법호(法號).

마:조³ 【馬祖】 명 말의 수호신(守護神)인 '방성(房星)'의 이칭.

마:조⁴ 【馬鯛】 명 〖충〗 말매미.

마조⁵ 부 〈옛·방〉 마주. ¶ 마조 줄을 자바 經精舍舍 터흘 되더니 ≪月印上 61≫.

마:조-단 【馬祖壇】 명 〖역〗 말의 돌림병을 예방해 달라고 말의 조상인 방성(房星)을 제사 지내던 제단. 서울 특별시 성동구(城東區) 행당동(杏堂洞) 살곶이다리 서쪽 언덕 위에 있었음. 대한 제국 융희(隆熙) 2 년(1908)에 폐지됨.

마:조-도 【馬祖島】 명 〖지〗 마주 섬.

마조레 호 【一湖】 〔Maggiore〕 명 〖지〗 이탈리아 북부에 있는 호수. 남북으로 길게 뻗고 북단부(北端部)는 스위스에 속함. 호수 연안에 로카르노(Locarno)·아로나(Arona) 등 관광 휴양지가 많음. [212 km²]

마조르카 섬 〔Majorca〕 명 〖지〗 '마요르카(Mallorca) 섬'의 영어명.

마조보다 자 〈옛·방〉 마주 보다. 맞보다. ¶ 서르 마조보아(相逢) ≪杜諺 XXV:31≫/功德 닷논 내 모미 正覺 나래 마조보리어다 ≪月釋 Ⅷ:87≫.

마조-장 【磨造匠】 명 〖역〗 조선 시대의 공장(工匠)의 일종. 선공감(繕工監) 및 지방 관아에 속하던 공장(工匠)으로 연자매를 만들던 장인(匠人).

마조-장이 【磨造匠一】 명 〖공〗 도자기(陶磁器)를 만들 때, 모양이 된 뒤에 이리저리 매만져서 맵시를 고치는 사람.

마조-치다 자타 〈방〉 마주치다.

마조히스무스 〔도 Masochismus〕 명 〖문〗 '마조히즘(masochism)'의 독일어.

마조히즘 〔masochism〕 명 〖의〗 변태 성욕의 하나. 이성(異性)한테서 여러 방법으로 학대를 받음으로써 성적 쾌감을 얻는 일종의 이상 성욕(異狀性慾). 오스트리아의 소설가 자허 마조흐(Sacher-Masoch, L.von)가 처음으로 이러한 인물(人物)을 그려낸 데서 붙은 이름. 마조히스무스(Masochismus). 피학대 음란광(被虐待淫亂狂). 피학대 성욕 도착증. ↔사디즘(sadism).

마졸 【魔卒】 명 마왕(魔王)의 졸병. 마귀의 하졸(下卒).

마졸리카 〔majolica〕 명 〖공〗 이탈리아에서 15 세기에 발달한 특수 도기(陶器). 유색(有色)의 도질(陶質) 바탕에 백색 불투명의 잿물을 발라, 금속 광택의 그림으로 장식하였음. 전하여, 이것의 모조품 및 다른 종류의 투명·착색유(着色釉) 도기의 총칭.

마종 명 ☞ 마중. ——-하다 타여불

마주¹ 명 〈방〉 마중. ——-하다 타

마주² 부 서로 똑바로 향하여. ¶ ~ 대하다/산과 ~ 서다. ——-하다 타여불 마주 대하다. ¶ 식탁을 마주하고 앉다.

마:주³ 【馬主】 명 말의 임자. 주로 경마(競馬)에서 말함.

마:주⁴ 【馬冑】 명 〖고고학〗 말머리가리개.

마주⁵ 【魔酒】 명 사람의 정신을 흐리게 하는 술.

마주-나기 명 〖식〗 '대생(對生)'의 풀어쓴 말. ↔어긋나기.

마주나기-눈 명 〖식〗 서로 마주 보고 트는 싹. 대생아(對生芽).

마주나기-잎 명 〖식〗 대생엽(對生葉).

마주-나무 명 말이나 소를 매어 두는 나무.

마주 놓다 [一노타] 타 서로 똑바로 향하게 물건을 놓다. ㊥맞놓다.

마주르카 〔mazurka〕 명 〖악〗 폴란드의 민속 무용곡. 또, 거기에 맞추어서 추는 댄스. 음악은 4분의 3 또는 8분의 3박자로, 왈츠(waltz)보다 느리나 활발한 느낌이 듦.

마주막 명 〈방〉 마지막.

마주-보기 명 〈심마니〉 술.

마주 보다 자타 서로 똑바로 향하여 보다. ㊥맞보다.

마주 서다 자 서로 똑바로 보고 서다. ㊥맞서다.

마주 앉다 [一안따] 자 서로 똑바로 보고 앉다.

마주 잡다 타 ①서로 손을 잡다. ¶ 손을 마주 잡고 반가워하다. ②서로 마주 보고 물건을 잡다. ¶ 책상을 마주 잡고 나르다. ③어떠한 일에 서로 협력하다. ¶ 우리 서로 손을 마주 잡고 일해 봅시다. ㊥맞잡다.

마주-잡이 명 ①두 사람이 마주 메는 상여나 들것. ②두 사람이 앞과 뒤에서 마주 메는 일. ——-하다 자여불

마주-치다 자 ①서로 부딪치다. 충돌하다. ②우연히 서로 만나다.

마:죽 【馬粥】 명 말죽.

마:죽-통 【馬粥桶】 명 말죽통.

마줏-날 명 〖고고학〗 모듬날.

마줏-대 명 〈방〉 말말뚝.

마중 명 〔←맞-+-웅. 중세 : 마지〕 자기한테 오는 사람을 맞으러 나감. 나가서 맞이함. 출영(出迎). ↔배웅. ——-하다 타여불

마중가 〔Majunga〕 명 〖지〗 아프리카 동부, 마다가스카르 공화국 북서부의 모잠비크 해협에 임하는 항구 도시. 기계·시멘트·제지(製紙)·농산물 가공·제재(製材) 등이 행하여짐. [66,000 명(1981)]

마중-물 명 펌프에서 물이 안 나올 때에 물을 이끌어 내기 위하여 위로부터 붓는 물. ¶ ~을 붓다.

마중지-봉 【麻中之蓬】 명 '삼밭에 난 쑥'이란 뜻에서, 좋은 가정이나 환경에서 자라거나 좋은 벗과 사귀는 사람은 자연히 주위의 감화를 받아 선량하여진다는 말. 삼밭에 쑥대.

마즈 부 〈방〉 마저¹(함북).

마즈다 〔Mazda〕 명 〖신〗 아후라마즈다.

마즈-마즈 부 〈방〉 거의거의(함북).

마즈막 명 ☞ 마지막.

마지¹ 명 '만이'의 잘못.

마:지² 【馬脂】 명 말에서 나는 지방. 비누·그리스(grease)로 이용함. 말기름.

마지³ 【麻紙】 명 마피(麻皮) 또는 마포(麻布)로 만든 종이.

마지⁴ 【摩旨】 명 〖불교〗 부처께 올리는 밥.

마지⁵ 부 〈방〉 마저(함남).

마지 공:양 【摩旨供養】 명 〖불교〗 부처에게 마지를 올리는 일.

마:-지기¹ 명 〖역〗 〔←마직(馬直)〕 내수사(內需司)와 각 궁방(宮房)의 하인. 노자(奴子).

마-지기² 의명 논이나 밭의 넓이의 단위. 한 말의 씨를 뿌릴 만한 넓이. 각 지방마다 다른데, 대개 논은 150-300 평, 밭은 100 평 내외임. 두락(斗落). ¶ 한 ~/일곱 ~. *십지기·-지기.

마지기-고지 명 〈방〉 고지 자리품.

마:지널 맨 〔marginal man〕 명 두 개 이상의 이질적인 사회나 집단에 동시에 속하여 양쪽의 영향을 함께 받으면서, 그 어느 쪽에도 완전하게 속하지 아니하는 인간. 유태인, 미국의 흑백 혼혈인 등. 주변인(周邊人). 경계인(境界人).

마지노-선 【一線】 〔프 Maginot〕 명 〖역〗 ①독일과 접한 프랑스의 동쪽 국경에 구축(構築)한 프랑스의 대독(對獨) 요새선(要塞線). 육군상(陸軍相) 마지노(Maginot, André; 1877-1932) 장군의 지휘 아래 1936년에 완성된 것으로, 근대 축성(築城)으로서 획기적인 것이라 불리었으나 2차 대전 초기인 1940년 독일 공군에 의하여 파괴되었음. ②비유적으로, 더는 물러설 수 없는 처지나 경우.

마지막 명 〔중세 : ᄆᆞᄌᆞ막〕 일의 끝판. 맨 나중. 최후.

마지막-날 명 일이 끝나는 날. ¶ 훈련의 ~.

마지막-숨 명 임종할 때 마지막으로 쉬는 숨. ¶ ~을 거두었다.

마지막-판 명 일이 끝나는 판. 맨 끝판. ㊥막판.

마지막-회 명 어떤 일을 계속 되풀이하여 할 때의 맨 끝의 회.

마:지-못하다 형여불 긴하지 아니하거나 마음에는 없으나 사정에 의하여 그렇게 아니 하려야 아니 할 수가 없다. 부득이하다. ¶ 하도 권하기에 마지못해 했소/마지못해 승낙하다.

마지미 명 〈방〉 마중(경남).

마지 불기 【摩旨佛器】 명 〖불교〗 마지를 담는 그릇.

마지-쇠 【摩旨一】 명 〖불교〗 마지를 올릴 때에 치는 쇠종.

마지-쌀 【摩旨一】 명 〖불교〗 마지를 짓는 쌀.

마:지-아니하다 보동여불 소망(所望)이나 의지를 나타내는 동사 밑에 붙어, 충심으로 그렇게 함을 강조할 때 쓰는 말. ¶ 바라 ~/사랑하여 ~. ㊥마지않다.

마지-종 【摩旨鐘】 명 〖불교〗 마지쇠.

마:직¹ 【馬直】 명 〖역〗 →마지기¹.

마직² 【麻織】 명 마직물.

마직-물 【麻織物】 명 삼으로 짠 피륙의 총칭. 마직(麻織).

마진¹ 【痲疹】 명 〖의〗 홍역(紅疫). 홍진(紅疹).

마진² 【摩震】 명 〖역〗 '태봉(泰封)'의 처음 국호(國號).

마:진³ 〔margin〕 명 〖경〗 ①원가(原價)와 매가(賣價)의 차액(差額). 최저 수익점(最低收益點). 차금(差金). 이익금. 이문(利文). ¶ 최저의 ~으로 팔다. ②중개인(仲介人)에게 맡기는 증거금(證據金). ③수수료(手數料). ¶ ~을 먹다.

마:진-도 【馬津島】 명 〖지〗 전라 남도(全羅南道) 신안군(新安郡) 장산면(長山面) 마진리(馬津里)에 위치하는 섬. 나주 군도(羅州群島)에 속함. [1.08 km² : 311 명 (1984)]

마:진 머니 〔margin money〕 명 〖경〗 은행이 업자에게 신용(信用)을 줄 경우에 보증금으로 징수하는 현금.

마진 백신 【痲疹一】 〔vaccine〕 명 〖약〗 홍역 예방 백신. 예방 접종은 제1회에 불활화(不活化) 백신을 근육 또는 피하에, 제2회는 4-6주 후 약독(弱毒) 생(生)백신을 피하에 접종함. 주로 1-3세의 아이에게 행함.

마진쇠-질 명 〈방〉 결쇠질. ——-하다 자타

마진 폐:렴 【痲疹肺炎】 명 〖의〗 마진과 합병하여 일어나는 폐렴. 마진에 걸린 사람의 약 10%가 이에 걸리는데, 두 살 이하의 유아에 특히 많음.

마-질¹ 명 곡식 등을 말로 되는 일. ——-하다 타여불

마:질² 【馬蛭】 명 〖동〗 말거머리.

마짓-밥【摩旨―】 명〔불교〕 ☞ 마지[4]. 「≪龍歌 43章≫.
마ᄌᆞ니 자〈옛〉맞으니. '맞다[1]'의 활용형. ¶ ᄒᆞᆫ사래 마ᄌᆞ니(一箭俱中)
마존소리 명〈옛〉물체에 닿아서 울려 나오는 소리. 반향(反響). ¶ 마존 소리 향(響)≪類合 下 1≫.
마좀 부〈옛〉마침. ¶ 그 약은 마좀 다 쓰고, 마좀 順風이 無事히 부ᄂᆞ오
마째로 명〈방〉마중. ⌊니≪新語 Ⅲ:4≫.
마-쪽 명 '남쪽'의 뱃사람 말.
마쭈 섬〔馬祖島〕명〔지〕중국 푸젠 성(福建省)에 있는 민장(閩江) 강의 강구 밖, 본토로부터 24 km 동쪽에 있는 섬. 베이간탕(北竿塘) 등 7개 섬과 함께 마쭈 열도를 형성함. 타이완 정부가 진먼 섬(金門島)과 함께 보유하고 있는 섬으로, 타이완 방위의 제1선 해군 기지임. 마조도(馬祖島). [10 km^2 : 14,000 명(1981 추계)]
마찌다 형〈방〉마디다(경상).
마ᄍᆞ비 명〈옛〉'맞이'의 높임말. ¶ 마ᄍᆞ비예 므슨 ᄆᆞᆯ 놀라니(迎見驚服)
마:차[1]【馬車】명 말이 끄는 수레. ⌊≪龍歌 95章≫.
마차[2]【磨磋】명〔지〕강원도 영월군(寧越郡) 북면(北面)에 있는 탄광촌.
마:차-꾼【馬車―】명 마부(馬夫)❷.
마:차꾼-자리【馬車―】명〔천〕마차부자리.
마차도〔Machado, Antonio〕명〔사람〕스페인의 시인. 스페인 내란 때에는 공화 정부를 지지, 1939년 프랑스에 망명하여 그곳에서 죽음. 대표작 ≪카스티야의 들≫은 카스티야의 풍경과 전통에 대한 그의 애착을 반영하고, 또 조국의 침체에 대한 노여움도 여러 곳에 표시하고 있는 점에서, 이른바 '98년대(年代)'의 특색을 잘 나타내고 있음. [1875–1939]
마:차-말【馬車―】명 마차를 끄는 말.
마차-맞다 형 ☞ 마침맞다.
마:차-부【馬車夫】명 마부(馬夫)❷.
마:차부-자리【馬車夫―】명〔라 Auriga〕〔천〕북쪽 하늘의 한 별자리. 오리온(Orion)자리의 북쪽에 있는데 그 일부는 은하에 덮여 있음. 1등성 카펠라 성(Capella 星)을 비롯하여 다섯 개의 별로 된 오각형이 이 성좌인데, 겨울철 저녁때 천정(天頂)에 위치함. 마부좌(馬夫座). 어자좌.
마:차 철도【馬車鐵道】[―또] 명 궤도를 따라 마차를 달리게 하여 여객이나 화물을 수송하던 철도. 철도 마차.
마찬가지 명〔←마치 한가지〕서로 똑같음. 매한가지.
마찰【摩擦】명 ①물건과 물건이 서로 닿아서 비빔. ②〔friction〕〔물〕한 물체가 다른 물체의 표면에 닿아서 운동을 하고 있거나 하려 할 때, 그 접촉면에서 운동을 막는 저항력이 작용하는 현상. 운동을 하고 있을 때의 저항을 운동 마찰, 운동을 시작하려 할 때의 저항을 정지(靜止) 마찰이라 함. ③사람과 사람끼리 또는 단체와 단체 사이에 의견이나 뜻이 맞지 아니하여 서로 충돌되는 일. ¶ 파벌간에 ~이 심하다. ――하다 자여불
마찰-각【摩擦角】명〔angle of friction〕〔물〕물체를 올려놓은 사면(斜面)의 기울기를 점차 크게 하여 물체가 미끄러지기 시작하는 각도. 이 각도의 탄젠트는 정지 마찰 계수와 같음.
마찰 계:수【摩擦係數】명〔coefficient of friction〕〔물〕두 물체가 접(接)하여 있을 적에, 그 사이에 작용하는 마찰력과 두 물체의 사이에 작용하는 법선 방향(法線方向)의 압력의 비(比). 정지 마찰 계수는 운동 마찰 계수보다 큼. *미끄럼 마찰.
마찰 기어【摩擦―】명〔friction gear〕〔기〕회전 접촉하는 두 면 사이의 마찰에 의해서 양축(兩軸)에 운동을 전하는 전도 장치(傳導裝置).
마찰 기전기【摩擦起電機】명〔물〕정전기(靜電氣)를 발생시키는 기계. 원통(圓筒) 기전기와 원판(圓板) 기전기가 있음.
마찰 대:전【摩擦帶電】명〔triboelectrification〕〔전〕마찰에 의한 정전하(靜電荷)의 생성.
마찰-력【摩擦力】명〔frictional force〕〔물〕두 물체가 접촉하여 마찰할 때에 작용하는 두 물체 사이의 저항력.
마찰 마:력【摩擦馬力】명〔friction horsepower〕〔기〕마찰에 의한 기계의 손실(損失) 마력.
마찰 브레이크【摩擦―】〔brake〕명〔기〕제동기(制動機)의 하나. 마찰에 의하여 회전체를 제동시키는 장치.
마찰 상수【摩擦常數】명〔물〕마찰 계수(摩擦係數).
마찰 손:실【摩擦損失】명〔물〕마찰에 의하여 없어지는 운동 에너지의 총칭. 상호간에 운동하는 고체 사이에는 반드시 마찰 손실이 있으며, 액체 또는 기체 속의 고체가 상대적으로 운동할 경우에도 여러 가지 손실이 있음.
마찰-열【摩擦熱】[―렬] 명〔물〕물체가 마찰할 때에 일어나는 열.
마찰 용접【摩擦鎔接】[―룡―] 명 두 개의 금속재를 맞대어 압력을 가하면서 회전시킬 때 생기는 마찰열에 의해 접합하는 압접법(壓接法). 강철·알루미늄·구리 등의 막대의 접합에 이용함. 종류가 다른 금속 사이에도 쓰임.
마찰-음【摩擦音】명〔언〕조음 기관(調音器官)의 어느 부분이 좁혀져서 숨의 통로가 좁아질 때, 그 사이를 통과하는 숨이 일종의 마찰적 파동, 즉 음파를 일으켜서 나는 소리. 곧, ㅅ·ㅎ 등. 갈이소리.
마찰 저:항【摩擦抵抗】명〔frictional resistance〕〔물〕흐르는 유체(流體) 속에 있는 물체 표면에 작용하는 마찰 응력(應力)의 합력(合力)으로서 나타나는 저항. 마찰 항력(抗力). 점성(粘性) 저항.
마찰적 실업【摩擦的失業】명〔사〕노동자의 수급(需給) 관계의 일시적인 불균형으로 말미암은 실업. *만성적(慢性的) 실업.
마찰 전:기【摩擦電氣】명〔frictional electricity〕〔물〕서로 다른 물체의 마찰에 의하여 생기는 전기. 정전기(靜電氣).
마찰 전동 장치【摩擦傳動裝置】명 마찰력에 의해서 동력을 전달하는 장치의 총칭. 가장 널리 쓰이는 것은 마찰 클러치임.
마찰 클러치【摩擦―】〔clutch〕명 클러치의 한 가지. 마찰을 이용하여 회전 운동을 단속(斷續)시키는 클러치의 총칭으로, 원판 클러치·림(rim)클러치·원추(圓錐) 클러치 등이 있음.
마찰 항:력【摩擦抗力】[―녁] 명〔물〕마찰 저항.
마참[1] 부〈방〉마침[2].
마참[2]【逢音·適音】부〈이두〉마침[2].
마참내 부〈방〉마침내.
마천【摩天】명 하늘에 닿을 만큼 높음.
마천가지 명〈방〉마찬가지.
마천-각【摩天閣】명 마천루(摩天樓).
마천-령【摩天嶺】[―철―] 명〔지〕함경 남도의 단천군(端川郡) 광천면(廣泉面)과 함경 북도 학성군(鶴城郡) 학남면(鶴南面) 사이의, 도계(道界)에 있는 재. 이판령(伊板嶺). [725 m]
마천령 산맥【摩天嶺山脈】[―철―] 명〔지〕마천령에서 북으로 200여 km를 뻗어, 함경 남북도의 경계를 이루는 산맥. 두류산(頭流山) 등 2,000 m 이상의 고봉이 많이 솟아 있음.
마천-루【摩天樓】[―철―] 명〔skyscrapers〕하늘을 찌를 듯이 솟아 있는 고층 건물. 곧 뉴욕 같은 데에 있는 수십 층 되는 건물. 마천각(摩天閣). 스카이스크레이퍼.
마-천우【麻天牛】명〔충〕삼하늘소.
마:철【馬鐵】명 말편자.
마:철-계【馬鐵契】명〔역〕말편자를 공물(貢物)로 바치던 계.
마:철-전【馬鐵廛】명〔역〕말편자를 팔던 가게.
마체〔중 馬車〕명 '마차(馬車)'를 중국 음으로 읽은 이름.
마:초[1]【馬草】명 말에게 먹이는 풀. 말꼴.
마초[2] 타〈옛〉맞추어. ¶ 나 마초 ᄡᅳ라(灸…隨年壯)≪救簡 Ⅲ:74≫.
마초다 타〈옛〉①맞추어 보다. 견주어 보다. ¶ 體ᄅᆞᆯ ᄆᆞᄅᆞ쳐 機예 마초ᄆᆞᆫ(指體投機)≪圓覺 序 79≫. ②합하다. 맞추다. ¶ 合掌ᄋᆞᆫ 손바당 마촐씨라 ≪月釋 Ⅱ:29≫.
마초ᄡᅧ 타〈옛〉맞추어 보아. 상고(詳考)하여. '마초ᄡᅥ다'의 활용형. ¶ 經을 마초ᄡᅧ(按經)≪楞嚴 Ⅸ:90≫.
마초ᄡᅥ다 타〈옛〉고증(考證)하다. =마초ᄡᅥ다. ¶ 詳考ᄂᆞᆫ 子細히 마초ᄡᅧ 알씨라 ≪月釋 Ⅸ:59≫. 「下 29≫.
마초ᄧᅥ다 타〈옛〉고증(考證)하다. =마초ᄡᅥ다. ¶ 마초ᄧᅥᆯ 증(證) ≪字會
마초아 부〈옛〉마침. 우연히. =마초와·마쵸와. ¶ 淮陽ᄂᆡ 일홈이 마초아 ᄀᆞᄐᆞᆯ시고 ≪松江 關東別曲≫. 「又周遭猶言周圍也 ≪朴解≫.
마초와 부〈옛〉우연히. =마초아·마쵸와. ¶ 遭是 마초와 遭一次謂之一
마초이다 타〈옛〉맞추게 하다. ¶ 木匠의 집의 ᄒᆞᆫ 樻ᄅᆞᆯ 마초이되(木匠家裏旋做一箇樻子)≪朴解 中 2≫.
마초ᄒᆞ다 타〈옛〉맞추다. 맞추어 하다. ¶ 七覺支예 마초ᄒᆞ노라 닐굽 거름 거르시니 ≪月釋 Ⅱ:37≫.
마촘 부〈옛〉바로. 마침. ¶ 가마민 마촘 아랫 ᄒᆞᆰ(伏龍肝)≪救簡 Ⅲ:31≫.
마쵸옴 명〈옛〉마춤. 마추어 만든 물건. ¶ 이는 마쵸옴 셩녕이오(是主顧生活)≪老乞 下 30≫.
마쵸와 부〈옛〉마침. =마초아·마초와. ¶ 마쵸와 밤일셰 만정 힝혀 낫지런들 남우일번 ᄒᆞ여라 ≪永言≫.
마추다 타 ☞ 맞추다.
마:추-픽추〔Machu Picchu〕명〔지〕페루 남부에 있는, 잉카의 성곽 도시가 있던 터. 우루밤바(Urubamba) 계곡 근처, 표고(標高) 2,400 m의 고지에 석조(石造)의 성곽이 솟아 있고, 그 가운데 네모난 돌로 쌓은 원탑(圓塔)과 제단(祭壇) 터가 남아 있음.
마춤[1] 명 ☞ 맞춤.
마춤[2] 부〈방〉마침[2](함남).
마춤-하다 형여불 ☞ 알맞춤하다. ¶ 애벌 요기로 마춤하니 시장기를 끄고 나서…길을 줄이기 시작했다≪金周榮 : 客主≫.
마충【麻蟲】명〔충〕삼벌레.
마취【痲醉】명 약물(藥物)이나 한랭(寒冷) 자극을 작용시켜, 일시적으로 생물체의 국부 또는 전신이, 감각을 잃고 자극에 반응할 수 없게 하는 일. 흔히 수술을 할 때 또는 어떠한 통각(痛覺)을 덜기 위해서 이러한 방법을 씀. 몽혼(矇昏). ――하다 타여불
마:취-목【馬醉木】명〔식〕[*Pieris japonica*] 철쭉과에 속하는 상록 관목. 줄기 높이 2-3 m이며 잎은 호생하고 도피침형(倒披針形)인데 혁질(革質)로 가에 톱니가 있음. 이른봄에 병 모양의 흰 소화(小花)가 총상(總狀) 화서로 피며, 과실은 작은 구형(球形)임. 잎은 독(毒)이 있어 마소가 먹으면 중독(中毒)을 일으키나, 달여서 농작물의 해충, 파리·구더기 등의 살충제(殺蟲劑)로 씀. 산과 들에 나는데, 한국·중국·일본 등지에 분포함. 관상용으로도 심음.

〈마취목〉

마취-법【痲醉法】[―뻡] 명〔의〕수술 같은 것을 할 때, 고통을 덜기 위하여 마취약을 써서 마취시키는 방법.
마취 분석【痲醉分析】명〔심〕마약 종합(痲藥綜合).
마취-약【痲醉藥】명〔약〕①신경계(神經系)에 작용하여 일시적으로 거의 대부분의 의식을 잃게 하거나 또는 몸의 일부분의 감각을 잃게 하는 약. 전신 마취약과 국부(局部) 마취약으로 나뉘는데, 전신 마취약은 중추 신경 기능을 마취시키거나 통각 중추(痛覺中樞)의 감수성(感受性)을 감퇴(減退)시키는 작용이 있는 약으로 클로로포름(chloroform)·에테르(ether)·알코올·모르핀(morphine)·아편 등이며, 국부 마취약은 국부의 지각 신경 말초(末梢)를 마비시키는 약으로 에틸(ethyle)·메틸

(methyle)·코카인(cocaine) 등임. 마취제(痲醉劑). 몽한약(朦汗藥). 몽혼약(朦昏藥). ②마약(痲藥)❶.

마취 요법【痲醉療法】[—뻡] 명 〔narcosynthesis〕『의』 얕은 수면(睡眠) 또는 수면 상태에 있어서의 심리 요법적 치료. 의사와 환자 사이에 의사 소통이 잘 되는 효과를 줌.

마취-제【痲醉劑】명『약』마취약(痲醉藥). 몽혼약(朦昏藥).

마츰 부 〈방〉 마침[2].

마츰내 부 〈방〉 마침내.

마치[1] 명 ①못 따위를 박는 데 쓰는 연장의 한 가지. 쇠뭉치에 자루가 달려 있음. 추(錘). ② ☞ 망치[1].
【마치가 가벼우면 못이 솟는다】 위엄이 없으면 아랫사람이 순종하지 않고 반항하게 된다는 뜻.

마치[2] 명『악』농악이나 무속(巫俗) 음악에서, 소리의 장단을 가리키는 말.

마:-치[3]【馬峙】명『지』충청 남도 공주군(公州郡) 반포면(反浦面)에 있는 고개. 말재. [204 m]

마:치[4]【馬齒】명 자기의 나이를 낮추어 일컫는 말. 마령(馬齡).

마-치[5]【摩峙】명『지』경기도 양주군(楊州郡)에 있는 고개. [242 m]

마:치[6]〔march〕명 ①행진. ②『악』행진곡.

마:치[7]〔March, Frederic〕명『사람』미국의 배우. 1928년 영화에 데뷔한 이래, 지성적인 성격 배우로 이름을 날림. ≪지킬 박사와 하이드 씨(氏)≫·≪우리 생애 최고의 해≫ 등에 출연함. [1897-1976]

마치[8] 부 거의 비슷하게. 흡사. ¶ ~ 겨울 날씨 같군 / ~ 한가지.

마치[9] 조의명 〈방〉 만큼.

마치:니〔Mazzini, Giuseppe〕명『사람』이탈리아의 정치가. 카르보나리(Carbonari) 당원으로, 오스트리아에서 이탈리아 통일 운동을 지도하고, 청년 이탈리아당을 조직, 공화주의(共和主義)에 입각한 이탈리아 통일 운동에 진력했음. [1805-72]

마치ᄂᆞᆫ다 〈옛〉 맞추는가. ¶ 네 쫄 셔방은 언제나 마치ᄂᆞᆫ다 ≪古時調≫.

마치다[1] 자 ①말뚝·못 같은 것을 박는 경우에 밑에 무엇이 받치어 딱딱 버티다. ②못을 박는 것과 같이 뼈 따위가 결리고 아프다. ¶ 허리가 ~.

마치다[2] 一 자 〔←몿-+이+다. 중세 : 뭇다〕 마지막으로 끝나다. 二 타 마지막으로 끝내다. ¶ 공부를 ~. ㊀ 맞다.

마치다[3] 타 〈방〉 맞추다❼.

마치다[4] 타 〈옛〉 맞히다. ¶ 세사ᄅᆞᆯ 마치시니(三中不錯), 스믈살 마치시니(卄發盡殪)≪龍歌 32章≫/마칠 셕(射)≪類合 下 7≫.

마치 몰라 부 〈방〉 마침 몰라.

마치온들쓰아【了乎等用良】〈이두〉 마치었음으로써.

마치-질[1] 명 마치로 못이나 말뚝 같은 것을 박는 일. ——하다 타여불

마지-질[2] 명 〈방〉 마당질. ——하다 자

마치 한가지 명 →마찬가지.

마:치-현【馬齒莧】명『식』쇠비름.

마침[1] 명 〈방〉 맞춤.

마침[2] 명 〔fine, cadence〕『악』악곡의 끝을 나타내는 말.

마침[3] 부 ①어떤 경우나 기회에 꼭 알맞게. ¶ 보고 싶었는데 ~ 잘 왔군. ②바로 그 때에. ¶ 큰길로 나서자 ~ 빈 차가 있었다. ③ 그 때가 바로. ¶ 그 날이 ~ 장날이었다. ④우연히 공교롭게도. ¶ 일이 ~ 그렇게 되었네.

마침[4] 조의명 〈방〉 만큼.

마침-가락 [—까—] 명 우연히 일이나 물건이 딱 들어맞음. ¶ 길에서 사 온 구두가 ~이다.

마침-구이 명『공』자기(磁器)를 만들 때, 애벌구이한 것을 유약(釉藥)을 발라서 아주 구워 내는 공정(工程). ↔설구이. ——하다 타여불

마침-꼴 명 ①『악』악곡(樂曲)이나 악구(樂句)에서 마침이나 단락의 구두점 구실을 하는 선율이나 화성(和聲)의 정형(定型). 갖춘마침, 못갖춘마침, 거짓마침 등이 있음. ②『언』'종지형(終止形)'의 풀어 쓴 이름.

마침-꾸밈 명『악』악곡이 끝나기 바로 앞에다 반주 없이 독창자나 독주자가 자유로이 기교를 부릴 수 있도록 끼워넣는 곡조 마디.

마침-내 부 ①드디어. 기어이. ¶ 지루한 장마가 ~ 끝나다. ②마지막에. 결국에. ¶ ~는 내가 이길 것이다.

마침마딧-줄 명『악』마침줄.

마침-맞다 형 어떤 경우나 기회에 아주 꼭 알맞다. ¶ 마침맞게 역성을 들어 주셨다.

마침 몰라 부 그 때를 당하면 혹시 어찌 될지 모르나. 어찌 될지는 몰라도.

마침-세로줄 명『악』마침줄.

마침-줄 [—쭐] 명『악』곡(曲)이 다 끝난 것을 보이기 위하여 오선(五線)의 말미(末尾)에 세로로 긋는 겹 세로줄. 우측 줄이 굵고 좌측 줄이 가늚. 마침마딧줄. 마침세로줄. 끝세로줄. 종지선.

마침-표【—標】명 ①『언』문장의 끝맺음을 나타내는 문장 부호. '온점'·'고리점'·'물음표'·'느낌표' 따위가 있음. 종지부(終止符). 종지점(終止點). ②『언』특히, '온점'의 일컬음. 피리어드. ③『악』악곡의 끝을 나타내는 표. 종지 기호. 종지부.

Fine Fine

〈마침표❸〉

마침-하다 형여불 무엇에 아주 알맞다. ¶ 나 같은 사람에게 마침한 부업이 있을는지.

마촘[1] 부 〈옛〉 마침[2]. ¶ 흉노에 ᄉᆞ신 갓더니 마촘 우샹이 위률을 죽이려 ᄒᆞ다가(使匈奴會虞常謀殺衛律)≪五倫 Ⅱ:11≫.

마촘[2] 조의명 〈옛〉 만큼. ¶ 네 遼東 잣안 어늬 마촘셔 사ᄂᆞ다(你在遼東城裏那些箇住)≪老乞 上 43≫.

마카로니〔이 macaroni〕명 밀가루를 끓는 물로 굳혀서 사상(絲狀) 또는 관상(管狀)으로 만든 서양식 국수. 이탈리아의 명물임.

마카로니 웨스턴〔이 macaroni+western〕명 이탈리아에서 제작한, 서부극을 본뜬 영화. 무대를 주로 멕시코에 잡고, 잔인 비정(非情)한 총잡이가 등장하는 것이 특색임.

마카로니 인견사【—人絹絲】〔이 macaroni〕명 중공(中空) 인견.

마카롱〔프 macaron〕명 편도(扁桃)·밀가루·난백(卵白)·설탕 등을 넣고 만든 소형의 고급 과자.

마카리오스〔Makarios〕명『사람』키프로스(Kypros)의 그리스계(系) 정치가·그리스 정교회 대주교. 키프로스 섬의 그리스 병합 운동을 지도하다가 추방되었으나, 1960년 마침내 독립을 쟁취하여 키프로스 공화국 대통령에 취임함. 1974년 쿠데타로 일시 국외로 탈출하였다가 귀국, 대통령직에 복귀함. [1913-77]

마카바이오스 전:쟁【—戰爭】〔Makkabaios〕명『역』시리아의 지배하에 있던 유태인의 독립 전쟁. 시리아 왕(王) 안티오코스(Antiochos) 4세가 기원전 167년 혹은 166년 예루살렘 신전(神殿)에 제우스상(Zeus 像)을 세우고 유태교의 제식(祭式)을 엄금한 데서, 하스몬 가(Hasmon 家)의 마카바이오스(Makkabaios)를 지도자로 유태인이 봉기(蜂起)하여 정치적·종교적 자유를 쟁취하고 하스몬 왕조(王朝)를 세움.

마카사르〔Makassar〕명『지』인도네시아 술라웨시 섬 남부의 항구. 보르네오·몰루카 제도(Moluccas 諸島)·티모르 등지에서 나는 코프라·고무·향료·쌀·진주·커피·수피(獸皮) 등을 모아 수출하는 중계 무역항으로, 화교(華僑)가 주도권을 쥐고 있음. [709,000 명(1980)]

마카사르 해:협【—海峽】〔Makassar〕명『지』인도네시아의 중부, 보르네오·셀레베스 두 섬 사이의 해협. 너비 120-430 km, 길이 약 800 km. 암초가 많아 항해에 주의를 요함.

마카오〔Macao〕명『지』중국 광둥 만(廣東灣)의 입구에 있는 항구 도시. 1557년에 포르투갈인이 점거 조차(占據租借)하여, 1887년에 정식으로 영유하였음. 기후 온화하고 경치가 아름다우며, 대외 무역항으로서 번영하였으나 홍콩에 주도권을 빼앗긴 후로는 쇠미(衰微)하였음. 1999년 중국에 반환됨. 오문(澳門). 중국음:아오먼. [262,000 명(1981)]

마카오 신:사【—紳士】〔Macao〕명〔2차 대전이 끝난 뒤 마카오 상품이 범람하였을 때, 마카오에서 온 양복을 입은 신사의 뜻〕고급 외래품으로 반지르르하게 몸치장을 한 신사. 해방 후로부터 1950년대 초에 걸쳐 유행했던 말임.

마카파갈〔Macapagal, Diosdado〕명『사람』필리핀의 정치가. 제2차 대전 후 하원 의원·대일 강화 회의(對日講和會議) 대표·UN 대표 등을 역임함. 1962-65년 대통령으로서 반공(反共) 친미(親美) 정책을 내세워 동남 아시아 조약 기구의 강화에 노력함. [1910-]

마칼루 산【—山】〔Makalu〕명『지』네팔 북동부, 히말라야 산맥 중의 고봉(高峰). 1955년 프랑스 등반대가 처음 등정(登頂)하였음. [8,475 m]

마칼 바람 명 '북서풍(北西風)'의 뱃사람 말.

마:커 비:컨〔marker beacon〕명 항공용 무선 표지의 하나. 지상국(地上局)에서 곧바로 위로만 전파를 발사하여 음(音)이나 계기(計器) 표시에 의해 위치와 코스를 식별함. 현재는 주로 계기 착륙 방식에 쓰임.

마:커스〔Marcus, Rudolph A.〕명『사람』캐나다 태생의 미국 화학자. 몬트리올 출생. 1951년 미국으로 이주하여 대학 교수로 활약함. 두 분자 사이에 나타나는 전자의 전달을 가장 기본적인 화학 반응 과정으로 생각, 이를 수학적으로 간단히 설명하였으며, 화학 체계 내에서의 전자 전달 반응 이론(電子傳達反應理論)에 기여한 공로로 1992년 노벨 화학상을 수상함. [1923-]

마:컴 산【—山】〔Markham〕명『지』남극 대륙 로스 빙하(Ross 氷河) 서쪽의 세 봉우리. 남위 83도 부근에 있으며, 1902년 스코트(Scott)가 발견함. [4,350 m]

마케도니아〔Macedonia〕명『지』①유럽 남동부, 발칸 반도의 에게 해(海)에 면한 지방. 마케도니아 왕국이 건설되었던 곳으로 현재, 대부분은 그리스에, 일부는 불가리아에 속하고 일부는 전(前)유고슬라비아 연방으로 있다가 최근에 독립을 선언함. 대부분이 산악 지대로 밀·옥수수·면화·담배·포도 등을 산출하며 목양(牧羊)이 성함. ②유고슬라비아 사회주의 연방 공화국에 속해 있다가 1991년 6월에 독립을 선언한 공화국. 수도는 스코페(Skopje). 정식 명칭은 '마케도니아 공화국'. [26,000 km^2 : 1,910,000 명(1993)]

마케도니아 왕국【—王國】〔Macedonia〕명『역』마케도니아 지방에 건설되었던 고대 왕국. 기원전 7세기 후반에 도리스인(Doris 人)이 세운 후 기원전 4세기경 알렉산드로스(Alexandros) 대왕 때에 전성기를 이루어 그리스를 중심으로 구아(歐亞)에 걸치는 최초의 세계 제국(帝國)을 이루었다가 기원전 168년에 로마의 속주(屬州)가 됨.

마케도니아 왕조【—王朝】〔Macedonia〕명『역』867-1056년에 걸쳐 동로마 제국(東 Roma 帝國)의 전성기를 지배한 왕조.

마케도니아 전:쟁【—戰爭】〔Macedonia〕명『역』고대 로마와 안티고노스 왕조(Antigonos 王朝)와의 전쟁. 제1회는 기원전 215-205년에, 제2회는 기원전 200-197년에, 제3회는 기원전 171-168년에 각각 있었는데, 피드나(Pydna) 싸움에서 마케도니아가 패하여 로마의 속주(屬州)가 되었음.

마케예프카〔Makeyevka〕명『지』우크라이나 공화국의 동부 돈바스(Donbas) 공업 지대의 공업 도시. 우크라이나 공화국 유수의 제철(製鐵)·탄광 지역임. [442,000 명(1981)]

마:케팅〔marketing〕명『경』제품을 생산자로부터 소비자에게 합리적으로 이전하기 위한 기획(企劃) 활동. 시장 조사·상품 계획·선전·판매 따위.

마:케팅 리서:치 〔marketing research〕 명 《경》 마케팅 조사.

마:케팅 조사 【一調査】 명 〔marketing research〕 《경》 개별 기업이 그 업무상의 여러 결정을 적확히 행할 목적으로, 마케팅(marketing)의 국면(局面)으로 실시하는 각종 조사 활동의 총칭. 소매점에 대한 취급 수량 조사, 소비자에 대한 사용량 조사, 잠재(潛在) 사용자에 대한 의견 조사, 판매원의 성적 비교를 위한 조사, 선전 매체(媒體) 선정(選定)을 위한 조사, 배급 기구(機構) 변경을 위한 조사 등인데, 보통, 시장 분석(分析)·시장 실사(實査)·시장 실험의 3단계적으로 고찰됨. 마케팅 리서치. 시장 조사. ＊시장 분석.

마:케팅 코스트 〔marketing cost〕 명 《경》 마케팅을 위한 비용을 뜻하며, 시장 조사비·판매 관리비·매매 유통비·매매 조성비(造成費) 등 고유 생산 비용을 제외한 모든 비용을 가리킴. 사회 경제적으로는 유통 능률 측정을 위하여, 또 기업 경제적으로는 마케팅 비용의 기능적 분석을 위하여 필요한 개념임.

마:켓 〔market〕 명 시장(市場)❷.

마:켓 리:더 〔market leader〕 명 《경》 구매 활동·소비 생활 등의 관점에서 판매 대상이 집단화될 때, 그 집단 속에서 지도적 역할을 하는 사람을 일컫는 말로, 일종의 여론 지도자.

마:켓 바스켓 방식 【一方式】 〔market basket〕 명 《경》 최저 생활비를 산정(算定)하는 방식의 하나. 생활에 필요한 최저한(最低限)의 전소비 물자의 품목과 수량에다 그것의 구입 가격을 곱하여 얻음. 영국 노동당이 창안한 것으로, 임금 인상 요구 때의 임금 수준의 산정 따위에 널리 쓰임. ＊이론 생계비.

마:켓 셰어 〔market share〕 명 《경》 어떤 기업의 상품 매상고가 동종(同種) 상품의 총판매고 중에서 차지하는 비율. 그 기업의 독점도(獨占度)를 아는 지표(指標)가 됨. 시장 점유율(市場占有率).

마코:바 〔Markova, Alicia〕 명 《사람》 영국의 발레리나(ballerina). 디아길레프(Diaghilev)의 발레단에서 프리마 돈나(prima donna)로 활약. 이래 영국에서 발레단을 조직하여 여러 곳에서 공연했으며, 현대 최고 발레리나의 한 사람으로 꼽힘. [1910-]

마곰 조의명 〈방〉 만큼.

마:크 〔mark〕 명 ①기호. ②상표. ¶트레이드 ~. ③휘장(徽章). ¶학교 ~가 달린 모자. ④럭비에서, 프리 킥 또는 페널티 킥이 되었을 때, 차는 사람이 발뒤꿈치로 땅 위에 표시한 표. ⑤축구·농구에서, 상대편에 접근하여 드리블링·슈팅 등을 견제하고 방해하는 일. ¶~가 심하다. ⑥주목함. 주목하여 노림. 또, 특정한 대상(對象)의 움직임에 주목하여 행동함. ¶그를 ~하라. ⑦기록함. ¶제3위를 ~하다. ——하다 자타 여불

마크닌 〔Macnin〕 명 《약》 구충약(驅蟲藥)의 상품명. 해인초(海人草)를 말리어 메틸 알코올로 침출(浸出)한 액체로부터 무기 염류 및 점액질(粘液質)을 제거한 적갈색의 추출물(抽出物).

마크라메 〔프 macramé〕 명 ↗마크라메 레이스.

마크라메 레이스 〔프 macramé+lace〕 명 릴리 얀(lily yarn)·명주실 등을 재료로 하여, 여러 가지 모양을 만드는 수예의 하나. 고대 아라비아에서 성행하였으며 테이블클로스·전등 커버 등에 응용함. 준마크라메.

마크로- 〔프 macro-〕 두 매크로-. ↔미크로-.

마크로-코스모스 〔도 Makrokosmos〕 명 《철》 대우주(大宇宙). ↔미크로코스모스(Mikrokosmos).

마:크 리:더 〔mark reader〕 명 《컴퓨터》 마크 판독기(mark 判讀機).

마크마옹 〔MacMahon, Marie Edmé Patrice Maurice de〕 명 《사람》 프랑스의 군인·정치가. 원수(元帥). 크림 전쟁과 이탈리아 전쟁 등에 참가, 공을 세웠으나 프로이센·프랑스 전쟁 때에는 군단(軍團) 사령관으로 세당(Sedan) 전투에서 패함. 1871년 파리 코뮌(Commune)을 진압하고 1873년 대통령에 당선되었음. [1808-93]

마:크 시:트 〔mark sheet〕 명 《컴퓨터》 시험지 따위에서, 답란의 해당 부분을 연필이나 컴퓨터용 잉크로 칠하도록 된 용지. 컴퓨터로 판독·채점·집계 등을 할 수 있음. 마크 용지(mark 用紙).

마:크 용지 【一用紙】 〔mark〕 명 마크 시트(mark sheet).

마:크 판독기 【一判讀機】 〔mark〕 명 특정한 카드나 용지의 지정된 곳에 표시된 지정된 마크를 감지하는 컴퓨터 입력 장치의 하나. 마크 리더(mark reader).

마:크 트웨인 〔Mark Twain〕 명 《사람》 미국의 작가. 본명은 Samuel Langhorne Clemens. 1865년 《뛰뛰는 개구리》로 문단에 진출한 이래, 《톰 소여(Tom Sawyer)의 모험》 등으로 인기를 얻었음. 물질 문명에의 염오(厭惡)·사회 풍자 등이 특색이며, 만년에는 비관적이었음. 트웨인. [1835-1910]

마큼 조의명 〈방〉 만큼.

마키 〔프 maquis〕 명 〔코르시카(Corsica) 섬의 관목림(灌木林)의 뜻〕 ①밀림(密林). 미궁(迷宮). ②2차 대전 중 독일군에게 항거하였던 프랑스의 유격대(遊擊隊). 또, 그 대원.

마키노 도미타로: 〔牧野富太郞:まきのとみたろう〕 명 《사람》 일본의 식물 분류 학자. 국민 학교를 중퇴, 독학으로 식물학을 연구하였는데, 식물에 있어서 그의 명명(命名)에 의한 것이 신종(新種) 1천여, 신변종(新變種) 1천 5백 여에 이름. 저서로 《일본 식물 도감(日本植物圖鑑)》이 있음. [1862-1957]

마키다 타 〈옛〉 배기다. ¶四弘誓中에 둘헤 마키니(配四弘誓中之二也) 《圓覺 下 一之一 5》.

마키아벨리 〔Machiavelli, Niccolò〕 명 《사람》 이탈리아 문예 부흥기의 정치 사상가·역사가. 도덕보다 정치에 우월성(優越性)을 두어, 마키아벨리즘을 제창하여 근대적 정치관을 개척함. 《로마사론(Roma史論)》·《군주론》 등의 명저를 남김. [1469-1527]

마키아벨리즘 〔Machiavellism〕 명 《정》 ①정치 사상의 한 가지. 군주는 국가의 유지·발전을 위하여서는 도덕적 관념이나 종교적 정신에 구애됨이 없이 수단과 방법을 가리지 아니하고 정무(政務)를 처리하여야 한다는 국가 지상주의 사상. 마키아벨리가 《군주론(君主論)》에서 전개한 이론에서 비롯되었음. ②전하여, 목적을 위하여서는 수단을 가리지 아니하는 권모 술수(權謀術數). ＊국가 이성(國家理性).

마키저스 제도 【一諸島】 〔Marquesas〕 명 《지》 '마르키즈(Marquises) 제도'의 영어명.

마:키-칡범 잠자리 〔maacki〕 [一칙一] 명 《충》 〔*Anisogomphus maacki*〕 부채장수잠자릿과의 곤충. 복부의 길이 40mm, 뒷날개 31mm 내외인데, 시흉(翅胸) 앞쪽에 'W'자 반문이 있고, 복배(腹背) 제3-7절에 정중선(正中線)이 있으며, 제8-9절의 확대부에는 측연(側緣)에 황색 무늬가 있음. 제10절과 미부기(尾附器)는 검음. 한국에도 분포함.

마:키-하늘소 〔maacki〕 [一쏘] 명 《충》 〔*Phymatodes maacki kraatz*〕 하늘솟과에 속하는 곤충. 몸길이 7-10mm이고 몸빛은 흑색에, 시초(翅鞘)의 전반은 적갈색, 후반은 흑색이며 그 속에 백색의 횡대(橫帶)가 두 줄 있음. 촉각·중흉 이하의 몸 하면과 퇴절 기부 등은 적갈색 내지 다갈색임. 한국에도 분포함.

마타갈파 〔Matagalpa〕 명 《지》 니카라과(Nicaragua) 중부 마타갈파 주(州)의 주도(州都). 커피 재배 지역의 상업 중심지. 오래 된 교회 등 식민지 시대의 건축물이 남아 있음. [21,000명(1981)]

마타도어 〔matador〕 명 ①투우사(鬪牛士). 칼을 갖고 소의 숨통을 끊는 주역(主役)을 일컬음. ②흑색 선전(黑色宣傳).

마타:디 〔Matadi〕 명 《지》 자이르 서부 바자이르 주(州)의 주도로 항구 도시. 콩고 강(江) 어귀로부터 약 160km이며 외양선(外洋船)의 소항 한계(遡航限界)에 있음. 수도 킨샤사와 철도·도로로 연결됨. 자이르 제1의 무역항으로 콩고 강 하류 지역의 상업 중심지임. [140,000명(1981)]

마타리 명 《식》 〔*Patrinia scabiosaefolia*〕 마타릿과에 속하는 다년초. 줄기 높이 1-1.5m, 근엽(根葉)은 족생(簇生)하며 장병(長柄)에 달걀꼴 또는 긴 타원형이고, 경엽(莖葉)은 대생하며 거의 무병(無柄)인데 열편(裂片)은 긴 타원형 또는 선형(線形)임. 7-8월에 노란 꽃이 가지 끝에 산방(繖房) 화서로 핌. 산이나 들에 나는데, 한국 각지 및 일본 등지에 분포함. 어린 잎은 식용함. 여랑화(女郞花). 패장(敗醬).

〈마타리〉

마타릿-과 【一科】 명 《식》 〔Valerianaceae〕 쌍자엽(雙子葉) 식물에 속하는 한 과. 북반구(北半球)에 9속(屬) 350여 종, 한국에는 금마타리·돌마타리·뚝깔·쥐오줌풀 등의 2속 10여 종이 분포함. 패장산(敗醬酸)을 함유하여 약재로 씀.

마타모로스 〔Matamoros〕 명 《지》 멕시코 북동부, 미국과의 국경 도시. 리오그란데 강(Rio Grande 江)의 남안, 미국의 브라운즈빌(Brownsville)과 마주 대하는 곳임. 교통의 요지로, 농목축업(農牧畜業)의 중심지임. 소·피혁·면화의 거래가 성함. [193,000명(1979)]

마타 하리 〔Mata Hari〕 명 ①《사람》 〔여명(黎明)의 눈동자란 뜻〕 세계 스파이사상(史上) 가장 유명한 국적 불명(國籍不明)의 여자 스파이. 제1차 대전 전후에 독일의 스파이로 연합국측의 군기(軍機)를 탐지하다가 프랑스 관헌에 잡히어 처형되었음. 본명은 Gertrud Margarete Zelle. [1876-1917] ②전하여, '여자 스파이'를 일컫는 말.

마:탁[1] 【馬鐸】 명 《고고학》 마구(馬具)의 하나. 고들개와 밀치끈에 매다는 장식용의 종(鐘) 모양 말방울.

마탁[2] 【磨琢】 명 탁마(琢磨). ——하다 타여불

마탄사스 〔Matanzas〕 명 《지》 쿠바 북서안의 항구 도시. 아바나 동쪽 약 80km 지점에 있으며 설탕·담배를 수출함. 제당·직물·피혁 등의 공업이 성함. [110,000명(1981)]

마탄의 사수 【魔彈一射手】 [一/一에一] 명 《악》 〔도 Der Freischütz〕 베버(Weber) 작곡의 가극. 중세 독일의 전설에서 취재한 낭만파 음악의 선구적 작품. 이탈리아 오페라의 전성기에 독일의 국민 가극을 확립한 작품으로서 가극사상(史上) 중요한 작품임. 1821년에 초연(初演)됨. 3막.

마:탄-천 【馬灘川】 명 《지》 평안 남도 맹산군(孟山郡)에서 발원하여 맹산·영원(寧遠)·덕천(德川) 일대를 흘러내리는 대동강(大同江)의 한 지류. [50km]

마:태[1] 【馬太】 명 말에 먹이는 콩.

마:태[2] 【馬馱】 명 말의 짐바리.

마태[3] 〔Matthew〕 명 《성》 예수의 열두 제자의 한 사람. 마가 복음에 나오는 레위(Levi)와 동일인임. 가버나움의 세리(稅吏)로 있다가 예수의 제자가 되었음. 예수의 교훈을 집성(集成)하여 마태 복음을 저술했다고 하는데 이설이 있음.

마태 복음 【一福音】 〔Matthew〕 명 《성》 신약 성서의 첫째 권. 일찍이 마태의 저작으로 보았으나 마태의 저술인 《예수의 어록(語錄)》이 자료가 되었을 뿐, 유태인의 한 신자(信者)에 의하여 서기 80-90년에 시리아 근방에서 기록되었다는 설도 있음. 예수의 계도(系圖)로부터 시작하여 예수의 탄생, 요단 강에서의 요한으로부터의 세례, 광야의 유혹, 산상(山上)의 설교, 베드로의 신앙 고백, 최후의 만찬, 수난, 부활 등에 관하여 기록하였음. 구약(舊約)의 예언이 예수에 의하여 실현되었다는 입장을 취해, 유태적 색채가 농후한 복음서임. 마태오의 복음서.

마태 수난곡 【一受難曲】 〔Matthew〕 명 《악》 마태 복음에 의한 종교 음악의 하나. 1728년경에 바흐가 예수의 책형(磔刑)을 음악화한 것.

마태오 〔Matthaeus〕 명 《천주교》 '마태'를 고친 이름. 마투.

마태오의 복음서 【一福音書】 〔Matthaeus〕 [一/一에一] 명 《성》 마태 복음.

마터호른 〔Matterhorn〕 명 《지》 스위스와 이탈리아의 국경에 솟아 있는 페나인알프스(Pennine Alps) 산맥 중의 고봉. 그 첨봉(尖峰)은 웅대한 암석으로 되어 있음. 1865년 영국의 윔퍼 등이 첫 등정(登頂), 1980년 한국 산악인도 그 북벽(北壁) 등정에 성공함. [4,478 m]

마테 명 《인쇄》 〔matrix; 활자 모형의 뜻〕 활자의 모형(母型)을 만드는 데 쓰이는 황동(黃銅)의 각봉(角棒).

〈마테〉

마테를링크 〔Maeterlinck, Maurice〕 명 《사람》 벨기에의 극작가·시인. 신비적인 상징파 시인으로, ≪파랑새≫·≪펠레아스(Pelléas)와 멜리상드(Mélisande)≫ 등의 매혹적인 글을 발표하여 1911년 노벨 문학상을 받았음. [1862-1949]

마테리알리슴 〔프 matérialisme〕 명 《철》 유물론(唯物論).

마테마티크 〔프 mathématique〕 명 수학(數學).

마테오 리치 〔Matteo Ricci〕 명 《사람》 이탈리아의 예수회(會) 소속 수사(修士). 중국 명(明)나라 말기에 중국에 건너가 전교(傳敎)에 종사하는 한편, 서구(西歐) 문명을 소개함. 중국에서 죽음. 한자 이름은 이마두(利瑪竇). [1552-1610]

마:텐자이트 〔martensite〕 명 담금질한 강철에서 볼 수 있는 조직의 하나. 미세한 침상 조직(針狀組織)으로서 몹시 단단함. 강철 이외의 합금(合金)에서도 변태점(變態點) 이상의 온도에서 급랭(急冷)했을 때에 생기는 침상 조직을 이르기도 함.

마투-그로수 〔Mato Grosso〕 명 《지》 브라질 서부의 주(州). 대부분이 사바나(savanna) 지역과 열대 강우림(降雨林) 지역이며 미개척 지대가 많아서 소의 방목(放牧)이 성함. 철광·망간광을 비롯하여 다이아몬드·금·은 등도 매장된 것으로 추측됨. 주도(州都)는 쿠이아바(Cuiabá). [881,001 km² : 1,142,000 명(1980)]

마투리 명 섬을 단위로 하여 셀 때 남는 몇 말. 말합(末合). ¶ 여섯 섬 ～.

마:트[1] 〔Maat〕 명 《신》 고대 이집트 신화의 여신. 정의와 진리를 관장하며, 머리 위에 진리의 상징인 타조의 깃을 얹은 여성의 좌상(坐像)으로 표현됨.

마:트[2] 〔mart〕 명 시장(市場). 상업 중심지.

마틀라세 〔프 matelassé〕 명 천의 표면에 입체감이 있는 요철(凹凸) 무늬가 도드라진 직물. 견(絹)·모(毛)·화학 섬유가 있으며, 우미(優美)한 코트나 드레스 감으로 쓰임.

마티네 〔프 matinée〕 명 ①《연》 밤에 흥행하는 것이 원칙인 연극 등을 1주일에 한두 번, 특히 오후에 행하는 흥행. 입장료가 싼 것이 특색임. ②여성들이 아침 나절에 입는 실내복(室內服).

마티네 포에티크 〔프 matinée poétique〕 명 《연》 프랑스 국립 극장에서 배우들이 시를 읊는 일요일의 오전 흥행.

마:티니 칵테일 〔martini cocktail〕 명 〔마티니는 베르무트 제조 회사의 이름〕 칵테일의 하나. 진(gin)과 베르무트(vermouth)의 혼합.

마티다 형 〈방〉 마디다.

마티스 〔Matisse, Henri〕 명 《사람》 프랑스의 화가. 현대의 가장 우수한 화가의 한 사람. 원색(原色)에 의한 감정 표현을 겨냥한 포비슴을 추진, 대상을 대담하게 단순·장식화한 화풍을 확립함. 작품에 ≪붉은 주단≫·≪오달리스크(Odalisque)≫ 등이 있음. [1869-1954]

마티에 〔Mathiez, Albert〕 명 《사람》 프랑스의 역사가. 소르본(Sorbonne) 대학 교수. 프랑스 혁명의 정치·사회사 연구에 새로운 면을 개척함. 로베스피에르(Robespierre)에 의한 자코뱅 당(Jacobin 黨)의 독재를 혁명의 핵심이라고 주장하고 올라르(Aulard) 등의 사관(史觀)을 비판하였음. 주저(主著)로 ≪프랑스 혁명≫이 있음. [1874-1932]

마티에:르 〔프 matière〕 명 ①재료. ②《미술》 재료(彩料)를 쓸 때의 재질적(材質的)인 효과.

마:틴 〔Martin, Archer John Porter〕 명 《사람》 영국의 화학자. 런던의 의학 연구소 교수 등을 역임. 분배 크로마토그래피(分配 chromatography)를 창시, 페이퍼 크로마토그래피를 아미노산의 미량 분석에 응용함. 1952년 공동 연구자인 싱(Synge, R.L.M.)과 함께 노벨 화학상을 수상함. [1910-]

마튼샤 타 〈옛〉 맡으시어. '맡다'의 활용형. ¶ 五香 마트샤 웅긔어신 고해 《樂範 處容歌》.

마파 두부 【麻婆豆腐】 명 중국 요리의 하나. 두부와 잘게 간 돼지고기를 고추와 된장, 조미료를 넣고 끓인 일종의 두부볶음 요리.

마-파람 명 남쪽에서 불어오는 바람. 경풍(景風). 마풍(麻風). 앞바람. 오풍. ＊남풍(南風).

【마파람에 게눈 감추듯】 음식을 어느 결에 먹었는지 모를 만큼 빨리 먹어 버림을 이르는 말. ㊌게눈 감추듯. 【마파람에 곡식이 혀를 깨물고 자란다】 남풍이 불기 시작하면 모든 곡식들은 놀랄 만큼 무럭무럭 자라서 익어 간다는 말. 【마파람에 돼지 불알 놀 듯】 아무런 구속도 받지 아니하는 사람이 자중성(自重性)을 잃고 쓸데없이 흔들흔들하는 것을 비유하는 말.

마:판 【馬板】 명 ①마구간의 바닥에 깐 널빤지. ②마소를 매어 두는 한데의 터.

【마판이 안 되려면 당나귀 새끼만 모여든다】 하는 일이 잘 안 되려면 쓸데없는 것들만 찾아와 귀찮게 군다는 말.

마:패 【馬牌】 명 《역》 지름 10cm 가량으로 만든 구리쇠의 둥근 패. 한쪽에 자호(字號)와 연월일을 새기고, 한쪽에는 말을 새기었음. 말의 수는 한 마리로부터 열 마리까지이고, 대소(大小) 관원(官員)이 공사(公事)로 지방에 나갈 때 역마(驛馬)를 징발(徵發)하는 표로 썼음. 상서원(尙瑞院)에서 주었는데, 어사(御史)가 인장으로 대용하며, 어사가 출두(出頭)할 때에 역졸(驛卒)이 손에 들고 '암행 어사 출두'를 외치었음.

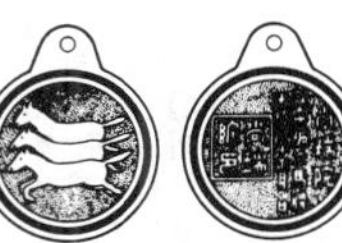

〈마패〉

마페이 은하 【一銀河】 〔Maffei〕 명 《천》 1968년에 이탈리아의 천문학자 마페이가 발견한 새로운 천체(天體). 카시오페이아(Cassiopeia)자리에 있으며, 페르세우스(Perseus)자리 2중 성단(星團)에 가깝고, 거의 은하면(銀河面) 위에 걸치어 있음. 거리는 330만 광년. 은하계를 둘러싸는 국부 은하군(局部銀河群)의 하나임.

마페킹 〔Mafeking〕 명 《지》 남아프리카 공화국 북부, 보츠와나(Botswana)의 국경에 가까운 도시. 표고 1,280 m의 고원에 있으며 목축의 중심지임. 철도 수리·시멘트 공장 등이 있음. [6,775 명(1980)]

마:편 【馬鞭】 명 말을 모는 데 쓰는 채찍.

마:편-초 【馬鞭草】 명 《식》 [*Verbena officinalis*] 마편초과에 속하는 다년초. 줄기는 방형(方形)으로 높이 60 cm 내외이고, 잎은 대생하여, 세 갈래로 째지는데 밑의 잎은 우상(羽狀)으로 갈라지고, 잎의 상면(上面)에 잔주름이 있음. 7-8월에 벽자색의 꽃이 수상(穗狀) 화서로 피는데, 화관(花冠)은 깔때기 모양임. 과실은 수과상(瘦果狀)이며, 긴 타원형임. 들에나 길가에 나는데, 제주·전남·전북·경남 및 유럽·북아프리카에 분포함. 약재로 씀.

〈마편초〉

마:편초-과 【馬鞭草科】 [一꽈] 명 《식》 [Verbenaceae] 쌍자엽문 합판화류에 속하는 한 과. 초본·관목·교목으로 열대 및 남반구(南半球) 온대에 많고, 북반구 온대에는 적은데, 모두 67속 1,200여 종, 한국에는 층꽃풀·마편초·작살나무 등 7속 10여 종이 분포함. 꽃이 아름다워 관상용으로 재배하며 목재(木材)로도 요긴함.

마:평 【馬平】 명 《지》 '류저우(柳州)'의 구칭.

마포 【麻布】 명 삼베.

마포-구 【麻浦區】 명 《지》 서울 특별시의 한 구. 동쪽은 용산구(龍山區), 서쪽은 경기도 고양시(高陽市), 남쪽은 한강을 격하여 영등포구(永登浦區)와 강서구(江西區), 북쪽은 서대문구(西大門區)와 은평구(恩平區)에 각각 접하였음. 마포동 일대는 과거에 내륙항(內陸港)으로서 농수산물의 집산지였음. 마포 대교·양화 대교·성산 대교·당산 철교·절두산 기념관·농바우·아소정 터·서강 대학교·홍익 대학교 등이 있음. [23.88 km² : 436,393 명(1990)]

마포 대:교 【麻浦大橋】 명 《지》 서울의 마포구(麻浦區) 용강동(龍江洞)과 영등포구(永登浦區) 여의도동(汝矣島洞)을 연결하는 한강 다리의 하나. 1970년 준공 당시에는 서울 대교(大橋)로 불리었음. [1,400 m]

마포-탈 【麻浦一】 명 《민》 탈춤놀이에 쓰이던 탈의 한 가지. 서울 마포에서 만들었음.

마푸:토 〔Maputo〕 명 《지》 아프리카 동남부 모잠비크의 수도. 델라고아만(Delagoa灣)에 임한 항구 도시로 남아프리카 공화국과의 연락이 편리하며, 상업·무역의 중심지임. 남부 아프리카에서 가장 아름다운 관광·휴양지로도 유명함. 전 이름은 로렌수마르케스(Lorenço Marques). [883,000 명(1986)]

마-풀 명 《식》 해조(海藻).

마풍[1] 【麻風】 명 마파람.

마풍[2] 【痲瘋】 명 《의》 문둥병의 한 가지.

마풍[3] 【魔風】 명 무시무시하게 휩쓸고 지나가는 바람.

마피[1] 【麻皮】 명 삼의 껍질.

마:피[2] 【馬皮】 명 말의 가죽.

마피아 〔이 Mafia〕 명 이탈리아의 시칠리아 섬에서 조직된 비밀 결사. 장기에 걸친 외국 지배에 대한 자위 조직(自衛組織)에서 기원한다고 하나 자세하지 않음. 19세기에는 독자(獨自)의 법을 강제하여 범죄 조직의 색채를 띠게 됨. 현재 미국의 대도시에서 마약과 도박에 관련된 범죄 조직을 형성하고 있음. 정식 명칭은 '라 코사 노스트라'.

마:필 【馬匹】 명 말[1]. ¶ 개량 ～.

마하[1] 【摩訶】 명 《불교》 〔범 mahā〕 접두어처럼 쓰이어 '큼', '위대함', '뛰어남'의 뜻을 나타냄. 마가(摩訶).

마하[2] 〔Mach〕 명 유체의 속도와 그 유체 속의 음속의 비. 또, 정지한 유체 속을 물체가 움직일 때는 그 속도와 음속의 비. 보통 마하 1은 초속 약 340 m, 시속 약 1,224 km로 침. 마하수. 기호는 M.

마하-가라천 【摩訶迦羅天】 명 《불교》 〔범 Mahākāla〕 대흑천(大黑天).

마하-가섭 【摩訶迦葉】 명 《사람》 〔범 Mahākāsyapa〕 불타의 십대(十大) 제자의 한 사람. 부호의 아들로 바라문(婆羅門)의 수행(修行)을 하였는데, 뒤에 불(佛)에 귀의하여 소욕 지족(少慾知足)의 두타행(頭陀行) 제1의 성자로서 크게 중요시되었음. 대가섭(大迦葉). ㊌가섭(迦葉).

마하-계 【一計】 〔Mach〕 명 비행기의 비행 속도를 음속과의 비(比)로 직접 지시하는 대기(對氣) 속도계의 한 가지.

마하:라:자 〔범 Mahārāja〕 명 〔대왕(大王)의 뜻〕 토후(土侯) 또는 번후(藩侯)의 칭호. 인도를 비롯하여 인도네시아·말레이시아 등에서 썼음.

마하 만다라화 【摩訶曼陀羅華】 명 〔범 mahā mandārava〕 ①《불교》 사화(四華)의 하나. 법화경(法華經)·아미타경(阿彌陀經)에 나오는 흰 빛의 천화(天華). ②《식》 흰독말풀.

마하 만주사화 【摩訶曼珠沙華】 명 〔범 mahā manjāsaka〕 《불교》 사화(四華)의 하나. 천상(天上)에 핀다는 붉은 빛의 만주사화(曼珠沙華). 보는 사람의 마음을 평온하게 한다는 천화(天華).

마하-바라다 【摩訶婆羅多】 명 〔범 Mahābhārata〕 고대 인도의 대서사시(大敍事詩). 카우라바스족(Kauravas族)의 백 형제(百兄弟)와 판다바스족(Pandavas族)의 다섯 형제(兄弟) 사이의 전쟁 이야기. 힌두교도는 종교·철학·윤리·정치·법률 그 외 모든 방면의 근본 성전(聖典)으로서 존숭(尊崇)함.

마하 반야 바라밀경 석론 【摩訶般若波羅蜜經釋論】 [一논] 명 《불교》 대지도론(大智度論).

마하 반야 바라밀다 심경 【摩訶般若波羅蜜多心經】 [一따一] 명 《불교》

반야 심경(般若心經).
마하:밤사 〔범 Mahāvamsa〕 [명] 〖책〗 실론의 불교사서(佛敎史書). 실론의 다투세나 왕(Dhātusena 王; 재위 460-478) 때, 왕의 숙부인 마하나마(Mahānāma)가 지었다고 함. '대사(大史)'·'대통사(大統史)'·'대왕통사(大王統史)' 등으로 번역되며, 석가의 입멸(入滅)로부터 아소카왕(Aśoka 王) 시대까지의 불교사를 기술하였음.
마하 분다리화 【摩訶芬陀利華】 [명] 〔범 mahā pundarika〕 커다란 백련화(白蓮華). 천축(天竺)의 아뇩달지(阿耨達池)에 난다는데, 보통으로 있는 것이 아니기 때문에 희유(稀有)한 꽃의 뜻으로 쓰임.
마하:비:라 〔Mahāvīra〕 [명] 〖사람〗 자이나교(Jaina 敎)의 개조(開祖). 북인도 마가다 국(Magadha 國) 사람. 12년의 고행 끝에 대오(大悟)하여 승리자(勝利者), 곧 지나(jina)가 됨. 불전(佛典)에는 석가와 같은 시대 사람으로 되어 있음. [448?-376? B.C.] ∗자이나교.
마하-살 【摩訶薩】 [명] 〔범 mahāsattva〕 〖불교〗 ①큰 성인. ②큰 범. ③큰 보살.
마하-수 【一數】 〔Mach〕 [명] 마하²(Mach).
마하-연 【摩訶衍】 [명] 〖불교〗 ①금강산(金剛山)에 있는 유점사(楡岾寺)의 말사(末寺). 신라 때 의상 대사(義湘大師)가 지었다는 절인데, 만폭동(萬瀑洞)의 가장 깊은 곳에 있음. ②'대승교(大乘敎)'의 이명.
마하 지관 【摩訶止觀】 [명] 〖책〗 불교 천태종(天台宗)에서, 법화경(法華經)의 삼대 주석서의 하나. 중국 수(隋)나라의 천태 지의 대사(天台智顗大師)가 구술한 것을 장안(章安)이 기록한 책으로, 천태종의 관심(觀心)·수행(修行)을 설명했음. 전 20권. 지관 현문(止觀玄文). 천태 지관(天台止觀). [준]지관.
마하치칼라 〔Makhachkala〕 [명] 〖지〗 러시아 연방, 카스피 해(海) 서안(西岸)에 있는 항구 도시. 석유·기계 등의 공업이 행해지며, 대학이 있음. [269,000명(1981)]
마하카시아파 〔범 Mahākāsyapa〕 [명] 〖사람〗 마하가섭(摩訶迦葉).
마:한¹ 【馬韓】 [명] 〖역〗 삼한의 하나. 기원전 3-4세기경에 한강 유역과 지금의 충청·전라도 지역에 걸쳐 50여의 부족 국가로 이루어져 있던 나라. 대개 농경(農耕)을 주로 하는 부락 공동체(部落共同體)였음.
마한² [수] 〈방〉 마흔(경북).
마할라-엘-쿠:브라 〔Mahalla el Kubra〕 [명] 〖지〗 이집트 북동부, 나일강(Nile 江) 하류의 도시. 카이로로부터 북으로 약 105km 지점에 있으며, 농업 지대의 중심지임. 면방직·직포(織布) 공업이 성함. [293,000명(1981)]
마:함 【馬銜】 [명] 재갈.
마:합 【馬蛤】 [명] 〖조개〗 말조개.
마:항-령 【馬項嶺】 [—녕] [명] 〖지〗 평안 남도 성천군(成川郡) 성천면(成川面)과 사가면(四佳面) 사이에 있는 고개. [290m]
마:-해(:)송 【馬海松】 [명] 〖사람〗 아동 문학가·수필가. 개성(開城) 태생. 본명 상규(湘圭). 일본의 니혼 대학(日本大學) 예술과를 나와, 잡지 '분게이 슌쥬(文藝春秋)'의 초대 편집장을 지냄. 색동회 동인(同人)으로 어린이를 위한 문학 활동을 계속, 《모래알 고금》·《토끼와 원숭이》·《키다리 김 선생》 등 수많은 동화를 발표하는 한편, '어린이 헌장'을 기초함. 또, 수필집으로 《편편상(片片想)》·《사회와 인생》 등이 있음. [1905-66]
마헤 〔도 Mache〕 [의명] 〖물〗 공기·온천수 등에 함유되어 있는 에머네이션(emanation), 주로 라돈(radon)의 농도(濃度)의 단위. 공기 또는 물 1리터 속의 에머네이션의 전리(電離) 작용으로 10^{-3}cgs 정전(靜電) 단위의 전류가 보존(保存)될 때의 에머네이션 함유량을 1마헤라고 함.
마:혁 과:시 【馬革裹屍】 [명] 말의 가죽으로 시체를 쌈. 옛날에는 전사한 장수의 시체는 말가죽으로 쌌음. 곧, 전사(戰死)함을 이름.
마:-현¹ 【馬峴】 [명] 〖지〗 ①강원도 춘천군(春川郡) 사북면(史北面)에 있는 고개. 말고개. [130m] ②강원도 철원군(鐵原郡) 근남면(近南面)과 화천군(華川郡) 상서면(上西面)의 경계에 있는 재. 말고개.
마:현² 【馬蚿】 [명] 〖동〗 노래기.
마:형 토기 【馬形土器】 [명] 〖고고학〗 말 토기(土器).
마혜 【麻鞋】 [명] 미투리. ¶ 봉당에 뒹구는 ~는 셋인데 한 놈은 코빼기도 보이지 않았다《金周榮 : 客主》.
마혜수라 【摩醯首羅】 [명] 〔범 Mahesvara〕 〖불교〗 대자재천(大自在天).
마:호 【馬戶】 [명] 〖역〗 ↗마호주(馬戶主).
마호가니 〔mahogany〕 [명] 〖식〗 [*Swietenia mahogani*] 멀구슬나뭇과에 속하는 상록 교목. 열대 식물로, 북미 동남부·서인도 제도의 원산임. 높이 24-30m나 되며, 잎은 우상 복엽(羽狀複葉)에 꽃은 녹색이고 삭과(蒴果)를 맺음. 목재는 적갈색으로 치밀하며 내수성(耐水性)이 강하여 기구재(器具材)로 쓰임. 도화심목(桃花心木).

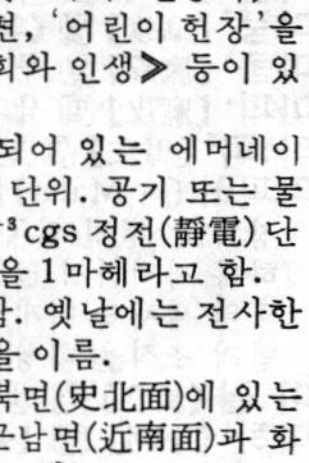
〈마호가니〉

마호메트 〔Mahomet〕 [명] 〖사람〗 이슬람교(Islam 敎)의 개조(開祖). 메카(Mecca) 교외의 히라(Hira) 언덕에서 알라 신(Allah 神)의 천계(天啓)를 받아 새로운 종교를 창시하였음. 일시 메디나(Medina)에 피하여 기초를 확립한 후 여러 부족을 통일하고 전(全)아라비아(Arabia)를 통일하여 정교(政敎) 양권(兩權)의 주권자가 되었음. 그가 지은 코란은 시적(詩的) 면에서도 높이 평가됨. 모하메드(Mohammed). [571?-632]
마호메트-교 【一敎】 〔Mahomet〕 [명] 〖종〗 이슬람교(Islam 敎).
마호메트-력 【一曆】 〔Mahomet〕 [명] 이슬람력(Islam 曆).
마:-호주 【馬戶主】 [명] 〖역〗 역마(驛馬)를 맡아 기르던 역인(驛人). [준]마호(馬戶).
마혼 [수] 〈방〉 마흔(경상).
마:-화지 【馬和之】 [명] 〖사람〗 중국 남송(南宋) 초기의 화가. 인물·산수(山水)·불상(佛像)을 잘 그렸으며 북종화(北宗畫)에 속하면서 남종화(南宗畫)의 기법을 도입하여 독자적인 화풍을 세움. 고종(高宗)이 베낀 《모시(毛詩)》의 여백(餘白)에 그림을 그렸다고 함. 생몰 연대 미상.
마:황¹ 【馬黃】 [명] 〖한의〗 말의 뱃속에 생기는 우황(牛黃) 같은 응결물(凝結物). 경간(驚癎)에 약으로 씀. 마묵(馬墨).
마:황² 【馬蟥】 [명] 〖동〗 말거머리.
마황³ 【麻黃】 [명] 〖식〗 [*Ephedra sinica*] 마황과에 속하는 상록 관목. 높이 30-70cm이며 근경(根莖)은 목질(木質)로 비대하고 상부는 개속새 비슷함. 잎은 대생하고 인편상(鱗片狀)이며 녹색임. 6-7월에 흰 단성화(單性花)가 피며, 붉은 장과(漿果)에는 두 개의 씨가 들어 있고, 자웅 이주(雌雄異株)임. 알칼로이드를 함유한 줄기를 한방(漢方)에서 '마황'이라고 하여 해열(解熱)·오한·해수(咳嗽)·백일해 등의 약재로 씀. 중국 북부·몽고의 원산으로 사막(沙漠)에 분포함.

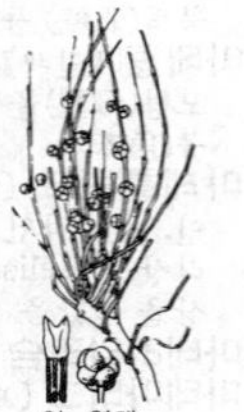

〈마황³〉

마황-과 【麻黃科】 [—꽈] [명] 〖식〗 [Gnetaceae] 나자 식물(裸子植物)에 속하는 한 과. 교목·관목 혹은 상승 목본(上昇木本)으로서, 줄기는 마디와 도관(導管)이 있고, 단엽(單葉)은 대생하며 암수꽃이 동주(同株) 또는 이주(異株)임. 화피(花被)는 2-4쪽이며, 종자는 배유(胚乳)를 함유함. 열대 및 온대 지방에 3속(屬) 46여 종이 있는데 한국에는 1속 1종이 있음.
마훈 [수] 〈방〉 마흔(충남·전라·경남).
마흐 〔Mach, Ernst〕 [명] 〖사람〗 오스트리아의 물리학자·철학자. 초음속의 연구로 마하수(Mach 數)의 개념을 도입함. 《역학의 발전》에서 뉴턴의 절대 공간·절대 시간의 개념을 비판함. 철학적으로는 실증론(實證論)의 입장에서 경험 비판론을 전개하는 등 그의 사상은 논리 실증주의와 상대성 이론의 형성에 크게 기여함. [1838-1916]
마흐라 [명] 〈옛〉 갓. ¶ 마흐라(冠)《同文 上 55》.
마흐래 [명] 〈옛〉 갓. ¶ 마흐래샹모(帽櫻子)《同文 上 55》.
마흐릐 [명] 〈옛〉 갓. ¶ 량마흐릐(涼帽)《漢淸 Ⅺ:1》.
마흐-주의 【一主義】 〔Mach〕 [—/—이] [명] 〖철〗 마흐(Mach, Ernst)에서 비롯된 실증주의적 인식론의 입장·경향. 물질이나 정신을 실체로 보는 견해에 강력히 반대하고, 과학의 목적은 관찰된 사실을 기술하는 데 있다 하여 가상적 원자(原子) 등을 생각하는 것은 전혀 비과학적이라고 주장함.
마흐푸즈 〔Mahfuz, Najib〕 [명] 〖사람〗 이집트의 소설가. 공무원 생활을 하면서도 사회적 문제 의식이 강한 작품을 많이 발표, 극작(劇作)과 영화 시나리오 작품도 있음. 현대 아랍 문학을 대표하는 한 사람으로 꼽힘. 1988년 노벨 문학상 수상. 대표작 《바이나르 카스라인》 등. [1911-]
마흔 [수][관] 열의 네 갑절. 사십(四十). ¶ ~개/~명/나이 ~에.
마흘 〈옛〉 마를. '마⁴'의 목적격형. ¶ 마흘 키여 쪄 먹고(薯蕷取根蒸熟食之)《救荒 補 3》.
마:희¹ 【馬戲】 [—히] [명] 말놀음❷.
마희² 【魔戲】 [—히] [명] 귀신의 장난, 곧 일에 마가 드는 것을 일컫는 말. 「마장(魔障).
마히¹ 〈옛〉 장마가. '마³'의 주격형(主格形). ¶ 마히 미양이랴 장기 연장 다스려라 《古時調》.
마히² 〈옛〉 마가. '마⁴'의 주격형(主格形). ¶ 비를 充實케 호ᄆᆞ 마히 하고 「(充腸多薯蕷)《杜諺 Ⅰ:14》.
막¹ 【幕】 [一] [명] ①비·바람을 가릴 정도로 임시로 아무렇게나 지은 집. ②포백(布帛)을 여러 폭 이어서 넓게 만들어, 간을 막기도 하고 어떠한 데를 가리기도 하는 물건. 천막(天幕) 같은 것. [二] [의명] 〖연〗 연극에 있어서 나누어진 한 단락. ¶ 2 ~ 3장.
막을 내리다 [구] ㉠무대 공연을 끝내다. ㉡어떤 행사나 일을 끝내다.
막을 열:다 [구] 공연이나 어떤 행사나 일을 시작하다.
막을 올리다 [구] ㉠무대 공연을 시작하다. ㉡어떤 행사나 일을 시작하다.
막이 오르다 [구] ㉠무대 공연이 시작되다. ㉡어떤 행사나 일이 시작되다.
막² 【膜】 [명] ①〖생〗 생물체의 모든 기관(器官)을 싸고 있거나 경계를 이루는 평면상의 얇은 세포층(細胞層). 고막(鼓膜)·복막(腹膜)·세포막 같은 것. ②모든 물건의 겉 쪽을 덮은 얇은 물건.
막³ 【漠】 [수] ①소수(小數)의 단위(單位)의 하나. 묘(渺)의 억 분(億分)의 일, 모호(模糊)의 억 배. 10^{-40}. ②소수의 단위의 하나. 묘의 십분의 일, 모호의 십 배, 곧 10^{-12}.
막⁴ [부] ①이제 곧. 지금 바로. ¶ 차가 ~ 떠났소/이제 ~ 오는 길이다. ②바야흐로. 바로 그때. ¶ ~ 집을 나오려는데/밥을 ~ 먹고 나니까 손님이 왔소.
막⁵ [부] ↗마구. ¶ ~ 때리다/~ 먹다.
막-¹ [두] '거칠거나 품질이 낮은', '마구 하는, 또는 닥치는 대로 하는', '거칠거나 마구잡이로 하는'의 뜻을 나타내는 말. ¶ ~고춧가루/~담배/~노동/~벌이/~일/~되다/~보다.
막-² [두] '맨 나중'의 뜻을 나타내는 말. ¶ ~차.
막-가내하 【莫可奈何】 [명] 어찌 할 수 없음. 무가내하(無可奈何).
막-가다 [자] 막되게 행동하다. 앞뒤를 생각하지 않고 행패를 부리다. ¶ 막가는 놈.
막-가마 [명] 벼를 넣는 허름한 가마니.
막-가지 [명] 〈방〉 막대기(전라).
막-간¹ [명] 〈방〉 행랑채(평북).
【막간 어미 애 핑계】 자기가 하기 싫은 일에, 여러 가지로 구실을 붙이어 뱀을 일컫는 말.
막간² 【幕間】 [명] ①〖연〗 연극에 있어서 한 막이 끝나고 다음 막이 시작되기까지의 동안. ¶ ~을 이용한 선전. ②사물의 한 단락이 끝나고, 다음 단락이 시작될 때까지의 동안.
막간-극 【幕間劇】 [명] ①〖연〗 연회(宴會) 같은 데에서 여흥(餘興)으로 짧은 시간에 하는 극. ②〖연〗 비극(悲劇)·가극(歌劇) 등의 막간 또는 그 전후에 연출되는 짧고 가벼운 극. 인테르메조(intermezzo). ③유럽의 중세(中世)에서 근세(近世)에 걸쳐 종교극(宗敎劇) 등의 긴 막간에 상연된 짧은 희극(喜劇).

막간-산【幕間山】명〖지〗평안 북도 후창군(厚昌郡) 동흥면(東興面)에 있는 산. [1,485 m]

막간 연:예【幕間演藝】명 막간에 상연하는 간단한 연예.

막-감 개구【莫敢開口】명 두려워서 할 말을 감히 하지 못함. ——-하다 자여불

막-감수하【莫敢誰何】명 세력이 굉장하여 누구나 감히 건드리지 못함.

막강【莫強】명 매우 강함. ——-하다 형여불

막강지-국【莫強之國】명 매우 강한 나라.

막강지-궁【莫強之弓】명 더할 수 없이 단단하고 센 활. 막막 강궁(莫莫強弓).

막강지-병【莫強之兵】명 아주 강한 군대. 막막 강병(莫莫強兵).

막객【幕客】명〖역〗비장(裨將).

막-걸다 타 노름판 같은 데서, 각각 가진 돈을 통틀어 내걸고 단판으로 내기하다.

막-걸리 명 청주(淸酒)를 뜨지 아니하고 그대로 마구 걸러 짜 낸 술. 빛이 맑지 아니하고 맛이 텁텁하며 알코올 성분이 적음. 찹쌀을 원료로 한 것을 '찹쌀 막걸리'라 함. 탁주(濁酒). 탁료(濁醪). *맑은술·약주·청주.
【막걸리 거르려다 지게미도 못 건진다】큰 이익을 보려다가 도리어 손해만 보았다는 말.

막-걸리다¹ 자〈방〉접질리다.

막-걸리다² 피동 막걺을 당하다.

막-고춧가루 명 씨를 빼지 않고 거칠게 빻은 고춧가루.

막골【膜骨】명〖생〗척추 동물의 경골(硬骨). 피부의 결체 조직(結締組織)으로 이루어진 뼈임. 피골(皮骨). 이차골. 복골(覆骨).

막-과자【一菓子】명 막치로 만든 저질(低質)의 과자.

막교삼공 신:오신【莫交三公愼吾身】구 삼공(三公)을 사귀어 덕을 볼 생각을 말고, 먼저 자기 자신을 삼가라는 뜻으로, 어떠한 배경을 믿고 함부로 날뛰지 말고 미리부터 자중(自重)하라는 말. *열 형방(刑房) 사귀지 말고 죄짓지 말라.

막-구들 명 ☞허튼구들.

막-국수 명 메밀로 가락을 굵게 뽑아, 육수에 만 국수. 강원도의 향토 음식임.

막금-도【莫今島】명〖지〗전라 남도 서해상(西海上), 신안군(新安郡) 장산면(長山面) 다수리(多水里)를 이루고 있는 섬. 근해 수산업의 중심지로, 연안 일대는 김·굴의 양식업과 마른 김 기타의 수산 가공업이 발달함. [0.87 km² : 145 명(1984)]

막기항-산【莫基項山】명〖지〗충청 북도 영동군(永同郡)에 있는 산. [1,000 m]

막-깎기 명 ①머리를 막깎는 일. ②〖공〗공작물(工作物)을 선반(旋盤)에 물리고 거칠게 애벌 깎는 일. ——-하다 타여불

막-깎다 타 머리털을 아주 짧게 깎다.

막-꽃부리 명 한 꽃을 이루고 있는 각 꽃잎의 모양과 크기가 고르지 않은 꽃부리. 완두·민들레·광대수염 등의 꽃부리 따위.

막-나다 자〈옛〉다 없어지다. 끝나다. ¶ 막날 경(罄)《類合 下 61》.

막-나이¹ 명 아무렇게나 짠 막치 무명.

막-나이² 명〈방〉막내둥이.

막-난이 명 ①〈방〉막내둥이(경상). ②☞망나니.

막낭【膜囊】명〖생〗엷은 막으로 이루어진 주머니. 새의 가슴 속에 있는 공기 주머니 따위.

막내 명〔근대 : 막나이〕여러 형제 중에 맨 마지막으로 난 아이. *만¹.

막내-동이【一童一】명 ☞막내둥이.

막내-둥이 명 '막내'를 귀엽게 일컫는 말.
【막내둥이 응석 받듯】어떠한 말이나 짓을 해도 하는 대로 두고 봄을 일컫는 말.

막내-딸 명 맨 끝으로 난 딸. 계녀(季女). 말녀.
【막내딸 시집 보내려면 내가 가지】막내딸을 시집 보내는 어머니의 애석한 마음을 나타낸 말.

막내-며느리 명 막내아들의 아내.

막내-아들 명 맨 끝으로 난 아들. 계자(季子). 말자(末子).
【막내아들이 첫 아들이라】막내아들이 가장 소중히 여겨진다는 말.

막내-아우 명 맨 끝의 아우. 말제(末弟). 숙계(叔季).

막냇-누이 명 맨 끝의 누이.

막냇-동생【一同生】명 맨 끝의 동생.

막냇-사위 명 막내딸의 남편.

막냇-삼촌【一三寸】명 맨 끝의 삼촌. 계부(季父).

막냇-손자【一孫子】명 맨 끝의 손자.

막냇-자식【一子息】명 막내로 낳은 아들이나 딸.

막냉이 명〈방〉막내둥이(강원·평북·경상).

막-노동【一勞動】명 막일. ¶ ~을 해서 생계를 이어 가다. ——-하다 자여불

막-놓다〔-노타〕타 노름에서 몇 판에 걸쳐 잃은 돈 머릿수를 전부 합쳐서 한목에 내기를 걸다.

막-누룩 명〈방〉섭누룩.

막-눈 명〖식〗부정아(不定芽). ↔제눈.

막-능당【莫能當】명 능히 대적할 수 없음.

막다¹ 자〈옛〉준(準)하다. ¶ 시가다이 마초아 마가혜여도 잡말 말며 ᄒ다가 빋낸 사ᄅ미 아모 것도 마가 줄것 업거든(照依時價准折無詞如借錢人無物准與)《朴解 上 61》.

막다² 타〔중세 : 막다〕①통하지 못하게 하다. ¶ 바람 구멍을 ~/길을 ~/입을 ~. ②앞이 가리도록 둘러싸다. ¶ 집을 울타리로 ~. ③사이를 가리다. ¶ 칸을 ~/가리개로 바람벽을 ~. ④하는 짓을 더 못 하게 하다. ¶ 싸움을 ~/말을 ~. ⑤어떤 현상이 일어나지 못하게 하다. ¶ 화재를 ~/홍수를 ~. ⑥넓게 번지는 것을 못 하게 만들다. ¶ 소문이 퍼지는 것을 ~. ⑦베풀어 주려는 뜻을 물리치다. ¶ 마음을 ~. ⑧무엇이 미치지 못하게 하다. ¶ 추위를 ~/손해를 ~/그의 영향을 ~.

막다³ 형〈방〉맑다(제주).

막다돋다 자〈옛〉끝까지 다다르다. ¶ 막다ᄃ롤 궁(窮)《類合 下 37》/막다ᄃ롤 극(極)《類合 下 62》.

막-다르다 형 가다가 앞이 막히어 더 나아갈 길이 없다.

막다른 골 명 ①길이 막히어 더 가지 못하게 된 골목. ↔뚫린 골. ②일이 절박하여 조금도 변통할 수 없는 경우. 막다른 골목. ¶ ~에 몰리다.
【막다른 골이 되면 돌아선다】일이 궁극의 지경에 다다르면 또 다른 계교(計巧)가 생긴다는 말.

막다른 골:목 명 막다른 골.

막다른 집 명 막다른 골목 안의 맨 끝에 있는 집. 대개 들어가면서 대문이 마주 보임. *과녁배기 집.

막다예〈옛〉막대기에. '막다히'의 처격형(處格形). ¶ 돌햇 이슨 几와 막다예 묻거놀(石苔凌几杖)《杜諺 Ⅱ:6》.

막다히 명〈옛〉막대기. =막더. ¶ 도ᄐ랏 막다히롤 디퍼셔 센 머리롤 므더니 너기노니(杖藜從白首)《杜諺 Ⅲ:30》.

막-달 명 임신 기한의 마지막 달. 곧 해산할 달.

막달라 마리아〔Magdalena Maria〕명〖성〗막달라의 여인인 마리아. 마리아 막달레나. 마리아❷.

막-담배 명 품질이 좋지 못한 담배. *막초.

막대¹ 명 ↗막대기.
【막대 잃은 장님】의지할 곳을 잃고 꼼짝 못 하게 된 처지를 이르는 말.

막대²【莫大】명 ①더할 수 없이 큼. ¶ ~한 영향. ②말할 수 없이 많음. ¶ ~한 재산. ——-하다 형여불. ——-히 부

막대-그래프〔graph〕명〖수〗여러 가지 사물의 양(量)의 크기를 막대기의 길이로 표시한 그래프. 막대 그림표. 봉상(棒狀) 그래프.

막대 그:림표【一表】명 막대 그래프. 준막대표.

막대기 명 기름하고 가는 나무나 대의 토막. 준막대.

막대 나선 은하【一螺線銀河】명〔barred spiral galaxy〕〖천〗나선 은하의 한 형태. 은하 중심핵(中心核)이 막대 모양으로 뻗치고 그 양끝에 나선 모양의 팔이 있는 은하. ↔정상 나선 은하. *나선 은하.

막대-박테리아〔bacteria〕명〖생〗간균(桿菌).

막-대소【莫大小】명〈폐〉'메리야스'의 차자(借字).

막대이 명〈방〉막대기(경북).

막대 자석【一磁石】명〖물〗막대 모양의 자석. 쇠·니켈 등의 길쭉한 토막을 다른 자석으로 마찰하여 만듦. 봉자석(棒磁石). *말굽 자석.

N S

〈막대 자석〉

막대-잡이 명 ①'오른쪽'을, 장님을 상대로 말할 때에 쓰는 말. *부채잡이. ②〈속〉앞장서서 남을 이끄는 사람.

막대-찌 명 막대기 모양으로 밋밋한 낚시찌.

막대-패 명 재목을 애벌 깎는 대패.

막대패-질 명 막대패로 대충대충 미는 일. ——-하다 자타여불

막대-표【一表】명 ↗막대 그림표.

막대-황【一黃】명〔roll sulfur〕〖화〗막대 모양으로 굳힌 유황의 이름.

막댓-가지 명 ①가는 막대기. ②막대기를 얕잡아 쓰는 말.

막댕이 명〈방〉막대기(제주).

막-도장【一圖章】명 중요하지 않은 일에 두루 사용하는, 인감 도장 아닌 개인 도장.

막-돌 명 쓸모없이 아무렇게나 생긴 돌. 잡석(雜石).

막돌 기초【一基礎】명〖건〗막돌로 쌓은 기초.

막돌 주추【一柱一】명〖건〗대청 밑의 보이지 않는 곳에 막돌로 기둥을 받친 주춧돌.

막-동이【一童一】명 ☞막둥이.

막돼-먹다 형 '막되다'를 속되게 이르는 말. ¶ 막돼먹은 녀석.

막-되다 ㊀형 ①말이나 행동이 난폭하고 무법하다. ¶ 막된 사람. ②거칠고 나쁘다. ¶ 막된 일. ㊁자 말이나 행동이 불손하고 사납게 되다. ¶ 사람이 어찌 그렇게까지 막될 수가 있을까?

막된-놈 명 말이나 행동이 난폭하고 무법한 사람.

막-둥이 명 ①잔심부름을 하는 사내아이. ②〈속〉막내아들. ¶ ~로 태어나다.
【막둥이 씨름하듯】세력이 비슷하여 서로 우열이 없음을 비유하는 말.

막-등용【莫登庸】명〖사람〗베트남의 막(莫)정권의 시조. 1526년 소종(昭宗)을 죽이고 1527년에 공황(恭皇)을 위협하여 왕위를 이어받아 명덕(明德)이라 칭하고 하노이(Hanoi)에 도읍을 정함. 명나라와의 국교 회복에 힘썼으나 이루지 못하고, 3년 만에 왕위를 장자에게 물려주었음. [1470-1541]

막디르다 자〈옛〉막히다. =막딜이다. ¶ 막디ᄅ다(窒)《語錄 5》.

막딜이다 자〈옛〉막히다. =막디ᄅ다. ¶ 믄득 ᄇ롬마자 추미 올아 긔운이 막딜이며(卒暴中風涎潮氣閉)《救簡 Ⅰ:7》.

막-떼기 명〖고고학〗몸돌의 면을 다듬지 않은 채 이리저리 격지를 떼어 내는 수법.

막ᄃᆡ 명〈옛〉막대기. 지팡이. =막다히. ¶ ᄒᆞᆫ 손에 막ᄃᆡ 잡고 또 ᄒᆞᆫ 손에 가싀 쥐고《古時調》.

막론【莫論】〔-논〕명 ①의논을 그만둠. ②의논할 것조차 없음. 말할 나위도 없음. ¶ 지위 고하를 ~하고/남녀 노소를 ~하고. ——-하다 타여불

막료【幕僚】〔-뇨〕명 ①〖역〗비장(裨將). ②유막(帷幕)의 속료(屬僚). 또, 군주·장군·대장 등을 보좌하여 모의(謀議)에 참여하는 사람. ③군(軍)의 참모 총장이나 사령관 등에 직속(直屬)하는 참모 장교. ④일반적으로, 중요한 계획에 참여하는 부하.

막리지【莫離支】〔-니-〕명〖역〗고구려 후기의 관제의 하나. 정권(政權) 및 병권(兵權)을 총람하던 최고직이었음. 마리지(莫離支).

막-마침 명 ①☞마지막. ¶ 사람이 죽는 것은 ~ 가는 일인데, … 왜 ~ 가는 일을 행하려 하오?《李海朝 : 琵琶聲》. ②☞죽음.

막막¹【寞寞】명 ①아무 기척이 없이 괴괴하고 쓸쓸함. ②의지할 데가

없어서 답답하고 외로움. ¶ 살 길이 ～하다. ——-하다 형여불. ——-히 부
「여불. ——-히 부
막막² 【漠漠】 명 너르고 멀어서 아득한 모양. ¶ ～한 평야. ——-하다 형
막막 강궁 【莫莫強弓】 명 무척 강한 활. 막강지궁(莫強之弓).
막막 강병 【莫莫強兵】 명 무척 강한 군사. 막강지병(莫強之兵).
막막 궁산 【寞寞窮山】 명 적막하도록 깊고 높은 산.
막막 대:해 【漠漠大海】 명 넓고 아득한 큰 바다.
막막됴 명 〈옛〉 급하고 센 곡조. 마지막 끝막는 곡조. 막막조(邈邈調). ¶ 거믄고 大絃을 티니 ᄆᆞ옴이 다 눅더니 子絃의 羽調 올라 막막됴 쇠온 말이 셟기는 전혀 아니호되 離別 엇디ᄒᆞ리《古時調 鄭澈》.
막막-조 【邈邈調】 명 ①〖악〗 고려(高麗) 때의 악곡의 이름. 음조(音調)가 몹시 급하고 강함. ②강직(剛直)하여 남에게 굽히지 아니하는 사람을 가리키는 말.
막-말 명 ①뒤에 여유를 두지 아니하고 잘라서 하는 말. ¶ ～로 한 마디만 하겠다. ②나오는 대로 함부로 하는 말. ¶ 어른께 ～로 덤비다. ——-하다 자여불 「고 지은 집.
막-매기 명 〖건〗 전각(殿閣)이나 신당(神堂) 등과 같이 포를 쓰지 아니하
막명 악기 【膜鳴樂器】 명 〖악〗 악기 분류의 하나. 팽팽하게 당겨진 막(膜)을 진동시켜서 소리를 내는 악기. 북·드럼·장구·탬버린·팀파니 따위. ＊체명(體鳴) 악기·현명 악기(絃鳴樂器).
막목 【莫目】 명 〖악〗 고구려와 백제에서 일본에 전한 관악기의 하나. 대나무로 만든 피리라 하나, 지금은 전하지 않음. 마구모.
막무가내 【莫無可奈】 명 어찌할 수 없음. 무가내하(無可奈何). ¶ ～로 우기다.
막무가내-로 【莫無可奈—】 부 어찌할 수가 없도록, 남의 말을 듣지 않고 완강하게 제 뜻을 고집하는 모양.
막물-태 【—太】 명 맨 끝물에 잡은 명태.
막-미로 【膜迷路】 명 〔membranous labyrinth〕〖생〗 미로(迷路)의 골미로(骨迷路) 속에 복잡한 형태를 이루고 있는 막성(膜性)의 관(管) 또는 주머니. 내이(內耳) 신경의 섬유가 분포되어 있음. 막성(膜性) 미로. 막질(膜質) 미로. ↔골미로(骨迷路).
막-바로 부 다른 절차(節次)를 거치지 않고 그냥 곧장.
막-바지 명 더 갈 수 없는 막다른 곳. 일의 마지막 단계. ¶ 산의 ～/～에 가서 기권하다.
막-배 명 그 날의 마지막으로 운항(運航)하는 배.
막-배기 명 〈방〉 막걸리.
막-백토 【—白土】 명 석비레가 많이 섞인 백토.
막-벌다 자 막일을 하고 삯을 받다.
막-벌이 명 막일로 돈을 버는 일. ¶ ～로 끼니를 잇다. ——-하다 자여불
막벌이-꾼 명 막벌이하는 사람. 인부.
막벌이-판 명 막벌이를 하는 일터.
막-베 명 거친 재료로 거칠게 짠 베.
막베-떡 명 〈방〉 콩설기.
막-베먹다 타 본디 가졌던 물건·밑천을 함부로 잘라 쓰다.
막벽¹ 【幕壁】 명 〖토〗 부벽식(扶壁式) 언제(堰堤)·수문(水門) 등의 정면에 있는 벽. 곧, 물이 닿는 부분의 벽.
막벽² 【膜壁】 명 막질(膜質)로 된 칸막이.
막-보다 타 얕보고 마구 대하다. ¶ 막보고 대들다.
막부¹ 【莫府】 명 〖지〗 '모스크바'의 음역(音譯).
막부² 【幕府】 명 〖역〗 ①옛날 중국에서, 장군(將軍)이 군무(軍務)를 보던 군막(軍幕). ②일본의 가마쿠라(鎌倉) 시대 이후에 쇼군(將軍)이 정무를 맡아 보던 곳. 곧, 무가(武家) 정치의 정청(政廳). 일본음: 바쿠후.
막-부득이 【莫不得已】 부 마지못하여. 어찌할 수 없이. '부득이'의 힘줌말. ——-하다 형여불 ¶ ～한 사정으로.
막북 【漠北】 명 '사막의 북쪽'이란 뜻으로, 고비 사막 이북의 몽고 지방을 이름.
막-불감동 【莫不感動】 명 감동하지 않을 수 없음. ——-하다 형여불
막-불겅이 명 ①불경이보다 품질이 좀 낮은 살담배. ¶ ～라도 피워 파적을 하고 싶었다. ＊막초. ②잘 익지 아니한 고추.
막-불탄:복 【莫不嘆服】 명 탄복하지 않을 수 없음. ——-하다 형여불
막비¹ 【幕裨】 명 〖역〗 비장(裨將).
막비² 【莫非】 부 아닌게 아니라.
막-비명:야 【莫非命也】 명 모든 것이 다 운수에 달려 있음.
막-비왕신 【莫非王臣】 명 왕의 신하 아닌 사람이 없음.
막-비왕토 【莫非王土】 명 왕토 아닌 땅이 없음.
막빈 【幕賓】 명 〖역〗 비장(裨將).
막-뿌리 명 〖식〗 줄기의 위나 잎 등, 정근(定根) 이외의 자리에서 생기는 뿌리. 연(蓮)·옥수수·양딸기 등의 뿌리 같은 것. 엇뿌리. 부정근(不定根).
막사¹ 【莫斯】 명 〖건〗 '막새'의 취음(取音).
막사² 【幕士】 명 〖역〗 고려 때 잡류직(雜類職)의 하나. 궁중에서 공어(供御)의 임무와 잡다한 업무를 수행하였음.
막사³ 【幕舍】 명 ①판자나 천막 같은 것으로 허름하게 임시로 지은 집. 막(幕). ¶ ～에 수용하다. ②〖군〗 군대가 거주하는 건물. ③〖군〗 해군 기지에 주둔하는 해병대의 한 부대. 대대 병력의 부대로, 특수 지역의 경비를 담당함. ¶ 인천 ～/묵호 ～.
막사과 【莫斯科】 명 〖지〗 '모스크바(Moskva)'의 음역(音譯).
막-사리 명 얼음이 얼기 전의 조수(潮水).
막사이사이 〔Magsaysay, Ramon〕 명 〖사람〗 필리핀의 정치가. 2차 대전 중 항일(抗日) 게릴라를 지휘하였으며, 국방상을 거쳐 1953년 대통령이 되고, 1957년 비행기 사고로 죽음. 마그사이사이. [1907-57]
막사이사이-상 【—賞】〔Magsaysay〕 명 막사이사이의 업적을 추모 기념하기 위하여 설치한 국제적인 상. 1958년 3월 1일 록펠러 재단이 50만 달러의 기금으로 막사이사이 재단을 설립하여, 해마다 정부 공무원·공공 봉사·사회 지도·국제 이해 증진·언론 문화 등 5개 부문에 걸쳐 1만 달러씩 수상함. 마그사이사이상.
막-살다 자 생활을 아무렇게나 되는 대로 살다.
막-살이 명 아무렇게나 되는 대로 사는 살림살이. ——-하다 자여불
막상¹ 【莫上】 명 극상(極上)❶.
막상² 【膜狀】 명 막(膜)과 같은 형상.
막상³ 부 마침내 실제에 이르러. 급기야. ¶ ～ 해보니 생각보다 어렵다/～ 헤어지려니 섭섭하다.
막상 막하 【莫上莫下】 명 우열(優劣)의 차가 없음. ¶ ～의 실력. ＊백중.
막상-말로 부 ☞마기말로. └——-하다 형여불
막상 임:신 【膜狀姙娠】 명 〔membranous pregnancy〕〖의〗 양막(羊膜)이 파열되어, 태아가 직접 자궁(子宮)에 접촉해 있는 상태의 임신.
막새 명 〖건〗 ①처마끝을 잇는 수키와. 한 끝에 둥근 혀가 달리고 전자(篆字)·물형(物形)의 무늬가 있음. 막새 기와. 묘두와(貓頭瓦). 취와(鷲瓦). 화두와(花頭瓦). ↔내림새. ②보통 기와로 처마끝에 나온 암키와나 수키와. 막새 기와. ＊수막새·암막새.

와당

〈막새〉

막새 기와 명 〖건〗 막새❶❷.
막새-류 【膜鰓類】 명 〖동〗 격새류(隔鰓類).
막-서다 자 ①싸울 것같이 대들다. ②어른, 아이를 가리지 아니하고 함부
막설 【莫說】 명 말을 그만둠. ——-하다 타여불 └로 겨루며 대항하다.
막-설탕 【—雪糖】 명 조당(粗糖).
막성 미로 【膜性迷路】 명 〖생〗 막미로.
막세릿-간 명 〈방〉 행랑채(평북). 「에 담아 파는 막치 소주.
막-소주 【—燒酒】 명 품질이 좋지 못한 소주. 또, 상표(商標) 없이 됫병
막-술 명 마지막으로 떠먹는 밥술. ↔첫술.
[막술에 목이 멘다] 지금까지 순조롭게 되어 오던 일이 마지막 단계에 이르러 탈이 나다.
막스 플랑크 협회 【—協會】 명 〔Max Planck Gesellschaft〕 독일에서의 과학 진흥을 위하여 많은 연구소를 관리 경영하는 법인(法人) 조직의 기관(機關). 카이저 빌헬름 협회(Kaiser Wilhelm 協會)가 제2차 대전 후 서독과 서베를린에 있던 시설을 통합, 재건(再建)하면서 개칭(改稱)한 이름임. 독일 각 지역에 있는, 주로 자연 과학의 기초 및 응용 연구를 중점으로 하는 연구소를 관리 운영함. 본부는 괴팅겐(Göttingen)에 있음. 「날개.
막시 【膜翅】 명 〖충〗 얇은 막질(膜質)의 날개. 곧, 개미·벌 같은 곤충의
막-시(:)룡 【莫是龍】 명 〖사람〗 중국 명나라 말기의 서화가. 자는 운경(雲卿)·정한(廷韓). 한림원(翰林院) 대조(待詔) 벼슬을 사양하고, 여생을 빈곤 속에서 보냈음. 저서에 《화설(畫說)》·《석수재집(石秀齋集)》
막시-류 【膜翅類】 명 〖충〗 벌목(目). └등이 있음. [1539-87?]
막시밀리안¹ 〔Maximilian〕 명 〖사람〗 독일의 정치가. 정식 이름은 Maximilian Alexander Friedrich Wilhelm. 자유주의자·평화주의자로 널리 알려짐. 제1차 대전 말기인 1918년 10월에 재상이 되어 무조건 항복을 실현, 민주화(民主化) 정책으로 제정(帝政)을 유지하려고 했으나 독일 혁명으로 11월에 사임함. [1867-1929]
막시밀리안² 〔Maximilian〕 명 〖사람〗 멕시코의 황제. 오스트리아 황제 프란츠 요제프의 아우. 정식 이름은 Ferdinand Maximilian Joseph. 나폴레옹 3세의 멕시코 간섭 때 황제가 되어 멕시코에 들어갔으나, 그 후 프랑스군이 철수하자 멕시코 혁명군에 잡혀 처형됨. [1832-67; 재위 1864-67]
막시밀리안 일세 【——世】〔Maximilian I〕[—쎄] 명 〖사람〗 신성 로마 제국의 황제. 영구 평화령의 발포, 제국(帝國) 재판소의 설치 등 일련의 제국 개조(改造) 계획을 실시했으나 보수파 제후(諸侯)와 도시(都市)의 반대로 실패. 밀라노(Milano)·나폴리(Napoli)를 둘러싼 프랑스와 이탈리아의 전쟁, 보헤미아(Bohemia)·헝가리의 계승권 획득으로 인한 오스만 투르크와의 분규, 스위스의 독립 승인 등 대외적으로 다난(多難)했으나, 동시대(同時代)의 민중(民衆), 특히 인문주의자들에게 인기가 있어서 '최후의 기사'라고 불림. [1459-1519; 재위 1493-1519]
막실-살이 【幕室—】 명 ☞머슴살이. ¶ ～를 하다.
막심 【莫甚】 명 대단히 심함. 아주 대단함. ¶ 손해 ～/후회 ～. ——-하다 형여불. ——-히 부 「～.
막아 내:다 타 막아서 물리치다. 방어하고 감당해 내다. ¶ 적의 공격을
막아비날 【莫兒比涅】 명 〖약〗 '모르핀(morphine)'의 취음(取音).
막야-정 【莫耶停】 명 〖역〗 '관아 양지정(官阿良支停)'의 별칭.
막엄 【莫嚴】 명 아주 엄함. 더할 수 없이 엄함. ——-하다 형여불. ——-히 부 「의 앞을 뜻함.
막엄지-지 【莫嚴之地】 명 막엄한 곳. 곧, 임금이 거처하는 곳이나 임금
막역 【莫逆】 명 허물없이 대단히 친밀함. ¶ ～한 사이. ——-하다 형
막역-간 【莫逆間】 명 ↗막역지간(莫逆之間). └여불. ——-히 부
막역지-간 【莫逆之間】 명 허물없이 아주 친한 친구 사이. 준막역간.
막역지-교 【莫逆之交】 명 허물없는 아주 친밀한 사귐.
막역지-우 【莫逆之友】 명 매우 친하여 허물없는 벗.
막연 【漠然·邈然】 명 ①범위나 내용 등이 갈피를 잡을 수 없게 아득함. ¶ 찾을 길이 ～하다. ②똑똑하지 못하고 어렴풋함. ¶ ～한 대답. ——-하다 형여불. ——-히 부
막연 부지 【莫然不知】 명 막연하여 알 수 없음. ——-하다 형여불
막-옷 명 허드레로 막 입는 옷.
막왕 막래 【莫往莫來】 [—내] 명 서로 왕래가 없음. ——-하다 자여불

막원【邈遠】명 멀고 아득함. ──-하다 형여불

막은-현【莫隱峴】명〖지〗충청 북도 충주시(忠州市)에 있는 고개. [196m]

막음-돌 [―똘] 명〖고고학〗무덤의 널길을 채워 막아 둔 돌. 폐색석(閉塞石).

막음-벽돌【―甓―】명〖고고학〗널길 문에 쌓아 막은 벽돌. 폐색(閉塞)벽돌.

막이 명 터놓지 아니하고 막는 일. ¶ 보~/홍수 ~.

막이-산지 명〖건〗열십자로 끼워 맞춘 재목에, 빠지거나 흔들리지 아니하도록 하기 위하여 박는 나무못.

막-일 [―닐] 명 이것저것 가리지 아니하고 닥치는 대로 마구 하는 육체적 노동. 막노동. ──-하다 자여불

막일-꾼 [―닐―] 명 막일을 업으로 삼는 사람.

막입 수륜【膜入水輪】명〖한의〗수포성(水泡性)의 각막염(角膜炎). 각막(角膜) 위에 궤양(潰瘍)이 생겨서 그 흔적이 없어지지 아니하고 동공(瞳孔) 안을 침범하여 시력(視力)을 해치는 난치의 병. 막입 수륜 외장.

막입 수륜 외:장【膜入水輪外障】명〖한의〗막입 수륜.

막자 명〔pestle〕가루약을 가는 데 쓰는, 사기로 만든 작은 방망이.

막자 사발【―沙鉢】명〔mortar〕고형(固形)으로 된 약을 갈아서 가루로 만드는 데 쓰는 그릇. 사기·유리 등으로 만듦. 유발(乳鉢). 모르타르(mortar).

〈막자 사발〉

막-잔【―盞】명 그 술자리에서 마지막으로 드는 잔. ¶ 자, ~을 마저 비우고 일어납시다.

막-잠 명 누에의 마지막 잠.

막-잡이 명 ①허름하게 아무렇게나 쓰는 물건. 조용품(粗用品). ②☞마구잡이.

막장¹ 명〔←막+장(場)〕〖광〗①갱도(坑道)의 막다른 정면. 채벽(採壁). ②채굴(採掘) 작업. ──-하다 자여불

막-장² 명 ☞끝장.

막-장³【―醬】명 허드레로 먹기 위하여 담는 된장의 한 가지. 볶은 콩을 맷돌에 갈아 메줏가루를 섞은 뒤에, 소금·고춧가루·보드라운 겨 및 양념 등을 넣고 물을 알맞게 부어 띄움.

막장-꾼 명 광산에서, 정으로 돌 구멍을 뚫거나 땅을 파는 인부.

막-장부촉【―鏃】명〖건〗다른 재목에 마구 뚫어 끼우게 한 긴 장부촉.

막장-일 [―닐] 명 광산의 막장에서 하는 일. ──-하다 자여불

막장 컨베이어 명〔face conveyor〕〖광〗채굴 막장에 평행되게 놓고 쓰는 각종 컨베이어.

막-잽이 명〈방〉막잡이(경상).

막저【―苧】명 거칠게 짠 모시.

막전【幕電】명 전광(電光)의 일종. 먼 하늘 일대가 원뢰(遠雷)와 더불어 훤하게 밝아지는 현상. 번갯불은 구름에 가려져 보이지 아니하고 빛의 반사만 보임.

막-전위【膜電位】명〔membrane potential〕〖물〗①막의 존재에 의하여 발생하는 전위차(電位差). ②도난(Donnan, Frederick George; 1870-1956)의 막평형(膜平衡)에 의하여 막의 양쪽에 분포하는 이온(ion)의 농도차(濃度差)로 말미암아 발생하는 전위차.

막종-산【莫從山】명〖지〗평안 북도 후창군(厚昌郡)에 있는 산. [1,168m]

막중¹【幕中】명〖역〗비장(裨將).

막중²【莫重】명 ①아주 귀중함. ②아주 중요함. ¶ ~한 임무. ──-하다 형여불. ──-히 부

막중 국사【莫重國事】명 아주 중대한 나라일.

막중 대:사【莫重大事】명 아주 중대한 일.

막중이 명〈방〉막내둥이.

막즈르다 타〈옛〉막지르다. ¶ 그 막즈르믈 닙고(被其攔截)≪無寃錄 I:5≫.

막지【漠地】명 사막처럼 거칠고 메마른 땅.

막지기 명〈방〉가지기.

막-지기고【莫知其故】명 일의 까닭을 알지 못함. ──-하다 자여불

막-지기자지악【莫知其子之惡】구 자기 자식의 잘못을 모른다는 뜻으로, 어버이의 자식에 대한 사랑이 맹목적임을 이르는 말.

막-지르다 타르불 ①앞길을 막다. ¶ 앞길을 ~. ②함부로 넘다 지르다. ¶ 소리를 ~.

막지-밀 명〖식〗밀의 한 가지. 이른 봄에 갈아서 6-7월에 거두는데, 까끄라기가 길고 빛이 누르며 질이 낮음.

막질【膜質】명〖생〗막(膜)으로 된 바탕. 또, 그와 같은 성질. ¶ ~의 날개.

막-질리다 피동 막지름을 당하다. ¶ 길을 ~.

막질 미:로【膜質迷路】명〖생〗막미로(膜迷路).

막집 유적【幕―遺蹟】명〖고고학〗막집터.

막집-터【幕―】명〖고고학〗선사 시대 사람들이 생활 본거지 이외에 계절에 따라 잠시 동안 생활했던 자리. 막집 유적. 야영 유적.

막집적 회로【膜集積回路】명〖물〗집적 회로의 한 가지. 반도체(半導體) 이외의 기판(基板) 위의 회로 소자(回路素子)와 그것의 상호 접속이 막상(膜狀)으로 된 것. 박막(薄膜) 집적 회로와 후막(厚膜) 집적 회로로 대별됨. *반도체 집적 회로·혼성(混成) 집적 회로.

막ᄌᆞ르다 타〈옛〉막지르다. =막ᄌᆞᄅᆞ다. ¶ 막ᄌᆞ르다(拒他)≪同文 上 45≫.

막ᄌᆞᄅᆞ다 타〈옛〉막지르다. =막ᄌᆞ르다. ¶ 府庫앳 거슬 眞實로 너모 막ᄌᆞᄅᆞ니라(府庫眞過防)≪杜諺 I:53≫.

막ᄌᆞᆯ옴 타〈옛〉막지름. '막ᄌᆞᄅᆞ다'의 명사형. ¶ 곧 머리셔 오ᄂᆞᆫ 소ᄂᆞᆯ 막ᄌᆞᆯ오미 비록 이리 하나(卽防遠客雖多事)≪初杜諺 Ⅶ:22≫.

막지 명〈옛〉망치. ¶ 槌ᄂᆞᆫ 俗稱 막지니≪無寃錄 I:20≫.

막-차¹【―車】명 그 날의 마지막 차. 종차(終車). ¶ ~마저 놓치고 여관 신세를 지다. ↔첫차(車).

막차²【幕次】명〖역〗막(幕)을 쳐서 임시로 만들어 주련(駐輦)하던 곳. *대차(大次).

막차 위심【莫此爲甚】명 더할 수 없이 심함. ──-하다 형여불

막-참【―站】명 마지막 참(站).

막-창자 명〖생〗맹장(盲腸).

막창자 꼬리 명〖생〗충양 돌기(蟲樣突起).

막채 명〈방〉꼴찌.

막책【幕冊】명〖역〗비장(裨將)과 책방(冊房).

막천 석지【幕天席地】명〔하늘을 장막 삼고 땅을 자리 삼는다는 뜻〕지기(志氣)가 웅대함의 비유.

막-청 명〖악〗소프라노. *버금청.

막-초【―草】명 품질이 아주 낮은 살담배. *막불겅이.

막-춤 명 형식을 벗어나 제 멋대로 추는 춤.

막-치 명 막잡이로 만든 물건. 조제품(粗製品). ¶ 신솜씨는 투미하여 맞춤은 고사하고 ~도 변변히 짓지 못하므로…≪洪命憙: 林巨正≫.

막-토【―土】명 집 지을 때에 아무 땅에서나 파서 쓰는 보통 흙.

막투리 명〈방〉미투리(황해).

막-판 명 ①↗마지막판. ¶ 일이 ~에 접어들다. ②일이 아무렇게나 마구 되는 판.

막-팔기 명 채산을 따지지 않고 아주 헐값으로 물건을 마구 파는 일. ──-하다 타여불

막-평형【膜平衡】명〔membrane equilibrium〕〖화〗반투막(半透膜)으로 두 종류의 전해질(電解質) 용액을 격리했을 때 두 전해질 용액 사이에 이루어지는 평형.

막-품팔이 명 막일을 하는 품팔이.

막-필【―筆】명 허드레로 쓰기 위하여 허름하게 만든 붓.

막하¹【幕下】명 ①〖역〗주장(主將)이 거느리는 장교와 종사관(從事官). 장하(帳下). ②지휘관이나 책임자가 거느리고 있는 사람. 또, 그 지위.

막하(를) 잡다 구 주장(主將)이 자기가 거느릴 막하를 선택하다.

막하² 부〈방〉모두(강원·경상).

막하 하라지【幕何何羅支】명〖역〗'태대형(太大兄)'의 이명(異名).

막-해야 부 최악이나 최하의 경우라도. ¶ ~ 본전치기는 되겠지.

막후【幕後】명 ①보이지 아니하는 막의 뒤. ②드러나지 않은 이면(裏面). 특히, 정치적인 면에 있어서의 이면의 상황. ¶ ~ 공작/~의 인물.

막후 교섭【幕後交涉】명 드러나지 아니하게 행하여지는 교섭. ¶ ~을 벌이다.

막-흙 [―흑] 명 ☞막토(土).

막히다 ㊀피동 막음을 당하다. ¶ 숨이 ~/수챗구멍이 ~. ㊁자 ①모르는 대목에 맞닥뜨리거나 순조롭게 풀리지 않다. ¶ 생각이 ~/말문이 ~. ②어떤 처지에 얽매여서 꼼짝 못 하게 되다. ¶ 출셋길이 ~/혼인길이 ~.

만¹【卍】명〖불교〗〔범어의 '만(萬)'자〕①인도(印度)에 전하여 오는 길상(吉祥)의 표상(標相). 공덕 원만(功德圓滿)이라는 뜻으로, 불상(佛像)의 가슴 복판에 그려서 길상 만덕(吉祥萬德)의 상(相)으로 삼음. 보통 말하기를 '가슴 만'이라고 함. ②석가 모니의 가슴 복판에 있었다는 생래(生來)의 표지. ③불교(佛敎)의 표지(標識). 사찰(寺刹)의 기호.

만:²【萬】명 성(姓)의 하나. 주요 본관은 개성(開城)·강화(江華)의 두 본관임.

만³【慢】명 ①〖악〗↗여민락 만(與民樂慢). ②〖악〗사(詞) 곧, 산사(散詞)의 음악적 형식으로, 느리고 가락이 적은 것. ③〖불교〗자기의 용모·재력·지위 등을 믿고 남에게 높은 체 뽐내는 번뇌.

만:⁴【漫】명 성(姓)의 하나. 우리 나라에는 현존하지 아니함.

만⁵【滿】명 ①제 돌이 꼭 참을 나타내는 말. ¶ ~으로 열 살. ②가득 차 있음의 뜻. ¶ 명월이 ~공산(空山)하니.

만⁶【蠻】명〖역〗사이(四夷)의 하나. 남쪽의 오랑캐. 남만(南蠻).

만⁷【灣】명〖지〗바다가 육지 속으로 쑥 들어온 곳. 바닷가의 큰 물굽이. 해만(海灣). ¶ 영일~/아산~.

만⁸〔Mann〕명〖사람〗①〔Heinrich M.〕독일의 작가·평론가. 표현주의의 선구자로, 날카로운 비판과 풍자에 넘친 평론을 많이 썼음. 저서로 ≪운라트(Unrat) 교수≫·≪가난한 사람들≫ 등이 있음. [1871-1950] ②〔Klaus M.〕독일의 작가. ❸의 맏아들. 네덜란드에 망명하여 망명자의 잡지 '집합(集合)'을 발행, 뒤에 미국에 귀화하여 병역에도 종사함. 시대 비판, 시국 풍자의 경향이 강함. 소설 ≪비창 교향곡(悲愴交響曲)≫, 자서전 ≪전회점(轉回點)≫ 등이 있음. 칸에서 자살함. [1906-49] ③〔Thomas M.〕독일의 작가·평론가. ❶의 동생. 장편 ≪부덴브로크스가(Buddenbrooks家)≫로써 일약 문명(文名)을 떨치고, 1차 대전 후 ≪마(魔)의 산(山)≫으로 1929년 노벨 문학상을 받았음. 이어 대작 ≪요셉(Joseph)과 그의 형제≫를 집필하였고, 나치스(Nazis)에 쫓겨 미국에 망명하여 ≪파우스트 박사(Faust博士)≫ 등의 작품을 내었음. 심리 분석과 문화 비판을 바탕으로, 인생의 운명과 사랑을 통하여 신(新)휴머니즘의 확립을 추구, 현대 독일의 양심을 대표하는 최대 작가로 꼽힘. [1875-1955]

만⁹ 의명 어느 동안이 얼마 계속되었음을 나타내는 말. ¶ 닷새 ~에 소식이 왔다.

만¹⁰ 의명 ①체언이나 동사의 관형형 '-ㄹ, -을' 뒤에 쓰이어 그 '정도에 이름'을 뜻하는 말. ¶ 송아지 ~이나 한 개/내 실력이 너 ~이야 못 하겠느냐. ②동사의 관형형 '-ㄹ, -을' 뒤에 쓰이어 그렇게 할 '가치가 있음'을 나타냄. ¶ 한 번쯤 볼 ~도 하다. ③대명사 '이, 그, 저' 뒤에 쓰이어 '겨우 그 정도'의 뜻을 나타내는 말. ¶ 내게 그 ~ 돈이야 없겠느냐. *만하다.

만:¹¹【萬】수관 천의 열 곱절.

만¹² 조 어떤 사물을 단독으로 또는 한정하여 일컫는 보조사. ①어느 것에 한정됨을 나타냄. ¶ 빚~ 지다/공부~ 하다. ②여럿 중에서 어느 것을 선택함. ¶ 너~ 알고 있어라/형님~ 믿겠소. ③최소 한도의 기대치(期待値)를 나타냄. ¶ 딱 한 입~ 먹자. ④강조하는 뜻을 나타냄. ¶ 일을 시켜~ 주십시오/그들의 사랑은 점점 깊어~ 갔다. ⑤비교하는 뜻을 나타냄. ¶ 아우가 형~ 못하다. ⑥행위나 상태의 정도를 나타냄. ¶ 그는 빙그레 웃기~ 했다/사방은 쥐죽은 듯 고요하기~ 하다. ⑦상투

적인 버릇을 나타냄. ¶술~ 먹으면 잔소리를 한다. ⑧무엇이 되기 위한 최소한의 정도를 나타냄. ¶생각~ 해도 끔찍한 일/손~ 내밀면 닿는 곳.

만[13] 조 ↗마는. ¶몸은 비록 늙었다~ 마음은 젊다.

만[14] 조 〈옛〉 ①만큼. ¶燈마다 술위삐만 크긔ᄒᆞ야 《月釋 IX:53》. ②쯤. ¶日出을 보리라 밤둥만 니러ᄒᆞ니 《松江》.

-만 어미 〈방〉 -면(경북).

만가[1]【挽歌·輓歌】명 ①〖민〗한국 구전(口傳) 민요의 하나. 상여(喪輿)를 메고 갈 때 하는 노래. 매장한 뒤에 흙을 다지면서 부르기도 함. ②죽은 사람을 애도(哀悼)하는 노래나 가사. 엘레지.

만:가[2]【萬家】명 매우 많은 집. 모든 집.

만:가[3]【滿家】명 ①집에 가득 참. ②천량이 많음. ——하다 형여불

만:가[4]【滿假】명 자만심이 많아 거만하게 굶. ——하다 자여불

만:각【晩覺】명 늙은 뒤에 깨달음. 늦게 지각이 남. ——하다 자타여불

만각-목【蔓脚目】명 〖동〗[Cirripedia] 갑각류(甲殼類) 절갑아강(切甲亞綱)에 속하는 한 목. 몸은 체절(體節)이 없이 석회분의 굳은 배갑(背甲)으로 싸이고 흉부에 덩굴 모양의 부속지(附屬肢)가 여섯 쌍 있음. 유생(幼生) '노플리우스(nauplius)'는 중앙에 안점(眼點)이 있고 전부(前部)에 한 쌍의 돌기(突起)가 있으며, 자라면 시프리스형 유충(cypris 型幼蟲)이 됨. 이 때에는 개각상(介殼狀)의 물질로 싸이고 안점·복안·제2촉각에 분비선(分泌腺)이 생김. 번데기 시기에는 복안·발이 퇴화하여 어미 모양으로 변함. 암석·부목(浮木)·패각(貝殼) 등에 붙어 생활함. 조개삿갓·거북다리·굴등·삼각굴등 따위가 이에 속함.

만각-증【彎脚症】명 〖의〗곱추병 그 밖의 골질환(骨疾患)에 의하여 대퇴골(大腿骨)과 경골(脛骨)의 연결이 안쪽 또는 바깥쪽으로 벌어지는 각(角)을 이루어 이어진 상태. X자각(字脚)·O자각(字脚)이 있음.

만:각-탑【晩覺塔】명 〖사람〗설의식(薛義植)의 호(號).

만-간【滿干】명 만조(滿潮)와 간조(干潮). 간만(干滿).

만:간에 부 〈방〉 만일.

만감[1] 명 〖광〗광맥(鑛脈)에 곧고루 들어 있는 감돌. 「가슴을 메우다.

만:감[2]【萬感】명 여러 가지로 느낀 생각. 온갖 느낌. 백감(百感). ¶~이

만:강[1]【萬康】명 아주 평안(平安)함. 만안(萬安). ¶기체후(氣體候) 일향(一向) ~하옵시고. ——하다 형여불 ——히 부

만:강[2]【滿腔】명 가슴 속에 가득 참. ¶~의 사의를 표하다.

만강-대【彎強隊】명 〖역〗조선 세조 때 왕의 행차에 경호를 담당하던 특수 부대. 120근의 강궁(強弓)을 쏠 수 있는 군사를 선발하여 편성하였음. 성종 때 장용대(壯勇隊)와 함께 장용위(壯勇衛)로 통합됨.

만:강 혈성【滿腔血誠】[—썽] 명 가슴 속에 가득 찬 진심에서 우러나오

만:개【滿開】명 만발(滿發). ——하다 자여불 「는 정성.

만:-건곤【滿乾坤】명 하늘과 땅에 꽉 참. ¶백설이 ~할 제 독야 청청(獨也靑靑)하리라. ——하다 자여불

만:겁【萬劫】명 〖불교〗지극히 오랜 시간.

만결【慢結】명 〖불교〗자기의 용모, 재력(財力), 지위 등을 믿고 다른 이에 대하여 높은 체 뽐내는 번뇌.

만:경[1]【晩景】명 ①늦경치. ②저녁 경치. 모경(暮景). 모색(暮色).

만:경[2]【晩境】명 늙바탕. 말년. 모경(暮境).

만:경[3]【萬頃】명 〔경(頃)은 밭 100 이랑〕①백만(百萬) 이랑. ②지면이나 수면(水面)이 아주 너른 것을 일컬음. ¶~ 창파.

만경[4]【慢驚】명 〖한의〗↗만경풍(慢驚風).

만경[5]【蔓莖】명 덩굴로 된 줄기. ¶~ 식물.

만:경-강【萬頃江】명 〖지〗전라 북도 완주군(完州郡)에서 발원하여 익산(益山)·김제(金堤)·군산(群山) 등의 호남 평야의 중심부를 거쳐 서해로 들어가는 강. 그 유역 면적은 1,531km²이며, 우리 나라 곡창 지대로 유명함. [98km]

만:경-대【萬景臺】명 〖지〗북한산(北漢山)의 한 봉우리. [800m]

만경-되다 자 눈에 정기가 없어지다.

만:경산-타:령【萬頃山打令】명 〖악〗전북 옥구(沃溝) 지방에 전래되는 들노래의 하나. 육자배기의 한 변형. 산에서 나무를 하다가 지겟다리를 두드리며 부르면 산타령, 들에서 김을 매며 부르면 김매기타령이 됨.

만경 식물【蔓莖植物】명 〖식〗덩굴 식물.

만:경 유리【萬頃琉璃】[—뉴—] 명 넓고 넓은 유리. 유리처럼 아름답고 반반한 바다를 비유하는 말.

만:경 차사【萬頃差使】명 〖역〗외관(外官)의 비위(非違)를 적발하기 위해 정처없이 보내는 사신(使臣). *만경 출사(萬頃出使).

만:경 창파【萬頃蒼波】명 한없이 너르고 너른 바다. ¶~에 일엽 편주. [만경창파에 배 밑 뚫기] 심통 사나운 짓의 비유.

만:경 출사【萬頃出使】[—싸] 명 〖역〗포교(捕校)가 정처없이 돌아다니며 죄인을 잡던 일. *만경 차사. ——하다 자여불

만:경-타:령【—打令】명 요긴한 일을 등한(等閑)히 함.

만:경-파【萬頃波】명 만경 창파.

만-경풍【慢驚風】명 〖한의〗위장병으로 인하여 어린애가 구토나 설사를 계속해서 하고, 경련(痙攣)을 일으키는 병. ㊀만경(慢驚).

만:계[1]【晩計】명 ①늙바탕의 일을 미리 계획함. 또, 그 계획. ②뒤늦은 계획. ——하다 타여불

만계[2]【灣溪】명 연안(沿岸)에 만입(灣入)한 계곡.

만:고[1]【萬古】명 ①아주 먼 옛날. ②한없는 세월. ¶~의 영웅/~에 유례

만:고[2]【萬苦】명 온갖 괴로움. ¶천신(千辛)~. 「없는.

만고[3]【灣賈】명 〖역〗만상(灣商).

만:고 강산【萬古江山】명 ①만고에 변함없는 강산. ②〖악〗판소리를 부르기 전에 목을 풀기 위하여 부르는 단가(短歌)의 하나. 우리 나라의 명승지를 유람하며 인생을 즐기자는 내용으로, 화평하고 꿋꿋한 느낌의 곡임. 중모리장단에 맞추어 부름. '만고 강산 유람할 제'라는 첫 구절에서 곡명이 유래됨.

만:고 불멸【萬古不滅】명 오랜 세월을 두고 길이 없어지지 아니함. ——하다 자여불 「칙. ——하다 자여불

만:고 불변【萬古不變】명 오랜 세월을 두고 변하지 아니함. ¶~의 법

만:고 불역【萬古不易】명 오랜 세월을 두고 바뀌지 아니함. ——하다 자여불

만:고 불후【萬古不朽】명 만고에 썩거나 없어지지 아니함. 만대 불후. ¶~의 명작. ——하다 자여불 「여불

만:고 상청【萬古常靑】명 만고에 변함없이 언제나 푸름. ——하다 형

만:고 역적【萬古逆賊】명 만고에도 유가 없을 만큼 끔찍한 역적.

만:고 잡놈【萬古雜—】명 말할 수 없는 잡놈. 「말.

만:고 절담【萬古絶談】[—땀] 명 만고에도 그 유가 없을 만큼 훌륭한

만:고 절색【萬古絶色】[—쌕] 명 만고에 유가 없을 만큼 뛰어난 미색(美色).

만:고 절창【萬古絶唱】명 만고에 유가 없을 만큼 뛰어난 명창(名唱).

만:고 천추【萬古千秋】명 천만 년의 오랜 세월. 영원한 세월. 천추 만고(千秋萬古). 「세상.

만:고 천하【萬古天下】명 ①아득한 옛날의 천하. ②만대에 영원한 이

만:고 풍상【萬古風霜】명 이 세상에서 오랜 동안 겪어 온 갖가지 고생.

만:곡[1]【萬斛】명 아주 많은 분량. 「¶~을 겪다.

만곡[2]【彎曲】명 활 모양으로 굽음. 만굴(彎屈). ——하다 형여불

만곡-증【彎曲症】명 물고기가 비타민 C 등의 부족으로 등뼈가 굽는 증세.

만:골【萬骨】명 수많은 사람의 뼈. ¶일장 공성(一將功成) ~고(枯).

만:공【滿空】명 〖사람〗'월면[2](月面)'의 법호(法號).

만:-공산【滿空山】명 빈 산(山)에 가득 참. ¶명월이 ~하니. ——하다 자여불

만:-공정【滿空庭】명 달빛 같은 것이 빈 뜰에 가득 참. ——하다 자여불

만:과[1]【晩課】명 〖천주교〗'저녁 기도'의 구용어.

만:과[2]【萬科】명 〖역〗많은 사람을 뽑는 과거. 대개 무과(武科)를 가리

만과[3]【滿過】명 속여 넘김. ——하다 타여불 「킴.

만:과 낙방【萬科落榜】명 〖역〗만과에서 낙제함. ——하다 자여불

만:관[1]【滿貫·滿款】명 ①마작에서 점수가 최대 한도 곧, 500점 또는 1,000점에 달하는 일. ②↗만관약.

만관[2]【瞞官】명 〖역〗관가(官家)를 속임. ——하다 자여불

만:관-약【滿貫約·滿款約】[—낙] 명 마작의 약의 하나. 만관이 되었을 적의 약. ㊀만관(滿貫).

만광 명 〖광〗광주(鑛主)가 직접 경영하지 아니하고, 채굴권(採掘權)을 덕대(德大)에게 나누어 주어 분철(分鐵)을 받아 먹는 방식으로 경영되는 광산. ——하다 자여불

만광(을) 트다 구 광주가 광산을 직영하지 아니하고 분광, 덕대들에게 허채(許採)하다.

만:교【晩交】명 노경(老境)의 친구. 또, 그러한 사귐. ——하다 자여불

만:교 일체【萬敎一體】명 종교 합일 사상(宗敎合一思想).

만:구[1]【萬口】명 ①많은 사람의 입. ②많은 사람.

만구[2]【輓具】명 마차를 끄는 말에 씌우는 기구.

만구[3]【灣口】명 만의 입구(入口).

만:구 대:택굿【萬口大擇—】명 〖민〗황해도 지방에 내려오는 큰 굿. 만신이 자신이 길러 낸 무당들과 단골들의 재수 대통(大通)을 빌어 자기의 집에서 이레에 걸쳐 벌이는 24 거리의 기복(祈福)굿임.

만-구멍 명 〈방〉 분문(糞門). 똥구멍. 「를 세움과 같다는 뜻.

만:구 성비【萬口成碑】명 많은 사람이 칭찬하는 것은 송덕비(頌德碑)

만:구 일담【萬口一談】[—땀] 명 여러 사람의 의견이 일치함.

만:구 전파【萬口傳播】명 여러 사람을 통하여 온 세상에 널리 퍼짐. ——하다 자여불 「여불

만:구 칭송【萬口稱頌】명 많은 사람들이 모두 칭송함. ——하다 타

만:구 칭찬【萬口稱讚】명 많은 사람들이 모두 칭찬함. ——하다 타

만:국【萬國】명 세계의 여러 나라. 만방(萬邦). 「여불

만:국 공법【萬國公法】[—뻡] 명 '국제 공법(國際公法)'의 구칭.

만:국 공업 소:유권 보:호 동맹 조약【萬國工業所有權保護同盟條約】[—꿘—] 명 공업 소유권을 국제적으로 보호하기 위한 일반 조약. 1883년 파리에서 체결되어 1900년 브뤼셀에서, 1911년 워싱턴에서, 1925년 헤이그에서, 1958년 리스본에서 각각 개정함. 조약 당사국은 동맹을 조직하고, 발명 특허·실용 신안(實用新案)·견본·상표·원산지 표시 등을 보호하고, 부정 경쟁을 방지하도록 되어 있음.

만:국-기【萬國旗】명 세계 각국의 국기.

만:국 도성【萬國都城】명 여러 나라의 서울.

만:국 명:명법【萬國命名法】[—뻡] 명 화합물의 이름을 계통적으로 붙이기 위하여 제정된 국제 명명법. 유기 화합물에 대하여서는 1892년, 무기 화합물에 대하여서는 1938년에 착수되었으며, 결정·운용은 현재 '국제 순수 응용 화학 연합'의 명명 위원회가 맡고 있음.

만:국 미터 조약【萬國—條約】〔meter〕명 1875년 미터법 도량형(度量衡)의 제정 보급을 꾀하여 체결한 국제 조약.

만:국 박람회【萬國博覽會】[—낭—] 명 산업 혁명 후 산업 발달을 촉진시키기 위해 각국의 생산품을 합동 전시하는 국제 박람회. 1928년 파리에서 체결된 국제 박람회 조약에 의거, 가맹국(加盟國) 또는 그 나라가 인정하는 단체가 주최하며, 4년마다 열림. 이 조약 체결(締結) 이전인 1851년 런던에서 최초로 개최됨. 약칭: 엑스포(EXPO).

만:국 복본위제【萬國複本位制】명 '국제 복본위 제도'의 구용어.

만:국-사【萬國史】명 세계사(世界史)❶.

만:국 사:관 학교【萬國士官學校】명〖기독교〗구세군(救世軍)에서 사관을 양성하는 학교. 영국 런던에 있는데, 사관 학생은 각각 사령관(司令官)들이 추천함. 국제 사관 학교.

만:국 선박 신:호【萬國船舶信號】명〔International code of signals〕국제 신호의 하나. 각국 간에 공통(共通)된 선박 신호로 선박 상호간 또는 선박과 육상(陸上) 간에 쓰이며, 기(旗)·수기(手旗)·섬광(閃光)·음향·화전(火箭) 등에 의하여 함. 준만국 신호.

만:국 신:호【萬國信號】명 ↗만국 선박 신호(萬國船舶信號).

만:국 우편 연합【萬國郵便聯合】[—년—] 명〔프 Union Postale Universelle〕국제 연합의 전문 기구의 하나. 1874년 스위스의 베른에서 열린 국제 회의에서 채택된 '우편 연합 창설에 관한 조약'에 기초를 두고 1875년 창설된 국제 기구. 우편 교환 상의 각국의 국경을 없애고 세계를 하나의 우편 경역(境域)으로 하여 상호 간의 의사 소통, 경제·문화의 교류를 용이하게 함을 목적으로 함. 1947년 국제 연합의 전문 기구로 됨. 1978년 현재 159개국이 가맹하고 있으며, 한국도 1957년에 가입하였음. 국제 우편 연합. 약칭:유 피 유(U.P.U).

만:국 우편 조약【萬國郵便條約】명 국제 우편 업무의 효과적 운영에 관한 공통의 규칙 및 통상 우편에 관한 규정을 정한 조약. 1874년에 체결된 우편 조약에 기원하는 것으로, 1964년에 현행 조약이 성립되었음.

만:국 원자량【萬國原子量】명〖화〗'국제 원자량'의 구용어. 「구칭.

만:국 원자량 위원회【萬國原子量委員會】명 '국제 원자량 위원회'의

만:국 음성 기호【萬國音聲記號】명 '국제 음성 기호'의 구용어.

만:국 음표 문자【萬國音標文字】[—짜] 명 만국 음성 기호.

만:국 저:작권 보:호 동맹 조약【萬國著作權保護同盟條約】명 만국 저작권 조약(萬國著作權條約).

만:국 저:작권 조약【萬國著作權條約】명〔Universal Copyright Convention〕1952년 9월 6일 스위스의 제네바에서 성립된 저작권 보호에 관한 조약. 유네스코의 알선으로 성립하여 미국·프랑스·영국·서독·일본 등 27개국이 가맹, 베른에 사무국을 두고 있음. 저작권 보호 기간은 사후(死後) 25년 이상으로 되어 있으며, 번역권에 관하여는 초판된 지 7년 동안에 번역권자가 그 번역을 출판하지 않았을 경우에는 그 후로는 자국(自國)의 주무 관청에 출원하여 자유로이 번역할 수 있게 되어 있음. 베른 조약에 대하여 유네스코 조약이라고도 함. 만국 저작권 보호 동맹 조약. *베른 조약.

만:국 적십자 조약【萬國赤十字條約】명 '적십자 조약'의 구칭.

만:국 전:신【萬國電信】명 우리 나라와 세계 각국 사이에 서로 송수신

만:국 지도【萬國地圖】명〖지〗세계 지도(世界地圖). ⌊되는 전신.

만:국 촉광【萬國燭光】명〖물〗'국제 촉광'의 구용어.

만:국 통신【萬國通信】명 우리 나라와 세계 각국 간에 서로 송수신(送受信)하는 통신.

만:국 평화 회:의【萬國平和會議】[—/—이] 명〖역〗1899년과 1907년에 러시아 황제 니콜라스 2세의 주창으로 헤이그에서 열린 두 차례의 국제 회의. 첫번째는 26개국, 두번째는 44개국의 대표가 헤이그에 모여 국제간의 평화 유지 문제를 토의함. 그 결과 국제 분쟁의 평화적 처리 조약, 유독(有毒) 가스 및 특수 탄환의 사용 금지의 선언 등이 조인되고, 국제 중재 재판소가 설치되었음. 이상설(李相卨)을 정사(正使), 이준(李儁)·이위종(李瑋鐘)을 부사(副使)로 하는 고종(高宗)의 밀사가 파견된 것은 제2차 회의였음. 헤이그 국제 평화 회의. 헤이그 만국 평화 회의. 준평화 회의. *해아(海牙) 밀사 사건.

만:국 표준시【萬國標準時】명 학술상 또는 항해상에 쓰이는 세계 공통(世界共通)의 표준 시간. 그리니치시간으로 나타냄. 유니버설 타임.

만:국 해:법회【萬國海法會】[—뻡—] 명〔International Maritime Commitee〕만국 해법 회의를 열어 해법에 관한 사항을 심의하고 그 세계적 통일을 꾀함을 목적으로 하는 모임. 1896년 브뤼셀에서 창립됨.

만:국 해:양법 회:의【萬國海洋法會議】[—뻡—/—뻡—이] 명 만국 해양법회가 가지는 회의. 이 회의에서 해양법의 세계적 통일을 기하기 위한 조약안(案)을 만들어 벨기에 정부에 제출하면, 그 정부가 제국(諸國)을 초청하여 외교 회의를 열어 그 조약화를 도모하는 것이 상례(常例)임. 「국제 회의.

만:국 회:의【萬國會議】[—/—이] 명 세계 각국의 대표자가 모이는

만:군¹【萬軍】명 ①많은 군사. ②〖성〗이스라엘 민족 전체를 가리키는 말. ③〖성〗모든 천체(天體). ④〖성〗만유(萬有).

만군²【滿軍】명〖역〗일제(日帝)의 괴뢰이던 만주국의 군대.

만군³【蠻軍】명 오랑캐의 군사. 야만인의 군대.

만:군의 주【萬軍—主】[—/—에—] 명〖성〗하늘과 땅의 만유(萬有)를 지배하는 하느님.

만:군지-중【萬軍之中】명 많은 군사가 있는 가운데.

만굴【彎屈】명 활 모양으로 굽음. 만곡(彎曲). ——-하다 형여불

만궁【彎弓】명 활에 화살을 먹여 잡아당김. ——-하다 자여불

만:권【萬卷】명 굉장히 많은 책.

만:권-당【萬卷堂】명〖역〗고려 충선왕(忠宣王)이 중국 원(元)나라에 가 있을 때 많은 서적을 비치하고 원의 여러 학자와 교유(交遊)하던 곳.

만:권 시서【萬卷詩書】명 굉장히 많은 서적. 「이 고요하다.

만:귀 잠잠하다【萬鬼潛潛—】형여불 깊은 밤에 온갖 것이 다 자는 듯

만:근¹【萬斤】명 ①일만 근. ②썩 무거운 무게.

만근²【輓近】명부 몇 해 전부터 지금까지. 근래(近來).

만근 이:래【輓近以來】명부 몇 해 전부터 계속되어 오는 상태. 만근지

만근지-래【輓近之來】명부 만근 이래. ⌊래.

만:금【萬金】명 썩 많은 돈. 만냥(萬兩). ¶ ~을 주어도 살 수 없다.

만:금 수륙재【萬金水陸齋】명〖불교〗'수륙재'를 규모가 크고 돈이 많이 든다는 뜻으로 일컫는 말.

만:금-주【萬金酒】명 소주에 감초·계지(桂枝)·정향(丁香)·용뇌(龍腦)를 섞어 닷새 가량 봉하여 두었다가 짜낸 술.

만:금-탕【萬金湯】명〖한의〗뇌졸중(腦卒中)으로 인한 팔·다리 마비 등 후유증과 신경통을 다스리는 탕약.

만:기¹【晩期】명 ①만년(晩年)의 시기. ②말기(末期).

만:기²【萬機·萬幾】명 ①정치 상의 모든 중요한 기틀. ②임금이 보살피는 정무(政務). 천하의 정치. ③많은 비밀.

만:기³【萬騎】명 만 명의 기병. 많은 기마의 군세.

만기⁴【滿期】명 ①정한 기한이 다 참. 또, 그 기한. 기만(期滿). ②〖경〗어음 금액이 지급될 날로 어음상에 기재된 날짜. 만기일. ——-하다 자

만기-병【滿期兵】명〖군〗현역의 기한이 차서 제대하는 군인. ⌊여불

만:기-산【晩期産】명〖의〗임신 지속 일수가 대단히 늦어져 제40주 이후에 개시되는 분만.

만기 상환【滿期償換】명〖경〗미리 약정된 기일에 증권을 매입함으로써 기존(既存)의 채권(債權) 의무를 소멸시키는 일.

만:기 수술【晩期手術】명〖의〗뒤늦은 시기, 곧 병변(病變)이 이미 다른 국소나 장기(臟器)에까지 파급되어 있을 때에 행하는 수술. ↔조

만기 어음【滿期—】명〖경〗지급 기일이 다 된 어음. ⌊기(早期) 수술.

만:기 요람【萬機要覽】명〖책〗만기를 친재(親裁)하는 임금이 정무를 종람(綜覽)할 때 옆에 두고 참고하기 위하여, 왕명으로 조선 순조(純祖) 8년(1808)에 비국 당상(備局堂上) 서영보(徐榮輔), 호판(戶判) 심상규(沈象奎) 등이 편찬한 책. 궁중의 식례(式例)와 온갖 정무(政務)에 관한 조규(條規) 및 항례(恒例)를 재용편(財用篇) 6책과 군정편(軍政篇) 5책으로 나누어 실었음. 전 11책. 「되어 있는 지급 기일.

만기-일【滿期日】명 ①만기가 되는 날. ②어음이나 수표 따위에 기재

만기 제대【滿期除隊】명〖군〗현역의 복무 기한을 마치고 제대하는 일. *의병(依病) 제대. ——-하다 자여불 「——-하다 자여불

만기 출옥【滿期出獄】명 형(刑)의 복역 기한을 마치고 출옥하는 일.

만:기 출혈【晩期出血】명〖의〗분만(分娩)하고, 며칠 후에 일어나는 이완(弛緩) 출혈. *자궁 이완.

만:기 친람【萬機親覽】[—칠—] 명 임금이 온갖 정사(政事)를 친히 보살핌. ——-하다 자여불

만끽【滿喫】명 ①마음껏 배불리 먹음. ②일반적으로, 마음껏 욕망을 충족시킴. 마음껏 맛봄. ¶ 봄을 ~하다. ——-하다 타여불

만나〔manna〕명〖성〗〔아라비아 말의 '만(man)'은 '은혜로 주신 물건'을 뜻함〕이집트에서 탈출한 옛 이스라엘 민족이 아라비아 광야에서 방황하고 있을 때 여호와로부터 받은 음식물.

만나다 ㊀타〔←맞-+나-+-다. 중세 : 맞나다〕①서로 마주 보게 되다. ¶ 옛 친구를 ~ / 사랑하는 임을 ~. ②어떤 사물을 대하다. ¶ 여러분들이 이 경매장에서 만나게 될 골동품들은…. ③어떤 일을 당하다. ¶ 난리를 ~ / 도둑을 ~. ④재앙이나 화를 입다. ¶ 화재를 ~. ⑤비, 눈, 바람 따위를 맞게 되다. ¶ 소나기를 ~ / 태풍을 ~. ⑥때를 당하다. ¶ 제철을 ~ / 태평 성대를 ~. ⑦인편으로 관계를 맺게 되다. ¶ 남편을 잘 만난 여자 / 훌륭한 스승을 ~. ⑧사람을 대하여 용건을 말하다. ¶ 교장을 만나러 간다. ㊁자 ①가거나 와서 대하게 되다. ¶ 둘이 만나 의논하자. ②인연으로 관계가 맺어지다. ¶ 이승에서 만나는 것이 모두 전생의 인연이다 / 3년 전에 만나 결혼했다. ③서로 엇갈리거나 맞닿다. ¶ 두 직선이 만나는 점 / 냇물이 바다에서 서로 만나듯.

[만나자 이별] 서로 만나서 곧 헤어짐을 말함.

만-나이【滿—】명 만으로 헤아린 나이. 만연령.

만:난【萬難】명 온갖 고난. 여러 가지 장애(障礙). ¶ ~을 무릅쓰다.

만-날 부 여러 날을 끊임없이 잇대어. 늘. 오만날. 항상. ¶ ~ 온다.

[만날 뗑그렁] 생활이 넉넉하여 만사에 걱정이 없음을 일컫는 말.

만남 명 서로 만나는 일. ¶ 숙명적인 ~ / 너와 나의 ~.

만-내【灣內】명 만(灣)의 안쪽. ↔만외(灣外).

만:-냥【萬兩】명 썩 많은 돈. 만금(萬金).

만:냥 태수【萬兩太守】명 녹(祿)이 많은 원. 「이로군.

만:냥-판【萬兩—】명 규모가 크고 호화로운 판국. ¶ 부잣집 잔치라 ~

만:년¹【晩年】명 나이가 들어서 늙은 때. 노년(老年). 만세(晩歲). ¶ ~을 편히 지내다. ↔초년(初年).

만:년²【萬年】명 ①오랜 세월. 만세(萬歲). ¶ 천년 ~ 살고지고. ②언제나 변함없이 같은 상태가 계속됨을 일컫는 말. ¶ ~ 부사장 / ~ 소년.

만:년덕-산【萬年德山】명〖지〗①함경 남도 덕원군(德源郡) 풍상면(豐上面)과 풍하면(豐下面) 사이에 있는 산. [1,274m] ②강원도 회양군(淮陽郡)에 있는 산. [1,042m]

만:년 불패【萬年不敗】명 오래 되어도 절대로 오손(汚損)되거나 패하지 않음. ——-하다 자여불 「녹지 아니하는 얼음.

만:년-빙【萬年氷】명〖지〗①만년설(萬年雪). ②극지(極地) 같은 곳의

만:년-설【萬年雪】명〖지〗설선(雪線) 이상의 곳에서 녹지 아니하고 해마다 쌓이는 적설층(積雪層). 그 자체의 무게로 압축되고 또 그 밖의 원인으로 말미암아 차차 입상 구조(粒狀構造)의 얼음덩이가 됨. 거의 전층(全層)이 단단히 얼어 이동하는 것을 빙하(氷河)라 하고, 그 존재하는 지형에 따라 설계(雪溪)·설전(雪田) 등으로 불림. 만년빙. 천추설

만년 설원【萬年雪原】명 설원(雪原). ⌊(千秋雪). *빙설.

만:년-송【萬年松】명〖식〗①부처손. ②눈잣나무.

만:년-수【萬年手】명 장기에서, 언제까지나 끝도 없이 되풀이하게 되는 똑같은 수. 무승부(無勝負)가 됨.

만:년 장환지곡【萬年長歡之曲】명〖악〗국악의 정가(正歌)에 속하는 '가곡(歌曲)'의 아명(雅名).

만:년지-계【萬年之計】명 썩 먼 뒷날까지에 걸친 큰 계획. 백년 대계.

만:년지-택【萬年之宅】명 오래 가도록 아주 튼튼하게 잘 지은 집.

만:년-책【萬年策】명 먼 훗날의 일까지 미리 내다보고 세운 방책.

만:년-청【萬年靑】명〖식〗[*Rohdea japonica*] 백합과의 상록 다년초. 잎은 가느다랗게 길고 두꺼우며, 일년내 푸른 빛임. 잎을 관상하기 위하여 분재(盆栽)로 키움. 중국과 일본의 원산임.

만:년-초【萬年醋】명 시어진 술을 갈아 부어 가며 오랫동안 담가 먹는 식초의 한 가지.

만:년-치기【萬年一】명 매우 오랜 기간 사용하기에 알맞음. 또, 그러한 「물건.

만:년-콩【萬年一】명〖식〗[*Euchresta japonica*] 콩과에 속하는 상록성(常綠性)의 작은 관목. 줄기는 원기둥꼴로 직립(直立)하며 높이는 30-60cm 가량임. 잎은 호생하며 잎꼭지에 삼출 복엽(三出複葉)이 있고, 소엽(小葉)은 심녹색(深綠色)으로 윤택이 있는 긴 타원형임. 초여름에 백색의 나비 모양의 꽃이 줄기 끝에서 여러 개 총상 화서로 정생(頂生)하고 흑자색(黑紫色)의 과실은 넓은 타원형의 협과로 길이는 15mm 정도이며, 씨는 하나가 듦. 산두근(山豆根).

〈만년콩〉

만:년-패【萬年霸】명 바둑에서, 외부 공배(外部空排)를 메운 다음에도 또 한 수를 더 두어야 단수패(單手霸)가 되는 패.

만:년-필【萬年筆】명 펜의 한 가지. 펜대 속의 잉크가 끝에 꽂은 펜으로 알맞게 흘러나오도록 되어 있음. *유수필(流水筆). 자래필(自來筆).

만:년환-장【萬年歡章】[一짱] 명〖악〗악장(樂章)의 이름.

만:념【萬念】명 여러 가지 많은 생각. ¶ ~이 일어나다.

만:녕-전【萬寧殿】명〖역〗조선 영조(英祖)의 영정(影幀)을 두었던 곳. 뒤에 강화(江華)의 장녕전(長寧殿)에 합쳤음.

만:능【萬能】명 모든 일에 다 능통(能通)함. 또, 그러한 능력. 전능. ¶ 황금 ~ 시대. ——하다 형여불

플레이트
스토크
회전눈금
〈만능 각도기〉

만:능 각도기【萬能角度器】명 각도기의 하나. 플레이트를 나사로 고정시키고, 플레이트의 변과 스토크 사이에 측정하려는 물체를 끼운 다음, 고정 기선과 맞닿은 회전 눈금을 읽음. 각도자.

만:능 곡선자【萬能曲線一】명 자의 한 가지. 그 하나만으로 여러 가지 곡선을 그릴 수 있음.

만:능 공작 기계【萬能工作機械】명 구조상 여러 가지 작업이 가능한 공작 기계. 여러 가지 공정(工程)의 일을 하나의 공작 기계로 할 수 있는 것이 특징임.

만:능 공:혈자【萬能供血者】[一짜] 명 만능 급혈자.

〈만능 곡선자〉

만:능 급혈자【萬能給血者】[一짜] 명〖의〗혈액형이 O형인 사람. O형 혈액은 어느 혈액형에도 수혈할 수 있는 데서 나온 말.

만:능 목공기【萬能木工機】명 여러 종류의 부속품을 갈아 끼움으로써 거의 모든 가공(加工)을 할 수 있는 목공 기계.

만:능 선:수【萬能選手】명 ①모든 경기에 뛰어난 선수. 올라운드 플레이어. ②모든 일에 능한 사람.

〈만능 목공기〉

만:능 수혈자【萬能受血者】[一짜] 명 AB형의 혈액형을 가진 사람. 모든 혈액형의 사람으로부터 수혈(輸血)을 받을 수 있음.

만:능 숫돌【萬能一】명 쉽게 닳지 아니하고, 또 여러 가지 용도에 쓰이는 숫돌. 원료는 알루미늄 옥사이드(aluminium oxide)이며, 경도(硬度)는 금강석에 다음 감. 「적 성질을 시험하는 기계.

만:능 시험기【萬能試驗機】명 한 대의 기계로 여러 가지 재료의

만:능 연:마반【萬能研磨盤】명 원통면(圓筒面)·원추면(圓錐面) 어느 것이나 연마할 수 있도록, 연마 숫돌 바퀴와 공작물 지지대(支持臺)와의 각도를 임의로 변하게 할 수 있도록 한 연마반.

만:능 연:삭기【萬能研削機】명 원통 연삭반과 같은 형상으로 숫돌바퀴와 공작물 지지대(支持臺)의 각도가 90도까지의 범위를 임의로 바꿀 수 있는, 작업 범위가 넓은 연삭반.

만:능-잡이【萬能一】명 어떤 일이든지 잘 해낼 수 있는 사람.

만:능 제:도기【萬能製圖器】명 큰 도면(圖面)을 묘사할 경우, 도판(圖板)을 수직으로 하고 두 개의 눈금이 있는 자를 특별한 장치의 각도기에 연결하여 도판의 상부에 붙이어 자유 자재로 선(線)을 그을 수 있게 만든 제도기.

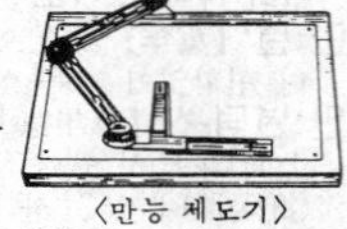
〈만능 제도기〉

만:능 지시약【萬能指示藥】명〖화〗여러 종류의 지시약을 혼합한 산염기(酸鹽基) 지시약. 광범위한 페하(pH)에 걸쳐 여러 번 색조(色調)를 바꿈. 페하의 대략적인 결정에 도움이 됨.

만:능 프레이즈반【萬能一盤】〔fraise〕명〖기〗프레이즈반의 일종. 횡(橫)프레이즈반의 작업이 가능한 외에, 드릴(drill)이나 톱니바퀴의 이를 깎아 내는 일 등을 할 수 있는 여러 부속 장치가 붙어 있음. 유니버설 밀링 머신. 만능 밀링 머신.

만:능 현:미 측정기【萬能顯微測定器】명 표준(標準)자와 측미(測微) 현미경을 결합하여 만든 검사용의 정밀 측정기. 거의 모든 치수의 측정에 쓸 수 있음. 항온 실내(恒溫室內)에 설치하여 사용함.

만니톨〔mannitol〕명〖화〗버섯·석류의 뿌리 등 식물에 광범위하게 존재하는 백색의 침상(針狀) 또는 주상(柱狀)의 결정. 단맛이 있으며 물에는 잘 녹고 알코올에는 잘 녹지 않음. 완하제(緩下劑)로 쓰이며, 글리세린의 대용으로도 쓰임.

만다라【曼茶羅·曼陀羅】명〔범 Maṇḍala〕①〖불교〗법계(法界)의 온갖 덕을 갖춘 것이라는 뜻으로, 부처가 증험(證驗)한 것을 그림으로 나타내어 숭배의 대상으로 삼는 것. 상징주의적(象徵主義的) 교의(敎義)를 본받는 밀교(密敎)가 특히 이것을 존중함. 금강계(金剛界) 만다라·태장계(胎藏界) 만다라·양부(兩部) 만다라 등의 구별이 있음. ②〖불교〗불상(佛像) 등을 안치(安置)해 놓는 제단(祭壇). ③밀교(密敎)에서, 불법(佛法)의 모든 덕을 원만하게 갖춘 경지. 또는, 그러한 경지를 나타낸 그림. ④여러 가지의 색(色).

만다라-공【曼茶羅供·曼陀羅供】명〖불교〗진언종(眞言宗)에서, 만다라를 공양하는 일. 또, 그 법회(法會).

만다라-화【曼茶羅華·曼陀羅華】명〔범 Mandarava〕①〖불교〗성화(聖花)로서의 연꽃. 천묘화(天妙華). ②〖식〗연꽃. ③〖식〗흰독말풀. ④〖식〗자주괴불주머니.

만다린〔mandarin〕명 ①신해 혁명(辛亥革命) 이전의 중국의 관인(官人). 즉, 과거(科擧)에 급제한 다음 높은 자리에 오른 벼슬아치를 이름. ②〔옛 중국 관원이 입던 옷의 빛과 같은 데서〕중국 원산의 귤(橘).

만다린 칼라〔mandarin collar〕명 차이니즈 칼라. 「약(約).

만:단[1]【萬短】명 화투에서, 청단(靑短)·초단(草短)·홍단(紅短) 등과 온갖

만:단[2]【萬端】명 ①갖가지 얼크러진 일의 실마리. ②온갖 수단·방법. ¶ ~의 준비. ③모든 사항.

만:단 개:유【萬端改諭】명 여러 가지 좋은 말로 친절히 타이름. ——하다 타여불

만:단 설화【萬端說話】명 여러 가지 이야기.

만:단 수심【萬端愁心】명 여러 가지 근심 걱정.

만:단 애:걸【萬端哀乞】명 여러 가지로 사정을 말하여 애걸함. ——하다 자여불

만:단 의혹【萬端疑惑】명 온갖 의혹. 갖가지 의심.

만:단 정화【萬端情話】명 여러 가지 정다운 이야기.

만:단 정회【萬端情懷】명 온갖 정서와 회포.

만달[1] 명〖미술〗덩굴이 엉킨 모양을 나타낸 그림. 당초회(唐草繪).

만:달[2]【晩達】명 만년(晩年)에 명망이 높아짐. ——하다 자여불

만달레이〔Mandalay〕명〖지〗이라와디 강 좌안에 있는 미얀마 제2의 도시. 수륙 교통의 중심으로, 19세기말까지 미얀마 왕조의 수도였음. 옛 왕궁(王宮)과 많은 사원이 있고, 주위에는 높은 성벽(城壁)이 둘려 있음. 학술 문화의 중심지이며, 쌀·담배 등 농산물(農産物) 거래가 성함. [532,895명(1983)]

만:담【漫談】명 우습고 재미있게 세상과 인정을 비판하고 풍자하는 이야기. 「하는 사람.

만:담-가【漫談家】명 직업적으로 만담을 하는 사람. 또, 만담을 썩 잘

만:답【漫答】명 만담처럼 하는 대답. 함부로 하는 대답.

만:당[1]【晩唐】명〖문〗한시상(漢詩上), 당대(唐代)를 사분(四分)한 맨 끝 시대. 문종(文宗) 이후 당나라 말까지 약 80년간(827-907)임. 이상은(李商隱)·사마예(司馬禮)·장교(張喬) 등이 나온 시대. *초당(初唐)·성당(盛唐)·중당(中唐).

만:당[2]【滿堂】명 집이나 대청에 가득히 참. 또, 집이나 대청에 가득 찬 사람들. ¶ ~의 갈채를 받다/~의 신사 숙녀 여러분. ——하다 자여불

만:당 귀:빈【滿堂貴賓】명 만당의 귀한 여러 손.

만:당 추수【滿塘秋水】명 못에 가득 찬 가을의 맑은 물. 「전하다.

만:대【萬代】명 썩 멀고 오랜 세대. 만세(萬世). 만엽(萬葉). ¶ 자손 ~에

만:대 불변【萬代不變】명 영원히 변하지 아니함. 만세 불변(萬世不變). ——하다 자여불 「——하다 자여불

만:대 불역【萬代不易】명 영원히 바뀌지 아니함. 만세 불역(萬世不易).

만:대 불후【萬代不朽】명 영원히 썩거나 사라지지 아니함. 만세 불후(萬世不朽). 만고(萬古) 불후. ——하다 자여불

만-대엽【慢大葉】명〖악〗옛 가곡(歌曲)의 곡조 이름. 속도가 아주 느려서 사람들이 부르기를 꺼려, 조선 영조(英祖) 때에 없어짐. *중(中)대엽·삭(數)대엽

만:대 영화【萬代榮華】명 여러 대를 누리는 부귀와 공명.

만:대 유전【萬代遺傳】명 만대를 두고 전하여 내려옴. 오래도록 전하여 감. ——하다 자여불

만:덕[1]【萬德】명 많은 덕행(德行). 많은 선행(善行).

만:덕[2]【萬德】명〖사람〗신라 진흥왕 때의 무용가. 왕명(王命)으로 우륵(于勒)에게서 무용을 배움. [?-?]

만:덕-봉【萬德峰】명〖지〗강원도 강릉시(江陵市)에 있는 산. [1,033m]

만:덕-전【萬德傳】명 조선 정조(正祖) 때의 문신 채제공(蔡濟恭)이 지은, 제주(濟州) 여인 만덕(萬德)의 선행(善行)을 기록한 작품.

만델라〔Mandela, Nelson Rolihlahia〕명〖사람〗남아프리카의 흑인 지도자. 남아프리카 공화국의 흑인 해방 조직인 아프리카 민족 회의(ANC) 의장. 1952년 흑인 변호사로서 요하네스버그에서 개업, 반(反)인종 차별 정책 운동에 나섬. 1962년 체포된 후 반역죄 등의 혐의로 종신형을 선고받고 복역하다가 정치 협상의 결과 1990년 석방됨. 남아프리카 공화국에 민주적인 정치 질서를 세우는 데 초석을 다진 공로로 대통령 데 클레르크와 공동으로 1993년 노벨 평화상을 수상함. [1918-]

만뎅이 명〈방〉산봉우리(경북).

만뎡 의명〈옛〉망정. ¶님과 나와 어러 주글만뎡《樂詞 滿殿春別詞》.

만:도[1]【晩到】명 늦게 옴. ——하다 자여불

만:도[2]【晩稻】명 늦벼. 만화(晩禾).

만:도[3]【晩禱】명 기독교에서, 저녁 기도를 이름.

만:도[4]【滿都】명 온 장안.

만도람이 명〈옛〉맨드라미. ¶이 만도람이 빗체 四花슈흔 거스른더그레 짓고(這鷄冠紅綉 四花做搭護)《朴解 中 54》.

만도리 명〖농〗 볏논의 마지막 김매기. *만물. ——-하다 자여불

만돌로네 〔이 mandolone〕명 만돌린보다 2 옥타브가 낮은 동종(同種)의 발현 악기(撥絃樂器).

만돌린 〔mandoline〕명 현악기의 한 가지. 비파같이 생긴 것으로 강철제의 현(絃)이 네 쌍 있으며 별갑(鼈甲) 또는 셀룰로이드로 만든 픽으로 탄주함. 트레몰로(tremolo) 주법(奏法)이 특색임. 독주·합주·반주용으로 널리 사용함.

〈만돌린〉

만:동[1]【晩冬】명 늦겨울. 잔동(殘冬).

만동[2]【蠻童】명 만족(蠻族)의 아이.

만:동-묘【萬東廟】명〖지〗 송시열(宋時烈)의 유명(遺命)으로 그의 제자 권상하(權尙夏)가 임진 왜란 때 도와준 중국 명(明)나라 신종(神宗)·의종(毅宗)을 위하여 숙종(肅宗) 30년(1704), 충청 북도 청주 화양동(淸州華陽洞)에 세운 사당(祠堂). 대원군(大院君)이 서원을 철폐할 때 노론(老論)의 본거지로 지목하여, 이를 제일 먼저 없앤 일이 있음.

만두[1]【饅頭】명 밀가루를 반죽하여 소를 넣고 둥글게 빚어서 삶거나 찌거나, 기름에 지져서 만든 음식. 절식(節食)으로 많이 해 먹는데, 떡국에 넣기도 하고 만두국을 만들어 먹기도 함.

만두[2]【灣頭】명 만(灣)의 가장자리.

만두-과【饅頭菓】명 유밀과(油蜜菓)의 한 가지. 밀가루 같은 것을 꿀물에 반죽하여 잘게 썬 대추에 계피 가루를 섞은 소를 넣고 만두 모양으로 빚어서 기름에 띄워 지져 만듦.

만두레 명〖악〗 전남 지방에서, 세 벌 김매기를 마치고 벼가 가장 잘 된 집의 머슴을 소나 사다리 위에 태워 농악을 울리며 즐기는 놀이.

만두리 명〖농〗 ☞ 만도리.

만두 사주【灣頭砂洲】명 〔bay head bar〕〖지〗 만(灣)의 머리 쪽 해안(海岸) 가까이에 생기는 사주.

만두-소【饅頭―】명 만두의 속에 넣는 고명. 고기·두부·배추·김치·숙주 같은 것을 난도질하여 양념을 쳐서 한데 버무려 만듦.

만두소 찌개【饅頭―】명 만두소를 넣고 끓인 찌개. 흔히 잣을 넣어 끓임.

만두 전:골【饅頭煎骨】명 만두를 넣고 지진 전골.

만두-피【饅頭皮】명 만두를 빚을 때에 만두소를 놓고 싸는, 밀가루 반죽의 얇은 반대기.

만둣-국【饅頭―】명 만두를 넣어서 끓인 국.

만뒤 명〈방〉 만두(饅頭)(함남).

만:득【晩得】명 ①늙어서 자식을 낳음. 만생(晩生). ②만득자(晩得子). ——-하다 타여불

【만득이 북 짊어지듯】 짊어진 물건이 둥글고 크며 보기에 매우 불편해 보이는 형상을 두고 이르는 말.

만:득-자【晩得子】명 늙어서 낳은 자식. 만득(晩得).

만들다 ㊀타 〔중세 : ᄆᆡᆼᄀᆞᆯ다. ᄆᆡᆼᄃᆞᆯ다〕 ①기술·힘 등을 들여 목적하는 사물을 이루다. ¶ 장난감을 ～ / 비행기를 ～. ②글·노래 따위를 짓거나 문서 같은 것을 짜다. ¶ 문장을 ～ / 보고서를 ～. ③지금까지 없었던 것을 새로 장만하여 내다. ¶ 규칙을 ～. ④책을 짓거나 엮다. ¶ 문집을 ～ / 앨범을 ～. ⑤무엇이 되게 하다. ¶ 사람을 병신을 ～. ⑥허물·상처 따위를 생기게 하다. ¶ 상처를 ～ / 흠집을 ～. ⑦모임·단체 따위를 조직하다. ¶ 친목회를 ～ / 기념 사업회를 ～. ⑧돈을 마련하다. ¶ 경비를 ～ / 밑천을 ～. ⑨틈·짬·시간 등을 짜내다. ¶ 기회를 ～ / 틈을 만들어 놀러 가겠다 / 짬을 ～. ⑩말썽·일 등을 일으키거나 꾸미어 내다. ¶ 일거리를 ～ / 없는 말을 만들어 내다. ⑪조사 '으로, 로' 다음이나 모양·정도를 나타내는 부사 다음에 쓰이어, 그렇게 되게 함을 나타내는 말. ¶ 자식을 의사로 ～ / 우리를 쓸쓸하게 만드는 일. ㊁보동 어미 '-게, -도록'의 아래에 붙어서, 그 동작이나 상태가 이루어지게 함을 나타내는 말. ¶ 방이 덥게 ～ / 일이 잘 되게 ～ / 꼼짝 못 하도록 ～.

만듦-새 〔―듬―〕명 물건의 만들어진 짜임새 또는 본새. ¶ ～가 날림이다.

만:등【萬燈】명 ①수많은 등불. ②↗만등회(萬燈會).

만:등 공:양【萬燈供養】명〖불교〗 만등회(萬燈會).

만:등-회【萬燈會】명〖불교〗 참회(懺悔)와 멸죄(滅罪)를 위해 만등을 켜고 부처님께 공양(供養)하는 법회(法會). 만등 공양. ㊕만등(萬燈).

만딩고〔Mandingo〕명〖인류〗 아프리카 서부의 기니에 거주하는 종족. 키가 크고 피부가 검으며 장두형(長頭形)인데 머리털은 곱슬곱슬함.

만ᄃᆞ라미 명〈옛〉〖식〗 맨드라미. ¶ 만ᄃᆞ라미씨(靑箱子) ≪東醫≫.

만ᄃᆞ아미 명〈옛〉〖식〗 맨드라미. ¶ 만ᄃᆞ아미풀(鷄冠草) ≪經驗方≫.

만딱 부〈방〉 모두(제주).

만:란【漫瀾】〔말―〕명 너무 멀어 아득한 모양. 끝없이 먼 모양. ——-하다 형여불

만:래【晩來】〔말―〕명 늙은 뒤. 노래(老來).

만:량【晩涼】〔말―〕명 저녁때의 서늘한 기운. 또, 낮의 더위가 가시고 서늘해진 저녁때.

만려[1]【曼麗】〔말―〕명 살결이 곱고 아름다움. ——-하다 형여불

만:려[2]【萬慮】〔말―〕명 여러 가지로 생각함. 또, 그 생각. ——-하다 자여불

만:력[1]【萬曆】〔말―〕명 ①↗만세력(萬歲曆). ②〖역〗 중국 명(明)나라 신종(神宗)의 치세 연호(治世年號). [1573-1619]

만력[2]【蠻力】〔말―〕명 거친 완력(腕力). 무분별한 용기.

만:력-요【萬曆窯】〔말―뇨〕명 중국 명(明)나라 만력 연간(萬曆年間)에 징더전(景德鎭)의 관요(官窯)에서 구워낸 다채 섬교(多彩纖巧)한 자기(瓷器). 또, 그 요(窯).

만:력-제【萬曆帝】〔말―〕명〖사람〗 중국 명(明)나라 신종(神宗)을 그 연호(年號)로 일컫는 제호(帝號).

만:록【漫錄】〔말―〕명 만필(漫筆)로 된 기록. 산록(散錄).

만:록 총중 홍일점【萬綠叢中紅一點】〔말―쩜〕구 ①많은 푸른 잎 가운데 단 하나의 붉은 꽃, 곧 석류(石榴) 같은 것을 가리키는 말. ②많은 남자 가운데에 단 한 사람의 여자가 섞여 있는 것을 가리키는 말. ③많은 것중에 단 하나가 훌륭함을 가리키는 말. ㊕홍일점(紅一點).

만:뢰[1]【萬雷】〔말―〕명 백뢰(百雷).

만:뢰[2]【萬籟】〔말―〕명 바람에 날리어, 여러 가지 물건에서 나는 온갖 소리. 중뢰(衆籟). ¶ ～는 고요히 쥐죽은 듯한데….

만:뢰 구적【萬籟俱寂】〔말―〕명 밤이 이슥하여 모든 소리가 그쳐 아주 고요해짐. ——-하다 자여불

만료【滿了】〔말―〕명 기한이나 한도가 차서 끝남. ¶ 임기 ～. ——-하다 자여불

만료-점【滿了點】〔말―쩜〕명〖법〗 기간의 계산이 끝나는 시점(時點). 연(年)·월(月)·일(日) 또는 시(時)·분(分) 등을 한계로 하여 정함. 말일(末日)의 종료(終了)라 함은 말일의 오후 12시가 경과함을 말하며, 말일이 공휴일일 때는 그 다음날로 됨. ↔기산점(起算點).

만:루【滿壘】〔말―〕명 야구에서, 1·2·3루에 주자(走者)가 차 있는 일. 풀 베이스(full base). ¶ 무사(無死) ～의 위기를 맞다. ——-하다 자여불

만류[1]【挽留】〔말―〕명 붙들고 말림. 못 하게 말림. 만주(挽住). 만지(挽止). 만집(挽執). ¶ 아무리 ～해도 듣지 않는다. ——-하다 타여불

만:류[2]【萬留】〔말―〕명 만물(萬物).

만류[3]【灣流】〔말―〕명 〔Gulf Stream〕〖지〗 '멕시코 만류(Mexico灣流)'의 일컬음.

만류-계【灣流系】〔말―〕명〖지〗 북미(北美) 동쪽 해안의 난바다를 흐르는, 플로리다 해류·만류·북대서양 해류의 총칭.

만류 반:류【灣流反流】〔말―발―〕명 〔Gulf Stream countercurrent〕〖해〗 ①멕시코 만류와 역방향으로 흐르는 표면류(表面流). 사르가소 해(Sargasso海) 쪽에 있는 해류 성분과 보다 약한 연안(沿岸) 쪽의 성분으로 구성됨. ②예보되고는 있으나 아직 관측되지 않은 대해류(大海流). 멕시코 만류의 심부(深部)를 만류와 반대 방향으로 흐르는 것으로 여겨지고 있음.

만류 프론트【灣流―】〔말―〕명 〔Gulf Stream front〕〖해〗 멕시코 만류의 횡단면을 명시하는 수평 온도 구배(水平溫度勾配).

만:륙 유경【萬戮猶輕】〔말―뉴―〕명 죄악이 지극히 큼. 곧, 만 번 죽여도 그 벌이 아직 가볍다는 뜻. 만사(萬死) 유경. ——-하다 형여불

만:리[1]【萬里】〔말―〕명 ①천리(千里)의 열 갑절. ②매우 먼 거리. ¶ ～ 타향(他鄕)/구(九)～ 장천에 너도 날고 저도 난다.

만:리[2]【鰻鱺】〔말―〕명〖어〗 뱀장어.

만:리-경【萬里鏡】〔말―〕명 망원경(望遠鏡).

만:리-교【萬里橋】〔말―〕명〖지〗 중국 쓰촨 성(四川省) 청두(成都)의 서쪽, 화양 현(華陽縣) 남쪽 환화시(浣花溪)에 놓여 있는 다리. 근처에 당(唐)나라의 시성(詩聖) 두보(杜甫)의 초당(草堂)이 있음.

만:리 동풍【萬里同風】〔말―〕명 천하가 통일되어 풍속이 같아짐.

만:리 변성【萬里邊城】〔말―〕명 멀리 떨어진 국경 부근의 성.

만:리-수【萬里愁】〔말―〕명 끝없이 스며드는 시름.

만:리-어【鰻鱺魚】〔말―〕명〖어〗 뱀장어.

만:리 옥야【萬里沃野】〔말―〕명 끝없이 멀고 넓은 기름진 들판.

만:리 장서【萬里長書】〔말―〕명 아주 긴 글. ¶ ～로 호소하다.

만:리 장설【萬里長舌】〔말―〕명 퍽 장황하게 늘어놓는 말.

만:리 장성【萬里長城】〔말―〕명〖지〗 중국의 북쪽에 있는 긴 성. 허베이 성(河北省) 산하이관(山海關)에서 간쑤 성(甘肅省) 자위관(嘉峪關)에 이름. 춘추 전국 시대에 연(燕)·제(齊)·조(趙)·위(魏)가 변경을 막기 위하여 일부 쌓은 것을 뒤에 진(秦)의 시황제(始皇帝)가 흉노(凶奴)의 침입을 막기 위하여 크게 증축하여 만리 장성이라 이름지었음. 현재의 것은 명대(明代)에 정비된 것임. 장성(長城). 중국음 : 완리창청. [2,400 km]

【만리 장성을 써 보낸다】 편지를 매우 길게 써 보냄을 말함.

만:리 장천【萬里長天】〔말―〕명 아주 높고 넓은 하늘. 구만리 장천(九萬里長天).

만:리 전정【萬里前程】〔말―〕명 젊은이의 희망에 찬 긴 앞길을 비유해서 하는 말. ¶ ～이 아깝다.

만:리지-임【萬里之任】〔말―〕명 먼 지방에 나가서 맡아 보는 임무. 「먼 지방의 관직.

만:리 창파【萬里滄波】〔말―〕명 끝없이 넓은 바다. 만경 창파(萬頃滄波).

만:리 타국【萬里他國】〔말―〕명 멀리 떨어져 있는 다른 나라. ¶ 낯설고 물선 ～에서 고생하다.

만:리포 해:수욕장【萬里浦海水浴場】〔말―〕명〖지〗 충청 남도 태안군(泰安郡) 소원면(所遠面) 포항리(浦項里)에 있는 해수욕장.

만:리-화【萬里花】〔말―〕명〖식〗 〔*Forsythia ovata*〕 물푸레나뭇과의 낙엽 활엽 관목. 잔가지의 수(髓)는 갈색이고 계단상(階段狀)이며, 잎은 넓은 달걀꼴임. 3-4 월에 잎이 나기 전에 노란 꽃이 액생(腋生)하여 핌. 과실은 삭과(蒴果)로 10 월에 익음. 골짜기에 나는데, 금강산(金剛山)·설악산(雪嶽山)·구월산(九月山) 등지에 야생하는 한국 특산종으로 관상용임.

만:리-후【萬里侯】〔말―〕명 왕도(王都)에서 멀리 떨어진 곳에 봉한 제후.

만:릿-길【萬里―】〔말―〕명 아주 먼 길.

【만릿길도 한 걸음으로 시작된다】 ㉠아무리 큰 일도 작은 일로부터 비롯된다는 뜻. ㉡훌륭하게 된 인물도 그 근본을 캐어 보면 범인과 별다름없으나 노력한 결과로 그리 되었다는 말. '낙락 장송도 근본은 종자'와 같은 뜻.

만마【輓馬】명 수레를 끄는 말.

만:만[1]【萬萬】㊀명 ①만의 만 배. 일 억(一億). ②아주 수가 많은 일. ③썩 뛰어남. ㊁부 ①썩. 충분히. 참으로. 아주. ②결코. 설마.

만:만[2]【滿滿】명 ①가득 참. ¶ 자신 ～. ②부족함이 없이 아주 넉넉한 모양. ——-하다 형여불. ——-히 부

만:만[3]【漫漫】명 ①멀고 지루한 모양. ②구름이 길게 낀 모양. ③한가

로운 모양. ④넓고 끝이 없는 모양. ⑤매우 느린 모양. ——-하다 형여불. ——-히 부

만:만 다행【萬萬多幸】명 아주 다행함. 천만 다행(千萬多幸). ——-하다 형여불

만만-더기 명〈방〉만만쟁이.

만만-디[중 慢慢的] 부 천천히. 느리게.

만:만 부당【萬萬不當】명 조금도 이치에 합당치 아니하고 아주 얼토당토 않음. 천만 부당(千萬不當). 천부당 만부당. ——-하다 형여불

만:만 불가【萬萬不可】명 아주 옳지 않음. 천만 불가(千萬不可). ——-하다 형여불

만:-만세【萬萬歲】감 만세를 한층 강조하여 부르는 말.

만만-쟁이 명 세력이 없거나 못나서 남에게 만만하게 보이는 사람.

만만-찮다[—찬타] 형 ↗만만하지 아니하다. ¶ 만만찮은 사람. [만만찮기는 사돈 안방] 자유롭지 못하고 거북함을 일컬음.

만:만 출세【萬萬出世】[—쎄] 명〘불교〙순서를 따라 여러 부처가 이 세상에 태어나는 일. ——-하다 자여불

만:만 파파식적【萬萬波波息笛】명〘악〙신라 효소왕(孝昭王) 때 만파식적(萬波息笛)의 고친 이름.

만만-하다 형여불 ①연하고 보드랍다. ②우습게 보이다. 마음대로 대할 수 있어 보이다. 1)·2):〈큰문하다. 만만-히 부. ¶ ~ 볼 수 없는 상대. [만만한 년은 제 서방 굿도 못 본다] 사람이 변변치 못하면 응당 제가 차지해야 할 것까지도 못 잡고 놓치게 된다는 뜻. [만만한 놈은 성도 없나] 사람은 다 인격(人格)을 가지고 있는 것이니 만만하다고 업신여기지 말라는 뜻. [만만한 데 말뚝 박는다] 세력이 없는 사람을 업신여기고 구박한다는 말. [만만한 싹을 봤나] 왜 사람을 무시하느냐고 항거하는 말.

만:망¹【晩望】명 해질녘의 조망(眺望).

만:망²【萬望】명 정성으로 바람. 꼭 바람. ——-하다 타여불

만:매【漫罵】명 만만히 여기어 함부로 꾸짖음. ——-하다 타여불

만맥【蠻貊】명 만(蠻)과 맥(貊). 곧, 중국 남쪽과 북쪽의 오랑캐.

만맥지-방【蠻貊之邦】명 개명(開明)하지 못한 만맥의 나라.

만:면【滿面】명 ①온 얼굴. ¶ ~에 웃음을 띄우고. ②온 얼굴에 가득히 차 있음. ¶ 희색이 ~하다. ——-하다 형여불

만:면 수색【滿面愁色】명 얼굴에 가득 찬 수심의 빛.

만:면 수참【滿面羞慚】명 부끄러워하는 빛이 온 얼굴에 가득 차 있음. 또, 그 부끄러워하는 빛. ——-하다 형여불

만:면 희:색【滿面喜色】[—히—] 명 얼굴에 가득히 차 있는 기쁜 빛.

만:명【萬明】명 ①〘사람〙김유신(金庾信)의 어머니의 이름. ②〘민〙무당이 김유신 어머니를 신격화(神格化)하여 위하는 신. 말명.

만:모¹【晩暮】명 ①해질 무렵. 저녁때. ②인생의 만년(晩年). 노년. 노경(老境).

만모²【慢侮·謾侮】명 오만한 태도로 남을 업신여김. ——-하다 타여불

만:목¹【萬目】명 많은 사람의 눈. 많은 사람이 지켜 봄. ¶ ~ 소시(所視).

만목²【蔓木】명〘식〙덩굴나무. *만초(蔓草).

만:목³【滿目】명 ①눈에 가득 차 보임. ②눈에 보이는 데까지의 한계. 절목(絶目). ——-하다 형여불

만:목 소연【滿目蕭然】명 눈에 띄는 모든 것이 쓸쓸함. ——-하다 형여불

만:목 수참【滿目愁慘】명 눈에 보이는 것이 모두 시름겹고 참혹함. ——-하다 형여불

만:목 황량【滿目荒涼】[—냥] 명 눈에 띄는 것마다 모두 거칠고 처량함. ——-하다 형여불

만몽【滿蒙】명〘지〙만주와 몽고(蒙古).

만:무【萬無】명 결코 없음. 전혀 없음. ¶ 그럴 리가 ~하다. ——-하다 형여불

만:무방 명 염치가 없는 악한. 막되어 먹은 사람.

만:무 시:리【萬無是理】명 결코 그럴 리가 없음. ——-하다 형여불

만:무 일실【萬無一失】[—씰] 명 결코 실패한 적이 없음. 결코 실패할 염려가 없음. 만불실일(萬不失一).

만:문¹【漫文】명 ①수필(隨筆). ②사물의 특징을 과장하여 우습고 재미있게 가벼운 필치(筆致)로 쓴 글. 만필(漫筆). *만화(漫畫).

만문²【滿文】명 만주 문자(滿洲文字).

만:문³【漫問】명 생각나는 대로 아무렇게나 함부로 물음. ——-하다 타여불

만-물¹ 명〘농〙①그 해의 벼농사에서 끝막음으로 하는 논매기. ②논에 난 잡초를 맨 나중에 손으로 훔치어 없애는 일. *만도리. ——-하다 자여불

만:물²【萬物】명 세상에 있는 온갖 물건. 만류(萬留). 만유(萬有). 조물(兆物). ¶ ~의 영장/천지 ~.

만:물 박사【萬物博士】명 여러 방면에 박식한 사람.

만:물-상¹【萬物相】[—쌍] 명 ①〘지〙금강산(金剛山)에 있는 암산(岩山). 바위가 기묘하게 온갖 모양을 하고 있어 기관(奇觀)임. 만물초(萬物肖). ②〈속〉곰보.

만:물-상²【萬物商】[—쌍] 명 온갖 일용 잡화를 파는 장사. 또, 그 가게.

만:물 상점【萬物商店】명 온갖 일용 잡화를 파는 가게.

만:물 유:생론【萬物有生論】[—논] 명〘철〙물활론(物活論).

만:물 유전【萬物流轉】[—류—] 명 만물은 유전 변화하여 무궁함.

만:물지-령【萬物之靈】명 ①만물지영장(萬物之靈長). ②온갖 물건의 정령(精靈).

만:물지-영장【萬物之靈長】명 만물 가운데 가장 영지(靈知)가 있고 으뜸간다는 뜻으로 인류(人類)를 말함. 만물지령. 만물지장.

만:물지-장【萬物之長】명 만물지영장.

만:물지-중【萬物之衆】명 온갖 것.

만:물-초【萬物肖】명 만물상(萬物相)❶.

만:물-탕【萬物湯】명 어육과 채소 등 여러 가지 재료를 넣고 끓인 국.

만:미【滿尾】명 종국(終局). 대미(大尾).

만:민【萬民】명 모든 백성. 만성(萬姓). 역서. 조서(兆庶). 증민(蒸民).

만:민 공:동회【萬民共同會】명〘역〙조선 시대 말기 1898년에 서울에서 열린 민중 대회. 독립 협회(獨立協會)가 주관하여 개최한 것과, 이에 자극을 받아 민중이 자발적으로 조직한 것의 두 가지로 구분할 수 있음. 3월에는 이 대회의 개최로 러시아의 침략 의도를 저지하였고, 10월에는 관민 합동의 개혁안 6조를 정부에 건의하였으며, 그 후도 독립 협회를 모함하여 혁파케 한 오흉(五凶)의 처벌과 개혁안 6조의 실시, 독립 협회의 복설 등을 줄기차게 주장하는 등 민중에 의한 근대 민족주의와 민주주의 개혁 운동의 하나의 이정표를 세웠음.

만:민-법【萬民法】[—뻡] 명〔라 jus gentium〕〘법〙로마가 지중해에 군림했던 로마법사(Roma 法史)의 제 2기에, 로마 시민권(市民權)이 없는 외인(外人)에게도 적용한 법률. 그 내용은 주로 거래법(去來法)인데, 형식 엄격주의 시민법(市民法)과 대치되는 무방식(無方式)주의로, 세계적인 의의를 가지는 로마 채권법(債權法)의 중핵(中核)을 이루고 있음. ↔시민법.

만:반¹【萬般】명 빠짐없이 전부. 갖출 수 있는 모든 것. ¶ ~의 준비.

만:반²【滿盤】명 소반이나 상위에 차려 놓은 것이 가득함. ——-하다 형여불

만:반 진수【滿盤珍羞】명 소반이나 상에 가득히 차린 귀하고 맛있는 음식.

만:발¹【晩發】명 병이 중년 이후에 나타남. 또는 이환(罹患) 후 어떤 기간을 경과하여 늦게 나타남. 만발성(晩發性) 정신 분열증·만발성 선천 매독(先天梅毒) 등. ——-하다 자여불

만:발²【滿發】명 많은 꽃이 활짝 다 핌. 만개(滿開). ¶ 진달래가 ~하다. ——-하다 자여불

만:발-성【晩發性】[—썽] 명〘의〙어떤 병이나 증상이 매우 늦게 나타나는 성질.

만:발 공:양【萬鉢供養】명〘불교〙많은 바리때에 밥을 수북수북 담아 대중에게 베푸는 공양. ——-하다 자여불

만:발 효:과【晩發效果】명〔late effect〕방사선(放射線)을 쬔 후, 수년 내지 수십 년이 지나서 비로소 증상이 나타나는 방사선 장애(障礙).

만:방¹【萬方】명 모든 방면. 모든 곳. 마음과 힘이 쓰이는 여러 군데.

만:방²【萬邦】명 모든 나라. 여러 나라. 만국(萬國). 만역(萬域).

만:방³【萬放】명 바둑에서, 이긴 집수가 91집 이상일 때의 일컬음.

만:-백성【萬百姓】명 모든 백성. 전체 민중(民衆).

만:-벌탕 명〘광〙감돌 위에 있는 버력을 모두 파내는 일.

만:범【滿帆】명 바람이 돛에 차서 가득함. ——-하다 형여불

만:범 순:풍【滿帆順風】명 순풍을 받아 돛에 바람이 가득함.

만:법【萬法】명 ①〘불교〙우주 간의 온갖 법도. 물질 및 정신적인 일체(一切)의 존재. 제법(諸法). ②모든 법률이나 규칙.

만:법 귀일【萬法歸一】명〘불교〙천칠백 가지 공안(公案) 가운데의 한 가지. 모든 것이 필경에는 한군데로 돌아간다는 뜻. ——-하다 자여불

만:법 일여【萬法一如】명〘불교〙만법이 귀착(歸着)하는 곳은 공(空)·진여(眞如)로 일체(一體)라는 말.

만:벽【滿壁】명 그림 등이 걸리거나 붙여져 벽에 가득함. ——-하다 형여불

만:벽 서화【滿壁書畫】명 벽에 가득하게 걸리거나 붙여진 글씨와 그림.

만:변【萬變】명 가지가지로 변함. 만화(萬化). 천변 만화(千變萬化). ——-하다 자여불

만:별【萬別】명 가지가지의 차별(差別). ¶ 천차(千差) ~.

만:병【萬病】명 온갖 병. 백병(百病). ¶ ~의 근원(根源).

만:병-초【萬病草】명〘식〙[*Rhododendron fauriei* var. *rufescens*] 철쭉과에 속하는 상록 활엽 관목. 잎은 타원형으로 톱니가 없으며 거의 바깥쪽으로 말리고 혁질(革質)인데 잎 뒤에 성상모(星狀毛)가 밀생함. 7월에 흰 꽃이 산방(繖房) 화서로 정생하고 삭과(蒴果)는 9월에 익음. 고산의 숲 속에 나는데, 한국 및 일본에 분포함. 관상용임. 잎은 '만병엽(萬病葉)'이라 하여 약재로 씀. 석남(石南).

〈만병초〉

만:병 통치【萬病通治】명 여러 가지 병을 고칠 수 있음. 약이 모든 병에 효력이 있음. ——-하다 자여불

만보¹ 명 노동판에서 인부에게 한 가지의 일을 할 때마다 한 장씩 주어, 나중에 그 수에 따라 삯을 치르게 된 표쪽.

만:보²【萬寶】명 많은 보물.

만:보³【漫步】명 한가롭게 슬슬 걷는 걸음. 만행(漫行). ——-하다 자여불

만보⁴【瞞報】명 속여서 거짓 보고함. 또, 그 보고. 무보(誣報). ——-하다 타여불

만:보-당【萬步幢】명〘역〙통일 신라 시대에 구주(九州)에 배치된 군대. 주마다 2개씩 있었음.

만:보산 사:건【萬寶山事件】[—껀] 명〘역〙완바오 산 사건(萬寶山事件).

만:복¹【晩福】명 늘그막에 누리는 복. 말복(末福).

만:복²【萬福】명 여러 가지 복. 온갖 복록(福祿). 백복(百福). ¶ 소문(笑門) ~래(來).

만:복³【滿腹】명 ①잔뜩 부른 배. ②배가 잔뜩 부름. ——-하다 자여불

만:복 경륜【滿腹經綸】[—뉸] 명 마음 속에 가득찬 경륜.

만:복-대【萬福臺】명〘지〙전라 남도 구례군(求禮郡)과 전라 북도 남원군(南原郡) 사이에 있는 산. 소백 산맥 중의 한 고산(高山)임. [1,437m]

만:복-소【萬福所】명〘천주교〙천당.

만:부¹【萬夫】명 ①많은 사내. 많은 장정. ②많은 사람.

만부²【灣府】명〘지〙평안 북도 '의주(義州)'의 옛이름.

만:부교 사:건【萬夫橋事件】[—껀] 명〘역〙고려 태조(太祖) 때, 거란(契丹)이 고려와의 친선 외교 관계를 맺고자 사신 30여 명과 낙타 50필을 보내 왔으나, 이를 거절하여 사신은 해도(海島)로 귀양보내고, 낙타는 개성 만부교 밑에서 굶어 죽게 한 사건.

만:-부당【萬不當】명 도무지 이치에 맞지 않음. 천만 부당. 천부당 만부당. ——-하다 형여불

만:부당 천부당【萬不當千不當】명 천부당 만부당. ——-하다 형여불
만:-부득이【萬不得已】부 하는 수 없이. 부득이. ——-하다 형여불
만:부-병【晩腐病】[—뼝] 명 과수병(果樹病)의 하나. 사과·배·포도 등이 성숙하기 직전에 과실 표면에 적갈색의 반점이 생기며 썩어 떨어지는 병. 자낭균류(子囊菌類)에 속하는 곰팡이의 기생에 의하여 생겨 「남.
만:부 부당【萬夫不當】명 많은 사람으로도 당해 내지 못함.
만:부 부당지용【萬夫不當之勇】명 많은 사람으로도 당해 낼 수 없는 용기. 또는, 용맹.
만:부지-망【萬夫之望】명 ①천하 만인이 우러러 사모함. 또, 그 사람. ②만인이 바라는 바.
만:분[1]【萬分】명 ①대단함. ②만으로 나눔. 「일.
만:분[2]【滿分】명〖불교〗보살의 수행이 원만하여 부처의 지위로 오르는
만:분-가【萬憤歌】명〖문〗조선 연산군 때 조위(曺偉)가 지은 가사(歌辭). 무오 사화(戊午士禍)로 전라 남도 순천(順天)에 유배되었을 때 지은 것으로, 누구에게도 호소할 길 없는 비분을 옥황(玉皇)에게 하소연하는 심정을 읊었음. 유배 가사의 효시가 되었음. 「형여불
만:분 다행【萬分多幸】명 뜻밖에 일이 잘되어 매우 다행함. ——-하다
만:분 위중【萬分危重】명 병세(病勢)가 무거워 대단히 위태함. ——-하다 형여불
만:분지-일【萬分之一】명 ①만으로 나눈 그 하나. ②아주 적은 경우를 일컫는 말. 「——-하다 형여불
만:-불근:리【萬不近理】[—글—] 명 이치와는 전연 비슷하지도 않음.
만:-불성설【萬不成說】[—썽—] 명 도무지 말이 말답지 않은 이야기.
만:-불성양【萬不成樣】[—썽—] 명 도무지 꼴이 갖추어지지 못함. ——-하다 형여불
만:-불실일【萬不失一】[—씰—] 명 조금도 과실이 없음. 조금도 틀림이 없음. 만무 일실(萬無一失).
만:불 향도【萬佛香徒】명〖역〗고려 인종(仁宗) 때의 향도. 승려와 세속 신자로 결성되어, 염불과 독경을 주로 한 듯함.
만-비풍【慢脾風】명〖한의〗어린아이가 경풍(驚風)에 걸려서, 잘 먹지 못하며 몹시 쇠하여 자몽(自懞)에 빠지는 병.
만빙【灣氷】명 [bay ice]〖해〗판상(板狀)이며 연빙(軟氷)이지만, 배의 항해를 방해하는 데 충분한 두께의 해빙(海氷).
만싼 조〈옛〉만큼. 쯤. ¶이만싼 양에 이런 큰 갑슬 바드려 ᄒᆞ면(這些羊討這般大低錢)《老乞 下 20》.
만:사[1]【萬死】명 ①〖한의〗아무리 해도 구해 낼 수 없고 정신이 혼몽(昏懞)하여지는 병. ②아무리 해도 목숨을 건질 수 없음. 목숨을 내던짐.
만:사[2]【萬事】명 여러 가지 일. 모든 일. 백사(百事). ¶~ 휴의(休矣).
【만사는 불여 튼튼】무슨 일이나 튼튼히 하여야 된다는 말.
만사[3]【輓詞】명 죽은 사람을 애도(哀悼)하는 글. 만장(輓章).
만사니요 [Manzanillo] 명〖지〗①쿠바의 남동부, 카리브 해안에 있는 항구 도시. 제당·담배·제재 등의 공업이 행해짐.[125,000명(1981추계)] ②멕시코의 서남부, 태평양안의 항구 도시. 관광·정양지로 알려져 있으며, 제당·제재·식품 가공업이 성함.[21,000명(1981 추계)]
만:-사대【萬斯大】명〖사람〗중국 청나라의 경학자(經學者). 자는 충종(充宗). 저장 성(浙江省) 출생. 널리 여러 경(經)과 선유(先儒)의 주소(注疏)를 숙독하고 고증하였음. 저서에 《학춘추 수필(學春秋隨筆)》·《학례 질의(學禮質疑)》·《예의상(禮儀商)》 등이 있음. [1633-83]
만:-사동【萬斯同】명〖사람〗중국 청나라 때의 사학자. 자는 계야(季野), 호는 석원(石園). 만사대(萬斯大)의 아우. 명대(明代)의 역사에 정통하고 사국(史國)에 참여하여 《명사고(明史稿)》의 편수에 종사함. 저서에 《역대사표(歷代史表)》·《석원 시문집(石園詩文集)》 등이 있음. [1638-1702] 「움.
만:사 무석【萬死無惜】명 만 번 죽어도 아깝지 아니할 만큼 죄가 무거 ——-하다 형여불
만:사 무심【萬事無心】명 ①근심 걱정으로 모든 일에 아무 경황이 없음. ②흐리멍덩하여 일에 정신을 쓰지 아니함. ——-하다 형여불
만:사 여생【萬死餘生】명 꼭 죽을 고비를 면하여 살게 된 목숨.
만:사 여의【萬事如意】[—/—이] 명 온갖 일이 뜻과 같이 됨. ——-하다 형여불
만:사 와해【萬事瓦解】명 모든 일이 다 틀려 버림. ——-하다 자여불
만-사위[1] 명〖민〗탈춤에서, 두 팔을 위에서 좌우로 흔들어 거의 앉은 자세로까지 내렸다가 몸을 한껏 높이어 두 팔을 올리고 다시 내리는 사위.
만:-사위[2]【滿—】명 윷놀이에서, 어떠한 말로도 상대편의 말을 잡을 수 있는 끗.
만:사 유경【萬死猶輕】명 만 번을 죽는다 해도 못 미칠 만큼 죄가 무거움을 일컫는 말. 만륙 유경(萬戮猶輕).
만:사 태평【萬事太平·萬事泰平】명 ①모든 일에 근심 걱정이 없음. ②어리석어서 모든 일에 아무 걱정이 없이 지냄을 비웃는 말. ——-하다 형여불 「여불
만:사 형통【萬事亨通】명 모든 일이 거리낌없이 잘됨. ——-하다 자
만:사 휴의【萬事休矣】[—/—이] 명 '더 손쓸 수단도 없고 모든 것이 끝장났다' '모든 일이 전혀 가망 없다'의 뜻.
만삭【滿朔】명 해산할 달이 참. 또, 그 달. 만월(滿月). *당삭(當朔)·산삭(産朔). ——-하다 자여불
만:산[1]【晩産】명 ①늙마에 낳음. ②〖의〗임신에 별다른 이상이 없이 그 지속(持續) 일수가 현저히 연장되며, 태아가 과대(過大)해지는 일. ↔조산(早産). ——-하다 자타여불
만:산[2]【滿山】명 ①온 산에 가득 참. ¶~ 홍엽(紅葉). ②〖불교〗절 전체. 또, 절에 있는 모든 중. ——-하다 자여불
만:산[3]【蹣跚】명 비틀거리며 걷는 걸음.
만:산-중【萬山中】명 몹시 깊은 산 속.

만:산 편:야【滿山遍野】명 산과 들에 가득히 덮여 있음. ——-하다 형여불 「있는 모양.
만:산 홍엽【滿山紅葉】명 단풍이 들어, 온 산의 나뭇잎이 붉게 물들어
만:살-창【滿—窓】명 창살의 격자가 가로 세로 촘촘한 창.
만삼【蔓蔘】명〖식〗[*Codonopsis pilosula*] 초롱꽃과에 속하는 다년생 만초(蔓草). 근경(根莖)은 곤봉(棍棒) 모양이고 잎은 호생하며 장병(長柄)의 달걀꼴임. 7-8월에 자색의 종상화(鐘狀花)가 잔가지 끝에 피고, 삭과(蒴果)는 원추형임. 깊은 산에 나는데, 한국 중부 이북에 분포함. 괴근(塊根)은 약용·식용으로 함. 「고 오래 저장할 수 있음.
만:-삼길【晩三吉】명 배의 품종(品種)의 하나. 과실이 크며, 소출이 많
만:상[1]【晩霜】명 늦봄에 내리는 서리. 늦서리.
만:상[2]【萬狀】명 온갖 형상.
만:상[3]【萬祥】명 온갖 상서(祥瑞)로운 일.
만:상[4]【萬象】명 온갖 물건의 드러난 형상. 만유(萬有). ¶삼라(森羅) ~.
만상[5]【灣商】명〖역〗조선 시대 후기(後期)에, 의주(義州) 사람으로서, 중국과 교역(交易)을 하던 큰 장수. 만고(灣賈). *송상(松商)·팔포(八包)·포삼 별장(包蔘別將).
만상 객주【灣商客主】명〖역〗만상, 곧 의주(義州) 상인을 상대로, 중국 상품의 위탁 판매 등을 목적으로 하는 객주. *보상(褓商) 객주.
만상 후:시【灣商後市】명〖역〗조선 시대 영조(英祖) 30년(1754)에 만상(灣商)에게만 허용한 책문 후시(柵門後市). 정조(正祖) 11년(1787)에 없앴다가 다시 동왕 19년(1795)에 재개되었음.
만새기 명〖어〗[*Coryphaena hippurus*] 만새깃과에 속하는 바닷물고기. 몸길이는 1-1.5m 가량으로 가늘고 길며 심히 측편하고 이마는 융기하였는데 수컷이 더 심함. 눈이 아주 크고 한 개의 등지느러미는 눈 위에서 시작하여 꼬리자루 근방에까지 이르며, 꼬리지느러미는 깊게 째졌음. 몸빛은 등 쪽은 고운 녹갈색이고 배 쪽은 황갈색이며 체측과 등쪽에 작은 흑점이 흩어져 있음. 외양(外洋)의 표면을 민첩하게 헤엄치면서 딴 물고기를 쫓는데 한국 원해 및 일본 중남부, 태평양·인도양·대서양의 온대와 열대에 분포함. 살은 희고 여름철에 맛이 좋음.

〈만새기〉

만새깃-과【—科】명〖어〗[Coryphaenidae] 농어목(目)에 속하는 한 과. 줄만새기·만새기가 이에 속하는데 비늘이 작고 둥글거나 창 모양이며, 등지느러미와 뒷지느러미에 명백한 가시가 없음.
만:색【晩色】명 저녁때의 경치. 만경(晩景). 모색(暮色).
만:생[1]【晩生】━ 명 ①늙어서 자식을 낳음. 만득(晩得). ②보통의 시기보다 늦게 생김. 또, 농작물 등이 늦게 성숙함. ¶~종(種). ↔조생(早生). ━ 인대 선배에게 대하여 자기를 낮추어 일컫는 말. ——-하다 타여불
만생[2]【蔓生】명 식물의 줄기가 덩굴져 남. ——-하다 자여불
만생 배주【彎生胚珠】명〖식〗배병(胚柄)과 직교(直交)하여, 모로 배병의 끝에 구부러져 붙은 배주. *직립(直立) 배주·도생(倒生) 배주.
만생 식물【蔓生植物】명〖식〗덩굴 식물.
만:생-자【晩生子】명 늙어서 낳은 자식. 만득자(晩得子).
만:생-종【晩生種】명 같은 식물 중에서 특별히 늦게 자라거나 익는 종류. 늦은씨. 준만종(晩種). ↔조생종(早生種).
만:서【萬緖】명 여러 가지 얼크러진 일의 실마리. 온갖 사정.
만서도 조 ☞ 마는. 만[13]. ¶사고는 싶다~. *지만서도.
만:석【萬石】명 곡식의 일만 섬. 썩 많은 곡식.
만:석-거【萬石渠】명〖지〗경기도 수원시(水原市) 송죽동(松竹洞)에 있는 조선 시대의 방죽. 정조(正祖) 때 축조되었으며, 오늘에도 용수원(用水源)으로 이용되고 있음. 길이 387m, 높이 4.8m, 저수(貯水) 면적 24.7ha. 「아주 큰 부자.
만:석-꾼【萬石—】명 벼 만 섬을 거두어 들일 만한 논밭을 가진 사람.
만:석-들이【萬石—】명 벼 만 석이 날 만한 땅의 넓이.
만:-석준【萬石俊】명〖사람〗조선 중엽의 개성의 중 이름. 지족 선사(知足禪師)라고도 불리었음.
【만석준이를 놀린다】명기(名妓) 황진이(黃眞伊)가 도승(道僧) 만석준을 파도(破道)시키고 희롱하였다는 데서 나온 말로, 남을 지나치게 희롱함을 일컫는 말.
만:선[1]【晩蟬】명 저녁에 우는 매미. 철 늦게 우는 매미.
만:선[2]【萬善】명 온갖 착한 일.
만:선[3]【滿船】명 ①어물(魚物) 등을 많이 잡아 배에 가득히 실음. 또, 그런 배. ②배에 여객이나 짐을 가득히 실음. 또, 그런 배.
만:선-기【滿船旗】명 출어했던 어선(漁船)이 귀항(歸港)할 때 어물(魚物)을 배 가득히 잡았다는 표시로 배에 다는 기(旗). ¶~를 올리고 항구로 들어오는 배.

〈만선두리〉

만:선-두리 명〖역〗벼슬아치가 겨울에 예복을 입을 때 머리에 쓰던 방한구(防寒具). 휘양과 비슷하게 생겼음.
만:성[1]【晩成】명 늦게야 이루어지거나 이룸.¶대기(大器) ~. ↔속성(速成). ——-하다 자타여불
만:성[2]【萬姓】명 ①온갖 성. ②모든 백성. 만민(萬民).
만성[3]【慢性】명 ①〖의〗갑자기 악화(惡化)되지도 않고 쉽사리 낫지도 않으며 오래 끄는 병의 성질. ¶~ 질환(疾患). ↔급성(急性). ②어떤 성질이 버릇이 되어 고치기 힘드는 일. ¶~화(化).
만성[4]【蔓性】명〖식〗덩굴성.
만성[5]【蠻性】명 야만스러운 성질.
만성 골수성 백혈병【慢性骨髓性白血病】[—쑤썽—뼝] 명〖의〗경과가 완만하여 언제 발병하였는지 알기 어려운 골수성 백혈병. 혈액 검사에

의하여 진단이 용이한데, 백혈구의 총수가 매우 증가해서 보통 십수만(十數萬) 또는 수십만(數十萬)을 헤아리게 됨. ＊골수성 백혈병.

만성 누:선염【慢性淚腺炎】[一념] 명 〖의〗 주로 결핵 또는 매독에 의해서 일어나는 만성의 누선염. 압통(壓痛)이 없는 종류(腫瘤)가 생김. ↔급성 누선염.

만성-병【慢性病】[一뼝] 명 〖의〗 급격한 증상을 나타내지도 아니하고 잘 낫지도 않으며 오래 끄는 병. 만성 질환. ↔급성병(急性病).

만:성-보【萬姓譜】 명 모든 성씨(姓氏)의 계보(系譜)를 모은 책.

만성 보:균자【慢性保菌者】 명 〔chronic carrier〕 〖의〗 병원체(病原體)를 장기적으로 보지(保持)하면서 전파(傳播)시키는 사람.

만성 비:형 간:염【慢性B型肝炎】 명 〖의〗 B형 바이러스에 의해 간에 생기는 염증성의 병. 제 2 종 법정 전염병의 하나.

만:성-성【晩成性】[一썽] 명 〔altricity〕 〖생〗 유소성(留巢性)인 새끼 새의, 비교적 늦게 성장하는 성질. ↔조성성(早成性). ＊유소성(留巢性).

만성 식물【蔓性植物】 명 〖식〗 덩굴 식물. 등본(藤本). 만생(蔓生) 식물.

만성 알코올 중독【慢性一中毒】〔alcohol〕 명 〖의〗 알코올의 장기적인 복용으로 일어나는 신체적인 중독 현상.

만성-적【慢性的】 명 관 만성인 모양. ¶ ～ 병폐.

만성적 불황【慢性的不況】 명 〖경〗 좀처럼 회복세에 오르지 아니하고 오래 끄는 불황. 기업 활동의 저조(低調)로 조업(操業)의 단축이 행하여지며, 만성적 실업자가 생겨남.

만성적 실업【慢性的失業】 명 〖사〗 만성적 불황에 대응(對應)하는 장기적(長期的)이고 고율적(高率的)인 실업. 경기적(景氣的) 실업 다음에 오는 것임. 구조적 실업. ＊마찰적 실업.

만성 전염병【慢性傳染病】[一뼝] 명 〖의〗 병원체(病原體)에 감염된 후 잠복기가 길고 경과가 완만한 전염병. 결핵·매독·임질·만성 피부병 등이 이에 해당함.

만성 중독【慢性中毒】 명 〖의〗 독물(毒物)이 장시간에 걸쳐 지속적으로 작용하여 서서히 생리적인 기능에 이상이 생기는 일. 마약 등 일부 약품이나 알코올 음료 등 기호품에 의해서는 내성(耐性)과 의존성(依存性)을 초래함.

만성 질환【慢性疾患】 명 〖의〗 만성병.

만성 췌:염【慢性膵炎】 명 〖의〗 췌장 조직의 석회화(石灰化)로, 복통·식욕 부진·구토·복부 팽만 등의 증상을 일으키는 병. 과음(過飮)이나 담석(膽石)이 원인으로 생각되나 근본적으로는 불명(不明)한 점이 많음.

만성 피로【慢性疲勞】 명 만성적으로 피로가 누적되어 있는 상태.

만성 피로 증후군【慢性疲勞症候群】 명 〖의〗 전신 권태, 피로감, 미열(微熱), 두통, 사고력이나 집중력의 저하가 장기간 지속되는 원인 불명의 병.

만:세¹【晩歲】 명 만년(晩年). 노년(老年).

만:세²【萬世】 명 아주 오랜 세대. 영원한 세월. 만대(萬代). 만세(萬歲). 만겁(萬劫). 만엽(萬葉). ¶ ～에 전해지다.

만:세³【萬歲】 ㊀ 명 ①만세(萬世). 만년(萬年). ②영원히 삶. 길이 번영함. ③귀인(貴人), 특히 천자나 임금의 죽음을 완곡하게 일컫는 말. ¶ ～후(後). ㊁ 감 어떠한 축복이나 영원한 번영을 위하여 외치는 소리. ¶ 대한 독립 ～. ——-하다 자 여불

만:-세(:)덕【萬世德】 명 〖사람〗 중국 명(明)나라의 문신(文臣). 자는 백수(伯修). 조선 시대 선조(宣祖) 30년(1597) 정유 재란 때, 부총병(副摠兵)으로 조선에 건너와, 조선 군무 도찰원 우첨도어사(朝鮮軍務都察院右僉都御史)로서 군무 행정을 처리함. 조선에서는 생사당(生祀堂)을 세워 그의 공적을 기념했음.

만:세 동락【萬歲同樂】[一낙] 명 영원히 오래도록 함께 즐김. ——-하다 자 여불

만:세-력【萬歲曆】 명 〖책〗 ①조선 후기의 역서(曆書). 정조(正祖) 6년(1782)에 왕명(王命)으로 관상감(觀象監)에서 편찬 간행한 것으로, 1777년부터 백년 동안의 역(曆)을 계산하여 엮은 것임. ②조선 말 광무(光武) 8년(1904)에 ≪천세력(千歲曆)≫을 고쳐 발간한 역서.

만:세-루【萬歲樓】 명 〖역〗 중국의 진(晉)나라 때에, 윤주 자사(潤州刺史) 왕공(王恭)이 윤주의 성벽 서남 모퉁이에 세운 고루(高樓). 지금의 장쑤 성(江蘇省) 전장 시(鎭江市)의 양쯔 강 근처임.

만:세 무강【萬世無疆】 명 ①오랜 세대에 걸쳐 끝이 없음. ②만수 무강. ——-하다 형 여불

만:세-보【萬歲報】 명 조선 시대 말 광무(光武) 10년(1906), 손병희(孫秉熙)가 창간한 일간 신문. 국·한문 혼용. 1907년 이인직(李人稙)이 인수, '대한 신문(大韓新聞)'으로 제호(題號)를 바꿈. 그 후 친일 내각의 기관지로 전락하였으나, 이인직의 신소설 ≪혈(血)의 누(淚)≫를 연재한 사실로 국문학상 중요한 의의를 지님.

만:세 불간【萬世不刊】 명 영원히 지우지 못함. 영구히 전함. ——-하다 타 여불

만:세 불망【萬世不忘】 명 영원히 은덕을 잊지 않음. ——-하다 타 여불

만:세 불변【萬世不變】 명 영원히 변하지 아니함. 만대 불변. ——-하다 자 여불

만:세 불역【萬世不易】 명 영원히 바뀌지 아니함. 만대 불역. ——-하다 자 여불

만:세 불후【萬世不朽】 명 영원히 썩거나 사라지지 아니함. 만대 불후. ——-하다 자 여불

만:세-악【萬歲樂】 명 〖악〗 무악(舞樂)의 하나. 중국 당나라의 측천 무후(則天武后)가 시작하였음.

만:세-옹【萬歲翁】 명 '황제(皇帝)·천자(天子)'에 대한 경칭.

만:세-전【萬歲前】 명 〖문〗 염상섭(廉想涉)의 단편 소설. 처음 '묘지(墓地)'라는 제목으로 발표했으나 1924년에 '만세전'으로 바꾸어 단행본으로 출판했음. 3·1 운동 전야의 암담한 현실을 배경으로 민족의 비애와 그 속에서 타협하며 살아가는 인간 군상(人間群像)을 리얼리즘의 수법으로 묘사한 작품.

만:세 천추【萬歲千秋】 명 천추 만세.

만:세-후【萬歲後】 명 귀인(貴人), 특히 천자나 임금이 죽은 뒤. ＊천세후(千歲後).

만속【蠻俗】 명 야만스러운 풍속. 만풍(蠻風).

만손 부 〈방〉 만날.

만:송【晩松】 명 〖사람〗 이기붕(李起鵬)의 호.

만:수¹【曼壽】 명 오래오래 삶. 장수(長壽). ——-하다 자 여불

만:수²【萬水】 명 많은 내. 여러 줄기의 냇물.

만:수³【萬殊】 명 모든 것이 천만 가지로 다 다름. 각양 각색으로 다름.

만:수⁴【萬愁】 명 온갖 시름.

만:수⁵【萬壽】 명 매우 오래 삶. 길이 삶. 또, 장수(長壽)를 비는 말.

만:수⁶【滿水】 명 물이 가득 참.

만:수⁷【滿數】 명 일정한 수효에 참.

만:수 가사【滿繡袈裟】 명 〖불교〗 산천·초목·인물·글자 같은 것을 가득 수놓은 가사.

만:수-국【萬壽菊】 명 〖식〗 전륜화(轉輪花).

만:수-꾼【萬首一】 명 시(詩)를 만 수나 되게 많이 지은 사람.

만:수-무【萬壽舞】 명 〖악〗 대궐 잔치 때에 추던 춤의 한 가지. 조선 시대 순조(純祖) 20년(1820)에 예제(睿製)한 것임. 헌도탁(獻桃卓)을 놓고 여기(女妓)가 도반(桃盤)을 받들고 나오면, 하나는 족자를 들고 뒤따르고, 네 사람은 두 줄로 주악(奏樂)에 맞추어 사(詞)를 부르며 북향(北向)하여 춤. 의식(儀式)이 헌선도무(獻仙桃舞)와 같음.

만:수 무강【萬壽無疆】 명 한없이 목숨이 깊. 만세 무강. ¶ ～을 빌다. ——-하다 형 여불

만:수-받이[一바지] 명 ①남이 귀찮게 굴어도 싫증내지 아니하고 좋게 받아 주는 일. ②〖민〗 무당이 굿할 때, 한 무당이 소리를 하면 다른 무당이 따라서 같은 소리를 받아 하는 일. ——-하다 ㊀ 자 여불 무당이 서로 소리를 받다. ㊁ 타 여불 온갖 말을 잘 받아 주다. ¶ 이애, 작은돌아, 고년과 ～하여 무엇하누. 어서 요정을 내고 들어가지≪金敎濟 : 牧丹花≫.

만:수-산【萬壽山】 명 ①〖지〗 완서우 산. ②고려 충렬왕(忠烈王) 때의 가요명(歌謠名). 작자는 미상이며 가사도 지금은 전하지 않음. ③'송악산(松嶽山)'의 딴이름.

[만수산에 구름 뫼듯] 사물이 많이 모임을 일컫는 말.

만:수 성:절【萬壽聖節】 명 〖역〗 조선 고종(高宗) 광무(光武) 원년(1897)에 정한, 황제의 탄일(誕日)의 명칭.

만:수 운환【漫垂雲鬟】 명 가락가락이 흩어져 드리워진 쪽찐 머리.

만:-수위【滿水位】 명 저수지, 하천, 물탱크 따위에 물이 가득 찼을 때의 물높이. ¶ 저수지가 ～가 되자 댐의 문을 열었다.

만:수 일리【萬殊一理】 명 우주의 천태 만상이 결국은 한 이치로 돌아간다는 말.

만:수-절【萬壽節】 명 중국 명대(明代)에, 천자(天子)의 탄생 축일(祝日)의 일컬음.

만:수-향【萬壽香】 명 ①선향(線香)의 한 가지. 국숫발같이 가늘고, 길이가 한 자쯤 됨. ②〖불교〗 부처 앞에 태우는 향의 이름.

만:숙【晩熟】 명 ①열매가 늦게 익음. ②시기나 일 따위가 늦게 되어 감. ③생물이 늦게 발육함. 1)-3):↔조숙(早熟). ——-하다 자 여불

만:숙-성【晩熟性】 명 성장 발육이 더딘 성질.

만:숙-종【晩熟種】 명 같은 작물 중에서 특별히 늦게 익는 종류.

만스홀트 플랜〔Mansholt Plan〕 명 〖농〗 유럽 경제 공동체 부위원장인 만스홀트가 1968년 말에 제안한 'EEC 농업 개혁에 관한 각서'. 그 내용은 과잉 농산물에 대한 중·단기 대책, 농업 구조 개혁 10개년 계획 등으로, 특히 농업 취업 인구의 반감(半減) 계획은 주목됨.

만습【蠻習】 명 ①야만스러운 풍습. ②야만인의 관습.

만:승【萬乘】 명 ①일만 채의 병거(兵車). ②〔중국 주(周)나라 때에 천자는 병거 일만 채를 그 즈리(直隷) 지방에서 출동시키던 제도에서 이름〕 천자(天子)의 자리 또는 천자.

만:승지-국【萬乘之國】 명 병거(兵車) 일만 채를 갖출 만한 힘이 있는 나라. 곧, 천자의 나라. ＊만승(萬乘)·천승지국(千乘之國).

만:승지-군【萬乘之君】 명 만승지국의 임금. 곧, 천자나 황제. 만승지주.

만:승지-위【萬乘之位】 명 천자(天子)나 황제의 높은 지위.

만:승지-존【萬乘之尊】 명 천자(天子)나 황제를 높이어 일컫는 말. 만승 천자.

만:승지-주【萬乘之主】 명 만승지군(萬乘之君).

만:승 천자【萬乘天子】 명 만승지존.

[만승 천자도 먹어야 한다] 사람은 아니 먹고는 못 사니, 먹는 것이 중요하다는 말.

만:시¹【晩時】 명 정한 시간이나 시기보다 좀 늦음.

만시²【輓詩】 명 만장(輓章).

만:시지-탄【晩時之歎】 명 기회를 놓쳐 시기에 늦었음을 안타까워하는 한탄.

만:식¹【晩食】 명 ①저녁밥. ②때를 어겨 늦게 먹음. 또, 그 식사. ——-하다 자 여불

만:식²【晩植】 명 모 따위를 늦게 심음. 늦심기. ——-하다 타 여불

만:식 당육【晩食當肉】 명 배가 고플 때에는 무엇을 먹든지 고기맛과 같다는 말. 시장이 반찬.

만:신¹ 명 〖민〗 여자 무당을 대접하여 일컫는 말.

만:신²【滿身】 명 온몸. 전신(全身).

만:신-부리 명 〖민〗 ①무당 집안의 가계(家系) 또는 혈통(血統). ②가족이나 친척 가운데 무당 노릇을 하다가 죽은 사람의 혼(魂). ③원통하게 죽은 조상의 혼.

만:신-창【滿身瘡】 명 〖한의〗 온몸에 퍼진 부스럼.

만:신 창이【滿身瘡痍】 명 ①온몸이 흠집투성이가 됨. ②어떤 사물이 엉망 진창이 됨.

만:실【滿室】 명 방 안에 가득함.

만:실 우환【滿室憂患】 명 집안에 앓는 사람이 많음.

만:심¹【萬尋】 명 만(萬) 길. 높이나 깊이가 대단함을 비유한 말. ¶ ～의 바다 밑.

만심²【慢心】 명 거만한 마음. ¶ 이겼다고 ～을 갖지 말라.

만:심³【滿心】 명 ①만족하게 여기는 마음. ②온 마음.

만:심 환희【滿心歡喜】[—히] 명 마음에 만족하도록 한껏 기뻐함. ——-하다 타여불

만순 수 〈옛〉 마흔. =마순. ¶ 우리 혹댱 위두ᄒᆞ야 만ᄉᆞᆫ 다ᄉᆞᆺ 션ᄇᆡ라(咱學長爲頭兒四十五箇學生)《朴解 上 49》.

만:아【晚鴉】명 해가 저물 때 보금자리로 날아가는 갈가마귀.

만:안[1]【萬安】명 아주 평안(平安)함. 웃어른의 안부를 물음에 씀. 만강(萬康). ¶ 귀체 ~하십니까. ——-하다 형여불

만안[2]【灣岸】명 만(灣)의 연안(沿岸).

만:안-교【萬安橋】명〖지〗경기도 안양시(安養市) 석수동(石水洞)의 폐천(廢川) 위에 놓여 있는 조선 후기의 돌다리. 정조 19년(1795)에 아버지 사도 세자(思悼世子)의 묘 현릉원(顯隆園)에 갈 때 건너기 편리하도록 가설한 것임.

만:앙【晚秧】명 늦모.

만:앙-내기【晚秧—】명 ☞ 늦모내기.

만:앵【晚鶯】명 늦봄에 우는 꾀꼬리. 노앵(老鶯).

만:약【萬若】명부 만일(萬一). ¶ ~의 경우/~ 비가 온다면.

만:양[1]【晚—】명 ☞ 마냥[1].

【만양 모판에는 뒷방 처녀도 나선다】 늦모내기를 할 때는 매우 바쁘고 사람 손이 모자람을 이르는 말.

만:양[2]【晚陽】명 ①저녁때의 해. 석양(夕陽). ②석양 무렵. 저녁. 석양(夕陽).

만:양[3]【萬樣】명 여러 가지 모양. ¶ 천태 ~.

만:양-모【晚—】명 ☞ 마냥모.

만:어[1]【滿語】명 만주 말.

만:어[2]【漫語】명 만언(漫言).

만어[3]【蠻語】명 오랑캐 말. 야만인의 말.

만:어-사【萬魚寺】명〖불교〗경상 남도 밀양시(密陽市) 삼랑진읍(三浪津邑) 용전리(龍田里) 만어산(萬魚山)에 있는 절. 통도사(通度寺)의 말사로, 수로왕(首露王) 5년(46)에 수로왕이 창건하였다고 전해짐. 미륵전(彌勒殿) 아래에 물고기들이 변해서 되었다는 돌무덤 만어석(萬魚石)이 첩첩이 깔려 있음.

만:억【萬億】명 매우 많은 수.

만:억-년【萬億年】명 한이 없는 햇수. 영원한 세월. 억만년.

만언[1]【慢言】명 ①깊이 생각하지 않고 함부로 하는 말. 만어(漫語). 만언(漫言). ②거만한 말.

만:언[2]【漫言】명 만언(慢言)❶.

만:언-사【萬言詞·謾言詞】명〖문〗조선 시대 정조(正祖) 때에 된 가사. 총 3천여 구에 달하는 장편 가사. 작자 안조환(安肇煥)이 추자도(楸子島)에 유배되었을 때, 기한(飢寒)에 시달리는 그 곳의 실정과 죄를 뉘우치는 애절한 사연을 노래로 엮어 서울로 보내니, 궁녀들이 이것을 읽고 눈물을 흘리지 아니한 이가 없었다고 함.

만-여지【蔓荔枝】[—녀—] 명〖식〗여주[1].

만:역【萬域】명 많은 나라들. 만방(萬邦).

만:연[1]【萬緣】명 많은 인연. 온갖 인연.

만:연[2]【獌㺜】명〖동〗스라소니.

만:연[3]【漫然】명 ①맺힌 데가 없이 헤벌어지게 풀어지기만 하는 모양. ②길고 멀어서 질펀한 모양. ③일정한 목표가 없이 되는 대로 하는 모양. ——-하다 형여불. ——-히 부. ¶ ~ 살아가다.

만연[4]【蔓延】명 널리 뻗어서 퍼짐. 만연(蔓衍). ¶ 전염병의 ~. ——-하다 자여불

만연[5]【蔓衍】명 ①만연(蔓延). ②말이 많음. 수다스러움.

만연-경【蔓延莖】명〖식〗덩굴 줄기.

만-연령【滿年齡】[—녈—] 명 만나이.

만연-체【蔓衍體】명〖문〗문장 표현법의 하나. 내용에 비해 많은 언어를 동원하여, 수식·반복·부연 설명함으로써 문장이 길어진 문체. 감정을 충분히 표현·전달할 수 있음. ↔간결체(簡潔體).

만:열【滿悅】명 만족하여 기뻐함. 또, 그 기쁨. ——-하다 자여불

만:염【晚炎】명 늦더위. 노염(老炎).

만:엽【萬葉】명〔엽(葉)은 세(世)〕영원한 세상. 만세(萬世). 만대(萬代). 영구(永久).

만:엽 치요도【萬葉熾瑤圖】명〖악〗고려 이후 조선 전기까지 당악 정재(唐樂呈才)에 사용된 《오양선(五羊仙)》의 반주 음악.

만:영【滿盈】명 가득 참. 충만함. ——-하다 자여불

만:왕[1]【萬王】명 ①우주 만물의 왕. ②〖기독교〗만인(萬人)을 구원하는 임금이란 뜻으로 '예수'를 일컫는 말.

만:왕[2]【萬旺】명 신기(身氣)가 매우 왕성함. 만중(萬重). ——-하다 형여불

만외【灣外】명 만(灣)의 바깥 쪽. ↔만내(灣內).

만요:슈: 〔일 万葉集: まんようしゅう〕명 일본의 나라(奈良) 시대에 편집된 가집(歌集). 일본 고대 가사(歌辭)의 집대성으로, 단가(短歌) 약 4,200수(首), 장가(長歌) 약 260수가 수록됨.

만용【蠻勇】명 사리를 분간하지 않고 함부로 날뛰는 용맹. ¶ ~을 부리다.

만:우 난회【萬牛難回】명〔만 필이나 되는 소가 끌어도 돌리기가 어렵다는 뜻〕고집이 너무 심한 것을 가리키는 말.

만:우재-집【晚寓齋集】명〖책〗조선 영조(英祖) 때 사람, 금영택(琴榮澤)의 문집. 운학(韻學)에 관하여 많이 논급함.

만:우-절【萬愚節】명 양력 4월 1일. 서양 풍속에서, 이 날에는 거짓말을 하여도 괜찮다고 하여 호의로 서로 속이고 즐거워함. 에이프릴 풀스 데이(April Fool's Day).

만:운【晚運】명 ①늙어서의 운수. ②늙바탕에 돌아오는 행운.

만:원[1]【滿員】명 ①정한 인원이 다 참. ②사람이 꽉 차서 그 이상 더 들어갈 수 없음.

만:원[2]【滿願】명 정한 기한이 차서 신불(神佛)에의 기원이 끝나는 일. 결원(結願). ——-하다 자여불

만:원 사:례【滿員謝禮】명 만원을 이루게 해 주어 고맙다는 뜻. 공연장(公演場), 흥행장(興行場), 서비스 업체(業體) 등에서 손님이 가득 차서 더 이상 입장시킬 수 없다는 것을 완곡하게 이르는 말. 흔히, 입구나 매표소에 팻말에 써서 걸어 놓음.

만:월[1]【滿月】명 ①가장 완전하게 둥근 달. 달이 지구에 대해서 태양과 정반대의 위치에 왔을 때. 곧, 음력 15일경에 이 현상이 나타남. 영월(盈月). 보름달. 망(望). ↔휴월(虧月). ②만삭(滿朔).

만월[2]【彎月】명 구붓하게 된 달. 초승달이나 그믐달을 일컬음.

만:월-대【滿月臺】[—때] 명〖지〗개성(開城) 북방 송악산(松嶽山) 남쪽 기슭에 있는, 여조(麗朝) 450여 년간의 왕궁지(王宮址).

만:월-산【滿月山】[—싼] 명〖지〗강원도 양양군(襄陽郡) 현남면(縣南面)과 현북면(縣北面) 사이에 있는 산. [623 m]

만:월-제【滿月祭】[—쩨] 명〖민〗음력 보름날을 택하여 지내는 제사나 굿.

만:유[1]【萬有】명 우주 간에 있는 온갖 물건. 만물(萬物). 만상(萬象). 만군(萬軍).

만:유[2]【漫遊】명 한가로이 이곳저곳을 두루 다니며 여행함. ——-하다 자여불

만:유 내:재신론【萬有內在神論】[—논] 명〖철〗만유는 신이라는 존재로 포괄되어 있다는 이론.

만:유루-없다【萬遺漏—】[—업—] 형 만반으로 갖추어져서 빠짐이 없다.

만:유루-없이【萬遺漏—】[—업씨] 부 만반으로 갖추어져서 빠짐이 없고 빈틈이 없게.

만:유신-교【萬有神教】명〖종〗범신교(汎神教).

만:유신-론【萬有神論】[—논] 명〖철〗범신론(汎神論).

만:유심-론【萬有心論】[—논] 명〖철〗범심론(汎心論).

만:유 유기체설【萬有有機體說】명〖철〗절대적인 진리를 우주 안에 인식하고, 우주를 가장 완전한 유기체(有機體)로 생각하며, 또 우주가 가장 완전한 절대 작품으로서 절대자(絕對者) 속에 형성되어 있다고 여기는 철학 사상. 셸링(Schelling)과 페히너(Fechner)가 이 설(說)의 대표자임.

만:유 의:식【萬有意識】명〖철〗신(神)은 우주 만유(宇宙萬有)를 그 의식 안에 포함한다고 생각할 때의 그 의식.

만:유 인:력【萬有引力】[—일—] 명〔universal gravitation〕〖물〗모든 물체의 질량(質量)과 질량 사이에 작용하는 인력. 두 물체 사이에 작용하는 힘의 크기는 물체의 질량의 곱에 비례하고, 물체 사이의 거리의 제곱에 반비례함. 1687년에 뉴턴이 발견함. 우주 인력.

만:유 인:력의 상수【萬有引力—常數】[—일—쑤/—일—에—쑤] 명〔universal gravitational constant〕〖물〗뉴턴의 만유 인력의 법칙에 나타나는 보편 상수(普遍常數). 즉, 단위 질량의 두 질점(質點)이 단위의 거리에서 작용하는 경우의 만유 인력의 값으로, $6,673 \times 10^{-11} Nm^2/kg$. 기호는 G. 중력 상수.

만:유 인:력파【萬有引力波】[—일—] 명〖물〗중력파(重力波).

만:유 재:신론【萬有在神論】[—논] 명〔panentheism〕〖철〗만유가 신의 안에 속하여 있으며, 신은 만유에 내재(內在)하는 동시에 만유에서 초월하여 존재한다는 학설. 범신론(汎神論)과는 달리 신의 만유로부터의 초월성을 주장하여 범신론과 유신론(有神論)을 종합하고 있음.

만윤【灣尹】명〖역〗'의주 부윤(義州府尹)'의 일컬음.

만은 조 조사 '만[12]'의 힘줌말. ¶ 얼굴~ 예쁘다.

만:음【漫吟】명 시나 시조 같은 것을 글제가 없이 생각나는 대로 지어 읊음. ——-하다 타여불

만:응-고【萬應膏】명〖한의〗부스럼에 쓰는 고약의 한 가지.

만:의[1]【滿意】[—/—이] 명 ↗심만 의족(心滿意足). ——-하다 형여불

만의[2]【縵衣】[—/—이] 명〖불교〗가사(袈裟)의 일종. 통베를 마르지 않고 그대로 꿰매어 만든 가사. 사미·사미니가 입는데, 비구(比丘)도 정의(正衣)를 얻지 못할 때 삼의(三衣) 대신 입을 수 있음.

만:의-사【萬儀寺】[—/—이—] 명〖불교〗경기도 화성군(華城郡) 동탄면(東灘面) 중리(中里)에 있는 절. 용주사(龍珠寺)의 말사(末寺). 창건 연대는 미상인데, 거의 폐허가 된 것을 고려 충선왕(忠宣王) 때 중수(重修)하였음.

만:이[1]【晚栮】명〖식〗느타리.

만:이[2]【晚移】명 ↗만이앙(晚移秧).

만이[3]【蠻夷】명 옛날 한인(漢人)들이 중국 남쪽에 있는 종족과 동쪽에 있는 종족을 일컫던 말. 오랑캐.

만:-이앙【晚移秧】명 늦모내기. 마냥.

만:이천-봉【萬二千峰】명 많은 산봉우리로 된 금강산(金剛山)의 산세를 일컫는 말. 일만 이천봉.

만인[1]【挽引】명 잡아당김. 끌어당김. ——-하다 타여불

만:인[2]【萬人】명 매우 많은 사람. 모든 사람.

만:인[3]【萬仞】명 만장(萬丈).

만:인[4]【滿人】명 ↗만주인(滿洲人).

만인[5]【蠻人】명 미개한 종족의 사람. 번인(蕃人). 야만인(野蠻人).

만:인-계【萬人契】명〖민〗천 사람 이상의 계원을 모아서 각각 돈을 걸게 하고, 계알을 흔들어 뽑아서 등수를 따라 돈을 태우는 계.

만:인-교【萬人轎】명〖역〗백성들이 봉기해서 학정(虐政)을 하던 원이나 지방관을 쫓아낼 때 쓰던 가마.

만:인 동락【萬人同樂】[—낙] 명 모든 사람이 다 함께 즐김.

만:인 동참회【萬人同參會】명〖불교〗만여 명의 사람이 한 뜻으로 참례하여 모은 절.

만:인-산【萬人傘】명〖역〗선정(善政)을 베푼 원이나 지방관에게 그 덕을 기리어 그 고을 백성이 주던 물건. 모양은 일산(日傘)과 같은데 비단으로 꾸미고 가장자리에 낙영(絡纓)처럼 된 여러 조각을 늘이어 유지(有志)의 성명을 기록함.

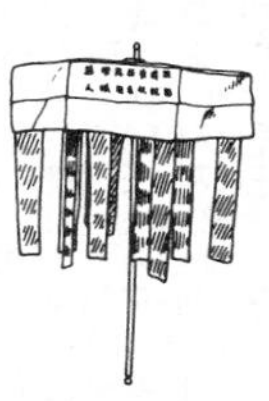

〈만인산〉

만:인-소【萬人疏】[명]〖역〗조선 시대 때, 많은 유학자들이 연명하여 올리던 상소(上疏). 순조(純祖) 23년(1823)에 유생 9,996명이 서얼(庶孼)의 관리 임용 허락의 상소, 철종 6년(1855)에 경상도 유생 10,432명의 사도 세자(思悼世子)의 추존(追尊)을 건의한 소 따위.
만:인 송:덕산【萬人頌德傘】[명]〖역〗만인산(萬人傘).
만:인 의:총【萬人義塚】[명]〖지〗전라 북도 남원시(南原市) 향교동(鄕校洞)에 있는 의총(義塚). 조선 선조(宣祖) 30년(1579) 정유 재란(丁酉再亂) 때, 고니시 유키나가(小西行長)·가토 기요마사(加藤清正) 등이 이끈 15만 왜적이 남원에 침입하자, 남원성(城)을 수비하던 전라 병사 이복남(李福男) 등 군사와 함께 성민 1만여 명이 대항해 싸우다 옥쇄(玉碎)한 것을 적이 물러난 뒤 주민들이 의사(義士)들의 시신을 거두어 합장한 것임.
만:인-적【萬人敵】[명] ①군사를 쓰는 책략(策略)이 능란하고 뛰어난 사람. ②혼자서 능히 많은 적군과 대항할 만한 지용(智勇)을 갖춘 사람.
만:인 주지【萬人周知】[명] 많은 사람들이 두루 앎. ¶ ~의 사실. ——하다 [타][여불]
만:인지-상【萬人之上】[명] '의정(議政) ❶'의 지위. ¶ 일인지하(一人之下) ~.
만:인 총중【萬人叢中】[명] 많은 사람의 속. ¶ 아버지가 장쇠를 죽인다고 서둘지만 않았더라도 규중 처녀인 자기가 그 ~에 그 꼴을 하고 뛰어나가지도 않았을 것이다《李無影 : 農民》.
만:일¹【萬一】[一][부] '혹 그러한 경우에는'의 뜻으로 어떠한 조건을 전제하는 말. 만약(萬若). 만혹(萬或). 여혹(如或). 약혹. ¶ ~ 네가 이긴다면. [二][명] ①뜻밖의 일. 만약(萬若). ¶ ~을 위한 경비. ②만분의 일.
만:일²【滿溢】[명] 가득 차서 넘침. ——하다 [자][여불]
만:일 염:불 도:량【萬日念佛道場】[명]〖불교〗만일회(萬日會).
만:일-회【萬日會】[명]〖불교〗정토종(淨土宗)에서, 극락 세계 아미타불회(阿彌陀佛會)에 가서 나기를 원하고, 천 날 또는 만 날을 한정하여 '나무아미타불'을 큰 소리로 부르며 도를 닦는 불교 의식.
만입【彎入·灣入】[명] 바다나 호수 같은 것이 활처럼 뭍으로 휘어 들어와 만(灣)이나 후미를 이룸. ——하다 [자][여불]
만:-자¹【卍字·卐字】[-짜][명] ①〖불교〗불심(佛心)에 나타나는 길상만덕(吉祥萬德). *만(卍). ②'卍'의 형상으로 된 물건 또는 무늬를 일컫는 말.
만:자²【滿字】[명] 만주 문자.
만자-군【蠻子軍】[명]〖역〗중국 원(元)나라 때, 주로 남송(南宋)의 귀순병으로 조직한 강한 군대.
만:자-기【卍字旗·卐字旗】[-짜-][명]〖불교〗한복판에 '卍' 모양을 붉은 빛으로 그린 기(旗).
만:자-창【卍字窓】[-짜-][명]〖건〗완자창.
만:자 천홍【萬紫千紅】[명] 가지가지의 빛깔. 온갖 꽃이 만발한 모양. 천자 만홍.
만:작¹【晩酌】[명] 저녁 먹을 때 술을 마심. 또, 그 술. ——하다 [자][여불]
만:작²【滿酌】[명] 술잔이 가득 차도록 술을 부음. ——하다 [타][여불]
만작-거리다 [타] ↗만지작거리다. 만작-만작 [부]. ——하다 [타][여불]
만작-대다 [타] 만작거리다.
만작-하다 [자][여불] 활시위를 한껏 당기다.
만:잠【晩蠶】[명] 늦게 치는 누에.
만:장¹【萬丈】[명] 만 발이나 되도록 몹시 높음 또는 깊음. 만인(萬仞). ¶ 기고(氣高) ~/파란 ~의 일생.
만:장²【萬障】[명] 온갖 장애.
만:장³【滿場】[명] 회장(會場)에 가득 모임. 또, 온 회장. ¶ ~의 신사 숙녀. ——하다 [자][여불]
[만장에 호래 자식이 없나] 많은 사람이 모인 가운데는 못된 놈도 있다는 말.
만장⁴【輓章·挽章·挽丈】[명] 죽은 이를 슬퍼하여 지은 글. 장사 지낼 때 비단이나 종이에 적어서 기를 만들어 상여 뒤를 따르게 함. 만사(輓詞). 만시(輓詩).
만:장⁵【晩裝】[명] 제때를 넘기고 나중에 늦게 정비(整備)함. ——하다 [자][여불]
만:장⁶【滿贓】[명] 조선 시대 때 관원이 범한 장물(贓物)이 사형에 이를 정도로 많음. 장물이 40관에 이르면 사형을 받았음.
만:장 공도【萬丈公道】[명] 조금도 사사로움이 없이 매우 공평한 일.
만:장-굴【萬丈窟】[명]〖지〗제주도 북제주군 구좌읍(舊左邑)에 있는 용암 동굴(熔岩洞窟). 총연장 10.7km로 우리 나라에서 가장 긴 것인데, 용암 석주(石柱)와 용암 종유석(鍾乳石)이 장관을 이룸.
만:장 기염【萬丈氣焰】[명] 아주 굉장한 기세.
만:장-봉【萬丈峰】[명] 썩 높은 산봉우리.
만:장 봉두【萬丈峰頭】[명] 썩 높은 산봉우리의 맨 위.
만:장 생광【萬丈生光】[명] ①한없이 빛이 나게 됨. ②고맙기 짝이 없음.
만장이 [명] 이물이 삐죽한, 돛이 두 개 달린 배.
만:장 일치【滿場一致】[명] 회장(會場)에 모인 여러 사람의 의견이 완전히 합치함. ¶ ~로 가결하다. ——하다 [형][여불]
만:장 절애【萬丈絕崖】[명] 매우 높은 낭떠러지.
만:장-중【滿場中】[명] 여러 사람이 모인 곳. 만장(滿場)판.
만:장-판【滿場—】[명] 만장중(滿場中).
만:장 폭포【萬丈瀑布】[명] 만 발이나 되는, 몹시 높은 데서 떨어지는 폭포.
만:장 홍진【萬丈紅塵】[명] ①만 발이나 되도록 하늘 높이 뻗쳐 오른 먼지. ②한없이 구차스럽고 속된 이 세상.
만:재【滿載】[명] ①가뜩 실음. ②가뜩 기재(記載)함. ——하다 [타][여불]
만:재-도¹【晩才島】[명]〖지〗전라 남도의 남해상(南海上), 진도군(珍島郡) 혹산면(黑山面) 만재도리(晩才島里)에 있는 섬. 진도(珍島) 서남쪽에 위치함. 연안 일대에서는 김·굴의 양식업이 발달함. [0.591 km²]
만:재-도²【萬財島】[명]〖지〗황해도 옹진군(甕津郡)의 남쪽 해상에 위치한 섬. [0.061 km²]
만:재 흘수선【滿載吃水線】[-쑤-][명] 배가 사람 또는 어획물·화물을 싣고 안전하게 항해할 수 있는 최대한의 흘수를 나타내는 선.

만저 [부]〈방〉먼저.
만저우리〔滿洲里〕[명]〖지〗중국 내(內)몽고 자치구의 북부에 있는 국경 도시. 중장 철도(中長鐵道)의 종점으로 시베리아의 연락 요지임. 부근의 축산품 집산지이고 무역지(地)임. 만주리. [112,000명(1984)]
만:적¹【萬積】[명]〖사람〗고려 신종(神宗) 때 최충헌(崔忠獻)의 사노(私奴). 노예 해방을 위하여 거사하려다가 붙잡혀 물에 던져져 죽었음. [?-1198]
만적²【蠻狄】[명] 오랑캐.
만적-거리다 [타] 물건을 자꾸 만져 보다. 만적-만적 [부]. ——하다 [타][여불]
만적-대다 [타] 만적거리다.
만:적의 난:【萬積—亂】[-/-에-][명]〖역〗고려 20대 신종(神宗) 원년(1198)에 만적이 중심이 되어 일으킨 노비 해방 운동(奴婢解放運動). 만적이 공사(公私)의 노비를 모아 노비 문서를 불사르고 난을 일으키려다가, 사전에 발각되어 수많은 노비들과 함께 잡혀 죽음.
만:전¹【晩全】[명]〖사람〗기자헌(奇自獻)의 호(號).
만:전²【萬全】[명] ①아주 안전함. ②아주 완전함. ¶ 시험 준비에 ~을 기하다. ——하다 [형][여불]
만:전지-계【萬全之計】[명] 만전지책(萬全之策). 「만전책(萬全策).
만:전지-책【萬全之策】[명] 아주 안전하거나 완전한 계책. 만전지계. [준]
만:전-책【萬全策】[명] ↗만전지책(萬全之策).
만:전 창살【卍田窓—】[-쌀][명] 만자(卍字)와 전자(田字) 모양으로 짠 창살.
만:전-춘【滿殿春】[명] ①〖문〗《악장 가사(樂章歌詞)》에 실려 있는 작자 미상의 여요(麗謠)의 하나. 전 5절로 되어, 남녀의 애정을 노골적으로 표현하였음. 만전춘 별사(別詞). ②〖악〗조선 시대 세종(世宗) 때에 윤회(尹淮)가 당시의 문물 제도 및 태평 성대를 노래하여 지은 풍류의 이름. *봉황음(鳳凰吟).
만:전춘 별사【滿殿春別詞】[-싸][명]〖문〗고려 가요 '만전춘(滿殿春)'의 딴이름. 《세종 실록(世宗實錄)》 권 146에 곡목만 보이는 《만전춘곡(滿殿春曲)》과 구별하기 위하여 '별사'라고 적은 듯함.
만:전-향【滿殿香】[명] 술의 한 가지.
만:절【晩節】[명] ①늦은 계절. ②나이가 늙은 시절. ③늦게까지 지키는 절개.
만:절 필동【萬折必東】[-똥][명] 황하(黃河)는 아무리 곡절이 많아도 필경에는 동쪽으로 흘러간다는 뜻으로, 충신의 절개는 꺾을 수 없다는 것을 가리키는 말.
만점【滿點】[-쩜][명] ①정해진 점수의 가장 높은 점. ¶ 100점 ~. ②대단히 만족할 만한 정도. ¶ 사윗감으로는 ~이다.
만:정¹【滿廷】[명] 조정이나 법정 등에 꽉 차 있음. 또, 그곳에 있는 모든 사람들.
만:정²【滿庭】[명] 뜰에 가득 참.
만:정 도화【滿庭桃花】[명] 뜰에 가득한 복숭아꽃.
만:정 제신【滿廷諸臣】[명] 만조 백관(滿朝百官).
만졍 [의명]〈옛〉망정. ¶ 아희야 결이 沈菜일 만졍 업다 말고 내여라《海謠》.
만:조¹【晩照】[명] 석조(夕照). 만휘(晩暉).
만:조²【滿朝】[명] 온 조정(朝廷).
만조³【滿潮】[명] 꽉 차게 들어왔을 때의 밀물. ↔간조(干潮).
만:조 백관【滿朝百官】[명] 조정(朝廷)의 모든 벼슬아치. 만정 제신(滿廷諸臣). ¶ ~을 거느리다.
만조-선【滿潮線】[명] 만조 때의 해면과 육지와의 경계선. 굴·굴등·거북다리 등이 여기에 삶. ↔간조선(干潮線).
만:조-장【滿朝章】[-짱][명] '용비어천가 제107장(章)'의 이름.
만조-파【滿潮波】[명] 만조 때 생기는 물결.
만조-하다 [형][여불] 생김새나 차림새가 초라하고 치신없다.
만족¹【滿足】[명] 마음에 흡족함. 또, 흡족하게 생각함. ¶ 이만하면 ~합니까/고소득에도 ~을 못 느끼는 사람/방정식을 ~시키는 값. ——하다 [자][형][여불]. ——히 [부]. ¶ 명확한 대답에 ~ 여기다.
만족²【蠻族】[명] 야만의 종족.
만족-감【滿足感】[명] 마음에 흡족한 느낌.
만족-스럽다【滿足—】[형][ㅂ불] 꽤 만족한 듯하다. 만족-스레【滿足—】[부]
만:종¹【晩種】[명] ①↗만생종(晩生種). ②늦벼.
만:종²【晩鐘】[명] ①저녁 때에 절이나 수도원·교회 등에서 치는 종. 모종(暮鐘)·혼종(昏鐘). ②〖예〗프랑스의 화가 밀레(Millet)의 그림. 1859년에 그려진 유화(油畫)로, 해가 저물어 가는 들판에서 교회의 종소리를 들으며 합장(合掌)을 하는 젊은 남녀 농부의 경건한 모습을 그린 작품임.
만종³【蠻種】[명] 야만 인종.
만:종-록【萬鍾祿】[-녹][명] 매우 후한 봉록(俸祿).
만종-법【縵種法】[-뻡][명]〖농〗이랑을 만들지 않고 밭을 평평하게 고른 다음 그 위에 흩어 뿌리는 파종법(播種法). *농종법(壟種法).
만:좌【滿座】[명] 여러 사람이 늘어 앉은 자리. 일좌(一座). ——하다 [형][여불]
만:좌-중【滿座中】[명] 여러 사람이 늘어 앉은 가운데.
만주¹【挽住】[명] 만류(挽留). ——하다 [타][여불]
만주²【滿洲】[명]〖지〗중국 '둥베이(東北) 지방'의 통칭. 둥베이 대평원을 중심으로 북·동은 러시아 연방, 남은 한국에 인접함. 청(淸)의 태종(太宗)이 후금(後金)의 국호를 청으로 개칭함과 동시에 만주라고 칭하였는데, 청대(淸代)에는 특수 지역이었음. 1931년 일군(日軍)에 의하여 만주 사변이 일어났고, 1932년 일본의 괴뢰 국가(傀儡國家)로서 만주국이 건설되었으나 1945년 일본이 패망하자 해체되었음. 주민의 90%는 한족(漢族)이며, 만주족과 몽고족이 벽지에 약간 살고, 간도(間島)를 중심으로 100만 명 이상의 교포(僑胞)도 살고 있음. 콩·수수·밀·조·쌀·담배·목화·땅콩 등의 농업이 주산업이며, 석탄·철의 매장량이 풍부함. [786,900 km²: 92,340,000명(1984 추계)]
만주-결【滿洲缺】[명]〖역〗중국 청(淸)나라 때 만주인만이 임명되던 관직.
만주-고로쇠【滿洲—】[명]〖식〗[*Acer lobulatum*] 단풍나뭇과에 속하는 낙엽 활엽 교목. 잎은 원형이고 대부분 일곱 갈래로 갈라졌으며 가운데 열편(裂片)이 대형이고 다시 세 갈래로 째졌으며, 끝이 뾰족함. 꽃은 자웅 일가(雌雄一家)이고, 산방상(繖房狀)이며 원추 화총(圓錐花叢)으로 4월에 핌. 과실은 시과(翅果)이며 10월에 익음. 산지의 숲 속에 나는데, 한국의 경남·함남 및 중국에 분포함. 도구재·관상용임.

만주-고사리【滿洲—】명〖식〗만주우드풀.

만주-국【滿洲國】명〖역〗만주 사변의 결과, 일본 군부(軍部)의 괴뢰로서 1932년 3월 만주에 성립된 국가. 동산 성(東三省)과 러허(熱河) 및 내몽고(內蒙古) 동부를 판도로 하였음. 청(淸)나라의 선통 폐제(宣統廢帝) 부의(溥儀)가 집정(執政)하게 되면서부터 신징(新京)을 수도로 하고, 1934년에 만주 제국으로 개칭하였으나, 1945년 일본의 패망과 더불어 소멸되었음.

만주-긴발톱할미새【滿洲—】명〖조〗북방긴발톱할미새.

만주-꿩【滿洲—】명〖조〗북(北)꿩.

만주-날담비【滿洲—】명〖동〗대륙목도리담비.

만주-리【滿洲里】명〖지〗'만저우리'를 우리 음으로 읽은 이름.

만주 문자【滿洲文字】[—짜] 명 만주족 사이에 쓰이는 글자. 몽고 문자를 기본으로 하여 점과 권점(圈點)을 더하여 개조한 음표 문자(音標文字)로 따로 자체(字體)를 정하여 중국 말도 적게 되었음. 청(淸)의 태조(太祖) 때에 제정하기 시작하여 태종(太宗)에 이르러 완성되었음. 만자(滿字). 만문(滿文).

만주-불나방【滿洲—】[—라—] 명〖충〗[*Roeselia mandschuriana*] 불나방과에 속하는 곤충. 날개 길이는 8-10 mm이고 몸빛은 두부와 흉부가 순백색, 복부는 담갈색, 앞날개는 회백색에 흑색 무늬가 있으며, 뒷날개는 담흑갈색임. 유충은 사과·벚꽃·상수리나무 등의 잎의 해충임. 한국에도 분포함.

만주-뿔종다리【滿洲—】명〖조〗[*Galerida cristata leautungeusis*] 종다릿과에 속하는 새. 종다리와 비슷하나 온 몸이 담회갈색인데 가슴은 암색의 아롱 무늬가 있고, 이마에 검은 줄이 놓인 우관(羽冠)이 있으며 우는 소리가 아름다워 애완용으로 기름. 아시아·유럽·아프리카 북쪽에 분포함. 관작(冠雀). 봉두조(鳳頭鳥). 아란(阿蘭). 아람(阿藍).

만주 사:변【滿洲事變】명〖역〗1931년 9월 18일 선양(瀋陽) 북방의 류탸오거우(柳條溝)에서, 일본군이 만철(滿鐵) 선로를 폭파하고 그것을 중국군의 소위라고 날조하여 유발시킨 중일간(中日間)의 전쟁. 일본이 중국 대륙을 군사적으로 침략하는 최초의 계기로 삼은 전쟁으로, 일본군이 전만주를 수개월내에 점령, 1932년 3월 1일 만주국의 건국을 선언하기에 이름.

만주-사슴【滿洲—】명〖동〗①고라니. ②우수리사슴.

만:주사화【曼珠沙華】명 ①[범 manjusaka]〖불교〗천계(天界)에 핀다고 하는 가공의 꽃 이름. ②석산(石蒜).

만주-송이풀【滿洲—】명〖식〗[*Pedicularis manshurica*] 현삼과에 속하는 다년초. 줄기 높이는 30 cm 내외이고, 근엽(根葉)은 총생하고 장병(長柄)이며, 경엽(莖葉)은 호생하는데 거의 무병(無柄)이고 우상 복엽(羽狀複葉)임. 7-8월에 홍자색의 꽃이 줄기 위 엽액(葉腋)에 총상 화서(總狀花序)로 피며, 긴 달걀꼴의 삭과(蒴果)를 맺음. 높은 산의 중턱에 나는데 강원·평북·함남·함북 등지에 분포함.

만주-어【滿洲語】명〖언〗만주인들이 쓰는 언어. 알타이 어족(語族)의 퉁구스 계(Tungus系)에 속함. 17세기 이후로는 중국어를 따라서 문법 상의 변화도 생겼음.

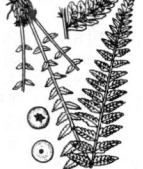

만주-우드풀【滿洲—】[Wood] 명〖식〗[*Woodsia manchuriensis*] 우드풀과에 속하는 다년생 양치(羊齒) 식물. 고사리와 비슷한데 근경(根莖)은 소형(小形)의 괴상(塊狀)이고 잎은 근경에서 총생하며, 광택이 있는 잎자루는 짧고 담갈색의 인편(鱗片)이 있음. 긴 타원형 혹은 긴 삼각형으로 우상 복생(羽狀複生)함. 각 열편(裂片)의 기부에 1-4개의 자낭군(子囊群)이 있음. 산지의 습지·바위틈에 나는데, 한국 각지에 분포함. 만주고사리.

〈만주우드풀〉

만주 원류고【滿洲源流考】[—월—] 명〖책〗중국 청(淸)나라 건륭(乾隆) 연간에 아계(阿桂) 등이 지은 만주의 지사(地史). 부족(部族)·강역(疆域)·산천(山川)·국속(國俗)의 4부문으로 되어 있는데, 접경지(接境地)의 연구에 긴요한 책임. 20권.

만주-이깔나무【滿洲—】[—라—] 명〖식〗[*Larix olgensis*] 전나뭇과의 낙엽 침엽 교목. 잎은 침형(針形)으로 산생(散生) 또는 총생함. 꽃은 자웅 일가(雌雄一家)로 수꽃이삭은 긴 타원형, 암꽃이삭은 넓은 달걀꼴로 5월에 피며, 구과(毬果)는 다갈색 또는 적갈색으로 9월에 익음. 고원(高原)이나 산마루에 나는데, 한국의 백두산(白頭山)·사할린·만주·시베리아 등지에 분포함. 건축재·전주(電柱)·침목(枕木)·펄프재로 쓰임.

만주-인【滿洲人】명 ①만주족(滿洲族). ②만주에 사는 사람. 만주 사람. 준만인(滿人).

만주-족【滿洲族】명 만주 일대에 분포하고 있는 남방(南方) 퉁구스계(Tungus系)의 한 종족. 역사 상의 숙신(肅愼)·읍루(挹婁)·말갈(靺鞨)·여진(女眞) 등이 만주족의 전신(前身) 또는 같은 계통의 종족이며, 금(金)·청(淸) 등의 대제국을 세웠음. 만주인.

만주-족제비【滿洲—】명〖동〗대륙족제비.

만주 티푸스【滿洲—】[typhus] 명〖의〗만주 지방에 산발성(散發性)으로 유행하는 장티푸스와 비슷한 전염병. 경증(輕症)의 발진(發疹) 티푸스로 갑자기 고열을 내며, 3-4일에 장미진(薔薇疹)이 나타나고, 약 2주일 후에 열이 내리는데, 사망률은 극히 낮음.

만주-흑송【滿洲黑松】명〖식〗[*Pinus tabulaeformis*] 소나무과에 속하는 낙엽 침엽 교목. 잎은 두 잎씩 뭉쳐 나고 끝은 날카롭고 단단함. 새순은 회백갈색, 꽃은 자웅 일가(雌雄一家)로, 수꽃은 황색이며 암꽃이삭은 달걀꼴로 가지 끝에 정생(頂生)하고 빛깔은 자색임. 4월에 꽃이 피며 과실은 구과(毬果)로서 인편(鱗片)은 두껍고 종자는 약간 큰데 다음해 10월에 익음. 산기슭이나 산중턱에 나며, 중국·만주와 우리 나라 평남 맹산군(孟山郡)에 분포함. 건축재·도구재·신재(薪材)로 쓰임.

만:중[1]【萬重】명 일만 겹. 아주 많은 겹. 만첩(萬疊).

만:중[2]【萬重】명 신기(身氣)가 매우 왕성(旺盛)함. 만왕(萬旺). ——-하다 형여불

만:중 운산【萬重雲山】명 첩첩이 겹쳐 구름이 덮인 산.

만:즉-일【滿則溢】명 가득 차면 넘친다는 뜻으로, 모든 사물이 오래도록 번성(繁盛)하기는 어렵다는 말.

만지[1]【挽止】명 붙들어 말림. 만류(挽留). ——-하다 타여불

만:지[2]【滿地】명 땅에 가득함. ——-하다 형여불

만지[3]【蠻地】명 야만인이 사는 땅. 번지(蕃地). 이계(夷界).

만지다 타 ①여기저기 자꾸 손을 대어 주무르거나 문지르다. ¶ 자꾸 만져서 고장을 내다. ②다루거나 손질하다. ¶ 머리를 ~/라디오를 ~.

만:지-도[1]【晩地島】명〖지〗경상 남도(慶尙南道)의 남해상(南海上), 통영군(統營郡) 산양면(山陽面) 저림리(楮林里)에 위치한 섬. [$0.35 km^2$: 125 명 (1984)]

만지-도[2]【蔓芝島】명〖지〗전라 남도의 서해상(西海上), 신안군(新安郡) 임자면(荏子面) 도찬리(道贊里)에 위치한 섬. [$0.12 km^2$: 28 명 (1984)]

만지럭-만지럭 부〈방〉만지작만지작.

만지작-거리다 타 끈질기게 자꾸 만져 보다. ¶ 수염을 ~/옷고름을 ~. 준만작거리다. 만지작-만지작 부. ——-하다 타여불

만지작-대다 타 만지작거리다.

만:지 장서【滿紙長書】명 사연을 길게 쓴 편지.

만:진덕-산【萬陳德山】명〖지〗평안 남도 영원군(寧遠郡) 영원면(寧遠面)과 맹산군(孟山郡) 저전면(藷田面) 사이에 있는 산. [1,160 m]

만질만질-하다 형여불 연하고 보드라워 만지거나 주무르기가 좋다.

만집【挽執】명 붙들어 말림. 만류(挽留). ——-하다 타여불

만:-째【萬—】수 만을 차례로 셀 때의 맨 끝.

만:차【滿車】명 주차장 등에 자동차가 꽉 차서 더 주차할 수 없음.

만착【瞞着】명 사람의 눈을 속여 넘김. ——-하다 타여불

만:찬【晩餐】명 ①저녁 식사. 디너(dinner). 만향(晩餉). 석찬(夕餐). *조찬(朝餐). ②〖성〗최후의 만찬. 성만찬.

만:찬-회【晩餐會】명 여러 사람을 청하여 저녁 식사를 베푸는 모임. 디너 파티(dinner party). *조찬회.

만:참【晩參】명〖불교〗밤에 주지(住持)가 수행자를 모아 설교하는 일. 또, 저녁때의 염송(念誦).

만:천【滿天】명 하늘에 가득함. 온 하늘. ¶ 별이 ~하다. ——-하다 형여불

만-천판 명〖광〗두어 발 이상되는 천장까지 텅 비어 있는 버력 바닥.

만:-천하【滿天下】명 온 천하. 전세계. ¶ ~에 공포하다.

만철【滿鐵】명〖지〗↗남만주 철도(南滿洲鐵道).

만:첩【萬疊】명 썩 많은 여러 겹. 만중. ¶ 천첩 ~.

만:첩 심산【萬疊深山】명 겹겹이 둘러싸인 깊은 산.

만:첩 청산【萬疊靑山】명 사방이 첩첩이 둘린 푸른 산.

만:청[1]【晩晴】명 오후 늦게 날이 갬. 또, 그 하늘.

만청[2]【蔓菁】명〖식〗순무[1].

만청[3]【滿淸】명〖악〗거문고의 문현(文絃)으로부터 괘상청(棵上淸)·괘하청(棵下淸) 또는 무현(武絃)까지 청현(淸絃)을 울려 주는 연주법.

만청-자【蔓菁子】명〖한의〗순무의 씨. 가루로 만들어 이뇨제 및 어린애의 대머리 치료제로 씀. 순무씨.

만초【蔓草】명 덩굴풀. *만목(蔓木).

만초:니 [Manzoni, Alessandro Francesco Tommaso Antonio] 명〖사람〗이탈리아의 작가. 이탈리아 낭만주의 최대의 작가로, 17세기 스페인 통치하의 북(北) 이탈리아 농민의 모습을 그린 《약혼자》는 《신곡(神曲)》·《데카메론》과 더불어 이탈리아 문학을 대표함. 사극(史劇) 《카르마뇰라 백작(Carmagnola 伯爵)》·《아델키(Adelchi)》, 기독교적 이상과 애국적 정열을 노래한 시집 《성가(聖歌)》 등이 있음. [1785-1873]

만촉【蠻觸】명 ['만(蠻)'은 달팽이의 오른쪽 뿔, '촉(觸)'은 왼쪽 뿔] 사소한 일로 서로 싸우는 일. ¶ ~의 다툼.

만:추【晩秋】명 늦가을. 잔추(殘秋).

만:추-잠【晩秋蠶】명 늦가을에 치는 누에.

만:춘【晩春】명 ①늦봄. 춘말(春末). ②모춘(暮春)❶.

만:출-기【娩出期】명〖의〗분만할 때 자궁의 입구가 열려 태아가 밖으로 나오는 동안.

만:취[1]【晩翠】명 소나무가 늦게 푸르름. 겨울이 되어도 변하지 아니하는 초목의 푸르름.

만:취[2]【滿醉·漫醉】명 술이 잔뜩 취함. ——-하다 자여불

만:취[3]【晩炊】명 저녁에 밥을 지음. 때늦은 취사(炊事).

만:취-당【晩翠堂】명〖사람〗권율(權慄)의 호(號).

만치 의명조〈방〉만큼(경상).

만치다 타〈방〉만지다(충남·경상·전라).

만침 의명조〈방〉만큼(경상).

만콤 의명조〈방〉만큼.

만큼 ㊀의명 ①'-ㄹ'이나 '-을', '-ㄴ'이나 '-은' 밑에 쓰이어, 그 말과 거의 같은 수량이나 정도 또는 '실컷'의 뜻을 나타내는 말. ¶ 싫증이 날 ~ 먹다/배운 ~ 득이다. ②'-는'이나 '-은', '-느니'나 '-으니' 아래에 붙어, 원인이나 근거가 됨을 뜻하는 말. ¶ 그가 갔으니 ~ 네가 열심히 해야 한다. ㊁조 체언 밑에 붙어 그 말과 거의 같은 한도·수량을 나

타내는 부사격 조사. ¶ 명주는 무명~ 질기지 못하다/누구나 너~은 할 수 있다.

만:타【萬朶】명 온갖 초목의 가지. 많은 꽃가지.

만:타 선개사【滿朶先開詞】명『악』조선 말기 순조(純祖) 때 창작된 가인 전목단(佳人剪牧丹)의 제 3 박에서 부르는 창사(唱詞).

만:탑-산【萬塔山】명『지』①함경 남도 단천군(端川郡) 남두일면(南斗日面)과 풍산군(豐山郡) 천남면(天南面) 사이에 있는 산. [2,003 m] ②함경 북도 경성군(鏡城郡) 주남면(朱南面)과 길주군(吉州郡) 양사면(暘社面) 사이에 있는 산. [2,204 m]

만:태【萬態】명 여러 가지 형태. 천자 만태(千姿萬態). ¶ 천상(千狀) ~.

만:-탱크【滿—】〔tank〕명 탱크에 물·기름 따위가 가득 찬 상태.

만테냐〔Mantegna, Andrea〕명『사람』이탈리아의 화가. 르네상스 기(Renaissance期)회화의 거장으로, 파도바 파(Padova派)의 대표적 화가. 그의 예술은 힘차고 명쾌한 선묘(線描) 표현, 정확한 조소적(彫塑的) 인체 묘사, 소실점(消失點)을 낮게 한 독특한 공간 구성 등을 특색으로 함. 대표작에 《승리의 성모(聖母)》·《죽은 그리스도》 등이 있음. [1431-1506]

만토바니〔Mantovani, Annunzio〕명『사람』이탈리아 베네치아 출생의 영국의 무드 뮤직 지휘자·작곡가. 비올라 주자(奏者)인 아버지를 따라 어려서 영국에 정착, 1931년 만토바니 악단(樂團)을 조직하여, 2차 대전 후 심포닉한 밴드 편성으로 감미로운 선율의 대중 음악을 팬들에게 선보였음. [1905-80]

만투【饅—】명〈방〉만두(饅頭)(함남).

만티야〔스mantilla〕명 주로 스페인 여성들이 의례적(儀禮的)으로 머리에 쓰는 물건. 어깨까지 드리워짐. 뒷머리에 꽂힌 빗 위로 쓰며 얼굴은 가리지 않음. 흔히, 비단·레이스로 만들며 종교적 행사에는 검정, 축제(祝祭) 때에는 흰 것이 많이 쓰임.

〈만티야〉

만:파¹【晩播】명 씨를 늦게 뿌림. ——-하다 타여불

만:파²【萬波】명 한없이 밀려오는 파도. 출렁거리는 물결. ¶ 천파(千波) ~.

만:파³【萬派】명 ①많은 지류(支流). ②많은 유파.

만파⁴【輓把】명 갈퀴와 비슷한 농구. 논밭을 고르는 데 씀.

만:파식-적【萬波息笛】명 신라 시대의 전설 상의 피리. 신라 신문왕(神文王)이 아버지 문무왕(文武王)을 위하여 동해변에 감은사(感恩寺)를 지은 후, 문무왕이 죽어서 된 해룡(海龍)과 김유신(金庾信)이 죽어서 된 천신(天神)이 합심하여 용을 시켜서 보낸 대나무로 만들었다고 함. 이것을 불면 소원 성취가 되므로 소중히 여겨 국보로 삼았다고 함.

만:파 정식지곡【萬波停息之曲】명『악』취타(吹打)❸.

만판¹【慢板】명『악』〔중국의 근대 음악 용어〕느린 박자(拍子). ↔쾌판(快板).

만판² 부 ①마음껏 흐뭇하게. ¶ 이 밤을 ~ 즐겨 보자. ②마냥¹❷. ¶ ~ 마시다.

만:패 불청【萬覇不聽】명 ①아무리 싸움을 걸려고 집적거려도 응하지 않음. ¶ 차서방의 회보를 보고 가든가 죽든가 하자 하였삽더니 평보가 ~ 듣지를 아니하고 등을 밀다시피 가라고만 하니…《李海朝：鳳仙花》. ②바둑에서, 큰 패(覇)가 생겼을 때 상대편이 어떠한 패를 쓰더라도 응하지 않음. ——-하다 자여불

만:평【漫評】명 ①일정한 주의나 체계가 없이 생각나는 대로 하는 비평. ¶ 주간 ~. ②만화로써 인물 또는 사회를 코믹하게 비평함. ¶ 시사(時事) ~. ——-하다 타여불

만:포¹【晩浦】명『지』만포호(晩浦湖).

만포²【滿浦】명『지』만포선(滿浦線)의 북쪽 종점에 있는 도시. 만주의 지안(輯安)과 연락하는 국경 도시로 부근 산물의 집산과 대안(對岸)의 만주 여러 도시와의 무역이 성함. 수풍(水豐) 댐의 개설 이후 번성함. 1945년까지 '만포진(滿浦鎭)'으로 불리었음.

만포³【灣包】명『역』조선 영조(英祖) 30년(1754)에 만상 후시(灣商後市)를 인정할 때, 만상에게 허용한 사무역(私貿易)의 한계인 무역 정액(定額)을 연행(燕行) 사신의 팔포(八包)와 구분하여 일컫는 말.

만:포-땃쥐【晩浦—】명『동』[*Crocidura russula sodyi*] 땃쥣과에 속하는 쥐. 몸길이 65 mm, 꼬리 길이 32 mm 가량. 몸의 상면(上面)은 검은 빛을 띤 회색이고, 아랫부분은 회색빛이 더 짙으며, 앞뒷발의 표면은 흑갈색을 이룸. 꼬리는 전부 흑색인데 하면은 다소 빛깔이 엷음. 몸의 크기는 뒤쥐와 같으나 두개골(頭蓋骨)은 현저히 큼. 1934년 함경 북도 만포(晩浦)에서 일 개체가 채집되었을 뿐임. 만포뒤쥐.

만포-선【滿浦線】명『지』평안 남도 순천(順川)과 평안 북도 만포(滿浦) 사이의 철도. 1939년 2월 1일에 개통하였음. [212.6 km]

만포-진【滿浦鎭】명『역』평안 북도 강계군(江界郡)에 있었던 국경의 요진(要鎭). 압록강을 사이에 두고 중국의 지안(輯安)과 마주하고 있으며, 조선 시대에는 병마 첨절제사(兵馬僉節制使)가 있었음. 지금은 만포시(滿浦市).

만:포-호【晩浦湖】명『지』함경 북도 경흥군(慶興郡) 노서면(蘆西面)에 있는 석호(潟湖). 만포(晩浦). [7 km²]

만:폭【滿幅】명 정한 넓이에 꽉 참. 온 폭.

만:폭-동【萬瀑洞】명『지』내금강(內金剛)에 있는 넓고 큰 동굴.

만:풍¹【晩風】명 날이 저물어서 부는 바람.

만풍²【蠻風】명 야만(野蠻)의 풍속. 야만스러운 풍습. 만속(蠻俗).

만:필【漫筆】명 어떤 주의나 체계가 없이 붓 가는 대로 글을 쓰는 일. 또, 그 글. 고십. 만문(漫文).

만:필-화【漫筆畫】명 만화(漫畫).

만하¹ 명〈옛〉지라. ¶ 만하 비(脾)《類合 上 22》.

만:하²【晩夏】명 늦은 여름. 늦여름.

만:하³【晩霞】명 ①저녁놀. ②저녁 안개. 석하(夕霞). ↔조하(朝霞).

만-하다 보형 ① 동사의 관형형 어미 '-ㄹ·-을' 아래에 쓰이어 동작이나 상태가 거의 어떤 정도에 미치어 있음을 나타내는 말. ¶ 좀 편할 만하니까 사고가 났다. ② 동사의 관형형 어미 '-근·-을' 아래에 쓰이어 어떤 사물의 값어치나 힘이 넉넉히 어떤한 정도에 이름을 나타내는 말. ¶ 살아 나갈 ~. ③ 동사의 관형형 어미 '-ㄹ·-을' 아래에서 '만하고'의 꼴로 쓰이어 '그저 그렇게 여기다'의 뜻을 나타내는 말. 주로 '듣다' 다음에 쓰임. ¶ 그렇게 심한 잔소리를 충고라 여기며 들을 만하고 있었으나…. *만¹¹.

-만하다 미여불 ①어떤 것에 비교하여 그와 같은 정도에 미침을 나타내는 말. ¶ 이만한 크기다/너만한 사람. ②어떤 정도에 그치어 더하지 아니함을 나타내는 말. ¶ 병세가 그~. *만¹¹.

만하르트〔Mannhardt, Wilhelm〕명『사람』독일의 종교 철학자. 여러 민족의 종교를 비교하고 또 게르만 민족의 종교·민속을 연구함. 저서에 《독일 민족과 북구(北歐) 민족의 신(神)들》·《삼림 제사(森林祭祀)와 원야(原野) 제사》 등이 있음. [1831-80]

만:하-바탕 명 지라에 붙은 고기의 한 가지. 설렁탕 거리로 많이 씀.

만하임식 편성법【—式編成法】〔Mannheimer〕[—뻡] 명『교』1900년에 지킹거(Sickinger)가 남독일의 만하임 초등 학교에서 창시한 학급 편성법. 특색은 통상아를 위한 8학년제의 주학급과 지진아를 위한 4학년제의 보조 학급 사이에 6-7학년제의 촉진 학급을 만든 것으로, 이 밖에도 백치아(白痴兒)를 위한 백치 학교, 우수아를 위한 특수 학교를 만들었음.

만하임¹〔Mannheim〕명『지』독일, 바덴(Baden) 지방의 상공 도시. 네카어 강(Neckar江)과 라인 강의 합류점에 있는 하항(河港)이며, 대안(對岸)의 루트비히스하펜암라인(Ludwigshafen am Rhein)과 더불어 중요한 공업 지구를 형성함. 제유(製油)·기계·전기·화학 등의 공업이 발달함. 국립 극장, 바로크 양식의 성(城) 등이 유명함. [304,000 명(1981)]

만하임²〔Mannheim, Karl〕명『사람』독일의 사회학자. 헝가리 태생. 1933년 독일의 나치스에 쫓겨 영국에 망명함. 트뢸치(Troeltsch)의 역사주의에 입각하여 지식의 존재 구속성을 주창하고 특수적 이데올로기에 대하여 전체적 이데올로기의 개선을 제창하는 독자적인 지식 사회학(知識社會學)을 수립하였음. [1893-1947]

만하임 악파【—樂派】〔Mannheim〕명『악』18세기 중엽에서 말엽에 걸쳐 만하임의 궁정(宮廷)에서 활약한 음악가의 총칭. 전고전(前古典) 악파에 속하며, 특히 바이올린 등 각종 악기의 정확한 주법(奏法)을 발달시킴. 작곡가 슈타미츠(Stamitz, J.W.)가 대표적 음악가임.

만:학¹【晩學】명 나이가 들어 늦게야 배움. 노학(老學). ¶ ~도. ——-하다 자타여불

만:학²【萬壑】명 첩첩이 겹쳐진 깊고 큰 산골짜기.

만:학 천봉【萬壑千峰】명 ①첩첩이 겹쳐진 깊고 큰 골짜기와 많은 산봉우리. ②『악』서울 지방의 휘모리 잡가(雜歌)의 하나. 하늘 위 선경(仙境)에서 선동(仙童)이 선약(仙藥)을 구하는 모양을 그린 긴 사설로, '만학 천봉 운심처(雲深處)에'로 시작됨. 장단이 매우 경쾌함.

만:한【萬恨】명 가지가지의 많은 한.

만:함-식【滿艦飾】명 ①함수(艦首)로부터 함미(艦尾)에 걸쳐 신호기를 잇달아 걸고, 마스트(mast) 꼭대기에 군함기를 달아 군함을 화려하게 장식하는 일. 흔히 의식 때에 행함. ②부녀자가 무척 성장(盛裝)한 경우에 일컫는 말.

만:항【萬恒】명『사람』고려 때의 승려. 성은 박씨. 유가(儒家)의 아들로 중이 되어 운흥사(雲興寺)·선원사(禪源寺) 등의 주지(住持)로 있었음. 충선왕(忠宣王)은 그를 정중히 대접하여 언제나 같은 수레를 타고 다녔다 함. [1240-1319]

만:-항하사【萬恒河沙】명〔천축(天竺) 동계(東界)의 지금의 갠지스 강인 항하(恒河)의 무수히 많은 모래라는 뜻〕무한(無限)·무수(無數)한 것을 비유한 말. *항하사(恒河沙).

만:해【萬海】명『사람』한용운(韓龍雲)의 호(號).

만:행¹【萬行】명『종』불교도·수행자(修行者) 등이 수업(修業)할 제행(諸行).

만:행²【萬幸】명 매우 다행함. ——-하다 형여불

만:행³【漫行】명 이리저리 한가히 다님. 만보(漫步). ——-하다 자여불

만행⁴【蠻行】명 야만스러운 행동. ¶ 천인 공노(天人共怒)할 ~.

만:행-루【萬行淚】[—누] 명 한없이 흐르는 눈물.

만:향【晩餉】명 만찬(晩餐).

만:향-옥【晩香玉】명『식』[*Polianthes tuberosa*] 용설란과에 속하는 다년초. 높이 1 m 내외. 줄기는 강직하며, 가지는 치지 않음. 근생엽(根生葉)은 6-9개로 넓은 선형(線形)이고 광택 있는 선녹색인데, 길이 40 cm, 폭 1.2 cm이고, 이면(裏面)이나 기부(基部)는 약간 적색을 띠는 것이 있음. 꽃은 한 곳에 두 송이씩 달려 수상 화서로 피는데, 빛깔은 유백색이나 바깥쪽은 약간 적색을 띠며 향기가 대단함. 멕시코 원산의 구근(球根) 식물로 관상용 이외에 향수 원료로도 재배됨. 월하향(月下香). 튜버로즈(Tuberose).

만:현【萬縣】명『지』'완셴'을 우리 음으로 읽은 이름.

만형【蔓荊】명『식』순비기나무.

만형-자【蔓荊子】명『한의』순비기나무의 열매. 두통·경련(痙攣) 등에 씀. 승법실(僧法實).

만:호【萬戶】명 ①썩 많은 집. ②『역』고려 충렬왕(忠烈王) 때 몽고(蒙古)의 병제(兵制)를 본떠서 만든 군직(軍職)의 하나. 개경(開京)의 순군만호부(巡軍萬戶府)와 지방의 여러 만호부에 소속됨. ③『역』조선 시대 때, 각 도(道)의 여러 진(鎭)에 붙은 종사품(從四品) 무관직(武官職)의 하나. *병마(兵馬) 만호·수군(水軍) 만호.

만호-대【瑪瑚臺】명 ①고리 없는 만호배(瑪瑚杯)를 받치는 잔대. 자마노(紫瑪瑙)로 팔모가 지게 만듦. ②고리 달린 만호배를 받치는 잔대. 모가 민틋한 정사각형

〈만호대❶〉

인데 복판에 당수복을 놓고 사방에 운문(雲紋)과 용(龍)을 새김. 도금한 은으로 만듦.

만:호-도【萬虎圖】명 많은 호랑이를 그린 그림.

만호-배【瑪瑚杯】명 ①자마노(紫瑪瑙)로 만든 술잔. 양편에 손잡이가 있음. ②자마노로 만든 술잔. 양편 손잡이에 은이나 금으로 만든 고리가 달렸음.

만:호-부【萬戶府】명 〖역〗고려 후기에 설치된 군사 조직. 충렬왕(忠烈王) 7년(1281) 김주(金州) 곧, 지금의 김해(金海)에 진변 만호부(鎭邊萬戶府)를 처음으로 둠. 국방과 치안(治安)이 직무였음.

만:호 장안【萬戶長安】명 인가(人家)가 많은 서울.

만:호 중:생【萬戶衆生】명 썩 많은 중생. *억조 창생(億兆蒼生).

〈만호배❶〉〈만호배❷〉

만:호-후【萬戶侯】명 일만 호가 사는 영지(領地)를 가진 제후(諸侯). 곧, 세력이 강한 제후.

만:혹【萬或】명부 만일(萬一).

만:혼【晩婚】명 나이가 들어 늦게 혼인함. 또, 그러한 혼인. ↔조혼(早婚). ——-하다 자여불

만:홀【漫忽】명 한만(汗漫)하고 소홀(疎忽)함. ——-하다 형여불. ——-히 부

만:화¹ 명 〖생〗소의 비장(脾臟)과 췌장(膵臟)의 통칭.

만:화²【晩禾】명 늦벼. 만도(晩稻).

만:화³【晩花】명 ①늦은 철에 피는 꽃. ②제철을 지나서 늦게 피는 꽃.

만:화⁴【萬化】명 ↗천변 만화(千變萬化). ——-하다 자여불

만:화⁵【萬花】명 가지가지 꽃. 많은 꽃.

만:화⁶【萬貨】명 많은 물품. 온갖 재화.

만화⁷【慢火】명 뭉긋하게 타는 불. 뭉근불.

만:화⁸【漫畫】명 ①붓 가는 대로 아무렇게나 그린 그림. 풍속화·희화(戲畫) 따위. ②익살·해학(諧謔)·풍자 등을 내용으로 하는 우의적(寓意的) 그림의 총칭. 자유로운 과장법과 생략법을 써서 단순·경묘(輕妙) 및 암시의 특징을 노리는 것이 순수 회화와 구별되는 점임. ¶ 시사 ~. ③이야기 등을 그림과 대화(對話)를 삽입하여 나타낸 것. 극화(劇畫) 등. *만문(漫文).

만:화⁹【滿花】명 가득 핀 온갖 꽃.

만화¹⁰【鬘華】명 〖식〗말리(茉莉)의 꽃. 옛적 오천축(五天竺)의 사람들이 실에 꿰어 끝을 잡아매어 몸이나 머리의 장식에 사용한 데서 생긴 말. *화만(華鬘).

만:화-가【漫畫家】명 만화를 그리는 것을 직업으로 하는 사람.

만:화-경【萬華鏡】명 완구(玩具)의 하나. 원통(圓筒) 속에 3개의 길쭉한 거울을 삼각 기둥 모양으로 짜 넣고, 그 속에 색종이 조각 등을 넣은 다음 한 끝을 젖빛 유리로 막고, 그 반대편에 뚫린 조그만 구멍을 통해 들여다보면서 손으로 원통을 돌리면 색종이 조각 등이 여러 가지 아름다운 형상을 대칭적으로 나타냄. 컬라이더스코프(kaleidoscope).

만:화 기자【漫畫記者】명 신문사나 잡지사에서 만화를 그리는 일을 맡은 기자.

만:화-방【漫畫房】명 〈속〉 만홧가게.

만:화 방석【滿花方席】명 여러 가지 꽃무늬를 놓아 짠 방석.

만:화 방창【萬化方暢】명 따뜻한 봄날에 만물이 나서 자람. ——-하다 형여불

만:화 방초【萬花芳草】명 온갖 꽃과 향기로운 화초.

만:화-석【滿花席】명 꽃무늬를 가득히 놓아서 짠 돗자리.

만:화 영화【漫畫映畫】명 만화를 사용하여 촬영(撮影)한 영화의 한 가지. 1908년 프랑스의 에밀 콜(Emile Cohl; 1857-1938)이 현재의 만화 영화의 제작 형태를 고안해 내었음. 애니메이션(animation).

만:화-책【漫畫册】명 만화를 주체(主體)로 한 아동용(兒童用) 간행물. *그림책.

만환【彎環】명 둥근 모양. 둥근 물건.

만홧-가게【漫畫—】명 많은 만화책을 갖추어 놓고, 세를 받고 빌려주거나 그 자리에서 읽게 하는 구멍가게.

만:홧-거리【漫畫—】명 만화가 될 수 있는 웃음거리나 재료.

만황【蠻荒】명 먼 남쪽의 오랑캐. 또, 그 오랑캐의 땅.

만:황-씨【萬黃氏】명 〈속〉 못나고 어리석은 사람.

만회【挽回】명 바로잡아 회복함. ¶ 형세를 ~하다. ——-하다 타여불

만:획-조【漫畫鳥】명 〖조〗노랑부리저어새.

만횡【蔓橫】명 〖악〗옛날 가곡(歌曲)의 한 형식. 어떤 두 개의 곡조 형식을 반반으로 섞어서 하나의 곡조를 이룬 것. 반지기(半只其). 언롱(言弄).

만:훼【萬卉】명 여러가지 풀.

만:휘【晩暉】명 저녁 햇빛. 만조(晩照).

만:휘 군상【萬彙群象】명 세상 만물의 현상. 삼라 만상(森羅萬象).

만:흥【漫興】명 어쩐지 감흥이 일어남. 또, 그 감흥. 저절로 일어나는 흥취.

만희【曼姬】[—히] 명 얼굴이 썩 예쁜 여자. 미희(美姬).

만히 부 〈옛〉 많이. ¶ 글도 만히 알며 가수며러 布施도 만히 ᄒᆞ더니《釋譜 Ⅵ:12》.

만ᄒᆞ다 형 〈옛〉 많다. ¶ 時節에 모딘 이리 만ᄒᆞ야《月釋 Ⅰ:16》.

많:다 [만타] 형 사물의 수효나 분량·정도가 어느 표준을 넘다. 적지 않다. 수가 넉넉하다. ¶ 말이 ~/경험이 ~/복이 ~. ↔적다. 【많은 밥에 침 뱉기】 매우 심술 사나운 짓. 【많이 생각하고 적게 말하고 더 적게 써라】 말과 행동보다 생각이 앞서야 한다는 말.

많:이 [만—] 부 많게. 적지 않게. ¶ ~ 먹었습니다.

맏¹ 명 ①맏이. ¶ ~ 백(伯). ②서로 비교해서 나이가 많은 것. 또는 그 사람. ¶ 그는 나보다 5년 ~인 형뻘이 되오. *막내.

맏² 명 〈옛〉 마당. =맡. ¶ 맏 포(圃)《字會 上 7》/맏 댱(場)《石千 6》.

맏³ 명 〈옛〉 맛. 조개의 일종. ¶ 가리맏 뎡(蟶)《字會 上 20》.

맏- 두 태어나거나 산출(産出)되는 차례의 첫번. 첫째. ¶ ~형/~딸/~물.

맏-간【—間】명 배 고물의 첫째 칸으로 잠자는 곳.

맏-나물 명 그 해의 맨 먼저 나온 나물.

맏-누이 명 첫째 누이. 나이가 제일 많은 누이. 백자(伯姊). 장자(長姊). 큰누이.

맏다 타 〈옛〉 맡다. 냄새를 맡다. ¶ 香ᄋᆞᆫ 혼갓 옷곳ᄒᆞᆫ 것분 아니라 고ᄒᆞ로 맏는 거슬 다 니르니라《釋譜 XIII:39》.

맏-동서【—同婿】명 맨 손위의 동서.

맏디다 타 〈옛〉 맡기다. =맛디다. ¶ 종을 맏디디 아니ᄒᆞ더라(不委僮僕) 《東國續三綱 孝子圖》.

맏-딸 명 제일 먼저 낳은 딸. 장녀(長女). 큰딸. 큰아기. ¶ ~은 살림 밑천.

맏-며느리 명 맏아들의 아내. 큰며느리. 【맏며느리 손 큰 것】 아무 짝에도 쓸데없고 도리어 있어서 해로운 존재를 이르는 말.

맏-물 명 맨 처음 나는 푸성귀나 해산물(海産物) 또는 곡식이나 과일. 선물(先物). 선출(先出). 신출(新出). ↔끝물.

맏-배 명 짐승의 새끼 낳는 첫째번. 또, 첫째번에 낳은 새끼. 첫배.

맏-사위 명 맏딸의 남편. 큰사위.

맏-상제【—喪制】명 주장되는 상제. 상주(喪主).

맏-손녀【—孫女】명 맨 먼저 낳은 손녀. 장손녀(長孫女). 큰손녀.

맏-손자【—孫子】명 맨 먼저 낳은 손자. 장손(長孫). 큰손자. 주손(冑孫).

맏-아들 명 맨 먼저 낳은 아들. 장남(長男). 장자(長子). 사자(嗣子). 윤자(胤子). 큰아들.

맏-아매 명 〈방〉 큰어머니(함북).

맏-아배 명 〈방〉 큰아버지(함북).

맏-아버지 명 〈방〉 큰아버지(평북).

맏-아이 명 맨 처음에 낳은 아이. 큰아이.

맏-아주머니 명 맏형의 아내. 맏형수.

맏-애매 명 〈방〉 큰어머니(함북).

맏-양반【—兩班】[—냥—] 명 ①남의 맏아들을 높이어 일컫는 말. ②〖민〗봉산 탈춤에 등장하는 샌님. 또, 그가 쓰는 흰 바탕에 흰 눈썹과 수염을 단 탈.

맏-어매 명 〈방〉 큰어머니(경북).

맏-언니 명 맨 손위가 되는 언니.

맏-이 [마지] 명 형제 자매 중에서 맨 먼저 태어난 사람. ¶ ~로 태어나다.

맏-자식【—子息】명 첫번째로 낳은 자식.

맏-잡이 명 〈속〉 맏아들이나 맏며느리가 되는 사람.

맏-파【—派】명 맏아들의 계통. 장파(長派).

맏-형【—兄】명 첫째 형. 맨 먼저 난 형. 백형(伯兄). *큰언니·큰형.

맏-형수【—兄嫂】명 맏형의 아내. 구수(丘嫂). 맏아주머니. 큰형수.

말¹ 명 〖동〗①말과(科)에 속하는 동물의 총칭. ②[*Equus caballus orientalis*] 말과에 속하는 동물의 하나. 중앙 아시아·몽고의 원산으로 어깨 높이 1m 가량이고 몸빛이 회흑색 내지 담갈색이 많음. 몸은 작으나 힘이 세고 인내력이 많아 운반용·농경용·승용(乘用) 등에 이용함. 몽고말과 서양종을 교배시킨 것이 한국 특산종임. 엽자(鬣者). 마필. *말과. 【말 갈 데 소 간다】 ㉠아니 갈 데를 간다는 뜻. ㉡말이 갈 곳이면 소도 갈 수 있다는 뜻에서, 남이 할 일이면 자기도 할 수 있다는 말. 【말 갈 데 소 갈 데 다 다녔다】 온갖 곳을 다 쫓아다녔다는 뜻. 【말고기를 다 먹고 무슨 냄새난다 한다】 욕심을 채우고 나서 공연한 불평을 하는 사람을 비유하는 말. 【말 귀에 염불】 '쇠귀에 경 읽기'와 같은 뜻. 【말 꼬리에 파리가 천리 간다】 남의 세력에 기운을 폄을 이르는 말. 【말 난 장에 소】 어울리지 아니하는 판에 끼어든 형세를 이르는 말. 【말도 사촌까지 상피(相避)한다】 친척 간의 난행(亂行)을 경계하는 말. 【말 머리에 태기(胎氣)가 있다】 말 타고 시집갈 때 이미 수태하였다 함이니 일의 첫머리부터 이익을 볼 기회를 얻었다는 말. 【말 발이 젖어야 잘 산다】 장가가는 신랑이 탄 말의 발이 젖을 정도로 촉촉하게 비가 내려야 그 부부가 잘 산다는 뜻으로, 결혼식 날에 비가 오는 것을 위로하는 말. 【말 살에 쇠 뼈다귀】 피차 간에 아무 관련성이 없이 엉토당토 않다는 뜻. 【말 살에 쇠 살】 합당하지 아니한 말을 하는 사람을 욕하는 말. 【말 삼은 소 신이라】 말이 삼은 소의 짚신이라는 말로, 일이 뒤죽박죽이 되어 못쓰게 되었다는 뜻. 【말 잡은 집에 소금이 해자라】 여럿이 말을 잡아먹을 때 주인이 소금을 거저 낸다는 뜻. 곧 부득이한 처지에 있어 생색 없이 무엇을 제공하게 됨을 일컫는 말. 【말 죽은 데 체장수 모이듯】 첫밭감으로 쓸 말총을 구하려고 말 죽은 집에 체장수가 모이듯이, 남의 곤경은 아랑곳없이, 제 욕심만 채우려 듦을 이르는 말. 【말 타면 경마 잡히고 싶다】 사람의 욕심이란 한이 없다는 말. '득롱 망촉(得隴望蜀)'·'차청 입방(借廳入房)'과 같은 말. 【말 타면 종 두고 싶다】 '말 타면 경마 잡히고 싶다'와 같은 뜻. 【말 탄 양반 끄덕 소 탄 녀석 끄덕】 덩달아 남의 흉내를 낸다는 말. 【말 태우고 버선 깁는다】 준비가 늦었다는 말.

말² 명 〖식〗①물 속에 나는 민꽃 식물(植物)의 총칭. ②[*Potamogeton oxyphyllus*] 가랫과에 속하는 다년생 수초(水草). 전체가 녹갈색인데 줄기는 길이 30cm 이상이고, 잎은 호생하는데 무병(無柄)이고 선형(線形)이며 길이는 5-10cm, 폭은 3mm 내외임. 5-6월에 꽃줄기가 2cm 가량 되는 황록색 꽃이 액생(腋生)하여 수상(穗狀) 화서로 핌. 과실은 수과(瘦果)임. 개울·도랑가의 물 속에 나는데 한국 각지에 분포함. 줄기·잎은 먹음. 버들말즘. ③↗바닷말. ④〈방〉 마름²(경기·강원·충북·전북·경북).

〈말²❷〉

말³ 명 ①장기·고누·윷 등에서 군사로 쓰이거나 밭을 표시하는 패. ②장기짝의 하나. 날 일자(日字)로 다님. '馬'라 씌었음. 마(馬).

말⁴ 명 지지(地支)의 '오(午)'를 상징적으로 나타내는 말. '오'의 속성(屬性). '오'의 띠. ¶ ~띠.

말⁵ ㊀ 명 곡식·액체·가루 따위의 분량을 되는 데 쓰는 그릇. 열 되가 들

게 나무나 쇠붙이로 원기둥꼴로 만듦. ＊되. 二 의명 곡식·액체·가루 따위의 분량을 헤아리는 단위. 되의 열 갑절임. 두(斗). ¶ 쌀 열 ~.
[말로 배워 되로 풀어 먹는다] 학문을 활용·이용할 줄 모르는 사람을 두고 이르는 말. [말 위에 말을 얹는다] 욕심이 많은 사람을 일컫는 말.

말[6] 명 〈방〉 마루폭. 「18》/橛은 말히라《楞嚴 Ⅷ:85》.

말[7] 명 〈옛〉 말뚝❶. ¶ 말 장(檣), 말 궐(橛), 말 탁(椓), 말 익(杙)《字會 中

말:[8] 명 ①사람의 사상·감정을 나타내는 음성적(音聲的) 부호. 곧, 사람의 생각을 목구멍을 통하여 조직적으로 나타내는 소리. 어사(語辭). 언어(言語). 언사(言辭). ¶ 표준~/~과 글. ②낱말·구(句)·속담·문장 등을 두루 일컬음. ¶ 그는 '자신 있다'는 ~을 너무 자주 한다/( ) 안에 알맞은 ~을 쓰시오. ③일정한 내용의 이야기. ¶ 남의 ~만 한다/~을 꺼냈다. ④소문이나 풍문 따위. ¶ ~이 퍼지다/개각(改閣)한다는 ~이 있다. ⑤말투나 말씨. ¶ 가시 돋친 ~/가는 ~이 고와야 오는 ~이 곱다. ＊말이다[2].
[말로 온 공(功)을 갚는다] ㉠말을 잘하면 말만으로도 은공을 갚을 수 있다는 뜻. ㉡말을 잘하는 것은 일상 생활에 퍽 유리하다는 말. [말로 온 동네 다 겪는다] ㉠음식이나 물건으로는 힘이 벅차서 많은 사람을 다 대접하지 못하므로 언변으로나마 잘 대우한다는 말. ㉡말로만 남을 대접하는 체한다는 말. [말만 잘하면 천냥 빚도 가린다] ㉠말은 일상 생활에 매우 큰 영향을 끼치는 것이니 말할 때는 애써 조심하라는 말. ㉡말을 잘하는 사람은 처세에 유리하다는 말. [말 많은 것은 과붓집 종년] 말이 많다는 말. [말 많은 집은 장맛도 쓰다] ㉠가정에 잔말이 많아 화목하지 못하면 살림이나 모든 일이 잘 안 된다는 뜻. ㉡입으로만 그럴 듯하게 말하고 실상은 좋지 못하다는 뜻으로 하는 말. [말 말끝에 단 장(醬) 달란다] 여러 말끝에 장을 달라고 한다는 말이니, 상대방의 마음을 사 놓고 자기의 욕심을 채우기 위한 요구를 꺼낸다는 말. [말 안하면 귀신도 모른다] 마음 속으로만 애를 태울 것이 아니라 시원스럽게 말을 하여야 한다는 뜻. [말은 꾸밀 탓으로 간다] 같은 내용도 다르게 표현하여 이야기할 수 있다는 말. [말은 보태고 떡은 뗀다] 말은 전해 갈수록 더 보태어지고, 떡은 이 손 저 손으로 돌아가는 동안에 없어지는 것이라는 말. [말은 이 죽이듯 한다] 말을 할 때에 조금도 남김 없이 자세히 다 함을 이르는 말. [말은 적을수록 좋다] 말이 많으면 군말을 많이 하게 되므로 그 결과가 좋지 못하다는 뜻. [말은 해야 맛이고 고기는 씹어야 맛이다] ㉠마땅히 할 말은 하여야 서로 사정이 통하게 되고 속이 시원하다는 말. ㉡참 맛은 실지로 해 보는 데서 얻을 수 있다는 말. [말이 많으면 쓸 말이 적다] 말이 많으면 오히려 효과가 적다는 말. [말이 말을 만든다] 말은 사람의 입을 옮겨 가는 동안, 모르는 사이에 그 내용이 과장되고 변한다는 뜻. [말이 앞서지 일이 앞서는 사람 본 일 없다] 말 없이 실천하는 사람은 드물다는 말. [말 잘하고 징역 가랴] 말만 잘하면야 일을 그르칠 리가 있겠느냐는 말. [말 잘하기는 소진 장의(蘇秦張儀)로군] 구변이 썩 좋은 사람을 보고 일컫는 말. [말하는 남생이] 남생이가 토끼를 속이어 용궁에 끌고 들어갔다는 이야기에서 나온 말로, 아무도 그 하는 말을 신용 못 한다는 말. [말 한마디에 천금이 오르내린다] 말 한마디가 중요함을 이르는 말. [말 한마디에 천 냥 빚도 갚는다] 말만 잘하면 어려운 일도 해결된다는 말.

말: 같지 않다 구 말이 이치나 상식에서 벗어나 실답지 않다.
말: 그대로 구 말하고자 하는 사실 그대로.
말:만 앞세우다 구 말을 먼저 하고 실천은 하지 않는다.
말: 아닌 말: 구 이치나 경위에 맞지 않는 억지말.
말:을 걸:다 구 남에게 말이나 행동을 하여 나서다.
말:을 꺼:내다 구 상대편에게 말을 하기 시작하다.
말:을 나누다 구 서로 말을 주고받다. 서로 이야기하다.
말:을 떼:다 구 말을 하기 시작하다.
말:을 묻다 구 말을 해 달라고 묻다.
말:을 주고받다 구 서로 말을 하다.
말:이 통하다 구 말의 뜻이 이해되어 의사(意思)가 전달되다. ¶ 말이 통하지 않는 낯선 땅.

말:[9] 명 톱질할 때나 먹줄을 칠 때, 그 밑에 받치는 나무.

말:[10] 명 ↗마을.

말:[11] 〔Mâle, Émile〕 명 《사람》 프랑스의 미술사가. 프랑스 중세의 기독교 미술 연구로 알려졌는데, 특히 정신사적·사회사적 관점 위에 선 작품의 도상학적(圖像學的) 연구에 정평이 있음. 주저에 《프랑스 중세 말기의 종교 예술》이 있음. [1862-1954]

말[12] 【末】 의명 어떤 기간의 끝이나 끝 무렵. ¶ 학년 ~에/이 달 ~에/신라 ~. ↔초(初).

말[13] 〔Malle, Louis〕 명 《사람》 프랑스의 영화 감독. 1957년 《사형대의 엘리베이터》로 데뷔, 《연인(戀人)》 등으로 성공하여 누벨 바그 작가의 유력한 한 사람으로 꼽힘. 1987년 《안녕, 아이들아》로 베네치아 영화제 그랑프리를 수상함. [1932-]

말- 루 어떤 명사 위에 붙어서 그것이 큼을 나타내는 말. ¶ ~매미/~개미/~벌/~승냥이/~나리/~조롱. ＊왕-[1].

-말 【末】 미 '가루'의 뜻. ¶ 붕산(硼酸)~.

말가ᄒᆞ다 형 〈옛〉 말갛다. ¶ 말가ᄒᆞᆫ 기픈 소희 온갓 고기 뛰노ᄂᆞ다《古時調 尹善道》.

말각 조정 【抹角藻井】 명 《고고학》 모줄임천장.

말각-평저 【抹角平底】 명 《고고학》 대야 바닥.

말-간 【一間】 [一깐] 명 마구간.

말:-갈[1] 명 《언》 '어학(語學)❶'의 풀어 쓴 말.

말갈[2] 【靺鞨】 명 《역》 만주 동북 지방에 있던 퉁구스(Tungus)계의 일족. 삼한(三韓) 시대에 생긴 이름으로, 숙신(肅愼)·읍루(挹婁)·물길(勿吉)은 모두 그 옛 이름임. 그 일족인 속말 말갈(粟末靺鞨)의 수장(首長) 대조영(大祚榮)은 발해(渤海)를 일으키고, 흑수 말갈(黑水靺鞨)은 뒤에 여진국(女眞國)을 세웠음.

말-갈기 명 말의 목덜미에서 등까지 난 긴 털. 마렵(馬鬣). ＊갈기[2].

말:-갈망 명 말의 뒷수습. ¶ 불쑥 한 마디 하고는 ~을 못 한다.

말감 【末勘·末減】 명 가장 가벼운 죄에 처함. ――하다 타여불

말-감고 【一監考】 명 곡식을 팔고 사는 장판에서 되나 말로 되어 주는 일을 업으로 하는 사람. 대개 그 곡식의 10분의 1을 구문으로 받아 먹음. 준감고. ＊말잡이·말장이.

말-강구 명 〈방〉 말감고.

말-갖춤 명 《고고학》 말에 딸린 꾸미개나, 말을 부리는 데 쓰는 연장. 마구(馬具).

말:갛다 [―가타] 형ㅎ불 깨끗하고 맑다. ¶ 물이 바닥까지 ~/말갛게 갠 하늘/정신이 ~. 〈멀겋다.

말개 명 〈방〉 재[2].

말개미[1] 명 〈방〉 《식》 마름[2](평북).

말-개미[2] 명 ①큰 개미. ②《충》 왕개미❷.

말:개-지다 자 말갛게 되다. ¶ 물이 ~. 〈멀게지다.

말객 【末客】 명 《역》 고구려 무관직(武官職)의 하나. 중국의 중랑장(中郞將)에 비정(比定)되며, 대형(大兄) 이상에 관등을 가진 자로 임명됨. 1천 명의 병사를 지휘함. 말약(末若). 군두(郡頭).

말거 【抹去】 명 지워 없앰. 뭉개 버림. 말소(抹消). ――하다 타여불

말:-거리 [―꺼―] 명 ①↗말썽거리. ¶ ~가 못 된다. ②이야기의 재료.

말-거머리 명 《동》 [*Whitmania pigra*] 거머릿과에 속하는 환형 동물. 몸은 대형(大形)으로 다소 편평하고 긴 방추형으로, 길이 10cm, 폭 1.7cm 가량임. 몸빛은 배면(背面)이 감람색이고 다섯 줄의 암색 종선(縱線)이 있으며, 복면(腹面)은 담색에 작은 암색의 반점이 길이로 나열되고 다섯 줄의 체륜(體輪)이 한 체절(體節)을 형성하고 있음. 머리 끝에는 다섯 쌍의 눈이 있음. 사람의 피부에 상처를 만드나 피를 빨지는 않음. 무논·연못 등에서 패류(貝類)를 먹고 서식하되 겨울에는 진흙 속에 숨어 있음. 한국·중국·일본에 분포함. 마질(馬蛭). 마황(馬蟥).

〈말거머리〉

말-거미[1] 명 ①큰 거미. ②《동》 왕거미❷.

말거미[2] 명 〈방〉 학질(제주).

말:-건네다 자 상대편에게 말을 걸다.

말검정-잎벌 명 《충》 [*Macrophya carbonaria*] 잎벌과에 속하는 곤충. 암컷의 몸길이는 12mm 내외이고, 몸빛은 흑색에 후경절(後脛節)의 선문(線紋)은 백색, 앞다리의 퇴절 말단·경절 및 부절(跗節)의 전면은 회백색이며, 촉각은 흑색임. 흉부와 복부에는 점각(點刻)이 있음. 한국·일본·사할린에 분포함.

〈말검정잎벌〉

말:-결 [―껼] 명 무슨 말을 하는 김. ¶ 무슨 ~에 그런 말이 나왔느냐.

말:-겻 [―껻] 명 ☞ 말곁.

말겻고다 자 〈옛〉 말다툼하다. ¶ 諍은 말겻굘 씨오《楞嚴 Ⅳ:8》.

말경 【末境】 명 말년의 지경. 끝판. 늘바탕.

말:-곁 [―껻] 명 남이 말하는 곁에서 덩달아 참견하는 말. ¶ 괜히 ~을 하여 싸움을 붙인다.
말:곁(을) 달:다 구 남이 말하는 곁에서 덩달아 말하다.

말계 【末計】 명 마지막 끝판에 세운 계획. 궁계(窮計).

말:고 조 '아니고'의 뜻을 나타내는 특수 조사. ¶ 이것~ 저것/너~ 네 친구.

말-고개 [―꼬―] 명 《지》 마현(馬峴)❶❷.

말-고기 명 말의 고기. 마육(馬肉).
[말고기를 다 먹고 냄새 난다 한다] 욕심을 채우고 나서 쓸데없는 불평을 한다는 말.

말고기 자:반 【―佐飯】 명 술이 취하여 얼굴이 붉은 사람을 놀리는 말.

말-고삐 명 말 굴레에 매어 끄는 줄. ¶ ~를 잡다.

말고지 명 〈방〉 말코지.

말-곡식 【―穀食】 [―꼭―] 명 한 말 가량 되는 곡식.

말-곰 명 《동》 [*Ursus arctos mandchuricus*] 곰과(科)에 속하는 짐승. 큰곰의 한 아종(亞種)으로 몸은 대형(大形)이며 빛은 적갈색임. 귀와 꼬리는 작고, 목 아래는 검붉으며, 가슴·두 어깨·목 부근에 반문이 있음. 만주(滿洲) 특산으로 한국 북부로부터 사할린·우수리 등지에 걸쳐 분포함. 고기는 식용, 모피는 방석 재료로 씀.

〈말곰〉

말:-공대 【―恭待】 명 말로 하는 공대. ――하다 자여불

말:-공부 【―工夫】 [―꽁―] 명 ①말을 익히는 공부. ②쓸데없이 헛되게 하는 이야기. ¶ 일 해결에 도움이 안 되는 ~는 하지도 말아라. ――하다 자여불

말:공부-쟁이 【―工夫―】 [―꽁―] 명 쓸모없는 헛된 이야기만 하는 사람을 낮춰 일컫는 말.

말:공부-질 【―工夫―】 [―꽁―] 명 쓸모없는 헛된 이야기만 하는 일.

말:-공비 명 〈방〉 ①말썽거리(함남). ②뜬소문.

말-과 【―科】 [―꽈] 명 《동》 [Equidae] 포유류 기제류(奇蹄類)에 속하는 한 과. 낙타와 비슷한데 얼굴과 목이 길며 사지(四肢)는 길쭉하여 잘 달림. 3-4세에서 성숙하며 16-20세까지 번식하는데, 4-6월이 번식기이고 수태(受胎)한 후 335일 만에 한 마리의 새끼를 낳음. 소와 달라 단위(單胃)이고 건초(乾草)·곡물(穀物) 등을 사료로 함. 농경(農耕)·운반·군사·승마 등에 이용함. 오랜 시대부터 진화한 것으로 동양종·서양종 또는 몽고말·얼룩말·나귀·노새 등으로 구분됨. ＊말[1].

말관 【末官】 명 말단의 관직. 말직(末職). 미관(微官).

말-괄량이 명 얌전하지 못하고 덜렁거리어 여자답지 않은 여자.

말-광대 [명] 말을 타고 여러 가지 재주를 부리는 광대.
말-괴불 [명] 배우 큰 괴불주머니.
말구¹【末口】[명] 둥글고 긴 재목의 끄트머리의 직경.
말구²〔Mark〕[명]〖천주교〗'마르코'의 구칭. 「28>.
말구디ᄒᆞ다 [자]〈옛〉더듬거리다. 말굳다. ¶ 말구디ᄒᆞᆯ 눌(訥)<字會 下
말-구슬우렁이 [명]〖조개〗큰구슬우렁이.
말-구유 [명] 말먹이를 담아 주는 그릇.
말-구종【一驅從】[명] 말을 탈 때 고삐를 끌거나 뒤에서 따르는 하인. 견부(牽夫). 마부(馬夫). 마정(馬丁).
말구지 [명]〈방〉말뚝(함남).
말국¹ [명] ☞ 국물. 「끝판.
말국²【末局】[명] ①어느 사건이 벌어진 끝판. ②바둑 같은 것을 둘 때의
말군【襪裙】[명]〖역〗조선 전기(前期)에 양반집 부녀자가 말을 탈 때, 치마 위에 입는 폭넓은 바지.
말:-굳다 [형] 말더듬는 병이 있다. 말이 더듬더듬 막히며 순하지 못하다. 어둔(語鈍)하다. 어눌(語訥)하다.
말-굴레 [명] 가죽끈이나 삼 줄 같은 것으로 얽어 말 대가리에 씌우는 물건. 고삐·장식·방울 같은 것을 맴.
말-굽 [명] ① 말의 발톱. 둥글게 하나로 되어 있음. 마제(馬蹄). 마제굽. ②'무력(武力)'을 비유적으로 일컫는 말. ¶ 외세의 ～에 짓밟히다. ③〖건〗↗말굽 추녀.
말굽-도리 [명]〖건〗끝이 말굽 모양으로 생긴 도리.
말굽-쇠 [명] ①☞말굽은(銀). ②☞편자.
말굽쇠 자석【一磁石】[명]〖물〗말굽 자석.
말굽-옹두리 [명] 말굽 모양으로 생긴 소의 옹두리뼈.
말굽-은【一銀】[명] 중국에서 거액(巨額)의 거래를 할 때에 통화(通貨)처럼 쓰이던 말굽 모양으로 생긴 은괴(銀塊). 무게가 보통 50 냥(兩)(약 1,800 g)가량 되게 만들어 사용하였음. 고은(庫銀). 마제은(馬蹄銀). 문은(紋銀). 보은(寶銀). 원보(元寶).
말굽 자석【一磁石】[명]〖물〗말굽 모양(模樣)으로 꾸부려 만든 자석. 양극(兩極)이 서로 가까이 붙어 있기 때문에 자력(磁力)이 오래 보유(保有)됨. 마제형 자석(馬蹄形磁石). 말굽쇠 자석. 유자형(U 字型) 자석. 제철형 자석.

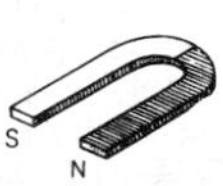

〈말굽 자석〉

말굽 지남철【一指南鐵】[명] ☞말굽 자석.
말굽 추녀 [명]〖건〗안쪽 끝을 말굽 모양(模樣)으로 만들어 추녀 양쪽으로 붙이는 서까래. 마제연(馬蹄椽). 마제(馬蹄) 추녀. [준]말굽. ↔선자(扇子) 추녀. 「는 토시.
말굽 토시 [명] 토시의 입을 말굽처럼 오그리어 손등을 덮도록 되어 있
말굽형 사구【一型砂丘】[명]〖지〗말굽형으로 생긴 사구. 바람이 불어오는 쪽은 비탈이 완만하고 바람이 불어 나가는 쪽은 비탈이 가파름.
말권【末卷】[명] 여러 권이 한 질로 되어 있는 책의 끝 권.
말:-귀 [—뀌] [명] ①말의 뜻. ¶ ～를 못 알아듣다. ②남이 하는 말의 뜻을 알아듣는 슬기. ¶ ～가 어둡다.
말그-스레 [부] 말그스름하게. <멀그스레. ——하다 [형][여불]
말그스름-하다 [형][여불] 조금 말갛다. <멀그스름하다. **말그스름-히** [부]
말긋-말긋 [부] 액체 속에 덩어리가 섞인 모양. ¶ 국에 토란이 ～ 들어 있다. ——하다 [형][여불]
말:기¹ [명] 치마나 바지 같은 것의 윗허리에 둘러서 댄 부분.
말기² [명]〈방〉마루. 「(末藝). *하기(下技).
말기³【末技】[명] 변변하지 못한 작은 재주. 쓸모 없는 서투른 재주. 말예
말기⁴【末期】[명] ①일생의 끝 무렵. 늘그막. 말년. ②어떤 시기의 끝장 무렵. 끝의 시기. 말년. 말엽(末葉). 종기(終期). ¶ 조선 ～. ③어떤 일의 끝 무렵. 만기(晚期). ¶ ～ 증상. 2)-3):↔초기(初期).
말기다 [타]〈방〉말리다⁴(함경·전라·경상).
말-기름 [명] 마지(馬脂).
말:-길 [—낄] [명] ①말을 할 수 있는 길. 언로(言路). ②말을 할 수 있는 실마리 또는 기회. ¶ 나에게는 ～이 돌아오지 않았다.
말:길-되다 [—낄—] [자] 남에게 소개하는 의논의 길이 트이다. ¶ 몇 달 만에야 말길되어 겨우 만나 보았다.
말-까시 [명]〈방〉〖식〗마름²(충남).
말:-꼬리 [명] ①말의 끝 부분. *말끝. ②말꼬투리.
말:꼬리(를) 물고 늘어지다 [구] 상대방의 말 가운데서 꼬투리를 잡아 꼬치꼬치 따지고 들다.
말:꼬리(를) 잡다 [구] 남의 말을 듣고 있다가 그 말 자체를 가지고 시비
말:-꼬투리 [명] 말로서 사단(事端)이 되는 꼬투리. 말꼬리. 「를 달다.
말-꼭지 [명] 말의 첫 마디.
말꼭지를 따다 [구] 첫 마디를 시작하다.
말꼭지를 떼:다 [구] 말꼭지(를) 따다.
말-꼴 [명] 말을 먹이기 위한 꼴. 마초(馬草).
말:-꾸러기 [명] ①잔말이 많은 사람. ②말썽꾼.
말-꾼¹ [명] ↗말몰이꾼.
말:-꾼² [명] 동네집 사랑 같은 데서 모여 노는 마을 사람. 마을꾼.
말끄러미 [부] 눈을 똑바로 뜨고 오도카니 한 곳만 바라보는 모양. ¶ ～ 바라보다. <물끄러미.
말끔 [부] 하나도 남김 없이 전부. 조금도 남김 없이 싹 쓸어 가듯이 모두. ¶ 빚을 ～ 갚다/～ 알고 앉았다.
말끔-하다 [형][여불]〔←묽-+-읏+하다?〕티 하나 없이 깨끗하고 맑다. ¶ 말끔한 몸차림. <멀끔하다. **말끔-히** [부]. ¶ 걱정이 ～ 가시다.
말:-끝 [명] 말의 단락을 짓는 끝. 말의 끄트머리. ¶ ～마다 욕이군. *말꼬리.
말:끝을 달다 [구] 일단 끝을 맺은 말에 덧붙여 말하다.
말:끝을 맺다 [구] 말의 단락을 짓다. ¶ 말끝을 맺지 못하고 눈물지었다.
말:끝을 잡다 [구] 말꼬리를 잡다.
말:끝을 흐리다 [구] 말끝을 분명히 맺지 못하고 얼버무리다.
말:-나다 [—라—] [자] ①이야깃거리로 말이 시작되다. ②비밀한 일이 다른 사람의 말에 드러나다.
말-나리 [—라—] [명]〖식〗[*Lilium distichum*] 백합과에 속하는 다년초. 높이 80 cm 가량, 잎은 피침형으로 윤생(輪生)함. 6-8 월에 적황색 육판화(六瓣花)가 줄기 위에 하향(下向)하여 피는데 달걀 모양의 타원형 화판 내면에는 자갈색 반문이 있고, 삭과(蒴果)는 거꿀달걀꼴 타원형임. 담백색 인경(鱗莖)은 식용함. 관상용으로 심음.

〈말나리〉

말나-식【末那識】[—라—] [명]〔범 manas〕〖불교〗팔식(八識)의 하나로 제 7 식(第七識)이라고도 함. 제 6 의 의식(意識)과 구별되는 식작용(識作用)으로, 의식이 없어진 상태에도 부단(不斷)히 존재하고, 자기를 사랑하고 존재시키는 미망(迷妄)의 근원이라고 생각되는 마음의 작용을 말함.
말-날 [—랄] [명]〖민〗①일진(日辰)이 말로 된 날. ②음력 10 월 중의 오일(午日). 팥시루떡을 만들어 말 외양간에 제사지냄. 이 날이 병오일(丙午日)이면 병(病)과 동일하므로 꺼리고, 무오일(戊午日)이면 무(茂)즉, 무성(茂盛)의 뜻으로 길일(吉日)로 알고 이와 발음이 같은 '무'로 무시루떡을 만들기도 함. 마일(馬日).
말남【末男】[—람] [명] 끝의 아들. 막내아들. ↔장남.
말:-내다 [—래—] [타] ①이야깃거리삼아 말을 시작하다. ②비밀한 일을 남에게 말로 드러내다.
말-냉이 [—랭—] [명]〖식〗[*Thlaspi arvense*] 겨잣과에 속하는 2 년초. 줄기 높이는 60 cm 가량임. 근생엽(根生葉)은 총생(叢生)하고 유병(有柄)이며 경엽(莖葉)은 호생하고 무병(無柄)에 도피침상(倒披針狀)의 긴 타원형 또는 피침형임. 5 월에 흰 꽃이 총상(總狀) 화서로 정생(頂生)하고, 과실은 단각과(短角果)임. 한국 각지의 산야에 분포함. 어린 싹은 먹음.

〈말냉이〉

말냉이-장구채 [—랭—] [명]〖식〗[*Melandrium noctiflorum*] 너도개미자릿과에 속하는 다년초. 줄기 높이 약 50 cm 가량이고 잎은 대생하며 피침형 또는 긴 타원형임. 7-8 월에 담홍색 꽃이 여러 개 달려 피고, 과실은 삭과(蒴果)임. 산지에 나는데, 함경 남도의 부전 고원(赴戰高原)에 분포함.
말녀【末女】[—려] [명] 끝의 딸. 막내딸. ↔장녀.
말년【末年】[—련] [명] ①일생의 마지막 무렵. 늘그막. 만경(晚境). 말기(末期). ¶ ～을 불우하게 보내다. ②어떤 시기의 끝장 무렵. 말기(末期).
말-녹피【一鹿皮】[—록—] [명] 무두질한 말가죽.
말-놀음 [—롤—] [명] ①말놀음질. ②말을 훈련시켜 갖가지로 재주를 부리게 하는 일. 또, 기마수(騎馬手)가 갖가지로 재주를 부리는 일. 곡마(曲馬). 마희(馬戲). ——하다 [자][여불]
말놀음-질 [—롤—] [명] 아이들이 막대기나 동무들의 등을 말로 삼아 타고 노는 놀이. ——하다 [자][여불]
말:-놓다 [—로타] [자] 존대하던 말씨를 반말 또는 '하게' 혹은 '해라'로 고치어서 말하다.
말-눈깔 [—룬—] [명]〈속〉①말의 눈. ②말의 눈처럼 눈이 큰 사람을 놀리는 말. 「의 ～가 승낙할 것 갈소.
말:-눈치 [—룬—] [명] 말하는 속에 은연히 암시(暗示)되는 말의 뜻. ¶ 그
말-니 [—리] [명]〖충〗[*Haematopinus asini*] 짐승닛과에 속하는 곤충. 몸길이 2.5-3.6 mm, 폭 0.95-1.4 mm 임. 전경부(前頸部)는 긴 원추형이고 복부는 달걀꼴로 각 발의 가장자리에 네 개의 가는 털이 있음. 말·당나귀·얼룩말 따위에 기생하는 해충임. 전세계에 분포하는 공통종임.
말다¹ [타] ①너비가 있고 부드럽거나 잘 휘는 물질을 제 몸에 싸서 감다. ¶ 발을 말아 올리다. ②종이나 김 따위와 같은 것에 내용물을 넣고 돌돌 감아서 싸다. ¶ 담배를 ～/김밥을 ～.
말다² [타] 물이나 국물에 밥이나 국수 같은 것을 넣어 풀다. ¶ 냉면을 ～.
말:다³ [타] ①하던 일이나 할 일을 그만두다. 어간 'ㄹ'이 'ㄷ', 'ㅅ', 'ㅈ'으로 시작되는 어미 앞에서나 명령형 '말라', '말아'에서 주는 일이 있음. ¶ 만다 만다 하면서 또 한다. ②'-거나 말거나', '-거니 말거니', '-나 마나', '-든지 말든지', '-ㄹ지 말지' 따위와 같은 중복형 구조에 쓰이어 '아니하다'의 뜻을 나타내는 말. ¶ 공부를 하거나 말거나/보나 마나 뻔하다/가든지 말든지 마음대로 해라. ③동작성을 내포하는 일부 명사 다음에 쓰이어 '하지 말다'의 뜻을 나타내는 말. ¶ 걱정 말아라/염려 마세요/야, 말도 마라. ④'말고'의 형태로 쓰이어 '아님'을 나타내는 말. ¶ 그것 말고 저걸 주시오/밥 말고도 먹을 게 많다. ⑤조사가 붙은 어떤 부사 다음에 쓰이어, 부정하는 뜻을 나타내는 말. ¶ 더도 말고/더는 말고. *마다다.
말:다⁴ [一][보동] ①어미 '-지' 다음에 쓰이어 그 동작을 막는 뜻을 나타내는 말. ¶ 가지 마시오/잊지 말게. ②어미 '-다', '-다가'의 다음에 쓰이어 '그만두다'의 뜻을 나타내는 말. ¶ 가다 말고 되돌아오다. ③어미 '-고', '-고야' 다음에 쓰이어 그것이 결국 실현되었거나 기어이 실현시키겠다는 뜻을 나타내는 말. ¶ 죽고 말았다/이루고야 말겠다. ④'-고 말고', '-다 마다'의 형태로 앞 동사의 뜻을 긍정하며 강조할 때 종지형으로 쓰는 말. ¶ 가고 말고/오다 마다. ⑤'-자 마자'의 형태로 쓰이어 한 움직임이 이루어지고 곧 다른 움직임으로 이어짐을 나타내는 말. ¶ 종이 치자 마자 밖으로 뛰어나갔다. [二][보형] ①일부 형용사 다음에 쓰

이어 '그만두다'의 뜻을 나타내는 말. ¶슬퍼 마라/부끄러워 말게. ②'-고 말고', '-다 마다'의 꼴로 앞의 형용사의 뜻을 긍정적으로 강조할 때 종지형으로 쓰이는 말. ¶좋고 말고/크다 마다.

〈말다래〉

말-다래 명 말을 탄 사람의 옷에 진흙이 튀지 않도록 가죽 같은 것으로 만들어 말의 배 양쪽에 늘어뜨리어 놓은 물건. 장니(障泥). (준)다래.

말다비 부 〈옛〉 말대로. 말과 같이. ¶能히 一心으로 드러 닐거 말다비 修行 몯ᄒᆞ야도 《月釋 XVII:65》.

말:-다툼 명 말로써 옳고 그름을 가리는 다툼. 입씨름. 설론(舌論). 설전(舌戰). 언쟁(言爭). *언힐(言詰)·말시비. ——-하다 자(여불)

말다히 부 〈옛〉 말대로. 말과 같이. ¶ 말다히 修行ᄒᆞᄂᆞ니ᅀᅡ녀 《釋譜 XIX:8》.

말단【末端】[-딴] 명 ①사물의 맨 끄트머리. ②사람, 일, 부서 따위의 맨 아래. ¶~ 사원/~ 부서/~ 공무원/~ 행정.

말단 가격【末端價格】[-딴까-] 명〖경〗생산자 가격(生產者價格)이나 도매 가격에 대한 소매 가격의 일컬음.

말단 거:대증【末端巨大症】[-딴-쯩] 명〖의〗아크로메갈리(acromegaly).

말단 행정【末端行政】[-딴-] 명 맨 하급 관청의 행정.

말-달리다 자 말을 타거나 몰고 달리다.

말:-담 [-땀] 명 ☞입담.

말-대[1] [-때] 명 물레질할 때, 솜을 둥글고 길게 말아 내는 막대기. 젓가락 굵기만한 수수깡을 30cm 가량 되게 잘라서 사용함.

말대[2]【末代】[-때] 명 시대의 끝. 말기(末期). 말세(末世).

말:-대꾸 명 남의 말을 받아 그 자리에서 제 의사를 나타내는 말. ¶부모에게 ~하다. (준)대꾸. *말대답. ——-하다 자(여불)

말:-대답【-對答】명 ①손윗사람의 말에 거슬리게 하는 대답. ¶시부모에게 감히 ~을 하다니. ②묻는 말에 맞받아서 하는 대답. ——-하다 자(여불)

말:-대접【-待接】명 ①말투나 말씨로 표시하는 대접. ¶줄 게 없으니 ~이나 잘 해서 보내라. ②상대방의 말을 존중하여 그 예의로서 표시하는 대접. ¶형님의 말씀에 대한 ~으로라도 친구를 찾아가 보아라.

말:-더더미 명 〈방〉 말더듬이(경상).

말:-더듬 명 〈방〉 말더듬이(경북).

말:-더듬다 [-따] 자 말을 더듬거리다.

말:더듬-이 명 말을 더듬는 사람.

말:-더디미 명 〈방〉 말더듬이(경남).

말:-더터리 명 〈방〉 말더듬이(황해).

말:-더투워리 명 〈방〉 말더듬이(평북).

말-덕석 명 말의 등을 덮어 주는 덕석.

말도[1]【末徒】[-또] 명 꼴찌에 속하는 무리.

말-도[2]【末島】[-또] 명〖지〗①전라 북도의 서해상, 군산시(群山市) 옥도면(沃島面) 말도리(末島里)에 있는 섬. [0.66km²] ②인천 광역시(仁川廣域市) 강화군(江華郡) 서도면(西島面) 말도리(末島里)에 있는 섬. 주문도(注文島)의 북서쪽 8km 지점에 있음. [1.14km²]

말:-동무 [-똥-] 명 말벗. ¶~가 없는 쓸쓸한 노인. ——-하다 자(여불)

말:-되다 자 ①말하는 것이 이치에 맞다. ¶말도 되지 않는 소리 하지 말라. ↔말안되다. ②말거리가 되다.

말두-부【-斗部】명 한자 부수(部首)의 하나. '料'나 '斜' 등의 '斗'의 이름.

말:-뒤 명 끝을 내지 아니하고 여유를 남겨 둔 말.

말:-드드미 명 〈방〉 말더듬이(경남).

말:-듣다 자(ㄷ불) ①남이 하는 말을 듣다. ②시키는 대로 순순히 움직이다. 남이 하라는 대로 하다. ③꾸지람·시비·책망 등을 받다. ④도구·기계 따위가 다루는 사람의 뜻대로 움직이다.

말-등자【-鐙子】명 등자(鐙子).

말디기 명 〈방〉 마지기[1](평안).

말디자 자 〈옛〉 말을 마치자. ¶말디자 鶴을 ᄐᆞ고 《松江 關東別曲》.

말따 형 〈방〉 맑다(경상).

말:-딴지 명 〈방〉 떠버리(함북).

말-떡 명 말쌀로 한 떡.

말:-떨어지다 자 승낙·명령 따위의 말이 나오다. ¶말 떨어지기 무섭게 달려간다.

말:-떼 명〖언〗'어군(語群)'의 풀어쓴 말.

말-또아리고둥 명〖조개〗[*Lemintia imbricata*] 또아리고둥과에 속하는 고둥의 하나. 패각(貝殼)은 관상(管狀)이며, 입은 직경 11mm 내외의 원형임. 외관(外觀)은 마치 뱀이 서린 것과 같음. 다른 물건에 고착하여 생활함. 나층(螺層)의 표면은 파상(波狀)의 나맥(螺脈)이 많고, 몸빛은 대체로 대황회색임. 해안의 암석 위에 서식함. 식용함.

말똑 명 〈방〉〖충〗메뚜기(경남).

말-똥[1] 명 말의 똥. 마분(馬糞).

[말똥도 모르고 마의(馬醫) 노릇한다] 아무것도 모르는 사람이 중요한 일을 맡음을 조롱하는 말. [말똥도 세 번 굴러야 제 자리에 선다] 무슨 일이나 서너 번 해 봐야 제 자리가 잡힌다는 말. [말똥에 굴러도 이승이 좋다] 고생은 될지라도 사는 것이 죽는 것보다 낫다는 말. [말똥을 놓아도 손맛이더라] 음식맛이란 그것을 만드는 솜씨에 달려 있다는 말. [말똥이 밤알 같으냐] ㉠못 먹을 것을 먹으려 하는 사람을 놀리는 말. ㉡아주 가망이 없는 일을 바라는 사람을 희롱하는 말.

말똥[2] 부 눈알이나 정신이, 생기가 있고 말간 모양. <멀똥. ——-하다 형(여불)

말똥-가리 명〖조〗[*Buteo buteo burmanicus*] 맷과에 속하는 새. 날개 길이 35-41cm, 꽁지 길이 19-23cm, 몸빛은 배면(背面)이 자갈색, 날개 가장자리는 적갈색이며, 복부는 담황갈색에 적갈색의 넓은 횡반(橫斑)이 있고 홍채(虹彩)는 갈색임. 삼림·초원·농경지의 상공에 떠다니며 쥐·두더지·개구리 등을 포식함. 높은 나무에 둥지를 짓고 5-6월에 두세 개의 알을 낳음. 농림업상(農林業上) 익조임. 한국 및 일본 등 아시아 전역과 유럽·아프리카에 분포함.

〈말똥가리〉

말똥-거리다 타 생기가 있고 말간 눈알을 자꾸 굴리다. <멀똥거리다. **말똥-말똥**[1] 부. ——-하다[1] 타(여불)

말똥-구리 명〖충〗쇠똥구리.

말똥-굼벵이 명〖충〗말똥구리의 유충(幼蟲).

말똥-말똥[2] 부 ①정신이나 눈알이 맑고 생기 있게 또랑또랑한 모양. ¶정신이 ~하다. ②눈만 동글게 뜨고, 다른 생각 없이 말끄러미 쳐다보는 모양. ¶남의 얼굴을 ~ 쳐다보다. <멀뚱멀뚱. ——-하다[2] 형(여불)

말똥-버력 명〖광〗양파처럼 한겹 한겹 벗어져 부스러지기 쉬운 버력.

말똥-비름 명〖식〗[*Sedum bulbiferum*] 돌나물과에 속하는 2년초. 줄기는 가로 벋고, 마디에 뿌리가 나며, 높이 약 22cm임. 잎은 하부의 것은 대생하는데 유병(有柄)이며 달걀꼴이고, 상부의 것은 호생(互生)하는데 빗 모양임. 6-8월에 노란 꽃이 가지 끝에 정생(頂生)하여 취산(聚繖) 화서로 피고, 과실은 골돌(蓇葖)임. 들에나 밭에 나는데 한국 각지에 분포함.

말똥-성게 명〖동〗[*Strongylocentrotus pulcherrimus*] 말똥성겟과에 속하는 극피(棘皮) 동물의 하나. 몸의 크기나 모양이 말똥 비슷한데 각(殼)의 지름 3.5cm 가량이고 몸빛은 감람색에 다소적색을 띤 것도 있음. 밤송이 같은 가시가 길이 5-6cm로 밀생(密生)하였으며, 보대(步帶)의 큰 혹이 두 줄, 작은 혹은 여섯 줄로 나고 간보대(幹步帶)에는 두 줄의 큰 혹, 다섯 줄의 작은 혹이 났음. 암석(岩石) 지대 해안의 간조선(干潮線) 몸 밑에 착생하며, 4월경에 산란함. 성게 알젓의 귀중한 재료임. 일본·한국 동해안 등에 분포함. *성게.

〈말똥성게〉

말똥-지【-紙】명 〈방〉 마분지(馬糞紙).

말똥-지기 명 연을 띄울 때, 연을 놓는 사람. *놓다[1].

말똥-향【-香】명 〈방〉 부용향(芙蓉香).

말뚜지 명 〈방〉 말뚝❶(함남).

말뚝 명 〔근대 : 말쏙〕 ①땅에 두드려 박는 몽둥이. 또, 그것을 땅에 박아 놓은 것. 아래 끝이 삐죽하게 되었음. ②뒤꽂이의 하나. 금이나 은 같은 것으로 위는 굵고 아래는 가늘고 네모나게 만듦.

말뚝(을) 박다 구 ㉠울타리를 치다. 경계를 긋다. ㉡고정시키다. ㉢어떤 지위에 오래 머물다.

말뚝-댕기 명 아이들이 매는 댕기의 한 가지. 길고 넓적한데 윗부분이 말뚝처럼 삼각형임.

말뚝-망둥어 명〖어〗[*Periophthalmus cantonensis*] 망둥어과에 속하는 물고기. 몸의 길이 6-10cm로 가늘고 길며 측편함. 머리는 둥글고 크며, 주둥이 끝은 뭉뚝하여 둔한 원형으로 짧고 눈은 머리 위에 튀어나왔음. 몸빛은 등 쪽이 청람색, 배 쪽이 담색임. 가슴지느러미의 기저(基底)는 근육이 발달하여 습지 위에서는 가슴지느러미를 이용하여 걷거나 물 위를 튀어 날기도 함. 함수(鹹水) 및 기수(汽水)에 사는데, 한국 서남해·일본·인도·홍해(紅海)·아프리카의 연안의 내만(內灣) 또는 하구(河口)에 분포함. 맛은 별로 좋지 않음.

〈말뚝망둥어〉

말뚝-모 명 꼬창모.

말뚝-벙거지 명 마부(馬夫)와 구종(驅從)들이 쓰던 전립(戰笠)의 하나.

말뚝-이 명〖민〗가면극에 등장하는 하인. 자기가 모시고 다니는 양반들을 신랄하게 풍자함.

말뚝이-탈 명〖민〗탈춤에서, 말뚝이로 나오는 인물이 쓰는 탈. 탈춤의 종류에 따라 모양이 각기 다름.

말뚝-잠[1] 명 꼿꼿이 앉은 채로 자는 잠.

말뚝-잠[2]【-簪】명 금붙이로 만든 비녀의 한 가지. 길이 7cm 가량으로 좀 납작하고 양쪽이 모가 져서 끝이 뾰며, 대가리에 수복(壽福)이나 용(龍)을 새김.

말뚝-타:령【-打令】명〖악〗양주(楊州) 소놀이굿에서 부르는 노래.

말뛰기-놀음 명〖민〗연등제.

말:-뜨다 형 말이 술술 나오지 못하고 굼뜨다.

말:-뜻 명 ①말의 뜻. 어의(語意). ②말에 담긴 속뜻.

말-띠 명〖민〗오생(午生)을 말의 속성(屬性)의 상징(象徵)으로 부르는 말. ¶~ 아가씨.

말띠-꾸미개 명〖고고학〗말갖춤의 한 가지. 주로 가죽끈이 엇갈리는 곳에 붙이는 꾸미개. 금동제(金銅製)의 것이 많음.

말띠-드리개 명〖고고학〗말띠에 달아 늘어뜨리는 넓적한 금동제(金銅製)의 꾸미개.

말라가 [Málaga] 명〖지〗스페인 남부, 지중해 연안의 항구 도시. 유럽에서 가장 따뜻하여 피한·해수욕객이 많음. 포도주·건포도가 유명하며, 면공업(綿工業)도 행하여짐. [566,480명(1986)]

말라가시 공:화국【-共和國】[Malagasy] 명〖지〗'마다가스카르(Madagascar)'의 구칭.

말라가시-족【-族】[Malagasy] 명 마다가스카르(Madagascar)에 거주하는 종족의 총칭. 인도네시아인과 아프리카인을 주체로 한 혼혈 인종. 피부는 올리브 황색인데 두발은 직상모이며 키는 작고 둥근 머리에 콧줄이 가늚.

말라게냐 〔스 malagueña〕 명 〖악〗 판당고(fandango)의 한 가지. 스페인의 말라가(Málaga) 지방의 무용곡으로, 특수한 화성형(和聲型)을 사용하여 즉흥적인 것이 특징임. 3박자임.

말라기-서 【一書】 〔헤 Malachi〕 명 〖기독교〗 구약 성서 39편 중의 마지막 편. 예언자 '말라기'의 말을 적은 책으로, 기원전 450년경에 씌어짐. 문답체로, 당시 사회 도덕의 타락과 부패를 비판하고 그 회개를 재촉구(再促求)하는 내용임.

말라-깽이 명 〈속〉 몸이 바싹 마른 사람.

말라깽이-꾸정모기 명 〖충〗 [*Nesopeza geniculata*] 꾸정모깃과에 속하는 모기. 몸길이 8 mm, 날개 길이 9 mm 내외이고 몸빛은 일률적으로 담갈색임. 날개는 투명하며 전연(前緣)에는 암갈색의 반문이 있고 복부에도 암갈색의 무늬가 있음. 한국·일본에 분포함.

말라-꽁이 명 〈방〉 말라깽이.

말라데타 산지 【一山地】 〔Maladetta〕 명 〖지〗 스페인의 동북부, 프랑스의 국경 근처 피레네(Pyrénées) 산맥의 중앙부를 차지하는 산지. 피레네의 최고봉 아네토 산(Aneto山 : 3,404 m)을 비롯하여 메디오 산·말라데타 산 등의 높은 봉우리가 있음.

말라르메 〔Mallarmé, Stéphane〕 명 〖사람〗 프랑스의 시인. 일생을 영어 교사로 일관하였음. 보들레르(Baudelaire)·포(Poe)의 영향을 받아 고답파(高踏派)의 시집에 작품을 발표하다가 고답파와 결별하고 상징적 수법을 시도하여 장시(長詩) ≪에로디아드(Hérodiade)≫·≪반수신(半獸神)의 오후≫ 등을 발표하여 프랑스 상징파의 시조(始祖)로 꼽힘. [1842-98]

말라리아 〔malaria〕 명 〖의〗 학질모기가 매개하는 말라리아 원충의 혈구내(血球內) 기생에 의한 전염병. 일정한 시간적 간격을 두고 고열(高熱)이 나는 특징이 있어 삼일열(三日熱)·사일열(四日熱) 및 가장 악성(惡性)인 열대열(熱帶熱) 등으로 구분됨. 특수한 열과 적혈구의 파괴로 빈혈 및 황달을 일으키는 수가 많음. 법정 전염병의 하나. 학질(瘧疾).

말라리아-모기 〔malaria〕 명 〖충〗 학질모기.

말라리아-열 【一熱】 〔malaria〕 명 〖의〗 말라리아에 의하여 발생하는 간헐적(間歇的)인 특수한 신열. 흔히 하루 걸러 일어나는데, 말라리아 원충이 새 혈구(血球)를 침범할 때마다 발열함.

말라리아 요법 【一療法】 〔malaria〕 [一뻡] 명 〖의〗 발열(發熱) 요법의 하나. 독성이 약한 삼일열 말라리아 원충을 이용하여, 약 40°C의 발열을 10회 이상 반복하여 매독을 치료하는 방법.

말라리아 원충 【一原蟲】 〔malaria〕 명 〖동〗 주혈 포자충류(住血胞子蟲類) 플라스모듐(Plasmodium)과에 속하는 원생(原生) 동물. 말라리아 병원체로서 삼일열·사일열·열대열(熱帶熱) 및 난형(卵形) 등의 4종이 있는데, 각각 그 일으키는 증상과 모양이 다름. 크기는 보통 1.5 μ 가량이고 학질모기의 타액(唾液)과 함께 인체의 모세관(毛細管) 속에 들어가 적혈구(赤血球)에 기생하며 복잡하게 번식함.

〈말라리아 원충〉

말라보 〔Malabo〕 명 〖지〗 아프리카 중서부의 적도 기니(赤道 Guinea) 공화국의 수도. 적도 우림 지대(雨林地帶)에 속하여 고온 다습하며, 코코아·커피·과실·야채류를 수출함. 1820년대에 영국인이 건설하였으며 배후에 말라보 화산이 있음. 구칭 : 산타 이사벨(Santa Isabel)·포트 클래런스(Port Clarence)·클래런스타운(Clarencetown). [37,500명(1983)]

말라-붙다 자 액체가 바싹 마르거나 졸아서 붙다.

말라-비틀어지다 자 쪼글쪼글하게 말라서 뒤틀리다.

말라-빠지다 자 몸이 몹시 여위다.

말라야 〔Malaya〕 명 〖지〗 ↗말라야 연방.

말라야-곰 〔Malaya〕 명 〖동〗 말레이곰.

말라야 군도 【一群島】 〔Malaya〕 명 〖지〗 말레이 군도.

말라야-맥 【一貘】 〔Malaya〕 명 〖동〗 말레이맥.

말라야 반:도 【一半島】 〔Malaya〕 명 〖지〗 말레이 반도.

말라야-어 【一語】 〔Malaya〕 명 〖언〗 말레이어.

말라야 연방 【一聯邦】 〔Malaya〕 명 〖지〗 말레이시아(Malaysia)의 전신. 1957년 말레이 반도의 9개 토후국(土侯國)과 피낭(Pinang)·말라카(Malacca)의 두 직할 식민지가 통합하여 영국으로부터 독립했던 연방 국가. 1963년 보르네오 섬 북부의 사바·사라와크 및 싱가포르를 합하여 말레이시아를 결성함. ㊟말라야.

말라야-인 【一人】 〔Malaya〕 명 말레이인.

말라얄람-어 【一語】 〔Malayalam〕 명 〖언〗 인도의 케랄라 주(Kerala州)와 그 인접 지역에서 사용되는 인도 공용어의 하나. 9세기경에 타밀어(Tamil語)로부터 갈라져 나왔음. 사용 인구는 약 1,400만 명, 10세기의 비명(碑銘)이 남아 있음.

말라요 폴리네시아 어:족 【一語族】 명 〔Malayo-Polynesian linguistic family〕 〖언〗 남도 어족(南島語族).

말라위 〔Malawi〕 명 〖지〗 아프리카 남동부의 공화국. 국토의 대부분이 고원 지대이며 열대성 기후이나 고지(高地)에서는 살 만함. 공용어는 영어. 그리스도교도·이슬람교도가 각기 인구의 25%를 차지함. 농업이 주산업으로, 면화·땅콩·담배·옥수수·차(茶) 등을 생산함. 1953년 로디지아와 함께 연방을 형성했다가 1963년 연방을 해체, 1964년 영연방 내의 자치국으로 독립했으며, 1966년 공화국이 됨. 수도 릴롱궤(Lilongwe). 정식 명칭은 '말라위 공화국(Republic of Malawi)'. [118,484 km^2 : 8,290,000명(1990 추계)]

말라위 호 【一湖】 〔Malawi〕 명 〖지〗 동아프리카 말라위·모잠비크·탄자니아의 국경에 있는 호수. 이 호수는 시레(Shire) 강이 되어 남쪽으로 흘러 잠베지(Zambezi) 강으로 들어감. 세계 제10위의 호수임. 남북 약 550 km, 동서 50-75 km, 면적 30,800 km^2, 호면 표고 473 m, 최대 수심 696 m. 구칭 : 니아사 호(Nyasa 湖).

말라이카 〔아랍 malā'ikah〕 명 〖이슬람〗 천사(天使).

말라-죽다 자 ①말라서 죽다. ②'말라죽은'의 꼴로 쓰이어, '쓸데없는'의 뜻을 나타내는 낮은말. ¶ 취미 생활, 여가 선용, 도대체 그것들이 뭐 말라죽은 것들이오?

말라카 〔Malacca〕 명 〖지〗 말레이시아, 말레이 반도 서안(西岸)의 도시. 말라카 해협에 면한 항구 도시로 말라카 주(州)의 주도. 1511년 포르투갈, 1641년 네덜란드, 1824년 영국이 각각 점령하여 중계 무역항으로 번영하였으나, 싱가포르에 상권(商權)을 빼앗겨 지금은 쇠퇴하였음. 주민의 약 70%는 화교(華僑)임. 마라가(馬剌加). 마랍가(馬拉加). [453,000명(1980)]

말라카 반:도 【一半島】 〔Malacca〕 명 〖지〗 말레이 반도.

말라카이트 그린: 〔malachite green〕 명 대표적인 청록색의 염기성(塩基性) 물감. 물·알코올에 잘 녹음.

말라카 해:협 【一海峽】 〔Malacca〕 명 〖지〗 말레이 반도와 수마트라 섬 사이의 해협. 인도양과 태평양을 연결하는 교통상의 요충(要衝)으로 반도측에 피낭(Pinang)·말라카 등의 항구가 있음.

말라티온 〔malathion〕 명 〖화〗 진드기·멸구·풀멸구 등에 대한 구충(驅蟲) 살충제로 사용되는 유기인(有機燐) 화합물의 일종. 황색 액제(液劑)임. 본디 상표명(商標名)임.

말랑-거리다 자 말랑한 느낌을 주다. <물렁거리다. **말랑-말랑** 부. ¶~ 한 빵. ——-하다 형여불

말랑-대다 자 말랑거리다.

말랑이 명 〈방〉 마루²❶.

말랑-하다 형여불 ①감이나 토마토 같은 것이 폭 익어서 야들야들하게 보드랍고 무르다. ¶ 빵이 말랑해서 좋구나. ②성질이 무르고 맺힌 데가 없어 만만하다. ¶ 말랑하게 보인 모양이지. 1)·2): <물렁하다.

말래 명 〈방〉 마루¹(충남·전남).

말랭이¹ 명 ↗무말랭이.

말랭이² 명 〈방〉 산봉우리(경상).

말:러 〔Mahler, Gustav〕 명 〖사람〗 오스트리아의 작곡가·지휘자. 브루크너(Bruckner)의 후계자로 웅대한 교향곡 10곡과 수많은 가곡을 발표하였음. 특히 가극의 지휘자로 명성이 높았음. [1860-1911]

말레¹ 명 〈방〉 마루¹(전남).

말레² 〔Malé〕 명 〖지〗 인도양상(印度洋上)에 있는 몰디브(Maldives)의 수도. 산호도(珊瑚島) 위에 자리잡고 있음. 코코넛·과실을 산출하며, 어업도 성함. [30,000명(1990 추계)]

말레르브 〔Malherbe, François de〕 명 〖사람〗 프랑스의 시인. 앙리 4세 및 루이 13세 때의 궁정 시인. ≪마리 드 메디시스(Marie de Médicis)≫ 등 단순 명쾌한 시가 있으며, 고전주의에 앞장서는 이론가로서 언어와 시의 개혁에 힘을 기울이고 품위와 정확한 표현, 완전 압운(押韻)의 필요를 주장함. [1555-1628]

말레비치 〔Malevich, Kasimir Severinovich〕 명 〖사람〗 러시아의 화가. 1912-13년경 단순한 기하학적 형태를 바탕으로 하는 추상화를 발표. 모스크바의 전위(前衛) 그룹의 한 사람으로서 활약, 순수한 감각의 추상적 표현을 표방한 쉬프레마티슴(suprématisme)을 제창함. 말년에 상업 미술로 전향하였음. [1878-1935]

말레-산 【一酸】 명 〔maleic acid〕 〖화〗 불포화(不飽和) 이염기산의 지방산. 무색의 주상(柱狀) 또는 판상(板狀)의 결정으로 물에 잘 녹음. 물감으로 쓰임. [$C_2H_2(COOH)_2$]

말레산 무수물 【一酸無水物】 명 〔maleic anhydride〕 〖화〗 벤젠을 산화바나듐 등의 촉매를 써서 공기 산화를 하여 만들어지는 기둥꼴 또는 바늘꼴 결정(結晶). 물과 화합하여 말레산이 됨. 불포화 폴리에스테르 수지(樹脂)나 여러 가지 합성 화학 약품의 제조 등에 쓰임. 무수 말레산. [$C_4H_2O_3$]

말레이 〔Malay〕 명 〖지〗 ①↗말레이 반도. ②↗말레이 군도.

말레이-곰 〔Malay〕 명 〖동〗 [*Helarctos malayanus*] 곰과에 속하는 작은 곰. 두동(頭胴)의 길이 1.4 m 이하이며 암컷은 1 m 가량임. 귀가 몹시 짧고 사지는 길며, 발톱은 날카로움. 온몸에 흑색의 짧은 털이 밀생하고 앞가슴에 말굽 모양의 백색 윤문(輪紋)이 있음. 혓바닥이 길어서 자유로이 움직임. 주로 나무 위에서 과실·곤충·벌꿀 등을 먹음. 성질이 온순하여 애완용으로도 기름. 말레이·인도차이나·수마트라·보르네오·미얀마 등지에 분포함. 말라야곰.

〈말레이곰〉

말레이 군도 【一群島】 〔Malay〕 명 〖지〗 아시아 대륙과 오스트레일리아 대륙 사이에 있는 수마트라·자바·보르네오·셀레베스·필리핀 제도(諸島)와 그 부근에 산재해 있는 섬의 총칭. 기후는 순 열대성으로, 티크재(材)·등(籐)·야자(椰子)·담배·커피·고무·차·코코아·향료가 많이 남. 말라야 군도. 마래 군도. 동인도 제도. ㊟말레이.

말레이-맥 【一貘】 〔Malay〕 명 〖동〗 [*Tapirus indicus*] 맥과에 속하는 동물. 어깨 높이 0.9-1 m, 두동(頭胴) 2.4 m 가량, 몸빛은 사지(四肢)와 어깨의 전방은 흑색 또는 암갈색이고 몸통과 허리는 회백색임. 몸은 굵고 등은 둥글고 꼬리는 매우 짧으며 코와 윗입술이 붙어 길게 늘어져 자유로이 움직임. 발가락은 앞발에 네 개, 뒷발에 세 개 있고, 몸털은 짧음. 밀림의 물가에 단독 생활하며 수초(水草) 등을 먹음. 새끼는 암색에 황백색 얼룩 무늬가 있어 멧돼지 새끼 비슷함. 말레이 지방의 특산종임. 말라야맥. *아메리카맥.

〈말레이맥〉

말레이 반:도 【一半島】 〔Malay〕 명 〖지〗 인도차이나 반도 남서부에서

남쪽으로 뻗은 기다란 반도. 서는 인도양, 남서(南西)는 말라카 해협을 거쳐 수마트라, 동은 남중국해를 사이에 두고 보르네오와 마주 봄. 고온 다습(高溫多濕)한 열대 몬순 기후로, 고무·목재·주석·금 등의 자연 자원이 풍부함. 대부분 말레이시아에 속하나, 북부는 미얀마·타이에 속하며 남단(南端)에 싱가포르가 있음. 마래 반도(馬來半島). 말라야 반도. 말라카 반도. ㈜말레이. [233,000 km²]

말레이시아 〔Malaysia〕 명 〖지〗 말레이 반도 남부와 보르네오 섬의 사바(Sabah) 및 사라와크로 이루어진 연방 국가. 1957년에 독립한 말라야 연방에 영국령 사바·사라와크·싱가포르를 합하여 1963년에 성립함. 전체 주민의 약 45%가 말레이인(人)으로 대부분이 이슬람교(敎)를, 35%가 중국인으로 불교를, 10%가 인도인으로 힌두교를 신봉함. 공용어는 영어와 말레이어(語), 그 밖에 중국어·타밀어(Tamil語)도 사용됨. 노동 인구의 약 60%가 제1차 산업에 종사하며, 고무·주석의 산출은 세계 굴지임. 목재·차(茶)·쌀·코프라·야자유(油)의 산출도 많고, 철·금·보크사이트·석유 등의 광산물도 많음. 원수(元首)는 9개 주(州)의 수장(首長)이 호선(互選)하는 국왕으로 임기 5년. 경제적 실권을 쥔 중국인 및 인도인과 말레이인 사이의 대립이 심함. 1965년 싱가포르는 분리 독립. 수도는 콸라룸푸르. 정식 명칭은 '말레이시아 연방(Federation of Malaysia)'. [329,749 km² : 18,300,000 명(1991 추계)]

말레이-어 【—語】〔Malay〕 명 〖언〗 말레이인이 쓰는 언어. 말라요 폴리네시아 어족(語族)에 속하며 마다가스카르·인도네시아·대만(臺灣) 및 뉴기니 해안의 일부와 말레이 반도의 대부분에서 쓰이는 남방(南方) 국제어. 페르시아어와 아라비아어를 주로 하여 만들어졌으며 아라비아 글자를 씀. 마래어(馬來語). 말라야어(語).

말레이 연합 【—聯合】〔Malay〕 명 '말라야 연방(Malaya聯邦)'의 독립 이전의 명칭.

말레이-인 【—人】〔Malay〕 명 말레이 군도를 중심으로 하여 그 부근의 섬에 사는 민족의 총칭. 마래인(馬來人). 말라야인.

말레인 반:응 【—反應】〔mallein〕 명 〖의〗 비저(鼻疽) 진단에 사용되는 알레르기 반응. 100°C로 멸균한 배양(培養) 비저균의 10분의 1 농축액을 인마(人馬)에게 주사하면 감염자(感染者)는 발적(發赤)·침윤 및 괴저(壞疽)를 생성하고 미감염자는 반응이 없음.

말렌코프 〔Malenkov, Georgi Maximilianovich〕 명 〖사람〗 소련의 정치가. 1953년 스탈린의 사후(死後) 수상이 되어 국제 협조·당내 집단 지도제·소비 물자 증산 등 새 정책을 추진했으나 1955년 사직. 1957년 반당 분자로 지목되어 실각(失脚)함. [1902-88]

말려-들다 자 ①감기어 안에 들어가다. ¶ 기계에 ~. ②본인이 원하지 않는 관계나 위치에 끌리어 들어가다. ¶ 사건에 ~.

말로[1] 【末路】 명 ①생애(生涯)의 최후. 말년(末年). ¶ 그의 ~는 비참했다. ②가는 길의 끝. ③전하여, 영락(零落)한 몰골. ¶ 독재자의 ~.

말로[2] 〔Malot, Hector Henri〕 명 〖사람〗 프랑스의 소설가. 가정이나 아이들을 위한 애정 소설, 특히 《집 없는 천사》가 유명함. [1830-1907]

말로:[3] 〔Malraux, André〕 명 〖사람〗 프랑스의 소설가·비평가·정치가. 일찍이 동양어를 배워 인도차이나에 건너가 모험에 투신, 1936년에는 스페인 내란에 의용군으로 참전함. 2차 대전 때에는 저항 운동에도 참가, 1958년 7월에는 드골 내각(內閣)의 공보 담당 국무상(國務相)으로 입각하였음. 광둥(廣東) 혁명에서 취재한 《정복자》를 비롯하여, 《왕도(王道)》·《인간의 조건》 등 다수의 작품을 썼으며 미술 평론·영화·조각 등에 관한 저서도 허다함. [1901-76]

말:로:[4] 〔Marlowe, Christopher〕 명 〖사람〗 영국의 극작가·시인. 자유 분방한 사상가로, 29세 때 술집에서 싸우다 죽었음. 작품으로 《탬벌레인 대왕(Tamburlaine 大王)》·《포스터스(Faustus) 박사의 비극》 등이 있음. [1564-93]

말론-산 【—酸】 명 〔malonic acid〕 〖화〗 무색 결정인 유기 이염기산의 하나. 수용액을 70°C 이상으로 가열하면 1분자의 이산화탄소를 내보내고 아세트산이 되며, 유도체 및 요소와의 축합(縮合) 화합물은 바르비탈산 유도체로서 최면제로 씀. [$CH_2(COOH)_2$]

말론산 무수물 【—酸無水物】 명 〔malonic anhydride〕 〖화〗 '이산화 삼탄소(二酸化三炭素 : C_3O_2)'의 통칭. 무수 말론산.

말롯-대 명 〈방〉 ①들보². ②마룻대.

말롱-질 명 ①아이들이 말 모양으로 서로 타고 노는 장난. ②남녀가 말의 교미(交尾)를 흉내내는 치희(恥戲). ——하다 자 여불

말루[1] 명 〈방〉 마루¹(경기).

말루[2] 【抹樓】 명 〖건〗 마루¹.

말루다 타 말리다³(전북·경상).

말루하-주 【抹樓下主】 명 귀인의 아내를 존대하여 이르는 말. 마님.

말류 【末流】 명 ①낮은 계급. ②말세(末世)❶. ③기울어져 가는 혈통의 끝. 여예(餘裔). ④유파(流派)의 끝. ⑤보잘 것 없는 유파. ⑥하류(下流)❷.

말류다 타 〈방〉 말리다³(강원·경상).

말류지-폐 【末流之弊】 명 잘 해 나가다가 끝판에 생기는 폐단. 유폐.

말르다 ㊀ 자 〈방〉 마르다¹. ㊁ 타 〈방〉 마르다²(경기·강원·전라·경북·충청).

말리[1] 명 〈방〉 마루¹(충남·전남).

말리[2] 【末利】 명 당장 눈앞에 보이는 작은 이익. ¶ ~에 눈이 어둡다.

말리[3] 【茉莉】 명 〖식〗 [*Jasminum grandiflorum*] 물푸레나뭇과의 상록 관목. 줄기 높이 1 m 가량이며, 잎은 5-9편의 소엽이 있는 우상 복엽(羽狀複葉)이 대생(對生)하고, 여름철에 4-5쪽으로 째진 흰 합판화(合瓣花)가 취산(聚繖) 화서로 가지 끝에 핌. 꽃의 향기가 높아 정원에 관상용으로 심고 향료로 쓰며 잎은 식용함. 인도·이란 지방의 원산으로, 한랭(寒冷) 지방에서는 온실에 재배함. 소형(素馨).

〈말리³〉

말리[4] 〔Mali〕 명 〖지〗 아프리카 북서부의 공화국. 북은 알제리, 동은 니제르, 서는 모리타니, 남은 부르키나파소·코트디부아르 등에 둘러싸인 내륙국. 기후는 대체로 고온 건조하며, 주민은 밤바라족(族)과 풀족(Peul族)이 가장 많음. 공용어는 프랑스어(語). 북부에서 염소·양(羊)·소를 기르며, 나이저 강 유역에서는 농사를 지어 옥수수류(類)·땅콩·쌀 등을 생산함. 19세기 말부터 프랑스가 진출하여 프랑스령(領) 수단이 되었다가 1958년 프랑스 공동체내의 자치국, 1960년 세네갈과 함께 말리 연방으로 독립, 같은 해 세네갈의 이탈과 동시에 공화국으로 독립함. 수도는 바마코(Bamako). 정식 명칭은 '말리 공화국(Republic of Mali)'. [1,240,192 km² : 8,160,000 명(1990 추계)]

말리-구이 【茉莉—】 명 말리의 어린 잎에 기름을 발라 구운 음식.

말리노프스키 〔Malinowski, Bronisław Kasper〕 명 〖사람〗 폴란드 출신의 영국 인류학자. 문화 인류학에 있어서의 역사주의(歷史主義)를 비판하고 기능주의(機能主義)를 창시하였으며, 미개 사회의 연구에 큰 공헌이 있음. 주저 《미개 사회에 있어서의 범죄와 관습》. [1884-1942]

말리놉스키 〔Malinovski, Rodion Yakovlevich〕 명 〖사람〗 소련의 군인·정치가. 독소전(獨蘇戰) 때 우크라이나 방면 사령관을 역임하고 1956년 지상군 총사령관, 1957-67년 국방 장관을 지냄. [1898-1967]

말리다[1] ㊀ 자 펴졌던 물건이 둘둘 감기다. ¶ 종이가 ~. ㊁ 피동 말을 당하다. ¶ 소용돌이 속에 ~.

말리다[2] 타 남이 하고자 하는 짓을 못하게 하다. ¶ 싸움은 말리고 흥정은 붙이랬다.

말리다[3] 타 ①햇빛·바람·열 등을 받아서 물기가 날아가 마르게 하다. 건조(乾燥)시키다. ¶ 옷을 ~ / 장작을 ~. ②걱정이나 조바심 때문에 속이 타는 것처럼 되다. ¶ 피를 ~. ③모조리 없어지게 하다. ¶ 씨를 ~.

말리우다 타 〈방〉 말리다³(강원).

말리으다 자 〈옛〉 말을 잇다. ¶ 말리올 이(而)《石千 14》.

말리-채 【茉莉菜】 명 말리의 잎을 삶아 두부를 섞어 양념하여 만든 반찬.

말리크 〔Malik, Yakov Alexandrovich〕 명 〖사람〗 소련의 외교관. 주영(駐英)·주일(駐日) 대사·외무 차관(次官)을 역임함. 1951년 UN 대표로서 한국 휴전을 제의하였음. [1906-80]

말리크샤: 〔Malikshāh〕 명 〖사람〗 셀주크 투르크(Seljuk Turks) 제3대 술탄. 1072년 즉위. 니잠 알물크(Nizām al-Mulk)의 도움으로 왕조(王朝)의 최성기(最盛期)를 이룸. 아프가니스탄에서 비잔틴 제국 경계에 이르는 서(西)아시아 전역을 지배함. [1055-92]

말:리피에로 〔Malipiero, Francesco〕 명 〖사람〗 이탈리아의 작곡가. 그레고리오 성가(聖歌)의 전통을 존중, 교회 선법(教會旋法) 등을 사용하였으나 12음 기법도 채용함. 작품은 오페라·관현악곡·피아노곡·성악곡 등 여러 가지가 있는데, 오페라 《안토니오와 클레오파트라》, 관현악곡 《자연의 인상》 등이 알려짐. [1882-1973]

말림 명 ①산에 있는 나무나 풀을 베지 못하게 말리어 가꿈. 금양(禁養). ②↗말림갓. ——하다 타 여불

말림-갓 [—갇] 명 나무나 풀을 함부로 베지 못하게 말리어 가꾸는 땅이나 산. 나뭇갓과 풀갓이 있음. ㈜갓·말림.

말마-관 【秣馬館】 명 말에 사료를 주는 마방간으로 지은 집.

말-마당 명 말타기를 익히고 겨루는 곳.

말:-마디 명 말의 토막. ¶ ~깨나 한다고.

말마-변 【—馬邊】 명 한자 부수(部首)의 하나. '駐'나 '駭' 등의 '馬'의 이름.

말-마아지 명 〈방〉 망아지(경북).

말:-막다 자 남이 하려는 말을 못하게 하다. ¶ 남의 말을 막지 마시오.

말:-막음 명 ①자신에게 불리하거나 성가신 말이 남의 입에서 나오지 않도록 미리 막는 일. ②주고받던 이야기의 끝을 맺음. ——하다 자 여불

말:-많다 [—만타] 형 말수가 많다. 수다스럽다. 말썽이 많다. 소문이 분분하다. ¶ 말도 많은 집.

말:-말 명 이런 말 저런 말.

말:말결에 구 이런 말 저런 말 할 때나 하는 사이에.

말:말 끝에 구 이런 말 저런 말 하던 끝에.

말-말뚝 명 말을 매는 말뚝.

말:-말아라 구 일이 엄청나거나 정도가 지나쳐서, 기가 막힐 때 쓰는 말. ¶ 말도 말아라. 소리를 지르는데 내버려 두었으면 동네가 발끈 뒤집혔을 터이지만《梁山白傳》.

말:-맛 명 말이 주는 느낌. 어떤 말에서 오는 느낌. 어감(語感).

말망 【末望】 명 〖역〗 삼망(三望)의 끝에 낀 사람.

말-망새이 명 〈방〉 망아지(경북).

말-망생이 명 〈방〉 망아지(경북).

말-망셍이 명 〈방〉 망아지(경상).

말-망아지 명 〈방〉 망아지(경북).

말-매미 명 〖충〗 [*Cryptotympana coreana*] 매밋과에 속하는 곤충. 한국산 중 최대형의 매미로 몸길이 45 mm, 시단(翅端)까지는 65 mm 가량임. 몸빛은 흑색에 광택이 나고 복부 제2절의 양측에 담황갈색 띠가 있고 중흉배 종구(縱溝)는 암갈색임. 날개는 투명하고 기부(基部)의 시맥(翅脈)은 황갈색임. 유충은 땅 속에서 수개 년 지내고 성충으로 1-2 주간 생존함. 한국·중국·대만·일본에 분포함. 마조(馬蜩). 책선(蚱蟬). 선충(蟬蟲).

〈말매미〉

말-매미충 【—蟲】 명 〖충〗 [*Cicadella viridis*] 말매미충과에 속하는 곤충의 하나. 몸길이 8-10 mm이고, 성충은 작은 매미와 비슷한데, 몸빛은 녹색이고 복면(腹面)과 다리는 황백색 또는 오황색(汚黃色)임. 두정(頭頂)의 단안(單眼) 사이에 두 개의 검은 반점이 있고 시초(翅鞘)는 대체로 녹색임. 여름과 가을에 출현하여 보통 잡초 속에 살며, 등불에도 모여들고 옆으로 보행(步行)을 함. 초식

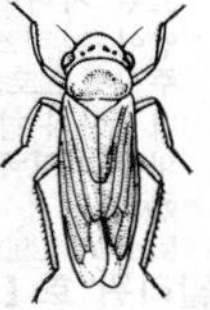
〈말매미충〉

성(草食性)인데, 식물의 줄기 속의 액즙(液汁)을 흡수하여 과수(果樹)·농작물에 병해를 주며 벼의 위축병(萎縮病) 등을 일으킴. 유충(幼蟲)으로 월동함. 한국·일본·중국·대만·시베리아·유럽에 분포함. '부진자(浮塵子)'라고 잘못 일컬음. 매미충. 왕강충이.

말매미충-과【一蟲科】[一꽈] 명 〔충〕[Cicadellidae] 매미목(目)에 속하는 한 과. 매미충과·멸굿과에 가까운 종류로 두 개의 단안(單眼)이 두정(頭頂)의 가장자리 또는 얼굴 사이에 있음. 뒷다리의 경절(脛節)에 톱니가시가 없으므로 멸구와 구별함. 볏과(科) 식물의 해충임. 말매미충·끝검은말매미충·제비알매미충 등이 이에 속하는데, 아시아를 중심으로 전세계에 20여 종이 분포함.

말맹이 명 〈방〉 말냉이(강원).

말:-머리 명 ①이야기를 시작할 때의, 말의 첫머리. 말허두. ¶ ~를 꺼내다. ②말의 방향. 화제(話題). ¶ ~를 돌리다.

말머리-가리개 명 〔고고학〕 말의 이마나 얼굴에 씌우던 말갖춤. 화살로부터 말을 보호하기 위한 꾸미개. 마주(馬冑).

말머리-꾸미개 명 〔고고학〕 말의 이마나 얼굴에 씌우던 꾸미개. 마면(馬面).

말머리 아이 명 혼인한 뒤에 바로 배어 낳은 아이.

말-먹이[1] 명 말에게 먹이는 꼴이나 곡식. 마료(馬料). 마식(馬食).

말:-먹이[2] 명 〈방〉 말더듬이(함경).

말-멸구 명 〔충〕 끝검은말매미충.

말:명 명 〔민〕 ①무당의 열두 거리 굿 중의 셋째 거리. 무당이 노란 몽두리를 입고, 부채와 방울을 듦. ②만명(萬明).

말:명-거리 명 〔민〕 말명굿.

말:명-굿 명 〔민〕 말명신(神)을 모시는 굿. 말명거리.

말:명-놀이 명 무당의 열두 거리 굿 중, 셋째 거리를 노는 일. ——하다 자여불

말:명-신【一神】 명 〔민〕 무당의 조상신(祖上神).

말:-모이 명 주시경(周時經)과 그의 제자 권덕규(權德奎)·이규영(李奎榮) 등이 1911년에 조선 광문회(朝鮮光文會)에서 편찬한 국어 사전. 현재, 일부 원고가 남아 있음.

말목【抹木】 명 가늘게 깎아서 무슨 표가 되게 박는 말뚝. 말장(抹杖).

말-몫 [一목] 명 〔농〕 ①지주와 작인(作人)이 타작 마당에서 곡식을 나눌 때, 바닥에 처져서 작인의 차지가 되는 곡식. ②말잡이의 몫으로 주는 곡식.

말-몰이 명 ①말을 몰고 다니는 일. ②말몰이꾼. ——하다 자여불

말몰이-꾼 명 짐 싣는 말을 몰고 다니는 것을 업으로 삼는 사람. 구부(驅夫). ㊀말꾼·말몰이.

말:-못되다 형 사정이나 형편이 하도 딱하고 어려워 말로는 도저히 나타낼 수 없다. *말아니다.

말:-못하다 형여불 차마 말로써 형용할 수 없다. ¶ 말 못할 사정.

말뫼 [Malmö] 명 〔지〕 스웨덴 남부의 항구 도시. 대안(對岸)의 코펜하겐과 철도 연락선(船)으로 연결됨. 조선(造船)·제당·직물·화학 공업 등이 행하여짐. 중세(中世) 이래 한자 동맹(Hansa同盟) 도시로 번영하였으며, 14세기의 교회 등이 남아 있음. [230,000명(1982)]

말무릅 명 〈방〉 〔식〕 장구밤나무.

말:무-부【一毋部】 명 한자 부수(部首)의 하나. '毒'나 '毒' 따위의 '毋'의 이름.

말:-문[1]【一門】 명 ①말을 할 때에 여는 입. ¶ ~이 막히다. ②말을 꺼내는 실마리. ¶ ~을 찾지 못하다. ③무병(巫病)을 앓는 사람이 최초로 전하는 신의 말. 또, 그 말을 전하는 과정.

말:문(을) 막다 구 말을 하지 못하게 하다.

말:문(을) 열:다 구 입을 벌리어 이야기를 시작하다. 말문을 떼다.

말:문(을) 준다 구 무당이 신탁(神託)을 말로 옮겨 전하다.

말:문이 막히다 구 하려고 하던 말이 나오지 않게 되다.

말문[2]【末文】 명 결문(結文).

말믜 명 〈옛〉 말미. 인연(因緣). =말믜. ¶ 말믜 잇느니라(有由)《重杜諺 XIII:11》.

말믜암다 자 〈옛〉 말미암다. =말미삼다·말믜암다·말믜ᄒᆞ다. ¶ 다 順코 正홈올 말믜암아 써 그 맛당ᄒᆞᆫ 일을 行홀디니라(皆由順正 以行其義)《小諺 Ⅲ:7》.

말미[1] 명 〔중세 : 말미〕 직업에 매인 사람이 다른 일로 말미암아 얻는 겨를. 수유(受由).

말미(를) 받다 구 휴가를 얻다.

말미[2]【末尾】 명 말·문장·번호 등의 연속되어 있는 것의 맨 끝. ¶ ~ 용지/집행문은 판결 정본의 ~에 부기(附記)한다.

말미암다 [一따] 자 ①어떤 현상이나 사물이 원인이나 이유가 되다. ¶ 부주의로 말미암은 사고. ②어디를 거치다. 거치어 오다. ¶ 내가 곧 길이요 생명이니 나로 말미암지 않고는….

말미잘 명 〔동〕 ①산호강(珊瑚綱) 말미잘목(目)에 속하는 강장(腔腸) 동물의 총칭. 게고등말미잘·말미잘·분홍말미잘 등이 있음. ②[*Anthopleura stella*] 분홍말미잘과에 속하는 강장 동물의 하나. 몸은 높이 2-6cm, 폭 1.5-4cm의 원통상이며 몸빛은 녹색 또는 담황색에 백색 반점이 산재하고 체벽(體壁)은 암흑색, 흡반(吸盤)은 선록색, 구반(口盤)은 녹갈색임. 96개의 촉수(觸手)는 5열(列)로 나고 길이 2-6cm인데 기부(基部)는 적갈색, 선단은 담황색·담홍색 등임. 간조선(干潮線)의 암석간(岩石間)·모래땅에 묻혀 있음. 돌모란.

〈말미잘❷〉

말미잘-목【一目】 명 〔동〕 [Actiniaria] 산호강(珊瑚綱) 육방류(六放類)에 속하는 강장(腔腸) 동물의 한 목(目). 골격(骨格)은 없으나 근육은 매우 발달되고, 많은 촉수(觸手)는 단사상(單絲狀)을 이룸. 자웅 이체(雌雄異體) 또는 동체인데, 대개는 단립성(單立性)으로 군체(群體)를 이루지 아니함. 토규류(菟葵類). *석산호류(石珊瑚類).

말-밑[1] 명 어떤 분량의 곡식을 말로 되고 남는 부분. *됫밑.

말:-밑[2] 명 ①〔언〕 어원(語源). ②↗말밑천.

말:-밑천 명 말할 재료. ¶ ~이 없거든 숫제 입을 다물어라. ㊀말밑.

말믜 명 〈옛〉 말미. 수유(受由). 사유(事由). 인연. =말믜. ¶ 말믜 연좁고 천량 만히 시러 《釋譜 Ⅵ:15》.

말믜삼다 자 〈옛〉 말미암다. =말믜암다·말믜암다·말믜ᄒᆞ다. ¶ 반ᄃᆞ시 이룰 말믜사마 빈호면(必由是而學焉則)《飜小 Ⅷ:31》.

말믜암다 자 〈옛〉 말미암다. =말믜암다·말믜삼다·말믜암다. ¶ 일로 말믜암아 두 아이 다 벼슬을 어드니(由是晏等俱得選擧)《五倫 Ⅳ:7》.

말믜ᄒᆞ다 자 〈옛〉 말미암다. =말믜암다·말믜사다·말믜암다. ¶ ᄒᆞᆫ 病은 볼ᄀᆞᆫ 님금을 말믜ᄒᆞ얘시니(一病緣明主)《杜諺 XXI:21》.

말:바꿈-표【一標】 명 줄표.

말-박 명 ①큰 바가지. ②말 대신으로 쓰는 바가지.

말반【末班】 명 전에, 지위가 낮은 벼슬아치를 일컫던 말. *소관(小官).

말:-발 [一빨] 명 말이 먹히어 들어가는 형세.

말:발(이) 서다 구 말하는 대로 시행(施行)이 잘 되다. ¶ 멀지 않아 '오 생원' 소리도 듣게 될 나이이며 마을에서는 말발이나 서는 위인으로 통하고 있다 《李文熙 : 온달의 밥》.

말-발굽 [一꿉] 명 말의 발굽. ¶ ~ 소리도 요란하게.

말발도리-나무 명 〔식〕 [*Deutzia parviflora* var. *amurensis*] 고광나뭇과에 속하는 낙엽 활엽 관목. 잎은 타원형 또는 달걀꼴 타원형으로 5-6월에 흰 꽃이 산방(繖房) 화서로 피며, 과실은 삭과(蒴果)인데, 9월에 익음. 골짜기의 바위 틈에 나는데, 한국 각지 및 중국·만주·아무르 등지에 분포함. 관상용·신탄재로 씀. *바위말발도리·해남말발도리.

〈말발도리나무〉

말밤: 명 〈방〉 〔식〕 마름[2](경상·강원·전남).

말밤-쇠 명 〈방〉 마름쇠(경상·강원).

말-밥[1] [一빱] 명 한 말 정도의 쌀로 지은 밥.

말:-밥[2] [一빱] 명 좋지 않은 이야깃거리.

말:밥에 얹다 구 좋지 못한 화제의 대상으로 삼다. ¶ 괜한 사람을 ~니.

말:밥에 오르다 구 좋지 못한 일로 남의 입에 오르다.

말:-방구【一防口】 명 〈방〉 말막음. ——하다 자타

말-방울 명 〔고고학〕 말이 움직일 때마다 소리를 내도록 말의 목에 다는 방울.

말-밭 [一빧] 명 윷·고누·장기 같은 것의 말이 다니는 길.

말배[1] 명 〈방〉 〔식〕 마름[2](함남).

말배[2]【末杯】 명 종배(終杯)❶.

말-뱃대끈 명 말의 배에 졸라매는 띠.

말뱅이 명 〈방〉 〔식〕 마름[2](함경).

말뱅이-나물 명 〔식〕 [*Vaccaria vulgaris*] 너도개미자릿과에 속하는 월년(越年) 또는 일년초. 줄기는 높이 60cm 이상, 잎은 대생하고 무병(無柄)이며 달걀꼴 피침형임. 6-7월에 원추상(圓錐狀)의 담홍색 꽃이 취산(聚繖) 화서로 정생(頂生)하고, 과실은 삭과(蒴果)임. 밭에 나는데 전남·경남·경북·경기·평남 등지에 분포함.

〈말뱅이나물〉

말-버둥질 명 말이 땅에 누워 등을 대고 네 발로 버둥거리는 짓. ㊀버둥질.

말버둥질(을) 치다 구 말버둥질을 하다. ㊀버둥질치다.

말:버러-공【一公】 [Marlborough] 명 〔사람〕 '처칠[1](Churchill)'의 작호(爵號).

말:-버릇 [一뻐一] 명 항상 사용하여 버릇이 된 말의 투. 구습(口習). 어투(語套). 언습(言習). 언투(言套). ¶ ~이 나쁘다. 「癖).

말-버짐 명 〔한의〕 피부에 흰 점이 생기고 그 곳이 가려운 병. 마선(馬癬).

말번【末番】 명 〔불교〕 재(齋)를 올릴 때에, 시식(施食)을 맡은 승려. *상번(上番). 중번(中番).

말-벌 명 〔충〕 ①말벌과에 속하는 곤충의 총칭. 대황봉(大黃蜂). 마봉(馬蜂). 작봉(雀蜂). 왕벌. ②장수말벌. ③[*Vespa crabro*] 말벌과에 속하는 곤충. 몸길이는 암컷이 25mm, 수컷이 20mm 정도이며, 날개 길이 61mm 가량이고 몸빛은 흑갈색에 두부는 갈색 털이 밀생하고, 앞가슴과 날개 기부는 황갈색이며 뒷가슴의 한가운데에 세로골이 졌음. 제1복절(腹節)의 중간과 뒤 끝은 황갈색이나 2·3복절은 황색임. 날개는 투명하며 담황갈색을 띰. 한국·중국·일본·유럽 일부에 분포함. 무늬말벌.

〈말벌❸〉

말벌-과【一科】[一꽈] 명 〔충〕 [Vespidae] 벌목(目)에 속하는 한 과. 대개 몸길이 9-17mm이고, 몸빛은 황색과 흑색 또는 갈색의 반문과 대문(帶紋)이 있으며 독침(毒針)도 있음. 과실·꿀벌 등에 해를 끼치며 해충도 포식함. 검정말벌·노랑말벌·땅말벌·무늬말벌·장수말벌·조롱벌·애호리병벌 등이 이에 속함.

말벌의-집 [一/一에一] 명 〔한의〕 말벌이 지은 집. 강장제로 사용함. 노봉방(露蜂房).

말:-법[1]【一法】 [一뻡] 명 〔언〕 어법(語法).

말법[2]【末法】 [一뻡] 명 〔불교〕 삼시(三時)의 하나. 석가의 입멸(入滅) 후, 정법(正法)·상법(像法) 다음에 오는 시기. 곧, 불법(佛法)이 쇠퇴(衰退)한 후에 올 어지러운 세상. 정법 오백 년, 상법 천 년, 말법 만 년이라 함. 말법시(末法時). 법말(法末). *정법(正法)·상법(像法).

말법-시【末法時】 [一뻡一] 명 〔불교〕 말법(末法).

말:-벗 [一뻣] 명 서로 같이 이야기할 만한 친구. 말동무. ¶ ~이 있어 심심하지 아니하다. ——하다 자여불

말-벗김 명 마름이 작인에게서 벼를 받을 때에는 말을 후하게 되어서 받고 지주에게 줄 때에는 말을 박하게 되어서 그 나머지를 자기가 먹는 짓. ──-하다 타여불

말:-보【─洑】[─뽀] 명 평소에 말이 없는 사람의 입에서 막힘 없이 터져 나오는 말. 또, 한동안 입을 열지 아니하여 많이 쌓여 있는 말. ¶ ~가 터지다.

말복【末伏】명 삼복(三伏)의 마지막 복. 입추가 지난 뒤의 첫 번째 경일(庚日). *초복·중복.

말:-본 명 ①〖언〗어법(語法). 문법(文法). ②말본새❶.

말:본-갈 명〖언〗어법학(語法學). 문법학(文法學).

말:-본새 [─뽄─] 명 ①말의 원래부터의 생김새. 말본. ②말투.

말분【末分】명 사람이 한 세상 사는 동안을 셋으로 나누었을 때의 끝판. 늙바탕.

말불-버섯 명〖식〗[*Lycoperdon gemmatum*] 말불버섯과에 속하는 버섯. 지름이 2-3cm 가량 되는 기둥 모양의 줄기 위에 둥그런 머리가 있으며 줄기가 아닌 부분의 표면에는 작은 혹이 많은데 처음에는 희다가 차차 누렇게 됨. 포자(胞子)가 많으며, 성숙하면 두부(頭部)의 꼭대기에 구멍이 있어 포자를 날리는데, 대개 여름과 가을에 숲 속의 응달에 많이 나며, 식용함. 마발(馬勃).

〈말불버섯〉

말불버섯-과【─科】명〖식〗[Nycoperdaceae] 은화(隱花) 식물에 속하는 한 과. 자실체(子實體)는 처음에는 땅 위에 나나 어떤 때에는 땅 속에서 땅 위로 나옴. 겉 껍질은 안팎 두 층으로 됨. 조자기(造子器)는 다실(多室)이며 그 벽(壁)은 자낭층(子囊層)으로 덮이고, 익으면 자실체의 내부는 가루 같은 포자(胞子)와 벽내의 분리 균사(分離菌絲)로 된 자사(子絲)로 채워짐. 전세계에 7속(屬) 300여 종, 한국에는 3속 13종이 분포함.

말:-붙이다 [─부치─] 자 상대방에게 말을 걸다.

말브랑슈〔Malebranche, Nicolas de〕명〖사람〗프랑스의 철학자. 데카르트의 물심 이원론(物心二元論)의 난점(難點)에서 출발하여 형이상학적인 기회 원인론(機會原因論)을 주장하고, 만상(萬像)이 신 안에 있다는 만유 재신론(萬有在神論)을 내세움. 논리의 명확함과 문체(文體)의 정중함으로 해서 모럴리스트의 한 사람으로 불림. 저서로는 ≪진리의 탐구≫ 3권, ≪자연 및 은총론(恩寵論)≫·≪신(神)의 사랑≫ 등이 있음. [1638-1715]

말:-비치다 자 상대방이 알아들을 수 있을 만큼 넌지시 말을 하다. ¶ 그런 말을 비치더라.

말:-빚 명 말로 진 빚. ¶ ~을 갚다.

말-뼈 명 ①말의 뼈. ②성질이 고분고분하지 못하고 거세어 뻣뻣한 사람의 별명.

말밤 명〈옛〉마름쇠. ¶ 鐵鑠는 말바미라≪月釋 XXI:80≫.

말사【末寺】[─싸] 명〖불교〗본사(本寺)의 지배를 받는 부속 사찰. 또는 본사에서 갈리어 나온 절.

말-산【─酸】명〔malic acid〕〖화〗유기산(有機酸)의 한 가지. 덜 익은 사과·복숭아 같은 과실 중에 들어 있는 이염기산(二塩基酸)·탄소·수소·산소 등을 성분으로 하는 무색(無色) 결정성(結晶性)의 화합물로, 좋은 향기가 있음. 사과산(沙果酸).

말살【抹殺·抹摋】[─쌀] 명 ①지워 버림. 있는 것을 뭉개어 없애 버림. ②남의 존재를 면목 없이 하여 버림. ¶ 의견을 ~하다. ──-하다 타여불

말살-스럽다【抹殺─】[─쌀─] 형ㅂ불 모질고 쌀쌀하다. ¶"망한 놈의 씨알머리 남겨둘 것 무어 있나" "너무 말살스러운 짓 할 것 없어."≪洪命憙: 林巨正≫. **말살-스레**【抹殺─】[─쌀─] 부

말살에 쇠:살 구 전혀 동닿지 아니함을 일컫는 말.

말:-삼키다 자 하려던 말을 그만두다.

말-상【─相】명 얼굴이 긴 사람의 별명.

말-새끼 명〈방〉망아지(강원·전라·경남).

말:-새다 자 비밀한 말이 남에게 알려지다.

말:-서스미 명〈방〉말더듬이(경북).

말석【末席】[─썩] 명 ①맨 끝의 좌석. 말좌(末座). 하좌. ↔상석(上席). ②지위의 맨 끝. 석말(席末). ¶ ~을 차지하다. ↔수석(首席). ③자기 자리를 겸손하게 일컫는 말. ¶ ~을 더럽히다.

말-선두리 명〖충〗물방개.

말섭-조개 [─썹─] 명〖조개〗말조개.

말-세¹【─稅】명 말감고가 받는 구문.

말세²【末世】[─쎄] 명 ①정치·도덕·풍속 등이 아주 쇠퇴한 시대. 망해 가는 세상. 계세(季世). 악세(惡世). 요계(澆季). 말류(末流). 말조(末造). 세말(世末). 숙세(叔世). ¶ ~적 풍조. ②〖불교〗말법(末法)의 세상. ③〖기독교〗예수가 탄생한 때부터 재림(再臨)할 때까지의 세상. *세기말.

말-세기【末世紀】명 세기말.

말세기-적【末世紀的】명관 세기말적.

말소【抹消】[─쏘] 명 있는 사실을 지워 없애 버림. 말거(抹去). ¶ 자구(字句)를 ~하다. ──-하다 타여불

말소 등기【抹消登記】[─쏘─] 명〖법〗일단 등기된 사항의 말소를 목적으로 하는 등기. 등기 원인이 무효로 된 경우 또는 일단 등기된 권리가 소멸되는 경우 등에 행함.

말:-소리 [─쏘─] 명 ①말하는 소리. 어성(語聲). ¶ ~를 낮추다. ②〖언〗말에 쓰이는 소리. 음성.

말:소리를 입에 넣:다 구 다른 사람에게 들리지 않게, 입 안에서 어물어물 낮은 목소리로 말하다. ¶ 말소리를 입에다 넣고 쥐도 못 듣게 한참을 소곤소곤하는데≪李海朝: 鬢上雪≫.

말:소리-갈 [─쏘─] 명〖언〗음성학(音聲學).

말-소수 명 한 말 남짓한 곡식의 양.

말-속¹ [─쏙] 명〈방〉마속¹.

말:-속² [─쏙] 명 말의 깊은 속뜻.

말속³【末俗】[─쏙] 명 ①말세의 풍속. ②악독하고 타락된 풍속.

말손【末孫】[─쏜] 명 혈통이 먼 손자. 원손(遠孫). 계손(系孫). ¶ 왕가(王家)의 ~.

말-솔 명 말의 털을 씻거나 빗어 주는 솔.

말솜 명〈옛〉말씀. 말. =말ᄊᆞᆷ·말ᄉᆞᆷ. ¶ 말솜과 힝실(言行)≪恩重諺≫.

말:-솜씨 [─쏨─] 명 말하는 솜씨. 말재주. ¶ ~가 있다.

말-수¹【─數】[─쑤] 명 말로 된 수량. 두수(斗數).

말:-수²【─數】[─쑤] 명 말의 수효. ¶ ~가 적은 여자.

말-술 [─쑬] 명 ①한 말 가량의 술. 두주(斗酒). ②많이 마시는 술. ¶ ~을 사양하지 아니하다.

말-승냥이 명 ①〖동〗'늑대'를 승냥이에 비해 큰 종류라는 뜻으로 일컫는 말. ②키가 크고 성질이 사나운 사람을 두고 하는 말.

말:-시비【─是非】명 말로써 하는 시비. *말다툼. ──-하다 자여불

말:-실수【─失手】[─쑤] 명 실수로 말을 잘못함. 또, 그 말. 실언(失言). ¶ ~가 없도록 조심해라. ──-하다 자여불

말ᄉᆞᆷ 명〈옛〉말씀. 말. =말솜·말ᄊᆞᆷ. ¶ 말ᄉᆞᆷ 담(談), 말ᄉᆞᆷ 어(語), 말ᄉᆞᆷ 언(言), 말ᄉᆞᆷ 화(話)≪字會 下 28≫/말ᄉᆞᆷ과 우숨괘 그슥ᄒᆞ얫ᄂᆞ니(隱語笑)≪初杜諺 IX:3≫/예수말ᄉᆞᆷ다밋으면 걱정이아조없네≪찬양가: 11≫.

말-쌀 명 ①한 말 가량 되는 분량의 쌀. ②한 말씩 사먹는 쌀. ¶ ~은 커녕 됫박쌀로 이어간다.

말:쌈 명〈방〉말씀.

말:쌍 명〈방〉말썽.

말:썽 명 사단(事端)을 일으키는 말이나 짓. ¶ ~을 일으키다.

말:썽(을) 부리다 구 트집을 잡아 일을 버르집어 놓다.

말:썽(을) 피우다 구 말썽(을) 부리다.

말:썽-거리 [─꺼─] 명 ①말썽이 일어날 만한 사물. ㊟말거리. ②〈속〉말썽꾼.

말:썽-궁이다 자〈방〉거리끼다(함남).

말:썽-꾸러기 명〈속〉말썽꾼.

말:썽-꾼 명 걸핏하면 말썽을 부리는 사람. 말썽거리.

말:썽-스럽다 형ㅂ불 말썽이 되어 딱하고 귀찮다. **말:썽-스레** 부

말쑥-이 부 말쑥하게.

말쑥-하다 형여불 모양이 말끔하고 깨끗하다. 세련되고 아담하다. ¶ 말쑥한 옷차림/어느 도구보다도 제일 말쑥해 뵈는 약장이 하나 놓여 있었다≪黃順元: 인간접목≫. >먈쑥하다. <멀쑥하다.

말:씀〔중세: 말ᄊᆞᆷ〕명 ①웃어른의 말. ¶ 아버님 ~. ②웃어른에게 하는 제 말. ¶ ~을 올리다. ③〖성〗하느님의 명령·율법. 천지 창조 때, 함께 역사(役事)한 인격적인 존재로서의 삼위 일체의 제2위. 로고스(logos). ──-하다 자타여불

말:씀언-변【─言邊】명 한자 부수(部首)의 하나. '評'이나 '謝' 등의 '言'의 이름.

말씀의 전:례【─典禮】[─절─/─에절─] 명〖천주교〗미사의 첫 부분. 전에는 예비 신자만 참례하였으나 지금은 미사의 예비적 부분으로 기구(祈求)하는 부분과 교훈(敎訓)의 부분으로 되어 있음. '예비 미사'의 고친 이름.

말:-씨 명 말하는 태도. 말하는 버릇. 구기(口氣). 익스프레션. ¶ 공손한 ~/서울 ~.

말씬-거리다 자 건드리는 대로 연하고 말랑한 느낌을 주다. <물씬거리다. **말씬-말씬** 부. ¶ 고려 정취가 ~ 나는 고향의 애운성 있는 곡조였다≪朴鍾和: 多情佛心≫. ──-하다 형여불

말씬-대다 자 말씬거리다.

말씬-하다 형여불 삶거나 쪄서 익힌 것이 파삭파삭하게 무르다. <물씬하다. **말씬-히** 부

말:-씹다 자형 ①말을 되풀이하다. ②발음이 분명하지 않다.

말씹-조개 명〖조개〗마합(馬蛤).

말ᄊᆞᆷ 명〈옛〉말씀. 말. =말솜·말ᄉᆞᆷ. ¶ 말ᄊᆞ몰 ᄉᆞᆯᄫᆞ리 하ᄃᆡ(獻言雖衆)≪龍歌 13章≫.

말:-아니다 형 ①말이 도무지 이치에 맞지 아니하다. ¶ 말 아닌 소리 작작해라. ②형편이 말할 수 없이 딱하다. ¶ 형편이 말 아닐세/처우가 ~. *말 못되다.

말아-먹다 타 본전 따위를 통째로 착복하거나 날리다.

말-아웃 명 말로 되고 남은 반 가량의 분량. ¶ 한 ~이나 됨직하다. *되가웃.

말:-안되다 형 말하는 것이 사리에 맞지 아니하다. ¶ 그건 말안될 소릴세. ↔말되다❶.

말암 명〈옛〉마름². =말왐❶. ¶ 거부븐 말암 니플 여러 디나놋다(龜開萍葉過)≪杜諺 II:64≫.

말액【抹額】명 '마래기'의 취음.

말야다 타〈방〉말리다³(경남).

말약¹【末若】명〖역〗말객(末客).

말약²【末藥】명 ☞가루약.

말언【末言】명 아주 변변찮은 말. 천한 말.

말:-없다 [─업─] 형 말수가 매우 적다. ¶ 말이 없는 사람.

말:없음-표【─標】[─업씀─] 명 줄임표.

말:-없이 [─업씨] 부 ①아무런 말도 아니하고. ¶ ~ 결근하다. ②아무 사고 없이. 말썽 없이. ¶ 일이 ~ 잘 되어야 할 터인데.

말-여뀌 [─려─] 명〖식〗개여뀌. 마료(馬蓼).

말여지-하【末如之何】명 아주 엉망이 되어서 어찌할 도리가 없음.

말엽【末葉】명 ①맨 끝 무렵의 시대. 후엽(後葉). ¶ 18세기 ~/신라 ~. *초엽(初葉)·중엽(中葉). ②말예(末裔). 자손(子孫).

말예¹【末裔】명 먼 후손(後孫). 말엽(末葉). ¶ 왕가의 ~.

말예²【末藝】명 변변찮은 재주. 쓸모 없는 재주. 말기(末技).

말오가다 타〈옛〉말고 가다. 그만두고 가다. 떠나가다. ¶ 悠悠히 힛비치 ᄆᆞᄅᆞ매 뮈옛고 아독아ᄃᆞ기 보미 남ᄀᆞᆯ 말오가놋다(悠悠日動江漢漠春辭木)≪初杜諺 VI:52≫.

말오줌-나무 명 〖식〗 넓은잎딱총나무.

말오줌-대 [—때] 명 〖식〗 ①[*Euscaphis japonica*] 고추나뭇과에 속하는 낙엽 활엽의 작은 교목. 잎은 대생(對生)하여 기수 우상 복생(奇數羽狀複生)하고, 7-11개의 잔잎은 달걀꼴인데 가는 톱니가 있음. 5월에 담녹백색의 꽃이 가지 끝에 정생(頂生)하여 원추(圓錐) 화서로 핌. 과실은 골돌(蓇葖)인데, 육질(肉質)이며, 8월에 빨갛게 익고 까만 씨가 있음. 산록 및 골짜기에 나는데 전남·황해도 및 일본·대만·중국에 분포함. 어린잎은 식용함. 접골목(接骨木). ②[*Sambucus pendula*] 인동과에 속하는 낙엽 활엽의 작은 교목. 잎은 우상 복생하고 소엽(小葉)은 피침형(披針形)임. 5월에 녹백색의 꽃이 원추(圓錐) 화서 또는 산방상(繖房狀) 원추 화서로 핌. 과실은 장과(漿果) 모양이고 9월에 붉게 익음. 골짜기에 나는데, 울릉도에 야생하는 특산종임. 잔가지는 약재에 쓰고 어린잎은 먹음.

〈말오줌대❶〉

말옥 타 〈옛〉 말고서. '말다³'의 활용형. ¶모딘 아로ᄆᆞᆯ 求티 말옥(不要「求解會ᄒᆞ곡)≪蒙法 28≫.

말:-옮기다 [—옴—] 자 남에게서 들은 말을 다른 사람에게 전하여 퍼뜨리다.

말왐 명 〈옛〉 ①마름². =말암. ¶藻ᄂᆞᆫ 말와미니≪楞嚴 Ⅸ:56≫/말왐 조(藻)≪字會 上 9≫. ②개구리밥. =머구릐밥. ¶말왐 빈(蘋)≪字會 上 9≫.

말운 【末運】 명 다 된 운. 막다른 운수. 말세(末世)의 시운(時運).

말위 【末位】 명 〖수〗 '끝자리'의 구용어.

말은 【抹銀】 명 도자기에 은가루 같은 것을 발라서 광채가 나게 함.

말음 【末音】 명 〖언〗 끝소리.

말음 【舍音】 명 〈이두〉 마름³.

말음 법칙 【末音法則】 명 〖언〗 끝소리 규칙.

말 의 【末意】 [—/—이] 명 본래의 뜻이 아닌 다른 뜻.

말:의 소리 [—/—에—] 명 〖책〗 주시경(周時經)이 우리말의 음운(音韻)과 어법(語法)에 대하여 논한 책. 1914년에 발행됨.

-말이 어미 〈옛〉 -니. -즉. =-마리. ¶天根을 못내 보와 望洋亭의 올은 말이≪松江 關東別曲≫.

말이다¹ 타 〈옛〉 말리다². ¶하리로 말이ᅀᆞᄫᆞᆫ돌(沮以讒說)≪龍歌 26章≫.

말-이다² ㊀ 구 ①'-라는', '-으라는', '-다는', '-ㄴ', '-는'의 뒤에서 '말이냐, 말이야, 말인가, 말인지, 말이지'의 꼴로 쓰이어 사실의 확인이나 힘줌을 나타냄. ¶이 일을 누가 하겠단 말이냐/고양이 목에 누가 방울을 달겠단 말인가/하겠다는 말인지 안 하겠다는 말인지/그러니까 나더러 이걸 먹으라는 말이지. ②'-기에', '-니' 등의 다음에 '말이지'의 꼴로 쓰이어 '망정이지'의 뜻을 나타냄. ¶증인이 있었기에 말이지 하마터면 내가 누명을 쓸 뻔했다. ③'-어야 말이지'의 꼴로 쓰이어 어떤 행위가 잘 이루어지지 않음을 탄식함. ¶아무리 불러도 대답을 해야 말이지. ④'-ㄹ 말이면'의 꼴로 쓰이어 '-ㄹ 것 같으면'의 뜻을 나타냄. ¶분명 그렇게 알 말이면 누구 짓인지도 알 게 아닌가. ㊁ 조 체언이나 조사 밑에 붙어 어감을 고르기 위하여, 또 강조·설득·다짐의 뜻을 나타내어 군소리로 쓰는 말. ¶오늘~.

말이ᅀᆞᄫᆞᆫ돌 타 〈옛〉 말리온들. '말이다'의 활용형. ¶하리로 말이ᅀᆞᄫᆞᆫ돌 이곤 뎌고대 後ㅅ날 다ᄅᆞ리잇가(沮以讒說 於此於彼 寧殊後日)≪龍歌 26章≫. *-ᅀᆞᄫᆞᆫ돌.

말-이야 조 체언이나 조사 밑에 붙어 어감을 고르기 위하여, 또 강조·설득·다짐의 뜻을 나타내어 군소리로 쓰는 말. ¶그런데~.

말-이지 조 체언이나 조사 밑에 붙어 어감을 고르기 위하여, 또 강조·설득·다짐의 뜻을 나타내어 군소리로 쓰는 말. ¶나~ 내일 갈 거야.

말-이파리 명 〖충〗 [*Hippobosca equina*] 이파릿과에 속하는 곤충. 몸길이 6-8 mm이고 몸빛은 황색에 암갈색의 반문이 있음. 중흉배(中胸背)의 주연부(周緣部)는 황색, 중부는 암갈색의 농담(濃淡) 반문이 불규칙하게 있고 복부는 회갈색 내지 흑갈색임. 말·소·토끼·개 등에 붙어서 흡혈(吸血)하는데, 한국에도 분포함.

〈말이파리〉

말일 【末日】 명 ①어떤 시기나 기한의 마지막 날. 최후의 날. ②그 달의 마지막 날. 그믐날.

말일 성:도 【末日聖徒】 명 [Latter-day Saint] 모르몬 교도(敎徒)의 정식 명칭.

말일 성:도 예:수 그리스도 교:회 【末日聖徒—敎會】 명 [Church of Jesus Christ of Latter-Day Saints] 모르몬 교회(敎會)의 정식 명칭.

말:-일키다 [←말일으키다] 자 말썽을 일으키다. 일을 저질러서 여러 말이 나오게 하다.

말자¹ 명 〈옛〉 맨 끝. 말째. ¶말자 계(季)≪類合 下 16≫.

말자² 【末子】 [—짜] 명 막내아들.

말-자갈 명 〈방〉 재갈(함경).

말-자개 명 〈방〉 재갈(함남).

말자 상속 【末子相續】 [—짜—] 명 〖사〗 상속권의 전부 또는 주요 부분을 보통 막내아들이 상속하던 제도. 가장 오랜 상속 형식으로 성서의 창세기·그리스 신화 등에 그 예가 많음. ↔장자(長子) 상속.

말작 【末作】 [—짝] 명 예전에, 농업에 대하여 상공업(商工業)을 일컫던 말.

말-잠자리 명 〖충〗 [*Sieboldius japonicus*] 부채장수잠자릿과에 속하는 곤충. 몸길이 80 mm, 편 날개 100 mm 가량이고 몸빛은 흑색 바탕에 황색 반문이 있고, 가슴에 'T'자 모양의 융기(隆起)가 있으며 그 양쪽에는 종(縱)으로 한 개씩의 노란 줄이 있음. 7-8월의 해질 무렵 산길 같은 곳에 많이 나와 모기·파리 등을 잡아먹음. 쉬지 않고 날아다니며 땅 위·나뭇끝에 수평(水平)으로 정지(靜止)함. 유충은 수년간 물속에서 서식함. 어리장수잠자리와 비슷한 종류임. 한국·중국·일본 등지에 분포함.

〈말잠자리〉

말-잡이 명 곡식을 될 때에 마되질을 하는 사람. *말감고·말장이.

말장 【抹杖】 [—짱] 명 ①말목(抹木). ②〈방〉 막대기(함남).

말장-목 【抹杖木】 [—짱—] 명 말뚝으로 쓰는 나무.

말-장이 【—匠—】 명 삯을 받고 마질을 하여 주는 사람. *말감고·말잡이·공두인(公斗人).

말-재 [—째] 명 〖지〗 마치(馬峙).

말:-재간 【—才幹】 [—째—] 명 말재주. 말솜씨.

말:-재기 명 쓸데없는 말을 꾸미어 내는 사람.

말:-재주 【—才—】 [—째—] 명 말을 잘 하는 재주. 말재간. 언재(言才).

말:-쟁이 명 말수(數) 많은 사람. 말을 잘 하는 사람. ¶그게 다 ~의 말이다.

말:-적 다 형 평소에 말수가 적다. ¶원래 말이 적은 사람이다.

말:-적수 【—敵手】 명 말을 서로 주고받기에 상대가 될 만한 사람. ¶~를 만나다.

말-전복 【—全鰒】 명 〖조개〗 [*Haliotis gigantea*] 전복과에 속하는 조개의 하나. 몸은 큰 타원형으로 패각(貝殼)의 길이 20 cm, 폭 17 cm, 높이 7.5 cm 내외임. 각표(殼表)는 흑갈색. 수심 20 m까지의 암초(岩礁)에 서식하는데, 한국 남부 및 일본에 분포함. 패각은 다른 전복류와 같이 세공(細工)·나전(螺鈿) 등의 재료가 되고, 말린 것은 '명포(明鮑)'라 하여 중국 요리에서 중히 쓰임.

말:-전주 명 이쪽 말은 저쪽에, 저쪽 말은 이쪽에 전하여 이간질하는 짓. ¶그렇게 알고 ~나 하고 다니지 말게. ——-하다 자 여불

말:전주-꾼 명 이쪽저쪽 다니며 말전주하는 사람.

말절 【末節】 [—쩔] 명 ①끝 부분(部分). 맨 끝 절. ②사소한 일. 지엽(枝葉)에 관한 일.

말제¹ 【末弟】 [—쩨] 명 막내 아우.

말제² 【末劑】 [—쩨] 명 가루약. 말약(末藥).

말조 【末造】 [—쪼] 명 말세(末世)❶.

말-조개 명 〖조개〗 [*Unio douglasiae*] 석패과(石貝科)에 속하는 민물조개. 패각(貝殼)은 두꺼우며, 높이 34 mm, 길이 76 mm 가량의 장타원형을 이루고 있음. 각정(殼頂)에 작은 돌기가 있으며, 몸빛은 흑색이나 내면은 은백색 광택이 남. 여름 산란형(産卵型)이며, 같은 시기에 납줄갱이·중고기 등 어류(魚類)가 아가미 또는 외투막(外套膜)에 산란함. 하천·호수 등의 자갈밭에 서식하는데 한국·시베리아·일본·중국 등지에 분포함. 식용함. 마합(馬蛤). 마도(馬刀). 늪말조개. 말씹조개. 말씹조개. *석패과.

말-조롱 명 〖민〗 남자가 차는 밤톨만한 크기의 조롱. ↔서캐조롱.

말:-조심 【—操心】 명 말이 잘못되지 아니하게 하려는 조심. ¶어른 앞에서는 ~이 제일이다. ——-하다 자 여불

말-종방울 【—鐘—】 명 〖고고학〗 말의 목에 다는 방울. 종(鐘) 모양으로 생기고 위쪽에 꼭지가 달렸음. 큰 것은 타원형, 작은 것은 마름모꼴임. 마탁(馬鐸).

말좌 【末座】 [—쫘] 명 말석(末席)❶.

말:-주변 [—쭈—] 명 말을 이리저리 척척 둘러대는 재주. ¶~이 좋은 사람.

말:-주비 [—쭈—] 명 〈방〉 시빗주비.

말-죽 【—粥】 명 콩·겨·여물 같은 것을 섞어 쑨 말의 먹이. 마죽(馬粥).

말죽-통 【—粥桶】 명 말죽을 담는 통. 마죽통(馬粥桶). *말구유.

말-쥐치 명 〖어〗 [*Cantherines modestus*] 쥐치복과에 속하는 바닷물고기. 몸은 길이 24 cm 가량의 긴 타원형으로 측편하고 몸빛은 청갈색, 등지느러미 및 뒷지느러미는 청록색, 가슴지느러미와 꼬리지느러미는 암청색임. 한국 중남부해 및 전일본 근해에 분포함. 맛이 좋고 특히 간이 별미임. 긴쥐치.

말즘 명 〖식〗 [*Potamogeton crispus*] 가랫과에 속하는 다년초(多年草). 줄기는 길이 70 cm 가량이고 보통 군생(群生)하여 녹갈색을 띰. 잎은 길이 8-6 cm, 너비 4-6 mm의 선형(線形)으로 호생하고 무병(無柄)이며 5-6월에 담황갈색의 꽃이 줄기 끝에 정생(頂生)하거나 액생(腋生)하여 수상(穗狀) 화서로 핌. 못이나 물 속에 나는데 남아메리카를 제외한 전 세계에 분포함.

〈말즘〉

말증 【末症】 [—쯩] 명 고치기 어려운 못된 병. 말질(末疾).

말-지 【—紙】 [—찌] 명 궐련이 귀했을 때 담배를 마는 데 쓴 종이.

말직 【末職】 [—찍] 명 맨 끝 자리의 벼슬. 말관(末官). *미관 말직(微官末職).

말-질¹ 명 →마질. ——-하다 타 여불

말:-질² 명 이러니저러니 하고 시비를 말하는 짓. ——-하다 자 여불

말질³ 【末疾】 [—찔] 명 말증(末症).

말-집 [—찝] 명 〖건〗 추녀가 사방으로 뺑 돌아가게 말 모양으로 지은 집. 모말집.

말:짓기-놀이 명 언어 유희(言語遊戲).

말짜 【末—】 명 [←末者] 버릇없이 구는 사람이나 가장 나쁜 물건을 일컫는 말. ¶인간 ~.

말짱 부 〈방〉 모두. 말끔(경상·전남).

말짱-구슬 명 중국에서 만든 갖가지 빛깔의 유리 구슬.

말짱말짱-하다 형 여불 사람의 성질이 물러서 만만하다. <물쩡물쩡하다.

말짱-스럽다 형 ㅂ불 말짱한 듯하다. ¶반찬 하나 안 남기고 말짱스럽게 다 먹어 버렸다. **말짱-스레** 부

말짱-하다¹ 형 여불 ①흠이 없고 온전하다. ¶아직도 말짱한 물건. ②지저분하지 않고 깨끗하다. ¶집 안을 말짱하게 치우다. ③정신이 맑고 또렷하다. ¶술에 취했어도 정신은 ~. ④속셈이 있고 약삭빠르다. ¶꾀가 말짱한 아이. ⑤전혀 터무니없다. ¶말짱한 거짓말. <멀쩡하다.

말짱-히 부

말짱-하다² 형여불 사람의 성질이 부드럽고 문문하다. <물쩡하다.
말-째【末一】명 맨 끝의 차례.
말째다 형〈방〉복잡하고 힘들다(평안).
말찐 부〈방〉말끔. 「*엽차(葉茶)·전차(磚茶).
말차【抹茶】명 차나무의 어린 순을 가루로 간 차. 더운 물에 타서 마심.
말찰【抹擦】명 문지름. ──하다 타여불 「여불
말:-참견【一參見】명 남의 말에 곁달아 하는 짓. 말참례. ──하다자
말:-참례【一參禮】[一녜] 명 말참견. ──하다
말-채 명 ↗말채찍. └자여불
말채-나무 명〖식〗[*Cornus coreana*] 층층나뭇과에 속하는 낙엽 활엽 교목. 잎은 대생하는데 넓은 달걀꼴 또는 넓은 타원형으로 톱니가 없으며, 3-4개의 측맥(側脈)이 있음. 5월에 흰 꽃이 가지 끝에 정생(頂生)하여 기산(岐繖) 화서로 피며 핵과(核果)는 10월에 붉게 익음. 골짜기에 나는데, 평남을 제외한 한국 각지에 분포함. 기구재로 쓰임.

〈말채나무〉

말-채찍 명 말을 때리어 모는 채찍. 편책(鞭策). ㊟말채.
말천【末天】명 한시(漢詩) 등을 지을 때에, 끝찌로 지어 바치는 일. *일천(一天)·이천(二天). 「사소한 일. 하찮은 일.
말초【末梢】명 ①나뭇가지의 끝. 우듬지. ②사물의 말단. ③전(轉)하여,
말초 신경【末梢神經】명 [peripheral nerve]〖생〗중추 신경계(系)와 피부·근육·감각 기관 등을 연락하는 신경의 총칭. 기능상, 구심성 신경(求心性神經)과 원심성(遠心性) 신경으로 구별하며 또, 운동 신경·지각 신경·자율(自律) 신경으로 구별함. 중추 신경의 뇌로부터 나오는 뇌신경과 척수로부터 나오는 척수 신경이 있음. 끝신경.
말초 신경 외:상【末梢神經外傷】명〖의〗난산(難産)으로 인하여 말초 신경이 압박 또는 마비되어 팔이나 다리의 운동이 부자유한 증상(症狀).
말초-적【末梢的】명관 사물의 근본에서 벗어나 사소한 모양. 또, 문제 삼을 가치가 없는 모양. ¶ ~인 문제.
말-총 명 말의 갈기나 꼬리의 털. 마미(馬尾).
말총-갓 명 말총으로 만든 갓.
말총-벌 명〖충〗[*Euurobracon yokohamae*] 고치벌과에 속하는 곤충. 암컷의 몸길이 20mm, 수컷은 15mm 가량이고 몸빛은 황적갈색인데 촉각은 흑색임. 날개는 투명한데 적황색을 띠고, 앞날개의 네 개의 반문과 뒷날개의 한 개의 반문은 흑갈색임. 암컷은 말총 모양의 150mm 가량의 산란관을 나무 줄기 속에 들이박고 하늘소의 유충에 알을 낳음. 한국·일본에 분포함. 마미봉(馬尾蜂).

〈말총벌〉

말총-체 명 쳇불을 말총으로 짠 체.
말:-추렴 명 [←말출렴(出斂)] 여러 사람이 모여 말을 하는 데 끼어들어 말을 거드는 일. ──하다 자여불
말축 명〈방〉〖충〗메뚜기(제주).
말치 명〈방〉〖식〗마름²(강원).
말:-치레 명 실속없는 말로 겉만 꾸미는 일. ¶ ~만 번드르르하다. ──
말카 부〈방〉모두(경북). └하다 자여불
말캉¹ 명〈방〉마루¹(전라).
말캉² 부〈방〉모두(경상).
말캉-거리다 자 연해 말캉한 느낌이 있다. <물컹거리다. 말캉-말캉 부. ──하다 자형여불
말캉-대다 자 말캉거리다.
말캉-하다 형여불 너무 익거나 곯아서 좀 무르다. <물컹하다.
말코¹ 명 베틀에 속한 제구. 길쌈할 때 피륙을 감는 대. 부티 끈을 그 양쪽에 잡아맴.
말-코² 명 ①말의 코. ②말코처럼 코 끝이 둥글넓적하고 콧구멍이 커서 벌름벌름하는 사람의 코. 또, 그러한 사람을 놀리는 말.
말-코지 명 물건을 걸게 된 나무 갈고리. 흔히, 가지가 여러 개로 갈려 나간 나무를 짤막하게 잘라 노끈으로 맴.
말쿠지 명〈방〉①말뚝. ②말코지(평북).
말퀴 명〈방〉말코¹.
말큰-거리다 자〈방〉말캉거리다(평안).
말큰:-하다 형〈방〉말캉하다(평안).
말큼 부〈방〉모두. 말끔(경남).
말키 부〈방〉말끔(경상).

〈말코지〉

말킹이 부〈방〉모두. 말끔(경남).
말-타기 명 아이들이 두 패로 나뉘어 가위바위보를 하여 진 쪽이 말이 되고 이긴 쪽은 이 말에 올라타는 놀이. 말놀음. 말놀음질.
말타아제 [maltase] 명〖화〗말토오스를 두 분자의 글루코오스로 가수(加水) 분해하는 효소(酵素). 효모(酵母)·세균·식물 종자 및 동물의 타액(唾液)이나 장액(腸液) 등에 존재함.
말-토기【一土器】명〖고고학〗말 모양의 도질(陶質) 토기. 마형 토기(馬形土器).
말토오스 [maltose] 명〖화〗녹말이나 글리코겐(glycogen)에 산(酸)이나 디아스타아제(diastase)와 같은 효소(酵素)를 작용시켜, 가수 분해(加水分解)할 때 생기는 당류(糖類)의 하나. 엿기름 속에 가장 많으며, 천연물(天然物)에는 거의 존재하지 아니함. 바늘 모양의 무색의 결정(結晶)으로 덱스트린과 함께 엿의 주성분(主成分)이 되며, 물이나 알코올에는 녹으나 에테르(ether)에는 녹지 아니함. 보통은 말갛고 걸죽한 액체임. 엿당(糖). 맥아당(麥芽糖).

말:-투【一套】명 말하는 투. 말버릇. 구문(口吻). ¶ ~가 못마땅하다.
말-파리 명〖충〗[*Gastrophilus intestinalis*] 말파릿과에 속하는 파리의 하나. 몸길이 13mm 내외인데 몸빛은 적갈색의 털에 싸이고, 유충은 말·당나귀 등의 위(胃) 속에 기생하며 성숙하면 몸 밖으로 나와 번데기가 됨. 개나 사람에게도 기생하는 세계 공통 종임.

〈말파리〉

말-판¹ 명 고누·윷·쌍륙 같은 것의 말이 가는 길을 그린 판.
 말판(을) 쓰다 구 말판에 말을 수에 따라서 놓다.
말-판²【末一】명〈방〉끝판❶❷. 「패. ↔선패(先牌).
말패【末牌】명 화투(花鬪) 기타의 카드 놀이에서 맨 끝에 주거나 받는
말-편자 명 말굽에 대갈을 박아 붙인 쇠. 마제철(馬蹄鐵). 마철.
말-풀 명〈방〉〖식〗마름²(경기·강원).
말피:기 [Malpighi, Marcello] 명〖사람〗이탈리아의 의학자·생물학자. 현미경에 의한 동물의 해부학적 연구를 창시하여 신장(腎臟)의 말피기관(管)·말피기층(層) 등을 발견하였음. [1628-94]
말피:기-관【一管】명 [Malpighian tube]〖생〗말피기가 발견한 곤충의 배설 기관(器官). 한 쪽은 막혀 있는 긴 관상 기관으로 여러 쌍이 있고, 관벽(管壁)은 한 층의 세포층(細胞層)으로 되어 있으며, 빛은 보통 녹색인데, 몸에 생긴 묵은 찌꺼기는 이 관벽을 통하여 관 속으로 들어온 후 창자를 통하여 배출됨.
말피:기 소:체【一小體】명 [Malpighian corpuscle]〖생〗신장(腎臟)의 피질(皮質)에 있는 지름 0.1-0.2 mm 정도의 구상(球狀)의 소체. 모세 혈관이 모여서 구상을 이룬 사구체(絲球體)와 이것을 포함하는 보먼(Bowman) 주머니로 구성되어 있음. 신장 기능의 최소 단위임. 신소체(腎小體).

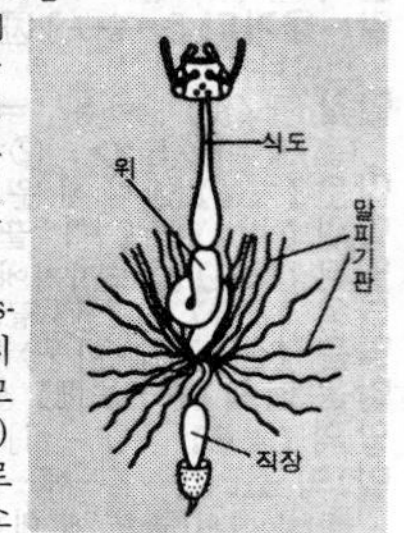

〈말피기관〉

말하 명〈옛〉지라. =만하¹. ¶ 말하 비(脾)《字會 上 27》.
말:-하기 명 초등 학교 등의 국어 교과의 한 부문. 자기의 의사를 상대방이 알아들을 수 있도록 말로 표현하는 일. ↔듣기.
말:-하다¹ 자타여불 ①생각이나 느낌을 말로 나타내다. ¶ 느낌을 ~ / 말할 수 없는 감격. ②어떤 사실을 말로 알려 주다. ¶ 합격 소식을 그에게 ~. ③말이나 글로 나타내다. ¶ 그의 글은 연극과 영화에 대해 말한 것이다. ④일정한 뜻을 나타내다. ¶ 미각(味覺)이란 음식의 맛을 말한다. ⑤말리거나 부탁하다. ¶ 일자리 한 군데 말해 주게 / 암만 말해도 듣지 않는다. ⑥어떤 사정이나 형편을 나타내 보이다. ¶ 숭례문은 조선 시대 때의 건축미를 말해 준다 / 훈풍은 어느새 봄이 왔음을 말한다. ⑦어린아이가 처음으로 말을 시작하다. ⑧평하거나 지적하다. ¶ 네가 잘했다고 말할 사람은 없다 / 네가 말한 그대로다.
 [말하는 것을 개방귀로 알다] 남의 말을 시시하게 여겨 들은 체도 아니 한다. [말하는 남생이] 믿지 못할 말이나 못 알아들을 소리의 비유. [말하는 매실(梅實)] 보거나 듣기만 하되 아무 실속이 없음을 이르는 말. *그림의 떡.
 말:할 것도 없:다 구 당연한 일이라 일부러 말할 필요도 없다.
 말:할 것도 없:이 구 당연한 일이라 일부러 말할 필요도 없이. ¶ 독도는 ~ 우리 영토다.
 말:할 수 없:이 구 이루 말로 표현할 수 없을 정도로. 분량이나 정도가 큼을 나타내는 말.
말-하다²【末一】타여불 ↗작말(作末)하다. 「의 새와도 같다.
말:-하자면 부 알기 쉽게 다른 말로 바꾼다면. 이를테면. ¶ ~ 새장 속
말학【末學】명 ①미숙한 학문. 천박한 학문. ②후진(後進)의 학자. 후학(後學).
말한 명〈옛〉신라 때 임금의 칭호의 하나. '말'은 '頭上'의 뜻, '한'은 '大'의 뜻으로서 임금의 칭호로 쓰인 듯. ¶ 訥祇麻立干金大問云 麻立者方言謂橛也 橛謂誠操准位而置 則王橛爲主 臣橛列於下 因以名之《三史 卷三 羅記三》.
말합【末合】명 ①마투리. ②자투리. 「(項目).
말항【末項】명 ① [last term]〖수〗끝항. ②끝으로 적힌 조항. 끝항목
말-해 명 '오년(午年)'을 달리 일컫는 말.
말행【末行】명 맨 끝의 글줄.
말향【抹香】명 주로 불공(佛供) 때 사용하는 가루 향(香). 침향(沈香)과 전단(栴檀)의 가루를 썼으나, 지금은 붓순의 잎과 껍질로 대용함.
말향-고래【抹香一】명〖동〗향유고래.
말:-허두【一虛頭】명 말머리❶.
말:-허리 명 하고 있는 말의 중간. ¶ 남의 ~를 꺾다.
말:-허물 명 ☞말실수.
말-혁【一革】명 말 안장 양쪽에 꾸밈새로 늘어뜨린 고삐. ㊟혁(革).
말-호두조개【一胡一】명〖조개〗호두조개
말홍【抹紅】명〖공〗도자기나 잿물 위에 철적 채료(鐵赤彩料)를 바르는 일. 「넣음.
말홍 금채【抹紅金彩】명〖공〗말홍(抹紅) 도자기에 다시 금채(金彩)를
맑다 [막一] 형 ①다른 것이나 더러운 것이 섞이지 아니하여 깨끗하다. ¶ 물이 ~. ②일이 헝클어지거나 터분하지 아니하다. ¶ 뒤가 ~. ③살림이 넉넉하지 못하다. 가외의 수입이 없다. ¶ 살림이 ~ / 부수입 없는 맑은 직장. ④구름이나 안개가 끼지 아니하여 날씨가 좋다. ¶ 맑은 하늘. ⑤진실하고 조촐하다. ¶ 마음을 맑고 깨끗하게 하다. ⑥소리가 트이어 탁하지 않다. ¶ 맑은 목소리. ⑦정신이 초롱초롱하고 또렷하다.

¶ 맑은 정신으로 말하다.
【맑은 물에 고기 안 논다】 ㉠청렴 결백도 도가 지나치면 사람이 붙좇아 따르지 아니한다는 말. ㉡사람이 너무 깔끔하면 재물이 따르지 않는다는 말. 【맑은 샘에서 맑은 물이 난다】 근본이 좋아야 훌륭한 후손이 나온다는 말. 「물.

맑디-맑다 [막-막-] 형 썩 맑다. 더할 수 없이 맑다. ¶ 맑디맑은 시냇

맑스그레-하다 [막-] 형여불 조금 맑다. 맑은 듯하다. *묽스그레하다.

맑은-대쑥 [말근-] 명〖식〗[*Artemisia keiskeana*] 국화과의 다년초. 줄기는 가늘고 길며 높이 60-80 cm, 근경(根莖)은 굵고 잎은 호생하는데 꼭대기 잎은 피침형이고 근생엽(根生葉)은 달걀꼴로 유병(有柄)에 털이 났음. 7-9월에 담황색의 두화(頭花)가 총상양(總狀樣) 원추 화서로 핌. 산지에 나는데 한국·일본·중국에 분포하며 어린 잎은 식용함. 개제비쑥. 암려(菴藺).

〈맑은대쑥〉

맑은 소리 [말근-] 명 ①맑고 깨끗한 소리. ↔흐린 소리. ②〖언〗무성음(無聲音). 청음(淸音).

맑은-쇠 [말근-] 명 ☞가늠쇠.

맑은-술 [말근-] 명 막 거르지 아니하고 술독에 용수를 박아서 떠 낸 술. 약주(藥酒). 청주(淸酒). ↔막걸리.

맑은-이 [말근-] 명〈방〉맑은 술.

맑은 장:국 【—醬—】[말근—꾹] 명 쇠고기를 잘게 썰어 양념하여 맑은 장물에 끓인 국. 담갱(淡羹). ㊥장국. 「만들다.

맑히다 [말키-] 타 ①맑게 하다. ¶ 물을 ~. ②어지러운 일을 깨끗하게

맘:[1] 명 ↗마음.
 맘:(이) 내키다 구 ↗마음(이) 내키다.
 맘:(을) 놓다 구 ↗마음(을) 놓다.
 맘:(이) 달다 구 ↗마음(이) 달다.
 맘:(을) 먹다 구 ↗마음(을) 먹다.
 맘:(을) 쓰다 구 ↗마음(을) 쓰다.
 맘:(을) 졸이다 구 ↗마음(을) 졸이다.
 맘:(을) 죄이다 구 ↗마음(을) 죄이다.

맘:[2] 명〈방〉재갈[1](전라·경남).

맘:-결 [—껼] 명 ↗마음결.

맘:-껏 부 ↗마음껏. ¶ ~ 뛰놀다.

맘:-대로 부 ↗마음대로. ¶ ~ 해 보렴/그렇게 ~ㄴ 안 될걸. 「근.

맘:대로-근 【—筋】 명〖생〗'수의근(隨意筋)'의 풀어쓴 용어. ↔제대로

맘:대로-운동 【—運動】 명〖생〗'수의 운동(隨意運動)'의 풀어쓴 용어. ↔제대로운동.

맘루크 왕조 【—王朝】 〔Mamluk〕 명〖역〗13세기 중엽부터 이집트·시리아를 지배한 오스만 투르크계 이슬람 왕조. 몽고군·십자군을 격파하고, 동서 통상(東西通商)으로 번영하였으나, 신인도 항로(航路)가 발견되자 재정(財政)이 파탄, 오스만 제국에 의해 병합됨. *아이유브 ㄴ(Ayyūb) 왕조. [1250-1517]

맘마 명〈소아〉음식물(飮食物).

맘:-먹다 자타 ↗마음먹다. ¶ 일은 맘먹기에 달렸다.

맘모스 〔mammoth〕 명 ☞ 매머드(mammoth).

맘:-보[1] [—뽀] 명 ↗마음보. ¶ ~를 고쳐라.

맘보[2] 〔스 mambo〕 명〖악〗라틴 아메리카 음악의 하나. 리듬은 룸바를 기본으로 하였으며, 강렬한 화음과 명확한 율동을 가짐. 또, 거기에 맞추어 추는 춤. 1940년대에 쿠바 태생의 피아니스트 페레스 프라도(Perez Prado)와 그의 악단(樂團)에 의하여 보급됨.

맘보 바지 〔스 mambo〕 명〈속〉통을 썩 좁게 해 다리에 꼭 끼게 한 바지.

맘:-성 [—썽] 명 ↗마음성.

맘:-속 [—쏙] 명 ↗마음 속. ¶ ~ 깊이 간직하다.

맘:-씨 명 ↗마음씨. ¶ ~가 곱다.

맘:-자리 [—짜—] 명 ↗마음자리.

맙:-소사 감 기막힌 일을 당하거나 보거나 듣거나 했을 때 탄식하는 소리. ¶ ~, 그걸 어쩌지?

맙-풍 【—風】 명〈방〉마파람(경남).

맛[1] 명 ①물건을 혀에 댈 적에 느끼는 감각. ¶ ~ 좋은 음식. ②사물에 대한 재미스러운 느낌. 또, 제격으로 느껴지는 만족스런 느낌. ¶ 돈 ~/살림 ~/꼭 산으로 가야 맛이냐. ③체험을 통해서 알게 된 느낌. ¶ 쓴 ~ 단 ~.
【맛 없는 국이 뜨겁기만 하다】 ㉠사람답지 못한 자가 교만하고 까다롭게 군다는 뜻. ㉡쓸데없이 도(度)만 지나치다는 뜻. 【맛좋고 값싼 갈치 자반】 한 가지 일이 두 가지로 이롭다는 뜻. 【맛 있는 음식도 늘 먹으면 싫다】 아무리 좋은 일이라도 되풀이하면 싫증이 난다는 뜻.

맛[2] 명〖조개〗①가리맛과(科)와 긴맛과에 속하는 조개의 총칭. ②↗가리맛. ③↗긴맛. 「《杜諺 Ⅷ:9》.

맛[3] 조〈옛〉만큼. ¶ 方寸맛 ᄆᆞᅀᆞ매도 위고기 ᄒᆞ얏ᄂᆞ니 寸腸堪縫綣

맛가이 부〈옛〉알맞게. ¶ 이비 기디 아니ᄒᆞ시며 뎌르디 아니ᄒᆞ시며 크디 아니ᄒᆞ시며 져디 아니ᄒᆞ샤 맛가이 端嚴ᄒᆞ샤미 二十九ㅣ시고《妙蓮 Ⅱ:16》. *맛갑다.

맛감 조〈옛〉만큼. ¶ 대강 두틔 七八寸맛감ᄒᆞ면 임의 濕氣를 믈리티《家禮 Ⅶ:24》. 「라 호리라 《樂詞 雙花店》.

-맛감 미〈옛〉-만한. 정도를 표시하는 말. ¶ 죠고맛감 삿기광대 네마리

맛갑다 형〈옛〉마땅하다. 알맞다. ¶ 하 갓가 ᄫᆞ면 조티 몯ᄒᆞ리니 이 東山이 甚히 맛갑다《釋譜 Ⅵ:24》.

맛갛다 형〈옛〉알맞다. 적당하다. ¶ 이비 맛가ᄫᆞ샤 크디 아니ᄒᆞ고 기디 아니ᄒᆞ시며《月釋 Ⅱ:56》.

맛갓 명〈옛〉맛난 것. 맛이 있는 물건. ¶ 어버이ᄂᆞᆫ 맛낫 맛가ᄉᆞᆯ ᄆᆞ장ᄒᆞ야 이밧더라(親極滋味)《三綱》.

맛갓나다 형〈옛〉맛나다. ¶ 어버이 셤기ᄆᆞᆯ 효도로 ᄒᆞ더니 지비 가난ᄒᆞ야 ᄡᅥ어도 맛갓나게 ᄒᆞ기ᄅᆞᆯ 힘서ᄒᆞ더라(家貧稱貸務具甘旨)《東國新續三綱 Ⅳ:31. 敬孫居廬》. 「鑑 Ⅶ:49》.

맛갓다 형〈옛〉마땅하다. =맛깃다. ¶ 맛갓지 아니케 너이다《漢淸文

맛것젓다 형〈옛〉마땅하다. ¶ 맛것젓다(順適)《同文 下 58》. *-것다.

맛:-과 【—科】 명〖식〗[Dioscoreaceae] 단자엽(單子葉) 식물에 속하는 한 과. 전요 초본(纏繞草本)으로, 난대(暖帶)에 650여 종, 한국에는 마·참마·단풍마·국화마·도코로마 등의 10여 종이 분포함.

맛-김 명 조미료와 소금·기름 등을 발라 구운 김.

맛굶다 자타〈옛〉응하다. 대답하다. =맛곪다. ¶ 맛굶모터 부드러우므로써 ᄒᆞ야사(應之以柔)《內訓 Ⅲ:37》. 「《楞嚴 Ⅳ:125》. *곪다.

맛곪다 자타〈옛〉응하다. 대답하다. =맛굶다. ¶ 響은 맛곪ᄂᆞᆫ 소리라

맛깃다 형〈옛〉마땅하다. =맛갓다. ¶ 비록 맛깃다 못호미 이실ᄶᅥ라도 지아비ᄂᆞᆫ 더우 노ᄅᆞᆯ 참으며(雖有不恊夫益忍怒)《警民 9》.

맛-깔 명 음식 맛의 성질. 「들다. 맛깔-스레 부.

맛깔-스럽다 형ㅂ불 ①맛이 입에 맞다. ¶ 맛깔스러운 음식. ②마음에

맛깔-지다 형 맛깔스럽다.

맛나다[1] 자타〈옛〉만나다. ¶ 丁은 맛날 씨라《月序 14》/ 우리예수은혜 맛나 구령훌법엇엇고나《찬양가 : 40》.

맛-나다[2] ㊀형 맛있다. 맛이 좋다. ¶ 맛난 음식. ㊁자 음식이 입 안에서 돌아서 맛이 생기다. ¶ 씹을수록 ~.

맛난-이 명 ①음식의 맛을 돋우기 위하여 치는 장물. 연하고 맛있는 고기를 얇고 잘게 썰어서 기름·깨소금·후춧가루 등을 양념하여 짭잘하게 만듦. ②맛이 있는 음식. ③'화학 조미료'의 속칭.

맛내 부〈옛〉맛나게. 맛있게. ¶ 머거보고 맛내 너겨《月釋 Ⅰ:42》.

맛-내다 자 음식의 맛을 입에 맞도록 하다.

맛니다 자타〈옛〉만나다. ¶ ᄒᆞ다가 이든버디 ᄀᆞᄅᆞ쳐 여러 알ᄋᆡ호ᄆᆞᆯ 맛니며(若遇善友敎令開悟)《圓覺 序 57》.

맛니러 자타〈옛〉만나서. '맛닐다'의 활용형. ¶ 兵亂을 맛니러 蜀江에 니르러(遭亂到蜀江)《杜諺 Ⅵ:36》.

맛니롬 자타〈옛〉만남. '맛닐다'의 명사형. ¶ 禰衡이 眞實로 江夏 맛니로ᄆᆞᆯ 저ᄒᆞ니(禰衡實恐遭江夏)《杜諺 XXI:41》.

맛닐다 자타〈옛〉만나다. ¶ 時節이 됴ᄒᆞᆫ 運을 다시 맛니렛도다(時和運更遭)《杜諺 Ⅴ:3》.

맛다[1] 자〈옛〉맞다. ¶ 닐흔닐 모딘 맛거늘(中七十人)《龍歌 40章》.

맛다[2] 자〈옛〉맞다. ¶ 이 각시사 내 언니논 ᄆᆞᅀᆞ매 맛도다 ᄒᆞ야《釋譜 Ⅵ:14》.

맛다[3] 타〈옛〉맡다. =맛ᄃᆞ다. ¶ 놈대되 근심을 제 혼자 맛다 이셔 《古時調 鄭澈》/ 텬디ᄅᆞᆯ맛흔예수 존귀ᄒᆞᆫ쥬질세《찬양가 : 102》.

맛다 가지다 타〈옛〉맡아 가지다. ¶ 맛다 가져 일티 아니ᄒᆞ야(保持不失)《楞嚴 Ⅷ:18》. *맛ᄃᆞ다.

맛다 잇다 타〈옛〉맡아 있다. ¶ 江山閑雅한 風景 다 주어 맛다 이셔《古時調 金光煜》. *맛ᄃᆞ다. 「《小諺 Ⅴ:51》.

맛당이 부〈옛〉마땅히. ¶ 또 맛당이 처엄의 도로 홀디니라(亦當復初)

맛당ᄒᆞ다 형〈옛〉마땅하다. 적당하다. =맛짱하다. ¶ 宜는 맛망ᄒᆞᆯ씨라 ㄴ《月序 10》.

맛-대가리 명〈속〉맛[1].

맛-대강이 명 ☞ 맛[1]. 「(任運寂知)《圓覺 上一之一 115》.

맛뎌 타〈옛〉맡기어. '맛디다'의 활용형. ¶ 運을 맛뎌 괴외히 아로미라

맛뎜직ᄒᆞ다 형〈옛〉맡김직하다. ¶ 부텨 이ᄅᆞᆯ 맛뎜직호미《月釋 Ⅱ: ㄴ46》.

맛-돋구다 자 맛이 더 나게 하다.

맛됴리라 타〈옛〉맡기리라. '맛디다'의 활용형. =맛듀리라. ¶ 쟝ᄎᆞ 世子의 맛됴리라 ᄒᆞ야《月釋 Ⅱ:64》.

맛듀리라 타〈옛〉맡기리라. =맛됴리라. ¶ 네게 衣法을 맛듀리라(付汝衣法호리라)《六祖 上 20》. 「委任)《飜小 Ⅸ:17》.

맛듐 타〈옛〉맡김. '맛디다'의 명사형. ¶ 소임 맛듀ᄆᆞᆯ 견일히ᄒᆞ며(以專

맛드다 타〈옛〉맡다. =맛ᄃᆞ다·맛ᄯᆞ다. ¶ 맛들임(任)《石千 39》/아자미 맛당이 맛드리이다(叔宜主之)《五倫 Ⅳ:57》.

맛-들다[1] 자 익어서 맛이 좋게 되다. ¶ 맛든 김치. 「XIX:3》.

맛들다[2] 자〈옛〉맞다. 마음에 맞다. ¶ 제 맛드논 거슬 다 주디《釋譜

맛들다[3] 자타〈옛〉맞아들이다. ¶ 夫人이 ᄆᆞ장 빗이 됴ᄒᆞᆫ 양ᄒᆞ고 조심ᄒᆞ야 도녀 王이 맛드러 갓가비 ᄒᆞ거시놀《月釋 Ⅱ:5》.

맛-들이다 타 ①맛이 들게 하다. ②한 번 맛본 그 좋은 맛을 잊어버리지 못하고, 으레 다음 번에도 그것을 기대하다. 재미를 붙이다.

맛디다 타〈옛〉맡기다. =맛지다[1]. ¶ 쳔량과 보비ᄅᆞᆯ 맛디다 ᄒᆞ니라(付與財寶云)《圓覺 序 47》. 「受大)《龍歌 6章》.

맛ᄃᆞ다 타〈옛〉맡다. =맛ᄯᆞ다·맛드다·맛다[3]. ¶ 나라ᄒᆞᆯ 맛ᄃᆞ시릴씨(將

맛ᄃᆞ란ᄂᆞᆫ뒤 자〈옛〉맞닥뜨리거든. '맛ᄃᆞᆮ다'의 활용형. ¶ 이제 두 군시 맛ᄃᆞ란ᄂᆞᆫ디 네 先鋒이 되여셔《三譯 Ⅴ:14》.

맛ᄃᆞ롬 자〈옛〉맞닥뜨림. '맛ᄃᆞᆮ다'의 명사형. ¶ ᄒᆞ다가 또 이 ᄉᆞ싀 맛ᄃᆞ로ᄆᆞᆯ 因ᄒᆞ야(若復因此際會)《楞嚴 Ⅴ:29》.

맛ᄃᆞ시릴씨 타〈옛〉맡으실 것이매. '맛ᄃᆞ다'의 활용형. ¶ 天下ᄅᆞᆯ 맛ᄃᆞ시릴씨(將受九圍)《龍歌 6章》. 「다(歸翼會高風)《杜諺》.

맛돋다 자타〈옛〉만나다. 맞닥치다. ¶ 가ᄂᆞᆫ 새ᄂᆞᆫ 노ᄑᆞᆫ ᄇᆞᄅᆞ매 맛ᄃᆞ렛도

맛돗다 자〈옛〉맞닥뜨리다. 맞닥치다. ¶ 맛돗다(嗑着)《語錄 11》.

맛맛-으로 부 ①맛보기로. ②맛있는 대로. 마음이 당기는 대로. ¶ ~ 골 ㄴ라 먹다.

맛문-하다 형여불 몹시 지치다.

맛-바람 명〈방〉마파람.

맛-바르다 형르불 맛있게 먹는 음식이 양에 차기도 전에 다 없어지다.

맛-보[1] 명〈방〉맛장수.

맛-보²【一褓】명 〈궁중〉 방상보(褓).

맛-보기 명 맛맛으로 먹기 위하여 양을 적게 하고 바특하게 차린 음식.

맛보다¹ 자타 〈옛〉 만나다. ¶ 잢간 맛보물 得ㅎ도다(得暫逢)《南明 下 63》.

맛-보다² 타 ①음식의 맛을 알기 위하여 먼저 조금 먹어 보다. ¶ 국을 ~. ②몸소 겪어 보다. ¶ 온갖 고생을 다 ~. ③〈속〉 실지로 매를 맞다. 실지로 혼나 보다.

맛-봉오리 명〖생〗미뢰(味蕾).

맛-부리다 자 싱겁게 굴다. 맛없이 행동하다.

맛-붙이다 [—부치—] 자 맛을 보기에 재미를 붙이다.

맛비 명 〈옛〉 장맛비. ¶ 맛비 又 그처(霖雨乍歇)《救簡 I : 102》.

맛쌍ㅎ다 형 〈옛〉 마땅하다. 적당하다. =맛당ㅎ다. ¶ 맛쌍당(當)《石千 11》.

맛ᄯ다 타 〈옛〉 맡다. =맛ᄃ다·맛드다. ¶ 맛ᄯᆯ 싐(任)《字會 下 31》.

맛-살¹ 명 ①맛의 껍데기 속에 든 살. ②↗가리맛살. ③긴맛살.

맛-살² 명 〔↗게맛살〕 다른 생선의 연육(煉肉)을 가공하여 게의 다리살의 맛이 나게 만든 일종의 어묵.

맛살 백숙【一白熟】명 맛살을 살짝 데쳐 낸 음식. 성백숙(蟶白熟).

맛살 조림 명 맛살을 간장에 조린 음식.

맛-소금 명 글루탐산(酸) 나트륨이나 핵산계(核酸系) 조미료를 첨가한, 조리용(調理用)의 식염(食塩).

맛-신경【一神經】명〖생〗↗맛감각 신경.

맛-없다 [맏업—] 형 ①음식 맛이 없거나 나쁘다. ¶ 맛없는 음식. ②재미·흥미가 없다. ③하는 짓이 싱겁다.
【맛없는 국이 뜨겁기만 하다】 사람답지 못한 자가 교만하고 까다롭게 군다는 말.

맛-없이 [맏업씨] 부 맛없게.

맛의 사:면체【一四面體】[—/—에—] 명 기본 미각(味覺)을 입체적으로 도면화(圖面化)한 것. 단맛·짠맛·신맛·쓴맛의 네 가지 맛을 정점(頂點)으로 사면체를 만듦.

맛-있다 [—/맏—] 형 ①맛이 좋다. 맛나다. ②재미가 있다.
【맛있는 음식도 늘 먹으면 싫다】 아무리 재미있는 일이라도 여러 번 되풀이하면 싫증이 난다는 말.

맛-장수 명 아무 맛도 없이 싱거운 사람.

맛-쟁이 명 〈방〉 맛장수.

맛-적다 형 ①음식의 맛이 적다. ②재미나 흥미가 적다.

맛-젓 명 맛살로 담근 젓. 성해(蟶醢).

맛져 타 〈옛〉 맡기어. '맛지다'의 활용형. ¶ 吏人等의게 굴울녀 맛져(轉委吏人等)《無寃錄 I :3》.

맛-조개 명〖조개〗긴맛.

맛조이 명 〈옛〉 마중하는 사람. 영접하는 사람. ¶ 對馬島主 맛조이로 왓숩니《新語 V:18》.

맛조이다 타 〈옛〉 마중하다. 영접하다. ¶ 그러면 이런 줄은 모로고 맛조이면 너모 일 오신가 너겻더니《新語 V:5》.

맛지다¹ 타 〈옛〉 맡기다. =맛디다. ¶ 번 맛지다(交班)《漢淸 Ⅲ:2》.

맛-지다² 형 〈방〉 맛있다.

맛-집 명 〈방〉 맛장수.

맛초다 타 〈옛〉 맞추다. ¶ 錦鏽山 니블 안해 麝香각시 아나 누어 藥든 가ᄉᆞᆷ을 맛초ᄋᆞᆸ사이다 맛초ᄋᆞᆸ사이다 《樂詞 滿殿春》.

맛치 부 〈옛〉 마침. ¶ 맛치 됴히 도적 잡는 官員이 와(恰好有捕盜的官來)《老乞 上 26》.

맛-피우다 자 맛없이 굴다. 맛부리다.

망¹ 명 새끼로 그물처럼 엮어 만든 큰 망태기. 갈퀴나무 같은 것을 담아 짊어짐.

망² 명 〈방〉 ①매²❶❷. ②맷돌(평안·함남).

망:³【望】명 ①멀리 바라보아 남의 동정을 살핌. ¶ ~을 보다. ②명망(名望). ③↗천망(薦望).
망:에 들다 구 후보자로 지목되어 삼망(三望) 안에 끼이다.
망:이 돌:다 구 후보자로 지목되어 삼망(三望) 안에 오르다.

망:⁴【朢·望】명 ①〖천〗지구를 중심으로 해와 달의 위치가 일직선이 될 때. 만월(滿月). 망월(望月). ②음력 보름. 보름날. 망일(望日).

망⁵【網】명 그물 모양으로 만들어 가려 두거나 치거나 하는 물건의 통칭.

-망【網】미 명사 밑에 붙어 그 사물의 정연(整然)하고도 치밀한 조직·짜임새 등의 뜻을 나타내는 말. ¶ 물샐틈없는 경계~/거미줄 같은 철도~.

망가【亡家】명 ①망한 집. ②집안을 결딴냄. ——-하다 자여불

망가나이트 〔manganite〕명〖광〗단사 정계(單斜晶系)에 속하는 광물. 외형은 주상 결정(柱狀結晶)을 이루며, 주면(柱面)에 세로로 조선(條線)이 두드러짐. 추상(錐狀)·입상(粒狀)·괴상(塊狀)을 이루는 일이 많음. 아금속(亞金屬) 광택의 암회색 또는 검은 빛이 남. 중요한 망간 광석의 하나. 수(水)망간광. [MnO(OH)]

망가노 〔Mangano, Silvana〕명〖사람〗이탈리아의 여우(女優). 15세 때 영화계에 데뷔한 이래, 육체파 여우로 그 명성을 떨침. 《애정의 쌀》·《안나(Anna)》 등에 출연함. [1930-]

망가닌: 〔manganin〕명〖화〗구리 84%, 망간 12%, 니켈 4% 가량의 합금(合金). 온도에 의한 전기 저항의 변화가 극히 적기 때문에 전기 저항기(抵抗器)·전열기(電熱器)·정밀 전기 계측기(精密電氣計測器)를 만드는 데 쓰임.

망가-뜨리다 타 망그러지게 하다.

망가-지다 자 망그러지다.

망가-트리다 타 망가뜨리다.

망각¹【芒角】명 ①까끄라기. ②모. 모서리. 능각(稜角). ③빛의 첨단.

망:각²【妄覺】명 〔false perception〕〖심〗외계의 자극을 잘못 지각(知覺)하거나, 없는 자극을 있는 것처럼 생각하는 지각의 병적(病的) 현상. 착각(錯覺)과 환각(幻覺)으로 나뉨. ——-하다 타여불

망각³【忘却】명 ①잊어버림. 망실(忘失). 망치(忘置). 실념(失念). ¶ 책임을 ~한 행위/~ 지대. ②〖심〗기억에서 아주 사라진 상태. ——-하다 타여불

망각 곡선【忘却曲線】명 〔forgetting curve〕〖심〗기억하고 있는 것이 시간의 경과에 따라 어떠한 비율로 잊어버려져 가고 있는가를 그래프로 표시한 곡선.

망:간¹【望間】명 보름께. ¶ 사월 ~.

망간² 〔도 Mangan〕명〖화〗붉은 빛을 띤 회색의 광택 있는 금속 원소. 철(鐵)과 비슷하나 철보다 단단하고 부서지기 쉬우며 화학성(化學性)도 강하여, 희박한 산(酸)에서도 잘 산화되는데, 강철에 섞어 여러 가지 기구를 만드는 데나 제강(製鋼)의 탈산제(脫酸劑) 등으로 씀. 철에 이어 가장 널리 분포하는 중금속(重金屬)으로 연망간광(軟 mangan 鑛)·경(硬)망간광·망가나이트 등이 있음. [25번 : Mn : 54.94]

망간 감람석【一橄欖石】〔Mangan〕[—남—] 명〖광〗감람석족(族)에 속하는 광물. 철감람석과는 고용체(固溶體)를 형성하나, 고토(苦土)감람석과의 고용체는 천연(天然)으로는 아직 발견되지 않았음. 보통 회색 또는 회적색(灰赤色)으로, 사방 정계(斜方晶系)의 대칭(對稱)을 이루며, 염기성 화성암 중에 함유되어 있음. [Mn_2SiO_4]

망간-강【一鋼】〔Mangan〕명〖화〗망간을 함유한 강철. 보통의 강철보다 굳기가 높음. 망간의 함유량에 따라서 절삭성(切削性)·쾌삭성(快削性)·내마모성(耐磨耗性)이 생기어 각기 알맞은 용도에 쓰임.

망간 건전지【一乾電池】〔Mangan〕명 건전지의 하나. 음극(陰極)에 아연, 양극(陽極)에 탄소봉(炭素棒), 전해액으로는 염화 암모늄과 염화 아연의 혼합물을 쓰며, 감극제(減極劑)로 산화 망간을 사용함. 값이 싸고 취급이 용이하여 널리 사용되나 내부 저항이 커서 연속 사용에는 적합하지 않음. 르클랑셰 전지.

망간 단괴【一團塊】〔Mangan〕명〖지〗심해(深海)에 깔려 있는 각종 금속 망간의 구상 집적물(球狀集積物). 망간의 함유율이 높은 데서 일컬어지는 말. 구리·니켈·코발트 등도 함유되어 있고, 태평양의 모든 해저에는 50억 톤의 구리가 깔려 있는 것으로 추정됨.

망간산-염【一酸塩】[—념]〔Mangan〕명〖화〗이산화 망간을 알칼리 및 염소산(塩素酸) 칼륨과 함께 융해(融解)하여 얻는 녹색 물질. 이것에 물을 가하면 과망간산염이 됨.

망간 중독【一中毒】〔Mangan〕명〖의〗망간에 의한 중독. 두통으로 시작되며, 증상이 심해지면 표정이 가면(假面)처럼 되고, 사지의 근육이 굳어지며 운동이 둔해짐. 망간 광산의 광부, 용접공 등에서 볼 수 있는 직업병인데, 오염에 의한 것도 있음.

망간-철【一鐵】〔Mangan〕명〖화〗25-80%의 망간을 섞은, 누른 빛을 띤 백색의 강철. 강철을 제련(製鍊)할 때에 생기는 산화철(酸化鐵)을 환원시키는 데 쓰임. 페로망간.

망간 청동【一青銅】〔Mangan〕명〖화〗망간을 함유한 청동의 한 가지. 구리 88%, 주석 10%, 망간 2%의 비율로 되어 있음. 조선(造船)·조기용 부품(造機用部品)·광산 기계 부품 등에 쓰임.

망:강【望講】명 보름마다 선생 앞에서 외우는 강. *순강(旬講).

망개-나무 명〖식〗[*Berchemiella berchemiaefolia*] 갈매나뭇과에 속하는 낙엽 활엽 교목. 잎은 긴 타원형으로 톱니가 없으며, 잎 뒤가 분처럼 흼. 여름에 엷은 녹색 꽃이 액생(腋生)하고, 핵과(核果)는 가을에 붉게 익음. 충북 속리산(俗離山)에 야생하는 특산종으로 천연 기념물임.

망개-지다 자 〈방〉 망그러지다.

망객【亡客】명 망명(亡命)한 정객. 망명객(亡命客).

망:거¹【妄擧】명 망령(妄靈)된 짓. 분별이 없는 행동.

망:거²【望炬】명〖역〗망홰.

망거 목수【網擧目隨】명 한 가지 일이 되면 다른 일도 그에 따라서 이루어진다는 말. 팽두 이숙(烹頭耳熟).

망건【網巾】명 상투를 튼 사람이 머리가 흩어지지 않도록 말총·곱소리 등으로 그물처럼 만들어 머리에 두르는 물건. 운두가 10cm 가량 됨.

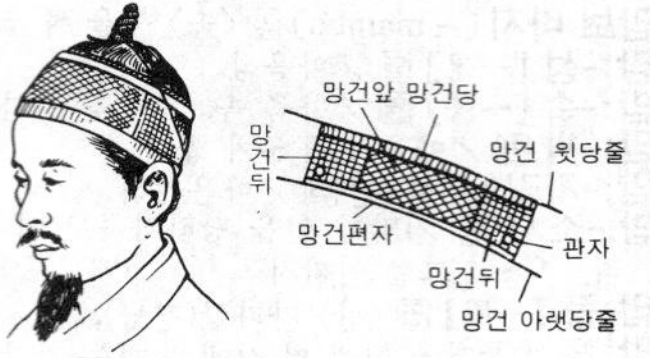

〈망건〉

【망건 쓰고 귀 안 빼는 사람 있느냐】 망건을 쓰면 누구나 조금이라도 편하게 귀를 내놓는다 함이니, 돈을 버는 일, 먹는 일 등 즐기는 것을 싫어하는 사람은 없다는 말. 【망건 쓰고 세수한다】 일의 앞뒤 순서가 바뀌었다는 말. 【망건 쓰자 파장(罷場)】 일이 늦어져서 소기(所期)의 목적을 이루지 못하게 됨을 이르는 말.

망건 가:게【網巾—】명 망건·탕건(宕巾) 따위를 팔거나 고치는 집.

망건-골【網巾—】[—꼴] 명 망건을 뜨거나 고칠 때에 대고 쓰는 골.
【망건골에 앉았다】 어떤 일에 얽매어 꼼짝을 못 한다는 뜻.

망건 꾸미개【網巾—】명 망건의 끝을 꾸미는 헝겊. 두 끝의 가를 세로로 꾸미고, 편자의 두 끝은 가로 꾸미는데, 끝에 고가 있어 당줄을 매게 되었음.

망건-노래【網巾—】명〖악〗말총으로 망건을 결으면서 부르는 민요.

망건-당【網巾—】명 망건의 윗부분. 말총을 촘촘히 세워 곱쳐 구멍을 내어, 윗당줄을 꿰게 되었음. 준당. *윗당줄.

망건 당줄【網巾—】[—쭐] 명 망건에 달린 줄. 망건당에 꿰는 아랫당줄과 상투에 동여매는 윗당줄이 있음. 준당줄.

망건-뒤【網巾—】명 망건의 양 끝. 머리에 두르면 뒤로 가게 되어 있음. 말총으로 촘촘히 빈틈없게 얽어 뜸. 준뒤.

망건-앞【網巾—】명 망건의 가운데 부분. 머리에 두르면 이마에 닿게 되어 있음. 말총이나 머리카락으로 성기게 뜸. 준앞.

망사르드 지붕〔프 mansarde〕 명 〖건〗 프랑스의 건축가 망사르(Mansart, F.; 1598-1666)가 고안한 지붕. 지붕을 2단으로 하여 물매가 급한 아랫지붕에 채광창(採光窓)을 내어 다락방을 쓰게 되어 있음.

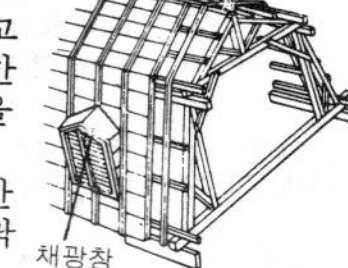

〈망사르드 지붕〉

망-사리【網—】 명 제주도에서, 해녀가 채취한 해물(海物)을 담아 놓는 그물로 된 그릇. 태왁에 매어 물에 띄워 둠.

망-사생 【忘死生】 명 죽고 사는 것을 돌아보지 아니함. ㊥망사(忘死). ——-하다 자여불

망사지-죄 【罔赦之罪】 명 용서할 수 없는 큰 죄. ㊥망사.

망사-창【網紗窓】 명 망사를 바른 창.

망살【忙殺】 명 '망쇄'의 잘못.

망:상[1]【妄想】 명 ①이치에 맞지 않는 망령된 생각. 낭지(浪志). 망념(妄念). ¶ ~에 빠지다. ②〔delusion〕〖심〗 병적 원인에 의해서 생기는, 객관적으로 불합리한 그릇된 주관적 신념. 피해 망상·과대 망상·죄과(罪過) 망상 등이 있음. *망상증.

망상[2]【罔象】 명 물에 있는 귀신. 낯이 푸르고 몸과 털은 붉다고 함.

망:상[3]【望床】 명 ①큰 잔치 때 과실·떡·어육 등의 음식을 볼품있게 높이 괴어 놓은 상. ②혼인 잔치에 신랑의 몸상 뒤에 놓은 큰상.

망상[4]【網狀】 명 그물처럼 생긴 형상. ¶ ~ 조직.

망상-거리다 자 ☞망설거리다. ¶ 이애, 망상거리지 말고 어서 가 보아라《李海朝 : 鳳仙花》.

망:상-광【妄想狂】 명 〖의〗 망상에 빠지는 정신병. 또, 그 병에 걸린 사람.

망상-맥【網狀脈】 명 〔netted venation〕 〖식〗 그물맥. ↔평행맥(平行脈).

망상맥-엽【網狀脈葉】 명 〖식〗 그물맥잎.

망상 성운【網狀星雲】 명 〖천〗 백조(白鳥)자리에 있는 가스 성운(gas星雲). 두 개의 성운이 두 장의 얇은 레이스망(lace網)을 걸쳐 놓은 것처럼 반짝임. 거리는 1,600 광년.

망:상성 치매【妄想性癡呆】[—썽—] 명 〔도 Dementia paranoides〕 〖의〗 망상 치매.

망상-스럽다 형ㅂ불 ①요망스럽고 깜찍하다. ②망령되고 경솔하다. ¶ 옥은 무옥(誣獄)이고 훈은 위훈(僞勳)이라는 말이 세상에 떠돌아다닌다니 이런 망상스러운 말을 지어내는 자가 대개는 익명서를 써붙였을 것이고…《洪命憙 : 林巨正》. **망상-스레** 부

망:상적 관념【妄想的觀念】 명 〖의〗 심리적인 원인이나 신체적인 질환에 의한 지적 기능(知的機能)의 저하가 있을 경우에 발생하는 망상. ↔진정 망상(眞正妄想).

망상 중심주【網狀中心柱】 명 〔dictyostele〕 〖식〗 횡단면에 있어서 3-4개 이상의 관다발이 환상(環狀)으로 배열되어 있는 중심주. *원생(原生) 중심주.

망:상-증【妄想症】[—쯩] 명 〔paranoia〕 〖의〗 심리학적인 망상(妄想)의 진단적 증세(診斷的症勢). *망상(妄想).

망:상 지각【妄想知覺】 명 〖의〗 어떤 대상의 견문(見聞)을 계기로 일어나는 망상. 보통 정신 분열병에 나타나는 것임.

망:상 착상【妄想着想】 명 〖의〗 아무런 동기도 없이 돌연히 일어나는 망상. 보통 어떤 신병에 흔히 볼 수 있는 것임.

망:상 추상【妄想追想】 명 〖의〗 추상의 형식으로 일어나는 망상.

망:상 치매【妄想癡呆】 명 〖의〗 정신 분열병의 한 병형(病型). 대개 30-40대에 발병하는데, 공상·과대적(誇大的)인 경향이 있고 계통이 선 망상·환각이 주징(主徵)임. 망상성 치매. *파과병(破瓜病).

망:상형 분열병【妄想型分裂病】[—뼝] 명 〔paranoid schizophrenia〕 〖의〗 망상을 주된 증상으로 하는 정신 분열병의 하나. 사소한 일로 남을 의심하거나 질투하거나 함. 정의면(情意面)의 장애는 두드러지지 않는 것이 보통임. 주로 30대 이후에 발병함.

망:새 명 〖건〗 ①큰 기와집의 대마루 양끝에 세운 장식. 매 대가리처럼 쑥 불거지고 모가 난 두 뺨에 눈알과 깃 모양의 선과 점을 새기었음. 보통 집에는 내림새를 씀. 취두(鷲頭). 취와(鷲瓦). 치문(鴟吻). 치미(鴟尾). ②망새 같은 집의 합각 머리나 너새 끝에 얹는 용머리처럼 생긴 장식. 용두(龍頭).

망-새끼 명 〈방〉 망아지(충남).

망:-색【望色】 명 얼굴빛을 바라봄. 안색을 살핌. ——-하다 자여불

망생이 명 〈방〉 망아지(경상·제주).

망:생 이:의【妄生異議】[—/—이] 명 정해진 법률에 대하여 함부로 이의를 일으킴. ——-하다 자여불

망:-서다【望—】 자 일정한 곳에 자리를 잡고 망보는 일을 하다.

망:석[1]【望石】 명 ↗망주석(望柱石).

망석[2]【網席】 명 멍석.

망:석-중 명 ↗망석중이.

망:석중-놀이 명 〖민〗 음력 사월 초파일에 개성(開城) 지방에서 연희(演戲)되던 무언 인형극. 절에서 막(幕) 없이 사람이 뒤에 숨어서 망석중이·사슴·노루·용·잉어 등을 조종하여 음악에 맞춰 놀림. 망석중이극(劇).

망:석-중이 명 ①나무로 만든 꼭두각시의 하나. 팔 다리에 줄을 매어 그 줄을 당겨 춤을 추게 함. 괴뢰(傀儡). ②남의 용춤에 잘 노는 사람. 괴뢰. ㊥망석중.

망:석중이를 놀리다 구 남을 맘대로 희롱하다.

망:석중이-극【—劇】 명 〖민〗 망석중놀이.

망선【網船】 명 재래식 어망(漁網)인 망선망(網船網)을 이용해서 멀리 떨어진 연안(沿岸)의 어군(魚群)을 포위하여 고기를 잡는 어선. 어부 12명이 탐.

망선-망【網船網】 명 재래식 선망(旋網)의 일종. *망선(網船).

망:선-문【望仙門】 명 〖악〗 조선 순조(純祖) 때에 만든 궁중무(宮中舞)의 하나. 여섯 사람이 풍경(豐慶) 곡에 맞추어 마주 서서 춤.

망:설[1]【妄舌】 명 망어(妄語)❷.

망:설[2]【妄說】 명 망령된 말. 그릇된 말. 망언(妄言). ——-하다 자여불

망설-거리다 자 자꾸 머뭇거리고 뜻을 정하지 못하다. **망설-망설** 부. ——-하다 자여불

망설-대다 자 망설거리다.

망설-이다 자 머뭇거리고 뜻을 결정하지 못하다. 주저하다. ¶ 망설이기만 하고 입을 열지 못하다.

망:성-어【望星魚】 명 〖어〗 [*Ditrema temminckii*] 양망성어과에 속하는 바닷물고기. 태생어(胎生魚)로 유명한데, 몸길이 25cm 내외의 타원형으로, 매우 납작하고 머리와 입은 작음. 몸빛은 사는 곳에 따라 다른데 보통 철청색(鐵靑色)이거나 동적색(銅赤色)이고 둥근 비늘로 덮임. 봄·여름철에 한 번에 12-40마리의 새끼를 낳음. 태어(胎魚)의 길이는 5cm를 넘으며, 성어(成魚)와 비슷함. 한국 중남부 일부에 분포함. 바다망성어.

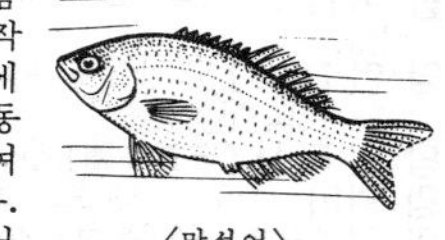
〈망성어〉

망세간지-갑자【忘世間之甲子】 명 ①술이 잔뜩 취하여 세상 일을 모름. ②일에 골몰하여 세월 가는 줄을 모름. ——-하다 자여불

망-세상【亡世上】 명 〈속〉 말세(末世).

망소【網疏】 명 망의 코가 성김. 전하여, 법령의 엉성함을 이르는 말. ——-하다 형여불

망손【亡孫】 명 죽은 손자.

망:솔【妄率】 명 아무 생각이 없이 경솔함. ——-하다 형여불

망쇄【忙殺】 명 몹시 바쁨. ——-하다 형여불. 주의 '망살'로 읽음은 잘못.

망수【網綬】 명 〖역〗 조복(朝服)의 후수(後綬) 아래에 늘인, 실로 엮은 넓은 술.

망-수의【蟒繡衣】[—/—이] 명 〖역〗 군사(軍士)가 연무(演武)할 때에 입던 옷의 한 가지.

망승【亡僧】 명 죽은 중.

망신[1]【亡臣】 명 나라를 등진 신하. 망명(亡命)한 신하.

망신[2]【亡身】 명 자기의 지위나 명예·체면 따위를 망침. ——-하다 자여불

【망신하려면 아버지 이름자도 안 나온다】 ㉠망신을 당하려면 내내 잘 되던 일도 비뚤어진다는 말. ㉡평소에 잘 알고도 남음이 있는 일까지 잊어버리고 생각이 나지 않아 실수를 하게 됨을 이르는 말.

망신(을) 시키다 구 남의 지위와 명예에 대하여 욕을 보게 하다.

망:신[3]【妄信】 명 옳지 못한 것을 망령되이 믿음. ——-하다 타여불

망신-감【亡身—】[—깜] 명 망신거리.

망신-거리【亡身—】[—꺼—] 명 망신을 당할 만한 재료. 망신감.

망신-살【亡身煞】[—쌀] 명 몸을 망치거나 망신할 운수.

【망신살이 무지갯살 뻗치듯 한다】 많은 사람으로부터 심한 원망과 욕설을 받게 되었을 때를 이르는 말.

망신살(이) 뻗치다 구 망신살이 잇따라 심하게 이르다.

망신-스럽다【亡身—】 형ㅂ불 망신할 만한 데가 있다. **망신-스레**【亡身—】 부

망:신-자【妄信者】 명 옳지 못한 일을 함부로 그릇 믿는 사람.

망실[1]【亡失】 명 잃어버려서 없어짐. 유실(遺失). ——-하다 타여불

망실[2]【亡室】 명 망처(亡妻).

망실[3]【忘失】 명 ①잊어버림. ¶ ~물. ②망각(忘却). ——-하다 타여불

망실 공:비【亡失共匪】 명 1950년대의 공비 토벌(討伐)에서 사살(射殺)이 확인되지 않거나 색출되지 않아, 재산(在山)한 것으로 추정되지만 행방(行方)이 묘연했던 공비를 일컫던 말.

망실 재:배【網室栽培】 명 〖농〗 타화 수분(他花受粉)하는 작물의 씨받기를 목적으로 하는 재배법의 하나. 곤충의 매개를 피할 수 있도록 지붕은 유리로 하고 주위를 그물로 둘러싼 방을 만들어 재배함. 주로 품종 개량을 목적으로 시험 연구 기관에서 이 방법을 채용함.

망:심【妄心】 명 〖불교〗 망령된 마음. 미망(迷妄)한 마음. 무명(無明)의 마음.

망아[1]【亡兒】 명 죽은 아이.

망아[2]【忘我】 명 어떤 사물에 마음을 빼앗겨 자기를 잊어버림. 몰아(沒我). ——-하다 자여불

망아지 명 말의 새끼.

망아지-경【忘我之境】 명 어떤 생각이나 사물에 열중하여 자기 자신을 잊어버리는 경지.

망아지-자리 명 〖천〗 조랑말자리.

망야【罔夜】 명 밤을 새움. 철야(徹夜). ——-하다 자여불

망야 도주【罔夜逃走】 명 밤을 새워서 달아남. ——-하다 자여불

망양[1]【茫洋·芒洋】 명 ①끝없이 넓은 바다. ②넓어서 갈피를 잡을 수 없음. 끝없이 넓은 모양. ——-하다 형여불

망:양[2]【望洋】 명 ①멀리 바라보는 모양. ②겉잡을 수 없는 모양. ——-하다

망양 보:뢰【亡羊補牢】 명 '소 잃고 외양간 고친다'와 같은 말. *실마치구.

망:양-정【望洋亭】 명 〖지〗 경상 북도 울진군(蔚珍郡) 근남면(近南面) 산포리(山浦里)에 있는 정자(亭子). 관동 팔경(關東八景)의 하나로, 정자는 개수(改修)를 거듭하여 옛모습을 간직하고 있음.

망양 조직【網樣組織】 명 〖생〗 편도선(扁桃腺)·림프선·흉선(胸腺)·지라 등에서 볼 수 있는 결체 조직(結締組織)의 하나. 돌기(突起)가 있는 각 세포가 그물과 같이 연결되고, 간질(間質)의 생산이 적어서 마치 림프 집단(集團)인 것같이 보임. 세포(細胞) 조직·선양(腺樣) 조직·림프상 조직 등이 있음.

망양-증【亡陽症】[—쯩] 명 〖한의〗 몸의 양기가 없어지는 병. 몸에 땀이 많이 나는 것과 좀처럼 땀이 안 나는 것의 두 종류가 있음.

망양지-탄[1]【亡羊之歎】 명 갈림길에서 양을 잃고 탄식한다는 뜻. 학문의 길도 여러 갈래라 길을 잡기 어렵다는 말. 망양탄(亡羊歎). 다기 망

양(多岐亡羊).

망:양지-탄²【望洋之歎】명 어떠한 일에 자기의 힘이 미치지 못할 때에 하는 탄식.

망양-탄【亡羊歎】명 망양지탄(亡羊之歎).

망어¹【亡魚】명〖어〗삼치.

망:어²【妄語】명 ①〖불교〗십악(十惡)의 하나. 남의 마음을 어지럽게 하는 헛된 말. ②거짓말. 망설(妄舌).

망어³【魟魚】명〖어〗망둑어.

망:어-계【妄語戒】명〖불교〗오계(五戒)·십계(十戒)의 하나. 진실되지 아니한 말을 하여 남을 속여서는 안 된다는 계명(誡命).

망-어업【網漁業】명 어망(魚網)을 써서 어류나 기타 수산물을 포획하는 어업.

망:언【妄言】명 망령된 말. 떳떳하지 못한 말. 망설(妄說). 망발(妄發). ——-하다 자여불

「를 때에 쓰는 말.

망:언 다사【妄言多謝】명 편지 등에서 자기의 글을 낮추어 겸손히 이

망-얽이[—얼기] 명 노로 그물처럼 얽은 물건.

망:업【妄業】명〖불교〗잘못 판단함으로써 일어나는 신(身)·구(口)·의(意)의 행위. 곧 번뇌(煩惱)의 원인이 되는 그릇된 행위. 또, 그 영향력.

망에 명〈방〉〖어〗삼치(함남).

망연【茫然】명 ①넓고 멀어서 아득한 모양. ②멀거니 있는 모양. ——-하다 형여불. ——-히 부. ¶ ~ 서 있다.

망연 자실【茫然自失】명 정신을 잃고 어리둥절함. ——-하다 자여불

망:염【妄染】명〖불교〗일체 중생(衆生)의 허망(虛妄)·불실(不實)·염오부정(染汚不淨)한 일.

「여불

망:예【望霓】명 가뭄에 비를 기다리고 바람. 간절히 원함. ——-하다 타

망:오【望五】명 ①〖역〗임금·왕후·왕대비의 나이가 50세가 되기 이삼년 전에 궁중에서 베풀던 경축연(慶祝宴). ②'쉰을 바라본다'는 뜻으로 나이 마흔 하나를 일컫는 말.

망:옷¹ 명〈방〉망얽이.

망-옷²【蟒—】명〖역〗망의(蟒衣).

망:와【望瓦】명 지붕의 마루 끝에 세우는 우뚝한 암막새.

망:외【望外】명 바라던 것 이상으로 좋음. ¶ ~의 기쁨.

망요【芒曜】명〖공〗망변(芒變)과 요변(曜變)이 합쳐서 된 요변(窯變). 곧 도자기를 구울 때에 도자기에 기다랗게 줄진 무늬도 생기고, 감색(紺色)의 군성(群星)이 산재(散在)하기도 하는 요변.

망:용【妄用】명 망령되게 씀. 남용. ——-하다 타여불

망우¹【亡友】명 죽은 벗.

망우²【芒芋】명〖식〗쇠귀나물.

망우³【忘憂】명 ①근심을 잊는 일. ②망우물(忘憂物).

망우다 타〈방〉망구다(경상).

망우-당【忘憂堂】명〖사람〗곽재우(郭再祐)의 호(號).

망우-물【忘憂物】명 '시름을 잊게 하는 물건'이란 뜻으로, 술을 일컫는 말. 망우(忘憂).

망우-선【忘憂線】명〖지〗서울 특별시 중랑구(區)의 망우역에서 성북구 성북역(城北驛)에 이르는 철도선. 1963년 12월 30일 준공. [4.9 km]

망우-초【忘憂草】명〖식〗원추리.

망우-현【忘憂峴】명〖지〗서울 특별시 중랑구 망우동에 있는 고개. 공동 묘지가 있음. 속칭은 망우리 고개. [96 m]

망운¹【亡運】명 망할 운수. ¶ ~이 끼다.

망:운²【望雲】명〔중국 당나라의 적인걸(狄仁傑)이 타향에서, 부모가 있는 쪽의 구름을 바라보고 부모를 그리워하였다는 고사에서〕객지에서 고향의 부모를 생각하는 일.

망:운지-정【望雲之情】명 부모를 그리워하는 마음. 망운지회(望雲之懷). *망운(望雲).

망:운지-회【望雲之懷】명 망운지정(望雲之情).

망울 명 ①작고 동글게 뭉쳐서 굳어진 물건. ¶ 종처(腫處)에 ~이 서다. ②〖식〗↗꽃망울. ¶ …꽃조차 제철을 몰라 함부로 ~을 여닫고 있는 지경의 이상한 절후이다《劉賢鍾 : 들꽃》. 1)·2): <멍울.

망울-구슬 명〖고고학〗유리로 만든 북옥(玉)이나 대롱옥(玉) 등의 표면에 다른 색의 유리를 모자이크처럼 작은 원형으로 여러 개 박아 놓은 구슬. 신라(新羅) 고분에서 출토됨. 청령옥(蜻蛉玉).

망울-망울¹ 명 망울마다. ¶ 개나리의 ~에 봄빛이 깃들이다.

망울-망울² 부 우유나 풀 같은 데에 망울이 잘고 둥글게 엉기어 뭉쳐진 모양. <멍울멍울. ——-하다 형여불

망울-지다 자 망울이 생기다.

망:원-경【望遠鏡】명〔telescope〕〖물〗두 개 이상의 렌즈를 맞추어서 멀리 있는 물체를 크고 똑똑하게 보이도록 만든 장치. 집광용(集光用)으로 볼록 렌즈를 쓴 것을 굴절(屈折) 망원경이라 하며, 반사경(反射鏡)을 쓴 것을 반사 망원경이라 함. 만리경(萬里鏡). 천리경(千里鏡). 축원경(縮遠鏡).

망:원경-자리【望遠鏡—】명〔라 Telescopium〕〖천〗남천(南天)에 있는 별자리. 궁수(弓手)자리 남쪽에 있음. 우리 나라에서는 일부밖에 보이지 않음. 약자 : Tel.

「點) 거리를 비교적 길게 만든 렌즈.

망:원 렌즈【望遠—】〔lens〕명 원거리의 것을 촬영하기 위하여 초점(焦

망:원 사진【望遠寫眞】명 망원 렌즈를 사용하여 촬영한 사진.

망월¹【忙月】명 농사일로 바쁜 달. ↔한월(閑月).

망:월²【望月·朢月】명 보름달. 망(望).

망:월³【望月】명 달을 바라봄. ——-하다 자여불

망:월-굿【望月—】명〖민〗음력 정월 대보름날 달집을 태우고 농악을 울리며 하는 달맞이 놀이.

망:월-사【望月寺】[—싸] 명〖불교〗①경기도 의정부시(議政府市) 도봉산(道峰山)에 있는 봉은사(奉恩寺)의 말사(末寺). 신라 선덕(善德) 여왕(王) 8년(639)에 해호(海浩)가 창건하고 고려 문종(文宗) 20년(1066)에 혜거(慧炬)가 중수(重修)한 후 여러 번 보수(補修)함. 수도(修道)하는 중이 참선하는 곳으로 유명함. ②경기도 광주(廣州) 남한산성에 있던 절. 남한 8사(寺) 중 가장 오래된 절이었음.

망:위-례【望慰禮】명〖역〗국상(國喪)이 났을 때 원이 대궐을 향하여 절하는 예식.

망-유기극【罔有紀極】명 기율(紀律)에 어그러짐이 아주 심함. ¶ ~한 말에 왕은 얼굴빛이 하얗게 질리고 몸을 사시나무 떨듯 한다《朴鍾和 : 多情佛心》. ——-하다 형여불

망은【忘恩】명 은혜를 모름. 은혜를 잊음. 배은(背恩). ——-하다 자여불

망은 배:의【忘恩背義】[—/—이] 명 은혜를 잊고 의리를 배반함. ——-하다 자여불

망:의¹【妄意】[—/—이] 명 망령된 생각. 허망한 마음.

망의²【蟒衣】[—/—이] 명〖역〗곤룡포(袞龍袍)와 비슷하게 만든 도포. 중신(重臣)들이 입었음. 망옷.

망이 명〈방〉〖조〗매⁷(평안).

망이의 난:【亡伊—亂】[—/—에—] 명〖역〗고려 명종(明宗) 6년(1176)에 공주(公州)를 중심으로 충청도·전라도 각지에서 일어난 민란(民亂). 조위총(趙位寵)의 난과 더불어 고려조(高麗朝) 최대의 농민 봉기로, 농민 출신인 망이(亡伊)·망소이(亡所伊) 등이 주동이 되어 크게 그 세력을 떨치다가 관군에게 예산(禮山)을 함락당하고 진압되었음.

망인¹【亡人】명 죽은 사람.

망인²【鋩刃】명 날카로운 칼날.

망인-다리【亡人—】명〖민〗평양 다리굿에서, 굿 주인공의 영혼이 저승으로 건너간다는 다리.

망일¹【亡日】명 죽은 날.

「자여불

망일²【亡逸】명 ①달아남. 도주함. ②망일(亡軼). 산일(散逸). ——-하다

망일³【亡軼】명 흩어져 없어짐. 망일(亡逸). ——-하다 자여불

망:일⁴【望日·朢日】명 ①망(望)이 되는 날. ②보름날. 망(望).

망자¹【亡子】명 죽은 아들.

망자²【亡者】명 죽은 사람. ¶ ~의 영.

망자³【芒刺】명 까끄라기와 가시 같은 것.

망자 계:치【亡子計齒】명〔죽은 자식 나이 세기의 뜻으로〕아주 틀어진 일은 아무리 하여도 소용없다는 말.

망자-굿【亡者—】명〖민〗죽은 사람을 극락 세계로 인도하기 위해서 하는 굿.

망자-상【亡者床】명〖민〗지노귀새남이나 씻김굿 같은 데서, 죽은 당자(當者)의 영혼을 위하여 차려 놓는 제물상.

망자 재:배【芒刺在背】명 가시를 등에 지고 있는 것처럼 마음이 조마조마하고 편하지 아니함을 이름. ——-하다 형여불

망:자 존대【妄自尊大】명 종작없이 함부로 제가 잘난 체함. ——-하다

망자-증【芒刺症】[—쯩] 명〖의〗혓바늘이 돋는 병.

「자여불

망자-집【亡字—】[—짜—] 명〖건〗↗도망 망자집.

망자-풀이【亡者—】명〖민〗지노귀굿에서 불리어지는 무가(巫歌). 죽은 사람의 넋을 위로하고 생전에 겪었던 한(恨)을 풀어 주는 내용임.

망재 명〈방〉꿀찌(함남).

망:전¹【望前】명 음력 보름이 되기 전. ↔망후(望後).

망:전²【望奠】명 상중(喪中)에 매달 음력 보름날 지내는 제사. ↔삭전(朔奠). *삭망(朔望).

망점【網點】[—쩜] 명 사진·그림과 같은 농담(濃淡)이 있는 화상(畫像)의 인쇄물에서 볼 수 있는, 규칙적으로 배열된 크고 작은 점. 큰 점이 모인 부분은 짙은 색으로 보임.

망:정¹【妄情】명〖불교〗미망(迷妄)된 감정이나 의식.

망:정²【望定】명〖역〗조선 시대 때, 관원 후보로 세 사람을 우선 지명하던 일. *삼망(三望). ——-하다 자여불

망정³ 의명 '-니' '-기에' 등의 뒤에 붙어, 다행히 그러함의 뜻을 나타내는 말. ¶ 때마침 네가 와서 도와 주었기에 ~이지/단비가 내리니 ~이지 가물이 들 뻔했다. *-ㄹ망정.

망제¹【亡—】명〖민〗'망자(亡者)'란 뜻으로 무당이 쓰는 말.

망제²【亡弟】명 죽은 아우.

망:제³【望帝】명 ①중국 촉왕(蜀王) 두우(杜宇)의 칭호. 그가 죽어서 두견새가 되었다는 전설이 있음. ②두견이.

「사.

망:제⁴【望祭】명 먼 곳에서 조상의 무덤 있는 쪽을 바라보고 지내는 제

망:제⁵【望祭·朢祭】명〖역〗음력 보름날에 종묘에서 지내던 제사.

망:제-혼【望帝魂】명 망제의 죽은 넋. 곧, '두견이'의 일컬음.

망조¹【亡兆】[—쪼] 명 ↗망징 패조(亡徵敗兆). ¶ ~가 들다.

망조²【亡朝】명 망하여 버린 조정. 멸망한 왕조.

망조³【罔措】명 ↗망지 소조(罔知所措). ¶ ~하여 어찌할 바를 모르다. ——-하다 자여불

망:조-어【望潮魚】명〖동〗꼴뚜기.

망:족【望族】명 명망이 있는 집안.

망:존【望尊】명 궁중에서 대보름이나 한가윗날 밤에 달에 지내는 제(祭). ——-하다 자여불

망종¹【亡終】㊀ 명 ①사람의 목숨이 끊어지는 때. 인생의 마지막. ②일의 마지막. ㊁ 부 죽기 전에 마지막으로. ¶ 인당수 제수로 가기로 하와, 오늘 행선 날이오니 저를 오늘 ~ 보오.

망종²【亡種】명 아주 몹쓸 놈의 종자. 행실이 아주 못된 사람.

망종³【芒種】명 ①벼나 보리같이 까끄라기가 있는 곡식. ②이십사 절후(節候)의 하나. 6월 5일경. 이 때가 되면 보리는 먹게 되고, 모를 심게

망종-길【亡終—】[—낄] 명 사람이 죽어서 가는 길.

「됨.

망:종-산【望宗山】명〖지〗평안 북도 강계군(江界郡)에 있는 산. [1,450 m]
망종이 명〈방〉망나니(평안·경상).
망:주¹【望柱】명 ↗망주석(望柱石).
망주²【網主】명 ①그물의 주인. ②어업에 필요한 자본을 대는 사람.
망주³【網周】명 법망(法網)이 주밀(周密)하여 범법자를 놓치지 아니함. ——-하다 타여불
망:-주-석【望柱石】명 무덤 앞 양쪽에 세우는 한 쌍의 돌 기둥. 돌 받침 위에 여덟모진 기둥을 세우고, 맨 위에 둥근 대가리가 얹히어 있음. 망두석(望頭石). 망주석표(望柱石表). 화표주(華表柱). 준망주(望柱)·망석(望石).

〈망주석〉

망:주석-표【望柱石表】명 망주석(望柱石).
망-주야【罔晝夜】명 밤낮을 가리지 아니하고 부지런히 힘씀. ——-하다 자여불
망중¹【忙中】명 바쁜 가운데. ¶ ~한(閑).
망:중²【望重】명 명망이 높음. ——-하다 형여불
망중-에【忙中—】부 바쁜 가운데에. ¶ ~도 불구하고.
망중 유:한【忙中有閑】명 바쁜 중에도 또한 한가한 짬이 있음.
망중 투한【忙中偸閑】명 바쁜 중에도 한가한 짬을 얻어 마음을 즐김.
망중-한【忙中閑】명 바쁜 가운데의 한가한 때. ↔한중망.
망:증【妄證】명 망령된 증언. *위증(僞證). ——-하다 타여불
망:지-봉【望芝峰】명〖지〗강원도 삼척군(三陟郡)에 있는 산. [1,202 m]
망:지-불사【望之不似】[—싸] 명 남이 보기에 태도가 온당하지 못함. ——-하다 형여불
망-지소:조【罔知所措】명 창황(蒼黃)하여 어찌할 바를 모름. 허둥지둥함. 준망조(罔措). ——-하다 자여불
망:진【望診】명 진단법(診斷法)의 한 가지. 안색과 눈·입·코·귀·혀 등을 살핌으로써 병세의 진전과 예후(豫後)를 판단함. ——-하다 타여불
망:질【望秩】명 섶을 태우며 멀리 산천의 신에게 제사를 지냄. 망사(望祀). 망사(望祠). ——-하다 자여불
망:집【妄執】명 ①〖불교〗망상(妄想)을 버리지 못하고 고집을 세움. ②망령된 고집. ——-하다 타여불
망징 패:조【亡徵敗兆】명 망하여 결딴날 조짐. 준망조(亡兆). 「여불
망:참【望參】명 음력 보름날 사당에 배례(拜禮)하는 예식. ——-하다 자
망창【茫蒼】명 큰일을 당하여 놓고 아직 아무 계획이 서지 아니하여 앞일이 아득함. ——-하다 형여불. ——-히 부
망처【亡妻】명 죽은 아내. 망실(亡室). ↔망부(亡夫).
망:-첨례【望瞻禮】[—네] 명〖천주교〗전에, 천주교회의 축일(祝日)의 전일을 일컫던 말. 성탄일의 전날인 망예수 성탄 첨례 같은 것.
망:첩【望帖】명 천망(薦望)에 오른 사람에게 그 사실을 알리는 글.
망초¹ 명〖식〗①↗쥐꼬리망초. ②[*Erigeron canadensis*] 국화과에 속하는 월년초(越年草). 전체에 곧게 난 거친 털이 있고 줄기 높이 1.5m 가량이고, 근엽(根葉)은 빗모양의 피침형이며, 줄기 잎은 호생하고 긴 피침형임. 7-9월에 엷은 녹색의 두상화가 원추(圓錐) 화서로 피고, 과실은 수과(瘦果)임. 들이나 길가에 나는데, 북미(北美) 원산의 귀화종(歸化種)으로, 한국 각지에 분포함. 어린 잎은 식용함. *개망초·실망초.

〈망초¹ ❷〉

망초²【芒硝】명 ①〖화〗황산 나트륨. ②〖한의〗박초(朴硝)를 두 번 달이어 만든 약재. 훑어내리는 작용을 하여 변비(便祕)·적취(積聚) 등에 씀. └마아초(馬牙硝).
망초³【莽草】명〖식〗붓순나무.
망초-쑥 명〈방〉〖식〗쥐꼬리망초.
망초-천【芒硝泉】명〖지〗물 1kg 중 황산 나트륨 등 고형 성분(固形成分)을 1,000mg 이상 함유하는 광천(鑛泉)의 하나. 하제(下劑)로 음용(飮用)하면 변비(便祕)·동맥 경화증(硬化症)에 잘 듣고, 온천인 경우는 신경통·류머티즘·만성 피부병에 효과가 있음.
망:촉【望蜀】명 ↗득롱 망촉(得隴望蜀). 「자타여불
망축【亡祝】명〖불교〗죽은 사람의 명복(冥福)을 비는 일. ——-하다
망:춘【望春】명〖식〗개나리².
망:-춘천【望春天】명〖악〗거문고 곡의 하나. 세종 12년(1430) 2월까지 악보는 전해 왔으나, 그 후 연주법과 가사를 잃은 13곡 가운데의 하나.
망충【蝱蟲】명〖충〗등에❶.
망측【罔測】명 이치에 어그러져 뭐라고 헤아릴 수 없음. ¶ ~한 생각/아이구 ~해라. ——-하다 형여불. ——-히 부
망치¹ 명 [중세 : 마치] 쇠로 만든 연장의 하나. 마치보다 훨씬 크고 무거워 단단한 물건이나 달군 쇠를 뚜드리는 데 씀. 자루는 나무로 만들어 박음. 해머(hammer). 추(鎚). *마치¹.

〈망치¹〉

망치²【忘置】명 망각(忘却)❶. ——-하다 타여불
망치다 타 일을 깨뜨리어 못 되게 만들다. 결딴내다. ¶ 신세를 ~. 「m]
망치-봉【亡致峰】명〖지〗함경 남도 갑산군(甲山郡)에 있는 산. [1,380
망치-뼈 명 [malleus]〖생〗중이(中耳) 속에 있는 세 개의 청소골(聽小骨) 중 맨 바깥의 뼈. 자루 모양의 부분이 고막에 붙어 있어 고막의 진동을 전달하는 구실을 함. 추골(槌骨).
망치-질 명 망치로 두들기는 짓. ——-하다 자여불
망칙 명 ☞ 망측(罔測). ——-하다 형여불. ——-히 부
망친【亡親】명 죽은 부모. ¶ ~의 기일(忌日).
망:칠【望七】명 일흔을 바라본다는 뜻으로, 예순한 살을 일컫는 말.
망침【網針】명 망을 엮어 짜는 바늘. 그물바늘.

망코 카파크 [Manco Capac] 명〖사람〗전설적인 잉카(Inca) 왕조의 창시자. 그를 포함한 네 형제와 네 자매가 부족(部族)을 이끌고 쿠스코(Cuzco)를 정복, 그의 누이를 왕비로 삼아 왕조를 세웠다고 함. 또, 태양의 자식인 그와 누이가 황금이 땅 속에 가라앉은 곳에 쿠스코의 도읍을 정하고 잉카 제국(帝國)을 세웠다고도 함.
망타【網打】명 ↗일망 타진(一網打盡). ——-하다 타여불
망탁【網橐】명 망태기.
망:탄【妄誕】명 터무니없음. 또, 터무니없는 거짓말. ¶ 우리 열조(列祖)의 계승한 바는 허무하고 ~하고 무익한 것뿐이라《구약 예레미야 XVI:19》. ——-하다 형여불
망태¹ 명〈방〉〖어〗양태¹.
망태²【網—】명 ↗망태기.
망태³【網太】명 그물로 잡은 명태. 큰 것이 많음.
망태-공【網—工】명〖토〗둑의 비탈에 덮개를 씌우는 공법(工法)의 하나. 철선으로 망태를 만들어 그 속에 조약돌이나 호박돌을 채워 넣음.

〈망태기〉

망태기【網—】명 가는 새끼나 노로 엮어 만든 그릇. 물건을 담아 들고 나르는 데 씀. 망탁(網橐). 준망태.
망토 [프 manteau] 명 소매가 없이 어깨로부터 내리 걸치는 외투의 한 가지. 남녀 다 입으며, 손을 내놓는 아귀가 있음.
망토-개코원숭이 [프 manteau] 명〖동〗망토비비(狒狒).
망토 드 쿠:르 [프 manteau de cour] 명 옛날 유럽 중랑의 군주국에서 궁정 예식 참례 때 입던 여성 예복. 치맛자락이 바닥에 끌리도록 긴 것을 통례로 하고 신분이 높을수록 긴 것을 입음.

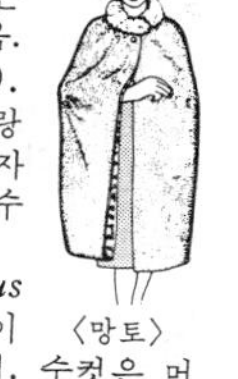
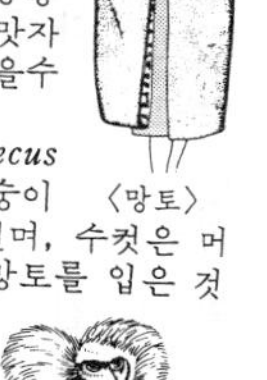
〈망토〉

망토-비비【—狒狒】[프 manteau] 명〖동〗[*Comopithecus hamadryas*] 원숭잇과에 속하는 포유 동물. 대형의 원숭이로, 두동(頭胴) 1.5m 가량이고, 꼬리는 사자 꼬리같이 길며, 수컷은 머리에서 어깨와 등에 걸치어 회색의 털이 길게 늘어져 망토를 입은 것같이 보임. 얼굴과 볼기짝은 나출(裸出)하여 육홍색(肉紅色)을 띰. 암석이 많은 황야에 100-300 마리가 군서함. 지능이 발달하고 성질은 사나우며 과실·초목의 뿌리·도마뱀·곤충을 먹음. 아프리카·아라비아 등지에 분포함. 비비(狒狒).

〈망토비비〉

망-통¹ 명 통¹. ¶ ~을 잡다.
망:-통²【望筒】명〖역〗망단자(望單子).
망투 반:응【—反應】[Mantoux] 명〖의〗1908년 프랑스의 의사 망투(Mantoux, Charles; 1877-1947)에 의해서 발견된 투베르쿨린 피내 반응(皮內反應).
망판【網版】명〖인쇄〗사진 동판(寫眞銅版).
망팔¹【忘八】명 [인의 효제(仁義孝悌)와 충신 염치(忠信廉恥)의 팔덕(八德)을 망각(忘却)했다는 뜻] 무뢰한(無賴漢)을 일컫는 말.
망:팔²【望八】명 '여든을 바라본다'는 뜻으로, '일흔한 살'을 일컫는 말.
망:팔 쇠년【望八衰年】명 일흔한 살의 늙은 나이.
망패¹ 명〖민〗편싸움에서 돌팔매질을 할 때, 돌을 싸서 던지는 가죽 제구.
망:패²【妄悖】명 망령되어 이치에 어그러짐. ——-하다 자여불
망패-질 명〈방〉돌팔매질(평북). ——-하다 자여불
망:평【妄評】명 그릇되게 함부로 하는 비평(批評). 옳지 아니한 비평. ——-하다 타여불
망:평 다사【妄評多謝】명 자기의 비평을 겸손히 이를 때에, 비평문 끝에 쓰는 말.
망포¹【亡逋】명 도망하여 숨음. ——-하다 자여불
망포²【網捕】명 그물을 쳐 잡음. ——-하다 타여불
망포³【蟒袍】명〖역〗곤룡포(袞龍袍).
망풀 명〈방〉〖식〗망초¹.
망:풍【望風】명 ①풍채(風采)를 우러러봄. ②명망(名望)을 우러러봄. ——-하다 자여불
망:풍-이미【望風而靡】명 성망(聲望)을 듣고 우러러 복종함. 또 풍문을 듣고 놀라 싸우지 아니하고 흩어져 달아남. ——-하다 자여불
망-하다【亡—】㊀ 자여불 ①조직체(組織體)나 사물이 깨어져서 없어지거나 못쓰게 되다. ¶ 집안이 ~. ㊁ 형여불〈속〉몹시 고약하다. ¶ 보기가 ~.
[망하다 판이 날 자식] 망해도 그냥 망하지 않고, 홀랑 거덜이 나서 망할 자식의 뜻으로 욕하는 말. [망할 놈 나면 흥할 놈 난다] 한 사람이 망하면 그 대신 한 사람이 흥하고 한 사람이 지면 한 사람이 이기는 것이 세상의 이치라는 말.
망:하-례【望賀禮】명〖역〗경절(慶節)에 원이 전패(殿牌)에 절하던 예식.
망:하 조약【望厦條約】명〖역〗1844년 마카오 교외의 망하(望厦) 마을에서 미국과 청국(淸國)이 수교(修交)·통상(通商)·치외 법권(治外法權) 등에 관하여 체결한 조약.
망해【亡骸】명 유해(遺骸).
망:해 도법【望海圖法】[—뻡] 명 바다 가운데 있는 섬을 뭍에서 건너다 보고 그 거리를 헤아리는 산법(算法).
망:행【妄行】명 망령된 행동.
망:향【望鄕】명 고향을 바라봄. 고향을 그리워함. ——-하다 자여불
망:향-가【望鄕歌】명 타향에서 고향을 생각하고 부르는 노래.
망:향-병【望鄕病】[—뼝] 명 향수병(鄕愁病).
망:향의 동산【望鄕—】[—/—에—] 명 이역(異域)에서 숨진 해외 동포를 위해서 마련된 국립 공원 묘지. 1976년 10월에 충청 남도 천안군(天安郡) 성거읍(聖居邑) 요방리(料芳里)의 3만6천여 평의 국유림에 마련됨.
망형【亡兄】명 죽은 형.
망혜【芒鞋】명 '마혜(麻鞋)'를 잘못 일컫는 말.
망:호【望毫】명 매의 꼬리에 달아서 사람의 눈에 잘 띄게 하는 흰 털. 흔히 두루미의 깃으로 만듦.
망혼【亡魂】명 죽은 사람의 넋. 유령.

망혼-일【亡魂日】명 음력 7월 15일의 일컬음. 여염집 부녀자들이 나물·실과·술·밥 등을 차리어 망친(亡親)에게 제사지냄.

망혼-제【亡魂祭】명 백중날 밤에 부모의 영혼에 지내는 제사.

망:화-인【望火人】명 불난 데를 알아내기 위하여 망루(望樓)에 올라가서 사방을 살피는 사람.

망:-홰【望—】명〖역〗공사(公私)의 대례(大禮) 또는 의정(議政) 이상의 공행(公行) 때 그 앞길에 켜 든 큰 횃불. 망거(望炬).

망후[1]【亡後】명 죽은 뒤. 사후(死後).

망:후[2]【望後】명 음력 보름 이후. ↔망전(望前).

맞- 부 ①어떤 말 앞에 붙어서 서로 마주 대하는 뜻을 나타내는 말. ¶ ~장구/~결다. ②서로 어슷비슷함을 나타내는 말. ¶ ~먹다/~바둑.

맞가지-장식【—裝飾】명〖고고학〗관(冠)의 솟은장식 가운데 나뭇가지 모양의 장식. 출자형 입식(出字形立飾). 산자형 입식(山字形立飾). 수지형 입식(樹枝形立飾).

맞-각【—角】명〖수〗'대각(對角)'의 풀어쓴 이름.

맞-갖다 형 마음에나 입맛에 꼭 알맞다. ¶ 맞갖은 음식.

맞갖-잖다 [—잔타] 형 마음에나 입맛에 바로 맞지 않다. ¶ 맞갖잖은 소리만 한다.

맞-걸다 자 노름판에서 돈을 따려고 서로 돈을 걸다.

맞-걸리다 자 양편이 마주 걸리다.

맞-걸이 명 씨름 재주의 하나. 안낚시를 걸린 쪽이 다시 상대편을 안낚

맞-격수 명〈방〉맞적수(충남). 「시거는 일. ——하다 자여불

맞-견주다 자 서로 견주다.

맞-결리다 자 양편이 마주 결리다.

맞-고소【—告訴】명 피소(被訴)된 사람이 고소한 사람을 상대로 마주 고소하는 일. 대소(對訴). ——하다 자타여불

맞-교군【—轎軍】명 두 사람이 메는 가마.

맞-교대【—交代】명 어떠한 일을 두 패로 나누어 할 때 교대하는 일.

맞-구멍 명 마주 뚫린 구멍. 「——하다 자여불

맞-그물질 명 ①두 사람 또는 그 이상이 그물을 마주 잡고 하는 그물질. ②그물 두 채로 양쪽에서 한 군데를 향하여 하는 그물질.

맞-깃 명 앞을 여미지 않고 마주대는 깃.

맞꼭지-각【—角】명〖수〗꼭지점과 두 변을 공유(共有)하는, 마주 대하고 있는 각. 곧 두 직선이 교차할 때 생기는 상대하는 두 개의 각으로 그 크기가 같음. 대정각(對頂角).

〈맞꼭지각〉

맞나다 자타〈옛〉만나다. =맛나다. ¶ 세世존尊을 맞나수ᄫᅡ며 즐겁 남기 들여늘《月印 上 65》.

맞-남여【—籃輿】명 두 사람이 메는, 위를 꾸미지 아니한 남여.

맞-넉수 명〈방〉맞적수.

맞-놓다 [—노타] 타 ↗마주 놓다.

맞다[1] 자 ①틀리지 아니하게 되다. 옳게 되다. ¶ 답이 ~/시계가 잘 맞는다. ②적합하다. 어울리다. 조화(調和)하다. ¶ 격에 맞는 생활/옷 빛깔이 너한테 꼭 맞는다. ③마음에나 입맛에 들다. ¶ 입에 맞는 안주. ④물건과 물건이 틈이 없이 서로 닿다. ¶ 발에 꼭 맞는 구두. ⑤합치하다. 하나가 되다. ¶ 장단이 ~/의견이 ~. ⑥손해가 되지 아니하다. ¶ 수지가 ~. ⑦겨눈 것이 목표에 똑바로 닿다. ¶ 화살이 정통으로 ~/총에 ~. ⑧서로 통하다. ¶ 마음에 맞는 친구/눈이 맞아 달아나다.

맞다[2] 타 ①오는 사람을 기다려 받아들이다. ¶ 손님을 ~. ②자연히 돌아오는 철이나 날을 당하다. ¶ 생일을 ~. ③불러서 오게 하다. 초빙하다. ¶ 새 가정 교사를 ~. ④가족의 일원으로서 데려오다. ¶ 아내를 ~. ⑤비·바람·눈 같은 것을 몸으로 받다. ¶ 된서리를 ~. ⑥때리는 매나 총알 같은 것을 그대로 몸에 받다. ¶ 매를 ~. ⑦어떤 일을 당하다. ¶ 도둑을 ~/야단을 ~. ⑧주사·침 따위의 놓음을 당하다. ¶ 침(鍼)을 ~. ⑨어떤 성적의 점수를 받다. 또 서명·날인 따위를 찍어 받다. ¶ 100점을 ~/결재를 ~.

[맞기 싫은 매는 맞아도 먹기 싫은 음식은 못 먹는다] 음식이란 제가 먹기 싫으면 아무리 하여도 먹을 수 없는 것이라 하여 이르는 말. [맞은 놈은 펴고 자고 때린 놈은 오그리고 잔다] 남을 괴롭힌 자는 뒷일이 걱정되어 마음이 불안하나, 해를 입은 사람은 마음만은 편하다는 말.

-맞다 미 어떤 말에 붙여 형용사를 만드는 접미어. ¶ 궁상~/빙충~/치살~. 「~/곤란한 문제에 ~.

맞-닥뜨리다 자 서로 마주 부딪칠 정도로 닥뜨리다. ¶ 막다른 골목에

맞-닥치다 자 ①이것과 저것이 서로 마주 닥치다. ¶ 원수와 노상에서 ~. ②이것과 저것이 함께 닥치다. ¶ 국난과 부친상이 동시에 ~.

맞-단추 명 암단추와 수단추를 맞추어 쓰는 단추.

맞-담 명 돌멩이를 배맞추어서 마주 쌓은 돌담. 곧, 보통의 돌담. ↔홑담.

맞-담배 명 마주 보고 피우는 담배.

맞담배-질 명 마주 보고 담배를 피우는 짓. 흔히, 나이 차이가 큰 경우의 말. ¶ 선생 앞에서 ~을 하다니. ——하다 자여불

맞-당기다 ㊀ 자 양쪽으로 끌리다. ¶ 줄이 맞당겨 끊어지다. ㊁ 타 서로 마주 잡아당기다. ¶ 줄을 ~. 「이 ~.

맞-닿다 [—다타] 자 마주 닿다. ¶ 하늘과 땅이 맞닿은 곳/지붕과 지붕

맞-대다 타 ①서로 닿게 대다. ¶ 무릎을 ~/이마를 맞대고 의논하다. ②서로 마주 대하다. ¶ 맞대 놓고 욕을 하다. ③같은 자격을 주어 서로 견주다. ¶ 그 방면의 전문가와 그를 맞댈 수는 없다.

맞-대들다 자 마주 대들다. 「하다 자여불

맞-대매 명 단 두 사람이 마지막으로, 이기고 짐을 겨루는 대매. ——

맞-대면【—對面】명 당사자끼리 서로 마주 보며 대하는 일. ——하다

맞-대하다【—對—】자여불 마주 대하다. 「자여불

맞댄 이음 명〖건〗맞이음.

맞-도끼질 명 큰 나무를 도끼로 쪼갤 때 길이로 놓인 나무 양쪽에 두 사람이 마주 서서 번갈아 하는 도끼질.

맞-돈 명 물건을 매매할 때에 그 자리에서 마주 치르는 값. 또, 품삯으로 즉석에서 주는 돈. 즉전. 직전(直錢). 현금(現金). ¶ ~을 주어야만 겨우 살 수 있다. ↔외상.

맞돈-거래【—去來】명 물건을 사고 팔 때 그 값을 그 자리에서 현금으로 셈하는 거래.

맞-두다 타 장기·바둑 따위를 대등한 실력과 자격으로 두다.

맞-두레 명 물을 푸는 두레의 하나. 함지나 물통 같은것에 네 줄을 매어 두 사람이 마주 서서 두 가닥씩 쥐고 푸게 되었음. ¶ ~질.

맞-들다 타 ①두 사람이 마주 물건을 들다. ②힘을 합하다. 협력하다. ¶ 백지장도 맞들면 가볍다.

맞-땜 명 같은 곳을 안팎으로 마주하는 땜질.

맞-뚫다 [—뚤타] 타 마주 뚫다.

맞-뚫리다 [—뚤—] 자 서로 통하도록 마주 뚫어지다.

맞맞아 떨어지다 자 ☞맞비겨 떨어지다.

맞-매다 타 논밭을 마지막 매다.

맞-먹다 자 힘·거리·시간·분량 등의 소요되는 정도가 서로 어슷비슷하다. ¶ 급행 열차로 가나 비행기로 가나 비용은 맞먹는다.

맞-모 명〖수〗대각(對角)'의 풀어 쓴 이름.

맞모-금 명〖수〗'대각선(對角線)'의 풀어 쓴 이름.

맞-물다 타 마주 물다. ¶ 맞물고 돌아가는 톱니바퀴.

맞-물리다 자 마주 물리다.

맞-미닫이 [—다지] 명〖건〗홈에 두 짝을 맞닫게 된 미닫이.

맞-바꾸다 타 값을 따지지 아니하고 물건과 물건을 서로 바꾸다. ¶ 연필과 만년필을 맞바꾸잔다.

맞-바느질 명 실을 꿴 바늘 두 개를 한 구멍에 마주 넣어서 꿰매는 바느질. ——하다 자여불

맞-바둑 명 실력이 같은 사람끼리 두는 바둑. 대기(對碁). 상선(相先). 호선(互先). ¶ ~으로는 힘겨운 상대. ↔접바둑. *정선(定先).

맞-바라보다 자 마주 바라보다.

맞-바람 명 양편에서 마주 들어오는 바람. *맞은바람.

맞-바래기 명 ↗맞은바래기.

맞-바로 부 마주 정면으로. ¶ ~ 쳐다보다. 「는 일.

맞-바리 명 남이 팔러 가는 땔나무를 중간에서 사가지고 장터에 가서 파

맞-받다 타 ①정면으로 받다. ¶ 햇빛을 ~. ②어떤 노래나 말을 곧 이어 받다. ③마주 들이받다. ¶ 둘이서 이마를 ~. ④상대의 공격 따위를 피하지 않고 되받다. ¶ 상대의 펀치를 맞받아 치다.

맞-받이[1] [—바지] 명 서로 마주 바라보이는 곳. *맞은바래기.

맞-받이[2] [—바지] 명 말·노래 등을 맞받아 하는 일. 또, 그 사람.

맞-발기 명 팔고 사는 양쪽이 같은것을 두 통 만들어, 다 같이 간수하는 문서(文書).

맞-방망이 명 마주 방망이질할 때의 방망이. ¶ 주먹은 입 밖에까지는 내지 않았으나 속으로 ~를 쳤다《玄鎭健 : 無影塔》.

맞-배지기 명 씨름에서, 서로가 샅바를 단단히 휘어잡고 일어나자마자 몸의 중심을 낮추고 무릎을 굽혀 상대를 정면으로 맞대어 끌어 당기어 던지는 허리 기술의 하나.

맞배-지붕 명〖건〗지붕의 완각이 딱 잘려진 지붕. 옆면이 '人'자 모양으로 된 지붕.

맞배-집 명〖건〗지붕이 맞배지붕으로 된 집. 뱃집.

〈맞배집〉

맞-버티다 자 서로 마주 버티다.

맞-버팀 명 버티고 대항함. 길항(拮抗). ——하다 자여불 「자여불

맞-벌이 명 부부가 모두 일하여 생계를 세우는 일. ¶ ~ 부부. ——하다

맞-벽【—壁】명〖건〗토벽을 할 때에 안쪽에 먼저 초벽(初壁)을 하고 마른 뒤에 겉에서 마주 붙이는 벽. 합벽(合壁).

맞벽-질【—壁—】명〖건〗안쪽에 초벽(初壁)을 하고 그것이 마른 뒤에 겉에서 마주 벽을 붙이는 일. ——하다 자여불

맞-변【—邊】명〖수〗'대변(對邊)'을 풀어 쓴 말. 「상량(相樑).

맞-보[1] 명〖건〗옥심주(屋心柱)에 두 개의 보가 마주 끼어 걸린 들보.

맞-보[2]【—保】명 양편 또는 두 사람이 서로 보증을 서는 일. 또, 그 보증.

맞보(를) 서다 구 양쪽에서 서로 보증을 서다.

맞-보기[1] 명 도수(度數)가 없어 맨눈으로 보는 것과 다름없는 안경. 평경(平鏡). *돋보기.

맞-보기[2] 명 바둑에서, 거의 동등한 가치의 두 개 또는 짝수의 착점(着點)을 쌍방이 하나씩 또는 홀수로 놓을 수 있는 상태.

맞-보다 자타 ↗마주 보다. ¶ 서로 얼굴을 맞보고 앉다.

맞-부딪뜨리다 타 서로 마주 부딪뜨리다.

맞-부딪치다 자타 서로 마주 부딪치다. 또, 서로 마주 부딪치게 하다. ¶ 쇠와 쇠를 ~/적수끼리 ~.

맞-부패 명〖광〗분광(分鑛)할 때에 두 사람이 동업하는 조직. 세 사람이 동업하면 삼부패라고 함.

맞-불 명 ①타고 있는 불에 마주 대고 붙이는 불. ②산불이 타고 있는 앞쪽에 불을 놓아 마주 타 들어가게 함으로써 불이 서로 맞닿아 더 이상 타 나오지 못하게 의도적으로 놓는 불. *불깃.

맞불(을) 놓다 구 ①불이 타는 쪽의 맞은편에서 불을 놓다. ¶ 산불을 끄기 위해 맞불을 놓았다. ②서로 마주 대하여 총질하다.

맞-불다 자 마주 불다.

맞불-질[1] 명 ①맞불을 놓는 일. ②맞불을 붙이는 일. ——하다 자여불

맞-불질[2] 명 마주 총포(銃砲)를 쏘는 짓.
맞-붙다 자 ①서로 마주 닿아서 붙다. ②서로 상대하여 싸우다. ¶맞붙어 싸우다. ③떨어지지 않고 함께 하다. ¶두 사람은 항상 맞붙어 다닌다.
맞-붙들다 타 서로 마주 붙들다.
맞-붙이 [—부치] 명 ①중간에 다른 사람을 넣지 아니하고 직접 대면하여 처리함. ②솜옷을 입어야 할 때에 입은 겹옷. ↔솜붙이.
맞-붙이다 [—부치—] 타 ①서로 떨어지지 않도록 닿아 있게 하다. ¶두 물건을 접착제로 ~. ②내기, 싸움 등에서 서로 어울려 겨루게 하다. ¶두 마리 개를 맞붙였다.
맞-붙잡다 타 서로 마주 붙잡다.
맞비겨-떨어지다 자 두 가지 셈이 상쇄되어 서로 남고 모자람이 없게 되다. ¶계산이 ~.
맞-비기다 자 서로 비기다.
맞-비비다 타 마주 대고 비비다. ¶두 손을 ~.
맞-상【—床】명 ☞ 겸상(兼床). ——-하다 자여불
맞-상대【—相對】명 마주 상대함. 또, 그런 상대. ——-하다 자여불
맞-새김 명〖고고학〗주로 금붙이 세공(細工)에서, 속이 보이도록 뚫어서 조각하는 수법. 투각(透刻).
맞-서다 자 ①↗마주 서다. ②서로 굽히지 아니하고 버티다. ¶양편의 의견이 ~. ③어떤 상황에 당면하다. ¶고난과 ~.
맞-선 명 당사자끼리 직접 만나서 보는 선.
맞선(을) 보다 구 맞대하여 선보다. ¶맞선 보고 결혼하다.
맞선-꼴 명〖수〗'대칭 도형(對稱圖形)'을 풀어 쓴 이름.
맞선-말 명 말의 뜻이 맞서는 말. '크다'와 '작다', '위'와 '아래' 따위. ㄴ반대어(反對語).
맞-세우다 타 마주 서게 하다.
맞-소리 명 동시에 서로 응하는 소리.
맞-소송【—訴訟】명〖법〗반소(反訴).
맞-쇠 명 ☞ 결쇠.
맞-쇠질 명 ☞ 결쇠질. ——-하다 자여불
맞-수【—手】명 ↗맞적수.
맞-쐬다 타 서로 비교하여 대어 보다. 대조하다. 준쐬다.
맞-씨름 명 단 둘이서 맞붙어 하는 씨름. ——-하다 자여불
맞아-들이다 타 오는 사람을 맞아 안으로 인도하다.
맞아-떨어지다 자 셈이 어떤 표준에 꼭 맞아 남고 모자람이 없게 되다. ¶양쪽 계산이 딱 ~. 「하나.
맞-연귀 [—년—] 명〖건〗문짝 같은 것의 귀 끝을 맞추어 짜는 방법의
맞-욕【—辱】[—녹] 명 서로 맞대고 하는 욕. ——-하다 자여불
맞은-바람 명 맞은편에서 불어 오는 바람. *맞바람.
맞은-바래기 명 앞으로 마주 바라보이는 곳. 준맞바래기. *맞받이.
맞은-소리 명〈방〉메아리.
맞은-쇠 명 ☞결쇠.
맞은쇠-질 명 ☞ 결쇠질. ——-하다 자여불
맞은-짝 명 ☞ 맞은편.
맞은-쪽 명 마주 상대되는 쪽.
맞은-편【—便】명 ①마주 상대되는 편. ②상대자.
맞은편-짝【—便—】명 마주 상대되는 편짝.
맞음 명〈방〉마중. ——-하다 타
-맞이 미 명사 뒤에 붙어 '오는 사람이나 일·날·때를 맞는 일'을 뜻함. ¶손님~/생일~/달~/설~/봄~.
맞-이음 [—니—] 명〖건〗두 재목의 평탄한 단면(斷面)을 마주 잇는 일. 맞댄 이음. ——-하다 자타여불
맞이-하다 타여불 ①오는 것을 맞다. ¶새해를 ~. ②아내, 며느리나 사위로 맞아들이다. ¶그 댁 고명딸을 며느리로 ~.
맞-잇다 [—닏—] 타ㅅ불 서로 마주 잇다. ¶짧은 실끼리 ~.
맞-자라다 자 서로 같이 자라다.
맞-잡기 명 유도(柔道)에서, 쌍방이 서로 오른손으로는 상대방 도복의 깃을 잡고 왼손으로는 소매를 잡는 동작.
맞-잡다 자 ↗마주 잡다. ¶손을 맞잡고 울다.
맞-잡이 명 ①서로 힘이 비등한 두 사람. ¶~끼리 씨름이 붙어 승부가 잘 나지 아니한다. ②서로 같다는 뜻을 나타내는 말. ¶그 때 돈 50만 환은 지금 돈 5만 원 ~요/그에게 있어 팔은 눈 ~였다《黃順元 : 인간접목》.
맞-장구 명 남의 말에 그렇다고 덩달아 같이 말하는 일.
맞장구(를) 치다 구 남의 말에 그렇다고 덩달아 같이 말하다. 「맞바둑.
맞-장기【—將棊】명 수가 비슷한 사람끼리 두는 장기. *
맞-장단【—長短】명 맞장구.
맞장부-이음 명〖건〗이음의 한 가지. 이으려는 석재(石材)나 목재의 두 끝에다가 각각 장부를 만들어 맞추는 이음. 〈맞장부이음〉
맞-적수【—敵手】명 두 편의 재주나 힘이 엇비슷한 상대. 준맞수.
맞-절 명 서로 대등한 예로 마주 하는 절. ——-하다 자여불
맞-접【—椄】명〖농〗과수의 접붙이는 방법의 하나. 싹이 나올 무렵에 대목(臺木)과 접수(椄穗)의 굵기가 같을 때, 양자(兩者)를 비스듬히 잘라서 서로 형성층(形成層)을 합해서 묶고, 접수의 선단(先端)이 겨우 나올 정도로 흙을 덮음. 합접(合椄).
맞-접다 타 종이나 헝겊 따위를 마주 겹쳐 접다.
맞-조상【—弔喪】명 밭상제와 안상제가 마주하는 조상. 발상(發喪)·성복(成服) 또는 반우(返虞) 뒤에 행함.
맞-주름 명 접은 주름의 양끝이 맞닿게 하여 펴면 연속된 'ㄷ'자 모양이 되는 주름. 박스 플리츠(box pleats).
맞-줄임 명〖수〗'약분(約分)'의 풀어 쓴 이름. ——-하다 타여불
맞-질리다 자 양쪽 사물이 서로 내뻗치어 마주 지름을 당하다.
맞-찌름 명 검도(劍道)에서, 상대방이 공격하여 올 때 마주 찔러 공격하는 일.
맞-찧다 [—찌타] 타ㅎ불 서로 마주 부딪치다. ¶머리를 서로 ~.
맞-창 명 마주 뚫린 구멍. ¶신에~이 났다.
맞창-나다 자 마주 구멍이 뚫리다.
맞창-내다 타 마주 구멍이 뚫리게 하다.
맞추다 타 ①서로 꼭 맞도록 하다. ¶보조(步調)를 ~. ②서로 마주 대다. ¶입을 ~. ③결합하다. ¶뜯은 기계를 ~. ④정도에 알맞게 하다. ¶간을 ~. ⑤마음에 들도록 하다. ¶비위를 ~. ⑥순서를 고르게 하거나 짝을 채우다. ¶짝을 ~/화투장을 ~. ⑦시킬 일, 주로 물건을 만드는 일을 약속하여 부탁하다. ¶옷을 ~.
맞추어-겨루기 명 태권도에서 겨루기의 하나. 사전에 공격과 방어에 대하여 약속된 것을 겨루는 일. 약속 대련(約束對鍊). *자유 겨루기.
맞춤[1] 명 ①맞추어 만든 물건. ¶~옷. ②〖건〗두 목재(木材)를 서로 직교(直交) 또는 경사지게 짜잇는 일.
맞춤[2] 명 두 사람이 마주 보며 추는 춤.
맞춤-법【—法】[—뻡] 명〖언〗①글자를 일정한 규칙에 맞도록 쓰는 법. 철자법(綴字法). ②↗한글 맞춤법. ¶~ 통일안.
맞춤-일 [—닐] 명 어떤 물건을 주문받아 만들어 주는 일.
맞춤-하다 형여불 맞춘 것처럼 알맞다. 비슷하게 알맞다. 격에 대체로 걸맞다. ¶맞춤한 주막을 만나면 더운 술국을 얻어먹을 수 있겠지《金周榮 : 客主》. 맞춤-히 부
맞터-질 명 15 간(間)을 사이에 두고 양쪽에 과녁을 마주 세워 놓고 혼자 활을 쏘되, 이쪽에서 쏘고 나면 저쪽으로 가서 쏜 화살들을 주워 다시 이쪽 과녁에다 쏘는 일. 한 번 오가는 것을 1순(巡)이라 하여, 매일 100 순씩, 100일을 계속하는 활쏘기 연습.
맞톱니-무늬 [—니] 명〖고고학〗톱니무늬 사이의 빈칸을 빗금 등으로 채운 무늬. 삼각 사선 대문(三角斜線帶紋).
맞-통 명 노름에서 물주와 애기패의 끗수가 같이 된 경우.
맞-혼인【—婚姻】명 조혼전(助婚錢)을 주지 아니하고 혼수 부담을 신부 신랑의 양가에서 똑같이 하는 혼인. ——-하다 자여불
맞-흥정 명 소개하는 사람을 넣지 아니하고 살 사람과 팔 사람이 직접 마주 대하여 하는 흥정. ——-하다 자타여불
맞히다 타 ①물음에 옳은 답을 하다. ¶정답(正答)을 ~. ②목표에 맞게 하다. ¶화살을 과녁에 ~. ③침(鍼)이나 매 혹은 눈·비 또는 도둑 같은 것을 맞게 하다. ¶비를 ~/예방 주사를 ~/허리에 침을 ~/아이는 매도 맞혀 가며 길러야 튼튼히 자란다. ④약속을 어기어 바람을 맞게 하다. ¶모처럼의 외출인데 바람을 맞히다니.
맟다 자 ↗마치다[2]❶. 「憐穴蛾)《杜諺Ⅶ:18》.
맡[1] 명〈옛〉마당. =맏[2]. ¶마톨 다오매 굼긔 개야밀 어엿비 너기고(築場
맡[2] 의명 ①어떤 일이 마무리되려는 바로 앞과 뒤. ¶최영호는 비행장에서 돌아오던 ~에 정릉으로 다시 한 번 찾아갔다《安壽吉 : 제 2 의 청춘》. ②해 오던 일의 도중에 얼마 동안 멈추려는 바로 그 때. ¶하던 ~에 다 해 치우자.
맡기다 타 ①자기가 할 일을 남에게 부탁하다. 위임하다. ¶운(運)에 ~/내게 맡겨라. ②물건의 보관을 남에게 의뢰하다. ¶짐을 ~. ③하게 내버려 두다. ¶상상(想像)에 ~/몸을 ~.
맡다[1] 타 ①일이나 책임을 넘겨 받아 자기가 담당하다. ¶교무 주임을 ~/과장직을 ~. ②면허나 증명·허가(許可) 같은 것을 얻어 받다. ¶허가를 ~. ③어떤 물건을 받아 보관하다. ¶보따리를 맡아 두다. ④자리 따위를 차지하다. ¶빈 자리를 맡아 두어라. ⑤주문 따위를 받다. ¶주문을 ~.
맡다[2] 타 ①냄새를 코로 들이마셔 감각하다. ¶냄새를 ~. ②일의 형편이나 낌새를 엿보아 눈치채다.
맡아 보다 타 어떤 일을 맡아서 하다. ¶인사 행정을 ~.
맡아-팔기 명 수탁 판매(受託販賣).
매[1] 명 사람이나 짐승을 때리는 곤장·막대기·몽둥이·방망이·회초리 등의 총칭. 또, 그것으로 때리는 일.
[매 끝에 정든다] 매를 맞거나 꾸지람을 들은 뒤에는 더 사이가 가까와진다는 말. [매도 맞으려다 안 맞으면 서운하다] 무슨 일을 하려고 하다가 못하면 섭섭하다는 말. [매도 먼저 맞는 놈이 낫다] 당해야 할 일은 먼저 치르고 나는 것이 낫다는 뜻. [매로 키운 자식이 효성 있다] 잘 되라고 매도 때리고 꾸짖어 키우면, 그 자식도 커서 그 공을 알아차려 효도를 하게 된다는 말. [매 위에 장사 있나] 매로 때리는 데는 견딜 사람이 없다는 말. [매 한 개 맞지 아니하고 확확 다 분다] 매를 때리거나 고문을 하지 않아도 순순히 다 자백한다.
매[2] 명 ①↗맷돌. ②↗매통.
매[3] 명 소렴(小殮) 때에 시체에 옷을 입히고 그 위를 매는 헝겊.
매[4] ㊀명 ↗매끼. ㊁의명 ①맷고기나 살담배를 작게 갈라 놓고 팔 때에 그것을 세는 단위. ②젓가락의 한 쌍. ¶한 ~.
매[5] 명〖건〗↗매흙.
매[6] 명〈방〉①메[2]❶. ②절굿공이(전라).
매:[7] 명〖조〗①맷과 매속(屬)에 속하는 맹조(猛鳥)의 총칭. 수리에 비하여 몸이 소형(小形)인데, 부리가 짧으며, 발·발가락이 가늘고, 날개와 꽁지가 비교적 폭이 좁음. 민속하게 날개를 놀리어 수리보다 매우 빠르게 낢. 매·새매·도롱태·황조롱이·백송고리·새호리기 등이 있음. *수리. ②[*Falco peregrinus leucogenys*] 맷과에 속하는 맹조(猛鳥)의 하나. 날개 길이 30 cm, 부리 2.7 cm 가량인데, 몸빛은 머리·눈의 주위와 부리의 기부(基部) 및 목의 양쪽이 흑색이고, 기타의 배면(背面)은 석판 회색(石板灰色)이며, 하면(下面)은 황백색임. 가슴에는 검은

종문(縱紋), 그 이하에는 횡문(橫紋)이 있으며, 다리는 황색임. 촌가(村家) 부근에 급강하(急降下)하여 작은 새·병아리 등의 조류를 잡아 먹음. 사냥용으로 사육하기도 하는데, 1년 길들인 것을 갈지개, 2년 된 것은 초진(初陳), 3년 된 것을 삼진(三陳)이라고 일컬음. 한국·중국·일본 및 아시아·북아프리카·동유럽에 분포함. 참매. 각응(角鷹). 송골매. 해동청(海東靑). 신우(迅羽).

〈매[7]❷〉

[매가 꿩을 잡아 주고 싶어 잡아 주나] 마지 못해 남의 부림을 당하는 처지를 이르는 말. [매 꿩 찬 듯] 암상이 나서 몸을 떠는 것을 이름. [매를 꿩으로 보다] 사나운 사람을 순하게 잘못 본다는 말. [매를 소리개로 본다] 잘난 사람을 못난 사람으로 잘못 본다는 말. [매 앞에 뜬 꿩 같다] 막다른 위기에 처해 있는 신세를 이르는 말.

매:[8] 명 〈방〉 뫼[4](경남).

매[9] 【梅】 명 성(姓)의 하나. 현재 우리 나라에는 본관이 충주(忠州) 하나 뿐임. 「컫던 말.

매[10] 【韎·昧】 명 〖악〗 상고(上古)에, 중국에서 우리 나라 음악(音樂)을 일

매[11] 【枚】 의명 ①종이나 널빤지 따위를 세는 데 쓰는 말. 장(張). ②한의학에서, 열매를 세는 데 쓰는 말.

매[12] 타 〈옛〉 '말겠다'의 뜻인 '마이'의 축약형. ¶ 자내 자손 나는 매 서로 勸홀만졍 ≪永言≫.

매:[13] 【每】 관 어떤 명사 앞에 쓰여서 '마다의, 각각의'의 뜻을 나타내는 말. ¶ ~ 경기 / ~ 회계 연도.

매:[14] 부 몹시 심하게. 또, 보통보다 더 공을 들여. ¶ ~ 닦다/~ 삶다.

매:[15] 감 양이나 염소의 울음 소리.

매[16] 부 〈옛〉 어찌. ¶ 賢弟를 매 니즈시리(維此賢弟寧或有忘), 忠臣을 매 모로시리(維此忠臣 寧或不知) ≪龍歌 74章≫. 「一毫末) ≪蒙法 12≫.

매[17] 조 〈옛〉 만큼. 만치. =마[10]·맛. ¶ 호다가 호 터럭 근매나 이시면(若有

매-[1] 부 어떤 명사 위에 붙어서, '결국 구별이 없음'을 나타내는 말. ¶ ~ 「일반이다/~한가지.

매-[2] 부 〈방〉 메-.

-매[1] 미 어떤 명사 아래 붙어, '맵시·모양·생김새'의 뜻을 나타내는 말. ¶ 몸~/눈~/옷~.

-매[2] 어미 받침 없는 어간에 붙어, 어떤 일을 전제적(前提的)으로 인정할 때 사용하는 연결 어미. ¶ 그가 돌아왔다 하~ 마음 놓았더니. *-으매.

매:가[1] 【每家】 명부 집집마다.

매가[2] 【妹家】 명 시집간 누이의 집.

매:가[3] 【買價】 [-까] 명 사는 값. ↔매가(賣價).

매:가[4] 【賣家】 명 집을 팖. 또, 그 파는 집. ——-하다 자여불

매:가[5] 【賣價】 [-까] 명 파는 값. 고권(估券). ↔매가(買價).

매가-도 【梅加島】 명 〖지〗 홍도(紅島).

매가리[1] 명 〖어〗 전갱이.

매가리[2] 명 〈속〉 맥. 기운.

매가리-없다 [-업-] 형 〈속〉 맥없다.

매가리-없이 [-업씨] 부 〈속〉 매가리없게.

매:-가오리 명 〖어〗 [*Halorhinus tobijei*] 매가오릿과에 속하는 바닷물고기. 머리 모양이 날개를 편 매와 비슷하고 몸의 폭이 매우 넓어 1m에 달함. 가슴지느러미는 머리의 양측에서 없어지고, 주둥이 전반에 한 개의 머리지느러미가 있음. 피부는 원활하고 등지느러미는 작으며, 꼬리는 채찍 모양으로 길고 꼬리 등 쪽에 한 개의 측편한 가시가 있음. 몸빛은 적갈색이고 아래쪽은 흼. 6-9월경 난생하는데, 한국·중국·일본의 남쪽에 분포함.

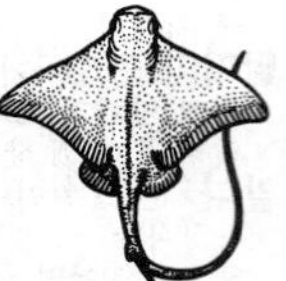

〈매가오리〉

매:가오릿-과 【-科】 명 〖어〗 [Myliobatidae] 가오리목(目)에 속하는 어류의 한 과. 매가오리가 이에 속함. 「자여불

매:가 육장 【賣家鬻莊】 명 집과 전장(田莊)을 다 팔아 없앰. ——-하다

매:각 【賣却】 명 물건을 팔아 버림. ¶ ~ 처분. ——-하다 타여불

매:각-손 【賣却損】 명 〖경〗 상품을 장부에 적힌 값보다 싸게 팔았을 때의 손해.

매:각-익 【賣却益】 명 〖경〗 상품을 장부에 적힌 값보다 비싸게 팔았을 때의 이익.

매:각 조건 【賣却條件】 [-껀] 명 〖법〗 강제 경매에서, 법원이 압류 부동산의 소유권을 경락인(競落人)에게 취득시키는 조건. 법률의 규정에 의한 법정 매각 조건과 이해 관계인(利害關係人)의 합의에 의한 특별 매각 조건이 있음.

매:각-환 【賣却換】 명 〖경〗 외환 은행이 고객에 대하여 외환을 매각하고 그 대금으로 자국 통화를 취득하는 일. ↔매입환(買入換).

매:-갈이 명 벼를 매통에 갈아서 매조미쌀을 만드는 일. 매조미(糙米). 조미(糙米). ——-하다 자여불

매:갈이-꾼 명 매갈이하는 사람.

매:갈잇-간 【-間】 명 매갈이하는 곳. 매조미간.

매개[1] 명 일이 되어 가는 형편.

매개(를) 보다 구 일이 되어 가는 형편을 살펴보다.

매:개[2] 【每箇】 명부 한 개 한 개. 낱낱.

매개[3] 【媒介】 명 ①둘 사이에 서서 어떤 일을 서로 맺어 줌. ¶ 전파를 ~로 하는 방송 문화. ②전파(傳播)하는 일. ¶ 말라리아를 ~하는 모기. ③〔도 Vermittelung〕 〖철〗 어떤 사물을 다른 사물을 통해서 존재시키는 일. 헤겔은, 직접적인 존재가 실은 타자(他者)에 의해서 조건지어진 존재이고, 모든 존재는 직접성과 매개성을 공유(共有)하고 있다고 생각했음. ④〖논〗 떨어져 있는 두 명사(名辭) 사이에서 두 명사의 관계를 맺어 주는 중간항(中間項)의 명사를 부여하는 작용. ⑤〖법〗 타인 사이의 법률 행위의 체결에 진력하는 사실 행위. ——-하다 타여불

매개 가치 【媒介價値】 명 교환의 매개자로서 평가될 때의 그 대상이 가지는 가치.

매개 개:념 【媒介概念】 명 〖논〗 중개념(中槪念).

매-개념 【媒槪念】 명 〖논〗 중개념(中槪念). 매개 개념.

매개념 애매의 허위 【媒槪念曖昧—虛僞】 [-/-에-] 명 〖논〗 중명사 양의의 허위.

매개 대:리상 【媒介代理商】 명 〖경〗 상행위에 매개를 인수(引受)한 대리상의 하나. ↔체약(締約) 대리상.

매:개-댕기 명 어여머리를 할 때, 이염족두리를 쓰고 다리를 얹어 고정시키는 댕기.

매개 모:음 【媒介母音】 명 〖언〗 어간과 어미 사이에서 발음의 원활(圓滑)을 위하여 삽입되는 모음. '갈으면'·'먹으며'의 '으'인데, 옛말에는 'ᄋ'·'으'의 두 가지가 있었음. 조모음(調母音). 조성 모음(調聲母音). 조음소(調音素). *매개 자음(媒介子音).

매개-물 【媒介物】 명 ①매개가 되는 물건. ②〔fomite〕 〖의〗 감염성 생물(感染性生物)에 오염되어 질병(疾病)을 퍼뜨린다고 생각되는 무생물체.

매개 변:수 【媒介變數】 명 〔parameter〕 〖수〗 몇 개의 변수 사이의 함수 관계를 간접으로 나타내기 위하여 쓰이는 변수. 경수(徑數). 조변수(助變數). 모수(母數). 파라미터. ↔독립 변수.

매개 변:수 표시 【媒介變數表示】 명 〖수〗 변수 사이의 관계를 매개 변수에 의하여 간접적으로 표시하는 일. 예를 들어, 함수(函數) $y=f(x)$ 또는 곡선(曲線) $F(x,y)=0$을 어떤 매개 변수 t를 사용하여 $x=\varphi(t)$, $y=\varphi(t)$라는 형태로 나타내었을 때, 이것을 함수 $y=f(x)$ 또는 곡선 $F(x,y)=0$의 매개 변수 표시라 함. 조변수 표시.

매개-자 【媒介者】 명 매개하는 사람.

매개 자음 【媒介子音】 명 〖언〗 어간 모음과 어미 모음 사이에 삽입하는 자음. '호+y+아→호야'에서 'y', '호리+j+어→호리여'에서 'j' 같은 것. *매개 모음(媒介母音). 「매체(媒體).

매개-체 【媒介體】 명 둘 사이에서 어떤 일을 맺어 주는 구실을 하는 것.

매거 【枚擧】 명 낱낱이 들어서 말함. ¶ 일일이 ~할 수 없을 정도로 많다. ——-하다 타여불

매거-법 【枚擧法】 [-뻡] 명 〖논〗 경험하는 사례(事例)를 매거 계산해서 그 결과를 개괄(槪括)하여 일반 명제(命題)를 얻는 방법.

매거진 〔magazine〕 명 ①잡지. ②화약고(火藥庫). ③필름을 감는 원통형의 기구. ④보고(寶庫).

매거진 래크 〔magazine rack〕 명 들어 옮길 수 있는 잡지·신문 꽂이틀.

매:고 【賣高】 명 ↗매상고(賣上高).

매-고르다 형르불 ①모두 비슷하다. ②모두 가지런하다.

매곡 【昧谷】 명 해가 지는 곳. 「었다.

매골[1] 명 사람의 꼴. 꼴이 못되었을 때에 쓰는 말. ¶ 평생 빌어먹을 ~을

매골[2] 【埋骨】 명 뼈를 묻음. ——-하다 자여불

매골 방자 【埋骨—】 명 죽은 사람이나 짐승의 뼈를 묻어서 남을 방자하는 것. ——-하다 자여불

[매골 방자를 하였나] 궁한 처지에 있는 사람을 두고 일컫는 말.

매:관 【賣官】 명 ↗매관 매직(賣官賣職)·매관 육작(賣官鬻爵). ——-하다 자여불

매:관 매:직 【賣官賣職】 명 돈이나 재물을 받고 벼슬을 시킴. 매관 육작(賣官鬻爵). 매직(賣職). ㊣매관(賣官). ——-하다 자여불

매:관 육작 【賣官鬻爵】 명 매관 매직(賣官賣職). ㊣매관(賣官). ——-하 「다 자여불

매광[1] 【煤礦】 명 탄광(炭鑛).

매:광[2] 【賣鑛】 명 광석을 팖. ——-하다 자여불

매괴 【玫瑰】 명 ①중국에서 나는 붉은 미석(美石)의 이름. ②〖식〗 해당화(海棠花). 때찔레. ③때찔레의 뿌리와 껍질에서 빼낸 물감.

매괴-경 【玫瑰經】 명 〖천주교〗 '로사리오의 기도❷'의 구용어.

매괴 성:월 【玫瑰聖月】 명 〖천주교〗 매괴경, 곧 묵주의 기도를 성심으로 염하는 달. 양력 10월.

매괴 신공 【玫瑰神功】 명 〖천주교〗 '로사리오의 기도❶'의 구용어.

매괴-유 【玫瑰油】 명 때찔레에서 짜낸 향유.

매괴-주 【玫瑰酒】 명 때찔레꽃으로 담근 술.

매괴-차 【玫瑰茶】 명 때찔레의 잎을 따서 만든 차.

매괴-화 【玫瑰花】 명 때찔레의 꽃.

매괴-회 【玫瑰會】 명 〖천주교〗 매괴경, 곧 묵주의 기도를 드리며 성모를 공경하는 신심회(信心會). 도미니쿠스 성자(聖者)가 천주의 계시(啓示)를 받아 세웠다 함.

매구[1] 명 〈방〉 꽹과리(경상).

매:구[2] 명 천 년 묵은 여우가 변하여 된다는 괴이한 짐승.

매구[3] 【媒媾】 명 매파(媒婆).

매:-구럭 명 매의 밥이나, 잡은 꿩을 넣어 가지고 다니는 구럭.

매구-북 명 〈방〉 〖악〗 소구.

매:국 【賣國】 명 ①나라를 팖. ②사리(私利)를 위하여 국가의 명예 및 복리를 적국에 팖. ¶ ~ 행위. ——-하다 자여불

매:국-노 【賣國奴】 명 매국하는 짓을 감행하는 놈.

매:국-적[1] 【賣國的】 명관 매국 행위를 하는 모양. ¶ ~인 언동.

매:국-적[2] 【賣國賊】 명 매국하는 역적.

매굽다 형 〈방〉 ①냅다(강원·충북). ②맵다(강원·충북·경북·제주).

매-굿 명 〈방〉 농악(農樂)(호남).

매굿(을) 치다 구 〈방〉 농악을 연주하다.

매:권 【每卷】 명부 한 권마다.

매귀 【埋鬼】 명 〖민〗 농촌의 민속 행사(民俗行事)의 하나. 음력 1월 2일부터 15일 사이에 농악단들이 농악을 하면서 부락 안을 한 바퀴 돈

다음, 집집마다 들어가 악귀(惡鬼)를 진압시키고 영복(迎福)을 빌어 줌. 호남과 영남 지방에서 많이 행하여짐. 지신밟기.
매귀-굿【埋鬼—】 명 〖민〗 매귀(埋鬼).
매귓-간 명 〈방〉 마구간(함남).
매그넘 포토스 〔Magnum Photos〕 명 국제적으로 저명한 보도 사진가들이 결성한 사진 통신사(寫眞通信社)의 명칭. 1947년에 발족하여, 본부를 파리와 뉴욕에 두고, 사진 잡지 등에 우수한 도큐먼트를 기고(寄稿)함. 회원은 23명.
매그니튜:드 〔magnitude〕 명 ①〖물〗 광도(光度)의 단위. ②〖지〗 지진(地震)의 규모를 나타내는 척도. 지진파(地震波)의 최대 진폭(振幅)을 바탕으로 하여 산출함. 진도(震度)가 땅의 흔들림의 강약을 나타내는 데 대하여, 이는 지진 그 자체의 대소를 나타냄. 기호 M.
매그로: 힐 사【—社】〔McGraw Hill〕 명 미국의 출판사. 교과서·과학 도서 및 청소년 취향의 잡지를 많이 간행함. 시청각 교육용 기재의 생산·판매도 활발함.
매금【寐錦】 명 〖역〗 옛 신라의 왕호(王號)의 하나. 주로, 5세기경의 고구려 금석문(金石文) 자료에 보임.
매금-왕【寐錦王】 명 〖역〗 신라 지증왕(智證王)이 중국식 왕호(王號)를 채택할 때 일시적으로 쓰인 왕의 칭호. *매금(寐錦).
매기[1] 명 〖건〗 집을 지을 때 서까래 끝을 가지런하게 자르는 일. 방구매기와 일자매기의 두 가지가 있음. ——-하다 자 여불
매기[2] 명 〈방〉 〖농〗 삯메기.
매기[3] 명 〈방〉 마개.
매:기[4] 명 ①수퇘지와 암소가 흘레하여 낳는다는 짐승. ② ☞ 튀기.
매:기[5]【每期】 명 부 정하여진 시기마다. ¶ ~에 배당금이 있다.
매:기[6]【買氣】 명 상품을 사려는 기분. 물건이 팔리는 기세. 살 사람들의 인기. ¶ ~가 없다.
매기[7]【煤氣】 명 ①그을음이 섞인 공기. ②석탄 가스 ❷.
매기[8]【霉氣】 명 장마 때 습기 있는 곳에 생기는 검푸른 곰팡이.
매기(가) 끼:다 구 물건에 검푸른 곰팡이가 끼다. 매기가 생겨 덮이다.
매기[9] 의명 〈방〉 막이.
매기[10] 부 〈방〉 ①마기. ②각각(함남).
매기다 타 차례·값·등수 따위를 정하다. ¶ 값을 ~/번호를 ~. 준매다.
매기단-하다 타 여불 일의 뒤끝을 깨끗하게 아물리거나 맺다.
매기-정【煤氣井】 명 등유(燈油)를 퍼내는 구덩이.
매김-꼴 명 〖언〗 '관형사형(冠形詞形)'의 풀어 쓴 이름.
매김-마디 명 〖언〗 '관형절(冠形節)'의 풀어 쓴 이름.
매김-말 명 〖언〗 '관형어(冠形語)'의 풀어 쓴 이름.
매김-씨 명 〖언〗 '관형사(冠形詞)'의 풀어 쓴 이름.
매김-자리 명 〖언〗 '관형격(冠形格)'의 풀어 쓴 이름.
매김자리-토씨 명 〖언〗 '관형격 조사(助詞)'의 풀어 쓴 이름.
매꼬라지 명 〈방〉 미꾸라지(경북).
매꼬랭이 명 〈방〉 바보(함남).
매꾸다 타 〈방〉 메우다[1](경남). 「를 맞는 아이.
매-꾸러기 명 장난을 하거나 또 그릇된 언행을 하여 어른에게 자주 매
매:꿰 명 '모의장이'의 변말. 「지다.
매끄러-지다 자 매끄러운 곳에서 밀리어 나가거나 넘어지다. <미끄러
매끄럽다 형 ㅂ불 ①거칠지 아니하고 반들반들하다. ¶ 마루가 아주 ~. ②성질이 수더분하지 못하고 붙임성 없이 약바르다. <미끄럽다.
매끈-거리다 자 반드러워 자꾸 밀리어 나가다. <미끈거리다. 매끈-매
매끈-대다 자 매끈거리다. 끈 부. ——-하다 형 여불
매끈덕-하다 형 〈방〉 매끈둥하다. 「있다. <미끈둥하다.
매끈둥-하다 형 여불 퍽 매끄러운 맛이 있다. 간드러지게 매끄러운 맛이
매끈-하다 형 여불 ①매끄러울 정도로 흠이나 거침새가 없이 밋밋하다. ¶ 바닥을 대리석으로 매끈하게 깔았다. ②차림새나 꾸밈새가 환하고 깔끔하다. ¶ 매끈하게 차리고 외출하다. ③생김새가 말쑥하고 곱다. ¶ 매끈하게 잘 생긴 얼굴. 1)-3): <미끈하다. 매끈-히 부
매끼[1] 명 섬이나 곡식뭇 같은 것을 묶는 데 쓰는 새끼 등속. 준매.
매끼[2] 명 〈방〉 매듭(경북).
매:-끼[3]【每—】 명 부 끼니마다. ¶ ~를 빵으로 때우다/~ 고기를 거르지
매:끽【賣喫】 명 팔아 먹음. ——-하다 타 여불 않다.
매낀-하다 형 〈방〉 매끈하다(경상).
매나니 명 ①일을 하는 데 아무 도구도 없이 맨손뿐임. ②반찬이 없는 밥. ¶ 아침을 ~로 때우다.
매-내다 자 〈방〉 면내다[1]. 「~/그라운드 ~가 좋다.
매너 〔manner〕 명 ①모양. 태도. ②풍습. 버릇. ③예의 범절. ¶ 테이블
매너리즘 〔mannerism〕 명 〖문〗 예술 창작에 있어서 독창성을 잃고 평범한 경향으로 흘러 표현 수단의 고정(固定)과 상식성(常識性)으로 예술의 생기(生氣)와 신선미(新鮮味)를 잃는 일. ¶ ~에 빠지다.
매:-년【每年】 명 부 해마다. 매세(每歲). 연년. 연차. 예년. ¶ ~ 정기 총
매누리 명 〈방〉 며느리(경상·전남). 회를 열다.
매뉴스크립트 〔manuscript〕 명 ①사본(寫本). 원고. ②영화 각본(脚本).
매뉴얼 〔manual〕 명 ①수동(手動). 특히 자동차에서, 변속 장치가 수동식임을 가리킴. ↔오토(auto). ②(제품(製品)의) 사용 설명서. 조작 설명서. 편람(便覽). 교범(敎範). ③〖악〗 오르간에서 손으로 연주하는 건반(鍵盤). *페달(pedal).
매뉴팩처 〔manufacture〕 명 제조업.
매:는-꼴 명 〖언〗 '구속형(拘束形)'의 풀어 쓴 이름.
매늘 명 〈방〉 며느리(경상).
매니저 〔manager〕 명 ①관리인. 지배인. 감독. ¶ 호텔의 ~. ②연예인 등에 딸리어, 섭외 교섭, 그 밖의 시중을 드는 사람.
매니저-병【—病】〔manager〕〔—뼝〕 명 유행병의 한 가지. 고급 관리·중역·대학 교수 등 육체 노동을 하지 아니하고 주로 두뇌 신경을 쓰는 사람에게 많은 병. 뇌출혈·위장 장애·협심증(狹心症)·노이로제 등.
매니지 〔manage〕 명 관리함. 처리함. 취급함. ——-하다 타 여불
매니지먼트 〔management〕 명 관리. 지배. 경영.
매니지먼트 게임 〔management game〕 명 〖경〗 경영 관리의 훈련에 사용하는 방법의 하나. 투자·생산·판매·광고 등 경영 요소들에 관하여 게임의 형식으로 5-8인의 훈련자(訓練者)가 각각 어떤 결정을 내려, 어느 사람의 결정에 의한 결과가 많은 이익을 가져오는가의 여부에 따라 승패를 가림. *매니지먼트 시뮬레이션.
매니지먼트 시뮬레이션 〔management simulation〕 명 〖경〗 경영의 현실 상태에 관한 확률적인 모델을 설정(設定)하고, 여기에 각종 정책을 적용하여, 그 효과를 미리 주어진 효과 측도(測度)에 따라 측정·비교함으로써, 가장 훌륭한 경영책을 추출(抽出)해 내려는 조작(操作). 매니지먼트 게임도 이의 일종임. 의태 모형(擬態模型)에서 최고의 효과를 내는 정책을 채용하려는 일. 의태 모형(擬態模型). *매니지먼트 게임.
매니큐어 〔manicure〕 명 ①손의 미용(美容). 손가락 특히 손톱을 아름답게 하는 화장법. 미조술(美爪術). ②손톱에 칠하는 화장품의 하나.
매니토:바 주【—州】〔Manitoba〕 명 〖지〗 캐나다 중부의 한 주. 프레리의 일부를 이루며, 남부는 밀 농사를 주로 하는 캐나다 제일의 농산지임. 북동부는 불모(不毛) 지대이나, 중부는 침엽 수림대(針葉樹林帶)가 있어, 제재(製材)·펄프 공업도 발달하고 금·아연·니켈·구리·석유 등의 지하 자원도 풍부함. 주도(州都)는 위니펙(Winnipeg). [649,950 km[2] : 1,026,000명(1981)]
「의 관념인 매니투의 신앙.
매니토:이즘 〔manitoism〕 명 〖종〗 아메리칸 인디언의 초자연적인 힘
매니투: 〔manitou〕 명 〖종〗 아메리칸 인디언들의 종교적인 한 관념. 신령보다도 넓은 초자연적인 힘. 아메리칸 인디언의 어떤 족속간에서는 독사(毒蛇)·독초(毒草)·총 같은 것으로 대표됨.
매니페스토 〔manifesto〕 명 ①선언. 성명. 선언서. 포고문. ②특히, 마르크스·엥겔스의 '공산당 선언'의 일컬음. ③적하 목록(積荷目錄).
매니폴드 〔manifold〕 명 하나의 주관(主管)으로부터 여러 개의 지관(枝管)이 갈라져 있는 관. 내연 기관의 흡입(吸入) 및 배출관 등에 사용함.
매:다[1] 타 ①풀리지 않게 잡아 동여 묶다. 끈이나 줄 따위의 두 끝을 엇걸어 잡아당겨 마디를 만들다. ¶ 옷고름을 ~/넥타이를 ~. ②여러 장의 종이를 겹쳐서 책을 만들다. 또, 어떤 물건을 꾸며 만들다. ¶ 책을 ~/붓을 ~. ③소·말·개 등의 가축을 달아나지 못하도록 말뚝 같은 데에 붙잡아 묶어 두다. ¶ 그늘에 소를 ~/개를 매어 놓고 기르다. ④줄 따위를 공중에 가로 걸거나 드리우다. ¶ 빨랫줄을 ~/그네를 ~. ⑤어떤 데에 떠나지 못할 관계를 가지게 하다. ¶ 직장에 목을 매고 사는 신세. ⑥베를 짜려고 날아 놓은 실을 풀을 먹여서 고루 쓰다듬어 말리어 감다.
매:다[2] 타 논이나 밭 같은 데에 난 잡풀을 뽑다. ¶ 논의 김을 ~.
매:다[3] 타 ↗매기다.
매단【昧旦】 명 매상(昧爽).
매:-달[1]【每—】 명 부 달마다. 다달이. ¶ ~ 30만 원의 수입.
매달[2]【媒達】 명 〖물〗 근접 ❷. 「에게 의지하다.
매:-달다 타 ①묶어서 드리우거나 걸다. ¶ 메주를 ~. ②자기 몸을 남
매:-달리다 ㊀ 피동 매닮을 당하다. ㊁ 자 ①붙들고 늘어지다. ¶ 철봉에 ~/어머니에게 매달리는 아이. ②줄기나 주장이 되는 것에 따라붙다. 또, 어떤 주장되는 사람에게 붙어 힘을 입다. ¶ 주렁주렁 매달린 포도송이/적은 수입에 일곱 식구가 ~/너무 그에게만 매달리지 마라/부모에게 매달려 살다. ③어떤 일에 관계하여 몸과 마음을 오로지 기울이다. ¶ 공부에 매달려 있다/요즈음은 낚시에 매달려 있다.
【매달린 개가 누워 있는 개를 웃는다】 남보다 못한 형편에 있으면서 남을 오히려 비웃는다는 뜻. *똥 묻은 개가 겨묻은 개를 나무란다.
매답 명 〈방〉 매듭(전라).
매:대기 명 ①반죽이나 진흙이나 똥 같은 것을 함부로 아무 데나 뒤바르는 짓. ②정신을 잃고 아무렇게나 하는 몸짓.
매:대기(를) 치다 구 ㉠진흙이나 똥 같은 것을 함부로 아무 데나 뒤바르다. ¶ 벽에 진흙을 ~/얼굴에 분을 ~. ㉡정신을 잃고 함부로 몸짓을 하다. ¶ 온 방안을 매대기치며 잔다/숙경은 남편의 무릎 위에 엎디어 매대기를 치며 울었다《李無影: 三年》.
매대끼 명 〈방〉 매듭(경북).
매대채 명 〈방〉 〖식〗 물레나물.
매-댕이 명 〈방〉 절굿공이(전남).
매:덕【邁德】 명 뛰어난 덕행(德行).
매-도[1]【梅島】 명 〖지〗 전라 남도의 서해상(西海上), 신안군(新安郡) 팔금면(八禽面)에 위치하는 섬. 나주 군도(羅州群島)에 속함. [0.431 km[2] : 71명(1984)]
매:도[2]【罵倒】 명 몹시 꾸짖음. 심히 욕함. 매리(罵詈). ——-하다 타 여불
매:도[3]【賣渡】 명 물건을 팔아 넘김. 매여(賣與). ——-하다 타 여불
매:도 건:옥【賣渡建玉】 명 〖경〗 건옥에 있어서, 그것이 매도일 경우에 이르는 말. ↔매수 건옥(買受建玉).
매:도 담보【賣渡擔保】 명 〖법〗 담보물을 매도한 형식을 취하여 차주(借主)가 필요로 하는 자금을 대금(代金)의 형식으로 받고 일정한 기간내에 원리(元利)에 상당한 금액으로 이것을 다시 사는 방법을 취하는 담보 형태. *매도 저당(賣渡抵當)·매도질(賣渡質).
매:도 저:당【賣渡抵當】 명 〖법〗 담보권자(擔保權者)에게 그 점유(占有)를 옮기지 아니한 매도 담보. ↔매도질(賣渡質).
매:도 증서【賣渡證書】 명 ①물건을 팔아 넘길 때에 그 팔았다는 사실

을 증명하는 문서. ②〖법〗부동산 매매 계약의 이행으로서 소유권을 이전하는 경우, 이전 등기의 신청시에 등기소에 제출되는 등기 원인을 증명하는 서면. 매도인이 매수인 앞으로 써 주는 것으로, 대금을 틀림없이 수령하고 확실히 매도하였다는 사실을 증명하는 문서임.

매:도-질【賣渡質】명〖법〗담보권자(擔保權者)에게 그 점유(占有)를 옮긴 매도 담보. 양도질(讓渡質). ↔매도 저당. 「총칭.

매:도-측【賣渡側】명 거래소에서, 증권을 파는 사람 또는 팔 사람의

매독【梅毒】명〖의〗성병의 한 가지. 스피로헤타 팔리다(Spirochaeta pallida)라는 나선균(螺旋菌)에 의하여 감염되는 만성 전염병(慢性傳染病). 환자의 음부(陰部) 또는 입으로부터 전염하고 선천적으로는 모체(母體)로부터 전염하며, 전염한 지 3 주일 후에 발병함. 제1기는 병독 침입부(病毒侵入部)에 초기 경결(硬結)에 이어서 경성(硬性) 림프절염이 생기고, 제2기는 전염 후 약 3개월에 시작되며, 병균이 온 몸에 퍼지고, 두통·미열·권태감·빈혈 증상을 보이면서 모발이 빠짐. 제3기는 감염 후 3년 만에 일어나 내장(內臟)·근육(筋肉)·뼈 등이 침범당하여, 피부에 파괴성(破壞性) 종기가 생기며, 제4기는 감염 약 12년 후에 마비성 치매(癡呆)·척수염(脊髓炎) 등을 일으킴. 당창(唐瘡). 양매창(楊梅瘡). 창병(瘡病). 창질(瘡疾). 창(瘡).

매독성 관절염【梅毒性關節炎】[一렴] 명〖의〗만성 감염성 관절염(慢性感染性關節炎)의 하나. 매독균의 감염에 의한 관절염.

매독성 림프절염【梅毒性一節炎】〔lymph〕[一렴] 명〖의〗매독균이 림프선에 감염되어 발생하는 염증. 강낭콩 또는 손가락만한 크기의 무통성(無痛性)의 딱딱한 종창(腫瘡)이 생김.

매독-종【梅毒腫】명〖의〗고무종.

매독-진【梅毒疹】명〔syphilid〕〖의〗매독의 제2기(期)에 볼 수 있는 피진(皮疹). 원형(圓形) 또는 타원형의 적색진(赤色疹)임.

매돕 명〈방〉매듭(전남).

매동가리 명〈방〉매듭(경북).

매동-그리다 타 매만져서 몽똥그리다. ¶짐을 매동그리고 피난 길에 나서다/아버지하고 의논해서 여러 가지 일을 매동그려야겠습니다《朴景利 : 波市》.

매:-되【每一】명부 한 되 한 되마다. 각 되마다. 매승(每升).

매:-두【每斗】명부 한 말 한 말마다. 각 말마다. 매말.

매:-두락【每斗落】명부 한 마지기마다. 매마지기.

매두 몰신【埋頭沒身】[一씬] 명 ①일에 파묻혀 헤어나지 못함. ¶이 동립이… 당장 칠성 어미 입에서 무슨 말이 나올 것 같으니까 겁이 어찌 아니 나리요, ~을 하고 또 말 한 마디를 염치없이 하더라《李海朝 : 九疑山》. ②일에 덤벼들어 물러날 줄을 모름. ——-하다 자여불

매:-두피 명 매를 산 채로 잡는 기구. 닭의 둥우리같이 생겼는데 조금

매둡 명〈방〉매듭(경기·전남). ㄴ작음.

매:득¹【買得】명 ①물건을 싸게 삼. ②매입(買入). ——-하다 타여불

매:득²【賣得】명 물건을 팔아서 그 대금(代金)을 얻음. ——-하다 타여불

매:득-금【賣得金】명 팔아서 얻은 돈.

매:득-물【買得物】명 ①싸게 산 물건. ②산 물건.

매듬 명〈방〉매듭(전북·경북).

매듭 명〔중세 : 미둡〕①노·실·끈 같은 것을 잡아맨 자리가 볼록하게 된 곳. 또, 이 원리로 재료를 맺어 장식·실용에 응용하는 여러 가지 방법 및 그 공예(工藝). ¶~을 맺다/~이 풀리다. ②어떤 일에서 잘 풀리지 않고 맺히거나 막힌 부분. 또, 일의 순서를 따른 한 가지 씩의 결말.
매듭(을) 짓:다 구 ㉠매듭을 만들다. ㉡일을 그 순서대로 한 가지씩 결말을 짓다.

매듭 단추 명 매듭을 지어 만든 단추.

매듭-수【一繡】명 실을 바늘에 감아 매듭지게 놓는 수.

매듭-술 명 갖가지 실로 매듭지게 꼰 술. 가마·깃발·옷 등의 둘레에 달아 장식용으로 씀.

매듭 자:반【一佐飯】명 다시마를 잘라 후추를 한 개씩 싸서 동여매고 기름에 지진 반찬. 결자반.

매듭-장【一匠】명 전통적인 매듭 공예의 기술자. 중요 무형 문화재 제 22 호로 지정됨.

매듭지어-잇기 명 바느질할 때, 도중에 끝난 실을 매듭을 지어 마치고, 새 실로 매듭을 지어 새로 꿰매기 시작하는 일.

매듭-풀 명〖식〗[*Kummerowia striata*] 콩과에 속하는 일년초. 줄기 높이 10-40cm 가량. 잎은 호생하는데, 삼출(三出)하며, 소엽(小葉)은 긴 거꿀달걀꼴임. 8-9월에 연분홍 꽃이 액출(腋出)하며, 과실은 협과(莢果)를 맺음. 들이나 길가에 나는데, 한국 각지 및 동부 아시아·북아메리카에 분포함. 계안초(鷄眼草).

〈매듭풀〉

매등-가리 명〈방〉마디❶❷(전남·충청).

매디¹ 명〈방〉매듭(강원·전남·경상).

매디² 명〈방〉마디❶❷(함남).

매디비 명〈방〉마디❶❷(함남).

매디슨〔Madison, James〕명〖사람〗미국의 정치가. 연방 헌법의 기초·제정에 활약, '헌법의 아버지'로 불림. 민주 공화당에 들어가 국무장관을 거쳐 제4대 대통령이 됨. 많은 저서가 있음. [1751-1836]

매디슨 애버뉴〔Madison Avenue〕명 미국 뉴욕의 한 가구(街區). 광고 대리업·방송국 등이 집중되어 있어 미국 광고계의 대명사(代名詞)처럼 불리어짐.

매때기 명〈방〉〖충〗메뚜기(전라·경남·함남).

매뙬기 명〈방〉〖충〗메뚜기(평북).

매뚜기 명〈방〉〖충〗메뚜기(전남·경남).

매뜨이 명〈방〉〖충〗메뚜기(경남).

매띄기 명〈방〉〖충〗메뚜기(경상).

매띠 명〈방〉〖충〗메뚜기(경남).

매라지 명〈방〉〖충〗매미.

매래미 명〈방〉〖충〗매미(경남).

매래이 명〈방〉〖충〗매미(경남).

매랭이 명〈방〉〖충〗매미(경상).

매러치 명〈방〉〖어〗멸치(경남).

매러케인〔marocain〕명 여성용 양장감 등으로 쓰는 견직물의 한 가지. 견사와 털실 또는 인조견과의 교직 및 순모직도 있음.

매럿〔Marett〕명〖사람〗마레트.

매:려【買戾】명 '환매(還買)'의 구용어.

매력【魅力】명 이상하게 눈이나 마음을 호리어 끄는 힘. ¶성적 ~/~

매력-적【魅力的】명관 매력이 있는 모양. ¶~인 여자. ㄴ있는 남성.

매련¹ 명 어리석고 둔하여 터무니없는 고집을 부리는 태도와 행동. <미련. ——-하다 형여불

매련²【一鍊】명〈방〉마련(磨鍊)(평북). ——-하다 타

매련-스럽다 형ㅂ불 매련하게 보이다. <미련스럽다. 매련-스레 부

매련-쟁이 명 매련한 사람. <미련쟁이.

매련-통이 명 몹시 매련한 사람의 별명. <미련통이.

매렵다 형〈방〉마렵다.

매례【昧例】명 관례(慣例) 등에 어두움. ——-하다 형여불

매:로-전【買路錢】명 도둑이 불법으로 길을 막고 지나는 사람들에게서 ㄴ강제로 받던 통행료.

매롱 명〈방〉〖충〗매미(경상).

매롱이 명〈방〉〖충〗매미(경북).

매료【魅了】명 완전히 매혹됨. 호림. 홀림. ¶독자의 마음을 ~하다. ——-하다 자타여불

매리¹ 명〈방〉〖식〗메밀(함남).

매:리²【罵詈】명 욕하고 꾸짖음. ——-하다 타여불

매리너 계:획【一計劃】〔Mariner〕명 1962년부터 미국의 항공 우주국이 실시하고 있는 일련의 혹성 탐사 계획. 1962년에 발사한 매리너 2호와 1967년에 발사한 5호는 금성 로켓으로, 금성에 접근하여 관측 자료를 송상(送像)한 바 있고, 1964년의 4호, 1969년의 6호·7호, 1971년의 9호는 화성(火星) 로켓으로, 화성 탐색에 귀중한 자료를 제공하였으며, 1973년에는 수성 탐사기 매리너 10호를 발사했음. *아폴로 계획.

매리-복 명〖어〗[*Sphoeroides vermicularis*] 참복과에 속(屬)하는 복의 하나. 몸길이 18cm 내외이고 머리는 짧음. 몸빛은 암갈색 바탕에 체측에 중앙에서 위쪽으로 푸른 빛을 띤 흰 빛의 불규칙한 구름 무늬가 밀포함. 등지느러미와 뒷지느러미는 대생(對生)함. 눈의 홍채(紅彩)가 황적색이고 양턱에 각각 두 개의 치판이 있음. 한국 동서해 및 일본 중부 이남에 분포함.

〈매리복〉

매리이 명〈방〉〖충〗매미(경북).

매리치 명〈방〉〖어〗멸치(경남).

매린〔Marin〕명〖사람〗마린.

매림【梅霖】명 매우(梅雨). 「여불

매립【埋立】명 ①땅을 메워 올림. ¶~지. ②매축(埋築). ——-하다 타

매링이 명〈방〉〖충〗매미(경상).

매:-마【每碼】명부 한 마마다.

매:-마지기【每一】명부 한 마지기마다. 매두락(每斗落).

매-만지다 타 ①잘 가다듬어 손질하다. 다듬다. ¶머리를 ~. ②어루만

매:-말【每一】명부 한 말마다. 매두(每斗). ㄴ지다.

매-맛 명 매를 맞아 아픈 느낌. ¶~을 좀 보련?

매-맞다 자 때리는 매를 얻어맞다. 「히 부

매매¹【昧昧】명 아는 것이 없어 일에 어두움. ——-하다 형여불. ——

매:매²【浼浼】명 창피할 정도로, 거절하는 태도가 야멸침. ——-하다 형여불. ——-히 부 ㄴ가 활발하다. ——-하다 타여불

매매³【賣買】명 물건을 팔고 사고 하는 일. 흥정. 매수(買售). ¶부동산 ~

매:-매⁴ 부 몹시 심하게 자꾸. ¶~ 빻다/~ 젓다/~ 묶다.

매:매⁵【每每】부 번번이. 매번.

매:-매⁶ 감 양·염소가 계속하여 우는 소리.

매매 가격【賣買價格】[一까一] 명〖경〗실제로 매매되는 가격. ↔액면가격(額面價格). *실가(實價).

매매 결혼【賣買結婚】명〖사〗매매혼(賣買婚).

매매 기준율【賣買基準率】[一뉼] 명〖경〗은행 간 외환 거래 및 대(對)고객 외환 매매의 기준으로 활용되는 그날그날의 고시 환율. 전날 은행간에 거래된 외환의 환율을 거래량으로 가중 평균하여 산출함.

매매 단위【賣買單位】명 증권 거래소에서, 매매 대상이 되는 유가 증권의 최소 단위.

매매 사:례 비:교법【賣買事例比較法】[一뻡] 명〖법〗재산의 감정평가에서, 대상 물건(物件)과 동일성 또는 유사성(類似性)이 있는 다른 물건의 매매 사례와 비교하여 가격을 추정하는 방법. 이 방법으로 산정(算定)된 감정 가격을 유추(類推) 가격이라 함. 「름.

매매-성【賣買城】명〖지〗'마이마이청(賣買城)'을 우리 음으로 읽은 이

매매 수:량 단위【賣買數量單位】명 증권 시장에서 행하는 매매 거래(賣買去來)의 최저(最低) 단위.

매매 약정 대:금【賣買約定代金】명〖경〗증권 거래에 있어서, 사는 사람과 파는 사람 서로간에 매매 거래(賣買去來)가 이루어진 계약에 의한 양도(讓渡) 대금.

매매-익【賣買益】명 재물을 매매하는 데서 얻는 이익.

매매-장【賣買帳】[一짱] 명 사고 팔고 하는 일의 내용을 적은 장부.

매매 증거금【賣買證據金】명 증권 회사가 거래소에서 매매 계약을 체결한 후 미결제된 수량에 대하여 거래소에 납부하는 증거금.

매매-혼【賣買婚】명〖사〗혼자(婚資)를 신랑 집에서 신부 집에 지급(支給)함으로써 성립되는 혼인. 미개(未開) 사회에서 널리 행하여짐. 신부를 산다는 것보다도 신부의 노동력에 대한 보상(補償)의 뜻이 많음. 매매 결혼(賣買結婚).

매머드〔mammoth〕명 ①〖동〗[*Mammuthus primigenius*] 코끼릿과에 속하는 화석 동물. 코끼리와 비슷하나, 훨씬 크고 흑색의 긴 털과 9cm나 되는 피하 지방층(皮下脂肪層)이 있어 한랭(寒冷) 기후에 대한 적응도가 크고, 3m에 달하는 만곡된 어금니가 있었음. 1700년 이래 시베리아·북미 등지에서 많은 화석이 발견되었는데 1901년에는 동부 시베리아에서 동결(凍結)된 사체가 발견되어 인도코끼리와 관계가 있음이 판명되었고, 식물 조각·꽃가루 등 위(胃) 속의 찌꺼기에서 당시의 식물의 생태·분포 및 기후 등이 추정(推定)되고 있음. 제4기 홍적세(洪積世)에 알프스 산맥·카프카스 산맥 이북의 구아(歐亞) 대륙 및 멕시코 이북의 북미 대륙에 널리 분포하였었음. 고상(古象). 마모트(mammot). ②전(轉)하여, '거대(巨大)한 것'의 뜻. ¶ ~ 도시(都市)/~ 빌딩.

〈매머드❶〉

매머드-나무〔mammoth〕명〖식〗세쿼이아(sequoia).

매머드 케이브〔Mammoth Cave〕명〖지〗미국 켄터키 주(州) 남부에 있는 세계 최대의 동굴(洞窟). 1799년에 발견되어 현재까지 탐험된 동굴의 총연장은 240km, 5단(段), 최저 지하 120m로 스틱스(Styx)·에코(Echo) 등의 여러 강이 흐름. 170여 종의 조류, 60여 종의 파충류 및 맹어(盲魚) 등의 진귀한 동식물과 종유석(鍾乳石)·석순(石筍) 등이 있어서 전세계의 관광객이 몰려드는 미국의 천연 국립 공원임. [205km^2]

매:-명[1]【每名】명부 매인(每人).

매명[2]【昧冥】명 세상 일에 어두움. ——하다 형여불

매명[3]【埋名】명 이름을 숨김. 세상에 알려지지 아니함. ——하다 자여불

매:명[4]【買名】명 금품이나 수단을 써서 명예를 얻음. ——하다 자여불

매:명[5]【賣名】명 재물이나 권리를 얻으려고 이름이나 명예를 팖. ¶ ~ 행위. ——하다 자여불

매-명사【媒名辭】명〔middle term〕〖논〗매개념(媒槪念)을 언어로써 나타낸 그 말. 중명사(中名辭). 매사(媒辭).

매명사 애매의 허위【媒名辭曖昧—虛僞】[—/—에—] 명〖논〗중명사 양의의 허위.

매:명-주의【賣名主義】[—/—이] 명 실속은 없이 자기 이름만을 떨치려고 하는 태도나 경향.

매:명-하【每名下】명부 한 사람 한 사람 앞마다. 매사람 앞. 매인전(每人前).

매:-목[1]【—目】명〖조〗[Falconida] 조류(鳥類)에 속하는 한 목. 맷과(科)·독수릿과·물수릿과 등으로 분류함. 취응류(鷲鷹類).

매목[2]【埋木】명 지질 시대(地質時代)의 수목(樹木)이 오랫동안 물 속이나 흙 속에 매몰(埋沒)되어 화석(化石)과 같이 된 것.

매목 세:공【埋木細工】명〖공〗매목으로 세공하는 일. 또, 매목으로 만든 세공품.

매몰【埋沒】명 파묻음. ——하다 타여불

매몰-림【埋沒林】명〖지〗예전에 땅 위에 있었던 삼림(森林)이 그냥 바다 속에 파묻힌 것.

매몰-스럽다 형ㅂ불 보기에 매몰한 태도가 있다. 매몰-스레 부

매몰 요법【埋沒療法】[—료뻡] 명〖의〗뇌하수체(腦下垂體)·태반(胎盤) 같은 장기(臟器)를 환자의 몸 속에 매몰하여 병 치료를 돕는 요법.

매몰 원가【埋沒原價】[—까] 명〖경〗어떤 생산 활동에 일단 투입(投入)한 다음에는 그 생산을 중지한 경우에도 회수할 수 없는 비용.

매몰-차다 형 아주 매몰하다. ¶ 매몰찬 성격.

매몰-토【埋沒土】명〖지〗비사(飛砂)·화산(火山) 재·산(山) 사태 등 새로운 퇴적물(堆積物)에 매몰된 토양.

매몰-하다 형여불 인정이나 붙임성이 없이 독하고 쌀쌀하다.

매무새 명 매무시한 뒤의 모양새. ¶ 옷~.

매무시 명 옷을 입을 때 매고 여미고 하는 뒷단속. ¶ 급히 옷 ~를 고치다. ——하다 자여불

매:문[1]【每文】명〖문〗시(詩)·표(表)·부(賦)·책(策)·전기(傳記) 등 체(體)가 다른 여러 가지의 글.

매:문[2]【賣文】명 글을 지어 주고 돈을 받음. 지은 글을 팖. ——하다 자여불

매:문 매:필【賣文賣筆】명 글이나 글씨를 팖. ——하다 자여불

매-문정【梅文鼎】명〖사람〗중국 청(淸)나라 때의 수학자. 동서양의 수학에 통달하였으며, 그가 저술한 문헌을 모은 《매씨 역산 전서(梅氏曆算全書)》는 동양(東洋) 각국 수학의 연구 서적으로 유명함. [1633-1721]

매물[1] 명〈방〉〖식〗메밀(경상·전남).

매:물[2]【每物】명 쓰기에 긴한 여러 가지 물건. 매개(每個)의 모든 물건.

매:물[3]【賣物】명 팔 물건. ¶ ~로 내놓다.

매:물-도【每勿島】[—또] 명〖지〗경상 남도 통영시(統營市) 한산면(閑山面) 매죽리(每竹里)에 위치한 섬. 등대가 설치되어 있으며, 쌀·보리·콩·해조류·패류 등이 남. [2.4 km^2]

매:미 명〖충〗매밋과에 속하는 곤충의 총칭. 몸은 방추형(紡錘形)에 가깝고, 두부(頭部)는 두꺼움. 몸길이는 날개 끝까지 포함하여 2-7cm임. 날개는 두 쌍 있고, 투명 또는 불투명한 막질(膜質)을 이루어 날기에 적합함. 머리 좌우에 한 쌍의 복안(複眼)이 있고, 그 사이에 세 개의 단안(單眼)이 있음. 촉각은 짧고 가늘며, 다리는 세 쌍임. 입은 긴 관상(管狀)으로 수액(樹液)을 빨아 먹음. 수컷은 복부 기부(基部)에 있는 발성기(發聲器)로 욺. 우는 소리에 따라서 종류를 구별할 수 있음. 암컷은 수피(樹皮) 등에 산란함. 유충은 흙 속에서 나무 뿌리의 양분을 빨아먹고 생활하며, 보통 6-7년 걸려 성충이 됨.

매:미-꽃 명〖식〗[*Coreanomecon hylomeconoides*] 양귀비과에 속하는 다년초. 꽃 줄기는 뿌리에서 하나씩 또는 여러 줄기가 총생(叢生)하며, 높이는 20cm가량임. 잎은 뿌리에서 족생(簇生)하고 장병(長柄)에 우상 복생(羽狀複生)함. 6-7월에 노란 꽃이 꽃 줄기 끝에 3-10 송이씩 족생해서 피며, 삭과(蒴果)를 맺음. 산지의 음습지(陰濕地)에 나는데, 지리산에 분포함.

매:미-나방 명〖충〗[*Lymamtria dispar*] 독나방과에 속하는 곤충. 암컷의 몸길이 30mm, 편 날개 80mm, 수컷의 몸길이 20mm, 편 날개 50mm 가량임. 몸빛은 암컷이 백색, 수컷은 암갈색에 앞 날개의 아기선(亞基線)과 내외 횡선은 암색임. 유충은 거칠고 뻣뻣한 털이 있고, 배면(背面) 각 환절에는 검은 혹이 한 쌍씩 났음. 한 해 1회 발생함. 과수(果樹)·상수리나무·낙엽송 등의 해충이나 암수의 간성 실험(間性實驗) 재료에 씀. 전세계에 분포함. '집시 모스(gypsy moth)'의 별명이 있음.

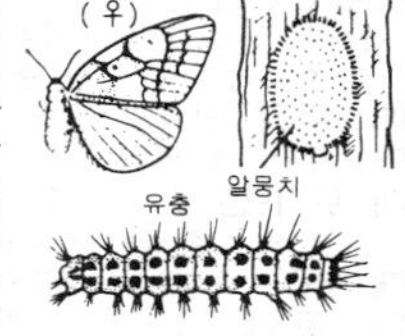

〈매미나방〉

매:미-목【—目】명〖충〗[Hemiptera] 곤충강(昆蟲綱)에 속하는 한 목(目). 두 쌍의 날개가 있으나 변화·퇴화(退化)하기도 하며, 입은 흡수구(吸收口)로 아랫입술이 침상(針狀)으로 변하였음. 수서(水棲)·육지(陸地) 서식이 있고, 완전 변태·불완전 변태가 있음. 이시아목(異翅亞目)과 동시아목(同翅亞目)으로 분류하고, 매밋과(科)·진딧물과·송장헤엄치갯과·빈대과·멸굿과·물장군과·깨알소금쟁잇과 등이 이에 속함. 반시류(半翅類). 유문류(有吻類).

매:미-채 명 매미를 잡는 데 쓰는 채. 긴 막대 끝에 포충망 등을 매닮.

매:미-충【—蟲】명〖충〗매미충과(科)·말매미충과(科) 등에 속하는 곤충의 총칭. 대개 몸 길이 3-13mm이고 멸구류(類)와 더불어 농작물(農作物)의 큰 해충(害蟲)이며 바이러스를 매개(媒介)하는 것도 있음. *멸구.

매:미충-과【—蟲科】[—꽈] 명〖충〗[Jassidae] 매미목(目)에 속하는 한 과. 멸굿과·말매미충과(科)와 가까운 종류로서, 더듬이가 짧은 실 모양이며, 그 기부(基部)는 가늚. 끝검은매미충·모무늬매미충 등 종류가 많음.

매밀 명〖식〗〈방〉메밀(함경·전남).

매:밋-과【—科】명〖충〗[Cicadidae] 매미목(目)에 속(屬)하는 한 과. 좌우로 돌출한 한 쌍의 복안과 5-9절로 된 침상(針狀)의 촉각이 있고, 복부에 보통 수컷은 발성기가 있으며, 단안은 세 개가 '∴'형으로 두정에 자리잡고 있음. 여러 가지 식물의 조직 속에 산란된 알은, 2-6주간에 부화되어, 땅 속에서 생활하다가 2-7년 또는 13-17년 만에 성충이 됨. 성충은 탈피(脫皮)한 후에 1-3주일 정도 살다가 죽음. 전세계에 1,500여 종, 한국에는 매미·참매미·뿔매미·쇠깔깔매미·기름매미·씽씽매미·쓰르라미·쓰름매미·애매미 등의 20여 종이 분포함.

매:-바리【每—】명부 한 바리마다. 매태(每駄).

매:발톱-꽃 명〖식〗[*Aquilegia oxysepala*] 성탄꽃과에 속하는 다년초. 줄기 높이 1m 내외, 잎은 근생엽(根生葉)인데 여러 개가 족생(簇生)하고, 장병(長柄)이며, 이회 삼출(二回三出)하며 뒷면이 분처럼 흼. 6-7월에 가지 위에 장경(長梗)이 나와 자갈색의 꽃이 꽃꼭지 끝에 하나씩 달려서 피며, 골돌과(蓇葖果)를 맺음. 산지에 나는데, 거의 한국 각지에 분포함. 저환(苧環).

〈매발톱꽃〉

매:발톱-나무 명〖식〗[*Berberis amurensis* var. *japonica*] 매자나뭇과에 속하는 낙엽 활엽 관목. 가시가 있고 잎은 주걱형(形) 또는 거꿀달걀꼴의 타원형으로 날카로운 톱니가 있음. 4-5월에 노란 꽃이 액출하여 총상(總狀) 화서로 핌. 과실은 장과(漿果)로 타원형 또는 긴 타원형인데, 9월에 붉게 익음. 산기슭이나 산중턱에 남. 가지와 잎은 약재·물감 및 울타리의 재료로 씀. 한국 및 일본·만주·중국·시베리아·아무르 등지에 분포함.

〈매발톱나무〉

매:-방【每放】명부 총이나 대포를 쏠 때마다.

매-방아 명〈방〉맷돌(경기).

매:-방울 명 사냥하는 매의 꽁지에 다는 방울. ¶ 홍수는 ~ 소리를 들은 꿩처럼 자기 방에 들어박혀서 인기척도 내지 않는다《李無影 : 三年》.

매:방 초시【每榜初試】명 과거(科擧)의 초시(初試)에는 언제나 급제하고 복시(覆試)에는 낙방(落榜)함. ——하다 자여불

매:-번【每番】부 번번이. ¶ ~ 같은 말만 하다/~ 실패하다.

매병[1]【梅甁】명 아가리가 작고 어깨 부분은 크며 밑이 홀쭉하게 빠진 모양의 병.

매병[2]【煤病】명〖식〗식물병(病)의 하나. 패각충·진딧물 등의 배설물이 넓은 잎나무를 침범하여 갈색의 사상균(絲狀菌)이 붙어서, 검정을 덮어쓴 것같이 되는 병.

매:-보【每步】명부 걸음마다. 매걸음.

매복[1]【埋伏】명 ①일정한 곳에 숨어 있음. ②복병(伏兵)을 둠. 복병으로서 숨어 있음. ¶ ~ 기습. ——하다 자여불

매:복[2]【賣卜】명 점을 쳐 주고 돈을 받음. ——하다 자여불

매복-병【埋伏兵】명〖군〗적군을 불시에 공격하거나 동태를 살피기 위하여 몰래 숨어 있는 병사. *복병(伏兵).

매:복-자【賣卜者】명 점쟁이.

매복-전【埋伏戰】명〖군〗매복하여 있다가 불시에 적을 습격하여 벌이는 전투.

매복-증【埋伏症】명〔impaction〕〖의〗①신체의 일부가 매몰한 상태.

②뼈의 일부가 다른 뼈의 일부에 단단하게 끼여 들어가서 움직일 수 없이 된 상태.

매복-치【埋伏齒】명〖생〗치관(齒冠)의 전부 또는 대부분이 잇몸 속에 매몰된 이. 전자를 완전 매복치, 후자를 불완전 매복치라고 함.

매:-봉【每封】명부 한 봉지마다.

매:봉-산【每峰山】명〖지〗강원도 영월군(寧越郡) 상동읍(上東邑)에 있는 산. [1,288 m]

매부【妹夫】명 누이의 남편. 손윗누이나 손아랫누이의 남편의 통칭. [매부 밥 그릇이 클싸해한다] 처갓집에서 사위는 대접을 잘 받으므로 오라비 되는 이는 늘 이것을 샘하고 부러워한다는 말.

매:-부리[1] 명 매를 맡아 기르고 부리는 사람.

매:-부리[2] 명 매의 주둥이. 매의 부리.

매:부리-징 명 신 뒤축에 박는 징. 모양이 매부리처럼 대가리가 타원형으로 되고 한쪽이 삐죽함.

매:부리-코 명 매부리같이 끝이 뾰족하게 내리 숙은 코. 또, 그러한 사람.

매:-분【每分】명부 일 분마다.

매:분-어【每分語】명〔word per minute; WPM〕〖통신〗전신(電信) 시스템에 의해서 통보가 전송되는 속도를 나타내는 단위.

매:-붙이[─부치] 명〖충〗[*Homorocoryphus lineosus*] 여칫과에 속하는 곤충. 몸길이는 날개 끝까지 40-50 mm이고, 몸빛은 녹색 또는 담갈색으로, 두정 돌기(頭頂突起)의 아랫부분에 갈고리가 없음. 앞 날개의 경맥(徑脈) 앞뒤에 검은 반점이 있고, 수컷의 미모(尾毛) 끝에는 두 개의 가시가 있음. 성충은 한 해에 한 번 8-9월에 발생하는데, 풀밭에서 해질 무렵이 되면 '지이'하고 높게 울. 일본·중국·대만·한국 남부·인도·미얀마 등지에 분포함.

〈매붙이〉

매비【埋祕】명 슬쩍 묻어서 감춤. ──-하다 타여불

매:사[1]【每事】명부 일마다. 모든 일. ¶ ~에 조심하라.
매:사는 간(看)주인 구 모든 일은 주인이 몸소 맡아 하여야 한다는 뜻.
매:사는 불여(不如)튼튼 구 어떤 일이든지 튼튼히 하여야 한다는 말.

매사[2]【昧死】명 죽기를 무릅쓰고 상소(上疏)함. 자기 말이 부당하면 죽음으로써 사죄하겠다는 뜻.

매사[3]【昧事】명 사리(事理)에 어두움. ──-하다 형여불

매사[4]【媒辭】명〖논〗매명사(媒名辭).

매:사 가:감【每事可堪】명 어떤 일이든지 해낼 만함. ──-하다 형여불

매:-사냥 명 길들인 매로 꿩이나 그 밖의 새를 잡는 사냥. 방응(放鷹). ──-하다 자여불

매:사냥-꾼 명 매사냥을 하는 사람.

매사니 명〈방〉메아리.

매:사 불성【每事不成】[─썽] 명 하는 일마다 되지 아니함. ──-하다 자여불

매:-사촌【─四寸】명〖조〗[*Cuculus fugax hyperythrus*] 두견잇과에 속하는 새. 뻐꾸기와 비슷하나 가슴의 옆 줄과 꽁지의 흰 얼룩점이 없음. 등은 석판색(石板色)이고 간혹 목에 흰 것이 섞였음. 날개 길이 20.5 cm, 부리는 2 cm 가량으로, 날개 깃에는 흰 반점(斑點)이 있고, 꽁지는 회갈색, 윗부리는 암흑색, 아랫부리는 담녹색, 구각(口角)은 황색임. 만주·한국·중국·일본에 분포함.

〈매사촌〉

매사추세츠 공과 대학【─工科大學】〔Massachusetts〕[─꽈─] 명 미국 매사추세츠 주 케임브리지에 있는 사립 공과 대학. 1865년에 개교함. 기초 과학을 토대로 한 공업 교육이 특색으로 다른 공과 대학의 모범임. 근년에 인문(人文)·사회 과학 코스도 설치됨. 약칭 M.I.T.

매사추세츠 주【─州】〔Massachusetts〕명〖지〗미국 북동부의 한 주. 영국 이민이 최초로 개척한 땅으로, 건국(建國) 13주의 하나. 뉴잉글랜드의 남쪽을 차지하여 동부는 대서양에 면한 해안 평야이며 서부는 산지(山地)임. 낙농(酪農) 및 근교(近郊) 농업이 발달하였으며, 피혁 제품·의류·정밀 기계 등의 공업이 성함. 청교도(淸敎徒)에 의한 북부 정신(北部精神)의 중심지이며 하버드 대학을 비롯한 많은 문화 기관이 집중함. 주도는 보스턴(Boston). [20,265 km² : 5,737,037 명(1990)]

매:-삭【每朔】명부 다달이. 매월.

매산-집【梅山集】명〖책〗홍직필(洪直弼)이 지은 유고집(遺稿集). 조선 고종(高宗) 3년(1866)에 간행되었는데, 시(詩)·기(記)·찬(贊)·축사(祝詞)·유사(遺事)·연보(年譜) 등 시문(詩文) 전반을 망라하여 실었음. 53권 28책. 인본(印本).

매삽다 형〈방〉매섭다.

매상[1]【昧爽】명 먼동이 틀 무렵. 매단(昧旦).

매:상[2]【買上】명 관공서 같은 데서 민간으로부터 물건을 사들임. ¶ 추곡(秋穀) ~. ↔불하(拂下). ──-하다 타여불

매:상[3]【賣上】명 ①상품을 팖. ②↗매상고. ¶ 오늘의 ~이 얼마요/~이 오르다. ──-하다 타여불

매:상[4]【每常】부 항상. 늘.

매:상 계:정【賣上計定】명 매상에 관한 거래를 정리하는 계정.

매:상-고【賣上高】명 물건을 판 수량이나 대금의 총계. 판매고. 준매고(賣高)·매상(賣上).

매:상-곡【買上穀】명 정부가 농민으로부터 사들이는 양곡.

매:상-금【賣上金】명 물건을 판 돈. 매출금.

매:상-미【買上米】명 정부가 농민에게서 사들이는 쌀.

매상 미사【昧爽彌撒】명〖천주교〗새벽에 드리는 성탄 축일(聖誕祝日)의 두 번째 미사.

매:상 상환【買上償還】명〖경〗정부에서 발행한 채권 등을 정부에서 시가(時價)로 사들이어 상환하는 일.

매:상-세【賣上稅】명〖경〗일반 거래세.

매상-천【梅上川】명〖지〗평안 남도 중화군(中和郡) 간동면(看東面) 간동장리(看東場里)에서 발원(發源)하여 황해도 황주군(黃州郡) 북부를 서쪽으로 흘러 대동강(大同江)으로 흘러드는 하천. [61 km]

매새양 명〈방〉마상이.

매:색【賣色】명 매음(賣淫). ──-하다 자여불

매:생【每生】명 목숨을 아끼어 오래 살기를 바라는 일.

매생이 명〈방〉마상이(황해).

매:서【賣暑】명〖민〗정월 보름날 이른 아침에 누구든지 불러서 대답하면 '내더위 사가라'고 하는 일. 그렇게 해서 더위를 팔면 그 해는 더위를 타지 아니한다고 함. *내더위·내덕새. ──-하다 자여불

매서우- 간 '매섭다'의 불규칙 어간. ¶ ~니/~면/매서워서.

매:서-인【賣書人】명〖기독교〗예수교에서, 돌아다니며 전도(傳道)하고 책을 파는 사람. 권서(勸書).

매:-석[1]【每夕】명부 저녁마다. 매일 저녁.

매:-석[2]【每石】명부 매섬.

매:석[3]【賣惜】명〖경〗물가의 폭등에 의한 폭리를 노리어, 어떠한 상품의 매출(賣出)을 꺼리는 일. ¶ 매점(買占) ~. ──-하다 타여불

매:설[1]【苺舌】명〖의〗성홍열(猩紅熱)의 한 증상. 고열(高熱)로 인하여, 흡사 딸기의 표면과 같이 혀가 빨갛고 표면이 껄쭉껄쭉하게 되는 현상. 딸기혀.

매설[2]【埋設】명 지뢰·수도관 같은 것을 땅 속에 파묻어 설치함. ¶ 지뢰 ~ 작업. ──-하다 타여불

매설관 탐지기【埋設管探知器】명 지중에 매설되어 있는 금속관(金屬管)의 소재를 지상에서 탐지하는 기계. 상수도관·가스관 등의 소재 확인에 이용됨.

매설 지선【埋設地線】명〖전〗접지(接地)를 위하여 지중에 매설한 전선(電線).

매:-섬【每─】명부 한 섬 한 섬마다. 매석(每石).

매:-섬지기【每─】명부 한 섬지기마다.

매섭다 형ㅂ불 ①남이 겁을 낼 만큼 성질이나 됨됨이가 모질고 독하다. ¶ 매섭게 쏘아보다/매섭게 생겼다. <무섭다. ②바람이나 추위 등이 따가울 정도로 심하다. ¶ 매서운 추위.

매:-세[1]【每歲】명부 매년(每年).

매:세[2]【賣勢】명 ①남의 세력을 빌려 젠체하고 기세를 부림. ②물건이 팔리는 상태. 팔림새. ──-하다 자여불

매:소[1]【買笑】명 ①남의 비웃음을 사다. ②기생과 친숙하여짐. ──-하다 자여불

매:소[2]【賣笑】명 손님에게 몸과 웃음을 파는 일. 매음(賣淫). 매춘(賣春). ──-하다 자여불

매:-소래 명 큰 소래기.

매:소-부【賣笑婦】명 매소하는 계집. 갈보. 매음녀(賣淫女).

매-수[1]【枚數】[─쑤] 명 장으로 세는 물건의 수효. 장수.

매:수[2]【買收】명 ①물건을 사들임. ②비밀히 금품이나 그 밖의 수단으로 남을 피어 제 편을 만듦. ¶ 뇌물로 ~하다. ──-하다 타여불

매:수[3]【買受】명 물건을 사서 넘겨 받음. ──-하다 타여불

매:수[4]【買售】명 매매(賣買). ──-하다 타여불

매:수 건:옥【買受建玉】명〖경〗건옥에 있어서 그것이 매수일 경우에 이르는 말. ↔매도(賣渡) 건옥.

매:수 공:동 판매【買受共同販賣】명〖경〗공동 판매 기관이 가맹한 각 기업으로부터 제품을 사서 판매하는 방식. *중개 공동 판매·수탁 공동 판매.

매:수 공작【買收工作】명 금품(金品) 또는 그 밖의 수단으로 남을 자기편으로 만들려고 획책(劃策)하는 일. ──-하다 자여불

매:수 운:동【買收運動】명 남을 자기 편으로 매수하는 운동.

매:수-인【買受人】명 물건을 사서 넘겨 받은 사람.

매:수 청구권【買受請求權】[─꿘] 명〖법〗타인의 부동산을 이용하는 경우에, 그 이용 관계가 종료(終了)함에 즈음하여, 이용자가 그 부동산에 부속시킨 물건에 관하여 이용자 또는 소유자가 그의 일방적 의사 표시로써 매매 계약이 체결된 것과 동일한 법률 관계를 성립시키는 권리. 그 권리를 행사하면 상대방의 승낙을 필요로 함이 없이 매매가 성립함.

매:수-측【買受側】명 거래소에서, 증권을 사는 사람 또는 살 사람.

매:수 합병【買收合倂】명〖경〗어떤 회사가 해산하는 동시에, 기존(旣存)의 타회사(他會社)나 신설되는 회사에서 그 영업 전부를 양도받는 경우의 통속적인 일컬음. 합병에 유사한 경제상의 효과는 있으나, 해산 회사는 청산(淸算) 절차를 밟아야 하며 흡수한 회사에서 해산 회사의 사원(社員)을 수용하지 않으므로 상법상의 합병은 아님.

매슈스〔Matthews, James Brander〕명〖사람〗미국의 교육가·극평가(劇評家)·수필가. 《연극의 발달》·《작극 원론(作劇原論)》 등 많은 저작이 있음. [1852-1929]

매스〔mass〕명 ①일반 대중. 군중. ②덩어리. ③다량. 다수. ④〖물〗질량(質量). ⑤〖미술〗어떤 부피를 가진 하나의 덩어리로서 지각(知覺)되는 물체 또는 인체(人體)의 부분.

매스 게임〔mass game〕명 ①많은 사람이 일제히 동일한 체조나 댄스 같은 것을 하는 일. 경축식 때나 체육 대회의 개회·폐회 때에 흔히 행함. 단체 유희. 단체 체조. ②단체 경기. 집단 경기.

매스 관리【─管理】[─괄─] 명〔mass management〕〖경〗인사 관리의 한 유형. 각 개인의 특성을 살리기보다는 노동력의 획일적인 취급에 주안을 둔 것으로 제도(制度)·절차(節次) 따위에 중점을 둠. 높은 의욕과 연결되는 참다운 노동력의 활용은 기대하기 어려움. ↔개별(個別) 관리.

매스껍다 형ㅂ불 구역질이 날 것처럼 속이 아니꼽다. ¶ 매스꺼운 녀석. <메스껍다.

매스 데모크라시〔mass democracy〕 명 『정』 대중 민주주의(大衆民主主義).

매스 드리블〔mass dribble〕 명 럭비에서, 여러 명의 플레이어가 일체(一體)가 되어 행하는 드리블.

매스 레저〔mass leisure〕 명 『사』 대중적인 소일거리. 영화·텔레비전·골프·볼링·낚시 따위.

매스 미:디어〔mass media〕 명 『사』 매스 커뮤니케이션의 매개체(媒介體). 많은 사람에게 어떤 사실이나 사상을 전달하는 구실. 또, 그 전달의 매체가 되는 방송·텔레비전·신문·영화·출판 따위 기구. 대중 매체(媒體). 대중 매개자. 대량 전달 수단.

매스 소사이어티〔mass society〕 명 『사』 대중(大衆) 사회. 곧 매스 커뮤니케이션의 발달로 간접 접촉의 사회를 확대하여, 대량적이고 획일적(劃一的)인 대중이 형성하는 현대 사회. 만하임(Mannheim, Karl)의 용어.

매스 커뮤니케이션〔mass communication〕 명 『사』 대중 전달(大衆傳達) 또는 대량 통보(大量通報)의 뜻. 신문·잡지·텔레비전·라디오·영화 등 매스 미디어를 통하여 널리 일반 대중에게 정보를 전달하는 일. 준 매스컴.

매스-컴 명 ↗매스 커뮤니케이션.

매스 패션〔mass fashion〕 명 대중에게 지지(支持)받는 유행. 곧, 대량 생산으로 만들어지는 패션. ↔하이 패션(high fashion).

매스 프로 명 ↗매스 프로덕션.

매스 프로덕션〔mass production〕 명 대량 생산(大量生産). 준 매스 프로.

매슥-거리다 자 매스꺼운 느낌이 자꾸 나다. <메슥거리다. 매슥-매슥 부. ——-하다¹ 자여불

매슥-대다 자 매슥거리다.

매슥매슥-하다² 형여불 자꾸 매스껍다. ¶ 뜨거운 액체가 들어가자 매슥매슥하던 비위가 정돈되면서 불안하던 심정도 확 풀렸다《朴花城：벼랑에 피는 꽃》. <메슥메슥하다².

매:-승【每升】 명부 한 되 한 되마다. 매되.

매:-시¹【每時】 명부 ↗매시간(每時間). ¶ ~ 60km의 속도.

매시²〔mash〕 명 '퓌레(purée)'의 영어 이름.

매:-시간【每時間】 명부 한 시간마다. 준 매시(每時).

매시근-하다 형여불 몸에 열이 오르거나 하여 느른하고 기운이 없다. 매시근-히 부

매시껍다 형 〈방〉 매스껍다.

매시꼽다 형 〈방〉 매스껍다.

매시시-하다 형여불 ☞ 매시근하다. ¶ 가슴이 찌릿하며 사지가 매시시해 왔다《崔貞熙：녹색의 문》.

매시트 포테이토〔mashed potato〕 명 곱게 다져 이긴 감자. 서양 요리에 씀.

매:식【買食】 명 음식을 사서 먹음. 여관이나 음식점 같은 데서 하는 식사. ——-하다 자여불

매-신¹ 명 〈방〉 짚신(경남).

매신²【梅信】 명 매화꽃이 피기 시작하였다는 소식.

매:-신³【賣身】 명 ①몸을 팖. ②매음(賣淫). ——-하다 자여불

매실¹【梅室】 명 겨울에 매화(梅花)를 기르는 온실.

매실²【梅實】 명 매화나무의 열매.

매실-나무【梅實—】[—라—] 명 『식』 매화나무.

매실매실-하다 형여불 사람이 되바라지고 반드럽다. 매실매실-히 부

매실 정:과【梅實正果】 명 선 매실을, 껍질을 벗기어 소금에 절였다가 물에 담가서 시고 짠 맛을 우려낸 뒤에, 꿀이나 설탕에 졸인 음식.

매실-주【梅實酒】[—쭈] 명 청매(靑梅) 한 되에 설탕 한 근과 소주 다섯 홉의 비율로 섞어, 밀폐하여 익힌 술. 위장을 정조(整調)하는 데 특효가 있어서, 특히 여름에 애용됨.

매실-차【梅實茶】 명 매실 가루를 꿀에 섞어 물에 탄 차.

매실-하다 형 〈방〉 옹골차다.

매-싸리 명 종아리채로 쓰는 가는 싸리.

매쌀 명 〈방〉 멥쌀(경남).

매:씨【妹氏】 명 ①남의 누이를 높이어 부르는 말. *자씨(姊氏). ②제 손윗누이를 일컫는 말.

매아미 명 〈방〉 『충』 매미.

매아지 명 〈방〉 망아지.

매아지 구름 명 〈방〉 매지 구름.

매:악【賣惡】 명 나쁜 일을 남에게 덮어 씌움. ——-하다 자여불

매안【埋安】 명 신주를 무덤 앞에 묻음. ——-하다 타여불

매암¹ 명 제자리에 서서 뺑뺑 도는 장난. 준 맴.

매암(을) 돌:다 구 ㉠제자리에 서서 뺑뺑 돌다. ㉡원을 그리며 빙빙 돌다. ㉢같은 범위 안에서 연이어 되풀이하다. 준 맴돌다.

매암(을) 돌리다 구 ㉠남의 몸을 제자리에서 뺑뺑 돌아가게 하다. ¶ 달려들어 다짜고짜로 소매를 잡고 매암을 휘휘 돌리니《崔瓚植：金剛門》. ㉡남을 이리저리 돌아다니게 하다. 준 맴돌리다.

매암² 명 〈방〉 『충』 매미(경북).

매암-매암 부 매미의 우는 소리. 준 맴맴.

매-암쇠 명 맷돌 위짝의 한가운데에 박는 쇠. 구멍이 뚫려서 수쇠를 끼우게 됨. ↔맷수쇠.

매애미 명 〈방〉 『충』 매미(경남).

매애지 명 〈방〉 망아지(평북).

매:-야【每夜】 명부 밤마다. 매밤. 야야(夜夜).

매:약¹【買約】 명 사기로 약속함. ——-하다 타여불

매:약²【賣約】 명 팔기로 약속함. ——-하다 타여불

매:약³【賣藥】 명 ①약을 팖. ②의사의 처방에 따라 그때그때 조제하는 것이 아닌, 미리 제조·조제하여 시판되고 있는 약. ——-하다 자여불

매:약-상【賣藥商】 명 매약상 시험에 합격하여, 허가된 지역 안에서 매약 및 지정된 의약품을 소매하는 사람. 또, 그 장사. 1971년 이후에는, 신규(新規)로 허가하지 아니함. *약종상(藥種商).

매:양【每—】 부 번번이. 언제든지. 늘. ¶ ~ 바쁘다/~ 글 잘하는 신하와 공이 높은 재상을 부르시다.

매어【媒語】 명 『논』 중개념(中槪念).

매어-기르기 명 계목(繫牧).

매얼【媒蘖】 명 매(媒)는 술밑, 얼(蘖)은 누룩으로, 술밑과 누룩이 어울려서 술이 된다는 뜻. 사물이 서로 어울려서 이루어짐의 비유.

매:여【賣與】 명 매도(賣渡). ——-하다 타여불

매연¹【煤煙】 명 ①그을음이 섞인 연기. 탄소 화합물의 불완전 연소로 생기는 미세(微細)한 물질이 부유(浮游)하는 연기. 대기 오염의 관점에서는 이 밖에 이산화 황 등의 유해 물질도 포함함. 태연(炲煙). ¶ ~ 공해/~ 차량. ②철매.

매연²【媒緣】 명 중간에 서서 매개(媒介)가 되고 인연(因緣)이 됨.

매연-물【媒緣物】 명 중간에서 이리저리 관계를 맺어 주는 물건.

매연 물질【煤煙物質】[—찔] 명 연기·그을음·재 등과 같은 오염원(汚染源)이 되는 물질. 공기가 혼탁하게 되는 것은 대부분이 매연 물질 때문이고, 연소가 불완전할수록 발생하는 매연의 빛깔이 검어짐.

매염【媒染】 명 『화』 물감이 섬유(纖維)에 직접 염착(染着)하지 아니하는 경우에, 섬유를 특정한 약제에 담가 그 작용으로 물감을 고착(固着)시키는 일. ——-하다 타여불

매염-료【媒染料】[—뇨] 명 매염제.

매염 물감【媒染—】[—깜] 명 〔mordant dye〕 『화』 매염제(媒染劑)의 도움으로 섬유를 염색하는 물감의 총칭. 알리자린(alizarin) 따위. 지금은 별로 쓰이지 않음. 매염 염료.

매:염 봉:우【賣鹽逢雨】 명 소금을 팔다가 비를 만났다는 뜻으로, 일에 마(魔)가 끼었음을 일컫는 말.

매염-성【媒染性】[—썽] 명 매염하는 성질. ¶ ~ 물질.

매염 염:료【媒染染料】[—뇨] 명 『화』 매염 물감.

매염-제【媒染劑】 명 〔mordant〕 『화』 섬유에 색소(色素)가 직접 염착(染着)하지 아니할 때에 그를 매개하여 고착시키는 작용을 하는 물질의 총칭. 타닌계(tannin系) 물질이나 알루미늄·철·크롬·구리·백반(白礬) 등의 수용성(水溶性) 금속 염류(塩類). 매염료(媒染料).

매염 조:제【媒染助劑】 명 〔mordanting assistant〕 매염제(媒染劑)와 함께 쓰이는 화학 약품. 매염제를 분해하여 섬유에 골고루 묻게 하는 작용을 함. 황산(黃酸)·젖산 따위.

매영이 명 〈방〉 『충』 매미(경북).

매:예【買譽】 명 금품을 주고 명예를 구함. 명예를 돈으로 삼. ——-하다 자여불

매오 부 〈방〉 매우.

매옥【埋玉】 명 ①옥이 땅에 묻힘. ②인재(人材)나 미인이 죽어 땅 속에 묻힘을 아끼어 이르는 말.

매옴-하다 형여불 혀가 알알한 맛을 느낄 만큼 맵다. <매움하다.

매요【煤窯】 명 『공』 매탄요(煤炭窯).

매-요신【梅堯臣】 명 『사람』 중국 송나라 때의 시인. 당시 유행하던 서곤체(西崑體)를 폐하고 송시(宋詩)의 새로운 형식을 개척하여, 두보(杜甫) 이후의 대시인으로 꼽힘. 저서에 《완릉집(宛陵集)》·《손자(孫子)》·《당재(唐載)》 등이 있음. [1002-60]

매용-제【媒熔劑】 명 『공』 유약(釉藥)을 빨리 녹게 하는 재료.

매우¹【梅雨】 명 양력 유월 초순부터 칠월 초순에 걸쳐 중국 양쯔 강 유역으로부터 남한·일본에 걸친 지역에 내리는 장마. 매화나무 열매가 익을 무렵의 장마라는 뜻. 매림(梅霖). 미우(黴雨).

매:우²【賣友】 명 자기 이익을 탐하여 친구를 희생시킴. 친구를 배신함. ——-하다 자여불

매우³ 부 표준 정도보다 퍽 지나치게. 대단히. ¶ ~ 곱다/~ 바쁘다.

매우-기【梅雨期】 명 매우(梅雨)가 내리는 철. 매우시(梅雨時).

매우다 타 〈방〉 메우다²(경상·제주).

매우-수【梅雨水】 명 매우기(梅雨期)에 내리는 빗물.

매우-시【梅雨時】 명 매우기(梅雨期).

매욱-스럽다 형ㅂ불 매욱하게 보이다. <미욱스럽다. 매욱-스레 부

매욱-하다 형여불 어리석고 둔하다. <미욱하다.

매운 바람 명 살을 에일 듯한, 몹시 찬 바람.

매운-재 명 진한 잿물을 내릴 수 있는 독한 재. 참나무의 재 따위.

매운-탕【—湯】 명 생선을 주로 하고 고기, 채소, 두부 따위와 갖은 양념에 고추장을 많이 풀어 얼근하게 끓인 찌개.

매울신-부【—辛部】[—씬—] 명 한자 부수(部首)의 하나. '辭'나 '辯' 등의 '辛'의 이름.

매움 명 혀를 찌르는 듯한 얼얼한 맛.

매움-하다 형여불 혀가 얼얼한 맛을 느낄 만하다. >매옴하다.

매웁다¹ 형 〈방〉 맵다(경기·충남·전라).

매웁다² 형 〈방〉 맵다(경기·강원·충남·전라·경북).

매워-하다 자여불 매움을 느끼다.

매원¹【埋怨】 명 원한을 품음. ——-하다 자여불

매원²【梅園】 명 매화나무 밭. 매화나무 동산.

매:원³【買怨】 명 어떤 일로 인하여 남의 원한을 삼. ——-하다 자여불

매:-월【每月】 명부 다달이. 매달. 각월(各月). 예월(例月).

매월-당【梅月堂】[—땅] 명 『사람』 '김시습(金時習)'의 호(號).

매월당-집【梅月堂集】[—땅—] 명 『책』 김시습(金時習)의 시문집. 조선 선조(宣祖)의 명(命)에 의하여 편찬되어, 인조(仁祖) 때에 개간(改刊)되었는데, 시문서(詩文書) 외에 고금의 제왕, 각국의 흥망론과 인문·천문·성리(性理) 등 수십 편을 실었음. 17권 9책.

매:월 장동【每月章動】 명 『천』 태양의 적위(赤緯)가 변하기 때문에 황도(黃道)에 대한 지구의 자전축(自轉軸)이 반 달을 주기(週期)로 하여 변

화하는 현상.
매유【埋幽】명 죽은 사람을 땅에 묻음. ——-하다 타여불
매유통 명〈옛〉매화틀. ¶ 매유통 투(牏)《字會 中 6》.
매:은【賣恩】명 은혜를 베풂. 은혜를 베풀어 남을 감격시킴. ——-하다
매음[1] 명〈방〉마음(경상). └자여불
매:음[2]【賣淫】명 여자가 돈을 받고 아무 남자에게나 몸을 바치는 일. 매춘(賣春). 매신(賣身). 매색(賣色). 매소(賣笑). 음매(淫賣). ——-하다 자여불 「추굴(醜窟).
매:음-굴【賣淫窟】명 매음녀들의 소굴. 매음부들이 모여 매음하는 곳.
매:음-녀【賣淫女】명 매음하는 계집. 매소부(賣笑婦). 매음부(賣淫婦). 매춘부(賣春婦). 음매부(淫賣婦).
매:음-부【賣淫婦】명 매음녀(賣淫女).
매:음-업【賣淫業】명 매음으로 생계를 유지하는 직업. 「하다 자여불
매이【枚移】명〘역〙관아(官衙) 사이에 서로 공문을 주고받음. ——
매이다 자 ①따로 떨어지지 않도록 매어지다. ¶ 소가 나무에 ～. ②어떤 일에서 떠나지 못하도록 맴을 당하다. ¶ 집안일에 매이어 외출 한 번 못했다. ③남에게 딸려 부림 또는 구속을 받게 되다. ¶ 직장에 매인 몸 / 군대에 ～. ④감금이나 억제를 당하는 처지에 놓이다. ¶ 영어(囹圄)에 매인 몸.
[매인 개처럼 돌아다니려고만 한다] 그저 돌아다니려고만 할 때 이르는 말.
매인 목숨 구 남에게 딸려 구속받는 사람의 신세. ¶ ～이라 일요일밖
매:-인【每人】명부 한 사람마다. 매명(每名). └엔 시간이 없다.
매:인-당【每人當】부 한 사람마다의 몫으로. ¶ ～ 열 개씩.
매:인 열지【每人悅之】[—찌] 명 사람마다 모두 기뻐함. ——-하다 자
매인 이름씨 명〘언〙'의존 명사(依存名詞)'의 풀어 쓴 이름. └여불
매:인-전【每人前】명부 각 사람 앞. 매명하(每名下).
매:-일【每日】명부 날마다. 「듣는다.
매일-같이【每日—】[—가치] 부 날마다. 거의 날마다. ¶ ～ 라디오만
매:-일명【每一名】명부 한 사람마다. 매 사람마다.
매-일반【—一般】명 결국 같은 형편. 마찬가지. ¶ 바쁘기는 ～이다.
매:일 신문【每日新聞】명 ①광무 2년(1898) 1월 26일 창간된 우리 나라 최초의 순 한글 일간지. 협성회 회보(協成會會報)가 고종의 내명(內命)으로 폐간되자, 양홍묵(梁弘默)·유영석(柳永錫)·이승만(李承晩) 등이 주동이 되어 민족 기관지로 발족시켰으나 독립 협회 사건으로 1년 미만에 폐간됨. ②지방지(地方紙)의 하나. 1946년에 '남선 경제 신문'으로 창간하여 1950년 9월 천주교 대구 교구(敎區)가 이를 인수(引受), '대구 매일 신문'으로 개칭하고 1960년 7월 '매일 신문'으로 다시 고쳤다가 1980년 '영남 일보'와 통합하여 '대구 매일 신문'으로 되었다가 1989년 4월에 현재의 이름으로 됨.
매:일 신보【每日申報】명 '대한 매일 신보(大韓每日申報)'가 한일 합방 후 강제 매수당하여 개제(改題) 발행된 총독부 한글판 기관지. 1945년 해방과 더불어 '서울 신문'으로 개칭 발행됨.
매:일-열【每日熱】명〘의〙말라리아(malaria)에서, 열이 매일 일어나
매:일 운:동【每日運動】명〘천〙일주 운동(日週運動). └는 증세.
매:입【買入】명 사들임. 구입(購入). 매득(買得). ——-하다 타여불
매:입 감:자【買入減資】명〘경〙주식(株式)의 매입 소각(買入消却)을 조장(助長)하는 자본 감소.
매:입 상환【買入償還】명〘경〙국가 또는 회사가 자기가 발행한 공채·사채 또는 주식을 시가(時價)로 도로 사서 소멸시킴으로써 시가의 유지를 꾀하는 일. 「價)로 도로 사서 채무를 소각시키는 일.
매:입 소각【買入消却】명〘경〙회사가 자기가 발행한 주식을 시가(時
매:입 원가【買入原價】[—까] 명 매입했을 때의 값. 운임·수수료 등을 합산하지 아니함. 준원가.
매:입-장【買入帳】명〘경〙상품이나 원재료의 매입에 관한 내역 명세를 발생순(發生順)으로 기록하는 보조 기입장. 일자·매입처·품명·수량·단가·금액·지불 조건 및 인수 비용 등을 적음. *분개장(分介帳).
매:입처 원장【買入處元帳】[—짱] 명〘경〙매입처에 대한 외상 채무의 발생·소멸 따위를 상세히 기록하는 보조 원장. 매입처마다 하나하나 계좌(計座)를 설정함.
매:입-환【買入換】명〘경〙외환 은행이 고객으로부터 외환을 매입하고 그의 대가(代價)로서 자국 통화를 지급하는 일. ↔매각환(賣却換).
매자[1]【昧者】명 사리에 어두운 사람.
매자[2]【媒子】명 매작(媒妁).
매:자[3]【賣子】명〘민〙자손이 귀하거나 자식을 낳아도 번번히 죽거나 자식이 있어도 허약하여 키우기 어려운 가정에서, 아이의 장수(長壽)를 위하여 부처·큰 바위·큰 나무 등에 장수에 관한 여러 가지 뜻의 글자를 새기는 일.
매자-과【—菓】명 찹쌀 가루를 반죽하여 얇게 밀어서 네모꼴로 썬 뒤에, 가운데를 세로 길게 째고 거기에 한쪽 끝을 접어 넣어 뒤집어서, 기름에 튀긴 유밀과(油蜜菓)의 한 가지. 타래과(菓).
매자기 명〘식〙[*Scirpus yagara maritimus*] 방동사닛과에 속하는 다년초. 뿌리는 길게 뻗고, 줄기는 거칠고 크게 총생하며, 높이 1m 가량이고, 잎은 호생하는데 선형(線形)임. 6-7월에 이삭 모양의 단성화(單性花)가 정생(頂生)하여 산형 화서로 핌. 수과(瘦果)는 여섯 개의 강모(剛毛)가 있고 갈색을 띰. 논이나 습지에 나는데, 한국·중국·일본에 분포함. 뿌리는 한방(漢方)에서 파혈 행기(破血行氣)하는 약재로 씀. 삼릉(三稜). 삼릉초(三稜草). 형삼릉(荊三稜).

〈매자기〉

매자-나무 명〘식〙①매자나뭇과에 속하는 관목의 총칭. 소얼(小蘗). ②[*Berberis koreana*] 매자나뭇과에 속하는 낙엽 활엽 관목. 높이는 1-1.5m이고, 줄기에 가시가 있으며, 잎은 길이 1-3cm의 거꿀달걀꼴에, 날카로운 톱니가 있음. 5월에 누런 꽃이 총상(總狀) 화서로 피고, 지름 1cm 가량의 둥근 장과(漿果)가 9월에 붉게 익음. 산록 양지에 나는데, 한국 특산종으로, 강원·경기·함남 등지에 분포함. 가지와 뿌리·잎은 유독(有毒)하여 소독제, 복중(腹中)의 해열, 구창(口瘡), 부인의 출혈(出血) 등에 약용 및 식용하고 황색 물감이나 산울타리용으로 씀. 황염목(黃染木). *당매자나무.
〈매자나무❷〉
매자나뭇-과【—科】명〘식〙[Berberidaceae] 쌍자엽(雙子葉) 식물 이판화류(離瓣花類)에 속하는 한 과. 전세계에 150여 종, 한국에는 당매자나무·매자나무·매발톱나무·선매자나무·연밥매자나무 등의 10여 종이 분포함. 「있는 재. [339m]
매자-령【梅子嶺】명〘지〙평안 남도 맹산군(孟山郡) 맹산면(孟山面)에
매:-자루【每—】명부 한 자루마다.
매:자-목【賣子木】명〘식〙꼭두서닛과에 속하는 상록 관목. 높이 1m 가량인데, 잎은 꼭지가 없고 거꿀달걀꼴이며, 꽃은 붉고 둥근 열매가 잘게 열림. 요각나무. 「는 뜻.
매자 십이【梅子十二】명 매화나무는 심은 뒤 12년 만에 열매를 맺는다
매자잎-버들 명〘식〙[*Salix berberifolia* var. *genuina*] 버드나뭇과에 속하는 낙엽 활엽 관목. 잎은 원형 혹은 달걀꼴의 타원형. 겨울에도 잎이 떨어지지 않고 시듦. 꽃은 자웅 이가로 피는데, 유제 화서(葇荑花序). 꽃이삭은 가지 끝에 정생(頂生)하고 웅심 두 개가 봄에 핌. 과실은 삭과, 달걀꼴로 여름에 익음. 산정 부근에 나는데, 우리 나라의 함남·함북 지방과 바이칼·타후리아·캄차카 등지에 분포함. 관상용으로 재배함. 「다 타여불
매작【媒妁】명 혼인을 중매함. 또, 그 사람. 중매(中媒). 중매인. ——-하
매:작-령【賣爵令】[—녕] 명〘역〙중국 한(漢)나라 무제(武帝)의 재정 구제책(救濟策)의 하나. 작위(爵位)를 11급으로 나누어, 벼슬아치들에게 팔았음.
매작지근-하다 형여불 조금 더운 기가 있는 듯하다. <미적지근하다.
매작지근-히 부
매:잔-물【賣殘物】명 팔고 남은 물건.
매잡-과【梅雜果】명 밀가루를 반죽하여 얇게 밀어 직사각형으로 썰어서, 가운데를 세로 째어 한 끝을 그 속으로 집어 넣어 빼서, 기름에 잠깐 튀긴 음식. 「름. ¶ 일은 ～가 중요하다.
매-잡이[1] 명 ①매듭의 단단한 정도. ¶ ～가 단단하다. ②일을 맺어 마무
매:잡이[2] 명 ①매를 잡는 사람. ②매를 잡는 사냥. ——-하다 자여불
매:-장[1]【每張】명부 종이·벽돌·유리 따위의 하나하나의 모든 장. 장마
매:-장[2]【每場】명부 ①장날마다. ②시장마다. └다. 장장이.
매:장(을) 치다 구 장날마다 장보러 다니다.
매장[3]【埋葬】명 ①죽은 사람을 땅에 묻음. ②못된 짓을 한 사람을 사회에 용납되지 못하게 함. ¶ 사회에서 ～되다. ——-하다 타여불
매장[4]【埋藏】명 ①묻어서 감춤. ②광물 같은 것이 땅 속에 묻히어 있음. ——-하다 자타여불
매:장[5]【買贓】명 장물(贓物)을 삼. ——-하다 자여불
매:장[6]【賣場】명 물건을 파는 곳. ¶ 백화점의 아동복 ～.
매장 광:량【埋藏鑛量】[—냥] 명〘지〙지각(地殼) 속에 현존하는 광상
매장-꾼【埋葬—】명 매장하는 일꾼. └(鑛床)의 질(質)과 양(量).
매장-량【埋藏量】[—냥] 명 광물 같은 것이 땅 속에 묻힌 분량.
매장 문화재【埋藏文化財】명〘법〙매장물인 문화재. 소유자가 판명되지 아니할 때는 국고에 귀속되며, 발견자나 그 토지 소유자에게는 보상금이 지급됨.
매장-물【埋藏物】명〘법〙땅 속이나 그 밖의 다른 물건 속에 파묻히어, 그 소유자가 누구인지 쉽사리 알 수 없는 동산(動產). 법률상으로 일정한 동안 공고(公告)하였다가 주인이 나오지 아니하면 발견한 사람의 것이 되고, 다른 사람의 물건 가운데서 발견된 것은 그 주인과 발견자가 반씩 나누어 소유권을 취득함.
매:장 봉:적【買贓逢賊】명 장물(贓物)을 산 사람과 도둑을 맞은 사람.
매장-비【埋葬費】명 시체를 매장하는 데에 드는 비용.
매장 사료【埋藏飼料】명〘농〙엔실리지(ensilage).
매:장이-치다【買贓—】타 샀던 장물(贓物)을 관청에 빼앗기다.
매장-지【埋葬地】명 장지(葬地).
매장-충【埋葬蟲】명〘충〙송장벌레.
매:장-치기【每場—】명 장날마다 장보러 다니는 일. 또, 그러한 사람.
매장 탄:량【埋藏炭量】[—탈—] 명 지하에 현존하는 석탄의 양(量).
매저【梅菹】명 소금에 절인 매실(梅實).
매적【埋積】명〘토〙매축(埋築). ——-하다 타여불
매적-곡【埋積谷】명〘지〙퇴적물로 곡상(谷床)이 메워진 골짜기. 퇴적물이 상당히 두꺼워서 넓은 곡저(谷底) 평야를 이룸.
매적곡 평야【埋積谷平野】명〘지〙하곡(河谷)이 메워져 선상지(扇狀地)를 이룬 충적(沖積) 평야의 한 가지.
매적 분지【埋積盆地】명〘지〙분지의 기반(基盤) 지형이 주변으로부터의 퇴적물로 매적된 분지.
매적지근-하다 형여불 ☞ 매작지근하다.
매전【煤田】명 탄전(炭田). 「節)마다.
매:-절[1]【每節】명부 ①절기(節氣)마다. ②음절(音節)마다. ③구절(句
매:절[2]【買切】명 상인이 팔다가 남더라도 반품하지 않는다는 약속으로 모개로 사는 일.

매:절³【賣切】명 매진(賣盡). 절품(切品). ——-하다 자여불

매:점¹【買占】명 물건값이 오를 것을 예상한 상인이, 부당한 이익을 탐하여 막 몰아 사둠. ¶ ~ 매석(賣惜). ——-하다 타여불

매:점²【賣店】명 어떤 기관이나 단체 안에서 물건을 파는 작은 가게. ¶ 학교 ~/구내 ~.

매정【媒精】명〖생〗수정(受精)을 위해 정자(精子)를 난자(卵子)에 결합시키는 일. 수서 동물(水棲動物)에서는 암컷이 방란(放卵)하고 수컷이 방정(放精)하는 것으로 행하여지나, 이 효과를 올리기 위해 자웅(雌雄)이 생식 수관(生殖輸管)의 개구부(開口部)를 가까이하거나 교미를 함. 육서(陸棲) 동물에서는 교미가 행해짐. 수정(授精). ——-하다 자여불

매정-스럽다 형ㅂ불 얄미울 정도로 인정머리가 없는 듯하다. ¶ 그토록 매정스러울 줄은 몰랐다. <무정스럽다. 매정-스레 부. ¶ ~ 거절하다.

매정-하다 형여불 얄미울 정도로 인정머리가 없다. <무정하다.

매:제¹【妹弟】명 ①손아랫누이. ②손아랫누이의 남편. ↔매형(妹兄).

매제²【禖祭】명〖역〗임금한테 아들을 점지(點指)한다는 신(神)에게 지내는 제사.

매조¹ 명〈방〉메주.

매조² 명〈방〉〖식〗조¹(전북).

매:-조³【每朝】명부 매일 아침. 아침마다.

매조⁴【梅鳥】명 매화(梅花)와 새가 그려져 있는 화투짝. 2월이나 두 끗을 나타냄.

매-조미【一糙米】명 매갈이. ——-하다 자여불

매조미-간【一糙米間】[-깐] 명 매갈잇간.

매조미-쌀【一糙米一】명 벼를 매통에 갈아서 왕겨만 벗기고 속겨는 벗기지 아니한 쌀. 현미(玄米). 조미.

매조밋-겨【一糙米一】명 왕겨.

매-조이 명 매통이나 맷돌의 닳은 이를 정으로 쪼아서 날카롭게 만드는 일. ——-하다 자여불

매조이-꾼 명 매조이를 업으로 하는 사람.

매-조이다 자 맷돌이나 매통의 닳은 이를 정으로 쪼아서 날카롭게 만들다. 준매죄다.

매조-잠【梅鳥簪】명 매화꽃과 새를 머리에 새긴 비녀.

매-조지 명 일의 끝을 단단히 맺어 조지는 품. ¶ 일은 ~가 중요하다.

매-조지다 타 일의 끝을 단단히 맺어 조지다. ¶ 자네가 은연중 내 손발을 묶어 일을 매조지기는커녕 고깃값도 못하게 닦달하려 드는군《金周榮 : 客主》.

매종【昧蹤】명 종적을 감춤. ——-하다 자여불

매-죄다 자 ↗매조이다.

매죄료 장수 명〔'매죄료'하고 돌아다니는 데서 온 말〕매조이는 일을 업으로 삼는 사람.

매주¹ 명〈방〉메주(전남·경남).

매:-주²【每週】명부 한 주일마다.

매:주³【買主】명 ①물건을 사는 사람. 구매자(購買者). ②〖법〗매매 계약에서 상대편인 매주(賣主)에 대하여 재산 이전(移轉) 청구권을 가지며, 자기 자신은 대금 지불 의무를 지는 사람. 1)·2):↔매주(賣主).

매:주⁴【賣主】명 ①물건을 파는 사람. ②〖법〗매매 계약에서 상대편에게 재산 이전(移轉)의 의무를 지며, 자기는 대금(代金)을 받을 권리를 가지는 사람. 1)·2):↔매주(買主).

매:주⁵【賣酒】명 ①파는 술. ↔가양주(家釀酒). ②술을 팖. 주매(酒賣). ——-하다 자여불

매:-주간【每週間】명부 한 주일 동안마다.

매:주 독점¹【買主獨占】명〖경〗수요(需要) 독점. ↔매주(賣主) 독점.

매:주 독점²【賣主獨占】명〖경〗공급(供給) 독점. ↔매주(買主) 독점.

매:주 선:택¹【買主選擇】명〖경〗산 사람의 자유 선택에 의해서 언제든지 주식을 인도하는 조건의 주식 매매 방법. ↔매주 선택².

매:주 선:택²【賣主選擇】명〖경〗판 사람의 자유 선택에 의해서 하루 전의 통지로 주식을 인도하는 조건의 주식 거래 방법. ↔매주 선택¹.

매:주 시:장¹【買主市場】명〖경〗공급이 수요보다 많아, 파는 이보다 사는 이가 유리한 시장. ↔매주 시장².

매:주 시:장²【賣主市場】명〖경〗수요가 공급보다 많아, 사는 이보다 파는 이가 유리한 시장. ↔매주 시장¹.

매:-주일【每週日】명부 한 주일 한 주일. 한 주일마다.

매-죽【梅竹】명 매화나무와 대나무.

매죽-잠【梅竹簪】명 매화와 댓잎 모양을 새긴 비녀.

매죽-절 명〈방〉매죽잠(梅竹簪).

매죽-헌【梅竹軒】명〖사람〗성삼문(成三問)의 호(號).

매:줏-집【賣酒一】명 술을 파는 집.

매즙 명〈방〉매듭(경상).

매즙 명〈옛〉매듭. ¶ 結子 俗呼 每緝《樂範 Ⅶ:3》.

매:즙-장【每緝匠】명〖역〗〔'매듭'의 고어 '매즙'의 취음으로 된 말〕공조 본조(工曹本曹)에 속하는 경공장(京工匠)의 하나. 실이나 끈으로 써 단추를 만들어 쓰는 각종 의복의 매듭을 만들던 장인.

매:지 명〈방〉망아지(함경·평북).

매:지 구름 명 비를 머금은 검은 조각 구름.

매:지-권【買地券】[-꿘] 명〖민〗돌이나 항아리에 새긴 지신(地神)으로부터의 묘지(墓地) 매입 문서(買入文書). 무덤을 쓸 때 광중(壙中)에 함께 묻음.

매지근-하다 형여불 더운 기가 조금 있는 듯하다. ¶ 방바닥이 ~. <미지근하다. 매지근-히 부

매지-매지 부 좀 작은 물건을 여럿으로 따로따로 나누는 모양. <메지메지.

매지미 명〈방〉매듭(경북).

매지미-쌀 명〈방〉매조미쌀.

매지밋-겨 명〈방〉왕겨.

매:지-방어【一魴魚】명〖어〗[*Seriolina intermedia*] 전갱잇과에 속하는 바닷물고기. 몸은 길이 30cm 내외의 방추형(紡錘形)이고, 몸빛은 갈청색으로 여섯 줄의 회흑색 가로띠가 있으며, 제일 등지느러미와 배지느러미는 흑색이고, 제이 등지느러미의 앞에 하나의 흑색 무늬가 있음. 제주도 연해와 일본 중부 이남에 분포함. 희귀한 어종으로 식용도 함.

매:직¹【賣職】명 매관 매직(賣官賣職). ——-하다 자여불

매직²〔magic〕명 ①마법(魔法). 마술. 요술. ②이상한 매력. 마력(魔力).

매직 글라스〔magic glass〕명 매직 미러(magic mirror).

매직 넘버〔magic number〕명 프로 야구에서, 어느 팀이 우승을 확정하기 위하여 몇 번 승리해야 하는가를 나타내는 숫자. 다른 팀이 나머지 시합을 모두 이기더라도 승률에서 그것을 웃돌기 위하여 필요한 승리수(勝利數).

매직 미러〔magic mirror〕명 판유리에 은이나 주석 도금을 하여 반투막(半透膜)으로 한 것. 창문 등에 끼우면, 안팎의 밝기의 차이 때문에 어두운 쪽에서 밝은 쪽을 볼 수는 있으나, 밝은 쪽에서는 외광(外光)의 반사율이 크기 때문에 어두운 쪽을 보기가 어려움. 매직 글라스(magic glass). 반투명경(半透明鏡).

매직 사과【一沙果】〔magic〕명〖농〗과일의 호흡 작용을 억제하여 저장한 사과. 밀폐된 냉장고 속의 탄산 가스의 양(量)을 늘리고 공기의 조성(組成)을 바꾸어 저장하면, 이듬해 봄에 출고(出庫)해도 3주일 정도는 갓 땄을 때와 같은 신선한 맛을 유지할 수 있음.

매직 아이〔magic eye〕명〖물〗삼극 진공관(三極眞空管)과, 음극선에 의한 형광 발생 장치를 조합하여 만든 진공관. 삼극 진공관의 동작 상태를 형광 변화 상태에 의하여 나타내고, 수신 전파(受信電波)와 동조(同調)되어 있는 정도를 알아내는 장치임.

〈매직 아이〉

매직 잉크〔Magic Ink〕명 '펠트 펜(felt pen)'의 상품명.

매직 테이프〔Magic Tape〕명 신발·옷 등에 쓰이는 붙이고 떼는 것이 자유로운 천 테이프. 고리 모양의 보풀이 있는 천과 파일(pile) 모양의 보풀이 있는 천 두 장으로 됨. 상표명. 벨크로(Velcro).

매직 핸드〔magic hand〕명〖기〗머니퓰레이터(manipulator).

매진¹【枚陳】명 낱낱이 들어 말함. ——-하다 타여불

매진²【煤塵】명 공장에서 배출되는 연기나 채석장·탄광 등의 먼지 가운데에 포함되어 있는 미세한 고체 입자.

매:진³【賣盡】명 남김없이 다 팔림. ¶ 표가 ~되다. ——-하다 자여불

매:진⁴【邁進】명 힘써 나아감. 씩씩하게 나아감. ——-하다 자여불

매:진 일로【邁進一路】명 한 곬으로 씩씩하게 나아감. 또, 매진할 따름임. ¶ 평화적 통일의 길로 ~합시다.

매-질¹ 명 ①매로 때리는 짓. ②방망이로 치는 일. ——-하다 타여불

매질²【媒質】명〔medium〕〖물〗①물리적 작용을 한 곳에서 다른 곳으로 전하여 주는 매개물(媒介物). 음파를 전달하는 공기, 탄성파(彈性波)를 전하는 탄성체 또는 광선 등의 전자파를 전하는 전자장(電磁場) 등. ②생물체의 주변을 포용하여 그 생물의 생활의 터전이 되는 물질. 육서 동물에서는 공기, 개개의 세포에서는 체액(體液) 등.

매질-꾼 명 사람을 잘 치고 싸움을 잘하는 사람.

매질 착색【媒質着色】명〔negative staining〕현미경에 의한 검사 방법의 하나. 목적물보다는 오히려 그 주위를 염색(染色)함으로써 세포(細胞)나 박테리아 또는 그 밖의 작은 목적물의 형태를 뚜렷하게 함.

매짐 명〈방〉매듭(충북·경상).

매집¹ 명〈방〉매듭(강원·경북).

매:집²【買集】명 물건을 사서 모음. ——-하다 타여불

매:집-상【買集商】명 생산자로부터 어떤 물품을 사 모아서, 도시의 시장에 반출하는 지방 상인. 또, 그 장사.

매:-찌 명 매의 똥.

매:-차【每次】명부 한 차례마다.

매창【梅窓】명〖사람〗조선 선조(宣祖) 때의 여류 시인. 아전(衙前) 이탕종(李湯從)의 딸로, 본명은 향금(香今), 자는 천향(天香), 매창은 호(號)임. 부안(扶安)의 기생으로 황진이와 더불어 조선 명기(名妓)의 쌍벽(雙璧)을 이룸. 자유 자재로 시어(詩語)를 구사하여 자신의 운명을 그대로 읊었음. [1573-1610]

매채-나물 명〖식〗[*Lactuca denticulata* for. *tairensai*] 꽃상춧과에 속하는 월년생(越年生) 초본(草本). 줄기는 직립하고 높이 30-60cm, 백즙(白汁)을 함유하고 좀 단단함. 잎은 긴 타원형 혹은 거꿀달걀꼴로 끝이 날카롭고 이각(耳脚)은 줄기를 쌌으며, 성긴 치아(齒牙) 모양의 톱니를 가짐. 엽액(葉腋)에서 분지(分枝)되어 8-11월경에 산방상(散房狀)으로 많은 두상화(頭狀花)가 핌. 꽃은 황색으로 7-8월에 피고 이고들빼기와 흡사함. 양지바른 해안의 산지에 나며 잎은 식용함. 우리 나라에서는 전남 대흑산도에 야생함.

매처 학자【梅妻鶴子】명 풍류 생활의 형용. 중국 송(宋)나라 임포(林逋)가 서호(西湖)에 은둔하여, 처자(妻子)없이, 다만 매화를 심고 학을 기르며 살았다는 고사(故事)에서 온 말.

매:-척【每尺】명부 한 자마다.

매천¹【梅天】명 매실(梅實)이 익는 6월이나 7월 장마철의 하늘.

매천²【梅泉】명〖사람〗황현(黃玹)의 호(號).

매천 야:록【梅泉野錄】명〖책〗매천(梅泉) 황현(黃玹)이 고종(高宗) 1년(1864)부터 융희(隆熙) 4년(1910)까지의 역사를 편년체로 기록한 한말(韓末) 비사(祕史). 6권 7책.

매:-첩【每貼】명부 약 한 첩 한 첩의 모두. 한 첩마다.

매-청【梅淸】명〖사람〗중국 명나라 말기에서 청나라 초기의 화가. 안후이 성(安徽省) 사람. 그림에 뛰어난 재주가 있어 산수는 묘품(妙品)에 속하고, 화송(花松)은 신품(神品)에 속한다는 절찬을 받았으며《매씨 시략(梅氏詩略)》을 편집함. [1623-97]

매체【媒體】명 ①〖물〗매질(媒質)인 물체. ②매개체(媒介體).

매:-초¹【每秒】명부 한 초마다. ¶ ~ 1킬로미터의 속도.

매:초²【賣草】명 가게에서 파는 담배.

매초라기 명 〈방〉〖조〗 메추라기.
매초래기 명 〈방〉〖조〗 메추라기(제주).
매초롬-하다 형여불 젊고 건강하여 아름다운 태가 있다. <미추룸하다. 매초롬-히 부
매초리 명 〈방〉〖조〗 메추라기(경남·전라).
매:초 반:복 횟수【每秒反復回數】명 〔interations per second〕 컴퓨터에서, 1 초간에 나눗셈을 반복하여 행하는 근사 계산(近似計算)의 횟수.
매추리 명 〈방〉〖조〗 메추라기(경남).
매축【埋築】명〖토〗 우묵한 곳을 메움. 특히, 바닷가나 강가를 메워서 육지로 만드는 일. 매립(埋立). 매적(埋積). ——-하다 타여불
매축 공사【埋築工事】명〖토〗 바닷가나 강가를 메워서 육지로 만드는 공사.
매축-지【埋築地】명 매축한 땅.
매:춘【賣春】명 매음(賣淫). 매소(賣笑). ¶ ~ 행위. ——-하다 자여불
매:춘-부【賣春婦】명 매춘하는 여자. 갈보. 매음녀(賣淫女). 준춘부.
매:출【賣出】명 ①물건을 내어 팖. 방매(放賣). ¶ 연말 대~. ②〖경〗 일반 대중에게 균일한 조건으로 이미 발행한 유가 증권의 매도(賣渡) 청약을 하거나, 매수(買受)의 청약을 권유하는 일. ↔모집(募集)❷. ——-하다 타여불
매:출 계:정【賣出計定】명〖경〗 매출에 관한 거래를 정리하는 계정.
매:출-금【賣出金】명 물건을 판 돈. 매상금.
매:출 발행【賣出發行】명〖경〗 일정한 매출 기간을 정하여 그 기간내에 공중(公衆)에 대하여 개별적으로 또는 점차적으로 채권(債券)을 매각하는 방법에 의하여 사채(社債)를 모집하는 일.
매:출 오퍼【賣出—】〔offer〕명〖경〗 수출상이 수입상에 신청하는 오퍼.
매:출 원가【賣出原價】〔—까〕명〖경〗 일정한 매상을 올리기 위하여 쓰여진 비용. 상품·제품의 구입 원가나 제조 원가 같은 것.
매:출 원장【賣出元帳】〔—짱〕명〖경〗 거래처의 이름·상호를 계좌(計座)로 하여 판매 내용에 관한 일체 세목을 정리·기록하는 장부.
매:출-장【賣出帳】〔—짱〕명 상품 등의 판매에 관한 명세(明細)를 기재한 장부. 품명·수량·단가·금액·수취 방법 등을 적음.
매:출-품【賣出品】명 판매한 또는 판매하는 물품. 매상품.
매취【魅醉】명 홀리어 취함. ——-하다 자여불
매:-치[1] 명 매를 놓아 잡은 새나 짐승. 꿩·토끼 같은 것. ↔불치.
매치[2] 〔match〕명 성냥.
매치[3] 〔match〕명 ①경기(競技). ¶ 타이틀 ~. ②일치(一致)하는 일. 어울리는 일. ¶ 핸드백과 ~되는 액세서리. ——-하다 자여불
매치-광이 명 ①매친 사람. ②매친 사람 모양으로 언행이 경망하고 방정맞은 사람. 1)·2): <미치광이.
매치다 자 ①정신에 이상이 생겨 언행이 보통 사람과 다르게 되다. ②몹시 흥분하여 언행이 정상 상태에서 벗어나게 되다. ¶ 이젠 매친 짓 작작 해라. 1)·2) <미치다[1].
매치리 명 〈방〉〖조〗 메추라기.
매치미 명 〈심마니〉 이슬.
매치 포인트〔match point〕명 탁구·배드민턴·테니스·배구 등에서, 경기의 승패를 결정하는 최후의 일점.
매치 플레이〔match play〕명 골프에서, 18홀 중, 1홀마다 승부를 정해서 먼저 10홀을 이긴 쪽이 승리하는 일.
매침 명 〈방〉 매듭(경상).
매카다 타 〈방〉 메우다[1](경남).
매카:시〔McCarthy, Joseph Raymond〕명〖사람〗 미국의 정치가. 공화당 상원 의원. 철저한 반공(反共)주의자로, 비미 활동 위원회(非美活動委員會)의 위원장으로서 1950년 2월, 정부내의 적색 분자의 색출을 비롯하여 많은 정적(政敵)을 추방하였으나, 군부와 대립되어 의회의 문책으로 실각하였음. [1908-57]
매카:시 선풍【—旋風】〔McCarthy〕명〖정〗 미국 공화당 출신 상원 의원 매카시가 1950년 2월에, 미국 정부내의 적색 분자 및 그 동조자 200여 명의 추방을 요구한 데서 발단한 일련의 정치적 동향(動向). 매카시즘.
매카:시즘〔McCarthyism〕명〖정〗 매카시의 활동으로 대표되는, 극단적인 반공주의 및 이와 관련한 일련(一連)의 사상·언론·정치 활동의 억압. 매카시 선풍.
매카이버〔MacIver, Robert Morrison〕명〖사람〗 미국의 사회학자. 사회의 본질을 인간과 인간간의 의욕 관계로 해석(解釋)하고 그 구체적 표현으로 공동 사회와 결사(結社)를 들어, 미국의 다원적(多元的) 국가론의 대표자가 되었음. 주저 《공동 사회》·《근대 국가론》·《정부론》. [1882-1970]
매카:트니〔McCartney, Paul〕명〖사람〗 영국의 포퓰러 음악 작곡가·연주가. 록 그룹 '비틀스'의 일원으로 《예스터데이》·《헤이 주드》 등 많은 곡을 작곡함. '비틀스' 해산 후에도 작곡, 연주 활동을 계속함. [1942-]
매칼-없이〔—업씨〕부 ☞맥없이. ¶ 자칫하다가는 남의 내외 싸움에 휩쓸려 들어가서 ~ 질질 끌려 다니지 말란 법도 없다《李無影 : 三年》.
매캐런-법【—法】〔McCarran〕〔—뻡〕명〖법〗 1950년 미국에서 성립된 '1950년 국내 치안 유지법'의 통칭. 공산주의적 단체와 그 구성원의 등록제, 방첩법(防諜法)의 강화, 이민(移民)이나 귀화(歸化)에 관한 법률의 개정 등 방공 체제 확립과 아시아인(人)의 이민 규제(移民規制) 등을 목적으로 함.
매캐-하다 형여불 연기나 곰팡 냄새가 나다. ¶ 담배 연기에 목구멍이 ~. <메케하다.
매커비언 게임스〔Maccabean games〕명 이스라엘을 중심으로 하여 각국의 유태인이 참가하는 종합 스포츠 대회. 기원전 1-2세기의 유태의 애국자의 집안 마카바이오스(Makkabaios) 가문을 기념하여, 4 년마다 올림픽의 다음 해에 텔아비브에서 열림. *마카바이오스 전쟁.
매컬러스〔McCullers, Carson〕명〖사람〗 미국의 여류 소설가. 조지아주(州) 출신으로, 처음 음악(音樂)에 뜻을 두었으나 실패, 20대부터 관절염을 앓아 평생 병고에 시달리며 작품 활동을 하였음. 벙어리 청년을 주인공으로 한 장편 《마음은 외로운 사냥꾼》으로 출발, 중편 《황금색 눈에 비치는 것》·《결혼식의 참석자》 등에서 남부를 무대로 기형적인 등장 인물을 통해 인간의 고독을 그림. 작품집 《슬픈 술집의 발라드》, 희곡 《경이(驚異)의 평방근(平方根)》, 장편 《바늘 없는 시계》 등이 있음. [1917-67]
매켄지 강【—江】〔Mackenzie〕명〖지〗 캐나다 북서부에 있는 강. 그레이트슬레이브 호(Great Slave 湖)에서 발원하여 북극해로 흐름. 6-10월까지는 하구에서 그레이트슬레이브 호까지 항행(航行)이 가능하여 이 지방의 유일한 교통로가 됨. 연안에는 아한대(亞寒帶) 식물 및 석탄·우라늄광 등의 광물 자원이 풍부함. [4,240 km]
매켄지 산맥【—山脈】〔Mackenzie〕명〖지〗 캐나다 북서부 로키 산맥 북부의 동쪽 기슭을 달리는 산맥. 매켄지 강과 유콘 강(Yukon江)의 분수계(分水界). 최고봉은 킬피크(Keele Peak)로, 높이는 2,972 m 임.
매코:믹〔McCormick, Robert〕명〖사람〗 미국의 신문 경영자. 변호사로서 명성을 떨쳤는데, 1911년 시카고 트리뷴(Chicago Tribune)의 사장이 된 후에 방송·출판에도 손을 댐. 반공(反共)주의·고립(孤立)주의를 주창, 극우적(極右的)인 편집 방침으로 언론계(言論界)에 군림하였음. [1880-1955]
매콜:리〔Macaulay, Thomas Babington〕명〖사람〗 영국의 역사가·작가·정치가. 일찍부터 문재(文才)를 발휘하여 정계(政界)에도 관계하면서 《영국사》 등의 명작을 발표하였으며, 《수상록(隨想錄)》 등의 저서를 남김. [1800-59]
매콤-하다 형여불 조금 매운 맛이 있다.
매쿠다 타 〈방〉 메우다[1](경남).
매퀸〔McQueen, Steve〕명〖사람〗 미국의 영화 배우. 미주리 주에서 태어나, 선원·유정 갱부 등으로 유랑 생활을 하다가, 브로드웨이의 연극계에 투신, 텔레비전 탤런트에서 영화 배우로 전신, 《파피용》·《샌드 페블스》 등 영화에서 주연으로 활약하여 비정(非情)한 성격 배우로 이름을 떨침. [1930-80]
매크로-〔macro-〕두 '큰, 긴'의 뜻을 나타내는 말. 마크로-. ↔마이크로.
매크로 경제학【—經濟學】〔macro〕명〖경〗 거시적(巨視的) 경제론. ↔마이크로 경제학.
매크로-렌즈〔macrolenz〕명 마이크로렌즈(microlenz).
매크로 명:령어【—命令語】〔—녕—〕명 〔macroinstruction〕〖컴퓨터〗 빈번하게 쓰이는 몇 개의 기계어 명령을 묶어 하나로 만든 명령어. 프로그래밍 때 번잡함을 해소하여 효율을 높일 수 있음.
매크로-스코픽〔macroscopic〕명 '거대(巨大)한, 거시적(巨視的)인'의 뜻.
매크로스코픽 분석【—分析】〔macroscopic〕명 종합적인 국민 소득·저축·투자·산출량 등과 같은 사회 전체에 관계되는 복잡한 양적(量的) 관계를 개괄적으로 파악하는 방법. 거시적(巨視的) 분석.
매크로-엔지니어링〔macroengineering〕명 고대의 피라미드, 근대의 수에즈 운하, 현대의 우주 개발 등과 같이, 그 시대의 최고의 기술과 최대의 조직 및 거대한 자금을 투입한 거대한 프로젝트를 계획·운영·관리하기 위한 종합 시스템.
매크로-코즘〔macrocosm〕명 대우주(大宇宙). ↔마이크로코즘.
매클라우드〔Macleod, John James Richard〕명〖사람〗 영국의 생리학자. 애버딘(Aberdeen) 대학 등의 교수를 역임함. 주로 탄수화물 대사(代謝)를 연구, 밴팅(Banting, F.G.)과 공동으로 인슐린(insulin)을 발견함. 1923년 노벨 생리 의학상을 수상함. [1876-1935]
매클라우드 진공계【—眞空計】명〔McLeod gauge〕〖물〗 영국의 화학자 매클라우드(McLeod Herbert; 1841-1923)의 이름을 딴 것] 진공계(眞空計)의 하나. 1 토르(torr) 이하의 미압(微壓)을 측정하는 데 쓰임. *마노미터.
매클렁〔McClung, Clarence Erwin〕명〖사람〗 미국의 동물학자. 성(性)의 결정·성염색체(性染色體) 등의 연구로 유명함. [1870-1946]
매클로:린 급수【—級數】〔Maclaurin〕명〖수〗 0을 중심으로 한 테일러(Taylor) 급수. 영국의 수학자 매클로린(Maclaurin, C.; 1698-1746)의 이름에서 생긴 말.

$$f(x)=f(0)+f'(0)x+\frac{f''(0)}{2!}x^2+\cdots+\frac{f^{(n)}(0)}{n!}x^n+\cdots$$

매클루언〔McLuhan, Herbert Marshall〕명〖사람〗 캐나다의 교육자·매스컴 이론가. 토론토 대학 교수. 매클루언 이론(理論)을 발표함. 저서에 《기계의 신부》·《미디어의 이해(理解)》·《인간 확장의 원리》 등이 있음. [1911-81]
매클루언 이:론【—理論】명〔McLuhan Theory〕 캐나다의 매클루언이 1964년 그의 저서 《미디어의 이해》에서 전개한 커뮤니케이션 이론. 시각(視覺)·활자(活字) 시대의 과거와는 달리, 현대의 텔레비전·전자(電子) 시대에는 전감각적(全感覺的) 생활을 한다고 주장함.
매클린톡〔McClintok, Barbara〕명〖사람〗 미국의 여류 유전학자. 옥수수의 유전 연구에 일관하여 1951년 옥수수 알의 색유전에 '움직이는 유전자'가 관련되었음을 처음으로 발견, 1983년 노벨 의학 생리학상을 수상함. [1902-92]
매큼-하다 형여불 매운 냄새가 있다. 약간 매운 기가 있다.
매킨리〔McKinley, William〕명〖사람〗 미국의 정치가. 제25대 대통령. 금본위제(金本位制)를 확립, 고율(高率)의 보호 관세로 산업 자본을 옹호함. 적극적인 해외 진출을 꾀하여 아메리카 스페인 전쟁과 하와이

병합을 단행, 문호 개방 정책을 주장함. 재선후(再選後) 무정부주의자에게 암살당함. [1843-1901]

매킨리 산【—山】〔McKinley〕명〖지〗미국 알래스카 주의 유콘 대지(Yukon 臺地)에 있는 화산. 북미의 최고봉임. 미국의 대통령 매킨리의 이름에서 유래함. [6,194 m]

매킨토시〔Macintosh〕명 미국의 컴퓨터 제조 회사인 애플사(社)가 1984년에 판매하기 시작한 32비트 개인용 컴퓨터의 상품명.

매-타작【—打作】명 심한 매질. ——-하다 자여불

매탁【媒託】명 미리 굳게 언약을 맺음. 또, 그 언약. ——-하다 자여불

매탄【煤炭】명 석탄(石炭).

매탄-요【煤炭窯】명〖공〗석탄(石炭)을 때어서 그릇을 만드는 가마. 매요(煤窯).

매:-태¹【每馱】명부 한 바리마다. 매바리.

매태²【莓苔】명〖식〗이끼.

매탱이 명〈방〉〖충〗매미.

매터도어〔Matador〕명〖군〗미국 공군의 지대지(地對地) 미사일의 하나. 1954년부터 실전(實戰) 부대에 배치함. 시속 970 km.

매터혼: 계:획【—計劃】명〔Project Matterhorn〕미국의 수소 폭탄 에너지 평화 이용 계획. 1955년 국제 연합 총회 개최 연설에서 발표됨.

매테비 명〈방〉〖어〗매퉁이.

매:토¹【買土】명 땅을 삼. ——-하다 자여불

매:토²【賣土】명 땅을 팖. ——-하다 자여불

매-통 명 벼의 겉겨를 벗기는 나무 매. 굵은 통나무 두 짝 마구리에 이를 파고, 위짝의 윗마구리는 우긋하게 후벼서 벼를 담고, 위짝 양쪽에 자루를 박아 그것을 쥐고 이리저리 돌려서 갈게 된 기구. 목마(木磨). 목매. 준매.

〈매통〉

매통-머리 명〈방〉매무새.

매퉁이 명〖어〗[*Saurida undosquamis*] 매퉁잇과에 속하는 바닷물고기. 몸은 40 cm 가량으로 조금 원통형이며, 주둥이는 둥글어, 입이 크고 날카로운 이가 있음. 몸빛은 등 쪽이 암갈색이고, 배 쪽은 은백색임. 30-40 m 깊이의 바다 밑에 사는데, 산란기는 4-5월이며, 식용함. 한국 서남부 및 동남부 연해와 대만·중국·필리핀·오스트레일리아·인도양·홍해 및 동(東)아프리카 연해에 분포함. 메테비.

〈매퉁이〉

매퉁잇-과【—科】명〖어〗[Synodontidae] 샛비늘치목(目)에 속하는 어류의 한 과. 꽃동멸·황매퉁이·매퉁이 등이 있음.

매트¹〔mat〕명 ① 체조 경기·레슬링·권투·유도와 같은 운동을 할 때, 위험을 방지하기 위하여 바닥에 까는 푹신한 깔개. ②신발의 흙을 털기 위하여 현관이나 서양식 방의 입구 같은 곳에 놓아 두는 깔개.

매트²〔matte〕명〖공〗구리를 만드는 공정(工程)에서, 구리 광석을 용융(熔融)함으로써 생기는 황화물. 다시 제련하여 많은 금속을 얻음.

매트리스〔mattress〕명 스프링이나 스펀지 등을 넣어 푹신하게 만든, 침대용의 요.

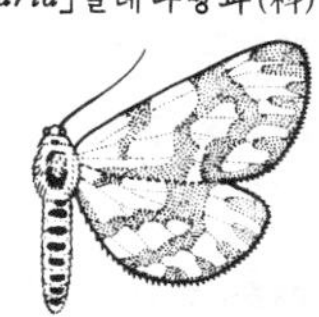
〈매트리스〉

매트릭스〔matrix〕명 ①〖수〗행렬(行列)❷. ②〖광〗석기(石基)❷. ③레코드 제작에 있어서, 4채널의 각 채널의 신호(信號)에 기호를 달아 정리하여, 2채널로 배분(配分)해서 커팅(cutting)한 것. 「기.

매트릭스 부기【—簿記】명〔matrix bookkeeping〕〖경〗행렬(行列) 부

매트릭스 역학【—力學】〔matrix〕명〖물〗보어(Bohr)의 양자론을 하이젠베르크(Heisenberg)가 대응 원리(對應原理)를 지도(指導) 원리로 해서 발전시킨 역학. 물리량(物理量) 사이에 새로운 교환 법칙을 도입하여 물리량의 개념을 변혁하며, 행렬(行列)로써 표시하여야 한다고 생각하여 그를 만족시키는 운동 방정식을 고전 역학의 형식을 기준으로 하여 인도하였음. 그 후 파동 역학과의 관계가 명확히 되자 양자(量子) 역학으로서 통일됨. 행렬(行列) 역학.

매트 워:크〔mat work〕명 매트 위에서 행하는 회전 운동(回轉運動).

매투다 자〈옛〉곰팡이 끼다. ¶ 매틀 미(黴)《字會 下 12》.

매:-파¹【—派】명〔hawks〕자기의 이념·주장을 관철하기 위하여, 상대방과 타협하지 아니하고 강경히 사태(事態)에 대처하려는 사람들. 특히, 외교 정책 등에서 무력 사용도 불사하겠다는 사람들. ↔비둘기파.

매파²【媒婆】명 혼인을 중매하는 할멈. 매구(媒嫗).

매-판¹ 명 매갈이나 맷돌질할 때에 바닥에 까는 둥글고 전이 없는 방석. *맷방석.

매:판²【買辦】명〔포 comprador〕〖경〗①1770년경 이래 중국에 있는 외국 상관(商館)·영사관(領事館) 등에서 중국 상인과의 거래 중개 수단으로서 고용한 중국 사람. ②외국 자본에 붙어, 사리(私利)를 탐하여 제 나라의 이해를 잊어버리는 일. 또, 그 사람.

매:판 자본【買辦資本】명〔comprador capital〕〖경〗일반적으로, 식민지나 후진국 등에서 외국 자본과 결탁하여 자국민(自國民)의 이익을 억압하는 토착(土着) 자본을 이름. ↔민족 자본.

매:판-적【買辦的】명관 식민지나 반(半)식민지에 있어서, 외국 제국주의의 이익에 봉사(奉仕)하는 모양·태도.

매:-팔자【—八字】〔—짜〕명 하는 일 없이 빈들빈들 놀기만 하는 팔자.

매폄【埋窆】명 관(棺) 같은 것을 땅 속에 묻음. ——-하다 타여불

매:-평【每坪】명부 한 평마다.

매포【梅浦】명〖지〗충청 북도 단양군(丹陽郡)의 한 읍(邑). 군의 서북쪽, 남한강(南漢江) 상류에 임함. 단양 팔경(丹陽八景)의 하나인 도담 삼봉(島潭三峰)이 있고, 매포 민요의 전승지로 유명함. [13,173 명(1990)]

매포 민요【梅浦民謠】명〖민〗충청 북도 단양군(丹陽郡) 매포에 전승되어 오는 민요. 뱃사공들의 짐배 노래임.

매:표¹【買票】명 ①표를 삼. ②투표인(投票人)에게 금품(金品)을 주고 그 표를 얻음. ——-하다 자여불

매:표²【賣票】명 표를 팖. ——-하다 자여불

매:표-구【賣票口】명 표를 파는 창구. 매표 창구.

매:표-소【賣票所】명 차표나 입장권 따위 표를 파는 곳.

매:표-원【賣票員】명 입장권·차표 따위를 파는 사람.

매:표 창구【賣票窓口】명 매표구.

매-품¹ 명 돈을 받고 남이 맞을 매를 대신 맞는 일.

매:품²【賣品】명 파는 물품. ↔비매품(非賣品).

매품 팔다 자 남의 매를 대신 맞고 삯을 받다.

매품-팔이 명 매품 파는 일.

매:-필¹【每匹】명부 매필(每疋)❷.

매:-필²【每疋】명부 ①피륙의 한 필마다. ②소나 말 같은 것의 한 필마「다.

매:필³【賣筆】명 글씨를 써 주고 보수를 받음. ——-하다 자여불

매-한가지 명 마찬가지. 매일반. ¶ 엎어지나 젖혀지나 ~다.

매-함지 명 맷돌을 올려 놓는 함지.

매합【媒合】명 혼인을 중매들거나 또는 남녀를 끌어서 맞대줌. ——-하「다 타여불

매합 용지【媒合容止】명 남녀를 매합시키어 자기 집에 같이 머무르게 함. ——-하다 타여불

매:-해【每—】명부 매년. 해마다.

매핵-기【梅核氣】명〖한의〗침을 뱉기도 어렵고 삼키기도 어려운 목구「멍 병의 하나.

매향¹【埋香】명 내세(來世)의 복을 빌기 위하여, 향(香)을 강이나 바다의 물속에 묻는 일. ——-하다 자여불

매향²【梅香】명 매화의 향기.

매:향³【賣鄕】명〖역〗조선 시대 때, 돈이나 재물을 받고 향직(鄕職)을 시킴. ——-하다 자여불

매향-비【埋香碑】명〖불교〗내세(來世)에 미륵불(彌勒佛)의 세계에 태어나기를 염원하면서 향(香)을 묻고 세우는 비(碑).

매:혈¹【買血】명 급한 병 등에 대한 수혈에 대비하여, 제공자로부터 혈액을 삼. *헌혈. ——-하다 자여불

매:혈²【賣血】명 환자의 수혈을 위하여 뽑아 자기 몸의 피를 팖. *헌혈. ——-하다 자여불

매:형【妹兄】명 손윗누이의 남편. 인형(姻兄). 자형(姉兄). ↔매제(妹「弟). *매부(妹夫).

매:-호¹【每戶】명부 집집마다. *호호(戶戶).

매:-호²【每號】명부 신문·잡지 등의 호(號)마다. 각호(各號).

매-호³【梅湖】명〖지〗강원도 양양군(襄陽郡)에 있는 호수.

매호 별곡【梅湖別曲】명〖문〗조선 선조 때의 문인 매호(梅湖) 조우인(曺友仁)이 지은 가사. 벼슬을 버리고 강호(江湖)에 파묻혀 생활하는 무욕(無慾)의 경지를 노래함. 「어릿광대.

매호-씨【—氏】명 남사당패에서 줄 타는 사람과 재담(才談)을 주고받는

매호 유고【梅湖遺稿】명〖책〗고려의 문인 매호(梅湖) 진화(陳澕)의 문집(文集). 그의 후손 후(㷠)가 조선 시대 후기에 편찬함.

매혹【魅惑】명 남을 호려서 정신을 현혹하게 함. ——-하다 타여불

매혹-적【魅惑的】명관 남을 매혹할 만한 데가 있는 모양. ¶ ~인 여자.

매혼【埋魂】명 혼백(魂帛)을 무덤 앞에 묻음. ——-하다 자여불

매:-홉【每—】명부 한 홉마다.

매홍-지【梅紅紙】명 중국에서 나는 붉은 빛깔의 종이.

매화¹ 명〈궁중〉똥.

매화(를) 보다 구 대변을 누다.

매화²【梅花】명〖식〗①매화나무. ②매화꽃.

[매화도 한 철 국화도 한 철] 모든 것은 한창 때가 따로 있으나, 반드시 쇠하고 마는 데는 다름이 없다.

매화³【梅花】명〖사람〗조선 시대 때의 평양 기생. 절절한 연정을 읊은 시조 8 수(首)가 《청구 영언(青丘永言)》에 전함. 생몰년 미상.

매화-가【梅花歌】명〖악〗12 가사(歌詞) 중의 하나. 매화꽃에 실어 봄날의 사랑을 갈구하는 내용으로, 가벼운 속도로 불리는 것이 특징이며, 거드렁거리는 곡풍이 있어서 '매화 타령'이라고도 함.

매화가지-나방【梅花—】명〖충〗[*Cystidia couaggaria*] 벌레나방과(科)에 속하는 곤충. 뽕나무가지나방과 비슷하며, 편 날개의 길이는 46 mm 가량이고, 몸빛은 황색에 검은 반점이 섞였음. 날개는 흰데, 검고 구부러진 줄이 있음. 유충은 흑색이며 희고 누른 얼룩이 있음. 매화·벚나무 등의 해충으로 동부 아시아에 분포함.

〈매화가지나방〉

매화 강정【梅花—】명 유밀과의 한 가지. 매화 산자(梅花糤子)와 같은 재료로 만든 강정. 주의 '梅花羌飣·梅花江丁'으로 씀은 취음(取音).

매화-꽃【梅花—】명〖식〗매화나무의 꽃. 매화.

매화-나무【梅花—】명〖식〗[*Prunus mume*] 장미과에 속하는 낙엽 활엽 교목. 높이 4-5 m이고 잎은 달걀꼴 또는 넓은 타원형임. 이른 봄에 백색 또는 연분홍의 꽃이 한둘씩 핌. 핵과(核果)는 '매실(梅實)'이라고 하는데, 구형(球形)이며 6월에 익음. 촌락 부근에 야생하며, 한국 중부 이남과 일본·대만·중국에 분포함. 정원수로 심고 과실은 맛이 신데 식용하거나 약용함. 매실나무. 매화. 목모(木母). 일지춘(一枝春). 청객(淸客).

〈매화나무〉

매화나무-이끼【梅花—】[명]〖식〗[*Parmelia tinctorum*] 매화나무이낏과에 속하는 지의류(地衣類). 막상(膜狀)의 혁질(革質)에 파상(波狀)의 가장자리는 평활(平滑)하나, 그 외의 부분은 침아(針芽)라고 하는 회록색 또는 회백색의 침상(針狀)의 번식 기관이 밀생함. 그 이면(裏面)의 중앙부는 암흑색, 가장자리는 담색임. 이것이 아름답게 붙은 소나무 가지 등은 꽃꽂이에 쓰임. 매화나무·소나무 등의 수피(樹皮)나 암벽(岩壁)·묘석(墓石) 등에 원형 또는 타원형으로 낌.

〈매화나무이끼〉

매화-노루발【梅花—】[명]〖식〗[*Chimaphila japonica*] 노루발과에 속하는 상록 다년초. 줄기는 높이 10-15cm 가량이고 잎은 호생하는데, 줄기 마디에 족생(簇生)하며 피침형임. 5-6월에 흰 꽃이 정생하여 하나씩 또는 산형(繖形) 화서로 피고, 과실은 삭과(蒴果)임. 산지에 나는데, 제주·경북·황해·평남북에 분포함.

매화-다【梅花茶】[명] 매화차.

매화-도【梅花島】[명]〖지〗 전라 남도 신안군(新安郡) 압해면(押海面) 매화리(梅花里)에 있는 섬. 부근은 수산업의 중심지. 굴·김의 양식업이 성하며, 등대가 있음. [6.653 km²]

매화-마름【梅花—】[명]〖식〗[*Ranunculus aquatilis*] 미나리아재빗과에 속하는 다년생 수초(水草). 높이는 50cm 내외이고, 줄기에 마디가 있으며, 마디에서 수근(鬚根)이 나옴. 4-5월에 각 마디에서 장경(長梗)이 나와 흰 꽃이 수면 위에 매화 모양으로 하나씩 위를 향해서 피고, 과실은 수과(瘦果)임. 늪이나 연못에 나는데, 제주·전남·황해·함북에 야생(野生)함. 미나리마름.

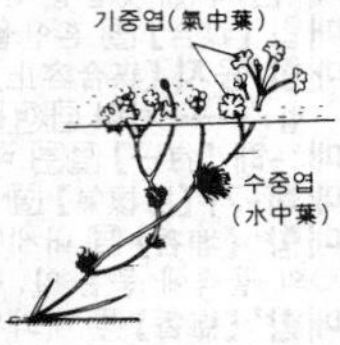

〈매화마름〉

매화-말발도리【梅花—】[명]〖식〗[*Deutzia coreana*] 고광나뭇과에 속하는 낙엽 활엽 관목. 잎은 긴 타원형 또는 피침형이고 가에 톱니가 있음. 4-5월에 흰 꽃이 묵은 가지에서 액생(腋生)하여 피고, 종상(鐘狀)의 삭과(蒴果)는 9월에 익음. 산복(山腹) 이하의 바위 틈에 나는데, 관상용임. 함남·황해도 이남 지방에 분포함. 댕강목.

매화 매듭【梅花—】[명] 매듭의 기본형(基本型)의 하나. 다섯 꽃잎의 매화 모양으로 얽어 맺은 납작한 매듭. 노리개 등을 꾸미는 데 쓰임.

매화-문【梅花紋】[명] 매화를 소재로 한 장식 무늬의 하나.

매화 빙렬【梅花氷裂】[—녈][명]〖공〗 중국 청(淸)나라 강희(康熙) 연간에 만든 도자기의 한 가지. 빙렬(氷裂) 사이에 매화 무늬를 놓았음.

매화-사【梅花詞】[명]〖문〗 조선 시대 말 헌종(憲宗) 6년(1840) 겨울에, 안민영(安玟英)이 그의 스승 박효관(朴孝寬)을 찾아 몇몇 기녀(妓女)와 더불어 노래와 거문고로 하룻밤을 지낼 때, 스승이 손수 가꾼 매화꽃을 보고 지은 시조. 모두 8수(首)임. *영매가.

매화-산【梅花山】[명]〖지〗 ①경상 남도 합천군(陜川郡) 가야면(伽倻面)에 있는 산. [1,083m] ②강원도 횡성군(橫城郡) 우천면(隅川面)·안흥면(安興面)·강림면(講林面)·원주시(原州市) 소초면(所草面) 사이에 있는 산. [1,084m]

매화 산:자【梅花饊子】[명] 찹쌀 가루를 꿀에 반죽하여, 얇고 네모지게 빚어서 기름에 띄워 지진 것에, 찰벼를 불에 튀겨 매화 비슷하게 된 것을 앞뒤에 묻히어 만든 산자. *매화 강정.

매화-연【梅花宴】[명] 매화를 즐기면서 술을 마시며 노는 모임.

매화-원【梅花園】[명] 매화나무 동산.

매화 육궁【梅花六宮】[명] 바둑에서, 적에게 포위된 말의 빈 집이 여섯 개가 열십자형으로 있을 때의 일컬음. 이 때 상대방이 중앙에 한 점을 놓으면 살지 못함. 새발 육궁. *오궁 도화(五宮桃花).

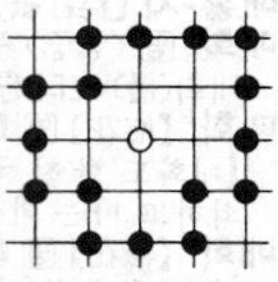
〈매화 육궁〉

매화-잠【梅花簪】[명] 머리에 매화 무늬를 새긴 비녀.

매화-점【梅花點】[—쩜][명] ①매화 무늬를 점으로 찍어 그린 무늬. ②〖악〗 가곡(歌曲) 장단을 장구로 칠 때의 기본형을 나타내는 동그라미 점. 북편은 ●(음점), 채편은 ○(양점)으로 하였음. 《가곡 원류》 등에 나옴.

매화점 자리【梅花點—】[—쩜—][명]〖악〗 판소리 장단에서, 채로 치는 북의 오른쪽 모서리. 소리를 달고 나갈 때 이 자리를 굴려 침.

매화점 장단【梅花點長短】[—쩜—][명]〖악〗 가곡(歌曲) 장단을 장구로 칠 때의 기본형을 나타낸 것. 북편을 의미하는 음점(陰點) ● 셋과 채편을 의미하는 양점(陽點) ○ 둘을 줄로 이어 나타냄. 그 모양이 매화 꽃잎을 닮았다고 하여 붙여진 이름.

매화-주【梅花酒】[명] 매화를 주머니에 넣어서 술항아리에 담가 우려낸 술. 보통 소주에 담그는데 향기가 남. 「께 쑨 죽.

매화-죽【梅花粥】[명] 매화를 깨끗이 씻어 흰죽이 익은 다음에 넣어서 함

매화-차【梅花茶】[명] 매화 봉오리를 따서 말렸다가 끓는 물에 넣어 만든

매화-총【梅花銃】[명] 매화포(梅花砲). ∟차. 매화다.

매화-타:령【梅花打令】[명] ①〖악〗 경기 민요의 하나. 서울의 12 잡가 가운데 '달거리' 끝에 붙는 부분을 따로 뗀 것으로, 후렴에 "좋구나 매화로다"라는 구절이 있음. 남녀 상사(相思)의 정을 노래한 굿거리 장단의 가벼운 노래임. ②〖악〗 매화가(梅花歌)의 딴이름. ③〈속〉 뒤봄. 똥을 눔. ④〈속〉 주제에 어울리지 아니하게 같잖은 언행을 하는 사람을 조롱하여 일컫는 말. ¶ 이놈, ~ 그만 거두어라. 거두절미하고 멍석말이를 달게 받겠느냐? 《金周榮 : 客主》. ——-하다 [자][여불]

매화-틀 [명] 가지고 다닐 수 있게 된 변기(便器)의 하나. 마유(馬廠). 측유(厠廠).

매화 편문【梅花片紋】[명] 도자기의 잿물에 금이 크게 나도록 만든 무늬.

매화-포【梅花砲】[명] 종이로 만든 딱총의 하나. 불똥 튀는 것이 매화 떨어지는 것과 비슷함. 매화총.

매:-회【每回】[명][부] 한 회마다. 「——-하다 [자][여불]

매:휴【賣休】[명] 제 아내를 남에게 팔고 남편된 권리를 포기(拋棄)함.

매흉【埋兇】[명] 남이 죽거나 못 되도록 저주하는 뜻으로 흉한 물건을 일정한 곳에 묻는 일. 「빛의 흙.

매-흙[—흑][명] 초벽·재벽이 끝난 다음 벽 거죽에 바르는 보드라운 잿

매흙-모래[—흑—][명] 매흙처럼 곱고 보드라운 모래. ∟[준]매.

매흙-질[—흑—][명] 벽 거죽에 매흙을 바르는 일. [준]맥질. ——-하다 [자]

맥¹ [명]〈방〉 멱². ∟[여불]

맥²【脈】[명] ①〖생〗↗혈맥(血脈). ②〖의〗↗맥박(脈搏). ¶ ~을 짚다/~이 약하다. ③〖광〗↗광맥(鑛脈). ④↗맥락(脈絡)❷. ⑤〖식〗↗엽맥. ⑥〖민〗 풍수 지리(風水地理)에서, 용(龍)의 생기(生氣)가 흐르는 줄. ⑦기운이나 힘. ¶ ~이 빠지다.

[맥도 모르고 침통 흔든다] 사리(事理)나 내용도 모르고 무턱대고 덤빈다는 말.

맥³【貊】[명]〖역〗 ①상고 시대 랴오허(遼河) 강 부근에 있던 나라. ②상고 시대에 강원도 지방에 있던 나라. 예(濊)와 잡거(雜居)하여 '예맥'으로 병칭되었음.

맥⁴【貘】[명] ①〖동〗 맥과(貘科)에 속하는 동물의 총칭. 말레이맥·아메리카맥 등이 있음. ②〖신〗 중국의 전설에서, 인간의 악몽(惡夢)을 먹는다는 동물. 형태는 곰, 코는 코끼리, 눈은 무소, 꼬리는 소, 발은 범과 비슷하다 함. *몽식맥(夢食貘).

〈맥⁴❷〉

맥각【麥角】[명] ①맥각균(菌)의 균사(菌絲)를 말린 것. 단단하며 흑색의 뿔 모양인데, 길이 1-2cm, 굵기 2.5-5mm 가량임. 극독(劇毒)이 있어서 이것이 기생한 화수(花穗)는 전혀 결실(結實)하지 못하며, 사람이 이것을 먹으면 중독되어 불수의 탈저(不隨意脫疽) 등의 병증을 일으킴. 한방(漢方)에서 지혈제(止血劑) 등으로 씀. *깜부기. ②〖약〗 맥각으로 만든 지혈제. 알칼로이드가 함유(含有)되어 있어서 평활근(平滑筋)에 작용하여 이것을 수축시키는 일을 함. 의학상 자궁 수축제·진통 촉진제·내부 각 기관의 지혈제로 쓰임.

맥각-균【麥角菌】[명]〖식〗[*Claviceps purpurea*] 자낭균류(子囊菌類)에 속하는 하등(下等) 식물. 호밀·보리·귀리 등의 볏과(科) 식물의 자방(子房)에 기생하는데, 많은 균사(菌絲)로 씨앗이 생길 때 흑색의 단단한 뿔 모양의 '균핵(菌核)'을 형성함. 이 균핵이 땅에 떨어지면 자경(子莖)이 생기고, 그 끝에 포자(胞子)를 간직한 자낭이 생김. 균사의 달콤한 점액(粘液)에 모여든 곤충에 의하여 포자가 다른 꽃에 매개됨. 균핵을 말린 것을 '맥각(麥角)'이라고 하여 여러 가지 약재에 씀.

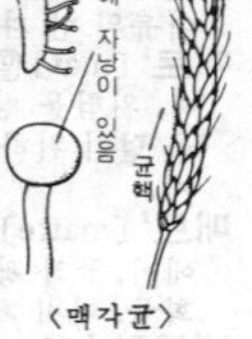

〈맥각균〉

맥각-병【麥角病】[명]〖식〗 맥각균에 의한 맥류(麥類)의 병. *깜부기·흑수병(黑穗病).

맥각-소【麥角素】[명]〖약〗 맥각에 함유되어 있는 극독소(劇毒素). 맥각 중독을 일으키는 반면, 자궁 출혈의 지혈제(止血劑)·진통 촉진제(陣痛促進劑) 등으로 쓰임.

맥각 알칼로이드【麥角—】[명][ergot alkaloid] 맥각에 함유되어 있는 알칼로이드의 총칭. 10종 이상의 알칼로이드가 함유되어 있음. 자궁근(子宮筋)을 긴장시키는 성질이 있어 진통 촉진제로 쓰임.

맥각 중독【麥角中毒】[명]〖의〗 맥각에 의한 중독. 자궁 출혈이나 내장 출혈에 맥각을 남용하면 급성(急性) 중독에 걸리는데, 구토·복통·설사·사지와 흉부의 동통·안면 창백 등의 증상을 나타내고, 중증(重症)일 때에는 혼수(昏睡) 상태에 빠지어 죽게 됨. 또, 맥각을 오랫동안 사용하면 만성(慢性) 중독에 걸리는데, 경련(痙攣)과 사지(四肢) 끝의 괴저(壞疽)를 특징으로 함.

맥각 진:액【麥角津液】[명][ergot extract] 맥각을 클로로포름 용액으로 침출(浸出)시켜 만든 적갈색의 농축액. 자궁 수축제·지혈제 등으로 쓰

맥간【麥稈】[명] 밀짚이나 보릿짚의 줄기. ∟임.

맥간 세:공【麥稈細工】[명] 밀짚이나 보릿짚을 여러 가지로 염색하거나 잘라서 하는 세공. 맥고 세공.

맥강【麥糠】[명] 보릿겨.

맥강 운두병【麥糠雲頭餠】[명] 보릿겨 수제비.

맥고【麥藁】[명] 밀이나 보리의 짚.

맥고-모【麥藁帽】[명]↗맥고 모자.

맥고 모자【麥藁帽子】[명] ①밀짚이나 보릿짚으로 만들어 여름에 쓰는 모자. 위가 높고 둥글며, 양태가 큼. 근래는 밀짚 대신에 얇게 켠 나무를 많이 씀. 밀짚 모자. ②밀짚 같은 것으로 만든 서양식 여름 모자. 위가 납작함. [준]맥고모·맥고자.

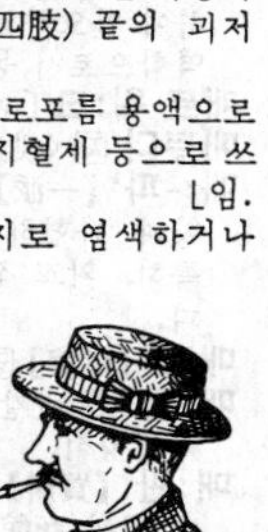
〈맥고 모자❷〉

맥고 세:공【麥藁細工】[명] 맥간 세공.

맥고-자【麥藁子】[명]↗맥고 모자. 「紙).

맥고-지【麥藁紙】[명] 밀짚이나 보릿짚의 섬유로 만든 종이. 맥광지(麥光

맥곡【麥穀】[명] 보리·밀 등의 곡식. 맥류(麥類). 하곡(夏穀). ↔미곡(米穀). 「키는 말.

맥곡지-영【麥曲之英】[명][맥곡(麥曲)은 국(麴) 곧 누룩] 술을 가리켜 일

맥-과【貘科】[명]〖동〗[Tapiridae] 기제류(奇蹄類)에 속하는 한 과. 원시적(原始的)인 척추 동물로서 몸길이 2.5m, 어깨 높이 1-1.5m 가량이고, 온 몸에 빳빳하고 짧은 털이 났으며, 주둥이가 코끼리 모양으로 늘

어졌고, 꼬리는 몹시 짧으며 등은 위로 굽었음. 말레이맥·아메리카맥 등이 있음.

맥관【脈管】명〖생〗혈관(血管).

맥관-계【脈管系】명〖생〗순환기(循環器).

맥관 촬영【脈管撮影】명〖의〗동맥·정맥 그 밖에 요관(尿管)·담관(膽管) 등에 대한 X선 촬영. 뢴트겐 조영제(造影劑)를 맥관에 주입 또는 이입(移入)하여 그 내강(內腔)을 사진으로 찍어서 검사함. 동맥류(動脈瘤)·동정맥 폐색(閉塞)·뇌종양·신결석(腎結石)·담석 등의 진단에 필요함.

맥관-학【脈管學】명〔angiology〕〖의〗혈관과 림프계(系)에 관한 의학 분야.

맥광-지【麥光紙】명 맥고지(麥藁紙).

맥국[1]【麥麴】명 보리를 원료로 한 누룩.

맥-국[2]【貊國】명〖역〗강원도 춘천(春川) 지역에 있었던 고대의 작은 국가. ＊맥(貊)❷.

맥궁【貊弓】명 고구려의 소수맥(小水貊)에서 나던 좋은 활.

맥근-점【麥根占】명〖민〗입춘(立春) 날에 보리 뿌리를 파 보아, 그 해의 풍흉(豐凶)을 알아내는 점. 뿌리가 세 갈래 이상이면 풍년, 두 갈래면 중숙(中熟), 한 갈래면 흉년이라 함.

맥나마라〔McNamara, Robert Strange〕명〖사람〗미국의 실업가·정치가. 하버드 대학 경영학 조교수를 거쳐, 포드 자동차 회사 사장을 역임. 케네디 대통령과 존슨 대통령 아래서 국방 장관을 지냈으며, 퇴임 후에는 세계 은행 총재도 역임함. [1916-]

맥-낚시【脈—】명 낚시찌를 사용하지 않고, 낚싯대·낚싯줄·손을 통하여 맥박(脈搏)처럼 전해져 오는 어신(魚信)을 느껴서 물고기를 낚는 방법. ↔찌낚시.

맥노【麥奴】명 흑수병(黑穗病)으로 인하여 까맣게 된 보리 이삭. 깜부기.

맥-놀이【脈—】명〔beat〕〖물〗진동수(振動數)의 차이가 극히 작은 소리굽쇠를 때릴 경우, 두 개의 소리가 서로 간섭하여 주기적으로 강약(強弱)을 반복하는 현상.

맥농【麥農】명 보리 농사.

맥-놓다【脈—】[—노타] 자 ①긴장을 풀다. ②맥이 풀려 멍하니 되다. 의욕을 잃다. ¶의복 단장 전폐하고 탈신하여 맥을 노코《春香傳》.

맥다【麥茶】명 보리차.

맥다월〔MacDowell, Edward Alexander〕명〖사람〗미국의 작곡가·피아니스트. 유럽에서 리스트(Liszt)의 후원으로 데뷔하여, 교향시곡 및 피아노 소나타 등을 작곡하였음. [1861-1908]

맥답【麥畓】명 보리논.

맥더:미드〔McDiarmid, Hugh〕명〖사람〗영국의 시인(詩人). 본명 Christopher Murray Grieve. 스코틀랜드 문예 부흥을 지도했으며 시(詩)에 사투리를 썼음. 작품에 《취한 사람 엉겅퀴꽃을 보다》 등이 있음. [1892-1978]

맥-도[1]【麥島】명〖지〗전라 남도의 서해상(西海上), 신안군(新安郡) 압해면(押海面) 가룡리(駕龍里)에 위치한 섬. [0.02 km^2: 2명(1984)]

맥도[2]【脈度】명 맥이 뛰는 정도. 보통, 어른은 1분간에 70회 가량임.

맥도[3]【脈道】명〖생〗혈관(血管).

맥도널 더글러스 회:사【—會社】명〔MacDonnell Douglas Corp.〕미국의 세계 굴지의 항공기 제작 회사. DC 시리즈의 수송기로 유명한 더글러스사(社)와 군용기 제작의 맥도넬사(社)가 1967년 합병한 회사.

맥도널드〔MacDonald, James Ramsay〕명〖사람〗영국의 정치가. 1911년 노동당 당수, 1924년 자유당의 지지를 얻어 영국 사상 최초의 노동당 내각을 조직하고 수상 겸 외상이 됨. 1929년 재차 조각(組閣), 1931년의 경제 대공황 때에 거국(擧國) 내각을 조직, 노동당과 결별함. 소련의 승인, 루르(Ruhr) 문제의 해결, 군축 회의의 지도 등 국제 평화에 기여함. [1866-1937]

맥도-딸:기【麥島—】명〖식〗[*Rubus longisepalus*] 장미과에 속하는 낙엽 활엽 관목. 잎은 거의 둥근데 흔히 세 갈래로 째졌으며, 꽃은 하나씩 액생(腋生)하여 4월에 핌. 과실군(果實群)은 구형으로 작은 견과(堅果)가 6월에 익으며 식용함. 바닷가의 산기슭에 나는데, 경남의 통영(統營)·전남의 여수(麗水) 등지에 분포함.

맥동【脈動】명 ①거의 주기적(周期的)으로 유동(流動)하는 일. ②〖지〗지각(地殼)이 지진(地震) 이외의 원인으로 비교적 규칙적으로 진동하는 현상. 저기압·한랭 전선·태풍 때에 관측됨.

맥동 기전력【脈動起電力】[—녁] 명〔pulsating electromotive force〕〖전〗직류(直流) 기전력과 교류(交流) 기전력의 합.

맥동-류【脈動流】[—뉴] 명〔pulsating flow〕〖공〗배관계(配管系)의 왕복 압축기가 왕복 펌프의 압력 변동에 의해서 발생하는, 배관계의 불규칙적인 유체의 흐름.

맥동 변:광성【脈動變光星】명〖천〗변광성의 하나. 항성(恒星) 내부에 변광의 원인이 있는 물리적(物理的) 변광성. 팽창이나 수축으로 광도(光度)와 이에 따른 스펙트럼형(spectrum型)이 주기적으로 변함. 세페이드(Cepheid) 변광성, 거문고자리의 RR형 별, 미라형(Mira型) 장주기 변광성 등이 있는데 그 주기는 수초(數秒)에서 2년 이상임. 맥동성(脈動星).

맥동-설【脈動說】명〖천〗별이 팽창과 수축을 되풀이한다는 학설. 맥동성(星)의 변광(變光)은 이 학설에 근거하고 있음.

맥동-성【脈動星】명〔pulsating star〕〖천〗맥동 변광성(脈動變光星).

맥동 전:류【脈動電流】[—절—] 명〖전〗맥류(脈流).

맥동 전:파원【脈動電波源】명〔pulsar〕강력하면서도 짧은 돌발적 전파 방사를 되풀이하는 전파원 천체(天體).

맥-동지【麥同知】명 보리 동지.

맥두걸〔McDougall, William〕명〖사람〗영국의 심리학자. 행동주의의 기계론적인 견해에 반대하고, 목적론적인 견지에서 본능을 중요시하여 사회 심리를 본능주의로 설명하였음. 저서에 《사회 심리학 입문》·《군중 심리》 등이 있음. [1871-1938]

맥락【脈絡】[—낙] 명 ①〖생〗혈맥이 서로 연락되어 있는 계통. 낙맥(絡脈). ②사물이 서로 잇닿아 있는 관계나 연관. (준)맥(脈).

맥락 관통【脈絡貫通】[—낙—] 명 사리(事理)가 일관하여 명백함. 일의 줄거리가 환하게 통함. ——하다 자여불

맥락-막【脈絡膜】[—낙—] 명〖생〗안구(眼球)의 후반부를 둘러싸고 있는 암적갈색 얇은 막. 혈관과 색소(色素) 세포가 많아 차광(遮光) 작용을 하며, 망막 외층(網膜外層)에 영양분을 공급함. 색소층(色素層).

맥락막-염【脈絡膜炎】[—낙—념] 명〖의〗맥락막에 생긴 염증(炎症). 이로 인하여 망막(網膜)과 초자체(硝子體)가 상하여 시력이 감퇴됨.

맥락 망막염【脈絡網膜炎】[—낙—념] 명〖의〗매독·결핵 등으로 맥락과 망막에 동시에 생기는 염증. 미만성(彌漫性)·산재성(散在性)·중심성(中心性)의 세 가지로 나뉘는데, 시각(視覺)이 장애되고 망막에 부종(浮腫)·출혈 등의 증상이 일어남.

맥랑【麥浪】[—낭] 명 커다랗게 자란 보리나 밀이 바람에 물결처럼 나부끼는 모양.

맥량[1]【麥涼】[—냥] 명 보리가 익을 무렵의 서늘한 바람이 부는 날씨. 또, 그 계절.

맥량[2]【麥糧】[—냥] 명 여름철의 양식으로 하는 보리.

맥령【麥嶺】[—녕] 명 보릿고개.

맥류[1]【脈流】[—뉴] 명〔pulsating current〕〖전〗흐르는 방향은 일정하나 그 크기가 시시로 변화하는 전류. 흔히, 교류를 정류(整流)하였을 때의 전류임. 맥동 전류(脈動電流). ↔정상(定常) 전류.

맥-류[2]【麥類】[—뉴] 명 보리 종류. 곧, 보리·찰밀·귀리·호밀 등. 맥곡(麥穀).

맥리【脈理】[—니] 명 ①글이나 사물의 전체에 통하는 이치. ②맥을 짚어 보아서 병을 짐작하는 이치. ③가는 줄 모양이나 띠 모양으로 유리 속에 존재하는 불균질(不均質)의 부분.

맥립-종【麥粒腫】[—닙—] 명〖의〗다래끼.

맥마:혼 라인〔McMahon line〕명〖지〗맥마혼선(線).

맥마:혼-법【—法】〔McMahon〕[—뻡] 명〖법〗미국의 원자력 국내 관리에 관한 최초의 법률. 1946년 8월에 통과되었는데, 대통령과 상원이 임명하는 원자력 위원회가 연구를 독점하도록 규정함. 맥마혼(McMahon, B.)이 제출한 법안임.

맥마:혼-선【—線】〔McMahon〕명〖지〗1914년의 심라 회의(Simla會議)에서 영국·중국·티베트의 대표들이 히말라야 봉우리를 따라 막연히 그은 티베트와 인도의 국경선. 티베트와 인도는 이를 인정하고 있으나 중국은 때때로 국경 분규를 일으키고 있음. 영국 대표 맥마혼의 이름에서 유래함. 맥마혼 라인.

맥마:혼 선언【—宣言】〔McMahon〕명 1915년 10월 이집트 주재 영국 고등 판무관 맥마혼(McMahon, A.H.)이 아랍 민족 운동 지도자에게 한 약속. 메르신(Mersin)·알레포(Aleppo)·다마스쿠스(Damascus)를 맺는 선(線) 이서(以西)를 제외한 그 밖의 아랍인 거주 지역의 독립을 전후에 승인하겠다는 내용. 터키를 타도하기 위하여 아랍 민족 운동을 이용하려고 한 것인데, 이 맥마혼 선언과 모순되는 1917년의 밸푸어 선언(Balfour 宣言)으로 훗날 팔레스타인 분규의 한 원인이 되었음.

맥망【麥芒】명 보리·밀 등의 수염.

맥맥-이【脈脈—】부 줄기차게 끊임없이. ¶3·1 정신을 ~ 이어 오다.

맥맥-하다 형여불 ①코가 막히어 답답하다. ¶감기 기운으로 코가 ~. ②생각이 잘 돌지 아니하다. ¶어떻게 하여야 좋을지 ~/은영도 침울해가는 정훈을 바라보며 가슴 속이 맥맥해졌다《張德祚: 누가 죄인이냐》. 맥맥-히 부

맥-모르다【脈—】자르불 일의 맥락(脈絡)을 모르다. 일의 속내나 까닭을 알지 못하다. ¶맥모르고 어루대다가 견린에나 잡혀가지요《崔瓚植: 金剛門》.

맥-못추다【脈—】자 어떤 사람이나 사물에 대하여 힘을 못 쓰거나 이성을 찾지 못하다. ¶돈이라면 맥못추는 사람.

맥무-병【脈無病】[—뼝] 명〖의〗맥박이 없고 경동맥(頸動脈)을 압박할 때에 간신히 맥박 같은 것을 느낄 뿐인 진귀한 병. 병원(病原)이나 치료법이 구명(究明)되지 않고 있으나 선천적인 이상 체질(異常體質)로 여겨짐. 생명에는 별 지장이 없으나 호흡 곤란과 어지럼 등을 일으킴.

맥문-동【麥門冬】명 ①〖식〗[*Liriope graminifolia*] 백합과에 속하는 다년초. 뿌리는 짧고 굵으며 줄기는 높이 30-35 cm이고 잎은 총생하며 선형(線形) 또는 선상 피침형임. 5-6월에 담자색의 작은 꽃이 총상(總狀) 화서로 밀착하여 핌. 과실은 장과(漿果)로 청흑색을 띤 빛깔로 익음. 산지의 나무 그늘에 나는데, 제주·전라·경상·강원 등지에 분포함. 겨우살이풀. 계전초(階前草). 마구(馬韭). 문동(虋冬). 불사초(不死草). 애구(愛韭). 양구(羊韭). 오구(烏韭). 우구(禹韭). 인릉(忍陵). ②〖한의〗맥문동이나 소엽맥문동의 뿌리. 보음(補陰)·청폐(淸肺)·거담(祛痰) 및 자양제(滋養劑) 등으로 쓰임.

〈맥문동❶〉

맥문동-주【麥門冬酒】명 맥문동에 소주를 부어 2개월 정도 지난 뒤 마시는 술. 자양 강장의 약효가 있음.

맥문동-탕【麥門冬湯】명〖한의〗맥문동·진피·반하·백출·인삼·생강 등을 넣어 달이는 탕약. 기관지염·폐렴 뒤에 나는 기침, 또는 곽란 뒤에 목이 마를 때 처방함.

맥문동 정:과【麥門冬正果】명 맥문동의 뿌리의 심을 빼고, 꿀을 쳐서 중탕하여 졸인 정과. (준)문동 정과(門冬正果).

맥문-아재비【麥門—】명〖식〗[*Ophiopogon jafuran* var. *latifolius*] 백합과에 속하는

〈맥문아재비〉

는 다년초. 근경(根莖)이 짧고 큰데 줄기는 높이 약 60cm이며, 잎은 뿌리에서 총생하고 선형(線形)으로 길이 약 1m임. 5월에 흰 꽃이 수상(穗狀) 화서로 정생하며, 과실은 푸른 장과(漿果)임. 따뜻한 지방의 저지(低地)에 나는데, 제주·전라·경남의 거제도 등지에 분포함. 관상용으로 재배함.

맥문아재빗-과【麥門一科】[명]〖식〗[Ophiopogonaceae] 단자엽(單子葉) 식물에 속하는 한 아과(亞科). 맥문동(麥門冬)·소엽맥문동·맥문아재비 등이 이에 속함.

맥밀런[1]〔McMillan, Edwin Mattison〕[명]〖사람〗미국의 물리학자. 캘리포니아 대학 교수. 로렌스(Lawrence)에게 협력하여 사이클로트론(cyclotron)의 발전에 기여(寄與)했고, 시보그(Seaborg)와 함께 플루토늄과 넵투늄을 합성함. 싱크로트론(synchrotron)의 원리를 발표하고, 이를 구체화함. 1951년 시보그와 함께 노벨 화학상을 수상함. [1907—91]

맥밀런[2]〔Macmillan, Harold〕[명]〖사람〗영국의 정치가. 보수당 출신으로 재무상·국방상 등을 거쳐 1957년 수상에 취임. 대미(對美) 협력 체제를 강화하여 냉전 완화에 노력하였으며 영국의 경제 회복에 성공하였으나 EEC 가맹 교섭에 실패하고 1963년 사임함. [1894-1986]

맥박【脈搏】[명]〖생〗심장 활동으로 인한 피의 주기적인 분출(噴出) 및 중지 작용이 교차(交叉)하여 일어나는 혈관벽의 파상 기복(波狀起伏). 그 수는 심장의 박동수(搏動數)와 같아 보통 매분 70회 가량인데, 대동맥에서 말초 혈관까지 전파되므로 신체 및 심장 기능의 정상 여부를 진단하는 중요한 재료가 됨. [준]맥(脈).

맥박(이) 치다 [구] ㉠맥박이 뛰다. ㉡힘차게 약동하다.

맥박-계【脈搏計】[명]〖의〗맥박의 횟수(回數)와 강약을 재는 기계 장치.

맥박 곡선【脈搏曲線】[명]〖의〗맥박수가 변화하는 상태를 그래프로 표시한 곡선. 맥파계(脈波計)를 사용하여, 검댕을 바른 납지(蠟紙) 위에 그리는데, 여러 가지 부정맥(不整脈)을 분석하는 데 이용함. *맥파계.

맥박 부정【脈搏不整】[명]〖의〗맥박이 불규칙한 상태. 심장병이나 중병(重病)이 있을 때 일어남.

맥박 청진기【脈搏聽診器】[명]〖의〗맥박을 재는 청진기.

맥반【麥飯】[명] 보리밥.

맥반-석【麥飯石】[명]〖광〗산 속 계곡에 있는, 황백색의 거위알 또는 뭉친 보리밥 모양의 천연석. 예로부터 정수(淨水) 작용이 있는 돌로 알려짐. 중국·일본 등지에 산출됨.

맥버:니 압통점【一壓痛點】〔McBurney〕[一쩜] [명]〖의〗미국의 외과의(外科醫) 맥버니(McBurney, Charles; 1845-1913)가 발견한 충수염(蟲垂炎) 진단의 한 방법. 배꼽과 우장골(右腸骨)의 전상극(前上棘)을 연결하는 선에서, 5cm쯤 안쪽에 있는 점을 손으로 눌러, 통증을 느끼면 충수염으로 일단 진단이 됨.

맥베스〔Macbeth〕[명]〖문〗1605-1606년에 쓰여진 셰익스피어의 사대(四大) 비극의 하나. 무장(武將) 맥베스가, 세 사람의 요파(妖婆)의 예언에서 야심을 품고, 덩컨왕과 뱅코 장군을 죽이고 왕위에 올랐으나, 후에 덩컨왕의 장자(長子) 등에 의해 살해된다는 줄거리로 되어 있음.

맥병【麥餠】[명] 밀가루나 보릿가루로 만든 떡. 보리떡.

맥-보다【脈一】[자] ①병증(病症)을 알아내기 위하여 맥을 짚어 그 빠르고 느림을 살피다. ②다른 사람의 뜻이나 눈치를 살피다.

맥부【麥麩】[명] 밀기울.

맥분【麥粉】[명] ①밀가루. ②보릿가루.

맥브라이드〔MacBride, Séan〕[명]〖사람〗아일랜드의 정치가. 1946년 아일랜드 공화당을 창당, 1947-58년 국회 의원, 1948-51년 외상(外相)을 역임, 1961년 앰네스티 인터내셔널 회장에 취임함. 1974년 노벨 평화상을 수상함. [1904—88]

맥비【脈痺】[명]〖한의〗피가 엉기어서 순환이 잘되지 아니하는 병.

맥-빠지다【脈一】[자] ①기운이 빠지다. ②긴장이 풀리다.

맥사리 [명]〈방〉떡살(전북·경북).

맥상-상【陌上桑】[명]〖악〗농촌 풍경을 목가적(牧歌的)으로 부른 소박한 중국 한대(漢代)의 민요. 왕인(王仁)의 아내 나부(羅敷)가 조왕(趙王)의 유혹을 물리치기 위하여 지었다 함.

맥석【脈石】[명]〖광〗광맥 속에 섞여 있으나 경제적으로 가치가 별로 없는 돌. 곧, 석영·장석·방해석·휘석 등과 같은 돌.

맥소【脈所】[명] ①〖의〗짚어서 맥박(脈搏)이 뛰는 것을 알 수 있는 곳. ②사물의 급소(急所).

맥수【麥穗】[명] 보리 이삭.

맥수-가【麥秀歌】[명]〖악〗기자(箕子)가 지었다는 노래 이름. 원문은 '麥秀漸漸兮 禾黍油油兮 彼狡童兮 不與我好兮'임. *맥수지탄(麥秀之嘆).

맥-수단【麥水餻】[명] 보리 수단(水餻).

맥수지-탄【麥秀之嘆】[명]〔기자(箕子)가 은(殷)이 망한 후에 그 폐허에 보리만 자람을 보고 한탄했다는 고사에서 유래〕고국(故國)의 멸망을 한탄함. *맥수가(麥秀歌).

맥스웰〔Maxwell, James Clerk〕[명]〖사람〗영국의 물리학자. 전자기장(電磁氣場)의 기본 방정식을 도출해, 이로써 전자기파(電磁氣波)의 존재를 증명, '빛의 전자기 이론(電磁氣理論)'의 기초를 세움. [1831-79]

맥스웰의 전:자기설【一電磁氣說】〔Maxwell〕[一/一에一] [명]〖물〗맥스웰이 패러데이(Faraday)의 전자기(電磁氣)의 실험과, 전자기의 매질(媒質)로서의 전자기장(電磁氣場)을 합한 이론을 기초로 하여, 모든 전자기의 현상을 설명하려고 한 이론. 빛이 전자기파(電磁氣波)라는 것도 이 이론에서 도출(導出)됨. 전자기설.

맥스 팩터 회:사【一會社】[명]〔Max Factor & Co.〕1909년 할리우드에서 창업한 미국의 화장품 회사. 영화 산업과 더불어 발전하여 1930년대부터 해외에 적극적으로 진출, 유럽·중남미(中南美) 등 십여 개국에 공장을 가지고 있음.

맥시〔maxi〕[명] 길이가 발목까지 내려오는 여자용의 스커트나 코트. ↔미니(mini). *미디(midi).

맥시-류【脈翅類】[명]〖충〗풀잠자리목(目).

맥시멈〔maximum〕[명] ①'최대·최고'의 뜻. ②〖수〗극대(極大). ↔미니멈.

맥시 스커:트〔maxi skirt〕[명] 복사뼈 정도까지 내려오는 긴 스커트. ↔미니 스커트.

맥-신 [명]〈방〉꽃당혜(唐鞋).

맥심[1]〔maxim〕[명] 격언(格言). 금언(金言). 처세훈(處世訓). 좌우명(座右銘).

맥심[2]〔Maxim〕[명]〖사람〗①〔Hiram Stevens M.〕미국 출생의 영국 기술자·발명가. 맥심 기관총(Maxim 機關銃)은 그의 수많은 발명품 중의 하나임. [1840-1916] ②〔Hudson M.〕미국의 기계 기사. ❶의 동생. 최초로 무연 화약(無煙火藥)을 만들었음. [1853-1927]

맥아【麥芽】[명] 엿기름.

맥아-당【麥芽糖】[명]〖화〗엿당.

맥아:더〔MacArthur, Douglas〕[명]〖사람〗미국의 군인. 육군 원수(元帥). 2차 대전중 연합국 서남 태평양 지구 총사령관으로 대일전(對日戰)을 지휘하였고, 일본 점령 연합군 최고 사령관을 지냈음. 1950년 한국의 6·25 전쟁 때는 UN군 총사령관으로서 인천(仁川) 상륙 작전을 지휘해서 공산군을 패퇴시켰으나, 중국 본토 폭격 등 강경책을 주장하여 1951년 4월에 해임됨. 인천의 자유(自由) 공원에 그의 동상(銅像)이 있음. [1880-1964]

맥아:더 라인〔MacArthur Line〕[명] 미국의 극동 주둔군 사령관 맥아더 장군이, 점령하의 일본인의 어로(漁撈) 활동의 범위를 획정한 선. 대일(對日) 강화 조약에 의하여 없어졌음.

맥아 음:료【麥芽飮料】[一뇨] [명]〔malt beverage〕엿기름을 주성분으로 하는 발효주의 총칭. 맥주·에일(ale)·스타우트(stout)·포터(porter) 따위.

맥아-즙【麥芽汁】[명] 엿기름을 곱게 갈아 더운 물과 섞어서 당화(糖化)시킨 액체.

맥아 진:액【麥芽津液】[명]〔malt extract〕엿기름의 즙(汁)을 농축(濃縮)하거나 분말로 하여 만든 감미료(甘味料).

맥암【脈岩】[명]〖광〗암석 사이에 마그마(magma)가 들어가 굳어져 맥처럼 벋어 있는 화성암(火成岩).

맥압【脈壓】[명]〖생〗최고 혈압(血壓)과 최저 혈압의 차. 맥폭(脈幅).

맥압-계【脈壓計】[명]〖생〗혈압계(血壓計).

맥얼【麥蘖】[명] 엿기름.

맥-없다【脈一】[一업一] [형] 기운이 없다.

맥-없이【脈一】[一업씨] [부] ①기운 없이. ¶ ~ 쓰러지다. ②아무 이유도 없이. 공연히. ¶ ~ 울고 있다.

맥연-히【驀然一】[부] 언뜻.

맥우【麥雨】[명] 보리가 익을 무렵에 오는 비.

맥음-기【脈音器】[명]〔sphygmophone〕〖의〗박동음(搏動音)을 잡기 위해서 손목에 장치하는 마이크로폰.

맥작【麥作】[명] 보리 농사. 맥농(麥農).

맥-장꾼【一場一】[명] 일 없이 구경삼아 장터에 나온 장꾼. ¶ 하릴없는 ~들이 모주팔이 노파의 술동이 옆에 꾀어들어 구경이 한창인데…《金周榮 : 客主》.

맥재기 [명]〈방〉〖동〗개구리(함남).

맥적【麥笛】[명] 보리 줄기로 만든 피리. 보리 피리.

맥-적다 [형] ☞맥쩍다. ¶아 이 사람아, 맥적게 그건 봐 뭘 해, 금을 캐라니깐《金裕貞 : 金 따는 콩밭》.

맥적산 석굴【麥積山石窟】[명] 마이지 산 석굴.

맥전【麥田】[명] 보리밭.

맥-조미【一糙米】[명]〈방〉매조미.

맥주【麥酒】[명] 알코올성 음료(飮料)의 하나. 엿기름 가루를 물과 함께 가열(加熱)하여 당화(糖化)한 반죽에 홉(hop)을 넣어 끓이고 식혀서, 방향(芳香)과 쓴 맛이 있게 한 후에, 효모(酵母)를 넣어 발효(醱酵)시킨 술로, 탄산가스를 함유하는 것이 특징임. 오래 보존하기 위하여 이것을 가열하여 살균(殺菌)하는데, 이 가열한 것이 병에 넣어 파는 보통 맥주이고, 가열하지 아니한 것이 생맥주(生麥酒)임. 비어(beer).

맥주-뜸팡이【麥酒一】[명]〖식〗맥주 효모균.

맥주-병【麥酒甁】[一뼝] [명] ①맥주를 담아 파는 고동색 유리병. ②수영이 아주 서투른 사람을 조롱하는 말.

맥주-홀:【麥酒一】〔hall〕[명] 맥줏집.

맥주 효모균【麥酒酵母菌】[명]〖식〗맥주를 만드는 데에 필요한 효모균(酵母菌)의 하나. 엿기름 속에 있는 당분을 치마아제(Zymase)의 작용으로 발효(醱酵)시켜 알코올과 탄산가스로 분리시킴. 맥주뜸팡이.

맥-줄【脈一】[명] 맥이 벋어 있는 줄기.

맥줏-집【麥酒一】[명] 맥주를 전문으로 파는 술집. 맥주 홀.

맥지 [명]〈방〉피딱지.

맥진[1]【脈診】[명] ①〖한의〗진맥(診脈). ②〖의〗맥박(脈搏)의 수나 강약으로 병세를 판단하는 진단법의 하나. ——-하다 [타][여불]

맥진[2]【脈盡】[명] 맥이 풀리고 기운이 아주 빠짐. ¶ 기진(氣盡) ~하다. ——-하다 [자][여불]

맥진[3]【驀進】[명] 한눈팔 겨를이 없이 힘차게 나아감. ——-하다 [자][여불]

맥-질 [명] ↗매흙질. ——-하다 [자][여불]

맥-쩍다 [형] ①심심하고 무료하다. ¶ 할 일 없이 맥쩍게 앉아 있다. ②대할 낯이 없다. ¶ 또 달라기가 ~.

맥차【麥茶】[명]〔←맥다〕보리차.

맥초덕-산【麥草德山】[명]〖지〗평안 북도 희천군(熙川郡) 신풍면(新豐

面)·동창면(東倉面)과 강계군(江界郡) 입관면(立館面) 경계에 있는 산. [1,578m]
맥추【麥秋】명 보리가 익는 철. 보릿가을.
맥취 명〈방〉『식』마타리.
맥치【脈痔】명『의』항문(肛門) 속에 좁쌀 같은 것이 돋고 피가 흐르는 치질의 한 가지.
맥타리 명〈방〉『식』금마타리.
맥탁【麥濁】명 보리로 담근 막걸리.
맥탕【麥湯】명 보리 숭늉.
맥파-계【脈波計】명『의』맥파(脈波), 곧 맥박(脈搏) 곡선을 자동적으로 기록하는 장치. *맥박 곡선.
맥폭【脈幅】명『생』맥압(脈壓).
맥-풀【脈一】명 빳빳한 힘의 기세. ¶~ 없이 물러서다.
맥풍【麥風】명 보리 위를 스치는 바람. 곧 초여름의 훈훈한 바람.
맥-풀리다【脈一】자 기운이 스러져 없어지다. 긴장이 풀어지다.
맥피【麥皮】명 밀기울.
맥혼【麥麯】명 보리 누룩.
맥황【麥黃】명『농』보리나 밀에 황(黃)이 내리어 누렇게 되는 병. 황증(黃蒸). 황모(黃麰).
맥후【脈候】명『의』맥박의 횟수·강약 등에 드러나는 증후(症候).
맥흉【麥凶】명 보리 흉년.
맨[1]〔man〕명 ①사람. ②남자. ↔우먼(woman).
맨[2]〔Mann, Horace〕명『사람』미국의 교육 행정가. 교사·변호사를 거쳐 매사추세츠 주(州) 상원 의원이 됨. 1837년 미국 최초의 교육 위원회 설치, 1948년까지 주(州) 교육감을 지냄. 보통 교육 제도의 개혁에 공헌, '미국 공립 학교의 아버지'라고 불림. [1796-1859]
맨[3] 관 아무것도 섞이지 아니하고 그것뿐인 뜻을 나타내는 말. ¶~ 장사꾼이다/~ 책이다.
맨:[4] 관 '더할 수 없이 가장'의 뜻을 나타내는 말. ¶~ 나중/~ 마지막/내가 ~ 먼저다.
맨- 두 명사 앞에 붙어서 '다른 것이 섞이지 않고 오직 그것뿐'인 뜻을 나타내는 말. ¶~발/~손.
맨: 꼬라비 명 ☞ 맨 꼴찌.
맨: 꼭대기 명 맨 위. 제일 위.
맨: 꼴찌 명 맨 끝이 되는 사람. ¶내가 ~다.
맨-꽁무니 명 아무 밑천이 없이 맨주먹으로 일을 할 경우의 일컬음. 또, 그런 일을 하는 사람. ¶~로 무슨 일을 하라느냐/~로 장사를 하려 든다.
맨: 끝 명 제일 끝. ¶책의 ~ 페이지.
맨: 나중 명부 제일 나중. ¶~에 온 사람. ↔맨 먼저·맨 처음.
맨-날 부 만날.
맨-눈 명 안경이나 현미경 등을 이용하지 아니하고 직접 보는 눈. 육안(肉眼).
맨-다리 명 맨살을 드러낸 다리. 적각(赤脚).
맨대 명〈방〉뱅추(평안).
맨-대가리 명 '맨머리'의 낮춤말.
맨대가릿-바람 명 '맨머릿바람'의 낮춤말.
맨더빌〔Mandeville, Bernard〕명『사람』네덜란드 태생의 영국 의사·사상가. 《벌의 우화(寓話)》를 발표, 자유로운 인간의 이기적(利己的)인 활동이 공공의 복지(福祉)를 증진한다는 자유주의적 경제 사상을 밝힘. [1670-1733]
맨데이머스 프로시:딩〔mandamus proceeding〕명『법』영미법계(英美法系)의 국가에 있어서, 상급 법원이 하급 법원 또는 공무원·행정 관청·법인 등에 대하여, 그 의무에 속하는 특정 사항의 이행(履行)을 명하는 소송 절차.
맨도래미 명〈방〉『식』맨드라미.
맨도리 명〈방〉맨드리.
맨두래미 명〈방〉『식』맨드라미.
맨두리 명〈방〉맨드리. ¶옷 ~만 보아도 귀인이 분명하다.
맨둥맨둥-하다 형여불 산에 나무가 없어 반반하다. <민둥민둥하다. **맨둥맨둥-히** 부
맨: 뒤 명 제일 뒤. ¶줄 ~에 서다. ↔맨 앞.
맨드라미 명『식』[*Celosia argentea* var. *cristata*] 비름과에 속하는 일년초. 줄기는 곧고 홍색을 띠며 높이 90cm 가량임. 잎은 호생하며 달걀꼴 또는 긴 타원형임. 7-8월에 닭의 볏 모양으로 된 홍색·황색·백색 등의 꽃이 정생하고, 과실은 개과(蓋果)임. 아시아·열대 지방의 원산인데, 전세계 각지에서 관상용으로 재배함. 계관(鷄冠). 계관초(鷄冠草). 계관화. 계두(鷄頭).

〈맨드라미〉

맨드라미-꽃 명 맨드라미의 꽃. 계관화(鷄冠花).
맨드리 명 ①옷을 입고 매만진 맵시. ¶~가 곱다/밤빛에 보아도 머리 깎고 검은 장삼을 입은 것이 중의 ~다《張德祚: 狂風》. ②물건의 만듦새. ¶~를 보니 꽤 정성을 들였군.
맨드릴[1]〔mandrel〕명『기』굴대.
맨드릴[2]〔mandrill〕명『동』[*Mandrillus sphinx*] 비비(狒狒)의 한 종류. 개 정도의 몸집을 하고 꼬리가 짧으며 뺨 부분이 융기하여 깊은 주름이 많음. 수컷은 주름 부근이 코발트 빛이고 안면(顔面) 노출부와 볼기짝은 선홍색(鮮紅色)임. 아프리카의 기니 지방에 분포함.

〈맨드릴²〉

맨들다 타보통〈방〉만들다(경기·강원·충청·전라·경상·제주).
맨-땅 명 ①아무것도 깔지 아니한 땅바닥. ¶~에 앉다. ②거름을 주지 않은 생(生)땅. 나지(裸地).
맨련 명〈방〉미련.
맨망-떨다 자 요망스럽게 함부로 까불다.
맨망-스럽다 형ㅂ불 맨망한 듯하다. ¶너 같은 맨망스러운 놈은 태기를 쳐서 창아리를 터쳐놓을 테다《洪命憙: 林巨正》. **맨망-스레** 부
맨망-하다 형여불 요망스럽게 까부는 태도가 있다. *민망하다. **맨망-히** 부
맨-머리 명 ①아무것도 쓰지 아니한 머리. 노두(露頭). ②낭자를 하지 아니하고 그대로 쪽진 머리.
맨머릿-바람 명 맨머리로 나선 차림새. ¶~으로 나가다.
맨: 먼저 명부 제일 먼저. ¶~ 출근하다. ↔맨 나중.
맨-몸 명 ①옷을 입지 아니하고 벌거벗은 몸. ¶~으로 자다. ②아무 것도 가지지 아니한 몸. ¶~으로 시집가다.
맨-몸뚱이 명 '맨몸'의 낮춤말. 알몸뚱이.
맨: 밑 명 제일 밑. 제일 아래. ↔맨 위.
맨-바닥 명 아무것도 깔지 아니한 바닥. ¶~에 드러눕다.
맨-발 명 아무것도 신지 아니한 발. 도선(徒跣). 선족(跣足). *맨손.
맨발 벗고 나서다 구 어떤 일에 아주 적극적으로 개입하다. 발벗고 나서다.
맨발(을) 벗다 구 맨발이 되다.
맨-밥 명 ①반찬을 갖추지 아니한 밥. ¶~을 먹다. *마른밥. ②〈방〉강조밥.
맨-버선발 명 신을 신지 않고 버선만 신은 발. ¶반가운 나머지, ~로 뛰어 나갔다.
맨-보리밥 명 ☞꽁보리밥.
맨-살 명 아무것도 입거나 걸치거나 하지 않아 드러나 있는 살.
맨-상투 명 아무것도 두르거나 쓰지 아니한 상투.
맨 섬〔Man〕명『지』영국, 잉글랜드와 에이레의 거의 중간 아이리시 해(Irish 海)에 있는 섬. 풍광이 아름답고 기후가 따뜻한 관광지. 귀리·밀·보리·감자·순무가 주산물(主産物)이고, 낙농과 어업도 행해짐. 영국에 속하지만 독자적인 의회가 있고 폭넓은 자치(自治)가 인정되고 있음. 영국 의회를 통과한 법률도 특별히 명기하지 않는 한, 이 섬에는 적용되지 않음. 중심 도시는 더글러스(Douglas). [572 km²·65,000 명(1981)]
맨션〔mansion〕명〔대저택, 대지주(大地主)의 저택이란 뜻〕고층화(高層化)된 고급 분양 주택의 뜻으로 쓰임. ¶~ 아파트.
맨션 하우스〔mansion house〕명 ①호화 주택. 대저택. ②〔Mansion House〕영국 런던 시장(市長)의 공관(公館).
맨-손 명 아무것도 가지지 않은 손. 빈손. 공수(空手). 도수(徒手). 적수(赤手). ¶~ 체조/~으로 방문하다. *맨주먹.
맨손-바닥〔—빠—〕명 맨손의 손바닥.
맨손 체조【—體操】명 기계나 기구를 쓰지 아니하고 손·발·목·몸통 등을 움직이며 하는 체조. 도수 체조(徒手體操). ↔기계 체조·기구 체조.
맨송맨송-하다 형여불 ①몸에 털이 있을 곳에 털이 없다. ②산에 나무나 풀이 없다. ③술을 마신 뒤에 취하지 아니하다. 1)-3): <맨숭맨숭하다·민숭민숭하다. **맨송맨송-히** 부
맨숭맨숭-하다 형여불 ①몸에 털이 없다. ¶턱이 ~. ②산에 나무나 풀이 없다. ¶산이 ~. ③술을 마신 뒤에 취하지 아니하다. ¶꽤 마셨는데 아직 ~. 1)-3): <민숭민숭하다. >맨송맨송하다. **맨숭맨숭-히** 부
맨스필:드[1]〔Mansfield, Katherine〕명『사람』영국의 여류 단편 작가. 《원유회(園遊會)》등 90여 편의 단편을 발표하였는데, 섬세한 감각과 예술성 높은 문체는 높이 평가됨. [1888-1923]
맨스필:드[2]〔Mansfield, Michael〕명『사람』미국의 정치가. 광산 기사 출신. 1943년 하원 의원, 1952년 상원 의원이 되고, 1961년 민주당 원내 총무를 거쳐, 1977년에 주일(駐日) 대사가 됨. [1903-]
맨슨〔Manson, Patrick〕명『사람』영국의 의사·기생충학자. 아모이에 체재하면서 열대병(熱帶病) 연구에 많은 업적을 세우고, 말라리아의 매개물이 모기임을 처음 주창하였음. '열대병학의 아버지'로 불림. [1844-1922]
맨시니〔Mancini, Henry〕명『사람』미국의 대중 음악 작곡가. 줄리아드 음악원을 거쳐 커제넥(Křenek) 등에 사사(師事). 1951년 이후 영화·TV 음악에 손을 대어 《문 리버(Moon River)》·《술과 장미의 나날》등을 작곡함. [1924-]
맨: 아래 명 제일 아래. ↔맨 위.
맨: 앞 명 제일 앞. ↔맨 뒤.
맨: 위 명 제일 위. ¶~의 선반. ↔맨 아래·맨 밑.
맨-입〔—닙〕명 아무것도 먹지 아니한 입. *마른입.
【맨입에 앞 교군(轎軍) 서라 한다】어려운 중에 또 어려운 일이 겹치어 생김을 이르는 말.
맨작지근-하다 형〈방〉매작지근하다.
맨:장【一長】명〈방〉면장(面長)(경남).
맨:재-준치 명 소금에 절이어 매운재의 빛처럼 파랗게 된 준치.
맨-제기 명 제기차기의 한 가지. 한 발로 한 번 차고 땅에 발을 댔다가 또 차기를 되풀이하는 짓.
맨-주먹 명 아무것도 가지지 아니한 주먹. 공권(空拳). ¶~으로 싸우다/~으로 장사를 시작하다. *맨발.
맨지근-하다 형〈방〉매지근하다.
맨지다 타〈방〉만지다(경기·강원·평안·전남).
맨: 처음 명 제일 먼저. ¶~ 만났을 때. ㊟맨 첨. ↔맨 나중.
맨: 첨 명 ↗맨 처음.
맨체스터〔Manchester〕명『지』①영국 잉글랜드 서북부 랭커셔 동남부의 대공업 도시. 산업 혁명 후 유리한 기후 조건과 랭커셔 탄전(炭田)을 배경으로 면방적(綿紡績) 공업이 크게 발전, 상업·금융의 중심지가 됨. 리버풀과의 사이에 운하(運河)가 통하여 외양선이 입항(入港)하며, 철도의 요지이기도 함. 근래 금속·화학·제지(製紙)·기계 등의 공업도 성함. [449,000 명(1981)] ②미국 뉴햄프셔 주의 공업 도시. 풍부한 수력을 이용한 섬유 및 담배 가공업이 성하며, 공군 기지(基地)가 있음. [91,000 명(1980)]

맨체스터 가:디언〔Manchester Guardian〕 명 1821년 영국 맨체스터에서 창간된 신문. 1959년에 '가디언(The Guardian)'이라 개칭. 자유주의계(系)의 신문임. *가디언.

맨체스터 학파【—學派】〔Manchester〕 명 〖경〗 19세기 전반부터 영국 맨체스터 시의 상업 회의소를 중심으로 코브던(Cobden)·브라이트(Bright) 등이 중심이 되어, 중상주의(重商主義)와 자유 무역 사상을 고취한 일파. 유럽 각국에 큰 영향을 미치었으며, 근세 자본주의 자유 무역의 모태(母胎)가 되었음.

맨키비츠〔Mankiewicz, Joseph Leo〕 명 〖사람〗 미국의 영화 감독·각본가·영화 제작자. 펜실베이니아 주(州) 윌크스배러 출생. 1928년 영화 자막(字幕) 번역으로 영화계에 뛰어들어, 36년부터는 MGM에서 ≪격노≫ 등을 제작함. 46년 감독으로 진출해 ≪세 아내에게 보내는 편지≫·≪이브의 모든 것≫·≪지난 여름 갑자기≫·≪클레오파트라≫·≪맨발의 백작 부인≫·≪아가씨와 건달들≫ 등 많은 영화를 만듦. 지적(知的)인 유머와 신랄한 풍자, 탁월한 각본 구성에 의한 인간 관찰로 이름남. 4차례 아카데미상(賞)을 수상함. [1909-93]

맨탕 관 ☞맨².

맨-털터리 명 ☞매나니❶.

맨-투-맨〔man-to-man〕 명 1대 1로 하는 일.

맨투맨 디펜스〔man-to-man defence〕 명 농구·축구 등에서, 경기자가 각각 자기의 상대를 정하여, 책임지고 이를 방어하는 방법. 대인(對人) 방어법. ↔존 디펜스.

맨틀¹〔mantel〕 명 맨틀피스(mantelpiece).

맨틀²〔mantle〕 명 ①가스등(gas燈)의 화염(火焰)을 싸고 빛을 내게 하는 기구. 질산 토륨·질산 셀륨을 흡수시킨 목면 및 인견 등을 통상(筒狀)의 망(網)으로 짜서 태운 다음에 그 재를 경화(硬化)시켜 만듦. 가스(gas) 맨틀. 백열(白熱) 맨틀. ②〖지〗 지구 내부의 각층 가운데서 지각(地殼)의 아래에 있으며 깊이는 대략 30 km-2,900 km 까지의 층. 밀도 3-6 g/cm³, 온도 400°-800°C 정도로, 지진파(地震波) 속도·밀도·압력·온도 따위는 각각 지구의 중심을 향해 증대함. 외투부(外套部).

맨틀 대:류설【—對流說】〔mantle〕 명 〖지〗 지구의 맨틀 안에 열대류(熱對流)가 존재하여 그것이 지각 운동의 주된 원인을 이룬다는 설. 이 설에 의하면, 대양의 밑바닥 맨틀 안에서 물질이 끓어오르는 곳이 해령(海嶺)이며, 그곳으로부터 대륙을 향해 수평 방향으로 물질이 이동하여 다시 맨틀 안으로 흘러 들어가는 곳에 해구(海溝)와 호상 열도(弧狀列島)가 생긴다고 함.

맨틀-피:스〔mantelpiece〕 명 파이어플레이스(fireplace)의 윗면에 설치된 장식용 선반. 맨틀.

맨-파워〔manpower〕 명 인력(人力). 인적 자원.

맨해튼〔Manhattan〕 명 〖지〗 미국 뉴욕 시의 한 구(區). 허드슨 강과 이스트 강 사이에 있는 섬으로, 금융·상업의 중심지이며, 국제 연합 본부·컬럼비아 대학·엠파이어 스테이트 빌딩·록펠러 센터 등이 있음. [57 km² : 1,428,000 명(1980)]

맨해튼-계【—系】〔Manhattan〕 명 〖지〗 미국 뉴욕 부근으로부터 북방의 애디론댁(Adirondack) 산지에 걸친 지역에 분포되어 있는 암층. 주로 결정 편암(結晶片岩)으로 되어 있음.

맨해튼 계:획【—計劃】 명〔Manhattan Project〕 제2차 대전 중의 미국의 '원자 폭탄 개발 계획'의 속칭.

맨해튼 칵테일〔Manhattan cocktail〕 명 베르무트(vermouth)와 위스키를 혼합한 칵테일의 한 가지.

맨홀:〔manhole〕 명 ①땅 속에 묻은 수도관·하수관·지하 케이블(地下 cable) 및 포도(鋪道) 등을 검사하거나 소제하기 위하여 드나드는 구멍. ②기차굴 또는 철교(鐵橋) 등의 옆에 사고를 피하기 위하여 만들어 놓은 구멍이나 자리. ③배의 갑판(甲板) 위에 한 사람이 출입할 수 있도록 뚜껑을 해 단 작은 승강구(昇降口).

맬: 명 〈방〉〖식〗 메밀(함남).

맬다이브〔Maldives〕 명 〖지〗 ☞몰디브.

맬때기 명 〈방〉〖충〗 메뚜기(경남).

맬러리〔Malory, Thomas〕 명 〖사람〗 영국의 작가. 아서왕(王) 전설을 수집, 집성(集成)한 ≪아서왕의 죽음≫으로 알려짐. 그의 생애는 잘 알려지지 않으나 워릭셔(Warwickshire)의 기사(騎士)라는 설이 유력한데, 투옥·탈옥을 되풀이했음. [?-1471]

맬서스〔Malthus, Thomas Robert〕 명 〖사람〗 영국의 경제학자. 과소 소비설(過少消費說) 및 유효 수요(有效需要)의 원리를 처음으로 설명하고, 1798년에 유명한 ≪인구론≫을 내어 인구의 자연 증가를 억제하여야 함을 주장하였음. [1766-1834]

맬서스-주의【—主義】〔Malthus〕[—/—이] 명 〖경〗 맬서스의 ≪인구론≫에 나타난 인구와 식량과의 관계에 관한 이론. 제한된 토지에서 산술(算術) 급수적으로 증가하는 식량이, 기하(幾何) 급수적으로 증가하는 인구를 도저히 따라갈 수가 없기 때문에, 온갖 사회적 결함, 즉 기아(飢餓)·빈곤 등이 불가피하게 야기되므로, 인구의 팽창을 막기 위하여서는 여러 가지 억제책(抑制策)을 강구해야 한다고 주장함. *인구론.

맴¹ 명 〈방〉 재갈¹(전북).

맴² 명 〈방〉 마음(경기·전남·경상).

맴:³ 명 ↗매암.

맴⁴ 부 매미가 울음을 그칠 때에 내는 소리.

맴:-돌다 자 ↗매암(을) 돌다. ¶소리개가 하늘을 ~.

맴:-돌리다 사동 ↗매암(을) 돌리다.

맴:-돌이 명 ①맴을 도는 일. ②〖수〗 회전체(回轉體). ③〖물〗 소용돌이❷. ——하다 자여불

맴:돌이 손:실【—損失】 명 〔eddy-current loss〕〖전〗 자기 손실(磁氣損失)의 한 가지. 자성(磁性) 재료의 저항이 유한(有限)하기 때문에 자기장(磁氣場)의 변화에 의하여 재료 중에 기전력(起電力)을 발생하여서 맴돌이 전류가 흐르고 이에 의하여 줄열(Joule 熱)이 발생하여 자기가 손실되는 일. 와류손(渦流損). 와전류손(渦電流損).

맴:돌이 연소기【—燃燒器】 명 〔vortex burner〕 연소용의 공기가 용기(容器) 안에서 소용돌이를 일으켜, 분사(噴射)되는 연료와 혼합(混合)되는 연소 장치.

맴:돌이 전:류【—電流】[—절—] 명 〔eddy current〕〖물〗 변화하고 있는 자기장(磁氣場) 안의 도체(導體)에 전자기 유도(電磁氣誘導)로 인하여 생기는 전류. 발견자의 이름을 따서 '푸코 전류(Foucault電流)'라고도 함. 와전류.

맴매 명 〈소아〉 ①때리는 매. ¶~ 가져 오너라. ②매로 때리는 일. ——하다 타여불

맴:-맴 부 ①↗매암매암. ②〈소아〉 아이들이 매암돌 때에 부르는 소리. ¶고추 먹고 ~ 담배 먹고 ~.

맴생이 명 〈방〉〖동〗 염소¹.

맴소 명 〈방〉〖동〗 염소¹(전남).

맴-체【—體】 명 살풀이춤에서, 다소곳이 한 바퀴 도는 춤사위.

맵다¹ 형ㅂ불 ①고추나 겨자같이 알알한 맛이 나다. ¶김치가 ~. ②인정이 없고 몹시 독하다. ¶시집살이 ~ 한들. ③몹시 춥다. ¶날씨가 ~. [맵고 차다] 성질이 모질고 냉혹하다. ¶그 부인의 맵고 찬 마음에 욕스러운 말을 듣고 목석이 아닌 바에 어찌 그 창피한 꼴을 보고 앉았으리요≪金宇鎭:花山雪≫.

맵:다² 형 〈방〉 냅다(경기·충청·전라·경남).
[맵기는 과부집 굴뚝이라] 〈방〉 냅기는 과붓집 굴뚝이라. *냅다¹.

맵디-맵다 형ㅂ불 몹시 맵다.

맵살-스럽다 형ㅂ불 남에게 미움을 받을 만한 데가 있다. <밉살스럽다. 맵살-스레 부

맵새-하다 형 〈방〉 맵싸하다.

맵시 명 곱게 매만진 모양. 태(態). ¶옷을 ~있게 잘 입다/~있는 몸매.
맵시(를) 내:다 구 맵시가 나게 하다.

맵시-벌 명 〖충〗 맵시벌과에 속하는 곤충의 총칭. 검정맵시벌·긴꼬리뾰족맵시벌·나방살이맵시벌·쌍점박이납작맵시벌·알락맵시벌 등 종류가 대단히 많음.

맵시벌-과【—科】[—꽈] 명 〖충〗 [Ichneumonidae] 벌목(目)에 속하는 한 과. 이 과에 속하는 곤충은 미소(微小) 내지 대형의 기생성(寄生性)의 벌로, 촉각은 실 모양이고, 단안은 세 개, 다리는 가늘고 전절(轉節)은 2절이며, 날개는 정상으로 단시(短翅)이거나 또는 완전히 퇴화되었음. 복부는 가늘고 길며 원통상(圓筒狀) 또는 측편(側扁)함. 벌·딱정벌레·파리류의 유충과 번데기에 외부(外部) 기생 또는 내부(內部) 기생을 함. 전세계에 수만 종이 분포함.

맵싸-하다 형여불 고추나 겨자와 같이 맵고도 싸한 맛이 있다. ¶맵싸한 계피 가루.

맵쌀 명 ①찐 메밀을 약간 말리어 찧어서 껍질을 벗긴 메밀. ②☞멥쌀.

맵자다 형 ☞맵자하다.

맵자-하다 형여불 모양이 꼭 제격에 어울려서 맞다. ¶옷거리가 ~.

맵-저 명 〈방〉 왕겨(전북).

맵-제 명 〈방〉 왕겨(전북).

맵-짜다 형 ①맵고 짜다. ②매섭게 독하거나 사납다.

맵-차다 형 맵고 차다. ¶새벽 바람이 ~.

맷 관수 〈방〉 몇(경남).

맷-가마리 명 매맞아 마땅한 사람.

맷-감 명 매를 맞아 마땅한 대상이 되는 것. ¶그 녀석 고집은 ~이다.

맷-고기 명 푼어치로 배지배지 베어 놓고 파는 쇠고기.

맷:-과【—科】 명 〖조〗 [Falconidae] 매목(目)에 속(屬)하는 한 과. 부리는 강고(強固)하고, 윗부리가 아랫부리보다 길며 아래로 만곡(彎曲)하였음. 다리는 강대하며, 발톱이 날카롭고 집은 나무·바위·땅 위 같은 데에 짓고, 희거나 다소 착색(着色)된 알을 낳음. 계절에 따라 이동하는 종류도 있으며 모두 육식성임. 매·수리·말똥가리·뿔매·개구리매·새매·솔개·참수리·큰매 등이 이에 속하는데, 전세계에 360여 종이 분포함. '수리'와 '매'로 구분하기도 함.

맷-담배 명 조금씩 떼어서 파는 살담배.

맷-독¹ 명 〈방〉 맷돌(전라).

맷-독²【—毒】 명 매맞은 상처의 독. ¶~이 더치다.

맷-돌 명 곡식을 가는 데 쓰는 제구. 둥글넓적하고 단단하며 곰보처럼 얽은 돌 두 짝을 포개고, 위에 있는 아가리에 갈 물건을 넣어 손잡이를 돌려서 갈게 됨. 돌매. 마석(磨石). 석마(石磨). 연애. 준매².

〈맷돌〉

맷돌(을) 쪼:다 구 맷돌이나 매통의 닳은 이를 쪼아서 날카롭게 만들다.

맷돌-노래[—로—] 명 〖악〗 여인네들이 맷돌질할 때 부르는 민요.

맷돌 중쇠【—中—】 명 맷돌의 위짝과 아래짝 한가운데에 박는 쇠. 위짝의 것은 '암쇠'라 하여 구멍이 뚫리고 아래짝의 것은 '수쇠'라 하여 뾰족한데, 두 쇠를 맞추면 위짝을 돌려도 빠지지 않게 됨. 준맷중쇠·중쇠.

맷돌-질 명 맷돌에 곡식을 가는 일. ——하다 자여불

맷-되아지 명 〈방〉 멧돼지(전남).

맷-되지 명 〈방〉 멧돼지(전북·경남·제주).

맷맷-이 부 맷맷하게. <밋밋이.

맷맷-하다 형여불 몸이 거침새 없이 곧고 길다. <밋밋하다.

맷-방석【—方席】 명 ①매통이나 맷돌 밑에 까는 짚으로 만든, 둥글고 전이 있는 방석. 멍석보다 작고 둥글게 만들어 곡식을 널어 말리거나 까는 방석으로도 씀. *매판. ②〈방〉 멍석(경남).

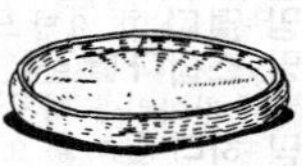

〈맷방석〉

맷-손¹ 명 맷돌을 돌리는 손잡이.

맷-손[2] 명 매질하는 세고 여린 정도. ¶계모(繼母)의 ~은 맵다.
맷-수쇠 명 맷돌 아래짝 한가운데에 박는 뾰족한 쇠. ↔매암쇠.
맷-중쇠【一中一】명 ↗맷돌 중쇠.
맷-집 명 매를 잘 견디어 버티는 몸집.
　맷집(이) 좋:다 구 〈속〉 ㉠심한 매를 맞아도 끄떡없다. ¶맷집 좋은 권투 선수. ㉡때려 볼 만하게 살집이 좋다. ¶맷집 좋게 생겼다.
맹:【孟】명 성(姓)의 하나. 현재 우리 나라에는 본관이 신창(新昌) 하나뿐임.
맹:-【猛】뿌 어떠한 명사 위에 붙어, '맹렬'의 뜻을 표시하는 말. ¶~훈련/~공격.
맹:-가【孟軻】명 〖사람〗'맹자(孟子)'의 성명.
맹가니 명 〈방〉 소경[1].
맹간-수수 명 〖식〗 수수의 한 품종. 까끄라기가 길고 알이 붉음.
맹갈다 타보동 〈방〉 만들다(경남).
맹감 본풀이 명 〔'맹감'은 명관(冥官) 또는 명감(冥監)의 와음(訛音)〕 〖민〗 제주도 무당굿에서, 액막이할 때 노래하는 본풀이의 하나.
맹:-강녀【孟姜女】명 중국 진(秦)나라 때, 만리 장성의 역사(役事)에 얽힌 비극적인 전설의 여주인공. 그녀가 진시황(秦始皇)의 장성 축조에 징발(徵發)된 남편 범기량(范杞梁)의 겨울옷을 가지고 찾아갔을 때, 남편이 이미 죽었다는 소리를 듣고 성벽(城壁)에 쓰러져 우니 갑자기 성벽이 무너지면서 남편의 해골이 나타났다고 함.
맹-갱도【盲坑道】명 〔blind drift〕 〖광〗 광산에서, 다른 채굴 현장과 아직 연결되지 않은 수평 갱도.
맹건 명 〈방〉 망건(網巾)(함남).
맹:건 부:위【猛健副尉】명 〖역〗 조선 시대 때, 잡직(雜職)인 서반(西班) 정팔품(正八品)의 품계(品階). 장건(壯健) 부위의 위, 선용(宣勇) 부위의 아래.
맹걸다 타보동 〈방〉 만들다(경남).
맹:격【猛擊】명 ↗맹공격(猛攻擊). ——하다 타여불
맹:견【猛犬】명 사나운 개. ¶~ 주의(注意).
맹경【一鏡】명 〈방〉 거울(경남).
맹고:〔mango〕명 〖식〗 망고[2].
맹-곡【盲谷】명 〔blind valley〕 〖지〗 지하 수로(水路)에서 용출(湧出)하는 용천(湧泉)에 의해서 만들어진 골짜기.
맹:골 군도【孟骨群島】명 〖지〗 전라 남도 진도군(珍島郡) 조도면(鳥島面) 맹골도리(孟骨島里)에 있는 군도. 진도의 남서쪽에 위치하여, 맹골도·죽도(竹島)·뇌도(蕾島) 등의 유인도와 명도(明島)·몽덕도(蒙德島) 등의 무인도 및 여러 암초(暗礁)로 이루어짐. 부근은 연안 어종이 풍부한 어장임.
맹:골-도【孟骨島】〔—또〕명 〖지〗 전라 남도의 서남해상, 진도군(珍島郡) 조도면(鳥島面) 맹골도리(孟骨島里)에 위치한 맹골 군도(群島)의 주도(主島). 〔1.73 km²: 112 명(1984)〕
맹:공【猛攻】명 ↗맹공격. ——하다 타여불
맹:-공격【猛攻擊】명 맹렬히 공격함. 준맹격(猛擊)·맹공(猛攻). ——하다 타여불
맹과니 명 〈방〉 소경(황해).
맹관【盲管】명 〖생〗 한쪽 끝이 막힌 관강(管腔). 맹장(盲腸) 따위.
맹관 총창【盲貫銃創】명 〖의〗 총알이나 파편이 들어간 구멍만 있고 나온 구멍이 없어 몸 안에 총알·파편이 남아 있는 총창(銃創). ↔관통(貫通) 총창.
맹-교육【盲敎育】명 〖교〗 ↗맹인 교육.
맹구【盲溝】명 〖토〗 물이 잘 빠지도록 조약돌을 묻은 하수구(下水溝). *맹배수(盲排水).
맹귀 부목【盲龜浮木】명 맹귀 우목(盲龜遇木).
맹귀 우목【盲龜遇木】명 '눈먼 거북이 우연히 뜬 나무를 만났다'는 뜻으로, 어려운 판에 우연히 좋은 일을 당하게 됨을 이르는 말. 맹귀 부목(盲龜浮木).
맹그로:브〔mangrove〕명 〖식〗 홍수림(紅樹林).
맹근[1] 명 〈방〉 망건(網巾)(평북·함남·경상).
맹근[2]【商根】명 〖한의〗 패모(貝母)❷.
맹근-하다 형여불 약간 매지근하다. <밍근하다. 맹근-히 부
맹글다 타보동 〈방〉 만들다(경기·강원·충청·전라·경상).
맹:금【猛禽】명 맹금류에 속하는 새. 매·수리 따위.
맹:금-류【猛禽類】〔—뉴〕명 〖조〗 매목과 올빼미목의 총칭. 몸이 강건(強健)하고, 성질이 용맹하여 다른 새나 작은 동물을 포식(捕食)하는 조류. 부리와 발톱이 매우 날카롭고 꼬부라져 다른 새를 채거나 고기를 찢기에 편리하고, 날개가 커서 빨리 날며, 날개털이 보드라워 소리가 잘 나지 아니하기 때문에 쉽게 다른 새에 접근(接近)할 수가 있음. 매·부엉이·수리 같은 것이 이에 속함.
맹:기[1]【猛氣】명 사나운 기세.
맹:기[2]【猛起】명 맹렬한 기세로 일어남. ——하다 자여불
맹길다 타보동 〈방〉 만들다(경기·강원·충청·전북·제주).
맹:꽁-맹꽁 부 맹꽁이가 자꾸 우는 소리. ——하다 자여불
맹:꽁이 명 ①〖동〗〔*Kaloula tornieri*〕 맹꽁잇과에 속하는 동물. 몸길이 4 cm 내외로, 배면(背面)은 황색에 청색을 띠고, 머리와 몸통에는 담흑색 반문이 있으며, 그 사이에 황청색의 대상(帶狀) 반문이 있고, 복면은 담황색, 복부 중앙은 담회색에 연분홍색을 띰. 개구리를 닮았으나 머리의 폭이 넓고, 주둥이가 짧으며 끝이 뾰족하고, 몸집이 뚱뚱하며 물갈퀴는 없고 명낭(鳴囊)이 턱밑에 있음. 흐리거나 비 오는 날에 논이나 개울에서 맹꽁맹꽁하고 시끄럽게 울며, 낮에는 땅 속에 숨었다가 밤에 나와 모기나 파리를 잡아먹음. 6-7월에 일시적인 웅덩이에 산란함. 한국 서남부의 평지에 분포함. ②〈속〉 고집을 부리거나 맹추 같은 사람 또는 키가 작고 배가 부른 사람을 놓으로 이르는 말.

〈맹꽁이❶〉

　[맹꽁이 결박한 것 같다] 키가 작고 몸이 똥똥한 사람이 옷을 잔뜩 껴입은 모양. [맹꽁이 통에 돌 들이친다] 와글와글 시끄럽게 떠들던 것이 일시에 조용해짐을 이르는 말.
맹:꽁이-덩이 명 〖농〗 김맬 때에 호미로 떠서 엎는 흙덩이.
맹:꽁이맹-부【一黽部】명 한자 부수(部首)의 하나. '鼇'이나 '鼉' 등에서 '黽'의 이름.
맹:꽁이 자물쇠【—쇠】명 서양식 자물쇠의 한 가지. 반타원형(半楕圓形)의 고리와 몸통의 두 부분으로 되어 있으며, 열쇠로 열면 고리의 한쪽 다리가 몸통에서 떨어져 나옴. 모양이 여러 가지임.
맹:꽁이-타:령【一打令】명 〖악〗 서울 안의 여러 지명(地名)을 들어 여러 종류의 맹꽁이를 해학적으로 늘어놓는 작자·연대 미상의 서울 지방 휘모리 잡가. 긴 사설을 촉박(促迫)한 박자로 몰아 부름.
맹:꽁잇-과【一科】명 〖동〗〔Engystomatidae〕 개구리목(目)에 속하는 한 과. 송장개구리와 비슷한데 많은 종류가 있으며 열대 지방에 널리 분포함.
맹:꽁-징꽁 부 ①맹꽁이가 여기저기에서 요란스럽게 우는 모양. ②남이 알아듣지 못할 말로 요란스럽게 지껄이는 모양. ¶뭘 그리 ~ 떠들고 있나? ——하다 자여불
맹낭【盲囊】명 〖동〗 동물의 소화관 속에 있는 주머니 모양의 것을 이름. 연체 동물·극피 동물·거머리류·유충류(紐蟲類)에서 볼 수 있음.
맹녀【盲女】명 눈먼 여자.
맹눈【盲—】명 ☞ 까막눈.
맹:도 명 〈방〉 거울(경상).
맹도-견【盲導犬】명 장님의 길 안내를 하도록 훈련된 개.
맹:도 지수【猛度指數】명 〔brisance index〕 〖공〗 화약의 폭발력의 비(比). 어떤 화약을 폭발시켜 분쇄(粉碎) 비산(飛散)시킨 모래의 중량과, TNT 로서 분쇄 비산시킨 모래의 중량을 비교해서 결정함.
맹:독【猛毒】명 맹렬한 독. ¶독사의 ~.
맹:독성 농약【猛毒性農藥】명 유독성(有毒性) 농약의 독성(毒性)의 정도에 따른 분류의 하나. 고독성(高毒性) 농약보다 독성이 약함.
맹:동[1]【孟冬】명 ①초겨울. ②'음력 시월'의 이칭. 증동(烝冬).
맹동[2]【盲動】명 망동(妄動). ——하다 자여불
맹동[3]【萌動】명 ①싹이 남. 싹이 틈. ②생각이나 일이 일어나기 시작함.
맹:동-제【孟冬祭】명 음력 시월 상순에 지내는 종묘 제례(宗廟祭禮)의 하나.
맹:랑-하다【孟浪—】〔—낭—〕형여불 ①생각하던 바와 아주 달리 매우 허망하다. ¶맹랑한 소문. ②매우 똘똘하거나 까다로워 허수로이 볼 수 없다. ¶맹랑한 아이. ③처리하기가 매우 어렵고 묘하다. ¶일이 맹랑하게 되어 가는군. 맹:랑-히【孟浪—】〔—낭—〕부
맹:려【猛戾】〔—녀〕명 사납고 도리에 어그러짐. ——하다 형여불
맹:렬【猛烈】〔—녈〕명 기세가 사납고 세참. ¶화세(火勢)가 ~하다/~한 기세. ——하다 형여불. ——히 부. ¶~ 싸우다.
맹롱 교:육【盲聾敎育】〔—농—〕명 맹아(盲兒)와 농아(聾兒)에 대한 교육.
맹만-류【盲鰻類】〔—뉴〕명 〖어〗 먹장어목(目).
맹맹-하다[1] 형여불 ①음식 따위가 제맛이 나지 않고 싱겁다. ¶반찬이라곤 맹맹한 것뿐 짭짤한 게 없었다. ②마음이 허전하고 싱겁다. ¶맹맹한 기분으로 멀거니 앉아 있었다. 1)·2): <밍밍하다.
맹맹-하다[2] 형여불 코가 막혀 말을 할 때 코의 울림 소리가 나며 갑갑하다. ¶코가 맹맹한 게 감기가 들었나 보다.
맹:-모【孟母】명 맹자(孟子)의 어머니. 단기(斷機) 및 삼천(三遷)에 의하여 현모(賢母)의 귀감(龜鑑)으로 불림.
맹:모 단:기【孟母斷機】명 ↗맹모 단기지교.
맹:모 단:기지교【孟母斷機之敎】명 맹자의 어머니가 아들이 학업을 중단하고 돌아왔을 때, 짜던 베를 칼로 잘라서 훈계한 고사. 준맹모 단기.
맹:모 삼천【孟母三遷】명 ↗맹모 삼천지교(孟母三遷之敎).
맹:모 삼천지교【孟母三遷之敎】명 맹자(孟子)의 어머니가 맹자를 가르치기 위하여 세 번 이사했다는 고사. 처음에 공동 묘지 가까이 살다가 맹자가 장사(葬事)지내는 흉내를 내서 시전(市廛) 가까이 옮겼더니, 이번에는 물건 파는 흉내를 내므로, 다시 글방 있는 곳으로 옮겨 공부를 시켰다 함. 준맹모 삼천(孟母三遷).
맹목【盲目】명 ①먼눈[1]. ②이성(理性)을 잃고, 적절한 분별·판단을 못하는 일. ¶사랑은 ~. ③어둠이나 안개 등으로 눈앞이 보이지 않을 때 계기(計器)에만 의지하여 운행(運行)·작동(作動)하는 일. ¶~ 비행.
맹목 무:역【盲目貿易】명 해외 시장(海外市場)의 상황(商況)을 잘 알지 못하고 행하는 무역.
맹목 비행【盲目飛行】명 목표가 보이지 않는 구름 속 같은 데를 계기(計器)에만 의존하여 비행하는 일. 계기(計器) 비행. ——하다 자여불
맹목-적【盲目的】명관 이성(理性)을 잃고 적절한 분별·판단을 못하는 모양. 무비판적. ¶~인 사랑.
맹목 착륙 장치【盲目着陸裝置】〔—늑—〕명 구름이나 안개로 밖이 보이지 아니할 때, 관측에 의존하지 아니하고 항공기를 안전하게 착륙시키는 장치. 계기(計器)의 지시에 따르는 계기 착륙 방식과 지상 관제관의 지시에 따르는 지상 관제 진입 장치가 있음.
맹문 명 일의 시비(是非)나 경위(經緯). ¶~도 모르고 덤빈다.
　맹문(을) 모르다 구 사물의 시비(是非)나 경위(經緯)를 모르다.
맹문-이 명 맹문을 모르는 사람.
맹-물 명 〔중세: 민믈〕 ①아무것도 타지 아니한 물. ②하는 짓이 싱겁고 야물지 아니한 사람의 별명.
　[맹물에 조약돌 삶은 맛이다] 전연 아무 맛도 없음을 이르는 말. [맹물에 조약돌을 삶아 먹더라도 제멋에 산다] 남보기에는 아무 재미도 없어 보이나, 다 제가 좋아서 한다는 말.
맹반【盲斑】명 〖생〗 맹점(盲點)❶.
맹방【盟邦】명 ①동맹국(同盟國). ②목적을 같이하여 서로 친선을 도모하는 나라.

맹-배수【盲排水】[명] [French drain] 〖토〗 도랑 속에 벽돌 조각이나 자갈 등을 채워서 만든 배수구(排水溝). 물은 밑으로 흡입되어 내려감.
맹부【盟府】[명] 〖역〗 '충훈부(忠勳府)'의 별칭. [*맹구(盲溝).
맹:부-산【猛扶山】[명] 〖지〗 함경 남도 장진군(長津郡) 장진면(長津面)과 평안 북도 강계군(江界郡) 천북면(千北面) 사이에 있는 산. 낭림 산맥 중에 있음. [2,214 m]
맹:-분¹【孟賁】[명] 〖사람〗 중국 전국 시대의 장사(壯士)의 이름. 능히 소의 뿔을 뽑았다고 함. 위(衛)나라 사람이라고도 하고, 제(齊)나라 사람이라고도 함.
맹:분²【猛奮】[명] 맹렬히 힘씀. 크게 분발함. ——-하다 [자][여불]
맹사¹【盲射】[명] 목표물(目標物)이 없이 또는 목표물을 겨누지 아니하고 함부로 사격함. 암사(暗射). ——-하다 [타][여불]
맹:사²【猛士】[명] 힘세고 용감한 군사. 용사(勇士).
맹:사³【猛射】[명] 맹렬히 쏨. 맹렬한 사격. ——-하다 [타][여불]
맹:-사성【孟思誠】[명] 〖사람〗 조선 초기의 명상(名相). 자(字)는 성지(誠之). 호는 고불(古佛). 온양(溫陽) 사람으로, 세종 때에 우의정·좌의정을 지냈고, 《태종 실록(太宗實錄)》을 편찬하였음. 청렴 결백하기로 유명함. 시호는 문정(文貞). [1359-1431]
맹:삭【孟朔】[명] 맹월(孟月).
맹:산¹【孟山】[명] 〖지〗 평안 남도 맹산군의 군청 소재지. 특산은 항라(亢羅)와 마포이며, 그 밖에 소·담배의 산출이 많고, 양잠(養蠶)이 행하여지며, 부근 농산물의 집산지임.
맹:-산²【孟山】[명] 〖지〗 함경 남도 장진군(長津郡) 중남면(中南面)에 있는 산. 낭림 산맥 중에 솟음. [1,916 m]
맹:산-군【孟山郡】[명] 〖지〗 평안 남도의 한 군. 북은 덕천군(德川郡)과 영원군(寧遠郡), 동은 양덕군(陽德郡)과 함경 남도 영흥군(永興郡), 남은 양덕군과 성천군(成川郡), 서는 덕천군과 순천군(順川郡)에 접함. 주요 산물은 조·콩·옥수수·담배·쌀·팥·메밀·삼·무·고치 등의 농산물이며 임산·축산도 성함. 명승 고적으로는 철옹성(鐵甕城)·옥녀봉(玉女峰)·두무산(豆無山) 등이 있음. [1,101 km²] 「지.
맹:산 분지【孟山盆地】[명] 〖지〗 평안 남도 동부, 대동강 상류에 있는 분
맹산 서:해【盟山誓海】[명] 영구히 존재하는 산이나 바다같이 영원토록 굳게 맹세한다는 뜻으로, 썩 굳은 맹세를 이름. 해서 산맹(海誓山盟).
맹:상-군【孟嘗君】[명] ①〖사람〗 중국 전국 시대 제(齊)나라의 공족(公族) 정치가. 성은 전(田), 이름은 문(文). 양객(養客)을 좋아하였는데, 진(秦)나라에 들어가 소왕(昭王)에게 피살될 뻔하였을 때에 식객(食客) 중의 두 선비에 의하여 위기를 면한 이야기는 유명함. [?-279 B.C.] ②'돈'의 변말. ❶의 성명인 전문(田文)과 전문(錢文)의 음이 서로 같은 데서 생긴 말.
[맹상군의 호백구(狐白裘) 믿듯] 남을 너무 믿어 조금도 의심하지 않음을 일컫는 말.
맹:상군-가【孟嘗君歌】[명] 〖악〗 조선 시대 때의 잡가(雜歌)의 하나. 작자·연대 미상. 맹상군의 부귀 영화도 죽어지면 쓸데없으니 살았을 때 놀자는 뜻의 노래. 청구 영언(靑丘永言)에 수록되었음.
맹생이 [명] 〈방〉 〖동〗 염소¹(전라).
맹:서¹【猛暑】[명] 혹서(酷暑).
맹서²【盟誓】[명] →맹세. ——-하다 [자][타][여불]
맹석【盲席】[명] 무늬 없는 돗자리.
맹:선【猛船】[명] 〖역〗 조선 시대 때 쓰인 전투용 선박의 하나. 대(大)맹선·중(中)맹선·소(小)맹선의 세 가지가 있었음. 「[여불]
맹:성【猛省】[명] 매우 깊이 반성함. ¶ ~을 촉구하다. ——-하다 [자][타]
맹세¹ [명] [←맹서(盟誓)] ①신불(神佛) 앞에서 약속함. ②장래를 두고 다짐하여 약속함. 서맹. ¶ ~를 저버리다. ——-하다 [자][타][여불]
맹:세²【猛勢】[명] 맹렬한 기세.
맹세-지거리 [명] 매우 잡스러운 말로써, 맹세하는 모양으로 하는 말씨. '약속을 어기면 개자식이다' 따위. ——-하다 [자][여불]
맹세-코 [부] 다짐한 대로 꼭. ¶ ~ 거짓말은 않는다.
맹:속【猛速】[명] 맹속력.
맹:-속력【猛速力】[―녁] [명] 맹렬한 속도. 맹속(猛速). ¶ ~으로 달리다.
맹:수【猛獸】[명] 성질이 사나운 짐승. 흔히 작은 동물이나 조류를 포식하고 사람을 해치기도 함. 사자·범 따위.
맹:수포물-세【猛獸抱物勢】[명] 〖악〗 거문고 연주에서 '맹수가 먹이를 껴안는 기세'처럼 날쌔게 표현하라는 말.
맹:-순【孟荀】[명] '맹자(孟子)'와 '순자(荀子)'를 아울러 이르는 말.
맹숭맹숭-하다 [형][여불] 맨숭맨숭하다.
맹:습【猛襲】[명] 맹렬히 습격함. ——-하다 [타][여불]
맹신【盲信】[명] 옳고 그름을 가리지 아니하고 덮어놓고 믿음. ——-하다 [타][여불]
맹신-자【盲信者】[명] 맹목적으로 믿는 사람.
맹아¹【盲兒】[명] 눈이 먼 아이.
맹-아²【盲啞】[명] 소경과 벙어리. ¶ ~ 교육.
맹아³【萌芽】[명] ①식물에 새로 트는 싹. ②사물의 시초가 되는 것.
맹아-기【萌芽期】[명] ①식물이 싹틀 무렵. ②사물이 비롯하는 때.
맹아-림【萌芽林】[명] 나무를 벤 뒤에 남은 그루터기에서 난 싹을 기른 숲.
맹아-자【盲啞者】[명] 맹자(盲者)와 농아자(聾啞者).
맹아 학교【盲啞學校】[명] 소경·벙어리에게 특수 교육을 하는 학교.
맹:악【猛惡】[명] 사납고도 모짊. ——-하다 [형][여불]
맹안¹【盲眼】[명] ①눈이 멂. ②장님.
맹:안²【猛安】[명] [천호장(千戶長)의 뜻. 여진어·몽고어 minggan(천)의 중국어 음사(音寫)] 〖역〗 중국 금(金)나라 태조(太祖)가 1114 년에 제정한, 여진족(女眞族)의 군사와 행정 조직 또는 맹안부(猛安部)나 맹안군(猛安軍)의 장의 이름. 세습직(世襲職)이었음. *모극(謀克).
맹:안-군【猛安軍】[명] 〖역〗 10 모극군(謀克軍)으로 편성한 중국 금(金)나라 때의 여진족의 군대. *맹안부(猛安部)·모극군(謀克軍).
맹:안 모:극【猛安謀克】[명] [여진어 minggan momuɣə의 중국어 음사(音寫)] 〖역〗 중국 금대(金代)의 관명 및 행정·군사 제도. 여진(女眞)의 부족 조직을 기초로 300 호(戶)를 1 모극부(謀克部), 10 모극부를 1 맹안부(猛安部)로 하고, 그 장(長)을 각기 모극·맹안이라 불렀음. 또, 하나의 모극부에서 약 100 명 병정을 징집하여 군편제의 단위로 하였음.
맹:안-부【猛安部】[명] 〖역〗 10 모극부(謀克部)로 조직한, 중국 금(金)나라 여진족의 행정 단위. *맹안군·모극부(謀克部).
맹약【盟約】[명] ①맹세하여 맺은 굳은 약속. ②동맹국 사이의 조약. 약맹. ——-하다 [자][타][여불]
맹약-국【盟約國】[명] 동맹국(同盟國).
맹:양【孟陽】[명] '음력 정월'의 이칭(異稱).
맹어¹【盲魚】[명] 〖어〗 ①시각 기관이 퇴화하여 없어진 물고기의 총칭. ②[*Amblyopsis spelaeus*] 미국 켄터키 주 매머드 케이브(Mammoth Cave)의 물 속에 사는, 눈이 없는 물고기.

〈맹어¹❷〉

맹:어²【猛魚】[명] 〖어〗 성질이 사나운 물고기. 가물치·농어 따위로 육식을 함.
맹언【盟言】[명] 맹세하는 말.
맹역-도【盲域圖】[명] [fade chart] 〖전자〗 대공(對空) 레이더의 전파가 되돌아오지 않게 되는 영역(領域)을 그래프로 그린 것. 물표(物標)의 높이를 추정할 때에 쓰임.
맹:-연습【猛練習】[―년―] [명] 맹렬한 연습. ——-하다 [타][여불]
맹:염【猛炎·猛焰】[명] 맹렬히 타오르는 불꽃.
맹외 배:선【盟外配船】[명] 어느 해운(海運) 동맹에 대한 맹외선(盟外船)이 그 동맹이 지배하는 항로로 항행을 강행하는 일.
맹외-선【盟外船】[명] 해운 동맹이 지배하는 정기 항로(定期航路)에 진출하여 동맹선의 경쟁자가 된, 그 동맹에 가입하지 아니한 회사의 배.
맹:용【猛勇】[명] 굳세고 용감함. 용맹(勇猛). ——-하다 [형][여불]
맹:우¹【猛雨】[명] 세차게 쏟아지는 비. 능우(凌雨).
맹우²【盟友】[명] 장래나 그 밖의 어떤 일을 서로 굳게 맹세한 친구.
맹원【盟員】[명] ↗동맹원.
맹:월【孟月】[명] '맹춘(孟春)·맹하(孟夏)·맹추(孟秋)·맹동(孟冬)'의 총칭. 맹삭(孟朔).
맹:위【猛威】[명] 사나운 위세. 맹렬한 위력. ¶ ~를 떨치다.
맹:의【猛毅】[―/―이] [명] 의지가 강하여 불의(不義)에 굴하지 아니함.
맹이 [명] 말 안장의 몸뚱이가 되는 물건. 그 위에 안갑(鞍匣)을 씌움.
맹인【盲人】[명] 눈먼 사람. 소경. 「育).
맹인 교:육【盲人敎育】[명] 맹인들에게 베푸는 특수 교육. 맹교육(盲敎
맹인 덕담가【盲人德談歌】[명] 〖악〗 서도(西道) 소리의 하나. 소경이 액귀(厄鬼)를 물아낼 때에 덕담하는 긴 경문을 타령에 맞추어 부르는 소리 곡조. 작자와 연대는 미상. 안택경(安宅經).
맹인용 점자 우편【盲人用點字郵便】[―농―짜―] [명] 점자로 된 우편. 만국(萬國) 우편 조약(條約)에는 맹인용 점자 우편물에 대하여 요금을 면제하기로 되어 있으며, 예외로서 요금을 받는 나라는 그 나라의 내국(內國) 업무의 요금을 초과하지 않는 한에서 징수할 수 있다고 규정되어 있음. [준]점자 우편.
맹인 직문【盲人直門】[명] 맹자 정문(盲者正門).
맹:-자¹【孟子】[명] 〖사람〗 중국 전국 시대(戰國時代)의 철인(哲人). 이름은 가(軻). 자는 자여(子輿) 또는 자거(子車). 산동성(山東省) 추현(鄒縣) 출생. 공자의 '인(仁)'의 사상을 발전시켜서 인의예지(仁義禮智)의 네 가지 덕이 인간의 본성이라 하여 '성선설(性善說)'을 주장하였음. 제(齊)·양(梁) 등의 제후(諸侯)에게 왕도(王道)를 설파하고 인의의 정치를 권함. 사상사상(思想史上) 불후(不朽)의 이름을 남겨 유학의 정통(正統)으로 숭앙(崇仰)되며, '아성(亞聖)'이라 불림. [372-289 B.C.]
[맹자 집 개가 맹자왈 한다] '서당 개 삼 년에 풍월 짓는다'와 같은 뜻. ¶ 맹자 집 개가 맹자왈 한다고 처형(妻兄)이 머리를 목까지 늘여뜨린 장발 사회주의자거든《孫素熙:南風》.
맹:자²【孟子】[명] 〖책〗 사서(四書)의 하나. 맹자의 제자가 맹자의 언행을 기록한 책. 맹자가 각국을 유력(遊歷)하면서 왕도(王道)를 펴려 하였으나 뜻을 이루지 못하고 돌아와 제자와 학문을 강론하면서 이전에 유력할 때의 제후 및 제자와의 문답을 기록한 것임. 양혜왕(梁惠王)·공손추(公孫丑)·등문공(滕文公)·이루(離婁)·만장(萬章)·고자(告子)·진심(盡心)의 7편으로 나뉘었음. 14권 7책.
맹자³【盲者】[명] 눈먼 사람. 소경.
맹:자⁴【猛者】[명] 용감하고 기백이 있는 사람.
맹자 단청【盲者丹靑】[명] 소경 단청 구경.
맹:자 언:해【孟子諺解】[명] 〖책〗 ①칠서 언해(七書諺解)의 하나. 《맹자》 원문에 한글로 토를 달고 우리말로 번역한 책. 조선 선조(宣祖)의 명을 받아 찬술함. 14권 7책. ②이이(李珥)가 선조의 명으로 찬술한 사서 언해(四書諺解)의 하나. 7권 7책.
맹:자 요의【孟子要義】[―/―이] [명] 〖책〗 《맹자》를 주석한 책. 정약용(丁若鏞)이 씀. 맹자가 자사(子思)에게서 학업을 닦은 것과 《맹자》가 맹자의 저작임을 증명하고, 외서(外書) 4편과 조주(趙註)·정주(鄭註)에 대하여 논함. 9권 3책. 「자》를 공부하던 곳.
맹:자-재【孟子齋】[명] 〖역〗 구재(九齋)의 하나. 성균관(成均館)에서 《맹
맹자 정:문【盲者正門】[명] 소경이 정문을 바로 찾아 들어간다는 말로, 우둔하고 미련한 사람이 어찌하다가 이치에 들어맞는 바른 일을 함을 이르는 말. 맹인 직문(盲人直門).
맹:자 정:음【孟子正音】[명] 〖책〗 《맹자》를 한글로 주석·번역한 책. 본문의 각 글자 밑에 한글로 올바른 원음을 붙였음. 활자본. 6권 3책.

맹장¹【盲腸】명〖생〗척추 동물에서 대장(大腸)의 위 끝으로, 소장(小腸)에 이어진 길이 6cm 정도의 관(管). 파충류(爬蟲類)·조류(鳥類)·포유류(哺乳類)에는 두 개씩 있는데, 포유류에서는 육식(肉食)하는 짐승의 것이 초식(草食)하는 짐승의 것보다 크며 잘 발달되어 있어서 음식물을 소화하는 데 불가결의 기능을 가짐. 사람에게는 오른편 하복부(下腹部)에 있는데, 거의 둥글며, 끝이 퇴화하여 충양 돌기(蟲様突起)로 되어 있음. 막창자. *내장.

〈맹장¹〉

맹:장²【猛杖】명 세차게 치는 장형(杖刑). ——-하다 타여불
맹:장³【猛將】명 용맹한 장수. 강장(強將). ¶ ~ 아래 약졸(弱卒) 없다.
맹장-염【盲腸炎】[-념] 명〖의〗①맹장의 충양 돌기염(蟲様突起炎)에 부수(附隨)하여 일어나는 염증. 오른편 아랫배가 몹시 아픔. ②'충양 돌기염'의 잘못 쓰는 말.
맹장 이동증【盲腸移動症】[-쯩] 명〖의〗이동성(移動性) 맹장.
맹-장자【盲障子】명 맹장지.
맹-장지【盲障—】명 광선을 막기 위하여 안과 밖을 두꺼운 종이로 겹바른 장지. 맹장자(盲障子). ↔명장지.
맹장-질【盲杖—】명 분별없이 마구 치는 매질. 소경이 매질하듯 대중없이 일을 함의 비유로도 쓰임. 소경 매질. ——-하다 자여불
맹:적【猛敵】명 맹렬한 적. 사나운 적.
맹전¹【盲錢】명 동전 따위로 구멍이 없는 돈의 이름. 무공전(無孔錢).↔유공전(有孔錢).
맹:전²【猛箭】명 사나운 화살. 센 화살.
맹:전³【猛戰】명 격전(激戰). ——-하다 자여불
맹점【盲點】[—쩜] 명 ①〔blind spot〕〖생〗빛이 닿아도 광각(光覺)을 일으키지 않는 망막(網膜)의 시신경 유두(視神經乳頭)의 부분. 프랑스의 물리학자 마리오트(Mariotte, E.)가 발견하여, 마리오트 맹점이라고도 함. 맹반(盲斑). 암점(暗點). ②〖의〗일반적으로 시야(視野) 속에 있으면서 시각을 잃고 있는 영역(領域). 망막 질환(網膜疾患)에 의해서 생김. ③비유적으로, 주의가 미치지 못하여 모순되어 있는 점. 의식하지 못한 허점. ¶ ~을 찌르다 / 법의 ~.
맹:조【猛潮】명 ①거센 흐름. ②세차게 밀어닥치는 조수.
맹:졸【猛卒】명 용맹스러운 병졸.
맹:종¹【孟宗】명〖사람〗조선 초기 제2왕자의 난(亂)을 지휘한 사람. 방간(芳幹)의 아들. 박포(朴苞)의 밀고(密告)를 듣고 아버지 방간과 함께 방원(芳遠)과 싸우다가 패하였음.
맹:-종²【孟宗】명〖사람〗중국 삼국 시대의 오(吳)나라 사람. 자는 공무(恭武). 왕상(王祥)과 함께 효자(孝子)로서 이름이 높음. 겨울에 그의 어머니가 즐기는 죽순(竹筍)이 없음을 애탄하자 홀연히 눈 속에서 죽순이 나왔다고 함. 뒤에 이름을 인(仁)으로 바꿈.
맹종³【盲從】명 옳고 그름을 가리지 아니하고 덮어놓고 따름. ——-하다 자타여불
맹종-자【盲從者】명 맹종하는 사람.
맹:종-죽【孟宗竹】명〖식〗죽순대. *맹종(孟宗).
맹주【盟主】명 동맹(同盟)의 주재자(主宰者). 맹약을 맺은 사람이 단체의 우두머리. 시맹(尸盟). ¶ ~로 추앙받다.
맹:-중-계【孟仲季】명 ①맏과 둘째와 셋째의 형제 자매(兄弟姉妹)의 차례. ②첫째와 둘째와 셋째. ③맹월과 중월과 계월.
맹:지【猛志】명 억세게 먹은 뜻. 사나운 의지.
맹진¹【盲進】명 무턱대고 나아감. ¶ 저돌 ~. ——-하다 자여불
맹:진²【猛進】명 용맹하게 나아감. ——-하다 자여불
맹:차【猛差】명 용맹한 차사(差使).
맹청【盲廳】명 소경들이 모이는 도가(都家).
맹추¹ 명 무엇이든지 곧잘 잊어버리는 흐리멍덩한 사람을 욕으로 하는 말. <멍추.
맹:추²【孟秋】명 ①초가을. ②'음력 칠월'의 이칭(異稱).
맹:추³【孟陬】명 '음력 정월'의 이칭(異稱).
맹:-추격【猛追擊】명 몹시 세차고 사나운 기세로 쫓음. ——-하다 타여불
맹:춘【孟春】명 ①초봄. ②'음력 정월'의 이칭(異稱).
맹충 부〈방〉매양.
맹:타【猛打】명 ①몹시 때림. 맹렬한 공격. ②야구에서, 상대 팀에게 계속 장단타(長短打)를 먹임. ——-하다 타여불
맹탐【盲探】명 순서 없이 함부로 찾음. 덮어놓고 찾기만 함. ——-하다 타여불
맹탕 ⊟명 ①아주 싱거운 국물. ②성질이 싱겁고 옅적은 사람의 일컬음. ⊟부 맹탕으로. 건으로.
맹탕-으로 부 건으로. ¶ ~ 어머니를 조른다.
맹태¹ 명〈방〉맹탕.
맹:태²【猛笞】명 ①태장(笞杖)으로 몹시 침. ②사나운 고문. ——-하다 타여불
맹통-하다 형여불 ☞멍청하다. ¶ 듣고 보니 혜란이 생각을 이때까지 못해 낸 자기 자신이 맹통하기 짝이 없다 싶었다《李無影:三年》.
맹:투【猛鬪】명 사납게 하는 싸움질. ——-하다 자여불
맹파【盟罷】명 ↗동맹 파업(同盟罷業). ——-하다 자여불
맹:포【猛暴】명 매우 포악(暴惡)함. ——-하다 형여불
맹:-포화【猛砲火】명 맹렬하게 퍼붓는 포화(砲火).
맹폭¹【盲爆】명 ①어떤 목표를 겨누지 아니하고 그 근방에 함부로 하는 폭격. ②무차별 폭격(無差別爆擊). ——-하다 타여불
맹:폭²【猛爆】명 맹렬한 폭격. 통폭(痛爆). ——-하다 타여불
맹풍¹【盲風】명 질풍(疾風)❷.
맹:풍²【猛風】명 사납게 부는 바람.
맹:풍 열우【猛風烈雨】[—녈—] 명 극히 세찬 비바람.

맹:하【孟夏】명 ①초여름. ②'음력 사월'의 이칭(異稱).
맹:-하다 형여불 싱겁고 흐리멍덩하여 맹추 같다. ¶ 대체 무슨 말을 들었는지 여상은 맹해서 어정쩡해진다《劉賢鍾:들꽃》.
맹-학교【盲學校】명 소경을 위한 학교. 초등 학교·중학교·고등 학교의 과정을 두고 점자(點字) 교과서를 사용함. 일반 교과 외에 안마술·침구술(鍼灸術) 등의 특수 과목도 교수함. *농아 학교.
맹:한【猛悍】명 몹시 거칠고 사나움. ——-하다 형여불
맹험【盲驗】명〖화〗공시험(空試驗).
맹:현-봉【孟峴峰】명〖지〗강원도 홍천군(洪川郡) 내면(內面)에 있는 산. [1,214m]
맹형【盟兄】명 '친구'의 경칭(敬稱).
맹-형제【盟兄弟】명 결의 형제(結義兄弟). ——-하다 자여불
맹:호【猛虎】명 사나운 범. 강호(強虎). ¶ ~같이 덤비다.
맹:호 복초【猛虎伏草】명 풀숲에 엎드려 있는 사나운 범. 곧, 영웅은 한때 숨어 있어도 때가 되면 반드시 나타난다는 뜻.
맹:-호(:)연【孟浩然】명〖사람〗중국 당(唐)나라 때의 시인. 상양(襄陽) 사람. 벼슬에 나아가지 아니하고,루먼산(鹿門山)에 숨어 시를 즐김. 그의 시는 왕유(王維)와 함께 높이 평가되며,특히 오언시(五言詩)에 뛰어나 자연의 아름다움을 노래한 점은 왕유와 비슷함. 저서 <맹호연집>. [689-740]
맹:호 출림【猛虎出林】명 사나운 호랑이가 숲에서 나옴의 뜻으로, 평안도(平安道) 사람의 용맹하고 성급한 성격을 평(評)한 말. *석전 경우(石田耕牛).
맹:홍【孟汞】명〖화〗승홍(昇汞).
맹:화【猛火】명 맹렬하게 붙는 불.
맹:-활동【猛活動】[—똥] 명 맹렬한 활동. ——-하다 자여불
맹:-활약【猛活躍】명 눈부신 활약. ——-하다 자여불
맹:회【猛灰】명 매운 재.
맹:훈【猛訓】명 ↗맹훈련. ——-하다 자여불
맹:-훈련【猛訓練】[—훌—] 명 맹렬한 훈련. ㊟맹훈. ——-하다 자여불
맹휴【盟休】명 ①↗동맹 휴학(同盟休學). ②↗동맹 휴교(同盟休校). ③↗동맹 휴업(同盟休業). ——-하다 자여불
맺는-상 명 농악에서, 몸을 앞으로 구부리고 소구의 앞뒤를 빨리 돌려 치는 동작.
맺다 타 ①끄나풀 따위를 얽어서 매듭지게 하다. ¶ 실끝을 ~. ②끝을 내다. 마무르다. ¶ 일을 끝~. ③서로 인연이나 관계를 짓다. 약속하다. 언약하다. ¶ 의형제를 ~/사랑을 ~. ④나무나 풀이 열매를 이루다. ¶ 열매를 ~. ⑤서로 짜다. 결속하다. ¶ 협정을 ~.
맺고 끊은 듯이 구 맺고 끊은 듯하게.
맺고 끊은 듯하다 구 사리가 분명하다. 조리가 뚜렷하다. ¶ 우리 작은 아씨 같으신 맺고 끊은 듯하신 양반이 그런 몹쓸 욕설을 당하시냐《金教濟:牡丹花》.
맺-씨 명〖언〗'종지사(終止詞)'의 풀어 쓴 말.
맺음 명 ①매듭. ②맺는 일.
맺음-끝 명〖언〗'종결 어미'의 풀어 쓴 이름. ↔이음끝.
맺음-말 명 결론(結論). 마무리.
맺이 명〈방〉매듭.
맺이-관【—冠】명 말총으로 그물코 맺듯이 눈눈이 떠서 만든 관.
맺히다 ⊟자 ①나무나 풀 등의 꽃망울이나 열매가 도도록하게 생기다. ¶ 열매가 ~. ②마음 속에 잊혀지지 아니하고 뭉치어 있다. ¶ 원한이 가슴 속에 ~. ③눈물이나 이슬 같은 것이 방울지다. ¶ 눈물이 ~. ④꼬집히거나 얻어맞거나 하여 피가 뭉치어 있다. ¶ 피가 ~. ⊟피동 맺음을 당하다.
맺힌-데 명 ①피가 맺혀 있는 부분. ②꽁하고 야무지게 한 번 품은 감정이 좀처럼 풀어지지 않는 성질의 부분. ¶ ~가 없는 성질.
맻 수관〈방〉몇(전남·경남·제주).
-먀 어미〈옛〉-며. ¶ 멀며 갓가온 듸(遠近)《小諺 Ⅵ:108》.
먀련 명 ☞매련¹. ——-하다 형여불
먀스코프스키〔Myaskovskii, Nikolai〕명〖사람〗소련의 작곡가. 페테르스부르크 음악원을 나와, 1921년부터 모스크바 음악원에서 작곡을 교수함. 27개의 교향곡을 비롯하여, 실내악·피아노곡·가곡 등 많은 작품을 남김. [1881-1950]
먀오다오 군도【—群島】〔廟島〕명〖지〗중국 화베이(華北) 지구 동부 산둥 성(山東省) 북부의 군도. 남북으로 이어져 황해(黃海)와 보하이(渤海)를 나누고, 먀오다오 해협(廟島海峽)을 격하여 산둥 반도(山東半島)에 대함. 베이창산(北長山) 섬·스지(蛇磯) 섬·난청황(南城隍) 섬·베이청황(北城隍) 섬 등이 있음. 별칭 창산 군도(長山群島).
먀오디거우 유적【—遺跡】〔廟底溝〕명 중국 허난 성(河南省) 산 현(陝縣)의 남동쪽에 있는 양사오(仰韶)·룽산(龍山) 문화의 유적. 1956-57년에 조사가 이루어졌으며 양사오기(仰韶期)의 층(層)에서는 집터·묘·흑색 채도(彩陶)가 발견됨. 룽산기의 층에서는 집터·가마·묘장(墓葬) 등 외에 돌칼·돌낫 등 농구가 출토됨. 이 유적으로 룽산 문화가 양사오 문화에서 발전한 것임이 증명됨. 묘저구(廟底溝) 유적.
먀옥-하다 형여불 ☞매욱하다.
먀옥하다 형〈옛〉매욱하다. ¶ 먀옥호이(匕斜的)《譯語 上 28》.
먁갛다[—가타] 형ㅎ불 아주 말갛다. 환하게 말갛다. <밀겋다.
먁쑥-이 부 말쑥하게.
먁쑥-하다 형여불 모양이 지저분함이 없이 깨끗하다. <말쑥하다.
머¹ 지대 ↗무엇. ¶ ~ 말이냐.
머² 감 어린아이나 여자들이 흔히 말의 끝에 따로 붙이어 반말로 어리광피워서 쓰는 말. ¶ 난 싫어 ~/구두도 안 사 주고 ~.
머개 명〈방〉〖식〗머루¹(경남).
머거리 명〈방〉①멍에(경북). ②재갈¹(경북).

머겟다 타 〈옛〉 머금어 있다. 머금다. '먹다'의 활용형. ¶ 물곤 氣運이 그윗 소릐 머겟느닷 ᄒᆞ도다(淑氣含公鼎)《初杜諺 XXIV:42》.

머고리 타 〈옛〉 먹으리. '먹다'의 활용형. ¶ 남거시든 내 머고리《鄕樂相杵歌》.

머괴 명 〈옛〉 머귀나무. 오동(梧桐). ¶ 머괴 닙 지는 소릐 머은 귀를 놀리ㄴ누다《蘆溪 莎堤曲》.

머구¹ 명 〈방〉 〔식〕 머루¹(경남).

머:구² 명 〈방〉 〔충〕 모기¹(경남).

머구락지 명 〈방〉 〔동〕 개구리(함북).

머구리밥 명 〈옛〉 개구리밥. 마름. =말왐❷·머구릐밥. ¶ 머구리밥 표(藨), 머구릐밥 평(萍)《字會 上 9》. 「머구리 국(蟈)《字會 上 22》.

머구리¹ 명 〈옛·방〉 〔동〕 개구리(함북). ¶ 머구리 명(黽). 머구리 와(蛙).

머구리² 명 〈옛〉 먹을 것. ¶ 게으른 ᄒᆞᆫ 누미 서르 ᄀᆞ르쳐 사ᄂᆞᆯ 머구릴 뷔여 오니《月釋 I:45》. *먹다.

머구리-밥 명 〈방〉 〔식〕 개구리밥. 「萍」《湯液 Ⅲ:9》.

머구릐밥 명 〈옛〉 개구리밥. 마름. =말왐❷·머구리밥. ¶ 머구릐밥(浮

머굴위다 자 〈옛〉 유체(濡滯)하다. ¶ 사ᄅᆞ미게론 더러븐 서근 내를 ᄆᆞ리 ᄫᅥ며 가야미 머구물 免ᄒᆞ야 魄이 머굴위디 아니ᄒᆞ고《月釋 XVIII:39》.

머굼다 타 〈옛〉 머금다. ¶ 숨은 머구믈 씨라《月序 8》/ 머구믈 툰(呑), 머구믈 함(含)《字會 下 14》.

머귀 명 〈옛〉 머귀나무. 오동(梧桐). ¶ 西掖앳 머귀 남기여(西掖梧桐樹)《杜諺 XXIII:8》.

〈머귀나무〉

머귀-나무 명 〔식〕 ①〔*Fagara ailanthoides*〕 운향과에 속하는 낙엽 활엽 교목. 가시가 있으며 우상복엽(羽狀複葉)으로 소엽(小葉)은 달걀꼴의 긴 타원형이고, 가는 톱니가 있음. 8월에 황백색 꽃이 취산(聚繖) 화서로 정생하여 피며, 삭과(蒴果)는 11월에 익음. 해안 부근에 나는데, 한국 남부 및 일본·대만·중국에 분포함. 나막신 재료로 씀. 식수유(食茱萸). ② ☞ 오동나무.

머귬 타 〈옛〉 먹임. 먹여 기름. ¶ 나랏 ᄆᆞᆯ 머규메 粟豆ᄅᆞᆯ 다ᄋᆞ며(國馬竭粟豆)《重杜諺 Ⅱ:42》.

머그다 타 〈옛〉 먹다. ¶ 술도 머그며 고기도 머그되《家禮 Ⅵ:32》.

머그락지 명 〈방〉 〔동〕 개구리(함북).

머그레 명 〈방〉 부리망(網).

머금다 〔―따〕 타 〔중세 : 머굼다〕 ①입 안에 넣고만 있다. ¶ 물을 한 모금 머금었다가 내뿜다. ②생각을 품다. ¶ 원한을 ~. ③눈에 눈물이 괴다. ¶ 눈물을 머금고 떠나다. ④웃음 빛을 띠다. ¶ 미소를 ~. ⑤꽃이나 흙이 물을 먹다. ¶ 봄비를 머금은 꽃. ⑥바람이 어떤 기운을 갖고 있다. ¶ 비릿한 냄새를 머금은 바닷바람.

머기¹ 명 〈방〉 모이(경북).

머기² 명 〈방〉 〔충〕 모기¹(경북).

머기다 타 〈옛〉 먹이다. ¶ 킹粳메米ᄅᆞᆯ 가져오샤 가迦셥葉일 머기시니《月印 上 38》.

머:나-멀다 형 멀고도 멀다. 아주 멀다. ¶ 머나먼 이국 타향.

머녀 부 〈방〉 먼저.

머니 〔money〕 명 돈.

머니 론: 〔money loan〕 명 〔경〕 주식(株式) 구입을 위한 대부(貸付).

머니 서플라이 〔money supply〕 명 중앙 은행과 시중 금융 기관에 의한 민간에의 통화 공급량(通貨供給量).

머니터리 서:베이 〔monetary survey〕 명 〔경〕 국제 통화 기금이 채용하고 있는 방식에 준거하여, 기금 가맹국의 중앙 은행이 작성하고 있는 각종 금융 기관의 종합 대차 대조표.

머니터리스트 〔monetarist〕 명 경제 정책 가운데에서, 통화(通貨) 정책을 가장 주요한 것이라고 생각하는 일련의 경제학자들.

머니퓰레이터 〔manipulator〕 명 사람의 팔과 손처럼 운동 기능을 가지고 원격 조작(遠隔操作)으로 작업을 하는 인공(人工)의 손. 방사성 물질 등 위험물을 다룰 때 사용함. 매직 핸드(magic hand).

머니 플로: 분석 【―分析】 〔money flow〕 명 〔경〕 통화가 국민 경제 속에서 어떻게 유통하며 어떻게 작용하는가를 고찰하기 위하여, 통화를 금융면(金融面)과 실체면(實體面)의 양면에서 포착하여 경제 전반에 있어서 양자의 관계를 밝히려고 하는 종합적 분석 방법. 자금 순환 분석.

머:다랗다 〔―라타〕 형 ㅎ불 배우 먼 느낌이 있다.

머더 〔mother〕 명 ①어머니. ②수녀원장(修女院長).

머데 의명 〈방〉 즈음.

머:독¹ 〔Murdoch, Iris〕 명 〔사람〕 영국의 여류 소설가. 철학자로서 《사르트르론(論)》도 있으나, 《그물 속》·《모래의 성(城)》·《잘린 목》·《일각수(一角獸)》·《천사의 시간》 등 상징적이며 설화적(說話的)인 소설로 현대 영국의 일선 작가가 됨. 〔1919- 〕

머:독² 〔Murdock, George Peter〕 명 〔사람〕 미국의 인류학자. 통계적 비교 문화 연구법으로, 각개 사회(社會)의 친족 조직을 비롯하여 문화의 여러 면(面)에 관한 가설 검증(假說檢證)을 꾀함. 저서 《사회 구조(社會構造)》. 〔1897- 〕

머드 【MUD】 명 〔Multiple User Dungeon〕 〔컴퓨터〕 인터넷이나 컴퓨터 통신에서 여럿이 동시에 즐길 수 있는 게임이나 프로그램.

머드러기 명 무더기로 있는 과실이나 생선 가운데서 가장 굵거나 큰 것들. ¶ 모두 잘난 체하는 기씨네 중에도 그 중 잘난 체하는 ~ 인물이다《朴鍾和 : 多情佛心》.

머드레 명 〈방〉 그루콩.

머드레-콩 명 ①〈방〉 밭가로 둘러 심은 콩(제주). ② ☞ 그루콩.

머라카다 타 〈방〉 꾸짖다(전남·경상).

머라쿠다 타 〈방〉 꾸짖다(경남).

머래 명 〈방〉 〔식〕 머루¹(경남·황해).

머럼비지 강 【―江】 〔Murrumbidgee〕 명 〔지〕 오스트레일리아의 수도 캔버라(Canberra) 부근으로부터 서쪽으로 흐르는 머리 강(Murray江)의 지류. 이곳에 만든 댐(dam)으로 많은 경지(耕地)를 관개(灌漑)하고 있음. 〔1,600 km〕

머레 명 〈방〉 〔식〕 머루¹(황해).

머렌-이 명 〈방〉 얼뜨기.

머롬 형 〈옛〉 멂. 멀기. '멀다'의 명사형. ¶ 洛城을 ᄒᆞᆫ번 여희요니 머로미 四千里로소니(洛城一別四千里)《杜諺 Ⅱ:1》.

머루¹ 명 〔식〕 ①포도과에 속하는 개머루·왕개머루·왕머루·까마귀머루·새머루·섬왕머루 등의 총칭. 야포도. ②왕머루.

머루² 명 〈방〉 모루.

머루-다람쥐 명 〔동〕 참다람쥐.

머루 정:과 【―正果】 명 말린 머루를 꿀에 조리어 만든 정과. 영욱정과 「(蘡薁正果).

머루-치 명 〈방〉 모루채.

머르지르다 타 〈옛〉 눈을 멀게 하다. ¶ 장가락으로 욱 질러 머르지를 눈아《永言》.

머름 명 〔건〕 모양을 내느라고 미닫이 문지방 아래나 벽 아래 중방에 대는 널조각.

머름 궁창 명 〔건〕 머름 청판.

머름 중방 【―中枋】 명 〔건〕 두 기둥 사이의 머름에 가로 건너 낀 중방.

머름 청판 【―廳板】 명 〔건〕 머름 사이에 낀 널쪽. 머름 궁창.

머리¹ 명 ①〔생〕 동물체(動物體)에서 대뇌(大腦)·소뇌·연수 등의 감각기(感覺器)와 중추 신경이 들어 있는 중요한 부분. 두부(頭部). *대뇌(大腦). ②〈속〉 목 위의 부분. ③〔동〕 절지(節肢) 동물 특히 곤충 등에서 배·가슴이 아닌 부분. 촉각·복안 또는 단안(單眼)·입 따위가 있음. ④물건의 꼭대기 또는 앞 부분. ¶ 뱃~를 돌리다. ⑤사물(事物)의 시작 또는 맨 처음. ¶ 첫~부터 잡치다. ⑥두목 혹은 어떤 단체의 장(長). 우두머리. ⑦두뇌. 사고력(思考力). 사상(思想). ¶ ~가 좋다. ⑧↗머리털. ¶ ~를 깎다. ⑨어떤 때가 시작될 무렵. ¶ 해질 ~. ⑩〔악〕 음표의 희거나 검고 둥근 부분. 부두(符頭). ↔꼬리.

[머리가 모시 바구니가 되었다] 머리가 모시처럼 희게 되었다 함이니 늙었음을 말함. [머리 간 데 끝 간 데 없다] ㉠한이 없다. ㉡일이 갈피를 잡을 수 없을 만큼 어지럽다. [머리 검은 짐승은 남의 공(功)을 모른다] 사람은 남의 은의(恩義)를 모르기가 짐승보다도 못한 때가 있음을 두고 이르는 말. [머리는 끝부터 가르고 말은 밑부터 한다] 말은 시초부터 요령이 있게 하지 않으면 안 된다는 뜻. [머리를 삶으면 귀까지 익는다] 한 가지 큰 일을 하면 거기에 딸린 부분도 자연히 따라 된다는 뜻. [머리 없는 놈 댕기 치레한다] ㉠본바탕은 볼 것 없는데 지나치게 겉만 꾸민다는 말. ㉡못생긴 놈이 몸치장은 더 한다는 뜻. [머리 위에 무쇠 두멍이 내릴 때가 멀지 않았다] 무쇠 두멍이 머리 위에 떨어지면 살아날 리가 없는 것이니, 죽을 날이 멀지 않았다고 저주하는 말.

머리가 가볍다 구 상쾌하여 마음이나 기분이 거뜬하다.

머리가 굳다 구 ㉠사고 방식이나 사상 따위가 완고하다. ㉡기억력 따위가 쇠퇴하다.

머리가 깨:다 구 뒤쳐진 생각에서 벗어나다. 개화하다.

머리가 돌:다 구 ㉠임기 응변으로 생각이 잘 돌거나 미치다. ¶ 머리가 잘 돌아가는 사람. ㉡정신이 이상하게 되다.

머리가 무겁다 구 기분이 좋지 않거나 골이 띵하다.

머리(가) 빠:지다 구 어려운 일을 처리하느라고 또는 근심이나 걱정 따위로 골머리를 몹시 써서 머리털이 빠질 지경이다.

머리가 수그러지다 구 존경하는 마음이 일어나다. 경복(敬服)이 되다.

머리(가) 썩다 구 사고 방식·사상이 낡아 쓰지 못하게 되다.

머리(가) 아프다 구 머릿살(이) 아프다.

머리가 젖다 구 ㉠머리가 물에 젖다. ㉡어떤 사상이나 인습 따위에 물들다.

머리(가) 크다 구 성인이 되다.

머리(를) 감:다 구 머리를 물로 씻다.

머리를 굴:리다 구 이리저리 생각하다.

머리(를) 굽히다 구 굴복하다.

머리(를) 긁다 구 수줍거나 무안하거나 겸연쩍음을 얼버무리려고, 자기도 모르게 손을 올려 머리를 긁적거리다.

머리(를) 깎다 구 ㉠이발하다. ㉡중이 되다. ㉢〈속〉 복역(服役)하다.

머리(를) 깎였다 구 ㉠남에게 강제로 어떤 일을 당함을 말함. ㉡제 힘으로 못하고 남의 도움을 받아 하였다는 뜻.

머리(를) 내:밀다 구 ㉠머리를 바깥으로 내어보내다. ㉡어떤 자리에 존재를 나타내다.

머리(를) 들다 구 ㉠눌려 있던 또는 숨겨 온 생각이나 의식 따위가 머리에 떠오르다. ㉡차차로 세력을 얻어 세상에 알려지게 되다. 대두(擡頭)하다.

머리를 맞대다 구 의논이나 결정을 위해 서로 마주 대하다.

머리를 모으다 구 ㉠긴한 이야기를 하려고 바투 모이다. ㉡여러 사람의 의견을 종합하다.

머리(를) 숙이다 구 ㉠머리를 굽히다. ㉡수긍하거나 경의를 표하다. ㉢사죄하다.

머리(를) 식히다 구 냉정한 태도를 취하다. 또, 흥분한 심정이나 긴장된 기분을 풀어 마음을 돌리다.

머리(를) 싸다 구 ㉠머리악을 쓰다. ㉡골치 아픈 일이 생기다. ㉢매우 고심하다. ㉣아주 싫어하다.

머리를 싸매고 구 ㉠머리에 수건 따위를 동여매고. ¶ ~ 드러눕다. ㉡있는 힘과 마음을 다하여. ¶ ~ 공부하다.

머리(를) 썩이다 구 어려운 일에 부닥쳐 몹시 애를 쓰다.

머리(를) 쓰다 구 어떤 일에 대해서 이모저모로 깊이 생각하다.

머리(를) 얹다 [구] ㉠여자의 긴 머리를 두 갈래로 땋아 엇바꾸어 양쪽 귀 뒤로 돌려서 이마 위쪽에 한데 틀어 얹다. ㉡동기(童妓)나 비자(婢子)가 자라서 머리를 쪽찌다. ㉢시집가다.
머리(를) 얹히다 [구] ㉠동기(童妓)와 내연(內緣)의 관계를 맺어 그 머리를 얹어 주다. ㉡처녀를 시집보내다.
머리를 쥐어 짜다 [구] 머리를 짜다.
머리를 짜다 [구] 몹시 애를 써서 궁리하다.
머리(를) 풀다 [구] 부모상(喪)을 당하여, 틀었던 머리를 풀다.
머리(를) 흔들다 [구] ㉠진저리치다. ㉡거절하거나 부인하다.
머리에 들어오다 [구] 이해되거나 기억되다.
머리에 피도 안 마르다 [구] 아직도 아주 나이가 어리다.
머릿발이 서다 [구] 몹시 화가 나서 머리털이 곤두서다.
머리² [명] ①덩어리를 이룬 수량의 크기를 일컫는 말. ②↗돈머리.
머리³ [명] 〈방〉〖식〗머루¹(경상).
머리⁴ 〔Murry, John Middleton〕 [명] 〖사람〗 영국의 비평가. 여류 작가 맨스필드(Mansfield, K.)의 남편. 엘리엇(Eliot, T.S.)과는 달리 낭만주의 비평을 주창하였고, 만년에는 자기의 입장을 근대주의적 기독교적 사회주의라 규정하였음. [1889-1957]
머리⁵ 〔Murray, Philip〕 [명] 〖사람〗 미국의 노동 운동 지도자. 광부 출신으로 1920-42년 탄광 노동 조합 부위원장을 지냈으며, 그 사이 1935년에 시 아이 오(CIO)를 결성하여 부의장과 의장을 역임함. 1942년 국제 자유 노련 결성과 동시에 부회장이 됨. 노사 협조를 제창, 분쟁 조정의 중재역으로 이름을 떨침. [1886-1952]
머리⁶ [의명] 〈방〉 즈음.
머리⁷ [의명] 〈방〉 마리.
머리⁸ [부] 〈옛〉 멀리. =머리곰. ¶머리 ᄂᆞ롤 보고 블 잇ᄂᆞᆫ돌 아로미 곧ᄒᆞ니≪月釋 Ⅸ:7≫.
-머리 [미] 어떤 명사의 뒤에 붙어 그 명사의 뜻을 속되게 나타내는 말. ¶소갈~/인정~.
머리가다 [자] 〈옛〉 멀리 가다. ¶머리갈 담(覃)≪類合 下 38≫.
머리-가슴 [명] ①머리와 가슴. ②〖충〗 두흉부(頭胸部)❷.
머리-가지 [명] 〖언〗 '접두사(接頭辭)'의 풀어 쓴 말.
머리 강 【一江】 〔Murray〕 [명] 〖지〗 오스트레일리아의 가장 큰 강. 오스트레일리아 알프스에서 발원하여 남쪽으로 흘러 엔카운터 만(Encounter 灣)에 들어감. 우계(雨季)에는 기선이 통하고 건계(乾季)에는 고갈될 때도 있으며, 유역은 주요한 농목지(農牧地)임. 상류부는 수력 발전, 중하류는 관개에 이용됨. [2,600km]
머리-고임 [명] 〖고고학〗 시신(屍身)의 머리를 괴어 놓는 받침대. 나무 토막의 가운데를 반원형으로 파내었음. 두침(頭枕).
머리곰 [부] 〈옛〉 멀리. =머리⁸. ¶ᄃᆞ롤하 노피곰 도ᄃᆞ샤 어긔야 머리곰 비취오시라≪樂範 井邑詞≫.
머리-그물 [명] 머리가 헝클어지지 아니하도록 머리 위에 쓰는 그물. 헤어네트(hairnet).
머리-글 [명] 서문(序文). 머리말.
머리-글자 【一字】 〔一짜〕 [명] 구문(歐文)에서, 글 첫머리나 고유 명사의 처음에 쓰는 대문자(大文字). 이니셜(initial).
머리ᄀᆞᆷ다 [자] 〈옛〉 머리감다. ¶머리ᄀᆞᆷ올 목(沐)≪字會 下 11, 類合 下 8≫.
머리-까락 [명] 〈방〉 머리카락(경기·경상).
머리-깔 [명] 〈방〉 머리칼(강원·경북·황해·평북).
머리-깽이 [명] 〈방〉 머리카락(강원).
머리-꼬리 [명] 땋은 머리의 꼬리.
머리-꼭지 [명] 머리의 맨 위의 가운데.
머리-꾸미개 [명] 머리를 아름답게 꾸미는 패물의 총칭.
머리-꾼 [명] 〖민〗 차전(車戰) 놀이에서, 동채 앞쪽에 사람 인(人)자 모양으로 벌여 선 장정(壯丁). 팔짱을 끼고 어깨로만 상대편을 공격하거나 밀어냄. 보통, 수백 명에 이름. *동채꾼.
머리-끄덩이 [명] 머리를 한데 뭉친 끝. ¶~를 잡아 넘어뜨리다.
머리-끝 [명] ①머리의 끝. ②머리털의 끝.
머리끝에서 발끝까지 [구] 온 몸 전부. 위에서 아래까지 온통. 하나에서 열까지. 전부.
머리끝이 쭈뼛쭈뼛하다 [구] 두려움이나 추위 때문에, 섬뜩해져서, 머리털이 곤두서는 느낌이다. ¶해만 뚝 떨어져 어슬어슬해 오면 머리끝이 쭈뼛쭈뼛 등골에 땀이 물 퍼붓듯 하며 ≪李海朝 : 彈琴臺≫.
머리끝-금 【一錦】 [명] 〖건〗 뺄목에 보기 좋게 그린 단청(丹靑). 두단금(頭端錦).
머리-끼 [명] 〈방〉 머리털(함남).
머리-끼댕이 [명] 〈방〉 머리카락(경남).
머리대고 물구나무서기 [명] 두 팔과 머리로 세모꼴을 이루고 물구나무서는 운동.
머리대장-과 【一大將科】 〔一꽈〕 [명] 〖충〗 〔Cucujidae〕 딱정벌레목(目)에 속하는 한 과. 곰보벌레과(科)와 가까운 종류로서 몸은 작고, 편평하거나 세장(細長)함. 촉각은 11절로 실 모양이며 더러는 곤봉상임. 부절(跗節)은 5절, 수컷의 후부절은 4절이고, 복부 복판(腹板)은 다섯 개임. 실내(室內)의 약품·식기(食器)·곡분(穀粉) 등에 모임. 머리대장벌레 등이 이에 속하는데, 전세계에 분포함. 편충과.
머리대장-벌레 【一大將一】 [명] 〖충〗 〔*Oryzaephilus surinamensis*〕 머리대장과에 속하는 곤충. 몸길이 2.5-3.5mm이고 몸빛은 갈색 또는 황갈색이며 등에는 가는 황갈색 털이 있음. 전배판(前背板)은 길며 중앙에는 석 줄의 종륭(縱隆)이 있고, 외연(外緣)에는 각각 여섯 개의 둥근 돌기(突起)가 있음. 1년에 수세대(數世代)가 번식하고 성충으로 월동하는데 저장한 곡식 가루의 해충임. 전세계에 분포함. 방석벌레. 톱날머리대장. *곰보벌레.

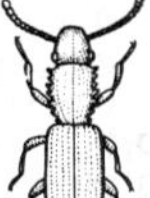

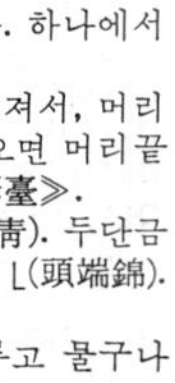
〈머리대장 벌레〉

머리-동이 [명] ①머리를 긴 색종이로 바른 지연(紙鳶). 청머리동이·홍머리동이·분홍머리동이·눈깔머리동이 등이 있음. ②두통이 심할 적에 머리를 둘러매는 물건.
머리-때¹ [명] 머리에 묻거나 머리카락에 끼어 있는 때.
머리-때² [명] 〈방〉 〖건〗 대들보(전남).
머리-띠 [명] 머리에 매는 띠.
머리-말 [명] ①책 등의 첫머리에 취지·성립(成立)의 유래(由來)·목적·내용 등에 관하여 간단히 적는 글. 권두언(卷頭言). 두서(頭書). 서문. 서언(序言). 머리글. ↔꼬리말. ②언설(言說)의 실마리. 논설의 맨 첫머리. 서론(序論).
머리-맡 [명] 누울 때 머리를 두는 곳. 또, 그 옆이나 윗자리. 침상(枕上). ¶~에서 시중을 들다. ↔발치.
머리-먼지벌레 [명] 〖충〗 〔*Harpalus capito*〕 딱정벌레과에 속하는 곤충. 몸길이 2cm 내외이고 몸빛은 흑색, 촉각과 다리는 황갈색, 윗입술은 암적갈색임. 하면에는 점각(點刻)과 주름이 있으며 황색 털이 있음. 한국·일본·중국·시베리아 등지에 분포함.

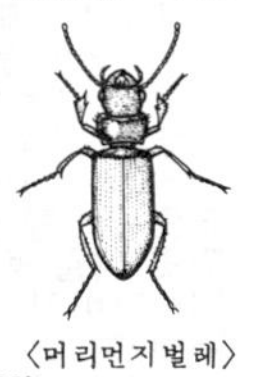
〈머리먼지벌레〉

머리뭔 놈 [명] 〈옛〉 대머리. ¶머리뭔 놈(禿廝)≪字會 上 29≫.
머리-방동사니 [명] 〖식〗 파피루스(papyrus)❶.
머리-비놀 [명] 〈방〉 비듬¹(경기·강원·충청·전북·제주).
머리비시 [명] 〈옛〉 머리 빗기. ¶머리 비시와 옷 ᄆᆞ라닙디 아니터라(未嘗櫛髮)≪續三綱 孝子 王中感天≫.
머리-빡 [명] 〈속〉 머리.
머리-빼기 [명] 머리가 향하여 있는 쪽.
머리-뼈 [명] 〖생〗 두개골(頭蓋骨).
머리-새 [명] 머리쓰개를 쓴 모양이나 그 맵시.
머리셔 [부] 〈옛〉 멀리서. ¶머리셔 보고(遙見)≪妙蓮 Ⅱ:209≫.
머리-소리 [명] 〖언〗 '두음(頭音)'의 풀어 쓴 말.
머리소리 법칙 【一法則】 [명] 〖언〗 '두음 법칙'의 풀어 쓴 말.
머리수-부 【一首部】 [명] 한자 부수(部首)의 하나. '馘'이나 '馗' 등의 '首'의 이름.
머리-숱 [명] 머리털의 분량. ¶~이 많다.
머리 싸움 [명] 머리를 써서 겨루거나 싸우는 일. 지능(知能)으로 대결하는 일.
머리-쓰개 [명] 수건이나 장옷 등 여자가 머리 위에 쓰는 물건의 총칭.
머리악-쓰다 [자] 〈속〉 기쓰다. ¶새벽 바람 찬 이슬에 다리 아프고 발 아픈 줄도 모르고 머리악을 쓰고 줄곧 가며…≪作者未詳 : 恨月≫.
머리-채 [명] 길게 늘어진 머리털. ¶~를 잡아 끌다.
머리-처네 [명] 시골 여자가 나들이할 때에 장옷처럼 머리에 쓰던 물건. 자줏빛 천으로 두렁치마 비슷하게 만듦. [준]처네.
머리-초 [명] 〖건〗 기둥이나 들보 같은 것의 머리 부분에 그린 단청(丹靑).
머리-치기 [명] 숱이 많은 머리에서 머리카락을 솎아 자르는 일.
머리 치장 【一治粧】 [명] 머리를 곱게 꾸미는 치장.
머리-카락 [명] 머리털의 낱개. [준]머리칼.
【머리카락 뒤에서 숨바꼭질한다】 얕은 꾀로 남을 속이려 든다는 뜻.
머리카락-사름 [명] 〖민〗 음력 설날 저녁에 대문 밖에서 일 년 동안 모은 머리카락을 불에 사르는 풍속. 원일 소발(元日燒髮).
머리-카랭이 [명] 〈방〉 머리카락(경남).
머리-칼 [명] ↗머리카락.
머리-캉 [명] 〈방〉 머리카락.
머리-캐락 [명] 〈방〉 머리카락(경북).
머리-커럭 [명] 〈방〉 머리카락(제주).
머리-크락 [명] 〈방〉 머리카락.
머리-크랭이 [명] 〈방〉 머리카락(경북).
머리-터럭 [명] 〈방〉 머리털.
머리-터리 [명] 〈방〉 머리털(경북).
머리-털 [명] 머리에 나는 털. 두발(頭髮). [준]머리.
【머리털을 베어 신발을 한다】 무슨 짓을 하여서든지 잊지 아니하고 은혜에 보답하겠다는 뜻으로 하는 말.
머리털-자리 〔一짜一〕 [명] 〔라 Coma Berenices〕 〖천〗 북천(北天)에 있는 성좌. 사자자리와 목자자리 사이에 있음. 밝은 별은 적으나, 다수의 성단(星團)·은하(銀河)·은하단(團)이 있음. 5월 하순의 저녁에 남중(南中)함. 약자 : Com.
머리톄 [명] 〈옛〉 머리채. ¶믈러날 제 머리톄를 져기 기우시 호니(退頭容少偏)≪飜小 Ⅹ:27≫.
머리-통 [명] 머리의 둘레.
머리-툴 [명] 〖역〗 '떠구지'의 구한말 때의 딴이름.
머리 핀 〔pin〕 [명] 여자의 머리 치장에 쓰는, 곱쳐 만든 핀.
머리-하다 [자][여불] (주로 여성이) 머리를 매만지다. ¶미장원에 가서 머리하고 왔다.
머리-향 【一向】 [명] 〖고고학〗 시신의 머리가 놓인 방향. 두향(頭向). 미향(尾向).
머리혈-부 【一頁部】 [명] 한자 부수(部首)의 하나. '頌'이나 '順' 등의 '頁'의 이름.
머린: 〔미 Marine〕 [명] 〖군〗 머린 코(Marine Corps).
머린: 룩 〔marine look〕 [명] 해병(海兵) 스타일을 채용한 의상. 세일러 룩(sailor look).
머린: 비:프 〔marine beef〕 [명] 어육(魚肉)을 농축한 단백질로 만든 인공육(人工肉).
머린: 스노: 〔marine snow〕 [명] 해설(海雪).
머린: 코: 〔미 Marine Corps〕 [명] 〖군〗 해병대(海兵隊). 머린.
머릿-결 [명] 머리카락의 질(質)이나 상태.
머릿-골¹ [명] ①〖생〗 뇌수(腦髓). ②〈속〉 머리¹❶. [준]골.
머릿-골² [명] 기름을 짤 때에 떡판과 챗날을 끼는 틀. 흔히, 기둥 나무 같은 것으로 '井'자 모양으로 짬.
머릿-기름 [명] 머리에 바르는 기름. 포마드·동백 기름 등 조발용(調髮用) 기름의 총칭. 발유(髮油). [준]기름.

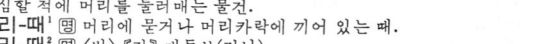

머릿-기사【一記事】명 신문이나 잡지 따위에서 맨 위 오른쪽 또는 맨 앞에 싣는 중요 기사. 톱(top) 기사.
머릿-내 명 머리털에서 나는 냄새.
머릿-니 명 〖충〗 [*Pediculus humanus humanus*] 잇과에 속하는 곤충. 이와 비슷한데 몸길이가 수컷은 2-3mm, 암컷은 2.5-4mm 가량임. 몸빛은 담색이고 복부의 가장자리가 암색인데 기생하는 인종에 따라 달라짐. 앞머리의 측연(側緣)에 두 개의 털과 측반(側斑)이 있고 촉각은 5절임. 눈 뒤에 한 개의 털이 있으며 복부는 긴 타원형임. 각절(脚節)의 측연은 '凸'자 모양임. 유충은 3회 탈피하여 2주일 만에 성충이 됨. 주로 여자 머리에 많이 기생하는 세계 공통종임. 주발충(蛀髮蟲).

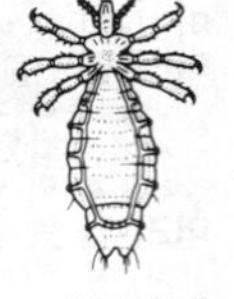
〈머릿니〉

머릿-달 명 종이 연의 머리에 붙인 대.
머릿-대갈 명 〈방〉 머리[1]❶(평북).
머릿뎡바기 명 〈옛〉 정수리. =뎡바기. ¶ 머릿 뎡바기예 솔히 내와다「《月釋 Ⅱ:41》.
머릿-돌 명 정초식(定礎式) 때, 관계자·연월일 따위를 새겨서 소정(所定)의 위치(位置)에 앉히는 돌. 귓돌. 초석(礎石). 정초(定礎).
머릿듸골 명 〈옛〉 해골. 대가리. 대갈통. ¶ 머릿듸골 독(髑), 머릿듸골 루(髏)《字會 上 28》.
머릿바기 명 〈옛〉 머리빡. ¶ 머릿바기며 눈ㅈ수쉬며 骨髓며 가시며 子息이며 도라ᄒᆞ야도《月釋 Ⅰ:13》.
머릿-방【一房】명 안방의 뒤로 달려 있는 방.
머릿-병풍【一屛風】명 머리맡에 치는 작은 병풍. 흔히 두 쪽으로 되어 있음. 곡병(曲屛). 침두 병풍(枕頭屛風). 침병(枕屛).
머릿-살 명 머리 속에 있는 신경(神經)의 줄.
 머릿살(이) 아프다 구 ㉠〈속〉 골치 아프다. 머리가 아프다. ㉡머릿살(이) 어지럽다.
 머릿살(이) 어지럽다 구 마음이 어수선하다. 머릿살이 아프다.
머릿-속 명 생각이나 기억, 상상과 같은 정신 활동이 이루어지는 곳이라고 믿는 머리 안의 가상 공간. ¶ ～이 복잡하다 / ～이 텅 비다.
머릿-수【一數】명 ①사람의 수. ¶ ～를 채우다. ②돈머리 따위의 수. ¶ 돈의 ～가 모자란다.
머릿-수건【一手巾】명 ①부녀자가 겨울에 추위를 막기 위하여 머리에 둘러 감는 흰 수건. 흔히 명주를 씀. ②머리에 쓰는 수건.
머릿-장【一欌】명 머리맡에 두고 옷이나 그 밖의 물건을 넣기도 하고 그 위에 쌓기도 하는 외층으로 짠 장.
머릿 조조리 명 〈옛〉 족두리. ¶ 머릿 뎡바기에 솔히 내와다 머릿 조조리 ᄀᆞᄐᆞ샤 놉고 平ᄒᆞ시며《月釋 Ⅱ:41》.
머릿-줄 명 ①종이 연의 머릿달 양끝을 잡아당기어 맨 줄. ②장음(長音) 표시로 글자 위에 긋는 줄.
머릿-짓 명 머리를 움직이는 짓.
머릿톄 명 〈옛〉 머리채. ¶ 머릿톄ᄂᆞᆫ 곧게 가질 거시라 ᄒᆞ야시ᄂᆞᆯ(頭容直也)《飜小 X:27》.
머만태 명 〈방〉 어리보기(함북).
머:메이드 라인〔mermaid line〕명 〔머메이드는 인어(人魚)의 뜻〕 어깨에서 무릎까지는 몸에 착 달라붙게 하고, 그 밑 옷단은 꼬리와 지느러미처럼 벌려 놓은 드레스의 형(型). 이브닝 드레스 등에 흔히 볼 수 있음.
머무르다 자 르불 〔중세 : 머믈다〕 ①움직이다가 중도에서 그치다. ¶ 마차가 중도에서 머물러 떠날 줄 모르다. ②뒤에 처지어 남아 있다. 또, 있던 자리에 그냥 있다. ¶ 나만 머무르기로 하고 모두 떠났다. ③남의 집에서 묵다. ¶ 여관에 ～. ④배나 차(車)가 일정한 곳에 임시로 와서 있다. ¶ 배가 하와이에 머물러 있는 동안. ⑤어떤 범위 안에 그치다. ¶ 시인의 생명은 현실에만 머무르지 않는 데 있다. ㊀머물다.
머무름-표【一標】명 〖언〗 '구두점(句讀點)'의 풀어 쓴 말.
머무적-거리다 자 결단성 있게 딱 잘라서 하지 못하고 주저하다. ¶ 결행에 앞서 ～. ㊀머뭇거리다. 머무적-머무적 부. ——-하다 자여불
머무적-대다 자 머무적거리다.
머물다 자 ↗머무르다.
머뭇-거리다 자 ↗머무적거리다. 머뭇-머뭇 부. ——-하다 자여불
머뭇-대다 자 머뭇거리다.
머뭇-하다 자여불 말이나 행동이 나올 듯하면서 선뜻 나오지 아니하고 잠깐 망설이다.
머므러 자 〈옛〉 머물러. '머믈다'의 활용형. ¶ 아직 군ᄉᆞᄅᆞᆯ 머므러 기ᄃᆞ리라(宜且按甲以待)《五倫 Ⅱ:26》.
머므르다 타 〈옛〉 그르치다. 지체하다. ¶ 도로혀 네 흥경을 머므르리로다(倒悞了你買賣)《老乞》.
머믈다 자 〈옛〉 머무르다. ¶ 日月宮殿이 머므러이셔 나사가디 아니ᄒᆞ며《月序 1》/머믈 류(留)《類合 下 19》/머믈 뷔(徘), 머믈 회(徊)《石千 42》.
 「우ᄂᆞ다(邀人晩興留)《杜諺 Ⅸ:12》.
머믈우다 타 〈옛〉 머무르게 하다. ¶ 사ᄅᆞᄆᆞᆯ 마자 드려 나죗 興으로 머믈
머믈츠다 자 〈옛〉 지체하다. ¶ 火急히 셜리 가 머믈츠디 말라(火急速去不得遲滯)《六祖 上 10》.
머뭇ᄒᆞ다 자 〈옛〉 머뭇거리다. ¶ 逡巡은 머뭇ᄒᆞᆯ ᄉᆞ시오《金三 Ⅳ:10》.
머미[1]〔mummy〕명 ①미라. ②〈소아〉 엄마.
머미[2] 감 〈방〉 네미❶.
머사니 대감 〈방〉 머시[1](평안).
머:서 가공【一加工】〔Mercer〕명 면사(綿絲)·양모사(羊毛絲)의 가공법. 양모사의 경우에는 38% 이상의 진한 수산화 나트륨 용액에, 15-20℃에서 5분간 담갔다가 건져 내어 1% 염산 용액에 다시 담갔다가 꺼냄. 이렇게 하면 빨아도 그다지 줄지 않으며 광택이 남. 1850년 영국의 염색 기사 머서(Mercer, John)가 발명함. 머서리제이션. 실켓 가공.
머:서리제이션〔mercerization〕명 머서(Mercer) 가공.
머서마 명 〈방〉 사내아이(경상).
머섬 명 〈옛·방〉 머슴. 사내(경기·강원·경상). ¶ 겨집 子息은 제 ᄆᆞᅀᆞᄆᆞ로 돈니다가 이붓집 머섬 사괴야《七大 21》.
머수마 명 〈방〉 사내아이(강원).
머수매 명 〈방〉 사내아이(강원).
머스마 명 〈방〉 사내아이(충북·전북·경상·강원).
머스마그 명 〈방〉 사내아이(전남).
머스매 명 〈방〉 사내아이(전북·충청).
머스캣〔muscat〕명 포도의 한 종류. 유럽 원산인데, 알이 굵고 담녹색이며, 달고 방향(芳香)이 있음. 포도주의 원료로 널리 사용됨. 알렉산드리아.
머스크〔musk〕명 ①사향(麝香). ②〖동〗 사향노루. ③사향의 방향(芳香)을 발산하는 여러 가지 식물.
머스크-랫〔muskrat〕명 〖동〗 [*Ondatra zibethica*] 설치류(齧齒類)에 속하는 동물. 물에 사는 대형(大形)의 쥐로서 몸길이 22-36cm, 꼬리 18-28cm이고 털빛은 보통 흑갈색에 광택이 나며 적갈색·회갈색·백색 등의 변색이 많음. 사지(四肢)에 강모(剛毛)가 있어 물갈퀴를 형성함. 귀와 눈은 작고, 꼬리는 나출(裸出)하고 편평함. 하천(河川)·연못에 서식하며 수초(水草)·곤충·어류·패류 등을 포식함. 한 해에 3회, 한 배에 4-9마리의 새끼를 낳음. 북아메리카의 특산종으로 영국·프랑스·독일·일본에도 야생함. 제방(堤防)에 굴을 뚫는 위험한 동물임.
〈머스크랫〉
머스크-멜론〔muskmelon〕명 〖식〗 멜론의 한 품종. 공 모양의 과실은 향기가 썩 좋으며, 초록색·황색·백색 등의 표면에 그물 모양의 무늬가 있음.
머스터:드〔mustard〕명 서양 겨자. 또, 그 열매를 원료로 하여 만든 조리용의 겨자. 초 또는 물로 개어서 사용함.
머스터:드 가스〔mustard gas〕명 〖화〗 미란성(糜爛性)의 독가스. 그 성분은 디클로로디에틸 설파이드(dichlorodiethyl sulfide)로서 에틸렌과 이염화황으로 만듦. 1차 세계 대전에서 독일군이 처음으로 사용하였음. 이페리트(ypérite).
〈머스크멜론〉
머스터:드 소:스〔mustard sauce〕명 겨자를 넣은 소스. 수육(獸肉)·어육(魚肉)의 요리에 사용함.
머슬머슬-하다 형여불 탐탁스럽게 사귀지 아니하여 어색하다. ¶ 나이는 같지만 아저씨 뻘이라 ～. 머슬머슬-히 부
머슴 명 농가에서 고용살이하는 남자. 고노(雇奴). ㊀멈.
 【머슴이 강짜한다】 주인 마누라 행실에 머슴이 강짜를 한다는 뜻으로, 관계없는 일에 주제넘게 간섭을 한다는 말.
 머슴(을) 살:다 구 머슴 노릇을 하다.
머슴-꾼 명 머슴을 홀하게 이르는 말.
머슴-날 명 〖민〗 음력 2월 초하루 '하리아드랫날'을, 머슴에게 주식(酒食)을 한턱 내어 위로하는 날이라 하여, 농가에서 일컫는 말. 노비일(奴婢日).
머슴들레 명 〈방〉 〖식〗 민들레(경상).
머슴-방【一房】[一빵] 명 머슴이 거처하는 방.
머슴-살이 명 머슴 노릇을 하는 생활. 고공 살이. ㊀멈살이. ——-하다 자여불
 【머슴살이 삼 년에 주인 성(姓) 묻는다】 사람이 무심하여 응당 알고 있을 만한 것도 모르고 지낸다는 말.
머슴-새 명 〈방〉 〖조〗 ①깨새. ②소쩍새(경남).
머슴-애 명 ①머슴살이를 하는 아이. ②〈방〉 사내아이.
머슴-찌 명 어신(魚信)찌에 대하여, 던질 때 무게를 주기 위해 다는 큼직한 보조(補助) 낚시찌.
머시[1] 인대감 말하는 중에, 사물의 이름이 얼른 떠오르지 아니할 때, 그 이름의 대신으로나 군소리로 하는 말. ¶ 그 ～ 말이야, 왜 너의 집에 한번 왔던 사람 있지 않아. *거시기.
머:시[2] 준 무엇이. ¶ ～ 어째.
머시가니 인대감 〈방〉 머시[1](평안).
머시냐 인대감 〈방〉 머시[1].
머시:닝 센터〔machining center〕명 〖기〗 수치 제어(數値制御) 공작 기계 가운데, 자동적으로 수개 종류의 공구(工具)를 교환하면서 각종 가공 작업을 행하는 다능(多能) 자동 공작 기계.
머시리카다 타 〈방〉 꾸짖다(전남).
머시마 명 〈방〉 사내아이(전남·경상).
머시매 명 〈방〉 사내아이(전라·충청).
머시-하다 형 〈방〉 무엇하다.
머신:〔machine〕명 기계(機械). ¶ 티칭 ～/슬로트 ～.
머신:-유【一油】〔machine〕명 기계유(機械油).
머신: 툴:〔machine tool〕명 공작 기계(工作機械).
머심 명 〈방〉 머슴(전라·경상·충청·경기).
머쓱-하다 형여불 ①어울리지 아니하게 키가 크다. ②무안을 당하거나 하여 기가 죽어 있다. 기를 펴지 못하고 있다. ¶ 그는 상태의 그런 표정을 보자 화가 났다. "안가? 이 새끼!" 상태는 머쓱하니 일어서 반도 호텔 아래층의 다방으로 들어갔다《尹正奎 : 월야》. 머쓱-히 부
머애 명 〈방〉 멍에(경북).
머엄 명 〈방〉 머슴(충북).
머여기 명 〈옛·방〉 〖어〗 메기. ¶ 머여기(鮎魚)《濟衆》.
머옛다 타 〈옛〉 메었다. 메어 있다. '메다'의 활용형. ¶ 金剛杵를 머옛더니《月釋 Ⅶ:36》.

머오다 타 〈옛〉 메우다. ¶ 나귀 노새돌 머오는 큰 술위(驢騾大車)《老乞 下 32》.

머욕 명 〈옛〉 미역. ¶ 머욕(海菜)《譯語 上 54》.

머우 명 〈방〉 『식』 머루¹(전북).

머위 명 『식』 [*Petasites japonicus*] 국화과에 속하는 다년초. 근경(根莖)은 몹시 짧고, 땅 위에 나오지 않으며 땅 속에서 가지가 생김. 잎은 근생(根生)하고 원신형(圓腎形)이며 잎꼭지는 굵고 길이 60cm 가량임. 화경(花莖)은 높이 약 30cm이고 두화(頭花)는 5-6월에 밀추 화수(密錐花穗)의 자웅 이가(雌雄異家)로 피는데, 수꽃은 황백색, 암꽃은 백색이며, 과실은 수과(瘦果)임. 산지에 나는데, 제주·울릉도에 분포하며 각지에서 재배(栽培)함. 잎·잎꼭지는 몹시 쓴데 데치거나 삶아서 먹음. 관동(款冬).

〈머위〉

머위-쌈 명 ↗머윗잎쌈.

머위 장아찌 명 껍질을 벗긴 머위의 잎과 줄기를 토막쳐서 설탕을 탄 장물에 넣어 조린 장아찌.

머윗-잎 [一닙] 명 머위의 잎.

머윗잎-쌈 [一닙一] 명 머위의 잎을 삶아 아린 맛을 우려 내어서 먹는 쌈. 준머위쌈.

머유기 명 〈옛〉 메기. =메유기. ¶ 머유기(鮎子)《四聲 上 82 鮎字註》.

머육 명 〈옛〉 미역. =메육. ¶ 머육과 뿔와 香과 가져다가 주더라(海菜米香遺之)《續三綱 孝子 得仁感倭》.

머으렛다 자 〈옛〉 머물러 있다. 머물렀다. ¶ 미햇 고존 보비로왼 누치 머으렛는 듯ㅎ고(野花留寶靨)《重杜諺 Ⅲ:73》.

머음 명 〈방〉 머슴(전북·충북·경상).

머음-살이 명 〈방〉 머슴살이(전북·충북).

머의외다 형 〈옛〉 나쁘다. 궂다. ¶ 머의윈 일을 다 일오려 ㅎ노매라《永言》.

머이¹ 명 〈방〉 모이(경기).

머이² 명 〈방〉 무덤.

머이-통 【一桶】 명 〈방〉 멀떠구니.

머에 명 〈옛〉 멍에. ¶ 董卓이 그 각시 머리롤 술윗 머에예 미오《三綱 烈女 9》/머에 아랫 므야지를 티디 말라(莫鞭轅下駒)《杜諺 XXIII:36》.

머저 자 〈옛〉 그치어. '멎다'의 활용형. ¶ 구즌 비 머저 가고 시낸물이 묽아 온다《古時調 尹善道》.

머저리 명 〈방〉 어리보기. 바보.

머죽다 형 〈방〉 머줍다.

머줍다 형 동작이 미련하고 느리다.

머즈막:-하다 형 〈방〉 머즘하다.

머즉ㅎ다 형 〈옛〉 머즘하다. ¶ 비 머즉ㅎ다(雨住了)《譯語 上 2》.

머즌일 명 〈옛〉 재화(災禍). 궂은 일. 흉한 일. ¶ 一切 머즌 이리 다 업고《釋譜 Ⅸ:34》.

머즐다 형 〈옛〉 궂다. ¶ 머즌일 지순 因緣으로 後生에 머즌 몸드외야《月釋》.

머즘:-하다 형 〈방〉 머즘하다.

머:-지다 자 바람이 몹시 세어 연줄이 저절로 끊어져서 연이 떠나가다.

머지-않다 [一안타] 형 시간적으로 오래지 않다. ¶ 머지않아 해가 솟을 것이다.

머처럼 부 〈방〉 모처럼.

머:천다이징 〔merchandising〕 명 일반적으로 상품화 계획(商品化計劃)을 말함. 적정(適正)한 상품을 적정한 값으로 적정한 시기에 적정한 수량을 제공하기 위한 계획. 곧, 과학적인 방법으로 제품(製品)을 만들어 내는 것을 이름.

머:천다이징 라이츠 〔merchandising rights〕 명 상품화권(商品化權). 어떤 상품의 명칭이라든가 특징을 등록하였다가 그것을 쓰는 사람으로부터 사용료를 징수하는 권리.

머:천트 어드벤처러스 〔Merchant Adventurers〕 명 『역』 14-16세기의 영국 모직물 공업의 발전을 배경으로 한 무역상(貿易商) 조합. 모직물의 해외 수출을 독점하였음.

머추다 자타 〈옛·방〉 멈추다. ¶ 兵馬룰 머추어시니(載弛兵威)《龍歌 54章》.

머츰-하다 형여불 잠시 그치다. 한때 그치다. ¶ 비가 머츰해졌다.

머카락 명 〈방〉 머리카락(전북·경남).

머캐덤 〔macadam〕 명 『토』 〔18세기 말의 영국 스코틀랜드의 토목 기술자 텔퍼드(Telford, Thomas)와 머캐덤(McAdam, John)이 처음으로 흙 바닥에 잔돌과 벽돌을 가지런히 깐 데서 유래〕 ①도로를 포장(鋪裝)할 때 까는 밤자갈. ②머캐덤 도로.

머캐덤 도:로 【一道路】 〔macadam〕 명 『토』 밤자갈을 겹에 펴고 굳게 다져서 만든 길.

머커리 명 〈방〉 미투리(함북).

머:컨틸리즘 〔mercantilism〕 명 『경』 중상주의(重商主義).

머쿠래기 명 〈방〉 미투리(함남).

머:큐로크롬 〔Mercurochrome〕 명 『약』 살균 소독제(殺菌消毒劑)의 한 가지. 유기 수은 화합물(有機水銀化合物)로 녹색 또는 녹색을 띤 적갈색(赤褐色) 비늘 모양의 결정(結晶)인데, 수용액 또는 연고(軟膏)를 만들어 환부(患部)에 바름.

머:큐리¹ 〔Mercury〕 명 ①『신』 로마 신화 중의 '메르쿠리우스(Mercurius)'의 영어명. ②『천』 수성(水星).

머:큐리² 〔mercury〕 명 『화』 수은(水銀).

머:큐리 계:획 【一計劃】 〔Mercury〕 명 미국의 초기 유인(有人) 우주 비행 계획. 머큐리 우주선(宇宙船)의 무게는 1.35톤. 1958년에 발족(發足), 1962년 글렌 중령(中領)이 프렌드십 7호로 인공 위성 비행에 처음으로 성공, 이듬해 제미니 계획으로 인계됨.

머크댕이 명 〈방〉 머리카락(강원).

머크락 명 〈방〉 머리카락(전남).

머키다 자 〈옛〉 먹히다. ¶ 世間애 나 해 머킬 頸드외니라《楞嚴 Ⅷ:120》.

머킹이 명 〈심마니〉 사람.

머터:니티 드레스 〔maternity dress〕 명 임신복. 임부복.

머:턴¹ 〔Merton, Thomas〕 명 『사람』 미국의 저술가·시인. 공산주의자였으나 가톨릭 신자가 되어 1941년 트라피스트 수사(Trappiste 修士)가 됨. 저서에 《칠층(七層) 언덕》이 있음. [1915-68]

머턴² 〔mutton〕 명 양(羊)고기.

머통이 명 〈방〉 핀잔(전북). ¶ 목이 메어지는 소리로 힘껏 ~라도 먹이지 않으면 안 되었다《李文熙 : 二寮三號室》.

머틀머틀ㅎ다 형 〈옛〉 우툴두툴하다. ¶ 즘싱으로 ㅎ여곰 온몸이 머틀머틀ㅎ며(令獸渾身疙瘩)《馬經 上 85》.

머프 〔muff〕 명 방한 용구의 하나. 모피(毛皮)의 뒷면에 헝겊을 대서 원통상으로 만들어, 양쪽에서 손을 넣게 되어 있음.

〈머프〉

머프 백 〔muff bag〕 명 손을 따뜻하게 하는 머프에 자질구레한 물건을 넣도록 되어 있는 것. 모피제(毛皮製)가 많음.

머플러 〔muffler〕 명 ①목도리. ②『기』 소음기(消音器).

머플-로 【一爐】 〔muffle〕 명 열을 가하려고 하는 물체에 직접 화염(火焰)을 대지 아니하고 전도(傳導) 또는 복사(輻射)에 의하여 뜨겁게 하는 구조의 난로(煖爐).

머:피 〔Murphy, William Parry〕 명 『사람』 미국의 의학자. 보스턴에서 개업. 마이넛(Minot)과 협력하여 악성 빈혈 치료에 간장(肝臟)을 주로 한 식이 요법을 제안함. 1934년 노벨 생리 의학상을 수상. [1892-]

〈머플러❶〉

머핀 〔muffin〕 명 작고 동그스름하게 구운 빵. 흔히 아침이나 티 타임에, 갓 구운 것에 버터를 발라 먹음.

머헤 명 〈방〉 멍에(전남).

머흐다 형 〈옛〉 험하다. 궂다. =머흘다. ¶ 앏픠 길히 머흐다 ㅎ더라(前頭路濇)《老乞 上 24》.

머흐러 형 〈옛〉 험하여. '머흘다'의 활용형. ¶ 몰군 므렌 돌히 머흐러 뵈오(水清石礧礧)《杜諺 Ⅰ:28》.

머흐럽다 형 〈옛〉 험상궂다. ¶ 엄의 빗복 줄기 우희 머흐러운 거슬 아긔 입에 머구먼는 거시니(母之臍帶上疙瘩乃兒口中含者)《胎産集要 47》.

머흔 형 〈옛〉 험한. 궂은. '머흘다'의 활용형. ¶ 너추를 자바 머흔듸 몬져 오로고(捫蘿澁先登)《杜諺 Ⅸ:3》.

머흘다 형 〈옛〉 ①험하다. =머흐다. ¶ 머흘 험(險)《類合 下 11》/머흔 일 구즌 일 널로 ㅎ야 다 닛거든《古時調》. ②구름이 뭉게뭉게 끼다. ¶ 빅설이 조자진 골에 구루미 머흐레라《古時調》.

머흣 머흐시 부 〈옛〉 줄줄이. 연이어. 잇달아. ¶ 머흣 머흐시 무더미 서르 當ㅎ얏도다(纍纍塚相當)《杜諺 XXV:7》.

먹 명 〔중세 : 먹. 고대 중국어 墨 mək〕 ①벼루에 물을 붓고 갈아서 글씨를 쓰거나 그림을 그리는 데에 쓰는 검은 물감. 아교(阿膠)를 녹인 물에 그을음을 반죽하여 굳혀서 만듦. 묵(墨). ②↗먹물.

【먹을 가까이 하면 검어진다】 좋지 못한 사람과 사귀면, 악(惡)에 물들게 된다. 근묵자흑(近墨者黑).

먹- 두 일부 명사 앞에 붙어 '검은 빛깔'의 뜻을 나타냄. ¶ ~구름.

먹-가뢰 명 『충』 [*Epicauta chinensis*] 가뢰과에 속하는 곤충. 소형의 길쭉한 갑충(甲蟲)으로 몸 길이 15mm 내외이고 몸 빛은 흑색이며 두부(頭部)는 적갈색임. 유충은 부화(孵化)할 당시에 미단(尾端)에 한 쌍의 긴 털이 있어서 움직이며 땅속의 메뚜기의 알덩어리를 만나면 탈피(脫皮)하여 이 알을 먹고 월동함. 성충은 7월에 나와 콩잎·배춧잎 등을 해침. 성충의 건조한 것을 '칸타리스'(cantharis)라고 하고 칸타리딘을 함유하므로 피부 약으로 씀. 일본·한국에 분포함. 갈상정장. 검은가뢰. 콩잎가뢰. 콩게심이. *청가뢰.

〈먹가뢰〉

먹갈 명 〈옛〉 먹칼. ¶ 먹갈 칩(篗)《字會 中 16》.

먹-갈치 명 『어』 [*Lycodes nakamurae*] 등가시칫과에 속하는 바닷물고기. 가슴지느러미의 후연(後緣)이 몹시 몰입(沒入)한 것이 특징인데, 몸은 28cm 내외로 가늘고 길며, 측편하고 눈이 큼. 몸빛은 회청색임. 비늘은 미소한 둥근 비늘로 피부에 묻혀 기와 모양으로 배열되어 있고, 뒷지느러미와 등지느러미는 꼬리지느러미에 이어졌으며 배지느러미는 짧고 작음. 한국 동해 및 일본·알래스카 등에 분포함.

먹-감 명 껍질에 햇볕을 받으면 그 부분이 거멓게 되는 감. 흑시(黑柿).

먹감-나무 명 여러 해 묵어 속이 검은 감나무의 심재(心材). 단단하고 고우므로 여러 가지 세공물(細工物)의 재료로 쓰임. 오시목(烏柿木).

먹감나무-농 【一籠】 명 먹감나무로 만든 농장(籠欌). *지농(紙籠).

먹감나무-장 【一欌】 명 먹감나무로 만든 장.

먹-거리 명 '먹을 것·식량·식품'의 뜻의 풀어쓴 말.

먹-거지 명 여러 사람이 모여 벌이는 잔치. ¶ 그 후로 금성의 사랑에는 밤마다 ~가 벌어졌다《玄鎭健 : 無影塔》.

먹-걸레 명 ☞먹수건.

먹고 도망치기 증자 【一增資】 명 『경』 주식 회사가 적자 결산을 분식(粉飾) 결산이나 문어발 배당으로 속이면서 행하는 증자.

먹-고무신 명 검정색의 고무신.

먹고-살다 자 생활하다. 생계를 유지하다. ¶ 품팔이로 ~.

먹고조 명 〈옛〉 먹통¹❶. =먹고즈. ¶ 먹고조와 먹갈(墨斗墨篗)《朴解》.

먹고즈 명 〈옛〉 먹통¹❶. =먹고조. ¶ 먹고즈(墨斗)《譯語 下 17》.

먹-과녁 명 활쏘기에서, 줌손에 가려서 과녁이 보이지 않는 일.

먹-구렁이 명 〖동〗 누룩뱀. ＊산무애뱀.

먹-구름 명 ①먹빛과 같이 검은 비구름. ¶ ～이 하늘을 뒤덮다. ②암운(暗雲)❷.

먹국 명 주먹 속에 쥔 물건의 수효를 알아맞히는 아이들의 놀이. 흔히 잣이나 콩을 감추는데, 알아맞히는 사람이 차지함. ——하다 자여불

먹그늘-나비 [—라—] 명 〖충〗 [*Lethe diana*] 뱀눈나빗과의 곤충. 편 날개 길이 57 mm 내외이고 날개는 흑갈색에, 앞날개 중앙에 담색(淡色) 띠가 있고 뒷날개에는 암색(暗色) 무늬가 한 개 있으며, 앞날개 뒷면에는 2-3개, 뒷날개 뒷면에는 여섯 개의 눈 모양의 무늬가 있음. 한국·일본·사할린에 분포함.

먹-그림 명 〖미술〗 ①먹으로만 그린 그림. 묵화(墨畫). ②먹으로 윤곽(輪廓)만을 그려 그 위에 채색(彩色)을 더하는 그림.

먹그림-나비 명 〖충〗 [*Dichorragia neshimachus*] 네발나빗과에 속하는 곤충. 편 날개의 길이 65-80 mm 이고 몸빛은 흑색에 청색 광택이 나는데 날개는 암흑색에 녹색이 섞여 있고, 중앙실(中央室)의 무늬는 청흑색이며 그 외의 많은 부분은 백색 무늬가 있어서 아름답고, 구문(口吻)은 특히 적색을 띰. 유충은 나도밤나무를 해침. 성충은 5-6월과 7-8월에 두 번 발생하며, 수액(樹液)·말똥·쇠똥 등에도 모이는데 한국·일본·중국·대만·인도 등에 분포함.

〈먹그림나비〉

먹-꼭지 명 검은 종이를 둥글게 오려 머리에 붙인 지연(紙鳶).

먹-나비 명 〖충〗 [*Melanitis leda*] 뱀눈나빗과에 속하는 곤충. 편 날개의 길이 70 mm 내외이고 몸빛은 암갈색이며 앞날개 끝에 큰 눈 모양의 반문이 있음. 하형(夏型) 곧, 습윤기형(濕潤期型)의 앞날개 끝 가까이에는 두 개의 백색 점과 흑색 무늬가 있고 그 주위에는 황갈색부가 없으며, 이면(裏面)에는 가는 파상문(波狀紋)이 있음. 또, 추형(秋型) 곧 건조기형의 앞날개 끝 가까이의 흑색 무늬는 넓고 황갈색부로 둘러싸이고 적갈색의 가랑잎 모양임. 산림의 양지 바른 곳에 많이 서식하는데, 아프리카·아시아 열대·오스트레일리아·한국·일본에 분포함.

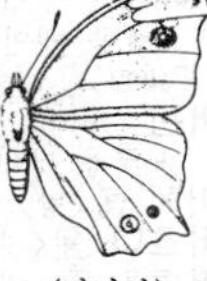

〈먹나비〉

먹-넌출 명 〖식〗 [*Berchemia kunitakeana*] 갈매나뭇과에 속하는 낙엽 활엽의 만성 관목(蔓性灌木). 줄기는 넌출 모양이고 강질(剛質)이며, 오른쪽으로 말려 올라가 높이가 10 m에 달함. 잎은 호생하고 달걀꼴 타원형이며 톱니가 없음. 봄에 녹백색의 양성화(兩性花)가 원추(圓錐) 화서로 정생함. 과실은 핵과(核果)로 타원형이며 6월에 흑갈색으로 익음. 바닷가 산지의 송림 속에 나는데 충남 안면도(安眠島)의 특산종임. 지팡이 재료로 쓰며, 관상용으로도 심음.

먹-놓다 [—노타] 타 재목을 써서 다룰 때 치수에 맞춰서 먹·연필 또는 금쇠 따위로 금을 긋다.

먹-눈 명 ☞소경.

먹는-장사 명 먹는 음식을 만들어 파는 장사. 곧, 음식점 영업. ＊물장사.

먹다[1] ㊀타 [중세 : 먹다] ①음식 등을 입을 통하여 뱃속으로 들여보내다. ¶ 밥을 ～ / 약을 ～. ②물이나 술을 마시다. ¶ 소주를 ～ / 음료수를 ～. ③연기·가스 등을 들이마시다. 담배·아편 등을 피우다. ¶ 담배를 ～ / 연탄 가스를 ～ / 아편을 ～. ④남의 재물 따위를 제것으로 하여 가지거나 차지하다. ¶ 뇌물을 ～ / 공금을 ～. ⑤내기 따위에 이겨서 판돈이나 상금 또는 등급이나 점수를 따다. ¶ 씨름에서 일등을 ～ / 우승을 ～ / 투전판에서 큰돈을 먹었다. ⑥욕이나 핀잔, 꾸지람 따위를 당하다. ¶ 호되게 욕을 ～. ⑦하려는 생각이나 감정, 뜻을 품다. ¶ 마음을 굳게 먹고 담배를 끊다 / 앙심을 ～ / 떠나기로 마음을 ～. ⑧공포나 위협으로 두려움을 느끼다. ¶ 겁을 ～. ⑨세월의 흐름을 따라 나이를 더하다. ¶ 나이를 ～. ⑩남을 비방하여 해를 입게 하다. ⑪더위나 너리 등의 병에 걸리다. ¶ 더위를 ～. ⑫운동 경기 따위에서 상대편에게 점수를 주다. ¶ 한 골 ～. ⑬매 따위를 맞다. ¶ 그의 주먹을 한 방 먹고 나가떨어졌다. ⑭어떤 물건을 제 몸 안으로 들어오게 하다. 액체 등을 빨아들이다. ¶ 종이가 물을 ～. ⑮이익 등을 차지하여 가지다. ¶ 이익을 반반씩 먹자. ⑯논밭을 경작하여 곡식을 수확하여 얻다. ¶ 두 섬도 못 먹던 논. ⑰봉록 따위를 받다. ¶ 녹(祿)을 ～. ⑱〈은〉 여자의 정조를 유린하다. 성교하다. ㊁자 ①귀가 소리를 듣지 못하게 되다. ¶ 귀가 ～. ②말이 조리가 있게 씨가 들어 효과가 있다. ¶ 이야기가 잘 먹어 들다. ③연장으로 물건이 깎이거나 자르거나 갈거나 하는 작용이 잘 되다. ¶ 대패가 잘 먹는다 / 녹이 나서 톱이 잘 먹지 않는다. ④맷돌이 물건을 잘 갈다. ⑤씨아나 솜틀이 솜을 잘 받다. ¶ 씨아가 잘 먹는다. ⑥물이나 풀 따위가 섬유질의 물체 속으로 배어 들다. ¶ 풀이 잘 ～ / 잉크가 잘 먹는 노트. ⑦벌레나 균 따위가 파들어가거나 퍼지다. ¶ 버짐이 ～ / 벌레 먹은 과일. ⑧무엇을 장만하거나 운용(運用)하기에 금전·물자·노력 따위가 소요되다. ¶ 재료가 많이 ～. ⑨화장(化粧)이나 칠을 할 때에 잘 발라지다. ¶ 화장이 잘 ～ / 페인트가 잘 ～. ㊂보동 ①동사 어미 '-아'·'-어' 아래에 쓰이어, 그 행동을 강조하는 말. ¶ 깜빡 잊어 ～ / 써 먹지 못할 물건. ②동사 어미 '-아'·'-어'·'-여' 아래에 쓰이어, 그 행위를 하여 삶을 나타내는 말. ¶ 선생 노릇이나 해 먹던 신세 / 못 해 먹을 노릇이군.

[먹고도 굶어 죽는다] 욕심이 많은 사람을 두고 이르는 말. [먹기는 파발(把撥)이 먹고 뛰기는 역마(驛馬)가 뛴다] 정작 애쓴 사람은 보수를 받지 못하고 딴 사람이 받는다는 말. 먹기는 발장(撥長)이 먹고 뛰기는 말더러 뛰란다. 먹기는 홍중군(洪中軍)이 먹고 뛰기는 파발말이 뛴다. [먹기 싫은 밥에 재나 뿌리지] 제가 싫다고 남도 못 하게 방해를 놓는 심술을 이르는 말. [먹기 싫은 음식은 개나 주지, 사람 싫은 것은 백년 원수] 싫은 사람과 같이 지내기는 어려운 일이다. [먹는 개도 아니 때린다] 음식을 먹는 사람을 때리거나 꾸짖지 말라는 말. [먹는 데는 팔발이요 일에는 송곳이라] 제 이익이 되는 일, 특히 먹는 일에는 남 먼저 덤비나, 일할 때에는 꽁무니만 뺀다는 말. [먹는 떡에도 살을 박으라 한다] 이왕 하는 일이면 잘 하라는 말. 먹는 떡에 소를 박는다. [먹는 소가 똥을 누지] 공을 들여야 효과가 있다는 말. [먹는 속은 팽매기 속이다] 먹는 데 대한 것은 잘 알며 먹을 것을 잘 찾아 먹는 사람을 이름. [먹는 죄는 없단다] 배가 고파서 남의 음식을 훔쳐 먹는 죄는 그리 대단하지 아니하다는 뜻. [먹다가 보니 개떡 수제비라] 좋은 줄 알았는데 알고 보니 보잘것없는 것이어서 실망함을 이르는 말. [먹다 죽은 대장부나 밭갈이하다 죽은 소나] 호의호식하던 사람이나 죽도록 일만 하고 고생한 사람이나 죽기는 매한가지라는 말. [먹던 떡도 아니고 보던 굿도 아니다] 익숙한 것이 아니라는 뜻. [먹던 술도 떨어진다] 숟가락질은 늘 하는 일인데도, 간혹 실수로 숟가락을 떨어뜨리는 수도 있는지라, 매사에 잘 알고 조심하여 잘못이 없도록 해야 한다는 말. [먹어야 체면] 사람은 어떻든지 배는 곯지 않아야 사람 구실을 할 수 있다는 말. [먹은 죄는 꿀 종지도 하나] 다 먹고 바닥에 꿀이 묻은 꿀 종지를 보고, 종지가 먹었다고 허물하겠느냐는 뜻으로, 먹은 죄는 없다는 말. [먹을 것을 보면 세 치를 못 본다] 먹을 것을 눈 앞에 두고는 다른 생각은 조금도 못 하고 만다는 뜻. [먹을수록 냠냠 한다] 먹을수록 욕심이 나서 더욱 더 먹고 싶어함을 이르는 말. [먹을 콩으로 알고 덤빈다] ㉠먹지도 못할 것을 먹으려고 덤빈다는 말. ㉡만만한 것으로 알고 차지하거나 이용하려고 든다는 말. [먹자는 귀신은 먹여야 한다] 마음씨가 좋지 못한 자의 요구는 싫어도 들어주어야 한다는 말. [먹지도 못하는 제사에 절만 죽도록 한다] 아무 소득도 없는 일에 수고만 한다는 말. [먹지 못할 풀이 오월에 겨우 나온다] 되지 못한 것이 거레는 퍽 한다는 말. [먹지 않는 씨아에서 소리만 난다] ㉠못난 사람일수록 잘난 체하고 큰소리를 친다는 말. ㉡아무 일도 하지 않으면서 하는 체하고 떠벌리기만 한다는 말. [먹지 않는 종, 투기 없는 아내] 인정과 이치에 어그러지는 일을 과히 바라지 말라는 말.

먹고 들어가다 구 어떤 일을 함에 있어서 유리한 점을 미리 차지하고 나서 관계하다.

먹고 싶은 것도 많:겠다 구 좀 안답시고 나설 때 핀잔을 주는 말.

먹다[2] 타 〈옛〉 머금다. ¶ 슬픈 ᄆᆞᅀᆞᄆᆞᆯ 머거셔 슈고로이 ᄃᆞᆫ뇨ᄆᆞᆯ 니ᄅᆞ노라(含悽話苦辛)《杜諺 XX:27》.

먹-다구리 명 〈방〉 먹꼭지.

먹-당기 명 〖건〗 먹으로 금을 당겨 그어 머리초를 구획(區劃)한 검은 줄.

먹-당수 명 〈방〉 귀머거리(평남).

먹대 명 〈방〉 목대[2](제주).

먹대가리-바다뱀 명 〖동〗 [*Disteira spiralis melanocephala*] 바다뱀과에 속하는 뱀의 하나. 몸길이 1 m 내외이며, 몸의 배면이 올리브색 또는 청흑색을 띠고 복면은 청황색, 두상(頭上)은 흑색임. 몸통에 46-64줄, 꼬리에 4-9줄의 흑색 환문(環紋)이 있음. 한국에도 분포함.

먹당시 명 〈방〉 귀머거리(평북).

먹뎡이 명 〈옛〉 귀머거리. ¶ 이러호ᄆᆞ로 먹뎡이 ᄀᆞᄐᆞ며 버워리 ᄀᆞᄐᆞ야 담다비 모롬써 《月釋 XIII:18》.

먹-도미 명 〖어〗 감성돔. ㊀먹돔.

먹돌 명 〈방〉 아주 딴딴하고 미끄러운 검은 돌. 물가의 돌(제주).

[먹돌도 뚫으면 굶이 난다] 초지 일관(初志一貫)해서 꾸준히 노력하면 마침내는 목적을 성취할 수 있다는 말.

먹-돔 명 〖어〗 ↗먹도미.

먹-두루마기 명 먹투성이가 되어 몹시 더러워진 옷.

먹돌 타 〈옛〉 먹기를. '먹다[2]'의 활용형. ¶ 이 ᄀᆞᄐᆞᆫ 됴ᄒᆞᆫ 藥ᄋᆞᆯ 먹돌 슬히 너기ᄂᆞ니 《月釋 17》.

먹-똥 명 ①먹물이 말라 붙은 검은 찌꺼기. ②먹물이나 그 방울이 튀어 난 자국.

먹띠-대모벌 [—玳瑁—] 명 〖충〗 [*Priocnemis irritabilis*] 대모벌과에 속하는 곤충. 암컷은 몸길이 16 mm 내외이고 몸빛은 흑색이며, 회백색의 털이 있고, 복부의 광택은 특히 강함. 날개는 투명하고 복단(腹端) 배면에는 흑갈색의 털이 밀생함. 한국·일본에 분포함. 검정대모벌.

먹-매김 명 먹칼이나 먹줄로 치수 모양을 그리는 일.

먹-머리동이 명 검은 종이를 머리에 붙인 연.

먹먹-하다 형여불 귀가 갑자기 막힌 듯이 소리가 잘 들리지 아니하다. 「먹먹-히 부

먹명주-딱정벌레 [—明紬—] 명 〖충〗 [*Calosoma maximowiczi*] 딱정벌렛과에 속하는 곤충. 몸길이 25 mm 가량이고 몸빛은 광택 있는 흑색이며 개체(個體)에 따라 녹색을 띤 것도 있음. 촉각이 짧고 전흉부(前胸部)는 타원형이고 시초(翅鞘)에는 15줄 내외의 종구(縱溝)가 있음. 작은 곤충을 포식하는 익충(益蟲)으로 나무 위에 서식하는데, 한국·일본·중국 등지에 분포함. 방석딱정벌레.

먹-물 명 ①벼루에 먹을 갈아서 까맣게 만든 물. 묵즙(墨汁). ㊀먹. ②먹빛같이 검은 물. 복즙. ¶ 오징어의 ～.

먹물(을) 먹다 구 책을 읽어 글공부를 하다.

먹물-들다 자 배워서 무엇을 좀 알게 되다.

먹물-뜨기 명 입묵(入墨).

먹-물방개 명 〖충〗 [*Cybister brevis*] 물방갯과에 속하는 곤충. 몸길이 22 mm 내외이고, 물방개와 비슷하나 좀 길쭉하고 배면(背面)은 흑색에 다소 녹색을 띠어 아름답지 못하고 촉각은 황갈색인데 수염은 적갈색이며, 몸의 하면은 광택 있는 흑갈색임. 시초(翅鞘)에는 점선상(點線狀)의 점각 종렬(點刻縱列)이 석 줄 있음. 연못·논·웅덩이에 서식하는데, 한국·일본·중국에 분포함.

먹물-샘 명 문어·낙지 등의 몸 속에서, 먹물주머니 안에 먹물을 배어나게 하는 조직.

먹물-주머니 [—쭈—] 명 문어·낙지 등의 몸 속에 검은 물이 들어 있는 주머니. 곧, 고락.

먹바 명 〈방〉 멍청이(함남).

먹-바퀴 명 〖충〗 [*Periplaneta picea*] 바퀴과에 속하는 곤충. 몸길이 26-30 mm이고 몸빛은 짙은 밤색이며 머리는 전혀 나타나지 아니하고, 전흉배(前胸背)는 반원형임. 복부 하면에 한 줄의 융기부(隆起部)가 있고 촉각은 몸보다 길고 앞날개는 미단(尾端)을 간신히 덮음. 집 안의 뜰·부엌 등에 서식하는데, 한국·일본에 분포함.

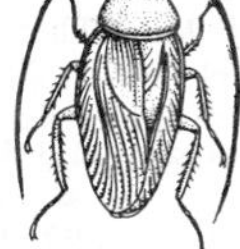
〈먹바퀴〉

먹-반달 【一半一】 명 반달같이 오린 검은 종이를 머리에 붙인 지연(紙鳶).

먹-받침 명 ☞ 묵상(墨床).

먹-병 【一甁】 명 먹물을 담아 넣는 병.

먹-보[1] 명 ①식충이. ②전하여, 탐심(貪心)이 많은 사람을 일컫는 말.

먹-보[2] 명 〈방〉 귀머거리(경상·전북·충남).

먹-부전나비 명 〖충〗 [*Tongeia fischeri*] 부전나빗과에 속하는 곤충. 편 날개의 길이 20-30 mm이고, 몸빛은 날개 표면이 흑갈색이며 뒷날개 외연에 따라 점선(點線)이 있고, 그 안쪽에 보랏빛 초승달무늬가 있으며, 날개 뒷면은 회흑색이고 무늬가 뚜렷함. 유충은 느릅나무의 잎을 먹으며, 알은 그 작은 가지 위에 하나씩 낳아 월동하는데, 한국·일본 및 유럽 등지에 분포함.

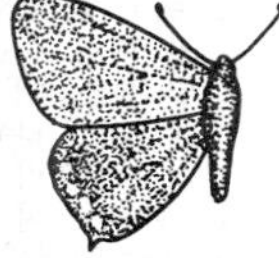
〈먹부전나비〉

먹-붕장어 【一長魚】 명 〖어〗 [*Conger flavirostris*] 먹붕장어과에 속하는 바닷물고기. 검붕장어와 비슷한데 머리 아래쪽에 검은 반점이 있는 것이 특징임. 우리 나라 남해 연안과 일본 연안에 많이 남.

먹붕장어-과 【一長魚科】 [一꽈] 명 〖어〗 [Congridae] 뱀장어목(目)에 속하는 어류의 한 과. 꾀붕장어·검붕장어·붕장어 등이 있는데, 꼬리지느러미는 뚜렷하며 등지느러미 및 뒷지느러미와 이어져 있는 것이 특징임.

먹-빛 명 검은 빛. 먹같이 새까만 빛.

먹-사과 명 〖식〗 사과 참외의 한 가지. 빛은 검으나 달고 맛이 좋음.

먹새[1] 명 ①↗먹음새❶. ② ☞ 먹성.

먹새[2] 명 〈방〉〖조〗 굴뚝새.

먹성 명 음식을 먹는 성미나 그 분량. ¶ 덩치가 커서 ~도 좋다.

먹-소용 명 〈방〉 먹병.

먹-쇠 명 ①먹기를 바치고 많이 먹는 사람. 먹보. 식충이. ②남사당패 탈놀음에서 첫째 마당에 나오는 사람. 또, 그가 쓰는 탈. 보통, 말뚝이탈을 쓰고 징을 들고 나옴.

먹쇠-메 명 단단한 흙이나 돌을 두드려 부수는 일종의 쇠메. 두꺼운 쇠 원판에 나무 자루를 끼움.

먹-수건 【一手巾】 명 ①분판(粉板)에 쓴 글씨를 지우고 닦는 헝겊. ②먹물을 훔치는 헝겊.

먹-승 【一僧】 명 〖민〗 먹중❷.

먹-실 명 먹물을 묻히거나 칠한 실.

먹실(을) 넣:다 ㉮ 먹실을 꿴 바늘로 팥뚝 같은 데의 살갗을 떠서 먹을 살 속에 넣다. 입묵(入墨)하다.

먹어-나다 타 먹어 버릇하다. 자꾸 먹어서 습관이 되게 하다.

먹어-대다 타 ①계속해서 많이 먹다. ¶ 국수만 ~. ②남을 해롭게 하려고 헐어 말하다. 먹다.

먹-얼게비늘 명 〖어〗 [*Apogon niger*] 동갈돔과에 속하는 바닷물고기. 몸길이 8 cm 내외인데, 체고(體高)가 높고 몸빛은 회갈색을 띠며 지느러미는 흑색이고 꼬리지느러미와 가슴지느러미는 황색임. 얼룩점이나 무늬가 없으며 비늘은 단단함. 내만성어(內灣性魚)로, 한국 동남해 및 남해와 일본 중부 이남에 분포함.

먹여-살리다 타 생활을 할 수 있도록 강구하여 주다.

먹여-치다 타 (바둑에서) 상대방의 빈 집을 없애기 위하여, 옥집이 되는 곳에 사석(捨石)을 놓다.

먹움다 타 〈옛〉 머금다. =머굼다. ¶ 숫글 먹움어 벙어리 되여(呑炭爲啞) 《小諺 Ⅳ:31》.

먹은-금 명 그 물건을 사는 데에 치른 돈. 곧, 먹힌 값. ¶ ~이 비싸서.

먹은 금새 명 물건을 살 적에 든 값의 높고 낮은 정도.

먹을-거리 [一꺼一] 명 먹을 양식. 사람이 먹는 물건의 총칭. 먹거리.

먹을-알 명 ①〖광〗 노다지는 아니나 금이 많이 들어박힌 광석이나 광맥. ②그다지 힘들이지 아니하고 생기거나 차지하게 되는 소득.

먹음 의명 〈방〉 모금.

먹음-기다 타 〈방〉 머금다.

먹음-먹이 명 먹음새❶.

먹음-새 명 ①음식을 먹는 태도. 먹음먹이. ㊕먹새. ②음식을 만드는 범절(凡節). 식품(食稟).

먹음직-스럽다 형ㅂ불 먹음직하게 보이다. 먹음직-스레 부

먹음직-하다 형여불 음식이 보기에 맛이 있을 듯하다.

먹이 명 ①먹을 양식. 양식거리. 식이(食餌). ②사료(飼料). ¶ 닭 ~.

먹이 그물 명 〖생〗 여러 가지 생물의 먹이 사슬이 횡적·종적으로 서로 얽히어서 마치 그물 모양으로 복잡한 먹이 관계를 형성함을 이름.

먹이다 타 ①음식을 먹게 하다. ②술이나 물 따위를 마시게 하다. ¶ 젖을 ~. ③가축 등을 기르다. ¶ 돼지를 ~. ④금품(金品)을 주어 욕심을 채워 주다. ¶ 뇌물을 ~. ⑤욕을 얻어먹게 하다. ⑥겁을 집어먹게 하다. ⑦더위나 녀리를 먹게 하다. ⑧물·기름·풀 등을 묻히거나 배어들게 하다. ¶ 장판지에 기름을 ~. ⑨씨아나 솜틀에 솜을 넣다. ⑩물건을 사거나 장만하기에 돈을 들이다. ⑪대패나 작두 따위 연장에 깎일 것을 대주다. ¶ 작두에 여물짚을 ~. ⑫주먹 따위로 타격을 가하다. ¶ 한 대 ~.

먹이-사슬 명 〖생〗 [food chain] 〖생〗 초식 동물을 어떤 육식 동물이 잡아 먹고 그 동물을 다른 육식 동물이 잡아먹음으로써 이루어지는 식성(食性)으로 이어진 생물간의 관계. 원칙적으로, 녹색 식물→초식 동물→소형 육식 동물→대형 육식 동물의 관계가 성립됨. 일반적으로는, 연쇄의 성원(成員)을 그 선행자(先行者)보다 개체수(個體數)가 적어지는 것이 보통이며, 녹색 식물을 저변으로 하여 피라미드가 형성됨. 식물(食物) 연쇄. 먹이 연쇄(連鎖).

〈먹이 사슬〉

먹이 연쇄 【一連鎖】 명 먹이 사슬.

먹이-통 【一桶】 명 먹이를 담아 넣는 통. 사통(飼桶).

먹이-풀 명 사료(飼料)로서 짐승들에게 먹이는 풀.

먹이 피라미드 [pyramid] 명 〖생〗 생태계 안에서 생물 상호간의 먹이 관계가 이루는 피라미드형. 각각의 먹이 연쇄에서 보통, 피식자(被食者)는 포식자(捕食者)보다 번식력이 강하여, 먹이 연쇄의 최하위 단계인 생산자에서 제 1 차 소비자·제 2 차 소비자·제 3 차 소비자·최종 소비자 등 상위 단계(上位段階)로 올라갈수록 그 개체수(個體數)가 줄어듦.

먹이 회:유 【一回遊】 명 〖어〗 색이(索餌) 회유.

먹-자[1] 명 목수들이 재목에 먹으로 금을 그을 때에 쓰는 자. 'ㄱ'자 모양인데 짧은 쪽은 잣눈이 있고, 긴 쪽은 금을 긋는 데 씀. 묵척(墨尺).

먹-자[2] 명 〖역〗 조선 시대 사헌부(司憲府) 소속의 도례(徒隷)의 하나. 서반(西班) 경아전(京衙前)의 일종으로, 사헌부 소유(所由)들을 지휘하여 체포·수색 등의 일을 맡았음. 또, 사헌부 감찰(監察)이 역적(逆賊)의 집 대문에 죄명을 써서 세상에 드러 낼 때에 먹통을 들고 따라다님. 검은 색 단령(團領)을 입으며, 통칭 사령(使令) 또는 나장(羅將)으로 불리었음. 묵척(墨尺).

먹자[3] 명 〈방〉 목대.

먹자-골목 명 많은 음식점이 몰려 있는 번화가의 뒷골목.

먹자-판 명 ①만사를 제쳐놓고 우선 먹고 보자는 향락주의적 또는 공리(功利)주의적인 생각. ¶ 세상은 온통 ~이로군. ②여럿이 모여 닥치는 대로 먹고 진탕 마시며 노는 자리.

먹-장 명 먹의 조각. ¶ ~처럼 깜깜하다.

먹장 갈아 부은 듯하다 ㉮ 어떤 물건이 아주 검고 빛이 짙을 대로 짙다.

먹장 구름 명 먹빛같이 시꺼먼 구름.

먹-장삼 【一長衫】 명 검은 물을 들인 장삼.

먹장-쇠 명 마소의 배 앞에 달린 매우 짧은 멍에.

먹-장어 【一長魚】 명 〖어〗 [*Eptatretus burgeri*] 꾀장어과의 바닷물고기. 몸은 뱀장어와 비슷하나 눈이 없음. 몸길이 50-60 cm 가량이고 수염 수는 여덟 개인데 몸빛은 엷은 자갈색(紫褐色)임. 한국 중부 이남과 일본의 내해(內海) 5-7 m의 얕은 바다에 서식함. 약탈성이 강한 물고기로 다른 물고기에 흡착하여 아가미 또는 체측으로부터 내장 안으로 침식하며, 야간 활동이 강함. 낚시 미끼로 쓰임.

〈먹장어〉

먹장어-목 【一長魚目】 명 〖어〗 [Myxinida] 원구류(圓口類)에 속하는 어류의 한 목(目). 꾀장어과 하나만 알리어져 있음. 대개 몸은 뱀장어와 비슷하고 입가에 한두 쌍의 긴 더듬이가 있으며 등지느러미가 없음. 눈이 피하에 매몰되어 안 보이는 것이 큰 특징이며 입은 깔때기 모양임. 천구개류(穿口蓋類). 맹만류(盲鰻類).

먹점-홍갈치 【一點紅一】 명 〖어〗 [*Acanthocepola limbata*] 홍갈칫과에 속하는 바닷물고기. 몸길이 50 cm 안팎. 몸은 좁고 길며 납작하고, 눈과 입이 큼. 몸빛은 맑은 홍색. 양턱에는 송곳니 모양의 날카로운 이가 늘어져 있음. 우리 나라 목포와 일본 중부 이남, 대만 등지 연근해에 분포함.

먹-조롱박벌 명 〖충〗 [*Sphex nigellus*] 구멍벌과에 속하는 곤충. 암컷은 몸길이 19-22 mm이고 몸빛은 검고 두부·흉부 및 복부의 기부에는 회색의 긴 털을 가짐. 날개는 투명하고 회황색을 띠며, 앞날개의 외면은 회흑색을 띰. 7-8 월에 포도꽃 등에 꾀는데, 한국·일본·대만 등지에 분포함. 검정조롱박벌. 땅벌.

〈먹조롱박벌〉

먹-종이 명 검정색의 복사지(複寫紙). 먹지.

먹-줄 명 ①먹통에 딸리어 목재나 석재에 검은 줄을 곧게 치는 데에 쓰이는 실이나 노로 만든 줄. 승묵(繩墨). ②먹줄을 쳐서 낸 줄.

【먹줄 친 듯하다】 무엇이 한결같이 쪽 곧고 바르다는 뜻.

먹줄 꼭지 명 먹줄의 맨 끝에 달린 나무쪽. 끝에 바늘 따위가 달려 있어 줄을 치려는 물건에 꽂거나 정확히 댐.

먹줄-놓다 타 〈방〉 먹놓다.

먹줄-왕잠자리【一王一】 명 〖충〗 [*Anax nigrofasciatus*] 왕잠자릿과에 속하는 곤충. 복부의 길이 49 mm, 뒷날개 45 mm 가량이고 몸빛은 이마 위에 'T'자형의 흑갈색 반문이 있고 흉부는 초록색이며, 흉측(胸側)에 두 개의 흑색 줄이 있음. 날개는 투명하고 가장자리 무늬는 갈색임. 한국에도 분포함.

먹줄-촉수【一觸鬚】 명 〖어〗 [*Upeneus sulphureus*] 촉수과에 속하는 바닷물고기. 몸에는 무늬가 없고 눈에서 꼬리지느러미까지에 선흑색의 세로띠가 있으며, 비늘은 자잘함. 한국의 제주도·일본 남부·중국·필리핀·동인도 제도·인도·홍해 등지에 분포함.

먹줄-치기 명 먹실로 줄을 치는 일.

먹줄-홍갈치【一紅一】 명 〖어〗 [*Acanthocepola krusensterni*] 홍갈칫과에 속하는 바닷물고기. 비늘이 매우 잘고, 몸길이 30 cm 정도. 먹점홍갈치와 비슷하며 몸빛은 붉음. 우리 나라의 목포 근해와 일본 중부 이남에 분포함.

먹-중 명 ①먹장삼을 입은 중. ②산대놀음 중 양주 별산대놀이나 봉산 탈춤 따위에 나오는 탈의 이름. 또, 그 탈을 쓰고 등장하는 사람. 적갈색 또는 적흑갈색(赤黑褐色) 바탕에 상하 좌우의 주름살은 붉은 빛, 눈은 흰 빛, 눈의 양쪽은 붉은 빛, 눈썹은 희고 검은 점을 찍었는데, 머리가 뾰족하고 코가 큼. 먹중탈. 먹중 가면. 먹승.

먹중 가:면【一假面】 명 먹중❷.

먹중-잡이 명 〖민〗 남사당패 탈놀음의 넷째 마당. 외래 문화·종교를 배격하는 장면으로 마지막 마당임.

먹중-춤 명 〖민〗 봉산 탈춤의 팔목춤에 등장하는 먹중들이 노승을 놀리고 꾀기 위하여 하나씩 나와서 추는 익살스러운 춤.

먹중-탈 명 먹중❷.

먹지¹ 명 투전(投錢) 등의 돈내기에서 이긴 사람.

먹-지²【一紙】 명 한쪽이나 양쪽에 탄산을 칠하여 아래위로 종이를 대고 철필·골필 따위로 눌러 쓰도록 만든 검정색의 복사지. 탄산지(炭酸紙).

먹-집게 명 나뭇조각 두 개를 맞대어, 그 틈에, 닳아서 짧게 된 먹을 끼어서 쓰는 제구.

먹-초 명 꽁지만 남기고 전체가 먹빛인 연.

먹초시 명 〈방〉 귀머거리(평북).

먹-총이 명 검은 털과 흰 털이 섞이어 난 말.

먹-추 명 〈방〉 귀머거리.

먹-치마 명 검은 치마를 입힌 것같이 아래쪽만 먹빛으로 된 연.

먹-칠 명 먹을 칠함. ——-하다 자여불 ①먹을 칠하다. ②명예를 더럽히다.

먹-칼 명 댓개비의 한 끝을 얇고 납작하게 깎아 먹을 찍어서 목재나 석재(石材) 등에 표를 하거나 글씨를 쓰는 기구. 묵침(墨簪).

먹키다 타 〈옛〉 먹이다. ¶ 친영홀제 술 먹켜 보내는 례되라 《小諺 Ⅱ: 46》.

먹킹이 명 〈심마니〉 사람.

먹-탈 명 〖민〗 통영 오광대놀이에서 쓰는 검은 탈.

먹-태【一苔】 명 병이 들어 시꺼메진 김.

먹-탱화【一幀畫】 명 〖불교〗 검은 바탕에 금니(金泥)로 선묘(線描)한 탱화.

먹-통¹【一桶】 명 ①목공이나 석공들이 곧은 금을 긋는 데 쓰는 제구(諸具). 나무의 양쪽을 우비어 파서 그릇 모양으로 만들고, 한쪽엔 먹물에 적신 솜을 담고, 다른 쪽엔 먹줄을 감아 두어 그 줄이 먹그릇을 통하여 나오게 되어 있음. 묵두(墨斗). ②먹물을 담아 두는 통.

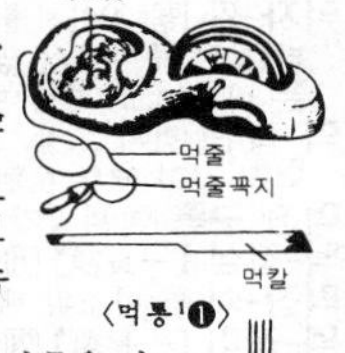

먹그릇 / 먹줄 / 먹줄꼭지 / 먹칼

〈먹통¹❶〉

〈먹통¹❷〉

먹통² 명 ①〈속〉 멍청이. 바보. ②〈방〉 귀머거리(경상).

먹통³ 명 〈방〉 목통.

먹-투성이 명 온 몸에 먹물을 묻혀 더러워진 상태. 또, 그러한 물건.

먹-판【一版】 명 오프셋 인쇄에서, 먹판 인쇄를 하기 위한 인쇄판.

먹판 인쇄【一版印刷】 명 오프셋 인쇄에서, 삼원색으로 인쇄한 인쇄물에 검정 잉크로 한 번 더 하는 인쇄.

먹-팥 명 팥의 한 가지. 속이 검고 껍질이 흼.

먹-피 명 멍들어 검게 된 죽은 피.

먹-화산해면【一火山海綿】 명 〖동〗 [*Reniera okadai*] 게리우스과에 속하는 해면(海綿) 동물의 하나. 외형(外形)은 불규칙한 각층상(殼層狀)이나 표면에 4-10개의 관상(冠狀) 돌출부가 있고, 몸빛은 흑색 또는 회흑색이며, 축대(軸帶) 골편(骨片)은 주로 간상체임. 해안의 기초(礎礁)에 많이 서식함. ＊굴빛화산해면.

먹-황새 명 〖조〗 [*Ciconia ciconia nigra*] 황샛과에 속하는 새. 황새와 비슷한데 날개 길이 56-59 cm이고 몸빛은 대부분이 흑색이며, 부리·눈의 주위는 선적색, 몸의 하부는 백색이고 그 외는 자색·홍색·녹색의 금속 광택이 남. 인적(人跡)이 없는 소나무 등의 고목(高木) 위에 집을 짓고, 3-5월에 3-4개의 알을 낳음. 유럽 원산(原産)으로 중앙 아시아의 북부·중앙 유럽·한국·만주에서 번식하고 남부 중국·일본에서 월동함. 흑관(黑鸛).

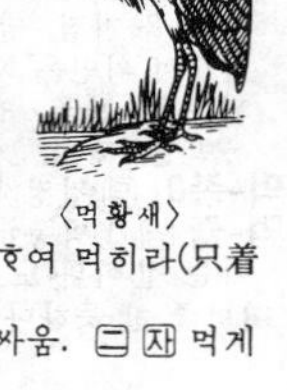

〈먹황새〉

먹히다¹ 타 〈옛〉 먹이다. ¶ 그저 져이 됴훈 醬瓜로 밥호여 먹히라(只着些好醬瓜兒就飯喫) 《朴解 上 50》.

먹히다² ㊀ 피동 먹음을 당하다. ¶ 먹느냐 먹히느냐의 싸움. ㊁ 자 먹게 되다. 먹어지다. ¶ 시장하던 참이라 밥이 많이 먹히네.

먼〔Mun, Thomas〕 명 〖사람〗 영국의 중상주의(重商主義) 경제학설의 대표자. 동(東)인도 회사 이사. 동인도 회사의 무역이 금은(金銀)을 유출한다는 비난에 대해, 동인도 상품의 재수출(再輸出)이 유출 금은(流出金銀) 이상의 이윤을 거두어 들인다는 무역 차액설(差額說)을 주창함. 주저 《외국 무역에 의한 영국의 재보(財寶)》. [1571-1641]

-먼 어미 〈방〉 -면(충북·전라·경북).

먼:-가래 명 객지에서 죽은 사람의 송장을 임시로 그 곳에 묻는 일.

먼:가래-질 명 가랫밥이 멀리 가도록 파서 던지는 가래질. ——-하다 자여불

먼:가랫-밥 명 먼가래질을 하여서 파 던진 흙.

먼:-가리킴 명 〖언〗 '원칭(遠稱)'의 풀어 쓴 말. ↔가까운 가리킴.

먼거붑 명 〈옛〉 눈먼 거북. ¶ 百千 낫 먼거부비 뜬 남골 맛남 업숨 근 ㅎ니(百千箇盲龜浮木無由相達) 《圓覺 下 三之二 95》.

먼:-길 명 원로(遠路). 멀리 가거나 오거나 하는 길. ——-하다 자여불

먼:-나라 명 먼 곳에 있는 나라. 원국(遠國). 원방(遠邦).

먼:-나무 명 〖식〗 [*Ilex rotunda*] 감탕나뭇과에 속하는 상록 활엽 교목. 잎은 대생하고 타원형이며 톱니가 없음. 5-6월에 황백색의 꽃이 자웅 잡가(雌雄雜家)의 취산(聚繖) 화서로 피며, 달걀꼴 구형(球形)의 핵과(核果)는 11월에 붉게 익음. 산지에 나는데, 제주도 및 일본·대만·중국에 분포함. 정원수로 심음. 좀감탕나무.

먼:-눈¹ 명 시각(視覺)을 잃어 보이지 아니하는 눈. 소경의 눈. 맹목(盲目).

먼:-눈² 명 먼 곳을 바라보는 눈.

먼:눈(을) 팔다 구 정신을 놓고 먼데를 바라보다. ＊한눈(을) 팔다.

수꽃 암꽃

〈먼나무〉

먼당 명 〈방〉 산봉우리(경남).

먼대기 명 〈방〉 먼지.

먼댕이 명 〈방〉 산봉우리(경남).

먼더기 명 〈방〉 먼지.

먼:-데 명 ①거리가 먼 곳. ②더러운 느낌이 들지 아니하도록 '뒷간'을 완곡히 이르는 말.

【먼데 단 냉이보다 가까운 데 쓴 냉이】 먼데 있는 친척보다도 가까이 있어 사정을 잘 알아 주는 남이 더 낫다는 뜻. 【먼데 무당이 영하다】 잘 알고 있는 사람보다 새로 만난 사람을 더 가치 있게 여김을 이르는 말.

먼:데(를) 보다 구 ㉠거리가 먼 곳을 보다. ㉡눈앞의 것에 주의하지 아니하고 딴전 보다. ¶먼데 보지 말고 공부나 해라. ㉢'뒤보다'·'뒷간에 가다'를 완곡히 이르는 말.

먼데이〔Monday〕 명 월요일(月曜日).

먼:뎃-말 명 멀리 돌려서 하는 말. 먼말.

먼:뎃-불빛 명 먼 곳에서 비치거나 반짝이는 불빛.

먼뎅이 명 〈방〉 산봉우리(전북).

먼:-동 명 날이 새어서 밝아 올 무렵의 동쪽.

먼:동(이) 트다 구 날이 새어 먼동이 밝아 오다.

먼로:¹〔Monroe, James〕 명 〖사람〗 미국의 정치가. 제5대 대통령. 독립 전쟁에 참가했고 상원 의원 및 유럽 각지의 대사를 역임함. 가장 정쟁(政爭)이 적었던 시대의 대통령으로, 플로리다 매수(Florida 買收), 캐나다와의 국경 획정(國境劃定)에 성공하였으며, 또 먼로주의를 표명함. [1758-1831]

먼로:²〔Monroe, Marilyn〕 명 〖사람〗 미국의 여배우. 모델을 거쳐 영화계에 데뷔, 독특한 성적 매력을 지녔으며 《신사는 금발을 좋아한다》·《뜨거운 것이 좋아》·《칠 년(七年) 만의 외출》 등으로 세계적인 인기를 얻음. 34세에 자살함. [1928-62]

먼로:-주의【一主義】〔Monroe〕[ㅡ/ㅡ이] 명 〖정〗 1823년에 미국의 대통령 먼로가 제창하여 미국의 전통적 정책이 된 외교 방침. 미국 대륙은 유럽 제국의 내정에 간섭하지 아니하는 대신 유럽 제국도 아메리카 주 대륙에 간섭하지 못하며 따라서 아메리카 주 대륙 어느 곳을 막론하고 식민지가 될 수 없음을 그 내용으로 한 것임. ＊고립주의.

먼:-말 명 먼뎃말.

먼:-먼 관 '머나먼'의 뜻. ¶ ～ 옛날.

먼:-물 명 먹을 수 있는 우물물. ＊누렁물.

먼믈 명 〈옛〉 너르고 가없는 물. ¶ 먼믈 호(灝) 《類合 下 49》.

먼:-바다 명 기상 예보에서, 한반도를 중심으로 육지로부터 동해는 20 km, 서해 및 남해는 40 km 밖의 바다. ＊앞바다.

먼:-발치 명 조금 멀찍이 떨어져 있는 곳. ¶ ～로 선을 보다.

먼:-발치기 명 ☞먼발치.

먼:-빛 명 멀찍이 보이는 겉모양. ¶ ～으로나마 한 번 보고자.

먼사뎔 명 〈옛〉 소경¹. ¶ 그르안 먼사뎔이로다(瞎漢) 《蒙法》.

먼:-산【一山】 명 먼 곳에 있는 산. 멀리 보이는 산. 원산(遠山).

먼:산-바라기【一山一】 명 눈동자나 목의 생김새가 늘 먼 곳을 쳐다보는 것같이 보이는 사람. ＊들창눈이.

먼:산-배기【一山一】 명 〈방〉 먼산바라기.

먼셀 표색계【一表色系】〔Munsell〕 명 미국 화가 먼셀이 1905년에 고안한 표색계. 색상(色相) H, 명도(明度) V, 채도(彩度) C를 숫자와 문자로 나타내어, HV/C의 꼴로 표시함. 예컨대, 순수한 적색은 5R 4/14, 핑크는 2.5R 7/5 등.

먼:-솔 명 무과(武科) 시험에서, 걷거나 달리면서 활을 쏘아 맞추는, 가장 먼데 있는 솔. 쏘는 자리에서 240 보 거리에 세움.

먼슬리〔monthly〕 ㊀ 명 월간 잡지(月刊雜誌). ㊁ 관 한 달에 한 번의. 매달의.

먼여【先亦】 부 〈이두〉 먼저. 미리.

먼:-오금 명 활의 한오금과 삼사미의 사이.

먼:-우물 명 물이 맑아 먹을 수 있는 우물. ↔누렁우물.

먼:-일 [―닐] 명 먼 훗날에 닥쳐 올 일. ¶ ～을 예상하다.

먼:장-질 명 먼발치로 총이나 활 따위를 쏘는 일. ――-하다 자여불

먼저 一명 시간적으로나 차례에서의 앞. ¶ 네가 ～냐 내가 ～냐? 二부 시간적으로나 차례적으로 앞서서. ¶ 돈을 ～ 치르다 / ～ 너 자신을 알라.

[먼저 꼬리친 개 나중 먹는다] 어떤 일이든 먼저 서두르는 사람이 도리어 뒤떨어질 수도 있다는 말. '꼬리 먼저 친 개가 밥은 나중 먹는다'와 같은 뜻. **[먼저 난 머리보다 나중 난 뿔이 무섭다]** 후진이 선배보다 뛰어나다. **[먼저 먹은 후 답답]** ㉠남보다 먼저 먹고 나서 남이 먹을 때에는 답답하게 바라만 보고 있음을 이르는 말. ㉡너무 욕심을 부리어 남보다 먼저 많이 하려다가는 도리어 실패한다는 말.

먼저-께 명 며칠 전의 어느 한 때. ¶ ～도 말했듯이.

먼:-전 명 눈앞에 가까이 있는 사물과는 관계없이 멀리 떨어져 있는 쪽. 먼:전으로 돌:다 구 어떤 일에 직접 관계하지 않고 멀리 대하다.

먼접 부 〈방〉 먼저(충북·전북).

먼젓-번【一番】 명 지난번. ¶ ～에 갔을 때.

먼정이 명 〈옛·방〉 만장이. ¶ 시너 놈의 먼정이와 龍山 삼개 당도리며 ≪永言≫.

먼정-하다 형 〈방〉 멀쑥하다.

먼제 부 〈방〉 먼저(경북).

먼지¹ 명 작고 보드라운 티끌.

먼지² 부 〈방〉 먼저(경상).

먼지-떠리개 명 〈방〉 먼지떨이.

먼지-떨음 명 ①어린 아이들을 엄포로 때릴 때, 겨우 옷의 먼지만 떨 정도로 살짝 때린다는 뜻. ②걸어 두었던 의관(衣冠)의 먼지를 떤다 함이니, 오래간 만에 나들이한다는 뜻. ③노름판에서 내기를 아니 하고 한 번 장난삼아 걸어 봄. ――-하다 타여불

먼지-떨이 명 먼지를 떠는 기구. 가는 자루 끝에 말총·새털·헝겊 조각·청올치 같은 것을 묶어서 동여 매었음. 불자(拂子).

먼지-버섯 명 [*Astraceus hygrometricus*]〖식〗담자균류(擔子菌類) 먼지버섯과에 속하는 버섯의 하나. 가을철에 산이나 들에 자생함. 처음에는 공 모양으로 암회색이고 익으면 6-12 갈래로 갈라져 포자(胞子)를 흩날림. 먹지 못함.

먼지-벌레 명〖충〗①딱정벌렛과 먼지벌레속(屬)에 속하는 금빛먼지벌레·노랑테먼지벌레·딱부리먼지벌레·풀색먼지벌레·먼지벌레 등의 총칭. ②[*Anisodactylus signatus*] 딱정벌렛과 먼지벌레속에 속하는 갑충(甲蟲). 몸길이 12-14 mm이고 보통 온 몸이 흑색이나 시초(翅鞘)가 갈색 또는 담청동색(淡靑銅色)의 금속 광택이 나는 것도 있음. 촉각은 흑갈색, 기부(基部)는 다리와 함께 적갈색임. 먼지, 오물(汚物), 돌, 낙엽, 썩은 나무 밑 등에 서식하는데, 야간에 활동하고 다른 곤충을 포식함. 유충은 수개월 또는 1년 만에 성충이 되며, 땅 속에서 월동하고 봄에 길 위를 날아 다님. 한국·일본·중국·시베리아·유럽에 분포함. 딱정벌레. ＊둥글먼지벌레.

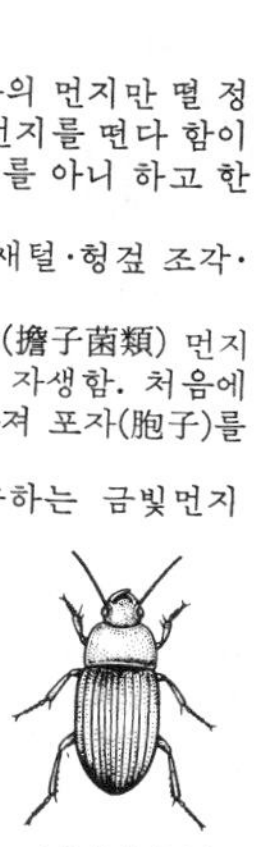

〈먼지벌레❷〉

먼지-잼 명 비가 겨우 먼지 나지 아니할 정도로 조금 옴. ――-하다 자여불

먼지-채 명 〈방〉 먼지떨이.

먼지-털개 명 〈방〉 먼지떨이(강원).

먼지-털이 명 ☞먼지떨이.

먼처 부 〈방〉 먼저(경기·충청).

먼첨 부 〈방〉 먼저(경기·강원·충북).

먼:-촌¹【一寸】 명 촌수(寸數)가 먼 일가. 먼 친척.

먼:-촌²【一村】 명 멀리 외따로 떨어져 있는 촌.

먼츰 부 〈방〉 먼저(전라·경상).

먼침 부 〈방〉 먼저.

먼한기 부 〈방〉 물끄러미. 멀거니(함남).

멀¹ 명 〈방〉 가래톳.

멀² 명 〈방〉〖식〗머루¹(전북).

멀:³ 명 〈방〉 마을❷(황해).

멀:⁴ 준 ↗무엇을. ¶ ～ 보고 있나.

멀:개-지다 자 ☞멀게지다.

멀거니 부 정신없이 보고 있는 모양. 망연히. ¶ ～ 하늘만 쳐다보다.

멀건-이 명 정신이 흐리멍덩한 사람.

멀:겋다 [―거타] 형ㅎ불 ①흐릿하게 맑다. ¶ 물이 ～. >말갛다. ②매우 묽다. ¶ 멀건 국물.

멀:게-지다 자 멀겋게 되다. >말개지다.

멀:경-부【一冂部】 명 한자 부수(部首)의 하나. '再'나 '册' 등의 '冂'의 이름.

멀:고-멀다 형 매우 멀다. 헤아릴 수 없이 멀다. ¶ 멀고먼 고향 하늘.

멀구 명 〈방〉〖식〗머루¹(강원·전라·경상·경기·황해·함경·평안).

멀구락지 명 〈방〉〖동〗개구리(함북).

멀구슬-나무 [―라―] 명〖식〗[*Melia azedarach* var. *japonica*] 멀구슬나뭇과의 낙엽 활엽 교목. 잎은 2-3회 우상 복생(羽狀複生)하고, 소엽(小葉)은 달걀꼴 또는 피침형임. 5월에 엷은 청자색의 꽃이 원추(圓錐) 화서로 액생(腋生)하여 피고, 핵과(核果)는 9월에 황색으로 익음. 촌락 부근에 심는데 한국의 전남 및 일본에 분포함. 정원수·가로수·기구재(器具材) 등으로 쓰이며 근피(根皮) 및 과실은 약재로 씀. 전단(栴檀).

〈멀구슬나무〉

멀구슬나뭇-과【一科】 [―라―] 명〖식〗[Meliaceae] 이판화류(離瓣花類)의 한 과. 난대(暖帶) 지방의 식물로 전세계에 100여 종, 한국에는 참죽나무·멀구슬나무 등의 5 종이 분포함.

멀국 명 ☞국물.

멀귀 명 〈방〉〖식〗머루¹(황해·함경).

멀그-스레 부 멀그스름하게. >말그스레. ――-하다 형여불

멀그스름-하다 형여불 조금 멀겋다. >말그스름하다. **멀그스름-히** 부

멀기 명 〈방〉 ①〖식〗머루¹(함경). ②물결(함북).

멀-꺼뎅이 명 〈방〉 머리카락(경남).

멀-꺼딩이 명 〈방〉 머리카락(경상).

멀꿀 명〖식〗[*Stauntonia hexaphylla*] 으름과에 속하는 상록 활엽 만목(蔓木). 잎은 장상(掌狀) 복생(複生)하고 소엽(小葉)은 5-7개인데 넓은 타원형이며 혁질(革質)로 톱니가 없고 광택이 남. 5-6월에 백색에 엷은 홍색의 줄이 있는 꽃이 자웅 일가(雌雄一家)의 총상(總狀) 화서로 핌. 장과(漿果)는 길이 5cm 가량의 달걀꼴이며 10월에 자색으로 익는데 종자는 흑색임. 산록 및 산복의 양지에 나는데, 전남·경남·충남 및 일본 남부·대만·중국 남부에 분포함. 꽃향기가 높아 관상용으로 심으며, 과육(果肉)은 희고 달며 생식함.

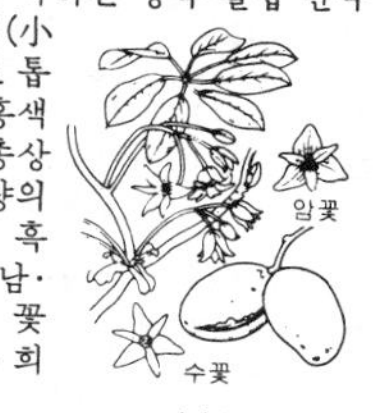

〈멀꿀〉

멀-끄댕이 명 〈방〉 머리카락(전남·경남).

멀-끄딩이 명 〈방〉 머리카락(경북).

멀-끄랭이 명 〈방〉 머리카락(경상).

멀끄러미 부 〈방〉 물끄러미.

멀끔-하다 형여불 아무 섞인 것 없이 맑고 깨끗하다. >말끔하다. **멀끔-히** 부

멀-끼 명 〈방〉 머리카락(경북).

멀:다¹ 자 눈이 보이지 아니하게 되다. ¶ 눈이 ～.

멀:다² 형 〔중세 : 멀다〕 ①서로 거리가 길게 떨어져 있다. ¶ 먼 곳 / 집에서 학교까지 걸어가기에는 매우 ～/ 갈 길이 ～. ②시간이 지나는 동안이 오래다. ¶ 먼 옛날 / 먼 훗날. ③소리 따위가 겨우 알아듣을 만큼 약하다. ¶ 전화가 ～. ④사이가 친하지 아니하다. ¶ 남녀 사이가 멀어지기 시작하였다. ⑤촌수가 많거나 따질 수 없다. ¶ 먼 친척 / 먼 일가 / 촌수가 ～. ⑥어떤 수, 정도, 기준, 수준, 목표점 따위에 이르기에 모자라다. ¶ 그 기술을 앞지르기에는 아직 멀었다. ⑦공간적·시간적으로 빈도(頻度)가 잦음을 반어적(反語的)으로 나타냄. ¶ 사흘이 멀게 찾아온다.

[먼 사촌보다 가까운 이웃이 낫다] 아무리 가까운 일가라도 멀리 살면 위급한 때를 당하더라도 도와 줄 수 없으나 비록 남이지만 이웃에 사는 사람은 도와 줄 수가 있으니 남이라도 가까이 사는 편이 더 친숙하다는 말.

멀-다람쥐 명 〈방〉〖동〗머루다람쥐.

멀:대-같다 [―때―] 형 사람이 장대처럼 멀쑥하게 크기만 하고 싱겁다.

멀더건 명 〈옛〉 멀떠구니. ¶ 멀더건 둔(肫), 멀더건 비(膍)≪字會 下 6≫.

멀떠구니 명〖조〗소낭(嗉囊)❶.

멀뚜기 명 〈방〉 멋쟁이(함남).

멀뚱 부 정신이나 눈이 생기가 없고 멀건 모양. ¶ 곱게 미친 놈은 아니구나 하여 멀뚱한 군졸에게 그는 재빨리 말하였다≪金周榮 : 客主≫. >말똥. ――-하다 형여불

멀뚱-거리다 타 생기가 없고 멀건 눈알을 자꾸 굴리다. ¶ 그 얼굴은 아직도 악몽에 잠겨 두 눈을 멀뚱거리고 있었다≪金容誠 : 잃은 자와 찾은 자≫. >말똥거리다. 멀뚱-멀뚱¹ 부. ――-하다 타여불

멀뚱-멀뚱² 부 ①눈만 멀거니 뜨고 정신없이있는 모양. >말똥말똥. ②국물 같은 것이 묽어서 어울리지 아니하는 모양. ――-하다 형여불

멀라이트 〔mullite〕 명〖광〗〔영국의 멀(Mull) 섬에서 최초로 발견되어 붙여진 이름〕 알루미늄의 규산염(珪酸塩) 광물. 사방 정계(斜方晶系)에 속하며 규선석(珪線石) 비슷하고 무색 또는 담홍색을 띰. 흔히 인공적으로 합성되어 도자기의 원료, 내화재(耐火材) 등의 주성분으로 쓰임. 멀석(Mull 石). [$3Al_2O_3 \cdot 2SiO_2$]

멀러 〔Muller, Hermann Joseph〕 명〖사람〗미국의 유전학자. 모스크바 유전학 연구소원으로 일하다가 리센코(Lysenko)와 논쟁하여 소련을 떠남. 염색체설(染色體說)의 완성에 진력하고, X선에 의한 인공 돌연변이 유발(誘發)에 성공함. 1946년에 노벨 의학상을 받음. [1890-1967]

멀:리 부 시간적·공간적으로 사이가 아주 떨어지게. ¶ 산너머 저 ～. ↔가까이. ――-하다 타여불 ①멀리 두다. 멀리 떨어져 있게 하다. ¶ 고향을 ～/사람을 멀리하고 밀담하다. ②접촉·교섭 따위를 피하다. ¶ 친구를 ～/술을 ～.

멀:리-뛰기 명 ①육상 경기에서 도약 종목의 하나. 도움닫기길을 뛰다가 발구름판에서 한 발로 구르며 멀리 뛰어 그 뛴 거리의 너비를 겨루는 경기. ②제자리멀리뛰기. 광도(廣跳). 폭도(幅跳). ↔높이뛰기.

멀:리-멀리 부 아주 멀리.

멀:리-보기 명 원시(遠視). ↔졸보기.

멀:리보기-눈 명〖생〗원시안(遠視眼). ↔졸보기눈.

멀리스 〔Mullis, Kary B.〕 명〖사람〗미국의 화학자. 1985년 유전자(遺傳子)의 DNA를 대량으로 증식하는 기술, 합성 효소 연쇄반응법(合成酵素連鎖反應法)을 개발한 공로로, 1993년 노벨 화학상을 캐나다의 스미스(Smith, Michael)와 공동으로 수상함. [1944-]

멀리컨 〔Mulliken, Robert Sanderson〕 명〖사람〗미국의 물리학자. 시카고 대학 교수. 양자 역학(量子力學)에 바탕을 두고 분자의 전자 구조를 해명하는 분자 궤도법(分子軌道法)을 창시, 또 하전 이동 착체(荷電移動錯體)의 이론을 제창함. 1942-45년에는 미국의 원자 폭탄 개발 계획의 플루토늄 부문의 책임자. 1966년 노벨 화학상을 탐. [1896-1986]

멀-마늘 명 〖식〗 수선화(水仙花)의 한 품종. 제주도에서 남.
멀믜 명 〈옛〉 멀미. ¶ 빗멀믜ᄒᆞ다(暈船) ≪譯語 下 21≫.
멀미 명 ①배·비행기·차 등을 탔을 때 그 흔들림을 받아서 일어나는 메스껍고 어지러운 증세. ②한 일에 물려서 진저리가 나도록 싫은 증세. ——-하다 자여불
멀미(가) 나다 구 멀미가 생기다. ¶ 이제 그 잔소리엔 멀미가 난다.
멀미(를) 내:다 구 하도 물려서 진저리가 나도록 싫게 여기다.
멀미-약 【—藥】 명 멀미가 일어나지 않도록 먹는 약. 또, 멀미를 가라앉히기 위하여 먹는 약. ¶ ~을 먹다.
멀미-증 【—症】 〔—쯩〕 명 멀미하는 증세.
멀-석 【—石】 〔Mull〕 명 〖광〗 멀라이트.
멀쑥-하다 형여불 ①멋없이 키가 크고 묽게 생기다. ②물기가 많아 되지 아니하고 묽다. ¶ 죽이 ~. ③모양이 지저분함이 없고 말끔하다. >말쑥하다. 멀쑥-히 부
멀애 명 〈옛〉 머루[1]. ¶ 멀애(藟) ≪詩傳 物名≫.
멀었다 형 ①시간적으로나 공간적으로 멀다. ¶ 서울까지는 아직 ~. ②능력·재주 등이 훨씬 못 미치다. ¶ 화가가 되려면 아직 ~. 주의 '아직' 다음에 쓰임.
멀우다 타 〈옛〉 눈을 멀게 하다. ¶ 五色이 能히 눈 멀우리오(奚五色之能盲) ≪圓覺 序 27≫.
멀위 명 〈옛·방〉 머루[1](제주). ¶ 멀위랑 ᄃᆞ래랑 먹고 靑山에 살어리랏다 ≪樂詞 靑山別曲≫.
멀이 명 〈방〉 〖식〗 머루[1](제주).
멀즈시 부 〈옛〉 멀찍이. ¶ 쯰워 멀즈시 ᄇᆡ라(離的遠些兒紋) ≪老乞 上 34≫.
멀짝고리 명 〈방〉 멍청이(함남).
멀쩡-하다 형여불 ①흠이 없고 아주 온전하다. ¶ 사지(四肢)가 멀쩡한데도 일을 하지 않으려 한다. ②티가 없이 맑고 깨끗하다. ¶ 아침까지 멀쩡하던 사람이 입원을 하다니. ③정신이 맑고 또랑또랑하다. ¶ 정신이 멀쩡한 사람. ④속셈이 있고 아주 약삭빠르다. ¶ 꾀가 멀쩡한 아이. ⑤전혀 터무니가 없거나 뻔뻔스럽다. ¶ 멀쩡한 거짓말. >말짱하다. 멀쩡-히 부
멀쩡한 거:짓말 구 거짓이라는 것이 뻔히 들여다보이는 거짓말.
멀찌가니 부 멀찌감치. 멀찍이.
멀찌가미 부 〈방〉 멀찍이(경상).
멀찌감치 부 멀찍이. 멀찌가니.
멀찌막-이 부 아주 멀찍이. ¶ ~ 앉다.
멀찌막-하다 형여불 아주 멀찍하다. 「형여불
멀찍-멀찍 부 여러 간격을 다 멀찍하게. ¶ ~ 떨어져 앉다. ——-하다
멀찍-이 부 약간 멀게. 멀찌감치. 멀찌가니. ¶ ~ 떨어져 있거라. ↔가직이.
멀찍-하다 형여불 약간 멀다. ↔가직하다.
멀칭 〔mulching〕 명 농작물(農作物)이 자라고 있는 토양 표면을 짚·마른풀·비닐 따위로 덮는 일. 일반적으로 지온(地溫) 변화의 억제, 토양의 건조 방지, 비바람에 의한 토양 침식의 방지, 잡초 발생의 억제 등 효과가 있으며, 또 과수원에서는 낙과(落果)의 손상 방지 효과가 있음.
멀-카락 명 〈방〉 머리카락(전라·경상).
멀커니 명 〈심마니〉 사내.
멀-커댕이 명 〈방〉 머리카락(경남).
멀-커랭이 명 〈방〉 머리카락(경북).
멀-컬 명 〈방〉 머리카락(경북).
멀컹이 명 〈방〉 물컹이.
멀-크락 명 〈방〉 머리카락(전남).
멀-키락 명 〈방〉 머리카락(경북).
멀터오다 형 〈옛〉 거칠다. ¶ 크면 보기 멀터오다(大時看的蠢坌了) ≪朴解 中 55≫.
멀터운 형 〈옛〉 거친. '멀텁다'의 활용형. ¶ 幾ᄂᆞᆫ 져글씨니 멀터운 데 어치 아니라 ≪妙蓮 序 21≫.
멀터움 형 〈옛〉 거칢. '멀텁다'의 명사형. ¶ 몸과 입과 ᄋᆡ 멀터우믈 더르실씌 가비야오시고 놀나시고 便安ᄒᆞ시니라 ≪妙蓮 Ⅱ:91≫.
멀터이 부 〈옛〉 거칠게. 대강. ¶ 네 ᄆᆞᅀᆞ미 멀터이 데뻐(汝心麤浮) ≪楞嚴Ⅲ:106≫.
멀텁다 형 〈옛〉 굵고 거칠다. 추악하다. ¶ 慾氣ᄂᆞᆫ 멀텁고 흐리여(慾氣麤濁) ≪楞嚴 Ⅰ:42≫.
멀테 부 〈옛〉 거칠게. ¶ 비록 멀테 상이 이시나(雖粗有相) ≪楞嚴 Ⅴ:8≫.
멀테로 부 〈옛〉 대체로. 대략. 대충. ¶ 子細히 니ᄅᆞ건댄 十二因緣法이오 멀테로 니ᄅᆞ건댄 四諦法이니 ≪月釋 Ⅱ:22≫.
멀티- 〔multi-〕 두 어떤 말 앞에 붙어 '종합'·'총'의 뜻을 나타내는 말.
멀티-미디어 〔multimedia〕 명 정보를 전달하는 미디어가 다양해지는 상태. 또, 컴퓨터에서 영상·음성·문자·그래픽 등의 미디어를 복합시켜서 일원적(一元的)으로 다루는 일.
멀티 상법 【—商法】 〔—뻡〕 명 〔multi-level-marketing plan〕 판매원이 차례로 다른 사람을 판매 조직에 가입시켜 피라밋식(式)으로 판매 조직을 확대하여 가는 방식의 상법.
멀티스크린: 영화 【—映畫】 〔multiscreen〕 명 한 면(面) 또는 수 면의 영사막에 여러 대의 영사기에서 투영하는 방식의 영화의 총칭. 화면의 연속성과 비연속성을 이용하여 새로운 시각 효과(視覺效果)를 얻고자 하는 것으로, 뉴욕·몬트리올 만국 박람회 이후 새로운 영화 표현 형식으로 주목을 끌게 됨.
멀티앰프 시스템 명 〔multiamplifier system〕 고음(高音)·중음(中音)·저음(低音)에 스피커 유닛을 각각 쓸 경우 각각의 유닛을 제각기 다른 메인(main) 앰프로 작동시키는 방식. 대형 영화 음악 시스템이나 고급 스테레오 시스템에서 임장감(臨場感)을 내기 위한 방식임.
멀티웨이 〔multiway〕 명 ↗멀티웨이 스피커 시스템.
멀티웨이 스피:커 시스템 〔multiway speaker system〕 명 저음(低音)·중음(中音)·고음용(高音用)의 스피커를 적절히 짜맞추어 전음대용(全音帶用)으로 구성한 오디오 방식. 준멀티웨이.
멀티-윈도: 〔multiwindow〕 명 〖컴퓨터〗 여러 개의 프로그램을 한 화면에 표시할 수 있는 기능. 한 화면에 작은 여러 개의 화면으로 구획(區劃)하여 표시함.
멀티-채널 〔multichannel〕 명 ①채널이 많음. ②〖사〗 많은 일을 동시에 할 수 있는 다중 구조(多重構造)의 뜻. ¶ ~ 제품/~ 인간.
멀티플래시 장치 【—裝置】 〔multiflash〕 명 육안으로 판별할 수 없는 현상의 각 순간을 카메라로 촬영하기 위해, 아주 빨리 점멸(點滅)시킬 수 있는 발광(發光) 장치.
멀티플 레이어 글라스 〔multiple layer glass〕 명 여러 가지 색유리를 겹쳐 만든 유리.
멀티플 스로: 〔multiple throw〕 명 농구에서, 같은 팀이 두 번 이상 계속해서 하는 프리 스로(free throw).
멀티플 아:트 〔multiple art〕 명 복수 예술. 일품(一品) 제작의 예술이 아니고, 과학 기술과 제휴해서 복수의 작품을 기획·생산하는 일.
멀티플 파울 〔multiple foul〕 명 농구에서, 한쪽 팀의 선수 2명 이상이 거의 같은 때 상대방에게 퍼스널 파울(personal foul)을 범하는 일.
멀티플 페이지 광:고 【—廣告】 〔multiple pages〕 명 신문·잡지 등의 여러 페이지에 걸친 광고.
멀:-하다 형여불 ☞ 무엇하다.
멀험 명 〈옛〉 마구. 마구간. ¶ ᄆᆞ리 우러셔 녯 멀허믈 ᄉᆞ랑ᄒᆞ고(馬嘶思故櫪) ≪杜諺 Ⅸ:17≫.
멈: 명 ↗머슴.
멈:-살이 명 ↗머슴살이. ——-하다 자여불
멈지 명 〈방〉 먼지(전남).
멈초다 자타 〈방〉 멈추다.
멈추다 ㊀ 자 〔중세 : 머추다. '멎다'의 사동사〕 ①내리던 비가 그치다. 멎다. ②행동을 그만두게 되다. ¶ 차가 ~. ㊁ 타 ①하던 것이나 일을 잠시 그치다. ¶ 일손을 ~. ②한곳에 두다. ¶ 시선을 ~.
멈춤-세 【—勢】 명 〖경〗 '보합세(保合勢)'의 풀어 쓴 말.
멈춧 부 〈방〉 멈칫. 「——-하다 자타여불
멈칫 부 하면 일이나 동작을 갑자기 멈추는 모양. ¶ 그를 보자 ~했다.
멈칫-거리다 자타 자꾸 멈칫하다. 멈칫-멈칫 부. ——-하다 자타여불
멈칫-대다 자타 멈칫거리다.
멈퍼드 〔Mumford, Lewis〕 명 〖사람〗 미국의 문명 비평가. 스탠퍼드·펜실베이니아 대학 교수. ≪기술과 문명≫·≪도시의 문화≫·≪인간의 조건≫ 등의 기술사·문명 비평 외에 건축과 도시 계획 등에 관한 많은 연구와 저서가 있음. [1895-1990]
멋[1] 명 ①차림새·행동·됨됨이 등이 세련되고 아름다움. 맵시가 있음. ¶ ~을 내다/~으로 쓰는 안경. ②아주 말쑥하고 풍치있는 맛. ③온갖 사물의 진미(眞味). ¶ 시의 ~을 알다. ④〖미술〗 그린 물체의 형태가 실체(實體)와 거의 같이 나타난 데에 대한 기분.
[멋에 치어 중 서방(書房)질한다] 자기 몸을 망치면서도 흥(興)에 이기지 못해 방탕(放蕩)에 빠짐을 이르는 말.
멋[2] 명 〈옛〉 벚. 버찌. =멎. ¶ 오란 어드우믄 힌 멋남기 하고(宿陰繁素棕) ≪杜諺 XX:51≫.
멋갈-없다 형 〈방〉 멋없다.
멋-객 【—客】 명 〈방〉 멋쟁이.
멋-거리 명 멋이 드러나 보이는 짓거리. ¶ 귀에 젖도록 듣던 풍악 소리는 이제야 와서 그 ~를 아시었다 ≪朴鍾和 : 錦衫의 피≫.
멋거리-지다 형 멋이 깊숙이 들어 있다.
멋-구러기 명 〈방〉 멋쟁이.
멋-대가리 명 〈속〉 멋[1]. ¶ ~ 없이 키만 큰 녀석.
멋-대로 부 마음대로. 하고 싶은 대로. ¶ ~ 지껄이다.
멋-들다 자 멋이 생기다. 멋을 알고 부리다.
멋-들어지다 형 아주 멋이 있다. 멋지다.
멋-모르다 자르불 까닭·영문·속내 따위를 알지 못하다. ¶ 밀담하는 자리에 멋모르고 끼어들다.
멋-스럽다 형ㅂ불 멋이 있어 보이다. 멋-스레 부
멋-없다 〔머업—〕 형 멋이 없다. 격에 맞지 아니하여 싱겁다. 멋적다.
멋-없이 〔머업씨〕 부 멋없게. ¶ ~ 키만 크다.
멋-있다 〔—/ 먼—〕 형 보기에 썩 좋거나 훌륭하다. ¶ 멋있는 그림/멋있는 스타일.
멋-장이 명 ☞멋쟁이.
멋-쟁이 명 멋있는 사람. 또, 멋을 부리는 사람.
멋쟁이-새 명 〖조〗 [*Pyrrhula pyrrhula*] 참새과에 속하는 새. 날개 길이 8-8.7 cm, 꽁지 6 cm 가량이고, 부리는 짧고 큼. 수컷은 머리·상미통(上尾筒)·꼬리깃이 암회갈색으로 광택이 나고, 모가지와 뺨이 장미색으로 아름다움. 배는 회색이고, 암컷은 모가지가 전부 회색인 것이 다름. 높은 산의 침엽수(針葉樹)의 높이 1-2.7 m되는 곳에 집을 짓고, 녹청색에 갈색의 점무늬가 있는 알을 4-6 개 낳음. 피리를 부는 듯이 곱게 울며 노래의 가락을 외는 일도 있어, 농조(籠鳥)로 기름. 한국·일본 및 유럽과 아시아 중북부에 분포함. 피리새. 졸로파(拙老婆).

〈멋쟁이새〉

멋-지다 형 ①멋들어지다. ②썩 훌륭하다. ¶ 멋진 연기/멋진 솜씨.
멋-질리다 자 ①아주 멋들어진 기상을 지니다. ②방탕한 마음을 갖게 되다.
멋-쩍다 형 ①동작이나 모양이 격에 맞지 아니하다. 멋없다. ②거북하다. 어색하다. ¶ 혼자 가기가 ~.
멋쩍어-하다 타여불 멋쩍게 느끼다.
멋:-하다 형여불 ↗무엇하다. ¶ 멋하면 나하고 바꿀까.
멍[1] 명 ①부딪혀서 피부 속에 퍼렇게 맺힌 피. ②'일의 내부(內部)에 탈이 생긴 것'의 비유. ¶ 슬픔으로 가슴에 ~이 들다.
멍[2] 명 ↗멍군.
[멍이야 장이야] '멍군 장군'과 같은 뜻.
멍[3] 명 〈방〉 멍에(전남·경남).

멍게[1] 명 〖동〗 [*Halocynthia roretzi*] 미색류(尾索類) 멍겟과에 속하는 원색 동물(原索動物)의 하나. 몸길이 15-20 cm, 직경 10 cm 가량, 주먹 정도의 크기인데 겉에는 젖꼭지 같은 돌기가 많음. 몸의 밑에는 해초(海草)의 뿌리 같은 것이 많이 달려 있어 바위 같은 곳에 붙어 삶. 촉각은 나뭇가지 모양인데 수가 많고 껍질은 두꺼우며 가죽 모양인데 그것을 째고 안에 있는 누른 것을 꺼내어 식용(食用)으로 함. 5-7 월에 깊이 15-20 m 정도의 바다밑에 있는 3년쯤 성장한 것이 가장 맛이 좋아 회(膾)로나 지져 먹음. 한국 동남해·홋카이도·일본 연해(沿海) 등에 분포함. 우렁쉥이. ✽해초목(海鞘目).

〈멍게¹〉

멍게[2] 명 〈방〉 멍에(경북).

멍-구럭 명 ①썩 성기게 떠서 만든 큰 구럭. ②☞구럭.

멍군 명 장기(將棋)에서 장군을 받아 막아내는 일. ㊥멍. ——-하다 자여불

[멍군 장군] 두 사람이 다툴 때에 시비를 가리기 어렵다는 뜻. 멍이야 장이야. 장군 멍군. 장이야 멍이야.

멍-꽃등에 명 〖충〗 [*Didea alneti*] 꽃등엣과에 속하는 곤충. 몸길이 11-13 mm 이고, 몸빛은 흑색이며 복부 측연부에는 녹색을 띤 황색의 횡문(橫紋)이 있고 제3 배판(背板)의 후연(後緣)과 제4 배판의 후반과 제5 배판은 구릿빛 금속의 광채(光彩)가 남. 꽃에 모이는데, 한국·일본 및 유럽 등지에 분포함.

〈멍꽃등에〉

멍덕 명 재래식(在來式)의 벌통 위를 덮는 뚜껑. 짚으로 바가지 비슷하게 틀어 만듦.

멍덕-꿀 명 ①멍덕 안에 박힌 가장 좋은 흰 꿀. ②〈속〉 멍청이.

멍덕-딸기 명 〖식〗 [*Rubus idaeus* var. *microphyllus*] 장미과에 속하는 낙엽 활엽 관목. 가시가 밀생(密生)하고, 잎은 3-5 개씩 복생(複生)하며 뒷면에 백색의 털이 남. 여름에 백색 오판화(五瓣花)가 산방(繖房) 화서로 피고, 과실군(果實群)은 구형(球形)에 털이 많으며 가을에 홍색으로 익음. 산이나 들, 특히 화전(火田)터에 흔히 남. 한국 각지 및 아무르·사할린·시베리아에 분포함. 과실은 식용 또는 약재로 씀. 봉류(蓬藟).

〈멍덕딸기〉

멍덕뚤기 명 〈옛〉 멍덕딸기. ＝멍덕뚤기. ¶ 멍덕뚤기(蓬藟)《方藥》.

멍덕쏠기 명 〈옛〉 멍덕딸기. ＝멍덕뚤기. ¶ 멍덕쏠기(蓬藟)《湯液 卷二 果部》.

멍드러기 명 〈방〉 멍울.

멍-들다 자 ①피부 속에 퍼렇게 피가 맺히다. ¶ 맞아서 눈이 ～. ②일이 속으로 탈이 생기다. ¶ 오늘 계획은 완전히 멍들었다.

멍디기 명 〈방〉 멍석(경북).

멍머구리 명 〈방〉 명매기.

멍-멍 부 개가 짖는 소리. 또, 그 모양.

멍멍-개 명 〈소아〉 멍멍하고 짖는 개. '개'를 이름.

멍멍-거리다 자 개가 자꾸 멍멍 짖다.

멍멍-대다 자 멍멍거리다.

멍멍-이 명 〈속〉 개.

멍멍-하다 형여불 아득히 정신이 빠진 것 같다. ¶ 정신이 ～. 멍멍-히 부

멍산 〔蒙山〕 명 〖지〗 중국 쓰촨 성(四川省) 서부에 있는 산. 칭이 강(青衣江)이 그 동쪽을 흐름. 《서경(書經)》에 '우공(禹貢)'에서 채몽여평(蔡蒙旅平) 운운한 것은 바로 이곳이라 하며, 당송(唐宋) 이래 명차(名茶)를 산출함. 몽산(蒙山).

멍석 명 짚으로 새끼날을 싸서 엮은 큰 자리. 흔히 곡식을 너는 데 씀.

[멍석 구멍에 새앙쥐 눈 뜨듯] 크게 놀라고 겁을 내어 어쩔 줄 모르고 여기저기 살펴보느라 정신이 없음을 이르는 말.

멍석-딸기 명 〖식〗 [*Rubus parvifolius* var. *triphyllus*] 장미과에 속하는 낙엽 활엽의 관목. 복와생(伏臥生)이며 가시가 많고 두세 개의 잎이 손바닥 모양으로 나며 잎 뒤에 면모(綿毛)가 남. 초여름에 장미색 오판화(五瓣花)가 취산(聚繖) 화서로 정생하여 핌. 과실군(果實群)은 반원형이고 7월에 빨갛게 익음. 산기슭과 밭둑에 나는데, 한국 각지 및 일본·대만·중국·오스트레일리아에 분포함. 과실도 '멍석딸기'라고 하는데 크고 맛이 달아 식용함.

〈멍석딸기〉

멍석-말이 명 ①〖역〗 옛날 세가(勢家)에서 하던 사형(私刑)의 한 가지. 말아놓은 멍석에다 사람을 엎쳐 매고 볼기를 쳤음. ②농악의 판굿이나 탈춤에서, 상쇠를 앞세우고 풍물을 치면서 한 줄로 서서 나사 모양으로 돌아 들었다가 다시 나사 모양으로 되돌아 나오는 춤사위. 도래진. ③멍석말이춤. ——-하다 타여불

멍석말이-걸음 명 장구놀이 춤에서, 가볍게 뛰면서 뒷걸음으로 원을 그리는 동작.

멍석말이-춤 명 장구를 향하여 멍석을 마는 것 같은 동작을 하면서 나아가는 춤.

멍석 자리 명 멍석을 깔아 놓은 자리.

멍석-짝 명 멍석의 낱개.

멍애 명 〈방〉 멍에(경남).

멍어리 명 〈방〉 멍울.

멍얼-멍얼 부 〈방〉 멍울멍울.

멍에 명 ①마소의 목에 얹고 수레나 쟁기를 끌게 하는 '∧' 모양의 가로나무. ②전(轉)하여, '행동에 구속을 받거나 무거운 짐을 짐'의 비유. ¶ ～를 짊어지다. ③동바릿돌 또는 동바리 위에 얹히어 장선(長線)을 받는 목재(木材). ④거룻배·돛단배 따위의 뱃전 밖으로 내민 창막이 각목의 끝 부분. ——-하다 자여불 멍에를 얹다. ¶ 다시 구름에 멍에하여 잠깐에 후당에 돌아오니《朴氏夫人傳》.

멍에(를) 메:다 구 ㉠행동에 구속을 받다. ㉡어떤 고역을 치르게 되다.

멍에-끈 명 멍에가 마소의 목에 고정되도록 동여매는 끈.

멍에 둔테 명 〖건〗 성문(城門) 같은 데에 쓰이는 큰 둔테.

멍에-목 명 다리를 걸친 언덕의 목이 되는 곳.

멍에 창방 명 〖건〗 이층으로 지은 집에서, 아래층 서까래의 위 끝을 받쳐 가로질러 놓은 재목.

멍에-투겁 명 〖고고학〗 초기 철기 시대의 수레 장구(裝具)의 하나. 멍에 끝에 끼우는, 고깔 또는 버섯 모양의 쇠장식. 액수 금구(軛首金具). 입형 동기(笠形銅器).

멍엣-금 명 〈방〉 멍엣줄.

멍엣-상처 【一傷處】 명 멍에가 닿아 쓸려서 생긴 상처.

멍엣-줄 명 〖인쇄〗 인쇄물(印刷物)의 가를 두른 줄.

멍엣-집 명 소의 목덜미에 멍에를 놓아 움푹 들어가 자리잡힌 자리.

멍여 부 〈방〉 먼저(경남).

멍-옹구 명 〈방〉 두엄 걸채.

멍우러기 명 〈방〉 멍울.

멍우리 명 〈방〉 멍울.

멍울 명 ①우유나 풀 등의 작고 둥글게 엉기어 굳은 덩이. ＞망울. ②〖의〗 림프절종(lymph 節腫).

멍울(이) 서다 구 몸의 어느 부분에 멍울이 생기다.

멍울-멍울 부 멍울이 작고 둥글게 엉기어 뭉쳐진 모양. ＞망울망울. ——-하다 형여불

멍이[1] 명 〈방〉 멍에(함남).

멍이[2] 부 〈방〉 먼저(경상).

멍지 명 〈방〉 멍에(경기·평북·함남).

멍쯔 〔蒙自〕 명 〖지〗 중국 윈난 성(雲南省) 남동부 뎬웨(滇越) 철도와 거비스(箇碧石) 철도 연변의 도시. 거주(箇舊) 부근에서 나는 주석을 이출(移出)하며 쌀·차(茶)·사탕수수·과일 등을 산출함. 베트남(Viet Nam)과의 거래가 많음. 몽자(蒙自). [50,000 명(1971 추계)]

멍-첨지 【一僉知】 명 '멍씨 성을 가진 첨지'라는 뜻으로, 멍멍 짖는 '개'를 일컫는 말.

멍청-도 【一道】 명 〈속〉 멍청하다 하여 충청도 사람을 홀하게 일컫는 별명.

멍청-이 명 어리석고 정신이 흐릿한 사람. 멍텅구리. 바보.

멍청-하다 형여불 어리석고 정신이 흐릿하여 사물을 제대로 처리하는 힘이 없다. ¶ 멍청한 얼굴. 멍청-히 부. ¶ ～ 서 있지 말고 일을 하게.

멍추 명 기억력이 부족하고 흐리멍덩한 사람. ＞맹추.

멍키 〔monkey〕 명 ①원숭이. ②↗멍키 스패너.

멍키 댄스 〔monkey dance〕 명 원숭이처럼 팔다리의 힘을 빼고 축 늘어뜨린 모습으로 추는 댄스. 고고 리듬에 맞추어서 춤.

멍키 렌치 〔monkey wrench〕 명 멍키 스패너.

멍키 스패너 〔monkey spanner〕 명 스패너의 목에 나사를 장치하여 아가리의 크기를 자유로이 조절해서 사용할 수 있도록 된 공구(工具). 멍키 렌치. 자재(自在) 스패너. ㊥멍키.

〈멍키 스패너〉

멍털-군 명 〈방〉 멍군.

멍털-멍털 부 칙칙하게 멍울멍울한 모양. ——-하다 형여불

멍텅구리 명 ①〖어〗 뚝지[1] ❶. ②〔바보처럼 분량만 많이 들어가는 병(甁)이라는 뜻〕 병의 목이 좀 두툼하게 올라와서 예쁘게 생기지 아니한 되들이 병. ③멍청이. ¶ 이 ～야.

멍텅구리 낚시 명 여러 개의 낚시를 미끼의 주위, 주로 떡밥의 안팎에 달아서, 거기에 물고기가 걸리게 하는 낚시질.

멍텅구리-선 【一船】 명 새우잡이용(用)의 무동력(無動力) 어선(漁船).

멍텅-이 명 〈방〉 멍청이(함남).

멍:-하니 부 멍하게. ¶ 기가 막혀 ～ 서 있다.

멍:-하다 형여불 정신이 빠진 듯 우두커니 있다. ¶ 처음 당하는 일이라 정신이 ～.

멍에 명 〈옛〉 멍에. ¶ 멍에 가(駕)《字會 下 9》.

멎 명 〈옛〉 버찌. ＝멎[2]. ¶ 머지 여렷거늘 어미 디킈라 ᄒᆞ대(柰結實母 命守之)《三綱》.

멎다[1] 자 ①눈이나 비, 바람 따위가 그치다. ¶ 눈이 ～ / 바람이 ～. ②움직임이나 행동 따위가 멈추다. ¶ 기계가 ～ / 총성(銃聲)이 ～.

멎다[2] 형 〈옛〉 흉하다. 궂다. ¶ 災禍는 머즐 씨라《月釋 I:4》.

몇 수관 〈방〉 몇(경남).

메[1] 명 물건을 칠 때에 쓰는 무거운 방망이. 묵직한 나무 토막이나 쇠토막에 구멍을 뚫고 자루를 박았음. 종규(椶楑). 「종」

〈메¹〉

메[2] 명 ①제사 때 신위(神位) 앞에 올리는 밥. ②〈궁〉 밥[1].

메[3] 명 〖식〗 [*Calystegia japonica*] ①메꽃과에 속하는 다년생 만초(蔓草). 근경(根莖)이 희며 줄기가 다른 것에 감겨 올라감. 잎은 호생하고 장병(長柄)으로 긴 타원형이며, 6-8월에 액출(腋出)하는 장경(長梗) 끝에 나팔꽃 모양의 큰 꽃이 한 개 달려서 낮에만 담홍색으로 핌. 둥근 삭과(蒴果)는 보통 결실(結實)하지 아니함. 들에 나고, 한국·중국 및 일본의 홋카이도에 분포함. 근경을 '메' 또는 '속근근(續筋根)'이라 하여 식용 및 약용하고 어린 잎은 먹음. 고자화(鼓子花). 돈장초(豘腸草). 메꽃. 미초(美草). 선복(旋葍). 선화(旋花). ②메의 뿌리.

〈메³〉

메[4] 명 〈심마니〉 젓가락.

메[5] 명 '산(山)'의 예스러운 말. ¶ 태산이 높다하되 하늘 아래 ~이로다.

메[6] 명 〈방〉 노(櫓)(경남).

메:[7] 명 〈방〉 모이(강원).

메:[8] 명 〈방〉 뫼[4](강원·충남·전북·경상·경기·황해·평북).

메- 접 명사의 머리에 붙어 그것이 차지지 아니하고 '메진'의 뜻을 나타내는 말. ¶ ~떡/~수수/~조. ↔찰-.

메가 〔mega〕 관 단위(單位)의 머리에 붙여서, 그것의 '백만 배'의 뜻을 나타내는 말. 기호는 M. ¶ ~톤/~사이클. *기가(giga).

메가-다인 〔megadyne〕 의명 〖물〗 힘의 단위의 하나. 백만 다인에 해당함. 기호는 Mdyn.

메가-데스 〔megadeath〕 의명 〖물〗 핵물질을 나타내는 단위. 백만 명을 죽일 수 있는 양(量).

메가라 학파【一學派】〔Megara〕 명 〖철〗 소(小)소크라테스 학파의 하나. 소크라테스의 제자로 메가라 사람인 에우클레이데스(Eukleidēs; 450?- 374 B.C.)가 창설한 학파. 엘리아(Elia) 학파의 유(有)의 설(說)과 소크라테스의 덕론(德論)을 결합, 논쟁법(論爭法)을 연구하였으며 많은 궤변(詭辯)을 남기었음.

메가론 〔megaron〕 명 〖건〗 건축 양식의 하나. 전면에 주랑 현관(柱廊玄關)이 있고, 3면이 벽에 둘러싸여 있으며 실내의 중앙에 난로가 있음.

메가리 명 〈방〉 멱서리(평남).

메가-바: 〔megabar〕 의명 〖물〗 압력(壓力)의 단위(單位). 1 cm^2에 대하여 100만 다인(dyne)의 힘이 가하여질 때의 압력. 기호는 Mbar.

메가-바이트 〔megabyte〕 의명 〖컴퓨터〗 기억 용량의 단위. 1,048,576 바이트, 또는 1,024 킬로바이트. 약자는 MB.

메가-비트 〔megabit〕 의명 〖컴퓨터〗 기억 용량의 단위. 1,048,576 비트, 또는 1,024 킬로비트. 기호는 Mb.

메가-사이클 〔megacycle〕 의명 〖물〗 메가헤르츠. 기호(記號)는 Mc 또는 Mc/s.

메가스테네스 〔Megasthenes〕 명 〖사람〗 그리스의 역사가. 기원전 4세기 말 시리아의 셀레우코스(Seleucos) 왕조의 사절(使節)로서 인도의 마우리아(Maurya) 왕조에 파견되었음. 수년에 걸친 체류 기간 중의 견문을 기록한 《인도지(誌)》는 당시의 사정을 전하는 좋은 자료임. 생몰(生沒) 연대 미상.

메가와트-일【一日】 의명 〔megawatt day〕 〖물〗 핵연료 연소율(燃燒率)의 단위. 1g의 우라늄 235가 완전히 핵분열을 하게 되면 약 1메가와트일의 에너지가 발생함. 기호는 MWD.

메가 전:자 볼트【一電子一】 의명 〔mega electron volt〕 〖물〗 에너지의 단위. 100만 전자 볼트. 기호는 MeV.

메가지 명 〈방〉 멱[1](전라·평북).

메가타 슈타로:【目賀田種太郎: めがたしゅうたろう】 명 〖사람〗 일본의 재정가(財政家). 1904년 제1차 한일 협약으로 고문 정치가 시작되자, 탁지부(度支部) 고문이 되어, 토지 조사·신화폐 발행·금융 조합 조직 등 시책을 강행했음. 뒤에 일본(日本)의 추밀원(樞密院) 고문이 됨.

메가테리움 〔megatherium〕 명 〖동〗 홍적세(洪積世) 때쯤, 남북 아메리카에 서식했던 빈치류(貧齒類)의 포유 동물. 몸길이 약 7.3m, 골격(骨格)이 튼튼하고 다리가 길며 흙을 파는 데에 쓰였음직한 긴 발톱이 있음. 몸체는 둔하며 어린 나뭇잎과 풀·구근(球根) 등을 먹고 살았음.

메가-톤 〔megaton〕 의명 〖물〗 핵융합(核融合)에 의한 폭발력(爆發力)의 단위(單位). 1메가톤은 티엔티(T.N.T.) 100만 톤의 폭발력에 상당함. 기호는 Mt.

메가톤 무:기【一武器】 명 〔megaton weapon〕 폭발력을 메가톤 단위로 계산하는 무기.

메가톤 에너지 〔megaton energy〕 명 1메가톤이 폭발할 때에 발생하는 핵폭발 에너지.

메가폰: 〔megaphone〕 명 음성이 멀리 들리게 입에 대는 기구. 확성 나발(擴聲喇叭).

메가폰:을 잡다 구 영화 따위의 감독을 맡다.

〈메가폰〉

메가-헤르츠 〔megahertz〕 의명 〖물〗 주파수(周波數)의 단위. 1초(秒)에 대하여 100만 사이클의 진동수. 메가사이클. 기호는 MHz.

메간트로푸스 〔Meganthropus〕 명 〖인류〗 화석 원생 인류의 하나. 자바의 솔로 강(Solo 江) 지류 못가에서 발견된 원인(原人)의 오른쪽 아래턱 골편(骨片)으로 대표됨. 피테칸트로푸스(Pithecanthropus)와 비슷하나 한층 더 원시적이며 큼.

메갈로파 〔megalopa〕 명 〖동〗 메갈로파 유생.

메갈로파 유생【一幼生】〔megalopa〕 명 〖동〗 게의 변태기(變態期)의 유생의 하나. 부유(浮遊) 생활에서 저생(底生) 생활로의 이행기(移行期)에 볼 수 있음. 복부는 흉부의 하면에 겹쳐지지 아니하고 뒤쪽으로 벋고, 다섯 쌍의 복지(腹肢)는 유영지(遊泳肢)로 되어 있음. 메갈로파.

메갈로폴리스 〔megalopolis〕 명 메트로폴리스가 발전하여 몇 개의 대·중 도시가 띠 모양으로 연속된 도시 형태. 1961년 고트만(Gottman, J.)이 제시한 도시의 개념에 따라 설정된 도시 형태. 거대(巨帶) 도시.

메거 〔megger〕 명 〖물〗 전선 및 전기 기계의 절연 저항(絶緣抵抗)을 측정하는 휴대용 고저항(高抵抗) 측정 장치의 일종. 본디, 상품명(商品名)임. 절연 저항계.

메거지 명 〈방〉 미끼(경남).

메-공이 명 메처럼 된 절굿공이. 흔히 떡을 치거나 떡가루 같은 것을 빻을 때 씀.

메구락지 명 〈방〉 〖동〗 개구리(함북).

메구래기 명 〈방〉 〖동〗 개구리(함남).

메구리[1] 명 〈방〉 〖동〗 ①개구리(평안·함경). ②올챙이(함남).

메구리[2] 명 〈방〉 잠수부(潛水夫)(함북).

메-귀리 명 〖식〗 [*Avena fatua*] 볏과(科)에 속하는 일년 또는 월년초. 귀리와 비슷한데 뿌리에 수근(鬚根)이 많고, 줄기는 높이 1m 가량의 원기둥꼴이며 곧게 자람. 잎은 호생하고 피침형 또는 넓은 선형으로 길이 10-25cm에 선녹색임. 5-6월에 황록색의 꽃이 원추(圓錐) 화서로 피고 방추형의 영과(穎果)는 드물게 나서 두 개씩 아래로 드리워져 있고 긴 수염이 있음. 열매는 흉년에 먹는 구황(救荒) 식물이고, 잎과 줄기는 목초(牧草)로 씀. 유럽·소아시아·북아프리카 원산(原產)으로 전세계의 온대 지방에 귀화(歸化)하여 분포함.

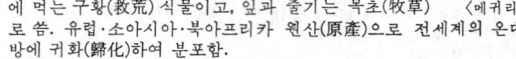

〈메귀리〉

메그락지 명 〈방〉 〖동〗 개구리(함남).

메그-옴: 〔megohm〕 의명 〖물〗 전기 저항을 나타내는 단위의 하나. 1옴의 100만 배. 기호는 'MΩ'.

메기[1] 명 〈방〉 ①모이(경기). ②미끼(강원·충남·전북·경남).

메:기[2] 명 〖어〗 [*Parasilurus asotus*] 메깃과에 속하는 민물고기. 몸길이 1m 가량이고 머리는 편평하며 입이 몹시 크고 네 개의 긴 수염이 있음. 등지느러미는 극히 작고 뒷지느러미가 잘 발달하여 꼬리지느러미와 합쳐 있으며 몸에 비늘이 없어 밋밋함. 몸빛은 등 쪽과 측면에 암갈색 또는 농황갈색의 불규칙한 구름 모양의 무늬가 있고 머리와 배 쪽은 담황색·담회색 또는 백색임. 동해안을 제외한 한국·중국·일본·대만 등지의 하천과 호소에 분포함. 언어(鰋魚). 점어(鮎魚). *여메기.

〈메기[2]〉

【메기가 눈은 작아도 저 먹을 것은 알아본다】 아무리 식견이 좁은 자라도 제가 살 길은 다 마련하고 있다는 말. 【메기 나래에 무슨 비늘이 있나】 메기는 비늘이 없는 물고기니, 본래 없던 것이 돌연히 생겨날 리 없다는 말.

메:기(를) 잡다 구 ㉠예상이나 기대가 어긋나서, 허탕을 치다. ㉡〔메기를 잡노라면 옷이 젖고, 진흙 투성이가 되곤 하므로〕 물에 빠지다. ㉢비를 맞아 흠뻑 젖다.

메:기-구이 명 내장을 뺀 메기의 뱃속에 양념을 넣고 유지(油紙)로 싼 후 짚으로 동이고, 그 위에 흙을 발라서 짚불 속에 넣어 구운 반찬. 점어구(鮎魚灸).

메기다[1] 타 ①두 편이 노래를 주고 받고 할 때 한 편이 먼저 부르다. ②두 사람이 마주 잡고 톱질할 때 한 사람이 톱을 밀어 주다. ¶ 서걱서걱 톱을 느리게 메겼다 당겼다 했다《金廷漢: 뒷기미나루》.

메기다[2] 타 ①화살을 시위에 물리다. ②윷놀이에서, 말을 맨 끝밭에까지 옮기어 놓다.

메기다[3] 타 〈방〉 먹이다. 기르다(강원·충북·전북·경북).

메기도 〔Megiddo〕 명 〖역〗 고대 팔레스티나의 옛 싸움터. 이집트와 시리아·소아시아·메소포타미아를 연결하는 통상로(通商路)를 장악할 수 있는 중요한 전략적 요지로서 큰 싸움이 자주 벌어졌음. 현재의 이스라엘 북부의 하이파(Haifa) 부근임.

메:기 수염【一鬚髥】 명 메기의 수염처럼 몇 오라기 난 수염을 양쪽으로 뻗치게 길게 기른 콧수염.

메:기-입 명 ①메기의 입. ②입아귀가 길게 째져 넓게 생긴 입. 또, 그런 사람을 조롱하여 일컫는 말.

메-기장 명 〖식〗 차지지 아니하고 메진 기장. ↔찰기장.

메:기 주둥이 명 〈속〉 메기입.

메:기 지짐이 명 고추장을 푼 물에 토막친 메기와 무·파 같은 것을 넣고 끓인 음식. *점어전(鮎魚膞).

메김-소리 〔一쏘一〕 명 노래를 주고받을 때 메기는 소리.

메:깃-과【一科】 명 〖어〗 [Siluridae] 잉어목(目)에 속하는 어류의 한 과. 이 과에 속하는 것으로 메기와 미유기가 있음.

메-까치 명 〖조〗 [*Urocissa erythrohyncha erythrohyncha*] 까마귓과에 속하는 새. 몸길이 53cm, 날개 18cm, 꽁지 93cm 가량이고 몸빛은 포도빛을 띤 청색이며 머리는 검고 부리가 있는 곳으로부터 뒷머리와 목에 걸쳐 흰 무늬가 있으며 허리와 위 꽁지는 회색인데 가장자리는 검고 부리와 다리는 붉음. 울음 소리가 아름답고 사람을 잘 따르며 때로는 흉내도 잘 내어 애완용으로 사육함. 중국 원산(原產)임. 산희작(山喜鵲).

〈메까치〉

메깝 명 〈방〉 미끼(경북).

메:-끈지다 타 ☞메꽂다. ¶ 이쁜이는 울화증이 나서 호미를 메끈지고 얼굴의 땀을 씻으며 앉았노라니까…《金裕貞: 산골》.

메:-꽂다 타 ↗메어꽂다.

메-꽃 명 〖식〗 ①메[3]❶. ②메의 꽃.

메꽃-과【一科】 명 〖식〗 [Convolvulaceae] 쌍자엽 식물의 합판화류(合瓣花類)에 속하는 한 과. 왼쪽에 감기는 만성초(蔓性草)와, 드물게는 목본(木本)인 것도 있으며, 꽃은 자웅 이가(雌雄異家)임. 난지(暖地)에 많은데 전세계에 1,100여 종, 한국에는 메·갯메꽃·나팔꽃·고구마 등 20여 종이 분포함.

메꾸다 타 ①시간을 적당히 때우다. ②메우다.

메꾸라지 명 〈방〉 〖어〗 미꾸라지(경북).

메꿎다 형 고집이 세고 심술궂다.

메끄다 타 〈방〉 메우다[1](경남).

메-끈 명 〈방〉 질빵.

메끼[1] 명 〈방〉 미끼(강원·경북·전라·함남).

메끼² 명 〈방〉 『어』 메기²(경북).
메나 명 〈방〉 목화(木花).
메나도〔Menado〕명 『지』 인도네시아 북동부, 셀레베스 섬 동북단(東北端)의 항구 도시. 야자·코프라·향료 등의 집산항(集散港)임. 근년에는 진주 양식·어업 기지로 발전함. [217,000 명 (1980)]
메나리¹ 명 농부들이 논에서 일을 하며 부르는 농가(農歌)의 한 가지.
메나리² 명 〈방〉 ①『식』 미나리(경남·충청·강원). ②며느리(강원·경남·전라).
메나리-조【一調】[一쪼] 명 『악』 '쾌지나칭칭'·'정선 아리랑'·'메나리'·'신고산 타령'·'궁초댕기' 등 경상도·강원도·함경도 지방의 민요와 동해(東海) 지방, 함경도 지방 무가(巫歌)에 쓰이는 음계(音階).
메나-씨 명 〈방〉 목화씨.
메나씨 박이다 구 〈방〉 명씨 박이다.
메난드로스〔Menandros〕명 『사람』 고대 그리스의 극작가. 아테네 사람. 일상 생활과 서민 사회의 각종 사건에서 취재하였으며 성격 묘사에 능함. 로마의 희극 작가들이 자주 모방하였으므로 간접적으로 근대 희극(近代喜劇)에 영향을 끼쳤음. [342?-292 B. C.]
메남 강【一江】〔Menam〕명 『지』 차오프라야 강(Chao Phraya江).
메내 명 〈방〉 목화(木花)(평안).
메-내다 자 〈방〉 면내다.
메너리 명 〈방〉 며느리(경남).
메널 명 〈방〉 며느리(경북).
메네스〔Menes〕명 『사람』 고대 이집트의 왕. 나르메르(Narmer) 왕과 동일인이라고도 하며, 기원전 3000년경 남북 이집트를 통일하여 제 1 왕조를 창시했다고 함. 멤피스(Memphis)를 도읍(都邑)으로 삼음. 그의 업적을 새긴 팔레트(palette)는 인류 최고(最古)의 역사 기록으로서 유명함.
메넬라오스〔Menelaos〕명 그리스 신화에 나오는 스파르타의 왕. 헬레네의 남편. 아가멤논의 동생. 처 헬레네가 트로이의 왕자 파리스에 유괴됨으로 인하여 트로이 전쟁(Troy 戰爭)이 일어났음.
메넬라오스의 정:리【一定理】[一니 / 一에 一니] 명 〔Menelaos' theorem〕『수』 기하학상 정리의 하나. 한 직선이 $\triangle ABC$의 변 BC, CA, AB 또는 이들의 연장과 만나는 점을 각각 D, E, F라 하면, $BD/DC \cdot CE/EA \cdot AF/FB=1$이라는 관계가 성립한다는 정리. 100년경에 그리스의 수학자 메넬라오스가 발견함.

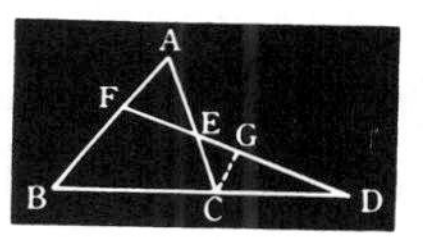

〈메넬라오스의 정리〉

메넬리크 이:세【一二世】〔Menelik Ⅱ〕명 『사람』 에티오피아 황제. 이탈리아의 보호 아래 즉위하였으나, 1896년 이탈리아 침공군을 아두와(Aduwa) 싸움에서 격파, 주권을 보전함. [1844-1913; 재위 1889-1910]
메노〔이 meno〕명 『악』 '좀 덜'·'보다 덜'의 뜻. 준멘(men).
메노르카 섬〔Menorca〕명 『지』 지중해 서부, 스페인령(領) 발레아레스(Baleares) 제도의 동쪽 끝에 있는 섬. 낮고 평평한 섬으로 목축이 주산업(主産業)이며 치즈·구두를 제조함. 선사 시대(先史時代)의 동굴(洞窟) 유적이 많음. [702 km²: 50,217 명(1970)]
메노 모소〔이 meno mosso〕명 『악』 '느리게', '평온하게'의 뜻.
메노 알레그로〔이 meno allegro〕명 『악』 '그다지 빠르지 아니하게'·'알레그로보다 좀 더 느리게'의 뜻.
메노티〔Menotti, Gian-Carlo〕명 『사람』 이탈리아 출신의 미국 작곡가. 오페라 작가로 알려짐. 대표작에 《전화(電話)》·《영사(領事)》, TV 오페라 《아말과 밤의 방문자》 등. 기타 발레곡(曲)·협주곡 등도 있음. [1911-]
메노-파【一派】명 〔die Mennoniten〕 16세기에 독일의 프로테스탄트 신학자 메노 지몬스(Menno Simons; 1492-1559)에 의하여 창시된 프로테스탄트 교회의 한 파. 재세례파(再洗禮派)에 속하며, 유아 세례(幼兒洗禮)를 부정하고, 평안주의(平安主義)와 무저항을 강조함.
메논〔Menon, Krishna〕명 『사람』 인도의 정치가. 1948년 1월 유엔 한국 위원회 의장 겸 인도 대표로 내한함. 1958년 국방상(國防相)에 취임, 1962년 중공과의 국경 분쟁의 책임을 지고 사임함. [1897-1974]
메누리 명 〈방〉 며느리(경기·강원·충청·전라·경상·제주·황해·함경·평안).
메누에트〔도 Menuett〕명 『악』 '미뉴에트'의 독일어 이름.
메눌 명 〈방〉 며느리(경북·함남).
메뉴〔menu〕명 ①요리(料理)의 품목표(品目表). 차림표. *식단(食單). ②『컴퓨터』 사용자가 선택하여 이용할 수 있도록 내용을 프로그램으로 내장하여 둔 일람표. 보통 디스플레이 장치 화면 상에 나타남.
메뉴인〔Menuhin, Yehudi〕명 『사람』 미국의 유태계 바이올린 연주가. 뉴욕 출생. 7세에 악단에 등장하여 천재 소년의 이름을 들었으며, 오늘날까지 손꼽히는 바이올리니스트로 활약하고 있음. 슈만의 바이올린 협주곡의 발견과 초연(初演), 멘델스존의 라단조 협주곡의 부활(復活) 연주로 화제를 뿌림. [1916-]
메느리 명 〈방〉 며느리(전라·경상·함경·평안).
메니리 명 〈방〉 며느리(평북).
메니에르 증후군【一症候群】〔Ménière〕명 『의』 프랑스의 이비과(耳鼻科) 의사인 메니에르(Ménière, P.; 1799-1862)가 1861년에 보고한 질환. 자율 신경이나 호르몬의 변조(變調) 또는 알레르기 등에 의하여 평형(平衡) 장애·난청(難聽)·현기증·구역질 등을 일으킴. 내이(內耳)의 혈관 이상으로 일어난다 함.
메ᄂᆞ리 명 〈옛〉 메나리. ¶ 메ᄂᆞ리(秧歌)《漢淸文鑑 Ⅵ:61》.
메:다¹ ⊟ 자 구멍이 막히다. ¶ 목이 ～. ⊟ 타 ↗메우다¹·².
메:다² 타 ①물건을 어깨에 지다. ¶ 쌀섬을 ～/총을 ～. ②책임·임무 따위를 맡다. ¶ 중책을 양어깨에 ～.
【메고 나면 상두꾼, 들고 나면 초롱꾼】 ㉠이미 영락(零落)한 몸이 무슨 일인들 못 하겠느냐는 말. ㉡어떠한 천한 일도 부끄러워할 것이 아니며, 경우에 따라서는 무슨 일이라도 할 수 있다는 말.
메:다-꽂다 타 ↗메어다꽂다.
메:다-붙이다〔一부치一〕타 ↗메어다붙이다.
메:다-치다 타 ↗메어다치다.
메다용〔프 médaillon〕명 대형(大型)의 메달. 금·은·청동 등으로 만들어졌으며 초상(肖像)을 세공하여 공적이 있는 사람에게 수여되었음. 고대 로마에서 시작됨.
메단〔Medan〕명 『지』 인도네시아 수마트라 섬 북부의 중심 도시. 부근 일대의 담배·고무·차 등 농산물의 대집산지로 상업이 성함. 서구식(西歐式)의 아름다운 열대 도시인데 화교(華僑)도 많이 삶. 24 km 떨어진 벨라완(Belawan)에 외항(外港)이 있음. [1,379,000 명(1980)]
메달〔medal〕명 공적(功績)이나 성적(成績) 또는 기능(技能)이 우수함을 표창하거나 무슨 일을 기념하기 위하여 금·은·동·철 등을 재료로 하여 초상(肖像)·문자(文字)·회화(繪畫) 등을 새겨서 개인이나 단체에 주는 패(牌).
메달리스트〔medalist〕명 ①올림픽 경기 등에서 입상하여 메달을 탄 사람. ②골프에서, 메달 플레이(medal play)의 예선에서 가장 좋은 성적을 올린 선수.
메달 플레이〔medal play〕명 골프에서, 미리 정하여진 홀수(hole 數)의 스코어를 종합하고, 그 스트로크수(stroke 數)가 적은 사람을 승자(勝者)로 하는 경기 방식.
메-닭〔一닥〕명 〔quicken〕『조』 메추리와 닭의 잡종.
메대 명 〈심마니〉 산삼 넣는 망태기.
메대기 명 〈심마니〉 산삼 넣는 망태기.
메더워〔Medawar, Peter Brian〕명 『사람』 영국의 의학자. 런던의 유니버시티 칼리지 교수. 쥐의 배(胚)를 써서 조직 이식(組織移植)의 실험을 함으로써 후천성 면역(後天性免疫)의 내성(耐性)에 관한 버넷(Burnet, M.) 이론의 근거가 되었음. 1960년 버넷과 함께 노벨 생리 의학상을 수상함. [1915-87]
메더지 명 〈옛〉 노래의 이름. ¶ 金風憲의 메더지에 朴勸農의 되롱춤이로다《海謠》.
메데시모 템포〔이 medesimo tempo〕명 『악』 리스테소 템포(l'istesso tempo).
메데이아〔Medeia〕명 ①『신』 그리스 신화에 나오는 콜키스(Kolchis)의 왕녀. 이아손(Iason)을 도와 황금의 양털을 얻게 하고 그의 아내가 되었으나, 후에 이아손이 코린토스(Korinthos)의 왕 크레온(Kreon)의 딸과 결혼하려 하자 마법을 써서 왕과 왕녀를 죽이고 자기 아들도 죽여 남편에게 보복하였음. ② ❶을 내용으로 한 에우리피데스(Euripides)의 비극 작품. 기원전 431년에 상연되었음.
메데인〔Medellin〕명 『지』 콜롬비아 서북부 안티오키아(Antioquia) 주의 주도(州都). 해발 1,530 m의 고지에 있는, 이 나라 최대(最大)의 공업 도시이자 커피 재배의 중심지. 철강(鐵鋼)·금속 가공(金屬加工)·시멘트·제당·섬유 등의 공업이 행해짐. [1,440,000 명(1981 추계)]
메도〔MEDO〕명 〔Middle East Defence Organization의 약칭〕『정』 중동 방위 기구(中東防衛機構).
메도크〔Médoc〕명 ①『지』 프랑스 서남부, 지롱드 강(Gironde江)의 서안 지방. 세계적인 포도주 산지로 유명함. ②메도크 지방에서 나는 붉은 포도주.
메두사〔Medusa〕명 『신』 그리스 신화 중의 괴녀(怪女). 고르곤(Gorgon) 세 자매(姉妹)의 막내동생으로 뱀의 머리를 하고 보는 사람을 돌로 화하게 하였다 함. 페르세우스(Perseus)에 살해(殺害)됨.

〈메두사〉

메두사의 머리〔Medusa〕[一 / 一에一] 명 『의』 〔그 모양이 그리스 신화에 나오는 괴녀(怪女) 메두사의 머리처럼 생긴 데서 유래〕 복부(腹部)의 혈관이 청람색(靑藍色)으로 부풀어 오르면서 사행(蛇行)하는 증상. 순환 장애로 인하여 심장으로 갈 정맥의 혈액이 무리하게 복벽(腹壁)의 작은 정맥을 통하는 이상(異常) 순환을 하므로 일어남.
메두사-형【一形】〔medusa〕명 『동』 폴립형(polyp形)과 함께 세대 교번을 하는 해파리의 기본 체형(體形)의 하나. 폴립형을 거쳐 삿갓 모양으로 되어 유영(游泳) 생활과 유성(有性) 생식을 할 때의 이름. 해파리형. 수모형(水母形). *폴립형.
메드레 명 〈방〉 양동이(함경).
메들리〔medley〕명 ①↗메들리 릴레이. ②『악』 몇 개의 곡을 계속하여 연주함. 또, 그 곡. 혼합곡. 혼성가(混成歌). 접속곡(接續曲).
메들리 레이스〔medley race〕명 메들리 릴레이.
메들리 릴레이〔medley relay〕명 ①육상 경기에서, 1팀 4명의 주자(走者)가 서로 다른 거리를 달리는 릴레이. ②수영에서, 1팀 4명의 선수가 각각 다른 영법(泳法)으로 헤엄치는 혼합 릴레이. 혼합 계영(混合繼泳). 준메들리.
메디:나〔Medina〕명 『지』 사우디아라비아(Saudi Arabia) 서부에 있는 헤자즈(Hejaz) 지방의 종교 도시. 메카(Mecca)의 북쪽 340 km 지점에 있는 농업 중심지임. 마호메트의 무덤이 있는 이슬람교의 성지(聖地)로 순례자(巡禮者)가 많음. [198,000 명(1981)]
메디신 볼:〔medicine ball〕명 ①굴신(屈伸) 운동용 체조 용구의 하나. 3-7 kg의 가죽공인데 여러 가지 자세(姿勢)로 다루며, 특히 의료적(醫療的)인 효과가 큼. ②여럿이 세로 줄져 서서, 두 손으로 큰 공을 머리 위로 넘겨서 뒷사람에게 차례차례 넘겨주는 놀이.

메디아 〔Media〕 명 『역』 아시아의 서부 카스피 해(Caspi海)의 서남방에 있던 고대 왕국(古代王國). 기원전 612년에 신(新)바빌로니아와 동맹(同盟), 아시리아를 쳐서 크게 번성하였으나, 기원전 550년 페르시아의 왕 키루스(Cyrus)에 의하여 패망, 페르시아에 합병(合倂)되었음.
메디안 〔median〕 명 『수』 중앙값.
메디안테 〔이 mediante〕 명 『악』 가온음(音).
메디오스 〔MEDIOS〕 명 〔medical information online system의 약칭〕 『의』 병원(病院)에서 외래 환자(外來患者)·입원 환자의 의료비·병력 관리(病歷管理), 각종 의료 통계(統計) 분석, 의약품 재고 관리, 병상 예약(病床豫約) 업무, 원가 계산과 회계 등 관리 업무를 컴퓨터에 넣어 종합 처리하는 시스템.
메디치 〔Medici, Lorenzo〕 명 『사람』 이탈리아 문예 부흥기의 플로렌스(Florence) 통치자. 상업·금융으로 군림(君臨)한 메디치가(家)의 전성 시기를 이루었고, 학문·예술을 장려하였음. [1449–92]
메디치-가 【一家】 〔Medici〕 명 『역』 문예 부흥기에 이탈리아의 플로렌스와 토스카나(Toscana)를 지배한 부호(富豪)의 일가(一家). 13세기 말(末)부터 동방 무역(東方貿易)과 금융으로 번성하였으며 문예를 보호하고 장려하여 문예 부흥에 크게 공헌하였는데 1737년에 단절되었음. 이 집안에서 군주·교황 등이 배출됨.
메디컬 사이언스 〔medical science〕 명 의학(醫學).
메디컬 센터 〔Medical Center〕 명 국립 의료원의 전신(前身). 운크라(UNKRA)와 스칸디나비아 3국 및 한국 정부의 협력으로 1958년 11월 27일에 개원하였으며, 스칸디나비아 3국의 철수에 따라 1968년 한국 보사부(保社部)에 이관됨.
메디컬 일렉트로닉스 〔medical electronics〕 명 전자 공학의 지식을 의학 분야에 응용하는 학문. 생체(生體)의 정보 기구(情報機構)를 해명하는 기초적 문제로부터 각종 의료 전자 기기에 의한 병의 진료에 이르는 여러 가지 문제를 대상으로 함. 인공 심장·인공 심폐(心肺) 등은 이를 응용한 예임. 의용 전자 공학(醫用電子工學). 약칭:엠 이(ME).
메디테이션 〔meditation〕 명 ①명상(瞑想). ②『악』 명상적인 기분을 표현한 기악 소곡(器樂小曲).
메-딱따구리 명 『조』 청딱따구리.
메때기 명 〈방〉 『충』 메뚜기(전라).
메떠리다 타 〈방〉 밀뜨리다.
메-떡 명 메진 곡식으로 만든 떡. 경병(粳餠). ↔찰떡.
메-떨어지다 형 모양이나 몸짓이 어울리지 아니하다.
메떼기 명 〈방〉 『충』 메뚜기(전라·경상·충청·함경).
메뚱 명 〈방〉 뫼⁴(전남·경남).
메뙈기 명 〈방〉 『충』 메뚜기(전북).
메뙤기 명 〈방〉 『충』 메뚜기(강원).
메뚜기¹ 명 『충』 ①메뚜깃과에 속하는 곤충의 총칭. 부종(阜螽·蠱螽). 사종(斯螽). 송서(蚣蝑). 저계(樗鷄). 종사(螽斯·螽蟖). 책맹(蚱蜢). ②↗벼메뚜기.
【메뚜기도 유월이 한철이라】 ㉠제때를 만난 듯이 날뛰는 사람을 풍자하는 말. ㉡모든 것이 전성기(全盛期)는 매우 짧다는 말.
메뚜기² 명 탕건(宕巾)·책갑·활의 팔찌 같은 것에 달아서 물건이 벗어지지 못하도록 하는 기구. 흔히 뿔을 깎아서 만듦.
메뚜기-목 【一目】 명 『충』 〔Orthoptera〕 곤충강(昆蟲綱)에 속하는 한 목(目). 몸은 원통상으로 다소 옆으로 납작하고 앞날개는 혁질(革質)로 빳빳하며 뒷날개는 막질(膜質)인데 정지할 때는 앞날개 밑에 접어 넣음. 촉각은 대개 사상(絲狀)에 많은 마디가 있고 긴 것이 많음. 다리는 튼튼하고 길어서 보행(步行)에 알맞고 뒷다리가 굵어서 잘 뜀. 불완전 변태(不完全變態)임. 메뚜깃과·귀뚜라밋과·여칫과·사마귓과 등이 이에 속함. 직시류(直翅類).
메뚜기 볶음 명 날개와 발목을 뗀 메뚜기를 기름에 볶은 것. 진간장을 쳐서 찬으로 먹음.
메뚜기-장¹ 명 『건』 메뚜기 대가리 모양으로 끝쪽 안이 굵은 장부.
메뚜기-장² 【一醬】 명 벼메뚜기 가루를 고추장 담그듯 해서 만든 음식.
메뚜기 팔찌 명 뿔 같은 것을 깎아서 만든 메뚜기를 달아서 꽂은 활의 팔찌.
메뚜기-피 명 『식』 [*Calamagrostis arundinacea*] 볏과(科)에 속하는 다년초. 줄기는 곧고 높이 60–150 cm이며, 잎은 줄기 상부에 몇 개가 나고 긴 선형으로 폭 5–13 mm 임. 9월경에 줄기 위에 10–20 cm의 원추화수(圓錐花穗)가 나와 자색을 띤 꽃이 피는데 백색의 수염이 있음. 산·들·초원에 나며, 북반구(北半球)의 온대(溫帶)에 널리 분포함.

〈메뚜기피〉

메뚜깃-과 【一科】 명 『충』 〔Locustidae〕 메뚜기목(目)에 속(屬)하는 한 과. 복안과 세 개의 단안이 있고 그 아래에 튼튼한 입이 있으며, 촉각은 짧고 제1 복절의 양측에 청기(聽器)가 있음. 대체로 뒷다리가 발달하여 잘 뛰고 뒷다리와 날개를 마찰하여 소리를 내는 수컷도 있음. 몸빛은 초록이지만 차차 황갈색 등으로 변하는 보호색의 하나임. 유충은 불완전 변태를 하고 알로 월동함. 누리·방아깨비·벼메뚜기·삽사리·섬서구메뚜기·송장메뚜기·콩중이 등이 이에 속함. 한국·중국·일본·인도·중동 지방 등에 널리 분포함. ＊모메뚜깃과.
메뚱 명 〈방〉 뫼⁴(전라).
메뛰기 명 〈방〉 『충』 메뚜기(강원·평안).
메-뜨다 형 밉살스럽도록 동작이 느리고 둔하다.
메띠 명 〈방〉 『충』 메뚜기(경남).
메띠기 명 〈방〉 『충』 메뚜기(경기·충남·전북·경상).
메띵이 명 〈방〉 『충』 메뚜기(경남).

메러디스 〔Meredith, George〕 명 『사람』 영국의 소설가·시인. 처녀작 《골짜기의 사랑》으로 출발, 심리 소설 《에고이스트》로 문명(文名)을 떨쳤음. 난해(難解)함이 특색이나 대중에 널리 읽혔고, 이외에 변형 소네트(變形 sonnet) 시집 《근대의 사랑》 등이 있음. [1828–1909]
메러치 명 〈방〉 『어』 멸치(충남·경남).
메레시콥스키 〔Merezhkovskii, Dmitrii Sergeevich〕 명 『사람』 러시아의 시인·소설가. 제2 시집 《심볼(Symbol)》로 러시아 상징주의의 선구자가 되었음. 영육(靈肉)의 갈등에 고민하여 교회와 국가, 기독교와 이교도를 종합한 '제3 제국'의 이론을 확립하였으며 삼부작(三部作)의 장편 《신(神)들의 죽음》·《신들의 부활》·《이교도》, 평론으로 《톨스토이와 도스토옙스키》 등이 있음. [1865–1941]
메레치 명 〈방〉 『어』 멸치(경기·충남·전북·경상·강원).
메로고니 〔merogony〕 명 『생』 인공적 단성 생식의 하나. 핵을 제거한 난세포에 정자를 넣어 개체를 발생시킴. 난편 생식(卵片生殖). 동정 생식(童貞生殖).
메로빙거 왕조 【一王朝】 명 〔Merovingian dynasty〕 『역』 프랑크 왕국(Frank王國) 최초의 왕조. 프랑크족(族)의 한 부장(部長)이었던 클로비스(Clovis)가 모든 프랑크족을 통일하여 왕조를 베풀고 그의 조부의 이름인 메로베우스(Merovaeus)를 따서 '메로빙거 왕조'라 하였음. 그 후 내분(內紛)과 재상 전권(宰相專權)으로 동요하다가, 751년 페핀(Pepin)의 카롤링거(Carolinger) 왕조 건립으로 멸망하였음. [481–751]
메로에 〔Meroë〕 명 『역』 북(北)아프리카의 고대 도시. 기원전 7세기, 누비아(Nubia)를 지배한 왕국의 도읍으로 번영하였음. 유적은 수단의 하르툼(Khartoum) 북동방 150 km 지점에 있으며, 피라미드·태양신전(太陽神殿)·사자(獅子)신전 등이 남아 있음. 19세기 이래 그 일부분이 발굴되어 공예품과 메로에 문자로 된 사료(史料) 등이 출토됨.
메롱 감 〈소아〉 '그럴 줄 몰랐지' 하는 뜻으로 상대방을 놀리는 말.
메루치 명 『어』 ☞ 멸치.
메:루트 〔Meerut〕 명 『지』 인도 북부의 도시. 밀·쌀·사탕수수·유료(油料) 작물 등 농산물의 집산지. 제분(製粉)·제당·착유업(搾油業)이 행하여짐. 아소카왕(王) 시대부터의 고도(古都)로 1192년 이슬람 교도에게 정복됨. [538,000 명(1981)]
메:르-샤움 〔도 Meerschaum〕 명 담배 파이프 따위를 만드는 데 쓰는 광물(鑛物). 해포석(海泡石).
메르세다리오 산 【一山】 〔Mercedario〕 명 『지』 아르헨티나 서북부, 칠레와의 국경에 가까운 안데스 산맥의 고봉(高峰). 1934년 폴란드 등산대가 처음으로 등정하였음. [6,670 m]
메르세데스-벤츠 〔Mercedes-Benz〕 명 독일의 다이믈러벤츠(Daimler-Benz) 회사가 제작한 승용차. 고성능과 내구성(耐久性)으로 정평이 있으며 독일의 최고급 자동차로 꼽힘.
메르센 〔Mersenne, Marin〕 명 『사람』 프랑스의 물리학자·수학자. 처음 신학·철학을 연구, 후에 과학 연구로 전향함. 공기 중의 음속, 악음(樂音)의 진동수를 측정하여 음악 이론과 각종 악기를 연구함. [1588–1648]
메르센 조약 【一條約】 〔Mersen〕 명 『역』 870년 동서의 프랑크왕(Frank王)이 형(兄)인 로마 황제 로타르(Lothar)의 유령 분할(遺領分割)에 관하여 맺은 조약. 오늘날의 독불 국경(獨佛國境)의 기초가 되었음. ＊베르됭 조약.
메르시 〔프 merci〕 감 '고맙습니다'의 뜻.
메르츠 〔Merz, Alfred〕 명 『사람』 오스트리아의 해양학자. 베를린 대학 교수. 동(同)대학 부속 해양 연구소 소장. 에크만 메르츠(Ekman-Merz) 유속계(流速計)를 완성함. 대양 대순환(大洋大循環)에 깊은 관심을 가지고 남(南)대서양을 조사하였음. [1880–1925]
메르치 명 『어』 ☞ 멸치.
메르카토르 〔Mercator, Gerhardus〕 명 『사람』 플랑드르의 지리학자. 메르카토르 도법(Mercator圖法)을 창시하고, 이외에 세계 지도·지구의(地球儀)·천구의(天球儀) 등을 만들었음. [1512–94]
메르카토르 도법 【一圖法】 〔Mercator〕 〔一뻡〕 명 『지』 메르카토르가 1569년에 고안한 제도법(製圖法). 서로 직각으로 교차하는 경선(經線)과 위선(緯線)으로 되는 작은 직사각형(直四角形)이 항상 그것과 상당(相當)하는 지구상의 부분에 상사(相似)하게 경위선 간의 간격을 정하는 도법. 방위(方位)를 정확히 표시하는 장점이 있으므로 항해(航海)나 항공(航空) 지도로 널리 쓰이는데, 위도의 고저(高低)에 따라 지도상의 면적에 현격한 차이가 나는 결점이 있음. 메르카토르 사영(射影). 메르카토르 투영법(投影法).

〈메르카토르 도법〉

메르카토르 사영 【一射影】 〔Mercator〕 명 『지』 메르카토르 도법.
메르카토르 투영법 【一投影法】 〔Mercator〕 〔一뻡〕 명 『지』 메르카토르 도법.
메르캅탄 〔mercaptan〕 명 『화』 티오알코올(thioalcohol).
메르켈 촉각 세:포 【一觸覺細胞】 〔Merkel〕 명 『생』 피부 표피의 일부가 감각 신경을 풍부하게 받아 그 곳의 세포가 형태적으로도 분화하여 촉각을 맡게 된 것. 독일의 해부학자 메르켈(Melkel, F.S.;1845–1919)이 발견함.
메르쿠리 〔Mercouri, Melina〕 명 『사람』 그리스의 여배우·정치가. 1955년 영화에 데뷔, 《일요일은 참으세요》로 1960년 칸 영화제 주연 여우상을 받음. 1967년 그리스의 군정(軍政)에 반대, 망명하였다가 1974년 문민(文民) 정부가 서면서 귀국하여 정계에 투신함. 문화 과학 장관, 문화 청년 체육 장관 등을 지냄. [1925–]

메르쿠리우스〔Mercurius〕 명 『신』 로마 신화 중의 상업·웅변·사자(使者)의 신(神). 그리스의 헤르메스(Hermes)에 상당함. 영어명은 머큐리(Mercury).

〈메르쿠리우스〉

메르크말:〔도 Merkmal〕 명 기호. 표지(標識).

메르헨〔도 Märchen〕 명 『문』 설화 문학(說話文學)의 한 형태. 신화(神話)나 전설(傳說)에 대하여, 동화(童話)나 어린이들을 위한 옛이야기 같은 것을 일컫는 말.

메를로-퐁티〔Merleau-Ponty, Maurice〕 명 『사람』 프랑스의 철학가. 콜레즈 드 프랑스의 교수. 사르트르와 함께 무신론적 실존주의의 대표자임. 저서에 《지각(知覺)의 현상학(現象學)》·《언어의 현상학》 등이 있음. [1908-61]

메리-고:-라운드〔merry-go-round〕 명 목마(木馬)·자동차·비행기·결상 등의 모양으로 만든 것을 둘레에 죽 달아 붙이고 그 곳에 어린이들을 앉히어 동력(動力)으로 빙빙 돌리는 오락용의 기구. 공원·유원지 등에 설비하여 놓음. 회전 목마(回轉木馬).

메리께 명 〈방〉 머리카락(강원).

메리노〔merino〕 명 ①『동』 면양(緬羊)의 한 품종. 몸은 좀 가는 편이나 튼튼하고 굳세며 몸무게는 암컷은 45-80kg, 수컷은 60-120kg이고 털은 4-5cm 내외임. 수컷은 길고 나사 모양으로 꼬인 뿔이 있으나 암컷은 없음. 털은 짧고 가늘어 고울 뿐만 아니라 질이 매우 우수하므로 고급 직물로 쓰임. 스페인 원산(原産)인데 사육하는 산지(産地)에 따라 프랑스종·오스트레일리아종·아메리카종의 세 품종으로 구분하며 전 세계에서 사육함. ②↗메리노 나사(merino 羅紗). ③↗메리노 모사(merino 毛絲).

〈메리노❶〉

메리노 나사【—羅紗】〔merino〕 명 메리노의 털로 짠 나사. 준메리노.

메리노 모사【—毛絲】〔merino〕 명 메리노의 털로 만든 실. 준메리노.

메리메〔Mérimée, Prosper〕 명 『사람』 프랑스의 소설가. 관계(官界)에서 오랫동안 활약하였고, 독신으로 지냈음. 익명으로 장편 역사 소설 따위를 내었으나 단편에서 그 진가를 발휘함. 《콜롱바(Colomba)》·《카르멘(Carmen)》 등을 내었음. [1803-70]

메리 스튜어트〔Mary Stuart〕 명 『사람』 스코틀랜드의 여왕. 처음 프랑스의 왕비(王妃), 남편의 사후 귀국하여 친정(親政)하다가 인심 이반으로 폐위되어 영국으로 도피, 여왕 엘리자베스(Elizabeth) 1세의 암살 음모에 관련되어 19년간 감금되었다가, 처형당하였음. [1542-87]

메리야스 명〔스 medias, 포 meias〕 면사(綿絲)나 모사(毛絲)로써 신축성(伸縮性) 있고 촘촘하게 기계로 짠 직물. 또, 그렇게 짜서 만든 의류. 내의·장갑·양말 등에 이용됨.

메리야스-기【—機】 명 『기』 메리야스 제품을 짜는 기계의 총칭.

메리야스-뜨기 명 겉뜨기.

메리엄〔Merriam, Charles Edward〕 명 『사람』 미국의 정치학자. 시카고 대학 교수. 주권(主權) 이론에 사적(史的) 검토를 가하고, 정치학에서의 제과학의 종합적 활용에 의한 새 방법을 제창함. 그의 문하(門下)에서 시카고 학파라 불리는 많은 학자들이 배출, 현대 미국 정치학의 개척자가 됨. 주저에 《정치학의 새 측면》·《정치 권력론》 등이 있음. [1874-1953]

메리 위도:〔Merry Widow〕 명 『악』 레하르(Lehár) 작곡의 희가극(喜歌劇). 1905년 빈에서 초연됨. 한 미망인이 애인과 결합되기까지의 경위를 익살스러운 에피소드를 섞어서 엮은 것으로, 제1막 끝 장면의 왈츠는 특히 유명함.

메리 이:세【—二世】〔Mary Ⅱ〕 명 『사람』 영국 여왕. 제임스 2세의 딸로서 신교 교육(新教教育)을 받음. 네덜란드 통령(統領) 오렌지공(公) 윌리엄과 결혼하였으나, 명예 혁명으로 영국 국왕으로 영입(迎入)되어 남편과 공동 통치함. [1662-94; 재위 1688-94]

메리 일세【—一世】〔Mary Ⅰ〕〔—쎄〕 명 『사람』 잉글랜드의 여왕. 헨리 8세의 딸로서 열렬한 가톨릭 신자. 스페인의 펠리페(Felipe) 2세와 결혼하고 가톨릭 부활을 꾀하여 신교도(新教徒)를 박해하였기 때문에 국민의 반감을 사서 '피를 좋아하는 메리'라 불림. [1516-58; 재위 1553-58]

메리치 명 〈방〉 『어』 멸치(경기·경상·충청·강원).

메리캉 명 〈방〉 머리카락(강원).

메리-켕이 명 〈방〉 머리카락(강원).

메리 크리스마스〔Merry Christmas〕 감 '즐거운 성탄절'의 뜻으로, 축하 인사말.

메리테리움〔라 moeritherium〕 명 『동』 장비류(長鼻類)의 고생물(古生物)의 하나. 가장 오래된 원시적 포유 동물로서 코끼리의 선조라고 하나 크기는 맥(貘)이나 곰만하고 마스토돈의 이빨을 가지고 있음. 현재도 북아프리카 지방에 생존하고 있음.

메리트〔merit〕 명 ①공적. 공훈. ②『경』 가격·임금·보험료 등에 차이를 두는 일. ¶ 능력급(能力給)은 ~제 임금이다. ③『경』 사용 가치·경제 효과라는 뜻으로 상품 가치 결정의 품위(品位)를 말함.

메리트 시스템〔merit system〕 명 근무 상태·능률·능력 등을 세밀히 조사하여 봉급·상여금(賞與金) 등의 급여에 차별을 두는 제도. 능률급제(能率給制).

메리트 프로모:션 프로그램〔merit promotion program〕 명 『경』 기업체의 인사 관리 방식의 하나. 경영자에 의한 일방적 승진·전보(轉補) 발령을 지양(止揚)하고 기업체 안에 공직(空職)이 생기면 이를 공시(公示)하여 희망 종업원에게 응모시키는 방법.

메린스 명〔스 merinos; 메리노의 털로 짰다는 뜻에서 나온 말〕 얇고 보드라운 모직물(毛織物). 모슬린.

메릴랜드 주【—州】〔Maryland〕 명 『지』 미국 동해안의 한 주. 해안 평야는 비옥한 낙농 채소 산지(酪農菜蔬產地)이며, 서북부 산지의 석탄과 폭포선(瀑布線)으로 공업도 발달하고 있음. 주도(州都)는 아나폴리스(Annapolis). [25,477 km² : 4,781,468(1990)]

메:링〔Mehring, Franz〕 명 『사람』 독일의 사회주의자. 마르크스주의 이론가이며 역사가. 1891년 사회 민주당에 입당, 당 좌파에 속하여 스파르타쿠스단(團) 결성에 참여하였음. 저서에 《독일 사회 민주당사(社會民主黨史)》·《독일사》 등이 있음. [1846-1919]

메-마르다 형 르불 ①땅이 축축한 기가 없고 기름지지 아니하다. ¶ 메마른 땅. ↔걸다⁴. ②살결 등이 윤기가 없이 거칠고 보송보송하다. ¶ 메마른 피부. ③날씨가 습기가 적고 건조하다. ¶ 메마른 날씨. ④인정이 없어 정답거나 부드럽지 못하다. ¶ 감정이 ~.

메메트 알:리〔Mehmet Ali〕 명 『사람』 이집트 최후의 왕조인 메메트 알리 왕조의 시조(始祖). 나폴레옹 1세의 이집트 침입에 항전, 1805년 오스만 제국으로부터 이집트의 파샤(Pasha)로 임명되어 사실 상의 독립을 획득함. 교육·행정·군대를 서구식(西歐式)으로 개혁하고 산업을 장려하여 이집트의 근대화를 추진함. [1769-1849]

메메트 이:세【—二世】〔Mehmet Ⅱ〕 명 『사람』 오스만 제국 제7대 술탄(Sultan). 비잔틴 제국을 멸망시키고 콘스탄티노플에 천도(遷都)하고, 트레비존드(Trebizond) 제국 등을 병합하는 등, 내정면(內政面)에서 제국의 기초를 다짐. [1430-81]

메모〔memo〕 명 ①↗메모랜덤(memorandum). ②비망록을 적음. ——하다 타 여불

메모랜덤〔memorandum〕 명 ①비망록(備忘錄). 불망기(不忘記). ②각서(覺書). ③적요(摘要). 준메모.

메모리〔memory〕 명 ①기억(記憶). 기억력. ②추억(追憶). 회상(回想). ③기념(記念). 기념물.

메모리 덤프〔memory dump〕 명 『컴퓨터』 기억 장치의 내용을 보여 주기 위한 출력(出力). 주로 프로그램의 수정(修正)을 위해 16 진수로 화면이나 프린터 등에 출력하는 일을 말함.

메모리 북〔memory book〕 명 추억(追憶)이나 기념되는 일을 적거나, 그러한 그림·기사(記事) 등을 오려 붙인 책. 메모책.

메모-책【—冊】〔memo〕 명 메모리 북.

메모-판【—板】〔memo〕 명 ①전언판(傳言板). ②메모하기 위한 소형(小型) 칠판.

메무아:르〔프 mémoire〕 명 ①기념(記念). ②회상록(回想錄). 견문록.

메물 명 〈방〉 『식』 메밀(경기·강원·충청·전라·경상·평안).

메밀 명 『식』 [*Fagopyrum esculentum*] 마디풀과에 속하는 일년초. 줄기는 높이가 30-90cm로서 연하고 뱃뱃하며, 붉은 빛을 띰. 잎은 호생하고 세모꼴 심장형, 잎꼭지의 기부(基部)는 초엽(鞘葉)의 줄기를 쌈. 흰 꽃이 초가을에 총상(總狀) 화서로 모여 핌. 열매는 흑색의 뾰족하고 세모진 것이 여는데, 익으면 전분(澱粉)이 많아 가루를 내어 국수·묵 등을 만들어 먹음. 줄기는 가축의 먹이로 씀. 아시아 북중부의 원산으로, 밭에 재배하고 한재(旱災)에는 논에 심음. 시베리아·인도·동부 아시아에 분포함. 교맥(蕎麥). 목맥(木麥).

〈메밀〉

【메밀 벌 같다】 남의 뒤를 졸졸 따라다니는 자를 이름. 【메밀이 세 모라도 한 모는 쓴다더니】 신통찮은 사람도 어느 한때는 요긴하게 쓰인다는 말.

메밀 가루〔—까—〕 명 메밀 열매를 찧어서 체에 친 가루. 백면(白麵). 목말(木末).

메밀 국수 명 메밀 가루로 만든 국수. 백면(白麵).

메밀-꽃 명 ①메밀의 꽃. 교화(蕎花). ②파도가 일었을 때에 하얗게 부서지는 포말(泡沫).

메밀꽃(이) 일:다 구 ㉠메밀의 꽃이 피다. ㉡물보라가 하얗게 부서지면서 파도가 일다.

메밀 나깨〔—라—〕 명 체에 치고 난 뒤에 남는 메밀 가루의 찌끼.

메밀 나물〔—라—〕 명 어린 메밀의 잎과 줄기를 데쳐서 무친 나물.

메밀 누룩〔—루—〕 명 여뀌즙과 함께 삶은 백면(白麵)과 녹두를, 여뀌 가루·복숭아씨 등과 섞어 반죽하여 닥나무 잎에 싸서 띄운 누룩.

메밀 당수 명 메밀 가루를 물에 풀고 삶은 파의 대가리와 술찌끼 또는 막걸리를 넣고 끓여 설탕을 타서 미음같이 만든 음식. 감기에 약으로 먹음.

메밀-떡 명 메밀 가루로 만든 떡.

메밀 만두【—饅頭】 명 메밀 가루로 빚은 만두.

메밀-묵 명 메밀을 불려서 껍질을 벗기고 물을 부어 가며 매에 갈아서 체에 밭쳐 가라앉힌 뒤에 웃물을 따라 버리고 쑨 묵. 교맥유(蕎麥乳).

메밀-밥 명 메밀을 찧어서 나깨를 벗기어 버리고 지은 밥.

메밀 부침 명 메밀 가루를 반죽하여 납작납작하게 늘이어 기름에 부친 음식.

메밀 산:자【—饊子】 명 메밀 가루에 엿기름 가루를 조금 섞어 소금물에 반죽하여 넓적하게 썰어 기름에 지져 낸 뒤에 꿀이나 엿을 바르고 검은깨를 볶아서 뿌린 산자.

메밀-새 명 『광』 어떤 광석(鑛石) 속에 산화(酸化)된 다른 종류의 광물질이 메밀 모양으로 끼여 있는 작은 알.

메밀 소주【—燒酒】 명 메밀과 누룩으로 담근 술을 소주고리에 내린 소주.

메밀 수제비 명 메밀 가루를 반죽하여 끓는 장국에 숟가락 같은 것으로 뚝뚝 떠 넣어 만든 수제비. 교맥 운두병(蕎麥雲頭餠).

메밀 응이 명 메밀 가루를 국수물보다 더 되게 쑨 다음에 소금을 탄 것. 교맥 의이(蕎麥薏苡).

메밀-잠자리 명 『충』 ①된장잠자리. ②고추잠자리의 암컷을 지방에 따라 일컫는 말.

메밀 저베기 명 〈방〉 메밀 수제비(제주).

메-밥 명 멥쌀로 지은 보통 밥을 찰밥에 대하여 일컫는 말. ↔찰밥.

메-벼 명 『식』 차지지 않고 메진 벼. 갱도(秔稻). ↔찰벼.

메부수수-하다 형 여불 말과 하는 짓이 메떨어지고 시골티가 나다. 메부수수-히 부

메:-붙이다〔—부치—〕 타 ↗메어붙이다.

메브〔MeV〕 의명〔million electron volt 의 약칭〕 메가 전자(電子) 볼트의 약호(略號).

메-뽕나무 명 『식』 산뽕나무.

메밧ᄉᆞ시고 囯 〈옛〉 한쪽 어깨를 벗으시고. '메밧다'의 활용형. ¶ 올ᄒᆞᆫ 엇게 메밧ᄉᆞ시고 合掌ᄒᆞ야 부텨 向ᄒᆞᄉᆞ바《月釋 17》.

메밧다 囯 〈옛〉 한쪽 어깨를 벗다. =메왓다. ¶ 올ᄒᆞᆫ 엇게 메밧고 올ᄒᆞᆫ 무룹 수러《月釋 Ⅸ:29》.

메사 〔스 mesa〕 명 〖지〗 꼭대기가 평탄하고 주위가 급경사진 탁상 지형(卓狀地形). 곧, 대지(臺地)가 침식 작용을 받아, 저항이 강한 수평의 지층이, 밑의 저항이 약한 지층의 위에 걸쳐 올라 커다란 탁상 지형을 이룬 것.

메사구 명 〈방〉 〖어〗 메기(황해·평안).

메사비-레인지 〔Mesabi Range〕 명 〖지〗 미국 미네소타 주 슈피리어 호(Superior 湖)의 서쪽 대지(臺地)를 이루는 산지(山地). 미국 제1의 철광산이 있는데, 1887년에 발견되었으며, 적철광(赤鐵鑛)의 노천굴(露天掘)로 미국 철광의 60%를 산출함.

메서드 〔method〕 명 연구·훈련·표현 따위에 있어서의 조직적·체계적인 방법이나 방식. 메토데(Methode).

메서디스트 〔Methodist〕 명 〖기독교〗 메서디스트 교회의 신도. 곧, 감리교 교도.

메서디스트 교:회 【一教會】 〔Methodist〕 명 〖기독교〗 프로테스탄트파의 한 교파. 1729년 웨슬리(Wesley, J.) 등이 영국의 옥스퍼드(Oxford)에서 일으킨 경건주의적(敬虔主義的) 운동에서 발단하여 1795년 영국 국교회에서 분리 독립함으로써 성립됨. 감독 정치(監督政治)에 의한 교직의 순회제(巡廻制)와 교육·사회 사업에 중점을 두고, 엄격한 교리(教理)를 지킴. 감리 교회(監理教會).

메서디즘 〔Methodism〕 명 〖기독교〗 감리교.

메서-슈미트 〔Messerschmitt〕 명 독일의 항공기 제작 회사. 또, 그 회사 제품의 항공기. 대표적인 항공기로는 2차 대전 중에 활약한 Me109 및 Me262 따위가 있음.

메세 〔Messe〕 명 중세 유럽에서의 시장. 옛날에는 그리스도교(教)의 축일(祝日) 등 일정한 날에 열렸음. 상인들은 산지(産地)에서 상품을 사들여 각지의 메세에서 거래하였음. 프랑스 샹파뉴의 메세가 대표적임.

메셰드 〔Meshed〕 명 〖지〗 이란의 도시. 아프가니스탄·인도 방면의 대상로(隊商路)의 요지로, 면화·견포·양탄자·과실 등의 거래가 성하며 이슬람교의 성지로 유명함. 마슈하드(Mashhad). 〔510,000명(1972)〕

메소 기상학 【一氣象學】 명 〔mesometeorology〕 〖기상〗 〔meso는 중간의 뜻〕 뇌우(雷雨)와 집중 호우·회오리 등 비교적 좁은 범위내에서 일어나는 기상 현상을 다루는 기상학의 한 부문. 중(中)기상학.

메소머리즘 〔mesomerism〕 명 〖화〗 한 유기 화합물의 구조가 두 개 이상의 구조식으로 표시될 때의 유기 전자론적 이성(異性) 현상.

메소사우루스 〔mesosaurus〕 명 석탄기(石炭紀) 후기에서 페름기(紀) 초기에 있었던 수서(水棲) 파충류. 몸길이 약 60cm, 턱은 길며 날카로운 이가 있음. 뒷다리가 앞다리보다 크고 물갈퀴 달린 다섯 발가락이 있음. 전형적인 어룡(魚龍)과 육생(陸生) 파충류 코티로사우루스와의 중간 형태. 화석(化石)이 브라질과 남아프리카에서 발견됨.

메소-산 【一酸】 명 〔meso acid〕 〖화〗 동일 산화물에 물을 타서 세 가지 산이 생기는 경우에 염기도(塩基度)의 크기가 중간이 되는 산.

메소-아메리카 〔mesoamerica〕 명 중앙 아메리카에서, 고도의 농경 문화에 바탕을 둔 아스테카, 마야, 테오티와칸 등의 고대 문화를 구축한 문명 영역. 현재의 멕시코 중부에서 코스타리카의 일부를 포함함.

메소 저:기압 【一低氣壓】 〔meso〕 명 〖기상〗 통상(通常)의 기상도에는 나타나지 않는 소규모의 저기압. 집중 호우·뇌우 등, 국지적인 기상이 이 저기압과 관계가 있음.

메소-토륨 〔mesothorium〕 명 〖물〗 토륨 계열에 속하는 메소토륨 1($MsTh_1$)과 메소토륨 2($MsTh_2$)의 총칭. $MsTh_1$은 라듐의 동위 원소로 질량수 228, 반감기(半減期) 5.8년. 이의 β선은 에너지가 극히 적어 검출이 어려움. $MsTh_2$는 악티늄의 동위 원소로 질량수 228, β선과 함께 강한 γ선을 방사하며 라듐의 대용품으로서 의료용·발광 도료(發光塗料) 등으로 쓰임. 수명이 짧아 반감기 6.13시간임.

메소토미 〔mesotomy〕 명 〖화〗 광학 활성체의 등량(等量) 혼합물로부터 우선성(右旋性)·좌선성의 광학 활성체를 나누는 일.

메소-트론 〔mesotron〕 명 〖물〗 '메손(meson)'의 구칭.

메소포타미아 〔Mesopotamia〕 명 〖지〗 아시아의 남서부(南西部)에 있는 한 지방. 이라크의 티그리스·유프라테스 두 강의 유역(流域)이며, 이집트와 더불어 세계 최고(最古)의 문명(文明)의 발상지(發祥地)임. 기후는 대륙성으로 사막(沙漠)이 많으나 북쪽에서는 석유(石油)가 나고 남쪽은 농업이 발달하였음.

메소포타미아 문명 【一文明】 〔Mesopotamia〕 명 세계 최고(最古) 문명의 하나. 기원전 4000년경 티그리스·유프라테스 강 유역에 발생하였던 도시 문명으로, 서남(西南) 아시아 여러 문명의 원류(源流)로 간주되고 있음. 제정 일치(祭政一致)의 정치 체제였으며 도시 국가적 성격을 강하게 지니고 있었다고 추측됨. 소위 대하(大河) 문명의 하나로, 양강(兩江) 상류의 구릉(丘陵) 지대에 발원(發源)하여 하류 지방에 초기 문명이 일어나고 중류 지역에 옮겨졌다고 생각됨.

메소-형 【一型】 〔meso〕 명 〖화〗 분자 중에, 개개의 기(基)로서는 광학 활성을 생성하는 기가 있어도 그 분자 전체로서는 선광성(旋光性)을 소멸시키는 구조를 가진 이성질체(異性質體).

메소히푸스 〔mesohippus〕 명 올리고세(世) 전기의 화석마(化石馬). 이리만한 크기에 앞뒷다리에는 각각 3개의 발가락이 있음. 초식(草食) 동물이며, 빨리 달리는 능력을 갖춘 최초의 말로 생각됨. 화석은 미국의 사우스다코타와 네브래스카에서 많이 나옴.

메손 〔meson〕 명 〖물〗 중간자.

메-숲지다 형 산에 나무가 울창하다.

메스[1] 〔네 mes〕 명 ①〖의〗 수술(手術)이나 해부(解剖)를 할 적에 쓰는 작은 칼. 해부도(解剖刀). ②비상한 수단으로 사건의 진상(眞相)을 규명(糾明)하고 그 화근(禍根)을 아주 뽑아 버리는 일.

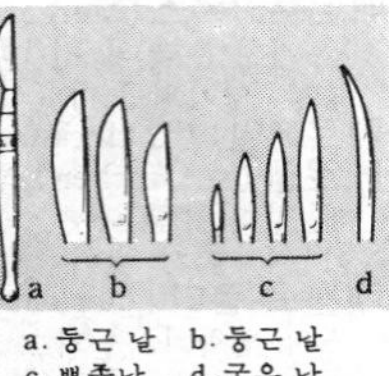

a.둥근 날 b.둥근 날 c.뾰족날 d.굽은 날 〈메스[1]❶〉

메스(를) 가하다 구 ㉠수술을 하다. ㉡어떤 잘못된 일의 뿌리를 뽑기 위하여, 가차없이 손을 대다.

메스[2] 〔Metz〕 명 〖지〗 프랑스 동북부, 모젤 강안(Mosel 江岸)의 도시. 독일과의 국경 지대에 있는 요새(要塞) 도시로, 섬유·피혁 공업이 행해짐. 13-14세기의 고딕식 성당이 있음. 독일명은 메츠. 〔114,000명(1982)〕

메스껍다 형 ㅂ불 속이 언짢아 헛구역이 나고 자꾸 토할 듯하다. > 매스껍다.

메스-대 【一臺】 〔네 mes〕 명 수술대(手術臺).

메스머 〔Mesmer, Franz〕 명 〖사람〗 오스트리아의 의학자. 동물 자기설(磁氣說)을 주장하여 일종의 암시 요법을 창시하였음. 〔1734-1815〕

메스머리즘 〔mesmerism〕 명 〖심〗 최면술. 메스머가 발표한 동물 자기설(動物磁氣說)과 그것을 근거로 한 최면 현상을 말함.

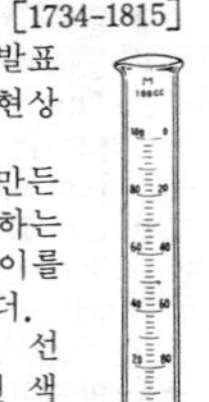

〈메스 실린더〉

메스 실린더 명 〔measuring cylinder〕 〖화〗 유리로 만든 원통형 용기(容器)에 눈금을 새긴, 액체의 부피를 측정하는 도구. 측정시에는 여기에 액체를 부은 다음 액면의 높이를 원통면에 새긴 눈금으로 읽어 부피를 잼. 메저링 실린더.

메스칼린 〔mescaline〕 명 〖화〗 알칼로이드의 한 가지. 선인장의 일종에 함유되어 있음. 마취성이 있어 중독되면 색채의 환각을 일으키고, 또한 시간 감각을 잃게 하는 작용이 있음. 〔$C_{11}H_{17}NO_3$〕

메스토 〔이 mesto〕 명 〖악〗 '슬프게'·'우울하게'의 뜻.

메스트르 〔Maistre〕 명 〖사람〗 ①〔Joseph Marie de M.〕 프랑스의 정치가·철학자. 절대주의를 지지하여 프랑스 혁명에 반대하였음. 저서에 《프랑스에 관한 고찰》 등이 있음. 〔1754-1821〕 ②〔Xavier M.〕 프랑스의 작가·군인. ❶의 아우. 프랑스 혁명에 반대, 러시아군에 투항하고 각지를 전전하는 동안에 《코카서스의 포로》 등 시정(詩情)이 넘치는 작품을 씀. 〔1763-1852〕

메스티소 〔스 mestizo〕 명 라틴 아메리카에 있어서, 스페인계의 백인과 토착(土着) 인디언과의 혼혈 인종.

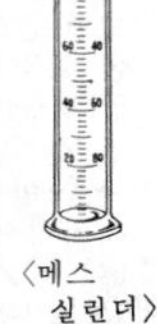

〈메스 플라스크〉

메스 플라스크 명 〔measuring flask〕 〖화〗 일정한 부피의 액체를 정확히 측정하는 화학용 체적계(體積計)의 하나. 액체를 넣고 일정한 온도에서 액면이 눈금과 일치했을 때 일정 용량이 들어간 것으로 함. 표준 용액을 만들 때 주로 사용됨. 메저링 플라스크.

메스 피펫 〔도 Messpipette〕 명 〔measuring pipet〕 액량계(液量計)의 하나. 유리 세관(細管)에 눈금을 새긴 것. 액체를 빨아 올려서 손가락으로 누르고 순간적으로 손가락을 떼어 소요량의 액체를 점적(點滴)함.

메슥-거리다 자 메스꺼운 기분이 자꾸 나다. ¶ 속이 ~. > 매슥거리다. 메슥-메슥 부. ——-하다[1] 자여불

메슥-대다 자 메슥거리다.

메슥메슥-하다[2] 형여불 자꾸 메스껍다. > 매슥매슥하다[2].

메시 〔mesh〕 ㊀명 장갑·양말 등을 만드는 망직(網織). 망(網). ㊁ 의명 ①가루의 입자의 크기를 나타내는 단위. ②체·철망 등의 코의 수효를 나타내는 단위.

메시껍다 형 ☞ 메스껍다.

메시꼽다 형 〈방〉 메스껍다.

메시나 해:협 【一海峽】 〔Messina〕 명 〖지〗 이탈리아 본토(本土)와 시칠리아(Sicilia) 섬 사이에 있어 티리니아 해(海)와 이오니아 해를 잇는 해협. 폭(幅)은 가장 좁은 곳이 약 4km, 수심(水深) 약 100m로 조류(潮流)가 셈.

메시아[1] 〔Messiah〕 명 〖기독교〗 〔기름 부음을 받은 자라는 뜻〕 ①구약 성서에서, 초인간적 예지(叡智)와 능력을 가지고 이스라엘을 통치하는 왕자(王者). ②신약 성서에서, 이 세상에 태어난 예수 그리스도. 구세주(救世主). *예수·구주(救主).

메시아[2] 〔Messiah, The〕 명 〖악〗 1741년 헨델이 작곡한 성담곡(聖譚曲). 그리스도의 강탄·수난·부활의 3부 53장으로 되어 있음.

메시아니즘 〔Messianism〕 명 〖종〗 악(惡)과 불행에 찬 오늘날의 세계를 멸망시키고 정의와 행복을 약속하는 새로운 질서를 가져올 구세주가 나타날 것으로 믿는 종교적 신앙. 뒤에 종말론(終末論)과 결부하여 정의·평화·우애 등을 실현시키는 지상의 '하느님의 나라'가 이루어질 것으로 믿는 사상으로 발전됨. 메시아 사상(思想).

메시아 사:상 【一思想】 명 〔Messianism〕 〖종〗 메시아니즘.

메시앙 〔Messiaen, Olivier〕 명 〖사람〗 프랑스의 작곡가. 1931년부터 파리의 성트리니테(聖 Trinité) 성당의 오르간 주자를 지냄. 작품으로 관현악 《그리스도의 승천》·《세상의 종말을 위한 4중주곡》 등이 있음. 〔1908-92〕

메시에 〔Messier, Charles〕 명 〖사람〗 프랑스의 천문학자. 21개의 혜성을 발견함. 1784년 103개의 성운(星雲)·성단(星團)을 포함한 목록(目錄)을 발표, 그 번호는 '메시에 번호'라고 하여 머리 글자 M을 붙여 현재도 사용되고 있음. 〔1730-1817〕

메시지 〔message〕 명 ①전언(傳言). 통고(通告). 메신저에 의하여 전해지는 것을 원칙으로 함. ②자기의 의견이나 태도를 신문·잡지·라디오 등의 대중 전달 수단을 통하여 밝히는 성명(聲明). ③미국에서 대통령이 의회(議會)나 일반 국민에게 보내는 교서(教書).

메신저 〔messenger〕 명 메시지를 전달하는 사자(使者). 심부름꾼.

메신저 보이〔messenger boy〕명 통지(通知)를 전달하거나 상품(商品) 등을 배달하는 것을 업으로 삼는 소년.

메신저 아:르 엔 에이【—RNA】명〔messenger-RNA〕〖생〗전령 아르 엔 에이(傳令RNA).

메-쌀 명 ①제사에 쓸 메를 짓는 쌀. ②〈방〉멥쌀(경기·전남·경남).

메아돔 타〈옛〉멤. 한쪽 어깨를 벗음. '메왓다'의 명사형. ¶ 祖은 엇게 메아돔이오《內訓 I:59》.

메아리 명 골짜기나 산에서 소리를 지르면 잠시 후에 되울려 나는 소리. *산울림.

메아리 치다 구 ㉠소리가 메아리를 이루어 점점 멀어져 가다. ㉡소리가 물체에 반향(反響)하여 메아리를 이루어 되돌아오다.

메어기 명〈방〉〖어〗메기.

메어-꽂다 타 어깨 너머로 휘둘러서 바닥에 내리 꽂다. ¶ 까부는 놈을 번쩍 들어 ~. 준메꽂다.

메어다-꽂다 타 메어꽂다. 준메다꽂다.

메어다-붙이다 [—부치—] 타 메어붙이다. 준메다붙이다.

메어다-치다 타 메어치다. 준메다치다.

메어-붙이다 [—부치—] 타 어깨 위로 휘둘러 바닥에 내리부딪치게 하다. 준메붙이다.

메어-치다 타 어깨 너머로 휘둘러서 바닥으로 힘있게 내리치다. ¶ 상대를 마룻바닥에 ~. 준메치다.

메에 명〈방〉멍에(경북).

메엠 명〈방〉마음(경북).

메엥 명〈방〉무명¹(경남).

메역 명〈방〉미역²(경남).

메역순-나무 명〖식〗[*Tripterygium regelii*] 노박덩굴과에 속하는 낙엽 활엽 만목(蔓木). 잎은 호생하고 달걀꼴 또는 넓은 타원형이며, 길이 10cm 내외임. 7-8월에 녹백색의 작은 오판화가 원추(圓錐) 화서로 액생 또는 정생하며, 길이 15mm의 시과(翅果)는 배낭(胚囊) 모양의 날개가 있고 가을에 익음. 깊은 산에 나는데 황해도를 제외한 한국 각지 및 일본·대만·만주·중국에 분포함.

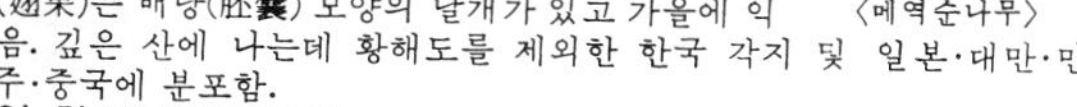

〈메역순나무〉

메역-취 명〖식〗미역취.

메영 명〈방〉무명¹(경남).

메예〔Meillet, Antoine〕명〖사람〗프랑스의 언어학자. 비교 언어학을 연구, 음운(音韻) 변화의 사회적·심리적 요인(要因) 등을 고찰하였음. 주저 《인구어 비교 문법 서설(印歐語比較文法序說)》.[1866-1936]

메오 타〈옛〉메고. '메다'의 활용형. ¶ 오놀도 다 새거다 호믜 메오 가쟈스라《古時調》.

메-오랑캐 명〖식〗메제비꽃.

메오이고 구〈옛〉메고 이고. ¶ 새원 원쥐되여 되롱삿갓 메오 이고《古時調 鄭澈》.

메온〔그 mēon〕명〖철〗〔비유(非有)·비존재(非存在)의 뜻〕주관에 따라 여러 가지 의미를 가지나 플라톤에 의하면 참 실재(實在)인 이데아에 대(對)하는 것이라 하고 공간(空間)으로 해석하였음. 아리스토텔레스는 형상(形相)을 실현시키는 매개(媒介)이며 자료(資料)라고 하였음.

메왓다 타〈옛〉어깨를 벗다. =메밧다. ¶ 즉재 座로서 니르샤 올훈 엇게 메와스시고(卽從座起偏袒右肩)《妙蓮 Ⅶ:43》.

메우 부〈방〉매우(제주).

메우다¹ 타 구멍이나 빈 곳을 채워서 메게 하다. ¶ 웅덩이를 ~/적자를 ~. 준메다.

메우다² 타 ①통 같은 것에 테를 끼우다. ¶ 테를 ~. ②쳇바퀴에 쳇불을 맞추어 끼우다. ③북통에 가죽을 씌워 북을 만들다. ④마소의 목에 멍에를 얹어서 매다. ⑤활에 활시위를 얹다. ¶ 활시위를 ~. 1)-5): 준메다.

메욱 명〈옛〉미역. =메육. ¶ 이바 自藿 메욱덜아《永言》.

메움 명〈옛〉짐. ¶ 두메움을 기려다가(打將兩擔來)《朴解》.

메웁다 형〈방〉맵다¹(전남).

메유기 명〈옛〉메기. ¶ 메유기 뎜(鮎), 메유기 언(鰋)《字會 上21》.

메육 명〈옛〉미역. =메욱. ¶ 海菜 卽 本國鄉名 메육《吏文輯覽 Ⅱ:3》.

메이 명〈방〉모이(경기·황해).

메이다¹ 자〈방〉메다¹.

메이다² 타〈방〉메우다¹(전라).

메이다³ 사동 체나 통이나 북통 같은 것을 메우도록 하다.

메이 데이〔May Day〕명 ①옛적부터 서양에서 봄을 맞이한 5월 1일에 베풀던 오월제(五月祭). 고대 로마의 '꽃의 신(神)'인 플로라(Flora)의 축일(祝日)로서 유럽 각 나라에서는 이 날 오월의 여왕(女王)을 뽑아 왕관을 씌워 주고 춤과 노래로써 하루를 즐김. 오월제. ②매년 5월 1일에 베푸는 국제적 노동절. 1886년 5월 1일 미국의 전노동 단체가 8시간 노동을 슬로건으로 시위 운동(示威運動)을 일으킨 데서 비롯함. 1889년 파리에서 열린 제2 인터내셔널(International) 창립 대회에서 이 날을 노동자의 국제적 축일(祝日)로 정하였음. *노동제·노동절(勞動節).

메이드〔maid〕명 ①소녀. 아가씨. 처녀. ②여자 하인. 하녀(下女).

메이드 인〔made in〕관 나라 이름 앞에 붙어 그 나라의 제품임을 나타내는 말. ¶ ~ 코리아/~ 유 에스 에이.

메이스〔Mace〕명〔Mace TM-76 A〕〖군〗미국 공군의 핵탄두 중거리 전술용(戰術用) 지대지(地對地) 유도 순항(誘導巡航) 미사일. 제트 추진으로 대기권(大氣圈)을 나는 유익 무인기(有翼無人機).

메이스필:드〔Masefield, John〕명〖사람〗영국의 시인·극작가. 희곡 《난(Nan)의 비극》·《바다의 화가》로 이름을 얻고, 설화체의 시 《영원의 자비》 등의 작품을 발표하여, 1930년에 계관 시인(桂冠詩人)이 됨. [1878-1967]

메이슨〔Mason, James〕명〖사람〗영국의 배우. 케임브리지 대학을 나와 1933년 런던에서 연극 배우로 출발, 1935년 영화로 전향하여 개성이 강한 성격 배우로서 《방해자는 죽여라》 등에 출연. 전후에는 미국의 할리우드에서도 활약함. [1909-84]

메이시 백화점【—百貨店】〔Macy〕명 미국 뉴욕의 대표적 백화점. 현금 박리주의와 적극적 선전으로 발전, 전국에 80여 개 점포를 가짐.

메이어¹〔Mayer, Maria Goeppert〕명〖사람〗☞마이어².

메이어²〔Meir, Golda〕명〖사람〗이스라엘의 여류 정치가. 러시아의 키에프에서 출생하여, 미국의 밀워키 사범 학교를 졸업했음. 1948년에 주(駐)소 공사(公使), 1949년 국민 보건상, 1963년 이스라엘 노동당수(勞動黨首), 1967-74 수상을 지냄. [1898-1978]

메이예르홀트〔Meierkhol'd, Vsevolod Emil'evich〕명〖사람〗소련의 연출가. 1898년 모스크바 예술 극단의 창단에 배우로서 참여하였다가 탈퇴, 각지에서 실험 연극(實驗演劇)을 시도하여 연출가로서 주목을 끎. 10월 혁명 후에는 혁명 연극에 앞장섬. [1874-1942]

메이예르홀트-주의【—主義】[—/—이]〔Meierkhol'd〕명 소련의 연출가 메이에르홀트가 주창한 연극 상의 주장. 1920년대의 전위적 주장의 하나로 연극을 다시금 참된 연극으로 만들겠다는 주장임.

메이요〔Mayo, George Elton〕명〖사람〗미국의 산업 심리학자. 오스트레일리아 태생. 1929년 하버드 대학 교수. 호손(Hawthorne) 실험을 통하여 인간 관계론(人間關係論)을 제창, 경영학에 새 분야를 개척함. 주저 《산업 문명의 사회 문제》. [1880-1949]

메이저¹〔maser〕명〔microwave amplification by stimulated emission of radiation의 약칭〕물질과 전자파(電磁波)의 상호 작용에 의한 유도 방출(誘導放出)을 이용하여 마이크로파(波)의 증폭(增幅)·발진(發振)을 일으키는 장치. 저잡음(低雜音) 마이크로파 증폭기이므로 전파 천문학, 인공 위성에 의한 통신, 초(超)원거리 레이더 등에 응용됨. 분자 증폭기(分子增幅器).

메이저²〔major〕명 ①〖군〗육군 소령. ②〖악〗장조(長調). 장음계.

메이저 리:그〔Major League〕명 미국의 최상위 직업 야구단(野球團) 연맹. 내셔널 리그와 아메리칸 리그의 이대(二大) 리그로 나뉨. *내셔널 리그·아메리칸 리그.

메이저 파울〔major foul〕명 수구(水球)에서, 상대방 선수를 때리거나 차거나 또는 볼을 갖지 않은 상대를 물 속에 끌어 넣거나 자유투(自由投)를 방해하는 등의 반칙. 반칙자는 1분간 퇴장당하게 되며, 상대방 선수에게는 자유투가 주어짐.

메이지 유신【—維新】〔일 明治：めいじ〕명〖역〗19세기 후반의 일본에서 에도 막부(江戶幕府) 체제가 붕괴(崩壞)하고 메이지 신정부(明治新政府)가 형성되어 간 일련의 근대 통일 국가 형성으로의 정치 개혁 과정의 일컬음. 명치(明治) 유신.

메이커〔maker〕명 제작자(製作者). 특히, 유명한 제품의 제조업자(製造業者). ¶ 일류 ~.

메이커-품【—品】〔maker〕명 대(大)메이커 또는 유명 메이커의 제품.

메이컨〔Macon〕명〖지〗미국 조지아 주 중앙부의 폭포선 도시(瀑布線都市). 면방적업(綿紡績業)이 성함. [116,000명(1980)]

메이 퀸:〔May queen〕명 5월의 여왕(女王). 5월 1일의 축제(祝祭)에서 여왕으로 뽑힌 처녀. *오월제(五月祭).

메이크-업〔make-up〕명 ①화장하는 일. 특히, 배우(俳優)가 출연할 때에 화장 또는 분장(扮裝)하는 일. ②화장품. 분장품. ③무슨 일의 끝맺음. 조직(組織). ④〖인쇄〗조판(組版). 조판물.

메이크업 아:티스트〔make-up artist〕명 직업적인 화장술(化粧術) 전문가. 연극이나 영화 촬영을 위하여 배우·모델의 화장이나 정발(整髮)을 담당하는 사람.

메이트〔mate〕명 ①친구. 동료(同僚). ¶ 클래스 ~. ②짝. 배우자의 한 편.

메이틀런드〔Maitland, Frederic William〕명〖사람〗영국의 법제사가(法制史家). 케임브리지 대학 교수. 영국 법제사의 사료(史料)를 편찬, 또 게르만 학파의 입장에서 영국 봉건 사회 성립에 관한 고전 학설을 확립하였음. 주저(主著)에 《영국 중세 법제사》·《영국 헌정사(憲政史)》 등이 있음. [1850-1906]

메이-파쯔〔중 沒法子〕명 방법이 없음. 어찌 할 도리가 없음.

메이-폴:〔Maypole〕명 서양에서, 메이 데이(May Day)에 광장에 세우고 꽃·리본 따위로 장식하는 기둥. 그 주위에서 춤을 추며 즐김.

메이-플라워〔Mayflower〕명 영국·미국에서, 5월에 피는 여러 가지 꽃을 통틀어 이르는 말.

메이플라워 콤팩트〔Mayflower Compact〕명 1620년 11월 11일 메이플라워호의 승선자 중의 성인(成人) 남자에 의해 상륙 전에 배 위에서 맺어진 계약. 필그림 파더스는 하나의 정치 단체를 형성하며, 다수의 의견에 좇을 것을 약속한 것으로 지방 자치의 한 전형이 됨.

메이플라워-호【—號】〔Mayflower〕명〖역〗1620년 영국에서 미국으로 간 첫 이민 필그림 파더스(Pilgrim Fathers)가 타고 간 배의 이름. 180톤짜리 범선임.

메인〔Maine, Henry James Sumner〕명〖사람〗영국의 법학자. 문명의 발달 과정을 '신분(身分)에서 계약(契約)'에로의 추이로 설명하였음. 현대 비교 법학·역사 법학의 원로(元老)임. [1822-88]

메인 로:드〔main road〕명 본도(本道). 간선 도로(幹線道路).

메인-마스트〔mainmast〕명 함선의 제일 큰 돛대.

메인 빌딩〔main building〕명 본관(本館).

메인 샤프트〔main shaft〕명 주축(主軸).

메인-세일〔mainsail〕명〖해〗메인슬.

메인 스타디움〔main stadium〕명 계단식의 관람석이 주위를 둘러싸고 있는 큰 주요 경기장(競技場).

메인 스탠드〔main stand〕명 특별 관람석. 경기장의 정면에 있는 관람석.

메인 스테이지〔main stage〕명 본(本)무대.

메인 스트리:트〔Main Street〕명 ①〖책〗미국의 작가 싱클레어 루이스(Sinclair Lewis)가 1920년에 발표한 소설. 의사의 아내인 이상주의

자 캐럴(Caral)이 거리를 미화하고자 하였으나 도시의 퇴영적(退嬰的) 인 분위기로 인하여 꿈이 깨어진다는 이야기. ②주요(主要) 거리. 중심가.
메인-슬 [mainsail] 명 『해』 주범(主帆). 메인세일.
메인 이벤트 [main event] 명 프로그램 중, 제일 중요한 것. 특히, 권투·레슬링에서, 최종적인 제일 주요한 경기.
메인 주 【一州】 [Maine] 명 『지』 미국 동북단의 주. 애팔래치아 산맥의 연장부에 있어 산지(山地)와 구릉(丘陵)·빙하호(氷河湖)가 많음. 감자가 주요 농산물이며, 양계가 성하고 풍부한 수력과 산림을 바탕으로 펄프·제재·제지·통조림·피혁·섬유 등의 공업이 발달함. 주도(州都)는 오거스타(Augusta). [80,277 km² : 1,227,928 명(1990)]
메인 타이틀 [main title] 명 ①영화의 첫머리 부분에서 제명(題名) 등을 나타내는 자막(字幕). ②주된 표제(標題). ↔서브 타이틀.
메인 테이블 [main table] 명 ①회의의 의장석. ②연회·파티의 주빈 식탁(主賓食卓).
메인 폴 [main pole] 명 경기장 등의 깃대에서 가장 높은 주된 깃대.
메인 프레임 컴퓨:터 [main frame computer] 명 『컴퓨터』 대형 컴퓨터.
메일[1] 명 〈방〉 명일(名日)(황해).
메일[2] [mail] 명 ①우편. 우편물. ②『컴퓨터』 전자 우편❷.
메일 데이 [mail day] 명 우편 일수(郵便日數). 국제 간의 우편 일수는 항공편을 기준으로 하여 계산하나, 상당한 일수를 요하게 되므로 이자(利子)의 계산 등에 있어 중요한 요소가 됨.
메일러 [Mailer, Norman Kingsley] 명 『사람』 미국의 소설가. 태평양 전쟁의 체험을 바탕으로 한 《나자(裸者)와 사자(死者)》로 일약 유명해지고, 이 외에 《바버리 쇼어(Barbery shore)》·《사슴의 동산》·《아메리카의 꿈》 등을 발표함. [1923-]
메일 슈:트 [mail chute] 명 『건』 고층 건물의 각 층에서 아래층으로 우편물을 내려보내도록 설비한 상하층(上下層) 연결관(管).
메일 크레디트 [mail credit] 명 『경』 수출 어음을 사들인 은행이, 이 어음을 담보(擔保)로 하여, 어음 지급지의 은행으로부터 어음 우송(郵送) 기간 중 자금의 융통을 받는 일.
메예다 사동 〈옛〉 메게 하다. ¶ 네 ᄒᆞᆯ 메윤 寶車와 《釋譜 XIII:19》.
메-잡이 명 대장간 등에서, 메질을 주로 하는 사람.
메저 [measure] 명 ①도량형기(度量衡器). ②『악』 소절(小節) 또는 박자(拍子). ③『인쇄』 페이지(page)의 넓이.
메저링 실린더 [measuring cylinder] 명 메스 실린더.
메저링 플라스크 [measuring flask] 명 메스 플라스크.
메-제비꽃 명 『식』 [*Viola selkirkii*] 제비꽃과에 속하는 다년초. 무경성(無莖性)이며 높이 6 cm 내외임. 잎은 소수로 뿌리에서 총생(叢生)하고 장병(長柄)에 둥근 달걀꼴임. 4-5월에 잎 사이로부터 여러 줄기의 가는 꽃줄기가 나와 줄기 끝에 좌우 상칭(左右相稱)의 한 송이의 자색 꽃이 피며, 과실은 삭과(蒴果)임. 산지의 숲 밑에 나는데, 거의 한국 각지에 분포함. 메오랑캐.
〈메제비꽃〉
메-조[1] 명 차지지 아니하고 메진 조. 알이 굵고 빛이 노르며 끈기가 적음. 경속(粳粟). 황량(黃粱). 황량미(黃粱米). ↔차조.
메조[2] 명 〈방〉 메주(경남).
메조[3] [이 mezzo] 명 『악』 '거의·약간'의 뜻.
메조네트식 아파:트 【一式一】 [프 maisonnette, 영 apartment] 명 『건』 두 층을 한 가구가 쓰게 된 연립 주택. 4 층이면 두 가구, 6 층이면 세 가구가 살게 됨.
메조릴리에보 [이 mezzo-rilievo] 명 『미술』 반양각(半陽刻).
메조소프라노 [이 mezzo-soprano] 명 『악』 ① 가장 높은 음부(音部)보다 좀 낮은 여자의 성음(聲音). 곧, 소프라노와 알토(alto)와의 중간 음역(音域). 버금막청. ②메조소프라노의 여자 가수(歌手).

〈메조소프라노❶〉

메조스타카토 [이 mezzo-staccato] 명 『악』 스타카토와 슬러(slur)를 병용하는 일. 음표 본래의 길이의 반(半)에 점을 붙인 길이로 짧게 연주하고 나머지는 쉬는 일. 또, 그것을 나타내는 기호.
메조틴트 [mezzotint] 명 동판화(銅板畫) 기법의 하나. 동판의 전면(全面)에 미리 가늘게 교차하는 선을 새기어 넣고, 그 선을 메우거나 깎거나 하여 명부(明部)를 나타내어 가는 방법임. 명암의 미묘한 해조(諧調)가 이루어지고, 중간조(中間調)의 표현이 가능한 것이 특색임.
메조 포:르테 [이 mezzo forte] 명 『악』 '(포르테보다 약하되) 좀 강하게'의 뜻. 약호: mf.
메조 피아노 [이 mezzo piano] 명 『악』 '(피아노보다 강하되) 조금 약하게'의 뜻. 기호: mp.
메-좁쌀 명 메진 좁쌀. 메조를 찧은 쌀. ↔차좁쌀. *메조.
메종 [프 maison] 명 집. 주택.
메주 명 무르게 삶은 콩을 찧어, 뭉쳐서 띄워 말린 것. 간장·된장·고추장을 담그는 원료임. 훈조(燻造).
메주-말 명 찧은 메주를 일정한 크기로 찍어 내는 나무틀.
메주-볼 명 살이 많이 쪄서 축 늘어진 볼.
메주볼(이) 지다 구 살찐 볼이 축 늘어지다.
메주-콩 명 메주를 쑤는 콩. 흰콩을 씀. 훈조태(燻造太).
메줏-덩이 명 덩이로 지어 놓은 메주.
메줏-물 명 메주콩을 삶아 건져 내고 남은 물.
메쥐 명 〈방〉 메주(함경).
메지[1] 명 일의 한 가지 한 가지가 끝나는 단락(段落).
메지(가) 나다 구 한 가지 일의 단락이 나다.
메지(를) 내:다 구 한 가지 일을 끝내다.
메지(를) 짓:다 구 일의 한 단락을 짓다.
메지[2] [일 目地:めじ] 명 『건』 '줄눈'의 구용어.
메-지다 형 끈기가 적다. 차지지 않다. ↔차지다.
메지-대다 타 한 가지 일을 끝내 치우다.
메지-메지 부 여러 몫으로 따로따로 나누는 모양. ¶ 서울 갈 물건을 ~ 나눠서 싸놓으라고 감사의 분부가 내리어서…《洪命憙 : 林巨正》. 〉매지매지.
메-질 명 메로 물건을 치는 것. ——-하다 자타 여불
메짐-성 【一性】 [一썽] 명 『물』 취성(脆性).
메차 보:체 [이 mezza voce] 명 『악』 소토 보체(sotto voce).
메-찰떡 명 찹쌀과 멥쌀을 섞어서 만든 떡. 반나병(半糯餠).
메챙제 [Metzinger, Jean] 명 『사람』 프랑스의 화가·이론가. 신(新)인상주의·포비즘(fauvisme)을 거쳐 큐비즘에 동조하여 글레즈(Gleizes) 등과 함께 섹숑 도르(Section d'or)를 설립함. 《큐비즘에 관하여》를 글레즈와 공저(共著)하고, 아카데미 드 라 팔레트(Académie de la palette)에서 교편을 잡는 등 이론적인 면에서도 활약함. [1883-1956]
메초라기 명 〈방〉 『조』 메추라기.
메초래기 명 〈방〉 『조』 메추라기(경북).
메초리 명 〈방〉 『조』 메추라기(충북·전라·경상).
메추 [Metsu, Gabriel] 명 『사람』 네덜란드의 화가. 두(Dou, G.)에 사사(師事)하여 라이덴·암스테르담에서 활약함. 시민 계급의 안정된 생활 정경(情景)을 친밀감을 가지고 차분히 그림. 대표작 《암스테르담의 야채 시장》. [1629?-67]
메추라기 명 『조』 [*Coturnix coturnix japonica*] 꿩과에 속하는 새. 날개 길이 9-10 cm이고, 몸빛은 황갈색에 갈색과 흑색의 가는 반문이 있는데 목 부분이 수컷은 붉은 밤색, 암컷은 갈색을 띤 황백색임. 몸은 병아리 비슷한데 꽁지가 짧음. 10-11월에 벼논·풀밭 등에 떼지어 서식하고 여름에 높은 산의 숲 속에 7-12개의 알을 낳음. 알은 직경 26-32 mm이고, 담황회색에 갈색 무늬가 있음. '찌이찌르르'하고 날카롭게 욺. 유럽·아프리카·인도·시베리아·동부 아시아에 분포함. 근래의 개량 품종은 한 해에 100-300개의 알을 낳아 난용(卵用)으로 사육하기도 함. 뫼추리. 준메추리.

〈메추라기〉

메추라기-도요 명 『조』 ①[*Calidris acuminata*] 도욧과에 속하는 새. 날개 길이 135 mm 가량이고, 머리는 금적색(金赤色)에 흑색 가로 무늬가 있음. 배면(背面)은 흑갈색이고 깃의 가장자리는 회갈색이며, 몸의 하면(下面)은 백색인데, 가슴은 회황색을 띰. 동북 아시아에서 번식하고, 한국·일본·중국·필리핀·오스트레일리아·태평양의 여러 섬에서 월동함. 전휼(田鷸). 준메추리도요. ②꺅도요.
메추라기-찜 명 다져 갖은 양념을 한 쇠고기를 메추라기의 몸통 속에 넣어 찐 요리.
메추래기 명 〈방〉 『조』 메추라기(충북).
메추리 명 『조』 ↗메추라기.
메추리-강도래 【一江一】 명 『충』 [*Rhabdiopteryx nohirae*] 메추리강도랫과에 속하는 곤충. 강도래와 비슷한데, 몸길이 8-10 mm, 앞날개 9-11 mm이고, 몸빛은 대체로 황갈색이며 복부 배상(背上)에 8개의 암갈색의 줄무늬가 있음. 날개는 반투명 회색이며, 앞날개의 중앙에 무색(無色)의 가로띠가 있음. 성충은 은행나무·복숭아나무의 꽃눈의 해충임. 한국·일본에 분포함.

〈메추리강도래〉

메추리강도랫-과 【一江一科】 명 『충』 [Taeniopterigidae] 강도래목(目)에 속하는 한 과. *강도랫과.
메추리 구이 명 메추라기 고기를 양념하여 구운 음식.
메추리-노린재 명 『충』 [*Aelia fieberi*] 노린잿과에 속하는 곤충. 몸길이 9 mm 내외이고, 몸빛은 담황갈색에 담흑색 세로무늬가 있으며, 두부 측연과 중앙의 두 개의 띠무늬는 담흑색이고, 전흉배의 측연은 황백색이며, 중앙에는 두부에서 연속되는 흑조(黑條)가 있음. 복부 각절 중앙의 2절은 흑색임. 머리의 끝은 조금 뾰족하고 밑으로 구부러졌으며, 입은 긴 관(管)으로 되어 있어 평상시에 아래쪽에 거두어 넣음. 촉각은 5절이고 복안 외에 두 개의 단안이 있고 악취(惡臭)를 발함. 벼의 해충이며 한국 및 일본에 분포함.
메추리-도요 명 『조』 ↗메추라기도요.
메추리 저:냐 명 메추리 고기를 저미거나 난도질하여 소금을 치고 주물러서 밀가루와 달걀을 씌워 지진 저냐.
메츠 [Metz] 명 『지』 '메스'의 독일어 이름.
메:-치기 명 유도에서, 상대를 메치는 기술. 무릎대돌리기·허리채기·허리후리기·업어떨어치기 등이 있음. ↔굳히기.
메치니코프 [Mechnikov, Il'ya Il'ich] 명 『사람』 러시아 출생의 프랑스 생리학자·세균학자. Elie Metchnikoff로도 씀. 백혈구(白血球)의 식균(食菌) 작용을 밝혔으며, 노쇠는 장(腸)의 독소에 의한 중독(中毒)으로 생각하였음. 1908년 노벨 생리 의학상을 받음. [1845-1916]
메:-치다 타 ↗메어치다.
메치러기 명 〈방〉 『조』 메추라기(경기·전남).
메칠 명 〈방〉 며칠(평안).
메카 [Mecca] 명 ①『지』 사우디아라비아 남서부의 도시. 이슬람교의 교조 마호메트의 탄생지로, 이슬람교도가 특히 신성시하는 곳. 매년 수십만의 순례자가 다녀감. [750,000 명(1980 추계)] ②정신적

바탕이 되는 곳. ③문화·문명의 중심지로서, 동경하는 땅이나 장소.

메카다 타 〈방〉 메우다¹(경남).

메캐 명 〈방〉 〖식〗 목화(木花)(평북).

메커니즘 〔mechanism〕 명 ①기구(機構). 기계 장치. ②〖문〗 작품의 질적 내용을 지탱하는 기교(技巧) 또는 수법(手法). ③〖철〗 목적론(目的論)에 대한 기계론(機械論). ④〖심〗 어떤 행위를 성취시키는 의식적 또는 무의식적 심리 과정. 정신 분석학에서는 무의식적 방호 수단(防護手段).

메커니컬 〔mechanical〕 명 기계적(機械的)임. ——-하다 형여불 기계적인 특성이 있다.

메커니컬 실: 〔mechanical seal〕 명 회전축의 패킹(packing) 장치의 하나. 고정환(固定環)과 회전환(回轉環)의 접촉 작용으로 새는 것을 막음. 기밀(氣密)과 수밀(水密)이 거의 완전함. 근년에는 펌프·송풍기 등에 보통 패킹 대신 널리 쓰임.

메커니컬 오:토메이션 〔mechanical automation〕 명 기계 가공·조립(組立) 작업 따위 공정(工程)의 자동화. 미국의 자동차 공업의 대량 연속 생산 방식에서 비롯됨. *오토메이션.

메커니컬 펄프 〔mechanical pulp〕 명 기계 펄프.

메커닉 〔mechanic〕 명 ①기계적(機械的)임. ②직공(職工). 기계공(機械工).

메커리 명 〈방〉 미투리(함경·평북).

메커 버:너 〔Meker burner〕 명 〔발명자인 20세기의 화학자 메커(Meker, George)의 이름에서〕 분젠 버너(Bunsen burner)의 불구멍에 두꺼운 쇠그물을 붙여 만든 버너. 보다 고온(高溫)을 얻을 수 있음.

메커트로닉스 〔mechatronics〕 명 〖공〗 기계 공학(機械工學)과 전자(電子) 공학을 연결시킨 산업(產業) 분야. 카메라·시계·금전 등록기 등의 전자화(電子化), 전자 제어(制御) 장치에 의한 자동차 엔진·가전(家電) 제품의 전자화 등이 이에 속함.

메케-하다 형여불 연기 냄새나 곰팡내가 나다. >매캐하다.

메콩 강 【—江】 〔Mekong〕 명 〖지〗 인도차이나 반도를 흐르는 동남 아시아 제일의 큰 강. 티베트 고원(高原)에서 발원하여 북쪽 미얀마와 라오스·타이의 국경 및 캄보디아·베트남을 거쳐 남중국해로 들어감. 하구에 있는 메콩 델타는 세계 굴지의 쌀 생산지임. [4,200 km]

메콩 델타 〔Mekong Delta〕 명 〖지〗 인도차이나 반도, 메콩 강 하류에 펼쳐지는 삼각주. 남베트남·캄보디아 일대에 펼쳐짐. 매년 우계(雨季)에는 메콩 강의 증수(增水)와 함께 물은 하안(河岸)으로 넘쳐, 일대는 소택(沼澤)을 이룸. 범람에 적응하여 여러 가지 벼가 재배되며 세계적인 쌀 생산지임.

메쿠다 타 〈방〉 메우다¹(경남).

메크네스 〔Meknes〕 명 〖지〗 모로코 서북부의 도시. 농업 지대의 중심이며 상업·교통의 요지. 농산물 가공·융단 제조가 성함. 술탄(Sultan)의 왕궁이 있음. [244,520 명(1977 추계)]

메클렌부르크 〔Mecklenburg〕 명 〖지〗 독일의 북동부, 발트(Balt) 해에 면한 옛 지방명(地方名). 현 로스토크(Rostock)·슈베린(Schwerin)·노이스트렐리츠(Neustrelitz) 등지가 있는 지방으로, 호소(湖沼)가 많음. 해안에서는 어업, 내륙에서는 농업·목축이 성함. [22,937 km²]

메타- 〔meta〕 접 〔그리스어로 '사이에'·'뒤에'·'변화' 등의 뜻〕 ①〖화〗 벤젠핵(核)의 두 치환기(置換基)의 위치를 나타내는 말. 1위와 3위에 치환한 경우에 이름. 약호 m-. ②〖화〗 동일한 중심 원자를 같은 원자가(原子價)로 함유하는 산소산(酸素酸)이 여러 종류 있을 때, 가장 탈수(脫水) 정도가 높은 것에 붙이는 이름. 메타인산(燐酸) 따위. ③어떤 광물이나 암석 이름에 붙어 그 광물 암석이 변성한 것을 나타내는 말.

메타니제이션 〔methanization〕 명 〖화〗 메탄 가스를 활용하여, 에너지원(源)으로서 혹은 석유 화학 산업의 원료로서 이용하는 일. 공해를 유발하는 황(黃) 성분이 함유되어 있지 않은 데다 값이 싼 것이 이점(利點)임.

메타모르 명 ↗메타모르포제.

메타모르포세스 〔라 Metamorphoses〕 명 〖책〗 오비디우스(Ovidius)의 시편(詩篇). 서사시(詩). 전 15권. 그리스·로마의 신화 중에서 사람이 나무나 새로 모습을 바꾸는 이야기를 모은 것으로, 우주의 생성(生成)에서 시작하여 카이사르가 별이 되기까지의 무수한 전신(轉身)의 전설이 사슬의 고리처럼 이어져 있음. 중세에서 근세까지 그리스 신화의 보고(寶庫)로서 귀중히 여겨지고 미술·문학에도 널리 이용되었음.

메타모르포:제 〔도 Metamorphose〕 명 ①〖동〗 변태(變態). 탈바꿈. ②변형(變形). 변신(變身). ③〖광〗 변성(變成). ④〖의〗 변성(變性). ㊀ 메타모르.

메타모르포:즈 〔프 métamorphose〕 명 〔변형(變形)·변신(變身)의 뜻〕 의복·화장 등으로 외모·분위기를 바꾸는 일. 이미지 체인지.

메타-사이콜로지 〔metapsychology〕 명 〖심〗 ①통상의 심리학이 연구 대상으로 하고 있는 의식 현상을 초월(超越)하여, 그 현상의 기초가 되며 그것을 규정하는 무의식의 특성 및 활동 법칙을 설명하는 학문. 또, 그 학설. 초의식(超意識) 심리학. ②파라사이콜로지.

메타-산 【—酸】 명 〔meta-acid〕 〖화〗 중심 원자의 종류 및 산화수(酸化數)가 같은 산소산(酸素酸) 가운데에서 산소 원자수가 가장 적은 산. 메타인산(燐酸)·메타규산(珪酸)·메타붕산(硼酸) 등이 있음.

메타-세쿼이아 〔Metasequoia〕 명 〖식〗 소나뭇과(科)에 속하는 교목(喬木). 세쿼이아와 비슷한 종류로, 줄기는 높고 곧으며, 잔 가지에 작은 잎이 밀생(密生)하는데, 겨울에는 잔 가지가 잎이 붙은 채 떨어짐. 세쿼이아와 달리 잎이 대생(對生)하며, 구과(球果)의 인편(鱗片)이 십자(十字) 대생하는 것도 세쿼이아와 다른 점임. 1945년에 중국 쓰촨 성(四川省)에서 발견되어 *M. glyptostroboides* 로 명명되고, 세계 각지에서 기르게 되었음. 매우 튼튼하고 성장이 빠르며, 휘묻이로도 잘 자람. *M. disticha, M. japonica, M. occidentalis* 등 많은 종류가 종래 미국·일본에서 화석(化石)으로 발견되었으므로, 중국서 발견된 종류를 '살아 있는 화석'이라 일컬음.

메타-센터 〔metacenter〕 명 〖물〗 경심(傾心).

메타 수:학 【—數學】 〔meta〕 명 〖수〗 〔metamathematics〕 힐베르트(Hilbert, D.)가 주창한 형식주의 수학 기초론. 수학을 공리(公理)로부터 논리적인 연역(演繹)에 의하여 추론(推論)되어 가는 체계라고 생각하고, 그 공리론적인 체계로서의 수학 자체를 대상으로 하는 수학적 사고(思考). 초수학(超數學).

메타-알데히드 〔metaldehyde〕 명 〖화〗 아세트알데히드의 중합체(重合體). 침상(針狀) 또는 판상(板狀) 결정으로 물에는 녹지 않고 유기 용매(有機溶媒)에 녹음. 녹는점은 봉관(封管) 속에서 246℃이며, 80℃ 이상으로 가열하면 아세트알데히드가 됨. 고형 연료(固形燃料)로 사용됨.

메타-언어 【—言語】 명 〔metalanguage〕 〖논〗 고차(高次) 언어.

메타 윤리학 【—倫理學】 〔—율—〕 명 〔meta-ethics〕 도덕적 판단의 근거나 선악(善惡) 등의 개념의 뜻을 밝히고, 윤리학 자체의 근거를 명시하려는 윤리학. 종래의 규범적(規範的) 윤리학에 대한 분석 철학(分析哲學)의 윤리학에 유래함.

메타 이:론 【—理論】 〔meta〕 명 어떤 이론의 구조(構造), 거기에서 사용된 용어나 개념 등을 대상으로 하는 이론.

메타-인산 【—燐酸】 명 〔metaphosphoric acid〕 〖화〗 오르토인산(ortho 燐酸)의 1분자(分子)에서 물 1분자를 빼 버리고 얻은 인산의 일종. 조해성(潮解性)의 무색·투명한 고체인데, 물에 녹아서 점점 오르토인산으로 변함. 미생물·곤충류 등에 존재하며 세포 속에서 핵산 합성(核酸合成)에 필요한 인을 공급함. 이성 인산(異性燐酸). [HPO_3 또는 $(HPO_3)_n$]

메타-조에아 〔metazoea〕 명 〖생〗 게류(類)의 유생(幼生)으로 조에아(zoea) 다음 발육(發育) 단계에 있는 것. 외지(外肢)가 없는 흉각(胸脚)이 생기는 과도기임. *조에아.

메타-크로머시 〔metachromasy〕 명 〖생〗 세포를 색소로 염색할 때 염색된 세포의 빛깔이 색소 용액의 빛깔과 다른 현상. 또, 동일한 색소로 염색할 때 같은 세포 중의 구조 요소가 다른 빛깔을 나타내는 현상.

메타크릴-산 【—酸】 명 〔methacrylic acid〕 〖화〗 아크릴산(酸)의 α-메틸 유도체. 자극적인 냄새가 나며 무색(無色)의 결정. 녹는점(點) 16°C, 끓는점(點) 163°C. 물·에탄올 등에 잘 녹음. 불안정하여 빛·열·촉매 등에 의해 용이하게 중합(重合)함. [$CH_2C(CH_3)COOH$]

메타크릴 수지 【—樹脂】 명 〔methacrylic resins〕 〖화〗 메타크릴산(酸) 메틸을 중합(重合)시켜서 얻는 열가소성(熱可塑性) 수지. 각종 렌즈·방풍(防風) 유리·조명 기구·의치(義齒)·장식품 등으로 쓰임. 속칭은 유기(有機) 유리.

메타-크세니아 〔metaxenia〕 명 〖생〗 웅성(雄性)의 특징이 배(胚)나 배유(胚乳) 이외의 과피(果皮) 같은 부분에 나타나는 현상.

메타-크실렌 〔metaxylene〕 명 〖화〗 벤젠핵(核)의 메타의 위치에 있는 수소 원자 두 개를 메틸기(基)로 치환(置換)한 화합물. 무색의 액체이며 콜타르의 분류(分溜)에서 얻어짐. 합성 수지(合成樹脂) 원료로 쓰임. [$m\text{-}C_6H_4(CH_3)_2$] *파라크실렌·오르토크실렌.

메타포 〔metaphor〕 명 〖문〗 수사학(修辭學)에 있어서의 비유적 표현. 메타포라. 암유(暗喩). 은유(隱喩).

메타포라 〔포 metafora〕 명 〖문〗 메타포(metaphor).

메타피직스 〔metaphysics〕 명 〖철〗 형이상학(形而上學).

메타 화합물 【—化合物】 〔meta〕 명 〖화〗 ①오르토형(ortho 型)으로부터 탈수(脫水)에 의해 생겨난 화합물. 메타 인산(燐酸) 따위. ②벤젠의 1과 3의 위치의 이치환체(二置換體). 메타크실렌 따위.

메탄 〔methane〕 명 〖화〗 무색·무취의 기체 화합물. 탄화 수소 중 가장 간단한 물질이며, 기체 화합물 중에서 가장 가벼움. 공기 속에서 불을 붙이면 파란 불꽃을 내면서 타며, 천연적으로는 못이나 늪에서 물에 젖은 식물질(植物質)이 썩을 때 이산화 탄소 등과 함께 생겨 거품이 되어 떠오름. 천연 가스·석탄 가스 속에도 들어 있으며, 가끔 석탄갱(石炭坑) 속에서 공기와 함께 타서 대폭발을 일으키기도 함. 공업적으로는 일산화 탄소와 수소를 화합하여 200°-250°C로 가열하여 얻음. 연료(燃料)·화학 약품·수소 등을 만드는 데에 쓰임. 메탄 가스. [CH_4] *소기(沼氣)·알칸(alkane).

메탄 가스 〔methane gas〕 명 〖화〗 메탄.

메탄 감시 기구 【—監視機構】 명 〔methane monitoring system〕 〖광〗 갱내(坑內) 공기의 메탄 함유량을 연속적으로 조사하여 정보를 전기 장치에 전송하는 기구(機構). 메탄 성분이 정량 이상이 되면, 모든 광산 기계의 동력을 자동적으로 절단하도록 설계되어 있음.

메탄계 탄:화 수소 【—系炭化水素】 〔methane〕 명 〖화〗 알칸.

메탄-알 〔methanal〕 명 〖화〗 포름알데히드(formaldehyde).

메탄-올 〔methanol〕 명 〖화〗 목재를 건류(乾溜)할 때 생기는 액체. 일산화 탄소와 수소의 합성물. 에탄올 비슷한 방향(芳香)을 가진 무색의 액체로 독성이 매우 강함. 포름알데히드의 제조(製造) 및 도료(塗料)·유지(油脂)의 용제(溶劑)로 쓰임. 목정(木精). 메틸 알코올. [CH_3OH]

메탄올 발전 【—發電】 〔methanol〕 〔—쩐〕 명 메탄올을 연료로 이용하는 발전. 연료의 해상 수송비가 적게 들고 연소(燃燒) 방법이 간단한 장점이 있는 반면, 메탄올의 세계적인 생산량이 적은 난점 등이 있음.

메탄올 중독 【—中毒】 〔methanol〕 명 〖화〗 메틸 알코올 중독.

메탈 〔metal〕 명 금속(金屬). 쇠붙이.

메탈 라:스 〔metal lath〕 명 〖건〗 벽에 바른 회 같은 것이 떨어지지 않게 하기 위하여, 외(椳)로 대는 구멍이 숭숭 난 철망.

메탈 렌즈 〔metal lens〕 명 금속판으로 구성된 렌즈. 전파나 태양광 등을 모으는 데 이용됨.

메탈로이드〔metalloid〕명 『화』 준금속(準金屬).

메탈리콘〔metallicon〕명 『공』 금속 방식법(防蝕法)의 한 가지. 금속선을 전열로 용해하여 이것을 압축 공기 또는 수소로 피도금체(被鍍金體)에 분무(噴霧)하는 방법. 잘 탈락되어 널리 쓰이지 아니하나, 유리와·금속의 접합에 많이 사용됨.

메탈릭〔metallic〕명 금속성(金屬性)인 모양. 또, 광택이 금속과 같은 모양.

메탈릭 컬러〔metallic colour〕명 금속과 같은 광택을 지닌 색채.

메탈 백〔metal back〕명 브라운관의 형광막(螢光膜)의 안쪽에 극히 얇은 알루미늄을 부착한 것. 전자 빔(電子beam)을 고속으로 가속시킬 수 있어서 밝은 화상(畫像)을 만들 수 있음.

메탈 세라믹〔metal ceramics〕명 금속의 산화물·탄소화물·규소화물·붕소화물 따위를 금속의 기재(基材) 속에 분산시킨 경질 내열(耐熱) 재료.

메탈 스키:〔metal ski〕명 경금속(輕金屬)으로 된 스키. 1960년 동계 올림픽에서 사용됨.

메탈 케틸〔metal ketyl〕명 『화』 케톤에 알칼리 금속을 부가한 화합물. 보통, 유색이며 상자성(常磁性)인 것과 반자성(反磁性)인 것이 있음.

메탈 테이프〔metal tape〕명 자성 재료(磁性材料)에 산화철(酸化鐵) 대신 순철(純鐵)을 사용한 카세트 테이프. 산화철 테이프에 비해 음질(音質)·잔류 자속 밀도(殘留磁束密度)·보자력(保磁力) 및 고주파역의 주파수 특성이 좋음.

메탈 폼: 공법【一工法】〔metal form〕〔一뻡〕명 『건』 강철제 틀을 사용하는 새로운 건축법. 기계적으로 강철제의 틀을 조립한 다음 콘크리트를 붓고, 틀을 떼면 그대로 콘크리트의 외벽이 깨끗이 이루어짐.

메탈 할로이드 램프〔metal haloid lamp〕명 수은등 속에 금속의 할로겐 화합물을 넣은 램프. 태양광에 가까운 백색광을 냄. 도로·주차장·정원 따위의 조명용으로 쓰임.

메-탕【一湯】명 ①'국'의 높임말. ②갱(羹).

메태비 명 『어』 매퉁이.

메터리 명 〈방〉 미투리(전북·경남).

메테르니히〔Metternich, Klemens Wenzel Nepomuk Lothar von〕명 『사람』 오스트리아의 정치가. 1809년 외상, 1821년 수상이 됨. 빈(Wien) 회의의 주도 역할을 하여, 보수 세력의 지도자로서 유럽 제국의 자유주의·민족주의 운동을 탄압했음. [1773~1859]

메테예〔프 métayer〕명 프랑스에서 널리 볼 수 있는 소작농(小作農)의 한 형태. 생산 수단의 대부분을 지주로부터 보급받는 대신 소작료로서 생산물의 일정량을 납입하는 분익(分益) 소작제를 취함. 파리의 서·남·중부의 후진 지역에 많음.

메텡이 명 〈방〉 모퉁이(강원).

메토【METO】명 〔Middle East Treaty Organization의 약칭〕 중동 조약 기구(中東條約機構).

메-토끼 명 ☞『동』 산토끼.

메토:데〔도 Methode〕명 '메소드(method)'의 독일어 이름.

메:토리 명 〈옛·방〉 미투리(경남). ¶ 경쥴치 뉵눌 메토라 신고《永言》.

메톡실-기【一基】〔methoxyl〕명 『화』 1가(價)의 기(基) CH_3O-의 일컬음. 주로 알코올이나 페놀류의 수산기(水酸基)의 수소를 메틸기(基)로 치환(置換)한 형태의 것을 말함.

메톤〔Meton〕명 『사람』 기원전 5세기경의 그리스의 천문학자·수학자. 메톤 주기(周期)를 발견하였음. 생몰년 미상.

메톤-기【一期】〔Meton〕명 기원전 433년에 그리스의 천문학자 메톤이 발견한, 태음년(太陰年)을 계절과 조절시키기 위하여 19태음년에 일곱 번의 윤달을 두는 역법(曆法)의 순환기(循環期). 1년을 365.263일(日)로 함. 중국과 바빌로니아에도 알려져, 진한(秦漢) 시대에는 이것을 장(章)이라고 불렀음. 메톤 주기(周期).

메톤 주기【一周期】〔Meton〕명 메톤기(Meton期).

메톨:〔metol〕명 사진 현상약의 한 가지. 미세(微細)한 흰 빛의 침상 결정(針狀結晶)으로, 현상 속도가 빠르고 음영(陰影)의 묘출력(描出力)이 탁월함. 원래 상표명이었음. [$HOC_6H_4NHCH_3$]

메:투리 명 〈방〉 미투리(강원·충남·전라·황해·함남·제주·경상).

메트로〔프 métro〕명 〔chemin de fer métropolitain의 약어〕 파리의 지하 철도.

메트로 골드윈 메이어 회:사【一會社】〔Metro-Goldwyn-Mayer〕명 미국의 영화 제작·배급 회사. 1924년에 설립한 세계 굴지의 영화 회사로 뉴욕에 본사(本社)가 있고, 뉴욕·할리우드에 각각 촬영소(撮影所)가 있음. 약칭은 엠지엠(M.G.M.).

메트로놈:〔metronome〕명 『악』 악곡(樂曲)의 박절(拍節)을 측정하거나 템포(tempo)를 지시(指示)하는 기계. 1812년 네덜란드의 빈켈(Winkel)이 발명, 1816년 독일의 멜첼(Mälzel, Johann N.)이 현재의 형태로 개량하였음. 박절기(拍節器).

메트로놈: 기호【一記號】〔metronome〕명 『악』 메트로놈이 나타내는 1분간의 박자수를 악곡의 지정 연주 속도로 표시한 것. 'M.M. ♩= 60' 또는 '♩= 60' 따위로 표시함.

〈메트로놈〉

메트로-폴리스〔metropolis〕명 ①수도. 대도시(大都市). 거대(巨大)도시. ②중심지(中心地). 주요 도시.

메트로폴리탄 가극장【一歌劇場】명 〔Metropolitan Opera House〕미국 뉴욕 시에 있는 오페라 극장. 1883년에 개장. 20세기 초 토스카니니와 더불어 전성을 이룸. 1966년 링컨 센터 안에 신축되어 재개장되었음. 메트로폴리탄 오페라 하우스.

메트로폴리탄 미술관【一美術館】명 〔Metropolitan Museum of Art〕미국 뉴욕의 센트럴 공원 옆에 있는 세계적인 미술관. 1872년 설립. 소장품은 백만 점으로 동서 고금의 미술 공예품을 수집·진열하고 있음.

메트로폴리탄 오페라 하우스〔Metropolitan Opera House〕명 메트로폴리탄 가극장.

메트르〔프 mètre〕명 의명 '미터(meter)'의 프랑스어 이름.

메:트리 명 〈옛·방〉 미투리(경상·함경). ¶ 메트릿 바당을(麻鞋履底)《救簡 Ⅵ:61》.

메:트리크〔도 Metrik〕명 『문』 시학(詩學). 운율학(韻律學).

메:트헨〔도 Mädchen〕명 처녀. 소녀.

메티스〔Metis〕명 『신』 그리스 신화(神話)에 나오는 여신. 대양신(大洋神) 오케아노스와 바다의 여신 테티스의 딸로 제우스 신의 첫번째 아내임.

메티에〔프 métier〕명 〔직업의 뜻〕 직업에 기본적으로 필요한 전문적(專門的) 기술상의 재치나 손재주. 작가(作家)의 경우에는 창작 전문가로서의 기교(技巧)를 말함.

메티오닌〔methionine〕명 『화·약』 황(黃)을 함유하는 필수 아미노산의 한 가지. 합성하여 만들기도 하나, 천연적인 L 메티오닌은 인체 영양상 필요한 아미노산으로 체내에서 시스틴(cystin)으로 변하며 성인의 1일 필요량은 2.2g임. 지방과 친화성(親和性)이 있어 간장염·중독증의 치료에 사용함. [$C_5H_{11}NO_2S$]

메틸〔methyl〕명 『화』 메틸기.

메틸-기【一基】〔methyl〕명 『화』 CH_3-가 되는 1가(價)의 기(基)로 가장 간단한 알킬기(alkyl基). 기호는 Me. 메틸.

메틸-나프탈렌〔methylnaphthalene〕명 『화』 콜타르에서 얻어지는 무색의 액체. 화학적 성질은 나프탈렌과 흡사함. 두 종류의 이성체(異性體)가 있는데, 그 하나는 세탄가(cetane價) 측정용의 표준 연료로 쓰임. [$C_{11}H_{10}$]

메틸 레드〔methyl red〕명 『화』 암자색의 결정 물감. 빙초산에 잘 녹고, 물에는 거의 녹지 아니하는데 중성 용액에서는 담황색, 산성에서는 자홍색이 되어 지시약으로 쓰임. 약호 MR. [$C_{15}H_{15}N_3O_2$]

메틸렌 블루:〔methylene blue〕명 『화』 티아진(thiazine) 물감의 하나. 심청색(深靑色)의 결정체로 물에 녹음. 탄닌 매염(媒染)으로 무명을 청색으로 물들임. 수용액은 살균력이 있어 요도 감염 등의 치료에 쓰며 세균학·병리학 등에서 염색제로 쓰임. [$C_{16}H_{18}N_3SCl \cdot 3H_2O$]

메틸 바이올렛〔methyl violet〕명 『화』 곱고 값싼 보랏빛의 염기성(塩基性) 물감. 암녹색의 광택이 있는 결정(結晶)임. 연필·잉크·타이프라이터 리본·물감 등에 많이 쓰임. [$C_{24}H_{28}ClN_3$]

메틸 셀룰로오스〔methyl cellulose〕명 『화』 셀룰로오스의 히드록시기(基)의 일부 혹은 전부를 메톡실기(基)로 변환시킨 화합물. 백색의 고체인데, 그 치환의 대소에 따라 수용성(水溶性)으로부터 유기 용매 가용(有機溶媒可溶) 등 성질이 다름. 수용성의 것이 필름·향장료(香粧料)·식품·약품 따위로 이용되고 있음.

메틸-아민〔methylamine〕명 『화』 강한 암모니아 냄새가 나는 기체. 생선이나 고기가 썩을 때에 발생함. 가죽을 무두질할 때나 유기 합성 원료에 쓰임. [CH_3NH_2]

메틸 알코올〔methyl alcohol〕명 『화』 '메탄올'의 관용명.

메틸 알코올 중독【一中毒】〔methyl alcohol〕명 메틸 알코올을 마셔서 일어나는 중독 작용. 두통·현기증·구토 등을 일으키며, 심할 경우에는 혼미·호흡 곤란 등을 일으키고 시력 장애 따위의 후유증을 남기며, 또 죽기도 함. 메탄올 중독.

메틸 에:테르〔methyl ether〕명 『화』 메탄올에 진한 황산을 가하고 이것을 증류하여 얻는 에테르. 인화하기 쉬우며, 상온(常溫)에서는 무색의 기체로서, 용제(溶劑)로 씀. [$(CH_3)_2O$]

메틸 에틸 케톤〔methyl ethyl ketone〕명 『화』 부탄올을 산화하여 얻어지는 방향(芳香)이 있는 액체. 용제(溶劑)로서 중요함. 약칭은 엠 이 케이(M.E.K.). [$C_2H_5COCH_3$]

메틸 오렌지〔methyl orange〕명 『화』 등황색으로 물에 녹는 결정 색소. 수용액이 산성이면 빨간 빛을, 또 중성(中性) 및 알칼리성에서는 누른 빛을 나타내므로 지시약으로 쓰임. [$C_{14}H_{14}N_3NaO_3S$]

메틸-화【一化】〔methyl〕명 『화』 어떤 유기 화합물의 수소 원자를 메틸기(methyl基)로 치환하는 일. ——-하다 자타여불

메피스토〔Mephisto〕명 ↗메피스토펠레스.

메피스토펠레스〔Mephistopheles〕명 서양 중세의 파우스트 전설 중의 악마. 파우스트가 부(富)와 권력의 대가(代價)로 그에게 혼(魂)을 팔았으나, 결국 신(神)과의 대결에서 패하여 파우스트를 타락시키지 못하였다 함. 괴테의 《파우스트》, 말로(Marlowe)의 《포스터스 박사》 및 구노(Gounod)의 가극 《파우스트》 등에 등장함. 준메피스토.

메헬렌〔Mechelen〕명 『지』 벨기에 북부의 도시. 섬유·피혁·인쇄·식품 등의 공업이 행하여짐. 한때 프랑스령(領). [77,000명(1982)]

메히코〔Mexico〕명 『지』 '멕시코'의 스페인어 이름.

멕 명 〈방〉 미역[1·2](전남·평안).

멕기〔일 めっき〕명 도금(鍍金).

멕시칼리〔Mexicali〕명 『지』 멕시코 서북부, 미국과의 국경 도시. 면화 지대의 중심지. [342,000명(1980)]

멕시코〔Mexico〕명 『지』 미국 남부 아나우악 고원(Anahuac高原)과 유카탄 반도(Yucatan半島)를 주로 하는 연방 공화국(聯邦共和國). 1821년 스페인으로부터 독립함. 농업이 주로, 옥수수·밀·목화·사탕수수·바나나 등의 산출이 많음. 또, 세계적인 은산국(銀産國)이고, 석유·황(黃)·석탄·아연·납·망간·안티몬 등을 산출하며, 석유 화학·자동차·식품 가공·철강 등의 공업이 성함. 주민의 60%는 스페인인(人)과 원주민 인디오와의 혼혈인 메스티소, 30%가 인디오임. 주민의 대부분은 가톨릭 교도. 중남미(中南美)에서 가장 발달한 국가임. 스페인이 점령

하기 전에는 마야 문화가 번영하여 그 유적이 많음. 수도는 멕시코 시티(Mexico City). 메히코. 묵서가(墨西哥). 묵국(墨國). 정식 명칭은 '멕시코 합중국(United mexican States)'. [1,972,547 km² : 87,840,000 명(1991 추계)]

멕시코 달러 〔Mexico dollar〕 명 멕시코은(銀).

멕시코-독도마뱀 【一毒一】〔Mexico〕 명 『동』 [*Heloderma horridum*] 독도마뱀과에 속하는 도마뱀. 몸길이는 60-80 cm 쯤, 몸빛은 황색 바탕에 담황색의 얼룩무늬가 있으며 몸은 혹 모양의 비늘로 덮여 있음. 동작은 둔중(鈍重)하며, 위험성은 적으나 잡으려다 실패하면 물려서 죽는 수도 있음. 독선(毒腺)은 아래턱에 있으며 독사(毒蛇)와 다른 점은 독아(毒牙)와 직접 연결되어 있지 않고 입 안에 흘러나온 독이 이빨에 있는 골을 따라 상처로 흘러 듦. 굵고 짧은 꼬리에 영양분을 저장해 두며, 도마뱀 따위 파충류, 새의 알이나 새끼, 작은 포유류 등을 포식함. 멕시코 북부에만 분포함. *아메리카독도마뱀.

멕시코 만 【一灣】〔Mexico〕 명 『지』 북아메리카 대륙의 동남 해안에 있는 큰 만. 만구(灣口)에 플로리다·유카탄의 두 반도가 돌출하고 그 사이에 쿠바 섬을 끼고 있음. 동서가 약 1,500 km, 남북이 1,200 km쯤 됨.

멕시코 만류 【一灣流】〔Mexico〕 [一말一] 명 『지』 난류(暖流)의 하나. 북적도 해류(北赤道海流)로 멕시코 만(灣)에서 대서양(大西洋)을 횡단하여 유럽 북서 해안을 따라 흘러 북극해(北極海)에 이르는 해류(海流)임. 북유럽의 기후를 따뜻하게 하는 데 그 작용이 큼. 걸프 만류. 만류.

멕시코 시티 〔Mexico City〕 명 『지』 멕시코의 수도. 표고 2,260 m의 고지에 있는 관계로 연중 온화함. 정치·경제·문화의 중심지로 섬유·제지(製紙)·식품 공업 등과 은세공(銀細工)이 성함. 1968년 제19회 올림픽 대회가 개최되었음. [20,500,000 명(1990 추계)]

멕시코 원:정 【一遠征】〔Mexico〕 명 『역』 나폴레옹 3세가 1861-67년에 혁명으로 술렁이는 멕시코의 재정적 혼란을 틈타서 출병, 내정에 간섭한 사건. 멕시코인(人)의 반항과 미국 등의 반대로 실패했음.

멕시코-은 【一銀】〔Mexico〕 명 16세기 이후 및 1821년 멕시코 독립 후에 멕시코에서 주조(鑄造)한 은화(銀貨). 동양에서는 무역 화폐(貿易貨幣)로 쓰였기 때문에 아시아의 근대적 화폐 제도 발달을 촉진함. 멕시코 달러.

멕시코-자개 〔Mexico〕 명 멕시코에서 나는 전복 껍데기. 빛깔이 아름다워 고급 자개로 침.

멕시코 정복 【一征服】〔Mexico〕 명 『역』 1519-21년에 걸친, 스페인의 코르테스(Cortéz)에 의한 멕시코 정복. 그 결과 멕시코는 스페인령(領)이 되었음.

멕시코 혁명 【一革命】〔Mexico〕 명 『역』 1910-17년에 멕시코에서 일어난 혁명. 자유주의자 마데로(Madero)의 영도로 35년 동안에 걸친 디아스(Diaz) 독재 정권을 타도하는 데 성공했음. 1917년에는 민주적인 새 헌법을 제정하여 현대 멕시코의 터전을 닦았음.

멕싸댕이 명 〈방〉 멱¹(전남).

멕싸리 명 〈방〉 멱살(경남).

멕자구 명 〈방〉 『동』 개구리(평안).

멕장구 명 〈방〉 『동』 개구리(평안).

멘 〔이 men〕 명 『악』 ↗메노(meno).

-멘 어미 〈방〉 ① -면서(평안). ② -면(경상).

멘겅 명 〈방〉 거울(경남).

멘겡 명 〈방〉 거울(경남).

멘경 명 〈방〉 거울(전북·경남).

멘데레스 〔Menderes, Adnan〕 명 『사람』 터키의 정치가. 1945년 민주당을 창설하고, 1950년 수상(首相)에 취임함. 1960년의 혁명으로 실각(失脚), 처형됨. [1899-1961]

멘델 〔Mendel, Gregor Johann〕 명 『사람』 오스트리아의 생물학자. 수도원(修道院)의 원장을 지냈으며, 수도원의 뜰에서 완두의 유전을 연구, 1865년 유명한 유전 법칙(遺傳法則)을 발표하였음. 주저 《식물의 잡종에 관한 실험》. [1822-84]

멘델레븀 〔mendelevium〕 명 『화』 1956년 미국의 캘리포니아 대학교에서 인공적으로 만든, 악티늄족(族) 원소의 하나. 멘델레예프의 이름에서 붙인 이름. [101번 : Md : 258]

멘델레예프 〔Mendeleev, Dmitrii Ivanovich〕 명 『사람』 러시아의 화학자. 1869년 원소(元素)의 주기율(週期律)에 관해 발표, 뒤에 이에 바탕을 두고 미지(未知) 원소의 주기표상(週期表上)의 위치와 성질을 예언하였음. 그 밖에 용액(溶液)의 연구, 바쿠(Baku)의 석유 자원의 이용, 석유의 성인(成因)에 관해 연구를 함. 저서로는 강의용 교과서 《화학의 기초》가 있음. [1834-1907]

멘델레예프 주기율 【一週期律】 명 〔Mendeleev's periodic law〕 『화』 '원소 주기율(元素週期律)'을 1869년에 멘델레예프가 발표하였다 하여, 일컫는 말.

멘델리즘 〔Mendelism〕 명 『생』 멘델 법칙(Mendel法則).

멘델 법칙 【一法則】 명 〔Mendel's laws〕 『생』 멘델이 1865년에 발표한 세 가지의 유전 법칙(遺傳法則). 곧, 첫째, 생물의 형질(形質)이 서로 틀리는 것은 유전 인자(遺傳因子)에 의하여 결정되는 것이며, 그 사이에 우성(優性)과 열성(劣性)이 있다는 독립의 법칙. 둘째, 교잡(交雜)에 의하여 생기는 잡종(雜種)의 초대(初代)에는 우성 형질(優性形質)만이 나타나고 열성 형질(劣性形質)은 잠재(潛在)한다는 우열(優劣)의 법칙. 셋째, 잡종(雜種) 제이 대(第二代)째는 우성 형질을 나타내는 것과, 열성 형질을 나타내는 것이 완전히 분리된다는 분리(分離)의 법칙임. 멘델리즘(Mendelism). 유전 법칙.

멘델스존: 〔Mendelssohn, Felix〕 명 『사람』 독일의 작곡가. 정식 이름은 Mendelssohn-Bartholdy, Jakob Ludwig Felix. 17세 때 관현악곡인 셰익스피어의 《한여름밤의 꿈》 서곡을 완성하여 작곡가로 인정받을 만큼 조숙(早熟)한 천재였음. 고전적인 형식에 낭만적인 정서를 담은 수많은 작품을 발표하였으며, 라이프치히(Leipzig) 음악 학원을 창설하는 등, 독일 음악의 부흥에 크게 기여하였으나 38세로 요절함. 작품에 교향곡·피아노 협주곡·바이올린 협주곡·오라토리오·오페라·가곡(歌曲)·실내악 등 다수가 있음. [1809-47]

멘델존: 〔Mendelsohn, Eric〕 명 『사람』 독일의 건축가. 1933년 나치스를 피하여, 영국 등지를 거쳐서 1941년 이후 미국 샌프란시스코(San Francisco)에 정주(定住). 곡선을 이용한 표현주의적 건축으로 알려짐. 대표작으로는 초기의 '아인슈타인 탑(Einstein塔)'과 만년의 '마이모니데스 병원(Maimonides Health Center)'이 있음. [1887-1953]

멘도¹ 명 〈방〉 볏¹(강원).

멘:도² 【一刀】 명 〈방〉 면도(경기·강원·전라·경상·제주·함남).

멘두 명 〈방〉 볏¹(강원).

멘 드 비랑 〔Maine de Biran〕 명 『사람』 프랑스의 철학자. 프랑스 관념론(觀念論)에서 출발하면서도 정신의 능동성(能動性)·자발성(自發性)을 인정함으로써, 그 유물론적(唯物論的) 경향에 반대하고 '나는 뜻한다. 고로 나는 존재한다'고 주장함. 주의주의적(主意主義的) 내성(內省) 철학에 의해 인간을 형이상학적(形而上學的)으로 기초지음으로써 독특한 유심론을 전개함. 후에 그리스도교적 신비주의(神秘主義)에 이름. 저서에 《인간학 신론(人間學新論)》 등이 있음. [1766-1824]

멘세스 〔라 menses〕 명 『생』 ('달'의 뜻) 월경(月經).

멘셰비즘 〔Menshevism〕 명 『사』 러시아 사회주의 노동당의 온건파(穩健派)인 멘셰비키의 정치적 사상 및 주의. 마르크스주의 수정 이론으로 자유주의적 부르주아 색채가 농후함. 반혁명적(反革命的) 기회주의적 경향이 있었다고 하여 합법 마르크스주의·기회주의 등의 대명사(代名詞)로 쓰이게 되었음. ↔볼셰비즘.

멘셰비키 〔러 Mensheviki〕 명 『사』 러시아 사회 민주 노동당의 분파(分派). 1903년에 영국 런던에서 개최된 러시아 사회 민주 노동당 제2회 대회에서 볼셰비키와 분열된 소수파(少數派)임. 프티 부르주아적(petit bourgeois的) 우익(右翼)으로서, 해당(解黨)과 합법(合法) 마르크스주의를 주장하며 당시의 반혁명(反革命) 세력을 이끌었으나, 뒤에 곧 몰락(沒落)하였음. ↔볼셰비키(Bolsheviki).

멘스 명 〔도 Menstruation〕 월경(月經).

멘스트루아치온: 〔도 Menstruation〕 명 '멘스'의 정식 명칭.

멘시코프 〔Menshikov, Aleksandr Danilovich〕 명 『사람』 러시아의 군인·정치가. 표트르 대제(Pyotr大帝)의 측근으로, 공작(公爵)·원수(元帥)가 되어 광대한 영지를 차지했음. 대제가 죽은 후 에카테리나(Ekaterina) 1세의 즉위를 위하여 진력, 실권을 장악하게 됨. 여제(女帝)의 사후, 표트르 2세를 옹립하였으나 실각하여 시베리아로 유배(流配)되어 그 곳에서 죽음. [1672-1729]

멘쓰 〔중 面子〕 명 면목(面目). 체면(體面). 명예(名譽). ¶ 남의 ~도 생각해 주어야지.

멘:장 【一長】 명 〈방〉 면장²(面長)(경기·강원·충북·전북·경상).

멘주기 명 〈방〉 『동』 올챙이(제주).

멘지스 〔Menzies, Robert Gordon〕 명 『사람』 오스트레일리아의 정치가. 1939년 수상이 되었다가 하야(下野), 1941년 자유당을 창당하고 당수가 되어, 1949-66년 다시 수상(首相)을 지냄. [1894-1978]

멘첼 〔Menzel, Adolph Friedrich Erdmann von〕 명 『사람』 독일의 화가·판화가(版畫家). 사실적 작풍으로, 목판화로는 쿠글러(Kugler)의 저서 《프리드리히 대제(Friedrich大帝)》의 삽화, 유화(油畫)로는 《상수시의 원탁 회의(圓卓會議)》·《철공소》 등을 남김. [1815-1905]

멘추 〔Menchú, Rigoberta〕 명 『사람』 과테말라의 여성 민권 운동가. 인디언의 후예로서 어려서부터 농장 노동자로 일하였으며, 1981년 부모를 정부군에게 학살당하고 멕시코로 망명, 1983년 자서전 《나, 리고베르타 멘추》를 발간하여 11개 국어로 번역됨. 과테말라에서 자행되고 있는 인디언에 대한 탄압에 항거, 인디언들의 인권을 부르짖은 공로로 1992년 노벨 평화상을 수상함. [1959-]

멘치 명 〈방〉 『어』 멸치(함남).

멘타와이 제도 【一諸島】〔Mentawai〕 명 『지』 인도네시아 수마트라(Sumatra) 섬 서해안 앞바다의 서북에서 동남으로 뻗친 열도(列島). 약 125개의 섬으로 구성되는 화산도군(火山島群)임. 아직 미개(未開)한 섬도 많으나 코코야자 재배, 어업이 행해짐. [약 6,100 km²]

멘탈 〔mental〕 명 심리적(心理的)임. 정신적(精神的)임.

멘탈 사이언스 〔mental science〕 명 심적 과학(心的科學). 정신 과학(精神科學).

멘탈 테스트 〔mental test〕 명 『심』 정신 검사의 한 가지. 실험(實驗) 심리학을 응용하여 간단한 방법으로 심리 작용 및 지능(知能)의 발달 정도를 검사하고, 개인적 차이를 측정하는 시험. 지능 검사.

멘탈 필로소피 〔mental philosophy〕 명 『심』 심리학(心理學).

멘톨 〔menthol〕 명 『화』 박하뇌(薄荷腦).

멘헤이든-유 【一油】〔menhaden〕 명 5-11월 미국의 서해안에서 잡히는 정어리 비슷한 멘헤이든에서 채취하는 기름. 경화유 원료 및 제혁용·도료용으로 이용함.

멘히르 〔도 Menhir〕 명 『역』 선사 시대(先史時代)의 건조물(建造物)의 한 가지. 땅 위에 한 개 또는 수 개의 큰 돌기둥을 세운 것으로 높이 10 m 이상에 달하는 것도 있음. 그 당시의 숭배의 대상물로 알려져 있으며, 주로 서구(西歐)의 각처에서 발견됨. 선돌.

멜 명 〈방〉 『어』 멸치(제주).

멜구 명 〈방〉 『식』 머루¹(전라·경남).

멜기세덱 〔라 Melchizedek〕 명 『성』 ①살렘(Salam)의 왕이며, 지극히 높은 하느님의 제사장이었다고 하는 구약 성서 중의 인물. ②이상적인 대제사장(大祭司長)으로서의 그리스도.

멜:-꾼 명〖민〗고싸움에서, 고를 메고 싸우는 사람. 대개, 힘센 젊은이 50-80명으로 구성됨.

멜:-대 〔—때〕 명 양쪽 끝에 물건을 달아 어깨에 메는 긴 나무.

멜데의 실험【—實驗】〔—/—에—〕 명 〔Melde's experiment〕〖물〗1859년 현(弦)의 진동을 알아보기 위해 멜데가 처음으로 한 실험. 소리 굽쇠의 한 끝을 실로 매어 소리 굽쇠에 수직되게 장력을 주어 잡아당겨 놓고 소리 굽쇠를 울리면 실은 횡진동(橫振動)을 함.

멜떼기 명〈방〉〖충〗메뚜기(경상).

멜라네시아 〔Melanesia〕 명〖지〗태평양상의 섬들을 나누는 삼대(三大) 구획의 하나. 태평양 서남부, 오스트레일리아 대륙의 동북(東北)에 가늘게 이어지는 섬들의 총칭. 뉴기니 섬을 비롯해서 비스마르크 제도, 솔로몬 제도, 뉴헤브리디스 제도, 뉴칼레도니아, 피지 제도를 포함함. 환태평양(環太平洋) 조산대(造山帶)에 속하는 대륙도(大陸島)가 많고 화산 활동이 활발하며, 주민은 흑색 인종 계통의 멜라네시아인으로 세계에서 가장 미개 지역임. [155,400 km²]

멜라네시아 어:파【—語派】〔Melanesia〕 명〖언〗인도네시아 어파 및 폴리네시아(Polynesia) 어파와 합께 말라요 폴리네시아 어족을 구성하는 한 어파. 구조가 복잡한 인도네시아 어파와 간단한 폴리네시아 어파의 중간적인 존재임.

멜라네시아-인【—人】〔Melanesia〕 명〖인류〗멜라네시아의 원주민. 몸이 강건하고 고수머리이며, 피부는 암갈색으로, 수렵용·어로용 또는 무기로서 특색 있는 화살을 가지고 있음. *니그로이드(Negroid).

멜라닌 〔melanin〕 명〖생·화〗동물의 조직·세포에 존재하는 흑갈색 내지 흑색의 고분자(高分子) 색소의 총칭. 유색 인종의 피부, 머리털, 곤충 외골격(外骨格) 쿠티쿨라 등의 흑색소(黑色素). 과잉된 광선(光線)의 흡수에 도움이 됨.

멜라닌 세:포【—細胞】 명 〔melanophore〕〖생〗흑색 소포(素胞).

멜라민 〔melamine〕 명〖화〗석회 질소를 원료로 하는 합성 물질. 반짝이는 무색의 결정으로, 시안아미드를 액체 암모니아에 녹여서 반응시켜 얻음. 멜라민 수지의 원료로서 중요함. [$C_3H_6N_6$]

멜라민 수지【—樹脂】 명 〔melamine resin〕〖화〗합성 수지(合成樹脂)의 하나. 멜라민을 포르말린과 축합(縮合)시켜 만든 열경화성(熱硬化性) 수지. 무색 투명하여 자유롭게 착색(着色)할 수 있으며, 내수·내열성이 강하여 식기·기계·전기 부품·약품 용기·가구(家具) 및 건재(建材) 등의 재료로 씀.

멜라토닌 〔melatonin〕 명〖화〗소의 송과선(松果腺)으로부터 추출한 아민(amine)의 일종. 불임증(不姙症) 치료나 닭의 산란율(產卵率)을 높이는 등의 응용면이 연구됨.

멜란히톤 〔Melanchthon, Philipp Schwarzert〕 명〖사람〗독일의 인문학자(人文學者)·종교 개혁자. 고전어(古典語)의 교수로서, 루터(Luther)를 지지하고, 이의 신앙을 체계화하는 데 공이 컸음. 저서에 ≪신학의 통속 개념≫ 등이 있음. [1497-1560]

멜랑콜리 〔melancholy〕 명 ①우울. 침울. ②〖의〗우울증. 울병.

멜랑콜리아 〔melancholia〕 명〖의〗우울병. 우울증.

멜랑콜릭 〔melancholic〕 명 우울한 상태. 침울한 상태. ——-하다 형 여불

멜런 재벌【—財閥】〔Mellon〕 명 멜런(Mellon, A.W.; 1855-1937)이 피츠버그(Pittsburgh)의 중공업·화학 공업 등에 투자하여 모은 거대한 재산을 중심으로 형성된 미국 대재벌의 하나.

멜레나 〔melena〕 명〖의〗하혈(下血)의 일종. 피가 항문을 통해 육안으로 확인할 수 있을 만큼 대량으로 나오는 것으로 흑색변(黑色便) 또는 타르변(tar 便)을 말함. 선혈성(鮮血性)의 것은 혈변(血便)이라고 하여 이와 구별함. 신생아(新生兒)의 흑색변(黑色便)은 진성(眞性) 멜레나 또는 신생아 멜레나라고 함.

멜레아그로스 〔Meleagros〕 명〖신〗그리스 신화에 나오는 용사(勇士). 카리돈의 멧돼지 퇴치(退治) 때, 그 공(功)을 시기한 삼촌들을 죽였기 때문에 화가 난 그의 어머니는 신탁(神託)의 장작에 불을 지펴 그를 죽였다고 함.

멜로-드라마 〔melodrama〕 명〖연〗①유럽에서 중세부터 근세에 걸쳐, 음악을 반주로 하여 대사(臺詞)를 낭독하던 오락성이 강한 음악극. ②연애를 테마로 하며 변화가 많고 호화로운 무대로 관객을 대하는 감상적 통속적인 대중극(大衆劇).

멜로디 〔melody〕 명〖악〗선율(旋律). 가락.

멜로디언 〔melodion〕 명〖악〗소형 건반 악기. 입으로 바람을 불어 넣으며 건반을 눌러 소리를 내는데 오르간과 아코디언 비슷한 소리를 냄. 주로 아동용임.

멜로디오소 〔이 melodioso〕 명〖악〗'선율적(旋律的)으로·가요적(歌謠的)으로'의 뜻.

멜로스 〔그 melos〕 명〖악〗노래. 선율(旋律).

멜로초 다 포를리 〔Melozzo da Forlì〕 명〖사람〗이탈리아 움브리아파(Umbria派)의 화가. 피에로 델라 프란체스카(Piero della Francesca)에 사사(師事). 투시 도법(透視圖法)에서 한층 더 나아가 단축법(短縮法)을 써서 공간 표현에 신생면(新生面)을 개척함. 대표작 ≪식스투스 4세(Sixtus四世)≫. [1438-95?]

멜론 〔melon〕 명〖식〗①박과에 속하는 덩굴성(性) 식물. 과실은 식용함. 세계 각지에서 재배되고 있는 서양종의 참외로, 네트 멜론, 칸타로프, 겨울멜론 등이 주로 재배됨. ②[*Cucumis melo* var. *reticulatus*] 박과에 속하는 덩굴 식물. 잎은 참외와 같으며 과실은 타원형 또는 구형이고, 과피는 그물 모양의 무늬가 있으며, 부드럽고 치밀한 과육(果肉)은 방향과 감미가 있어 상용(賞用)됨.

〈멜론❷〉

멜리나이트 〔melinite〕 명〖군〗군용 폭약. 순수한 피크린산(picrin酸)을 질화(窒化)시켜 만든 결정체로, 수뢰·탄환·지뢰 등의 작약(炸藥)에 사용됨.

멜리사 〔melissa〕 명〖식〗[*Melissa officinalis*] 꿀풀과에 속하는 다년초. 지중해 연안 원산으로 잎은 거꿀달걀꼴이며 꽃은 작은 순형화(脣形花)로 황백색임. 전체에 레몬과 비슷한 향기가 있어 향미료로 쓰이고 발한(發汗) 및 소화를 촉진시킴.

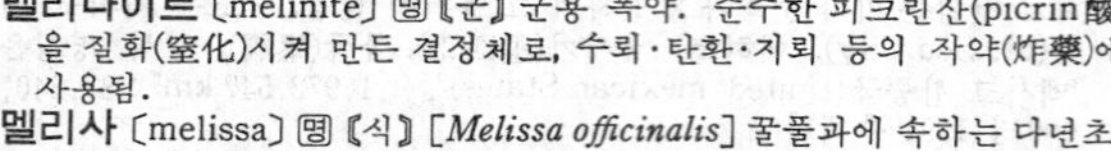

멜리스마 〔그 melisma〕 명〖악〗그레고리오 성가(聖歌) 같은 중세의 성악곡(聲樂曲)에서, 가사의 한 음절에 대하여 몇 개의 음표를 장식적으로 달아서 표정을 풍부하게 한 기법(技法).

멜:리스-선【—腺】 명 〔Mehlis' gland〕〖생〗편형 동물의 자성(雌性) 생식선에 부속해 있는 선양체(腺樣體). 수란관(輸卵管)과 자궁 사이에 있는 난형성강(卵形成腔)이라는 부분을 둘러싸고 있어, 그 분비물이 난(卵) 형성에 관여한다고 하나 아직 불확실함.

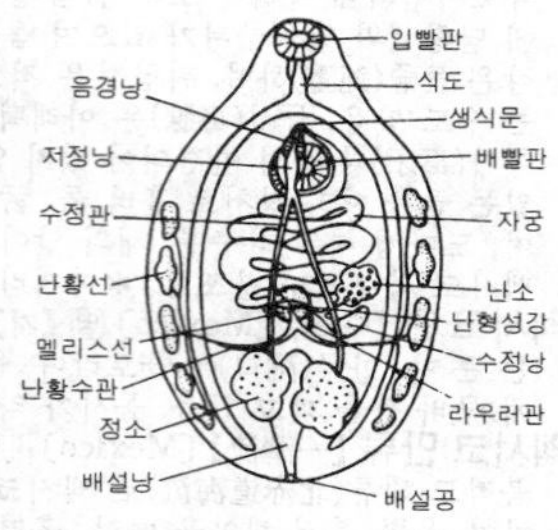

〈멜리스선〉

멜리야 〔Melilla〕 명〖지〗모로코(Morocco) 북부, 지중해안의 항구 도시. 스페인의 비지(飛地). 철광석의 수출항이며 상업과 어업의 중심. 식품 공업·선박 수리 등이 성함. 고대 로마의 식민시로 1497년 스페인에 점령됨. [58,000명(1981)]

멜리에스 〔Méliès, Georges〕 명〖사람〗프랑스의 영화 감독. 영화의 발명 직후인 1896년에 세계 최초의 영화 감독이 되어 영화 표현 기술의 대부분을 고안함. 작품에는 트릭(trick) 촬영을 응용한 환상극이 많음. 대표작은 ≪달 세계 탐험≫. [1861-1938]

멜릴라이트 〔melilite〕 명〖광〗황장석.

멜바 〔Melba, Nellie〕 명〖사람〗오스트레일리아의 소프라노 가수. 예명은 Helen Porter Mitchell. 브뤼셀서 데뷔하였으며, 넓은 성역(聲域)과 감미로운 음색으로 세계적 명성을 얻었음. [1861-1931]

멜버른 〔Melbourne〕 명〖지〗오스트레일리아 동남부 빅토리아 주(Victoria 州)의 주도. 포트필립 만(Port Phillip 灣) 연안의 항구 도시로 양모(羊毛)·식육(食肉)·금(金)을 수출함. 기계·모직물(毛織物)·식품(食品) 공업이 행하여짐. 한때 오스트레일리아의 수도였고, 1956년 제16회 올림픽 대회가 이 곳에서 개최되었음. [3,080,000명(1990)]

멜빌 〔Melville, Herman〕 명〖사람〗미국의 소설가. 포경선(捕鯨船)의 승무원으로 남해(南海)의 여러 섬을 두루 돌아다녔으며, 이 때의 체험을 바탕으로 해양 소설(海洋小說)을 씀. 말년에는 상징적이며 철학적인 작풍(作風)으로 기울어짐. 작품에 ≪타이피≫·≪오무≫·≪백경(白鯨)≫ 등이 있음. [1819-91]

멜빌 섬 〔Melville〕 명〖지〗①캐나다의 북쪽, 북극해에 있는 패리 제도(Parry 諸島) 중 가장 큰 섬. 빙하 지대로 식물(植物)이 전혀 없음. 최장(最長) 약 350 km, 폭 약 200 km. [42,000 km²] ②오스트레일리아 북단(北端) 다윈(Darwin)의 북쪽에 있는 섬. 들소의 서식지로 유명함.

멜빵 명 ①짐을 걸어서 어깨에 둘러메는 끈. ②〖군〗소총(小銃)을 어깨에 메기 위해 단 띠 모양의 줄. *질빵.

멜치 명〈방〉〖어〗멸치(경기·강원·충남·경상·전라·황해·함남).

멜턴 〔melton〕 명 나사(羅紗)의 한 가지. 실을 평직(平織) 또는 사문 조직(斜紋組織)으로 짠 것으로 온 면(面)에 털이 나와 있음. 양복감으로 쓰임.

멜티 명〈방〉〖어〗멸치(평안).

멤¹ 명〈방〉몸(경남).

멤² 〔프 même〕 명〖악〗'상등(相等)한'의 뜻.

멤논 〔Memnon〕 명〖신〗그리스 신화 속의 이디오피아의 왕(王). 트로이 전쟁 때 숙부(叔父)인 트로이왕 프리아모스에 가세(加勢), 아킬레스에게 살해되었으나 제우스로부터 영원한 생명을 얻음.

멤링크 〔Memlinc, Hans〕 명〖사람〗네덜란드의 화가. 온건한 조화적 작풍(作風)으로 제단화(祭壇畫) 형식에 의한 종교화와 초상화를 잘 그렸음. 대표작 ≪최후의 심판≫·≪성녀(聖女) 우르술라의 유물 상자≫ 등. [1434?-94]

멤버 〔member〕 명 단체를 구성하는 일원(一員). 회원. ¶ 구성 ~.

멤버-십 〔membership〕 명 단체의 구성원임. 또, 그 자격·지위.

멤생이 명〈방〉〖동〗염소¹(전북).

멤소 명〈방〉〖동〗염소¹(전북).

멤피스 〔Memphis〕 명〖지〗①이집트의 나일 강 하류 서쪽, 카이로의 남쪽 언덕에 있는 옛 도시. 이집트 제일 왕조(第一王朝)의 시조 메네스(Menes) 왕이 건설하였다 하며 고왕국시대(古王國時代)의 수도였음. 웅대한 신전(神殿) 및 피라미드가 있었으나 현재는 황폐되어서 약간의 고지(古址)만 남아 있음. ②미국 중부(中部) 테네시 주의 남서쪽 끝에 있는 상공업 도시. 미시시피 강에 연한 하항(河港) 도시로, 수륙(水陸) 교통의 중심지. 면화·면실유(綿實油)·밀·가축 등의 거래가 활발하며, 농업 기계·제강(製鋼)·타이어·유리·화학 약품 등의 공업도 발달함. 주민의 약 40%가 흑인임. [610,337명(1990)]

멥-뜨다 형 ☞메뜨다.

멥-새 명〖조〗멧새❷.

멥쌀 명 〔중세 : 뫼뿔〕 메벼에서 나온, 끈기가 적은 쌀. 갱미(秔米). 갱백미. 경미(粳米). ↔찹쌀.

멥쌀 미음【—米飮】 명 멥쌀을 푹 끓여서 쑨 묽은 미음. 경미음(粳米飮).

멥쌀-밥 명 멥쌀로 지은 밥. 경미반.

멥쌀-술 명 멥쌀로 담가서 빚은 술.

멧¹ 명 〈방〉 뫼⁴(전라).

멧² 수관 〈방〉 몇(경기·충청·전라·경상).

멧-갓 명 산에 있는 말림갓. 산판(山坂).

멧-고추잠자리 명 〖충〗 노랑띠좀잠자리.

멧-골 명 〈방〉 산골(함북).

멧괴 새끼 명 성행(性行)이 거친 사람을 들고양이 같다는 뜻으로 얕잡아 부르는 별명.

멧구다 타 〈옛〉 메우다. ¶ 므스므라 주려 주거 굴헝에 멧귀울 이를 아리오(焉知餓死塡溝壑)《杜諺》.

멧-굿 명 농악(農樂)으로 하는 굿.

멧-꿩의다리 [―/―에―] 명 〖식〗 [*Thalictrum spirostigmum*] 미나리아재빗과에 속하는 다년초. 줄기 높이 70 cm 내외, 잎은 호생하며 거듭 삼회 삼출(三回三出)하고 소엽(小葉)은 거꿀달걀꼴 또는 거꿀달걀 모양의 넓은 설형(楔形)임. 끝이 3-5 갈래로 얕게 째지고 잎 뒷면이 분처럼 흼. 7월에 백색 꽃이 산방상(繖房狀)의 원추(圓錐) 화서로 정생(頂生)하여 피고, 과실은 수과(瘦果)임. 깊은 산에 나는데 황해·평북 및 함북의 관모봉(冠帽峯)에 분포함.

멧-나물 명 산이나 들에 저절로 나는 나물. 산채(山菜).

멧나물 지짐이 명 멧나물을 삶아서 지진 반찬.

멧-노랑나비 명 〖충〗 [*Gonepteryx rhamni amurensis*] 흰나빗과에 속하는 곤충. 편 날개의 길이 58-72 mm, 수컷은 온 몸이 짙은 황색, 암컷은 청백색임. 앞뒤 날개의 중앙에 등황색의 점무늬가 있고, 뒷날개 뒷면 제7시맥(翅脈)이 특히 발달되었으며, 날개 가장자리에 갈색 또는 암홍색 무늬가 있음. 유충은 녹색이고, 6-7월경에 발생하여 이듬해에 산란함. 한국·일본·만주·중국·아무르 등지에 분포함.

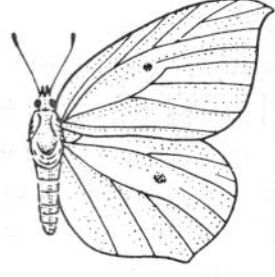
〈멧노랑나비〉

멧-누에 명 〖충〗 ☞ 산누에.

멧누에-고치 명 ☞ 산누에고치.

멧누에-나방 명 〖충〗 ①새누에나방. ②☞ 산누에나방.

멧누에-나비 명 〖충〗 ①☞ 산누에나방. ②☞ 참나무산누에나방.

멧-닭 [―닥] 명 〖조〗 [*Lyrurus tetrix ussuriensis*] 들꿩과에 속하는 새. 닭과 비슷한데, 수컷은 날개 길이 27 cm, 꼬리 길이 21 cm 정도, 몸빛은 흑색에 남색 광택이 남. 톱니로 된 홍색 볏이 있고, 날개에는 하얀 띠가 있음. 꽁지는 두 갈래로 갈라져 끝이 휘었음. 암컷은 날개 길이 23 cm, 꽁지 길이 13 cm 정도이고, 몸빛은 황색을 띤 적갈색에 흑색 가로띠가 있음. 울창한 산림 속에 서식하며, 식물의 열매와 곤충을 먹음. 한국·몽고·만주·동부 시베리아 및 남부 아시아에 분포함. 할계(鶡鷄). 흑치(黑雉). *뇌조(雷鳥)·야계(野鷄).

〈멧닭〉

멧-대아지 명 〈방〉 〖동〗 멧돼지(전남).

멧-대추 명 멧대추나무의 열매. 산조(酸棗).

멧대추-나무 명 〖식〗 [*Zizyphus jujuba*] 갈매나뭇과에 속하는 낙엽 활엽의 교목. 가시가 나고 잎은 달걀꼴인데 잎 뒤에 석 줄의 엽맥(葉脈)이 있음. 6월에 황록색의 꽃이 취산 화서로 액생(腋生)하여 피고, 핵과(核果)는 9월에 암적색으로 익음. 산기슭 양지 및 촌락 부근에 나는데, 한국 각지에 야생하며, 중국·유럽 남부·몽고·만주에 분포함. 정원수로 기르며, 과실은 '멧대추'라고 하여 식용하고 종자는 약재로 씀.

〈멧대추나무〉

멧-도야지 명 〈방〉 〖동〗 멧돼지.

멧-도요 명 〖조〗 누른도요.

멧돌 명 〈방〉 맷돌(전남).

멧-돝 명 〈방〉 〖동〗 멧돼지(제주).

【멧돝 잡으려 갔다가 집돝 잃었다】 먼 데 있는 것을 탐하다가 가까운 데 있는 것을 잃었다는 말.

멧-돼지 명 〖동〗 [*Sus scrofa coreanus*] 멧돼짓과(科)에 속하는 산짐승. 돼지의 원종(原種)으로 몸길이 1-1.5m, 어깨 높이 80 cm 가량이고, 몸빛은 흑색 또는 흑갈색임. 주둥이가 매우 길고 목은 짧으며, 강대한 엄니가 밖으로 내밀었음. 다리는 길고 복부는 처지지 않으며, 목 부분에서 등에 걸쳐 긴 강모(剛毛)가 났는데 성을 내면 빳빳이 일어남. 산림 속에 살며 밤에 나와 이끼·버섯·나무 뿌리·고구마 및 개구리·게·새우·들쥐 등을 먹고, 농작물을 해침. 성질이 흉포(凶暴)하여 사람까지도 해침. 한국 특산종임. 모피·엄니는 세공용, 고기는 식용, 쓸개는 약재로 씀. 산돼지. 산저(山猪). 야저(野猪).

〈멧돼지〉

멧돼지-거미 명 〖동〗 [*Dysdera crocata*] 멧돼지거밋과에 속하는 절지(節肢) 동물의 하나. 몸길이는 15 mm 내외이며, 두흉부(頭胸部)의 배갑(背甲)은 달걀꼴로 적갈색이고, 흉판(胸板)은 적황색, 복부는 회황색인데, 배면(背面)에는 갈색 반점이 많이 있음. 산이나 밭의 돌밑·이끼 사이에 서식하는데, 구북(舊北) 지방의 온대에 분포함.

멧돼짓-과 【―科】 명 〖동〗 [Suidae] 사슴목(目)에 속(屬)하는 한 과(科). 성질이 억세고 흉포함. 위(胃)가 하나이고, 주로 야간 활동성·잡식성이며, 한 배에 3-8마리, 드물게 12-13마리의 새끼를 낳음. 돼지·멧돼지 등이 이에 속하는데, 대양주(大洋洲)를 제외한 전세계에 86여 종이 분포함.

멧-되야지 명 〈방〉 〖동〗 멧돼지(전라).

멧-되지 명 〈방〉 〖동〗 멧돼지(전라).

멧-두릅 명 〖식〗 [*Angelica polyclada*] 미나릿과에 속하는 다년초. 줄기 높이는 2 m 가량이고, 속이 비었으며 가는 털이 났고, 잎은 호생하며 삼회 삼출(三回三出)의 우상 복엽(羽狀複葉)인데 소엽(小葉)은 달걀꼴 또는 타원형에 가는 톱니가 있고 엽액(葉腋)의 기부(基部)는 퍼져서 줄기를 쌌음. 8월에 백색 또는 담녹색의 오판화(五瓣花)가 복산형(複繖形) 화서로 가지 끝에 피며, 장과(漿果)는 길이 7-8 mm의 긴 타원형이고 두 개의 화주(花柱)와 자색의 날개가 있음. 산 속의 풀밭에 나는데, 일본 특산종으로 한국·중국에 분포함. 뿌리는 말리어 '독활(獨活)'이라 하여 한약재로 씀. 독요초(獨搖草). 독활. 장생초(長生草).

〈멧두릅〉

멧두릅 나물 명 멧두릅의 어린 순을 데쳐서 소금과 기름에 무친 나물. 독활채(獨活菜).

멧따구 명 〈방〉 〖어〗 멸치(전라).

멧-미나리 명 〖식〗 [*Ostericum sieboldii*] 미나릿과(科)에 속하는 다년초. 줄기는 높이 1-2 m이고, 잎은 재우상 복엽(再羽狀複葉)이며 근엽(根葉)은 장병(長柄)이고 경엽(莖葉)은 호생, 소엽(小葉)은 달걀꼴임. 8-9월에 백색 꽃이 복산 화서(複繖花序)로 피는데, 총산경(總繖梗)은 5-8개, 소산경(小繖梗)은 15-20개이고, 과실은 긴 타원형 또는 거꿀달걀꼴임. 산지나 골짜기에 나는데, 제주·전남·경기·황해·함남 등지에 분포함.

〈멧미나리〉

멧-박쥐 명 〖동〗 산박쥐.

멧-발 명 ☞ 산줄기.

멧-밭쥐 명 〖동〗 [*Micromys minutus ussuricus*] 쥣과에 속하는 쥐. 가장 작은 야생(野生) 쥐의 하나로 몸길이 5.2-7 cm, 꼬리는 길며, 몸빛은 상면(上面)이 대갈색(帶褐色), 하면은 백색이며 꼬리의 끝과 상면은 나출(裸出)하였는데 이것으로 풀·나무를 휘감고 올라감. 평지(平地)에서 얕은 산의 습지(濕地)·채소밭 등에 서식(棲息)함. 풀이나 나무에 둥근 집을 짓고 2-7 마리의 새끼를 낳음. 헤엄도 잘 침. 곡식·과실·씨·곤충 등을 먹으며, 전염병을 매개함. 중앙 유럽 및 러시아·중국·한국·일본 등에 분포함. 들쥐.

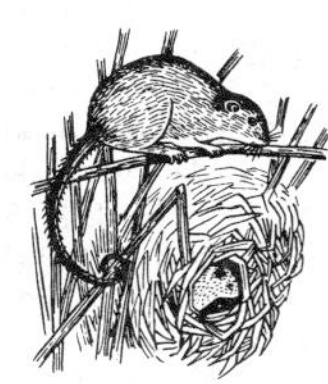
〈멧밭쥐〉

멧-봉우리 명 〈방〉 멧부리(평안).

멧-부리 명 산등성이나 산봉우리의 가장 높은 꼭대기. *산봉우리.

멧-부엉이 명 깊은 산의 부엉이같이 메부수수하게 생긴 시골뜨기를 조롱으로 일컫는 말.

멧-비둘기 명 〖조〗 ①[*Streptopelia orientalis*] 비둘깃과에 속하는 새. 날개 길이 18-20 cm이고, 몸은 머리와 목으로부터 윗가슴까지 포도색(葡萄色)이며 목 옆에는 검정과 회청(灰靑)의 비늘꼴 반문이 있고, 어깨와 날개는 대부분이 흑색과 다적색(茶赤色)임. 부리는 갈색이고 다리는 홍색임. 초원이나 밭에 날아와 초목의 씨·곤충 등을 먹으며 4-6월에 나무 위에 둥지를 짓고 순백색 알을 두 개 낳음. 산지·삼림에 서식하는데, 한국·만주·동남 시베리아·몽고·일본·중국·사할린 등지에 분포함. 호도애. 청구(靑鳩). 청추(靑鵻). 황갈후(黃褐候). ②〈방〉 산비둘기.

〈멧비둘기❶〉

멧산-부 【―山部】 명 한자 부수(部首)의 하나. '岳'이나 '峽' 등의 '山'의 이름.

멧-새 명 〖조〗 ①참샛과 멧새속(屬)에 속하는 검은머리노랑멧새·제주멧새·노랑턱멧새 등의 총칭. ②[*Embeiza cioides castaneiceps*] 참샛과 멧새속에 속하는 새. 날개 길이는 7-8 cm, 꽁지는 6.5-8 cm, 부리는 1-1.3 cm 임. 참새와 비슷한데 몸빛이 배면(背面)은 밤빛에 흑색의 세로 무늬가 있고, 상미통(上尾筒)은 모두 밤빛, 몸의 하면(下面)은 담적갈색, 두부는 암갈색에 중앙은 회색이고, 얼굴과 목은 백색, 뺨은 흑색임. 야산·풀밭·숲·논밭에 살며, 잡초의 씨와 곤충을 먹음. 4-7월에 회백색에 선문(線紋)이 있는 알을 3-5개 낳으며, 곱게 울므로 사육함. 아시아 동부에 분포하고, 한국·일본·중국에도 날아옴. 멥새. 삼도미(三道眉). ③'산새'의 예스러운 말.

〈멧새❷〉

멧-소 명 〈방〉 도짓소.

멧-송장개구리 명 〖동〗 산개구리.

멧-쌀 명 〈방〉 멥쌀.

멧-종다리 명 〖조〗 [*Prunella montanella*] 바위종다릿과에 속하는 새. 날개 길이 약 75 mm 이고, 머리는 흑갈색, 얼굴은 흑색에 담황갈색의 미반(眉斑)이 있음. 배면(背面)은 밤색이며, 그 깃의 가장자리 끝은 회갈색임. 날개는 암갈색이고 그 가장자리는 갈색, 하면은 담황색, 복부는 백색이며, 풀씨·곤충·과실을 먹음. 시베리아에서 번식하고, 한국·몽고·중국·일본에서 월동함.

〈멧종다리〉

멧-줄기 명 ☞ 산줄기.

멧-짐승 명 '산짐승'의 예스러운 말.

멧치 명 〈방〉 〖어〗 멸치(함남).

멧-토끼 명 〖동〗 ☞ 산토끼.

멩거 〔Menger〕 명 〖사람〗 ①〔Anton, M.〕 오스트리아의 법학자. ❷의 동생. 법조 사회주의(法曹社會主義)의 대표자로서, 노동 입법(勞動立法)에 조예가 깊었으며, 저서로 ≪전수권사론(全收權史論)≫ 등이 있음. [1841-1906] ②〔Karl, M.〕 경제학자. 한계 효용 학파(限界效用學派)의 창시자로, 경제학의 방법에 관하여 역사학자를 대표하고 새로이 오스트리아 학파(Austria學派)를 창시하였음. 저서에 ≪경제학 원리≫ 등이 있음. [1840-1921]

멩긴 〔Menghin, Oswald〕 명 〖사람〗 오스트리아의 고고학자(考古學者). 빈 대학 교수. 1945년 이후 아르헨티나에 이주함. 오스트리아·이집트·아르헨티나에서 발굴 조사에 종사. 특히 선사(先史) 시대의 체계적 연구에 노력함. [1888-1973]

멩스 〔Mengs, Anton Raphael〕 명 〖사람〗 독일의 신고전주의(新古典主義) 화가. 1741년, 역시 화가인 부친을 따라 로마에 간 이래 그 곳에서 많이 활약하였고 드레스덴·마드리드 등지에서 궁정(宮廷) 화가로서도 활약함. 고대 예술을 이상으로 하고 색채에서는 코레조(Correggio)의 영향을 받음. 대표작으로는 빌라 알바니의 천정화(天井畫) ≪파르나수스(Parnassus)≫ 등이 있음. [1728-79]

멩엇 명 〈옛〉 지경(地境). ¶ 뗑엇 역(域)≪字會 上 6≫.

멩이[1] 명 〈방〉 모이(경기·강원·황해·평안).

멩이[2] 명 〈방〉 갑절(강원).

멩일 명 〈방〉 명일(名日)(함경).

멩절 명 〈방〉 명절(名節)(함경).

멩지 명 〈방〉 명주(明紬)(강원·충북·경북).

멩질 명 〈방〉 명절(名節)(충남·경상).

멩컨 〔Mencken, Henry Louis〕 명 〖사람〗 미국의 비평가. 1924년 '아메리칸 머큐리지(American Mercury誌)'를 간행. 미국 독자(獨自)의 문학을 주장함. 평론집 ≪편견(偏見)≫ 외에 미국 영어에 관한 대표적 문헌 ≪미국 영어≫와 자서전(自敍傳)이 있음. [1880-1956]

몇 주관 〈방〉 몇(경기·강원·충북·경상·전라).

며 조 두 가지 이상의 사물을 늘어 놓아 말할 때 받침 없는 말에 쓰이는 접속 조사(接續助詞). ¶ 개~, 돼지~, 소~ 가축이 많다 / 배~, 대추~, 사과~ 여러 가지를 샀다. *이며.

-며 어미 ①'ㄹ받침' 또는 받침 없는 어간에 붙어, 두 가지 이상의 사물·동작·상태 등을 나열할 때 쓰는 연결 어미. ¶ 그는 부자~ 또한 행운아다 / 얼굴도 고우~ 행실도 얌전하다. ②↗-면서. ¶ 책을 주~ 말했다. *-으며.

며 【旀】 조 어미 〈이두〉 ↗이며(是旀)·하며(爲旀).

며가지 명 〈속〉 멱[1].

며개 명 〈옛〉 목[1]. ¶ 如意는 며개예 如意珠 이실 씨라≪釋譜 XIII:11≫.

며기[1] 명 〈방〉 〖충〗 모기[1](경남).

며:기[2] 명 〈방〉 〖어〗 메기(경기·강원).

며나리 명 〈방〉 ①며느리. ②〖식〗 미나리.

며누리 명 〈방〉 며느리(경기·황해).

며누리-고굼 명 〈방〉 학질(경기).

며느-님 명 남의 며느리의 존칭.

며느라기 명 〈옛〉 며느리. ¶ 싀어마님 며느라기 ≪永言≫.

며느리 명 아들의 아내. 자부(子婦). 식부(息婦). ↔사위.
[며느리가 미우면 발 뒤축이 달걀 같다고 나무란다] 공연히 트집을 잡아서 억지로 허물을 지어 낸다는 말. [며느리가 미우면 손자까지 밉다] 한 사람이 미우면 그에 딸린 밉지 않은 사람까지도 밉게 보인다는 말. [며느리 늙어 시어미 된다] 시어미에게 단련받은 며느리가 시어미가 되면 자기의 며느리 적 일은 생각지 않고, 자기의 시어미가 하던 식을 그대로 되풀이한다. [며느리 사랑은 시아버지, 사위 사랑은 장모] 며느리는 늘 시아버지에게 귀염을 받고, 사위는 장모가 귀여워함을 이름. [며느리 새옹에 발꿈치 희어진다] 며느리가 밉고 시새워서 빨래만 시키지만, 오히려 그 바람에 며느리의 발꿈치가 희어지니, 시어미의 구박의 보람이 없게 되었다는 말. [며느리 시앗은 열도 귀엽고 자기 시앗은 하나도 밉다] 흔히, 아들이 첩을 얻는 것은 좋아하면서도, 제 남편이 첩을 얻어 제가 시앗을 보게 되면 못 견디어 한다는 말. [며느리 아이 낳는건 봐도, 딸 애 낳는건 못 본다] 아이 낳는 고생스러움은 보기에 매우 안타깝다는 말. [며느리 자라 시어미 되니 시어미 티를 더 잘한다] 그 전에 자기가 남의 밑에 있어 괴로움을 당하던 일을 생각지 아니하고, 아랫사람에게 더 몹시 군다는 뜻.

며느리-고금 명 〖한의〗 날마다 앓는 학질(瘧疾). 축일학(逐日瘧).

며느리-미씨깨 명 〖식〗 [*Persicaria senticosa*] 마디풀과에 속하는 일년초. 줄기는 넌출 모양이고, 길이 2m에 달하며, 잔가지로 다른 것에 감겨 올라감. 잎은 호생하고 장병(長柄)이며, 탁엽(托葉)은 녹엽상(綠葉狀)임. 5-8월에 두화(頭花)가 가지 끝에 정생(頂生)하여 담홍색으로 피고, 과실은 수과(瘦果)임. 들이나 길가에 나는데, 한국 각지에 분포함. 어린 잎은 식용함.

며느리-바퀴 명 〈방〉 아들바퀴.

며느리-발톱 명 ①새끼발톱 옆에 덧박힌 작은 발톱. ②〖동〗 길짐승이나 새의 뒷발톱. 거(距).

〈며느리발톱❷〉

며느리-밥풀 명 〖식〗 새며느리밥풀·수염며느리밥풀·애기며느리밥풀 등의 총칭.

며느리-배꼽 명 〖식〗 [*Persicaria perfoliata*] 마디풀과에 속하는 일년생의 만초. 줄기에는 가시가 나며, 잎은 호생하고 장병(長柄)이며, 잎꼭지와 잎 뒤에 가시가 났음. 탁엽(托葉)은 방패 모양으로 원형임. 7-9월에 엷은 녹백색의 꽃이 수상(穗狀) 화서로 가지 끝에 정생(頂生)하여 피고, 수과(瘦果)를 맺음. 들이나 길가에 나는데 거의 한국 각지에 분포함. 어린 잎은 식용함.

며느리-서까래 명 〖건〗 부연(婦椽).

며느리-주머니 명 〈방〉 〖식〗 금낭화(錦囊花).

며늘-아기 명 며느리를 귀엽게 이르는 말.

며ᄂᆞ리 명 〈옛〉 며느리. ¶ 며ᄂᆞ리 도리를 극진히 ᄒᆞ여(執婦道甚恭)≪五倫 III:60≫.

며ᄂᆞᆯ 명 〈옛〉 며느리. ¶ 며ᄂᆞᆯ(婦)≪小諺≫.

며ᄂᆞᆯ톱 명 〈옛〉 며느리 발톱. ¶ 도틔 며ᄂᆞᆯ톱(猪懸蹄)≪救簡 III:33≫.

며래 명 〖식〗 나도물통이.

며로치 명 〈방〉 〖어〗 멸치(경기).

며루 명 〖충〗 꾸정모기의 유충(幼蟲). 자방충(虸蚄蟲).

며루치 명 〖어〗 ☞ 멸치.

며리개 【弥里介】 명 〖역〗 조선 시대 말기에, 아메리카, 곧 미국을 일컫던 취음(取音).

며물 명 〈방〉 〖식〗 메밀(경북).

-며서 어미 〈방〉 -면서.

며옛도다 자 〈옛〉 메었도다. 메이었도다. '며이다'의 활용형. ¶ 소니 村墟에 며옛도다(賓客隘村墟)≪杜諺 VI:40≫.

며이다 자 〈옛〉 메다. 메이다. ¶ 旌旗ㅣ 치운 虛空애 며옛ᄂᆞ니(蚩尤塞寒空)≪杜諺 II:34≫.

며주 명 〈방〉 메주(경북).

며쥬 명 〈옛〉 메주. ¶ 며쥬(醬麴)≪字會 中 21≫.

며츨 명 〈옛〉 며칠. ¶ 며츠를 셜워ᄒᆞ리러뇨(說幾箇日頭)≪朴解 上 75≫.

며치 명 〈방〉 〖어〗 멸치.

며칟-날 명 그 달의 몇째 날. 준며칠.

며칠 명 ①↗며칟날. ¶ 결혼식은 ~이라 하더냐. ②몇 날. ¶ ~이 걸리든지 해내라.

멱[1] 명 ①목의 앞쪽. ¶ ~을 따다. ②〈속〉 목구멍.

멱[2] 명 장기에서, 마(馬)와 상(象)이 다닐 수 있는 길목. ¶ ~도 모르고 장기 두는 격.

멱[3] 명 ↗멱서리.
[멱 진 놈 섬 진 놈] 가지가지로 틀린 모양을 한 여러 놈이라는 뜻.

멱:[4] 명 ↗미역[1].

멱:[5] 명 〖식〗 ↗미역[2].

멱[6] 【冪】 명 〖수〗 같은 수(數)나 문자를 몇 번인가 곱하여 합친 한 곱. 즉, a를 n번 곱한 것을 a^n으로 표시하여 a의 n승멱(乘冪)이라 함. 보통멱은 정수(整數)일 때에 한하나, 고등 수학에서는 n이 분수·영·음수(陰數)일 때에도 멱이라 함. 두 번 곱한 것을 제곱·이승(二乘)·자승(自乘) 또는 평방(平方)이라 하며, 세 번 곱한 것을 세제곱·삼승(三乘) 또는 입방(立方)이라 함. 승멱. 거듭제곱.

멱:-감다 [一따] 구 ↗미역 감다.

멱거 【覓去】 명 찾아감. 가져 감. ——-하다 타여불

멱구리 명 〈방〉 ①멱둥구미. ②멱서리.

멱:-국 명 ↗미역국.

멱근 【冪根】 명 〔radical root〕 〖수〗 거듭제곱근.

멱-급수 【冪級數】 명 〔power series〕 〖수〗 x를 원(元)으로 할 적에, $a_0+a_1x+a_2x^2+\cdots\cdots+a_nx^n+\cdots\cdots$ 또는 $a_0+a_1(x-a)+a_2(x-a)^2+\cdots\cdots+a_n(x-a)^n+\cdots\cdots$의 모양으로 나타내는 급수.

멱-나다 자 말의 목구멍이 통통 부어오르다.

멱대기 명 〈방〉 멱서리.

멱-동가지 명 〈방〉 멱[1](전북).

멱두지 명 〈방〉 목줄띠.

멱-둥갱이 명 〈방〉 멱[1](전북).

멱-둥구미 명 짚으로 엮어 만든, 둥글고 울이 높은 그릇. 농가에서 곡식 등을 담음. 준둥구미.

〈멱둥구미〉

멱드리 명 〈방〉 멱서리.

멱-따다 자타 목을 찌르다. ¶ 돼지 멱따는 소리.

멱라-수 【汨羅水】 [一나一] 명 〖지〗 미뤄(汨羅) 강.

멱래 【覓來】 [一내] 명 찾아옴. 가져옴. ——-하다 타여불

멱마기 명 〈옛〉 명매기. ¶ 呼 멱마기 曰胡燕又曰巧燕≪字會 上 17 鷰字註≫.

멱모 【幎冒】 명 멱목(幎目).

멱목 【幎目】 명 소렴(小殮) 때 송장의 얼굴을 싸는 헝겊. 겉은 자줏빛, 안은 검은 빛의 네모진 주릉(紬綾)인데, 각 귀에는 끈이 달려 있음. 멱모(幎冒). 면모(面帽·幎帽).

멱-미레 명 소의 턱 밑에 달린 고기.

멱법 【冪法】 명 〖수〗 어떤 수 또는 식 a에서, 그 멱(冪) a^n을 구하는 계산법(計算法). 멱승(冪乘). 멱승법(冪乘法). 거듭제곱.

멱-부리 명 턱 밑에 털이 많은 닭.
[멱부리 암탉이다] 턱 밑에 털이 많이 나서 아래를 못 본다는 말로, 바로 앞의 일을 모른다는 뜻. 또, 그런 사람을 농조로 이르는 말.

멱-부지 【一不知】 명 장기의 멱도 모르는 사람. 전(轉)하여, 사리에 익숙하지 못한 사람.

멱사리 명 〈방〉 멱서리.

멱-살 명 ①사람의 멱 아래의 살. ②목 아래에 여민 옷깃. ¶ ~을 잡다.
멱살(을) 들다 구 멱살을 잡다. 멱살을 추켜 잡다.
멱살(을) 잡다 구 멱살을 움켜쥐다. 멱살(을) 들다.

멱살-잡이 명 멱살을 잡는 일. ¶ ~하며 싸우다.

멱서리 명 짚으로 날을 촘촘히 속으로 넣고 만든 그릇. 곡식을 담는 데 씀. 멱자(覓子). 준멱.

멱-쇠채 명 〖식〗 [*Scorzonera austrica*] 꽃상춧과에 속하는 다년초. 줄기 높이 30cm 내외이고, 잎은 다소 짧고 피침상 선형(線形)을 이룸. 5-6월에 황색 두화(頭花)가 줄기 끝에 하나씩 피며, 수과(瘦果)를 맺음. 산이나 들에 나는데, 전북·강원·경기·황해·평남·함남 등지에 분포함. 어린 잎 및 뿌리는 식용함.

멱-수[1] 【汨水】 명 〖지〗 '미수이(汨水)'를 우리 음으로 읽은 이름.

멱-수[2] 【冪數】 명 〖수〗 멱(冪)이 되는 수.

멱승 【冪乘】 명 〖수〗 멱법(冪法).

멱승-법 【冪乘法】 [一뻡] 명 〖수〗 멱법(冪法).

멱-신 명 짚 또는 삼으로 멱서리 엮듯이 만든 신.
멱-씨름 명 서로 멱살을 잡고 싸우는 짓. ——-하다 자여불
멱자【覓子】명 멱서리.
멱자구 명 〈방〉〖동〗개구리(함경·평안).
멱장구 명 〈방〉〖동〗개구리(평안).
멱-접이 명 〈방〉 목접이. ——-하다 자
멱-제비 명 〈방〉 목접이. ——-하다 자
멱-줄때기 명 〈방〉 목줄띠.
멱-줄띠 명 〈방〉 목줄띠.
멱-지수【冪指數】명 〖수〗 멱(冪)을 만들 적에 그 거듭 곱한 횟수(回數)를 나타내는 수. 즉, a^5,$(z-c)^2$에서 5나 2를 말함. 준지수(指數).
멱-집합【冪集合】명 〔power set〕〖수〗 어떤 집합의 모든 부분 집합의 집합.
멱-찌르다 타르불 목을 찌르다.
멱-차다 자 ①더 들어갈 수 없게 한도가 차다. ②일이 끝나다. ③다 되다. 완전히 되다.
멱-통 명 ↗산멱통.
멱투시 명 〈방〉 멱살.
멱-함수【冪函數】[—쑤] 명 〔power function〕〖수〗 '$y=ax^n$'과 같은 식(式)으로 나타낼 수 있는 함수.
면:[1] 명 개미·쥐·게 등이 갉아 파내어 놓은 보드라운 가루 흙.
면:[2] 명 남색(男色)의 상대자. 미동(美童). 연동(戀童). ＊남창(男娼).
면:[3]【面】명 ①얼굴. 낯. 안면(顔面). ¶ ～을 가리다. ②↗체면(體面). ③검도(劍道)에서, 위험을 피하기 위하여 얼굴에 쓰는 제구. ④물건의 거죽. 겉으로 드러난 쪽의 바닥. 표면. ⑤〖수〗 선(線) 다음 가는 단순한 도형(圖形)의 요소. 정하여진 위치에 있어서 길이 및 폭(幅)의 두 방향으로 퍼진 이차원(二次元)의 연속체(連續體). 평면·곡면 등의 구별이 있음. 또, 특히 다면체(多面體)의 한계가 되는 몇 개간의 유한 평면(有限平面)을 말함. ⑥신문의 지면(紙面). ¶ 제1～에 크게 났다. ⑦관련되는 것을 널리 포괄한 부면(部面). ¶ 사생활 ～/경제적인 ～.
면:[4]【面】명 〖법〗 몇 개의 이(里)로 구성된, 군(郡)에 속한 지방 행정 구역 단위의 하나. 종래 도(道)에 속한 지방 자치 단체의 하나였으나 지금은 지방 자치 단체인 군의 단순한 행정 구역으로 되었음.
면[5]【眠】명 의명 누에가 먹기를 쉬고 탈피 준비를 하는 기간. 잠. ↔영(齡).
면[6]【綿】명 솜. 또, 무명.
면[7]【麪】명 국수.
-면 어미 ㄹ받침 또는 받침 없는 어간에 붙어 가정적 사실을 나타내는 연결 어미. ¶ 꽃이 피～ 새가 울겠지 / 날이 새～ 떠나리다 / 쇠고기～ 다 같은 줄 아느냐 / 네가 아니～ 못 하는 일이다. 준-ㅁ[2]. ＊-으면.
면:각【面角】명 ①〔face angle〕〖수〗 두 평면이 서로 이웃하여 붙을 때 생기는 각. 이면각(二面角). ②〖생〗 안면각(顔面角). ③〖광〗 광물의 결정체(結晶體)의 면(面)과 면 사이에 난 모의 정도.
면:각 불변의 법칙【面角不變—法則】[—/—에—] 명 〖물〗 면각 일정의 법칙.
면:각 안정의 법칙【面角安定—法則】[—/—에—] 명 〖물〗 면각 일정의 법칙.
면:각 일정의 법칙【面角一定—法則】[—쩡—/—쩡에—] 명 〖물〗 동일 종류의 결정(結晶)에 있어서, 서로 대응하는 두 면이 이루는 각은, 동온(同溫)·동압(同壓)일 때에는 어떠한 왜형(歪形)일지라도 같다고 하는 법칙. 1669 년 이탈리아의 스테노(Steno, N.)가 발견함. 면각 불변(不變)의 법칙. 면각 안정(安定)의 법칙.
면:간 교대【面看交代】명 서로 마주 보는 같은 자리에서 사무를 인계함. ——-하다 자여불
면:강[1]【面講】명 〖역〗 과거(科擧) 볼 때에 시관(試官) 앞에서 글을 외어 읽는 일. ——-하다 자여불
면:강[2]【勉強】명 억지로 함. 또, 억지로 시킴. ——-하다 자타여불
면:검【免檢】명 검시(檢屍)를 면함. ——-하다 자타여불
면:견[1]【面見】명 ①눈앞에서 봄. ②면회(面會). ——-하다 타여불
면견[2]【綿繭】명 풀솜을 뽑는 허드레 고치. 솜고치.
면:결【面決】명 면전에서 결정함. ——-하다 타여불
면:겸【免歉】명 면흉(免凶). ——-하다 자여불
면:경【面鏡】명 얼굴이나 볼 정도로 작은 거울. 석경(石鏡).
면:계[1]【面戒】명 면전에서 충고함. ——-하다 타여불
면:계[2]【面界】명 행정 구획으로 나눈 면의 경계.
면곡【麪麯】명 ← 면국(麪麴).
면:공-랑【勉功郎】[—낭] 명 〖역〗 조선 시대 때 잡직(雜職)의 동반(東班) 정팔품의 품계. 부공랑(赴功郎)의 위, 승무랑(承務郎)의 아래임.
면:관[1]【免官】명 관직을 면하게 함. 면직(免職). ——-하다 타여불
면:관[2]【免冠】명 관을 벗음. ——-하다 자여불
면:관 돈:수【免冠頓首】명 관을 벗고 이마가 땅에 닿도록 절을 함. ——-하다 자여불
면:관 징계【免官懲戒】명 관리(官吏)의 신분을 해소하고 징계하는 처분. ——-하다 타여불
면:-광원【面光源】명 〖물〗 면이 빛나는 광원. ↔점(點)광원.
면:괴【面愧】명 면구(面灸). ¶ 오가 마누라가 염치없이 파고 보는데 색시는 면괴한 듯 고개를 다소곳하였다《洪命憙 : 林巨正》. ——-하다 형여불
면:괴-스럽다【面愧—】형ㅂ불 면구스럽다. **면:괴-스레**【面愧—】부
면:교【面交】명 면우(面友).
면:구[1]【免勾】명 〖역〗 옛날에 사형수에 대한 확정 재판을 다음해로 미루어 그 죄를 감하여 가볍게 하던 일.
면:구[2]【面灸】명 남을 대면하기가 부끄러움. ——-하다 형여불
면:구[3]【面垢】명 얼굴의 때.
면구[4]【綿球】명 〖의〗 탐폰(Tampon).
면:구-스럽다【面灸—】형ㅂ불 남을 대면하기가 부끄러운 듯하다. 민망스럽다. ¶ 나이는 얼마고 가족은 누구누구, 면구스러울 만큼 꼬치꼬치 캐묻는다《李無影 : 三年》. **면:구-스레**【面灸—】부
면:국[1]【緬國】명 중국 원(元)나라의 사서(史書)에 나오는 '미얀마'의 한명(漢名).
면국[2]【麪麴】명 밀가루로만 눌러서 만든 누룩. 고급 술을 빚는 데 씀. 교맥국(蕎麥麴). 면곡(麪麯). 분국(粉麴).
면:-군역【免軍役】명 군무에 복역(服役)함을 면함. ——-하다 자여불
면:궁【免窮】명 궁핍을 면함. 가난을 면함. ——-하다 자여불
면:급[1]【免急】명 위급함을 면함. ——-하다 자여불
면:급[2]【面給】명 재물 등을 서로 보는 앞에서 내어 줌. ——-하다 타여불
면긍【綿亘】명 길게 뻗치어 이어짐. 연긍(延亘). ¶ 지금까지 ～하는 폐습이 소위 양반이니 문벌이니 하는 고질을 타파하고 평등주의를 주장하여 …《崔瓚植 : 雁의 聲》. ——-하다 자여불
면기【眠期】명 누에가 잠자는 기간. 누에가 허물을 벗으려고 일체 운동을 중지하는 기간을 이름.
면:-나다【面—】자 ①체면이 서다. ②외면(外面)이 빛나다.
면:난【面赧】명 남을 대할 때에 부끄러워하여 얼굴이 붉어짐. ¶ 그 남편 보기가 ～하여 얼굴을 바로 들지 못하고 지극히 부끄러워하며… 《崔瓚植 : 金剛門》. ——-하다 형여불
면:난-스럽다【面赧—】형ㅂ불 매우 면난한 느낌이 있다. ¶ 마주보기가 갑자기 면난스러워서 가려고 일어섰다. **면:난-스레**【面赧—】부
면:-내【面內】명 한 면이 관할(管轄)하는 구획의 안.
면:-내다[1] 자 ①개미·게·쥐 등이 구멍을 뚫느라고 보드라운 가루 흙을 파내어 놓다. ②남의 물건을 조금씩 조금씩 훔쳐 내어 쌓아 놓다.
면:-내다[2]【面—】자 ①체면을 세우다. ②외면을 빛나게 하다.
면-내의【綿內衣】[—/—이] 명 무명으로 만든 속옷.
면-넬【綿—】명 ↗면플란넬(綿 flannel).
면:담【面談】명 서로 만나서 이야기함. 면오(面晤). 면화(面話). ¶ ～ 금지(禁止). ——-하다 자여불
면:당[1]【面當】명 면대(面對). ——-하다 자타여불
면:당[2]【面黨】명 정당(政黨)의 면 단위(面單位) 조직.
면:대[1]【面對】명 서로 얼굴을 마주 대함. 대면. 면접. 면당. ——-하다 자타여불
면대[2]【綿代】명 대대(代代). 누대(累代).
면:대양-증【面戴陽症】[—쯩] 명 〖한의〗 신경병(神經病)으로 말미암아 얼굴빛이 벌겋게 되는 증세. 열이 얼굴로만 오르며, 반면에 몸은 차서 설사를 함.
면:-대칭【面對稱】명 〖수〗 물체나 또는 도형 중의 서로 대응(對應)하는 어느 두 점을 맺는 직선이 주어진 평면에 의하여 수직으로 이등분(二等分)되는 것과 같은 위치적 관계. 평면 대칭(平面對稱).
면:도【面刀】명 ①얼굴에 난 잔털이나 수염을 깎는 일. 셰이빙(shaving). ②↗면도칼. ——-하다 자타여불
면:도-기【面刀器】명 면도날을 끼워 면도할 수 있도록 만든 기구.
면:도-날【面刀—】명 ①면도칼의 날. ②안전 면도에 끼게 된 날이 선 얇은 쇳조각.
면:도-사【面刀師】명 이발소에서 손님의 면도를 해 주는 사람. ¶ 여자 ～.
면:도-솔【面刀—】명 면도할 때 비누칠하는 데 쓰이는 솔.
면:도-질【面刀—】명 면도하는 짓. 면도하는 일. ——-하다 자타여불
면:도-칼【面刀—】명 면도하는 데 쓰는 칼. 레이저(razor). 체도(剃刀). 준면도(面刀).
면:독【面督】명 마주 대하여 보고 독촉함. 대면하여 독촉함. ——-하다 타여불
면:-돌이【面—】명 〖민〗 농악 놀이에서, 물채와 부포를 얼굴 앞쪽으로 늘어뜨리고 얼굴만 좌우로 30 도쯤 돌리는 동작.
면두 명 〈방〉 ①볏[1](경기·강원). ②〖식〗 맨드라미.
면듀 명 〈옛〉 명주(明紬). ¶ 초록 면듀 핫옷과(綠紬襖子)《老乞 下 45》.
면:려【勉勵·勉礪】[멸—] 명 ①스스로 힘씀. ②남을 힘쓰게 함. 쉬려(淬礪). ——-하다 자타여불
면:려 포장【勉勵褒章】[멸—] 명 공무원으로서 그 직무에 정려(精勵)하여 공적이 뚜렷한 사람에게 수여하던 포장. '근정 포장(勤政褒章)'으로 바뀌었음.

〈면려 포장〉

면력[1]【綿力】[멸—] 명 세력이 없음. 힘이 약함. ——-하다 형여불
면력[2]【綿歷】[멸—] 명 쉬지 아니하고 계속됨. ——-하다 자여불
면련【綿連】[멸—] 명 ①길게 이어짐. ②줄기차게 벋어나감. ——-하다 자여불. ——-히 부
면:례【緬禮】[멸—] 명 무덤을 옮기고 다시 장사지냄. ＊면봉(緬奉). ——-하다 타여불
【면례하는 데 뼈 감추기】 심술궂게 방해를 놓음을 이르는 말.
면류【麵類】[멸—] 명 밀국수나 메밀 국수 따위 국수류.
면:류-관【冕旒冠】[멸—] 명 〖역〗 제왕의 정복(正服)에 쓰던 관. 거죽은 검고 속은 붉으며, 위에는 직사각형의 평천판(平天板)이 놓이고 판 앞으로 유(旒)를 늘이어 오채(五采)의 주옥을 꿰었는데, 천자(天子)의 관에는 12 류, 제후(諸侯)의 관에는 9 류, 상대부(上大夫)는 7 류, 하대부(下大夫)는 5 류였으나, 중국 송(宋)나라 이후에는 신하는 쓰지 않게 됨. 조선 시대에는 왕이 즉위할 때 썼음.

〈면류관〉

면:리【面里】[멸—] 명 지방 행정 단위인 면(面)과 이(里).

면리 장침【綿裏藏針】[멸ㅡ] 명 솜 속에 바늘을 감추어 꽂는다는 뜻으로, 겉으로는 부드러운 듯하나 속으로는 아주 흉악함을 이름.

면:마¹【面馬】명 장기에서, 마(馬)를 궁(宮)의 바로 앞 밭에 놓음. 또, 그 마. ——-하다 자여불

면:마²【面麻】명 얼굴에 있는 마맛자국.

면마³【綿馬】명〖식〗[*Dryopteris crassirhizoma*] 꼬리고사릿과에 속하는 다년생의 양치 식물. 근경(根莖)은 비대하고 괴상(塊狀)이며 잎은 윤상(輪狀)으로 총생함. 높이 1-1.4 m 가량인데, 겨울 잎은 죽으며 우상 복엽(羽狀複葉)이고 소엽(小葉)은 선(線) 모양의 긴 타원형에 털이 밀생하였음. 잎꼭지는 굵고 갈색임. 자낭군(子囊群)은 엽면(葉面)의 상반부 뒷면에 2열(列)로 붙고 원신형(圓腎形)의 포막(包膜)이 있음. 가을에 잎꼭지가 붙은 뿌리를 건조한 것을 '면마근(綿馬根)'이라고 하여 촌충(寸蟲)·십이지장충 등의 구제약(驅除藥)과 지혈제(止血劑)로 씀. 일본·한국·중국 및 동부 아시아의 약간 추운 지방에 분포함. 흑구척. 관중(貫衆).

〈면마³〉

면마-근【綿馬根】명〖한의〗면마의 말린 뿌리.

면마 엑스트랙트【綿馬ㅡ】〔extract〕명〖약〗면마정(綿馬精).

면마-정【綿馬精】명〖약〗면마(綿馬)의 뿌리를 에테르(ether)에 담가 녹여서 빼 걸쭉하고 녹색을 띤 액체. 촌충·십이지장충 따위를 구제하는 데 씀. 맛이 쓰며 폐결핵 환자나 임신부에게는 위험함. 면마 엑스트랙트.

면:막¹【面幕】명 극장 같은 곳에서, 무대 전면에 드리워 친 막.

면막²【綿邈】명 매우 멂. 매우 멀고 아득함. ——-하다 형여불

면말【綿襪】명 솜을 넣은 버선. 솜버선.

면:매【面罵】명 면전(面前)에서 몹시 꾸짖음. ——-하다 타여불

면-먹다 자 ①여러 사람이 내기 같은 것을 하는 자리에서, 어떤 두 사람 사이만은 서로 이기고 짐을 따지지 아니하다. ②편되다.

면:-면¹【面面】명 ①여러 면(面). ②여러 방면. 각 방면. ③각각의 여러 사람. 각자(各自). 여러 얼굴. ¶ 중역의 ~.

면면²【綿綿】명 ①끊어지지 아니하고 끝없이 이어 있음. ¶ ~히 이어 온 한(韓)민족. ②미세(微細)함. ——-하다 형여불. ——-히 부

면:면 상고【面面相顧】명 서로 말없이 얼굴만 물끄러미 바라봄. ——-하다 자여불

면:면-이【面面ㅡ】부 ①제각기. 앞앞이. ②(행정 구획(行政區劃)의) 각 면마다.

면:면 회시【面面回視】명 제각기 서로 둘러보며 아무 말을 하지 않음.

면:모¹【免侮】명 모욕을 면함. ——-하다 자여불

면:모²【面毛】명 얼굴에 난 잔털.

면:모³【面帽·輀帽】명 멱목(幎目).

면:모⁴【面貌】명 ①얼굴의 모양. ②사물의 겉모양. 겉모습. ¶ 서울의 ~를 일신하다.

면모⁵【綿毛】명 ①동물의 피모(被毛) 분류의 하나. 가늘고 모수(毛髓)가 없고 곱슬곱슬한 털. ②솜털. ↔조모(粗毛).

면-모슬린【綿ㅡ】〔프 mousseline〕명 날실·씨실을 모두 면사로써 모슬린처럼 짠 얇은 면직물.

면:목【面目】명 ①얼굴의 생김새. ②남을 대하는 낯. 체면. ¶ ~이 서지 않다. ③낯¹❷. ④사물의 모양. 일의 상태. 또, 태도나 모양. ¶ ~을 일신(一新)하다.

면:목 가:증【面目可憎】명 얼굴의 생김새가 미움. ——-하다 형여불

면:목 부지【面目不知】명 얼굴을 통 모름. ——-하다 자여불

면:목-없다【面目ㅡ】[ㅡ업ㅡ] 형 부끄러워서 남을 볼 낯이 없다.

면:목-없이【面目ㅡ】[ㅡ업씨] 부 면목없게.

면:-무료【免無聊】명 무료함을 덞. 또, 그 일.

면:-무식【免無識】명 겨우 무식이나 면함. 또, 그 정도의 학식. ——-하다 자여불

면:-무안【免無顔】명 간신히 무안을 면함. ——-하다 자여불

면:-무인색【面無人色】명 놀라거나 무서움에 질려 얼굴에 핏기가 없음. *면여토색(面如土色). ——-하다 형여불

면:문【免問】명 처벌을 면함. 문책을 면함. ——-하다 자여불

면미【麪米】명 메밀가루와 밀가루로 만든 인공미(人工米).

면:민【面民】명 면내의 주민(住民).

면밀【綿密】명 자세하고도 빈틈이 없음. 세밀(細密). ¶ 주도 ~한 계획/~히 관찰하다. ——-하다 형여불. ——-히 부

면밀-성【綿密性】[ㅡ썽] 명 면밀한 성질.

면:-바르다【面ㅡ】형 르불 거죽이 반듯하다.

면:박¹【面駁】명 면전에서 논박(論駁)함. ¶ ~을 주다. ——-하다 타여불

면:박²【面縛】명 양손을 등뒤로 돌리어 결박하고 얼굴을 앞으로 쳐들게 하여 사람에게 보임. ——-하다 타여불

면박³【綿薄】명 재주가 없음. 재력(才力)이 약함. ——-하다 형여불

면-발【麪ㅡ】[ㅡ빨] 명 국수의 가락. ¶ ~이 곱다.

면:-발열체【面發熱體】명 니크롬선 따위와 달리, 평면 전체에서 열이 나는 히터.

면방【綿紡】명 ↗면방적(綿紡績).

면-방적【綿紡績】명 목화의 섬유로 실을 만드는 일. 면사 방적. 목면 방적(木綿紡績). 준면방(綿紡).

면-방직【綿紡織】명 무명실로 피륙을 짜는 일.

면-방추【綿紡錘】명 무명실을 감는 방추.

면:배¹【面拜】명 만나 뵙고 절함. ——-하다 자타여불

면:배²【面背】명 불상(佛像) 따위의 앞쪽과 뒤쪽.

면:-배³【免倍】명 바둑 따위에서, 곱절로 지는 것을 겨우 면함. ——-하다 자여불

면:백【免白】명 ↗면백두(免白頭). ——-하다 자여불

면:-백두【免白頭】명 늙어서 처음으로 변변하지 못한 벼슬을 함. 준면백(免白). ——-하다 자여불

면:벌【免罰】명 벌을 면함. ——-하다 자여불

면:벌-부【免罰符】명〖역〗면죄부❶.

면:-벗【面ㅡ】명 활 도고지의 거죽을 가로 싼 벚나무의 껍질.

면:벽【面壁】명〖불교〗벽을 향하고 좌선(坐禪)하는 일. *면벽 구년(面壁九年). ——-하다 자여불

면:벽 구년【面壁九年】명〖불교〗달마 대사(達磨大師)가 쑹산(嵩山) 산의 소림사(少林寺)에서 9년 동안 벽(壁)을 마주 대하고 좌선(坐禪)하여 오도(悟道)하였다는 고사(故事). 구년 면벽(九年面壁). *면벽(面壁).

면:-벽돌【面甓ㅡ】명 건물의 면(面)을 쌓는 상품(上品)의 벽돌.

면:벽 참선【面壁參禪】명〖불교〗벽을 향하고 앉아 마음을 가다듬어 참선 수행(修行)하는 일. ——-하다 자여불

면병【麪餠】명〖천주교〗미사 때 성체를 이루기 위하여 쓰는 밀떡.

면보【麪麭】명〔←면포(麪麭)〕빵¹(pão)❶.

면:-보다【面ㅡ】자 체면을 차리다.

면:복¹【冕服】명〖역〗제왕(帝王)이 나라의 큰 의례(儀禮)에 갖추는 복제(服制). 곧, 면류관(冕旒冠)과 곤복(袞服).

면복²【綿服】명 솜옷. 면의(綿衣).

면:복³【緬服】명 부모의 면례(緬禮) 때에 입는 시마복(緦麻服).

면복⁴【麪腹】명 쉽사리 내리는 국수 먹은 배란 뜻으로, 갑자기 들어온 복(福)은 오래 가지 못함을 비유하는 말.

면복 흥퇴【俛伏興退】명〖악〗고개 숙여 엎드렸다가 일어나 물러남. 향악 정재(鄕樂呈才)를 끝낼 때의 인사법. *궤면복(跪俛伏). 배면복흥(拜俛伏興).

면:봉¹【綿棒】명 끝에 솜을 말아 붙인 가느다란 막대. 귀·입·코 따위의 속에 약을 바르는 데, 가전 제품(家電製品) 따위의 회전 부분 등에 끼인 먼지를 닦아 내는 데 씀.

면:봉²【緬奉】명 '면례(緬禮)'의 존칭. ——-하다 타여불

면봉-산【眠峯山】명〖지〗경상 북도 청송군(靑松郡) 현서면(縣西面)·현동면(縣東面)과 영일군(迎日郡) 죽장면(竹長面)의 경계에 있는 산. 중앙 산맥에 속함. [1,122 m]

면:부¹【面部】명 얼굴 부분.

면:부²【勉副】명 의정(議政)의 사직(辭職)을 허락함. ——-하다 타여불

면:-부득【免不得】명 아무리 애써도 면할 수 없음. ——-하다 자여불

면:분【面分】명 얼굴이나 알 정도로 사귄 정분.

면:붕【面朋】명 면우(面友).

면-비로드【綿ㅡ】〔포 veludo〕명 무명실을 섞거나 또는 무명실만으로 비로드같이 짠 직물(織物).

면:-빗【面ㅡ】명 살쩍을 빗어 넘기는 작은 빗. 면소(面梳).

〈면빗〉

면:사¹【免死】명 간신히 죽음을 면함. ——-하다 자여불

면:사²【面謝】명 직접 만나서 사과하거나 감사를 드림. ——-하다 타여불

면사³【綿絲】명 ↗목면사(木綿絲). *화섬사.

면:-사무소【面事務所】명 면의 행정 사무를 처리하는 곳. 면청(面廳). 준면소(面所).

면사 방적【綿絲紡績】명 면방적(綿紡績).

면:사-보【面紗褓】[ㅡ뽀] 명 면사포(面紗布).

면:-사장【面社長】[ㅡ싸ㅡ] 명〖역〗조선 시대 때 혜민원(惠民院)의 한 벼슬.

면:사-포【面紗布】명 ①결혼식 때에 신부가 머리에 쓰고 바닥에 끌리도록 길게 늘이는 흰 빛의 사(紗). ②신부가 처음으로 신랑집에 갈 때 머리에서부터 온 몸을 덮어쓰는 검은 사. ③〖역〗공주가 결혼식 때 쓰던, 금박(金箔)으로 봉황 무늬와 수복 강녕(壽福康寧)의 글씨를 수놓은 홍사(紅紗). 면사보(面紗褓).

면-산【綿山】명〖지〗강원도 삼척시(三陟市) 상장면(上長面)과 경상 북도 봉화군(奉化郡) 소천면(小川面) 사이에 있는 산. [1,245 m]

면:상¹【面上】명 ①얼굴의 위. ②얼굴 바닥. ¶ ~을 후려갈기다.

면:상²【面相·面像】명 얼굴의 생김새. 면체(面體). 용모(容貌).

면:상³【面象】명 장기에서, 상(象)을 궁(宮)의 앞 밭에 놓음. 또, 그 상. *면포(面包).

면:상⁴【免喪】명 부모의 복(服)입는 기간이 끝남.

면상⁵【麵床】명 밥이 아닌 국수류를 주식으로 하고, 떡·육미(肉味)붙이를 곁들여 차린 상. 흔히, 손님 접대용으로 차림.

면:상 육갑【面上六甲】[ㅡ뉵ㅡ] 명 얼굴만 보고 나이를 짐작함. ——-하다 자여불

면상-필【ㅡ筆】명 세자용(細字用) 붓의 한 가지.

면:-새【面ㅡ】명 ①편평한 물건의 겉모양. ②〈속〉체면(體面).

면:색【面色】명 얼굴빛. 안색(顔色).

면:색 여토【面色如土】명 몹시 놀라거나 공포에 질려 안색이 흙빛과 같음. 면여토색(面如土色). *면무인색(面無人色). ——-하다 형여불

-면서 어미 두 가지 이상의 동작이나 상태·사실을 겸하여 나타낼 때에 ㄹ받침 또는 받침 없는 어간에 붙는 연결 어미. ¶ 책을 주~ 말했다/사나우~ 부드러운 데가 있다/박봉이~ 여러 자녀를 대학까지 보내고 있다. 준-며. *-으면서.

면:-서기【面書記】[ㅡ써ㅡ] 명 면장(面長)의 지휘 감독하에 면의 사무를 보는 지방 서기.

면서 병동【麪西餠東】명 제사 지낼 때 제수(祭需)를 차려 놓는 방식의 하나. 국수붙이는 제상(祭床)의 서쪽에, 떡 종류는 동쪽에 진설(陳設)함.

면:-서원【面書員】[ㅡ써ㅡ] 명〖역〗주(州)·부(府)·군(郡)·현(縣)에 속하여 각 면(面)의 조세를 맡아 보던 아전.

면:세¹【免稅】명 소득(所得)이 적은 사람 또는 사회 정책·산업 정책 그 밖의 일로 조세(租稅)를 부과해야 할 사람 또는 물건에, 과세(課稅)를 면제하는 일. ¶ ~ 조처/~ 수입품. ——-하다 자타여불

면:-세²【面稅】[ㅡ쎄] 명〖법〗면(面)이 면민(面民)에게 부과 징수하던

지방세. 1962년 지방세법 개정으로 폐지됨.

면:세[3]【面勢】명 ①거죽에 나타나는 모양 또는 형세. ②한 면(面)의 형세(形勢).

면:세 소:득【免稅所得】명 소득세법 또는 법인세법의 규정에 의하여, 국가 정책상 특정 소득에 대하여 세금을 면제함으로써 생기는 소득.

면:세-전【免稅田】명〖역〗조선 시대 때, 세금을 매기지 아니하던 토지. 궁방전(宮房田)·궁장토(宮庄土)·역둔전(驛屯田)·관둔전(官屯田) 따위가 이에 속함.

면:세-점[1]【免稅店】명 외화(外貨) 획득이나 외국인 여행자를 위하여 상품에 부과하는 세금을 면제하여 파는 상점. 시중(市中)에 지정된 곳, 또는 공항(空港) 내에 있음.

면:세-점[2]【免稅點】[-쩜] 명〖법〗과세(課稅)의 객체(客體)가 되는 물건 중 어떤 한도 미만의 것에 대하여는 담세력 박약(擔稅力薄弱) 등의 이유로 법률에 의하여 과세를 면제할 때의 그 기준이 되는 한도. ¶～을 올리다. *과세 최저한(課稅最低限).

면:세-지【免稅地】명 면세된 땅. 세금이 면제되는 곳.

면:세-품【免稅品】명 ①면세된 상품. ②관세(關稅)를 면제한 수출입품.

면:소[1]【免訴】명〖법〗공소(公訴)를 제기(提起)한 형사 피고 사건(刑事被告事件)에 관하여 이미 확정 판결이 있은 때, 공소의 시효(時效)가 완성되었을 때, 사면(赦免)이 있은 때, 범죄 행위를 한 뒤에 법령이 바뀌어 그 죄에 부가할 형(刑)이 폐지되었을 때에 공소권(公訴權)이 없어지고 기소(起訴)를 면하는 일. 공판(公判)에서 판결로서 언도(言渡)됨. 면소의 효력으로 구류장(拘留狀)은 실효(失效)가 되며, 그 사건에 대하여 다시 기소할 수 없게 됨. ——-하다 타여불

면:소[2]【面所】명 ↗면사무소(面事務所).

면:소[3]【面梳】명 면빗.

면:소[4]【面訴】명 직접 만나서 호소함. ——-하다 타여불

면:속-구【免屬區】명〖천주교〗주교구(主敎區) 안에 있으면서도 주교에 예속되지 않고 교황청에 직속되어 대수도원장 혹은 고위 성직자가 교구장에 준하는 재치권(裁治權)을 행사하는 자치 구역. 경상 북도 칠곡군 왜관(倭館)에 있는 분도 수도원이 이에 속함.

면:-솔【面—】명 수염이나 머리털을 솔질하는 작은 솔.

면:수[1]【免囚】명 형기(刑期)를 마치고 출옥한 사람.

면:수[2]【俛首】명 머리를 숙임. ——-하다 자여불

면:수[3]【面首】명 ①남색(男色). ②여자처럼 곱게 생긴 남자.

면:수[4]【面授】명〖불교〗↗면수 구결(面授口訣).

면:수[5]【面數】[-쑤] 명 ①행정 구획(行政區劃)의 면(面)의 수효. ②물체의 면 또는 책 같은 것의 페이지의 수효.

면:수 구:결【面授口訣】명〖불교〗스승이 제자를 마주 대하고 말로 비결(祕訣)을 전하는 일. 면수(面授).

면:-수습【面收拾】명 장기에서, 궁(宮)의 앞면을 수습함. ——-하다 자여불

면:숙【面熟】명 서로 낯이 익음. ——-하다 자여불

면:술【面述】명 면진(面陳). ——-하다 타여불

면:시[1]【免試】명 시험을 면하거나 면제함. ——-하다 자여불

면:시[2]【眄視】명 곁눈질을 함. ——-하다 자여불

면:시[3]【面試】명 면전(面前)에서 시험함. ——-하다 자타여불

면:식[1]【面識】명 얼굴을 서로 앎. 얼굴을 서로 알 정도의 관계. ¶일～도 없는 사람.

면식[2]【眠食】명 침식(寢食). ——-하다 자여불

면:식-범【面識犯】명 피해자와 서로 얼굴을 아는 범인. ¶～에 의한 범행.

면:신[1]【免身】명 아이를 낳음. 분만(分娩). ——-하다 자여불

면:신[2]【免新】명〖역〗조선 시대 때, 관아에 새로 출사(出仕)하는 관원이 허참례(許參禮)로 예를 닦은 뒤 다시 구관원(舊官員)을 청하여 음식을 차려 대접하는 일. 이로부터 비로소 동석(同席)을 허락하였음. *허참(許參). ——-하다 자여불

면:신-례【免新禮】[-녜] 명〖역〗관아에 신임(新任)한 관원이 면신하는 예. *허참례(許參禮).

면실【棉實】명 목화의 씨. 면화씨.

면실-박【棉實粕】명 목화씨 기름을 짜내고 남은 유박(油粕). 비료로 씀.

면실-유【棉實油】[-류] 명 면화씨에서 얻은 기름. 식용(食用)도 하고, 경화유(硬化油)로 만들어 마가린·비누 등의 제조에 이용함. 면유(棉油). 코튼유(cotton油).

면:심 입방 격자【面心立方格子】명〖물〗입방체의 8개의 모와 6개의 면(面)의 중심에 격자점(格子點)을 갖는 단위 격자로 이루어진 공간 격자. 이 입방체의 모서리의 길이가 격자 상수(常數)가 됨. 면심 입방 격자의 결정(結晶) 격자를 갖는 물질은 구리·금·니켈·알루미늄·백금 등임.

면:-싸대기【面—】명〈속〉낯.

면:-쌓음【面—】[-싸—] 명〖건〗벽의 바깥 면을 돌 또는 벽돌로 쌓는 일.

면:-안[1]【面—】명〖건〗집 칸살·나무 그릇 등의 넓이를 잴 때, 마주 대한 양편 가의 안쪽끼리의 사이.

면:안[2]【面眼】명 안목(眼目)❶.

면:알【面謁】명 만나 뵈옴. 배알(拜謁). ——-하다 타여불

면:암【勉庵】명〖사람〗최익현(崔益鉉)의 호(號).

면:앙【俛仰】명 부앙(俯仰). ——-하다 타여불

면:앙-정【俛仰亭】명 ①〖지〗전라 남도 담양군(潭陽郡) 봉산면(鳳山面) 제월리(霽月里) 망정(望亭) 마을 뒷산에 있는 정자. 조선 중기의 송순(宋純)이 중종(中宗) 28년(1533)에 지어, 후학을 가르치며 여생을 지내던 곳. ②〖사람〗송순(宋純)의 호(號).

면:앙정-가【俛仰亭歌】명〖악〗〔면앙정은 송순의 호(號)〕조선 시대 명종(明宗) 때, 송순(宋純)이 만년에 벼슬을 버리고 고향인 전라도 담양(潭陽)으로 내려가서 그 곳 경치와 생활을 노래한 시조.

면:앙-집【俛仰集】명〖책〗송순(宋純)의 문집. 4권 2책.

면:액【免厄】명 사나운 운수를 면함. 액을 면함. ——-하다 자여불

면:약[1]【面約】명 보는 앞에서 약속함. 대면하여 약속함. ——-하다 자타여불

면약[2]【綿弱】명 가냘픔. 섬약(纖弱). ——-하다 형여불

면:양[1]【面樣】명 얼굴의 모양. 면모(面貌).

면양[2]【緬羊·綿羊】명〖동〗양(羊)❷.

면-양말【綿洋襪】[-냥-] 명 무명실로 짠 양말.

면양-반【緬羊斑】명〖천〗양모반.

면:어[1]【面語】명 만나 이야기함. 면담(面談). ——-하다 자여불

면어[2]【鮸魚】명〖어〗민어(民魚).

면:억【緬憶】명 지난 일을 회상함. ——-하다 자여불

면:언【俛焉】명 부지런히 힘쓰는 모양. ——-하다 형여불. ——-히 부

면업【綿業】명 ①방적(紡績)·직조(織造)·날염(捺染)·가공을 포함하는 일체의 면사·면직 공업. ②방적업.

면:-여토색【面如土色】명 몹시 놀라거나 두려움에 질려 얼굴이 흙빛과 같음. 면색 여토(面色如土). *면무인색(面無人色). ——-하다 형여불

면:역[1]【免役】명 ①신역(身役)을 면함. ②병역(兵役)을 면제함. ③정역수(定役囚)가 취역을 면함. 제역(除役). ——-하다 자여불

면:역[2]【免疫】명 ①〔immunity〕〖의〗사람이나 동물의 몸 안에 병원균(病原菌)이나 독소(毒素)가 들어와도, 몸 안에 그것을 이겨 낼 물질이 있어서 발병(發病)하지 아니할 정도의 저항력(抵抗力)을 갖는 일. 선천적(先天的) 면역과 병을 앓고 난 뒤에 저항력이 생겨서 면역이 되는 경우, 인공적(人工的)으로 면역이 되게 하는 경우의 후천적(後天的) 면역이 있음. 인공 면역에는 백신에 의하여 항체(抗體)를 만드는 자동 면역(自動免疫)과 항체를 지닌 혈청(血淸)을 받아서 면역되는 수동 면역(受動免疫)이 있음. ②전(轉)하여, 어떤 사물이 자주 거듭됨에 따라 그것에 익숙하여지는 일의 비유. ——-하다 타여불

면:역 관용【免疫寬容】명〔immunologic tolerance〕〖생〗①동물이 동일 종류의 조직을 이식(移植)하였을 때 이를 거부 반응없이 받아들이는 상태. ②자궁(子宮) 안에서 또는 신생아기(新生兒期)에 항원(抗原)에 노출된 결과, 성인이 되어 하나 또는 여러 가지 특정 항원에 특히 반응하지 않는 상태.

면:역 글로불린【免疫—】〔globulin〕명〔immunoglobulin〕〖의〗항체(抗體)의 기능을 갖는 글로불린. 항원(抗原) 자극에 따라서 면역 담당 세포, 특히 B림프구(lymph 球)와 형질 세포(形質細胞)에 의하여 특이하게 생성되고, 혈청의 감마 글로불린에 포함되어 있음. 기호 : Ig.

면:역 담당 세:포【免疫擔當細胞】명〖생〗면역 기능에 있어서 중요한 역할을 하는 세포. 림프구(lymph 球)·형질 세포(形質細胞)·대식(大食) 세포 등.

면:역 반:응【免疫反應】명〖생〗생체(生體)가 외래성(外來性)이나 내인성(內因性) 물질에 대하여 자기(自己)인가 비자기(非自己)인가를 식별하고, 비자기일 경우 자기 체내의 통일성과 개체의 생존 유지 및 종(種)의 존속을 위하여 일으키는 일련의 생체 반응.

면:역 병:리학【免疫病理學】[-니-] 명〔immunopathology〕〖의〗체액성(體液性)이나 세포성 면역 인자가 세포나 조직 및 숙주(宿主)의 병리적 손상 원인(病理的損傷原因)으로서 중요하다는 관점에서 질병을 연구하는 의학의 한 분야.

면:역 부전 증후군【免疫不全症候群】명〖의〗병에 걸린 다음에 면역(免疫)이 안 되고 또 인공 면역(人工免疫)도 되지 않는, 이상 체질(異常體質)에서 오는 질병. 난치병(難治病)의 하나로, 선천성인 것과 후천성인 것이 있음. *에이즈.

면:역-성【免疫性】명〖의〗어떤 전염병(傳染病)에 걸리지 아니하는 성질.

면:역성 대목【免疫性臺木】명 병충해(病蟲害)에 약한 원예 식물(園藝植物)을 접붙이는 데에 쓰이는 저항성(抵抗性)이 강한 대목.

면:역성 전염병【免疫性傳染病】[-뼝] 명〖의〗한번 앓고 나거나 예방을 하면 재차 감염(感染)하더라도 경증(輕症) 또는 발병(發病)하지 아니하는 전염병. 백일해·홍역·천연두 등.

면:역-어【免疫魚】명 전염병 예방 접종을 한 물고기. 백신 접종으로 양어(養魚)의 전염병을 예방함.

면:역 억제【免疫抑制】명〔immunosuppression〕〖생〗약품이나 방사선으로써 생체에 불리하게 작용하는 면역 반응을 억제시키는 일. 면역 질환 발생, 장기(臟器) 이식 때의 거부 반응에 대한 대책으로서 연구되고 있음.

면:역 억제제【免疫抑制劑】명〖의〗〔immunosuppressant〕자기 면역 질환(自己免疫疾患)이나 알레르기, 장기 이식(臟器移植) 때에 일어나는 거부 반응을 억제할 목적으로 사용하는 약제(藥劑). 만성 활동성 간염, 궤양성 대장염, 장기 이식 등에 사용됨. 부작용으로 골수(骨髓) 기능의 억제 등이 일어날 수 있음.

면:역 요법【免疫療法】[-뇨뻡] 명〔immunotherapy〕〖의〗감염증(感染症)의 경우에 병원체(病原體) 또는 그것이 내는 독소에 대한 면역체를 수동적(受動的)으로 체내에 이입(移入)하거나 또는 인공적으로 면역체를 산출 혹은 증강(增強)시켜서 치료에 효과가 있게 하는 방법. 콜레라에 대한 항균(抗菌) 혈청 요법과 디프테리아에 대한 항독소(抗毒素) 혈청 요법은 전자(前者)의 예이고, 백일해·장티푸스에 대한 백신 주사는 후자(後者)의 예임.

면:역 용혈소【免疫溶血素】[-쏘] 명〔immune hemolysin〕〖의〗종류가 다른 적혈구(赤血球) 또는 전혈(全血)을 비경구적(非經口的)으로 투여했을 때 생산되는 용혈소. 보체(補體) 결합 반응에 사용됨.

면:역-원【免疫原】명〔immunogen〕〖생〗항원(抗原).

면:역 응:답 유전자【免疫應答遺傳子】명〔immune response gene〕면역에 관계되는 반응을 지배하고 있는 유전자.

면:역-전【免役錢】명〖역〗면역을 받기 위하여 관청에 바치던 돈.

면:역 조정제【免疫調整劑】명〖의〗(immunomodulator) 면역 능력이 떨어졌을 때에는 병에 걸리지 않도록 그 힘을 증강시키고, 면역 기능이 높은 상태일 때에는 그 힘을 억제하는, 상반되는 두 가지 작용을 하는 약제. 대표적인 것으로 SH 화합물 페니실라민 따위의 항(抗)류머티즘제(劑)가 있음.

면:역-질【免疫質】명〖의〗전염병에 걸리지 않는 체질. 면역된 체질.

면:역 처:치 요법【免疫處置療法】[—뻡] 명 (immunization therapy)〖의〗질병에 대해서 면역이 형성되도록 백신 또는 항혈청(抗血清)을 투여하는 요법.

면:역-첩【免役帖】명〖역〗신역(身役)의 면제를 나타내는 증표. 임진 왜란 후 납속(納粟)한 양민에게 나라에서 주었음.

면:역-체【免疫體】명 (immune bodies)〖의〗①면역이 된 몸. ②항체(抗體).

면:역-학【免疫學】명 (immunology)〖의〗면역의 기구(機構)나 수단을 연구하는 의학의 한 분과. 제너(Jenner, Edward)의 종두(種痘) 연구를 선구로 하여, 19세기 말부터 급속도로 발달하였음. *혈청학.

면:역 혈청【免疫血清】명 (immune serum)〖의〗어떤 병원체에 대한 항체(抗體)가 들어 있는 혈청. 일정한 항독성(抗毒性)·항균성(抗菌性)·용혈성(溶血性)을 가지고 있어 항독성 혈청이라고도 함. 이 혈청을 딴 동물의 몸에 주사하면 인공적으로 후천적 면역을 가져오게 되므로, 전염병·세균병의 예방에 널리 쓰임.

면:역 화학【免疫化學】명 (immunochemistry)〖생〗면역에 관한 화학적 면을 연구하는 학문.

면연[1]【眘然】명 정신이 멍한 모양. ——-하다 형 여불. ——-히 부

면연[2]【綿延】명 끊임없이 이어 늘임. ——-하다 타 여불

면:열【面熱】명〖의〗신경 쇠약·히스테리·위장병(胃腸病) 등으로 말미암아 얼굴에 열이 올라 얼굴빛이 붉어지는 병.

면:예 불충【面譽不忠】명 면전에서 남을 칭찬하는 사람은 성심(誠心)이 적다는 말.

면:오【面晤】명 면담(面談). ——-하다 자 여불

면:옥【面玉】명 ①관옥(冠玉)❶. ②연갑(硯匣) 등 기물의 면을 아름답게 꾸미는 옥.

면:요【免夭】명 요사(夭死)를 면하였다는 뜻으로, 나이 쉰 살을 겨우 넘기고 죽음을 이름. ——-하다 자 여불

면:욕[1]【免辱】명 욕을 면함. ——-하다 자 여불

면:욕[2]【面辱】명 면전에서 욕을 보임. ——-하다 타 여불

면:우[1]【面友】명 얼굴이나 알고 지내는 정도의 친구. 면교(面交). 면붕(面朋).

면우[2]【綿羽】명 날짐승의 짧고 보드라운 털.

면-우단【綿羽緞】명 면사를 섞거나 또는 면사만으로 우단처럼 짠 직물.

면원【綿遠】명 세대(世代)가 오래 이어 나감. 또, 오래 이어져 옴. ——-하다 형 여불

면:유[1]【面諛】명 대면하여 아첨함. ——-하다 자 여불

면:유[2]【面諭】명 면전에서 타이름. ——-하다 타 여불

면유[3]【棉油】명 면실유(棉實油).

면:-유폐【免幽閉】명〖역〗5년을 지난 무기 도형(無期徒刑) 또는 3년을 지난 유기 유형(有期流刑)의 죄수에게 옥내 유폐(屋內幽閉)를 면하게 하는 일.

-면은 어미 '-면'을 힘주어 쓰는 말. *-으면은.

면:의[1]【面衣】명 [—/—이] ①예전에 여자가 말을 타고 먼길을 갈 때, 얼굴을 가리던 쓰개. ②남자들이 추위를 막기 위해 쓰던 쓰개.

면:의[2]【面議】[—/—이] 명 서로 대면하여 의논함. ——-하다 타 여불

면의[3]【綿衣】[—/—이] 명 ①무명옷. ②솜옷. 면복(綿服). ③〖식〗해캄[1]. ④〖한의〗척리(陟釐).

면:인 정쟁【面引廷爭】명 면절 정쟁(面折廷爭).

면:임【面任】명〖역〗지방의 동리에서 호적, 기타의 공공(公共) 사무를 맡아 보던 사역(使役)의 하나. *임장(任掌).

면:자[1]【免刺】명〖역〗경형(黥刑)을 면함. ——-하다 타 여불

면:자[2]【面刺】명 면책(面責). ——-하다 타 여불

면자[3]【麪子】명 국수.

면자-전【棉子廛】명〖역〗목화를 파는 시전. 유분전(有分廛)으로 국역(國役)에 이분(二分)을 응하였음. 면화전(棉花廛).

면작【棉作】명 목화 농사.

면작 기후【棉作氣候】명 (cotton-belt climate)〖기후〗온난 기후(溫暖氣候)에 속하며, 건조한 겨울과 비가 많은 여름으로 특징지어지는 기후형. 계절풍 기후에 포함되는데, 지중해성 기후(地中海性氣候)와 반대의 성격을 띰.

면작-토【棉作土】명 ①목화 농사를 짓는 땅. ②흙이 기름진 흑토(黑土)여서 오랫동안 비료를 주지 않고 목화를 가꾸어온 인도의 데칸 고원 일대를 일컫는 말.

면:장[1]【免狀】[—짱] 명 ①↗면허장(免許狀). ②↗사면장(赦免狀). ③〈속〉졸업장(卒業狀).

면:장[2]【面長】명〖정〗면의 행정을 통할하고 집행하는 기관장.

면:장[3]【面帳】명 앞에 늘인 휘장.

면:장[4]【面墻】명 ①집 앞에 쌓은 담. ②무식함을 비유하는 말.

면-장갑【綿掌匣】명 굵은 흰 면사(綿絲)로 짠 장갑. 흔히 작업용으로 쓰임.

면:장 우피【面張牛皮】명 얼굴에 쇠가죽을 발랐다는 뜻으로, 몹시 뻔뻔스러움을 이르는 말. 철면피.

면장 탕:반【麪醬湯飯】명 국수 장국밥.

면:쟁【面爭】명 면전에서 그 잘못을 간(諫)함. 면쟁 기단(面爭其短). 면절(面折). ——-하다 자 여불

면:쟁 기단【面爭其短】명 면쟁(面爭). ——-하다 자 여불

면저【麪櫧】명〖식〗가시나무❸.

면:적【面積】명 ①일정한 평면의 크기. ②〖수〗넓이.

면:적-계【面積計】명 평면 상의 도형(圖形)의 면적을 산출(算出)하기 위한 작은 기계. 계적기(計積器). 측면기(測面器). 플래니미터(planimeter).

면:적 그래프【面積—】(graph) 명〖수〗수량의 비율을 면적으로 나타내는 그래프. 대개 정사각형 혹은 부채꼴로 나타냄.

면:적 대:비【面積對比】명〖미술〗바탕 빛깔의 넓이가 커지면 실제보다 밝고 짙게 보이고, 넓이가 작아지면 실제보다 어둡고 엷게 보이는 현상.

면:적 속도【面積速度】명 (areal velocity)〖천〗운동하는 물체와 좌표 원점(座標原點)을 연결하는 직선인 동경(動徑)이 단위 시간(單位時間)에 통과하는 면적. 그림에서, 시간과 함께 위치가 변화하는 질점(質點)이 있을 때, 한 점(點) O에서 그은 이 질점의 위치 벡터(vector) $R(t)$가 dt 시간에 ds인 면적을 덮는 경우에, ds/dt가 O점 둘레의 면적 속도임.

$R(t+dt)$ $R(t)$ O ds

〈면적 속도〉

면:적 속도 일정의 법칙【面積速度一定—法則】[—쩡—/—쩡에—] 명〖천〗행성(行星)과 태양(太陽)을 연결하는 동경(動徑)은 일정한 시간에 일정한 면적을 그린다는 법칙. 케플러(J. Kepler)의 법칙 중의 둘째.

면:적식 유량계【面積式流量計】명〖물〗관내(管內)를 흐르는 유체(流體)의 유량을 측정하는 유량계의 하나. 흐름의 통로에 스로틀(throttle)을 설치하고, 스로틀의 전후의 차압(差壓)을 일정하게 유지하도록 유량에 따라 스로틀 면적을 증감시켜 그 면적에서 유량을 측량함.

면:전[1]【面前】명 보고 있는 앞. 대면한 앞. 눈앞. ¶ ~에서 욕하다.

면:전[2]【面傳】명 대면하여 전하여 줌. ——-하다 타 여불

면전[3]【緬甸】명〖지〗'미얀마(Myanmar)'의 한자 이름.

면전[4]【鮸膞】명 민어지짐이.

면:절【面折】명 대면하여 몹시 꾸짖음. 면쟁(面爭). ——-하다 타 여불

면:절 정쟁【面折廷爭】명 임금의 허물을 임금 앞에서 기탄없이 간(諫)함. 면인 정쟁(面引廷爭). ——-하다 자 여불

면:접【面接】명 ①서로 대면하여 만나 봄. 면대(面對). 면회(面會). ②↗면접 시험. ——-하다 자타 여불

면:접-법【面接法】명 사회 조사, 진단(診斷)·치료 등의 목적으로 특정한 개인이나 집단과 대면하여 언어를 교환함으로써 정보를 수집하는 방법. 면접자와 피(被)면접자의 사이에는 사회적·심리적 과정(過程)이 성립되며, 자료 수집의 기본적 기술의 하나이나, 면접자의 거동·태도·면접 기술에 따라 결과가 크게 좌우되는 결점이 있음.

면:접 시험【面接試驗】명 직접 만나 보고 그 인품(人品)·언행(言行) 등을 시험하는 일. 흔히는 필기 시험 후에 최종적으로 심사하는 방법임. ㊟면접(面接). *구두 시험. ——-하다 자 여불

면:-접주【面接主】명〖역〗동학(東學)에서, 면(面) 단위의 교도(敎徒)를 주관(主管)하던 책임자. 접주(接主)의 아래. *접주.

면:정[1]【面疔】명〖의〗얼굴에 난 정(疔). 모낭(毛囊)에 화농균(化膿菌)이 감염(感染)하여서 생기는데, 특히 윗입술과 턱부분에 많음.

면:정[2]【面政】명 면의 행정(行政). 면행정.

면:정[3]【面情】명 면분(面分)과 정의(情誼).

면:제[1]【免除】명 ①책임이나 의무를 지우지 아니함. 제면(除免). ¶ 수업료 ~. ②〖법〗채권자(債權者)가 채무자(債務者)에게 대한 의사 표시에 의하여 그 책임을 소멸시키는 일. 채무 면제(債務免除). ——-하다 타 여불

면제[2]【綿製】명 ↗면제품(綿製品).

면:제-세【免除稅】[—쎄] 명〖법〗국가에 대한 의무를 면제시켜 준 대가(代價)로 부과하는 조세.

면-제품【綿製品】명 무명으로 만든 물품. ㊟면제(綿製).

면:조【免租】명〖법〗법정(法定)의 사유(事由)가 있을 때, 행정 처분으로 조세의 일부 또는 전부를 면제하는 일. ——-하다 타 여불

면:조-지【免租地】명〖법〗민간의 소유로서 지조(地租)의 부과가 면제된 토지.

면:종[1]【面從】명 보는 앞에서만 순종함. ¶ ~ 복배. ——-하다 자 여불

면:종[2]【面腫】명 얼굴에 나는 종기의 총칭. 면창(面瘡).

면:종[3]【勉從】명 마지못하여 복종함. ——-하다 자 여불

면:종 복배【面從腹背】명 표면으로는 복종하는 체하면서 내심(內心)으로는 배반함. 양봉 음위(陽奉陰違). ——-하다 자 여불

면:종 후:언【面從後言】명 보는 앞에서 복종하는 체하면서 뒤에서 이러쿵저러쿵 말을 함. ——-하다 자 여불

면:죄【免罪】명 죄를 면함. ——-하다 자 여불

면:죄-부【免罪符】명 (indulgence) ①〖역〗중세기 로마 가톨릭 교회에서 금전·재물을 바친 사람에게 일시적으로 그 죄(罪)를 면한다는 뜻으로 교황이 발행하던 증서(證書). 800년경 레오(Leo) 3세가 시작하여 대대로 교회 운영의 재원(財源)으로 상품화되어 오다가, 루터 등에 의한 종교 개혁의 발단이 되었음. ②비유적으로, 어떤 것의 대상(代償)으로서의 행위나 사물을 일컬음.

면:주[1]【面奏】명 배알(拜謁)하고 상주(上奏)함. ——-하다 타 여불

면주[2]【綿紬】명 명주(明紬).

면주[3]【麪酒】명〖기독교〗예수의 죽음을 기념하는 의식(儀式) 때 쓰는 밀가루떡과 포도주. 성체(聖體)와 성혈(聖血)을 뜻함.

면주-실【綿紬—】명 명주실.

면:-주인【面主人】[—쭈—] 명〖역〗주(州)·부(府)·군(郡)·현(縣)·면(面)의 사이에 왕래하며 심부름하던 사람.

면주-전【綿紬廛】명〖역〗명주를 팔던 시전. 육주비전(六注比廛)의 하나. 유분전(有分廛)으로 국역(國役)에 팔분(八分)을 응하였음. 명주전(明紬廛).

면:-줄【面—】[—쭐] 명 장기판의 앞 끝으로부터 셋째 줄.

면:지[1]【面紙】명 ①〖불교〗위패(位牌)에 쓴 죽은 사람의 이름을 가리는 오색지(五色紙). ②〖인쇄〗책 앞뒤의 겉장과 안겉장 사이의 지면(紙面). 한 쪽은 겉장에 붙어 있음.

면지[2]【綿地】명 ①길게 잇닿은 땅. ②면직물로 된 옷감.

면:직[1]【免職】명 ①일자리를 면하거나 물러나게 함. 해고(解雇). 해직(解

職). ②공무원이 그 관직에 있는 지위를 잃게 함. 공무원 자신의 의사로 사임하는 의원(依願) 면직, 국가의 일방적인 처분에 의한 징계(懲戒) 면직 또는 비징계(非懲戒) 면직 등이 있음. 면관(免官). ——-하다 [타][여불]

면직²【綿織】[명] ↗면직물(綿織物).

면직-물【綿織物】[명] 무명실로 짠 피륙의 총칭. [준]면직(綿織).

면직-사【綿織絲】[명] 직물용의 무명실. 방적사(紡績絲)·가스(gas)실·실켓(silket) 따위가 있음.

면:진【面陳】[명] 대면하여 진술(陳述)함. 면술(面述). ——-하다 [타][여불]

면:질¹【面叱】[명] 대면한 자리에서 꾸짖음. ——-하다 [타][여불]

면:질²【面質】[명] 대질(對質). 무릎맞춤. ——-하다 [자][여불]

면착【綿着】[명] 솜옷을 입음. ——-하다 [자][여불]

면:창【面瘡】[명] 면종(面腫).

면:책¹【免責】[명] ①책임을 면함. ②책망을 면함. ③〖법〗채무(債務)의 전부 또는 일부가 소멸하여, 채무자로서 법률상의 의무를 면함. ¶ ～ 위부(委付). ——-하다 [자][여불]

면:책²【面責】[명] 대면한 자리에서 책망함. 면척(面斥). 면자(面刺). 면힐(面詰). ——-하다 [타][여불]

면:책-률【免責率】[-뉼][명]〖법〗보험 가격(保險價格)에 대하여 보험자가 손해 또는 비용 전보(費用塡補)의 책임을 면제당하는 최고 한도의 가격이 차지하는 백분율(百分率).

면:책 배:서【免責背書】[명]〖법〗어음의 배서인이 배서할 때에 어음상의 책임을 지지 아니한다는 뜻의 문구를 기재(記載)하는 일.

면:책 약관【免責約款】[-냐-][명]〖법〗채무자(債務者)가 법률상 부담하여야 할 책임을 특히 면제(免除) 또는 경감(輕減)하는 약관.

면:책 운송【免責運送】[명]〖법〗운송인이 운송 상의 의무 위배(違背)로 생기는 손해 배상 책임의 일부 또는 전부를 면하는 운송.

면:책 위부【免責委付】[명]〖법〗구(舊)상법에서, 선박 소유자(船舶所有者)나 선박 임차인(賃借人)의 해산(海產)을 채권자(債權者)에게 위부하여 그 해산의 한도내에서 그가 부담할 채무의 면책을 받는 일. *보험 위부(保險委付).

면:책적 채:무 담당【免責的債務擔當】[명]〖법〗채무(債務)의 동일성(同一性)을 유지하면서 그 채무를 담당자에게 이전시킬 것을 약속하는 채권자(債權者)와 담당자 사이의 계약. 이 계약에 의하여 원채무자는 채무 관계로부터 이탈(離脫)하고 채무를 면할 수 있음. 면책적 채무 인수.

면:책적 채:무 인수【免責的債務引受】[명]〖법〗면책적 채무 담당(免責的債務擔當).

면:책 조항【免責條項】[명] 계약상의 조항의 하나. 책임을 지지 아니하여도 되는 경우를 명시한 조항.

면:책-주의【免責主義】[-/-이][명]〖법〗파산(破產)하였을 때 전재산을 포기하면 원칙적으로 그 이전의 채무가 소멸되는 면책(免責)을 파산법(破產法)의 원칙으로 삼는 입법주의.

면:책 증권【免責證券】[-꿘][명] 채무자가 증권의 소지자에게 변제(辨濟)하였을 때, 그 소지자가 진정한 권리자가 아니더라도, 악의 또는 중대한 과실이 없는 한, 면책을 받을 수 있는 증권. 은행 예금 증서·철도 수하물 인환권(引換券) 같은 것. 자격 증권.

면:책 특권【免責特權】[명]〖법〗국회 의원이 국회 내에서 발표한 의견과 표결에 관하여는 원외(院外)에서 책임을 지지 아니하는 특권. *불체포 특권(不逮捕特權).

면:책 행위【免責行爲】[명]〖법〗채무자(債務者) 또는 채무자를 대신하는 제삼자가 면책을 위하여 하는 변제(辨濟)·공탁(供託)·대물변제(代物辨濟) 등 행위의 총칭.

면:척【面斥】[명] 면책(面責). ——-하다 [타][여불]

면:천【免賤】[명] 천민(賤民)의 신분을 면하고 평민(平民)이 됨. ——-하다 [자][여불]

면:청¹【面請】[명] 대면한 자리에서 청구하거나 청원함. ——-하다 [타][여불]

면:청²【面廳】[명] 면사무소(面事務所).

면:체【面體】[명] 면상(面像). 면상(面相).

면:추【免醜】[명] 여자의 얼굴이 겨우 추하다 할 정도를 면함. ——-하다 [자][여불]

면:출【免黜】[명] 벼슬을 갈고 그 지위를 떨어뜨림. ——-하다 [타][여불]

면충【綿蟲】[명]〖충〗목화진딧물.

면:-치다【面一】[타] 나무나 돌의 면을 여러 가지 모양으로 깎다.

면:-치레【面一】[명] 겉으로만 꾸며 체면을 닦음. 이면치레. 외면 치레. 외식(外飾). *외면 수새. ——-하다 [자][여불]

면:탁【面託】[명] 직접 만나서 부탁함. ——-하다 [타][여불]

면탄【綿歎】[명] 긴 한숨. 오래 끊이지 아니하는 탄식. ——-하다 [자][여불]

면:탈【免脫】[명] 죄를 벗음. ——-하다 [타][여불]

면:토【面土】[명] 사춤¹❷.

면:토 흙손【面土一】[-흑-][명]〖건〗담이나 벽 등의 갈라진 곳을 흙으로 바를 적에 사용하는, 끝이 가느다란 흙손.

면:파【面破】[명] 대면한 자리에서 파의(破議)함. ——-하다 [타][여불]

면:판¹【面一】[명]〈속〉낯¹❶.

면:판²【面板】[명]〔face plate〕〖기〗선반(旋盤)에서 공작물을 고정할 때 쓰는 부품의 하나. 원판(圓板)으로 생겼는데 앞면에 많은 구멍과 긴 홈이 뚫리어 있어 이 구멍에 볼트(bolt)나 클램프(clamp)를 끼워서 공작물이 돌아가지 않게 고정시킴.

면:포¹【面包】[명] 장기에서, 포(包)를 궁의 앞 밭에 놓음. 또, 그 포. ¶ ～장기. *면상(面象). ——-하다 [자][여불]

면포²【綿布·緜布】[명] 무명.

면포³【麪麭】[명] →면보(麪麭).

면포-전【綿布廛】[명]〖역〗무명을 팔던 전(廛). 육주비전(六注比廛)의 하나. 유분전(有分廛)으로 국역(國役)에 구분(九分)을 부담하였음. 한때는 은자(銀子)도 팔았으므로 은목전(銀木廛)이라고도 함. 속칭은 백목전(白木廛).

면-포플린【綿一】〔poplin〕[명] 날과 씨를 가스사(gas絲) 또는 면사(綿絲)로 짜서, 실켓(silket)으로 완성시킨 직물.

면:품【面稟】[명] 면전에서 말씀을 드림. ——-하다 [타][여불]

면-플란넬【綿一】〔flannel〕[명] 무명실로 안팎 양면 또는 어느 한 면에 기모법(起毛法)을 써서 짠 플란넬의 한 가지. [준]면(綿)넬.

면:피¹【免避】[명] 면하여 피함. ——-하다 [자][타][여불]

면:피²【面皮】[명] ①낯가죽. ②남을 대하는 면목(面目).

면:-하다¹【免一】[타][여불] ①책임이나 의무에서 벗어나다. ¶ 책임을 ～. ②벌(罰)이나 욕(辱)을 받지 아니하게 되다. ¶ 벌을 ～. ③재앙을 피하게 되다. ¶ 수해를 ～. ④어떤 범위에서 벗어나다. ¶ 낙제점을 면하고 겨우 진급하다.

면:-하다²【面一】[자][타][여불] ①향하다. 향하여 있다. ¶ 바다에 면한 방. ②어떤 일에 부닥치다. ¶ 위기에 ～. *직면하다.

면:학【勉學】[명] 배움에 힘씀. ——-하다 [자][여불]

면:한¹【面汗】[명] 얼굴에서 나는 땀.

면:한²【面寒】[명]〖한의〗신경병(神經病)의 한 가지. 히스테리나 위경(胃經)의 한습(寒濕)으로 얼굴이 서늘해지는 병.

면:행【勉行】[명] 힘써 행함. ——-하다 [타][여불]

면:허¹【免許】[명]〖법〗①특정(特定)한 일을 행하는 것을 관청 또는 공인(公人)이 허가하는 일. ②일반에게는 허가되지 아니하는 특수한 행위를 특정한 사람에게만 허가하는 행정 처분. ¶ 운전 ～. ——-하다 [타][여불]

면:허²【面許】[명] 면전에서 허락함. ——-하다 [타][여불]

면:허 감찰【免許鑑札】[명] 관청에서 면허의 증명으로 내주는 감찰(鑑札).

면:허-료【免許料】[명] 면허를 받는 데 드는 요금(料金).

면:허-세【免許稅】[-쎄][명] 지방세의 하나. 특수한 행위나 영업을 면허할 때 부과하는 세금으로 명칭이 면허든 허가든을 불문하고 영업·설비 또는 행위에 대하여 권리의 설정 금지의 해제를 하는 행정 처분(行政處分)을 할 때, 면허를 받는 사람에게 부과함.

면:허 어업【免許漁業】[명] 면허에 의하여 어업권이 주어지는 어업.

면:허 영업【免許營業】[명] 관청에서 면허를 얻지 못하면 할 수 없는 영업. 변호사·공증인(公證人)·약사·의사·조산원(助產員) 등.

면:허-장【免許狀】[-짱][명] 면허증(免許證). 인가장. 허장(許狀). [준]면장(免狀).

면:허 정지【免許停止】[명] 면허 영업이 허가된 자가 위반 행위로 인하여 일시적으로 그 면허가 정지되는 일. ¶ 운전 ～.

면:허-주의【免許主義】[-/-이][명]〖법〗허가주의(許可主義).

면:허-증【免許證】[-쯩][명]〖법〗면허의 내용 및 사실을 기재한 증서. 면허장(免許狀).

면:허 취:소【免許取消】[명] 면허 영업이 허가된 자가 위반 행위나 결격(缺格) 사유 때문에 면허를 취소당하는 일.

면형【麪形】[명]〖천주교〗면병(麪餠)이 성체(聖體)로 변체된 뒤에도 그 모양을 그대로 가지고 있는 겉모양의 일컬음. 면병의 모양.

면:호【免戶】[명] 호세(戶稅)의 부과를 면함. *복호(復戶). ——-하다 [자][여불]

면:화¹【免禍】[명] 화(禍)를 면함. ——-하다 [자][여불]

면:화²【面話】[명] 면담(面談). ——-하다 [자][여불]

면화³【棉花·綿花】[명]〖식〗목화(木花).

면화-계【棉花契】[명]〖역〗솜을 공물(貢物)로 바치던 계.

면화 기근【棉花飢饉】[명]〖역〗1861-65년 북미 합중국의 남북 전쟁에 기인하여 일어났던 영국 랭커셔 면업사(綿業史) 상의 큰 공황(恐慌). 미국의 면작(棉作) 지대가 황폐되어, 랭커셔의 원면(原棉) 소비량의 8할을 차지하고 있던 면화 수입의 완전 두절로 말미암아 대부분의 면업 공장이 폐쇄(閉鎖)되고 노동자의 실업이 속출하였음.

면화-씨【棉花一】[명] 목화(木花)의 씨. 면실(棉實).

면화씨 기름【棉花一】[명] 면실유(棉實油). 면화자유(棉花子油).

면-화약【棉火藥】[명]〖화〗솜화약.

면화자-유【棉花子油】[명] 면실유.

면화-전【棉花廛】[명]〖역〗면자전(棉子廛).

면화 지대【棉花地帶】[명]〖지〗미국의 코튼 벨트(Cotton Belt). 미시시피·앨라배마(Alabama) 주를 중심으로 한 멕시코 만(Mexico灣) 일대. 세계 목화의 약 50%를 산출함.

면화-창【棉花瘡】[명]〖한의〗면화 송이가 터지듯이 터지는 부스럼의 총칭. 번화창(飜花瘡).

면:환【免鰥】[명] 홀아비가 다시 장가들거나, 홀어미를 얻음. ——-하다 [자][타][여불]

면:회¹【面灰】[명] 담이나 벽의 겉에 회를 바름. 또, 그 회. ——-하다 [자][여불]

면:회²【面會】[명] 직접 얼굴을 대하여 만나 봄. 면견(面見). 면접. 인터뷰. ——-하다 [자][타][여불]

면:회 사:절【面會謝絕】[명] 면회하기를 거절함.

면:회-소【面會所】[명] ①면회하는 곳. 또, 그 건물. ②면회실.

면:회-실【面會室】[명] 면회하는 방. 면회하기 위하여 따로 시설한 방. 면회소.

면:회-일【面會日】[명] 면회하기로 매월(每月) 또는 매주(每週)에 정한 날.

면:회 흙손【面灰一】[-흑-][명]〖건〗박달나무 등으로 만들어, 벽이나 담에 회를 바를 때에 쓰는 흙손.

면:흉【免凶】[명] 흉년을 면함. 면겸(免歉). ——-하다 [자][여불]

면:힐【面詰】[명] 면대(面對)하여 힐난함. 면책(面責). ——-하다 [타][여불]

멷고다 [타]〈옛〉메우다. ¶ 炭末로써 멷고되 대강 두 티 七八寸 맛감ᄒᆞ면《家禮 Ⅶ:24》.

멸:[명]〖식〗약모밀의 예스러운 이름. ¶ 멸즙(蕺)《字會 上 13》.

멸가치 명 〔식〕 [*Adenocaulon himalaicum*] 국화과에 속하는 다년초. 근경(根莖)이 있고, 줄기 높이 50-100cm이며, 윗가지에는 선모(腺毛)가 있음. 잎은 호생하며 심장(心臟) 모양의 삼각형이고 하면(下面)에 백색의 솜털이 많음. 8-9월에 백색 또는 담홍색의 작은 두화(頭花)가 가지 끝에 정생하여 거친 원추(圓錐) 화서로 핌. 과실은 수과(瘦果)인데 곤봉상으로 상반부에 자루가 있는 선(腺)이 있어서 동물의 몸에 부착하여 종자를 퍼뜨림. 산이나 들의 음습지에 나는데, 한국·일본 및 아시아에 분포함. 어린 잎은 먹음.

〈멸가치〉

멸각【滅却】명 없애어 버림. ──-하다 타여불

멸공【滅共】명 공산주의 또는 공산주의자를 멸망시킴. ──-하다 자

멸공-봉【滅共棒】명 〈속〉 봉체조(棒體操)에 쓰이는 굵고 긴 통나무.

멸과【滅果】명 〔불교〕 나고 죽는 인과(因果)를 없애고 열반에 드는 일.

멸구¹ 명 〔충〕 멸굿과·긴날개멸굿과·줄강충잇과 등에 속하는 곤충의 총칭. 모양은 매미와 비슷하며 크기는 약 5mm 정도임. 뒷다리가 발달하여 잘 도약(跳躍)하며 날기도 함. 때로 큰 무리를 이루며, 벼의 해충(害蟲)으로 유명함. 부진자(浮塵子). *매미충.

멸구²【滅口】명 비밀히 한 일이 드러남을 막기 위하여 그 일을 아는 사람을 죽이거나 가두거나 쫓아냄. ──-하다 타여불

멸굿-과【-科】명 〔충〕 [Araepidae] 매미목(目)에 속하는 한 과. 매미충과(科)와 가까운 종류로서 대개 단시형(短翅型)이고 뒷다리의 경절(脛節)에 가동성(可動性)의 말단 거극(距棘)이 있는 것으로 구별됨. 전세계에 약 1,000 종이 있으며, 풀멸구·금강산멸구·흰등멸구 등이 이에 속함. 강충잇과(科).

멸귀 명 〈방〉〔충〕 멸구¹.

멸균【滅菌】명 살균(殺菌). ──-하다 자타여불

멸균-기【滅菌器】명 [sterilizer] 〔공〕 살균기.

멸균-법【滅菌法】[-뻡] 명 〔의〕 살균법.

멸균-성【滅菌性】[-썽] 명 살균성.

멸균-유【滅菌乳】[-뉴] 명 살균유.

멸기【滅期】명 멸망하는 때.

멸대【蔑待】[-때] 명 업신여기어 홀대함. ──-하다 타여불

멸도¹【滅度】[-또] 명 〔불교〕 ①열반(涅槃)❶. ②입적(入寂).

멸도²【滅道】[-또] 명 〔불교〕 멸제(滅諦)와 도제(道諦). *사제(四諦).

멸등【滅燈】[-뜽] 명 등불을 끔. ──-하다 자여불

멸렬【滅裂】명 찢기고 흩어져 없어짐. ¶ 지리(支離) ~. ──-하다 자여불

멸륜 패:상【滅倫敗常】명 오륜(五倫)과 오상(五常)을 깨뜨려서 없앰. ──-하다 자여불

멸망【滅亡】명 국가나 민족·종족 등이 망하여 없어짐. 복망(覆亡). ──-하다 자여불

멸몰【滅沒】명 멸망하여 없어짐. 또, 멸하여 없앰. ──-하다 자타여불

멸몽【蠛蠓】명 〔충〕 눈에놀이.

멸문【滅門】명 ①한 집안을 다 죽여 없앰. 족주(族誅). ②〔민〕 멸문일(滅門日). ──-하다 타여불

멸문-일【滅門日】명 〔민〕 음양도(陰陽道)에서 백사(百事)에 흉하다고 하는 날. 멸문(滅門). 멸일(滅日).

멸문지-화【滅門之禍】명 멸문을 당하는 큰 재앙. 멸문의 화근(禍根).

멸문지-환【滅門之患】명 멸문될까 하는 두려움. 멸문의 근심거리.

멸-법¹【滅法】[-뻡] 명 〔불교〕 일체(一切)의 상(相)을 적멸(寂滅)하고 모든 인연(因緣)의 조작(造作)을 떠난 법. 무위법(無爲法).

멸법²【蔑法】[-뻡] 명 국법(國法)을 업신여김. ──-하다 자여불

멸빈【滅擯】명 〔불교〕 비구(比丘)가 무거운 죄를 범하고도 뉘우치는 마음이 없을 때에 승적(僧籍)을 없애고 환속시키는 일. ──-하다 타여불

멸사【滅私】[-싸] 명 사욕(私慾)이나 사정(私情)을 버림. 사사로운 이해(利害)를 떠남. ──-하다 자여불

멸사 봉:공【滅私奉公】[-싸-] 명 사(私)를 버리고 공(公)을 위하여 힘써 일함. ──-하다 자여불

멸살【滅殺】[-쌀] 명 씨도 없이 죽여 버림. ──-하다 타여불

멸상【滅相】[-쌍] 명 〔불교〕 사상(四相)의 하나. 업(業)이 다하고 명(命)이 끝나서 몸과 마음이 모두 없어져, 현재에서 과거로 돌아가는 모양.

멸성【滅性】[-썽] 명 친상(親喪)을 당하여, 너무 슬퍼한 나머지 자신의 생명을 잃음. ──-하다 자여불

멸-성제【滅聖諦】명 〔불교〕 사성제(四聖諦)의 하나인 멸제(滅諦). *도성제(道聖諦).

멸시【蔑視】[-씨] 명 업신여김. 몹시 낮추 봄. 깔봄. 멸여(蔑如). 모시(侮視). ──-하다 타여불

멸실【滅失】[-씰] 명 ①멸망하여 없어짐. ②〔법〕 화재·천재 지변 등으로 물품·가옥 따위가 그 효용을 상실할 정도로 파괴됨. ──-하다 자여불

멸실-환【滅失環】[-씰-] 명 〔생〕 미싱 링크(missing link).

멸악-산【滅惡山】명 〔지〕 황해도 평산군(平山郡) 문무면(文武面)과 신암면(新岩面) 사이에 있는 산. [816m]

멸악 산맥【滅惡山脈】명 〔지〕 황해도를 남북으로 크게 2분하는 구릉성(丘陵性) 산맥으로 낭림(狼林) 산맥의 남부에서 장산곶(長山串)에 이름. 구월산(九月山)·멸악산·장수산(長壽山) 등의 명산이 있음.

멸어【鱴魚】명 〔어〕 웅어.

멸여【蔑如】명 멸시(蔑視). ──-하다 타여불

멸이【蔑爾】명 ①작은 모양. ②멸시하는 모양. ──-하다 형여불

멸이가-의【蔑以加矣】명 그 위에 더할 나위가 없음.

멸일【滅日】명 〔민〕 멸문일(滅門日). 몰일(沒日).

멸입【滅入】명 점점 멸하여 들어감. ──-하다 자여변

멸자【滅字】[-짜] 명 〔인쇄〕 ①인쇄물(印刷物)에 있어서 잉크가 잘 묻지 아니하거나 하여 없어진 글자. ②활판 인쇄에서, 닳아 뭉개진 활자.

멸적【滅敵】[-쩍] 명 적을 쳐서 없앰. ──-하다 자여불

멸절【滅絕】[-쩔] 명 멸망하여 아주 끊어짐. 멸망시켜 아주 없애 버림. 절멸(絕滅). ──-하다 자타여불

멸제【滅諦】[-쩨] 명 〔← 도제〕〔범 nirodha-satya〕〔불교〕 사제(四諦)의 하나. 괴로움이 소멸한 열반(涅槃)의 경지를 이상(理想)이라고 풀이하는 진리. 욕망을 벗어나서 무집착(無執着)으로 되는 것이 이상의 경지라 함. *사제(四諦)·도제(道諦).

멸족【滅族】[-쪽] 명 한 가족·한 겨레를 멸하여 없앰. 또, 망하여 없어짐. ──-하다 자타여불

멸종【滅種】[-쫑] 명 씨가 없어짐. 한 종류가 모두 없어짐. 또, 모두 없앰. ──-하다 자타여불

멸죄【滅罪】[-쬐] 명 〔종〕 수선(修善)이나 참회(懺悔)로써 죄악을 소멸시키는 일. 불교의 성도문(聖道門)에서는 자기의 정신적 훈련으로 소멸시키려 하고, 정토문(淨土門)에서는 타력(他力)에 의지하여 소멸시키려 함. 기독교에서는 하느님의 은총(恩寵)과 예수를 믿음으로 속죄하고 천주교에서는 참회·통회(痛悔)·사죄(赦罪)의 세 가지를 마친 때 신자는 신부(神父)에 의하여 멸죄의 선언을 받음. ──-하다 자여불

멸죄 생선【滅罪生善】[-쬐-] 명 〔불교〕 부처의 힘으로 현세(現世)의 죄장(罪障)을 소멸하고 후세의 선근(善根)을 도움. ──-하다 자여불

멸진【滅盡】[-찐] 명 멸해서 없앰. 멸하여 없어짐. ──-하다 자타여불

멸진-정【滅盡定】[-찐-] 명 〔불교〕 무심정(無心定)의 하나. 성자(聖者)가 무여 열반계(無餘涅槃界)의 조용함을 본떠서 닦는 선정(禪定). *무상정(無想定).

멸치 명 〔어〕 [*Engraulis japonica*] 멸칫과에 속하는 바닷물고기. 몸길이 13cm 가량으로 길고 약간 원통상이며 등 쪽은 암청색이고 배 쪽은 은백색인데 체측에 은백색의 가로줄이 있음. 한국의 전연해 특히 남해에서 많이 잡히고 일본에도 분포함. 말리거나 젓·조림 등으로 만들어 먹음. 약어. 주의 '蔑治·滅治'로 씀은 취음(取音).

〈멸치〉

멸치-고래 명 〔동〕 [*Balaenopetra borealis*] 큰고랫과에 속하는 포유 동물. 몸길이 16m 가량이고, 등은 검푸르고 흰 점이 있으며, 복부는 백색에 가까움. 수염은 흑색에 안쪽은 백색이고, 등지느러미는 낫 모양임. 머리 위의 분수구(噴水口)에서 물을 3-4m 뿜어올림. 고기 맛이 좋고 기름은 공업용으로 씀. 주로 작은 갑각류와, 멸치·작은 물고기 등을 먹으며, 흔히 잡히는 고래임. 곤쟁이가 떼지어 노는 곳에 모여드는데, 한국·일본 연안에 분포함.

〈멸치고래〉

멸치-들망【-網】명 멸치잡이에 쓰이는 들그물.

멸치 수제비 명 멸치의 살에 장·달걀·후춧가루를 넣고 이기어 장국에 수제비같이 떼어 넣고 끓인 음식.

멸치 저:냐 명 멸치의 살에 소금을 뿌렸다가 밀가루를 묻히고 달걀을 씌워 지진 저냐.

멸치-젓 명 멸치로 담근 젓.

멸치 조림 명 장이나 된장 국물에 멸치를 넣고 조린 반찬.

멸칫-과【-科】명 〔어〕 [Engraulidae] 청어목(靑魚目)에 속하는 어류의 한 과. 멸치·고너리·청멸·물반지·북멸·반지·싱어·웅어 등이 이에 속함.

멸칭【蔑稱】명 경멸하여 일컬음. 또, 그 칭호. ──-하다 타여불

멸퇴【滅退】명 격멸(擊滅)하여 물리침. ──-하다 타여불

멸패【滅覇】명 ①바둑에서, 상대편에서 쓸 팻감을 미리 없애어 버림. ②해가 될 만한 곳을 미리 막음. ──-하다 자타여불

멸-하다【滅─】자타여불 망하여 없어지다. 쳐부수어 없애 버리다. ¶ 적을 ~.

멸후【滅後】명 〔불교〕 입멸(入滅)한 후, 곧 석가(釋迦)의 사후(死後). 불멸후(佛滅後).

몀:들레 명 〈방〉〔식〕 민들레.

몀생이 명 〈방〉〔동〕 염소(전남).

몀소 명 〈방〉〔동〕 염소.

몃 수관 〈옛·방〉 몇(충남·전남·경북). ¶ 몃고(幾數問多少之辭幾箇)《老朴集單字解 6》/몃間ㄷ 지븨 사ᄅᆞ시리잇고(幾間以爲屋)《龍歌 110》.

몃구다 타 〈옛〉 메우다. =몃그다. ¶ 굴헝에 몃귀여 주구리라 호매 오직 踈放ᄒᆞᆯ 뿌ᄅᆞ미로소니(欲塡溝壑唯踈放)《初杜諺 Ⅶ:2》.

몃그다 타 〈옛〉 메우다. =몃구다. ¶ 헌 굼긔 디흔 ᄡᅮㄱ을 몃그고(所傷之孔以熟艾塡)《救簡 Ⅵ:32》.

몃내다 자 〈옛〉 면내다. 개미나 쥐가 구멍을 뚫고 보드라운 흙을 파내다. ¶ 쥐 새로 몃낸 ᄒᆞᆰ(鼠新坌土)《救簡 Ⅲ:14》.

몃덛 부 〈옛〉 몇 덧. 바로. 벌써. '덛'은 썩 짧은 시간을 뜻하는 현용어(現用語) '덧'과 같음. ¶ 來日이 또 업스랴 봄밤이 몃덛 새리《古時調 尹善道》.

몃디위 명 〈옛〉 몇 번. 몇 차례. ¶ 몃디위를 글월 보내야(幾回書札)《杜諺 XXI:3》/能히 몃디위리오(能幾回)《杜諺 X:7》.

몃맛 명 〈옛〉 몇 번. 얼마. ¶ 어즈러운 고존 能히 몃맛 뻐니오(繁花能幾時)《杜諺 Ⅶ:14》.

몃츨 명 〈옛〉 며칠. =며츨. ¶ 오ᄂᆞᆯ이 몃츨고(今日幾)《朴新解 Ⅱ:58》.

몃츳 명 〈옛〉 몇 덧. 얼마 있다가. ¶ 봄밤이 몃츳새리《海謠》.

몃츤날 명 〈옛〉 며친날. ¶ 몃츤날이 됴흐고(幾日好)《老乞 下 64》.

몃촐 명 〈옛〉 며칠. ¶ 몃촐을 머므로뇨(留幾日來)《朴解 下 41》.

명:¹ 명 ①↗무명. ②〖식〗☞ 목화(木花)❷.
명²【名】명 이름❶.
명³【明】명〖불교〗①〔번뇌(煩惱)의 어둠을 없앤다는 뜻에서 생긴 말〕지혜. ②진언(眞言).
명⁴【明】명〖역〗중국 원(元)나라에 뒤이어 세워진 왕조(王朝). 태조(太祖)는 주원장(朱元璋)이며, 도읍(都邑)은 금릉(金陵)이었으나 제3대 성조(成祖)가 베이징(北京)으로 옮김. 세조(世祖) 때에 이르러 그 최성기(最盛期)를 이루었으나, 그 후 영종(英宗) 때부터는 환관(宦官)의 발호(跋扈) 및 외적(外賊)의 침입으로 국력이 쇠퇴하였음. 제13대 신종(神宗)이 장거정(張居正) 등의 보좌(輔佐)로 한때 치적(治績)을 올린 일도 있으나, 산시 성(陝西省) 출신의 이자성(李自成)에게 베이징을 함락당하여 17대 의종(毅宗)이 목을 매어 죽음으로써 17대 277년 만에 멸망하였음. [1368-1644]
명⁵【明】명 성(姓)의 하나. 현재 우리 나라에는 서촉(西蜀) 단본임.
명:⁶【命】명 ①목숨. ¶ ~이 길다. ②↗운명(運命). ③↗명령(命令). ¶ 천자의 ~을 받다. ——-하다 타여불 ①↗명령(命令)하다. ②임명(任命)하다. ③명명(命名)하다.
명⁷【銘】명 ①금석(金石)·기물(器物)·비석(碑石) 같은 데에 남의 공적 또는 사물의 내력(來歷)을 새긴 문구(文句). 흔히 한문(漢文)으로 새기는데, 넉 자(字)를 한 구(句)로 하여 운(韻)을 닮. ②기물(器物)에 제작자의 이름을 새기거나 쓴 것. ③마음에 새기거나 써 놓고 교훈으로 삼고자 하는 어구(語句). ¶ 좌우(座右)의 ~.
명⁸【名】의명 숫자 아래에 붙어 사람의 수효를 나타내는 말. ¶ 야구는 한 팀 9 ~, 축구는 11 ~, 농구는 5 ~이다.
명-【名】접 어떤 명사의 위에 붙어서 '이름 높은' 또는 '훌륭한·우수한'의 뜻을 나타내는 접두어. ¶ ~배우/~탐정(探偵).
-명 어미 〈옛〉-며. ¶ 草堂에 靑風明月이 나명 들명 기드리나니《聾岩》.
명가¹【名家】명 ①명망(名望)이 높은 가문. 명문(名門). ②명망이 높은 사람. 어떤 일에 뛰어나 이름이 높은 사람. 명인(名人). ③〖역〗중국 춘추 전국 시대(春秋戰國時代)에 궤변(詭辯)을 일삼던 한 학파. 등석(鄧析)·윤문자(尹文字)·공손용자(公孫龍子) 등이 대표적임.
명가²【名歌】명 이름난 노래. 좋은 노래.
명가³【名價】[—까] 명 명예와 성가(聲價). 「——-하다 자여불
명:가⁴【命駕】명 길을 떠나기 위해 하인에게 거마(車馬)를 준비시킴.
명가⁵【冥加】명〖불교〗①눈으로 보지 못하고 알지 못하는 사이에 불(佛)·보살이 중생에게 힘을 입혀 주어 이롭게 하는 일. ②↗명가금(冥加金).
명가-군【鳴笳軍】명 고려 인종(仁宗) 때, 호가(胡笳)를 불며 행렬(行列)에 따르던 군악대. 백여 보(步)를 걸을 때마다 명가군이 호가를 불고, 그 소리가 끝나면 바로 뒤에 따르는 요고군(鐃鼓軍)이 요고를 치며 장단을 맞춤.
명가-금【冥加金】명〖불교〗부처의 명가(冥加)에 감사하는 마음으로 바치는 돈. 준명가(冥加).
명-가수【名歌手】명 이름난 가수. 뛰어난 가수.
명가 자제【名家子弟】명 명망 높은 집안의 젊은이.
명가지 명〈방〉〖식〗멸가치.
명간¹【冥間】명〖불교〗명도(冥途).
명간²【銘肝】명 명심(銘心). ——-하다 타여불
명-갈이 명 밭을 갈아 목화씨를 심는 일.
명감¹【名鑑】명 사람이나 사물의 이름을 모으고, 그에 관한 정보를 기록한 책. ¶ 학교 ~.
명감²【明鑑】명 ①높은 식견(識見). ②좋은 귀감(龜鑑). ③올바른 감정(鑑定).
명감³【明鑑】명〖책〗↗명심 보감(明心寶鑑).
명감⁴【冥感】명 명명(冥冥)한 가운데 감응(感應)함. 신앙심이 신불(神佛)에 통함. ——-하다 자여불
명감⁵【銘感】명 명사(銘謝). ——-하다 타여불
명-감독【名監督】명 이름난 감독. 뛰어난 영화 감독.
명개 명 갯가나, 흙탕물이 지나간 자리에 앉은 검고 보드라운 흙.
명:거¹【命車】명〖역〗초헌(軺軒).
명거²【明渠】명〖토〗겉도랑. ↔암거(暗渠).
명거 배수【明渠排水】명〖토〗겉도랑 배수. ↔암거(暗渠) 배수.
명:건【命巾】명 명다리.
명건-도【明件島】명〖지〗명도(明島).
명검¹【名劍】명 이름난 검(劍). 훌륭한 칼. 명도(名刀). 보검(寶劍).
명검²【名檢】명 윤리에 의거하여 어긋나지 않도록 언행을 조심함. ——-하다 타여불
명경 명〈방〉거울(경남).
명견¹【名犬】명 이름난 개. 훌륭한 개.
명견²【明見】명 ①사물을 내다봄이 밝음. ②현명한 의견. 밝은 견해.
명견³【冥見】명〖불교〗눈에는 보이지 않으나 신불(神佛)이 늘 중생을 보고 있는 일. 명람(冥覽).
명견 만:리【明見萬里】[—말—] 명 먼 곳의 일을 환하게 앎. 먼 앞일을 훤히 내다봄. ——-하다 자여불
명결【明決】명 명단(明斷). ——-하다 타여불
명경¹ 명〈방〉거울(전북·경상).
명경²【明經】명〖역〗강경(講經).
명경³【明鏡】명 ①맑은 거울. ②분명한 증거.
명경⁴【冥境】명〖불교〗명도(冥途).
명경-과【明經科】명〖역〗①고려 때의 과거(科擧)의 한 과목(科目). 상서(尙書)·주역(周易)·모시(毛詩)·춘추(春秋)·예경(禮經) 등으로 시험 보이는데 원래는 제술과(製述科)와 지체가 같은 것이었으나 뒤에 차츰 떨어져서 제술과에 미치지 못하게 되었음. ②생원과(生員科)의 과목. ③식년 문과(式年文科)의 복시 초장(覆試初場).
명경-대¹【明鏡臺】명〖지〗내금강(內金剛)의 입구에 있는 대(臺). 사면의 둥근 산봉우리 사이에 네모진 적갈색(赤褐色)의 크고 넓적한 바위가 솟아 있어 그 아래의 깊은 물에 비치는 그림자가 마치 거울과 같다 하여 일컬음. *금강산(金剛山).
명경-대²【明鏡臺】명〖불교〗저승의 길 입구에 있다는 거울. 지나는 이의 생전(生前)의 착한 일, 나쁜 일을 여실히 비춘다 함. 업경대(業鏡臺).
명경 박사【明經博士】명〖역〗고려 말, 성균감(成均監)에 둔 관직. 충선왕(忠宣王) 즉위년(1309)에 국자감(國子監)을 성균감으로 고칠 때, 유교 경전에 밝은 사람으로 임명하여 교수로 삼았다가, 공민왕 11년(1362) 성균관(成均館)으로 다시 이름을 바꿀 때 폐지함.
명경-업【明經業】명〖역〗명경과(明經科)❶.
명경 지수【明鏡止水】명 맑은 거울과 조용한 물. 맑고 고요한 심경(心境)을 이름.
명계¹【冥界】명〖불교〗명도(冥途).
명계²【冥契】명 ①알지 못하는 가운데 서로 마음이 맞음. 부지중(不知中) 서로 일치함. ②죽은 남녀가 혼인함. 명혼(冥婚).
명고【鳴鼓】명 ①북을 울림. ②〖역〗성균관(成均館)의 유생(儒生)이 죄를 졌을 때, 북에 그 이름을 써서 붙인 뒤에 관(館) 안으로 치고 돌아다니며 널리 알리던 일. ——-하다 타여불
명고옥【名古屋】명〖지〗'나고야(名古屋)'를 우리 음으로 읽은 이름.
명고-이공지【鳴鼓而攻止】명 죄인(罪人)을 조리돌리어 몹시 책망함. ——-하다 타여불
명곡¹【名曲】명 뛰어나게 잘 된 악곡(樂曲). 유명한 악곡.
명곡²【明曲】명〖문〗남곡(南曲).
명곡-집【名曲集】명 명곡의 악보를 가려 모은 책. 또, 명곡을 가려 모은 레코드·테이프 따위. 앤솔러지.
명골【名骨·明骨】명 가조기 또는 개복치의 연한 뼈를 삶아서 말린 식품(食品).
명공¹【名工】명 뛰어난 장인(匠人). 명장(名匠).
명공²【名公】명 유명한 재상(宰相). 뛰어난 재상.
명공³【明公】인대 높은 벼슬아치를 마주 부를 때 높여 이르는 말.
명공 거:경【名公巨卿】명 이름난 재상(宰相). 높은 벼슬아치.
명과¹【名菓】명 맛이 좋아 이름이 난 과자.
명과²【銘菓】명 특별한 제법(製法)으로 만들고 독특한 상표(商標)가 붙은 좋은 과자.
명-과기실【名過其實】명 헛이름만 나고 실상인즉 그만하지 못함. ——-하다 형여불
명:과-학【命課學】명 ①운명·길흉(吉凶) 등에 관한 학문. ②〖역〗조선 시대 때, 음양과(陰陽科) 초시(初試)의 시험 과목.
명:과학 교:수【命課學敎授】명〖역〗조선 시대 때, 관상감(觀象監)의 종육품(從六品) 벼슬. *지리학 교수.
명:과학 훈:도【命課學訓導】명〖역〗조선 시대 때, 관상감(觀象監)의 정구품(正九品) 벼슬. 음양·길흉·점복에 관한 일을 맡아 보았음.
명관¹【名官】명 정치를 잘하여 이름이 높은 관리. 「~이라.
명관²【明官】명 선정(善政)을 베푸는 관리. 현명한 관리. ¶ 구관(舊官)이
명:관³【命官】명〖역〗조선 왕조 때, 전시(殿試)를 주재(主宰)하던 시험관. 임금이 친히 임명(任命)하였음.
명관⁴【冥官】명〖불교〗명계(冥界)의 관원(官員). 명부(冥府)의 재판관. 염마왕(閻魔王)의 신하로, 지옥에서 육도(六道) 중생의 죄를 재판함.
명관⁵【鳴管】명〖조〗울대².
명광【明光】명 밝은 빛.
명광-개【明光鎧】명 갑옷의 일종. 백제 때 사용했던 것으로, 황칠(黃漆)을 하여 그 광채가 상대방의 눈을 부시게 하였다 함.
명교¹【名敎】명 ①인륜(人倫)의 명분을 밝히는 가르침. 인륜의 교. ②유교(儒敎).
명:교²【命橋】명〖민〗명다리.
명구¹【名句】명 뛰어나게 잘 지은 글귀. 유명한 글귀. *가구(佳句).
명구²【鳴鳩】명〖조〗염주비둘기.
명구 승지【名區勝地】명 명승지(名勝地).
명국【名局】명 장기·바둑 따위의 뛰어난 대전(對戰). ¶ ~보(譜).
명군¹【名君】명 이름 높은 군주(君主). 뛰어난 군주. 명주(名主).
명군²【明君】명 명주(明主).
명궁¹【名弓】명 ①↗명궁수(名弓手). ②유명한 활. 유서(由緖) 깊은 활.
명:궁²【命宮】명 ①〖민〗사람의 생년월일시(生年月日時)의 방위(方位). ②〖민〗십이궁(十二宮)의 하나. ③상술가(相術家)가 양미간(兩眉間)을 일컫는 말.
명-궁수【名弓手】명 활을 잘 쏘기로 이름난 사람. 준명궁(名弓).
명귀【冥鬼】명 명도(冥途)에 있다고 하는 귀신.
명:근【命根】명 ①생명의 근본. ②〖식〗줄기에서 땅 속으로 벋은 곧은 뿌리. 주근(主根).
명:-금¹【命—】[—끔] 명〖민〗손바닥의 집게손가락과 엄지손가락 사이에서 손목으로 벋어 내려간 굵은 손금. 명(命)의 길고 짧음을 알 수 있다 함. ¶ ~이 길다.
명금²【鳴金】명 징·나(鑼) 또는 바라를 울림. ——-하다 타여불
명금 삼하(三下)에 취:타지(吹打止)하여라 구 능행(陵幸) 때에, 세 번 징을 치는 동시에 군악을 그치라고 선전관이 외치던 소리.
명금 이:하(二下)에 대:취:타(大吹打)하여라 구 능행 때에, 두 번 징을 울리는 동시에 군악을 치라고 선전관이 외치던 소리.
명금 일하(一下)에 대:취:타하여라 구 무령지곡(武寧之曲)을 아뢸 때에, 한 번 징을 울리는 동시에 연주를 시작하라고 선전관이 외치던 구호.
명금³【鳴禽】명 ①고운 목소리로 우는 새. ②〖조〗연작류(燕雀類)에 속하는 새.
명금-류【鳴禽類】[—뉴] 명〖조〗연작류(燕雀類).

명금 삼성【鳴金三聲】명〖악〗군악을 끝내는 신호로 징을 세 번 치는 일.

명기[1]【名技】명 ↗명연기(名演技).

명기[2]【名妓】명 이름난 기생. ¶ 송도 ~ 황진이.

명기[3]【名器】명 진귀(珍貴)한 그릇. 유명한 기물(器物).

명기[4]【明記】명 똑똑히 밝히어 적음. 분명히 기록함. ——-하다 타 여불

명기[5]【明氣】명 ①맑고 경치 좋은 산천(山川)의 기운. ②환하고 명랑한 얼굴빛.

명기[6]【明器】명〖고고학〗①장사지낼 때 무덤 속에 시체와 함께 묻는 식기(食器)·악기(樂器)·집기(什器)·무기(武器) 등 여러 가지 기물(器物). ②무덤에 넣기 위하여 실물을 작게 축소하여 상징적으로 만든 껴묻거리. 그릇 종류 외에도 동물·인물도 만들어졌음.

명:기[7]【命期】명 수명(壽命)의 기한(期限).

명기[8]【銘記】명 마음 속 깊이 새기어 둠. 명심(銘心). ——-하다 타 여불

명기[9]【銘旗】명 장례식에 쓰이는, 죽은 사람의 성명(姓名)을 적은 기. ㄴ명정(銘旌).

명기[10]【鳴器】명 명관(鳴管).

명:-길다【命—】형 ①생명을 유지하는 기간이 길다. ②어떤 물건의 수명이 길다.

명-나라【明—】명〖역〗중국의 '명(明)'을 나라로서 똑똑히 일컫는 말.

명-나방【螟—】명〖충〗명나방과에 속하는 곤충의 총칭. 마디충나비. 명아(螟蛾). 명충나방. 좀나방.

명나방-과【螟—科】[—꽈] 명〖충〗[Pyralidae] 나비목(目)에 속하는 한 과. 몸은 소형, 촉각은 채찍 모양이고, 드물게 톱날 모양임. 대개 1년에 1-3회 또는 수회 발생하는데, 2회 발생하는 것을 특히 '벼명나방'이라고 함. 유충인 '마디충'은 각종 재배 식물 또는 나뭇잎을 갉아먹는 해충임. 전세계에 분포하며, 연노랑들명나방·복숭아들명나방·콩들명나방·솜들명나방·이화명나방 등이 이에 속함.

명납【名衲】명 [‘납(衲)’은 승복(僧服)의 뜻] 명승(名僧).

명낭【鳴囊】명〖동〗개구리나 맹꽁이의 수컷 등의 귀 뒤나 목 밑에 있는 낭상 기관(囊狀器官). 울 때에 불룩하게 되어 공명(共鳴)함.

명년【明年】명 내년(來年).

명념【銘念】명 명심(銘心). ——-하다 타 여불

명다【名茶】명 이름 있는 좋은 차(茶).

명:-다리【命—】[—따—] 명〖민〗신이나 부처를 모신 상 앞의 천장 가까운 곳에 원(願)을 드리는 사람의 생년월일을 써서 매다는 모시나 무명. 명건(命巾). 명교(命橋).

명단[1]【名單】명 어떤 일에 관계된 사람들의 이름을 죽 적은 표.

명단[2]【明旦】명 내일 아침. 명조(明朝). 힐조(詰朝). ┌타 여불

명단[3]【明斷】명 명확한 판단. 현명한 재단(裁斷). 명결(明決). ——-하다

명단-풍【明旦風】명〖악〗당적(唐笛)·대금(大笒)·해금(奚琴)·피리의 사중주 관악곡(管樂曲). 죽헌(竹軒)이 지었음.

명달【明達】명 총명(聰明)하여 사리에 통달함. ——-하다 자 여불

명담【名談】명 ①사리에 맞고 멋있는 말. ②유명한 격담(格談).

명답[1]【名答】명 잘된 답. 꼭 알맞은 답. ¶ 참으로 ~이오.

명답[2]【明答】명 분명한 대답. 똑똑히 밝히는 답. ¶ 내일까지 ~해 주시기 바랍니다. ——-하다 자 여불

명-답변【名答辯】명 썩 잘된 답변.

명-답안【名答案】명 썩 잘된 답안.

명당【明堂】명 ①임금이 조현(朝見)을 받는 정전(正殿). ②〖민〗무덤 아래에 있는 평지. 혈(穴)의 바로 앞. ③썩 좋은 묏자리. 명당 자리.

명당-가【明堂歌】명〖문〗작자·제작 연대 미상의 가사의 하나. 재래의 풍수 지리설에 입각하여 명당(明堂)이 될 수 있는 조건과 그에 곁들여 신앙적인 내용을 읊음.

명당-경【明堂經】명〖민〗독경무(讀經巫)가 독송(讀誦)하는 무경(巫經)의 하나. 여러 신에게 수명과 복록(福祿)을 빌고 재액(災厄)을 소멸해 달라는 내용임.

명당-바람【明堂—】[—빠—] 명 명당이 끼치는 영묘한 힘. ¶ ~으로 자손이 잘된다.

명당-봉【明堂峰】명〖지〗평안 북도 자성군(慈城郡) 이평면(梨坪面)에 있는 산. [1,032 m]

명당-손【明堂孫】[—쏜] 명 ↗명당 자손(明堂子孫).

명당 자리【明堂—】[—짜—] 명〖민〗①풍수학(風水學)에서, 그 자리에 뫼를 쓰면 후손(後孫)이 부귀 영화를 얻는다는 묏자리. 썩 좋은 묏자리. 명당(明堂). ②썩 좋은 장소나 지위(地位)의 비유.

명당 자손【明堂子孫】[—짜—] 명 명당 자리에 묻힌 사람의 자손. ㊅명당손(明堂孫).

명당-치【明堂峙】명〖지〗전라 남도 해남군(海南郡)에 있는 고개. [36 m]

명덕【明德】명 ①밝고 인도(人道)에 맞는 행동. 공명(公明)한 덕행(德行). ②천부(天賦)의 본성(本性). ③〖불교〗조계종(曹溪宗)에서, 비구니(比丘尼) 법계(法階)의 2급. 명사(明師)의 아래, 현덕(顯德)의 위.

명덕 대:부【明德大夫】명〖역〗조선 시대 때 의빈(儀賓)의 종일품(從一品)의 품계(品階). 숭덕 대부(崇德大夫)를 영조(英祖) 때 이 이름으로 고침.

명도[1]【名刀】명 이름난 칼. 명검(名劍).

명도[2]【明刀】명〖역〗명도전(明刀錢).

명도[3]【明度】명 밝은 정도. 밝기.

명-도[4]【明島】명〖지〗전라 북도 서해상의 고군산 군도(古群山群島)에 속하는 섬. 행정 구역상으로는 군산시(群山市) 미성읍(米星邑) 말도리(末島里)에 속함. 명건도(明件島). [0.44 km²]

명도[5]【明道】명 ‘정호(程顥)’의 호.

명:도[6]【命途】명 명수(命數).

명도[7]【明渡】명 ①성(城)이나 집을 비우고 남에게 넘겨 줌. ②〖법〗토지·건물 또는 선박(船舶)을 점유(占有)하고 있던 사람이 그 점유한 모든 권리를 다른 사람에게 옮겨 줌. ¶ 가옥을 ~하다. ——-하다 타 여불

명도[8]【明圖】명 [몽 mingdu (무당의 조상)]〖민〗①무당이 수호신으로 위하는 거울. 청동(靑銅)으로 되어 크고 둥글며, 앞은 부르고 뒤에는 해·달·별과, 일월·대명두(大明斗)의 글자를 새기었음. 신어머니가 신딸에게 대(代)를 물려 줄 때 함께 물려 줌. 명두(明斗). ②어려서 죽은 아이의 귀신(鬼神). 무당에게 지피어 길흉 화복(吉凶禍福)을 말하고 온갖 것을 다 알아 맞힌다 함. *태주·명두(明斗) 무당.

명도[9]【冥途】명〖불교〗사람이 죽은 뒤에 그 영혼이 간다고 하는 암흑(暗黑)의 세계. 지옥(地獄)·아귀(餓鬼)·축생(畜生)의 삼악도(三惡道)가 있다 함. 명계(冥界). 명토(冥土). 명경(冥境). 명간(冥間). 명로(冥路). ㄴ암명(暗冥). 황천(黃泉).

명도[10]【銘刀】명 명(銘)을 새긴 칼.

명:도 기박【命途奇薄】명 팔자가 사나움. ——-하다 형 여불

명도 단계【明度段階】명 밝기의 정도를 나타내는 등급. 가장 어두운 검정색을 0, 가장 밝은 순수한 흰색을 10으로 하여 그 사이를 색의 정도에 따라 10단계로 나눔.

명도 대:비【明度對比】명〖미술〗밝기가 틀린 두 색이 서로 영향을 주어 밝은 색은 더 밝게, 어두운 색은 더 어둡게 보이는 현상.

명도-령【明渡令】명〖법〗토지·건물·선박 등을 명도하라는 명령.

명도 선생【明道先生】명〖사람〗‘정호(程顥)’의 존칭.

명도 신청【明渡申請】명〖법〗자기 소유의 토지·건물·선박 등을 타인이 점유하고 내어 주지 않을 경우에, 소유권자인 자기에게 넘겨 주도록 법원(法院)에 신청하는 일. ——-하다 자 타 여불

명도-전【明刀錢】명〖역〗고대 중국의 청동 화폐(靑銅貨幣)의 하나. 기원전 4-3세기경 연(燕)나라에서 유통(流通)하던 작은 칼처럼 생긴 화폐로 ‘明’자 비슷한 무늬가 있음. 중국이나 우리 나라에서 출토(出土)됨. 명도(明刀).

명도 학파【明道學派】명 유학의 한 파. 정호(程顥)가 창도한 성리학파(性理學派).

명도 할미【明圖—】명 ☞〖민〗태주 할미.

명도-회【明道會】명〖천주교〗천주교회 초기에 중국인 신부 주문모(周文謨)가 평신도들의 교리(敎理) 연구 및 전교(傳敎)를 위하여 조직한 신앙 모임.

명동【鳴動】명 울리어서 움직임. 특히, 지진(地震) 따위가 일어났을 때 울리고 진동(震動)함을 일컫는 말. ¶ 태산(泰山) ~에 서일필(鼠一匹). ——-하다 자 여불

명동 성:당【明洞聖堂】명 서울 명동에 있는 국내 최대이자 최초로 건립된 대성당. 조선 고종 29년(1892), 조선 교구(敎區) 제8대 교구장 뮈텔(Mütel) 주교가 천주교도에 대한 박해가 없어지자 착공, 1898년에 완성한 고딕식 건물임. 경내에는 서울 대교구의 교구청이 있음.

명두【明斗】명〖민〗명도[8](明圖)❶.

명두 무:당【明斗—】명〖민〗어린아이 신(神), 곧 명두를 몸주로 모시고, 몸주신(神)의 말을 몸주신의 음성으로 말하는 무당. *태주 무당.

명두 할미【明斗—】명〖민〗명두(明斗) 무당. *태주 할미.

명들래 명 〈방〉〖식〗주름조개풀.

명라【鳴鑼】[—나] 명 소라를 불어 울림. ——-하다 자 여불

명란[1]【明卵】[—난] 명 명태의 알.

명란[2]【鳴鑾】[—난] 명 임금의 수레에 다는 방울.

명란-젓【明卵—】[—난—] 명 명태 알로 담은 젓. *고지젓.

명람【冥覽】[—남] 명 명견(冥見).

명랑[1]【明朗】[—낭] 명 밝고 쾌활함. ——-하다 형 여불. ——-히 부

명랑[2]【明朗】[—낭] 명〖사람〗신라 때의 중. 선덕 여왕 원년(632)에 중국 당나라에 갔다가 4년에 귀국하여 밀교(密敎) 발전에 힘썼으며, 신라 신인종(神印宗)의 개조임.

명랑-보【明朗報】[—낭—] 명 일반이 기쁘게 여길 만한 소식. 명랑한 소식. 낭보(朗報).

명랑-성【明朗性】[—낭썽] 명 명랑한 특성.

명량[1]【明亮】[—냥] 명 양명(亮明). ——-하다 형 여불

명량[2]【鳴梁】[—냥] 명〖지〗전라 남도 진도(珍島)와 육지 사이의 가장 좁은 해협(海峽). 울돌목. *명량 대첩.

명량 대:첩【鳴梁大捷】[—냥—] 명〖역〗조선 선조(宣祖) 30년(1597) 9월에 이순신 장군이, 패잔 전선(敗殘戰船) 불과 12척으로, 명량에서 왜(倭)의 대수군(大水軍) 함대 133척을 맞아 싸워 30여 척의 적선을 격파하여 크게 이긴 승첩(勝捷). ┌여불

명려【明麗】[—녀] 명 산수(山水)의 경치가 맑고 고움. ——-하다 형

명력【蓂曆】[—녁] 명 [‘蓂’은 명협(蓂莢)의 뜻] 태음력(太陰曆).

명:령[1]【命令】[—녕] 명 ①윗사람이 아랫사람에게 내리는 분부. 하명. ㊅명(命)·영(令). ②〖법〗국가의 행정 기관이 법률을 실시하기 위해서나 또는 법률의 위임을 받아서 제정하는 법(法)의 형식. 국회나 지방 의회의 의결을 거치지 아니하고 제정하는 규칙으로 대통령령(令), 각 부령(各部令) 등이 있음. ③〖법〗행정 기관이 특정인(特定人)에게 대하여 의무를 부과(賦課)하는 구체적인 처분. 처분(處分) 명령. ④상사(上司)가 직무에 관하여 부하 직원에게 하는 분부. 직무(職務) 명령. ⑤〖법〗재판장 및 수명(受命) 법관·수탁(受託) 판사가 그 권한에 속하는 사항에 관하여 행하는 재판. ⑥〖컴퓨터〗사용자가 컴퓨터 시스템에, 컴퓨터의 시동·정지·계속 등의 동작을 지시하는 일. ——-하다 타 여불

명령[2]【明靈】[—녕] 명 모든 것을 밝게 널리 살피는 영혼.

명령[3]【螟蛉】[—녕] 명 ①〖충〗빛깔이 푸른 나방과 나비의 유충(幼蟲). ②[나나니벌이 명령(螟蛉)을 업어 가 기른다는 데서] 양자(養子).

명:령 계:수기【命令計數器】[—녕—] 명 [instruction counter]〖컴퓨터〗현재 수행되는 명령 다음에 처리될 명령어가 있는 장소를 지시하는 계수기. 명령 카운터.

명:령-권【命令權】[—녕꿘] 명〖법〗①명령을 할 수 있는 권한. ②권력

자의 의사로써 국민의 의사를 복종시키는 권력.

명:령 규범【命令規範】[—녕—] [명]〖법〗단순히 명령 또는 금지를 규정한 규범. 어떤 일을 하지 않으면 안된다든가 하는 것을 정한 규범. 경찰(警察)법규 같은 것. ↔능력(能力) 규범.

명:령-문【命令文】[—녕—] [명] ①명령의 뜻을 적은 글. ②〖언〗'보아라'·'가'·'불을 꺼라'·'쓰지 말라' 등 명령을 나타내는 문장.

명:령-법【命令法】[—녕뻡] [명]〖언〗명령이나 요구의 뜻을 나타내는 화법(話法). 원칙적으로 2인칭에만 쓰이며 우리말에서는 용언을 활용하여 사용함. '가라'·'오너라'·'일어나라' 등. 시킴법.

명:령-서【命令書】[—녕—] [명]〖법〗명령의 내용을 써서 명령을 받는 사람에게 주는 문서.

명:령 실행 사이클【命令實行—】[—녕—] [명] [execution cycle] 〖컴퓨터〗기본 조작(基本操作)이 행하여지는 동안의 시간.

명:령-어【命令語】[—녕—] [명]〖컴퓨터〗컴퓨터에 연산이나 일정한 동작을 명령하는 기계어.

명:령-역【命令域】[—녕—] [명] [instruction area] 〖컴퓨터〗프로그램 명령어(命令語)의 기억을 위해서 사용되는 기억 장치 부분.

명:령 융자【命令融資】[—녕늉—] [명]〖경〗정부의 명령에 의하여 이루어지는 융자. 흔히, 전시(戰時) 등 비상시에 행하여짐.

명:령 일하【命令一下】[—녕—] [명] 명령이 한 번 내려짐. ¶ ~에 전 대원이 일사 불란하게 움직였다.

명령-자【螟蛉子】[—녕—] [명] 양아들.

명:령-적【命令的】[—녕—] [명][관] 명령하는 모양이나 성질.

명:령적 규정【命令的規定】[—녕—] [명]〖법〗어떤 일을 하거나 하지 말라고 명령하는 것을 내용으로 하는 규정. ↔능력적 규정.

명:령적 기능【命令的機能】[—녕—] [명]〖법〗법이 어떤 것을 하거나 하지 못하게 명령하는 경우의 법의 작용(作用). 이러한 작용은 모든 법률 규범에 내재(內在)하는 것임.

명:령적 재판【命令的裁判】[—녕—] [명]〖법〗당사자 또는 제삼자에 대하여, 작위(作爲) 또는 부작위(不作爲)를 명령하는 것을 내용으로 하는 재판. 이행 판결(履行判決)이나 증인(證人)을 호출하는 재판 등.

명:령 전:송【命令轉送】[—녕—] [명] [instruction transfer] 〖컴퓨터〗연산(演算)의 결과로 얻어진 값에 따라, 서브프로그램에 제어(制御)를 전송하는 명령.

명:령-조【命令調】[—녕쪼] [명] 명령하는 것 같은 어조(語調). ¶ ~로 말하다.

명:령 카운터【命令—】[—녕—] [명] [instruction counter] 〖컴퓨터〗명령 계수기(計數器).

명:령 하:달【命令下達】[—녕—] [명] 상관(上官)의 명령을 부하에게 전달하는 일. ——-하다 [자][여불]

명:령 항:로【命令航路】[—녕—노] [명] 정치상 또는 경제상의 필요에 의하여 정부에서 보조금을 주거나 면세 등의 특전을 주어가면서 해운업자에게 경영을 명령하는 항로. 대개, 선박업자의 채산이 맞지 않는 항로라도 주민의 편의상 운항해야 하는 항로에 적용함.

명:령-형【命令形】[—녕—] [명]〖언〗명령·요구를 표시하는 동사 혹은 조동사의 활용형(活用形). 시킴꼴.

명:령 형식【命令形式】[—녕—] [명] [instruction format] 〖컴퓨터〗하나의 명령에 딸린 여러 가지 부분을 여러 가지 기능에 할당하는 규칙.

명례【名例】[—녜] [명] 법(法)의 총칙적(總則的)인 규정. 명(名)은 오형(五刑)의 죄명(罪名), 예(例)는 오형(五刑)을 적용하는 법례(法例)의 뜻.

명례-궁【明禮宮】[—녜—] [명]〖역〗칠궁(七宮)의 하나. 지금의 서울 중구 정동(貞洞)에 있는 덕수궁의 인조(仁祖) 때 이름. 조선 시대 덕종(德宗)의 맏아들 월산 대군(月山大君)의 사저(私邸)로 경운궁(慶雲宮)이라 하다가, 임진 왜란 후 시어소(時御所)가 되고, 인조가 반정 후 이곳에서 즉위의 대례(大禮)를 치름.

명로【冥路】[—노] [명]〖불교〗명도(冥途).

명론【名論】[—논] [명] 이름난 논문이나 이론. 사리에 맞고 뛰어난 의론.

명론 탁설【名論卓說】[—논—] [명] 우수한 논문과 탁월(卓越)한 학설.

명료【明瞭】[—뇨] [명] 분명하고 똑똑함. ¶ 간단 ~. ——-하다 [형][여불]. ——-히 [부]

명료-도【明瞭度】[—뇨—] [명] ①사물의 분명하고 똑똑한 정도. ②[articulation] 〖물〗일반적으로 전화 회선의 통화의 질(質)을 측정하는 간편한 방법의 하나. 수신기 등을 통하여, 언어를 몇 %나 정확히 청취할 수 있는가를 백분율로 나타냄.

명료-성【明瞭性】[—뇨썽] [명] 명료한 성질.

명류【名流】[—뉴] [명] 어떤 일에 아주 뛰어나서 이름난 사람들.

명륜-당【明倫堂】[—뉸—] [명]〖역〗성균관(成均館)·향교(鄕校)의 문묘(文廟) 앞에 자리잡은, 유학(儒學)을 강학(講學)하던 강당.

명률[1]【名律】[—뉼] [명]〖악〗뛰어난 악기 연주가(演奏家). 주로, 국악(國樂)에서 일컬음. *명창(名唱).

명률[2]【明律】[—뉼] [명] ①〖역〗조선 시대 때, 율학청(律學廳)의 한 벼슬. 종 7품 체아직(遞兒職)으로, 고율(考律)·상헌(詳讞)·사송(詞訟) 등의 사무를 담당하였음. ②〖책〗↗대명률(大明律).

명-릉【明陵】[—능] [명] 서오릉(西五陵)의 하나. 숙종(肅宗)과 숙종 계비(繼妃) 인현(仁顯) 왕후 및 계비(繼妃) 인원(仁元) 왕후의 능. 경기도 고양시 용두동(高陽市龍頭洞)에 있음.

명리[1]【名利】[—니] [명] 명예와 이익. 명문 이양(名聞利養). 성리(聲利). ¶ ~에 급급하다.

명:리[2]【命理】[—니] [명] 하늘에서 주어진 명(命)과 자연의 법칙.

명리[3]【冥利】[—니] [명]〖불교〗①눈에 보이지는 않으나 은연중에 불·보살에게서 받는 이익. ②선업(善業)의 과보로 얻는 행복.

명:리 정:종【命理正宗】[—니—] [명]〖책〗생년 월시(生年月時)에 따라 사람의 운명의 길흉 화복이 예견될 수 있음을 주장한 책. 편자·연대 미상. 필사본 1책.

명림 답부【明臨答夫】[—님—] [명]〖사람〗고구려의 재상. 제 8대 신대왕(新大王) 8년(172)에 농성 작전(籠城作戰)을 써서 중국 한(漢)나라의 침공을 막아 대승하였음. 113세까지 삶. [67-179]

명마【名馬】[명] 이름난 말. 훌륭한 말.

명마구리 [명]〈방〉〖조〗명매기.

명막【冥漠】[명] 아득하게 멀고 넓음. ——-하다 [형][여불]

명-만천하【名滿天下】[명] 명문천하(名聞天下).

명망【名望】[명] 명성(名聲)과 인망(人望). 망(望). ¶ ~이 있는 정치가.

명망-가【名望家】[명] 명망이 높은 사람.

명망 천하【名望天下】[명] 명문천하(名聞天下).

명매기 [명]〖조〗칼새❶.

명:맥【命脈】[명] ①목숨과 맥. 목숨. 생명. ②어떤 일이 소멸되지 않고 이어져 가는 것을 비유적으로 이르는 말. ¶ 겨우 ~을 유지하다.

명:맥 소:관【命脈所關】[명] 생사(生死)에 관계되는 바.

명면【名面】[명] 이름과 얼굴.

명면 각지【名面各知】[명] 동일인(同一人)인 줄 모르고 이름은 이름대로 얼굴은 얼굴대로 따로따로 앎. ——-하다 [자][여불]

명멸【明滅】[명] ①불이 켜졌다 꺼졌다 함. *점멸(點滅). ¶ ~하는 네온. ②빛이 밝았다 어두웠다 함. 또, 먼뎃것이 보였다 안 보였다 함. ——-하다 [자][여불]

명:명[1]【命名】[명] 이름을 지어 붙임. ——-하다 [자][여불]

명명[2]【明命】[명] ①분명한 명령. ②신명(神明) 또는 군주(君主)의 명령. ③천명(天命).

명명[3]【明明】[명] 아주 환하게 밝음. 분명하여 의심할 바 없음. ——-하다 [형][여불]

명명[4]【冥冥】[명] ①어두운 모양. ②나타나지 아니하여 알 수 없는 모양. ③자연히 마음 가운데 느껴지는 모양. ——-하다 [형][여불]. ——-히 [부]

명:명 규약【命名規約】[명] 생물·광물·화합물·효소 등의 명명(命名)을 위하여 정하여진 규칙이나 약속. '식물 명명 국제 규약(植物命名國際規約)' 따위.

명명 백백【明明白白】[명] 아주 똑똑하게 나타난 모양. 아주 명백함. ¶ ~한 사실. ——-하다 [형][여불]. ——-히 [부]

명:명-법【命名法】[—뻡] [명] 생물·광물·화합물·효소 등에 명칭을 부여할 경우의 일정한 방식. 보통 국제적 규약에 의해 정하여짐.

명:명-식【命名式】[명] 선박·비행기 등에 이름을 붙이면서 베푸는 의식(儀式).

명명-장【明明章】[—짱] [명]〖악〗조선 중종(中宗)의 비(妃) 문정 왕후(文定王后)에게 올린 악장(樂章)의 이름.

명명지-중【冥冥之中】[명] ①듣거나 볼 수 없이 은연 중. 조용하고 정성스러운 가운데. ②어두운 저승.

명모[1]【名母】[명] 어머니 이름을 부름. 자식으로서 모친의 이름을 부름은 심한 비례(非禮)인데, 송나라 사람이 궤변으로 그것을 정당화하려 했다는 고사에서 어설픈 지식을 자랑하다가 실패함의 비유.

명모[2]【明眸】[명] 밝은 눈동자. 맑고 아름다운 눈동자. 미인(美人)을 형용하는 말. ¶ 맑은 눈동자는 볼그스름한 뺨 위에 더욱 어여쁜 다정한 ~다《朴鍾和 : 錦衫의 피》.

명모 호치【明眸皓齒】[명] 눈동자가 맑고 이가 희다는 뜻으로, 미인을 형용하는 말.

명목[1]【名木】[명] ①어떤 유서(由緖)가 있어 이름난 나무. ②매우 훌륭한 향목(香木).

명목[2]【名目】[명] ①표면상으로 내세우는 일컬음이나 명칭. 명분(名分). 명칭. 명호. ¶ ~뿐인 사장. ②구실. 이유. ¶ ~이 서지 않다.

명목[3]【冥沐】[명] 가는 비. 조금씩 오는 비.

명목[4]【瞑目】[명] ①눈을 감음. ②죽음. ——-하다 [자][여불]

명목 계:정【名目計定】[명]〖경〗계정(計定) 분류의 하나. 그 사업 연도에 발생한 손익(損益)에 속하는 사항을 기록하는 계정. ↔실체 계정.

명목 국민 소:득【名目國民所得】[명]〖경〗화폐(貨幣) 국민 소득. ↔실질 국민 소득.

명목-론【名目論】[—논] [명]〖철〗유명론(唯名論).

명목 성장률【名目成長率】[—뉼] [명]〖경〗전년도와의 대비(對比)를 위해서 매년(每年)의 시장 가격으로 나타낸 명목 국민 소득 또는 명목 국민 총생산으로 산출한 성장률. *실질 성장률.

명목 소:득【名目所得】[명]〖경〗물가(物價)에 비하여 소득이 실질적으로 저하되었을 경우의 소득. 곧, 소득과 물가와의 관계에 있어서, 물가가 오르는 반면에 소득이 전과 같거나, 소득이 증가되었다 하더라도 물가의 오름세가 심한 경우에 이름. 화폐 소득.

명목 이:익【名目利益】[명]〖경〗가공 이익(架空利益).

명목 임:금【名目賃金】[명] [nominal wage] 〖경〗화폐량(貨幣量)으로 나타낸 임금액(賃金額). 이 명목 임금은 동액(同額)이라도 물가가 올라가면 실질적 임금은 하락(下落)한 것이 됨. 화폐 임금(貨幣賃金). ↔실질 임금(實質賃金).

명목 자본【名目資本】[명]〖경〗화폐 가치의 변동이 없다는 조건 하에서 화폐액으로 나타낸 자본. 물질 자본(物質資本)에 대하여 이름. ↔실체 자본. ——-하다 [자][여불]

명목 장담【明目張膽】[명] 두려워하지 아니하고 용기를 내어 일을 함.

명목-적【名目的】[명][관] 실질이 따르지 않고 표면의 명목만이 갖추어져 있는 모양. 또, 명목을 중히 여기는 모양.

명목적 정:의【名目的定義】[— / —이] [명]〖논〗유명 정의(唯名定義).

명목-주의【名目主義】[— / —이] [명] [nominalism] 〖경〗화폐를 단순히 기능적인 면에서만 보고, 그 소재(素材)가 무엇이든 화폐 단위명이 표기된 표장(標章)을 똑같이 화폐로 보는 학설. 국가 권력으로 상품 가치가 없는 것에 화폐의 기능을 부과할 수 있게 됨에 따라 제창됨. 명목 학설. ↔ 금속주의(金屬主義).
명목 지름【名目一】명〔nominal diameter〕〚지〛특정한 퇴적 입자(堆積粒子)와 똑같은 부피를 가진 가상(假想)의 구체(球體)에서 계산된 지름.
명목 학설【名目學說】명〚경〛명목주의(名目主義).
명목 화:폐【名目貨幣】명〚경〛실질적 가치와는 관계없이, 표시되어 있는 가격으로 통용하는 화폐. 지폐(紙幣)·은행권(銀行券)·보조 화폐(補助貨幣) 등. 기호(記號) 화폐.
명묘【名墓】명 자손이 잘 되어 널리 알려진 무덤.
명무【名武】명 문벌(門閥)이 높은 무반(武班).
명문1【名文】명 잘 지은 글. 이름난 글. 훌륭한 글.
명문2【名門】명 유명한 문벌. 훌륭한 가문. 명가(名家). ¶ ~ 출신.
명문3【名聞】명 세상의 평판이나 명성(名聲).
명문4【明文】명 ①명백하게 정한 조문(條文). ¶ 법률에 ~이 없다. ②〚역〛부동산의 매매 문기(賣買文記)·전당(典當) 문기·환퇴(還退) 문기 등의 증서(證書). 서두(序頭)에 연월일을 쓰고 '전명문(前明文)'이라 명기(明記)하고, 본문에 '우명문 사단(右明文事段)'이라 적은 다음에 사유(事由)를 기술함. 증서(證書). 성문(成文). ¶ ~ 권(券) ≪類合 下 45≫. ③사리를 명백히 밝힌 글.
[명문 집어먹고 휴지(休紙) 똥 눌 놈] 의리와 법강(法綱)을 어기기 일수인 사람을 욕하는 말.
명:문5【命門】명 ①〚생〛명치. ¶ ~이 막히다. ②〚한의〛몸을 지탱하는 물질을 다루는 기관(器官).
명문6【銘文】명 ①금석(金石)·기물(器物) 등에 새긴 글. ②마음 속에 새겨 두어야 할 문장이나 문구.
명문-가1【名文家】명 문장에 뛰어난 사람.
명문-가2【名門家】명 명문에 속하는 집안.
명문 거:족【名門巨族】명 이름난 집안과 크게 번창한 족속.
명문 귀:족【名門貴族】명 노빌리타스(nobilitas).
명문-교【名門校】명 전통과 역사가 있는 유명한 학교. ¶ ~ 출신.
명문-구【名文句】[-꾸] 명 썩 잘 지은 글귀.
명문 대:작【名文大作】명 명작(名作)의 방대한 문예 작품.
명:문-뼈【命門一】명 명치뼈.
명문 세:족【名門世族】명 ①이름난 집안과 세력 있는 족속. ②명문으로서 대(代)를 거듭하여 중요한 벼슬을 해 내려와, 자기 집안의 운명을 국가의 운명과 같이하는 집안.
명문 이:양【名聞利養】명 세상의 명성과 이득. 명리(名利).
명문 자제【名門子弟】명 명망이 높은 집안의 자제.
명-문장【名文章】명 썩 잘 지은 문장.
명문-재【明文在】명〚책〛중국 청(清)나라의 설희(薛熙)가 찬(撰)한 책. 명대(明代)의 문장 중에서 준영(俊永)하고 평담(平淡)한 것을 취(取)해서 이것을 부(賦)·금조(琴操)·고시(古詩)·율시(律詩) 등 72항으로 분류하였는데, 모두 100권.
명-문천하【名聞天下】명 이름이 세상에 널리 퍼짐. 명만천하(名滿天下). 명망 천하(名望天下). ——하다 자여불
명문-형【明文衡】명〚책〛중국 명(明)나라 때의 정민정(程敏政)이 편찬한 책. 격(檄)·조(詔)·제(制)·고(誥)·책(冊)에서 묘지(墓誌)·묘표(墓表)·제문(祭文) 등에 이르는 40항목으로 나뉘었으며, 체례(體例)를 '옥대 신영(玉臺新詠)'에 따르고 모든 작자의 이름을 죽 들었음. 모두 98권임.
명문-화【明文化】명 ①조문(條文)이나 사리를 문서로 명백히 밝힘. ②문서로 명확히 밝힘. ——하다 타여불
명물【名物】명 ①유명한 물건. ②그 지방의 특유하고 이름난 물건. ¶ 사과는 대구의 ~. ③남다른 특징이 있어 인기 있는 사람.
명-물-도-수【名物度數】명 명목(名目)·사물(事物)·법식(法式)·수량의 총칭.
명미【明媚】명 아름답고 고움. 산수(山水)의 경치가 밝고 아름다움. ¶ 풍광 ~한 고장. ——하다 형여불
명민【明敏】명 총명하고 민첩함. ——하다 형여불
명-바라【鳴哱囉】명 불교 무용에서, 두 손에 바라를 들고 마주 쳐서 소리를 내며 추는 춤.
명:박【命薄】명 운명과 재수가 기박함. ——하다 형여불
명반【明礬】명〚화〛황산 알루미늄과 황산 칼륨과의 복염(複塩). 무색 투명의 정팔면체(正八面體)의 결정(結晶)으로 수용액(水溶液)은 산성 반응(酸性反應)을 일으키며 수렴성(收斂性)이 있음. 매염제(媒染劑)·제지(製紙) 등에 쓰임. 넓은 뜻으로는 알루미늄 대신에 크롬 또는 철(鐵)을, 칼륨 대신에 나트륨·암모늄 등을 바꿔 놓은 것도 이름.
명반-석【明礬石】명〚광〛칼륨과 알루미늄의 함수 황산염(含水黃酸塩)으로, 화성암이 변질(變質)한 것. 명반의 원료임. [$KAl_3(OH)_6(SO_4)_2$]
명반-수【明礬水】명〚의〛명반을 물에 풀어 녹인 액체. 소독(消毒)·살충제(殺蟲劑)로 쓰임.
명-반응【明反應】명〔light reaction〕〚생〛광합성(光合成)의 과정에서 빛을 받아 진행하는 화학 반응. 이 반응에는 엽록소(葉綠素)가 필요함. 광화학(光化學) 반응. ↔암반응(暗反應). *광합성(光合成).
명반-천【明礬泉】명〚지〛물 1kg 속에 명반을 주성분으로 하는 고형(固形) 성분을 1,000mg 이상 함유하는 온천. 피부나 점막(粘膜)에 대한 수렴(收斂) 작용이 있어서 주로 욕료법(浴療法)에 응용됨.
명발【鳴鈸】명〚불교〛절에서 쓰는 '동발(銅鈸)'의 일컬음.
명:-발 명〈방〉목화발(경상).
[명발 사자 눈 어둡다] 일이 공교롭게 궂긴 경우에 이르는 말.
명-배우【名俳優】명 연기(演技)를 잘하여 이름난 배우. 준명우(名優).
명백【明白】명 의심할 것 없이 아주 분명함. ——하다 형여불. ——히 부
명백-성【明白性】명 명백한 성질이나 특성.

명벌1【名閥】명 문벌이 좋은 집안. 명문(名門). 명가(名家).
명벌2【冥罰】명 신불(神佛)이 내리는 벌(罰).
명법【明法】[-뻡] 명 ①밝은 법. ②〚역〛중국 당(唐)나라 때 문관(文官)을 등용하던 시험 과목의 이름. 법률을 주로 한 것.
명법-업【明法業】[-뻡-] 명〚역〛고려 때의 잡과(雜科)의 한 과목. 율령(律令)을 시험하였음.
명:-베 명〈방〉무명1(전라·경남).
명변【明辯】명 명백한 변설(辯舌). 명백히 말함. ——하다 타여불
명보【名寶】명 이름난 보물.
명복1【名卜】명 이름난 점쟁이.
명:복2【命服】명〚역〛사대부(士大夫)의 정복(正服).
명복3【冥福】명 ①죽은 뒤에 저승에서 받는 행복. 사후(死後)의 행복. ¶ 고인의 ~을 빌다. ②〚불교〛죽은 사람의 행복을 위하여 불사(佛事)를 행하는 일.
명봉【名峰】명 유명한 산. 유명한 봉우리.
명부1【名簿】명 성명(姓名)을 적은 장부. 명적(名籍). ¶ 선거인 ~.
명:부2【命婦】명〚역〛봉호(封號)를 받은 부인(婦人)의 통칭. 여관(女官)으로 품위(品位) 있는 자, 종친(宗親)의 딸과 아내 및 문무관(文武官)의 아내 등으로 내명부(內命婦)와 외명부(外命婦)의 구별이 있음.
명부3【冥府】명〚불교〛①사람이 죽어서 간다는 곳. 저승. 명계(冥界). 황천(黃泉). ②명계(冥界)의 법정(法廷). 사람이 죽은 뒤에 심판을 받는다는 곳. 명조(冥曹). ¶ ~의 사자(使者).
명부식 비:례 대:표【名簿式比例代表】명〚법〛대선거구에서 선거인으로 하여금 각 정당의 후보자 명부에 투표시키고, 원칙적으로 그 명부 내에서 투표의 이양(移讓)을 인정하는 비례 대표의 한 가지.
명부-전【冥府殿】명〚불교〛지장 보살(地藏菩薩)을 주로 하여, 염라 대왕 등 10대왕을 봉안(奉安)한 절 안의 전각(殿閣). 시왕전(十王殿). 지장전(地藏殿).
명-부지【名不知】명 ①성만 아는 정도의 알음알이가 있는 사람. ②성만 알고 이름을 모름. 또, 그러한 사람. ——하다 형여불
명부지 성:부지【名不知姓不知】명 이름도 성도 모름. 전혀 모르는 사람. ——하다 형여불
명분1【名分】명 ①도덕상 구별된 명의(名義)에 따라 반드시 지켜야 할 사람된 행위의 한계. 곧, 군신(君臣)·부자(父子)·부부(夫婦) 등에 의한 각각의 분수. 본분(本分). ¶ 대의(大義) ~. ②표면상의 이유. 명목(名目). ¶ ~만은 그럴 듯하다.
명:분2【命分】명 운명의 분한(分限). 운수(運數).
명분-론【名分論】[-논] 명 ①명분을 앞세우는 입장이나 주장. ②〚윤〛명칭과 실질(實質)의 일치를 추구하여 국가 사회의 질서를 확립하려고 하는 유가(儒家)의 사상. ≪논어(論語)≫나 ≪춘추(春秋)≫ 삼전(三傳)에 현저하며, 뒤에 송(宋)나라 때 학자들이 강조하였음.
명-불허득【名不虛得】명 명예나 명성은 헛되이 얻어지는 것이 아니라는 뜻.
명-불허전【名不虛傳】명 명예가 널리 퍼짐은 그만한 실상이 있어 퍼짐. 명예는 헛되이 전하여지는 것은 아님. ¶ 그날 우리 집 공주도 가 보시었지만 과연 그 재모가 ~이라고 말씀합니다≪朴鍾和: 錦衫의 피≫.
명비【明妃】명〚사람〛'왕소군(王昭君)'의 이명(異名).
명:-뼈【命一】명 ☞ 명치뼈.
명사1【名士】명 이름난 선비. 세상에 널리 알려진 사람. ¶ 각계(各界)의 ~.
명사2【名師】명〚민〛명풍(名風).
명사3【名詞】명〚언〛사물의 이름을 나타내는 품사. 그 쓰이는 범위로 보아 보통 명사와 고유 명사, 그 뜻의 내용으로 보아 단독적으로 쓰이느냐 아니냐에 따라 의존 명사와 자립 명사로 나뉨. 이름씨.
명사4【名辭】명〚논〛하나의 개념을 언어(言語)로 나타낸 것. 단어의 수효와 문법적인 품사에 구애되지 않음. 주사(主辭)와 빈사(賓辭)로 나뉨. *개념(槪念).
명사5【明史】명〚책〛중국 25사(史)의 하나. 청(清)나라의 장정옥(張廷玉) 등이 칙명(勅命)에 의하여 편찬한 명조 일대(明朝一代)에 관한 역사책으로, 60년이 걸려 건륭(乾隆) 4년(1739)에 완성됨. 본기(本紀)·지(志)·표(表)·열전(列傳)·목록(目錄) 등 336권으로 됨.
명사6【明沙】명 썩 곱고 깨끗한 모래. ¶ ~ 십리(十里).
명사7【明師】명〚불교〛조계종(曹溪宗)에서, 비구니(比丘尼) 법계(法階)의 1급. 명덕(明德)의 위임.
명사8【明絲】명 명주실.
명사9【榠樝】명 모과(木瓜).
명사10【鳴砂】명〔sounding sand〕〚지〛진동(振動)을 주면, 음악적인 또는 콧노래를 부르는 듯한 소리나 무엇을 잘게 씹는 것 같은 음향을 내는 모래.
명사11【鳴謝】명 깊이 감사함. ——하다 자타여불
명사12【銘謝】명 마음 속에 깊이 새기어 감사함. 명감(銘感). ——하다 타여불
명사13【螟嗣】명 양아들. *명령(螟蛉).
명사-고【明史稿】명〚책〛중국 명조(明朝) 일대의 역사를 기록한 책. 청(清)나라의 왕홍서(王鴻緖)가 편찬하여 1723년에 완성하였음. 모두 310권.
명사 고:불【名士古佛】명 과거(科擧) 때 문과(文科)에 급제한 사람의 아버지. 준고불(古佛).
명사-관【明査官】명〚역〛조선 시대 때 중요한 사건을 조사하기 위하여 감사(監司)가 특별히 보내던 임시 관원.
명사-구【名詞句】명〚언〛명사의 구실을 하는 구(句). 가령 '공부하는 것이 학생의 본분이요'에서 '공부하는 것'과 같은 말.
명사 기사 본말【明史紀事本末】명〚책〛중국 명조(明朝) 일대의 역사책. 청(清)나라의 곡응태(谷應泰)가 기사 본말체(紀事本末體)에 의하여 지은 것으로, 1658년에 완성하였음. ≪명사(明史)≫보다 60년 앞선 중요한 사서(史書)임. 모두 80권.
명사-문【名詞文】명〚언〛명사에 서술격 조사가 붙은 말이 서술어인 문장. '이것은 책이다' 따위.
명사 살해 사:건【明使殺害事件】[-껀] 명〚역〛고려 31대(代) 공민왕

23년(1374), 중국 명(明)나라의 사신 채빈(蔡斌)이 살해된 사건. 호송하던 김의(金義)가 하빈과 그 아들을 죽이고 임밀(林密)은 인질로 하여 갑사(甲士) 300 명과 공마(貢馬) 200 필을 끌고 북원(北元)나하추(納哈出)로 달아났는데, 이로써 고려와 명나라의 관계가 한때 악화되었음.

명-사수【名射手】명 이름난 사수. ¶ 백발 백중의 ～.

명사 십리¹【明沙十里】[ㅡ니] 명 〖지〗 함경 남도 원산에 있는 모래톱. 곱고 부드러운 모래와 해당화(海棠花)로 아름다운 경치를 이루며, 해수 욕장으로도 유명함.

명사 십리²【明沙十里】[ㅡ니] 명 〖문〗 조선 시대 때의 소설. 남녀의 사랑과 기이(奇異)한 인연을 이야기한 책인데 연대와 작자는 미상임.

명사 어:미【名詞語尾】명 〖언〗 ①명사가 성(性)·수(數) 및 격(格)에 따라 변화하는 언어(言語)에서 그 변화하는 부분. 특히, 독일어 등의 인도게르만어(語)에서 볼 수 있음. ②조사(助詞)를 독립된 품사로 인정하지 않는 체계의 학설에서 조사를 일컫는 말.

명사-절【名詞節】명 〖언〗 명사의 역할을 하는 절(節). 가령 '내가 원하는 바는 이것이다'에서 '내가 원하는 바'와 같은 말.

명사-형【名詞形】명 〖언〗 명사와 같은 구실을 하는 말의 형태. 국어에서는 용언의 어간에 '-ㅁ'·'-음' 및 '-기'가 붙어서 이루어짐. '놀람'·'젊음'·'춥기'·'돌기' 등. 이름꼴.

명사-회【名士會】명 〔프 Assemblée des notables〕〖역〗 프랑스 구제도하의 신분제 의회의 하나. 1367년 샤를 5세가 삼부회 대신 왕족·귀족·성직자·도시 대표 등을 지명하여 조직한 국왕의 자문 회의인데, 마지막 개최된 1788년의 명사회가 삼부회 개최를 요망하여 왕에게 반항한 것이 프랑스 혁명의 발화점이 되었음.

명산¹【名山】명 이름난 산. ¶ ～ 영봉.

【명산 잡아 쓰지 말고 배은 망덕하지 마라】 명당 자리 잡아 조상의 묘를 써서 조상의 덕을 바랄 생각을 하지 말고, 남에게 나쁜 짓을 안 하는 것이 복받는 길이다.

명산²【名產】명 유명한 산물. 명산물(名產物). ¶ 대구의 ～은 사과다.

명산 대:찰【名山大刹】명 이름난 산과 큰 절.

명산 대:천【名山大川】명 이름난 산과 큰 내.

명산-물【名產物】명 이름난 산물. 그 고장에서 나는 유명한 산물. 명산(名產).

명산-업【明算業】명 〖역〗 고려 때의 잡과(雜科)의 한 과목(科目). 구장(九章)·철술(綴術)·삼개(三開)·사가(謝家)를 가지고 산법(算法)을 시험하였음. *명서업(明書業).

명산-지【名產地】명 명산물이 나는 땅. 또, 그 지방. ¶ 사과의 ～ 대구.

명-삼채【明三彩】명 〖미술〗 적(赤)·녹(綠)·황(黃)이나 적·녹·백(白)의 세 가지 잿물을 바른 명(明)나라 때의 도자기. 명자 삼채(明瓷三彩).

명삿-길【鳴沙ㅡ】명 밟으면 쳇소리가 울린다는 강원도 동해안의 고운 모랫길.

명상¹【名狀】명 ①이름과 형상(形狀). ②사물의 상태를 말로 나타냄. 형용(形容)함. ——하다 타여불

명상²【名相】명 〖불교〗 〔명(名)은 귀에 들리는 것, 상(相)은 눈에 보이는 것〕 망상(妄想)을 일으키고 미혹하게 하는, 귀에 들리고 눈에 보이는 모든 것.

명상³【名相】명 ①이름난 관상쟁이. ②↗명재상(名宰相).

명상⁴【瞑想·冥想】명 눈을 감고 고요히 생각함. 고요히 사색에 잠김. 정관(靜觀). ¶ ～에 잠기다. ——하다 자여불

명상-가【瞑想家】명 명상을 잘 하는 사람.

명상-곡【瞑想曲】명 〔meditation〕〖악〗 명상적인 기분을 잘 표현한 기악 소곡(器樂小曲).

명상-록¹【瞑想錄】[ㅡ녹] 명 명상을 적은 글.

명상-록²【瞑想錄】[ㅡ녹] 명 〖책〗 ①〔그 Tōn eis heauton diblia〕 로마의 황제이며 철학자인 마르쿠스 아우렐리우스(Marcus Aurelius)가 지은 책. 스토아적(Stoa的) 사상에 입각하여 신(神)의 섭리에 경건(敬虔)할 것을 주장한 자성록(自省錄). 전 12권. 자성록. ②팡세(Pensées).

명상-적【瞑想的】명관 명상을 하는 듯한 모양이나 성질.

명색¹【名色】명 ①어떠한 부류(部類)에 쏠어 넣고 부르는 이름. ¶ ～이 사내라고 오기(傲氣)는 있구나. ②〔범 nāma-rūpa〕〖불교〗 십이 인연(十二因緣)의 하나. 심적(心的)인 것과 물적(物的)인 것의 모임. 정신과 물질. 또, 인식(認識)의 대상(對象)이 되는 것. 유부(有部)에서는, 사람이 태내(胎內)에 있는 동안에, 아직 육근(六根)이 생기지 않은 위태(位態)로 해석함.

명색이 좋:다 구 실질(實質)이 없이 이름만 듣기좋다. ¶ 명색이 좋아 데릴사위지.

명색²【明色】명 밝은 빛. 환한 빛깔. ↔암색(暗色).

명색³【暝色】명 해질 무렵의 어둑어둑한 빛. 모색(暮色).

명색 광:물【明色鑛物】명 〔light mineral〕〖광〗 비중이 2.85 보다 작은 암석의 총칭. 일반적으로 엷은 빛을 띰.

-명서 어미 〈방〉 -면서.

명서-업【明書業】명 〖역〗 고려 때의 잡과(雜科)의 한 과목(科目). 설문(說文)·오경 자양(五經字樣)·서품 장구시(書品長句詩)·진서(眞書)·행서(行書)·전서(篆書)·인문(印文) 등을 가지고 서법(書法)을 시험하였음. *의업(醫業).

명서-풍【明庶風】명 동풍(東風).

명석¹【明夕】명 내일 저녁.

명석²【明晳】명 분명하고 똑똑함. ¶ 두뇌가 ～하다. ——하다 형여불

명석³【鳴錫】명 〖불교〗 〔승려가 짚는 지팡이 꼭대기에 여섯 개의 고리가 있어서 흔들면 소리가 나므로〕 '석장(錫杖)'을 달리 일컫는 말.

명석 판명【明晳判明】명 〔라 clare et distincte〕〖철〗 명석과 판명. 명석은 개념이 직접적으로 명료한 사태(事態)이며, 판명은 다른 것과의 구별에 있어서 명료한 사태인 점에서 차이가 있음. 데카르트가 진리의 표준으로 내세운 것으로 유명함.

명선 대:부【明善大夫】명 〖역〗 조선 시대 때 정삼품 종친(宗親)의 당상관(堂上官).

명설【鳴舌】명 혀를 참. 매우 경탄함.

명성¹【名聲】명 세상에 널리 떨친 이름. 성명(聲名). 성문(聲聞). 성칭(聲稱). 홍명(鴻名). 네임(name). ¶ ～을 떨치다.

명성²【明星】명 ①〖천〗 샛별. ②여러 사람이 그 덕행이나 기능을 우러러 볼 만큼 뛰어난 사람의 비유. ¶ 영화계(映畫界)의 ～.

명성³【明聖】명 지덕(知德)이 뛰어남. 또, 그런 사람. 성현(聖賢).

명성-경【明聖經】명 〖책〗 ①↗관성 제군 명성경(關聖帝君明聖經). ②충·효·염치·절개 등 네 가지 덕목(德目)을 나열한 도가(道家) 수양서. 저자 및 연대 미상. 3권 1책. 고활자본.

명성-산【鳴聲山】명 〖지〗 강원도 철원군(鐵原郡) 갈말읍(葛末邑) 신철원리와 경기도 포천군(抱川郡) 이동면(二東面) 도평리(都坪里) 사이에 있는 산. 광주 산맥에 속함. 서남쪽 기슭에 자인사(慈仁寺), 그 옆에 산정 호수(山井湖水)가 있음. [923 m]

명성 왕후【明聖王后】명 〖사람〗 조선 왕조 현종(顯宗)의 비(妃). 성은 김씨. 청풍(淸風) 사람. 숙종과 세 공주를 낳았음. [1642-83]

명성-장【明聖章】[ㅡ짱] 명 악장(樂章)의 이름.

명성 천자【明星天子】명 〔범 Aruna〕〖불교〗 제석천(帝釋天)의 내신(內臣)으로서 일천(日天)에 앞서 세계를 비치며, 세계의 어둠을 깨뜨리려는 서원(誓願)을 가진 허공장 보살(虛空藏菩薩)의 화신(化身).

명성 황후【明成皇后】명 〖사람〗 민비(閔妃)의 시호(諡號).

명세¹【名世】명 한 세상에 이름이 높은 사람.

명세²【明細】명 ①분명하고 자세함. ②분명하고 자세한 내용. 내역(內譯). ——하다 형여불. ——히 부

명:세³【命世】명 일세(一世)에 뛰어난 사람. ¶ ～지재(之才).

명세-서【明細書】명 어떤 내용을 수자적으로 자세하게 적은 문서.

명세-장【明細帳】[ㅡ짱] 명 일의 내용을 정확하고 자세하게 기입한 장부.

명:세-재【命世才】명 명세지재(命世之才)❶.

명:세지-재【命世之才】명 ①세상을 바로잡아 건질 만한 큰 인재(人材). 명세재. ②맹자(孟子)를 일컫는 말.

명소¹【名所】명 경치나 고적(古蹟) 등으로 이름난 곳. ¶ 관광의 ～.

명:소²【命召】명 〖역〗 조선 시대 때 임금이 의정 대신(議政大臣)·포도 대장(捕盜大將)·삼군부 대장(三軍部大將)·병조 판서(兵曹判書) 등을 은밀히 부를 때 사용하던 둥근 모양의 할부(割符). 명소부(命召符).

명:소-부【命召符】명 〖역〗 명소(命召).

명소 안:내【名所案內】명 여행자·관광객 등을 위하여 그 나라·고장 등의 명소를 설명·인도(引導)하는 일.

명-소주【銘燒酒】명 특별한 양조법으로 빚어지고, 고유한 이름이 붙여진 고급 소주.

명수¹【名手】명 어떤 일에 훌륭한 소질과 솜씨가 있는 사람. 명인(名人). ¶ 바둑의 ～.

명수²【名數】[ㅡ쑤] 명 ①사람의 수효. ¶ 참가자 ～. ②〖수〗 단위(單位)의 이름과 수치(數値)를 붙인 수. 백 원·10 m 따위. ↔불명수(不名數)·무명수(無名數).

명:수³【命數】명 ①운명과 재수. 명도(命途). ②〖수〗 어떤 수에 이름을 붙이는 일. *명수법(命數法).

명수⁴【明水】명 신(神)에게 올리는 맑고 깨끗한 물. 정화수(井華水).

명:수-법【命數法】[ㅡ뻡] 명 〖수〗 정수(整數)를 셀 때, 그 다소(多少)에 의하여 수단(數團)으로 나누어, 간단한 말로 조직적으로 명명(命名)하는 방법. 십·백·천·만 등으로 수를 나타내는 것을 십진(十進)의 명수법이라고 함. *명수(命數).

명-수사【名數詞】명 〖언〗 단위성 의존 명사.

명-수죽백【名垂竹帛】명 이름이 청사(靑史)에 길이 빛남.

명숙【名宿】명 연공(年功)을 쌓은 훌륭한 학자. 이름난 숙유(宿儒).

명-순응【明順應】명 〖심〗 시각(視覺)의 순응 작용(順應作用)의 하나. 어두운 곳에서 밝은 곳으로 가면 처음에는 눈이 부시나 차츰 정상 상태로 돌아가는 현상. ↔암순응(暗順應).

명순응-안【明順應眼】명 명순응 상태에 있는 눈.

명승¹【名勝】명 이름난 경치. ¶ ～ 고적.

명승²【名僧】명 지식과 덕행이 높은 중. 유명한 중. 대덕(大德). 명납(名衲).

명승 고:적【名勝古蹟】명 명승과 고적.

명승-지【名勝地】명 경치 좋기로 이름난 곳.

명승 집설【名僧集說】명 〖책〗 우리 나라 명승들의 문장을 모아 엮은 책. 목우자(牧牛子)의 계초심학인문(誡初心學人文)과 그 밖에 원효의 발심수행장(發心修行章) 및 멸상경(滅像經) 등을 합한 책. 고종(高宗) 20년(1883) 해인사(海印寺)에서 인본(印本)으로 재간(再刊)되었음. 1권임.

명시¹【名詩】명 유명한 시. 아주 잘 지은 시.

명시²【明示】명 분명하게 가리킴. 똑똑히 드러내 보임. ¶ 장소와 시간을 ～하다. ——하다 타여불

명시³【明時】명 문명이 발달하여 평화스러운 세상. 태평한 세상.

명시⁴【明視】명 똑똑하게 봄. 분명히 봄. ——하다 타여불

명시 거:리【明視距離】명 〔distance of distinct vision〕〖물〗 눈을 정상적으로 유지하면서 피로를 느끼지 아니하고 가장 똑똑히 물체를 볼 수 있는 거리. 건강한 눈은 약 25 cm 가량임. 근시안(近視眼)은 이보다 짧고, 원시안(遠視眼)은 김.

명시-도【明視度】명 〖미술〗 서로 다른 색깔이 같은 거리에 같은 크기로 있을 때, 뚜렷이 보임과 그렇지 않은 정도.

명시-선¹【名詩選】명 유명하거나 잘 된 시(詩)를 모아 엮은 책.

명시-선²【明詩選】명 〖책〗 중국 명(明)나라 진자룡(陳子龍)과 송징여(宋徵輿)가 함께 명나라 초기로부터 천계(天啓)에 이르는 연대의 시를 모은 책. 작자(作者)마다 소전(小傳)을 붙인 것이 특색이며 모두 13권임.

명시-성【明視性】[ㅡ썽] 명 〖미술〗 회화·도안·포스터 따위에서, 어떤 색이나 선(線) 또는 형태 따위가 그 배경이나 주위와의 관계에서 나타

내는 명료도(明瞭度).

명시 이월비【明示移越費】[명]〖경〗세출 예산(歲出豫算)의 경비 중 성질상 또는 예산 성립 후의 사유로 말미암아 연도(年度)내에 그 지출을 끝낼 가망이 없는 것에 대하여, 미리 국회의 의결을 거쳐 다음 연도로 이월하여 사용할 수 있는 경비.

명시-종【明詩綜】[명]〖책〗중국 청(淸)나라의 주이존(朱彝尊)이 상하 각층의 시와 민요를 수집하여 편찬한 책. 작자(作者)마다 소전(小傳)을 붙이고 여러 문장 대가의 시평(詩評)을 기록한 것으로, 명조(明朝) 운문(韻文)의 좋은 연구 재료임. 모두 100권.

명신【名臣】[명] 이름난 신하. 훌륭한 신하.

명신 대:부【明信大夫】[명]〖역〗조선 시대 때 의빈(儀賓)의 종삼품(從三品)의 품계(品階).

명신-록【名臣錄】[─녹] [명]〖책〗조선 시대 때 초계 문신(抄啓文臣)이 정조(正祖)의 명을 받아 편찬한 책. 우리 나라의 명신(名臣) 사백여 명의 약전(略傳)을 기록하였음. 12권 12책.

명신 언행록【名臣言行錄】[─녹] [명]〖책〗중국 송나라의 주희(朱熹)가 송대(宋代) 명신의 문집(文集)·전기(傳記)를 발췌(拔萃)하여 엮은 책. 전집(前集) 10권, 후집(後集) 14권으로 됨. 후에 이유무(李幼武)가 지은 별집(別集)·외집(外集)·속집(續集) 등이 나왔음. 송명신 언행록(宋名臣言行錄).

명신 지장 집략【名臣誌狀輯略】[─냑] [명]〖책〗조선의 개국으로부터 21대 영조(英祖) 때까지의 명신(名臣)의 지장(誌狀)을 수록한 책. 속집(續輯) 6권은 원집(原集) 10권 중에서 빠진 것을 추가한 것임.

명실[1] [명]〈방〉명일(名日)(함경).

명:-실[2] [명] ↗무명실.

명:-실[3]【命─】[─씰] [명]〖민〗①발원하는 사람이 밥그릇에 쌀을 담고 그 가운데 꽂은 숟가락에 잡아맨 실. ②돌떡이나 백일떡을 받고 그 답례로 떡그릇에 담아 보내는 실이나 솜.

명-실[4]【名實】[명] ①그 이름과 속 실상. ②소문과 실제의 속내.
명실 공:히 [구] 겉에 드러난 이름과 실지 내용이 함께. 명실이 같게. 소문과 사실이 다 같이. ¶ ~ 훌륭하다.

명실[5]【明悉】[명] 모든 일을 환히 다 앎. ──-하다 [자][여불]

명실 상부【名實相符】[명] 이름과 실상이 서로 부합함. ──-하다 [자][여불]

명심【銘心】[명] 마음 속에 새기어 둠. 각심(刻心). 명간(銘肝). 명념(銘念). 명기(銘記). ¶ 깊이 ~하다. ──-하다 [자][타][여불]
[명심하면 명심 먹이 있다] 마음을 가다듬어 하면 그만한 이익이 있다.

명심 보:감【明心寶鑑】[명]〖책〗어린이들의 인격 수양을 위해, 주로 중국 고전에서 보배로운 말이나 글을 163 토막 가려서, 계선(繼善)·천명(天命)·권학(勸學)·치가(治家) 등 24부문으로 나누어 배열 편집한 한문으로 된 교양서(敎養書). 고려 충렬왕(忠烈王) 때 명신(名臣) 추적(秋適)이 엮었다 함. 조선 시대 때, 글방에서 초심자의 교과서로 널리 쓰이었음. [준]명감(明鑑).

명심 불망【銘心不忘】[명] 마음 속에 새기어 두고 오래 잊지 아니함. ──-하다 [자][타][여불]

명-십삼 릉【明十三陵】[─능] [명]〖지〗중국 베이징(北京) 명승지(名勝地)의 하나. 허베이성(河北省) 북서부 톈서우 산(天壽山) 부근에 있는 명(明)나라 역대(歷代)의 13기(基)의 능(陵).

명:-씨 [명] ☞면화씨.
명:씨(가) 박이다 [구] 눈병으로 인하여 눈동자에 하얀 점이 생기어 시력을 잃다.

명아【螟蛾】[명]〖충〗①마디충나비. ②명충나방❶.

명아자-여뀌 [명]〖식〗[*Persicaria nodosum*] 마디풀과에 속하는 일년초. 줄기는 홍색을 띠며 높이 1m 가량이고 잎은 호생 무병(無柄)이며 피침형 또는 긴 타원형상의 피침형이고 초상 탁엽(鞘狀托葉)은 막질(膜質)임. 6-9월에 홍자색의 꽃이 가지 끝에 정생(頂生)하여 수상(穗狀) 화서로 피고 과실은 수과(瘦果)임. 들에 나는데, 한국 각지에 분포함.

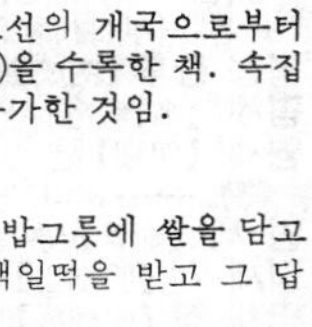
〈명아자여뀌〉

명아주 [명]〖식〗①명아줏과에 속하는 가는명아주·버들명아주·바늘명아주·섬명아주·좀명아주 등의 통칭. ②[*Chenopodium album* var. *centrorubrum*] 명아줏과에 속하는 일년초. 줄기 높이 1-2m이고, 잎은 호생하며 마름모의 달걀꼴이고 어린 잎은 선홍색으로 아름다움. 여름과 가을에 담녹색의 작은 꽃이 원추(圓錐) 화서로 정생 또는 액출(腋出)하여 피고 과실은 구형(球形)의 포과(胞果)로 흑색 종자가 한 개 들어 있음. 재배 또는 황지(荒地)의 들에 나는데, 인도·중국 원산(原産)으로 한국 각지에도 분포함. 어린 잎과 종자를 식용하고 줄기로는 지팡이도 만듦. 학항초(鶴項草).

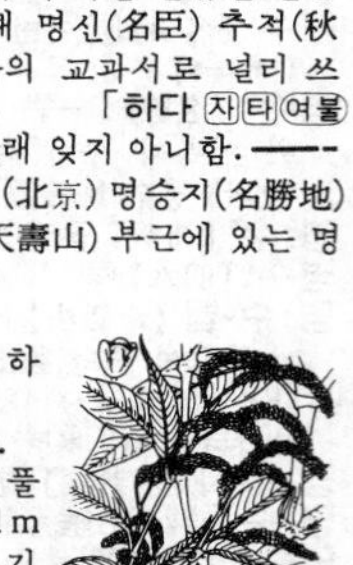
〈명아주❷〉

명아줏-과【─科】[명]〖식〗[Chenopodiaceae] 쌍자엽(雙子葉) 식물 합판화류(合瓣花類)에 속하는 한 과. 초본 또는 관목(灌木)으로 전세계에 500여 종, 한국에는 명아주·가는갯는쟁이·나도댑싸리·장다리나물·호모초 등 20여 종이 분포함.

명아줏-대 [명] 명아주의 줄기.

명안【名案】[명] 뛰어난 안(案). 좋은 생각. ¶ ~이 떠오르다.

명안-악【明安樂】[명]〖악〗명안지곡(明安之曲).

명안지-곡【明安之曲】[명]〖악〗고려 때 문선왕묘(文宣王廟)와 선농제(先農祭) 전폐례(奠幣禮)의 등가(登歌)로 아뢰던 악곡. 명안악(明安樂).

명-암[1]【明暗】[명] ①밝음과 어둠. ②전(轉)하여, 기쁜 일과 슬픈 일. 행(幸)과 불행(不幸). ¶ 인생의 ~. ③회화(繪畫)·사진 등에서 색(色)의 농담(濃淡)·강약(強弱)이나 밝은 정도.

명암[2]【冥闇】[명] 어둠. 깜깜함. 암흑. ──-하다 [형][여불]

명암 감:각【明暗感覺】[명]〖심〗무색 감각(無色感覺).

명암 경계선【明暗境界線】[명] [terminator]〖천〗달이나 혹성의 명암부(明暗部)의 분계선(分界線).

명암-등【明暗燈】[명] 항로 표지(航路標識)의 하나. 일정한 시간의 간격을 두고 명멸(明滅)하는 등불.

명암-법【明暗法】[─뻡] [명]〖미술〗회화(繪畫)에서, 명(明)과 암(暗)의 대비(對比)나 변화(變化)가 가져오는 효과를 노리는 화법(畫法). 음영법(陰影法).

명암 순:응【明暗順應】[명]〖심〗명순응과 암순응.

명야【明夜】[명] 내일 밤.

명:야 복야【命也福也】[명] 연거푸 생기는 행복.

명약【名藥】[명] 이름난 약. 효력이 좋아 소문난 약.

명-약관화【明若觀火】[명] 불을 보듯 분명함. 뻔함. ¶ ~한 사실. [준]관화(觀火). ──-하다 [형][여불]

명언[1]【名言】[명] 이치에 들어맞는 훌륭한 말. 유명한 말. ¶ 천고(千古)의 ~. *지언(至言).

명언[2]【明言】[명] 분명히 말함. ──-하다 [타][여불]

명역【名譯】[명] 썩 잘된 번역.

명연【名演】[명] 훌륭한 연기·연출·연주.

명-연기[1]【名演技】[─년─] [명] 아주 훌륭한 연기. [준]명기(名技).

명연-기[2]【鳴鳶旗】[명]〖역〗의장기(儀仗旗)의 한 가지.

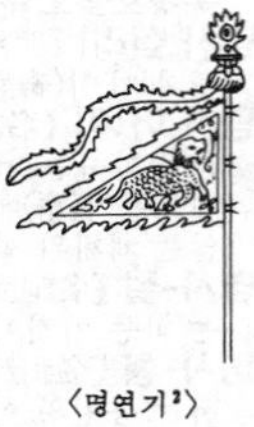
〈명연기²〉

명예【名譽】[명] ①세상에서 훌륭하다고 일컬어지는 이름. 자랑스러운 평판. ¶ ~를 회복하다. ②〖윤〗도덕적 존엄(尊嚴), 곧 인격의 높음에 대한 자각. 또, 도덕적 존엄이 남에게 승인되고 존경되고 상찬(賞讚)되는 일. ③〖법〗사람의 사회적인 평가(評價) 또는 가치. ④지위나 직명(職名)을 나타내는 말 위에 쓰여서, 그 사람에게 경의를 표하고, 또 그 공로를 찬양하기 위해 증여되는 칭호. ¶ ~ 총재/~ 시민.

명예 고립【名譽孤立】[명]〖역〗영국(英國)이 영일 동맹(英日同盟)을 맺던 1902년까지 세계 열강(世界列強)과 동맹을 맺지 않고 고립하여 있었음을 이름. *고립주의.

명예 교:수【名譽敎授】[명] 대학 교수로서 일정 연한 근무하고 퇴직한 자 중에서 재직 중 교육상·학술 상의 공적이 현저한 사람에게 그 대학이 주는 칭호.

명예-권【名譽權】[─꿘] [명] 인격권(人格權)의 하나. 사람의 명예를 목적으로 하는 권리. 이것을 침해(侵害)하는 행위는 명예 훼손죄(名譽毁損罪) 등을 구성함.

명예-롭다【名譽─】[형][ㅂ불] 명예가 되다. **명예-로이**【名譽─】[부]

명예 박사【名譽博士】[명] 학술과 문화에 특수한 공헌을 하였거나 또는 인류 문화 향상에 특수한 공적을 나타낸 사람에 대하여 학위 과정 이수(履修)나 학위 논문에 관계없이 수여하는 학위(學位). 사전에 교육부 장관의 승인을 받아야 함.

명예-법【名譽法】[─뻡] [명] [라 jus honorarium]〖법〗로마 공화정(共和政) 후기에 명예직이었던 법무관(法務官)이나 안찰관(按察官)들이 사회 정세의 변천에 따라 발달시킨 고래의 시민법(市民法)을 개폐(改廢)하는 효력을 갖던 법체계(法體系)의 총칭. ↔시민법.

명예-스럽다【名譽─】[형][ㅂ불] 명예로 여길 만하다. **명예-스레**【名譽─】[부]

명예 시:민【名譽市民】[명] 어떤 특정한 사람의 공적을 표창하기 위하여 어떠한 시(市)에서 주는 시민의 자격.

명예 시:장【名譽市長】[명] 명예직(名譽職)으로 담당하는 시장.

명예-심【名譽心】[명] 명예를 얻으려는 욕심. 또, 명예를 중요시하는 마음.

명예 영사【名譽領事】[명]〖법〗본국에서 파견되지 않고 그 나라에 있는 본국인(本國人) 또는 접수국(接受國)의 국민 중에서 위촉에 의하여 선임된 영사. 봉급은 받지 않고, 다만 수수료의 성질을 갖는 보수만을 받음. 본국 관리가 아니고, 겸직이 허용됨. ↔전무 영사.

명예-욕【名譽慾】[명] 명예를 얻으려는 욕망. 명욕(名慾). ¶ ~이 강한 사람.

명예 제대【名譽除隊】[명] 전상(戰傷)이나 공상(公傷)을 입고 하는 제대. ↔불명예 제대. ──-하다 [자][여불]

명예-직【名譽職】[명] 봉급을 받지 않고 명예만으로 담당하는 공직(公職). 따로 본업(本業)을 가질 수 있음. ↔유급직(有給職).

명예 총:영사【名譽總領事】[─녕─] [명] 총영사의 사무를 촉탁(囑託)받은 자. 사업(私業)에 종사하여도 무방하고 봉급은 받지 않음. 파견국(派遣國)으로부터 파견되지 않고 접수국(接受國)에 거주하는 사람 가운데서 선임(選任)함.

명예 퇴:직【名譽退職】[명]〖법〗20년 이상 근속(勤續)한 공무원이 정년(停年) 전에 자진(自進) 퇴직하는 일. 명예 퇴직 수당(手當)이 지급됨.

명예 혁명【名譽革命】[명] [Glorious Revolution]〖역〗1688년 영국에서 국왕(國王)을 폐한 무혈 혁명(無血革命). 제임스(James) 2세의 전제(專制) 정치와 구교주의(舊敎主義)가 영국을 로마 구교의 지배 밑에 두려고 하자 국교도(國敎徒)가 이에 반대하여 의회에서 주동이 되어 신교도(新敎徒)인 제임스 2세의 큰딸 메리(Mary)와 그의 남편인 네덜란드의 총독(總督) 윌리엄(William)을 왕으로 맞아 제임스 2세를 폐하였음. 1689년 새 왕은 의회가 결의한 '권리의 선언'을 승인하고 '권리 장전(權利章典)'을 발포하여 영국의 입헌(立憲) 정치의 기초를 이루었음. 무혈로 성공한 데서 명예 혁명이라 이르게 됨. 영예 혁명(榮譽革命).

명예-형【名譽刑】[명]〖법〗①형벌을 받는 사람의 명예를 박탈하는 것을 내용으로 하는 형벌. 작위(爵位)·훈장(勳章) 등의 박탈, 자격 상실, 자격 정지 등과 같은 것. ②예전에 우리 나라에서 실행하였던 악질 빚쟁이에 대한 형벌. 양반은 벽을 바라보고 앉혀 두는 면벽(面壁), 상인은 시장거리에 세워 두는 입시(立市) 등이 있었음.

명예 회복【名譽回復】[명] 잃었던 명예를 다시 찾음.

명예 훼:손【名譽毁損】[명] 남의 명예를 더럽히거나 손상시키는 일. 데퍼메이션.

명예 훼:손죄【名譽毁損罪】[─쬐] [명]〖법〗사실 또는 허위 사실을 공공연(公公然)히 들추어 타인의 명예를 훼손함으로써 성립하는 죄. 친

고죄(親告罪)임.

명오【明悟】명〖천주교〗깨달음. 사물에 대하여 밝게 인식함. 또, 그러한 힘. 천주교회에서는 일곱여덟 살에 명오가 열린다고 함.

명옥【明玉】명〖사람〗조선 시대 때의 화성(華城) 기생. 생애와 연대는 미상. 그가 지은 노래 '꿈에 뵈는 임이 신의 없다 하건마는 탐탐히 그리울제 꿈 아니면 어이 뵈리. 저 님아 꿈이라 말고 자로자로 뵈시소' 한 수가 춘향전에 인용되어 전함.

명-옥진【明玉珍】명〖사람〗중국 원나라 말기의 군웅(群雄)의 한 사람. 원군(元軍)을 격파하고 촉(蜀) 땅으로 들어가 자립, 나라를 대하(大夏)라 하였음. 관제(官制)를 정비하고 내정(內政)에 힘을 기울였으나 재위 5년 만에 병사하였음. [1331-66]

명:완[1]【命頑】명 목숨이 모짊. ──-하다 형여불

명완[2]【冥頑】명 사리에 어둡고 완고함. ──-하다 형여불

명-완벽【明完璧】명〖사람〗조선 말기의 아악가. 호는 진당(眞堂). 장악원(掌樂院) 아악사장(雅樂師長)으로, 가야금의 명수이고, 가곡 여창에도 뛰어났으며 다른 기악에도 능통하였음. [1832?-1919?]

명왕[1]【名王】명 이름 높은 임금. 뛰어난 군주.

명왕[2]【明王】명 ①명철한 왕. 현명한 군주. ②〖불교〗악마를 굴복시키는 무서운 얼굴을 한 신장(神將). ¶ 부동(不動) ~.

명왕-성【冥王星】명〔라 Pluto〕〖천〗태양계의 바깥쪽을 돌고 있는 천체(天體). 1930년 미국 사람 톰보(Tombaugh)가 발견했음. 지름은 지구의 약 0.47배, 질량(質量)은 지구의 약 500분의 1, 공전 주기(公轉周期) 약 248년, 태양에서의 평균 거리 약 59억 1천만 km임.

명욕【名慾】명 명예욕.

명우【名優】명 ↗명배우(名俳優). ¶ ~ 총출연.

명:운【命運】명 운명(運命).

명원【名園·名苑】명 이름 높은 정원(庭園).

명월[1]【名月】명 추석날 밤의 달. 백월(白月).

명월[2]【明月】명 ①밝은 달. ②음력 8월 보름날 밤의 달. ¶ 중추(仲秋) ~.

명월[3]【明月】명〖사람〗황진이(黃眞伊)의 호(號).

명월 위촉【明月爲燭】명 밝은 달빛으로 촛불을 대신함.

명월 천자【名月天子】명 월천자(月天子)❶.

명월 청풍【明月淸風】명 밝은 달과 맑은 바람. 밝은 달밤에 부는 시원한 바람.

명월-포【明月砲】명 딱총의 하나. 공중에서 터지면서 밝은 불빛이 나서 달과 같이 환하게 됨.

명:위【命位】명〖수〗여러 등수(等數)에서 한 등급(等級)의 단위 몇 개가 모여서 다른 등급의 단위가 되는 것을 정하는 일. 열 치를 한 자, 육십 분을 한 시간으로 정하는 것과 같은 일.

명위 장군【明威將軍】명〖역〗고려 때 종사품(從四品) 하(下)의 무반(武班) 품계(品階). 정원(定遠) 장군의 위, 선위(宣威) 장군의 아래.

명유[1]【名儒】명 이름난 유자(儒者). 훌륭한 학자(學者).

명유[2]【明油】명 들기름에 무명석(無名石)을 넣어서 끓인 기름. 칠하는 데나 물건을 겯는 데 쓰임.

명유 학안【明儒學案】명〖책〗중국의 명말(明末) 청초(淸初)의 양명학파(陽明學派) 계통의 학자 황종희(黃宗羲)의 저서. 1676년에 발표. 명대(明代)의 학자를 총괄하여 그 학파·계통을 밝히고 그들의 문집·어록(語錄)에서 요점을 채록했음. 62권.

명윤【明潤】명 환하게 나는 윤기.

명은【冥恩】명 눈에 보이지 아니하는 신불(神佛)의 은혜.

명응【冥應】명 눈에는 보이지 않지만 신불이 감응하여 이익을 주는 일.

명의[1]【名義】[─/─이] 명 ①명분(名分)과 의리(義理). ¶ ~가 서지 않다. ②문서상의 이름. ¶ 부인 ~로 등기하다.

명의[2]【名醫】[─/─이] 명 병을 잘 고쳐 이름난 의원(醫院). 또, 의사. 고의(高醫). 대의(大醫). 상의(上醫). 양의(良醫).

명의[3]【明衣】[─/─이] 명 염습(殮襲)할 때 죽은 사람에게 맨 먼저 입히는 옷.

명의 개:서【名義改書】[─/─이─] 명〖법〗권리자가 변경되었을 때, 그것에 대응(對應)해 증권상 또는 장부상의 명의인의 표시를 바꾸는 일. 명의 변경.

명의 개:서 정지【名義改書停止】[─/─이─] 명〖경〗회사의 의결권을 행사하거나 배당을 받을 권리가 있는 자를 확정할 목적으로 일정 기간 또는 일정 시점에서 주식(株式) 명의 개서를 정지하는 일.

명의 대:여 계:약【名義貸與契約】[─/─이─] 명〖법〗타인에게 자기 성명이나 상호(商號)를 사용하게 하여 영업을 하도록 허락하는 계약. 영업 면허의 소지자가 그 면허를 대여하는 경우와 신용이 있는 자가 남에게 자기 명의를 사용하게 하는 경우로 나눌 수 있음. 간판(看板) 대여 계약.

명의-록【明義錄】[─/─이─] 명〖책〗조선 시대 정조(正祖)의 명에 의해 김치인(金致仁) 등이 편찬한 책. 홍인한(洪麟漢) 등이 불경죄(不敬罪)로 인하여 처벌된 사실을 기록한 것으로, 정조 원년(1777)에 간행됨. 모두 3권 2책으로 된 인본(印本)임.

명의 변:경【名義變更】[─/─이─] 명〖법〗명의 개서.

명의 신:탁【名義信託】[─/─이─] 명〖법〗수탁자(受託者)에게 재산의 소유 명의(名義)가 이전되지만 수탁자는 외관 상으로만 소유자로 표시될 뿐 적극적으로 그 재산을 관리·처분할 권리·의무를 가지지 않는 신탁(信託).

명의-인【名義人】[─/─이─] 명 ①개인이나 단체를 대표하여 정식으로 명의를 내세운 사람. ②〖법〗내용·실질의 관계와는 별도로 외형에 표시되는 표면상 명목(名目)의 주체(主體). 형법상 명의인과 작성자(作成者)가 같은 것을 진정 문서(眞正文書), 같지 아니한 것을 부정 문서(不正文書)라 하여, 후자는 문서 위조죄(文書僞造罪)가 성립됨.

명의자 과세【名義者課稅】[─/─이─] 명〖법〗납세자를 지정함에 있어서, 과세 요건을 구성하는 실제 행위자가 아닌 명목상(名目上)의 행위자, 즉 명의자에게 세금을 부과하는 일.

명의 주교【名義主敎】[─/─이─] 명 교구에 대하여 재치권(裁治權)을 행사할 수 없는 주교. 은퇴한 주교나 보좌 주교 따위.

명이【明夷】명〖민〗↗명이괘(明夷卦).

명이-괘【明夷卦】명〖민〗육십사 괘(六十四卦)의 하나. 곤괘(坤卦)와 이괘(離卦)가 거듭된 것으로, 밝음이 땅 속에 들어감을 상징함. 준명이.

명이덕-산【蓂荑德山】명〖지〗강원도 이천군(伊川郡) 웅탄면(熊灘面)과 함경 남도 덕원군(德源郡) 풍하면(豐下面) 사이에 있는 산. [1,584 m]

명이-주【明耳酒】명 귀밝이술.

명-이(:)항【明以恒】명〖사람〗독립 운동가·교육자. 호는 성재(成齋). 평북 영변(寧邊) 출신. 3·1 운동 때 총독에게 장문의 진정서를 제출하여 투옥됨. 광신(光信) 상업 학교·영변 여자 중학교 등을 설립함. [1884-1946]

명인【名人】명 ①이름이 난 사람. ②어떤 기예(技藝)에 뛰어나 유명한 사람. 명수(名手). 명가(名家). ¶ 사격(射擊)의 ~.

명인 기질【名人氣質】명 명인 특유의 독특한 기질. 한 가지 기예를 깊이 닦은 사람에게서 흔히 볼 수 있는, 일에 대한 고집스러운 자세나 유별난 성격.

명인 방법【明認方法】명〖법〗지상에 생육(生育)하고 있는 나무나 감·뽕·입도(立稻) 등 미분리 과실(未分離果實)에 관하여, 그것을 토지나 원본(元本)과는 따로 독립해서 법률상 처분하였음을 표시하기 위하여 관습상 행하여지고 있는 방법. 벌채를 위하여 살아 있는 산림의 나무껍질에 소유자 이름을 먹으로 써 놓는다든가, 감나무 밭의 구입한 부분에 새끼줄을 치고 팻말을 세우는 일 같은 것.

명인 호:보【名人號譜】명〖책〗조선 시대 때 이용민(李容民)이 신라·고려 시대 이래의 명인의 별호(別號)를 모은 책. 충효(忠孝)·절의(節義)·도덕·훈업(勳業)·시문(詩文)·서화(書畫) 등에 이름난 사람과 명승(名僧)·명기(名妓) 등의 이름까지 수록 편찬하였음. 12권 10책으로 된 사본(寫本)임.

명일[1]【名日】명 '명절'·'국경일(國慶日)'의 통칭.
　명일(을) 쇠:다 구 명절을 기념하고 지내다. ¶ 북어쾌 젓조기로 추석 명일 쇠어 보세《農家月令歌》.

명일[2]【明日】명 내일(來日).

명:일[3]【命日】명 기일(忌日).

명일-날【名日─】[─랄] 명 명일인 날. 명절. ¶ ~에 때때옷.

명-자[1]【名字】[─짜] 명 ①이름 자(字). ②세상에 소문난 평판. ¶ ~ 났다.

명자[2]【名刺】명 명함(名銜)❶.

명자[3]【明瓷】명〖미술〗중국 명(明)나라 때에 만든 자기(瓷器).

명자[4]【榠楂】명〖식〗모과(木瓜). 모과나무.

명자-나무【榠楂─】명〖식〗[*Chaenomeles trichogyna*] 능금나뭇과에 속하는 낙엽 활엽 관목. 가시가 있으며 잎은 넓은 피침형(披針形) 또는 거꿀달걀꼴임. 4월에 비단처럼 흰 꽃이 가지 끝에 여러 개가 족생(簇生)하며, 이과(梨果)는 8월에 황색으로 익음. 인가 부근에 심는데 경상 남북도·황해도 및 중국에 분포함. 과실은 약용 및 식용함.

〈명자나무〉

명:-자리【命─】[─짜─] 명 급소(急所)❶.

명자 보살【名字菩薩】[─짜─] 명〖불교〗이름만의 보살. 보살 수행 단계 중 처음 10단계에 머물러 있는, 수행이 낮은 보살을 이름.

명자 비:구【名字比丘】[─짜─] 명〖불교〗계율을 지키지 않는 이름만의 비구.

명자 사미【名字沙彌】[─짜─] 명〖불교〗삼사미(三沙彌)의 하나. 20세에서 70세까지의 사미. 구족계(具足戒)를 받지 못하여 사미이긴 하지만, 승려(僧侶)가 될 만한 나이이므로 이름만의 사미란 뜻.

명자 삼채【明瓷三彩】명〖미술〗명삼채(明三彩).

명자-순【榠楂荀】명〖식〗[*Ribes maximowiczianum* var. *umbrosum*] 까치밥나뭇과에 속하는 낙엽 활엽 관목. 잎은 장상(掌狀)에 세 갈래로 째지고 가에 톱니가 있으며 잎꼭지에 잔털이 있음. 봄에 자웅 이가(雌雄異家)의 꽃이 총상(總狀) 화서로 피고, 장과(漿果)는 가을에 홍색으로 익음. 깊은 산의 숲 속에 나는데, 거의 한국 각지에 분포함. 관상용임.

〈명자순〉

명자-즉【名字卽】[─짜─] 명〖불교〗천태종(天台宗)에서 수행하는 계위(戒位)인 육즉(六卽)의 제 2 위. 경론, 좋은 스승, 좋은 벗에 의하여 모든 것이 죄다 부처임을 배웠으므로 내 몸이 본래 부처라는 명자(名字), 곧 언어 상에서만 이해되는 자리를 말함.

명작【名作】명 훌륭한 작품. 유명한 작품. 걸작(傑作).

명작 소:설【名作小說】명〖문〗뛰어난 소설. 명작으로 꼽히는 소설.

명장[1]【名匠】명 ①이름난 장색(匠色). 기술이 뛰어난 장인(匠人). 명공(名工). ②〖법〗'기능 장려법'에 의하여 장인 정신이 투철하고 그 분야의 최고 수준의 기능을 가진 것으로 선정된 사람. 노동부 장관은 장려금을 주는 등 우대함.

명장[2]【名將】명 이름난 장수. 뛰어난 장군.

명장[3]【明匠】명 ①학문·기술에 뛰어난 사람. ②'중'의 범칭(汎稱).

명장[4]【明粧】명 아름다운 단장. 아름다운 화장.

명장-산【明場山】명〖지〗평안 북도의 초산군(楚山郡) 풍면(豐面)에 있는 산. [1,197m]

명-장자【明障子】명〖건〗얇은 종이를 바르거나 유리를 끼워 환하게 만든 장지. ↔맹장자(盲障子).

명-장지【明障─】명〖건〗명장자(明障子). ↔맹장지.

명장 한:찰【名將翰札】명〖책〗조선 정조(正祖) 16년(1792)에 평양 감사 홍양호(洪良湖)가, 임진(壬辰) 왜란 때, 중국 명(明)나라 장수인 이여

송(李如松)이 서산 대사(西山大師)에게 보낸 서한문(書翰文)을 탑본(搨本)한 책. 모두 1책임.

명재¹【名宰】명 ↗명재상(名宰相).

명재²【明才】명 현명한 재능.

명재³【明齋】명〖사람〗윤증(尹拯)의 호(號).

명:-재경각【命在頃刻】명 금방 숨이 끊어질 지경에 이름. 거의 죽게 됨. 「명재조석(命在朝夕).

명재 명-간【明再明間】명 내일이나 모레 사이.

명-재상【名宰相】명 정사(政事)에 뛰어나서 이름난 재상. ㊀명상(名相)·명재(名宰).

명:-재조석【命在朝夕】명 명재경각(命在頃刻).

명자 명〈옛〉모과. ¶명쟛 명(榠), 명쟛 자(樝)《字會 上 11》.

명저【名著】명 훌륭한 저술(著述). 유명한 저서(著書).

명적¹【名籍】명 명부(名簿).

명적²【明笛】명〖악〗중국 명(明)나라 때의 악기로 피리의 한 가지. 길이 70 cm 가량의 대로 만든 횡적(橫笛)인데 구멍은 모두 8개임. 장소(長簫).

명적³【鳴鏑】명 우는살.

명전【明轉】명〖연〗연극에서, 막(幕)을 내리지 아니하고 조명(照明)이 되어 있는 채, 장면을 전환(轉換)하는 일. 주로 회전 무대에서 행하는데, 관객의 뜻밖의 심정을 자극시키어 효력을 거두려는 의식적인 폭로 전술로서의 전환법임. ↔암전(暗轉).

명절【名節】명 ①명분(名分)과 절의(節義). ②명예(名譽)와 절조(節操). ③명일(名日) 때의 좋은 시절. ¶팔월 ~.

명절-놀이【名節—】[—롤—] 명 명절에 행하는 여러 가지 놀이.

명정¹【明正】명 올바르게 밝힘.

명정²【明淨】명 밝고 맑음. 또, 그 모양. ——하다 형여불

명정³【酩酊】명 정신을 차리지 못할 정도로 술에 취함. 대취(大醉). ——하다 자여불

명정⁴【銘旌】명 다홍 바탕에 흰 글씨로 죽은 사람의 품계(品階)·관직(官職)·성명(姓名)을 쓴 조기(弔旗). 명기(銘旗). 정명(旌銘). 〈명정⁴〉

명정-거리【銘旌—】[—꺼—] 명 죽은 뒤에 명정(銘旌)에라도 올릴 재료라는 뜻으로, 변변치 못한 사람의 본분에 지나친 행동을 비웃는 말.

명정 기죄【明正其罪】명 명백하게 그 죄명(罪名)을 집어냄. ——하다 자여불

명정 언순【名正言順】명 주의(主義)가 바르고 말이 사리에 맞음. ——하다 형여불

명정 월색【明淨月色】[—쌕] 명 맑고 밝은 달빛.

명정-전【明政殿】명〖지〗창경궁(昌慶宮) 안에 있는 법전(法殿). 조선 성종(成宗) 14년(1483)에 세움. 남대문·돈화문과 더불어 서울에서 가장 오래된 건물임.

명-제¹【明帝】명〖사람〗중국 후한(後漢)의 황제. 광무제(光武帝)의 뒤를 이어 후한 회복의 기초를 닦고, 반초(班超)를 서역에 파견하여 여러 나라와 친선 관계를 맺음. [28-75; 재위 57-75]

명:-제²【命題】명 ①제목을 정함. 또, 그 제목. ②〔proposition〕〖논〗논리적인 판단을 언어(言語)나 기호(記號)로 표현한 것. 가령 'A는 B다'와 같은 것. ③〖수〗'정리(定理)'와 '작도제(作圖題)'의 통칭. ——하다 자여불

명:제 계:산【命題計算】명〔propositional calculus〕〖수〗명제간의 논리적 관계와 연역적(演繹的) 추론(推論)의 수학적인 연구.

명:제 논리【命題論理】[—놀—] 명〖논〗기호 논리학의 한 부문. 논리적(積) ∧, 논리합(合) ∨, 함의(含意) →, 동등(同等) ↔, 부정(否定) ~의 다섯 가지 논리 기호를 다룸. 이들의 논리 기호에 의하여 몇 개의 명제를 결합하여 논리식을 만들고, 그것과 본디 명제와의 진위(眞僞) 관계를 밝히어, 본디 명제의 진위에 구애되지 아니하고 항등적(恒等的)으로 참된 논리식을 구함. 명제 논리학.

명:제 논리학【命題論理學】[—놀—] 명〔Propositional Logic〕〖논〗명제 논리(命題論理).

명:제-산【命題算】명〖수〗명제를 문자(文字)로 나타내어, 논리(論理) 기호로 이들의 문자를 결합한 것을 마치 대수식(代數式)처럼 간주하고 하는 계산.

명-제(:)세【明濟世】명〖사람〗독립 운동가. 평북 영변(寧邊) 출생. 한일 합방이 되자 광복단에 가입, 3·1 운동 후에는 불변단(不變團)을 조직하여 독립 운동에 헌신함. 해방 후 건국 준비 위원회 위원·대한 독립 촉성 국민회 간부를 거쳐 초대 심계원장(審計院長)을 지냈음. 6·25 전쟁 때 피랍됨. [1885-?]

명:제 함:수【命題函數】[—쑤] 명〖수〗변수(變數)를 갖는 명제. $2x+1=7$ 따위. 조건 명제.

명조¹【名祖】명 ↗명조상(名祖上).

명조²【明條】명 직접적으로 어떤 사항(事項)을 규정한 명문(明文).

명조³【明詔】명 명철한 조서(詔書).

명조⁴【明朝】명 내일 아침. 명단(明旦). 힐조(詰朝).

명조⁵【明朝】명 ①〖역〗중국 명(明)나라의 조정(朝廷). 명나라. ②〖인쇄〗↗명조체(明朝體)·명조 활자(活字).

명조⁶【明照】명〖사람〗조선 인조(仁祖) 때의 중. 성(姓)은 이(李), 호는 허백당(虛白堂). 인조 5년(1627)에 팔도 의승 도대장(八道義僧都大將)이 되어, 승병(僧兵) 4천 명을 거느리고 안주(安州)에서 청(淸)나라의 침입을 막았음. [1593-1661]

명조⁷【冥助】명 모르는 사이에 입는 신불(神佛)의 도움. 명가(冥加).

명조⁸【冥曹】명 명부(冥府).

명-조상【名祖上】명 세상에 이름난 조상. ㊀명조(名祖).

명조 자체【明朝字體】명〖인쇄〗명조체(明朝體).

명조지-손【名祖之孫】명 이름난 조상의 자손.

명조-체【明朝體】명〖인쇄〗중국 명(明)나라 때의 서풍(書風)을 따른 활자체(活字體). 내리긋는 획은 굵고 건너긋는 획은 가늘어, 균형이 잡히어서 읽기 쉬우므로 많이 사용됨. 명조 자체. 당체(唐體). ㊀명조(明朝). ↔청조체(淸朝體).

明朝

〈명조체〉

명조 활자【明朝活字】[—짜] 명〖인쇄〗명조체(明朝體)로 된 활자. ㊀명조(明朝).

명족【名族】명 이름난 집안의 겨레. 또, 유명한 족속(族屬). 저성(著姓).

명존 실무【名存實無】명 이름만 있고 실상이 없음. 유명 무실(有名無實). ——하다 형여불

명:졸지-추【命卒之秋】[—찌—] 명 거의 죽게 된 때.

명종¹【名鐘】명 이름난 종.

명종²【明宗】명〖사람〗고려 제19대 왕. 휘는 호(晧). 자는 지단(之旦). 의종(毅宗)을 몰아낸 무신(武臣) 정중부(鄭仲夫)에게 옹립되어 즉위하고 27년(1197)에 최충헌(崔忠獻)에게 쫓겨났음. [1131-1202; 재위 1170-97]

명종³【明宗】명〖사람〗조선 제13대 왕. 휘(諱)는 환(峘). 자는 대양(對陽). 중종(中宗)의 둘째 아들이며, 인종(仁宗)의 아우. 재위 중에 을사사화, 왜구의 출몰 등의 사건이 있었음. [1534-67; 재위 1546-67]

명종⁴【鳴鐘】명 종이 울. 종을 쳐서 울림. ——하다 자여불

명종 불사【鳴鐘佛事】[—싸] 명〖불교〗①범종(梵鐘)과 관련된 모든 불교 행사. ②종공양(鐘供養).

명종 실록【明宗實錄】명〖책〗조선 명종(明宗)의 실록. 선조(宣祖) 4년(1571)에 춘추관(春秋館)에서 홍섬(洪暹) 등이 찬수(纂修)한 것으로 34권 34책임.

명:종-심【命終心】명〖불교〗목숨이 끊어지려 할 때의 마지막 마음.

명좌【瞑坐】명 눈을 감고 조용히 앉음. ——하다 자여불

명주¹【名主】명 명군(名君).

명주²【名酒】명 이름난 좋은 술.

명주³【明主】명 총명한 임금. 명군(明君).

명주⁴【明州】명〖지〗'닝보(寧波)'의 구명.

명주⁵【明珠】명 ①빛이 고운 구슬. ②대동강(大同江)·두만강(豆滿江)에서 나는 방합(蚌蛤) 속의 진주. 동주(東珠).

명주⁶【明紬】명 명주실로 무늬 없이 짠 피륙. 면주(綿紬).

【명주 고름 같다】성질이 매우 곱고 보드랍다는 말. 【명주 자루에 개똥】겉치장은 그럴 듯 하나 속은 더럽고 우악한 사람을 이름.

명주⁷【溟州】명〖지〗강원도 '강릉(江陵)'의 고명(古名).

명주⁸【溟洲】명 큰 바다 가운데 있는 섬.

명주⁹【銘酒】명 특별한 제법(製法)으로 빚고, 독특한 상표(商標)가 붙은 좋은 술.

명주-가【溟州歌】명〖악〗고구려 때의 노래. 가사는 전하지 아니함. 지금의 강릉(江陵)인 명주(溟州)의 한 처녀가 사랑을 맺었으나 부모의 강압에 못이겨 다른 데로 시집가게 되어 자기가 기르던 잉어에게 애타는 심정을 적어 던져 주었는데, 한편 서울에 올라온 처녀의 애인이 어느 날 잉어 한 마리를 사서 배를 갈라 보니 의외에도 처녀의 편지가 나와 급히 명주로 내려가 그 처녀를 구하고 백년 가약을 맺었다는 내용임.

명주-군【溟州郡】명〖지〗전에, 강원도의 한 군. 1읍 7면으로 동은 동해, 서는 태백 산맥(太白山脈)의 능선(稜線)을 경계로 평창군(平昌郡)·정선군(旌善郡), 남은 동해시(東海市)와 삼척군(三陟郡), 북은 양양군(襄陽郡)에 각각 접함. 남한 제일의 목재 산지이고, 쌀·잡곡·오징어·고등어 등의 농수산물과 대단위(大單位) 목장이 곳곳에 개발되고 있으며, 무연탄(無煙炭)·흑연(黑鉛)·철광(鐵鑛)·금(金)·아연(亞鉛) 등의 광산물이 많음. 보현사(普賢寺)·대관령(大關嶺)·청학동 소금강(靑鶴洞小金剛)·굴산사지(掘山寺趾) 등의 명승 고적이 있음. 1995년 강릉시(江陵市)에 통합됨.

명주-달걀고둥【明紬—】명〖조개〗민칭이.

명주-딱정벌레【明紬—】명〖충〗[*Calosoma maderae*] 딱정벌렛과에 속하는 곤충. 몸길이 25-30 mm이고 몸빛은 흑색으로 상면(上面)은 청동색(靑銅色)의 금속 광택이 남. 촉각 기부(基部)는 흑색이고 말단은 적갈색임. 시초(翅鞘)에는 비늘 모양의 작은 과립(顆粒)이 있고 금빛의 큰 점각(點刻)이 세 줄 있음. 한국·일본·중국 등지에 분포함.

〈명주 딱정벌레〉

명주 보:월빙【明珠寶月聘】명〖문〗조선 순조(純祖)·철종(哲宗) 때의 작품으로 보이는 작자 미상의 장편 대하(大河) 소설. 배경은 중국 송(宋)나라 진종(眞宗) 시대로, 정(鄭)·하(河)·윤(尹) 세 가문(家門)의 혼사(婚事)에 얽힌 갈등을 다룸. 제2부 《윤하정 삼문 취록(尹河鄭三門聚錄)》, 제3부 《엄씨 효행 청문록(嚴氏孝行淸門錄)》과 함께 3부작을 이룸. 100권.

명주-붙이【明紬—】[—부치] 명 명주실로 짠 각종 피륙. 주속(紬屬).

명주-솜【明紬—】명 풀솜.

명주-실【明紬—】명 누에 고치에서 뽑은 실. 비단실. 천연(天然) 견사. 면주실. 명사(明絲). 주사(紬絲). 진사(眞絲).

명주실-샘【明紬—】명〖생〗견사선(絹絲腺).

명주 암:투【明珠闇投】명 명주(明珠)를 어둠 속에서 남에게 던져 준다는 뜻으로, 아무리 귀중한 것이라도 남에게 주는 데 도리를 그르치면, 오히려 원망을 들음을 이름.

명주-옷【明紬—】명 명주로 지은 옷. 주의(紬衣).

【명주옷은 사촌까지 덥다】가까운 사람이 부귀한 몸이 되면, 그 도움이 자기에게까지 미침을 이름.

명주-우렁이【明紬—】명〖조개〗[*Lymnaea japonica*] 명주우렁잇과의 고둥. 패각(貝殼)은 보드랍고 달걀꼴로 높이 22 mm, 폭 17 mm 가량, 구부(口部)도 달걀꼴을 이룸. 패각의 표면에는 생장맥(生長脈)이 있고, 살을 빼내면 담황갈색이며 반투명임. 자웅 동체(雌雄同體)임. 6-8월에 많이 산란하며, 특별한 보호를 하면 겨울의 실내(室內)에서도 성장함. 동식물질(動植物質)을 포식하며, 때로는 물 속에서 거

〈명주우렁이〉

꾸로 포복(匍匐)하고 헤엄을 치기도 함. 수전(水田)·괸물·연못 등에 서식하는데, 한국·일본 등지에 분포함. 짠물우렁이. *고운명주우렁이.

명주-원숭이【明紬―】명〖동〗[*Callithrix jacchus*] 명주원숭잇과에 속하는 영장 원숭이의 하나. 몸길이 20-25cm, 꼬리 30-35cm. 다람쥐 비슷하며 몸은 등황색(橙黃色)의 부드러운 털로 덮이고, 목에는 갈기 모양의 갈색의 긴 털이 나고, 이마에 흰 빛의 얼룩이 있음. 귀에는 긴 털이 있어서 부채 모양이고 꼬리에는 약 20개의 환문(環紋)이 있음. 나무를 잘 타서 과실이나 곤충을 먹고, 다른 원숭이와 달라 한 배에 2-3마리의 새끼를 침. 온화하고 명랑한 성질로 사람을 잘 따르므로 애완용으로 사육하기도 함. 브라질의 아마존 강 하구(河口)의 밀림에 군서(群棲)함.

〈명주원숭이〉

명주-잠자리【明紬―】명〖충〗①명주잠자릿과에 속하는 곤충의 총칭. ②[*Hagenomyia micans*] 명주잠자릿과에 속하는 곤충의 하나. 편 날개의 길이 75-80mm, 몸길이 약 35mm. 두부는 광택 있는 흑색, 흉배(胸背)는 암갈색, 흉부 하면은 황색, 복부는 암갈색임. 날개는 투명하며 연문(緣紋)은 백색이고, 다리는 황색에 흑색 털이 있음. 유충은 '개미귀신'이라고 하는데, 양지바른 모래땅에서 깔때기 모양의 집을 파고 있다가, 개미 따위 벌레가 빠지면 잡아먹음. 성충은 7월경에 나타나서 숲 속에 많이 살며 등불에도 날아 드는 습관이 있음. 한국·일본·대만 등지에 분포함. 밤잠자리. *개미지옥.

〈명주잠자리❷〉

명주잠자릿-과【明紬―科】명〖충〗[Myrmelonidae] 풀잠자리목(目)에 속(屬)하는 한 과(科). 잠자리와 비슷한데 촉각은 짧고 곤봉상이며, 날개의 가장자리에 연문부(緣紋部)가 없음. 유충은 성충보다 잘 알려져 '개미귀신'으로 불리며, 주로 개미를 포식함. 전세계에 40속 650여 종이 주로 열대·아열대 지방에 분포함.

명주-전【明紬廛】명 면주전(綿紬廛).

명주-조개【明紬―】명〖조개〗개량조개.

명주-쥐【明紬―】명〖동〗[*Cricetulus triton nestor*] 쥣과에 속하는 동물. 몸의 배면(背面)은 연갈색이고 하면은 회백색이며, 눈에는 가는 흑색륜(黑色輪)이 있고 꼬리의 상면은 갈색, 하면은 백색임. 산기슭의 들에 서식하는데, 만주·한국의 중·북부에 분포함. 농작물을 해침. 비단털쥐.

명:-줄¹[―쭐]명 쟁기의 웃덧방과 손잡이를 얼러 걸쳐서 탕개를 트는 줄.

명:-줄²【命―】[―쭐]명〈속〉수명(壽命). ¶ ~이 짧다.

명:중¹【命中】명 겨냥한 곳에 바로 맞음. 또, 맞힘. 적중(的中). ――하다 자타여불

명중²【冥衆】명 사람의 눈에 보이지 아니하는 제천(諸天)·제신(諸神).

명:중-률【命中率】[―뉼]명 목표물에 명중하는 비율.

명:중-탄【命中彈】명 목적물에 바로 들어맞은 탄환.

명증【明證】명 ①명백한 증거. ②명백하게 증명함. 명징(明徵). ③〔evidence〕〖철〗직접적 확실성(直接的確實性). 간접적인 추리(推理)에 의하지 아니하고 직관적으로 진리임을 인지할 수 있는 일. 직증(直證). ――하다 타여불

명지¹ 명〈방〉명주(明紬)(경기).

명지²【名地】명 이름난 땅. 유명한 지방.

명지³【名紙】명〖역〗시지(試紙).

명지⁴【明知】명 명확하게 앎. ――하다 타여불

명지⁵【明智】명 밝은 지혜.

명지 대학교【明知大學校】명 사립 종합 대학의 하나. 1948년 서울 중구(中區) 북창동(北倉洞)에 서울 고등 가정 학교로 설립. 1952년 근화 여자 초급 대학(槿花女子初級大學), 1955년 서울 여자 초급 대학, 1956년 서울 문리 사범 대학, 1962년 서울 문리 실과(實科) 대학으로 개편(改編)을 거듭한 끝에 1963년 명지 대학(明知大學)으로 승격. 1983년 종합 대학이 됨. 소재지는 경기도 용인군(龍仁郡) 용인읍(邑) 남리(南里).

명지덕-산【明地德山】명〖지〗황해도 곡산군(谷山郡)과 강원도 이천군(伊川郡)의 접경(接境)을 이루고 있는 산. 마식령 산맥(馬息嶺山脈)의 주봉(主峰)을 이룸. [911m]

명지-바람 명〔←명주 바람〕보드랍고 화창한 바람.

명지-산【明智山】명〖지〗경기도 가평군(加平郡) 북면(北面) 도대리(道大里)와 적목리(赤木里) 사이에 있는 산. 광주 산맥(廣州山脈)의 주봉(主峰)을 이룸. [1,249m]

명지 적견【明智的見】명 환하게 알고 똑똑히 봄. 밝은 지혜와 적확한 견해. ――하다 타여불

명지-조개 명〖조개〗〈방〉명주조개.

명질 명〖민〗〔←명일(名日)〕설·대보름·한가위 등과 같이, 해마다 민속적으로 일정하게 지키어 즐기는 날. *사명일.

명징¹【明徵】명 명증(明證)❷. ――하다 타여불

명징²【明澄】명 밝고 맑음. 또, 그 모양. 징명. ――하다 형여불

명차¹【名茶】명 이름있는 좋은 차.

명차²【榠櫨】명〖식〗모과(木瓜). 모과나무.

명:찬【命撰】명 임금이 신하에게 책을 찬술(撰述)하도록 명령(命令)함. ――하다 타여불

명찰¹【名札】명 성명·소속(所屬) 등을 적어 달고 다니는, 헝겊 또는 종이나 나무쪽. 명패(名牌). 이름표. 이름패.

명찰²【名刹】명 이름난 절. 유명한 사찰(寺刹). ¶ ~ 순례.
【명찰에 절승(絶勝)】뛰어난 절이 있는 곳에 또한 뛰어난 경치가 구비되고 있다는 말. 곧, 좋은 것을 다 갖추었다는 말.

명찰³【明察】명 똑똑히 살핌. 분명하게 추찰(推察)함. 총찰. ――하다 타여불

명창¹【名唱】명 ①뛰어나게 잘 부르는 노래. ②노래를 뛰어나게 잘 부르는 사람. ¶ 당대의 ~.

명창²【明窓】명 볕이 잘 드는 창. 밝은 창.

명창³【明暢】명 ①목소리가 밝고 화창함. ②논지(論旨)가 분명하고 조리가 있음. ――하다 형여불. ――히 부

명창-젓【明―】명 ☞ 창난젓.

명창 정궤【明窓淨几】명 창이 밝고 궤(几)가 맑다는 뜻으로, 방이 깨끗함을 이름.

명책【名策】명 뛰어난 책략.

명천¹【名川】명 이름난 하천(河川).

명천²【明川】명〖지〗함경 북도 명천군(明川郡)의 군청 소재지. 함경선(咸鏡線)에 연하여 있는, 군내 물자 집산의 중심지임.

명천³【明天】명 ①내일(來日). ②밝은 하늘. ③모든 것을 명찰(明察)하는 하느님.

명천-군【明川郡】명〖지〗함경 북도의 한 군. 동남은 바다, 서는 길주군(吉州郡), 북은 경성군(鏡城郡)과 접함. 주요 산물은 쌀·보리·콩 등의 농산물과 임산(林産)·공산(工産)·축산(畜産)·수산(水産) 등임. 명승 고적은 칠보산(七寶山)·쌍계사(雙溪寺)·송덕사(松德寺) 등. [2,292.2km²]

명천-바늘꽃【明川―】명〖식〗[*Epilobium cylindristigma*] 바늘꽃과에 속하는 다년초. 줄기 높이 50cm 이상이고, 잎은 대생하고 거의 무병(無柄)이며 달걀꼴의 타원형 또는 피침형임. 8월에 담홍색의 꽃이 줄기끝 잎 사이에서 하나씩 무병(無柄)으로 핌. 과실은 삭과(蒴果)이고 산지에 나는데, 함북에 분포함.

명천-쑥【明川―】명〖식〗[*Artemisia leucophylla*] 국화과에 속하는 다년초. 줄기 높이 30cm 이상이고 잎은 약간 촘촘히 호생하며 길이 5-6cm, 폭 1-2cm이고 우상 분열(羽狀分裂)에 열편(裂片)은 선형(線形) 또는 피침형임. 8월에 담갈색의 두상화(頭狀花)가 핌. 들에 나는데 함북의 관모봉·명천 등지에 분포함.

명-천자【明天子】명 총명한 천자. 현명한 임금.

명천지-하【明天之下】명 총명한 임금이 다스리는 태평한 세상.

명철¹【名哲】명 유명한 철학자. 뛰어난 철인(哲人).

명철²【明哲】명 총명하고 사리에 밝음. ――하다 형여불. ――히 부

명철³【明徹】명 사리가 분명하고 투철함. ――하다 형여불. ――히 부

명철 보:신【明哲保身】명 총명하고 사리에 밝아, 일을 잘 처리하여서 몸을 보전함. ――하다 자여불

명첩【名帖】명 명함(名銜)❶.

명청-악【明淸樂】명〖악〗중국 명(明)나라·청(淸)나라의 속악(俗樂). 둘이 함께 행하여졌으므로 이렇게 일컫는데, 지금은 청악(淸樂)의 일부가 남아 있을 뿐임.

명:초【命招】명 임금의 명령으로 신하(臣下)를 부름. ――하다 타여불

명촉【明燭】명 밝은 촛불.

명추【明秋】명 내년 가을.

명춘【明春】명 내년 봄.

명충【螟蟲】명〖충〗①마디충❷. ②명나방.

명충-나방【螟蟲―】명〖충〗①명나방. ㊎명충. ②이화명나방.

명충나방-알살이벌【螟蟲―】명〖충〗왜명충알벌.

명충살이-고치벌【螟蟲―】명〖충〗[*Bracon onukii*] 고치벌과에 속하는 곤충. 암컷의 몸길이 3-4mm이고 몸빛은 대체로 황갈색이며 두부와 후흉배(後胸背) 및 전신 복절(前伸腹節)에 사각형 반문이 있음. 산란관은 흑색이며 복부에는 가는 그물 모양의 조각(彫刻)이 있음. 명충나방의 유충에 기생하는데 한국·일본·대만 등지에 분포함.

〈명충살이고치벌〉

명:치¹ 명〖생〗사람 몸에 있어서 급소(急所)의 하나로 가슴뼈 아래 한가운데의 우묵하게 들어간 곳. 명문(命門). 심와(心窩).

명치²【明治】명 밝게 다스려짐. 또, 밝게 다스림. 정치를 밝게 함. ――하다 자여불

명치³【明治】명 일본의 연호(年號)의 하나인 '메이지(明治)'를 우리 음으로 읽은 이름.

명:치-끝 명 명치뼈의 아래쪽.

명:치-뼈 명〖생〗명치에 내민 뼈. 명문뼈.

명치 호:왕【明治好王】명〖사람〗'문자 명왕(文咨明王)'의 딴이름.

명칭【名稱】명 사물을 부르는 이름. 호칭. 명목(名目). 이름.

명-콤비【名―】명〔combination〕이름난 콤비. 호흡이 아주 잘 맞는 훌륭한 한 짝. 주로, 연예인에 대하여 일컬음. ¶ ~를 이루다.

명쾌【明快】명 ①밝고 말끔하여 기분이 좋음. ¶ ~한 날씨. ②말이나 글의 조리가 분명하여 마음에 시원함. ¶ ~한 대답. ――하다 형여불. ――히 부

명-탁¹【明濁】명 맑게 거른 막걸리.

명:탁²【命濁】명〔범 āyuṣ-kaṣāya〕〖불교〗오탁(五濁)의 하나. 사람의 목숨이 짧아서 백년을 채우기 어려움을 이름.

명-탐정【名探偵】명 유명한 탐정. 능란한 솜씨를 가진 훌륭한 탐정.

명태【明太】명〖어〗[*Theragra chalcogramma*] 대구과에 속하는 바닷물고기. 몸은 대구와 비슷하나 홀쭉하고 길이 60cm 가량임. 아래턱이 위턱보다 길고 턱의 수염이 몹시 작고 입이 크며 등지느러미는 세 개, 뒷지느러미는 두 개임. 몸빛은 등 쪽이 청갈색이고 배 쪽은 은백색임. 수명은 8년 이상인데 한류성 어종으로 경북 이북의 동해안·오호츠크 해·베링 해 및 일본 연해 등지에 분포함. 생선 그대로나 또는 말려서 먹고, 알은 명란젓을 담그며 간은 간유를 만드는 원료로 쓰임. 명태어. 태어(駄魚). *강태·동태·북어.

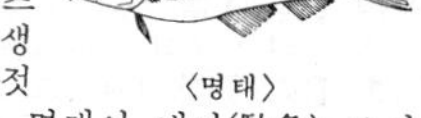

〈명태〉

【명태 대가리 하나는 놀랍지 않아도 괭이 소위가 괘씸하다】입은 손해보다도 그 저지른 짓이 밉다는 말. 【명태하고 팥은 두들겨서 껍질을 벗기고 촌놈하고 계집은 두들겨서 길들인다】계집은 무섭게 다루어 길

을 들여야 한다는 말. 【명태 한 마리 놓고 딴전 본다】 하고 있는 일에는 상관없는 엉뚱한 일을 함을 이름.

명태 구이【明太一】명 동태를 토막치고 양념하여서 구운 음식.

명태-덕【明太一】명 명태를 말리는 덕.

명태-어【明太魚】명〖어〗명태(明太).

명태 조림【明太一】명 명태를 토막쳐 넣고 양념하여서 조린 음식. 쇠고기나 돼지 고기를 썰어 넣기도 함.

명태-회【明太膾】명 동태를 저며서 초고추장에 찍어 먹는 회.

명탯-국【明太一】명 명태를 넣고 끓인 국.

명토[1]【名一】명 일부러 꼭 끄집어 내어 말하는 이름이나 설명.
명토(를) 박다 구 이름을 대다. 지명(指名)하다. 지적하다. ¶"그렇게 명토 박아서 말하지 않아도 아마 알걸."≪趙重桓 : 長恨夢≫.

명토[2]【冥土】명〖불교〗명도(冥途).

명투【明透】명 밝히 알아 환함. 빤함. ——-하다 형 여불

명판[1]【名判】명 ①훌륭하게 내린 판결 또는 판단. ②↗명판관(名判官).

명판[2]【名板】명 ①어떤 회의·대회·직장 등의 이름을 적어, 사람의 눈에 잘 띄는 곳에 달아 놓은 판. ②상표(商標) 따위와 함께 회사명이나 공장 이름을 적은 패쪽. 흔히, 기계·기구·가구 따위에 붙임.

명판[3]【明版】명 중국 명(明)나라 때에 인쇄 간행된 도서. 양적(量的)으로는 송판(宋版)이나 원판(元版)보다 많으나, 질적(質的)으로는 조잡(粗雜)한 것이 많음.

명-판관【名判官】명 훌륭한 재판관. 유명한 판관(判官). 준 명판.

명패[1]【名牌】명 ①이름이나 직위를 써서 책상 위에 놓는, 길고 세모진 나무로 된 패. 이름패. ②문패. ③명찰(名札).

명:패[2]【命牌】명〖역〗①위쪽에 '命'자를 쓰고 붉은 칠을 한 나무패. 임금의 명으로 삼품 이상의 벼슬아치를 부를 때, 이 패에 성명을 써서 돌렸음. 이 패를 받고 올 뜻이 있으면 '進', 아니 올 때는 '不進'이라 써서 도로 바치었음. ②사형수를 형장(刑場)으로 끌고 갈 때에 사형수의 목에 걸던 패.

〈명패²❶〉

명패[3]【銘佩】명 고마움을 마음 속 깊이 새겨 둠. ——-하다 타 여불

명편[1]【名片】명 명함(名銜)❶.

명편[2]【名篇】명 썩 잘 된 책. 또, 썩 잘 된 작품. ¶ 주옥 같은 ~.

명포【明鮑】명 말전복의 살을 쪄서 말린 식품. 중국 요리에서 중히 쓰임.

명품【名品】명 뛰어난 물건·작품. 이름난 물건·작품.

명풍【名風】명 지술(地術)로 유명한 사람. 명사(名師).

명필【名筆】명 글씨를 썩 잘 쓰는 사람. 또, 그 글씨.

명하【名下】명 이름. 명의(名義).

명:-하다【命一】타 여불 ①↗명령하다. ¶ 양심이 명하는 바. ②임명(任命)하다. ¶ 과장에 ~. ③명명(命名)하다.

명하-사【名下士】명 ①문예(文藝)에 재주가 있는 사람. ②명망이 높은 사람.

명하-전【名下錢】명 돈을 거둘 때 앞앞이 배당된 돈.

명학【鳴鶴】명 우는 학.

명:한【命限】명 목숨의 한도.

명함【名銜·名啣】명 ①성명·주소·직업·신분 등을 적은 종이쪽. 명자(名刺). 명첩(名帖). 명편(名片). 명함지(名銜紙). ②남의 성명을 부를 때 쓰는 공대말. 성함(姓銜).
명함도 못:들이다 구 정도의 차이가 심하여 도저히 견줄 바가 못 된다는 말. ¶ 그 앙큼한 구미호가 왔다가 명함도 못 들일 만한 터이라≪崔瓚植 : 金剛門≫.
명함을 내:밀다 구 존재(存在)를 드러내어 보이다.

명함-지【名銜紙】명 ①명함(名銜)❶. ②명함으로 쓰려고 만든 종이.

명함-판【名銜判·名啣判】명 크기가 명함지만한 사진판(寫眞判). 길이 8.3cm, 너비 5.4cm 가량임.

명해[1]【明解】명 분명하게 해석함. ——-하다 타 여불

명해[2]【溟海·冥海】명 망망(茫茫)한 바다.

명행【溟涬】명 자연(自然)의 기운.

명행 정의록【明行貞義錄】[ㅡ/ㅡ이ㅡ] 명〖책〗작자 연대 미상의 고전 소설. 국문 필사본으로 된 장편 가문 소설(家門小說)로서, ≪보은 기우록(報恩奇遇錄)≫의 후편임. 중국 명나라 세종 연간(世宗年間)을 배경으로 의리와 절개에 관한 교훈을 내용으로 함. 70권 70책본과 94권 94책본이 있음.

명행-족【明行足】명〖불교〗여래 십호(如來十號)의 하나. 천안통(天眼通)·숙명통(宿命通)·누진통(漏盡通) 등 삼명(三明)의 신통 지혜(神通智慧)와 육도 만행(六度滿行)이 구족(具足)하다는 뜻으로, 불타(佛陀)를 일컫는 말. *선서(善逝).

명향【鳴響】명 소리가 메아리처럼 울려 퍼짐. ——-하다 자 여불

명험【明驗】명 뚜렷한 효험. 명효(明効).

명현[1]【名賢】명 이름이 난 어진 사람. 유명한 현인(賢人).

명현[2]【明賢】명 밝고 현명함. 또, 그 사람. ——-하다 형 여불

명현[3]【明顯】명 뚜렷이 나타남. ——-하다 자 여불

명현[4]【冥顯】명〖불교〗명계(冥界)와 현계(顯界), 곧 사후(死後)의 세계와 사바(娑婆) 세계.

명현[5]【瞑眩】명 어지럽고 눈앞이 캄캄함. ——-하다 형 여불

명협【蓂莢】명 중국 요(堯)임금 때에 났었다는 풀. 초하루부터 보름까지 하루에 한 잎씩 났다가, 열엿새부터 한 잎씩 떨어져 그믐날에는 다 떨어져 버리고, 작은 달에는 마지막 한 잎이 시들기만 하고 떨어지지 않았다 하여, 달력풀 또는 책력풀이라고도 하였음.

〈명협〉

명형 필교정【明刑弼敎旌】명〖역〗의장기(儀仗旗)의 하나.

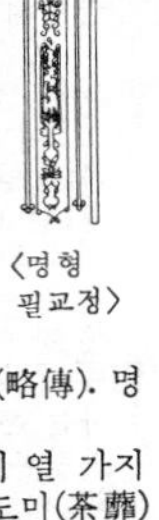

〈명형 필교정〉

명호[1]【名號】명 ①명목(名目)❶. ②이름과 호.

명호[2]【冥護】명 드러나지 아니하는 가운데 보호함. ¶ 신의 ~를 빌다. ——-하다 타 여불

명혼【冥婚】명 명계(冥契)❷.

명화[1]【名花】명 ①썩 아름다워 이름난 꽃. ②아름다운 여자. 또, 기생을 꽃에 비유한 말.

명화[2]【名華】명 '명문(名門)'의 미칭.

명화[3]【名畫】명 ①아주 잘 그린 그림. 유명한 그림. ¶ ~를 전시하다. ②그림을 잘 그리어 이름난 사람. ③우수한 영화(映畫). 유명한 영화. ¶ ~ 감상 기간.

명화[4]【明火】명〖건〗장지 가운데에 종이 한 겹을 발라 붙여, 환히 비치게 한 부분.

명-화록【明畫錄】명〖책〗중국 명(明)나라 때의 화가의 약전(略傳). 명말(明末) 청초(淸初)의 서심(徐沁)의 저서로 8권임.

명화 십우【名花十友】명 중국 송(宋)나라의 증단백(曾端伯)이 열 가지의 명화를 골라, 열 종류의 벗에 비유하여 이름을 붙인 것. 도미(荼蘼)를 운우(韻友), 말리(茉莉)를 아우(雅友), 서향(瑞香)을 수우(殊友), 연화(蓮花)를 정우(淨友), 목서(木犀)를 선우(仙友), 해당(海棠)을 명우(名友), 국화(菊花)를 가우(佳友), 작약(芍藥)을 염우(艶友), 매화(梅花)를 청우(淸友), 치자(梔子)를 선우(禪友)라 명명하였음.

명화 십이객【名花十二客】명〖미술〗남화(南畫)의 화제(畫題)의 하나. 송(宋)나라의 장경수(張景修)가 뽑은 열두 가지의 꽃을 각각 손에 비유하여 이름 붙인 것. 곧, 모란(牡丹)은 귀객(貴客), 매화(梅花)는 청객(淸客), 국화(菊花)는 수객(壽客), 서향(瑞香)은 가객(佳客), 정향(丁香)은 소객(素客), 난(蘭)은 유객(幽客), 연(蓮)은 정객(靜客), 도미(荼蘼)는 아객(雅客), 계수나무꽃은 선객(仙客), 장미(薔薇)는 야객(野客), 말리(茉莉)는 원객(遠客), 작약(芍藥)은 근객(近客)이라 함. 준 십이객.

명화-적【明火賊】명 ①불한당(不汗黨). ②〖역〗조선 25대 철종 연간에 횡행하던 도둑의 무리. 30-40명씩 떼를 지어 기마 방포(騎馬放砲)하면서 전국 각지에 횡행하였음. *화적(火賊).

명화-집【名畫集】명 명화를 복제(複製)하여 수록한 화첩(畫帖). 앤솔러지.

명확【明確】명 아주 뚜렷하여 틀림이 없음. 명백하고 확실함. ¶ ~한 대답. ——-하다 형 여불. ——-히 부

명환【名宦】명 중요한 자리에 있는 벼슬.

명활산-성【明活山城】[ㅡ싼ㅡ] 명〖지〗신라 때 왜구(倭寇)를 막기 위하여 경주(慶州) 동쪽 명활산에 쌓은 성. 주위 1.8km에 이르는 석축(石築)의 산성임. 사적 47호임.

명황【明皇】명 ①영명(英明)한 황제. ②〖사람〗중국 당나라 현종의 시호(諡號)에 따른 이칭(異稱).

명황 계:감 언:해【明皇誡鑑諺解】명〖책〗조선 세종이 중국 당(唐)나라의 명황(明皇), 곧 현종 황제의 이야기를 적은 것을 성종(成宗) 때에 우리 말로 번역한 책.

명황 취:귀【明皇醉歸】명〖미술〗화제(畫題)의 하나. 중국 당(唐)나라의 현종 황제(玄宗皇帝)가 취하여 궁녀(宮女)에게 부축받으며 돌아가는 그림.

명효【明効】명 명험(明驗).

명후-곡【明后曲】명〖악〗문선왕(文宣王) 제향(祭享)에 쓰이는 곡. 조선 성종 23년(1492)에 새로 지은 제 9 작(爵) 악장의 곡명으로, 가락은 천권곡조(天眷曲調)임.

명후-년【明後年】명 내후년(來後年).

명후-일【明後日】명 모레[1].

명훈【明訓】명 사리(事理)가 명확한 교훈.

명휘【明輝】명 밝게 빛남. ——-하다 자 여불

명희【名姬】[ㅡ히] 명 '명기(名妓)'의 이칭.

명디 명〈옛〉명주. ¶ 명디 듀(紬)≪字會 中 31≫.

명마기 명〈옛〉명매기. =뎍마기. ¶ 명마기집(胡燕窠)≪救簡 Ⅲ:25≫.

몇 ㊀ 관 똑똑히 알 수 없는 수효를 말할 때 체언의 위에 오는 말. ¶ ~ 사람. ㊁ 수 얼마 만큼의 수. 얼마나 되는지 모르는 수. ¶ 모두 ~이냐.

몇-몇 ㊀ 명 두엇 좀 남짓한 또는 얼마 안 되는 수효를 막연하게 이르는 말. ¶ ~은 적다. ㊁ 관 적은 수효를 막연하게 이르는 말. ¶ ~ 사람은 반대하였다.

몇-째 수 확실하지 아니한 어떤 차례.

몌구【袂口】명 소맷부리.

몌다 자〈옛〉메다. 목이 메다. ¶ 목 몌여 우르샤≪月釋 Ⅷ:84≫.

몌별【袂別】명 소매를 잡고 작별함. 섭섭히 작별함. ——-하다 자 여불

몌분【袂分】명 분몌(分袂). ——-하다 자 여불

몌여ᄒᆞ니 자〈옛〉메니. 멘즉. ¶ 情을 못다ᄒᆞ야 목이조차 몌여ᄒᆞ니≪松江 續美人曲≫.

몌오다 타〈옛〉채우다. 메우다. ¶ 골픈 ᄃᆡ 몌오라(充飢)≪老乞 上 49≫.

몌우다 타〈옛〉메우다. ¶ 속절업시 새 바룰 몌우믈 ᄒᆞᄂᆞ다(浪作禽塡海)≪初杜諺 XX:15≫.

몌조 명〈옛〉메주. ¶ 몌조ᄅᆞᆯ 올히 어들 터 업더니(醬麴今年沒處尋)≪朴解 中 17≫.

몌죄 〈옛〉메주가. '몌조'의 주격형(主格形). ¶ 몌조 녀허 ᄃᆞ므면 쟝이 ᄆᆞ쟝 됴코 몌죄 업서도 ᄃᆞ므던ᄒᆞ니 ≪救荒撮要 沉醬法≫.

몟구다 타〈옛〉메우다. =몃구다. ¶ ᄆᆞ스므라 주려 주거 굴헝에 몟귀욜 이ᄅᆞᆯ 아리오(焉知餓死塡溝壑)≪杜諺 XV:37≫.

모[1] 명 ①옮겨 심기 위하여 가꾸어 기른 벼의 싹. ②모종. 묘목(苗木).

모[2] 명 윷놀이에서, 윷 가락의 네 짝이 다 엎어진 때를 일컫는 말. 끗수는 다섯 끗임.

모[3] ㊀ 명 ①물건이 거죽으로 쑥 나온 끝. ¶ ~가 나다. ②〖수〗각(角). ¶ 세~꼴. ③〖수〗↗모서리. ¶ 세~뿔. ④성질이나 사물이 특히 표나게 된 점. ¶ ~가 없는 사람. ⑤사물의 어떤 측면이나 각도. ¶ 여러 ~로 생각끝에 정했다. ⑥두부나 묵을 네모나게 지어 놓은 몸체. ¶ 두부 ~가 크다. ㊁ 의명 두부와 묵의 수효를 세는 말. ¶ 두부 한 ~/묵 세 ~.

모[4] 명 ☞ 모이.

모[5] 명 〈옛〉 뫼[2]. 산(山). ¶ 秦ㅅ 모히 警蹕ᄒᆞᄂᆞᆫ디 當ᄒᆞ얫고(秦山當警蹕)《杜諺 V:2》.

모:[6] 명 〈방〉 뫼[4](경상).

모[7] 【毛】 명 동물의 몸의 표면에서 깎아 낸 섬유. 특히, 양모(羊毛)의 일컬음. 털.

모[8] 【毛】 명 성(姓)의 하나. 현재 우리 나라에는 본관(本貫)이 광주(廣州)·공산(公山)·서산(瑞山)·김해(金海) 등 4 본이 있음.

모[9] 【母】 명 ①어머니. 어미. ②《역》 신라의 소전(疏典)·홍전(紅典)·표전(漂典)·염궁(染宮) 등 여러 곳에 둔 여관(女官)의 이름.

모[10] 【矛】 명 무기(武器)의 일종. 끝이 갈고리진 긴 창(槍). 스무 자 가량의 장대 끝에 갈고리 모양으로 휘어진 칼날이 달렸는데, 주로 병거(兵車)에 세우고 다녔음. 추모(酋矛).

모[11] 【牟】 명 성(姓)의 하나. 현재 우리 나라에는 함평(咸平) 단본임.

모[12] 【茅】 명 강신(降神)할 때 모사(茅沙) 그릇에 꽂는 띠나 솔잎의 묶음.

모:[13] 【某】 ㊀ 명 아무개. ¶ 김 ~. ㊁ 관 '아무'의 뜻. ¶ ~ 인사(人士).

모[14] 【毛】 ㊀ 수 ①십진급수(十進級數)의 단위의 하나. 이(厘)의 10분의 1이며, 분(分)의 100분의 1, 1의 10000분의 1. ②소수(小數)의 단위(單位)의 하나. 이(厘)의 10분의 1, 사(絲)의 10배, 곧 10^{-3}. 호(豪). ㊁ 의명 '이(厘)'의 아래로 그 10분의 1을 나타내는 단위. 길이에서는 치·촌(寸)의, 무게에서는 돈의, 금전(金錢)에서는 냥(兩)·원의, 각각(各各) 1000분의 1.

모:[15] 〔mho〕 의명 전기 전도도(傳導度)의 단위. 전기 저항의 역수(逆數)임. 옴(ohm)의 역수이기 때문에 ohm을 거꾸로 하여 mho, 기호도 Ω을 거꾸로 하여 ℧로 씀. 전기 전도율의 실용 단위는 ℧/m임.

-모 【帽】 미 명사 뒤에 붙어 '모자'의 뜻을 나타내는 말. ¶ 운동~.

모가디슈 〔Mogadishu〕 명 《지》 소말리아의 수도. 인도양 연안의 항구 도시로 정치·상공업의 중심지. 농산물의 가공이 행해지며, 1959년 창립된 대학과 13세기에 세운 모스크가 있음. 〔600,000명(1990추계)〕

모가비 명 막벌이꾼이나 광대 같은 낮은 패(牌)의 우두머리. 취음: '某甲'.

모-가새 명 ☞ 못가새.

모가-쓰다 타 윷놀이에서, 모개로 한꺼번에 쓰다.

모가지 명 〔←목+-아지〕 ①〈속〉 목. ②〈속〉 해고(解雇). ¶ 당장 ~다. ③〈방〉 이삭[1](충남·전라).

【모가지가 열 개 있어도 모자란다】 하는 짓마다 무모하고 위험한 짓을 함을 경고하는 말.

모가지를 자르다 구 〈속〉 ㉠목을 베어 죽이다. ㉡해고(解雇)하다.

모가치 명 제 차지로 돌아오는 한 몫의 물건. ¶ 남은 것은 내 ~다.

모각 【模刻】 명 돌이나 나무에 본떠 새김. 책 따위를 판목(版木)에 새김. ──-하다 타 여불

모각-본 【模刻本】 명 《인쇄》 저본(底本)인 사본(寫本)을 본떠서 간각(刊刻)한 인쇄물. *복각본(覆刻本)·영인본.

모각지 명 〈방〉 멱서리(함경).

모간[1] 【毛莨】 명 《식》 미나리아재비❷.

모간[2] 【毛幹】 명 《생》 모근(毛根)이 벋어서 피부 밖으로 나온 부분. ↔모근(毛根).

모간지 명 〈방〉 목[1](경상).

모감 【耗減】 명 모손(耗損). ──-하다 자 여불

모감이 명 〈방〉 묶음.

모감주 명 《식》 모감주나무의 과실.

모감주-나무 명 《식》 [*Koelreuteria paniculata*] 무환자나뭇과에 속하는 낙엽 활엽 교목. 줄기 높이 10m 가량, 잎은 호생하며 우상 복생(羽狀複生)하고 소엽(小葉)은 달걀꼴 또는 긴 타원상의 달걀꼴임. 6-7월에 황색 꽃이 원추(圓錐) 화서로 정생(頂生)하여 피고 삭과(蒴果)는 '모감주'라고 하며 가을에 익음. 사원(寺院)·묘지 및 촌락 부근이나 정원수로 심고 종자는 염주(念珠)로 쓰임. 경남·경기·황해도 및 일본·중국 등지에 분포함.

모감주 염:주 【─念珠】 명 《불교》 모감주의 씨로 만든 염주. 빛은 검으며 그 알이 연밥 같음.

모갑 【某甲】 명 '모가비'의 취음(取音).

모:강 【母薑】 명 씨로 쓰는 새앙.

모개[1] 명 〈방〉 《식》 모과[2](경상·강원).

〈모감주나무〉

모개[2] 명 〈방〉 이삭[1](전남).

모개[3] 명 〈옛〉 목. 통로(通路)의 가장 중요한 길목. ¶ 모개 관(關)《字會 上 6》.

모개-로 부 이것저것 할 것 없이, 온통 한데 몰아서 있는 대로 모두. ¶ ~ 사면 싸다.

모개비 명 ☞ 모가비.

모개-용 【─用】 명 큰 몫으로 쓰는 비용. ¶ 반이 부비, 역사 부비 같은 ~을 누차 써서 …다음 달 녹과 요도 자라지 못할 뻔하였었다《洪命憙: 林巨正》.

모개이 명 〈방〉 《충》 모기[1](경북).

모개-흥정 명 모개로 흥정하는 일. ──-하다 타 여불

모갯-돈 명 액수가 많은 돈. 모개로 된 돈. ¶ 푼돈 모아 ~ 만들다. ↔푼돈.

모갱이[1] 명 〈방〉 목[1].

모갱이[2] 명 〈방〉 《충》 모기(강원·경상).

모거 【毛擧】 명 ①털끝만한 죄도 하나하나 들추어 냄. ②중(重)한 것을 가볍게 취급함. ──-하다 타 여불

모-거름 명 ☞ 못자리 거름.

모:건[1] 【某件】 〔─껀〕 명 어떠한 일.

모:건[2] 〔Morgan, John Pierpont〕 명 《사람》 미국의 실업가. 금융·강철·철도 회사 등을 경영, 특히 남북 전쟁에서 거리(巨利)를 취하여 모건 재벌(Morgan 財閥)을 형성하였음. 〔1837-1913〕

모:건[3] 〔Morgan, Lewis Henry〕 명 《사람》 미국의 인류학자. 타일러(Tylor)와 더불어 진화론적 인류학을 체계화함. 사회 진화의 단계를 도식화(圖式化)하고 특히 친족 호칭의 분류, 혼인과 가족 사회 제도의 발생·성립에 관한 이론은 가장 중요한 공헌으로 간주됨. 주저에 《고대 사회》가 있음. 〔1818-81〕

모:건[4] 〔Morgan, Thomas Hunt〕 명 《사람》 미국의 생물학자. 초파리를 재료로 한 유전 연구로 유전자(遺傳子)의 이론을 발전시켰고, 실험 발생학의 공헌도 있어 1933년 노벨 의학·생리학상을 받았음. 〔1866-1945〕

모:건소 〔Morgenthau, Hans〕 명 《사람》 미국의 정치학자. 독일 출신으로 1933년 미국으로 망명, 시카고 대학 교수를 지냄. 국제 정치학에서의 리얼리즘을 제창하고 국제 관계를 권력 정치라고 분석, 이데올로기에 치우친 관점을 비판함. 주저 《과학적 인간 대(對) 권력 정치》·《제(諸)국민간의 정치》·《국가적 이익의 옹호》. 〔1904-80〕

모:건의 정:리 【─定理】 〔Morgan〕 〔─니/─에─니〕 명 《심》 영국의 과학자·철학자 모건(Morgan, Lloyd ; 1852-1936)이 제창한 동물 심리 연구상의 기준(基準). 동물의 행동에 대하여, 두 개 이상의 해석이 성립할 때에는 낮은 의식 활동에 속하는 것을 채용하여야 한다는 것. 곧, 지능·본능·반사의 어느 쪽에서도 설명할 수 있는 행동은 반사(反射)로서 설명함.

모:건 재벌 【─財閥】 〔Morgan〕 명 《경》 미국 최대의 재벌. 모건(Morgan, J.P.)이 형성한 것으로, 많은 금융 기관과 제너럴 일렉트릭·유에스(US) 스틸·제너럴 모터스 등을 산하에 두고 있음.

모-걷기 명 《건》 목재의 모를 깎아 둥글게 하는 짓.

모걸음-질 명 모로 걷는 걸음걸이. ──-하다 자 여불

모:경[1] 【冒耕】 명 임자의 승낙 없이 남의 땅에 농사를 지음. ──-하다 타 여불

모:경[2] 【暮景】 명 저녁 때의 경치. 만경(晩景).

모:경[3] 【暮境】 명 늙어 버린 판. 늙바탕. 만경(晩境).

모:계[1] 【母系】 명 어머니 쪽의 혈족(血族) 계통. 여계. ↔부계(父系).

모계[2] 【牡桂】 명 《식》 육계(肉桂)의 한 가지. 껍질이 얇고 기름과 살이 적음. 그 껍질은 건위 강장제로 씀. 목계(木桂).

모계[3] 【謀計】 명 ①모사(謀事)를 꾸밈. 꾀와 계교. ②군사상(軍事上)의 이익을 위하여 적(敵)을 기망(欺罔)하는 짓. 기계(奇計)와 배신 행위(背信行爲)가 있음. ¶ 적의 ~에 빠지다. ──-하다 타 여불

모:계 가족 【母系家族】 명 어머니의 계통을 따라 가족과 친족을 조직하는 가족. ↔부계(父系) 가족·쌍계(雙系) 가족.

모:계 부화 【母鷄孵化】 명 어미닭이 알을 품게 하여 병아리를 까는 일. *인공 부화.

모:계 사회 【母系社會】 명 《사》 모계 중심 사회.

모:계 유전 【母系遺傳】 명 〔maternal inheritance〕 《생》 유전 형질(遺傳形質)이 자성(雌性)의 생식 세포를 통해서만 다음 대(代)로 전달되는 현상.

모:계 제:도 【母系制度】 명 《사》 가족 제도(家族制度)의 하나. 혈통(血統)이나 상속 관계(相續關係)가 어머니의 혈통을 따라 구성(構成)되는 원시적 사회 제도. ↔부계(父系) 제도.

모:계 중심 사:회 【母系中心社會】 명 《사》 혈통이나 상속 관계가 어머니를 중심하여 이루어지던 원시 사회의 한 형태. 그 지위·재산은 딸에게 상속됨. 모계 사회.

모:계-친 【母系親】 명 《법》 어머니 쪽의 혈족. ↔부계친(父系親).

모:계 혈족 【母系血族】 〔─쪽〕 명 《법》 어머니를 중심으로 하는 친계(親系). 어머니·외조부모·외종 형제 자매 등이 이에 속함. 모계친. ↔부계(父系) 혈족.

모:-고해 【冒告解】 명 《천주교》 고해 성사를 모독하는 행위. ──-하다 자 여불

모곡 【耗穀】 명 《역》 환자(還子)를 받을 때, 곡식을 쌓아 둘 동안에 줄어질 것을 미리 짐작하고 매섬에 몇 되씩을 더 받던 곡식. 모미(耗米).

모골 【毛骨】 명 터럭과 뼈.

모골이 송:연(竦然)하다 구 아주 끔찍한 일을 당하거나 볼 때에, 두려워 몸이나 털끝이 쭈뼛하여진다는 말.

모골-어 【─語】 〔Mogol〕 명 《언》 아프가니스탄 북서부의 산악 지대를 중심으로, 일부 투르케스탄(Turkestan)에서도 쓰이는 몽고계의 언어. 이슬람 문화에의 강력한 영향과 다른 여러 몽고어에서 볼 수 없는 고형(古形)의 보존(保存) 등이 눈에 띔. 몽고 여러 말의 역사·비교에 있어서 중요한 언어임.

모곰 의명 ☞ 모금.

모공 【毛孔】 명 털구멍.

모공-정 【毛公鼎】 명 중국의 고동기(古銅器) 중에, 가장 긴 명문(銘文)이 새겨진 세발 솥. 명문은 32행 497자로, 주(周)나라 성왕(成王)의 책명(策命)을 기록한 것인데, 그 글에 '毛公唐對揚天子皇休'의 말이 있는 데서 이름지어짐. 모공(毛公)은 무왕(武王)의 아우. 청(淸)나라 말년에 발굴됨. 높이 53cm, 지름 48cm.

모과[1] 【─菓】 명 네모지게 만든 과줄. 방과(方菓). 방약과(方藥菓).

모:과[2] 【†木瓜】 명 《식》 모과나무의 열매. 명사(榠樝). 명자(榠樝). 목과(木瓜).

모:과-나무 【†木瓜─】 명 《식》 ①[*Chaenomeles sinensis*] 능금나뭇과에 속하는 낙엽 활엽 교목. 높이 6m 가량이며 줄기에 인편(鱗片) 모양의 구름 무늬가 있고, 잎은 호생하며 거꿀달걀꼴의 타원형이고 선상(腺狀)의 가는 톱니가 있음. 4월에 담홍색의 오판화(五瓣花)가 가지 끝에 하나씩 정생하여 핌. 과실은 이과(梨果)로 방향(芳香)이 나며 가을에 황색으로 익음. 촌락 부근에 심는데 중국 원산(原産)으로 전남·경기 및 일본·중국에 분포함. 우산 자루·상 등의 기구재(器具材) 및 정원수로 쓰고 과실은 '모과'라고 하는데 맛이 시고 좋지 못하나, 기침의 약재로 씀. ② '명자(榠樝)나무'의 별칭.

〈모과나무〉

모:과나무 심사(心思) 구 모과나무처럼 뒤틀리어, 심술궂고 성깔이 순순하지 못한 마음.

모:과-수 명 ①[←모과숙(木瓜熟)] 껍질을 벗긴 모과를 푹 삶아, 끓인 꿀에 담가서 삭힌 음식. ②파인애플 열매의 껍질을 벗기고 썰어서 설탕물에 담근 통조림. *파인애플.

모:과-숙【†木瓜熟】명 →모과수.

모:과 정:과【†木瓜正果】명 모과로 만든 정과. 모과를 삶아서 으깨어 받쳐서 꿀과 물을 친 다음, 되직하게 끓여 낸 음식.

모:과-죽【†木瓜粥】명 모과를 말려서 가루로 만들어, 좁쌀이나 찹쌀 뜨물에 쑤어서 강즙(薑汁)을 탄 죽.

모:과-차【†木瓜茶】명 모과를 재료로 하여 만든 차. 말린 모과를 끓여 마시기도 하고, 즙을 끓는 물에 타서 마시기도 함.

모:과-편【†木瓜—】명 모과를 푹 쪄서 껍질을 벗기고 속을 뺀 다음, 가루로 만들어서 녹말을 섞고 꿀을 쳐서 끓여 만든 떡.

모관¹【帽冠】명 ①〖천주교〗 미사 때에 성직자가 쓰는 사각 모자(四角帽子). 신부(神父)는 흑색이고, 주교(主教)나 추기경(樞機卿)은 홍색(紅色)임. ②더부룩하게 털로 된 조류(鳥類)의 볏. *단관(單冠).

각상관(角狀冠)
모관
〈모관¹❷〉

모관²【毛管】명〖물〗↗모세관(毛細管)❷.

모:관【某官】명 어떠한 벼슬. 아무 벼슬.

모관-류【毛管類】[—뉴] 명〖동〗[Trichosyringata] 선충류(線蟲類)에 속하는 선형(線形) 동물의 한 목(目). 식도는 모세관(毛細管)으로부터 한 줄로 된 세포 속을 꿰뚫었음. 선모충(旋毛蟲) 등이 이에 속함. *근관류(筋管類).

모관-수【毛管水】명〖지〗 지표 근처의 토양의 입자 사이를 채우고 있는 지하수의 하나. 식물의 뿌리에 의해서 빨아 올려짐. ↔흡착수(吸着水)·중력수(重力水).

모관 응축【毛管凝縮】명 [capillary condensation]〖물〗 모관 현상에 의해서 다공질(多孔質)의 고체(固體) 속에 갇힌 증기(蒸氣)가 응축해서 액체가 되는 현상.

모관 인력【毛管引力】[—일—] 명〖물〗↗모세관 인력(毛細管引力).

모관쥬 명〈옛〉 모감주. ¶ 모관쥬 환(槵)《字會 上 10》.

모관 현:상【毛管現象】명〖물〗↗모세관 현상.

모긔 명〈옛〉 모기. ¶ 모긔 엇디 드러 오리오(蚊子怎麼得入來)《朴解 中 58》.

모:교¹【母校】명 자기가 졸업한 학교. 자기의 출신교(出身校).

모:교²【母教】명 어머님의 가르침. 모훈(母訓).

모:교【某校】명 어떤 학교. 아무 학교. ¶ 서울에 있는 ~의 학생.

모:구¹ 명〈방〉〖충〗 모기(전라·충북·경상·강원·평안).

모구²【毛具】명 털로 만든 방한구(防寒具).

모구³【毛球】명〖생〗 작은 구상(球狀)의 도독한 모양을 이루고 있는 모근(毛根)의 최심부(最深部).

모구⁴【毛毬】명 옛날 사구(射毬)에 쓰던 공. 지름 28 cm 가량의 공을 채로 결어서 털이 붙은 가죽으로 싸고, 고리를 달아서 긴 끈을 꿰었음. 말을 타고 끌며 달려가면, 역시 말을 타고 뒤쫓아오는 여러 사람들이 무촉전(無鏃箭)으로 쏘아 맞힘. *격구(擊毬).

〈모구⁴〉

모:국¹【母國】명 ①자기가 출생한 나라. 흔히 외국에 있어서, 자기 나라를 가리키는 말. ②따로 떨어져 나간 나라가 그 본국을 가리키는 말.

모:국²【某國】명 아무 나라. 어떠한 나라.

모:국-어【母國語】명 모국(母國)의 말. 자기 나라의 말. 주로 외국에 나가 있는 사람이 자기 조국의 말을 일컬을 때 씀. 모어(母語). 본국어(本國語).

모군【募軍】명 ①토목 공사(土木工事) 같은 데서 삯을 받고 품팔이하는 인부. 모군꾼. ②군인을 모집하는 일. 모병(募兵). ——하다 자타여불

모군(을) 서다 구 모군이 되어 일을 하다.

모군-꾼【募軍—】명 모군(募軍)❶.

모군-삯【募軍—】[—싹] 명 모군이 일을 하고 받는 품삯. 고가(雇價).

모군-일【募軍—】[—닐] 명 토목 공사 같은 일. ——하다 자여불

모:권【母權】[—꿘] 명 ①어머니로서의 권리. 자식에 대한 어머니의 지배권(支配權). ②원시 가족 제도에 있어서의 가족에 대한 어머니의 지배권. ↔부권(父權).

모:권-설【母權說】[—꿘—] 명 고대에 있어서 부권(父權)의 존재에 선행하여, 어머니가 가정에서뿐 아니라 당시의 사회의 지배권을 가졌던 시대가 있었다는 설. 1861년 스위스의 인류학자이며 법학자인 바흐오펜(Bachofen)이 주장하고, 미국의 모건(Morgan, L.H.)이 발전시켰음.

모:권-제【母權制】[—꿘—] 명 여자가 가족 또는 씨족의 장이 되어, 사회·경제·정치·종교 등 모든 방면에서 남자보다 상위에 서서 지배권을 장악하는 제도. 완전한 의미의 모권제는 거의 예가 없음. ↔부권제(父權制).

모규¹【毛竅】명 털구멍.

모-규²【毛騤】명〖사람〗 중국 청나라의 문학자. 저장(浙江) 출생. 진자룡(陳子龍)과 유종주(劉宗周)에게 성명학을 공부하였고 문학의 저술에 힘썼음. 저서에 《운학 지귀(韻學指歸)》·《사운(詞韻)》·《남곡운(南曲韻)》, 시문집으로 《사고당집(思古堂集)》 등이 있음. [1620-88]

모규 출혈【毛竅出血】명〖한의〗 온 몸의 여러 털구멍에서 피가 나오는 병.

모균-류【帽菌類】[—뉴] 명〖식〗[Hymenomycetes] 담자균류(擔子菌類)에 속하는 일군(一群). 영지(靈芝) 따위가 이에 속함. *복균류(腹菌類).

모극【謀克】명〖역〗[족장(族長)·부장(部長)의 뜻] 중국 금조(金朝)의 태조가 1114년에 제정한 여진족(女眞族)의 군사·행정 조직의 이름. 모극부(部)나 모극군(軍)의 장(長). 세습직(世襲職)이었음. *맹안(猛安).

모극-군【謀克軍】명〖역〗 한 모극부(部)에서 100명을 징집하여 편성한 중국 금(金)나라 군대의 기초 단위. *맹안군(猛安軍).

모극-부【謀克部】명〖역〗 300호(戶)로써 조직한 중국 금(金)나라 여진족(女眞族)의 행정 조직의 기초 단위. *맹안부(猛安部).

모근¹【毛根】명〖생〗 털이 피부에 박힌 부분. 털뿌리. ¶ ~을 이식하다. ↔모간(毛幹)·모두(毛頭). *털.

모근²【毛茛】명〖식〗 미나리아재비❷.

모근³【茅根】명〖한의〗 띠의 뿌리. 성질이 차며 지혈제(止血劑)로 씀. 백모근(白茅根).

모금¹【募金】명 기부금(寄附金)을 모집함. ¶ ~ 운동/가두(街頭) ~. 「——하다 자여불

모금² 의명 물·술·국 같은 음료(飮料)가 입 안에 차는 분량. 한 번 머금는 분량. ¶ 한 ~의 물/서너 ~의 술.

모긔 명〈옛〉 모기. =모기. ¶ 모긔 문(蚊)《字會 上 22》.

모:기¹ 명〖충〗 ①모깃과에 속하는 곤충의 총칭. 문예(蚊蚋). *모깃과(科). ② 세점박이모기.

[모기 다리의 피 뺀다] 교묘한 수단으로 없는 데서도 긁어 내거나 빈약한 사람을 착취함을 이르는 말. [모기 대가리에 골을 내라] 모기의 머릿골을 낸다는 것은 불가능한 일이니, 불가능한 일을 하려는 경우에 하는 말. [모기도 낯짝이 있지] 염치없고 뻔뻔스럽다는 말. [모기도 모이면 천둥 소리 난다] 힘없고 미약한 것이라도 많이 모이면 큰 힘을 낼 수가 있다는 말. [모기 밑구멍에 당나귀 신(腎)이 당할까] ㉠작은 구멍에 큰 물건이 부당(不當)함을 가리키는 말. ㉡분에 넘치는 보수나 지위를 감당하지 못한다는 말. [모기 보고 칼 빼기] 시시한 일에 성을 냄을 가리키는 말. 아주 작은 일에 만용을 부림을 가리키는 말. 견문 발검(見蚊拔劍). 노승 발검(怒蠅拔劍).

모기²【耄期】명 ①아흔 살의 노인. ②여든 살로부터 백 살까지의 나이.

모기-골 명〖식〗[*Bulbostylis barbata*] 방동사닛과에 속하는 일년초. 줄기는 모관상(毛管狀)이고 다수 족생(簇生)하며 높이 3-20 cm 가량, 선형(線形)의 잎은 뿌리에서 다수 총생(叢生)하며 줄기보다 짧음. 8-9월에 두화(頭花)가 정생(頂生)하고 담갈색의 소수(小穗)는 밀착(密着)하며, 수과(瘦果)를 맺음. 바닷가의 모래땅에나 양지바른 곳에 나는데, 경남·강원·경기·황해·평북 등지에 분포함.

〈모기골〉

모-기둥 명 ①〖건〗 모가 난 기둥. ↔두리기둥. ②〖수〗 각기둥.

모:기-떼 명 모기가 많이 모이어 날아다니는 떼. 문성(蚊城). 문진(蚊陣).

모-기령【毛奇齡】명〖사람〗 중국 청(清)나라 초기의 학자. 자는 대가(大可). 본명은 신(甡) 또는 초청(初晴). 명(明)나라가 망하자 산 속으로 들어갔으나 강희 17년(1678)에 박학 홍유(博學鴻儒)에 응시, 한림원(翰林院) 검토(檢討)에 임명되어 명사(明史) 편찬에 참여하였음. [1623-1716]

모:기 발순【—發巡】[—쑨] 명 어둑어둑할 무렵 모기떼가 소리치면서 왱왱 도는 일. ——하다 자여불

모:기-방동사니 명〖식〗[*Cyperus haspan*] 방동사닛과에 속하는 일년초. 우산방동사니와 비슷한데, 줄기는 곧고 높이 50 cm 가량이며 줄기의 아래쪽에는 잎이 없음. 꽃은 줄기 끝의 잎사귀 사이에서 길고 짧은 많은 가지가 나오며, 5-6월에 광택 있는 다갈색의 이삭이 나와 핌. 논둑에 나는데, 한국 각지에 분포함.

〈모기방동사니〉

모:기-붙이 [—부치] 명〖충〗 ①모기붙잇과에 속하는 곤충의 총칭. ②[*Chironomus darsalis plumosus*] 모기붙잇과에 속하는 곤충. 모기와 비슷한데 몸길이 11 mm 내외이며 머리는 황갈색, 흉배(胸背)는 흑갈색에 세 가닥의 암색 세로줄 무늬가 있고, 복부는 황갈색이며 배면(背面)은 각절의 후연(後緣)을 제외하고는 흑갈색임. 날개는 투명하고 중앙에는 흑갈색의 반점(斑點)이 있음. 흡혈(吸血)하지는 않음. 유충은 연못, 흐르는 물에 서식하는데 한국·일본·유럽 등지에 분포함. 낚싯밥으로 사용함.

〈모기붙이❷〉

모:기붙잇-과【—科】[—부칟—] 명〖충〗[Chironomidae] 파리목(目)에 속하는 한 과. 몸은 연약하고 다리는 길며, 촉각은 5-14절인데 털이 있고 복안(複眼)은 타원형 또는 신장형(腎臟形), 날개는 퇴화 또는 흔적만 있음. 유충은 육서(陸棲) 또는 수서성(水棲性)인데 육서의 것은 부패물·똥·오물(汚物)·버섯·이끼 등의 속 또는 표면에 서식하고 수서성의 것은 연못, 진흙 속, 흐르는 물에 살며, 다른 물체에 부착하여 집을 지음. 전세계에 2,000여 종이 분포함.

모:기-작【冒器作】명〖공〗 갑작(匣作).

모:기-장【—帳】명 모기를 막으려고 성기게 짠 생초나 망사(網紗)로 만든 장막(帳幕). 문장(蚊帳). 주장.

모:기지 [mortgage] 명〖법〗 저당(抵當). 저당권(抵當權).

모:기-향【—香】명 제충국(除蟲菊)을 원료로 만든 향. 불을 붙여 독한 연기로 모기를 내쫓거나, 가까이 오지 못하도록 함. 살문향(殺蚊香).

모:깃-과【—科】명〖충〗[Culicidae] 파리목(目)에 속하는 한 과. 몸길이 3-13 mm이고 몸은 연약하며 가늘고, 몸과 부속기는 털과 인모(鱗毛)로 덮임. 몸빛은 갈색·황갈색·회색 등에 보통 백색·담색의 반문이 있음. 눈은 복안이고 촉각은 14-15절의 긴 실 모양이며 복부는 10절임. 주둥이는 길고 관상(管狀)의 침상(針狀)으로 되어 흡수(吸收)에 적당함. 수컷은 흡혈을 안 하고 화밀(花蜜) 등의 액즙(液汁)을 먹으며 단명(短命)함. 암컷은 사람·가축의 피를 빨아먹으며, 말라리아·뇌염 등 전염병을 매개하는 것이 있음. 유충은 '장구벌레'라고 하며 물속에서 자람. 이 과(科)는 집모기의 쿨렉스속(Culex屬)과 학질모기의 아노펠레스속(Anopheles屬), 각다귀의 에이데스속(Aedes屬) 등으로 구분하는데, 전세계에 1,200여 종이 분포하며, 각다귀·등흰모기·모기·좀홍모기·학

질모기·홍모기·흰모기·진학질모기 등이 있음.

모:깃-불 명 모기를 쫓기 위하여 연기를 피우는 불.

모:깃-소리 명 ①모기가 날아다니는 소리. ②아주 가냘픈 소리.
모깃소리만하다 구 소리가 매우 작고 약하여 알아듣을 수 없다.

모기 명〈옛〉모기. ¶모기 소리 듣듯 ᄒᆞ야(聆於蚊蚋)《楞嚴 Ⅳ:3》

모기벌에 명〈옛〉모기. =모긔·모ᄀᆡ. ¶모기벌에며 더뷔 치뷔로 셜버ᄒᆞ다가《釋譜 Ⅸ:9》.

모꺼지 명〈방〉모꼬지.

모-꺾다 자 약간 옆으로 향하다. ¶바라지 앞에 모꺾어 앉은 유복이 옆에 자리에 와서 앉았다《洪命憙: 林巨正》.

모꼬지 명 여러 사람이 놀이나 잔치 또는 그 밖의 다른 일로 모이는 일. ¶혼인날에도 …더 일찌기 와서 모든 일을 총찰하였고 ~ 자리에서도 가장 기쁜 듯이 술을 마시고 춤을 추고 즐기었다《玄鎭健: 無影塔》. ——-하다 자여불

모꽝 명〈속〉거짓. 허위(虛僞).

모-꾼[1] 명 모내기를 하는 일꾼.

모-꾼[2]【募—】명 ☞ 모군❶. ¶길소개는 작반할 나귀쇠들이나 ~들을 만날 요행을 단념하고 주막거리를 벗어나… 쑥고개 쪽으로 발머리를 돌려 잡았다《金周榮: 客主》.

모끼 명 재목들의 모서리를 후리는 데 쓰는 대패.

모끼-연【—椽】명〖건〗지붕의 좌우 마구리에 다는 부연(附椽)의 서까래.

모-나다 ⊟ 자 ①물건의 거죽에 모가 생기다. ¶모난 돌. ②무슨 일을 유달리 두드러지게 하다. ⊟형 ①일이나 말에 특히 유표(有表)한 점이 있다. ¶모나게 행동하다. ②말이나 짓이 둥글지 못하고 남을 찌르다. 성질이 원만치 못하다. 두드러지다. ¶모난 성격. ③무슨 물건이 쓰이는 데 특히 유효(有效)하다. ¶돈을 헛되이 쓰지 말고 모나게 써라.
【모난 돌이 정 맞는다】㉠두각(頭角)을 나타내는 사람이 남에게 미움을 받게 된다는 말. ㉡강직한 사람은 남의 공박을 받는다는 말.

모나돌로지〔monadology〕명〖철〗모나드론(monad論).

모나드〔monad〕명 ①〖철〗실재(實在)를 구성하는 궁극의 물적·심적 요소(要素). 단원(單元). 단자(單子). ②〖화〗일가 원소(一價元素). 원자가(原子價) 단위.

모나드녹〔monadnock〕명〖지〗잔구(殘丘).

모나드-론【—論】〔monad〕명〖철〗독일 철학자 라이프니츠(Leibniz)의 단자론(單子論). 실재(實在)를 비공간적 정신적 단자(單子)로 보고, 이 형이상학적(形而上學的) 점(點)으로서의 모나드는 상호 독립의 실체(實體)로서, 모나드 상호간의 조화 관계는 신(神)이 예정(豫定)한 것이라고 하는 설. 그는 이 사상에 의해서 기계론과 목적론의 대립을 극복하려고 하였음. 단자론(單子論). 모나돌로지(monadology).

모나르키아니즘〔Monarchianism〕명〖기독교〗2세기 말부터 3세기에 걸쳐 나타난 기독교의 이단(異端). 신은 하느님인 신(神) 하나뿐이라고 주장하며 삼위 일체설(三位一體說)을 부정함.

모나리자〔이 Mona Lisa〕명〖미술〗〔모나(Mona)는 유부녀에 대한 경칭. 리자(Lisa)는 엘리자베타(Elisabetta)의 약칭〕1500년경 레오나르도 다 빈치가 피렌체의 부호 프란체스코 델 조콘다의 부인 엘리자베타를 그린 초상화. 루브르 미술관에 소장되어 있으며, 패널에 유채(油彩)를 사용한 높이 77 cm, 폭 53 cm의 미완성 작품으로, 신비스러운 미소를 짓는 그림이라 하여 유명함. 라 조콘다(La Gioconda).

모-나무 명 모가 되는 어린 나무. 묘목(苗木).

모나미〔프 mon ami〕명 ①나의 벗. ②나의 애인(愛人).

모나자이트〔monazite〕명〖광〗세륨·토륨·지르코늄(zirconium)·이트륨(yttrium) 등을 함유하는 광석. 단사 정계로 주상 결정. 괴상 또는 사상으로, 색은 황·갈·적색 등이 있음. 희토류 원소(稀土類元素)의 중요 원료로, 경도(硬度)는 5 내지 5.5.

모나즈-석【—石】〔monaz〕명〖광〗모나자이트(monazite).

모나코〔Monaco〕명〖지〗프랑스 동남부(東南部) 지중해(地中海) 연안의 소공국(小公國). 카지노·관광·우표 수입이 주요 재원임. 세계 제2의 소국(小國)이며, 입헌 군주제 국가임. 기후가 온난하여 관광과 휴양지로서 유명함. 모나코 시(市)에는 왕궁·비잔틴식 성당·해양박물관(海洋博物館) 등이 있음. 종교는 가톨릭이고, 공용어는 프랑스어임. 수도는 모나코. 정식 명칭은 '모나코 공국(公國)(Principality of Monaco)'. [1.49 km²: 30,000명(1990추계)]

모낭【毛囊】명〖생〗피부의 진피(眞皮) 안에서 모근(毛根)을 싸고 털의 영양을 맡아 보는 주머니. 털주머니. *피부(皮膚).

모낭-염【毛囊炎】[—념] 명〖의〗피부의 털구멍에 생기는 화농성 염증. 주로 포도상 구균(葡萄狀球菌)의 감염으로 생김.

모낭-충【毛囊蟲】명〖동〗①모낭에 기생하는 병원충. 털진드기. ②[*Demodex folliculorum*] 진드기목(目)에 속하는 기생충. 암컷의 몸길이 0.4 mm, 수컷은 0.3 mm 가량이며 가슴에 네 쌍의 가는 다리가 있고 복부는 길며 횡환(橫環)이 있음. 암컷은 복부 앞쪽에 생식문(生殖門)이 있고, 수컷은 흉부의 제2-3 보각(步脚) 사이에 음경(陰莖)이 있음. 난생(卵生)으로 사람의 피지선(皮脂腺)이나 모낭에 기생하나 별다른 해는 없고, 개·돼지·말·소 등에 기생하는 별종(別種)은 병원성(病原性)이 있어 왕왕 모낭염(毛囊炎)을 일으키고, 개나 돼지는 탈모(脫毛)·피부 발적(發赤) 등을 일으킴. 가축 이외의 포유류에도 기생함. 아카루스(acarus).

〈모낭충❷〉

모-내기 명 모내는 일. 이앙(移秧). 모심기. ——-하다 자여불

모내기-노래 명 모내기할 때 부르는 구전 민요(口傳民謠)의 하나. 이앙가(移秧歌).

모-내다[1] 자 ①모를 못자리에서 논으로 옮기어 심다. 이앙(移秧)하다. 「모심다. ②모종을 내다.

모-내다[2] 타 모나게 하다. 각(角)을 만들다.

모냥 명〈방〉모양²(模樣).

모너키〔monarchy〕명 ①군주 정체(君主政體). 군주 정치. ②군주국. 왕국.

모너키즘〔monarchism〕명 군주주의(君主主義).

모네〔Monet, Claude〕명〖사람〗프랑스의 화가. 인상파(印象派)의 개척자이며 지도자. 색채 분할 기법(色彩分割技法)으로 자연(自然)에 미치는 빛의 효과를 추구하여 밝은색의 풍경화를 그림. 작품《인상(印象)-일출(日出)》에서 인상파라는 호칭이 생겼으며, 그 밖에《르 아브르 부두를 떠나는 배》·연작(連作)《루앙 대성당》·《수련(睡蓮)》시리즈 등이 있음. [1840-1926]

모네라〔monera〕명〖생〗남조류(藍藻類)를 포함하여 세균류, 즉 박테리아를 생물의 일계(一界)로 했을 때의 이름. 헤켈(Haeckel, E.H.)이 원생 생물(原生生物) 중에서 가장 원시적인 생물의 한 무리로서 모넬레스(moneles)라 명명한 데에서 유래함. 최근에는 원핵 생물계(原核生物界)라 부름.

모네:타〔Moneta, Ernesto Teodoro〕명〖사람〗이탈리아의 저널리스트·평화론자. 가리발디(Garibaldi)를 따라 통일 전쟁에 참가, 그 후, 밀라노 국제 평화 회의 의장으로서 평화 운동을 추진. 1907년 노벨 평화상을 받음. [1833-1918]

모네 플랜〔Monnet Plan〕명〖정〗제2차 세계 대전 후, 프랑스의 경제 전문가 모네(Monnet, Jean: 1888-1979)가 창설한 1947-50년의 프랑스 산업 부흥 4개년 계획. 기간 산업의 진흥, 무역의 확대, 인플레이션의 억제 등에 의하여 완전 고용과 생활 향상 등을 기한 것으로, 상당한 성과를 거두어, 1975년까지 6차에 걸쳐 계속 실시되었음.

모넬 메탈〔Monel metal〕명〔1905년에 처음으로 만들어 판 캐나다의 인터내셔널 니켈 회사의 사장의 이름을 딴 상품명〕〖화〗니켈과 구리와의 합금의 상품명. 니켈 65-70%, 구리 26-30% 및 철·망간·규소를 함유하는 합금. 내식성(耐蝕性)이 커서 각종 산(酸)의 용기, 염색 기계, 터빈의 날개, 해수용 기계 등에 사용함.

모:녀【母女】명 어머니와 딸. 어이딸. ↔부자(父子).

모:녀-간【母女間】명 어머니와 딸 사이.

모:년[1]【某年】명 어떠한 해. 아무 해.

모:년[2]【冒年】명 나이를 속임. ——-하다 자여불

모:년[3]【暮年】명 노년(老年).

모:념【慕念】명 사모하는 생각. 모심(慕心).

모노〔Monod, Jacques〕명〖사람〗프랑스의 생화학자(生化學者). 파리 대학 교수·파스퇴르 연구소 소장 역임. 분자 생물학(分子生物學)의 선구자로, 효소(酵素) 및 바이러스 합성에 관한 유전적 제어 기구(制御機構)의 모델인 오페론설(說)을 제창, 1965년 노벨 생리 의학상을 수상함. 저서에《우연(偶然)과 필연》이 있음. [1910-76]

모노거미〔Monogamy〕명 일부 일처. 일부 일처주의(一夫一妻主義).

모노-그래프〔monograph〕명 하나의 문제만을 대상으로 하는 연구 논문. 전공 논문.

모노-그램〔monogram〕명 두 개 이상의 문자를 한 글자 모양으로 도안화(圖案化)한 글자. 미술품의 서명, 인감 등에 쓰임. 합일 문자(合一文字). 칼로그램.

〈모노그램〉

모노-드라마〔monodrama〕명〖연〗①단 한 사람의 배우가 하는 연극. 주인공의 체험을 관객에게 그대로 느끼게 하는 서술 형식임. 18세기 독일의 배우 브란데스(Brandes)가 유행시킴. ②러시아의 상징파 극작가인 예프레이노프(Evreinof)가 주창한 희곡의 한 형식. 희곡은 내적 개아(個我)의 객관화이어야 하고, 등장 인물은 모두 가 한 사람의 온갖 측면을 구체적으로 나타내어야 한다는 주장.

모노럴〔monaural〕명 입체 방송·입체 녹음이 아닌, 하나의 스피커로 재생하는 보통 방송·녹음.

모노럴 레코:드〔monaural record〕명 입체 음향이 아닌 보통 음반(音盤).

모노-레일〔monorail〕명 외줄 선로(線路)의 철도. 현수식(懸垂式)과 고좌식(跨座式)의 두 가지가 있음. 기설(既設) 선로나 도로의 상부를 이용할 수 있으며, 지하철보다 공사비가 싸고 건설 기간이 짧으며, 탈선·건널목 사고가 적고, 고속(高速)·대량 수송이 가능한 장점들이 있음. 단궤(單軌) 철도.

모노-마니아〔monomania〕명 어떤 일에 집착(執着)하여, 상식으로는 판단할 수 없는 짓을 태연(泰然)히 해내는 정신병자. 편집광(偏執狂). *파라노이아(paranoia).

모노머〔monomer〕명〖화〗단위체(單位體).

모노 섹스〔mono sex〕명 유니 섹스.

모노-스코:프〔monoscope〕명 텔레비전 방송에서, 테스트 패턴(test pattern)용 영상의 전기적 신호를 내는 진공관.

모노시이즘〔monotheism〕명〖종〗일신교(一神敎).

모노-아민〔monoamine〕명〖화〗아미노기(amino 基)가 하나인 화합물.

모노아민 옥시다아제〔monoamine oxidase〕명〖생〗카테콜아민류(catecholamine類)나 모노아민류(monoamine類)를 알데히드(aldehyde)로 변환시키는 효소. 간장·신장·위 등에 존재함.

모노-에탄올아민〔monoethanolamine〕명〖화〗에탄올아민.

모노카르복시-산【—酸】명〔monocarboxylic acid〕〖화〗분자 내에 카르복시기가 하나인 유기화합물. 아세트산·벤조산 등.

모노-컬러〔monocolor〕명〖연〗모노크롬.

모노컬러 방식【—方式】명〔monocolor system〕컬러 텔레비전 방영에서, 촬영기와 송상 장치(送像裝置)에 간단한 부속 장치를 첨가하여, 흑백 필름이나 흑백 필름 현상 장치를 그대로 사용하면서 컬러 텔레비전 방송이 가능한 방식.

모노컬처 경제【—經濟】명〔monoculture economy〕〖경〗면화·쌀·생고무·홍차·커피 등 몇 종류의 1차 상품의 생산·수출에 의존하는 경제

구조(構造). 개발 도상국에서 나타나는 현상으로, 브라질의 커피, 말레이시아의 고무, 인도네시아의 석유 등이 유명함. 「기.

모노-코:드〔monochord〕[명]〖악〗악기에 있어서 한 현의 음향 측정

모노-크로:메이터〔monochromator〕[명]〖물〗어떤 특정한 파장의 빛만을 분리시키는 장치. 분광기의 스펙트럼선이 나타나는 위치에 슬릿을 놓아 이 슬릿의 위치에 초점을 맺고, 스펙트럼선만을 통과(通過)시키게 함.

모노-크롬:〔monochrome〕[명] ①〖미술〗단색화(單色畫). ②화면이 흑백(黑白)의 단색(單色)으로 된 영화·텔레비전·사진 따위.

모노클〔monocle〕[명] 단안경(單眼鏡)❶.

모노클로널 항:체【一抗體】[명]〔monoclonal antibody〕단일 클론 항체.

모노-타이프〔Monotype〕[명]〖기〗자동 주조 식자기(自動鑄造植字機). 키 보드(key board)를 조작하여 천공 테이프를 만들어 자동적으로 자모(子母)를 골라 활자를 하나하나 주조·식자하면서 조판(組版)하는 기계. 컴퓨터 사식(寫植)의 보급으로 현재는 거의 쓰이지 않음.

모노텔레티스무스〔도 Monotheletismus〕[명]〖종〗그리스도 단의설(單意說). 7세기경에 콘스탄티노플 총주교(總主教) 세르기우스(Sergius)가 그리스도의 신성(神性)과 인성(人性)을 인정하면서, 이 양성은 하나의 공통 의지와 공통 활동을 가졌다고 주장한 것. 이단(異端)으로 배척됨.

모노-톤:〔monotone〕[명] ①단조(單調). ②〖연〗흰색·회색·검은색 등과 같이, 한 가지 색조(色調)로 나타내는 일. ③시편(詩篇)이나 기도문(祈禱文) 등 전례문(典禮文)을 동일한 음정으로 영창(詠唱)하는 일.

모노-포니〔monophony〕[명]〖악〗단성부 음악(單聲部音樂).

모노폴리〔monopoly〕[명] ①독점(獨占). 전매(專賣). ②독점권(權). 전매권. ③독점품. 전매품. ④독점 회사. 전매 회사. ⑤전매 특허.

모노-플레인〔monoplane〕[명] 단엽(單葉) 비행기.

모놀로그〔monologue〕[명]〖연〗①자문 자답하거나 상대 없이 말하는 대사(臺詞). 독백. ↔다이알로그(dialogue). ②독연극(獨演劇). 독연 각본(獨演脚本).

모놀로그 앵테리외르〔프 monologue intérieur〕[명]〖심〗내적(內的)

모눈 [명] 모눈종이에 그려진 사각형. 구용어:방안(方眼). ⌊독백.

모눈-종이 [명]〖수〗일정한 간격을 두고 서로 직각(直角)으로 교차(交叉)된 여러 개의 가로줄과 세로줄을 그린 종이. 설계도(設計圖)·도안(圖案)·통계(統計)·그래프 등에 쓰임. 섹션 페이퍼(section paper). 그래프 용지. 구용어:방안지(方眼紙). 「유적. 유물. ④유서.

모뉴먼트〔monument〕[명] ①기념비(記念碑). 표석(標石). ②기념물. ③

모니【牟尼】[명]〔범 Muni〕〖불교〗선인(仙人)이란 뜻으로 '석가(釋迦)'

모니-불【牟尼佛】[명]〖불교〗↗석가 모니불(釋迦牟尼佛). ⌊의 존칭.

모니에〔Monnier, Joseph〕[명]〖사람〗프랑스의 기술자. 철근 콘크리트

모니즘〔monism〕[명]〖철〗일원론(一元論). ⌊를 발명함. [1823-1906]

모니터〔monitor〕[명] ①기계 등이 항상 정상적인 상태를 유지하도록 감시·조종하는 장치. 또, 거기에 종사하는 기술자. ②방송국의 부조정실(副調整室) 등에 있는 시청 시설(視聽施設). ③텔레비전의 영상·음성을 송신(送信)에 알맞게 조정하는 기술자. ④방송이 시간적·내용적으로 정상인가 감시 확인하는 감독자. ⑤신문사나 방송국의 의뢰로 기사나 방송에 관한 의견·비판을 제출하는 사람. ⑥생산 업체의 의뢰를 받아, 상품을 써 보고 그 결과를 보고하는 사람. ⑦〖컴퓨터〗시스템의 운영 체제에서 중심에 위치하여 시스템 전체의 실행을 감시, 제어하는 프로그램 또는 프로세서. 레지스터(register)나 메모리의 내용을 디스플레이나 프린터에 표시할 수 있음. 또, 단순히 디스플레이 장치를 가리키기도 함.

모니터 텔레비전〔monitor television〕[명] ①방송국 등에서 사용되는 영상(映像) 감시용 텔레비전. ②화상(畫像)의 재생 특성을 중시한 고성능의 대형 텔레비전. 음성은 별도 출력의 오디오 장치에 의해서 얻게 됨.

모닐리아〔Monilia〕[명]〖식〗진균류(眞菌類) 중에서 불완전 균류(不完全菌類)에 속하는 한 속(屬). 사상균(絲狀菌)과 효모(酵母)의 중간 형태·양상(樣相)을 하고 있으며, 주로 출아(出芽)해서 증식하는데, 식물성의 폐물(廢物)·양조 제품 등에 섞여 도처(到處)에서 생육(生育)함. 어떤 것은 누룩을 만드는 데에도 이용됨. 칸디다(Candida).

모닐리아-증【一症】〔Monilia〕[一쯩] [명]〖의〗'칸디다증(Candida 症)'의 잘못.

모:닝〔morning〕[명] ①아침. 오전. ②↗모닝 코트(morning coat)

모:닝 드레스〔morning dress〕[명] 여성들이 아침 나절에 입는 옷.

모:닝 쇼:〔morning show〕[명] 텔레비전에서, 오전에 방영되는 것으로, 시청자가 참여하는, 쇼적(show的)인 색채가 짙은 프로그램.

모:닝 스타:〔Morning Star, The〕[명] 영국 공산당의 기관지. 1930년에 '데일리 워커'란 이름으로 창간, 1966년 지금의 이름으로 바꿈. 1945년부터는 협동 조합 조직으로 경영하고 있음.

모:닝 커:피〔morning coffee〕[명] 아침 식전에 마시는 커피.

모:닝 컵〔morning cup〕[명] 큼직한 커피 잔.

모:닝 코:트〔morning coat〕[명] 남자가 주간에 입는 서양식 예복의 한 가지. 윗옷은 검정색으로 앞 단이 비스듬하고 뒤가 길며 바지는 줄무늬가 있는 것을 씀. 프록 코트(frock coat)의 대용으로 쓰임. [준]모닝.

〈모닝 코트〉

모:닝 콜:〔morning call〕[명] 호텔 등에서, 지정된 시각에 투숙객에게 인터폰 등을 울려 알려주는 서비스.

모다¹ [자]〈옛〉모이어. '몯다'의 활용형. ¶ 溫水 冷水로 左右에 누리와 九龍이 모다 싯기수ᄫᆞ니《月釋 Ⅱ:34》.

모다² [타]〈옛〉몰다. ¶ 쇼 모다(赶牛)《老朴 單字解 2》.

모:다³ [타] ↗모으다.

모다⁴ [부]〈옛·방〉모두(전라·경남). ¶ 나랏 사ᄅᆞ미 모다 王과 六師와 위ᄒᆞ야 노픈 座 밍ᄀᆞ로오《釋譜 Ⅵ:28》.

모다구 [명]〈방〉못¹(황해·평안·함남).

모다구지 [명]〈방〉못¹(함경).

모다귀 [명]〈방〉못¹(황해·함남).

모다기 [명]〈방〉못¹(함경).

모다기- [부] 많은 것이 한꺼번에 쏟아짐을 뜻하는 말. ¶ ~욕.

모다기-령【一令】[명] 한꺼번에 쏟아져 밀리는 명령. 또, 뭇 사람의 공격.

모다기-모다기 [부] 여러 무더기가 있는 모양. [준]모닥모닥. 〈무더기무

모다깃-매 [명] 한꺼번에 마구 들이닥치는 뭇매. ⌊더기.

모다시니 [자]〈옛〉모이었으니. '몯다'의 활용형. ¶ 여러히 모다시니 좌둥의 이 회를 먹디 못홀 사ᄅᆞᆷ이 이실가 호더《太平 Ⅰ:5》.

모닥-모닥 [부] ↗모다기모다기. 〈무더무더. 「피운 불.

모닥-불 [명] ①잎나무 따위를 더미지어 태운 불. ②숯 부스러기의 더미로

모단【毛緞】[명] 중국에서 건너오던 우단의 한 가지.

모닷도다 [자]〈옛〉모이었도다. '몯다'의 활용형. ¶ 촌 대거프른 모닷도다(寒籜聚)《杜諺 Ⅰ:20》.

모-당¹【一糖】[명] ↗모사탕.

모:당²【母堂】[명] 대부인(大夫人)❶.

모:당³【母黨】[명] 어머니 편의 일가.

모당⁴【茅堂】[명] 모옥(茅屋).

모대【帽帶】[명] ①사모(紗帽)와 각띠. ②모자와 띠. ——**-하다** [자][여불] 관대를 입고 사모를 쓰다. ¶ ~하고 채비를 차려 대궐로 향하다.

모대가리-귀뚜라미 [명]〖충〗[*Loxoblemmus doenitzi*] 귀뚜라밋과에 속하는 곤충. 몸길이는 18-20 mm이고 몸빛은 갈색 내지 흑갈색으로 얼굴이 편평하여 삼각형으로 모가 났으며 두정(頭頂)은 앞쪽으로 돌출하였고 황색 횡대(橫帶)가 있음. 전흉배(前胸背) 하연(下緣)에 한 쌍의 황색문(黃色紋)이 있음. 8-10월에 발생하며 땅 속에다 산란하고 우는 소리는 '찌찌찌찌'하는 날카로운 울음 소리를 너덧 마디 계속함. 밭이나 풀밭에 서식하는데, 한국·만주·일본 등지에 분포함. 세뿔귀뚜라미.

모대-관【帽帶官】[명] 모대의 관복(官服)을 입은 낮은 벼슬아치.

모-대역【謀大逆】[명] 조선 시대에, 십악 대죄(十惡大罪)의 하나. 종묘·산릉(山陵)·궁궐 따위를 범하려는 죄.

모댓다 [자]〈옛〉모이어 있다. 모이었다. ¶ 大衆이 모댓거늘 舍利弗이 듣ᄌᆞᄫᆞ니《月釋 Ⅶ:56》. *몯다.

모댓-불 [명]〈방〉모닥불(황해).

모더놀로지〔modernology〕[명] 고현학(考現學).

모더니스트〔modernist〕[명] ①모더니즘을 신봉하는 사람. 근대주의자. ②현대적 경향을 좇는 사람.

모더니즘〔modernism〕[명] ①현대 사상. 근대 사조(近代思潮). 현대적 관습이나 방법 또는 생각. ②천주교 교회내에 있어서의 근대화의 경향. 곧, 천주교의 신앙과 근대 과학과의 조화(調和)를 도모하려는 근대적 신학 사조(神學思潮). 근대주의. ③철학·미술·문학에서, 전통주의에 대립하여 현대적 문화 생활을 반영한 주관주의적 경향의 총칭. 미래파·표현파·다다이즘 등을 포함함. 현대주의. ↔이모셔널리즘(emotionalism).

모더:니티〔modernity〕[명] 현대적인 경향. 현대식(現代式).

모더레이터〔moderator〕[명]〖물·화〗원자로(原子爐) 가운데에서 중성자(中性子)의 속도를 늦추는 물질. 감속재(減速材).

모던〔modern〕[명] ①현대. 근대. ②현대적(現代的). ③현대적인 것. 현대인(現代人). 현대적 기질. 현대적 생각. ¶ ~ 아트. ——**-하다** [형][여불]

모던 걸〔modern+girl〕[명] 현대 여성. 멋쟁이 여자.

모던 댄스〔modern dance〕[명] 새로운 예술 무용. 전통적인 발레에 대항하여 개성적 표현을 추구한 것으로, 덩컨(Duncan)이 선구자임.

모던 디자인〔modern design〕[명] 근대 사회의 여러 가지 경향, 특히 공업의 발달에 대응해서 생겨난 디자인. 기능성(機能性)과 조형성(造形性)의 융합이 요구됨. 특히 2차 대전 후의 디자인을 가리키는 경우도 있음. 근대적 디자인.

모던 발레〔modern ballet〕[명] 전통적인 고전 발레에 대하는 말로, 새로운 형식의 발레. 회화적(繪畫的)·시각적(視覺的) 경향이 짙은, 현대음악과 결부된 발레. 근대 발레. 현대 발레. ↔클래식 발레. 「청년.

모던 보이〔modern+boy〕[명] 현대적 기질(氣質)에 젖은 청년. 멋쟁이

모던 스테이지〔modern stage〕[명] 현대적인 새로운 형식의 무대.

모던 아:트〔modern art〕[명]〖미술〗20세기에 전개된 미술을 일컬음. 큐비즘(cubism)·미래파·표현주의·구성주의·다다이즘(dadaism)·초현실주의·농피귀라티프(non-figuratif) 등 각양 각색의 유파를 포함함. 흔히, 큐비즘에서부터 비롯된다고 하지만, 인상파를 포함하는 경우, 제2차 세계 대전 전까지의 미술로 한정하는 경우 등 설이 많음.

모던 재즈〔modern jazz〕[명]〖악〗1940년대에 나타난 새로운 경향의 재즈 음악. 재즈의 근본 리듬을 살리면서 신기한 화음 진행과 경과음을 기초로 자유스러운 즉흥 연주 등의 기술을 구사하여 현대의 클래식 음악의 수법을 넣은, 고도로 진보된 재즈. ↔팝재즈.

모던 크라프트〔modern craft〕[명] 모던 디자인에서 볼 수 있는 획일화(劃一化)의 경향에 대해서, 일부 생활 용품에 수공업(手工業)의 장점을 살려 나가려는 경향. 유리 그릇이나 도자기(陶磁器)의 디자인에서 많이 주장되고 있음.

모데나〔Modena〕[명]〖지〗①이탈리아의 중북부 에밀리아로마냐(Emilia-Romagna) 자치주의 중부에 있는 현(縣). 현도(縣都)는 모데나. 아펜니노(Apennino) 산맥에서부터 포(Po)강 유역에 걸친 넓은 농목업(農牧業) 지대. 도시에서는 소시지 등의 식품 가공업이 발달했음.

[2,691 km² : 593,000 명(1981)] ②모데나 현의 현도(縣都). 아펜니노 산맥의 북쪽에 있으며 에밀리아 가도(Emilia 街道)의 요충지로 상업의 중심지임. 자동차·기계·식품 등의 공업이 발달했음. 기원전 2세기 때 로마 인이 건설했음. [180,000 명(1981)]

모데라토 〔이 moderato〕 명 〖악〗 '보통의 속도로'의 뜻.

모데미-풀 명 〖식〗 [*Megaleranthis saniculifolia*] 미나리아재빗과에 속하는 상록(常綠) 다년초. 세 조각으로 갈라진 넓은 잎이 근생(根生)하며, 흰 꽃이 꽃줄기에 정상(頂上)함. 6월말에 골돌과(蓇葖果)가 맺음. 한국 특산으로, 양지바르고 습기찬 곳에 자생하는데, 강원도의 점봉산(點鳳山), 지리산, 소백산 등지에 분포함.

모델 〔model〕 명 ①모형(模型). 본보기. ¶ ~ 카. ②시범(示範). 모범(模範). ¶ ~ 스쿨. ③그림·조각·인물 사진의 소재가 되는 특정한 인물이나 물건. 또, 직업적으로 포즈를 제공하는 젊은 여성. ④〖문〗 소설이나 희곡(戲曲) 등의 소재가 되는 실재(實在)의 사람. ¶ ~ 소설. ⑤〖미술〗 조각에서 쓰는 진흙으로 만든 원형(原型). 이 원형에서 다시 석고(石膏)의 형(型)을 만들고 다시 대리석(大理石)이나 청동(靑銅)으로 옮기게 됨. ⑥〖건〗 어떠한 보조 재료(補助材料)로 만든 소규모(小規模)의 건축 모형. ⑦↗패션 모델.

모델-대 【一臺】 〔model〕 명 조소(彫塑) 작업이나 데생(dessin) 따위를 할 때 포즈를 잡는 모델이 올라가 있는 대(臺). 40-50 cm의 높이로 회전하게 되어 있음.

모델링 〔modelling〕 명 ①〖미술〗 원형(原型)을 만드는 일. ②〖미술〗 그림이나 조각에서 실체감(實體感)을 표현하는 일. 그림에서는 음영(陰影)에 의한 둥근 맛을 주고 명암의 효과를 조정하는 일. 조각에서는 진흙 등 가소성(可塑性) 재료를 사용하여 소상(塑像)을 만들어 가는 일. ③〖의〗 치과에서, 의치(義齒)를 만들 때 이의 모양을 본뜨는 데 사용하는 물질. 「형(模型).

모델 세트 〔model set〕 명 세트에 대한 연구를 위하여 쓰는 세트의 모

모델 소:설 【一小說】 〔model〕 명 〖문〗 실재 인물(實在人物)이나 사건을 소재로 한 소설.

모델 케이스 〔model case〕 명 ①본보기가 되는 사건. 사례(事例). ②실험적으로 행해지는 사례.

모델 하우스 〔model house〕 명 ①아파트 등을 건축할 때 견본용(見本用)으로 실제와 똑같게 지어 놓은 1가구용의 집. 견본 주택. ②표준 설계 주택(標準設計住宅).

모뎀 〔MODEM〕 명 〖컴퓨터〗 변복조(變復調) 장치.

모도[1] 명부 〈옛·방〉 모두(전라·경상). ¶ 中에 모도 자브니 이실씨(中有所摠持者)《金剛 上 序 9》.

모:도[2] 【母道】 명 어머니로서 마땅히 행하여야 할 도리.

모-도[3] 【茅島】 명 〖지〗 ①인천 광역시(仁川廣域市) 옹진군(甕津郡) 북도면(北島面) 모도리(茅島里)를 이루는 섬. [0.63 km²] ②전라 남도의 서남해상(西南海上), 진도군(珍島郡) 조도면(鳥島面) 모도리(茅島里)를 이루는 섬. [0.29 km²] ③전라 남도의 서남해상(西南海上), 진도군(珍島郡) 의신면(義新面) 모도리(茅島里)를 이루는 섬. 음력 3월 초 대조(大潮) 때, 진도군 고군면(古郡面) 회동 마을을 잇는 2.8 km의 바다가 너비 40 m 이상으로 갈라져 2시간 동안 자갈 깔린 길을 걸어서 건널 수 있게 되어 '모세의 기적'으로 일컬어짐. [0.24 km²]

모도다 타 〈옛〉 모으다. =뫼호다. ¶ 부텻긔 사룸 모도ᄫᆞᆯ 法會라 ᄒᆞᄂᆞ니라 《月釋 Ⅱ:16》.

모도디니다 타 〈옛〉 모아 가지다. ¶ 攝은 모도디닐 씨라《月釋 序 8》.

모도록 부 채소·풀 등의 싹이 빽빽하게 난 모양. ――-하다 형여불

모도록-이 부 모도록하게. ¶ 뜰에 풀이 ~ 났다.

모도리[1] 명 조금의 빈틈도 없는 아주 여무진 사람.

모도리[2] 명 〈방〉 모서리(평북).

모도-봉 【毛都峰】 명 〖지〗 함경 남도 영흥군(永興郡) 선흥면(宣興面)과 평안 남도 영원군(寧遠郡) 신성면 사이에 있는 산. [1,833 m]

모:-도시 【母都市】 명 〖지〗 가까이 있는 딴 도시에 대하여 경제적·사회적으로 지배적 기능을 가지는 도시. ↔위성 도시(衛星都市).

모도잡다 타 〈옛〉 모아 가지다. ¶ 모도자블 셥(攝)《類合 下 24》.

모도혀다 타 〈옛〉 모으다. 총괄하다. ¶ 모도혈 괄(括)《類合 下 57》.

모도흐르다 자 〈옛〉 모아 흐르다. 합류(合流)하다. ¶ 므른 數百 출해셔 모도 흐르놋다(水合數百源)《初杜諺 Ⅵ:49》.

모:독 【冒瀆】 명 신성·존엄한 것을 침범하여 욕되게 함. 들이덤벼서 욕되게 함. 간독(干瀆). 독모(瀆冒). ¶ 국기(國旗)를 ~하는 행위/신을 ~하다. ――-하다 타여불

모돔 명 〈심마니〉 산막(山幕).

모:동 【暮冬】 명 ①늦은 겨울. ②'음력 12월'의 이칭.

모-되 명 네 모가 반듯하게 된 되. 신승(新升). 목판되.

모두[1] ㊀ 명 제외하지 않은 전체. 전부. ¶ 어린이 ~에게 나누어 주다/~의 잘못. ㊁ 부 사물의 수효나 양을 한데 어울러. 온통. ¶ ~ 찬성이다.

모두[2] 【毛頭】 명 털끝. ↔모근(毛根).

모:두[3] 【冒頭】 명 말이나 문장(文章)의 첫 대문.

모두-거리 명 두 다리를 한데 모으고 넘어짐. ――-하다 자여불

모두-걸기 명 유도에서, 메치기 기술 중의 발 기술. 상대를 옆으로 기울여 한 발로 상대의 발을 옮겨가는 방향으로 후려넘김.

모두다[1] 타 〈방〉 모으다.

모두다[2] 형 〈방〉 마디다.

모둔 오:월(五月) 구 〈방〉 깐깐 오월.

모두-뛰기 명 ☞모두뜀.

모두-뜀 명 두 발을 한데 모으고 뛰는 뜀. ――-하다 자여불

모두-머리 명 여자의 머리털을 두 가닥으로 갈라 땋지 아니하고 한 가닥으로 땋아서 쪽찐 머리.

모두-먹기 명 ①네 것 내 것을 가리지 아니하고 여러 사람이 한데 덤비어 먹는 일. ②돈치기를 할 때에 맞히는 사람이 그 판의 돈을 모두 먹는 내기. ↔갉아먹기.

모-두부 【一豆腐】 명 모를 지은 두부. ＊순두부.

모두스 비벤디 〔라 modus vivendi〕 명 〔본래는 '생활 방식'의 뜻〕 가협정(假協定). 잠정 협정(暫定協定).

모:두 절차 【冒頭節次】 명 〖법〗 형사 소송에서 제1회 공판 기일의 최초에 행하여지는 절차. 재판장에 의한 인정 신문(人定訊問), 검사의 공소장(公訴狀) 낭독 및 그 뒤의 피고인 및 변호인의 피고 사건에 대한 진술로 이루어짐. ＊모두 진술.

모:두 진:술 【冒頭陳述】 명 〖법〗 형사 소송법상, 모두 절차에서 재판장의 인정 심문에 이어, 검사가 공소장에 의하여 기소(起訴)의 요지를 진술하는 것. ＊모두 절차.

모두-충 【毛蠹蟲】 명 〖충〗 사면발이❶.

모두쿠다 타 〈방〉 모으다.

모두-풀이 명 총설(總說).

모둘-빼기 명 〖민〗 땅재주에서, 갓 쓴 사람 12명을 한 줄로 세워놓고 뒤로 넘는 동작으로 공중으로 날아 뛰어넘는 재주.

모둠 꽃밭 명 둥글거나 모나는 모양으로 정원의 한옆에 만든 꽃밭. 사방에서 보아 어울리도록 중앙에 키가 큰 화초나 꽃나무를 심고, 둘레에 차차로 키가 작은 화초를 심음.

모둠-냄비 명 국물을 많이 잡은 냄비에, 해산물·야채 등 여러 가지 재료를 한데 넣고 끓이면서 먹는 일본식 요리.

모둠-매 명 〈방〉 뭇매.

모둠-발 명 두 발을 가지런히 같은 자리에 모은 발.

모둠-앞무릎차기 명 씨름에서, 어깨로 상대의 어깨 및 윗몸을 약간 위로 밀어올리는 듯하여 발생하는 힘의 반동을 이용, 상대 몸의 중심이 약간 앞으로 떨어지는 순간을 포착하여 어깨를 빼면서 오른손으로 상대의 오른쪽 앞무릎을 치고 동시에 오른발 바닥으로 상대의 발목 안쪽을 걷어차는 기술.

모둥-개 명 〈방〉 매듭(전북).

모뒬로:르 〔프 modulor〕 명 프랑스의 건축가 르 코르뷔제(Le Corbusier)가 고안한 모듈(module). 인체(人體)의 치수 및 황금비(黃金比)에 바탕을 둔 치수 계열이 있음.

모듈: 〔module〕 명 ①〖기〗 미터제(meter制) 톱니바퀴에서 피치 원(pitch 圓)의 지름을 톱니바퀴의 톱니수로 나눈 수. 즉 한 개의 톱니에 대한 지름의 비. 톱니바퀴 계산에 쓰임. ②건축물의 각 부분의 상관적인 균형을 측정하기 위한 기준 척도(尺度). 고대(古代) 건축에서는 기둥의 밑바닥의 반지름을 단위로 하여 기둥의 몸과 그 밖의 부분의 치수를 규정하는 방법을 채택하였음. ③〖컴퓨터〗 프로그램 내부를 기능별 단위로 나눈 부분. 또는 메모리 보드 등의 부품을 간단하게 교환할 수 있도록 제품화했을 때의 그 제품.

모듈: 기업 【一企業】 〔module〕 명 〖경〗 생산 공장을 보유하지 않거나 최소한의 시설만을 보유하고, 부품이나 완제품을 외부 기업에서 조달하여 최종 제품을 판매하는 기업. 생산 시설을 갖추지 않은 대신에 마케팅이나 디자인에 집중적으로 투자하여 경쟁력을 높일 수 있는 장점이 있음.

모듈러 생산 【一生産】 〔modular〕 명 어떤 종류의 제품군에서 공통으로 사용되는 표준 제품을 만들고, 거기에 소비자의 주문에 의한 여러 가지 부품을 장착할 수 있도록 하는 생산 방식.

모듈러 프로그래밍 〔modular programming〕 명 〖컴퓨터〗 하나의 프로그램을 논리적으로 독립된 기능을 수행할 수 있는 작은 부분으로 나누어서 구성하는 방식. 크고 복잡한 문제를 보다 작고 단순한 모듈로 나누어서 프로그램 작성을 용이하게 하고, 작성된 프로그램의 유지를 쉽게 하며 신뢰성을 높임.

모듈레이션 〔modulation〕 명 〖악〗 전조(轉調).

모:드 〔영·프 mode〕 명 ①양식(樣式). 방식. 형식. ②〖수〗 통계 자료의 대표값의 하나. 최대(最大)의 도수(度數)를 가지는 변량(變量)의 수치. 구칭:최대 빈수(最大頻數). ③〖악〗 선법(旋法). ④유행. 유행의 복식(服飾). ⑤〖컴퓨터〗 컴퓨터 시스템이나 프로그램이 특정한 작업을 할 수 있게 설정한 동작 방식이나 상태. 한글을 사용할 수 있는 한글 모드, 영어를 사용할 수 있는 영어 모드, 워드 프로세서에서 수정을 할 수 있는 수정 모드 따위.

모드라기-풀 명 〖식〗 끈끈이주걱.

모드레-짚다 자 팔을 앞으로 번갈아 내밀며 윗몸을 조금 기울이고 내민 팔을 끌어 잡아 당기면서 헤엄치다.

모:든 관 여러 종류의. 전부(全部)의. ¶ ~ 점으로 보아/~ 것.

모:든 성:인들의 호칭 기도 【一聖人一呼稱祈禱】 [一/一에一] 명 〖천주교〗 천사들과 성인들의 이름을 부르며 우리를 위하여 하느님께 전구(轉求)하여 주기를 비는 기도문. '열품 도문(列品禱文)'의 고친 이름.

모:든 성:인의 날 대:축일 【一聖人一大祝日】 [一/一에一] 명 〖천주교〗 특별히 자기 이름의 축일을 가지지 못한 모든 성인들을 흠모하는 축일. 11월 1일. '제성 첨례(諸聖瞻禮)'의 고친 이름.

모들-뜨기 명 두 눈동자가 안쪽으로 치우쳐진 사람의 일컬음.

모들-뜨다 타 두 눈동자를 한쪽으로 모아 가지고 앞을 향하여 보다.

모듬[1] 명 〈심마니〉 심마니가 거처하는 산막(山幕). 모돔.

모듬[2] 명 〈방〉 모임.

모듬-날 명 〖고고학〗 두 날이 서로 다른 각도에서 만들어져 만나는 점이 뾰족한 모양을 이루는 날. 긁개에서 볼 수 있음. 마줏날. 집중날.

모듬-매 명 〈방〉 뭇매. ¶ ~를 맞다.

모듬-연장 명 〖고고학〗 ①한 개의 연장을 두 가지 이상의 용도로 사용

하도록 만든 연장. ②뼈나 나무로 만든 자루에 잔석기를 끼워 낫이나 작살 같은 용도로 사용되는 연장. 복합 용구(複合用具).

모듭 명 〈방〉 매듭(경남).

모둥-갱이 명 〈방〉 마디.

모디¹ 명 〈방〉 매듭(경남).

모디² 명 〈방〉 못¹(함북).

모디다 자 〈방〉 모이다¹.

모디리 부 〈옛〉 모질게. 사납게. ¶ 모디리 덥다(酷熱)《同文 上 5》.

모디파이드 아메리칸 플랜 [modified American plan] 명 호텔에서, 대실료(貸室料)에다 아침 식사와 점심이나 저녁 식사가 붙는 일박 이식(一泊二食)의 요금 계산 방법. 약칭:엠 에이 피.(M.A.P.). *아메리칸 플랜·콘티넨탈 플랜(continental plan).

모딘 형 〈옛〉 모진. 사나운. 나쁜. '모딜다'의 활용형. ¶ 뒤헤는 모딘 즁싱(後有猛獸)《龍歌 30章》.

모딜 【不得】 〈이두〉 하지 못함. *모질·못질(不得).

모딜다 형 〈옛〉 모질다. 사납다. 나쁘다. ¶ 뒤헤는 모딘 도ᄌᆞᆨ(後有猾賊)《龍歌 5章》/모딘 범이 내 알ᄑᆡ 셔 이시니(猛虎立我前)《杜諺 1:3》.

모딜리아:니¹ [Modigliani, Amedeo] 명 〖사람〗 이탈리아의 화가. 야수(野獸)·입체파(立體派)의 영향을 받고, 단순한 형태와 우미한 마티에르(matière)의 여인 초상을 그렸음. 방종한 생활과 음주(飮酒)로 겨우 36세에 죽었으나 현대 이탈리아 최대의 화가이며, 20세기의 가장 이색적(異色的) 작가로 꼽힘. 작품 《꽃 파는 여인》·《침대에 누운 나부(裸婦)》 등. [1884-1920]

모딜리아:니² [Modigliani, Franco] 명 〖사람〗 미국의 경제학자. 로마 출생. 로마 대학 졸업. 1946-52년 일리노이 대학 조교수·교수. 1962년 MIT 대학 교수. 1985년 저축과 금융 시장에 관한 연구로 노벨 경제학상을 받음. [1918-]

모딜오 부 〈옛〉 모질게. ¶ 긴 ᄒᆡ 可히 나조히 ᄃᆞ외디 마ᄂᆞ니 더위 내 애ᄅᆞᆯ 모딜오 ᄒᆞᄂᆞ다(永日不可暮炎蒸毒我腸)《初杜諺 X:20》.

모딜이 부 〈옛〉 모질게. 사납게. =모디리. ¶ 니시 ᄭᅮ지기ᄅᆞᆯ 더욱 모딜이 ᄒᆞ고(李氏 罵益厲)《東國新續三綱 烈女 Ⅳ:1》.

모ᄃᆞ나 자 〈옛〉 모이나. '몯다'의 활용형. ¶ 虞芮質成ᄒᆞᄂᆞ로 方國이 해 모ᄃᆞ나 至德이실ᄊᆡ 獨夫 受ㄹ 셤기시니(虞芮質成 方國多臻 維其至德 事獨夫辛)《龍歌 11章》.

모ᄃᆞ니 자 〈옛〉 모이니. '몯다'의 활용형. ¶ 北狄이 모ᄃᆞ니(北狄亦至); 西夷 또 모ᄃᆞ니(西夷亦集)《龍歌 9章》.

모ᄃᆞᆫ 관 〈옛〉 모든. ¶ 願ᄒᆞᆫᄃᆞᆫ 모ᄃᆞᆫ 道者(願諸道)《圓覺 Ⅳ:184》/모ᄃᆞᆫ 比丘를 禁止ᄒᆞ사(制諸比丘)《金剛 上 5》.

모ᄃᆡ 부 〈옛〉 반드시. ¶ ᄀᆞ븐 쉬욿 모ᄃᆡ 놀이시니(維伏之雉必令驚飛)《龍歌 88章》.

모-뜨다 타 남이 하는 것을 꼭 그대로 흉내내어 본뜨다.

모-땜 명 모내기를 끝낸 뒤 모가 빠졌거나 죽은 자리를 메우기 위하여 다시 심는 일. ——하다 자 여불

모뜬-소리 명 〖악〗 진도(珍島) 들노래의 한 가지. 모판에서 모를 찌면서 부르는 노래.

모띠기 명 〈방〉 〖충〗 메뚜기(경북).

모라¹ 【帽羅】 명 사모(紗帽)의 겉을 싸는 얇은 김.

모:라² [mora] 명 고전시(古典詩)의 음률학(音律學) 용어. 단음절(短音節)의 시간적 길이를 나타내는 것으로, 장음절(長音節)은 이의 2배, 곧 2 모라임. 언어의 역사, 방언 등을 연구하기 위한 것임.

모라꾸다 타 〈방〉 꾸짖다(경남).

모라바 [Morava] 명 〖지〗 체코 공화국(共和國)의 동쪽, 보헤미아와 슬로바키아 사이의 지방. 북부와 동부는 산지(山地), 서부는 모라바 고지(高地)임. 비옥한 농업 지대이며 또 철광·석탄도 풍부하여 철강업이 성함. 모라비아.

모라바 강 【—江】 [Morava] 명 〖지〗 다뉴브 강(江)의 지류. 유고슬라비아 동부를 북으로 흘러 베오그라드(Beograd) 동쪽 약 50 km에서 다뉴브 강과 합류함. 하류 지역에는 비옥한 농지(農地)가 펼쳐져 있으며 인구도 많음. [약 568 km]

모:라 복두 【冒羅幞頭】 명 〖역〗 조선 시대 때 전악(典樂)이 공복(公服)에 쓰던 복두. 청삼(靑衫)을 입고 오정대(烏鞓帶)를 띠며 흑피화(黑皮靴)를 신는 것이 정한 법식임.

모라비아¹ [Moravia] 명 〖지〗 '모라바(Morava)'의 영어 이름.

모라비아² [Moravia, Alberto] 명 〖사람〗 이탈리아의 소설가. 처녀작 《무관심한 사람들》 이래 날카로운 현실주의적 작풍과 심리주의로 현대 사회의 불안과 퇴폐를 추구함. 대표작 《로마의 여인》·《모멸(侮蔑)》·《두 여인》·《권태》 등. [1907-90]

모라비아 교:회 【—敎會】 [Moravia] 명 〖기독교〗 15세기 모라비아에서 일어난 기독교의 한 파. 처음에는 후스파(Huss派)였으나 1433년에 분열되어 교육을 중시하고 규율을 엄격히 하였으며, 해외 전도에 힘을 기울였음.

모라스 [Maurras, Charles] 명 〖사람〗 프랑스의 시인·비평가. 처음 모레아스(Moréas)와 함께 '로만(romane) 시파(詩派)'를 조직하는 한편 해박(該博)한 지식과 논리(論理)로써 문예 비평가로도 알려졌음. 또한 왕정(王政)주의·국가주의를 옹호하여 많은 정치 평론을 씀. 2차 대전 때, 비시 정권에 협조, 나치스의 국가주의에 동조하였기 때문에 종신형을 선고받았음. 작품에 《베니스의 애인》·《승리의 조건》 등이 있음. [1868-1952]

모라토리엄 [moratorium] 명 〖법〗 법령에 따라 일정 기간 대외 채무 변제(辨濟)를 유예[연기]하는 일. 전쟁·공황(恐慌) 등 비상 사태 때 경제계, 특히 금융계가 중대한 위기를 맞아 채무 이행이 곤란할 때 실시함. 지급 유예(猶豫). 지급 연기(支給延期).

모락-모락 부 ①힘차게 잘 자라는 모양. ¶ ~ 자라다. ②연기나 냄새 따위가 조금씩 피어 오르는 모양. ¶ 김이 ~ 나다. <무럭무럭.

모란 【牡丹】 명 〖식〗 [*Paeonia suffruticosa*] 작약과에 속하는 낙엽 활엽 관목. 높이는 1-3 m이고, 잎은 대형이고 이회 우상 복엽(二回羽狀複葉)에 소엽(小葉)은 두세 갈래로 갈라지며 장병(長柄)임. 5월에 여러 겹의 홍색 꽃이 새 가지 끝에 정생(頂生)하여 피는데, 개량종은 적색·자홍색·흑자색·황색·도백색(桃白色)이며 방향(芳香)이 남. 골돌과(蓇葖果)는 혁질(革質)이며, 구형(球形)으로 가을에 익고 흑색 종자가 있음. 중국 원산(原產)으로 인가(人家) 부근·화원(花園)에서 관상용으로 널리 재배함. 근피(根皮)는 두통(頭痛)·요통(腰痛)·건위(健胃)·지혈(止血)·진통제의 약재로 씀. 목단(牡丹). 목작약(木芍藥).

〈모란〉

모란-꽃 【牡丹—】 명 모란의 꽃.

모란-도 【牡丹圖】 명 모란을 그린 화훼화(花卉畫)의 하나.

모란-문 【牡丹文】 명 모란을 소재로 한 장식 무늬.

모란-병¹ 【牡丹屛】 명 병풍(屛風)의 한 가지. 꽃이 핀 모란을 그린 것으로 경사스러운 때에 침.

모란-병² 【牡丹餠】 명 모란꽃처럼 만든 떡의 한 가지.

모란-봉 【牡丹峰】 명 〖지〗 평양(平壤) 북부에 있는 작은 산. 산봉우리가 모란꽃 모양 같다고 하여 일컬음. 꼭대기에 누각(樓閣)이 있고, 동쪽은 대동강(大同江)에 임하여 절벽을 이루며, 평양의 절경(絕景)으로 이름난 곳임.

모란-잠 【牧丹簪】 명 비녀 머리에 모란꽃을 새긴 비녀.

모란-정 【牡丹亭】 명 〖책〗 환혼기(還魂記).

모란-채 【牡丹菜】 명 〖식〗 꽃양배추.

모란 화준 【牡丹花樽】 명 〖악〗 가인 전목단(佳人剪牧丹) 춤에 쓰는, 가화(假花)를 꽂은 병.

모랄리스트 [프 moraliste] 명 ①도덕론자. 도덕가. 인생 탐구가(人生探究家). ②인간성과 인간이 살아가는 법을 탐구하여 이것을 주로 수필적·단편적인 글로 쓰는 사람. 특히, 16-17세기의 몽테뉴(Montaigne)·파스칼(Pascal) 같은 사람들을 일컬음.

모람¹ 명 〖식〗 [*Ficus nipponica*] 뽕나뭇과에 속하는 상록 활엽 만목(蔓木). 잎은 난상 피침형 또는 긴 타원상의 피침형이며, 톱니가 없고 뒷면의 망맥(網脈)이 볼록 나왔음. 꽃은 자웅 이가(雌雄異家)이고, 암꽃은 밀생하여 자홍색으로 여름에 핌. 과실은 은화과(隱花果)이고 가을에 익음. 산록 양지에 나는데, 한국의 전남 및 일본·대만·중국에 분포함. 관상용이며 과실은 식용함. 애파등(崖爬藤).

〈모람¹〉

모람² 명 〈방〉 마름²(전라).

모:람³ 【冒濫】 명 버릇없이 웃어른에게 덤빔. ——하다 자 여불

모람-모람 부 [←몰-+-아+-ㅁ+몰-+-아+-ㅁ] 가끔가끔 한데 몰아서.

모랑 [Morand, Paul] 명 〖사람〗 프랑스의 작가·외교관. 다다이스트(dadaist)의 일원으로 등장하였고, 현대 감각에 투철한 작가로서 제1차 대전 후의 유럽의 혼란과 무질서를 묘사한 작품 《밤은 열리다》·《밤은 닫히다》 등은 유명함. [1888-1976]

모래¹ 명 자연히 잘게 부스러진 돌 부스러기. 【모래가 싹 난다】 절대로 있을 수 없는 일. 【모래로 방천(防川)한다】 수고는 하나 아무런 효과가 없다는 말. 【모래 위에 물 쏟는 격(格)】 소용없는 일을 함을 말함. 【모래 위에 쌓은 성】 수고는 하나 아무 효과 없는 일을 비유하는 말.

모래² 명 〈방〉 〖식〗 머루¹(경상).

모:래³ 명 〈방〉 모레¹.

모래-가꾸기 명 〖농〗 완전 배양액(培養液)을 순수한 모래인 석영(石英) 모래에 흡수시켜, 물가꾸기가 곤란한 식물을 재배하는 방식. 사경법(砂耕法).

모래 강변 【—江邊】 명 ①모래가 깔려 있는 강 가나 개울 가. ②모래톱.

모래-고둥 명 〖조개〗 [*Gastrocopta armigerella*] 모래고둥과에 속하는 연체 동물의 고둥. 패각(貝殼)은 긴 달걀꼴로, 높이 2.2 cm, 직경 1 cm 가량이고, 백색의 반투명체임. 나층(螺層)은 5½, 표면에는 미세한 생장맥(生長脈)이 있고, 구부(口部)는 삼각(三角) 모양의 원형(圓形)임. 조약돌 사이나 모래가 덮인 낙엽 밑 등 비교적 건조한 곳에 서식하는데, 한국·일본에 분포함.

모래-고패 명 〈방〉 글피(경남).

모래-곶 【—串】 명 〖지〗 해안에서 바다 가운데로 내밀어 갑(岬)을 이룬 모래톱.

모래기 명 〈방〉 갈기²(함경).

모래-땅 명 모래흙으로 된 땅. 사지(沙地).

모래 뜸질 명 ☞ 모래 찜질. ——하다 자 여불

모래-막이 명 〖토〗 사방(沙防). ——하다 자 여불

모래-메뚜기 명 〖충〗 강변메뚜기.

모래-모지 명 〈방〉 〖어〗 모래무지.

모래-모치 명 〈방〉 〖어〗 모래무지.

모래-무지 명 〖어〗 [*Pseudogobio esocinus*] 잉어과에 속하는 민물고기. 몸길이 15-25 cm로 홀쭉하고 머리가 크며, 입가에 한 쌍의 수염이 있음. 몸빛은 은백색 바탕에 배 쪽은 희고, 등 쪽은 흑색인데 체측(體側) 중앙에 약 여섯 개의 눈알보다 큰 암색 무늬가 있고 등 쪽에도 암색 무늬가 여러 개 있어서 모래와 비슷한 보호색을 이루고 있음. 모래 속에 파고 들어가 몸을 숨기고 있다가, 때때로 모래를 입으로 뿜. 한국 서남해로 흐르는 각 하천과 일본·중국의 각 하천에 분포함. 맛이 좋음. 사어(鯊魚). 타어(鮀魚).

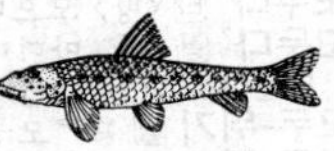

〈모래무지〉

모래무지-물방개 명〖충〗[*Ilybius apicalis*] 물방갯과에 속하는 곤충. 몸길이는 9mm 내외이고, 몸빛은 흑색으로 둔한 광택이 있음. 두정(頭頂)의 두 개의 무늬는 암적색이고, 수염·전배판(前背板)·시초(翅鞘)의 외연(外緣)은 황적색임. 촉각은 황갈색, 몸의 아랫부분과 다리는 적갈색을 이룸. 연못·웅덩이에 살며, 한국·일본·중국 등지에 분포함.

〈모래무지 물방개〉

모래-무치 명〖어〗〈방〉 모래무지.

모래미 명〈심마니〉 ①쌀. ②좁쌀.

모래-반지기 명 ☞돌반지기.

모래-밭 명 ①모래가 덮여 있는 곳. *모래톱. ②흙에 모래가 많이 섞여 있는 밭.

모래밭 식물【一植物】명〖식〗 사지 식물(沙地植物).

모래 벌판 명 모래가 덮여 있는 벌판.

모래벼룩-과【一科】명〖동〗[Tungidae] 벼룩목(目)에 속하는 한 과. 암컷의 성충은 다소 영구적으로 외부 기생성(寄生性)이며 흉부와 다리는 작고 복부는 큼.

모래-불 명〈방〉 모래톱(평안).

모래 사장【一沙場】명 모래톱.

모래 사탕【一砂糖】명 입자가 모래알같이 굵은 설탕.

모래-성【一城】명 ①모래로 성처럼 쌓은 것. ②'쉽게 허물어지는 것'의 비유.

모래 시계【一時計】명 작은 구멍을 통해서 모래를 떨어뜨려 일정한 양의 모래가 떨어지는 시간으로 시각을 측정하는 장치. 보통 가운데가 오목히 들어간 유리 그릇의 한쪽에 모래를 넣고, 이것을 위쪽으로 하여 밑으로 떨어뜨리게 함. 사루(砂漏). 사시계(砂時計). *물시계.

〈모래 시계〉

모래-알 명 모래의 낱개.

모래 언덕 명 사구(沙丘).

모래 주머니 명 ①모래를 넣은 주머니. 문간이나 난로 옆에 놓아 화재(火災)에 대비하거나 겨울에 눈이 내렸을 때 비탈진 포장 도로에서 자동차의 미끄럼 방지 대비용, 또는 군대에서 참호나 보루(保壘)를 쌓는 데 흔히 씀. 사낭(砂囊). ②〖조〗 조류(鳥類)의 위(胃)의 한 부분. 근육성(筋肉性)의 두꺼운 벽(壁)으로 둘러싸이고 속에는 모래가 들어 있어서 식물(食物)을 잘게 으깨어 부수며 소화(消化)를 돕는 작용을 함. 주로 식물성을 취하는 조류에서 볼 수 있음. 사낭(砂囊).

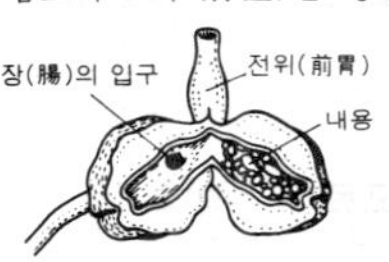

〈모래 주머니❷〉

모래-주사 명〖어〗[*Microphysogobio koreensis*] 돌상어과에 속하는 민물고기. 모래무지와 비슷하나 그보다 작아 10-12cm 가량이고, 몸빛은 등 쪽이 청갈색, 측면과 배 쪽은 은백색인데, 체측의 비늘 후면에 갈색 반점이 산재함. 상류의 물이 맑은 모래 위에 서식하는데, 낙동강(洛東江)·섬진강(蟾津江)·영산강(榮山江)·금강(錦江)·한강(漢江) 등의 각 하천에 분포함.

모래지 명〖어〗〈방〉 모래무지.

모래-지치 명〖식〗[*Messerschmidia sibirica*] 지칫과에 속하는 다년초. 줄기 높이는 30cm 내외이고, 잎은 호생하여 줄기 위에 밀착(密着)하며 무병(無柄)의 타원형이고, 백색 솜털이 많음. 5-7월에 백색 꽃이 줄기 끝에 총상(總狀) 화서로 피며 핵과(核果)는 대략 구형(球形)이고 8월에 결실(結實)함. 해변의 모래땅에 나는데, 한국·일본 및 아시아 온대 지방에 분포함.

〈모래지치〉

모래 진흙 [一흙] 명 사양토(砂壤土).

모래-집 명〖생〗 유양막류(有羊膜類)에 있어서 자궁(子宮) 안에서 태아(胎兒)를 싸는 얇은 막(膜). 속에는 양수(羊水)가 있으며, 그 속에서 태아가 발육함. 양막(羊膜).

모래집-물 명〖생〗 모래집 속에 있는 걸쭉한 액체(液體). 태아(胎兒)의 발육을 도우며, 해산(解産)할 때에는 흘러 나와서 해산을 쉽게 함. 양수(羊水). 포의수(胞衣水).

모래-찜 명 한증(汗蒸)의 한 가지. 어떠한 병을 고치기 위하거나 몸을 튼튼히 하기 위하여 여름철에 뜨거운 모래땅에 몸을 묻고 땀을 내는 일. 사욕(沙浴). 사증(沙蒸).

모래찜-질 명 모래찜을 하는 일. ——-하다 자여불

모래-층【一層】명 모래가 쌓이어 이루어진 지층(地層).

모래-톱 명 강가에 있는 넓은 모래 벌판. 모래 사장. 모래 강변. 사장(沙場).

모래-판 명〈방〉 모래톱(평안).

모래-펄 명 모래가 덮인 개펄. 평사(平沙).

모래-흙 [一흑] 명 모래가 많이 섞인 흙. 보통 80% 이상이 모래로 된 흙을 말함. 경미토(粳米土). 사토(沙土).

모랠리티 [morality] 명 ①윤리학. ②도덕. 도의. ③덕행. 덕성. 품행. ④〖연〗 모럴 플레이.

모랫-길 명 ①모래밭의 길. ②모래가 깔려 있는 길.

모랫-논 명 모래가 많이 섞인 논. 물이 헤프고 모심기가 곤란하여 하답(下畓)에 속하나 거름발을 빨리 받는 장점이 있음.

모랫-돌 명〖광〗 사암(砂岩).

모랫-둑 명〖토〗 모래흙으로 된 둑. 강가의 제방(堤防).

모랫-벌 명 ☞모래 벌판.

모:랭의 법칙【一法則】[프 Morin] [[illegible]] 명〖물〗 프랑스의 물리학자 모랭(Morin, Artur: 1795-1880)이 실험으로 얻은 법칙. '최대 정지 마찰(最大靜止摩擦)은 접촉면 사이의 압력에 비례하고 넓이의 대소(大小)에는 관계 없이 접촉면의 성질에 의존한다'는 법칙.

모랭이[1] 명〈방〉 갈기[2](함남).

모랭이[2] 명〈방〉 모퉁이(충북·경남).

모략【謀略】명 ①지모(智謀)와 방략(方略). 책략. ②좋지 아니한 계책으로 남을 못된 구렁에 몰아 넣는 일. ¶ 중상 ~. ——-하다 타여불

모략 중상【謀略中傷】명 남을 모략하여 명예를 손상시키는 일. ——-하다 타여불

모:량【冒良】명 전에, 양인(良人)이 아닌 사람이 양인 행세를 하는 일. ——-하다 자여불

모럴 [moral] 명 ①도덕. 윤리(倫理). ②살아가는 데 대한 진지한 반성. 외적 권위로서의 세속적·객관적 도덕에의 맹종(盲從)은 아니고, 인간성의 진실과 진실의 존재를 탐구하여 이것에 의하여 살아가려는 노력.

모럴 리스크 [moral risk] 명 도덕적 위험. 보험 계약자나 피보험자(被保險者) 또는 보험 수취인의 성격에 따라서, 보험 사고의 발생률이 증대하거나 손해가 확대될 우려를 이르는 말. 화재 보험의 계약자 중에서 방화(放火)의 전과자가 있을 경우 모럴 리스크가 인정됨.

모럴리스트 [moralist] 명 모랄리스트.

모럴 서포:트 [moral support] 명 정신적 원조. 도덕적 지지(支持).

모럴 센스 [moral sense] 명 도덕에 대한 의식.

모럴 플레이 명 [morality play] 〖연〗 중세의 종교극의 영향이 강한, 선·악·허영·자비 따위의 이름을 갖는 우의적(寓意的) 인물이 등장하는 교훈적인 세속극. 14-16세기에 유행하였음. 도덕극(道德劇). 교훈극(敎訓劇). 모랠리티.

모:레[1] 명 [중세 : 모뢰] 내일의 다음날. 재명일(再明日). 명후일(明後日).

모:레[2] 명〈방〉 우박.

익익일(翌翌日).

모레기 명〈방〉 갈기[2](함남).

모레노 [Moreno, Jacob] 명〖사람〗 루마니아 출신의 미국 정신병학자·사회 심리학자. 심리극(心理劇)을 이용한 집단 요법을 창시하였으며, 또 소시오메트리 이론(sociometry 理論)을 체계화하여 사회 심리학적인 집단 연구에 이바지함. [1982-1974]

모:레스 [mores] 명 도덕적 관습을 이르는 말. 집단 생활에서의 태도·행동을 규제하는 준거(準據)로, 이것이 발달하여 특수한 강제력을 갖는 법(法)이 생김.

모레아스 [Moréas, Jean] 명〖사람〗 그리스 태생의 프랑스 시인. 상징파의 이론적 지도자. 1886년에 '상징주의 선언(宣言)'을 썼고, 후에 고대 전통에 따른 로만 시파(romane詩派)를 결성하였음. 대표 시집으로 ≪스탕스(Stances)≫가 있음. [1856-1910]

모레인 [moraine] 명〖지〗 퇴석(堆石).

모렌도 [이 morendo] 명〖악〗 '차차 느리게 그리고 약하게'의 뜻.

모렐리 [Morelli, Giovanni] 명〖사람〗 이탈리아의 미술사학자. 화가의 특색과 개성은 인물의 귀·손가락·손톱 등에 무의식적으로 나타난다고 생각하였으며 작자(作者)의 결정이나 진위(眞僞)를 감정하는 데는 이러한 점을 중시해야 한다는 독자적인 미술 감정법을 제창함. [1816-91]

모렐리아 [Morelia] 명〖지〗 멕시코 중부에 있는 도시. 농목(農牧) 지대의 중심으로 제분·제당 공업이 행해짐. 1640년에 세운 교회당과 대학이 있음. [251,000명(1981)]

모려[1]【牡蠣】명 ①〖조개〗 굴조개. ②〖한의〗↗모려육.

모려[2]【謀慮】명 지모(智謀)와 사려(思慮). 어떠한 꾀와 여러 가지 생각.

모려-각【牡蠣殼】명 굴조개의 껍질.

모려각-회【牡蠣殼灰】명 굴조개 껍질을 구어서 만든 회.

모려-분【牡蠣粉】명〖한의〗 굴조개 껍질을 불에 태워서 만든 가루. 빛깔이 희거나 또는 회백색(灰白色)인데, 성질이 약간 차고, 보제(補劑)로 쓰며 열병·몽설(夢泄)·대하(帶下)·갈증(渴症)·적병(積病)·유정(遺精) 등 여러 병에 쓰임.

모려-육【牡蠣肉】명〖한의〗 굴조개의 말린 살. 성질이 참. 몽설(夢泄)·유정(遺精)·대하·갈증·도한(盜汗) 등에 약으로 쓰임. 굴. ㊟모려.

모:련【慕戀】명 사모하여 그리워함. 포근히 사랑하여 사모함. ——-하다 타여불

모련-채【毛蓮菜】명〖식〗 쇠서나물.

모:렴【冒廉】명 ↗모몰 염치(冒沒廉恥). ——-하다 형여불

모:령 성:체【冒領聖體】명〖천주교〗 죄인이 죄의 사함을 받지 아니하고 영성체(領聖體)하는 독성 행위(瀆聖行爲).

모로[1] 명〈옛〉 모루[1]. ¶ 모로(鐵枕) ≪朴解 下 29≫.

모로[2] 명〈옛〉 무리[4]. ¶ 모로 운(暈), 힛모로(日暈), 돌모로(月暈)≪字會 下 1≫.

모로[3] 명〈옛〉 메. 산. =뫼[2]. ¶ 別號洪原 其山 鎭曰椵山피모로≪龍歌 Ⅳ: 21≫.

모로[4] [Moreau, Gustave] 명〖사람〗 프랑스의 화가. 문학적·신화적(神話的) 제재(題材)에다 환상과 약간 퇴폐적인 관능성(官能性)을 가미(加味)하여 상징적 이미지를 세밀한 묘사로 표현함. 그의 문하에서 마티스(Matisse)·루오(Rouault) 등의 대가가 나왔음. 대표작 ≪아가(雅歌)≫·≪출현(出現)≫ 등. [1826-98]

모로[5] [Moreau, Janne] 명〖사람〗 프랑스의 여우(女優). 코메디 프랑세즈에서 무대 배우로 활약하다가 1949년 영화계에 데뷔함. 출연 작품으로 ≪사형대의 엘리베이터≫·≪애인들≫·≪빗속의 밀회≫·≪갑자기 불꽃처럼≫ 등이 있음. [1928-77]

모로[6] [Moro, Aldo] 명〖사람〗 이탈리아의 정치가. 1948년에 하원 의원이 된 후, 법무상·문교상·외상 등을 거쳐, 전후 다섯 차례 수상(首相)을 역임함. 1978년 3월에 도시 게릴라 '붉은 여단(旅團)'에 의해 납치되어, 55일 만에 살해됨. [1916-78]

모:로[7] 부 ①모난 쪽으로. ¶ ~ 자르다. ②가로와 세로의 사이로. ③옆쪽으로. ¶ ~ 걷다.

【모로 가나 기어 가나 서울 남대문만 가면 그만이다; 모로 가도 서울만 가면 된다】 수단 방법은 어찌 되었든 간에 목적만 이루면 된다는 말.

【모로 던져 마름쇠】 아무렇게 하여도 실패가 없다는 뜻.

모:로-걸기 명 유도에서, 메치기의 한 가지. 상대를 당겨 앞으로 기울이고 앞발 복사뼈를 같은 쪽 발로 힘껏 후리며 몸을 옆으로 뉘면서 상대를 모로 넘김.

모로기 부 〈옛〉 문득. 갑자기. ¶ 虛空올 모로기 ㅈ갯 모ᄅᆞᆯ 사ᄆᆞ시며(混虛空爲自身)《金三 Ⅱ:3》.

모:로누우며 메:치기 명 유도에서, 메치기의 한 가지. 상대를 메칠 때 자기 몸을 먼저 모로 뉘면서 메침.

모로리 명 〈방〉 한마루.

모로매 부 〈옛〉 모름지기. 반드시. =모로미. 모ᄅᆞ매. ¶ 必은 모로매 ᄒᆞ논 ᄠᅳ디라 《訓諺》.

모로미 부 〈옛〉 모름지기. =모로매. ¶ 몸이 安樂ᄒᆞ니 모로미 憂念티 마ᄅᆞ쇼셔(身己安樂不須憂念)《朴解 下 11》.

모로-족【一族】〔Moro〕 명 〔모로는 스페인말로 무어(Moor)인의 뜻〕 필리핀의 남부 팔라완(Palawan)·민다나오(Mindanao) 등의 섬에 분포하는 회교도. 80만 명에 달하는데, 실제로는 언어와 풍습을 달리하는 9개의 집단을 이루고 있음. 본디, 식민지 시대에 스페인 사람들이 모로족(族)이라고 멸칭한 데서 비롯됨. 1960년대부터 분리 독립 운동을 벌이고 있음.

모로코〔Morocco〕 명 〖지〗 ①아프리카 서북쪽에 있는 입헌 군주국. 서북부는 지중해식 기후, 동남부는 건조 기후임. 주민의 대부분은 아랍인과 베르베르인으로, 회교도(回敎徒)가 많음. 공용어는 아라비아어. 산업은 농업과 광업이 주이며 주요 농산물은 밀·보리·옥수수·감귤류이고, 인(燐)·철·석탄·망간·석유 등 광산물의 매장량도 많음. 소·양(羊)·염소의 목축도 중요한 몫을 차지하고, 어업도 성함. 1960년 이래 5개년 계획에 의한 공업의 발전이 추진되고 있음. 지중해에 면한 군사상 요지(要地)로, 고대 페니키아·로마의 지배 아래 있었으며 7세기에 아랍인(人)이 진출하여 이슬람 왕조가 번영함. 19세기 후반부터 유럽 열강의 각축장이 되어 오랫동안 프랑스와 스페인의 보호령으로 있다가, 1956년에 완전히 독립하였음. 수도는 라바트(Rabat). 정식 명칭은 '모로코 왕국(Kingdom of Morocco)'. [446,550km² : 25,060,000명(1990)] ②'마라케시(Marakesh)'의 구칭(舊稱).

모로코 가죽〔Morocco〕 명 모로코 특산의 무두질한 가죽. 산양(山羊)의 가죽을 타닌제(tannin劑)로써 다룬 것으로, 책 표지·장갑 및 가구용으로 쓰임.

모로코 문:제【一問題】〔Morocco〕 명 〖역〗 모로코 사건.

모로코 사:건【一事件】〔Morocco〕〔一껀〕 명 〖역〗 아프리카 식민지 경영에 관한 독일과 프랑스 간의 분쟁. 19세기 말부터 프랑스의 보호권(保護權)이 인정되어 오던 모로코에, 독일이 권익(權益)을 주장하기 시작하여, 1905년의 카이저(Kaiser)의 모로코 방문, 1911년의 모로코 내란 때의 독일 함정(艦艇)의 파견 등으로, 양국의 긴장이 절정에 달하였으나, 영국의 알선으로 모로코에서의 프랑스의 우위를 인정하는 대신 프랑스는 콩고(Congo)의 일부를 독일에 할양(割讓)하여 해결되었음. 모로코 문제. 탕헤르(Tanger) 사건.

모:록¹【冒錄】 명 사실이 아닌 것을 사실인 것처럼 기록함. ——하다 타 여불

모:록²【耄碌】 명 늙어 빠짐. ¶ ~하온 늙은 소신은 다만 천은이 바다처럼 넓고 넓으심을 감축할 뿐이올시다《朴鍾和 : 多情佛心》. ——하다 형 여불

모록-모록 부 〈방〉 모락모락.

모롬이【須只】 부 〈이두〉 모름지기.

모롱고지 명 〈방〉 모롱이¹.

모롱이¹ 명 산모퉁이의 휘어 둘린 곳. ¶ 그 아래 물소리는 길이 굴곡하여 바위 ~를 둘렀고…《具然學 : 雪中梅》.

모롱이² 명 〖어〗 ①웅어의 새끼. ②모쟁이.

모뢰 명 〈옛〉 모레. ¶오ᄂᆞᆯ브터 모뢰ᄭᆞ장ᄒᆞ고 파ᄒᆞ리라(從今日起後日罷散)《朴解 上 75》.

모:루¹ 명 〖공〗 단조(鍛造) 작업에서, 단조 재료를 올려 놓고 해머로 때려서 가공하는, 쇠로 만든 바탕틀. 영국식과 프랑스식이 있음. 철침(鐵砧).

영국식 프랑스식
〈모루¹〉

모루² 명 〈방〉 모래(전라).

모루³ 명 〈방〉 〖식〗 머루¹(전남).

모:루⁴ 명 〈방〉 모레¹(전북).

모:루-구름 명 적란운(積亂雲)의 윗부분에 나타나는 모루 모양의 구름.

모루-긋기 명 〖건〗 기둥이나 대들보에 긋기단청(丹靑)과 모루단청을 어울려 그린 단청.

모루-단청【一丹靑】 명 〖건〗 머리초에만 그린 단청.

모:루-떼기 명 〖고고학〗 몸돌이나 원돌을 모룻돌에 부딪혀서 격지를 떼내는 수법. 전기 구석기 문화에서부터 나타나며, 크고 두터운 격지를 떼어낼 수 있음.

모:루망 치-떼기 명 〖고고학〗 모룻돌에 원돌을 올려놓고 망치로 쳐서 격지를 떼내는 수법. 저우커우뎬(周口店)에서 베이징 원인(北京原人)이 석영암(石英岩) 계통의 단단한 석재(石材)로부터 격지를 떼어낼 때 썼음. 양극 타격법(兩極打擊法).

모루 방망이 명 〈방〉 모루채.

모:루-뼈 명 〖생〗 포유류의 이소골(耳小骨) 중의 두 번째 뼈. 망치뼈와 등자뼈 사이에 있으며, 귓구멍을 통하여 들어온 음파를 난원창(卵圓窓)에 전달함. 다듬이뼈. 침골(砧骨). *청골(聽骨).

모루아〔Maurois, André〕 명 〖사람〗 프랑스의 작가·평론가. 비상한 천재로 1918년 《브람블 대령(Bramble大領)의 침묵》으로 명성(名聲)을 얻고, 다시 《셸리전(Shelley傳)》·《영국사(英國史)》 등의 역사·전기·여행기를 내고, 2차 대전의 회고록 《프랑스는 졌다》 외에 《연애론》 등의 평론도 썼음. [1885-1967]

모:루-채 명 대장간에서, 달군 쇠를 모루 위에 놓고 메어칠 때 쓰는 쇠메. 긴 나무 자루를 끼웠음.

모루치 명 〈방〉 모루채.

모:룻-돌 명 〖고고학〗 대장간의 모루와 같이 석기(石器)를 만들 때에 밑에 받치는 돌.

모룽고지 명 〈방〉 산모퉁이.

모룽이 명 〈방〉 모롱이.

모-류【毛類】 명 ①털 가진 짐승의 총칭. 모족(毛族). ②솜털이나 강모(剛毛)를 가진 곤충. *모충(毛蟲).

모르가:니〔Morgagni, Giovanni Battista〕 명 〖사람〗 이탈리아의 해부학자·병리학자. 파도바 대학 교수. 임상(臨床) 관찰과 병리 해부를 총괄하여 《해부에 의하여 검색(檢索)된 질병의 위치와 원인》을 저술하였음. 이 저서로써 '병리학의 아버지'라 불리었음. [1682-1771]

모르가르텐의 싸움〔Morgarten〕〔―/―에―〕 명 〖역〗 1315년 스위스 독립 동맹군이 합스부르크가(家)의 기사군(騎士軍)을 스위스 중부의 모르가르텐에서 격파한 싸움. 이 싸움으로 스위스 독립의 계기가 이루어졌으며, 농민 장창대(長槍隊)를 중핵(中核)으로 하는 보병군이 중무장한 기사군에 승리한 것으로 전술적(戰術的) 의의가 큼.

모르강¹〔Morgan, Jacques Jean Marie de〕 명 〖사람〗 프랑스의 고고학자. 지질학을 배운 다음, 고고학으로 전향하여 이집트에서 석기 시대·왕조 시대를 연구함. 1897-1900년 사이에 프랑스의 페르시아 고고학 조사단장으로서 수사(Susa)의 발굴을 지휘, 함무라비 법전(Hammurabi法典)을 발견함. 주저 《오리엔트의 선사(先史)》·《선사 시대의 인간》. [1857-1924]

모르강²〔Morgan, Michéle〕 명 〖사람〗 프랑스의 여우(女優). 《전원 교향악》으로 칸(Canne) 영화제의 최우수 여우상(女優賞)을 획득, 그 후 《유리의 성》 등에 출연하였음. [1920-]

모르겐슈테른〔Morgenstern, Christian〕 명 〖사람〗 독일의 시인. 《교수대의 노래》 등 그로테스크하고 유머러스한 시집(詩集)으로 알려짐. 북(北)유럽 제국의 희곡을 번역, 연극에도 영향을 끼침. [1871-1914]

모르그〔프 morgue〕 명 ①거만한 모양. ②시체 공시장(公示場). ③신문사의 자료실(資料室).

모르그 가의 살인【一街一殺人】〔―/―에―〕 명 〖책〗〔The Murders in the Rue Morgue〕 포(Poe, E.A.)의 추리 소설. 1841년에 완성된 것으로 파리의 모르그 거리에서 일어난 이상한 살인 사건을 둘러싼, 탐정 뒤팡의 멋진 추리와 분석에 의한 활약을 그리고 있음. 포의 최초의 추리 소설임.

모르다¹ 타 르불 〔중세 : 모ᄅᆞ다〕 ①알지 못하다. ¶ 어찌할 바를 ~. ②깨치지 못하다. 이해하지 못하다. ¶ 진리를 ~. ③기억하지 못하다. ¶ 나도 모르는 사람. 1)-3):↔알다.

【모르면 약이요, 아는 것이 병】 아무 것도 아는 것이 없으면 도리어 마음이 편하여 좋으나, 좀 알고 있으면 걱정거리만 되어 해롭다는 말.

모르면 모르되 구 판단하기 어려운 경우에 그래도 칠팔 분은 자신(自信)하나, 이삼 분쯤은 의아(疑訝)하는 태도를 보이는 말. ¶ ~ 그 여자는 기혼녀일 것이다.

모르다² 타 〈방〉 마르다²(전라·경남).

모르덴트〔도 mordent〕 명 〖악〗 잔결꾸밈음.

모르도바〔Mordova〕 명 〖지〗 러시아 연방 서부에 있는 자치 공화국. 볼가 강 유역의 프리볼가 고지(Privolga 高地)와 서부의 오카 강 유역의 저지(低地)를 차지하는 삼림(森林)·스텝 지대로, 곡물·축산·목재·금속 가공·건설 자재 공업이 주산업임. 수도는 사란스크(Saransk). [26,200 km² : 984,000 명(1981)]

모르모니즘〔Mormonism〕 명 〖기독교〗 1830년에 미국인 스미스(Smith, Joseph)가 창시한 방계적(傍系的)인 기독교의 한 파(派). 모르몬경(Mormon經)을 성전(聖典)으로 삼고, 삼위 일체의 교의(敎義)와 신(神)으로부터의 끊임없는 계시(啓示)를 주장함. 미국 유타 주(Utah州) 솔트레이크(Salt Lake) 시에 본부를 둠. 일부 다처주의(一夫多妻主義)를 제창하였으나 1890년 이후 이것을 폐지하였음. 정식 명칭은 '말일 성도(末日聖徒) 예수 그리스도 교회'. 모르몬교(敎).

모르모란도〔이 mormorando〕 명 〖악〗 '정적(靜寂)하게 음(音)을 억제하여 가만가만히 이야기 하듯이'의 뜻.

모르모트 명 〖동〗 '기니 피그(guinea pig)'를 프랑스산(産)의 마멋(marmotte)과 혼동하여 잘못 일컫는 말. *기니 피그.

모르몬 경【一經】 명 〔Book of Mormon〕 모르몬교(敎)의 경전(經典). 미국의 고대 민족들의 기록을 4세기의 예언자(豫言者) 모르몬이 황금판(黃金板)에 요약하여 새겼다고 믿어, 1827-30년에 스미스(Smith, Joseph)가 발견하여 번역 출간(出刊)한 것임.

모르몬-교【一敎】〔Mormon〕 명 〖기독교〗 모르모니즘(Mormonism), 곧 '말일 성도(末日聖徒) 예수 그리스도 교회'의 통칭(通稱).

모르미 부 〈방〉 모름지기.

모르-쇠 명 아는 것이나 모르는 것이나 전부 모른다고만 하는 주의. ¶ 곤란한 경우에는 ~가 제일이다/"저는 잘 모릅니다." 월이가 ~로 딱 잡라서 무안을 주였으나…《金周榮 : 客主》.

모르쇠(를) 잡다 구 일체 알지 못하는 체하다.

모르스〔Morse, Samuel Finley Breese〕 명 〖사람〗 '모스'의 속칭.

모르타르〔mortar〕 명 〖화〗 소석회(消石灰)와 모래를 섞어서 물에 갠 것으로 시간이 지나면 물기가 없어지고 딴딴하게 됨. 벽돌과 석재(石材)를 접합(接合)시키는 데 씀. 석회 대신에 시멘트를 섞은 것을 시멘트 모르타르라고 함. '사춤'에도 쓰임. 교니(膠泥).

모르핀〔morphine〕 명 〖화·약〗 아편(阿片) 중에 함유되어 있는 중요한 알칼로이드의 하나. 백색(白色)·침상(針狀)의 결정(結晶)으로 물에 약간 녹고 맛이 씀. 조금 먹으면 잠이 잘 오고 기분이 좋으나 많이 먹으면 해독(害毒)이 있음. 의약(醫藥)으로 마취제(痲醉劑)·진통제(鎭痛劑)로 씀. 마약(痲藥)임.

모르핀 중독【一中毒】〔morphin〕 명 『의』 모르핀에 의한 약물 중독. 마약 중독의 전형적인 것. 급성인 경우에는 떨리고 어지럽고 토하며, 호흡 중추에 마비를 일으켜 급사함. 오랫동안의 관용에 의한 만성은 빈혈·전신 쇠약·위장 장애 등을 일으킴.

모르핀 중독자【一中毒者】〔morphin〕 명 『의』 모르핀 중독에 걸린 사람. 아편 중독자.

모른-체 명 ①어떤 일에 대하여 관계를 아니하는 태도. ②알면서도 모르는 듯이 하는 태도. ¶ ～하고 딴전만 부리다. ——-하다 타 여불

모름[1] 명 〈방〉 머름.

모름[2] 명 〈방〉 마름[1](전남).

모름애 부 〈방〉 모름지기.

모름이 부 〈옛〉 모름지기. ¶ 모름이 三千六百 낙씨는 손곱을 쎄 어잇턴고《古時調 尹善道》/ ～ 다른 곳으로 가 있음이 어떠하뇨?《李海朝 : 昭陽亭》.

모름지기 부 사리를 따져 보건대 마땅히. ¶ 청년은 ～ 씩씩해야 한다.

모름-하다 형 여불 생선이 싱싱한 맛이 없고 조금 타분하다.

모릉[1]【帽綾】 명 사모(紗帽)의 겉을 싸는, 바탕이 얇은 비단의 한 가지.

모릉[2]【模稜】 명 결정을 짓지 못하여 가부(可否)가 없음. ——-하다 형 여불

모릐 명 〈옛〉 모레. ¶ 小學은 모릐면 뭇출로다《海謠》.

모리[1] 명 투전 노름에서, 여섯 장 중에서 넉 장과 두 장이 각각 같은 글자로 맞추어진 경우.

모리[2] 명 〈방〉 머리[1].

모리[3] 명 〈방〉 모루[1].

모리[4] 명 〈방〉 완자.

모리[5] 명 〈방〉 새김질(함경). ——-하다 타

모리[6] 명 〈방〉 말[1](함북).

모:리[7] 명 〈방〉 모레[1](충남·전북·경상·제주).

모리[8] 명 〈방〉 용마루(경남)

모리[9]【謀利·牟利】 명 도덕과 의리는 생각지 아니하고 재리(財利)만을 꾀함. ——-하다 자 여불

모:리[10]〔Maury, Matthew Fontaine〕 명 『사람』 미국의 해양학자. 해상의 풍향·풍속·해류 등을 조사 연구하여 해양 안내도(海洋案內圖)의 기초를 닦았음. 1853년에는 그의 제창(提唱)으로 최초의 국제 해양 기상 회의(國際海洋氣象會議)가 열렸음. 저서에 《해양 물리 지리학》 등이 있음. [1806-73]

모리다 타 〈방〉 마르다[2](경남).

모리-때 명 〈방〉 『건』 대들보(경남).

모리-배【謀利輩·牟利輩】 명 모리하는 사람들. 상업 도의나 국가 경제 같은 것은 도외시(度外視)하고 갖은 수단 방법으로 자신의 이익만을 꾀하는 무리. 모리지배. ¶ 간상(奸商) ～.

모리셔스〔Mauritius〕 명 『지』 인도양 상에 있는 섬나라. 마다가스카르 섬의 동쪽 약 750km에 있는데, 고온 다습하고 주산물은 사탕수수임. 주민의 69%는 인도인이며, 나머지는 프랑스인과 흑인의 혼혈을 비롯하여 중국인·유럽인 등 다양함. 종교도 힌두교·이슬람교·가톨릭교 등으로 복잡함. 네덜란드·프랑스·영국 등의 속령(屬領)이었으나 1968년에 영연방 내에서 독립, 1992년 공화제로 바뀜. 수도는 포트루이스(Port Louis). [2,040km² : 1,070,000명(1990 추계)]

모리스[1]〔Morris, Charles William〕 명 『사람』 미국의 철학자. 시카고 대학 교수. 프래그머티즘을 계승하고 논리 실증주의를 받아들여 구문론(構文論)·의미론(意味論)·어용론(語用論)으로 이루어지는 기호론(記號論)을 제창함. 저서에 《기호·언어·행동》·《인간적 가치의 여러 형태》 등이 있음. [1901-79]

모리스[2]〔Morris, William〕 명 『사람』 영국의 시인·공예 미술가. 처음에 화가(畫家)를 지망하였으나 시(詩)로 전향하여, 서사시 《지상의 낙원》·《사랑이면 족하다》 등을 발표하였고 호화본(豪華本)의 인쇄 장정(印刷裝幀)으로도 유명함. 만년(晩年)에는 공상적 사회주의자가 됨. [1834-96]

모리스 댄스〔morris dance〕 명 〔모리스는 '무어인(Moor人)의'의 뜻인 Moorish의 와전(訛傳)〕 모리스 무곡(舞曲)에 맞추어서 추는 춤. 14세기경에 영국에서 일어난 일종의 민속 가장 무용인데, 흔히 메이데이 때에 여섯 사람의 남자가 한 패가 되어, 로빈 후드(Robin Hood)로 가장하여 단장과 방울을 손에 들고 흥겹게 춤.

모리스 무:곡【一舞曲】〔morris〕 명 『악』 모리스 댄스에 쓰이는 무곡. 특정한 박자는 없으나 보통 4분의 4 또는 4분의 2 박자에 속하는 명쾌(明快)한 곡임.

모리슨[1]〔Morrison, George Ernest〕 명 『사람』 오스트레일리아 태생의 영국 저널리스트·여행가. 중화 민국 총통부(總統府) 고문을 지냄. 그 당시 수집한 극동 관계의 문헌은 모리슨 문고(文庫)로서 널리 알려져 있음. [1862-1920]

모리슨[2]〔Morrison, Toni〕 명 『사람』 미국의 흑인 여류 작가. 프린스턴 대학 고전 문학 교수. 오하이오 주 출생. 하워드 대학과 코넬 대학에서 수학함. 1970 년 《가장 푸른 눈》으로 데뷔, 1988 년 《사랑하는 사람》으로 퓰리처 상을 받고 1992 년 발표한 《재즈》는 베스트 셀러가 되었음. 그녀의 작품들은 미국의 흑인 사회를 풍부한 감상적 묘사와 분명한 대사로 표현하였다하여 1993 년 노벨 문학상을 수상함. [1931-]

모리아크〔Mauriac, François〕 명 『사람』 프랑스의 시인·소설가. 처음 시인으로 출발하였다가 소설로 전향, 《사랑의 사막》·《테레즈 데케이루(Thérèse Desqueyroux)》로 명성을 얻음. 이후 《바리새 여인》 등을 통하여 사람의 마음 속에 잠재하는 죄의식을 가톨릭적 입장에서 추구(追究)함. 1952년 노벨 문학상을 받았음. [1885-1970]

모리 오:가이〔森鷗外:もりおうがい〕 명 『사람』 일본의 작가·의학 박사. 본이름은 린타로(林太郞). 군의관(軍醫官)으로서 독일에 유학하고 귀국 후 유럽 문예 사조의 소개에 노력, 청신한 낭만적 소설을 씀. 작품에 《무희(舞姬)》·《청년》·《기러기》 등이 있음. [1862-1922]

모리오카〔盛岡:もりおか〕 명 『지』 일본 이와테 현(岩手縣) 중부의 도시. 현청 소재지. 유업(乳業)·섬유 공업·전통적인 남부 철병(南部鐵甁)이라 불리는 쇠 주전자의 생산 등이 행해지고 있으나, 소비 도시적 경향이 강함. 대학·농사 시험장이 있음. [232,354 명(1991)]

모리지-배【謀利之輩·牟利之輩】 명 모리배.

모리츠〔Móricz, Zsigmond〕 명 『사람』 헝가리의 소설가. 20세기 전반(前半)의 헝가리 문단에서 산문(散文) 작가 중 제 1 인자로 손꼽힘. 농촌 등을 무대로, 인간의 살아가는 방법을 자연주의적 수법으로 그렸음. 대표작에 《죽음에 이를 때까지 선량하여라》 등이 있음. [1879-1942]

모:리타니〔Mauritania〕 명 『지』 서아프리카 사하라 사막 서부로부터 서해안까지의 공화국. 정식 명칭은 모리타니 이슬람 공화국. 국토의 대부분은 사막이며 주민 대부분이 무어인(人)으로 이슬람교도임. 공용어는 아랍어(語)·프랑스어. 양·염소·소·낙타의 목축이 주산업이며, 농업은 남부 국경의 세네갈 강(江) 유역에서만 행해짐. 주요 산물은 옥수수류(類)·아라비아 고무이며 현재 철·구리 등 광산 자원의 개발이 진행되고 있음. 프랑스의 보호령을 거쳐 1960년에 독립함. 수도는 누악쇼트(Nouakchott). 정식 명칭은 '모리타니 이슬람 공화국(Islamic Republic of Mauritania)'. [1,025,520km² : 2,020,000명(1990 추계)]

모린【毛鱗】 명 ①털과 비늘. ②짐승과 물고기의 총칭.

모:림[1]【母林】 명 새 숲이 생기기 전에 있었던 삼림(森林).

모:림[2]【暮林】 명 저녁때의 숲.

모립【毛笠】 명 옛날에 하인(下人)들이 쓰던 벙거지.

모릿-줄 명 주낙에서 낚시를 매단 가짓줄을 연결하는 기다란 줄.

모ᄅᆞ다 타 〈옛〉 모르다. ¶ 千萬劫 디나ᄃᆞ록 구필 줄 모ᄅᆞᄂᆞᆫ다《松江 關東別曲》.

모ᄅᆞ매 부 〈옛〉 모름지기. 반드시. ＝모로매. ¶ 거프른 모ᄅᆞ매 어르누근 이슬 갓가 ᄇᆞ룰디로다(皮須截錦苔)《杜諺 Ⅱ:24》.

모ᄅᆡ[1] 명 〈옛〉 모레. ¶ 모ᄅᆡ(後日)《譯語 上 3》/明日曰母魯《雞類》.

모ᄅᆡ[2] 명 〈옛〉 모래. ¶ 碧海 渴流後에 모ᄅᆡ 뫼여 셤이 되여《古時調》.

모ᄅᆡ모지 명 〈옛〉 모래무지. ¶ 鯊者吹沙之魚也 俗稱 모ᄅᆡ모지《雅言 卷三》.

모마【牡馬】 명 수말. ↔빈마(牝馬).

모-막이 명 직사각형으로 된 6면의 기구의 아래위 두 마구리에 대는 널조각.

모:만【侮慢】 명 남을 멸시(蔑視)하고 자기만이 스스로 잘난 체함. ——-하다 자 여불

모:-만사【冒萬死】 명 만 번 죽기를 무릅씀. 온갖 고난을 무릅쓰고 용감히 나아감. ¶ ～하고 그 일을 성사시키겠다. ——-하다 자 여불

모-말[1] 명 곡식을 되는 말의 하나. 네 모가 반듯한 말. 네모진 말. 방두(方斗).

모말[2]【毛襪】 명 털버선.

모말-게 명 『동』 붉은발말똥게.

모말 꿇림 [一꿀一] 명 예전에 모말의 아가리 위에 꿇리어 무릎이 모말 아가리에 끼이도록 하던 벌.

모말-집 [一찝] 명 『건』 추녀가 사방으로 빙 둘려 있는 모말 모양의 집.

모망【茅芒】 명 『공』 도자기의 입 전두리에 있는 흠. 모멸(茅蔑).

모:매[1]【母妹】 명 ↗동모매(同母妹).

모:매[2]【冒昧】 명 함부로 나아감. 무턱대고 나아감. ——-하다 자 여불

모:매[3]【侮罵】 명 멸시하여 꾸짖음. ——-하다 타 여불

모-매기 명 〈방〉 모막이.

모-맥【麰麥·牟麥】 명 밀과 보리.

모멀 명 〈방〉 『식』 메밀(제주).

모-메뚜기 명 『충』 [*Acrydium japonicus*] 모메뚜깃과에 속하는 곤충. 몸길이는 7-11mm, 몸빛은 회갈색 내지 흑갈색이며, 전흉배(前胸背)에는 두 개의 흑색 무늬가, 중앙에는 한 개의 융기선(隆起線)이 있으며, 후퇴절(後腿節)은 좀 굵음. 한국·일본에 분포함.

모메뚜깃-과【一科】 명 『충』 [Tettigidae] 메뚜기목(目)의 한 과(科). 소형의 메뚜기로 촉각은 짧고, 전흉배는 크고 거의 몸 전체를 덮음. 앞날개는 퇴화하여 인편상(鱗片狀)이며, 뒷날개는 다소 발달한 종류도 있음. 청기(聽器)는 없고 초식성(草食性)으로 밭·풀밭에 서식하는데, 전세계에 650여 종이 분포함. ＊메뚜깃과.

모:멘털리즘〔momentalism〕 명 찰나주의(刹那主義).

모:멘트〔moment〕 명 ①찰나. 순간. ②어떤 일을 야기하는 원인. 기회. 계기(契機). ③『물』 어떠한 벡터의 크기와 정점(定點)에서 그 벡터에 내려그은 수선(垂線)의 길이와의 상승적(相乘積). 능률.

모:멘트 뮤:지컬〔moment musical〕 명 『악』 주로 피아노곡에 쓰이는 환상적 소품(小品)의 이름. 슈베르트의 것이 가장 유명함.

모면[1]【毛面】 명 모피의 털이 붙어 있는 겉면. ¶ ～이 고르다.

모면[2]【謀免】 명 꾀를 써서 면함. 벗어남. 도면(圖免). ¶ 겨우 ～했네/아무리 ～하려고 애써도 소용없다. ——-하다 타 여불

모면-지【毛綿紙】 명 중국에서 나는 품질이 낮은 종이의 한 가지.

모면-책【謀免策】 명 모면하려는 계책.

모멸[1]【茅蔑】 명 『공』 모망(茅芒).

모:멸[2]【侮蔑】 명 멸시하고 낮추 봄. ——-하다 타 여불

모:명【冒名】 명 이름을 거짓 꾸며 댐. 또, 그 이름. ——-하다 자 타 여불

모-모[1] ㊀ 명 이모저모. 이모저모의 가운데. ㊁ 부 모모이. ¶ ～ 살펴 봐도 없다.

모:모[2]【某某】 ㊀ 인대 아무아무. 아무개아무개. ¶ ～가 잘했고 ～는 잘못 했다. ㊁ 관 아무아무. 아무아무의. ¶ ～ 인사(人士)/～ 학교.

모모스〔그 Mōmos〕 명 그리스 신화에서, 조롱·야유 등을 의인화(擬人化)한 신(神).

모모-이 부 모마다. 이모저모 다. 모모.

모:모-인【某某人】 명 ↗모모 제인(某某諸人). 준 모모인.

모:모 제인【某某諸人】 명 아무아무 사람들. 아무개아무개의 여러 사람.

모:모-한【某某一】 관 아무아무라고 손꼽을 만한. 아무개라고 손꼽아서 부를 만한. 누구누구라고 손꼽을 만큼 저명한. ¶ ～ 사람은 다 모였다.

모:몰【冒沒】명 ↗모몰 염치(冒沒廉恥). ——-하다 자여불

모:몰 염치【冒沒廉恥】[—렴—] 명 염치없는 줄을 알면서도 이를 무릅쓰고 함. 준모렴(冒廉)·모몰(冒沒). ——-하다 자여불

모몽【牡蒙】명〖식〗이른범꼬리.

모무늬-매미충【—蟲】[—니—] 명〖충〗[*Eutettix discigutus*] 매미충과에 속하는 곤충. 몸길이 4.5 mm 내외. 몸빛은 회갈색·담갈색인데, 시초(翅鞘)는 회백색에 담갈색 점문(點紋)이 흩어져 있음. 정지(靜止)하였을 때는 중간에 4 각형의 담갈색 반문(斑紋)을 이룸. 뽕잎의 위축병(萎縮病)을 전파하는 해충으로, 한국에도 분포함. 좀멸구.

〈모무늬매미충〉

모문【茅門】명 띠로 지붕을 인 문. 초라한 집.

모-문룡【毛文龍】[—물—] 명〖사람〗중국 명나라의 장군. 조선 시대 광해군(光海君) 14년(1622)에 철산(鐵山) 가도(椵島)에 진을 치고, 우리 조정에 후금(後金)을 치도록 강청, 외교상 막대한 지장을 초래하던 중, 원숭환(袁崇煥)에게 피살되었음.

모물[1] 명〈방〉〖식〗메밀(제주).

모물[2]【毛物】명 ①털이 붙은 채 만든 가죽. 털가죽. ②털로 만든 물건의 총칭.

모물-계【毛物契】명〖역〗모물을 공물(貢物)로 바치던 계.

모물-전【毛物廛】명 갖옷과 털로 된 방한구(防寒具) 등 모물(毛物)을 팔던 가게. 모의전(毛衣廛).

모미【耗米】명〖역〗모곡(耗穀).

모밀 명〈옛·방〉메밀(황해·전북·경북). ¶ 모밀 교(蕎)《字會 上 12》.

모밀-게 명〖동〗세모게.

모밀-덩굴 명〖식〗나도닭의덩굴.

모밀-잣밤나무 명〖식〗[*Castanopsis cuspidata*] 참나뭇과에 속(屬)하는 상록 교목. 높이는 10-20 m 가량이고, 잎은 호생하며 혁질(革質)의 달걀꼴 또는 긴 타원형이고, 상반부의 잎에는 둔한 톱니가 있고 표면은 녹색, 뒷면은 회갈색임. 자웅 동주(雌雄同株)로 5-6월에 작은 황색에 향기가 나는 단성화(單性花)가 핌. 주머니 모양의 총포(總苞)는, 구형(球形)의 견과(堅果)로 짧은 털이 밀생함. 산지의 습지에 나는데, 일본·제주도에 분포함. 과실은 식용, 목재는 건축재·기구재로 쓺.

〈모밀잣밤나무〉

모-반[1]【一盤】명 여섯 모나 여덟 모로 된 목판(木板). ↔두리반.

모:반[2]【母斑】명〖생〗선천적인 원인으로 피부에 나타난 갈색 또는 흑색의 반문(斑紋)의 총칭. 곧, 사마귀·주근깨·점 따위.

모반[3]【謀反】명 국가나 조정 또는 군주(君主)를 배반하여 군사를 일으킴. 지금의 내란죄에 해당함. *대역(大逆). ——-하다 자타여불

모반[4]【謀叛】명 자기 나라를 배반하고 남의 나라를 좇기를 꾀함. 지금의 외환죄에 해당함. ——-하다 자타여불

모반-인[1]【謀反人】명 모반(謀反)한 사람.

모반-인[2]【謀叛人】명 모반(謀叛)한 사람.

모반-죄[1]【謀反罪】[—쬐] 명 모반(謀反)한 죄.

모반-죄[2]【謀叛罪】[—쬐] 명 모반(謀叛)한 죄.

모발【毛髮】명 ①털과 머리털. 곧, 사람의 몸에 있는 터럭의 총칭. ②사람의 머리털.

모발 검:사【毛髮檢査】명〖의〗머리카락을 분석하여 인종·성별·나이·혈액형 등을 추정하는 일. 법의학적 검사의 하나.

모발-근【毛髮筋】명〖생〗입모근(立毛筋).

모발 습도계【毛髮濕度計】명 〔hair hygrometer〕〖물〗탈지한 모발이 습도에 따라서 신축하는 성질을 이용하여 만든 습도계. *폴리미터(polymeter).

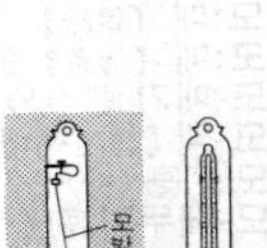

〈모발 습도계〉

모발-진드기【毛髮—】명〖충〗털진드기.

모방[1]【一房】명 안방의 한 모퉁이에 있는 작은 방.

모방[2]【毛紡】명 모방적·모방직의 통칭.

모방[3]【模倣·摸倣·摹倣】명 ①본떠서 함. 본받음. 흉내를 냄. 모본(模本). 모습(模襲). 모의(模擬). ¶ 남의 것을 ~하다. ↔창조(創造)❶. ②〔imitation〕〖사〗사회 집단을 구성하는 개개인의 결합 관계를 성립시키는 요인으로서의 의식(意識) 또는 무의식적 반복 행위. 집단 성원(成員)의 행위나 의식이 다른 성원에 의하여 반복되어 후자가 전자를 닮아서 광범위한 유형을 이루는 작용을 말함. 시간적인 영향에 의하여 유행과 전통(傳統)으로 나눔. ③〔imitation〕〖악〗하나의 주선율(主旋律)을 일정한 시간을 두고 다른 성부(聲部)에서 재차 사용하는 방법. 카논(canon)이나 푸가(fuga)에서 많이 쓰임. ——-하다 타여불

모방[4]〔Maubant, Pierre Philibert〕명〖사람〗프랑스의 천주교 신부(神父). 순교 성인. 1836 년 조선에 잠입하여 전도하다가 헌종(憲宗) 5 년 기해 사옥(己亥邪獄) 때 앵베르(Imbert)·샤스탕(Chastan)과 함께 순교하였음. 1984 년 한국 순교자 102 위와 함께 시성됨. 한국명은 나백다록(羅伯多祿). [1803-39]

모방고 명 전라도 지방에서 북을 치며 모내기를 하는 일.

모방-기【毛紡機】명〖기〗모사(毛絲)를 방적하는 기계의 총칭. 소모사(梳毛絲)를 방적하는 소모 방기와 방모사(紡毛絲)를 방적하는 방모 방기의 두 가지로 구별함.

모방-변【—方邊】명 한자 부수(部首)의 하나. '旁'이나 '族' 등의 '方'의 이름.

모방 본능【模倣本能】명〖심〗예술·문화의 발생 또는 발달 요인(要因)으로서 모방을 하는 인간의 본능. 유행(流行)·전통(傳統)·습관 등을 형성함. 아리스토텔레스는 예술의 발생을 이 본능에 기인(基因)한다고 하였음. *모방설.

모방-색【模倣色】명〖동〗독(毒)·악취(惡臭) 또는 날카로운 가시나 단단한 껍데기 등을 가지고 적의 습격을 모면하는 동물과 비슷한 몸빛을 가지는 어떤 딴 동물의 몸빛. 뱀·벌·나비 등에서 볼 수 있음. *경계색(警戒色).

모방-설【模倣說】명〔프 théorie de l'imitation〕〖사〗모든 사회 현상의 근원(根源)이 모방에 있다고 말하는 사회학설. 타르드(Tarde, J. G.; 1843-1904)의 인간 심리학적 견해(見解)로 대표됨. *모방 본능.

모방 예:술【模倣藝術】[—네—] 명 예술 작품을 만드는 과정에서, 현실적인 사물이나 그 움직임·음성 등을 모방하여 재현함으로써 성립하는 작품. 또, 그런 경향이 강한 예술. 재현 예술.

모방 유희【模倣遊戲】[—뉴히] 명 주위의 생활을 모방하여 활동함을 즐기는 유희의 하나. 소꿉장난·학교놀이 같은 것으로 두 살 가량에서 시작하여 다섯 살 때에 가장 많음. *수용(受容) 유희·운동 유희.

모방-자【模倣者】명 남의 것을 모방하는 사람.

모-방적【毛紡績】명 털실로 방적사(絲)를 만드는 일.

모-방직【毛紡織】명 털실로 모직물을 짜는 일.

모-밭 명〖농〗묘목(苗木)을 기르는 밭. 묘포(苗圃).

모배기 명〈방〉모서리(충북·전북·경상).

모백【蒙白】명〈이두〉상복을 입음.

모번단【—緞】명〈방〉모본단(模本緞).

모:범[1]【冒犯】명 일부러 불법한 언행을 함. ——-하다 타여불

모범[2]【模範】명 본받아 배울 만함. 본보기. 모해(模楷). 모표(模表). ¶ ~을 보이다/~ 청년.

모범-공【模範工】명 모범적인 공원(工員).

모범-림【模範林】[—님] 명 조림(造林)의 모범을 보이기 위하여 만들어 놓은 숲.

모범 부락【模範部落】명 근로(勤勞)와 저축·납세·청소나 근대화 등 여러 가지로 다른 동리의 모범이 될 만한 마을. 모범촌(模範村).

모범-생【模範生】명 학업과 품행이 우량하여 모범이 될 만한 학생.

모범-수【模範囚】명 교도소의 규칙을 잘 지켜 다른 죄수의 모범이 되는 죄수.

모범 음계【模範音階】명〖악〗'다' 조(調) 장음계와 그 관계 단음계인 '가'조 단음계. 다른 장음계와 단음계의 기준(基準)이 됨.

모범 의회【模範議會】명〔Model Parliament〕〖정〗1295년 영국의 에드워드(Edward) 일세가 소집한 의회. 대주교(大主教) 등의 성직자(聖職者)·대귀족(大貴族) 외에 각 주(州)의 기사(騎士)와 각 도시의 시민 대표들로 구성된 의회. 후의 영국 의회 구성의 모범이 된다 하여 이 이름이 있음.

모범-적【模範的】명관 모범이 될 만한 모양.

모범-촌【模範村】명 모범 부락.

모범 학교【模範學校】명〖교〗①여러 지역(地域)이나 같은 계통의 학교 중에서 성적·시설·교풍(校風)·품행이 우수하여 모범이 되는 학교. ②시범 학교. 모델 스쿨(model school).

모:법【母法】[—뻡] 명〖법〗①법의 계수(繼受)가 이루어질 때 그 모범(模範)이고 근원(根源)이 된 딴 나라의 법률. ↔자법(子法). ②부령(部令)·시행령 등의 근거가 되는 법률.

모베름-꾼 명〈방〉모잽이.

모:변【某邊】명 ①아무 편의 곳. ②어떠한 사람. 모측(某側).

모병【募兵】명 병사를 모집함. 모군(募軍). ——-하다 자여불

모병 이:적죄【募兵利敵罪】명〖법〗적국을 위하여 모병하거나 그 모병에 응함으로써 성립되는 죄.

모보【謀甫】명 꾀보.

모본【模本】명 ①본보기❷. ②모형(模型)❶. ③모방(模倣)❶. ——-하다 타여불

모본-단【模本緞】명 비단의 한 가지. 원래 중국에서 난 것인데 품질이 정밀하고 윤이 나며 무늬가 아름다움.

모:본-왕【慕本王】명〖사람〗고구려 제5대 왕. 휘(諱)는 해우(解憂). 대무신왕(大武神王)의 아들. 성질이 사납고 어질지 못하여 백성들의 원성을 사서 신하 두로(杜魯)에게 피살되었음. [?-53; 재위 48-53]

모:-부인【母夫人】명 대부인(大夫人)❶.

모-북 명〖악〗모심을 때 모가비가 모심기 소리를 먹이며 치는 북 가락. 장단은 흔히 중중모리와 자진모리임.

모북-춤 명 모내기를 끝내고 들에서 북을 치며 추는 춤.

모-불사【貌不似】[—싸] 명 ①꼴이 꼴 같지 않음. ②얼굴 생김이 보잘것 없고 흉악한 사람.

모-붓다 타ㅅ불 밭이나 논에 못자리를 만들고 씨를 배게 뿌리다.

모브〔mob〕명 ①군중(群衆). ②폭도(暴徒). ③어중이떠중이.

모브 신〔mob scene〕명〖연〗군중(群衆)이 나오는 장면.

모비 딕〔Moby Dick〕명〖책〗1851년에 간행된 멜빌(Melville, Herman)의 대표적인 소설. 거경(巨鯨) 모비 딕에 한쪽 발을 잃은 포경선(捕鯨船)의 선장이 복수하기 위하여 세계의 각 대양으로 이를 추적하다가, 마침내 모비 딕과 함께 바닷속으로 들어간다는 상징적인 이야기. 백경(白鯨).

모:빌[1]〔mobile〕명 ①〖미술〗〔움직이는 조각의 뜻〕가느다란 철사·실 등으로 여러 가지 형태의 금속 조각·나뭇조각을 매달아 미묘한 균형을 이루게 한 조형품(造形品). ②모빌유(油).

모:빌[2]〔Mobile〕명〖지〗미국 남부, 앨라배마 주(Alabama 州)의 모빌만(灣)에 면한 도시. 면화·목재의 적출항(積出港)이며, 제지·펄프·조선(造船)·화학 공업이 발달함. 1711년에 건설되어, 주(州) 유일의 항구 도시로 번영하고 있으며, 공군 기지가 있음. [196,278명(1990)]

모빌레〔이 mobile〕명〖악〗'경쾌하게'의 뜻.

모빌리지〔mobillage〕명〔mobile+village〕자동차를 이용하는 여행자를 위하여 만든 캠프장.

모:빌리티 사회【一社會】명〔mobility society〕젊은 노동력(勞動力)을 중심으로 한 대도시에의 이동이나 도시에 왔다가 다시 지방에 돌아가려는 인구 역류(人口逆流) 등, 인간의 움직임에 따라 소비·금융 등이 움직이고, 그에 따라 지식이나 사상도 변천해 가는 활동적 사회 상황을 일컫는 말.

모:빌 석유 회:사【一會社】명〔Mobile Oil Corp.〕1882년 뉴욕 스탠더드 석유 회사로 출발한 미국의 석유 회사. 7대 국제 석유 자본 중의 하나. 미국·캐나다·북해(北海)·인도네시아·중동(中東) 등에서 석유·천연 가스를 채굴함.

모:빌 아이〔mobile eye〕명 영국 에든버러 대학에서 개발한, 물건을 분별하는 로봇. 컴퓨터와 접속하여 눈앞에 있는 것 중에서 연필·칫솔·안경·망치 등을 분별할 수 있음.

모:빌-유【一油】〔mobile〕[一류] 명〖화〗자동차의 가솔린 엔진 등, 급회전하는 기계의 마찰과 마멸 및 열을 덜기 위하여 쓰는 윤활유의 한 가지. 모터 오일(motor oil). 모빌. *윤활유.

모:빌 햄〔mobile ham〕명 자동차에 무선(無線) 송수신기(送受信機)를 싣고 이동하면서 교신하는 아마추어 무선.

모뽈 명〖수〗각뿔.

모뽈-대[一때] 명〖수〗각뿔대.

모사¹【毛紗】명 털실로 짠 얇은 사(紗).

모사²【毛絲】명 털실.

모사³【茅沙】명 사당이나 산소에서 조상에게 제를 지낼 때에 그릇에 담는 띠의 묶음과 모래.

모사⁴【茅舍】명 ①자기 집을 낮추어 일컫는 말. ②모옥(茅屋).

모:사⁵【某事】명 어떠한 일.

모사⁶【帽紗】명 사모(紗帽) 깃을 싸는 사(紗).

모사⁷【模寫】명 ①모방하여 그림. 또, 그 그림. ②〖미술〗어떤 그림을 보고 그와 꼭 같이 그림. ——-하다 타여불

모사⁸【謀士】명 ①계략(計略)을 꾸미는 사람. ②남을 도와 꾀를 내는 사람. 모사(謀事)에 능숙한 사람. 책사(策士).

모사⁹【謀事】명 일을 꾀함. ——-하다 자타여불

[모사는 재인(在人)이요 성사(成事)는 재천(在天)] 일을 꾸미는 것은 사람이지만 일이 이루어지고 안 이루어지는 것은 하늘의 뜻에 달려 있다는 말로, 성공을 예기(豫期)하기는 곤란하나 모름지기 노력은 하여야 한다는 뜻.

모사 결정 작용【模寫結晶作用】[一쩡一] 명〔mimetic crystallization〕〖지〗변성 작용(變成作用)에 있어서의 재결정(再結晶) 작용이나 신광물(新鑛物) 형성 작용. 기존의 구조를 재생(再生)함.

모사-기【茅沙器】명 모삿그릇.

모사데크〔Mossadeq, Muhammad〕명〖사람〗이란의 정치가. 재정통(財政通)으로 1920년대에 여러 번 정부 요직에 취임함. 1949년 민족 전선의 지도자가 되었고 1951년 수상이 되어 국가의 근대화, 왕권의 제한(制限), 석유 국유화 등을 추진했으나 1953년 군부 쿠데타로 실각(失脚)함. [1881-1967]

모사라베〔스 Mozárabe〕명 이슬람교도인 아랍인의 지배하에 있던 스페인의 기독교도.

모사라베 성:가【一聖歌】〔Mozárabe〕명 스페인에서 행해진 가톨릭의 단성 전례(單聲典禮) 성가.

모사라베 양식【一樣式】〔Mozárabe〕명 중세 초기 이슬람교도 치하(治下)의 스페인에서 행해진 그리스도교 미술. 이슬람 미술과 전통적 스페인 미술이 융합한 것으로, 건축·회화(繪畫) 등 전반적으로 동방적(東方的) 장식성(裝飾性)이 짙음.

모사라베 예:술【一藝術】〔Mozárabe〕명〖예〗초기 로마네스크(Romanesque) 양식과 10세기 전후의 무어(Moor) 양식을 혼합한 스페인 예술. 아랍 사람의 지배 아래서 싹튼 기독교 예술임.

모사리 명〈방〉모서리(강원·충남·경북).

모사-본【模寫本】명 원본(原本)을 본떠서 베낀 책. 영사본(影寫本)과 임사본(臨寫本)의 두 가지로 나뉨.

모사-설【模寫說】명〔copy theory〕〖철〗인식(認識)이란 외계(外界)의 실재(實在)를 의식 속에 모사한 영상이라고 하는 인식론(認識論) 상의 한 학설. 소박 실재론(素朴實在論).

모사 재:인【謀事在人】명 되든 안 되든 간에 일을 힘써 꾀함을 말함. ¶~ 성사 재천(成事在天).

모사 전:보【模寫電報】명 팩시밀리(facsimile)에 의하여 송수신(送受信)하도록 된 전보.

모사 전:송【模寫電送】명 화면(畫面)이나 문자 등을 주사(走査)에 의하여 전기적 신호로 바꾸어 전송(傳送)하고, 수신(受信)하는 쪽에서 복원·기록하는 통신 방식. 팩시밀리(facsimile). 복사(複寫) 전송. 텔레팩스(telefax). *사진 전송.

모사 전:신기【模寫電信機】명〖기〗발신인(發信人)이 쓴 전보 용지(電報用紙)의 글자의 흑백이, 빛의 가감(加減)으로 전류의 변화를 일으켜, 수신부(受信部)에서 금속 펜의 왕복 운동으로 전기가 통하는 부분이 종이에 글자로 나타나는 장치. 복사 전신기(複寫電信機).

모사-직【毛絲織】명 모직(毛織).

모-사탕【一砂糖】명 각설탕(角雪糖). 준모당.

모산지-배【謀算之輩】명 꾀를 부리어 이해 타산을 일삼는 무리.

모살¹ 명〈방〉모래(전남·제주).

모살²【謀殺】명 미리 꾀하여 사람을 죽임. ¶~한 혐의가 짙다. ——-하다 타여불

모살 미:수【謀殺未遂】명 모살하려다가 이루지 못함. 또, 그러한 행위. 살인 미수(殺人未遂). ——-하다 타여불

모살 미:수범【謀殺未遂犯】명〖법〗모살 미수의 행위를 한 범인.

모살-범【謀殺犯】명〖법〗모살 행위(謀殺行爲)를 한 범인(犯人).

모삿-그릇【茅沙一】명 모사(茅沙)를 담는 그릇. 보시기같이 생겼으나 굽이 아주 높음. 모사기(茅沙器).

모:상¹【母喪】명 ↗모친상(母親喪).

모상²【模相】명 대상의 외부적인 형상을 있는 그대로 본떠서 나타낸 것.

모상³【模像】명 모형의 상(像). 모방하여 만든 상.

모상⁴【貌相】명 모양(貌樣).

모새¹ 명 썩 잘고 고운 모래. 가는 모래. 세사(細沙).

모새² 명 ①〈심마니〉쌀. ②〈방〉모이(경북).

〈모새나무〉

모새-나무 명〖식〗[*Vaccinium bracteatum*] 석남과에 속하는 상록 활엽 관목. 높이 2-5m이고 잎은 호생하며 난상 타원형에 두껍고 광택이 나고 단병(短柄)임. 6월에 포엽(苞葉)이 있는 담홍백색의 통상화(筒狀花)가 총상 화서로 액출(腋出)하고, 구형(球形)의 장과(漿果)는 11월에 흑자색으로 익음. 산록 양지에 야생하는데, 전라도 및 일본·중국·인도에 분포함. 관상용으로 심음. 과실은 단맛이 있어 식용 또는 양주용(釀酒用)임.

모-색¹【毛色】명 ①깃이나 털의 빛깔. 털빛. ②비단의 검은 빛.

모색²【茅塞】명 마음이 물욕(物慾)에 가리움. ——-하다 형여불

모:색³【暮色】명 날이 저물어 가는 어스레한 빛. 만색(晩色). 명색(暝色).

모색⁴【摸索】명 더듬어 찾음. ¶ 암중 ~. ——-하다 타여불

모:색 창연【暮色蒼然】명 해질녘의 풍경이 어둑어둑하게 되는 모양. ——-하다 형여불

모샘치 명〖어〗[*Gobio gobio*] 잉어과에 속하는 민물고기. 모래무지와 비슷하나, 주둥이가 짧고 구각(口角)에 한 쌍의 긴 수염을 갖춤. 몸빛은 등 쪽은 담녹갈색, 배 쪽은 은백색이며, 체측 중앙에 눈알 크기의 암색 무늬가 10-13개 세로 놓여 있음. 아시아·유럽의 북부에 널리 분포하는데, 한국에서는 중부 이북의 각 하천에 분포함.

〈모샘치〉

모생-약【毛生藥】[一냑] 명 털이 나게 하는 약. 양모제.

모샤브〔moshav〕명 이스라엘의 공동 취락(聚落)의 한 형태. 소농들의 집합체로서, 농토는 각자가 경작하되, 그 밖의 것은 마을 전체가 공유하는 부락. *키부츠(kibbutz).

모:서¹【母書】명 어머니가 썼다는 뜻으로 편지의 맨 끝에 쓰는 글. *부서(父書).

모서²【謀書】명 위조(僞造)하여 꾸민 문서(文書).

모-서까래 명〈방〉추녀.

모-서다 자 날카롭게 모가 생기다.

모서리 명 ①물건의 날카롭게 생긴 가장자리. ¶ 책상 ~. ②〖수〗다면각(多面角)으로 된 물체의 가장자리. 구용어는 '능(稜)'.

모서리-각【一角】명〖수〗주로 두 개의 평면이 서로 만나는 모서리에 생기는 일종의 입체각(立體角). 구용어는 '능각(稜角)'. *평면각.

모서-인【謀書人】명 문서(文書)를 위조(僞造)하여 꾸민 사람.

모선¹【毛扇】명 벼슬아치가 추운 겨울날에 얼굴을 가리는 방한구(防寒具). 네모 반듯하게 겹친 비단으로, 양편에 털이 있는 가죽으로 싼 긴 자루가 달려 있음.

모:선²【母船】명 ①어떤 작업의 중심체가 되는 큰 배. ②원양 어업 선단(船團)·포경(捕鯨) 선단 등에서, 많은 부속 어선을 거느리고 그 어업 활동의 중심이 되어, 부속 어선에의 지령(指令)이나 필요 물자의 보급, 어획물의 처리·냉동(冷凍) 등을 하는 큰 배. *모함(母艦). ③우주선(宇宙船) 중에서, 사령선(司令船)과 기계선(機械船)이 연결된 것. 달의 주변 궤도에서 착륙선이 월면(月面)에 내린 뒤 다시 돌아올 때까지 궤도를 돌면서 대기(待機)함.

모:선³【母線】명 ①〖수〗직선(直線)의 운동으로 말미암아 어떤 곡면(曲面)이 그려졌을 경우, 각각의 위치에 있어서의 직선을 곡면에 대하여 일컫는 말. ②〖공〗발전소·변전소 등에서, 그 전원(電源)으로부터 발생하는 전(全)전류를 받아, 개폐기(開閉器)를 거쳐서 각 외선(外線)에 전류를 분배하는 단면적(斷面積)이 큰 간선(幹線).

모:-선망【母先亡】명 어머니가 아버지보다 먼저 세상(世上)을 떠남. ↔부(父)선망. ——-하다 자

모:선식 어업【母船式漁業】명 어획물의 처리·냉동(冷凍)·가공(加工) 설비를 갖춘 모선과 부속 어선(附屬漁船)으로 영위하는 어업. 게·고래·연어·송어 등의 어획에 쓰임. *공모선(工母船).

모:설¹【冒雪】명 눈 오는 것을 무릅씀. ——-하다 자여불

모:설²【暮雪】명 저녁때 저물게 내리는 눈.

모설기 명〈방〉모서리(충북).

모섬 명〈방〉머슴(강원·경북).

모:성¹【母性】명 ①여성(女性)이 어머니로서 갖는 성질. 아이를 양육하려고 하는 어머니의 본능적인 성질. ②어머니인 사람. ↔부성(父性).

모:성²【冒姓】명 타인(他人)의 성을 가칭(假稱)함. 또, 타성(他性)을 사용함.

모성³【梓星】명〖천〗혜성(彗星).

모:성 보:호【母性保護】명〖사〗직장을 가지고 있는 모성을 보호하는 일. 또, 그러한 설비.

모:성-애【母性愛】명 자식에 대한 선천적(先天的)이고 본능적인 어머니의 사랑.

모:성 위생【母性衛生】명〖의〗임신·분만(分娩)·산욕(産褥)·수유(授乳) 등 일련(一連)의 모체(母體)의 변동이 건전하게 행하여지도록 하기 위한 일체의 조처(措處) 및 평소에 건강체를 만들고 유지하기 위한 위생.

모:성 유전【母性遺傳】[一뉴一] 명〖생〗세포질 유전.

모:성-적【母性的】명관 어머니다운 성질을 갖추고 있는 모양.

모:성-형【母性型】명 자녀의 양육에 적당한 성질을 갖춘 가정적(家庭的)인 여자.

모세¹ 명〈방〉〖건〗추녀¹.

모:세²【暮世】명 최근(最近)의 세상.

모:세³【暮歲】명 한 해의 마지막 무렵. 세모(歲暮).

모:세[4]〔Mose〕명〖성〗〔'이끌어 낸다' 또는 '아들'의 뜻〕이스라엘의 예언자·지도자. 기원전 14세기경, 노예 생활을 하던 그의 동족인 이스라엘 민족을 이끌고 이집트를 탈출, 민족을 40년간의 표랑 끝에 가나안으로 인도함. 시나이 산(Sinai山)에서 여호와의 율법(律法)을 받고 이를 이스라엘 민족에 내려 주었으며, 그 중 《십계명(十誡命)》은 유명함. 그의 생애는 구약(舊約)의 모세 오경(五經)에 기록되었음.

모세-관【毛細管】명 ①〖생〗↗모세 혈관(毛細血管). ②〖물〗모세관 현상을 일으킬 정도의 가는 관. ㊟모관(毛管).

모세관 압력 평형법【毛細管壓力平衡法】〔—녁—뻡〕명〔capillary equilibrium method〕유층(油層) 속의 석유와 천연 가스 사이의 모세관압(壓)이 평형을 유지하도록 그 흐름을 조절함으로써, 유층의 암석 시료(岩石試料)를 지나는 석유·천연 가스의 흐름을 예지(豫知)하게 되는 시험 방법.

모세관 인력【毛細管引力】〔—일—〕명〖물〗모세관 현상을 일으키는 힘. 액체가 관벽(管壁)에 붙는 힘. 세관 인력. ㊟모관 인력(毛管引力).

모세관 현:상【毛細管現象】명〔capillary phenomenon〕〖물〗가는 관(管)을 액체나 수은 속에 넣어 세웠을 때, 관내(管內)의 액면(液面)이 관외(管外)의 액면보다 높아지거나 낮아지는 현상. 관(管) 안의 액면의 상승 또는 하강(下降)은 관의 반경(半徑)에 반비례함. ㊟모관 현상.

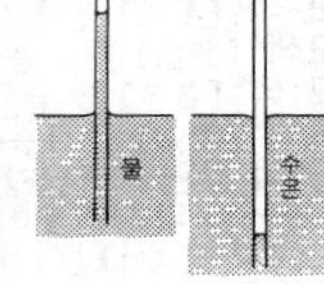

〈모세관 현상〉

모:세-교【—敎】〔Mose〕명〖천주교〗구약(舊約) 시대에, 모세를 종교적 민족적 영웅(英雄)으로 숭배하고, 모세 오경(五經)을 중심으로 여호와를 신봉하던 교. 고교(古敎).

모세 기관지염【毛細氣管支炎】명〖의〗기관지염의 하나. 모세 기관지, 곧 기관지의 제일 말단(末端)인 폐(肺)와 연결되는 부분에 일어나는 심한 기침·호흡 곤란 등의 증세가 나타남. 흔히 감기가 원인이 되지만 때로는 설사·구토를 하면서 시작되는 경우도 있음. 생후 4개월 이내의 신생아(新生兒)들이 잘 걸림.

모:세 오:경【—五經】〔Mose〕명〖성〗구약(舊約) 성서의 처음의 다섯 편. 곧, 창세기·출애굽기·레위기·민수기·신명기. 구약의 정경(正經)으로, 600년간에 걸쳐 기원전 400년경에 집성(集成)했다 함. 모세 오서.

모:세 오:서【—五書】〔Mose〕명〖성〗모세 오경.

모:세 율법【—律法】〔Mose〕〔—뻡〕명〖기독교〗모세가 이스라엘 민족과 여호와 신(神)과의 사이에 맺게 한 계약. 모세 오경에 쓰여 있음.

모:-세포【母細胞】명〖생〗분열(分裂) 전의 세포. ↔딸세포(細胞).

모세 혈관【毛細血管】명〖생〗심장에서 나온 동맥이 점차로 세분화(細分化)하여 장기(臟器)와 조직 속에서 가장 가늘어져서 정맥(靜脈)으로 이어지는 부분. 기능 혈관(機能血管)으로서 조직에 산소와 영양을 공급하고, 조직 중에서 발생한 탄산 가스와 불필요한 물질 등을 모아서 정맥관을 통하여 심장으로 되돌려 보냄. 지름은 8-20미크론. 실핏줄. ㊟모세관(毛細管).

모:션〔motion〕명 ①동작. 행위. ②자세(姿勢). 몸짓.

모:션 트레이서〔motion-tracer〕명 텔레비전에서, 화면상의 이동체(移動體)의 궤적을 나타내는 장치. 야구공이 날아가는 궤적 따위를 보여 주는 데 쓰임. 스토로보액션.

모:션 픽처〔motion picture〕명 영화.

모:소[1]【某所】명 모처(某處).

모:소[2]【侮笑】명 남을 업신여기어 비웃음. ——-하다 타여불

모소리 명〈방〉모서리(경기·강원·충청·전라·경상).

모-소주【麰燒酒】명 밀소주.

모손【耗損】명 닳아 없어짐. 모감(耗減). ——-하다 자여불

모-송곳 명 모진 송곳.

모수[1] 명〈방〉모시.

모:수[2]【母樹】명 어미나무.

모:수[3]【母數】명〖수〗①보합산(步合算)에서 원금(元金)을 일컫는 말. ②매개 변수(媒介變數). 조변수.

모:수[4]【某數】명 어떤 수.

모수[5]【茅蒐】명〖식〗꼭두서니❶.

모수리 명〈방〉모서리(전남·경남).

모:수-림【母樹林】명〖농〗임업용(林業用)의 종자나 묘목을 채취하는 숲.

모:수-원【母樹園】명 임업용의 종자나 묘목을 채취하기 위한 농원.

모수 자천【毛遂自薦】명〔조(趙)나라의 공자 평원군(平原君)이 초(楚)나라에 구원을 청하기 위하여 사자(使者)를 물색하던 중 모수가 자기 자신을 천거하였다는 고사에서〕자기가 자기를 천거함을 이르는 말.

모순[1]【矛盾】명 ①창과 방패. ②말이나 행동이 앞뒤가 서로 일치하지 아니함. ③〖철〗유(有)와 무(無), 생(生)과 사(死), 참과 거짓 등과 같이 중간(中間)에 존재(存在)하는 것 없이 대립(對立)하여, 양립(兩立)하지 못하는 관계.

모-순[2]【茅盾】명〖사람〗'마오 둔'을 우리 음으로 읽은 이름.

모순 감:정【矛盾感情】명〖심〗지적 감정(知的感情)의 한 가지. 논리적(論理的)으로 서로 용납(容納)하지 않는 표상(表象)의 결합(結合)으로 진위(眞僞)의 판별(判別)은 이에 의거한다고 함.

모순 개:념【矛盾概念】명〖철〗유(有)와 무(無), 인간과 비인간(非人間) 같이 서로 부정(否定)하여 중간에 제삼자를 용인하지 않는 개념. 단순히 양적(量的)인 상대적(相對的) 차별, 곧 현(賢)과 우(愚)와 같은 반대(反對) 개념과는 구별해야 함. *반대 개념.

모순 냉:각【矛盾冷覺】명〖심〗역리적 냉감각(逆理的冷感覺).

모순 당착【矛盾撞着】명 자가 당착(自家撞着).

모순 대:당【矛盾對當】명〔contradictory opposition〕〖논〗형식 논리학에서, 대당 관계(對當關係)의 하나. 전칭 긍정 판단(全稱肯定判斷) A와 특칭 부정 판단(特稱否定判斷) O와의 대당 관계 및 전칭 부정 판단(全稱否定判斷) E와 특칭 긍정 판단(特稱肯定判斷) I와의 대당 관계. A가 참이면 O는 거짓, O가 참이면 A는 거짓, E가 참이면 I는 거짓, I가 참이면 E는 거짓이라는 관계가 있으며, 두 판단은 함께 참이 될 수도 거짓이 될 수도 없음. 즉, 한쪽이 참이면 다른 편은 반드시 거짓이 되므로 두 명제 사이에 제삼(第三)의 경우가 있을 수 없음. 예(例)를 들면 '모든 사람은 죽는다'는 A가 참이라면 '어떤 사람은 죽지 않는다'는 O는 반드시 거짓이 됨.

모순 명사【矛盾名辭】명〔contradictory term〕〖논〗모순 개념(矛盾概念)을 표시한 명사. 즉, 그 속성(屬性)이 서로 양립(兩立)할 수 없는 명사. 모순어(矛盾語).

모순-법【矛盾法】〔—뻡〕명〖논〗모순율(矛盾律).

모순-성【矛盾性】〔—썽〕명〖철〗①모순의 본성. ②모순의 확실성. ③모순된 성질.

모순-어【矛盾語】명〖논〗모순 명사(矛盾名辭).

모순 원리【矛盾原理】〔—월—〕명〖논〗모순율(矛盾律).

모순-율【矛盾律】〔—뉼〕명〔principle of contradiction〕〖논〗논리학의 세 법칙의 하나. 동일 원리(同一原理)의 반면(反面)으로서 모든 사물은 자기 자신과 같은 동시에 그 반대의 것과 같을 수 없다는 원리. 그 형식은 'A는 A 밖엣것이 아니다' 또는 'A는 B인 동시에 B가 아니라고 할 수 없다'와 같이 표현되는 것으로, 모순의 존재를 논리적 사고로부터 배제(排除)하는 원리임. 여기에는 심리학적 법칙·규범적(規範的) 법칙·객관적 가치(價値) 법칙·존재학적(存在學的) 법칙 등이 있음. 모순법. 모순 원리.

모술〔Mosul〕명〖지〗이라크 북부, 티그리스 강 우안(右岸)의 도시. 농산물과 축산물의 집산지이며 제분·피혁·섬유·제당(製糖)·시멘트 공업이 행해짐. 중세(中世) 이래로 직물업도 성하여 모슬린 등의 명칭의 어원이 되기도 함. 부근에 풍부한 석유 자원이 있음. 아시리아의 옛 땅으로 주위에 니네베 등 유적도 많음. 〔243,000명(1981추계)〕

모숨 의명 길고 가느다란 물건이 줌 안에 들 만한 수량. ¶풀을 한 ~ 움켜 뽑다/담배 한 ~.*모금.

모-숭기 명〈방〉모내기.

모슈코프스키〔Moszkowski, Moritz〕명〖사람〗독일 태생의 폴란드 피아니스트·작곡가. 피아노곡을 중심으로 스페인 등의 이국 정서(異國情緖)가 풍부한 기교적인 소품(小品)과 오페라 따위를 썼음. 대표작에 피아노 2중주용의 《스페인 무곡집》이 있음. 〔1854-1925〕

모:스[1]〔Morse, James R.〕명〖사람〗미국의 기업가(企業家). 조선 고종 28년(1891) 조선에 와서, 경인 철도(京仁鐵道) 부설권과 평안 북도 운산 금광(雲山金鑛)의 채굴권을 획득, 자금 부족으로 1899년 경인 철도에 관한 권리를 일본인에게 팔아 넘김. 한국명은 모시(毛時).

모:스[2]〔Morse, Samuel Finley Breese〕명〖사람〗미국의 발명가, 본디 화가였는데, 자연 과학에 흥미를 가지고 전자석(電磁石)을 이용한 유선(有線) 전신을 창안, 1837년 모스 부호를 사용한 전신기를 발명함. 〔1791-1872〕

모스[3]〔MOS〕명〔metal oxide semiconductor〕반도체 기판(基板)의 표면을 얇은 산화막(酸化膜)으로 씌워 금속 전극(電極)을 붙인 금속 산화막 반도체의 구조. 또, 이러한 구성을 기본으로 한 소자(素子). 금속 산화물 반도체.

모:스 경도계【—硬度計】〔Mohs〕명〖광〗독일의 광물학자 모스(Mohs, Friedrich : 1773-1839)가 고안한 경도계. 광물의 경도 비교의 표준이 되는 열 개의 광물을 조합하여, 이것으로써 순차로 시료(試料)의 표준을 그어 경도를 정함.

모스 그린:〔moss green〕명 이끼와 같은 어두운 황록색(黃綠色).

모스-기【—機】〔Morse〕명〖기〗1837년에 모스가 발명한 전신 기계. 모스 부호를 지면(紙面)에 나타나게 하여 송수신하는 장치.

모스 부호【—符號】〔Morse〕명 모스가 고안한 전신용 부호. 모스기(機)에 의하여 송수신하며, 점과 선을 여러 가지로 배합하여 글자를 대신하게 되어 있음.

모스 아이 시:〔MOS IC〕명 금속과 실리콘 사이에 그 산화물을 끼운 구조를 갖는 회로 소자(回路素子)로 이루어지는 집적 회로(集積回路). 저렴한 가격으로 집적도(集積度)를 크게 할 수 있으므로 기억 장치 등에 널리 쓰임. 모스 집적 회로.

모스카〔Mosca, Gaetano〕명〖사람〗이탈리아의 정치학자. 오랜 의회 생활을 통하여 대의제(代議制) 민주주의에 의혹을 품고, 정치를 활동적인 소수인의 소행이라고 보는 '정치 계급'의 이론을 내세움. 그러나 파시즘에는 비판적이었음. 저서에 《통치 이론》·《정치학 원리》 등이 있음. 〔1858-1941〕

모스코:〔Moscow〕명〖지〗'모스크바'의 영어명(英語名).

모스크〔mosque〕명 회교의 예배소. 형식은 정해져 있지 않으나 중앙에 분수가 있고, 메카를 향한 벽면에 감실(龕室)과 설교단을 설치한 것만은 정형(定型)임. 회교 성원(聖院).

모스크바〔Moskva〕명〖지〗러시아 연방의 수도. 유럽 러시아의 중앙부, 모스크바 강의 양쪽 기슭에 걸쳐 있으며, 러시아 연방의 정치·경제·문화의 중심지로 자동차·야금(冶金)·기계·화학·석유·염료 등 각종 공업이 행해짐. 거리는 크레믈린 궁전(宮殿)을 중심으로 하여 방사상(放射狀)으로 발달되었음. 과학 아카데미·모스크바 대학·볼쇼이 극장·모스크바 예술 극장·음악원·박물관(博物館)·도서관 등 문화 시설이 많음. 13세기 이후 모스크바 공국(公國)을 중심으로 발전, 15세기에 러시아의 수도가 됨. 1812년 나폴레옹의 점령 중에 큰 불이 나서 대부분이 소실함. 막사과(莫斯科). 〔8,820,000명(1990)〕

모스크바 경제 회:의【—經濟會議】〔Moskva〕〔—/—이〕명〖경〗1952년 4월 모스크바에서 열린 국제 경제 회의. 정부간에 세계 무역에 관한 회의를 개최하도록 U.N.에 권고하고 각국의 무역 정보를 교환하는

국제 무역 촉진회(促進會)의 설립을 결정하였음. 미·영·프·소·중을 위시한 49개국(國), 471명의 민간 대표가 참가하였음.

모스크바 대:공국【一大公國】〔Moskva〕 명 『역』 동북(東北) 러시아에 세워진 모스크바 공국(公國)의 후신(後身). 1328년 이반 1세 때 대공국이라 칭하고 킵차크 한국(Kipchak 汗國)을 격파하여, 주위의 여러 나라를 병합함. 16세기 초에 이반 3세가 동북 러시아의 통일을 완성, 16세기 중엽에 이반 4세가 차르(Tsar)라 칭하고 전러시아에 군림함.

모스크바 대학【一大學】〔Moskva〕 명 모스크바에 있는 러시아 연방 최고(最古) 최대의 종합 대학. 1755년에 창립되었으며, 창립자의 이름을 딴 로모소노프(Lomosonov) 기념 모스크바 국립 대학이 정식 명칭임. 역학·수학·물리학·화학·생물학·토양학·지리학·지질학·역사학·언어학·철학·경제학·법학·저널리즘·심리학의 각 학부가 있음.

모스크바 방:송【一放送】〔Moskva〕 명 모스크바의 국영 중앙 방송국에서 하는 방송. 67종의 언어를 사용하는 국내 방송 외에 50여 종의 외국어를 사용하는 해외 방송이 있음.

모스크바 삼국 외:상 회:의【一三國外相會議】〔一/一이〕〔Moskva〕 명 『정』 1945년 12월 모스크바에서 열린 미·영·소 삼국의 외상 회의. 여기서 모스크바 협정이 지어졌음. 준모스크바 삼상 회의.

모스크바 삼상 회:의【一三相會議】〔一/一이〕〔Moskva〕 명 『정』 ↗ 모스크바 삼국 외상 회의.

모스크바 선언【一宣言】 명 〔Moscow Declaration〕 『정』 ①1943년 10월 30일 미·영·소의 삼국(三國) 외상이 모스크바에서 회합하여 발표한 네 가지 선언. 특히, 중요한 것은 중국도 서명한 전반적인 안전 보장 선언으로, 4국의 협력 유지와 새로운 국제 조직의 설립을 제의함. 그 밖에 오스트리아의 재건과 전쟁 범죄인의 처벌 등 전후 처리안 등이 제시됨. ②1957년 11월에, 10월 혁명 40주년 기념을 위해 각국 공산당이 모였을 때, 공산주의 국가의 공산당 대표 회의에서 채택한, 국제 공산주의 운동의 공동 강령(共同綱領). 동서 양체제 사이의 평화 공존을 공산주의 국가의 대외 정책의 기초임을 표방하고, 사회주의 혁명이 각 나라의 구체적인 역사적 조건에 따라 자주적으로 적용되어야 함을 요구하고, 남의 나라의 정책과 전술을 기계적으로 적용하는 교조주의(敎條主義)를 경계한 내용임. ③1972년 5월에, 닉슨 미국 대통령이 소련을 방문하여 모스크바에서 브레즈네프 소련 공산당 서기장과 회담한 후 조인한 선언. 미소간의 관계에 관한 기본 원칙 12 조(條)로 되어 있으며, 평화 공존이 유일한 길임을 천명함.

모스크바 성명【一聲明】〔Moskva〕 명 1960년에 모스크바에 모인 각국 공산당 대표가 채택한, '팔십일 개국 선언(八十一個國宜言)'의 딴이름.

모스크바 예:술 극장【一藝術劇場】〔Moskva〕 명 모스크바에 있는 큰 극장. 또, 그 극단. 1898년 스타니슬라프스키(Stanislavski, K.)가 창설.

모스크바 원:정【一遠征】〔Moskva〕 명 『역』 1812년에 나폴레옹이 행한 러시아 침공(侵攻). 러시아가 대륙 봉쇄령(封鎖令)을 어기고 영국과 무역을 재개하자 나폴레옹은 이를 제재(制裁)하기 위해 60만의 병력을 이끌고 5월에 파리를 떠나 9월에 모스크바를 점령했으나 추위와 러시아측의 초토(焦土) 작전에 봉착하여 패퇴(敗退), 12월에 파리로 돌아옴. 이 패퇴는 나폴레옹 몰락의 중대 원인이 되었음. *동장군(多將軍).

모스크바 협정【一協定】 명 〔Moscow Agreement〕 『정』 1945년 12월 모스크바에서 열린 미·영·소 삼국 외상 협정. 그 내용은 유럽 평화 회의의 개최, 원자력 국제 관리에 관한 위원회의 설치, 대일(對日) 정책을 조정하기 위한 극동(極東) 위원회의 설치, 한국에 미·소 공동 위원회를 설치하고 신탁 통치(信託統治)에 관한 방침을 세울 것, 중국의 통일을 촉진할 것 등이었음.

모스키토-급【一級】〔mosquito〕 명 권투 경기에서의 체급의 하나. 아마추어 주니어부에만 있는 체급으로 체중 39-42kg임.

모스키토 해:안【一海岸】〔Mosquito〕 명 『지』 중앙 아메리카, 니카라과 공화국 동쪽의 카리브 해(海)에 면한 해안 및 그 지방 일대.

모스 트랜지스터 〔MOS transister〕 명 〔MOS는 'metal oxide semiconductor'의 약자〕 전기장 효과(電氣場效果) 트랜지스터의 일종. 전자의 흐름을 제어하는 게이트가 산화막(酸化膜)으로 절연되어 있는 것.

모슬[1] 명 〈방〉 마을❸(전남).

모슬[2]【毛蝨】 명 『충』 사면발이❶.

모슬갱이 명 〈방〉 모서리(충남).

모슬렘 〔Moslem〕 명 이슬람교도(敎徒).

모슬렘 연맹【一聯盟】〔一년一〕 명 〔Moslem League〕 『정』 파키스탄의 정당(政黨). 영령(英領) 인도에서 독립 운동이 성행할 즈음 힌두교도와 협력하던 이슬람교도들이 차츰 독자적인 입장을 취하다가, 1906년 이슬람 내셔널리즘을 정책으로 채용하여 결성한 정당으로, 파키스탄이 인도와 분리되어 독립하자 파키스탄의 정권을 담당하였음.

모슬린 〔프 mousseline〕 명 메린스.

모슬-봉【摹瑟峰】 명 『지』 제주도의 모슬포(摹瑟浦) 북쪽의 산. 민틋한 원추형(圓錐形) 측화산(側火山)으로, 산정(山頂)까지 제주 명물인 현무암(玄武岩)의 돌담이 쌓여 있음. [187 m]

모슬-총【毛瑟銃】 명 '모제르총(銃)'의 음역(音譯).

모슬-포【摹瑟浦】 명 『지』 제주도(濟州島) 서남단에 있는 항구. 서귀포(西歸浦)와의 사이에 정기 항로(定期航路)가 있고 한국 최남단의 군사 기지로 비행장도 있음. 부근의 농산물·수산물의 집산지임.

모습 명 〈방〉 머슴(경기·강원).

모습[1] 명 ①사람의 생긴 모양. 자망(姿望). ¶ 어릴 때의 ~ 그대로다 / 생전의 ~. ②자취나 흔적. ¶ ~을 나타내다. ③사물의 드러난 모양. ¶ 거리의 ~/나라가 발전된 ~. 주의 '貌襲'으로 쓴은 취음(取音).

모습[2]【模襲·摸襲】 명 모방(模倣)❶. ──하다 타 여불

모시[1] 명 ①모시풀 껍질의 섬유(纖維)로 짠 피륙. 저포(紵布). ②『식』 ↗모시풀.

【모시 고르다 베 고른다】 ㉠처음에 뜻하던 바와는 전연 다른 결과에 이르렀을 때 이르는 말. ㉡좋은 것을 골라 가지려다, 도리어 뒤골라 좋지 못한 것을 차지하게 됨을 이르는 말.

모시[2] 명 〈방〉 모이(경기·강원·전라·경상·충청·함경).

모시[3]【毛詩】 명 『책』 〔한(漢)나라 때의 모형(毛亨)이 전하였다는 뜻으로 일컫는 말〕 '시전(詩傳)'의 별칭.

모:-시[4]【某時】 명 아무 때. 아무 시간. ¶ 모일(某日) ~.

모:시[5]【侮視】 명 멸시(蔑視). ──하다 타 여불

모시[6] 〔Moshi〕 명 『지』 탄자니아 북부, 킬리만자로 남쪽 기슭에 있는 도시. 표고(標高) 800 m의 고원(高原)에 있으며, 커피 재배의 중심지이고 공항(空港)이 있음. [52,000명(1978)]

모시-금자라 명 『충』 [*Aspidomorpha transparipennis*] 잎벌렛과에 속하는 곤충. 몸길이 6-7 mm이고 몸빛은 황갈색에 시초(翅鞘)는 금속 광택이 나며 편평한 가장자리에는 갈색의 띠무늬가 있고, 촉각 끝의 두 마디는 검음. 한국·일본·시베리아에 분포함.

모시-나비 명 『충』 ①호랑나빗과 모시나비 아과(亞科)에 속하는 곤충의 총칭. 붉은점모시나비·왕붉은점모시나비·모시나비 등이 있음. ②[*Parnassius stubbendorfii hoenei*] 호랑나빗과 모시나비 아과에 속하는 곤충의 하나. 편 날개의 길이는 36-72 mm이고 날개는 반투명 백색 바탕에 담흑색 반문(斑紋)이 있는데, 뒷날개의 흑색 무늬는 폭이 넓고, 수컷의 몸에는 회백색 털이 있음. 5월경에 발생하며, 덤불 속의 마른 가지에 산란하여 월동하고, 이듬해 2-3월에 부화하여 돌 밑이나 낙엽 밑에서 유충(幼蟲)으로 변태하면 '암탈개비'라고 하는데 두부(頭部)에 육각(肉角)이 있음. 한국·만주·중국·시베리아·일본 및 북미(北美)의 한랭(寒冷) 지방에 분포함.

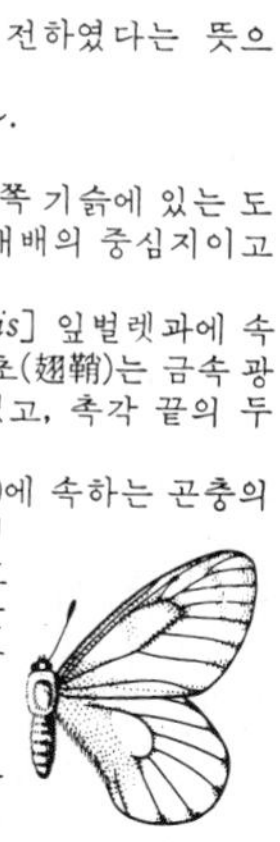

〈모시나비❷〉

모:시다 타 ①윗사람이나 존경하는 이를 받들고 함께 있다. 손윗 사람을 가까이에서 받들다. ¶ 양친을 ~. ②손윗사람을 받들어 손수 안내해 드리다. ¶ 할아버지를 창경궁으로 ~ /손님을 안방으로 ~. ③웃어른의 제사·장사·환갑 등을 지내다. ¶ 제사를 ~. ④떠받들어 앉히다. ¶ 사장으로 ~.

모시-두레 명 『민』 충청 남도 부여(扶餘) 지방에서의 '두레길쌈'의 특칭(特稱).

모시-류【毛翅類】 명 『충』 날도래목(目).

모시리 명 〈방〉 마을❸(전북).

모시매 명 〈방〉 사내아이(전라).

모시-물통이 명 『식』 [*Pilea viridissima*] 쐐기풀과에 속하는 일년초. 줄기는 장질(漿質)이고, 높이 60 cm 내외이며, 엷은 녹색을 띰. 잎은 대생하고 장병(長柄)이며 달걀꼴 또는 능상(菱狀)의 달걀꼴임. 8월에 엷은 녹색꽃이 취산(聚繖) 화서로 액출(腋出)하여 피고, 과실은 수과(瘦果)임. 들의 음습지에 나는데, 제주·충북·강원·경기·평북·함남에 분포함. 어린 잎과 줄기는 식용함. *물통이[2].

모시 박사【毛詩博士】 명 모시에 능통한 사람.

모시뵈 명 〈옛〉 모시. 모시베. ¶ 또 이 물과 모시뵈를 사오노라(又買了這些馬并毛施布來了) ≪老乞 上 14≫.

모시외 명 〈옛〉 모시베. ¶ 누른 모시외 다삿과(五箇黃毛施布) ≪朴解 上 51≫.

모시-요【毛柴窯】 명 잡목(雜木)으로 불을 때어 도자기를 굽는 가마. ↔송시요(松柴窯).

모시-우묵날도래 명 『충』 [*Limnophilus correptus*] 우묵날도랫과에 속하는 곤충. 몸길이 12-15 mm, 편 날개의 길이 32-38 mm임. 몸빛은 두흉부는 적갈색, 몸의 아랫부분과 다리의 대부분은 황갈색임. 앞날개는 반투명, 중앙은 투명한 담황색이며, 연문부(緣紋部)에 녹갈색 무늬가 두 개 있음. 유충은 모의 해충임. 한국에도 분포함.

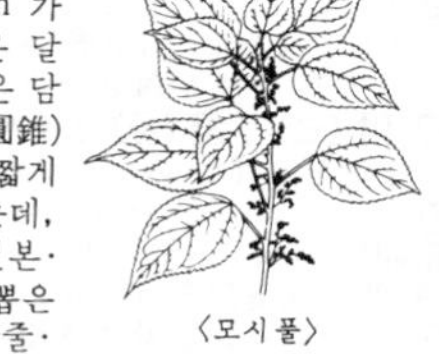
〈모시우묵날도래〉

모시-전【一廛】 명 『역』 〈속〉 저포전(紵布廛).

모시-조개 명 『조개』 가막조개.

모시조개-젓 명 모시조개의 속살로 담근 젓.

모시-풀 명 『식』 [*Boehmeria frutescens*] 쐐기풀과에 속하는 다년초. 근경(根莖)은 목질(木質)이고, 땅 속에 벋어 번식하며 줄기는 원기둥꼴이고, 높이 1-2 m 가량임. 잎은 호생하고 유병(有柄)이며 넓은 달걀꼴 또는 둥근 달걀꼴임. 7-8월에 암꽃은 담녹색, 수꽃은 황백색으로 피는데 원추(圓錐) 화서로 액출(腋出)하여 엽병(葉柄)보다 짧게 피며, 수과(瘦果)를 맺음. 밭에 재배하는데, 제주·전남·경북·충남의 한산(韓山) 및 일본·중국 등지에 분포함. 줄기의 껍질에서 뽑은 섬유를 '모시'라고 하며 선박(船舶)의 밧줄·어망(漁網)·여름 옷감을 짜는 데 씀. 저마(苧麻). 라미(ramie). 준모시.

〈모시풀〉

모시 항:라【一亢羅】〔一나〕 명 모시로 짠 항라(亢羅).

모식【模式】 명 표준이 되는 전형적인 형식.

모식-도【模式圖】 명 사물의 본·진행·조직 등을 도식적(圖式的)으로 정리·배열한 그림. ¶ 지형의 ~.

모:신[1]【母神】 명 모성(母性) 원리를 인격화(人格化)한 신.

모신[2]【謀臣】 명 꾀가 많아 모사(謀事)에 뛰어난 신하. 모계(謀計)를 꾸미는 신하. 계신(計臣). 유악(帷幄).

모:신-상【母神像】 명 선사(先史) 시대에 숭배와 의례(儀禮)에 쓰였던 여성상. 유방과 둔부(臀部)의 과장(誇張)이 특징이며 임신부를 표방하

여 복부(腹部)를 강조한 것도 많음.

모실 명 〈방〉 마을❷❸(경남·전라).

모심¹ 명 〈방〉 머슴(경기).

모:심² 【慕心】 명 사모하는 마음. 모념(慕念).

모-심기 [—끼] 명 모를 옮기어 심는 일. 모내기. 이앙(移秧). ——-하다 「자여불」

모심기-소리 [—끼—] 명 〖악〗 모내기 노래.

모-심다 [—따] 자 모내다¹❶.

모싯-대 명 〖식〗 [*Adenophora remotiflora*] 초롱꽃과에 속하는 다년초. 뿌리는 다소 비대(肥大)하고 줄기는 높이 50-100cm이며, 잎은 호생하고 장병(長柄)이며 달걀꼴의 긴 타원형에 끝이 뾰족함. 8-9월에 자줏빛 종상화(鐘狀花)가 원추(圓錐) 화서로 줄기 끝 또는 엽액(葉腋)에 달려 핌. 산지에 나는데, 한국 각지에 분포함. 뿌리는 '제니(薺苨)'라고 하여 약재로 쓰며 어린 잎과 함께 식용함. 게로기. 제니(薺苨).

〈모싯대〉

모싯-빛 명 ①모시의 빛. ②엷은 노랑.

모쌀¹ 명 〈방〉 멥쌀(전북).

모쌀² 명 〈방〉 모래(경남).

모-씨¹ 명 〈방〉 볍씨.

모:씨² 【母氏】 명 흔히 아랫사람의 어머니를 일컫는 말.

모:-씨³ 【某氏】 인대 아무 양반. '아무개'의 존칭.

모시다 타 〈옛〉 기르다. ¶ 모실 목(牧) 《字會 中 2》.

모:아¹ 【母蛾】 명 알을 스는 암누에나방.

모아² [moa] 명 〖조〗 모아목(moa目)에 속하는 큰 새. 절멸(絶滅) 동물의 하나로, 20종 이상으로 구별됨. 뉴질랜드 원산(原産)임. 가장 작은 것은 아노말로프테릭스 파르바(*Anomalopteryx parva*)로 칠면조 크기이며, 가장 큰 것은 디노르니스 막시무스(*Dinornis maximus*)인데, 키 4m 남짓, 몸무게 230kg으로 추정됨. 목은 가늘고 길며 비대(肥大)함. 날개는 퇴화해서 날지 못하고 발가락이 셋인 다리가 발달하여 지상 생활에 적합함. 타조 비슷하나 알이 타조 것보다 훨씬 큼. 넓은 들이나 강가에 살며 연한 나뭇잎·새우·조개 등을 먹었음. 원주민이 식용과 깃털을 의료(衣料)로 하기 위하여 마구 잡아 19세기 말에 절멸해 버림. 뼈·깃털이 붙은 가죽·알 등이 발견됨. 공조(恐鳥). *공룡(恐龍).

〈모아²〉

모:아 검:사 【母蛾檢査】 명 누에의 미립자병(微粒子病)의 발생을 방지하기 위하여 산란(産卵)을 마친 암누에나방의 체내에 병원체가 있나 없나 검사하는 일.

모아-들다 자 여럿이 어떤 범위 안으로 향하여 오다. 모여들다.

모아브 [Moab] 명 〖지〗 요르단의 남서부, 사해(死海)의 동안(東岸) 고원 지대(高原地帶)의 옛이름. 구약 성서 시대에 모아브인이 정주(定住)하였음.

모아브-비 【—碑】 [Moab] 명 〖역〗 1868년 팔레스타인의 디본(Dibon)에서 클라인이 발견한 현무암 비. 기원전 842년에 모아브 국왕 메시아(Messias)가 이스라엘에 전승(戰勝)을 거둔 기념비임.

모아브-어 【—語】 [Moab] 명 셈어족(Sem語族)의 가나안어(Canaan語)의 하나. 모아브 국왕 메시아의 비문(碑文)이 이 언어로 새겨져 있음. 히브리어(語)와 흡사함.

모아브-인 【—人】 [Moab] 명 구약 성서 시대에 이스라엘 사람과 투쟁을 반복하던 셈족의 한 분파. 사해(死海)의 동쪽 모아브 고원(高原)에 살았으며, 기원전 8세기경에 번영하였던 것으로 보임.

모아-짜기 명 〖인쇄〗 조판(組版)에서, 페이지에 관계없이 '이어짜기'한 것을 페이지 단위로 정판(整版)하는 일. 또, 그 판(版).

모아-짜다 타 여럿을 모아서 한 덩이가 되게 하다.

모악 동:물 【毛顎動物】 명 〖동〗 [Chaetognatha] 동물계(動物界)를 분류한 문(門)의 하나. 극피(棘皮) 동물과 가까운 종류인데, 몸길이 보통 1cm이나 2-3cm의 것도 있으며 두부(頭部)에 한 쌍의 눈과 그 좌우 측면(側面)에 강모(剛毛) 곧, 악모(顎毛)가 있음. 몸은 좌우 상칭(左右相稱)으로 가늘고 길며, 배복부(背腹部)는 편편하고 1-2 쌍의 지느러미와 꼬리에 삼각형의 지느러미가 있어서 화살처럼 활발하게 헤엄치는 부유(浮游) 동물인데 자웅 동체(雌雄同體)임. 화살벌레 등이 이에 속함.

모:악-산 【母岳山】 명 〖지〗 전라 북도 완주군(完州郡) 구이면(九耳面)과 김제시(金堤市) 금산면(金山面)에 걸쳐 있는 산. 노령 산맥(蘆嶺山脈)의 서쪽 끝에 위치함. [801m]

모:암 【母岩】 명 〖광〗 ①광맥(鑛脈)을 품고 있는 바위. ②〖지〗 뒤에 퇴적암을 형성하게 되는 쇄설물(碎屑物)을 만들어 낸 암석.

모압 [Moab] 명 〖성〗 모아브.

모애¹ 명 〈방〉 멍에(경북).

모:애² 【慕愛】 명 사모하고 사랑함. ——-하다 타여불

모:애³ 【暮靄】 명 저녁 무렵의 이내.

모:액¹ 【母液】 명 용액 중에서, 용질(溶質)이 결정(結晶)한 것 또는 침전물(沈澱物)을 제거(除去)한 나머지의 액(液).

모액² 【帽額】 명 치는 발의 윗머리 언저리에 기다랗게 댄 헝겊.

모야¹ 명 〈옛〉 모양. ¶ 紅桃花 マ티 븕거신 모야해 《樂範 處容歌》.

모:야² 【暮夜】 명 깊은 밤. 이슥한 밤. 혼야(昏夜).

모:야간-에 구 어두운 밤중에. 이슥한 밤중에. 「誰也).

모:야 모:야 【某也某也】 인대 아무아무. 아무개아무개. 모야 수야(某也

모:야 무지 【暮夜無知】 명 어두운 밤중에 듣고 보는 사람이 없음. 알 사람이 없음. ¶ 원산 사는 동포가 처자를 데리고 온 것을 ~에 칼로 찔러 죽이고 그 처를 빼앗아간 일도 있고…《李海朝: 巢鶴嶺》.

모:야 수야 【某也誰也】 인대 아무아무. 누구누구. 모야모야(某也某也). *아무아무.

모야히 〈옛〉 모양이. ¶ 金色 모야히 드닚 光이러시니 《月釋 Ⅱ:51》.

모:양¹ 【某樣】 명 어떠한 방식. 모조(某條).

모양² 【模樣·貌樣】 명 ①사람이나 물건의 겉에 나타나는 형태. 모습·맵시·생김생김·됨됨이 따위. 모양다리. ¶ 겉 ~이 좋다/~만 내다. ②어떠한 형편이나 상태. 되어 나가는 꼴. ¶ 사는 ~/그런 ~으로 일을 처리해선 안 되네. ③체면. ¶ ~이 아닐세. ④겉에 나타난 판국으로 미루어 그렇게 짐작됨을 나타내는 말. ¶ 그 사람 회사를 그만둔 ~이더군.

[모양이 개잘량이라] 체면과 명예를 완전히 잃었음을 가리키는 말.

모양(을) 내:다 구 꾸미어 맵시를 내다.

모양(이) 사:납다 구 모양이 흉하다. 모양이 보기에 아주 나쁘다.

모양(이) 아니다 구 모양이 안 되어서 차마 볼 수가 없다.

모양(이) 있다 구 모양이 좋다. 맵시가 있다.

모:양³ 【某樣】 부 〈이두〉 아무쪼록. 모조(某條).

모양-다리 【模樣—】 명 물건의 모양새. 모양.

모양-새 【模樣—】 명 ①모양의 됨됨이. ②체면의 태(態). 체면의 꼴.

모양-성 【牟陽城】 명 〖역〗 고창 읍성(高敞邑城)의 딴이름.

모양-체 【毛樣體】 명 [ciliary body] 〖생〗 안구(眼球)를 싸는 막(膜)의 일부. 수정체의 두께, 곧 초점 거리를 조절하는 작용이 있음. *눈¹.

모양체-근 【毛樣體筋】 명 [ciliary muscle] 〖생〗 모양체의 내부에 있는 평활근(平滑筋). 모양체의 신축을 맡고 있음.

모양체-염 【毛樣體炎】 명 [cyclitis] 〖의〗 모양체에 일어나는 염증. 모양체에 충혈(充血)이 생기고 누르면 동통(疼痛)을 느끼며 보통 홍채염(虹彩炎)과 병발(倂發)함. 이 병에 걸리면 수정체의 영양(營養)이 나빠지므로 백내장(白內障)에 걸리기 쉬움.

모:어¹ 【母語】 명 ①어머니 품에서 배운 바탕이 되는 말. ②모국어(母國語). ③[프 langue mère] 〖언〗 언어를 어족(語族)으로 분류하여 고찰한 경우, 지리적 시대적으로 분화하여 발달해 나간 언어의 모체(母體)가 되는 언어. 이를테면 프랑스나 이탈리아 언어의 모어는 라틴어임.

모:어² [More, Thomas] 명 〖사람〗 영국의 정치가·인문주의자(人文主義者). 대법관으로 있으면서 《유토피아(Utopia)》를 지어 이상 국가를 그렸음. 전통적인 가톨릭 신자로, 국왕 헨리 8세(Henry 八世)의 반로마(反Roma)주의에 반대하여 참수되었음. [1478-1535]

모어³ [mower] 명 동력(動力)을 이용하여 목초(牧草)를 깎는 기계. 제초기.

모어리-수에 감 ☞무에리수에.

모:어 피펫 [Mohr pipette] 명 [발명자인 독일의 화학자 Karl Friedrich Mohr(1806-79)의 이름에서] 관(管)의 측면에 같은 간격의 눈금이 있어서, 어떤 양(量)까지의 임의의 부피의 액체(液體)를 채취할 수 있는 피펫.

모:언 【侮言】 명 업신여기어 하는 말. 남을 업신여기는 말.

모얼론-유 【—油】 [moellon] [—뉴] 명 가죽을 기름으로 무두질할 때 나오는 폐유. 가죽에 먹인 기름을 압착(押搾) 등의 방법으로 회수하여 얻는데, 가죽에 칠하는 기름으로 이용함.

모에 명 〈방〉 멍에(경남).

모여-들다 자 [↗모이어 들다] 여럿이 어떤 범위 안으로 향하여 오다. ¶ 군중이 모여들기 시작한다. 「뜻》.

모아들다.

모여-오다 타 〈궁중〉 가져오다. ¶ 지 모여오오《'요강 가져 오시오'의

모역 【謀逆】 명 ①역적질을 꾀함. 국가에 대한 반역(叛逆)을 도모(圖謀)함. ②종묘(宗廟)·산릉(山陵)·궁전(宮殿) 등을 파괴하기를 꾀한 죄의 이름. ——-하다 자타여불

모역-법 【募役法】 명 〖역〗 중국 송(宋)나라의 왕안석(王安石)이 채택한 법의 하나. 부역(賦役) 면제 대신에 바치게 하던 돈을 가지고 실업자를 싼 임금으로 고용하고 그 차액(差額)은 수입(收入)으로 하던 법.

모역-죄 【謀逆罪】 명 모역한 죄. 「한 연와(燕窩).

모연¹ 【毛燕】 명 털이 섞이고 피 흔적이 있으며 빛깔이 검고 좋지 아니

모연² 【募緣】 명 〖불교〗 중이 시주(施主)에게 돈이나 물건을 기부(寄附)하게 하여 선연(善緣)을 맺게 함. ——-하다 타여불

모:연³ 【暮煙】 명 저녁 무렵의 연기.

모연-문 【募緣文】 명 〖불교〗 모연(募緣)하는 글.

모영 【毛穎】 명 털붓.

모예 【旄倪】 명 노인과 어린이.

모옌:도 [Mollendo] 명 〖지〗 페루 남부, 태평양 연안의 항구 도시. 아레키파(Arequipa)에서 티티카카 호(Titicaca湖)로 통하는 철도의 기점으로, 직물·제분·수산 가공 등의 공업이 행하여짐. 부근은 해안이 아름다워 관광·휴양지로 알려짐. [22,000명(1981)]

모오리-돌 명 모나지 아니하고 둥글둥글한 돌.

모옥 【茅屋】 명 ①띠나 이엉 같은 것으로 인 조그만 집. 띳집. ②자기 집을 낮추어 일컫는 말. 모사(茅舍). 모자(茅茨). 모당(茅堂).

모와 【牡瓦】 명 수키와. ↔빈와(牝瓦).

모욕¹ 명 〈옛〉 목욕. ¶ 므레 글혀 모욕 ᄀᆞᄆᆞ라(煮湯浴之) 《救簡 1:104》.

모:욕² 【侮辱】 명 깔보고 욕되게 함. ——-하다 타여불

모:욕-감 【侮辱感】 명 깔보여 업신여김을 당하는 느낌. 모욕을 당하는 느낌.

모:욕-적 【侮辱的】 명관 깔보고 업신여기는 모양.

모:욕-죄 【侮辱罪】 명 〖법〗 명예 훼손죄(名譽毁損罪)의 한 가지. 남을 공공연히 모욕함으로써 성립하는 죄. 친고죄(親告罪)임.

모용¹ 【毛茸】 명 〖식〗 식물의 거죽에 생기는 잔 털.

모:용² 【慕容】 명 [Bayan] 〖역〗 선비 삼성(鮮卑三姓)의 하나. 2세기경 랴오시(遼西) 지방에 웅거하다가 4세기경에 중국 동북부로 이동하여 전연(前燕)·후연(後燕)·서연(西燕)·남연(南燕) 등의 나라를 세웠음.

모용³ 【貌容】 명 얼굴 모양. 용모(容貌).

모:용-수【慕容垂】 명 《사람》 중국 오호 십육국의 후연(後燕)을 건국한 사람. 352년 오(吳)나라 왕으로서 위명을 떨치자 숙부 모용 평(慕容評)이 이를 시기하므로, 369년 전진왕(前秦王) 부견(苻堅)에게로 도망하여 관군 장군이 되어 사방을 정복하고 386년 자립하여 후연의 황제가 되었음. [326-396; 재위 386-396]

모:용-외【慕容廆】 명 《사람》 중국 전연(前燕)의 시조. 선비족(鮮卑族) 출신으로, 선비 대선우(大禪于)를 자칭, 285년 부여(扶餘)를 침공하여 왕을 자살케 하고, 고구려 봉상왕 2년(293)에 고구려에 내침하여 격퇴당했으며, 297년에 재차 침입하여 곧 철군함. 묘호(廟號)는 고조(高祖). [269-333; 재위 285-333]

모:용-황【慕容皝】 명 《사람》 중국 전연(前燕)의 2대 왕. 외(廆)의 아들. 고구려 고국원왕 21년(342) 5만여의 군사를 이끌고 고구려에 침입, 환도성(丸都城)을 함락시키고, 미천왕(美川王)의 능을 도굴함. 346년에도 아들 준(儁)을 시켜 부여(扶餘)를 쳤음. 묘호(廟號)는 태조(太祖). [297-348; 재위 333-348]

모우[1]【牡牛】 명 소의 수컷. 수소. ↔빈우(牝牛).

모우[2]【牦牛】 명 《동》 솟과에 속하는 짐승. 코뿔소 비슷한데 몸이 길쭉하고 등에는 길이 한 자가 넘는 검은 털이 있으며 힘이 셈. 흰 빛이 섞인 털은 붉은 물을 들이어 모절(旄節)·정절(旌節) 및 갓끈이나 갓도래를 만드는 데 씀. 중국(中國)의 서북과 서남 변경(邊境)에서 야생(野生)함.

〈모우[2]〉

모:우[3]【冒雨】 명 비를 무릅씀. ——-하다 (자)(여불)

모:우[4]【暮雨】 명 저녁 때에 오는 비.

모우 미:성【毛羽未成】 명 ①'어린애'를 가리키는 말. ②사람이 아직 어림. ——-하다 (형)(여불)

모우-좌【牡牛座】 명 《천》 황소자리.

모:운[1]【母韻】 명 《언》 모음(母音).

모:운[2]【暮雲】 명 날이 저물 무렵의 구름. 저녁때의 구름.

모:운-문【慕雲門】 명 《불교》 조선 중기의 중 진언(震言)이 세운 선종(禪宗)의 한 문파(門派).

모울메인〔Moulmein〕 명 《지》 미얀마 남부, 마르타반 만(Martaban 灣) 동쪽 살윈 강(Salween 江) 어귀에 있는 항시(港市). 티크 재(teak 材)와 쌀의 적출항(積出港)으로서 제재(製材)·정미(精米) 공업이 행하여짐. 살윈 강 수운(水運)의 기점임. [219,991 명(1983)]

모:원【母院】 명 《기》 여자 수도원의 본부.

모원-고【毛員鼓】 명 《악》 중국 수당(隋唐) 때, 구자(龜茲)와 천축(天竺)에서 쓰던 북의 한 가지.

모:-월【某月】 명 아무 달. 어떠한 달. 어느 달. ¶ ～ 모일.

모:유[1]【母乳】 명 제 어머니의 젖. 어미젖.

모유[2]【謨猷】 명 원대(遠大)한 꾀. 멀고도 큰 꾀.

모:유 영양법【母乳營養法】[—뻡] 명 생모(生母)가 스스로 수유(授乳)하는 자연(自然) 영양법의 하나.

모:유 영양아【母乳營養兒】 명 생후 적어도 3개월 동안 모유(母乳)만으로 자란 어린 아이. 인공 영양아에 비하여 감염률(感染率)·사망률이 낮다고 하나 꼭 그렇지만도 않음. 다만 비위생적인 빈곤한 환경에서는 모유 영양이 훨씬 나으며, 미숙아(未熟兒)나 최저 3개월까지의 유아에게는 모유 영양이 바람직함.

모:유 오:염【母乳汚染】 명 농약 등에 의해서 오염된 음식물을 먹은 임산부의 젖에 오염 물질이 남아 있는 일.

모으다 (타) 〔중세 : 뫼호다〕 ①여럿을 한 곳으로 오게 하다. 모이게 하다. ¶ 회원을 ～/시선을 ～. ②돈이나 물건 따위를 저축하다. ¶ 돈을 ～. ③수집하다. ¶ 우표를 ～. ④나무쪽들을 한 데 맞추어서 배를 만들다. ¶ 배를 ～. (준)모다.

모:음【母音】 명 〔vowels〕 《언》 성대(聲帶)의 진동(振動)을 받은 소리가 입술·코·목구멍의 장애에 의한 마찰을 받지 않고 나오는 유성음(有聲音). 우리 말에는 현재 'ㅏ·ㅓ·ㅗ·ㅜ·ㅡ·ㅣ·ㅐ·ㅔ·ㅚ·ㅟ' 등 10개의 단모음(單母音)과 'ㅑ·ㅕ·ㅛ·ㅠ·ㅘ·ㅝ·ㅒ·ㅖ·ㅙ·ㅞ·ㅢ·ㅟ' 등 12개의 복모음(複母音)이 있음. 홀소리. 모운(母韻). ↔자음(子音).

모음-곡【—曲】 명 〔suite〕 《악》 기악곡(器樂曲)의 한 형식. 여러 개의 악곡을 조합하여 하나로 만든 여러 악장(樂章)으로 된 악곡. 고전(古典) 모음곡과 근대(近代) 모음곡으로 나누어짐. 조곡(組曲). 스위트.

모:음 도표【母音圖表】 명 《언》 각각의 모음을 음성적(音聲的) 성질에 의하여 가른 그림표. *모음 삼각형.

모:음 동화【母音同化】 명 《언》 모음이 서로 접속(接續)할 때에 한 모음이 다른 모음에 동화하는 현상. 간음화(間音化)·월타 동화(越他同化) 등이 있으며 모음 조화(母音調和)가 가장 대표적임. 홀소리의 닮음.

모:음 변:화【母音變化】 명 《언》 모음이 동화(同化)·조화 현상으로 변하는 현상. *모음 조화.

모음 보:표【—譜表】 명 《악》 모음 악보.

모:음 삼각형【母音三角形】 명 〔vowel triangle〕 《언》 모음을 발음할 때, 혀의 위치와 입의 벌림이 다름에 따라 생기는 음색(音色)의 상위(相違)함을 도시(圖示)한 삼각형. 한글의 경우는 혀와 구개(口蓋)가 접근하는 부분 중에 'ㅣ·ㅜ·ㅏ'의 세 개 모음이 삼각의 극단(極端)으로 떨어져 위치함. *모음 도표.

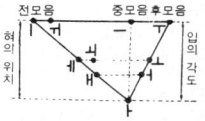

전모음 중모음 후모음 혀의 위치 입의 각도 ㅣ ㅡ ㅜ ㅔ ㅓ ㅗ ㅐ ㅏ

〈모음 삼각형〉

모:음-성【母音性】[—썽] 명 〔vocality〕 《십》 대개의 음(音)은 들으려고 생각하면 모음의 어느 것으로 들리는 것 같은 성질. 예컨대 '삐' 소리는 '이'와, '부' 소리는 '우'와 같은 느낌을 갖는 것 등임.

모음 악보【—樂譜】 명 《악》 관현악이나 관악 합주 등과 같이 여러 가지 악기로 연주할 때 한눈에 전체의 곡을 볼 수 있게 적은 악보. 곡을 적는 차례는 목관 악기·금관 악기·타악기와 하프 또는 현악기의 차례로 위에서부터 아래로 적음. 총보(總譜). 스코어(score). 모음 보표.

모:음 전:환【母音轉換】 명 〔도 Vokalablaut〕 《언》 어느 언어의 형태론적 조직에 있어서, 어떤 모음의 음색이 여러 가지로 전환하는 현상. 일반적으로 인도 유럽어(語)에 있어서 대단히 중대한 의의를 가짐. 영어의 drink, drank, drunk 같은 것. *모음 조화.

모:음 조화【母音調和】 명 〔vocal harmony〕 《언》 모음 동화의 한 가지. 두 음절 이상으로 된 단어에서, 뒤 음절의 모음이 앞 음절 모음의 영향을 받아, 전혀 동일하거나 가까운 모음이 되어, 음(音)의 해조(諧調)를 이루는 현상. 곧, 양성(陽性) 모음과 음성(陰性) 모음이 각각 구별되어 조화하고, 중성(中性) 모음은 양쪽에 다 조화함. 예를 들면 '보아라·부어라·'촐랑촐랑'·'출렁출렁' 등임. 알타이 어족의 한 특성으로, 터키 및 한국어에서 특히 뚜렷하나, 15세기 이래 그 원칙이 차차 붕괴(崩壞)되고 있음. 홀소리고름. 홀소리어울림. *모음 변화(變化)·모음 전환(轉換).

모:음 충돌【母音衝突】 명 〔hiatus〕 《언》 한 단어의 내부나 두 단어 사이에서 각기 별개의 음절에 속한 두 모음이 나란히 이웃하여 나타나는 현상.

모음 형식【—形式】 명 《악》 독립된 여러 개의 곡을 하나의 통일된 배열에 의해서 연결한 것. 소나타·교향곡·협주곡·모음곡, 그 밖에 카논·푸가·환상곡·랩소디·교향시 등이 모음 형식에 의해 이루어진 것임.

모의[1]【毛衣】[—/—이] 명 갖옷.

모:의[2]【母儀】[—/—이] 명 어머니가 될 만한 본때. 어머니로서의 모범.

모의[3]【模擬·模依】[—/—이] 명 남의 흉내를 냄. 실제를 본떠서 시험적으로 해 봄. 모방(模倣). ——-하다 (타)(여불)

모의[4]【謀議】[—/—이] 명 ①어떠한 일을 꾀하고 의논함. ②《법》 여럿이 같은 의사로써 범죄의 계획 및 실행 수단을 의논함. ——-하다 (타)(여불)

모의-것【毛衣—】 명 〈방〉 갖옷.

모의 고사【模擬考査】[—/—이—] 명 입학 시험·등용(登用) 시험에 대비하여, 실제의 시험처럼 그를 본떠서 임시로 실시해 보는 시험. 모의 시험(試驗).

모의 국회【模擬國會】[—/—이—] 명 국회를 모방하여 의사의 진행 및 토론 등을 학교 같은 데서 연습하는 모임. (준)의국회(擬國會).

모의-방【毛衣房】[—/—이—] 명 《역》 모물전(毛物廛)의 승격(昇格)되기 전의 이름.

모의 송:전선【模擬送電線】[—/—이—] 명 《전》 실제의 송전 계통(送電系統)을 전기적(電氣的)으로 모의(模擬)하여 실험실에서 연구하기 위하여 만든 장치.

모의 시험【模擬試驗】[—/—이—] 명 모의 고사.

모의 실험【模擬實驗】[—/—이—] 명 시뮬레이션.

모의 연:습【模擬演習】[—/—이—] 명 〔role playing〕 《심》 개인이나 단체의 사회 적응을 보다 낫게 하기 위한 치료 및 훈련의 한 방법. 일상 생활에서 해야만 하는 여러 가지 역할을 모의적으로 실연(實演)하여 그를 평가하고 다시 개량(改良)을 꾀하며 항상 당면하는 여러 가지 사태(事態)의 성질과 자기와 남의 역할에 대한 이해를 증진시켜 사회적 교섭의 기술 향상에 도움이 되게 함. 롤 플레잉.

모의-장【毛衣匠】[—/—이—] 명 ↗모의장이.

모의-장이【毛衣匠—】[—/—이—] 명 모물전(毛物廛)에서 갖옷붙이를 만드는 장인. (준)모의장(毛衣匠).

모의 재판【模擬裁判】[—/—이—] 명 재판을 모방하여, 논고(論告)·변론(辯論)·심리(審理)·선고(宣告) 등을 연습하는 모임.

모의-전[1]【毛衣廛】[—/—이—] 명 《역》 모물전(毛物廛).

모의-전[2]【模擬戰】[—/—이—] 명 실지의 전투에 대비하기 위하여 그를 본떠서 하는 가상(假想)의 전투. 의전(擬戰).

모의-점【模擬店】[—/—이—] 명 원유회(園遊會) 같은 곳에서 손님을 대접하기 위하여 실지(實地)의 가게처럼 특설(特設)한 음식점(飮食店).

모이[1] 명 닭이나 날짐승의 먹이. *사료 飼料).

모이[2] 명 〈방〉 뫼[4](경기·충청).

모이다[1] (자) 〔근대 : 모호이다〕 ①여럿이 한 곳으로 오다. 집합하다. ②사물이나 돈이 들어와 쌓이다. 저축되다. 1)·2):(준)뫼다.

모이다[2] (형) 작고도 여무지다. ¶ 몸집은 작아도 모인 사람이다.

모이라이〔그 Moirai〕 명 그리스 신화에서, 운명의 여신(女神)들. 제우스와 테미스 사이에서 태어난 세 딸.

모이만〔Meumann, Ernst〕 명 《사람》 독일의 심리학자·교육학자. 교육학에 실험적 방법(實驗的方法)을 도입하였음. 주저에 《실험 교육학》이 있음. [1862-1915]

모이불행-률【謀而不行律】[—뉼] 명 《역》 범죄를 꾀하기만 하고 실행하지 못한 자에 대한 법률의 조문.

모이스처 화장품【—化粧品】〔moisture〕 명 피부에 적당한 수분을 유지함을 목적으로 하는 화장품. 로션·크림 등이 있음.

모이-작물【—作物】 명 모이로 쓸 목적으로 재배하는 작물. *사료 작물(飼料作物).

모이 제족【—諸族】〔Moï〕 명 인도차이나 반도의 베트남 산맥을 중심으로 하여 남북으로 널리 거주하는 종족의 총칭. 베트남에서는 모이, 캄보디아에서는 프농(Pnong), 라오스에서는 카(Kha)라고 불림. 신장은 1.6 m 정도, 피부색은 밤색이지만 흰빛으로부터 검은 빛에 이르기까지 여러 가지이며, 머리털은 약간 곱슬머리임. 화전(火田)을 경작하며 벼와 옥수수도 재배함. 언어는 몬크메르계(MonKhmer系) 또는 말라요폴리네시아계(系)이며, 인구는 100만 명 남짓함.

모이-주머니 명 〖조〗 조류(鳥類)의 식도(食道)의 한 부분. 주머니 모양으로 되어 먹은 것을 일시 저장(貯藏)하여, 체온과 수분으로 불리어서 소화되기 쉽게 하여 모래주머니로 보냄. 멀떠구니. 소낭(嗉囊).

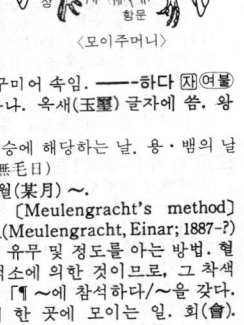

〈모이주머니〉

모이-통【一桶】명 ①모이를 담아 두는 통. ㊀뫼통. ②〈방〉 소낭(嗉囊).
모-익【毛益】명 〖사람〗 중국, 남송(南宋)의 화가. 화훼(花卉)·영모(翎毛)를 잘 그렸으며, 특히 새의 그림은 실물과 같았다고 함. 생몰 연대 미상.
모:인1【某人】명 아무 사람. 어떤 사람.
모:인2【拇印】명 ←무인(拇印).
모:인3【冒認】명 남의 것을 자기 것처럼 꾸미어 속임. ——하다 자여불
모인4【摹印】명 고전 팔체(古篆八體)의 하나. 옥새(玉璽) 글자에 씀. 왕망 육체(王莽六體)의 무전(繆篆)과 같음.
모일1【毛日】명 일진(日辰)이 털 있는 짐승에 해당하는 날. 용·뱀의 날 이외의 날. 유모일(有毛日). *무모일(無毛日)
모:-일2【某日】명 아무 날. 어떤 날. ¶ 모월(某月) ~.
모일렌그라흐트-법【一法】[—뻡] 명 〔Meulengracht's method〕〖의〗 네덜란드의 내과의 모일렌그라흐트(Meulengracht, Einar; 1887-?)가 창시한, 임상적으로 간단하게 황달의 유무 및 정도를 아는 방법. 혈청의 황색의 정도는 주로 혈중의 담즙 색소에 의한 것이므로, 그 착색의 정도를 표준액과 비교하여 결정함.
모임 명 여러 사람이 어떤 목적을 위하여 한 곳에 모이는 일. 회(會). ¶ ~에 참석하다/~을 갖다.
모임-열매 [—널—] 명 〖식〗 '집합과(集合果)'의 풀어 쓴 이름.
모임-이름씨 명 〖언〗 '집합 명사(集合名詞)'의 풀어 쓴 이름.
모임-지붕 명 〖건〗 추녀 마루가 용마루까지 경사지어 올라가 모이게 된 지붕.
모임지붕-집 명 〖건〗 모임지붕으로 된 집.
모잇-그릇 명 모이를 담아 두는 그릇 또는 닭장에 모이를 담아서 넣어주는 그릇.
모자1 명 〈방〉 〖어〗 모래무지.
모:자2【母子】명 어머니와 아들. 어이아들. 자모(子母). ¶ ~ 동반/~ 위생. *부녀(父女).
모:자3【母字】[—짜] 명 자모(字母).
모:자4【母姉】명 어머니와 손윗누이. *부형(父兄).
모:자5【母慈】명 어머니의 사랑.
모자6【茅茨】명 ①〖식〗 띠. ②모옥(茅屋).
모자7【眸子】명 눈동자.
모자8【帽子】명 ①↗갓모자. ②예의를 지키기 위하여 또는 추위·더위·먼지 등을 막기 위하여 머리에 쓰는 쓰개의 통칭. ③바둑에서, 변(邊)에 있는 상대방 말의 중앙 진출을 막기 위해 한 칸 내지 두 칸 띄운 곳에 모자를 씌우듯이 두어 고압(高壓)하는 수. ¶ ~를 씌우거든 날일자로 벗어라. *모착(帽着).
모:자 가정【母子家庭】명 어머니와 자식만의 가정. 아버지가 없는 집.
모:자-간【母子間】명 어머니와 아들의 사이.
모자-걸이【帽子—】명 모자와 외투 같은 것을 거는 기구. 흔히, 현관이나 객실(客室)에 비치함.
모:자 고배【母子高杯】명 〖고고학〗 여러잔토기.
모:자 곡옥【母子曲玉】명 〖고고학〗 '딸린곱은옥(玉)'의 구용어.
모자기 명 〈방〉 〖식〗 모자반.
모:자라다 자형 [중세 : 모즈라다] ①어떤 표준에 미치지 못 하다. ¶ 잠이 ~. ↔자라다. ②어떤 수효나 분량에 미치지 못 하다. ¶ 한 말이 모자란다 / 백 원이 ~. ↔자라다. ③머리의 기능이 보통 이하이다. 저능(低能)하다. ¶ 그 사람 좀 모자라는 사람이다.
모:자란 움직씨 명 〖언〗 '불완전 동사(不完全動詞)'의 풀어 쓴 이름.
모:-자리 명 〈방〉 못자리(강원·경상).
모자반 명 〖식〗 [*Sargassum fulvellum*] 갈조류(褐藻類) 모자반과에 속하는 해조(海藻). 줄기 길이 1m 또는 수 m 가량, 아래쪽 기부(基部)에는 원반상의 부착근(附着根)이 있고 위는 삼각형 또는 사각형의 가지가 많은데 질(質)은 말랑말랑함. 잎은 긴 피침형으로 얇으며 불규칙한 톱니가 있고, 상부는 소형임. 작은 가지에 있는 쌀알만한 기포(氣胞)에는 단병(短柄)이 있음. 생정부(頂部)에는 엽상 돌기(葉狀突起)가 있고 생식기상(生殖器床)은 작은 가지 위에 있음. 해안의 간조선(干潮線) 중간 이하의 암석에 나는데, 태평양·일본·한국 등지에 분포함. 식용 또는 비료로 쓰고 태워서 칼륨을 만들기도 함. 마미조(馬尾藻).

〈모자반〉

모자반-과【一科】[—꽈] 명 〖식〗 [Sargassaceae] 갈조류(褐藻類)에 속하는 한 과. 전세계의 따뜻한 바다에 널리 분포하며, 모자반·톱니모자반 등이 이에 속함.
모:자 보:건법【母子保健法】[—뻡] 명 〖법〗 모성의 생명과 건강을 보호하고 건전한 자녀의 출산과 양육을 도모하려는 법.
모:자 보:건 사:업【母子保健事業】명 임산부·영유아(嬰幼兒)에게 전문적 의료 봉사를 함으로써 모자의 정신적·신체적 건강을 유지하게 하려는 사업.
모:자 보:건 센터【母子保健—】〔center〕명 갓난아기·젖먹이의 육아(育兒)·영양 관리 지도를 하며, 탁아소(託兒所)를 운영하고, 임산부의 건강 관리·분만 등의 지도를 위하여 지방 자치 단체가 설치한 기구.
모:자 복지【母子福祉】명 ①일반 가정의 어머니와 자식의 복지. ②〖사〗 미성년의 자식을 거느리고 있는 배우자 없는 어머니와 그 자식의 복지를 위한 사회 문제.
모자비-걸음 명 ☞게걸음.
모자비-헤엄 명 모로 누워서 치는 헤엄. 사이드 스트로크(side stroke). 횡영(橫泳).
모-자석【毛磁石】명 〖한의〗 겉에 털 같은 것이 돋은 자석(磁石). 약재로 씀.
모:자-원【母子院】명 배우자 없는 부녀(婦女)와 그 자식을 수용·보호하는 시설.
모:자 위생【母子衛生】명 태아(胎兒)나 유아(乳兒)의 건전한 발육이 모체(母體)의 건강에 영향됨이 많은 관계로, 모자 일체의 관점에서 모성과 태유아(胎乳兒)의 위생을 아울러서 일컫는 말.
모자이크〔mosaic〕명 ①〖미술〗 여러 가지 빛깔의 돌·색유리·조가비·타일·나무 등의 조각을 맞추어 도안·회화(繪畫) 등으로 나타낸 것. 또, 그런 미술 형식. 고대 로마·비잔틴 제국에서 특히 발달했음. ②〖생〗 한 개의 생물체에 하나 또는 그 이상의 유전적인 대칭 형질(對稱形質)이 나타나는 현상. 일종의 기형(畸型)으로, 곤충에서 볼 수 있음.
모자이크 결정【一結晶】〔mosaic〕[—쩡] 명 〖광〗 규칙적인 단일 결정(單一結晶)도 실제로는 작은 결정이 사소한 경사를 이루며, 모자이크 모양으로 집합된 것이라는 데서 결정을 일컫는 말.
모자이크 글라:스〔mosaic glass〕명 여러 가지 모양·빛깔·투명도(透明度)의 유리 조각을 짜 맞추어서 무늬나 그림 따위를 나타낸 것. 건축물의 장식 따위에 쓰임.
모자이크-란【一卵】명 〔mosaic egg〕〖생〗 세포의 각 부분이나 할구(割球)가 특정한 기관만을 만들도록 운명지어진 알. 연체(軟體) 동물이나 환형(環形) 동물의 알 같은 것. 감공란(嵌工卵). ↔조절란(調節卵).
모자이크-병【一病】〔mosaic〕명 〖식〗 식물에 바이러스가 기생하여 생기는 병의 하나. 잎에 황색 반점의 괴저(壞疽)가 생겨 모자이크 모양으로 얼룩얼룩해지고 심하면 식물 전체가 말라 죽음. 담배·토마토 등에 많음.
모자이크 유전【一遺傳】〔mosaic〕명 〖생〗 하나의 동물체의 상이한 부분에 두 개 또는 그 이상의 형질(形質)이 동시에 나타나는 유전 현상. 곤충에서 많이 알려져 있음. 모자이크 형질은 몸빛, 외부 형상(外部形狀), 털의 유무에 관계되는 일이 많음.
모자이크적 집합【一的集合】〔mosaic〕명 〖심〗 오합적 집합(烏合的集合).
모자이크-화【一畫】〔mosaic〕명 〖미술〗 밑그림에다 색유리·색대리석·조가비·달걀 껍데기 등의 조각을 붙여서 여러 가지 형체를 만든 그림. 삼각형·사각형 등의 조그만 조각들이 모여 배색(配色)을 이루는 아름다움을 볼 수 있음.
모자-챙【帽子—】명 모자에 달려 있는 챙.
모자-표【帽子標】명 모자에 붙이는 일정한 표지. 모장(帽章). 이화(李花). ㊀모표(帽標).
모:자-합【母子盒】명 합 속에 좀 작은 합이 겹쳐 있는 합.
모:자-회【母姉會】명 〖교〗 자모회(姉母會).
모작【模作】명 남의 작품을 흉내내어 만듦. 모제(模製). ——하다 타여불
모작-패 명 〖광〗 금광에서 광부 몇 사람이 한패가 되어 채광하여서 광주에게 분철(分鐵)을 주고 나머지를 제련(製鍊)하여 비용 등을 제하고 덕대와 광부들이 분배하는 일.
모잠비:크〔Mozambique〕명 〖지〗 ①아프리카 대륙 남동부에 위치한 공화국. 모잠비크 해협에 면하여 있음. 북부는 고원 지대, 남부는 평야 지대이며 국토가 남반구의 아열대(亞熱帶)에 있어, 11-3월은 더운 우기(雨期), 4월-10월은 비교적 건조기에 속함. 주민의 대부분은 반투족(Bantu族). 면화·사탕수수·코코야자·땅콩 등을 재배하고, 석탄·철광·망간·크롬 등의 광산(鑛產)이 있음. 1505년 포르투갈의 지배하에 들었다가 1975년 독립함. 수도는 마푸토(Maputo). 정식 명칭은 '모잠비크 인민 공화국(People's Republic of Mozambique)'. [801,590 km^2 : 17,420,000명(1995 추계)] ②모잠비크 공화국 북부에 있는 산호초(珊瑚礁) 위에 자리잡은 항구 도시. 1907년까지 모잠비크의 수도였으나, 지금은 지방 중심지로서 정치적 중요성을 잃었음.
모잠비:크 해:류【一海流】〔Mozambique〕명 〖지〗 남적도(南赤道) 해류의 일부. 아프리카 동안(東岸)을 남하(南下)하여 모잠비크 해협을 통과함. 아굴라스(Agulhas) 해류.
모잠비:크 해:협【一海峽】〔Mozambique〕명 〖지〗 아프리카와 마다가스카르(Madagascar) 사이에 있는 길이 약 1,600km, 폭 400-960km의 해협. 북에서 남으로 모잠비크 해류가 흐름.
모-잡이 명 ①모낼 때 모만 심는 일꾼. ②모나 있거나, 옆으로 향해 있음.
모장1【毛帳】명 모피로 만든 방장.
모:장2【冒葬】명 권력의 힘을 빌려 남의 땅에 억지로 장사(葬事)함. *늑장(勒葬). ——하다 타여불
모장3【帽章】명 모자에 붙이는 표지. 모자표(帽子標).
모재1 명 〈방〉 모자(함경).
모:재2【母材】명 ①주요한 재료. 특히, 콘크리트에 있어서의 시멘트의 일컬음. ②용접에 있어서 용접 또는 절단되는 금속 부재.
모:재3【母財】명 원금(元金). 본전(本錢).
모재4【募財】명 여러 곳에서 돈을 얻어 모음. ——하다 자여불
모:재5【慕齋】명 〖사람〗 김안국(金安國)의 호(號).
모재비 명 ☞모잡이. ¶ 매월은 쪽마루에 옹동그리고 ~로 누웠다《金周棨 : 客主》.
모-쟁이1 명 모낼 때 모춤을 별러 돌리는 일꾼.
모쟁이2 명 〖어〗 ①숭어의 새끼. 모롱이. ②〈방〉 송사리.
모:저〔Moser, Karl〕명 〖사람〗 스위스의 건축가. 1915년 취리히 공과 대학 교수. 신구조법(新構造法)의 개척에 힘을 기울였고 스위스의 근대 건축의 기초를 닦음. 대표작은 바젤(Basel)의 성(聖)안토니우스 성당. [1860-1936]
모적【蟊賊】명 백성의 재물을 빼앗아 먹는 탐관 오리(貪官汚吏)를 가리키는 말.

모전[1] 【毛典】 명 〖역〗 신라의 관청. 내성(內省) 소속으로, 모직물 생산을 담당함. 한때 취취방(聚毳房)으로 고친 일이 있음.

모전[2] 【毛廛】 명 과물전(果物廛).
【모전 다리 다모(茶母)의 겨드랑이】 모전이 있었던 서울 무교동(武橋洞) 초입에서 차를 팔던 다모의 저고리가 짧았다는 데서, 감질나게 하는 사물을 비유하는 말.

모전[3] 【毛氈】 명 ①짐승의 털로 색을 맞추고 무늬를 놓아 두툼하게 짠 부드러운 요. ②양탄자.

모전 석탑 【模塼石塔】 명 모전탑(模塼塔).

모전-탑 【模塼塔】 명 돌을 벽돌 모양으로 깎아서 쌓아올린 탑. 안산암(安山岩)을 벽돌과 같은 크기와 모양으로 깎아 쌓은 경주 분황사(芬皇寺)탑이 그 대표적인 유물임.

모전-태 【毛氈苔】 명 〖식〗 모드라기풀. 끈끈이주걱.

모절 【旄節】 명 〖역〗 의장(儀仗)의 한 가지. 얼룩소의 꼬리털 다섯 뭉치를 깃대 끝의 꾸부러진 용머리에 늘어뜨림.

모-점 【一點】 명 〖인쇄〗 종서(縱書)의 문장에 휴식부로 쓰는 부호. '、'의 일컬음. 휴식부(休息符).

모정[1] 【一亭】 명 사모정·육모정 등의 총칭.

〈모절〉

모:정[2] 【母情】 명 자식에 대한 어머니의 심정.

모정[3] 【茅亭】 명 짚이나 새 같은 것으로 인 정자.

모:정[4] 【慕情】 명 그리워하는 심정

모:제[1] 【母弟】 명 ↗동모제(同母弟).

모제[2] 【模製·摸製】 명 모작(模作). 모조(模造).

모제기 명 〈방〉 샛별(평북). ¶ ~가 서편 하늘에 퍽 기울어진 때에야 잠자리에 누웠다《鄭飛石 : 城隍堂》.

모제르-총 【一銃】 〔Mauser〕 명 독일 사람 마우저(Mauser, P.P.von ; 1838-1914)가 발명한 후장총(後裝銃). 연발식이며 구조가 간단함.

모제비-헤엄 명 ☞ 모자비헤엄.

모젤 운하 【一運河】 〔프 Moselle〕 명 〖지〗 프랑스 동북부로부터 독일 서부를 흐르는 모젤 강(Moselle江)의 하류부(下流部)를 일컬음. 프랑스의 티옹빌(Thionville)에서 독일의 코블렌츠(Koblenz)까지 14개의 갑문(閘門)이 설치되어 1,500 톤급 선박의 항행(航行)이 가능함. 프랑스 및 독일의 공동 출자로 1956년 착공, 1964년에 완공됨.

모조[1] 【毛彫】 명 〖미술〗 나무나 쇠붙이에 머리털처럼 가는 선으로 새긴 조각(彫刻).

모:조[2] 【某條】 [一쪼] 명 ①어떠한 조건. ②모양(某樣).

모조[3] 【模造】 명 ①본떠서 만듦. 모제(模製). ¶ ~품/~ 진주. ②↗모조지. ——-하다 타여불

모:조[4] 【某條】 부 〈이두〉 아무쪼록.

모조 가죽 【模造一】 명 레더 클로스(leather cloth)❶.

모조-금 【模造金】 명 〔imitation gold〕 금(金)과 비슷한 빛깔과 광택을 가지고 내식성(耐蝕性)이 있는 합금(合金)의 총칭. 주로, 구리를 토대로 아연(亞鉛)·알루미늄·크롬 등을 여러 가지 비율로 배합한 것인데, 장신구(裝身具) 등 금의 대용임. ＊위금(僞金).

모조 다이아몬드 【模造一】 〔diamond〕 명 〔rhinestone〕 다이아몬드 비슷하게 만든 모조품.

모조 대:리석 【模造大理石】 명 스토니(stony).

모조리[1] 명 ☞ 어리보기.

모조리[2] 부 하나도 빼지 않고 모두. 처음부터 끝까지 죄다. ¶ ~ 해치우다.

모조리-상어 명 〖어〗 [*Squalus brevirostris*] 곱상어과에 속하는 바닷물고기. 주둥이가 짧고 그 끝이 뾰족함. 한국 동남부 및 일본 중부 이남에 분포하는데, 부산과 여수에 흔함.

모조 백금 【模造白金】 명 금에 백금·파라듐·은·니켈·아연 따위를 배합하여 외관상 백금같이 만든 합금(合金). 장식용·치과용 등으로 쓰임. 화이트 골드(white gold).

모조-석 【模造石】 명 인조석(人造石).

모조-지 【模造紙】 명 양지(洋紙)의 한 가지. 질이 강하고 질기며, 윤택이 나며 인쇄지·포장지·포스터 용지 등으로 쓰임. 백상지(白上紙). ㊟모조(模造).

모조 진주 【模造眞珠】 명 인조 진주.

모조케르토-인 【一人】 〔Modjokerto〕 명 화석 인류의 하나. 1936년 자바 섬 모조케르토에서 발견된 5세 미만의 소아 두개골 골편(骨片)에 명명한 이름. 뇌의 용적이 베이징 원인(北京原人)보다 약간 크지만, 원인(猿人)의 특징이 강하며 자바 원인보다 더 고대의 원인으로 추측됨.

모조-품 【模造品】 명 딴 물건을 모방하여 만든 물건. 이미테이션.

모족 【毛族】 명 모류(毛類)❶.

모족-류 【毛足類】 [一뉴] 명 〖동〗 [Chaetopoda] 환형(環形) 동물의 갯지네강(綱)과 지렁이강(綱)을 합쳐 붙인 이름. 환절(環節)의 양측에 특유한 운동 기관이 발달하고 강모(剛毛)가 밀생하였으며, 종류에 따라 등에 호흡하는 아가미도 있음.

모종[1] 【一種】 명 옮기어 심기 위해 가꾼, 벼 이외의 온갖 씨앗의 싹. 모. ——-하다 타여불
모종(을) 내:다 구 모종을 옮겨 심다.

모:종[2] 【某種】 명 어떠한 종류. 어느 종류. ¶ ~의 조치(措置).

모:종[3] 【暮鐘】 명 해질 무렵에 치는 종. 만종(晩鐘).

모종-비 【一種一】 [一삐] 명 모종하기 알맞은 때에 오는 비. ＊목비.

모종-삽 【一種一】 명 모종할 때에 쓰는 흙손만한 작은 삽.

모종-순 【一種筍】 [一쑨] 명 모종할 화초나 나무의 어린순.

모종-판 【一種板】 명 모종을 가꾼 자리. ＊모판[1].

모:주[1] 명 ↗모주망태.

모:주[2] 【母主】 명 어머님.

모:주[3] 【母酒】 명 약주를 뜨고 난 찌끼 술. 밑술.
【모주 먹은 돼지 껄때청】 컬컬하게 쉰 목소리를 이르는 말. 【모주 장사 열바가지 두르듯】 내용은 빈약한 것을 겉만 꾸미어 낸다는 말.

모주[4] 【謀主】 명 일을 주장하여 꾀하는 사람.

모주[5] 【謀酒】 명 술 마시기를 꾀함. ——-하다 자여불

모:주-꾼 【母酒一】 명 모주망태.

모주라-지다 자 〈방〉 모지라지다(함경).

모주리 부 〈방〉 모조리.

모:주-망태 【母酒一】 명 술을 늘 대중없이 많이 먹는 사람. 모주꾼. ㊟모주.

모:죽지랑-가 【慕竹旨郞歌】 명 〖문〗 향가의 하나. 신라 효소왕(孝昭王) 때 죽지랑의 낭도(郞徒) 득오(得烏)가 죽지랑의 죽음을 애도하여 불렀다는 노래. 팔구체(八句體). 《삼국 유사》에 전함.

모준 【髦俊】 명 출중한 사람. 뛰어난 선비.

모줄임-천장 【一天障】 명 〖고고학〗 네 귀에서 세모의 굄돌을 걸치는 식으로 반복하여 모를 줄여가며 올리는 돌방 무덤의 천장. 말각 조정식(抹角藻井式) 천장.

모즈 룩 〔mods look〕 명 〔'모즈'는 모던 재즈를 애호하는 청년들에게 붙여진 이름〕 남녀의 구별 없이 입는, 길이가 긴 재킷, 꽃무늬 셔츠, 통이 좁은 슬랙스 등 복장의 룰에 구애받지 않는 스타일.

모:즐리 〔Moseley, Henry Gwyn-Jeffreys〕 명 〖사람〗 영국의 물리학자. X선의 산란(散亂)을 연구, 고유 X선에 관한 '모즐리의 법칙'을 발견하여 X선 스펙트럼 연구의 실마리를 풂. 제1차 대전 중에 전사함. [1887-1915]

모:즐리의 법칙 【一法則】 〔Moseley〕 [一/一에一] 명 〖물〗 1913년 영국의 물리학자 모즐리가 발견한 법칙. X선의 어떤 계열에서 진동수 v와 원자 번호 z와의 사이에 $\sqrt{v}=Az+B$(A, B는 상수)의 관계가 성립한다는 내용으로, 이 법칙은 원자 번호를 정하는 데 도움이 됨.

모즙 【茅葺】 명 이엉으로 지붕을 임.

모지[1] 명 〈방〉 못[1](함경).

모:지[2] 【某地】 명 아무 땅. 어느 땅.

모:지[2] 【拇指】 명 →무지(拇指).

모지[4] 〔門司 : もじ〕 명 〖지〗 일본 후쿠오카 현(福岡縣)의 기타큐슈 시(北九州市)를 이루는 7구(區)의 하나. 간몬 해협(關門海峽)을 사이에 두고 시모노세키 시(下関市)와 간몬 터널(關門 tunnel)로 연락됨. 지쿠호 탄전(筑豊炭田)의 개발로 공업이 성함. [127,783명(1991)]

모-지다 형 ①모양이 둥글지 아니하고 모가 나 있다. ¶ 네~. ②성질이나 일 또는 물건이 모난 데가 있다. ③ ☞ 모질다.

모지라-지다 자 물건의 끝이 점점 닳아서 없어지다. ¶ 붓 끝이 ~. <무지러지다.

모지락-스럽다 형 ㅂ불 억세거나 거세어 매우 모질다. ¶ 말 한 마디라도 지독하게 모지락스럽게 해붙일 듯한 배돌석이가…《洪命憙 : 林巨正》.
모지락-스레 부

모지랑-붓 명 끝이 다 닳은 붓.

모지랑-비 명 끝이 다 닳은 비.

모지랑이 명 오래 써서 끝이 닳아 떨어진 물건.

모지러-지다 자 〈방〉 모지라지다.

모지르 부 〈방〉 매우. 마구. 막(함경).

모지름 명 ☞ 모질음.

모지마라 부 〈옛〉 마지못하여. ¶ 受苦ᄅᆞ비 딕희여 이셔 빌리 잇거든 츠기 너겨 모지마라 줆디라도 《釋譜 Ⅸ:12》.

모:지자 모:지손 【某之子某之孫】 명 아무개의 아들 아무개의 손자.

모지-정 【毛只停】 명 〖역〗 신라 육기정(六畿停)의 하나. 동기정(東畿停).

모직 【毛織】 명 털실로 짠 피륙. 모사직(毛絲織). 모직물.

모직-물 【毛織物】 명 털실로 짠 물건의 총칭. 울(wool).

모직혼-식 【毛織婚式】 명 결혼 기념식의 하나. 결혼 40주년 되는 날을 축하하여, 부부가 모직물 선물을 주고받아 기념함. ＊견혼식.

모-진[1] 【毛晉】 명 〖사람〗 중국 명나라 말기의 유학자. 자는 자진(子晉). 장쑤 성(江蘇省) 출신. 유학과 고학(古學)에 통효(通曉)하여 많은 책을 번각(飜刻)하였음. 유명한 것은 《진체 비서(津逮祕書)》 141종 15집(集)임. [1599-1659]

모진[2] 【耗盡】 명 해지거나 닳아서 다 없어짐. ——-하다 자여불

모진[3] 부 〈방〉 몹시(함남).

모:진 목숨 명 죽을 듯 죽을 듯하면서도 모질게 붙어 있는 목숨. 죽지 못하여 살아 있는 목숨.

모:진 바람 명 모질게 부는 바람. 몹시 부는 바람. 악풍(惡風).

모질[1] 【耄耋】 명 늙음. 또, 늙은이.

모:질[2] 【媢嫉】 명 질투(嫉妬)❶. ——-하다 타여불

모질[3] 부 〈방〉 몹시(함남).

모:질[4] 【不得】 〈이두〉 하지 못할. 하는 수 없는. ＊모딜(不得)·못질(不得).

모:질다 형 〔중세 : 모딜다〕 ①보통 사람으로는 차마 못할 짓을 함부로 하다. 잔인하다. ¶ 모진 짓을 하다. ②보통 사람으로는 참고 견디기 어려운 일을 능히 배겨내다. ¶ 재난을 모질게 견디어 내다. ③정도가 세다. ¶ 모진 바람/모진 추위.
【모진 년의 시어미 밥내 맡고 들어온다】 자기가 싫어하고 미워하는 사람이 자기 비위에 거슬리는 일만 함을 가리키는 말. 【모진 놈 옆에 있다가 벼락맞는다】 모진 사람을 가까이하면 그 사람에게 내린 화(禍)를 같이 입게 된다는 말. 【모진 놈은 계집 치고, 흐린 놈은 세간 친다】 부부싸움을 할 때, 모진 자는 계집을 때리고, 흐릿한 자는 세간을 부수어 분을 푼다는 말.

모:질음 명 어떠한 고통을 이기려고 모질게 쓰는 힘. 모진 성질.
모:질음(을) 쓰다 구 고통을 이기려고 모질게 힘을 쓰다. 기 쓰다.

모집 【募集】 명 ①널리 알리어, 사람이나 사물(事物)을 뽑아서 모음. ¶ 학생 ~. ②〖경〗 일반 대중에 대하여 균일한 조건으로 새로 발생된 유가 증권의 청약을 권유하는 일. 공모(公募)와 연고(緣故) 모집의 두 가지가 있음. ¶ 사채(社債)를 ~하다. ↔매출(賣出). ——-하다 타여불

모집 공채 【募集公債】 명 〖경〗 발행에 수반하여 자금(資金)을 수납(收納)시키는 보통 공채. ↔교부(交付) 공채.

모집다 타 ①허물이나 과실 같은 것을 명백하게 지적(指摘)하다. ¶ 남의

허물을 ～. ②모조리 집다.

모:-집단【母集團】명〔population〕통계 용어로서, 측정(測定)이나 조사(調査)를 하기 위하여 표본을 뽑아 내는, 기본되는 집단.

모집 발행【募集發行】명〖경〗일반 대중을 대상으로 하여 모집하는 사채(社債) 발행.

모집 설립【募集設立】명〖경〗주식 회사의 설립에 있어서 발기인(發起人)은 발행하는 주식(株式)의 일부분만을 인수(引受)하고, 나머지 주식은 주주(株主)를 모집하여 설립하는 일. ↔발기 설립(發起設立).

모ᄌᆞ라다 형〈옛〉모자라다. ¶기픈 찻므리 모ᄌᆞ랄씨《月釋 Ⅷ:92》.

모짝 부 무엇이거나 있는 대로 한 번에 몰아서. ¶이번 장마에 무배추가 ～ 떠내려 갔다/늙은 두렁 오가 하나만 두고 ～ 다 나가기가 어려워서…《洪命憙: 林巨正》. 〈무쩍.

모짝-모짝 부 ①한쪽으로부터 차례로 모조리 뽑아 버리는 모양. ¶배추를 ～ 다 뽑아 버리다. ②차차 조금씩 개먹어 들어가는 모양. ¶누에가 뽕잎을 ～ 갉아먹는다. 〈무쩍무쩍.

모-짠지 명〈방〉깍두기(경북).

모쪼록 부 아무쪼록.

모-찌기 명 모판에서 모를 뽑는 일. ——-하다 자여불

모찌기-소리 명〖악〗못자리에서 모를 뽑아 내면서 부르는 민요.

모찌-떡〔일 もち〕명 일본식(日本式)의 떡. 보통, 찹쌀로 만들며, 속에다 단팥의 소를 넣음. 찹쌀떡.

모:차르트〔Mozart, Wolfgang Amadeus〕명〖사람〗오스트리아의 음악가. 어려서부터 음악적 재능을 나타내어 유럽 각지를 연주 여행하고, 13세에 가극을 작곡하였다 함. 주로 빈(Wien)에서, 불우하고 짧은 생애 중에 교향악·실내악·가극 등 600 이상의 작품을 발표하였으며, 18세기 독일·프랑스·이탈리아 여러 음악의 장점(長點)을 따서 정연(整然)한 형식으로 종합하고, 고전파 기악 형식(器樂形式)을 확립하였음. [1756-91]

모착【帽着】명 바둑에서, 변(邊)에 있는 상대방 돌을 위로부터 한 간 띄워서 고압(高壓)하여 공격하는 일. *모자(帽子). ——-하다¹ 자여불

모착-하다² 형여불 아래위를 찍어 낸 듯이 짤막하고 똥똥하다.

모:참【暮參】명〖불교〗저녁때에 잠깐 하는 참선(參禪). ——-하다 자여불

모창【模唱】명 남의 노래를 흉내냄. ——-하다 자타여불

모채【募債】명 공채(公債)나 사채(社債) 등을 모집함. ——-하다 자타

모책【謀策】명 어떤 일을 처리하거나 모면하기 위하여 계책을 꾸밈. 또, 그 꾀나 계책(計策). ¶그러한 ～으로는 어림도 없다/아무리 ～해도 별도리 없다. ——-하다 자타여불

모:처【某處】명 아무 곳. 어떠한 곳. 모소(某所).

모처럼 부 ①벼르고 별러서 처음. 벼른 끝에. ¶～ 해 놓은 일이 허사가 되다니. ②일껏 오래간 만에. ¶～ 오셨는데…. 주의 명사적으로도 쓰임. ¶～의 간청을 거절할 수 없어서.
【모처럼 능참봉(陵參奉)을 하니까 한 달에 거둥이 스물 아홉 번】㉠모처럼 자기가 희망하던 것이 이루어지기는 하였으나 좋은 줄 알았던 그 일이 괴롭고 힘만 들었지 얻는 것은 없더라는 말. ㉡안 되려면 아무리 해도 수가 나빠, 될 듯하다가도 틀어지고 만다는 말. 【모처럼 태수(太守)가 되니 턱이 떨어져】목적한 바를 모처럼 이룬 일이 허사(虛事)가 되고 말았을 때에 이르는 말.

모:처-혼【母處婚】명〖사〗신랑이 신부의 집단(集團) 쪽으로 거처를 옮기는 혼인 방식. 일반적으로 모계(母系) 사회에서 볼 수 있음. ↔부처혼(父處婚).

모:천¹【母川】명 송어·연어 등의 소하어(遡河魚)가 산란 장소로 삼는 하천.

모:천²【暮天】명 저녁때의 하늘. 저무는 하늘.

모:천-국【母川國】명〔state of origin of anadromous stocks〕산란(產卵)하기 위하여 바다에서 강(江)으로 거슬러올라가는 연어·송어 등 소하성 어종(遡河性魚種)의 산란 하천을 가지고 있는 연안국(沿岸國).

모천 화:일【摹天畫日】명 임금의 공덕을 칭송하는 말.

모첨【茅簷】명 초라한 초가 지붕의 처마.

모:체【母體】명 ①어머니의 신체. 어미되는 몸. ¶～에서 전염되다. ②갈려 나온 조직·사고(思考) 등의 근본이 되는 것. ¶～ 회사(會社).

모:체 공장【母體工場】명 분공장(分工場)이나 새로 난 공장의 모체가 되는 공장.

모:체 전염【母體傳染】명 병원체가 모체를 통하여 다음 세대에 전염되는 일.

모:체 효:과【母體效果】명〔maternal effect〕〖생〗어미에 의해 새끼의 형질(形質)이 결정되는 일. 어미의 유전자(遺傳子)로부터의 영향(影響)에 의함.

모초¹【毛綃】명 중국에서 나는 비단의 한 가지. 날은 가는 올로, 씨는 굵은 올로 짜며, 무늬가 있는 것도 있고 없는 것도 있음. 모초단(毛綃緞).

모초²【茅草】명〖식〗띠².

모초-단【毛綃緞】명 모초(毛綃).

모초래기 명〈방〉〖조〗메추라기(경북).

모초리 명〈방〉〖조〗메추라기.

모촘-하다 형〈방〉①모춤하다. ②모침(貌寢)하다.

모촘ᄒᆞ다 형〈옛〉모춤하다. ¶周尺이 省尺을 當홈애 七寸五分이 모촘ᄒᆞ거ᄂᆞᆯ 程集과 書儀애 그릇 五寸五分이 모촘타 註 나여시니《家禮 Ⅶ:34》.

모추¹【毛錐】명 털붓. 모추자(毛錐子).

모:추²【暮秋】명 ①저물어 가는 가을. 늦가을. ②'음력 9월'의 이칭.

모추라기 명〈방〉〖조〗메추라기(충청).

모추래기 명〈방〉〖조〗메추라기(충북·경북).

모추-자【毛錐子】명 털붓. 모추(毛錐).

모축【牡畜】명 가축의 수컷. ↔빈축(牝畜).

모:춘【暮春】명 ①저물어 가는 봄. 늦은 봄. 만춘(晩春). 초춘(杪春). ②'음력 3월'의 이칭.

모-춤 명 볏모나 모종을 묶은 단. 보통, 서너 움큼씩 묶음.

모춤-하다 형여불 길이나 분량이 어떤 한도에 차고 조금 남다.

모충¹【毛蟲】명〖동〗다모류(多毛類)·복모류(腹毛類) 또는 송충이·쐐기벌레와 같은 털이 있는 벌레의 총칭. 털벌레.

모충²【謀忠】명 남을 위하여 꾀를 내어 줌. ——-하다 자여불

모충-사【毛蟲絲】명 셔닐사(chenille 絲).

모츠래기 명〈방〉〖조〗메추라기.

모:측¹【母側】명 ①어머니 곁. 어머니 슬하(膝下). ②어머니의 친정편. ↔부측(父側).

모:측²【某側】명 모변❷.

모치¹【牡痔】명〖의〗수치질.

모치²【茅鴟】명〖조〗수알치새.

모치때 명〈방〉〖어〗숭사리(전남).

모치라기 명〈방〉〖조〗메추라기.

모치레기 명〈방〉〖조〗메추라기(경북).

모치카 문화【一文化】〔Mochica〕명 안데스 문명 고전기(古典期)의 문화. 페루에 있는 트루히요(Trujillo)를 중심으로 하여 300-1000년 경에 번영하였는데, 신전(神殿) 주위에 대도시를 형성, 훌륭한 관개(灌漑) 시설을 가지고 있었음. 집권 정치(集權政治)를 했으며 남녀 및 신분에 의한 사회 계층의 분화(分化)가 이루어졌던 것 같음. 무늬·형상의 사실성(寫實性)을 특징으로 하는 토기(土器)·직물(織物)의 제조도 성행했음.

모:친【母親】명 어머니❶. ↔부친(父親).

모:친-상【母親喪】명 어머니의 상사. ㊌모상(母喪). ↔부친상.

모침【貌侵·貌寢】명 ①얼굴이 못생김. ②키가 작음. ③됨됨이가 활발하지 못함. ——-하다 형여불

모:칭【冒稱】명 성명을 거짓으로 꾸며 댐. 사칭(詐稱). ——-하다 타

모ᄎᆞ라기 명〈옛〉메추라기. =뫼ᄎᆞ라기. ¶모ᄎᆞ라기 암(鵪), 모ᄎᆞ라기 슌(鶉)《字會 上 17》.

모칙 명〈옛〉모책(謀策). 책략. ¶모칙 칙(策)《類合 下 25》.

모카신〔moccasin〕명 본디 북아메리카 인디언들이 신던 구두창과 갑피(甲皮)를 한 장의 가죽으로 만든 구두. 또, 이것을 본떠서 발등 부분을 U자(字)형으로 꿰매고 뒤축이 없게 만든 구두. 운동할 때 또는 실내화로 신음.

〈모카신〉

모:카 커:피〔Mocha coffee〕명 예멘의 모카에서 나는 양질(良質)의 커피. 예멘의 특산품으로 널리 알려짐.

모캐¹ 명〈방〉〖식〗목화(木花)(평안·함경·전라).

모:캐² 명〖어〗[*Lota lota*] 대구과에 속하는 민물고기. 몸길이 60cm 내외로 머리 부분만 측편하며 길쭉함. 턱수염이 한 개 있고 제2 등지느러미와 뒷지느러미는 길어서 꼬리지느러미 근처에까지 연장됨. 압록강 상류의 얕은 곳에 서식하는데, 만주·시베리아·유럽 및 북미(北美)의 한대 담수계에 널리 분포함.

〈모캐²〉

모캐이 명〈방〉모퉁이(황해).

모캥이 명〈방〉모퉁이(황해·함남·평안).

모:켓〔moquette〕명 보풀이 있는 직물의 한 가지. 전표면의 털이 실(seal)보다는 길지 않고 옆으로 쓰러져 있음. 벨벳과 비슷하며, 주로 기차·전차 등의 의자를 씌움.

모코 명 옛날에 입던 길이가 짧은 저고리.

모콰〈옛〉모와. '모³❶'의 공동격형(共同格形). ¶네 모콰 아라 우히 다 큰 브리어든《月釋 Ⅰ:29》.

모:탁【冒濁】명 마음이 탐욕(貪慾)으로 가려져 결백(潔白)하지 아니함. ——-하다 형여불

모탕 명 ①나무를 패거나 자를 때에 받치어 놓는 나무 토막. ②물건을 놓거나 쌓을 때 밑에 괴는 나무 토막.

모탕 고:사【一告祀】명〖민〗집 짓는 일을 시작하기 전에 목수들이 모탕 주위에 간단한 제물과 톱·장도리·자귀 등 연장을 늘어놓고 지내는 고사.

모탕-세【一貰】[一쎄] 명 여각(旅閣)이나 장터에서 남의 곡식이나 물건을 쌓아 보관해 주고 받는 셋돈.

모태¹ 명 인절미·흰떡 등을 안반에 놓고 한 번에 쳐서 낼 수 있는 한 덩이.

모태² 명〈방〉석쇠(경상).

모:태³【母胎】명 ①어머니의 태 안. ②사물의 발생·발전의 근거가 되는 토대.

모태-끝 명 흰떡을 안반에서 비비어 썰 때에 가락을 맞추어 썰고 난 나머지의 떡.

모태이 명〈방〉모퉁이(황해).

모-택동【毛澤東】명〖사람〗'마오 쩌둥'을 우리 음으로 읽은 이름.

모탯-불 명〈방〉①화톳불. ②모닥불.

모탱이 명〈방〉모퉁이(경기·강원·충청·전라·황해·함남).

모:터¹〔mortar〕명 ①막자 사발. ②박격포.

모:터²〔motor〕명 ①동력 발생기의 총칭. 증기 기관·증기 터빈·수력 원동기·내연 기관 등을 이름. 발동기(發動機). ②전동기(電動機).

모:터 그레이더〔motor grader〕명 자주식(自走式) 그레이더. 정지(整地)·제설(除雪) 작업 등에 쓰이는 기계인데, 주로 땅을 깎거나 고르는 일을 하는 토목 건설 기계.

모:터리제이션〔motorization〕명 자동차의 대중화(大衆化).

모:터 바이시클〔motor bicycle〕명 가솔린 엔진을 장치하여 동력을 얻게 된 자전거. 모터사이클. 오토바이. 모터바이크. 바이크.

모:터-바이크〔motorbike〕명 모터 바이시클

모:터-보:트〔motorboat〕명 모터를 추진기로 사용하는 보트. 똑딱선. 발동기선(發動機船). 발동기정(艇).

모:터보:트 경:주【一競走】〔motorboat〕명 모터보트 레이스.
모:터보:트 레이스〔motorboat race〕명 모터보트를 타고 하는 경주. 속도의 우열은 시속의 계시(計時)로 결정함.
모:터 사이렌〔motor siren〕명 전동기(電動機)를 이용한 사이렌. 전동 취명기(吹鳴機).
모:터-사이클〔motorcycle〕명 모터바이시클.
모:터 쇼:〔motor show〕명 자동차·자동차 엔진·자동차 부품(部品) 따위의 전시회.
모:터 스쿠:터〔motor scooter〕명 스쿠터(scooter).
모:터 스포:츠〔motor sports〕명 자동차를 써서 하는 경기의 총칭. 자동차 경주, 랠리(rally) 외에 힐 클라이밍(hill climbing), 크로스 컨트리(cross country) 등이 있음.
모:터 십〔motor ship〕명 발동기선(發動機船).
모:터 오일〔motor oil〕명 모빌유(mobile油).
모:터-카:〔motorcar〕명 자동차(自動車).
모:터 코:치〔motor coach〕명 합승 자동차.
모:터 파이어 엔진〔motor fire engine〕명 불자동차.
모:터 팬〔motor fan〕명 선풍기(扇風機).
모:터 풀:〔미 motor pool〕명 자동차 주차장. 수리 시설 및 주유(注油) 시설 등을 갖춤.
모:턴〔Morton, William Thomas Green〕명〖사람〗미국의 치과 의사. 에테르 마취를 발치(拔齒) 수술에 최초로 사용하였음. [1819-68]
모텅이 명〈방〉모퉁이(강원).
모테 명 옛날 벼슬아치의 우장(雨裝). 모양이 갈모테와 꼭 같되 훨씬 크며, 검푸른 큰 갈모를 눌러 씀.
모테토〔이 motetto〕명〖악〗종교 음악으로 초기 다성(多聲) 음악의 가장 대표적인 형식. 무반주의 성악곡이 많음. 천주교회에서의 전례용으로 작곡되었으며 라틴어의 가사가 붙음. 경문가(經文歌).
모:텔〔motel〕명 자동차 여행자용의 여관.
모텡이 명〈방〉모퉁이(경기·강원·충청·전라·황해·함남).
모:토¹【母土】명 매장할 때 무덤 속에 회를 다지어 넣고 바닥에 관(棺)이 들어가 놓일 만한 크기로 깎아 낸 흙.
모:토(를) 뽑다 구 모토를 깎아 내다.
모토²〔이 moto〕명〖악〗음악의 진행(進行).
모토³〔motto〕명 ①표어(標語). ②신조(信條). 좌우명(座右銘). ③제목(題目).
모토오다 타〈옛〉모으다. =뫼호다. ¶더닌 힝실을 모토와 前일 말솜을 實히와(摭往行實前言)《小諺 Ⅳ:1》.
모토오리 노리나가〔本居宣長: もとおりのりなが〕명〖사람〗일본의 국학자. 마쓰자카(松坂) 출생. 가모노 마부치(賀茂真淵)의 문하에서 고학(古學)을 창도하였음. 저서 《고지키덴(古事記伝)》 등. [1730-1801]
모토 주제【一主題】명〔motto theme〕〖악〗몇 개의 악장(樂章)을 가지는 큰 악곡(樂曲) 등에서 전체를 통하여 그 곡의 주장이 되는 주제. 각 악장에서 쓰이며 전체로서의 통일을 짓고 있음.
모토-지【毛土紙】명 중국산(中國産) 종이의 한 가지.
모토-크로스〔moto-cross〕명 오토레이스의 하나. 스피드웨이의 코스가 아니고 육상의 단교(斷郊) 경주처럼 오토바이로 산림 원야(山林原野)를 달려 우열(優劣)을 가림.
모통이 명〈방〉모퉁이(경기·전남·경상·제주·평안).
모퇴이 명〈방〉모퉁이(경남·함남).
모투라-지다 자〈방〉모지라지다(함경).
모투저기다 타 돈이나 물건을 아껴서 조금씩 모으다.
모퉁이 명〔근대: 모롱이〕①구부러지거나 꺾이어 돌아간 자리. ¶길~의 가게. ②〈방〉쪽⁴.
모퉁잇-돌 명 ①〖건〗초석(礎石). ②〔corner stone〕〖성〗여호와에 대한 신앙(信仰) 불변(不變)의 원리(原理) 등을 상징하며, 교회의 초석이 된다는 뜻으로 '예수'를 비유하는 말.
모튀 명〈방〉모퉁이(함남).
모튕이 명〈방〉모퉁이(전북·경남).
모트¹〔Mott, John Raleigh〕명〖사람〗미국의 기독교 청년 운동 지도자. YMCA 운동의 조직자. 후에 '세계 학생 그리스도교 연맹'을 결성함. 1946년 노벨 평화상을 수상하였음. [1865-1955]
모트²〔Mott, Nevill Francis〕명〖사람〗영국의 물리학자. 영국 케임브리지 대학 명예 교수임. '금속의 전자 구조 이론의 기초 연구'·'비결정체 속의 전자적 과정' 등의 연구가 유명함. '자기 및 불규칙 시스템의 전자 구조'에 관한 연구 분야에서 이룩한 업적으로 P.W. 앤더슨, J.H. 밴블렉 등과 함께 1977년 노벨 물리학상을 수상함. [1905-]
모티 명〈방〉모퉁이(경북).
모티베이션〔motivation〕명 개체의 행동을 유발하는 동인(動因). 동기(動機) 부여.
모:티베이션 리서:치〔motivation research〕명 소비자가 상품을 구입한 동기(動機)를 과학적으로 조사하는 일.
모:티브〔motive〕명 모티프(motif).
모:티비즘〔motivism〕명〖윤〗동기론(動機論).
모티프〔프 motif〕명 ①〖예〗〔어떤 사물을 움직이는 데 근원이 되는 동력이란 뜻〕회화·조각·소설 등의 예술 작품을 표현하는 동기가 된 작가의 중심 사상. 동기(動機). ②〖악〗음악 구조를 구성하는 가장 작은 단위. 둘 이상의 음이 모여서 된 것인데 선율의 기본이 되며 또 일정한 의미를 가진 소절(小節)을 이룸. ③〖미술〗그림의 주제. ④레이스 뜨기 등에서, 작품을 구성하는 기본 단위가 되는 무늬. 모티브.
모팅이 명〈방〉모퉁이(충청·경상).
모:파상〔Maupassant, Guy de〕명〖사람〗프랑스의 소설가. 플로베르(Flaubert)의 지도로 처음 《기름 덩어리》를 발표하여 문단에 혜성같이 등장하고 이래 10년 간에 장편 6편, 단편 300여 편을 발표함. 간결·명쾌한 문장과 예리한 관찰로써 프랑스 자연주의(自然主義)를 완성하였으며, 염세적 성격으로 만년에 발광(發狂)하여 자살(自殺)까지 기도하다가 죽음. 대표작으로는 《여자의 일생》·《벨 아미(Bel Ami)》·《죽음과 같이 강하다》·《목걸이》 등이 있음. [1850-93]
모-판¹【一板】명 들어가서 손질하기에 편리하게 못자리의 사이사이를 떼어 직사각형으로 다듬어 놓은 조각조각의 구역. 묘판(苗板). *모종판.
모판²【一板】명 ☞목판(木板).
모판-흙【一板一】[一흑] 명 온상 또는 냉상 따위의 모판 바닥에 까는 흙. 기름진 흙이나 퇴비 가루 따위를 씀. 상토(床土).
모페드〔moped〕명 모터와 페달을 갖춘 자전거의 일종. 오토바이처럼 달리다가, 페달을 밟아 달릴 수도 있음.
모페르튀이〔Maupertuis, Pierre Louis Moreau de〕명〖사람〗프랑스의 수학자·천문학자. 1736-37년 지구 타원체의 정확한 형태를 정하기 위한 측량대(測量隊)의 대장으로 라플란드(Lapland)에 가서 지구가 남북으로 편평(扁平)함을 입증했으며 1744년 역학(力學)의 '최소 작용의 원리'를 발표하였음. 1746년 프리드리히 2세의 초청으로 베를린에 가서 과학 아카데미의 회장이 됨. [1698-1759]
모펫〔Moffet, S.A.〕명〖사람〗미국의 장로교 선교사(宣教師). 1890년 조선에 건너와, 3년 동안 서울에서 전도한 뒤, 평양으로 옮겨 성경을 가르친 것이 현재의 장로교 신학교(神學校)의 전신(前身)이 됨. 1907년 장로교 신학교 교장, 1918년 숭실(崇實) 전문 학교 교장이 되어 포교와 교육에 전념하다가 1934년에 귀국함. 한국명은 마포 삼열(馬布三悅).
모:-평균【母平均】명〖수〗모집단 변수(變數)의 평균값.
모포【毛布】명 담요. 털요.
모:폴로지〔morphology〕명 ①〖생·광〗형태학. ②〖언〗형태론.
모표¹【帽標】명 ↗모자표(帽子標).
모표²【模表】명 모범(模範).
모-풀 명 못자리에 거름으로 넣는 풀.
모:풍【冒風】명 바람을 무릅씀. ──-하다 자 여불
모피¹【毛皮】명 ①털이 붙은 채로 벗긴 짐승의 가죽. 털가죽. ¶~ 목도리. ②털과 가죽.
모피²【謀避】명 꾀를 부려 피함. 도면(圖免). ¶그 같은 음남·음녀를 만나면 실로 지난한 경우도 많이 당하며 근근히 ~하여 가는 터인데…《경제당: 洞庭秋月》. ──-하다 타 여불
모피-상【毛皮商】명 모피를 매매하는 장사. 또, 그 장수.
모피수-류【毛皮獸類】명 모피가 여러 가지로 이용되는 짐승들. 족제비·수달·너구리·여우 따위.
모필【毛筆】명 털붓. 붓.
모필-화【毛筆畫】명〖미술〗붓으로 그린 그림. 동양화는 대개 이에 속함.
모:하【暮夏】명 ①늦은 여름. ②음력 6월의 이칭.
모-하다【模一】타 여불 ①그림이나 글씨 위에 투명한 종이를 대어 그대로 그리다. ②본보기대로 그리다. ③모방하다.
모:하당 술회록【慕夏堂述懷錄】명〖문〗조선 선조(宣祖) 때 왜군에서 귀화한 김충선(金忠善)이 지은 가사. 자기의 일생을 회고해서 지은 작품. 《모하당 실기》에 전(傳)함. 《모하당 실기》에는 이 밖에도 엇시조(旕時調) 또는 사설 시조 형식의 작품 5수가 전함. 총 232구.
모하람-제【一祭】〔Moharram〕명〖종〗①회교에서 행하는 신년의 축제. 양력 10월 9-12일경. 신월(新月)이 나오는 저녁부터 시작함. ②마호메트의 손자 이맘 후사인(Imam Hussain)의 카르발라(Karbala)에서의 전사를 기념하는 추도제(追悼祭). 그 달의 최초 10일간에 모든 의식을 거행함. ③이맘 후사인과 그의 형 하산의 순교(殉教)를 기념하는 제전.
모하메드〔Mohammed〕명〖사람〗마호메트(Mahomet).
모하메드-교【一教】〔Mohammed〕명〖종〗이슬람교(教).
모하비 사막【一沙漠】〔Mojave〕명〖지〗미국 캘리포니아 주(州) 남부, 시에라 네바다 산맥의 남단부로부터 로스앤젤레스 배후의 산지 사이에 있는 사막. 연평균 강수량 50-150mm. [38,850km²]
모:한【冒寒】명 추위를 무릅씀. ──-하다 자 여불
모:함¹【母艦】명〖군〗①↗항공 모함(航空母艦). ②↗잠수 모함(潛水母艦). ③↗헬리콥터 모함.
모함²【謀陷】명 여러 가지 꾀를 써서 남을 못된 구렁에 빠지게 함. ¶~에 빠지다. ──-하다 타 여불
모:항【母港】명 그 배의 근거지가 되는 항구. 또, 출항(出港)하여 온 항구.
모해¹【模楷】명 모범².
모해²【謀害】명 모략을 써서 남을 해롭게 함. ──-하다 타 여불
모해³〈옛〉모에. 모퉁이에. =모히. '모'의 처격형(處格形). ¶흐르ᄂᆞᆫ 셜운 ᄆᆞᅀᆞ미 묏모해 ᄀᆞ독ᄒᆞ도다(流恨滿山隅)《初杜諺 Ⅵ:25》.
모해 위증죄【謀害僞證罪】[一쬐] 명〖법〗형사 사건 또는 징계 사건에 관하여 피고인·피의자 또는 징계 혐의자를 모해할 목적으로, 법률에 의하여 선서한 증인이 허위의 공술(供述)을 하는 죄. *위증죄.
모해 증거 인멸죄【謀害證據湮滅罪】[一쬐] 명〖법〗피고인·피의자 또는 징계 혐의자를 모해할 목적으로 증거 인멸죄를 범함으로써 성립하는 죄. 증거 인멸죄보다 형이 가중되며 목적범임. 친족·호주 또는 동거의 가족이 본인을 위하여 이 죄를 범한 때에는 처벌하지 아니함.
모해 증인 은닉 도피죄【謀害證人隱匿逃避罪】[一쬐] 명〖법〗피고인·피의자 또는 징계 혐의자를 모해할 목적으로 증인 은닉 도피죄를 범함으로써 성립하는 죄. 증인 은닉 도피죄보다 형이 가중됨. 친족·호주 또는 동거의 가족이 본인을 위하여 이 죄를 범한 때에는 처벌하지 아니함.
모해파리-목【一目】명〖동〗[Cubomedusae] 해파리강(綱)에 속하는 강장(腔腸) 동물의 한 목(目). 등해파리 등이 있음. 입방 수모류(立方水母類).
모:행【冒行】명 ①무릅쓰고 함. ②무릅쓰고 감. ¶야금(夜禁) ~. ──-하다 타 여불
모:험【冒險】명 ①위험을 무릅씀. ②되고 안 됨을 돌보지 아니하고 덮어놓고 하여 봄. 어드벤처. ──-하다 타 여불
모:험-가【冒險家】명 모험을 즐기어, 위험하고 불확실한 일을 거사(擧事)하는 사람. *탐험가.

모:험-기【冒險記】명 모험적인 사실을 그대로 적은 기록.

모:험-담【冒險談】명 모험적인 사실이나 행동에 대한 이야기.

모:험 대:차【冒險貸借】명〖경〗그리스 시대 및 로마 시대에 해상 거래 상인의 자금 융통을 위하여, 선박과 화물(貨物)이 안전하게 귀항(歸航)하면 이자(利子)를 붙여서 상환(償還)하고, 항해가 무사히 수행되지 않았을 때는 그 의무가 면제되는 조건으로 행하여지던 소비 대차(消費貸借). 오늘날의 해상 보험의 원시적 형태임.

모:험 사:업【冒險事業】명 위험한 줄을 알면서 성공을 운명에 맡기고 하는 사업.

모:험-성【冒險性】[-썽] 명 모험하는 성질.

모:험 소:설【冒險小說】명〖문〗주인공의 모험에 흥미의 중심을 둔 소설. 주로 미성년을 독자로 하여 그들의 모험심과 용기를 북돋우기 위하여 모험적인 사건을 내용으로 하는 통속 소설임.

모:험-심【冒險心】명 위험을 무릅쓰고 행동하려는 마음.

모:험-적【冒險的】명관 모험스러운 일. 모험성을 띤 모양.

모:험-주의【冒險主義】[-/-이] 명 성공에 필요한 객관적인 조건(條件)을 구비(具備)하지 아니한 정책(政策)·방침을 취하는 주의.

모헤어〔mohair〕명 ①앙고라염소의 털. 섬유질이 좋아 파일 직물(pile 織物) 기타 고급 복지(服地)에 많이 쓰임. 터키·남아프리카 등지에서 산출됨. ②모헤어로 짠 윤이 나고 얇은 피륙. ③모헤어 플리스(mohair fleece).

모헤어-염소〔mohair〕명〖동〗앙고라염소.

모헤어 플러시〔mohair plush〕명 벨벳의 한 가지. 감의 씨와 날은 무명실이며, 털은 모헤어로 되었음.

모헤어 플리:스〔mohair fleece〕명 여성용 고급 오버(over)감의 한 가지. 모헤어를 써서 표면에 부드러운 털이 나게 한 방모융(紡毛絨)임. 모헤어.

모헨조다로 유적【-遺跡】〔Mohenjo-Daro〕명〖지〗파키스탄 신드(Sind) 지방 남부의 인더스 강가에 있는 인더스 문명의 도시 유적(遺跡). 죽음의 언덕이란 뜻으로 기원전 2,700-2,000년의 약 700년 동안 번영하였음. 언덕 위에 자리잡고 동서로 약 240m, 남북으로 360m의 시가지터에서는 대욕장(大浴場)·배수(排水) 시설·공공 건축물·주거(住居) 등 벽돌 구조의 건물과 귀금속·인장·채문(彩文) 토기·청동기 등이 나옴. 1922년에 처음 발굴됨.

모-혀 명〈방〉〖건〗추녀.

모-혀끼래 명〈방〉〖건〗추녀.

모:현【慕賢】명〖문〗조선 시대의 시인(詩人) 박인로(朴仁老)가 지은 시조의 하나. 수양산(首陽山)의 은사(隱士) 백이(伯夷)·숙제(叔齊)와 중국 초(楚)나라의 충신 굴원(屈原)을 사모하여 읊음.

모혈[1]【毛穴】명 털구멍. 모공(毛孔).

모혈[2]【毛血】명 종묘와 사직의 제향에 쓰던 희생(犧牲)의 털과 피.

모혈-반【毛血盤】명 종묘(宗廟)·사직·문묘의 제향 때 희생의 모혈(毛血)을 불사르는 데 쓰던 그릇.

모:형[1]【母兄】명 ↗동모형(同母兄).

모:형[2]【母型】명〖인쇄〗활자를 부어 만들어 내는 판. 자모(字母). 모형(模型).

모형[3]【牡荊】명〖식〗[*Vitex cannabifolia*] 마편초과에 속하는 낙엽 관목. 높이 2-3m이고 더부룩하게 나는 것이 특징임. 가지와 잎은 대생하며 장상 복엽(掌狀複葉)에 긴 타원형 또는 피침형으로 가장자리에 톱니가 있고 장병(長柄)임. 7-8월에 담자색의 순형화(脣形花)가 가지의 엽액(葉腋)에 원추(圓錐) 화서로 주렁주렁 피며, 구형(球形)의 핵과(核果)가 맺힘. 중국 남방 원산(原産)으로 화단에 재배함. 줄기와 잎사귀를 달이어 이뇨(利尿)와 통경(通經)의 약재로 씀. 인삼목(人蔘木).

〈모형[3]〉

모형[4]【模型·模形】명 ①같은 형상의 물건을 만들기 위한 틀. 모본(模本). ②〖인쇄〗모형(母型). ③그림본. ④수본(繡本). ⑤실물(實物)과 구조(構造)는 같으나 규모가 다르게 만든 물건. 작품(作品)을 만들기 전에 미리 만든 본보기나 또는 완성된 작품을 줄여서 만든 본보기. 가상(假想)으로 만든 형체(形體). 모델(model). ¶ 군함 ~.

모형-기【模型機】명 모형 비행기.

모형-도【模型圖】명 모형을 그린 그림.

모형 비행기【模型飛行機】명 실물(實物)을 본떠서 만든 장난감 또는 교육용 비행기. 모형기(模型機).

모형-선【模型船】명 실물(實物)을 본떠서 만든 배.

모형 시험조【模型試驗槽】명〔model basin〕〖공〗선박의 모형을 시험할 수 있도록 만들어진 대형의 저수조(貯水槽).

모형 지도【模型地圖】명 실제의 모양과 같이 작게 그린 지도.

모형 철도【模型鐵道】[-또] 명 철도 차량의 축소 모형. 제작과 운전을 즐기기 위한 것으로 대형(大型) 모형은 그 기구(機構)가 실물과 비슷함.

모호【模糊·糢糊】수 ①소수(小數)의 하나. 막(漠)의 억분(億分)의 일, 준순(逡巡)의 억 배, 곧 10^{-48}. ②소수의 하나. 막의 십분의 일, 준순의 십 배, 곧 10^{-13}.

모호로비치치 불연속면【-不連續面】〔Mohorovičić〕명〖지〗지구의 지각(地殼)과 중간층인 맨틀(mantle)과의 경계면. 깊이는 평균 33km. 지진파(地震波)의 속도는 이를 경계로 맨틀에서 급증(急增)함. 1909년에 유고슬라비아의 지진학자 모호로비치치가 발견함. ㊥모호면.

모호-면【-面】명〖지〗↗모호로비치치 불연속면.

모호이-너지〔Moholy-Nagy, László〕명〖사람〗헝가리 태생의 미국 화가·사진 작가. 1918년 베를린에 나와 표현파, 큐비즘(cubism)을 거쳐 구성주의적(構成主義的) 작품을 그림. 1921년 경부터 사진에 손을 대어 포토몽타주(photomontage), 포토그램(photogram) 등 새로운 시각 언어를 창조함. 1937년 미국에 이르러 시카고에 뉴바우하우스를 세우고, 1944년에는 인스티튜트 오브 디자인(Insitute of Design)을 설립함. [1895-1946]

모호-하다【模糊─·糢糊─】형여불 흐리터분하여 똑똑하지 못하다. ¶ 모호한 태도.

모화[1]【帽花】명〖역〗어사화(御賜花)❶.

모:화[2]【慕化】명 덕(德)을 사모(思慕)하여 감화(感化)됨. ──하다 자여불

모:화[3]【慕華】명 중국의 문물(文物)과 사상(思想)을 숭모함. ¶ ~ 사상. ──하다 자여불

모:화-관【慕華館】명〖역〗조선 시대에, 중국 사신(使臣)을 영접하던 곳. 돈의문(敦義門) 밖 서북쪽에 있었는데, 세종 12년(1430)에 구조(構造)를 고쳐서 이 이름으로 함. 모화루(樓).
[모화관 동냥아치 떼쓰듯] 경위(經緯)에 어그러진 언사로 시끄럽게 떠든다는 말.

모-화-대【帽靴帶】명 사모(紗帽)·목화(木靴)·각띠의 총칭.

모:화-루【慕華樓】명〖역〗'모화관'의 본명(本名).

모:화 사:대 사:상【慕華事大思想】명 중국의 강한 세력을 추종(追從)하여 안전을 유지하려는 사대 사상.

모:화 사:상【慕華思想】명 중국의 문물(文物)·사상(思想)을 흠모하여 따르려는 사상.

모화혜다 타〈옛〉합산하다. 합계하다. ¶ 모화혜니(通滾算着)《老乞 上 13》.

모황-도【牟黃島】명〖지〗전라 남도의 남해상(南海上), 완도군(莞島郡) 신지면(薪智面) 동촌리(東村里)에 위치한 섬. [0.12km^2]

모:-회사【母會社】명〖경〗자본에 참가, 임원(任員)을 파견하거나 또는 하청(下請)을 맡게 하거나 해서 다른 기업을 지배하는 회사. ↔자회사(子會社).

모:후【母后】명 황제의 어머니인 태후(太后).

모:훈[1]【母訓】명 어머니의 교훈. 모교(母敎). 자훈(慈訓).

모훈[2]【謨訓】명 국가의 대계(大計). 후왕(後王)의 계(戒)가 되는 가르침.

모훈 집요【謨訓輯要】명〖책〗《국조 보감(國朝寶鑑)》·《열성 지장(列聖誌狀)》·《갱장록(羹墻錄)》 등에서 주로 수신(修身)·치국(治國)에 관한 요목을 초록(抄錄)한 책. 조선 순조 18년(1818)에 시강원(侍講院)에서 펴낸 것으로, 조선 시대의 역대 왕 23대에 걸친 사실을 분류 기입하였는데, 그 대목(大目)은 존심(存心)·수기(修己)·정가(正家)·경방(經邦)으로 하고, 주로 세자를 위하여 꾸몄음. 6권 3책.

모-휘양【毛揮─】명〔←모휘항(毛揮項)〕모피(毛皮)로 만든 휘양.

모-흥갑【牟興甲】명〖사람〗조선 말기의 판소리 명창. 경기도 안성 죽산(竹山) 혹은 진위(振威) 출생. 전라도 전주 출생이라고도 함. 송흥록(宋興祿)의 후배. 《적벽가(赤壁歌)》와 《춘향가》를 잘 불렀으며, 고동 상성을 잘 질러 내는 것이 특징이었음. 고종(高宗)으로부터 동지(同知)를 제수받음. 생몰년 미상.

모히[1] 〈옛〉모가. 모퉁이가. '모'의 주격형(主格形). ¶ 담모히 또 깁스위도다(墻隅亦深邃)《杜諺 Ⅵ:22》.

모히[2] 〈옛〉메가. 산(山)이. '뫼[2]'의 주격형(主格形). ¶ 모히 쁘린터 가시야 노폰딕 올오라(山擁更登危)《杜諺 Ⅺ:28》.

모히다 자〈방〉모이다.

모홀 〈옛〉모를. 모퉁이를. '모'의 목적격형. ¶ 南녀그론 抱罕시 모홀 鎭ᄒᆞ얫ᄂᆞ니라(南鎭抱罕陬)《杜諺 ⅩⅫ:37》.

모히 〈옛〉모에. 모퉁이에. '모'의 처격형(處格形). =모해. ¶ 창 틈으로 여어보니 상 우희 뵈니불 ᄒᆞ나홀 노햇고 ᄒᆞᆫ 모히 ᄒᆞ야딘 쉾을 두고《太平 Ⅰ:23》.

목[1] 명 ①〖생〗머리와 몸의 사이를 잇댄 잘록한 부분. ¶ ~이 아프다. ②↗목구멍. ¶ ~이 메어 울다. ③모든 물건의 목❶에 해당한 부분. ¶ 손~/버선~. ④〖식〗곡식의 이삭이 달린 부분. ⑤다른 곳으로 빠져 나가는 중요한 길의 좁은 곳. ¶ 길~. ⑥↗목소리.
[목 짧은 강아지 겻섬 넘어다보듯] 키가 작은 사람이 가리어져 잘 안 보이는 먼뎃 것을 보려고 목을 빼 늘이고 발돋움하여 보는 모양을 이름.
목에 거미줄 치다 구 '입에 거미줄 치다'와 같은 말.
목에 핏대를 세우다 구 몹시 노하거나 흥분하여, 목에 핏줄이 불뚝 드러나게 하다.
목을 걸:다 구 ㉠목숨을 내어 놓기로 하고 내기를 하다. ㉡목숨을 바칠 각오로 일을 하다. ㉢해고의 위험을 무릅쓰고 무슨 일을 하다. ㉣어떤 일에 얽매이다.
목(이) 빠:지다 구 희망이나 기대가 빨리 실현되기를 간절히 바라며 기다리는 모양을 형용하는 말. ¶ 목이 빠지게 기다리다.

목[2] 명〖광〗광산에서, 금방아를 찧고 나서 광석을 함지로 일어서 금을 잡을 때 나오는, 납·은 같은 것이 섞이어 있는 분광(粉鑛).

목[3] 명〈방〉몫.

목[4] 명〈옛〉몫. 꿰미. ¶ 구슬 갓긴 五百목(燒珠兒五百串)《老乞 下 60》.

목[5]【木】명〖민〗①오행(五行)의 하나. 방위(方位)로는 동쪽, 계절로는 봄, 색(色)으로는 청(靑)이 됨. ②〖악〗팔음(八音)의 한 가지. 축(柷)·어(敔)와 같은 종류의 나무로 만든 일종의 마찰 악기(摩擦樂器). ③↗목요일(木曜日).

목[6]【木】명 성(姓)의 하나. 본관 미상임.

목[7]【目】㊀ 명 ①예산(豫算) 편제 상의 단위의 하나. 항(項)의 아래. ②〖생〗생물 분류학 상(分類學上)의 계급의 하나. 강(綱)과 과(科)의 사이. ¶ 나비~/가오리~. ㊁ 의명 바둑에서, 바둑판의 눈이나 바둑 돌의 수를 셀 때 쓰는 말. ¶ 오(五)~ 반(半) 공제.

목[8]【牧】명〖역〗①고려 중기 이후와 조선 시대에 설치한 지방 행정 단위의 하나. 도(道) 안의 비교적 크거나 왕실(王室)의 연고지(緣故地)가 되는 지방으로 목사(牧使)가 다스렸음. ②↗목사(牧使).

목[9]【睦】명 성(姓)의 하나. 현재 우리 나라에는 본관이 사천(泗川) 하나뿐임.

목[10] 의명〖역〗조세(租稅)를 계산하기 위한 토지 면적(面積)의 단위(單位). 백 짐 곧, 일만 파(把)의 일컬음. 결(結).

목-【木】접 '나무로 된' 또는 '무명으로 된'의 뜻을 나타내는 말. ¶~골통이/~세루.
목가¹【木稼】명 상고대¹.
목가²【牧歌】명 ①목동(牧童) 또는 목자(牧者)의 노래. ②〔idyl〕〖악〗전원시(田園詩)의 한 가지. 전원의 한가로운 목자(牧者)나 농부의 생활을 주제(主題)로 한 시가(詩歌)로, 환상적인 소곡(小曲)으로서 기악곡에 쓰임. 아이딜.
목-가래【木一】명〈방〉넉가래.
목-가리개 명〖고고학〗판갑옷이나 비늘갑옷의 부속구로서 목 부분을 보호하는 갑옷. 경갑(頸甲).
목-가스【木一】〔gas〕명 목재를 건류(乾溜)할 때 생기는 가연성(可燃性) 가스. 우드 가스(wood gas).
목가-적【牧歌的】명관 목가(牧歌)처럼 소박하고 서정적인 모양.
목각【木刻】명 ①나무에 서화를 새김. 나무로 상(像)을 조각함. 또, 그 조각한 물건. ¶~ 불상. ↔석각. ②↗목각화. ③〖인쇄〗↗목각 활자. ④〖예술〗중국의 목판화(木版畫). ——-하다 타여불
목각-판【木刻板】명 목각으로 된 판각이나 판본(版本).
목각-화【木刻畫】명 나무에 새긴 그림. 준목각(木刻).
목각 활자【木刻活字】[一짜] 명〖인쇄〗나무에 새긴 활자. 준목각(木刻).
목간¹【木竿】명 장나무.
목간²【木幹】명 나무의 줄기.
목간³【木簡】명 종이가 없던 시대에 문서(文書)나 편지 기타 어떠한 글을 나뭇 조각에 적은 것. 주로 전한(前漢)에서 동진(東晉)에 걸쳐 있었던 것으로, 내용적으로 사료적 가치(史料的價値)도 높으며, 그 서체(書體)도 서도 상(書道上)에 귀중한 자료가 됨.
목간⁴【沐間】명 ①↗목욕간(沐浴間). ②목욕간에서 목욕함. ——-하다 자여불
목간-문【沐間門】명 목욕간의 문.
목간-통【沐間桶】명 ①목욕간에 있는 목욕통(沐浴桶). ②〈속〉목욕탕.
목-갈리다 자 목소리가 거칠게 쉬다.
목-감:다[一따] 자〈방〉미역 감다.
목감-직【牧監直】명〖역〗고려 때, 각 지방의 목장(牧場)의 감독관. 보통 말 1,000-5,000 필과 노자(奴子) 250-1,250 명을 거느림. *감목관(監牧官).
목-갑【木匣】명 나무로 만든 갑.
목강【木強】명 어거지가 세고 만만치 않음. ——-하다 형여불 목곧다.
목객【木客】명 ①나무꾼. ②산에 있다는 괴물. 산도깨비. ¶대낮에 ~을 보았는가《金周榮 : 客主》.
목-거리 명 목이 붓고 몹시 아픈 병.
목거지 명〈방〉모꼬지.
목건련【目犍連】[一견一] 명〔범 Maudgalyāyana〕〖불교〗석가의 십대 제자(十大弟子)의 하나. 인도 사람으로, 성은 바라문(婆羅門). 불문에 들어와서 부처님을 도와 신통(神通) 제일(第一)의 성예(聲譽)를 얻음. 나복(羅卜). 목련(目連). 마우드갈리아야나.
목-걸이 명 ①목에 거는 물건의 총칭. 수파(首帕). ②주(主)로 여자들의 양장(洋裝)에서 보석이나 기타 귀금속을 꿰어 목에 거는 장식품(裝飾品). 경식(頸飾). 네크리스(necklace). ¶금~. *펜던트.
목검【木劍】명 나무로 만든 칼. 목도(木刀).
목격【目擊】명 눈으로 직접 봄. 목견(目見). 목도(目睹). ¶범행의 현장을 ~하다. ——-하다 타여불
목격-담【目擊談】명 목격한 것에 대한 이야기.
목격-자【目擊者】명 목격한 사람. 눈으로 직접 본 사람.
목견【目見】명 목격(目擊). ——-하다 타여불
목경【木莖】명 나무 줄기.
목계¹【木桂】명〖식〗모계(牡桂).
목계²【木枅】명〖건〗박공(欂栱) 위에 부연(附椽)처럼 얹어서 기와를 받게 된 나무.
목계³【牧谿】명〖사람〗중국 남송(南宋) 말엽의 수묵(水墨)화가·선승(禪僧). 휘는 법상(法常). 서호반(西湖畔)에서 살았음. 송대 수묵화의 대표자로, 대표작은《관음도(觀音圖)》등. [1225-65]
목계-가【木鷄歌】명〖악〗오관산곡(五冠山曲).
목고지 명〈심마니〉돼지.
목-곧다 형 어거지가 세어 좀처럼 굽히지 아니하다. 목강(木強)하다.
목-곧이[一고지] 명 목곧은 사람. 목강(木強)한 사람.
목골【木骨】명〖건〗뼈대를 목조(木造)로 하는 방식. ↔철골(鐵骨).
목-골통이【木一】명 나무로 파서 만든 담뱃대통.
목공¹【木工】명 ①나무를 다루어 물건을 만드는 장색. ②목수(木手).
목공²【木公】명〔송(松)자의 파자(破字)〕소나무.
목공-구【木工具】명 목재의 가공에 쓰이는 톱·대패·끌·송곳 따위의 공구.
목공 기계【木工機械】명 나무를 가공하는 데 쓰이는 기계의 총칭.
목-공단【木貢緞】명 무명실로 짠 공단.
목공 선반【木工旋盤】명 목공(木工) 일에 쓰이는 간단한 선반(旋盤). 원통물(圓筒物)을 깎는 데 쓰임. 목선반.
목공-소【木工所】명 목재를 가공하여 물건을 만드는 곳. 목형소.
목-공예【木工藝】명 나무를 가공한 공예품. 또, 그 가공 기술.
목공 침상【木工沈床】명〖공〗제방이나 해안을 수축(修築)할 때의 수중 기초(水中基礎)의 하나. 약 2미터 길이의 굵은 통나무를 네 귀에 기둥으로 하고, 이것에 횡목을 걸쳐서 작은 목재들을 울타리 모양으로 둘러치고 밑바닥에도 깐 다음 돌을 채워 물 속에 가라앉힘.
목공-품【木工品】명 나무를 다루어 만든 가공품(加工品). 책상·소반·나막신 같은 것.
목공 프레이즈반【木工一盤】〔fraise〕명 목공 일에 쓰이는 간단한 프레이즈반(fraise盤).
목과¹【木瓜】명〖한의〗'모과(木瓜)'의 한약명(韓藥名). 성질이 온(溫)하며, 각기(脚氣)·갈증(渴症)·곽란(癨亂)·부종(浮腫)에 쓰임. 모과나무.
목과²【木果】명 나무의 열매. 목실(木實).
목곽【木槨】명〖역〗시체를 담은 관을 지하에 안치하기 위하여 나무로 궤처럼 만든 보호 시설. 관은 이동이 가능한 반면, 곽은 부동의 시설임. 낙랑(樂浪) 시대와 삼국 시대에 사용되었음.
목곽-묘【木槨墓】명〖고고학〗'덧널 무덤'의 구용어.
목곽-분【木槨墳】명〖고고학〗'덧널 무덤'의 구용어.
목곽 적석총【木槨積石塚】명〖고고학〗'돌무지 덧널무덤'의 구용어.
목관¹【木棺】명 나무로 짠 관.
목관²【木管】명 ①나무로 만든 관. ②방적 기계의 부분품. 조방기(粗紡機)·정방기(精紡機)·연방기(撚紡機) 등에서 실을 감는 데 쓰이는 관.
목관³【牧官】명〖역〗목사(牧使).
목관-묘【木棺墓】명〖고고학〗'널무덤'의 구용어.
목관 악기【木管樂器】명〖악〗나무로 만든 관악기. 또, 구조·발음 원리가 같은 금속제 그 밖의 같은 종류의 악기의 총칭. 리드(reed)를 사용하는 것과 사용하지 아니 하는 것의 두 가지가 있음. 하모니카·클라리넷·색소폰·퉁소·피리 등.
목광【目眶】명 눈시울.
목-괭이 명〈방〉곡괭이(전북).
목괴 포장【木塊鋪裝】명〖공〗나무 토막으로 한 포장. 여러 방법이 있으나 보통으로는 목침(木枕)만한 나무 토막을 길 바닥에 촘촘히 세워서 깖.
목교¹【木橋】명 나무로 놓은 다리. 나무 다리.
목교²【目巧】명 눈썰미.
목구【木毬】명 나무로 만든 격구(擊毬) 공. 겉에 붉은 칠을 하였음. 목구자(木毬子). 목환(木丸).
목구 경:기【木球競技】명 볼링(bowling).
목-구두 명 편상화(編上靴).
목-구멍 명〖생〗입 속의 깊숙한 안쪽. 곧 기관(氣管)이나 식도(食道)로 통하는 곳. 인후(咽喉). 후문(喉門). 준목.
[목구멍이 포도청(捕盜廳)] 살기 위하여 곧, 먹는 일 때문에 하지 못할 일까지 하게 된다는 말.
목구멍 때도 못: 씻었다 구 자기 양에 차지 못하게 아주 조금 먹었음을 가리키는 말.
목구멍에 풀칠한다 구 굶지 아니하고 겨우 먹고 살아 간다.
목구멍의 때를 벗긴다 구 오랫만에 좋은 음식을 포식한다.
목구멍(이) 크다 구 ㉠양이 커서 많이 먹다. ㉡욕심이 많다.
목구멍-소리 명〖언〗'후음(喉音)'의 풀어 쓴 이름.
목구-자【木毬子】명 목구(木毬).
목궁【木弓】명 애끼찌나 산뽕나무로 만든 활.
목귀 명〖건〗재목(材木)의 귀퉁이를 깎아서 면(面)을 접어 장식한 것.
목귀 대:패 명〖건〗목귀질하는 데 쓰는 대패.
목귀-질 명 목귀로 하기 위하여 나무를 다듬는 일. ——-하다 타여불
목균【木菌】명 말려서 꼬치에 꿴 버섯.
목극【木屐】명 나막신.
목-극토【木克土】명〖민〗오행(五行)의 운행(運行)에서 목(木)은 토(土)를 이긴다는 뜻.
목근¹【木根】명 나무 뿌리.
목근²【木槿】명〖식〗무궁화(無窮花)나무.
목근³【木筋】명〖건〗콘크리트 건물의 심으로서 넣는 목재. ↔철근.
목근 적간【木根摘奸】명〖역〗산림(山林)의 도벌(盜伐)이 있고 없음을 가서 조사하던 일. ——-하다 자여불
목금¹【木琴】명〖악〗'실로폰(xylophone)'의 역어(譯語).
목금²【目今】명부 지금. 이제 곧. 목하(目下).
목기¹ 명 기름틀의 챗날과 머리틀 사이에 끼는 목침같이 생긴 나무 토막.
목기²【木記】명 한적(漢籍)에서 간행 시기·간행지·간행자의 이름 같은 것의 전부 또는 일부를 표시한 부분. 전서(篆書) 등의 특별한 자체(字體)를 사용하기도 하고, 둘레에 멍에를 치기도 함. *간기(刊記).
목기³【木器】명 나무 그릇.
목-기러기【木一】명 나무로 만들어 채색한 기러기. 구식 혼인 때에 산 기러기의 대신으로 씀. 목안(木雁).

〈목기러기〉

목기-법【木寄法】[一뻡] 명〖미술〗조각술의 한 가지. 여러 가지의 나뭇 조각으로 모양을 맞추어 만들되, 한 나무로 만든 것같이 하는 법. 기본법(寄本法).
목기-전【木器廛】명 여러 가지 목기를 파는 가게나 시전(市廛). 목물전(木物廛).
목긴-벌레 명〖충〗목대장.
목-깽이 명〈방〉곡괭이(충북·경상).
목-꽝이 명〈방〉곡괭이(강원·경북).
목-꽹이 명〈방〉곡괭이(충남·경북).
목-날아가다 자 ①목이 잘리다. 죽임을 당하다. ②파면되다. 해고되다.
목-낭청【睦郎廳】명 이래도 응하고 저래도 응하는 사람을 조롱하여 일컫는 말.
[목낭청의 혼이 씌다] 시키는 대로 따라 하다. ¶소공은 목낭청의 혼이 씌였던지 그 뒤로 조쳐 가며《褒裨將傳》.
목낭청-조【睦郎廳調】[一쪼] 명 분명하지 않은 태도. 어름어름하면서 얼버무리는 말씨.
목내이【木乃伊】명 '미라(mirra)'의 취음(取音).
목-노【木一】명 목실을 여러 겹으로 꼬아 질기게 만든 노끈.
목-노림 명〈방〉목놀림.
목-놀림 명 어린애의 목구멍을 추길 만한 정도로 적게 먹이거나, 그 정도로 나는 젖의 분량.
목농【牧農】명 ①↗목축 농업(牧畜農業). ②목축과 농업.
목-놓다[一노타] 자 마냥 울다. 울 때 목소리를 크게 내다. ¶목놓아 울다.
목-누름 명 씨름 재간의 하나. 힘이 센 자가 상대자의 목덜미를 팔로 엎치어 눌러서 지우는 동작.
목눌【木訥】명 순직(純直)하고 지둔(遲鈍)하며 말이 적음. ——-하다 형여불
목다 형〈방〉맑다(전라·경남).

목-다리【木一】[명] 협장(脇杖).
목단【牧丹】[명] ①〖식〗모란. ②〖한의〗↗목단피(牧丹皮).
목단-강【牧丹江】[명]〖지〗무단 강.
목단-피【牧丹皮】[명]〖한의〗모란 뿌리의 껍질. 3년 이상 자란 것을 벗겨서 그늘에 말린 것으로, 성질이 차서 해열(解熱)·월경 불순(月經不順)·혈증(血症)·울노증(鬱怒症) 등에 씀. [준]목단.
목단-화【牧丹花】[명] 모란꽃.
목-달구【木一】[명] 굵고 큰 나무 토막으로 만든 달구.
목-달아나다 [자] 목날아가다.
목-달이 [명] ①버선목의 안찝 헝겊이 겉으로 걸쳐 넘어와서 목이 된 버선. ②밑바닥은 다 해지고 발등만 덮이는 버선.
목담 [명]〖광〗광석을 캐낸 굴(窟)을 버력돌로 쌓은 담. 「논.
목답【牧畓】[명]〖역〗조선 시대에 목자(牧子)에게 직전(職田)으로 주던
목당[1]【木糖】[명]〖화〗산(酸)을 이용하여 목재를 가수 분해(加水分解)해서 얻어지는 당(糖). 그 조성(組成)은 당화(糖化) 방법에 따라 두드러진 차(差)가 있으나 주성분은 글루코오스(glucose)임. 목재당(木材糖).
목당[2]【鶩溏】[명]〖한의〗당설(溏泄).
목대[1] [명] 두꺼운 엽전(葉錢)이나 당백전(當百錢)을 두 겹이나 세 겹으로 붙이고 구멍에 봉을 박고 가장자리를 상사친 물건. 돈치기할 때 준 돈을 맞히는 데 쓰임.
목대[2] [명] 멍에 양쪽 끝의 구멍에 꿰어, 소의 목 양쪽에 대는 가는 나무. 아래는 어긋매끼게 가슴걸이로 맴.
목대(를) 잡다 [구] 여러 사람을 거느리고 일을 시키다.
목대기 [명]〈방〉목침(함북).
목-대야【木一】[명] 나무로 만든 대야.
목대-잡이 [명] 목대를 잡아 일을 시키는 사람.
목-대장【一大將】[명]〖충〗[*Cephaloon pallens*] 목대장과에 속하는 곤충. 몸길이 10-13mm이고, 몸빛의 변화가 많은데 대부분이 황백색에서 흑색이며, 보통 두부(頭部)의 대부분과 전배판(前背板)의 한 개의 무늬, 시초(翅鞘) 외연(外緣)과 회합선(會合線), 몸의 하면 등은 흑색임. 꽃에 모이는 종류로 한국·일본 등지에 분포함. 목긴벌레.

〈목대장〉

목대장-과【一大將科】[一꽈] [명]〖충〗[Cephaloidae] 딱정벌레목(目)에 속하는 한 과. 몸은 목덜미와 사지(四肢)가 가늘고 길며, 촉각은 11절, 앞뒤 다리의 기절(基節)은 원추상(圓錐狀)이며 좌우가 상접(相接)하고, 발톱은 빗살 모양임. 아시아 동북부·북미주에 20여 종이 분포함.
목-대접【木一】[명] 나무로 만든 대접.
목댱쎄 [명]〈옛〉목정강이. ¶목댱쎄(頸頂骨)《老乞 下 35》.
목더기 [명]〈방〉목침(함남·평북).
목덕-도【木德島】[명]〖지〗인천 광역시의 서해상(西海上), 옹진군(甕津郡) 덕적면(德積面) 울도리(蔚島里)에 위치한 섬. 덕적도(德積島)의 서남쪽 18km 지점에 있음. [0.032km²]
목-덜개 [명]〈방〉목도리.
목-덜미 [명] 목의 뒷부분. 목의 뒤쪽. ¶~를 잡히다. [준]덜미.
목데기 [명]〈방〉목침(木枕)(함경).
목도[1] [명] 무거운 물건이나 돌덩이를 밧줄로 얽어 어깨에 메고 옮기는 일. 또, 그 일에 쓰는 둥근 나무 몽둥이. 흔히, 2·4·8명이 짝이 되어 맞메고, 소리를 하며 발을 맞추어 감. ——-하다 [타][여불]
목도[2]【木刀】[명] ①목검(木劍). ②〖미술〗예새.
목도[3]【木桃】[명] ①'산사자(山査子)'의 별칭. ②큰 복숭아.
목도[4]【目睹】[명] 목격(目擊). ——-하다 [타][여불]
목-도[5]【牧島】[명]〖지〗'영도(影島)'의 구칭.
목도기 [명]〈방〉목침(함북).
목도-꾼 [명] 석재(石材)나 무거운 물건을 목도하여 나르는 일꾼.
목-도리 [명] 추위를 막기 위하여 또는 모양으로 목에 두르는 물건.
목도리-날담비 [명]〖동〗노랑목도리담비.
목도리-담비 [명]〖동〗[*Charronia flavigula*] 족제빗과 담비속(屬)에 속하는 짐승. 몸의 길이 60cm, 꼬리 20cm 가량임. 몸빛은 뒤로 갈수록 차차 엷어지는데, 배면(背面)은 연회색(軟灰色)이며, 낯·겨드랑·꼬리는 암갈색이고, 목은 담황색임. 발바닥에도 털이 났음. 모피(毛皮)는 두껍고 부드러우며, 빛깔은 고우나 질이 좋지 못함. 한국 특산이며, 비슷한 것으로는 대륙목도리담비·노랑목도리담비 등이 있음. 밀구(蜜狗). 황요(黃猺).

〈목도리담비〉

목도리-도요 [명]〖조〗[*Philomachus pugnax*] 펑과에 속하는 새. 날개 길이 18-20cm이고, 몸빛은 개체에 따라 변화가 많은데, 목 둘레의 깃털은 남흑색(藍黑色)·적갈색에 갈색 횡문(橫紋) 또는 백색에 가까운 것 등 여러 가지이고, 복부는 흼. 목 둘레의 깃털이 길어 목도리를 두른 것 같음. 유럽 북부·시베리아 서부에 번식하며, 아프리카·인도·중국·한국·미얀마 등지에서 월동함.
목도-소리 [명]〖악〗노동요(勞動謠)의 하나. 목도꾼이 목도질할 때 발을 맞춰가며 옮길 때 부르는 소리.
목-도식 [명]〈방〉목덜미(강원).
목-도장【木圖章】[명] 나무로 만든 도장. 목인(木印).
목도-질 [명] 목도를 하는 일. ——-하다 [자][여불]
목도-채 [명] 목도할 때에 쓰는 길이 1m 가량의 굵은 몽둥이.
목독【目讀】[명] 눈으로만 읽는다는 뜻으로, 소리없이 읽는 일. 묵독(默讀). ——-하다 [타][여불]
목-돈 [명] ①부스러뜨리지 않고 한목 모아 내거나 들이는 돈. 모갯돈. ¶~으로 치르다. ②〖민〗굿할 때 전물(奠物)을 차리고 별비(別備)에 쓰라고 무당에게 먼저 주는 돈.
목돈 마련 저:축【一貯蓄】[명]〖경〗근로자 재산 형성 저축의 하나. 근로자(勤勞者)가 일정 기간 저축을 한 후 현금으로 저축 원리금(貯蓄元利金)과 저축 장려금(獎勵金)을 지급받는 저축. ＊재형 저축.
목-돌림 [명] 목이 아픈 돌림병의 통칭.
목-돌씨 [명]〈방〉목덜미(강원).
목돗-줄 [명] 목도하는 데 쓰이는 밧줄.
목동【牧童】[명] 마소에 풀을 뜯기는 아이. 목수(牧豎).
목동-가【牧童歌】[명] ①목동들이 부르는 노래. ②〖악〗임유후(任有後)가 지은 가사. 가사는 전하지 않는데, 광해군(光海君)의 난정(亂政) 때에 그의 아우 지후(之俊)가 거사하려다가 발각되어 일문(一門)이 화를 입게 되매 울진(蔚珍)의 산속에 숨어서 불렀다 함. 목동 문답가.
목동 문:답가【牧童問答歌】[명]〖악〗목동가❷.
목동-좌【牧童座】[명]〖천〗목자(牧者)자리.
목두[1]【木豆】[명] 제기(祭器)의 하나. 굽이 높은 목기(木器).
목두[2]【木頭】[명] 치목(治木)할 때에 목재(木材)의 끄트머리를 잘라 버린 도막.
목두기 [명] ①↗목둣개비. ②〖민〗무엇인지 모르는 귀신의 이름. ¶속담에 무당 노릇한 지 십 년에 ~란 귀신은 처음 본다더니…《作者未詳: 恨月》. ③〈방〉목침(木枕)(함남·평북).
목-두리 [명]〈방〉목도리.
목두-채【木頭菜】[명] 두릅나물.
목두채-적【木頭菜炙】[명] 두릅적.
목두-충【木蠹蟲】[명]〖충〗나무굼벵이.
목-둘레 [명] 목의 둘레. 경위(頸圍).
목둘레-선【一線】[명] 옷의 목둘레의 선. 네크라인(neckline).
목둣-개비【木頭一】[명] 치목(治木)할 때에 잘라버린 나뭇개비. [준]목두기.
목-뒤 [명] 목의 뒤쪽.
목등-뼈 [명]〖생〗경추(頸椎).
목등뼈-신경【一神經】[명]〖생〗경추 신경(頸椎神經).
목-따다 [자타] ☞목찌르다.
목란[1]【木蘭】[一난] [명]〖식〗목련(木蓮)❶.
목란[2]【木蘭】[一난] [명]〖사람〗중국 고대의 여성으로 6세기경의 서사시(敍事詩) 《목란사(木蘭辭)》에 의해 전해지는 상징적인 인물. 그 아버지를 대신하여 남복(男服)하고 수자리 살면서 적과 싸워 공을 세웠다 하며, 흔히 소설·희곡 등의 주제(主題)가 됨.
목란-가【木蘭歌】[一난一] [명]〖문〗목란사(木蘭辭).
목란-사【木蘭辭】[一난一] [명]〖문〗6세기경의 중국에서 불리어졌던 서사시(敍事詩)이며, 민간 가요. 목란의 종군 행장(從軍行狀)을 오언(五言)으로 그린 시임. 목란가(木蘭歌). 목란시(木蘭詩).
목란-시【木蘭詩】[一난一] [명]〖문〗목란사(木蘭辭).
목란정-기【木蘭亭記】[一난一] [명]〖문〗장국진전(張國振傳).
목람【木藍】[一남] [명]〖식〗쪽[4].
목랍【木蠟】[一납] [명] 옻나무나 거망옻나무의 익은 열매에서 채취하는 식물납의 한가지. 화학적으로는 지방산 에스테르(脂肪酸 ester)인데, 주성분은 팔미트산(酸)임. 굳고 끈끈한 것이 특징으로, 양초·성냥·화장품·연고(軟膏) 등을 만드는 데와 기구(器具)의 광택(光澤)을 내는 데 씀. 목초.
목량【木梁·木樑】[一냥] [명]〖불교〗절의 머슴의 양식. 부목(負木)의 양식.
목력【目力】[一녁] [명] 안력(眼力).
목련[1]【木蓮】[一년] [명]〖식〗①자(紫) 목련·백(白) 목련 등의 총칭. 두란(杜蘭). 목란(木蘭). 영춘화. 목필(木筆). ②[*Magnolia kobus*] 목련과에 속하는 낙엽 활엽 교목. 높이 7-9m이고, 잎은 넓은 거꿀달걀꼴임. 3-4월에 크고 희며 향기가 있는 꽃이 잎사귀보다 먼저 피는데, 꽃잎은 흔히 6-9개임. 과실은 골돌(蓇葖)이고 총생(叢生)하였으며, 9-10월에 익음. 산복(山腹)의 수림 속에 나는데, 제주도·일본 등지에 분포함. 나뭇결이 치밀하여 기구·건축재 등에 쓰이고, 꽃망울은 약에 씀.

〈목련[1]❷〉

목련[2]【目連】[一년] [명]〖불교〗목건련(目犍連).
목련-경【目連經】[一년一] [명]〖책〗불서(佛書)의 하나. 목건련(目犍連)이 지옥에 빠진 그의 어머니를 건진 일을 말한 경문(經文)으로, 음력 칠월 백중날이면 이 경을 읽고 기념함.
목련-과【木蓮科】[一년꽈] [명]〖식〗[Magnoliaceae] 쌍자엽 식물 이판화류(離瓣花類)에 속하는 한 과. 전세계에 100여 종, 한국에는 백목련·함박꽃나무·자목련·목련 등의 10여 종이 분포함.
목련-잠【木蓮簪】[一년一] [명] 머리에 활짝 핀 목련꽃을 새긴 비녀.
목련-화【木蓮花】[一년一] [명] 목련의 꽃.
목렴【木廉】[一념] [명] 무덤 속의 송장에 나무 뿌리가 감기는 일. 풍수학상 크게 기(忌)함. ＊수렴(水廉).
목례【目禮】[一녜] [명] 눈짓으로 하는 인사. 눈인사. ——-하다 [자][여불]
목로[1]【木路】[一노] [명] 천수(淺水)에서 배가 다닐 만한 곳에 나뭇가지를 꽂아 그 진로를 표시한 뱃길.
목로[2]【木壚】[一노] [명] 술집의 술청에 술잔을 벌여 놓는 상. 길고 좁으며 목판처럼 되었음. 주로(酒壚). 「——-하다 [자][여불]
목로[3]【沐露】[一노] [명] 이슬에 젖음. 각고 면려(刻苦勉勵)함의 비유.
목로 술집【木壚一】[一노一집] [명] 술청에 목로를 베풀고 술을 파는 집. 곧, 선술집. 목로 주점(木壚酒店). [준]목롯집. ＊사발 막걸릿집.
목로 주점【木壚酒店】[一노一] [명] 목로 술집.
목록【目錄】[一녹] [명] ①책 내용 중의 제목(題目)을 순서대로 벌이어 적

은 조목(條目). 목차(目次). ②소장(所藏) 또는 출품(出品)된 물건의 품목(品目)을 정리하여 적은 기록. ¶ 재고품 ~/재산 ~.

목록-가【目錄價】[—녹—] 명 우표 수집가 단체가 발행하는 우표 목록에 표시되어 있는 그 우표의 평가액(評價額). 우표 수집 전문가들이 액면가·판매가·희귀성 등을 참작하여 책정함.

목록-법【目錄法】[—녹—] 명 문헌에 관한 목록을 작성·분류하는 방법. 또, 그것을 연구하는 일.

목록-학【目錄學】[—녹—] 명 서지학(書誌學)·도서관학(圖書館學)을 포함하는 고대 중국의 학문 분과(分科)의 하나. 자료(資料)로서의 완전한 서적 목록을 작성하고, 가능하면 그 자료를 활용하여 한 시대 또는 몇 시대에 걸친 학술 계승(繼承)의 계통을 밝힘을 목적으로 함. '목록학'이라는 말은 청대(淸代)부터 쓰기 시작하였음.

목록-함【目錄函】[—녹—] 명 목록을 넣어 두는 상자.

목롯-집【木壚—】[—놀—] 명 ↗목로 술집.

목료【木蓼】[—뇨] 명〖식〗개다래나무.

목룡【木龍】[—뇽] 명〖식〗머루.

목류【木瘤】[—뉴] 명 옹두리.

목-릉【穆陵】[—능] 명〖지〗동구릉(東九陵)의 하나. 조선 선조(宣祖)와 선조 원비(宣祖元妃) 의인 왕후(懿仁王后) 및 계비(繼妃) 인목 왕후(仁穆王后)의 능. 경기도 구리시 인창동(九里市仁倉洞)에 있음.

목리[1] [—니] 명 ☞목자(目子).

목리[2]【木理】[—니] 명〖식〗①나뭇결. ②연륜(年輪).

목리[3]【木履】[—니] 명 나막신.

목리-문【木理紋】[—니—] 명〖미술〗도자기(陶磁器)에 나뭇결처럼 놓은 무늬.

목립-패【木立牌】[—닙—] 명 나무로 만든 방패.

목마[1]【木馬】명 ①〖건〗건축할 때에 사용하는 발돋움의 하나. ②어린 아이들의 놀이나 승마(乘馬) 연습용으로 쓰이는 기구의 한 가지. 나무로 말의 형상처럼 만들어 그 위에 탐. ③〖역〗초헌(軺軒).

목마[2]【木磨】명 매통.

목마[3]【牧馬】명 말을 먹여 기름. 또, 그러한 말. ——-하다 자여불

목-마르다 형르불 ①물이 마시고 싶다. 갈(渴)하다. ②아쉬워서 주기를 몹시 바라다.

【목마른 송아지 우물 들여다보듯】애타게 가지고 싶은 것을 보고만 있으려니 더욱 안타깝다는 말. 【목마른 자가 우물 판다】자기가 급하고 요긴하여야 서둘러서 일을 시작한다는 말.

목마-장[1]【木磨場】명 매통으로 벼를 가는 곳.

목마-장[2]【牧馬場】명 말을 먹여 기르는 곳.

목마-패【木馬牌】명〖역〗조선 시대에 사용하던 부신(符信)의 하나. 나무로 둥글게 만들어서, 일면에는 마(馬)자를 전서(篆書)로 써서 낙인(烙印)하고, 다른 면에는 말 한 필부터 다섯 필까지 표하였음. 사복시(司僕寺)의 말의 사용을 허락하는 표로 말의 수에 따라 내어 주었으며, 병조(兵曹)에서 관리하였음.

목-막히다 자〈방〉목메다.

목-말[1] 명 남의 어깨 위에 두 다리를 벌리고 앉거나 올려 놓고 서는 짓.
목말(을) 타다 구 남의 어깨 위에 올라서 목뒤로 걸터앉다.
목말(을) 태우다 구 목말타게 하다.

목말[2]【木末】명 메밀 가루.

목망【木蝱】명〖충〗등에.

목-매【木—】명 ①나무로 만든 매. ↔돌매. ②매통.

목-매기 명 ↗목매기 송아지.

목매기 송아지 명 아직 코를 뚫지 아니하여 목에 고삐를 맨 송아지. 준목매기.

목-매다 자타 ↗목매달다.

【목맨 송아지】남의 제어(制馭)를 받아 끌려다니는 처지라는 말.

목-매달다 자타 ①죽으려고 끈이나 줄 같은 것으로 높은 데에 목을 걸어 매어 달다. 결항(結項)하다. ②목숨을 의지하다. 준목매다.

목-매아지 명 아직 굴레를 씌우지 아니하여 목을 고삐로 맨 망아지. 준목매지.

목-매자【木莓子】명〖식〗검은딸기.

목-매지 명 ↗목매아지.

목맥【木麥】명〖식〗메밀.

목맥-계【木麥契】명〖역〗메밀을 공물로 바치던 계.

목-맺히다 자 ☞목메다.

목-메【木—】명 나무로 만든 메.

목-메다 자 ①목구멍에 물건이 막히다. ②설움이 북받치어 목구멍이 막히는 듯하다. ¶ 목메어 울다.

【목멘 개 겨 탐(貪)하듯】감당할 힘도 없으면서 과분한 일을 하려 하거나, 욕심을 부리는 것을 가리키는 말.

목-메리스【木—】〔스 merinos〕명 면직물(綿織物)의 하나. 당목을 바래서 염색하여 손질한 후 보풀을 일으켜서, 순모(純毛) 메리스에 흉사하게 한 것.

목멱-산【木覓山】명〖지〗남산[3](南山)❶.

목면【木棉·木綿】명 ①〖식〗게이폭 및 이와 유사한 판야과(科) 식물의 총칭. ②〖식〗다년생(多年生)의 목본(木本) 목화(木花). ③〖식〗아시아면(棉) 가운데 특히 *Gossypium arboreum*의 재배종을 일컬음. 주로, 중국·한국·일본에 분포함. 거패(去貝). 고패(古貝). ④〖식〗목화(木花)❷. ⑤무명.

목면-공【木棉公】명〖사람〗목화(木花)를 가져다 전파한 은공(恩功)을 고맙게 여겨 문익점(文益漸)을 일컫는 말.

목면 방적【木綿紡績】명 면사 방적(綿絲紡績).

목면-사【木綿絲】명 방직(紡織)에 쓰는, 겹드리지 아니한 무명실. 준면사(綿絲).

목면-지【木綿紙】명 면포(綿布)의 가윗밥을 원료로 하여 만든 종이.

목면-직【木綿織】명 무명으로 짠 피륙의 총칭.

목면-포【木綿布】명 무명.

목모【木母】명〔'매(梅)'자의 파자(破字)〕매화나무.

목-모릉【木帽綾】명 무명을 섞어서 짠 모릉.

목목-곡【穆穆曲】명〖악〗목목장(穆穆章)에 맞추어 아뢰는 풍류(風流)의 곡조.

목목-이 부 요긴한 길목마다.

목목-장【穆穆章】명〖악〗악장(樂章)의 이름. 원묘(原廟) 문소전(文昭殿)의 삼실(三室)의 초헌(初獻)에 아뢰.

목-무장 명 씨름이나 싸움 같은 것을 할 때, 상투와 턱을 잡아서 빙 돌려 넘기는 재주. 준무장.

목문[1]【木門】명 나무 문. 나무로 짠 문.

목-문[2]【木紋】명 깎은 나무의 거죽에 나타나는 물결 같은 무늬. 나무 종류에 따라서 제각기 독특한 무늬가 있음.

목문-지【木紋紙】명 양지(洋紙)의 한 가지. 재료(材料)가 되는 나무의 빛깔과 무늬를 지면(紙面)에 나타낸 종이.

목-물[1] 명 ①사람의 목에 닿을 만한 깊이의 물. ②몸의 허리 위로 목까지를 물로 씻는 일. ——-하다 자여불

목물[2]【木物】명 나무로 만든 물건의 총칭.

목물-전【木物廛】명 목기전(木器廛).

목민【牧民】명 백성을 기름. 곧, 임금이나 원이 백성을 다스림. ——-하다 자여불

목민-관【牧民官】명〖역〗목민지관(牧民之官).

목민 심서【牧民心書】명〖책〗조선 순조(純祖) 때 정약용(丁若鏞)이 지은 계몽서. 사목(司牧)의 유적을 수집하여 이서(吏胥)의 통폐를 지적한 것으로, 관리의 바른 길을 계몽하려고 사례를 들어 설명하였음. 근세 사회 연구에 중요한 자료가 됨. 48권 16책.

목민지-관【牧民之官】명〖역〗백성을 기르는 벼슬아치라는 뜻에서, 고을원 등 외직 문관(外職文官)을 통칭하는 말. 목민관.

목밀【木蜜】명 ①대추[1]❷. ②〖식〗호깨나무.

목밀-샘 명〖생〗갑상선(甲狀腺).

목ᄆᆞᄅᆞ다 형〈옛〉목마르다. ¶ 목ᄆᆞᄅᆞᆯ 갈(渴)≪字會 下 13≫.

목반【木盤】명 목판(木板)❶.

목-반자【木—】명〖건〗①널조각으로만 대고 종이를 바르지 아니한 반자. ↔지(紙)반자·토(土)반자. ②소란 반자.

목-발[1]【木—】명 ①☞지겟다리. ②〈속〉협장(脇杖).

목발[2]【沐髮】명 머리를 감음. 또, 감은 머리. ——-하다 자여불

목발-이【木—】명〈속〉①상이 군인. ②절름발이.

목방[1]【木房】명 목수(木手)들이 일하는 곳.

목방[2]【木棒】명 →목봉(木棒).

목-방기【木防己】명〖식〗댕댕이덩굴.

목방 모군【木房募軍】명 목방에 속하여 일하는 모군.

목-배【木杯】명 나무로 만든 잔. 나무잔.

목백【牧伯】명〖역〗목사(牧使).

목-베다 자 ①목을 베다. ②〈속〉해고하다.

목별【木鼈】명〖식〗박과에 속하는 다년생(多年生) 만초(蔓草). 잎은 잎꼭지가 없고 대생(對生)하며, 5월경에 누른 빛의 작은 꽃이 피고, 7월경에 열매가 맺힘. 씨는 8월경에 따서 약에 씀. 납작하고 둥글어서 자라의 형상과 비슷함.

목별-자【木鼈子】[—짜] 명〖한의〗①목별(木鼈)의 씨. 성질은 온하고 외과(外科)의 약으로 씀. ②누람자(漏藍子).

목보【木保】명〖역〗조선 시대에, 무명으로 받아들이는 보포(保布). *포보(布保).

목본【木本】명〔arbor〕〖식〗목질(木質)의 줄기를 가진 식물, 곧 나무. ↔초본(草本).

목본-경【木本莖】명〖식〗목본(木本)인 줄거리. 열매를 맺은 뒤에도 말라 죽지 아니함. ↔초본경.

목본 식물【木本植物】명〖식〗목질 조직이 발달한 식물. 관목·교목 따위. ↔초본 식물(草本植物).

목봉【木棒】명〔←목방(木棒)〕몽둥이.

목부[1]【木部】명 ①〖식〗목질부(木質部). ②〖악〗아악기(雅樂器)를 분류하는 항목의 하나. 박(拍)·축(柷)·어(敔) 등 목제(木製)의 타악기(打樂器)는 모두 이에 속함. ③〖역〗백제의 관청. 내관(內官) 12 부(部)의 하나로, 토목·건축 업무를 담당함.

목부[2]【牧夫】명 목장에서 소·말·양 등을 돌보는 사람. 목인(牧人).

목-부사【牧府使】명 '목사(牧使)'와 '부사(府使)'를 아울러 이르는 말.

목부 섬유【木部纖維】명 목질 섬유(木質纖維).

목-부용【木芙蓉】명〖식〗부용[2]❶.

목불【木佛】명 나무로 만든 부처. ↔석불(石佛).

목-불식정【目不識丁】명 일자 무식(一字無識). ——-하다 자여불

목-불인견【目不忍見】명 눈으로 차마 더 볼 수 없음. 또, 그러한 참상(慘狀). 불인견(不忍見).

목붙어 있다 구 ①살아 있다. ②어떤 직위에 겨우 머물러 있다.

목-비[1] 명 모낼 무렵에 한목 오는 비. *모종비.

목비[2]【木碑】명 나무로 만든 비.

목-뼈 명〖생〗경골(頸骨).

목ᄉᆞ무 명〈옛〉목구멍. ¶ 목ᄉᆞ무 후(喉), 목ᄉᆞ무 롱(嚨), 목ᄉᆞ무 연(咽)≪字會 上 26≫.

목사[1]【木絲】명 무명실.

목사[2]【牧使】명〖역〗고려 중기 이후와 조선 시대 때에 관찰사(觀察使) 아래서 지방의 각 목(牧)을 맡아 다스리던 정삼품(正三品) 외직(外職) 문관. 신라 때의 군주(軍主)와 그 직위가 같으며, 보통 병권(兵權)도 함께 쥐었음. 목관(牧官). 목백(牧伯).

목사[3]【牧舍】명 목장의 외양간.

목사[4]【牧師】명〖기독교〗기독교회의 교직(敎職)의 하나. 교회에서 예배(禮拜)를 인도하고 교회나 교구(敎區)의 관리(管理) 및 신자(信者)의 지도 등 교역(敎役)에 종사하는 사람. *신부(神父).

목-사리 명 소 굴레의 한 부분. 모가지 위로 두른 가는 줄과 밑으로 두른 가는 줄.

목사리 송아지 명〈방〉목매기 송아지.

목산【目算】명 수치(數値)를 눈으로 보고 암산(暗算)하는 일.

목-산호【木珊瑚】명〖식〗호깨나무.
목살【木煞】명〖민〗나무에 붙은 살. 나무에 붙어 있는 흉한 귀신.
목상¹【木商】명 ①뗏목이나 장작·재목 등을 도매로 팔고 사는 장수. ②↗재목상(材木商).
목상²【木像】명 ①목우(木偶). ②〖미술〗나무로 만든 불상·신상(神像)·인물의 형상 등의 조각.
목-상감【木象嵌】명 대목(臺木)의 바닥에 무늬를 그린 다음, 그것을 파내어 생긴 오목한 자리에 나무의 빛깔·나뭇결을 감안하면서 다른 나뭇조각을 끼워 넣어 목적한 그림을 나타내는 세공의 하나.
목상산【木常山】명〖식〗조팝나무❷.
목-상자【木箱子】명 나무로 만든 상자. 나무 상자.
목새¹ 명 물결에 밀리어 한 곳에 쌓인 보드라운 모새.
목새² 명〖농〗벼의 이삭이 필 때, 벌레가 번식하고 동풍(東風)이 불어서 쭉정이가 말라 누렇게 시드는 병.
목새(가) 들:다 구 벼에 목새가 걸리다.
목-생화【木生火】명〖민〗오행(五行)의 운행(運行)에 나무에서 불이 생김을 말함.
목서【木犀】명〖식〗물푸레나무.
목석【木石】명 ①나무와 돌. 수석(樹石). ②나무나 돌과 같이 감정(感情)이 없는 사람을 비유하는 말. ¶~ 같은 사나이.
[목석도 땀 날 때 있다] 건강한 사람이라도 아플 경우가 있다.
목석 간장【木石肝腸】명 나무나 돌처럼 아무런 감정도 없는 마음씨.
목석 난득【木石難得】명 목석 불부(木石不傅). ——-하다 형여불
목석 난부【木石難傅】명 목석 불부(木石不傅). ——-하다 형여불
목석 불부【木石不傅】명 나무에도 돌에도 붙일 데가 없다는 뜻으로, 가난하고 고단(孤單)하여 의지할 곳이 없는 처지를 이르는 말. 목석 난득(木石難得). 목석 난부(木石難傅). ——-하다 형여불
목석연-하다【木石然—】자여불 목석처럼 감정이 없는 체하다. 목석연-히【木石然—】부
목석 초화【木石草花】명 목석과 초화. 나무·풀·돌·꽃이란 뜻으로, '자연(自然)'을 일컫는 말. *산천 초목(山川草木).
목석-한【木石漢】명 목석처럼 인정이 없고 감정이 둔한 사나이.
목선【木船】명 나무로 만든 배. 나무배. 목조선(木造船).
목-선반【木旋盤】명 목공 선반.
목설【木屑】명 톱밥.
목성¹【—聲】명〈방〉목소리❶.
목-성²【木姓】명〖민〗오행(五行)의 목(木)에 붙은 성. 사람의 성자(姓字)를 궁(宮)·상(商)·각(角)·치(徵)·우(羽)의 오음(五音)으로 나누는 술가(術家)의 말. 곧, 김(金)·박(朴)·고(高)·조(趙)·최(崔)·차(車)·유(劉) 등이 이에 속함. *토성(土姓).
목성³【木性】명 나뭇결. 목리(木理).
목성⁴【木星】명〖천〗태양(太陽)으로부터 다섯 번째로 가까운 행성(行星). 최대의 행성으로 금성(金星)과 함께 밝게 빛남. 태양과의 평균 거리는 7억 7,832만 km, 지구와의 거리 6억 5천만 km, 공전 주기(公轉週期)는 11,862년이고 398.88일마다 지구에 접근함. 자전(自轉) 주기는 9시간 55분임. 적도(赤道)의 반경은 71,398 km, 면적은 지구의 120배, 부피는 1,316배, 질량은 318배 가량임. 주성분은 수소·헬륨으로, 표면의 대기(大氣)는 많은 메탄 가스·암모니아 가스이고 온도는 영하 140°C 가량임. 1610년 갈릴레이가 발견하였으며, 그 위성(衛星)은 16개 이상임. 덕성(德星). 복덕성(福德星). 세성(歲星). 태세(太歲). 주피터.
목성⁵【木聲】명〖민〗관상(觀相)에서, 오행(五行)의 음성 가운데 목이 쉰 소리.
목성⁶【目成】명 눈짓으로 뜻을 통함. ——-하다 자여불
목성 양치【木性羊齒】명〖식〗줄기가 교목상(喬木狀)을 이룬 고사리의 총칭. 맨 위 끝 쪽에서 거대한 잎이 총생(叢生)하여 위관(偉觀)을 나타냄. 열대와 난대 지방에 남.
목성족 혜:성【木星族彗星】명〖천〗주기(週期) 5-8년이고 원일점(遠日點)이 목성의 궤도 부근, 근일점(近日點)이 지구·금성의 궤도 부근에 있는 주기 혜성. 현재 약 50개가 알려져 있음.
목성형 행성【木星型行星】명〖천〗목성·토성·천왕성·해왕성의 총칭. 반경·질량이 크고 비중(比重)이 작으며 반사능(反射能)이 큰 것이 특징임. 대기의 주성분은 수소·헬륨이며 그 상층부는 메탄·암모니아 등의 구름으로 둘러싸여 있음. 대행성(大行星). *지구형(地球型) 행성.
목-세루【木—】〔네 serge〕명 면직물의 하나. 날과 씨를 모두 면사(綿絲)를 사용하여 평직(平織) 또는 능직(綾織)으로 짠 것으로 외관·감촉 등은 세루와 흡사함.
목-소¹【木—】명 후궁(猴弓)의 뿔 밑에 댄 뽕나무.
목소²【木梳】명 나무로 만든 빗.
목소³【目笑】명 눈웃음. ——-하다 자여불
목-소리 명 ①목구멍으로 내는 소리. 곧, 말소리 등. 음성. 성음(聲音). 준목. ②후음(喉音).
목소-장【木梳匠】명〖역〗조선 시대에 공조(工曹)의 상의원(尙衣院)에 속하던 공장(工匠)의 하나. 나무 빗을 만들던 공장임.
목송【目送】명 작별(作別)한 사람이 멀리 갈 때까지 바라보며 보냄. ¶영령을 ~하다. ↔목영(目迎). ——-하다 타여불
목수¹【木手】명 나무를 다루어 집을 짓거나 제구(諸具)를 만드는 일로 업을 삼는 사람. 목공(木工). 대목(大木). *지위¹.
[목수가 많으면 집을 무너뜨린다] 여러 사람의 제각기 주장하는 의견이 너무 많으면 나중에 도리어 탈을 낸다는 말. 상좌가 많으면 가마를 깨다. *작사 도방(作舍道傍). [목수가 해금(奚琴)통을 부순다] 자기의 재주만 믿고 섣불리 덤비다가 오히려 일을 망치는 수가 있다는 말.
목수²【木髓】명〖식〗고갱이❶.
목수³【目數】명 어림함. ——-하다 타여불
목수⁴【牧豎】명 목동(牧童).
목-수건【—手巾】명〈방〉목도리(평안·함경).
목-수국【木水菊】명〖식〗백당나무.
목숙【苜蓿】명〖식〗거여목.
목숙-전【苜蓿典】명〖역〗신라 시대에, 소와 말의 사료의 재배·채취·건조·저장·공급을 관장하던, 내성(內省)에 속한 관청. 왕경(王京)에 배천(白川) 목숙전·한기(漢祇) 목숙전·문천(蚊川) 목숙전·본피(本彼) 목숙전의 4개가 있었음. 대사(大舍) 1인과 사(史) 1인을 둠.
목숨 명 ①살아 있는 힘. 살아 가는 원동력. 명(命). 생명. ②수명(壽命). ¶~이 길다.
목숨을 거두다 구 죽다¹.
목숨(을) 걸:다 구 어떤 목적을 이루기 위하여 목숨을 내놓다. 죽음을 각오하다. 생명을 걸다.
목숨(을) 끊다 구 죽다. 또, 죽이다.
목숨(을) 바치다 구 나라나 임금 따위를 위해서 생명을 걸고 일하다. 은혜를 입은 상대방에게 자기의 생명과 몸을 내놓다.
목숨을 버리다 구 ㉠죽다¹. ㉡죽을 결심을 하다. 또, 죽은 셈 치고 열심히 하다.
목숨을 아끼다 구 죽기를 아깝게 여기다. 더 오래 살려고 생각하다.
목숨을 잃다 구 생명을 잃다. 죽다.
목숨 도모【—圖謀】명 죽을 지경에서 살 길을 찾음. ——-하다 자여불
목-쉬다 자 목이 잠기어서 소리가 제대로 나지 아니하다. 실음(失音)하다.
목슬【木蝨】명〖충〗나무진딧물.
목식【木食】명 화식(火食)을 하지 아니하고 실과나 열매만을 날로 먹음. ——-하다 자여불
목-신¹【木—】명〈방〉나막신(충남·경북).
목신²【木神】명 나무 귀신.
목신³【木腎】명〖한의〗자지가 힘없이 일어나고 아픈 병. 척추(脊椎)의 외상(外傷)으로 생김.
목신⁴【牧神】명〖신〗로마 신화(神話) 중의 임야(林野)와 목축(牧畜)의 신. 반인 반수(半人半獸)의 형상이며, 그리스의 판(Pan)에 해당함. 목양신(牧羊神). 파우누스(Faunus).
목신의 오:후에의 전주곡【牧神—午後—前奏曲】[—/—에—에—] 명〔프 Prélude à l'après-midi d'un Faune〕〖악〗드뷔시(Debussy) 작곡의 관현악곡. 말라르메(Mallarmé)의 시(詩)를 바탕으로 작곡된 것으로, 목신의 낮 꿈을 그린 님프(nymph)들의 춤을 경쾌하게 표현하였음. 1912년에 디아길레프(Diaghileff)의 러시아 발레단에 의하여 초연(初演)되었음.
목-실¹【木—】명 ☞무명실.
목실²【木實】명 나무의 열매. 목과(木果).
목실-유【木實油】[—류] 명 나무 열매에서 짜낸 기름. 예로부터 동백나무에서 짜낸 것을 흔히 일컬었으므로 특히 동백 기름을 이름.
목심【木心】명 나뭇고갱이.
목-안¹ 명 목구멍 속.
목안²【木雁】명 목기러기.
목야【牧野】명 ①가축의 사육을 위하여 방목(放牧)하고, 채초(採草)하는 들. ②〖역〗중국 주(周)나라 무왕(武王)이 은(殷)나라 주왕(紂王)을 토멸한 곳. 지금의 허난 성(河南省) 치 현(淇縣) 남쪽의 땅임.
목약【目藥】명 안약(眼藥).
목양¹【牧羊】명 양(羊)을 침. ——-하다 자여불
목양²【牧養】명 목축(牧畜). ——-하다 타여불
목양-견【牧羊犬】명 목장에서 양을 지키고, 해가 저물면 양 떼를 몰아 집으로 유도하는 개. 주로 콜리종(collie種) 등이 이용됨.
목-양말【木洋襪】[—냥—] 명 무명실로 짠 양말.
목양-성【牧羊城】명〖지〗'무양청(牧羊城)'을 우리 음으로 읽은 이름.
목양-신【牧羊神】명〖신〗그리스 신화에 나오는 '판(Pan)'의 일컬음. 목신(牧神).
목양-업【牧羊業】명 양을 기르는 목축업.
목양-자【牧羊者】명 양(羊)을 치는 사람.
목-양제【木洋製】명〖건〗나무로 지은 서양식(西洋式)의 건물.
목어¹【木魚】명〖불교〗①목탁(木鐸)❶. ②불교의 경전을 읽을 때에 두드리는 제구. 길이 1 m 가량 되게 나무로 잉어처럼 만들었는데, 속이 비고 비늘을 새기었음.
목어²【木魚】명〖어〗도루묵.
목-어³【目語】명 눈으로 말함. 눈짓으로 서로의 의사를 통함. 안어. ——-하다 자여불
목-업〔mock-up〕명 비행기·자동차 따위의 개발 단계에서, 각 부의 배치를 보다 실제적으로 검토하기 위해서 제작되는 실물 크기의 모형. 가공과 개조(改造)를 쉽게 하기 위해서 재료는 주로 목재나 합판이 쓰임.
목연【木硯】명 단단한 나무로 만든 벼루.
목-연와【木煉瓦】[—년—] 명 건축 또는 포도용(鋪道用)의, 벽돌 모양으로 된 나무 토막.
목엽【木葉】명 나뭇잎. 수엽(樹葉).
목엽-석【木葉石】명〖광〗①식물(植物)의 잎이나 가지 또는 줄거리의 흔적이 남아 있는 돌이나 진흙 덩이. ②광천(鑛泉)에 떨어진 나뭇잎들 틈바구니에, 광천에 섞이어 있는 석회(石灰)·규산(珪酸)·산화철 같은 것이 들어가 가라앉아서 돌과 같이 된 물건. *화석(化石).
목영¹【木瓔】명 나무로 구슬같이 만들어 옻칠을 하여 꿴 갓끈.
목영²【目迎】명 오는 사람을 바라보며 맞이함. ¶~ 목송(目送). ↔목송(目送). ——-하다 타여불
목영-장【木瓔匠】명〖역〗조선 시대에, 공조(工曹)에 속하는 공장(工匠)의 하나. 목영을 만들던 공장(工匠)임.
목영 점년【木影占年】명〖민〗달빛에 의한 그림자로 그 해의 풍흉(豐

凶)을 알아보는 점. 정월 대보름날 달이 중천에 뜨면 마당 가운데 길이 한 자 되는 나무를 세워, 그림자가 8치 되면 대풍, 6-7치면 평년, 5치가 되면 흉년, 4치면 수해(水害)와 충해가 심하고, 3치면 곡식이 여물지 아니한다 하였음. 그림자 점(占).

목예【木芮】명 성(姓)의 하나. 현존하지 아니함.

목왕【木王】명〖식〗개오동나무.

목왕지-절【木旺之節】명 오행(五行)의 목기(木氣)가 성할 때. 곧, 봄.

목요【木曜】명 ↗목요일(木曜日). 주의 주로 관형적(冠形的)으로 쓰임.

목요-섬【木曜—】명〔Thursday Island〕〖지〗오스트레일리아 퀸즐랜드 주(Queensland州)의 북쪽, 토러스 해협 제도(Torres海峽諸島) 중 가장 작은 섬. 진주(眞珠) 채집의 중심지로 유명함.

목요-일【木曜日】명 칠요일(七曜日)의 하나. 일요일(日曜日)로부터 다섯째 날. ㊟목요(木曜)·목(木).

목욕【沐浴】명 머리를 감으며 몸을 씻는 일. 목간. ——-하다 자여불 [목욕하는 데 흙뿌리기] 심통 사나운 짓의 일컬음.

목욕-간【沐浴間】명 목욕하는 방으로 쓰는 간살. ㊟목간(沐間).

목욕-날【沐浴—】명〖불교〗목욕하는 일정한 날.

목욕-료【沐浴料】[—뇨] 명 목욕하는 요금.

목욕-물【沐浴—】명 목욕하는 물.

목욕-실【沐浴室】명 목욕통(沐浴桶)이 있고 급수(給水) 시설이 있는 방. 곧, 목욕을 하는 방. ㊟욕실(浴室).

목욕-장【沐浴場】명 목욕을 하는 곳.

목욕 재계【沐浴齋戒】명 목욕을 하여 몸을 깨끗이 하고 마음을 가다듬어 부정을 피하는 일. ——-하다 자여불

목욕 진언【沐浴眞言】명〖불교〗범패(梵唄) 중의 짓소리의 하나. 영산재(靈山齋) 올릴 때 망자(亡者)를 위해 혼백(魂魄)을 목욕시키고 옷을 입히는 의식에서 관욕게(灌浴偈) 다음에 부름.

목욕-탕【沐浴湯】명 목욕하는 모든 설비를 갖추어 놓고 돈을 받고 여러 사람에게 목욕을 하게 하는 곳. ㊟욕탕(浴湯).

목욕-통【沐浴桶】명 욕조(浴槽). ㊟욕통(浴桶). *목간통.

목욕-해면【沐浴海綿】명〖동〗[*Euspongia officinalis*] 목욕해면과(科)에 속하는 동물. 몸은 종상(縱狀) 또는 단괴상(團塊狀)이며 표면에 작은 돌기와 입이 있음. 색채는 회황색·갈색·흑색 등 여러 가지이고, 내부 물질의 기질(氣質)은 탄력성 있는 솜과 같은데 그 속에 많은 편모실(鞭毛室)이 매몰되어 있음. 우리가 사용하는 해면은 이상의 구조를 지지하고 있는 골격에 지나지 않으며, 해면질로서 된 섬유가 망상(網狀)으로 결합한 것임. 지중해·카리브 해(海) 및 멕시코·필리핀 등의 난해에 많음.

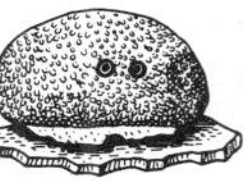

〈목욕해면〉

목용【目容】명 눈초리❶.

목우¹【木偶】명 나무로 만든 사람의 형상(形像). 목상(木像). 목인(木人).

목우²【沐雨】명 비를 목욕하다시피 흠뻑 맞음. ——-하다 자여불

목우³【牧牛】명 소를 먹여 기름. 소를 침. 또, 그 소. ——-하다 자여불

목우 유마【木牛流馬】명 우마(牛馬)를 본떠서 기계 장치로 운행(運行)하는 군용 수송차. 중국 삼국(三國) 때에 촉한(蜀漢)의 제갈량(諸葛亮)이 만들었다 함.

목우-인【木偶人】명 ①나무로 만든 사람. ②재주와 능력이 없고 어리석은 사람을 가리키는 말.

목우-자【牧牛子】명〖사람〗'보조 국사(普照國師)'의 호(號).

목우자 수심결【牧牛子修心訣】명〖책〗고려 희종(熙宗) 때의 목우자가 지은 《수심결》의 언해본(諺解本). 조선 세조(世祖) 11년(1465) 신미(信眉)에 의하여 전1권이 간행되었음.

목우-장【牧牛場】명 소를 놓아 기르는 곳.

목우-희【木牛戲】[—히] 명〖민〗'나무쇠싸움'의 한자(漢字)말.

목-운동【—運動】명 머리와 목을 운동시키는 도수(徒手) 체조의 한 가지. 머리를 좌우로 돌리기·굽히기·앞뒤로 굽히기·한 바퀴 돌리기 등이 있음. ——-하다 자여불

목-울대[—때] 명 '결후(結喉)'의 풀어쓴 말.

목월【睦月】명 음력 정월의 딴 이름.

목-유경【木鍮檠】[—뉴—] 명 나무로 만든 유경.

목은【牧隱】명〖사람〗'이색(李穡)'의 호. *삼은(三隱).

목은-집【牧隱集】명〖책〗고려조 이색(李穡)의 유고(遺稿). 그의 후손인 덕수(德洙)가 간행하였는데, 내용은 시고(詩稿) 35권, 문고(文稿) 20권이며 책머리에 연보(年譜)와 행장(行狀)을 실었음. 55권 25책.

목음【木蔭】명 나무의 그늘. 수음(樹蔭).

목이【木耳·木栮】명 ①나무에서 돋는 버섯. ②↗목이버섯. ③중국에서 들어오는 잘고 마른 버섯.

목이-버섯【木耳—】명〖식〗[*Auricularia polytricha*] 가을철에 뽕나무나 말오줌나무 등의 죽은 나무에서 많이 나는 버섯의 하나. 사람의 귀 비슷한데, 갓의 직경은 2-9cm이고, 안쪽은 적갈색으로 평활(平滑)하며, 거죽은 연한 갈색인데 회색의 짧은 털이 밀생(密生)함. 말려서 저장해 두고 식용하는데, 잡채 등 중국 요리에 많이 쓰며, 한방(韓方)에서 적리(赤痢)·치질(痔疾) 등의 약재로 씀. ㊟목이.

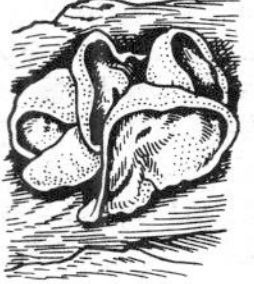

〈목이버섯〉

목이-법【目耳法】[—뻡] 명 귀로 시계의 초음(秒音)을 듣고 눈으로 어떤 현상을 관측하면서 그 현상이 일어나는 순간의 시각(時刻)을 측정하는 방법. 자오의(子午儀)로 별의 자오선 경과(經過)를 관측하는 경우 등에 쓰임.

목인¹【木人】명 목우(木偶).

목인²【木印】명 나무에 새긴 도장. 나무 도장. 목도장.

목인³【牧人】명 목장에서 소나 말을 사육하는 사람. 목부(牧夫).

목-인덕【穆麟德】명〖사람〗'묄렌도르프(Möllendorf)'의 한국명.

목인 소:설【牧人小說】명〖문〗양치기로 분장한 귀족 남녀가 전원을 배경으로 감상적인 연애를 하는 소설. 16-17세기경 유럽에 유행한 궁정(宮廷) 문학의 한 장르(genre)임.

목자¹ 명〈방〉목대¹.

목자²【目子】명 눈. 목리. ¶ ~를 부라리다.

목자³【目眥】명 눈초리❶. ¶그 사람이 적의를 가진 것은 ~만 언뜻 보아도 알 수가 있었다《洪命憙: 林巨正》.

목자(가) 사:납다 구 눈매가 심술사납게 생기다.

목자⁴【牧子】명〖역〗조선 시대에, 나라 목장(牧場)에서 말을 먹이던 사람. *노자(奴子).

목자⁵【牧者】명 ①목축(牧畜)을 업으로 삼는 사람. 특히 양을 치는 사람을 일컬음. ②〖천주교〗신자(信者)를 이끌어 보살피는 성직자(聖職者). ③〖성〗교인(敎人)의 신앙 생활을 보살피는 목사(牧師)를 ❶에 비유하는 말. 파스토르(pastor).

목자 득국【木子得國】명〖악〗고려 가요(歌謠)의 하나. 목자(木子)는 이(李)의 파자(破字)로서, 1388년경에 이 씨(李氏)가 장차 왕이 될 것을 예언하여 민간에 유행된 것이며, 작자는 미상이고 가사도 전하지 아니함.

목-자르다 자타르불 ①목을 베다. ②〈속〉해고(解雇)하다.

목자 위전【牧子位田】명〖역〗목자에게 반급(頒給)하던 위전(位田). 그 소출로 급료(給料)를 충당하게 하였음.

목자-자리【牧者—】명〔라 Bootes〕〖천〗북천(北天)에 있는 별자리의 하나. 큰곰자리의 동남쪽에 있고, 수성(首星) 아르크투루스(Arcturus)는 황색의 0.1등성임. 초여름 저녁 천정(天頂)에 위치함. 목동좌(牧童座).

목자 진:열【目眥盡裂】명 눈을 부릅뜨고 몹시 사납게 흘겨보는 모양.

목-작약【木芍藥】명〖식〗모란(牡丹).

목잔【木棧】명 나무로 사닥다리처럼 놓은 길. 나무로 놓은 잔도(棧道).

목-잘리다 피동 ①목자름을 당하다. ②〈속〉해고당하다.

목잠¹ 명 곡식 이삭의 줄기가 말라서 죽는 병.

목잠²【木簪】명 ①나무로 만든 비녀. 상제가 꽂음. ②〖역〗조선 시대에 금양관(金梁冠)에 꽂은 나무 비녀. 길이 10cm 가량으로, 이금(泥金) 칠을 함.

목-잠기다 자 목이 쉬어서 목소리가 잘 나오지 아니하게 되다.

목-잡다 자 함지질할 때 나오는 납·은·새 따위가 섞여 있는 가루 광석을 따로 모으다.

목-잡이 명〖악〗두 손으로 목덜미를 잡고 두 다리로 추는 춤. 양주 별산대놀이의 춤사위의 하나.

목장¹ 명〈방〉목정¹.

목장²【木匠】명〖역〗조선 시대에 교서관(校書館)·군기시(軍器寺)·귀후서(歸厚署)·내수사(內需司)·선공감(繕工監)·조지서(造紙署) 및 각 도(各道)에서 나무를 다루던 공장(工匠).

목장³【牧杖】명 사목자(司牧者)의 상징으로서 주교가 휴대하는 지팡이. 손잡이의 둥그런 쪽이 사람들에게 향하도록 함.

목장⁴【牧場】명 소·말·양 등의 가축(家畜)을 놓아 기르는 넓은 산이나 들판 같은 곳.

목-장도【木粧刀】명 칼집과 자루를 나무로 만든 장도.

목-장승【木長—】명〖민〗나무로 만든 장승을 돌 장승에 상대하여 일컫는 말. ↔석장생(石長栍).

목장이 명 ①☞목¹ ❺. ②〈방〉목정강이. ¶가만히 생각해 보니 암만해도 고년의 ~를 돌려놓고 싶다《金裕貞: 동백꽃》.

목재【木材】명 ①나무로 된 재료. ②재목(材木). 1)·2):↔석재.

목재 건류【木材乾溜】[—걸—] 명 목재를 열분해(熱分解)하여 고체상(固體狀)·액상(液狀)·가스상(gas狀) 등의 생성물을 얻는 조작(操作).

목재 공업【木材工業】명 제재업을 비롯하여 목제(木製) 용기나 기타 목제품을 제조하는 공업. 넓은 뜻으로는, 물리적·화학적으로 목재를 가공하는 공업의 총칭으로, 펄프 공업과 가구(家具) 제조까지도 포함함.

목재-당【木材糖】명〖화〗목당(木糖).

목재 당화【木材糖化】명 나무의 셀룰로오스를 가수 분해(加水分解)하여 단당(單糖)을 얻는 조작. 묽은 황산(黃酸)을 사용하는 방법과 진한 염산(塩酸)을 쓰는 방법이 있는데, 어느 것도 본격적으로 공업화되지는 못하고 있음.

목재 물리학【木材物理學】명〔wood physics〕목재의 물리적·기계적 성질이나 그것들에 영향을 주는 인자(因子) 따위를 연구하는 과학.

목재-상【木材商】명 목재를 파는 장사. 또, 그 장수.

목재 송:류【木材送流】[—뉴] 명 목재를 시내나 강물에 띄워 내려 보냄.

목재 시:장【木材市場】명 목재가 집합적으로 매매·거래되는 시장. 생산지·집산지(集散地) 및 소비지 시장의 세 가지가 있음.

목재-업【木材業】명 목재를 대상으로 하는 기업의 총칭.

목재용 식물【木材用植物】명 건축·토목(土木)·기구(器具)·조선(造船) 등의 재료로 쓰이는 식물의 총칭.

목재 전용선【木材專用船】명 배의 적하(積荷)로서 길이가 길고 중량에 비해 용적이 큰 목재를 적재하기에 알맞도록 특수 설계된 배.

목재 펄프【木材—】〔pulp〕명 목재 섬유의 제지(製紙) 원료가 되는 물질. 우드 펄프(wood pulp).

목저¹【木杵】명 나무 달굿대.

목저²【木箸】명 나무 젓가락.

목적¹【木賊】명 ①〖식〗속새❶. ②〖한의〗속새의 줄기. 안질(眼疾)·산증·탈항(脫肛)·치질·변혈(便血)·하혈(下血) 등의 약재로 씀.

목적²【目的】명 ①실현하거나 또는 도달하려는 목표. ②〖심〗행위(行爲)에 앞서서 의지(意志)가 그의 실현을 예정(豫定)하는 것. ③〖철〗실천적 의지(意志)가 선택하여 세운 행위의 목표. 행위는 이의 수단이 됨. 또, 아리스토텔레스의 형이상학에서, 사실(事實)이 무엇 때문에 존재하는가를 나타내는 것. ——-하다 타여불

목적³【牧笛】명 목자(牧者)나 목동이 부는 피리.

목적-격【目的格】명〖언〗문법상 명사나 대명사가 동사(動詞)의 객어(客語)임을 나타내는 격(格). 객격(客格). 빈격(賓格). 부림자리.
목적격 조:사【目的格助詞】명〖언〗체언 아래에 쓰이어서 그 체언을 주어의 동작이나 작용의 목적물이 되게 하는 격조사. '를'·'을'이 있음. 부림자리 토씨.
목적-관【目的觀】명〖철〗목적론(目的論)❶.
목적-론【目的論】[-논] 명 ①(teleology)〖철〗모든 사물을 합목적성(合目的性)의 견지에서 보려고 하는 입장. 인간의 행위(行爲)뿐만 아니라 역사적·자연적 현상들은 어떤 목적에 의하여 규정되고, 또한 목적에 따라 인도(引導)된다는 설. 철학자로서 아리스토텔레스·칸트 등이 중요한 고찰을 남겼음. 목적관(目的觀). ↔기계론(機械論). ②〖윤〗행위 및 의향(意向)이 인생의 최고 목적(最高目的)에 이를 수 있는 경향(傾向)의 유무(有無)에 따라 선악의 판단을 하고자 하는 학설.
목적론적 세:계관【目的論的世界觀】[-논-] 명〖철〗목적 개념(目的概念)을 원리로 삼아 우주(宇宙)의 현상을 설명하려는 세계관. ↔기계론적 세계관(機械論的世界觀).
목적론적 유심론【目的論的唯心論】[-논-논] 명〖철〗목적 관념(目的觀念)을 형이상학적 존재의 근본(根本) 원리로 하는 유심론.
목적론적 증명【目的論的證明】[-논-] 명〖철〗신(神)의 존재를 증명하는 방법의 하나. 이 세상 일체의 사물은 모두 목적을 지니고 있으며, 그러한 목적을 만물에 부여한 신이 존재하지 않으면 안 된다고 추론(推論)하는 일. 물리 신학적 증명(物理神學的證明).
목적론적 판단력【目的論的判斷力】[-논-녁] 명〖철〗칸트의 용어(用語). 객관적이고 합목적적(合目的的)인 판단력. 오성(悟性)으로써 인식(認識)됨. ↔미적 판단력(美的判斷力).
목적론적 필연성【目的論的必然性】[-논-썽] 명〖철〗어떤 목적에 의하여 반드시 어떤 수단이 요구된다는, 목적과 수단과의 필연적 관계.
목적-물【目的物】명 ①어떤 행위의 목적이 되는 사물. ②〖법〗법률 행위의 목적이 되는 물건. ③총포로 겨냥하는 대상. 표적물.
목적 반:응【目的反應】명〖심〗도피 경향(逃避傾向) 또는 여러 가지 소원으로 일어나는 반응. 전쟁 신경증·연금(年金) 신경증·재해(災害) 신경증 등의 히스테리 반응이나 의태(擬態)·억압·합리화 따위.
목적-범【目的犯】명〖법〗형법상 범죄의 성립에 있어서 고의(故意) 이외에 목적을 필요로 하는 범죄. 정부 전복을 목적으로 하는 내란죄 등.
목적 법학【目的法學】명〖법〗법을 목적의 소산(所産)이라 하고, 목적 개념을 법학과 법해석의 지도 이념이라고 하는 입장의 법학. 19세기에 독일의 예링(Jhering)이 창시함.
목적 사회【目的社會】명〖사〗일정한 목적을 위하여 결합된 인간적 사회 집단. 주식 회사(株式會社) 등은 그 예임. 보통 개인의 목적 실현을 위한 그 수단으로서의 인위적 사회를 말하며, 널리 그 자신이 목적을 가지는 국가 등을 말하는 것이 아님.
목적-세【目的稅】명〖법〗특정한 경비(經費)에 충당할 목적으로 징수하는 세. 도시 계획세·공동 시설세·사업소세가 있음. ↔보통세(普通稅).
목적 소:설【目的小說】명〖문〗예술성(藝術性)보다도 어떠한 목적을 전제(前提)로 하여 지은 소설. 교화(敎化)를 목적으로 한다든가 어떤 사상을 선전하기 위하여 쓴 소설 같은 것.
목적-시【目的詩】명 어떤 정치적·사회적 목적을 수행하려는 공리적 입장에서 쓴 시. ↔순수시.
목적-어【目的語】명〖언〗문장 가운데 동사의 동작의 대상이 되는 사물을 가리킨 말. 곧, 타동사의 목적이 되는 말. 객어(客語). 객사(客辭). 부림말. 오브젝트.
목적의 나라【目的一】[-/-에-] 명〖철〗목적의 왕국. ↔자연의 나라.
목적 의:식【目的意識】명〖윤〗자기 행위(行爲)의 목적에 관한 명확한 자각(自覺). ¶ ~이 뚜렷하다.
목적의 왕국【目的一王國】[-/-에-] 명 (도 Reich der Zwecke)〖철〗자연적 인과성(因果性)에 제약됨이 없이 자율적 의지와 자유가 지배하는 도덕적 세계. 목적의 나라. ↔자연의 왕국.
목적-인【目的因】명 (라 Causa finalis)〖철〗아리스토텔레스가 말한 운동(運動)의 네 가지 원인 중의 하나. 운동의 목적이 되어 운동을 일으키게 하는 원인(原因).
목적 재산【目的財産】명〖법〗어떤 특정한 목적 밑에 결합하여, 소유자의 다른 재산으로부터는 독립한 재산. 상속 재산·조합 재산·신탁 재산·영업 재산 따위.
목적적 행위론【目的的行爲論】명〖법〗인간의 행위를 목적 활동으로서 파악하는, 목적적 행위 개념을 바탕으로 삼는 이론. 독일의 베버(Weber, H.)·벨첼(Welzel, M.) 등에 의해 제창된, 형법에 있어서의 새로운 행위론임. ↔인과적(因果的) 행위론.
목적-주의【目的主義】[-/-이] 명〖법〗실리주의(實利主義)❷.
목적주의 문학【目的主義文學】[-/-이-] 명 문학을 미(美)를 추구하는 영역에만 국한하지 아니하고, 현실의 요구와 사회적 목적에 봉사할 것을 주장하는 문학.
목적-지【目的地】명 목적으로 삼는 곳. 지목한 곳. 신지(信地). ¶ ~에 도달하다.
목적 지향성【目的志向性】[-썽] 명 무엇을 목적하고 지향하는 경향이나 상태.
목적 프로그램【目的一】(program) 명 (object program)〖컴퓨터〗고급 언어로 작성된 원시 프로그램을 컴퓨터가 바로 읽을 수 있도록 기계어나 다른 저급 언어로 번역한 형태의 프로그램.
목적 해:석【目的解釋】명 (도 telelogische Auslegung)〖법〗법의 목적에 따라 행하는 해석의 한 방법. 개개(個個) 법규의 목적 외에, 널리 법의 목적이 고려되어야 하며, 또한 법의 성립 당시의 목적뿐만 아니라 법의 적용시에 요청되는 법의 목적도 고려되지 아니하면 아니됨.
목적-형【目的刑】명〖법〗어떤 목적을 위해서의 수단으로 생각된 형벌. 범인에 대하여 사회를 방위하는 수단과 범인을 재교육해서 사회로 복귀시키는 수단으로서의 형벌. 교육형. ↔응보형.
목적형-론【目的刑論】[-논] 명 목적형주의.
목적형-주의【目的刑主義】[-/-이] 명〖법〗형벌은 범죄가 행하여졌기 때문에 그 응보로서 가하는 것이 아니고 장래의 범죄를 예방하기 위한 수단으로 가하여지는 것이라고 하는 설. 목적형론(目的刑論). ↔응보형주의(應報刑主義).
목전[1]【木栓】명 코르크(cork). ¶ ~질(質).
목전[2]【木箭】명〖역〗나무로 만든 화살. 무과(武科)의 초시(初試)와 복시(覆試) 때에 썼음.
목전[3]【目前】명 눈앞. 당장. 직면(覿面). ¶ ~의 이익/~에 닥치다.
목전지-계【目前之計】명 눈앞에 보이는 한때만 생각하는 꾀.
목전-질【木栓質】명〖식〗수베린(suberin).
목전-층【木栓層】명〖식〗코르크층(cork層).
목전 형성층【木栓形成層】명 코르크(cork) 형성층.
목전-화【木栓化】명 코르크화(cork化).
목절-뼈 명〈농〉〈방〉가슴걸이❷.
목-접이 명 목이 접질리어 부러짐. ――-하다 자여불 목을 접질리어 부러지게 하다.
목정[1] 명 소의 목덜미에 붙은 고기.
목정[2]【木正】명〖민〗구망(句芒).
목정[3]【木釘】명 나무못.
목정[4]【木精】명〖화〗'메탄올(methanol)'의 역어(譯語).
목-정강이 명〖생〗목덜미를 이루고 있는 뼈.
목정-골【一骨】명 소의 목덜미를 이루고 있는 뼈.
목정이 명〈방〉①목[1]❺. ②목정강이.
목-젖 명〖생〗목구멍 위에서 젖꼭지 비슷하게 아래로 내민 둥그스름한 살. 현옹(懸壅). 현옹수(懸壅垂). 구개수(口蓋垂).
목젖(이) 떨어지다 구 너무 먹고 싶어하다.
목젖-살 명 편육으로 쓰는 쇠고기의 한 가지. 맛이 가장 좋음.
목제【木製】명 나무로 만듦. 또, 그 물건. ――-하다 타여불
목-제기【木祭器】명 나무로 만든 제기(祭器).
목-제비 명〈방〉목접이.
목제-품【木製品】명 나무를 재료로 하여 만든 물품.
목젱이 명〈방〉목[1](충남).
목조[1]【木造】명 나무로 만듦. 또, 그 물건. ――-하다 타여불
목조[2]【木彫】명 목재(木材)를 대상으로 하여 조각(彫刻)하는 일. 또, 그 작품. ¶ ~ 인형.
목조[3]【木槽】명 나무 구유.
목조[4]【穆祖】명〖사람〗이성계(李成桂)의 고조부(高祖父). 이름은 안사(安社). 전주(全州) 사람. 고려 고종 때 선주 지사(宣州知事)로 선정을 베풀었으며, 원(元)나라가 강대해지자 원에 귀순하여 다루가치(darughachi)가 되어 여진(女眞)을 다스렸음. 조선 건국 후 목조에 추증(追贈)됨. [?-1274]
목-조개 명〈방〉〈농〉가슴걸이❷.
목조 건:축【木造建築】명 뼈대가 주로 목재로 되어 있는 건축물.
목-조롱벌 명〖충〗호리병벌.
목-조르기 명 레슬링에서, 등 뒤에서 겨드랑이 밑으로 손을 넣어 상대방의 목과 후두부(後頭部)에 손을 걸고 목을 조르는 기술. 넬슨(nelson).
목조 삼존 불감【木彫三尊佛龕】명 전라 남도 순천시(順天市) 송광사(松廣寺)에 있는, 세 부분의 목조(木彫)로 된 전개식(展開式)의 삼존 불감(三尊佛龕). 통일 신라 말엽에서 고려 초엽에 만든 것으로 추정되며, 보조 국사(普照國師)의 염지불감(念持佛龕)이라고 전함. 정밀하고 조화된 희귀한 목조품으로, 높이 13.9cm, 감경(龕徑) 6.9cm임. 국보 제42호.
목조-선【木造船】명 나무로 만든 배. 목선(木船).
목-조지 명〈방〉목젖(함경).
목조-탑【木造塔】명 나무로 만든 탑.
목족【睦族】명 동족(同族)끼리 서로 화목하게 지냄. ――-하다 자여불
목종[1]【木鐘】명 나무로 집을 만들어 꾸민 시계. 기둥 시계 같은 것.
목종[2]【穆宗】명〖사람〗고려 제7대 왕. 천품(天品)이 매우 약하여 김치양(金致陽) 등이 마음대로 세력을 부렸고, 말년에 김치양이 반란을 일으키매 강조(康兆)를 불러 평정하고자 하였으나 오히려 강조에게 피살되었음. [980-1009; 재위 998-1009]
목주【木主】명 ①위패(位牌). ②신주(神主).
목주-가【木州歌】명〖문〗제작 연대 미상의 신라 가요. 가사는 전하지 아니함. 목주의 한 효녀가 계모에 혹한 아버지에게 효도를 다해도 자기를 사랑해 주지 않으므로 이 노래를 불렀다 함. 목주는 지금의 천안군 목천(天安郡木川)임.
목-주련【木柱聯】명 나무로 만든 주련(柱聯).
목-주초【木柱礎】명 나무 주추.
목주패 명〈방〉동치기.
목-죽【木竹】명 나무와 대.
목-줄 명 낚시를 직접 매어 낚싯줄에 연결하는 줄.
목-줄기 명〈방〉목덜미(경북).
목줄-때기 명〈방〉목줄띠.
목줄-띠 명〖생〗목구멍에 있는 힘줄. 준줄띠.
목줄뒤 명〈옛〉목줄띠. ¶ 목줄뒤 상(嗓)《字會 上 26》.
목지[1] 명〈방〉목대(황해).
목지[2]【木芝】명〖식〗영지(靈芝)의 한 가지. 산 속의 썩은 나무에 기생함. 모양이, 나는 새 같기도 하고 또는 연꽃 같기도 함. *석지(石芝).
목지[3]【牧地】명 목장이 있는 토지. 좋은 목장을 만들 수 있는 땅.
목지-국【目支國】명〖역〗옛 진국(辰國) 중의 한 부족 국가. 지금의 충청 남도 직산(稷山)이 중심인데, 이의 군장을 진왕(辰王)이라 하여 한때 다른 주위의 군장을 호령하고 세력이 있어 한 부족 연맹(部族聯盟)을 이루었음. 월지국(月支國).
목-지연【木只椽】명〖건〗박공 머리에 건 짧은 서까래.
목-직성【木直星】명〖민〗아홉 직성(直星)의 하나. 9년 만에 한 번씩 돌

아오는 길(吉)한 직성인데 남자는 18세에, 여자는 10세에 처음 든다 함.
목직-하다 형여불 작은 물건의 무게가 보기보다 조금 무겁다. <묵직하다. 「재(木材)와 비슷한 성질. 나무질.
목질【木質】명 ①나무의 성질. ②줄기의 내부에 있는 단단한 부분. ③목
목질-근【木質根】명〔식〕많은 목질을 포함하여 바탕이 단단한 뿌리. 벚나무·소나무 등의 뿌리. 나무질 뿌리.
목질-부【木質部】명〔xylem〕〔식〕식물의 관(管)다발 가운데서 물관(管)·헛물관(管)·목부 유조직(木部柔組織)·목질 섬유(木質纖維)로 형성된 부분. 목부(木部).
목질 섬유【木質纖維】명〔식〕피자(被子) 식물의 목부(木部)를 구성하는 요소의 하나. 가늘고 긴 방추형(紡錘形)의 세포로 이루어지며, 세포막은 두텁고 목화(木化)하여 막(膜)에 구멍이 있음. 식물체를 단단하게 하는 조직 구실을 함. 목부 섬유.
목질-소【木質素】명〔식〕'리그닌(lignin)'의 역어(譯語).
목질-화【木質化】명〔식〕목화(木化). ——하다 자여불
목ᄌᆞᄅᆞ다 자타〈옛〉목매다. ¶ 絞ᄂᆞᆫ 목ᄌᆞᄅᆞᆯ 씨오《楞嚴 Ⅷ:86》.
목-찌르다 자르불 목을 칼 같은 것으로 찌르다.
목차【目次】명 목록이나 조목(條目)의 차례. 속판. 인덱스. *벼리.
목찰【木札】명 ①지저깨비. ②목패(木牌).
목창【木廠】명 목재를 쌓아 두는 창고.
목채【木寨】명 울짱❶.
목책【木柵】명 울짱❶.
목척[1]【木尺】명 나무 자.　「尺)'의 속칭.
목척[2]【木尺】명〔역〕①신라 전읍서(典邑署)의 구실. ②'영조척(營造
목-천료【木天蓼】[-철-] 명〔식〕개다래나무.
목천자-전【穆天子傳】명〔책〕기원전 5-4세기경의 중국 최고의 역사 소설. 진(晉)의 태강(太康) 2년(281)에 지금의 허난 성(河南省)의 고분(古墳)에서 발굴된 죽간(竹簡)에 씌어진 책임. 주(周)의 목왕(穆王)이 천제(天帝)의 딸 서왕모(西王母)를 만나고, 다시 남방 여행 중 미인 성희(盛姬)와 연애하여 결혼하였다는 이야기.
목첩【目睫】명 ①눈과 속눈썹. ②아주 가까운 거리·장래를 이르는 말.
목청[1] 명〔생〕①후두(喉頭)의 중앙에 있는, 소리를 내는 기관. 앞 끝은 갑상 연골(甲狀軟骨)의 안쪽에, 뒤 끝은 피열(披裂) 연골에 붙은 탄력성이 있는 두 오라기의 인대(靭帶)로 되었는데, 마음대로 늘었다 줄었다 하여 폐(肺)로부터 나오는 공기에 의하여 진동을 일으키어 소리를 내는 근본이 됨. 위쪽을 가성대(假聲帶), 아래쪽을 진(眞)성대라 함. 목청이 짧고 긴장이 강하면 음성이 높고 길며, 긴장이 약하면 음성이 낮음. 성대. ②목에서 울려 나오는 소리. ¶ ~이 좋다.
목청(을) 돋우다 구 목소리를 높이다.
목청[2]【木靑】명 녹색(綠色).
목청[3]【木淸】명 산벌이 모아 놓아 나무 속에 괸 꿀. ↔석청(石淸).
목청-껏 부 있는 힘을 다하여 소리를 질러. ¶ ~ 외치다.
목청-문【-門】명〔생〕성문(聲門).
목청 소리 명 성대음(聲帶音).
목청 울림 소리 명〔언〕'유성음(有聲音)'의 풀어 쓴 이름.
목체【木體】명 ①나무의 형체(形體). ②〔민〕사람의 상격(相格)을 오행(五行)으로 나눈 가운데 목(木)에 해당하는 상.
목-초[1]【木一】명 목랍(木蠟).
목-초[2]【木草】명 나무와 풀. 초목(草木).
목초[3]【木醋】명〔화〕↗목초산(木醋酸).
목초[4]【牧草】명 말·양·소 등을 먹이는 풀. *꼴[2].
목-초산【木醋酸】명〔화〕목재를 건류(乾溜)하여 얻는 초산. 불순물이 많아 오늘날은 초산 석회(石灰)를 만드는 데나 방부제(防腐劑)로 쓰이는 정도임. ㊌목초(木醋).
목초 재:배지【牧草栽培地】명 가축을 방목(放牧)하거나 목초를 생산하기 위하여 인공적으로 개량 목초를 재배하는 토지.
목-촉대【木燭臺】명 목촛대.
목-촛대【木一臺】명 나무로 만든 촛대. 목촉대(木燭臺).
목총【木銃】명 나무로 만든 총. 소총(小銃)의 모형(模型)으로, 군사 훈
목추【木杻】명 씨아의 가락.　련에 씀.
목축【牧畜】명 소·양·말·돼지 같은 가축을 다량으로 기름. 목양(牧養). 축목(畜牧). ——하다 자여불
목축-가【牧畜家】명 목축을 업으로 삼는 사람.
목축-농【牧畜農】명 목축 농업(牧畜農業). 또, 그 영위자(營爲者).
목축 농업【牧畜農業】명 목축을 전문으로 하는 농업. ㊌목농(牧農).
목축 문화【牧畜文化】명〔사〕기본적 생활 자원을 목축에서 구하고 있는 인간의 집단이, 유목 생활을 하면서 형성한 문화. 토기(土器)를 만들지 아니하고 가축 및 그 뼈·가죽·고기·똥 등을 생활의 모든 면에서 이용하며, 남자를 중심으로 조직된 가부장(家父長)적인 대가족이 사회 형성의 단위가 됨.
목축 시대【牧畜時代】명 생산 방법에 의하여 경제상의 시대를 다섯으로 나눈 제2기. 이 시대에는, 인류는 자연물의 채취에 만족하지 아니하고 얼마간 노력(勞力)을 가하여 자연을 지배하고 짐승을 기르며 부락을 형성하지만, 오랫동안 일정한 지역에서 거주하는 일은 없고 물과 풀을 좇아 이주함.
목축-업【牧畜業】명 목축을 영위하는 직업.
목-축이다 자 목이 말라 물 따위를 마시다. 또, 물 따위를 조금 마시다.
목축-지【牧畜地】명 목축하는 토지.
목출-모【目出帽】명 눈만 내놓고, 머리 부분 모두를 감쌀 수 있도록 털실로 짠 방한모.
목측【目測】명 눈대중으로 크기·길이 따위를 재는 일. ——하다 타여불
목치미 명〈반〉목침(경상).
목침【木枕】명 나무 토막으로 만든 베개.　「대의 통칭.
목-침대【木寢臺】명 ①나무로 만든 침대의 통칭. ②야전용(野戰用) 침
목침-돌림【木枕一】명 여러 사람이 모인 자리에서 차례로 목침을 돌리어 그 차례에 당한 사람이 옛 이야기나 노래를 하며 즐기는 놀이. ——하다 자여불
목침-뜸질【木枕一】명 ☞목침찜.
목침-제【木枕題】[-쩨] 명 썩 어려운 시문(詩文)의 글제.
목침-찜【木枕一】명 목침으로 사람을 마구 때리는 일.
목칼【木一】명〈방〉예새.
목커래 명〈방〉목달이❷.
목-타다 자 목이 마르다.
목-타르【木一】[tar] 명〔화〕나무 타르. 우드 타르(wood tar).
목탁【木鐸】명 ①〔불교〕절에서 불공(佛供)이나 예불(禮佛)이나 경을 읽을 때 또는 식사와 공사(公事) 때에 치는 불구(佛具). 나무로 파서 넓적둥그스름하게 만듦. 목어(木魚). ②세상 사람을 가르쳐 바로 이끌 만한 사람이나 기관 등을 가리키는 말. ¶ 신문(新聞)은 사회의 ~이다.
〈목탁❶〉
목탁-가오리【木鐸一】명〔어〕[*Platyrhina sinensis*] 목탁가오릿과에 속하는 바닷물고기. 몸은 원형으로 주둥이가 짧고 둔하며, 아가미 구멍이 배 쪽에 있는 것이 특징인데 태생함. 식용하며, 한국 서남해 및 제주도·일본 중부 이남과 동중국해에 분포함.
목탁가오릿-과【木鐸一科】명〔어〕[Platyrhinidae] 가오리목(目)에 속하는 어류의 한 과. 목탁가오리가 이에 속함.
목탁-가자미【木鐸一】명〔어〕[*Arnoglossus japonicus*] 가자밋과에 속하는 바닷물고기. 몸은 장타원형이고 잘고 둥근 비늘로 덮였으며 눈은 매우 큼. 옆줄 비늘 수 63-64, 등지느러미 97-99 연조(軟條), 배지느러미 74-79 연조임. 우리 나라 및 일본 남부 바다에서 남.
목탁-귀【木鐸一】명〔불교〕모이라는 신호로 치는 목탁 소리를 듣는 귀.
【목탁귀가 밝아야 한다】귀가 어두우면 먹을 밥도 못 얻어 먹는다는 말.　「목탁 소리만 나면 모여 든다는 귀신.
목탁 귀:신【木鐸鬼神】명〔불교〕①목탁만 치다가 죽은 중의 귀신. ②
목탁 동:냥【木鐸一】명〔불교〕목탁을 치면서 하는 동냥.
목탁-석【木鐸夕】명〔불교〕아침 저녁으로 도량(道場)으로 돌아다니며, 목탁을 두드리면서 천수 주문(千手呪文)을 외는 일.
목탁-수구리【木鐸一】명〔어〕[*Rhina ancylostoma*] 가래상어과에 속하는 바닷물고기. 주둥이가 짧고 가슴지느러미와 배지느러미가 서로 떨어져 있고 태생어(胎生魚)임. 한국 남부·일본 중부 이남·중국 연해·동인도 제도 및 아프리카 연해에 널리 분포함.
목탄【木炭】명 ①숯. ②〔미술〕회화(繪畫) 재료의 하나. 버드나무·오동나무 또는 다른 결이 좋고 무른 나무로 만든 숯. 굵은 선(線)을 그리는 데 간편(簡便)하고 잘 지워지므로 서양화에서 구도(構圖)를 잡는 데나 사생(寫生)의 재료로 씀. 차콜(charcoal).
목탄 가스【木炭一】[gas] 명 목탄을 원료로 하여 만들어지는 연료 가스. 목탄을 노(爐)에 넣고 불을 붙인 다음, 공기 또는 공기와 수증기의 혼합물을 보내어 일산화 탄소와 수소를 발생시킴. 내연 기관에 이용됨.
목탄 건류【木炭乾溜】[-걸-] 명 목재를, 공기를 차단하고 가열하여, 기체 성분과 액체·고체의 잔류물로 분해하는 일. 목가스·목초산·목타르·목탄 따위가 얻어짐.
목탄-선【木炭銑】명 목탄을 연료·환원제(還元劑)로 하여 제조한 선철(銑鐵). 목탄은 코크스(cokes)보다 불순물이 적기 때문에 목탄선이 코크스로 환원한 고로선(高爐銑)보다 순량(純良)하여 고급 주물(鑄物)·고급강(鋼) 원료로 사용됨.　「여러 가지 빛깔의 종이.
목탄-지【木炭紙】명〔미술〕목탄화(木炭畫)를 그리기에 적당하게 만든
목탄-차【木炭車】명 목탄 가스 발생기(發生器)에서 나오는 목탄 가스를 연료로 하는 자동차. 숯자동차.
목탄-화【木炭畫】명〔미술〕목탄지(木炭紙)에 목탄으로 그린 데생이나 스케치.
목-탈 명 귀면형(鬼面型)의 탈. 봉산 탈춤 중 팔목중·노승·취발이 탈이 이에 속함.
목탑【木塔】명〔불교〕사리(舍利)를 봉안할 목적으로 세운 목조 누각(樓閣) 건물. 법주사(法住寺) 팔상전(捌相殿)이 대표적인 예임.
목 터:틀넥〔mock turtleneck〕명 하이넥(highneck).
목-테【木一】명 나무로 만든 테.
목토【木兎】명〔조〕부엉이.
목통[1] 명 ①목구멍의 넓이. ②욕심 많은 사람을 놀리어 일컫는 말. ③돈이나 물건을 아끼지 아니하고 푸지게 쓰는 태도. ¶ ~이 크다.
목-통[2]【木桶】명 나무로 만든 통. 나무통.
목통[3]【木通】명 ①〔식〕으름덩굴. ②〔한의〕으름덩굴의 말린 줄기. 성질은 차고 이수도(利水道)하는 작용이 있으며, 임질과 부종에 씀. 통초(通草).
목통-대 명〈방〉골통대.
목-투시 명〈방〉목덜미(강원).
목판[1]【木板】명 ①나무로 만든, 음식을 담아 나르는 그릇. 모양이 여러 가지이나 보통으로는 얇은 널빤지로 바닥을 하고 조붓한 전을 엇비슷하게 사방으로 대었으며 정사각형임. 목반(木盤). ②널조각.
목판[2]【木版·木板】명〔인쇄〕나무에 글·그림 등을 새긴 인쇄용의 판(版). 또, 그것으로 인쇄한 것.
목판-깃【木版一】명 넓적하게 모양 없이 단 옷깃. 방령(方領). ↔동구래깃.
목판-되【木板一】명 모되.
목판-본【木版本】명 목판으로 박은 책. 침본(鋟本).
목판-쇄【木版刷】명 목판으로 인쇄하는 일. 또, 그 인쇄물.

목-판장【木板墻】명 널판장.
목판 조각【木板彫刻】명 나무 판자에 새기는 조각.
목판-차【木板車】명〈속〉무개 화차(無蓋貨車).
목판-화【木版畫】명〔미술〕목판으로 찍은 그림.
목판 활자【木版活字】[—짜] 명 나무에 판 활자. 목활자.
목-팔사【木八絲】[—싸] 명 무명실을 몇 오리씩 합친 여덟 가닥을 서로 엇결어서 얽어 끈 동그란 끈목.
목-패【木牌】명 나무로 만든 패. 목찰(木札).
목편【木片】명 나뭇 조각.
목포[1]【木布】명 ①포목(布木). ②〔불교〕부목(負木)의 옷감.
목포[2]【木浦】명〔지〕①전라 남도에 있는 시(市). 한반도(韓半島)의 서남단에 위치한 항구로, 무안군(務安郡)·신안군(新安郡)·영암군(靈岩郡)에 둘러싸였음. 각종 해산물과 농산물의 집결지. 호남선(湖南線)의 종착지이며 경공업 단지가 들어서서 임해 공업 지역으로 발전이 기약되고 있음. 명승 고적으로 유달산(儒達山) 공원·유달사(儒達寺)·고하도(高下島) 등이 있음. [253,423명(1990)] ②경상 남도 창녕군(昌寧郡) 유어면(遊漁面)과 이방면(梨房面) 사이에 있는 늪. [53.1 km²]
목포 공업 단지【木浦工業團地】명〔지〕전라 남도 목포시 이로동(二老洞)·석현동(石峴洞)·상동(上洞) 일대에 있는 임해(臨海) 공업 단지.
목-포도【木鋪道】명 목연와(木煉瓦)를 깐 도로.
목-포수【—砲手】명 사냥에서 짐승이 오고 가는 목을 지키는 포수.
목표【目標】명 ①어떤 일을 완수하거나 어떤 지점까지 도달하기 위한 대상. 적(的). ¶ ～액(額). ②〔심〕개인의 행동이 그 방향으로 진행되는 최종의 결과. 음식물(飮食物)을 얻으려고 하는 사람에 있어서, 음식물은 목표임. ——-하다 타여불
목표 관리 제:도【目標管理制度】[—괄—] 명〔management by objective〕목표에 따르는 관리. 조직 구성원에게 행동 목표를 주어, 이것을 어떻게 달성하느냐의 방법에 대하여는 각자의 자주(自主)와 창의(創意)에 기대하는 관리 방법.
목표 구배【目標勾配】명〔심〕목표에 가까워짐에 따라 반응의 속도가 증가하는 것. 이를테면 목표가 가까워짐에 따라 학습 곡선(學習曲線)의 구배가 증가하는 것.
목표 달성급【目標達成給】[—썽—] 명 일정한 목표를 내걸고, 그 달성률(達成率)에 따라서 가산(加算) 임금을 지급하는, 능률급(能率給)의 하나. *가중 임금제·성과급(成果給).
목표-물【目標物】명 목표로 하는 물건.
목표 진:입점【目標進入點】명〔target approach point〕〔항공〕수송기(輸送機)의 조종에서, 투하역(投下域) 또는 착륙역(着陸域)에의 최종 선회가 행하여지는 항공 상의 점검점(點檢點).
목표-치【目標値】명 자동 제어계(自動制御系)에서, 외부에서 설정(設定)하는 양(量). 제어계의 출력을 이 값에 일치시키는 일이 자동 제어계의 목적임. 「위한 탑 따위의 구조물.
목표-탑【目標塔】명〔pylon〕〔항공〕항공기의 항로 표지(航路標識)를
목표 편차【目標偏差】명〔target deviation〕탄착점(彈着點) 또는 파열점(破裂點)에서 목표까지의 거리.
목피[1]【木皮】명 나무 껍데기. 나무 껍질. ¶ 초근(草根) ～. 「연장임.
목피[2]【木被】명〔군〕소총의 등받침을 이룬 나무로 된 부분. 개머리의
목필【木筆】명 ①연필. ②〔식〕목련(木蓮)❶. ③〔식〕백목련(白木蓮).
목하【目下】명부 목전의 형편 아래. 바로 지금. 목금(目今). ¶ ～ 검토중.
목합【木盒】명 나무로 만든 합. 나무 합.
목-항아리【—缸—】명〔고고학〕목이 그릇 높이의 5분의 1 이상 되는 항아리. 장경호(長頸壺).
목향【木香】명〔식〕[*Inula helenium*] 국화과에 속하는 다년초. 줄기는 높이 80-200 cm이고, 잎은 넓거나 또는 긴 타원형인데, 밑의 잎은 유병(有柄), 꼭대기 잎은 무병(無柄)임. 7-8월에 누른 빛의 두화(頭花)가 피고 과실은 수과(瘦果)임. 유럽 원산으로 각지 원포(園圃)에 재배함. 뿌리를 한방(漢方)에서 '목향'이라 하는데, 성질은 온(溫)하고 위장을 맑게 하며, 번위(反胃)·곽란(霍亂)·심복통(心腹痛)·기체(氣滯)의 약재로 씀. 청목향(青木香).
〈목향〉
목향-채【木香菜】명 연한 목향 잎으로 무친 나물. 감초 물에 삶아서 헹군 다음, 소금·기름·새앙 다진 것을 넣어서 무침. 「에 쓰임.
목험【木杴】명 넉가래.
목형【木型】명 나무로 만든 골. 주형(鑄型)의 원형, 제화용(製靴用) 등
목형-공【木型工】명 목형을 만드는 일을 맡아 하는 기능공.
목형-소【木型所】명 목공소(木工所).
목혜【木鞋】명 나막신.
목호【牧胡】명〔역〕고려 때 제주도에서 말을 기르던 몽고인(蒙古人).
목-호로【木葫蘆·木瓠蘆】명〔민〕나무 조롱.
목호의 난【牧胡—亂】[—/—에—] 명〔역〕고려 공민왕 때 제주도의 목호(牧胡)들이 일으킨 반란. 공민왕 19년(1370), 21년(1372), 23년(1374)에 고려가 제주에서 나는 말을 명(明)나라에 보내려 했을 때 목호들이 말의 공출(供出)을 거부하자, 고려에서는 최영(崔瑩) 등을 시켜 난을 평정(平定)케 했음.
목혼-식【木婚式】명 결혼 기념식의 하나. 결혼 5주년을 축하하여 부부가 나무로 된 선물을 주고받아 기념함. *전기 기구 혼식.
목홀【木笏】명〔역〕오품(五品) 이하의 벼슬아치가 조복(朝服)할 때에 가지는 나무로 만든 홀(笏).
목홍【木紅】명 다목을 끓여서 우려 낸 붉은 물.
목홍-빛【木紅—】[—삗] 명 목홍으로 물들인 붉은 빛깔. 진하면 검은 빛, 연하면 누른 빛을 띰.
목화[1]【木化】명〔식〕식물의 세포막(細胞膜)에 리그닌(lignin)이 침착(沈着)해서 나무처럼 단단해지는 현상. 목재는 목화한 세포로 형성되어 있음. 목질화(木質化). ——-하다 자여불
목화[2]【木花】명〔식〕①무궁화과 목화속(屬)에 속하는 일년초 또는 다년생 목본(木本)의 총칭. 세계적으로는 주로 1년생 초본으로 재배되는 것이 많으며 지방에 따라 여러 품종이 있는데, 북미의 육지면(陸地棉), 남미의 해도면(海島棉), 아시아의 재래면(在來棉) 등이 있음. ②[*Gossypium nanking*] 무궁화과 목화속에 속하는 일년초. 줄기는 높이 60-90 cm이고, 잔털이 났으며 자색(紫色)이고 뿌리는 곧음. 잎은 호생하며 장상(掌狀)인데, 3-5 갈래로 째지고 유병(有柄)임. 가을에 담황색 또는 백색·홍색의 오판화가 액출(腋出)하여 핌. 과실은 '목화다래'라고 하여 구형(球形) 삼실(三室)의 삭과(蒴果)인데 익으면 개열(開裂)함. 종자(種子)는 흑색 타원형인데, 그 표피(表皮) 세포가 백색의 모상(毛狀) 섬유로 변하여 자란 것을 '면화(棉花)'라고 하며, 면사(綿絲)를 만들어 방적용(紡績用)으로 쓰임. 종자는 기름을 짬. 아시아면(棉)의 일종으로 주로 아시아에서 밭에 재배하는데, 한국에는 고려 공민왕(恭愍王) 12년(1363)에 문익점(文益漸)이 처음 들여옴. 명. 겁패(劫貝). 고종(古終). 길패(吉貝). 면화(棉花). 목면(木棉). 양화(凉花). 초면(草棉). 재래면(在來棉).

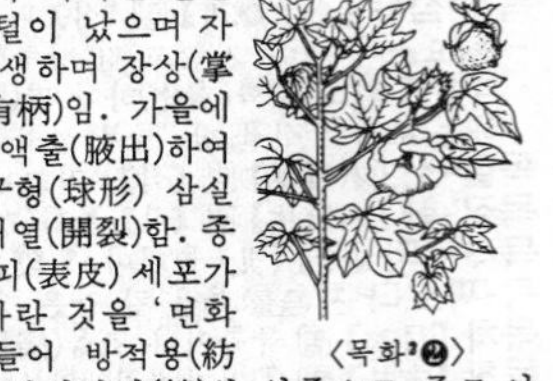
〈목화[2]❷〉

목화[3]【木靴】명 모대(帽帶)할 때에 신는 신발. 검은 녹비로 목이 길고, 모양이 장화(長靴)와 비슷함. 화자(靴子).
[목화 신고 발등 긁기] ㉠완전한 만족감을 얻지 못할 때 이르는 말. ㉡사물이 분명하지 아니하고 미지근함을 일컫는 말.
〈목화〉
목화[4]【木畫】명 공예(工藝) 기법의 하나. 자개·상아(象牙)·수정(水晶)·금·은·진주(眞珠) 등을 재료로 목공품의 표면에 상감(象嵌)하여, 여러 가지 무늬를 표현하는 특수한 기법. 「化木) 따위.
목-화석【木化石】명〔광〕나무가 화석(化石)이 된 것. 석탄·규화목(珪
목화-송이【木花—】명 목화가 익어서 개열(開裂)한 송이.
목화-수【木火獸】명 대포의 한 가지. 포문(砲門)이 범의 아가리 형상으로 되었음.
목화-씨【木花—】명 면화(棉花)씨. 면실(棉實).
목화-진딧물【木花—】명〔충〕[*Aphis gossypii*] 진딧물과에 속하는 곤충. 몸길이 1.2-1.5 mm. 몸빛은 담황색·암녹색 또는 흑색에 복부(腹部)는 볼록하고 무시 태생(無翅胎生)과 유시(有翅) 태생의 두 종류가 있음. 유충은 무시 태생의 성충과 비슷한데 몸빛은 녹색 내지 황록색임. 5월에 발생하여 단성(單性) 생식을 가을까지 30 세대(世代)나 계속함. 성충·유충이 모두 목화·오이·가지·콩 등의 잎·꽃에 기생하여 즙액(汁液)을 흡수하는 해충임. 전세계에 분포함. 솜진디. 면충(綿蟲).

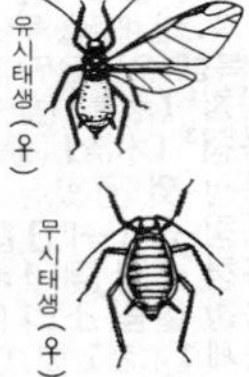

〈목화진딧물〉

목환[1]【木丸】명 목구(木毬).
목환[2]【木環】명 나무로 만든 고리.
목환 체조【木環體操】명 지름이 약 152 cm인 목환을 사용하여, 한 사람 또는 조(組)로써 하는 체조.
목-활자【木活字】[—짜] 명〔인쇄〕나무로 만든 활자. 목판 활자.
목회[1]【木灰】명 나무를 태운 재. 나뭇재.
목회[2]【牧會】명〔기독교〕목사가 교회를 담당하여 직접 설교를 하며, 신자의 신앙 생활을 지도하는 일. ——-하다 자여불
목회 서간【牧會書簡】명〔성〕신약 성서 중의 디모데 전·후서(前後書)와 디도서(書)의 병칭(並稱). 초대 교회의 성무(聖務)를 집행하는 데 필요한 성직자(聖職者)의 자격·선발·제전(祭典)·규칙·신자(信者)의 의무 및 각지 교회의 형편과 교훈(敎訓) 등을 포함하여 제자에게 편지 형식으로 보낸 것임. 바울(Paul)의 서신이라고 함. 목회 서한. *공동 서한.
목회 서한【牧會書翰】명〔성〕목회 서간.
목회-유【木灰釉】명〔공〕나뭇재를 원료로 한 도자기(陶磁器)의 잿물.
목후【沐猴】명〔동〕미후(獼猴).
목후-이관【沐猴而冠】명〔원숭이가 관을 썼다는 뜻〕의관(衣冠)은 갖추었으나 사람답지 못한 사람을 가리키는 말.
목-휘양 명〔←목휘항(木揮項)〕무명으로 만든 휘양.
몫[1][목] ㊀명 ①여럿으로 분배하여 가지는 각 부분. ¶ 자기 ～. ②〈방〉목[1]❺. ㊁의명 나누어 가질 때의 앞앞이 가지는 수량. 구(口). 앞.
몫[2][목] 명〔수〕나눗셈에서 실수(實數)를 법수(法數)로 나누어 얻은 수. 상(商). 득수(得數). ↔곱.
몫몫-이[목목씨] 부 한 몫 한 몫마다. 몫마다. 앞앞이.
몬 명〈옛〉물건. ¶ 몬(物)《東言解》.
몬나 반나[이 Monna Vanna] 명〔연〕벨기에의 작가 마테를링크의 희곡. 15세기 중엽의 이탈리아를 무대로 하여, 적에게 포위된 피사의 마을을 구출하기 위하여 목숨을 바치려는 처녀, 몬나 반나를 주인공으로 하고 있음. 1902년에 초연됨.
몬다위 명[몽 mundaγa(말 어깨뼈 사이의 올라간 부분)] ①말이나 소의 어깻 죽지. 영안두(迎鞍頭). ②약대의 등에 두두룩하게 솟은 살.
몬다회 명〈옛〉몬다위. ¶ 두 엇기과 밋 몬다회 머리와(兩前膊及梁頭)《馬經 下 102》.
몬닥 부 썩거나 질척질척하게 무른 물건이 덩이로 똑 떨어지는 모양. ㊂

몬탁. <문덕. ——-하다 자여불

몬닥-몬닥 부 자꾸 몬닥하는 모양. ㅆ몬탁몬탁. <문덕문덕. ——-하다 자여불

몬대기 명 〈방〉 먼지(경기).

몬-대이름씨 【一代一】 명 『언』 '사물 대명사(事物代名詞)'의 풀어 쓴 이름.

몬독 명 〈방〉 먼지(제주).

몬드 가스 〔Mond gas〕 명 『화』 〔발명자 몬드(Mond, R.L.; 1839-1900)는 독일 태생의 영국 화학자〕 발생로(發生爐) 가스의 한 가지. 발생로로 보내는 수증기가 많아지면 이산화 탄소(二酸化炭素)가 많이 발생하여, 생성(生成) 가스의 발열량이 저하되는 반면 암모니아의 생성량이 증가함. 이처럼 암모니아를 많이 얻도록 설계한 노(爐)로부터 발생하는 가스를 일컬음.

몬드 니켈 〔Mond nickel〕 명 『화』 몬드법에 의해 정제(精製)된 니켈.

몬드리안 〔Mondriaan, Pieter Cornelis〕 명 『사람』 네덜란드의 화가. 현대 추상주의(抽象主義)의 대가(大家)로, 1920년 파리에 나와 신조형주의(新造形主義) 이론을 제창하였고, 추상 창조파(抽象創造派)에도 참가하였음. 기하학적인 공간의 조직이 특색이나 차츰 감정에 호소하는 신조형주의를 표방하였음. [1872-1944]

몬드-법 【一法】 〔Mond〕 [一뻡] 명 독일에서 태어난 영국 화학자 몬드(Mond, R.L.)가 발명한 니켈과 구리의 분리법. 일산화 탄소를 써서 니켈을 기체 화합물로 빼낸 뒤, 재차 금속으로 환원시키는 방법.

몬-뚱어리 명 〈방〉 몸뚱이(전남·제주).

몬로:비아 〔Monrovia〕 명 『지』 라이베리아 공화국 수도. 대서양에 면한 항구 도시로 고무·철광석의 적출항(積出港). 1822년 미국의 해방 노예 식민지로 창건되었으며, 이름은 당시의 미국 대통령 먼로의 이름에서 땀. [700,000명(1995 추계)]

몬모릴로나이트 〔montmorillonite〕 명 『광』 점토(粘土) 광물의 일종. 주성분은 알루미늄과 마그네슘의 함수 규산염 광물(含水珪酸塩鑛物). 단사 정계(單斜晶系). 백색·회색·담색 따위의 분말괴(粉末塊)로 부드러우며 물을 흡수하여 팽윤(膨潤)함. 장석(長石)·응회석(凝灰石) 따위가 변질하여 생김. 산성 백토의 주성분임. 몬모릴론석(石).

몬모릴론-석 【一石】 〔montmorillon〕 명 『광』 몬모릴로나이트.

몬순: 〔monsoon〕 명 『기상』 계절풍.

몬순: 기후 【一氣候】 〔monsoon〕 명 『기상』 계절풍 기후.

몬순:-림 【一林】 〔monsoon〕 [一님] 명 『지』 몬순 지대에 무성하는 삼림. 열대 우림(熱帶降雨林)과 사바나 지역과의 중간의 기후에서 발달된 삼림.

몬순: 지대 【一地帶】 〔monsoon〕 명 『지』 계절풍이 부는 지대. 약 반년을 주기로, 겨울에는 대륙에서 대양으로, 여름에는 반대로 대양에서 대륙으로 바람의 방향이 바뀌는, 대륙 변두리 지대.

몬스터 〔monster〕 명 ①괴물(怪物). 도깨비. ②크고 괴기(怪奇)한 동물. ③극악 무도(極惡無道)한 사람.

몬스테라 〔monstera〕 명 『식』 [*Monstera deliciosa*] 천남성과(天南星科)에 속하는 열대산의 다년생 만생(蔓生) 식물. 관엽 식물로, 다소 목질이며 줄기로부터 뿌리가 남. 어린 잎은 둥그나 자란 잎은 달걀꼴이고 암녹색, 엽육(葉肉)은 두텁고 혁질임. 길이는 90-100 cm, 잎가는 깊이 짤리어 들어가며, 자람에 따라 엽맥 사이에 긴 타원형 또는 마름모꼴의 구멍이 생김. 꽃은 진기하여 자웅 집합체인 생식 기관이 큼직한 초 같은 모양임. 과실은 맛도 좋고 향기도 좋음. 멕시코·중미·서인도 등지의 원산인데 한국에는 1912-1945년에 들어왔음. 봉래초(蓬萊草).

몬시뇰 〔Monsignor〕 명 『천주교』 교구를 갖지 않은 교황청 고위 성직자와 주교품을 받지 않았으되 덕망이 높아 교황으로부터 이 칭호를 받은 성직자에 대한 존칭.

몬야 부 〈방〉 먼저(전라).

몬자 부 〈방〉 먼저(전남).

몬재 부 〈방〉 먼저(전남·경남).

몬저 부 〈방〉 먼저(전남·경상·제주).

몬져 〈옛〉 ⊟ 명 앞. 먼저. ¶ 魯鈍ᄒᆞᆫ 姿質은 어느 뉘웃부믜 몬져를 알리오(魯鈍姿豈識悔吝先)≪初杜諺 Ⅵ:37≫. ⊟부 먼저. ¶ 筋骨을 몬져 ᄀᆞ고샤(迺先勞筋骨)≪龍歌 114章≫.

몬졔 〈옛〉 먼저이-. '몬져'의 서술격형(叙述格形). ¶ 嘉祥이 몬졔시니(爰先嘉祥)≪龍歌 7章≫/先은 몬졔요≪月釋 序 15≫.

몬조니-암 【一岩】 〔Monzoni〕 명 『광』 〔Monzoni는 알프스 산맥 중 티롤(Tyrol)에 있는 산의 이름〕 섬장암(閃長岩)과 섬록암(閃綠岩)의 중간 성질을 가진 화성암(火成岩).

몬:-족 【一族】 〔Mon〕 명 버마족(族)과 타이족의 남하(南下) 이전에 크메르족(Khmer族)과 더불어, 남부 미얀마·타이·말레이 반도 북부에 거주하던 종족. 현재는 소수 민족으로 그 국내에 잔존(殘存)할 뿐임. 몬크메르족(族)의 일부를 이루며, 한때 인도차이나에서 첫째가는 문명족(文明族)이었음.

몬존-하다 형여불 성질이 가라앉다.

몬지[1] 명 〈방〉 먼지(경기·강원·충청·전남·경북·제주·황해).

몬지[2] 부 〈방〉 먼저(경남).

몬지다 타 〈방〉 만지다(전남·경남).

몬짓 명 〈옛〉 먼지. ¶ ᄡᅡ해 디여 목 노하 우르샤 모매 몬짓 무티시고≪月釋 XXI:219≫.

몬참 부 〈방〉 먼저(전남).

몬첨 부 〈방〉 먼저(전남·제주).

몬춤 부 〈방〉 먼저(전남).

몬치다 타 〈방〉 만지다(전남·경남).

몬침 부 〈방〉 먼저(경남).

몬:크메르-어 【一語】 〔Mon-Khmer〕 명 『언』 오스트로아시아어(Austro-asia語)의 하나. 인도차이나 반도의 몬족(Mon族)과 크메르족(Khmer族)들이 쓰고 있는 언어.

몬:크메르-족 【一族】 〔Mon-Khmer〕 명 옛날 인도차이나 반도에서 번영(繁榮)했던 몬족(Mon族)과 크메르족(Khmer族). 메콩 강(江) 중·하류 지방 등에 거주함.

몬타누스-파 【一派】 〔Montanus〕 명 『종』 2세기 중엽에 일어난 그리스도교의 한 파. 몬타누스가 창시한 것으로, 세계의 종말을 예언하고 엄격한 금욕주의를 실행함. 이탈리아·아프리카에 전파되었으나, 이고니움 종교 회의에서 이단(異端)으로 배척됨.

몬타:지 〔montage〕 명 '몽타주(montage)'의 영어.

몬탁 부 썩거나 질척질척하게 무른 물건이 덩이로 뚝 떨어지는 모양. ㅅ몬닥. <문턱. ——-하다 자여불

몬탁-몬탁 부 자꾸 몬탁하는 모양. ㅅ몬닥몬닥. <문턱문턱. ——-하다 자여불

몬탈레 〔Montale, Eugenio〕 명 『사람』 이탈리아의 시인. 웅가레티(Ungaretti)와 더불어 이탈리아 현대시(現代詩)를 대표함. 시집 ≪오징어 뼈≫·≪기회(機會)≫ 등이 있음. '황야의 시인'이라는 평을 받음. 1975년 노벨 문학상 수상. [1896-1981]

몬태나 주 【一州】 〔Montana〕 명 『지』 미국 서북부의 주. 서부는 로키 산맥에 접하고, 동부는 그레이트 플레인스(Great Plains)를 이룸. 동부 평원에서는 밀·보리·사탕무우·감자 등이 나며, 동남부에서는 소·양·돼지 등 축산이 성함. 로키 산중에서는 구리를 비롯한 인(燐)·은·금·아연·망간·석유 등의 광물이 산출됨. 목제품·식품 가공·인쇄 등의 공업화도 진척되고 있음. 주도 헬레나(Helena). [376,554 km² : 799,065명(1990)]

몬테네그로 〔Montenegro〕 명 『지』 신유고슬라비아 연방을 구성하는 공화국의 하나. 목양(牧羊)을 주로 하며 납·아연(亞鉛)을 산출함. 주민은 대부분이 남슬라브족임. 근세 초에 한때 독립하였으나, 제1차 대전 후 유고슬라비아의 일부가 되었으며 1989년 동유럽 공산 정권의 잇딴 붕괴로 유고 연방이 해체되면서 1992년 4월 세르비아와 신유고 연방을 결성함. 수도는 포드고리차(Podgorica). 정식 명칭은 몬테네그로 공화국(Republic of Montenegro). [13,812km² : 580,000명(1991)]

몬테레이 〔Monterrey〕 명 『지』 멕시코 동북부에 있는 도시. 교통의 요지(要地)로 멕시코 최대의 철강 공장이 있음. 그 밖에 화학·유리·시멘트·양조 등의 공업도 행해짐. [1,065,000명(1981)]

몬테로:사 산 【一山】 〔Monte Rosa〕 명 『지』 스위스와 이탈리아의 국경을 이루는 페나인 알프스(Pennine Alps)의 주봉(主峰). 정상부(頂上部)는 열 개의 봉우리로 갈라져 있음. 최고봉은 뒤푸르(Dufour)인데 3,136 m 지점까지 등산 철도가 통함. [4,638 m]

몬테베르디 〔Monteverdi, Claudio〕 명 『사람』 이탈리아의 작곡가. 초기 바로크 시대에 활약함. 특히, 고전적 다성 음악(多聲音樂) 확립에 공적을 남겼음. 대표작에 현존(現存)하는 최고(最古)의 오페라인 ≪오르페우스≫가 있음. [1567-1643]

몬테비데오 〔Montevideo〕 명 『지』 우루과이 공화국의 수도. 라플라타강 하구에 있는 무역항(貿易港)으로 정치·문화·경제의 중심지. 피혁(皮革)·육류(肉類) 통조림·제분 등의 공업이 행하여지며, 아름다운 시가(市街)로 알려짐. 1726년에 건설되었음. [1,320,000명(1990 추계)]

몬테비데오 회:의 【一會議】 [一/一이] 명 〔Conference of Montevideo〕 1988년 우루과이의 수도 몬테비데오에서, 국제 사법의 통일을 위하여 남미 각국의 대표자가 모여 개최한 국제 회의. 국제 민법·국제 상법·국제 형법·국제 소송법·국제 저작권·국제 특허권 등에 관한 조약 등을 의결했음. 이 조약을 몬테비데오 조약이라 이름.

몬테비소 산 【一山】 〔Monte Viso〕 명 『지』 이탈리아 서북부, 코티안 알프스(Cottian Alps)의 최고봉. 포 강(Po江)의 발원지임. [3,841 m]

몬테소리 〔Montessori, Maria〕 명 『사람』 이탈리아의 여류 교육가. 이상아(異常兒) 연구에서 출발하여, 자연주의적 자유주의에 입각한 정상아의 교육 방법 개혁을 제창(提唱)함. 1907년 로마에 설립한 유아 학교 '아동의 집'에서 독자적인 교구(敎具)를 사용하여, 감각에서 관념으로 발전시키는 몬테소리 교육법을 실시, 각국에 영향을 줌. [1870-1952]

몬테수마 이:세 【一二世】 명 〔Montezuma Ⅱ〕 『사람』 아스테카(Aztecas) 왕국의 황제. 코르테스(Cortés) 등이 침입했을 때, 몬테수마는 그들을 신(神)의 자손이라 생각하여 저항하지 아니하고 잡혀 살해됨. 코르테스 등이 빼앗은 몬테수마의 재물은 배가 침몰하는 바람에 바다 밑에 가라앉았다고 함. [1480?-1520; 재위 1502-20]

몬테-카를로 〔Monte Carlo〕 명 『지』 모나코 공국 동북부의 관광 및 휴양지. 국영 도박장인 카지노(casino)가 유명하며 국가 재원(財源)의 대부분은 이 곳의 수입으로 메움. [13,000명(1982)]

몬테카를로-법 【一法】 [一뻡] 〔Monte Carlo〕 명 〔몬테카를로의 카지노에서 행하여지는 도박의 승패 확률 계산에서 유래〕 수학에서의 문제 해결법의 하나. 확률적인 실험을 이용하는 것으로, 계산으로는 용이하게 처리되지 아니하는 문제를 풀 때에 쓰임.

몬테-카시노 〔Monte Cassino〕 명 『지』 이탈리아의 나폴리 서북, 약 45 km 지점에 있는 작은 산. 산 위에 있는 몬테카시노 수도원으로 유명함. [519 m]

몬테카시노 수도원 【一修道院】 〔Monte Cassino〕 명 이탈리아 중부, 고대의 라티움 가도(街道)에 연한 소도시 카시노의 뒤쪽 구릉(丘陵), 몬테카시노에 있는 수도원. 529년, 누르시아의 성(聖)베네딕트가 침묵·기도·노동을 모토로 건설한 것으로 이후 수세기 동안, 기독교적 학문의 중심이었음. 2차 대전 때, 도서관과 문서 창고를 제외하고 모두 파괴되었다가, 전후(戰後)에 재건되었음.

몬테카티니 에디슨 회:사 【一會社】 명 〔Montecatini Edison S.p.A.〕 1966년 몬테카티니사(社)와 에디슨사(社)가 합병한, 이탈리아 최대의 화학 공업 회사. 1968년의 매상고 23억 달러. 이 나라 최대의 민간 기업이나 1968년의 주식 취득(株式取得)으로 국영(國營)의 이리(IRI)와 에

니(ENI)가 사실 상의 지배권을 장악함.

몬테크리스토 섬 〔Montecristo〕 명 『지』 이탈리아 중부, 티레니아 해(Tyrrhenia 海) 북쪽, 이탈리아 반도와 코르시카 섬 사이에 있는 작은 섬. 엘바 섬의 남쪽 40 km 지점에 있음. 뒤마의 소설 ≪몽테크리스토 백작≫의 무대로 유명함. [15 km²]

몬텔리우스 〔Montelius, Oskar〕 명 『사람』 스웨덴의 고고학자. 선사(先史) 시대, 특히 청동기 시대를 연구, 진화론에 바탕을 둔 형식학적(形式學的) 연구에 따라, 고고학에 과학적 기초를 부여함. 주저(主著)에 ≪오리엔트 및 그리스의 청동기 시대≫·≪이탈리아 선사 시대 편년(編年)≫ 등이 있음. [1843-1921]

몬트리올: 〔Montreal〕 명 『지』 캐나다의 퀘벡 주 남부의 도시. 세인트 로렌스 강(St. Lawrence 江)과 오타와 강이 합류하는 곳의 섬 위에 있는, 캐나다 최대의 도시. 무역항으로서 소맥(小麥)·목재·축산물 등을 수출, 기계·제지·식품 가공·화학 등의 공업도 성함. 1976년 제21회 올림픽 대회 개최지. 주민의 3분의 2가 프랑스계임. [2,921,357명(1986)]

몬트리올 의정서 【一議定書】 명 〔Montreal Protocol〕 오존층 보호의 일반적 원칙을 규정한 빈 조약에 의거하여 1987년 캐나다의 몬트리올 회의에서 오존층에 영향을 주는 프레온 가스나 할론 가스에 대하여 1986년의 소비량을 기준으로 하여 98년까지 반감할 것을 채택한 의정서. 정식 명칭은 '오존층을 파괴하는 물질에 관한 몬트리올 의정서'. 그 후 90년 런던에서 열린 제2회 체약국(締約國) 회의에서 다른 오존층 파괴 물질의 규제와 함께 금세기 내에 프레온 가스의 제조·소비를 전폐한다는 개정안이 의결됨. 우리 나라는 1992년 2월 27일 몬트리올 의정서 가입 기탁서를 유엔 환경 계획에 제출하여 가입함.

몬티-새 〔monti〕 명 『조』 되새.

몯[1] 명 〈옛〉 못[1]. ¶ 몯爲釘≪訓例≫/몯 뎡(釘)≪字會 下 16≫.

몯[2] 명 〈옛〉 모임. ¶ 복기 뭇ᄎᆞ매 이바디 몯ᄆᆞ지예 가디 아니터라(服闋不赴宴會)≪東國新續三綱 孝子圖 V:80≫.

몯[3] 부 〈옛〉 못[4]. ¶ 平生ㄱ ᄠᅳᆮ 몯 일우시니(莫遂素志)≪龍歌 12章≫.

몯거놀 보동 보형 〈옛〉 못하거늘. '몯다[2]'의 활용형. ¶ 주그며 사로ᄆᆞᆯ 아디 몯거놀사(不知死與生)≪初杜諺 Ⅷ:29≫.

몯거시놀 자 〈옛〉 모이시거늘. '몯다[1]'의 활용형. ¶ 諸佛菩薩天龍이 몯거시놀≪月釋 XXI:2≫.

몯게라 보동 보형 〈옛〉 ①못하겠노라. ¶ 나ᄂᆞᆫ 아디 몯게라 能히 至ᄒᆞ신가 否ᄒᆞ신가 ᄒᆞ고(我不識能至否乎)≪孟諺 公孫丑 下≫. ②못하였노라. ¶ 仁을 蹈ᄒᆞ야 死ᄒᆞᄂᆞᆫ 者ᄅᆞᆯ 보디 몯게라(未見蹈仁而死者也)≪論諺 衛靈公≫.

몯게이다 보동 보형 〈옛〉 ①못하겠나이다. ¶ 아디 몯게이다 잇ᄂᆞ니잇가(不識有諸)≪孟諺 梁惠王 上≫. ②못하였나이다. ¶ ᄡᅥ 王을 敬ᄒᆞᄂᆞᆫ 바ᄅᆞᆯ 見티 몯게이다(未見所以敬王也)≪孟諺 公孫丑 下≫.

몯ᄆᆞ지 명 〈옛〉 잔치. 모임. ¶ 두어 ᄃᆞᆯ 마니 ᄯᆞ리 婚姻ᄒᆞᆫ 몯ᄆᆞ지예 녀러 와셔(數月女自婚姻會)≪飜小 7≫.

몯내 부 〈옛〉 못내. ¶ 몯내 혜ᅀᆞᄫᆞᆯ 功과 德괘(無量功德)≪釋譜 序 1≫.

몯ᄂᆞᆫ마술 명 〈옛〉 관청. ¶ 몯ᄂᆞᆫ마ᅀᆞ 위(衛)≪字會 中 8≫.

몯다[1] 자 〈옛〉 모이다. =못다[2]. ¶ 奉天討罪실ᄊᆡ 四方諸侯ㅣ 몯더니 聖化ㅣ 오라샤 西夷 ᄯᅩ 모ᄃᆞ니 ≪龍歌 9章≫.

몯다[2] 보동 보형 〈옛〉 못하다. ¶ 太虛ㅅ 머루미 현 千萬里ㄴ 둘 아디 몯건마ᄅᆞᆫ(太虛之遠 不知其幾 千萬里)≪妙蓮 Ⅵ:31≫.

몯됴타 형 〈옛〉 좋지 못하다. ¶ 몯됴ᄒᆞᆫ 일훔이시면 正覺 일우디 아니호리이다 ≪月釋 Ⅷ:61≫.

몯ᄡᅳᆯ말 명 〈옛〉 못쓸 말. 쓰지 못할 말. ¶ 몯ᄡᅳᆯ 말 로(駑)≪類合 下 5≫.

몯-아매 명 〈방〉 큰어머니(함북).

몯일다 자 〈옛〉 못 이루어지다. ¶ 東征에 功이 몯이나(東征無功)≪龍歌 41章≫.

몯ᄒᆞ다 보동 보형 〈옛〉 못하다. ¶ 서르 보디 몯ᄒᆞ리로다(不相見)≪杜諺 X·1≫/몯ᄒᆞᆯ 부(否)≪字會 下 31≫.

몯ᄒᆞᇙ놈 명 〈옛〉 못할 사람. ¶ 제ᄠᅳ들 시러 펴디 몯ᄒᆞᇙ노미 하니라(不得伸其情者多矣)≪訓諺≫.

몰:[1] 명 〈방〉 마을❷(함경·평북·황해).

몰[2] 명 〈방〉 말[1](전라·경남·함경).

몰:[3] 명 〈방〉 『식』 마름[2](경남).

몰[4] 【歿】 명 약력(略歷) 같은 데서, '죽음'의 뜻. 졸(卒). ¶ 1928년 ～. ――-하다 자 여불

몰:[5] 〔mall〕 명 보행자(步行者) 전용으로 디자인된 번화가(繁華街)의 산책길.

몰:[6] 〔maul〕 명 ①나무로 만든 큰 망치. ②럭비에서, 공을 중심으로 한 밀집 상태를 이름. 오프 사이드 룰이 적용됨.

몰:[7] 〔포 mogol〕 명 〔본디 인도의 무굴 제국 시대의 특산물인 데서 유래〕 ①단자(緞子)와 비슷한 돋을무늬를 넣은 직물. 씨에 견사(絹絲), 날에 금사(金絲)를 사용한 것이라 하고, 날에 은사(銀絲)를 사용한 것을 '은몰'이라 함. ②금사·은사·색사(色絲)를 엮은 장식용 끈.

몰[8] 〔mol〕 의명 『화』 ①물질의 양(量)의 단위의 하나. 분자·원자·이온 등 동질(同質)의 입자가 아보가드로수(數)만큼 존재할 때, 이것을 1몰이라고 함. 본디, 분자에 대해서만 쓰는 말이지만, 이 때는 그램 분자·그램 원자·그램 이온 등으로 구별하지 않아도 됨. ②몰 농도(濃度)의 단위.

몰[9] 〔도 Moll〕 명 『악』 ①단조(短調). ②단음계(短音階).

몰-[1] 두 '죄다'·'전부'의 뜻. ¶ ～밀어 내다/～박다.

몰-[2] 【沒】 두 '없음'을 힘있게 나타내는 말. ¶ ～이해/～상식/～염치.

몰:-가죽 〔포 mogol〕 명 두껍고 큰 주름이 있는 가죽의 일종.

몰가치-성 【沒價値性】 [一썽] 명 『사』 어떤 사물을 대할 때, 자기의 호오(好惡)의 감정이나 자기 자신의 가치 판단을 억압하고, 그것을 하나의 현실·사실로서 이해하며 파악하려는 학문 상의 태도.

몰각[1] 【沒却】 명 ①없애 버림. ②무시(無視)해 버림. ――-하다 타 여불

몰각[2] 【沒刻】 명 밤. 밤중.

몰각[3] 【沒覺】 명 ↗무지 몰각(無知沒覺). ――-하다 형 여불

몰강-스럽다 형 ㅂ불 모지락스럽게 차마 못할 짓을 예사로 하는 태도가 있다. 몰강-스레 부

몰-강하 【一降下】 〔mol〕 명 『화』 몰내림.

몰개[1] 명 『어』 [*Gnathopogon coreanus*] 잉어과에 속하는 민물고기. 몸의 길이는 보통 8-14 cm로 몸빛은 은색임. 여울에 모여 사는데, 동작이 민첩하며, 대동강·섬진강·낙동강 등지에 분포하는 한국 특산종임.

〈몰개[1]〉

몰개[2] 명 〈방〉 모래(경기·강원·충북·경상·함경·황해·평북).

몰개미 명 〈방〉 모래(경북).

몰개-밭 명 〈방〉 모래톱(함경).

몰개-북슬 명 〈방〉 모래톱(함경).

몰개-불 명 〈방〉 모래톱(함경).

몰-경계 【沒經界】 명 시비·선악의 구별이 없음. 몰경위. 무경계(無經界). ――-하다 형 여불

몰-경위 【沒涇渭】 명 경위(涇渭)가 아주 없음. 시비·선악의 구별이 없음. 몰경계(沒經界). 무경계(無經界). ――-하다 형 여불

몰골 명 볼품 없는 모양새. ¶ ～이 말이 아니군.

몰골-법 【沒骨法】 [一뻡] 명 『미술』 동양화(東洋畫)에 있어서의 묘법(描法)의 하나. 윤곽선(輪廓線)을 그리지 아니하고 수묵(水墨) 또는 채색(彩色)으로 직접 대상을 그리는 기법. 주로, 화조화(花鳥畫)에 쓰이는데, 중국 송대(宋代)의 화가 서희(徐熙)가 창시함. 몰선 묘법(沒線描法). ↔구륵(鉤勒).

몰골-스럽다 형 ㅂ불 모양새가 볼품이 없는 듯하다. 몰골-스레 부

몰관 【沒官】 명 ①관(官)에서 몰수함. ②관직(官職)을 거두어 들임.

몰-교섭 【沒交涉】 명 ①아무 교섭이 없음. 아무런 관계가 없음. 무관계(無關係). ②간섭(干涉)하지 아니함. ――-하다 자 여불

몰구 명 〈방〉 『식』 머루[1](전남).

몰기 【沒技】 명 『역』 무과(武科)의 시취(試取)에 있어서 유엽전(柳葉箭)·편전(片箭)·기추(騎芻) 등의 정한 시수(矢數)를 다 맞히는 일. ¶ ～자(者). ――-하다 자 여불

몰끽 【沒喫】 명 남기지 않고 다 먹음. 몰식(沒食). 몰탄(沒呑). ――-하다 타 여불

몰나:르 〔Molnár, Ferenc〕 명 『사람』 헝가리의 극작가·소설가. 처음 단편 작가로 활약하다가, 희곡 ≪악마≫가 성공하여 극단(劇壇)의 인정을 받고, 마침내 ≪릴리옴(Liliom)≫·≪유리 구두≫ 등으로 세계적인 인기를 얻음. 미국에 망명하여 뉴욕에서 객사함. [1878-1952]

몰-내림 [一래一] 명 〔molar depression〕 『화』 용매(溶媒) 1,000 g 안에 용질(溶質) 1 mol을 함유하는 용액의 빙점 강하의 양(量)을 이름. 몰강하.

몰년 【沒年】 [一련] 명 죽은 해. 졸년(卒年). ¶ 생～.

몰-농도 【一濃度】 [一롱一] 명 〔morarity〕 『화』 용액 1리터 중에 녹아 있는 용액의 몰수(數)를 표시하는 방법. 단위는 몰 또는 매(每)리터몰. 분자(分子) 농도. 약호는 mol/l 또는 M.

몰니야 위성 【一衛星】 〔Molniya〕 명 러시아의 통신 위성. 원통형으로 6매의 태양 전지판(太陽電池板)과 두 개의 파라볼라 안테나(parabola antenna)를 가지고 TV·사진 따위를 중계 통신하며, 기상 위성을 겸하기도 함.

몰닉 【沒溺】 [一릭] 명 ①빠져 가라앉음. ②열중함. 골몰함. 탐닉(耽溺). ――-하다 자 여불

몰:다 타 ①짐승 같은 것을 뒤에서나 옆에서 채질을 하거나 소리를 질러 자기가 바라는 쪽으로 가게 하다. ¶ 소를 ～/물고기를 ～. ②자동차나 자전거를 운전하다. 또는 공 따위를 발로 차거나 손으로 치면서 앞으로 나아가다. ¶ 차를 ～/공을 ～. ③남을 못된 자리에 밀어 넣다. ¶ 역적으로 ～. ④한 곳에 모으거나 합치다. ¶ 몰아서 사다.

몰다비아 〔Moldavia〕 명 『지』 '몰도바(Moldova)'의 구칭.

몰다우 〔Moldau〕 명 ①『지』 체코의 보헤미아 지방을 흐르는 엘베 강의 지류인 블타바(Vltava) 강의 독일어 이름. 오스트리아와의 국경의 산지(山地)에서 발원하여, 북쪽으로 흘러 엘베 강에 합류함. [435 km] ②『악』 교향시(交響詩). 스메타나 작곡의 연작(連作) 교향시 '나의 조국' 전 6곡 중의 제2곡으로, 몰다우 강의 발원으로부터 엘베 강에 합류할 때까지를 음악으로 그려 나타냄.

몰도바 〔Moldova〕 명 『지』 독립 국가 연합을 구성하는 공화국의 하나. 러시아의 남서부에 위치하며, 루마니아와 접함. 금속·기계 따위의 중공업이 발달하고, 농업은 밀을 중심으로 하는 밭농사와, 육우(肉牛)·젖소·양 따위의 목축이 주임. 1940년 소련에 점령되어 소비에트 연방에 편입되었으나, 소련 해체 후인 1991년 독립을 선언하여 독립 국가 연합에 참여함. 주민의 대다수가 라틴계(系)임. 수도는 키시네프(Kishinev). 구칭: 몰다비아. 정식 명칭은 '몰도바 공화국(Republic of Moldova)'. [33,700 km² : 4,360,000 명(1991)]

몰두 【沒頭】 [一뚜] 명 ①목을 침. ②어떤 한 가지 일에 온 정신을 다 기울임. 일에 열중함. ¶ 연구에 ～하다. ――-하다 자 여불

몰두 몰미 【沒頭沒尾】 [一뚜一] 명 무두 무미(無頭無尾). ――-하다 형 여불

몰두-배 【沒頭拜】 [一뚜一] 명 뒷짐 지고 머리가 땅에 닿게 하는 절. ――-하다 자 여불

몰디브 〔Maldives〕 명 『지』 스리 랑카(Sri Lanka) 서남쪽 인도양 상에 있는 공화국. 약 1,200 개의 산호도(珊瑚島)로 이루어짐. 주민은 220개 섬에만 사는데, 이슬람교(敎)를 믿으며, 몰디브어(語)를 말함. 코코넛·과실을 산출, 어업도 성함. 1887-1965년까지 영국의 보호령으로 있다가, 1965년 7월에 독립, 1968년 공화국이 됨. 수도는 말레(Malé). 맬다이브. 정식 명칭은 '몰디브 공화국(Republic of Moldives)'. [298 km² : 220,000 명(1991 추계)]

몰디브 제도【―諸島】〔Maldive〕 명 〖지〗 스리랑카의 서남방 670km의 해상에 산재하는 약 1,200개의 산호도(珊瑚島). 몰디브 공화국의 판도(版圖)임.

몰:딩〔moulding〕 명 건축·공예에서, 창틀·가구 따위의 테두리 장식.

몰따 형 〈방〉 맑다(경남).

몰:라-보다 타 ①다시 볼 때에, 기억하지 못하고 잊어버리다. 알 만한 사실이나 사물을 보고도 모르다. ¶ 그새 나를 ∼니. ②잘 분별하지 못하다. ¶ 몰라보게 컸군. ③섬겨야 할 대상에 대해 무례하거나 소홀히 대하다. ¶ 장관을 ∼니, 될 일이냐. 1)-3):↔알아보다.

몰:라-주다 타 알아주지 아니하다. ¶ 남의 속을 ∼. ↔알아주다.

몰락【沒落】 명 ①다 떨어짐. ②멸망함. ¶ ∼한 집안. ――-하다 자 여불

몰란다 타 〈옛〉 몰랐는가. '모르다'의 활용형. ¶ 能히 아란다 몰란다(能悟徹也)《蒙法 21》.

몰랑 명 〈방〉 산봉우리(전남).

몰랑-거리다 자 몰랑한 느낌을 주다. <물렁거리다. 몰랑-몰랑 부. ――-하다 형 여불

몰랑-대다 자 몰랑거리다.

몰랑-하다 형 여불 ①감이나 복숭아 같은 것이 익어서 물기가 있고 야들야들하게 보드라워 말신말신하다. ②성질이 올차고 맺힌 데가 없어 야무지지 못하다. 1)·2): <물렁하다.

몰래[1] 명 〈옛·방〉 모래(제주). ¶ 石灰는 몰래를 어더서 굳고 《家禮 Ⅶ: 23》.

몰:래[2] 부 〔'모르다'의 파생 부사〕 남이 모르도록 가만히. 남의 눈에 띄지 않도록 살짝. 가만히. ¶ ∼ 엿듣다.

몰랭이 명 〈방〉 산봉우리(충남·전라).

몰랴다 타 〈방〉 말리다[3](경남).

몰레〔Mollet, Guy〕 명 〖사람〗 프랑스의 정치가. 사회당(社會黨) 출신으로 1956년 수상에 취임하고, 1958년에 드골(De Gaulle) 내각의 국무 장관이 되었으나 다음해 사임하였음. [1905-75]

몰레큘러 시:브〔Molecular sieves〕 명 〔'분자(分子)의 체'의 뜻〕 미국의 린데 회사의 합성 비석(合成沸石)의 상표명. 세공(細孔)의 직경이 균일하여, 흡착제로 쓰면 어느 일정한 크기의 분자는 흡착이 되지 않으므로 탄화 수소의 분리 및 산소·질소·수소 따위를 분리시킬 때 씀.

몰렉〔Molech〕 명 〖성〗 고대 셈족(Sem族)이 섬기던 신. 화신(火神)이므로, 어린아이를 불 속에 던져 제사하는 풍습이 있었음. 몰록(Moloch).

몰렉트로닉스〔molectronics〕 명 〔molecular electronics의 약어〕 전자 현상뿐만 아니라 열·빛·자기(磁氣) 등의 물성(物性) 현상을 이용하여, 필요한 전자 회로와 같은 입출력(入出力) 특성을 갖는 소자(素子)를 실현시키는 기술. 또, 그 공학(工學). 전자 기기(機器)의 초(超)소형화 등에 응용되는데, 미국의 웨스팅하우스사(社)가 개발함.

몰려-가다 자 거라불 ①여럿이 한쪽으로 밀려가다. ¶ 우르르 ∼. ②억지로 쫓기어 가다. ¶ 개에게 몰려가는 양떼.

몰려-나다 자 ①쫓기어 나가다. ¶ 회사에서 ∼. ②여럿이 떼를 지어 나가다.

몰려-나오다 자 너라불 ①쫓기어 나오다. ②여럿이 떼를 지어 나오다.

몰려-다니다 자 ①억지로 쫓기어 다니다. ②여럿이 떼를 지어 돌아다니다. ¶ 끼리끼리 ∼.

몰려-들다 자 ①쫓기어 들어오다. ②여럿이 떼를 지어 모여들다. ¶ 구경꾼이 ∼.

몰려-오다 자 너라불 ①여럿이 뭉쳐 한쪽으로 밀려오다. ¶ 원군(援軍)이 ∼. ②쫓기어 오다.

몰렴【沒廉】 명 ↗몰염치(沒廉恥). ――-하다 형 여불

몰로니 반:응【―反應】〔Molony〕 명 〖의〗 디프테리아(diphtheria)의 예방 접종으로 아나톡신(Anatoxin)을 주사할 때, 아나톡신에 특히 민감한 사람을 발견하기 위하여 행하는 반응. 아나톡신의 생리 식염수 20배 희석액 0.1c.c.를 아래 팔에 피내(皮內) 주사하여, 다음날 그 주사 부위에 직경 1cm 이상의 발적 침윤(發赤浸潤)이 나타나는 것을 양성이라 하고, 이런 사람에게는 아나톡신 주사량을 적당히 감량함.

몰로다 타 〈옛〉 모르다. ¶ 聖은 通達ᄒᆞ야 몰롤 이리 업슬 씨라《月印 Ⅰ: 19》/物의 몰로믈 어엿비 너기샤(愍物迷之)《圓覺 序 41》.

몰로카이 섬〔Molokai〕 명 〖지〗 하와이 군도의 중부, 오아후 섬과 마우이 섬의 중간에 있는 화산도(火山島). 파인애플을 산출함. [670km²: 6,100명(1980)]

몰로토프[1]〔Molotov〕 명 〖지〗 1940-57년까지의 '페르미(Perm)'의 이름.

몰로토프[2]〔Molotov, Vyacheslav Mikhailovich〕 명 〖사람〗 소련의 정치가. 1906년 공산당에 입당. 10월 혁명 후 코민테른 상임 위원, 1930-41년 인민 위원회 의장, 1939년 이후 외상을 겸임, 스탈린을 보좌함. 스탈린 사후에도 외상(外相)·제일 부수상 등을 역임하였으나 흐루시초프(Khrushchev) 등장 이후 주 몽골 대사로 좌천되었고, 1961년에는 당에서 제명되었음. [1890-1986]

몰록〔Moloch〕 명 〖성〗 몰렉.

몰루카 군도【―群島】〔Moluccas〕 명 〖지〗 셀레베스와 뉴기니 사이에 있는 인도네시아령(領) 도서군(島嶼群). 적도 무풍대(赤道無風帶)에 속하며, 주민은 대부분이 말레이인과 파푸아(Papua)의 혼혈임. 세계적인 향료(香料) 산지로 포르투갈과 스페인이 이를 차지하고자 싸운 적도 있었는데, 현재는 향료 무역은 쇠퇴됨. 역사적으로는 '향료 제도'로 알려짐. 주도는 몰루카 섬의 앰보이나(Amboina). [83,680km²: 995,000명(1981)]

몰류다 타 〈방〉 말리다[3](경남).

몰르다 타 〈방〉 마르다[2](전라).

몰:리[1] 부 〈방〉 모르게.

몰리[2]【沒利】 명 이익이 아주 없음. ――-하다 형 여불

몰리:나[1]〔Molina, Luis〕 명 〖사람〗 스페인의 신학자. 몰리니즘의 시조(始祖). 신의 은총과 인간의 자유 의지와의 관계를 논하였음. 주저(主著) 《콘코르디아》. [1535-1600]

몰리:나[2]〔Molina, Tirso de〕 명 〖사람〗 스페인의 극작가. 본명은 Gabriel Téllez. 현존하는 약 90편의 작품 중, 대표작은 《세비야의 엽색꾼과 돌의 초대객》으로 돈 후안의 원형(原型)을 창조함. 종교적 희곡 《신앙이 없기 때문에 지옥행》은 자유 의사 문제를 다루어 유명함. [1571?-1648]

몰리니즘〔Molinism〕 명 스페인의 신학자 몰리나(Molina, L.)가 펴낸 신학설(神學說). 신의 은총이라는 것은 인간의 협력이 자유롭게 되는 곳에 성립된다고 하는 주장. 많은 논쟁을 불러일으켰음.

몰리다[1] 자 ①여럿이 한쪽으로 밀려 뭉치다. ¶ 우르르 회장에 ∼. ②일이 꿀리어 매우 바빠지다. ¶ 일에 몰리어 매우 바쁘다. ③몰아댐을 당하다. ¶ 강도죄로 ∼. ④물건 따위가 부족하여 곤란을 당하다. ¶ 돈에 ∼.

몰리다[2] 타 〈방〉 말리다[3](전라·경남).

몰리브덴〔도 Molybdän, 영Molybdenum〕 명 〖화〗 금속 원소의 하나. 은백색이 나는 단단한 금속으로 휘수연광(輝水鉛鑛)·수연광(水鉛鑛) 등으로 산출됨. 특수강의 합금 재료와 전자관(電子管) 재료 등에 쓰임. 수연(水鉛). 휘수연 정광(精鑛). [42번:Mo:95.94]

몰리브덴-강【―鋼】〔도 Molybdän, 영Molybdenum〕 명 〖화〗 고속도강의 한 가지. 합금요소(合金要素)로서 몰리브덴을 4-8% 함유함. 열처리 방법이 보통 합금강보다는 약간 다르나, 불에 달구어도 연화(軟化)하지 않는 특성이 있음. 수연강(水鉛鋼).

몰리브덴 연광【―鉛鑛】〔도 Molybdän, 영 Molybdenum〕 명 납과 몰리브덴의 복산화물(複酸化物). 정방 정계(正方晶系). 회색에서부터 적갈색(赤褐色)의 판상(板狀) 결정으로 산출됨.

몰리슈 반:응【―反應】〔Molisch; 독일의 식물학자 Hans Molisch의 이름에 유래〕 명 〖화〗 정색 반응(呈色反應) 시험의 하나. 아미노당(糖)을 제외한 대부분의 탄수화물에서 일어나는 반응임.

몰리에:르〔Molière, Jean Baptiste Poquelin〕 명 〖사람〗 프랑스의 희극 작가. 오를레앙의 대학에서 변호사 자격을 땄으나 연극계에 투신하여 희극 작가로 성공함. 각양각색으로 복잡한 성격을 묘사, 인간 사회의 허위(虛僞)를 폭로함. 코르네유·라신과 더불어 프랑스 고전극을 대표함. 주요 작품 《인간 혐오(人間嫌惡)》·《수전노(守錢奴)》·《돈 후안(Don Juan)》 등이 있음. [1622-73]

몰리우다 타 〈방〉 말리다[3](경남).

몰-매 명 뭇매. ¶ ∼ 맞다.

몰-몰아 부 모두 몰아서. ¶ ∼ 500원에 팔다.

몰미【沒味】 명 ↗몰취미(沒趣味). ――-하다 형 여불

몰-밀다 타 모두 밀다.

몰-밀어 부 모두 몰아서. 모두 밀어. ¶ ∼ 오천 원이다 / 내가 전에 하게 하던 늙은이에게 ∼ 하우를 했는데 그런 말 듣기는 순이 할멈한테 처음이여《洪命憙: 林巨正》.

몰바이데 도법【―圖法】〔Mollweide〕 〔―뻡〕 명 〖지〗 지도 투영법(地圖投影法)의 하나. 중앙 경선(經線)과 위선(緯線)은 모두 직선, 다른 경선은 원호(圓弧) 또는 타원 곡선으로 하고, 적도(赤道)는 극축(極軸)의 2배로 그림. 경선과 위선의 간격을 적당히 정함에 따라, 면적(面積) 관계는 비교적 정확히 나타나며 세계 전도(全圖)에 쓰임.

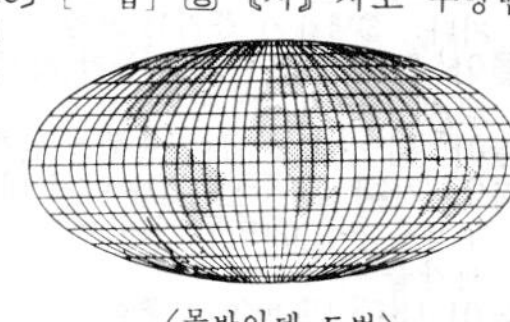

〈몰바이데 도법〉

몰-박다 타 한 곳에 모두 촘촘히 박다.

몰-밤 명 〈방〉 〖식〗 마름[2](전남·경남).

몰-밥 명 〈방〉 〖식〗 마름[2](전남).

몰방【沒放】 명 ①총·대포 같은 것을 한 곳을 향하여, 한꺼번에 여럿이 쏨. ②〖광〗 남포 여러 개가 한꺼번에 터짐. ――-하다 자타 여불

몰방-질【沒放―】 명 총을 몰방(沒放)으로 쏘는 짓. ――-하다 타 여불

몰-부피 명 〔molar volume〕 〖화〗 화학 물질의 1몰이 차지하는 부피. 그 물질의 몰 질량을 밀도로 나눈 양임. ――-하다 형 여불

몰-분수【沒分數】 명 어리석어서 아무 분수가 없음. 몰요량(沒料量).

몰-분율【―分率】〔mol〕 명 〔molar fraction〕 〖화〗 농도(濃度) 표시법의 하나. 두 성분 또는 여러 성분으로 된 물질계(物質系) 중에 있는 화학 성분의 몰수(mol數)와 전(全)화학 성분의 몰수의 총화(總和)의 비(比)를 말함.

몰-분자【―分子】〔mol〕 명 〖화〗 몰[7].

몰-분자수【―分子數】〔mol〕 명 〖화〗 1몰의 순물질 중에 함유되는 분자의 수. 아보가드로수(Avogadro數).

몰-비열【―比熱】 명 〔molar heat〕 〖화〗 어떤 물질 1몰에 대한 열용량(熱容量). 그 물질의 비열에 분자량을 곱한 수치임. 분자열(分子熱).

몰-비판【沒批判】 명 옳고 그름을 판단하지 않음. 무비판. 여불

몰사【沒死】〔―싸〕 명 죄다 죽음. ¶ 공중 폭발로 ∼하다. ――-하다 자 여불

몰살【沒殺】〔―쌀〕 명 죄다 죽임. ¶ 일가(一家)를 ∼하다. ――-하다 타 여불

몰-상승【―上昇】〔mol〕 명 〖화〗 몰오름.

몰-상식【沒常識】〔―쌍―〕 명 상식이 아주 없음. 비상식(非常識). ¶ ∼한 사람. ――-하다 형 여불

몰서【沒書】〔―써〕 명 ①기고(寄稿)한 것이 게재되지 못하고 마는 일. ②주소·성명이 적히지 않아서 전하거나 돌려 보낼 수 없는 편지.

몰선 묘:법【沒線描法】〔―썬―뻡〕 명 〖미술〗 몰골법(沒骨法).

몰세【沒世】〔―쎄〕 명 ①세상을 떠남. 죽음. ②일생. 평생. ③영세(永世). 영구(永久). ――-하다 자 여불

몰소【沒燒】〔―쏘〕 명 다 타 버림. 또, 다 태움. ――-하다 자타 여불

몰속[1]【沒屬】〔―쏙〕 명 〖역〗 몰수(沒收)❶. ――-하다 타 여불

몰속[2] 부 〈옛〉 몰수이. 몽땅. ¶ 柯枝란 다 몰속 무첫슬지라도 자로 드릴 구멍이나 남기옵소 《古時調》.

몰송【沒誦】〔―쏭〕 명 글이나 책의 전편(全篇)을 죄다 욈. ――-하다 타 여불

몰쏙 부 〈옛〉 몽땅. ¶ 냇고기를 다 몰쏙 자바 《永言 珍書刊行板》.

몰수[1]【沒收】〔―쑤〕 명 ①〖역〗 법이 금하는 물건이나 범죄로 인하여 얻

은 물건을 마을에서 모두 거두어 들임. 몰속(沒屬). 수몰(收沒). ②〖법〗 주형(主刑)에 부수(附隨)하여서만 과하는 재산 상의 부가형(附加刑)의 한 가지. 범죄 행위에 제공 또는 제공하려고 한 물건이나, 범죄 행위의 결과 또는 그 보수로 얻은 물건의 소유권을 박탈하는 행위. ③〖법〗 행정법상 어떤 물건의 소지(所持)가 행정의 목적을 해(害)할 경우, 그 물건을 무상(無償)으로 빼앗는 조치. ¶ 재산을 ~하다. ——-하다 [타][여불]

몰수²【沒數】[—쑤] [명] 수량의 전부. 진수(盡數).

몰수 게임【沒收—】〔game〕[—쑤—] [명] 몰수 경기. 몰수 시합.

몰수 경:기【沒收競技】 [—쑤—] [명] 구기(球技)에서, 경기에의 지각, 플레이의 계속 거부, 고의의 지연 행위, 거듭되는 악질적인 반칙, 선수의 정원 부족 등의 사태가 발생하였을 경우, 심판에 의하여 과실이 없는 팀에 승리가 선고되는 경기. 경기 몰수. 몰수 게임. 시합 몰수.

몰수-물【沒收物】[—쑤—] [명]〖법〗 몰수의 재판이 확정되어 몰수된 물건. 몰수물은 몰수에 의하여 국고(國庫)에 귀속함.

몰수 시합【沒收試合】[—쑤—] [명] 몰수 게임.

몰수-이【沒數—】[—쑤—] [부] 있는 수효대로 죄다.

몰수-품【沒收品】[—쑤—] [명]〖법〗 금수품(禁輸品)·밀수품·판매 금지 특정 외래품·관세 포탈(逋脫) 물품 등 관세법이나 특정 외래품 판매 금지법에 의하여 몰수한 물품. 국고 귀속물로서 처분됨.

몰수-히【沒數—】[—쑤—] [부] ☞몰수이. ¶ 이 땅 모든 거민을 너희 하나님 여호와의 전으로 ~ 모으고…≪구약 요엘서 1 : 14≫/ 가지고 오던 것과 관망 의복까지 ~ 빼앗겼으나≪李海朝 : 驅魔劍≫.

몰식【沒食】[—씩] [명] 몰끽(沒喫). ——-하다 [타][여불]

몰식-자【沒食子】[—씩—] [명]〖한의〗 ①페르시아 지방에 나는 참나뭇과 식물의 어린 잎에 산란(產卵)한 어리상수리혹벌의 알이, 부화(孵化)할 때에 생기는 혹 같은 물질. 직경 2 cm 가량으로 둥근데, 타닌(Tanin) 70%를 함유함. 이질(痢疾)과 치통(齒痛)에 쓰이고, 갈산(酸)의 원료가 됨. 무식자(無食子). ②오배자(五倍子).

몰식자-벌【沒食子—】[—씩—] [명]〖충〗 어리상수리혹벌.

몰식자-봉【沒食子蜂】[—씩—] [명]〖충〗 어리상수리혹벌.

몰식자-산【沒食子酸】[—씩—] [명] 갈산(酸).

몰실【沒實】[—씰] [명] 무실(無實)❷. ——-하다 [형][여불]

몰씬 [부] ①짙은 냄새를 갑자기 풍기는 모양. ②푹 익은 물건이 몰랑몰랑한 모양. <물씬.

몰씬-거리다 [자] ①푹 익은 물건이 무르고 건드리는 대로 자꾸 쪼그라지다. ②짙은 냄새가 연이어 풍기다. <물씬거리다. 몰씬-몰씬 [부]. ——-하다 [형][여불]

몰씬-대다 [자] 몰씬거리다.

몰씬-하다 [형][여불] ①푹 익은 물건이 무르고 건드리는 대로 좀 쪼그라지다. ②냄새가 풍기는 모양이 심하다. <물씬하다. 몰씬-히 [부]

몰아¹【沒我】[명] 자기를 몰각(沒却)한 상태. 망아(忘我). ¶ ~의 경지(境地)에 이르다.

몰아² [부] 가릴 것 없이 모두를 한꺼번에. 모두 다 같이. ¶ 한꺼번에 ~ 하자/세 가지를 ~ 500 원에 샀다.

몰아-가다 [타][거라불] ①몰아서 데리고 가다. 뒤에서 몰고 가다. ¶ 바람이 구름을 ~. ②모두 가져 가다. 있는 대로 모두 휩쓸어 가다. ¶ 도둑이 세간을 싹 ~./침략자를 ~.

몰아-내다 [타] 밖으로 쫓아 버리다. 몰아서 나가게 하다. ¶ 노름꾼을 동네에서 ~

몰아-넣다 [—너타] [타] ①몰아서 들어가게 하다. ¶ 닭을 닭장에 ~/궁지에 ~. ②모두 휩쓸어 들어가게 하다. ¶ 가방에 ~.

몰아-대다 [타] 기를 펴지 못하도록 마 해내다. 마구 해내다. ¶ 꼼짝 못하게 ~.

몰아-들이다 [타] ①억지로 몰려 들어오게 하다. ②모두 휩쓸어 들어오게 하다.

몰아-떨구기 [명] (바둑에서) 상대방이 미처 잇기 전에 쫓아서 몰아 잡는 일.

몰아-받다 [타] ①여러 번에 받을 것을 한꺼번에 받다. ②각 사람이 받을 것을 한 사람이 대표하여 모두 받다.

몰아-붙이다 [—부치—] [타] 한 곳에 밀어붙이다. 한쪽으로만 가게 하다.

몰아-사다 [타] ①이것저것을 모두 한꺼번에 사다. ②여러 번으로 나누지 아니하고 한 번에 사다.

몰아-세다 [타] ↗몰아세우다.

몰아-세우다 [타] 잘잘못을 묻지 아니하고 마구 나무라다. 마구 닦아세워 꾸짖다. [준]몰아세다.

몰아-쉬다 [타] 숨을 모아 쉬다.

몰아-애【沒我愛】[명] 오로지 그 대상의 가치 고양(高揚)만 지향하는 사랑.

몰아-오다 [一] [자] 한쪽으로 한꺼번에 오다. 한목에 밀리어 오다. ¶ 눈이 ~/가뭄 끝에 비가 ~. [二] [타][너라불] 모두 휩쓸어 오다. 모두 가져 오다. ¶ 친구 집에 다니면서 읽을 만한 책은 다 몰아왔네.

몰아-주다 [타] ①여러 번으로 나누지 아니하고 한꺼번에 주다. ②〈방〉 몰아세우다.

몰아-치다 [타] ①한 곳으로 한목 몰리게 하다. ②한꺼번에 몹시 서두르다. ¶ 닷새에 할 것을 몰아치어서 사흘에 마치다.

몰애 [명]〈옛〉 모래. ¶ 곧 뎌 드틀와 흙과 쥐와 몰애 이무른(即彼塵土灰沙之倫은)≪楞嚴 Ⅶ:53≫/몰애 어즈러우니(沙亂)≪杜諺 ⅩⅩⅢ:1≫.

몰약【沒藥】[명] ①〖식〗 [*Commiphora myrrha*]〔그리스어 '미라(myrrh)'의 음역으로, 쓰다는 뜻〕 감람과에 속하는 관목. 잎은 복엽(複葉)이고 꽃은 사판화(四瓣花)이며 과실은 핵과(核果)임. 아라비아·아프리카에 분포함. ②몰약 등 아프리카산 감람과(橄欖科)에 속하는 식물에서 채집한 고무 수지(樹脂). 황색·적색·갈색이 보통인데 방향(芳香)과 고미(苦味)가 있음. 고대(古代)부터 방향(芳香) 및 시체의 방부제(防腐劑)로 쓰이고, 향수·의료품·구강(口腔) 소독 및 통경제(通經劑)·건위제·함수제(含漱劑) 등에 쓰이며, 기관지(氣管支)·방광(膀胱) 등의 분비 과다 등에 내복약으로 쓰임. 미르라(myrrha).

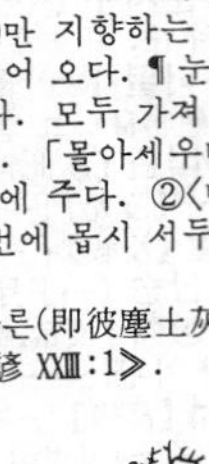

〈몰약❶〉

몰-염치【沒廉恥】[명] 염치(廉恥)가 없음. 무염치(無廉恥). 파렴치(破廉恥). [준]몰렴(沒廉). ——-하다 [형][여불]

몰-오름 [명] 〔molar elevation〕〖화〗 용매(溶媒) 1,000 g 안에 용질(溶質) 1 몰을 함유하는 용액의 끓는점 상승의 값을 이름. 몰상승(上昇). 분자(分子) 상승.

몰-요량【沒料量】[—료—] [명] 몰분수(沒分數). ——-하다 [형][여불]

몰운-대【沒雲臺】[명]〖지〗 부산 광역시 사하구(沙下區) 다대동(多大洞), 낙동강 하구(河口)와 바다가 맞닿는 곳에 위치한 대지(臺地). 지형상, 안개와 구름이 자주 끼어 시야(視野)에서 가리어지기 때문에 붙여진 이름이라 함.

몰응고점 강:하【—凝固點降下】〔mol〕[—쩜—] [명]〖화〗 용매(溶媒) 1,000 g에 용질(溶質) 1 몰을 녹였을 때의 용액의 응고점 강하를 일컬음. 분자 강하(分子降下).

몰-의의【沒意義】[—/—이] [명] 의의가 없음. 무의의(無意義). ——-하다 [형][여불]

몰이¹ [명] 사냥할 때나 물고기를 잡을 때에, 짐승이나 물고기 등을 모는 일. ——-하다 [타][여불]

몰이² [명]〖악〗 경기도 한강 이남 지역의 무악(巫樂)에서 쓰이는 장단 이름. 8 분의 6 박자에 속함. 발뻐드래.

몰이-꾼 [명] 사냥할 때 짐승을 모는 사람. 몰이하는 사람. 구군(驅軍).

몰-이상【沒理想】[—리—] [명] 이상이 없음. ——-하다 [형][여불]

몰이 포수【—砲手】[명] 몰이하는 포수. 사냥할 때에 짐승을 모는 포수.

몰-이해¹【沒利害】[—리—] [명] 이해를 떠남. ——-하다 [자][여불]

몰-이해²【沒理解】[—리—] [명] 이해가 없음. 이해성이 없음. ——-하다 [형][여불]

몰-인격【沒人格】[—껵] [명] 인격(人格)을 갖추지 못함. 인격이 없음. ——-하다 [형][여불]

몰-인식【沒認識】[명] 인식이 없음. ——-하다 [형][여불]

몰-인정【沒人情】[명] 인정이 없음. ¶ ~한 사람. ——-하다 [형][여불]

몰일【沒日】[명]〖민〗 음양가(陰陽家)에서 말하는 모든 일에 흉하다는 날. 정월·이월의 진(辰)·유(酉)·해(亥), 삼월·사월의 미(未), 오월의 술(戌), 유월·칠월·팔월·구월의 인(寅), 시월의 축(丑)·오(午), 십 일월의 사(巳), 십 이월의 축(丑)의 날을 일컬음. 멸일(滅日).

몰입【沒入】[명] ①어떠한 데에 빠짐. 또는, 빠뜨림. ¶ 황홀경(恍惚境)에 ~하다. ②몰두(沒頭)함. ③죄인의 재산이나 가속(家屬)을 몰수하여 관가로 들여옴. ——-하다 [자][타][여불]

몰자-비【沒字碑】[—짜—] [명] ①글자가 없는 비. ②무식한 사람을 조롱하는 말.

몰자-한【沒字漢】[—짜—] [명] 글을 모르는 사람. 문맹자(文盲者). 까막눈이.

몰지【沒地】[—찌] [명] 죽어 땅 속에 들어감. 죽음.

몰-지각【沒知覺】[명] 지각이 없음. ¶ ~한 행동. ——-하다 [형][여불]

몰-착락【沒着落】[—낙] [명] 돌아갈 곳이 없음. 귀착(歸着)이 없음. ——-하다 [형][여불]

몰책【沒策】[명] 계책이 없음. 방책이 없음. ——-하다 [형][여불]

몰촉【沒鏃】[명] ①활을 너무 당기어 살촉이 줌 안으로 들어옴. ②활을 세게 쏘아 살촉이 묻히도록 박힘. ——-하다 [자][여불]

몰취【沒取】[명]〖법〗 민사 소송(民事訴訟)에서, 일정한 물건의 소유권을 박탈하여 이를 국가에 귀속시키는 법원의 결정. 형의 일종인 몰수(沒收)와는 구별됨.

몰-취미【沒趣味】[명] 취미가 없음. 무취미. 무미(無味). ↔다취미(多趣味). [준]몰미(沒味). ——-하다 [형][여불]

몰치【沒齒】[명] ①'생애(生涯)'를 달리 일컫는 말. 평생. 몰세(沒世). ②이를 가는 해를 가리키는 말로서, 남자 8세, 여자 7세의 일컬음.

몰칵 [부] 냄새가 코를 찌를 듯이 갑자기 나는 모양. <물컥.

몰칵-몰칵 [부] 냄새가 연해 몰칵 나는 모양. <물컥물컥. ——-하다 [형][여불]

몰캉-거리다 [자] 푹 익거나 곯아서 물크러질 듯이 무르다. <물컹거리다. 몰캉-몰캉 [부]. ——-하다 [형][여불]

몰캉-대다 [자] 몰캉거리다.

몰캉-하다 [형][여불] 푹 익거나 곯아서 아주 무르다. ¶ 노인들은 몰캉한 감을 좋아한다. <물컹하다.

몰켜-들다 [자] ☞몰려들다.

몰큰 [부] 연기나 냄새가 갑자기 나는 모양. <물큰.

몰큰-거리다 [자]〈방〉 몰캉거리다. 몰큰-몰큰¹ [부]. ——-하다 [형]

몰큰-몰큰² [부] 연기나 냄새가 연해 몰큰 나는 모양. <물큰물큰.

몰큰-하다 [형]〈방〉 몰캉하다.

몰:타〔Malta〕[명]〖지〗 지중해 중앙부, 시칠리아 섬 남방에 있는 몰타 섬을 중심으로 하는 섬나라 공화국. 지중해성 기후에 주민은 셈계(系)의 복잡한 혼혈족. 몰타어·영어가 공용어이나 이탈리아어도 쓰임. 가톨릭교가 국교이며, 밀·보리·채소류가 재배되나 땅이 메말라 식량은 수입에 의존하고 있음. 관광 수입·중계 무역 등이 중요한 재원(財源)의 한 몫을 함. 로마·비잔틴·아랍·터키의 지배를 거쳐 1530년 요한 기사단령(騎士團領), 1814년 영국령이 되었다가 1964년 영국 연방의 하나로서 독립, 1974년에 대통령제로 됨. 수도는 발레타(Valletta). 정식 명칭은 '몰타 공화국(Republic of Malta)'. [316 km²:370,000명(1995 추계)]

몰:타 기사단【—騎士團】〔Malta〕[명] 요한 기사단의 후신. 성지(聖地)를 상실한 요한 기사단은 에게 해(Aegae海)의 남동부에 있는 로도스(Ròdhos) 섬으로 본거지를 옮겨 터키군(軍)과 싸웠으나 여기서 다시 쫓겨난 후, 카를 5세로부터 몰타 섬을 수여받아 이후 몰타 기사단이라 칭함. 프랑스 혁명 중에 기사단령(騎士團領)을 빼앗기고 로마에 본부를 옮겨, 명예 칭호적 존재로서 오늘날까지 존재함.

몰:타 섬〔Malta〕[명]〖지〗 몰타 공화국의 중심 영역인 몰타 제도(諸島)의 주된 섬. 동부와 북동부는 해안선이 톱니처럼 들쭉날쭉하여 천연적 양항(良港)을 이루며, 영국 지중해 함대의 기지(基地)가 있는 몰타의 수도(首都) 발레타(Valletta)도 이 섬에 있음. [246 km²]

몰:타-어【一語】〔Malta〕명 몰타의 공용어로, 아랍어(Arab語)의 한 방언(方言). 여러 나라의 지배 아래 있었기 때문에 비(非)셈어(Sem語)로부터의 차용어(借用語)가 많음. 몰타어를 사용하는 사람은 대부분 영어 또는 이탈리아어와의 이중(二重) 언어 사용자임.

몰:타 유적【一遺跡】〔Malta〕명 시베리아의 이르쿠츠크(Irkutsk) 부근에 있는 구석기 시대 중기 말의 유적. 동물의 뼈를 비롯하여 세석기(細石器)를 주로 하는 다수의 석기와, 발달한 골각기(骨角器) 등이 나오고 주거(住居)터도 발견됨. 이 밖에도 새 모양과 물고기 모양을 한 돌, 뼈로 만든 장식, 상아로 만든 여인상 등이 출토되어, 유럽 문화와의 관련상 주목됨.

몰탄【沒呑】명 몰끽(沒喫). ——-하다 타여불

몰턴〔Moulton, Richard Green〕명〖사람〗영국의 평론가. 시카고 대학 교수. 주저(主著) ≪문학의 근대적 연구≫에서 문학 연구의 새로운 방법을 제시하였음. [1849-1924]

몰토〔이 molto〕명〖악〗'매우·몹시·대단히'의 뜻.

몰토 아다지오〔이 molto adagio〕명〖악〗'아주 느리게'의 뜻.

몰:트〔malt〕명 맥아(麥芽). 보리 따위를 발아(發芽)시킨 것으로 맥주나 위스키 따위의 원료로 쓰임.

몰:트 위스키〔malt whisky〕명 맥아(麥芽)를 발효시켜 단식(單式) 증류기로 증류하여 만든 위스키.

몰트케〔Moltke, Helmuth von〕명〖사람〗프로이센의 군인·육군 원수. 참모 제도를 창시하고, 프로이센 오스트리아·프로이센 프랑스 전쟁에 승리하여, 독일 제국 건설에 공헌하였음. [1800-91]

몰티:즈 명〔Maltese dog〕〖동〗애완용으로 기르는 개. 지중해의 몰타(Malta) 섬 원산으로 몸무게가 30 kg 가량이고, 순백색의 길고 보드라운 털이 있음.

몰판【沒板】명 바둑의 온 판에 한 군데도 산 말이 없이 지는 일. ——-하다 자여불

몰패【沒敗】명 아주 패함. 대패함. 완패함. ——-하다 자여불

몰풍【沒風】명 풍치(風致)나 풍정(風情)이 없음. ——-하다 형여불

몰-풍류【沒風流】[—뉴] 명 풍류를 모름. ——-하다 형여불

몰풍-스럽다【沒風—】형ㅂ불 몰풍하게 보이다. ¶ 몰풍스럽게 핀잔을 주다. 몰풍-스레【沒風—】부

몰-풍정【沒風情】명 풍정이 없음. ——-하다 형여불

몰-풍치【沒風致】명 풍치가 없음. ——-하다 형여불

몰-하다[1]【歿—】자여불 죽다[1]❶.

몰-하다[2] 형여불 부피가 의외로 작은 듯하다.

몰후【歿後】명 죽은 뒤.

몸[1] 명 ①사람이나 동물의 머리로부터 발까지 거기에 딸린 모든 부분의 총칭. 신체(身體). ②머리와 팔다리 같이 곁붙어 있는 것은 빼고 남은 둥걸. 동(胴). 동부(胴部). 몸통. ③물건의 원 둥걸. ④↗몸엣것❶. ⑤잿물을 올리기 전의 도자기(陶瓷器)의 덩치. 이태(耳胎). 항태(缸胎). ⑥형용사 다음에 쓰이어서, 사람을 이르는 말. ¶ 귀하신 ~/천한 ~. 【몸은 개천에 가 있어도 입은 관청에 가 있다】가난한 주제에 잘 먹고 지내려는 것을 보고 이르는 말. 【몸이 되면 입도 되다】애써 벌면 먹는 것도 잘 먹게 된다.

몸:[2]〔Maugham, William Somerset〕명〖사람〗영국의 작가. 의학을 공부하다가 문학으로 전향하여, 풍속극(風俗劇) 작가로서 재치를 보여, 소설 ≪인간의 기반(羈絆)≫·≪달과 6펜스(pence)≫ 등의 걸작을 발표, 영국 문단의 중진이 되었음. [1874-1965]

몸-가르기 명 해부(解剖)❶.

몸-가지다 자 ①아이를 배다. ②〈속〉월경(月經)을 하다.

몸-가짐 명 몸을 가지는 품. 거동(擧動). 태도. 행동. ¶ ~이 얌전하다.

몸-가축 명 몸을 매만져 거두는 일. ——-하다 자여불

몸-값 [—깝] 명 ①몸을 판 대금(代金). ②인신 매매(人身賣買)의 대금. 신가(身價). ③인신(人身)을 담보로 받는 돈.

몸굿 [—꿋] 명〖민〗처음으로 무당이 될 때 하는 굿. ——-하다 자여불

몸기-부【—己部】명 한자 부수(部首)의 하나. '已'·'巴'·'巷' 등에서 '己'의 이름.

몸-길이 명 체장(體長)❶.

몸-꼴 명 몸의 생긴 모양.

【몸꼴 내다 얼어죽는다】추운데도 맵시를 내느라고 옷을 얇게 입는 것을 비웃는 말.

몸-나다 자 몸에 살이 올라 뚱뚱하여지다.

몸-놀림 명 몸을 움직이는 품.

몸-높이 명 키. 신장(身長).

몸-닦달 명 어려운 일이나 괴로운 일을 참아 견디며 받는 몸의 훈련. ——-하다 자여불

몸-단속【—團束】명 몸에 위험한 일 또는 병이 미치지 못하도록 미리 조심하는 일. ——-하다 자여불

몸-단장【—丹粧】명 얼굴·머리·옷차림 등을 꾸미는 일. 몸치장. ——-하다 자여불

몸-달다 자 마음이 조급하여 안타까워하다.

몸-담다 [—따] 자 생활 수단을 마련하는 자리로서 어떤 조직이나 장소에, 몸을 두다. 투신(投身)하다. ¶ 항공사에 몸담고 있다/몸담고 사는 집.

몸닷기 명〈옛〉몸닦기. 수양(修養). ¶ 가야미 사릴 뵈오 몸닷길 권勸ᄒᆞ야놀 ≪月印 上 62≫.

몸-던지다 자 몸을 두다. 투신(投身)하다.

몸-돌 [—똘] 명〖고고학〗격지를 떼어 내는 몸체가 되는 돌. 석핵(石核).

몸돌-석기【—石器】[—똘—] 명〖고고학〗격지를 떼어 낸 원래의 몸돌로 만든 석기. 역석(礫石) 석기.

몸-두다 자 ①일할 곳을 마련하고 그 곳에서 살아 나가며 몸을 의지하다. ②어떤 자리에 있다.

몸둘 곳이 없:다; 몸둘 곳을 모르다; 몸둘 바를 모르다 구 안심하고 있을 곳이 없다. 어떻게 처신해야 할지 모르겠다.

몸-뒹 명〈방〉몸뚱이(경남).

몸-때 명 월경(月經)하는 때.

몸-뗑이 명〈방〉몸뚱이(경기·강원·충청·전라·경북).

몸-똥아리 명〈방〉몸뚱이(경남).

몸-뚱아리 명〈방〉몸뚱이(전남).

몸-뚱어리 명〈속〉몸뚱이.

몸-뚱이 명 사람이나 짐승의 몸의 덩치. 체구(體軀).

몸-띵이 명〈방〉몸뚱이(충남·경북).

몸-마디 명〖동〗체절[2](體節).

몸-말 명〖언〗'체언(體言)'의 풀어 쓴 이름.

몸-매 명 몸의 맵시. 맵물. ¶ 날씬한 ~.

몸-맨두리 명 몸의 모양과 태도.

몸-맵시 명 몸매.

몸메〔일 匁:もんめ〕의명 '돈쭝'의 일본어 이름.

몸-무게 명 몸의 무게. 체중(體重).

몸씨 명〈옛〉몸매. ¶ 몸씨 조타(好身量) ≪譯語 補 22≫.

몸바꾼 그:림씨 명〖언〗'전성 형용사(轉成形容詞)'의 풀어 쓴 이름.

몸바꾼 느낌씨 명〖언〗'전성 감탄사(轉成感歎詞)'의 풀어 쓴 이름.

몸바꾼 대:이름씨【—代—】명〖언〗'전성 대명사(轉成代名詞)'의 풀어 쓴 이름.

몸바꾼 매김씨 명〖언〗'전성 관형사(轉成冠形詞)'의 풀어 쓴 이름.

몸바꾼 어찌씨 명〖언〗'전성 부사(轉成副詞)'의 풀어 쓴 이름.

몸바꾼 움직씨 명〖언〗'전성 동사(轉成動詞)'의 풀어 쓴 이름.

몸바꾼 이름씨 명〖언〗'전성 명사(轉成名詞)'의 풀어 쓴 이름.

몸바꾼 토씨 명〖언〗'전성 조사(轉成助詞)'의 풀어 쓴 이름.

몸바사〔Mombasa〕명〖지〗아프리카의 케냐 남부, 인도양 연안에 있는 항구 도시. 시가(市街)는 몸바 섬과 대륙(大陸)에 걸쳐 있음. 우간다·탄자니아에 통하는 철도의 기점(起點)이며, 농·수산물의 집산·가공이 행하여짐. [341,000명(1981 추계)]

몸-바치다 자 ①어떤 목적을 위하여 목숨을 버리다. ②헌신하다. ③여자가 정조를 허락하다.

몸-바탕 명 체질(體質)❶.

몸밖-정받이【—精—】[—바지] 명〖생〗체외 수정(體外受精).

몸-받다 타 아랫사람이 윗사람 대신으로 일을 받아 하다. ¶ 아버지가 하던 사업을 아들이 몸받아 하다.

몸-버리다 자 ①여자가 정조를 더럽히다. ②건강을 해치다.

몸-부림 명 ①잠잘 때에 이리저리 딩굴며 자는 짓. ②떼를 쓸 때나 발악(發惡)할 적에 온 몸을 뒤흔들고 부딪는 짓. ——-하다 자여불

몸부림-치다 자 이리저리 함부로 몸부림하다.

몸-붙이다 [—부치—] 자 몸을 두다. 기숙하다. 몸담다. ¶ 몸붙일 곳이 없다.

몸-비잖다 타〈방〉배다[3]❶(함경).

몸-빛 [—삗] 명 몸뚱이의 빛깔. 체색(體色). ¶ 학의 ~은 순백색이다.

몸빠진-살 명 가느다란 화살. ↔부픈살.

몸뻬〔일 もんぺ〕명 일본 농촌 여자들이 노동용·보온용(保溫用)으로 입는 일종의 바지.

몸살 명 몸이 몹시 피로하여 일어나는 병. 사지(四肢)가 느른하며 기운을 차리지 못하고 신열(身熱)도 흔히 남.

몸살(이) 나다 구 ㉠몸살로 인하여 앓다. ㉡어떤 일을 하고 싶어 안달이 나서 못 견디다.

몸-상【—床】[—쌍] 명 환갑 잔치 같은 큰 잔치에서 큰상 앞에 차려 놓는 간단한 음식상.

몸-서리 명 몹시 싫증이 나거나 혼이 나서 다시는 하고 싶지 아니한 마음. 몹시 싫증이 나는 마음.

몸서리(가) 나다 구 지긋지긋하게 무서워 싫증이 나다. ¶ 몸서리나는 피란 생활.

몸서리(를) 치다 구 지긋지긋하도록 싫증을 내다.

몸소[1] 부 제 몸으로 직접. 친히. ¶ ~ 일하다.

몸소[2]【身乎】부〈이두〉스스로. 자신(自身)이.

몸-소지【—燒紙】[—쏘—] 명〖민〗부정 소지 다음에 관계된 사람의 몸을 위하여 사르는 소지.

몸-속 [—쏙] 명 몸의 속. 몸 안. ¶ ~에 숨기다.

몸-솔 [—쏠] 명 몸의 가려운 자리를 긁는 기구.

몸-수고 [—쑤—] 명 몸으로 힘들이고 애씀. ——-하다 자여불

몸-수색【—搜索】명 무엇을 찾아 내려고 남의 몸을 뒤지는 일. ——-하다 타여불

몸-시계【—時計】[—씨—] 명 몸에 지닐 수 있게 만든 작은 시계. 회중시계.

몸신-변【—身邊】명 한자 부수(部首)의 하나. '躬'나 '軀' 등의 '身'의 이름.

몸-쓰다 자 몸으로 재간을 부리다.

몸소 부〈옛〉몸소. ¶ 네 님구미 몸소 어딘 일을 ᄒᆞ시고(先王躬行仁義) ≪正俗 11≫.

몸안-정받이【—精—】[—바지] 명〖생〗체내 수정(體內受精).

몸알리 명〈옛〉지기(知己). 나를 알아줄 사람. ¶ 훤히 몸알리를 맛나니(洗然遇知己) ≪杜諺 Ⅷ:6≫.

몸-약【—藥】[—냑] 명 광산에서 폭발한 다이너마이트를 일컫는 말. 몸약.

몸얼굴 명〈옛〉몸 생김. 몸맵시. ¶ 너접 ᄒᆞᆫ가지 몸얼굴에는(你一般身材) ≪老乞 下 20≫.

몸엣-것 명 ①월경(月經)으로 나온 피. 월경수. 준몸. ②월경.

몸-온도【—溫度】명 몸의 온도. 체온(體溫).

몸젠〔Mommsen, Theodor〕명〖사람〗독일의 역사가. 취리히·베를린 대학 교수를 역임. ≪로마사(史)≫·≪로마 국법(國法)≫에 의해 세계적으로 알려졌으며, 그 밖에 ≪라틴 비문 집성(Latin碑文集成)≫을 감수(監修)함. 1902년 노벨 문학상을 받음. [1817-1903]

몸져-눕다 자ㅂ불 병이 중하여 누워 있다.

몸-조리【—調理】명 몸을 잘 보살피고 기력을 배양함. ——-하다 자여불

몸-조섭【一調攝】명 몸조리. ¶ 아직 ~두 좀더 해야겠구…《鄭飛石：青春의 倫理》. ——-하다 자여불

몸-조심【一操心】명 ①몸을 함부로 쓰지 아니함. 몸에 닥쳐올 위해를 미리 조심함. ②언행을 삼감. ——-하다 자여불

몸-종【一종】명 여자의 곁에 가까이 있어 잔심부름하는 계집종.

몸-주【一主】명〖민〗무당의 몸에 내린 신(神).

몸주-신【一神】명〖민〗몸주.

몸-주체 명 몸을 거두는 일. 몸을 가누는 일.

몸지 명〈방〉먼지(충북·전라).

몸-집【一집】명 몸의 부피.

몸-짓【一짓】명 몸을 놀리는 짓. ¶ ~ 손짓. ——-하다 자여불

몸-차림 명 몸치장. ——-하다 자여불

몸-채 명 여러 채로 된 살림집의 주장되는 채. 원채. 정방(正房). 정실(正室).

몸치 명〈방〉몸살(전라·경상).

몸-치장【一治粧】명 몸 차림새를 잘 매만져서 맵시 있게 꾸밈. 몸차림. 몸단장. 분식(扮飾). ——-하다 자여불

몸큰-가지나방 명〖충〗[*Biston robustum*] 자나방과에 속하는 곤충. 편 날개의 길이 54-82 mm이고 몸빛은 회색에 암갈색의 인편(鱗片)이 있음. 앞날개에는 흑색의 내중외(內中外)의 3 횡선(橫線)과 아외연선(亞外緣線)이 있는데, 후자는 단속선(斷續線)이고 그 밖의 것은 톱날 모양임. 유충은 사과나무·배나무·동백나무 등의 잎의 해충임. 한국에도 분포함. 완력가큰가지나방.

몸-털 명 체모(體毛).

몸-통 명 몸의 둘레. 구간(軀幹). 동부(胴部). 동체(胴體). 몸. ¶ ~ 운동.

몸통-뼈 명〖생〗구간을 구성하는 골격(骨格). 척추(脊椎)·흉골(胸骨)·늑골(肋骨)·쇄골(鎖骨)·견갑골(肩胛骨)·골반(骨盤) 등 모두 51 개임. 구간골(軀幹骨).

몸통 운:동【一運動】명 허리뼈를 바로잡으며 뱃살이나 내장(內臟)을 발달시키기 위하여 허리를 앞뒤로 굽히는 운동. 구간 운동(軀幹運動).

몸-팔다 자 매춘부 노릇을 하다. 매춘(賣春)하다. 매음(賣淫)하다.

몸-팽창【一膨脹】명〖물〗체적 팽창(體積膨脹).

몸팽창 계:수【一膨脹係數】명〖물〗체적 팽창 계수(體積膨脹係數).

몸푸 명〈방〉몸피.

몸-풀다 자 ①밴 아이를 낳다. 해산하다. ②몸의 피로를 덜다.

몸피 명 ①몸 둘레의 굵기. ¶ ~가 가냘프고 키도 석란보다는 자칫 작고 생김새가 오밀조밀하여서…《朴花城：벼랑에 피는 꽃》. ②↗줌몸피.

몸-하다 자여불 월경(月經)을 치르다.

몸-흙 [一흑] 명 삼포(蔘圃)에서, 거름을 섞은 흙.

뭄골 명〈옛〉몸맵시. ¶ 뭄골 아라 우히 샤디 아니ᄒᆞ샤《月釋 Ⅱ：41》.

몹〔mop〕명 'T'자 모양의 자루 끝에 걸레를 단 청소 도구의 하나.

몹시[1] 명〈방〉모이(경북).

몹:시[2] 부 더할 수 없이 심하게. 대단히. 심히. 되게. ¶ ~ 춥다.

[몹시 데면 회(膾)도 불어 먹는다] 한 번 놀란 사람은 그와 비슷한 것만 보아도 미리 겁을 낸다.

몹쌀 명〈방〉멥쌀(전라).

몹:쓸 관 몹시 악독하고 고약한. ¶ ~ 놈들/~ 병.

못[1] 명 두 조각의 물건에 걸쳐 박아 이어 붙이거나, 벽 같은 데 박아서 물건을 거는 데에 쓰는 물건. 쇠·대·나무 등으로 가늘고 끝이 뾰족하게 만듦.

못[2] 명 살갗이 무엇에 스치거나 또는 다른 탈이 나서 단단하게 되어 감각이 없게 된 자리. 변지(胼胝). 변지종(胼胝腫). ¶ 발바닥에 ~이 생기다/귀에 ~이 박이도록 들었다.

못[3] 명 넓고 깊게 팬 땅에 늘 물이 괴어 있는 곳. 늪보다 작음. 연못. 지당(池塘).

못:[4] 부 동사의 앞에 와서 그 말에 대하여 할 수 없다거나, 말리거나, 잘되지 아니한다는 뜻을 나타내는 말. ¶ 사람은 공기가 없으면 ~ 산다/오늘은 ~ 가.

[못 먹는 감 찔러나 본다; 못 먹는 밥에 재 집어 넣기] 일이 자기에게 불리하게 될 때에 심술을 부리어 훼방함을 이르는 말. [못 먹는 떡 개 준다] 남에게는 못 쓸 찌꺼기나 주는 야박한 인심을 이르는 말. [못 먹는 씨아가 소리만 난다] 사업에 성취하지는 못하고 소문만 굉장함을 이르는 말. [못 먹는 잔치에 갓만 부순다] 아무 이득 없이 도리어 손해만 보게 됨을 이르는 말. [못 믿는 도둑개같이] 남을 대고 의심하는 사람을 두고 이르는 말. [못 오를 나무는 쳐다보지도 말아라] '오를 수 없는 나무는 쳐다보지도 말아라'와 같은 뜻. [못 입어 잘난 놈 없고 잘 입어 못난 놈 없다] ㉠제아무리 잘났더라도 가난하여 못 입고 못 먹으면 천대와 멸시를 면하지 못한다는 말. ㉡'옷이 날개라'와 같은 뜻.

못 먹겠다 구 잡아먹어도 시원치 않을이만큼 몹시 밉다. ¶ 나를 못 먹겠다고 으르렁거리더니, 제 딸이 먼저 뒤어졌군요.《李海朝：鬢上雪》.

못-가 명 못의 가장자리. 연못의 가. 지두(池頭). 지반(池畔).

못-가새 명〖농〗모 한 춤의 삼분의 일.

못:갖춘-마디 명〖악〗박자표에 제시된 박자에 부족한 마디. 여린박으로 시작되는 첫마디와 마침 마디에 쓰임. 불완전 소절(不完全小節).

못:갖춘-마침 명〖악〗악곡이 완전히 끝났다는 느낌을 우리에게 주지 아니하는 형태. 불완전 종지(不完全終止).

못:갖춘 탈:바꿈 명〖충〗불완전 변태(變態).

못-걸이 명 옷 같은 것을 거는 데 쓰는 물건. 조붓한 나무 오리에 못을 띄엄띄엄 박아서 벽 같은 데 붙임.

못고지 명 ☞모꼬지.

못마지 명〈옛〉모임. 잔치. ¶ 남잡히 허비ᄒᆞ야 못마지ᄒᆞ야 술머기홈이 또ᄒᆞᆫ 죄 잇ᄂᆞ니라(濫費會飲 亦有罪焉)《警民編 20》.

못-꼬쟁이 명〈방〉못[1](충남).

못:-나다 형 생김새가 보통보다 썩 밉게 생기거나 또는 지능·성질 따위가 남보다 많이 떨어지다. 어리석다. ↔잘나다.

[못난 놈 잡아들이라면 없는 놈 잡아 간다] 제 아무리 잘났더라도 돈이 없고 궁하면 못난 놈 대접밖에 못 받고, 못난 놈도 돈만 있으면 좋은 대접을 받는다는 말. [못난 색시 달밤에 삿갓 쓰고 나선다] 미운 사람이 점점 더 보기 싫은 짓만 한다.

못:난-이 명 못나고 어리석은 사람.

못:난이-금풍뎅이【一金一】명〖충〗[*Bolbocerosoma nigroplagiatum*] 풍뎅잇과에 속하는 곤충. 몸길이 9-14 mm이고, 몸빛은 광택 있는 황적갈색에 시초(翅鞘)의 후부는 흑색이고, 촉각은 황갈색임. 수컷의 두정(頭頂)에는 각상(角狀) 돌기가 있고, 전흉배(前胸背)에는 아상(牙狀) 돌기가 있음. 한국·일본·대만 등지에 분포함.

못:내 부 잊지 못하고 늘. 그지없이. ¶ ~ 그리워하다/~ 서운하다.

못-논 명 모를 심은 논. 모판을 한 논.

못다[1] 자〈옛〉모이다. =몯다[2]. ¶ ᄒᆞᆫ 됴ᄒᆞᆫ 음식이 잇거든 못지 아니면 먹디 아니터라(有一美味不集不食)《二倫 15》.

못:다[2] 부 동사 앞에 쓰이어 '다하지 못함'을 나타내는 말. ¶ ~ 먹다/~ 읽다/~ 이루다.

못-대가리 명 못의 상부에 망치로 쳐 박거나 장도리 등으로 다시 뺄 수 있게 만든 평평한 부분.

못-도지 명〔←묘도지(苗賭地)〕예전에, 남의 논에 못자리를 이용하고 「내던 세.

못-동 명〖광〗구덩이를 파 들어갈 적에 갑자기 나타나는 딴딴한 부분.

못:-되다 형 돼먹지 아니하다. 성질이나 품행 등이 좋지 아니하다. ¶ 못된 마음/못된 녀석.

[못된 나무에 열매가 많다] ㉠가난한 집에 자식이 많은 것을 가리키는 말. ㉡세상에는 못된 것은 성하고 아름다운 것은 도리어 적다. [못된 바람은 수구문(水口門)으로 들어온다; 못된 바람은 동대문 구멍으로 들어온다] 궂은 일이나 잘못한 일이 있으면, 그 책임은 마치 악취가 시체를 내가던 수구문에만 모이듯이, 자기에게만 돌아온다고 항변하는 말. [못된 버섯이 삼월달부터 난다] 좋지 못한 물건이 도리어 일찍부터 나와 돌아다닌다. [못된 벌레 장판방에서 모로 긴다; 못된 송아지 엉덩이에서 뿔이 난다; 못된 음식이 뜨겁기만 하다] 사람답지 못한 사람이 돼먹지 아니하게 교만한 행동을 함을 일컫는 말. [못된 일가 항렬(行列)만 높다] 쓸데 없는 일가가 친족 관계의 등급만 높다는 뜻으로, 쓸데 없는 것일수록 성(盛)하기만 하다. 「《古時調》.

못들다 자〈옛〉모여들다. ¶ 洛陽才子 못드신 곳에 鄕村武士 들어간이

못드라오다 자〈옛〉모이어 오다. 모이어 달려오다. ¶ 어듸셔브터 못ᄃᆞ라오뇨(從那裏合將來)《老乞 上 16》. 「¶ ~ 여기다.

못:마땅-하다 형여불 마음에 맞갖지 아니하다. 맞갖잖다. 못:마땅-히 부

못: 말리다 구 말려도 말을 듣지 않아 어쩔 도리가 없다. 도저히 당해 낼 수가 없다. ¶ 그의 고집은 못 말려.

못 먹어하다 구 몹시 미워서, 잡아먹고 싶어 못 견뎌하다.

못-물 명 논에 모를 내는 데 필요한 물.

못-미처 명 거의 이르렀으나 아직 거기까지 미치지 못한 장소. ¶ 역 ~에 얼음 가게가 있다. *미처. 「針). 핀(pin).

못-바늘 명 종이 같은 것을 꿰는 데 쓰는 못같이 생긴 바늘. 무공침(無孔

못-박다 자 ①물건에 못을 박다. ②남의 마음 속에 상처를 입히다. ¶ 여인의 가슴에 못을 박은 사나이. ③다짐하다. ¶ 약속을 지키도록 단단히 「~.

못-박이 명 소의 간에 박힌 염통 줄기나 그 간.

못-박이다 피동 손이나 발 따위에 못이 생기다.

못-박히다 피동 애끊는 생각, 원통한 생각, 한스러운 일 등이 마음 속에 깊이 맺히다. 마음 속에 한스러운 상처를 입다.

못-밥 명 모를 심다가 들에서 먹는 밥.

못-방【一房】명〈방〉모방(房).

못:-부정문【一否定文】명〖언〗'못' '-지 못하다' 등에 의해서 성립된 부정문. 주로 동사문(動詞文)에만 쓰임. *안부정문.

못-비 명 모를 모두 낼 만큼 흡족하게 오는 비.

못-빼기 명〈방〉못뽑이(함경·강원).

못-뽑이 명 못을 뽑는 연장의 총칭. 노루발 장도리·방울집게 등이 있음.

못뽑이-집게벌레 명〖충〗[*Forficula scudderi*] 집게벌레과에 속하는 곤충. 몸길이 21-24 mm이고, 몸빛은 갈색이고 다리는 대황색임. 수컷의 집게는 편평하고 폭이 넓고 말단부는 가늘며, 마치 못뽑이 모양으로 만곡(彎曲)하였음. 흔히 집안에서 살며 누에의 해충으로, 한국·일본에 분포함. 톱날집게벌레.

〈못뽑이집게벌레〉

못:-사귀다 형 사이가 좋지 아니하다. ¶ 못사귄 사이.

못:-살다 자형 ①가난하게 살다. ¶ 못사는 집. ②기를 못 펴다. ¶ 왜 강아지를 못살게 구니.

[못살면 터 탓] 제가 잘못하여 그르친 일을 가지고 그 책임을 남에게 돌리고 원망한다는 말.

못:-생기다 형 똑똑하지 못하거나 잘 생기지 못하다. 잘나지 못하다. 못나다. ¶ 못생긴 여자.

[못생긴 며느리 제삿날에 병난다] 미운 사람이 더 미운 짓만 저지름을 가리키는 말. 못난 색시 달밤에 삿갓 쓰고 나선다.

못서 명〖건〗↗못서까래.

못-서까래 명〖건〗네모진 서까래. ㊟못서.

못-서다 자 세로 죽 늘어서다.

못-소리 명〖악〗진도(珍島) 들노래 가운데, 모를 심으면서 부르는 이앙가(移秧歌). 논에 들어가 모를 심을 때에는 중모리 장단으로 부르나, 술참이나 점심을 인 아낙네가 가까이 오든가 모심기가 거의 끝날 무렵에

는 자진중중모리 가락으로 부름. 상사 소리.

못:쓰게 되다 자 ①쓰지 못하게 되다. ¶ 라디오가 ~. ②얼굴이나 건강이 몹시 나빠지다. ¶ 어디가 아픈지 얼굴이 못쓰게 되었구나.

못:-쓰다 자 좋지 아니하다. 안되다. ¶ 게으름피우면 못써.

못 일다 타 〈옛〉 못 이루다. ¶ 남이 남의 일을 못 일과져 ᄒᆞ랴마ᄂᆞᆫ 남ᄒᆞ여 傳ᄒᆞᆫ 片紙니 일동 말동ᄒᆞ여라《古時調 永言》. *일다.

못-자루 명 〈방〉 비. 빗자루.

못-자리 명 〖농〗 ①볍씨를 뿌리어 모를 기르는 논. 또, 그 논바닥. 묘상(苗床). 묘판(苗板). 앙기(秧基). 앙판(秧板). 묘대(苗垈). ②논에 볍씨를 뿌리는 일. ──하다 자여불

【못자리 거름하겠다】 빨래를 한 물이나 몸을 씻은 물이 매우 더러울 때 이르는 말.

못-정 명 ①못대가리를 깊숙이 박는 데 쓰는 연장. 기름한 쇠인데 못 위에 대고 침. ②〖광〗 광석(鑛石)을 떼 낼 때 쓰는 연장. 길이가 대략 다섯 치 가량 되는데 끝이 뾰족함.

못정-떨이 명 〖광〗 남포를 놓아 깨뜨린 바위·광석 등을, 정을 대고 망치로 쳐서 떨어뜨리는 일. ──하다 타여불

못정-버력 명 〖광〗 남포를 놓지 않고 못정으로만 능히 뜯어 낼 수 있는 버력.

못조【某條】 부 〈이두〉 모조(某條).

못-주다 자 버그러진 것에 튼튼하게 하기 위하여 못을 박다.

못-줄 명 〖농〗 모를 심을 때 줄을 맞추기 위하여 대는 줄.

못:지-않다 [―안타] 형 ↗못하지 아니하다. ¶ 전문가 못지않은 솜씨.

못:지-않이 [―안―] 부 못하지 아니하게. ¶ 젊은 사람 ~ 힘이 세다.

못-질[1] 명 못을 박는 일. ¶ 벽에 ~하다. ──하다 자여불

못질[2]【不得】 〈이두〉 ①못[4]. ②하지 못할. 할 수 없는. 불가능한. *모딜·모질(不得).

못질뿐안인지【不得叱分不喩·不得㢱不喩】 〈이두〉 못할 뿐 아니라. 불가능할 뿐 아니라.

못질시기견을안【不得令是在乙良】 〈이두〉 ①못하게 하였거들랑. 못하게 했을 것 같으면. ②못하게 한 것을랑. 못하게 한 것은.

못질이다하거늘【不得是如爲去乙】 〈이두〉 못한다 하거늘.

못질이삽견과【不得是白在果】 〈이두〉 못하시거니와.

못질일이거든【不得事是去等】 〈이두〉 못할 일이거든. 못할 일인데. 못할 일이므로.

못질하거든【不得爲去等】 〈이두〉 못하거든.

못질하거온【不得爲去乎】 〈이두〉 못하니. 못하는.

못질하견【不得爲在】 〈이두〉 못한.

못질하견과【不得爲在果】 〈이두〉 못하거니와.

못질하견다해【不得爲在如中】 〈이두〉 ①못한 때에. ②못했을 적에.

못질하견을【不得爲在乙】 〈이두〉 하지 못하거늘. 못하였거늘.

못질하견을랑【不得爲在乙良】 〈이두〉 하지 못하거든.

못질하견일과【不得爲在事果】 〈이두〉 ①못한 일과. ②못하는 일이라고.

못질하견일을【不得爲在事乙】 〈이두〉 ①못하는 일을. ②못한 일을.

못질하기암【不得爲只爲】 〈이두〉 못하도록. 못하게끔.

못질하누온【不得爲臥乎】 〈이두〉 못하는.

못질하누온들쓰아【不得爲臥乎等用良】 〈이두〉 못하기 때문에. 하지 못하므로써.

못질하다온들쓰이【不得爲如乎等用良】 〈이두〉 못하였다 하므로써.

못질하며【不得爲旀】 〈이두〉 못하며.

못질하삽견과【不得爲白在果】 〈이두〉 못하시거니와.

못질하삽고【不得爲白遣】 〈이두〉 못하시고.

못질하삽기암【不得爲白只爲】 〈이두〉 못하시도록. 못하시게.

못질하삽으며【不得爲白乎旀】 〈이두〉 못하시며.

못질하야【不得爲】 〈이두〉 못하며.

못질하온【不得爲乎】 〈이두〉 ①못하는. ②못하니.

못질하온일【不得爲乎事】 〈이두〉 ①못한 일. ②못할 일.

못질하온지거든【不得爲乎喩去等】 〈이두〉 못하였거든. 못하거든.

못질하제【不得爲齊】 〈이두〉 하지 못하다. 하여서는 아니 된다.

못-짐[1] 명 모내기하기 위하여 지게나 수레에 실은 모춤의 짐.

못짐[2] 명 〈방〉 쏙대기.

못-치기 명 〖민〗 끝이 뾰족한 쇠못이나 대못·나무못을 땅에 꽂거나, 꽂힌 못을 쓰러뜨려 승부를 겨루는 남자 아이들의 놀이.

못:-하다[1] 타여불 할 수 없다. ¶ 술을 ~/일을 ~.

못:-하다[2] 보동 여불 동사 어미 '-지'의 아래에 쓰이어 능히 할 수가 없음을 나타내는 말. ¶ 먹지 ~/걷지 ~.

못:-하다[3] 형여불 서로 비교하여 질(質)이나 양(量)이나 정도가 다른 것보다 낮다. 떨어지다. ¶ 언니가 동생만 ~.

못:-하다[4] 보형 여불 ①형용사의 어미 '-지'의 아래에 쓰이어 능히 미칠 수 없음을 나타내는 말. ¶ 맑지 ~/좋지 ~. ②아프다·고프다·춥다 등의 형용사 다음에 쓰이어, 정도가 극도에 달한 나머지의 뜻을 나타내는 말. ¶ 발이 시리다 못하여 아프다.

몽:[1] 명 ↗몽니.

몽[2]【蒙】 명 〖민〗 ↗몽괘(蒙卦).

몽[3]【蒙】 명 성(姓)의 하나. 우리 나라에는 현존(現存)하지 않음.

몽가리 명 〈방〉 가루[1](전남).

몽개-몽개 부 연기나 구름 같은 것이 둥근 형상을 이루어 자꾸 나오는 모양. <뭉게뭉게.

몽:결 초한송【夢決楚漢訟】 명 〖문〗 제마무전(諸馬武傳).

몽:경【夢境】 명 꿈. 꿈 속.

몽계 필담【蒙溪筆談】 [―땀] 명 〖책〗 중국의 학자 심괄(沈括)의 저서. 천문·수학·물리·동식물·약학·문학·미술·음악·역사·행정 등 모든 분야에 걸친, 극히 독창적인 연구 논문과 수필을 수록함. 26권.

몽고[1]【蒙古】 명 〖지〗 중국 본토의 북쪽, 만주의 서쪽, 시베리아의 남쪽, 신장웨이우얼(新疆維吾爾) 자치구의 동쪽에 있는 지역. 내몽고·서몽고·외몽고의 세 부분으로 나누임. 일반적으로 지형은 높고 험하며, 기후는 대륙성이어서 한서(寒暑)의 차가 심하며, 비가 적고 나무 없는 벌판이 많아 경지(耕地)도 풍부함. 주민은 중국인이 제일 많고 몽고족·알마족·터키족들이 살고 있음. 본래는 오논(Onon)·케룰렌(Kerulen) 두 강의 상류(上流) 지방에서 유목(遊牧)을 업으로 하던 만족(蠻族)의 한 부락으로, 뒤에 추장 야속해(也速該) 때 이르러 차차 강성하여지고, 그 아들 테무친(鐵木眞) 때에는 내·외(內外) 몽고의 여러 부락의 부족을 통일하여 '대한(大汗)'의 위(位)에 나아가니, 그가 곧 '칭기즈 칸(成吉斯汗)'이며, 제5대 세조(世祖) 쿠빌라이(忽必烈) 때에 나라 이름을 '원(元)'이라 고치었음. 현재 내몽고는 중국 치하의 내몽고 자치구, 외몽고는 몽골 공화국으로, 서몽고는 중국의 간쑤 성과 신장웨이우얼(新疆維吾爾)의 일부를 이룸. [3,500,000 km^2]

몽고[2]【蒙固】 명 어리석고 고집이 셈. ──하다 형여불

몽고[3]【矇瞽】 명 소경. 장님.

몽고 고원【蒙古高原】 명 〖지〗 아시아 대륙 동쪽에 있는 내륙부의 고원. 시베리아와 중국 본토 사이에 있으며, 동쪽은 싱안링(興安嶺)에서 서쪽은 알타이 산맥까지 펼쳐짐. 중앙에 고비 사막이 있고, 그 남북에 건조성(乾燥性)의 초원 지대가 잇대어 있음. 기후는 대륙성으로 한서(寒暑)의 차가 심함.

몽고-글【蒙古―】 명 몽고 문자(蒙古文字).

몽고-말【蒙古―】 명 〖동〗 [*Equus caballus* var. *ferus*] 말과에 속하는 짐승. 어깨 높이 1.29m 가량이고, 앞뒤 머리가 크며, 귀는 작고 목 털과 꼬리 털은 많음. 몸빛은 변화가 많은데 배중선(背中線)에 한 줄의 암색 세로줄이 있고, 어깨에 가로줄이 있으며 사지(四肢)에 얼룩말 비슷한 무늬도 있음. 하천가나 연못가에 40-50마리가 떼지어 서식하고, 겨울에는 사료(飼料)가 있는 곳으로 유목(遊牧)됨. 추위·먹이에 인내력이 있고 지구력(持久力)이 많으며 병에도 강함. 몽고의 초원에 반야생(半野生)으로 사육되는데, 한국·일본의 말의 원종(原種)으로 알려져 있음. 승용(乘用)·유용(乳用)·운반용임.

〈몽고말〉

몽고메리[1] [Montgomery] 명 ①〖지〗 미국 앨라배마 주(Alabama 州)의 중앙부에 있는 도시로 앨라배마 주의 주도. 미국 동남부에서 가장 큰 우시장(牛市場)이 있으며, 식품·섬유·비료 등의 공업이 성함. [187,106명(1990)] ②영국 웨일스(Wales)에 있는 작은 도시. 13세기의 옛 성채·고적들이 잘 보존되어 있음.

몽고메리[2] [Montgomery, Bernard] 명 〖사람〗 영국의 군인. 육군 원수. 2차 대전 중, 덩케르크 철수 작전을 지휘하고, 영국군 총사령관으로서 북아프리카 작전과 이탈리아 본토 상륙 작전을 담당하여 빛나는 전공을 세우고, 종전 후 나토군(NATO 軍) 부사령관에 취임하였다가 1958년 사임하였음. [1887-1976]

몽고-문[1]【蒙古文】 명 몽고 문자.

몽-고문[2]【蒙古文】 명 옛 사람이 지은 글 구절을 그대로 옮기어서 씀. ──하다 자여불

몽고 문자【蒙古文字】 [―짜] 명 〖언〗 몽고인이 몽고어를 표기할 때에 쓰는 문자. 17세기 중엽에 '위구르(Uigur) 문자'를 기초로 하여 만들어졌으며, 왼쪽에서 오른쪽으로 종서(縱書)함. 몽고글. ㊀몽문.

몽고-바람【蒙古―】 명 〖지〗 몽고풍[2].

몽고-반【蒙古斑】 명 〖의〗 어린 아이의 엉덩이나 배부(背部)·요부(腰部) 따위에 나타나는 푸른 색의 반점. 신생아에 뚜렷하나 보통 5세경이면 자연히 없어짐. 몽고 인종에 가장 많은데, 진피층(眞皮層) 속에 색소(色素) 세포가 존재하기 때문임. 소아반(小兒斑). 아반(兒斑).

몽고-뽕나무【蒙古―】 명 〖식〗 [*Morus mongolica*] 뽕나뭇과에 속하는 낙엽 활엽의 작은 교목. 잎은 넓은 달걀꼴이고 가시처럼 뾰족한 톱니가 있음. 꽃은 5월에 자웅 이가로 피는데, 웅화수(雄花穗)는 늘어졌고 자화수는 액생하며, 과실은 액질(液質), 과수(果穗)는 구형(球形)이고, 8월에 흑색으로 익음. 산록에 나는데, 한국 중부 이북 및 중국·만주·몽고에 분포함. 잎은 양잠(養蠶) 사료 및 식용, 나무 껍질은 약용 및 제지용(製紙用), 과실은 식용 및 약용, 목재는 기구재임.

몽고 세:석기 문화【蒙古細石器文化】 명 〖역〗 몽고 고원에 널리 분포된 신석기 시대의 문화. 소형의 타제(打製) 석기를 주체(主體)로 하는데, 마노(瑪瑙)·벽옥(碧玉)·석영(石英) 등을 재료로 한 석촉(石鏃)·첨석(尖石)·석도(石刀) 등이 발견되며 사암(砂岩)·화강암으로 된 돌접시·돌몽둥이 등 비교적 대형의 마제(磨製) 석기도 있음. 그 밖에 왕왕(往往) 흑갈색의 거친 토기(土器)가 보일 뿐 별다른 유물(遺物)·유적(遺跡)이 없어 이 문화의 담당 민족이 수렵(狩獵)·목축에 의존한 유목민이었음을 나타냄. 시기는 대개 기원전 2,000년경부터 기원전 500년까지로 추측됨.

몽고-소【蒙古―】 명 〖동〗 몽고 지방에서 반야생(半野生)하는 소의 한 품종. 몸은 작고 농적갈색(濃赤褐色)이며, 우유를 짜거나 기타의 목적으로 사육(飼育)함. 몽고우(蒙古牛).

몽고-안【蒙古眼】 명 황색 인종 특유의 신체적인 특징 형태의 하나. 윗눈꺼풀에 지방질이 많아 두툼하며, 가늘고 길게 째진 모양임.

몽고-양【蒙古羊】 명 〖동〗 몽고·중국 원산의 양의 한 품종. 체중은 암컷이 40kg, 수컷이 60kg 가량이며, 수컷의 대부분은 뿔이 있음. 털빛은 백색이 많고, 갈색·흑색도 있음. 꼬리에 지방(脂肪)이 침착(沈着)하여 통통하게 거의 원형을 이루는 것이 특징이며, 체질이 강건하고 저항력이 세며 성질이 온순함. 모피(毛皮)·고기·양모의 세 용도에 쓰이나 양모는 양지(羊脂)가 적어서 잘 끊어지고 질이 별로 좋지 아니함.

몽고-어【蒙古語】 명 〖언〗 몽고 인종이 쓰는 언어. 알타이 어족(語族)에 속하며, 모음 조화와 교착어(膠着語)를 가짐. 남방 몽고 방언·다구르(Dagūr) 방언·할하(Khalkha) 방언·부리야트(Buryat) 방언 등이 있음. ㊀몽어(蒙語). *몽고어군.

몽고어-군【蒙古語群】 명 〖언〗 알타이 어족(語族)을 형성하는 몽고어·부리야트어(Buryat 語)·오이라트어(Oirat 語)·칼뮈크어(Kalmyk 語)·

모골어(Mogol語) 등의 총칭. 어두(語頭)에 자음군(子音群)이나 'r'가 오지 아니하는 것, 모음 조화가 있는 것, 접미사·어미·후치사(後置詞)를 사용하며 전치사(前置詞)가 없는 것, 주어가 술어에 선행하며 술어만으로도 글을 만들 수 있는 점 등이 공통된 특징임. *몽고어.

몽고-요【蒙古褥】명 몽고에서 생산되는 담요. 짐승의 털로 무늬를 놓아서 짰음.

몽고-우【蒙古牛】명〖동〗몽고소.

몽고 원류【蒙古源流】[一월一] 명〖책〗한역(漢譯)으로 된 몽고사(史). 원저자는 명말 청초(明末淸初)의 내몽고 귀족 소철진살낭태길(小徹辰薩囊台吉). 청(淸)나라 건륭(乾隆) 42년(1777년)에 원문을 한역하였음. 불교를 중심으로 서술하였는데, 명대(明代)의 역사 자료로서 특히 중요하나 연대의 착오(錯誤) 등이 많아서 중국측 사료(史料)와 대조(對照)할 필요가 있음. 전(全) 8권.

몽고-인【蒙古人】명 몽고에 살고 있는 사람. 몽고족이 대부분임. 몽골리안.

몽고 인종【蒙古人種】명〖인류〗몽고족(蒙古族).

몽고 제:국【蒙古帝國】명〖역〗13세기 초에 몽고족에 의하여 건설된 사상(史上) 최대의 대(大)제국. 여러 부족을 통일한 영웅 칭기즈 칸과 그 부장(部將)들은 아시아와 유럽의 대부분을 석권(席卷)하여, 몽고와 중국 본토를 직할령(直轄領)으로 하고, 각각 정복지를 몇 개의 한국(汗國)으로 나누어, 세계에 군림(君臨)하였음. 세조(世祖) 때 베이징(北京)으로 천도(遷都)하고 국호를 원(元)으로 고치어 전성기를 이루었으나, 차차 쇠미하여 14-15세기에는 명(明)에 쫓기어 북방으로 패퇴(敗退)하였음. *원²(元).

몽고-족【蒙古族】명〖인류〗중국 북부·만주·시베리아의 남부 지대에 거주하는 제(諸) 민족의 총칭. 동부 몽고족·서부 몽고족·부리야트족(族)·터키족 등을 포함함. 신장(身長)은 164 cm 내외이고, 두장(頭長) 190 mm, 두폭(頭幅) 160 mm 가량으로 두폭은 세계 최대(最大)임. 안부(顏部)의 높이는 남자가 128-129 mm이고, 관골(顴骨)의 폭은 149-150 mm 임. 피부(皮膚)는 유백색(乳白色)에 나출부(裸出部)는 갈색이고, 홍채(虹彩)도 갈색임. 두발(頭髮)은 강직(剛直)하고 암갈색임. 성질은 용맹(勇猛)·과욕(寡慾)하며 신의(信義)가 두터움. 몽고 인종. 아시아 인종.

몽고-종【蒙古種】명 몽고에서 나는 씨. 몽고산의 품종(品種).

몽고-종다리【蒙古一】명〖조〗[*Alauda mongolica*] 종다릿과에 속하는 새. 보통 종다리보다는 살이 쪄서 크고, 배면(背面)은 옅은 갈색, 복부는 백색, 목의 양쪽에 흑색 줄이 있고 꽁지는 갈색에 흰 것이 섞이었음. 중국 북부·만주·몽고·동부 시베리아에 분포함. 특히 사막(沙漠)에 많음. 울음소리가 좋아서 관상조로 사육함. 백령작(白翎雀). 백령조(白翎鳥).

몽고-증【蒙古症】[一쯩] 명〖의〗몽골리스무스.

몽고-풍¹【蒙古風】명 몽고의 풍속. 몽고 양식(樣式).

몽고-풍²【蒙古風】명〖지〗몽고의 고비 사막으로부터 만주와 중국 북쪽을 향하여 부는 바람. 몽고바람.

몽고-형【蒙古形】명 몽고인을 대표로 하는 황색 인종 특유의 신체적 특징 형태.

몽골〔Mongol〕명〖지〗↗몽골 공화국.

몽골 공:화국【一共和國】〔Mongol〕명〖지〗외몽고의 대부분을 차지하는 공화국. 북서(北西)쪽으로 갈수록 지대가 높고 남동부는 고비 사막을 이룸. 그 중간에 이 나라의 태반을 차지하는 초원 지대가 가로놓임. 예로부터 주민의 유일한 생활 수단은 유목(遊牧)이며 오늘날에도 태반은 목축에 종사함. 부업(副業)은 수렵으로, 모피(毛皮)는 중요한 수출품임. 최근에는 울란바토르를 중심으로 공업도 발전하였으며, 석탄·석유·금 등의 지하 자원도 개발함. 주민은 대부분이 몽고족이고 터키족이 약간 있음. 몽고 제국이 붕괴된 후, 중국의 지배를 받아 1691년부터 청조(淸朝)의 지배 아래 있었으나, 러시아 혁명의 영향으로 1921년 혁명을 일으키어 독립을 선언. 1924년 인민 공화국을 선포함. 혁명 이후 공산당의 일당 독재가 계속되어 오다가, 1990년 복수 정당제를 도입하여 자유 선거가 시행되고, 1992년 국명을 몽골 공화국으로 바꿈. 수도는 울란바토르(Ulān Bator). ㊕몽골. [1,565,000 km² : 2,200,000 명 (1990 추계)]

몽골로이드〔Mongoloid〕명〖인류〗형태적 특징에 의해 분류된 인종의 하나. 몽고인을 황색 인종의 전형이라 생각하고 붙인 이름임. 태평양을 둘러싼 지역에 거주함. 아시아 대륙에 분포하는 아시아계·대양주에 분포하는 대양주계·아메리카 인디안의 세 종류로 분류함. 황색 인종.

몽골리스무스〔도 Mongolismus〕명〖의〗염색체(染色體) 이상(異常)으로 생기는 선천성(先天性) 정신 박약증(精神薄弱症)의 한 이형(異型). 증상은 정신 박약 외에 특유한 몽고인의 안모(顏貌)를 나타내어 콧날이 낮고 눈과 눈의 간격이 넓으며, 눈이나 코의 점막이 늘어지고 입을 열어 혀를 내밀며, 그 밖에도 신체적인 기형(畸形)을 수반함. 몽고증.

몽골리아〔Mongolia〕명〖지〗몽고(蒙古).

몽골리안〔Mongolian〕명 몽고인.

몽골리즘〔Mongolism〕명〖의〗'몽골리스무스'의 영어명.

몽골피에〔Montgolfier, Joseph Michel〕명〖사람〗프랑스의 발명가. 아우 자크(Jacques; 1745-99)와 함께 1783년 종이로 열공기(熱空氣) 기구(氣球)를 발명하고, 또한 낙하산도 발명하였음. [1740-1810]

몽-괘【蒙卦】[一꽤] 명〖민〗육십사괘(六十四卦)의 하나. 간괘(艮卦)에 감괘(坎卦)가 거듭된 것인데 산 밑에 샘이 남을 상징함. ㊕몽(蒙).

몽구【蒙求】명〖책〗중국 당(唐)나라의 이한(李瀚)이 지은 아동·초학자(初學者)용 교과서. 상고 시대(上古時代)로부터 남북조(南北朝)까지의 유명한 인물의 언행(言行) 둘씩을 짝지어 배열하여, 사자구(四字句)의 운어(韻語)로 기록하였음. 전 3권.

몽구리 명 ①바싹 깎은 머리. ②'중'의 별명. 1)·2): <뭉구리.

몽구스〔mongoose〕명〖동〗[*Herpestes edwardsi*] 사향고양잇과에 속하는 식육류의 하나. 족제비와 비슷한데, 몸길이 35-42 cm, 꼬리는 32-40 cm, 입은 길게 뾰족하며, 귀는 작음. 털은 긴데 흑색과 백색 또는 갈색의 횡반을 갖고 있어서, 몸이 서리가 내린 것 같은 회갈색이고 사지(四肢)는 암흑갈색·적갈색임. 성질이 사납고 동작이 민속하여, 쥐·토끼·곤충·뱀·도마뱀 등을 포식함. 아라비아·이란·인도·스리랑카 등에 분포함. 독사·쥐의 구제(驅除)에 이용함.

〈몽구스〉

몽그라-뜨리다 타 몽그라지게 하다. ㅆ몽크라뜨리다. <뭉그러뜨리다.

몽그라-지다 자 쌓인 물건이 무너져서 주저앉다. <뭉그러지다.

몽그라-트리다 타 몽그라뜨리다.

몽그작-거리다 자타 나아가지 아니하고, 제자리에 앉아서 느리게 자꾸 만 비비대다. ㊕몽긋거리다. <뭉그적거리다. **몽그작-몽그작** 부. ——하다 자타여불

몽그작-대다 자타 몽그작거리다.

몽극【蒙棘】명 매우 무성하게 자란 가시.

몽근-겨 명〈방〉속겨.

몽근-벼 명 까끄라기가 없는 벼. 또, 그것을 없앤 벼.

몽근-짐 명 부프지 아니하고 무게만 무거운 짐. ↔부픈짐.

몽근-체 명〈방〉가는체.

몽글 부 ①먹은 음식이 잘 삭지 아니하여 가슴에 뭉치어 있는 듯한 모양. ②슬픔·노여움이 복받치어 가슴이 꽉 차는 듯한 모양. ③덩이진 물건이 겉으로 무르고 매끄러운 모양. 1)-3): <뭉글. ——하다 형여불

몽글-거리다 자 먹은 음식이 잘 삭지 아니하여 가슴에 뭉치어 움직이다. ㅆ몽클거리다. <뭉글거리다. **몽글-몽글** 부. ——하다¹ 자여불

몽글다 형 낟알이 까끄라기나 허섭스레기가 붙지 않고 깨끗하다. 【몽글게 먹고 가늘게 싼다】크게 욕심을 부리지 않고 분수를 지키는 것이 옳은 일이며, 그것이 또한 편한 일이기도 하다는 말.

몽글-대다 자 몽글거리다.

몽글리다 타 ①곡식의 까끄라기나 허섭스레기를 떨어지게 하다. ②여러 번 괴로운 일을 당하게 하여 경험을 얻게 하다. ③옷맵시를 가뜬하게 차리어 모양을 내다.

몽글몽글-하다² 형여불 망울진 물건이 말랑말랑하고 매끄러워 붙잡기가 어렵다. <뭉글뭉글하다².

몽:-금척【夢金尺】명〖악〗①금척무(金尺舞)에 쓰는 기구. 이 태조(李太祖) 잠저(潛邸) 때에 꿈에 선인(仙人)이 주었다는 것을 상징(象徵)하여 만든 금빛의 자. 길이 한 자인데 꼭대기의 칠 푼(七分)은 구름 위에 해가 돋은 모양을 하였으며, 해의 지름은 너 푼이고 가운데에 나는 까마귀를 새기었음. 자의 넓이 칠 푼 반을 두 쪽에 나누어 바른쪽을 열 간으로 하여, 위로부터 '天賜金尺受命之祥'이라 새기고, 왼쪽은 위로부터 반은 잔 눈을 그리었음. 길이 두 치 여섯 푼의 자루가 붙었는데, 위는 지름 한 치 너 푼의 연밥 모양으로 하고 끝의 지름은 한 치 너 푼, 고리를 박아서 끈을 달았음. ②조선 초기에 만들어진 당악 정재(唐樂呈才)의 하나. 정도전(鄭道傳)이 태조(太祖)의 공덕을 칭송하기 위해 지은 악장(樂章)을 춤으로 꾸민 것으로, ≪악학궤범(樂學軌範)≫에는 '금척(金尺)'이라는 이름으로 전하고, 조선 후기에 다시 '몽금척'으로 환원됨.

〈몽금척❶〉

몽:금척 족자【夢金尺簇子】명〖악〗몽금척 춤을 출 때 거는 족자(簇子).

몽:금-포【夢金浦】명〖지〗황해도 장연군(長淵郡) 장산곶(長山串)의 동북쪽에 있는 포구(浦口). 어업이 성하고 일대의 사구(砂丘)와 더불어 해수욕장으로 유명함. 방풍(防風)·해삼(海蔘) 및 해주 벼루의 원료인 응회질(凝灰質)의 점판암(粘板岩) 등의 특산물이 있음.

몽:금포-타:령【夢金浦打令】명〖악〗서도 민요의 하나. 황해도 몽금포의 정경과 어민들의 생활을 엮은 노래.

몽:금포 해:수욕장【夢金浦海水浴場】명〖지〗황해도 장연군(長淵郡) 해안면(海安面)의 북서부에 있는 해수욕장.

〈몽금척 족자〉

몽긋-거리다 자타 ↗몽그작거리다. <뭉긋거리다. **몽긋-몽긋** 부 ——하다 자타여불

몽긋-대다 자타 몽긋거리다.

몽기-차【蒙氣差】명〖천〗대기차(大氣差).

몽깃-돌 명 ①밀물과 썰물에 뱃머리를 곧게 하기 위하여 고물에 다는 돌. ② ☞ 낚싯봉.

몽:-꾸러기 명〈방〉몽니쟁이.

몽:-꾼 명〈방〉몽니쟁이.

몽니 명 음흉하고 심술궂게 욕심부리는 성질. ㊕몽.

몽니(가) 궂다 구 몽니가 심하다. ¶몽니궂게 생긴 군정들.

몽니(를) 떨:다 구 몽니를 부리다.

몽니(를) 부리다 구 몽니를 내어 떼를 쓰다. ㊕몽부리다.

몽니(가) 사:납다 구 몽니가 매우 세다. ㊕몽사납다.

몽니-쟁이 명 몽니를 잘 부리는 사람.

몽달-귀【一鬼】명〖민〗총각이 죽어서 되었다는 귀신. 도령 귀신. 몽달귀신.

몽달 귀:신【一鬼神】명〖민〗몽달귀.

몽당 명〈방〉먼지(황해·평안).

몽당-불 명〈방〉모닥불.

몽당-붓 명 끝이 닳아서 무딘 붓. 독필(禿筆).

몽당-비 명 끝이 닳아 모지라지고 자루만 남은 비.

몽당-소나무 명〖식〗몽당솔.

몽당-솔 명〖식〗키가 작고 몽톡한 소나무. 왜송(矮松). 몽당소나무.

몽당-연필【一鉛筆】[一년一] 명 짧게 닳아서 거의 못 쓰게 된 연필.

몽당이 명 ①뾰족한 끝이 닳아서 거의 못 쓸 정도가 된 물건. ②공 모양

으로 감은 실 뭉치.
몽당-주 명 〈방〉 잠방이(경남).
몽당-주우 명 〈방〉 잠방이(경북).
몽당-중우 명 〈방〉 잠방이(경남).
몽당-치마 명 몹시 모지라져서 아주 짧게 된 치마.
몽동【艨艟】명 병선(兵船).
몽동-발이 명 딸려 붙었던 것이 다 떨어지고 몸뚱이만 남아 있는 물건.
몽동-손이 명 〈방〉 조막손이.
몽두【蒙頭】명 〖역〗 죄인을 잡아 올 때 천일(天日)을 못 보도록 그 죄인의 얼굴을 싸서 가리는 물건. 쇠 가마 같은 것으로 씌우다가 뒤에 와서는 죄인의 도포 자락을 잘라서 씌웠음.
몽두리[1] 명 〈방〉 몽둥이(함경).
몽두리[2]【蒙頭里】명 조선 시대에 기생이나 무당이 입던 옷. 맞섶의 포(袍)로, 소매 끝에 오색(五色) 한삼 소매를 닮. 몽두의(蒙頭衣).
몽두리-춤【蒙頭里一】명 〖악〗 하회(河回) 별신굿 놀이에서 남자 역이 추는 춤. 춤사위는 덧보기춤과 같음.
몽두-의【蒙頭衣】[一/一이] 명 몽두리(蒙頭里).
몽둥이 명 조금 굵직하고 긴 막대기. 어떠한 것을 치기도 하고, 짚기도 함. 목봉(木棒). 간봉(桿棒).
[몽둥이는 주인을 미워한다] 하인들은 흔히 제 상전에 대하여 불평을 품고 있는 수가 많다는 말. [몽둥이 들고 포도청(捕盜廳) 담에 오른다] 제가 지은 죄를 숨기려고 남보다 먼저 나서서 떠든다는 말. [몽둥이 세 개 맞아 담 안 뛰어넘을 놈 없다] 사람은 누구나 매맞는 것을 참지 못하며, 급해지면 뛰는 법이라는 말.
몽둥이-맛 명 정신을 차릴 만큼 몽둥이로 얻어맞는 경험.
몽둥이 세:례【一洗禮】명 몽둥이로 마구 두들겨 때리는 일.
몽둥이-질 명 몽둥이로 때리는 짓. ——-하다 타여불
몽둥이-찜 명 몽둥이로 마구 두들기는 짓. 몸둥이 찜질. ——-하다 타여불
몽둥이 찜질 명 몽둥이찜.
몽둥잇-바람 명 정신이 날 만큼 몽둥이로 되게 때리거나 얻어맞는 바람. ¶ ~에 죄상(罪狀)을 자백하다/~이 불다.
몽:-따다 자 알고 있으면서도 일부러 모르는 체하다.
몽딱 부 〈방〉 몽땅.
몽딱-몽딱 부 〈방〉 몽땅몽땅.
몽땅 부 ①꽤 많은 부분을 대번에 자르는 모양. ②전부 죄다. ¶~ 도둑맞았다. 1)·2): ㅆ몽탕. <뭉떵.
몽땅-몽땅 부 연해 상당한 부분을 대번에 자르는 모양. ¶ ~ 자르다. ㅆ몽탕몽탕. <뭉떵뭉떵.
몽땅-하다 형여불 끊어서 몽쳐 놓은 것처럼 짤막하다. ㅆ몽탕하다. <뭉떵하다.
몽:-때리다 자 〈방〉 몽따다.
몽똑 부 끝이 끊은 듯이 무딘 모양. ㅆ몽톡. <뭉뚝. ——-하다 형여불
몽똑-몽똑 부 여럿이 다 몽똑한 모양. ㅆ몽톡몽톡. <뭉뚝뭉뚝. ——-하다 형여불
몽똥-그리다 타 되는 대로 대강 뭉쳐 싸다. <뭉뚱그리다.
몽:란 유:조【夢蘭有兆】[一난一] 명 〔중국 춘추 시대 정(鄭)나라 문공(文公)의 첩 연길(燕姞)이, 하늘이 사람을 시켜 난초를 주면서, 이 난초로 네 자식을 만들겠노라고 말한 꿈을 꾼 뒤, 문공이 연길에게 내린 난초를 문공 모신 증거로 삼아서 목공(穆公)을 낳고 이름을 난(蘭)이라 지은 고사(故事)에서〕 부녀자가 아기를 뱀의 일컬음. 아기를 밴 징조가 있음. ——-하다 형여불
몽롱【朦朧】[一농] 명 ①달이 구름 속에 들어가 흐릿함. ②구름·안개·연기 같은 것이 끼어 흐릿함. ③사물이 분명하지 아니함. 흐리멍덩하여 아득함. ④의식이 분명하지 않음. ¶ 기억이 ~하다. ——-하다 형여불
몽롱 상태【朦朧狀態】[一농一] 명 〖의〗 의식 장애(意識障礙)의 한 증상. 히스테리·전간(癲癎)·만성 알코올 중독 등에 일어나는 발작적 무의식 상태. 몽중 유행(夢中遊行)·인격 변환(人格變換) 등.
몽롱 세:계【朦朧世界】[一농一] 명 ①술에 취하거나 졸음이 몹시 오거나 하여 흐리마리하게 된 판. ②아는 것이 똑똑하지 아니하고 몽롱하게 되는 판.
몽롱 창망【朦朧蒼茫】[一농一] 명 어슴프레하고 넓고 멀어 아득함.
몽롱-체【朦朧體】[一농一] 명 시문(詩文)·회화(繪畫) 등에서, 명확한 의의(意義)나 윤곽(輪廓) 등을 갖지 아니한 것.
몽리[1]【蒙利】[一니] 명 이익을 얻음. ¶ ~ 면적. ——-하다 자여불
몽:리[2]【夢裡】[一니] 명 꿈 속. 몽중(夢中).
몽리 구역【蒙利區域】[一니一] 명 어떠한 이익이나 혜택을 입는 구역. 곧 토지 개량 조합의 물이 들어와 농사에 혜택을 입는 곳 따위.
몽리-자【蒙利者】[一니一] 명 이익을 얻는 사람.
몽마르트르〔Montmartre〕명 〖지〗 파리의 관광 명소의 하나. 이전에는 파리 북쪽 교외, 언덕 위의 작은 마을이었는데 현재는 파리 시 구역내의 제18구(區)에 속함. 20세기에 들어서면서 시인·작가·화가들이 많이 모여들어 거주하고 파리의 환락가(歡樂街)의 하나로 번창하여 관광객이 반드시 찾아 드는 명소가 됨.
몽매[1]【蒙昧】명 어리석고 어두움. 이매(夷昧). ¶ 무지 ~. ——-하다 형여불
몽:매[2]【夢寐】명 잠을 자며 꿈을 꿈. 또, 그 동안.
몽:매-간【夢寐間】명 꿈을 꾸는 동안. 자는 동안. 몽매지간(夢寐之間). ¶ ~에도 잊지 못할.
몽매-인【蒙昧人】명 몽매한 사람.
몽매-주의【蒙昧主義】[一/一이] 명 〔obscurantism〕 계몽당하는 것을 피하고, 지식의 습득을 아예 포기하려는 사고 방식이나 태도. ↔계몽주의.
몽:매지-간【夢寐之間】명 몽매간.
몽:몽[1]【夢夢】명 분명하지 아니한 모양. 흐리멍덩한 모양. ——-하다 형여불. ——-히 부
몽몽[2]【濛濛】명 ①비나 안개 같은 것이 내려 자욱한 모양. ¶ 몽몽한 빗발 속으로 어둠 속에 무한히 크게 버티고 서있는 돈화문. ②정신이 흐릿한 모양. ——-하다 형여불. ——-히 부
몽문【蒙文】명 ↗몽고 문자(蒙古文字).
몽민【蒙民】명 무지 몽매한 백성.
몽밀【蒙密】명 초목(草木)이 빽빽이 들어서 무성한 모양. ——-하다 형여불
몽방【蒙放】명 죄인이 놓임을 받음. 몽유(蒙宥). ——-하다 자여불
몽범【蒙汜·濛汜】명 해가 지는 곳.
몽:복【夢卜】명 ①꿈과 점(占). ②꿈으로 점을 침. 또, 그 점.
몽:-부리다 자 ↗몽니부리다.
몽-블랑〔Mont Blanc〕명 〖지〗 스위스에 가까운 프랑스와 이탈리아의 국경(國境)에 솟아 있는 알프스 산맥 중에서 가장 높은 봉우리. 꼭대기는 만년설(萬年雪)로 덮여 있으며, 빙하(氷河)의 유하(流下)로 이름높음. [4,810 m]
몽블랑 터널〔Mont Blanc Tunnel〕명 〖지〗 몽블랑의 산허리를 뚫고 프랑스의 샤모니(Chamonix)와 이탈리아의 쿠르마여르(Courmayeur)를 연결하는 세계 최장(最長)의 도로(道路) 터널. 2차선(車線). 1959년에 착공하여 1965년 개통함. [11.6 km]
몽비【蒙批】명 상소(上疏)에 대한 임금의 비답(批答)을 받음. ——-하다 자타여불
몽:-비망【夢非妄】명 꿈이 망녕된 것이 아니고, 무엇인가를 상징하고 있다는 말.
몽사[1]【蒙士】명 어리석고 어두운 선비. 몽매한 사람.
몽사[2]【蒙死】명 죽음을 무릅씀. ——-하다 자여불
몽:사[3]【夢死】명 꿈과 같이 일생을 보냄. 해놓은 일 없이 허무하게 죽음.
몽:사[4]【夢事】명 꿈에 나타난 일.
몽:사[5]【夢思】명 ①꿈 속에서까지 생각함. ②꿈 같은 생각.
몽:-사납다 형ㅂ불 ↗몽니사납다.
몽-산【蒙山】명 〖지〗 '멍산(蒙山)'을 우리 음으로 읽은 이름.
몽:산포 해:수욕장【夢山浦海水浴場】명 〖지〗 충청 남도 서산군(瑞山郡) 남면(南面) 몽산리(夢山里) 해안에 있는 해수욕장.
몽산 화상 법어 약록 언:해【蒙山和尙法語略錄諺解】[一녹一] 명 〖책〗 중국 원(元)나라 몽산 화상의 법어를 약록한 것을 조선 세조 때의 중 신미(信眉)가 우리말로 번역한 책. 중종(中宗) 때 중간(重刊). 1권. 목판본.
몽상[1]【蒙喪】명 상복(喪服)을 입음. ——-하다 자여불
몽:상[2]【夢想】명 ①꿈 속의 생각. ②꿈을 꾸듯 헛된 생각을 함. ——-하다 타여불
몽:상-가【夢想家】명 곧잘 몽상에 젖는 사람. 공상가(空想家). 유토피안.
몽:상-곡【夢想曲】명 〔프 rêverie〕〖악〗 몽상에 잠기는 듯한 가락을 가진 기악용(器樂用)의 소곡.
몽-상문【蒙上文】명 〖언〗 한 문장 중에 두 개 이상의 어구(語句)가 있을 때에, 그 가운데 공통되는 말이나 글자를 씀. 또, 그 글자. 가령 '여름에는 비가 많이, 겨울에는 눈이 많이 온다'의 '온다' 또는 '동물·식물'을 '동·식물'이라 할 적의 '-물 자 같은 것을 이름. ——-하다 자여불
몽:상 부도【夢想不倒】명 꿈에서도 생각할 수 없음. ——-하다 자여불
몽:색【夢色】명 몽설(夢泄). ——-하다 자여불
몽-생-미셸〔Mont-Saint-Michel〕명 프랑스 노르망디 해안, 몽생미셸만(灣) 연안의 섬에 있는 프랑스 초기 고딕의 대표적 건축물. 11-12세기에 수도원으로 세워져 백년 전쟁 때는 성(城)으로, 16세기 이후는 감옥으로 쓰였음.
몽석 명 〈방〉 멍석(황해·평안).
몽:설【夢泄】명 잠을 자는 중에 정액(精液)을 싸는 일. 흔히, 신경이 쇠약해서 오는 수가 많음. 몽유(夢遺). 설정(泄精). 몽색(夢色). 몽정(夢精). 유정(遺精). ——-하다 자여불
몽소 승천【蒙召昇天】명 〖천주교〗 ↗성모 몽소 승천.
몽:송【霿凇】명 상고대.
몽수[1]【蒙首】명 부녀자(婦女子)가 외출할 때 남에게 얼굴을 보이지 아니하게 하기 위하여 덮어쓰던 것.
몽수[2]【矇瞍】명 장님으로서 점을 치는 것을 업(業)으로 삼는 사람. 장님 점쟁이.
몽:식-맥【夢食貘】명 악몽(惡夢)을 먹는다는 맥(貘). *맥(貘).
몽실-몽실 부 통통하게 살져서 야들야들하고 보드라운 느낌을 주는 모양. <뭉실뭉실. ——-하다 형여불. ——-히 부
몽:압【†夢魘】명 〔←몽엽(夢魘)〕 잘 때의 가위 눌림. 귀압(鬼魘).
몽애[1] 명 〈방〉 멍에(경상).
몽애[2]【蒙騃】명 미거(未擧). ——-하다 형여불
몽양[1]【蒙養】명 어린이를 교육함.
몽:양[2]【夢陽】명 〖사람〗 여운형(呂運亨)의 호(號).
몽어【蒙語】명 〖언〗 ↗몽고어(蒙古語).
몽어 노:걸대【蒙語老乞大】[一때] 명 〖책〗 몽고어 자습서. 이최대(李最大)가 편찬하여 조선 영조(英祖) 17년(1741)에 간행함. 몽고어(語)를 한글로 대역(對譯)하여 학자들의 편리를 도모하였으며 역과 초시(譯科初試)와 몽학(蒙學)의 강서(講書)로 쓰였음. 정조(正祖) 14년(1790)에 이억성(李億成)이 증보(增補)했는데 이 밖에 여러 판본(板本)의 책이 있음. 8권 8책. 목판본.
몽어 유:해【蒙語類解】명 〖책〗 몽고어(語) 학습서. 조선 정조(正祖) 14년(1790)에 방효언(方孝彦)이 엮음. 천문 지리·시령(時令)·인륜(人倫) 등으로 나누어 한자로 낱말을 표기하고 그 밑에 한글로 풀이한 다음 다시 한글로 몽고음을 표기하였음. 역과 초시(譯科初試)의 강서(講書)로 쓰였음. 3책. 목판본.
몽어 유:해 보:편【蒙語類解補編】명 〖책〗 몽고어 학습서. 방효언(方孝彦)이 지었음. 원편(原編) 2권, 보편(補編) 1권. 보편은 습유(拾遺)로 《몽어 유해》 원편 중에 빠진 1,600여 단어를 보충한 것임. 3권 2책. 인본.
몽에 명 〈방〉 멍에(경상).

몽연【蒙然】명 어두운 모양. 환하지 아니한 모양. ──-하다 형여불
몽:엽【夢魘】명 →몽압(夢魘).
몽:예¹【夢藝】명 잠꼬대❶. ──-하다 자여불
몽:예²【蠓蚋】명〖충〗하루살이.
몽:와【夢窩】명〖사람〗김창집(金昌集)의 호(號).
몽:외【夢外】명 꿈에도 생각하지 않은 터. 천만 뜻밖. 꿈 밖.
몽:외지-사【夢外之事】명 천만 뜻밖의 일.
몽용【蒙茸】명 ①털이나 풀 따위가 더부룩하게 일어난 모양. ②질서 없이 뒤섞여 달리거나 나는 모양. 몽융(蒙戎). ──-하다 형여불
몽우【濛雨】명 자욱이 오는 가랑비.
몽우리 명 망울. 꽃망울.
몽유¹【蒙宥】명 몽방(蒙放). ──-하다 자여불
몽:유²【夢遊】명 꿈 속에 헤맴. 꿈같은 기분으로 유람함. ──-하다 자여불
몽:유³【夢遺】명 몽설(夢泄). ──-하다 자여불
몽:유-가【夢遊歌】명 조선 시대의 가사(歌辭). 작자·연대 미상. '이 몸이 한가하여 세상사를 소제하고 초당(草堂)에만 누워 세상 풍경을 생각하니…'를 서두로 중국의 명승 고적을 두루 구경하고, 중국의 이름난 역대 인물들을 만나보고 나서 강호의 어부로 돌아갔다는 내용임.
몽:유 도원도【夢遊桃源圖】명〖미술〗조선 세종(世宗) 때 안견(安堅)이 왕자 안평 대군(安平大君)을 위하여 그린 그림의 제명(題名).
몽:유-록【夢遊錄】명〖문〗몽유(夢遊)의 현상을 빌려서 구성한 소설.
몽:유-병【夢遊病】〔-뼝〕명〖의〗정신병(精神病)의 하나. 잠을 자다가 유도(誘導)되어 갑자기 일어나서, 자신도 모르게 어떤 행동을 하는 병. 나중에 정신이 나도 발작 중(發作中)의 일은 기억(記憶)하지 못함. 몽중 방황(夢中彷徨). 몽중 유행증(遊行症). 수중 유행(睡中遊行). 이혼병(離魂病). 몽유증(夢遊症). 솜넘불리즘(somnambulism).
몽:유병-자【夢遊病者】〔-뼝-〕명 몽유병이 있는 사람.
몽:유 상:태【夢遊狀態】명 ①몽유병이 발작, 무의식중에 행동하는 상태. ②병적(病的)이 아니고, 일시적으로 흥분하여 무의식적으로 행동하는 상태.
몽:유-증【夢遊症】〔-쯩〕명〖의〗몽유병.
몽윤【蒙允】명 상소(上疏)하여 허가(許可)를 받음. ──-하다 타여불
몽융【蒙戎】명 흐트러진 모양. 몽용(蒙茸). ──-하다 형여불
몽은【蒙恩】명 은덕(恩德)을 입음. 몽혜(蒙惠). ──-하다 자여불
몽이¹ 명〈방〉모이¹(평북).
몽이²【蒙耳】명 귀를 막고 듣지 아니함. ──-하다 타여불
몽자【蒙自】명〖지〗'멍쯔'를 우리 음으로 읽은 이름.
몽점【蒙點】명〖역〗삼망(三望) 속에서 임금의 타점(打點)을 입음. 즉 임금에게 뽑히어서 벼슬자리에 지명됨. ──-하다 자여불
몽:정【夢精】명 몽설(夢泄). ──-하다 자여불
몽:조【夢兆】명 꿈자리. 몽징(夢徵).
몽종-하다 형〈방〉몽총하다.
몽주〔Monge, Gaspard〕명〖사람〗프랑스의 수학자. 육군 공병 학교 재학 중에 화법 기하학(畫法幾何學)을 창시(創始)함. 1780년 파리 대학 교수. 프랑스 혁명 후에는 조병(造兵)의 기술과 조직에 노력, 1792년 해상(海相)을 지냄. 나폴레옹의 이집트 원정에 종군하고 1796년 이집트 학회를 창립하였음. [1746-1818]
몽:중【夢中】명 꿈 속.
몽:중 노:소 문:답가【夢中老少問答歌】명〖문〗《용담 유사(龍潭遺詞)》에 수록된, 최제우(崔濟愚)의 가사의 하나. 조선 철종(哲宗) 12년(1861) 작. 노소의 문답을 통하여 동학(東學)의 깨달음을 노래함.
몽:중-몽【夢中夢】명 이 세상(世上)이 덧없음을 비유하는 말.
몽:중 몽:설【夢中夢說】명 몽중 설몽. ──-하다 자여불
몽:중 방황【夢中彷徨】명 ①〖의〗몽유병(夢遊病). ②꿈 속에서 이리 저리 헤맴. ──-하다 자여불
몽:중 설몽【夢中說夢】명 꿈 속에서 꿈이야기를 하듯이 요령을 종잡을 수 없는 이야기를 함. 또, 그러한 말. 몽중 몽설. ──-하다 자여불
몽:중 유행증【夢中遊行症】〔-쯩〕명〖의〗몽유병(夢遊病).
몽진【蒙塵】명〔먼지를 뒤집어 쓴다는 뜻에서〕임금이 난리를 피하여 다른 곳으로 옮아감. ──-하다 자여불
몽:징【夢徵】명 꿈자리. 몽조(夢兆).
몽짜 명 음흉하게 몽부리는 것. 또, 그 사람.
몽짜-스럽다 형ㅂ불 보기에 몽짜치는 듯하다. 몽짜-스레 부
몽짜-치다 형 겉으로는 어리석은 체하고 속으로는 자기 할 일을 다하다.
몽창시리 부〈방〉몹시(경남).
몽:천-요【夢天謠】명 고산(孤山) 윤선도(尹善道)가 66세 때, 고산(孤山)에서 지은 3수(首)의 연형 시조(連形時調). 조신(朝臣)들의 훼방으로 은퇴하지 않으면 안 되는 심정과 혼탁한 조정의 상황을 개탄한 내용임.
몽:촌 토성【夢村土城】명〖지〗서울 송파구(松坡區) 오륜동(五輪洞)에 있는 백제 초기의 토성지(土城址).
몽총-하다 형여불 ①무접없고, 아랑곳함이 없이 냉정하다. ②부피나 길이가 좀 모자라다. 몽총-히 부
몽치 명 짧고 단단한 몽둥이. 옛날에 무기(武器)로 썼음. ¶너희가 강도를 잡는 것같이 검과 ~를 가지고 나를 잡으려 나왔느냐《마가복음 14:48》.
[몽치 깎자 도적(盜賊)이 뛴다] 준비하는 데 시간을 다 보내고 목적(目的)한 바를 이루지 못한다는 말.
몽치다 ㊀ 자 여럿이 한데 어울리어 한 덩어리가 되다. ¶피가 ~. <뭉치다. ㊁ 타 여럿이 한데 어울리어 한 덩어리를 만들다. ¶눈을 둘둘 ~. <뭉치다.
몽치-다래 명〖어〗뭉치다래.
몽치미 명〈방〉목침(경남).
몽치-질 명 몽치로 때리는 것. ──-하다 자여불
몽치-찜 명〈방〉몽둥이찜.
몽침 명〈방〉목침(충북·전라·경북·평북).
몽클-거리다 자 먹은 음식이 소화가 되지 아니하고 가슴에 몽키다. ㄴ몽클거리다. <뭉클거리다.
몽클-대다 자 몽클거리다.
몽클-몽클-하다 형여불 망울진 물건이 속은 좀 단단하고, 겉은 부드러우면서 만지면 요리조리 볼가지게 미끄럽다. <뭉클뭉클하다.
몽클-하다 형여불 ①먹은 음식이 소화가 되지 아니하고 가슴에 뭉쳐 있다. ②슬픔·노여움이 가슴에 맺혀 풀리지 아니하다. <뭉클하다.
몽키다 자 여럿이 한데 엉키어 덩어리가 되다. <뭉키다.
몽타냐:르〔프 montagnards〕명〖역〗프랑스 혁명기의 산악당(山岳黨)「당원.
몽타:주〔프 montage〕명〔조성(組成)·편집(編輯)의 뜻〕따로따로 촬영된 화면(畫面)을 효과적으로 떼어 붙여서, 화면 전체의 유기적인 구성을 이룩하는, 영화나 사진의 편집 구성의 한 수법. 단편적(斷片的)인 커트를 예술적으로 구성하는 이 방법은, 시간적인 제약(制約)을 받는 영화 예술을 급속도로 발전시켰음. 화면 구성.
몽타:주 레코:드〔montage+record〕명 몽타주 사진과 같은 방법으로 여러 레코드를 하나로 편집하여 만든 음반.
몽타:주 사진【一寫眞】〔montage〕명 여러 사람의 사진에서 코·입모습·눈매 등 부분적으로 어떤 사람의 용모와 비슷한 부분만 오려서 하나로 맞춘 사진. 흔히 범죄 수사에서, 용의자의 사진 수배에 응용함. ㄴ합성 사진.
몽탁 부〈방〉몽탕(경상).
몽탁-몽탁 부〈방〉몽탕몽탕.
몽탕¹〔Montand, Yves〕명〖사람〗이탈리아 출신의 프랑스 샹송 가수·영화 배우. 1923년 파시스트에 쫓겨 마르세유에 이주(移住), 44년 파리에 나와 피아프(Piaf)를 알게 되어 그녀의 협력과 후원으로 성공함. 영화《밤의 문(門)》·《공포의 보수》·《전쟁은 끝났다》등에서 호연함. [1921-91]
몽탕² 부 ①꽤 많은 부분을 대번에 자르는 모양. ②전부. 죄다. 1)·2): ㅆ몽땅. <뭉텅.
몽탕-몽탕 부 한 부분씩 자꾸 대번에 자르는 모양. ㅆ몽땅몽땅. <뭉텅뭉텅.
몽탕-하다 형여불 끊어서 뭉쳐 놓은 것처럼 짤막하다. ¶허리에는 개개몽탕한 방망이들을 찼다. ㅆ몽땅하다. <뭉텅하다.
몽:태-치다 타 남의 물건을 슬쩍 훔치어 가지다.
몽테뉴〔Montaigne, Michel Eyquem de〕명〖사람〗프랑스의 사상가·모랄리스트. 오랫동안 법원에 근무하고, 사직 후 독서와 사색의 생활에서《수상록(隨想錄)》을 집필하여, 회의론(懷疑論)의 입장에서 인간 이성(理性)의 무능을 설파함. 인간 관찰의 예리함에서 프랑스 모랄리스트의 최고봉으로 일컬어지며, 파스칼(Pascal) 등에 끼친 영향이 큼. [1533-92]
몽테를랑〔Montherlant, Henry Millon de〕명〖사람〗프랑스의 소설가·극작가.《아침의 교대》로 인정된 후, 전쟁·스포츠·연애 등에서 왜곡된 인간상(人間像)을 추구하고 이에 높은 예술성을 보이는 작품을 발표하였음. 4부작《젊은 아가씨들》은 그 중의 걸작임. 2차 대전 중 나치스에 협력하여 전후 추방되었음. [1896-1972]
몽테스키외〔Montesquieu, Charles de Secondat〕명〖사람〗프랑스의 철학자·법학자. 고등 법원의 판사로 있으면서《페르시아인의 편지》를 발간하여, 훌륭한 모랄리스트 문학자로서의 재능을 발휘하고, 대저(大著)《법의 정신》을 지어 삼권(三權)의 분립 및 영국적 입헌 정치를 논하여 큰 반향(反響)을 일으켰음. [1689-1755]
몽테크리스토 백작【一伯爵】명〔Le Comte de Monte-Cristo〕〖책〗대뒤마(大 Dumas)가 1841-45년에 지은 장편 소설(長編小說). 상선(商船) 파라온 호(號)의 일등 항해사인 에드몽 당테스가 세 사람의 악인의 음모로 14년간 옥중 생활을 하다가 탈옥, 몽테크리스토 섬의 비보(祕寶)를 얻어 거부가 된 다음 몽테크리스토 백작으로서 파리의 사교계에 나타나, 악인들에게 교묘하게 복수하는 것이 줄거리임.
몽토록 부 ☞몽톡.
몽토록-하다 형여불 ☞몽톡하다. ¶까맣고 몽토록한 초침은 오똘오똘 째째거리고 뛰었다《李光洙: 사랑》.
몽톡 부 길이가 짧고 끝이 끊은 듯이 무딘 모양. ㅆ몽똑. <뭉툭. ──-하다 형여불
몽톡-몽톡 부 여럿이 다 몽톡한 모양. ㅆ몽똑몽똑. <뭉툭뭉툭. ──-하다 형여불
몽:퇴〔Monteux, Pierre〕명〖사람〗프랑스의 지휘자. 보스턴·샌프란시스코·런던 등 각 교향악단의 상임 지휘자를 역임함. 스트라빈스키(Stravinski)·라벨(Ravel) 등의 현대 음악의 초연(初演)을 자주 담당함. [1875-1964]
몽티셀리〔Monticelli, Adolphe Joseph Thomas〕명〖사람〗프랑스의 화가. 파리에 나와 바토(Watteau)와 베네치아파(派)를 연구, 1870년 이후 고향인 마르세유에서 은둔적(隱遁的) 생활을 보냄. 그림 물감을 두툼하게 칠해 보석 같은 아름다운 광채를 내는 것이 그의 특징이고, 이것으로써 고호에 끼친 영향도 큼. [1824-86]
몽파르나스〔Montparnasse〕명〖지〗파리의 남쪽 뤽상부르 공원의 남서쪽 지역. 처음에는 학생들의 놀이터였으나, 20세기 초엽 전위 예술가와 러시아 망명자들이 모여 들면서 레스토랑·카페·극장 들이 늘어선 환락가가 되었음.
몽펠리에〔Montpellier〕명〖지〗프랑스 남부의 도시. 랑그도크(Languedoc) 지방의 상업·문화의 중심지임. 화학·식품 공업이 행해지고 포도주·리큐르(liqueur)의 집산지. 14세기에 창건한 베네딕트 수도원과 16세기에 앙리 4세가 창설한 식물원 등이 있음. [178,000명(1981)]
몽폐【蒙蔽】명 덮어 감춤. ──-하다 타여불

몽포:르 〔Montfort, Simon de〕 명 〖사람〗 프랑스 귀족 집안 출신으로 영국의 귀족이며 정치가. 헨리 3세의 전횡(專橫)에 반대하여 귀족 반란에 앞장서 왕을 체포하고 귀족·성직자·기사·시민 들로 구성된 의회를 소집하였음. 영국 하원(下院)의 창시자로 불림. [1208?-65]
몽:-피다 자 〈방〉 몽니부리다.
몽:-피우다 자 〈방〉 몽니부리다.
몽-하다 【蒙―】 타 여불 (은혜나 도움 등을) 입다.
몽학 【蒙學】 명 ①어린 아이들의 공부. ②몽고(蒙古)의 어학(語學).
몽학 훈:도 【蒙學訓導】 명 〖역〗 조선 때 사역원(司譯院)의 한 벼슬. 정구품(正九品)으로 몽고학(蒙古學)을 가르쳤음. *한학(漢學) 훈도.
몽학 훈:장 【蒙學訓長】 명 어린 아이를 가르치는 훈장 또는 어린 아이나 가르칠 만한 훈장.
몽한-약 【蒙汗藥】 [―냑] 명 〖약〗 마취약(痲醉藥)❶.
몽혜 【蒙惠】 명 은혜를 입음. 몽은(蒙恩). ――-하다 자 여불
몽:혼[1] 【夢魂】 명 꿈 속의 혼.
몽혼[2] 【矇昏】 명 마취(痲醉). ――-하다 자 타 여불
몽혼-약 【矇昏藥】 [―냑] 명 〖약〗 마취약(痲醉藥)❶.
몽혼-제 【矇昏劑】 명 〖약〗 마취제(痲醉劑).
몽화 【蒙禍】 명 화를 입음. ――-하다 자 여불
몽:환 【夢幻】 명 ①현실이 아닌 꿈과 환상. ②이 세상의 일체(一切) 사물이 덧없음을 비유한 말. 꿈. 몽환 포영.
몽:환-경 【夢幻境】 명 공상·도취 따위에 의하여 마음 속에 그려지는 환
몽:환-계 【夢幻界】 명 몽환경(夢幻境). ⌊상적인 세계. 몽환계.
몽:환-곡 【夢幻曲】 명 〖악〗 '녹턴(nocturn)'을 이르는 말.
몽:환-극 【夢幻劇】 명 〖연〗 현실적(現實的)인 인생보다는 꿈 속에서 경험하는 것이 더 진실하다는 주장으로 꿈 속의 인생을 묘사한 연극.
몽:환-적 【夢幻的】 명 관 현실이 아닌 꿈과 환상을 좇는 모양.
몽:환 포영 【夢幻泡影】 명 몽환❷.
몽기다 형 〈옛〉 몽글다. ¶ 모매 터리 나샤더 다 몽기시며 《月釋 Ⅱ:40》.
뫼[1] 명 ↗모이.
뫼[2] 명 〈옛〉 메. 산. ¶ 뫼爲山 《訓例》/푸른 뫼헤(靑山) 《杜諺 XXIII:6》.
뫼[3] 명 〈옛〉 높은 어른의 끼니 음식. 진지. ¶ 朝夕 뫼 네와 ᄀᆞᆺ티 셰시ᄂᆞ가
뫼:[4] 명 사람의 무덤. 묘(墓). 탑파(塔婆). ⌊《松江 續美人曲》.
뫼나리 명 〈방〉 메나리[1].
뫼니에 〔Meunier, Constantin〕 명 〖사람〗 벨기에의 조각가. 한때 조각에서 회화로 전향했으나 마침 벨기에에 체재 중이던 로댕과 만나 그 작품에 감동하여 다시 조각으로 돌아감. 탄광 지대에 살며 단순화된 표현으로 광부들의 생활을 그렸음. [1831-1905]
뫼니에:르 〔프 meunière〕 명 프랑스식 요리의 하나. 생선에 밀가루를
뫼:다[1] 자 ↗모이다[1]. ⌊발라 구운 것.
뫼다[2] 타 〈궁중·옛〉 모시다. ¶ 뫼ᅀᆞᄫᅡ 사ᄅᆞᆷ 阿難陁ㅣ러니 《月釋 Ⅱ:
뫼뚜기 명 〈방〉 〖충〗 메뚜기[1](함경). ⌊9》.
뫼리케 〔Mörike, Eduard〕 명 〖사람〗 독일의 시인·소설가. 음악성이 풍부한 민요조의 시를 썼음. 시 작품에 《페레그리나 시편(詩編)》, 소설 《화가 노르텐》 등이 있음. [1804-75]
뫼물 명 〈방〉 〖식〗 메밀(경기·강원·충북·전북).
뫼밀 명 〈방〉 〖식〗 메밀(경기·경남·황해·함남).
뫼빨 명 〈옛〉 멥쌀. ¶ 뫼ᄡᆞᆯ 경(粳), 뫼ᄡᆞᆯ 션(秈) 《字會 上 12》.
뫼:비우스의 띠 〔Möbius〕 [―/―에―] 명 〖수〗 〔독일의 천문학자·수학자인 뫼비우스(1790-1868)가 창안한 데서 유래됨〕 직사각형의 종이를 한 번 비틀어 그 대변(對邊)을 붙여 만든, 위상(位相) 기하학적 성질을 갖는 곡면인 띠. 그 중요한 성질은 면의 표리(表裏)가 없는 점임. *클라인 항아리.

〈뫼비우스의 띠〉

뫼쏠 명 〈옛〉 산골[2]. =묏골. ¶ ᄒᆞᆫ 뫼쏠의 에워(圍一個山峪裏) 《老乞 上 27》.
뫼스바우어 〔Mössbauer, Rudolf Ludwig〕 명 〖사람〗 독일의 물리학자. 뮌헨 공과 대학 등에서 근무. 미국으로 건너가 1961년 캘리포니아 공과 대학 교수. 1958년 '뫼스바우어 효과'를 발견. 1961년 호프스태터(Hofstadter, R.)와 함께 노벨 물리학상을 수상함. [1929-]
뫼스바우어 효:과 【―效果】 〔Mössbauer〕 명 〖물〗 어떤 종류의 결정(結晶)이 특수한 조건 아래서는 반도(反跳)가 없고, 따라서 파장폭(波長幅)이 극히 좁은 γ선을 방출하는 현상. 이 효과는 ^{57}Fe, ^{191}Ir 등 수십 종의 방사성 동위 원소에 있어서 γ선의 방출과 흡수의 양면에서 볼 수 있으며, 고체 물리학 연구에 유용할 뿐아니라 진동수(振動數)를 시간 측정에 이용하여 일반 상대성 이론의 검증(檢證)에 쓰임.
뫼시다 타 〈옛〉 모시다. ¶ 子賢長者ㅣ 듣고 세분을 뫼셔 드라 《月釋
뫼쌀 명 〈방〉 멥쌀(경기·강원·충북·전북·경북). ⌊Ⅷ:81》.
뫼:-쓰다 자 묏자리를 잡아 송장을 묻다.
뫼사리 명 〈옛〉 메아리. ¶ 고랫 뫼사리라(谷響) 《楞嚴 Ⅷ:55》.
뫼ᅀᆞ리 명 〈옛〉 메아리. ¶ 듣논 소리 뫼ᅀᆞ리 ᄀᆞᄐᆞ야 《月釋 Ⅱ:53》.
뫼ᅀᆞᄫᅳᆫ니 명 〈옛〉 모셔온 사람. 모신 이. ¶ 各各 뫼ᅀᆞᄫᅳᆫ니 보내샤 《月釋 XXI:9》. *뫼ᅀᆞᆸ다. 「Ⅱ:64》.
뫼ᅀᆞ와 타 〈옛〉 모시와. '뫼ᅀᆞᆸ다'의 활용형. ¶ 藥을 뫼ᅀᆞ와(侍藥) 《內訓
뫼ᅀᆞᆸ다 타 〈옛〉 모시다. 모시옵다. ¶ 네 아ᄃᆞ리 各各 어마님내 뫼ᅀᆞᆸ고 《月釋 Ⅱ:6》. 「釋 Ⅱ:9》.
뫼ᄷᆞᆸ다 타 〈옛〉 모시옵다. =뫼ᅀᆞᆸ다. ¶ 뫼ᅀᆞᄫᅡ 사ᄅᆞᆷ 阿難陁ㅣ러니 《月
뫼아리 명 〈옛〉 메아리. =뫼사리. ¶ 뫼아리(響應聲) 《譯語 補 5》.
뫼올히 명 〈옛〉 물오리. ¶ 뫼올히(野鴨) 《湯淨》.
뫼와 들다 자 〈방〉 모아들다(함경). 「Ⅱ:12》.
뫼왈 명 〈옛〉 메아리. =뫼사리. ¶ 그림재와 뫼왈 ᄀᆞᄐᆞ면(如影響) 《內訓
뫼음드레 명 〈방〉 〖식〗 민들레.
뫼이다 형 키가 작다. 「(文物陪巡守) 《重杜諺 XX:32》.
뫼ᄋᆞ와 타 〈옛〉 모시와. '뫼다[2]'의 활용형. ¶ 文物이 巡守를 뫼ᄋᆞ와 가니
뫼ᄋᆞᆸ다 타 〈옛〉 모시옵다. ¶ 님금 겨틔 뫼ᄋᆞᆸ더니라(侍君側) 《重杜諺 XI:
뫼조 명 〈방〉 〖식〗 조[1](경기). ⌊16》.
뫼주 명 〈방〉 메주(경북).
뫼쥐 명 〈방〉 메주(함경).
뫼초라기 명 〈옛〉 메추라기. ¶ 뫼초라기 노롯ᄒᆞ고(耍鵪鶉) 《朴解 上 17》.
뫼초리 명 〈방〉 〖조〗 메추라기(함경).
뫼추라기 명 〈방〉 〖조〗 메추라기(충청).
뫼추리 명 〖조〗 메추라기.
뫼ᄎᆞ라기 명 〈옛〉 메추라기. =모ᄎᆞ라기. ¶ 뫼ᄎᆞ라기(鶉) 《濟衆》.
뫼콰 〈옛〉 산과. '뫼[2]'의 공동격형. ¶ 뫼콰 ᄀᆞᄅᆞᄆᆞ로 처엄과 ᄆᆞᄎᆞᄆᆞᆯ 盟誓
뫼-통 【―桶】 명 ↗모이통. ⌊ᄒᆞ시놋다(山河誓始終) 《杜諺 Ⅴ:42》.
뫼해 〈옛〉 메에. '뫼[2]'의 처소격형. ¶ 뉘 人間과 뫼해 들에며 괴외호몰 니르리오(誰云人山 而喧靜耶) 《永嘉 下 121》.
뫼호다 타 〈옛〉 모으다. =모도다. ¶ 하ᄂᆞᆯ히며 사ᄅᆞᆷ 사ᄂᆞᆫ 싸ᄒᆞᆯ 다 뫼호아 世界라 ᄒᆞᄂᆞ니라 《月釋 Ⅰ:8》.
뫼흘 〈옛〉 메를. '뫼[2]'의 목적격형. ¶ 뫼흘 혜텨 기우러 가ᄂᆞᆫ ᄃᆞᆺ ᄒᆞ도다(去擘山嶽傾) 《重杜諺 Ⅴ:48》. 「寒靑兕吼」 《重杜諺 XII:29》.
뫼히 〈옛〉 메가. '뫼[2]'의 주격형. ¶ 뫼히 서늘ᄒᆞ니 프른 미햇 쇠 울오(山
뫼ᄒᆞ로 〈옛〉 메로. '뫼[2]'의 향진격형(向進格形). ¶ 별와 銀河ᄂᆞᆫ 새뱃 뫼ᄒᆞ로 다ᄂᆞᆺ다(星河 落曉山) 《重杜諺 XI:50》. 「葎崒」 《杜諺 Ⅵ:18》.
뫼흔 〈옛〉 메는. '뫼[2]'의 절대격형. ¶ 노ᄑᆞᆫ 뫼흔 알ᄑᆡ 葎崒ᄒᆞ고(高嶽前
뫼흘 〈옛〉 메를. '뫼[2]'의 목적격형. ¶ 나 조히 노ᄑᆞᆫ 樓를 비겨 눈 인ᄂᆞᆫ 뫼흘 相對ᄒᆞ니(暮倚高樓對雪峯) 《重杜諺 IX:38》.
묀미나리 명 〈옛〉 멧미나리. =묏미나리. ¶ 묀미나리(柴胡) 《湯液 卷二
묄: 명 〈방〉 〖식〗 메밀(함남). ⌊菜部》.
묄러 발:로:병 【―病】 〔Möller-Barlow〕 [―뼝] 명 〖의〗 〔묄러(Möller, Julius Otto Ludwig; 1819-87)는 독일의, 발로(Barlow, Thomas; 1845-1945)는 영국의 의사(醫師)〕 비타민 C 결핍증으로, 괴혈병(壞血病)과 본태(本態)는 같으나 생후 6개월 이내의 인공 영양아(人工營養兒)에서 볼 수 있는 병. 주요 증상은 뼈의 변화 및 갖가지 출혈 경향과 영양 장애 등이 있는데, 요즘에는 육아(育兒) 영양의 개선으로 거의 볼 수 없음.
묄렌도르프 〔Möllendorf, Paul Georg von〕 명 〖사람〗 독일의 외교관. 톈진(天津) 주재 영사(領事)로, 임오 군란(壬午軍亂) 후 내한하여 외아문(外衙門)의 고문을 지냈음. 한국명은 목인덕(穆麟德). [1848-1902]
뫱독 명 〈옛〉 메뚜기. ¶ 靑뫱독 黑뫱독 《永言 珍書 刊行版》.
뫱-되지 명 〈방〉 〖동〗 멧돼지(전북).
묏골 명 〈옛〉 산골[2]. ¶ 사ᄅᆞᆷ ᄆᆞ티 묏고래 수머 겨샤 《釋譜 Ⅵ:4》/묏골 동(峒) 《字會 上 3》.
【묏골 참외 한 중우만 따면 한물이라】 수확이 적은 땅을 이르는 말.
묏곶 명 〈옛〉 메꽃. 산에 피는 꽃. ¶ 묏새와 묏고존 내 兄弟 ᄃᆞ외도다(山鳥山花吾友于) 《初杜諺 IX:31》.
묏괴 명 〈옛〉 삵괭이. ¶ 貍ᄂᆞᆫ 묏괴라 《圓覺 上 一之二 129》.
묏기슭 명 〈옛〉 산기슭. ¶ 蒼崖ᄂᆞᆫ 프른 묏기슬기오 《杜諺 Ⅰ:3》.
묏-대아지 명 〈방〉 〖동〗 멧돼지(전남).
묏대쵸 명 〈옛〉 멧대추. ¶ 묏대쵸(酸棗) 《濟衆》.
묏도기 명 〈옛〉 메뚜기[1]. ¶ 묏도기 마(螞). 묏도기 자(蚱), 묏도기 황(蝗),
묏-돌 명 〈방〉 〖동〗 멧돼지. ⌊묏도기 종(螽) 《字會 上 23》.
묏-돼:지 명 〈방〉 〖동〗 멧돼지(충남·경상).
묏-되아지 명 〈방〉 〖동〗 멧돼지(전남).
묏-되:지 명 〈방〉 〖동〗 멧돼지(전북).
묏둘홉 명 〈옛〉 멧두릅. ¶ 묏둘홉(獨活) 《方藥 7》. *ᄯᅡᆺ둘홉.
묏머루 명 〈옛〉 머루[1]. ¶ 묏머루(蘡薁) 《濟衆》.
묏멀외 명 〈옛〉 머루[1]. ¶ 묏멀외(藟) 《詩傳 物名》.
묏미나리 명 〈옛〉 멧미나리. =묀미나리. ¶ 묏미나리(柴胡) 《濟衆 經驗
묏-발 명 〈방〉 화전(火田). ⌊方》.
묏봉오리 명 〈옛〉 산봉우리. =묏부리. ¶ 묏봉오리 봉(峰) 《字會 上 3》.
묏부리 명 〈옛〉 산봉우리. =묏봉오리. ¶ 城郭애 나ᄆᆞᆫ 묏부리ᄅᆞᆯ 보고(出郭眄細岑) 《杜諺 IX:13》/묏부리 악(嶽) 《字會 上 3》.
묏부우리 명 〈옛〉 멧부리. ¶ 구루미 묏부우리예 나 東西에 ᄆᆞᄉᆞᆷ 업스며
묏-비둘기 명 〖조〗 ☞ 산비둘기. ⌊《南明 上 3》.
묏-뽕나무 명 〖식〗 ☞ 산뽕나무. 「(柘) 《字會 上 10》.
묏뽕 명 〈옛〉 꾸지뽕나무. ¶ 묏뽕 염(檿), 本國 俗呼 ᄭᅮ지나모, 묏뽕 쟈
묏새 명 〈옛〉 멧새. ¶ 묏새와 묏고존 내 兄弟 ᄃᆞ외도다(山花吾友于) 《初杜諺 IX:31》. 「(青兕黃熊啼向我) 《杜諺 IX:6》.
묏쇼 명 〈옛〉 멧소. 들소. ¶ 프른 묏쇼와 누른 곰괘 나ᄅᆞᆯ 向ᄒᆞ야 우ᄂᆞ다
묏언덕 명 〈옛〉 산언덕. ¶ 묏언덕 애(崖) 《字會 上 3》.
묏이ᄉᆞ랏 명 〈옛〉 산앵도(山櫻桃). 산이스랏. ¶ 묏이ᄉᆞ랏나모(楖) 《四聲
묏:-자리 명 뫼를 쓸 만한 자리. ⌊上 10》.
묑이 명 〈방〉 모이[1](강원·함남). 「시(卯時).
묘:[1] 【卯】 명 〖민〗 ①십이 지지(地支)의 넷째. ②↗묘방(卯方). ③↗묘
묘:[2] 【妙】 명 ①말할 수 없이 빼어나고 훌륭함. ¶ 구상(構想)의 ~. ②심원(深遠)한 도리(道理). ¶ 용병(用兵)의 ~를 체득하다. ③나이가 스물 안짝임. ④아리따움. ――-하다 형 여불 ①신기하고 보기 좋다. ②이상
묘:[3] 【昴】 명 〖천〗 ↗묘성(昴星). ⌊야릇하다. ③공교하다.
묘[4] 【渺】 수 ①소수(小數)의 단위(單位)의 하나. 애(埃)의 억분(億分)의 일, 막(漠)의 억 배, 곧 10^{-32}. ②소수의 단위의 하나. 애(埃)의 십분의 일, 막(漠)의 십 배, 곧 10^{-11}.

묘:[5]【墓】명 뫼[4].

묘:[6]【廟】명 ①조상이나 성인(聖人)·신(神) 등의 신주(神主)·위판(位版)·영정(影幀) 등을 모신 사당. ②종묘(宗廟). ③문묘(文廟).

묘[7]【畝】의명 땅 넓이의 단위. 곧, 30 평(坪). 단(段)의 십분의 일.

묘:각【妙覺】명〖불교〗보살(菩薩)의 52 위(位)의 맨 뒷자리. 곧, 불과(佛果)를 일컬음. 정각(正覺). 종각(終覺).

묘:각-산【妙角山】명〖지〗황해도 곡산군(谷山郡) 화촌면(花村面)과 청계면(淸溪面) 사이에 있는 산. [1,071 m]

묘:간【妙簡】명 잘 골라 뽑음. 묘선(妙選). ——-하다 타 여불

묘:갈【墓碣】명 무덤 앞에 세우는 둥그스름한 작은 돌비.

묘:갈-명【墓碣銘】명 묘갈에 새겨 넣는 글.

묘:견 보살【妙見菩薩】명〖불교〗북두 칠성(北斗七星)을 신격화(神格化)한 것으로, 북두 칠성의 본지(本地)에 있으면서 국토(國土)를 지켜 주고 빈궁을 구하여 주며 모든 소원을 성취시켜 준다는 보살. 그 형상(形像)은 일정하지 아니하나 길상 천녀(吉祥天女)의 상(像)과 흡사(恰似)함. 존성왕(尊聖王). 북신 보살(北辰菩薩).

〈묘견 보살〉

묘:경【妙境】명 ①좋은 땅. 경치가 묘절(妙絕)한 곳. ②가경(佳境)❷.

묘:계[1]【妙計】명 묘책(妙策).

묘:계[2]【墓界】명〖역〗품계(品階)를 따라서 정한 묘지의 구역. 곧 무덤을 중심하여 사방으로 종친(宗親)은 일품(一品)이 100 보, 이품(二品)이 90 보, 삼품(三品)이 80 보, 사품(四品)이 70 보, 오품이 60 보, 육품이 50 보였음. 문무관(文武官)은 일품이 90 보이며 차례에 따라 10 보씩 적어짐. 서민(庶民)은 가장 아래로 10 보였음. 이 구역 안에서는 경목(耕牧)을 금함.

묘:-계[3]【廟啓】명〖역〗조정(朝廷)에서 임금에게 상주(上奏)하는 일. ——-하다 타 여불

묘:고-산【妙高山】명〖불교〗수미산(須彌山).

묘:곡【妙曲】명 기묘한 곡조.

묘:공[1]【妙工】명 묘기(妙技).

묘:공[2]【墓工】명 무덤을 만드는 사람.

묘:광【墓壙】명 무덤 구덩이.

묘:구[1]【妙句】명 아주 뛰어난 글귀. 묘하게 잘 지은 글의 구절.

묘구[2]【畝溝】명 고랑[1].

묘:구 도적【墓丘盜賊】명 ①무덤 속의 물건을 파 헤쳐서 훔쳐 가는 절도. ②송장을 파내어 감추고 금품(金品)을 강요하는 도둑. 준 묘적(墓賊).

묘:권【墓券】[—꿘] 명〖민〗무덤 속에 묻는 매지권(買地券). 천지 신명과 맺은 허황된 일종의 묘지(墓地) 매매 계약서임.

묘:근【苗根】명 옮겨 심을 수 있게 자란 어린 나무나 풀의 뿌리.

묘:금도유【卯金刀劉】명 성으로 쓰이는 '유(劉)'자를 파자(破字)로 일컫는 말.

묘:기[1]【妙技】명 교묘(巧妙)한 기술과 재주. 묘공(妙工).

묘:기[2]【妙妓】명 잘 생기고 예쁜 기생.

묘:기[3]【妙機】명〖불교〗①뛰어난 기근(機根). ②중생(衆生)을 교화(敎化)시키는 교묘한 수단.

묘:기[4]【描記】명 묘사(描寫)하여 기록(記錄)함. ——-하다 타 여불

묘:기 백출【妙技百出】명 교묘한 기술과 재주가 여러 가지 모양으로 나옴. ——-하다 자 여불

묘:년[1]【卯年】명〖민〗태세(太歲)의 지지(地支)가 묘(卯)로 된 해. 토끼해.

묘:년[2]【妙年】명 묘령(妙齡).

묘:년 재격【妙年才格】명 젊은 나이에 타고난 높은 품격과 재주.

묘:노【墓奴】명 묘지기.

묘:단【廟壇】명 묘 앞에 두둑하게 쌓은 단.

묘:답【墓畓】명 ↗묘위답(墓位畓).

묘:당【廟堂】명〖역〗①종묘(宗廟). ②〔정사(政事)를 논의할 때, 종묘(宗廟)에 고한 후에 행한데서 유래함〕나라의 정치를 하던 곳. 조정(朝廷). 묘정(廟廷). ③'의정부'의 별칭. ④'비변사(備邊司)'의 별칭.

묘:당 공론【廟堂公論】[—논] 명 조정(朝廷)의 군신(君臣)들이 모이어 국사(國事)를 논의하는 일.

묘:당-도【廟堂島】명〖지〗전라 남도의 남해상(南海上), 완도군(莞島郡) 고금면(古今面) 충무리(忠武里)에 위치한 섬. 1973년 서쪽의 척찬도(尺贊島)와 연도(連島) 공사에 의해서 하나의 섬이 됨. [0.11 km²]

묘:당 품:처【廟堂稟處】명 조정(朝廷)에서 임금에게 아뢰어 처치함. ——-하다 타 여불

묘:대【苗垈】명 못자리❶.

묘:덕【妙德】명 ①매우 뛰어난 덕(德). 또, 그러한 덕을 구비한 사람. ②〖불교〗'문수(文殊)'의 역어(譯語).

묘:-도【猫島】명〖지〗전라 남도 여수시(麗水市) 묘도동(猫島洞)에 위치하는 섬. [8.29 km²]

묘:도 군도【廟島群島】명〖지〗먀오다오 군도.

묘:도 문자【墓道文字】[—짜] 명 묘갈(墓碣)·묘비(墓碑)·묘지(墓誌) 및 묘표(墓表) 등에 새겨 넣은 글자.

묘:두-와【猫頭瓦】명〖건〗막새❶.

묘:두 현:령【猫頭懸鈴】[—혈—] 명 고양이 목에 방울 달기. 곧 실행할 수 없는 헛된 의론이라는 뜻. 쥐가 고양이의 습격을 아는 수단으로 고양이의 목에 방울을 다는 일을 의논하였으나, 실행 불가능으로 끝났다는 우화(寓話)에서 옴. 묘항 현령(猫項懸鈴).

묘:득【妙得】명 묘리(妙理)를 깨달아 얻음. ——-하다 자 여불

묘:략[1]【妙略】명 묘한 책략(策略). 훌륭하고 정묘한 계략. *묘책(妙策).

묘:략[2]【廟略】명 묘책(廟策).

묘:려【妙麗】명 아름답고 화려함. ——-하다 형 여불

묘:령【妙齡】명 스물 안팎의 여자 나이. 꽃다운 젊은 나이. 묘년(妙年).

묘:론【廟論】명 묘의(廟議).

묘리[1] 명〈옛〉꾀. 계책(計策). ¶ 묘리 술(術)《類合 下 8》.

묘:리[2]【妙理】명 묘한 이치.

묘:막[1]【墓幕】명 무덤 가까이에 지은 작은 집. 병사(丙舍).

묘:막[2]【渺漠】명 광막(廣漠). ——-하다 형 여불

묘:만[1]【淼漫】명 바다 따위가 한없이 넓은 모양. 묘망(淼茫). ——-하다 형 여불

묘:만[2]【渺漫】명 묘망(渺茫). ——-하다 형 여불

묘:-말【卯末】명〖민〗묘시(卯時)의 맨 끝 시각. 곧 오전 일곱시가 되기 바로 전.

묘:망[1]【淼茫】명 묘만(淼漫). ——-하다 형 여불

묘:망[2]【渺茫】명 끝없이 넓고 아득함. 묘만(渺漫). ——-하다 형 여불

묘:맥【苗脈】명 일의 내비치는 실마리. 곧 일이 나타날 단서. ¶치완이가 이윽히 듣다가 생각에, 이 말이 반드시 ~이 있다마는…《作者未詳: 貨水盆》.

묘:명[1]【杳冥】명 깊고 아득하여 어두움. ——-하다 형 여불

묘:명[2]【墓銘】명 ↗묘지명(墓誌銘).

묘:모【廟謨】명 백성을 다스리는 방략(方略). 묘산(廟算).

묘:목[1]【苗木】명 옮겨 심는 어린 나무. 씨를 뿌리어 싹이 나서 1-4년 동안 가꾸어 다른 곳에 옮겨서 심게 된 나무. 나무모. 모나무. 모.

묘:목[2]【眇目】명 애꾸눈이.

묘:목[3]【墓木】명 무덤 가까이에 있는 나무. 구목(丘木).

묘:묘[1]【杳杳】명 멀어서 아득함. ¶그같이 기다리는 답장은 소식이 ~하다. ——-하다 형 여불. ——-히 부

묘:묘[2]【淼淼】명 물이 넓어 끝이 없고 아득함. ——-하다 형 여불. ——-히 부

묘:무【妙舞】명 교묘하게 잘 추는 춤. 훌륭한 춤.

묘:문[1]【妙文】명 묘하게 잘 지은 글. 뛰어난 문장.

묘:문[2]【墓文】명 묘비나 묘표(墓表)에 쓴 글.

묘:문[3]【墓門】명 묘지 앞으로 들어가는 문.

묘:미【妙味】명 미묘한 풍취. 묘한 맛. 훌륭한 맛. 묘취(妙趣).

묘:박【錨泊】명 닻을 내리고 배가 머무름. ——-하다 자 여불

묘:방[1]【卯方】명 이십사 방위(方位)의 하나. 바로 동쪽을 중심으로 한 15°의 각도. 준 묘(卯).

묘:방[2]【妙方】명 ①교묘한 방법. 묘법(妙法). ②훌륭한 약방문. 신묘(神妙)한 처방.

묘:법[1]【妙法】[—뻡] 명 ①묘방(妙方)❶. ②훌륭하고 신기한 불법(佛法). 불교의 신기하고 묘한 법문.

묘:법[2]【描法】[—뻡] 명 동양화의 선묘법(線描法). 중국에서는 예로부터 형식화되어 열여덟 가지로 분류되지만 특히 유사묘(遊絲描)와 철선묘(鐵線描)가 유명함. 유사묘는 부드럽고 연면(連綿)히 끊이지 않는 선으로 그리는 것으로 한(漢)·당대(唐代) 회화의 정통적 기법임. 철선묘는 철선처럼 굵거나 또는 가는 데가 없는 강한 선으로 그리는 것을 말함.

묘:법 연화경【妙法蓮華經】[—뻡—] 명〔범 Saddharmapundork-iasūtra〕〖불교〗①대승(大乘) 경전의 하나로, 중국의 구마라습이 번역한 책. 8 권 28 품(品)으로 되어 있는데, 가야성(迦耶城)에서 도(道)를 이룬 부처의 본도(本道)를 말한 것으로, 모든 경전 중에서 가장 존귀하게 여기어지는 경전임. 준 법화경(法華經). ②구마라습이 번역한 묘법 연화경을 고려 공민왕(恭愍王) 22년(1373)에 은니(銀泥)를 써서 엮은 책. 칠첩 칠 권(七帖七卷)으로 되어 있음. 가로 31.4 cm, 세로 11.7 cm 국립중앙 박물관 소장. 국보 제185호.

묘:법 연화경 언:해【妙法蓮華經諺解】[—뻡—] 명〖책〗조선 세조(世祖) 9년(1463)에 간경 도감(刊經都監)에서 출판한 최초의 법화경 언해.

묘:복【眇福】명 극히 적은 복. 불행한 것. ——-하다 형 여불

묘:-봉【猫峰】명〖지〗강원도 삼척시(三陟市)와 경상 북도 봉화군(奉化郡) 사이에 있는 산. [1,121 m]

묘:비【墓碑】명 무덤 앞에 세우는 비석. 죽은 사람의 신분·성명·행적(行蹟)·자손·생졸년(生卒年) 등을 새김. 묘석(墓石). *묘표(墓表)·묘갈(墓碣).

묘:비-명【墓碑銘】명 묘비(墓碑)에 새긴 명(銘).

묘:사[1]【妙思】명 기묘한 생각. 묘상(妙想).

묘:사[2]【描寫】명 ①사물을 있는 그대로 그리어 냄. ¶심리~. ②예술 작품에 있어서 어떤 대상을 객관적·구체적으로 표현하여 옮김. ——-하다 타 여불

묘:사[3]【墓祀】명 ①시향(時享)❷. ②묘제(墓祭).

묘:사[4]【廟社】명 종묘(宗廟)와 사직(社稷).

묘:사[5]【廟祠】명 임금이나 성인(聖人)의 신위(神位)를 모신 사당.

묘:사-곡【描寫曲】명〖악〗표제 음악(標題音樂)의 한 가지. 어떤 정경(情景)·기분 등의 현상(現象)을 소리로써 언뜻 머리에 떠오르게 하도록 묘사하기 위한 곡(曲).

묘:사-력【描寫力】명 묘사하는 힘.

묘:사-법【描寫法】[—뻡] 명 묘사하는 방법이나 수법.

묘:사 유파【卯仕酉罷】명〖역〗관원이 묘시(卯時) 곧 아침 다섯시부터 일곱시 사이에 출근하였다가 유시(酉時) 곧 저녁 다섯시부터 일곱시 사이에 파하여 돌아감. 묘유사(卯酉仕). ——-하다 자 여불

묘:사 음악【描寫音樂】명〔descriptive music〕〖악〗자연의 소리를 악기에 의하여, 의음화(擬音化)해서, 여러 가지의 객관적 현상을 묘사하는 음악.

묘:사적 현:상【描寫的現象】명 어떤 대상이나 현상의 본질적인 측면을 있는 그대로 예술적으로 서술하거나 그린 것.

묘:사 전:궁【廟社殿宮】명 종묘(宗廟)·사직(社稷)·영희전(永禧殿) 및 경모궁(景慕宮)의 총칭.

묘:사-체【描寫體】명〖문〗어떤 대상을 있는 그대로 객관적·구체적으로 표현한 문체(文體).

묘:산[1]【妙算】명 묘책(妙策).

묘:산[2]【廟算】명 묘모(廟謨).

묘:삼【苗蔘】명 파종 후 1년 남짓이 자란 어린 삼.

묘:상[1]【妙相】[명] 묘하게 생긴 모양.
묘:상[2]【妙想】[명] 묘한 생각. 묘사(妙思).
묘:상[3]【苗床】[명]〖농〗①나무나 꽃 또는 채소의 모종을 키우는 자리. ②못자리. 묘판(苗板).
묘:상[4]【錨床】[명] 선박에서, 닻을 놓기 위해 갑판 위에 설치한 대(臺).
묘:상-각【墓上閣】[명] 장사(葬事) 때 비와 햇볕을 가리기 위하여 임시로 뫼의 구덩이 위에 베푸는 뜸집. 옹가(甕家).
묘:생【卯生】[명]〖민〗태세(太歲)의 지지(地支)가 묘(卯)의 해에 난 사람. 토끼띠.
묘:서【苗緖】[명] 묘윤(苗胤).
묘:석【墓石】[명] 묘비(墓碑).
묘:선【妙選】[명] 잘 골라 뽑음. 묘간(妙簡). ——-하다 [타][여불]
묘:설【妙說】[명] 뛰어난 언론. 훌륭한 설(說).
묘:성【昴星】[명]〖천〗이십팔수의 열여덟째. 육안으로 보이는 별의 수효는 6-7개이지만 실은 120개 가량의 별로 이루어졌으며, 지구로부터의 거리는 약 450광년(光年)임. 이 별이 음력 2월 6일에 달의 앞뒤에 서는 것을 보아 그 해의 풍흉(豐凶)을 점친다 함. 플레이아데스 성단 부근에 있음. 좀생이. 육련성(六連星). [준]묘(昴).
묘:성-기【昴星旗】[명]〖역〗의장기(儀仗旗)의 한 가지. 기폭에 묘성(昴星)을 그리었음.

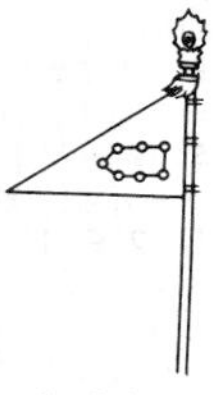
〈묘성기〉

묘:소[1]【妙所】[명] 묘처(妙處).
묘:소[2]【墓所】[명] '산소(山所)❷'의 존칭. 조역(兆域).
묘:-소년【妙少年】[명] 잘 생기고 예쁘장한 소년. ¶ 제조 이창신은 ~ 하나를 어전에 부복시켰다《朴鍾和 : 錦衫의 피》.
묘:수[1]【妙手】[명] ①묘한 수. ¶ 이번 바둑은 ~로 이겼다. ②기술이 교묘한 사람.
묘:수[2]【妙數】[명] 기기 묘묘한 운수. 사람의 기이하고 묘한 운수.
묘:수[3]【墓隧】[명] 무덤의 수도(隧道).
묘:수 풀이【妙手—】[명] 바둑에서, 어떤 일부분의 사활(死活)을 연구하는 과제(課題).
묘:술【妙術】[명] ①뛰어난 술법. ②교묘한 수단.
묘:시[1]【卯時】[명]〖민〗①하루 12시간 중의 넷째. 곧 상오 5시부터 7시까지의 사이. ②스물넷으로 나눈 하루의 일곱째 시간. 상오 6시 반부터 7시 반까지의 사이. [준]묘(卯).
묘:시[2]【藐視】[명] 업신여기어 깔봄. ——-하다 [타][여불]
묘:시-조【妙翅鳥】[명]〖불교〗가루라.
묘:식【廟食】[명] 죽어서 종묘·사당에서 제사를 받음. ——-하다 [자][여불]
묘:신【眇身】[명] 작은 몸집.
묘:실【墓室】[명]〖고고학〗'널방(房)'의 구용어.
묘:아【貓兒·猫兒】[명] 고양이의 새끼.
묘:아-란【貓兒卵】[명]〖한의〗백렴(白蘞)❷.
묘:아-자【貓兒刺】[명] 호랑가시나무의 열매. 구골(枸骨).
묘:아자-나무【貓兒刺—】[명]〖식〗호랑가시나무.
묘:악【廟樂】[명] 종묘(宗廟)의 제전(祭典) 때 연주하는 아악(雅樂).
묘:안【妙案】[명] 좋은 생각. 아주 뛰어난 고안(考案).
묘:안-석【猫眼石】[명]〖광〗광석의 한 가지. 석영(石英) 중에 각섬석(角閃石) 등이 일정하게 배열된 것과 섬유상의 금록옥(金綠玉)으로 이루어진 두 종류가 있음. 갈면 고양이 눈 모양으로 가느다란 단백광(蛋白光)이 남. 묘정석(猫睛石).
묘:안-창【猫眼瘡】[명]〖한의〗전신에 나는 고양이 눈 같은 부스럼.
묘:알【廟謁】[명] 임금이 친히 종묘(宗廟)에 나아가 배례함. ——-하다 [자][여불]
묘:약【妙藥】[명] 신통하게 잘 듣는 약.
묘:엄 존자【妙嚴尊者】[명]〖사람〗조선 초기의 중 '무학(無學)'의 호(號).
묘:역【墓域】[명] 묘소로서의 구역.
묘:연[1]【杳然】[명] ①그윽하고 멀어서 눈에 아물아물함. ②오래 되어 기억이 흐릿함. ③소식이 없어 행방을 알 수 없음. ¶ 행방이 ~하다. ——-하다 [형][여불]. ——-히 [부]
묘:연[2]【渺然】[명] 넓고 멀어서 아득함. ——-하다 [형][여불]. ——-히 [부]
묘:예[1]【妙譽】[명] 썩 훌륭한 명예.
묘:예[2]【苗裔】[명] 먼 후대(後代)의 자손.
묘:완【妙腕】[명] 교묘하고 놀라운 수완(手腕).
묘:용【妙用】[명] ①묘하게 사용함. 또, 묘한 용법. ②신묘(神妙)한 작용. ——-하다 [타][여불]
묘:우【廟宇】[명] 사당. 묘당(廟堂).
묘:운 상불【妙雲相佛】[명]〖불교〗묘운 여래(妙雲如來).
묘:운 여래【妙雲如來】[—너—] [명]〖불교〗진언종(眞言宗)에서 용수 보살(龍樹菩薩)의 본지(本地)인 부처의 이름. 묘운 상불(妙雲相佛).
묘:원[1]【渺遠】[명] 눈이 미치지 않을 만큼 까마득하게 멂. ——-하다 [형][여불]. ——-히 [부]
묘:원[2]【廟院】[명] 종묘와 서원.
묘:월【卯月】[명]〖민〗월건(月建)이 묘(卯)로 된 달. 곧 음력 2월.
묘:위【墓位】[명] 묘위토(墓位土).
묘:-위답【墓位畓】[명] 묘위토(墓位土)의 논. [준]묘답(墓畓).
묘:-위전【墓位田】[명] 묘위토(墓位土)의 밭. [준]묘전(墓田).
묘:-위토【墓位土】[명] 묘전(墓田)❶.
묘:유【卯酉】[명] 동(東)과 서(西). 동서(東西).
묘:유-권【卯酉圈】[—꿘] [명]〖천〗묘유선(卯酉線).
묘:유-사【卯酉仕】[명] '묘사 유파(卯仕酉罷)'의 줄어 변한 말.
묘:유-선【卯酉線】[명]〖천〗천구상(天球上)에 있어서 자오선(子午線)에 직각(直角)인 큰 원(圓). 곧 동서점(東西點)과 천정(天頂)을 지나는 평면이 천구(天球)와 만나는 금. 묘유권(卯酉圈).

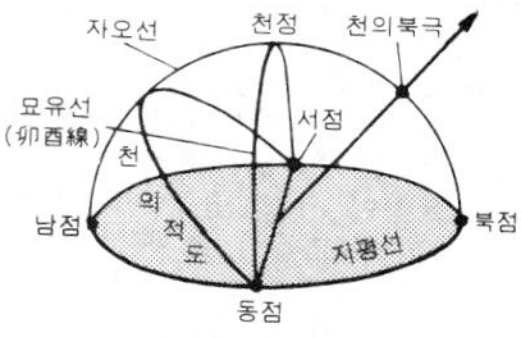

〈묘유선〉

묘:윤【苗胤】[명] 먼 자손. 핏줄. 묘서(苗緖).
묘:음【妙音】[명] 미묘한 소리. 훌륭한 음악.
묘:음 보살【妙音菩薩】[명]〖불교〗법화경 묘음 보살품(妙音菩薩品)에 나오는 보살. 동방의 정광 장엄국(淨光莊嚴國)으로부터 법화경의 회좌(會座)에 내림(來臨)하여, 서른여덟 가지로 현신(現身)하여 일체 중생을 구제하려는 본서(本誓)를 설법(說法)함.
묘:음-조【妙音鳥】[명]〖불교〗가릉빈가(迦陵頻伽).
묘:음-천【妙音天】[명]〖불교〗'변재천(辯才天)'의 이칭.
묘:의【廟議】[—/—이] [명] 묘당(廟堂)에서 열리는 회의. 곧, 조정(朝廷)의 회의. 묘론(廟論).
묘:일【卯日】[명] 일진(日辰)이 묘(卯)로 된 날. 토끼날.
묘:-입신【妙入神】[명] 놀랍도록 정묘(精妙)하여 신기한 지경에 들어감. ——-하다 [자][여불]
묘:자【妙姿】[명] 묘태(妙態).
묘:-장엄【妙莊嚴】[명]〖불교〗과거세(過去世)에 살았던 국왕(國王)의 이름. 외도 바라문(外道婆羅門)을 신봉하였으나, 부인과 두 아들이 간(諫)하여 법화경을 듣고 불법에 귀의하였음.
묘:재【妙才】[명] 뛰어난 재주. 또, 그런 재주를 가진 사람.
묘:저구 유적【廟底溝遺跡】[명] 먀오디거우 유적.
묘:적[1]【墓賊】[명] ↗묘구 도적(墓丘盜賊).
묘:적[2]【墓籍】[명] 등록된 묘지의 적(籍).
묘:적-부【墓籍簿】[명] 묘적에 관한 사항을 기록한 공부(公簿).
묘:전[1]【妙典】[명]〖불교〗〔묘(妙)는 불가사의(不可思議)라는 뜻〕불전서(佛典書).
묘:전[2]【墓田】[명] ①농토의 소출을 5세(世) 이상의 종족(宗族) 조상의 제자(祭資)로 쓰는 위토(位土). 종중(宗中)에서 주관하고, 주로 묘지기가 경작함. 묘위토(墓位土). 제위답(祭位畓). *제전[3](祭田). ②↗묘위전(墓位田).
묘:전[3]【墓前】[명] 무덤 앞. ¶ ~에 엎드려 절하다.
묘:전 걸소어【猫前乞蘇魚】[—쏘—] [명] 자기 능력에 미치지 못할 일은 하지도 말라는 뜻.
묘:절【妙絶】[명] 교묘함이 극치(極致)에 이름. ——-하다 [형][여불] 더할 수 없이 교묘함.
묘:정[1]【卯正】[명]〖민〗묘시(卯時)의 한중간의 시각. 곧, 오전 여섯 시.
묘:정[2]【廟廷】[명]〖역〗①묘당(廟堂)❷. ②묘정 배향(廟庭配享).
묘:정 배:향【廟庭配享】[명]〖역〗공로 있는 신하(臣下)가 죽은 뒤에 그 종묘(宗廟) 제사에 부제(祔祭)하는 일. 묘정(廟廷). [준]정향(庭享). ——-하다 [타][여불]
묘:정-비【廟庭碑】[명] 사원(寺院)이나 향교(鄕校) 등의 뜰에 세운 비석(碑石).
묘:정-석【猫睛石】[명]〖광〗묘안석(猫眼石).
묘:정-초【猫睛草】[명]〖식〗택칠(澤漆).
묘:제【墓祭】[명] 산소에서 지내는 제사. 묘사(墓祀).
묘:조【苗條】[명] 식물의 줄기와 잎의 총칭. 관(管)다발 식물의 줄기와 잎은 특히 발생 초기에서 각각 독립한 체제(體制)가 아니라, 일체(一體)가 되어 생장을 계속한다는 생각에 의거한 말.
묘:족【苗族】[명]〔Miao〕〖인류〗중국의 구이저우 성(貴州省)을 중심으로 윈난성(雲南省)·후난성(湖南省), 베트남, 라오스 등지에 사는 만족(蠻族). 고(古)몽고 인종계(人種系)에 속함. 대체로 몸집이 왜소(矮小)하며 살갗이 누른 빛깔이고 성질이 몹시 급하고도 강함. 옷의 빛깔에 따라 백묘(白苗)·청묘(靑苗)·화묘(花苗)·흑묘(黑苗)로 나뉨. 독특한 신화·전설을 가짐. 언어는 먀오어(Miao語).
묘:좌 유향【卯坐酉向】[명]〖민〗가옥·묘 등의 방위(方位)가 묘방(卯方)에서 유방(酉方)을 향하여 앉은 터의 판국.
묘:주[1]【卯酒】[명] 조주(朝酒).
묘:주[2]【墓主】[명] 무덤의 임자.
묘:주[3]【廟主】[명] 분묘(墳墓)·종묘(宗廟)에 모시는 신주(神主).
묘:지[1]【妙旨】[명] 묘한 뜻.
묘:지[2]【墓地】[명] 무덤이 있는 땅. 또, 그 구역. 구원(九京). 총지(塚地). ¶ 공원 ~.
묘:지[3]【墓誌】[명] 죽은 사람의 이름·관위(官位)·행적(行績)·자손 이름·생사장(生死葬) 연월일 등을 새겨서 관(棺)과 함께 파묻는 돌이나 도판(陶板). 또, 거기에 새긴 글. 광지(壙誌). 택조(宅兆).
묘:지[4]【錨地】[명] 배가 닻을 내리고 정박(碇泊)하는 곳.
묘:지 공원【墓地公園】[명] 공동 묘지 같은 묘소(墓所)를 중심으로 조성(造成)한 공원.
묘:-지기【墓—】[명] 남의 묘를 지키며 거기에 딸린 일을 보살피는 사람. 묘노(墓奴). 묘직(墓直). 총호(塚戶).
묘:지-명【墓誌銘】[명] 묘지에 기록한 명문(銘文). [준]묘명(墓銘).
묘:직【墓直】[명] 묘지기.
묘:진【墓陳】[명] 묘지에 딸려 있어 조세를 면하는 논밭.
묘:창해지-일속【渺蒼海之一粟】[—쏙] [명] 넓고 푸른 바다에 한 알의 좁쌀과 같음. 매우 큰 것 속에 하나의 조그마한 것이 끼어 있다는 뜻. 또, 넓은 세상에 사는 하나의 작은 인간이라는 뜻의 비유.
묘:책[1]【妙策】[명] 매우 교묘한 꾀. 묘계(妙計). 묘산(妙算).
묘:책[2]【廟策】[명] 묘당(廟堂)의 계책. 조정(朝廷)의 계획. 묘략(廟略). 묘산(廟算).
묘:처【妙處】[명] 오묘(奧妙)한 곳. 미묘한 대목. 묘소(妙所).

묘:청【妙淸】명〖사람〗 고려 인종(仁宗) 때의 술승(術僧). 정지상(鄭知常)의 추천으로 왕의 고문이 되어, 풍수 지리(風水地理)의 이상을 표방하고, 서경(西京)으로 천도할 것을 주장하다가 실패하자, 인종 13년(1135)에 서경에서 반란을 일으켰음. [?-1135]

묘:청의 난:【妙淸一亂】[一/一에一] 명〖역〗고려 인종(仁宗) 13년(1135)에 묘청이 서경 곧, 지금의 평양에서 일으킨 반란. 서경 천도 운동이 좌절되자 묘청이 조광(趙匡)과 함께 국호를 대위(大爲), 연호를 천개(天開)라 선포하고 반기를 들었으므로 조정에서는 김부식(金富軾)을 평서 원수(平西元帥)로 임명, 반란군을 치게 하였음. 사세(事勢)가 불리함을 깨달은 반란군의 자중지난(自中之亂)으로 묘청이 조광의 손에 죽고, 인종 14년(1136) 2월에 조광이 분사(焚死)함으로써 약 1년 만에 난은 진압됨. 이 일은 문신(文臣)의 위신을 높이고 무신(武臣)을 멸시하는 풍조를 낳게 하였음.

묘:체【妙諦】명 묘한 진리. 뛰어난 진리. ¶ 정치의 ~.

묘:초【卯初】명 묘시(卯時)의 처음 시각. 곧, 오전 다섯 시경.

묘:촌【墓村】명 조상의 산소가 있는 마을.

묘추리 명〈방〉〖조〗메추라기(황해).

묘:축【廟祝】명 종묘(宗廟)를 지키는 사람.

묘:출【描出】명 그려 냄. ——하다 타여불

묘:취【妙趣】명 미묘한 취향. 묘미(妙味).

묘:코:산【一山】〔妙高:みょうこう〕명〖지〗일본 니가타 현(新潟縣)에 있는 후지 화산대(富士火山帶) 북단의 이중식 코니데형 휴화산(Konide 型休火山). 피서지·스키장 등으로 유명함. [2,446 m]

묘:탑【廟塔】명〖불교〗불상(佛像)을 안치해 두는 묘우(廟宇)의 탑.

묘:태【妙態】명 아름다운 모양. 묘자(妙姿).

묘:파【描破】명 밝히어 그려 냄. 남김없이 그려 냄. ——하다 타여불

묘:판【苗板】명 ①못자리. 묘상(苗床). ②모판¹.

묘:포【苗圃】명〖농〗묘목(苗木)을 심어 기르는 밭. 모밭. *모판¹.

묘:표¹【墓表】명 ①무덤 앞에 세우는 푯돌. 품계(品階)·관직(官職)·성명 등을 새김. 표석(表石). *묘비(墓碑). ②〖문〗중국 전기(傳記) 문체의 하나. 죽은 사람의 사적과 덕행을 기리는 문장으로 돌에 새겨 무덤 밖에 세움. 관위(官位)의 유무나 고하(高下)에 관계없이 씌어짐. 표석. *묘비·묘갈(墓碣).

묘:표²【墓標】명 무덤 앞에 세우는 표. 묘비 같은 것.

묘:품¹【妙品】명 정밀(精密)하고 교묘한 작품.

묘:품²【妙稟】명 뛰어나게 훌륭한 품성. 또, 그러한 품성을 지닌 사람.

묘:필【妙筆】명 매우 잘 쓴 글씨나 잘 그린 그림.

묘:하【墓下】명 조상(祖上)의 산소가 있는 땅. ¶ ~에 살고 있네.

묘:-하다【妙一】형여불 ①기이하고 잘되다. 신기하거나 보기 좋다. ¶ 묘하게 생긴 돌. ②이상 야릇하다. 불가사의하다. 괴상하다. ¶ 묘한 처지에 놓이다/묘한 이야기/묘한 몸짓. ③공교하다. 때나 기회가 우연히 좋거나 나쁘다. ¶ 묘하게 돌아가다/묘한 기회.

묘:항 현:령【猫項懸鈴】[一혈一] 명 묘두 현령(猫頭懸鈴).

묘:행【妙行】명〖불교〗뛰어난 행법(行法).

묘:향-산【妙香山】명〖지〗평안 북도 영변군(寧邊郡) 신현면(薪峴面)과 백령면(百嶺面) 경계에 있는 명산. 묘향 산맥의 주봉(主峰)으로서 경치가 매우 좋고 단군(檀君)이 강림했다는 전설로 유명함. 산 속에는 보현사(普賢寺)를 비롯한 서산(西山)·사명(四溟) 두 대사의 원당(院堂)이 있음. [1,909 m]

묘:향 산맥【妙香山脈】명〖지〗평안 남북도의 경계선 부근을 서남 방향으로 달리는 산맥. 산맥 중에는 묘향산·동룡굴(蝀龍窟) 등이 있어 유명함.

묘:혈【墓穴】명 무덤 구멍. 광혈(壙穴).

묘:혈을 파다 구 자기의 행위가 원인이 되어 파멸하다. 스스로 멸망의 길로 나아감의 비유.

묘:호¹【杳乎】명 깊고 넓은 모양. ——하다 형여불

묘:호²【廟號】명 임금의 시호(諡號).

묘:화¹【妙畫】명 뛰어난 그림.

묘:화²【描畫】명 ①다른 그림을 본떠서 그림. 또, 그렇게 그린 그림. ②그림을 그림. ——하다 자타여불

묘:휘【廟諱】명 임금이 죽은 뒤에 지은 휘(諱).

묫:-자리【墓一】명 묏자리.

무¹ 명 웃옷의 좌우 겨드랑이 아래에 대는 딴 폭.

무² 명〖한의〗골막염(骨膜炎)이나 골수염(骨髓炎) 또는 외상으로 말미암아 뼈의 한 부분이 썩어서 못 쓰게 되는 병. 나중에는 살이 헐어서 구멍이 생기고 고름이 남. 부골저(附骨疽).

무:³ 명〖식〗[*Raphanus sativus*] 겨잣과에 속하는 일년생 또는 월년생(越年生)의 재배 초본(栽培草本). 줄기 높이 60-100 cm이고 잎은 군출(群出) 호생하며, 우상 분열(羽狀分裂)하고 가에 톱니가 있음. 봄에 백색 또는 담자색의 사판화(四瓣花)가 줄기 끝에 총상(總狀) 화서로 피고, 폐과(閉果)는 길이 4-6 cm인데, 적갈색의 편편한 구상(球狀)의 종자가 한 개씩 들어 있음. 중앙 아시아 원산(原産)으로, 온대(溫帶)의 아시아·유럽 등에 많은 변종(變種)과 품종이 재배됨. 봄·여름·가을에 파종하는 것이 있음. 뿌리는 잎과 함께 식용하고 비타민·단백질의 함유량이 많아 약용(藥用)으로도 쓰임. 나복(蘿蔔). 내복(萊菔). 노복(蘆菔). 청근(菁根). 래디시(radish).

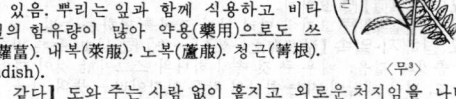

〈무³〉

[무 밑동 같다] 도와 주는 사람 없이 홀지고 외로운 처지임을 나타내는 말.

무:⁴【戊】명〖민〗천간(天干)의 다섯째.

무⁵【無】명 ①아무것도 없음. 현존(現存)하지 아니함. 오유(烏有). ¶ ~에서 유(有)를 낳다. ↔유(有). ②허무함. 공허함. ③〖철〗노자(老子) 사상에 있어서의 도(道). 즉 시각·청각·촉각 등 감각을 초월한 존재이면서도 만물(萬物)의 시원(始源)이 되는 것. *무위(無爲). ④〖불교〗허무주의 사상 등, 인과 업보(因果業報)를 믿지 아니하고 세상 및 인간의 단멸(斷滅)을 주장하는 잘못된 생각. 단견(斷見). ⑤〖철〗키르케고르(Kierkegaard)에 있어서, 불안(不安)의 관념과 결부되어 신(神) 앞에서 미소(微小)한 것이라고 의식된 인간 존재(人間存在)의 양태(樣態). 니체(Nietzsche)에 있어서, 신 대신 인간을 받드는 것. 하이데거(Heidegger)에 있어서, 인간에 있어서의 죽음의 가능성의 관념. ↔유(有)·존재. ——하다 형여불 없다.

무⁶【畝】의명 → 묘(畝)⁷.

무-【無】접 명사의 앞에 붙어서 그것이 없음을 나타내는 말. ¶ ~감각/~자비/~관심.

-무 어미〈방〉-면(경북).

무:가¹【巫家】명 무당의 집.

무:가²【巫歌】명 무당의 노래.

무:가³【武家】명 대대로 호반(虎班)의 벼슬을 하는 집안. 무관(武官)집.

무가⁴【無價】명 ①값이 없음. ②값을 매길 수 없을 만큼 귀중함.

무:가⁵【舞歌】명 춤과 노래. 또, 춤추며 노래함. ——하다 자여불

무가-내【無可奈】명 ↗무가내하(無可奈何).

무가-내하【無可奈何】명 어찌할 도리가 없음. 막가내하(莫可奈何). 막무가내(莫無可奈). ¶ 아무리 말려도 듣지 아니하니 ~다. 준무가내.

무-가당【無加糖】명 당분을 첨가하지 않음.

무가 무불가【無可無不可】명 옳을 것도 없고 그를 것도 없음.

무가-보【無價寶】명 값을 칠 수가 없는 귀중한 보배. 무가지보(無價之寶).

무가-산【無價散】명〖한의〗개똥을 말리어 빻은 가루. 어린 아이의 곽란(霍亂)이나 학질(瘧疾)·월경 불순(月經不順)·옹(癰)·정(疔)·창(瘡) 등에 약으로 쓰이는데 특히 센개의 똥이 약효가 크다 함.

무가압 인쇄【無加壓印刷】명〖인쇄〗인쇄 방법의 하나. 종이에 인쇄할 때에 압력·충격 따위를 가하지 아니하는 인쇄 방법.

무가-지【無價紙】[一까一] 명 신문사에서, 무료로 배부하는 신문.

무가지-보【無價之寶】명 무가보(無價寶).

무-가치【無價値】명 아무런 가치가 없음. 소용이 없음. ——하다 형여불

무각-류【無角類】[一뉴] 명〖동〗[Acerata] 절지(節肢) 동물의 광익류(廣翼類)·주형류(蛛形類)·개각류(皆脚類)의 3목(目)을 합쳐 만든 한 강(綱). 촉각과 후각(嗅覺) 기관이 없고, 머리·가슴·배의 부분은 체절(體節)이 아주 붙었으며, 머리와 가슴의 부분에는 여섯 쌍의 유절지(有節肢)가 있음.

무각 무인【無覺無認】명 느끼지 아니하고 인식하지 아니함. ——하다 타여불

무각-우【無角牛】명〖동〗뿔이 없는 소의 한 품종(品種).

무:간¹【武幹】명 무예에 익숙하고 능란함. ——하다 형여불

무간²【無間】명 아주 친하여 서로 막힘이 없이 사이가 가까움. ¶ ~한 사이. ——하다 형여불. ——히 부

무간 나락【無間奈落】명〖불교〗무간 지옥(無間地獄).

무간-도【無間道】명〖불교〗사도(四道)의 하나. 다시 노력 정진(精進)한 공(功)이 현저하며 진지(眞智)를 발하고 번뇌를 끊는 경지.

무간 아비【無間阿鼻】명〖불교〗무간 지옥.

무간-업【無間業】명〖불교〗무간 지옥에 떨어질 만한 지극히 무거운 악업(惡業).

무간-옥【無間獄】명〖불교〗무간 지옥.

무간 죄:보【無間罪報】명 한없는 죄악에 대한 과보(果報).

무간 지옥【無間地獄】명〔범 Avīci〕〖불교〗팔열 지옥(八熱地獄)의 하나. 사바 세계(娑婆世界)의 아래로, 2만 유순(由旬)되는 곳에 있는데, 죽은 후 이 곳에 떨어지면 일겁(一劫) 동안에 걸쳐 간단(間斷)없이 지독한 고통을 받는다는 뜻에서 이렇게 일컬음. 오역죄(五逆罪)의 하나를 범하거나, 절을 파하거나 또는 성중(聖衆)을 비방(誹謗)하고 시주(施主)한 재물을 함부로 축내는 자들은 이 지옥에 떨어진다 함. 무간 나락(無間奈落). 무간 아비. 무간옥. 아비 지옥(阿鼻地獄).

무갈등성 이:론【無葛藤性理論】[一뚱썽一] 명〖문〗일찍이 소비에트 문학계에서 논쟁을 일으킨 문제. 소비에트 사회에는 계급적·사회적 모순 갈등이 존재할 리가 없다고 단정(斷定)한 철학상·정치상의 주장 및 이에 따르는 창작(創作) 방법을 비난하기 위하여 스탈린 체제(體制) 말기에 정치적 필요에서 사용된 호칭(呼稱).

무:감¹【武監】명 ①〖역〗↗무예 별감(武藝別監). ②〖민〗굿을 하는 도중 새벽 2시쯤, 무당이 쉬는 사이에, 잠시 굿하는 집의 식구나 동네 사람이 무당의 쾌자(快子)를 빌어 입고, 춤추고 즐기는 일.

무감²【無感】명 ①무관심. ②무감각. ——하다 형여불

무-감각【無感覺】명 감각이 없음. ——하다 형여불

무감각-증【無感覺症】명〔anesthesia〕〖생〗신경성 또는 심인성(心因性) 원인에 의한 감각의 소실.

무-감동【無感動】명 감동함이 없음. ——하다 형여불

무-감사【無鑑査】명 미술 전람회 등에 출품하는 데 있어서 심사 위원의 감사를 거치지 아니하는 일. 또, 그 사람. ¶ ~ 작품.

무:-감자 명〈방〉〖식〗고구마(충청).

무-감정【無感情】명 감정의 움직임이 없음. 무표정. ——하다 형여불

무감 지대【無感地帶】명〖지〗지진동(地震動)을 인체가 감지(感知)할 수 없는 지역. 곧, 무감 지진이 일어난 지대. ↔유감 지대.

무감 지진【無感地震】명〖지〗지진동이 인체에는 거의 느껴지지 않으나 지진계에는 기록될 정도의 약한 지진. ↔유감(有感) 지진.

무갑-류【無甲類】[一뉴] 명〖동〗[Illoricata] 윤형(輪形) 동물 유영류(游泳類)에 속하는 한 아목(亞目). 몸은 부드럽고 연하며 갑각(甲殼)이 없음. *유갑류(有甲類).

무강【無疆】명 한이 없음. 끝이 없음. ——하다 형여불

무강-류【無腔類】[一뉴] 명〖동〗무장류(無腸類).

무:-강즙【一薑汁】[명] 무를 강판에 갈아서 짜낸 물. 소화제나 기침약으로 씀.
무:개[1]【務開】[명]〖역〗조선 때, 잡송(雜訟)의 청리(聽理) 기간. 농한기(農閑期)인 추분일부터 춘분일까지임. ↔무정(務停).
무개[2]【無蓋】[명] 지붕이 없음. 덮개·뚜껑이 없음.
무개 자동차【無蓋自動車】[명] 지붕을 걷어 버린 자동차. ↔오픈 카.
무개-차【無蓋車】[명] ①지붕이 없는 차량. 곧 스포츠 카 같은 것. 노거(露車). 노차(露車). ②무개 화차. 1)·2):↔개차(蓋車)·유개차.
무개 화:차【無蓋貨車】[명] 지붕이 없는 화차. 목판차(木板車). 무개차. ↔유개 화차.

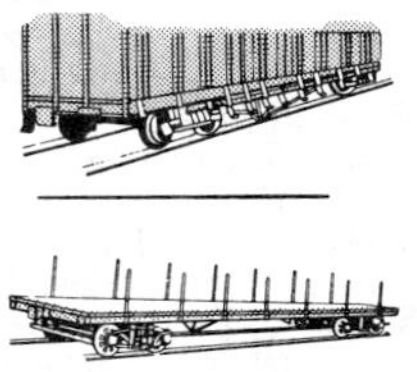
〈무개 화차〉

무갹출제 연금【無醵出制年金】[一쩨一] [명] 연금액(年金額)의 지급에 드는 비용을 피보험자가 부담하지 아니하고 전액(全額)을 국고에서 부담하는 연금 제도. ↔갹출제 연금.
무거[1]【無去】[명]〖불교〗사라짐이 없음. 곧, 여래(如來)의 법신(法身)의 상주(常住)를 이르는 말.
무거[2]【無據】[명] ①근거가 없음. 터무니없음. 무계(無稽). 무근(無根). ②의지할 데가 없음. ——-하다 [형][여불]
무거리 [명] 곡식 같은 것을 빻아 체에 쳐서 가루를 빼고 남은 찌끼.
무거리 고추장【一醬】[명] 메줏 가루의 무거리로 담근 고추장.
무거 무래【無去無來】[명]〖불교〗무시 무종(無始無終)❷.
무거 불측【無據不測】[명] ①언행이 상규(常規)를 벗어나 몹시 흉악함. ②근거가 없어 헤아리기 어려움. ——-하다 [형][여불]
무거웁다 [형]〈방〉무겁다.
무:검-희【舞劍戲】[一히] [명]〖연〗검무(劍舞). 칼춤.
무겁[1] [명] 활터의 과녁 뒤에 흙으로 둘러싼 곳.
무겁[2]【無怯】[명] 겁이 없음. 두려움이 없음. ——-하다 [형][여불]
무겁다 [형][ㅂ불]〔중세 : 므겁다〕①무게가 많다. ¶무거운 돌. ②언행이 매우 신중하다. ¶입이 ~. ③부담·책임·비중 따위가 많거나 중대하다. ¶책임이 ~. ④병이나 죄(罪)가 심하거나 크다. ¶죄가 ~. ⑤기분이 언짢거나 우울하다. 또, 머리가 개운하지 아니하다. 또, 힘이 빠져서 느른하다. ¶무거운 마음/머리가 ~/무거운 발걸음. ⑥동작이 느리고 둔하다. ¶바퀴가 무겁게 돌아간다. 1)-6):↔가볍다.
무겁디-무겁다 [형][ㅂ불] 아주 무겁다.
무겁 한량【一閑良】[一할一] [명] 무겁을 보살피며 검사하는 한량.
무겁 활량 [명] ☞무겁 한량.
무겅이 [명]〈방〉묵정이.
무게 [명]〔중세 : 므긔〕①물건의 무거운 정도. 특히, 물리학에서는 물체에 작용하는 지구의 인력의 크기. 근량(斤量). 중량. ¶~가 나가는 물건. ②언행이나 인품(人品)의 침착하고 의젓한 정도. ¶~ 있는 사람. ③가치나 중대성의 정도. ¶~ 있는 작품.
[무게가 천 근(千斤)이나 된다] ㉠무엇이 매우 무겁다는 뜻. ㉡사람됨이 묵직하여 믿음직스러움을 이르는 말.
무게 분석【一分析】[명]〔gravimetric analysis〕〖화〗정량(定量) 분석의 한 가지. 정량하려는 성분을 칭량(秤量)에 편리한 일정 조성(一定組成)의 화합물(化合物)의 형태로 만들어 분리하여 무게를 측정하고, 그 성분의 양을 구하는 분석법. ↔부피 분석.
무게 중심【一中心】[명] ①〔center of gravity〕〖물〗중력(重力)의 중심이라는 뜻으로, 물체의 각 부분에 작용하는 평행력의 합력점(合力點). 중심(重心). 질량 중심. ②〔median point〕〖수〗각 부분에 한결같은 밀도(密度)를 가진 물체로 생각되는 어떤 도형(圖形)의 질량의 중심에 일치하는 점. 삼각형에서는 세 개의 중선(中線)이 한 점에서 교차되는 점. 중심(重心).
무:격【巫覡】[명] 무당과 박수.
무:격 신:앙【巫覡信仰】[명] 무당·박수를 신과 인간과의 매체(媒體)로 생각하는 신앙.
무격-포【巫覡布】[명]〖역〗신세포(神稅布).
무견【無見】[명]〖불교〗일체는 무(無)라고 주장하는 견해. ↔유견(有見).
무견-정【無見頂】[명]〖불교〗↗무견정상(無見頂相).
무견정-상【無見頂相】[명]〖불교〗부처의 팔십 수형호(八十隨形好)의 하나. 부처의 정상(頂上)의 육괴(肉塊)가 융기하여 된 상투 모양의 것.
무결【無缺】[명] 결점이나 결함이 없음. 무흠(無欠). ——-하다 [형][여불]
무-결근【無缺勤】[명] ①결근한 일이 없음. ②한 사람도 결근이 없음.
무-결석【無缺席】[一썩] [명] ①결석한 일이 없음. ②한 사람도 결석이 없음.
무결점 운:동【無缺點運動】[명]〖경〗제로 디펙츠 운동.
무-결함【無缺陷】[명] 결함이 없음.
무:겸【武兼】[명]〖역〗↗무신 겸 선전관(武臣兼宣傳官).
무:경[1]【巫經】[명]〖민〗판수 들이 치병(治病) 등을 목적으로 독경(讀經)할 때에 불리는 경문.
무:경[2]【武經】[명] 군사(軍事) 및 병법(兵法)에 관한 책.
무경[3]【無莖】[명]〖식〗줄기가 없음. ↔유경(有莖).
무경[4]【無梗】[명]〖식〗화경(花梗) 같은 것이 없음. ↔유경(有梗).
무-경계【無經界】[명] 옳고 그름의 구별이 없음. 몰경계(沒經界). 몰경위(沒涇渭). 무경위. ——-하다 [형][여불]
무-경고【無警告】[명] 경고가 없음. 경고를 하지 아니함. ¶~ 사격.
무-경위【無涇渭】[명] 경위(涇渭)가 서지 아니함. 옳고 그름을 분간함이 없음. 몰경위(沒涇渭). 무경계(無經界). ——-하다 [형][여불]
무-경쟁【無競爭】[명] 어떤 자격을 얻는 데 시험·선발 등의 관문을 거칠 필요가 없음. 경쟁할 대상이 없음.
무:경 총:요【武經總要】[명]〖책〗중국 송(宋)나라의 인종(仁宗)이 강정(康定) 9년(1040)에 증공량(曾公亮) 등에게 명하여 5년 후에 완성한 병서(兵書). 고금의 병서를 참고하여 진법(陣法)·기계·공방(攻防)의 도구 등을 그림으로 그린 것으로, 1230년에 간행하였음. 40권.
무:경 칠서【武經七書】[一써] [명]〖책〗중국의 병법에 관한 일곱 가지 책. 곧 육도(六韜)·손자(孫子)·오자(吳子)·사마법(司馬法)·황석공 삼략(黃石公三略)·울요자(尉繚子)·이위공 문대(李衛公問對)의 총칭. 무학칠서(武學七書). [준]칠서(七書).
무-경험【無經驗】[명] 경험이 없음. ——-하다 [형][여불]
무계[1]【無戒】[명]〖불교〗계법(戒法)을 받지 아니함. 또, 불교를 믿고 있어도 계율(戒律)에는 무관계함. ↔유계(有戒).
무계[2]【無稽】[명] 무거(無據)❶. ¶황당(荒唐) ~. ——-하다 [형][여불]
무:계[3]【懋戒】[명] 힘써 잘 경계함. ——-하다 [타][여불]
무계 아:문【無階衙門】[명]〖역〗조선 시대에, 대군(大君)이나 왕자군(王子君)이 그 장관(長官)이 되었을 때의 종친부(宗親府)의 호칭.
무:계 야:반 생임자【戊癸夜半生壬子】[명]〖민〗일진(日辰)의 천간(天干)이 무(戊)나 계(癸)로 된 날의 첫 시(時)는 임자(壬子)시로 시작된다는 말.
무:계지년 갑인두【戊癸之年甲寅頭】[명]〖민〗태세(太歲)의 천간(天干)이 무(戊)나 계(癸)로 된 해는 정월의 월건(月建)이 갑인(甲寅)이 된다는 말.
무-계출【無屆出】[명] '무신고(無申告)'의 종전 용어.
무:계-호【武溪湖】[명]〖지〗함경 북도 경성군(鏡城郡) 어랑면(漁浪面)에 있는 못. [1.8 km^2]
무-계획【無計劃】[명] 계획이 없음. ——-하다 [형][여불]
무:고[1]【巫瞽】[명] 무당과 판수.
무:고[2]【巫蠱】[명] ①무당과 사도(邪道)로써 남을 고혹(蠱惑)하는 자. ②무술(巫術)로써 남을 저주(咀呪)함. ——-하다 [타][여불]
무:고[3]【武庫】[명]〖역〗'군기시(軍器寺)'의 별칭.
무고[4]【無告】[명] 괴로운 처지를 하소연할 곳이 없음. 또, 그러한 사람. ——-하다 [형][여불]
무고[5]【無故】[명] ①아무런 연고가 없음. ②사고(事故) 없이 평안함. 무사(無事). 1)·2):↔유고(有故). ——-하다 [형][여불]. ——-히 [부]
무고[6]【無辜】[명] 아무 죄가 없음. ¶~한 백성. ——-하다 [형][여불]
무:고[7]【誣告】[명]〖법〗없는 사실을 거짓으로 꾸미어 남을 해당 기관에 고발(告發)·고소(告訴)하는 일. ——-하다 [타][여불]
무:고[8]【舞鼓】[명]〖악〗①정재(呈才) 때에, 기생이 춤추며 치던 북. 지름 약 50 cm, 통의 높이 약 23 cm, 네 기둥의 높이 약 50 cm로, 북의 면이 위로 오게 걸어 놓음. 교방고(敎坊鼓)와 같되, 조금 작고, 북통 둘레를 청(靑)·홍(紅)·백(白)·흑(黑)으로 칠하여 동서남북에 배설(配設)하며, 틀의 기둥도 셋인 것이 다름. ②향악(鄕樂)에 속하는 춤. 원래는 무고 하나를 놓고 두 사람의 기생이 함께 북을 치며 춤. 고려 충렬왕(忠烈王) 때, 시중(侍中) 이혼(李混)이 영해(寧海)로 귀양가서, 바다에 뜬 나무를 건져 무고(舞鼓)를 만들고 창안(創案)한 춤이라 함. 조선 성종(成宗) 때에는 다시 사고무(四鼓舞)·팔고무(八鼓舞)로 발전하였음. 북춤.

〈무고[8]❶〉

〈무고[8]❷〉

무고-감【無辜疳】[명]〖한의〗감병(疳病)의 한 가지. 얼굴이 누렇게 뜨고 수족(手足)이 바짝 마르는 어린 아이의 병.
무고 감:염【無辜感染】[명] 성교(性交)에 의하지 아니한 성병(性病)의 감염. 목욕탕 같은 데서 감염되는 일 따위.
무고 부진【無故不進】[명] 아무 이유 없이 나오지 아니함. 아무 사고 없이 참여하지 아니함. ——-하다 [자][여불]
무:고의 옥【巫蠱一獄】[一/一에一] [명]〖역〗조선 숙종(肅宗) 27년(1701)에, 장희빈(張禧嬪)이 궁인(宮人)과 무당을 시켜 인현(仁顯) 왕후를 방자한 사실이 드러나서 벌어진 옥사(獄事). 장희빈과 그의 동생 장희재(張希載)는 사사(賜死)되고, 관련된 궁인·무당은 처형되었으며, 관대한 처벌을 청한 소론(少論)의 남구만(南九萬)·최석정(崔錫鼎)·유상운(柳尙運)이 유배됨.
무고 작산【無故作散】[명] 아무 까닭 없이 벼슬을 빼앗아 버림. ——-하다 [타][여불]
무고장 선하 증권【無故障船荷證券】[一꿘] [명]〖법〗적요란(摘要欄)에 선적 화물에 고장이 있다는 내용의 기재가 없는 선하 증권. ↔고장부(故障附) 선하 증권.
무:고-죄【誣告罪】[一쬐] [명]〖법〗남으로 하여금 형사 처분 또는 징계 처분을 받게 할 목적으로 공무원 또는 관계 기관에 허위의 사실을 신고함으로써 성립하는 죄.
무고지-민【無告之民】[명] ①어디다 호소할 데가 없는 어려운 백성. ②의지할 데가 없는 늙은이나 어린 아이.
무:곡[1]【武曲】[명]〖천〗↗무곡성(武曲星).
무:곡[2]【貿穀】[명] ①장사하려고 많은 곡식을 사 들임. 또, 그 곡식. ②무미(貿米). ——-하다 [자][여불]
무:곡[3]【舞曲】[명]〖악〗①춤과 악곡(樂曲). ②춤추기 위한 악곡의 총칭. 무도곡(舞蹈曲).
무:곡-성【武曲星】[명]〖천〗구성(九星) 중의 여섯째 별. 염정성(廉貞星) 다음, 파군성(破軍星)의 위에 있음. [준]무곡(武曲).
무:곡-통【貿穀桶】[명] 예전에 곡식을 사들이는 장사아치들이 쓰던 곡식 섬. 말 수가 관곡(官穀)을 담는 섬보다 많이 듦.
무골【無骨】[명] ①뼈가 없음. ②체계가 서 있지 아니하고 어지러워 갈피를 잡을 수 없는 문장.
무골-충【無骨蟲】[명] ①〖충〗뼈가 없는 벌레의 총칭. ②됨됨이가 물렁하여 굳은 의지(意志)나 기개가 없는 사람을 비웃는 말.

무골-충이 명 〖건〗 기둥·문얼굴 등의 모서리에 줄을 두드러지게 친 상사.
무골 호:인【無骨好人】명 뼈없이 좋은 사람. 곧, 아주 순하여 남의 비위에 두루 맞는 사람. *무등 호인(無等好人).
무:공[1]【武工】명 조선 시대에, 봉상시(奉常寺)에 소속된 악공(樂工). 병조(兵曹)에서 뽑힌 소년들로 구성되어, 제례악(祭禮樂)에 무무(武舞)를
무:공[2]【武功】명 군사상의 공적. 무열(武烈). 무훈(武勳). ㄴ말음.
무공[3]【無孔】명 구멍이 없음.
무공[4]【無功】명 공로가 없음. ——-하다 형여불
무공[5]【無跫】명 발자국 소리가 없음. ——-하다 형여불
무:공[6]【貿公】명 ↗대한 무역 진흥 공사.
무:공[7]【誣供】명 〖역〗 거짓으로 꾸며대는 공초(供招).
무-공덕【無功德】명 〖불교〗〔선(善)을 행하여도 공덕이 없다는 뜻으로〕 특히 선종(禪宗)에서, 선(禪)의 행위는 무심한 것으로서 결코 과보(果報)를 바라지 아니함을 이르는 말.
무:공-랑【務功郎】[一낭] 명 〖역〗 조선 시대에, 동반(東班)의 정칠품(正七品)의 품계(品階). 계공랑(啓功郎)의 위.
무-공용【無功用】명 〖불교〗 ①수업(修業)을 아니 함. ②자연 그대로 어떠한 조작도 가하지 아니함.
무공-전【無孔錢】명 맹전(盲錢). ↔유공전(有孔錢).
무공-주【無孔珠】명 구멍이 뚫려 있지 아니한 진주(眞珠).
무공-침【無孔針】명 못바늘. 핀(pin).
무:공 포장【武功褒章】명 국토 방위에 헌신 노력하여 그 공적이 뚜렷한 사람에게 수여하는 포장. 수(綬)는 소수(小綬)이며, 담홍색 바탕 중앙에 백색 줄이 한 줄 있음.
무공해 식품【無公害食品】명 화학 비료와 농약을 사용하지 않고 생산된 농·축산물과 그 가공 식품. 저공해 식품.
무:공 훈장【武功勳章】명 전시(戰時) 또는 이에 준(準) 〈무공 포장〉 하는 비상 사태 하에서 전투에 참가하여 뚜렷한 무공(武功)을 세운 사람에게 수여하는 훈장. 태극·을지·충무·화랑·인헌의 5 등급이 있음. *태극 무공 훈장.
무:과[1] 명 〈방〉 〖식〗 모과.
무:과[2]【武科】명 〖역〗 조선 시대에, 무예(武藝)와 병서(兵書)에 통한 사람을 선발하던 과거. 문과(文科)와 같이 3 년에 한 번 거행하는 식년시(式年試) 이외에 수시로 거행하는 증광시(增廣試)·별시(別試)·알성시(謁聖試)·정시(庭試)·춘당대시(春塘臺試) 등의 과(科)가 있었고, 특히 무과는 응시 자격에 특별한 제한이 없어서 천인(賤人) 이외는 누구나 응시할 수 있었음. *무과 별시·무과 복시·무과 전시. ↔문과(文科).
무과립 백혈구【無顆粒白血球】명 〔nongranular leukocyte〕 〖생〗 백혈구의 일종. 림프구(lymph球)·단핵(單核) 백혈구 등이 이에 속하는데, 세포질 과립을 함유하지 않으며 그 핵(核)이 비교적 크든가 모양이 울퉁불퉁한 점이 특징임.
무과립 세:포증【無顆粒細胞症】[一쯩] 명 〖의〗 혈액 속의 과립성 백혈구(顆粒性白血球)의 현저한 감소 또는 소실(消失)을 일으키는 병증. 중년 여성에 특히 많음. 갑자기 발병(發病)하여 고열(高熱)이 나고 구강(口腔)·인두(咽頭)에 괴저성 궤양(壞疽性潰瘍)이 생기며 백혈구가 2,000 이하로 감소됨. 사망률은 50-80 %임.
무:과 별시【武科別試】명 〖역〗 조선 시대의 무과 시험의 하나. 9대 성종(成宗) 때부터 나라에 경사가 있을 때 중시자(重試者)에 대하여 특별히 실시하던 시험으로, 초시(初試)와 전시(殿試) 두 가지가 있었음.
무:과 복시【武科覆試】명 〖역〗 조선 시대의 무과 시험의 하나. 3년에 한 번씩 초시(初試) 합격자를 모아 병조(兵曹)와 훈련원(訓練院)의 주재하에 28 명을 뽑아 마지막 전시(殿試)에 올려 보냈음.
무과수 명 〈방〉 모과수❶.
무-과실【無過失】명 과실이 없음. 뚜렷한 과실이 없음.
무과실 책임【無過失責任】명 〖법〗 손해(損害)를 발생시킨 사람에게 고의(故意)·과실(過失)이 없어도 법률상 손해 배상(賠償) 책임을 지우는 일. 결과 책임.
무과실 책임주의【無過失責任主義】[一/一이] 명 〖법〗 고의·과실의 유무를 불문하고 민사상의 배상 책임을 지우려는 주의. 손해 배상의 책임을 지는 데 있어서는, 적어도 과실을 필요로 하는 것이 원칙이지만 요즘 대기업의 발달로 인한 공해 등의 위험이 증가함에 따라, 고의·과실의 유무에 불구하고 그 책임을 인정하려고 하는 사조(思潮)가 나타나, 입법(立法)에서도 받아들여지고 있음. ↔과실 책임주의.
무:과 전:시【武科殿試】명 〖역〗 조선 시대의 무과 시험의 하나. 복시(覆試)의 합격자를 임금이 친히 참석하여 기격구(騎擊毬)·보격구(步擊毬)를 시험하였음. 시험 결과 성적순으로 갑과(甲科) 3 명, 을과(乙科) 5 명, 병과(丙科) 20 명의 등급을 정하였고, 이 중 갑과 수석자(首席者)를 장원(壯元)이라 하였음.
무:과 중시【武科重試】명 〖역〗 무관의 당하관(堂下官)에게 10 년마다 병년(丙年)에 보이던 과거.
무:과 초시【武科初試】명 〖역〗 조선 시대의 무과 시험의 하나. 3년에 한 번씩 식년(式年)이 되는 그 전 해 가을에 실시하였고, 중앙은 훈련원에서 70 명, 지방은 각 도에서 200 명을 뽑았음.
무:관[1]【武官】명 ①군에 적을 두고 무사(武事)·군사(軍事)를 맡은 관리. *군관(軍官). ②〖역〗 무과(武科) 출신의 벼슬아치. 무변(武弁). 서반(西班). 1)·2): ↔문관(文官). ③아타셰 (attaché).
무관[2]【無官】명 벼슬이 없음. ——-하다 형여불
무관[3]【無冠】명 지위가 없음. 무위(無位).
무관의 제:왕(帝王) 구 〈속〉 왕관이 없는 임금이란 뜻으로, 언론인을 가리키는 말.
무관[4]【無關】명 ↗무관계(無關係). ¶ 나와는 ~한 이야기. ——-하다 형여불. ——-히 부 「하다 형여불
무-관계【無關係】명 관계가 없음. 몰교섭(沒交涉). 준무관(無關). ——-
무관 사:업비【無關事業費】명 〖경〗 전에 아이 시 에이(I.C.A) 원조와 관계가 없는 일반 민간 기업체에 대충 자금(對充資金) 가운데서 융자되던 운영 자금. 한국 은행을 통해서 융자되었음. ↔유관(有關) 사업비.
무:관-석【武官石】명 〖고고학〗 무인석(武人石).
무관 식물【無管植物】명 〖식〗 화분관(花粉管)을 갖지 아니한 식물. ↔유관(有管) 식물.
무-관심【無關心】명 ①관심이 없음. 흥미가 없음. 관심을 가지지 아니함. ②거리끼는 마음이 없음. ——-하다 형여불
무관심-성【無關心性】[一썽] 명 〔도 Interesselosigkeit〕 〖철〗 칸트(Kant)의 미학(美學)에 나오는 용어. 미적(美的) 태도의 본질은 대상(對象)에 대하여 일상적(日常的)인 욕구(慾求)의 관심을 이탈(離脫)하는 데에 있다고 하는 견해.
무관 유:배 식물【無管有胚植物】명 〖식〗 [Embryophyta asiphonogama] 꽃도 씨도 없고 포자(胞子) 또는 분열(分裂)에 의하여 번식하는 선태(蘚苔)·양치(羊齒) 식물의 총칭. 독일의 식물학자 엥글러(Engler)가 붙인 이름. 종류는 10 만 2 천이 넘음. 고등 은화 식물(高等隱花植物). ↔ 유관 유배 식물·종자 식물. *관정(管精) 유배 식물.
무관절-류【無關節類】명 〖동〗 무교류(無鉸類).
무:관-집【武官一】[一찝] 명 무가(武家).
무관측 사격【無觀測射擊】명 〖군〗 탄착점(彈着點) 또는 파열점(破裂點)을 관측하지 아니하고 하는 사격. ↔관측 사격.
무:관 학교【武官學校】명 〖역〗 대한 제국 시대에 육군 사관(士官)을 양성하던 군부(軍部)에 속한 학교. 고종(高宗) 건양(建陽) 원년(1896)에 두었다가 순종(純宗) 융희(隆熙) 3년(1909)에 폐함.
무광【無光】명 빛이 없음. 광택이 없음. ——-하다 형여불 「광질.
무광-질【無鑛質】명 〖광〗 금속 광물을 포함하지 아니한 광석류. ↔유
무광-층【無光層】명 〔aphotic zone〕 〖해〗 태양 광선이 닿지 않는 바다 속 깊은 부분. 보통 200 m 이상의 깊은 곳을 이름.
무괘【無卦】명 음양도(陰陽道)에서, 그 사람의 생년의 간지(干支) 관계상, 5 년 동안 불길(不吉)한 일이 계속한다는 운(運). ↔유괘(有卦).
무:괴[1]【武魁】명 〖역〗 무과(武科)의 장원(壯元). 「히 부
무괴[2]【無怪·無恠】명 괴이(怪異)할 것이 없음. ——-하다 형여불. ——-
무괴[3]【無愧】명 세상을 두려워하지 아니하는 포악(暴惡)한 짓. 또, 그런 짓을 하는 사람. 「——-하다 형여불
무괴-어심【無愧於心】명 언행이 발라서 마음에 부끄러울 것이 없음.
무:교【姆敎】명 보모(保姆)의 가르침.
무교-류【無鉸類】명 〖동〗 [Ecardiues] 전항(前肛) 동물 완족류(腕足類)에 속하는 한 목(目). 껍질은 각질(角質)이나 석회질(石灰質)이고, 항문(肛門)은 외투강(外套腔) 속에 있으며, 팔에는 완골(腕骨)이 없음. 무관절류(無關節類). ↔유교류(有鉸類).
무교-병【無酵餠】명 〖성〗 누룩을 넣지 아니하고 만든 빵. 유태(猶太) 사람들이 유월절(逾越節)에서 무교절(無酵節)까지의 여드레 동안 구약 시대의 출애급(出埃及)의 수난(受難)과 은혜를 기념하여 만들어 먹었
무-교양【無敎養】명 교양이 없음. ——-하다 형여불 ㄴ음.
무-교육【無敎育】명 교육을 받지 아니함. 학문·교양이 없음. ——-하
무교육-자【無敎育者】명 교육을 받지 아니한 사람. ㄴ다 형여불
무교-절【無酵節】명 〖성〗 유태(猶太)의 달력으로, 유월절(逾越節) 다음날인 1월 15일부터 21일까지 한 주일 동안. 누룩을 넣지 아니한 무교병(無酵餠)을 먹으며, 애급(埃及) 탈출을 감사·기념하던 농업제(農業祭)의 절기임. *유월절(逾越節).
무교회-주의【無敎會主義】[一/一이] 명 〖기독교〗 현재의 교회 제도에 반대하고 성서(聖書)의 올바른 연구와 인식으로부터 출발하여, 성서 속의 복음(福音), 곧 진리에 입각한 신앙에 의해서만 인류가 구원됨을 강조하는 주장. 19 세기 일본 기독교계의 지도적 사상가 우치무라 간조(內村鑑三)에 의하여 제창되었음.
무교회-파【無敎會派】명 〖기독교〗 무교회주의에 의하여 교회(敎會)를 저주·부인하고 일정한 건물(建物)이 없이 신자들이 모여서 성경(聖經)을 중심으로 예배를 보는 한 교파.
무:구[1]【巫具】명 〖민〗 무당이 사용하는 여러 가지 기구.
무:구[2]【武具】명 무기 등, 전쟁에 쓰이는 여러 가지 기구의 총칭. 병구(兵具). 투구(鬪具).
무구[3]【無垢】명 ①〖불교〗 유마(維摩). ②잡물(雜物)이 섞이지 아니하고 순수함. ③마음이나 몸이 깨끗함. ④꾸밈새 없이 자연 그대로 순박함. ¶ 순진 ~. ⑤죄가 없음. ¶ ~한 백성. ——-하다 형여불. ——-히 부
무:구[4]【舞具】명 춤을 출 때에 갖추어야 할 도구나 손에 드는 기구.
무구 삼매【無垢三昧】명 〖불교〗 번뇌(煩惱)의 불결(不潔)함이 없는 부처·보살의 청정(淸淨)한 삼매.
무구 세:계【無垢世界】명 〖불교〗 사갈라 용왕(沙羯羅龍王)의 딸인 여덟 살 된 동녀(童女)가 남자로 변하여 성불(成佛)하였다고 하는 청정 세계(淸淨世界). 남방 무구 세계.
무구 수태【無垢受胎】명 무구 회태.
무구-의【無垢衣】[一/一이] 명 〖불교〗 가사(袈裟). 인욕개(忍辱鎧).
무구-조충【無鉤絛蟲】명 〖동〗 민촌충.
무구-촌백충【無鉤寸白蟲】명 〖동〗 민촌충.
무구-촌충【無鉤寸蟲】명 〖동〗 민촌충. ↔유구촌충. 「유.
무구-포【無口匏】명 아가리 없는 박. 곧, 입을 다물고 말을 아니함의 비
무구-호【無口湖】명 〖지〗 출수구(出水口)가 없는 호수. 카스피 해(Caspi

海)나 사해(死海)와 같은 것으로, 흔히 사막 지대에 있음. ↔유구호(有口湖).

무구 회태【無垢懷胎】 명 〖천주교〗 성모 무염 시잉 모태(聖母無染始孕母胎).

무-국적【無國籍】 명 〖법〗 어느 나라의 국적도 갖지 아니함. ¶ ~자.

무군-사【撫軍司】 명 〖역〗 임진 왜란 때 있었던 왕세자의 행영(行營). 본래는 임진 왜란의 이듬해인 선조 26 년(1593)에 분비변사(分備邊司)로 설치되었던 기관임.

무군-선【無軍船】 명 〖역〗 조선 초기에 수군을 배정하지 않고 비상시에 대비하여 예비적으로 두었던 군선의 일종.

무굴 제:국【一帝國】〔Mughul〕 명 〖역〗 1526년부터 1857년 사이에 인도에 있었던 마지막 이슬람 제국(帝國). 중앙 아시아의 카불(Kabul)왕 바베르(Baber; 1483-1530)가 1526년 인도에 침입하여 로디 왕조(Lodi王朝)를 타도하고 델리(Delhi)에 도읍하여 황제에 즉위한 뒤, 그의 손자 악바르(Akbar; 1452-1605) 황제에 이르러서 도읍을 아그라(Agra)로 옮기고 인도의 대부분을 정복하여 많은 치적(治績)을 올렸으며, 그의 손자 아우랑제브(Aurangzeb; 1615-1706) 황제 때에는 무굴 제국의 가장 번성한 시기를 이루었음. 그 후, 내란·제후(諸侯)의 자립 등으로 급속히 쇠퇴하고 서유럽 세력의 진출을 막지 못하여 '세포이의 반란'을 최후로 1857년 영국에 멸망함.

무굴-파【一派】〔Mughul〕 명 인도의 무굴 왕조 회화(繪畫)의 중심을 이룬 미니아튀르화파(miniature 畫派). 일상 생활에서 취재한 풍속화적인 것과 초상화·화조화(花鳥畫)가 많고 다른 미니아튀르화파에 비해 현실적 성격이 짙음.

무궁【無窮】 명 공간(空間) 또는 시간(時間)이 끝없음. 한이 없음. ¶ ~ 무진(無盡)/천양(天壤) ~. ──-하다 형여불. ──-히 부

무궁 급수【無窮級數】 명 〖수〗 무한 급수.

무궁-도【無窮道】 명 〖종〗 천도교(天道敎)의 한 종파.

무궁-동【無窮動】 명 〖악〗 상동곡(常動曲).

무궁 무진【無窮無盡】 명 한이 없고 끝이 없음. 무진 무궁. 준무진(無盡). ¶ 자원(資源)이 ~하다. ──-하다 형여불. ──-히 부

무궁-세【無窮世】 명 끝이 없는 세상. 영원한 세상. ¶ 영광이 ~에 있어지이다.

무궁 소:수【無窮小數】 명 〖수〗 무한 소수.

무궁-아【無窮我】 명 〖천도교〗 도를 닦아 천인 합일(天人合一)의 경지에 이른, 소아(小我)를 벗어난 대아(大我).

무궁 자재【無窮自在】 명 자유 자재.

무궁-주【無窮珠】 명 까맣고 깨알처럼 작은 구슬의 일종으로, 예전에 염할 때 죽은 사람의 입 속에 넣는 데 쓰였음.

무궁-화【無窮花】 명 〖식〗 ①무궁화나무. ②무궁화나무의 꽃. 한국의 국화(國花)임. 근화(槿花). 시객(時客).

무궁화 꽃이 피었습니다 구 술래잡기에서 술래가 눈을 감고 자꾸 외치는 말. 그 사이에 다른 아이들은 사방으로 달려가서 숨음.

무궁화-나무【無窮花一】 명 〖식〗 [*Hibiscus syriacus*] 아욱과에 속하는 낙엽 활엽 관목. 높이 3m 가량이고 가지가 많음. 잎은 호생하고 거의 달걀꼴이며 세 갈래로 깊이 째지는 것도 있음. 7-8월에 담자색 꽃이 하나씩 액생(腋生)하는데 백색·자색·홍색 등의 품종도 있음. 과실은 둥근 달걀꼴의 삭과(蒴果)이고 성형(星形)의 털이 밀생하며 10월에 익고 갈색 종자가 있음. 개화기(開花期)가 길고 추위에 강하며 줄기를 꺾어 꽂아도 잘 번식함. 한국 중부 이남 및 중국·인도·일본·소아시아에 분포함. 관상용·울타리용으로 심고, 한방(漢方)에서 꽃과 근피(根皮)를 위장(胃腸) 카타르 등의 약재로 씀. 근화(槿花). 목근(木槿). 무궁화. 순화(舜花). 화노(花奴).

〈무궁화나무〉

무궁화 대:훈장【無窮花大勳章】 명 우리 나라의 최고 훈장. 대통령에게 수여하며, 대통령의 배우자·우방 원수(友邦元首) 및 그 배우자 또는 우리 나라의 발전과 안전 보장에 기여한 공적이 뚜렷한 전직 우방 원수 및 그 배우자에게도 수여할 수 있음.

〈무궁화 대훈장〉

무궁화 동산【無窮花一】 명 무궁화가 피는 아름다운 우리 나라의 강산. 또, 우리 나라를 아름답게 상징적으로 이르는 말.

무권【無權】 [一꿘] 명 권리·권력이 없음.

무권 대:리【無權代理】 [一꿘一] 명 〖법〗 대리권(代理權)이 없는 자가 대리인이라 칭하고 행해지는 대리 행위. 대리권이 전혀 없는 경우와 대리권의 범위를 넘는 경우와를 포함하여 이름.

무권 대:리인【無權代理人】 [一꿘一] 명 〖법〗 대리권이 없으면서 대리권을 행사하는 사람.

무-궤도【無軌道】 명 ①궤도(軌道)가 없음. ¶ ~ 전차(電車). ②사상이나 행동에 일정한 방향이 없음. ③상규(常規)에 벗어나 있음. ¶ ~한 생활. ──-하다 형여불

무궤도 전:차【無軌道電車】 명 트롤리 버스(trolley bus).

무-규각【無圭角】 명 ①규각(圭角)이 없음. ②언행에 모가 나거나 어긋남이 없음. ──-하다 형여불

무-규율【無規律】 명 일정한 규율(規律)이 없음. ¶ ~적(的)/~성(性). ──-하다 형여불

무-규칙【無規則】 명 규칙이 없음. 규칙적이 아님. ──-하다 형여불

무균【無菌】 명 균이 없음. 또, 그런 상태.

무균 동:물【無菌動物】 명 균이 없는 상태에서 먹여 키운 동물. 절개 수술을 하여 태아를 꺼내서, 사육실·사육 게이지·먹이·물 따위를 모두 멸균한 것을 사용하여 키움. 주로 세균학적인 실험에 쓰임.

무균 발아【無菌發芽】 명 멸균한 배양기(培養基) 따위를 사용하여 세균이나 곰팡이 등의 침입을 차단시켜서 식물의 종자를 발아시키는 일.

무균 사육【無菌飼育】 명 동물 사육법의 한 가지. 적당한 무균 조작(操作)에 의해 동물을 사육하는 일. 주로 세균학적 실험을 위하여 행함.

무극【無極】 명 ①끝이 없음. 극한(極限)이 없음. ②〖철〗 송유(宋儒)의 설(說)에 있어서 태극(太極)의 처음 상태. 우주의 근원. ③〖물〗 전극(電極)이 없음. ──-하다 형여불

무극 결합【無極結合】 명 〖화〗 음양(陰陽) 두 이온(ion)의 결합(結合)이라고 볼 수 없는 원자(原子) 사이의 결합 양식. 수소 분자(水素分子)나 유기(有機) 화합물 등에서의 경우 따위.

무극 광:산【無極鑛山】 명 〖지〗 충청 북도 음성군(陰城郡) 금왕면(金旺面)에 있는 금광산. 부근의 지질은 분암(玢岩)·규장암(硅長岩)으로 구성되었고 이에 포함된 화강암에는 함금 석영맥(含金石英脈)이 배태되어 있음.

무극 대:도【無極大道】 명 〖천도교〗 우주 본체(本體)인 무극의 영능(靈能).

무극 대:도교【無極大道敎】 명 〖종〗 증산(甑山) 강일순(姜一淳)을 교조로 하는 훔치교(吽哆敎)에서 갈려 나온 교파(敎派)의 하나.

무극-류【無棘類】 [一뉴] 명 〖어〗 [Anacantini] 조기류(條鰭類)에 속하는 어류의 한 아목(亞目). 등과 배 및 뒷지느러미에 가시가 없고 부레는 식도(食道)에 통하지 아니하였음. 명태·대구 등이 이에 속함.

무극 분자【無極分子】 명 〖화〗 분자 속에 있어서의 음전하(陰電荷)의 중심(中心)과 양전하(陽電荷)의 중심이 일치하여, 외부에 대하여 전기 이중극(電氣二重極)의 성질을 나타내지 아니하는 분자.

무근【無根】 명 ①뿌리가 없음. ②근거가 없음. 터무니없음. 무거(無據). 무근거. ¶ 사실(事實) ~. ──-하다 형여불

무-근거【無根據】 명 근거가 없음. 터무니없음. 무근(無根). ──-하다 형여불

무근-수【無根水】 명 〖한의〗 요수(潦水)❷.

무근장-도【無根場島】 명 〖지〗 평안 북도의 서해상, 철산군(鐵山郡)에 있는 섬. [0.107 km^2]

무근지-설【無根之說】 명 근거가 없는 말. 낭설(浪說). 무설(誣說).

무근 콘크리:트【無筋一】〔concrete〕 명 철근을 넣지 아니한 콘크리트. ↔철근 콘크리트.

무급【無給】 명 급료(給料)가 없음. 보수가 없음. 무료(無料). ¶ ~ 보조원. ↔유급(有給).

무:기[1]【武技】 명 무예(武藝).

무:기[2]【武氣】 명 무인(武人)의 용맹스럽고 굳센 기상(氣象).

무:기[3]【武器】 명 전쟁에 쓰이는 온갖 기구(器具). 곧 창·칼·총포(銃砲)·핵무기 등. 과병(戈兵). 병과(兵戈). 병기. 병장기(兵仗器). 시인(矢刃).

무기[4]【無記】 명 〔그 adiaphora〕〖철〗〔차별(差別)을 두지 아니한다는 뜻〕 선(善)도 아니고 악(惡)도 아님. 스토아 철학에 있어서, 현인(賢人)의 철학적 생활 태도를 반영(反映)하는 개념임.

무기[5]【無氣】 명 기운이 없음. 기력(氣力)이 없음. ──-하다 형여불

무기[6]【無期】 명 ↗무기한(無期限). ↔유기(有期).

무기[7]【無機】 명 ①생활력을 가지고 있지 아니함. ②〖화〗 ↗무기 화학(無機化學). ③〖화〗 ↗무기 화합물(化合物). 1)-3): ↔유기(有機).

무:기[8]【誣欺】 명 거짓으로 꾸며 속임. ──-하다 타여불

무:기[9]【舞妓】 명 정재(呈才) 때에 춤을 추는 기생.

무:기[10]【舞技】 명 춤의 기예(技藝). 춤추는 기술.

무기-계【無機界】 명 자연계(自然界)의 편의상의 한 분류(分類)로, 생명의 기능이 없는 무기적인 물질 세계. ↔유기계(有機界).

무:기-고【武器庫】 명 무기를 보관하는 창고.

무기 공채【無期公債】 명 〖경〗 원금(元金)의 상환 기한(償還期限)을 미리 정하지 아니한 공채. ↔유기 공채(有期公債).

무기관 동:물【無氣管動物】 명 〖동〗 유새 동물(有鰓動物).

무기관-류【無氣管類】 [一뉴] 명 〖동〗 무기관 동물.

무기 금:고【無期禁錮】 명 〖법〗 금고(禁錮)의 한 가지. 정역(定役)을 과(科)하지 아니하고 종신(終身) 감금하는 형벌. ↔유기(有期) 금고.

무:기 대:여법【武器貸與法】 [一뻡] 명 〖정〗 제2차 세계 대전 때 연합국에 대하여 무기 그 밖의 군수품을 매각·양도·교환·대여할 것을 정한 미국의 법률. 1941년에 제정함.

무기 도형【無期徒刑】 명 〖역〗 조선 시대의 무기형(無期刑)의 하나. 상사범(常事犯)의 중죄에 주는 형벌로 종신(終身)할 때까지 섬에 가두어 정역(定役)을 과함. ↔유기 도형(有期徒刑).

무-기력【無氣力】 명 기운이 없음. 힘이 없음. ¶ ~한 사람. ──-하다 형여불

무-기록【無記錄】 명 기록(記錄)이 없음.

무-기명【無記名】 명 ①이름을 적지 아니함. ②〖법〗 ↗무기명식. 1)·2): ↔기명(記名).

무기명 공채【無記名公債】 명 채권자의 이름이 기재되지 아니한 공채.

무기명 사채【無記名社債】 명 사채권(社債券) 및 사채 원부(社債原簿) 등에 사채권자의 성명을 기입하지 아니한 사채. 무기명 사채의 양도는 사채권의 교부로써 완성되며, 입질(入質)은 채권의 인도(引渡)로써 효력을 발생함.

무기명-식【無記名式】 명 〖법〗 증권 및 투표 등에서, 그 권리자의 이름 또는 상호 등을 기입하지 아니하는 서식(書式). 준무기명(無記名). ↔기명식(記名式).

무기명식 배:서【無記名式背書】 명 〖법〗 백지식 배서. ↔기명식(記名式) 배서.

무기명 예:금【無記名預金】 [一네一] 명 통장에 예금자의 주소·성명을 적지 아니하고 번호만 붙여 놓는 예금.

무기명 정:기 예:금【無記名定期預金】 명 예금의 비밀성(祕密性)을 유지하기 위하여 도장만 등록(登錄)하고 무기명으로 취급하는 정기 예금의 한 가지.

무기명 주권【無記名株券】 [一꿘] 명 〖경〗 주주(株主)의 이름이 권면

(券面)에 적히지 아니한 주권. ↔기명 주권(記名株券). *무기명 주식.

무기명 주식【無記名株式】[명]〔bearer share; 도 Inhaberaktie〕〖법〗 주주의 성명이 주권에 기재되어 있지 아니한 주식. 무기명 주식을 표창(表彰)하는 주권을 무기명 주권이라 하며, 주식의 유통을 신속 원활하게 하는 장점을 가지고 있음. 이 주식의 양도는 양도의 합의와 주권의 교부(交付)로 하게 됨. *무기명 주권(無記名株券).

무기명 증권【無記名證券】[─꿘] [명]〖경〗 어떤 특정인(特定人)을 권리자로 표시하지 아니하고 증권의 소지인(所持人)을 그 권리자로 인정하는 유가 증권(有價證券). 무기명 사채(社債)·무기명식 수표(無記名式手票)·상품권 따위. ↔기명 증권(記名證券).

무기명 채:권【無記名債券】[─꿘] [명]〖법〗 채권자(債權者)의 이름이 권면(券面)에 표시되지 아니한 채권. 어떠한 특정인(特定人)이 채권자가 아니고, 그 정당한 소지인(所持人)이 곧 채권자가 되는 증권. 무기명 국채(國債)·극장 관람권·승차권 따위. ↔기명 채권(記名債券).

무기명 투표【無記名投票】[명] 비밀 투표(祕密投票)의 한 가지. 투표자의 이름을 투표 용지에 기입하지 아니하고 하는 투표. 무명 투표(無名投票). 익명 투표. ↔기명 투표(記名投票). ──하다 [자][여불]

무기명 투표제【無記名投票制】[명] 비밀 투표제.

무기-물【無機物】[명]〖화〗 생활 기능(機能)이 없는 물질 및 그것을 원료로 하여 인공적(人工的)으로 만든 물질의 총칭. 물·공기·광물 등. 무기질(無機質). ↔유기물.

무기 분:유【無氣噴油】[명] 디젤 기관에서 압축 공기를 쓰지 아니하고, 연료유(燃料油)를 작은 구멍에서 고압(高壓)·고속도(高速度)로 기통(氣筒) 속에 분출하여 미립(微粒)으로 분산(分散)시키는 일. 또, 그 장치.

무기 비:료【無機肥料】[명]〖화〗 무기질 비료.

무기-산【無機酸】[명]〔inorganic acid〕〖화〗 탄소(炭素) 원자를 갖지 않은 산(酸)의 총칭. 다만, 탄산(炭酸)은 포함함. 황산(黃酸)·질산(窒酸)·염산(塩酸) 따위. 광산(鑛酸). ↔유기산(有機酸).

무기성 생:물【無氣性生物】[─썽─] [명] 혐기성 생물(嫌氣性生物).

무기-수【無期囚】[명] 무기 징역을 선고받고 복역 중인 죄수.

무기 안:료【無機顔料】[─알─] [명]〔inorganic pigment〕 무기 화합물로 만든 안료의 총칭. 광물질 안료. ↔유기 안료.

무기 약품 공업【無機藥品工業】[명]〖공〗 염산·황산·질산·가성 소다 등의 기초(基礎) 무기 약품과 그것을 금속 또는 비금속 광물 등과 화합시켜 일반 무기 약품을 제조하는 화학 공업의 총칭. ↔유기 약품 공업.

무:기여 잘 있거라【武器─】[명]〔A Farewell to Arms〕〖책〗 헤밍웨이의 소설. 제1차 세계 대전하의 이탈리아를 무대로 미군 장교와 영국인 간호원의 비극적 연애를 그 내용으로 하고 있으며, 작가 자신의 체험을 바탕으로 가열(苛烈)한 전쟁의 양상을 섞어 가면서 묘사(描寫)하고 있음. 1929년 간행(刊行). 1933년 및 1958년에 영화화(映畫化)됨.

무기 연금【無期年金】[명]〖사〗 기한을 정하지 아니하고 수취인(受取人)이 살아 있는 동안 계속하여 지급되는 연금. 영속 연금(永續年金). ↔유기 연금. *영구 연금.

무기 연기【無期延期】[명] 언제까지라고 기한을 정하지 아니하고 연기함. ──하다 [타][여불]

무기 염류【無機塩類】[─뉴] [명] 무기산과 염기로 되어 있는 염(塩)의 총칭. 식염·황산 암모늄·질산 칼슘 따위.

무기 영양【無機營養】[명] 외계(外界)로부터 무기물만을 섭취, 이것을 동화(同化)하여 몸을 형성하고 생활을 영위하여 가는 영양법. 엽록소를 갖는 보통의 식물과 질화 세균(窒化細菌) 따위 특수한 세균에서 볼 수 있음.

무기-음【無氣音】[명]〖언〗 소리 낼 때에 입김이 거세게 나지 아니하는 소리. 곧, ㅊ·ㅋ·ㅌ·ㅍ·ㅎ 이외의 모든 자음을 일컬음. ↔유기음(有氣音).

무기-적【無機的】[명][관] 생명 및 생활력이 없는 모양. ↔유기적.

무기-질【無機質】[명]〖화〗 무기물(無機物).

무기질 비:료【無機質肥料】[명]〖농〗 물·공기·광석과 같은 무기물을 원료로 하여 만든 비료. 대부분 화학 비료로서 질소질(窒素質) 비료·인산질(燐酸質) 비료·칼륨질 비료·석회질(石灰質) 비료·규산질(硅酸質) 비료 등이 있음. 무기 비료. ↔유기질(有機質) 비료.

무기질 섬유【無機質纖維】[명]〖공〗 규석(硅石)·석회석(石灰石)·화산암(火山岩) 같은 광석을 녹여서 실로 만든 화학 섬유의 하나. 유리 섬유·금속 섬유·암석 섬유 등이 있음. *재생 섬유·광물성 섬유.

무기 징역【無期懲役】[명]〖법〗 무기형(無期刑)의 하나. 기간을 정함이 없이 종신토록 교도소에 가두는 징역. 구칭은 '종신 징역'·'역종신(役終身)'. ↔유기 징역.

무기-채 [명]〈방〉 북채(함경).

무기-체【無機體】[명]〖화〗 생활의 기능(機能)이 없는 물체. 곧, 광석·물·공기 등. ↔유기체.

무-기탄【無忌憚】[명] ↗무소기탄(無所忌憚). ──하다 [형][여불]

무기-폐【無氣肺】[명]〖의〗 기관지(氣管支)가 폐색되어 말초부(末梢部)의 폐 조직에 기관지로부터의 공기 유입(流入)이 막힌 상태. 폐결핵·폐암 등의 경우에 볼 수 있음.

무:기 하:사【武器下士】[명]〖역〗 조선 시대 말, 각 영(營)의 무기에 관한 일을 맡아 보던 하사.

무-기한【無期限】[명] 일정한 기한이 없음. 무한년(無限年). [준]무기(無期).

무기한 공채【無期限公債】[명]〖경〗 영구(永久) 공채.

무기한 스트라이크【無期限─】〔strike〕[명]〖사〗 요구 조건이 수락될 때까지 무기한으로 벌이는 스트라이크. ↔시한부 스트라이크.

무기-형【無期刑】[명]〖법〗 종신 구금(終身拘禁)을 내용으로 하는 자유형. 무기 금고(無期禁錮)와 무기 징역(無期懲役)의 총칭인데, 10년이 넘으면 가석방(假釋放)할 수 있음. 종신형. ↔유기형(有期刑).

무기 호흡【無氣呼吸】[명]〔anaerobic respiration〕〖생〗 생물이 산소(酸素) 없이 하는 호흡. 산소에 의한 산화(酸化) 이외의 수단으로써 활동에 필요한 에너지를 얻는 방법으로, 효모균(酵母菌)이나 세균이 행하는 발효(發酵)나 부패, 생물 조직의 해당(解糖) 작용 따위가 있음. 무산소(無酸素) 호흡. 분자간 호흡(分子間呼吸). 분자내(分子內) 호흡. 분해 호흡(分解呼吸). 혐기(嫌氣) 호흡. *산소 호흡.

무기 화학【無機化學】[명]〔inorganic chemistry〕〖화〗 순수 화학(純粹化學)의 한 분과. 탄소 화합물 이외의 모든 원소(元素) 및 화합물을 대상으로 하여 그 조성(組成)·성질·변화를 연구하는 화학. [준]무기(無機). ↔유기 화학(有機化學).

무기 화학 공업【無機化學工業】[명] 원료·제품이 무기 화합물인 공업. 황산(黃酸) 공업·소다 공업·비료 공업·카바이드 공업·무기 약품 공업 등. ↔유기(有機) 화학 공업.

무기 화합물【無機化合物】[명]〔inorganic compound〕〖화〗 탄소(炭素)를 포함하고 있지 아니한 화합물 및 탄산 가스 등과 같은 간단한 탄소 화합물의 총칭. [준]무기(無機). ↔유기 화합물.

무긴장-증【無緊張症】[─쯩] [명]〔atonia〕〖의〗 근육의 긴장이 결여되었거나 극도로 저하된 상태.

무:-김치 [명] 무로 담근 김치. 청근저(菁根菹). 청근 침채(菁根沈菜).

무:김치 나물 [명] 무김치를 물에 우려, 짠 맛을 대강 빼고, 썰어서 볶거나, 그냥 양념을 하여 무친 반찬. 청저채(菁菹菜).

무:김치 지짐이 [명] 무김치를 잘게 썰어 고기와 파와 여러 가지 양념을 하여 지진 반찬. 청근 침채전(菁根沈菜煎).

무꾸 [명]〈방〉〖식〗 무¹(강원·경북·함남).

무꾸다 [타]〈방〉 동이다(경남).

무꾸리 [명]〔중세: 묻그리〕〖민〗 무당·판수 그 밖의 신령과 통한다는 사람에게 길흉(吉凶)을 점치는 일. ──하다 [자][여불]

무꾸리-질 [명] 무꾸리하는 것. ──하다 [자][여불]

무끄다 [타]〈방〉 동이다(경남).

무끼 [명]〈방〉〖식〗 무¹(함경).

무:-나물 [명] 무 뿌리를 채를 쳐서 삶은 뒤 간장을 치고 볶아서 양념을 한 반찬. 나복채(蘿菖菜). 청근채(菁根菜).

무난【無難】[명] ①어렵지 아니함. 지장(支障)이 없음. 괜찮음. 쉬움. ②이렇다할 특색은 없으나 비난(非難)받을 만한 점도 없음. 무사평범(無事平凡)함. 무던함. ¶ ~한 인선(人選). ──하다 [형][여불]. ──히 [부]

무날 [명] 음력에서, 한 달에 무수기가 같은 두 날을 가리켜 이르는 말. 무쉬를 기준으로 하여 계산한 음력 9일과 24일.

무남【無男】[명] ①아들이 없음. ②남자가 없음.

무남 독녀【無男獨女】[명] 아들이 없는 집안의 외딸. 외딸.

무:남-영【武南營】[명]〖역〗 친군영(親軍營)의 하나. 조선 고종(高宗) 30년(1893)에 전주(全州)에 두었다가 이듬해에 폐하였음.

무낭【無囊】[명] 불알이 없음. 또, 그러한 사람.

무낭-마【無囊馬】[명] 불알을 까 없앤 말.

무너-뜨리다 [타] 무너지게 하다. ¶ 담을 ~.

무너-지다 [자] ①포개어 쌓인 물건이 떨어져 흩어지다. ¶ 벽이 ~. ②질서나 체계 따위가 파괴되다. 어떤 계획이나 구상 따위가 이루어지지 못하고 깨어지다. ¶ 질서가 ~/공든 탑이 ~. ③방어선(防禦線) 따위가 돌파되다. ¶ 방어선이 ~.

무너-치다 [타]〈방〉 무너뜨리다.

무너-트리다 [타] 무너뜨리다.

무-넘기 [명] ①알맞게 괸 나머지의 물은 저절로 밑으로 흘러 내려가게 논두렁의 한 곳을 낮춘 부분. *물꼬. ②봇물을 대기 위하여 도랑을 걸쳐 막은 부분.

무넝 [명]〈방〉 무명(강원·평안).

무네 [명]〈방〉〖어〗 문어(文魚)(함경).

무넹기 [명]〈방〉 무넘기.

무:녀【巫女】[명] 무당¹.

무:녀-도【巫女島】[명]〖지〗 전라 북도 서해상, 군산시(群山市) 미성읍(米星邑) 무녀도리(巫女島里)에 위치한 섬. [1.78 km²]

무녀리 [명]〔←문(門) 열이〕 ①태(胎)로 낳는 짐승의 맨 먼저 나온 새끼. ②〈속〉 언행이 좀 모자라서 못난 사람의 비유.

무:녀 시조【巫女時調】[명]〖악〗 서울 지방의 무가(巫歌)인 노랫가락의 전신으로, 시조에서 변형된 곡.

무:녀-안【巫女案】[명]〖역〗 조선 시대에, 활인서(活人署)에 딸렸던 무당의 대장(臺帳). 무녀의 신공(身貢)인 신포세(神布稅)를 받기 위하여 만들었음.

무:녀-촌【巫女村】[명] 옛날에 무당들이 집단으로 모여 살던 마을.

무념【無念】[명] ①〖불교〗 망념(妄念)을 떨리하고 무아(無我)의 경지에 이른 상태. 정념(正念). ②아무 생각이 없음. ──하다 [형][여불]

무념 무상【無念無想】[명] ①〖불교〗 무아(無我)의 경지에 이르러 일체의 상념(想念)을 떠남. 무상 무념(無想無念). ②아무런 생각이 없음. 또, 그 상태. ──하다 [형][여불]

무녕 [명]〈방〉 무명(경기·강원·충청·전라·경북·황해).

무:녕-왕【武寧王】[명] ☞ 무령왕(武寧王).

무노동 부분 임:금제【無勞動部分賃金制】[명] 파업 기간 중 전혀 노동을 하지 않더라도 임금의 일부를 지급하는 제도. 이는 임금은 생활 보장적 부분과 노동의 대가 부분으로 나누어진다는 '임금 이분설'에 근거함. 따라서 파업시라도 노동 교환적 부분의 임금은 주지 않아도 생활 보장적 부분은 주어야 한다는 이론임.

무-논 [명] 물이 있는 논. 골답. 수답(水畓). 수전(水田).

무논-갈이 [명] 무논을 가는 일. ──하다 [자][여불]

무농약 농업【無農藥農業】[명] 화학 비료·제초제(除草劑)·살충제 등의 사용으로 인한 토양의 오염을 막기 위하여 이러한 것들을 쓰지 아니하고 행하는 농업을 일컬음. *유기(有機) 농업.

무농약 재:배【無農藥栽培】[명] 화학 비료는 쓰지만 농약은 사용하지 않는 농산물의 재배.

무:농 염철사【務農塩鐵使】[—싸] 명 〖역〗 고려 전농사(典農司)의 관원으로서 출사(出使)한 사람의 칭호.

무뇌-증【無腦症】[—쯩] 명 〖의〗 두개(頭蓋) 상부와 뇌 실질(腦實質)이 모두 결손(缺損)하여 두개(頭蓋)의 기저면(基底面)이 노출된 선천성 기형(畸形). 원인은 태생(胎生) 초기에 발생하는 뇌수종(腦水腫)의 파열로 인한 유물(遺物)이라고 함.

무뇨【無尿】명 무뇨증.

무뇨-증【無尿症】[—쯩] 명 〖의〗 신장(腎臟)의 기능이 중지되거나 또는 수뇨관(輸尿管)이 폐쇄되는 등의 원인으로 방광(膀胱)에 전혀 오줌이 없는 병상(病狀). 무뇨.

무느다 타 〔근대 : 므느다〕 포개어 쌓인 물건을 흩어지게 하다. 준문다.

무늠:-하다 형 〈방〉 뭉근하다. 「↔유능(有能). ——-하다 형여불

무능【無能】명 재능(才能)이 없음. 능력이 없음. 또, 그 상태나 사람.

무-능력【無能力】[—녁] 명 ①일을 치러 나갈 만한 힘이 없음. ②〖법〗 법률상의 행위 능력이 없음. 공법상으로는 유효한 행위를 할 수 없을 뿐만 아니라 공법이 인정하고 허락하는 이익을 향유할 수 없음. 사법상(私法上)으로는 민법·상법이 인정하고 허락하는 사권(私權)을 행사할 수 없음. 따라서 형법상으로도 행위의 책임을 지우지 아니함. *책임 능력. ——-하다 형여불

무능력-자【無能力者】[—녁—] 명 ①능력이 없는 사람. ②〖법〗 행위 능력이 없는 자. 곧, 단독으로 완전한 법률 행위를 할 수 없는 자. 미성년자·금치산자·한정 치산자(限定治産者)의 세 가지가 있음. 무능력자에게는 보호 기관으로서, 그 행위를 대리하고 보충하기 위하여 법정 대리인(法定代理人)을 둠.

무능 무력【無能無力】명 아무 능력이 없음. ——-하다 형여불

무능 자처【無能自處】명 능력이 없다고 제 스스로 인정함. ——-하다 「자여불

무능-태【無能胎】명 〈속〉 무능력자(無能力者).

무능-화【無能化】명 능력이 없게 됨. 또, 그렇게 함. ——-하다 자타 여불

무늬 [—니] 명 ①물건의 거죽에 어룽진 형상이 나타난 모양. 문(紋). 문채(文彩). ¶ 얼룩얼룩한 ～가 생기다. ②직물(織物)·조각(彫刻) 등을 장식(裝飾)하기 위한 여러 가지 모양.
 무늬(를) 놓다 구 무늬를 그리거나 수를 놓다.

무늬-강변먼지벌레【—江邊—】[—니—] 명 〖충〗 [*Bembidion niloticum*] 딱정벌렛과의 곤충. 몸길이 3 mm 내외이고 온 몸이 흑색에 청동색의 광택이 남. 촉각의 끝과 기부(基部)·수염·시단(翅端)의 반문(斑紋) 및 다리는 황갈색이고, 전배판(前背板)은 심장형, 시초(翅鞘)는 타원형임. 강변에 서식하는데, 한국·일본·만주·중국 등에 분포함.

〈무늬강변먼지벌레〉

무늬결 판자【—板子】[—니—] 명 나무의 나이테가 비스듬히 잘리도록 켠 판자. 무늬가 산(山) 모양이며 변형이 심하나 잘 쪼개지지 아니함.

무늬-누에 [—니—] 명 〖동〗 등과 배에 눈알 모양이나 반달 모양의 무늬가 있는 누에. 형잠(形蠶).

무늬-말벌 [—니—] 명 〖충〗 말벌❸.

무늬-망둑 [—니—] 명 〖어〗 [*Gobius fuscus*] 망둑어과의 바닷물고기. 몸은 측편(側扁)하고 암회색(暗灰色)의 큰 무늬가 있으며 길이는 5 cm 가량. 온대와 열대의 바다에 널리 분포함.

무늬-목【—木】[—니—] 명 종이처럼 얇게 깎은 나무. 물건을 싸는 데 등에 씀. 예전에는 여기다 경문(經文)을 베끼기도 함. *경목(經木).

무늬-바리 [—니—] 명 〖어〗 [*Plectropomus leopardus*] 농어과의 바닷물고기. 체측(體側)에 갈색 무늬가 많음. 열대성 어류로 필리핀·동인도·멜라네시아·스리랑카·홍해(紅海)에 분포함. 우리 나라에서는 부산 앞바다에서 잡은 기록이 있음.

무늬 발-게 [—니—] 명 〖동〗 [*Hemigrapsus sanguineus*] 바위겟속하는 게의 하나. 털다리물맞이게와 비슷하나 배갑(背甲)의 길이 25mm, 폭은 28mm 가량이고, 몸빛은 짙은 적갈색에 등딱지와 다리에는 암갈색의 줄무늬가 있으며, 특히 집게발에는 적갈색의 반점이 많고, 집게발의 내면에는 털 뭉치가 없음. 한국의 황해 연안 및 하와이·오스트레일리아 등지에 분포함. 물맞이게.

〈무늬발게〉

무늬-버들 [—니—] 명 〖식〗 버드나무의 한 가지. 줄기와 가지가 꼬불꼬불하고 그 무늬도 보기에 아름다우며 나무의 질(質)도 매우 단단함. 관상용으로 정원에 심는데, 흔하지 않음.

무늬-뾰족날개나방 [—니—] 명 〖충〗 [*Thyatira batis*] 뾰족날개나방과에 속하는 곤충. 편 날개의 길이는 37-43 mm이고, 몸빛은 암갈색에 앞날개 기부와 전연(前緣)의 말단 및 후연(後緣)의 중앙과 후각(後角)에 홍백색(紅白色)을 띤 큰 무늬가 있고, 뒷날개에는 암색(暗色)의 외횡대(外橫帶)가 있음. 유충은 딸기 잎 등의 해충임. 한국·일본 등지에 분포함.

무늬-새기개 [—니—] 명 〖고고학〗 무늬를 새기는 데 쓰이는 도구. 시문구(施文具).

무늬-석【—石】[—니—] 명 여러 가지 무늬가 박힌 수석(壽石)의 일종.

무늬-수중다리좀벌 [—니—] 명 〖충〗 [*Brachymeria obscurata*] 수중다리좀벌과의 곤충. 암컷의 몸길이 6 mm 내외, 몸빛은 흑색에 두흉부(頭胸部)에는 배꼽 모양의 무늬가 있으며, 다리는 대체로 황색에 흑색 무늬가 있음. 후각(後脚) 퇴절(腿節)은 굵고 하부에 치상열(齒狀列)이 있음. 나비류의 번데기에 기생하는데, 한국·일본·대만 등에 분포함.

〈무늬수중다리좀벌〉

무늬없는-토기【—土器】[—니업—] 명 민무늬토기.

무늬-하루살이 [—니—] 명 〖충〗 [*Ephemera strigata*] 하루살잇과의 곤충. 몸길이와 편 날개의 길이는 각각 16 mm 내외, 몸빛은 황갈색에 날개는 암황색인데 투명하고 시맥(翅脈)은 흑갈색, 앞날개 중앙에 암갈색 가로무늬가 있으며, 복부에도 흑갈색의 비스듬한 줄무늬가 있음. 한국·일본에 분포함.

무늬-횟대 [—니—] 명 〖어〗 [*Furcina oshimae*] 둑중갯과의 바닷물고기. 몸의 길이 8cm 내외로 머리 위와 아래턱 및 아래턱 뒤에 촉수 모양의 피질 돌기가 있음. 몸빛은 상부는 담갈색으로 폭이 넓은 농갈색 가로띠가 몇 줄 있고, 하부에는 담회색으로 담색의 무늬와 그물 모양의 무늬가 교차되었음. 부산 및 일본에 분포함.

〈무늬하루살이〉

무:니스 〔Moniz, Antonio Caetano de Abreu Freire Egas〕 명 〖사람〗 포르투갈의 신경병 학자·신경 외과의(外科醫). 뇌신경 촬영법을 연구하고, 대뇌 전두엽(大腦前頭葉)의 절제(切除)가 어떤 종류의 정신병 치료에는 유효함을 발견함. 1949년 노벨 생리 의학상을 받음. [1874-1955]

무니에 〔Mounier, Emmanuel〕 명 〖사람〗 프랑스의 가톨릭 철학자. 사회 도덕과 정치에 참여하는 실존주의적인 인격주의를 주장하였음. 주저(主著)에 《인격주의 선언》·《인격주의란 무엇인가》·《성격론》 등이 있음. [1905-50] 「일을 처리함.

무:단[1]【武斷】명 ①힘을 믿고 강제로 단행(斷行)함. ②무력(武力)으로써

무단[2]【無斷】명 ①결단심(決斷心)이 없음. ②승낙을 얻지 않음. 미리 사유를 이야기함이 없음. ¶ ～ 출입 금지. ——-하다 형여불 ——-히 부

무단 강【—江】〔牧丹〕명 〖지〗 중국 지린 성(吉林省)의 남부 무단링(牧丹嶺)에서 발원하여 북으로 흘러 쑹화 강에 유입(流入)하는 쑹화 강의 지류. [약 670km]

무단 결근【無斷缺勤】명 아무 허락이나 연락 없이 결근함. ¶ ～이 잦다. ——-하다 자여불 「——-하다 자여불

무단 결석【無斷缺席】[—썩] 명 아무 허락이나 연락 없이 결석함.

무단-미【無端米】명 〖역〗 고려 공민왕(恭愍王) 때 홍건적(紅巾賊)의 난(亂)을 치르고 나라의 재정(財政)이 말라서 이를 보충하기 위하여 백성에게서 염출(斂出)하던 쌀과 콩. 대호(大戶)는 미두(米豆) 각 한 섬, 중호(中戶)는 각 열 말, 소호(小戶)는 각 다섯 말씩 거두었음.

무단 변:속기【無段變速機】명 무단 변속 장치.

무단 변:속 장치【無段變速裝置】명 종동축(從動軸)의 회전 속도를 마음대로 바꿀 수 있게 만든 변속 장치. 기계식·전기식·유체식(流體式) 등이 있음. 무단 변속기. 「에서 이탈함.

무단 이탈【無斷離脫】명 아무 허락이나 연락 없이 자기가 소속한 조직

무단장【牧丹江】명 〖지〗 중국 동북부 헤이룽장 성(黑龍江省) 동남부 무단 강 연안의 도시. 수륙 교통의 요지이며 부근의 밀·콩·쌀의 집산지. 제재업이 성하고 방직·타이어 공업도 행해짐. [602,000명(1984)]

무:단-적【武斷的】명관 무력으로 일을 단행하는 모양.

무:단 정치【武斷政治】명 무력(武力)으로써 전제적(專制的)으로 베푸는 정치. 무단 통치. ——-하다 자여불 「——-하다 자여불

무단 출입【無斷出入】명 승낙 없이 함부로 드나듦. ¶ ～ 금지(禁止).

무:단 통:치【武斷統治】명 무단 정치. ——-하다 자여불

무:단-파【武斷派】명 무단 정치를 주의로 삼는 정파(政派). ↔문치파(文治派). 「함. ——-하다 자여불

무:단 향곡【武斷鄕曲】명 시골에서 세가(勢家)가 백성을 권세로 억압

무단-히【無端—】부 아무 까닭이 없이.

무-달기 명 〈방〉 〖조〗 뜸부기(경북).

무-닭 명 〈방〉 〖조〗 뜸부기(경북).

무:담【武談】명 ①전쟁 이야기. ②무도(武道)에 관한 이야기. ③무공(武功)을 세운 체험담. 무용담(武勇談). 「하다 자여불

무-담보【無擔保】명 ①담보물이 없음. ②담보물을 잡히지 않음. ——-

무담보 금융【無擔保金融】[—/—늉] 명 〖경〗 대인(對人) 신용에 기초를 두고 무담보로 이루어지는 금융.

무담보 대:부【無擔保貸付】명 〖경〗 금융 기관이 저당권을 설정하지 아니하고 하는 대부. ↔담보부 대부. *신용 대부·보증 대부.

무담보 배:서【無擔保背書】명 〖경〗 어음의 배서인(背書人)이 피배서인(被背書人)이나 그 후의 사람에 대하여, 어음상의 책임을 부담하지 않는다는 뜻을 부기(附記)한 배서.

무담보 사채【無擔保社債】명 〖경〗 원리금 보증을 위한 질권(質權)·저당권(抵當權) 등의 물상(物上) 담보가 없는 사채. ↔담보부 사채.

무:당[1] 명 〖민〗 귀신을 섬겨 길흉(吉凶)을 점치고 굿을 하는 여자. 선악(善惡)의 정령(精靈)과 직접 통하며 다룰 수 있는 신비(神祕)한 능력을 가졌다고 하는 원시적 샤머니즘(shamanism)의 한 형태임. 현재에도 안택(安宅)·성주·대감·질병굿 등을 하며 수십 종의 경문(經文)이 있음. 무녀(巫女). 무자(巫子). 사무(師巫). 샤먼(shaman). *샤머니즘. 주의 '巫堂'으로 씀은 취음(取音).
【무당의 영신(靈神)인가】 맥없이 있다가도 어떤 일을 맡기면 기쁘게 받아들이어 날뛰는 사람을 이르는 말. 【무당이 제 굿 못하고 소경이 저 죽을 날 모른다】 자기 일은 자기가 처리하기 어렵다는 뜻.

무:당[2] 명 〈방〉 〖충〗 풍뎅이(강원).

무당[3]【無糖】명 당분을 포함하지 않음.

무당[4]【無黨】명 소속하는 당파가 없음.

무:당-가뢰 명 〖충〗 쇠길앞잡이.

무:당-개구리 명 〖동〗 [*Bombina orientalis*] 무당개구릿과에 속하는 개구리의 하나. 몸길이 5cm 내외이고 몸빛은 배면(背面)이 청색·담갈색 또는 이 두 빛이 섞였으며, 피부에는 작은 혹이 많음. 두부와 다리에는 흑색 띠 무늬가 있고 복면(腹面)은 홍적색 또는 황적색에 흑색의 구름

무늬가 있음. 몸에는 식중독성(食中毒性)의 독선(毒腺)이 있고, 적을 만나면 네 다리를 등으로 뻗치고 배를 위로 하여 눕는 습성이 있음. 산속의 개울이나 늪에 사는데 우기(雨期)나 교미기(交尾期)에는 암수가 모두 가느다란 소리로 울고 3-4월에 산란함. 한국·중국·일본·만주·북부 시베리아에 분포함. 중국인이나 만주인들이 즐겨 먹으며, 보신 강양제(補腎強陽劑)로 또는 폐병(肺病)의 특효 약재로 씀. 비단개구리. 산합(山蛤).

〈무당개구리〉

무:당개구릿-과【一科】㉮〖동〗[Discoglossidae] 개구리목(目)에 속하는 한 과.

무:당-거미 ㉮〖동〗[*Nephila clavata*] 호랑거밋과에 속하는 절지 동물. 암컷의 몸길이는 25-30 mm, 수컷은 10 mm 내외임. 배갑(背甲)은 은백색의 짧은 털로 덮였으며, 복부(腹部) 배면(背面)에 황색과 청홍색의 띠가 있고 측면 뒤쪽에 진홍색의 큰 무늬가 있어서 울긋불긋하여 마치 무당 옷차림 같음. 수목(樹木)에 집을 짓고 사는데 수직망(垂直網)의 중앙에 둥근 망이 있으며 삼중식(三重式)으로 됨. 5월에 출현하며 400개 가량의 알을 낳음. 한국·일본·대만·인도·중국·만주 등지에 분포함.

〈무당거미〉

무:당-게 ㉮〖동〗[*Paracleistostoma cristatum*] 달랑겟과에 속하는 동물. 배갑(背甲)의 길이는 11.5 mm, 폭 17 mm 내외이고, 갑각(甲殼)의 전측연(前側緣)에 이가 없고 갑면(甲面)은 옆으로 세 개의 능선(稜線)이 있어 전후가 반으로 갈라짐. 해안·하구(河口) 등의 진흙의 돌 밑에 서식하는데 한국 황해 및 일본에 분포함.

〈무당게〉

무:당-골뱅이 ㉮〈방〉〖동〗달팽이(강원).
무:당-노래 ㉮ 무당이 굿을 할 때에 춤을 추며 부르는 노래.
무:당-노린재 ㉮〖충〗[*Coptosoma punetissimum*] 둥근노린잿과에 속하는 곤충. 몸길이 5-5.5 mm이고, 몸빛은 배면(背面)이 암황갈색인데 광택이 나고, 두부(頭部)는 작으며 중앙에 두 개의 흑색 홈이 있음. 몸의 하면은 흑색이며 복부에서 광택이 남. 콩과 식물의 해충으로, 한국·일본에 분포함.

〈무당노린재〉

무:당 덕담【一德談】㉮ 무당이 노래로 축원(祝願)하는 덕담.
무당 무파【無黨無派】㉮ 어느 당, 어느 파에도 속하지 않음. 무소속.
무:당-벌레 ㉮〖충〗①무당벌렛과에 속하는 갑충(甲蟲)의 총칭. ②[*Coccinella axyridis*] 무당벌렛과에 속하는 갑충의 하나. 몸길이 7-8 mm이고 시초(翅鞘)는 황갈색 바탕에 19개의 흑색 무늬가 있는 것과 흑색 바탕에 12개·4개 또는 2개의 황갈색 무늬가 있는 것 등이 있음. 몸은 달걀꼴로 둥글게 불쑥 나와 있고, 아래쪽은 편평함. 표면은 미끄럽고 가끔 가는 털이 있음. 성충과 유충이 모두 진딧물을 포식(捕食)하는 익충(益蟲)임. 한국·중국·대만·만주·일본 등지에 분포함. 병표충(並瓢蟲). 천도충(天道蟲). 표충(瓢蟲).

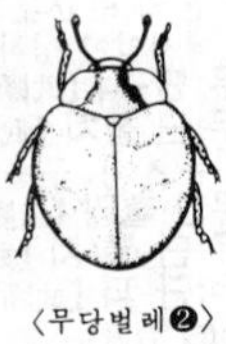

〈무당벌레❷〉

무:당벌렛-과【一科】㉮〖충〗[Coccinellidae] 딱정벌레목(目)에 속하는 한 과. 몸은 길이 1-14 mm로 소형의 타원형 또는 반구형(半球形)임. 촉각은 짧고 11절의 곤봉상임. 육식성(肉食性)과 초식성(草食性)의 두 가지가 있으며, 또 진딧물을 포식하여 익충이 되는 것도 있고 가지과(科) 식물을 갉아먹는 해충도 있음. 무당벌레·칠성무당벌레·이십팔점박이무당벌레 등이 이에 속하는데, 전세계에 3,000여 종이 분포함.
무:당-산【武當山】㉮〖지〗우당 산.
무:당-새 ㉮〖조〗①[*Emberiza sulphurata*] 참샛과에 속하는 새. 날개 길이 6.9-7.4 cm, 꼬리의 길이 5.1-5.7 cm 가량이고, 배면(背面)은 회색을 띤 초록색에 어두운 색의 세로 무늬가 있으며 눈 앞과 턱 밑은 검은 색, 머리와 배 쪽은 유황색임. 암컷은 좀 작으며 배면은 갈색이 짙고 눈 앞에 검은 색이 없음. 관목림(灌木林)이나 관목이 서 있는 풀밭에 살며 번식기에는 곤충을 먹고 그 밖의 시기에는 식물의 씨를 주워 먹음. 아름다운 소리로 울며 한국·일본 등지에 분포함. 술푸라타멧새. ②〈방〉종달새.

〈무당새❶〉

무:당 서방【一書房】㉮ ①무녀(巫女)의 남편. 무부(巫夫). ②공것을 바라는 사람을 빈정대어 이르는 말.
무:당-선두리 ㉮〖충〗물맴이.
무당 연유【無糖煉乳】[一년一] ㉮〔evaporated milk〕우유를 1/2.5-1/2.7로 농축(濃縮)하여 통에 넣어 밀봉한 후 가열 멸균(加熱滅菌)한 유제품(乳製品). 육아용(育兒用) 유제품 가운데 가장 소화가 잘 됨. ↔가당(加糖) 연유.
무:당-질 ㉮ 무당 노릇을 하는 짓. ——-하다 ㉶㉾ [무당질 삼 년에 목두기란 귀신 못 보았다] 오랫 동안 여러 사람을 겪어 보고 별일도 다 보았으나, 그와 같이 몰상식한 사람은 처음 보았다는 말.
무:당-춤 ㉮ ①무당이 굿을 할 때 추는 춤. ②무당을 흉내내어 추는 춤.
무당-파【無黨派】㉮ 특정한 지지 정당이 없는 사람. ¶ ~층(層).
무:당-파리 ㉮〖충〗파리의 한 종류. 공중에 높이 뜨며, 날개를 포개고 앉음.
무:당-호세미 ㉮〈방〉무당과 박수.
무당 ㉮〈옛〉무당[1]. ¶ 무당과 醫員을 信티 아니ᄒᆞ샤(不信巫祝小醫)《內訓 Ⅱ 上 58》.
무대[1] ㉮〖지〗해류(海流). ¶ 더운 ~/찬 ~.

무:대[2] ㉮〔본디, 중국의 수호지(水滸誌) 속의 인물 무대(武大)에서 유래〕①지지리 못나고 미련한 이. ②골패나 투전에서 열 끗이나 스무 끗으로 꽉 차서 무효(無効)가 됨을 일컫는 말. ¶ 삼, 칠 ~.
무:대[3] ㉮〈방〉①무당[1](함경). ②박수[1](함경).
무대[4]【無代】㉮ ①↗무대가(無代價). ②↗무대상(無代償).
무:대[5]【舞臺】㉮ ①노래·춤·연극 등 연기(演技)를 행하기 위하여 정면에 한층 높직하게 만든 단(壇). 스테이지(stage). ¶ 화려한 ~. ②온갖 재주나 기술 등을 나타내 보이는 장소. ¶ 외교 ~에서 활약하다.
무대[6]【霧帶】㉮ 넓은 띠 모양으로 길게 낀 안개.
무-대가【無代價】[一까] ㉮ 대가가 없음. ㉠무대(無代).
무:대 감독【舞臺監督】㉮〖연〗무대 장치·배우의 연기(演技)·조명(照明), 그 밖의 연극을 구성하고 진행시키는 모든 일을 종합적으로 지도·감독하는 일. 또, 그 사람. *영화 감독·감독.
무대-과【無袋果】㉮ 봉지를 씌우지 아니하고 수확한 과실. 감 따위. *무대 재배.
무대-광【無對光】㉮〖불교〗〔아미타불(阿彌陀佛)의 광명(光明)에 대비(對比)할 것이 없다는 뜻에서 나온 말〕십이광(十二光)의 하나.
무대광-불【無對光佛】㉮〖불교〗무대광(無對光)의 덕에 의하여 일컬어지는 '아미타불(阿彌陀佛)'의 이칭(異稱).
무:대-극【舞臺劇】㉮〖연〗무대(舞臺)에서 연출(演出)하는 극. 무대 연극.
무대다 ㉻〈방〉무디다.
무대-류【無帶類】㉮〖동〗[Adiniferidea] 와편모충류(渦鞭毛蟲類)에 속하는 원생(原生) 동물의 한 목(目). 몸은 나출(裸出)되든가 또는 두 개의 피막(皮膜)이 있음. 누른 빛 색소립(色素粒)이 있어 식물적 영양법(植物的營養法)을 가짐. ↔유대류(有帶類).
무:대-면【舞臺面】㉮〖연〗무대의 장면. 무대 위의 정경(情景).
무:대 미술【舞臺美術】㉮ ①연극이나 무용 등의 종합 예술에서, 어떤 조형적 형상(形象)을 가지며, 시각적(視覺的) 인상을 불러일으키는 구성 부분의 총칭. 전체로서 희곡·연기의 주요 부분을 보조 수식하는 무대 예술의 한 요소가 됨. 극장·무대·의상(衣裳)·장신구·화장·무대 장치·조명 등 직접 눈에 보이는 여러 요소를 포함함. ②무대 장치.
무:대 배:광【舞臺配光】㉮ 무대 조명(舞臺照明).
무-대상【無代償】㉮ 값이나 삯을 받지 아니함. ㉠무대(無代).
무-대소【無大小】㉮ 탄력(彈力) 있게 늘어났다 줄어졌다 하는 물건. 고무줄이 든 직물 같은 것.
무:대 연:극【舞臺演劇】㉮ 무대에서 연출하는 연극. ㉠무대극(舞臺劇).
무:대 연:습【舞臺練習】㉮ 연예(演藝) 연습의 최종적 단계로 모든 장치를 갖춘 무대에서 하는 연습.
무:대 예:술【舞臺藝術】㉮ 무대 위에서 연출되는 예술. 특히 연극의 일컬음.
무:대 의상【舞臺衣裳】㉮ 연극·무용 등 모든 무대 예술에서 사용되는 의복붙이의 총칭.
무:대 의:장【舞臺意匠】㉮ 무대의 설비·조명·의상(衣裳) 등에 관한 의장(意匠).
무:대 장치【舞臺裝置】㉮ 연극의 구성 요소의 하나. 상연될 극의 종류·성질을 따라서 꾸미는 무대 위의 배경(背景)·구조물(構造物)·소품(小品)·조명(照明) 기타 연기상(演技上) 필요한 모든 설비. 무대 미술. 세트(set). ——-하다 ㉶㉾
무대 재배【無袋栽培】㉮〖농〗사과·복숭아·배 등의 재배에 있어서 과실의 비대(肥大)·성숙기에 봉지를 씌우지 아니하고 재배하는 방법. 강력한 농약(農藥)의 살포(撒布)에 의해서 병충해(病蟲害)를 완전히 방제(防除)할 수 있기 때문에 이 방법이 보급되었음. *무대과(無袋果).
무:대 조:명【舞臺照明】㉮ 연극의 구성 요소의 하나. 광선을 응용하여 무대면(舞臺面)의 명암(明暗)을 조절함으로써, 연극적 효과(効果)를 높이는 일. 무대 배광(舞臺配光).
무:대 중계【舞臺中繼】㉮ 극장에서 상연중인 연극 등을 중계 방송(中繼放送)하는 일. ——-하다 ㉵㉾
무:대 화장【舞臺化粧】㉮ 연기자가 무대에서 연기할 때 그 맡은 역할을 보다 잘 관객에게 전달하기 위해 하는 화장.
무:대 효:과【舞臺効果】㉮ 연극의 진행·연출의 효과를 돕는 일. 또, 그렇게 하는 것. 특히 음향 효과.
무댕 ㉮〈방〉무당[1](함북).
무댕-이 ㉮〈방〉무당[1](경남).
무더기 ㉮ 많은 물건을 한데 모아 수북이 쌓은 더미. ¶ 한 ~ 1,000원.
무더기-무더기 ㊀㉮ 각각의 무더기. 각기의 무더기. ㊁㉯ 무더기가 여기저기 많이 있는 모양. ¶ 돌이 ~ 쌓여 있다. ㉠무덕무덕. >모다기모다기.
무더니기다 ㉵〈옛〉불 속에 묻어 익히다. ¶ 무더니길 심(燖)《字會 下 12》.
무-더위 ㉮ 찌는 듯한 더위. ¶ ~에 시달리다.
무:덕[1]【武德】㉮ 무도(武道)의 덕. 무사(武士)의 덕의(德義). ↔문덕(文德).
무덕[2]【無德】㉮ 인덕(人德)이 없음. 덕망이 없음. ¶ ~한 소치. ↔유덕. ——-하다 ㉻㉾
무덕-무덕 ㉯ ↗무더기무더기. >모닥모닥.
무:덕-악【武德樂】㉮〖악〗아악곡(雅樂曲)의 하나. 당악(唐樂)에 속함. 본래 서(序)·파(破)·급(急)의 3 부로 구별되었으나, 현재는 급(急)만이 전해짐. 중국 한(漢)나라 고조의 무(武)로써 나라를 평정한 일을 노래한 것임.
무덕-지다 ㉻ ↗무드럭지다. ¶ 커다랗게 벌린 입에서 담배 연기를 한 번 무덕지게 내뿜고는 말을 계속했다《金廷漢 : 위치》.
무던-하다 ㉻㉾〔중세 : 므던ᄒᆞ다〕①정도가 어지간하다. ②덕량이 있어 너그럽다. ¶ 무던한 사람. 무던-히 ㉯. ¶ ~ 애를 먹이는구나.
무던히 너기다 ㉵〈옛〉괜찮게 생각하다. ¶ 져믄 젯 물란 무던히 너기고 사괴요몰 다 늘그니로 호롸(脫略小時輩結交皆老蒼)《重杜諺 Ⅱ : 38》.
무던ᄒᆞ다 ㉻〈옛〉아깝지 않다. ¶ 내사 주거도 무던커니와(我不惜死)《三綱》.

무덤 명 송장·유골(遺骨)을 땅에 묻은 곳. 구묘(丘墓). 구분(丘墳). 분묘(墳墓). 분영(墳塋). 총묘(塚墓).

무덤-구덩이 [—꾸—] 명 무덤을 만들기 위해서 일정한 크기·형태로 땅을 판 곳. 묘광(墓壙).

무덤-새 명 〖조〗 [*Megapodius laperouse*] 순계류(鶉鷄類) 무덤샛과에 속하는 새. 날개 길이 17-18cm, 꽁지 5.5-6.5cm이고 발가락과 발톱이 매우 강대(強大)하며, 몸빛은 자웅 동색(雌雄同色)으로 회흑색이고, 머리·목은 암회색에 목 앞 쪽과 머리 쪽이 나출(裸出)하여 적색임. 수컷은 모래·부식토(腐植土) 등을 발로 긁어 모아, 때로는 높이 1.8m 가량의 '무덤'을 만들며, 그 윗부분에 암컷이 달걀만 한 알을 낳음. 알은 부식토의 발열(發熱), 태양열로 40일 만에 부화(孵化)함. 과실 종자·지렁이·곤충 등을 먹음. 산림·모래 벌판에 서식하는데, 오스트레일리아·뉴기니·솔로몬 제도(諸島)에 분포함.

〈무덤새〉

무덥기다 자 〈옛〉 무더위에 볶이다. ¶ 무덥겨티 믈 업서 우므를 네길나마 포터 므리 업거늘《續三綱 孝子 王中感天》.

무덥다 형 ㅂ불 찌는 듯이 덥다. ¶ 무더운 여름 날씨. *덥다.

무뎅 명 〈방〉 무당¹(경기·황해).

무데기 명 ☞무더기.

무데하르 [스 mudéjar] 명 ①그리스도교도에 의해 정복당한 스페인의 이슬람 교도. ②중세 스페인에서 행하여진 건축 양식의 하나. 그리스도교 건축과 이슬람교 건축의 혼합 양식임.

무:도¹ 【武道】 명 ①무사(武士)가 마땅히 지켜야 할 도리. 병도(兵道). ↔문도(文道). ②무예(武藝)나 무술(武術) 등의 총칭.

무도² 【無道】 명 도의심(道義心)이 없음. 인도(人道)에 어긋나서 무지함. 부도(不道). ¶ 극악 ~. ——하다 형(여불). ——히 부

무:도³ 【舞蹈】 명 ①춤을 춤. ②흔히 경쾌한 음악에 맞추어 율동적으로 사지(四肢) 및 신체를 약동(躍動)시킴으로써 감정이나 의사를 표현하는 신체적인 예술. 민속(民俗) 무도·사교(社交) 무도·무대(舞臺) 무도 등과, 단독(單獨)·남녀 한 쌍·집단적인 춤 등이 있음. 노래와 더불어 인류의 가장 원시적인 시대로부터의 예술임. 무용. 댄스(dance). ——하다 자(여불)

무:도-곡 【舞蹈曲】 명 〖악〗 무도를 위한 악곡(樂曲). 무도할 때에 몸을 움직이는 데 따라 반주(伴奏)하여 그 박자를 맞추고, 또 표정을 돕는 곡으로, 원래는 특별한 리듬(rhythm)이 있었으나, 후에 무도와는 따로 독립한 기악곡(器樂曲) 또는 무도가(舞蹈歌)로서 작곡하게 된 것이 많음. 무곡(舞曲).

무-도덕 【無道德】 명 아무런 도덕도 없음. ——하다 형(여불)

무도덕-주의 【無道德主義】 [—/—이] 명 〖윤〗 기성 도덕의 근본 전제가 되는 가치 원리 자체를 부정하고 전면적으로 반대하는 입장. 신(神)에게 가치 원리를 두는 기독교적 도덕에 반항하고 힘에의 의지(意志)에 새로운 가치 정립(定立)의 원리를 인정한 니체의 사상 같은 것.

무-도리 【無道理】 명 도리가 없음. 어찌할 길이 없음. ——하다 형(여불)

무도 막심 【無道莫甚】 명 더할 수 없이 무도함. ——하다 형(여불)

무:도 모음곡 【舞蹈一曲】 명 [dance suit] 〖악〗 무도곡이나 무도곡풍의 곡을 몇 개 모아 엮은 모음곡의 하나. 실제 춤은 따르지 않고, 자유 모음곡의 형식을 취하여, 관현악을 위하여서 작곡되는 것이 보통임. 무도 조곡(舞蹈組曲). *무용(舞踊) 모음곡.

무도 몰륜 【無道沒倫】 명 마땅히 지켜야 할 도리도 없고 인륜도 없음. ——하다 형(여불)

무:도-병 【舞蹈病】 [—뼝] 명 [chorea] 〖의〗 얼굴·손·발·혀 등의 몸 부분이 마음대로 되지 아니하고 저절로 심하게 움직여져서 늘 불안한 상태에 빠지는 신경병의 한 가지. 심하면 춤을 추듯이 전격적(電擊的)으로 발작(發作)·경련(痙攣)이 일어나서 보행(步行)·언어·식사·연하(嚥下) 등에 장애를 줌. 여성, 특히 연소자·중년 이후의 사람들에게 많이 걸리는데, 원인은 명확하지 않으나 뇌염·임신·관절 류머티즘 또는 유전에 의하여 일어나는 난치병임.

무:도-자 【舞蹈者】 명 춤추는 사람. 댄서(dancer).

무:도-장¹ 【武道場】 명 무예(武藝)·무술 등을 연습·시합하는 곳.

무:도-장² 【舞蹈場】 명 춤추기 위하여 따로 마련해 놓은 곳. 저택(邸宅)·호텔 같은 곳에 딸린 것과 영업 오락장이 있음. 댄스홀(dance hall).

무:도 조곡 【舞蹈組曲】 명 〖악〗 무도 모음곡. *무용 조곡.

무:도-화 【舞蹈靴】 명 춤출 때 신는 가볍고 간편한 신.

무:도-회 【舞蹈會】 명 여러 사람이 사교 춤을 추는 모임. 정식으로는 예복을 입고 일정한 곡목(曲目)에 따라서 행함. 댄스 파티.

무:독¹ 【武督】 명 〖역〗 백제 십육품 관등(十六品官等)의 열셋째 등급.

무독² 【無毒】 명 ①해독(害毒)이 없음. 독기가 없음. ¶ ~ 무해(無害). ↔유독(有毒). ②성질이 착하고 순함. ——하다 형(여불)

무동¹ 【無動】 명 〖불교〗 선정(禪定)에 의하여 망상(妄想)이 생기지 아니함.

무:동² 【舞童】 명 ①나라 잔치 때에 춤을 추고 노래를 부르던 아이. ②걸립패(乞粒牌)에 속하여 남의 목말을 타고 춤추던 아이.

무:동(을) 서다 구 서 있는 다른 사람의 어깨 위에 올라 서다.

무:동(을) 타다 구 ☞목말(을) 타다.

무:동-놀이 【舞童—】 명 걸립패(乞粒牌)·답교(踏橋)놀이·남사당패(男寺黨牌)·농악 등에서, 여장(女裝)한 어린 소년이 남자의 어깨 위에 올라서서 연행하는 놀이.

무:동-봉 【舞童峰】 명 〖지〗 평안 남도 영원군(寧遠郡) 영락면(永樂面)과 평안 북도 희천군(熙川郡) 진면(眞面)·장동면(長洞面) 경계에 있는 산. 대동강 및 그 지류인 성룡천(成龍川)의 발원지를 이룸. [1,762m]

무두¹ 명 〈심마니〉 나무.

무두² 【無頭】 명 머리가 없음. ¶ ~ 동물.

무두-귀 【無頭鬼】 명 참형(斬刑)으로 목을 베이어 죽은 사람의 귀신.

무두 동:물 【無頭動物】 명 〖동〗 두삭 동물(頭索動物).

무두-류 【無頭類】 명 〖동〗 ①두삭류(頭索類). ②부족류(斧足類).

무두 무미 【無頭無尾】 명 머리도 꼬리도 없음. 밑도 끝도 없음. 처음과 나중이 없음. 몰두 몰미(沒頭沒尾). ¶ ~하게 그게 무슨 소리람. ——하다 형(여불)

무두-산 【無頭山】 명 〖지〗 함경 북도 무산군(茂山郡) 삼장면(三長面)에 있는 산. 백두산(白頭山)의 한 봉우리. [1,930m]

무:두-장이 【—匠—】 명 털과 기름을 뽑아 가죽을 부드럽게 다루는 일을 업으로 삼는 사람.

무:두-질 명 ①모피(毛皮)를 칼로 훑거나 기계로써 털과 기름을 뽑고, 가죽을 부드럽게 다루는 것. ②매우 시장하거나 또는 병으로 속이 쓰라림을 가리키는 말. ¶ 뱃속에서 ~을 한다. ——하다 자타(여불)

무둑 명 〈옛〉 무더기. ¶ 혼 무둑 저(一堆灰)《朴解 下 48》.

무둑-무둑 부 〈옛〉 무더기무더기. ¶ 네다삿방식 무둑무둑 나아 드러(四五對家族族邊邊的)《朴解 下 30》.

무둑-하다 형 〈방〉 무직하다.

무둠 타 〈옛〉 묻음. '묻다²'의 명사형. ¶ 져머셔 주그니 무두므란 潘岳이 이룰 조차 후고(瘞夭追潘岳)《杜諺 Ⅲ:17》.

무:둣-대 명 무두질할 때에 쓰는 칼.

무뒤다 형 〈옛〉 무디다. 둔하다. ¶ 무뒬 둔(鈍)《類合 下 4》.

무:드 [mood] 명 ①기분. 정서. 분위기(雰圍氣). ②〖언〗 법. ③〖논〗 식(式). 방식. ④〖악〗 음계. 음계법.

무드기 부 두두룩하게 많이. 무더지게. ¶ 왕도 이 잔치는 가슴에 ~ 뻗치는 듯 기쁨을 느꼈다《金東仁 : 首陽大君》.

무드다 자 〈옛〉 물들다. ¶ 무드다(習染)《漢淸 Ⅷ:31》.

무드럭-지다 형 두두룩하게 많이 쌓여 있다. ㊀무덕지다.

[무드럭지 입에는 들깻묵이 제격] 변변찮은 음식을 먹으면서 자조(自嘲)하는 농담.

무:드 음악 【—音樂】 [mood] 명 부드러운 선율(旋律)의 음악.

무:드 컨디셔닝 [mood conditioning] 명 작업장 등에서, 업무 능률의 증진이나 위험 방지를 위하여 무드 음악을 틀어 종업원의 기분을 부드럽게 하는 일.

무득 부 ☞문득.

무득-무득 부 ☞문득문득.

무득 무실 【無得無失】 명 얻은 것도 잃은 것도 없음. 이익도 손해도 없음. 무해 무득(無害無得). ——하다 형(여불)

무-득점 【無得點】 명 득점이 없음. 러브(love). ¶ 경기가 ~으로 끝나다.

무들기 명 〈옛〉 ①개미의 두둑. 곧, 언덕. ¶ 무들기 딜(垤)《字會 上 4》. ②과(科). ¶ 무들기 과(科)《字會 上 34》. ③무더기. ¶ 일천 거시 혼 무들기만 굳디 몯후니(千零不如一頓)《老乞 下 7》.

무등¹ 【無等】 ㊀ 명 등급이 그 위에 더할 나위 없음. ㊁ 부 등급이 그 위에 더할 수 없이. ——하다 형(여불)

무등² 【無燈】 명 밤에 등을 켜지 아니함. 등이 없음. ¶ ~ 운전.

무등-배 명 〖건〗 지붕 마루를 쌓지 않고 좌우 지붕 면을 둥그스름하게 맞물린 마루.

무등-산 【無等山】 명 〖지〗 광주 광역시와 전라 남도 화순군(和順郡) 이서면(二西面) 사이에 있는 산. 한국에서 보기 드문 차원(茶園)이 있고, 수박이 유명하며, 증심사(證心寺)를 비롯한 많은 사찰이 있음. 영산강(榮山江)이 여기서 발원함. 도립(道立) 공원임. [1,187m]

무등산-가 【無等山歌】 명 〖문〗 백제 가요의 하나. 가사는 전하지 아니함. 광주(光州) 무등산에 산성을 쌓으니 백성이 마음 놓고 생업에 종사할 수 있게 됨을 즐겨 부르던 노래라 함. 작자·연대는 미상.

무등 호:인 【無等好人】 명 그지없이 좋은 사람. 더할 나위 없이 마음 좋은 사람. *무골(無骨) 호인.

무듸다¹ 자 〈옛〉 미다. 빠지다. ¶ 쁘는 믈애는 두들기 뻐디여가느니 뫼고롤 시스니 솔와 잣괘 무듸도다(漂沙拆去岸漱壑松栢禿)《杜諺 Ⅻ:8》.

무듸다² 형 〈옛〉 무디다. ¶ 機 놀카보니 무듸니 이실써《月釋 Ⅻ:38》.

무디 명 〈옛〉 무더기. =무들기. ¶ 흙 무디 돈(墩)《字會 中 9》.

무디-개 명 〖고고학〗 날이나 손잡이 부분을 무디게 하는 데 쓰는 연장. 긴 자갈돌이 많이 쓰임.

무디다 형 [중세 : 무듸다] ①끝이나 날이 날카롭지 아니하다. ¶ 무딘 면도날. ②느끼어 깨닫는 힘이 모자라다. ¶ 눈치가 ~/감정이 ~. ③말이 무지하고 무뚝뚝하여 우악스럽다. ¶ 말을 무디게 하다.

무디히 부 〈옛〉 무지(無知)하게. 미련하게. 무례하게. ¶ 무디히 너기디 마루쇼셔《新語 Ⅵ:9》.

무딘이빨-게 명 〖동〗 [*Eucrate crenata*] 원숭이겟과에 속하는 게의 하나. 등딱지의 길이는 30mm, 폭은 37.5mm 내외이고, 이마와 눈 가의 사이가 'V'자 형을 이루었으며, 집게발의 완절(腕節) 외측 말단 부근에 털이 밀생함. 깊이 3-10cm의 진흙 모래 땅에 서식하는데, 한국·일본·중국·인도양·홍해 등지에 분포함. 집게게.

무따래기 명 함부로 훼방놓는 사람들.

무:-떡 명 ↗무시루떡.

무똥 부 〈방〉 무척.

무뚝뚝-하다 형(여불) 성질이 쾌활하지 아니하고 인정미가 없다. 아기자기한 맛이 없다. ¶ 무뚝뚝한 사나이. **무뚝뚝-이** 부

무뚝-무뚝 부 ①음식을 이로 뚝뚝 떼어 먹는 모양. ②말을 이따금 사리(事理)에 맞게 하는 모양. ¶ ~ 하는 말이 그럴 듯하다.

무뜩 부 ↗문뜩.

무뜩-무뜩 부 ↗문뜩문뜩.

무-뜯다 타 ↗물어 뜯다.

무뜽 부 〈방〉 무척.

무라비요프-아무르스키〔Muravyov-Amurskii, Nikolai Nikolaevich〕 명 『사람』 러시아의 정치가. 1847년 동부 시베리아의 총독이 되어 아무르 강 지방에 식민(植民), 1858년 중국 청나라와 아이훈(璦琿) 조약을 체결하고 아무르 강 이북 지역을 획득하여 러시아의 극동 경영에 이바지하였음. [1809-81]

무라타 반:응【一反應】〔村田:むらた〕 명 『의』 혈청(血淸)에 의한 매독 진단법의 하나. 혈청과 시약(試藥)을 중첩(重疊)하면 매독 혈청이 겔화(化)하여 그 사이에 백색 침전륜(白色沈澱輪)이 생김을 이용해서 판정(判定)하는 방법. 일본인 무라타 쇼타(村田正太)가 고안(考案)했음.

무라토리〔Muratori, Lodovico Antonio〕 명 『사람』 이탈리아의 성직자·역사학자. 밀라노·모데나(Modena)의 도서관 연구원으로서 중세 고문서(中世古文書)의 편집을 맡아 많은 논문을 발표함. 주저(主著)는 ≪이탈리아 사료 집성(史料集成)≫·≪중세 이탈리아 고문서≫ 등인데, 전자(前者)는 현대까지도 개정 증보 사업(改訂增補事業)이 계속되고 있음. [1672-1750]

무라토리 단:편【一斷片】〔Muratori〕 명 〔무라토리는 이탈리아의 역사가·신학자의 이름〕 현존하는 최고(最古)의 신약 성서 목록표. 2세기 후반의 것으로 추정되는데, 18세기 초에 무라토리가 밀라노에서 발견함.

무람-없다 [一업一] 형 어른에게 또는 친한 사이에 예의를 지키지 아니하다. 체면을 헤아리지 아니하다. ¶ 무람없는 짓이긴 하지만 잠깐 웃목에라도 앉아서 몸을 녹이라고 하였다≪吳有權 : 산장≫.

무람-없이 [一업씨] 부 무람없게. ¶ 어른 앞에서 ~ 잔소리를 한다.

무랍 명 굿을 하거나 물릴 때에 귀신을 위하여 물에 말아 문간에 내어 두는 한술 밥.

무래 명 〈방〉 『식』 오이(전남·경남).

무:략【武略】 명 군사상의 책략. 용병(用兵)의 모략. 전략(戰略).

무량【無量】 명 ①헤아릴 수 없이 많음. 한량이 없음. 무한량(無限量). ¶ 감개 ~. ②『천주교』 천주의 소극적 품성(消極的稟性)의 하나. 한도(限度)가 없는 일. ——-하다 형 여불

무량갓 명 〈옛〉 마루 없는 집. ¶ 무량갓 晋義云 비우훗 집이니 모르업슨 지블 닐오더 捲蓬≪朴解≫.

무량-겁【無量劫】 명 〔범 asaṃkhya-kalpa〕 『불교』 한량(限量)이 없는 시간. 아승지겁(阿僧祇劫).

무량-광【無量光】 명 『불교』 십이광(十二光)의 하나. 지혜(智慧)의 광명은 한량이 없고, 그 광익(光益)은 삼세(三世)에 미쳐 끝이 없다는 일.

무량 광명토【無量光明土】 명 『불교』 끝없는 광명으로 넘치는 세계. 아미타불의 정토(淨土).

무량광-불【無量光佛】 명 〔범 Amitābha-buddha〕 『불교』 '아미타불(阿彌陀佛)'의 별칭. 그 광명은 널리 시방(十方) 세계를 비추어 중생(衆生)에게 한없는 이익을 준다는 뜻에서 온 말.

무량광-천【無量光天】 명 『불교』 색계(色界) 십팔천(十八天)의 다섯째. 이선천(二禪天)의 둘째. 몸에서 광명을 발산함이 끝없는 세계. 그리고 거기에 주(住)하는 천(天).

무량 대:복【無量大福】 명 한량 없이 큰 복덕(福德).

무량 대:수【無量大數】 수 무량수(無量數).

무량 무변【無量無邊】 명 그지없이 크고 넓음. 헤아릴 수 없이 많음. ——-하다 형 여불

무량-사【無量寺】 명 『불교』 충청 남도 부여군(扶餘郡) 외산면(外山面) 만수리(萬壽里) 만수산(萬壽山)에 있는 절. 마곡사(麻谷寺)의 말사(末寺). 신라 때 창건한 것으로 그 후 여러 차례 중수(重修)하였으나 자세한 연대는 알 수 없음. 조선 세조(世祖) 때 김시습(金時習)이 세상을 피해 있다가 죽은 곳으로 유명하며, 극락전(極樂殿)·5층 석탑·석등 등은 보물로 지정되어 있음.

무량 상:수【無量上壽】 명 한없이 오랜 수명(壽命). 무량수.

무량 세:계【無量世界】 명 한량 없이 광대(廣大)한 세계.

무량-수[1]【無量壽】 명 ①한량이 없는 수명. 무량 상수. ②『불교』 아미타불(阿彌陀佛) 및 그 국토의 백성의 수명이 한량이 없는 일.

무량-수[2]【無量數】 수 ①불가사의(不可思議)의 억배(億倍). 곧, 10^{128} 또는 10^{88}. ②불가사의의 만 배(萬倍). 곧, 10^{68}. ❶❷ 공히 명수법(命數法)의 수사(數詞) 중 가장 큰 수임. 무량 대수(無量大數).

무량수-경【無量壽經】 명 『책』 진종(眞宗)·정토종(淨土宗)의 근본 경전(根本經典)으로, 정토 삼부경(淨土三部經)의 하나. 중국 위(魏)나라 강승개(康僧鎧)의 역(譯)인데, 상권(上卷)에는 아미타불이 인위(因位)에 있어서 48원(願)을 세워 서방 극락(西方極樂)을 성취한 인과(因果)를 설명하고, 하권(下卷)에는 중생이 극락에 왕생하는 인과를 설명하였음. 전 2권. *아미타경(阿彌陀經)·관무량수경(觀無量壽經).

무량수경-론【無量壽經論】 [一논] 명 『책』 왕생론(往生論).

무량수 관경【無量壽觀經】 명 『책』 관무량수경(觀無量壽經).

무량수-불【無量壽佛】 명 〔범 Amitayus-buddha〕 『불교』 무량수(無量壽)의 덕을 찬양하여 '아미타불(阿彌陀佛)'을 높이 일컫는 말. 「래.

무량수 여래【無量壽如來】 명 『불교』 무량수불(無量壽佛)인 아미타 여래.

무량수-원【無量壽院】 명 『불교』 미륵(彌勒)의 정토(淨土)인 도솔천(兜率天)에 있는 49원(院)의 하나.

무량수-전【無量壽殿】 명 『불교』 ①무량수불(無量壽佛)인 아미타 여래를 봉안(奉安)한 법당. ②특히, 법주사(法住寺)의 무량수전.

무량 억겁【無量億劫】 명 『불교』 헤아릴 수 없이 긴 시간.

무량의-경【無量義經】 [一/一이一] 명 『책』 법화 삼부경(法華三部經)의 하나. 한 권으로 되고 현행(現行)의 것은 담마가타야사(曇摩伽陀耶舍)의 역(譯)으로 법화경(法華經)의 서론(序論)을 이루는데, 하나의 공상(空相)에서 무량(無量)의 법이 나옴을 설명하였음.

무량정-천【無量淨天】 명 『불교』 색계 삼선천(色界三禪天)의 둘째. 청정(淸淨)하기가 한이 없는 하늘의 뜻.

무량 청정토【無量淸淨土】 명 『불교』 극락 정토.

무럭-무럭 부 ①사람이나 동식물 등이 힘차게 잘 자라는 모양. ¶ 어린애가 ~ 자라다. ②연기·냄새 같은 것이 치밀어 일어나는 모양. ¶ 김이 ~ 난다. 1)·2): >모락모락.

무럭-이 부 수두룩하게.

무럼-생선【一生鮮】 명 ①『동』 해파리. ②해파리를 식료품(食料品)으로 일컫는 말. ③몸이 허약한 사람의 비유. ④줏대 없는 사람을 비웃는 말.

무럼-해파리 명 『동』 〔*Aurelia aurita*〕 무럼해파릿과에 속하는 강장(腔腸) 동물. 몸은 지름 15-30 cm의 무색 투명(無色透明)한 원반상(圓盤狀)이며 생식선(生殖腺)의 빛은 갈색 또는 자색임. 삿갓의 가장자리는 여덟 개로 구분되고, 중심부에 말굽 모양의 갈색 또는 자갈색의 생식소(生殖巢)가 네 군데에 있고, 가장자리에는 유백색(乳白色)의 작은 촉수(觸手)가 일렬로 밀생하였음. 6-9월에 많이 잡히나 식용·비료용으로는 쓰지 않음. 일본과 한국의 남해 및 목포 해안에 분포함.

〈무럼해파리〉

무럽[1] 명 〈방〉 무렵(전라).

무럽[2] 명 〈방〉 무릎(강원·함경·경북·제주).

무럽다 형 ㅂ불 빈대·벼룩 등의 물것에 물려서 가렵다.

무레 명 〈방〉 『식』 오이(전남·경남).

무:려[1]【武旅】 명 군대의 위력. 군세(軍勢). 군려(軍旅).

무려[2]【無慮】 명 아무 염려할 것이 없음. ——-하다 형 여불

무려[3]【無慮】 부 어떤 수효(數爻) 앞에 붙어서, '여분(餘分) 있는'·'그만큼은 넉넉하게' 또는 생각했던 것보다 많음을 강조하는 뜻으로 쓰는 말. ¶ 이 책은 ~ 10년 만에 완성되었다/~ 오천 명이 죽었다.

무력[1] 명 〈방〉 물력(物力).

무:력[2]【武力】 명 ①군사상(軍事上)의 힘. 병력(兵力). 총칼. ¶ ~ 도발/~ 행사. ②마구 욱대기는 힘. ¶ ~으로 다짐을 받다.

무력[3]【無力】 명 ①힘이 없음. 세력이 없음. ¶ 적의 공격에 비하여 너무나 ~하다. ②능력이나 활동력이 없음. ¶ ~한 남편. ——-하다 형 여불

무:력[4]【懋力】 명 힘씀. 노력함. ——-하다 자 여불

무:력 간섭【武力干涉】 명 남의 나라 내정에 무력으로써 행하는 간섭.

무력-감【無力感】 명 스스로 무력함을 알았을 때의 허탈하고도 맥빠진 듯한 느낌. ¶ ~에 빠지다.

무력성 정신병질【無力性精神病質】 [一뻥一] 명 『의』 신경질·신경 쇠약 등의 현상을 나타내며, 정신적으로 과민하고 섬약(纖弱)한 정신병질의 한 유형. *발양성(發揚性) 정신병질.

무력성 체질【無力性體質】 명 『의』 신장(身長) 발육은 정상이나 가슴이 좁고 편편하며, 피부도 약하고, 근육(筋肉)·골격(骨格)의 발육이 좋지 못한 체질.

무력 소:치【無力所致】 명 힘에 부치는 때문. 능력이 없는 소치. ¶ ~로 일을 그르쳤소.

무력-심 명 활의 양냥고자에 감은 물건.

무:력-적【武力的】 명 관 무력을 쓰는 태도. 무력에 의한 수단.

무:력적 침략【武力的侵略】 [一냑] 명 무력으로써 행하는 침략.

무력-전[1]【一氈】 명 활의 양냥고자 밑에 단, 작은 전 조각.

무:력-전[2]【武力戰】 명 무력으로써 하는 싸움. *사상전(思想戰).

무력-증【無力症】 명 『의』 애디슨병에서 볼 수 있는 전신의 쇠약, 특히 일반적 근육 위축(萎縮)을 가리킴. 피로하기 쉬운 것이 특징임.

무:력 침범【武力侵犯】 명 무력으로써 행하는 침범. ——-하다 타 여불

무력-피【一皮】 명 활의 양냥고자 밑에 장식으로 붙인 가죽.

무:력 혁명【武力革命】 명 폭력 혁명(暴力革命).

무력-화【無力化】 명 힘이 없게 됨. 또, 그렇게 함. ¶ 적의 공세를 ~시킬 전략. ——-하다 자 타 여불

무렴【無染】 명 『사람』 무염[3].

무렴【無廉】 명 ①염치 없음. ②염치가 없는 줄을 느끼어 마음에 거북함. ¶ 승재는 되레 ~해서 벌신 웃고 얼른 아랫방께로 걸어간다≪蔡萬植 : 濁流≫. ——-하다 형 여불

무-렴자【一簾子】 명 〈궁중〉 문염자(門簾子).

무렵 의명 바로 그 때쯤. 일이 벌어질 그 즈음. ¶ 해질 ~/꽃필 ~.

무:령【巫鈴】 명 『민』 무당이 굿할 때 손에 들고 춤추는 방울.

무:령-왕【武寧王】 명 『사람』 백제 제25대 왕. 휘(諱)는 사마(斯摩). 시호는 무령(武寧). 동성왕(東城王)의 제2자. 즉위하자 역신(逆臣) 구가(舊加)를 죽이고, 만년에 쌍현성(雙峴城)을 쌓아 외국 침략에 대비하였음. [462-523; 재위 501-523]

무:령왕-릉【武寧王陵】 [一능] 명 백제 무령왕과 그 비(妃)의 무덤. 충청 남도 공주읍 금성동(錦城洞)에 있음. 1971년 7월에, 백제 금관을 비롯하여 우리 나라 최고(最古)의 지석(誌石)과 그 밖에 2,500여 점의 부장품(副葬品)이 출토되었음.

무:령지-곡【武寧之曲】 명 『악』 구군악(舊軍樂) 대취타(大吹打)의 아명(雅名).

무례【無禮】 명 예의가 없는 일. 예의에 벗어남. 실례(失禮). 무상(無狀). ——-하다 형 여불. ——-히 부

무:로【霧露】 명 안개와 이슬.

무로마치 막부【一幕府】〔室町:むろまち〕 명 『역』 아시카가 다카우지(足利尊氏)가 가마쿠라(鎌倉) 막부의 제도를 계승하고, 일본 교토(京都)의 무로마치(室町)에 연 막부. 15대 요시아키(義昭) 때에 오다 노부나가(織田信長)에 의하여 멸망함. 아시카가 막부. [1336-1573]

무:로-이【霧露異】 명 ①안개가 몹시 짙거나 또는 오랫동안 끼는 일. ②감로(甘露)가 이상하게 많이 내리는 일. 「여불

무로-이득【無勞而得】 명 노고(勞苦) 없이 쉽게 얻는 일. ——-하다 타

무록-관【無祿官】 명 『역』 나라의 봉록(俸祿)이 없는 벼슬.

무론【毋論·無論】 명 물론(勿論).

무롭 명 〈옛〉 무릎. ¶ 흔골마티 즌흙이 무룹도리로 깁더라(一蓋深) 「蓋深)≪朴解 中 51≫.

무롭다 타 〈옛〉 무릅쓰다. ¶ 바뫌 무룹고 추자가니 과연 주검더라(冒夜尋之果死矣)≪東國新續三綱 列女 Ⅲ:21 玉之抱屍≫.

무릅도리 명 〈옛〉 무릎도리. ¶ 무릅도리로 깁더라(曲膝蓋深)《朴解 中 51》.
무:롱¹【撫弄】명 현악기(絃樂器)를 타고 놂. ――하다 자 여불
무:롱²【舞弄】명 ↗무문 농필(舞文弄筆)❷. ――하다 자 여불
무롸-가다 자 거라불 ↗무르와가다.
무롸-내다 자 ↗무르와내다.
무뢰-배【無賴輩】명 무뢰한의 무리. 무뢰지당. 무뢰지배.
무뢰지-당【無賴之黨】명 무뢰배.
무뢰지-배【無賴之輩】명 무뢰배.
무뢰-한【無賴漢】명 일정한 직업 없이 돌아다니며 불량한 짓을 하는 사람. 뇌자(賴子).
무료¹【無料】명 ①요금이 필요 없음. 공짜. ¶ ~로 주다. ②직명(職名)은 있어도 급료(給料)가 없음. 무급(無給). ¶ ~ 봉사. 1)·2):↔유료(有料).
무료²【無聊】명 ①어울리지 아니하여 탐탁한 맛이 없음. ②조금 부끄러운 생각이 있음. 열없음. 열적음. ¶ ~한 얼굴. ③심심함. ¶ ~하게 시간을 보내다. ――하다 형 여불. ――히 부
무료 강:습회【無料講習會】명 국가·단체 등에서 수강(受講) 요금이 없이 여는 강습회.
무료 부장【無料部將】명〖역〗조선 때 포도청(捕盜廳)의 벼슬.
무료 숙박소【無料宿泊所】명 국가나 단체 등에서 요금을 받지 아니하고 가난한 사람 등을 숙박시키는 곳.
무료 승차【無料乘車】명 무임(無賃) 승차. ――하다 자 여불
무료 승차권【無料乘車券】[―꿘] 명 무임(無賃) 승차권.
무료 연:주회【無料演奏會】명 국가나 공공 단체가 대중을 위하여 무료로 행하는 연주회.
무료 우편물【無料郵便物】명〖법〗요금이 필요하지 않은 우편물. 우편환·전기 통신 사무 등에 관한 사무상의 우편물, 맹인용(盲人用) 점자(點字) 우편물 등.
무료 입장【無料入場】명 요금이 필요한 극장·회장·운동장 등에 무료로 들어가는 일. ――하다 자 여불
무료 입장권【無料入場券】[―꿘] 명 요금 없이 입장하는 표.
무료 진:정【無料進呈】명 무료(無料)로 물건을 자진하여 드림. ――하다 타 여불
무룡-태 명 능력은 없고 그저 착하기만 한 사람.
무루¹ 명 〈방〉 모레(함경).
무루² 명 〈심마니〉 수목(樹木).
무루³【無漏】㊀ 명〖불교〗번뇌(煩惱)를 떠남. 번뇌가 없음. ↔유루(有漏). ㊁ 부 빠짐없이. ¶ ~ 왕림하심을 바랍니다.
무루⁴【無漏】명〖사람〗신라 문무왕 때의 중. 속성(俗姓)은 김(金). 세속의 영예를 싫어하여 불도에 귀의하고 중국 당(唐)나라 허란 산(賀蘭山) 백초곡(白草谷)에 초암(草庵)을 짓고 살았음. 만년에 당(唐)황제의 부름에 응하여, 궁중 내사(內寺)에서 공양에 힘썼음. [?-676]
무루-꼬뱅이 명 〈방〉 무릎(강원).
무루-도【無漏道】명〖불교〗번뇌를 떠난 깨끗한 길. ↔유루도(有漏道).
무루-독 명 〈방〉 물독.
무루-로【無漏路】명〖불교〗무루지(無漏地). ↔유루로(有漏路).
무루로아 환초【―環礁】〔Mururoa〕명〖지〗남(南)태평양, 프랑스령(領) 폴리네시아에 있는 무인(無人) 환초. 타히티(Tahiti) 섬의 남동 약 1,200 km 거리에 위치함. 1966년부터 프랑스의 핵실험장(核實驗場)으로 쓰임.
무루쓰다 타 〈옛〉 뒤집어 쓰다. ¶ 令女ㅣ ᄀᆞᄆᆞ니 자ᄂᆞᆫ 房의 드러 갈ᄒᆞ로 고ᄒᆞᆯ 버히고 니블 무루ᄡᅥ 누뻐거늘《三綱 烈女 11》.
무루-법【無漏法】[―뻡] 명〖불교〗번뇌에 젖지 아니하는 법. 곧 무위법(無爲法)과 성도(聖道).
무루-업【無漏業】명〖불교〗무루(無漏)의 업. 곧, 번뇌에 사로잡히지 않는 행위. 더럽혀짐이 없는 심신의 활동. ↔유루업(有漏業).
무루-지¹【無漏地】명〖불교〗번뇌에 젖지 아니한 경계(境界). 무루로(無漏路). ↔유루지(有漏地).
무루-지²【無漏智】명〖불교〗번뇌를 해탈(解脫)한 성자(聖者)의 지혜. ↔유루지(有漏智).
무루청-하다 자 〈방〉 무르춤하다.
무루팍 명 〈방〉 무릎(경기·강원·충북·전남·경상).
무루패기 명 〈방〉 무릎(강원).
무루-혜【無漏慧】명〖불교〗번뇌(煩惱)가 없어지고 공무아(空無我)의 상주 실상(常住實相)을 확실히 깨달은 성자(聖者)의 지혜. ↔유루혜(有漏慧).
무룩-무룩 부 〈방〉 무럭무럭.
무룩-하다 형 〈방〉 수두룩하다(함경).
무룹팍 명 〈방〉 무릎(충청·경기·황해).
무룹 명 〈옛·방〉 무릎(경기·충북). =무뤂. ¶ 무룹 슬(膝), 무룹 국(𩪉)《字會 上 28》.
무룹ᄆᆞᆺ 명 〈옛〉 무릎 자리. ¶ 돌해 師ㅅ 趺坐ᄒᆞ신 무룹ᄆᆞᆺ과 또 뵈옷 그미 잇더니(石於是有師趺坐膝痕及衣布之紋)《六祖 中 51》.
무룹스다 타 〈옛〉 뒤집어쓰다. ¶ 또 고기 잡ᄂᆞᆫ 그므ᄅᆞᆯ 가져다가 머리예 무룹스면 즉재 ᄂᆞ리리라(又取魚網覆頭立下)《救簡 Ⅵ:4》.
무룹팍 명 〈방〉 무릎(경북).
무뤂 명 〈옛·방〉 무릎(경기·강원·경상). =무룹. ¶ 무루페 더날만 ᄒᆞ도다(過膝)《杜諺 Ⅰ:5》.
무뤠 명 〈방〉 오이(전남·제주).
무뤼¹ 명 〈옛〉 우박. ¶ 能히 번게 ᄃᆞ외며 무뤼 ᄃᆞ외야(能爲電爲雹)《楞嚴 Ⅷ:99》/무뤼 박(雹)《字會 上 2》.
무뤼² 명 〈옛〉 곱고 가는 깁. ¶ 무뤼 추(縐), 무뤼 곡(縠)《字會 中 31》.
무뤼³ 명 〈방〉 오이(경상).
무류¹【無類】명 유례(類例)가 없음. 비길 데 없음. ――하다 형 여불
무류²【無謬】명 오류가 없음. ――하다 형 여불
무류-하다 형 여불 ☞무료하다. ¶ 심심하고 ~.
무륜 무척【無倫無脊】명 일에 차례가 없음. ――하다 형 여불
무르녹다 자 ①과실이나 삶은 음식이 익을 대로 익어서 흐무러지다. ②무슨 일이 한창 이루어지려는 고비에 이르다. ¶ 기회가 ~. ③그늘이 매우 짙다. ¶ 무르녹은 8월의 녹음.
무르다¹ 자 르불 굳은 물건이 푹 익어 녹실녹실하게 되다. ¶ 콩이 잘 ~.
무르다² 자 〈옛〉 물러가다. 뒷걸음질치다. ¶ 두 발을 벗뒷고 코쌀을 찡그리며 무르락 나오락 캉캉 짓는 요 노랑 암캐《古詩調》.
무르다³ 타 르불 ①샀던 물건을 도로 주고, 값으로 치른 돈을 찾다. ¶ 시계를 샀다가 도로 ~. ②도로 삭치다. ¶ 주고 받은 것을 ~. ③장기나 바둑에서, 한 번 둔 것을 안 둔 것으로 하여 다시 두다.
무르다⁴ 형 르불 〔중세: 므르다〕①단단하지 아니하다. ¶ 무른 사과/살이 ~. ②바탕이 성기어서 힘이 작다. ③마음이나 힘이 약하다. ¶ 정에 ~/여자에게 ~.
[무른 감도 쉬어 가면서 먹어라] 무슨 일이나 틀림이 없는 것이라도 잘 알아보고 조심해서 해야 된다는 말. [무른 땅에 낡을 박고 재 고리에 말뚝 박기; 무른 땅에 말뚝 박기] ㉠힘 없고 연약하다고 업신여기고 학대함을 이르는 말. ㉡아주 쉬운 일. [무른 메주 밟듯] 아무런 어려움 없이 쉽게 두루 돌아다니는 모양. ¶ 흑산도 대마도 칠산 연평 바다를 무른 메주 밟듯 다녔으되 이런 경난은 처음이요《裵裨將傳 19:4》. [물러도 준치 썩어도 생치] 사람이 곤경에 빠졌어도 그 절개나 본질은 변하지 않음을 이르는 말.
무르만스크〔Murmansk〕명〖지〗러시아 북부 바렌츠 해(Barents海)에 면한 항구 도시. 부동항(不凍港)으로 어업의 중심지이며 고등 항해(航海) 학교가 있음. [394,000 명(1981)]
무르시아〔Murcia〕명〖지〗스페인의 동남부 무르시아 지방의 중심 도시. 세구라 강(Segura江)에 연하여 있으며 철도의 중심으로 농산물의 집산지임. 섬유·식품 가공·피혁 공업이 행하여짐. 10세기 무어 왕국의 수도였으며, 사라센 유적이 많음. [289,000 명(1981)]
무르와-가다 자 거라불 윗사람 앞에서 물러가다. ㊢무롸가다.
무르와-내다 타 ①윗사람 앞에 있는 것을 들어 내오다. ②윗사람에게 무엇을 타내다. ㊢무롸내다.
무르-익다 자 ①흐무러지도록 푹 익다. ¶ 무르익은 오곡 백과. ②사물이 적당한 시기에 이르다. 사물이나 시기가 충분히 성숙하다. ¶ 사랑이 ~/시기가 ~.
무르청-하다 자 〈방〉 무르춤하다. ¶ 밖에 와 찾던 사람이 쏜살같이 안으로 들어오려다 무르청하여 서며 화순집을 보고…《李海朝: 鬢上雪》.
무르춤-하다 자 여불 물러서려는 듯이 하며 행동을 갑자기 멈추다. ㊢무춤하다.
무르팍 명 〈속〉 무릎. ¶ 아이를 ~에 앉히다. ㊢물팍.
무르-패기 명 〈방〉 무릎(강원).
무른-돌 명 경도(硬度)가 낮아 잘 부서지는 돌. 사석(砂石)·응회석(凝灰石) 등. 연석(軟石).
무른-숫돌 명 질이 무른 돌로 된 숫돌. ↔센숫돌.
무를 문서【―文書】명 부동산(不動産)을 사고 팔 때, 기한을 정하고 그 기한 안에는 무를 수 있고, 기한이 지나면 아주 쳐서 주기로 약속하는 문서.
무름-병【―病】[―뼝] 명 ①연화병(軟化病). ②연부병(軟腐病).
무름팍 명 〈방〉 무릎(충남·전북·황해).
무름-패기 명 〈방〉 무릎(경북).
무름-하다 형 여불 알맞을 정도로 무르다. 꽤 무르다.
무릅깨 명 〈방〉 처네.
무릅다 타 〈옛〉 덮다. 무릅쓰다. ¶ 草衣를 무릅고 木實을 만정《永言》.
무릅쓰다 타 ①어려운 일을 그대로 참고 견디어 해내다. ¶ 추위를 무릅쓰고 일하다/위험을 ~. ②위로부터 덮어 내려오는 것을 피하지아니하고 그대로 쓰다. ¶ 비를 무릅쓰고 길을 가다.
무릅팍 명 〈방〉 무릎(충남·경상).
무릇¹ 명〖식〗[*Scilla scilloides*] 백합과에 속하는 다년초. 파·마늘과 비슷한데 근생엽(根生葉)은 선형(線形)으로 흔히 두 개씩 대생함. 7-9월에 담자색 육판화(六瓣花)가 높이 50 cm의 화경(花梗) 끝에 총상(總狀) 화서로 피고, 삭과(蒴果)는 길이 5mm 내외의 원추형임. 들이나 밭에 나는데, 한국·일본 및 동부 아시아에 분포함. 어린 잎과 길이 2-3cm의 인경(鱗莖)은 식용함. 야자고(野茨菰). 전도초(翦刀草). 흥거(興渠).

〈무릇¹〉

무릇² 부 종합적으로 살펴보건대. 대체로 보아. 범(凡). 대범. 대저. ¶ ~ 고금을 통해서 노력 없이 성공한 자는 없다/~ 사람이란.
무릇난-과【―蘭科】[―꽈] 명〖식〗[Asphodelaceae] 단자엽 식물에 속하는 한 과. 비비추·산옥잠화·원추리 등이 있음.
무릇-하다 형 여불 무른 듯하다.
무:릉¹【武陵】명〖지〗'우링'을 우리 음으로 읽은 이름.
무:릉²【茂陵】명〖지〗중국 한(漢)나라 때의 현(縣)의 이름. 지금의 산시성(陝西省) 싱핑 현(興平縣)의 동북 지역으로, 한나라 무제(武帝)의 능(陵)이 있음.
무:릉 도원【武陵桃源】명 ①신선이 살았다는 전설적인 중국의 명승지. 중국의 허난 성 둥팅 호(洞庭湖)의 서남쪽 우링 산(武陵山) 기슭 위완장(沅江)강의 강변이라 함. 도연명(陶淵明)이 지은 《도화원기(桃花源記)》에서 나온 말인데, 중국 진(晉)나라 때 허난 우링(湖南武陵)의 한 어부가 배를 저어 복숭아꽃이 아름답게 핀 수원지를 올라가 어떤 굴 속에서 진(秦)나라의 난리를 피하여 온 사람들을 만났는데, 그들은 하도 살기 좋아 그 동안 바깥 세상의 변천과 많은 세월이 지난 줄도 몰랐다고 함. ②이 세상과 따로 떨어진 별천지의 뜻. 도원향. ㊢도원. *선경(仙境).
무:릉-산【武陵山】명〖지〗①함경 북도 부령군(富寧郡) 서면(西面)에

있는 산. [1,003 m] ② 우링 산.

무릎 명 정강이와 넓적다리 아래와의 사이에 있는 관절(關節)의 앞쪽. 슬두(膝頭).

무릎(을) 꿇다 구 ㉠무릎 마디를 구부려 바닥에 대다. ㉡항복(降伏)하다. 굴복(屈伏)하다.

무릎(을) 치다 구 몹시 좋은 일이나 놀랄 만한 일이 있을 때 무릎을 탁 치다.

무릎-걸음 명 꿇은 무릎으로 걷는 걸음.

무릎-깍지 명 앉아 두 무릎을 세우고 무릎이 팔 안에 안기도록 깍지를 낌.

무릎-께 명 무릎이 있는 부분. 무릎이 있는 곳.

무릎-꿇림 [—꿀—] 명 두 손을 뒤로 젖혀 매고 뜰 아래에 무릎을 꿇어 앉히는 일. 옛날에 죄인을 문초할 때에 흔히 하던 방법임. ——-하다 타여불

무릎대어-돌리기 명 씨름에서, 상대의 윗몸을 일으켜 세우는 동시에 오른쪽 발바닥을 상대편 왼다리 바깥무릎에 대어 오른쪽으로 돌려 던지는 혼합 기술의 하나.

무릎-도가니 명 ①소의 무릎의 종지뼈와 거기에 붙은 고깃덩이. ②〈속〉 종지뼈. ㊎도가니.

무릎-도리 명 무릎의 바로 아래쪽.

무릎디피-무 【—舞】 명 『악』 처용무(處容舞) 춤사위의 하나. 처용가를 부른 다음 장구가 채편(便)을 치면, 처용 5인이 허리를 구부리며 두 소매를 들었다가 무릎 위에 놓는 동작.

무릎-마디 명 『생』 정강이 뼈와 넓적다리뼈가 이어진 마디. 슬관절(膝關節).

무릎-맞춤 명 말다툼이나 판가름 등을 할 경우, 두 사람의 말이 서로 맞지 않을 때에, 제삼자 앞에서나 말전주한 사람과 맞대어, 전에 한 말을 되풀이시켜 따지는 일. 대질(對質). 두질(頭質). 면질(面質). 양조 대변(兩造對辯). ——-하다 자여불

무릎 반:사 【—反射】 명 〔knee jerk〕 무릎을 치면 아랫다리가 앞으로 뻗는 반사. 각기병(脚氣病)의 진단에 쓰임. 슬개건 반사(膝蓋腱反射).

무릎 베개 명 남의 무릎을 베개 삼아 베는 일. ¶ ～하고 잠들다. ——-하다 자여불

무릎-쏴 명 소총 사격 자세의 하나. 한 쪽 무릎을 꿇어 그 발꿈치 위에 엉덩이를 대고 앉은 채 한 쪽 무릎을 세우고 그 위에 총 앞부분을 잡은 팔꿈치를 받쳐 세우고 총을 쏨.

무릎-장단 【—長短】 명 무릎을 치며 장단을 맞추는 일.

무릎-치기[1] 명 무릎까지 내려오는 아주 짧은 바지.

무릎-치기[2] 명 씨름에서 상대편의 무릎을 손으로 쳐서 넘기는 재주의 하나.

무릎-틀기 명 씨름에서, 맞배지기 형태로 쌍방 무릎이 굽은 상태에서 쌍방의 오른쪽 부분이 맞닿아 있을 때 상대의 옆무릎을 붙여 왼편으로 틀어젖히는 혼합 기술의 하나.

무릐 명 〈옛〉 우박. =무뤼. ¶ 무릐 박(雹)《倭解 上 2》.

무리[1] 명 〔중세 : 물〕 어떤 관계로 여럿이 모여서 한 동아리를 이룬 사람들. 또, 짐승의 떼. ¶ ～를 지어 다니다. *유(類).

무리[2] 명 ①공동으로 함께 일하는 사람들이 한목 떼로 나오는 때. ¶ 공장 공원들이 나올 ～다. ②생산물 등이 한목에 떼로 많이 쏟아져 나오는 시기. ¶ 조기가 한창 나올 ～다. *물[6].

무리[3] 명 ①쌀을 물에 불리어서 물과 함께 매에 갈아, 체에 밭아서 가라앉힌 앙금. 수분(水粉). 수미분(水米粉). ②무리풀.

무리[4] 명 〔중세 : 모로〕 『천』 해나 달의 주위에 때때로 보이는 백색의 둥근 테. 잘 발달하면 안쪽은 홍색을 띠고, 바깥쪽은 황색을 띠는데, 구름을 이루는 아주 작은 물방울·얼음알에 광선의 반사(反射)와 굴절(屈折)의 작용으로 일어나는 광학적(光學的) 현상임. ¶ 햇～/달～. *광관(光冠).

무리[5] 명 〈방〉 누리. 우박(雨雹)(평안·황해).

무리[6] 명 〈방〉 『식』 오이(경상).

무리[7] 【無理】 명 ①도리(道理)가 아님. 이치에 맞지 아니함. ¶ 자주 부탁하는 것은 ～다. ②억지로 우겨 댐. ¶ 일을 무리하게 떠맡기다. ③하기 곤란함. ¶ 내 힘으로는 ～다. ④『수』 가감 승제(加減乘除) 및 멱법(冪法)의 범위에 있어서의 유리 연산(有理演算) 이외의 관계를 포함하는 일. 1)·4):↔유리(有理). ——-하다 형여불

무리-고치 명 군물이 들어 깨끗하지 못한 고치. ↔쌀고치.

무리꾸럭 명 ☞ 물이꾸럭. ——-하다 타여불

무리 난제 【無理難題】 명 ①무리하게 떠맡기는 까다로운 문제. ②터무니없는 시비.

무리니 명 〈심마니〉 밥.

무리-떡 명 무리로 만든 떡.

무리떡-국 명 무리로 지은 반대기를 썰어서 장국에 끓인 음식.

무리-로 【無理—】 부 무리하게. 억지로.

무리-몸 명 『동』 '군체(群體)'의 풀어 쓴 이름.

무리-무리 부 적당한 시기(時機)를 좇아서 여러 차례로. ¶ 명절이 다가오는 ～ 장사를 하다.

무리미 명 〈심마니〉 밥.

무리 바닥 명 쌀 무리를 바닥에 먹인 미투리.

무리 방정식 【無理方程式】 명 『수』 미지수(未知數)에 관하여 무리식(無理式)을 가진 방정식. ↔유리 방정식(有理方程式).

무리 산:법 【無理算法】 [—뻡] 명 『수』 멱근(冪根)을 구하는 산법. 또 가감 승제(加減乘除) 외의 멱근을 구하는 산법을 포함하는 계산.

무리 송편 【—松—】 명 무리를 빚어서 만든 송편.

무리-수 【無理數】 명 〔irrational number〕 『수』 실수(實數)이면서 정수·분수(分數)의 형식으로 나타낼 수 없는 수. 두 선(線)의 길이와 같이, 같은 종류의 두 양(量)의 비율은 반드시 정수(整數)나 분수(分數)로 된 유리수(有理數)만으로 나타낼 수 없다는 결함을 메우기 위하여, 새로 정의(定義)되는 수임. 곧, 부진근수(不盡根數)·원주율(圓周率)·$\sqrt{2}$, $\sqrt[3]{3}$ 따위. ↔유리수(有理數). *부진수(不盡數).

무리-식 【無理式】 명 『수』 무리수(無理數)가 들어 있는 대수식(代數式). ↔유리식(有理式).

무리요 〔Murillo, Bartolomé Esteban〕 명 『사람』 스페인의 화가. 세비야파(Sevilla派)의 대표적 인물로, 많은 성모상(聖母像)을 그렸음. 대표작 《무염 시태(無染始胎)》·《젊은 처녀와 시녀(侍女)》·《거지 소년》 등. [1617-82]

무리-죽 【—粥】 명 흰무리나 여러 가지 약재를 섞어서 찐 떡을 말려 빻은 가루로 미음보다 약간 되게 끓인 죽. ㊎무리.

무리-풀 명 무릿가루로 쑨 풀. 종이의 빛을 희게 하기 위하여 배접할 적에 씀.

무리 함:수 【無理函數】 [—쑤] 명 『수』 독립 변수(獨立變數)의 유리식(有理式)으로서는 나타낼 수 없는 함수. 곧 상수(常數)와 변수와의 사이에서 가감 승제(加減乘除) 및 개방(開方)의 연산(演算)을 할 때에 얻어지는 수임. ↔유리 함수(有理函數).

무림[1] 명 〈심마니〉 밥.

무:림[2] 【武林】 명 무사(武士)·무협(武俠)의 세계.

무:림[3] 【茂林】 명 초목이 우거진 숲.

무:림[4] 【撫臨】 명 천하에 군림하여 만민(萬民)을 무육(撫育)함. 임무(臨撫). ——-하다 타여불

무릿-가루 명 무리를 말린 흰 가루.

무릿-매 명 ①노끈에 돌을 매고 두 끝을 잡아 빙빙 휘두르다가 한 끝을 놓아서 멀리 던지는 팔매. ②뭇매. ¶ 데데한 책상물림들쯤이야 …～로 넙치를 만드는 데는 이골이 났었다《金周榮 : 客主》. ㊎물매. 「여불

무릿매-질 명 무릿매로 돌을 던지는 팔매질. ㊎물매질. ——-하다 자

무릡 명 〈옛〉 무릎. ¶ 안자 겨시거든 무릡을 볼띠니라(坐則視膝)《小諺 Ⅱ:6》.

무:마 【撫摩】 명 ①손으로 어루만짐. ②마음을 달래어 위로함. 마무(摩撫). ¶ 흥분한 군중들을 ～하다. ——-하다 타여불

무:마지-재 【舞馬之災】 명 〔말이 춤을 추는 꿈을 꾸면 불이 난다는 데서〕 '화재(火災)'를 달리 일컫는 말. 마무재(馬舞災).

무:-말랭이 명 반찬거리로 썰어서 말린 무.

무-맛 【無—】 명 맛이 없음. 무미(無味).

무망[1] 【无妄】 명 『민』 ↗무망괘(无妄卦).

무:망[2] 【務望】 명 힘써서 바람. *요망(要望). ——-하다 타여불

무망[3] 【無妄】 명 ↗무망중(無妄中).

무망[4] 【無望】 명 ①가망이나 희망이 없음. 바랄 수 없음. ②생각대로 안 될 듯함. ——-하다 형여불 「타여불

무:망[5] 【誣罔】 명 그럴 듯하게 남을 속이어 넘김. 기망(欺罔). ——-하다

무망-괘 【无妄卦】 명 『민』 육십사괘(卦)의 하나. 건괘(乾卦)와 진괘(震卦)가 거듭된 것으로, 천하(天下)에 우레가 행함을 상징(象徵)함. ㊎무망(无妄).

무망-종 【無芒種】 명 벼·보리·밀 따위의 곡식 중에서 이삭에 까끄라기가 없는 품종.

무망-중 【無妄中】 一명 뜻하지 아니함. ¶ ～이라 서먹서먹하고 미처 대답을 못하고 있었다. ㊎무망(無妄). 二부 뜻하지 아니한 가운데. ¶ ～ 돌아가셨다.

무망지-복 【毋望之福】 명 바라지 아니한 행복. 뜻밖에 얻는 복.

무망지-세 【毋望之世】 명 뜻하지 않은 화복(禍福)에 부딪히게 되는 세상.

무망지-인 【毋望之人】 명 급난(急難)에 처하였을 때 뜻밖에 구원을 주는 사람.

무망지-주 【毋望之主】 명 장차 어떠한 재앙을 부르게 될지 믿을 수 없는 군주(君主).

무망지-화 【毋望之禍】 명 뜻하지 아니한 화(禍).

무-매개 【無媒介】 명 〔도 Unmittelbarkeit〕 『철』 매개(媒介)를 갖지 아니함. 직접(直接).

무매 독신 【無妹獨身】 명 형제 자매가 없는 혼잣몸.

무매 독자 【無妹獨子】 명 딸이 없는 사람의 외아들.

무맥 【無脈】 명 맥이 없음. ——-하다 형여불

무:맹 【武猛】 명 날쌔고 사나움. 용맹. ——-하다 형여불

무면 【無麪】 명 돈이나 물건이 축나는 일.

무면 나다 구 돈이나 곡식 따위에 결손이 생기다.

무면 도:강 【無面渡江】 명 ↗무면 도강동(無面渡江東).

무면 도:강동 【無面渡江東】 명 〔초(楚)나라의 항우(項羽)가 싸움에 패하고 오강(烏江)에 이르매, 정장(亭長)이 항우에게 강동(江東)으로 돌아가 재거(再擧)할 것을 권하자, 무슨 면목으로 고향에 돌아가리요 하고 자문(自刎)하였다는 고사(古事)〕 곧, 일에 실패하여 고향에 돌아갈 형편이나 면목이 없음을 이르는 말. ㊎무면 도강.

무-면목 【無面目】 명 면목이 없음. ——-하다 형여불

무-면허 【無免許】 명 면허를 받고 있지 아니함. 면허가 없음. ¶ ～ 의사.

무명[1] 명 〔근세 중국어 木綿〕 무명실로 짠 피륙. 목면포(木綿布). 면포. 백목(白木). 목면. ㊎명.

무:명[2] 【武名】 명 무용(武勇)으로써 난 이름. 무인으로서의 명예. 효명(驍名). ¶ ～을 떨치다. ↔문명(文名).

무명[3] 【無名】 명 ①이름이 없음. ¶ ～ 고지(高地). ②세상에 이름이 널리 알려져 있지 않음. ¶ ～ 인사(人士). 1)·2):↔유명. ——-하다 형여불

무명[4] 【無明】 명 〔범 avidyā〕 『불교』 사제(四諦)의 진리인 불교의 근본의(根本義)에 통달하지 않은 마음의 상태. 곧, 모든 번뇌의 근원이 되고 사견(邪見)·망집(妄執)으로 법의 진리에 어두운 일.

무명-것 [—껃] 명 무명으로 지은 옷.

무명 계:약 【無名契約】 명 『법』 법률에서 일정한 명칭을 붙여서 규정한 전형(典型) 계약 또는 유명(有名) 계약의 어느 것에도 속하지 아니하는 계약. 계약 자유의 원칙에 의하여 민법·상법 등에 있어서 특정한 명칭을 붙이지 아니하고 자유로 체결할 수 있음. 비전형 계약(非典型契約). ↔유명 계약.

무명 고지 【無名高地】 명 이름이 없거나, 이름이 알려져 있지 아니한 고지. ¶ ～에서 산화(散華)한 용사.

무명-골【無名骨】명〖생〗'관골(髖骨)'의 구칭.
무명-도【無名島】명 이름이 없거나, 이름이 알려져 있지 아니한 섬. ¶ 절해(絶海)의 ～.
무명-루【無明漏】〔-누〕명〖불교〗〔누(漏)는 번뇌의 뜻〕삼루(三漏)의 하나. 삼계에 일어나는 열다섯 가지의 치번뇌(癡煩惱).
무명밭-노래 명〖악〗진도(珍島) 들노래 중, 부녀자들이 목화밭에서 김을 매면서 부르는 밭노래.
무명-베 명 무명실로 짠 베. *무명.
무명-뼈【無名一】명〖생〗관골(髖骨).
무-명색【無名色】명 내세울 만한 명색이 없음. ——-하다 형여불
무명-석【無名石】명〖광〗암석에 붙어서 나는 흑갈색의 광물. 크기가 일정하지 않으나 보통은 쌀알만한 작은 덩이로, 윤이 남. 지혈(止血)·식상(食傷) 등의 약재로 쓰임. 무명이(無名異).
무명 세:계【無明世界】명〖불교〗번뇌에 사로잡혀 헤매는 세계. 곧, 사바(娑婆) 세계. 범부(凡夫)의 세계. 「것없는 사람.
무명 소:졸【無名小卒】명 이름이 알려지지 아니한 하찮은 사람. 보잘
무명-수【無名數】〔-쑤〕명〖수〗단위(單位)의 이름을 붙이지 아니한 보통의 수(數). 불명수(不名數). ↔명수(名數). 「心)을 흐리게 하는 일.
무명-술【無明一】명〖불교〗무명(無明)이 빚어낸 번뇌(煩惱)가 본심(本
무명-실 명 면화(棉花)의 솜을 자아 만든 실. 면사(綿絲). 목사(木絲). ㊉명실.
무명-씨【無名氏】명 이름 모를 사람. 이름을 세상에 드러내지 아니한 사람. ¶ ～의 투서/～의 작품. *실명씨(失名氏).
무명 업화【無明業火】명〖불교〗불같이 성낸 마음이나 깨우치지 못한
무명-옷 명 무명으로 지은 옷. 「데서 오는 나쁜 마음.
무명 용:사【無名勇士】〔-농—〕명 세상에 그 명성이 알려지지 아니한
무명-이【無名異】명〖광〗무명석(無名石). 「용사. ¶ ～의 무덤.
무명-인【無名人】명 ①이름 모를 사람. ②세상에 이름이 알려지지 아니한 사람.
무명-자【無名子】명 ①〖공〗화소청(畫燒靑). ②〖공〗흑자석(黑赭石). ③ 신문·잡지 등에 이름을 밝히지 아니하고 글을 써 낸 사람. ¶ ～의 기고(寄稿). 「상에 떨치지 못한 작가.
무명 작가【無名作家】명 널리 이름나지 아니한 작가. 문명(文名)을 세
무명 잡세【無名雜稅】명 정당한 세목(稅目)을 붙이지 아니하고 받는 여러 가지 세금. ㊉잡세. 「컫는 말.
무명 장야【無明長夜】명 '무명(無明)'을 어두운 긴 밤에 비유하여 일
무명 전:사【無名戰士】명 세상에 그 이름이 알려지지 아니한 전사(戰
무명-조개 명〖조개〗대합(大蛤). 문합(文蛤). 「士).
무명-지【無名指】명 약손가락. 「니한 인사(人士).
무명지-사【無名之士】명 세상에 이름나지 아니한 선비. 유명하지 아
무명지-인【無名之人】명 세상에 이름이 알려지지 아니한 사람.
무명-초【無名草】명 이름이 없는 풀. 이름이 알려지지 아니한 풀.
무명-활 명 무명솜을 타는 활. 보통 활보다 크고 대나무 등을 휘어서 가는 실 등으로 활줄을 매어 만듦. 솜에 활줄을 대고 튕기면 솜이 부풀어 지면서 티는 멀리 튀어 나감. 솜활. ㊉활.
무모[1]【無毛】명 털이 없음. ——-하다 형여불
무모[2]【無帽】명 모자를 쓰지 아니함.
무모[3]【無謀】명 ①꾀와 수단이 없음. ②깊은 사려(思慮)가 없음. ¶ ～한 계획. ——-하다 형여불. ——-히 부
무모-성【無謀性】〔-썽〕명 무모한 성질. 무모한 성품.
무모순-성【無矛盾性】〔-썽〕명〔도 Widerspruchfreiheit〕〖논〗공리계(公理系)에 그 어떤 논리적 모순이 없는 일. 또, 그 공리계에서 모순된 명제(命題)를 이끌어 낼 수 없는 일. 공리주의(公理主義) 이론에서 우선 필요로 하는 요건임. 정합성(整合性).
무모-일【無毛日】명〖민〗일진(日辰)이 털 없는 짐승에 해당하는 날. 곧, 용의 날과 뱀의 날. *유모일(有毛日)·모일(毛日).
무모-증【無毛症】〔-쯩〕명 두발(頭髮)·수염·액모(腋毛), 특히 거웃이 없거나 또는 발육이 불완전한 병증. 불모증(不毛症).
무-목적【無目的】명 목적이 없음.
무몰【無沒】명 잡초가 우거져 덮임. ——-하다 자여불
무:묘【武廟】명 중국 촉한(蜀漢)의 관우(關羽)를 모신 사당. 관왕묘(關王廟). 관제묘(關帝廟). ↔문묘(文廟).
무:무[1]【武舞】명〖악〗궁중에서 아악(雅樂)을 할 때에 악생(樂生)들이 무(武)를 상징(象徵)하는 옷을 차리고 추는 일무(佾舞). ↔문무(文舞).
무:무[2]【懋懋】명 힘쓰는 모양. ——-하다 형여불
무:무[3]〔muumuu〕명 하와이 원주민 여자가 입는 민속 의상(民俗衣裳). 색채와 무늬가 화사하며, 낙낙한 원피스임.
무:무-하다【貿貿一·瞀瞀一】형여불 ①교양이 없어 말과 하는 짓이 무지하고 서투르다. ¶ 처음에는 섭섭이가 무무하고 잔소리쯤 하던 것이 날이 갈수록 차차 심하게 되어서…《洪命憙: 林巨正》. *무작하다. ②머리를 떨어뜨리고 기운이 없거나 안광(眼光)이 흐릿하다. 무:무-히【貿貿一·瞀瞀一】부
무:문[1]【武門】명 무인(武人)의 가문(家門).
무문[2]【無紋】명 ①무늬나 문채가 없음. ②포목에 무늬가 없는 것. 무지(無地). ——-하다 형여불 「——-하다 타여불
무:문[3]【舞文】명 ①문부(文簿)를 뜯어 고침. ②무문 곡필(舞文曲筆).
무:문 곡필【舞文曲筆】명 붓을 함부로 놀리어 왜곡(歪曲)된 문사(文辭)를 씀. 또, 그 문사. 무문(舞文). ——-하다 타여불
무문-관【無門關】명〖책〗고인(古人)의 공안(公案) 48 칙(則)을 해석한 한 권(卷)의 책. 본이름은 《선종 무문관(禪宗無門關)》. 중국 남송(南宋)의 무문 혜개(無門慧開)가 평창(評唱)한 것을 문인(門人) 종소(宗紹)가 편찬하였음. 선종(禪宗)에서 가장 귀중히 여김.
무문-근【無紋筋】명〖생〗민무늬근.
무:문 농:법【舞文弄法】〔—뻡〕명 붓을 함부로 놀리어 법기(法紀)를 농락함. ——-하다 타여불
무:문 농:필【舞文弄筆】명 ①문부(文簿)를 함부로 고치거나 또는 법규(法規)의 적용을 농락하는 일. ②붓을 함부로 놀리어 문사(文辭)를 농(弄)하는 일. 또, 그 문사. ㊉무롱(舞弄). ——-하다 타여불
무문-토기【無文土器】명〖고고학〗민무늬토기.
무물【無物】명 아무 물건도 없음.
무물 부존【無物不存】명 없는 물건이 없음. ——-하다 형여불
무물 불성【無物不成】〔—썽〕명 돈이 없이는 아무 일도 이루어지지 아니함. ——-하다 자여불
무뭉스레-하다 형여불 뭉뚝하고 둥그스레하다.
무뭉스름-하다 형여불 뭉뚝하고 둥그스름하다.
무미[1]【無味】명 ①맛이 없음. 무맛. ¶ ～ 무취 무색. ②재미가 없음. ③취미가 없음. 몰미(沒味). 몰취미(沒趣味). ④↗무의미. ——-하다 형여불
무:미[2]【貿米】명 쌀을 무역하여 많이 사들임. 무곡(貿穀). ——-하다 자
무미[3]【嫵媚】명 예쁨. 아름다움. ——-하다 형여불 「여불
무미 건조【無味乾燥】명 ①재미나 취미가 없고 메마름. ¶ ～한 생활. ②깔깔하여 운치가 없음. ¶ ～한 문체. ——-하다 형여불
무미들레 명〖식〗〈방〉민들레.
무미-류【無尾類】명〖동〗개구리목(目). ↔유미류(有尾類).
무미 불촉【無微不燭】명 아주 작은 일까지 환하게 다 살피는 일. ——-하다 자여불
무미 불측【無微不測】명 아무리 작은 일이라도 샅샅이 다 앎. ——-하다 자여불
무미익-기【無尾翼機】명 주익(主翼)만 있고 미익(尾翼)이 없는 비행기. 날개의 끝이나 뒤쪽에 특수 장치를 하여 안정(安定)되도록 설계되어 있음.

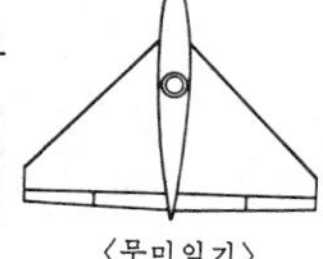
〈무미익기〉

무민〔아랍 mu'min〕명〖이슬람〗신자. 신앙심이 깊은 사람.
무밀-기【無蜜期】명 식물이, 꽃이 없어 꿀을 못내는 시기.
무밍 명〈방〉무명(경북).
무:반【武班】명〖역〗무관(武官)의 반열(班列). 호반(虎班). ↔문반(文
무-반동【無反動】명 반동이 없음. 「班).
무반동-총【無反動銃】명〖군〗'무반동포'의 구칭(舊稱).
무반동-포【無反動砲】명〖군〗미국에서 제2차 대전 중에 개발된 대(對)전차·중진지(重陣地) 공격용 화포(火砲). 발사 가스의 일부를 뒤쪽으로 분사시켜 발사시에 포신(砲身)의 반동을 없게 한 것으로, 가볍고 조작도 간단하기 때문에 공수(空輸) 부대에서도 긴요하게 쓰임.
무-반성【無反省】명 반성함이 없음. ——-하다 형여불
무-반주【無伴奏】명 반주가 없음. ¶ ～ 합창.
무반-향【無班鄕】명 사대부(士大夫)가 살지 아니하는 시골.
무-발생【無發生】〔—쌩〕명〔agenesis〕〖생〗발육(發育)이 억제되었기 때문에 조직이나 기관(器官)이 결실(缺失)된 상태.
무:-밥 명 무를 잘게 썰어 넣어 지은 밥.
무방【無妨】명 방해(妨害)될 것이 없음. 지장(支障)이 없음. ¶ 가벼운 산책은 ～하다. ——-하다 형여불. ——-히 부
무-방비【無防備】명 아무런 방비가 없음. ¶ ～ 상태.
무방비 도시【無防備都市】명 군사적인 방비가 없는 도시. 국제법상, 전시(戰時)에도 공격이 금지되어 있으며, 군사적인 목표물이 있을 경우 목표물에 대해서만 공격이 허용되고 있음. 무방수(無防守) 도시. 비무장(非武裝) 도시. *개방 도시·방수(防守) 도시.
무방수 도시【無防守都市】명 무방비 도시.
무-방어【無防禦】명 방어가 없음.
무배【無配】명〖경〗↗무배당. ¶ ～주(株).
무-배당【無配當】명〖경〗이익 배당이 없음. 특히, 주식(株式)에서 배당이 없는 일. 회사가 주주(株主)에게 배당을 아니하는 일. ㊉무배.
무배란성 월경【無排卵性月經】〔—썽—〕명〖의〗배란을 수반하지 아니하는 월경. 초경(初經) 후의 수년 동안과 폐경(閉經)의 수년 전에는 생리적으로 일어남.
무배 생식【無配生殖】명〖생〗배우체상(配偶體上) 배우자 이외의 체세포(體細胞)가 기원(起源)이 되어, 무성적(無性的)으로 조포체(造胞體)를 만드는 현상. 양치(羊齒) 식물의 약 10%가 이 생식을 한다고 함. *
무배-유【無胚乳】명〖식〗배유(胚乳)가 없음. 「무성(無性) 생식.
무배유 종자【無胚乳種子】명〖식〗배(胚)만 있고 따로 배유(胚乳)가 없으며, 자엽부(子葉部)가 매우 살쪄, 그 속에 많은 양분을 저장하고 있는 종자. 완두·밤 따위. ↔유배유 종자(有胚乳種子).
무배-주【無配株】명〖경〗배당이 없는 주.
무백혈-병【無白血病】〔—뼝〕명〖의〗백혈병의 한 증세. 백혈병의 경과(經過) 중에, 말초(末梢) 혈액 속의 백혈구의 수가 정상 또는 정상 이하로 감소되어 있는 경우.
무:-버무리 명 ☞무시루떡.
무번【蕪繁】명 초목(草木)이 우거짐. ——-하다 형여불
무번-천【無煩天】명〖불교〗색계(色界) 제사 선천(第四禪天)의 구천(九天)의 하나로 다섯 번째의 천(天). 욕계(慾界)의 고(苦)와 색계의 낙(樂)을 떠난, 번뇌가 없는 세계.
무벌-적【無罰的】〔—쩍〕명관〔impunitive〕〖심〗뜻대로 되지 아니하는 일이 생겼을 때, 자기의 책임이라고도 생각하지 아니하고, 남의 탓으로도 돌리지 아니하는 경향. ↔외벌적(外罰的)·내벌적(內罰的).
무법[1]【無法】명 ①법이 없음. ¶ ～ 지대. ②도리에 어긋남. 막되고 난폭

함. 또, 그 모양. ¶ ~한 짓을 하다. ──-하다 형여불

무:법² 【舞法】 [─뻡] 명 춤추는 방법.

무법-자 【無法者】 명 법을 무시하는 사람. 막되어 난폭한 사람. ¶ 뒷골목의 ~.

무법 천지 【無法天地】 명 법이 없는 세상. 질서 없는 난폭한 사회. ¶ 깡패가 설치는 ~.

무-법칙 【無法則】 명 지켜야 할 법칙이 없음. 또, 그 모양. ──-하다 형여불

무:변¹ 【武弁】 명 ①고대 중국, 특히 주대(周代)에 무관들이 쓰던 관(冠)의 하나. 보통 가죽·녹비로 만들었음. 우리 나라에서는 조선 시대에, 순(錞)·탁(鐲)·요(鐃)·탁(鐸)·응(應)·아(雅)·상(相)·독(牘)을 연주하는 악공(樂工)이 썼음. ②무관(武官)❷.

〈무변¹❶〉

무변² 【無邊】 명 ①끝닿는 데가 없음. 또, 그 모양. ②↗무변리(無邊利). ──-하다 형여불

무변³ 【無變】 명 변함이 없음. ¶ 영구(永久) ~의 진리. ──-하다 형여불

무변-광 【無邊光】 명 〖불교〗 십이광(十二光)의 하나. 시방(十方) 세계를 한없이 비추어 끝이 없고, 중생을 빠짐없이 다 비추는 아미타(阿彌陀)의 빛.

무변 광:대 【無邊廣大】 명 광대 무변. ──-하다 형여불

무변광-불 【無邊光佛】 명 〖불교〗 무변광(無邊光)의 덕(德)으로 인하여 일컬어지는 아미타불의 이칭.

무변 광:야 【無邊曠野】 명 끝없이 너른 벌판.

무변 대:해 【無邊大海】 명 끝없이 너른 바다. 망망 대해(茫茫大海).

무-변리 【無邊利】 [─별─] 명 변리가 없음. 준무변(無邊).

무변 법계 【無邊法界】 명 〖불교〗 광대 무변(廣大無邊)하여 온갖 제법(諸法)을 함유(含有)하는 세계.

무변 세:계 【無邊世界】 명 〖불교〗 끝닿는 데가 없는 세계.

무변-전 【無邊錢】 명 변리가 없는 빚돈.

무-변태 【無變態】 명 〖생〗 알이 깨어서 성충(成蟲)이 될 때까지, 그 모양이 조금도 변하지 아니하는 일.

무:병¹ 【巫病】 명 〖민〗 신병(神病).

무병² 【無柄】 명 ①자루가 되는 부분이 없음. ②〖식〗 엽병(葉柄) 곧, 잎자루가 없음. 1)·2):↔유병(有柄).

무병³ 【無病】 명 병이 없음. 건강함. ↔유병(有病). ──-하다 형여불
【무병이 장자(長者)】 병을 앓으면 비용이 많이 드니, 앓지 않고 사는 것이 곧 부자라는 말.

무병-엽 【無柄葉】 [─녑] 명 〖식〗 엽병(葉柄)이 없는 잎. 냉이·엉겅퀴의 잎 따위.

무병-자 【無病者】 명 병에 잘 걸리지 아니하는 건강한 사람.

무병 장수 【無病長壽】 명 병 없이 오래도록 삶. ──-하다 자여불

무:보¹ 【武步】 명 얼마 안 되는 길이. 무(武)는 석 자, 보(步)는 여섯 자임.

무:보² 【誣報】 명 거짓 보고. 만보(瞞報). ──-하다 타여불

무:보³ 【舞譜】 명 무용의 동작을 악보(樂譜)처럼 일정한 기호로 기록한 것.

무-보수 【無報酬】 명 보수가 없음. ¶ ~로 일하다.

무보증 사:채 【無保證社債】 명 〖경〗 금융 기관 등 보증 기관의 보증 없이 발행되는 일반 사채. 보통, 보증 사채에 비하여 이자율이 높음.

무보증 어음 【無保證─】 명 기업 어음 중 은행 등 보증 기관으로부터 담보의 보증을 받지 않은 어음. 곧, 기업의 신용만으로 발행되는 어음임.

무:복¹ 【巫卜】 명 무당과 점쟁이.

무:복² 【巫服】 명 무당이 굿할 때 입는 옷.

무복각-선 【無伏角線】 명 〖물〗 자기 적도(磁氣赤道).

무복지-상 【無服之殤】 명 복(服)을 입지 아니하는 일곱 살 이하의 어린 사자(死者).

무복-친 【無服親】 명 ①복제(服制)에 들지 아니한 가까운 친척. ②단문친(袒免親).

무본 대:상 【無本大商】 명 '도둑'을 비꼬아 일컫는 말. 자본이 없이 하는 큰 장수라는 뜻.

무:-봉 【茂峰】 명 〖지〗 함경 북도 무산군(茂山郡) 삼장면(三長面)에 있는 산. [1,320m]

무봉-탑 【無縫塔】 명 〖불교〗 난탑(卵塔).

무:부¹ 【巫夫】 명 무당 서방❶.

무:부² 【武夫】 명 ①용맹스러운 사내. ②무사(武士).

무:부³ 【碔砆】 명 〖광〗 붉은 바탕에 흰 무늬가 있는 옥(玉) 비슷한 돌.

무부-기 【無夫妓】 명 일정한 기둥서방이 없는 기생. ↔유부기(有夫妓).

무-부모 【無父母】 명 부모가 없음. ──-하다 형여불

무부 무군 【無父無君】 명 어버이와 임금에게 거역하여, 불효하고 불충함. 어버이와 임금도 안중에 없이 행동이 막됨. ──-하다 형여불

무:부-세 【巫夫稅】 명 〖역〗 무당 서방에게서 받는 세.

무-부여망 【無復餘望】 명 다시 더 바랄 것이 없음. ──-하다 형여불

무-부여지 【無復餘地】 명 다시 할 여지가 없음. ──-하다 형여불

무-분별 【無分別】 명 분별력이 없음. 앞뒤 생각이 없음. 사려(思慮)가 없음. ¶ ~한 짓을 하다. ──-하다 형여불

무분별-지 【無分別智】 명 〖불교〗 알리어지는 것과 아는 것과의 대립을 초월한 절대지(絶對智)의 뜻으로, 진여(眞如)에 오입(悟入)하는 지(智). 근본지(根本智).

무분-전 【無分廛】 명 〖역〗 능력이 없어서 나아가 나라의 역사(役事)를 맡아 볼 의무가 없는 전. 그 능력의 분수(分數)는 평시서(平市署)에서 정하였음. ↔유분전(有分廛).

무불 【無佛】 명 부처가 세상에 존재하지 않음. 부처가 현세(現世)에 나타나지 않음. ↔유불(有佛).

무-불간섭 【無不干涉】 명 관계 있는 일에나 없는 일에나 덮어놓고 나서서 간섭하지 아니함이 없음. ──-하다 자여불

무-불성 【無佛性】 [─썽] 명 〖불교〗 ①불성이 없음. 부처가 될 가능성이 없음. ②만물·만상(萬象)이 모두 불성임으로 특히 불성을 운위(云謂)하여 따질 필요가 없다는 말.

무불 세:계 【無佛世界】 명 ①〖불교〗 부처가 없는 세계. 석가(釋迦)가 입멸(入滅)하고 미륵(彌勒)이 아직 출세(出世)하지 아니한 동안의 시대. ②인지(人智)가 열리지 않은 땅을 비유하는 말.

무-불통지 【無不通知】 명 환히 통하여 알지 못하는 것이 없음. ──-하다 타여불

무브망 〔프 mouvement〕 명 ①회화나 조각에서 볼 수 있는 운동감·생동감(生動感). 동세(動勢). ②예술가의 집단적인 행동이나 예술 운동.

무:브먼트 〔movement〕 명 ①정치적·사회적 운동. ②〖악〗 주명곡(奏鳴曲)·교향곡 등의 악장(樂章) 또는 진행·율동(律動)·박자(拍子)·템포(tempo). ③〖미술〗 조각 등에 있어서 동적(動的)인 효과 또는 기운(氣韻). ④〖문〗 시·소설·극 등에 있어서 사건의 진전이나 변화. ⑤시계 따위의 움직이는 부품(部品) 기계 장치.

무:비¹ 【武備】 명 군사에 관한 장비(裝備) 또는 준비. 병비(兵備). ¶ ~를 강화하다. ↔문비(文備).

무비² 【無比】 명 비할 데가 없음. 견줄 만한 것이 없음. 또, 그 모양. ¶ 통쾌 ~/당대 ~의 검객. ──-하다 형여불

무비³ 【無非】 부 그렇지 않음이 없이 모두. 죄다. ¶ 이동집의 스러지게 하는 말을 듣고서 ~ 눈물이 핑핑 돌며…《李海朝 : 九疑山》.

무비⁴ 【無備】 명 방비나 준비가 없음. ¶ ~ 유환(有患). ↔유비(有備). ──-하다 형여불

무:비⁵ 〔movie〕 명 영화(映畫).

무:비-사 【武備司】 명 〖역〗 조선 시대 병조(兵曹)의 분장(分掌). 군적(軍籍)·마적(馬籍)·병기(兵器)·전함(戰艦)·점열(點閱)·군사(軍士) 훈련·숙위(宿衛)·부신(符信)·방수(防戍) 등에 관한 일을 맡아 보던 관아.

무:비올라 〔moviola〕 명 〖연〗 동시 녹음(同時錄音)이 아닌 발성 영화(發聲映畫)를 편집하는 데 쓰이는 기계. 페달(pedal)을 밟아서 필름(film)이 움직여 지나가게 하고, 렌즈(lens)를 통한 화면과 확성기(擴聲器)에서 나는 소리를 검토하면서 필요하지 아니한 부분은 커트(cut)함.

무비 일색 【無比一色】 [─쌕] 명 비길 데 없이 뛰어난 미인. 천하(天下) 일색.

무:비 카메라 〔movie camera〕 명 영화 촬영기.

무-비판 【無批判】 명 비판함이 없음. 몰비판(沒批判). ──-하다 형여불

무비판-적 【無批判的】 명관 시비를 가리지 않고 옳고 그름을 판단하지 않는 모양. 맹목적(盲目的). ¶ 외래 문물을 ~으로 받아들이다.

무빙¹ 【無氷】 명 강이 얼지 아니함. ──-하다 자여불

무빙² 【無憑】 명 빙거(憑據)가 없음. ──-하다 형여불

무:빙³ 【霧氷】 명 한지(寒地)에서, 안개가 나뭇 가지에 엉겨 이룬 불투명한 얼음의 층. *조빙(粗氷).

무빙 가:고 【無憑可考】 명 빙거(憑據)로 하여 고려해 볼 만한 것이 없음. ──-하다 형여불

무:빙 픽처 〔moving picture〕 명 영화(映畫).

무:사¹ 【武士】 명 무도(武道)를 닦아서 무사(武事)에 익숙한 사람. 무부(武夫). 싸울 아비. 궁전지사(弓箭之士). ↔문사(文士).

무:사² 【武事】 명 무예(武藝)와 싸움에 관한 일. ↔문사(文事).

무:사³ 【武砂】 명 〖건〗 성문(城門)을 쌓을 때 홍예(紅霓)의 옆에 층층이 쌓는 돌.

무:사⁴ 【茂士】 명 재덕(才德)이 뛰어난 선비.

무사⁵ 【無死】 명 야구에서, 공격측(攻擊側)이 아직 한 사람도 아웃(out)이 안 된 일. 노 다운(no down). ¶ ~ 만루(滿壘).

무사⁶ 【無似】 인대 아버지나 할아버지를 닮지 아니한 자식. 곧, 자기를 낮추어 못난 사람이라는 뜻으로 문장(文章)에 쓰는 말.

무사⁷ 【無私】 명 사심(私心) 없이 공정함. ¶ 공평(公平) ~. ──-하다 형여불. ──-히 부

무사⁸ 【無邪】 명 사심(邪心)이나 악의가 없음. ──-하다 형여불

무사⁹ 【無事】 명 ①일이 없음. ¶ ~ 안일(安逸)주의. ②아무 탈없음. 무고(無故). ¶ ~히 도착하다. ↔유사. ──-하다 형여불. ──-히 부

무사¹⁰ 【無射】 명 〖악〗 무역(無射).

무사¹¹ 【無嗣】 명 대(代)를 이어갈 자손이 없음. 무후(無後). 절후(絶後). ──-하다 형여불

무:사¹² 【蕪辭】 명 난잡하게 늘어놓아 변변하지 못한 말.

무사¹³ 〔Mousa〕 명 〖신〗 '뮤즈(Muse)'의 그리스 이름.

무사 가:답 【無辭可答】 명 사리(事理)가 떳떳하여 감히 대꾸할 말이 없음. ──-하다 형여불

무-사고 【無事故】 명 사고가 없음. ¶ ~ 기록/~ 운전사/~ 비행.

무사 귀:신 【無祀鬼神】 명 죽은 뒤에 제사를 받들어 주는 이 없는 사람의 귀신. *무주 고혼(無主孤魂).

무:사-도 【武士道】 명 무사로서 마땅히 지키고 행하여야 할 도리. *기사도(騎士道)·화랑도.

무사 독학 【無師獨學】 명 스승이 없이 혼자서 배움. ──-하다 자여불

무사 득방 【無事得謗】 명 아무 까닭없이 남의 비방을 들음. ──-하다 자여불

무-사려 【無思慮】 명 사려가 없음. ¶ 그건 너무나 ~한 감정적 행동이 아닐까요?《朴榮濬 : 颱風地帶》. ──-하다 형여불

무-사마귀 명 ①〖의〗 피부의 거죽에 밥알만하게 두드러져 난 흰 군살. 각질층(角質層)이 너무 비후(肥厚)하여져 생기는 것으로, 원형(圓形) 또는 부정형(不定形)임. 백우(白疣). 우목(疣目). 후자(瘊子). *사마귀. ②〈방〉 사마귀❶(전북·경남).

무사 무려 【無思無慮】 명 아무런 생각도 근심도 없음. ──-하다 형여불

무사 분열 【無絲分裂】 명 〔amitosis〕 〖생〗 핵분열(核分裂)의 한 방식. 핵이 있는 그대로의 상태에서 둘로 나뉘어, 염색체(染色體)나 방추사(紡錘絲)가 나타나지 않음. 아메바·곰팡이 등에서 볼 수 있음. 직접 분열. ↔유사(有絲) 분열.

① 핵 ② ③ ④
①~④의 순서로 분열함
〈무사 분열〉

무사 분주 【無事奔走】 명 하는 일 없이 공연히 분주함. ¶ ~하게 하루를 보내다. ──-하다 형여불

무사 불참 【無事不參】 명 무슨 일이고 참섭(參涉)하지 아니함이 없음. 어

면 일에나 빠지지 않고 다 참여함. ——-하다 자여불

무-사상【無思想】명 이렇다 할 아무런 사상이 없음. ——-하다 형여불

무:사-석【武砂石】명〖건〗네모 반듯한 돌로 층을 지어, 높이 쌓아 올린 축석(築石).

무사시노〔武蔵野:むさしの〕명〖지〗①일본 간토 평야(関東平野)의 남서부의 홍적 대지(洪積臺地). 화산회(火山灰)의 모래와 진흙이 섞인 롬질(loam質)의 토질로, 물이 적고 개발이 늦어졌으나 현재는 대부분이 도시화하였음. ②도쿄 도(東京都) 서북부에 있는 위성 도시로 주택지. [139,000 명(1990)]

무사이오스〔Musaios〕명〖사람〗그리스의 전설적인 시인. 호메로스(Homeros)보다 더 오래며, 오르페우스(Orpheus)의 제자라고 하나 불명(不明)함.
「——-하다 타여불

무사 자통【無師自通】명 가르쳐 주는 선생이 없이 스스로 알아 통함.

무사-주의【無事主義】[—/—이] 명 모든 일에 말썽 없이 무난히 지내려는 소극적인 태도나 경향.

무사 태평【無事泰平】명 ①아무 탈없이 편안함. ②아무 일에도 개의하지 않고 태평함. ——-하다 형여불
「있는 산. [1,320 m]

무:-산[1]【巫山】명〖지〗강원도 고성군(高城郡)과 인제군(麟蹄郡) 사이에

무:-산[2]【巫山】명〖지〗'우산'을 우리 음으로 읽은 이름.

무:산[3]【茂山】명〖지〗함경 북도 무산군의 군청 소재지. 두만강(豆滿江)을 사이로, 중국의 간도(間島) 지방과 접하여 있는 국경 요충이며, 무산 철산의 중심지임.

무산[4]【無產】명 ①재산이 없음. ↔유산(有產). ②직업이 없음. ③↗무산 계급(無產階級).
「모(無謀).

무산[5]【無算】명 ①이루 다 헤아릴 수 없을 만큼 많음. ②생각이 없음. 무

무:산[6]【霧散】명 안개가 걷히듯 흩어짐. 운산 무소(雲散霧消). ¶ 모든 희망이 ~되어 버리다. ——-하다 자여불

무산-가【無產家】명 재산이 없는 사람. 무산자. ↔자산가(資產家).

무:-산계【武散階】명〖역〗고려의 위계(位階) 제도의 하나. 성종 14년(995)의 관제(官制) 개정과 더불어 제도화된 후, 고려 말에 이르기까지 문산계(文散階)와 함께 고려 위계 제도의 중심이 되었음. 당나라에서 도입된 제도로, 정(正)·종(從) 구품 중에서 사품 이하는 상하(上下)로 구분하여 이십 구(二十九)의 산계로 나누었음. ↔문산계(文散階).

무산 계급【無產階級】명〖사〗노동자나 소작인같이, 재산이 없어 노동력(勞動力)을 자본가에게 팔아, 그 임금(賃金)으로 생활해 나가는 사회의 최하층(最下層) 계급. 프롤레타리아(prolétariat). ㊄무산(無產). ↔유산 계급(有產階級).

무:산 고원【茂山高原】명〖지〗함경(咸鏡)·마천령(馬天嶺)의 두 산맥과 두만강을 테두리로 하는 삼각형의 고원. 무산군(茂山郡)을 중심으로 함경 북도의 3분의 1을 차지하며, 두만강의 여러 지류에 의하여 개석(開析)된 고원임.

무:산-군【茂山郡】명〖지〗함경 북도의 한 군. 북은 두만강으로 국경에 접하고, 동은 회령군(會寧郡)과 부령군(富寧郡)과 경성군(鏡城郡), 남은 길주군(吉州郡)과 함경 남도 갑산군(甲山郡), 서는 갑산군과 백두산에 닿음. 대부분이 산악 지대로, 주요 산물은 쌀·보리·콩·삼 등의 농산물과 임산(林產)·공산(工產)·축산(畜產) 등임. 명승 고적으로는 백두산·관모봉(冠帽峰)·창평(倉坪)·황토암(黃土岩)·천수동(天水洞) 등이 있음. [6,153.9 km²]

무산-당【無產黨】명〖사〗무산 정당.

무산 대:중【無產大衆】명 노동자·빈농(貧農) 등 가난한 대중.

무:산-선【茂山線】명〖지〗함경 북도 고무산(古茂山)과 무산 사이의 철도선. 1929년 11월 15일 개통. [60.4 km]

무산소 등정【無酸素登頂】명 높은 산에 오를 때 산소 호흡기의 도움 없이 등산하는 일.

무산소 호흡【無酸素呼吸】명〖생〗무기 호흡(無氣呼吸).

무:산-쇠족제비【茂山—】명〖동〗[*Mustela nivalis mosanensis*] 족제빗과에 속하는, 식육류(食肉類) 중 제일 작은 동물. 몸길이 124-162 mm, 꼬리 길이 122-175 mm임. 여름에는 상면(上面)은 적갈색, 체하면(體下面)과 뒷다리의 안쪽은 백색이며, 겨울에는 갈색의 모피(毛皮)가 순백색으로 바뀜. 밀림, 넓은 스텝(Stepe) 또는 인가(人家) 근처에 서식하는데, 한 배에 보통 4-7 마리의 새끼를 낳음. 들쥐·뱀·곤충·도마뱀·게 또는 작은 설치류를 잡아먹으며, 상당히 큰 야생 조류도 습격함. 함북 무산군 연암동(蓮岩洞)에서 발견됨. 쇠흰족제비.

무산 운:동【無產運動】명〖사〗무산자(無產者)의 경제적·정치적·사회적 지위를 향상시키는 것을 목적으로 하는 사회 및 정치 운동.

무:산의 운우【巫山—雲雨】[—/—에—] 명 무산지몽.

무산-자【無產者】명 재산이 없는 사람. 무산 계급에 속하는 사람들. 프롤레타리아(prolétariat). ↔유산자(有產者).

무산 정당【無產政黨】명 무산 계급의 이익(利益)을 대표하는 정당. 지도 원리(指導原理)에 따라 공산당(共產黨)·사회당(社會黨)·노동당(勞動黨)으로 나뉨. 무산당(無產黨).

무산-증【無酸症】[—쯩] 명〖의〗위산 결핍증. ↔과산증(過酸症).

무:산지-몽【巫山之夢】명〔중국 초(楚)나라의 회왕(懷王)이 낮잠을 자다가 무산의 신녀(神女)를 만난 고사에서〕남녀의 정교(情交)를 이르는 말. 무산지운(巫山之雲). 무산(巫山)의 운우(雲雨).

무:산지-운【巫山之雲】명 무산지몽(巫山之夢).

무:산 철산【茂山鐵山】[—싼] 명〖지〗함경 북도 무산읍(茂山邑)에 가까운 창렬동(彰烈洞) 동쪽에 있는, 한국 최대의 자철 광산(磁鐵鑛床). 매장량 13억 톤.

무:산-향【舞山香】명〖춤〗조선 순조 때부터 전하는 향악 정재(呈才)의 한 가지. 무동(舞童) 한 사람이 침상(寢床) 모양의 대모반(玳瑁盤) 위에 올라가 춤을 추는데, 의상과 춤사위는 춘앵전(春鶯囀)에 가까움.

무살 명 탄탄하지 못하고 물렁물렁하게 찐 살.
「言≫.

무살미 명〈옛〉물꼬. ¶ 집 앞 논 무살미예 고기 엿ㄴ 白鷺ㅣ로다≪永

무-삶이[—살미] 명〖농〗①물을 대어 논을 삶는 일. ②물을 대고 써레질한 논. 1)·2):↔건삶이. ——-하다 타여불

무삼 명 ☞ 수삼(水蔘).

무삼-밭 명〈방〉남새밭.

무상[1]【亡狀】명 무상(無狀)❷. ——-하다 형여불

무상[2]【無上】명 그 위에 더할 수 없이 높음. 가장 좋음. 최상(最上). ¶ ~의 영광(榮光). ——-하다 형여불

무상[3]【無狀】명 ①내세울 만한 공이나 선행(善行)이 없음. ②예의가 없음. 무례(無禮). 무상(亡狀). ③아무 형상이 없음. ——-하다 형여불

무상[4]【無相】명〖불교〗①일정한 형태나 양상(樣相)이 없음. ②형상에 구애됨이 없음. 집착을 떠나 초연(超然)한 지경. ③제한된 차별상(差別相)이 없이 무한 절대함. 공(空)·진여(眞如)·제법 실상(諸法實相) 등을 형용하는 말. 무상 삼매(三昧). 무상 개공(皆空). 1)·3):↔유상(有相).

무상[5]【無相】명〖사람〗통일 신라 중기의 고승(高僧). 속성은 김씨(金氏)로, 성덕왕(聖德王)의 셋째 아들이라고 함. 호는 송계(松溪). 성덕왕 27년(728)에 당(唐)나라로 건너가, 지선(智詵) 밑에서 선(禪)을 배운 뒤, 처적(處寂)에게서 두타행(頭陀行)을 익히고 무상(無相)이라는 이름을 받음. 쓰촨 성(四川省)에 정중사(淨衆寺)를 짓고 대중 교화에 힘쓰다가, 그곳에서 입적(入寂)함. 중국의 마조(馬祖)·종밀(宗密) 등은 본디 그의 제자임. [680-756]

무상[6]【無常】명 ①덧없음. ¶ 인생 ~. ②정함이 없음. 때없음. 무시(無時). ¶ ~ 출입. ③〖불교〗모든 것은 다 생멸(生滅)·전변(轉變)하여 상주(常住)함이 없음. 비상(非常). ——-하다 형여불

무상[7]【無想】명 ①일체의 상념(想念)이 없음. ②무심(無心). 1)·2):↔유상(有想). ——-하다 형여불

무상[8]【無償】명 ①보상(報償)이 없음. ②값을 치르지 아니하여도 되는 일. ¶ ~ 배급/~ 원조. ↔유상(有償).

무상-가【無常歌】명〖악〗고려 공민왕 21년(1372) 9월에 왕이 승도(僧徒)들로 하여금 부르게 한 불교 노래.

무상-감【無常感】명 모든 것이 무상하다는 느낌.

무상 개공【無相皆空】명〖불교〗무상[4](無相)❸.

무상 계:약【無償契約】명〖법〗당사자(當事者)의 한쪽만이 급부(給付)를 행하는 계약. 곧, 증여(贈與)·사용 대차(使用貸借) 따위. ↔유상 계약(有償契約).
「상견(常見).

무상-관【無常觀】명 세상 만사가 덧없고 항상 변화한다고 보는 관념. ↔

무상 교부【無償交付】명 ①무료(無料)로 내어 줌. ②'무상주 배정'의 구용어.

무상 교:육【無償教育】명 자녀가 받는 교육에 대하여 보호자가 직접으로 대상(代償)하지 않는 교육. 이 경우 교육비는 교육세 등의 조세(租稅)에 의하여 간접적으로 지급됨. *의무 교육.

무상 기간【無霜期間】명 마지막 서리가 온 날부터 첫서리가 온 날까지의 서리가 오지 않는 기간. 그 장단(長短)은 농업에 크게 영향을 미치며, 농작물(農作物)의 종류·수확량 따위를 제약함. 열대(熱帶)에서는 일년중 서리가 없고 극지(極地)에서는 무상 기간이 영(零)이 됨.

무상 대:법【無上大法】명〖철〗정언적 명령(定言的命令).

무상 대:복【無上大福】명 다시 없이 큰 복.

무상 대:부【無償貸付】명 대상(代償)을 받지 않고 거저 남에게 꾸어 줌. ↔유상 대부(有償貸付). ——-하다 타여불

무상-도【無上道】명〖불교〗더할 나위 없이 훌륭한 도. 곧, 불도(佛道)를 일컬음. 무상지도(無上之道).

무상 명:령【無上命令】[—녕] 명〖철〗정언적 명령(定言的命令).

무상 명:법【無上命法】[—뻡] 명〖철〗정언적 명법(定言的命法).

무상 무념【無想無念】명〖불교〗일체의 상념(想念)을 떠남. 무념 무상(無念無想). ——-하다 형여불

무상-문【無相門】명〖불교〗삼해탈문(三解脫門)의 하나. 일체의 차별상(差別相)을 떠나는 일.

무상 배:부【無償配付】명 값을 받지 않고 거저 나누어 줌. ——-하다 「타여불

무상 보리【無上菩提】명〖불교〗무상 정각(無上正覺).

무상-사【無上士】명〖불교〗여래 십호(如來十號)의 하나. 다시없이 훌륭한 이라는 뜻으로, 불타(佛陀)를 일컫는 말. *세간해(世間解)·조어장부(調御丈夫).

무상 삼매【無相三昧】명〖불교〗①삼삼매(三三昧)의 하나. 차별의 상(相)을 떠난 삼매. 무상(無相). ②본래의 면목(面目)을 실증(實證)하고 수행(修行)하는 일. 곧, 감각 이전의 본래의 모습으로 있음. 또, 그 경지(境地).

무상-상【無上上】명〖불교〗①더없이 상급임. 최상. 최고. ②부처의 덕(德)이 무상(無上)하다는 뜻으로, '부처'의 별칭.

무상 소각【無償消却】명〖법〗대가(對價)의 지급이 수반하지 아니하는 주식(株式) 소각. ↔유상 소각.

무상-수【無相數】명〖불교〗상대 차별(相對差別)을 부정하는, 무차별공(無差別空)을 설파(說破)하는 가르침. 반야경(般若經)의 소설(所說)을 가리킴.

무-상시【無常時】명 일정한 때가 없음. ¶ ~로 출입하다. ㊄무시(無時).

무상 신:속【無常迅速】명〖불교〗인간 세상의 변천이 극히 빠름. 세월과 수명의 덧없음을 이르는 말. ——-하다 형여불

무상-심【無常心】명 무상함을 느끼는 마음.
「하다 자여불

무상 왕:래【無常往來】[—내] 명 아무 때나 거리낌없이 왕래함. ——

무상-원【無常院】명〖불교〗①죽음을 앞둔 병자들을 모아 정토(淨土)를

가르치고, 염불을 외게 하여 세상에의 집착(執着)을 버리게 하는 곳. ② 중이나 속인들의 병든 사람을 치료하는 곳.

무상 원조【無償援助】명 무상으로 제공하는 원조. ↔유상(有償) 원조.

무상 이념【無相離念】명〖불교〗진여(眞如)가 무상(無相)임을 알고 일체의 차별적 상념(差別的想念)을 없애는 일.

무상-인【無常印】명〖불교〗소승 불교(小乘佛敎)의 삼법인(三法印)의 하나. 제행 무상(諸行無常)을 설명하는 교리(敎理).

무상-정【無想定】명〖불교〗무심정(無心定)의 하나. 무상천(無想天)에 나는 인(因)이 되는 선정(禪定). 범부(凡夫)나 외도(外道)가 무상(無想)의 상태를 참된 깨달음으로 잘못 알고 닦는 선정(禪定). ＊멸진정(滅盡定).

무상 정:각【無上正覺】명〖불교〗최상(最上)의 올바른 각지(覺智). 부처의 깨달음. 무상 보리(無上菩提).

무상 정:변지【無上正遍知】명〖불교〗아뇩다라 삼먁 삼보리(阿耨多羅三藐三菩提).

무상-존【無上尊】명 '부처'의 존칭(尊稱).

무상-종【無相宗】명〖불교〗삼론종(三論宗)을 일컬음. 무상(無相)의 해명(解明)·체득(體得)을 종지(宗旨)로 삼는 데서 생긴 명칭임.

무상-주【無償株】명〖경〗납입 의무가 없이 무상으로 발행되는 주식. 발기인주(發起人株) 따위.

무상주 배:정【無償株配定】명〔no paid allotment〕〖경〗신주(新株)를 무상으로 주주(株主)에게 교부하는 일. 주주에게 보답하는 것이 목적이므로 유상(有償)의 경우와 달라서 반드시 주주에게 배정(配定)함.

무상-주의【無償主義】[—/—이] 명 배급이나 분배상(分配上)의 정책에 있어서 무상을 위주(爲主)로 하는 주의.

무상 증자【無償增資】명〖경〗적립금(積立金)의 자본 전입(轉入), 주식 배당 등의 출자(出資)와 같이 자본의 법률상의 증가만을 가져오는 명목상의 증자. ↔유상(有償) 증자.

무상지-도【無上之道】명〖불교〗무상도(無上道).

무상 진여【無相眞如】명〖불교〗형태·사념(思念) 따위 현상(現象)을 초월한 진실한 모습.

무상-천【無想天】명〖불교〗〔색계(色界)의 사선천(四禪天) 가운데서 제사(第四) 선천에 속하는 구천(九天)의 하나로〕무상(無想)의 선정(禪定)을 닦아 감득(感得)되는 곳. 또, 그 경지(境地).

무상 천:류【無常遷流】[—철—] 명〖불교〗인간 세상의 변천이 쉬지 않고 흐름. ——하다 자여불

무상 출입【無常出入】명 거리끼지 아니하고 언제나 드나듦. ——하다 자여불

무상 해:탈【無相解脫】명〖불교〗모든 법(法)의 무상(無相)을 보고 집착(執着)과 번뇌(煩惱)에 얽매인 미계(迷界)의 굴레를 벗어남. ——하다 자여불

무상 해:탈문【無相解脫門】명〖불교〗삼해탈문(三解脫門)의 하나. 제법(諸法)은 공(空)으로서 차별상(差別相)이 없다고 보고, 자재경(自在境)에 들어가는 선정(禪定). 삼삼매 해탈(三三昧解脫).

무상 행위【無償行爲】명〖법〗어떤 일에 대한 보상(報償)이 없이 출연(出捐)을 내용으로 하는 법률 행위. ↔유상(有償) 행위.

무:-새우젓 명 무를 버무려 넣고 만든 새우젓. ㊈무새젓.

무:-새젓 명 ↗무새우젓.

무:새젓 찌개 명 새우젓을 넣고 버무려 만든 무 찌개.

무색[1]【一色】명〔←물(염색)+색(色)〕물감을 들인 빛깔. ¶ ～ 치마.

무색[2]【無色】명 ①부끄러워서 볼 낯이 없음. 무안(無顔). ¶ 가수가 ～할 정도의 노래 솜씨. ②아무 빛깔도 없음. ¶ ～ 무취(無臭)의 결정(結晶). ↔유색(有色). ③전(轉)하여, 일당 일파(一黨一派)에 치우치지 아니함. ——하다 형여불

무색 감:각【無色感覺】명〖심〗시각(視覺)에 있어서 색채(色彩)를 제외한 백(白)·흑(黑)의 계통에 속하는 감각. 광각(光覺). 명암(明暗) 감각. 무색 광각(無色光覺). ↔색각(色覺).

무색-계【無色界】명〔범Arūpyadhātu〕〖불교〗삼계(三界)의 하나. 모든 색신(色身)·육체·물질의 속박을 벗어나서 심신(心神)뿐만이 존재하는 정신적인 사유(思惟)의 세계. 공무변처(空無邊處)·식무변처(識無邊處)·무소유처(無所有處)·비상비비상처(非想非非相處)의 사천(四天)이 있음. 무색천(無色天). 유애(有愛). ＊욕계(慾界)·색계(色界).

무색 광각【無色光覺】명〖심〗무색 감각(無色感覺).

무색 광:물【無色鑛物】명〖광〗화성암(火成岩)을 구성하는 광물 중 규산염 광물(硅酸塩鑛物)·장석(長石) 따위와 같이 무색에 가까운 색을 띤 광물의 총칭. 규장 광물(硅長鑛物).

무색소혈-증【無色素血症】[—쯩] 명〔achreocythemia〕〖의〗헤모글로빈 결핍에 의해서 적혈구(赤血球)의 빛깔이 퇴색해 보이는 특징의 빈혈 증세.

무색-옷【一色一】명 물감을 들인 천으로 지은 옷. 색의(色衣). 색복(色服). ㊈색옷.

무색-정【無色定】명〖불교〗삼계(三界) 가운데의 무색계(無色界)의 선정(禪定).

무색-천【無色天】명〖불교〗무색계(無色界).

무색 투명【無色透明】명 액체 따위에서, 빛이 없고 투명함.

무생[1]【無生】명〖생〗↗무생물(無生物).

무생[2]【無生】명〖불교〗①생(生)함이 없음. 곧, 일체의 사물·현상이 공(空)이므로 생멸(生滅)의 변화란 있을 수 없다는 말. ②일체의 미로(迷路)에서 초월한 경지. 열반(涅槃). ③아라한(阿羅漢).

무생-계【無生界】명 생명이 없는 세계. 무생물의 세계.

무생 기원설【無生起源說】명〖생〗모든 생물은 원래 무생물(無生物)에서 생긴 것이고, 생물에서 생긴 것은 아니었다고 주장하는 학설. ↔유생 기원설(有生起源說).

무생-대【無生代】명〖지〗선(先)캄브리아기(紀). 곧, 캄브리아기(Cambria紀)보다도 앞선 지질 시대(地質時代). 이왕에는 생물이 없었던 시대라고 생각하였으나, 그 후에 화석(化石)이 발견되어 이 말은 잘 쓰이지 않게 되었음. 무생물 시대.

무생-물【無生物】명〔inanimate thing〕〖생〗생활 기능이 없는 물건. 생명이 없는 물건. 곧, 돌·물과 같이 세포로 이루어지지 아니하며, 체내에 에너지의 부단한 변환이 없는 물건. ㊈무생(無生). ↔생물·유생물.

무생물-계【無生物界】명 무생물에 관계되는 분야. ↔생물계.

무생물 시대【無生物時代】명〖지〗무생대(無生代).

무생-법【無生法】명〖불교〗무생의 법. 불변의 진리.

무생 법인【無生法忍】명〔범 anutpattikadharmakṣānti〕〖불교〗삼법인(三法忍)의 하나. 일체의 사물·사상(事象)의 무생을 깨달음. 또, 그 깨달음을 얻은 마음의 평정(平靜).

무생-인【無生忍】명〖불교〗무생(無生)·무멸(無滅)의 진리를 각지(覺知)하는 일.

무생-참【無生懺】명〖불교〗참법(懺法)의 하나. 마음으로 생(生)도 없고 멸(滅)도 없는 실상(實相)의 이치를 관조(觀照)하여 죄를 참회하는 일.

무:-생채【一生菜】명 무를 채쳐서 양념을 하여 무친 나물. 청근생채(菁根生菜).

무생체 물질【無生體物質】[—찔] 명〔abiotic substance〕〖생〗무생체 환경(無生體環境)에서의 기본적인 원소(元素) 또는 화합물.

무생체 환경【無生體環境】명〔abiotic environment〕〖생〗생물에 영향을 주는 모든 물리적·비생물적 화학 인자(化學因子). 흙·물·공기 따위.

무-서리 명 처음 내리는 묽은 서리. ↔된서리.

무-서명【無署名】명 기사(記事)·작품 등에 작자 자신의 서명이 없음. 또, 서류 따위에 사인(sign)이 없음.

무서움 명 무서워하는 느낌. ¶ ～을 타다. ㊈무섬.

무서웁다 형〈방〉무섭다.

무:석[1]【武石】명 ↗무석인(武石人).

무석[2]【無石】명 ①정밀(精密) 기계의 마찰 부위(摩擦部位)에 마멸(摩滅) 방지용 보석이 하나도 없는 것. 특히, 시계의 경우를 말함. ②쓸모없거나 가치가 별로 없는 물건의 비유.

무석[3]【無錫】명〖지〗'우시'를 우리 음으로 읽은 이름.

무:석[4]【舞席】명 춤추는 자리.

무:-석인【武石人】명〖고고학〗무인석. ㊈무석(武石).

무석회 해:면류【無石灰海綿類】[—뉴] 명〖동〗[Non-calcarea] 해면동물의 한 강(綱). 대개 얕은 바다에 살지만, 깊은 바다 또는 민물에 사는 것도 있는데, 규질(硅質) 또는 해면질(海綿質)로 된 골편(骨片)이 여러 가지 모양으로 홑로 또는 그물 모양으로 늘어놓여 있음. 이 유(類)에 속하는 것은 산(酸) 속에 담가도 거품이 일어나지 않으므로, 석회 해면류(石灰海綿類)와는 곧 구별됨. 육방(六放) 해면류·사축(四軸) 해면류·각유(角維) 해면류·교(膠)해면류의 네 목(目)으로 나뉨.

무:선[1]【武選】명〖역〗무관(武官)·군사(軍士)·무반 잡직(武班雜職)의 제수(除授)와 무과(武科)에 관한 일.

무선[2]【無線】명 ①전선을 가설하지 않는 일. 전선이 필요없음. ②↗무선 전신. ③↗무선 전화. 1)-3):↔유선(有線).

무:선[3]【舞扇】명 춤출 때 쓰는 부채.

무선-공【無線工】명 무선 통신에 종사하는 기능공.

무선 공학【無線工學】명〔radio engineering〕〖공〗전파의 발생·송신 및 수신과 그 관련 기기(機器)의 설계·제조·시험 등을 취급하는 공학 분야.

무선-국【無線局】명〖법〗무선 설비와 무선 설비를 조작하는 자의 총체(總體). 이의 개설에는 전파 관리국의 허가를 필요로 함.

무선 기만【無線欺瞞】명〔radio deception〕〖군〗허위 전보의 타전(打電), 적의 호출 부호의 사용 등 적을 기만하기 위한 무선 운용.

무선 기사【無線技士】명 무선 종사자의 자격의 하나. 레이더·무선 전화·팩시밀리·국내 무선 전신의 조작 또는 무선국의 조작을 행함. 특수·제1급 아마추어·제2급 아마추어·제3급 아마추어의 4종이 있음.

무선 기상 관측기【無線氣象觀測機】명〔radio-meteorograph〕〖통신〗기상 관측기의 지싯(指示)값을 자동적으로 무선 전송하는 장치.

무선 기술사【無線技術士】[—싸] 명 '무선 설비 기사'의 구칭.

무선 나침국【無線羅針局】명 선박이나 항공기로부터 발사된 전파의 방향을 측정하여 그 위치를 통지하는 무선 전신국. 무선 방위 탐지국.

무선 나침반【無線羅針盤】명〖물〗항해중, 자기의 위치를 알기 위하여 쓰는 방향을 가리키는 기계. 라디오 컴퍼스(radio compass).

무선 로봇【無線一】〔robot〕명〖법〗관측원(觀測員)이 늘 붙어 있지 못하는 장소에서의 기온·풍향(風向)·우량·수위(水位) 등 측정 사항을 무선으로 관측소에 통보하는 장치.

무선 방:송국【無線放送局】명〔radio broadcasting station〕방송을 목적으로 개설한 무선국. 방송국.

무선 방위 측정기【無線方位測定機】명 라디오 로케이터(radio locator). 무선 탐지기.

무선 방위 탐지국【無線方位探知局】명〔radio direction finding station〕무선 나침국.

무선 방향 지시기【無線方向指示器】명 무선 방향 탐지기.

무선 방향 탐지기【無線方向探知器】명〖물〗항행 중의 선박 또는 비행기 위에서 무선 표지(無線標識)로부터 오는 신호 전파(信號電波)를 받고, 그 지점에 대한 자기의 방위를 탐지하는 장치. 라디오 컴퍼스(radio compass). 무선 방향 지시기.

무선 부표【無線浮標】명 ①전파를 발사하여 위치를 알리도록 장치되어 있는 항로(航路) 표지나 어망(魚網) 설치 표지용의 부표(浮標). ②해난(海難)에 즈음하여 전파로 해상 위치를 알리는 무선 송신기 장치의 부표(浮標). 배·비행기가 해상에서 조난(遭難)하면 부표가 해상에 떠서 자동적으로 안테나가 나와 단파(短波) 무전이 발신되는 동시에 야간용 등색(橙色)의 네온이 켜지는데, 48시간 이상 작동(作動)함.

라디오 부이(radio buoy).

무선 부호【無線符號】[명] 전파로 통신하기 위해 특별히 정해 놓은 부호.

무:선-사【武選司】[명]〖역〗조선 시대의 병조(兵曹)의 한 분장(分掌). 무관(武官)·군사(軍士)·무반 잡직(武班雜職)의 제수(除授)·고신(告身)·녹패(祿牌) 부과(附過)·사가(賜暇)·무과(武科) 시험 등 무과에 관한 일을 맡아 보던 관아.

「기 위한 전기적(電氣的) 시설.

무선 설비【無線設備】[명] 무선 전신·무선 전화 기타 전파를 보내거나 받

무선 설비 기능사 이:급【無線設備技能士二級】[명] 무선 종사자의 자격의 하나. 무선 설비 기사 1급 또는 2급의 지휘하에 무선 설비의 기술 조작과 공사를 행함.

무선 설비 기사【無線設備技師】[명] 무선 종사자의 자격의 하나. 무선 설비의 기술 조작과 공사를 행함. 1급과 2급의 두 종이 있음.

무선 송:신【無線送信】[명]〖물〗전파(電波)로 신호(信號)를 보냄. 곧, 무선 전신과 무선 전화의 송신. ——-하다 [자][여불]

무선 송:신기【無線送信機】[명]〖물〗무선 전신 및 무선 전화를 송신하는 기계. 무선 주파 발진기(無線周波發振器)·증폭기(增幅器)·전건(電鍵) 혹은 소리에 따라서는 변조(變調) 장치 안테나 등으로 됨.

무선 수신기【無線受信機】[명]〖물〗전파를 잡아, 변조(變調)된 통신 부호나 음성·화상(畫像) 따위를 변조되기 전의 원상태로 되돌리는 장치의 총칭.

무선 시보【無線時報】[명] 무선 전신으로 정확한 시각을 방송하는 일. 그리니지시(Greenwich時)의 특정한 시간에 세계 각지의 무선 전신국에서 시보 신호를 5분 동안 보내어 항해 중의 배가 이것을 받아 시계의 오차를 교정(矯正)하게 됨.

무선 안테나【無線一】〔antenna〕[명]〖물〗전파를 발사 또는 흡수하기 위하여 공중에 도선(導線)을 설치한 장치의 총칭. 사용 주파수나 특성 등에 따라 여러 종류가 있음.

무선-용【無線用】[一뇽] [명] 무선에 쓰이는 것. 무선에 의한 통신 및 기타 조작(操作)을 위한 것.

무선 유도탄【無線誘導彈】[一뉴一] [명]〖물〗무선 지령 방식(無線指令方式)에 의한 유도 미사일. 지상 발사대 또는 비행기 등에서 발사하며, 극초단파(極超短波)를 사용하여 유도하는데, 유도 장치는 레이더와 컴퓨터를 결합시켜 탄도(彈道)를 계산하게 되어 있음. 추진 장치는 화약 또는 액체 연료 로켓임.

무선 음향학【無線音響學】[명]〔radioacoustics〕〖통신〗무선 전화에 의해서 전달되는 음(音)의 발생·전송·재생 등을 연구하는 분야.

무선 전:보【無線電報】[명] 무선 전신으로 전송(傳送)하는 전보.

무선 전송로【無線傳送路】[一노] [명]〖물〗무선 통신에서, 신호를 전송(傳送)하기 위해 필요한 어떤 한 대역(帶域)을 갖는 통신로(通信路).

무선 전:신【無線電信】[명]〔wireless telegraphy〕전선(電線)의 매개(媒介)에 의하지 않고, 전파(電波)를 이용해서 행하는 전신(電信) 통신 방식. 발진 장치(發振裝置)에 의하여 나는 진동 전류(振動電流)를 전건(電鍵)에 의해서 단속(斷續)하고, 전신 기호를 전파로 하여 안테나로부터 송신함. 1895년 이탈리아의 마르코니(Marconi)가 발명하였음. [준] 무선(無線)·무전(無電). ↔유선 전신.

무선 전:신국【無線電信局】[명] 무선 전신을 취급하는 곳.

무선 전:신기【無線電信機】[명] 무선 전신을 행하는 장치. 발신(發信) 장치로서 전파를 내보내는 부분과 수신(受信) 장치로서 전파를 받는 부분으로 이루어짐.

무선 전:화【無線電話】[명]〔wireless telephone〕〖물〗무선 전신을 응용한 전화. 송화기(送話器)에 의한 음성 전류(音聲電流)로 변조(變調)한 전파를 보내며, 수신측(受信側)에서는 포착(捕捉)한 전파에 의한 진동 전류(振動電流)를 증폭(增幅)·검파(檢波)하여 음성 전류로 하여서 소리를 재생(再生)함. 1903년 덴마크의 파울센(Poulsen ; 1869-1942)이 고주파 지속 장치(高周波持續裝置)를 발명한 후 1914년 이탈리아의 마르코니(Marconi)가 통화에 성공하였음. [준]무선(無線)·무전(無電).↔

「유선 전화.

무선 제:어【無線制御】[명]〖물〗무선 조종.

무선 조종【無線操縱】[명]〖물〗전파를 이용하여 사람이 타지 아니한 항공기(航空機)·선박(船舶)·기계·차(車) 따위를 원격(遠隔) 조종하는 일. 무선 제어(無線制御).

무선 종사자【無線從事者】[명]〖법〗무선 설비를 조작하거나 그 설비의 공사를 하는 자로서 기술 자격 수첩을 얻은 자.

무선 주파수【無線周波數】[명]〖물〗가청(可聽) 주파수보다 높은 수만(數萬) 헤르츠(Hz) 이상의 주파수. 주로 무선 통신에 쓰임.

무선 주파수 동기 발전기【無線周波數同期發電機】[一쩐一] [명]〔radio-frequency alternator〕〖전〗전력선(電力線)의 값보다는 높고 100000 Hz 보다 낮은 주파수의 고전력(高電力)을 얻기 위해서 설계된, 회전형(回轉型) 동기 발전기. 주로 고주파 가열(加熱)에 쓰임.

무선 주파수 전:류【無線周波數電流】[一절一] [명]〔radio-frequency current〕〖전〗1000 Hz 보다 높은 주파수를 가진 교류 전류(交流電流).

무선 중계국【無線中繼局】[명] 송신국과 수신국과의 거리가 원거리일 때, 그 중간에서 양쪽의 무선 통신을 중계하기 위해 설치된 무선국.

무선 지령 신:호【無線指令信號】[명]〔radio command〕〖전자〗유도 미사일 또는 그 밖의 원격 제어(遠隔制御) 방식의 수송기나 장치가 응답토록 된 형식의 무선 제어 신호.

무선 진:입 원조 시:설【無線進入援助施設】[명]〔radio approach aids〕〖항공〗항공기를 필요한 정밀도(精密度)로 유도하기 위한 무선 또는 레이더 장치. 항공기가 비행장 근처에 도달했을 때부터 착륙 위치에 닿을 때까지의 유도에 쓰임.

무선-철【無線綴】[명]〖인쇄〗책을 실이나 철사 따위로 매지 않고, 속장을 접착제만으로 접합시켜 철하는 방법.

무선 측위【無線測位】[명]〖물〗전파의 특성을 이용하여 위치의 결정 또는 위치에 관한 정보를 얻는 일.

무선 통신【無線通信】[명]〖물〗무선 전신·무선 전화·라디오 방송·텔레비전 방송 따위의 전파를 이용해서 행하는 통신의 총칭.

무선 통신 기계【無線通信機械】[명]〖물〗전선을 사용하지 않는 전기 통신 기계의 총칭. 장파·중파·단파·초단파(超短波) 등의 무선 통신 장치나 라디오·텔레비전의 송수신기, 레이더 따위. ↔유선 통신 기계.

무선 통신 무:기【無線通信武器】[명] 무선 통신 기재를 주로 하는 통신 병기의 하나. 사용 전파에 따라 초단파·단파·중파·장파로 나뉘며 근거리용과 장거리용이 있음. *유선 통신 병기·광학 시각(光學視覺) 통신

「병기.

무선 통신사【無線通信士】[명] '전파 통신 기사'의 구칭.

무선-파【無線波】[명]〖물〗전자기파(電磁氣波)의 한 부분. 무선 통신에 쓰임.

무선 표지【無線標識】[명] 어떤 지점에서 특정한 방향성을 가진 전파를 공중에 발사하여, 이것을 감수(感受)한 항공기·선박 등에 그 지점에 대한 방위(方位)를 알리는 장치. 항공로(航空路) 표지와 목표(目標) 표지가 있음. 라디오 비컨(radio beacon).

무선 항:로 표지【無線航路標識】[一노一] [명]〖항〗라디오 비컨으로부터 직교(直交)하는 지향성 전파 신호 A(·—) 및 N(—·)을 보내 A 및 N이 겹쳐져서 연속음으로 들리는 중심선(中心線)에서 비행기의 항로를 나타내는 장치. 라디오 레인지(radio range). 무선 향도 장치. 레인지 비컨.

무선 항:법【無線航法】[一뻡] [명]〖항공〗전파에 의하여 얻어지는 위치선(位置線)을 이용해서, 항공기의 위치·편류(偏流)·대지 속도(對地速度) 등을 산출하여 비행하는 방법.

무선 향:도 장치【無線嚮導裝置】[명]〖항공〗무선 항로 표지.

무선 호출기【無線呼出機】[명] 호출 전용의 소형 휴대용 수신기. 속칭 : 삐삐.

무:설[1]【誣說】[명] 허위의 풍문. 무근지설(無根之說).

무:설[2]【霧雪】[명] 싸라기눈과 비슷하게 생긴 아주 작은 백색 불투명한 얼음의 낟알. 지름 1 mm 정도로, 눈의 결정(結晶)같이 가느다랗거나 납작한데, 분량은 적음. 침상(針狀)이나 판상(板狀)의 눈의 결정이 과냉각(過冷却) 상태의 층운(層雲)이나 안개 속을 낙하할 때 생김.

무:-설기 [명]〈방〉무시루떡(평안).

무섬 [명] ↗무서움.

무섬(을) 타다 [구] 걸핏하면 무서워하다. 곧잘 무서워하다.

무섬-증【一症】[一쯩] [명] 무서워하는 버릇. 또, 그러한 심리 현상.

무섭다 [형][ㅂ불]〔중세 : 므싀엽다〕①상대방의 위력(威力)에 눌려 마음이 약해져서 겁이 나다. ¶무서운 선생. ②놀랄 만하다. ¶무서운 속도. ③심하다. 지독하다. ¶무서운 병/무서운 구두쇠. 1)-3) : >매섭다. ④ '-ㄹ까' 다음에 쓰이어, 걱정스럽다의 뜻을 나타냄. ¶조심해야지 불날까 ~/오해할까 ~. ⑤ '-기가 무섭게'의 꼴로 쓰이어, '-자마자 곧(바로)'의 뜻을 나타냄. ¶날이 밝기가 무섭게 출발하였다.

【무섭다니까 바스락거린다】일부러 남의 약점을 건드리어 더욱 곤란한 처지에 몰아 넣음을 이르는 말. 【무섭지는 않아도 똥 쌌다는 격】분명히 나타난 결과와 사실에 대하여 구구하게 그렇지 않다는 변명을 한다

「는 뜻.

무섯 [지대]〈옛〉무엇. =므섯. ¶功名이 긔 무섯고《永言》.

무:성[1]【茂盛】[명] 초목(草木)이 많이 나서 우거짐. ¶잡초가 ~하다. ——-하다 [형][여불]. ——-히 [부]

무성[2]【無性】[명]〖생〗암컷·수컷의 성(性)의 구별 생식 기능이 없음. 하등 동물에서 볼 수 있음. 일개미 따위.

무성[3]【無性】[명]〖불교〗①실체(實體)로서의 자성(自性)이 없음. ②불성(佛性)이 없음. ③집착할 만한 것이 없음. 곧, '공(空)'을 말함.

무성[4]【無聲】[명] 소리가 없음. 음성(音聲)이 없음. ¶~ 영화 시대. ↔유성.

무-성격【無性格】[一껵] [명] 성격이 분명하지 아니함. 개성이 거의 없음. 또, 그 모양. ——-하다 [형][여불]

무:성-묘【武成廟】[명]〖역〗중국 당(唐)나라 숙종(肅宗) 상원(上元) 원년(760)에 태공망(太公望)을 추봉(追封)하여 무성왕(武成王)이라 하고, 태공묘를 고쳐 부른 이름.

무성 무취【無聲無臭】[명] ①천도(天道)는 알기 어려워서 들어도 소리가 없고 맡아도 냄새가 없음. ②이름나지 아니하였거나 세상을 피하여 살므로, 소리도 냄새도 없음. ——-하다 [형][여불]

무성 방:전【無聲放電】[명]〖물〗소리가 발생하지 않는 방전. 산소(酸素) 속에서 방전하여, 산소를 오존(ozone)으로 변화시키는 경우와 같음. 코로나 방전(corona 放電)도 이 종류에 속함. 무음 방전.

무성 번식【無性繁殖】[명]〖생〗무성 생식(無性生殖).

무성 생식【無性生殖】[명]〔asexual reproduction〕〖생〗양치 식물(羊齒植物) 이하의 하등 생물에서 볼 수 있는, 암수의 생식 세포(細胞)에 의하지 아니하고, 분열(分裂)·출아(出芽)·포자(胞子) 또는 지하경(地下莖) 등에 의하여 생식하는 현상. 무성 번식(繁殖). ↔유성(有性) 생식. *무배 생식(無配生殖).

무성 세:대【無性世代】[명]〖생〗세대 교번(世代交番)을 하는 생물로서, 무성(無性) 생식으로 자손을 번식하는 세대. ↔유성 세대. *세대 교번.

무성-시【無聲詩】[명] ①운(韻)이 없는 시. 무운시(無韻詩). ②'회화(繪畫)'의 이칭.

무성-아【無性芽】[명]〖식〗은화(隱花) 식물의 영양 생식 기관으로 외관상 현화(顯花) 식물의 부정아(不定芽)와 비슷한 기관. 체세포(體細胞)로부터 무성적(無性的)으로 분열한 조직이며, 모체(母體)와 같은 조직 구성을 가지고 있음. 선태(蘚苔) 식물에 많음.

무성 영화【無聲映畫】[一녕一] [명] 음성(音聲)이나 음악 따위의 음향(音響)을 내지 아니하는 종래의 영화. 사일런트 픽처. ↔발성 영화(發

聲映畫)·유성 영화. 「이 없음.

무성 유:정【無性有情】명〖불교〗부처가 되는 소질이 없음. 불성(佛性)

무성-음【無聲音】명〖언〗성대(聲帶)를 진동시키지 않고 내는 소리. 곧, 자음(子音)의 ㄱ·ㄷ·ㅂ·ㅅ·ㅈ·ㅊ·ㅋ·ㅌ·ㅍ·ㅎ 등. 안울림소리. 맑은 소리. 청음(淸音). ↔유성음(有聲音). 「형여불

무-성의【無誠意】[—/—이] 명 성의가 없음. ¶ ~한 답변. ——-하다

무성 자음【無聲子音】명〖언〗자음 가운데서 무성음인 것.

무성 천:제【無性闡提】명〖불교〗천제(闡提).

무성-화[1]【無性花】명〖식〗중성화(中性花).

무성-화[2]【無聲化】명〖언〗유성음이 지속부(持續部)에 있어서, 성대(聲帶)의 진동을 수반하지 않게 되는 일.

무세[1] 부〈방〉몹시(함경).

무:세[2]【武勢】명 군대의 위력(威力).

무세[3]【無稅】명 세금이 없음. 조세(租稅)의 부과(賦課)가 없음. ¶ ~ 수입. ——-하다 형여불 「시세가 없음. ——-하다 형여불

무세[4]【無勢】명 ①세력이 없음. 무세력(無勢力). ②장사에 흥정이 적고

무세-객【無勢客】명 세력이 없는 하찮은 사람.

무세계-론【無世界論】명〖철〗무우주론(無宇宙論).

무세계-설【無世界說】명〖철〗무우주론(無宇宙論).

무-세력【無勢力】명 세력이 없음. 무세(無勢). ——-하다 형여불

무세이온〔Mūseion〕명〔그리스 신화의, 학예(學藝)의 신(神) 모우사의 궁전이란 뜻〕특히 프톨레마이오스 2세가 알렉산드리아에 베푼 왕실(王室) 부속 연구소. 헬레니즘 시대의 학문·연구의 중심이었음.

무세-지【無稅地】명 세금을 부과하지 않는 땅. ↔유세지(有稅地).

무:세포-놀이【巫稅布一】명 조선 시대 광대 소학지희(廣大笑謔之戲)의 하나.

무세-품【無稅品】명 ①세금을 부과하지 않는 물품. ②〖경〗관세를 부과하지 않는 수출입품. 면세품(免稅品)과는 구별됨. ↔유세품.

무소[1] 명〖동〗코뿔소.

무:소[2]【誣訴】명 일을 거짓 꾸미어 관청에 고소함. ——-하다 타여불

무-소가관【無所可觀】명 볼 만한 곳이 없음. ——-하다 형여불

무-소가취【無所可取】명 쓸 만한 것이 없음. 취할 만한 데가 없음. ——-하다 형여불

무-소고기【無所顧忌】명 무소기탄(無所忌憚). ——-하다 형여불

무-소권【無訴權】[—꿘] 명〖법〗소권(訴權)이 없음.

무-소기탄【無所忌憚】명 아무 것도 꺼려하는 바가 없음. 무소고기(無所顧忌). 준무기탄(無忌憚). ——-하다 형여불

무-소득【無所得】명 ①얻는 바가 없음. 소득이 없음. 무수입(無收入). ②〖불교〗무상(無相)의 이치를 체득(體得)하며 마음속에 집착(執着)·분별(分別)함이 없음. ——-하다 형여불

무소:륵스키〔Mussorgsky, Modest Petrovich〕명〖사람〗러시아의 작곡가. 처음 군인이었으나 음악에 전념하여, 국민악파(國民樂派)의 가장 독창적이고 이색적인 작곡가로 활약하였음. 음악을 정식으로 배운 바는 없으나, 서민적인 세계관에 의해 인간 운명을 그대로 예술화하고자 하였음. 가극 《보리스 고두노프(Boris Godunov)》 등의 작품이 있음. [1839~81]

무-소부재【無所不在】명〖천주교〗천주(天主)의 적극적 품성(積極的稟性)의 하나. 어디든지 없는 데가 없음. ——-하다 자여불

무-소부지[1]【無所不至】명 이르지 않은 곳이 없음. ——-하다 자여불

무-소부지[2]【無所不知】명 모르는 것이 없음. ——-하다 형여불

무-소불능【無所不能】[—룽] 명 능통하지 않은 것이 없음. ——-하다 형여불

무-소불위【無所不爲】명 못할 일이 없이 다 함. ——-하다 형여불

무-소속【無所屬】명 ①딸린 데가 없음. ②어느 단체나 당파에도 속하여 있지 않음. 무당 무파(無黨無派). ¶ ~ 의원(議員).

무-소식【無消息】명 소식이 없음. ——-하다 형여불

[무소식이 희소식(喜消息)] 혹시 궂은 일이 있었다면 으레 기별을 해 올텐데, 아무 소식도 없는 것은 상대방에게 아무 탈이 없다는 징조라는 뜻.

무-소양【無素養】명 소양이 없음. ——-하다 형여불

무-소외【無所畏】명 ①두려워할 만한 것이 없음. ②〖불교〗불도(佛道)를 닦음에 있어 부닥치는 온갖 장난(障難)을 두려워함이 없음. 무외(無畏). ③〖철〗불안과 공포를 벗어나 마음속의 평정(平靜)을 얻은 상태. 그리스의 철학자 데모크리토스가 최고의 행복을 표현한 말.

무-소용[1]【無所用】명 소용이 없음. ——-하다 형여불

무-소용[2]【無所容】명 ①용서(容恕)할 바가 없음. ②받아들일 곳이 없음.

무-소유【無所有】명 소유(所有)함이 없음. ——-하다 형여불

무소유처-천【無所有處天】명〖불교〗무색계 사천(無色界四天) 중의 셋째 하늘.

무:속【巫俗】명 무당들의 풍속.

무:속-도【巫俗圖】명 산신(山神)·용신을 비롯하여 무당이 모시는 여러 신, 도교의 신, 불교의 보살 등을 무속화하여 그린 그림.

무:속 음악【巫俗音樂】명〖악〗무당의 의식(儀式)과 무당춤에 연주되는 음악. 무악(巫樂). 「형여불

무손[1]【無孫】명 ①손자(孫子)가 없음. ②후손(後孫)이 없음. ——-하다

무손[2]【無損】명 손해(損害)가 없음. ——-하다 형여불

무손실 물질【無損失物質】[—찔] 명 〔lossless material〕〖물〗그 속을 흐르는 전자기파(電磁氣波)나 음파의 에너지 따위를 조금도 산일(散逸)시키지 않는 이상적인 물질.

무솔다 자 축축한 습기로 푸성귀들이 물어서 썩다. 준솔다.

무솔리:니〔Mussolini, Benito〕명〖사람〗이탈리아의 정치가. 1차 대전 이후 파시스트당(Fascist黨)을 조직, 국가의 혼란을 틈타서 로마 진군(進軍)을 감행하여 수상(首相)에 취임하고 독재권을 강화, 파시즘 체제를 확립함. 2차 대전을 전후하여 대외 진출을 감행, 히틀러와 제휴하고 추축국측(樞軸國側)으로 참전했으나 전쟁 말기에 실각(失脚), 민중 의용군에 학살되었음. [1883~1945]

무:송【霧凇】명 상고대[1].

무-송아지 명〈방〉〖충〗땅강아지.

무쇠 명〔중세 : 므쇠〕①〖광〗철 속에 2.0 % 이상의 탄소가 들어 있는 합금(合金). 가장 일반적인 화학 조성(化學組成)으로는 탄소 3.0-3.6 %, 규소(珪素) 1.5-2.5 %, 망간(Mangan) 0.5-1.0 %를 각각 함유하고 있으며, 그 금속 조직 속에는 흑연(黑鉛)이 들어 있음. 빛이 검고 바탕이 연하며, 강철(鋼鐵)보다 녹기 쉬우므로 주조(鑄造)에 적합함. 솥·철관·화로 등을 만드는 재료로 쓰임. 생수철(生水鐵). 생철(生鐵). 수철(水鐵). 주철(鑄鐵). 선철(銑鐵). ↔시우쇠. ＊탄소강(炭素鋼). ②정신적·육체적으로 강하고 굳센 것을 비유하는 말.

[무쇠도 갈면 바늘이 된다] 꾸준히 노력하면 어떤 어려운 일이라도 이룰 수 있다. [무쇠 두멍을 쓰고 소(沼)에 가 빠졌다] 죄 지은 자는 저도 모르는 사이에 화를 자취(自取)한다는 뜻.

무쇠 다리 명 무쇠처럼 단단하고 굳센 다리.

무쇠 주먹 명 무쇳덩어리와 같이 매우 튼튼한 주먹.

무쇠-팔 명 무쇠로 된 것처럼 매우 억센 팔.

무쇳-덩어리 명 무쇠의 크고 작은 온갖 덩어리.

무쇼 명〈옛〉무소[1]. ¶ 무쇼 갓옷 닙고《八歲兒 2》.

무수[1] 명〈방〉무쉬.

무수[2] 명〈방〉〖식〗무[3](경기·경북·제주·전라·충청·강원·함남).

무:수[3]【武守】명〖역〗무관 출신의 수령(守令).

무수[4]【無水】㊀ 명 물기가 조금도 없음. ㊁ 관〖화〗'무수물'의 뜻으로 쓰던 관형사.

무수[5]【無數】명 ①이루 다 셀 수 없이 많은 수효. 한없이 많음. ¶ ~한 별. ②일정한 수(數)가 없음. ——-하다 형여불. ——-히 부

무:수[6]【舞袖】명 ①춤추는 사람의 옷소매. ②춤추는 사람.

무:수[7]【撫綏】명 어루만져 편안하게 함. ——-하다 타여불

무수-겁【無數劫】명〖불교〗헤아릴 수 없을 만큼의 길고 긴 시간.

무수 과:망간산【無水過一酸】명〔permanganic acid anhydride〕〖화〗과망간산 무수물(無水物). 「구칭.

무수 규산【無水珪酸】명〔silicic acid anhydride〕〖화〗이산화규소의

무수기 명 썰물과 밀물의 차(差).

무수기 보다 구 조수(潮水)의 간만(干滿)의 차(差)를 헤아려 보다.

무수다[1] 타 닥치는 대로 사정없이 때리거나 부수다.

무수-다[2]【無水茶】명 물은 나중에 마시고 건더기만 먼저 먹는 차.

무:수-단【舞水端】명〖지〗함경 북도 명천군(明川郡) 하고면(下古面)에 위치한 갑(岬). 칠보산지괴(七寶山地塊)의 동남단을 차지함.

무-수리[1] 명〖조〗[*Leptoptilus dubius*] 황샛과에 속하는 물새. 날개 길이 80 cm, 꽁지 32 cm, 부리 33 cm 가량이고, 키가 몹시 크며 목은 굵은데 모상(毛狀)의 갈색 깃털이 나고, 기부(基部)는 흰 깃털이 목도리 모양으로 둘렸음. 몸의 하면은 백색임. 연못·하천·무논 등에서 개구리·게·물고기 등을 포식하며, 10월경에 큰 나무에 둥지를 짓고 세 개의 흰 알을 낳음. 살은 맛이 짜나 한방(韓方)에서 해독제(解毒劑)로 쓰고 골은 정수(精髓) 보양제로 씀. 인도·미얀마·말레이·보르네오·자바 등지에 분포함. 인도에서는 보호조임. 독추(禿鶖). 부로(扶老). 자로(鶿鷺).

〈무수리[1]〉

무수리[2] 명〖역〗나인에게 세숫물을 드리는 일을 맡은 궁궐 안의 계집종. 수사(水賜). 수사이(水賜伊).

무수 말레산【無水一酸】명〔maleic acid anhydride〕〖화〗말레산 무수물.

무수목 기후【無樹木氣候】명〖기상〗수목이 자랄 수 없는 기후. 한랭 건조한 한대 기후와 건조 기후로 구분됨.

무수-물【無水物】명〔anhydride〕〖화〗①금속염(金屬塩)의 수화물(水化物)에서 물을 제거한 화합물. 황산 구리(Ⅱ) 5수화물($CuSO_4 \cdot 5H_2O$)에서 물(H_2O)을 제거한 황산 구리($CuSO_4$)를 일컫는 따위. ②산(酸), 특히 두 개의 카르복시산에서 물을 제거한 식으로 된 화합물. 두 아세트산(CH_3COOH)에서 물을 제거한 아세트산 무수물($(CH_3CO)_2O$)을 일컫는 따위. ③불순물로서의 물을 포함하지 않았다는 뜻. ¶ 메탄올 ~.

무수 바나듐산【無水一酸】명〔vanadic acid anhydride〕〖화〗바나듐산 무수물(無水物).

무수 붕산【無水硼酸】명〖화〗붕산 무수물.

무수 비:산【無水砒酸】명〖화〗비산 무수물.

무수 사:례【無數謝禮】명 수없이 자꾸 사례함. ——-하다 자여불

무수-산【無水酸】명〖화〗산무수물(酸無水物).

무수 신경【無髓神經】명〖생〗↗무수 신경 섬유(纖維).

무수 신경 섬유【無髓神經纖維】명〔non-medullated nerve fibers〕〖생〗수초(髓鞘)가 없는 신경 섬유. 척추 동물에서는 감각 신경의 일부와 교감(交感) 신경의 대부분이 이것이고 무척추 동물에서는 거의 전부의 신경 섬유가 무수(無髓)임. 준무수 신경. ↔유수 신경 섬유.

무수 아:비산【無水亞砒酸】명〔arsenious acid anhydride〕〖화〗아비산 무수물.

무수 아:인산【無水亞燐酸】명〔phosphorous acid anhydride〕〖화〗아인산 무수물.

무수 아:질산【無水亞窒酸】[—싼] 명〔nitrous acid anhydride〕〖화〗아질산 무수물.

무수 아:황산【無水亞黃酸】명〔sulfurous acid anhydride〕〖화〗아황산 무수물.

무수 알코올【無水一】명〔absolute alcohol〕〖화〗알코올 무수물.
무수-염【無水塩】명〖화〗결정수(結晶水)를 갖지 않은 염(塩).
무수-옹【無愁翁】명 ①근심·걱정이 없이 지내는 신수 좋은 늙은이. ②아무 근심·걱정을 모르는 어리석은 사람.
무수 인산【無水燐酸】명〔phosphoric acid anhydride〕〖화〗인산 무수물.
무-수입【無收入】명 수입이 없음. 무소득(無所得).
무수전-패【無受田牌】명〖역〗조선 시대 초기의 병종(兵種)의 하나. 과전(科田)을 받지 못한 한량관(閑良官)이 충용(充用)되며, 1년에 3개월 동안 상경하여 시위(侍衛)하는 의무를 짐. 세조(世祖) 3년(1457)에 경시위패(京侍衛牌)에 통합 흡수됨. *수전패(受田牌).
무-수정【無修正】명 수정함이 없음. ¶ ~ 통과.
무수 질산【無水窒酸】[一싼] 명〔nitric acid anhydride〕〖화〗질산 무수물.
무수 초산【無水醋酸·無水酢酸】명〖화〗아세트산(酸) 무수물(無水物).
무수 크롬산【無水一酸】명〔chromic acid anhydride〕〖화〗크롬산 무수물.
무수 탄:산【無水炭酸】명〔carbonic acid anhydride〕〖화〗탄산 무수물.
무수 탄:산 나트륨【無水炭酸一】〔natrium〕명〖화〗탄산 나트륨 무수물.
무수 탄:산 소:다【無水炭酸一】〔soda〕명〖화〗탄산 나트륨 무수물.
무수 프탈산【無水一酸】명〖화〗프탈산(酸) 무수물(無水物).
무-수확【無收穫】명 수확이 없음.
무수 황산【無水黃酸】명〔sulfuric acid anhydride〕〖화〗황산 무수물.
무수 황산 구리【無水黃酸一】명〖화〗황산 구리 무수물.
무숙【無宿】명 잘 곳이 없음.
무숙이-타:령【一打令】명〖악〗판소리 열두 마당의 하나. 창본(唱本)은 전하지 아니함. 내용은 서울의 호협(豪俠)한 세도(勢道) 오입쟁이들이 주색에 놀아나는 것이라 추측됨. 왈자 타령(曰字打令).
무숙-자【無宿者】명 잘 곳이 없는 사람. ¶ ~ 신세가 되다.
무:-순[1]【一筍】명 저장하여 둔 무에서 자라난 순.
무순[2]【無順】명 순서가 없음. ¶ 이상(以上) ~.
무:순[3]【撫順】명〖지〗'푸순'을 우리 음으로 읽은 이름.
무:순[4]【撫循】명 어루만져 복종하게 함. ——-하다 타여불
무:순 김치【一筍一】명 무의 순으로만 담근 김치. 청묘저(菁苗菹). 청아저(菁芽菹).
무:순 나물【一筍一】명 겨울이나 봄에 무순을 따서 데쳐, 소금·기름이나 고추장에 무친 나물. 청묘채(菁苗菜). 청아채(菁芽菜).
무술[1] 명 제사 때에 술 대신으로 쓰는 맑은 찬물. 현주(玄酒).
무:술[2]【戊戌】명〖민〗육십 갑자(六十甲子)의 서른 다섯째.
무:술[3]【巫術】명 ①무당의 방술(方術). ②〖종〗샤머니즘(shamanism).
무:술[4]【武術】명 무도에 관한 기술. ¶ ~을 연마하다.
무:술-당【戊戌糖】명 보약으로 쓰는 엿의 한 가지. 누른 수캐의 고기를 삶아서 짠 즙에, 백출(白朮)·계피(桂皮) 가루·후춧 가루를 넣고 버무려 만든 수수엿.
무:술의 변:법【戊戌一變法】[一뻡/一에一뻡] 명〖역〗백일 개혁(百日改革).
무:술 정변【戊戌政變】명〖역〗중국 청(淸)나라 광서(光緖) 24년(1899)에, 덕종(德宗)이 채용한 캉 유웨이(康有爲) 등의 변법 자강책(變法自彊策)을 반대하던 서태후(西太后) 등의 수구파(守舊派)가 덕종을 유폐한 정변(政變).
무:술-주【戊戌酒】[一쭈] 명 누른 수캐의 고기를 삶아서 찹쌀과 섞어 함께 쪄서 빚은 약술.
무숩다 형〈방〉무섭다(전남·경상).
무쉬 명 조금의 다음날인 음력 9일과 24일. 곧, 조수(潮水)가 조금 붇기 시작하는 물때. 소신(小汛).
무슈〔프 monsieur〕명 '미스터(mister)'의 프랑스어.
무:스[1]〔프 mousse〕명 ①휘저어서 거품이 일게 한 아이스크림. 디저트용임. ②끈적거리지 않는 거품 모양의 정발제(整髮劑). 상표명임.
무스[2] 지대〈옛〉무엇. =므스. ¶ 무스를 브터 일후미 글우미잇고(從何名解잇고)《楞嚴》.
무스거〈방〉무엇을(함경).
무스게〈옛〉무엇에. ¶ 무스게 쓸다 무룬대《重三綱 叔謙訪藥》.
무스그로〈옛〉무엇으로. ¶ 무스그로 셔셔 이에 닐위료(何以致斯)《重內訓 Ⅱ:30》.
무스카루핀〔muscarufin〕명〖화〗광대버섯의 균사(菌傘)에 함유되어 있는 심홍색(深紅色)의 색소(色素).
무스카리〔라 muscari〕명〖식〗백합과에 속하는 무스카리속(屬) 식물의 총칭. 꽃은 병 모양으로 총상으로 피고, 방향(芳香)이 있으며 관상용임.
무스카린〔muscarine〕명〖화〗광대버섯이나 그 밖의 버섯류에서 얻어지는 맹독(猛毒) 알칼로이드. 혈압을 내리게 하고 선분비(腺分泌)를 항진시키며, 장관(腸管)을 수축시키는 작용을 함.
무스카트〔Muscat〕명〖지〗오만 왕국의 수도. 오만 만(灣) 연안의 항구 도시로 천연의 양항(良港)임. 16세기의 포르투갈령(領) 이래로 무역의 거점으로 번영, 오늘날에도 대추야자·건어(乾魚)·과일을 수출하고 식량·섬유를 수입함. [80,000명(1990 추계)]
무스카트 오만 토후국【一土侯國】〔Muscat & Oman〕명〖지〗'오만 왕국(Oman 王國)'의 구칭.
무스코기-족【一族】명〔Muskogean〕〖인류〗미국 남부에 사는 아메리칸 인디언의 한 종족. 수개 부족(部族)으로 이루어지며 약 7만 명이 있음. 독특한 동남(東南) 인디언 문화 영역을 형성함.
무스콘〔muscone〕명〖화〗사향(麝香)의 방향(芳香) 성분인 기름 모양의 액체. [$C_{16}H_{30}O$]
무스탕〔mustang〕명 ①미국의 대평원에 사는 야생의 작은 말. ②제2차 대전 때의 미공군의 전투기 이름. 단발 단좌(單發單座)임. ③미국 포드사(社) 제작의 승용차 이름. ④셈 가죽 모양으로 털을 짧게 깎아 표면 처리한 가죽 소재(素材).
무스티에 문화【一文化】〔Moustier〕명 유럽의 구석기 시대 중기의 대표적 문화. 이 문화의 형성자는 네안데르탈인(Neanderthal人)으로 생각되며, 북(北)아프리카·중근동(中近東)·인도 등에도 분포함. 홍적세(洪積世)의 제3 간빙기(間氷期)부터 제4 빙기(氷期)의 초기까지 존속함. 아쉬르(Achur) 문화·르발루아(Levallois) 문화 등이 혼성(混成)한 것이라고 함.
무스펠헤임〔Muspelheim〕명〖신〗북유럽 신화 중에 나오는 남쪽 끝의 극렬 화광(極熱火光)의 세계. 거인들이 살며, 해와 달은 이 나라에서 튕겨 나온 불똥으로, 오딘(Odin) 등이 잡아서, 하늘에 걸어 둔 것이라 함. ↔니플헤임(Niflheim).
무슥 지대〈옛〉무엇. ¶ 이 經을 무스기라 일훔지흐며《月釋 XXI:101》.
무슨 관 ①명사 위에 쓰이어, 의문의 뜻을 나타내는 말. ¶ ~ 일로 왔니. ②예상외로 못마땅함을 강조하는 말. ¶ ~ 물건이 이 모양이오. ③사물의 내용이나 또는 사물의 속성·특성을 모를 때 이르는 말. ¶ 그 사람에게 ~ 죄가 있을까/~ 시끄러운 일이 있었소. ④반의적인 뜻을 강조하는 말. ¶ 대낮에 술은 ~ 술이오.
　무슨 바람이 불어서 구 잘 오지 않다가 어쩌다 찾아온 사람에게 '무슨 마음이 내켜서' 또는 '무슨 일이 있어서'의 뜻으로 쓰는 말.
　무슨 뾰족한 수 있나 구 아무런 신통한 수단이 없다는 뜻이니, 어지간히 난처한 지경을 이르는 말.
무슨들레 명〈방〉〖식〗민들레.
무슨-짝 명 무슨 모양. 무슨 면목. 무슨 필요. 무슨 몰골. ¶ 그게 ~이냐/그걸 ~에다 쓰겠니.
무슬다 자〈방〉무솔다.
무슬림〔아랍 Muslim〕명 이슬람교 신도.
무슴〈옛〉㊀ 지대 무엇. ¶ 못 ᄒᆞ는 일을 닐러 무슴 ᄒᆞ리《海謠》. ㊁ 관 무슨. ¶ 무슴 시름이시리《海謠》.
무슴ᄒᆞ다 자〈옛〉무엇을 하다. ¶ ᄒᆞ물며 泉石膏肓을 고쳐 무슴ᄒᆞ료《古時調 李滉》.
무습다 형〈방〉무섭다(전남·경상).
무-승부【無勝負】명 운동 경기 등에서, 승부가 없음. 비김. 타이 스코어.
무승 자박【無繩自縛】명〖불교〗〔새끼도 없는데 스스로를 묶는다는 뜻〕미자(迷者)는 미망(迷妄)에, 오자(悟者)는 깨우쳤다고 자부하는 그 일에 각각 묶이어 자유롭게 되지 못함을 이르는 말.
무:-승지【武承旨】명〖역〗조선 때, 무과(武科) 출신의 승지.
무시[1] 명〈방〉〖식〗무(전라·경상).
무시[2]【無始】명 ①어디서부터 시작되었는지 알 수 없는 천지 미분화(天地未分化)의 혼돈(混沌) 상태. ②〖불교〗암만 거슬러 올라가도 그 처음이 없음. 곧, 한없이 먼 과거(過去).
무시[3]【無時】명 ①무상(無常)❷. ②↗무상시(無常時).
무시[4]【無視】명 ①현실에 있는 것을 없는 것같이 여김. ¶ 존재를 ~하다/신호(信號)를 ~하다. ②업신여김. 알아주지 않거나 문제삼지 않거나 인정하지 않음. ¶ 남의 의견을 ~하다. ——-하다 타여불
무시근-하다 형여불 성미가 느리고 흐리터분하다. ¶ 세운은 무시근하게도 교훈도 자기 꼴로 흐리마리 잊어버리고 만다《李孝石 : 幕》.
무시기 지대〈방〉무엇(함경).
무시-김치 명〈방〉깍두기(경남).
무시렁코 부〈방〉무심코.
무시-로【無時一】부 정한 때가 없이 수시(隨時)로. ¶ ~ 드나들다.
무시로-객주【無時一客主】명 가정에서 일상 쓰는 가재 도구를 거래하는 객줏집.
무시로 행상【無時一行商】명〖역〗조선 시대 말엽에, 일반 가정에서 무시로 쓰는 빨랫방망이·홍두깨·수수비·채반·나막신 등의 일용 잡화를 짊어지고 다니며 팔던 행상.
무:-시루떡 명 가늘게 썬 무를 멥쌀 가루에 섞어서 찐 떡. ㊈무떡.
무시-류【無翅類】명〖충〗〔Apterygota〕곤충류(昆蟲類)에 속하는 한 아강(亞綱). 날개는 퇴화하여 없고, 꼬리 끝에 긴 털 또는 도약(跳躍) 기능을 갖춘 여섯 개의 발이 있음. 좀·가시톡토기 등이 이에 속하는데, 쌍미류(雙尾類)·총미류(總尾類)·탄미류(彈尾類)의 세 목(目)으로 분류함. ↔유시류(有翅類).
무시무시-하다 형여불 공포감(恐怖感)에 떨게 하는 무서운 기운이 있다. ¶ 무시무시한 이야기/어쩐지 ~.
무시 무종【無始無終】명 ①시작도 없고 끝도 없음. ②〖불교〗우주의 본리(本理)인 대아(大我)·심체(心體)는 시초도 종말도 없이 항상 존재함. 곧, 진리 또는 윤회(輪廻)의 무한성을 뜻함. 무거 무래(無去無來). ③〖천주교〗천주의 소극적 품성(稟性)의 하나. ——-하다 형여불
무시 범부【無始凡夫】명〖불교〗무시(無始)에서부터 미래 영겁(未來永劫)에 이르기까지, 생사계(生死界)를 벗어날 수 없는 범부.
무시-복【無時服】명 때를 정하지 않고 수시로 복약(服藥)함. ——-하다 타여불
무시-선【無時禪】명〖불교〗〔↗무시선 무처선(無時禪無處禪)〕시간·장소의 구애를 받지 않고 누구나 할 수 있는 대중적인 선법.
무시 이:래【無始以來】명〖불교〗아주 먼 옛날부터.
무시주-의【無施主衣】[一/一이] 명〖불교〗〔시주가 없는 옷이라는 뜻〕납의(衲衣)의 하나로, 중이 자신이 모은 벳조각으로 꿰매어 지은 옷.

무시지-시【無始之時】명 무시(無始)의 때. 태초(太初).

무-시험【無試驗】명 시험이 없음. 시험을 치르지 않음. ¶ ~ 진학.

무시험 검:정【無試驗檢定】명 시험에 의하지 않고, 이전의 성적·추천 등으로 자격을 검정함. ↔시험 검정. ──-하다 자여불

무시험-제【無試驗制】명 입학·채용 등에서 무시험으로 하는 제도.

무식【無識】명 지식·식견(識見)이 없음. ↔유식(有識). ──-하다 형여불

[무식한 도깨비가 부작(符作)을 모른다] 사람이 무식해서 제게 가장 중요한 것도 모르고, 그로 인하여 크게 낭패를 보게 된다는 말. [무식한 도깨비 진언(眞言)을 알랴] 무식한 사람이 무엇을 알겠느냐라는 말.

무식-꾼【無識─】명 무식쟁이.

무식 소:치【無識所致】명 무식한 탓.

무식-자【無食子】명〖한의〗몰식자(沒食子)❶.

무식-쟁이【無識─】명 무식한 사람. 무식꾼.

무:신[1]【戊申】명 육십 갑자(六十甲子)의 마흔다섯째.

무:신[2]【武臣】명 무관(武官)인 신하. ↔문신(文臣).

무:신[3]【武神】명 무도(武道)를 맡은 신. 무도를 지키는 신. 군신(軍神).

무신[4]【無信】명 ①신용이 없음. ②소식이 없음. ↔유신. ──-하다 형여불

무신[5]【無神】명 신(神)을 믿지 않음. 신은 없다고 생각함.

무:신 겸 선전관【武臣兼宣傳官】명〖역〗무관과 선전관을 겸직(兼職)한 사람. 준무겸(武兼).

무-신경【無神經】명 ①감각이 둔함. ②부끄러워하거나 남의 이목(耳目) 같은 것에 개의하지 않음. 남의 감정 따위를 고려하지 아니함. 또, 그러한 모양. ──-하다 형여불

무-신고【無申告】명 신고를 하지 않음. ¶ ~ 집회.

무신고 가산세【無申告加算稅】명 신고 납세 방법에 의한 국세(國稅)에 있어서, 기한 안에 신고 제출이 없을 때, 그 제재(制裁)로서 부과하는 가산세.

무-신념【無信念】명 신념이 없음. ──-하다 형여불

무:신-도【巫神圖】명〖민〗무속(巫俗)에서 섬기고 있는 신들을 그린 그림.

무신-론【無神論】[─논] 명 [atheism]〖철〗신의 존재를 부정하는 철학상·종교상의 입장. 특히, 인격적(人格的) 의미의 신의 존재를 부정하고, 세계는 그 자신에 의하여 존재한다고 하는 설. 자연주의·유물론 등은 이러한 사상에 입각하고 있으며, 범신론(汎神論)도 때로는 이 무신론으로 지목됨. 에이시이즘. ↔유신론(有神論). 「神者).

무신론-자【無神論者】[─논─] 명 무신론을 주장하는 사람. 무신자(無

무신론적 실존주의【無神論的實存主義】[─논─쩍─/─논─쩍─이] 명〖철〗무신론에 입각한 사르트르 일파의 실존주의. 니체·하이데거의 흐름을 받아, 신의 존재에 앞선 자유로운 인간 존재를 주장함.

무신 무의【無信無義】[─/─이] 명 신용도 의리도 없음. 신의(信義)가 없음. ──-하다 형여불

무:신 정변【武臣政變】명〖역〗①고려 때, 무신(武臣)들에 의해 일어난 변란(變亂)의 총칭. 현종 때의, 최질(崔質)·김훈(金訓) 등의 난, 의종(毅宗) 때의 정중부(鄭仲夫)의 난(亂) 등이 있음. ②특히, 정중부의 난의 일컬음.

무신-자【無神者】명 무신론자.

무:실[1]【務實】명 참되고 실속 있도록 힘씀. ──-하다 자여불

무실[2]【無失】명 ①야구에서, 실책(失策)이 없음. ②잃은 것이 없음.

무실[3]【無實】명 ①사실이 없음. ¶ ~한 혐의를 받다. ②실질이 없음. ¶ 유명 ~. ③성실한 마음이 없음. 몰실(沒實). ──-하다 형여불

무실 무가【無室無家】명 미실 미가(靡室靡家). ──-하다 형여불

무:실 역행【務實力行】명 참되고 실속 있도록 힘써 실행함. ──-하다 자여불

무-실점【無失點】[─쩜] 명 경기·승부 등에서, 실점이 없음.

무심[1]【無心】명 ①마음이 텅 빔. 아무 생각이 없음. ②사심(邪心)이 없음. 순진함. ¶ ~한 어린이. ③마음을 두거나 걱정함이 없음. 또는 감정이 없음. ¶ ~한 세월/편지 한 장 없으니 너무도 ~하오. ④〖불교〗물욕과 속세에 전혀 관심이 없는 경지. ──-하다 형여불. ──-히 부 ¶ ~ 말하다/~ 바라보다.

무심[2]【無心】명 ↗무심필(無心筆).

무심-결【無心─】[─껼] 명 무심한 김. 무심중(無心中). ¶ ~에 들었소.

무심 도:인【無心道人】명〖불교〗①도를 깊이 닦아 세속의 온갖 물욕과 번뇌(煩惱)를 벗어난 경지에 도달한 사람. ②천진(天眞)·본연(本然)에 합한 중.

무심-리【無心梨】[─니] 명〖식〗씨 없는 배. 강원도 인제(麟蹄)의 특산으로, 신라 선덕왕 12년(643)에 자장 율사(慈藏律師)가 당나라에서 들여왔다고 함. 연황색에 꼭지가 길며, 밑이 둥근 표주박 모양의 열매 속에 작은 씨방만 있음.

무심상 사고【無心像思考】명 [imageless thought]〖심〗의식 내용, 곧 심상(心像)이 떠오르지 아니하게 하여 행하는 사고. 사고는 심상을 결합하거나 배열(配列)하는 과정이라고 하는 생각에 대하여, 심상이 없거나 또는 그 존재가 확연하지 않은 사고도 있다고 하는 주장으로서, 프랑스의 심리학자 비네(Binet, Alfred; 1857-1911)에 이어 뷔르츠부르크 학파(Würzburg 學派)가 이것을 강조하였음.

무심-스럽다【無心─】형ㅂ불 보기에 무심하다. 무심-스레【無心─】부

무심 이:차 곡선【無心二次曲線】명〖수〗이차 곡선 가운데서, 포물선이나 평행한 두 개의 직선처럼 대칭(對稱)의 중심(中心)이 유한(有限)의 장소에 없든가 또는 부정(不定)일 경우를 이름.

무심-재【無心材】명 나뭇고갱이가 없는 재목.

무심-정【無心定】명〖불교〗모든 심상(心想)을 완전히 없애는 선정(禪定). 무상정(無想定)과 멸진정(滅盡定)의 두 가지가 있음. *유심정(有心定).

무심-중【無心中】⊟명 아무 생각이 없는 동안. 마음을 쓰지 않는 가운데. 무심결. ¶ ~에 한 말. ⊟부 아무 생각 없이. ¶ 너무도 반가워서 ~ 껴안았소. 「패를 보았다.

무심중-간【無心中間】명 무심한 사이. 아무 생각 없는 동안. ¶ ~에 낭

무심-체【無心體】명〖의〗일란성 쌍생아(一卵性雙生兒) 중에서 한쪽의 개체 발육이 극히 나빠서 심장이 없거나 흔적만 있는 기형아.

무심-코【無心─】부 뜻하지 아니하고. ¶ ~ 비밀을 누설하다.

무심-필【無心筆】명 딴 털로 속을 박지 아니한 털붓. 준무심(無心).

무십다 형〈방〉무섭다(경남).

무싯-날【無市─】명 장이 서지 않는 날. ¶ 방텃골 세거리는… ~에도 길섶 주막들이 부산하였다《金周榮 : 客主》.

무ᄉᆞ 관〈옛〉무슨. ¶ 일은 일이 무ᄉᆞ 일고《松江 時調》.

무ᄉᆞᆷ ⊟관〈옛〉무슨. ¶ 무ᄉᆞᆷ 힘으로 柯枝 도쳐 곳조ᄎᆞ 뎌리 피엿ᄂᆞ다《永言》. ⊟지대〈옛〉무엇. ¶ 落花ㅣ들 곳치 아니랴 쓰러 무ᄉᆞᆷ ᄒᆞ리오《永言》.

무쌍【無雙】명 서로 견줄 만한 짝이 없음. 둘도 없이 썩 뛰어남. 무이(無二). ¶ 용감 ~. ──-하다 형여불. ──-히 부

무:쌍-봉【武雙峰】명〖지〗평안 북도 희천군(熙川郡)과 강계군(江界郡) 사이에 있는 봉우리. [1,242m]

무:-씨 명 무의 종자. 무의 씨.

무:씨 기름 명 무의 씨로 짜 낸 기름. 나복자유(蘿葍子油).

무ᅀᅥ나다 타〈옛〉쌓다. ¶ 쥬역에 닐어쇼ᄃᆡ 됴ᄒᆞᆫ 일 만히 무ᅀᅥ난 지븐(易經云 積善之家)《朴解 上 31》.

무수 명〈옛〉무[3]. ¶ 댓무수 라(蘿), 댓무수 복(葍), 쉿무수 만(蔓)《字會 下 14》/쉿무수(蔓)《四聲 上 75》.

무스다 타〈옛〉모으다. 쌓아 올리다. ¶ 젼싱애 됴ᄒᆞᆫ 일 닷고 복을 무ᅀᅥ 나오니(前世裏 修善積福來)《朴解 上 31》.

무슬 명〈옛〉섬돌. 우물·진터 등에 쌓은 돌. ¶ 무슬 츄(甃), 무슬 졔(砌), 무슬 류(壘)《字會 下 17》.

무아【無我】명 ①'나'라는 관념을 가지지 아니함. 자기를 잊고 생각하지 아니함. ②사심(私心)이 없음. ③[범 Anātman]〖불교〗상주 불변(常住不變)한 주체(主體)가 없다는 불교의 근본 사상. 일체의 존재(存在)는 영원 불변의 고정적 실체(實體)가 아니며, 다 무상(無常)한 것이므로 '나'라는 존재도 없다는 말. 인무아(人無我)·법무아(法無我)의 둘로 나눔.

무아-경【無我境】명 마음이 한 곳에 온통 쏠려 자기를 잊고 있는 경지. ¶ 음악에 도취되어 ~에 빠지다/~에 이르다.

무아 도취【無我陶醉】명 자아(自我)를 잊고 도취함.

무아레〔프 moiré〕명 ①점 또는 선이 기하학적이며 규칙적으로 분포된 것을 중합(重合)하였을 때 생기는 무늬. 사진 동판 인쇄물을 원고로 하여 사진 동판을 복제(複製)할 때에 일으키기 쉬운 고장임. ②태피터(taffeta)로 짜낸 장력(張力)이 강한 견직물의 한 가지. 이브닝 드레스·칵테일 드레스 따위에 쓰임.

무아-론【無我論】명 우주적 실체(宇宙的實體)의 비존재(非存在)를 주장하는 무아에 대한 이론.

무아 무심【無我無心】명 미혹(迷惑)된 마음이나 사악(邪惡)한 마음이 없음. 또, 그러한 마음.

무아상〔Moissan, Henri〕명〖사람〗프랑스의 화학자. 플루오르의 단리(單離)에 성공하고, 난용 물질(難溶物質)의 용해 연구로 인조(人造) 다이아몬드의 제조를 시험하였으며, 1906년 노벨 화학상을 받았음. [1852-1907]

무아-애【無我愛】명 자기를 전혀 돌보지 않는 참되고 순결한 사랑.

무아위야〔Muawiyah〕명〖사람〗사라센 제국(帝國) 옴미아드(Ommiad) 왕조의 창시자. 다마스쿠스의 총독으로서 실권을 장악, 정통(正統) 칼리프(caliph) 시대 최후의 칼리프인 알리가 암살된 후 그 지위를 계승하여 왕조를 창시함. 행정 기구(行政機構)를 정비하고, 세습(世襲) 칼리프 제도를 확립하였음. [602-680]

무아-인【無我印】명〖불교〗소승 불교(小乘佛敎)의 삼법인(三法印)의 하나. 제법 무아(諸法無我)를 설명하는 교리(敎理).

무아-주의【無我主義】[─/─이] 명〖윤〗애타주의(愛他主義).

무:악[1]【巫樂】명〖악〗무속(巫俗) 음악.

무:악[2]【舞樂】명〖악〗춤출 때에 아뢰는 아악(雅樂).

무악-류【無顎類】[─뉴] 명〖동〗[Agnatha] 원구류(圓口類).

무악-재【毋岳─】명〖지〗서울 특별시 서대문구 현저동(峴底洞)에서 홍제동(弘濟洞)으로 넘어가는 고개. 조선 태조 3년(1394)에 이태조가 도읍터를 물색하기 위하여 몸소 무학 대사(無學大師)를 데리고 와서 조사하였다고 하여 '무학재'라고도 함. 본이름은 길마재.

무안[1]【無顔】명 볼 낯이 없음. 면목이 없음. ¶ ~하여 쥐구멍이라도 찾고 싶다. ──-하다 형여불. ──-히 부

무안(을) 주다 구 상대방을 무안하게 하다.

무안을 당하다 구 상대방에 의하여 무안함을 당하다.

무:안[2]【務安】명〖지〗전라 남도 무안군(務安郡)의 군청 소재지로 읍(邑). 군의 중앙부에 위치함. 용월리(龍月里)에 날아오는 백조와 왜가리는 천연 기념물로 지정되어 있음. [35.68 km^2 : 10,840 명(1996)]

무:안-군【務安郡】명〖지〗전라 남도의 한 군. 관내 2읍 7면. 북은 영광군(靈光郡), 동은 함평군(咸平郡)과 나주시(羅州市) 및 영암군(靈岩郡), 남은 목포시(木浦市)와 영암군, 서는 신안군(新安郡)에 면함. 비교적 산악이 없는 야산(野山) 지대로, 도시 근교 농업이 성행함. 주요 산물은 쌀·보리·콩·고구마·유채·양파·잎담배 등의 농산물과 임산·축

산·수산 등임. 명승 고적으로 봉대산(烽臺山)·승달산(僧達山)·우명산(牛明山)·법천사(法泉寺) 등과 천연 기념물인 팽나무·개서나무의 산지 및 백로와 왜가리의 서식지가 있음. [427.43 km^2 : 90,579 명(1990)]

무:안 백유【務安白釉】 명 〖공〗 전라 남도 무안(務安) 지방의 특산품인 백자(白瓷)의 한 가지.

무안-스럽다【無顔—】 형 ㅂ불 보기에 무안하다. **무안-스레**【無顔—】 부

무안-인【無眼人】 명 〖불교〗 〔눈이 없는 사람의 뜻〕 정도(正道)를 모르는 사람. 특히, 의심이 많고 정토(淨土)를 믿지 않는 사람의 비유.

무안-증【無顔症】 [—쯩] 명 〖의〗 안면(顔面) 구조의 부분적 또는 선천적 결손 상태.

무:안지-곡【武安之曲】 명 〖악〗 고려 때에 원구(圓丘)에서 임금이 친히 제사를 지낼 때, 아헌(亞獻)·종헌(終獻)의 절차에 있어서 헌가(軒架)에서 연주하던 악곡.

무-안타【無安打】 명 야구에서, 안타가 없음. 노 히트.

무안타 무득점【無安打無得點】 명 야구에서, 노 히트 노 런.

무안타 투구【無安打投球】 명 야구에서, 노 히트 플링잉.

무애[1]【无涯】 명 양주동(梁柱東)의 호(號).

무애[2]【無涯】 명 끝이 없음. 한이 없음. 무제(無際). ——-하다 형 여불

무애[3]【無碍·無礙】 명 일에 막힘이 없음. 장애물이 없음. ——-하다 형 여불

무:애[4]【撫愛】 명 쓰다듬어 사랑함. ——-하다 타 여불

무애-가【無㝵歌】 명 〖문〗 신라 때의 중 원효(元曉)가 지은 불곡(佛曲). 제작 연대 미상. 원효가 파계(破戒)하여 속인(俗人) 행세를 하였을 때, 광대들이 노는 것을 모방해서 이 노래를 지어 방방 곡곡을 돌아다니면서 민중에게 들려 주어 널리 전파하였다고 함.

무애-광【無碍光】 명 〖불교〗 십이광(十二光)의 하나. 사람에나 법(法)에나 어떠한 것에든지 거침없이 비치는 광명.

무애광-불【無碍光佛】 명 〖불교〗 무애광(無碍光)의 공덕(功德)에 의하여 일컬어지는 아미타불의 이칭.

무애기 명 〈방〉 쐐기[3].

무애-무【無㝵舞】 명 〖악〗 정재(呈才) 때에 추던 춤의 한 가지. 고려 때에 시작한, 남녀악(男女樂)을 다 갖춘 우리 나라 고유의 향악(鄕樂)에 맞추어 추는데, 기생 둘이 하나는 오른손에, 하나는 왼손에 각각 호로(葫蘆)를 쥐고 마주섰다 등졌다 하며, 뒤에 선 열 사람은 주악(奏樂)에 맞추어 서로 자리를 바꾸어 가면서 사(詞)를 부르면서 춤을 춤.

무애-사【無㝵詞】 명 〖악〗 정재(呈才) 때 무애무(無㝵舞)를 추면서 부르는 가사.

무애-지【無㝵智】 명 〖사람〗 고려 숙종(肅宗) 때의 국사(國師). 대각 국사(大覺國師)가 열반(涅槃)에 들자, 그 뒤를 이어 나라에서 법해 용문(法海龍門)이라 법호를 내리고 국사를 봉하였음.

무액 기압계【無液氣壓計】 명 〖물〗 아네로이드(aneroid) 기압계.

무액면-주【無額面株】 명 〖경〗 주권(株券)에 액면액(額面額)의 기재가 없이, 회사 총자산(總資産)에 대한 비율만 표시한 주식(株式). 액면 주식보다 신주(新株) 발행이 용이함. 미국 및 캐나다에서 많이 쓰이고 있음. 무액면 주식. 비례주(比例株). ↔액면주.

무액면 주식【無額面株式】 명 〖경〗 무액면주. ↔액면 주식.

무:야【戊夜】 명 '오경(五更)'을 오야(五夜)의 하나로 일컫는 말. 곧, 새벽 3시부터 5시까지.

무:약【舞籥】 명 〖악〗 ①관악기의 약(籥). ②일무(佾舞)에서 문무(文舞)를 추는 사람이 바른 손에 잡고 춤추는, 대로 만든 기구.

무양[1]【無恙】 명 몸에 탈이 없음. 병이 없음. ¶ 하루라도 바삐 회정하여 추풍에 ~하신 옥안을 뵈옵기로 매일 고대고대하옵나이다《鮮于日 : 杜鵑聲》. ——-하다 형 여불. ——-히 부

무:양[2]【撫養】 명 사랑하여 쓰다듬어 기름. 무육(撫育). ——-하다 타 여불

무양력-각【無揚力角】 [—녁—] 명 〔zero-lift angle〕 〖항공〗 양력이 영(零)이 되는 날개의 영각(迎角).

무양력 익현【無揚力翼弦】 [—녁—] 명 〔zero-lift chord〕 〖항공〗 날개가 무양력 영각(迎角)일 때, 날개의 후연(後緣)을 지나서 상대 기류 방향(相對氣流方向)으로 당겨진 현(弦).

무양막-류【無羊膜類】 [—뉴] 명 〖동〗 〔Anamnia〕 양막의 유무로써 분류할 때의 양막이 없는 척추 동물의 한 부류. 원구류(圓口類)·어류·양서류(兩棲類)가 이에 속하는데, 발생 초기에 배자(胚子)에 양막이 없으며 물 속에서 살기에 알맞고 배(胚)도 물 속에서 발육하기 때문에 양막에 싸이어 양수(羊水) 속에서 보호를 받을 필요가 없음. 종생(終生) 또는 유시(幼時)를 물 속에서 지내며, 숨은 아가미로 쉼. ↔유양막류(有羊膜類).

무양무양-하다 형 여불 너무 고지식하여 주변성이 없다. **무양무양-히** 부

무양청〔牧羊城〕 명 〖지〗 중국 뤼순(旅順)에 있는 주말(周末)·한초(漢初)의 유적. 여기에서 동제 무기(銅製武器)가 발굴되었음.

무양 흑단령【無揚黑團領】 [—달—] 명 〖역〗 〔양(揚)은 흉배(胸背)를 뜻하는 우리 나라 한자(漢字)〕 흉배를 달지 않은 흑단령.

무:어[1]【撫御】 명 어루만지어 통어(統御)함. 귀여워하여 통어함. ——-하다 타 여불

무어[2]〔Moore, George〕 명 〖사람〗 아일랜드의 시인·소설가. 아일랜드 문예 부흥 운동에도 참가하였음. 대표작에 《어릿광대의 아내》가 있음. [1852-1933]

무어[3]〔Moore, George Edward〕 명 〖사람〗 영국의 철학자. 케임브리지(Cambridge) 대학 교수. 헤겔주의적(Hegel主義的) 관념론에 반대하고 의식(意識) 외부의 대상(對象)의 존재와 그것의 직접적 인식의 가능성을 내세워 영국 신실재론(新實在論) 운동의 선구자가 됨. 저서 《윤리학 원론》·《철학 연구》·《철학의 주요 문제》. [1873-1958]

무어[4]〔Moore, Henry〕 명 〖사람〗 영국의 조각가. 현대 영국의 대표적인 전위(前衛) 조각가로, 재료로서의 물질에의 충실과 자연 형태에의 충실을 지향하고 단순한 형상으로 양감(量感)을 표현하였음. [1898-1986]

무어[5]〔Moore, Marianne Craig〕 명 〖사람〗 미국의 여류 시인. 즐겨 동물을 주제로 삼았고, 지성(知性)과 기지(機智)가 풍부한 작품을 썼음. 대표작에 《관찰(觀察)》 따위가 있음. [1887-1972]

무어[6]〔Moore, Stanford〕 명 〖사람〗 미국의 생화학자. 뉴욕 록펠러 대학 교수. 1972년, 리보 핵산(核酸)의 분해 효소의 연구로써 앤핀슨(Anfinsen, C.B.)·슈타인(Stein, W.H.)과 공동으로 노벨 화학상을 수상함. 또, 1958년에는 아미노산(酸) 자동 분석계를 완성하여, 단백질의 구성 아미노산 20 종류를 몇 시간 안에 자동 측정이 가능케 했음. [1913-82]

무어[7]〔Moore, Thomas〕 명 〖사람〗 아일랜드의 시인. 《아일랜드 시집》 이외에 서사시 《랄라 루크(Lalla Rookh)》 등이 있음. [1779-1852]

무어[8] ㊀ 지대 ↗무엇. ¶ 이건 대체 ~냐. ㊥머·뭐. ㊁ 감 ①그게 무슨 소리냐고 놀람을 표하는 말. ¶ ~, 죽었다구? ②친구나 손아랫 사람이 부를 때 대답을 겸하여 무엇하려고 부르느냐는 뜻으로 도로 묻는 말. ③무엇 무엇 여러 말 할 것 없다는 뜻을 나타내는 말. ¶ ~, 다 그런 거지. ④어린이나 여자들이 어리광조로 반말 섞어, 뜻 없이 하는 군말. ¶ 시계도 사줘야지, ~. ㊥머·뭐.

무어니 무어니 해도 구 다음에 할 말을 강조할 때에 이르는 말.

무어-인【—人】 〔Moor〕 명 8세기 초부터 이베리아 반도에 침입한 북아프리카의 이슬람교도들에 대한 호칭. 모로코의 모리타니아(Mauritania)·알제리·튀니지 등지에 사는 베르베르인을 주체로 한 여러 부족의 총칭으로, 11세기에는 알모라비드(Almoravid)·알모하드(Almohad) 등의 이슬람교국을 세움.

무어 전:등【—電燈】 〔Moore〕 명 미국의 전기 기사 무어(Moore, Daniel McFarlan; 1869-1926)가 만든 방전등(放電燈). 긴 유리관 속에 탄산 가스나 질소를 넣고, 그 양끝에 전극을 삽입하여 전기 방전을 시켜 발광하게 된 것인데, 관이 임의의 형태로 굽어지는 것과 광색이 햇빛에 가깝다는 점에서 특수한 목적에 사용됨.

무언[1]【無言】 명 말이 없음. ¶ ~의 저항. ——-하다 형 여불

무:언[2]【誣言】 명 없는 일을 있는 것처럼 거짓으로 꾸미어 남을 해치는 말. ——-하다 자 여불

무언-가【無言歌】 명 〔도 Lied ohne Worte〕 〖악〗 가사(歌詞)가 없는 가곡(歌曲)이라는 뜻으로, 가곡과 같은 선율(旋律)과 양식으로 되어, 가사만 붙이면 그대로 노래가 될 수 있는 악곡(樂曲).

무언 거사【無言居士】 명 ①수양(修養)하여 말이 없는 사람을 이름. ②말주변이 없는 사람을 비꼬아 이르는 말.

무언-계【無言戒】 명 〖불교〗 무언의 계행(戒行).

무언-극【無言劇】 명 〖연〗 서양 연극의 한 가지로, 말은 하지 아니하고 몸짓과 얼굴의 표정만으로 하는 연극. 때로는 음악에 맞추어 춤을 추기도 함. 원시 민족들이 새와 짐승의 동작을 모방한 데서 시작하여 연극의 원류(源流)를 이루고 무성 영화의 주요한 구성 요소가 되었음. 묵극(默劇). 사일런트 플레이. 팬터마임(pantomime).

무언 도:장【無言道場】 명 무언(無言)으로 수행하는 도장(道場).

무언 무:용극【無言舞踊劇】 명 〖연〗 노래나 대사가 없는 무용극.

무언-부【無言符】 명 〖언〗 줄임표.

무언 부답【無言不答】 명 대답 못할 말이 없음. ——-하다 형 여불

무언 부도【無言不道】 명 마음에 있는 것을 이르지 못할 말이 없음. ——-하다 형 여불

무언 실행【無言實行】 명 말없이 실행함. ——-하다 타 여불

무언 용:사【無言勇士】 [—농—] 명 명예롭게 전장(戰場)에서 죽은 용감한 군인의 유골(遺骨).

무언-이【無言—】 명 말이 별로 없는 사람. ¶ 황참서는 ~같이 안방에 들어앉아서 지어주는 옷이나 입고 밥이나 먹을 뿐이요…《崔瓚植 : 海岸》.

무언-중【無言中】 명 부 말없는 가운데. ¶ ~에 서로 통하는 마음.

무언-증【無言症】 [—쯩] 명 〖의〗 말을 하지도 않고 대답도 하지 않는 병적인 태도. 정신 분열증의 긴장형에 많이 보임.

무언-표【無言標】 명 〖언〗 줄임표.

무언-행【無言行】 명 〖불교〗 무언으로써 행하는 계행(戒行).

무얼 준 무엇을. ¶ ~ 주더냐.

무엄【無嚴】 명 삼가고 어려워함이 없음. 버릇없이 함부로 구는 일. ¶ ~하게 굴다. ——-하다 형 여불. ——-히 부

무엄-스럽다【無嚴—】 형 ㅂ불 무엄한 듯하다. **무엄-스레**【無嚴—】 부

무:업[1]【巫業】 명 무당의 직업.

무업[2]【無業】 명 직업이 없음. 무직(無職).

무업-자【無業者】 명 무직자(無職者).

무엇 지대 이름이나 속내를 모르거나 또는 작정하지 못한 사물을 이르는 부정칭(不定稱) 대명사. ¶ 그게 ~이냐/~ 좀 먹었느냐. ㊥무어·뭐·머.

【무엇 떨어지기 기다린다】 요행수를 바라고 기다린다는 말. 【무엇이든지 먹자고 한다】 만사 제쳐 놓고 먹기를 위주로 삼는다는 뜻.

무엇-하다 형 여불 어떠한 언짢음을 알맞게 형용하기 어려울 적에 그 말 대신으로 형용하는 말. ¶ 빈손으로 찾아가기는 좀 ~. ㊥멋하다·뭣하다.

무에 준 무엇이. ¶ ~ 그리 무서우냐.

무에리-수에 감 〔←문수(問數)에〕 돌팔이 장님이 점을 치라고 돌아다니며 외치는 소리.

무엣도다 자 〈옛〉 움직여 있도다. '뮈다[1]'의 활용형. ¶ 봆자새 빗비체 져기 치우미 무엣도다(春城雨色動微寒)《重杜諺 Ⅲ:47》.

무:여[1] 명 〈방〉 무당. 무녀(함남).

무여[2] 부 〈방〉 무이[1](無異).

무여 떼:다 타 〈방〉 물어 떼다.

무여 뜯다 타 〈방〉 물어 뜯다.

무여 열반【無餘涅槃】 명 〖불교〗 번뇌(煩惱)를 단멸(斷滅)하고 분별(分

를 단멸(斷滅)하고 분별(分別)의 지(智)를 떠나, 육신(肉身)까지 없애어 정적(靜寂)에 돌아간 경지. 곧, 죽은 후에 들어가는 열반. ↔유여(有餘) 열반.

무-여지【無餘地】명 여지가 없음. ¶하루 바삐 진정 아니하오면 인민이 ~하게 어육이 되겠습니다《李海朝：花의 血》. ——-하다 형여불

무:역¹【貿易】명〖경〗①지방과 지방 사이에 서로 물건을 팔고 사거나 교환함. 교역(交易). ②나라와 나라 사이에 서로 물품을 수출입하여 팔고 사고 함. 국제간의 교역. 호시(互市). ——-하다 타여불

무역²【無射】명〖악〗십이율(十二律)의 하나. 양률(陽律)에 속하는데 방위(方位)로는 술(戌), 절후(節候)로는 음력 9월임. 무사(無射).

무:역-계【貿易界】명 외국 무역을 하는 상계(商界).

무:역 관리【貿易管理】[—괄—] 명〔foreign-trade control〕〖경〗무역을 국가가 관리하는 일. 광의로는 무역에 대한 국가의 관리·통제의 총칭이며, 협의로는 국가가 관설(官設)·사설(私設) 또는 반관 반민의 일정한 관리 기관을 두어 무역의 전체 또는 수출입의 일부를 독점적으로 통제하는 일을 일컬음. 무역 통제. ——-하다 자여불

무:역-국【貿易國】명 서로 무역을 하는 나라. 통상국(通商國).

무역-궁【無射宮】명〖악〗조선 세종 때, 원나라 임우(林宇)의 대성 악보(大成樂譜)에서 채택하여 문묘 제례악으로 전해 오는 곡. 무역(無射)이 으뜸음으로 됨.

무:역 균형【貿易均衡】명〖경〗한 나라의 수입과 수출의 균형. 곧, 무역 수지의 균형.

무:역 금융【貿易金融】[—/—늉] 명〖경〗수출입 무역의 자금 융통, 특히 수출 무역의 진흥을 위한 금융.

무:역 대:리업【貿易代理業】명 외국의 수입업자 또는 수출업자의 위임을 받은 사람이 국내에서 수출 물품의 구매 또는 수입 계약의 체결과 이들에 부대(附帶)되는 행위를 업으로 하는 일. 대외 무역법에 의거 상공 자원부 장관에게 등록하여야 함.

무:역 마찰【貿易摩擦】명 수출 상품이 상대국의 산업과 경합(競合)하여 상대국의 국제 수지, 실업률 등에 영향을 줌으로써, 두 나라 사이에 정치적인 분쟁이 야기되는 일.

무:역 백서【貿易白書】명〖경〗무역면(面)에 관한 정부의 실정 보고서. 통상(通商) 백서.

무:역 별장【貿易別將】[—짱] 명〖역〗조선 시대 후기에, 팔포 무역(八包貿易)의 대행권(代行權)을 가진 평안 감영(平安監營)·개성부(開城府)·의주부(義州府)·해서 감영(海西監營)·평안 병영(平安兵營) 등 서북 지방 관아에 딸려, 연경(燕京)·선양(瀋陽)에서의 팔포 무역을 비롯해서 왜관(倭館)에서의 면세 판매 등 무역에 관한 일을 담당하도록 차정(差定)된 그 지역 거주의 부상(富商). 무판(貿販) 별장. 포삼(包蔘) 별장.

무:역 보:장제【貿易報奬制】명〖경〗수출을 장려하기 위하여 취해지는 무역 정책. 수출 장려금 제도·보세 제도·수출입 링크제 따위.

무:역-불【貿易弗】명〔trade dollar〕〖경〗1873년 미국이 멕시코불(Mexico 弗) 대신에 동양의 여러 나라에 유통시킬 목적으로 제정한 은화(銀貨). 순분(純分) 420 그레인(grain).

무:역-상【貿易商】명 외국과 무역을 하는 상업. 또, 그 상인·회사.

무:역 상사【貿易商社】명 외국 무역을 업으로 하는 상사(商事) 회사. ¶종합 ~.

무역-선【貿易船】명 외국에 다니면서 무역을 하는 배. *시박(市舶).

무:역 선언【貿易宣言】명 1974년 5월, 경제 협력 개발 기구의 각료 이사회가 채택한 무역 자숙(自肅)에 관한 선언. 가맹 24개국이 석유 위기에 협력하여 대처(對處)하기 위해, 각국이 일방적인 무역 제한 조치를 일 년간 보류할 것을 내용으로 함. 그 뒤 1 년마다 갱신(更新)되었음.

무:역-소【貿易所】명〖역〗조선 초기에 여진(女眞)에 대한 경제적 회유를 목표로, 필요한 생활 필수품을 바꾸어 가도록 허락한 곳.

무:역 수지【貿易收支】명〖경〗일정한 기간 동안에 상품의 수출입으로 말미암아 생기는 국제 수지. 무역외 수지와 함께 국제 수지의 경상 계정(經常計定)을 구성함. *무역외 수지.

무:역 승수【貿易乘數】[—쑤] 명〖경〗수출이 국민 소득에 미치는 효과를 나타내는 배율(倍率).

무:역 어음【貿易—】명〔trade bill〕〖경〗수출입 무역에 있어서, 채권·채무 관계를 결제(決濟)하기 위하여 발행되는 환어음.

무:역 어음 금융【貿易—金融】[—/—늉] 명〖경〗무역 어음 제도에 의하여 이루어지는 금융.

무:역-업【貿易業】명 외국과의 상품 교역을 하는 상업의 한 분야.

무:역업-자【貿易業者】명 무역을 업으로 하는 사람.

무:역 역조【貿易逆調】[—녁—] 명〖경〗무역 양당사국간에 수출입액이 균형을 잃는 일. 주로 수입이 초과하는 일을 이름. ¶대일(對日) ~.

무:역외 거:래【貿易外去來】명〖경〗국제 수지(國際收支)로 계상(計上)되는 경상(經常) 거래 중, 무역 이외의 거래. 해외 여행·운수·보험·투자 수익·증여(贈與) 등에 의한 것.

무:역외 수지【貿易外收支】명〖경〗수출입에 따르는 수지 이외의 국제적 수지. 운임·보험료, 외국인의 소비금(消費金), 재외 공관비, 이민(移民)의 송금, 대외 투자(對外投資) 이윤, 특허권 매매비, 외채 이자(外債利子) 같은 수지. *무역 수지.

무:역 위원회【貿易委員會】명 특정한 물품의 수입 등에 의한 국내 산업 피해의 조사 및 결정, 구제(救濟) 조치의 건의 및 국제 무역 제도에 관한 연구 등을 수행하기 위하여 상공 자원부에 설치한 기관. 위원장 1명과 위원 8명 이내로 구성하되, 위원 1명은 상임(常任)으로 하고, 상공 자원부 장관 제청으로 대통령이 임명함. 임기는 3년임.

무:역 은행【貿易銀行】명〖경〗무역 금융을 전문적 업무로 하는 은행.

무:역의 날【貿易—】[—/—에—] 명 무역의 균형적 발전과 무역 입국(立國)의 의지를 다짐하기 위하여 제정한 날. 11 월 30 일.

무:역 의존도【貿易依存度】명〖경〗국민 경제 가운데 무역이 차지하는 중요도. 국민 소득 또는 지 엔 피(G.N.P.)에 대한 수출입액의 비율로 표시함.

무:역 이:익【貿易利益】[—니—] 명 외국 무역이 국민 경제에 주는 이익. 국제 분업의 이익, 생산 규모 확대와 고용 증대의 이익 등.

무:역 자유화【貿易自由化】명〖경〗수출입 거래를 방해하는 관세(關稅) 제도, 수출입의 직접적 통제, 외환(外換) 관리 등의 인위적인 장벽(障壁)을 완화하거나 철폐하여 자유롭게 하려는 조치를 취하는 일.

무:역 정책【貿易政策】명〖경〗국민 경제의 외국 무역 상(貿易上)의 발전과 통제를 목표로 하는 국가의 정책.

무:역 조건【貿易條件】[—껀] 명〖경〗수출되는 상품의 일정 단위와 교환함으로써 얻을 수 있는 수입 상품의 단위수 또는 수입 상품의 일정 단위와의 교환으로 수출되는 상품의 단위.

무:역 지수【貿易指數】명 외국 무역의 단계에서 물가 수준의 변동을 통계적으로 관찰하기 위한 통계 지수로서, 무역액 지수·무역량 지수·수출입 물가 지수 등이 있음.

무:역 차액 제:도【貿易差額制度】명〔balance of trade system〕〖경〗수출과 수입의 차액을 금·은으로 받는 정책. 국내의 현금의 축적을 위해서 수입세(輸入稅)를 올려 수입을 억제하고, 수출을 장려하는 중상주의(重商主義) 정책의 한 제도임.

무역 카르텔【貿易—】〔cartel〕명〖경〗수출입 카르텔.

무:역 통:계【貿易統計】명 외국 무역에 관한 통계. 무역 실적을 나타내는 통관(通關) 통계가 기본적인 것이고, 이밖에 신용장(信用狀) 통계·수출 인증(輸出認證) 통계·수입 승인(輸入承認) 통계 등이 있음.

무:역 통신원【貿易通信員】명 해외에 주재(駐在)하면서 무역 정보를 수집하여 보내는 사람.

무:역 통:제【貿易統制】명〖경〗무역 관리(貿易管理).

무:역-품【貿易品】명 외국과 무역하여 수출하거나 수입하는 상품.

무:역-풍【貿易風】명〔trade wind〕〖지〗중위도(中緯度) 고압대에서 적도(赤道)를 향하여, 일년 내내 거의 끊임없이 부는 바람. 지구 자전(自轉)으로 말미암아 북반구에서는 북동풍, 남반구에서는 남동풍이 되는데 이 두 바람이 서로 만나는 적도 부근은 무풍대(無風帶)를 이루며, 무역풍이 부는 지역 내에서는 폭풍이 거의 없고 날씨도 매우 좋으므로, 옛날부터 범선(帆船) 등의 항행에도 많이 이용되어 무역풍이라 함. 무역풍의 풍속은 매초 4-8m 임. 항신풍(恒信風).

무:역풍-대【貿易風帶】명〖지〗무역풍이 탁월한 지대. 곧, 적도로부터 중위도(中緯度)에 걸친 지대. 주로 해상(海上)에 한함.

무:역-항【貿易港】명 상항(商港) 중 외국과의 무역, 곧 상품 수출입의 허가를 얻은 항구(港口). 상항(商港).

무:역 협력 기구【貿易協力機構】[—녁—] 명〔Organization for Trade Cooperation〕1955년 가트(GATT)의 추진 기관(推進機關)으로서 설립된 기구. 국제적인 무역 교섭을 주선하거나 무역 통상 정책에 관한 문제를 검토함. 1955년 3월 제9차 가트 총회에서 설립이 결정됨. 약칭:오 티 시(OTC).

무:역 협정【貿易協定】명〖경〗무역에 관한 제 조건(諸條件)에 대하여 구체적으로 체결된 협정. 협의(狹義)로는 거래 상품의 품목과 수입 할당(割當)을 정한 상품 협정 또는 거래 총액과 품목별 개산액(概算額)을 정한 무역 계획의 뜻이지만, 광의(廣義)로는 통상 협정과 같은 뜻으로 쓰임. *통상 항해 조약.

무:역 화:폐【貿易貨幣】명〖경〗외국 무역에 사용되는 화폐.

무:역환 자유화【貿易換自由化】명〖경〗무역과 외국환 거래에 대한 국가의 직접 규제를 배제(排除)하여, 국제 무역·국제 금융면에서 각국간의 교류를 자유로이 하는 일.

무연¹【無煙】명 연기가 나지 않음. 연기가 없음.

무연²【無緣】명 ①아무 인연이 없음. ②〖불교〗전생에서 부처나 보살(菩薩)과 인연을 맺은 일이 없음. ¶~의 중생. ③사자(死者)를 조상(弔喪)할 연고자가 없음. ④↗무연고(無緣故). ——-하다 형여불

무:연³【憮然】명 ①몹시 놀라는 모양. ②크게 낙담하는 모양. 망연 자실(茫然自失)한 모양. ——-하다 형여불. ——-히 부

무:연⁴【舞筵】명 춤출 때, 까는 자리.

무연 가솔린【無鉛—】〔gasoline〕명〖화〗무연 휘발유.

무-연고【無緣故】명 연고가 없음. ㊟무연(無緣). ——-하다 형여불

무연-근【無緣根】명〖수〗방정식(方程式)을 풀 때, 그것과는 별도의 어떤 방정식을 풀면 쉽게 그 해법(解法)을 얻을 수가 있는데, 이 때에 당연히 나오는 그 별도의 방정식의 근(根)을 일컫는 말.

무연막 수모류【無緣膜水母類】명〖동〗진정 수모류(眞正水母類).

무연-묘【無緣墓】명 ↗무연 분묘.

무연 묘:지【無緣墓地】명 연고자(緣故者)가 없이 무덤만 있는 묘지.

무연 백분【無鉛白粉】명 무연분(無鉛粉).

무연 법계【無緣法界】명 ①〖불교〗법계의 일체. 곧, 무차별 평등의 일체를 힘주어 이르는 말임. ②인연도 연고도 없음. 또, 그런 사람.

무연-분【無鉛粉】명 연백(鉛白), 곧 염기성 탄산(塩基性炭酸)납을 포함하지 아니한 분(粉). 무연 백분.

무연 분묘【無緣墳墓】명 연고자(緣故者)가 없는 무덤. 무연총(無緣塚). 무주총(無主塚). ㊟무연묘.

무연 삼매【無緣三昧】명〖불교〗소연(所緣)에서 떠남으로써 일체의 식심(識心)이 모두 없어진 선정(禪定).

무연의 대:비【無緣—大悲】[—/—에—] 명〖불교〗무연의 자비.

무연의 자비【無緣—慈悲】[—/—에—] 명〖불교〗부처가 베푸는, 일체 중생에 대한 차별 없는 절대 평등의 자비. 무연의 대비.

무연-총【無緣塚】명 무연 분묘.

무연 추진제【無煙推進劑】명〔smokeless propellant〕검은 연기를 많

이 내뿜는 흑색 화약에 비해서, 비교적 연기가 적은 추진제.

무연-탄【無煙炭·無烟炭】[명]〖광〗석탄 중에서 탄화(炭化) 작용이 가장 많이 이루어져, 탄소분(炭素分)이 90% 이상인 석탄. 검은 빛으로 금속 광택이 있고 단단한데, 불순물이 적어 태워도 연기가 나지 않으며, 발열량이 큼. 가정용이나 공업용으로 많이 쓰임. 경매(硬煤). ↔유연탄.

무연-하다 [형][여불] 아득하게 너르다. ¶내 마음이 이 바다와 같이 휜칠하게, 무연하게 되지 않어?≪李光洙:사랑≫/강 저쪽으로 퍼져 있는 무연한 벌판.

무연 화:약【無煙火藥】[명]〖화〗화약의 한 가지. 면화약(綿火藥)과 니트로 글리세롤과의 화합물로 만든 화약. 폭발할 때에 연기가 나지 않으며, 딴 화약보다 훨씬 폭발력이 강함. 군사용·광업 및 공업용으로 많이 쓰임.

무연-휘발유【無鉛揮發油】[—류] [명] [unleaded gasoline] 대기 오염의 원인이 되는, 앤티노크제(antiknock劑)인 사에틸렌납을 첨가하지 않은 휘발유.

무:열[1]【武列】[명]〖역〗호반(虎班).

무:열[2]【武烈】[명] ①싸움에 열렬하고 용감한 일. ②무공(武功).

무열[3]【無熱】[명] 열이 없음. ¶~ 환자. ——하다 [형][여불]

무:열-곡【武烈曲】[명]〖악〗↗무열지곡(武烈之曲).

무열뇌-지【無熱惱池】[—뢰—] [명]〖불교〗아누달지(阿耨達池).

무:열-왕【武烈王】[명]〖사람〗↗태종 무열왕(太宗武烈王).

무:열왕-릉【武烈王陵】[—능] [명]〖지〗신라 제29대 태종 무열왕의 능. 경상 북도 경주시 서악동(西岳洞)에 있음. 사적(史蹟) 제20호.

무:열왕릉-비【武烈王陵碑】[—능—] [명]〖지〗신라 태종 무열왕의 묘비(墓碑). 비문은 없어졌으나 귀부(龜趺)와 전액(篆額)만이 남아 있음. 정식 명칭은 '신라 태종 무열 왕릉비'. 국보 제25호임.

무열-지【無熱池】[—찌] [명]〖불교〗아뇩달지(阿耨達池).

무:열지-곡【武烈之曲】[명]〖악〗악장의 이름. 조선 태조(太祖)의 무공(武功)과 태종(太宗)의 공적(功績)을 찬양한 것으로 세종(世宗) 때 지음. [준]무열곡(武烈曲).

무열-천【無熱天】[명]〖불교〗색계(色界) 십팔천(十八天)의 하나. 제사 선천(第四禪天)의 구천(九天) 중 제4에 해당하는 천(天).

무염[1]【無塩】[명] 소금기가 없음. 간을 치지 않음.

무:염[2]【貿塩】[명] 소금을 무역하여 사들임. ——하다 [자][여불]

무염[3]【無染】[명]〖사람〗신라 때의 중. 성은 김씨. 무열왕(武烈王)의 8대 손자. 아홉 살 때 중국 당(唐)나라에 들어가서 보철 화상(寶徹和尙)에게 화엄경(華嚴經)을 배워, 돌아와 국사의 봉함을 받음. 구산(九山)의 하나인 성주산파(聖住山派)의 조사(祖師)임. [801-888]

무염[4]【無厭】[명] 싫증남이 없음. ——하다 [형][여불]

무염 간장【無塩—醬】[명] 당뇨병(糖尿病)·신장병(腎臟病)·고혈압 등의 환자, 곧 무염식(無塩食)을 취할 필요가 있는 사람이 쓰는 염기(塩氣)가 없는 간장. 주성분은 말산 나트륨(natrium)임.

무염산-증【無塩酸症】[—쯩] [명] [achlorhydria]〖의〗위액(胃液) 속에 염산이 결여된 증세.

무염 시:태【無染始胎】[명]〖천주교〗↗성모 무염 시잉 모태.

무염-식【無塩食】[명] 식염(食塩)을 넣지 않은 치료용 음식. 무염 식사(食事). *감염식(減塩食).

무염 식사【無塩食事】[명] 무염식.

무염식 요법【無塩食療法】[—뇨뻡] [명]〖의〗결핵증(結核症)·신장병(腎臟病) 등의 치료 방법으로 무염식을 섭취하는 요법. 무염 요법.

무염 요법【無塩療法】[—뇨뻡] [명]〖의〗무염식 요법(無塩食療法).

무염 원죄【無染原罪】[명]〖천주교〗원죄에 물들지 않음.

무염족-심【無厭足心】[명]〖불교〗싫증이 나지 않는 마음.

무염지-욕【無厭之慾】[명] 싫증이 나지 아니하는 욕심. 한없는 욕심.

무-염치【無廉恥】[명] 몰염치(沒廉恥). ——하다 [형][여불]

무영[1]【無影】[명] 그림자가 없음. 빛이 없음. ¶~탑.

무:영[2]【舞詠】[명] 춤과 노래. 가무(歌舞).

무영-등【無影燈】[명] 광원(光源)을 집중시켜서 목적 부위(部位)에 그림자가 나타나지 않게 조명하는 전등 장치. 수술실(手術室)의 조명 따위에 이용됨.

무영 무욕신【無榮無辱身】[명] 영예도 없거니와 욕됨이 또한 없는 몸.

〈무영등〉

무:영-전【武英殿】[명] 중국 베이징(北京)의 쯔진청(紫禁城) 남서쪽에 있는 건물. 청나라 건륭 연간(乾隆年間)(1736-96)에 이 곳에 설치된 각서처(刻書處)에서 출판된 서적은 전본(殿本)이라고 하였음.

무영-탑【無影塔】[명] '불국사 삼층 석탑'의 딴이름.

무예[1] [명]〈방〉무당[1](함경).

무:예[2]【武藝】[명] 무도(武道)에 관한 기예. 칼·창·활·총포(銃砲) 등에 관한 재주. 무기(武技). ¶~를 겨루다.

무:예[3]【蕪穢】[명] 잡초가 무성하여 거칠고 지저분함. 무폐(蕪廢). ——하다 [형][여불]

무-예고【無豫告】[명] 사전에 예고가 없음.

무:예 도보 통지【武藝圖譜通志】[명]〖책〗무예 이십사반(二十四般)을 그림으로 풀어 설명한 책. 조선 정조(正祖)의 명을 받들어 편찬한 것으로 간행 연대는 미상(未詳). 4권 4책.

무:예 도보 통지 언:해【武藝圖譜通志諺解】[명]〖책〗≪무예 도보 통지≫의 한글 번역판. 조선 정조 14년(1790)에 간행됨. 1권 1책.

무:예 별감【武藝別監】[명]〖역〗조선 시대에 훈련 도감(訓鍊都監) 군사 중에서 선발(選拔)되어, 궁궐 문 옆에서 숙직(宿直)하며 호위(護衛)하던 무사(武士). [준]무감(武監).

무:예 불치【蕪穢不治】[명] ①전원(田園)이 거칠고 어지러운데 손질하지 아니함. ②사물이 정돈되지 않고 난잡함을 비유하는 말.

무:예 육기【武藝六技】[명] 중국의 여섯 가지 무예. 곧, 장창(長槍)·당파(鏜鈀)·낭선(狼筅)·쌍수도(雙手刀)·등패(籐牌)·곤봉(棍棒). 조선 선조(宣祖) 때 훈련 도감(訓鍊都監)에서 군병들에게 가르쳤음.

무:예 이:십사반【武藝二十四般】[명] 조선 정조(正祖) 때 십팔기(十八技)에 기창(騎槍)·마상 월도(馬上月刀)·마상 쌍검(馬上雙劍)·마상 편곤(馬上鞭棍)·격구(擊毬)·마상재(馬上才)의 육기(六技)를 더한 무예. 이십사기. 이십사반 무예.

무:예-자【武藝者】[명] ①무예를 닦는 사람. ②무예가 뛰어난 사람.

무:예-청【武藝廳】[명]〖역〗무예 별감(武藝別監)의 직소(職所).

무:예청 인기【武藝廳認旗】[명]〖역〗조선 시대의 무예청(武藝廳)의 기(旗)의 한 가지. 누른 빛의 비단으로 만든 것으로, 기면(旗面)은 석자 다섯 치 평방, 깃대 길이 열다섯 자. 동가(動駕)할 때에 가후(駕後)에 있어서 무예청(武藝廳) 무사(武士)를 호령(號令)함.

무:오【戊午】[명] 육십 갑자(六十甲子)의 쉰다섯째.

무:오 말날【戊午—】[—랄] [명]〖민〗시월의 무오일(戊午日). 마구(馬廐)에 고사하거나 무 시루떡을 하여 집안 고사를 지냄.

무:오 사:화【戊午史禍·戊午士禍】[명]〖역〗조선 연산군(燕山君) 4년(1498), 유자광(柳子光)을 중심으로 한 훈구파(勳舊派)가 김종직(金宗直) 중심의 사림파(士林派)에 대해 일으킨 사화. 훈구파가 ≪성종 실록(成宗實錄)≫에 실린 사초(史草) '조의제문(弔義帝文)'으로 사림파를 모함하여 김종직을 부관 참시(剖棺斬屍)하고, 김일손(金馹孫) 등 많은 선비들을 죽이고 귀양보냈음.

무:오 연행록【戊午燕行錄】[—녹] [명]〖책〗서유문(徐有聞)이 조선 정조(正祖) 22년(1798) 무오년에, 서장관(書狀官)으로 청(淸)나라에 갔다가 이듬해에 돌아와서 지은 한글 기행문. 전 6권.

무:오-자【戊午字】[명] 조선 광해군 10년(1618) 무오년에 주자 도감(鑄字都監)에서 갑인자(甲寅字)를 세번째로 개주하여, 완성시킨 구리 활자. 삼주갑인자(三鑄甲寅字).

무:오 정변【戊午政變】[명]〖역〗고려 고종 45년(1258) 3월에 강도(江都)에서 유경(柳璥)·김준(金俊) 등이 최씨 정권을 붕괴시킨 정변.

무:옥[1]【巫玉】[명]〖사람〗조선 광해군 때의 여류 문인. 허균(許筠)의 첩으로, 그의 시누이 허 난설헌(許蘭雪軒)과 함께 당대의 재원(才媛)이었음. ≪원부사(怨婦辭)≫를 지었다고 하나 확실하지 않음.

무:옥[2]【誣獄】[명] 죄 없는 사람을 무고(誣告)하여 일으킨 옥사.

무:왕[1]【武王】[명]〖사람〗중국 주(周)나라 문왕(文王)의 아들. 이름은 발(發). 여상(呂尙)을 태사(太師)로 하고, 아우 단(旦)과 협력하여 주왕(紂王)을 토멸한 후, 은조(殷朝)를 타도하고 주 왕조(周王朝)를 창건하였음. [1169-16 B.C.]

무:왕[2]【武王】[명]〖사람〗백제 제30대 왕. 휘는 장(璋). 별명은 서동(薯童). 중국 수(隋)나라·당(唐)나라와는 친화 정책을 써서 고구려를 견제하고 신라를 자주 공략하였음. 중 관륵(觀勒)을 일본에 보내어 천문·지리·역본 등 서적과 불교를 전하였으며, 신라 진평왕의 딸 선화 공주를 사랑하여 향가 서동요(薯童謠)를 지었다고 전함. [재위 600-641]

무:왕[3]【武王】[명]〖사람〗발해 제2대 왕. 휘(諱)는 대무예(大武藝). 일본과 수교, 문물을 교환하고 당(唐)나라를 공략하였음. [재위 719-737]

무왕[4]【無王】[명] 왕이 없음. 군주제(君主制)를 채택하고 있지 않음.

무:왕[5]【誣枉】[명] 죄가 없는 사람을 굳이 모함함. ——하다 [타][여불]

무외【無畏】[명] ①두려움이 없음. ②〖불교〗무소외(無所畏)❷.

무외-시【無畏施】[명]〖불교〗삼시(三施)의 하나. 계행(戒行)을 가져서 살생(殺生)하지 아니하는 일. 중생을 온갖 두려움에서 구하여 건져 줌.

무요【無要】[명] 무용(無用)❷. ——하다 [형][여불]

무요-일【無曜日】[명] 요일(曜日)을 배당하지 않은 세계 휴일의 일컬음.

무욕【無慾】[명] 탐냄이 없음. 욕심이 없음. ——하다 [형][여불]

무:용[1]【武勇】[명] ①무예와 용맹. ②싸움에 용맹스러움.

무용[2]【無用】[명] ①쓸데없음. 쓸모없음. ②볼 일이 없음. 무요(無要). ¶~자 출입 금지. 1)·2):↔유용(有用). ——하다 [형][여불]

무:용[3]【舞踊】[명] ①〖교〗체육(體育)의 한 분야로, 음악에 맞추어서 몸을 움직여 감정과 의지를 나타내는 동작(動作). ②무도(舞蹈). 댄스(dance). ¶민속 ~/~ 발표회. ——하다 [자][여불]

무:용-가【舞踊家】[명] 무용을 전문적으로 연구하는 사람. 댄서(dancer).

무용-건【無用件】[—껀] [명] ①소용이 없는 물건. ②용건이 없음.

무:용-곡【舞踊曲】[명]〖악〗무용의 반주로 연주되는 악곡.

무:용-극【舞踊劇】[명] 무용이 주가 되어서 꾸며진 연극.

무:용-단【舞踊團】[명] 무용하는 사람들로 구성된 단체.

무:용-담【武勇談】[명] 싸움에서 용감하게 활약하여 무공(武功)을 세운 이야기. 무담(武談).

무용-론【無用論】[—논] [명] ①쓸데없는 이론이나 주장. ②필요가 없다는 주장.

무:용 모음곡【舞踊—曲】[명]〖악〗발레 모음곡.

무:용-보【舞踊譜】[명]〖연〗여러 가지 동작으로 되어 있는 하나의 무용을 악보처럼 부호로 기록한 것.

무:용-복【舞踊服】[명] 무용할 때 입는 옷.

무:용-수【舞踊手】[명] 음악을 연주하는 사람 등에 대하여, 춤추는 역할을 하는 사람.

무:용-요【舞踊謠】[명]〖문〗유희요(遊戲謠).

무:용-위【武勇衛】[명]〖역〗조선 시대에 궁궐을 지키던 무위영(武衛營)의 무관(武官) 벼슬의 하나.

무:용 음악【舞踊音樂】[명]〖악〗온갖 무용에 반주로 사용되는 음악.

무용 장물【無用長物】[명] 거치적거리기만 하고 소용되지 않는 물건.

무용제식 무연 화:약【無溶劑式無煙火藥】[명] 휘발성 용제(揮發性溶劑)를 쓰지 않고, 니트로셀룰로오스와 니트로글리세린을 주성분으로 하

여 만든 무연 화약. 로켓의 연료로 쓰임.

무:용 조곡【舞踊組曲】명〖악〗발레 모음곡.

무용지-물【無用之物】명 아무 짝에도 소용이 없는 물건 또는 사람.

무용지-용【無用之用】명 언뜻 쓸모없는 것으로 간주되고 있는 것이, 오히려 큰 구실을 한다는 말.

무:용-총【舞踊塚】명〖역〗만주 지린 성(吉林省) 지안 현(輯安縣) 통거우(通溝) 지방에 있는 고구려 시대의 무덤. 고구려의 고분군(古墳群) 중의 하나로, 1940년에 발견한 것임. 현실(玄室)의 벽에는 남녀 14인이 춤추고 있는 벽화와, 사냥·손수레·말탄 무사·하인·주인·가옥 등 야취(野趣)가 풍부한 고구려 사람들의 생활 풍속을 그린 벽화가 있음.

무우[1] 명〖식〗☞ 무[3].

무우[2]【無憂】명 근심이 없음. ——-하다 형여불

무:우[3]【舞雩】명 기우제(祈雨祭)를 지낼 때 춤추는 곳. 비를 비는 제단.

무:우[4]【霧雨】명 안개처럼 가늘게 내리는 비.

무:우 귀영【舞雩歸詠】명〔무우(舞雩)에서 놀고, 시를 읊으며 돌아온다는 뜻〕자연·풍류를 즐김을 일컫는 말.

무우다 타〈옛〉흔들다. ＝무으다❷. ¶ 元良올 무우리라 (欲搖元良)「《龍歌 71章》.

무우둘레 명〈방〉〖식〗민들레.

무우삼-밭 명〈방〉남새밭.

무우-석【無隅石】명 둥우리돌.

무우-수【無憂樹】명〔범 asoka〕〖불교〗근심이 없는 나무. 곧, 보리수. 석가(釋迦)의 어머니 마야(摩耶) 부인이 출산하기 위하여 친정으로 돌아가는 길에 남비니원(藍毘尼園)에 이르러 그 밑에서 석가를 고통 없이 안산(安產)하였다고 하는 보리수(菩提樹). 무우화수(無憂華樹).

무:우-제【舞雩祭】명 '기우제(祈雨祭)'의 구칭. 준우제(雩祭).

무우주-론【無宇宙論】명〔acosmism〕〖철〗스피노자의 범신론(汎神論)에서, 오직 신(神)만이 실재하는 것으로, 우주와 우주 만물은 가상적(假想的)인 것이며, 다만 신의 양태(樣態)에 불과하다고 하는 철학설. 또는 엘레아 학파(Elea學派)에서, 불변 부동의 '하나'를 세우고 '다(多)'를 배척하며, 변화 운동을 부정하여 우리들이 경험하고 있는 세계가 실재하는 것이 아니라고 하는 철학설. 이 밖에 우바니사토·선(禪)의 철학이 이에 속함. 무세계설(無世界說). 무세계론.

무우-화【無憂華】명〖불교〗무우수(無憂樹)의 꽃.

무우화-수【無憂華樹】명〖불교〗무우수(無憂樹).

무:운【武運】명 ①전쟁의 승패(勝敗)에 관한 운명. ②무인(武人)으로서의 운.

무운-시【無韻詩】명〔blank verse〕〖문〗서양의 시의 한 형식. 각운(脚韻)이 없는 약강(弱強) 오시각(五詩脚)의 시형. 산문시(散文詩)의 모체라고 함. 영문학에서는 시극(詩劇)이나 서사시(敍事詩)의 기본적 형식이 되어 있으며, 셰익스피어의 시극이나 밀턴의 《실낙원(失樂園)》은 이 시형으로 된 대표적 작품임. 무성시(無聲詩).

무운-천【無雲天】명〖불교〗삼계 제천(三界諸天)의 하나. 색계 사선천(色界四禪天)에 있음.

무원[1]【無援】명 아무런 원조가 없음. ¶ 고립(孤立)~.

무:원[2]【撫院】명 중국 명(明)나라 이후, 각 성(省)에 설치되었던 관명(官名). 총독(總督)의 다음으로서, 그 성(省)의 군사(軍事)·민사(民事)를 관장하였음. 순무(巡撫).

무원공 별무【無元貢別貿】명〖역〗원공(元貢)의 공안(貢案)에 들어 있지 않은 물종(物種)에 대한 별무. ↔유원공 별무.

무원-록【無冤錄】[—녹] 명〖책〗중국 원(元)나라의 왕여(王與)가 송(宋)나라의 세원록(洗冤錄)·평원록(平冤錄) 등을 가감(加減)하여 지은 법의학(法醫學)에 관한 책.

무원 삼매【無願三昧】명〖불교〗삼(三) 삼매의 하나. 원구(願求)를 저버린 경지(境地).

무-원칙【無原則】명 원칙이 없음. ¶ ~한 계획. ——-하다 형여불

무원칙-성【無原則性】명 원칙이 없는 성질.

무-월경【無月經】명〔amenorrhea〕〖의〗주로, 월경이 있어야 할 연령에 월경이 없는 일. 임신했을 경우의 생리적 무월경과 신체의 병적(病的) 변화에 의한 병적 무월경으로 대별됨.

무:위[1]【武威】명 무력의 위엄. 위무(威武). ¶ ~를 떨치다.

무:위[2]【武威】명〖지〗'우웨이'를 우리 음으로 읽은 이름.

무위[3]【無位】명 ①위계(位階)가 없음. 무관(無冠). ②형용할 수 없을 만큼 탁월한 위(位). 위를 초월하고 있는 일. 특히 선(禪)에서는 미오(迷悟)를 초월한 사람을 무위의 진인(眞人)이라 이름. ——-하다 형여불

무위[4]【無爲】명 ①자연(自然) 그대로 두어 인위(人爲)를 가하지 아니함. ②〔범 asoniskrota〕〖불교〗인연에 의해서 만들어진 것이 아니고, 생멸 변화(生滅變化)를 떠난 것. 상주 절대(常住絕對)의 진실. 깨달음. 득도(得道). 무위법(法). ↔유위. ③아무 일도 아니함. ¶ ~ 도식(徒食). ④〖철〗중국 철학에서, 자연 그대로라는 뜻. 곧, 인간의 지식·욕심에 의하면 오히려 세상을 혼란하게 한다는 데서, 작위(作爲)가 없음을 최고 경지(境地)의 통로(通路)라고 함. 노장 사상(老莊思想)임. ⑤〔abulia〕〖의〗정신병의 증상의 한 가지. 하루 종일 아무 것도 하지 않으면서 지루함을 모르는 상태. 활동성이 몹시 감퇴한 상태.

무위[5]【無違】명 어김이 없음. 틀림이 없음. ——-하다 형여불

무:위[6]【撫慰】명 어루만져 위로함. ——-하다 타여불

무위 도식【無爲徒食】명 아무 하는 일 없이 먹기만 함. 놀고 먹음. ¶ ~으로 날을 보내다. ——-하다 자여불

무위 무능【無爲無能】명 하는 일도 없고, 일할 능력도 없음. ——-하다「형여불

무위 무사【無爲無事】명 하는 일이 없으니 탈도 없음. 하는 일도 없고 할 일도 없음. ——-하다 형여불

무위 무책【無爲無策】명 하는 일도 없고, 할 방안(方案)도 없음.

무위-법【無爲法】[—뻡] 명〖불교〗영원토록 생멸 변화(生滅變化)함이 없는 무인 무과(無因無果)의 참된 법. 해탈(解脫)의 경지 등을 일컬음. 무위(無爲). 멸법(滅法). ＊진여(眞如).

무위-사【無爲寺】명〖불교〗신라 26대 진평왕(眞平王) 19년(597)에 원효(元曉) 대사가 창건한 절. 전남 강진군(康津郡) 성전면(城田面) 월하리(月下里)에 있음. 처음에는 관음사(觀音寺)라 칭했으나, 조선 13대 명종 10년(1555)에 지금의 이름으로 고쳤음. 조선 시대 초엽에 세운 극락전(極樂殿)과 그 벽화로 유명함.

무위사 극락 보:전【無爲寺極樂寶殿】[—낙—] 명 무위사에 있는 전각. 조선 초엽에 세운 것으로, 세부에 이르기까지 견실한 수법을 보인 훌륭한 건물임. 사면 벽에는 벽화가 있는데, 그 중 동쪽과 서쪽 벽에 그린 큰 벽화와 후불(後佛) 벽화는 건립 당시의 그림이라고 함. 국보 제13호.

무위 생사【無爲生死】명〖불교〗무위의 성자(聖者)가 받는 생사. 곧, 인연(因緣)의 속박에서 이탈하여 수명이나 신체를 마음대로 바꿀 수 있는 몸을 받는 일.

무:위-소【武衛所】명〖역〗조선 시대에 대궐의 숙위(宿衛)를 맡던 관아. 고종(高宗) 11년(1874)에 두었다가 동 18년(1881)에 무위영(武衛營)으로 고침.

무:위-영【武衛營】명〖역〗조선 고종(高宗) 18년(1881)에 무위소(武衛所)와 훈련원(訓鍊院)을 합하여 만든, 대궐의 숙위(宿衛)를 맡아보던 관아. 동 19년에 다시 용호영(龍虎營)·호위청(扈衛廳)을 한데 합하였다가 그 해에 폐하였음.

무위 위축【無爲萎縮】명〖생〗조직이나 장기(臟器) 따위가, 장기간 지속적으로 정지 상태(靜止狀態)에 있었기 때문에 일어나는 위축. 마비근(痲痺筋)의 위축이 그 대표적인 예(例)임.

무위-이화【無爲而化】명 ①애써 공들이지 아니하여도 스스로 변하여 잘 이루어짐. ②노자(老子)의 사상으로 성인의 덕이 크면 클수록 백성들이 스스로 따라와서 잘 감화(感化)됨. ③〖천도교〗한울님의 전지 전능으로 이룬 자존 자율(自存自律)의 우주 법칙. 한울님의 존재의 인정, 자존 자율의 법칙, 절대성과 상대성의 조화성(調和性), 항구적 진화성(進化性) 등의 네 요소임. ——-하다 자여불

무위 자연【無爲自然】명 인위(人爲)를 부정하는 사상 중에서 특히 노장(老莊) 사상의 기본적 개념을 이름. 유교의 인의(仁義)나 형식주의에 대하여 주장된 것으로, 자연 그대로의 이상경(理想境)임. 《노자(老子)》의 무(無)를 천지 만물의 근간(根幹)이라고 하는 사상에 따른다면 무위 자연은 만물의 본체(本體)가 됨.

무위지-치【無爲之治】명 성인의 덕은 지대(至大)하여서 아무 일을 하지 아니하여도 저절로 다스려짐.

무위 진인【無位眞人】명〖불교〗위(位)를 달 수 없을 만큼 참된 인간. 미오(迷悟)를 초월한 인간의 궁극적인 진실을 이르는 말.

무유 명〈방〉〖식〗무[3](경기·황해).

무유보 선하 증권【無留保船荷證券】[—꿘] 명〔clean bill〕〖법〗송하인(送荷人)의 청구에 의하여 부지 약관(不知約款)의 기재에 의한 유보 없이 발행되는 선하 증권.

무유 식이【無乳食餌】명〖의〗모유나 우유 등 젖 이외의 것으로 유아(乳兒)의 인공 영양을 할 때에 사용되는 식이. 흔히 콩죽·노른자·버터와 곡분(穀粉)을 섞은 것 등이 사용됨.

무유-증【無乳症】[—쯩] 명〔agalactia〕젖이 지극히 적게 나오거나 전혀 나오지 않는 병증.

무:육【撫育】명 어루만져 기름. 무양(撫養). ——-하다 타여불

무:육지-도【撫育之道】명 어루만져 기르는 도리.

무:육지-은【撫育之恩】명 어루만져 고이 길러 준 은혜.

무윰 명〈옛〉움직임. 흔들림. ¶ 어즈러이 무유미 勞ㅣ오(擾動爲勞)《楞嚴 Ⅳ:16》.

무으다 타〈옛〉①쌓다. ＝묻다. ¶ 훈 花臺룰 무으고(疊一箇花臺)《朴解下 13》. ②흔들다. ＝무우다. ¶ 六師ㅣ 무리 閻浮提예 ᄀᆞᄃᆨ호야도 내 바랫 훈 터리롤 몯 무으리니《釋譜 Ⅵ:27》.

무으락-나으락 부〈옛〉물러가락 내달으락. ¶ 무으락나으락 쌍쌍 즈져 도라가게 ᄒᆞ니《永言》.

무음[1] 관〈옛〉무슨. ＝무슴. ¶ 往來 白鷗는 무음 뜻 머금은지《海謠》.

무:음[2]【茂蔭】명 우거진 나무의 짙은 그늘.

무음[3]【無音】명 소리가 없음. 소리가 나지 않음.

무:음[4]【誣淫】명 거짓스럽고 음탕함. ——-하다 형여불. ——-히 부

무음 방:전【無音放電】명〖물〗무성 방전.

무음 영역【無音領域】[—녕—] 명〔anacoustic zone〕〖지〗음이 없어지는 영역. 약 160 km 높이에서 시작되는데, 공기의 분자간 거리가 음파(音波)의 파장보다 길기 때문에 음파가 전파되지 못함.

무응에-수수 명〖식〗수수의 한 가지. 알이 붉고 가시랭이가 없음.

무의[1]【無依】[—/—이] 명 사물에 집착하지 아니함. 의지(依支)하지 아니함. ¶ ~ 무탁(無託). ——-하다 자여불

무의[2]【無義】[—/—이] 명 ①의의가 없음. ②신의가 없음. ③의리가 없음. ——-하다 형여불

무의[3]【無醫】[—/—이] 명 의사가 없음. 의원(醫院)이 없음. ¶ ~촌(村).

무:의[4]【舞衣】[—/—이] 명 춤출 때에 입는 옷.

무의결권-주【無議決權株】[—꿘—] 명〖경〗주주 총회에서의 의결권이 없는 주식. 사채(社債)와 같은 특질이 있어서 이익 배당에 우선권이 있음.

무의다 자〈옛〉무이다. 빠지다[1]❸. ¶ 나못 거프를 들우며 서근 틸 디구메 부으리 무뢰ᄃᆞᆺ ᄒᆞ니(穿皮啄朽觜欲禿)《杜諺 ⅩⅦ:6》.

무-의리【無義理】명 의리가 없음. ——-하다 형여불

무의-면【無醫面】[—/—이—] 명 의사가 없는 면(面). ＊무의촌.

무의 무신【無義無信】[—/—이—] 명 의리가 없고 신용도 없음. ——-하다 형여불

무의 무탁【無依無托·無依無託】[—/—이—] 명 의지하고 의탁할 곳

이 없음. 외롭고 몹시 구차함. ¶ ～자(者)/～한 고아(孤兒). ——-하다 형 여불

무-의미【無意味】명 아무 뜻이 없음. 의미가 없음. 가치나 의의가 없음. 난센스(nonsense). ¶ ～한 논쟁. ㊌무미(無味). ——-하다 형 여불

무의-범【無意犯】[－/－이－] 명 〖법〗 과실범(過失犯). ↔유의범(有意犯)·고의범.

무-의식【無意識】명 ①의식이 없음. ②의식을 잃고 있음. 제 자신의 행위를 스스로 깨닫지 못하는 상태. ③〖심〗 정신 분석 용어. 꿈·최면·정신 분석 등에 의하지 아니하고는 의식되지 않는 상태로, 일상의 정신 상태에 영향을 주고 있는 마음의 심층(深層). ——-하다 형 여불

무의식 세:계【無意識世界】명 의식적으로 체험한 것이 하나의 기억으로 되살아, 그 내용이 머릿속에서 잠재적으로 작용하는 정신 활동의 범위.

무의식 심리학【無意識心理學】[－니－] 명 〖심〗 무의식을 대상으로 하여 연구하는 심리학. 곧, 의식 밖에 있는 정신의 심층(深層), 잠재 의식, 하의식(下意識)의 구조를 알려는 심리학을 이름.

무의식-적【無意識的】명관 무의식의 상태에 있는 모양. ↔의식적(意識的).

무의식적 도태【無意識的淘汰】명 〔unconscious selection〕〖생〗 인위 도태의 한 가지. 무의식적으로 보다 더 좋은 것을 얻고자 하는 희망을 가지고 이루어지는 도태. 효과가 나타나기에는 상당히 오랜 기간을 요하며, 가축이나 작물(作物)에 흔히 나타남.

무의식적 자동 작업【無意識的自動作業】명 〖미술〗 자동법(自動法).

무의식적 행동【無意識的行動】명 의식하지 못한 채 저지르는 행동.

무의식 철학【無意識哲學】명 〖철〗 독일의 하르트만(Hartmann, Karl Robert Eduard von; 1842-1906)이 주장한 철학. 무의식자(者)를 철학의 근본 원리로 하였는데, 무의식자란 심리적 뜻에서가 아니라 이성(理性)과 맹목적 의지(盲目的意志)와를 두 개의 속성으로 하는 근원적 실재(根源的實在)이며, 세계의 근저(根柢)인 창조적·지배적 원리, 곧 신과 같은 것이라 하였음. 헤겔(Hegel)과 쇼펜하우어(Schopenhauer)의 입장을 종합함에 있어 셸링(Schelling)의 영향을 받은 것임.

무-의의【無意義】[－/－이] 명 ①아무 의의가 없음. ②취의(趣意)가 서 있지 않음. ③조금도 가치가 없음. 몰의의. 1)-3):↔유의의. ——-하다 형 여불

무의-적【無意的】[－/－이－] 명관 의지(意志)를 갖지 아니한 모양.

무의 주:의【無意注意】[－/－이－이] 명 〖심〗 대상으로부터 수동적(受動的)으로 받아져 행하여지는 주의. 강렬한 자극이나 흥미로 일어나는 현상. 소동 주의(所動注意). ↔고의 주의·유의 주의.

무-의지【無意志】명 ①의지가 없음. ②〖심〗 의지의 장애로 결의(決意)를 못하고 행위가 불가능하게 되어 멍한 상태. 정신병이나 신경증 환자에게서 흔히 볼 수 있음. ——-하다 형 여불

무의-촌【無醫村】[－/－이－] 명 의사가 없는 마을. 의료 시설이 없는 촌. ¶ ～ 순회 진료.

무-의탁【無依託】[－/－이－] 명 몸을 의지하고 맡길 곳이 없는 가난하고 외로운 처지. ¶ ～ 노인.

무의 퇴:사【無意退社】[－/－이－] 명 〖법〗 사원의 자의(自意) 아닌 퇴사. 곧, 사망·파산·자격 상실 등으로 말미암은 퇴사. ——-하다 형 여불

무의 해:산【無意解散】[－/－이－] 명 〖법〗 설립자나 사원의 자의에 의하지 아니한 법인(法人)의 해산. 곧, 사업의 실패, 법원의 명령, 파산, 설립 허가의 취소 등으로 말미암은 해산. ↔유의 해산. ——-하다 형 여불

무의 행동【無意行動】[－/－이－] 명 〖심〗 의지를 떠나서 수동적(受動的)으로 움직이는 행동. ↔유의 행동. ——-하다 형 여불

무이¹ 명 〈방〉 〖식〗 무³(강원·황해·평남).

무이² 명 〈방〉 뫼⁴(강원).

무이³ 명 〈방〉 모이¹(강원).

무이⁴【無二】명 둘도 없음. 가장 뛰어나고 훌륭함. 무쌍(無雙). ¶ 유일(唯一) ～한 친구. ——-하다 형 여불

무이⁵【無異】부 다를 것이 없이. 매한가지로. ¶ 하는 짓이 ～ 금수(禽獸)로군.

무:이 구곡【武夷九曲】명 〖지〗 '우이 주취'를 우리 음으로 읽은 이름.

무:이 귀도도【武夷歸棹圖】명 조선 영조(英祖) 시대의 화가인 단원(檀園) 김홍도(金弘道)의 그림. 절벽을 주경(主景)으로 하고, 굽이쳐 흐르는 물 위에 일엽주(一葉舟)를 띄웠음. 김홍도 만년(晩年)의 화법을 보여 주는 것으로 유명함.

무이다¹ 자 ☞ 미다¹.

무이다² 타 ①일을 중간에서 무지르다. ¶ 그 댁에서 안잠자는 노파가 그 댁 일을 무이어 자주장하다시피 하는데…《李海朝 : 驅魔劍》. ② 잘라서 거절하다. ¶ 어디로 보기로 허판서가 대감 말씀을 무일 수가 있습니까《洪命憙 : 林巨正》.

무이다³ 자 〈옛〉 흔들리다. 움직이다. ¶ 兵戈ᄂᆞᆫ 무여 니엇도다(兵戈動接聯)《杜諺 XX:20》.

무이 무삼【無二無三】명 ①〖불교〗 성불(成佛)하는 길은 오직 하나로서 둘도 아니고 셋도 아님. ②오직 하나 있어서 달리 비할 것이 없음. ③ 한눈팔지 않고 외곬으로 나아감.

무:이-산【武夷山】명 〖지〗 우이 산.

무-이상【無理想】명 이상이 없음.

무-이식【無利息】명 무이자(無利子).

무이식 채:권【無利息債權】[－꿘] 명 이자가 없는 채권.

무-이언【無二言】명 두 말이 없음. 곧, 한번 한 말에 대하여는 절대로 어기지 않는다는 뜻.

무이-인¹【無耳人】명 〖불교〗 〔귀가 먹은 사람의 뜻〕 불교를 믿지 않는 사람을 낮추어 일컫는 말.

무이-인²【無荑仁】명 〖한의〗 느릅나무의 열매. 감병(疳病)·치질(痔疾) 및 살충약으로 씀. 산유인(山楡仁).

무-이자【無利子】명 이자가 없음. 이자가 붙지 않음. 무이식(無利息).

무이자 공채【無利子公債】명 〖경〗 이자가 붙지 아니하는 공채. ↔이부 공채.

무익【無益】명 이익이 없음. 이로울 것이 없음. ¶ ～한 논쟁. ↔유익(有益). ——-하다 형 여불

무-익공【無翼工】명 〖건〗 익공이 없음. 소로받침으로만 되었음.

무익공-집【無翼工一】명 〖건〗 익공 없이 소로받침한 집.

무익-성【無益性】명 무익한 성질.

무:인¹【戊寅】명 〖민〗 육십 갑자(六十甲子)의 열다섯째.

무:인²【武人】명 무사(武士)인 사람. 무예를 닦은 사람. 무관의 직에 있는 사람. ¶ ～ 정치. ↔문인(文人). *무변(武弁).

무:인³【拇印】명 손도장.

무인⁴【無人】명 ①사람이 없음. 사람이 살고 있지 않음. ¶ ～ 위성. ②일손이 모자람.

무인⁵【無因】명 ①원인이 없음. ¶ ～론(論). ②〖법〗 어떤 계약이나 행위에 있어서 원인을 필요로 하지 아니함. ③〖불교〗 일체의 존재(存在)는 결과로서 존재하고 있기는 하여도, 그 원인은 가지고 있지 않다는 말.

무인⁶【無印】명 도장이 찍혀 있지 않음.

무:인⁷【舞人】명 춤추는 사람.

무인-경【無人境】명 사람이 살고 있지 않는 곳. 무인지경(無人之境).

무인 고도【無人孤島】명 사람이 살지 않는 외따로 떨어진 섬. 무인 절도(絶島). ¶ ～로 유배(流配)당하다.

무인 공장【無人工場】명 생산 공정(工程)을 무인화(無人化)한 공장. 기계를 기종(機種)마다 '군(群)'으로 나누고, 도면(圖面)이나 가공법(加工法)을 컴퓨터에 기억시켜서 동시에 '군'의 기계를 관리하게 함. 아직 반(半) 자동화의 단계에 있는데, 가공 소재(加工素材)를 기계에 물리거나 떼어 내는 일 따위를 무인화하는 데는 공업용 로봇이 이용됨.

무인 궁도【無人窮途】명 사람이 없고 가기 힘드는 길.

무인-기【無人機】명 ↗무인 비행기.

무인-도【無人島】명 사람이 살고 있지 않은 섬. 사람이 없는 섬.

무인-론【無因論】[－논] 명 〖철〗 일체의 사물은 아무런 원인 없이도 존재한다고 하는 학설. 인도의 순세파(順世派) 등.

무인 부지【無人不知】명 소문이 자자하여 모르는 사람이 없음. ——-하다 형 여불

무인 비행기【無人飛行機】명 레이더·텔레비전 등의 전자 공학 장치에 의하여, 자동 조종 또는 원격(遠隔) 조종되는 비행기. ㊌무인기.

무:인-석【武人石】명 〖고고학〗 무덤 앞에 세우는 돌로 만든 무사의 상. 무석인(武石人).

무인-역【無人驛】[－녁] 명 직원이 배치되어 있지 않은 역.

무인 위성【無人衛星】명 사람이 타지 않는 인공 위성. 천체 관측을 위하여 쏘아 올리는 과학 위성, 군사 첩보를 얻기 위한 군사 위성, 원거리 중계를 하기 위한 중계 위성과 같은 실용 위성들이 있음.

무:인-자【戊寅字】명 조선 세조 4년(1458) 무인년에 만든 구리 활자.

무인 절도【無人絶島】[－또] 명 무인 고도.

무인 점:포【無人店鋪】명 자동 판매기(自動販賣機)를 갖추고, 음료수 따위를 파는, 판매원이 없는 가게.

무:인 정:사【戊寅靖社】명 〖역〗 조선 태조 7년 무인년(戊寅年)의 방원(芳遠)의 난(亂)을 평정하여 사직(社稷)의 기틀을 평안히 한 일.

무인 정찰기【無人偵察機】명 〔reconnaissance drone〕〖항공〗 원격 조작(遠隔操作)에 의해 유도되는, 사람이 탑승하지 않은 정찰기. 가상 적국(假想敵國)이나 적군에 관한 정보를 얻기 위해서 사진기·전자 장치 등을 탑재하고 있음.

무인 증권【無因證券】[－꿘] 명 〖경〗 증권상의 권리가 증권의 발행 행위만으로 발생하는 유가 증권. 그것을 발행하기에 이른 원인인 법률 관계에 의하여 영향을 받지 아니함. 어음 등은 이에 속함. 불요인(不要因) 증권. ↔요인(要因) 증권·유인(有因) 증권.

무인지-경【無人之境】명 ①사람이라고는 전혀 없는 곳. 무인경. ②아무것도 거칠 것이 없는 판. 독판.

무인 창고【無人倉庫】명 리프트(lift)나 컨베이어 등의 자동화(自動化) 운반 기계를 제어용(制御用) 컴퓨터와 온라인 시스템(on-line system)으로 결합하여, 그 작업을 자동적으로 처리하는 창고. 작업 능률의 향상 외에, 유통 재고의 적정화(適正化)도 가능함.

무인 판매대【無人販賣臺】명 주인이 지키지 않고 물품을 판매하도록 만들어 놓은 설비. 흔히 신문·잡지 같은 것을 꽂아서 가로(街路)에 세워 놓는데, 마음대로 골라잡고 대금은 그 곳에 부속된 돈궤 속에 넣음.

무인 행위【無因行爲】명 〖법〗 어떤 사람이 타인에게 어떤 재산을 이전함에 있어서 그 원인과 분리하여도 효력이 발생하는 법률 행위. 이를테면, 어음은 그것과 상환(相換)하여 돈 얼마를 지급할 것만 기재되고, 그것이 대금(代金)인가 반제금(返濟金)인가 등의 표시의 필요가 없는 것과 같은 것임. 불요인 행위(不要因行爲). ↔유인 행위(有因行爲).

무일【無逸】명 즐기는 일이 없음. 안일(安逸)을 탐하지 아니함. 편안히 놀고 있지 않음. ——-하다 자 여불

무일 가:관【無一可觀】명 족히 볼 만한 것이 하나도 없음. ——-하다 형 여불

무일 가:취【無一可取】명 가히 취할 만한 것이 하나도 없음. ——-하다 형 여불

무-일물【無一物】명 무엇 하나 가진 것이 없음.

무-일보【無日步】명 〔flat〕〖경〗 신용 거래에서, 대차(貸借)의 대상(對象)이 되는 주식(株式)에 과부족이 없어서 일보(日步)도 역일보(逆日步)도 붙지 않는 일을 이름.

무-일불【無日不】명 하지 않는 날이 없음. 하는 일을 날마다 되풀이함.

무일 불성【無一不成】[－썽] 명 이루지 못할 일이 하나도 없음. 아니 되는 일이 하나도 없음. ——-하다 형 여불

무일 불위【無日不爲】명 하지 않는 날이 없음. ——-하다 형 여불

무-일전【無一錢】[－쩐] 명 무일푼.

무-일푼【無一一】명 한 푼도 없음. 돈이 아주 없음. 무일전(無一錢).

무임[1]【無任】명 ↗무임소(無任所).

무임[2]【無賃】명 임금(賃金)이 없음. 삯돈을 냄이 없음. ¶ ~ 승객. ↔유임.

무임-소【無任所】명 공통적 직책 이외에 따로 맡은 임무가 없음. 준무임(無任).

무임소 국무 위원【無任所國務委員】명〖법〗행정 사무를 분담하여 관장하지 아니하는 국무 위원.

무임소 장:관【無任所長官】명〖법〗'정무 장관(政務長官)'의 구칭.

무임 승차【無賃乘車】명 찻삯을 내지 않고 공으로 차를 탐. 무료 승차. ——-하다 자여불

무임 승차권【無賃乘車券】[—꿘] 명 찻삯을 내지 않고도 차를 탈 수 있는 표. 무료 승차권.

무:자[1]【戊子】명〖민〗육십 갑자(六十甲子)의 스물다섯째.

무:자[2]【巫子】명〖민〗무당[1].

무자[3]【無子】명 ①아들이 없음. ②↗무자식(無子息). ——-하다 형여불

무-자각【無自覺】명 자각함이 없음. ——-하다 형여불

무-자격【無資格】명 자격이 없음. ——-하다 형여불

무자격-자【無資格者】명 자격이 없는 사람.

무자구 명〈방〉무자위(함경).

무자-귀【無子鬼】명〖민〗↗무자 귀신.

무자 귀:신【無子鬼神】명〖민〗자식이 없는 사람의 죽은 귀신. 음식을 먹일 때 불을 끄고 먹인다 함. 준무자귀(無子鬼).

무-자력【無資力】명 자산상(資産上) 능력이 없음. 자력이 없음. ——-하다 형여불

무-자리 명〖역〗고려 시대의 천민(賤民). 북방 민족의 귀화인(歸化人)들로, 관적(貫籍)도 없고 부역(賦役)도 없이 방랑 생활을 하며, 특수 부락을 이루어, 도살업(屠殺業)·광대·고리 제조 등을 업으로 삼았음. 조선 시대 초기에는 신백정(新白丁)으로 불리어짐. 후세(後世)의 백장·광대·기생 들이 이 족속 속에서 나왔음. 양수척(楊水尺).

무자막-질 명〈방〉무자맥질.

무자맥-질 명 물 속에 들어가서 떴다 잠겼다 하며 팔다리를 놀리는 짓. 함영(涵泳). 준자맥질. ——-하다 자여불

무자멱-질 명〈방〉무자맥질.

무자미[1] 명〈방〉무자맥질.

무-자미[2]【無滋味】명 ①재미가 없음. ②맛도 자양분(滋養分)도 없음. ——-하다 형여불

무-자본【無資本】명 자본이 없음. 밑천이 없음.

무-자비【無慈悲】명 자비심이 없음. 불쌍한 사람을 사랑하고 가엾게 여기는 마음이 없음. ↔자비. ——-하다 형여불

무자비-성【無慈悲性】[—썽] 명 무자비한 성질.

무-자산【無資產】명 자산이 없음.

무자 선하 증권【無疵船荷證券】[—꿘] 명〖해〗화물이 파손(破損)됨이 없이 선적(船積)되었다는 증명으로 화주(貨主)의 청구가 있을 때, 선장 또는 그 대리인이 교부하는 증권.

무-자세 명〈방〉무자위(경상).

무자수 명〈방〉〖동〗무자치.

무-자식【無子息】명 아들도 딸도 없음. 준무자(無子). ——-하다 형여불 [무자식 상팔자(上八字)] 자식이 없는 것이 도리어 걱정됨이 없어 편하다는 말.

무-자위 명〔중세 : 믈자새〕①물을 높은 곳으로 자아올리는 기계. 여러 가지 종류가 있음. 수룡(水龍). 수차(水車). ②〈속〉펌프(pump).

무:-자이[1]【舞—】명〖역〗춤자이.

무:-자이[2]【巫玆伊】명〖역〗조선 시대의 관비(官婢).

무자치 명〖동〗[*Elaphe conspicillata rufodorsata*] 뱀과에 속하는 파충류의 하나. 몸길이 70-100 cm, 몸빛은 적갈색에 길이로 흑색 선상의 반문(斑紋)이 네 개 있고, 머리에는 'V'자형의 흑갈색 반문이 있으며, 복면(腹面)은 황갈색에 흑색 반문이 불규칙하게 있음. 유시(幼時)에는 적색 바탕에 흑색 가로 무늬가 있어서 몹시 아름다움. 스물한 줄의 체린(體鱗) 중 중간의 아홉 줄에 희미한 용골(龍骨)이 있음. 반수서성(半水棲性)이고, 땅 속에 잘 파고 들어가며 무독(無毒)함. 들쥐 등의 포유류를 포식하며, 냉혈 동물은 먹지 않음. 한국·만주·중국 남부·시베리아 및 일본에 분포함. 무좌수. *구렁이[1].

〈무자치〉

무작[1] 명〈옛〉무더기. 환(丸). ¶ 무작 환(丸)《類合 下 48》.

무작[2]【無作】명〖불교〗인연에 의하여 생긴 것이 아니고 생멸 변화(生滅變化)를 초월한 것. ↔유작.

무작[3]【無爵】명 작위(爵位)가 없음.

무작-문【無作門】명〖불교〗삼해탈문(三解脫門)의 하나. 일체의 제법(諸法)에서, 소원(所願)을 버리는 일.

무작 삼신【無作三身】명〖불교〗인간이 본연적(本然的)으로 법신(法身)·보신(報身)·응신(應身)의 삼신(三身)을 구비하는 일. 또, 그 삼신. 범부(凡夫)가 태어날 때부터 삼신의 부처임을 이르는 말.

무작-스럽다 형ㅂ불 무작한 태도가 있다. ¶ 근본이 상된 계집들이란 경박하고 무작스러운 데가 없지 않고…《金周榮 : 客主》. 무작-스레 부

무-작위【無作爲】명 ①작위가 없는 일. 꾸민 일이 아님. 자기의 생각을 개입시키지 아니하고 우연하게 행하는 모양. ②일어날 수 있는 모든 일이 동등한 확실성을 가지고 일어나게 하는 일. 랜덤(random)

무작위 추출법【無作爲抽出法】[—뻡] 명〖통계〗임의 추출법(任意抽出法). 랜덤 샘플링(random sampling).

무작위 표본【無作爲標本】명〖통계〗모집단(母集團)에서 무작위로 추출(抽出)한 표본.

무작위-화【無作爲化】명〔randomization〕작위를 가함이 없이 저절로 됨. ——-하다 자여불

무-작정【無酌定】㊀ 명 ①작정함이 없음. ②좋고 나쁨을 가리지 않음. ¶ ~으로 나무라다. ㊁ 부 ①작정함이 없이. ¶ ~ 상경(上京)하다. ②좋고 나쁨을 가림이 없이. ¶ ~ 때리다. ——-하다 형여불

무작-하다 형여불 우악스럽고 무지하다. *무무하다.

무:잡【無雜】명 사물이 뒤섞이어서 난잡함. ¶ ~한 문장(文章). ——-하다 형여불. ——-히 부

무장[1] 명 ↗목무장.

무-장[2]【一醬】명 뜬 메주를 쪼개어 소금물이나 동치미 국물 등에 담가 익힌 된장. 날파·고춧가루를 넣어 국물을 떠 먹고, 찌끼는 무장 찌개를 끓여 먹음. 담수장.

무:장[3]【武將】명 ①무술(武術)에 뛰어난 장수. ②군대의 장군.

무:장[4]【武裝】명 ①전투를 할 때에 하는 몸차림. 또, 전투를 할 때와 같이 하는 차림새. ②전투를 할 목적으로 장비(裝備)함. 또, 그 장비. 융장(戎裝). 군장(軍裝). ③필요로 하는 사상이나 기술 따위를 단단히 갖춤의 비유. ¶ 정신 ~. ——-하다 자타여불

무장[5] 부 갈수록 더. ¶ 날씨는 ~ 더워만 간다.

무:장-가【武將家】명 대(代)를 이어 무장의 벼슬을 지내는 집안.

무장 공자【無腸公子】명 ①기력(氣力)이 없는 사람의 별명. ②창자가 없다는 뜻에서 '게'를 일컫는 말.

무:장 대:가【武將大家】명 대대로 무장의 벼슬을 지내는 큰 집안.

무장-류【無腸類】[—뉴] 명〖동〗[Acoela] 와충강(渦蟲綱)에 속하는 편형 동물의 한 목(目). 소화계(消化系)가 분화(分化)되지 아니하며, 몸거죽에 우묵하게 들어간 인두(咽頭)가 있을 뿐이고, 장(腸)이 없고, 몸길이 1mm 가량임. 체내에 많은 녹색 입자(粒子)가 있어 몸이 녹색으로 보이며, 눈이 없고 뇌(腦)에 해당하는 부분에 평형기(平衡器)가 있음. 몸의 생김새가 강장(腔腸) 동물과 매우 비슷함. 자웅 동체(雌雄同體)임. 무강류(無腔類). *삼기장류(三岐腸類).

무장 무애【無障無礙】명 아무런 장애되는 것이 없음. 거리낌이 없음. ——-하다 형여불

무:장 봉기【武裝蜂起】명 지배자의 무력에 대항하여 피지배자가 무장을 하고 일어나는 일. 또, 그 투쟁. ——-하다 자여불

무장-사【鍪藏寺】명〖불교〗지금의 경주시(慶州市)에 있던 절. 신라 시대 김효양(金孝讓)이 지음. 이 절터에서 왕희지(王羲之)의 글씨를 모아 새긴 비석 토막이 발견되었음.

무:장 상선【武裝商船】명〖법〗단순히 자위(自衛)를 위하여 무기를 장비한 상업용의 선박. 군함으로 인정되지 않음. 19세기 후로는 거의 없었으나, 제1차 대전 때,독일 잠수함의 불법 공격으로 다시 행하여졌음.

무:장-세【巫匠稅】명〖역〗고려 말엽부터 무당들에게 과하던 세금. 충혜왕 때에는 가혹한 과세로 폐단이 많았음. 조선 시대에는 박수와 무당의 남편에게 과세하였음.

무:-장아찌 명 간장에 불린 무 말랭이 또는 썰어 절여서 물 빠진 무를 끓이거나 기름에 볶아서 고명을 한 반찬.

무:장 이민【武裝移民】명〖사〗치안이 확보되지 아니한 식민지에, 치안을 유지시킬 겸 무장을 시켜 보내는 이민. 만주 사변 뒤 일본이 만주에 보내던 이민 같은 것.

무:장 중립【武裝中立】[—닙] 명 중립국이 군사력을 길러, 무력을 배경으로 자신의 권리나 이익을 보호하는 일. 엄계(嚴戒) 중립.

무:장 중립 동맹【武裝中立同盟】[—닙—] 명 ①국외 중립에 관한 원칙을 유지하기 위하여, 필요할 때에는 병력을 사용할 것을 맹약 선언하는 동맹. ②〔Armed Neutrality Alliance〕〖역〗1780년의 미국 독립 전쟁 때, 영국 해군이 중립국 선박의 대미(對美) 통상을 방해한 데에 대항하기 위하여, 러시아·덴마크·스웨덴이 맺은 동맹.

무장지-졸【無將之卒】명 ①장수가 없는 군사. ②이끌어 나가는 지도자가 없는 무리. 곧, 힘없는 무리.

무장 찌개【一醬一】명 무장에 고기·파·두부 또는 생선 등을 넣고 끓인 찌개.

무:장 평화【武裝平和】명 ①군사력(軍事力)으로 상호 견제(牽制)함으로써 이루어지는 평화. ②〔Armed Peace〕〖역〗20세기 초엽, 1차 대전 전의 유럽 국제 관계에 대한 표현. 3국 동맹과 3국 협상의 대립으로 일촉 즉발의 상황에서도 세력 균형이 이루어져, 평화가 유지되었음.

무-장하【無裝荷】명 전신 전화용 케이블에 인덕턴스 따위의 장하를 하지 않는 일. 장거리용 케이블에는 장하를 하지 않는 것이 바람직하며, 주로 반송용(搬送用) 케이블이 무장하 케이블임. *무장하 케이블.

무장하 케이블【無裝荷一】〔cable〕명 장하 코일(裝荷coil)을 삽입하지 않은 방식의 케이블. 장하 케이블의 결점을 보완하기 위해서 만들어진 것으로 장거리 다중(多重) 통신에 알맞음. 대표적인 것은 반송(搬送) 케이블. ↔장하(裝荷) 케이블. *무장하.

무:장 해:제【武裝解除】명 ①〖군〗항복한 군사·포로(捕虜) 등에 대해 그 무기를 강제적으로 몰수하는 일. 중립국이 자기 나라의 항구에 있는 교전국(交戰國)의 군함에 대하여 행하는 때도 있음. ②일정한 지역을 중립 지대로 하기 위하여 군사적 시설을 금지함. 주로 국가간의 충돌을 방지하거나 국제 교통의 확보를 위하여 행함. 전패국(戰敗國)에 대한 강화 조건으로 행하는 경우도 있음. ——-하다 자여불

무:재[1]【武才】명 무예(武藝)에 관한 재주.

무:재[2]【武宰】명〖역〗전에, 판서(判書)나 참판(參判)의 벼슬을 지낸 일이 있는 무관.

무:재[3]【茂才】명〖역〗수재(秀才)❸.

무재[4]【無才】명 재주가 없음. ¶ 무학(無學) ~. ——-하다 형여불

무:재-록【武才錄】명〖책〗조선 세조(世祖) 때, 무사 양성을 위한 교육 상황을 기록한 책. 세조 11년(1465)에 무신 중에서 장수(將帥)될 사람 20명을 골라 무재라 하였으며, 김처의(金處義) 등이 강의하였음.

무재 무능【無才無能】명 재주도 능력도 없음. ——-하다 형여불

무재-인【無才人】명 재주가 없는 사람.

무-재주【無才一】명 특별한 재주가 아무것도 없음. ¶ ~가 상(上)재주. ——-하다 형여불

무재주-꾼【無才一】명 재주라고는 없는 사람.

무재치 명〈방〉〖동〗무자치.

무저-갱【無底坑】명〖성〗악마(惡魔)가 벌을 받아 한번 떨어지면 영원

히 나오지 못하도록, 그 밑 닿는 데 없이 깊다는 구렁텅이. 악마의 행위를 따르는 사람도 죽어서 그 곳으로 간다 함. 아바돈(abaddon).

무-저당【無抵當】명 돈의 대차(貸借) 등에 있어서, 저당물(抵當物)을 잡지 않는 일. 「零不如一頓)≪朴解 上 13≫.

무저비 명〈옛〉무더기. ¶일천 뿐 거시 훈 무저비만 ᄆᆞᄐᆞ니 업스니라(千

무-저울 명〖천〗미성(尾星)의 끝에 나란히 있는 두 개의 별. 이 두 개의 별이 반듯하면 비가 고르게 와서 농사에 물이 알맞고, 한편으로 기울면 물이 고르지 못하다고 흔히 이름.

무-저항【無抵抗】명 저항하지 않음. ——-하다 자여불

무저항 비폭력주의【無抵抗非暴力主義】[—넉—/—넉—이] 명 무저항주의(無抵抗主義).

무저항-주의【無抵抗主義】[—/—이] 명〔nonresistancism〕사회적인 부정이나 권력자의 부정에 대하여, 폭력을 쓰지 아니하고 단식 또는 그 밖의 비폭력적인 수단으로써 적을 인도적으로 감화시키어, 자기의 주장을 관철시키려고 하는 주의. '남이 만일 너의 바른쪽 빰을 때리거든 왼쪽 빰을 돌리어 대라'고 말한 예수의 가르침은 바로 이것이며, 러시아의 톨스토이(Tolstoi)와 인도의 간디(Gandhi)는 한걸음 나아가, 반전주의(反戰主義)·평화 촉진 운동(平和促進運動)의 수단으로 이 무저항주의를 역설하였음. 무저항 비폭력주의. 간디이즘.

무적[1] 명〈옛〉무더기. ¶누니 뭇무적 ᄀᆞᆮ고 톱과 엄괘 놀캅고≪釋譜 Ⅵ: 33≫/흙무적 괴(塊)≪字會 下 18≫. 「——-하다 형여불

무적[2]【無敵】명 겨룰 만한 적이 없음. 아주 강함. 무전(無前). ¶천하 ~.

무적[3]【無籍】명 국적·호적·학적 등이 해당되는 문부(文簿)에 기록되어 있지 않음. ——-하다 형여불

무:적[4]【舞翟】명〖악〗일무(佾舞)의 문무(文舞)를 추는 사람이 왼손에 잡고 춤추던 기구. 나무로 만든 용머리에 자루를 맞추고, 용머리의 입에는 다섯 층의 꿩의 꽁지를 달았음.

무:적[5]【霧笛】명 안개가 끼었을 때, 선박의 충돌 등 사고를 방지하기 위하여 울리는 신호의 고동. 등대(燈臺)나 배에 장치함.

무:적[6]【霧滴】명 ①안개 방울. ②안개처럼 잔 물방울.

무적 무막【無敵無莫】명 되어 가는 대로 맡겨 둠.

무적-자【無籍者】명 국적(國籍)이나 호적(戶籍)을 갖지 아니한 사람.

무적 함:대【無敵艦隊】명 ①겨룰 만한 적이 없는 강한 함대. ②〔스 la Armada Invencible〕〖역〗스페인왕 펠리페 이세(Felipe Ⅱ) 때의 함대. 군함 130척, 운송선 30척, 인원 28,000여 명으로 이루어진 대함대로 무적을 자랑한 데서 나온 이름. 1588년, 영국을 공격했으나 도리어 대패, 이후 스페인의 제해권(制海權)은 쇠미함. 아르마다(Armada).

무전[1] 명 자전거의 한 가지. 앞바퀴에는 손으로 누르는 브레이크가 있고, 뒷바퀴는 페달(pedal)을 반대 방향으로 밟아 정거하게 된 자전거.

무전[2]【無前】명 ①무적(無敵). ②전세(前世)에 없음. ——-하다 형여불

무전[3]【無電】명 ①↗무선 전신. ②↗무선 전화.

무전[4]【無錢】명 돈이 없음. 또, 돈을 지불하지 아니함. ¶~ 취식/~ 여

무:전[5]【懋典】명 성전(盛典). 「행.

무:전[6]【繆篆】명 육체서(六體書)의 하나. 팔체(八體)의 모인(摹印)과 같이, 인(印)의 크고 작음과 글자의 많고 적음을 맞추어 새기는 글자체.

무전-기【無電機】명 무선 전신 또는 무선 전화용 기계.

무전 대:변【無前大變】명 전례(前例)없는 큰 변(變). 처음 당하는 큰 변. 「년.

무전 대:풍【無前大豐】명 전례(前例)가 없는 큰 풍년. 처음 보는 큰 풍

무전 빈농층【無田貧農層】명 경작할 전지(田地)를 갖지 못한 가난한 농사꾼의 계층(階層). 「방.

무전-실【無電室】명 무선 전신 또는 무선 전화 기계를 장치하여 놓은

무전 여행【無錢旅行】[—녀—] 명 여비(旅費) 없이 하는 여행. ——-하다 자여불 「함. ——-하다 자여불

무전 유흥【無錢遊興】[—뉴—] 명 돈 없이 먹고 놀고 값을 치르지 아니

무전 취:식【無錢取食】명 값을 치를 돈도 없이 남이 파는 음식을 먹음.

무절【無節】명 마디가 없음. ——-하다 형여불 「——-하다 자타여불

무절-재【無節材】[—째] 명 옹이가 없는 질이 좋은 재목.

무-절제【無節制】[—쩨] 명 절제함이 없음. ¶~한 생활. ——-하다 형

무-절조【無節操】[—쪼] 명 절조가 없음. ——-하다 형여불 「여불

무접점 계:전기【無接點繼電器】명〖전〗전기 회로를 개폐(開閉)할 때 접점(接點)을 쓰지 않는 기구. 트랜지스터·다이오드(diode)·아이 시(IC) 따위를 사용한 반도체 계전기 등이 있음. 가동 부분(可動部分)·마모(摩耗) 부분이 없기 때문에 수명이 길.

무접점 스위치【無接點—】〔switch〕명〖전〗접점(接點) 없이, 빛·자기(磁氣)·전기 따위의 작용으로 개폐하는 스위치. 접점이 없으므로 마모(摩耗)하지 아니함.

무:정[1]【務停】명〖역〗조선 시대에, 속결(速決)을 요하지 아니하는 잡송(雜訟)의 청리(聽理)를 정지한 기간. 농번기인 춘분일부터 추분일까지임. ↔무개(務開).

무정[2]【無情】명 정이 없음. 인정이나 동정심이 없음. ¶~한 세월. ↔유정. ——-하다 형여불. >매정하다. ——-히 부

무정[3]【無情】명〖책〗이광수(李光洙)가 지은 장편 소설. 1917년에 간행. 한국 최초의 현대 소설로, 민족주의적 이상과 계몽주의적 정열이 노골적으로 표시된 초기 작품임. 「——-하다 형여불

무-정견【無定見】명 일정한 주견(主見)이 없음. ¶~을 드러내다.

무정-란【無精卵】[—난] 명〖생〗암탉이 교미(交尾)하지 않고 낳은 알. 병아리로 부화하지 않음. 홀알. ↔수정란(受精卵).

무정 명사【無情名詞】명〖언〗식물이나 무생물을 가리키는 명사. ↔유정(有情) 명사.

무정-물【無情物】명 목석(木石)과 같이 감각성이 없는 물건.

무-정부【無政府】명 정부가 존재하지 않음.

무정부-당【無政府黨】명 무정부주의를 주장하는 당파.

무정부 상태【無政府狀態】명 정부가 없는 듯한 혼란과 무질서한 상태.

무정부적 생산【無政府的生産】명〔anarchistic production〕〖경〗이익만을 위한 무계획적인 생산. 자본주의적 상품 생산은 사회적 분업(分業)과 사유 재산(私有財産)을 바탕으로 하기 때문에, 생산이 유효수요를 초과하여 공황(恐慌)의 일반적인 원인의 하나가 됨.

무정부-주의【無政府主義】[—/—이] 명〖사〗개인을 지배하는 국가 권력 및 모든 사회적 권력을 부정하고, 절대적 자유가 행해지는 사회를 실현하려고 하는 주의. 고대의 그리스와 중국에서 일어나서 19세기에 이르러 가장 활기를 띤 사회 이론인데, 그 방법은 사람과 시대에 따라 여러 가지 이견(異見)이 있으나, 현재 개인적 무정부주의와 사회적 무정부주의의 두 종류를 들 수 있음. 개인적 무정부주의는 독일의 철학자 슈티르너(Stirner), 사회적 무정부주의로는 러시아의 크로포트킨(Kropotkin)이 각각 주장하였고, 그 밖에도 영국의 고드윈(Godwin), 독일의 마르크스(Marx), 프랑스의 프루동(Proudhon), 러시아의 바쿠닌(Bakunin) 등은 이 주의의 대표적 사상가임. 아나키즘(anarchism).

무정부주의-자【無政府主義者】[—/—이—] 명〖사〗무정부주의를 신봉(信奉)하고 주장하는 사람. 아나키스트(anarchist).

무정 세:월【無情歲月】명 덧없이 흘러가는 세월.

무-정수【無定數】명 일정한 수효가 없음. ——-하다 형여불

무정-스럽다【無情—】형ㅂ불 따뜻한 정이 없는 듯하다. >매정스럽다.

무정-스레【無情—】부

무:-정승【武政丞】명〖역〗조선 때, 무인(武人) 출신의 정승.

무-정액【無定額】명 일정한 액수가 없음. ——-하다 형여불

무정액-증【無精液症】명〔aspermatism〕〖의〗본디 정액이 없거나, 성교 때 정액이 나오지 아니하는 증상(症狀). *무정자증.

무-정위【無定位】명 일정한 방위(方位)가 없음. ——-하다 형여불

무정위 검:류계【無定位檢流計】[—뉴—] 명〔astatic galvanometer〕〖물〗무정위침(無定位針)을 이용해, 코일(coil) 속의 약한 전류를 정밀하게 측정할 수 있도록 만든 검류계. 무정위침의 아랫바늘을 코일 속에 넣고, 윗바늘이 도수의 눈을 새긴 둥근 판 위에 나오도록 하여, 이 바늘이 남북 방향에 놓이도록 기계를 안정시키고, 코일에 전류를 통하면 바늘이 돌며 각(角)이 생기는데, 이 각으로 전류의 강도(強度)를 잼.

무정위 운:동【無定位運動】명〖생〗키네시스❷.

무정위 자침【無定位磁針】명〖물〗무정위침(無定位針).

무정위-증【無定位症】[—쯩] 명〖의〗소뇌(小腦)에 장애가 있는 경우에 신체나 사지(四肢)를 일정한 자세로 유지하지 못하고, 동작이 현저하게 불안정하게 되는 상태. 실위증(失位症). 정위 불능.

무정위-침【無定位針】명〖물〗극(極)의 강도(強度)가 서로 같은 두 개의 자침(磁針)을 평행으로 하여 같은 축(軸)의 위아래에 달아서 극이 반대되게 한 기구. 두 극이 서로 같은 힘으로 어울리므로 지구 자기(地球磁氣)의 작용을 받지 아니하여, 자침이 어떤 방향으로든지 놓이게 되어 있음. 무정위 자침(無定位磁針).

N S
S N
〈무정위침〉

무정의 개:념【無定義概念】[—/—이—] 명〖수〗초등 기하학에서, 구체적으로 정의하지 않고 그 성질을 공리(公理)로 규정하는 개념. 점·직선·평면 등이 이에 해당됨.

무정의 술어【無定義術語】[—/—이—] 명〖수〗정의 없이 공리(公理) 중에 쓰이는 술어. 그 뜻은 공리 전체로써 설명됨. 무정의 용어.

무정의 용:어【無定義用語】[—/—이—] 명〖수〗무정의 술어(無定義術語).

무정자-증【無精子症】[—쯩] 명〖의〗정액 속에 전혀 정자가 없는 증세. 불임(不妊)의 원인이 됨. *무정액증(無精液症)·정자(精子) 과소증.

무정 정신병질【無情精神病質】[—뺑—] 명〖의〗동정(同情)·연민(憐憫)·수치(羞恥)·명예(名譽)·회오(悔悟)·양심(良心) 등의 정성(情性)이 결핍되어 배덕적(背德的) 행위를 잘하는 정신병질의 한 유형. *의사박약성(意思薄弱性) 정신 병질.

무정전 전:원 장치【無停電電源裝置】명〔uninterruptable power supply〕〖컴퓨터〗전원이 중단될 경우 입력된 자료가 소멸되는 상황을 방지하기 위하여 정전 시 일정 시간 동안 전력을 공급해 주는 컴퓨터 보조 전력 공급 장치. 유 피 에스(UPS).

무정지-책【無情之責】명 까닭이 없는 책망. 비정지책(非情之責). ¶제가 허무 맹랑한 조작을 한 바 아닌데 아무리 수하라고 ~이 지나쳤다고 봅니다≪朴花城: 벼랑에 피는 꽃≫.

무정-하【無定河】명〖지〗중국의 강희(康熙) 연간에 하도(河道)를 고치기 이전의 '융딩(永定) 강'의 이름.

무-정형[1]【無定形】명 ①일정한 형체가 없음. ②〖화〗비결정성(非結晶性). ——-하다 형여불 「여불

무-정형[2]【無定型】명 일정한 형(型)이 없음. ¶~시(詩). ——-하다 형

무-정형[3]【無晶形·無晶型】명〖공〗비결정성(非結晶性).

무정형 물질【無定形物質】[—찔] 명〖물〗비결정질(非結晶質).

무정형 상태【無定形狀態】명 비결정(非結晶) 상태.

무정형 성운【無定形星雲】명〖천〗산광 성운(散光星雲).

무정형 유황【無定形硫黃】명 비결정성황(非結晶性黃).

무정형-질【無定形質】명〖물〗비결정질(非結晶質).

무정형 탄:소【無定形炭素】명〖화〗비결정성(非結晶性) 탄소.

무:제[1] 명 ☞무우제(舞雩祭).

무:제[2]【武帝】명〖사람〗①중국 전한의 제7대 황제. 흉노(匈奴)를 내몰고 화남(華南)의 여러 종족을 평정, 또한 위만(衛滿)을 멸하고 한사군

(漢四郡)을 설치하였음. [159-87 B.C.; 재위 141-87 B.C.] ②중국 남조(南朝), 양(梁)나라의 초대 황제. 묘호(廟號)는 고조(高祖). 제(齊)나라를 멸하고 즉위함. 민정(民政)에 치적을 올렸으며 만년에는 불교의 황금 시대를 이루었으나, 정사를 게을리하여 후경(侯景)의 난을 만나 진중(陣中)에서 죽음. [464-549; 재위 502-549]

무제[3]【無際】명 너르고 멀어서 끝이 없음. 무애(無涯). 무한제(無限際). ——-하다 형여불

무제[4]【無題】명 ①제목(題目)이 없음. ②제목을 붙이지 아니한 시가(詩歌)나 예술 작품.

무:제[5]【霧堤】명〖해〗배 위에서 보면 마치 육지같이 보이는 먼 바다의 안개.

무제약-자【無制約者】명〖철〗다른 것으로부터 어떤 제약(制約)도 받지 아니하는 것. 곧, 자기가 모든 다른 것의 제약이 되는 절대(絕對)적인 것.

무제약-적【無制約的】명관〖철〗사물이 다른 것으로부터 제약을 받지 않는 모양.

무제-지【無際智】명〖불교〗끝없이 넓고 깊은 지혜. 곧, '불지(佛智)'를 이름.

무-제한【無制限】명 제한이 없음. 또, 그 모양. ¶~ 송전(送電). ——-하다 형여불

무제한-급【無制限級】[—끕] 명 유도 체급의 하나. 몸무게의 제한을 두지 않는 체급으로, 가장 무거운 체급 위의 것. 그 상한(上限)을 두지 않음.

무제한 법화【無制限法貨】명〖경〗금액에 제한이 없이, 법률상 화폐로서 통용하는 것. 금화(金貨)·한국 은행권(韓國銀行券) 등.

무제한 잠수함전【無制限潛水艦戰】명〖군〗어떤 지정 해역(海域)의 해상 교통을 금지시키고, 적국·중립국의 차별 없이 그 해역을 통과하는 선박을 잠수함으로 공격·격침시키는 전술. 1차 대전 때 독일이 취하였음.

무제한 전:쟁【無制限戰爭】명〖군〗핵무기를 사용하는 전쟁. ↔제한 전쟁.

무:조【撫棗】명 혼인 때, 시아버지가 새 며느리가 올리는 폐백 대추를 받음. ——-하다 자여불

무-조건【無條件】[—껀] ㊀명 아무 조건도 없음. ㊁부 무조건으로. 덮어 놓고. ¶~ 찬성하다. ——-하다 형여불

무조건 반:사【無條件反射】[—껀—] 명 [unconditioned reflex]〖심〗입 안에 먹을 것을 넣으면 침이 나오고, 무릎을 탁 치면 슬개근(膝蓋筋)이 수축(收縮)하는 등과 같이, 선천적으로 가지고 있는 반응. 학습에 의하여 습득하는 조건 반사에 대하여 일컫는 말. ↔조건 반사(條件反射). *무조건 자극.

무조건 자:극【無條件刺戟】[—껀—] 명 [unconditioned stimulus]〖심〗무조건 반사를 일으키게 하는 자극. 침을 흘리게 하는 입 안의 먹을 것이나, 슬개근(膝蓋筋)을 수축(收縮)시키는 무릎을 치는 행위 등. ↔조건 자극(條件刺戟). *무조건 반사(無條件反射).

무조건 항복【無條件降伏】[—껀—] 명 전승국(戰勝國)의 요구 조건을 다 들어 주기로 하는 항복. ——-하다 자여불

무조사 사격【無照射射擊】명〖군〗야간 전투에서, 레이더를 사용하여 조사(照射)함이 없이 행하는 포격. 해면(海面)을 탐조등으로 조사(照射)하여 적함을 포착한 후 포격을 가하는 사격 따위에 상대되는 말임.

무:조-신【巫祖神】명 무당의 조상 또는 시조로 여겨지는 신. 처용랑(處容郞)·법우 화상(法雨和尙)·바리 공주 등 다양함.

무조 음악【無調音樂】명 [atonale music]〖악〗악곡의 중심이 되는 조성(調性)이 없는 음악. 드뷔시(Debussy) 등에 의한 전음(全音) 음계의 사용 또는 쇤베르크(Schönberg) 등에 의한 십이음 음악 같은 것. *십이음 음악(十二音音樂).

무조-점【無潮點】[—쩜] 명 [amphidromic point]〖해〗조석(潮汐)의 간만(干滿)이 없는 곳. 등조시선(等潮時線)은 이 곳에 모이고 또 이 곳의 주위를 조석파(潮汐波)가 조석의 주기(周期)로 회전함.

무조-지【無租地】명〖법〗지조(地租)를 바치지 않는 땅. 국유지(國有地) 및 민유지(民有地) 중의 면조지(免租地) 등.

무족【無足】명 무지기[1].

무족 가:책【無足可責】명 사람의 됨됨이가 가히 책망할 만한 가치조차 없음. ——-하다 형여불

무족-기【無足器】명 굽이 달리지 아니한 주발·대접 등의 그릇.

무족-류【無足類】[—뉴] 명 ①〖어〗[Apodes] 조기류(條鰭類)의 한 아목(亞目). 대개 몸은 길고 배지느러미가 없으며, 비늘은 아주 작거나 또는 전혀 없음. 뱀장어 같은 것. ②〖동〗나사류(裸蛇類).

무족-정【無足鼎】명 발이 달리지 않은 솥이라는 뜻으로, 신이 없어서 바깥 출입을 못하는 사람을 비유하는 말.

무족지언 비천리【無足之言飛千里】[—철—] 명 발 없는 말이 천리를 간다는 말.

무-존장【無尊丈】명 어른에 대하여 버릇이 없음. ——-하다 형여불

무존장 아:문【無尊丈衙門】명 어른에게 버릇없이 함부로 구는 자리.

무좀 명〖의〗손바닥이나 발바닥, 특히 발가락 사이에 잘게 물이 잡히어 솟아나는 부스럼. 그 부분이 얇고 둥글게 껍질이 벗겨지는데, 백선균(白癬菌)이나 효모균(酵母菌) 등에 의하여 생기는 피부병임. 한포(汗疱).

무:-종[1] 명 무의 장다리.

무종[2]【無終】명 끝이 없음. 미래 영겁(未來永劫).

무-종교【無宗敎】명 종교가 없음. 또, 어느 종교에도 속하지 않음.

무-종아리 명 발 뒤꿈치와 장딴지 사이의 부분.

무좌수 명〖동〗무자치.

무죄【無罪】명 ①아무 잘못이 없음. 아무 허물이 없음. ②〖법〗피고 사건이 법률상 죄가 되지 아니하거나 또는 범죄의 증명이 없을 때의 판결. 무죄의 판결을 받은 사람은 규정(規定)하는 바에 따라서 보상(補償)을 청구할 수 있음. ¶~ 석방. 1)·2):↔유죄(有罪). ——-하다 형여불 [무죄한 놈 뺨 치기] 몰인정하고 심술 사나운 짓.

무죄 방:면【無罪放免】명〖법〗구금 중인 피고인이 무죄 판결을 받고 석방되는 일.

무죄 판결【無罪判決】명〖법〗피고 사건(被告事件)이 범죄가 되지 아니하거나 범죄의 증거가 없을 때, 선고하는 실체적 재판. ↔유죄 판결.

무주:[1] 명〈방〉잠방이(경상).

무주[2]【一酒】명〈방〉모주(母酒).

무:주[3]【武州】명 ①〖역〗신라 구주(九州)의 하나로 지금의 광주 광역시(光州廣域市). 신문왕(神文王) 6년(686)에 무진주(武珍州)라 하였다가, 경덕왕(景德王) 때에 본이름으로 고쳤는데, 열다섯 군(郡)과 마흔세 현(縣)을 관할하였음. *무진주(武珍州). ②〖지〗'쉬안화(宣化)'의 옛이름.

무:주[4]【茂朱】명〖지〗전라 북도 무주군(茂朱郡)의 군청 소재지인 읍(邑). 군의 북쪽에 위치하여 금강(錦江)과 남대천(南大川)이 둘러 있음. 소백산맥의 산록 고원에 위치함. 담배·인삼의 산출이 많으며, 제사업(製絲業)이 성함. [79.41 km^2 : 10,550 명(1996)]

무주[5]【無主】명 임자가 없음. 주인이 없음. ¶~ 공처(空處). ——-하다 형여불

무주[6]【無酒】명 ①술이 없음. ¶~일(日). ②〖불교〗[아수라(阿修羅)의 범어 asura를 a-sura로 분해하여 무(無=a), 주(酒=sura)로 해석한 데서] '아수라왕'의 딴이름.

무:주[7]【誣奏】명 없는 일을 있는 것같이 거짓으로 꾸미어 상주(上奏)함. 또, 그 상주. ——-하다 타여불

무:주[8]【撫州】명〖지〗'푸저우'를 우리 음으로 읽은 이름.

무-주견【無主見】명 주견이 없음. ——-하다 형여불

무주 고:총【無主古塚】명 임자가 없는 옛 무덤.

무주 고혼【無主孤魂】명 제사를 지내거나 하여 위로해 줄 자손이 없는 외로운 혼령. *무사 귀신(無祀鬼神).

무주 공당【無主空堂】명 주인 없는 빈 집. 무주 공사(無主空舍).

무주 공사【無主空舍】명 무주 공당(無主空堂).

무주 공산【無主空山】명 ①인가도 인기척도 전혀 없는 쓸쓸한 산. ②임자 없는 산. 개인의 소유도 아니고 나라에서 관리하지도 않는 산.

무주 공처【無主空處】명 임자 없는 빈 곳. 쓸쓸한 곳.

무:주-군【茂朱郡】명〖지〗전라 북도(全羅北道)의 한 군(郡). 관내 1읍 5면. 전라 북도 동북단에 위치하여 동은 경북 김천시(金泉市), 서는 진안군(鎭安郡), 북은 충북 영동군(永同郡), 남은 경남 거창군(居昌郡)에 인접함. 주요 산물은 농산과 종이·직물 등이며, 임산·축산·광산물이 있음. 명승 고적으로는 덕유산(德裕山)·구천동(九天洞)·적상산(赤裳山)·안국사(安國寺)·내도리(內島里)·한풍루(寒風樓) 등이 있음. [631.51 km^2: 32,283 명(1996)]

무주기 명〈방〉무지개.

무주룩:-하다 형〈방〉무지근하다.

무주-물【無主物】명〖법〗임자가 없는 물건. 야생(野生)의 새·짐승·어개(魚介) 등이나 또는 가지고 있던 사람이 그 소유권을 포기(拋棄)한 물건 등을 이르는데, 그 부동산(不動產)은 국고(國庫)에 귀속하고 동산은 먼저 차지한 사람에게 귀속하게 되어 있음.

무주물 선점【無主物先占】명〖법〗무주물을 자기가 소유할 의사로서 남보다 먼저 점유하는 일. 동산의 선점자는 그 효과로서, 원칙적으로 소유권을 취득하나, 무주(無主)의 부동산은 국고(國庫)에 귀속하므로 선점의 대상이 되지 않음. 선점 취득(取得).

무주상 보:시【無住相布施】명〖불교〗'내가' '무엇을' '누구에게 베풀었다'는 식의 집착이 없이 온전한 자비심으로 베푸는 보시.

무-주소【無住所】명 일정한 주소가 없음.

무-주의【無主義】[—/—이] 명 아무 주의도 없음. ——-하다 형여불

무주의-자【無主義者】[—/—이—] 명 일정한 주의·주장을 갖지 않은 사람.

무-주자【無走者】명 야구에서, 누상(壘上)에 주자가 없음.

무-주장【無主掌】명 줏대잡이가 되어 맡아 보는 이가 없음. ——-하다 형여불

무주적 명:제【無主的命題】명〖논〗비인칭적 판단(非人稱的判斷).

무주정 맥주【無酒精麥酒】명 [non-alcohol beer] 알코올 도수 1%의 맥주.

무주처 열반【無主處涅槃】명〖불교〗대승 불교의 용어. 고뇌를 초극(超克)하여 정신적으로 안정하면서, 더 나아가 계속해서 이타행(利他行)을 실천하는 열반. ↔본래 자성 청정 열반(本來自性淸淨涅槃).

무주-총【無主塚】명 임자 없는 무덤. 무연 분묘(無緣墳墓).

무주 판단【無主判斷】명〖논〗비인칭적(非人稱的) 판단.

무:-죽【一粥】명 멥쌀죽 속에 무를 채로 썰어 넣거나, 약간 삶은 무를 콩알만큼씩 잘게 썰어 넣어 쑨 죽. 나복죽(蘿蔔粥).

무죽-거리다 타 ☞미적거리다. ¶식사를 마쳤을 때까지도 흐린 천지는 무죽거릴 뿐이지 빗방울 듣는 기색조차 없다《李孝石 : 花粉》.

무:-죽다 형 야무진 맛이 없다.

무준비 발행 지폐【無準備發行紙幣】명〖경〗태환(兌換)의 준비 없이 발행한 지폐. 불환(不換) 지폐 따위를 이름.

무중[1] 명〈방〉무심중(無心中).

무:중[2]【霧中】명 ①안개가 낀 속. 안개 속. ②무슨 일에 대해, 알 길이 없음의 비유. ¶오리(五里)~.

무-중량【無重量】[—냥] 명 중량이 없음. 또, 중량을 느끼지 못함. ¶~감(感).

무중량 상태【無重量狀態】[—냥—] 명〖물〗무중력 상태.

무-중력【無重力】[—녁] 명 중력이 없음.

무중력 상태【無重力狀態】[—녁—] 명〖물〗궤도에 오른 우주선 등에서 체험하는, 무게를 느끼지 않는 상태. 중력의 작용만으로 운동할 때는 우주선과 그 속의 물체가 함께 같은 가속도로 움직이기 때문에 생기며, 외부의 중력장(重力場) 자체가 없어지는 것은 아님. 지상(地上) 부근에서는 로켓에 의한 탄도 비행, 비행기의 타성(惰性) 비행 등으로 수십 초간 실현할 수 있음. 무중량 상태. *우주 유영(宇宙遊泳).

무중력 의학【無重力醫學】[—녁—] 명〖의〗우주 의학에서, 무중력 상태에서 생기는 여러 가지 의학적인 문제를 다루는 부문.

무:중-봉【霧中峰】명〖지〗평안 북도 후창군(厚昌郡) 후창면에 있는 산. 낭림 산맥(狼林山脈) 중에 솟아 있는 고산의 하나. [1,430 m]

무:중 부표【霧中浮標】명〔해〕안개나 비 따위로 앞이 잘 보이지 않을 때 함선(艦船)의 고물에 달아 물에 띄워서, 뒤에 따라오는 함선의 목표가 되게 하는 부표.
무중 생유【無中生有】명 ①우주 만물은 무(無)에서 생겨남. ②억지로 사단(事端)을 만들어 냄.
무:중 신:호【霧中信號】명 안개가 끼거나 눈이 오거나 하여 앞을 내다보지 못할 때, 배의 사고를 피하기 위하여 배가 서로 그 위치나 행동을 알리고, 또 등대·등선(燈船) 등이 그 위치를 알리기 위하여, 발하는 음향 신호. 연무 신호(煙霧信號).
무중우 명〈방〉잠방이(전남).
무:중 호:각【霧中號角】명 무중 신호기(霧中信號器)의 하나. 기력(汽力)을 쓰지 아니하고, 풀무와 같은 장치로써 나팔을 단 호각의 소리를 냄.
무즉-하다 형〈방〉무직하다.
무:-즙【一汁】명 무강즙.
무증【無增】명 ↗무상 증자(無償增資). ↔ 유증(有增).
무-증거【無證據】명 증거가 없음.
무-증상【無症狀】명 아무런 증상이 없음. 병에 걸리고서도 자각 증상이 없음.
무증상 감:염【無症狀感染】명〔의〕잠복(潛伏) 감염.
무지¹ 명 완전하게 한 섬이 못 되는 곡식.
무지² 명〈옛〉무리. ¶여ㅇ 벗 지으며 가히와 무지 지어(狐朋狗黨)《老乞 下 44》.
무:지³【拇指】명 엄지손가락.
무지⁴【無地】명 전체가 한 빛깔로 무늬가 없음. 또, 그 물건. 무문(無紋). ¶～의 양복감.
무지⁵【無知】㊀명 ①지식이 없음. 아는 것이 없음. ¶～ 몽매. ②어리석음. ③하는 짓이 우악함. ㊁부〔↗무지하게〕〈속〉놀랄 만큼 대단하게. ¶～ 많다. ──-하다 형여불 ①지식이 없다. 아는 것이 없다. ②어리석다. ③하는 짓이 우악하다. ④놀랄 만큼 대단하다. ¶무지하게 빠르다.
무지⁶【無智】명 꾀가 없음. 지혜가 없음. ──-하다 형여불
무-지각【無知覺】명 지각이 없음. ──-하다 형여불
【무지각이 상팔자】무식한 편이 오히려 마음이 편하고 행복하다는 말.
무지개 명 대기(大氣) 중에 떠 있는 물방울에 햇빛이 굴절 반사되어서, 태양의 반대 방향에 반원형(半圓形)으로 길게 뻗쳐 나타나는 일곱 가지 빛의 줄. 흔히, 비가 온 뒤에 일어나는 현상인데, 보통 바깥쪽으로부터 빨강·주황·노랑·초록·파랑·남·보라의 순(順)임. 천궁(天弓). 체동(螮蝀). 채홍(彩虹). 홍예(虹霓·虹蜺).
무지개-납작잎벌〔-닙-〕명〔충〕[*Neurotoma iridescens*] 납작잎벌과에 속하는 곤충. 암컷은 몸길이 11mm 내외이고 머리와 가슴은 흑색, 배는 흑람색, 촉각은 기부의 2절은 황색, 편절의 아래쪽은 암갈색, 그 위쪽은 흑갈색임. 유충은 벚나무의 해충임. 한국·일본·시베리아에 분포함. 앵화넓적잎벌.
무지개-놀래기 명〔어〕[*Stethojulis kalosoma*] 양놀래깃과에 속하는 바닷물고기. 몸은 길이 15cm 가량의 방추형으로 체고(體高)는 낮고 주둥이는 뾰족함. 몸빛은 등 쪽이 담적갈색이고, 배 쪽은 담색이며 흑갈색 세로띠가 있음. 온대 및 연안성어(沿岸性魚)로서, 한국 남해와 일본·홍해 등지에 분포함.

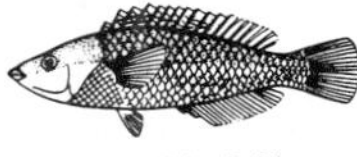
〈무지개놀래기〉

무지개-떡 명 각 층에 여러 가지 다른 빛깔을 넣어서 시루에 찐 떡.
무지개-무늬〔-니〕명〔고고학〕무지개 모양으로 크고 작은 여러 반원이 포개어져 이룬 무늬. 중호문(重弧文). 반동심원문(半同心圓文).
무지개-송어【-松魚】명〔어〕[*Salmo gairdnerii irideus*] 연어과의 민물고기. 몸길이 60cm, 길이가 15cm 가량 되면 몸의 옆쪽에 아름다운 적자색 세로띠가 나타남. 북미 서부 원산으로, 하천이나 호수에서 양식됨. 맛이 좋음.
무지갯-빛 명 무지개의 일곱 가지 빛깔.
무지게 명〈옛〉무지개. ¶곱션 무지게(虹橋)《齊諧物名考 天文類》.
무지근-하다 형여불 ①뒤가 잘 안 나와서 기분이 무겁다. ¶뒤가 ～. ②기분이나 머리가 띵하고 무엇에 눌리는 듯이 무겁다. ¶가슴이 ～. ㊇무직하다. 무지근-히 부
무지기¹ 명 치마 속에 입는 짤막한 통치마의 한 가지. 길이가 똑같지 아니하고, 짝을 채우지 아니한 기수(奇數)로 층을 이루어, 끝에 각가지 빛으로 물을 들이므로 다 입으면 무지개 빛을 이룸. 짝의 수(數)를 따라 삼합(三合) 무지기, 오합(五合) 무지기, 칠합(七合) 무지기의 이름이 있음. 부녀자들이 명절·잔치 그 밖의 예절을 차릴 때에 입음. 무족(無足).
무지기² 명〈방〉무지개(전라·경북).
무지끼 명 ←무족기(無足器).
무지다 타〈옛〉깎다. ¶父母ㅣ 굿 얼우려거늘 머리 무지고(父母欲嫁 強之不從遂剪髮)《三綱 烈女:李氏感燕》.
무지러-지다 자 ①물건의 끝이 닳거나 잘라져 없어지다. ¶무지러진 붓. ②중간이 끊어져 두 동강이 나다. >모지라지다.
무지렁-나무 명〈방〉교목(喬木).
무지렁이 명 ①헐었거나 무지러져서 못 쓰게 된 물건. ②어리석고도 무식한 사람을 가리키는 말. ¶시골의 ～ 부모들은 예술이란 걸 도대체 무시하니까《金承鈺:내가 훔친 여름》.
무지레기 명〈방〉무지렁이❷.
무지르다 타르불 ①물건의 한 부분을 잘라 버리다. ②중간을 끊어 두 동강을 내다.
무지륵-하다 형〈방〉무지근하다.
무지-막지【無知莫知】명 매우 무지하고 우악스러움. ¶～한 놈. ──-하다 형여불
무지막지-스럽다【無知莫知一】형ㅂ불 무지막지하게 보이다. 무지막지-스레【無知莫知一】부
무지 망:작【無知妄作】명 워낙 무지하여 마구 덤벙거림. ──-하다 자여불
무지 몰각【無知沒覺】명 무지하여 깨달음이 없음. 지각이 없음. ㊇몰각(沒覺). ──-하다 형여불
무지 몽매【無知蒙昧】명 지식이 없고 사리에 어두움. ──-하다 형여불
무지-무지【無知無知】부〈속〉①엄청나게. 놀랄 정도로 대단하게. ¶～ 짜다. ②매우 우악스럽게. ──-하다 형여불 ①엄청나다. 놀랄 정도로 대단하다. ¶무지무지하게 큰 힘 / 무지무지하게 많은 사람. ②매우 우악스럽다. ¶무지무지한 생김새.
무지 문맹【無知文盲】명 재지(才智)와 학문이 없음. 어리석어 글을 읽지 못함. 또, 그 사람. ──-하다 형여불
무지-스럽다【無知一】형ㅂ불 무지하게 보이다. 무지-스레【無知一】부
무지시 요법【無指示療法】〔-뻡〕명〔nondirective therapy〕〔심〕정신 요법의 하나. 환자로 하여금 스스로 올바른 치료 태도를 발견케 하여, 환자의 힘을 유도하는 방법.
무지의 지【無知一知】〔-/-에-〕명〔철〕자기의 무지를 스스로 깨닫는 지(知). 곧, 무지에 대한 자각(自覺). 그리스의 소크라테스가 강조하였음.
무지-자【無知者】명 무지한(無知漢).
무지정 신:탁【無指定信託】명 임의 신탁.
무:-지짐이 명 무에다 젓국·파·고기 같은 것을 넣고 국물이 조금 많고 덜 짜게 끓인 반찬. 청전(菁煎).
무지카 다 카메라〔이 musica da camera〕명〔악〕실내악(室內樂).
무지카 아라비아타〔이 musica arabiata〕명〔악〕희극 음악(喜劇音樂).
무지크〔러 muzhik, 프 moujik〕명〔역〕러시아 제정 시대의 농민(農民).
무지-한【無知漢】명 아주 무식하고 우악스러운 사람. 무지자(無知者).
무지향성 무선 표지【無指向性無線標識】〔-썽-〕명〔non-directional range beacon; 약칭 NDB〕200-1,750킬로 헤르츠의 중파대(中波帶)를 사방으로 고르게 발사하는 호밍 비컨(homing beacon). 연속음(連續音)의 AM 변조(變調) 전파와 30초(秒) 간격의 표지국(標識局) 식별 부호를 송신하여 항공기에 수신(受信)시킴. *호밍 비컨.
무지향성 시스템【無指向性一】〔system〕〔-썽-〕명 전후(前後)·좌우·상하의 각 방향으로 한결같이 소리가 나가는 스피커 시스템. 전(全)지향성 시스템.
무직【無職】명 일정한 직업이 없음. 무직업(無職業). ↔유직.
무:직-산【霧織山】명〔지〕평안 남도 양덕군(陽德郡) 대륜면(大倫面)에 있는 산. [1,206 m]
무-직업【無職業】명 직업이 없음. 무직(無職).
무직-이 부 무직하게.
무직-자【無職者】명 일정한 직업이 없는 사람. 무업자(無業者). ↔유직자.
무직-하다 형여불 ↗무지근하다.
무:진¹【戊辰】명〔민〕육십 갑자(六十甲子)의 다섯째.
[무진년(戊辰年) 글강 외듯] 말을 되풀이하여 곱씹는 것을 이름. [무진년(戊辰年) 팥방아 찧듯] 무진년에 흉년이 들었으되 팥만은 잘되어 집집이 팥만 찧어 먹은 데서, 빈번히 무엇을 찧는 일을 할 때에 이르는 말.
무:진²【武進】명〔지〕'창저우(常州)'의 옛이름.
무진³【無盡】㊀명 ①↗무궁 무진(無窮無盡). ②〔경〕'상호 신용계(相互信用契)'의 종전 이름. ㊁부 무진히. ¶～ 애썼다. ──-하다 형여불 ↗무궁 무진하다. ──-히 부
무진⁴【無瞋】명〔불교〕어떠한 일에 대해서도 성내지 않는 정신 작용. 유식(唯識)에서는 선(善)의 하나임.
무:진⁵【撫鎭】명 어루만지어 진정시킴. ──-하다 타여불
무진-동【一銅】명〔광〕황화철(黃化鐵)의 성분이 50% 이상인 구리.
무진-등【無盡燈】명〔불교〕불법(佛法). 한 사람의 법으로 백 사람·천 사람을 인도하여도 다함이 없음을, 한 등불로 백·천의 등불을 켜는 데 비유하여 이르는 말.
무:-진디 명〔충〕무진딧물.
무:-진딧물 명〔충〕[*Brevicoryne brassicae*] 진딧물과에 속하는 곤충. 몸길이 1.8-2mm, 날개 길이 9mm 정도이고, 몸빛은 암황록색 내지 짙은 녹색이며, 날개는 투명함. 단성 생식(單性生殖)을 하는데, 태생(胎生)의 암컷은 날개가 없고 둥글고 짧으며 몸빛은 황록색임. 무나 배추 등의 해충으로 '진딧물'을 형성함. 한 해에 10회 발생하고 알로 월동(越冬)함. 세계 각지에 분포함.

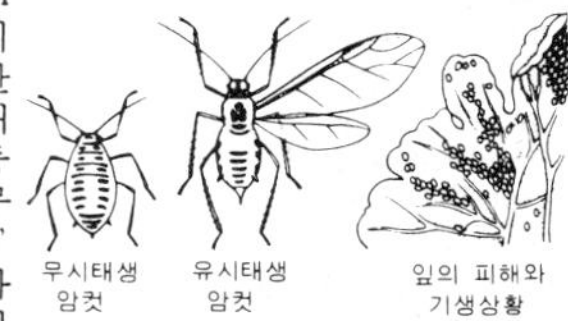

〈무진딧물〉

무진 무궁【無盡無窮】명 무궁 무진(無窮無盡). ──-하다 형여불
무-진사【無診査】명 생명 보험을 계약할 때, 피보험인의 건강 상태나 병력(病歷) 따위를 조사하지 아니하는 일. ↔진사(診査).
무진-업【無盡業】명 무진에 관한 영업(營業).
무진-장【無盡藏】㊀명 ①무한량(無限量)으로 많이 있음. ¶～한 지하자원(地下資源). ②〔불교〕덕(德)이 넓어 끝이 없음. 닦고 또 닦아도 다함이 없는 법의(法義). ㊁부 무한량으로 많이. ¶책을 ～ 사 모으다. ──-하다 형여불
무:진-주【武珍州】명〔역〕백제 때와 신라 신문왕(神文王) 때에 부르던 광주(光州)의 명칭(名稱). *무주(武州).
무진 회:사【無盡會社】명 무진업 영업이 허가된 기업체(企業的)인 금융 기관(金融機關). 지금은 '상호 신용 금고(相互信用金庫)'로 바뀜.
무질〔Musil, Robert von〕명〔사람〕오스트리아의 소설가. 분석적(分析的)이고 섬세한 필치로써 인간의 정신과 행위의 분열, 현실과 비현실과의 이중성(二重性)의 세계를 묘사함. 대표작에 미완성의 장편 《특성 없는 사나이》가 있음. [1880-1942]

무질다 형 무지러져 끝이 뭉뚝하다.
무질러-지다 자 〈방〉 무지러지다.
무질르다 타 ☞ 무지르다.
무질리다 피동 무지름을 당하다.
무-질서【無秩序】[—써] 명 질서가 없음. ——-하다 형여불
무질서 반:사【無秩序反射】[—써—] 명 〔incoordinated reflex〕〖생〗 척추 동물에 나타나는 중추 신경계의 병적 상태. 특히, 척수의 흥분이 과도하게 항진(亢進)할 때, 가벼운 접촉 등 경미한 외적 자극에 의해 야기되는 전신(全身)의 골격근의 이상적(異常的)인 수축(收縮)을 이름.
무-질소【無窒素】[—쏘] 명 질소의 성분(成分)이 없음. ¶ ~ 화합물.
무집[1]【無執】명〖불교〗집착(執着)하지 않음. 무착(無着).
무:집[2]【霧集】명 사람들이 안개처럼 많이 모여듦. 운집(雲集).
무-집게 명 물건을 물리는 데 쓰는 연장.
무집배-국【無集配局】명 우편물의 집배 업무는 취급하지 않고, 오직 창구 업무만을 취급하는 우체국.
무-집수【無執手】명〖불교〗과거와 미래의 오근(五根)과, 현재에 있으면서도 감각하지 못하는 머리털·손톱·땅·물 따위. ↔ 유집수.
무ᄌᆞ 명 〈옛〉 털로 짠 직물. ¶ 무ᄌᆞ 모(毷), 무ᄌᆞ 갈(毼)≪字會 中 30≫.
무ᄌᆞᄆᆡ악ᄒᆞ다 자 무자맥질하다. ¶ 무ᄌᆞᄆᆡ악ᄒᆞ다(氽水)≪同文 上 8≫.
무ᄌᆞ미 명 〈옛〉 무자맥질. ¶ 무ᄌᆞ미 미(㴵)≪倭解 下 19≫.
무ᄌᆞ옷 명 〈옛〉 털로 짠 옷. 모직 옷. ¶ 무ᄌᆞ오ᄉᆞᆯ 니브며(拂毳衣)≪梵音集 21≫.
무ᄌᆞ의 명 〈옛〉 무자위. ¶ 무ᄌᆞ의(水車)≪才物譜 地譜≫.
무:-짠지 명 무를 통으로 짜게 절여서 담근 김치. 김장 때에 담가 이듬해 봄까지 먹음. 청함지(菁醎漬).
무쩍 부 있는 대로 한번에 죄다 몰아서. >모짝.
무쩍-무쩍 부 ①한쪽에서부터 죄다 차례대로 몰아서. ②조금씩 차차 개먹어 들어가는 모양. >모짝모짝.
무쩐-질 명 〈방〉 무꾸리질.
무:쪽-같다 형 〈속〉 사람의 생김새가 몹시 못나다. 흔히, 여자의 경우를 이름.
무:쪽-같이 [—가치] 부 무쪽같게. ¶ ~ 생기다.
무쭈리 명 〈방〉 물부리(경북).
무쭐:-하다 형 〈방〉 묵직하다(평안).
무:-찌개 명 무에 고기나 파를 넣고 간장·기름을 부어 한데 섞어서 밥에 찌었다가 끓인 반찬.
무-찌르다 타 르불 ①닥치는 대로 남김없이 막 죽이다. ②사정을 돌보지 않고 마구 쳐들어 가다.
무-찔리다 피동 무찌름을 당하다.
무차【無遮】명〖불교〗극히 관대(寬大)하여 막히는 것이 없음.
무차단 전:력【無遮斷電力】[—절—] 명 〔no-break power〕〖전〗일차 전력 계통의 고장 발생 시간부터 보조 전력을 사용 개시하는 시간까지의 사이에, 부하의 요구를 만족시킬 수 있도록 설계된 전원 시스템.
무차 대:회【無遮大會】명〖불교〗성범(聖凡)·도속(道俗)·귀천(貴賤)·상하(上下)의 구별없이 일체 평등으로 재시(財施)와 법시(法施)를 행하는 대법회(大法會). 준무차회(無遮會).
무-차별【無差別】명 ①차별이 없음. ¶ ~ 사격. ②〔도 Indifferenz〕〖철〗주관과 객관, 관념과 실재(實在) 등이 아직 차별되지 아니한 상태. 독일의 철학자 셸링(Schelling)이 쓴 말임. ——-하다 형여불
무차별 곡선【無差別曲線】명 〔indifference curve〕〖경〗몇 가지의 재화(財貨)에 관하여, 소비자에게 있어 효용(效用)이 같은 수량상의 조합(組合)을 나타낸 곡선. 따라서 이 곡선상의 점(點)에서의 수량의 조합이 실현되면 어느 조합이나 차별이 없음.
무차별-급【無差別級】[—끕] 명 유도의 체중별 급(級)의 하나. 체중의 경중에 관계없이 출전이 가능함.
무차별의 법칙【無差別—法則】[—/—에—] 명〖경〗일물 일가(一物一價)의 법칙.
무차별 폭격【無差別爆擊】명〖군〗군사적 목표물과 비군사 목표물과를 구별하지 않는 폭격. 국제법으로 금지되어 있음.
무차-회【無遮會】명〖불교〗↗무차 대회(無遮大會).
무착[1]【無着】명〖불교〗집착(執着)이 없음. 무집(無執).
무착[2]【無着】명〖사람〗인도의 불교론자. 법명은 아승가(阿僧伽: 범 Asànga). 간다라(Gandhara) 사람. 미륵(彌勒)에게 대승 공관(大乘空觀)을 받아, 소승(小乘)에서 대승으로 전향, 유식론(唯識論)을 조직화하였음. 저서 ≪순중론(順中論)≫·≪현양 성교론(顯揚聖教論)≫·≪섭대승론(攝大乘論)≫ 등. [310?-390?]
무-착륙【無着陸】[—뉵] 명 항공기 등이 목적지에 닿기까지 도중에서 한번도 착륙하지 아니함. 논스톱(nonstop). ¶ ~ 비행. ——-하다 자여불
무착륙 비행【無着陸飛行】[—뉵—] 명 계속 비행.
무찰【無札】명 차표나 입장권 등의 표를 갖지 않음.
무참[1]【無慘】명 끔찍하고 참혹함. ¶ ~한 죽음. ——-하다 형여불. ——-히 부
무참[2]【無慚·無慙】명 말할 수 없이 부끄러움. ——-하다 형여불. ——-히 부
무:참[3]【誣譖】명 사실(事實)을 거짓 꾸미어 남을 참소함. ——-하다 타여불
무참괴-승【無慚愧僧】명〖불교〗계율을 깨뜨린 중. 파계승(破戒僧).
무참-스럽다[1]【無慘—】형 ㅂ불 보기에 무참하다. 무참-스레【無慘—】부
무참-스럽다[2]【無慚—】형 ㅂ불 매우 부끄럽다. 무참-스레【無慚—】부
무:창【武昌】명〖지〗①'우창'을 우리 음으로 읽은 이름. ②중국, 삼국(三國) 시대의 오(吳)나라 및 당(唐)나라 때에 현재의 우한 시(武漢市) 어청 현(鄂城縣)에 두었던 현명(縣名). *우한 삼진.
무:-채 명 채칼에 친 무. 가늘게 썬 무.
무-채색【無彩色】명 명도(明度)의 차이는 있으나 색상(色相)과 순도(純度)가 없는 색. 흰색·회색·검정색 등임. ↔유채색(有彩色).
무책【無策】명 아무 계책이 없음. ¶ 속수(束手) ~. ——-하다 형여불
무-책임【無責任】명 ①책임이 없음. ②책임 관념이 없음. ¶ ~한 사람. ——-하다 형여불
무책임-성【無責任性】[—썽] 명 무책임한 성질. 무책임한 성품.
무책임 행위【無責任行爲】명 무책임한 행위.
무처 가:고【無處可考】명 상고(相考)하여 볼 만한 곳이 없음. 무타 가계(無他可稽). ——-하다 형여불
무처 부당【無處不當】명 당해 내지 못할 것이 없음. 곧, 무슨 일이든지 능히 감당할 만함. ——-하다 형여불
무:척[1]【舞尺】명〖역〗춤자이.
무척[2] 부 매우. 대단히. 다른 것보다 훨씬. ¶ ~ 어렵다/~ 기뻐하다.
무척-이나 부 예상 이상으로 무척.
무척추 동:물【無脊椎動物】명〖동〗[Invertebrata] 척추 동물에 대하여 척추 없는 동물의 총칭. 진화(進化) 정도가 매우 낮고 원시적이며 대개 하등 동물임. 원생(原生) 동물로부터 원색(原索) 동물까지의 동물문(門)이 이에 속함. 민등뼈 동물. ↔척추 동물(脊椎動物).
무:천[1]【舞天·儛天】명〖역〗마한(馬韓)·예(濊) 때에 하늘에 지내던 제사. 제천(祭天) 의식(儀式)의 하나로, 농사를 마치고 10월에 택일하여 높은 산에서 밤낮으로 춤추고 노래하며 술을 마시고 즐겼음. *영고(迎鼓).
무:천[2]【蕪淺】명 학식(學識)이 얕음. ——-하다 형여불
무:천 매:귀【貿賤賣貴】명 싼 값으로 사서 비싼 값으로 팖. ——-하다 타여불
무:철-계【貿鐵契】명〖역〗선철(銑鐵)을 공물로 바치던 계.
무-첨가【無添加】명 어떤 것 속에 첨가물을 가하지 않는 일. ¶ ~ 식품/~ 가솔린.
무:-청[1] 명 무의 잎과 줄기. *뭇줄거리.
무:청[2]【蕪菁】명〖식〗순무[1].
무체【無體】명 ①몸뚱이가 없음. ②무형(無形).
무체-물【無體物】명 ①형체를 갖추어 있지 않고, 다만 관념으로만 이해할 수 있는 물건. ②〖법〗음향(音響)·향기(香氣)·전기·빛·열(熱) 등과 같이 유형적 존재(有形的存在)를 갖지 아니한 것. ↔유체물(有體物).
무체 물권【無體物權】[—꿘] 명〖법〗무체 재산권(無體財産權).
무체법-경【無體法經】명〖천도교〗제3세 교주 손의암(孫義庵)이 지은 천도교의 경전(經典).
무체 재산【無體財産】명〖법〗재산으로서의 무형의 이익을 내용으로 하는 지능적 창작물(智能的創作物).
무체 재산권【無體財産權】[—꿘] 명〖법〗발명(發明)·고안(考案)·저작(著作) 등과 같은 형체 없는 지능적 창작물(智能的創作物)에 관한 이익을 독점적(獨占的)·배타적(排他的)으로 지배할 수 있는 권리. 곧, 상표권(商標權)·실용 신안권(實用新案權)·저작권(著作權)·전매 특허권(專賣特許權) 등이 이에 속함. 무체물권(無體物權). 지적 재산권.
무:초[1]【貿草】명 장사하기 위하여 담배를 많이 사들임. ——-하다 자여불
무:초[2]【蕪草】명 ①엉클어져 거칠게 난 풀. 잡초(雜草). ②자기가 쓴 초고(草稿)의 겸칭.
무촉-전【無鏃箭】명 사구(射毬)에 쓰는 살. 살촉이 없고, 살대의 끝을 솜과 무명 헝겊으로 둥글게 싸서 잡아맨 것인데, 말을 타고 달리면서 활로 쏨.
무:추[1]【毋追】명〖역〗중국 하(夏)나라 때의 관(冠).
무:추[2]【舞錐】명〖공〗활비비.

〈무촉전〉 〈무추[1]〉

무축-농【無畜農】명 ↗무축 농가.
무축 농가【無畜農家】명 가축을 기르지 않는 농가. 준무축농.
무축 단헌【無祝單獻】명 제사 지낼 때에 축문(祝文)을 읽지 아니하고 술을 한 잔만 올리는 일. ——-하다 자여불
무춤 부 무르춤한 태도로. ¶ 가다가 ~ 서더니 뒤돌아본다.
무춤-거리다 자 놀라거나 열적어서 자꾸 무춤하다. ¶ 늦게 아침밥을 먹고도 다시 한동안 ~가 선이 내외를 작별하고…≪洪命熹: 林巨正≫.
무춤-무춤 부 연해 무춤하는 꼴. ¶ ~하고 잘 일어서지 않다. ——-하다 자여불
무춤-대다 자 무춤거리다.
무춤-하다 자여불 ↗무르춤하다. ¶ 깜짝들 놀라며 무춤한 순간이었다≪吳有權: 방앗골 혁명≫.
무충전 채:굴법【無充塡採掘法】[—뻡] 명 〔open-stope method〕〖광〗인공적인 지주(支柱)를 사용하지 않는 채광법(採鑛法). 무너지기 쉬운 곳에는 더러 지주를 사용하는 경우도 있음.
무취【無臭】명 냄새가 없음. ¶ 무미(無味) ~. ——-하다 형여불
무-취미【無趣味】명 몰취미(沒趣味). ¶ ~한 사람. ——-하다 형여불
무:-측천【武則天】명〖사람〗측천 무후(則天武后).
무치[1]【牡痔】명〖의〗수치질. 모치(牡痔).
무치[2]【無恥】명 부끄러움이 없음. ¶ 후안(厚顔) ~. ——-하다 형여불
무치다 타 나물에 여러 가지 양념을 섞어 버무리다. ¶ 시금치를 ~.
무치-류【無齒類】명〖동〗'빈치목(貧齒目)'의 딴이름.
무침 명 채소나 말린 생선·해초 따위에 갖은 양념을 하여 무친 찬. ¶ 도라지 ~/북어 ~.
무침-류【無針類】[—뉴] 명〖동〗[Anopla] 유형(紐形) 동물의 한 강(綱). 구문(口吻)에 침이 없고 입이 뇌의 뒤쪽에 있는데, 연두끈벌레 따위가 이에 속함. ↔유침류(有針類). *유형 동물.
무칭-광【無稱光】명〖불교〗십이광(十二光)의 하나. 그 광명(光明)의 양(量)을 얼마라고 말할 수 없으므로 이르는 말.
무칭광-불【無稱光佛】명〖불교〗무칭광(無稱光)의 덕(德)에 의하여 일컬어지는 '아미타불'의 이칭.
무커리 명 〈방〉 미투리(평안).
무코 다당류【—多糖類】[—뉴] 명 〔mucopolysaccaride〕〖화〗〔'무코'는 라틴어로 점액(粘液)의 뜻인 mucus에서 유래〕 아미노당(糖)을 구성 성분으로 하는 다당류의 총칭. 히알루론산(hyaluronic acid)·콘드로이틴 황산(chondroitin sulfuric acid)·헤파린(heparin)·키틴(chitin) 따위. 단당류(單糖類) 또는 이당류(二糖類)가 중합한 구조로 됨.

무코주스 중이염【一中耳炎】명〔Mucosus otitis〕『의』점액성 연쇄상구균 또는 점액성 폐렴균에 의하여 일어난다고 하는 급성 화농성 중이염.

무쿠리 명〈방〉미투리(평안).

무크〔mook〕명〔magazine+book의 합성어〕단행본(單行本)인지 잡지(雜誌)인지 구별이 불확실한 출판물의 일종. 잡지의 별책·카탈로그류(類)가 이에 속하는데, 총서(叢書)나 딱딱한 학술적 내용을 잡지 형태로 발행하는 경우를 이를 때도 있음.

무타【無他】명 다른 까닭이 아님. 다른 까닭이 없음.

무타 가:계【無他可稽】명 무처 가고(無處可考). ——-하다 형여불

무타나비〔Mutanabbi, al-〕명『사람』아랍의 시인. 이라크 태생. 시리아 각지를 방랑하며 알레포(Aleppo)·이집트 등의 궁정에서 서정시를 읊었음. 티그리스 강변에서 도둑에게 살해됨. [915-965]

무타레〔Mutare〕명『지』짐바브웨(Zimbabwe)의 북동부에 있는 도시. 모잠비크(Mozambique)와의 국경 가까이에 있으며, 금·구리·납·텅스텐 등을 산출함. 광산 지대의 상업 중심지로, 알코올 제조·식품 가공 등도 행해짐. 1899년 철도 개통에 의하여 발전했음. 구칭은 움탈리(Umtali). [70,000명(1982)]

무탈【無頉】명 ①아무 탈이 없음. ¶어린애가 ~하게 잘 자라다. ②까다롭거나 스스럼이 없음. ¶그와는 서로 ~한 사이다 / 제안은 그래도 ~하게 동궁 동궁 하면서 웃어 가며 연산 하자는대로 바보같이 놀았다《朴鍾和 : 錦衫의 피》. ③탈을 잡힐 데가 없음. ¶~한 행위. ——-하다 형여불

무:태¹【武泰】명『역』궁예(弓裔)가 사용한 연호(年號). 궁예가 904년(효공왕 8) 송악(松岳), 곧 지금의 개성에서 마진국(摩震國)을 세우고 제정한 연호로 905년 7월까지 사용했음.

무:태²【舞態】명 춤추는 자태.

무태-상어 명『어』[*Carcharhinus brachyurus*] 참상어과에 속하는 바닷물고기. 상어 무리에서 가장 큰 물고기로서, 체중이 130kg 이상임. 제1 등지느러미와 뒷지느러미는 대재(對在)하는데, 제2 등지느러미는 뒷지느러미보다 작고, 주둥이의 길이는 보통이며 조금 뾰족하고 이는 톱니임. 한국 남부해·대만·뉴질랜드·오스트레일리아에 분포함. 지느러미는 고급 중국 요리의 재료가 됨.

무태-장어【一長魚】명『어』[*Anguilla marmorata*] 참장어과에 속하는 장어. 뱀장어와 비슷하나 대형어로 전신에 작은 흑점이 산재하며 지방이 풍부함. 난류를 따라 제주도와 일본 규슈(九州) 남단 및 그 남부의 못에 서식함. 원산지는 인도 및 말레이 반도인데 한국에서는 천연 기념물로 지정되었음.

무:택-산【武宅山】명『지』우자이 산.

무터¹〔도 Mutter〕명 어머니.

무터²〔Mutter, Anne-Sophie〕명『사람』스위스 태생의 여류 바이올리니스트. 1970년 나이 여섯 살 때 당시 서독의 청소년 음악 콩쿠르에서 우승, 주목을 받음. 1977년 잘츠부르크 음악제에서 카라얀의 지휘로 베를린 필과 협연함. 아름답고 풍부한 음색으로 인기가 높음. [1963-]

무턱 명 아무 까닭이나 거리가 없음.

무턱-대고 부 아무 까닭이나 거리가 없이. 덮어놓고. ¶~ 덤비다.

무텅이 명 거친 땅에 논밭을 일구어서 곡식을 심는 일.

무-테【無一】명 테가 없음.

무테 안:경【無一眼鏡】명 테가 없는 안경.

무텟다 피동〈옛〉묻혀 있다. 묻혔다. ¶짜해 무텟던 보비 절로 나며「《月釋 Ⅱ:45》.

무토 궁방전【無土宮房田】명『역』조선 시대 후기에, 각 궁방이 도장(導掌)을 파견하여 직접 수조(收租)하는 권리만 보유한 궁방전. ↔유토(有土) 궁방전.

무토기 문화【無土器文化】명〔non-ceramic culture〕『역』석기(石器)가 유일한 도구이며, 아직 토기의 제법·사용을 모르던 극히 오랜 문화 단계. 대개 구석기(舊石器)·중석기(中石器) 시대에 상당하는 문화. 미국 원주민의 고대 문화가 그 예임.

무토 면:세【無土免稅】명『역』조선 시대에, 호조(戶曹)에서 거두어 들일 결세(結稅)를 궁방(宮房)이나 관아(官衙)에 끊어 주거나 또는 베어주던 일. ——-하다 자여불

무통【無痛】명 아픔이 없음. 아프지 아니함.

무통 분만【無痛分娩】명〔painless labor〕『의』출산(出産)할 때, 진통(陣痛)의 괴로움을 완화시켜 쉽게 분만하는 일. 마취제(痲醉劑)를 사용하는 법과, 파블로프(Pavlov)의 조건 반사 학설(條件反射學說)에 의거하여, 진통이 생리적 현상이 아니라 심리적 현상임을 산부(産婦)에게 확신시킴으로써 고통을 덜게 하는 법의 두 가지가 있음.

무통성 심근 경색【無痛性心筋梗塞】[一썽一] 명『의』가슴의 통증을 느끼지 않는 심근 경색. 고령자일수록 발증하기 쉬우며 치료도 더딤. ＊심근 경색.

무-통제【無統制】명 통제가 되어 있지 않음. 또, 그 모양. 「여불

무퇴¹【無退】명 물러남이 없음. 후퇴함이 없음. ¶임전 ~. ——-하다 형

무:퇴²【舞退】명『역』궁중 춤에서, 정재(呈才) 때 앞으로 나아갔던 무원(舞員)이 족도(足蹈)하면서 뒤로 물러나오는 동작.

무투 명〈방〉나무(평안).

무-투표【無投票】명 투표함이 없음. 투표의 생략. ¶~ 당선(當選).

무투표 당선【無投票當選】명 선거에서 경쟁자가 없을 경우, 투표하는 일 없이 그 사람이 당선되는 일. ——-하다 자여불

무툴-세:다 자〈방〉노하다.

무튀 명〈방〉나무(함경).

무트〔Mut〕명 고대 이집트의 여신. 주신(主神) 아몬(Amon)의 아내로, 독수리의 모습으로 표현됨.

무트로 부 한목에 많이. ¶조금씩 가져가지 말고 ~ 가져가거라.

무:-트림 명 날무를 먹은 뒤에 나는, 냄새가 고약한 트림. ——-하다 자여불

무티¹ 명〈심마니〉젓가락.

무티²〔Muti, Riccardo〕명『사람』이탈리아의 지휘자. 나폴리 태생. 나폴리 음악 학원에서 피아노를 배우고, 밀라노 음악원에서 작곡과 지휘를 공부함. 1967년 구이도 칸텔리 국제 콩쿠르에서 1위를 차지, 영국의 필하모니아 관현악단 수석 지휘자를 거쳐 80년 필라델피아 관현악단의 음악 감독이 됨. 생동감 넘치는 상쾌한 연주로 이름이 남. [1941-]

무티다 피동〈옛〉묻히다. ¶드틀 무틸써《釋譜 XIII:38》.

무파【無派】명 어느 당파에도 속하지 아니함. ¶무당(無黨) ~.

무:판【貿販】명 푸주를 냄. 쇠고기나 돼지고기를 파는 가게를 냄. ——-하다 자여불

무판-류【無板類】[一뉴] 명『동』[Aplacophora] 쌍신경류(雙神經類)에 속하는 연체(軟體) 동물의 한 목(目). 몸은 외투막(外套膜)에 의하여 모두 싸이고 껍질이 없음. 발은 없고 대개 복구(腹溝)를 이루어 섬모(纖毛)를 갖추었음. ↔유판류(有板類).

무:판 별장【貿販別將】[一짱] 명『역』무역 별장(貿易別將).

무판-화【無瓣花】명『식』화관(花冠)과 안쪽 꽃덕이 없는 꽃. ＊무피화(無被花).

무패【無敗】명 싸움에 한번도 지지 아니함. ¶전승(全勝) ~.

무편¹【無片】명 ↗무편삼(無片蔘).

무편²【無偏】명 한쪽으로 치우침이 없음. 공평함. ¶~ 무당(無黨). ——-하다 형여불

무편-거리【無片一】명『한의』무편으로 된 약재(藥材).

무편-달이【無片一】명『한의』달아서 편으로 지을 수 없는 인삼.

무편 무당【無偏無黨】명 불편 부당(不偏不黨). ——-하다 자여불

무편-삼【無片蔘】명 열엿 냥 한 근에, 뿌리 백 개 이상이 달리는 아주 작은 인삼. ㊀무편(無片).

무폐¹【無弊】명 아무 폐단이 없음. ——-하다 형여불

무:폐²【無廢】명 땅을 버려 두어 덩거칠. 무예(蕪穢). ——-하다 형여불

무:포¹【巫布】명『역』무당으로부터 조세로 받아들이던 포목.

무:포²【霧砲】명 무중 신호(霧中信號)의 하나. 공포(空砲)를 쏘아, 안개 속에서 항로를 구별 못하는 선박에 등대의 위치를 알리는 포(砲).

무:포-산【舞抱山】명『지』경상 북도 청송군(靑松郡)에 있는 산. 태백산맥 남단에 솟아 있는 산의 하나. [717m]

무포자 생식【無胞子生殖】명〔apospory〕『식』포자 이외의 체세포(體細胞)가 발육하여 배우체(配偶體)가 생기는 현상. 양치(羊齒) 식물에서 흔히 볼 수 있음.

무-폭력【無暴力】[一녁] 명 폭력을 쓰는 일이 없음.

무-표정【無表情】명 아무 표정이 없음. 지은 표정에 아무 변함이 없음. 무감정(無感情). ¶~한 얼굴. ——-하다 형여불

무풍【無風】명 ①바람이 없음. ②『기상』연기가 곧바로 올라가는 기류(氣流). ③다른 곳의 재난(災難)이나 번거로움이 미치지 아니하고 평온함. ¶~ 지대(地帶).

무풍-대【無風帶】명〔calm belt〕『지』해양상(海洋上)에서 일 년 내내, 또는 계절에 따라서 바람이 거의 없고 공기가 침체되어 있는 지역. 적도(赤道) 부근과 회귀선(回歸線) 부근에 있는데, 적도 부근의 것을 적도 무풍대, 위도(緯度) 30도 부근의 것을 온대 무풍대(溫帶無風帶)라 함. ＊회귀(回歸) 무풍대.

무풍 지대【無風地帶】명 ①바람이 불지 아니하는 지역. ②다른 곳에서 일어난 재난(災難)이 미치지 아니하여 평화롭고 안전한 곳.

무피-화【無被花】명『식』화피(花被)와 꽃받침이 없는 꽃. 나자(裸子) 식물은 대개 이에 속함. 나화(裸花). 무화피화(無花被花). 민덮개꽃. ↔유피화(有被花). ＊단피화(單被花).

무:필【舞筆】명 붓을 마음대로 놀려, 사실을 왜곡(歪曲)하여 씀. 곡필(曲筆). ——-하다 타여불

무하【無瑕】명 조금도 흠이 없음. 조금도 티가 없음. ——-하다 형여불

무-하기【無下記】명 ①쓴 돈을 장부에 올리지 아니하는 일. ②쓰고 남는 돈을 치부하지 아니하고 사사로이 쓰는 일.

무:-하다¹【貿一】타여불 이익을 보고 팔려고 물건을 모개로 사들이다.

무-하다²【無一】형여불 없다.

무하마드〔Muhammad〕명『사람』'마호메트(Mahomet)'의 아라비아어 이름.

무-하유【無何有】명 ↗무하유지향(無何有之鄕).

무하유지-향【無何有之鄕】명〔《장자(莊子)》응제왕(應帝王)에 나오는 말〕아무 것도 없는, 적막하고 무변 무애(無邊無涯)의 세계. 허무 무위(虛無無爲)의 선경(仙境). ㊀무하유.

무하 지역【無河地域】명『지』내륙 유역(內陸流域) 가운데, 특히 건조가 심하여 강이 전혀 존재하지 아니하는 지역. 사막 지대에 많음.

무하지-증【無何之症】[一쯩] 명『한의』병명(病名)을 몰라서 고칠 수가 없는 병. 이름 모를 병.

무:학¹【武學】명 병법에 관한 학문. 병학(兵學).

무학²【無學】명 ①배운 것이 없음. 학식이 없음. 불학(不學). 비학(非學). ②〔범 aśaikṣa〕『불교』무학도(無學道). 1)·2):↔유학(有學).

무학³【無學】명『사람』고려 말 조선 시대초기의 고승(高僧). 속성은 박씨(朴氏). 이름은 자초(自超). 이 태조(李太祖)의 스승. 이 태조는 무학의 사상에 영향을 받은 바가 많았음. 법천사(法泉寺)·송광사(松廣寺) 등으로 돌아다니다가 회암사(檜巖寺)에 붙박여 지냈음. 한양(漢陽) 도읍의 유래로 유명함. 저서는 《인공음(印空吟)》 등. [1327-1405]

무학-과【無學果】명『불교』무학도(無學道).

무학년-제【無學年制】명『교』학년을 두지 아니하고 피교육자의 학업 성취 진도에 맞추어 교육하려는 제도. 미국에서 시도되고 있음.

무학-도¹【無學道】명『불교』삼도(三道)의 하나. 수행을 쌓고 진력해서 배워 얻은 최고의 지위. 구극적인 깨달음에 이르러, 더 배울 바가 없이 된 경지(境地)를 이름. 무학과(無學果). 무학(無學). ＊견도(見道).

무:학-도²【舞鶴島】명『지』전라 남도의 남해안, 고흥군(高興郡) 도양읍(道陽邑) 시산리(矢山里)에 있는 섬. [0.07km² : 7명(1984)]

무학 무식【無學無識】명 학문과 지식이 없음. 또, 그 모양. ——-하다 형여불

무학 문맹【無學文盲】명 배움이 없어 글을 읽지 못함. 또, 그 사람.

무:학-산【舞鶴山】명〖지〗평안 북도 강계군(江界郡) 곡하면(曲河面)에 있는 산. [1,085 m]

무학-자【無學者】명 학문이 없는 사람. 배우지 못한 사람.

무:학-재【武學齋】명〖역〗강예재(講藝齋).

무:학 칠서【武學七書】[—써] 명〖책〗무경 칠서(武經七書).

무:한[1]【武漢】명〖지〗'우한'을 우리 음으로 읽은 이름.

무한[2]【無限】㊀명 크기·넓이·시간(時間) 등에 한(限)이 없음. ¶ ~한 영광. ↔유한(有限). ㊁부 무한히. ¶그 공사는 ~ 힘들었다. ——하다 형여불. ——히 부

무한 가락【無限—】명〖악〗일반적으로 단락(段落)이 없이 무한히 계속되는 느낌의 가락. 특히 바그너의 악극에서 사용된, 단락감이 없는 가창(歌唱) 가락을 말함. 무한 선율(旋律).

무한-개【無限箇】명〖수〗대상이 되는 것의 집합(集合)의 원소(元素)의 개수(箇數)가 무한한 일.

무한-경【無限景】명 더 말할 수 없이 좋은 경치. 한없이 좋은 경치.

무한 공:포증【無限恐怖症】[—쯩] 명 〔apeirophobia〕〖심〗무한이나 무수(無數)를 매우 무서워하는 병증.

무한 궤:도【無限軌道】명 〔caterpillar〕 차바퀴의 둘레에 긴 환상(環狀)으로 된 주철제(鑄鐵製)의 벨트(belt)를 걸어 놓은 장치. 차바퀴가 돌아가면 그에 따라서 벨트가 움직여서, 마치 무한히 깔아 놓은 벨트 궤도 위에 바퀴가 돌아가는 것과 같이 하여 차체를 진행시킴. 탱크나 트랙터(tractor) 등에 흔히 이용됨. 캐터필러.

무한 궤:도 차량【無限軌道車輛】명 〔tracklaying vehicle〕 차체 양측에 달린 두 개의 무한 궤도 위를 달리는 차량. 장갑차·탱크 따위.

무한 급수【無限級數】명 〔infinite series〕〖수〗무한히 많은 항(項)으로 이루어지는 급수. 가령 무한 수열(無限數列) $[a_n]$에 대하여, $a_1+a_2+\cdots\cdots+a_n+\cdots\cdots$ (또는 $\sum_{n=1}^{\infty} a_n$)은 $[a_n]$로부터 만들어지는 무한 급수임. 무궁(無窮) 급수. ↔유한 급수(有限級數).

무한-꽃차례【無限—】명〖식〗꽃의 형성이나 개화(開花)의 순서가 아래에서부터 위로, 가장자리에서부터 가운데로 차차 피어 나가는 꽃차례. 수상(穗狀)꽃차례·총상(總狀)꽃차례·두상(頭狀)꽃차례·산형(繖形)꽃차례 등이 이에 속함. 무한 화서(無限花序). ↔유한꽃차례.

무-한년【無限年】명 햇수에 제한이 없음. 무기한. ——하다 형여불

무한-대【無限大】명 ①한없이 큼. ¶ ~로 뻗다. ②〔infinity〕〖수〗얼마 만큼이라도 큰 절대값을 취할 수 있는 변수(變數). 변수 'x'가 양(陽) 또는 음(陰)으로서 그 역수(逆數)가 '0'에 한없이 가까워질 때, 이 변수는 양 또는 음의 무한대가 된다고 하며, 기호 '$x\to\infty$' 또는 '$x\to-\infty$'로 표시함. 1)·2):↔무한소(無限小). ——하다 형여불

무한 등:비 급수【無限等比級數】명 〔infinite geometric series〕〖수〗항이 한없이 계속되는 등비 급수. '$a+ar+ar^2+\cdots\cdots+ar^{n-2}+ar^{n-1}\cdots\cdots$'의 식에서 초항(初項)은 a, 공비(公比)는 r이며, 합(合)을 S라고 하면, 1>r>−1일 때 다음의 식이 성립됨. $S=a/1-r$.

무한 등:비 수:열【無限等比數列】명 〔infinite geometric sequence〕〖수〗항(項)이 무한히 계속되는 등비 수열.

무-한량【無限量】[—할—] 명 한량이 없음. 무량(無量). ——하다 형여불

무한-련【無限蓮】[—할—] 명〖식〗양아욱.

무한 보증【無限保證】명〖법〗보증인이 부담하는 채무액(債務額)의 한도에 대하여, 별도(別途)의 규정이 없이 직접적으로 완제(完濟)할 책임을 가지는 보증. 보증인이 주채무(主債務), 즉 원금(元金) 이외에도 이자(利子)·위약금(違約金)·손해 배상 등을 포함한 원액에 대하여 이행(履行)의 책임을 가지는 보증임.

무:한 삼진【武漢三鎭】명〖지〗'우한 삼진'을 우리 음으로 읽은 이름.

무한 선율【無限旋律】명〖악〗무한 가락.

무한-소【無限小】명 ①더할 수 없이 작음. ②〔infinitesimal〕〖수〗극한 값이 '0'이 되는 경우와 같은 변수(變數). 곧, 변수 'x'의 절대값이 어떠한 양수(陽數)보다도 무한히 작아질 때 'x'는 무한소라 하며, 기호 '$x\to0$'로 표시함. 1)·2):↔무한대(無限大). ——하다 형여불

무한 소:수【無限小數】명 〔infinite desimals〕〖수〗소수점(小數點) 이하가 한없이 계속되는 소수. 원주율(圓周率)·순환 소수(循環小數) 같은 것. 무궁 소수. 부진수(不盡數). ↔유한 소수.

무한 수:열【無限數列】명 〔infinite sequence〕〖수〗항(項)이 한없이 계속되는 수열. ↔유한(有限) 수열.

무한 승적【無限乘積】명〖수〗무한 수열(無限數列)의 모든 항(項)의 곱.

무한 신력【無限神力】[—실—] 명 무한한 신의 능력.

무한-원【無限遠】명 렌즈의 초점 따위가 한없이 멂. 또, 그런 거리.

무한 원:점【無限遠點】[—쩜] 명 〔point at infinity〕〖수〗무한히 먼 곳에 있다고 생각한 점(點). 곧, 평행선도 무한한 저쪽에서는 교차한다고 생각하고, 이때의 그 교차점을 말함. 또, 복소 평면상(複素平面上)의 0에 대응(對應)하는 점에서 출발하는 직선은 모두 무한히 먼 곳의 일정한 곳에서 교차한다고 생각하고 그 교차점을 말함.

무한원 직선【無限遠直線】명 〔line at infinity〕〖수〗사영 기하학(射影幾何學)에서, 무한히 먼 곳에 있다고 생각되는 직선.

무한적 판단【無限的判斷】명〖논〗부정 판단.

무-한정【無限定】㊀명 한정이 없음. ㊁부 한정 없이. ¶ ~ 기다릴 수만은 없소. ——하다 형여불

무:한 정부【武漢政府】명〖역〗우한 정부.

무한-제【無限際】명 한(限)이 없음. 끝없음. 무제(無際). ——하다 형여불

무한-증【無汗症】[—쯩] 명 〔anidrosis〕 발한(發汗)이 감소하든가 아주 없어진 상태의 병증. 신경성 내분비 장애·피부 질환 등이 원인임.

무한 직선【無限直線】명〖수〗정반대의 두 방향으로 한없이 뻗는 하나의 직선의 전체. 전직선(全直線).

무한 집합【無限集合】명〖수〗원소(元素)의 수가 무한인 경우의 집합. 자연수 전체의 집합, 유리수(有理數) 전체의 집합 따위가 그 예임.

무한 책임【無限責任】명〖법〗회사의 채무(債務)에 대하여, 회사의 재산 외에 자기의 전(全)재산까지 포함하여 완제(完濟)하여야 하는 책임.

무한 책임 사원【無限責任社員】명〖법〗회사의 채무(債務)에 관한 회사 채권자에 대하여 연대(連帶)하여서 무한 책임을 부담하는 사원. 합명 회사의 전부 및 합자 회사 사원의 일부가 이에 해당함. ↔유한 책임 사원(有限責任社員).

무한 초점 렌즈【無限焦點—】[—쩜—] 명 〔afocal lens〕〖광학〗전혀 집광력(集光力)이 없는, 무한원(無限遠)에 초점이 있는 렌즈.

무한 판단【無限判斷】명 〔infinite judgment〕〖논〗논리학에 있어서, '갑(甲)은 을이 아니다'의 형식으로 나타나는 부정적(否定的) 판단.

무한 화서【無限花序】명〖식〗무한꽃차례. ↔유한 화서(有限花序).

무한 후:퇴【無限後退】명 〔라 regressus in infinitum〕〖논〗어떤 일의 원인 또는 조건(條件)을 추구(追求)하여 한없이 거슬러 올라가는 일.

무:함【誣陷】명 없는 사실을 거짓 꾸미어서, 남을 어려운 구렁에 빠지게 함. ——하다 타여불

무-항산【無恒産】명 일정한 재산 또는 생업(生業)이 없음. ——하다 형여불

무-항심【無恒心】명 정하여 놓고 마음을 쓰는 데가 없음. ——하다 형여불

무:항지-악【無恒之樂】명〖악〗임금이 종친(宗親)과 대장(大將) 이하 군병(軍兵)에게 음식을 내릴 때 연주하던 내취(內吹) 세악(細樂).

무해[1]【無害】명 해(害)가 없음. 해롭지 아니함. ↔유해(有害). ——하다 형여불

무:해[2]【霧海】명 안개가 짙게 자욱이 낀 모양을 바다에 비유한 말.

무해 무독【無害無毒】명 해도 없고 독도 없음. ——하다 형여불

무해 무득【無害無得】명 해로울 것도 없고 이로울 것도 없음. 손해도 이익도 없음. 무득 무실(無得無實). ——하다 형여불

무해 통항【無害通航】명 외국의 배가 어떤 나라의 평화·질서·안전을 해치지 않고, 단순히 그 나라의 영해(領海)를 통과하거나 항구에 출입하기 위하여 영해를 통항(通航)하는 일. *무해 항공.

무해 통항권【無害通航權】[—꿘] 명 국제법상 모든 국가의 상선(商船)에 허용되어 있는 무해 통항의 권리. 통과 통항권(通過通航權).

무해 항:공【無害航空】명 국제법 및 국내법의 제약상 일정한 범위내에서 인정되고 있는 항공의 자유. 항공기가 타국의 영공(領空)을 그 국가의 안전 질서를 해치는 일이 없이 통과하는 일. *무해 통항.

무행【無行】명〖불교〗①수업(修業)을 아니함. ②무공용(無功用)의 행(行).

무향-실【無響室】명 음장(音場) 측정이나 마이크로폰의 주파수 특성(周波數特性) 따위 음향을 측정하기 위하여 반향(反響)을 될수록 적게 한 방. 실외(室外)의 음향 및 진동과 완전히 차단되도록 하고 마루·천장·벽을 두꺼운 흡음재(吸音材)로 둘러쌈.

무허【無許】명 허가(許可)가 나 있지 않음. 무허가(無許可). ¶ ~ 채석장(採石場).

무-허가【無許可】명 허가가 없음. ¶ ~ 건축(建築).

무:현[1]【武絃】명〖악〗①가야(伽倻)고의 첫째 줄의 이름. *일청(一淸). ②거문고의 여섯째 줄의 이름. *문현(文絃). ③향비파의 첫째 줄의 이름. *청현(淸絃). ④당비파의 첫째 줄의 이름. *대현(大絃).

무현[2]【無絃·無弦】명 ①줄이 없음. ②↗무현금(無絃琴).

무-현관【無顯官】명 조상(祖上) 중에 높은 벼슬을 지낸 이가 없음. ——하다 형여불

무현-금【無絃琴】명 ①줄 없는 거문고. ②줄이 없어도 울리는 거문고. 「곧, 마음 속의 울림. 준무현(無絃).

무혈【無血】명 ①피가 없음. ②피를 흘림이 없음. ¶ ~ 혁명(革命).

무혈-복【無穴鰒】명 ①꼬챙이에 꿰지 않고 말린 큰 전복. ②과거(科擧)를 엄중히 감시하여 협잡을 못하게 함을 비유하는 말.

무혈적 수술【無血的手術】[—쩍—] 명〖의〗피부나 점막(粘膜)을 베지 아니하고 치료 행위(治療行爲)를 하는 수술. 비관혈적 수술(非觀血的手術). ↔관혈적 수술(觀血的手術).

무혈 점령【無血占領】[—녕] 명 피를 흘리지 아니하고 손쉽게 점령함. ——하다 타여불

무혈-제【無血祭】[—쩨] 명〖천주교〗①피의 흐름이 없는 제물, 곧 밀가루·빵·포도주 따위로 제물을 드리는 제사. ②그리스도의 십자가의 제사에 대하여, 미사 성제를 일컫는 말. ↔유혈제(流血祭).

무혈-충【無血蟲】명 따뜻한 인정이 없고 냉혹(冷酷)한 사람을 욕하여 이르는 말.

무혈 혁명【無血革命】명 전쟁·폭동 등으로 인한 유혈(流血)을 보지 아니하고 평화 수단으로써 이루는 혁명. ——하다 자여불

무혐【無嫌】명 무혐의(無嫌疑). ——하다 형여불

무-혐의【無嫌疑】[—/—이] 명 혐의가 없음. 무혐. ——하다 형여불

무:협【武俠】명 무술(武術)에 능한 협객(俠客). ¶ ~ 소설.

무형【無形】명 형상(形狀) 또는 형체(形體)가 없음. 무체(無體). ¶ ~ 문화재. ↔유형(有形). ——하다 형여불

무형-계【無形界】명 눈에 보이지 아니하는 정신·영혼의 세계. ↔유형계(有形界).

무형 고정 자:산【無形固定資産】명 고정 자산 가운데서 구체적인 형태가 없는 것. 특허권·저작권·차지권(借地權) 따위.

무형 명사【無形名詞】명〖언〗형태를 갖추지 못한 추상적인 개념을 나타내는 명사. 사랑·마음·슬픔·기쁨·문화·용기·정의 등. 추상 명사(抽象名詞). ↔유형 명사.

무형 무:역【無形貿易】명〖경〗운송·보험·해외 투자 등 무역외 수지(貿易外收支)의 원천이 되는 상업 형태. ↔유형 무역.

무형 무적【無形無迹】명 형상도 자취도 없음. 형적이 없음. 무형적(無形迹). ——-하다 형 여불

무형 문화재【無形文化財】명 무형한 문화적인 재산. 곧, 연극·음악·공예 기술(工藝技術) 기타 무형의 문화적 소산(所産) 가운데서 역사상 또는 예술상 가치가 있는 것. ↔유형(有形) 문화재. *인간 문화재.

무형-물【無形物】명 형태가 없는 물건. 바람·소리 같은 것. ↔유형물.

무형성 빈혈【無形成貧血】명〖의〗중증(重症)의 빈혈증. 골수(骨髓)에서 생성되는 적혈구·백혈구·혈소판(血小板)이 모두 현저하게 감축되고 반면에 림프구가 비교적 많이 증가하는 증세. 장기 영양 부족 같은 데에서 발생함. 재생 불능성 빈혈(再生不能性貧血).

무-형식【無形式】명 형식이 없음. 형식이 갖추어져 있지 않음. ——-하다 형 여불

무형 위조【無形僞造】명〖법〗형법상, 문서의 작성 권한이 있는 자가 허위 내용의 문서를 작성하는 일.

무형-인【無形人】명 법인(法人). ↔유형인.

무형 자본【無形資本】명 무형 재산으로 된 자본. 기능(技能)·전매권·특허권·저작권 등인데, 유형 자본과 달라, 써도 주는 일이 없고 많이 쓸수록 오히려 이익을 더하는 경향이 있음. ↔유형 자본.

무형-재【無形財】명 무형 재산(無形財產).

무형 재산【無形財產】명〖경〗구체적인 형태가 없는 재산. 저작권·특허권·상표권·광업권·어업권 따위. 무형재(無形財). ↔유형 재산.

무형-적[1]【無形的】명관 형체가 없는 모양. ↔유형적(有形的). 여불

무-형적[2]【無形迹】명 형적이 없음. 무형 무적(無形無迹). ——-하다 형 여불

무형적 손:해【無形的損害】명 고통·슬픔 따위처럼 비재산적인 법익(法益)에 생긴 손해. 민사상의 손해 배상에서는 유형·무형의 두 손해가 모두 배상됨. 정신적 손해.

무형-파【無形派】명〖미〗앵포르멜(Informel).

무형-학【無形學】명 형이상학(形而上學).

무:호[1]【無湖】명〖지〗'우후'를 우리 음으로 읽은 이름.

무:호[2]【無瑚】명 무회(無灰).

무:호-가【武豪歌】명〖문〗조선 영조(英祖) 때의 강응환(姜膺煥)이 지은 가사. 궁사(弓士)로서의 수련을 쌓은 다음 입신 양명(立身揚名)의 큰 뜻을 품고, 병조 판서·어영 대장(御營大將)으로 출세하는 등 승승장구(乘勝長驅)의 기개를 노래함. 총 128구.

무호 동:중【無虎洞中】명 ↗무호 동중 이작호(無虎洞中狸作虎).

무호 동:중 이작호【無虎洞中狸作虎】명 호랑이 없는 고을에서는 너구리가 호랑이 노릇을 한다는 뜻이니, 곧 저보다 나은 사람이 없는 곳에서 가장 잘난 체하는 것을 이르는 말. ㊂무호 동중(無虎洞中).

무:화【武火】명 활활 세게 타는 불. ↔문화(文火).

무화-과【無花果】명 ①무화과나무의 열매. ②↗무화과나무.

무화과-나무【無花果—】명 ①〖식〗[*Ficus carica*] 뽕나뭇과에 속하는 낙엽 활엽 관목. 높이 3m 가량이고, 잎은 넓은 달걀꼴에 장상(掌狀)이며 3-5 갈래로 째졌음. 봄 여름에 담홍색 꽃이 자웅일가(雌雄一家)로 피는데, 거꿀달걀꼴의 화낭(花囊) 속에, 수꽃은 상부(上部)에, 암꽃은 하부(下部)에 위치하여 잘 보이지 아니함. 과실은 은화과(隱花果)이고, 가을에 암자색으로 익음. 자웅 이주(雌雄異株)라고도 함. 지중해 연안·소아시아·아라비아·팔레스타인 원산으로, 한국 중남부와 제주도·일본·중국에도 분포함. 정원에 심는데 꺾꽂이하여도 번식함. 과실은 생으로 또는 말리어서 식용하고, 잎은 단백질·고무질(質) 등을 함유하여 그 유즙(乳汁)으로 회충(蛔蟲) 등의 구제약, 신경통의 약재로 씀. ②〖성〗무화과나무 그늘이 짙어서 여름 더위를 피할 수 있으므로 풍부하고 평화로운 생활의 영속(永續)으로 비유함. 또는 영속적인 종교적 심판으로 열매없는 나무로 저주함. ㊂무화과.

〈무화과나무❶〉

무화 식물【無花植物】명〖식〗은화 식물(隱花植物).

무화피-화【無花被花】명〖식〗무피화.

무환 수입【無換輸入】명〖경〗대금 결제를 위한 환의 취결(就結)을 수반하지 않는 외국 상품의 수입. 일반적으로 상품 견본(見本), 국제간의 증여(贈與)로서 보내지는 물품 및 위탁 가공(委託加工) 계약에 의한 원료품의 수입에 이용됨.

무환 수출【無換輸出】명〖경〗대금 결제를 위한 환의 취결(就結)을 수반하지 않는 수출.

무환-자【無患子】명〖식〗무환자나무.

무환자-나무【無患子—】명〖식〗[*Sapindus mukurossi*] 무환자나뭇과에 속하는 낙엽 활엽 교목. 잎은 짝수로 우상 복생(羽狀複生)하며 소엽(小葉)은 피침형 또는 긴 타원형에 톱니가 없음. 6월에 백색 또는 자색 꽃이 원추(圓錐) 화서로 정생(頂生) 또는 액생(腋生)하여 피고, 핵과(核果)는 석과(石果) 모양이며 10월에 익음. 산에 나는데, 한국의 전북 및 일본·대만·중국에 분포함. 사원(寺院) 및 촌락 부근에 심음. 목재는 기구재, 종자는 장난감, 과실 삶은 물은 세탁용으로 씀. 무환자.

〈무환자나무〉

무환자나뭇-과【無患子—科】명〖식〗[Sapindaceae] 쌍자엽 식물 이판화류(離瓣花類)에 속하는 한 과. 전세계에 1,000여 종이 있는데 한국에는 모감주나무·무환자나무의 두 종이 있음.

무황-란【無黃卵】[—난] 명 동물의 알을 난황량(卵黃量)에 의해 분류한 형의 하나. 난황이 극히 적든가 거의 없는 것을 이름. 섬게나 포유류(哺乳類)의 난자(卵子) 따위가 이에 속함.

무회【無灰】명 오래 묵은 미역의 뿌리. 불에 잘 타지 아니하며, 센 불에는 타되 재가 없으므로 무회라 하였는데, 바탕은 흑산호(黑珊瑚)와 비슷하여 궐련 물부리나 장식품을 만드는 데에 쓰임. 무호(無瑚).

무-회계【無會計】명〖광〗광산에서 덕대(德大)가 광부(鑛夫)에게 생활 필수품을 대주고 채광(採鑛)시킨 뒤에, 광주(鑛主)에게는 분철(分鐵)을 주고, 광부들에게는 분철에 상당하는 광석을 주고서 나머지를 손해건 이익이건 간에 덕대가 차지하는 일. 광주가 직접 경영할 때에는 형식은 같으나 분철을 직접 받는 것만이 다름.

무회계 금점【無會計金店】명〖광〗분철 금점(分鐵金店).

무회다 타〈옛〉싸서 굽다. 찜질하다. =무휘우다. ¶더운 캉에 불무회고 져이 뚬내라(熱炕上熰着出些汗)《朴解 中 16》.

무회 여:지【無灰濾紙】명 회분(灰分)을 포함하지 않는 거름종이. 플루오르화 수소산(水素酸)으로 처리한 펄프로 만듦.

무회-주【無灰酒】명 다른 물건을 섞지 않고 전국으로 된 술. 순료(醇醪). 순주(醇酒).

무효【無效】명 ①보람이 없음. 효력(效力)·효과·효험이 없음. ②〖법〗행위자가 목적으로 하는 법률상의 효과가 없음. 그 내용을 법이 허가하지 않는 것, 의사(意思)의 흠결(欠缺)에 의한 것, 법이 요구하는 요건(要件)을 구비하지 못하는 것 등 세 가지 행위의 무효로 구별할 수 있음. 1)·2):↔유효(有效). ——-하다 형 여불

무효-량【無效量】명〖약〗그 이하를 사용하면 아무런 약리(藥理) 작용을 일으키지 않는 약물의 한계량. *중독량·치사량·내량(耐量).

무효-병【無酵餠】명〖종〗'무교병(無酵餠)'의 잘못.

무효 전:력【無效電力】[—절—] 명 [reactive power]〖전〗무효 전류에 해당하는 전력.

무효 전:력계【無效電力計】[—절—] 명 [varmeter] 무효 전력을 바(var) 단위로 측정하는 계기(計器).

무효 전:류【無效電流】[—절—] 명 [reactive current]〖전〗교번 전류(交番電流)의 전력이 되지 않은 부분.

무효 투표【無效投票】명 일정한 규정을 어겨 유효 투표수에 계산되지 않는 투표.

무효-화【無效化】명 무효로 됨. 무효가 되게 함. ——-하다 자타 여불

무:후[1]【武后】명〖사람〗↗측천 무후(則天武后).

무후[2]【無後·无後】명 대(代)를 이어갈 후손이 없음. 무사(無嗣). 절후(絕後). 절사(絕嗣). 절손(絕孫). ——-하다 형 여불

「호(絕戶).

무후-가【無後家】명 호주 상속인이 없어, 소멸된 집안. 절가(絕家). 절호(絕戶).

무후-제【無後祭】명 후사(後嗣) 없이 죽은 사람을 위해 지내는 제사. 매년 음력 9월 첫 정일(丁日)이나 9월 9일에 지내는데, 강원도 탄광 지대에서 흔히 볼 수 있음.

무후-총【無後塚】명 자손이 끊어져 거두어 주는 사람이 없는 무덤.

무:훈【武勳】명 군사 상의 공적. 싸움터에서 세운 공적. 군공(軍功). 무공(武功). ¶혁혁한 ~을 세우다.

무훈 건판【無暈乾板】명 [anti-halation plate] 유리의 면(面)에 붉은 빛의 막을 입혀, 그 위에 감광액(感光液)을 발라서 광선의 굴절에 의한 광훈(光暈)을 방지한 건판.

무:훈-담【武勳談】명 무훈에 관한 이야기.

무:훈-시【武勳詩】명 [Les Chansons de Geste]〖문〗다소의 사실(事實)을 줄기로 하고 작자의 상상을 가미하여 지은 프랑스 중세의 전기(戰記) 문예의 총칭. 11세기 말의《롤랑(Roland)의 노래》를 비롯하여 80여 편이 현존함.

무훼 무예【無毁無譽】명 헐어 말하는 일도 없고 칭찬하는 일도 없음. ——-하다 형 여불

무휘우다 타〈옛〉싸서 굽다. =무회다. ¶불 무휘워(熰着些火)《老乞下 32》.

무휴【無休】명 쉬지 않음. 휴일이 없음. ¶연중 ~.

무:휼【撫恤】명 불쌍히 여겨 위로하며 물질로 은혜(恩惠)를 입힘. ——-하다 타 여불

무흔【無痕】명 흔적이 없음. ——-하다 형 여불

무흔-구【無痕灸】명 피부에 흔적을 남기지 않는 뜸. 온구기(溫灸器)에 의한 뜸 따위.

무흠【無欠】명 ①흠이 없음. ②사귀는 사이에 허물이 없음. ¶두 사람 사이가 그만큼 ~하다는 것을 말하는 것 같아…《朴榮濬: 颱風地帶》. ——-하다 형 여불

무:희【舞姬】[—히] 명 춤을 잘 추거나 또는 춤추는 일을 업으로 삼는 여자.

무희다 형〈옛〉자욱하다. ¶더러운 내 나는 닉 무희여 四面에 マ독ᄒ며(臭烟 蓬悖 四面充塞)《妙蓮 Ⅱ:127》.

묵[1] 명 메밀·녹두·도토리 등의 앙금을 풀쑤듯이 되게 쑤어 굳힌 음식. 메밀묵·녹두묵·도토리묵·녹말묵·제물묵 등.

묵[2]【墨】명 ①먹. ②〖역〗자자(刺字).

묵[3]【墨】명 성(姓)의 하나. 현재 우리 나라에도 있으며 중국의 요동(遼東) 단본임.

묵[4]【墨】준〖지〗↗묵서가(墨西哥).

묵가【墨家】명〖역〗제자 백가(諸子百家)의 한 파. 중국 춘추 전국 시대 노(魯)나라의 묵자(墨子)가 개창(開創)하였음. 절대적인 천명에 따라 겸애(兼愛)와 홍리(興利)에 노력하여, 근검(勤儉)할 것을 주장하고 음악·전쟁이 필요 없다 하였고 숙명설(宿命說)을 부정하였음. 그러나 중국 제가(諸家)에 볼 수 없는 영혼(靈魂)·귀신(鬼神)의 실재를 역설하고 종교적인 색채를 띠었으나, 후계자가 없어서 전한(前漢)의 중기(中期)에 소멸함.

묵객【墨客】명 글씨를 쓰거나 그림을 그리는 사람.

묵거【墨車】명 중국 주(周)나라 때에, 대부(大夫)가 타던 검은 칠을 한 수레.

묵격【墨格】명 묵등(墨等).

묵-계[1]【墨契】명〖역〗먹을 공물(貢物)로 바치던 계.

묵계[2]【默契】명 말없는 가운데 우연히 뜻이 서로 맞음. 또, 그렇게 해서 성립된 약속. 묵약(默約). ¶~가 성립되다. ——-하다 자 여불

묵고[1]【默考】명 말없이 마음 속으로 잘 생각함. 묵사(默思). 묵상(默想). ¶심사(深思) ~. ——-하다 타 여불

묵고[2]【默稿】명 심중에서 구상한 시문(詩文) 따위의 초안.

묵-곡【一穀】 명 〈방〉 묵은 곡식.

묵과【默過】 명 ①말없이 그대로 지나침. ②보고도 못 본 체하고 그대로 넘겨 버림. ¶ ~할 수 없는 죄상. ——-하다 타여불

묵광【墨光】 명 ①먹의 윤기. ②글씨나 그림의 먹 빛깔.

묵-국[1] 명 청포탕(淸泡湯).

묵국[2]【墨國】 명 〖지〗 '멕시코(Mexico)'의 한자 이름.

묵국[3]【墨菊】 명 묵화로 그린 국화.

묵권【墨卷】 명 과거(科擧)에 제출하는 문장. 먹으로 쓴 것을 이름.

묵극【默劇】 명 〖연〗 무언극(無言劇).

묵기【默記】 명 말하지 아니하고 마음 속에 기억함. ——-하다 타여불

묵-기도【默祈禱】 명 〖기독교〗 소리 내지 아니하고 마음 속으로 올리는 기도. 묵도(默禱). ——-하다 자여불

묵-나물 명 ↗묵은 나물.

묵낙【默諾】 명 ①말없이 은연중에 승낙의 뜻을 나타냄. ②알지 못하는 체하고 슬며시 허락함. ——-하다 타여불

묵-납자루 명 〖어〗 [*Acheilognathus signifer*] 잉어과에 속하는 민물고기. 몸길이 5-7cm 내외이고, 몸빛은 암갈색으로 체측에 무늬가 없음. 산란관(産卵管)이 항문 뒤에 있는데, 대동강·북한강·섬진강 및 낙동강 수계(水系)에 분포함.

묵념【默念】 명 ①묵묵히 생각에 잠김. ②묵도(默禱). 주로, 죽은 이가 평안히 잠들기를 기원하는 뜻으로 쓰임. ¶ 순국 선열에 대한 ~. ——-하다 자여불

묵념 축문【默念祝文】 명 〖천주교〗 '봉헌 기도'의 구용어.

묵다[1] 자 〔중세 : 묵다〕 ①오래 되다. ¶ 묵은 쌀. ②밭·논이 사용되지 않아 그대로 남아있다. ¶ 묵은 논. ③나그네로서 머무르다. 유(留)하다. ¶ 친구 집에 ~. ④다른 데로 옮기려다가 일정한 기간 아무 일도 안하거나 또는 본래의 자리에 머무르다. ¶ 입학 시험에 실패하고 일 년을 ~. [묵은 거지보다 햇거지가 더 어렵다] 무슨 일이나 오래 두고 해온 사람은 처음 시작한 이보다 참을성이 있고 마음이 굳다는 말. [묵은 낙지 캐듯] 일을 단번에 시원히 해 치우지 않고 두고두고 조금씩 함을 이르는 말. [묵은 낙지 꿰듯] 일이 아주 용이하다는 말. [묵은 장 쓰듯] 조금도 아끼지 않고 헤프게 쓴다는 말. 『묵은 치부장(置簿帳)』 소용없는 것이라 벌써 까맣게 잊어버린 것을 이르는 말.

묵다[2] 타 〈방〉 먹다[2](경상).

묵다[3] 타 〈옛〉 묶다. ¶ 됴흔 굴에로 뻐뎔 머리놀 묵써 뎡ᄒᆞ고(用好鞴頭束定馬頭)≪馬經 上 47≫.

묵-단: 명 〈방〉 통단.

묵담【默潭】 명 〖사람〗 승려. 속명은 국성우(鞠聲祐). 전라 남도 담양(潭陽) 출신. 1907년 백양사(白羊寺)에서 득도(得度)하여, 조계종(曹溪宗) 종정(宗正)을 지냈으며, 태고종(太古宗)의 종정을 역임함. 한국 불교계 최고의 율사(律師)였음. [1896-1981]

묵-당수 명 제물묵 거리를 묵보다 훨씬 묽게 쑤어서 먹는 음식.

묵대【墨帶】 명 먹물을 들인 베 띠. 묵최(墨衰)의 심제인(心制人)이 띰.

묵덴〔Mukden〕 명 〖지〗 '선양(瀋陽)'의 영어명.

묵도【默禱】 명 소리를 내지 않고 마음 속으로 하는 기도. 묵기도. 묵념(默念). ¶ ~를 올리다. ——-하다 자여불

묵독【默讀】 명 소리를 내지 않고 글을 읽음. 목독(目讀). ¶ 책을 ~하다. ↔음독(音讀). ——-하다 타여불

묵돌 불가금【墨突不暇黔】 명 〔중국 춘추 시대 묵자(墨子)가 도를 전하고자 사방으로 바쁘게 돌아다녀 구들이 검어질 겨를이 없었다는 데서〕 바쁘게 여기저기를 돌아다님을 말함. 준묵돌 불금(墨突不黔).

묵돌 불금【墨突不黔】 명 ↗묵돌 불가금(墨突不暇黔).

묵돌 선우【冒頓單于】 명 〖사람〗 중국 전한(前漢) 시대의 흉노(匈奴)의 왕. 아버지 두만(頭曼)을 죽이어 선우가 된 후, 동호(東胡)·월지(月氏)·정령(丁零) 등을 정복하여 흉노의 최성기(最盛期)를 이룸. 기원전 200년에 한고조(漢高祖)를 백등산(白登山)에 포위하여, 한나라로 하여금 굴욕적인 화친책(和親策)을 쓰게 했음. [?-174B.C.; 재위 209-174B.C.]

묵두【墨斗】 명 먹통[1]❶.

묵등【墨等】 명 책 속에 글자가 빈 곳에 검게 인쇄된 것을 이름. 묵정(墨釘). 등자(等子). 묵격(墨格).

묵란【墨蘭】 [一난] 명 〖미술〗 채색을 않고 먹만으로 몰골법(沒骨法)으로 그린 난초 그림. 묵란도.

묵란-도【墨蘭圖】 [一난一] 명 묵란(墨蘭).

묵량【默諒】 [一냥] 명 말없이 은연중에 양해하여 줌. ——-하다 타여불

묵례【默禮】 [一녜] 명 묵묵히 고개만 숙이어 표하는 예(禮). ——-하다 자여불

묵리【墨吏】 [一니] 명 탐관(貪官).

묵립【墨笠】 [一닙] 명 먹물을 칠한 갓. 묵최(墨衰)의 심제인(心制人)이 씀.

묵매【墨梅】 명 먹으로 그린 매화(梅花).

묵-모 명 한 모 한 모 떼어져 있는 묵.

묵-뫼 명 벌초나 사초를 하지 않은 묵은 묘.

묵묵【默默】 명 아무 말없이 잠잠함. ——-하다 형여불. ——-히 부. ¶ ~ 일하다.

묵묵 무언【默默無言】 명 입을 다문 채 한 마디도 말이 없음. ——-하다 형여불

묵묵 반:향【默默半晌】 명 얼마 동안 말이 없음.

묵묵 부답【默默不答】 명 입을 다문 채 대답이 없음. ——-하다 자여불

묵문【墨紋】 명 도자기(陶瓷器)에 입힌 잿물에 잘게 간 금.

묵-물 명 묵을 쑤려고 녹두를 갈아 앉힌 앙금의 웃물.

묵물-국 [一꾹] 명 묵물에 김치나 나물 같은 것을 썰어 넣고 양념하여 끓인 국.

묵물-죽【一粥】 명 묵물에 쌀을 넣고 쑨 죽. 녹두유죽(綠豆乳粥).

묵방-산【墨方山】 명 〖지〗 함경 남도 홍원군(洪原郡)에 있는 산. [1,009m]

묵-밭 명 ↗묵정밭.

묵밭-소리쟁이 명 〖식〗 [*Rumex conglomeratus*] 마디풀과에 속하는 이년초. 줄기는 높이 50cm 가량이고, 잎은 호생하는데, 밑의 잎은 장병(長柄)이며 줄기 잎은 단병(短柄)인 긴 타원상 피침형임. 5-7월에 홍록색의 잔 꽃이 원추(圓錐) 화서로 많이 윤생(輪生)하여 피고, 과실은 수과(瘦果)임. 길가나 고랑에 나는데 전남·경북·황해도 등지에 분포함.

〈묵밭소리쟁이〉

묵배【默拜】 명 말없이 배례함. ——-하다 자여불

묵보【墨寶】 명 〔보배가 될 만한 훌륭한 글씨라는 뜻〕 남의 글씨를 높여 이르는 말.

묵-볶기 명 묵으로 만든 음식의 하나. 노랑묵을 잘게 썰어 진장에 볶은 뒤, 쇠고기 고명 등을 지져 이겨서 섞고, 달걀·미나리 등을 넣어 대강 볶아 실백을 섞은 것. 녹두유초(綠豆乳炒).

묵비【默秘】 명 비밀로 하여 말하지 아니함. ——-하다 타여불

묵비-권【默秘權】 [一꿘] 명 〖법〗 피고나 피의자가 심문에 대하여 자기에게 불리한 진술을 거부하고 침묵할 수 있는 권리. *진술 거부권.

묵비 의:무【默秘義務】 명 〖법〗 직무상, 지득(知得)한 사실에 관하여 비밀을 지켜야 할 의무. 비밀 준수의 의무.

묵-비지 명 묵을 쑬 때에 녹두를 갈아 거른 찌끼.

묵사【默思】 명 묵묵히 생각함. 묵고(默考). 묵상(默想). ——-하다 자여불

묵-사발【一沙鉢】 명 ①묵을 담은 사발. ②〈속〉 일이나 물건이 몹시 혼잡하거나 망그러진 형편. ¶ 얻어맞아 ~이 되다. *묵주머니.

묵삭【墨削】 명 먹으로 글씨를 지워 버림. ——-하다 타여불

묵살【默殺】 명 ①알고도 모르는 척하고 내버려 둠. ②어떤 일에 대하여 이렇다저렇다 말없이 전혀 문제 삼지 아니함. ——-하다 타여불

묵상[1]【墨床】 명 먹을 올려 놓고 쓰는 받침.

묵상[2]【默想】 명 ①묵묵히 마음 속으로 생각함. 묵고(默考). 묵사(默思). ¶ 잠시 ~에 잠기다. ②〖천주교〗 말을 하지 아니하고 마음 속으로 기도를 드림. ——-하다 자여불

묵상 기구【默想祈求】 명 〖천주교〗 '묵상 기도'의 구용어.

묵상 기도【默想祈禱】 명 〖천주교〗 천주의 거룩한 진리를 생각하면서 올리는 기도. ↔염경(念經) 기도. *통성(通聲) 기도.

묵새 명 〔←묵사(墨砂)〕 거무스름한 모래흙.

묵-새기다 자 ①별로 하는 일 없이 한 곳에서 오래 묵으며 세월을 보내다. ¶ 거기 가서 여러 날 묵새길 수야 있소. 더구나 여럿이 가서≪洪命憙 : 林巨正≫. ②애써 참으면서 넘기어 버리다.

묵색【墨色】 명 먹빛. 아주 검은 빛.

묵색 임리【墨色淋漓】 [一니] 명 그림·글씨의 먹빛이 윤이 남. ——-하다 형여불

묵색 창윤【墨色蒼潤】 명 그림·글씨의 먹빛이 썩 좋음. ——-하다 형여불

묵색 판단【墨色判斷】 명 관상법(觀相法)의 한 가지. 글씨를 쓰게 하여 그 필세(筆勢)와 묵색(墨色)을 보고 그 사람의 길흉·운명을 판단하는 일.

묵서【墨書】 명 먹물로 글씨를 씀. 또, 그 먹글씨.

묵서가【墨西哥】 명 〖지〗 '멕시코'의 음역(音譯). 준묵(墨).

묵선【墨線】 명 검은 선. 먹물로 그은 줄.

묵쇠【墨衰】 명 묵최(墨衰)의 잘못.

묵수【墨守】 명 ①〔중국의 묵자(墨子)가 성을 지킴에 조금도 굴복하지 않았다는 고사(故事)에서 나온 말〕 굳건히 성(城)을 지킴. ②자기의 의견이나 주장을 굳이 지킴. 고수(固守). ③너무 완고하여 변통(變通)이 없음. ——-하다 타여불

묵시[1]【默示】 명 ①분명히 말하지 않고 은연중에 의사를 표시함. ②〖종〗 하느님이 계시(啓示)를 내려 그의 뜻이나 진리를 알게 하여 주는 일. 계시(啓示). ——-하다 타여불

묵시[2]【默視】 명 ①가만히 눈익혀 봄. ②간섭하지 않고 묵묵히 보기만 함. ——-하다 타여불

묵시-록【默示錄】 명 〖성〗 요한 계시록(啓示錄).

묵시 문학【默示文學】 명 기원전 2세기경부터 기원 100년경에 걸쳐 유태교 및 그리스도교 안에 유포되었던 종교 문학.

묵시의 의:사 표시【默示一意思表示】 [一／一시에一] 명 적극적이 아닌 암시적이고 간접적인 의사 표시. 언어나 문자 등에 의하여 직접적으로 뚜렷하게 나타나 있지는 않으나, 여러 가지 사정으로 미루어 해석하여 비로소 이해할 수 있는 정도의 의사 표시. 간접적 의사 표시.

묵식【默識】 명 무언중에 깊이 이해함. ——-하다 타여불

묵암【默庵】 명 〖사람〗 최눌(最訥)의 법호(法號).

묵약【默約】 명 묵계(默契). ——-하다 자여불

묵어【墨魚】 명 〖동〗 오징어.

묵언【默言】 명 입을 다물고 말하지 아니함. ——-하다 자여불

묵언-패【默言牌】 명 절에서 말을 금하고 침묵을 지키도록 '默言'이라고 써서 문 위에 거는 나무 패.

묵연【默然】 명 입을 다문 채 말없이 잠잠한 모양. ——-하다 형여불. ——-히 부. ¶ ~ 앉아 있다.

묵연 양구(良久)에 구 한 동안 잠잠하게 있다가.

묵연 부답【默然不答】 명 입을 다물고 대답하지 않음.

묵염【墨染】 명 〖불교〗 검은 빛의 법의(法衣). 흑의(黑衣).

묵우【默祐】 명 잠잠히 말없이 도움. ——-하다 타여불

묵유【默諭】 명 〖천주교〗 하느님이 말없이 가르침. ——-하다 타여불

묵은【墨銀】 명 〔Mexico dollar〕 〖경〗 멕시코 은화(銀貨). 근세 구미 여러 나라의 동양 무역에 의하여 중국에도 유입하여, 한때 통화로서 경제계를 지배한 은화.

묵은-곡【一穀】명 ↗묵은 곡식.
묵은 곡식【一穀食】명 해묵은 곡식. ㊟묵은곡. ↔햇곡식.
묵은 김치 명 해동한 뒤에까지 남아 있는 지난해에 담근 김치. ↔햇김치.
묵은 나물 명 지난해의 제철에 뜯어서 말려 둔 해를 넘긴 나물. ㊟묵나물.
묵은-눈 명 〔firn〕〖지〗눈이 서로 고착(固着)하여 입상(粒狀)으로 아직 빙하빙(氷河氷)까지로는 변화하지 않은 것. 한 해 여름의 융설기(融雪期)를 지나 생성(生成)되는데, 물의 침투성(浸透性)이 제로가 되었을 때 빙하빙이 됨.
묵은-닭〔一닥〕명 한 해 이상된 닭. 노계(老鷄). ↔햇닭.
묵은-더기 명 〈방〉 묵정밭(평안).
묵은-먹 명 만든 지 오래 된 먹.
묵은 세배【一歲拜】명 섣달 그믐날 저녁에 그 해를 보내는 인사로 웃어른에게 하는 절. ——-하다 자여불
묵은-실잠자리 명 〖충〗〔*Sympecna paedisca*〕 실잠자릿과에 속하는 곤충. 복부의 길이 27mm, 뒷날개 21mm 가량이고, 두부는 청동색에 흉부는 황갈색이고, 앞쪽과 측면에 청동색 띠가 있음. 복부는 황갈색이며 각절(各節)의 배면(背面)에 긴 청동색 반문이 있고, 날개는 투명하며 연문(緣紋)은 황갈색임. 한국에도 분포함.

〈묵은실잠자리〉

묵은-쌀 명 해묵은 쌀. 고미(古米). 구미(舊米). 진미(陳米). ↔햅쌀.
묵은-장【一將】명 묵장[1].
묵은 장군【一將軍】명 묵장[1].
묵은-찌끼 명 노폐물.
묵은-해 명 새해를 맞이하여 지난 해를 일컫는 말. ↔새해.
묵음[1]【默吟】명 소리 없이 시(詩)를 읊음. ——-하다 타여불
묵음[2]【默音】명 발음되지 않는 소리.
묵이 명 오랫 동안 묵은 일이나 물건.
묵이-배 명 〖식〗배의 한 가지. 딸 때에는 맛이 떫고 빡빡하나 오래 묵힐수록 맛이 좋아짐.
묵인【默認】명 말 없는 가운데 넌지시 승인함. 묵허(默許). ¶ ～하기 어려운 처사. ——-하다 타여불
묵인 의:무【默認義務】명 국제법상, 중립국이 교전국에 의해 가해진 불리한 행위를 묵인할 의무. 용인(容認) 의무. 관용(寬容) 의무.
묵자[1]【墨子】명 〖역〗감찰(監察)이 서죄(書罪)할 때에 쓰는 먹병을 들고 따라 다니던 하례(下隷).
묵-자[2]【墨子】명 ①〖사람〗중국 춘추 전국 시대의 노(魯)나라 철학자. 이름은 적(翟). 제자 백가의 하나인 묵가(墨家)의 시조임. 묵적(墨翟). [480-390 B.C.] ②〖책〗묵자의 사상을 쓴 철학책. 형식·계급·사욕(私慾)을 타파하고, 사회 겸애(社會兼愛)를 주장하였음.
묵자[3]【墨字】명 먹으로 쓴 글. 특히, 점자(點字)에 대하여, 쓰여진 문자.
묵-장[1]【一將】명 장기(將棋)에서, 쌍방이 다 모르고 지나쳐 넘긴 장군. 한 수 이상 지난 장군. 묵은장. 묵은 장군.
묵장[2]【墨匠】명 〖역〗조선 시대에, 먹을 만들던 공장(工匠).
묵-저냐 명 묵을 넓적하게 저미어서 밀가루를 묻히고 달걀을 씌워 지진 음식.
묵적[1]【墨跡】명 먹으로 쓴 흔적.
묵 적[2]【墨翟】명 〖사람〗'묵자(墨子)'의 본성명.
묵적[3]【默寂】명 침묵하여 잠잠함. ——-하다 형여불
묵-전 명 웃기떡의 하나. 녹말묵에 세 가지 물색을 들여 굳힌 다음에 모양 있게 썰어 기름에 띄워 지짐.
묵정【墨釘】명 묵등(墨等).
묵정-밭 명 오래 내버려 두어 거칠어진 밭. 진전(陳田). ㊟묵밭. *삭전.
묵정이 명 오랫 동안 묵은 물건.
묵조【默照】명 ①계시. 영감. ②마음이나 정신을 밝힘. ——-하다 타여불
묵조-선【默照禪】명 〖불교〗망상과 잡념을 없애고 고요히 앉아서 선정(禪定)과 지혜가 원만하고 밝은 경지에 이르도록 하는 선풍(禪風). *공안선(公案禪).
묵존【默存】명 말없이 마음 속으로 생각함. ——-하다 타여불
묵종【默從】명 말없이 복종함. ——-하다 자여불
묵좌【默坐】명 말없이 잠잠히 앉음. 또, 말없이 앉아 있음. ——-하다 자여불
묵주[1]【默珠】명 〖천주교〗로사리오[2].
묵주[2]【默鑄】명 묵인을 받고 비공식적으로 만든 사주전(私鑄錢).
묵-주머니 명 ①묵물을 짜는 데 쓰는 큰 주머니. ②함부로 짓이겨서 못 쓰게 된 물건. ③말썽이 일어나지 않도록 잘 달래거나 주무름. *묵사발.
묵주머니가 되다 구 일을 주물러 누그러뜨려서 그럭저럭 수습되다. ¶ 그동안 손동지의 힘으루 그럭저럭 어떻게 묵주머니가 되었는데…≪洪命憙 : 林巨正≫.
묵주머니(를) 만들다 구 ㉠물건을 뭉개어 못 쓰게 만들다. ㉡싸움을 말리고 조정(調停)함의 비유.
묵주 신공【默珠神功】명 〖천주교〗로사리오의 기도❶.
묵주의 기도【默珠一祈禱】〔-/-에-〕명 〖천주교〗로사리오의 기도.
묵죽【墨竹】명 먹으로 그린 대나무.
묵중【默重】명 말이 적고 태도가 무거움. ——-하다 형여불. ——-히 부
묵즉-하다 형 〈방〉 묵직하다.
묵즙【墨汁】명 ①먹물❶. ②사자용(寫字用)으로, 금방 쓸 수 있도록 된 검은 빛깔의 걸쭉한 액체. 먹물. ③〖동〗고락❷.
묵즙-낭【墨汁囊】명 〖동〗고락❸.
묵지[1] 명 〈방〉 무거리.
묵지[2]【墨池】명 연지(硯池).
묵지[3]【墨紙】명 복사지(複寫紙).
묵직묵직-이 부 묵직묵직하게.
묵직묵직-하다 형여불 여럿이 다 묵직하다. >목직목직하다.
묵직-이 부 묵직하게. 조금 무겁게.
묵직-하다 형여불 조금 무겁다. 제법 무겁다. >목직하다.
묵질【墨絰】명 상중(喪中)에 종군(從軍)할 때에 입는, 흑색의 상복(喪服).
묵책-요【墨冊謠】명 〖문〗실전(失傳)된 고려 시대의 가요. 가사는 전하지 아니함.
묵척【墨尺】명 ①먹자[1]. ②〖역〗먹자.
묵철【一鐵】명 무쇠를 녹여서 만든 탄알. 새를 잡는 데 쓰임.
묵첩【墨帖】명 서첩(書帖).
묵-청포【一淸泡】명 초나물에 녹말묵을 썰어 넣고 만든 음식. 탕평채(蕩平菜).
묵최【墨衰】명 베 직령(直領)에 묵립(墨笠)과 묵대(墨帶)를 갖춘 옷. 아버지가 살아 있을 때 돌아간 어머니의 담제(禫祭) 뒤와 생가(生家) 부모의 소상(小祥) 뒤에 입음.
묵침【墨篋】명 먹칼.
묵-튀각 명 얇고 반듯하게 썰어서 말린 묵을 기름에 튀긴 음식.
묵필【墨筆】명 ①먹과 붓. 필묵(筆墨). ②먹물을 찍어서 쓰는 붓.
묵해【墨海】명 '벼루'의 별칭.
묵향【墨香】명 먹의 향기.
묵허【默許】명 잠자코 슬그머니 허락함. 묵인(默認). ——-하다 타여불
묵형【墨刑】명 옛날 중국의 다섯 가지 형벌 중의 하나로, 이마에 자자(刺字)하던 형벌. ——-하다 타여불
묵호【墨湖】명 〖지〗①강원도 명주군(溟州郡)에 있던 읍(邑). 1980년 4월 이웃의 북평읍(北坪邑)과 통합하여 동해시(東海市)가 됨. ②강원도 동해시에 있는 항구. 북평항(北坪港)의 보조 항구 구실을 함.
묵호-자【墨胡子】명 〖사람〗신라에 처음 불교를 전한 고구려 고승(高僧). 제19대 눌지왕(訥祇王) 때에 고구려로부터 선산(善山)에 온 것을 모례(毛禮)라는 사람이 집 안에 굴을 만들어 그 안에 모셨다 함.
묵호항-선【墨湖港線】명 〖지〗영동선의 북평역(北坪驛)에서 묵호항을 거쳐 묵호역에 이르는 철도. [5.8km]
묵화[1]【墨花】명 벼루에 스며 있는 먹의 빛깔.
묵화[2]【墨畫】명 먹으로 그린 동양화.
묵화(를) 치다 구 묵화를 그리다.
묵회【默會】명 묵상하는 가운데 깨달음. ——-하다 타여불
묵훈【墨暈】명 글씨나 그림의 획 가장자리에 번진 먹물의 흔적.
묵흔【墨痕】명 ①먹물이 묻은 흔적. ②글씨를 쓴 붓의 자국. 필적.
묵히다 타 ①쓰지 아니하고 그냥 버려 두다. ¶ 한 해 묵힌 땅. ②나그네를 집에 두어 머무르게 하다.
묶다 타 ①새끼나 끄나불 같은 것으로 단을 지어 잡아매다. ¶ 짐을 ～. ②몸을 마음대로 움직이지 못하게 얽어 매다. ¶ 죄인을 포승으로 ～. ③한 군데로 모아 합치다. ¶ 괄호로 ～. ④법령 등으로 금지 또는 제한하다. 또, 은행에서 자금 등을 동결(凍結)하다. ¶ 절대 놓지로 묶어 놓다.
묶어 치밀다 자 ①한데 몰려 올라오다. ②힘있게 위로 막 솟아오르다.
묶음 ㊀ 명 ①한데 모아서 묶어 놓은 덩이. ②〖컴퓨터〗프로그램의 기호 주소를, 기억 장치 적재를 위하여 실제의 물리적 주소로 변환하는 일. 바인딩(binding). ㊁ 의명 꽃이나 푸성귀 따위의 묶어 놓은 덩이를 셀 때 쓰는 말. 속(束). ¶ 한 ～에 천원.
묶음-표【一標】명 괄호(括弧).
묶이다 피동 묶음을 당하다. ¶ 손발이 ～.
문[1]【文】명 ①문자(文字). 글. ②〖언〗한 가지 정돈된 생각을 나타내는 한 줄거리의 말. 보통의 경우 주어(主語)와 서술어(敍述語)로 이루어지며, 형식상으로는 문의 끝에서는 반드시 말이 끊어져, 글자로 나타낼 적에는 마침표·느낌표·물음표를 붙임. ③학문·문화 등을 일컫는 말. ¶ ～은 무(武)보다 강하다. ↔무(武).
문[2]【文】명 성(姓)의 하나. 현재 우리 나라에는 남평(南平)·감천(甘泉) 등 12개의 본관이 있음.
문[3]【門】명 ①드나들거나 통할 수 있도록 만들어 놓은 설비. 흔히는 대문·방문·창문 등과 같이 열었다 닫았다 할 수 있게 되어 있으나 기념·환영의 뜻으로 세운 독립문·개선문(凱旋門)·아치(arch) 등과 같이 늘 통하게 되어 있는 것도 있음. ②넓은 뜻으로 사물이 출입·경유(經由)하는 곳을 일컫는 말. ¶ 등용～/좁은 ～. ③〖생〗동식물의 분류학 상의 한 단위. 가장 큰 구분으로서 강(綱)의 위, 계(界)의 아래임. ¶ 척추 동물～. ④〖민〗칠사(七祀)의 하나로, 출입을 주장하는 궁중(宮中)의 작은 신(神).
【문 돌쩌귀에 불 나겠다】 돌쩌귀가 닳아서 불이 날 정도로 문을 자주 여닫음을 이르는 말. 【문 바른 집은 써도 입 바른 집은 못 쓴다】 너무 바른 말만하여도 남의 미움을 산다는 말. 【문을 연 사람이 바로 문을 닫은 사람】 원인에 따른 결과가 있게 마련이란 말.
문[4]【門】명 성(姓)의 하나. 우리 나라에는 현존(現存)하지 아니함.
문[5]【紋·文】명 무늬❶.
문:[6]【問】명 물음. 문제.
문:[7]〔moon〕명 달.
문[8]【文】의명 ①조선 시대에, 상평 통보(常平通寶)의 개수(個數) 단위. 나중에는 화폐 단위로도 쓰이었음. 본디 엽전 한 닢의 무게가 1관(貫)의 천분의 1, 곧 1돈에 상당하였음. ¶ 1～전(錢). ②신발의 크기를 나타내는 단위. 1문(文)은 약 2.4cm. ¶ 구 ～(九文)/십 ～ 반.
문[9]【門】의명 포(砲)를 셀 때 쓰는 단위.
-문[1]【文】미 명사 아래 쓰이어 '문장'·'문서'의 뜻을 나타내는 말. ¶ 감상～/담화～.
-문[2]【門】미 ①학술 전문의 종류를 크게 분류하는 말. ¶ 어학～/법학～. ②씨족(氏族)을 구별하여 그 집안을 가리키는 말. ¶ 강씨(姜氏)～/이씨(李氏)～.
-문[3] 어미 〈방〉 -면(강원·함북).

문간【門間】[—깐] 명 대문(大門) 또는 중문(重門)이 있는 곳.
문간-방【門間房】[—깐빵] 명 대문간 바로 곁에 있는 방.
문간-채【門間—】[—깐—] 명 대문간 곁에 있는 집. 행랑채.
문감【門鑑】명 문표(門標).
문갑【文匣】명 문서나 문구(文具)를 넣어 두는 긴 궤. 서랍이 여러 개 있거나 문짝이 달리어 있음.
문갑-도【文甲島】명〖지〗경기도 서해상(西海上), 옹진군(甕津郡) 덕적면(德積面) 문갑리(文甲里)에 위치한 섬. 덕적도(德積島) 남쪽 8km에 있음. [3.49 km² : 139 명(1984)]
문-강【門講】[—깡] 명〖역〗조선 시대에 내시(內侍)를 시험하여 뽑던 한 방법. 대궐 안의 각 문의 이름을 외게 하였음. ——-하다 자여불
문객【門客】명 권세 있는 대가(大家)의 식객(食客). 또, 날마다 문안 오는 손. ¶ ~이 줄을 잇다.
문건【文件】[—껀] 명 공적(公的)인 성격을 띤 문서나 서류.
문-걸쇠【門—】[—쐬] 명〈방〉문고리(함경).
문격【文格】명 글을 짓는 격식.
문:견【聞見】명 듣고 보아 얻은 지식. 견문(見聞).
문견-초【文見草】명〖식〗'갈대'의 이칭.
문겸【文兼】명〖역〗↗문신 겸 선전관(文臣兼宣傳官).
문경¹【刎頸】명 ①목을 벰. ②해고함. 해직시킴. ——-하다 타여불
문경²【門經】명 중이 문 앞에 와서 경문을 읽으며 시주를 청함.
문:경³【聞慶】명〖지〗①경상 북도의 한 시(市). 2 읍(邑) 7 면(面) 6 동(洞). 북쪽은 충북 단양군(丹陽郡)·제천시(堤川市)·괴산군(槐山郡), 서쪽은 상주시(尙州市)와 충북 괴산군, 동쪽은 예천군(醴泉郡), 남쪽은 상주시와 접함. 산악 지대로 무연탄·석회석의 매장량이 많아 광산 지대를 이루고, 경지(耕地)는 적음. 무연탄·석회석의 생산 외에 쌀·보리·고치·잎담배 등의 농산물과 축산·임산·공산 등이 있으며, 문경선이 통하고 현대식 시멘트 공장이 있음. 명승 고적으로는 금룡사(金龍寺)·봉암사(鳳岩寺)·대승사(大乘寺)·혜국사(惠國寺)·마고성지(麻姑城址)·진남교(鎭南橋)·진훤성지(甄萱城址)·문경 새재 도립 공원 등이 있음. 1995년 1월, 문경군과 점촌시를 통합, 개편됨. [911.91 km² : 95,777 명(1996)] ②경상 북도 문경시(市)에 있는 읍(邑). 소백산 기슭에 있으며 고래로 문경 새재로 유명함. 문경선이 통하고 시멘트 공업이 성함. 무연탄·도자기·박달나무를 산출함. [10,587 명(1996)]
【문경 새재 박달나무는 홍두깨 방망이로 다 나간다】많은 물건이 어떤 용도로 다 쓰임을 이르는 말. 【문경이 충청도가 되었다가 경상도가 되었다】이랬다저랬다 줏대가 없음을 이르는 말.
문:경 관문【聞慶關門】명〖역〗경상 북도 문경시(聞慶市) 상초리(上草里)에 있는 옛 관문들. 전에 영남(嶺南) 지방에서 서울로 올라가는 중요한 길목의 하나로, 중성(中城)인 제2 관문은 조선 선조(宣祖) 27년(1594)에 완성되었으며, 충북과 경북의 경계인 새재에 제3 관문이 있고, 중성에서 3 km 떨어진 곳에 제1 관문이 있음. 1977년에 복원(復元)됨. 사적(史蹟) 제147호.
문:경-군【聞慶郡】명〖지〗경상 북도에 속했던 군. 1995년 1월, 점촌시와 통합하여 문경시로 개편됨.
문:경-선【聞慶線】명〖지〗경부선(京釜線)의 지선. 경북선(慶北線)의 중간인 점촌역(店村驛)에서 문경(聞慶)에 이르는 철도선. 문경 지방의 석탄과 시멘트 기타 지하 자원의 개발을 위하여 부설한 선임. 1955년 9월 15일에 개통. [22.3 km]
문경지-교【刎頸之交】명 생사를 같이 하여 목이 떨어져도 두려워하지 않을 만큼 친한 사귐. 또, 그런 벗. 문경지우.
문경지-우【刎頸之友】명 문경지교.
문:경 탄:전【聞慶炭田】명〖지〗경상 북도 문경시(聞慶市) 불정리(佛井里) 일대에 있는 무연탄 탄전. 매장량은 2,700만 톤.
문곁 설중방【門—中枋】[—곋—쭝—] 명〖건〗문설주.
문:계【問啓】명〖역〗죄과로 말미암아 퇴관(退官)을 당한 사람을 임금의 명으로 승정원(承政院)의 승지(承旨)가 계판(啓板) 앞에 불러들여 그 까닭을 물어서 아뢰는 일. ——-하다 타여불
문고¹【文庫】명 ①책이나 문서를 넣어 두는 상자. ②책을 넣어 두는 곳. 서고(書庫). ③출판물의 한 형식. 한 발행소에서 보급을 목적으로 하여, 값이 싸고 또 가지고 다니며 읽기 편리하도록, 국판(菊判)의 반쯤 되게 모두 똑같은 본새로 하여 만들어 낸 총서류(叢書類). 문고본. 라이브러리(library).
문고²【文藁】명 한 사람의 시문(詩文)을 모아 엮은 원고.
문-고리¹【門—】[—꼬—] 명 문을 여닫는 손잡이로나 걸어 잠그는 데 편리하도록 문틀에 박은 둥근 쇠고리. 문환(門環). 비환(扉鐶). 노브(knob). 준고리.

배목
사슬
고리
비녀못
배목
〈문고리¹〉

문-고리²【門故吏】명〖역〗↗문생 고리(門生故吏).
문고-병【紋枯病】[—뼝] 명 잎집무늬마름병.
문고-본【文庫本】명 문고 형식으로 간행한 책. 문고(文庫).
문고-판【文庫判】명 책의 크기의 일종. A6판, 곧 세로 14.8 cm, 가로 10.5 cm를 이름.
문곡-성【文曲星】명〖민〗구성(九星) 중의 넷째로, 녹존성(祿存星)의 다음이며 염정성(廉貞星)의 위에 있는 별.
문-골【門—】[—꼴] 명〖건〗☞ 문얼굴.
문공¹【文公】명〖사람〗중국 춘추 시대 진(晉)나라의 명군(名君). 이름은 중이(重耳). 선정(善政)을 베풀어 국력을 강대하게 하였음. 춘추 오패(五覇)의 한 사람임. [697-628 B.C.; 재위 636-628 B.C.]
문공²【文公】명〖사람〗중국 춘추 시대의 진(秦)나라 제7대 왕. 양공(襄公)의 아들. 문공 16년에 융(戎)을 토벌하여 이것을 패주시키었고 19년에는 진보(陳寶)를 토벌하였음. [재위 766-716 B.C.]
문공³【門功】명 ①부조(父祖)의 공으로 벼슬을 하는 일. 남항(南行). ②문벌(門閥).
문공 가례【文公家禮】명〖책〗주자 가례(朱子家禮).
문-공유【文公裕】명〖사람〗고려 인종(仁宗) 때의 문신(文臣). 공인(公仁)의 아우. 처음 이자겸(李資謙)의 모함으로 유배당했으나, 이자겸이 패한 뒤에 다시 복직되어 1129년 금나라에 사신으로 다녀왔음. 인종이 묘청(妙清)의 요설(妖說)에 현혹되자 그는 묘청의 요설을 배척하라고 간하였음. 벼슬은 지문하성사(知門下省事)·집현전 대학사(集賢殿大學士)에 이르렀음. 시호(諡號)는 경정(敬靖). 생몰년 미상.
문-공인【文公仁】명〖사람〗고려 인종 때의 재상. 초명(初名)은 공미(公美). 남평(南平) 사람. 추밀원 부사 때 이자겸(李資謙)의 미움을 받아 귀양 갔으며, 중 묘청(妙清)의 난과 관련되어 좌천되기도 하였음. 시호(諡號)는 충의(忠懿). [? -1137]
문과¹【文科】명〖역〗①옛 과거(科擧)의 한 가지. 문관(文官)을 시험하여 뽑던 것으로, 제술(製述)·경서 강론(經書講論) 및 대책(對策) 등으로써 시취(試取)하며, 한성부와 8도에서 관찰사 주재 하에 식년(式年) 전해 가을에 보이는 초시(初試)(240명, 뒤에 223명), 식년 봄에 한성에서 예조(禮曹) 주재 하에 보이는 복시(覆試)(33명) 및 국왕 친림 하(親臨下)에 보이는 전시(殿試)의 구별이 있음. 대과(大科). ↔무과. ②↗문과 급제.
문-과²【文科】[—꽈] 명 ①학문을 두 가지 종류로 크게 나눈 것의 하나. 문학·사학(史學)·철학 등의 부문. 때로는 법률학·경제학 등을 포함하는 경우도 있음. ②〖교〗인문 과학(人文科學) 부문의 학문을 연구하는 대학의 한 분과(分科). 1)·2):↔이과(理科).
문과 급제【文科及第】명〖역〗문과 전시(殿試)에 합격함. *대과 급제·대천(大闡). 준문과. ——-하다 자여불
문과 대학【文科大學】[—꽈—] 명〖교〗종합 대학에 있어서 인문 과학(人文科學) 부문의 어학·문학·역사·철학·교육 등의 학과를 전문적으로 연구하는 단과(單科) 대학. *문리과 대학.
문과 수비【文過遂非】명 허물을 어물어물 숨기고 뉘우치지 아니함. ——-하다 자여불
문과 중시【文科重試】명〖역〗십 년마다 병년(丙年)에 문관인 당하관(堂下官)에게 보이던 과거. 문신(文臣) 중시.
문-관¹【文官】명 ①〖역〗문과 출신의 벼슬아치. 동반(東班). 숭문(崇文). ②〖법〗군인의 위계(位階)를 가지지 아니하는 벼슬아치. 군적(軍籍)을 가지지 아니하는, 무관 이외의 벼슬아치. 1)·2):↔무관(武官). *군무원(軍務員).
문-관²【文冠】명〖사람〗고려 예종 때의 장군. 자는 민장(民章). 정선(旌善) 사람. 여진(女眞)을 정벌, 석성(石城)을 빼앗고 복주성(福州城)을 축조, 변방 수비에 힘써 참지정사(參知政事)에 오름. 청직 관후(清直寬厚)하여 벼슬을 탐내지 않아 인망이 높았음. [1042-1113]
문관 사림【文官詞林】명〖책〗중국 한(漢)나라 때부터 당(唐)에 이르기까지의 시문(詩文)을 모은 책. 당(唐)나라의 허경종(許敬宗)이 임금의 명을 받들어 지었음. 천 권(千卷). 산일(散佚)되어 4 권만이 현존함.
문관-석【文官石】명〖고고학〗문인석(文人石).
문관 우선주의【文官優先主義】[—/—이] 명〖정〗군인의 정치적 활동을 방지하기 위하여, 인사권(人事權)과 예산권(豫算權)을 평복(平服)의 문관이 장악하고 제복(制服) 군인을 견제하는 제도. 민주주의 국가의 기본적 원칙의 하나임.
문관 우위【文官優位】명 시빌리언 컨트롤.
문관 전:고소【文官銓考所】명〖역〗대한 제국 때, 내각(內閣)에 속한 한 직소(職所). 판임 문관(判任文官)의 시험을 맡은 곳. 고종 광무(光武) 9년(1905)에 설치하여 순종 융희(隆熙) 4년(1910)에 폐지하였음.
문광【門框】명〖건〗문얼굴.
문괘【問卦】명 점괘(占卦)로 길흉 화복을 알아보는 일.
문괴【文魁】명〖역〗문과(文科)의 장원(壯元).
문교¹【文交】명 글로써 사귐. 문자교(文字交). ——-하다 자여불
문교²【文教】명 학문·교육으로 교화하는 일. 교육.
문교³【文驕】명 학식(學識)을 믿고 부리는 교만(驕慢).
문교-곡【文教曲】명〖악〗조선 성종 23년(1492) 8월에 문선왕(文宣王) 곧, 공자(孔子) 제향(祭享)을 위하여 새로 지은 제일작(第一爵) 악장(樂章)의 곡명. 가락은 여민락조(與民樂調)임.
문교 당국【文教當局】명 문교에 관한 일을 맡던 관청의 요로(要路).
문교-부【文教部】명 1990년 12월 '교육부'로 바뀜.
문구¹【文句】[—꾸] 명 글의 구절. 글귀.
문구²【文具】명 ①↗문방 제구(文房諸具). ②문식(文飾).
문:구³【問求】명 물어서 구함. ——-하다 타여불
문-구멍【門—】[—꾸—] 명 문에 바른 종이가 찢어져서 난 구멍.
문군-곡【問群曲】명〖문〗신라 경문왕(景文王) 때 화랑 요원랑(邀元郞)·예흔랑(譽昕郞)·숙종랑(叔宗郞) 등이 나라를 다스리는 길을 노래한 가사의 하나. 가사는 전하지 아니함. *삼가(三歌).
문-군사【門軍士】[—꾼—] 명〖역〗종묘·궁궐 또는 마을에 있는 문을 지키는 군사.
문-굿【門—】명〖민〗경상도와 강원도 동해안 지방의 오구굿의 한 제차(祭次)로서 네 천왕문(天王門)을 열어서 신을 맞이하는 거리.
문권【文券】명〖역〗땅이나 집 또는 그 밖의 권리를 양도하는 문서. 문기(文記). 문서(文書).
문궐【門闕】명 궁(宮) 같은 곳의 문.
문귀【†文句】[—뀌] 명 ☞ 문구(文句).
문그으다 자〈옛〉지연(遲延)하다. ¶ 우리 문그으디 말고(咱們休磨拖) 《老乞 上 54》.
문-극겸【文克謙】명〖사람〗고려 명종(明宗) 때의 현상(賢相). 자는 덕병(德柄). 남평(南平) 사람. 인종(仁宗) 이후 삼조에 역사(歷仕)함. 재상이 된 후 상장군을 겸하여, 최세보(崔世輔)와 함께 《의종(毅宗) 실록》을 편찬하였음. 유관(儒官)이 무관을 겸한 최초의 인물. [1122-79]
문-근【文瑾】명〖사람〗조선 중종(中宗) 때의 문신. 자는 사휘(士輝). 호

는 매계(梅溪). 안동(安東) 사람. 조광조(趙光祖)와 함께 신진 사류(新進士類)로 중종의 신임을 받았으나 훈구파(勳舊派) 남곤(南袞) 등의 무고로 형조 참판에서 좌천·파직당하였음. [1471-?]

문금¹【文禽】명『조』공작(孔雀). 「금하던 일. ——-하다 자여불

문금²【門禁】명『역』인정(人定) 이후, 도성(都城)의 문을 닫고 출입을

문금³【紋禁】명『역』무늬 있는 비단 의복의 착용을 금지하는 명령.

문기¹【文記】명『역』문권(文券).

문기²【文氣】명 문장의 기세.

문-기³【門旗】[—끼] 명『역』조선 시대에 군대에서 쓰던 대기치(大旗幟)의 하나. 수효는 열인데 빛은 오방(五方)에 따라서 남빛·붉은 빛·흰 빛·검은 빛·누른 빛이며, 각각 둘씩하여 진문(陣門) 밖 양 편에 세움. 기면(旗面)은 다섯 자 평방. 바탕은 그 방위의 빛을 따르되 가장자리와 화염(火焰)은 어느 것이나 다 누른 빛이며 날개 돋친 호랑이를 그림. 깃대 길이는 열두 자. 영두(纓頭)와 주락(珠絡)이 있고, 기 대강이는 창인(槍刃)으로 됨. *우기(右旗).

문-기수【門旗手】[—끼—] 명『역』조선 시대에 훈련 도감(訓鍊都監)에 속하여 있던 군사의 하나. 나중에는 궁궐 안의 심부름을 맡아 하였음. 「듦. 영자(纓子).

문-끈【門—】명 문에 맨 손잡이의 끈. 가죽오라기나 노끈 토막으로 만

문:난【問難】명 어려운 것을 물음. ——-하다 타여불

문-남-무【文南武】명『역』문음무(文蔭武).

문내【門內】명 ①대문 안. ②문중(門中). 1)·2):↔문외(門外).

문내 온천【門內溫泉】명 함경 북도 경성군(鏡城郡) 주을읍(朱乙邑) 봉파동(鳳坡洞)의 문내 마을에 있는 온천. 알칼리성 단순 온천으로 약간의 라듐을 함유하며, 온천수의 온도는 50°C임.

문-념이【門—】명『역』대궐·관아에 물품을 바칠 때나, 죄수가 옥에 들어갈 때, 문지기가 달라던 뇌물.

문념 무:희【文恬武熙·文恬武嬉】[—히] 명 ①문무관(文武官)이 모두 편히 잘지냄. 곧, 세상이 태평함을 일컫는 말. ②문무관이 편히 놀기만 일삼음. 곧, 제 직분을 지키지 아니하여 정치가 퇴폐(頹廢)한다는 뜻.

문다 [—따] 타 ↗무느다. └——-하다 형여불

문다-어【—語】〔Munda〕명『언』오스트로아시아 어족(Austro-Asia 語族)에 속하는 언어군(言語群). 문다족(族)이 사용하며, 문자(文字)는 없음.

문다-족【—族】〔Munda〕명 인도 동부, 초타나그푸르(Chota Nagpur) 고원·서(西)벵골을 중심으로 그 주변에 산재(散在)하는 미개 민족. 몽골로이드(Mongoloid)의 형질(形質)을 가지고 있으나 멜라네시아계(Melanesia 系)의 요소도 있음. 힌두교(敎)의 영향을 그리 받지 아니함.

문다지다 타〈방〉문지르다(함경).

문단¹【文段】명 문장 상(文章上)의 단락(段落).

문단²【文壇】명 문인들의 사회. 문학자들의 사회. 문림(文林). 문장(文場). 문원(文苑). 문학계(文學界). 사단(詞壇). 사림(詞林). 사장(詞場). ¶ ~의 등용문.

문단 경향【文壇傾向】명 문단의 사조(思潮)가 기울어 쏠리는 방향.

문단-론【文壇論】[—논] 명 문단의 현상을 계통적(系統的)으로 논하는 글·말.

문단 문학【文壇文學】명 문단에서 자라나서, 그 소재(素材)가 일반성이 없고 대중성이 희박하며, 스케일(scale)이 작고 오직 기교(技巧)와 형식에만 중점을 두는 예술파에 속하는 문학.

문-단속【門團束】명 탈이 없도록 문(門)을 단단히 닫아 잠그는 일. ¶ 불조심 ~/~하고 외출하다. ——-하다 자여불

문단 수준【文壇水準】명 문단의 평균적인 역량(力量)의 높이. 문학 작품의 평균적인 우열(優劣)의 정도(程度).

문단 시론【文壇時論】명 그 당시의 문단의 현상을 논하는 글이나 말.

문단 예:비군【文壇豫備軍】[—네—] 명 장차 문단에 오를 수 있는 사람들. 문학의 신인(新人)을 일컬음. 「潮) 또는 세력.

문단 주류【文壇主流】명『문』문단의 밑바닥을 흐르는 가장 큰 사조(思

문단 총:아【文壇寵兒】명 문명(文名)을 떨쳐 문단의 인기를 차지하고 있는 사람. 「업 따위를 하다가 그만두다. 폐업하다.

문-닫다【門—】자 ①하루의 영업을 마치고, 영업소의 문을 닫다. ②영

문:달【聞達】명 세상에 이름이 널리 알려짐. 명성(名聲)이 높아짐. ——-하다 자여불

문담【文談】명 ①문장이나 문학(文學)에 관한 이야기. 문화(文話). ②서로 편지로 주고 받으며 하는 상담(相談).

문답¹【文答】명 문서(文書)로써 하는 회답. ——-하다 타여불

문:답²【問答】명 ①물음과 대답. ②한쪽에서 묻고 다른 한쪽에서 대답함. ——-하다 자여불

문:답-법【問答法】명〔그 dialektikē〕『철·교』토론할 적에 날카로운 질문으로 상대방을 자기 모순에 빠지게 하여, 자기의 무지(無知)를 스스로 깨닫게 함으로써 진리를 인식하도록 이끄는 방법. 소크라테스가 주장하고 자주 사용하였음. 진리를 낳는 것을 돕는 방법이라 하여 '산파술(產婆術)'이라고도 일컬었음.

문:답-식【問答式】명 ①묻고 대답하고 하는 방식. ②『교』피교육자의 자기 활동(自己活動)을 중요시하는 입장에서 질문과 대답을 중심으로 학습(學習)을 진행하는 방식. ¶ ~ 교수. *주입식(注入式).

문:답-조【問答調】명 문답하는 투.

문:당【問當】명〈이두〉신문(訊問).

문당 무:가【文堂武嘉】명『역』문관의 정삼품 통정 대부(通政大夫)와 무관의 종이품 가선 대부(嘉善大夫). 곧, 품계(品階)의 승등(陞等)이 몹시 어려움을 가리키는 말. 「여불

문당 호:대【門當戶對】명 문벌(門閥)이 서로 어슷비슷함. ——-하다 형

문 대¹【文大】명『사람』고려 고종 때의 충신. 고종 18년(1231) 낭장(郎將)으로 서창현(瑞昌縣)에서 몽고군의 포로가 되어 끝까지 대항하다가 참형(斬刑)당하였음. [?-1231] 「하다 타여불

문:대²【問對】명 경의(經義) 같은 것을 시험하는 물음과 그 대답. ——-

문대다 타 마구 여기저기 문지르다.

문-대령【門待令】명 문 열기를 기다림. ——-하다 자여불

문덕¹【文德】명 학문의 덕. 문교(文敎)의 힘. ¶ ~이 높은 사람. ↔무덕(武德). 「——-하다 자여불

문덕² 부 물건이 문드러져서 덩이로 뚝 떨어지는 모양. ㅆ문턱. >몬닥.

문덕-곡【文德曲】명 ①『문』조선 태조(太祖) 2년(1393) 정도전(鄭道傳)이 지은 송축가(頌祝歌)의 하나. 조선 창립의 공덕 가운데 특히 문덕을 송영(頌詠)한 노래. 4장. 《악학 궤범(樂學軌範)》에 전함. ②『악』정재(呈才) 때 하던 향악(鄕樂)의 한 가지. 여악(女樂)으로 우리 나라의 고유한 풍류임. 군신이 연향(宴享)할 때에 씀. ③『악』정재 때 춤에 부르던 사(詞)의 이름. 개언로(開言路)·보공신(保功臣)·정경계(正經界)·정례악(定禮樂)의 사장(四章)이 있음.

문덕-문덕 부 썩거나 무른 물건이 덩이로 뚝뚝 떨어지는 모양. ㅆ문턱문턱. >몬닥몬닥. ——-하다 자여불

문덕-전【文德殿】명『역』고려 초기(初期)에 임금이 학사(學士)들과 경서(經書)를 강론(講論)하던 곳. 인종(仁宗) 14년에 수문전(修文殿)이라 고침.

문덕지-무【文德之舞】명『악』고려 때, 태묘(太廟)의 초헌(初獻)에 추는 문무(文舞)의 하나.

문덩 부〈방〉문덕².

문데기 명〈방〉먼지(강원).

문데비 명〈방〉먼지(강원).

문-도¹【文島】명『지』전라 남도의 서해안(西海岸), 영암군(靈岩郡) 삼호면(三湖面) 나불리(羅佛里)에 위치했던 섬. 1980년 목포(木浦) 하구언(河口堰) 공사로 바다에 잠김. [0.02 km²]

문도²【文道】명 ①문학의 길. 학예(學藝)의 길. ②문인(文人)이 닦아야

문도³【門徒】명 제자(弟子). └할 도(道). ↔무도(武道).

문:도⁴【聞道】명 도(道)를 들음. 도를 듣고 깨달음. ——-하다 자여불

문독【文督】명『역』백제 십육품 관등(十六品官等)의 열두째 등급.

문-돋이【紋—】[—도지] 명 무늬가 약간 돋아 나온 비단.

문동¹【文童】명 서당(書堂)에서 함께 글 공부하는 아이.

문동²【虋冬】명『식』겨우살이풀. 맥문동(麥門冬). 「테의 구멍.

문-동개【門—】[—똥—] 명『건』대문의 아래 지돌이를 꽂아 받치는 둔

문:동 답서【問東答西】명 동문 서답(東問西答). ——-하다 자여불

문동-당【門冬糖】명 당속(糖屬)의 한 가지. 설탕에 조린 맥문동.

문:동이 명〈방〉문둥이.

문동 정:과【門冬正果】명 ↗맥문동 정과(麥門冬正果). 「쑨 죽.

문동-죽【門冬粥】명 율무·흰쌀·맥문동 생즙·생지황즙 및 강즙을 넣고

문-두들기다【門—】자 찾아가다. 찾아가서 들여보내 주기를 청하다. ¶ 신앙의 문을 두들기다.

문두루-종【文豆婁宗】명『불교』신인종(神印宗).

문두-채【吻頭菜】명 두릅 나물.

문두 행자【門頭行者】명『불교』선사(禪寺)에서 문을 지키는 행자.

문-둔테【門—】명『건』아래위의 문장부를 끼는 구멍이 뚫린 나무. 문얼굴 아래위로 가로 댐. ㊀둔테.

문둥-병【—病】[—뼝] 명『의』한센병(Hansen病).

문둥-아 감〈방〉영남 지방에서 마음에 몹시 흡족할 때나 또는 반가운 사람과 대할 경우에 하는 말.

문둥-이 명 문둥병에 걸린 사람. 나병자. 나병 환자. 풍인(風人). 【문둥이나 문둥 어미나 한 값이다】결국은 같은 것이란 말. 【문둥이 떼 쓰듯 한다】마구 떼를 쓰는 자를 보고 하는 말. 【문둥이 버들강아지 따 먹고 배 앓는 소리 한다】무슨 말을 하는지 모르게 입 속에서 우물우물 말하거나 그 모양으로 노래부르는 자를 두고 이르는 말. 【문둥이 시악 쓰듯 한다】무리하게 자기 주장만 하고 떼를 쓰다. 【문둥이 자지 떼어 먹듯】남의 것을 무쪽같이 떼어 먹기만 하고 갚을 줄 모름을 이르는 말. ¶ 문둥이 자지 떼어 먹듯 한 번 뚝 떼어 먹고 다시 이렇다저렇다 말이 없단 말이요《李海朝:鬢上雪》. 【문둥이 죽이고 살인(殺人) 당한다; 문둥이 죽이고 살인 문다】대수롭지 않은 일을 저지르고 큰 화를 입는다는 뜻으로 이르는 말. 【문둥이 콧구멍에 박힌 마늘 씨도 파 먹겠다】욕심이 사납고 남의 것을 탐하여 심히 구는 사람을 욕하는 말. 「종기가 난 것처럼 만들었음.

문둥-탈 명『민』통영 오광대 놀이에 쓰이는 탈의 하나. 검붉은 바탕에

문뒤 명〈방〉문둥이(함경).

문드러-지다 자 ①썩어서 힘 없이 처져 떨어지다. ②지나치게 익어서 물러지다. ③해져서 찢어지다.

문:득¹【聞得】명 ①들어서 얻음. ②들어서 이득을 봄. ↔문손(聞損). ——-하다 자여불

문득² 부 생각이 갑자기. 거연히. ¶ ~ 고향 생각이 나네. ㊀무득. ㅆ문뜩.

문득-문득 부 (어떤 생각이) 자꾸 갑자기. ㊀무득무득. ㅆ문뜩문뜩.

문들레 명〈방〉『식』민들레(평안).

문듯 부〈방〉문득.

문등¹【文登】명『지』'원덩'을 우리 음으로 읽은 이름.

문등²【門燈】명 문에 단 등.

문뜩 부 생각이 갑자기. 불현듯이. ㊀무뜩. ㅅ문득.

문뜩-문뜩 부 어떤 생각이 자꾸 갑자기 떠오르는 모양. ㊀무뜩무뜩. ㅅ문득문득.

문뜻 부〈방〉문뜩.

문-띠【門—】명 널 문짝 뒤에 가로 댄 좁다란 나무.

문라【文羅】[물—] [명] 무늬가 있는 깁. ¶ ~건(巾).
문라-건【文羅巾】[물—] [명]〖역〗고려 때 관모(官帽)의 하나. 계급에 따라 빛깔을 달리하였음.
문라 두건【文羅頭巾】[물—] [명]〖역〗고려 때 군복(軍服)에 갖추어 쓰던 두건.
문:-라이트〔moonlight〕[명] 달빛. 월광(月光).
문:라이트 소나타〔Moonlight Sonata〕[명]〖악〗월광곡(月光曲).
문:란【紊亂】[물—] [명] 도덕이나 질서·규칙 등이 어지러움. ¶ 풍기 ~. ——하다 [형][여불]. ——히 [부]
문랑【問郞】[물—] [명]〖역〗문사 낭청(問事郞廳).
문래【文來】[물—] [명] 물레. 고려 말년에 문래(文來)라는 이가 처음으로 이 틀을 만들었다는 데서 나온 말.　「[1,081 m]
문래-산【文來山】[물—] [명]〖지〗강원도 정선군(旌善郡)에 있는 산.
문려【門閭】[물—] [명] 집의 문과 마을 입구의 문.
문력【文力】[물—] [명] 글을 아는 힘. 글의 힘.
문례¹【文例】[물—] [명] 문장(文章)의, 여러 가지 짓는 법이나 쓰는 법의 실례(實例). ¶ ~가 풍부하다. *예문(例文).
문:례²【問禮】[물—] [명] 예절(禮節)을 물음. ——하다 [자][여불]
문로¹【門路】[물—] [명] ①임금의 수레가 드나드는 대궐 정문(正門)의 길. ②학문상(學問上)의 지름길.
문로²【蚊蛯】[물—] [명]〖충〗쌍시류(雙翅類)에 속하는 모기의 한 가지. 촉각(觸角)은 실같이 길고 몸 한가운데는 주름이 가로 잡혀 있으며 보통 밭은 모기와 비슷하나 더 길고 큼.
문뢰【蚊雷】[물—] [명] 모기가 많이 모여 앵앵하는 소리를 일컫는 말.
문루【門樓】[물—] [명] 궁문(宮門)·성문(城門)·지방 관청의 바깥문 등의 위에 지은 다락집. 초루(譙樓).
문류 심화【問柳尋花】[물—] [명]〔버드나무와 꽃을 찾는다는 뜻〕①봄의 경치를 감상함. ②화류계(花柳界)에서 놂.
문릉【文綾】[물—] [명] 화려한 비단. 능직 무늬로 짠 비단.
문리¹【文理】[물—] [명] ①문장(文章)의 조리(條理). 문맥(文脈). ②사물을 깨달아 아는 길. ③문과(文科)와 이과(理科). ④〖불교〗표현하는 말과 그것에 의해 표현되는 도리(道理). 문구(文句)와 도리(道理).
문리²【門吏】[물—] [명] 문지기를 하던 벼슬아치.
문리-과【文理科】[물—꽈] [명] 문과(文科)와 이과(理科).
문리과 대학【文理科大學】[물—꽈—] [명] 문과(文科)·이과(理科)에 관한 학문을 전문으로 하는 단과(單科) 대학. [준]문리대. *문과 대학.
문리-대【文理大】[물—] [명] ↗문리과 대학.
문리 해:석【文理解釋】[물—] [명]〖법〗법률 해석의 한 단계. 법문(法文)을 구성하는 말의 뜻과 문법적 규칙에 따라서 그 법문의 의미를 탐구 해석하는 일. ↔논리(論理) 해석.
문림【文林】[물—] [명] ①문인들의 사회. 문단(文壇). ②시문(詩文)을 모은 책. 문원(文苑). 시문집(詩文集).
문림-랑【文林郞】[물—낭] [명]〖역〗고려 때 문관(文官)의 품계. 종구품의 상(上). 문종(文宗) 때에 정하였다가 충렬왕 34년에 폐하였음.
문망¹【文望】[명] 학문으로 널리 알려진 이름과 신망(信望).
문망²【門望】[명] 의정(議政)이 문에 들어올 적에 하례(下隷)가 문 앞에서 큰소리로 이것을 알리는 일. ——하다 [타][여불]
문망³【蚊蝱·蚊虻】[명] 모기와 등에.
문망 주:우양【蚊蝱走牛羊】[명] 모기와 등에가 소나 양을 쫓음. 곧, 아무리 작은 것도 때로는 큰 것을 물리쳐 이길 수 있다는 뜻.
문맥¹【文脈】[명]〖언〗문장의 줄거리. 글의 맥락(脈絡). 문리(文理). 전후 문의(前後文意). ¶ ~이 통하지 않다.
문맥²【門脈】[명]〖생〗↗문정맥(門靜脈).
문맥 순환【門脈循環】[명]〖생〗문정맥(門靜脈)에 의한 혈액의 순환.
문맹【文盲】[명] ①무식하여 글에 어두움. 글을 볼 줄도 쓸 줄도 모름. ¶ 무학 ~. ②문맹자. 까막눈이.
문맹-도【文盲度】[명] 문맹자의 수가 얼마나 많으냐 하는 정도.
문맹 불학【文盲不學】[명] 전혀 학식이 없음.
문맹-자【文盲者】[명] 무식하여 글을 볼 줄도 쓸 줄도 모르는 사람. 까막눈이. 눈뜬 장님. 몰자한(沒字漢). 문맹.
문맹 타:파【文盲打破】[명] 문맹 퇴치. ——하다 [자][여불]
문맹 타:파가【文盲打破歌】[명] 1930년대 초에, 2천만 인구 중 80%에 이르렀던 문맹자를 계몽하기 위해 조선 어학회가 어린이들에게 한글을 쉽게 깨우칠 수 있게 보급시킨 노래.
문맹 퇴:치【文盲退治】[명] 무식층(無識層)에게 응급적(應急的)으로 글을 가르쳐 문맹자가 없도록 하는 일. 문맹 타파(文盲打破). ¶ ~ 운동.　ㄴ——하다 [자][여불]
문-머리 [명]〖건〗문얼굴의 윗부분.
문면【文面】[명] ①문장이나 편지에 적혀 있는 대강의 내용. ¶ ~으로 살피건대. ②서면(書面).　「리다. ↔무명(武名).
문명¹【文名】[명] 글을 잘하여 드러난 명성(名聲). 문성(文聲). ¶ ~을 날
문명²【文明】[명] ①문채(文彩)가 나고 분명함. ②〔civilization〕사람의 지혜가 깨서 자연을 정복하여 물질적으로 생활이 편리하여지고 또는 정신적으로도 발달하여 세상이 열리어 진보한 상태. 문화와 같은 뜻으로 쓰는 학자와, 구별하여 쓰는 학자도 있으며 일반적으로도 혼용하는 경우가 많으나, 대체로 문화는 종교·학문·학술·도덕 등 정신적인 움직임인데 대하여 문명은 보다 더 실용적인 식산(殖產)·공업·기술 등 물질적인 방면의 움직임이라 하여 편의상 전자(前者)를 정신 문명, 후자를 물질 문명이라 함. ¶ 고도의 ~ 사회. ↔미개·야만(野蠻). *문화(文化). ——하다 [형][여불]
문명³【文命】[명] 문덕(文德)의 가르침. 인자(仁慈)한 교화(敎化).
문:명⁴【問名】[명] ①이름을 물음. ②〖민〗혼인을 정한 여자의 장래 운수를 점칠 때 그 어머니의 이름을 물음. ——하다 [자][여불]
문명 개화【文明開化】[명] 낡은 폐습(弊習)을 타파하고 발달된 문명을 받아 들이어 세상이 열리어 진보함. ——하다 [자][여불]
문명-곡【文明曲】[명]〖악〗↗문명지곡(文明之曲).
문명-국【文明國】[명] 문명 국가.
문명 국가【文明國家】[명] 문명이 발달하여 생활 수준이 높고 인지(人智)가 개발된 국가. 특히 기술과 물질 문명이 발달한 나라. 문명국. ↔미개 국가. *문화 국가.
문명-병【文明病】[—뼝] [명] ①〔도 Kulturkrank〕〖사〗물질 문명이 고도로 발달된 생활에 치우친 결과로서 생기는 병증. 곧, 노이로제 등. 문화병. ②〈속〉화류병(花柳病).
문명 비:평【文明批評】[명] 국가·사회·시대 등에 나타나는 인류 문명의 여러 현상을 넓은 견지에서 종합적인 연관 밑에 문제 삼아, 그것의 미래에의 전망도 포함하여 문명의 본질을 해명·논평하는 평론.
문명-사【文明史】[명] 인류 문명의 발달 과정을 적은 역사. *문화사(文化史).　「물질적으로도 발달한 사회.
문명 사회【文明社會】[명] 문명이 발달한 사회. 인지(人智)가 개발되고,
문명 왕후【文明王后】[명]〖사람〗신라 태종 무열왕(太宗武烈王)의 후비(後妃). 이름은 문희(文姬). 소판(蘇判) 서현(舒玄)의 딸로 김유신의 끝 누이이며 문무왕(文武王)의 어머니.
문명 욕왕생【聞名慾往生】[명]〖불교〗아미타불의 이름을 듣고 믿어, 정토(淨土)에 태어나고자 생각하는 일.
문명의 이:기【文明—利器】[—/—에—] [명] 문명이 발달하여 과학적으로 만들어진 편리한 제구. 자동차·비행기·전등·텔레비전 등.
문명-인【文明人】[명] 문명 사회에 사는 사람. ↔야만인(野蠻人). *문화인(文化人).　「만적.
문명-적【文明的】[명][관] 문명의 여건을 구비한 모양 또는 그 상태. ↔야
문명지-곡【文明之曲】[명]〖악〗조선 태조(太祖)의 창업(創業)과 태종의 공덕을 찬양한 악장(樂章)의 이름. 황종궁(黃鐘宮)·태주궁(太簇宮)·남려궁(南呂宮)·무역궁(無射宮)의 네 곡임. 세종 때에 지었음. [준]문명곡(文明曲).　「나 조목(條目).
문:목【問目】[명] ①죄인을 신문(訊問)하는 조목. ②질문(質問)의 제목이
문묘【文廟】[명] 공자(孔子)를 모신 사당. 원래 선사묘(先師廟)라 하였다가 명(明)나라 성조(成祖) 때에 문묘 또는 성묘(聖廟)라 하였으며, 청(清)나라 때와 중화 민국에 이르러 공자묘라 하였음. 여러 곳에 있어 그 규모도 각각 다르나, 중국 산둥 성 취푸(山東省曲阜)에 있는 것이 가장 크고 유명함. 우리 나라에는 성균관과 향교에 베풂. 곳에 따라 사성(四聖), 공자의 제자, 역대의 거유(巨儒) 및 신라(新羅) 이후의 우리 나라 큰 선비들을 함께 모신 곳도 있음. 공묘(孔廟). 공자묘(孔子廟). 근궁(芹宮). 성당. 성묘(聖廟). 문선왕묘(文宣王廟). 부자묘(夫子廟). 합사묘. [준]묘(廟). ↔무묘(武廟).
문묘 낙서옥【文廟落書獄】[명]〖역〗조선 선조(宣祖) 39년(1606) 6월에 문묘(文廟)의 벽에 당시의 좌의정(左議政) 기자헌(奇自獻)과 그 일파를 비방하는 내용의 낙서를 한 사건. 성균관의 유생이 심한 곤욕을 치렀고, 관노(官奴)들이 많이 장하(杖下)에 죽었음.
문묘-악【文廟樂】[명]〖악〗문묘 제례악.
문묘 제:례악【文廟祭禮樂】[명]〖악〗중국계의 아악(雅樂)으로 공자(孔子)를 모신 사당에서 제사지낼 때 아뢰는 음악. 문묘악(文廟樂). 석전 제악(釋典祭樂).
문무¹【文武】[명] ①문관과 무관. ②문식(文識)과 무략(武略). 서검(書劍).
문무²【文舞】[명]〖악〗나라에서 아악(雅樂)을 베풀 때, 악생(樂生)들이 칼이나 창을 들지 아니하고 순 문관(文官)의 복색을 차리고 추는 일무(佾舞). ↔무무(武舞).
문무 겸전【文武兼全】[명] 문식(文識)과 무략(武略)을 다 갖추고 있음. 문무 쌍전(文武雙全). ——하다 [형][여불]
문무-관【文武官】[명] 문관과 무관.　「함. ——하다 [자][여불]
문무 교체【文武交遞】[명] 관제(官制)에 따라서 문관과 무관이 서로 교대
문무대왕-릉【文武大王陵】[—능] [명]〖지〗1967년 경북 경주시(慶州市) 양북면(陽北面) 봉길리(奉吉里) 앞바다에서 발견된 신라 문무왕의 능. 특이한 수중 경영 방식(水中經營方式)임. 사적(史蹟) 제158호.
문무 백관【文武百官】[명] 문관과 무관의 총칭.
문무 보:태음【文武保胎飮】[명]〖한의〗태음인(太陰人) 임신부의 태루(胎漏)를 고치는 처방.
문무-석【文武石】[명] ↗문무 석인.
문무 석인【文武石人】[명] 문석인과 무석인. [준]문무석(文武石).
문무 숭상【文武崇尙】[명] 문무(文武)를 다같이 높이어 소중하게 여김.
문무 쌍전【文武雙全】[명] 문무 겸전(文武兼全). ——하다 [형][여불]
문무 양:반【文武兩班】[명] 문반(文班)과 무반(武班).
문무-연【文武硯】[명] 연지(硯池)에 갖을 쓴 문인(文人)과 복건(幞巾)을 쓴 무인(武人)을 새긴 벼루.
문무-왕【文武王】[명]〖사람〗신라 제30대 왕. 이름은 법민(法敏). 김유신과 함께 백제·고구려를 멸망, 삼국을 통일함. 중국 당나라 문화를 수입하고, 신력(新曆)을 사용, 동인(銅印)을 만들어 백관(百官)·주군(州郡)으로 하여금 사용토록 함. 유언에 따라 시체는 화장, 동해의 대왕암(大王岩)에 안장됨. [?-681; 재위 661-681]
문무-화【文武火】[명] 약하게 타는 불과 세차게 타는 불.
문묵【文墨】[명] 시문(詩文)을 짓거나 서화(書畫)를 그리는 일. 문필(文筆).
문묵 종사【文墨從事】[명] 문필(文筆)로 일을 삼음. ——하다 [자][여불]
문문-부【門門部】[명] 한자 부수(部首)의 하나. '開'나 '閉' 등의 '門'의 이름.　「보내어 축하하거나 위문하다.
문:문-하다¹【問問—】[타][여불] 남의 슬픈 일이나 경사로운 일에 물건을

문문-하다² 형 여불 ①부드럽고 무르다. ¶감자를 문문하게 찌다. ②우습게 보이다. 어렵잖이 손쉽게 다룰 만하다. ¶노동자라고 문문하게 본다/ 구렁이가 다 된 형본 그리 문문하게 속아 떨어질 이치가 없다《蔡萬植 : 濁流》. >만만하다. **문문-히** 부

문물¹【文物】명 문화의 산물. 곧, 법률·학문·예술·종교 등 문화에 관한 것.

문물²【門物】명 문중의 물건.

문물 제:도【文物制度】명 ①문물과 제도. ②문물에 관한 제도.

문미【門楣】명 문 위에 가로 댄 나무.

문민【文民】명 〔civilian〕 군인이 아닌 사람. 직업 군인의 경력이 없는 사람. ¶~ 정치.

문민 정치【文民政治】명 군부(軍部)에 의한 정치에 대하여, 문민에 의하여 베풀어지는 정치.

문빡 명 〈옛〉 문짝. ¶문빡 비(扉)《字會 中 7》.

문-바람【門一】[一빠一] 명 문이나 문틈으로 들어오는 바람. 문풍(門風).

문-바퀴【門一】명 〖건〗 호차(戶車).

문박【文博】명 ↗문학 박사.

문-밖【門一】명 ①문의 바깥. ②성문의 밖. 1)·2):↔문안.

문밖-놀이【門一】명 집 밖에서 노는 일.

문밖 출입【門一出入】명 자기 집 문 밖으로 나돌아 다님. ——-하다 자 여불

문반【文班】명 문관의 반열(班列). ↔무반(武班).

문-발【門一】[一빨] 명 문에 치는 발.

문방【文房】명 ①책을 읽거나 글을 쓰는 방. 서재(書齋). ②↗문방구(文房具).

문방-구【文房具】명 붓·종이·먹·벼루·펜·잉크·연필 등 문방에 필요한 기구. 문구(文具). 문방 제구. ㊟문방(文房).

문방구-점【文房具店】명 문방구를 파는 가게.

문방 사:보【文房四寶】명 문방 사우(文房四友).

문방 사:우【文房四友】명 문방에 꼭 있어야 할 네 벗. 곧, 종이·붓·먹·벼루. 문방 사보. 사우(四友).

문방 사:우도【文房四友圖】명 벼루·먹·붓·종이와 필통·연적 등에 도자기 등을 곁들인 그림.

문방 제구【文房諸具】명 종이·붓·먹·벼루·펜·잉크·연필 등 문방의 모든 기구. 문방구. ㊟문구(文具).

문방 치레【文房一】명 문방을 모양나게 꾸미는 일. ——-하다 자 여불

문:-배¹ 명 문배나무의 열매. 모양은 고살래와 비슷하며 단단하므로 물려서 먹음. 문향리(聞香梨).

문배²【門排】명 〖역〗 세화(歲畫).

문:배-나무 명 〖식〗 [*Pyrus seoulensis*] 능금나뭇과에 속하는 낙엽 활엽 교목. 잎은 거의 원형이고 장병(長柄)이며, 4월에 흰 꽃이 대형(大形)으로 짧은 가지 위에 피는데 산방(繖房) 화서로 모여 핌. 과실은 배와 비슷한 구형(球形)이고, 10월에 거의 황색으로 익음. 산록에 나는데, 나무는 조각재(彫刻材)로 씀. 과실은 석세포(石細胞)가 많아 식용하기에 좋지 못함.

〈문배나무〉

문배-유【玟坏釉】명 〖공〗 자기(瓷器)의 겉에 발라서, 윤이 나고 물이 스며 들지 아니하게 하는, 유리 성질의 가루.

문:배-주【一酒】명 중요 무형 문화재로 지정된 서울의 향토 소주. 문배나무 과실을 전혀 쓰지 않고 문배향을 풍기는 데 특징이 있음. 술의 빛은 황갈색을 띠며, 알코올 도수 40° 정도임. 문배술.

문-백두구【門白荳蔻】명 〖한의〗 중국의 책문(柵門) 지방에서 나는 약효가 많은 백두구.

문:뱃-내 명 ①문배의 냄새. ②술취한 사람의 입에서 나는 술 냄새. 문배 냄새와 비슷하므로 이르는 말.

문벌【門閥】명 대대(代代)로 이어 내려오는 집안의 지체. 가벌(家閥). 가수(家數). 문지(門地). 문호(門戶). 문공(門功). ¶~이 좋다.

문벌-가【門閥家】명 문벌이 좋은 집안.

문벌 제:도【門閥制度】명 문벌을 주체로 하여 그것에 의해 격식·신분·등용·녹봉(祿俸)·권한 따위가 정해지던 제도.

문범【文範】명 ①문장의 모범 또는 모범되는 문장. ②모범되는 문장을 모아 엮은 책.

문법¹【文法】[一뻡] 명 ①문장의 작법(作法) 및 구성법. 문전(文典). ②〔grammar〕〖언〗 언어의 구성 및 운용상(運用上)의 규칙. 또, 그것을 연구하는 학문. 실용 문법(實用文法)·규범 문법(規範文法)·기술 문법(記述文法)·역사 문법(歷史文法) 등의 구별이 있음. *어법(語法). ③〔grammar〕〖컴퓨터〗 언어의 구조를 규정하는 규칙. 프로그래밍 언어의 구문(構文)에 대하여 형식을 갖추어 정의한 규칙.

문:법²【聞法】명 〖불교〗 불법(佛法)을 들음. ——-하다 자 여불

문법-가【文法家】[一뻡一] 명 ①문법에 대한 지식이 많은 사람. ②문법을 전문으로 연구하여 권위를 세운 사람.

문법-론【文法論】[一뻡논] 명 〖언〗 언어학의 한 부문. 언어의 각종 사실(事實)에 대한 체계적인 기술(記述)과 설명을 대상으로 하는 학문. 보통, 형태론과 구문론(構文論)으로 대별됨.

문법 범:주【文法範疇】[一뻡一] 명 〖언〗 동일한 의미 혹은 문법적 기능을 나타내는 형태류의 총칭. 성(性)·수(數)·격(格)·법(法)·시제(時制) 등. 문법적 카테고리(category).

문:법 수희【聞法隨喜】[一히] 명 〖불교〗 불법을 청문(聽聞)하고 마음으로부터 기쁨을 느낌.

문법적 카테고리【文法的一】〔category〕[一뻡一] 명 〖언〗 문법 범주.

문법-전【文法典】[一뻡一] 명 〖언〗 어전(語典) ❶.

문:법 치우【聞法値遇】명 〖불교〗 불법을 직접 청문(聽聞)할 기회를 얻음.

문법-학【文法學】[一뻡一] 명 〖언〗 문법론(文法論)을 독자(獨自)의 학문적 체계를 가진 것으로서 일컫는 이름. 어법학(語法學).

문-변자【門邊子】명 장(欌)·문갑 등 가구의 부분 이름. 문짝의 좌우 상하의 문얼굴.

문병¹【門屛】명 대문이나 중문 등의 정면 조금 안쪽에 있어, 밖에서 안을 들여다보지 못하도록 막아 놓은 가림.

문:병²【問病】명 앓는 사람을 찾아 보고 위로함. ¶입원 중인 친구를 ~ 하다. ——-하다 자 타 여불

문:병-객【問病客】명 문병하려고 온 손님. ¶병상에서 ~을 맞다.

문병-도【文柄島】명 〖지〗 전라 남도의 서해상(西海上), 신안군(新安郡) 하의면(荷衣面) 후광리(後廣里)에 위치한 섬. [0.19 km²]

문복¹【門僕】명 〖역〗 고려 때 중서 문하성(中書門下省)의 말단 이속(吏屬).

문:복²【問卜】명 점을 치게 하여 길흉(吉凶)을 물음. 문수(問數). ——-하다 자 여불

문복-산【文福山】명 〖지〗 경상 북도 경주시(慶州市)와 청도군(淸道郡) 사이에 있는 산. 태백 산맥 중에 솟아 있음. [1,013 m]

문:복-장이【問卜一】명 ☞점쟁이.

문:복-쟁이【問卜一】명 〈방〉 점쟁이(강원·전북).

문봉-산【文峰山】명 〖지〗 중앙 산맥(中央山脈)의 면봉산(眠峰山) 동쪽에 있는 산. [847m]

문부¹【文部】명 〖역〗 이조(吏曹).

문부²【文賦】명 중국의 운문(韻文)의 한 체(體). 산문적인 기세의 흐름을 띤 것으로 송(宋)나라 때에 썼음.

문부³【文簿】명 뒤에 상고할 문서나 장부. 문서(文書). 문안(文案). 문적(文蹟).

문:부⁴【聞訃】명 부고(訃告)를 들음. ——-하다 자 여불

문부-성【文部省】명 일본의 중앙 행정 기관인 성(省)의 하나. 우리 나라의 교육부(敎育部)에 상당함. *문상(文相).

문-불가점【文不加點】명 문장이 썩 잘 되어서 점 하나 더 찍을 곳이 없음. 곧, 흠잡을 곳이 없음. ——-하다 형 여불

문비¹【文備】명 문교(文敎) 및 학문 상의 준비. ↔무비(武備).

문비²【門扉】명 문짝.

문비³【門裨】명 〖민〗 화난(火難)·사신(邪神)·역신(疫神) 등의 악귀(惡鬼)를 내어 쫓는 뜻으로, 궁문(宮門)·협문(夾門) 또는 사가(私家) 대문에 붙이는 신장(神將)의 화상(畫像)을 그린 종이.

【문비를 거꾸로 붙이고 환쟁이만 나무란다】 자기가 잘못하여 놓고 남을 나무란다는 말.

문-빗장【門一】명 문을 잠글 적에 가로지르는 나무때기나 쇠장대. 경관(扃關). 염이(扊扅). 관건(關鍵). ㊟빗장.

문빙【文憑】명 증거가 될 만한 문서(文書).

문ㅅ부체 명 〈옛〉 문짝. ¶半門ㅅ부체 燭ㅅ그르메에 여렛거ᄂ(半扉開燭影)《杜諺》.

문쪈 명 〈옛〉 문지방. =문젼. ¶문쪈 광(閫)《字會 中 7》.

문사¹【文士】명 ①학문으로써 입신(立身)하는 선비. ②문필(文筆)에 종사하는 사람. ③문학에 뛰어나고 시문(詩文)을 잘 짓는 사람. 사백(詞伯). 사인(詞人). ↔무사(武士).

문사²【文事】명 학문·예술 등에 관한 일. ↔무사(武事).

문사³【文思】명 ①문장 속에 담긴 사상. 작문(作文)의 사고(思考). ②문(文) 곧, 천지 경위(天地經緯)와 사(思), 곧 도덕의 순일 완비(純一完備)를 이름.

문사⁴【文師】명 〖역〗 고려 때 서경(西京)·남경(南京) 및 동경 유수관(東京留守官)과 대도호부(大都護府)의 구품(九品) 벼슬.

문사⁵【文詞·文辭】명 문장에 나타난 말. 문장(文章). 어사.

문사⁶【刎死】명 스스로 목을 베어 죽음. 자문(自刎). 경사(剄死). ——-하다 자 여불

문사⁷【門士】명 문지기.

문-사각【紋紗角】명 〖역〗 조선 시대에, 당상 삼품(堂上三品) 이상의 관원(官員)이 쓴, 사모의 두 겹으로 되고 문채가 나는 사모뿔. 속칭:겹뿔. *단사각(單紗角).

문사-극【文士劇】명 문인극(文人劇).

문:사 낭청【問事郎廳】명 〖역〗 조선 시대에, 정국(庭鞫)·국청(鞫廳) 등에 차출되어 죄인(罪人)을 신문(訊問)할 적에 필기(筆記)와 낭독(朗讀)을 맡던 임시 벼슬. 문랑(問郞).

문-사알【門司謁】명 〖역〗 조선 시대에, 액정서(掖庭署) 잡직(雜職)의 하나.

문사 통의【文史通義】[一/一이] 명 〖책〗 중국의 사평서(史評書). 내편(內編) 5권, 외편(外編) 3권. 청(淸)나라 장학성(章學誠)이 엮음. 1832년 간행(刊行). 내편은 학문의 원류(源流)와 그 결과 및 저작(著作)의 유별(流別)을 논(論)한 문사류(文史類)이고, 외편은 주지(州志)·서열(序列)·서의(書儀)를 논한 것임.

문산【汶山】명 〖지〗 경기도 파주시(坡州市)의 한 읍(邑). 시(市)의 서북쪽에 위치하며, 임진강에 접한 평야 지대로 농업이 성함. 경의선(京義線)의 역(驛)이 있고, 북쪽으로는 임진 나루, 서쪽으로는 백구의 군서처(群棲處)로 알려진 반구정(伴鷗亭) 정자 등 명승지가 있음. [29,748명(1996)]

문-산계【文散階】명 〖역〗 고려 시대의 문관의 위계(位階) 제도. 문종(文宗) 때에 29계(階)의 문산계를 정했다고 전해지나, 성종(成宗) 14년(995)의 관제 개혁 때에도 그 이름이 보이므로, 채용 연대는 분명하지 않음. 충렬왕(忠烈王) 1년(1275)에 원(元)나라의 간섭으로 오품 이상의 이름을 바꾸었고, 충선왕 원년(1308)에 비로소 정일품을 두어 정(正)·종(從) 각각 구품까지 갖추고 육품부터 낭(郞)이라 하였는데, 그 후에도 여러 차례 바뀜. ↔무산계(武散階).

문-살【門一】[一쌀] 명 문짝의 뼈가 되는 나무 오리나 대오리.

문살-무늬【門一】[一쌀一니] 명 〖고고학〗 선을 교차시켜서 문살 모양으로 만든 무늬. 격자문(格子文). 격문(格文).

문상¹【文相】명 일본 등 외국에서 교육 행정을 맡은 장관.

문:상²【問喪】명 조상(弔喪). ——-하다 타 여불

문:상-객【問喪客】명 조상객(弔喪客).

문:상-꾼【問喪一】명 조상(弔喪)꾼.

문-새【門一】명 문의 생김새.

문생【門生】명 ①↗문하생(門下生). ②〖역〗고려 때 감시(監試)에 급제한 사람이 고시관(考試官)인 은문(恩門)에 대하여 자기를 이르던 말.

문생 고:리【門生故吏】명 문생과 이속(吏屬). ㊂문고리(門故吏).

문서【文書】명 ①글로써 일정한 사상(思想)을 적어 표시한 것의 총칭. ②〖법〗소송법상 각인이 알아 볼 수 있는 기호에 의하여 사상을 표시하는 일체의 것. 형법 상으로는, 문자 또는 이에 대신하는 부호에 의하여, 일정한 명의인(名義人)이 일정한 사상을 물체상에 표현한 것을 말하며, 사회 생활상 중요한 사항을 증명하는 것에 한함. ③문권(文券). ④문부(文簿).

【문서 없는 상전】까닭 없이 남에게 몹시 까다롭게 구는 사람을 가리키는 말. 【문서 없는 종】㉠행랑살이하는 사람을 가리키는 말. ㉡아내를 가리키는 말.

문서-궤【文書櫃】명 책·서류 등을 넣는 궤.

문서-대【文書袋】명 문서를 넣는 주머니.

문서 변:조【文書變造】명〖법〗권리·의무 또는 사실 증명에 관한 남의 문서 또는 도서(圖書)를 변조하는 행위.

문서 변:조죄【文書變造罪】[一죄] 명〖법〗행사(行使)할 목적으로, 권리·의무 또는 사실 증명에 관한 남의 문서 또는 도서(圖書)를 변조함으로써 성립되는 죄.

문서 손:괴【文書損壞】명〖법〗남의 명의(名義)의 문서를 권한 없이 손괴하는 행위.

문서 손:괴죄【文書損壞罪】[一죄] 명〖법〗남의 명의의 문서를 손괴(損壞) 또는 은닉하거나 그 밖의 방법으로, 그 효용을 해함으로써 성립하는 죄. 문서 훼기죄(文書毁棄罪).

문서 위조【文書僞造】명〖법〗권리·의무 또는 사실 증명에 관한 남의 문서 또는 도서를 위조하는 일.

문서 위조죄【文書僞造罪】[一죄] 명〖법〗행사(行使)할 목적으로, 권리·의무 또는 사실 증명에 관한 남의 문서 또는 도서를 위조함으로써 성립되는 죄.

문서 은닉【文書隱匿】명〖법〗남의 문서를 감추는 행위.

문서 은닉죄【文書隱匿罪】명〖법〗남의 문서를 은닉함으로써 성립하는 죄. 봉함(封緘)의 유무(有無) 또는 우편물이거나 아니거나를 불문(不問)함.

문서-철【文書綴】명 문서를 한데 엮어 철해 놓은 것.

문서-청【文書廳】명〖역〗조선 시대에 호조(戶曹) 선혜청(宣惠廳)의 서리(書吏)가 장관의 집 근처에서 공문서를 처리하던 곳.

문서-체【文書體】명〖언〗문서의 형식으로 된 글체.

문서 편집기【文書編輯機】명〖컴퓨터〗문서나 프로그램을 작성하여 수정·삽입·삭제하는 등 일련의 편집 작업을 할 수 있도록 해 주는 컴퓨터 프로그램.

문서-함【文書函】명 문서를 넣어 두는 조그만 함. *관복함(官服函).

문서-화【文書化】명 문서의 형식으로 작성함. 문서로 만듦. ——-하다 타여불

문서 훼:기죄【文書毁棄罪】[一죄] 명 문서 손괴죄(文書損壞罪).

문석¹【文石】명 ①〖광〗마노(瑪瑙). ②↗문석인.

문석²【紋石】명 표면에 무늬가 있는 돌.

문-석인【文石人】명 문인석(文人石). ㊂문석(文石).

문선¹【文選】명 ①많은 글 가운데서 명문(名文)만을 가려서 뽑음. 또, 그렇게 한 책. ②〖인쇄〗활판(活版) 인쇄에 있어서, 원고의 글자대로 필요한 활자를 뽑는 일. 채자(採字). ③↗문선공(文選工). ④〖역〗종친(宗親)·문관(文官)·문반 잡직(文班雜職)의 제수(除授) 및 문과(文科)·생원(生員)·진사(進士)의 사패(賜牌)·임명 등에 관한 일. ——-하다 자여불

문선²【文選】명〖책〗중국 양(梁)나라의 소명 태자(昭明太子) 소통(蕭統)이 엮은 시문집. 130여 명의 시부(詩賦), 문장, 작자 미상의 고시(古詩), 고악부(古樂府) 등을 수록함. 30권.

문선³【門扇】명〖건〗문짝.

문선⁴【門楦】명〖건〗문설주.

문선⁵【門線】명〖건〗문짝이 의지하게 세운 벽선(壁線).

문:선⁶【問禪】명〖불교〗①선사(禪寺)에서 주지가 설법할 때에, 청중 가운데서 질문하기 위해 미리 정해 놓은 선객(禪客)이 나와 주지와 문답하는 일. 또, 그 선객. ②참선(參禪). ——-하다 자여불

문선-공【文選工】명 신문사나 인쇄 공장에서 문선을 하는 직공. 채자공(採字工). ㊂문선(文選).

문선-부【文選部】명 신문사나 인쇄 공장 같은 데서, 원고대로 활자를 골라 내는 일을 하는 부서(部署).

문선-사【文選司】명〖역〗조선 시대의 이조(吏曹)의 한 분장(分掌). 종친(宗親)·문관(文官)·문반 잡직(文班雜職)·승과(僧科)의 제수(除授), 고신(告身)·녹패(祿牌) 및 문과(文科)·생원(生員)·진사(進士)의 사패(賜牌), 임명(任命)·취재(取材)·개명(改名) 등의 일을 맡은 관아. 태종(太宗) (1405)에 설치하여 고종(高宗) 31년(1894)에 폐함.

문선-왕【文宣王】명 공자(孔子)의 시호(諡號). 당(唐)나라의 현종(玄宗) 개원(開元) 27년에 드림.

【문선왕 끼고 송사한다】권위 있는 사람의 이름을 내세워, 그 세력을 이용함을 이르는 말.

문선왕-묘【文宣王廟】명 문선왕을 모신 묘. 곧, '문묘(文廟)'의 딴이름.

문-설주【門一】[一쭈] 명〖건〗문의 양쪽에 세워, 문짝을 끼워 달게 된 기둥. 선단. 문선(門楦). 문결 설중방. ㊂설주.

문성¹【文聲】명 문명(文名).

문성²【門聲】명 문소리❷.

문성³【蚊城】명 모기떼.

문성-왕【文聖王】명〖사람〗신라 46대 왕. 휘(諱)는 경응(慶膺). 신무왕(神武王)의 태자. 왕 8년(846)에 궁복(弓福)의 반란, 9년에는 이찬(伊飡) 양순(良順)과 파진찬(波珍飡) 흥종(興宗)의 반란이 있었음. [재위 839-857]

문세¹ 명〈방〉영문(평안).

문세²【文勢】명 문장·어구(語句)의 기세. 또, 그 박력(迫力).

문세³【門稅】명〖역〗조선 고종(高宗) 때, 서울의 사대문(四大門)을 통과하는 사람들로부터 징수한 통행세(通行稅). 대원군(大院君)이 경복궁(景福宮)을 건조할 때, 경비의 부족을 충당하기 위하여 마련함.

문-세(:)영【文世榮】명〖사람〗사전 편찬가. 호는 청람(靑嵐). 배재 고보(培材高普)에서 교편을 잡으면서, 이윤재(李允宰)·한징(韓澄) 등의 협력을 얻어 혼자 힘으로 우리 나라 최초의 국어 사전인 《조선어 사전》을 편찬, 1939년 영창 서관(永昌書館)에서 발행함. 6·25 때 행방불명. [1888?-1950?]

문셜 명〈옛〉문설주. ¶문셜광(閫)《字會中 7》.

문소【文素】명 어절(語節).

문-소란【門小欄】명〖건〗창문짝을 받기 위하여 창문틀에 파거나 따로 대어서 턱이 지게 만든 테두리.

문-소리【門一】[一쏘一] 명 ①문을 여닫을 때 나는 소리. ②〖역〗벼슬아치가 자비를 타고 문에 드나들 때 하례(下隸)가 주의시키는 소리. 문성(門聲).

문:-소문【聞所聞】명 소문으로 전하여 들음. ——-하다 타여불

문소-전【文昭殿】명〖역〗조선 태조(太祖)및 신의 왕후(神懿王后)의 혼전(魂殿). 처음에 신의 왕후의 혼전으로 인소전(仁昭殿)을 두었다가, 8년에 태조가 돌아감에 인소전을 이 이름으로 고쳐, 태조 및 신의 왕후의 혼전으로 함.

문:손【聞損】명 들어서 손해봄. ↔문득(聞得). ——-하다 자여불

문-손잡이【門一】명 문에 달려 있는 손잡이.

문-쇠【門一】명 ①농장(籠欌) 등의 문짝 바로 옆에, 길이로 댄 나무 토막. ②[一쐬] 문을 잠그는 쇠.

문수¹【文殊】명〖불교〗〔범 Mañju'sri; 묘덕(妙德)·묘길상(妙吉祥)의 뜻〕①여래(如來)의 왼편에 있어, 지혜(智慧)를 맡은 보살(菩薩). 그 모양이 가지각색이나 보통 사자(獅子)를 타고 오른손에 지검(智劍), 왼손에 연꽃을 가지고 있으며, 머리 위쪽으로 머리털을 다섯 뭉치로 맺음. ②석존(釋尊)이 입적한 후, 인도에 나와서 반야 대승(般若大乘)을 선양(宣揚)한 실재의 보살 이름. 문수 보살.

〈문수¹❶〉

문수²【文數】[一쑤] 명 신의 크고 작은 치수.

문수³【紋繡】명 비단의 무늬와 수.

문:수⁴【問數】명 문복(問卜). ——-하다 자여불

문수-당【文殊堂】명〖불교〗문수 보살을 안치한 당(堂).

문수 보살【文殊菩薩】명〖불교〗'문수'의 존칭.

문수-봉【文繡峯】명〖지〗충청 북도 제천시(堤川市)와 경상 북도 문경시(聞慶市) 사이에 있는 산. [1,262 m]

문수 비:법【文殊祕法】[一뻡] 명〖불교〗문수 팔자법.

문-수빈【文守彬】명〖사람〗조선 시대 후기 숙종(肅宗) 때의 가객(歌客). 경정산 가단(敬亭山歌壇)의 사람. 그의 시조 작품이 《해동 가요》의 영조(英祖) 45년(1769) 증보에 실려 전함.

문수-사【文殊寺】명〖불교〗①서울 종로구(鐘路區) 구기동(舊基洞) 삼각산(三角山)에 있는, 조계종(曹溪宗) 총무원(總務院) 직할의 말사(末寺). 고려 때부터의 고찰(古刹)인데, 오백 나한(五百羅漢)으로 유명함. ②부산 광역시 남구(南區) 대연동(大淵洞)에 있는, 범어사(梵魚寺)의 말사(末寺).

문수-사리【文殊師利】명〔범 Mañjuśrī〕〖불교〗문수(文殊).

문수-산【文殊山】명〖지〗경상 북도 봉화군(奉化郡) 봉성면(鳳城面)과 물야면(物野面) 사이에 있는 산. [1,206 m]

문수-암【文殊庵】명〖불교〗부산 광역시 남구(南區) 용당동(龍塘洞)에 있는, 범어사(梵魚寺)의 말사(末寺).

문:수-에【問數一】감 →무에리수에.

문수-원【文殊院】명〖불교〗태장계 만다라(胎藏界曼荼羅) 13대원(大院)의 하나. 25존(尊)의 부처가 그려져 있음.

문수지-복【紋繡之服】명 무늬가 있고 아름다운 수가 놓인 비단으로 지은 옷.

문수 팔자법【文殊八字法】[一짜뻡] 명〖불교〗진언종(眞言宗)에서 문수 보살을 본존(本尊)으로 모시고, 팔자 진언(八字眞言)으로써 식재액(息災厄)을 기원하기 위하여 행하는 비법(祕法). 문수 비법.

문숙【門塾】명 ①문의 양쪽에 있는 당(堂). 옛날에는 여기서 글을 가르쳤음. ②개인이 차린 글방. 가숙(家塾).

문순【吻脣】명 입술.

문: 스톤:〔moon stone〕명〖광〗월장석(月長石).

문승【蚊蠅】명 모기와 파리.

문식¹【文飾】명 실속은 없이 거죽만 잘 꾸밈. 문구(文具).

문식²【文識】명 글과 지식.

문신¹【文臣】명 문관으로서의 신하. ↔무신(武臣).

문신²【文身】명 미신으로나 멩세의 표로 또는 치레하느라고 살갗을 바늘로 찔러 먹물이나 다른 물감으로 글씨·그림·무늬를 새김. 또, 그렇게 한 몸. 자문(刺文). ——-하다 자여불

문신³【門神】명〖민〗문을 지킨다는 귀신.

문:신⁴【問訊】명 ①신문(訊問)함. 캐어 물음. ②찾음. 방문(訪問)함. ③〖불교〗선종(禪宗)에서, 합장하고 머리를 숙여 어른이나 높은 이에게 인사하는 법. ——-하다 타여불

문신 겸 선전관【文臣兼宣傳官】명〖역〗문관이면서 선전관을 겸한 사람. ㊂문겸(文兼).

문신 정시【文臣庭試】명〖역〗임금의 특별한 명령으로, 당상관(堂上官) 이하 문관에게 보이던 과거.

문:신-종【問辰鐘】명 어두운 밤중에라도 고동을 누르면, 때를 알려 주는 좌종(坐鐘)의 한 가지.

문신 중시【文臣重試】명 〖역〗 당하관(堂下官)인 문관에게, 10년마다 병년(丙年)에 보이던 과거(科擧). 문과 중시.

문-신칙【門申飭】명 대문에 드나드는 사람을 감시하거나 또는 금함.

문실-문실 부 나무 같은 것이 거침새 없이 죽죽 뻗어 자라는 모양. ¶ ~ 자라는 나무. ──하다 자여불

문심【門審】명 골 저지(goal judge).

문심 조룡【文心雕龍】명 〖책〗 중국 남북조(南北朝) 시대의 문학론집. 양(梁)나라의 유협(劉勰)이 씀. 조직적 문학론으로서는 중국 최초의 것임. 10권 50편.

문아【文雅】명 ①시문(詩文)을 짓고 읊는 풍류의 도(道). ②시문 등에 풍치가 있고 아담함. 소아(騷雅). 유아(儒雅). 조아(藻雅). ──하다 형여불

문아 풍류【文雅風流】[─뉴] 명 시문(詩文)을 짓고 읊조리는 풍류.

문안[1]【文案】명 ①문부(文簿). ②문서나 문장의 초안(草案). ¶ ~을 작성하다.

문안[2]【文案】명 〖역〗 친군영(親軍營)의 한 벼슬.

문-안[3]【門─】명 ①문의 안. ②성문(城門)의 안. 서울의 동대문·남대문·서대문의 안에 있는 번화한 거리. ¶ ~에서 살다. 1)·2):↔문밖.

문:안[4]【問安】명 웃어른께 안부를 여쭘. ¶ ~ 편지. ──하다 자여불

문:안(이) 계:시다 구 〈궁중〉 왕·왕후·왕자 등이 병이 들어 몸이 편찮으시다.

문:안(을) 드리다 구 웃어른께 안부를 여쭈어 인사하다.

문:안(을) 아뢰다 구 웃사람에게 문안을 드리다.

문:안-객【問安客】명 문안드리러 온 손님.

문:안-비【問安婢】명 〖민〗 출입이 자유롭지 못하던 옛날 부인들 사이에서, 음력 정월 초이튿날에 새해 인사를 드리러 보내던 단장한 젊은 계집 하인.

문:안-사【問安使】명 〖역〗 조선 시대 후기에, 중국 청(淸)나라 황제가 성경(盛京), 곧 선양(瀋陽) 등지에 행행(行幸)했을 때, 문안하기 위하여 그 행재(行在)에 보내던 임시 사절(使節).

문:안 시:선【問安視膳】명 웃어른에게 문안을 드리고 차려드릴 음식을 살핌. 곧, 웃어른을 잘 모심.

문:안-지【問安紙】명 혼례를 올린 신부가 신행 전에 친정에 머물고 있을 때에 시가(媤家) 어른들에게 보내던 문안 편지.

문안지-곡【文安之曲】명 〖악〗 대성악(大成樂)의 아헌악(亞獻樂). 고선궁(姑洗宮)에 속하며, 《세종 실록(世宗實錄)》에 전하여짐.

문:안-침【問安鍼】명 병을 검사하기 위하여 찔러 보는 침이라는 뜻으로, 무슨 일을 시험 삼아 미리 검사하여 봄을 이르는 말.

문:안-패【問安牌】명 〖역〗 각 궁전(宮殿)에 문안을 드릴 때, 들어가는 증명으로 가지고 가던 둥근 나무 조각의 패.

問安 大殿

〈문안패〉

문암-산【門岩山】명 〖지〗 ①함경 남도 장진군(長津郡)에 있는 산. [2,062 m] ②강원도 인제군(麟蹄郡)에 있는 산. [1,149 m]

문야【文野】명 문명과 야만(野蠻).

문약【文弱】명 글만 받들고 좋아하여 나약(懦弱)함. ──하다 형여불

문양[1]【文樣】명 무늬.

문양[2]【紋樣】명 무늬의 모양.

문어[1]【文魚】명 〖동〗 [*Octopus dofleini*] 낙짓과에 속하는 연체(軟體) 동물. 낙지 종류에서 최대형(最大形)으로 동부(胴部)의 길이 40 cm, 발 끝까지는 3 m 가량이고 8개의 발이 있으며 눈 위에는 3-4개의 살가시가 있음. 발 길이는 몸통의 4-5배이고 수컷의 오른쪽 셋째 발은 생식(生殖)의 역할을 함. 몸빛은 생시(生時)에는 다갈색에 담색 그물 무늬가 있으며, 주위에 따라 변색함. 100-1,000 m 깊이의 바다에 서식하고 여름에는 얕은 바다에 서식함. 태평양·일본·한국·홋카이도·알래스카 등지의 연안에 분포함. 대팔초어(大八梢魚). 팔대어(八帶魚). 팔초어(八梢魚).

〈문어¹〉

【문어 제다리 뜯어먹는 격】 ㉠제 패거리끼리 서로 헐고 뜯음을 이르는 말. ㉡자기의 밑천이나 재산을 차츰차츰 까먹음을 이르는 말.

문어[2]【文語】명 〖언〗 ①글자로 나타낸 모든 말. 구어(口語)도 포함되며, 소리·뜻·글자의 세 요소로 이루어짐. 문자 언어. ↔음성 언어(音聲言語). ②시가(詩歌)·문장에만 쓰이고 일상(日常)의 담화로는 쓰이지 아니하는, 그전부터 내려오는 문체의 말. '다망하실 줄 믿사오나 부디 왕림하여 주시기 바라나이다' 등속. 글말. 문장어(文章語). ↔구어(口語).

문-어귀【門─】명 문으로 들어가는 첫 목.

문어-단지【文魚─】명 문어를 잡는 데 쓰는 단지. 긴 줄에 매단 단지를 바다 밑에 가라앉혀 두었다가 문어가 그 안에 들어갔음직한 때를 가늠하여 들어 올려 문어를 잡음.

문-어리【門─】명 〈방〉 문얼굴.

문어-문【文語文】명 문어체로 쓰인 문장. ↔구어문(口語文).

문어발 배:당【─配當】명 〖경〗 [문어는 배고플 때, 제 발을 뜯어먹는다는 속신(俗信)에서] 배당할 만큼의 이익을 올리지 못한 회사가 가공(架空)의 이익을 계상(計上), 자산의 일부를 부당하게 주주에게 배당하는 일. 제꼬리 배당(配當).

문어 백숙【文魚白熟】명 토막친 생문어를 끓는 물에 넣어, 슬쩍 데친 숙안주.

문어-법【文語法】[─뻡] 명 문어에 관한 법칙. ↔구어법(口語法).

문어 숙회【文魚熟膾】명 생문어를 슬쩍 데쳐, 초고추장에 찍어 먹도록 만든 회.

문어 오림【文魚─】명 예식이나 잔치 때에, 마른 문어의 발을 여러 모양으로 오려서 보기 좋게 괴어 꾸며 놓은 음식물. 문어조(文魚條).

문어 장아찌【文魚─】명 생문어를 약간 데쳐 썰어서 고기와 함께 양념하여 장에 조린 반찬.

문어-조【文魚條】명 문어 오림.

문어 조림【文魚─】명 생문어를 약간 데쳐 잘게 썰고 설탕을 조금 친 진장에 조린 반찬.

문어-체【文語體】명 문어로 쓰인 문장의 체. 문장체(文章體). ↔구어체(口語體).

문어-회【文魚膾】명 문어를 날것으로 썰어서 초고추장에 찍어 먹는 회.

문언【文言】명 ①문장 속의 어구(語句). ②편지의 문구.

문-언:박【文彦博】명 〖사람〗 중국 북송(北宋) 때의 이름난 장상(將相). 산시 성(山西省) 제슈(介休) 사람. 인종(仁宗)·영종(英宗)·신종(神宗)·철종(哲宗)의 4대에 걸쳐서 40여 년간 재상 또는 장군으로서 그 이름을 떨쳤음. 저서에 《노공집(潞公集)》이 있음. [1006-97]

문언 증권【文言證券】[─꿘] 명 증권 상의 권리의 내용이 증권에 기재된 문언만으로 정하여지는 증권. 어음·수표·화물 상환증·창고 증권 따위.

문-얼굴【門─】명 〖건〗 문짝의 양 옆과 위아래에 이어 댄 테두리 나무. 문광(門框).

문업【文業】명 문학 상의 업적. 문필 상의 업적.

문여-필【文與筆】명 문필(文筆)❶.

문연-각【文淵閣】명 〖역〗 ①중국 명대(明代)에 북경의 궁중(宮中)에 있던 장서(藏書)의 전각(殿閣). ②중국 청(淸)나라 건륭 연간(乾隆年間)에 '사고 전서(四庫全書)'와 '도서 집성(圖書集成)'을 두었던 북경 궁중의 전각.

문-열다【門─】[─널─] 자 ①닫힌 문을 열다. ②문호를 개방하다. ③개업하다.

문-염자【門簾子】[─념─] 명 추위를 막기 위하여 치는 방장(房帳)의 한 가지. 피륙으로 길고 번듯하게 만들어 창문이나 장지문을 가려 침.

문예[1]【文藝】명 ①학문과 기예. 학예(學藝). ②문학과 예술. ③시·소설·희곡·수필 등 미적(美的) 현상을 사상화(思想化)하여 표사·표현한 예술 작품의 총칭. 예술 문학. 사예(詞藝).

문예[2]【文藝】명 〖문〗 1949년에 창간된 순수 문예 종합 잡지. 신인 추천제(新人推薦制)를 두었음. 1954년 통권 21호로 종간됨.

문예[3]【蚊蚋】명 〖충〗 모기❶.

문예-가【文藝家】명 문예 작품의 저작(著作)을 생계로 삼는 사람.

문예 강:화【文藝講話】명 〖책〗 1942년 중국 예안(延安)에서 열린 공산주의 문학자·예술가의 토론회에서, 마오 쩌둥(毛澤東)이 행한 강연을 수록한 책. 문학이란 인구의 90% 이상을 차지하는 노동자·농민·병사를 위한 것이어야 하며, 그러기 위해서는 널리 보급되어야 한다는 중국 문학의 기본 방향을 제시한 것으로, 오늘날에는 중국 문학·문화 운동의 지도 방침이 되어 있음. 정식 명칭은 '예안 문예 좌담회에 있어서의 강화'.

문예 공론【文藝公論】[─논] 명 〖문〗 1929년 양주동(梁柱東)과 방인근(方仁根)에 의하여 창간된 순문예지. 1920년대 문단의 2대 조류였던 민족주의적인 경향과 계급주의적인 경향의 절충(折衷)을 특색으로 함. 통권 3호로서 폐간됨.

문예 과학【文藝科學】명 문예학.

문예-극【文藝劇】명 〖연〗 각색(脚色)된 문예 작품에 의거하여 예술성의 표현에 중점을 두고 상연되는 연극.

문예 독본【文藝讀本】명 우수한 문학 작품을 모아서 엮은 독본. 문학 독본.

문예-란【文藝欄】명 신문이나 잡지 등에서 따로 마련하여 문예에 관한 기사만을 싣는 난.

문예-면【文藝面】명 신문이나 잡지 등에서 문예에 관한 기사만을 싣는 지면(紙面).

문예-반【文藝班】명 학교 등에서 문예에 관한 연구·활동 등을 하는 한 반. 교지(校誌)·신문 등도 맡아 일함. 문예부.

문예-부【文藝部】명 ①신문사·잡지사 등에서, 문예에 관하여 일하는 부서. ②문예반.

문예 부:산【蚊蚋負山】명 [모기가 산을 짊어진다는 뜻으로] 역량·능력이 부족한 사람이 중대한 책무를 감당할 수 없음을 일컫는 말.

문예 부:흥[1]【文藝復興】명 ①〖역〗 르네상스(Renaissance). ②침체(沈滯)·타락된 문예가 다시 흥성하게 되는 일.

문예 부:흥[2]【文藝復興】명 [Studies in the History of the Renaissance] 〖책〗 영국의 비평가 페이터(Pater, W.H.)의 예술 평론집. 1873년에 발표. 원제목은 《르네상스사(史) 연구》이며 9편으로 구성되어 있음. 13세기의 프랑스 문학을 비롯하여 15세기 이탈리아 문학·미술을 중심으로 18세기의 독일 미술사가 빙켈만(Winckelmann, J. J.)까지를 취급했는데, 이 책에서 저자는 예술 작품이나 인간 생활이 가지는 미(美)로부터 받은 인상을 그대로 인식·분석·종합하는 소위 인상주의 비평을 처음 실천하여 후대 세기말의 유미(唯美)주의의 창조적 비평에 큰 영향을 주었음.

문예 비:평【文藝批評】명 [literary criticism] 〖문〗 문예 작품의 구조·효과·작가의 창작 방법·세계관 등을 검토하고, 개인적인 견지에서 작품의 미적(美的) 가치 내용을 판단하는 일. 주관적 비평과 객관적 비평이 있음. 문예 평론(文藝評論).

문예 사전【文藝辭典】명 문학이나 예술에 관한 용어·사항·작품·인물 등을 모아 주석한 전문 사전의 하나.

문예 사조【文藝思潮】명 〖문〗 한 시대를 통하여 유동(流動)·발전하여, 당시의 문예를 창조하는 근원이 된 사조. 문학 사조.

문예 시감【文藝時感】명 〖문〗 문예에 대하여 그때그때 느끼는 의견이나 생각. 또, 그것을 적은 글.

문예 시대【文藝時代】명 〖책〗 1926년 11월에 창간된 이관조(李觀照) 편집의 순문예지. 일정한 방향이나 특성 같은 것은 찾아볼 수 없음. 통권 5호로 폐간.

문예 연감【文藝年鑑】명 한 해 동안에 문예계에 일어난 여러 가지 일을 계통적(系統的)·통계적(統計的)으로 기록한 책.

문예-열【文藝熱】명 문예에 대한 열의.

문예 영화【文藝映畫】 명〖연〗 오락 본위나 흥행 본위를 떠나서, 문예 작품을 각색(脚色)하여 순수한 예술성의 표현에 중점을 두고 제작한 영화.

문예 운:동¹【文藝運動】 명〖문〗 문예에 대한 어떤 주장이 같은 사람들끼리 모여서, 그 주장을 보급·인식시키기 위하여 작품으로나 행동으로 일으키는 운동.

문예 운:동²【文藝運動】 명〖문〗 1926년에 발간된 문예 잡지. 프로 문학파의 기관지로, 박영희(朴英熙)가 주재함.

문예 월간【文藝月刊】 명〖문〗 1931년에 창간된 문학 종합지. 박용철(朴龍喆)이 편집함. 시문학파의 순수 문학적 방향에 해외 문학의 소개와 번역을 곁들여, 시문학파와 해외 문학파의 합동적 성격을 띰.

문예 작품【文藝作品】 명 문학 예술에 관한 작품. 시·소설·희곡 따위.

문예-적【文藝的】 명관 문학 예술의 여건(與件)을 갖춘 모양. 문예에 관「함.

문예-지【文藝誌】 명 문예 작품을 주로 싣는 잡지.

문예 철학【文藝哲學】 명〖문〗 문학을 형이상학적(形而上學的)으로 연구하는 예술학. 철학적으로 연구하는 문학.

문예 통:제【文藝統制】 명〖문〗 국가 정책에 맞도록 문예의 내용·형식·양 등을 통제하는 일. 「평론. 문예 비평.

문예 평:론【文藝評論】 [—논] 명〖문〗 문학 예술 및 문예 작품에 관한

문예 평:론가【文藝評論家】 [—논—] 명〖문〗 문학 예술 및 문예 작품을 전문적으로 비평·평론하는 사람.

문예-학【文藝學】 명 〔도 Literaturwissenschaft〕〖문〗 조형 미술(造形美術)을 대상으로 하는 예술학에 대하여, 특히 문학을 과학적 학문적으로 연구하는 학문. 19세기 후반 자연 과학에 대한 정신 과학의 독자성(獨自性)이 주장됨에 따라 성하여졌음. 문예 과학.

문예 활동【文藝活動】 [—똥] 명〖문〗 창작이나 평론을 통하여 문예계에서 활동하는 일. ——-하다 자여불

문왕¹【文王】 명〖사람〗 기원전 12세기경, 중국 주(周)나라를 창건한 왕. 무왕(武王)의 아버지. 이름은 희창(姬昌). 태공망(太公望)을 모사(謀師)로 삼아, 국정을 바로잡고 융적(戎狄)을 토벌하여 천하의 3분의 2를 통일하였음. 성인 군주(聖人君主)의 전형이라 불림. 생몰년 미상.

문왕²【文王】 명〖사람〗 발해 제3대 왕. 휘(諱)는 대흠무(大欽茂). 중국 당(唐)나라 문물을 수입하여 제도를 완비, 사적(史籍)을 정리하였으며, 주자감(胄子監)을 세워 학문·교육을 장려하는 등, 국가 중흥에 힘썼음. [재위 737-793]

문왕-정【文王鼎】 명 오동(烏銅)으로 만든 화로. 솥 모양으로 되었는데, 네 모가 번듯하고 운두는 높지 않으며, 네 개의 긴 발이 달리어 있음. 중국 주(周)나라 문왕(文王)이 만들었다 함.

〈문왕정〉

문외【門外】 명 ①문의 바깥. ②성문(城門)의 바깥. ③전문 이외(專門以外). 어떤 일의 범위 밖. ¶ ～한(漢). ④문중(門中) 밖. 1)·2)·4):↔문내(門內).

문외 모전【門外毛廛】 명〖역〗 조선 시대의 육모전(六毛廛)의 하나. 서울 남대문 밖에서 과실을 팔던 전(廛).

문외 출송【門外黜送】 [—쏭] 명〖역〗 조선 시대의 형벌(刑罰)의 하나. 죄지은 자의 관작을 빼앗고 한양(漢陽) 밖으로 추방하는 일. 비교적 가벼운 벌임.

문외-한【門外漢】 명 자기의 전문(專門) 밖의 일이어서, 그 방면에 대한 지식이 없거나 직접적인 관계가 없는 사람. 아웃사이더.

문우【文友】 명 글로써 사귄 벗.

문운¹【文運】 명 ①학문이나 예술의 번성한 기운(氣運). 또, 문화·문명이 진보되어 가는 모양. 규운(奎運). ②문인으로서의 운수.

문운²【門運】 명 한 가문(家門)의 운수.

문웅【文雄】 명 문호(文豪).

문원¹【文垣·文苑】 명〖역〗 ①홍문관(弘文館)❷. ②예문관(藝文館).

문원²【文苑·文園】 명 문단(文壇). 문림(文林).

문원 대:방【文苑大方】 명〖책〗 우리 나라 역대 사실(史實)을 기록한 책. 특히 조선 시대의 정조(正祖)·순조(純祖)·헌종(憲宗)에 관한 것이 많음. 편자와 연대는 자세하지 않음. 30권 30책.

문원 보:불【文苑黼黻】 명〖책〗 조선 시대 초기 이래의 홍문관(弘文館)·예문관(藝文館)의 문장을 모은 책. 정조(正祖) 11년(1787)에 간행. 옥책문(玉册文)·반교(頒教)·위유(慰諭)·교문(敎文)·교명문(敎命文)·죽책문(竹册文)·제문(祭文)·애책문(哀册文)·상량문(上樑文)·사제문(賜祭文)·교서(敎書)·기타 국서(國書)·노포(露布) 등을 수록함. 서(序)는 김종수(金鍾秀), 발(跋)은 이복원(李福源)이 지음. 45권 22책 인본.

문원 영화【文苑英華】 명〖책〗 중국 송(宋)나라 태종(太宗) 때, 이방(李昉) 등이 칙명(勅命)을 받들어 찬(撰)한 시문집(詩文集). 옹희(雍熙) 4년(987)에 완성하였음. 양말(梁末)에서 당(唐)까지의 시문(詩文)을 모아 분류한 것으로, 양대(梁代)의 《문선(文選)》을 계승하고 체재(體裁)도 본뜸. 《태평 어람(太平御覽)》·《태평 광기(太平廣記)》·《책부원구(册府元龜)》 등과 함께 송사대서(宋四大書)의 하나. 1,000권.

문은【紋銀】 명 말굽은.

문음【門蔭】 명〖역〗 공신(功臣)의 자손이나 궁정(宮廷)의 친척 관계 등의 특별한 연줄로 관직에 특서(特敍)되는 일.

문음-관【文蔭官】 명 문관(文官)과 음관(蔭官). 「南武).

문-음-무【文蔭武】 명〖역〗 문관·음관(蔭官)·무관의 일컬음. 문남무(文

문음 취:재【門蔭取才】 명〖역〗 조선 시대의 이조 취재(吏曹取才)의 하나. 문음 자제(門蔭子弟)에게 관직을 주기 위하여 보이는 특별 채용 시험. 사서(四書)와 오경(五經) 가운데 각각 하나를 시험 과목으로 하여, 매년 정월에 시행함. 음자제(蔭子弟) 취재. *이과 취재.

문의¹【文衣】 [—/—이] 명 아름다운 무늬가 있는 옷. 「¶ ～ 불통.

문의²【文意】 [—/—이] 명 글의 뜻. 문장이 나타내는 뜻. 문의(文義).

문의³【文義】 [—/—이] 명 문의(文意). 「타여불

문:의⁴【問議】 [—/—이] 명 물어서 의논함. ¶ 전화 ～ 사절. ——-하다

문:-이지지【聞而知之】 명 들어서 앎. 듣고 앎. ——-하다 타여불

문익【文益】 명〖사람〗 중국 오대(五代)의 선승(禪僧). 법안종(法眼宗)의 시조. 건강(建康)의 청량원(淸凉院)에서 현사사비(玄沙師備)의 선풍을 거양(擧揚)함. 저서에 《십규론(十規論)》·《어록(語錄)》 등이 있음. [885-958]

문-익점【文益漸】 명〖사람〗 고려 공민왕(恭愍王) 때의 사람. 호는 삼우당(三憂堂). 자(字)는 일신(日新). 진주(晋州) 태생. 사신으로 중국 원(元)나라에 들어가 덕흥군(德興君)을 왕으로 내세우고자 하다가 실패하고 돌아올 때에, 처음으로 목화(木花)씨를 얻어 붓자루 속에 넣어 가지고 왔음. [1329-98]

문인¹【文人】 명 ①문필(文筆)에 종사하는 사람. 또, 시가·문장·서화(書畫) 등에 뛰어난 사람. ②문사(文事)에 종사하는 사람. ↔무인(武人).

문인²【文引】 명〖역〗 ①증거가 되는 문서. 증표(證標). ②조선 시대 초기에 호로(胡虜)가 잡거(雜居)하는 함경도 지방에서, 타고장을 출입하는 사람에게 그 거주지의 관청이 발행하던 통행 증명서. ③조선 시대에, 타고장을 왕래하는 행상인에게 거주지 관청에서 발행하던 행상 면허장. ④조선 시대에, 조선의 승인 아래, 우리 나라에 오는 사겹 등 모든 내왕(來往) 왜인에게 쓰시마(対馬) 섬의 도주(島主)가 발행하던 도항(渡航) 증명서.

문인³【門人】 명 문하(門下)에서 가르침을 받는 사람.

문:인⁴【聞人】 명 이름이 널리 알려진 사람.

문인-극【文人劇】 명 배우가 아닌 문인들이 연출하는 연극.

문인-석【文人石】 명〖고고학〗 문인(文人)의 형상으로 조각하여 능침(陵寢) 앞에 세운 석상(石像). 문석인(文石人). ↔무인석(武人石).

문인-세【文引稅】 명〖역〗 타고장을 여행하는 상인들에게 문인을 교부할 때 받던 세금.

문인-화【文人畫】 명〖미술〗 직업적인 화가(畫家)가 아닌 문인이 여기(餘技)로 그리는 그림. 중국 송(宋)나라 때에 한창 행하여졌는데, 종래에 내려오던 전문적인 화가의 형식을 취하지 아니하고 자유로운 수법(手法)으로 수묵(水墨) 또는 담채(淡彩)로 속세를 떠난 운치(韻致)있는 화풍(畫風)을 이루었음. 나중에는 남종화(南宗畫)와 합하였음.

〈문인석〉

문-일다【聞一多】 명〖사람〗 '원 이둬'를 우리 음으로 읽은 이름.

문:일 지십【聞一知十】 명 한 가지를 듣고 열 가지를 미루어 앎. 곧, 지극히 총명함. ——-하다 자여불

문-일평【文一平】 명〖사람〗 사학가. 평북 출생. 호는 호암(湖岩). 일본 와세다(早稲田) 대학 중퇴. 상하이(上海) 대공화보사(大共和報社)에 근무, 1933년부터 7년간 조선 일보사 편집 고문을 하면서 민족주의 사관(史觀)에 입각, 근대 한국 문화사에 치중하여 많은 사론(史論)과 사화(史話)를 집필함. 저서 《호암 전집(湖岩全集)》. [1888-1939]

문임¹【文任】 명〖역〗 홍문관(弘文館)·예문관(藝文館)의 제학(提學).

문임²【門任】 명 종문(宗門)이나 문중(門中)의 임원(任員).

문자¹【文字】 명 예전부터 전하여 내려오는 어려운 문구. 한문으로 된 숙어나 속담·격언 등. ¶ ～를 섞어 말하다. 「하다.

문자(를) 쓰다 구 한문으로 된 어려운 숙어나 속담·격언을 섞어서 말을

문자²【文字】 [—짜] 명 ①〖언〗 말이나 소리를 눈으로 볼 수 있도록 적어 나타낸 일종의 부호. 생각이나 느낌의 발표·전달·기록의 수단이 됨. 가장 원시적인 것으로는 결승 문자(結繩文字)가 있었으나 쓰는 문자가 아니었고, 쓰는 것으로는 회화 문자(繪畫文字)·상형 문자(象形文字)·설형 문자(楔形文字)가 오래된 것임. 대체로 표의 문자(表意文字)에서 표음 문자(表音文字)로 발달하였는데, 표의 문자로는 한자(漢字)가 대표적이고, 표음 문자로는 한글·라틴 문자·일본의 가나(かな) 같은 것이 있음. 표음 문자는 다시 한글이나 영어의 알파벳 등과 같이 일자 일음(一字一音)으로 된 것과 일본 가나와 같이 일자 일음절(一字一音節)로 된 것으로 구별됨. 글자. ②〖수〗 수·양·도형 등 여러 가지 대상을 나타내기 위하여 쓰이는 숫자 밖의 자모.

문자 그대로 구 과장없이 사실 그대로. ¶ ～ 참패했다.

문자³【文字】 명 〈이두〉 문장(文狀)·증서(證書) 같은 것.

문:자⁴【問字】 명 남에게서 글자를 배움. ——-하다 자여불

문자 계:수【文字係數】 [—짜—] 명〖수〗 문자로 된 계수. ax^2에서의 a는 x^2의 문자 계수임. ↔수계수(數係數).

문자-교【文字交】 [—짜—] 명 문교(文交). ——-하다 자여불

문자 다중 방:송【文字多重放送】 [—짜—] 명 〔teletext〕 현행 텔레비전의 주사선 525 가운데 사용되지 않는 21개 중 4개에 문자나 그림 등을 실어 보내는 방송 시스템. 해독기(解讀器)가 내장된 텔레비전의 'TV 문자 다중 방송' 버튼을 누르고 원하는 정보 분야의 번호를 입력하면, 화면에는 문자로 정보가 나타나고 소리로는 정규 방송을 들을 수 있음. 문자 방송. *음성 다중 방송.

문자-도【文字圖】 [—짜—] 명 수(壽)·복(福)이나 효(孝)·제(悌)·충(忠)·신(信)·예(禮)·의(義)·염(廉)·치(恥) 여덟 글자를 도식화하여 그 글자의 의미에 관련되는 내용을 자획 속에 그린 그림. 덕과 복을 상징. *수복도·효제도.

문자 도안【文字圖案】 [—짜—] 명 레터링(lettering).

문자 명왕【文咨明王】 명〖사람〗 고구려 제21대 왕. 휘(諱)는 나운(羅雲). 장수왕(長壽王)의 손자. 그의 아버지 조다(助多)가 요서(夭逝)하였으므로 장수왕의 뒤를 이음. 동왕 3년(493)에는 신라와 싸웠으며, 신

라와 백제의 연합군을 계속하여 격파하였음. 문자왕. 명치 호왕(明治好王). [재위 491-516]
문자 밀도【文字密度】[—짜—또] [명] 〔character density〕〖전자〗 컴퓨터에서, 기억 장치 속에 기억되어 있는, 단위 길이당 또는 단위 면적당 문자의 수(數).
문자-반【文字盤】[—짜—] [명] 시계나 계기(計器) 같은 것에 장치되어 있는 문자나 기호를 표시해 놓은 반(盤). 계기반. 다이얼.
문자 방정식【文字方程式】[—짜—] [명]〖수〗 기지수(旣知數)에 문자가 섞인 방정식. $ax^2+bx+c=0$ 따위.
문자 법사【文字法師】[—짜—] [명]〖불교〗 선종(禪宗)에서, 문자에 구애되어 이치를 잘못 아는 사람. 또, 교학(敎學)만 익히고 참선 수행이 없는 사람.
문자-사【文字史】[—짜—] [명] 글자가 변천해 온 역사.
문자 삼작【文字三作】[—짜—] [명] 삼작 노리개의 하나. 부(富)·수(壽)·귀(貴)의 세 한자(漢字)를 각각 얇은 구리 조각으로 오려서 술에 단 것.
문-자새【門—】[명]〖건〗 문호(門戶)·창(窓)의 총칭.
문자-수【文字數】[—짜—] [명] 문자의 수. 자수(字數).
문자-식【文字式】[—짜—] [명]〖수〗 문자(文字)를 포함한 식. $2a$, xy, $3a-b$ 따위.
문자 언어【文字言語】[—짜—] [명]〖언〗 글자로 된 모든 말. 읽고 쓰게 되어 있는 말로서, 소리·뜻·글자의 세 요소로 이루어짐. 문어(文語).
문자-연【門字鳶】[—짜—] [명] 먹으로 '門' 자를 그린 지연(紙鳶).
문자-열【文字列】[—짜—] [명] 〔string〕〖컴퓨터〗 모여서 하나의 데이터가 되는 일련의 문자나 단어.
문자-왕【文咨王】[명]〖사람〗 문자 명왕(文咨明王).
문자 인식【文字認識】[—짜—] [명] 〔character recognition〕〖전자〗 손으로 쓴 문자나 인쇄 문자를 기계로써 식별하며, 기계어(機械語)로서 부호화(符號化)하는 기술.
문자-투【文字套】[명] 말이나 글을 문자로 쓰는 버릇. ¶ ~로만 말한다.
문자 투성이【文字—】[명] 한문으로 된 어려운 숙어나 속담·격언을 너무 많이 쓴 것.
문자 표시관【文字表示管】[—짜—] [명] 〔character-writing tube〕〖전자〗 육안으로서의 직시(直視) 또는 기록용으로서 스크린 위에 알파벳이나 숫자(數字)·기호(記號) 따위를 사출(寫出)해 내는 음극선관(陰極線管).
문자 해:석【文字解釋】[—짜—] [명] 법규를 해석할 때 법문의 개개의 문자의 뜻을 분명히 하는 해석 방법.
문자 행동【文字行動】[—짜—] [명] 글자를 써서 하는 모든 행동.
문자-형【文字形】[—짜—] [명] 문자의 형. 자형(字形).
문-잡다【門—】[자] 아이를 낳을 때, 아이 머리가 나오도록 산문(産門)이 열리다.
문잣【門—】[명]〈방〉 문새.
문장¹【文狀】[명] 문첩(文牒).
문장²【文章】[명] ①('文'은 청(靑)과 적(赤)의 무늬, '章'은 적(赤)과 백(白)의 무늬) 무늬. 문채(文采). ②예악(禮樂)·제도(制度) 등 한 나라의 문명을 형성하는 것. ③하나의 주제(主題)로 정리된 생각·느낌·사상(思想)을 표현하기 위하여 글자로 기록하여 나타낸 것. 흔히 글자의 수효나 압운(押韻)의 제한이 없는 자유로운 형식의 산문을 이름. 글월. 글발. ¶ ~이 서투르다. ④↗문장가(文章家). ⑤〔sentence〕〖컴퓨터〗 문자나 언어의 연속으로 이루어진 기호열(記號列) 중에서 어떤 문법 조건을 만족시키는 부분.
문장³【文章】[명] 1939년 4월에 발간된 월간 순문예지. 《백조(白潮)》·《폐허(廢墟)》·《조선 문단(朝鮮文壇)》·《인문 평론(人文評論)》 등과 함께 우리 나라 신문학사에 큰 공적을 남겼으며, 특히 신인의 배출·양성에 공이 컸음. 1941년에 폐간.
문장⁴【文場】[명] ①문단(文壇). ②과거를 보는 곳. 과장(科場). 장옥(場屋).
문장⁵【門長】[명] 한 문중(門中)에서 항렬(行列)과 나이가 제일 위인 사람.
문장⁶【門帳】[—짱] [명] 문이나 창에 쳐서 늘어뜨리는 휘장(揮帳). 커튼(curtain).
문장⁷【蚊帳】[명] 모기장.
문장⁸【紋章】[명] 씨족·집안·단체·조합 따위를 나타내는 독특한 표지(標識)로서, 도안화(圖案化)한 그림이나 문자.
문장-가【文章家】[명]〖문〗 문장을 뛰어나게 잘 짓는 사람. [준]문장(文章).
문장 궤:범【文章軌範】[명] ①〖문〗 문장의 본보기. 문장의 모범. ②〖책〗 중국 송(宋)나라의 충신 사방득(謝枋得; ?-1289)이 편찬한 책. 과거(科擧)에 응시할 사람들을 위하여 한(漢)·진(晉)·당(唐)·송의 모범 문장 약 69편을 수록하고, 문장마다 비평·주석·권점(圈點)을 달아 놓았음. 7권.
문장-대【文藏臺】[명]〖지〗 충청 북도 보은군(報恩郡)과 경상 북도 상주시(尙州市) 사이의 속리산(俗離山)에 있는 산봉우리. [1,033m]
문장-도【文章道】[명]〖문〗 글을 짓는 올바르고 떳떳한 태도나 법칙.
문장 독본【文章讀本】[명] ①대표적인 문장을 모아서 엮은 교육용 서책. ②우수한 문학 작품을 모아서 문장법 교수용으로 엮은 독본.
문장-력【文章力】[—녁] [명] 글을 짓는 능력.
문장-론【文章論】[—논] [명] ①〖문〗 문장의 주제·구상(構想)·문체·표현·과정 등에 관한 논설. ②〖언〗 문장을 구성하는 단어의 연결, 기타의 문장 구조법(構造法)을 다루는 문법의 한 부문. 월갈. 구문론. 통사론.
문장 미학【文章美學】[명]〖문〗 유기적(有機的) 생명체로서의 문장을 미학적인 입장에서 연구하는 문장론.
문장-법【文章法】[—뻡] [명]〖문·언〗 ①문장을 짓는 방법. ②〔syntax〕 문법의 한 부문으로서, 문장의 구조·형식·방법·종류에 관한 법칙.
문-장부【門—】[—짱—] [명]〖건〗 널문짝 한 쪽 끝의 아래 위로 상투같이 내밀어, 문둔테 구멍에 끼우게 된 것.
문장 부:사【文章副詞】[명]〖언〗 한 문장 전체를 꾸미는 부사. ↔ 성분 부사.
문장 부호【文章符號】[명]〖언〗 문장의 뜻을 돕거나 문장을 구별하여 읽고 알아보기 쉽게 하기 위하여 쓰이는 여러 가지 부호. '.' '·' ',' '?' '!' 따위.
문장 삼이【文章三易】[명] 문장이 마땅히 갖추어야 할 세 가지 요건. 곧, 보기 쉽게, 알기 쉽게, 읽기 쉽게 하라는 말.
문장 성분【文章成分】[명]〖언〗 문장을 구성하는 요소. 주성분에 주어·서술어·목적어·보어, 부속 성분에 관형어·부사어, 독립 성분에 독립어가 있음.
문-장신【文將臣】[명]〖역〗 문신(文臣)으로서 각 영(營)의 대장(大將)을 맡은 벼슬아치.
문장 심리학【文章心理學】[—니—] [명]〖문·심〗 문장 현상을 기술하고, 개괄하며 심리학적으로 설명하는 학문. 문체론의 일부이며 응용 심리학의 한 분과임.
문장-어【文章語】[명]〖문〗 문장·시가(詩歌)를 지을 때에만 쓰이고 담화(談話)로는 쓰이지 아니하는 그전부터 내려오는 문체의 말. 문어(文語).
문장 완성 검:사【文章完成檢査】[명] 〔story completion test〕〖심〗 미완성(未完成)인 문장을 완전한 문장으로 만들라는 문제를 내놓고, 그 사람이 어떠한 말로써 완성해 가나 하는 것을 보고 그 개성을 진단(診斷)하려고 하는 시험. 이 테스트는 또한 연상 반응(聯想反應) 테스트도 포함하는 것으로, 매우 오래 전부터 사용되었음.
문장-접【文章接】[명]〖역〗 조선 시대에, 상사(上巳)·중추(仲秋)·중양절(重陽節) 등에, 독서당(讀書堂)에서 공부하는 문신들이 연유(宴遊)하며 제술(製述)하던 일.
문장 정:종【文章正宗】[명]〖책〗 중국의 시문 선집. 남송(南宋)의 진덕수(眞德秀; 1168-1235) 편으로 정집(正集) 24권, 속집(續集) 20권. 정집은 고대로부터 당(唐)까지의 고문(古文)·고체시(古體詩)를, 속집은 북송(北宋)의 산문을 모은 것인데, 도덕에 기여하는 것만을 가렸으므로 도학자(道學者)에게 존중되었음.
문장-체【文章體】[명]〖문〗 문어체(文語體).
문장-화【文章化】[명] 문장으로 만듦. 문장으로 됨. ——-하다 [자][타][여불]
문재¹【文才】[명] 문필(文筆)의 재능. 글재주. 문조(文藻). ¶ 뛰어난 ~.
문재²【門材】[명]〖건〗 문을 짜는 데에 쓰이는 질이 좋은 재목.
문:재-승【聞齋僧】[명] 〔재 들은 중이라는 뜻으로〕 자기 마음에 구수한 말을 듣고 뛰어가는 사람을 비유하여 일컫는 말.
문저리 [명]〈방〉〖어〗 망둥어.
문적¹【文蹟】[명] 문부(文簿).
문적²【文籍】[명] 서적(書籍).
문적³【門跡】[명]〖불교〗 조사(祖師)의 법문(法門)을 이어받은 중.
문적⁴【門籍】[명] 문(門)을 출입할 수 있는 허가증. 문표(門標). 문감(門鑑).
문적⁵ [부] 얇고 약하거나 썩은 물건이 힘없이 끊어지거나 문드러지는 모양. ㅆ문척. ——-하다 [자][여불]
문적-문적 [부] 얇고 약하거나 썩은 물건을 건드릴 때마다 뚝뚝 끊어지는 모양. ㅆ문척문척. ——-하다 [자][여불]
문전¹【文典】[명]〖언〗 ①문법·어법을 설명한 책. 어전. ②문법❶.
문전²【文甎】[명]〖건〗 무늬를 새긴 벽돌.
문전³【門前】[명] 문 앞.
【문전 나그네 흔연 대접(欣然待接)】 어떤 신분의 사람이라도 자기를 찾아온 사람은 친절히 대접하라는 말.
문전 작라(雀羅)를 치다 [구] 찾는 사람이 없어 쓸쓸하다는 말.
문전 걸식【門前乞食】[—씩] [명] 이 집 저 집 돌아다니며 빌어먹음. ¶ 영락하여 ~하다. ——-하다 [자][여불]
문전 성시【門前成市】[명] 권세를 드날리거나 부자가 되어 집 문 앞이 방문객으로 저자를 이루다시피 한다는 말. ¶ ~를 이루다. *문정 약시(門庭若市). ——-하다 [자][여불]
문전 옥답【門前沃畓】[명] 집 앞 가까이에 있는 좋은 논. 곧, 알토란같은 재산을 일컫는 말. ¶ ~을 자손에게 물려 주다. *고대 광실.
문전 옥토【門前沃土】[명] 집 앞 가까이에 있는 좋은 토지.
문전-질 [명]〈방〉 무꾸리질. ——-하다 [자]
문절【文節】[명] 어절(語節).
문절-망둑【文鰤—】[명]〖어〗 [*Acanthogobius flavimanus*] 망둑어과에 속하는 물고기. 길이 20cm 가량으로 몸이 조금 길쭉한데, 앞쪽은 원통형이고 뒤쪽은 측편하며 눈은 작음. 몸빛은 담황갈색 또는 회황색이며, 체측에 약 5개의 불분명한 회흑색 무늬가 있음. 몸에는 빗비늘이 덮였음. 내만성(內灣性) 어종으로 기수(汽水)의 하구에 운집하는데, 한국 전 연안 및 일본에 널리 분포하며, 맛이 좋음.

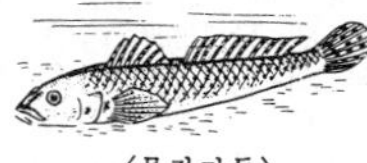

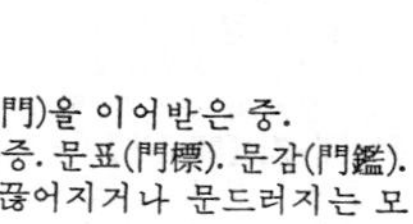
〈문절망둑〉

문-정¹【文正】[명]〖사람〗 고려의 학자. 본관은 장연(長淵). 문종(文宗) 때 등제하여 문종 34년(1080) 판행영 병마사(判行營兵馬事)로서 동여진(東女眞)을 정벌한 공으로 공신이 됨. 문종 이후 삼조(三朝)에 출사(出仕)하여 문하 시중(門下侍中)까지 되었음. 시호는 정헌(貞獻). [?-1093]
문정²【文政】[명] ①문치(文治)를 주로 하는 정치. ②교육·문화에 관한 정치.
문정³【門庭】[명] ①대문이나 중문 안에 있는 뜰. 오래뜰. ②문과 뜰.
문:정⁴【問情】[명] ①사정을 물음. ②〖역〗 남의 나라의 배가 처음으로 항구에 들어왔을 때 관리를 보내어 그 사정을 묻는 일. ——-하다 [자][여불]
문:정-관【問情官】[명]〖역〗 문정하기 위하여 보내던 관리.
문-정맥【門靜脈】[명] 〔vena portae〕〖생〗 척추 동물의 위·창자·지라·이자 등, 신장을 제외한 내장의 모세관을 돌고 온 정맥의 피를 모아서 간에 보내는 굵은 정맥. 이 정맥은 간에서 다시 모세관으로 갈라졌다가 간정맥(肝靜脈)을 이루어 심장으로 돌아가는데, 작은 창자벽에서 흡수된 포도당·아미노산·물·무기염류(無機鹽類)·비타민 등을 간에 운반하는 구실을 함. [준]문맥(門脈).
문정-문정 [부] ☞문적문적. ¶ 길 오른편 언덕에 거무스름하게 썩어서 ~

하는 짚으로 에워쌓은 한 간 집이 있고…《廉想涉 : 標本室의 청개구리》.

문정 약시【門庭若市】명 대문 안 뜰이 저자 같다 함이니, 집 안에 모여드는 사람이 많음의 비유. *문전 성시. ——-하다 형여불

문정 왕후【文定王后】명〖사람〗조선 중종(中宗)의 계비(繼妃). 성은 윤씨(尹氏), 본관(本貫)은 파평(坡平). 윤지임(尹之任)의 딸. 을사(乙巳)년에 명종(明宗)을 도와 8년 간의 수렴 청정(垂簾聽政)을 하게 되자 아우 윤원형(尹元衡)을 시켜 대윤(大尹) 윤임(尹任) 일파를 없애고 자기 친정 일가로써 정권을 튼튼히 하였음. [1501-65]

문정-전【文政殿】명〖지〗창경궁(昌慶宮) 안에 있는 건물의 하나.

문제¹【文帝】명〖사람〗중국 전한(前漢)의 제5대 황제. 성명은 유항(劉恒). 묘호(廟號)는 태종(太宗). 기원전 180년의 여씨(呂氏)의 난을 평정(平定)하고 즉위하여 농본주의(農本主義)를 치세(治世)의 방침으로 함. [202-157 B.C.; 재위 180-157 B.C.]

문제²【文帝】명〖사람〗중국 삼국 시대 위(魏)나라 초대 황제인 세조(世祖). 이름은 비(丕). 조조(曹操)의 아들. 부친의 사망 후, 220년 한(漢)의 헌제(獻帝)로부터 선양(禪讓)을 받아 황제가 됨. 아우인 조식(曹植)과 함께 문학을 좋아하여 많은 시문(詩文)과 《전론(典論)》 등을 남김. [187-226; 재위 220-226]

문제³【文帝】명〖사람〗중국 수(隋)나라의 건국자(建國者)인 고조(高祖). 성은 양씨(楊氏). 이름은 견(堅). 북주(北周)의 외척으로 점차 실권을 쥐게 되자 581년 정제(靜帝)로부터 선양(禪讓)을 받아 즉위함. 589년 남조(南朝)의 진(陳)을 멸하여 천하를 통일함. 율령(律令)·관제(官制)를 정비하고 과거(科擧)를 창설하는 등, 통일 제국(帝國)의 기초를 다짐. [541-604; 재위 581-604]

문제⁴【文題】명 문장의 제목. 글제.

문제⁵【門弟】명 ①↗문제자(門弟子)❶. ②문하생(門下生)❷.

문:제⁶【問題】명 ①물어서 대답하게 하는 제목. 해답을 필요로 하는 물음. ¶ 수학 ~. ②연구·논의하여서 해결하여야 할 사항. ¶ 그것은 별~이다. ③논쟁을 일으킨 사건. ¶ ~의 인물. ④성가신 일. 귀찮은 사건. ¶ ~를 일으키다.

문:제-극【問題劇】명〖연〗인생이나 사회 문제를 다루어, 관객에게 어떤 문제를 제시하며, 때로는 그 해결을 보여 주는 극. 입센의《인형(人形)의 집》은 여성 해방을 취급한 전형적인 문제극임.

문:제 단원【問題單元】명〔problem unit〕〖교〗문제를 중심으로 하여 짠 단원. 학생에게 문제를 주고 그 해결 과정을 통하여 학생으로 하여금 문제의 핵심을 학습시키고자 하는 단원임.

문:제-법【問題法】[—뻡] 명〔problem method〕〖교〗학생 스스로가 문제를 찾거나 만들어 내어, 이미 얻은 지식과 새로 얻은 자료로써, 그 것을 풀어 나가는 학습법. 학생의 생활 주변에서 문제를 찾고 선택하여서, 학습과 생활을 결부하려고 하는 교육 방법임. 문제 해결 학습.

문:제-사【問題史】명 역사 고찰의 한 방법 또는 입장. 모든 문화 영역에 있는 중요한 문제를 중심으로 하여 그 역사를 서술함.

문:제-성【問題性】[—썽] 명 문제가 될 만한 성질.

문:제 소:설【問題小說】명 ①〖문〗사회·정치·사상·모랄(moral) 등 특수한 문제들을 테마(thema)로 한 소설. 흔히 작자의 주장과 비판이 모티브(motive)를 이루어 배우 암시적(暗示的)임. ②논쟁이나 문제를 일으킬 만한 소설.

문:제-시【問題視】명 문제로 여기고 취급함. 사태의 중요함을 인식하고 문제로 삼음. ↔도외시(度外視). ——-하다 타여불

문:제-아【問題兒】명〔problem child〕〖교·심〗지능·신적 태도·행동 등이 보통의 아동과 현저하게 달라 특별한 취급을 필요로 하는 아동. 성격의 이상, 학업의 부진, 불량한 경향 및 늘 고립하고 성적 악벽(性的惡癖)이 있는 아이 등인데 천재아도 포함됨. 문제 아동. *특수 아동.

문:제 아동【問題兒童】명〖교·심〗문제아(問題兒).

문:제-없다【問題—】[—업—] 형 문제로 삼을 정도가 아니다. 걱정할 것이 없다.

문:제-없이【問題—】[—업씨] 부 문제없게.

문:제-외【問題外】명 ①문제 밖. 핵심적 문제가 아님. ②우열이 심하여 비교가 안 됨.

문:제 의:식【問題意識】명 대상에 대하여 문제를 제시하고 해답을 유도해 내고자 하는 자각(自覺).

문-제자【門弟子】명 ①스승의 문하(門下)에서 배우는 제자. 준문제(門弟). ②문하생(門下生)❷.

문:제-작【問題作】명 비평할 값어치가 있는 작품. 또, 화제나 주목을 불러 일으킬 만한 작품.

문:제-점【問題點】[—쩜] 명 문제가 되는 점.

문:제-학【問題學】명〔도 Aporetik〕이론적 해답에 앞서서, 먼저 문제를 수집·분석하여 그 곤란·모순을 끄집어 내는 예비적 연구. *인식 형이상학.

문:제 해:결 학습【問題解決學習】명〖교〗문제법.

문:제-화【問題化】명 문제거리가 되게 함. 문제거리로 됨. ——-하다 자타여불

문:젯-거리【問題—】명 ①여러 가지 문제를 야기시킬 만한 요소. 또, 사건이나 그 핵심. ②처치하기 곤란한 사물.

문젼 명〈옛〉문지방. =문젼. ¶ 문젼 곤(閫), 문젼 역(閾)《字會 中 7》/ 문젼 흔(限)《類合 下 58》.

문조¹【文鳥】명〖조〗[*Padda oryzivora*] 참샛과에 속하는 새. 참새와 비슷한데, 편 날개의 길이 7cm, 꽁지 4.5cm 가량이고 부리가 크고 발과 같이 담홍색임. 두부와 꽁지는 검고 등은 청회색이며, 뺨에 큰 백반(白斑)이 있고, 배와 하미통(下尾筒)은 백색임. 봄·가을 두 번 산란하며 보통 한 배에 6개의 알을 낳음. 품종에 따라 몸빛이 다르며, 조·피·야채·어분(魚粉) 등을 먹이어 기름. 자바·수마트라 등지의 원산으로, 말레이·중국 남부·인도·아프리카 등지에 분포함. 벼 기타 농작물을 크게 해침. 애완용(愛玩用)으로 사육함.

〈문조¹〉

문조²【文藻】명 ①문화(文華)❶. ②글 짓는 재능. 문재(文才).

문조³【門祚】명 일가(一家)의 복조(福祚). 가운(家運).

문족【門族】명 한 가문의 겨레붙이.

문종¹【文宗】명 문장이나 문학에 뛰어나서 어떤 한 파(派)의 비조(鼻祖)로 일컬어지는 사람. 문장이나 문학의 대가(大家).

문종²【文宗】명〖사람〗고려 제11대 왕. 휘는 휘(徽). 자는 촉유(燭幽). 공음 전시법(功蔭田柴法)·사형수 삼복제(三覆制) 등을 제정하였고 양전 보수법(量田步數法)을 마련하였으며, 녹봉제(祿俸制)·선상 기인법(選上其人法) 등도 제정함. 글씨를 잘 썼으며 양주(楊州) 삼천사(三川寺)의 대지국사비(大智國師碑)는 왕의 필적임. [1019-83; 재위 1046-83]

문종³【文宗】명〖사람〗조선 제5대 왕. 휘는 향(珦). 단종(端宗)의 아버지. 부왕 세종(世宗)의 뒤를 이어 문운을 크게 일으켰으나, 몸이 약하였으므로 적극적인 정치는 하지 못하였음. [1414-52; 재위 1450-52]

문종 실록【文宗實錄】명〖책〗조선 제5대 왕 문종의 실록. 세조 원년(1455)에 찬수한 것으로, 13권 12책.

문-종이【門—】[—쫑—] 명 창호지.

문:죄【問罪】명 죄를 캐내어 물음. ——-하다 자여불

문주¹ 명〈방〉먼지(강원·충북).

문주²【門柱】명 문기둥.

문주-란【文珠蘭】명〖식〗[*Crinum maritimum*] 수선화과(水仙花科)에 속하는 상록 다년초. 뿌리 줄기는 극히 짧고 다수의 가는 뿌리가 뻗었고, 줄기는 굵고 크며 곧게 서는데 높이는 50cm 정도로 자람. 6-7월에 잎 사이에서 높이 70cm 가량의 꽃대가 나오며, 그 끝에 10수 개의 백색 꽃이 산형(繖形)으로 핌. 열매는 삭과이며 관상용으로 재배함. 따뜻한 모래땅에 나며, 한국에서는 제주도에 많고, 천연 기념물로 지정됨. 한국·일본·중국의 남부 지방에 많음.

〈문주란〉

문주-봉【文珠峰】명〖지〗강원도 고성군(高城郡)과 통천군(通川郡) 사이에 있는 산. 외금강에 솟아 있는 기봉(奇峯)의 하나임. [906m]

문주-왕【文周王】명〖사람〗백제의 제22대 왕. 부왕 개로왕(蓋鹵王)이 전사한 후 웅진(熊津)으로 천도하고 신라와 연합하여 고구려를 치려고 하였으나 뜻을 이루지 못하고, 좌평(佐平) 해구(解仇)에게 실권을 빼앗기고 살해당함. '文周'는 '文州'·'文洲'로도 씀. [재위 475-477]

문중¹【門中】명 동성 동본의 가까운 집안. 특히, 고조(高祖)를 공동 시조로 하는 유복친(有服親) 사이의 단체. 문내(門內). *종중(宗中).

문중²【門衆】명 한 종문(宗門)에 속하는 사람들.

문중 문고【門中文庫】명 문중의 자제 교육과 학자들의 독서를 독려할 목적으로 문중의 유지가 마련한 장서(藏書).

문중 문부【門中文簿】명 종안(宗案).

문-중방【門中枋】[—쭝—] 명〖건〗문얼굴에 가로 건너 낀 중방.

문중-자【文中子】명 ①중국 수(隋)나라의 유학자(儒學者) 왕통(王通)의 사시(私諡). ②〖책〗왕통의 저서. 왕통과 문인(門人)과의 대화의 기록을 문인이 정리, 논어(論語)를 모방하여 편찬하였음. 중설(中說).

문-쥐 명 여러 마리가 서로 앞의 놈의 꼬리를 물고 줄을 이어 가는 쥐.

문쥐-놀음 명 아이들의 놀음의 한 가지. 문쥐처럼 줄을 지어 쥐 소리를 내면서 돌아다니는 장난. ——-하다 자여불

문증【文證】명 글로 나타낸 증명 또는 증거.

문지¹ 명〈방〉먼지(경기·경상·전라·충청·강원·함남).

문지²【文旨】명〖역〗백제 때 십 이등의 벼슬.

문지³【門地】명 문벌(門閥).

문:지⁴【聞知】명 들어서 앎. ——-하다 타여불

문-지기【門—】명 출입하는 문을 지키는 사람. 감문(監門). 문직(門直). 문사(門士).

문-지도리【門—】[—찌—] 명 문짝을 달고 여닫게 하는 물건. 곧, 돌쩌귀나 문장부 등. 문추(門樞).

문지르다 타르불〔중세 : 믄디르다〕물건을 서로 대고 이리저리 밀거나 비비다. ¶ 수건으로 등을 ~.

문-지방【門地枋】[—찌—] 명〖건〗문설주 사이의 문 밑에 가로 놓인 나무. 문턱¹.

문지방이 닳도록 드나들다 구 '문턱이 닳도록 드나들다'와 같은 말. *

문지방-돌【門地枋—】[—찌—] 명〖건〗돌로 만든 문지방.

문직¹【文職】명 문관의 벼슬. 문관으로서의 직책.

문직²【門直】명 문지기.

문직³【紋織】명 무늬가 솟은 옷감. 문돋이 옷감. 브로케이드(brocade).

문진¹【文陣】명 문학의 세계. 문장의 우열을 경쟁하는 것을 군진(軍陣)에 비유하여 쓰는 말.

문진²【文鎭】명 서진(書鎭).

문진³【蚊陣】명 모기떼.

문:진⁴【問診】명〖의〗진단의 기초로 삼기 위하여, 의사가 환자의 기왕증(既往症)·현병력(現病歷)·현재의 상태 등을 묻는 일.

문:진-가【問津歌】명〖악〗조선 중종 때 주세붕(周世鵬)이 지은 시조(時調)의 하나. 《죽계지(竹溪誌)》에 실려 있음.

문질¹【文質】명 겉으로의 꾸밈과 본 바탕. 문채의 외관(外觀)의 미(美)와 실질(實質).

문질²【門疾】명 한 집안에 대대로 전하여 내려오는 병이나 폐풍(弊風).

문질그다 타〈방〉문지르다.

문질-류【吻蛭類】명〖동〗'부리거머리목(目)'의 종전 이름.

문질리다 一사동 남을 시키어 문지르게 하다. ¶ 동생에게 등을 ~. 二피동 문지름을 받다. 문지름을 당하다.

문질 빈빈【文質彬彬】명 외관과 내용면이 잘 조화됨. 예악(禮樂)과 도의(道義)를 모두 갖춤.

문집【文集】명 시(詩)나 문장을 한데 모아 엮은 책.

문-징명【文徵明】명〖사람〗중국 명대(明代)의 문인·화가. 호는 형산(衡山). 자는 징중(徵仲). 장쑤 성(江蘇省) 창저우(長洲) 출생, 오중 사재자

(吳中四才者)의 한 사람임. 시(詩)와 서화(書畫)에 뛰어났음. 대표작 ≪보전집(甫田集)≫·≪인간 가경도권(人間佳境圖卷)≫ 등. [1470-1559]
문-짝【門―】[명] 끼워서 여닫게 된 문의 한 짝. 경비(扃扉). 문비(門扉). 문선(門扇).
문짝-알갱이【門―】[명] 장롱 등의 문에 낀 네 모나 여덟 모의 널빤지.
문-차비【門差備】[명]〖역〗궁문 또는 궐문(闕門)을 수비하는 내시(內侍).
문-참상【文參上】[명]〖역〗육품(六品) 이상 당하 정삼품(堂下正三品)에 이르기까지의 문관의 직.
문-창【門窓】[명] 문과 창.
문창-성【文昌星】[명]〖천〗중국에서, 북두 칠성(北斗七星) 중의 여섯째 별의 별칭.
문창 제:군【文昌帝君】[명] 괴성(魁星)❷.
문-창호【門窓戶】[명] 문과 창호.
문채【文采·文彩】[명] ①문장의 광채. ②무늬❶.
[문채가 좋은 차복성(車福成)이라] 의복과 용모가 뛰어나게 아름다운 사람을 이르는 말. 차복성은 용모가 아름답고 의복이 화려한 전설적인 인물 또는 빛이 고운 복숭아라 함.
문:책【問責】[명] 잘못을 캐묻고 책망함. ¶ 책임자를 ～하다. ――하다 [타][여불]
문척 [부] 썩거나 약한 물건이 조금만 건드려도 뚝 끊어지는 모양. ㅅ문적. ――하다 [자][여불]
문척-문척 [부] 얇고 약하거나 썩은 물건이 건드릴 때마다 뚝뚝 끊어지는 모양. ㅅ문적문적. ――하다 [자][여불]
문천-군【文川郡】[명]〖지〗함경 남도의 한 군. 북은 고원군(高原郡)·영흥군(永興郡), 동은 동해와 덕원군(德源郡), 남은 덕원군, 서는 평안 남도 양덕군(陽德郡)에 접함. 주요 산물은 쌀·콩·팥·조·피·수수·옥수수·삼·밀·고치 등의 농산물과 임산·수산·축산·공산·소금 등이며, 명승 고적으로는 옥녀봉(玉女峰)·운림 폭포(雲林瀑布)·숙능(淑陵)·용담 약수(龍潭藥水)·송전만(松田灣)·염전(塩田) 등이 있음. [615 km^2]
문천 목숙전【蚊川苜蓿典】[명]〖역〗신라 시대 네 목숙전의 하나. 문천은 궁성인 월성(月城) 앞을 흐르는 개울.
문-천상【文天祥】[명]〖사람〗중국 남송(南宋) 말기의 충신. 자는 송서(宋瑞), 호는 문산(文山). 1276년 수도 임안(臨安)이 함락한 후 단종(端宗)을 받들고 근왕군(勤王軍)을 일으켜 원(元)의 군사에 대항하다가 사로잡혔으나, 절의(節義)를 굽히지 아니하고 처형되었음. ≪정기가(正氣歌)≫는 그가 옥중에서 절개를 읊은 유명한 노래임. [1236-82]
문천 탄:전【文川炭田】[명]〖지〗함경 남도 문천군(文川郡) 천내면(川內面)에 있는 무연탄 탄전. 매장량 522만 톤.
문첩¹【文牒】[명] 관아에서 쓰는 서류. 문장(文狀).
문-첩²【門帖】[명] 문표(門標).
문첩-소【文牒所】[명]〖역〗고려 의종(毅宗) 5년(1151)에 베풀었던 관청. 보문각(寶文閣)에 두었으며, 문사(文士) 14명과 보문각 교감(校勘)으로 일을 맡게 하고, 그 중 임완(林完)을 별감(別監)으로 삼았음. 직능(職能)에 대한 기록은 분명하지 않으나 교정(校正)이라는 설이 있음.
문청¹【文靑】[명] ↗문학 청년(文學靑年).
문청² [부]〈방〉문척. ――하다 [자]
문체【文體】[명]〖문〗①글의 체재(體裁). 작자의 사상이나 개성이 문장의 어구나 조사(措辭) 등에 나타나 있는 전체의 특색. 글체. ②문장의 양식. 구어체(口語體)·문어체·논문체·서한체(書翰體)·서사체(敍事體) 등. 글체. ③한문의 형식. 논변(論辯)·서발(序跋)·주의(奏議)·서설(書說)·칙령(勅令)·비지(碑誌)·잡기(雜記) 등.
문체-론【文體論】[명]〔프 stylistique〕구문법(構文法)·어휘(語彙)·억양(抑揚) 등 언어 표현의 개성적 특색을, 특정의 작가·국어·시대 유파(流派)에 관하여 연구한 글이나 말.
문체 명변【文體明辯】[명]〖책〗중국 명(明)나라의 서사증(徐師曾)이 지은, 문례(文例)를 들어 문체를 명변(明辯)함을 주로 한 책. 25류(類)로 나누어 일류(一類)를 다시 각체(各體)로 세별(細別)하였음. 문장 강론(文章綱論) 1권, 시문(詩文) 61권, 목록(目錄) 6권, 부록(附錄) 16권.
문체 반:정【文體反正】[명]〖역〗조선 정조 때에, 당시 유행하던 의고문체(擬古文體)의 한문 문체를 개혁하여 순정 고문(醇正古文)으로 환원시키려고 한 주장. 문체 순정(醇正).
문체-부【文體部】[명] ↗문화 체육부.
문:초【問招】[명] 공초(供招)를 받기 위하여 죄인을 신문(訊問)함. 구용어: 취조(取調). ――하다 [타][여불]
문:초-관【問招官】[명] 범죄 사실을 문초하는 관리.
문:초-실【問招室】[명] 피의자 등을 문초하는 방.
문촉【文燭】[명]〖식〗'남촉목(南燭木)'의 별칭.
문총【文總】[명] ↗전국 문화 단체 총연합회(全國文化團體總聯合會).
문-총관【文摠管】[명]〖역〗조선 시대에, 오위 도총부(五衛都摠府)의 총관(摠管)으로 임명된 문관(文官).
문추【門樞】[명] 문지도리.
문출【門黜】[명]〖역〗성문 밖으로 내쫓는 가벼운 형벌.
문충공-도【文忠公徒】[명]〖역〗〔문충공은 은정의 시호(諡號)〕고려 사학(私學) 십 이도(十二徒)의 하나. 시중(侍中) 은정(殷鼎)이 세웠음.
문치¹【文治】[명] 학문과 법령으로써 세상을 다스림. 문덕(文德)으로써 행하는 정치. ――하다 [타][여불]
문치²【文致】[명] 문장의 운치(韻致).
문치³【門齒】[명]〖생〗앞니.
문치-가자미【門齒―】[명]〖어〗[*Limanda yokohamae*] 붕넙칫과에 속하는 바닷물고기. 몸길이 30cm 가량. 사람의 앞니 모양의 폭넓은 이가 일렬로 병립하여 있는 것이 특징인데 유안측(有眼側)의 위턱에는 이가 전혀 없음. 두 눈은 몸의 오른쪽에 있는데 주로 빗비늘로 덮이고, 반대 쪽에는 둥근비늘이 섞여 있음. 유안측은 암갈색이며 때로 흑갈색 무늬를 가진 것도 있음. 한국의 부산·원산 및 일본과 동지나해에 분포함. 6-9월경에 특히 맛이 좋음.

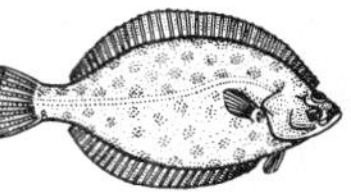

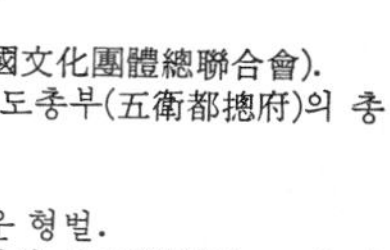
〈문치가자미〉

문치다 [타]〈방〉①문대다(경남). ¶ 살금살금 문치면서 금 안으로 밀려 들어오다. ②무치다(경남).
문치적-거리다 [자] 일을 결단성 있게 하지 아니하고 어물어물 자꾸 끌어 가다. ㉢문칫거리다. **문치적-문치적** [부]. ――하다 [자][여불]
문치적-대다 [자] 문치적거리다.
문치-파【文治派】[명]〖정〗문치를 주장하는 파. ↔무단파(武斷派).
문칫-거리다 [자] ↗문치적거리다. **문칫-문칫** [부]. ¶ 쓸데 없는 애정에 몸이 매여 즉시 결단을 못하고 하루 이틀 ～하다가 오늘날 군에게 이런 능욕까지 당했으니…≪金敎濟：地藏菩薩≫. ――하다 [자][여불]
문칫-대다 [자] 문칫거리다.
문태다 [타]〈방〉①문대다(경상·전라). ②훔치다(평안).
문터〔도 Munter〕[명]〖악〗'쾌활하게·활발하게'의 뜻.
문-턱¹【門―】[명] 문짝의 밑이 닿는 문지방의 윗머리. 비유적으로도 씀.
[문턱 높은 집에 무종아리 긴 며느리 생긴다] 일이 마침 알맞게 잘 되어 간다는 뜻. [문턱 밑이 저승이라] 사람은 언제 죽을지 모른다는 뜻.
문턱 드나들 듯 [구] 매우 쉽게 잘 드나든다는 뜻.
문턱에 들어서다 [구] 계절 등이 막 시작되다.
문턱이 닳도록 드나들다 [구] 매우 자주 드나들다. 문지방이 닳도록 드나들다.
문턱이 높다 [구] ㉠문턱의 높이가 높다. ㉡들어가기가 힘들다. 만나거나 상대하기가 어렵다. ¶ 은행이 그토록 문턱이 높아서야.
문턱² [부] 썩거나 무른 물건이 덩이로 뚝 끊어지는 모양. ㅅ문떡. ＞몬탁. ――하다 [자][여불]
문턱-문턱 [부] 썩거나 약하거나 무른 물건이 덩이로 뚝뚝 끊어지는 모양. ㅅ문떡문떡. ＞몬탁몬탁. ――하다 [자][여불]
문-테【門―】[명] ☞문얼굴.
문투【文套】[명] ①글을 짓는 법식. ②글에 나타나는 버릇.
문-틀【門―】[명] ☞문얼굴.
문-틈【門―】[명] 닫힌 문의 틈바구니.
[문틈에 손을 끼었다] 진퇴(進退)가 매우 곤란한 경우를 이르는 말. [문틈으로 보나 문 열고 보나 보기는 일반] 드러내 놓고 하나 몰래 하나 함은 마찬가지라는 말.
문파【門派】[명] 어떤 종문(宗門)의 유파.
문-판【門板】[명] 반닫이의 앞면 위쪽의 잦히어 열게 된 문짝의 널.
문패¹【文貝】[명]〖조개〗자패(紫貝).
문패²【門牌】[명] 주소 또는 성명을 적어서 대문 위에나 옆에 붙이는 작은 패. 명패.
문-팽【文彭】[명]〖사람〗중국 명(明)나라 중엽의 서화 전각가(篆刻家). 자는 수승(壽承), 호는 삼교(三橋). 전각으로는 당·송 이래의 쇠퇴를 부흥시키고 소한(素漢)의 고전(古篆)을 연구하여 근세 인학(印學)의 시조로 알려짐. [1497-1572]
문편【紋片】[명] 도자기(陶瓷器)에 올린 잿물에 난, 무늬 같은 금. 단문(斷紋).
문포【門布】[명] 중국 책문(柵門) 지방에서 나는 삼베의 한 가지.
문표¹【門標】[명]〖역〗궁궐·병영(兵營) 등의 함부로 출입하지 못하는 문을 출입함을 허락하는 표. 문감(門鑑). 문첩(門帖). 문적(門籍).
문:표²【問標】[명] 물음표.
문품【門品】[명] 한 집안의 품위. 가품(家品).
문풍¹【文風】[명] ①학문을 숭상하는 풍습. ②문장의 풍류(風流).
문풍²【門風】[명] ①한 집안의 풍습. ②문바람.
문:풍³【聞風】[명] 뜬소문을 들음. ――하다 [자][여불]
문-풍지【門風紙】[명] 문틈으로 새어 들어오는 바람을 막기 위하여 문짝가를 돌아가며 붙인 종이. ㉢풍지(風紙).
[문풍지 떨어진 데는 풀비가 제격] 문풍지 떨어지면 풀비로 풀질해야 제대로 붙듯이, 격에 맞는다는 뜻.
문: 피시〔moon fish〕[명]〖어〗[*Xiphophorus maculatus*] 태생의 송사리의 일종. 색채가 여러 가지 있으며, 멕시코·과테말라 원산의 열대어임.
문필【文筆】[명] ①글과 글씨. 문여필(文與筆). ②시가(詩歌)·문장을 짓는 일. 문묵(文墨). ¶ ～에 종사하다. ③중국 육조(六朝) 때까지의 한시(漢詩)와 한문(漢文). 심경(心境)을 읊은 운문(韻文)을 '문(文)', 조리(條理)를 설(說)하는 무운문(無韻文)을 '필(筆)'이라 함.
문필-가【文筆家】[명] 문필을 업으로 삼는 사람. 문필에 뛰어난 사람. 문필인(文筆人).
문필 노동【文筆勞動】[명] 시가(詩歌)나 문장을 지어 벌어 먹는 일. ――하다 [자][여불]
문필 노동자【文筆勞動者】[명] 기자(記者)·시인(詩人)·소설가(小說家) 등 글 쓰는 노동을 하는 사람. 곧, 문필가(文筆家). 자본주의 문화가 발달된 사회에서는 자본가와 노동자의 두 계급밖에 있을 수 없다는 견지에서 문필가도 노동자라 일컬음.
문필 도적【文筆盜賊】[명] 남의 원고나 저술 논문을 훔쳐 베껴서 제가 지은 것처럼 써먹는 사람. 슬갑 도적(膝甲盜賊).
문필-봉【文筆峰】[명]〖지〗강원도 양구군(楊口郡)에 있는 산봉우리. [1,008 m]
문필 쌍전【文筆雙全】[명] 글을 짓는 재주와 글씨를 쓰는 재주를 다 갖추어 있음. ――하다 [형][여불]
문필-인【文筆人】[명] 문필가.
문하【門下】[명] ①문하생이 드나드는 권세가 있는 집. ②스승의 집. ③스승의 집에 드나들며 가르침을 받는 제자. 문하생.
문하 녹사【門下錄事】[명]〖역〗고려 중서 문하성(中書門下省)의 종칠품 벼슬.
문하-부【門下府】[명]〖역〗①고려 때에 나라의 모든 정사(政事)를 도맡아 보살피던 관청. 초기에는 내의성(內議省), 성종(成宗) 때에 내사 문하성(內史門下省), 문종(文宗) 때에 중서 문하성(中書門下省), 충렬왕(忠烈王) 때에 첨의부(僉議府) 또는 도첨의사사(都僉議使司), 공민왕(恭愍王) 때에 다시 중서 문하성 또는 도첨의부(都僉議府)라 하였다

가 동 18년(1369)에 이 이름으로 고침. ②조선 시대 초에 나라의 모든 정사를 도맡아 보살피던 최고 아문(最高衙門). 태종(太宗) 원년(1401)에 의정부(議政府)의 기능(機能)과 중복됨을 피하기 위하여 이를 혁파(革罷)하고 문하부의 낭사(郞舍)는 사간원(司諫院)으로 독립시킴.

문하 사인【門下舍人】[명]〖역〗고려 문하부(門下府)의 종사품 벼슬. 내서 사인(內書舍人)을 공민왕 18년(1369)에 고친 이름임.

문하-생【門下生】[명] ①권세가 있는 집에 드나드는 사람. ②문하에서 배우는 제자. 교하생(敎下生). 문제(門弟). 문제자(門弟子). 문하(門下). [준]문생(門生).

문하-성【門下省】[명]〖역〗옛 중국의 관서(官署)의 이름. 주로 칙명(勅命)의 출납(出納)을 맡음. 후한(後漢) 시대에는 시중시(侍中寺)라고 하였으며, 진대(晉代)로부터 문하성이라고 일컬었음.

문하 시:랑【門下侍郞】[명]〖역〗↗문하 시랑 평장사(門下侍郞平章事).

문하 시:랑 동내사 문하 평장사【門下侍郞同內史門下平章事】[명]〖역〗문하 시랑 평장사(門下侍郞平章事).

문하 시:랑 동중서 문하 평장사【門下侍郞同中書門下平章事】[명]〖역〗문하 시랑 평장사(門下侍郞平章事).

문하 시:랑 평장사【門下侍郞平章事】[명]〖역〗고려 내사 문하성(內史門下省)의 정이품(正二品) 벼슬. 내사 시랑 평장사(內史侍郞平章事)와 같은 지위(地位). 문종(文宗) 15년(1061)에 중서 시랑 평장사(中書侍郞平章事)로 고치고 충렬왕(忠烈王) 원년(1275)에 다시 첨의 시랑 찬성사(僉議侍郞贊成事)로 고쳤음. 문하 시랑 동내사 문하 평장사. 문하 시랑 동중서 문하 평장사. [준]문하 시랑(門下侍郞).

문하 시:중【門下侍中】[명]〖역〗①고려 때 나라의 모든 정사(政事)를 도맡아 보살피던 대신(大臣). 종일품(從一品)의 벼슬인데, 충렬왕(忠烈王) 원년(1275)에는 첨의 중찬(僉議中贊)이라 고치어 좌우(左右)에 각 한 사람씩 두었음. 뒤에 좌·우정승(左·右政丞), 시중(侍中)·수시중(守侍中) 등으로 이름을 여러 번 고침. ②조선 시대 초에 국정(國政)을 총찰하던 문하부(門下府)의 으뜸 벼슬. 품질(品秩)은 정일품으로 좌우(左右) 두 사람이었는데 태조(太祖) 3년(1394)에 좌·우정승으로 고침. ③중국 당대(唐代)의 문하성(門下省)의 장관. 정원(定員)은 두 명.

문하 우:시중【門下右侍中】[명]〖역〗①고려 공민왕(恭愍王) 12년(1363)에 첨의 우시중(僉議右侍中)의 고친 이름. 뒤에 다시 수시중(守侍中)으로 고쳤음. ②조선 시대 초에 문하부(門下府)의 으뜸 벼슬. 태조 3년(1394)에 우정승(右政丞)으로 고침. [준]우시중(右侍中).

문하-인【門下人】[명] 권세가 있는 집에 드나드는 지위가 낮은 사람.

문하 좌:시중【門下左侍中】[명]〖역〗①고려 공민왕(恭愍王) 18년(1369)에 첨의 좌시중(僉議左侍中)의 고친 이름. 뒤에 다시 시중(侍中)으로 고쳤음. ②조선 시대 초에 문하부(門下府)의 으뜸 벼슬. 태조(太祖) 3년(1394)에 좌정승(左政丞)으로 고침. [준]좌시중(左侍中).

문하 주:서【門下注書】[명]〖역〗①고려 중서 문하성(中書門下省)의 종칠품 벼슬. 공민왕 5년(1356)에 도첨의 주서(都僉議注書)를 이 이름으로 고침. ②조선 시대 초에 문하부(門下部)의 정칠품 벼슬.

문하 찬:성사【門下贊成事】[명]〖역〗고려 문하부(門下府)의 정이품 벼슬. 공민왕 18년(1369)에 첨의 찬성사(僉議贊成事)를 고친 이름.

문하 평:리【門下評理】[—니] [명]〖역〗고려 문하부(門下府)의 종이품(從二品) 벼슬. 문하 찬성사(門下贊成事)의 다음임. 목종(穆宗) 때부터 있던 참지 정사(參知政事)를 문종(文宗)이 한 사람으로 정하고 충렬왕(忠烈王) 원년(1275)에 첨의 참리(僉議參理), 동 34년에는 평리(評理)로 고치어 세 사람으로 늘렸음. 충숙왕(忠肅王) 17년(1330)에는 다시 참리(參理)로 고쳤다가 공민왕(恭愍王) 5년(1356)에 다시 참지 정사, 동 11년에 첨의 평리(僉議評理), 동 18년에 참지 문하 부사(參知門下府事), 동 21년에 문하 평리로 하였음.

문하 평장사【門下平章事】[명]〖역〗고려 때 중서 문하성(中書門下省)의 정이품(正二品) 벼슬. 문종(文宗) 때에 정함. [준]평장사.

문학¹【文學】[명] ①글에 대한 학문. 학예(學藝). ②자연 과학 및 정치·법률·경제 등에 관한 학문 밖의 학문의 총칭. 곧, 순문학(純文學)·사학(史學)·철학·사회학·언어학 등. ③〔literature〕〖문〗정서·사상을 상상(想像)의 힘을 빌리어 언어 또는 문자로써 표현한 예술 작품. 곧, 시가(詩歌)·소설·희곡·평론·수필 등. 이 가운데서 전설(傳說)·가요(歌謠)·화술(話術) 등 언어에 의한 구비 문학(口碑文學)·전승 문학(傳承文學)과, 시·소설·수필 등 문자에 의한 기록 문학(記錄文學)으로 구분하며 기록 문학 중에서도 시(詩)와 산문(散文), 다시 순수 문학·대중 문학 또는 농민 문학·아동 문학 등의 여러 분야로 분류함. ——-하다 [자][여불]

문학²【文學】[명]〖역〗①고려 때 동궁(東宮)의 정육품(正六品) 벼슬. ②고려 때 방어진(防禦鎭)의 한 벼슬. ③조선 시대에, 세자 시강원(世子侍講院)의 정오품 벼슬.

문:학³【聞學】[명] 들어서 배움. ——-하다 [자][여불]

문학-가【文學家】[명] 문학을 창작(創作)·연구하는 사람이나 문학에 정통한 사람. 문학인(文學人). 문학자.

문학 개:론【文學槪論】[명]〖문〗문학의 정의(定義)·종류(種類) 그 밖의 문학 전반에 관한 개요(槪要)를 논구(論究)하는 학문.

문학-계【文學界】[명] ①문학의 세계. 문학의 영역. ②문학자의 사회(社會). 문단(文壇).

문학 교:육【文學敎育】[명] 문학에 관한 교육. 작품을 감상하는 힘, 이해하는 힘을 키우는 문학 향수(享受)의 지도와, 창작하는 힘을 키우는 문학 창조의 지도 등 양면(兩面)이 있음.

문학-도【文學徒】[명] 문학을 배우고 연구하는 학도. 주로 대학의 문학과(文學科)의 학생을 이름.

문학 독본【文學讀本】[명]〖문〗문예 독본.

문학-론【文學論】[—논] [명]〖문〗문학의 본질·감상 및 이해를 계통적으로 설명하려는 이론.

문학 박사【文學博士】[명] 문학에 관한 학술(學術)을 전공(專攻)하고 박사 학위 논문이 통과한 사람에게 주는 학위(學位). 또, 그 학위를 받은 사람. [준]문박(文博).

문학-부【文學部】[명] 대학의 학부의 하나. 문학·철학·사회학·사학 등의 학과가 포함됨. ↔이학부(理學部).

문학-사¹【文學士】[명] 학위의 하나. 대학의 문학부를 졸업한 학사. 엠에이(M.A.).

문학-사²【文學史】[명]〖문〗문학의 역사적 발전 과정을 연구하는 학문.

문학 사조【文學思潮】[명] 한 시대를 통하여, 당시의 작가들의 창작에 나타나 있는 공통적인 사상이나 예술적 경향. 문예 사조.

문학 사회학【文學社會學】[명]〔sociology of literature〕〖문〗문학 작품 속에 반영되어 있는 사회의 현실을 규명·연구하는 비평 이론. 19세기 말 독일에서 대두된 후, 프랑스의 텐(Taine, H.A.) 등에 의하여 이론이 정립되고, 헝가리의 사상가 루카치(Lukács, György; 1885-1971)와 같은 마르크스주의 비평가에 이어졌음.

문학-상【文學賞】[명] 문학 부문의 공적이 뛰어나거나 우수한 작품을 쓴 사람에게 주는 상.

문학-서【文學書】[명] 문학에 관한 서적. 문학 책.

문학-선【文學選】[명] 한 사람이나 또는 여러 사람의 문학 작품을 가려 뽑아 실은 책의 제호(題號).

문학-성【文學性】[명] 문학 작품이 지닌 문학적인 성질.

문학 소:녀【文學少女】[명] 문학을 좋아하고 그에 뜻을 둔 감상적(感傷的)인 소녀.

문학-열【文學熱】[—녈] [명] 문학을 하려는 열의. 문학에 대한 열성.

문학 예:술【文學藝術】[—녜—] [명] ①〖문〗문학에 관한 예술. ②문학과 예술.

문학-인【文學人】[명] 문학가(文學家).

문학-자【文學者】[명] 문학을 연구하는 사람. 문학가.

문학 작품【文學作品】[명] 문학에 속하는 예술 작품. 시·소설·희곡 따위 「작품.

문학 잡지【文學雜誌】[명] 문학에 관한 기사·작품을 주로 싣는 잡지.

문학-적【文學的】[명][관] 문학의 여건(與件)을 구비한 모양. 문학에 관한 것. ¶~ 재능 /~ 표현.

문학 청년【文學靑年】[명] ①문학을 좋아하며 작가(作家)를 지망(志望)하는 청년. ②문학을 좋아한다는 경박(輕薄)한 청년 또는 겉치레만으로 문학을 좋아하는 청년을 경멸하여 일컫는 말. [준]문청(文靑).

문학 체계【文學體系】[명]〖문〗문학 작품을 민족적으로나 국가적 또는 주의(主義)·사조(思潮)·경향(傾向) 등 입장에서 종류를 구별하여 계통적으로 세운 체계.

문학 체계학【文學體系學】[명]〖문〗문학론(文學論)의 한 부문으로서 문학 체계를 다루는 학문.

문학 취:미【文學趣味】[명] 문학에 관한 취미.

문학 평:론【文學評論】[—논] [명] 문학 작품을 비평하여 그 의의와 예술성을 논하는 문예학의 한 분야.

문학 혁명【文學革命】[명]〖역〗신해(辛亥) 혁명 뒤 중국 문화 운동의 발단이 된 문화 운동. 1917년 후 스(胡適)가 근대 문학의 창조를 위하여 대중이 쓰는 구어문(口語文)인 백화문(白話文)을 쓸 것을 주장하여 잡지 ≪신청년(新靑年)≫에 '문학 개량 추의(文學改良芻議)'를 발표한 것을 발단으로, 그 실천으로서 루 쉰(魯迅)의 소설 ≪광인 일기(狂人日記)≫가 백화문으로 쓰여 나오고, 나아가서는 이 운동이 문체(文體)의 개혁에 그치지 아니하고 문학의 형식과 내용도 근대화하는 방향으로 나아가 민주주의와 과학 정신을 목표로 하는 신문화 운동(新文化運動)으로 발전하였음. *백화(白話) 문학.

문학-회【文學會】[명] 문학가 또는 문학을 애호하는 사람들이 작품을 감상·평가하거나 그 밖의 행사를 하기 위한 모임.

문한¹【文翰】[명] ①문필(文筆)에 관한 일. ②문장(文章)을 잘 짓는 사람.

문한²【門限】[명]〖역〗도성(都城) 안의 궁문(宮門)·성문(城門)을 닫는 시간의 한정.

문한-가【文翰家】[명] 대대로 뛰어난 문필가가 나온 집안.

문한-서【文翰署】[명]〖역〗고려 충렬왕(忠烈王) 원년(1275)에 한림원(翰林院)을 고친 이름. 동 24년에 다시 사림원(詞林院)이라 함.

문한 시:종【文翰侍從】[명] 문필에 뛰어난 시종신(侍從臣).

문합【文蛤】[명] ①〖조개〗무명조개. ②〖한의〗오배자(五倍子).

문합-술【吻合術】[명]〖의〗신체의 내강(內腔)에 있는 장기(臟器)와 장기를 서로 접합(接合)시켜 잇는 수술. 위(胃)와 장(腸), 장과 장 사이에 흔히 행하여지며 혈관과 혈관 사이에도 행하여짐.

문-항【問項】[명] 문제나 질문의 항목.

문-항라【紋亢羅】[—나] [명] 무늬가 있는 항라. ¶~ 저고리.

문:항 분석【問項分析】[명]〔item analysis〕〖교·심〗검사·조사 따위에서 문항의 곤란도·합치도(合致度)·판별도(判別度)·타당도 등을 통계적으로 분석하는 일.

문:향【聞香】[명] ①향내를 맡음. ②여러 사람이 한 곳에 모여서 향불을 피우고, 그 향내를 맡아서 우열(優劣)을 분간하는 일. ——-하다 [자][여불]

문:향-리【聞香梨】[—니] [명] 문배.

문허-띠리다 [타]〈방〉무너뜨리다.

문헌【文獻】[명] ①문물 제도(文物制度)의 전거(典據)가 되는 기록. ②학술 연구에 자료(資料)가 되는 문서(文書). ¶참고 ~.

문헌공-도【文憲公徒】[명]〖역〗〔문헌공은 최충의 시호(諡號)〕고려 사학(私學) 십이도(十二徒)의 하나. 문종(文宗) 때에 태사(太師) 중서령(中書令) 최충(崔冲)이 처음으로 설립한 것으로, 가장 권위가 있어 번성하였음. 시중 최공도(侍中崔公徒).

문헌 비:고【文獻備考】[명]〖책〗↗동국 문헌 비고(東國文獻備考).

문헌 설화【文獻說話】[명] 문헌에 기록되어 전승되고 있는 설화. ↔구전 설화(口傳說話).

문헌-성【文獻性】[—썽] [명] 서책(書册)의 문헌이 될 만한 성질.

문헌 수록【文獻隨錄】[명]〖책〗부세(賦稅)·양전(量田)·정전(井田)·조적(糶糴)·진법(賑法)·군제(軍制)·관염(官塩)·관방(關防)·수리(水利)·전조선(戰漕船)·윤선(輪船)·재용(財用)·전폐(錢幣) 등에 관한 예로부터의 제도를 인증(引證)하고 그 요항(要項)을 실은 책. 1책. 「(口傳神話).
문헌 신화【文獻神話】명 문헌에 기록되어 전해지는 신화. ↔구전 신화
문헌 통고【文獻通考】명〖책〗중국 원(元)나라 때에 마단림(馬端臨)이 지은 고대(古代)로부터 송대(宋代)까지의 여러 제도(制度)에 관한 책. 두우(杜佑)의 《통전(通典)》을 기초로 하여, 이를 증보(增補)한 것으로, 《통전(通典)》·《통지(通志)》와 더불어 삼통(三通)이라 불림. 전 348권. ㊥통고(通考).
문헌-학【文獻學】명 ①〔도 Philologie〕서책(書册)의 문헌성(文獻性)을 밝히고, 또한 문헌에 의하여 고대 문화를 역사적으로 연구하는 학문. 기초 정신 과학의 하나로, 독일의 베커(Bekker, A.I.; 1785-1871)가 기초를 확립하였음. *고전학(古典學). ②서지학(書誌學).
문혁【文革】명 ↗문화 대혁명(文化大革命).
문혁-파【文革派】명〖정〗중국의 문화 혁명 때에 대두하여 지도적 지위에 오른 세력. 특히, 장 칭(江淸)·왕 훙원(王洪文)·야오 원위안(姚文元)·장 춘차오(張春橋) 등 사인방(四人幇)을 일컬음.
문현【文絃】명〖악〗거문고의 첫째 줄의 이름. *유현(遊絃).
문현-선【門峴線】명〖지〗부산진(釜山鎭)에서 우암(牛巖)에 이르는 철도. 1944년 6월 10일 개통. [4.7 km] 「는 재. [107 m]
문현-치【文峴峙】명〖지〗경기도 이천시와 여주군(驪州郡) 사이에 있
문형¹【文型】명〔sentence pattern〕센텐스 구성 상의 유형. 자주 나타나 학습상 중요한 것을 기본 문형이라 함.
문형²【文衡】명〖역〗조선 시대의 '대제학(大提學)❹'의 별칭.
문형³【門衡】명 문의 가로 댄 나무.
문형⁴【紋形】명 무늬의 모양.
문형 기중기【門形起重機】명 갠트리 크레인(gantry crane).
문형-록【文衡錄】[―녹] 명〖책〗조선 역대의 예문관(藝文館)·집현전(集賢殿)·홍문관(弘文館) 대제학의 이름과 약전(略傳)을 기록한 책.
문형 크레인【門形―】〔crane〕명 문형 기중기.
문:혜【聞慧】명〖불교〗삼혜(三慧)의 하나. 후진들이 선각자(先覺者)나 서적으로부터 배우고 들은 결과로 얻은 지혜. *사혜(思慧)·수혜(修慧).
문호¹【文豪】명 문장이나 문학이 뛰어난 대가(大家). 문웅(文雄).
문호²【門戶】명 ①집으로 출입하는 문. ②출입구가 되는 긴요한 곳. ¶ 서울역은 서울의 ~이다. ③문벌(門閥).
문호 개방【門戶開放】명 ①문을 터놓아 자유로이 드나들 수 있게 함. ②한 나라의 항구나 영토를 외국인의 경제 활동을 위해 개방함. ③구속적(拘束的)인 금제(禁制)를 없이 함. 오픈 도어. ――하다 자㈜여불
문호 개방 정책【門戶開放政策】명 ①〖정〗세계 여러 나라가 상호 간의 통상·항행 및 경제적 이익 관계에 있어서, 문호 개방·기회 균등(機會均等) 등을 주장하는 정책. ②〔Open Door Policy〕〖역〗1899년에 미국 국무 장관 헤이(Hay, J.M.; 1838-1905)가 제창한 극동 정책. 중국에 대한 열국의 통상상의 기회 균등, 중국의 영토 보존 등을 강조한 정책으로, 1921년에 각국의 승인을 얻음으로써 미국의 중국 진출을 촉진함.
문호장-굿【文戶長―】명〖민〗영산 단오굿.
문화¹【文火】명 약하고 뭉근하게 타는 불. ↔무화(武火).
문화²【文化】명 ①인지(人智)가 깨고 세상이 열리어 밝게 됨. ②권력이나 형벌보다도 문덕(文德)으로 백성을 가르쳐 이끎. ③〔culture〕〖철〗인간이 자연 상태에서 벗어나 일정한 목적 또는 생활 이상(理想)을 실현하려는 활동의 과정(過程) 및 그 과정에서 이룩해 낸 물질적·정신적 소득의 총칭. 특히, 학문·예술·종교·도덕 등 인간의 내적(內的) 정신 활동의 소산(所産)을 말함. ↔자연. *문명(文明).
문화³【文華】명 ①문장(文章)과 재화(才華). 문조(文藻). ②문장이 아름답고 화려함. ③문명(文明)의 호화로운 빛.
문화⁴【文話】명 문장에 관한 담화. 문담(文談).
문화 가치【文化價値】명 ①어떤 사물이 문화재로서 지니고 있는 가치. 또, 문화면에서 인간 사회를 보다 풍요하게 하는 가치. ②〔도 Kulturwert〕〖철〗리케르트(Rickert) 등 신칸트주의자(新Kant主義者)가 쓰는 개념. 곧, 일상성(日常性)을 초월한 진(眞)·선(善)·미(美)·성(聖) 등의 이상 가치(理想價値)를 말하며, 문화 활동의 목표가 되는 이데아적인 것. 즉, 인간이 창조한 문학·예술·종교·도덕·법률·경제·정치·과학 등에 부착(附着)하여 있는 가치.
문화 경관【文化景觀】명〔도 Kulturlandschaft〕〖지〗자연 경관에 인공을 가하여 이룩한 경작·광공업·교통·도시 등의 경관. ↔자연 경관.
문화 경역【文化境域】명〖사〗문화 유형(文化類型)이 지배하는 지역.
문화 공보부【文化公報部】명 전의 행정 각부의 하나. 1989년 '문화부'와 '공보처'로 바뀜.
문화 과학【文化科學】명〔도 Kulturwissenschaft〕〖철〗신칸트 학파(新Kant學派) 등에서 과학을 둘로 크게 분류한 것 중의 하나. 자연 과학에 대하여, 사물(事物)의 일회적(一回的) 개별성을 일정한 가치 규범에 관련시켜서 연구하고 기술하는 과학. 역사 과학. ↔자연 과학.
문화 관광부【文化觀光部】명 행정 각부의 하나. 문화·예술·방송 행정·출판·간행물(刊行物)·체육·청소년·해외 홍보(海外弘報) 및 관광에 관한 사무를 관장(管掌)함. 산하에 문화재 관리국(文化財管理局)을 둠.
문화 관광부 장:관【文化觀光部長官】명 문화 관광부의 장(長)인 국무 위원.
문화 관광 위원회【文化觀光委員會】명 국회 상임 위원회의 하나. 문화 관광부 소관 사항을 심의함.
문화 국가【文化國家】명〔도 Kulturstaat〕〖정〗①문화의 창조·유지·발전을 위한 인간의 활동을 가능하게 하고 이를 확보·조성함을 최고 목적으로 하는 국가. 문화를 지도 이념으로 하는 국가. ②군사력을 부정하고 문화 창조의 목표를 향하여 국가 조직의 일체를 형성하는 평화주의의 국가. *문명 국가.
문화-권【文化圈】[―꿘] 명〔도 Kulturkreis〕어떤 공통된 특징을 가지는 문화의 공간적 영역. ¶ 이슬람 ~. *문화 영역.
문화권-설【文化圈說】[―꿘―] 명〔도 Kulturkreislehre〕독일과 오스트리아의 민족 학자가 중심이 되어 20세기 초두에 제창한 문화사적(文化史的) 학설. 문화의 공간적 분포로부터 몇 개의 문화권을 생각해 내고, 다시 시간적 전후 관계로부터 몇 개의 문화층(文化層)을 설정함으로써, 기록되어 있지 아니한 인류의 문화사를 세계적 규모하에 재구성(再構成)하려던 것임. 대표적 학자는 프로베니우스(Frobenius, L.)·슈미트(Schmidt, W.) 등.
문화 기호론【文化記號論】명〔semiotics of culture〕〖언〗언어가 문화 중에서 중추적인 자리를 차지한다는 관점에 입각하여, 여러 가지 문화적 현상이나 그 대상을 언어의 구조나 기능과 유추·비교함으로써 전체 중에서 차지하는 위상(位相)·의미(意味) 작용과 규약의 특징 등을 규명·연구하는 분야.
문화 단체【文化團體】명〖사〗문화적 영역(領域)에 있어서 같은 사상·감정에 의하여 결합된 단체. 넓은 뜻으로는 학회(學會)·종교 단체(宗敎團體)도 이에 포함됨.
문화 대:혁명【文化大革命】명 중국에서, 1965년부터 1968년에 걸쳐 펼쳐진 사회주의 이론 투쟁의 성격을 띤 권력 투쟁. 수정주의(修正主義)·반당(反黨)·반(反)사회주의자들에게 철저한 비판을 가함. 마오 쩌둥·린 뱌오(林彪)의 지휘 하에, 홍위병(紅衛兵)·혁명 소조(革命小組) 등이 주동이 되어, 당내 실권자(實權者)인 류 사오치(劉少奇) 등을 몰아냈음. 문화 혁명. ㊥문혁(文革).
문화 도시【文化都市】명〖사〗문화적 사적(史跡)이 있거나 학문·예술 등의 문화적 활동이 활발한 도시. 공업 도시(工業都市)·상업 도시(商業都市) 등에 대하여 이름.
문화 마찰【文化摩擦】명〔culture conflict〕역사나 전통의 차이 때문에 사고(思考)나 행동 양식(行動樣式)에 갈등이 생기는 일.
문화 민족【文化民族】명〖사〗복잡(複雜)한 문화와 문자(文字)를 가지고 시간적·공간적인 간격을 축소시킨 문화 생활을 영위하는 민족. ↔미개 민족(未開民族)·자연 민족.
문화 방:송【文化放送】명 우리 나라 민영 방송국의 하나. 라디오국(局)과 텔레비전국이 있는데, 라디오국은 1961년 12월에 AM 방송을, 텔레비전국은 1969년 8월에, FM 방송은 1971년에 각각 개국하였음. 통상 명칭은 엠 비 시(M.B.C.).
문화 변:용【文化變容】명〔acculturation〕〖사〗서로 틀리는 문화를 가지고 있는 개인의 집단이 지속적(持續的)인 직접 접촉(直接接觸)을 행하여, 그 한쪽 또는 양쪽의 집단이 원래의 문화 유형에 변화를 일으키
문화-병【文化病】[―뼝] 명〖의〗문명병(文明病). 「는 현상.
문화-보【文化寶】명 문화적 가치가 있는 보물. 문화재(文化財)를 보물로 보아 이르는 말.
문화 복합체【文化複合體】명〔culture complex〕〖사〗개개의 문화 특질(特質)이 서로 기능적으로 관련하여 구성하는 복합체. 또, 일정한 시기와 장소에 거주하는 일정한 집단 곧, 부족(部族)이나 민족이 지닌 문화 특질을 기능적으로 통합한 조직체를 일컫기도 함.
문화-부【文化部】명 ①학교 따위에서 문화적인 연구나 취미를 같이 하는 사람들의 모임. ②신문사에서 문화 관계의 일이나 사건 따위를 보도하는 부서(部署). ③전의 행정 각부의 하나. 문화와 예술에 관한 사무를 관장함. 1993년 3월 '체육 청소년부'와 합쳐 문화 체육부로 됨.
문화-비【文化費】명 ①〖경〗교육·종교·예술·교통 및 보건 위생 등 일반 문화 발전을 위하여 필요로 하는 비용. 재정학 상의 용어임. ②가계비(家計費) 중에서 사교(社交)·보건 위생·교통 등에 충당되는 비용.
문화-사【文化史】명〖역〗좁은 뜻으로는, 인간의 내면적 정신 생활에 관한 역사, 곧 학문·예술·사상 등 정신 문화의 역사를 가리킴. 넓은 뜻으로는, 인간이 창조한 모든 문화재, 예를 들면 정치·사회·경제·법률·제도·풍속·과학·예술·문학 등 인간 생활의 모든 영역을 종합적으로 관찰하여 서술한 역사. *문명사·개화사(開化史).
문화사적 단계【文化史的段階】[―쩍―] 명〖교〗개화사적 단계.
문화 사회학【文化社會學】명〔도 Kultursoziologie〕〖사〗인간 문화(人間文化)를 그 대상(對象)으로 하는 사회학. 제1차 세계 대전 후, 독일에서 베버(Weber, A.). 셸러(Scheler). 만하임(Mannheim) 등에 의하여 제창됨.
문화 산:업【文化産業】명 생활 문화 창조를 위한 서비스, 물재(物財)를 제공하는 산업의 총칭. 패션 산업, 외식(外食) 산업, 교육 산업, 여가 산업, 호텔업 등.
문화 상대주의【文化相對主義】[―/―이] 명〔cultural relativism〕〖사〗모든 문화는 독자적인 배경에 의거하여 고유의 체계로서 평가해야 한다고 생각하는 입장. *에스노센트리즘(ethnocentrism).
문화 생활【文化生活】명〖사〗①문화 가치(文化價値)의 실현에 노력하여, 문화재(文化財)를 향수(享受)하는 생활. 미개 민족의 자연적인 생활에 대하여 일컫는 말. ②가정 생활에서 새로운 문화적 생활 용품의 이용으로써 영위되는 과학적·합리적인 생활 양식.
문화 센터【文化―】〔center〕명 신문사·방송국 등에서 주관하여 일반 대중, 사회인을 대상으로 하여 여는 각종 교양·문화 과목의 강좌.
문화 시:설【文化施設】명 문화를 발달 향상시키는 데 필요한 설비. 도서관·극장·학교·박물관 같은 것.
문화 심리학【文化心理學】[―니―] 명〔cultural psychology〕〖심〗예술·종교·경제·사회 등 인류가 가지는 문화 영역의 발달과 상태를 심리학적으로 구명하는 응용 심리학의 한 부분.
문:화심-사【問花心詞】명〖악〗정재(呈才) 때에 육화대(六花臺) 춤에

맞추어 화심답사(花心答詞)보다 먼저 부르는 가사(歌詞).

문화 양식【文化樣式】명〖사〗문화 유형(文化類型).

문화 영역【文化領域】명〖사〗공통된 특정 문화의 여러 요소(要素)가 문화적 관련을 맺으면서 분포된 지리적 분포권(分布圈). 문화 인류학의 용어. *문화 중심(中心)·문화 주변(周邊)·문화권(文化圈).

문화 영웅【文化英雄】명〔culture hero〕〖종〗미개 사회의 종교에서, 그 문화적 제조건을 개량·개발시켰다고 숭앙(崇仰)을 받는 인간 혹은 반신적(半神的) 존재로서, 신화(神話)나 전설(傳說) 속에 담겨져 전해 내려오면서 신앙(信仰)·예배(禮拜)의 대상이 되고 있는 영웅(英雄). 문화적 영웅.

문화 영화【文化映畫】명 교육이나 과학 연구를 위하여 만든 영화. 곧, 사회 교육 영화·학교 교육 영화·아동 영화·과학 영화·기록 영화 등. *극영화(劇映畫).

문화 예:술 진:흥 기금【文化藝術振興基金】명〖법〗한국 문화 예술 진흥원을 운영하기 위하여 설치된 기금. 공연장(公演場)·고궁(古宮)·능(陵)·박물관·미술관 등 고적·사적지를 관람 이용하는 사람들로부터 모금하여 기금을 조성함.

문화 예:술 진:흥법【文化藝術振興法】[—뻡] 명〖법〗문화 예술의 진흥을 위한 사업과 활동을 지원함으로써 전통적인 문화 예술을 계승하고 새로운 문화를 창조하여 민족 문화의 중흥(中興)에 기여하고자 제정한 법률.

문화 예:술 진:흥원【文化藝術振興院】명 ↗한국 문화 예술 진흥원.

문화 예:술 진:흥 위원회【文化藝術振興委員會】명 문화 예술의 진흥에 관한 중요 시책을 심의하게 하기 위하여 문화 관광부 장관 소속 하에 둔 기관. 위원장 1명, 부위원장 1명을 포함한 20명 이내의 위원으로 구성되며, 위원장은 문화 관광부 장관이 됨. 위원의 임기는 4년임.

문화 요소【文化要素】명 서로 밀접한 관계를 가지면서 전체의 문화를 이루는 요소. 곧, 정치·경제·예술·학문·종교·풍속 등.

문화 유산【文化遺産】명 다음 세대 또는 젊은 세대에게 물려줄 과학·기술·관습·규범 등의 민족 사회 또는 인류 사회의 문화.

문화 유:형【文化類型】명〔cultural pattern〕〖사〗문화의 여러 요소나 특질(特質)이 특정한 기본적인 이데올로기나 가치관에 의하여 통합 형성되어, 그 양상이 통일과 외연(外延)을 가지고 완결된 체계를 이룬 유형. 현대 문화 인류학에 있어서 역사학파가 쓰는 술어임. 문화 양식.

문화의 날【文化—】[—/—에—] 명 국민으로 하여금 문화 예술에 대한 이해를 깊게 하고 이에 적극 참여하게 하기 위하여 1972년에 제정한 날. 10월 20일. 이 날, 전국 문화 예술인 대회를 열고, 대한 민국 문화 예술상을 시상하는 등 기념 행사를 행함.

문화의 달【文化—】[—/—에—] 명 문화 예술에 대한 이해를 증진하고, 이에 참여하게 하기 위하여 1972년에 제정한 달. 10월로 정하여, 대한 민국 미술 전람회, 전국 민속 예술 경연 대회 등 각종 문화 예술 진흥을 위한 행사를 벌임.

문화-인【文化人】명 세련된 지성과 교양을 갖추고 문화 생활을 영위하는 사회인. 특히 학문·예술 등 지적(知的)인 직업을 가진 사람. ↔야만인. *문명인(文明人).

문화 인류학【文化人類學】[—일—] 명〔cultural anthropology〕〖사〗인류학(人類學)의 한 분야. 생활 방식·사회의 관습 및 제도, 그 밖에 언어·학문·예술·종교 등의 문화의 전통과 발달 과정을 비교 연구하여, 인류의 본질과 역사를 종합적으로 밝히려는 학문. *사회 인류학.

문화 인류학과【文化人類學科】[—일—] 명〖교〗대학에서, 문화 인류학을 전공하는 학과. *인류학과.

문화-재【文化財】명〔도 Kulturgüter〕①학문이나 예술처럼 문화 활동에 의해 만들어져, 문화 가치가 있는 것. ②문화재 보호법에서 보호의 대상으로 정해져 있는 것. 유형 문화재(건조물·전적(典籍)·서적(書跡)·고문서·회화(繪畫)·조각·공예품 따위), 무형 문화재(연극·음악·무용·공예·기술 따위), 기념물(패총(貝塚)·고분·성지(城址)·궁지(宮址)·유물 포함층(包含層) 따위), 민속 자료의 4종류.

문화재 관리국【文化財管理局】[—괄—] 명〖법〗전에, 문화 관광부의 외국으로 문화재 관리에 관한 사무를 관장(管掌)하던 기관. 1999년 문화재청으로 개편됨.

문화재 보:호법【文化財保護法】[—뻡] 명〖법〗문화재(文化財)를 보존하여 이를 활용(活用)함으로써 국민의 문화적 향상을 도모하는 동시에 인류 문화의 발전에 기여함을 목적으로 한 법률.

문화재 연:구소【文化財研究所】명〖법〗문화재에 관한 학술 조사 연구와 과학적 보존 기술의 연구 개발을 위하여 문화재 관리국장 소속하에 둔 연구소.

문화재 위원회【文化財委員會】명〖법〗문화재의 보존·관리 및 활용에 관한 사항을 조사 심의하는 문화 관광부 장관의 자문 기관.

문화재-청【文化財廳】명 문화 관광부 장관에 소속된 중앙 행정 기관. 문화재에 관한 사무를 관장함.

문화재청-장【文化財廳長】명 문화재청의 장(長).

문화-적【文化的】명관 ①문화의 여건을 구비한 모양. 편리하고 현대적인 모양. ②문화에 관한 모양. 물질적 요소보다 정신적 소행(所行)을 강조하여 일컬음. ¶～ 사업.

문화적 영웅【文化的英雄】명〔culture hero〕〖종〗문화 영웅.

문화 정치【文化政治】명 힘으로써 통치하지 아니하고, 교화(教化)로써 다스리는 정치. *무단(武斷) 정치.

문화 종교【文化宗教】명〖종〗공통의 가치관(價值觀)으로서, 눈에 보이지 아니하는 형태로, 사회의 성원(成員) 모두의 생활을 규제하고 있는 종교. 세계관으로서의 종교.

문화 주권설【文化周圈說】[—뀐—] 명〖지〗일정 지역을 중심으로 문화 현상이 파상(波狀)으로 퍼지어 간다는 문화 유형 상의 한 학설.

문화 주변【文化周邊】명 문화의 특색이 약하게 나타나는 지역. *문화 중심(中心)·문화 영역(領域).

문화-주의【文化主義】[—/—이] 명〖철〗①문화의 향상 발달과 문화 가치의 실현을 인간 생활의 최고 목적으로 하는 주의. ②문화 발달의 정도로써 사회 생활을 평가하는 최고의 규준(規準)으로 삼는 주의.

문화 주:택【文化住宅】명〖건〗생활상(生活上) 간이하고 편리하여 보건·위생에 알맞은 신식 주택. 「*문화 주변(周邊)·문화 영역(領域).

문화 중심【文化中心】명 문화의 특색이 특히 뚜렷하게 나타나는 지역.

문화 지리학【文化地理學】명〔도 Kulturgeographie〕〖지〗①인문 지리학의 한 분야. 경제 지리학·정치 지리학과 아울러, 민속·종교·언어 등의 지역적 분포나 특질을 주된 연구 내용으로 함. ②인문 지리학.

문화 지역【文化地域】명〔culture area〕공통된 특정(特定) 문화의 여러 특질이 분포되어 있고, 문화적 관련을 발견할 수 있는 지리적 영역(領域)의 부분.

문화 진:화론【文化進化論】명〔cultural evolutionism〕〖사〗상이한 사회는 각기 상이한 진화 단계에 놓여 있는 것이므로, 진화의 어느 단계에 위치하는가에 따라 각 민족의 문화의 다양성을 설명하려는 문화 인류학의 입장. 영국의 타일러(Tylor, E.B.)가 주창했음.

문화 철학【文化哲學】명〔도 Kulturphilosophie〕〖철〗넓은 뜻으로는 정신 철학과 거의 같으나, 좁은 뜻으로는 문화 과학 및 문화 생활의 모든 원리에 관한 철학적 고찰. 문화의 의의(意義)·본질·구조·여러 가지 요인 및 발전의 모든 법칙과 그 방향 등을 연구 대상으로 함.

문화 체육 공보 위원회【文化體育公報委員會】명 전에 국회 상임 위원회의 하나. 문화 체육부와 공보처 소관 사항을 심의하였음.

문화 체육부【文化體育部】명 전에, 문화·예술·체육·청소년 및 관광에 관한 사무를 관장하던 행정 각부의 하나. 1998년 문화 관광부(文化觀光部)에 통합 개편됨. ㊟문체부(文體部).

문화 체육부 장:관【文化體育部長官】명 문화 체육부의 장(長)이던 국무 위원. 「은 촌락.

문화-촌【文化村】명 문화 주택이 많이 있는 마을. 또, 문화 수준이 높

문화-층【文化層】명〔도 Kulturschicht〕〖지〗'유물 포함층(遺物包含層)'을 과거의 문화를 아는 데 중요한 자료가 된다는 데서 부르는 말. 고고학에서는 '고고학층'이라고도 함.

문화 투쟁【文化鬪爭】명 ①계급 투쟁에 있어서 문화적인 여러 문제를 둘러싸고 일어나는 투쟁. ②〔도 Kulturkampf〕〖역〗보불 전쟁(普佛戰爭) 뒤에 독일의 비스마르크(Bismarck)와 가톨릭 교회 사이에 벌어진 정치적·종교적 투쟁. 비스마르크는 제국의 통일 강화를 위하여 가톨릭 억압 정책을 썼으나 결국엔 양보하여 타협함으로써 결말을 지었음.

문화 특질【文化特質】명〔culture traits〕몇 개의 문화 요소(文化要素)가 집합된 문화 복합(複合)의 기본적 단위. 미국의 인류학자 위슬러(Wissler, C.; 1870-1947)가 처음으로 사용한 말.

문화 포스터【文化—】〔poster〕명 연극·강연·웅변·음악·무용·미술·각종 전시·운동회·박람회 등 문화 행사에 관한 것을 내용으로 하는 포스터.

문화 포장【文化褒章】명 ①교육·학술·예술 기타의 문화 발전에 기여한 공적이 뚜렷한 사람에게 수여하던 포장. '국민 포장'으로 바뀌었음. ②문화 예술 활동을 통하여 문화 발전에 기여한 공적이 뚜렷한 사람 및 문화 예술 활동을 통하여 국위를 선양한 사람에게 수여하는 포장. 수(綬)는 소수(小綬)이며 백색 바탕에 적색 줄이 한 줄 있음.

〈문화 포장❶〉〈문화 포장❷〉

문화 혁명【文化革命】명 ①문화 대혁명. ②사회주의 사회에 어울리는 문화를 건설하기 위하여 행하여지는 구(舊)문화의 비판적 극복을 위한 노력. 문맹의 근절, 인텔리겐치아(intelligentzia)의 재교육, 사회주의 문화의 육성 등, 광범위에 걸친 시책·운동의 총칭. 마르크스주의에서는 사회주의 혁명에 따르는 문화상의 변혁을 가리킴.

문화 혁명 소:조【文化革命小組】명〖역〗1966년 중국에서, 문화 혁명의 추진을 위해 공산당 중앙 위원회 밑에 만든 중앙 조직. 조장(組長)에 천 보다(陳伯達), 고문에 캉 성(康生), 부조장에 장 칭(江清)·장 춘차오(張春橋) 등이 취임하여 크게 위력을 휘둘렀으나, 1976년 사인방(四人幇)의 실각(失脚)으로 무산(霧散)됨.

문화 훈장【文化勳章】명 ①문화 부문에 공을 세워 국민의 복리 증진과 문화 발전에 기여한 공적이 뚜렷한 사람에게 수여하던 훈장. 대한 민국장·대통령장·국민장의 3등급이 있음. '국민 훈장'으로 바뀌었음. ②문화 예술 발전에 공을 세워 국민 문화 향상과 국가 발전에 기여한 공적이 뚜렷한 사람에게 수여하는 훈장. 금관(金冠) 문화 훈장·은관(銀冠) 문화 훈장·보관(寶冠) 문화 훈장·옥관(玉冠) 문화 훈장·화관(花冠) 문화 훈장의 5등급이 있음. *금관 문화 훈장.

문환【門環】명 문고리[1].

문회[1]【文會】명 시문(詩文) 따위를 만들고 서로 비평하는 모임. 문학상의 모임.

문회[2]【門會】명 문중(門中)의 모임.

문:후【問候】명 편지로 안부를 물음. ——-하다 자여불

문:희-연【聞喜宴】[—히—] 명 과거(科擧)에 급제한 사람이 지기(知己)를 불러 베푸는 자축연(自祝宴).

문희치다 타〈옛〉무너뜨리다. ¶더 城門을 다가 다질러 문희치고(把那城門都衝毁了)《朴新解 I:9》.

묻 명〈옛〉뭍. 육지(陸地). ¶물와 묻과 空애 行ᄒᆞ니(水陸空行)《永嘉 上

29>.

묻갊다 타 〈옛〉 파묻다. 장사(葬事)하다. ¶ 시러 묻갊디 몯ᄒᆞ야(不得營葬)≪內訓 I:65≫.

묻고기 명 〈옛〉 뭍짐승의 고기. ¶ 믌고기며 묻고기며 貴ᄒᆞᆫ 차바ᄂᆞᆯ 사아(買魚肉珍羞)≪內訓 I:60≫. 「釋 IX:36≫.

묻그리 명 〈옛〉 무꾸리. ¶ ᄆᆞᅀᆞ미 正티 몯ᄒᆞ야 됴쿠주믈 묻그리ᄒᆞ야≪月

묻다[1] 자 ①가루·물·풀 같은 것이 그보다 크거나 센 다른 물건에 들러붙다. ¶ 때가 ~/잉크가 옷에 ~. ②'묻어'·'묻어서'의 꼴로 쓰이어, 주된 것에 덧붙어의 뜻으로 씀. ¶ 보따리에 묻어 간 옷가지/큰 아이들 틈에 묻어 다니다.

묻다[2] 타 ①물건을 흙이나 다른 물건 속에 넣어 안 보이게 하다. ¶ 보물을 땅 속에 ~. ②일을 드러내지 않고 숨기어 감추다. ¶ 살인 사건을 비밀로 묻어 두다.

[묻은 불이 일어났다] ㉠후환이 없다 하던 일이 다시 재발하였음을 이르는 말. ㉡이미 끝난 일을 공연히 들쑤셔 놓음을 이르는 말.

묻:다[3] 타 (ㄷ불) ①남의 대답이나 설명을 구하다. ¶ 길을 ~. ②추궁하다. ¶ 책임을 ~. ③불행한 일을 당한 이에게 인사의 말을 하다.

[묻지 마라 갑자생] 물어 보지 않아도 다 안다고 할 때 쓰는 말.

묻딜이다 자 〈옛〉 빠지다. ¶ 물딜일 몰(沒)≪類合 下 18≫.

묻을-무 명 겨울에 먹기 위하여 움 속에 묻는 무. 크고 둥글고 단단한 것을 묻음.

묻잡다 타 (ㅂ불) '묻다[3]'의 경어, 또는 고체(古體). ¶ 거듭 묻자오니….

묻ᄌᆞᆸᄃᆡ 타 〈옛〉 묻자오되. ¶ 뎌 부텨씌 묻ᄌᆞᆸ더 엇던 行願을 지ᅀᅳ시관ᄃᆡ≪月釋 XXI:18≫. 「미 긔라≪月釋 XVIII:21≫.

묻ᄌᆞᄫᆞᆷ 명 〈옛〉 묻자옴. '묻ᄌᆞᆸ다'의 명사형. ¶ 宿王이 難行苦行 묻ᄌᆞᄫ

묻ᄌᆞᄫᆞ면 타 〈옛〉 묻자오면. ¶ 부텨씌 와 묻ᄌᆞᄫᆞ면≪月釋 XXI:21≫.

묻ᄌᆞᄫᆞ시더니 타 〈옛〉 묻자오시더니. 여쭈옵더니. ¶ 世尊씌 安否 묻ᄌᆞᄫᆞ시더니≪月釋 XXI:9≫. 「之一 3≫. *묻ᄌᆞᆸ다.

묻ᄌᆞ옴 타 〈옛〉 '물음'의 높임말. ¶ 첫 두 묻ᄌᆞ옴과(初二問)≪圓覺 下 二

묻ᄌᆞᆸ다 타 〈옛〉 묻잡다. 여쭈어 보다. =묻ᄌᆞᆸ다. ¶ 첫 두 묻ᄌᆞ옴과 對答ᄒᆞ샴과ᄂᆞᆫ(初二問答) ≪圓覺 下 二之一 3≫.

묻ᄌᆞᇦ다 타 〈옛〉 묻잡다. 여쭈어 보다. =묻ᄌᆞᆸ다. ¶ 幢英이 菩薩씌 묻ᄌᆞ보ᄃᆡ 어누 나라해 가샤 나시리잇고 ≪月釋 II:11≫.

묻히다[1] [무치―] 사동 물·가루 같은 것을 다른 것에 들러붙게 하다. ¶ 팥고물을 묻힌 떡.

묻히다[2] [무치―] 피동 묻음을 당하다. ¶ 산 채로 땅 속에 ~/일에 묻히어 지낸다.

물[1] 명 ①색깔도 냄새도 맛도 없는 투명한 액체. 0℃에서 얼어 고체가 되고 100℃에서 끓어 기체가 됨. 천연으로는 바다·호소(湖沼)·하천(河川) 등을 이루어 지구 표면의 약 72%를 차지하고, 동식물체에도 70-90%가 들어 있으며, 수증기·구름·안개 등으로 대기(大氣) 중에도 있음. 화학적으로는 산화 수소(H_2O), 즉 산소(酸素) 1과 수소(水素) 2의 화합물. 인공으로는 산소와 수소를 직접 화합시키거나 산(酸)과 알칼리(alkali)를 중화(中和)시키어서 얻을 수 있음. 여러 가지 화합물을 용해(溶解) 이온화(ion化)하며 가장 중요한 용매(溶媒)로 쓰임. 성질에 따라 경수(硬水)·연수(軟水)로, 조성에 따라 경수(輕水)·중수(重水) 등으로 구분함. 공기와 함께 생물의 생존에 필수 불가결한 물질임. ②액상(液狀)의 것. ¶ 종기(腫氣)의 ~을 빼다 / ~비누 / ~이 많은 과일. ③홍수(洪水). ¶ 집이 ~에 잠기다. ④연못·호수·강·바다 따위를 두루 일컫는 말. ¶ ~이 깊다 / 배를 타고 ~을 건너다. ⑤수돗물. 식수(食水). 음료수. ¶ ~장사 / ~고동. ⑥조수(潮水). ¶ ~때.

[물 건너 손자 죽은 사람 같다] 우두커니 먼 데를 바라보고 서 있는 이를 이르는 말. [물 건너온 범] 기가 한풀 꺾인 사람의 비유. [물과 불과 악처는 삼대 재액] 아내를 잘못 만나는 것이 일생의 큰 불행임을 이르는 말. [물 끓이면 돼지밖에 죽을 게 없다] 그 중 못되고 지탄받는 자가 결국 축출당한다는 말. [물도 가다 구비를 친다] 사람의 한 평생에는 전기(轉機)가 있는 법이다. [물 먹은 배만 튀긴다] 실속은 없으면서 겉으로만 있는 체함을 이르는 말. [물 묻은 바지에 깨 엉겨 붙듯] 무엇이 다닥다닥 가득히 엉겨 붙어서 떨어지지 않음을 이름. [물 밖에 난 고기] 죽고 사는 운명이 이미 결정되어 있거나, 목숨이 경각(頃刻)에 다달아 있음을 비유하는 말. 도마 위에 오른 고기. [물 본 기러기, 꽃 본 나비] 바라던 바를 이루어 득의 양양(得意揚揚)함을 이르는 말. [물 본 기러기 산 넘어가랴] 그리운 사람을 본 이가 그대로 지나쳐 가 버릴 리가 없다는 말. [물 부어 샐 틈 없다] 일이 빈틈이 없이 야물게 짜여 있음을 이르는 말. [물 쏘듯 총 쏘듯] 말이 되건 안 되건 거짓이거나 정말이거나 마구 떠들어댐을 이름. [물에 물 탄 듯이 술에 술 탄 듯이] 일이 극히 무미(無味)함을 이르거나 아무리 가공을 하여도 본바탕은 조금도 변하지 않음을 이르는 말. [물에 빠져도 정신을 차려야 산다] 아무리 어려운 경우에 있더라도 정신을 차리고 용기를 내면 살 도리가 있다는 말. 호랑이에게 물려가도 정신을 차려라. [물에 빠져도 주머니밖에 뜰 것 없다] 몸에 돈이 한푼 없음을 비유하는 말. [물에 빠지면 지푸라기라도 움켜 쥔다] 위급한 때를 당하면 무엇이나 닥치는 대로 잡고 늘어져 보게 된다. [물에 빠진 놈 건져 놓으니깐 내 봇짐 내라 한다 ; 물에 빠진 놈 건져 놓으니깐 망건(網巾)값 달라 한다] 남에게 은혜를 입고서도 그 은혜를 갚기는커녕 도리어 배신함을 이르는 말. [물에 빠진 사람이 죽을 때는 기어 나와 죽는다] 죽는 순간까지 기를 쓰고 살려고 발버둥치는 것이 사람의 상정이다. [물에 죽을 신수면 접시 물에도 빠져 죽는다] 사람이 죽으려면 대수롭지 않고 아무렇지 않은 일에도 죽는다는 말. [물엣고기 금치기] 될지 안 될지도 모르는 일을 가지고 공연히 기대하며 다 된 것처럼 좋아하는 부질없는 짓을 이름. [물 위에 수결(手決) 같다] 아무런 효력이나 결과가 없음을 이르는 말. [물은 건너 보아야 알고 사람은 지내 보아야 안다] 사람의 마음은 외양(外樣)으론 알 수 없는 것으로, 서로 교제하여 경험하여야 비로소 알 수 있다는 말. [물은 트는 대로 흐른다] 사람은 가르치는 대로 되고, 일은 주선하는 대로 된다는 말. [물은 흘러도 여울은 여울대로 있다] 세상의 모든 것이 변하여도 개중에는 변하지 않는 것이 있다. [물이 가야 배가 오지] '물이 와야 배가 오지'와 같은 뜻. [물이 깊어야 고기가 모인다] 자기에게 덕망이 있어야 사람이 따른다는 말. 산이 깊어야 호랑이가 있다. [물이 깊을수록 소리가 없다] 덕이 높고 생각이 깊은 이는 겉으로 떠벌리며 잘난 체하거나 뽐내거나 하지 않는다. [물이 너무 맑으면 고기가 안 모인다 ; 물이 맑으면 고기가 아니 논다] 사람이 지나치게 결백하면 남이 따르지 아니한다는 말. [물이 썬 뒤에야 게 구멍이 보인다] ㉠일을 그르쳐 놓고서 비로소 그 잘못을 깨달아도 이미 때는 늦었다는 말. ㉡재산을 탕진한 뒤에야 그 재산이 귀함을 안다는 뜻. [물이 아니면 건너지 말고 인정이 아니면 사귀지 말라] 인정에 의한 사귐이어야만 참된 사귐이라는 말. [물이 와야 배가 오지] 남에게 베푸는 것이 있어야 갚음이 있다는 말. 물이 가야 배가 오지. [물인지 불인지 모른다] 어떠한 위험이라도 헤아리지 않는 저돌적인 행동을 이름. [물 좋고 정자 좋은 데가 있으랴] 모든 조건이 두루 갖추어진 곳이 있기 힘들다는 말. [물 주워 먹을 사이가 없다] 매우 바빠서 어찌 해 볼 겨를이 없음을 이르는 말. [물 탄 꾀가 전 꾀를 속이려 한다] 얕은 꾀가 전체의 꾀를 망치게 한다는 뜻으로, 우둔한 사람이 도리어 영리한 사람을 속이려 함을 비유하는 말. [물 퍼런 것도 보면 여러 가지라] 무엇이나 얼른 보아서 같은 것이라도 자세히 따져 보면 꼭 같은 것이란 없다는 말.

물과 불 구 서로 잘 어울리지 않거나 사이가 나쁨의 비유.

물 끓듯하다 구 여러 사람이 매우 술렁거리다.

물 뿌린 듯이 구 그 자리에 모인 많은 사람이 숙연하게 조용해지는 모양.

물 얻은 고기 구 어려운 지경에서 벗어나, 크게 활약할 판을 만나게 된 처지.

물에 빠:진 생:쥐 구 ㉠몸이 물에 흠뻑 젖어 몰골이 초췌함을 이름. ㉡사람이 불운하여 기운을 못 차리고 꿈쩍도 아니함을 이름.

물 위의 기름 구 서로 조화하지 못해 섞이지 않고 겉도는 것의 비유.

물을 끼얹은 듯 구 여러 사람이 웅성거리다가 갑자기 조용해지는 모양.

물 찬 제:비 구 몸매가 매끈하여 보기 좋은 사람의 비유. ¶ 차리고 나온 품이 물 찬 제비 같다.

물 퍼붓듯 구 ㉠비가 몹시 세차게 내리는 모양. ㉡성급한 사람이 소리를 질러 가며 말을 몰아쳐 하는 모양.

물[2] 명 물건에 묻어서 드러나는 빛깔. ¶ 옷감에 ~을 들이다/~이 들다.

물이 날다 구 본래의 빛깔이 바래어 없어지다.

물[3] 명 물고기 따위의 싱싱한 정도. ¶ ~이 좋은 생선/~이 간 고등어.

물[4] 명 〈옛〉 무리. ¶ 비록 사ᄅᆞ매 무레 사니고도 즁ᄉᆡᆼ마도 몯호이다≪釋譜 VI:5≫/물 도(徒)≪字會 上 34≫.

물[5] 【物】 명 ①〔도 Ding〕〖철〗 인간의 감관(感官)으로 감지(感知)할 수 있는 유형체(有形體), 또는 감지할 수는 없어도 그 존재를 사유(思惟)할 수 있는 무형체(無形體)의 총칭. ②〖법〗 권리의 객체(客體)로 되는 외계의 물건. 본시 장소적으로 존재하여 사람이 지배할 수 있는 유체물(有體物)을 말하나 광의(廣義)로는 무체물(無體物)도 포함함.

물[6] 【物】 명 성(姓)의 하나. 우리 나라에는 현존(現存)하지 않음.

물[7] 의명 ①옷을 한 번 빨래할 때마다의 동안. ¶ 한 ~ 빤 옷이 벌써 이렇게 해졌다. ②채소·과실·어물 등이 사이를 두고 한목한목 무리로 나오는 차례. ¶ 맏~ 호박/끝~ 조기. ③누에를 쓸어 놓는 차례.

-물 【物】 미 물건. ¶ 청과(青果)~/공용(共用)~/첨가(添加)~.

물-가[1] [―까] 명 바다·못·강 등 물 있는 곳의 가장자리. 강변(江邊). 수변(水邊). 수애(水涯). 수반(水畔). 수제(水際). 정안(汀岸).

물가[2] 【物價】 [―까] 명 ①물건값. ②상품(商品)의 시장 가격. 여러 가지 상품의 가치를 종합적으로 본 개념임. ¶ ~ 조정/~ 등귀(騰貴).

물가-고 【物價高】 [―까―] 명 ①물건값의 높이. ②물건값이 높음. ¶ ~에 허덕이다.

물-가꾸기 명 물재배(栽培).

물-가다 자 제철이 지나, 신선한 맛이 없어지다. ¶ 물간 생선.

물가 동:태 【物價動態】 [―까―] 명 〖경〗 물가가 변동하는 상태.

물가 동:향 【物價動向】 [―까―] 명 〖경〗 물가가 오르고 내리는 등 변동하는 경향(傾向).

물가 등귀 【物價騰貴】 [―까―] 명 〖경〗 물건값이 오름. 물가 등용. 물가 앙등. ――-하다 자 (여불)

물가 등용 【物價騰踊】 [―까―] 명 물가 등귀. ――-하다 자 (여불)

물가 수준 【物價水準】 [―까―] 명 〖경〗 어떤 범위에 속하는 다수의 상품 가격을 종합적 평균적으로 나타낸 것.

물가 슬라이드 보:험 【物價―保險】 〔slide〕 [―까―] 명 물가의 상승(上昇)에 연동(連動)하여서 보험금의 지급을 증액(增額)하여 가는 형식의 생명 보험.

물가 안정 위원회 【物價安定委員會】 [―까―] 명 물가 안정에 관한 법률에 의한 물가 안정 및 공정 거래에 관한 사항을 심의·의결하기 위하여 재정 경제부에 둔 위원회. 위원장은 재정 경제부 장관이 되고, 위원은 농림부·해양 수산부·산업 자원부·건설 교통부·정보 통신부·보건 복지부의 각 장관 및 대통령의 임명 또는 위촉을 받은 전문가 등, 위원장을 포함하여 17명 이내의 인원으로 구성함.

물가 앙:등 【物價仰騰·物價昂騰】 [―까―] 명 〖경〗 물가 등귀(騰貴).

물가 연동제 【物價連動制】 [―까―] 명 〖경〗 인덱세이션.

물-가자미 명 〖어〗 [*Eopsetta grigorjewi*] 붕넙칫과에 속하는 바닷물고기. 몸길이 60cm이고, 두 눈은 몸의 오른쪽에 있으며 유안측(有眼側)은 빗비늘로 덮이고 비늘 사이에 부린(副鱗)이 있음. 유안측은 담암갈색 바탕에 흑갈색과 유백색의 무늬가 산재하며, 무안측은 백색임. 한국·일본 및 대만 연해에 분포하며, 겨울철에 맛이 좋음.

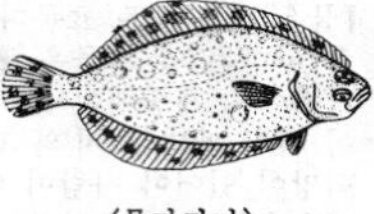
〈물가자미〉

물-가:재 [—까—] 명 〈방〉 〖충〗 물방개.

물가 저:락 【物價低落】 [—까—] 명 〖경〗 물가 하락. ——하다 자 여불

물가 정책 【物價政策】 [—까—] 명 〖경〗 상품이나 용역의 값을 규제하여 경제를 안정 또는 발전시키려는 정책.

물가 조절 【物價調節】 [—까—] 명 〖경〗 물건값이 아주 떨어지거나 너무 올라가서 사회의 불안(不安)을 가져올 때, 주로 법률에 의하여 이것을 조절하는 일. ——하다 자 여불

물가 지수 【物價指數】 [—까—] 명 〔price index〕 〖경〗 물가의 변동을 표시하는 통계 숫자(數字). 일정한 장소나 일정한 시기에 있어서의 일정한 상품의 가격을 100으로 삼고, 그 뒤 어떤 시기에 있어서의 그 상품의 가격 변동 상태를 100에 대한 비례수(比例數)로 나타낸 것. 도매 물가 지수·소매 물가 지수·소비자 물가 지수 등이 있음. *가격 지수.

물가 체계 【物價體系】 [—까—] 명 중요 상품의 가격을 통일적인 원칙에 의하여 조작(操作)한 계열. 물자의 수요가 불균형하여 생산이 정체(停滯)하는 경우 등에 생활 안전을 위하여 물가 체계를 바꿈.

물가 통:제 【物價統制】 [—까—] 명 〖경〗 국가 기관(國家機關)이 물가의 등귀(騰貴)를 억제하여, 물자 수급(需給)의 원활화(圓滑化)를 도모하는 일. 가격(價格) 통제. ——하다 자 여불

물가 평준 【物價平準】 [—까—] 명 〖경〗 물가 지수로서 나타나는 상품 「가격의 평균 위치.

물-각유주 【物各有主】 명 물건에는 제각기 임자가 있음. ——하다 형 「여불

물간 사:전 【勿揀赦前】 명 〖역〗 은사(恩赦)를 입지 못할 죄.

물-갈래 [—깔—] 명 강물이나 냇물 등이 갈려 나가는 가닥.

물-갈음 명 광택이 나도록 석재(石材)의 표면을 물을 쳐 가며 가는 일. 수마(水磨). ——하다 타 여불

물-갈이[1] 명 〖농〗 논에 물을 실어 두고 가는 일. ↔마른갈이. *진갈이. ——하다 자타 여불

물-갈이[2] 명 ①물통이나 물탱크, 수영장 등에 담긴 물을 새로 갈아 넣는 일. ②비유적으로, 어떤 일에 관계된 사람들을 갈아치우는 일. ——하다 자타 여불

물-갈퀴 명 〖동〗 오리·기러기·개구리 등의 발가락 사이에 있는 막(膜). 헤엄을 치는 데 편리함. 복(蹼). 오리발.

〈물갈퀴〉

물-감[1] [—깜] 명 ①물들이는 감. 염색(染色)의 재료. 염료(染料). ②〖미술〗 회화(繪畫)·서양화 등에 쓰이는 채료(彩料). 그림 물감.

물-감[2] 명 감의 한 가지. 모양은 조금 타원형이고 즙액(汁液)이 많음.

물감속 원자로 【一減速原子爐】 명 〔water-moderated reactor〕 〖물〗 물이 주된 감속재(減速材)로 쓰이는 원자로.

물감-식물 【一植物】 [—깜—] 명 〖식〗 염료(染料) 식물.

물-강구 명 〈방〉 〖충〗 물방개.

물-개 [—깨] 명 〖동〗 ①[*Callorhinus alascanus*] 물갯과에 속하는 바다짐승. 생김새와 비슷한데 몸길이는 수컷이 2-2.4m, 암컷은 1-1.2m이고, 몸무게는 수컷이 225kg임. 몸빛은 새끼 때에는 흑색이고, 성장(成長)하면 회흑색에 하면(下面)은 적갈색임. 이개(耳介)는 작고, 얼굴이 짧으며 벨벳 모양의 보드라운 면모(綿毛)가 있고, 사지(四肢)는 지느러미 모양인데 헤엄과 보행을 함. 5-6월에 상륙하여 수컷은 20-40마리의 암컷을 거느림. 북태평양에 서식하며 가을에는 일본·한국 동해안에도 남하함. 기름은 등유(燈油), 모피는 귀중하고 특히 수컷의 자지는 '해구신(海狗腎)'이라 하여 보신(補腎) 강정제(強精劑)로 유명함. 수구(水狗). 올눌(膃肭). 올눌수(膃肭獸). 해구(海狗). 바닷개. ②수달(水獺).

〈물개〉

물-개고마리 명 〖조〗 물때까치.

물-개구리밥 명 〖식〗 [*Azolla imbricata*] 생이가랫과에 속하는 다년초. 잎은 작은 비늘 모양으로 겹쳐져 있고, 잎의 표면은 붉으며, 뒷 면은 심홍색(深紅色)인데, 여러 개의 수생근(水生根)이 줄기로부터 나오며, 잎 사이에는 흰 바탕에 붉은 빛을 띤 자낭(子囊)이 있음. 못이나 논물에 떠서 나는데, 일본·한국 등지에 분포함.

〈물개구리밥〉

물-개아지 [—깨—] 명 〈방〉 〖충〗 땅강아지.

물-개암나무 명 〖식〗 [*Corylus mandshurica*] 개암나뭇과에 속하는 낙엽 활엽 관목. 잎은 타원형 또는 거의 원형이며, 거친 톱니가 있고 잎자루에 긴 백색의 털이 났음. 자웅 일가(雌雄一家)로, 봄에 꽃이 피는데, 웅화수(雄花穗)는 늘어지고 자화수(雌花穗)는 달걀꼴이며, 견과(堅果)는 구형(球形)으로 10월에 익음. 산복(山腹) 이하의 평지에 나는데, 과실은 식용 및 약용. 한국·일본·중국·만주에 분포함.

물-갬나무 명 〖식〗 [*Alnus sibirica*] 자작나뭇과에 속하는 낙엽 활엽 교목. 나무 껍질은 적갈색이며, 잎은 거의 원형이고 얕게 째지며, 거친 톱니가 있고 잎 뒤는 거의 털이 없음. 자웅 일가(雌雄一家)로, 4월에 꽃이 수상(穗狀) 화서로 피고, 작은 견과(堅果)는 방추상 타원형이며, 10월에 익음. 산복 이하의 골짜기나 습지에 나는데, 경남북·경기·황해·함북도 및 만주·시베리아·아무르 등지에 분포함. 기구재·나막신·신탄재로 쓰임. 사방(砂防)에 적당하여 소나무 그 밖의 나무와 혼식함.

물갯-과 【一科】 [—갣—] 명 〖동〗 [Otariidae] 개목(目)에 속하는 바다 포유류의 한 과. 다리는 지느러미 모양이고, 앞다리는 유영(游泳)과 보행(步行)에 사용하며 육식성(肉食性)임. 대서양·태평양·오스트레일리아·남아프리카의 바다에 물개·바다사자 등 6속(屬) 6종이 분포함.

물-거름 명 〖농〗 액체로 된 거름. 수비(水肥).

물거리[1] 명 싸리 등 잡목(雜木)의 우죽이나 잔가지로 된 땔나무.

물-거리[2] 명 낚시에서, 물고기가 가장 잘 낚이는 때.

물-거리[3] 【一距離】 [—꺼—] 명 만조(滿潮) 때, 배가 다닐 수 있는 길의 멀기.

물-거미 명 ①〖동〗 [*Argyroneta aquatica*] 물거밋과에 속하는 절지(節肢) 동물. 몸길이 12mm 가량이고 몸은 가늘고 길며, 두흉부(頭胸部)는 갈색, 복부는 담갈색임. 수생(水生)의 거미로 유명한데, 제4 보각(步脚)과 복부(腹部)에 난 털에 기포(氣泡)를 붙이고 제3 보각으로 그 기포를 누르고, 다른 보각으로 수상(水上)을 떠돌아다님. 낮에는 풀 위의 집에 숨었다가 밤에 나와 활동함. 북부 중앙 아시아·시베리아·한국·홋카이도·일본·유럽 등지에 분포함. ②〖충〗 물 위에 떠돌아다니는 거미와 같이 생긴 게아재비·소금쟁이 같은 곤충.

〈물거미❶〉

[물거미 뒷다리 같다] 몸이 가늘고 다리가 길어 키만 큰 사람을 비유하는 말. 「속하는 한 과.

물거밋-과 【一科】 명 〖동〗 [Argyronetidae] 절지 동물 거미목(目)에

물-거울 명 거울로 삼아 모양을 비추어서 보는 물.

물-거품 명 ①물이 다른 물이나 물건에 부딪쳐서 일어나는 거품. 수포(水泡). 포말(泡沫). ②전(轉)하여, 헛된 것, 덧없는 것의 비유. ¶~과 같은 뜬 세상/모든 일이 ~이 되다.

물건 【物件】 명 ①자연적(自然的)으로나 인공적(人工的)으로 되어 존재하는 모든 유형체(有形體). *물품. ② [—껀] 〖법〗 법률 상의 물건. 물품 등의 동산, 토지·건물 등의 부동산의 일컬음. ↔인건(人件).

[물건을 모르거든 값을 더 주라] 값은 물건에 따라 정해지는 것이니, 좋은 것을 사려거든 비싼 것으로 사면 된다는 말. [물건을 모르거든 금 보고 사라] 값의 많고 적은 것이 그 물건의 품질이 좋고 나쁨을 나타낸다는 말. [물건 잃고 병신 발명] 물건을 잃어버리고 나서 제가 병신이라 그렇게 되었다고 발명한다 함이니, 일을 그르쳐 놓고서 뻔뻔스럽게도 그럴 듯한 변명을 한다는 말. 「비(人件費).

물건-비 【物件費】 [—껀—] 명 물건을 사들이는 데 쓰이는 비용. ↔인건

물-걸레 명 물에 축여서 쓰는 걸레. ↔마른 걸레.

물걸레-질 명 물걸레로 닦는 일. ——하다 자타 여불

물-겁다 형 〈방〉 헐겁다.

물-것 [—껃] 명 사람이나 동물의 살을 잘 무는 모기·빈대·벼룩·이 같은 것의 총칭. ¶~이 있어 잠을 설치다. 「체(客體).

물격 【物格】 [—껵] 명 〖법〗 의사(意思) 또는 행위가 미치는 목적물. 객

물-결 [—껼] 명 ①바람 등에 의해서 물이 움직이어 수면이 올라갔다 내려왔다 하는 운동. 또, 그 운동의 형상. 표면파(表面波)·폭풍파(暴風波)·지진량(地震浪)·조랑(潮浪) 등으로 구분함. 파랑(波浪). 수파(水波). 웨이브. ②전(轉)하여, 물결처럼 움직이거나 밀어 닥치는 것. ¶시대의 ~/사람의 ~/가을 논을 수놓는 황금의 ~.

물결(이) 치다 구 물결이 일어나서 부딪치다. 물결을 일구며 움직이다.

물결(을) 타다 구 ㉠파도의 흐름을 타다. ㉡시대의 풍조·형세에 맞게 처신하다.

물결-괘 【一罫】 [—껼—] 명 〖인쇄〗 물결무늬 모양의 괘선.

물결-구름 [—껼—] 명 파상운(波狀雲).

물결-나비 [—껼—] 명 〖충〗 [*Ypthima motschulskyi*] 뱀눈나빗과에 속하는 곤충. 애물결나비와 비슷한데, 편 날개 길이 34-48mm 내외이고, 뒷날개 뒷면의 뱀눈 무늬는 다섯 개 이하이며, 세 개가 보통임. 한국·만주·아무르·시베리아·일본 등지에 분포함.

물결-무늬 [—껼—니] 명 물결 모양의 무늬. 파상문(波狀紋).

물결-부전나비 [—껼—] 명 〖충〗 [*Lampides boeticus*] 부전나빗과에 속하는 곤충. 몸길이 12mm, 편 날개의 길이는 30mm 내외이고, 수컷의 몸빛은 청람색, 암컷은 암갈색이며, 뒷날개에 미상 돌기(尾狀突起)가 있음. 날개 뒷면은 회백색에 갈색의 물결 띠무늬가 많음. 알은 청백색이고, 유충은 송충이 비슷하고 담녹색임. 가을에 출현하며 이동(移動)도 한다고 함. 콩·완두 등의 해충이고, 유충은 과실·꽃 속에 들어가 식해(食害)하며, 온난 지방에서 월동함. 한국·일본·대만·유럽 등지에 분포함.

물결-털 [—껼—] 명 〖생〗 올실로 된 가는 털. 섬모(纖毛).

물결털-벌레 [—껼—] 명 〖충〗 섬모충(纖毛蟲).

물결털 상:피 【一上皮】 [—껼—] 명 〖생〗 섬모 상피.

물결털 운:동 【一運動】 [—껼—] 명 〖생〗 섬모 운동.

〈물결부전나비〉

물결-표 【一標】 [—껼—] 명 〖언〗 이음표의 하나. '내지(乃至)'의 뜻을 나타낼 때나, 어떤 말의 앞이나 뒤에 들어갈 말 대신에 쓰는 '~'의 이름.

물-겹것 명 헝겊을 호아서 지은 겹옷.

물경 【勿驚】 관 '놀라지 말라'는 뜻으로, 무슨 엄청난 것을 이를 적에 미리 경고하는 말. ¶손해액이 ~ 일억 원이라.

물-경단 【一瓊團】 명 경단의 한 가지. 끓는 물에 삶은 후, 고물을 묻히지 아니하고 꿀과 새앙물을 쳐서 삶은 물과 함께 먹음.

물경-스럽다 【勿驚—】 형 ㅂ불 깜짝 놀랄 만하다. 새삼스럽다. 이치에 닿지 않다. ¶ 백손 어머니는 과연 이십 년 단산 끝에 물경스러운 아이가 있어서 안태(安胎)할 약 몇 첩 먹고 바로 기동하게 되었으나…≪洪命憙 : 林巨正≫. **물경-스레** 【勿驚—】 부.
물계[1] 명 찹쌀 속에 섞인 멥쌀 비슷한 나쁜 쌀알.
물계[2] 【物—】 명 물건의 시세. ¶ ～를 잘 아는 사람.
물계[3] 【物界】 명 물질(物質)의 세계. 물질계(物質界). ↔심계(心界).
물계-자 【勿稽子】 명 〖사람〗 신라 내해왕(奈解王) 때의 지사(志士). 임금이 포상(浦上) 8국(國)을 칠 때 국가에 크게 공을 세웠으나, 자기의 공을 알아주지 않아, 세상에서 숨어 살았음. [196-229]
물계자-가 【勿稽子歌】 명 〖악〗 신라 때, 물계자가 지은 가사(歌辭). 자기의 전공(戰功)을 알아주지 않자 산에 숨어서 머리를 풀고 거문고를 뜯어 이 가사를 읊었다 함. 가사는 전해지지 않음.
물고 【物故】 명 ①사회적으로 이름난 사람이 죽음. ②죄인(罪人)이 죽음. 또, 죄인을 죽임. ——**-하다** 자타 여불
물고(가) 나다 구 ㉠죄인(罪人)이 죽다. ㉡〈속〉 죽다. ¶ 대감께서나 마님이 아셔 봅시오. 큰일납니다, 큰일나. 애꿎이 이 털이란 년이 물고가 나겠시오≪玄鎭健 : 無影塔≫.
물고(를) 내:다 구 ㉠죄인을 죽이다. 사형에 처하다. ㉡〈속〉 죽이다. ¶ 즈이가 당한 것만 분히 여겨 서장사를 이번에 아예 물고를 내려구 헌 단 말이우≪洪盛原 : 水賊≫.
물고(를) 올리다 구 명령에 따라 죄인을 죽이다.
물-고구마 명 찌면 물기가 많아서 물렁물렁한 고구마. *밤고구마.
물-고기 [—꼬—] 명 〖어〗 어류에 속하는 척추 동물의 총칭. 준고기.
[물고기가 물 속에 놓여 나다] 본래의 영역으로 되돌아와, 크게 활약할 수 있게 되다. **[물고기는 물을 떠나 살 수 없다]** 밀접한 관계가 있다.
물고기(의) 밥이 되다 구 물에 빠져 죽다.
물고기-자리 [—꼬—] 명 〔라 Pisces〕 〖천〗 황도(黃道) 상의 첫째 별자리. 춘분점(春分點)을 포함하며, 물병자리의 동쪽 황소자리의 서쪽에 있음. 태양은 3월 10일 경부터 4월 20일 경까지 이 별자리 안에 있음. 늦가을의 저녁에 남중(南中)함. 어좌(魚座). 약자 : Psc.
물고기-진드기 [—꼬—] 명 〖동〗 ①물고기진드깃과에 속하는 절지 동물의 총칭. ②[*Argulus japonicus*] 새미류(鰓尾類) 물고기진드깃과에 속하는 기생 동물의 하나. 몸길이 3-5 mm이고, 몸은 원반상(狀)에 납작하고 투명하며, 두부(頭部)와 제1 흉절(胸節)과 유합(癒合)하여 원형의 배갑(背甲)을 형성함. 복안(複眼)과 촉각은 각 두 쌍이고 다리는 네 쌍인데, 악각(顎脚)이 변하여 흡반(吸盤)이 되고 침상(針狀)의 문관(吻管)의 입이 있음. 연못가에 낳은 알은 15-30일 내에 부화(孵化)함. 봄부터 활발히 기생하기 시작하는데, 개복치·잉어·금붕어 등의 아가미·몸 겉에 부착하여 흡혈(吸血)을 함. 담수어(淡水魚)·양어장(養魚場) 등에 큰 해를 끼침. 어접(魚蝶). *어슬.

〈물고기진드기❷〉

물고 늘어지다 타 ①입에 물고 놓지 아니하다. ¶ 개가 옷자락을 ～. ②제 손에 들어온 것을 빼앗기지 않으려고 잔뜩 힘을 쓰다. ¶ 끝까지 ～. ③〈속〉 어떤 사람이나 이권(利權) 등을 잡고 놓지 아니하다. ¶ 요구가 관철될 때까지 ～.
물-고동 [—꼬—] 명 수도꼭지.
물고 뜯다 타 ①맞붙어 물거니 뜯거니 하면서 싸우다. ②악랄한 수단으로 남을 헐뜯다.
물-고랭이 명 〖식〗 큰고랭이.
물-고문 【—拷問】 명 쉴 새 없이 물을 얼굴에 들이붓거나 연해 물을 먹이거나 또는 얼굴을 물속에 처박아 괴롭히는 고문.
물-고의 【—袴衣】 [— / —이] 명 물에서 일을 할 때나 미역감을 때에 입는 짧은 고의.
물고-장 【物故狀】 [—짱] 명 죄인을 죽이고 보고하는 서장(書狀).
물-곬 [—꼴] 명 물이 흘러 빠지도록 만들어 놓은 작은 개천.
물-곰팡이 명 〔aquatic mold〕 〖식〗 조균류(藻菌類)에 속하는 곰팡이류. 물속에 있는 유기물, 죽은 파리, 삶은 계란의 흰자 또는 삼씨 같은 것에 붙어서 솜 모양의 흰 균사(菌絲)를 분기하는 곰팡이. 무성 생식에서는 균사 끝에 유주자(遊走子)가 생기고, 모체를 떠나 숙주(宿主)에 붙어서 발아(發芽)하며, 유성 생식에서는 균사 끝에 생란기(生卵器)가 생기어 많은 난자(卵子)가 생기고, 그 밑에 돌기가 나와서 웅기(雄器)를 이룸. 수생균(水生菌).
물-관 【—管】 명 〖식〗 피자 식물(被子植物)의 관다발의 나무 부분을 구성하는 주요소(主要素). 뿌리로 흡수한 수분이나 양분을 줄기로 보내는 것으로서, 가느다란 세포가 한 줄로 이어지고, 대부분의 막벽(膜壁)은 사라져서 긴 관상(管狀)을 이룸. 세포막은 나무가 되는데 그 세포막의 상태에 따라서 나선문(螺旋紋)·환문(環紋)·계문(階紋)·망문(網紋)·공문(孔紋) 등의 구별이 있음. 도관(導管).

a 환문 물관
b 나선문 물관
c 공문 물관
〈물관〉

물관-병 【—管病】 [—뼝] 명 〖식〗 뿌리 끝이나 수공(水孔) 등으로부터 침입한 불완전균·자낭균 등의 병원체가 식물의 물관 속에서 번식하고 때로는 관다발 전체 및 그 주변의 피층(皮層)·수(髓) 등의 조직까지 침범하는 식물의 병. 병에 걸린 조직의 세포막이 파괴되어 수분의 통로가 해를 받으므로 시들어 버림. 도관병(導管病).
물관-부 【—管部】 명 〖식〗 물관.
물괴 【物恠·物怪】 명 물건의 괴이함. 물건의 괴상스러움.
물교 【物交】 명 ↗물물 교환(物物交換). ——**-하다** 자 여불
물-교자 【—餃子】 명 물만두.
물구[1] 명 〈방〉 〖식〗 무릇.
물구[2] 【勿拘】 명 불구(不拘). ——**-하다** 자타 여불
물구나무-서기 명 체조에서, 물구나무서는 동작. 몸의 균형(均衡)과 경첩성(輕捷性), 신경 계통의 단련을 목적으로 함. 곤두서기 운동.
물구나무서기 운:동 【—運動】 명 물구나무서기. 도립(倒立) 운동.
물구나무-서다 자 손을 땅에 짚고 몸을 거꾸로 하고 서다.
물-구덩이 [—꾸—] 명 물이 괴어 있는 우묵한 진창.
물-구뎅이 [—꾸—] 명 ☞ 물구덩이.
물-구멍 [—꾸—] 명 ①물이 흐르는 구멍. ②〖광〗 아래로 향하여 물을 조금씩 부어 가며 뚫는 남포 구멍. ③〔water pore〕 〖식〗 식물의 잎의 가장자리 등에 있어서, 뿌리에서 빨아들인 수액(水液)을 배출하는 작은 구멍. 수공(水孔).

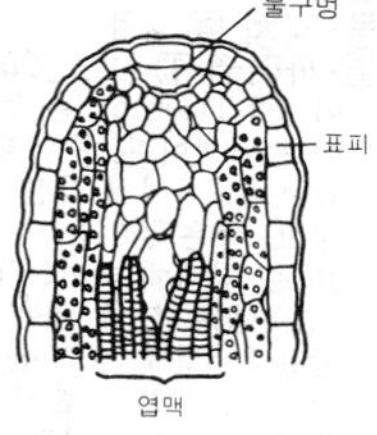

〈물구멍❸〉

물구즉-신 【物久則神】 명 물건이 오래 묵으면 반드시 변괴(變怪)가 생긴다는 말. 곧, 민속적으로 잉어가 오래 묵으면 용이 된다든지, 개를 오래 먹이지 않는 등의 사상은 이에서 유래함.
물구지 명 〈방〉 〖식〗 무릇(평안).
[물구지인지 닭의 똥인지] 식별하기가 어려운 물건을 비유하는 말.
물-굴젓 명 썩 묽게 담가 국물이 많은 굴젓. 담석화해(淡石花醢).
물굽-성 【—性】 명 〖식〗 굴수성(屈水性).
물-굽이 [—꿉—] 명 바다나 강에서 물이 구부러져 흐르는 곳.
물권 【物權】 [—꿘] 명 〖법〗 특정한 물건을 직접 지배할 수 있는 배타적(排他的) 권리. 채권과 더불어 재산권의 주요 부분을 이룸. 우리 나라 민법에서는 점유권(占有權)·소유권(所有權)·지상권(地上權)·지역권(地役權)·전세권(傳貰權)·유치권(留置權)·질권(質權)·저당권(抵當權) 등의 8종류가 규정되어 있음. 등기(登記)·인도(引渡) 등의 공시 방법(公示方法)에 의하여 제3자에 대하여 그 권리를 주장할 수 있음.
물권 계:약 【物權契約】 [—꿘—] 명 〖법〗 물권의 변동 자체를 목적으로 하는 계약. 물권 행위의 주요한 내용을 이룸. ↔채권(債權) 계약.
물권-법 【物權法】 [—꿘뻡] 명 〖법〗 재산법의 한 영역으로 물권에 관한 법의 전체. 주요한 법원(法源)은 민법 제2편이며 부동산 등기법·각종 재단(財團) 저당법·자동차 저당법·항공기 저당법 등의 특별법이 있음.
물권 법정주의 【物權法定主義】 [—꿘— / —꿘—이] 명 〖법〗 물권은 민법 기타의 법률로써 정한 종류·내용 이외에는 새로 창설할 수 없다는 주의.
물권적 기대권 【物權的期待權】 [—꿘—꿘] 명 〖법〗 물권 취득에 관한 실질적인 요건은 이미 갖추었지만, 등기(登記)나 인도(引渡) 등 형식적 요건이 갖추어져 있지 않아, 아직 완전한 물권 취득을 못하고, 말하자면 그 예비 단계의 상태에 있는 사람의 권리.
물권적 유:가 증권 【物權的有價證券】 [—꿘—까—꿘] 명 〖법〗 인도 증권(引渡證券).
물권적 청구권 【物權的請求權】 [—꿘—꿘] 명 〖법〗 물권 내용의 완전한 실현이 방해되거나 혹은 방해될 우려가 있는 경우에, 물권을 가지는 자가 방해자에게 방해의 배제를 청구하는 권리. 반환 청구권·방해 제거(除去) 청구권·방해 예방 청구권의 세 가지가 있음. 물상 청구권(物上請求權).
물권적 취:득권 【物權的取得權】 [—꿘—] 명 〖법〗 형성권(形成權)의 한 가지. 장래의 일정한 조건 밑에 의사 표시를 하여 재산권을 취득하는 것을 내용으로 하는 배타적인 권리.
물권 증권 【物權證券】 [—꿘—꿘] 명 〖법〗 물권을 표창(表彰)하는 유가(有價) 증권으로서, '채권 증권'에 대하여 쓰이는 말.
물권 행위 【物權行爲】 [—꿘—] 명 〖법〗 직접으로 물권의 변동을 생기게 하는 법률 행위. 소유권 이전 행위(所有權移轉行爲)·저당권 설정 행위(抵當權設定行爲) 등. ↔채권 행위(債權行爲).
물-귀신 【—鬼神】 [—뀌—] 명 ①〖민〗 물에 있다는 잡귀(雜鬼). 수귀(水鬼). 수백(水伯). ②자기가 궁지에 빠졌을 때, 다른 사람까지 끌고 들어가려는 사람의 비유.
[물귀신같이 끌어들인다] 어떤 일에 자꾸 끌어들이려 할 때 이르는 말.
물귀신(이) 되다 구 〈속〉 물에 빠져 죽다.
물-그릇 [—끄—] 명 물을 담는 그릇. 물이 담긴 그릇.
물-금[1] 【—金】 명 ①〖광〗 아말감(amalgam). ②〖미술〗 수금(水金).
물금[2] 【勿禁】 명 〖역〗 관아에서 금한 일을 특별히 허가하여 줌. ——**-하다** 타 여불
물금[3] 【勿禁】 명 〖지〗 낙동강 하류에 있는 경부선(京釜線)의 한 역. 부근에 증산성지(甑山城趾) 등 고적이 있고, 통도사(通度寺) 관광객의 하차역(下車驛)임.
물-금매 【—金梅】 명 〖식〗 여뀌바늘.
물금-산 【勿禁山】 명 〖지〗 평안 남도 성천군(成川郡) 숭인면(崇仁面)에 있는 산. 낭림 산맥(狼林山脈) 중에 솟아 성천 분지(成川盆地)를 둘러싸고 있는 자연 장벽의 하나임. [1,110 m]
물금-체 【勿禁帖】 명 〖역〗 물금(勿禁)을 적은 문서. 곧, 관아에서 금한 일을 특별히 허가하여 준다는 뜻을 적은 문서.
물긋물긋-하다 형 여불 퍽 묽은 듯하다.
물긋-하다 형 여불 묽은 듯하다.
물-기 【—氣】 [—끼] 명 축축한 물의 기운. 수기(水氣). 수분(水分). ¶ ～를 빼다.
물-기둥 [—끼—] 명 기둥처럼 공중에 솟구쳐 오른 물줄기. 수주(水柱).

물-기름 명 묽어서 물처럼 된 기름. 흔히는 머릿기름으로, 끈기 있고 되직한 포마드(pomade)에 대하여 동백 기름 같은 것을 이름.

물-긷다 자 ㄷ불 물을 쓰려고 푸거나 받아 들이다.

물-길[1] [—낄] 명 ①배를 타고 물로 다니는 길. 수로(水路). 수정(水程). ↔육로(陸路). *뱃길. ②물이 흐르거나 물을 보내는 통로.

물길[2] 【勿吉】 명 〖역〗 중국 북위(北魏) 때에 '여진(女眞)'을 일컫던 이름.

물-김치 명 국물 김치.

물-까마귀 명 〖조〗 [*Cinclus pallasii*] 물까마귓과에 속하는 새. 날개 길이 98-115 mm, 온 몸은 흑갈색에 눈의 주위만이 순백색이나, 주위의 깃털에 싸여 잘 나타나지 않으며, 백색의 작은 반문(斑紋)이 있음. 다리가 길고, 짧은 꽁지는 수직(垂直)으로 세움. 유조(幼鳥)는 담색에 하면(下面)의 우모(羽毛)에 회백연(灰白緣)이 있음. 바위 틈의 둥지에 4-5개의 백색 알을 3-6월에 낳고 산·개울 부근에 단독 또는 한 쌍이 서식하며, 물 속의 곤충을 잡아먹음. 아시아의 동북부·히말라야·중국·한국·일본·홋카이도에 분포함.

〈물까마귀〉

물까마귓-과 【—科】 명 〖조〗 [Clinclidae] 참새목(目)에 속하는 한 과. 전세계에 물까마귀 따위 5종이 분포함.

물-까매그 명 〈방〉 물까마귀.

물-까치 명 〖조〗 [*Cyanopica cyanus koreensis*] 까마귓과에 속하는 새. 까치보다 좀 작아서 날개 길이 14 cm, 꽁지 21 cm 가량임. 몸빛은 두부(頭部)가 흑색, 배면(背面)은 푸른 회색, 하면은 백색임. 날개의 바깥쪽은 청색이고, 선단(先端)과 안쪽은 백색임. 꽁지는 설형(楔形)이고 담청색인데, 중앙의 한 쌍의 깃은 선단이 백색이며 부리와 다리는 흑색임. 인가(人家) 부근·야산에 적은 떼를 지어 서식하며 몹시 소란하게 욺. 5-7월에 나무 위에 둥지를 짓고 청회색을 띤 갈색의 알을 6-7개 낳음. 나무씨·곤충을 먹으며 작은 새를 놀리기도 함. 동부 시베리아·한국·중국·일본 등지에 분포함.

〈물까치〉

물까치-수염 【—鬚髥】 명 〖식〗 [*Lysimachia leucantha*] 앵초과에 속하는 다년초. 줄기는 총생(叢生)하고, 엽액(葉腋)에는 몇 개의 잎이 착생하며, 높이 30 cm 내외임. 잎은 호생하고 피침형 또는 선형(線形)임. 6월에 백색 꽃이 총상(總狀) 화서로 정생(頂生)하고, 과실은 수과(瘦果)임. 습지에 나는데, 제주·전남·경남 지리산에 분포함.

물-깸달나무 명 〈방〉 물개암나무.

물-껍질 명 물 속에 뿌리를 박고 자라는 왕골이나 부들 같은 것의 겉껍질. 갈색으로 엷으며, 물 속에서는 줄기를 싸고 있고, 물 위에서는 밖으로 벌어졌음.

물-꼬 명 논에 물이 넘나들도록 만든 어귀. ¶ ~를 트다. *무넘기.

물-꼬챙이 명 〖식〗 물꼬챙이골.

물-꼬챙이골 명 〖식〗 [*Eleocharis palustris*] 방동사닛과에 속하는 다년초. 근경(根莖)은 옆으로 벋었으며 마디와 수염뿌리가 났음. 줄기는 가늘고 원주형으로, 높이는 40 cm이고 대체로 녹색이나 밑 부분은 자홍색임. 잎은 없음. 5-7월에 줄기 끝에 긴 타원형의 화수(花穗)가 흑갈색 또는 황갈색으로 피고, 수과(瘦果)는 거꿀달걀꼴임. 연못·습지에 나는데, 한국 각지에 분포함. 물꼬챙이.

물-꽃 명 ① 하얀 거품을 일으키는 물결을 꽃에 비유한 말. ② [water bloom] 〖해·수산〗 주로 여름에 호소(湖沼) 표면에 플랑크톤이 대량으로 번식하며 수면에 떠서 이루는 막 또는 그 현상. 또, 어항(魚缸)·양어장·호소 등에 번식하여 물 전체를 녹색으로 물들이는 미소(微小)한 조류(藻類)를 가리킴.

물꽈리-아재비 명 〖식〗 [*Mimulus inflatus*] 현삼과에 속하는 다년초. 줄기는 방형(方形)에 높이는 30 cm 내외이며, 잎은 대생하고 유병(有柄)이며, 달걀꼴로서 끝이 날카롭고 거친 톱니가 있음. 6-7월에 황색 꽃이 액출(腋出)하여 피고, 과실은 삭과(蒴果)임. 산록(山麓) 습지에 나는데, 제주·전남·경남·경북·경기 등지에 분포함.

물끄러미 부 우두커니 한 곳만 바라보는 모양. ¶ ~ 바라보다. >말끄러미.

물끄럼-말끄럼 부 말없이 서로 얼굴만 물끄러미 보다가 말끄러미 보다가 하는 모양.

물끼 명 〈방〉 자리끼(함경).

물-나들 [—라—] 명 ☞나루터. ¶봉삼은 때마침 시겟바리들이 첨벙첨벙 건너 오는 ~ 저쪽으로 눈길을 주고 있었다《金周榮 : 客主》.

물-나라 [—라—] 명 비가 많이 와서 큰물진 지역. 수국(水國).

물-낚시 [—락—] 명 민물낚시·바다낚시와 같은 보통 낚시를, 얼음낚시에 상대하여 일컫는 말.

물-난리 【—亂離】 [—랄—] 명 ①큰물이 져서 이루는 수라장. ②먹을 물이 딸리어 우물이나 수돗물을 다투어 받으려고 하는 소동.

물-날개 명 〈방〉 지느러미(충북).

물납 【物納】 [—랍] 명 조세(租稅) 등을 물품으로 바침. ↔금납(金納). ——하다 타 여불

물납-세 【物納稅】 [—랍—] 명 물품으로 바치는 조세(租稅).

물납 재산 【物納財産】 [—랍—] 명 세금 등의 물납에 충당하는 재산.

물납-제 【物納制】 [—랍—] 명 조세(租稅)를 물품으로 바치는 제도. ↔금납제.

물-내리다[1] [—래—] 자 기운이 빠져서 사람이 풀기가 없어지다.

물-내리다[2] [—래—] 타 떡가루에 꿀물이나 또는 맹물을 쳐 가면서 성긴 체에 다시 치다.

물-냉면 【—冷麵】 [—랭—] 명 육수에 만, 보통의 냉면. *비빔 냉면.

물-너울 [—러—] 명 바다같이 넓은 물에 크게 움직이는 물결.

물-노릇 [—로—] 명 물을 다루는 일. ——하다 자 여불

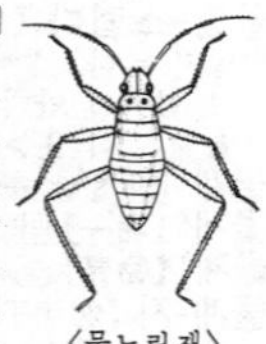

〈물노린재〉

물-노린재 [—로—] 명 〖충〗 [*Mesovelia orientalis*] 물노린잿과에 속하는 곤충. 몸길이 3-3.5mm이고, 대부분이 날개가 없으나 때로는 있는 것도 있음. 몸빛은 선녹색(鮮綠色)에 촉각은 녹색, 제3절 앞쪽 이하는 암갈색이고, 중·후흉배(中後胸背)의 경계는 뚜렷함. 수초(水草)가 많은 물 위를 질주(疾走)함. 한국에도 분포함.

물노린잿-과 【—科】 [—로—] 명 〖충〗 [Mesoveliidae] 매미목(目)에 속하는 한 과. 몸은 미소(微小)한데, 촉각(觸角)은 가늘고 길며, 넓적하고 부절은 3절임. 날개가 없거나 있으며 반시초(半翅鞘)의 혁질부(革質部)는 아막질(亞膜質)이며, 융기맥(隆起脈)이 있음. 전세계에 분포함.

물-녹말 【—綠末】 [—록—] 명 녹말을 물에 푼 것.

물-놀 [—롤] 명 ☞물너울.

물-놀이 [—롤—] 명 ①잔잔한 물이 공기의 움직임을 받아 물 면(面)에 잔물결이 일어나는 현상. ②물가에서 하는 놀이. ③어린이들이 흐르는 물을 모래나 흙으로 막았다 텄다 하며 노는 놀이. ——하다 자 여불

물:다[1] 자 ①더위나 습기로 인하여 떠서 상하다. ②↗물쿠다.
[물어도 준치, 썩어도 생치(生雉)] 비록 상했으나 그 본질의 뛰어남에는 변함이 없다는 말.

물다[2] 타 법률 상의 책임·의무 또는 도의적인 뜻으로 주어야 할 재물을 갚다. ¶ 세금을 ~.

물다[3] 타 ①위아래의 이나 부리, 또는 집게같이 틈이 벌어진 두 물건이 무엇을 마주 누르다. 또, 그렇게 해서 상처를 입히다. ¶톱니바퀴가 ~/개가 사람을 ~. ②물건을 입 속에 머금다. ¶ 사탕을 입에 ~. ③곤충이나 벌레 따위가 주둥이 끝으로 살을 찌르다. ¶모기가 ~. ④〈속〉 어떤 사람이나 이권(利權) 등을 차지하다. ¶봉을 ~.
[무는 개를 돌아본다] 온순(溫順)하면 주의를 해 주지 아니함을 이르는 말. [무는 개 짖지 않는다] 무서운 사람일수록 말이 없다는 뜻. [무는 말 아가리와 깨진 독 서슬 같다] 위인이 지극히 사납고 독살스러워 가까이하기 어려움을 이르는 말. [무는 말 있는 데에 차는 말 있다] 악당(惡黨)이 모여 있는 곳에 같은 무리가 꾀어 듦을 이르는 말. [무는 호랑이는 뿔이 없다] 일을 겸전(兼全)하기가 쉽지 아니함을 이르는 말. [물고 놓은 범] 미련이 있어서 아주 단념하지 못함을 이르는 말. [물고 차는 상사 말] 용기가 넘쳐 원기 왕성한 사람을 이르는 말. [물라는 쥐나 물고 씨암탉은 물지 말라] 자기 임무 이외의 쓸데없는 일은 참견하지 말라는 말. [물려 드는 범을 안 잡고 어이리] 상대가 싸우려고 덤벼들면 거기에 맞서 물리치지 않을 수 없다. [물지는 않고 솔다] 해치려고 와락 덤비지는 않고 귀찮게 집적거리다.

물-달개비 명 〖식〗 [*Monochoria vaginalis* var. *plantaginea*] 물옥잠과에 속하는 일년초. 줄기는 5-6개가 총생하는데, 높이 20 cm 가량이고 잎은 달걀꼴 피침형으로 길이는 3-7 cm임. 근엽(根葉)은 3-4개, 경엽(莖葉)은 한 개인데, 잎자루가 길. 7-8월에 줄기의 꼭대기에 청자색의 작은 꽃이 총상(總狀) 화서로 핌. 삭과(蒴果)는 타원형으로 끝이 뾰족하고 속에는 작은 씨가 많음. 논·늪·도랑 같은 곳에 나는데 전북·경북·강원·경기·황해도 및 일본 등지에 분포함.

〈물달개비〉

물-닭 [—딱] 명 〖조〗 ①[*Fulica atra atra*] 뜸부깃과에 속하는 새. 날개 길이 220mm 내외이고, 머리·목·하미통은 흑색, 등 이하의 배면(背面)은 석판 흑색(石板黑色), 날개깃은 회색이며 부리는 흰색에 약간의 장미색을 띰. 쇠물닭과의 차이점은 발가락에 물갈퀴의 판막(瓣膜)이 있는 것이 특징임. 아시아·유럽에 널리 분포함. ②〈방〉 비오리.

〈물닭〉

물-닻 명 [sea anchor] 〖해〗 악천후 때, 배가 풍랑에 대비하기 위하여 이물에서 바다에 던져 띄워 놓는 선구(船具). 그 저항으로 이물은 항상 바람이 불어오는 쪽을 향하게 되어 배가 떠내려가는 것을 막음. 소형 선박은 천으로 만든 기다란 삼각뿔 모양의 것을 사용함.

물-대 [—때] 명 무자위의 관(管).

물-대명사 【物代名詞】 명 〖언〗 사물 대명사.

물덤벙-술덤벙 부 일정한 주견이 없이 아무 일에나 함부로 날뛰는 모양. ——하다 자 여불

물-도래 명 〖충〗 강도래❷.

물-독 [—똑] 명 물을 담아 두는 독. 또, 물을 담은 독.
[물독 뒤에서 자랐느냐] 마르고 키만 큰 사람을 이르는 말. 물거미 뒷다리 같다. [물독에 바가지를 엎어 띄우면 배가 엎어진다] 바닷가 어민의 부인네들이 바가지를 엎어 놓지 말라고 이르는 말. [물독에 빠진 생쥐 같다] 사람의 옷차림이 물에 흠뻑 젖어 초라함을 이르는 말.

물-동[1] [—똥] 명 〖광〗 광산 구덩이 안의 물이 빠져 나가지 못하도록 막아 세운 동바리.

물동[2] 【物動】 [—똥] 명 ↗물자 동원(物資動員). ¶ ~ 계획/~과(課).

물-동갈치 [—똥—] 명 〖어〗 [*Ablennes hians*] 동갈칫과에 속하는 바닷물고기. 몸빛은 상부는 녹갈색, 하부는 백색이고 뼈는 청록색임. 체측(體側)에 대여섯 줄의 현저한 암색(暗色) 가로띠가 있음. 한국 남부·남일본·대만·홍해 및 서인도 제도 연해에 분포함. 황알치.

물동 계:획 【物動計劃】 [—똥—] 명 ①[mobilization] 〖경〗 생산 수단(生産手段)의 국유(國有)와 생산의 국영(國營)을 전제로 하는 사회주의적 경제 계획. 공정 가격을 조작(操作)함으로써 강제적으로 행하여짐. ②물자 동원에 관한 계획.

물동-량【物動量】[—똥냥] 명 물자가 유동(流動)하는 양.
물-동이 [—똥—] 명 물을 긷는 데 쓰는 동이.
물동이 자리 [—똥—] 명 ①물동이를 놓는 자리. ②물동이 밑에 받쳐 놓는 질그릇.
물-돼지 [—뙈—] 명〖동〗참돌고래.
물-두멍 [—뚜—] 명 물을 길어 붓고 쓰는 두멍.
물-두무 명〈방〉물독(함경·평안).
물-두부【—豆腐】명 두부를 사면(四面) 너 푼 두께 정도로 모나게 썰어서 냄비에 담고 물을 푼푼히 부은 다음, 살짝 끓여 양념 간장에 찍어 먹는 음식. 수두부(水豆腐).
물-둑 [—뚝] 명 제방(堤防).
물-둥구리 [—뚱—] 명〖충〗[*Ilyocoris exclamationis*] 물둥구릿과에 속하는 곤충. 물빈대와 비슷한데, 타원형이고 날개가 있으며, 몸길이 11 mm 가량임. 몸빛은 암갈색에 오갈색부(汚褐色部)가 있고, 결합판(結合板)의 측면에 긴 털이 있으며, 앞다리는 발톱 모양, 중후각(中後脚)은 유영각(遊泳脚)으로 강모(剛毛)가 있음. 못에 살며 작은 물고기·곤충을 포식함. 한국·일본에 분포함. *물빈대.

〈물둥구리〉

물둥구릿-과【—科】[—뚱—] 명〖충〗[Naucoridae] 매미목(目)에 속하는 한 과. 물빈댓과(科)와 가까운 종류로서 두부는 길이보다 폭이 넓어 전흉배(前胸背) 속에 자리잡고, 촉각은 4절이고 단안(單眼)이 없음. 앞다리는 포획각(捕獲脚), 중·후각에는 유영모(遊泳毛)가 있고, 복면(腹面)에는 털이 없음. 복부 말단에 호흡 부속기(附屬器)가 없음. 수서 곤충(水棲昆蟲)으로 한국·일본에 물둥구리 한 종류만 분포함. *물빈대과.
물-둥기 명〈방〉물독(함경).
물-들다 자 ①빛이 옮아서 묻다. ¶ 꺼멓게 ~. ②사상(思想)·행실이나 버릇이 그와 같이 닮아 가다. ¶ 악에 ~.
물-들메나무 명〖식〗[*Fraxinus chiisanensis*] 물푸레나뭇과에 속하는 낙엽 활엽 교목. 잎은 우상 복생하고, 소엽(小葉)은 피침형 또는 달걀꼴의 피침형임. 5월에 자웅 이가 또는 양전화(兩全花)가 혼생(混生)한 복총상(複總狀) 화서로 묵은 가지에 액생(腋生)하고, 시과(翅果)는 가을에 익음. 산골짜기의 숲 속에 나는데, 전남의 백운산·경남의 지리산(智異山) 등에 분포함. 기구재로 씀. 물푸레들메나무.
물-들이다 타 빛을 옮기어 묻게 하다. 염색하다. ¶ 머리를 검게 ~/피로 물들인 육이오.
물-딱총【—銃】명 대롱으로 만들어 물을 쏘아 보내는 장난감 총. ㊐물총.
〈물딱총〉
물-땅땅이 명〖충〗①물땅땅잇과에 속하는 갑충의 총칭. ②[*Hydrous acuminatus*] 물땅땅잇과에 속하는 갑충의 하나. 몸길이는 32-35 mm 내외이고, 몸빛은 광택 있는 칠흑색에 한 쌍씩의 촉각과 황갈색 수염이 있고, 복부 배면(背面)에는 'Y'자 모양의 가는 회합선(會合線)이 있으며, 중·후부절(跗節) 안쪽에 황갈색의 털이 밀생함. 앞가슴 한가운데에 두 개의 점이 있음. 유충은 육식(肉食)을 하나 성충은 초식 또는 썩은 것을 먹음. 못·늪에 서식하는데, 한국·일본 및 동부 아시아에 분포함.

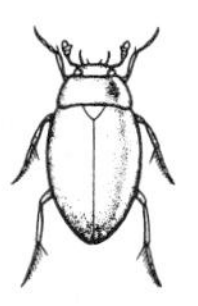
〈물땅땅이❷〉

물땅땅잇-과【—科】명〖충〗[Hydrophilidae] 딱정벌레목(目)에 속하는 한 과. 몸은 미소(微小) 혹은 대형이며 대체로 타원형(橢圓形) 또는 장형(長形)임. 촉각은 6-9절의 곤봉상(棍棒狀)이며, 부절(跗節)은 5절임. 수서(水棲), 반수서 또는 육서(陸棲)하는 곤충으로, 전세계에 1,700여 종이 분포함.
물-때[1] 명 ①아침·저녁 조수가 들어오고 나가고 하는 때. ②밀물이 들어오는 때.
물-때[2] 명 ①물에 섞인 깨끗하지 못한 물건이 다른 데에 옮아서 생기는 때. ¶ 배의 ~. ②〈방〉〖식〗이끼[1](경남).
물-때까치 명〖조〗[*Lanius sphenocercus sphenocercus*] 때까칫과에 속하는 새. 때까치 중에서 가장 큰 종류로서 날개 길이 11.5-12.6 cm이고, 배면(背面)은 담회색이며, 날개에는 두 개의 흰 줄이 있고, 복부는 백색이나 가을에는 가슴과 옆구리의 털빛이 장미색으로 변함. 작은 짐승·새·곤충·도마뱀·개구리 등을 포식하는데, 동부 시베리아·몽고·한국 등지에 서식함. 대당격(大唐鵙). 물개고마리.
물때 썰때 명 ①밀물 때와 썰물 때. ②사물의 형편이나 내용.
[물때 썰때를 안다] 사물의 형편, 진퇴(進退)의 시기를 잘 안다는 뜻.
물-떠러지 명 내·강 등의 높고 경사가 급한 곳에서 떨어져 흐르는 물. 곧, 폭포수.
물-떼새 명〖조〗물떼샛과에 속하는 새의 총칭. 검은가슴물떼새·댕기물떼새·민댕기물떼새·작은물떼새·큰물떼새·흰물떼새 등이 있음. 소수찰(小水鶆). ㊐떼새.
물떼샛-과【—科】명〖조〗[Charadriidae] 도요목(目)에 속하는 한 과. 중형의 조류로서 형태와 습성이 도요새와 비슷한 후조(候鳥)임. 한국에 16종이 분포함.
물-똥 명 ①물을 튀겨서 생기는 크고 작은 덩이. ②↗물찌똥❷.
물똥(을) 튀기다 구 물을 쳐서 멀리 튀어가게 하다.
물똥 싸움 명 손이나 발로 물을 끼얹어 물러 나가는 것으로 이기고 짐을 결정짓는 아이들의 물장난. ㊐물싸움. ——-하다 자여불
물뜻개 명〈방〉물부리(함경).
물-뚱뚱이 명〖동〗〈속〉하마(河馬).
물라토〔mulato〕명〖인류〗브라질에 있어서, 대부분이 포르투갈인인 백인을 아버지로, 흑인을 어머니로 하는 혼혈아. 지금은 북동 브라질의 인종 구성상 중요한 지위를 점유하고 있음. 체격은 장신에 강건함.
물래다 타〈방〉비키다(평안).
물랭 루:주〔프 Moulin Rouge〕명〔붉은 풍차(風車)의 뜻〕1889년 파리의 몽마르트르에 개장한 댄스 홀. 1903년에는 음악관이 되어 많은 스타를 배출했으나, 나중에는 영화관이 됨. 이 명칭은 건물 옥상에 있는 거대한 붉은 풍차에서 유래한 것임.
물량【物量】명 물건의 분량. ¶ ~ 공세.
물량 계:산【物量計算】명〖경〗원단위 계산(原單位計算).
물러-가다 ㊀ 자 거라불 ①뒷걸음쳐 가다. ¶ 적은 시외로 물러갔다. ②윗사람 앞에 있다가 도로 나가다. ¶ 오늘은 이만 물러가겠습니다. ③지위(地位)나 하던 일을 내어 놓고 가다. ¶ 사장의 자리에서 ~. ④앞으로 드티어 나가다. ¶ 일이 ~/날짜가 ~. ⑤있던 현상이 사라져 가다. ¶ 더위가 ~. ㊁ 타 거라불 자리를 떠나 뒤로 옮겨 가다. ¶ 적군은 수도를 물러갔다.
물러-나다 ㊀ 자 거라불 ①꼭 짜인 물건의 틈이 벌어지다. ¶ 책상 다리가 ~. ②윗사람 앞에 있다가 도로 나오다. ¶ 어전에서 ~. ③뒤로 가다. 후퇴하다. ¶ 한 발 ~/물러나지 말고 싸워라. ㊁ 타 거라불 하던 일이나 지위를 내어 놓고 나오다. ¶ 관직을 ~.
물러-서다 자 ①뒤로 나서다. ¶ 다섯 발 뒤로 ~. ②맞서서 버티던 일을 그만두다. ¶ 한 쪽이 물러서야 싸움이 끝난다. ③지위나 하던 일을 내어 놓다.
물러-앉다 [—안따] 자 ①뒤로 나서서 앉다. ②지위나 하던 일을 내어 놓고 아주 나가다. ③건물이나 물체 따위가, 바닥으로 무너져 내려앉다.
물러-오다 자 너라불 가다가 피하여 도로 오다.
물러-지다 자 ①물건이 무르게 되다. ②잔뜩 먹었던 마음이 누그러지다.
물렀거라 구 전에, '물러서 있거라·물러나 있거라'의 뜻으로 쓰던 말.
물렁-거리다 자 건드리는 대로 모조리 물렁한 감각을 주다. >말랑거리다·몰랑거리다. 물렁-물렁 부. ——-하다 형여불
물렁-대다 자 물렁거리다.
물렁-뼈 명〖생〗연골(軟骨). ↔굳뼈.
물렁뼈 조직【—組織】명〖생〗연골 조직(軟骨組織).
물렁-살 명〖어〗물고기의 지느러미를 이룬 연한 줄기. 연조(軟條).
물렁-팥죽【—粥】명 무르고 약한 사람이나, 물러서 뭉그러진 물건을 비유하는 말.
물렁-하다 형여불 ①물기가 매우 많고 이들이들하여 썩 부드러워 보이다. ②성질이 맺힌 데가 없어 단단하지 못하다. 1)·2):>말랑하다·몰랑하다.
물레[1] 명 ①솜이나 털 같은 섬유를 자아 내서 실을 만드는 틀. 방차(紡車). 방거(紡車). 취자거(取子車). ②도자기를 성형(成形)하는 데 쓰는 도구. 회전축인 축봉(軸棒)과 여기에 고정된 원판인 상대(上臺) 및 하대(下臺)로 됨. 상대에 바탕흙을 올려 놓고 하대를 굴리면서 성형함. 녹로(轆轤). 도차(陶車). 선륜차(旋輪車). 윤대(輪臺).

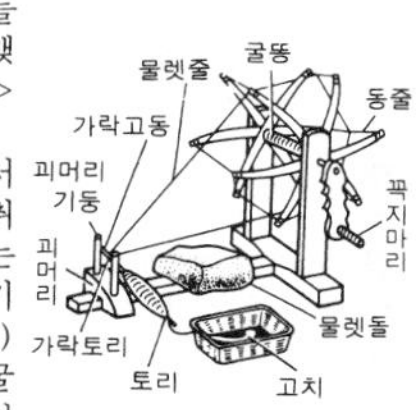

〈물레[1]❶〉

물레[2] 명〈방〉마루(전남).
물레-고둥 명〖조개〗[*Buccinum striatissimum*] 물레고둥과에 속하는 고둥의 하나. 패각은 달걀꼴 원추형이고, 높이 120 mm, 지름 70 mm, 나층(螺層)은 여덟 개 내외임. 표면은 견사상(絹絲狀)의 나맥(螺脈)이 있고, 회백색의 각피(殼皮)로 덮였는데 구부(口部)는 반원형임. 한국·일본에 분포함. 맛이 좋음. 쇠고둥.
물레고둥-과【—科】[—꽈] 명〖조개〗[Buccinidae] 복족류(腹足類)에 속하는 한 과. 식용종임.
물레-금【—錦】명〖건〗금문(錦紋)의 일종.
물레-나물 명〖식〗[*Hypericum ascyron* var. *genuinum*] 물레나물과에 속하는 다년초. 줄기는 목질(木質)이며 높이 1 m 이상에 달하고, 잎은 대생하며 무병(無柄)에 줄기를 싸고, 달걀꼴의 긴 타원형 또는 피침형임. 6-8월에 황색의 오판화(五瓣花)가 취산(聚繖) 화서로 줄기 상부(上部)에 정생(頂生)하여 피고, 삭과(蒴果)는 길이 15 mm의 달걀꼴이 5편(片)으로 째지고 잔 씨를 냄. 산이나 들의 양지에 나는데, 어린 잎은 식용함. 한국·홋카이도·일본·동부 시베리아 등지에 분포함. 금사도(金絲桃).
〈물레나물〉
물레나물-과【—科】[—꽈] 명〖식〗[Hypericaceae] 쌍자엽 식물 이판화류에 속하는 한 과. 전세계에 820여 종, 한국에는 물레나물·고추나물 등 15종이 분포함.
물레-노래 명〖악〗물레질을 할 때 부르던 민요의 하나. 베틀 노래를 모방한, 생활을 노래한 것으로, 애수적이며, 남도(南道) 지방에서 많이 전파되고 있음. '사랑의 노래'·'기름치는 노래' 등이 있음.
물레 바꿈 명 세 집안이 딸을 교환하여 혼인을 맺는 일. *누이 바꿈. ——-하다 자여불
물레-바퀴 명 ①물레에 딸린 바퀴. 이것이 돌아감에 따라 가락이 돌면서 실을 감게 됨. 사거(絲車). ②물방아에 붙어 있는 큰 바퀴. 물의 힘으로 돌면서 방아를 움직이게 함.
물레-방아 명 물레바퀴처럼 생긴 바퀴를 물의 힘으로 돌리어 찧는 물방아. 수차(水車). 물방아. 수대(水碓).
물레방앗-간【—間】명 물레방아를 장치하여 놓은 곳. *물방앗간·방앗간.
물레-새 명〖조〗[*Dendronanthus indicus*] 할미샛과에 속하는 새. 날개 길이는 약 8cm, 꽁지 6.5cm 가량이며 배면(背面)은 감람 녹색(橄欖綠色)이고, 복부(腹部)는 황백색이며 얼굴에는 황백색의 미반(眉斑)이 있음. 날개에는 두 줄의 황백색의 띠가 있고, 가슴에는 두 줄의 흑색의

띠가 있음. 꽁지 깃을 좌우로 흔들고, 높은 나무에 집을 두는 특성이 있음. 동부 시베리아·사할린에서 번식하고, 일본·한국을 거쳐 남부 중국·말레이 등지에서 월동함. *검은턱할미새.

〈물레새〉

물레-질 명 물레를 돌리어 고치로 실을 뽑아 내는 일. ——하다 자 여불

물레-혼【一婚】명 물레가 돌 듯이 갑의 딸은 을에게, 을의 딸은 병에게, 병의 딸은 갑에게로 출가시키는 회전식 삼각혼.

물렛-돌 명 물레가 움직이지 않도록 물레 바닥의 가로장 나무를 누르는 넓적한 돌. 「을 돌게 함.

물렛-줄 명 물레의 몸과 가락을 걸쳐 감는 줄. 물레를 돌리는 대로 가락

물려-받다 타 재물이나 지위 같은 것을 뒤이어 받다. 계승(繼承)하다. ¶ 재산을 ～. 「¶ 가보(家寶)를 ～.

물려-주다 타 재물이나 지위 같은 것을 자손 또는 남에게 전하여 주다.

물려-지내다 자 귀찮으면서도 어쩔 수 없이 그냥저냥 지내다.

물력【物力】명 ①물건의 힘. ②온갖 물건의 재료(材料)와 노력(勞力). ③☞물역(物役).

물력-전【物力錢】명〖역〗중국 금(金)나라 때에 부과했던 재산세(財產稅). 맹안(猛安)·모극(謀克) 등의 특수 계급과 노비(奴婢)를 제외한 모든 국민의 토지·가옥·가축·수목·소유 화폐에 대하여 과세하였음.

물론¹【勿論】명부 말할 것도 없음. 무론(無論). ¶ ～ 가고말고.

물론²【物論】명 물의(物議). ¶ 영감께서 바깥 ～만 끄리시지 않는다면 지가 가겠세요《洪命憙 : 林巨正》.

물론 해:석【勿論解釋】명 법규를 해석할 때에, 유추 해석(類推解釋)이나 확장(擴張) 해석이 상식상 당연한 것으로 여기는 경우를 이름. 이를테면, '차마(車馬)의 통행을 금함'이라는 규정밖에 없어도, 말의 통행을 금할 정도이니, 그보다 무거운 소나 코끼리 따위의 통행은 물론 허락되지 않는 것으로 해석하는 따위.

물료¹【物料】명 물건을 만드는 재료(材料).

물료²【物療】명 ↗물리 요법.

물료-과【物療科】[—꽈] 명〖의〗광선·전류·온열(溫熱)·수력(水力) 등의 물리적 작용을 이용하여 치료하는 의학의 한 분과. 물리 치료과.

물료 내:과【物療內科】[—꽈] 명〖의〗물리 요법을 다루는 내과(內科)의 한 분야.

물-룽 명〈방〉〖동〗도롱뇽.

물루【物累】명 몸을 얽매는 세상의 온갖 괴로움. 이 세상의 여러 가지 누.

물룩 부〈옛〉문득. ¶ 물룩 엄(奄)《類合 下 27》.

물류【物流】명〖경〗↗물적 유통(物的流通).

물류 관리【物流管理】[—괄—] 명 생산에서 소비에 이르기까지의 물적 유통을 경제적 및 기술적으로 합리화하기 위한 계획적·조직적 시책(施策).

물리¹ 명〈방〉마루(전남·경남).

물리²【物理】명 ①모든 물건의 이치. 만물의 이치. ②〖물〗↗물리학(物理學).

물리 감:각【物理感覺】명〖생〗물리적인 자극으로 일어나는 감각. 압력 등의 기계적 자극에 대한 압각(壓覺)·통각(痛覺)·촉각, 소리에 대한 청각, 중력(重力)에 대한 평형 감각, 진동·근육 상태 등에 대한 심부(深部) 감각과 온도 변화에 대한 냉각·온각, 빛에 대한 시각(視覺) 등을 말함. 물리각(物理覺). *화학적 감각.

물리-개 명〖고고학〗염(殮)할 때에 시체의 입에 물리는 구슬. 함옥(含玉). 옥선(玉蟬). 함(琀).

물리 검:층【物理檢層】명〖지〗갱정(坑井) 안에 어떤 물리적 계기(計器)를 집어 넣어 깊이에 따라 변화하는 상태를 조사하는 일. *전기(電氣) 검층.

물리-계【物理系】명〖물〗물리 법칙이 적용되며 명화하게 정의된 물질의 집합체. 우주·태양계(系)·고체 등의 거시적(巨視的) 물리계와 원자·원자핵·소립자 등의 미시적 물리계로 대별됨. 물리적 체계.

물리 광학【物理光學】명〔physical optics〕〖물〗물리학의 한 분과(分科). 빛의 진행(進行)을 직선적(直線的)이라 보는 기하 광학(幾何光學)에 대하여, 빛의 파동적 에너지 복사(輻射)로서의 본질을 규명하고, 그것을 바탕으로 각종 물리적 성질을 논(論)함. 파동 광학. ↔기하 광학.

물리다¹ 자 아주 싫증이 나다. 지긋지긋하게 약비나다. ¶ 자장면에 아주 물렸다.

물리다² 타 푹 익히어 무르게 하다.

물리다³ 타 ①시기를 늦추어 뒤로 미루다. ¶ 날짜를 하루 ～. ②다른 쪽으로 옮기어 놓다. ¶ 뒷자리로 ～. ③권리·재물·지위 같은 것을 남에게 내려 주다. ¶ 재산을 ～. ④〖건〗원 간살 밖으로 퇴간(退間)을 만들다.

물리다⁴ 타 자리를 치우려고 거기 놓인 물건을 집어 내다. ¶ 밥상을 ～.

물리다⁵ 타 굿 같은 것을 하여 귀신을 쫓아내다. ¶ 악귀를 ～.

물리다⁶ 一 피동 입이나 집게 같은 것으로 물음을 당하다. ¶ 독사에 ～. 二 사동 입·집게 같은 것으로 물게 하다. ¶ 말에 재갈을 ～.

물리다⁷ 사동 돈을 물어 내게 하다. 손해를 갚게 하다. ¶ 손해본 물건 값을 ～.

물리-량【物理量】명〔physical quantity〕〖물〗물리계(物理系)의 성질을 나타내며 그 측정법·크기의 단위가 규정된 위치·질량·에너지 등의 양(量).

물리 법칙【物理法則】명〔physical law〕〖물〗물리 현상의 성질이나 이들 현상(現象)을 기술(記述)하는 데 쓰이는, 여러 가지 양(量)이나 성질 사이의 관계식.

물리 변:화【物理變化】명〖물〗↗물리적 변화(物理的變化).

물리 부:이사관【物理副理事官】명 물리직(物理職) 국가 공무원 직급 명칭의 하나. 물리 직렬(職列)에 속하며, 물리 서기관(書記官)·기상 서기관의 위, 물리 이사관(理事官)의 아래로 3급 공무원임.

물리 분석【物理分析】명〖물〗물질의 물리적 또는 물리 화학적인 양(量)을 관측하는 일로서, 물질의 종류나 조성(組成)을 분석하여 결정하는 일. 또, 그 방법. ↔화학 분석.

물리 사:무관【物理事務官】명 물리직(物理職) 국가 공무원 직급 명칭의 하나. 물리 직렬(職列)에 속하며, 물리 주사(主事)의 위, 물리 서기관(書記官)의 아래로 5급 공무원임.

물리 상수【物理常數】명〔physical constant〕〖물〗물리 법칙을 기술(記述)할 때 나타나는 기초 상수. 물질 상수도 포함됨. 만유 인력 상수, 프랑크 상수, 전자(電子)의 전하(電荷), 유전율(誘電率) 등.

물리-색【物理色】명〖동〗동물의 체색(體色) 중, 색채가 체표부(體表部)의 물리적 구조에 기인(基因)하는 경우의 색. 주로 반사 광선의 간섭(干涉)에 의한 색채로서, 무지개 색이나 금속성의 광택을 수반하는 아름다운 색을 띰. 곤충의 비단벌레·풍뎅이, 연체 동물의 전복·진주 조개 등의 패각 내면(貝殼內面), 조류의 물총새의 깃털 등이 있음.

물리 서기【物理書記】명 물리직(物理職) 국가 공무원 직급 명칭의 하나. 물리 직렬(職列)에 속하며, 물리 서기보의 위, 물리 주사보(主事補)의 아래로 8급 공무원임.

물리 서기관【物理書記官】명 물리직(物理職) 국가 공무원 직급 명칭의 하나. 물리 직렬(職列)에 속하며, 물리 사무관(事務官)의 위, 물리 부이사관(副理事官)의 아래로 4급 공무원임.

물리 서기보【物理書記補】명 물리직(物理職) 국가 공무원 직급 명칭의 하나. 물리 직렬(職列)에 속하며, 물리 서기(書記)의 아래로 9급 공무원임.

물리 성학【物理星學】명〔physical astronomy〕〖천〗천문학의 한 분과. 천체(天體) 특히 행성(行星) 및 달의 운동을 역학(力學)을 응용하여 연구하는 학문.

물리 신학적 증:명【物理神學的證明】명〔physico-theological argument〕〖철〗신(神)의 존재를 증명하는 한 방법. 자연 속에 있는 합목적성(合目的性)을 근거로 하여, 그런 목적을 주는 최고의 지혜(知慧)로서의 신이 존재하지 아니하면 안 된다고 하는 논법. 목적론적 증명.

물리 야:금학【物理冶金學】명〔physical metallurgy〕야금학의 물리적인 분야를 총칭해서 이르는 말. 금속 물리학·금속 조직학을 두 개의 기초 부문으로 하고, 합금(合金)·열처리(熱處理)·소성 가공(塑性加工) 등을 응용 부문으로 하는 학문.

물리왇다 타〈옛〉물리치다. ¶ 엇데 이우젯 한아비를 물리와ᄃᆞ라오(如何拒鄰叟)《杜諺》.

물리 요법【物理療法】[—뻡] 명〖의〗약물(藥物)을 쓰지 아니하고 천연(天然)이나 물리적 작용을 이용하여 병을 치료하는 방법. 엑스 광선(X 光線)·자외선(紫外線)·적외선(赤外線)·인공 태양등(人工太陽燈) 등을 이용하는 광선(光線) 요법과 전기(電氣) 요법·온천(溫泉) 요법·기후(氣候) 요법·온열(溫熱) 요법·마사지 요법 등이 있음. 자연(自然) 요법. 이학적 요법. *약물 요법·정신 요법.

물리 원자량【物理原子量】명〖물〗질량수 16의 산소 원자의 질량의 1/16을 단위로 측정한 원자의 질량. 화학 원자량과는 '물리 원자량 =1.000275×화학 원자량'의 관계가 있음. ↔화학(化學) 원자량.

물리 이:사관【物理理事官】명 물리직(物理職) 국가 공무원 직급 명칭의 하나. 물리 직렬(職列)에 속하며, 물리 부이사관(副理事官)의 위, 관리관(管理官)의 아래로 2급 공무원임.

물리 작용【物理作用】명〖물〗물리 변화를 일으키는 작용. 어떤 물질의 조성(組成)을 바꾸지 아니하고, 모양이나 생김새를 변화시키는 작용.

물리-적【物理的】명관 힘·시간·속도·공간 등에 관련한 모양. 특히, 형태나 위치 등 그 물질의 상태에 관한 모양. ↔화학적.

물리적 결정론【物理的決定論】[—쩡논] 명〖심〗의지(意志)를 외적 인자(外的因子)와 자극(刺戟)의 소산(所産)이라 하여, 물리적 인과(因果)의 연쇄(連鎖)의 하나로 보는 학설.

물리적 변:화【物理的變化】명〔physical change〕〖물〗물질의 성분(成分)은 조금도 변하지 아니하고 다만 그 상태만이 변화하는 현상(現象). 곧, 물체의 운동·증발(蒸發)·응고(凝固)의 현상 등. ㊟물리 변화(物理變化). ↔화학적 변화.

물리적 봉쇄【物理的封鎖】명〔physical containment〕〖생〗유전자 재조합체(遺傳子再組合體)나 병원체를 취급하는 연구에서, 시설·환기(換氣)·가열 살균 등 물리적인 방법으로 바이러스 등의 위험물을 격리하는 일. 또, 그 기준.

물리적 성:질【物理的性質】명〖물〗물질의 열적(熱的)·광학적(光學的)·전기적(電氣的)·자기적(磁氣的) 성질 등, 양적(量的)으로 나타나는 성질. ↔화학적 성질.

물리적 이:중성【物理的二重星】명〖천〗쌍성(雙星).

물리적 피:해 망:상【物理的被害妄想】명〖심〗피해 망상의 하나. 피부(皮膚)의 망각(妄覺)과 결합되어, 살인 광선·전파 등에 의하여 피해를 받는다고 생각하는 것. *색정적(色情的) 피해 망상.

물리 주사【物理主事】명 물리직(物理職) 국가 공무원 직급 명칭의 하나. 물리 직렬(職列)에 속하며, 물리 주사보의 위, 물리 사무관(事務官)의 아래로 6급 공무원임.

물리 주사보【物理主事補】명 물리직(物理職) 국가 공무원 직급 명칭의 하나. 물리 직렬(職列)에 속하며, 물리 서기(書記)의 위, 물리 주사의 아래로 7급 공무원임.

물리 증착법【物理蒸着法】명 기판(基板) 위에 금속이나 금속 화합물의 얇은 막을 물리적으로 퇴적시키는 기술. ↔화학 증착법.

물리 진:자【物理振子】명〖물〗복진자(複振子).

물리 측광【物理測光】명〖물〗여러 가지 물리 현상에 의해서 판정하는 측광. ↔시각(視覺) 측광.

물리-치다 타 ①주는 것을 거절하여 받지 아니하다. 각지하다. ¶ 뇌물을 ~. ②적(敵)을 쳐서 물러가게 하다. ¶ 적의 공격을 ~. ③어려운 일 등을 극복하거나 치워 없애다. ¶ 유혹을 ~.

물리 치료【物理治療】 명 〖의〗 물리 요법.

물리 치료과【物理治療科】[一꽈] 명 〖의〗 물료과(物療科).

물리 치료사【物理治療士】 명 의료 기사(醫療技士)의 하나. 의사의 지시·감독 아래, 온열(溫熱) 치료·전기 치료·광선 치료·기계 치료·마사지·기능 훈련 등 물리 요법(療法) 치료 업무에 종사하는 사람. *작업 치료사(作業治療士).

물리 탐광【物理探鑛】 명 〖광〗 물리 탐사.

물리 탐사【物理探査】 명 〖광〗 광물이나 암석(岩石)의 고유한 여러 가지 물리적 성질, 즉 밀도(密度)·탄성(彈性)·전기 전도율(電氣傳導率) 등을 이용하는 특수한 탐광법(探鑛法). 중력 탐광(重力探鑛)·지진(地震) 탐광·전기(電氣) 탐광·자기(磁氣) 탐광·방사능(放射能) 탐광·지열(地熱) 탐광 등의 구별이 있음. 물리 탐광.

물리-학【物理學】 명 〔physics〕〖물〗 자연 과학(自然科學)의 한 부문(部門). 물질의 물리적 성질과 물체의 운동·열(熱)·소리·빛·전기(電氣)·에너지 등의 모든 현상(現象)과 구조(構造) 따위를 연구하며 그 사이의 관계·법칙을 밝히는 학문. 크게는 물성론(物性論)·역학(力學)·음향학(音響學)·열학(熱學)·광학(光學)·자기학(磁氣學)·전기학(電氣學)·원자 물리학(原子物理學) 등으로 나눔. ¶ ~계(界). ㊥물리(物理).

물리학-과【物理學科】 명 〖교〗 대학에서, 물리학을 전공하는 학과.

물리학 사전【物理學辭典】 명 물리학에 관한 용어와 사항을 모아 주석한 전문 사전의 하나.

물리학-상【物理學賞】 명 물리학 부문에 대한 공적이 뛰어나거나 물리학상 중요한 발견이나 발명을 한 사람에게 주는 상. 노벨 물리학상(Nobel物理學賞)이 가장 권위 있고 유명함.

물리학-자【物理學者】 명 물리학을 연구하는 사람.

물리학-적【物理學的】 명관 물리학의 여건(與件)을 갖춘 모양. 물리학에 관한 모양.

물리학적 변:화【物理學的變化】 명 〖물〗 물리적 변화. ↔화학적 변화(化學的變化).

물리학적 세:계【物理學的世界】 명 〖물〗 물리학적 법칙이 지배하는 모든 자연계. 곧, 질적(質的) 변화를 갖지 아니하는 무생물 세계.

물리학적 세:계관【物理學的世界觀】 명 세계를 물리학적으로 보는 관념. 또, 그 입장. 우주(宇宙)에 대한 물리학 상의 통일적 견해. 역학적 세계관(力學的世界觀)·전자적 세계관(電磁的世界觀) 등.

물리 현:상【物理現像】 명 은입자(銀粒子)를 만드는 데 현상액(現像液) 속에 은(銀)으로 환원될 은이온을 미리 넣어 두어서 잠상은(潛像銀)에 부착하게 하는 사진 현상법의 하나. 사용법이 간단하지 아니하므로 잘 사용되지 아니함. ↔화학(化學) 현상.

물리 화학【物理化學】 명 ①물리학(物理學)과 화학(化學). 물리학과 화학과의 경계(境界)·영역(領域)에 따르는 문제를 연구하는 과학. ②〔physical chemistry〕〖화〗 화학의 한 분야(分野). 물리학적인 입장에서 물질의 구조(構造), 화학적 성질·변화 및 반응(反應) 등을 연구하는 화학. 이론 화학(理論化學).

물리 흡착【物理吸着】 명 흡착력이 약하고 흡착열(熱)이 적으며, 물리적인 힘에 의해서 흡착하는 정흡착(正吸着). ↔화학(化學) 흡착.

물림 명 ①정한 날짜를 뒤로 미룸. ②물려받거나 물려주는 일. ③〖건〗 집채의 원칸의 앞뒤나 좌우에 딸린 약 반 칸 폭의 칸살. 퇴(退).

물림-쇠 명 나무를 배접할 때, 양쪽에서 꼭 끼이게 물려서 죄어지도록 두들기는 쇠.

물마 명 비가 많이 와서 땅 위에 넘치는 물.

물-마개 명 물이 나오지 아니하게 막는 마개. 물이 스며들지 아니하게 코르크 등으로 만듦.

물-마디꽃 명 〖식〗 [*Rotala leptopetala*] 부처꽃과에 속하는 일년초. 줄기 높이 10-30 cm 가량. 잎은 대생(對生)하며 피침형(披針形)임. 가을에 엽액(葉腋)에 작은 담홍색 사판화(四瓣花)가 하나씩 핌. 열매는 삭과(蒴果)로 홍자색(紅紫色)임. 논이나 물가에 나는데, 한국·일본에 분포함.

물-마루 명 바닷물의 마루터기. 물이 높이 솟은 그 고비. 수종(水宗). 파두(波頭).

물-만두【一饅頭】 명 물에 삶은 만두. 물교자(餃子).

물만-밥 명 물에 말아서 풀어 놓은 밥. 물말이. 수요반(水澆飯). 수화반. 【물만밥이 목이 메다】 물에 말아 먹어도 밥이 잘 넘어가지 아니할 정도로 매우 슬픔에 겨움을 이르는 말.

물-말이 명 ①물만밥. ②물에 몹시 젖은 옷 같은 것을 이르는 말.

물-맛 명 먹는 물의 맛. 수미(水味).

물망【物望】 명 ①여러 사람이 우러러 보는 드러난 명망. ②인재를 구할 때의 물색 대상.

물망에 오르다 구 사람을 고를 때 그 사람이면 적합하다고 여론에 오르다. ¶ 장관의 물망에 오르다.

〈물망초〉

물-망이 명 〈방〉 빨래 방망이.

물망-초【勿忘草】 명 〖식〗 [*Myosotis scorpioides*] 지칫과에 속하는 다년초. 봄·여름에 높이 30 cm의 화경(花莖)에 남청색 꽃이 핌. 영어(英語) 이름은 포겟미낫(forget-me-not).

물-맞다 자 병을 고치려고 약물터에 가서 약물을 먹거나 또는 몸을 씻다.

물-맞이 명 병을 고치려고 약물터에 가서 약물을 먹기도 하고 몸도 씻는 일. ——-하다 자여불

물맞이-게 명 〖동〗 무늬발게.

물-매[1] 명 한꺼번에 여러 개로 많이 때리는 매. ¶ 동료에게 ~맞다. *뭇매.

물-매[2] 명 ①나무에 달린 과실 같은 것을 떨어뜨리려고 팔매질하여 던지는 좀 긴 몽둥이. ¶ ~로 밤을 따다. ②↗무릿매.

물매[3] 명 〖건〗 지붕·낟가리 등의 경사(傾斜)진 정도. 기울기. 구배(勾配). ¶ ~가 뜨다/지붕의~가 싸다.

물-매:[4] 명 〈방〉 〖조〗 가마우지.

물매-질 명 ①물매로 때리는 짓. ②물매로 과실 따위를 따는 짓. ③↗무릿매질. ——-하다 자타여불

물매-표【一標】 명 구배표(勾配標).

물-매화【一梅花】 명 〖식〗 [*Parnassia palustris*] 범의귓과(科)에 속하는 다년초. 줄기가 곧고 높이 25 cm 가량이며, 유병(有柄)의 근엽(根葉)은 달걀꼴 또는 긴 심장형을 이루고 경엽(莖葉)은 원형이며 무병(無柄)임. 7-9월에 매화꽃 비슷한 흰 오판화(五瓣花)가 줄기 끝에 정생(頂生)하여 피며, 달걀꼴 삭과(蒴果)는 길이 1 cm이고, 익으면 갈라져 작은 씨가 산포됨. 산기슭의 습지(濕地)에 나는데, 북반구(北半球)의 온대 및 아한대(亞寒帶)에 분포함. 꽃이 아름다와 관상용임. 물매화풀.

〈물매화〉

물매화-풀【一梅花一】 명 〖식〗 물매화.

물-맴돌이 명 〈방〉 〖충〗 물맴이.

물-맴이 명 〖충〗 [*Gyrinus japonicus*] 물맴잇과의 곤충. 물방개 비슷한데 몸길이 6-7.5 mm이고, 몸빛은 배면(背面)이 흑색에 강철(鋼鐵) 광택이 나며, 외연부(外緣部) 등은 금속 광택이 나고 수염과 다리는 적갈색이며, 시초(翅鞘)는 11줄의 점각 종렬(點刻縱列)이 있음. 복안(複眼)이 등과 배의 두 쌍으로 나누어져 있어, 공중과 수중을 따로 따로 보며 물위를 뺑뺑 매암도는 습성이 있음. 유충은 각 복절(腹節) 옆에 막대기 모양의 아가미가 있으며, 육식성(肉食性)임. 연못·도랑에 서식하는데, 한국·일본·대만·중국 대륙에 분포함. 무당선두리. 물무당.

〈물맴이〉

물맴잇-과【一科】 명 〖충〗 [Gyrinidae] 딱정벌레목(目)에 속하는 한 과. 몸은 긴 달걀꼴이고 몸빛은 대체로 흑색(黑色)임. 담수(淡水)에 서식하며 물 위에서 날쌔게 맴도는 성질이 있음. 촉각은 짧고 9절이며, 중·후지(中後肢)는 짧은 유영지(游泳肢)이며, 복부(腹部)는 7절임. 전 세계에 430여 종이 분포함.

물-머리 명 〈방〉 물말이(평안).

물-먹다 자 ①물을 마시다. ②식물이 물을 양분으로 빨아들이다. ③종이·헝겊 같은 것에 물이 배어서 젖다.

물-멀미 명 넘실거리는 큰 물을 보면 어지러워지는 증세(症勢). ——-하다 자여불

물메기 명 〈방〉 〖식〗 이끼[1](강원).

물-면【一面】 명 물 위의 면. 물의 거죽. 수면(水面).

물멸 명 〖어〗 [*Chirocentrus dorab*] 물멸과에 속하는 바닷물고기. 장(腸)에 나선판(螺旋瓣)이 있는 경골 어류(硬骨魚類)의 하나로, 계통상(系統上) 흥미 있는 진귀한 고기임. 몸길이 40-50 cm에 갸름하며 약간 푸른 빛을 띰. 한국 동남해 및 일본 남부와 열대 지방 연해에 분포함.

물멸-과【一科】[一꽈] 명 〖어〗 [Chirocentridae] 청어목(青魚目)에 속하는 어류의 한 과. 물멸이 이에 속함.

물명【物名】 명 물건의 이름.

물명-고【物名考】 명 〖책〗 물명 유고(物名類考).

물명 유:고【物名類考】[一뉴一] 명 〖책〗 조선 순조(純祖) 24년(1824)에 한글 학자 유희(柳僖)가 여러 사물을 한글로 풀이한 책. 유정류(有情類)·무정류·부동류(不動類)로 나누어, 유정류에는 곤충·수류(獸類)·수족(水族)·우충(羽蟲), 무정류에는 풀·나무, 부동류에는 흙·돌·금·물·불 등에 관한 설명이 실려 있음. 5권 2책. 사본. 물명고.

물-모 명 물 속에서 자라는 볏모.

물-모래 명 〖건〗 바닷가나 냇가에서 파 온 모래. 벽을 바르거나 그 밖의 집 짓는 데 많이 쓰임.

물모-판【一板】 명 물모를 붓는 모판.

물-목[1] 명 ①물이 흘러 나가거나 흘러 들어오는 어귀. ②〖광〗 사금(砂金)을 씻어 가릴 적에 금이 제일 많이 모인 맨 위의 부분.

물목[2]**【物目】** 명 물품의 종목(種目).

물-못자리 명 물이 늘 괴어 있는 못자리.

물-몽둥이 명 철공(鐵工)이나 석수(石手)들이 쓰는, 자루가 길고 둥글게 생긴 큰 쇠메.

물무 명 〈방〉 물매[3].

물-무늬[一니] 명 물 위에 동그랗게 환(環)을 이루어 퍼지는 물결의 무늬. 수문(水紋).

물-무당 명 〖충〗 물맴이.

물-문[1]**【一門】** 명 〖토〗 ①수문(水門). ②갑문(閘門)❷.

물문[2]**【勿問】** 명 묻지 아니함. 내버려 둠. ——-하다 타여불

물문식 운:하【一門式運河】 명 〔lock canal〕 수문식(水門式) 운하.

물물【物物】 명 ①물건과 물건. ②여러 가지 물건.

물물 교역【物物交易】 명 〖경〗 물물 교환. ——-하다 자타여불

물물 교환【物物交換】 명 〖경〗 교환의 원시적(原始的)인 형태로서, 물품을 화폐(貨幣) 등의 매개물(媒介物)에 의하지 아니하고 직접 물품과 물품을 바꿈. 바터. ㊥물교(物交). *상품 유통. ——-하다 자타여불

물물-이 부 산물(產物)이 때를 따라 한목 한목 모개로 나오는 모양.

물-뭍 명 물과 뭍. 바다와 육지. 수륙(水陸).

물뭍 동:물【一動物】 명 〖동〗 '양서 동물(兩棲動物)'의 풀어쓴 이름.

물미[1] 명 ①〖고고학〗 땅에 꽂기 위하여 등롱(燈籠)대·창(槍)대·깃대 따위의 끝에 끼어 맞추는 끝이 뾰족한 원추형 또는 각추형(角錐形)의 쇠. 석돌(石突). ②지게를 버티는 작대기 끝에 맞추어 끼운 쇠.

물미² 명 〈방〉 〖건〗 물매³.

물-미거지 명 〖어〗 [*Crystallias matsushimae*] 도치과에 속하는 바닷물고기. 몸은 반투명으로 모양이 꽁치와 비슷하나 유연(柔軟)하므로 원형을 유지하기가 어려움. 양턱 주위에 소수의 작은 수염이 있으며 배지느러미는 흡반(吸盤)을 형성함. 한국 동남 연해 및 일본 북부에 분포함.

물미-작대기 명 끝에 물미를 맞추어 낀 지게의 작대기.

물미-장 【一杖】 명 물미작대기.

물-밀다 자 조수(潮水)가 육지로 밀리어 오다. ↔물써다.

물-밀듯이 부 물결이 밀려오듯이. 연달아 많이 몰려오는 모양. ¶ ~ 몰려오는 적군.

물-밑 명 ①물이 실린 바닥. 수저(水底). 파저(波底). ↔물위. ②〖건〗 땅이나 재목의 짜임새를 수평이 되게 측량할 때 수평선의 아래. 물알².

물-바가지 [-빠-] 명 물을 푸는 데 쓰이는 바가지. ㊀물박.

물-바늘골 명 〖식〗 [*Eleocharis afflata*] 방동사닛과에 속하는 일년초. 줄기 높이 40cm, 4-6줄기의 종선(縱線)이 있고, 삼각형이며 잎은 없음. 6-8월에 긴 타원형의 화수(花穗)가 줄기 끝에 단생(單生)하여 피며, 수과(瘦果)를 맺음. 습한 밭이나 물가에 저절로 나는데, 제주·강원·경기 지방에 분포함. *바늘골.

물-바다 명 홍수 따위로 말미암아 상당한 지역이 침수된 상태를 일컫는 말. ¶ 온 마을이 ~가 되다.

물-바람 [-빠-] 명 강이나 바다 같은 물에서 불어오는 바람.

물-박¹ [-빡] 명 ↗물바가지.

물박² 명 〈방〉 무릎(강원).

물-박달나무 [-라-] 명 〖식〗 [*Betula davurica*] 자작나뭇과의 낙엽 활엽 교목. 잎은 달걀꼴 또는 마름모형 달걀꼴이고, 가장자리에 불규칙한 톱니가 있으며, 잎 뒤에 선점(腺點)이 있음. 꽃은 자웅 일가(雌雄一家)로, 5월에 수상(穗狀) 화서로 피며, 작은 견과(堅果)는 날개가 있고, 과수(果穗)는 원주형으로 10월에 익음. 산중턱 이하의 깊은 곳에 나는데, 도구재(道具材)·신탄재로 씀. 한국·일본·만주·우수리·아무르 등지에 분포함.

〈물박달나무〉

물-받이 [-바지] 명 함석 따위로 추녀에서 물을 받아 홈통으로 내리게 한 것.

물-발 [-빨] 명 물이 흐르는 기세. ¶ ~이 세다.

물-밥 명 〖민〗 무당이나 판수가 굿을 하거나 물릴 때에, 귀신에게 준다고 물에 말아 던지는 밥.

물-방개 명 〖충〗 ①물방갯과에 속하는 갑충(甲蟲)의 총칭. 말선두리. 선두리. 용슬(龍蝨). ㊀방개. ②[*Cybister japonicus*] 물방갯과에 속하는 갑충의 하나. 몸길이 35-40mm이고, 배면(背面)은 흑색에 다소 녹색·황갈색을 띠며 아랫면(面)과 다리·시초(翅鞘)의 측연은 황갈색임. 수컷의 전지(前肢)의 부절(跗節)은 팽대하고 흡반(吸盤)을 이룸. 작은 곤충·어류, 죽은 개구리·뱀 등을 뜯어 먹음. 성충은 등불에도 날아들고, 손으로 잡으면 악취(惡臭) 있는 유즙(乳汁)을 분비함. 연못·무논에 서식하는데, 한국·일본·중국·대만 등지에 분포함.

〈물방개❷〉

물방갯-과 【一科】 명 〖충〗 [Dytiscidae] 딱정벌레목(目)에 속하는 한 과. 겉 날개는 딱딱한 혁질(革質)이고 뒷다리는 헤엄치기에 적당한 유영지(游泳肢)임. 대개 수생(水生)으로 양어의 해충임. 중국·일본 등지에서는 식용함. 검정머리물방개·깨알물방개·꼬마물방개·땅콩물방개·먹물방개·물방개·별물방개·줄무늬물방개 등 전세계에 2,050여 종이 분포함.

물방구-치다 자 〈방〉 물수제비뜨다.

물방댕이 명 〈방〉 무릎(전라).

물-방동사니 명 〖식〗 [*Cyperus glomeratus*] 방동사닛과에 속하는 일년초. 줄기는 삼릉주(三稜柱)이고 높이 70cm 가량, 잎이 호생하고 넓은 선형(線形)을 이루며 길이가 줄기와 같고 폭은 5-8mm임. 7-8월에 산형(繖形) 화서의 꽃이 피고, 수과(瘦果)를 맺음. 습지에 저절로 나는데, 한국 각지에 분포함.

물-방맹이 명 〈방〉 빨랫방망이(경상).

물-방아 명 ①물의 힘으로 방아채를 오르내리게 하는 방아의 총칭. 물레방아·물방아 따위. ②특히, 방아채의 끝에 홈을 파거나 동이를 달아서 그 속의 물이 차고 비워짐에 따라 방아채가 오르내리게 된 방아. *물레방아. ③방아두레박.

물방아-잠자리 명 〖충〗 장수잠자리.

물방아-채 명 물방앗다리 위에 가로질러 놓은 나무.

물방앗-간 【一間】 명 물방아로 곡식을 찧는 집. *물레방앗간.

【물방앗간에서 고추장 찾는다】 당치 않은 것을 한다는 말.

물-방울 [-빵-] 명 조금씩 떨어지는 물의 작은 덩이. 수적(水滴).

물방울-무늬 [-빵-니] 명 물방울을 본뜬 잘고 동글동글한 무늬.

물-배 명 물만 먹고 부른 배.

물-뱀 명 ①〖동〗 보통 물 속에서 헤엄치며 물고기를 잡아먹는 뱀의 총칭. ②〖동〗 바다뱀. ③〖어〗 [*Ophisurus macrorhynchus*] 물뱀과에 속하는 바닷물고기. 뱀장어와 비슷한데 몸길이는 100-120cm이고 주둥이는 부리 모양으로 길게 돌출하였음. 온 몸에 세로 된 육질의 융기선(隆起線)이 있으며 아가미가 있고, 배지느러미와 꼬리지느러미는 퇴화하여 없음. 몸빛은 회갈색 바탕에 복부는 은백색임. 이가 매우 강하여 물리면 위험하다고 함. 거의 식용으로는 하지 아니함. 한국 남부와 일본 남부에 분포함. 바닷장어.

〈물뱀❸〉

물뱀-과 【一科】 [-꽈] 명 〖어〗 [Ophichthyidae] 무족류(無足類)에 속하는 어류의 한 과. 몸은 길고 가늘며 꼬리지느러미가 없음.

물뱀-자리 명 〔라 Hydrus〕 〖천〗 남천(南天)에 있는 작은 별자리. 하늘의 남극 부근 대소 마젤란운(大小 Magellan雲) 사이에 있음. 우리 나라에서는 보이지 않음.

물-번 【一番】 [-뻔] 명 물참.

물-벌 명 〖충〗 [*Agriotypus gracilis*] 물벌과에 속하는 곤충. 암컷의 몸길이 7mm 내외이고, 몸빛은 대체로 흑갈색이며 몸과 다리에는 황갈색의 털이 있고 흉배(胸背)에는 가시 모양의 돌기가 있음. 촉각은 암컷 23-24절, 수컷 31-32절임. 날도래류의 유충에 한 개씩의 알을 산란함. 산에 있는 호수 같은 데에 서식하는데, 한국·일본에 분포함.

〈물벌〉

물벌-과 【一科】 [-꽈] 명 〖충〗 [Agriotypidae] 벌목에 속하는 한 과. 이 과에 속하는 벌은 몸이 소형이고 암색이며, 두부는 옆으로 길고 흉부보다 폭이 넓음. 복부는 가느다란 자루 모양인데, 촉각은 입의 위쪽에 자리잡고 많은 환절(環節)로 됨.

물-벌레 명 〖충〗 ①물에 서식하는 벌레의 총칭. ② [*Sigara distanti*] 물벌렛과에 속하는 곤충. 몸길이는 11mm 내외, 몸빛은 암황색에 물결 모양의 검은 줄이 있는데, 전흉배(前胸背)의 흑색 횡조(橫條)는 아홉 개이고, 몸의 아래쪽과 다리는 황색임. 앞다리는 짧고 빗 모양이며, 중·후지(中後肢)는 몹시 길므로 헤엄치기에 적합함. 성충으로 월동하고 등불에 모이기도 함. 연못·늪에 서식하는데, 한국·일본·중국 동북부에 분포함.

〈물벌레❷〉

물벌렛-과 【一科】 명 〖충〗 [Corixidae] 매미목(目)에 속하는 한 과. 두부(頭部)는 초승달 모양이고 촉각은 3-4절인데, 두부와 전흉배판(前胸背板) 사이의 함입(陷入)한 곳에 숨어 있으며, 복안(複眼)은 삼각형을 이루며, 단안(單眼)은 없음. 잡식성(雜食性)으로 물밑의 유기질(有機質)의 내액(內液)을 빨아먹음. 담수·염수에 서식하는데, 전세계의 열대·온대에 3,000여 종이 분포함.

물-범 명 〖동〗 [*Phoca hispada*] 물범과에 속하는 바다 짐승. 강치·물개와 비슷한데 몸길이는 1-1.4m이고 몸빛은 황갈색 바탕에 작고 둥근 암갈색 점이 있고 귓바퀴는 없으며 지느러미 모양의 뒷다리는 뒤로 뻗은 채 앞으로 굽히지 못하며 앞다리에는 발톱이 있음. 몸에는 솜털이 없고 억센 털이 나 있음. 헤엄을 잘 치며 물고기·게·조개 등을 포식하고, 한 수컷이 여러 암컷을 거느림. 북극해·베링 해·홋카이도 연해에 번식하고 한류(寒流)를 따라 동해안에도 내려옴. 가죽은 방한용, 지방(脂肪)은 제혁(製革)·경화유(硬化油)·비누의 원료로 씀. 천연 기념물 제331호로 지정됨. 바다표범. 수표(水豹). 해표(海豹).

〈물범〉

물범-과 【一科】 [-꽈] 명 〖동〗 [Phocidae] 식육류(食肉類)의 기각아목(鰭脚亞目)에 속하는 한 과.

물-법 【物法】 [-뻡] 명 〖법〗 국제 사법(國際私法) 상의 법칙 구별설(法則區別說)에 있어서, 법의 관할 구역(管轄區域)이 달라서 법규의 저촉(抵觸) 문제가 일어났을 때, 이를 해결하기 위하여 속지적(屬地的)으로 모든 물건에 적용하게 하는 법. *인법(人法)·혼합법.

물-베개 명 수침(水枕).

물-벼 명 말리지 아니한 벼. 물기가 있는 벼.

물-벼락 명 벼락이 떨어지듯이 갑자기 세차게 쏟아지는 물. 물세례.

물벼락(을) 맞다 구 다른 사람이 갑자기 끼얹는 물을 흠뻑 맞다.

물-벼룩 명 〖동〗 [*Daphnia pulex*] 물벼룩과에 속하는 절지(節肢) 동물의 하나. 벼룩과 비슷한데 몸길이 1.2-3.5mm 내외, 각질은 보통 달걀꼴을 이루고 반투명이며 몸빛은 무색(無色)이거나 담황색 또는 담홍색을 띰. 복안(複眼)은 크고 단안(單眼)은 작음. 후복부(後腹部)에는 양쪽에 12-18개의 작은 가시가, 꼬리 발톱에는 두 개의 가시가 있음. 복부(腹部)에 있는 다섯 쌍의 엽상지(葉狀肢)로 뛰듯이 헤엄쳐 다님. 흑갈색의 알을 여름에 30개, 겨울에는 두 개 가량 낳음. 유기물이 많은 담수(淡水)에 사는데, 물고기의 먹이로 적당하며 금붕어를 기르기 위하여, 인공(人工) 배양도 함. 세계 각지에 널리 분포함.

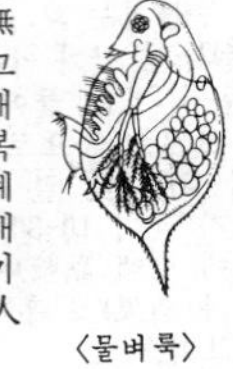

〈물벼룩〉

물벼룩-과 【一科】 명 〖동〗 [Daphniidae] 새각류(鰓脚類)에 속하는 한 과. 물벼룩·바늘물벼룩 등이 이에 속함.

물-별 명 〖식〗 [*Elatine orientalis*] 물별과에 속하는 일년생의 포복초(匍匐草). 줄기는 길이 3-10cm, 잎은 대생(對生) 단병(短柄)이고, 긴 타원상 피침형을 이룸. 8-9월에 담홍색의 꽃이 액출(腋出)하여 피고, 삭과(蒴果)를 맺음. 무논이나 습지에 나는데, 부산(釜山) 등지에 분포함.

〈물별〉

물별-과 【一科】 [-꽈] 명 〖식〗 [Elatinaceae] 쌍자엽 식물에 속하는 한 과.

물-별이끼 명 〖식〗 [*Callitriche fallax*] 별이낏과에 속하는 다년생의 수초(水草). 뿌리는 실 모양이고 줄기는 연약하며, 길이 10-20cm이고 하부는 물 속에 잠기나 잎은 대생하여 수면에 뜨고 선형(線形) 또는 긴 타원형임. 7-8월에 백색의 꽃이 자웅 동주(雌雄同株)로 같은 잎 사이에 접착(接着)하여 피고, 과실은 삭과(蒴果)임. 민물이나 연못에 나는데, 함남의 부전(赴戰) 고원에 분포함.

물-병 【一甁】 [-뼝] 명 ①물 넣는 병. ②〖불교〗 물을 담아서 부처님 앞에 올리는 병. 관정(灌頂)할 때에 그 물을 계(戒)받는 사람의 머리에 부어 줌.

물병-자리 【一甁一】 [-뼝-] 명 〔라 Aquarius〕 〖천〗 황도(黃道) 상의

제 12 성좌. 염소자리의 동쪽, 물고기자리의 서쪽에 있음. 10월 하순 저녁에 남중(南中)함. 약자 : Agr.

물보【物譜】명〖책〗성호(星湖) 이익(李瀷)의 종손(從孫)인 이가환(李嘉煥)과 그의 아들 이재위(李載威)가 엮은 어휘집. 상하(上下) 양편에 8부 49목으로 갈라, 물명(物名)을 한글로 기록하였음. 연대 미상.

물-보낌 명 여러 사람을 모조리 매질함. ——-하다 타여불

물-보라 명 물결이 바위 등에 부딪쳐 안개 모양으로 흩어지는 잔 물방울.

물보라(가) 치다 구 물결이 일어 물보라가 생기다.

물-보험【物保險】명〖경〗물적 보험(物的保險). ↔인보험.

물-복송 명〈방〉〖식〗수밀도(水蜜桃).

물-볼기 명〖역〗여자에게 태형(笞刑)을 주거나 곤장(棍杖)을 칠 때, 속옷에 물을 끼얹어 착 달라붙게 한 다음에 매질하던 일.

물볼기(를) 치다 구 물볼기를 때리다.

물-봉선화【一鳳仙花】명〖식〗[*Impatiens textori*] 봉선화과에 속하는 일년초. 줄기는 다즙질(多汁質)이고 홍색을 띠며 높이 60 cm 가량임. 잎은 호생하고, 유병(有柄)이며, 마름모형 달걀꼴 또는 넓은 피침형임. 8-9월에 홍자색의 꽃이 방상(房狀) 화서로 줄기 끝과 가지 끝에 정생(頂生)하여 피고, 삭과(蒴果)를 맺음. 산이나 들의 습지에 나는데, 한국 각지에 분포함. 물봉숭아.

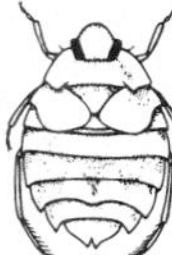
〈물봉선화〉

물-봉숭아 명〖식〗물봉선화.

물-부리 [一뿌一] 명 ①↗담배물부리. ②↗궐련물부리. 연취(煙嘴).

물-분【一粉】명 액체(液體)로 된 분. 수백분(水白粉). 수분(水粉). ↔가루분.

물-불 명 물과 불.

물불을 가리지 않다 구 물에 빠지고 불에 타는 고통도 마다 아니 하고, 희생적으로 일에 헌신하다.

물불을 헤:아리지 않다 구 물불을 가리지 않다.

물불-산【勿弗山】명〖지〗대구 광역시 달성군(達城郡)에 있는 산. 팔공 산맥(八公山脈) 중에 솟아 있는 고산의 하나임. [750 m]

물-비누 명 액체로 된 비누. 올리브유·야자유 등으로 만든 가루 비누에 설탕액·탄산 칼륨·글리세롤·알코올 등을 가한 것.

물-비린내 명 물에서 나는 비릿한 냄새.

물비 소:시【勿祕昭示】명〖민〗'숨김 없이 밝히어 보라'는 뜻으로, 점쟁이가 외는 주문(呪文)의 맨 끝에 부르는 말.

물-빈대 명〖충〗[*Aphelochirus vittatus*] 물빈댓과에 속하는 곤충. 물둥구리와 비슷한데 몸길이 6-10 mm 이고, 몸은 원반상(圓盤狀)이며 납작하고, 암황색에 암갈색 반문(斑紋)이 있으며, 전흉배(前胸背)와 각 복절(腹節)의 후연(後緣)은 뾰족한 돌기(突起)를 이룸. 날개는 퇴화(退化)하여 흔적만 있고, 앞다리의 부절(跗節)은 두 마디임. 계류(溪流)에 서식하며 다른 작은 동물을 포식함. 한국·일본에 분포함. *물둥구리.

〈물빈대〉

물빈댓-과【一科】명〖충〗[Aphelochiridae] 매미목(目)에 속하는 한 과. 보통 물둥구리과(科)에 포함시켜 아과(亞科)로 취급하나, 날개가 퇴화하여 짧고 앞다리의 부절(跗節)이 두 절이며, 복면(腹面)에 털이 없는 것으로 구별함. *물둥구릿과.

물-빛¹ [一삗] 명 물과 같은 빛깔. 곧, 엷은 남빛. 수색(水色).

물-빛² [一삗] 명 물감의 빛깔. ¶ ~이 곱구나.

물빛-긴꼬리부전나비 [一삗一] 명〖충〗[*Antigius attilia*] 부전나빗과에 속하는 곤충. 편 날개의 길이는 30 mm 내외이고, 날개는 암갈색에 하얀 연모(緣毛)가 있으며, 뒷날개 외연(外緣)에는 가는 백색 띠가 있고, 그 안쪽에는 백색 무늬가 있음. 미상 돌기(尾狀突起)는 검고 그 말단은 백색이며, 날개 뒷면은 청백색에 암갈색의 조문(條紋)이 있음. 한국에도 분포함.

물-빨래 명 물로 빠는 빨래. *드라이 클리닝. ——-하다 타여불

물-빼다¹ 타 괸 물을 흐르게 하다.

물-빼다² 타 옷감 같은 데에 물든 것을 빨아 빛을 없애다.

물-뽕 명 비를 맞아 젖은 뽕잎.

물-뿌리 명 수근(水根)❷.

물-뿌리개 명〈방〉물부리(강원).

물-뿜이 명 ①물을 담아서 안개처럼 뿜어 내는 그릇. 빨래를 축일 때 씀. ②입으로 물을 머금어 뿜는 일.

물쁘리 명〈방〉물부리(경남).

물-쏫 명〈옛〉갚을 것. ¶ 즐음 갑세 물쏫 마몰라 혜여 덜은 밧긔(除了牙稅繳計外)《老乞 上 13》.

물-사마구 명〈방〉사마귀❶(경북).

물-사마귀 명〈방〉사마귀❶(경기).

물-사슴 명〖동〗[*Cervus unicolor*] 사슴과에 속하는 동물. 큰 것은 어깨 높이 1.5 m, 몸무게 270 kg, 뿔의 길이 1.2 m에 달함. 뿔은 길지만 가지가 적음. 털은 억세며, 수컷은 짧은 갈기가 있음. 귀는 크고 넓적하며, 꼬리는 굵고 꽤 길. 몸빛은 한결같이 어두운 갈색이며, 배와 다리의 안쪽은 황갈색임. 숲에서 단독 또는 몇 마리씩 작은 무리를 지어 사는데, 낮에는 잠을 자고, 아침·저녁과 밤에 풀밭으로 나가, 풀싹·나뭇잎 따위를 먹음. 인도·스리랑카·미얀마·타이·중국 남부·인도네시아·필리핀·대만 등지에 널리 분포함. 수록(水鹿).

물산【物產】[一싼] 명 그 지방에서 생산되는 물품.

물산 장:려 운:동【物產奬勵運動】[一싼一녀一] 명〖역〗조선 물산 장려 운동.

물-살 [一쌀] 명 물이 흐르는 힘. ¶ ~이 세다.

물살이-곤충【一昆蟲】명〖충〗'수생 곤충(水生昆蟲)'의 풀어 쓴 이름.

물상¹【物象】[一쌍] 명 ①생명이 없는 물건의 현상. ②물리학(物理學)·화학(化學)·광물학(鑛物學) 등의 총칭. 생물학(生物學)을 포함시키기도 함.

물상²【物像】[一쌍] 명 눈에 보이는 물체의 생김새나 모양.

물상 객주【物商客主】[一쌍一] 명 장사치를 집에 치르거나, 그들의 물품을 소개하거나 또는 흥정을 붙이는 영업. 또, 그 사람.

물상-과【物象科】[一쌍꽈] 명〖교〗물상에 관한 교과.

물상 담보【物上擔保】[一쌍一] 명〖법〗물적 담보(物的擔保).

물상 대:위【物上代位】[一쌍一] 명〖법〗담보 물권의 효력이 목적물의 법률적·사실적 변형에 따라 변형한 물건 위에 미치는 일. 곧, 담보물이 멸실(滅失)·훼손(毁損)되었을 경우 그에 기인하는 대상·대물(代物)의 청구권이 있을 때에 담보권자가 그 권리에 대하여 자기의 담보권을 보전하는 일.

물상 보증인【物上保證人】[一쌍一] 명〖법〗남의 채무(債務)의 담보(擔保)로서 자기의 소유물 위에 질권(質權) 또는 저당권(抵當權)을 설정하여 부담하는 사람.

물상 청구권【物上請求權】[一쌍一꿘] 명〖법〗물권(物權) 내용의 실현이 방해되었을 때, 물권자가 방해의 원인이 되는 자에 대하여 방해를 그만두고 물권 내용의 완전 실현에 협력하도록 청구하는 권리. 물권적 청구권.

물-새 [一쌔] 명 ①물에서 살거나 물과 밀접한 관계가 있는 새의 총칭. 수금(水禽). 수조(水鳥). ②↗물총새.

물-새비 [一쌔一] 명〈방〉〖동〗생이¹.

물-새우 [一쌔一] 명〈방〉〖동〗①생이¹. ②새우.

물색¹【物色】[一쌕] 명 ①물건의 빛깔. ②생김새나 복색에 의하여 사람을 찾아 봄. ③어떠한 표준하에 쓸 만한 사람이나 또는 물건을 찾아 고름. ¶ 후임을 ~하다. ④일의 까닭이나 형편. ¶ 허소저는 ~도 모르고 김생의 여관으로만 가거니 하고…《作者未詳 : 恨月》. ——-하다 타여불

물색²【物色】[一쌕] 명〈이두〉물건. 물품.

물색-없다 [一쌕업一] 형 언행(言行)이 조리에 닿지 아니하다. ¶ 주형은 신부에게 한마디 던져주고 물색없는 인사가 되었다고 생각하며…《洪性裕 : 사랑과 죽음의 세월》.

물색-없이 [一쌕업씨] 부 물색 없게. ¶ ~ 잘난 체한다.

물샐틈-없다 [一업一] 형 ①꼭 막히어 빈틈이 조금도 없다. ②아주 엄중히 경비되어 있다. ¶ 물샐틈없는 경계망. ③마음을 쓰고 주의를 단단히 하여 조금도 실수할 우려가 없다.

물샐틈-없이 [一업씨] 부 물샐틈없게.

물선【物膳】[一썬] 명 ①음식을 만드는 재료. ②선물(膳物).

물선 생리계【物膳生梨契】[一썬一니一] 명〖역〗왕족(王族)의 생일(生日)에 식료(食料)와 배를 공물(貢物)로 바치던 계.

물선 진:상【物膳進上】[一썬一] 명〖역〗조선 시대에 수랏상에 올릴 음식 재료를 진상하는 일. 삭망(朔望) 진상·별선(別膳) 진상·일차(日次) 진상·도계(到界) 진상·과체(瓜遞) 진상 등이 있음. *방물(放物) 진상.

물성【物性】[一썽] 명 ①물건의 성질. ②〖철〗자아성(自我性)에 대하여, 물건의 보편적인 성질.

물성-론【物性論】[一썽논] 명〖물〗물성 물리학의 딴 이름. 특히, 물성 물리학 중에서 이론적인 부분을 일컫는 말.

물성 물리학【物性物理學】[一썽一] 명 [condensed matter physics]〖물〗물질의 거시적(巨視的)인 성질을 원자론적(原子論的)인 관점에서 연구하는 물리학의 한 부문. 좁은 뜻으로는 고체 물리학과 같은 뜻이며, 넓은 뜻으로는 고체 물리학·물리 화학 등을 포함하며, 금속·비금속의 결정(結晶), 액체·기체 등의 여러 가지 상태에 있는 물질의 구조와 그 역학적(力學的)·열적(熱的)·전기적(電氣的)·자기적(磁氣的)·광학적(光學的) 성질을 실험적·이론적으로 연구하는 등 많은 분야가 있음. 이론적으로는 양자 역학(量子力學)과 통계 역학을 그 기초로 함. 전에는 '물성론(物性論)'이라고 하였으나 그 내용이 풍부해짐에 따라 물성 물리학이라 불리게 되었음.

물-세¹【一稅】[一쎄] 명 관개 용수(灌漑用水)의 요금이나 수도 요금.

물-세²【物稅】[一쎄] 명〖법〗재화(財貨)의 존재(存在)·취득(取得)에 관하여 과하는 조세(租稅). 곧, 물건을 과세(課稅)의 대상으로 하는 조세. 지조(地租)·물품세(物品稅)·고정 자산세(固定資產稅) 또는 소비세(消費稅) 등이 이에 속함. 객체세. 대물세(對物稅). ↔인세(人稅). *객관세.

물-세례【一洗禮】명 ①〖기독교〗기독교의 신자가 세례를 받는 의식(儀式)의 하나. 물로써 원죄(原罪)를 깨끗이 씻고, 새로운 생명으로 태어남을 상징함. 세례(洗禮). ↔불세례. ②물벼락.

물-소 [一쏘] 명〖동〗①솟과(科)에 속하는 수서생(水棲生)의 짐승의 총칭. 대개 물 속을 즐기며, 산지(產地)에 따라 인도종·아프리카종이 있음. 수우(水牛). *들소. ②[*Bubalus buffelus*] 솟과에 속하는 짐승의 하나. 인도산(印度產)으로서 어깨 높이 1.3 m, 몸길이 2 m, 몸무게 400-700 kg 임. 보통 소와 비슷한데, 체모(體毛)는 회색 또는 회흑색이고 드물게 백색의 것도 있음. 피부는 두껍고 잔 털이 거칠게 남. 뿔은 반원상으로 휘었고 흑색이며 길이 1 m 가량임. 머리는 길고 이마의 가운데가 몹시 돌출하고 귀는 짧음. 체질은 강건하고 내열(耐熱)과 병(病)에 대한 저항성이 강하여 수전(水田) 지대의 가축으로 운반용·유용(乳用)·경작용(耕作用)으로 사육하기도 함. 고기 맛은 없고 유즙(乳汁)은 버터를 만들며, 뿔과 가죽도 이용함. 인도·미얀마·타이·필리핀·동인도 제도·중국·대만 등지에 분포함.

〈물소❷〉

물-소리 [一쏘一] 명 물이 떨어지거나 흐르거나 흔들리거나 또는 물에 무엇이 떨어지거나 하여 나는 소리.

물-속 [一쏙] 명 물 가운데 또는 속. 수중(水中).

물속-줄기 [一쏙一] 명〖식〗수생 식물의 물 속에 잠긴 줄기. 물 속에서 양분을 섭취하여 뿌리와 같은 구실을 함. 수중경(水中莖).

물-손[1] [-쏜] 명 무슨 반죽이나 밥·떡 등의 질고 된 정도.
물-손[2] [-쏜] 명 물이 묻은 손.
물손-받다 [-쏜-] 자 발곡식이나 푸성귀 따위가 물의 해를 받다.
물-송편 명 ①반죽한 떡가루를 꽉꽉 주물러 끓는 물에 삶아 내서 곧 찬물에 담갔다가 건져 낸 떡. 수송병(水松餠). ②꿀소를 넣고 송편같이 빚어서 녹말을 묻혀 삶아 낸 떡.
물-수건 【-手巾】 [-쑤-] 명 ①물 묻은 수건의 총칭. ②음식점·다방 같은 곳에서 간단히 손을 닦도록 내놓는 소독한 젖은 수건.
물-수란 【-水卵】 명 끓는 물에 달걀을 그냥 깨 넣어서 반쯤 익힌 음식. └담수란(淡水卵).
물-수랄 명 ☞물수란.
물-수레 명 ①길에 먼지가 나지 않게 물을 뿌리는 수레. 살수차(撒水車). ②음료수 또는 기타의 물을 싣고 다니는 수레.
물-수리 [-쑤-] 명 〖조〗 [*Pandion haliaëtus*] 물수릿과에 속하는 새. 날개 길이 수컷은 45-47 cm, 암컷은 45-53 cm, 꽁지 19-24 cm이고, 부리는 길고 갈고리 모양이며 발가락이 크고 날카로움. 바깥쪽 발가락은 마음대로 뒤로 움직일 수 있으며, 발바닥에는 까칠까칠한 살이 있어 물고기를 잡기에 편리함. 머리와 복부는 희고, 등은 암갈색을 이루며, 가슴에는 갈색 반점(斑點)이 있고, 부리는 흑색, 홍채(虹彩)는 황색임. 바위나 나무 위에 나뭇가지와 풀로 집을 지어 3-6월에 세 개의 알을 낳음. 강·호수·바다 등지에서 물고기를 잡아 먹으며 양어장(養魚場)의 해조(害鳥)임. 남방의 텃새로, 일본·한국 및 세계 각지에 분포함. 불파(沸波). 수악(水鶚). 어응(魚鷹). 왕저(王雎). 저구(雎鳩). 조계(鵰鷄). 하굴조(下窟鳥). 징경이.

〈물수리〉

물수릿-과 【-科】 [-쑤-] 명 〖조〗 [Pandionidae] 매목(目)에 속하는 과. 전세계에 물수리 한 종만이 분포함.
물-수배기 [-쑤-] 명 〖어〗 [*Psychrolutes paradoxus*] 물수배깃과에 속하는 바닷물고기. 체형이 작은 물고기로 머리는 크고, 꼬리 쪽으로 갈수록 급히 가늘어짐. 몸에 비늘이 없고 몸빛은 적흑갈색, 배 쪽은 백색인데 등 쪽에 아주 작은 암갈색 점이 산재하고, 다른 부분에는 불규칙하고 폭이 넓은 암갈색의 가로띠가 석 줄 있음. 한국 북부의 청진 및 알래스카에서 북미 워싱턴 주 연해에까지 분포함.
물수배깃-과 【-科】 [-쑤-] 명 〖어〗 [Psychrolutidae] 둑중개목(目)에 속하는 어류의 한 과. 물수배기가 이에 속함.
물-수세미 [-쑤-] 명 〖식〗 [*Myriophyllum verticillatum*] 개미탑과에 속하는 다년생의 수초(水草). 줄기는 가늘고 길이 50 cm 내외, 무병(無柄)의 잎은 줄기 마디에 서너 개가 윤생하고, 우상(羽狀)으로 가늘게 갈라지는데 열편(裂片)은 실 모양이며, 물 위에 있는 것은 물속의 것에 비하여 폭이 좀 더 넓고, 백색을 띤 녹색임. 8월에 담황색의 꽃이 양성(兩性) 또는 단성(單性)으로 수면 위에 나온 꽃대기 잎 사이에 달리어 피며, 과실은 다소 사각형임. 겨울에는 물 속에 잠기고 번식아(繁殖芽)가 나옴. 연못에 나는데 경기·황해·평북 등지에 분포함.

〈물수세미〉

물수제비-뜨다 자 둥글고 납작한 돌로 물 위를 가로 쳐서 담방담방 뛰어 가게 팔매치다. 준수제비뜨다.
물-숨 [-쑴] 명 떨어지거나 내뿜는 물의 세력. ¶ ∼이 세다.
물시 【勿施】 [-씨] 명 ①실시하려던 일을 그만둠. ¶ 은행에서 나오는 길로 철식의 집을 찾아가 지점장 임명이 ∼된 말을 전하였더라≪沈天風 : 兄弟≫. ②해 온 일을 무효로 함. ¶ 한치형이 건백하여 세운 법은 일일이 모두 다 깎아 버리고 ∼하게 했다≪朴鍾和 : 錦衫의 피≫. ——하다 타 여불
물-시계 【-時計】 [-씨-] 명 ①고대 시계의 하나. 좁은 구멍을 통하여 물을 일정한 속도로 그릇에 따라서, 괴는 물의 분량이나 또는 따라서 줄어든 그 물의 분량을 재어 시간을 알 수 있도록 한 장치. 양식이나 구조가 여러 가지임. 기원 전 200년경 이집트에서 처음으로 사용되고, 17세기까지는 유럽 전역에서 썼으며, 중국에서는 황제(黃帝)가 만들었다 하나 믿기 어려움. 수시계(水時計). *모래 시계·불시계. ②〈속〉 상수도(上水道)의 계량기.
물-시중 [-씨-] 명 물심부름. ¶ ∼을 들다. ——하다 자 여불
물신 【物神】 [-씬] 명 주력(呪力)을 가졌다고 생각되어 숭배의 대상이 되는 물체. 특히 마르크스(Marx)의 용어로서의 페티시(fetish)를 가리킴. 우상(偶像).
물-신선 【-神仙】 [-씬-] 명 좋은 말 궂은 말을 들어도 좀처럼 기뻐할 줄이나 성낼 줄을 모르는 사람을 비유하여 이르는 말. ¶ ∼ 같다.
물신 숭배 【物神崇拜】 [-씬-] 명 (fetishism) ①〖종〗 인공물(人工物)이나 간단히 가공(加工)한 자연물에 대한 숭배의 총칭. 동식물의 일부나 금석류(金石類)·주부(呪符)·주구(呪具)·우상 등을 제사 배례(祭祀拜禮)의 대상(對象)으로 삼거나 주술적(呪術的)으로 사용하는 일. 원시적 종교의 공통적인 현상임. 주물(呪物) 숭배. ②〖경〗 자본주의 사회에서 상품 생산자 사이의 관계가 상품과 상품의 관계에 의해서 나타나기 때문에, 상품이나 화폐를 신비적인 힘을 가지고 있는 것으로서 숭배, 인간이 물질에 지배받는 현상(現象). 마르크스가 ≪자본론≫에서 지적하였음. ③성적 도착(性的倒錯)의 하나. 이성(異性)의 몸의 일부나, 또 이성이 입던 의복 따위를 보고 이상한 집착을 느끼어, 그것으로써 성적 만족을 얻으려는 일. 1)-3): 페티시즘.
물-실크 (silk) 명 물빨래를 할 수 있는 견직물, 곧 인조견(人造絹).
물실 호:기 【勿失好機】 [-씰-] 명 좋은 기회를 놓치지 않음. ——하다 자 여불
물-심 【物心】 [-씸] 명 물질과 정신. ¶ ∼ 양면으로 돕다.
물-심부름 [-씸-] 명 세수물이나 숭늉을 떠 오는 잔심부름. 물시중. ——하다 자 여불 「∼으로 후원하다.
물심 양:면 【物心兩面】 [-씸냥-] 명 물적(物的)·심적(心的)의 양면. ¶
물심 일여 【物心一如】 [-씸-] 명 물체와 마음이 구분 없이 하나의 근본으로 통합됨.
물심 평행론 【物心平行論】 [-씸-논] 명 〖철〗 몸과 마음 또는 물질과 정신은 각각 독립한 것이므로 그 사이에 상호 작용(相互作用)을 인정할 수 없고, 둘이 평행하며 대응한다고 하는 설. 스피노자의 철학은 그 대표적인 것임. 심신 평행론(心身平行論). 평행론(平行論).
물-싸리 명 〖식〗 [*Dasyphora fruticosa*] 장미과에 속하는 낙엽 활엽 관목. 줄기 높이 1 m 가량이고, 잎은 날개 모양으로 복생(複生)하는데 작은 잎은 긴 타원형이며, 톱니가 없음. 봄·여름에 황색의 꽃이 원추(圓錐) 화서로 피고 과실은 수과(瘦果)이며, 가을에 익음. 높은 산의 습지에 나는데, 한국의 평북·함남북과 일본·중국·만주·시베리아·유럽·북미 등지에 분포함. 관상용임. 금랍매(金蠟梅).

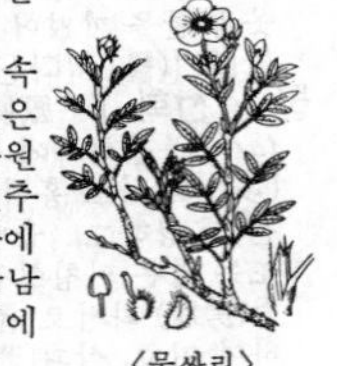
〈물싸리〉

물-싸움 명 ①논에서나 수도·우물가에서 물 때문에 일어나는 다툼질. ②↗물똥 싸움. ——하다 자 여불
물-싹 명 〈방〉 물감(함경).
물-써다 자 조수(潮水)가 물러나가다. ↔물밀다.
【물썬 때는 나비잠 자다 물 들어야 조개 잡듯】 게으른 사람이 때를 놓치고 뒤늦게 나대는 어리석음을 이르는 말.
물-썩세리 명 〈방〉 진펄(평안).
물썽-하다 형 여불 체질이나 성질이 물러서 보기에 만만하다.
물-쑥 명 〖식〗 [*Artemisia selengensis*] 국화과에 속하는 다년초(多年草). 줄기 높이 1.2 m 가량인데 잎은 호생하고, 대개 세 갈래 혹은 깃 모양으로 깊게 갈라지는데 갈라지지 아니한 것도 있으며, 열편(裂片)은 피침형 또는 선형(線形)에 가장자리는 날카롭게 톱니가 있고, 위쪽은 녹색이나 아래쪽은 흰 솜털이 밀포함. 8-9월에 갈색의 많은 꽃이 두상(頭狀) 화서로 핌. 들의 습지(濕地)에 나는데, 충남·강원·경기·평북·함북 등지에 분포함. 이른봄에 근경(根莖)을 식용함. 누호(蔞蒿).
물쑥 나물 명 이른봄에 나온 물쑥의 근경(根莖)이나 연한 줄기를 데쳐서 무친 나물. 묵이나 청포 나물에 섞어 무침. 누호채(蔞蒿菜).
물쑥-차 【-茶】 명 물쑥의 순으로 달인 차. 누호다(蔞蒿茶).
물-쓰듯 부 돈이나 물건을 마구 헤프게 쓰는 모양. ——하다 타 여불
물-씨 명 '색소(色素)'의 풀어 쓴 이름.
물씬 부 ①짙은 냄새를 확 풍기는 모양. ②푹 익어서 물렁물렁하게 무른 모양. >몰씬.
물씬-거리다 자 ①푹 익은 물건이 물기가 있게 무르고 건드리는 대로 자꾸 쭈그러지다. >말씬거리다·몰씬거리다. ②짙은 냄새가 연달아 풍기다. >몰씬거리다. 물씬-물씬 부. ——하다 형 여불
물씬-대다 자 물씬거리다.
물씬-하다 형 여불 ①푹 익은 물건이 물렁물렁하게 무르다. >말씬하다·몰씬하다. ②냄새가 풍기는 것이 심하다. >몰씬하다. 물씬-히 부
물-아 【物我】 명 〖철〗 ①외물(外物)과 자아(自我). 객관(客觀)과 주관(主觀). ②물질계(物質界)와 정신계(精神界).
물-아궁이 명 〈방〉 ①물독. ②물꼬.
물-아래 명 물이 흘러 내려가는 아래쪽 땅. ↔물위❷.
물-아범 명 물을 긷는 남자 하인.
물아시-현 【勿兒視峴】 명 〖지〗 평안 남도 성천군(成川郡)과 강동군(江東郡) 사이에 있는 고개. [155 m]
물아 일체 【物我一體】 명 〖철〗 외물(外物)과 자아(自我) 또는 객관(客觀)과 주관(主觀)이 혼융 일체(渾融一體)가 됨.
물-안경 【-眼鏡】 명 수중 안경(水中眼鏡).
물-알[1] 명 아직 여물지 아니하여 물기 많고 말랑한 곡식 알.
물알(이) 들다 구 햇곡식에 겨우 물알이 생기다.
물-알[2] 명 〖건〗 ①경사(傾斜)를 바로잡는 수준기(水準器) 속의 물방울. └②물밑❷.
물-애기 명 〈방〉 젖먹이.
물-앵도 【-櫻桃】 명 물앵두.
물-앵두 명 물앵두나무의 열매.
물-앵두나무 명 〖식〗 [*Lonicera ruprechtiana*] 인동과(忍冬科)에 속하는 낙엽 활엽 관목(闊葉灌木). 줄기 속은 갈색이고 가운데가 비었으며, 잎은 타원형 또는 대란상(帶卵狀) 피침형이고 톱니가 없음. 여름에 흰 꽃이 쌍으로 액생(腋生)하고, 장과(漿果)는 가을에 황홍색으로 익음. 깊은 산골짜기에 나는데, 평남·함남북 및 만주 등지에 분포함.
물-약 【-藥】 [-략] 명 ①액체로 된 약의 총칭. 내용(內用)·외용(外用) 및 주사용(注射用)으로 씀. 수약(水藥). 액제(液劑). ↔가루약·알약. ②〖광〗 몸약. 「하다 형 여불
물약 자효 【勿藥自效】 명 약을 쓰지 아니하고도 저절로 병이 나음. ——
물-양지꽃 【-陽地-】 [-량-] 명 〖식〗 [*Potentilla cryptotaeniae*] 장미과에 속하는 다년초. 양지꽃과 비슷한데, 높이 50-100 cm이고, 잎은 호생하며 유병(有柄)으로 삼출(三出)하고, 소엽(小葉)은 타원형, 탁엽(托葉)은 피침형임. 7-8월에 황색 오판화(五瓣花)가 취산(聚繖) 화서로 정생하고, 과실은 수과(瘦果)임. 산이나 들에 나는데, 한국·중국 북부·아무르·우수리 등지에 분포함. 어린 잎은 식용함.
물어-내다 타 ①집안 말을 밖에 퍼뜨리다. ②물건을 몰래 집어 내다. ③물건이나 돈을 물어 주어 내놓다. 변상하다.

물어-내리다 타 웃어른에게 물어서 명령이나 지시를 받다.
물어-넣다 [—너타] 타 모자라거나 써 버린 돈 같은 것을 갚아 넣다.
물어-들이다 자타 ①둥우리나 굴 속 같은 곳으로 짐승이 먹을 것 따위를 물어서 가져오다. ②다른 곳에서 필요한 사람이나 물건을 구해 오다.
물어-떼다 타 이나 부리로 물어서 떨어지게 하다. ¶ 한입 ~.
물어-뜯다 타 이나 부리로 물어서 뜯다. 준무뜯다.
물어-물어 부 이 사람에게 묻고 또 저 사람에게도 물어. 자꾸 물어서 간신히 알아내는 모양.
물-어미 명 물을 맡아 긷는 여자 하인.
물어-박지르다 타르불 짐승이 달려들어 물고 뜯고 차면서 해내다.
물어-주다 타 남의 물건에 입힌 손해에 대하여, 그만한 물건이나 돈으로 갚아 주다.
물-억새 명 〖식〗 [*Miscanthus sacchariflorus*] 벼과에 속하는 다년초. 참억새와 비슷한데 단단한 근경(根莖)은 긴 줄기로 땅 속에 뻗어 번식하며, 곧고 속이 비어 있는 줄기가 총생하는데 높이 1-2m 가량임. 잎은 가늘고 긴 선상(線狀)을 이루는데 반들반들하고 매끄러우며 잔털이 있음. 9월에 총상(總狀) 화서로 많은 꽃이 정생(頂生)하는데, 처음에는 갈색이나 은백색으로 변함. 강가·연못가의 습지에 나는데, 거의 한국 각지 및 일본·중국 북부·우수리 등지에 분포함. 적(荻). 「말. ↔불에된바위.

〈물억새〉

물에된-바위 명 〖광〗 '수성암(水成岩)❶'의 풀어 쓴
물-여뀌 [—려—] 명 〖식〗 [*Persicaria amphibia*] 마디풀과에 속하는 다년초. 줄기 높이 30cm 이상이고 잎은 호생하며 잎꼭지가 긴데 긴 타원형을 이룸. 초상(鞘狀)의 탁엽(托葉)은 막질(膜質)의 원통상이며 길이가 3cm 가량임. 8-9월에 담홍색의 꽃이 총상(總狀) 화서로 정생(頂生)하여 피고, 수과(瘦果)를 맺음. 물 속 또는 물가에 나는데, 평북·함북 지방에 분포함.
물-여우 [—려—] 명 〖충〗 날도랫과에 속하는 곤충의 유충. 분비액으로 원통상의 고치를 만들어 그 속에 들어가, 물 위를 떠돌아다니며 작은 곤충을 잡아먹고, 여름에 우화(羽化)하여 나방이 됨. 주둥이에 한 개의 긴 뿔이 있는데, 독기(毒氣)로 사람의 그림자를 쏘면 종기(腫氣)가 생긴다고 전해 옴. 낚싯밥으로도 쓰이나, 때로는 발전소(發電所)의 도수관(導水管)의 벽(壁)에 영소(營巢)가 부착함으로써 수량을 적게 하는 해(害)를 입힘. 계귀충(溪鬼蟲). 단호(短狐). 사공(射工). 사슬(沙蝨). 사영(射影). 석잠(石蠶). 수노(水弩). 수호(水狐). 포창(抱槍). 함사(含沙).
물여우-나비 [—려—] 명 〖충〗 날도래. └*날도래.
물역 【物役】 명 집을 짓는 데 쓰는 돌·기와 등 건축 재료의 총칭. 물력
물역 가:게 【物役—】 명 물역을 파는 집. └(物力).
물역 장사 【物役—】 명 물역을 파는 장사.
물-엿 [—렫] 명 아주 묽게 곤 엿.
물-오르다 자르불 ①봄철에 나무에 물기가 오르다. ②구차하게 지내던 사람이 잘살게 되다.
[물오른 송기 때 벗기듯] 물오른 소나무의 속껍질을 벗기듯, 겉에 두르고 있는 의복이나 껍데기 따위를 홀딱 빼앗는다는 말.
물-오리 명 〖조〗 청둥오리.
물-오리나무 명 〖식〗 [*Alnus hirsuta*] 자작나뭇과에 속하는 낙엽 활엽 교목. 높이 18m 가량이고, 잎은 호생하고 장병(長柄)에 원형(圓形) 또는 넓은 달걀꼴이고 가에는 잔 톱니가 있음. 3-4월에 자웅 동주(雌雄同株)의 꽃이 피는데 암꽃은 타원형에 녹색이며, 수꽃은 자갈색에 황색 화분(花粉)이 붙은 길이 6-8cm의 수상(穗狀) 화서로 피고, 과실은 솔방울 모양이고 좁은 날개가 있음. 산에 나는데, 한국·일본·만주·시베리아 등지에 분포함. 연료(燃料)로 쓰고, 조림용(造林用)으로 심음. 산오리나무. 산적양(山赤楊).
물-오징어 명 말리지 않은 생오징어.
물-옥잠 【—玉簪】 명 〖식〗 [*Monochoria korsakowii*] 물옥잠과에 속하는 일년생의 수초(水草). 줄기 높이 30cm 가량이고, 근생엽(根生葉)은 넓은 심장형으로 짙은 녹색에 윤이 나고 반들반들함. 7-8월에 자색 또는 흰 육판화(六瓣花)가 원추(圓錐) 화서로 정생하여 피며, 둥그스름한 원뿔 모양의 과실을 맺음. 늪·못·물가에 나는데, 거의 한국 각지 및 일본·중국·우수리 등지에 분포함. 뜰에 많이 재배함. 우구화(雨久花).

〈물옥잠〉

물옥잠-과 【—玉簪科】 [—꽈] 명 〖식〗 [Pontederaceae] 단자엽 식물(單子葉植物)에 속하는 한 과. 물에서 자라는 다년초인데, 열대와 온대에 6속 24종, 한국에는 물옥잠·물달개비의 두 종이 분포함.
물-올림 명 〖건〗 집 짓는 데 기준(基準)이 될 수평면(水平面)을 정하는
물-외[1] 명 〖식〗 '참외'에 대하여 '오이'를 구별하여 일컫는 말. └일.
물외[2] 【物外】 명 ①세상 물정을 벗어난 바깥. ②형체 있는 물건 이외의 세계. 물질계(物質界)의 이외(以外).
물외 한인 【物外閒人】 명 세상 물정의 번잡을 피하여 한가롭게 지내는
물욕 【物慾】 명 금전·물품을 탐내는 마음. └사람.
물-웅덩이 명 물이 괴어 있는 웅덩이.
물-위 명 ①물의 겉면. 수면(水面). ↔물밑. ②물이 흘러 오는 위편. 상류(上流). ↔물아래.
물위 거:론 【勿爲擧論】 명 쳐들어 말하지 아니함. ——-하다 타여불
물위다 타 〈옛〉 뭉치다.¶ 더위 며여 죽ᄂᆞᆫ 길헷 더운 몬지 ᄒᆞᆰ을 가ᄉᆞᆷ애 물위여 노하 식거든 ᄆᆞ라곰ᄒᆞ야 긔운이 통커든 말라(中熱暍死取路上熱塵土 以壅其心冷後易候氣通乃止)《救簡 Ⅰ:36》.
물위-식물 【—植物】 명 〖식〗 '정수 식물(挺水植物)'의 풀어 쓴 말. ↔물속식물. 「船). 수상선(水上船).
물윗-배 명 강물에 다니는, 선체가 낮고 바닥이 평평한 배. 상류선(上流
물-유리 【—琉璃】 [—류—] 명 [water glass] 〖화〗 이산화(二酸化) 규소를 알칼리와 함께 녹여서 만든 유리 모양의 고형물(固形物). 상품(商品)은 무색 투명 또는 회색의 점액(粘液)임. 접착력(粘着力)이 커서 인조석(人造石)·유리·도자기(陶瓷器)의 접합(接合), 내화(耐火) 및 내산(耐酸)의 도료(塗料) 제조 등에 쓰임. 수초자(水硝子).
물-유본말 【物有本末】 명 물건에는 근본과 끝이 있다는 뜻으로, 모든 사물에는 앞뒤, 즉 질서가 있다는 말.
물음 명 ① 묻는 일. ②묻는 말. ¶ 다음 ~에 답하라.
물음-꼴 명 〖언〗 '의문형(疑問形)'의 풀어 쓴 이름. 「이름.
물음-대이름씨 【—代—】 명 〖언〗 '의문 대명사(疑問代名詞)'의 풀어 쓴
물음-법 【—法】 [—뻡] 명 〖언〗 '의문법'의 풀어 쓴 이름.
물음-표 【—標】 명 문장에 쓰는 부호의 하나. 의심이나 물음을 나타낼 때에 그 글의 끝에 쓰는 부호. '?'표. 문표(問標). 의문부(疑問符). 의문표(疑問標). 인테로게이션 마크. 퀘스천 마크(question mark).
물의[1] 명 〈옛〉 우박. =무뤼. ¶ ᄇᆞ롬 불고 물의 만이 오니(風雹)《三綱》.
물의[2] 【物宜】 [—/—이] 명 사물이 훌륭함. 사물이 당연히 그러하여야 할 상태.
물의[3] 【物議】 [—/—이] 명 ①뭇 사람의 평판(評判). ②전(轉)하여, 논의(論議). 분쟁(紛爭). 물론(物論). 말썽. ¶ ~를 빚다 / ~를 일으키다.
물의[4] 【凡矣】 관 〈이두〉 모든.
물의다 타 〈옛〉 이기다. 다지다. ¶ 밥 물의디 말며(毋摶飯)《內訓 Ⅰ:3》.
물이[1] 【物異】 명 세사(世事)·만물(萬物)의 괴이함.
물이[2] 【退伊·退是】 명 〈이두〉 연기(延期).
물이-꾸럭 명 남의 빚이나 손해를 대신 물어 주는 일. ——-하다 타여불
물-이끼 [—리—] 명 〖식〗 [*Sphagnum cymbifolim*] 물이낏과에 속하는 선류(蘚類)의 하나. 길이 6.7-15.6cm 정도이며, 빛은 백색이나 담녹색이고 줄기는 곧게 섬. 또, 많은 아지(兒枝)가 윤생(輪生)하며, 엽록입(葉綠粒)을 가진 작은 잎과 저수 세포(貯水細胞)를 가진 큰 공중엽(空中葉)이 있어 흡수력(吸水力)이 강하고, 수분(水分)을 오래 저장함. 특별한 아지에 자웅기(雌雄器)가 있어 둥근 자낭(子囊)을 만들어 번식함. 습지(濕地)나 물 속에 흔히 있으나, 가끔 바위 위에 군생(群生)하고 종류는 400여 종이 있음. 주로 식물을 멀리 보낼 때에 그 뿌리를 감싸는 데 사용됨.

1. 전체 모양
2. 줄기잎
3. 가지잎
4. 가지잎의 횡단면
5. 포자낭이 달린 가지

〈물이끼〉

물이다 사동 〈옛〉 물리다. 갚게 하다. ¶ 물일 속(贖), 물일 비(賠)《字會 下 31》.
물이-못나게 부 부득부득 조르는 모양.
물-일 [—릴] 명 물을 쓰는 일. 부엌일·빨래 따위. 진일.
물입 【勿入】 명 '들어오지 마시오'의 뜻. ¶ 한인(閑人) ~.
물잇-구럭 명 ☞ 물이꾸럭. ——-하다 타여불
물-자[1] 명 ①물의 높이를 재는 자. ②물의 높이를 재기 위하여 강가에 세우거나 바위에 그리어 놓은 자. 양수표(量水標). 「물품(物品).
물자[2] 【物資】 [—짜] 명 경제나 생활의 바탕이 되는 물품 등 물재(物材).
물자 동:원 【物資動員】 [—짜—] 명 주로 비상시(非常時) 등에 물자에 관한 생산·배급·소비의 조절을 강구(講究)하는 일. 준물동(物動).
물자 동:원 계:획 【物資動員計劃】 [—짜—] 명 주로 전시(戰時)에, 국가가 필요로 하는 중요 물자의 수요(需要)·공급(供給)의 적정(適正)을 도모하는 물자의 보급 계획(補給計劃). 「물차.
물-자동차 【—自動車】 명 ①살수차(撒水車). ②급수용(給水用) 자동차.
물-자라 명 〖충〗 [*Diplonychus japonicus*] 물장군과에 속하는 곤충. 물장군과 비슷한데, 몸길이 18-20mm의 달걀꼴이고, 몸빛은 암황갈색에 긴 털이 밀생하여 헤엄치기에 적당함. 봄철에 암컷이 수컷의 등에 산란하면, 부화(孵化)할 때까지 많은 알을 수컷이 등에 부착해 지고 다니는 기습(奇習)이 있음. 논·못·양어장에 서식하며, 물고기·곤충 등을 포식하고 성충으로 월동함. 한국·중국·일본에 분포함. 알지게.

〈물자라〉

물-자새 [—짜—] 명 〈방〉 무자위(경남).
물-자위 명 〈방〉 무자위. 「대차(貸借).
물자 차:관 【物資借款】 [—짜—] 명 현물(現物)로 이루어지는 국제간의
물-자체 【物自體】 명 [도 Ding an sich] 〖철〗 인식 주관(認識主觀)에 나타난 현상으로서의 물(物)이 아니고, 인식 주관(認識主觀)과는 관계 없이 그것 자체로서 생각되는 물(物). 그 자신은 일체의 가능성과 경험의 피안(彼岸)에 있으면서, 현상(現象)의 참실재(實在)라고 생각되는 것. 칸트(Kant)에 의하면, 이것이 우리의 감관(感官)을 촉발(觸發)시킴으로써 표상(表象)이 생기는 것이지만, 그 자체(自體)가 어떠한 것인지는 알 수 없다고 함. ↔현상계.
물자체-계 【物自體界】 명 〖철〗 물자체의 세계.
물-잠자리 명 〖충〗 ①물잠자릿과에 속하는 곤충의 총칭. ②[*Calopteryx virgo*] 물잠자릿과에 속하는 곤충의 하나. 복부의 길이 45mm, 뒷날개 37-40mm이고, 몸빛은 금록색(金綠色)인데 수컷의 날개는 흑색에 자색이 있고, 암컷의 앞날개는 담갈색, 뒷날개는 농갈색임. 한 쌍의 촉각이 있고 암컷에만 백색의 날개 연문(緣紋)이 있음. 봄·여름철에 연못·도랑·산골 물 속에 들어가 돌·나무 등에 산란

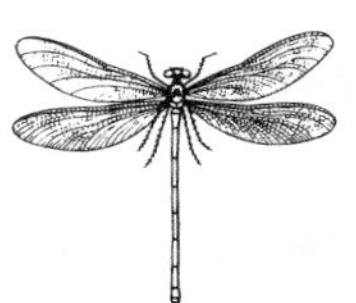
〈물잠자리❷〉

함. 한국·일본에 분포함. 파랑물잠자리. ③↗담색물잠자리.
물잠자릿-과【一科】 명 〖충〗 [Agriidae] 잠자리목(目)에 속하는 한 과. 소형 또는 중형의 잠자리로 시맥(翅脈)과 소실(小室)이 많으며, 날개 기부(基部)는 가늘지만 자루 모양으로 되지 않았음. 얕은 냇가·물가·개천물 위에 사는데, 특히 열대 지방에 많이 분포함. 물잠자리·담색물잠자리 등이 이에 속함.
물-잡다 자 논에 처음으로 물을 대어 두다.
물-잡히다 자 살갗에 물집이 생기다.
물-장구 명 ①물이 든 동이에 바가지를 엎어 놓고 장단 맞추어 두드리는 일. 수고(水鼓). 수부(水缶). ②헤엄칠 때 발로 물위를 연해 치는 일.
물장구(를) 치다 구 ㉠물이 든 동이에 바가지를 엎어 놓고 장단 맞춰 두드리다. ㉡물 위에 엎드려 발로 물위를 연해 치다.
물장구-질 명 헤엄칠 때에 발등으로 물을 치는 짓.
물-장군【一將軍】 명 〖충〗 [*Kirkaldyia deyrollei*] 물장군과에 속하는 곤충. 수서(水棲) 곤충 중에서 최대형(最大形)으로 몸길이 65 mm 가량이고, 물자라와 비슷하여 몸은 납작하고 긴 타원형임. 몸빛은 암회색·갈색인데, 개체에 따라 농담(濃淡)의 차(差)가 있음. 전흉배(前胸背) 후연에 횡구(橫溝)가 있으며 앞날개는 혁질(革質)이고, 앞다리는 강대한 발톱이 있어 포획각(捕獲脚)이 됨. 논·연못·웅덩이 등에 살며 개구리·영원·물고기 등을 잡아 피를 빠는 육식성(肉食性)임. 양어장(養魚場)의 대해충인데, 한국·중국·대만·북부 인도에 분포함. 개아재비.

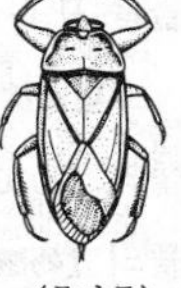
〈물장군〉

물장군-과【一將軍科】[一꽈] 명 〖충〗 [Belostomatidae] 매미목(目)에 속하는 한 과. 몸의 길이 60 mm 내외이나 90 mm에 달하는 것도 있으며, 매미목 중 최대 최강(最強)의 종류임. 보통 대갈색(帶褐色)의 피혁질(皮革質) 표피(表皮)로 되고 전지(前肢)는 보통 포획각(捕獲脚), 중후지(中後肢)는 유영지(游泳肢)임. 수서 곤충으로 육식성임. 물자라·물장군이 이에 속하며 전세계에 150여 종이 분포함.
물-장난 명 ①물을 가지고 노는 장난. 물에서 하는 장난. ②큰물이 져서 일어나는 재앙. ——-하다 자 여불 「길어다 주는 영업. ②〈속〉 술장사.
물-장사 명 ①기차 안·길거리 같은 데서 먹는, 물을 팔거나 집으로 물을
물장-성【物藏省】[一짱一] 명 〖역〗 ①태봉(泰封)의 관아 이름. 고려 때의 소부감(小府監)과 같음. ②고려 초에 공예(工藝)와 보장(寶藏)을 맡은 관아의 이름. 광종(光宗) 11년(960)에 보천성(寶泉省)으로 고쳤다가 뒤에 다시 소부감(小府監)으로 함.
물-장수 명 ①먹는 물을 팔거나 길어 주는 것으로 업을 삼는 사람. ②〈속〉 술장수.
[물장수 삼 년에 궁둥이짓만 남았다] 애써 수고한 보람이 없다는 말. [물장수 삼 년에 남은 것은 물고리뿐] 오랫동안 애쓰고 한 일에 소득은 없어 남은 것은 변변치 않다는 말. [물장수 상이다] 싹싹 다 훑어 먹어 밥상에 빈 그릇만 남았다는 말.
물장-전【物藏典】[一짱一] 명 〖역〗 신라의 관아 이름. 내성(內省)에 속하여 어용(御用) 물자의 창고 관리를 맡던 것으로 추측됨.
물재¹【物材】[一째] 명 물자(物資).
물재²【物財】[一째] 명 물품과 돈.
물-재배【一栽培】 명 [water culture] 〖농〗 각종 양분을 용해한 물 속에서 식물을 배양하는 방법. 흙을 전혀 사용하지 아니하며, 물에는 질소·인·칼륨·칼슘·마그네슘·철·황의 일곱 가지를 용해함. 식물의 영양, 비료의 연구에 이용됨. 물가꾸기. 수경법(水耕法). 수경(水耕).
물적【物的】[一쩍] 명 관 물질에 관한 모양. ¶ ～ 증거.
물적 담보【物的擔保】[一쩍一] 명 〖법〗 특정(特定)한 재산(財産)으로써 채권(債權)의 담보로 삼는 일. 유치권(留置權)·선취 특권·질권(質權)·저당권(抵當權) 등인데, 특히 질권·저당권은 가장 중요한 것임. 담보물건. 물상 담보(物上擔保). ↔인적 담보(人的擔保).
물적 동군 연합【物的同君聯合】[一쩍一년一] 명 [real union] 〖정〗 국가가 실질적으로 결합하여 동일 군주(君主)를 모시는 동군 연합. 연합 자체가 국제법 상의 인격을 가지며 외교·선전(宣戰) 등을 행함. 스웨덴과 노르웨이(1814-1905), 오스트리아와 헝가리(1723-1849, 1867-1918)가 그 예임. ↔인적(人的) 동군 연합.
물적 보:험【物的保險】[一쩍一] 명 〖법〗 물건에 관하여 발생하는 손상(損傷)·소실·도난 등을 보험 사고(保險事故)로 하는 보험. 책임 보험(責任保險)까지 포함하여, 이것을 손해 보험으로서 인적 보험(人的保險)에 대립시키는 일이 많음. 물보험(物保險). 「산하는 산업.
물적 산:업【物的產業】[一쩍一] 명 농업·광업·공업 등 여러 물건을 생
물적 상호【物的商號】[一쩍一] 명 〖법〗 상인의 성명 이외의 명칭(名稱). 특히 영업의 종류나 목적 등을 내용으로 하는 상호.
물적 생산【物的生產】[一쩍一] 명 〖경〗 농업·광업·공업 등의 여러 활동처럼 직접 물건을 만들어 내는 생산. ↔용역(用役) 생산.
물적 신:용【物的信用】[一쩍一] 명 〖법〗 신용의 기초가 어떠한 물건에 존재하는 신용. 질권(質權)·저당권(抵當權) 등은 이런 종류의 신용의 기초가 되므로, 담보 물권(擔保物權)을 설정하는 담보부 대부(擔保附貸付)와 같은 것은 물적 신용에 의하는 것임.
물적 유통 [一쩍뉴一]【物的流通】 명 [physical distribution ; PD] 〖경〗 물자를 공급자로부터 수요자에게 이동시킴으로써 시간적·장소적 가치를 낳게 하는 경제 활동. 조달(調達)·판매·반품 등으로 크게 나뉨. 준 물류(物流).
물적 유통 산:업【物的流通產業】[一쩍뉴一] 명 상품의 물적(物的)인 유통을 담당하는 운수업이나 창고업.
물적 유:한 책임【物的有限責任】[一쩍뉴一] 명 〖법〗 채무자의 재산 중 특정한 물건 또는 재산만이 채무에 충당되는 경우의 책임. 한정 승인(限定承認)을 한 상속인(相續人)의 책임이 상속 재산에 한정되거나, 위부(委付)를 한 선박 소유자의 책임이 위부한 목적물에 한정되는 경우 등. 물적 책임(物的責任). *유한 책임.
물적 증거【物的證據】[一쩍一] 명 〖법〗 재판에서, 감각적(感覺的) 실험에 의하여 증거가 되는 물리적 존재·형태. 검증물(檢證物)·문서(文書) 등이 이에 해당되는 증거 방법의 한 가지임. 증거물. 준 물증(物證). ↔인적 증거(人的證據).
물적 증명【物的證明】[一쩍一] 명 물건으로 뚜렷이 나타낸 증명.
물적 집행【物的執行】[一쩍一] 명 [도 Realexekution] 〖법〗 채무자의 재산만을 집행 대상으로 하는 강제 집행. 현대의 법제에서는 물적 집행만을 인정하는 것이 원칙임. 대물 집행(對物執行). ↔인적 집행(人的執行). 「↔인적 책임(人的責任).
물적 책임【物的責任】[一쩍一] 명 〖법〗 물적 유한 책임(物的有限責任).
물적 편성주의【物的編成主義】[一쩍一/一쩍一이] 명 〖법〗 권리자를 표준으로 하지 아니하고 부동산을 표준으로 하여, 각개의 부동산마다 한 개씩의 용지를 비치하여 등기부(登記簿)를 편성하려는 주의.
물적 항:변【物的抗辯】[一쩍一] 명 [도 dingliche Einrede] 〖법〗 누구에게서 어음상의 청구를 받아도 이것에 대항할 수 있는 어음 항변. 절대적 항변. 객관적 항변. ↔인적 항변(人的抗辯).
물적 현:상【物的現象】[一쩍一] 명 〖철〗 빛깔·음향(音響)·감촉(感觸) 등과 같은 감성적(感性的) 성질이나 공간적(空間的)·물체적인 것의 현상. ↔심적 현상(心的現象).
물적 회:사【物的會社】[一쩍一] 명 〖법〗 사원(社員)의 개성(個性)이 중요시되지 않고, 다만 금전적 관계에 있어서만 회사에 관여하는, 완전한 자본적 결합체로서의 회사. 주식 회사(株式會社)나 유한 회사가 전형적(典型的)인 것임. 자본 회사. ↔인적 회사(人的會社).
물정【物情】[一쩡] 명 ①사물의 정상(情狀). 사물의 성질. ②세상의 형편. 세상 사람의 인심이나 심정(心情). ¶ 세상 ～에 어둡다.
물-조개젓 명 조개젓에 뜨물을 쳐서 익힌 묽은 젓. 음력 정이월에 담금. 「수합해(水蛤醢).
물-종¹【一腫】[一쫑] 명 ☞ 물집.
물종²【物終】[一쫑] 명 '겨울'의 딴이름.
물종³【物種】[一쫑] 명 물건의 종류.
물-종기【一腫氣】[一쫑一] 명 수종(水腫).
물주【物主】[一쭈] 명 ①공사판이나 장사판에서 밑천을 대는 사람. ②노름판에서, 애기패를 상대로 패를 잡고 승부를 다투는 사람.
물-줄기 [一쭐一] 명 ①물이 한데 모여 개천이나 강으로 흘러가는 줄. ②좁은 구멍에서 힘있게 내뻗치는 물의 줄.
물중【物中】[一쭝] 명 물건 가운데. ¶ ～의 명물(名物)이다.
물중 지대【物衆地大】[一쭝一] 명 생산되는 물건이 많아 번화하고, 땅이 또한 넓음. ——-하다 형 여불
물-중탕【一重湯】 명 〖화〗 물이 일정한 온도를 유지하도록 장치하고, 그 온도에 의하여 물건을 건조 또는 가열하는 일. 또, 그때 쓰는 금속 솥. 워터 배스(water bath). ——-하다 타 여불
물-쥐 [一쮜] 명 ①주로 물에 서식하는 쥐. ②〖동〗 [*Chimmarogale platycephala*] 땃쥣과에 속하는 동물. 쥐와 비슷한데 몸길이는 꼬리까지 10 cm 가량이며, 몸빛은 벨벳 같은 회흑색에 하면은 백색이고, 주둥이가 몹시 길고 뾰족하며, 발가락 사이에 털이 나서 물갈퀴 대용임. 낮에 물속에서 헤엄치면서 곤충·새우·게·지렁이·작은 물고기 등을 잡아먹음. 산골짜기와 물가에 서식하는데, 한국·일본·중국 남부·미얀마 등지에 분포함. 수서(水鼠).
〈물쥐❷〉
물증【物證】[一쯩] 명 〖법〗 ↗물적 증거(物的證據).
물-지게 [一찌一] 명 물을 져 나르는 지게. 등태에 긴 막대기를 가로 대고, 그 양끝에 물통을 달게 되어 있음.
물-지게꾼 [一찌一] 명 물을 져 나르는 일꾼.
물지렁이-목【一目】 명 〖동〗 [Archioligochaeta] 지렁이강(綱)에 속하는 한 목(目). 민물에 사는 작은 지렁이 종류로서 소수의 환절(環節)이 있고 강모(剛毛)가 발달되었으며, 유성(有性) 생식과 함께 무성 생식을 행함. 원시 빈모류(原始貧毛類). *지렁이목(目).
〈물지게〉
물-지채【一芝菜】 명 〖식〗 [*Triglochin palustre*] 지채과에 속하는 다년초. 근경(根莖)은 짧고 수근(鬚根)이 있으며, 실 모양의 잎은 뿌리에서 총생(叢生)하고 반구형(半球形)을 이룸. 7-8월에 녹자색의 수상화(穗狀花)가 총상(總狀) 화서로 피고 막대 모양의 과실을 맺음. 연못·습지에 나는데, 함남·함북 등지에 분포함.
물-진드기 명 〖충〗 [*Peltodytes intermedius*] 물진드깃과에 속하는 곤충. 몸길이 3.5 mm 내외, 몸빛은 암황색 내지 황갈색에 광택이 남. 전배판(前背板) 뒤쪽의 점각(點刻) 및 각 시초(翅鞘)의 점각과 반문 및 회합선(會合線)은 검음. 시초에는 각기 열 줄씩의 큰 점각 종렬(縱列)이 있고, 머리는 작으나 복안(複眼)이 크며 촉각은 실 모양에 양쪽 수염이 길고, 뒷발의 기절(基節)이 커서 헤엄치기에 적당함. 작은 곤충을 잡아먹고 연못·도랑 등에 서식하는데, 한국·중국·일본 등지에 분포함. 물진디.

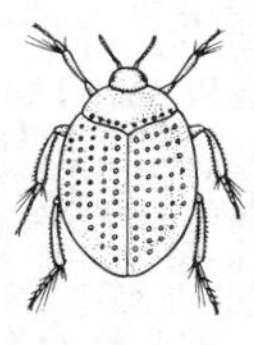
〈물진드기〉

물진드깃-과【一科】 명 〖충〗 [Haliplidae] 딱정벌레목(目)에 속하는 한 과. 소형의 수서(水棲) 곤충으로 촉각은 10절이고 실 모양이며 복부는 6절임. 몸빛은 대체로 광택이 나고 반점이 있는 대황갈색이며,

육식성(肉食性)임. 전세계에 100여 종이 분포함.
물-진디 [명]〖충〗물진드기.
물-질[1] [명] 해녀(海女)가 바다 속에 들어가 해산물을 채취하는 일. ——-하다 [자][여불]
물질[2]【物質】[—찔] [명] ①물체(物體)를 이루는 실질(實質). 물건의 형질(形質) 또는 본바탕. 그 모양의 대소에 상관없이 이루어진 재료. ②〔material〕〖물〗자연계(自然界)를 구성하는 요소의 하나로, 공간(空間)의 일부를 차지하고, 질량(質量)을 갖는 것. 에너지와는 엄밀하게 구별되어 왔었으나, 이것도 에너지 존재 형태의 하나에 지나지 않는 것으로 알려짐. *물체(物體). ③〔matter〕〖철〗정신(精神)에 대하여 인간의 의식(意識)에 반영(反映)하며, 의식에서 독립하여 외재(外在)하는 객관적 실재(實在). ↔정신(精神).
물질-감【物質感】[—찔—] [명] 물질의 형태(形態)·색채(色彩)·광택(光澤)·중량(重量) 등 물질의 본바탕에 관한 느낌.
물-질경이 [명]〖식〗[*Ottelia alismoides*] 자라풀과에 속하는 일년초. 줄기는 없고 수근(鬚根)이 있으며 잎은 잎꼭지가 길고 총생(叢生)하며, 달걀꼴의 타원형 또는 넓은 타원상의 원형을 이루는데 길이 8-18cm, 폭 2-12cm 내외임. 7-8월에 잎 사이에서 긴 꽃줄기가 나와 줄기 끝에 백색을 띤 엷은 홍자색의 꽃이 하나씩 정생하여 피고, 긴 타원형의 과실을 맺음. 논이나 개울가에 나는데, 제주·경남의 거제도 및 강원·경기·황해·평남·평북 등지에 분포함.

〈물질경이〉

물질-계【物質界】[—찔—] [명] 물질의 세계. 물질에 관한 범위. 물계(物界). ↔정신계(精神界).
물질 과학【物質科學】[—찔—] [명] 자연계(自然界)에 존재하는 물질적 현상을 연구하는 과학. 곧, 물리학·화학·광물학 등.
물질 교대【物質交代】[—찔—] [명]〖생〗물질 대사(物質代謝).
물질 교환【物質交換】[—찔—] [명]〖생〗신진 대사❷.
물질-권【物質權】[—찔꿘] [명]〖법〗용익 물건(用益物件) 등과 같이 재산권 중에서 물건의 사용 가치를 지배하는 것을 목적으로 하는 권리. *가치권(價値權).
물질 대:사【物質代謝】[—찔—] [명]〔metabolism〕〖생〗생물체를 구성하는 물질의 변동(變動) 전반에 걸친 과정(過程). 곧, 생물이 외부로부터 섭취한 영양 물질을 몸 안에서 변화하여 일정한 생리(生理) 기능을 다한 후, 필요하지 않은 생성물(生成物)은 몸 밖으로 배출(排出)시키는 작용임. 동화(同化) 작용과 이화(異化) 작용으로 구분함. 물질 교대. 신진 대사(新陳代謝). *이화 작용.
물질-량【物質量】[—찔—] [명]〔amount of substance〕〖화〗국제 단위계에서 쓰이는 기본적 물리량의 하나. 그 물질을 구성하는 단위 입자(粒子) 곧, 원자(原子)·분자·이온 따위의 수에 비례하도록 되어 있음. 단위는 몰(mol).
물질 명사【物質名詞】[—찔—] [명]〖언〗①형상을 갖춘 것을 나타내는 명사. '집'·'연필'·'사람' 같은 말. ↔추상 명사. *사물 대명사. ②〔material noun〕영어·독일어·프랑스어 등에서 나누어 셀 수 없는 물질을 나타내는 명사. '불'·'공기'·'물'·'흙' 같은 말.
물질 문명【物質文明】[—찔—] [명] 물질을 기초로 하는 문명. 흔히 기계의 시대라고도 볼 수 있는 20세기의 문명을 가리킴. ↔정신 문명.
물질 문화【物質文化】[—찔—] [명] 기계·도구·건조물·교통 수단 등, 인간이 자연 환경에 적응하기 위해서 창조한 문화. ↔정신 문화.
물질 보:존의 원칙【物質保存—原則】[—찔—/—찔—에—] [명]〖물〗질량 보존 법칙.
물질 불멸의 법칙【物質不滅—法則】[—찔—/—찔—에—] [명]〖물〗질「량 보존 법칙.
물질 불생 불멸법【物質不生不滅法】[—찔—쌩—뻡] [명]〖물〗질량 보존 법칙.
물질 상수【物質常數】[—찔—] [명]〖물〗물질의 고유(固有)한 성질을 나타내는 상수. 밀도·열전도율·탄성률 등 일반적으로 온도·압력·순도(純度) 등에 의하여 값이 변화함.
물질의 삼태【物質—三態】[—찔—/—찔에—] [명] 물질이 취하는 세 가지 형태. 즉, 기체·액체·고체를 이름.
물질의 시대【物質—時代】[—찔—/—찔에—] [명]〔matter era〕〖지〗우주를 진화의 관점에서 본 시대 구분의 하나. 우주의 팽창에 따라 복사(輻射) 에너지의 밀도보다 물질의 밀도가 높은 시대.
물질 이동 계:수【物質移動係數】[—찔—] [명]〖공〗기체·액체 등의 유체(流體)가 다른 유체나 고체와 접촉하여, 접촉면을 거쳐서 물질의 이동이 한쪽에서 다른 쪽으로 행하여질 때, 그 속도를 나타내는 수.
물질-적【物質的】[—찔—] [명][관] ①물질의 범위에 관한 모양. ②금전(金錢) 등 경제에 관계 있는 모양. 1)·2):↔정신적(精神的).
물질-주의【物質主義】[—찔—/—찔—이] [명] ①정신적인 것인 예술·종교 등을 무시하고 의식주(衣食住) 등의 문제를 중요시하는 주의. ②〖철〗유물론(唯物論).
물질 특허【物質特許】[—찔—] [명] 화학적인 방법으로 제조되는 물질 자체에 대한 특허. 주로, 농약·의약품·염료·안료 등의 화학 물질을 중심으로 적용됨.
물질-파【物質波】[—찔—] [명]〔material wave〕〖물〗진행(進行)하는 전자(電子) 등의 물질 입자(物質粒子)에 따라다니는 파동(波動)의 현상. 프랑스 물리학자 드 브로이(de Broglie)에 의하여 처음 주창되고, 실험에 의하여 확증됨. 전자 현미경(電子顯微鏡) 등에 응용함.
물질 파동론【物質波動論】[—찔—논] [명]〔wave theory of materials〕〖물〗광(光)이 전자기파(電磁氣波)인 동시에 광자(光子)인 것처럼, 물질 입자(粒子)에도 파동(波動)의 성질이 있다는 학설. 드 브로이(de Broglie)에 의하여 주창된 후 독일 물리학자 슈뢰딩거(Schrödinger)가 확립했음.
물질 현:상【物質現象】[—찔—] [명]〔도 Erscheinung der Materie〕〖철〗현상(現象)은 객관적인 물질을 기초로 하고 있다는 설(說). 또는 현상은 물질의 운동 형태라고 하는 설. 칸트에 있어서 현상은 주관(主觀)의 직관(直觀) 형식으로서의 시간·공간에 받아들여지는 한 잡다(雜多)한 여건의 세계이며, 현상의 객관적인 근거로서의 물자체(物自體)는 현상계를 초월한 불가 인식(不可認識)의 대상이라 하였음.
물-짐승 [—찜—] [명] 물에서 사는 짐승. 물개·물소 따위.
물-집[1] [—찝] [명] 피륙을 물들이는 집. 염색소(染色所).
물-집[2] [—찝] [명] 살가죽이 부르터 오르고 그 속에 물이 괸 것. 수포(水疱).
물ㅈ의 [명]〈옛〉무자위. ¶물ㅈ의(水車)《才物譜 地譜》.
물쩍지근-하다 [형][여불] 어떠한 상태가 더하지도 덜하지도 아니하여 지루한 느낌이 있다. 물쩍지근-히 [부]
물쩡물쩡-하다 [형][여불] 사람의 성질이 매우 무르다. >말짱말짱하다.
물쩡-하다 [형][여불] 사람의 성질이 무르다. >말짱하다.
물-쪼리 [명]〈방〉물부리(전남·경상·함남·평북).
물-쭈리 [명]〈방〉물부리(경기·충남·전남·경남·함남·황해).
물-쭐기 [명]〈방〉물부리(경북).
물찌 [명]〈방〉물부리(경남·함경).
물찌-똥 [명] ①죽죽 내쏘는 묽은 똥. 액변. 활변(滑便). ¶달삼이 놈이 이 소리를 듣고 ~에 허기진 개새끼 덤비듯이 홱 달겨들며…《作者未詳 : 天然亭》. ②튀겨서 일어나는 크고 작은 물덩이. 수설(水泄). [준]물똥.
물-차【—車】[명] ①살수차(撒水車). ②급수용 차량. 물자동차.
물-차돌 [명]〖광〗다른 것이 조금도 섞이지 아니한 순 차돌. 순수한 석영「(石英).
물-참 [명] 조수가 잔뜩 밀어 들어왔을 때. 만조의 때. 물번.
물-참나무 [명]〖식〗[*Quercus crispula*] 참나뭇과(科)에 속하는 낙엽 활엽 교목. 잎은 거꿀달걀꼴 또는 긴 타원형이고 톱니가 있으며 5-6월에 황갈색 꽃이 자웅 일가(雌雄一家)로 피는데, 수꽃이삭은 길게 늘어졌고 암꽃이삭은 짧으며 견과(堅果)는 9월에 익음. 산중턱·산봉우리에 나는데, 제주·전남·경남북 및 일본·사할린 등지에 분포함. 신탄·침목(枕木)·가구재로 쓰고 과실은 식용함.

〈물참나무〉

물-참대 [명]〖식〗[*Deutzia glabrata*] 범의귓과에 속하는 낙엽 활엽 관목. 잎은 넓은 피침형 또는 달걀꼴의 타원형이고 5-6월에 백색 꽃이 산방(繖房) 화서로 가지 끝에 정생하여 피며, 삭과(蒴果)는 9월에 익음. 산골짜기의 바위틈에 나는데, 충남을 제외한 한국 전역과 만주·중국 등지에 분포함. 신탄재·관상용임.
물-천구【—天狗】[명]〖어〗[*Harpodon nehereus*] 물천구과에 속하는 바닷물고기. 몸은 측편하고 근육은 유연(柔軟)하며 비늘은 아주 엷은데, 몸의 후반부에만 있음. 가슴지느러미는 매우 길어 배지느러미 길이와 같음. 한국의 남포와 중국·동인도 제도·인도양 등지에 분포함.
물천구-과【—天狗科】[—꽈] [명]〖어〗[Harpodontidae] 백린어목(白鱗魚目)에 속하는 어류의 한 과. 물천구 하나가 있음.
물청-새【—靑—】[명]〈방〉〖조〗물총새.
물체【物體】[명] ①물건의 형체. ②〔body〕〖물〗공간(空間)의 일부분을 차지하고 있으며 감각으로써 그 실재(實在)를 인식할 수 있는 것. 관성(慣性)을 가지고 있는 실체(實體)임. 물질(物質)과는 달라, 항상 그 형상(形狀) 및 크고 작음을 생각할 수 있음. *물질. ③〖철〗지각이나 정신이 없는 유형물(有形物). 길이·너비·높이의 3차원(次元)에 의하여 공간을 차지함.
물체-색【物體色】[명]〔object color〕〖물〗자체 발광(自體發光)에 의하지 아니하고, 다른 광원(光源)에서의 빛의 반사·투과(透過)에 의하여 생기는 색. 일반 물체 표면의 색이나 필터·색유리를 통한 색, 분광(分光)·간섭(干涉)·회절(回折)에 의하여 보이는 색 등.
물초 [명] 온통 물에 젖은 상태. 또, 그 모양. ¶소나기에 온 몸이 ~가 되다. ——-하다 [자][여불]
물-초리 [명]〈방〉물부리(경북·함남·평북).
물촉-새 [명]〈방〉〖조〗물총새.
물-총【—銃】[명] ↗물딱총.
물총-새【—銃—】[명]〖조〗[*Alcedo atthis bengalensis*] 물총샛과에 속하는 새. 참새보다 훨씬 커서 날개 길이 6.7-7cm 가량임. 몸의 배면(背面)은 광지까지 광택 있는 암녹색의 하늘색이고 아랫부분은 다적색(茶赤色)인데 머리에는 청색 반점이 있고 턱과 목은 백색, 웃부리는 흑색, 부리의 기부(基部)와 아랫부리는 황색, 허리는 하늘색, 다리는 붉은 빛임. 하천·산개울·무논·연못가에 서식하며, 물위 상공(上空)에 머물러 있다가 총알처럼 날쌔게 물 속으로, 뛰어 들어 물고기·개구리·새우·곤충 등을 잡아먹음. 낭떠러지에 1m 가량의 굴을 파고 3-8월에 4-7개의 흰 알을 낳음. 아시아·유럽·북아프리카 등지에 분포함. 비취(翡翠). 쇠새. 어구(魚狗). 어호(魚虎). 청우작(靑羽雀). 취조(翠鳥). [준]물새.

〈물총새〉

물총샛-과【—銃—科】[명]〖조〗[Alcedinidae] 파랑새목(目)에 속하는 한 과. 소형의 조류로 몸빛은 대체로 화려하고 부리는 길며 발톱은 날카롭고 만곡(彎曲)하였음. 번식기에는 냇가의 땅 속, 수목의 빈 구멍에 한 배에 3-7개의 백색 알을 낳음. 호반새·물총새 등이 이에 속하는데, 전세계에 20여 종이 분포함.
물-추리 [명]〈방〉물부리(평안).

물추리-나무 [명] 물추리막대.
물추리-막대 [명] 쟁기의 성에의 앞 끝에 가로 박은 막대기. 두 끝에 봇줄을 매어 끌도록 됨. 물추리나무.
물출 조보【勿出朝報】[명]〖역〗조정에 관한 어떤 일을 비밀로 하여 공포하지 아니함. ――하다 [타][여불]
물치¹ [명]〖어〗물치다래.
물치² [명]〈방〉수채(함경).
물치³ [명]〈방〉물부리(함북).
물치-다래 [명]〖어〗[*Auxis thazard*] 고등어과에 속하는 바닷물고기. 길이 30 cm 내외로 몸의 횡단면은 다소 측편함. 등 쪽은 남록색(藍綠色)으로 유문상(流紋狀) 세로띠가 있고, 배 쪽은 은백색(銀白色)임. 한국 동남해 및 제주도(濟州島) 연해에 분포함. 물치.

〈물치다래〉

물침【勿侵】[명] 침범 못 하도록 말림.
물-침대【一寢臺】[명] 물을 넣은 매트리스를 깐 침대.
물침 잡역【勿侵雜役】[명] 모든 잡역을 면제하여 줌. ――하다 [자][여불]
물침-체【勿侵帖】[명]〖역〗물침을 적어 두던 문서.
물칭【物稱】[명] 물건에 대한 일컬음.
물칭개-나물 [명]〖식〗[*Veronica undulata*] 현삼과에 속하는 이년초. 줄기 높이 20-60 cm, 잎은 대생(對生)하며 무병(無柄)의 피침형임. 꽃은 8월에 백색에 담자색(淡紫色) 줄이 있는 꽃이 엽액(葉腋)에서 총상 화서로 피고, 과실은 삭과(蒴果)임. 물가의 습지에 나는데 한국을 비롯하여 아시아의 열대에서 난대에 걸쳐 널리 분포함.
물커-지다 [자] ↗물크러지다.
물컥 [부] 냄새가 확 끼치어 코를 찌를 듯이 세게 나는 모양. ¶ 썩은 냄새가 ～ 나다. >몰칵.
물컥-물컥 [부] 냄새가 연해 물컥 나는 모양. >몰칵몰칵. ――하다 [형][여불]
물컹-거리다 [자] 여럿이 다 물컹하여 건드리는 대로 물크러질 듯한 느낌을 주다. >말캉거리다·몰캉거리다. 물컹-물컹 [부]. ――하다 [자][형][여불]
물컹-대다 [자] 물컹거리다.
물컹-병【一病】[一뼝] [명]〖식〗부란병(腐爛病).
물컹-이 [명] ①물컹한 물건. ②몸이나 의지(意志)가 몹시 약한 사람의 별명.
물컹-하다 [형][여불] 지나치게 익거나 곯아서 물크러질 듯이 무르다. >말캉하다·몰캉하다.
물-켜다 [자] 물을 많이 들이켜 마시다.
물-코 [명]〈방〉물꼬.
물쿠다 [자] 날씨가 무척 찌다. 찌는 듯이 덥다. ¶ 이렇게 물쿨 데가 어디 있어. 한 소나기 퍼부어 주었으면 좀 좋아…《安壽吉 : 제 2 의 청춘》. [준]물다.
물-쿠덩이 [명]〈방〉물구덩이.
물-쿵덩이 [명]〈방〉물구덩이.
물크러-지다 [자] 썩거나 너무 풀려서 제 모양이 없어지도록 헤어지다. ¶ 살이 ～/일변 둘이 사이에 정은 수월찮이 물크러졌다《蔡萬植 : 濁流》. [준]물커지다.
물큰 [부] 냄새가 한꺼번에 확 끼치는 모양. ¶ 악취가 ～ 나다. >몰큰.
물큰-거리다 [자]〈방〉물컹거리다.
물큰-물큰 [부] 냄새가 연해 물큰 나는 모양. >몰큰몰큰. ¶ 썩은 생선 냄새가 ～ 나다.
물큰-하다 [형]〈방〉물컹하다.
물-타기 [명]〖경〗증권 거래 방법의 하나. 팔 때는 시세가 오름에 따라 점점 파는 수를 늘리고, 살 때는 내림에 따라 사는 수를 차차 늘리어, 물건의 평균 단가를 올리거나 내려서 손해 위험을 줄이려는 방법.
물-타작【一打作】[명] 미처 마르기 전에 물벼 그대로 하는 타작. 진타작. ↔마른 타작. ――하다 [자][여불]
물탄〔Multan〕[명]〖지〗파키스탄 중부의 펀자브(Punjab) 지방에 있는 상업 도시. 밀·면화·양모·피혁(皮革)의 집산지로, 말시장이 열림. 도자기·면·견직물·융단 등을 산출함. 1952년 이래 부근에서 발견된 천연가스의 개발에 따라 공업화가 추진되고 있음. [730,000 명(1981)]
물탄-피 [명] ☞ 얇은 피.
물-탕¹【一湯】[명] 목욕탕·온천 등의 목욕하는 곳.
물-탕²【一湯】[명]〖광〗복대기를 삭이는 데 쓰는, 청화액(靑化液)을 만드는 탱크.
물-택사【一澤瀉】[명]〖식〗질경이택사.
물-탱크〔tank〕[명] 물을 넣어 두는 큰 통.
물-텀벙이 [명]〈방〉〖어〗아귀(경기 인천).
물-통【一桶】[명] ①물을 담아 넣어 두는 통의 총칭. 수통(水桶). ②물을 긷는 데 쓰는 통. 아가리의 한가운데에 손잡이의 나무를 가로지른 통. 질통.
물통-나무【一桶一】[명]〈방〉생나무²❷.
물통-장이【一桶一】[명]〈방〉물장수.
물통-줄【一桶一】[一쭐] [명] 반추 동물(反芻動物)에 있어서 새김질한 것이 밥통으로 넘어가는 줄. 주라통에 붙음.
물-투성이 [명] 물이 잔뜩 묻은 모양. 또, 그렇게 된 사람이나 물건. ¶ ～가 된 옷.
물-퉁돔 [명]〖어〗[*Lutjanus rivulatus*] 퉁돔과에 속하는 바닷물고기. 몸은 타원형으로 등 쪽이 솟아 있으며 몸빛은 적흑갈색, 배 쪽은 담색임. 머리에는 몇 개의 청색 파상선(波狀線)이 있고, 아가미 뚜껑 뒤가 붉고, 등지느러미·가슴지느러미·꼬리지느러미는 회갈색, 배지느러미와 뒷지느러미는 회황색임. 열대성 어종으로 한국 남해·일본 중부 이남·대만·중국·동인도 제도·필리핀 및 홍해에 분포함.
물퉁-보리 [명] 물을 먹어 퉁퉁 불은 보리.
물-퉁이¹ [명] ①물이 속에 많이 들어서 탱탱하게 부푼 물건. ②살만 찌고 힘이 없는 사람의 별명.
물-퉁이² [명]〖식〗[*Pilea peploides*] 쐐기풀과에 속하는 일년초. 줄기는 높이 10 cm 내외, 엷은 녹색임. 잎은 대생(對生)하고 잎꼭지가 길며 마름모꼴 원형을 이룸. 7-8월에 담녹색 꽃이 잎 사이에 밀족(密簇)하며 암·수꽃이 섞여서 피고, 수과(瘦果)를 맺음. 산중의 음습지에 나는데, 거의 한국 각지에 분포함. ＊모시물퉁이.

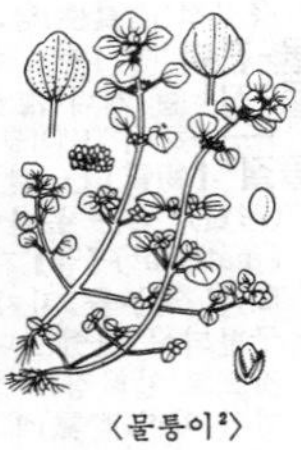
〈물퉁이²〉

물-파스 [명]〔↗도 Pasta〕액체로 된 파스.
물-파이프〔pipe〕[명] 담뱃대의 한 가지. 담배통과 물을 넣는 수통(水筒)과 관(管)으로 되어 있으며, 연기가 물 속을 통과하도록 만들어진 담뱃대. ＊수연통.
물팍 [명] ↗무르팍.
물팡 [명]〈방〉무릎(경남).
물패기 [명]〈방〉무릎(경북·평북).
물-퍼붓듯 [부] 말을 거침없이 빨리 하는 모양. ――하다 [자][여불]
물-편 [명] 시루떡 이외의 모든 떡의 총칭.
물표【物標】[명] 물건을 보내거나 맡기는 데 관한 표지(標紙).
물푸레 [명]〖식〗↗물푸레나무.
물푸레-나무 [명]〖식〗[*Fraxinus rhynchophylla*] 물푸레나뭇과에 속하는 낙엽 활엽 교목. 잎은 우상복생하고 소엽은 긴 달걀꼴이며 뒷면은 주맥(主脈)에 갈색 털이 났음. 5월에 자웅 이가 또는 잡가(雜家)의 꽃이 원추(圓錐) 화서로 풋가지 끝에 액생하고, 시과(翅果)는 9월에 익음. 산중턱 이하의 습지에 나는데, 한국 각지 및 만주·북중국에 분포함. 기구재·총대(銃臺)·도끼자루로 쓰이는데, 특히 나무 껍질은 약재, 소탄(燒炭)은 물감으로도 쓰임. 목서(木犀). 수청목(水青木). 심목(梣木). 청피목(青皮木). [준]무푸레나무·물푸레.

〈물푸레나무〉

물푸레나뭇-과【一科】[명]〖식〗[Oleaceae] 쌍자엽문(雙子葉門) 마전목(目)에 속하는 한 과. 개나리·물푸레나무·미선나무·이팝나무·쥐똥나무 등이 이에 속함.
물푸레-들메나무 [명]〖식〗물들메나무.
물푸리 [명]〈방〉물부리(경상).
물-풀 [명] 물이나 물가에 나는 풀. 수초(水草).
물품【物品】[명] ①쓸 만하고 값있는 물건. ②부동산(不動產)을 제외한 모든 유체물(有體物). 물자(物資). [준]품(品). ＊물건.
물품 관리법【物品管理法】[一괄一뻡] [명]〖법〗국가의 물품의 취득·보관·사용 및 처분에 관한 기본적 사항을 규정한 법률. 물품의 효율적이고 적정한 관리를 목적으로 함.
물품-명【物品名】[명] 물품의 이름.
물품-사【物品司】[명]〖역〗조선 시대 때 궁내부(宮內府)에 속하여, 온갖 기구(器具)의 매입(買入)과 수보(修補)에 관한 일을 맡아 보던 관아. 고종(高宗) 33년에 설치하여 고종 광무(光武) 9년에 폐함.
물품-세【物品稅】[명]〖법〗사치성(奢侈性)·기호성(嗜好性)이 있는 물품 따위에 부과되는 간접세(間接稅). 국세(國稅)의 하나로 납세 의무자는 소매(小賣)업자 또는 제조업자임. 1977년 부가 가치세법(附加價值稅法)의 시행에 따라 폐지됨.
물품 임:금제【物品賃金制】[명]〖경〗트럭 시스템(truck system).
물품 증권【物品證券】[一꿘] [명] 물품의 인도(引渡) 청구권을 나타내는 유가(有價) 증권. 화물 상환증(貨物相換證)·선하 증권·상품권 등. ＊금전 증권.
물품 화:폐【物品貨幣】[명]〖경〗상품 화폐(商品貨幣).
물품 회:계【物品會計】[명]〔goods account〕〖경〗국가나 지방 자치 단체가 소유 또는 보관하는 비품·소모품·동물 및 기타의 물품(物品)에 관한 회계.
물풍【物豐】[명] 물건이 풍부함. ――하다 [형][여불]
물-풍덩이 [명]〈방〉물구덩이.
물-풍뎅이 [명]〖충〗☞ 물방개.
물-피 [명] 물건의 생김새와 선도(鮮度). ¶ 장연 땅 장산곶이 말도 말게, ～ 좋은 곳이지《金周榮 : 客主》.
물-한년【勿限年】[명] 햇수를 한정(限定)하지 않음. ――하다 [자][여불]
물-한식【一寒食】[명] 비가 내리는 한식날. 개자추(介子推)의 넋을 위로하기 위하여 비가 내리는 것이라 하며, 이렇게 비가 오면 그 해에는 풍년이 든다고 함. ＊한식.
물-할머니 [명]〖민〗우물이나 샘에 있다고 하는 귀신.
물합-국【物合國】[명]〖법〗복합 국가(複合國家)의 일종. 두 개 이상의 나라가 각각 독자적(獨自的)인 통치자(統治者)와 대외적(對外的)인 지위를 가지고 있으면서도, 공통의 이해(利害)를 위하여 법률적 합의(合意)로 결합(結合)을 이룬 국가. 정합국(政合國).
물-항라【一亢羅】[一나] [명] 물에 빨 수 있는 모조 항라.
물-행주 [명] 물에 적셔서 사용하는 행주. 젖은 행주. ↔마른 행주.
물행주-질 [명] 물에 적신 행주로 무엇을 닦거나 훔치는 일. ――하다 [자][타][여불]
물-허벅 [명] 제주도에서 식수를 길어 나르는 항아리. 바구니에 넣어서 밧줄로 등에 짐. 허벅.
물허 환퇴【勿許還退】[명]〖역〗조선 시대 때 노비 매매(奴婢賣買)에 사용되던 말. 두 해를 기한으로 하여, 기한 안에 노비가 도망가면 대금 반환(返還)을 요구할 수 있으나, 2년 후에는 반환 요구를 할 수 없다는 말.
물형【物形】[명] 물건의 형상.

물형-부【物形符】명〖천도교〗천도교의 부도(符圖) 이름.
물형-석【物形石】명 겉 모양이 사람·짐승·곤충·탑·유물(遺物) 등 삼라 만상의 형태를 닮은 수석(壽石).
물-호랑이 명〖동〗☞법고래.
물-홈 명〖건〗장지를 드나들게 하거나 빈지를 끼기 위하여 길게 파 놓은 홈.
물화[1]【物化】명 ①물건의 변화. ②천명(天命)을 마치고 죽는 일. ——하다 자여불
물화[2]【物貨】명 물품과 재화(財貨).
물화[3]【物花·物華】명 ①물건의 빛. 보물 등의 정채(精彩). ②경치.
물화 상통【物貨相通】명 물화가 서로 통함. ——하다 자여불
물활-론【物活論】명 〔hylozoism〕〖철〗범심론(汎心論)의 한 형태. 세상의 모든 물질은 생명·영혼·마음이 있다고 하는 주장. 어린 아이들이나 원시인들의 자연관(自然觀)이 곧 그것임. 최초에 주장한 사람은 그리스의 자연 철학자 탈레스(Thales)이고 근대에는 프랑스의 로비네(Robinet), 독일의 헤켈(Haeckel) 등이 있음. 만물 유생론(萬物有生論). 원소 생활론(原素生活論).
물-황철【—黃鐵】명〖식〗물황철나무.
물황철-나무【—黃鐵—】[—라—] 명〖식〗[*Populus koreana*] 버드나뭇과에 속하는 낙엽 활엽 교목. 잎은 넓은 타원형 또는 긴 타원형으로 거의 톱니가 없고 표면에 주름이 많음. 4월에 자웅 이가(雌雄二家)의 꽃이, 수꽃이삭은 원뿔꼴, 암꽃이삭은 좁은 원기둥꼴로 피고, 삭과(蒴果)는 5월에 익음. 개울가 및 골짜기에 나는데, 강원도·평안 남북도·함경 남북도 및 일본·몽고·우수리에 분포함. 성냥개비·제지(製紙)·상자 재료로 씀. 물황철. 백양(白楊).
물후【物候】명 철·기후에 따라 변화하는 만물의 상태.
물후-학【物候學】명 동물·식물 등을 포함한 자연 환경의 계절적 변화를 대상으로 하는 기상학·생태학의 한 분야. 인간 생활, 특히 농경(農耕)과 깊은 관련이 있음.
물ᄒᆞ다 자〈옛〉무리짓다. 짝하다. 동무하다. ¶ 당당이 너와 다ᄆᆞᆺ ᄒᆞ야 물ᄒᆞ야 이시리로다(應共爾爲羣)《杜諺 XI:51》/飄然히 뜨디 물ᄒᆞ리 업도다(飄然思不羣)《初杜諺 XXI:42》.
묽다[묵—] 형〔중세 : 믉다〕①용액(溶液)·유제 따위 액체의 농도·밀도가 적다. ¶죽이 ~. ↔질다·되다. *멀겋다. ②사람이 체격에 비해, 올차거나 맺힌 데가 없이 무르다. 몸이 약하다. ¶ 사람이 ~.
묽디-묽다[묵—묵—] 형 매우 묽다. 비할 수 없이 묽다. ↔되디되다.
묽숙-하다[묵—] 형여불 알맞게 묽다.
묽스그레-하다[묵—] 형여불 조금 묽은 듯하다. *맑스그레하다.
묽은 염산【—塩酸】[물근념—] 명〖화〗물을 타서 묽게 만든 염산. 무색 투명한 액체로서 소화제(消火劑)·살균제(殺菌劑)로 씀. 희염산(稀塩酸).
묽은 인산【—燐酸】[물근—] 명〖화〗물을 부어 묽게 한 인산(燐酸). 인산 1에 증류수(蒸溜水) 9의 비율로 혼합한 무색 투명(無色透明)한 액체. 희인산(稀燐酸).
묽은 질산【—窒酸】[물근—싼] 명〖화〗물을 타서 묽게 한 질산. 질산 10에 물 15의 비율로 타서 만든 혼합액(混合液). 무색 투명(無色透明)함. 화학 약품의 시약(試藥)으로 씀. 희질산(稀窒酸).
묽은 황산【—黃酸】[물근—] 명〖화〗물을 타서 묽게 한 황산. 진한 황산(黃酸)에 물을 부으면 심하게 발열(發熱)하여 위험하므로 물 속에 황산을 천천히 주입(注入)하여 만듦. 무색 투명(無色透明)의 액체로 100분의 10의 순황산(純黃酸)을 포함함. 약품·도료(塗料) 또는 시약(試藥)으로 씀. 희황산(稀黃酸).
묽히다[물키—] 타 '묽게 하다·묽게 만들다'를 잘못 쓰는 말.
뭀ᄀᆞᆯ며기 명〈옛〉뭇갈매기. ¶ 믈군 히예셴 뭀ᄀᆞᆯ며기 도라오노소니(清輝回群鷗)《杜諺 I:33》.《杜諺 IV:4》.
뭀되 명〈옛〉뭇 되. ¶ 뭀 되 도라와 사햇 피를 싯고(群胡歸來血洗箭)《初杜諺 XVI:22》.
뭀사롬 명〈옛〉뭇사람. ¶ 지죄 뭀사ᄅᆞᄆᆡ게 絕等ᄒᆞ도다(藝絕倫)《初杜諺 XVI:22》.
뭇[1] 명 고기잡이에 쓰는 커다란 작살.
뭇[2] 의명 장작이나 잎나무를 한 묶음씩 작게 묶은 단. ¶ 장작 두 ~.
뭇[3] 의명 ①생선을 세는 단위. 열 마리의 일컬음. ¶ 조기 열 ~. ②〖역〗조세(租稅)를 계산하기 위한 토지 넓이의 단위. 열 줌이 한 뭇. 열 뭇이 한 짐임. ③볏단의 하나. 속(束).
뭇[4] 관 수효가 많음을 나타내는 말. ¶ ~ 사람/~ 짐승.
【뭇 닭 속의 봉황이요 새 중의 학두루미다】범용한 사람 중의 뛰어난 한 사람을 이르는 말. 【뭇 백성 여울 건너듯 한다】여럿이 와자지껄하게 떠듦을 이르는 말.
뭇-가름 명 묶음으로 된 물건을 늘리려고 다시 갈라 묶는 것. ¶ 두 동을 석 동으로 ~하다. ——하다 타여불
뭇-갈림 명 묶은 볏단을 지주와 소작인이 절반씩 갈라 가지는 일. ¶ 혼자 얼마나 먹어 쌀라든가. 그대로 ~이나 내놓을라네《吳有權 : 방앗골 혁명》.
뭇구늬 명〈옛〉묶은 것. 뭇. ¶ 뭇구늰 프른 쏘빗 ᄀᆞᆮ고(東比青芻色)《初杜諺 XVI:73》.
뭇:-국 명 무를 썰어 넣고 끓인 국.
뭇기 명〈방〉〖식〗무(함경).
뭇길 명〈옛〉육로(陸路). 뭍길. ¶ 뭇길(旱路)《朴解 中 12》.
뭇-나무 명 묶어서 단을 지은 땔나무.
뭇-년 명〈비〉많은 여자.
뭇-놈 명〈비〉많은 남자. 뭇사내.
뭇다[1] 타ㅅ불 ①조각을 모아서 잇다. ¶ 무어 만든 방석. ②모아 쌓다. ③여러 개를 모아 짜서 만들다. ¶ 집을 떠나 바닷가에 배 뭇기를 힘쓰며…《壬辰錄》. ④관계를 맺다. ¶ 서로 사돈을 ~. ⑤단체 등을 조직하다.
뭇다[2] 타〈옛〉묶다. ¶ 뭇구늰 프른 쏘빗 ᄀᆞᆮ고(東比青芻色)《初杜諺 XVI:73》.
뭇딘 명〈옛〉뭍진. 육진(陸陣). ¶ 또 뭇딘의 張遼 徐晃을 삼천식 궁노 잡은 사람을 ᄃᆞ리고《三譯 IV:16》.
뭇-따래기 명 연속적으로 나타나서 남을 괴롭게 하는 각색(各色)의 사람들.
뭇-뜨래기 명〈방〉뭇따래기.
뭇-매 명 여럿이 한꺼번에 덤비어 때리는 매. ¶ ~를 맞다. *몰매.
뭇매-질 명 작당(作黨)하여 함부로 때리는 짓. ——하다 자타여불
뭇-발길 [—낄] 명 ①여럿이 덤비어 함부로 걷어차는 짓. ¶ 함부로 ~질을 하다. ②많은 사람의 논박이나 나무람의 비유.
뭇-방치기 명 주책없이 함부로 남의 일에 간섭하는 짓. 또, 그 무리. ——하다 자여불
뭇-별 명 많은 별. 중성(衆星). ¶ ~이 반짝이는 밤하늘.
뭇-사내 명〈비〉많은 남자. 뭇놈.
뭇-사람 명 여러 사람. 많은 사람. 중인(衆人).
뭇-소리 명 여러 사람이 제각기 지껄여대는 말. 뭇사람의 잡담.
뭇-시선【—視線】명 여러 사람의 눈길. ¶ ~을 끌다.
뭇-입 [—닙] 명 여러 사람이 나무라는 말. 중구(衆口).
뭇:-종 명 무 장다리의 어린 대.
뭇-줄 명 삼으로 굵게 드린 바. 줘음:속줄(束乼).
뭇:-줄거리 명 무의 줄거리. *무청[1].
뭇줄-계【—契】[—꼐] 명〖역〗뭇줄을 공물(貢物)로 바치던 계. 줘음: 속줄계(束乼契).
뭇-지위 명 여러 목수.
뭇-짐승 명 여러 가지 많은 짐승.
뭇-추수【—秋收】명 타작하기 전에 지주(地主)가 볏뭇을 세는 방식의 추수.
뭇 명〈옛〉무[3]. ¶ 蘿蔔은 뭇이라《金三 II:51》.
뭉개다 타 ①물건을 문질러 으깨거나 짓이기다. ②일을 어찌할 줄 몰라서 머무적거리다. ¶ 빨리 끝내지 뭘 그리 뭉개느냐.
뭉거-지다 자 ↗뭉그러지다.
뭉게-구름 명〖기상〗적운(積雲).
뭉게-뭉게 부 구름이나 연기 같은 것이 계속 뭉키어 피어 오르는 모양. ¶ 뭉게구름이 ~ 피어 오른다. >몽개몽개.
뭉구리 명 ①바싹 깎은 머리. ②'중'을 가리키는 말. >몽구리.
뭉그-대다 타 ①제자리에서 몸을 그냥 비비대다. ②뭉개다❷.
뭉그러-뜨리다 타 힘껏 뭉그러지게 하다. ¶ 돌담을 ~. ㅆ뭉크러뜨리다. >몽그라뜨리다.
뭉그러-지다 자 쌓인 물건이 허물어져 주저앉다. 준뭉거지다. >몽그라지다.
뭉그러-트리다 타 뭉그러뜨리다.
뭉그적-거리다 자타 제자리에 앉은 채로 나아가는 듯 느릿느릿 비비대다. 준뭉긋거리다. >몽그작거리다. **뭉그적-뭉그적** 부. ——하다 자타여불
뭉그적-대다 자타 뭉그적거리다.
뭉그-지르다 타르불 뭉그러지게 하다. 뭉기다.
뭉근-재 명〈방〉등겨(전북).
뭉근-하다 형여불 불기운이 느긋하면서도 끊이지 아니하고 꾸준하다. 뭉근-히 부
뭉글 부 ①먹은 음식이 잘 내리지 않아 가슴에 뭉쳐 있는 듯한 모양. ②슬픔이나 노여움이 맺히어 복받치는 감정으로 가슴이 꽉 차는 듯한 모양. ¶ 그러나 무엇인지 그의 가슴 속에는 납덩이가 든 것처럼 ~하게 무겁고 아픈 것이 있었다《金東里 : 人間動議》. ③덩이진 물건이 겉으로 무르고 미끄러운 모양. 1)-3): ㅆ뭉클. >몽글. ——하다 형여불
뭉글-거리다 자 먹은 음식이 잘 삭지 아니하여 가슴에 뭉치어 움직이다. ㅆ뭉클거리다. >몽글거리다. **뭉글-뭉글** 부. ——하다[1] 자여불
뭉글-대다 자 뭉글거리다.
뭉글뭉글-하다[2] 형여불 망울진 물건이 말랑말랑하고 매끄러워 붙잡기가 어렵다. >몽글몽글하다[2].
뭉긋-거리다 자타 ↗뭉그적거리다. >몽긋거리다. **뭉긋-뭉긋** 부. ——하다 자타여불
뭉긋-대다 자타 뭉긋거리다.
뭉긋-이 부 뭉긋하게. ¶ 막대가 ~ 휘다.
뭉긋-하다 형여불 ①약간 기울어져 비스듬하다. ¶ 고개가 ~. ②조금 굽어져 휘우듬하다.
뭉긔다 타〈옛〉뭉개다. 붙잡다. 치다. ¶ 現四大를 뭉긔여(現搏四大)《楞嚴 IV:85》.
뭉긔요니 명〈옛〉무더기. 뭉갠 것. ¶ 허튼 머리터리 ᄒᆞᆫ 뭉긔요니 ᄉᆞ론 지를 ᄆᆞ라(亂髮一團燒灰研)《救簡 VI:13》.
뭉기다 타 ①아래쪽으로 추어 내리다. ②뭉그지르다.
뭉-따다 타〈방〉뭉때리다.
뭉-때리다 타 ①능청맞게 시치미떼다. ②할 일을 일부러 하지 아니하다.
뭉떡 부 ☞뭉떵. ——하다 형여불
뭉떵 부 큼직하게 대번에 뚝 자르거나 잘리는 모양. ㅆ뭉텅. >몽땅.
뭉떵-뭉떵 부 연해 뭉떵 자르거나 잘리는 모양. ¶ 떡을 ~ 자르다. ㅆ뭉텅뭉텅. >몽땅몽땅. ——하다 형여불
뭉뚝 부 끝이 아주 짧고 무딘 모양. ¶ ~한 연필. ㅆ뭉툭. >몽똑. ——하다 형여불
뭉뚝-뭉뚝 부 낱낱이 다 뭉뚝한 모양. ㅆ뭉툭뭉툭. >몽똑몽똑. ——하다 형여불
뭉뚝-촌충【—寸蟲】명〖동〗꼬마촌충(寸蟲).
뭉뚱-그리다 타 되는 대로 대강 뭉쳐 싸다. ¶ 짐을 ~. >몽똥그리다.
뭉수리 명 ↗두루뭉수리.
뭉실-뭉실 부 살찌고 기름져서 부드러워 보이는 모양. >몽실몽실. ——하다 형여불
뭉어리 명〈방〉덩어리.
뭉우리 명 ↗뭉우리돌.
뭉우리-돌 명 모난 데가 없이 둥글둥글한 돌. 무우석(無隅石). 준뭉우리.
뭉으리돌 명〈옛〉뭉우리돌. ¶ 뭉으리돌 강(礓), 뭉으리돌 록(礫)《字會 上 4》.
뭉이-조고리 명〈방〉색동 저고리(함경).
뭉쳐-나기 명 '총생(叢生)'의 풀어 쓴 이름.

뭉쳐-나다 자 풀이나 나무가 무더기로 더부룩하게 나다.

뭉치 명 ①뚤뚤 말린 덩이. 또, 엉키거나 뭉치어서 이룬 덩이. ¶실~. ②소의 뒷다리 윗볼기의 아래에 붙어 있는 고깃덩이.

뭉치다 ㊀ 자 여럿이 합쳐서 한 덩어리가 되다. ¶뭉치면 살고 흩어지면 죽는다. >몽치다. ㊁ 타 여럿을 합쳐서 한 덩어리로 만들다. ¶솜을 ~. >몽치다.

뭉치-다래 명 〖어〗[*Auxis tapeinosoma*] 고등어과에 속하는 바닷물고기. 몸은 방추형이고 횡단면은 거의 원형임. 제1 등지느러미의 기저(基底)는 짧고, 제2 등지느러미와 멀리 떨어져 있으며 부레가 없음. 몸빛은 등람색으로 불규칙한 물결 무늬를 한 가로띠가 사행(斜行)함. 배 쪽은 은백색임. 한국 남해·제주도 원해 및 일본·대만 등지에 분포함. 「태·아롱사태.

뭉치-사태 명 곰국 거리로 쓰는, 소의 뭉치에 붙은 고기의 하나. *사

뭉칫-돈 명 ①뭉치로 된, 액수가 많은 돈. ②목돈. ¶~을 마련하다.

뭉크[1] 〔Munch, Edvard〕 명 〖사람〗 노르웨이(Norway)의 화가. 표현주의적 작풍(作風)을 확립함. ≪봄≫·≪사춘기≫·≪질투≫ 등 문학적 주제를 강렬한 색채로 그려, 존재의 불안(不安)과 공포를 나타냄. 판화(版畫)에도 뛰어났음. [1863–1944]

뭉크[2] 〔Munk, Kaj〕 명 〖사람〗 덴마크의 목사·극작가. 종교계·사상계에 지대한 영향을 끼쳤으며, 독일군 진주 때에는 반(反)나치의 국민적 영웅을 주인공으로 한 희곡 ≪닐스 에베센(Niels Ebbesen)≫을 썼음. 나치스에 의해 암살됨. [1896–1944] 「그러뜨리다.

뭉크러-뜨리다 타 힘껏 뭉크러지게 하다. 아주 뭉그러지게 하다. ㅅ뭉

뭉크러-지다 자 썩거나 지나치게 물러서, 본 모양을 찾아볼 수 없이 찌 ㄴ그러지다. ㅅ뭉그러지다.

뭉크러-트리다 타 뭉크러뜨리다.

뭉클-거리다 자 먹은 음식이 제대로 내리지 않고 가슴에 뭉쳐, 자꾸 무직하다. ㅅ뭉글거리다. >몽클거리다.

뭉클-대다 자 뭉클거리다.

뭉클뭉클-하다 형 여불 속은 조금 단단하고 겉이 물러서, 건드리는 대로 이리저리 불거지게 미끄럽다. >몽클몽클하다.

뭉클-하다 형 여불 ①먹은 음식이 삭지 아니하고 가슴에 뭉쳐 있어, 무직하다. ②슬픔이나 노여움이 가슴에 맺히어 풀리지 않다. ¶가슴이 ~. 1)·2): >몽클하다.

뭉키다 자 여럿이 뭉치어 한 덩어리가 되다. >몽키다.

뭉턱 부 ☞뭉텅. 「~ 베어 먹다. ㅆ뭉떵. >몽탕.

뭉텅 부 한 부분을 대번에 뚝 잘라 끊거나 그렇게 끊기는 모양. ¶한 입

뭉텅-뭉텅 부 연해 뭉텅 자르거나 잘리는 모양. ㅆ뭉떵뭉떵. >몽탕몽탕.

뭉텅이 명 한데 뭉치어 이룬 큰 덩이. ¶~ 돈/솜 ~. *뭉치.

뭉텅-하다 형 여불 끊어서 몽쳐 놓은 듯 짤막하다. >몽탕하다.

뭉테기 명 〈방〉 뭉텅이(평안).

뭉테미 명 〈방〉 뭉텅이(함경).

뭉투툭-하다 형 여불 ☞뭉툭하다.

뭉툭 부 끝이 짧고 무딘 모양. ㅆ뭉뚝. >몽톡. ——-하다 형 여불

뭉툭-뭉툭 부 여럿이 다 뭉툭한 모양. ㅆ뭉뚝뭉뚝. >몽톡몽톡. ——-하다 형 여불

뭉퉁-뭉퉁 부 끝이 짧아서 끊은 듯이 무딘 모양. ——-하다 형 여불

뭍 명 ①육지(陸地). ¶~에 오르다. ②섬사람들이 본토 땅을 이르는 말. 【뭍에서 배 부린다】 도저히 될 수 없는 일을 함을 비웃는 말.

뭍-바람 명 밤에 육지에서 바다로 부는 바람. 육풍(陸風). ↔바닷바람.

뭍-사람 명 뭍에서 사는 사람. ↔섬사람·바닷사람.

뭍살이-동물【一動物】 명 '육서 동물'의 풀어 쓴 이름.

뭍-짐승 명 육지에 사는 짐승.

뭐: 지대 감 ↗무어. ¶그것이 ~냐/~, 서울 간다고.

뭐:니 뭐:니 해도 구 이러쿵저러쿵 말해 보아도. 이러하다느니 저러하다느니 논의해 보아야. ¶뭐니 뭐니 해도 배고픈 슬픔이 제일 크다.

뭐:-하다 형 여불 ↗무엇하다. ¶빈손으로 가 보기도 좀 ~.

뭘: 준 무엇을. ¶~ 주랴/~ 하는 사람인가.

뭘:-하다 형 여불 ☞뭣하다.

뭣: 지대 ↗무엇. ¶~에 쓰려고 그러냐. 「을 이르는 말.

【뭣 마려운 강아지】 대소변을 참지 못해, 엉거주춤한 꼴을 하고 있음

뭣:-하다 형 여불 ↗무엇하다. ¶뭣하면 제가 가겠습니다.

뭬: 준 무엇이.

뮈[1] 명 〈옛〉 해삼(海蔘). ¶뮈 土肉俗名海蔘 ≪才物譜 卷 7≫.

뮈[2] 명 〈방〉 〖한의〗 무[2].

뮈다[1] 자 〈옛〉 움직이다. ¶불휘 기픈 남ᄀᆞᆫ ᄇᆞᄅᆞ매 아니 뮐쌔(根深之木風亦不扤)≪龍歌 2章≫.

뮈다[2] 자 〈옛〉 털이 빠지다. 무이다. ¶압 뮈다(脫頂)≪漢淸 V:48≫.

뮈다[3] 타 〈옛〉 미워하다. ¶처엄에 뮈시던 거시면 이대도록 셜우랴 ≪古 ㄴ時調≫.

뮈다[4] 타 〈옛〉 찢다. ¶紫色 쟝옷 뮈여바릴 년아 ≪永言≫.

뮈르달 〔Myrdal〕 명 〖사람〗 ①〔Alva M.〕 스웨덴의 여성 정치가·외교관·사회 운동가. ❷의 아내. 인도·네팔 등 각국의 공사(公使)·대사를 역임함 후 제네바의 U.N. 군축 전문가 회의의 의장을 지냄. 주저(主著)에 ≪군축에의 길≫ 등이 있으며 1974년 노벨 평화상을 받았음. [1902–86] ②〔Karl Gunnar M.〕 스웨덴의 경제학자. 스톡홀름 대학 교수. 북(北)유럽 학파(學派)에 속하며, 경제 동태에 있어서 사전 분석·사후 분석을 체계화함. 상공상(商工相)·U.N. 유럽 경제 위원회 사무 총장 등을 지내고, 냉전 하(冷戰下)에서의 동서 무역을 주장함. ≪화폐적 균형론(貨幣的均衡論)≫·≪경제 이론과 저개발 지역≫ 등의 저서가 있음. 1974년 화폐와 경제 변동의 선구적 업적 및 경제 사회 제도의 상호 의존 관계의 분석에 대하여, 오스트리아의 하이에크(Hayek)와 함께 노벨 경제학상을 받았음. [1898–1987]

뮈세 〔Musset, Louis Charles Alfred de〕 명 〖사람〗 프랑스의 시인·극작가. 19세기 낭만파의 대표자임. 처녀 시집 ≪스페인과 이탈리아 이야기≫로 문단에 데뷔한 후, ≪장난과 사랑≫·≪밤≫·≪세기아(世紀兒)의 고백≫ 등 풍부한 지식, 공상력, 뜨거운 정열과 교묘한 구성이 조화된 시·희곡 등을 발표하였음. [1810–57]

뮈-쌈 명 마른 해삼(海蔘)을 물에 불려서 배를 가르고, 쇠고기와 두부를 이겨 붙이고 달걀을 씌워 지진 음식. 해삼전(海蔘煎).

뮈애기 명 〈방〉 〖충〗 쐐기.

뮈오다 사동 〈옛〉 움직이게 하다. =뮈우다. ¶掣肘는 볼홀 뮈오고져 호ᄃᆡ 사ᄅᆞ미 ᄲᅳ스면 能히 뮈우디 몯홀시오 ≪內訓 I:16≫.

뮈욤 명 〈옛〉 움직임. =뮈윰. ¶뮈요ᄆᆞᆫ 感ᄒᆞ야 變하ᄂᆞᆫ ᄆᆞᅀᆞ미오≪月釋 XVII:73≫. *뮈다[1]. 「ᄆᆞᆯ 뮈우시니(維皇上帝動我心曲)≪龍歌 102章≫

뮈우다 사동 〈옛〉 움직이게 하다. 감동시키다. =뮈오다. ¶하ᄂᆞᆯ히 ᄆᆞᅀᆞ

뮈윰 자 〈옛〉 움직임. '뮈다[1]'의 명사형. ¶깃부미 都城에 뮈유믈 알리로소니(喜覺都城動)≪杜諺 V:4≫.

뮈제트 〔프 musette〕 명 〖악〗 ①프랑스의 민속 악기로 백파이프(bagpipe)의 하나. ②뮈제트로 연주하는, 경쾌한 8분의 6 박자의 춤곡.

뮈지크 콩크레트 〔프 musique concrète〕 명 〖악〗 새의 소리나 도회지의 소음 등, 자연의 소리를 테이프(tape)에 녹음하여, 회전을 배(倍)로 하기도 하고 역행시키기도 하는 등, 기계적 조작에 의하여 효과를 올리는 음악. 1948년에 창안(創案)됨. 구체 음악(具體音樂).

뮈텔 〔Mutel, Gustave Charles Marie〕 명 〖사람〗 프랑스의 천주교 신부(神父). 파리 외방 전교회(外邦傳敎會) 소속으로, 1880년 내한하였다가 1890년 조선 주교(主敎)로 다시 내한하여, 명동 성당 등 여러 성당과 신학교를 창립하였고, 한국 천주교사(天主敎史)의 자료 수집에도 힘씀. 한국명은 민덕효(閔德孝). [1854–1934]

뮈토스 〔도 Mythos〕 명 신화(神話). 영웅의 전설.

뮌슈 〔Münch, Charles〕 명 〖사람〗 프랑스의 지휘자. 보스턴(Boston) 교향 악단과 파리 관현 악단의 지휘자를 역임함. 정확한 템포와 중후(重厚)하고도 정열적인 지휘로서, 현대 최고 지휘자의 한 사람으로 꼽히며, 지휘봉(指揮棒) 없는 지휘로 유명함. [1891–1968]

뮌스터 〔Münster〕 명 〖지〗 독일 서북부의 노르트라인베스트팔렌 주(Nordrhein-Westfalen 州)의 중심 도시. 도르트문트엠스(Dortmund-Ems) 운하(運河)에 면함. 1773년 창립한 대학이 있으며, 기계·섬유·양조 공업 등이 성함. 중심부는 제2차 세계 대전으로 파괴되었으나 중세(中世) 형식으로 복원(復元)되었음. [267,628명(1988)]

뮌스터베르크 〔Münsterberg, Hugo〕 명 〖사람〗 독일 출생의 미국 심리학자·철학자. 피히테(Fichte)의 관념론에서 출발, 독자적인 가치론(價値論)을 수립하고, 심리학에서는 운동설(運動說)을 주장, 다시 목적적 심리학을 제창하였음. [1863–1916]

뮌처 〔Münzer, Thomas〕 명 〖사람〗 독일의 급진적인 종교·사회 개혁 운동 지도자. 루터(Luther)의 타협적인 태도에 불만을 품고, 재세례파(再洗禮派)의 일파를 형성하여 교회와 국가의 철저한 개혁을 주장하였음. 혁명적 체제를 기도(企圖), 농민 전쟁(農民戰爭)을 지도하였으나 패하여 처형됨. [1489?–1525]

뮌헨 〔München〕 명 〖지〗 독일 남동부 바이에른 주(Bayern 州)의 주도. 남부 독일의 정치·경제·문화의 중심지임. 전기(電機)·기계·차량·섬유·맥주 양조 공업 등이 행하여짐. 독일 박물관·대학·궁전·교회 등 역사적인 건물이 많음. 1972년 제20회 올림픽 개최지이기도 함. 영어명은 뮤닉(Munich). [1,206,400명(1989)]

뮌헨 대학【一大學】〔München〕 명 독일 뮌헨에 있는 루트비히 막시밀리안(Ludwig-Maximilian) 주립(州立) 대학의 통칭. 잉골슈타트(Ingolstadt)에서 1472년 창립되어, 1826년 뮌헨에 이전함.

뮌헨 회:담【一會談】〔München〕 명 〖역〗 1938년 뮌헨에서 독일의 히틀러 총통, 이탈리아의 무솔리니 수상, 영국의 체임벌린 수상, 프랑스의 달라디에 수상의 넷 사이에 열린 회담. 전쟁을 피하기 위하여 독일이 체코슬로바키아의 수데텐(Sudeten) 지방을 접수함을 승인하였음.

뮐러[1] 〔Müller, Adam Heinrich〕 명 〖사람〗 독일의 국가학자·철학자. 합리주의와 자유주의에 반대하여, 로망적·신비적인 국가 유기체설(國家有機體說)을 제창하고 전체주의적 국민 경제론을 내세워, 봉건적 신분 제도로 복귀할 것을 주장하였음. 주저 ≪국가 기술 요론(國家技術要論≫·≪신(新)화폐론의 연구≫ 등이 있음. [1779–1829]

뮐러[2] 〔Müller, Friedrich Max〕 명 〖사람〗 독일 태생의, 영국의 동양학자·종교학자. 과학적 연구법에 의한 종교학의 시조라고 함. 인도의 언어·문학·종교·철학·신화(神話) 연구의 기초를 쌓음. 1875년 이후 ≪동양 고대 성전(聖典) 전집≫ 51권을 편집·간행함. 저서에 ≪종교학 서론≫·≪종교의 기원과 발달≫ 등 다수가 있음. [1823–1900]

뮐러[3] 〔Müller, George Elias〕 명 〖사람〗 독일의 심리학자. 1881년 이후 40년간 괴팅겐(Göttingen) 대학 교수. 정신 물리학·시각(視覺)·기억 등의 실험 연구로 알려짐. 일반적으로 그의 학설을 연합설이라고 하는데, 그 자신은 자기의 학설을 게슈탈트설(Gestalt 說)에 대립시켜 복합설이라고 했음. [1850–1934]

뮐러[4] 〔Müller, Johannes Peter〕 명 〖사람〗 독일의 생리학자. 실험 생리학의 기초를 확립, 저서 ≪인체 생리학 편람≫ 2권은 그 중 유명하며, 또한 특수 감각(感覺) 에너지 학설을 처음 주장하였음. 뮐러관(管)의 발견으로 알려짐. [1801–58]

뮐러[5] 〔Müller, Johannes von〕 명 〖사람〗 스위스의 역사가. 스위스사(史)의 고전 ≪스위스 연방사≫를 씀. 낭만주의적 중세 부흥(中世復興)의 선구자로 인정됨. [1752–1809]

뮐러[6] 〔Müller, Karl Alex〕 명 〖사람〗 스위스의 물리학자. 1987년 독일의 베트노르츠(Bednorz, J.B.)와 함께 산화물 고온 초전도체(超傳導體)

의 발견으로 노벨 물리학상을 수상함. [1927-　]

뮐러[7] 〔Müller, Paul Hermann〕 명 〖사람〗 스위스의 화학자. 살충제를 연구, 1939년 디 디 티(D.D.T.)를 합성하고 그 살충 효과를 발표하여 1948년 노벨 생리 의학상을 받았음. [1899-1965]

뮐러[8] 〔Müller, Wilhelm〕 명 〖사람〗 독일 후기 낭만파의 민중(民衆) 시인. ≪아름다운 물레방앗간의 아가씨≫·≪겨울 나그네≫ 등은 슈베르트에 의하여 작곡되었음. [1794-1827]

뮐러-관【一管】〔Müller〕 명 〖생〗 척추 동물의 중신 수관(中腎輸管)과 평행하게 생기는 중배엽(中胚葉) 기원(起原)의 관. 수컷에서는 퇴화(退化)되었으며, 암컷에서는 발달하여 수란관(輸卵管)이 됨. 독일의 뮐러(Müller, J.P.)가 발견함.

뮐러 리어의 도형【一圖形】〔Müller-Lyer〕[ー/ー에ー] 명 〖심〗 착시도(錯視圖)의 하나. 길이가 같은 두 직선을 나란히 놓고서, 하나는 양쪽 끝에다 화살 표시를 안으로 향하여 그리고, 하나는 밖으로 향하여 그린 도형. 이 때 두 개의 직선은 그 길이가 다르게 보임.

뮐루즈 〔Mulhouse〕 명 〖지〗 프랑스 동부, 독일과의 국경 근처에 있는 도시. 18세기 이래 섬유 공업으로 알려졌으며, 기계·화학·피혁 공업 등도 행해짐. 부근에 프랑스 최대의 칼륨 광산이 있음. 한때 독일령(領). 독일명은 뮐하우젠(Mülhausen). [112,000 명(1982)]

뮐씨 자 〈옛〉 움직일새. 움직이므로. '뮈다[1]'의 활용형. ¶ ᄇᆞᄅᆞ매 아니 뮐씨(風亦不扤)≪龍歌 2章≫.

뮐하임 〔Mülheim〕 명 〖지〗 ①뮐하임암라인(Mülheim-am-Rhein). 독일 라인 강 우안(右岸), 쾰른(Köln) 하류(下流)의 작은 도시. 섬유업이 성함. 1914년에 쾰른에 합병되었음. ②뮐하임 안 데어 루르(Mülheim an der Ruhr). 독일 에센(Essen)의 서북서에 있는 공업 도시. 부근에 탄전·철광산이 있어 제철업이 성함. 또, 사암(砂岩)은 건축용 재료로서 중요시됨. [180,000 명(1981)]

뮤:[1] 〔M, μ〕 명 그리스 문자의 열두째 자모.

뮤:[2] 〔μ〕 의명 길이의 단위의 하나인 미크론(micron)의 기호.

뮤:닉 〔Munich〕 명 〖지〗 '뮌헨(München)'의 영어명.

뮤신 〔mucin〕 명 〖생〗 동물의 소화관(消化管)에서 분비되는 점성(粘性) 물질. 일군(一群)의 무코 다당류(多糖類)나 당단백질(糖蛋白質)의 혼합물임.

뮤어 〔Muir, Edwin〕 명 〖사람〗 영국의 시인·비평가. ≪시간의 주제(主題)에 의한 변주곡≫·≪여행과 장소≫·≪미로(迷路)≫ 등을 통하여 영원과 시간과 사랑을 다루었으며, ≪구약 성서≫ 등의 상징적 이미지(image)를 써서, 자기혼의 적나라(赤裸裸)한 일면을 그림. [1887-1959]

뮤:온 〔muon〕 명 〖물〗 경입자(輕粒子)에 속하는 소립자(素粒子)의 하나. 음전하(陰電荷)를 띤 μ^-와 그 반입자(反粒子) μ^+가 있으며, 질량은 105.66 Me, 스핀(spin)은 1/2, 평균 수명 2.20×10^{-6}초로, 양전자(陽電子) 뉴트리노와 뮤 뉴트리노로 자연 붕괴됨. 1937년 미국의 앤더슨(Anderson, C.D.) 등이 우주선(宇宙線)의 안개 상자 사진 중에서 발견함. '약한 상호 작용'을 할 때는 반드시 뮤온 뉴트리노와 쌍을 이룸. 과거에는 뮤온 중간자라고도 했음. 뮤입자. *경입자.

뮤:온 물리학【一物理學】 명 〔muon physics〕 〖물〗 뮤온을 이용하여 물질의 성질을 연구하는 물리학의 한 분야.

뮤:-입자【一粒子】〔μ〕 명 뮤온(muon).

뮤:-중간자【一中間子】〔μ〕 명 〖물〗 뮤온(muon)을 한때 일컫던 이름.

뮤:즈 〔Muse〕 명 〖신〗 그리스 신화에서, 학예의 신(神)인 모우사(Mousa)의 영어식 이름. 제우스와 기억의 여신(女神)인 므네모시네(Mnemosyne) 사이에 태어난 복수(複數)의 여신들로, 칼리오페(Kalliope)는 서사시, 클레이오(Kleio)는 역사, 에우테르페(Euterpe)는 음악, 테르프시코레(Terpsichore)는 무용, 에라토(Erato)는 가요, 멜포메네(Melpomene)는 비극, 탈레이아(Thaleia)는 희극, 폴리힘니아(Polyhymnia)는 찬가, 우라니아(Urania)는 천문을 각각 맡음. 현재는 시(詩)나 음악의 신으로 일컬어짐.

〈뮤즈〉

뮤:지션 〔musician〕 명 재즈·록(rock) 등의 연주가. 음악가.

뮤:지엄 〔museum〕 명 박물관(博物館).

뮤:지컬 〔musical〕 명 ①음악적(音樂的). ②현대 미국에서 발달한 음악극의 한 형식. 뮤지컬 코미디나 뮤지컬 플레이를 종합하고, 그 위에 레뷔(revue)·쇼(show)·스펙터클(spectacle) 등의 요소를 가미하여, 대무대(大舞臺)에서 생기(生氣) 발랄하게 상연(上演)되는 것이 특징임.

뮤:지컬 소: 〔musical saw〕 명 〖악〗 악기로 사용하는 서양식의 톱. 현악기의 활로 켜거나 날을 두드려 연주함.

뮤:지컬 쇼: 〔musical show〕 명 라디오·텔레비전 등의, 음악을 주로 한 오락 프로.

뮤:지컬 코미디 〔musical comedy〕 명 〖악〗 영국의 '코믹 오페라(comic opera)'가 19세기 말경부터 미국에 옮겨져, 보다 극적(劇的)으로, 노래와 춤을 담은 형식으로 된 것. 음악 희극.

뮤:지컬 플레이 〔musical play〕 명 음악을 주체로 한 극. 보통, 뮤지컬 코미디보다 극적인 요소가 많이 있는 것을 가리키는데, 널리 뮤지컬과 같은 뜻으로도 쓰임.

뮤:직 〔music〕 명 음악(音樂).

뮤:직 드라마 〔music drama〕 명 〖연〗 악극(樂劇)❶.

뮤:직 라이브러리 〔music library〕 명 〖악〗 각종 디스크와 카세트 및 악보와 음악 전문 서적을 갖추어, 오디오 시스템을 통해 음악을 들려주고, 도서 열람도 할 수 있게 만든 일종의 도서실. 음악 도서실(音樂圖書室).

뮤:직 마스터 〔music master〕 명 음악 선생.

뮤:직 마이너스 원 〔music minus one〕 명 〖악〗 클래식 및 포퓰러 음악에서, 각종 악기 또는 보컬(vocal)의 솔로 파트(solo part)를 뺀 레코드. 이를테면, 피아노 협주곡에서 피아노 파트를 빼고, 오케스트라만을 녹음한 것 따위.

뮤:직 북 〔music book〕 명 악전(樂典). 악보.

뮤:직 센터 〔music center〕 명 턴테이블·앰프·튜너 및 테이프 데크는 한데 합쳐져 있고, 스피커만 분리된 오디오 시스템. *리시버.

뮤:직 홀: 〔music hall〕 명 음악당(音樂堂). 음악 감상실.

뮤:코이드 〔mucoid〕 명 〖생〗 생물에 의하여 생성되는 점액 물질의 총칭.

뮤:테이션 시어리 〔mutation theory〕 명 〖생〗 돌연 변이설.

뮬:〔mule〕 명 ①철도용 화차를 높은 곳에 밀어 올릴 때 사용하는 기계 장치. 조차대(操車臺) 위에 올릴 때 흔히 쓰임. ②영국의 크롬프턴(Crompton, S.)이 발명한 정방기(精紡機)의 한 가지. ③동식물의 잡종(雜種).

므거븐 형 〈옛〉 무거운. '므겁다'의 활용형. ¶ 즌 ᄒᆞᆰ 불ᄫᅵ며 므거븐 돌 지ᄃᆞᆺ ᄒᆞ야 ≪月釋 XXI:102≫.

므거이 부 〈옛〉 무거이. 무겁게. ¶ 모로매 므거이 맛ᄀᆞᆯᄆᆞ며(必重應)≪內訓 I:27≫.

므겁다 형 〈옛〉 무겁다. =므겋다. ¶ 能히 므거운 지믈 더러(能除重擔)≪圓覺 上 一之二 85≫/므거울 듕(重)≪石千 3≫.

므겋다 형 〈옛〉 무겁다. =므겁다. ¶ 목수미 므거본 거실씨 ≪釋譜 Ⅵ:5≫.

므겨 타 〈옛〉 무거워하여. '므기다'의 활용형. ¶ 사ᄅᆞ미 먼 ᄯᅡᄒᆞ로셔 와 粮食 굿건디 사ᄋᆞ리오 지윤 거시 百斤 두고 더으거든 믄득 이웃 사ᄅᆞ미 ᄯᅩ 죠고맛 거슬 더 브티면 이 다ᄉᆞ로 더욱 므겨 困ᄐᆞᆺ ᄒᆞ니이다 ≪月釋 XXI:106≫.

므근ᄒᆞ다 형 〈옛〉 묵직하다. ¶ 벌에 먹디 아니ᄒᆞᆫ 조협 ᄆᆞ론 ᄆᆞᄅᆞ 므근ᄒᆞᆫ ᄒᆞᆫ 돈과 밄ᄀᆞᄅᆞ 므근ᄒᆞᆫ ᄒᆞᆫ 돈과(不蟲皂莢末一大錢白麵一大錢)≪救簡 Ⅲ:82≫.

므긔 명 〈옛〉 무게. ¶ 므긔 서근 여듧 냥이오(重三斤八兩)≪武藝諸譜 I≫.

므기다 타 〈옛〉 무거워하다.

므너 타 〈옛〉 늘이어. 연장하여. '므느다'의 활용형. ¶ 도로 나와 명을 므너 다시 진을 닷글로다(還生延命更修眞)≪王郎傳 8≫.

므너흘다 타 〈옛〉 물어뜯다. ¶ 能히 사ᄅᆞᄆᆞᆯ 므너흐ᄂᆞᆺ다(能咬人) ≪金三 Ⅱ:21≫.

므놈 명 〈옛〉 늘임. 연장함. ¶ 玄覺이 時節 므노ᄆᆞᆯ 잢간 得ᄒᆞ야(粗得延時)≪永嘉 下 108≫.

므느다 〈옛〉 ㊀ 타 늘이다. 연장(延長)하다. ¶ 목숨 일ᄇᆡᆨ 마은 닐굽 ᄒᆡ을 므는 후애 ᄒᆞᆫᄃᆡ 극락국의 나다(延壽一百四十七歲後 同生極樂也)≪王郎傳 9≫. ㊁ 자 물러나다. 무르다. ¶ 니기도록 뒤흐로 므느ᄂᆞᆫ ᄃᆞᆺᄒᆞ여 ≪新語 Ⅸ:18≫.

므니 부 〈옛〉 늘이어. 계속하여. ¶ 斜陽 峴山의 躑躅을 므니 ᄇᆞᆯ와 ≪松江 關東別曲≫.

므더니 부 〈옛〉 함부로. 우습게. =므던히. ¶ 慢ᄋᆞᆫ ᄂᆞᆷ 므더니 너길 씨니 ≪月釋 Ⅸ:31≫.

므던이 부 〈옛〉 함부로. 우습게. =므더니. ¶ 이제 士大夫의 집이 만히 이룰 므던이 너겨(今士大夫家 多忽此)≪小諺 Ⅴ:40≫.

므던히 부 〈옛〉 함부로. 우습게. =므더니. ¶ 므던히 너길 ᄆᆞᅀᆞᆷ 업슬씨(無輕慢心)≪金剛 上 9≫.

므던ᄒᆞ다 형 〈옛〉 무던하다. 괜찮다. ¶ 시속을 조차 저롤 ᄒᆞᆫ번 ᄒᆞ야두 므던ᄒᆞ니라(今從俗一拜似可)≪呂約 21≫.

므드리다 타 〈옛〉 물들이다. ¶ 므드릴 염(染)≪字會 中 2≫.

므들다 자 〈옛〉 물들다. ¶ 漢閣애 제 열우며 므드니라(漢閣自磷緇)≪杜諺 Ⅲ:2≫.

므듸므듸 부 〈옛〉 이따금. 때때로. =므ᄃᆡ므ᄃᆡ·므리므리. ¶ 므듸므듸예 鮑照謝眺ᄅᆞᆯ 凌犯ᄒᆞ더니라(往往凌鮑謝)≪重杜諺 Ⅲ:59≫.

므ᄃᆡ므ᄃᆡ 부 〈옛〉 이따금. 때때로. =므듸므듸. ¶ 므ᄃᆡ므ᄃᆡ에 求ᄒᆞ더니(往往須)≪重杜諺 Ⅱ:23≫.

므라빈스키 〔Mravinskii, Evgenii Aleksandrovich〕 명 〖사람〗 소련의 지휘자. 레닌그라드 음악원(音樂院)에서 가우크(Gauk) 등에게서 배움. 1937년 키로프 극장 부(副)지휘자일 때 쇼스타코비치의 제5 교향곡을 초연(初演)하고, 이듬해 레닌그라드 필하모니 관현악단의 상임 지휘자가 됨. [1903-88]

-므로 어미 'ㄹ 받침'과 받침 없는 어간에 붙어서 까닭을 나타내는 연결 어미. ¶ 몸이 약하~ 일할 수 없다 / 때리~ 피했다 / 그는 학생이~ 학업에만 힘쓰고 있다 / 수재가 아니~ 공부를 못한다 / 좋게 만들~ 값이 비싸다. *-으므로.

므르 부 〈옛〉 무르게. 충분히. ¶ 하나 져그나 므르 디허 ᄒᆞᆰᄀᆞ티 니겨(不以多少擣爛如泥)≪救簡 Ⅵ:11≫.

므르걷다 자 〈옛〉 뒷걸음치다. ¶ 므르거를 쥰(逡), 므르거를 슌(巡)≪類合 下 37≫.

므르고으다 타 〈옛〉 무르게 고다. 푹 삶다. ¶ 첫 미수에 양 므르고으니와 蒸捲석과(第一道爊羊蒸捲)≪朴解 上 6≫.

므르글히다 타 〈옛〉 푹 무르게 끓이다. ¶ 거믄 콩을 므르 글혀(煮黑豆令爛)≪救簡 I:19≫.

므르ᄀᆞᆯ다 타 〈옛〉 곱게 갈다. ¶ 거믄 콩을 므르ᄀᆞ라(黑豆研爛)≪救簡 Ⅵ:26≫.

므르녹다 형 〈옛〉 무르녹다. 질다. ¶ 가마애 므르녹게 달힌 후에(於鍋中濃煎)≪救荒≫.

므르뉘게 부 〈옛〉 무르녹게. 난만히. ¶ 므르뉘게 醉호미 이 生涯니라(爛醉是生涯)≪重杜諺 Ⅺ:37≫.

므르다[1] 자타 〈옛〉 ①물러나다. =무르다[2]. ¶ 브즈런ᄒᆞᆫ ᄆᆞᅀᆞᄆᆞᆯ 므르디 말면 ≪月釋 XXI:94≫/므를 퇴(退)≪字會 下 26≫. ②후회하다. ¶ ᄒᆞ다가 몬져 므르ᄂᆞᆫ이란(如先悔的)≪老乞 下 15≫. ③뒤지다. ¶ 므르디 아니ᄒᆞᆯ 法輪을 그우리샤 ≪釋譜 XIII:4≫.

므르다[2] 형 〈옛〉 무르다[4]. ¶ 히미 세며 믈우믈 조차(隨力強弱)≪楞嚴 Ⅳ:29≫.

므르듣게 부 〈옛〉 무르녹게. 난만(爛熳)히. ¶ 봆고ᄌᆞᆯ 므르듣게 프디 아니ᄒᆞ려다 시름 아니커니와(春花不爛熳)≪杜諺 Ⅹ:46≫.

므르듣다 자 〈옛〉 ①늙다. ¶ 져믄 나히 ᄒᆞ마 므르듣도다(青歲已摧頹).

≪杜諺 XXI:37≫. ② 무너져 떨어지다. 무르게 되어 떨어지다. ¶ 므르듣다(坍水衝岸壞吏語坍塌)≪四聲 下 76≫.
므르디타 타〈옛〉 흠씬 찧다. ¶ 하나 져그나 므르디허 ᄒᆞᆰ ᄀᆞ티 니겨(不以多少擣爛如泥)≪救簡 Ⅵ:11≫. 「下 37≫.
므르ᄃᆞᄅᆞ다 자〈옛〉 물러 도망하다. 후퇴하다. ¶ 므르ᄃᆞᄅᆞᆯ 각(却)≪類合
므르돋다 자〈옛〉 물러 닫다. 뒤로 달아나다. ¶ 삿기 범과 ᄆᆡ햇 羊이 다 므르ᄃᆞᆮᄂᆞᆺ다(孩虎野羊俱辟易)≪初杜諺 XVII:10≫.
므르십다 타〈옛〉 잘 씹다. ¶ 힌 함박곳 불휘ᄅᆞᆯ ᄀᆞᄂᆞ리 사ᄒᆞ라 므르시버 ᄉᆞᆷ씨면 즉재 노가디리라(白芍藥細切爛嚼嚥之立消)≪救簡 Ⅵ:7≫.
므릇 부〈옛〉 무릇. ¶ 므릇 사ᄅᆞᆷ의 나미(凡人之生)≪內訓 序 2≫.
므릇 부〈방〉 무릇.
므리 명〈옛〉 무리. ¶ 特은 ᄂᆞᄆᆡ 므리예 ᄠᅳ로 다ᄅᆞᆯ씨라 ≪釋譜 Ⅵ:7≫.
므리므리 부〈옛〉 때때로. 이따금. =므듸므듸. ¶ 므리므리예(往往)≪金三 Ⅱ:7≫. 「≪老乞 上 17≫.
므ᄅᆞ다[1] 타〈옛〉 무르다[3]. ¶ 이러면 네 므ᄅᆞ고져 ᄒᆞᄂᆞᆫ다(這們的你要番悔)
므ᄅᆞ다[2] 형〈옛〉 무르다[4]. ¶ 허리 므ᄅᆞ니(腰兒軟)≪朴解 中 48≫.
므ᄅᆞᆷ 타〈옛〉 무름. 도로 돌림. '므ᄅᆞ다[1]'의 명사형. ¶ 半張에 써시면 一半갑ᄉᆞᆯ 주고 므ᄅᆞ미니라(半張裏寫時與一半錢贖)≪朴解 下 56≫.
므롭ᄹᅳᆯ다 타〈옛〉 뒤로 들다. ¶ 左足을 냅드며 올흔 편으로 ᄀᆞᆷ초고 左右을 냅드며 왼편으로 칼을 드리우고 左足을 므롭ᄹᅳ며 올흔 편으로 칼을 드리우고 ≪武藝 31≫.
므샤마괴 명〈옛〉 무사마귀. ¶ 므샤마괴(黃子)≪譯語 上 36≫.
므서리 명〈옛〉 무서리. ¶ 므서리(甜霜)≪譯語 上 2≫. 「關東別曲≫.
므섯 물대〈옛〉 무엇. ¶ 바다 밧근 하ᄂᆞᆯ히니 하ᄂᆞᆯ 밧근 므서신고≪松江
므쇼 명〈옛〉 무소. 코뿔소. ¶ 므쇼 셔(犀)≪字會 上 18≫. 「上 15≫.
므수리 명〈옛〉 물수리. 징경이. ¶ 므수리 독(鵚), 므수리 츄(鶖) ≪字會
므스 관 지대〈옛〉 무슨. 무엇. =무스·므슴·므ᄉᆞᆷ. ¶ 명관이 날 잡기ᄂᆞᆫ 므스 일고≪王郎傳 2≫.
므스것 지대〈옛〉 무엇. ¶ 姓이 므스것고(姓甚麽)≪老乞 上 14≫.
므스게〈옛〉 무엇에. ¶ 므스게 ᄡᅳ시리 ≪月釋 Ⅰ:10≫.
므스그라〈옛〉 무엇이라고. 무엇 하리라고. ¶ 묻노라 ᄇᆡ ᄠᅴ워가ᄂᆞᆫ 사ᄅᆞᄆᆞᆫ 므스그라 烟霧로 드러가ᄂᆞ뇨(借問泛舟人胡爲入烟霧) ≪初杜諺 XXII:39≫. 「≪月釋 Ⅹ:28≫.
므스글〈옛〉 무엇을. ¶ 爲頭 도ᄌᆞ기 무로ᄃᆡ 너희돌히 므스글 보ᄂᆞᆫ다
므스기〈옛〉 무엇이. ¶ 므스기 일후미 小法 즐기ᄂᆞ니오(何名樂小法者) ≪金剛 下 97≫. *므슥.
므스므라〈옛〉 무슨 까닭으로. =므ᄉᆞ므라. ¶ 世尊ㅅ 安否 묻ᄌᆞᆸ고 니ᄅᆞ샤ᄃᆡ 므스므라 오시니잇고≪釋譜 Ⅵ:3≫. 「≪朴解 上 74≫.
므스므려〈옛〉 무슨 까닭으로. ¶ 므스므려 말 한양ᄒᆞ리오(要甚麽多話)
므슥 지대〈옛〉 무엇. ¶ 므스글 道ㅣ라 ᄒᆞᄂᆞ니잇고 ≪月釋 Ⅸ:23≫.
므슴 ㊀ 관〈옛〉 무슨. ¶ 내 ᄯᅩ 므슴 시름ᄒᆞ리오 ≪月釋 XXI:49≫. ㊁ 지대〈옛〉 무엇. =므스. ¶ 므슴 호려 ᄒᆞ시ᄂᆞ니 ≪月釋 Ⅰ:10≫.
므슴다〈옛〉 무슨 까닭인가. 무슨 일인고. ¶ 므슴다 錄事니ᄆᆞᆫ 녯나ᄅᆞᆯ 닛고신뎌 ≪樂範 卷五 動動≫. *므슴.
므슴아라〈옛〉 무슨 까닭으로. 무엇이라고. 무엇 하려고. =므ᄉᆞ므라. ¶ 므슴아라 다ᄅᆞᆫ 사ᄅᆞᆷ ᄒᆞ여 뵈라 가리오(要甚麽教別人看去)≪老乞 上 58≫.
므슴ᄒᆞ라〈옛〉 무슨 까닭으로. 무엇 하려고. =므ᄉᆞ므라. ¶ 므슴ᄒᆞ라 말 한양 ᄒᆞᄂᆞ뇨(要甚麽多說)≪老乞 下 25≫.
므슴ᄒᆞᆯ싸〈옛〉 무엇 하려는가. 무엇 하려느냐. ¶ 네 뎌를 ᄎᆞ자 므슴ᄒᆞᆯ싸(你尋他怎麽)≪老乞 下 Ⅰ≫.
므ᅀᅳᆺ 관〈옛〉 무슨. =므ᄉᆞ·므읏. ¶ 늘구메 내 모미 므ᅀᅳᆺ 이ᄅᆞᆯ 補助ᄒᆞ리오(衰謝身何補)≪杜諺 Ⅴ:16≫.
므싀여ᄒᆞ다 자〈옛〉 무서워하다. ¶ 어미 울에ᄅᆞᆯ 므싀여ᄒᆞ더니(母性畏雷)≪三綱 王裒≫. 「諺 XI:7≫.
므ᄉᆞ 관〈옛〉 무슨. 어떤. =므읏. ¶ 吉ᄒᆞᆫ ᄭᅮ미 므ᄉᆞ 것고(吉夢維何)≪詩
므ᄉᆞ므라〈옛〉 무슨 까닭으로. 무엇이라고. 무엇 하려고. =므스므라. ¶ 인간이 됴터냐 므ᄉᆞ므라 ᄂᆞ려온다 ≪永言 鄭徹≫.
므ᄉᆞᆷ ㊀ 관〈옛〉 무슨. =므슴. ¶ 네 高麗 ᄯᅡ히셔 므ᄉᆞᆷ 貨物 가져온다(你高麗地面裏將甚麽貨物來)≪老乞 下 2≫. ㊁ 지대〈옛〉 무엇. =므스. ¶ ᄒᆞ다가 못ᄒᆞᄂᆞᆫ 일을 닐러 므ᄉᆞᆷ ᄒᆞ리 ≪永言 鄭徹≫.
므ᄉᆞᆷ아라〈옛〉 무슨 까닭으로. 무엇이라고. 무엇 하려고. ¶ 므ᄉᆞᆷ아라 ᄡᆞᆯ 밧고려 ᄒᆞᄂᆞ뇨(要甚麽糴)≪老乞 上 36≫.
므ᄉᆞᆺ 지대〈옛〉 무엇. ¶ 므ᄉᆞ슬 ᄒᆞ고져 ᄒᆞ료(欲如之何)≪內訓 Ⅲ:34≫.
므싀다 타〈옛〉 두려워하다. ¶ 사ᄅᆞᄆᆞᆯ 므싀여 죠고맛 지블 일웻노니(畏人成小築)≪初杜諺 Ⅹ:16≫.
므싀여ᄫᅳᆫ 형〈옛〉 무서운. '므싀엽다'의 활용형. ¶ 엇뎨 므싀여ᄫᅳᆫ 양ᄌᆞᄅᆞᆯ 지ᅀᅳ시ᄂᆞ니잇고 ≪月釋 Ⅶ:48≫.
므싀여운 형〈옛〉 무서운. '므싀엽다'의 활용형. ¶ 므싀여운 화ᄅᆞᆯ 能히 시울 엱디 몯ᄒᆞ니(威弧不能弦)≪初杜諺 XXII:32≫. *므싀여ᄫᅳᆫ.
므싀여이 부〈옛〉 무섭게. ¶ 萬里에 므싀여이 罪니벗ᄂᆞᆫ 나래 ᄆᆞᅀᆞᄆᆞᆯ 슬코(萬里傷心嚴譴日)≪初杜諺 XXIII:39≫.
므싀엽다 형〈옛〉 무섭다. =므의엽다. ¶ 바ᄆᆡ 가다가 귓것과 모딘 즁싱이 므싀엽도소니 ≪釋譜 Ⅵ:19≫. 「23≫.
므싀엽다 형〈옛〉 무섭다. ¶ 가ᅀᆞ멸며 싁싁ᄒᆞ야 므싀여ᄫᅳ며 ≪月釋 Ⅱ:
므싀욤 명〈옛〉 무서움. ¶ 므싀욤 ᄐᆞᄂᆞᆫ 사ᄅᆞᄆᆞᆫ ≪月釋 Ⅱ:59≫.
므엇 지대〈옛〉 무엇. ¶ 그놈들히 우리ᄅᆞᆯ ᄒᆞ여 므엇ᄒᆞ리오(那廝們侍要我甚麽)≪老乞 上 24≫.
므여ᄒᆞ다 자타〈옛〉 미워하다. 성내다. ¶ 每常扶持ᄒᆞ거든 반ᄃᆞ기 므여ᄒᆞᄂᆞᆺ다(每扶必怒嗔)≪杜諺 XIX:31≫.
므읏 관〈옛〉 무슨. =므ᄉᆞ·므ᅀᅳᆺ. ¶ 느지 니로니 지븨 므읏 이ᄅᆞᆯ ᄒᆞ리오 (晩起家何事)≪重杜諺 Ⅲ:30≫.
므의다 자〈옛〉 두려워하다. =므싀다. ¶ 門庭에 소ᄂᆡ ᄌᆞ조 오ᄆᆞᆯ 므의노라(門庭畏客頻)≪重杜諺 Ⅶ:18≫.
므의여운 형〈옛〉 무서운. '므의엽다'의 활용형. ¶ 지비 다 므의여운 길ᄀᆞᅀᅵ ᄃᆞ니노라(盡室畏途邊)≪重杜諺 Ⅱ:3≫. 「魍森慘戚)≪杜諺≫.
므의엽다 형〈옛〉 무섭다. =므싀엽다. ¶ 귓거시 森然히 므의엽도다(魍
므즤다 자〈옛〉 구름이 뭉게뭉게 모이다. 구름이 성(盛)히 모이다. ¶ 구룸 흐리요미 므즤여 아래 미처(雲陰靉然下逮)≪妙蓮 Ⅱ:35≫.
므지게 명〈옛〉 무지개. ¶ 힌 므지게 ᄒᆡ예 ᄢᅦ니이다(維時白虹橫貫于日)≪龍歌 50章≫/므지게 홍(虹), 므지게 예(霓)≪字會 上 3≫.
므ᄌᆞ미 명〈옛〉 자맥질. ¶ 므ᄌᆞ미 미(泎), 므ᄌᆞ미 영(泳)≪字會 中 2≫.
므티다 타〈옛〉 묻히다. ¶ 먹 므텨 너ᄅᆞᆯ 붓을 주니(涴饋伱筆) ≪朴解 下
므프레 명〈옛〉 물푸레나무. ¶ 므프레 진(梣)≪字會 上 11≫. └12≫.
므흐다 형〈옛〉 기구(崎嶇)하다. 험(險)하다. =머흘다❶. ¶ 賢才의 길을 므호디 아니ᄒᆞ더라(賢路不崎嶇)≪杜諺≫.
믄 명〈옛〉 문. ¶ 믄(門), 門俗音 믄 ≪四聲 下 64≫. 「:29≫.
믄다히다 타〈옛〉 문대다. ¶ ᄆᆞᆯ ᄀᆞ려온ᄃᆡ 믄다히다(創癢)≪漢淸 XIV
믄드기 부〈옛〉 문득. 갑자기. ¶ 나ᄅᆞᆯ 棄絕호ᄆᆞᆯ 믄드기 더디ᄃᆞᆺ ᄒᆞᄂᆞᆺ다(棄我忽若遺)≪杜諺 Ⅸ:3≫.
믄드시 부〈옛〉 문득. 갑자기. =믄득·믄듯. ¶ 시르믜 오ᄆᆞᆯ 믄드시 이긔디 몯ᄒᆞ리로다(愁來遽不禁)≪杜諺 Ⅲ:14≫. 「6≫.
믄득 부〈옛〉 문득. =믄드시·믄듯. ¶ 迦毗羅國에 믄득 現ᄒᆞ샤≪月釋 Ⅹ:
믄듯 부〈옛〉 문득. 갑자기. =믄드시·믄득. ¶ 妖怪로윈 氣運이 믄듯 아ᅀᆞ라ᄒᆞ도다(妖氣忽杳冥)≪初杜諺 XXIV:5≫.
믄허디다 자〈옛〉 무너지다. ¶ 겨집이 지아비ᄅᆞᆯ 셤기디 몯ᄒᆞ면 義理 믄허디리니(婦不事夫 則 義理隳闕)≪內訓 Ⅱ:5≫.
믄허지다 자〈옛〉 무너지다. =믄허디다. ¶ 우리 집 담도 여러 돌림이 믄허져시니(我家的墻也倒了幾堵)≪朴新解 Ⅰ:10≫.
믈[1] 명〈옛〉 물. ¶ ᄉᆡ미 기픈 므른 ᄀᆞᄆᆞ래 아니 그츨ᄊᆡ(源遠之水旱亦不竭)≪龍歌 2章≫/믈 슈(水)≪字會 下 35≫.
믈[2] 명〈옛〉 굴(窟)속의 물. ¶ ᄆᆞᆯ 머기던 므를 ᄌᆞ조 어더보라(屢得飮馬窟)≪杜諺 Ⅰ:3≫. 「염(染)≪字會 下 48≫.
믈[3] 명〈옛〉 물감. ¶ 믈 갑시 두 돈이오(染錢二錢)≪老乞 上 12≫/믈들
믈가리 명〈옛〉 물 갈래. =믌가ᄅᆞ. ¶ 믈가리(水派)≪同文 上 8≫.
믈견홈 명〈옛〉 물 겨냥. 수심(水深)의 측량(測量). ¶ 믈견홈 측(測)≪類
믈구븨 명〈옛〉 물굽이. ¶ 믈구븨 예(汭)≪字會 下 35≫. └合 下 12≫.
믈너나다 자〈옛〉 물러나다. ¶ 下直고 믈너나니 ≪松江 關東別曲≫.
믈너비가다 자〈옛〉 홍수지다. ¶ 믈너비갈 방(滂)≪類合 下 53≫.
믈다 타〈옛〉 물다[3]. ¶ 블근 새 그를 므러(赤爵銜書)/ᄇᆞ야미 가칠 므러(大蛇啣鵲)≪龍歌 7章≫/믈 교(咬), 믈잡(咂)≪字會 下 8≫.
믈덤 명〈옛〉 물방울. ¶ 믈덤 뎍(滴)≪類合 下 50≫. 「Ⅹ:9≫.
믈드리다 타〈옛〉 물들이다. ¶ 거므니 믈드려 망ᄀᆞ론디(黑染造)≪楞嚴
믈들다 자〈옛〉 물들다. ¶ 여러 境上애 ᄆᆞᅀᆞ미 믈드디 아니호ᄆᆞᆯ 닐오ᄃᆡ(於諸境上心不染曰)≪六祖 中 10≫. 「지니 ≪三譯 Ⅳ:18≫.
믈딘 명〈옛〉 물진. 수진(水陣). ¶ 믈딘 갓가이 셔셔 쏘ᄂᆞᆫ 살을 바다 가
믈딛다 형〈옛〉 물이 짙다. ¶ 믈디틀 롱(濃) ≪類合 下 52≫. 「章≫.
믈러가다 자〈옛〉 물러가다. ¶ 아ᅀᆞᆸ고 믈러가니(識斯退歸) ≪龍歌 51
믈러가쥼 타〈옛〉 물려 가짐. ¶ 菩薩이 부텻 法 므르ᅀᆞᄫᅩ미 아ᄃᆞ리 아비 쳔량 믈러가쥬미 ᄀᆞᄐᆞᆯᄊᆡ 菩薩을 부텻 아ᄃᆞ리라 ᄒᆞᄂᆞ니라 ≪釋譜 XIII:18≫. *므르다[1].
믈러굽다 형〈옛〉 물려서 싫증이 나다. =믈리굽다. ¶ 그 身心을 보차 믈러 구부믈 내에 말라(無令惱其身心令生退屈)≪圓覺 下 三之二 86≫.
믈러니다 자〈옛〉 물러가다. ¶ ᄌᆞ오로미 믈러니거든(睡魔退)≪蒙法 3≫.
믈러디다 자〈옛〉 물러지다. ¶ 뎌 時節에 根性이 一定티 몯ᄒᆞ야 後에 도로 믈러디여 ㅣ 五道애 흐르닐씨 ≪月釋 XIII:31≫. *므르다[2].
믈룸 자〈옛〉 물러섬. ¶ 믈루믄 佛이 凡과 ᄀᆞᆮ호미니(退者佛同凡) ≪圓覺 上 三之三 5≫.
믈리 부〈옛〉 물러 가서. 돌이켜. ¶ 過去에 輪廻ᄒᆞ던 業을 믈리 ᄉᆞ랑컨댄(追念過去輪廻之業)≪牧訣 43≫.
믈리걷다 자〈옛〉 물러나 걷다. 되돌아서 걷다. ¶ 險道ᄅᆞᆯ 아라 즉재 믈리거러 이 길헤 나고 져커늘 ≪月釋 XXI:118≫.
믈리굽다 자〈옛〉 물려서 싫증이 나다. =믈러굽다. ¶ 다 첫 ᄆᆞᅀᆞᇝ 行人으로 믈리굽게 ᄒᆞᄂᆞ니(皆令初心行人退屈)≪圓覺 下 三之二 87≫.
믈리그우다 자〈옛〉 물러서다. 퇴전(退轉)하다. =믈리그울다. ¶ 믈리그우디 아니ᄒᆞᇙ 法輪을 옮기시며(轉不退轉法輪)≪妙蓮 Ⅰ:37≫.
믈리그우룸 자〈옛〉 물러섬. 퇴전(退轉)함. '물리그울다'의 명사형. ¶ ᄆᆞᅀᆞ미 저허 믈리그우룸 업스니(心無畏怖退轉)≪金剛 78≫.
믈리그울다 자〈옛〉 물러서다. 퇴전(退轉)하다. ¶ 無上覺애 믈리그우디 아니호매 셔니라(於無上覺立不退轉)≪楞嚴 Ⅰ:4≫.
믈리다[1] 타〈옛〉 물리치다. ¶ 모딘 도ᄌᆞᄀᆞᆯ 믈리시니이다(維彼勍敵遂能退之)≪龍歌 35章≫.
믈리다[2] 피동〈옛〉 물리다. ¶ ᄒᆞᆫ ᄒᆡᄅᆞᆯ ᄇᆡ얌 믈려 디내면 三年을 드렛줄도 접퍼ᄒᆞᆫ다 ᄒᆞ니라(一年經蛇咬 三年怕井繩)≪朴解 上 34≫.
믈리받다 타〈옛〉 물리치다. ¶ 올ᄒᆞᆫ 소ᄂᆞ로 버믈 믈리바ᄃᆞ며(右手拒虎)≪續三綱 列女圖≫.
믈리왇다 타〈옛〉 물리치다. ¶ 巾과 几왜 오히려 믈리왇디 아니ᄒᆞ얏도다(巾几猶未却)≪初杜諺 Ⅸ:1≫.
믈리조치다 자〈옛〉 물러나게 쫓기다. 쫓기어 물러나다. ¶ ᄉᆞᄀᆞᄫᆞᆯ 軍馬ᄅᆞᆯ 이길씨 ᄒᆞᄫᆞᅀᅡ 믈리조치샤 모딘 도ᄌᆞᄀᆞᆯ 자ᄇᆞ시니이다(克彼鄕兵 挺身陽化 維此兇賊 遂能獲之)≪龍歌 35章≫. 「XVII:33≫.
믈리좇다 타〈옛〉 물리쳐 쫓다. ¶ 西戎을 믈리조ᄎᆞ며(却西戎) ≪初杜諺

믈리치다 타〈옛〉물리치다. ¶ 싸홀 두ᄃᆞ리며 힘ᄡᅥ 믈리치고 《五倫 Ⅰ:62》.

믈리티다 타〈옛〉물리치다. ¶ 이리 뽀차 믈리티고(這般赶退了) 《朴解 下 49》.

믈머곰 명〈옛〉물마시는 일. ¶ 아이 믈머곰도 아니 머고ᄃᆞᆯ 닷ᄉᆡ ᄒᆞ고(㑆勺水不入嘴五日)《二倫 12》.

믈미다 자〈옛〉물밀다. ¶ 믈미다(潮上了)《譯語 上 7》.

믈므밥 명〈옛〉물말이❶. ¶ 믈므밥 손(飧水和飯)《字會 中 20》.

믈밉다 형〈옛〉맵다. 맹렬하다. ¶ 믈미올 녈(烈)《類合 下 55》.

믈뿍 명〈옛〉물쑥. ¶ 믈뿍 루(蔞)《字會 上 15, 四聲上 35》.

믈불휘 명〈옛〉물의 근원. ¶ 믈불휘 원(源)《類合 下 50》. *불휘.

믈븟다 타〈옛〉물 붓다. ¶ 믈브슬 관(灌)《類合 下 41》. *븟다.

믈ㅅ マ래 명〈옛〉물갈래. ¶ 믈ㅅマ래(河汊)《漢淸 Ⅰ:44》.

믈ᄢᅵ다 자〈옛〉물이 끼다. 큰물지다. ¶ 田禾에 믈ᄢᅧ여 ᄒᆞᆫ 불회도 업고(滂了田禾沒一根兒)《朴解 上 10》.

믈ᄠᅳ다 타〈옛〉물을 뜨다. ¶ 믈ᄠᅳᆯ 읍(挹)《類合 下 41》.

믈ᄡᅳ리다 자〈옛〉물 뿌리다. ¶ 믈ᄡᅳ릴 쇄(灑)《類合 下 8》.

믈ᄉᆡ다 타〈옛〉물이 새다. 물스미다. ¶ 믈ᄉᆡᆯ 삼(滲)《類合 下 14》.

믈아치 명〈옛〉복쟁이. 하돈(河豚). ¶ 믈아치(江䰳)《四聲 上 63》.

믈어 형〈옛〉물러(軟). 'ᄆᆞ르다²'의 부사형(副詞形). ¶ 그 보ᄇᆡ 믈어 보ᄃᆞ라바 《月釋 Ⅷ:13》.

믈어듐 자〈옛〉무너짐. '믈어디다'의 명사형. ¶ 집 믈어듐과 ᄆᆞᄅᆞ 서굼「과(堂崩棟朽)《永嘉 下 140》.

믈어디다 자〈옛〉무너지다. =믈허디다. ¶ 淸凉애사 무스리 믈어디ᄉᆡ라《鄕樂 內堂》「50》.

믈여위다 자〈옛〉물이 마르다. 물이 잦다. ¶ 믈여윌 고(涸)《類合 下

믈옥 명〈옛〉수정(水晶). ¶ 玻瓈ᄂᆞᆫ 믈옥이라 ᄒᆞᆫ 말이니 水精이라 《月釋 Ⅰ:22》.

믈올히 명〈옛〉물오리. ¶ 믈올히(鳧)《詩諺 物名 8》.「40》.

믈왕하 명〈옛〉물에 나는 차조기. ¶ 水蘇一名 雞蘇 믈왕하 《四聲 上

믈우다 형〈옛〉무르다⁴. =ᄆᆞ르다². ¶ ᄢᅥ디며 믈우믄(綻拆爛壞)《楞嚴 Ⅷ:102》.「(隨力強弱)《楞嚴 Ⅳ:29》.

믈움 형〈옛〉무름. 약함. 'ᄆᆞ르다²'의 명사형. ¶ 히미 세며 믈우믈 조차

믈위 명〈옛〉우박. =무뤼¹. ¶ 믈위 오다(下雹子)《譯語 上 3》.

믈읫 부〈옛〉무릇. =믈읫. ¶ 믈읫 말ᄉᆞᆷ을 반ᄃᆞ시 튱후ᄒᆞ고 밋비ᄒᆞ며 믈읫 힝실을 반ᄃᆞ시 도타히ᄒᆞ고(凡語 必忠信 凡行 必篤敬)《內訓 Ⅰ:21》.

믈읫 부〈옛〉무릇. ¶ 믈읫 아치 언븐 야이 업스니《釋譜 ⅩⅨ:7》.

믈이다¹ 피동〈옛〉물리다. ¶ 여슷 차힌 모딘 즁싱 믈여 橫死ᄒᆞᆯ 씨오《釋譜 Ⅸ:37》.「諺 ⅩⅩⅣ:29》.

믈이다² 타〈옛〉물리다. 물리치다. ¶ ᄂᆞᄆᆡ게 믈이디 아니ᄒᆞ리라 《初杜

믈왕 명〈옛〉파려(玻瓈). ¶ 玻瓈ᄂᆞᆫ 믈왕이라 ᄒᆞᆫ 마리니 水精이라 《月釋 Ⅰ:22》.

믈자새 명〈옛〉무자위. ¶ 믈자새 길(桔), 믈자새 고(槔) 《字會 中 15》.

믈조초가다 타〈옛〉물을 따라가다. ¶ 믈조초갈 연(沿)《類合 下 38》.

믈집 명〈옛〉물집. ¶ 믈집(染家)《字會 中 2》.「Ⅰ:49》.

믈ᄌᆞᄆᆡ악ᄒᆞ다 자〈옛〉무자맥질하다. ¶ 믈ᄌᆞᄆᆡ악ᄒᆞ다(扎猛子)《漢淸

믈ᄌᆞᆷ다 자〈옛〉물에 잠기다. ¶ 믈ᄌᆞᆷ다(水淹了)《四聲 下 84》.

믈허디다 자〈옛〉무너지다. =믈어디다. ¶ 이ᄂᆞᆫ 十年을 견듸여도 믈허디디 아니 ᄒᆞ리로다(這的推十年也壞不得)/ᄒᆞᆫ 곳 ᄃᆞ리 믈허뎌 잇더니(有一坐橋塌了曾)《老解 上 23》/믈허딜 궤(潰)《類合》.

믈허리티다 타〈옛〉무너뜨리다. ¶ 처어ᄆᆡ 드로니 龍이 ᄡᅳ미 健壯ᄒᆞ야 돌ᄒᆞᆯ ᄢᅢ혀며 林丘를 믈허리티고(初聞龍用壯擘石摧林丘)《重杜諺 ⅩⅢ:10》.「《小諺》.

믈허ᄇᆞ리다 타〈옛〉무너뜨려 버리다. ¶ 그 綱을 믈허ᄇᆞ려(乃頹其綱)

믈헐다 자〈옛〉물러 헐다. ¶ 그 고ᄃᆞᆯ 것거 믈헐에 ᄒᆞ료(摧裂其處)《楞嚴 Ⅸ:47》.

믈헤어지다 자〈옛〉무너지다. ¶ 믈헤어질 궤(潰)《類合 下 52》.

믈혀다 자〈옛〉물이 써다. ¶ 믈혀다(潮退)《譯語 上 7》.

믈혹 명〈옛〉혹. ¶ 믈혹 류(瘤)/믈혹 영(癭)《字會 中 33》.

믉다 형〈옛〉묽다. ¶ 믉은 쥭도 ᄲᅮ엇다(稀粥也熬着哩)《朴新解 Ⅱ:36》.

믌가룸 명〈옛〉물갈래. ¶ 믌가ᄅᆞᆷ 패(派)《字會 上 5》.

믌결 명〈옛〉물결. =믓결. ¶ 믌겨리 서르 니ᅀᅥ(波浪이 相續ᄒᆞ야)《楞嚴 Ⅱ:102》.「方 下 57》.

믌고기 명〈옛〉물고기. =믓고기. ¶ 여러가짓 믌고기 먹고(食諸魚)《救

믌그제 명〈옛〉물 흔적. 물결지나간 자국. ¶ 이시 믈그제를 다 머겟도다(苔蘚食盡波濤痕)《重杜諺 Ⅲ:70》.

믌ᄀᆞᆺ 명〈옛〉물가. ¶ 힌 몰애와 프른 대 잇는 믌ᄀᆞᆺ ᄆᆞᅀᆞᆯ 나조히(白沙翠竹江村暮)《初杜諺 Ⅶ:22》.

믌뉘누리 명〈옛〉소용도리. =뉘누리❷. ¶ 믌뉘누리예 히야로비 沐浴ᄒᆞᄂᆞ니 엇던 ᄆᆞᅀᆞᆷ고(盤渦鷺浴底心性)《重杜諺 Ⅲ:34》.

믌더품 명〈옛〉물거품. ¶ ᄭᅮᆷ 곡도 믌더품 그리메 ᄀᆞᆮᄒᆞ며(如夢幻泡影)《金剛 下 151》.

믌돍 명〈옛〉뜸부기. 비오리. =믓돍. ¶ 가마오디와 믌돌가 속졀업시 ᄒᆞ오ᅀᅡ 깃디 말라(鸕鷀鸂鶒莫漫喜)《杜諺 Ⅹ:4》.

믌방올 명〈옛〉물방울. ¶ 믌방올(水泡)《譯語 上 2》.

믌방하 명〈옛〉물에 나는 차조기. ¶ 믌방하(鷄蘇)《救簡 Ⅲ:115》.

믌어디다 자〈옛〉무너지다. ¶ ᄆᆞᄅᆞ맨 믌어딜ᄃᆞᆺ 아니 믌어딜ᄃᆞᆺᄒᆞᆫ 돌히 뮈놋다(江動將崩未崩石)《重杜諺 ⅩⅢ:31》.

믌집 명〈옛〉염색소(染色所). ¶ 믌집의 잡은 것 믈드리라 가쟈(染房裏染東西去來)《朴解 中 3》.

믌출 명〈옛〉물의 근원. =믈불휘. ¶ 믌츠리 ᄆᆞᆯ마니 짓나븨 소리 섯겟고(泉源冷冷雜猿狖)《杜諺 Ⅴ:36》.

믌벌에 명〈옛〉무는 벌레. 물것. ¶ 모딘 ᄇᆞ얌과 믌벌에트렛 므쉬여ᄫᆞᆫ 이리 이셔도 《釋譜 Ⅸ:24》.

믓 관〈옛〉뭇. ¶ 믓 즘싱 ᄲᅩᄂᆞᆫ 준 쳘환(鐵沙子)《漢淸 Ⅴ:12》.

믓거굼 명〈옛〉물. 미음(米飮). ¶ 믓거굼도 아니 머거(水漿不入源)《三綱》.

믓결 명〈옛〉물결. =믌결. ¶ 믓결 파(波)《字會 上 4》.

믓고기 명〈옛〉물고기. ¶ 아비 病 어더셔 믓고기 먹고져 ᄒᆞ니(父嘗○○○食魚)《續三綱 孝子》.

믓길 명〈옛〉물길. 육로(陸路). ¶ 믓길로 온다(旱路裏來)《朴解 中 12》.

믓ᄀᆞᆺ 명〈옛〉물가¹. ¶ 믓ᄀᆞᆺ 쥬(洲), 믓ᄀᆞᆺ 뎡(汀)《字會 上 4》.

믓ᄀᆞᇫ 명〈옛〉물가. =믓ᄀᆞᆺ. ¶ 후에 고기 자블 사ᄅᆞ미 믓ᄀᆞᇫ애 두 주검이 ᄒᆞᆫᄃᆡ 잇거늘(後漁人於河邊得二屍同處)《續三綱 烈女圖》.

믓다 자〈옛〉무너지다. ¶ 디새 믓ᄃᆞ다 ᄒᆞᆫ 고ᄃᆞᆯ(瓦解處)《金三 Ⅱ:1》.

믓돍 명〈옛〉뜸부기. 비오리. =믌돍. ¶ 믓돍 계(鸂), 믓돍 틱(鶒)《字會 上 17》.

믓살 타〈옛〉묶음. '믓다'의 활용형. ¶ 믓ᅀᅳᆯ 속(束)《石千 41》.

믓올히 명〈옛〉물오리. ¶ 믓올히 셔(鸍), 믓올히 부(鳧)《字會 上 16》.

뭇다 타〈옛〉묶다. ¶ 白玉을 뭇것ᄂᆞᆫᄃᆞᆺ 東溟을 박ᄎᆞᄂᆞᆫᄃᆞᆺ 《松江 關東別曲》

믕석 명〈방〉멍석(경북).

믜 명〈옛〉미¹. 해삼. ¶ 믜(海蔘)《濟衆》.

믜다¹ 자〈옛〉①무이다. 빠지다. ¶ 머리 믠 居士ㅣ라ᄒᆞ며(禿居士)《龜鑑 下 52》. ②소박하다. ¶ 믠비단(素緞子)《老乞 下 22》.

믜다² 타〈옛〉미다². 찢다. ¶ 두터운 ᄯᅡ홀 믜혓도다(裂厚地)《杜諺》/ 글월 믜여ᄇᆞ리라(扯了文契着)《老乞 下 18》.「9》.

믜다³ 타〈옛〉미워하다. ¶ 믜며 ᄃᆞ오ᄅᆞᆯ 간대로 니ᄅᆞ와다(妄起憎)《金剛

믜리 명〈옛〉미워할 사람. ¶ 믜리도 괴리도 업시 마자셔 우니노라《樂詞 靑山別曲》.「釋 Ⅱ:64》.

믜ᄫᅳᆫ 형〈옛〉미운. '믭다'의 활용형. ¶ 놈 믜ᄫᅳᆫ ᄠᅳ들 둘ᄯᅥ ᄒᆞ야시놀《月

믜여디다 자〈옛〉미어지다. ¶ 믜여딜 녈(裂)《類合 下 59》.

믜여ᄇᆞ리다 타〈옛〉찢어버리다. ¶ 싈의 노ᄂᆞ 아히 아니환히 누워 안ᄒᆞᆯ 볼와 믜여ᄇᆞ리ᄂᆞ다(嬌兒惡臥踏裏裂)《重杜諺 Ⅵ:42》.

믜역져비 명〈옛〉수제비. ¶ 져이 믜역져비 ᄡᅳ고(撇些禿禿麽思)《朴解》.

믜욤 명〈옛〉미워함. ¶ 믜요미 일오(成憎)《楞嚴 Ⅳ:7》.

믜움 명〈옛〉미움. ¶ ᄃᆞ오며 믜우미 서르 닐어니(愛憎交起)《圓覺 上 一之一 105》.「吁而厚與焉)《五倫 Ⅱ:6》.

믜워ᄒᆞ다 타〈옛〉미워하다. ¶ 쥬우ᄅᆞᆯ 믜워ᄒᆞ샤 아ᄃᆞᆯ이 참예ᄒᆞ니(惡州

믜윰 명〈옛〉미워함. ¶ 믜윰과 愛를 더러(及除憎愛)《圓覺 下 一之一 38》/自와 他왓 믜윰과 ᄃᆞ오ᄆᆞᆫ(自他憎愛)《圓覺 下 三之一 123》.

믜이다 피동〈옛〉미움을 받다. ¶ 믜이일까 저혀(恐爲所怨)《三綱》.

믜왼 피동〈옛〉미움을 받는. '미예다'의 활용형. ¶ 사ᄅᆞᄆᆡ게 믜왼 고ᄃᆞᆯ 울기자 보리니(捉敗得人憎處)《法語 5》.

믜예다 피동〈옛〉미움을 받다. ¶ 趙州의 사ᄅᆞᄆᆡ게 믜옌 고ᄃᆞᆯ ᄀᆞᆺ 아라(勘破趙州得人憎處)《蒙法 19》.「紙都扯了)《朴解 中 58》.

믜티다 타〈옛〉찢다. ¶ 이 창 ᄭᅮᆷ게 죵히를 다가 다 믜티고(把這窓孔的

믜혀ᄇᆞ리다 타〈옛〉찢어 버리다. ¶ 두르힐훠 地軸을 믜혀ᄇᆞ리놋다(回幹裂地軸)《杜諺 ⅩⅢ:8》.

믜히다 타〈옛〉미어뜨리다. 찢다. ¶ 구버 드런 두터운 ᄯᅡ홀 믜혓도다(俯入裂厚坤)《杜諺 Ⅰ:27》.

믠믯ᄒᆞ다 형〈옛〉미끈미끈하다. =뮈뮈ᄒᆞ다. ¶ 마시 ᄃᆞᆯ오 믠믯ᄒᆞᆯ시(味轉甜滑)《飜小 Ⅸ:31》.

믭다 형〈옛〉밉다. ¶ 져 건너 흰옷 닙은 사ᄅᆞᆷ 준믭고 도 양믜왜라 《古詩調》/믜올 증(憎)《類合 下 3》.

밉다 형〈옛〉밉다. =믭다. ¶ 놈 믜ᄫᅳᆫ ᄠᅳ들 둘ᄯᅥ ᄒᆞ야시ᄂᆞᆯ 《月釋 Ⅱ:64》.「《四聲 下 69》.

믯구리 명〈옛〉미꾸라지. ¶ 믯구리 츄(鰍)《字會 上 20》/믯구리(泥鰍)

믯그럽다 형〈옛〉미끄럽다. ¶ 믯그러울 활(滑)《類合 下 53》.

믯믯ᄒᆞ다 형〈옛〉미끈미끈하다. ¶ 뉘 닐오ᄃᆡ 믯믯ᄒᆞ야 수이 빅브르ᄂᆞ다 ᄒᆞᄂᆞ뇨(誰云滑易飽)《杜諺 Ⅶ:38》.「Ⅲ:14》. *믯믯ᄒᆞ다.

믯믯다 형〈옛〉밋밋하다. ¶ 어픈 손과 믯믜즌 마치로(伏手滑槌)《金三

미¹ 명 '해삼(海蔘)'을 예스럽게 일컫는 말. *뮈¹.

미² 명〖한의〗무².

미³ 명〈옛〉이긴 흙. ¶ 泥鏝 니먼 쇠손 曰泥, 俗呼 미《譯語 上 18》.

미⁴ 명〈방〉미끼(함북).

미:⁵ 명〈방〉뫼⁴(강원·경상·황해).

미:⁶ 명〈방〉모이(강원).

미⁷ 명〈방〉노(櫓)(경남).「時).

미:⁸【未】명〈민〉①지지(地支)의 여덟째. ②↗미방(未方). ③↗미시(未

미⁹【米】명 성(姓)의 하나. 현재 우리 나라에는 본관이 재령(載寧) 하나뿐임.

미:¹⁰【尾】명 ①인삼 뿌리의 잔 가닥. ②〖천〗↗미성(尾星).

미¹¹【美】명 ①온갖 사물을 통하여 우리에게 좋은 느낌을 주는 그 아름다움. ¶ 소박한 ~/~의 본질. ↔추(醜). ②〖철〗감성(感性)과 이성(理性)의 조화·통일에 대한 순수한 감정을 일으키는 그 것. ¶ ~의식(意識). ③평점(評點)의 하나. 우(優)의 아래, 양(良)의 위. *수(秀).

미¹²【美】명〖지〗①↗미국(美國). ②↗미주(美洲).

미¹³【微】수 소수(小數)의 단위(單位)의 하나. 홀(忽)의 십분의 일, 섬(纖)의 십 배, 곧 10^{-6}.

미¹⁴【彌】명 성(姓)의 하나. 우리 나라에는 현존하지 않음.

미¹⁵〔이 mi〕명〖악〗①음계 이름의 하나. 장조(長調) 음계의 제3음, 단조(短調) 음계의 제5음. ② 'E음(音)'의 이탈리아 음이름. 우리나라 음이름 '마'와 같음.

미:-¹【未】투 아직 다 이루어지지 아니함을 나타내는 말. ¶ ~결산/~완성.

미-²【美】접 아름다움의 뜻을 나타내는 말. ¶ ～남자 / ～소년.

-미【美】미 아름다움의 뜻을 나타내는 말. ¶ 건강～ / 지성～ / 곡선～ / 조화～.

미가【米價】[―까] 명 쌀값.

미:가-녀【未嫁女】명 시집가지 아니한 여자.

미가-서【―書】〔Micah〕명〖성〗구약 성서 중의 한 편. 예언자 미가(Micah)가 신의 계시(啓示)를 적은 것인데, 미가의 예언은 기원전 740년경부터 약 50년간에 걸친 것으로 추정됨. 대지주(大地主)의 횡포와 탐욕을 책망하고, 백성들의 부패와 회개의 권고·기도·구원에 대한 말세론적(末世論的)인 것을 기술하였음.

미가 슬라이드 방식【米價―方式】〔slide〕[―까―] 명〖농〗생산자 미가의 등락(騰落)에 따라서 소비자 미가를 자동적으로 조절하는 방식. 생산자 미가는 농가의 생산비를 보상하도록 하고, 소비자의 미가는 가계비를 참작하여 각각 결정되는 경우에, 이를 통일하여 생산자 미가를 정부가 재정 부담하는 부분과 소비자가 부담하는 부분으로 나누어, 소비자 부담 부분을 소비자 미가로 하려는 방식.

미:-가신【未可信】명 아직 꼭 믿을 수 없음. ――-하다 형여불

미가엘〔Michael〕명〖성〗성서에 나오는 일곱 천사 중의 하나. 악마를 밀어 떨어뜨리고 타락한 아담과 이브를 천국에서 추방하였다 함.

미가 조절【米價調節】[―까―] 명 쌀값이 오르고 내림을 알맞게 조작함.

미가 지수【米價指數】[―까―] 명〖경〗기준 연도의 미가에 대한 비교 연도의 미가의 지수.

미:-가필【未可必】명 아직 그렇게 되기를 바랄 수 없음. ――-하다 형여불

미각【味覺】명 혓바닥을 자극하는 맛의 감각. 침에 녹은 음식물 같은 것이 혓바닥에 퍼져 있는 미뢰(味蕾)를 자극시켜서 일어남. 단맛·신맛·쓴맛·짠맛의 네 가지 기본 종류가 있음. 미감(味感).

미각-기【味覺器】명〖생〗미각 기관(味覺器官).

미각 기관【味覺器官】명〖생〗미각(味覺)을 맡은 기관. 척추 동물에서는 주로, 구강(口腔)의 혓바닥에 분포하는 미뢰(味蕾)가 이에 해당하고, 곤충에서는 구강 밖의 앞다리나 촉각 같은 곳에 있음. 미관(味官).

미각 세:포【味覺細胞】명〖생〗미뢰(味蕾)에 분포된, 맛을 느끼게 하는 감각 세포. 지지(支持) 세포가 받치고 있음.

미각 신경【味覺神經】명〖생〗맛을 감지(感知)하는 설신경(舌神經)·설인(舌咽) 신경의 이름.

미각-아【味覺芽】명〖생〗미뢰(味蕾).

미각 유두【味覺乳頭】[―뉴―] 명〖생〗미각을 맡은 미뢰(味蕾)가 있는 유두상(乳頭狀)의 돌기물(突起物). 혀의 배면(背面), 구강내(口腔內)에 있음.

미각의 사:면체【味覺―四面體】[―/―에―] 명〔taste tetrahedron〕〖심〗미각의 질(質)의 분류 도해(圖解)로 짠맛·단맛·신맛·쓴맛의 네 가지를 각각 정점(頂點)으로 하는 사면체. 중간적인 맛은 이 사면체의 모서리나 표면상의 한 점으로 나타냄.

미:간¹【未刊】명 책을 아직 박아 내지 않았음. ↔기간(既刊).

미간²【眉間】명 ↗양미간(兩眉間). ¶ ～을 찌푸리다.

미간-주【眉間珠】명 불상(佛像)의 미간에 있는 구슬.

미:간-지【未墾地】명 ↗미개간지(未開墾地). ↔기간지(既墾地).

미-감¹ 명〈방〉귤(경북).

미:감²【未勘】명 아직 끝마감을 하지 못함. ――-하다 타여불

미:감³【未感】명 병 같은 것에 아직 감염(感染)되지 않음. ¶ ～ 아동(兒童).

미감³【米泔】명 쌀뜨물. ――-하다 자여불

미감⁴【米監】명〖불교〗절에서 쌀뒤주를 맡아 보는 일. 또, 그 사람.

미감⁵【味感】명 미각(味覺).

미감⁶【美感】명 아름다움에 대한 느낌. 미에 대한 감각.

미감-수【米泔水】명 쌀뜨물.

미:감-아【未感兒】명 병 같은 것에 아직 감염되지 아니한 아이. 특히, 나환자인 부모에게서 태어나 병에 감염되지 않은 아이.

미강【米糠】명 쌀겨.

미강-유【米糠油】명 쌀겨로 짠 기름. 겨기름.

미:개【未開】명 ①꽃 같은 것이 아직 피지 아니함. ②민도(民度)가 낮고 문명이 발달하지 못한 상태. ↔문명(文明). ――-하다 형여불

미:-개간【未開墾】명 아직 개간하지 않음.

미:개간-지【未開墾地】명 아직 개간하지 아니한 땅. 미경지(未耕地). 준미간지(未墾地). ↔개간지(開墾地).

미:개-경【未開境】명 미개발 상태에 있는 경역(境域).

미:개-국【未開國】명 아직 문명이 깨지 못한 나라. ↔문명국(文明國).

미:개 미술【未開美術】명〔primitive art〕미개 사회 또는 미개인의 미술과 원시 사회의 미술의 총칭. 원시(原始) 미술.

미:개 민족【未開民族】명 깨지 못한 민족. 문화가 발달되지 못하고 민도가 낮은 민족. ↔문화(文化) 민족. *자연(自然) 민족.

미:-개발【未開發】명 아직 개발하지 않음. ¶ ～ 지역.

미:개 사회【未開社會】명〖사〗아직 개명되지 않은 사회. 미개인들이 살고 있는 사회. 원시 사회.

미:개-인【未開人】명 인지(人智)가 아직 덜 깬 인종. 미개 인종. 원시인. 야만인.

미:개 인종【未開人種】명 미개인. 야만 인종.

미:개좌-시【未開坐時】명〖역〗관원이 모여 사무를 보는 시간이 아닐 때. 곧, 관부(官府)의 집무 시간 외.

미:개-지【未開地】명 ①아직 개명되지 못한 땅. ②↗미개척지(未開拓地).

미:-개척【未開拓】명 아직 개척하지 못함. ¶ 생물학의 ～ 분야.

미:개척 시:장【未開拓市場】명 자기 상품의 판로(販路)를 아직 개척하지 못한 시장.

미:개척-지【未開拓地】명 아직 개척하지 못한 땅. 준미개지(未開地).

미:거¹【未擧】명 철이 나지 아니하여 아둔함. 몽애(蒙騃). ¶ ～한 자식입니다 / 황송하오나 소손이 아직도 나이 어려 ～하옵니다≪朴鍾和：錦衫의 피≫. ――-하다 형여불

미거²【美擧】명 훌륭하게 잘한 일. 장한 일. 갸륵한 행동.

미거지 명〈방〉미끼(경남).

미겔〔Miguel〕명〖사람〗포르투갈의 왕위(王位) 참칭자(僭稱者). 정식 이름은 Miguel Maria Evaristo de Braganga. 주앙(João) 6세의 아들. 부친의 정치 개혁에 대한 반동적 음모의 중심 인물로서 한때 추방당함. 부친의 사망 후 조카딸 마리아 2세의 섭정이 됨. 1828년 왕위를 빼앗고 즉위를 선언, 반동 정치를 행하다가 실각, 독일로 망명함.[1802-66]

미:견¹【未見】명 아직 보지 못함. ――-하다 타여불

미:견²【迷見】명 헷갈리고 어지러운 견해(見解).

미:결【未決】명 ①아직 결정되지 아니함. 미결정(未決定). ¶ ～ 서류. ↔기결(既決). ②〖법〗범죄의 혐의를 받고 구치된 사람의 죄가 있고 없음이 아직 결정되지 못함. ③〖법〗↗미결감(未決監). ④〖법〗↗미결수(未決囚). ――-하다 타여불

미:결-감【未決監】명〖법〗미결수(未決囚)를 가두어 두는 감방(監房). 준미결(未決).

미:결 구금【未決拘禁】명〖법〗'구금(拘禁)'을, 유죄로 확정되지 않은 자에 대하여 행한다는 뜻으로 일컫는 말. ¶ ～의 통산(通算).

미:결-사【未決舍】[―싸] 명〖법〗구치감(拘置監).

미:-결산【未決算】[―싼] 명 아직 결산하지 아니함. ――-하다 타여불

미:결산 계:정【未決算計定】[―싼―] 명〖경〗분쟁 사건 또는 임시 사고 등으로 처치 미정(處置未定)인 지출이나 자산의 감손(減損)을 초래하였을 때, 그 처치 내용·금액 및 기타의 조건이 확정될 때까지 이것을 일시 처리하는 가계정(假計定). 미결제 계정.

미:결-수【未決囚】[―쑤] 명〖법〗'미결 수용자'의 통칭(通稱). 준미결(未決). ↔기결수(既決囚).

미:결 수용자【未決收容者】명〖법〗형사 피의자 또는 형사 피고인으로서 구속 영장의 집행을 받아, 구치소 또는 교도소·소년 교도소의 미결 수용실에 수용되어 있는 사람. 통칭:미결수. ↔수형자(受刑者).

미:결-안【未決案】명 아직 결정을 내지 못한 안건(案件).

미:-결재【未決裁】[―째] 명 아직 결재를 하지 않음. 아직 결재가 나지 않음.

미:-결정【未決定】[―쩡] 명 아직 결정(決定)을 하지 않음. 미결(未決). ――-하다 타여불

미:-결제【未決濟】[―쩨] 명 아직 결제하지 않음. ――-하다 타여불

미:결제 계:정【未決濟計定】[―쩨―] 명〖경〗미결산 계정(未決算計定).

미경¹【美景】명 아름다운 경치. 아름다운 풍경. 치경(致景).

미경²【美境】명 아름다운 경지(境地).

미경³【迷境】명 미혹(迷惑)의 경계(境界).

미:경과 보:험료【未經過保險料】[―뇨] 명〖경〗책임 준비금(責任準備金)의 일종. 한 사업 연도(事業年度)에 받은 보험료 중, 그 연도 이후에 걸친 보험 기간에 대한 보험료. 손해 보험의 책임 준비금은 대부분 이것만으로써 구성됨.

미:-경사【未經事】명 아직 경험해 보지 못한 일. ――-하다 자여불

미:경-지【未耕地】명 ①경작하지 않은 땅. ②아직 개간하지 않은 땅. 미개간지(未開墾地).

미:-경험【未經驗】명 아직 경험하여 보지 못함. ¶ ～자(者). ――-하다 타여불

미계¹【米界】명 ↗미곡계(米穀界).

미:계²【迷界】명〖불교〗미망(迷妄)의 세계. 번뇌(煩惱)에 시달려서 삼계(三界)를 헤매는 중생계(衆生界). ↔오계(悟界).

미-계수【微係數】명〖수〗↗미분 계수(微分係數).

미고【米鼓】명 쌀북.

미-고생물학【微古生物學】명 유공충(有孔蟲)·방산충(放散蟲)·규조(硅藻)·패형류(貝形類) 등의 미소한 화석을 취급하는 고생물학의 한 분과.

미곡【米穀】명 ①쌀 또는 온갖 다른 곡식의 총칭. ②쌀❶. ↔맥곡(麥穀).

미곡-계【米穀界】명 미곡의 경제 사회. 준미계(米界).

미곡 담보 융자【米穀擔保融資】명 농민이 추수한 미곡을 담보로 제공하고, 정부나 금융 기관에서 받는 융자.

미곡-상【米穀商】명 미곡을 팔고 사는 상인(商人). 또, 그 장사.

미곡 연도【米穀年度】[―년―] 명〖법〗미곡의 통계적 처리의 편의를 위하여 설정한 기간. 11월 1일부터 다음해 10월 31일까지의 1년간. *식량 연도.

미골¹【尾骨】명 골패 노름의 하나.

미골²【尾骨】명〖생〗척추(脊椎)의 맨 아랫부분에 있는 뼈. 원래 퇴축적(退縮的)인 3-5개의 미추(尾椎)가 유착(癒着)한 것임. 꼬리뼈. 미저골(尾骶骨). 미려골(尾閭骨). *골격.

미골³【麋骨】명 고라니의 뼈.

미골 신경【尾骨神經】명〖생〗척추 신경의 가장 말단에서 나온 신경. 항문 거근(肛門擧筋) 및 항문 부근의 피부에 분포하며, 미골 신경총(神經叢)을 형성함.

미골-주【麋骨酒】[―쭈] 명 고라니의 뼈를 삶아 낸 즙으로 담근 술. 음허(陰虛)와 신장(腎臟)이 약한 데에 약으로 쓰임.

미공【微功】명 작은 공로. 미미한 공적(功績).

미:과¹【未果】명 결과를 짓지 못함. ――-하다 타여불

미과²【美果】명 ①아름다운 열매. ②좋은 결과.

미관¹【味官】명〖생〗미각 기관(味覺器官).

미관²【美官】명 명환(名宦)이나 요직(要職)들을 일컫는 말. 호관(好官).

미관³【美觀】명 아름다운 광경. 훌륭한 경치. ¶ 도시의 ～을 해치다.

미관⁴【微官】명 ①미미한 관직. ②관리가 자기 자신을 겸손하게 일컫는 말. 소관(小官). 말관(末官).

미관-구【味官球】명〖생〗미뢰(味蕾).

미관 말직【微官末職】[—찍] 명 지위가 아주 낮은 벼슬. 미말지직(微末之職). ＊말직(末職).

미관-상【美觀上】명부 어떤 것을 미적(美的)으로 보는 바. 미관에 있어서. ¶ ~ 좋지 못하다.

미관 조류【美觀鳥類】명〖조〗색채·형태 등이 아름답고, 관상용으로 사육되는 새.

미관 지구【美觀地區】명 환경의 특수성을 살리고 건축 시설 등의 의장(意匠)이나 형태를 규제(規制)하여, 도시의 미관을 유지하기 위하여 설정한 지구.

미괄-식【尾括式】명〖문〗주제문(主題文)이 문장 끄트머리에 있는 문장 구성 형식. 미괄형(型). ＊두괄식(頭括式)·양괄식(兩括式).

미광[1]【尾鑛】명 선광(選鑛)에 의하여, 원광(原鑛)에서 분리 제거된 무가치한 암석 조각. 폐석(廢石).

미광[2]【微光】명 아주 희미한 불빛.

미구[1] 명〖건〗수키와의 연접(連接) 부분. 층이 지어 내밀었음.

미:구[2]【未久】명 동안이 오래지 않음. ＊미구(未久)에.

미구[3]【美句】[—꾸] 명 아름다운 글귀. 미사 여구(美辭麗句).

미구[4]【微軀】명 ①신분이 낮은 몸. 미천한 몸. ②자기의 몸을 겸손하게 일컫는 말.

미구[5]【彌久】명 그 동안이 매우 오래 됨. ——하다 형여불

미:구 불원【未久不遠】명 그 동안이 오래지 아니하고 가까움.

미:구-에【未久—】부 오래지 않아서. ¶ ~ 인간은 화성을 정복할 것이다.

미국[1]【米麴】명 쌀가루로 만든 누룩. 쌀누룩.

미국[2]【尾局】명〖역〗군진(軍陣)의 행렬 부대의 후부. ↔두국(頭局).

미국[3]【美國】명〔United States of America; USA〕〖지〗북아메리카 중부의 연방 공화국. 북은 캐나다, 남은 멕시코에 접함. 1 특별구(特別區) 50 주(州)와 해외 영토로 이루어지며 수도는 워싱턴. 주민은 백인이 주가 되고 흑인이 인구의 약 10%를 점하며, 원주민(原住民)인 아메리칸 인디언은 점차 감소되고 있음. 원래 영국의 식민지였으나 자유 천지(自由天地)를 구하여 유럽에서 온 각국 국민으로 된 동부 해안 13 주는 워싱턴을 총수(總帥)로 하여 1776 년에 독립을 선언, 독립 전쟁에 승리하고 1783 년에는 각국의 승인을 받았음. 이어 끊임없는 서부의 개척과 남북 전쟁(南北戰爭)을 거쳐 중앙 집권(中央集權)을 강화하고, 적극적인 국민성과 풍부한 자원의 뒷받침으로 비약적인 발전을 거듭하고, 제 1·제 2 차 세계 대전에 참가, 연합국 승리의 원동력이 되었으며, 전후(戰後) 자유 진영의 중심이 됨. 아메리카 합중국. 미합중국. 미연방(美聯邦). 북미 합중국. 유 에스 에이(USA). 준미(美). [9,372,614 km²: 248,709,873 명(1990)]

미국 공보원【美國公報院】명 미국 해외 공보처의 재외(在外) 기관. 우리 나라에는 서울에 있으며, 대도시에 지방 기관이 설치되어 있음. 유 에스 아이 에스(USIS).

미국 국제 교류처【美國國際交流處】명 '미국 해외 공보처'의 전신. 아이 시 에이(ICA).

미국 노동 총:동맹【美國勞動總同盟】명〔American Federation of Labor〕〖사〗1886년에 창립된 미국의 직업별 노동 조합 연합체. 곰퍼스(Gompers, Samuel; 1850-1924)에 의해 조직되었는데, 보수적이고 협조적인 성격을 띠며, 8시간제 노동의 확립, 혁명 이론의 배제 등을 제창하여, C.I.O.와 더불어 미국 노동 조합의 중심 세력을 이루어 오다가 1955년 C.I.O.와 합병함. 약칭:에이 에프 엘(AFL). ＊에이 에프 엘 시 아이 오(A.F.L.C.I.O.).

미국 도서관 협회【美國圖書館協會】명〔American Library Association; ALA〕1876년 창립된 미국 도서관 관계자의 단체. 도서관의 기능으로서, 교육·정보(情報)·미적 관상(美的觀賞)·조사 연구·레크리에이션을 내세움. 본부는 시카고에 있음.

미국 독립 선언【美國獨立宣言】[—닙—] 명〔the Declaration of Independence〕미국의 독립 혁명에 즈음하여, 대륙 회의가 미국 독립 기념일인 1776년 7월 4일에 채택한 선언. 주로 제퍼슨이 기초(起草)함. 미국 건국의 기본 문서로, 민주주의 사상의 중요 문헌임.

미국 독립 전:쟁【美國獨立戰爭】[—닙—] 명〔War of American Independence〕〖역〗전쟁을 통하여 독립을 이루었다는 뜻으로, '미국의 독립 혁명'을 일컫는 말.

미국-면【美國棉】명 육지면(陸地棉).

미국-물푸레【美國—】명〖식〗[*Fraxinus americana*] 물푸레나뭇과에 속하는 낙엽 활엽의 작은 교목. 잎은 우상 복생(羽狀複生)하고 5월에 자웅이가(雌雄異家) 또는 잡가(雜家)의 꽃이 원추 화서로 가지 끝에 정생하며, 시과(翅果)는 가을에 익음. 북미 원산으로 한국 각지의 산지에 분포함. 기구재(器具材)로 쓰임.

미국 박물학 박물관【美國博物學博物館】명 미국 뉴욕에 있는 자연 과학 박물관. 시민의 자연 과학 연구, 지식의 보급과 지도를 목적으로 1869년 설립됨. 근대적인 시설을 갖추고, 세계 각지에 파견한 탐험대가 가지고 온 풍부한 자료를 수장(收藏)함. 특히, 동물 화석(化石)은 학술상 귀중함.

미국 산:업별 노동 조합 회:의【美國産業別勞動組合會議】[—/—이] 명〔Congress of Industrial Organizations〕시 아이 오(C.I.O.).

미국-삼엽송【美國三葉松】명〖식〗리기다소나무.

미국 수출입 은행【美國輸出入銀行】명〔Export-Import Bank of the United States〕〖경〗수출입 촉진을 위해서 설립된, 미국 정부 출자(出資)의 은행. 1943년 워싱턴에 개설. 주요 수출 상대인 외국 정부나 회사에 대해서, 미국 상품을 사들이기 위한 장기 차관에 응함.

미국식 영어【美國式英語】명 미국에서 쓰이는 영어. 영어에 비하여 관용 어구·악센트·음운·표현 등이 조금씩 다름. 영국 표준 영어에 가까운 뉴욕을 중심으로 한 동부 방언은 미국 전국토의 5분의 1에 불과하며, 전국토의 4 분의 3을 차지하는 서부 방언이 미국어를 대표하는 표준적 언어임.

미국 예:탁 증권【美國預託證券】[—꿘] 명 에이 디 아르(ADR).

미국 원자력 규제 위원회【美國原子力規制委員會】명〔Nuclear Regulatory Commission; NRC〕원자력 시설의 안전을 확보하기 위하여 설립된 미국의 행정(行政) 위원회의 하나. 대통령이 임명하는 5 명의 위원 아래, 원자로 규제국(規制局)·검사 실시국·기준(基準) 개발국·원자력 규제 연구국·핵물질 안전 보장 조치국의 5개 국이 있음.

미국 원자력 위원회【美國原子力委員會】명〔Atomic Energy Commission; AEC〕1947년부터 1975년까지 원자력 행정을 관리한 미국 정부 기관. 대통령 직속으로 임기 5년의 위원 5명으로 구성, 병기·실험·연구 개발·기획 생산·홍보·국제 협력 등을 담당하는 많은 부국(部局)과 위원회·심의회가 있었음. 1975년 1월 에너지 연구 개발국과 원자력 규제 위원회로 분리됨.

미국의 독립 혁명【美國—獨立革命】[—닙—/—에—닙—] 명〔American Revolution〕〖역〗1775-83 년에 미국의 13 개 식민지가 영국으로부터 독립을 달성하여 공화제 국가를 건설한 혁명. 영국이 그 식민지인 미국에 발표한 인지 조례(印紙條例)에 큰 불만을 품고, 워싱턴을 독립군의 총사령관으로 추대하여 독립을 선언하고 영국군에 항전하였는데, 유럽 여러 나라의 원조로 승리를 얻어 1783 년에 독립하게 됨. 미국 독립 전쟁.

미국의 소리【美國—】[—/—에—] 명 브이 오 에이(V.O.A.).

미국-자리공【美國—】명〖식〗[*Phytolacca americana*] 자리공과에 속하는 북아메리카 원산의 일년초. 높이는 보통 1-1.5 m이나 2.5 m까지도 자라며 줄기는 적자색(赤紫色)을 띰. 잎은 호생(互生)하며 달걀꼴 타원형 또는 긴타원형이고, 꽃은 붉은 빛이 도는 백색의 총상(總狀) 꽃차례로 6-9 월에 피며, 열매는 편구형(扁球形)으로 적자색임. 산성 토양(酸性土壤)에 잘 자라며, 열매·뿌리 공히 독성(毒性)을 지녀 다른 식물의 성장을 방해함. 1950 년대에 한국에 들어 온 것으로 추측됨. ＊자리공.

미국 전:화 전:신 회:사【美國電話電信會社】명 에이 티 티(ATT).

미국 정보 교환 표준 코:드【美國情報交換標準—】〔code〕명 아스키 코드(ASCII code).

미국 중앙 정보국【美國中央情報局】명 시 아이 에이(CIA).

미국-톤【美國—】〔ton〕의명 미국에서 쓰는 톤. 2,000 파운드(pound) 곧, 907.2 kg이 1톤임. 쇼트 톤(short ton). ＊영국톤.

미국 통신 위성 회:사【美國通信衛星會社】명〔Communications Satellite Corporation〕콤샛(COMSAT).

미국 항:공 우:주국【美國航空宇宙局】명 나사(NASA).

미국 해:외 공보처【美國海外公報處】명〔United States Information Agency; USIA〕미국 연방 정부의 독립 기관의 하나. 미국과 다른 나라와의 홍보 활동을 하여 교육·문화 등의 교환 계획을 추진하고 대(對) 공산권의 선전도 담당함. 재외 기관으로 각국에 '미국 공보원'을 둠. 1978 년 미국 국제 교류처(國際交流處)로 바꾸었다가, 1982 년 다시 이 이름으로 환원됨. 유 에스 아이 에이(USIA). 준해외 공보처.

미국-흰불나방【美國—】[—힌—라—] 명〖충〗[*Hyphantria cunea*] 불나방과에 속하는 나방. 몸길이 12-15 mm, 편 날개 길이 29-31 mm. 몸빛은 희고 앞날개의 흑갈색 잔 무늬는 안 보일 정도임. 유충은 몸길이 30 mm, 두부는 흑색, 동부(胴部)는 담황색에 긴 털이 났음. 5-6 월과 7-8 월에 연 2 회 발생하며, 나뭇잎 뒤에 600 개 가량 산란함. 유충은 5 회 탈피한 후 나무 틈·돌 틈·낙엽 밑에서 번데기로 월동함. 원래 캐나다·미국·멕시코에 분포하는데, 일본을 거쳐 1961 년 한국에도 전파되었음. 플라타너스·미루나무 및 농작물의 잎을 갉아 먹는 대해충임. 흰불나방.

〈미국흰불나방〉

미군【美軍】명 ①미국 군대. ②미국 군인.

미군 달러【美軍—】〔dollar〕명 본토(本土) 달러 곧, 미국의 정화(正貨)를 대신하여 해외(海外)에 파견되어 있는 미군 기관 또는 요원(要員)에 대한 지불 수단으로 발행된 달러화(貨).

미군정 시대【美軍政時代】명〖역〗1945년 8월 15일 일제(日帝)로부터 해방된 후, 1948년 8월 15일에 대한 민국이 독립할 때까지 미군(美軍)이 군정을 베풀던 시대.

미:궁【迷宮】명 ①한번 들어가면 쉽게 나올 길을 찾을 수 없게 되어 있는 곳. ②사건이 얽혀서 쉽게 판단하기 어려운 일. ¶ 강도 사건 수사가 ~에 빠지다.

미궁에 들다 구 사건이 복잡하고 난처(難處)하게 되어 쉽게 해결하지 못하게 되다.

미궤 대:감【米櫃大監】명〖사람〗'사도 세자(思悼世子)'의 별칭.

미궤 설화【米櫃說話】명 쌀뒤주 설화(說話).

미:귀【未歸】명 아직 돌아오지 않음. 미반(未返). ——하다 자여불

미균【黴菌】명〖식〗세균(細菌).

미균-학【黴菌學】명〖생〗세균학(細菌學).

미그〔MIG〕명〖군〗소련 공군이 개발 제작한 대표적인 전투기의 이름. 설계자인 미코얀(Mikoyan)과 구레비치(Gurevich)의 이름에서 유래됨. 1940 년에 완성된 미그 1 을 시작으로, 제 2 차 대전에 활약한 미그 3, 소련 최초의 본격적 제트 전투기 미그 9 를 거쳐, 6·25 전쟁에 사용된 미그 15, 그 후 미그 21·23·25·29 등으로 개량 제작되었음. 미그 전투기. 미그기.

미그-기〔MIG機〕명 미그(MIG).

미그레닌〔migraenin〕명〖약〗안티피린 90%, 카페인 9%, 시트르산 1%의 합제. 백색의 분말로 진통 작용이 강하여, 두통·신경통 등에 쓰임.

미그마타이트〔migmatite〕명〖지〗혼성암(混成岩).

미그 전:투기【MIG戰鬪機】[명]〖군〗미그(MIG).
미금【渼金】[명]〖지〗경기도에 속했던 시(市). 1995년 1월, 남양주군과 통합하여 남양주시로 개편됨.
미:급¹【未及】[명] 아직 미치지 못함. ——-하다 [자][여불]
미:급²【未急】[명] 아직 급하지 아니함. ——-하다 [형][여불]
미:기¹ [명]〈방〉미끼(경상).
미:기² [명]〈방〉〖어〗메기(경기·강원·충남·전북·경북).
미:기³【未幾】[명] 동안이 얼마 길지 아니함. 동안이 오래 걸리지 않음.
미기⁴【尾鰭】[명]〖어〗꼬리지느러미.
미기⁵【美妓】[명] 아름다운 기생.
미기⁶【美技】[명] 훌륭한 연기(演技). 훌륭한 경기. 파인 플레이(fine play). ¶ ~상(賞).
미기⁷【美機】[명] 미국 군용 비행기나 항공기.
미기다 [타]〈방〉먹이다(경북).
미-기상【微氣象】[명]〖기상〗지표면에서 1.5 m 정도까지의 접지 기층(接地氣層)에서의 미세한 규모의 기상. 농업이나 생물의 생활 환경에 큰 영향을 미침.
미기압-계【微氣壓計】[명] 보통의 기상 관측에 쓰는 자기(自記) 기압계로는 관측할 수 없는 미소(微少)한 기압의 변동을 관측하는 기압계. 원자·수소 폭탄의 실험 충격에서 생긴 대기의 이상 미기압 진동을 관측하며, 기압파(氣壓波)의 전파 속도가 음파의 속도와 같으므로, 그 기압파의 발생 장소를 추정(推定)할 수 있음. 미압계(微壓計).
미-기후【微氣候】[명]〔microclimate〕〖기상〗지면(地面)에 접한 기층(氣層)이나, 식물의 잎의 주위 등의 미세한 공간에 있어서의 온도·습도·바람·일조(日照) 등의 기후. 생물의 직접적인 생활 환경으로서 중요함. *대기후(大氣候)·중기후(中氣候)·소기후(小氣候).
미깝 [명]〈방〉미끼(경상).
미깨 [명]〖식〗콩의 한 가지. 모양은 콩이나 팥과 비슷함.
미꼬라지 [명]〈방〉〖어〗미꾸라지(전남·경북).
미꼬락지 [명]〈방〉〖어〗미꾸라지(경북·전남).
미꼬랭이 [명]〈방〉〖어〗미꾸라지(경남).
미꼬레기 [명]〈방〉〖어〗미꾸라지(전남).
미꼬레이 [명]〈방〉〖어〗미꾸라지(경남).
미꼬리 [명]〈방〉〖어〗미꾸라지(전라·경북).
미꽝-스럽다 [형][ㅂ불] ☞밉광스럽다.
미꾸다 [타]〈방〉메우다¹(경상).
미꾸라지 [명]〖어〗[*Misgurnus mizolepis*] 기름종갯과에 속하는 민물고기. 몸길이 20 cm 가량이고, 미꾸리보다 비늘의 모양이 크며 수염이 더 길. 몸빛은 등쪽이 암갈람색이고 배쪽은 담황색이며, 머리와 배쪽을 제외한 몸에는 불분명한 작은 흑점이 분포되어 있음. 수전(水田)·개천·호수·못 등의 흙바닥 속에서 사는데 이따금 수면에 떠서 숨을 쉼. 식용으로 추탕(鰍湯)을 끓여 먹음. 우리 나라 낙동강에서 압록강까지의 서남해로 흘러드는 여러 하천과 일본·중국·만주·대만 등지에 분포함. 이추(泥鰌). 추어(鰍魚). [준]미꾸리.

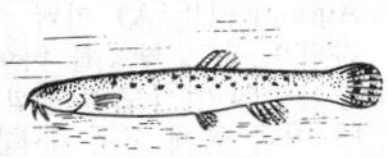
〈미꾸라지〉

[미꾸라지 모래 쑤신다] 아무리 해도 흔적이 나지 않음을 이르는 말. [미꾸라지 속에도 부레풀은 있다] 아무리 보잘것 없고 가난한 사람이라도 속은 있고 오기(傲氣)도 있다는 말. [미꾸라지 용 되었다] 미천하고 보잘것 없던 사람이 크게 되었다는 말. [미꾸라지 천 년에 용 된다] 오랜 시일을 두고 힘써 닦는다면 반드시 훌륭하게 될 수 있다는 말. [미꾸라지 한 마리가 온 웅덩이를 흐려 놓는다] 못된 사람 하나가 온 집안, 온 사회를 망친다는 말. [미꾸라지 한 마리에 물 한 동이를 붓는다] ㉠ 처지에 맞지 아니하는, 야단스러운 대비를 빈정대는 말. ㉡ 아무리 작은 일이라도, 응당 갖춰야 할 절차와 준비는 필요하다는 말.
미꾸라지 같다 [구] 약고 눈치가 빨라 자신에게 불리하면 살살 피하거나 잘 빠져 나가는 사람의 비유.
미꾸라지-곰 [명] 미꾸라지를 푹 삶은 국.
미꾸라짓-국 [명] 추어탕(鰍魚湯).
[미꾸라짓국 먹고 용트림한다] 아무 재간도 없으면서 큰 인물인 체하는 사람을 말함. *냉수 먹고 갈비 트림한다.
미꾸락지 [명]〈방〉〖어〗미꾸라지(전남).
미꾸람지 [명]〈방〉〖어〗미꾸라지(충남·전북).
미꾸랑지 [명]〈방〉〖어〗미꾸라지(황해).
미꾸래기 [명]〈방〉〖어〗미꾸라지(전남·경북).
미꾸래미 [명]〈방〉〖어〗미꾸라지(충청·전남·경남).
미꾸래이 [명]〈방〉〖어〗미꾸라지(경남).
미꾸랭 [명]〈방〉〖어〗미꾸라지(경북).
미꾸랭이 [명]〈방〉〖어〗미꾸라지(경상).
미꾸레이 [명]〈방〉〖어〗미꾸라지(경상).
미꾸리 [명]〖어〗①↗미꾸라지. ② [*Misgurnus anguillicaudatus*] 기름종갯과에 속하는 민물고기. 몸길이 10-20 cm로 가늘고 길며, 매우 미끄러움. 머리는 원추형(圓錐形)이며, 주둥이는 길고 입이 아래쪽에 있는데, 입가에 다섯쌍의 수염이 있음. 몸의 등 쪽의 반이 암갈람 갈색, 배 쪽의 반은 담황색이며, 머리와 등 쪽에 작은 흑점이 산재함. 우리 나라 서남부를 흐르는 하천 수계(水系) 및 강원도 고성(高城) 이남과 중국·일본·사할린·대만 등지에 분포함.
미꾸리-낚시 [명]〖식〗[*Persicaria sagittate*] 마디풀과에 속하는 일년초. 높이 1 m 가량이고, 잎은 피침형으로 호생함. 5-8월에 담홍백색의 무판화(無瓣花)가 두상(頭狀) 화서로 피고, 과실은 수과(瘦果)로 삼릉형(三稜形)임. 개울가 같은 데에 나는데, 한국 각지에 분포함. *민미꾸리낚시.

〈미꾸리낚시〉

미꾸리 저:냐 [명] 미꾸라지의 대가리와 내장과 뼈를 추려 내고, 순살을 소금에 절이었다가 밀가루를 묻히고 달걀을 씌워 지진 저냐.
미끄러-뜨리다 [타] 미끄러지게 하다.
미끄러-지다 [자] ①반들반들하거나 미끄러운 곳, 경사진 곳에서 한쪽으로 밀려 나가거나 넘어지다. ¶ 얼음판에서 ~. >매끄러지다. ②〈속〉바라던 일이 틀어지다. 시험 등에 불합격(不合格)하다. ¶ 시험에 ~. ③차지하고 있던 자리나 지위에서 밀려나다. 또, 강등되다. ¶ 부장에서 과장으로 미끄러졌다.
[미끄러진 김에 쉬어 간다] 잘못된 기회를 이용하여 어떤 유효 적절한 행동을 한다는 뜻.
미끄러-트리다 [타] 미끄러뜨리다.
미끄럼 [명] 얼음판, 눈 위 또는 미끄럼대(臺) 등에서 미끄러지는 일. ¶ ~을 지치다. 「타다/~을 지치다.
미끄럼-대【—臺】[—때] [명] 앉아서 미끄러져 내려올 수 있게 비스듬히 세운 아이들의 놀이 기구. 미끄럼틀.
미끄럼 마찰【—摩擦】[명]〔sliding friction〕〖물〗한 물체가 다른 물체의 표면에 닿아서 미끄러질 때, 그 외력(外力)과 반대 방향으로 생기는 저항력. *마찰 계수(摩擦係數).
미끄럼 베어링〔bearing〕[명]〖기〗축(軸)과 베어링이 윤활유 등의 엷은 막(膜)을 매개로 해서, 상대적으로 미끄러지는 베어링의 총칭. 속도가 느리고 가벼운 힘을 받는 곳에 사용되며, 위아래 두 조각으로 된 것이 많고, 축과 베어링 메탈(metal) 사이에는 오일링(oiling)에 의하여, 끊임없이 윤활유가 흐르게 되어 있음.
미끄럼-틀 [명] 미끄럼대.
미끄럽다 [형][ㅂ불] 거침없이 저절로 밀리어 나갈 만큼 반드럽다. ¶ 미끄러운 길. >매끄럽다.
미끈-거리다 [자] 바닥이 진기가 있고 반드러워 거침없이 자꾸 밀려 나가다. ¶ 미끈거리는 기름병. >매끈거리다. **미끈-미끈** [부]. ——-하다 [형][여불]
미끈-대다 [자] 미끈거리다.
미끈덕-하다 [형]〈방〉미끈둥하다.
미끈둥-하다 [형][여불] 매우 미끈한 맛이 있다. >매끈둥하다.
미끈-망둑 [명]〖어〗[*Luciogobius guttatus*] 망둑어과에 속하는 바닷물고기. 몸길이 15 cm 가량으로 머리와 몸에 비늘이 없음. 한국 남해안의 내만 및 일본에 분포하는데, 4월의 산란기에는 하구(河口)로 옴.
미끈 유월【—六月】[—뉴—] [명] 음력 유월은 쉽게 지나가 버린다는 말.
미끈이-하늘소 [—쏘] [명]〖충〗참나무하늘소.
미끈-하다 [형][여불] 흠이 없이 헌칠하고 밋밋하다. ¶ 미끈한 다리/미끈하게 생기다. >매끈하다. **미끈-히** [부]
미끼 [명] ①낚시 끝에 꿰어 물리는 물고기의 밥. 지렁이·거미·밥풀 등을 사용함. 고기밥. 낚싯밥. ②사람이나 동물을 꾀어서 이끄는 물건이나 수단. ¶ 돈을 ~로 사람을 낚다.
미끼(를) 삼:다 [구] 미끼로 이용하다. 미끼로 하다.
미낑기 [명]〈방〉밑구멍(함경).
미나다 [자]〈옛〉밀어 나오다. ¶ 人讚福盛ᄒᆞ샤 미나거신 톡애 《樂範 處容歌》.
미나리 [명]〖식〗[*Oenanthe stolonifera*] 미나릿과에 속하는 다년초. 높이 30 cm 이상이고 무모(無毛)이며 줄기는 길게 진흙 속에 있음. 잎은 호생하고 삼각형의 달걀꼴이며 1-2회 우상(羽狀)으로 갈라지고 소엽은 가에 톱니가 있음. 근엽(根葉)은 장병(長柄)에 총생(叢生)하고 경엽(莖葉)은 단병(短柄)이며 엽초(葉鞘)가 있음. 7-8월에 백색의 오판화(五瓣花)가 경엽에 대생하여 산형(繖形) 화서로 피고, 과실은 타원형임. 연못가·무논·습지 등에 나는데, 한국·중국·일본·인도 등지에 분포함. 향기가 나고 연하여 겨울·봄에 어린 것을 식용함. 줄기를 끊어 심거나 모를 옮겨 심어 논에 재배함. 근채(芹菜). 수근(水芹). 수영(水英).

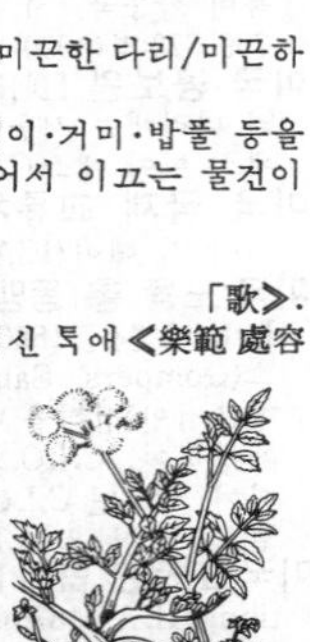
〈미나리〉

[미나리 도리듯 하다] 수확이 오붓하다.
미나리 강회【—膾】[명] 이른봄에 먹는 술안주나 반찬의 하나. 길이가 한치 가량 되게 잘게 썬 편육이나 제육 또는 파대가리에다가, 실고추와 실백 한 개를 얹어서, 이것을 데친 미나리 줄기로 감아서 먹음.
미나리-꽝 [명] 미나리를 심는 논. 대개 동네 근처의 텃물이나 우물의 물이 괴거나 흐르는 곳에 만듦.
미나리-냉냉 [명]〈방〉〖식〗미나리냉이.
미나리-냉이 [명]〖식〗[*Cardamine leucantha*] 겨잣과에 속하는 다년초. 지하경(地下莖)이 벋어 번식하는데, 줄기는 높이 60 cm 가량임. 잎은 호생하고 장병(長柄)에 우상(羽狀)으로 갈라지고 열편(裂片)은 5-7개인데, 달걀꼴 또는 피침형임. 6-9월에 흰 꽃이 줄기 끝과 가지 끝에 총상(總狀) 화서로 피고, 과실은 장각(長角)임. 산지의 골짜기나 음습지(陰濕地)에 나는데, 한국 각지에 분포함. 어린 잎줄기를 식용함.
미나리-마름 [명]〖식〗매화마름.
미나리-볶음 [명] 미나리를 짤막짤막하게 잘라 양념을 하여 번철에 볶은 반찬.
미나리-아재비 [명]〖식〗①미나리아재빗과에 속하는 구름미나리아재비·산미나리아재비·애기미나리아재비 등의 통칭. ②[*Ranunculus japonicus*] 미나리아재빗과에 속하는 다년초. 미나리와 비슷한데 높이는 30-60 cm 내외이며, 근생엽(根生葉)은 총생(叢生)하고 장병(長柄)이며 장상(掌狀)에 3-5갈래로 째지고, 경엽(莖葉)은 단병(短柄)이며 꼭대기 잎은 무병(無柄)임. 6월에 황색 오판화(五瓣花)가 산형(繖形) 화서로 정생(頂生)하고, 구형(球形)의 작은 분과(分果)가 밀집하여 익음. 산과 들에 나는데, 한국 각지 및 일본·중국에 분포함. 모간(毛茛). 모근(毛菫). 자구(自灸).

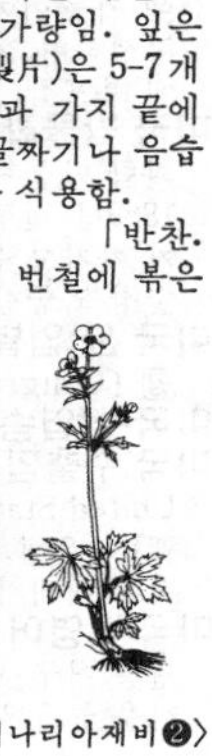
〈미나리아재비❷〉

미나리아재빗-과【一科】 [명] 〖식〗 [Ranunculaceae] 쌍자엽(雙子葉) 식물 이판화구(離瓣花區)에 속하는 한 과. 전세계에 1,200여 종이 있으며 한국에는 꿩의다리·미나리아재비·바람꽃·할미꽃 등 130여 종이 널리 분포함.

미나리-요【一謠】 [명] 〖악〗 조선 시대 때의 구전 민요(口傳民謠)의 하나. 숙종(肅宗)의 계비(繼妃) 민비(閔妃)가 자녀를 낳지 못하던 차에 대궐의 시비(侍婢)로 있던 장희빈(張禧嬪)이 왕의 총애를 받아 원자(元子) 경종(景宗)을 낳고, 민비를 모함하여 축출한 뒤의 장희빈의 전성 시대에 불려지던 것으로서, '장희빈은 장다리처럼 한때뿐이고 궁극적인 승리는 미나리가 사철 푸르듯이 민비에 있다'는 내용임.

미나리잎-쌈 [명] 미나리잎을 그대로 또는 상추나 쑥갓에 함께 섞어 밥을 싸서 먹는 쌈.

미나리-적【一炙】 [명] 미나리를 소금에 약간 절여 물기를 빼고 밀가루와 물에 푼 달걀을 치고 개어 무치어서 번철에 지진 음식.

미나리 초대 [명] 〈방〉 미나리적.

미나리 초자 [명] 〈방〉 미나리적.

미나리-회【一膾】 [명] 미나리를 초고추장에 찍어 먹거나 혹은 데쳐서 먹는 음식.

미나릿-과【一科】 [명] 〖식〗 [Umbelliferae] 쌍자엽 식물 이판화구(離瓣花區)에 속하는 한 과. 전세계에 2,600여 종이 있으며, 한국에는 강활·기름나물·미나리·바디나물·어수리·시호·전호 등 80여 종이 분포함.

미나마타-병【一病】 〔일 水俣: みなまた〕 [명] 〖의〗 일본 규슈(九州) 구마모토 현(熊本縣) 미나마타 시(水俣市)의 해안 부락에, 1953년부터 집단 발생한 일종의 중독성(中毒性) 질환. 공장 폐수(工場廢水)에 기인하는 유기 수은(有機水銀)이 어개류(魚介類)를 통하여 체내에 들어가 발병한 것. 시야 협착(視野狹窄)·언어 장애·운동 장애가 일어나는 외에 죽음에 이르는 경우도 적지 아니함.

미나모토노 요리토모 〔源賴朝: みなもとのよりとも〕 [명] 〖사람〗 일본의 가마쿠라 막부(鎌倉幕府) 초대 쇼군(將軍). 무가 정치(武家政治)의 창시자. 동생들을 시켜서 다이라 씨(平氏)를 쳐 멸망시킨 다음 1191년 막부를 조직하고, 1192년 정이 대장군(征夷大將軍)이 되었으나 동생들과 많은 공신(功臣)을 죽였으므로 그가 죽은 후에 권세가 호조 씨(北條氏)에게로 넘어갔음. [1147-99]

미나미 지로 〔南次郞: みなみじろう〕 [명] 〖사람〗 일본의 군인·정치가. 육군 대장. 1934년 관동군 사령관(關東軍司令官), 36년 조선 총독이 됨. 재임 6년 동안, 일본말 상용(常用)·창씨 개명(創氏改名)·지원병(志願兵) 제도 등의 민족 문화 말살 정책을 수행함. 2차 대전 후 전범(戰犯)으로 종신 금고형 복역중 병사함. [1874-1955]

미난지 [명] 〈방〉 〖식〗 미나리(경북).

미남【美男】 [명] ↗미남자(美男子). ↔추남.

미-남자【美男子】 [명] 얼굴이 썩 잘 생긴 남자. 미장부(美丈夫). 호남아. 호남자. [준]미남(美男).

미:납【未納】 [명] 아직 내지 못함. ——하다 [타][여불]

미:납-금【未納金】 [명] 아직 내지 못한 납부금(納付金).

미:납-세【未納稅】 [명] 아직 내지 못한 세금.

미:납-자【未納者】 [명] 세금이나 수업료 같은 납부금을 아직 내지 못한 사람.

미:납-조【未納條】 [명] 아직 내지 못한 셈의 조건.

미낭카바우-족【一族】 〔Minangkabau〕 [명] 수마트라 섬의 중부 서쪽 고지(高地)의 주민. 14-15세기에는 중부 수마트라를 지배하는 왕국을 세웠음. 신말레이인계(新 Malay 人系)에 속하며 16세기 이래 이슬람화(化)하였음. 약 200만 명으로 농경·수렵·어로 외에 수공업·교역 등에 종사함. 모계제(母系制) 사회를 형성하고 있는 것으로 유명함.

미낭-화【米囊花】 [명] 〖식〗 양귀비².

미내기 [명] 〈방〉 〖식〗 미나리(제주).

미내리 [명] 〈방〉 〖식〗 미나리(경북).

미냐르 〔Mignard, Pierre〕 [명] 〖사람〗 프랑스의 화가. 1658년 루이 14세의 초상을 그려 유명해진 후 많은 궁정인(宮廷人)의 초상을 그렸음. 라이벌인 르브룅(Le Brun)이 죽은 후에는 궁정의 수석 화가·아카데미 회장 등 요직을 역임하였음. [1612-95]

미너렛 〔minaret〕 [명] 〔본디 아랍어로, 광탑(光塔)·촛대의 뜻〕 이슬람교(敎) 성원(聖院)의 외곽의 한쪽 귀퉁이나 양귀퉁이 또는 네 귀퉁이에 설치하는 첨탑(尖塔). 발코니가 달린 탑으로서 시보(時報) 담당자가 이 위에 올라가 예배 시간을 알리며 축제일에는 불을 켬.

미너리 [명] 〈방〉 며느리(경북).

미닝 [명] 〈방〉 무명¹(평안).

미네-굴 [명] 〖조개〗 [*Ostrea rivularis*] 굴과에 속하는 바닷조개. 굴·토굴과 비슷하나 훨씬 크고 긴 타원형임. 조수(潮水)가 들어오는 해저에 서식하는데, 한국 서남해에 분포함. 맛이 좋음. 토화(土花). *토굴.

미네랄 〔mineral〕 [명] 〖생〗 칼슘·철·인·칼륨·나트륨·마그네슘 등 광물성 영양소. 광물질(鑛物質). ¶ ~ 함유 비타민.

미네랄로지 〔mineralogy〕 [명] 〖광〗 광물학(鑛物學).

미네랄 워터 〔mineral water〕 [명] 미량(微量)의 광물질을 포함한 음료수. 식탁 음료(食卓飮料)·양주(洋酒)에 타는 물로 이용됨. 천연의 광천수(鑛泉水)가 많이 쓰임. *광수(鑛水).

미네랄 테레빈 〔mineral + 포 terebinthina〕 [명] 〖화〗 테레빈유의 대용품으로 사용되는 석유(石油) 제품. 페인트나 니스의 희석용 용제(稀釋用溶劑)로 쓰는데, 드라이 클리닝에는 용해력이 강하지 않은 것을 씀.

미네르바 〔Minerva〕 [명] 〖신〗 로마 신화 중에 나오는 지혜의 여신(女神). 주피터의 딸. 그리스 신화의 아테네(Athene)에 해당함.

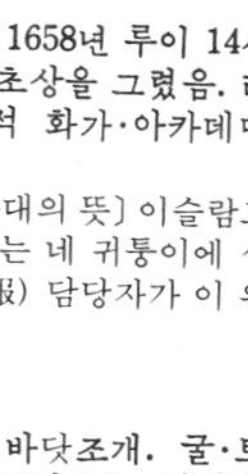

〈미네르바〉

미네르바의 부엉이 〔ㅡ/ㅡ에ㅡ〕 [명] 〔도 Die Eule der Minerva〕 독일의 철학자 헤겔(Hegel)의 저서 《법철학(法哲學)》 중의 '미네르바의 부엉이는 황혼이 짙어지자 날기 시작한다'에서 나온 말로 철학(哲學)의 추사성(追思性)을 비유한 말.

미네소타 주【一州】 〔Minnesota〕 [명] 〖지〗 미국 중앙 북부 슈피리어 호(Superior 湖) 서쪽에 있는 주(州). 주산업은 농업과 목축으로 밀·사과·버터 등을 산출하며 미국 굴지의 철광 산지이기도 함. 식품 가공·피혁·제지(製紙)·펄프·전자 기기·플라스틱 등의 공업도 성함. 주도는 세인트폴(St. Paul). [206,036 km² : 4,375,099 명(1990)]

미네장 〔도 Minnesang〕 [명] 〖악〗 중세 독일의 궁정에서 행하여지던 기사(騎士)의 연가(戀歌).

미네젱거 〔도 Minnesänger〕 [명] ①즉흥적(卽興的)으로 연애시(戀愛詩)를 지어 작곡하고 부르는 사람. ②중세기의 대중 음악가. 미네징거.

미네징거 〔도 Minnesinger〕 [명] 미네젱거.

미네트-광【一鑛】 〔프 minette〕 [명] 〖광〗 프랑스 로렌(Lorraine) 지방에 분포하는 철광석(鐵鑛石). 평균 품위는 철이 30-40% 정도이며 인(燐)의 함유량은 1-2% 정도임.

미녀【美女】 [명] 잘 생긴 여자. 미인(美人). ↔추녀.

미:년【未年】 [명] 〖민〗 태세(太歲)의 지지(地支)가 미(未)인 해. 양해.

미녕¹ [명] 〈방〉 무명¹(경기·강원·제주·황해).

미녕²【靡寧】 [명] →미령(靡寧).

미녜 〔Mignet, François Auguste Marie〕 [명] 〖사람〗 프랑스의 역사가·저널리스트. 주저(主著)는 자유주의(自由主義) 입장에 선 《프랑스 혁명사》. [1796-1884]

미노르카 〔Minorca〕 [명] 〖조〗 닭의 한 품종. 지중해 메노르카(Menorca) 섬 원산의 난용종(卵用種)의 닭. 몸은 크며, 보통 흑색이고 볏이 큼. 알은 희고 크나 그리 많이 낳지는 아니함.

〈미노르카〉

미노르카 섬 〔Minorca〕 [명] 〖지〗 '메노르카(Menorca) 섬'의 영어 이름.

미노스 〔Minos〕 [명] 〖신〗 제우스와 에우로페와의 아들로 크레타 섬의 왕. 법을 제정하고 선정(善政)을 베풂. 죽은 후에 저승의 재판관이 되었다 함.

미노스 문명【一文明】 〔Minos〕 [명] 〖역〗 크레타 문명의 별칭.

미노스 미술【一美術】 〔Minos〕 [명] 〖미술〗 기원전 2,000-1,400년경에 전성(全盛)한 고대 크레타(Kreta) 문명의 미술. 벽화·도기·건축 및 도장 조각 등 우수한 것들이 있으며 초화(草花)·조류·금수·궁전·인물 등이 자유롭고 선명히 표현되어 있음.

미노아 문명【一文明】 [명] 〔Minoan civilization〕 '크레타(Kreta) 문명'의 별칭.

미노아 문자【一文字】 〔Minōa〕 〔ㅡ짜〕 [명] '크레타 문자'의 별칭.

미노타우로스 〔Minotauros〕 [명] 〖신〗 그리스 신화 중에 나오는 괴물. 미노스(Minos)의 아내가 소와 정교하여 낳은 것으로, 사람의 몸에 소의 머리를 하였음. 미노스에 의해 미궁(迷宮)에 갇혔으며, 뒤에 테세우스(Theseus)에 의해 살해(殺害)되었음.

오른쪽 : 미노스
왼쪽 : 테세우스
〈미노타우로스〉

미농 반:지【美濃半紙】 [명] 미농지로서 반지형(半紙形) 크기의 종이.

미농-지【美濃紙】 [명] 〔일본 기후 현(岐阜縣) 미노(美濃) 지방의 특산품인 데서 생긴 이름〕 종이의 한 가지. 닥나무의 껍질로 만드는데 썩 질기고 얇음. 묵지(墨紙)를 받치고 글씨를 쓰기도 함.

미뇨 강【一江】 〔Miño〕 [명] 〖지〗 스페인 서북부에 있는 강. 칸타브리아 산맥(Cantabria 山脈)에서 발원하여 서쪽으로 흘러 포르투갈과의 국경을 지나 대서양에 들어감. [250 km]

미뇽 〔Mignon〕 [명] ①〖문〗 괴테의 소설 《빌헬름 마이스터(Wilhelm Meister)》에 나오는 박명(薄命)한 미소녀의 이름. ②〖악〗 《빌헬름 마이스터》에서 취재한 토마(Thomas)작의 가극. 1866년에 초연. 마이스터에게 구출을 받은 미뇽이 아버지와 재회한다는 이야기.

미누리 [명] 〈방〉 며느리(전남·경상·충남).

미누신스크 〔Minusinsk〕 [명] 〖지〗 시베리아 사얀 산맥(Sayan 山脈) 북록의 미누신스크 분지의 중심 도시. 예니세이 강(Yenisej 江)에 임한 농산물의 집산지이며 광대한 탄전이 주변에 있어 광업 도시이기도함.

미누신스크 문화【一文化】 〔Minusinsk〕 [명] 〖역〗 미누신스크 지방을 중심으로 하는 목축 기마 민족(牧畜騎馬民族)의 청동기(靑銅器) 문화. 무기·마구(馬具)·용기 등의 공예 및 동물 의장(動物意匠)이나 큰 돌무지 무덤이 발달되었음.

미눌 [명] 〈방〉 미늘.

미뉴에트 〔minuet〕 [명] 〖악〗 3박자의 프랑스 옛 무도곡(舞蹈曲). 루이 14세 시대 궁정(宮廷)에서 연주된 후 유럽 각지의 궁정에 크게 유행하였는데, 나중에는 무도(舞蹈)로부터 독립한 기악(器樂)의 형식으로 소나타·현악곡(絃樂曲)·교향곡(交響曲)의 악장에도 쓰였음. 메누에트.

미늄 〔minium〕 [명] 사산화(四酸化) 삼(三)납.

미느리 [명] 〈방〉 며느리(전남·경상).

미늘 [명] ①낚시 끝의 안쪽에 있는, 거스러미처럼 되어 고기가 물면 빠지지 아니하게 된 작은 갈고리. 구거(鉤距). ②↗갑옷 미늘. ③창이나 살촉 같은 무기의 날 부분이나 밑동 부분에 달린 갈고리. 물체에 박히면 빠지기 어렵게 하는 기능을 함.

미늘(을) 달다 [구] 기와나 비늘 모양으로, 위쪽의 아래 끝이 아래 쪽의 위 끝을 덮어 누르게 달다.

미늘 갑옷【一甲一】 [명] 작은 쇳조각을 이어 붙여 만든 갑옷. 비늘 갑옷.

찰갑(札甲). 괘갑(挂甲).

미늘-쇠 [명] 〖고고학〗 칼 모양의 몸통에 미늘 같은 뾰족한 날이 드문드문 서 있는 연장.

미늘-잎 [—립] [명] 미늘달아 이루어진 얇은 쪽의 잎.

미늘-창【—槍】[명] 창(槍)의 한 가지. 창 끝이 나무의 가지처럼 두 가닥 혹은 세 가닥으로 갈라져 있음.

미니¹ 〔Meany, George〕 [명] 〖사람〗 미국의 노동 운동 지도자. 연관공(鉛管工) 출신으로 1940년 미국 노동 총동맹 회장을 역임하고 1955년 이래로 AFL-CIO 회장임. 일관하여 반(反)공산주의적 입장을 지키며 노사 협조를 주장함. [1894-1980]

미니² 〔mini〕 [명] ①'매우 작은, 소형의'의 뜻. ¶ ~ 카. ②길이가 짧은 여자용 스커트나 코트. 보통 무릎 위 3-4 인치임. *미디·맥시.

미니드레스 〔minidress〕 [명] 무릎 위로 4-5 인치까지 올라오는 짧은 의상.

미니리 [명] 〈방〉 며느리(경북).

미니맥스 원리【—原理】〔minimax〕 [—월—] [명] 게임의 이론을 풀기 위한 수학. 게임에서 상대가 어떤 수로 나올지를 염두에 두면서 자기의 수를 정해야 할 경우, 서로의 수 여하에 따라 일어날 수 있는 최악의 경우를 비교하여 그 정도가 가장 가벼운 수를 선택한다는 확률론(確率論)을 응용한 이론.

미니멀 아:트 〔minimal art〕 [명] 최소한의 조형 수단(造形手段)을 써서 제작된 회화·조각. 최소한의 미술이란 뜻.

미니멈 〔minimum〕 [명] 최소 한도(最小限度). 극소수(極小數). ↔맥시멈.

미니멈-급【—級】〔minimum〕 [—끕] [명] 프로 권투에서 47.61 kg 이하의 체중을 가진 최경량급의 체급. 세계 권투 협회, 곧 WBA에서의 이름. *미니플라이급.

미니멈 에센셜스 〔minimum essentials〕 [명] 〖교〗 사회인으로서 이 정도는 꼭 알아야 한다고 생각되는 최소 한도의 지식·기능(技能)·예절 등. 학교 교육에서는, 학습 지도 지침에 이 기준의 요점이 제시됨.

미니-미:터 〔minimeter〕 [명] 정밀 측정기의 하나. 지레나 톱니바퀴의 원리를 이용하여 길이나 변위(變位)를 미크론 단위로 측정함.

미니 사커 〔mini soccer〕 [명] 적은 인원으로 좁은 경기장에서 행하는 축구. 실내 체육관에서 할 수도 있음. 보통 5명 내외의 인원으로 팀을 편성함. 각 나라마다 독자적인 룰이 있으며, 호칭도 영국에서는 5인제 사커, 브라질에서는 살롱 사커라 하는 등 각각 다름. 미니 축구.

미니-스커:트 〔miniskirt〕 [명] 옷자락선(線)이 무릎보다 위에 있는 매우 짧은 길이의 스커트의 총칭. 1960년대에 영국 런던을 시초로 하여 세계적으로 유행하였음.

미니스터 〔minister〕 [명] ①장관(長官). ②외교 사절(外交使節). 공사(公使). ③〖기독교〗 성직자(聖職者). 장로교의 목사(牧師).

미니스테리알레 〔도 Ministeriale〕 [명] 〖사〗 중세 독일에서 비자유인(非自由人) 신분 출신으로 궁내직(宮內職)·관리직(管理職)·군사 근무(軍事勤務) 같은 고급의 직위에 종사한 사람.

미니아튀:르 〔프 miniature〕 [명] ①중세기 경전 사본(經典寫本)의 삽화나 장식용의 작은 그림. ②세밀화(細密畫).

미니애폴리스 〔Minneapolis〕 [명] 〖지〗 미국 미네소타 주의 동남부 미시시피 강 상류의 우안에 있는 상업 도시. 대안(對岸)에는 주도(州都) 세인트폴(St. Paul)이 있음. 세계 최대의 제분 공장이 있고, 또 농산물 공업도 성하며 문화 도시로도 알려짐. [368,383 명(1990)]

미니어처 〔miniature〕 [명] ①썩 잘게 그린 그림. 또, 썩 작게 만든 공예품(工藝品). ②미니아튀르(miniature).

미니어처-관【—管】〔miniature〕 [명] 〖물〗 엄지손가락보다 조금 작은 유리 진공관. 특히 고주파(高周波)의 영역에서의 특성이 우수함. 단파·초단파(超短派)에 의한 소형 무선 기기(無線機器), 진공관식 텔레비전 등에 쓰임.

미니어처 세트 〔miniature set〕 [명] 〖연〗 영화의 트릭(trick) 촬영에 사용되는 정교하게 만들어진 소형의 건물·비행기·군함 등의 모형.

미니어처 카: 〔miniature car〕 [명] 모형 자동차.

미니언 〔minion〕 [명] ①애인(愛人). ②비굴한 사나이.

미니 축구【—蹴球】〔mini〕 [명] 미니 사커.

미니-카: 〔minicar〕 [명] ①소형 자동차. ②모형 자동차.

미니-카메라 〔minicamera〕 [명] 35 mm 이하의 필름을 사용하는 작고 가벼운 소형 카메라.

미니 커뮤니케이션 〔mini communication〕 [명] 불특정 다수(不特定多數)를 상대로 하는 매스컴과는 달리, 특정 소수(少數)를 상대로 하는 전달 방식. 특정 지역이나 소집단을 중심으로 밀접한 관계를 유지하는 데 목표를 둠. [준]미니컴.

미니컴 [명] ①↗미니 커뮤니케이션. ②↗미니 컴퓨터.

미니-컴퓨터 〔minicomputer〕 [명] 〖컴퓨터〗 주로 과학 기술 계산·프로세스 제어 등에 쓰이는 컴퓨터. 소형으로 범용(汎用) 컴퓨터에 가까운 성능이 있음. 소형 컴퓨터. [준]미니컴.

미니-텔 〔프 Mini Tel〕 [명] 프랑스의 비디오텍스용(用)의 간이(簡易) 단말(端末) 장치.

미니트-맨 〔Minuteman〕 [명] 〖군〗 미국의 대륙간 탄도 미사일의 하나. 3단식 고체 연료(固體燃料)로 추진함. Ⅰ·Ⅱ·Ⅲ의 세 형(型)이 있는데, Ⅰ형이 1메가톤, Ⅱ형이 1-2메가톤, Ⅲ형은 3개의 200 킬로톤의 다탄두(多彈頭) 미사일임. 지하 사일로(地下 silo)에 격납(格納)되어 핵공격을 받더라도 발사할 수 있게 되어 있음.

미니플라이-급【—級】〔minifly〕 [—끕] [명] 프로 권투 미니멈급의 국제 권투 연맹, 곧 IBF에서의 일컬음. *스트로급.

미:닝 〔meaning〕 [명] 의미. 의의(意義).

미놀 [명] 〈옛〉 미늘. ¶ 다 갓곤 미ᄂᆞᆯ 뻐 그 ᄀᆞ티 스이라(俱用倒鉤冠其抄)《武藝諸譜 21》.

미:다¹ [자] ①털이 빠져 살이 드러나다. ②찢어지다.

미:다² [타] 팽팽하게 켕긴 가죽이나 종이 등을 잘못 건드려 구멍을 내다.

미:다³ [타] 싫게 여기어 따돌리고 멀리하다.

미:다⁴ [타] 〈방〉 메우다¹(경기·충남·전북).

미:다부리-정【未多夫里停】[명] 〖역〗 신라 시대의 십정(十停)의 하나. 지금의 전라 남도 나주시(羅州市) 남평면(南平面)에 두었음.

미다스 〔Midas〕 [명] 〖신〗 그리스 신화 중의 프리기아 왕(Phrygia王). 세일레노스(Seilenos)의 마력에 의해, 만지는 것마다 모두 금(金)으로 변한다는 소원이 이루어졌으나, 먹으려는 음식이 금으로 변하고 사랑하는 딸마저 금으로 변하여 슬퍼했다고 함. 또, 아폴론과 판의 음악 콩쿠르에서 음악의 신 아폴론에게 졌다고 판정했기 때문에 당나귀 귀가 되는 수난을 당하기도 하였음. 또한, 디오니소스에 의하여 마력을 얻었다는 설도 있음.

미다스 위성【—衛星】〔Midas〕 [명] 〔Midas는 missile defense alarm system의 약칭〕 미육군(美陸軍)의 첩보 위성. 적외선 탐지 장치로 적의 ICBM을 탐지함.

미단-골【尾端骨】[명] 〔pygostylus〕 〖생〗 조류(鳥類) 및 개구리목(目)에서, 척추 끝에서 몇 개의 미추(尾椎)가 유합(癒合)하여 생긴 뼈. 조류는 측편형(側扁形)을 이루어 여기에 꽁지가 달리고, 개구리목은 기둥꼴을 이룸. *미골(尾骨).

미:-닫이 [—다지] [명] 옆으로 밀어 여닫는 문.

미:닫이-문【—門】[—다지—] [명] 미닫이로 된 문.

미:닫이-창【—窓】[—다지—] [명] 미닫이로 된 창. 창미닫이.

미:달【未達】[명] 어떤 한도에 이르지 못함. ¶ 정원(定員) ~. ——-하다 [자][여불]

미:달 일간【未達一間】[명] 모든 일에 다 밝아도 오직 한 부분만은 서투름. ——-하다 [형][여불]

미담¹【美談】[명] 후세(後世)에 전할 만한 갸륵한 이야기. 아름다운 행실의 이야기. ¶ 흐뭇한 ~.

미담²【微曇】[명] 조금 흐림. 미음(微陰). 박담(薄曇).

미:답【未踏】[명] 아직 아무도 밟지 아니함. 발길이 미치지 아니함. ¶ 전인(前人) ~의 땅. ——-하다 [타][여불]

미:-당기다 [타] 밀었다 당겼다 하다.

미대¹【尾大】[명] 꼬리가 큼. 일의 끝이 벌어짐. ——-하다 [형][여불]

미대²【美大】[명] ↗미술 대학.

미대 난도【尾大難掉】[명] 〔꼬리가 커서 흔들기가 어렵다는 뜻에서〕 일의 끝이 크게 벌어져서 처리하기가 힘듦. 미대 부도. ——-하다 [형][여불]

미:-대다 [타] ①싫거나 잘못된 일을 남에게 밀어 넘기다. ②일을 오래 질질 끌다.

미대 부도【尾大不掉】[명] 미대 난도(尾大難掉). ——-하다 [형][여불]

미-더덕 [명] 〖동〗 〔*Styela clava*〕 미더덕과의 원색(原索) 동물. 길이 4 cm, 지름 2 cm 정도의 달걀꼴의 황갈색 몸에 4 cm 가량의 자루가 붙어 있어, 그 기부(基部)로 바위 등에 붙어 삶. 특히, 조개 양식 뗏목이나 뱃바닥에 다수 부착함. 한국·일본의 연안에 분포함. 식용함.

미더덕-찜 [명] 미더덕을 갖은 양념하여 찐 마산 지방의 향토 음식.

미덕【美德】[명] 아름답고 갸륵한 덕행. 휴덕(休德). ¶ 여자의 ~/~을 발휘하다. ↔악덕(惡德).

미덕-도【美德島】[명] 〖지〗 전라 남도의 남해안(南海岸), 고흥군(高興郡) 과역면(過驛面) 연등리(蓮燈里)에 있는 섬. [0.16 km² : 2 명(1984)]

미덤-성 [—썽] [명] 〈방〉 믿음성.

미덤즉-하다 [형] 〈방〉 믿음직하다.

미덥다 [형][ㅂ불] 믿음성이 있다. ¶ 미더운 사람.

미:도¹【未到】[명] 아직 도달하지 아니함.

미도²【味到】[명] ↗음미 도달(吟味到達). ——-하다 [자][여불]

미:도³【迷途】[명] 미로(迷路)❶.

미독【味讀】[명] 내용을 충분히 음미하면서 읽음. 숙독(熟讀). ——-하다 [타][여불]

미돈【迷豚】[명] 남에게 대하여 자기의 아들을 낮추어 일컫는 말. 미련하고 변변하지 못한 아들이라는 뜻. *가돈(家豚). 가아(家兒). 돈아(豚兒). 미식(迷息). 미아(迷兒).

미돌【米突】[의명] '미터(meter)'의 취음(取音).

미동¹【美童】[명] ①얼굴이 예쁘게 생긴 사내아이. 여수(麗豎). ②비역을 할 때 밑에서 당하는 아이. 면.

미동²【微動】[명] 조금 움직임. 미약하게 움직임. ¶ ~도 않는다. ——-하다 [자][여불]

미동-계【微動計】[명] 미세한 진동을 측정하는 데 사용되는 진동계. 미진계(微震計). ↔강진계(強震計).

미두【米豆】[명] 〖경〗 현물(現物) 없이 미곡(米穀)을 거래하는 일. 현실의 거래를 목적으로 하는 것이 아니고 미곡의 시세를 이용하여 거래하는 일종의 투기(投機) 행위임. 기미(期米). ——-하다 [자][여불]

미두-꾼【米豆—】[명] 미두를 하는 사람.

미두-장【米豆場】[명] 미두를 하는 곳.

미:드¹ 〔Mead, George Herbert〕 [명] 〖사람〗 미국의 철학자·사회 심리학자. 프래그머티즘(pragmatism)을 기초로 한 행동주의적 사회 심리학을 주창한 시카고 학파의 중진이었음. [1863-1931]

미:드² 〔Mead, Margaret〕 [명] 〖사람〗 미국의 여류 인류학자. 사모아·발리·뉴기니 등 여러 섬의 미개 민족을 조사, 문화에 있어서의 인간 연구에 심리학적 방법을 도입, 미혼녀(未婚女)의 성(性)이 개방적으로 성장하는 과정을 면밀히 연구하여, 인간 본성의 행동 양식은 생물학적으로 결정된다기보다는 문화적 면의 조건의 영향을 받는다고 주장함. 저서에 《사모아의 성년(成年)》·《남성과 여성》 등이 있음. [1901-78]

미:드³ 〔Meade, James Edward〕 [명] 〖사람〗 영국의 경제학자. 1938-40년 국제 연맹의 경제 사무국 요원, 1941-47년 영국 정부 경제 사무국에 참여, 1957년부터 11년간 케임브리지 대학 교수를 역임. 주저(主著) 《국

제 경제 정책론≫을 통해 국제 무역에 대한 경제 정책의 효과를 보여 주는 한편, 개방 경제하에서의 안정 정책 문제를 밝힌 공으로, 올린 B.와 함께 1977년 노벨 경제학상을 수상함. [1907-]

미드가르드 〔Midgard〕 명 『신』 미트가르트.

미드가르드 대:사【一大蛇】〔Midgard〕 명 『신』 미트가르트 대사.

미드-나이트 〔midnight〕 명 심야. 한밤중. ¶ ~ 쇼.

미드웨이 섬 〔Midway〕 명 『지』 하와이 제도 최서단(最西端)의 제도. 두 개의 섬으로 이루어지는 작은 환초(環礁). 1859년에 발견되어 미국령이 되었음. 1905년 해저 전선 중계지(海底電線中繼地), 1936년 비행장이 설치되어 군사상 요지가 됨. 1942년 6월 미드웨이 해전(海戰)이 일어남. [5 km²: 2,300 명(1980)]

미드웨이 해:전【一海戰】〔Midway〕 명 『역』 1942년 6월 5-7일, 미드웨이 섬을 공략하려던 일본 해군 기동 부대와 미해군 기동 부대 사이의 싸움. 이 싸움에서 일본 함대는 치명적 타격을 입었으며 이를 계기로 태평양 전선의 작전 주도권이 미국으로 넘어갔음.

미드-필:드 〔midfield〕 명 경기장의 중앙부.

미드하트 헌:법【一憲法】〔Midhat〕[一뻡] 명 오스만 제국(Osman帝國) 말기에, 재상(宰相) 미드하트 파샤(Midhat Paşa; 1822-84)가 기초(起草)하여 1876년에 공포한 헌법. 민주적 개혁을 위하여 양원제 의회·내각 책임제와 언론의 자유 등을 제정하였으나, 이듬해에 폐지됨. 아시아 최초의 헌법임.

미:드 호【一湖】〔Mead〕 명 『지』 미국 네바다 주(Nevada州)와 애리조나 주(Arizona州)와의 경계에 있는 인조호(人造湖). 450억 톤의 물을 저장하여 관개 용수 및 수력 발전에 사용됨. 주변은 미드 호(湖) 국립 리크리에이션 지역으로 지정되어 관광지로서 번성함. [640 km²]

미:득【未得】 명 아직 얻지 못함. ↔기득(既得). ——하다 타 여불

미득새 명 〈방〉 『식』 억새(경남).

미들 〔middle〕 명 ①중앙. 중등. 가운데. 중간. ②보트의 중앙부에 있는, 사람이 앉는 널판. ③경기 코스의 도중.

미들-급【一級】〔middle〕[一끕] 명 운동 경기에서의 체중 한계(體重限界)의 하나. 아마추어 복싱은 71-75 kg, 프로 복싱은 69.85-72.57 kg, 레슬링은 73-79 kg, 역도는 67.5-75 kg인 체중. 또, 그 선수. 미들웨이트(middleweight).

미들랜드 〔Midland〕 명 『지』 영국 잉글랜드의 중부 버밍엄(Birmingham)을 중심으로 하는 흑향(黑鄕) 부근을 가리키는 말.

미들랜드 은행【一銀行】〔Midland〕 명 영국의 5대 은행 중에서 가장 큰 은행. 상업 은행으로서도 유럽에서 가장 큼.

미들 매니지먼트 〔middle management〕 명 중간 관리직(職).

미들섹스 〔Middlesex〕 명 『지』 영국 잉글랜드 동남부의 옛 주(州). 1965년에 대부분이 대(大) 런던에, 나머지는 서리(Surrey) 주와 허트퍼드셔에 흡수됨. [602 km²]

미들 스쿨: 〔middle school〕 명 『교』 중학교.

미들 아이언 〔middle iron〕 명 골프에서, 중거리용의 금속제 클럽. 4번·5번·6번 아이언을 말함.

미들-웨이트 〔middleweight〕 명 미들급(級).

미들즈브러 〔Middlesbrough〕 명 『지』 영국 잉글랜드의 북동 해안 요크셔(Yorkshire)의 북경(北境)에 있는 중공업 도시. 티즈 강(Tees江) 어귀에 있으며 제철·제강업이 발달하였고 이 밖에 기계·화학 등의 공업도 행하여짐. 정연한 계획 도시로 알려짐. [150,000 명(1981)]

미들 클래스 〔middle class〕 명 중간층. 중간 계급. 중산(中產) 계급. 중류 계급.

미들 틴: 〔middle teen〕 명 10대(代) 중반의 나이. 또, 그 나이의 소년·소녀. *로 틴.

미들 포: 〔middle four〕 명 보트 레이스 용어. 에이트의 가운데 네 사람. 보통 몸집이 크고 힘이 센 사람을 여기에 둠.

미들 헤비급【一級】〔middle heavy〕[一끕] 명 역도의 중량(重量) 한계의 하나. 82.5 kg 이상 90 kg의 체중. 또, 그 선수.

미들 홀: 〔middle hole〕 명 골프에서, 250야드 이상 470야드 이하의 홀. 보통 1라운드에 10개소가 설치됨.

미등[1]【尾燈】 명 자동차 따위의 뒤에 붙은 등. 테일 라이트.

미등[2]【微騰】 명 물가가 조금 오름. ↔미락(微落). ——하다 자 여불

미:-등기【未登記】 명 아직 등기를 하지 아니함.

미디[1] 〔middy〕 명 미니와 맥시의 중간 길이의 스커트나 코트. *미니·맥시.

미디[2] 〔MIDI〕 명 〔musical instrument digital interface의 약칭〕 『컴퓨터』 전자 악기와 컴퓨터 또는 전자 악기 상호 간의 디지털 신호를 주고받기 위하여 각종 신호를 약속한 일종의 약속 언어. 1983년 국제 표준 규격이 확정되었음.

미디네트 〔프 midinette〕 명 파리의 여점원·여공(女工). 특히, 양장점·양품점의 여점원·여공.

미디 스커:트 〔middy skirt〕 명 장딴지의 중간 정도 길이의 스커트. 1967년경부터 나타남.

미디안 〔Midian〕 명 『성』 아브라함(Abraham)의 넷째 아들. 미디안 족속(族屬)의 시조임.

미디어 〔media〕 명 〔medium의 복수형〕 ①매체(媒體). 매개체. ②수단. ¶ 매스 ~.

미디어 믹스 〔media mix〕 명 광고 매체 전략(廣告媒體戰略)으로서, 신문·라디오·텔레비전·잡지 그 밖의 여러 가지 광고 매체를 적절하게 혼용(混用)하는 일.

미디엄 〔medium〕 명 ①매개물. 매개체. 중간물. ②중앙. 중간. 중위(中位). ③수단. 방법. ④광의(廣義)로는 예술 표현의 수단 또는 수단에 사용되는 소재(素材)·도구를 말하며 협의(狹義)로는 그림 물감의 용제(溶劑)를 말함. ⑤이승과 저승의 중간에 있어, 죽는 사람의 뜻을 전달한다고 하는 존재. 영매(靈媒). ⑥『생』 세균 배양기.

미디엄 숏 〔medium shot〕 명 텔레비전·영화 촬영의 기술 용어의 하나. 피사체를 인물로 할 경우, 무릎 위쪽까지를 촬영하는 숏.

미디 재킷 〔middy jacket〕 명 〔middy는 영국 해군 사관인 midshipman의 일컬음〕 ①수병복(水兵服). ②여성이나 아이들 용의 웃옷. 수병복을 본뜬 것으로, 세일러 칼라(sailor collar)를 붙이고, 몸통을 죄지 아니하는 밋밋한 재킷임. 미디 블라우스.

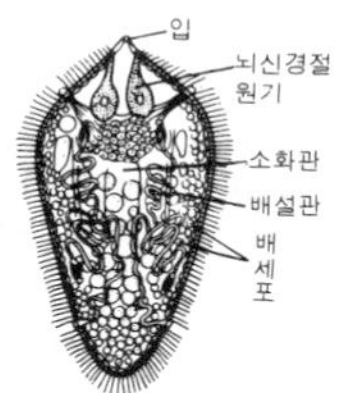
〈미디 재킷❷〉

미때기 명 〈방〉 『충』 메뚜기(경북).

미뚜기 명 〈방〉 『충』 메뚜기(경북).

미뚜리 명 〈방〉 미투리(강원).

미:-뜨리다 타 ☞밀뜨리다.

미:-뜰다 타 〈방〉 밀뜨리다.

미뜽 명 〈방〉 뫼[4](경남).

미띠기 명 〈방〉 『충』 메뚜기(경상).

미라 〔포 mirra〕 명 인간 또는 동물의 시체가 오랜 동안 원형(原形)에 가까운 형상을 그대로 보존하고 있는 것. 천연적인 것과 인공적인 것이 있으며, 전자는 토지의 건조와 광물적 성분·공기의 건조·한랭(寒冷) 등에 의하여 시체가 자연히 건고(乾固)된 것으로 아프리카의 사하라 지방 등에서 많이 발견됨. 후자는 종교상의 신앙으로 인간의 시체에 가공하여 그 부패를 방지한 것으로 이집트·미얀마 등지에 많이 산재해 있음. 머미(mummy). 목내이(木乃伊).

미라보 〔Mirabeau, Comte de. Honoré Gabriel Victor Riqueti〕 명 『사람』 프랑스 혁명기의 정치가. 웅변에 능하였고, 국민 의회 의장을 역임한 온전한 입헌 군주주의자. [1749-91]

미라부리 명 〈방〉 『조』 밀화부리 ¶ 생각난 듯이 ~가 한 곡조 부르면서 멀리로 날아갈 뿐이었다≪鄭飛石: 城隍堂≫.

미라-성【一星】〔Mira〕 명 『천』 고래자리에 있는 유명한 변광성(變光星). 평균 지름은 태양의 600배 이상, 거리는 약 250 광년임. 약 11개월의 주기를 가지며 광도(光度)가 2등에서 10등까지 변함. 원인은 성체(星體)의 맥동(脈動)이라고 생각되고 있음. *미라형 변광성.

미라시듐 〔miracidium〕 명 『동』 알에서 깬 편형(扁形) 동물 흡충류(吸蟲類)의 유생(幼生)의 총칭. 모양은 어미 벌레의 종류에 따라 여러 가지이나 보통 긴 달걀꼴 또는 타원형임. 앞 끝에 붉은 안점(眼點)이 있고, 거죽은 섬모로 덮였으며, 내부는 간엽(間葉)으로 충만되어 있으나, 그 중에 간단한 신경절·소화관·배설관 등의 분화가 보임. 수중에서 헤엄쳐서 주로 굴·조개·다슬기 등 연체(軟體) 동물을 중간 숙주로 하고, 그 안에 침입하여 발육함.

〈미라시듐〉

미라:주[1] 〔프 mirage〕 명 신기루(蜃氣樓).

미라:주[2] 〔프 Mirage〕 명 『군』 프랑스의 다소 브레크(Dassault-Brequet) 회사가 개발 제작한 일련(一連)의 전투기·폭격기 등의 이름. 미라주 Ⅲ은 전체 길이 15.03 m, 폭 8.22 m, 최대 속도 마하 2.2의 전투 공격기이고, 미라주 Ⅳ는 미라주 Ⅲ을 대형화한 초음속 폭격기임.

미라크 〔Mirak, Aga〕 명 『사람』 16세기의 페르시아 화가. 비자드(Bihzad)의 제자로 타브리즈파(Tabriz派)를 대표함. 그의 현란한 색채는 스승의 화풍(畫風)을 답습한 것이며, 그의 인물화는 유형화(類型化)되어 동감(動感)은 적지만 장중한 인상을 줌. 니자미(Nizami)의 ≪함세(Khamseh)≫ 사본(寫本) 등을 그림.

미라형 변:광성【一型變光星】〔Mira〕 명 『천』 대표적인 장주기(長周期) 변광성. 주기수 332일. 변광 범위 2-10등, 적색광을 냄. 스펙트럼 중에 수소의 휘선(輝線)이 현저함. *미라성(Mira星).

미락【微落】 명 물가 등이 조금 떨어짐. ↔미등(微騰). ——하다 자 여불

미락-세【微落勢】 명 물가 등이 미락할 기세.

미란[1]【迷亂】 명 정신이 흐리멍덩하여 어지러움. ——하다 형 여불

미란[2]【糜爛·靡爛】 명 썩어서 문드러짐. ——하다 자 여불

미란[3] 〔Miran〕 명 중국의 신장웨이우얼(新疆維吾爾) 자치구 뤄부포(羅布泊) 호 남방에 있는 유적지(遺跡地). 1906년 영국의 고고학자 스타인(Stein, M.A.)이 발견함. 도성(都城)과 사원터가 있음.

미란성 가스【糜爛性一】〔gas〕[一썽一] 명 피부를 침범하여 발포(發疱) 미란하게 하고, 눈·호흡기를 침범하여 죽게까지 하는 독가스.

미래[1] 명 ①『농』 못자리를 골라 다듬는 데 쓰는 농구의 하나. 지름이 두 치 반 가량 되고 길이가 다섯 자 가량 되는 곧고 둥근 나무. 한가운데에 긴 자루를 맞추었음. ②〈방〉 고무래(전남).

미:래[2]【未來】 명 ①아직 오지 아니한 앞날. 장래. ¶ ~의 세계. ②『언』 장차 행할 것을 표시하는 시제(時制). 어간에 '-겠-'을 더하여 씀. '먹겠다'·'가겠다' 등. 올적. ↔과거. ③『불교』 삼세(三世)의 하나. 죽은 뒤의 세상. 내세(來世). 미래세.

미:래 감:지 현:상【未來感知現象】 명 〔pre-cognition〕 『심』 아직 일어나지 아니한 미래의 일을 감지할 수 있는 초능력(超能力)의 하나. *염력(念力).

미:래-기【未來記】 명 미래의 일을 예상하여 적은 기록. 참문(讖文). *도참(圖讖).

미:래 민주주의【未來民主主義】[一/一이] 명 『사』 소수파의 의견도 존중되는 마이노리티 파워(minority power), 정치적 결정권(政治的 決定權)이 적절하게 분산(分散)되는 디시전 디비전(decision devision), 직접 민주주의에 보다 접근하는 세미디렉트 데모크러시(semi-direct democracy)의 세 방향을 주축으로 하는 바람직한 미래의 민주주의. 미국의 저널리스트 토플러의 말임.

미:래-사【未來事】명 앞으로 닥쳐올 일. 앞일. ↔과거사.

미:래-상【未來像】명 이상(理想)으로서 그리는 구상. 비전(vision).

미:래 성수겁불【未來星宿劫佛】명〖불교〗삼천불(三千佛)의 하나. 월광불(月光佛)·미륵불(彌勒佛) 등의 천불(千佛)을 말함.

미:래-세【未來世】명〖불교〗삼세(三世)의 하나. 앞으로 닥쳐올 불세(佛世). 죽은 뒤에 다시 태어날 세상. 내세(來世). 뒷세상. 미래. 사후(死後). ↔현세(現世)·과거세(過去世).

미:래 영:겁【未來永劫】명〖불교〗앞으로 닥쳐오는 영원한 세상.

미:래 예:정【未來豫定】명〖언〗동사의 예정상(豫定相)의 하나. 미래에 그렇게 될 것이 추측적으로 예상되는 상황을 나타내는 어법. '글을 읽게 되었다' 따위.

미:래 완료【未來完了】[—왈—] 명〖언〗미래의 동작이 막 끝나서 그 결과가 나타나 있을 것을 표현하는 동작상(動作相)의 하나. 현재 완료형에 '-겠-'을 더하여 씀. '그때쯤은 꽃이 다 피었겠다'·'내일 밤 여덟 시쯤이면 달이 떠 있겠다' 등. 울적 끝남.

미:래의 이브【未來—】[Eve] [—/—에—] 명〖책〗프랑스의 작가 릴라당(L'IsleAdam)의 장편 소설. 1886년에 발표. 여성에 대한 통렬한 풍자가 되기도 하지만, 인간 인식의 분석 비판을 밑바탕으로 한 철학 소설임.

미:래-제【未來際】㊀ 명〖불교〗미래의 변제(邊際). 미래의 끝. 진미래제(盡未來際). ㊁ 부 세상이 있는 한. 영구히. 진미래제(盡未來際).

미:래-주의【未來主義】[—/—이] 명〖미술〗미래파가 주장하는 주의. *미래파.

미:래 지향【未來指向】명〖철〗후설(Husserl, E.)의 현상학(現象學) 용어. '현재가 존재이다'라는 뜻에서는 미래는 존재일 수 없으나, 미래에 올 체험에 주목하여 이것을 직관으로, 장차 올 것이라는 의식을 설정(設定)하는 일. ↔과거 지향.

미:래 지향성【未來指向性】[—썽] 명 [future oriented] 미래를 구상하고 계획하고 디자인하는 미래에 대한 적극적 자세를 이르는 말.

미:래 진:행【未來進行】명〖언〗동사의 진행상(進行相)의 하나. 미래에 동작이 계속 중일 것임을 나타내는 어법. '-고 있겠다'·'-고 있는 중이겠다' 등으로 표시됨.

미:래 충격【未來衝擊】명 현대 사회는 환경 변화가 매우 빠르다는 것이 특징인데, 미래가 너무도 빨리 닥쳐오기 때문에, 여기에 잘 적응하지 못하여 일종의 방향 감각의 상실과 신경증 따위를 일으키게 되는 일.

미래치 명〈방〉〖어〗멸치(경상).

미:래-파【未來派】명〖미술·문〗20세기 초에 이탈리아에서 시인 마리네티(Marinetti)의 미래파 선언으로 시작된 전위적(前衛的)인 예술 운동. 또, 그 유파(流派). 기성의 예술을 과거주의라고 하여 일체의 과거와 전통을 반대하고 반(反)철학적·반지식적 태도를 강조하며, 현대의 물질 문명을 찬미하여 동적(動的) 감각의 표현을 주장하고, 문장 형태를 변혁적인 새 형식으로 하여 미래적인 꿈의 아름다움을 나타내려고 노력하였음. 처음에는 회화에서 일어나 문학·음악에까지 미쳤으나 제1차 세계 대전 후 쇠퇴함.

미:래-학【未來學】명 [futurology; futuristics] 미래를 여러 각도에서 연구·추론(推論)하는 학문의 총칭. 20세기 후반의 눈부신 고도 산업 사회(高度産業社會)의 발달에 따라 인간 환경·사회 구조가 크게, 그리고 급속히 변화하고 있는데, 미처 여기에 적응해 나가지 못하는 과정에서 일어나는 여러 가지 사회 병리(社會病理) 현상을 경제·사회·문화 등 입장에서 이를 예측·대비해 나가려는 학문임. ¶ ~자.

미:랭[1]【未冷】명 아직 차갑지 아니함. 아직 다 식지 아니함. ——-하다 형여불

미랭[2]【微冷】명 조금 찬 듯함. ——-하다 형여불

미:랭-시【未冷尸】명 [아직 식지 않았을 뿐인 송장이란 뜻] 아주 늙어서 사람 구실을 못하는 사람을 일컫는 말.

미량[1]【微涼】명 조금 서늘함. ——-하다 형여불

미량[2]【微量】명 아주 적은 양.

미량 분석【微量分析】명〖화〗썩 적은 분량이나 묽은 시료(試料)를 가지고 행하는 분석. 정성(定性) 분석에서는 현미경 밑에서 착색 반응(着色反應)이나 결정형(結晶形)을 사용하고, 묽은 시료에서는 비색(比色) 분석·스펙트럼 분석 등이 이용됨. 유기물에 대해서는 유기 미량 분석이 있음.

미량 어염【米糧魚塩】명 양식이나 생선·소금 등 일상 생활에 필요한 식료품.

미량 영양소【微量營養素】명 [micronutrient]〖생〗①미량 원소❷. ②아주 적은 분량으로 작용하는 동물의 영양소. 비타민 따위.

미량 요소【微量要素】[—뇨—] 명〖생〗미량 원소(微量元素)❷.

미량 원소【微量元素】명 ①〖화〗물질 중에 극히 미량으로 함유되어 있는 원소. ②[trace element]〖생〗식물의 생육에 불가결한 극히 미량의 원소. 철·아연·망간·염소(塩素)·몰리브덴·붕소(硼素) 따위. 미량 영양소(微量營養素). ↔다량 원소. ③[trace element]〖지〗지각의 암석이나 광물에 아주 적게 함유된 원소.

미량 재:배 시험【微量栽培試驗】명〖농〗토양이나 재배 조건을 가능한 한 균일하게 만든 밭에서, 소수의 개체(個體)를 재료로 하여 재배하는 시험 방법. 주로 농작물의 양적(量的) 요소를 시험하는 경우에 씀.

미량 천칭【微量天秤】명〖화·약〗유기 미량 분석에 사용하는 천칭. 모양은 입방체(立方體)의 유리 상자 속에 천칭을 넣은 것 같은데 구조는 훨씬 다름. 최소 칭량은 0.001mg이고, 최대 칭량은 20g임. 감도(感度)는 칭량에 관계되지 아니하며, 감량(感量)은 보통의 화학 천칭보다 훨씬 좋음.

1. 지침〈指針〉
2. 지침용 눈금
3. 접시
〈미량 천칭〉

미량 화학【微量化學】명〖화〗미량 물질(微量物質)의 화학을 연구하는 화학의 한 부문.

미러[mirror] 명 거울. 반사경. ¶ 백 ~.

미러꾸다 타〈방〉꾸짖다(경남).

미러 볼:[mirror ball] 명 댄스 홀이나 카바레 등의 천장에 달아맨 장식의 하나. 겉에다 작은 거울을 많이 붙여 놓은 구(球)로서, 여기에 조명을 비추면서 회전시키면, 반사광이 움직이여 분위기를 고조시킴.

미러오다 자〈옛〉밀려 오다. ¶ 陝西셔 미러온(陝西赶來的)《朴解》.

미러치 명〈방〉〖어〗멸치(경상).

미러클[miracle] 명 기적(奇蹟).

미러클 마:가린[miracle margarine] 명 비대증(肥大症) 환자용의 마가린. 몸에 콜레스테롤산(酸)이 축적되지 아니하도록 리놀산(酸)이 48% 포함된 것이 특징임.

미런 명〈방〉미련[1](함경).

미레-자 명〈속〉'티(T)'자 모양으로 된 제도용(製圖用) 자. 티(T)자.

미레-질 명 대패를 거꾸로 쥐고 앞으로 밀어 깎는 일. ——-하다 자여불

미려【美麗】명 아름답고 고움. 가려(佳麗). 여미(麗美). ——-하다 형여불. ——-히 부

미려-골【尾閭骨】명〖생〗미저골(尾骶骨).

미려-관【尾閭關】명 미려혈(尾閭穴)❶.

미려-혈【尾閭穴】명 ①등마루뼈 끝에 있는 침을 놓는 자리. 미려관(尾閭關). ②자꾸 줄어서 없어짐을 이르는 말. ③동쪽 바다 가운데 있으며 바닷물을 빨아 들인다고 하는 큰 구멍.

미력[1]【微力】명 ①적은 힘. 또, 힘이 적음. ②남을 위하여 힘쓴 자기의 힘을 겸손히 일컫는 말. ¶ 부족하나마 ~을 다하겠습니다. ——-하다 형여불

미력[2]【彌—】명〖불교〗←미륵[1](彌勒).

미련[1] 명 [근대 : 미련ᄒᆞ다] 어리석고 둔함. ¶ 곰같이 ~한 사람. >매련. ——-하다 형여불

[미련은 먼저 나고 슬기는 나중 난다] 일이 잘못된 후에야 이랬더라면 좋았을 것을 하고 궁리함을 이르는 말. [미련이 담벼락을 뚫는다] 미련한 사람이 오히려 일을 해내는 끈기가 있다는 말. [미련하기는 곰일세] 미련한 사람을 두고 이르는 말. [미련한 게 간롱맞다] 겉으로 미련한 듯하면서도 의뭉한 꾀가 있다. [미련한 놈 똥구멍에 불송곳이 안 들어간다] 미련한 사람이 고집이 매우 세고 뚝뚝하다는 말. [미련한 놈 가슴에 고드름이 안 녹는다] 둔하고 못난 사람이 한번 앙심을 먹으면 좀처럼 누그러지지 않고 언제까지나 두고두고 앙갚음을 한다는 말.

미:련[2]【未練】명 ①익숙하지 못함. 미숙. ②애착되는 마음이 있어 생각을 딱 끊을 수 없음. ¶ ~이 남아서 떠날 수가 없다. ——-하다 형여불

미련-스럽다 형ㅂ불 미련하게 보이다. >매련스럽다. 미련-스레 부

미련-쟁이 명 미련한 사람. >매련쟁이. *미련퉁이.

미련-퉁이 명 몹시 미련한 사람. >매련퉁이. *미련쟁이.

미렷다 자〈옛〉밀렸다. 밀물지다. ¶ 바ᄅᆞ리 미렷ᄂᆞᆫ 디 고래 잇ᄂᆞᆫ 믌겨리 움즈겻고(溟漲鯨波動)《杜諺 Ⅱ:16》.

미렷-하다 형여불 살이 쪄서 군턱이 져 있다. 턱이 뾰족하지 아니하고 두툼하다.

미령【靡寧】명 [←미녕(靡寧)] 웃어른의 몸이 병이 있어서 편하지 못함. ¶ 옥체 ~하와. ——-하다 형여불

미:로[1]【迷路】명 ①어지럽게 갈래가 져 섞갈리기 쉬운 길. 미도(迷途). ②〖생〗내이(內耳). ③[maze]〖심〗동물 또는 인간의 학습 연구에 사용되는 장치의 하나. 출발점의 입구(入口)에서 목표(目標)에 이르기까지 섞갈리기 쉬운 길이 많아, 목표에 이르기까지의 잘못 가는 횟수(回數) 및 목표에 이르기까지의 걸리는 시간(時間)의 점차적인 감축(減縮)을 평가함. *미로 학습(迷路學習)·시행 착오(試行錯誤).

왼쪽은 런던의 햄프턴코트 궁전의 정원에 있는 생울타리로 된 미로.
오른쪽은 프랑스의 샤르트르 성당에 있는 미로의 평면도
〈미로[1]❸〉

미로[2][Miró, Joan] 명〖사람〗스페인의 화가. 파리로 나가 포비슴(Fauvisme)·퀴비슴(Cubisme)의 영향을 받은 뒤, 공상과 유머에 찬 독자적인 쉬르레알리슴(surréalisme)적 화풍을 확립함. 판화(版畫)·도기(陶器)·무대 장치 등의 작품도 많음. [1893~1983]

미:로 반:응【迷路反應】명〖의〗내이(內耳)에 질환이 있거나 자극을 주거나 하면 나타나는 증상의 하나. 오심(惡心)·구토·평형 장애(平衡障礙) 따위가 일어남.

미:로 실험【迷路實驗】명〖심〗미로를 이용하여 지능(知能)·학습 등을 실험하는 일.

미:로-아【迷路兒】명 길을 잃고 갈 곳을 몰라 사방을 헤매는 아이. 길 잃은 아이. ㊂미아(迷兒).

미:로-염【迷路炎】명〖의〗내이염(內耳炎).

미:로 진:탕증【迷路振盪症】[—쯩] 명〖의〗머리에 타격을 받거나 폭발 그 밖의 강렬한 공기의 진동으로 말미암아 미로에 와 있는 신경이 기능 장애를 일으켜서 안구(眼球) 진탕·현기증(眩氣症)·이명(耳鳴)·난청(難聽) 증상이 일어나고, 신체의 평형(平衡)을 잡을 수 없게 되며 구토(嘔吐)를 하게 되는 병증.

미:로 학습【迷路學習】명〖교〗미로를 이용한 학습. 복잡한 길을 만들어 쥐를 다니게 하면 연습을 거듭함에 따라 헤매지 않게 되는데, 이처럼 경험의 이용으로 사람의 지능을 발달시키는 교육 방법. *미로[1]❸.

미록[1]【美祿】명 ①좋은 봉록(俸祿). 두툼한 녹봉(祿俸). 좋은 급여(給與). ②'술[1]'의 이칭.

미록[2]【微祿】명 적은 봉록(俸祿). 적은 급여(給與). 박록(薄祿). 소록(小祿).

미록[3]【麋鹿】명 고라니와 사슴.

미론[Myron] 명〖사람〗기원전 5세기의 그리스의 조각가. 아르카이

크(Archaïque) 양식에서 클래식(classic) 양식으로 옮아가는 과도기의 작가로, 청동(青銅) 조각에 능하였음. 특히, 운동하는 인체(人體)의 표현은 정평(定評)이 있으며, ≪디스코볼루스(Discobolus: 원반 던지는 사람)≫은 걸작으로 유명함. 생몰년 미상.

미뢰【味蕾】명〖생〗미각(味覺) 세포의 모임으로, 화학적 물질을 식별해서 미각 중추(中樞)에 전하여 미각을 일으키는 감각기. 소화 기관의 입구에 있는데, 사람에게는 혀에 많음. 미관구(味官球). 미각아(味覺芽). 맛봉오리.

미:료¹【未了】명 아직 다 마치지 아니함. 미필. ¶ 심의(審議) ~인 채 폐회하였다. ——-하다 타여불

미료²【味料】명 조미료(調味料).

미:료-안【未了案】명 아직 다 마치지 못한 안건.

미:료-인【未了因】명〖불교〗이승에서 아직 다 맺지 못한 전생(前生)의 인연.

미루-기【迷樓記】명〖책〗중국 당(唐)나라 때, 한악(韓偓)이 지은 소설. 수(隋)의 양제(煬帝)가 주색에 빠져, 진선(眞仙)도 들어가면 미혹(迷惑)하리라는 뜻에서, 미루(迷樓)라는 이름의 큰 궁전을 짓고 여기에 미희(美姬) 수천을 뽑아 살게 하였다는 음란한 내용임.

미루-나무 명〖식〗[*Populus monilifera*] 버드나뭇과에 속하는 낙엽 교목. 줄기는 곧고 높이 30m 가량이며, 잎은 호생하고 장병(長柄)에 삼각상의 달걀꼴이며 가에 둔한 톱니가 있음. 4월에 자웅 이가(雌雄二家)의 꽃이 피는데, 수꽃이삭은 총상(總狀) 또는 복총상(複總狀) 화서로 늘어지며 수술이 다수임. 양버들과 다른 점은 어린 가지에 익선(翼線)이 있음. 북미(北美) 원산(原産)으로 강변·밭둑·촌락 부근 등에 심음. 목재는 성냥개비·건축재로 쓰고 가로수로도 많이 심음. 은백양. 포플러(poplar). *양버들.

수꽃가지

〈미루나무〉

미루다 타 ①일을 곧 하지 아니하고 나중으로 넘기다. ¶ 내일로 ~. ↔당기다. ②일을 남에게 넘기다. ¶ 남에게 미루지 마라. ③이미 아는 것으로써 다른 것을 비추어 헤아리다. ¶ 저 일로 미루어 보아 그 일도 짐작할 수 있다. 준밀다.

미루-미루 부 ☞미루적미루적.

미루적-거리다 타 일을 자꾸 미루어 시간을 질질 끌다. 준미적거리다.
 미루적-미루적 부. ——-하다 타여불

미루적-대다 타 미루적거리다.

미루-체 명 [←미류체(彌留滯)] 구체(久滯).

미루치 명〈방〉〖어〗멸치(경북).

미룸 명 ①미루어 헤아림을 나타내는 일. 추측(推測). ②〖언〗미루어 헤아림을 나타내는 말. '-겠다'·'-듯하다'·'-성싶다' 등.

미뤄 강【一江】명 [汨羅水]〖지〗중국 후난 성(湖南省) 샹인 현(湘陰縣)의 북쪽에 있는 강. 평장 현(平江縣)에서 시작하여 샹인 현(湘陰縣)을 지나 샹장(湘江) 강으로 들어감. 전국 시대에 초(楚)나라 삼려 대부(三閭大夫) 굴원(屈原)이 빠져 죽은 곳으로 유명함. 지금은 미수이(汨水) 강이라 함. 멱라수(汨羅水).

미류¹【美柳】명 ☞미루나무.

미류²【彌留】명 병이 오래 낫지 아니함. ¶ 어머니 병환이 이렇듯 ~하사 척골이 되셨으나 아직 그리 연만한 터이 아니시니…≪具然學 : 雪中梅≫. ——-하다 자여불

미류-나무【美柳—】명〖식〗☞미루나무.

미류-운【尾流雲】명〖기상〗꼬리구름.

미류-체【彌留滯】명 →미루체.

미륜¹【尾輪】명 비행기의 동체(胴體)의 끝머리 부분에 달린 바퀴.

미륜²【彌綸】명 두루 다스림. 전체를 다스림. ——-하다 타여불

미르¹ 명〈옛〉용⁶(龍). ¶ 미르 룡(龍)≪字會 上 20≫.

미르² [러 mir] 명〖역〗러시아의 농촌 공동체. 옛날부터 존재한 농촌의 자치 조직으로 호주(戶主)들이 모여 그 장(長)을 호선하고, 토지의 배당, 조세(租稅)의 할당 등을 맡았으나 러시아 혁명 후 소멸됨.

미르니 기지【一基地】[Mirnyi] 명〖지〗['Mirnyi'는 본래 러시아 연방 야쿠트 남서부의 도시명] 1956년 소련이 남극 대륙 퀸메리 해안의 해스웰(Haswell) 섬에 설치한 남극 관측 기지.

미르라 [라 myrrha] 명〖약〗몰약(沒藥)❷.

미르보 [Mirbeau, Octave Henri Marie] 명〖사람〗프랑스의 소설가·극작가. 대담한 사실적 묘사로써 부르주아(bourgeois) 사회의 이면을 폭로·풍자하였음. 극평론 ≪극단(劇壇) 사람들≫, 소설 ≪몸종의 일기≫, 성격극(性格劇) ≪사업은 사업≫ 등으로 유명함. [1850~1917]

미르치 명〈방〉〖어〗멸치(경남).

미륵¹【彌勒】명〖불교〗①'돌부처'의 범칭(凡稱). ②↗미륵 보살. 1)·2): →미력².

미륵²【彌勒】명〖사람〗인도의 불교 철학자. 유식파(唯識派)의 시조(始祖)이며 무착(無着)의 스승. 미륵 보살과 혼돈되지만 실재(實在)한 인물로, ≪유가 사지론(瑜伽師地論)≫·≪대승 장엄경론(大乘莊嚴經論)≫ 등을 저술함. [270?~350?]

미륵-경【彌勒經】명〖불교〗↗미륵 육부경(彌勒六部經).

미륵-도【彌勒島】명〖지〗경상 남도의 남해상(南海上), 통영시(統營市) 산양면(山陽面)에 위치한 섬. [31.9km² : 10,575명(1984)]

미륵 보살【彌勒菩薩】명〖불교〗인도 파라나국(波羅奈國)의 바라문(婆羅門)의 집안에 탄생하여 석존의 화도(化導)를 받고, 미래에 부처가 될 수기(受記)를 받은 후, 도솔천(兜率天)에 올라가 현재 그 곳에 있으면서 모든 중생을 권도(勸導)한다는 보살. 석존의 입멸 후(入滅後) 56억 7천만 년 뒤에 다시 이 세상에 나타나서 승림원(承林園) 안의 용화수(龍華樹) 밑에서 성도(成道)한 다음 모든 중생을 건진다고 함. 미륵불. 미륵 자존(慈尊). 미륵 좌주(座主). 준미륵¹.

〈미륵 보살〉

미륵-봉【彌勒峰】명〖지〗①강원도 외금강(外金剛) 내에 있는 산. 금강산 중에서 특히 웅장한 산악미(山岳美)로 유명함. [1,538m] ②경상 북도 울릉도(鬱陵島)에 있는 산. 신생대(新生代) 제3기 말에서 제4기에 걸쳐 활동한 화산 작용에 의해 분출 퇴적한 화산. [900m]

미륵-불【彌勒佛】명〖불교〗미륵 보살.

미륵 불교【彌勒佛敎】명〖종〗증산(甑山) 강일순(姜一淳)을 교조로 하는 훔치교(吽哆敎) 계통의 종교의 하나.

미륵-사【彌勒寺】명〖불교〗백제(百濟) 때, 지금의 전라 북도 익산(益山)에 세워졌던, 당시 동양 최대의 사찰. 현재는 그 터에 석탑(石塔)만이 남아 있음.

미륵사지 석탑【彌勒寺址石塔】명 전라 북도 익산군(益山郡) 금마면(金馬面) 기양리(箕陽里)의 미륵사 터에 있는 화강석(花崗石) 석탑. 백제 30대 무왕(武王; 600~640) 때 건립한 것으로, 원래는 7~9층으로 된 듯하나 현재는 6층이 남아 있음. 우리 나라에서 가장 오래된 것이며 동양에서 제일 큼. 현존 높이 14.24m. 국보 제11호.

미륵 신:앙【彌勒信仰】명〖불교〗석가 모니가 그 제자 미륵에게 장차 성불하여 제일인자가 될 것이라고 한 약속을 부연하여 편찬한 미륵 삼부경(彌勒三部經)을 근거로 하여 생장한 불교 신앙.

미륵 육부경【彌勒六部經】명〖불교〗미륵 보살에 관하여 설술(說述)한 경전의 총칭. 준미륵경.

미륵 자존【彌勒慈尊】명〖불교〗미륵 보살.

미륵 좌:주【彌勒座主】명〖불교〗미륵 보살.

미륵-치【彌勒峙】명〖지〗평안 남도 맹산군(孟山郡)과 순천군(順川郡) 사이에 있는 고개. [327m]

미륵-회【彌勒會】명〖불교〗미륵을 권청(勸請)하여 기념(祈念)하는 법회.

미름【米廩】명 ①쌀을 넣어 두는 창고. ②〖역〗중국의 하(夏)나라 때의 학교 이름.

미름 장애 명〈방〉〖어〗뱀장어(전남).

미:릅 명〈방〉미립¹.

미릉-골【眉稜骨】명〖생〗눈썹 있는 곳의 뼈.

미리¹ [Miri] 명〖지〗보르네오 섬의 말레이시아령(Malaysia領) 사라와크(Sarawak) 북서 해안에 있는 항구 도시. 1910년에 발견된 유전(油田) 지대에 의하여 발달됨. [45,000명(1980)]

미리² 부 [중세 : 미리] 어떤 일이 아직 생기기 전에. 앞서서. 예선(豫先). ¶ ~ 의논하자/~ 준비해 두어라.

미리견【彌利堅】명〖역〗조선 시대 말기에, 아메리카 곧 미국(美國)을 일컫던 취음(取音).

미리-내 명〈옛〉은하수(銀河水).

미리-미리 부 '미리'를 강조한 말. ¶ ~ 준비해야지.

미리스트-산【一酸】[myristic acid]〖화〗백색의 결정(結晶). 녹는점 58°C, 끓는점 250.5°C, 물·냉(冷)에탄올에 잘 녹지 아니함. 야자유(椰子油) 속에 많이 들어 있는데, 화장품·페인트 제조에 쓰임. [$CH_3(CH_2)_{12}COOH$]

미리어미터-파【一波】명 [myriameter wave] 초장파(超長波).

미리왇다 타〈옛〉밀치다. ¶ 두 習이 서르 미리왇는 견초로(二習相排故)≪楞嚴 Ⅷ:92≫.

미리-창 명〈방〉미단이(충남).

미리치 명〈방〉〖어〗멸치(경상).

미림¹【味淋】명 소주·찹쌀 지에밥·누룩을 섞어 빚은 다음, 그 재강을 짜낸 일본의 술의 한 가지. 음료나 조미료로 사용함.

미림²【美林】명〈아〉계림(桂林)¹❷.

미:립¹ 명 ①경험에서 얻은 묘한 이치. 요령(要領). ②활에 쇠시위를 먹인 뒤에 기함(起陷)한 곳을 고르게 누르고 깎는 일.
 미:립(이) 나다 구 미립이 생기다. ¶ 장돌림으로 싸다니면서 남의 눈치 헤아리는 것엔 미립이 난 터입니다≪金周榮 : 客主≫. *미립(을) 얻다.
 미:립(을) 얻:다 구 경험에 의하여 묘한 이치를 깨닫다. ¶ 그 놈이 미립을 얻었기 때문에 이번에 일처리를 잘 했다.

미립²【米粒】명 쌀알.

미립³【微粒】명 썩 작은 알갱이. 미세한 알갱이.

미립상-체【米粒狀體】명〖천〗태양 표면에 보이는 백색의 입상체. 태양을 적당히 확대하여 보면 표면 전체가 균일하지 아니하고 흑점·백점 그 밖에 태양 표면에서 400~600km 크기의 반점(斑點)이 마치 회색 종이에 쌀알을 뿌려 놓은 것같이 보이는데 이것을 말함.

미-립자【微粒子】명〖물〗미세한 입자. 아주 작은 입자. 알갱이. ¶ ~ 현상.

미립자-류【微粒子流】명〖천〗태양 활동이 왕성할 때 방사(放射) 이외에 방사되는 고속도의 기체 입자. 그 속도는 1,000km/sec 정도 또는 그 이상임.

미립자-병【微粒子病】명 [nosema disease] 누에에 작은 반점(斑點)이 생겨서 죽는 전염병. 포자(胞子)를 만드는 원생(原生) 동물의 일종인 노세마 봄비키(Nosema bombyci)가 병원체임. 잔아리병(病).

미립자 병:원체【微粒子病原體】명 ①누에에 미립자병을 일으키게 하는 원생 동물인 노세마 봄비키(Nosema bombyci). 자벌레나방·이화명충 등에도 전염됨. ②〖의〗여과성(濾過性) 병원체.

미립자 일식【微粒子日蝕】[—씩] 명 원자·전자·이온 같은 미립자가 달에 의하여 차단되어 생기는 가상(假想)의 일식 현상.

미립자 현:상【微粒子現像】명 소형 카메라에 의한 음화(陰畫)를 확대할 때 인화(印畫)가 거칠고 커지는 것을 막기 위하여, 음화 은입자(銀粒子)를 특히 미세하게 하는 현상법.

미마스 [Mimas] 명〖천〗토성(土星)의 제일 위성. 질량(質量)은 달의 약

2087분의 1임. 토성의 가장 안쪽의 궤도를 약 22시간 37분의 주기(週期)로 공전(公轉)함. 1789년 영국의 허셜(Herschel, F.W.)에 의하여 발견되었음. 광도(光度)는 12 등.

미마지【味摩之】명〖사람〗백제의 음악가. 일찍이 중국 오(吳)나라에서 기악무(伎樂舞)를 공부하였으며 무왕(武王) 13년(612)에는 일본에 건너가 기무(伎舞)를 가르쳤음.

미:만[1]【未滿】명 정한 수효나 정도에 차지 못함. 수학·법률 등에서는 기준 수량을 포함하지 않는 적은 수가 해당됨. ¶ 18 세 ~인 자. ＊이하(以下). ——-하다 형여불

미만[2]【彌滿·彌漫】명 널리 가득 참. 그들먹해짐. ——-하다 형여불

미:만 분수자【未滿分數者】명〖역〗자녀(子女)의 수효는 많고 노비(奴婢)의 수효는 적어서 분배 규정에 모자라는 수효의 노비.

미만성 외:이도염【彌漫性外耳道炎】[-썽-] 명〖의〗화학적·기계적 자극 등으로 말미암아 외이도(外耳道) 전반(全般)에 붉은 종기가 생기고 만성(慢性)이 되면 육아(肉芽)가 발생하며 악취(惡臭)의 분비물이 나오는 염증. ＊국한성(局限性) 외이도염.

미-만(:)종【米萬鍾】명〖사람〗중국 명(明)나라 말기의 서화가. 산시 성(陝西省) 관중(關中) 출생. 특히 행초(行草)에 능하여, 동기창(董其昌)과 견주게 되어 남동 북미(南董北米)란 칭찬을 받음. 그림은 산수화에 능하였음. [?-1629]

미:말[1]【未末】명 미시(未時)의 맨 끝. 곧, 오후 세 시가 되기 바로 전.

미말[2]【尾末】명 끝. 맨 아래.

미말[3]【微末】명 아주 작음.

미말지-직【微末之職】[-찌-] 명 미관 말직(微官末職).

미맘사 학파【-學派】〔Mimamsa〕명 인도의 육파 철학(六派哲學)의 한 파. 베다 성전(Veda聖典)의 제식(祭式)을 철학적으로 연구 통일하여 해석하였음.

미:망[1]【未忘】명 잊을 수가 없음.

미:망[2]【迷妄】명 ①사리에 어두움. ②심중(心中)에 헤매임. 마음이 헤매어 흐림. ——-하다 자여불

미망[3]【彌望】명 멀리 넓게 바라봄. 또, 멀고 넓은 조망(眺望). ——-하다 자여불

미:망-설【迷妄說】명〖철〗일체의 실재 세계가 환각 미망(幻覺迷妄)에 불과하다고 하는 설.

미:망-인【未亡人】명 남편이 죽고 홀로 사는 여인. 본디, 남편과 함께 죽었어야 할 몸이 아직 살아 있는 사람이라는 뜻의 자칭(自稱). 지금은 타칭(他稱)으로 쓰임. 과부(寡婦). ¶ 전쟁 ~.

미맥【米麥】명 쌀과 보리.

미:맹[1]【未萌】명 ①아직 초목의 싹이 트지 아니함. ②사변이나 변고(變故)가 아직 일어나지 아니함.

미맹[2]【味盲】명〖의〗미각의 감수성에 이상이 있는 병적 상태. 또, 그런 사람. 열성 유전(劣性遺傳)이 인정됨. 유럽인이나 인도인에 많음.

미메시스〔그 mimesis〕명 ①다른 사람의 말이나 동작을 그대로 모방하여 그 성질 따위를 여실히 나타내려 하는 수사법(修辭法). ②〖생〗의태(擬態)❷.

미명[1] 명〈방〉무명(경기·전남·경상).

미:명[2]【未明】명 날이 채 밝기 전. 날이 샐 무렵. 잔야(殘夜).

미명[3]【美名】명 그럴 듯한 명목. 훌륭하게 내세운 이름.

미명[4]【微明】명 희미하게 밝음.

미:명-귀【未命鬼】명〖민〗남의 아내로 젊어서 죽은 여자 귀신. 그의 후실댁에 붙어 때때로 앓게 하거나 해롭게 한다 함.

미명-베 명〈방〉무명(전라).

미명-하【美名下】명 그럴 듯하게 훌륭한 이름을 내 세운 아래. ¶ 자선 사업이란 ~에 사복을 채우다.

미모[1]【尾毛】명 짐승의 꼬리털.

미모[2]【美毛】명 아름다운 털. 아름다운 깃.

미모[3]【眉毛】명 눈썹.

미모[4]【美貌】명 아름다운 얼굴 모습. 예쁜 얼굴. 미용(美容). ¶ ~의 여성.

미모[5]【微毛】명 아주 작은 털.

미모사〔mimosa〕명〖식〗[*Mimosa pudica*] 콩과에 속하는 일년초. 높이 30-50 cm임. 줄기에 가시가 조금 있으며, 잎은 복엽(複葉)이며 총엽병(總葉柄)의 끝에 네 가지가 벌고 가지마다 선형(線形)의 소엽(小葉)이 깃 모양으로 착생함. 여름철에 엽액(葉腋)에 담홍색의 작은 꽃이 많이 밀집하여, 둥글고 작은 화서(花序)로 피고, 세 개의 씨가 들어 있는 꼬투리를 맺음. 잎을 건드리면 곧 아래로 늘어지면서 좌우의 소엽이 오므라져 시든 것같이 보임. 남아메리카 원산. 관상용으로 재배함. 감응초(感應草). 신경초. 함수초(含羞草).

〈미모사〉

미목[1]【眉目】명 ①눈썹과 눈. 미첩(眉睫). ②아름답고 추한 것이 눈썹과 눈에 달렸다고 하여 얼굴 모양을 가리키는 말.

미목[2]【美目】명 아름답게 생긴 눈. 아름다운 눈매.

미목 수려【眉目秀麗】명 얼굴이 뛰어나게 아름다움. ——-하다 형여불

미몰레〔프 mimollet〕명〔종아리의 중앙이란 뜻〕1970년경 일컫던 미디 스커트 길이의 표현. 미드 카프(mid calf).

미:몽【迷夢】명 흐릿한 꿈이란 뜻으로, 무엇에 홀린 듯 똑똑하지 못하고 얼떨떨한 정신 상태를 일컫는 말. ¶ ~에서 깨어나다.

미묘[1]【美妙】명 아름답고 교묘함. ——-하다 형여불 ——-히 부

미묘[2]【微妙】명 ①섬세하고 묘함. 정묘(精妙). 현묘(玄妙). ②아름다움이나 일이 이상 야릇하여 잘 알 수 없음. ¶ ~한 관계에 있다. ——-하다 형여불. ——-히 부

미묘[3]【微眇】명 ①아주 작음. ②미천(微賤)함. ——-하다 형여불

미묘 복잡【微妙複雜】명 서로 뒤섞여 이상 야릇하여 잘 알 수 없음. ¶ ~한 국제 정세. ——-하다 형여불

미무[1]【迷霧】명 방향을 잡을 수 없는 안개란 뜻으로, 미혹(迷惑)한 마음의 비유.

미무[2]【媚嫵】명 아름다운 미목으로 아양부리는 교태(嬌態). 또, 그런 태도를 지어 보임. ——-하다 형자여불

미무[3]【蘼蕪】명〖한의〗궁궁이의 싹. 뿌리와 잎을 한방에서 혈청제(血淸劑)로 씀.

미묵 전:쟁【美墨戰爭】명〔Mexican War〕아메리카 멕시코 전쟁.

미:문[1]【未聞】명 아직 듣지 못함. ¶ 전대 ~의 사건. ——-하다 타여불

미문[2]【美文】명 아름다운 글귀를 써서 꾸민 문장. 아름다운 문장.

미문[3]【美門】명〖기독교〗예루살렘 성전(聖殿)의 동편 기슭에 있는 문의 하나. 금과 은(銀) 또는 구리 등으로 아름답게 꾸몄음.

미문[4]【美聞】명 좋은 소문.

미:문지-사【未聞之事】명 아직 듣지 못한 일.

미문-체【美文體】명〖문〗아름다운 글귀를 써서 꾸민 문장의 체.

미-문학【美文學】명〖문〗순(純)문학❶.

미문학-자【美文學者】명〖문〗미문을 연구하는 학자. 순문학자(純文學者).

미물[1] 명〈방〉〖식〗메밀(경상).

미물[2]【美物】명 아름다운 물건.

미물[3]【微物】명 ①변변하지 못하고 작은 물건. ②썩 자질구레한 벌레. ③변변하지 못한 사람을 비유적으로 이르는 말. ¶ 제 앞도 못 가리는 ~.

미믈 명〈방〉〖식〗메밀(경북).

미미[1]【美味】명 좋은 맛.

미미[2]【微微】명 아주 보잘것없음. ¶ ~한 존재. ——-하다 형여불

미미[3]【亹亹】명 부지런히 힘쓰는 모양. ——-하다 형여불

미미-곡【亹亹曲】명〖악〗조선 태조(太祖)의 사당 문소전(文昭殿)에서 제사지낼 때 부르던 곡조. 세종(世宗) 때 작곡하였음.

미미르〔Mimir〕명〖신〗북(北)유럽 신화에 나오는 거인족(巨人族)의 현자(賢者). 세계수(世界樹) 이그드라실(Yggdrasil)의 뿌리 밑에 있는 지혜의 샘에 살았으며, 그의 조카인 주신(主神) 오딘(Odin)은 그 샘물을 한 모금 마시기 위해 자기의 한쪽 눈을 내주었다고 함.

미미어-그래프〔mimeograph〕명 등사판. 복사기.

미미-장【亹亹章】[-짱] 명〖악〗악장(樂章)의 이름.

미미적-거리다 자〈방〉머무적거리다. 미미적-미미적 부. ——-하다 자

미믹〔mimic〕명〖연〗손짓·몸짓만으로 어떤 상념(想念)을 표현하는 연기술. 표정술(表情術).

미밌게 명〈방〉겨(전북).

미:반[1]【未返】명 아직 돌아오지 아니함. 미귀(未歸). ——-하다 자여불

미반[2]【米飯】명 쌀밥.

미:발[1]【未發】명 ①일이 아직 일어나지 아니함. ↔기발(既發). ②길을 아직 떠나지 아니함. ③〖불교〗오욕 칠정(五慾七情)이 일어나지 아니함. ——-하다 자여불

미발[2]【美髮】명 아름다운 머리털.

미:-발표【未發表】명 아직 발표를 하지 아니함. ¶ ~의 논문. ——-하다 자여불

미:발행 수권 주식【未發行授權株式】[-퀀-] 명〖경〗회사가 소정(所定)의 정관(定款)에 의하여 발행할 수 있는 주식 총수(總數) 중에서, 발행필(發行畢) 주식이 아닌 부분. ＊발행 주식.

미:방【未方】명〖민〗이십 사 방위(方位)의 하나. 정남(正南)으로부터 서쪽으로 30°의 방위를 중심으로 한, 좌우 15°의 각도 안. 준미(未).

미-방사【迷放射】명〔stray emission〕〖물〗유효한 목적에 쓰이지 못하는 방사.

미:배【未配】명 ①'미배당(未配當)'의 뜻. ②'미배급(未配給)'의 뜻. ③'미배정(未配定)'의 뜻.

미:-배급【未配給】명 아직 배급을 하지 아니함. ——-하다 타여불

미:-배당【未配當】명 아직 배당을 하지 아니함. ——-하다 타여불

미:-배정【未配定】명 아직 배정을 하지 아니함. ——-하다 타여불

미백【美白】명 살갗을 아름답고 희게 함. ¶ ~ 크림. ——-하다 타여불

미-백색【微白色】명 부유스름하게 흰 빛깔.

미백 화장품【美白化粧品】명 얼굴의 기미·주근깨 등을 없애고 얼굴을 하얗게 만들기 위해 사용하는 화장품. 주로, 크림·화장수·로션 등, 기초 화장품임.

미법-도【彌法島】명〖지〗서해상(西海上), 인천 광역시 강화군(江華郡) 삼산면(三山面) 미법리(彌法里)에 위치한 섬. [0.94 km²]

미법 산수【米法山水】[-뻡-] 명〖미술〗중국 송대의 문인 화가(文人畫家) 미불(米芾)·미우인(米友仁) 부자(父子)가 시작하였다고 전해지는 수묵(水墨) 산수화법. 윤곽선을 사용하지 아니하고, 산의 대체의 모양이나 나무의 가지·줄기를 먹을 번지게 하여 묘사하고 그 위에 먹으로 점, 곧 미점(米點)을 찍어서 그림. ＊미점(米點).

미보[1]【米保】명〖역〗조선 시대에, 포목(布木) 대신 쌀로 받아들이던 보포(保布). ＊속보(粟保)·태보(太保).

미보[2]【彌補】명 꾸며서 보충함. 주선하여 채움. ——-하다 타여불

미복[1]【美服】명 아름다운 옷. 좋은 복장(服裝).

미복[2]【微服】명 지위가 높은 사람이 무엇을 몰래 살피러 다닐 때 입는 남루한 옷. 미행(微行)할 때의 복장(服裝). ——-하다 자여불

미복 잠행【微服潛行】명 남이 모르도록 미복을 하고 슬그머니 다님. 간행(間行). 준미행(微行). ——-하다 자여불

미본【美本】명 아름답게 잘 꾸민 책.

미:봉[1]【未捧】명 미수(未收)❶. ——-하다 타여불

미-봉[2]【迷鋒】명〖지〗함경 북도 무산군(茂山郡) 삼사면(三社面)에 있는 산. [1,675 m]

미봉[3]【彌封】명〖역〗봉미(封彌). ——-하다 타여불

미봉[4]【彌縫】명 빈 구석이나 잘못된 것을 임시 변통으로 이리저리 주선해서 꾸며댐. ¶ ~적인 화해. ——-하다 타여불

미봉-책【彌縫策】명 임시로 꾸며대어, 눈가림만 하는 일시적인 계책(計策). ¶ ~으로 소강(小康)을 유지하다.

미부[1]【尾部】명 ①꼬리나 꽁지가 되는 부분. ②어떤 물체의 끝 부분. ③비행기나 비행선(飛行船) 따위의 후미(後尾) 부분. 1)-3):↔두부(頭部).
미부[2]【眉斧】명 미인의 눈썹. 미인으로 말미암아 몸을 망침을 도끼에 비유한 말임.
미부[3]【美赴】명 좋은 자리로 부임(赴任)함. ——-하다 자여불
미부[4]【美婦】명 아름다운 부인.
미:부[5]【媚附】명 아첨하여 달라붙음. ——-하다 자여불
미:-부임【未赴任】명 발령(發令)을 받고도 아직 임지(任地)에 가지 못했거나 아니 감. 아직 부임하지 않음. ——-하다 자여불
미분[1]【米粉】명 쌀가루.
미분[2]【微分】명〖수〗①어떤 함수(函數)에 있어서 독립 변수(變數)의 값의 미소(微小)한 변화에 따른 함숫값의 변화. 곧, 미분 적분학(微分積分學)의 초기에는 독립 변수(獨立變數) 및 그 함숫값의 아주 작은 변화량(變化量)을 말하며, 지금도 응용(應用) 수학에서는 대체로 이런 뜻으로 쓰이나, 오늘날의 순수 수학 상(純粹數學上)의 정의에서는 반드시 값의 대소에 관계 없이 독립 변수에서는 임의의 변화량을, 그의 함수에서는 독립 변수의 변화량과 미분 계수와의 곱을 각각의 미분이라고 함. ②어떤 함수의 미분 계수 또는 도함수(導函數)를 구하는 일. ③↗미분학(微分學). *적분. ——-하다 타여불
미분[3]【微粉】명 고운 가루.
미분 가:능【微分可能】명〖수〗함수(函數)의 성질의 하나. 함수 $f(x)$의 $x=a$에서 미분 계수가 존재할 경우, $f(x)$는 $x=a$에 있어서 미분 가능이라 함. 또, $f(x)$가 구간(區間) $a<x<b$ 내(內)의 모든 점에서 미분 가능하다면 이 구간에서 미분 가능이라 함.
미분 계:수【微分係數】명〔differential coefficient〕〖수〗y가 x의 함수(函數)이고, x가 Δx, y가 Δy만큼 변화했을 때의 비(比) $\frac{\Delta y}{\Delta x}$에 있어서 Δx가 차차로 작아져서 극한(極限)에 달했을 때의 그 비의 값을 y의 x에 관한 미분 계수라 하고 $\frac{dy}{dx}$로 표시함. 미분(微分)몫.
미:-분관인【未分館人】명〖역〗조선 시대 에 새로 문과(文科)에 급제한 사람으로서 승문원(承文院)·성균관·교서관(校書館)의 박사(博士) 추천을 얻지 못하여, 다음 추천을 기다리던 사람을 이름.
미분-기【微粉機】명 석탄·광석·강철·자기(磁器)·나무·곡류(穀類) 등의 작은 덩어리를 다시 지름 약 0.07 mm 정도로 분쇄하여 미분말(微粉末)로 만드는 기계.
미분 기하학【微分幾何學】명〔differential geometry〕〖수〗미분 적분학 및 기타 일체의 해석학(解析學)의 지식과 방법을 응용하여 일반 곡선(一般曲線)·곡면(曲面) 등의 성질을 연구하는 기하학의 한 이론. 역학(力學)·물리학 및 기타 여러 과학에 대한 응용이 대단히 넓음.
미:분 노비【未分奴婢】명〖역〗부모의 종으로서 아직 자녀에게 분배되지 아니한 노비.
미:분리 과:실【未分離果實】[—불—] 명〖법〗원물(元物)로부터 아직 분리되지 아니한 천연 과실. 곧, 과수(果樹)에 붙어 있는 사과·배, 입도(立稻) 등.
미:-분명【未分明】명 일이 아직 분명하지 아니함. ——-하다 형여불
미분-몫【微分—】[—목] 명〖수〗미분 계수(係數).
미분 방정식【微分方程式】명〖수〗미지(未知)·기지(旣知)의 많은 함수(函數)의 도함수(導函數)를 포함한 관계를 방정식의 모양으로 한 것. 자연 현상의 수학적 표현에 많이 나오며, 이 방정식을 만족시키는 함수가 적분(積分)임. 「수(導函數)를 구하는 계산법.
미분-법【微分法】[—뻡] 명〖수〗함수(函數)가 미분 가능일 때, 그 도함
미분-음【微分音】명〔microtone〕〖악〗반음(半音)보다 더 작은 음정(音程). 3분음(三分音)·4분음·6분음·8분음·16분음 등이 있음.
미-분자【微分子】명 아주 작은 분자.
미분 적분학【微分積分學】명〔differential and integral calculus〕〖수〗해석학(解析學) 체계의 입문적 분과를 이루는 과정으로, 미분학(微分學)과 적분학(積分學)의 병칭. 준미적분학(微積分學).
미-분탄【微粉炭】명 보통, 입도(粒度)가 0.5 mm 이하의 분탄을 이름. 화력 발전용 보일러 등에 쓰임.
미분탄 버:너【微粉炭 —】〔burner〕명〖기〗미분탄 연소 장치(微粉炭燃燒裝置)에 있어서, 미분탄과 연소에 필요한 공기를 연소실(燃燒室)에 불어 넣어, 미분탄을 연소하는 버너(burner).
미분탄 설비【微粉炭設備】명〖기〗미분탄 연소 장치(微粉炭燃燒裝置)에 있어서 석탄을 건조·분쇄(粉碎)시키는 설비.
미분탄 연소 장치【微粉炭燃燒裝置】명〖기〗석탄을 미분화(微粉化)하여 연소시키는 장치. 미분탄 설비와 미분탄 버너(burner) 등으로 되어 있음. 화력 발전소용(發電所用) 보일러 같은 데에 이용됨.
미분-학【微分學】명〖수〗미분의 산법(算法)을 써서, 함수(函數)의 작은 부분의 성질과 그에 따른 다른 성질을 연구하는 학문. 준미분(微分).
미분 해:석기【微分解析機】명 미분 방정식을 수값으로 풀기 위한 계산
미:-분화【未分化】명 아직 분화하지 아니함. ——-하다 자여불 「기.
미분 회로【微分回路】명〔differential circuit〕〖공〗입력 신호(入力信號)를 시간에 대하여 미분한 회로.
미:불[1]【未拂】명 아직 지불하지 아니함. ¶ ~ 잔금(殘金). 주의 법률 용어 '미지급(未支給)'. ——-하다 타여불
미-불[2]【米芾】명〖사람〗중국 북송의 서화가. 자는 원장(元章), 호는 해악(海岳). 샹양(襄陽) 태생. 필법은 침착·통쾌하고 준마(駿馬)를 탄 듯하다고 함. 그림은 독특한 수묵(水墨)의 사용법에 의한 산수화를 잘 그렸는데, 후세에 남화(南畫)의 대표로 불림. 저서《서사(書史)》·《화사(畫史)》·《연사(硯史)》. [1051-1107]
미불[3]【美弗】명 달러(dollar)❶.
미:-불금【未拂金】명〖경〗'미지급금(未支給金)'의 구용어.
미:불금 계:정【未拂金計定】명〖경〗'미지급금 계정'의 구용어.
미:불 비:용【未拂費用】명〖경〗'미지급 비용'의 구용어.
미-불용극【靡不用極】명 마음과 힘을 다함. ——-하다 자여불
미불유초 선극유종【靡不有初鮮克有終】구 처음은 있지 아니함이 없으나 끝은 있기가 드물다는 말. '용두 사미(龍頭蛇尾)'와 비슷한 말로 시경(詩經)에 있는 말임.
미:-불입【未拂入】명 아직 불입하지 아니함. ——-하다 타여불
미:불입 자본【未拂入資本】명〖경〗미불 자본.
미:불 자본【未拂資本】명〖경〗주식 회사(株式會社)에서, 주식을 인수(引受)한 주주(株主)로부터 아직 불입받지 아니한 자본. 미불입 자본.
미:비[1]【未備】명 아직 다 갖추지 못함. 불완전함. ¶ 서류(書類) ~. ——-하다 형여불
미비[2]【靡費】명 모두 다 써 버림. ——-하다 타여불
미쁘다 형〔중세 : 믿브다〕①믿음성이 있다. 미덥다. ②〖성〗진실(眞實)하다. 참되다. ¶ 미쁘신 하느님.
미씨다 자〈옛〉미끼가 되다. ¶ 만히 간활호 아젼이게 미씐 배 되여 스스로 술피디 몯호야(多爲猾吏所餌不自省察)《小諺 V:61》.
미씨리 명〈옛〉미꾸라지. ¶ 미씨리(鰌)《方藥 50》.
미사[1]【尾絲】명〖충〗꼬리에 붙은 실 모양의 부속물. *미상 돌기.
미사[2]【美事】명 아름다운 일. 좋은 일. 칭찬할 만한 일.
미사[3]【眉砂】명〖민〗풍수 지리(風水地理)의 입수(入首)에 두뇌(頭腦)에서 혈(穴)까지 가는 사이에 있는 판막상(瓣膜狀).
미사[4]【美辭】명 아름다운 말. 여사(麗辭). ¶ ~ 여구(麗句).
미사[5]【微辭】명 은근히 돌려서 말하는 언어·문자. 완곡(婉曲)한 말.
미사[6]【彌撒】명〔라 missa〕①〖천주교〗천주교 최대의 성찬(聖餐) 의식. 천주(天主)를 찬미하고 속죄(贖罪)를 원하며 다시 은총을 기도하는 것으로, 예수의 최후의 만찬을 본떠서 행함. 미사 성제(聖祭). 성제(聖祭). ②〖악〗미사곡(彌撒曲). ¶ 진혼(鎭魂) ~.
미사 경본【彌撒經本】명〖천주교〗미사 성제(聖祭)를 봉헌할 때 사용하는 경문과 예절이 수록된 책.
미사 고유문【彌撒固有文】명〖천주교〗교회력(敎會曆)이나 축일에 따라 그 내용이 변하는 경문(經文). *미사 통상문.
미사-곡【彌撒曲】명〔라 missa〕〖악〗미사의 의식에서 신도(信徒)가 부르는 찬가(讚歌). 보통 기리에(Kyrie)·글로리아(Gloria)·크레도(Credo)·상투스(Sanctus)·베네딕투스(Benedictus)·아뉴스 데이(Agnus Dei)의 6장(章)으로 되어 있음. 미사곡에는 대(大)미사·소(小)미사·진혼곡(鎭魂曲)의 종류가 있음. 미사(彌撒).
미사리[1] 명 삿갓·방갓·전모의 밑에 대어, 머리에 쓰게 된 둥근 테두리. 접사리.

〈미사리¹〉

미사리[2] 명 산 속에서 풀뿌리나 나뭇잎이나, 열매 등을 먹고 사는 사람. 몸에 털이 많음.
미사 성:제【彌撒聖祭】명〖천주교〗미사(彌撒)❶.
미사 솔렘니스〔라 missa solemnis〕명 ①〖천주교〗장엄(莊嚴) 미사❶. ②〖악〗장엄 미사곡(彌撒曲). 장엄 미사.
미사 여구【美辭麗句】명 아름다운 말로 꾸민, 듣기 좋은 글귀. 미구(美句). 「하는 예물.
미사 예:물【彌撒禮物】명〖천주교〗미사 봉헌(奉獻)을 청하면서 제공
미사일〔missile〕명〖군〗유도탄(誘導彈).
미사일 요격 미사일【—邀擊—】명〖군〗대(對)미사일용 미사일.
미사일 유도 방식【—誘導方式】〔missile〕명 미사일의 비행 경로에 지표(指標)를 부여하는 방식. 미사일 유도에는 지령(指令) 유도, 프로그램 유도, 호밍(homing) 유도, 그리고 이들을 종합한 유도 방식이 있음.
미사일 잠수함【—潛水艦】〔missile〕명 미사일을 장비한 잠수함. 수상(水上) 및 수중(水中)에서 발사가 가능하며, 미국의 폴라리스(Polaris) 잠수함·포세이돈(Poseidon) 잠수함, 소련의 와이 급(Y級)·델타 급(D級) 잠수함 등이 있음. 「재(搭載)한 군함.
미사일 장비함【—裝備艦】〔missile〕명 대포나 수뢰 대신 유도탄을 탑
미사일 탐지 위성【—探知衛星】〔missile〕명〔early warning satellites〕원명(原名)은 조기 경보(早期警報) 위성. 적의 대륙간 탄도 미사일 발사를 그 분진(噴進) 단계에서 적외선(赤外線)으로 탐지하고, 조기에 경보를 발하여 요격 태세를 갖출 때까지의 시간을 벌자는 것으로, 미국 공군의 미다스 위성이 그 대표적인 예임.
미사 장석【微斜長石】명〔microcline〕〖광〗칼륨 장석(長石)의 하나. 삼사 정계(三斜晶系)에 속하며, 페그마타이트(pegmatite)나 변성암(變成岩)에 많이 함유됨.
미사-주【彌撒酒】명〖천주교〗미사를 드릴 때 쓰이는 포도주.
미사 통상문【彌撒通常文】명〖천주교〗어느 미사에나 같은 내용으로 부르거나 낭송하는 경문(經文). *미사 고유문.
미사-포【彌撒布】명〖천주교〗여교인이 미사 때 머리에 쓰는 헝겊.
미사-학【美辭學】명 말을 아름답게 쓰는 방법을 연구하는 학문. *수사학(修辭學).
미:사흔【未斯欣】명〖사람〗신라 내물왕(奈物王)의 아들. 눌지왕(訥祇王)의 아우. 실성왕(實聖王) 원년(402)에 일본에 볼모로 갔다가 눌지왕 2년(418)에 박제상(朴堤上)의 꾀로 도망하여 옴. 미해(美海). [?-433]
미삭-류【尾索類】[—뉴] 명〖동〗☞미색류.
미산【米産】명 쌀의 생산.
미:산-부【未産婦】명 아이를 낳은 경험이 없는 부인. ↔경산부(經産婦).
미산-호【微山湖】명〖지〗웨이산 호(湖).
미삼【尾參】명 인삼(人參)의 잔뿌리.

미삼-차【尾蔘茶】[명] 미삼으로 달인 차. *인삼차.

미삼-채【尾蔘菜】[명] 미삼을 슬쩍 데쳐서 소금과 기름에 무친 나물.

미:상[1]【未詳】[명] 상세하지 아니함. 알려져 있지 아니함. 불상(不詳). ¶ 작자 ~/생몰년(生沒年) ~. ——하다 [형][여불]

미상[2]【米商】[명] ①쌀을 파는 영업. 쌀장사. ②쌀장사하는 사람. 쌀장수.

미상[3]【尾狀】[명] 꼬리처럼 된 모양.

미:상[4]【迷想】[명] 헷갈려 미혹된 생각. 갈피를 잡지 못하는 생각.

미상[5]【微傷】[명] 조금 다침. 또, 그 상처. ¶ ~을 입다. ——하다 [자타][여불]

미상-궁【眉上弓】[명]〖생〗안와상 융기(眼窩上隆起).

미상 돌기【尾狀突起】[명] 꼬리처럼 생긴 돌기. *미사(尾絲).

미:상-불【未嘗不】[부] 아닌게 아니라. 과연. 미상비(未嘗非). ¶항상 외로웠던 애라였던 만큼 그네들의 사랑은 ~ 대단한 것이었다≪柳周鉉 : 강건너 정인들≫.

미:상불-연【未嘗不然】[명] 그렇지 않은 바가 아님.

미:상-비【未嘗非】[부] 미상불(未嘗不). ¶우리가 ~ 그놈하나 구태여 죽일 묘리가 없으니…≪作者未詳 : 貨水盆≫.

미:상장-주【未上場株】[명]〖경〗상장 절차를 필하지 아니한 주권(株券) 또는 주식은 발행되어 있지 아니하고 권리만 존재하는 권리주(權利株)의 총칭. 비상장주(非上場株).

미상-핵【尾狀核】[명]〖생〗대뇌 반구(大腦半球)의 심부(深部)에 있는 회백질(灰白質)의 덩이. 렌즈핵(lens核)과는 내포(內包)라는 백질부(白質部)로 격해 있음. 의식하지 않고 하는 골격근의 운동을 통제한다고 함.

미:-상환【未償還】[명] 아직 상환하지 아니함. ——하다 [타][여불]

미색[1]【米色】[명] ①쌀의 빛깔. ②엷은 노란 빛.

미색[2]【美色】[명] ①아름다운 빛깔. ②여자의 고운 얼굴. 아름다운 여자. ¶ ~에 빠지다.

미색[3]【迷色】[명]〖천주교〗칠죄종(七罪宗)의 하나. 여색(女色)에 반하는 일. ——하다 [자][여불]

미색[4]【微色】[명] 엷은 빛.

미색-류【尾索類】[一뉴] [명]〖동〗[Urochorda] 원색 동물문(原索動物門)에 속하는 한 강(綱). 유생(幼生)시대는 올챙이 모양으로 꼬리 부분에 척색(脊索)이 있으나 성장하면 퇴화하고 몸은 피낭(被囊)으로 덮이었음. 입·장(腸)·아감구멍이 있고 신경 중추는 단 한 개의 신경구(神經球)가 있음. 심장은 자동력이 없음. 자웅 동체(雌雄同體)로 유성 생식과 무성 생식이 있고 세대 교번(世代交番)을 함. 모두가 바다에 사는데, 우렁쉥이·살파(salpa) 등이 이에 속함. 해초목(海鞘目)·살파목(salpa目) 등으로 분류함. 학자에 따라서는 두색류(頭索類)·미색류·척추 동물을 합하여 '척색(脊索) 동물'이라고도 함. 피낭류(被囊類).

미:생【未生】[명] ①〖민〗미년(未年)에 난 사람. 곧, 정미(丁未)·기미(己未)·신미(辛未)·계미(癸未)·을미(乙未) 등의 해에 난 사람. ②바둑에서, 두 집을 짓지 못하여 아직 완전히 살지 못한 상태.

미:생-마【未生馬】[명] 바둑에서, 아직 완생(完生)하지 못한 말.

미-생물【微生物】[명]〖생〗현미경이 아니면 볼 수 없는 아주 작은 생물의 총칭. 박테리아·원생(原生) 동물·균류(菌類) 등을 가리키는데, 바이러스를 포함하여 일컫기도 함. 잔살이. ¶ ~ 검사.

미생물 공업【微生物工業】[명]〖공〗미생물을 배양(培養)하여 약품(藥品)·식료품(食料品) 등을 제조하는 공업.

미생물 농약【微生物農藥】[一롱一] [명] 농작물의 병충해 방제나 제초(除草), 상해(霜害) 방지 등에 쓰이는 미생물. 또, 미생물이 만들어 내는 방제용 물질.

미생물 요법【微生物療法】[一뻡] [명]〖의〗미생물을 직접 이용하여 병을 치료하거나 예방하는 방법. 면역법을 이용한 것으로 백신의 접종·종두(種痘) 등이 대표적임.

미생물 유전학【微生物遺傳學】[명]〖생〗미생물을 재료로 하여, 유전의 본질을 탐구하는 학문.

미생물 은행【微生物銀行】[명] 유전자 치환(遺傳子置換)이나 새로운 항생 물질의 생산, 발효(醱酵) 공업 등에 필요한 각종 미생물을 계통적으로 보존하고, 연구자의 희망에 따라 필요한 미생물을 제공하는 기구.

미생물 전:지【微生物電池】[명] 개발 연구 중인 생화학전지의 하나. 폐수(廢水) 중의 유기물(有機物)을 먹고 수소(水素)를 만들어 내는 수소 생산균(生産菌)과, 그 수소와 공기 중의 산소로 전기를 만드는 연료(燃料) 전지 및 수소 생산균이 먹다 남긴 유기물을 처리하여 메탄 가스를 발생시키는 메탄 생산균을 결합한 것으로, 발전·연료 발생·폐수 처리를 동시에 진행하고자 하는 것임.

미생물-학【微生物學】[명] [microbiology] 미생물에 관하여 연구하는 생물학의 한 분야.

미생물학-과【微生物學科】[명]〖교〗대학에서, 미생물학을 전공하는 학과. *생물학과.

미:생 이:전【未生以前】[명] ①〖불교〗[부모 미생 이전(父母未生以前)의 약어] 양친(兩親)조차 태어나지 아니한 이전의 모습으로서, 상대(相對)를 초월한 절대 무차별(絶對無差別)의 경지(境地). ②전(轉)하여, 태어나기 이전. 먼 옛날. 전생(前生).

미생지-신【尾生之信】[명] [옛날 미생이란 자가, 다리 밑에서 만나자고 한 여자와의 약속을 지키기 위하여, 홍수에도 피신하지 아니하고 기다리다가 마침내 익사하였다는, ≪사기(史記)의 '소진전(蘇秦傳)'≫에 나오는 고사에서 유래] 신의(信義)가 굳음. 또, 우직(愚直)하여 융통성이 없음을 이르는 말.

미서기 [명] 〈방〉 ①미세기[1]. ②〖건〗미세기[2]. ③〖광〗미세기[3].

미서 전:쟁【美西戰爭】[명] [American-Spain War]〖역〗1898년 스페인의 식민지인 쿠바의 독립 운동을 계기로 미국과 스페인 간에 일어난 전쟁. 4개월 간의 전쟁 끝에 미국이 승리하여 파리 조약에 의하여 쿠바는 독립하고 미국은 푸에르토리코(Puerto Rico)·괌(Guam)·필리핀을 획득하였음. 전쟁의 결과 미국은 일약 세계적 강국으로 부상(浮上)함. 아메리카 스페인 전쟁.

미석【美石】[명] 아름다운 돌.

미선[1]【米船】[명] ①쌀을 싣는 배. ②군량(軍糧)과 마초(馬草)를 실은 군선(軍船).

미선[2]【尾扇】[명] ①둥근 부채의 하나. 두 개의 대쪽을 잘게 쪼개어 살을 만들고 어긋나게 대어, 자루 목에 얇은 대쪽을 끼어 살 끝을 벌리고, 자루 목을 중심삼아 가는 대를 휘어 대어, 실로 엮어서 종이를 발라 가를 둥글게 오려 냄. ②〖역〗정재(呈才) 때 쓰는 의장(儀仗)의 하나.

미선[3]【尾腺】[명]〖동〗조류(鳥類)의 피부선. 꽁지 죽지의 배부(背部)에 있는 한 쌍의 지선(脂腺). 분비물은 날개털에 지방(脂肪)을 주고, 날개털의 습기를 막는 역할을 함. 특히, 수조류(水鳥類)에서 발달함.

미선-나무 [명]〖식〗[*Abeliophyllum distichum*] 물푸레나뭇과에 속하는 낙엽 활엽 관목. 높이 1m 가량. 잎은 대생하고 타원형 또는 달걀꼴이며 톱니가 없음. 3월에 백색 또는 담홍색의 꽃이 총상 화서로 잎보다 먼저 피고, 선상(扇狀)의 과실은 가을에 익음. 산록의 양지에 나는데, 충북의 진천군(鎭川郡) 용정리(龍亭里)와 괴산군(槐山郡) 송덕리(松德里)의 특산으로, 전세계에 1속(屬) 1종(種)임. 식물학상 또는 관상용으로 매우 귀중함.

미:설[1]【未設】[명] 아직 베풀지 아니함. ↔기설(旣設). ——하다 [타][여불]

미설[2]【眉雪】[명] 눈같이 흰 눈썹. 노인을 이름.

미:-설가【未挈家】[명]〖역〗조선 시대에, 지방관이 임지에 부임할 때, 그 가족을 데리고 가지 아니하는 일. ¶ ~ 수령(守令)/~ 만호(萬戶)의 과기(瓜期)는 9백 일이다.

미:-설치【未設置】[명] 아직 설치하지 아니함. ——하다 [타][여불]

미섭다 [형] 〈방〉 무섭다(충남).

미:성[1]【未成】[명] ①아직 완성(完成)되지 못함. 이루지 못함. ↔기성(旣成)❷❸. ②아직 장가든 어른이 되지 못함. ——하다 [一] [타][여불] 아직 완성하지 못하다. [二] [형][여불] 아직 어른이 못 되다.

미성[2]【尾星】[명]〖천〗①28수(宿)의 여섯째 별. 미수(尾宿). [준]미(尾). ②혜성(彗星)❶.

[미성(尾星)이 대국(大國)까지 뻗쳤다] 미성이 먼 중국까지 뻗쳤다는 뜻으로, 매우 가느다란 물건이 끝없이 길다는 말.

미성[3]【美聲】[명] 아름다운 소리. 고운 목소리. 미음(美音).

미성[4]【微誠】[명] ①조그마한 정성. ②자기의 정성의 겸칭. 미침(微忱).

미성[5]【微聲】[명] 희미한 소리. 작은 소리.

미성-기【尾星旗】[명]〖역〗의장기(儀仗旗)의 한 가지.

미:-성년【未成年】[명] ①아직 혼인하지 아니하여 어른이 되지 못한 나이. 또, 그 사람. 미정년(未丁年). ②〖법〗만(滿) 20세가 되지 못하여 법률 상(法律上)으로 모든 권리 행사(權利行使)를 할 수 없는 나이. 1)·2): ↔성년(成年).

미:성년-자【未成年者】[명]〖법〗만 20세가 되지 아니한 사람. 판단 능력이 불완전하다고 인정하여 행위 능력을 제한함. ↔성년자(成年者).

미:성년자 보:호법【未成年者保護法】[一뻡] [명]〖법〗미성년자의 끽연(喫煙)과 음주(飮酒) 및 미풍 양속을 해치는 행위를 제한 또는 금지시켜 미성년자의 건강을 보호하고, 그들을 선도 육성(善導育成)하기 위한 법률.

미:-성숙【未成熟】[명] ①채 여물지 못함. ②익숙하지 못함. ——하다 [형][여불]

미:성-안【未成案】[명] 완성(完成)되지 못한 안(案).

미:-성인【未成人】[명] 미혼으로 어른이 되지 못한 사람. 미성년자. ↔성인(成人).

미성지-곡【美成之曲】[명]〖악〗고려 때 태묘(太廟)의 초헌례(初獻禮)에 연주하던 악명(樂名)의 하나.

미:-성취【未成娶】[명] 아직 장가를 들지 못함. 미장가. [준]미취(未娶). ↔기취(旣娶). ——하다 [자][여불]

미:-성편【未成篇】[명] ①한 편(篇)의 글을 아직 다 이루지 못함. 또, 그 편(篇). ②물건이 아직 다 이루어지지 못함을 가리키는 말. ¶이 물건은 아직 ~일세. ——하다 [자][여불]

미:성-품【未成品】[명] 완성되지 못한 물건. ↔기성품(旣成品).

미세【微細】[명] 가늘고 작음. 아주 자잘함. 세미(細微). ¶ ~한 입자(粒子). ——하다 [형][여불]

미세 구조【微細構造】[명] 10배 이상의 배율(倍率)을 가진 현미경으로써만 밝힐 수 있는 물질이나 생물(生物)의 구조.

미세기[1] [명] 밀물과 썰물.

미:세기[2] [명]〖건〗두 짝을 한편으로 밀어 겹쳐서 여닫는 문.

미:세기[3] [명]〖광〗광산(鑛山)에서, 땅 밑을 향하여 비스듬히 파 들어가는 구멍이.

미세 뇌손상【微細腦損傷】[명] 뇌에 미세한 손상이 있기 때문에, 행동상 이상이 생기거나 지능(知能)에 불균형이 생기는 상태. 학습(學習) 곤란이 인정되는 수도 있음.

미세스 [Mrs.] [명] ☞미시즈.

미세 운:석【微細隕石】[명] [micrometeorite]〖천〗일반적으로 1mm 이하의 미세한 운석(隕石) 입자.

미세 운:석 관통【微細隕石貫通】[명] 고속(高速)으로 우주 공간을 이동하는 작은 입자(粒子)가 우주선(宇宙船)의 얇은 외피(外皮)를 꿰뚫는 일.

미-세포【微細胞】[명]〖생〗아주 작은 세포(細胞).

미세-화【微細畫】[명] 배우 섬세하게 그린 그림. 세밀화(細密畫).

미셀 [micelle] [명]〖화〗①비눗물과 같은 계면 활성제 용액(界面活性劑溶液)의 농도(濃度)가, 어떤 일정한 값 이상으로 커지면 많은 분자(分子) 또는 이온(ion)이 모여서 생기는 콜로이드 입자. 용매(溶媒)와의 친화성(親和性)이 큼. ②고분자(高分子) 화합물을 구성하는 미세(微細)한 결정(結晶). 섬유의 기본 구성 단위가 되고 있음.

미셀러니 [miscellany] [명]〖문〗수필 중에서, 논리성에 중점을 두지 아니한 일상 신변 등의 수필. 수기(隨記)·수상록(隨想錄)·잡문(雜文) 등.

미셀-콜로이드 [micelle-colloid] [명]〖화〗용액 중의 분자 또는 이온이 일부 회합(會合)한 집합체, 곧 미셀로서 존재하는 콜로이드 분산계(分散系). 비누 등의 계면 활성제(界面活性劑) 용액이나 어떤 종류의 물감 용액의 농도를 높였을 때 볼 수 있으나, 희석(稀釋)하면 회합한 분자나 이온이 뿔뿔이 흩어져, 콜로이드로서의 성질을 나타내지 아니하게 됨.

미셔너리 〔missionary〕 명 선교사(宣敎師).

미션 〔mission〕 명 ①선교(宣敎). 전도(傳道). ②전도 단체. ③↗미션 스쿨(mission school).

미션 스쿨 〔mission school〕 명 ①기독교 단체에서 전도와 교육 사업을 목적으로 경영하는 학교. ②전도사(傳道師)를 양성하는 학교. 준미션.

미션-회 【一會】〔mission〕 명 〖기독교〗 선교사회(宣敎師會).

미-소[1] 【美蘇】 명 미국(美國)과 소련(蘇聯). ¶ ~ 문화 교류 협정.

미:소[2] 【媚笑】 명 아양을 떨며 곱게 웃는 웃음. ——-하다 자여불

미소[3] 【微小】 명 아주 작음. 소미(小微). ¶ ~한 생물. ——-하다 형여불

미소[4] 【微少】 명 아주 적음. ¶ ~한 차이. ——-하다 형여불

미소[5] 【微笑】 명 소리를 내지 않고 빙긋이 웃음. ——-하다 자여불

미소거미스트 〔misogamist〕 명 결혼을 싫어하는 사람. 결혼 혐오자(嫌惡者).

미소 공:동 우:주 비행 계:획 【美蘇共同宇宙飛行計劃】 명 미소 우주 협력 협정에 의하여 결정된 미소 양국의 우주선에 의한 도킹(docking) 실험 계획. 1975년 6월에 두 명의 소련 비행사를 태운 소유스 우주선이 발사되고, 그 후 미국 비행사 세 명을 태운 아폴로 우주선이 발사되어, 높이 270km의 궤도에서 두 우주선은 도킹에 성공함. *미소 우주 협력 협정.

미소 공:동 위원회 【美蘇共同委員會】 명 〖역〗 1945년 12월의 모스크바 삼상(三相) 회의의 결정에 의하여, 1946년 1월에 한국의 신탁 통치와 완전 독립 문제를 토의하기 위하여, 미국과 소련의 대표가 서울에서 조직한 위원회. 여러 차례의 회의 끝에 1947년 10월 미국에 의하여 한국 문제가 유엔에 상정됨에 따라, 자연적으로 폐지되었음.

미소-관 【微小管】 명 〔microtubule〕 〖생〗 세포에 있는 단백질 섬유로, 굵기 약 24 나노미터(nm)의 미소한 관. 튜불린(tubulin)이라는 단백질이 원통 모양으로 이어져 구성된 것임. 세포의 운동, 형태의 형성이나 유지, 세포 안의 물질 수송이나 신경 전달과 관계가 있음. 세포 분열 때 나타나는 방추체(紡錘體)도 미소관이 모인 것임.

미-소년 【美少年】 명 용모(容貌)가 아름다운 소년. 교동(佼童). 교아(嬌兒). 연동(孌童). ¶ 홍안(紅顔)의 ~.

미소 데탕트 정책 【美蘇一政策】〔détente〕 명 주요 국제 분쟁에 대하여 미·소 두 나라만의 긴급 협의로 긴장을 완화하려던 정책.

미소 망:상 【微小妄想】 명 〔micromania〕 〖의〗 자기 자신을 과소 평가(過小評價)하는 망상. 죄업(罪業) 망상·빈곤(貧困) 망상·심기(心氣) 망상 등이 이에 속함. ↔발양(發揚) 망상.

미소 우:주 협력 협정 【美蘇宇宙協力協定】〔—녁—〕 명 미소 양국이 불필요한 우주 개발 경쟁을 지양하고, 서로 협력하기로 약속한 협정. 협력 분야는 기상 관측, 혹성·달 탐사, 우주 생물학 등 다방면에 걸침. 1975년 실시된 미소 공동 우주 비행 계획도 이에 포함됨. 1972년 조인. *미소 공동 우주 비행 계획.

미소 정책 【微笑政策】 명 〖정〗 외면상으로 친선(親善)을 꾀하는 듯이 추파(秋波)를 던져, 상대국으로 하여금 자국의 뜻하는 바에 쏠리게 하여 어떤 이권(利權)을 얻자는 정치적 계책(計策).

미소 지각 【微小知覺】 명 〔프 petites perceptions〕 〖심〗 라이프니츠(Leibniz, G.W.)의 용어로, 지각되지 아니하는, 전혀 착잡한 무의식 표상(表象)을 이름. 물레바퀴나 폭포 소리에 익숙해지면 그 소리를 지각하지 못하게 되는 일 등.

미소지니스트 〔misogynist〕 명 여자를 싫어하는 사람.

미소 지진 【微小地震】 명 〖지〗 진도(震度)가 1이상 3미만(未滿)의 지진. 에너지가 축적되어 있는 범위는 지각(地殼)내 100 m³ 이하임. 제2차 대전 후 전자(電磁) 지진계가 완성됨으로써 관측·연구가 진전되고 있으며, 최근 암석 파괴 실험에 의해 대지진이 일어나기 전에 미소 지진이 많이 발생함을 알게 되어, 특히 중요시되고 있음.

미소-체 【微小體】 명 〔microbody〕 〖생〗 카탈라아제(catalase) 및 일군(一群)의 산화 효소를 함유하는, 세포질 안의 소과립(小顆粒). 지름은 0.3-1.5 마이크로미터로, 한 겹의 막(膜)으로 싸여 있음. 내부에는 미세(微細)한 알갱이의 기질(基質)이 있으며, 고등 동물을 비롯하여 원생(原生) 동물·곰팡이·조류(藻類) 등에 널리 분포함. 동물의 요산 대사(尿酸代謝)와, 식물의 지방대사(脂肪代謝)에 관여함. 동물의 페록시솜(peroxysome), 식물의 글리옥시솜(glyoxysome)과 같은 것.

미소 플랑크톤 【微小一】 명 〔nanoplankton〕 5-60 μ 크기의 미세(微細)한 플랑크톤. 작은 바닷말류(類)와 원생(原生) 동물을 포함함.

미소 핵전쟁 방지 협정 【美蘇核戰爭防止協定】 명 1973년 6월 워싱턴에서 미국의 닉슨 대통령과 소련의 브레즈네프 공산당 서기장간에 조인된 협정. 미소간의 핵전쟁 위험과 핵무기(核武器) 사용의 위험을 제거할 뿐만 아니라, 제3국과의 핵전쟁을 피하고자, 힘에 의한 위협·무력 행사 등을 삼가기로 선언함. 워싱턴 선언(宣言).

미소 행동 【微小行動】 명 〔molecular behavior〕 〖심〗 생활체(生活體)의 행동을 고찰함에 있어서, 구체적인 한 행동을 가능한 한도로 단편적이고 간단하게 분석한 단위적 행동. 단순한 반사(反射) 행동 같은 것. 미시적(微視的) 행동. ↔거대(巨大) 행동.

미속[1] 【米粟】 명 〔속(粟)은 벼〕 쌀과 벼.

미속[2] 【美俗】 명 미풍(美風).

미속[3] 【微速】 명 ↗미속도(微速度).

미-속도 【微速度】 명 아주 미미한 속도. 느릿느릿한 속도. 준미속.

미속도 촬영 【微速度撮影】 명 영화 용어(映畫用語)의 하나. 필름(film)의 속도를 표준 속도보다 훨씬 느리게 하여 촬영하는 일. 이 필름을 표준 속도로 회전 영사(回轉映寫)함으로써 육안으로는 쉽게 관찰할 수 없는, 장시간에 걸친 미세한 운동·변화를 단시간에 축소하여 볼 수 있음. 물질의 결정(結晶), 꽃 피는 상태 같은 것을 보여주는 학술·문화 영화 등에 사용됨. ↔고속도 촬영(高速度撮影).

미솔로지 〔mythology〕 명 신화(神話). 신화학(神話學).

미송 【美松】 명 〖식〗 미국 동부 및 서부에서 산출되는 전나무의 일종. 또, 그 재목. 높이 100 m, 지름 13 m에 달함. 재목의 빛깔은 적황색(赤黃色) 또는 적색(赤色)임. 건축재 및 펄프 재료로 쓰이나, 더럼을 잘 타고, 진이 스며나오며, 갈라지기 쉬움.

미송리형 토기 【美松里型土器】〔—니—〕 명 〖고고학〗 우리 나라 청동기 시대의 무문(無紋) 토기. 평안 북도 의주군(義州郡) 미송리의 동굴 유적에서 전형적인 것이 발견된 데서 붙인 이름임. 몸체는 달걀의 위아래를 수평으로 자른 모양이며 몸체에 밖으로 바라진 비교적 높은 아가리가 얹혀 있고, 몸체 윗부분에 가로 줄무늬가 둘러 있는데 손잡이가 한 쌍 또는 두 쌍 달려 있음. 청천강(淸川江) 이북·평북 용천군(龍川郡)·영변군(寧邊郡), 중국의 지린(吉林) 등지에서 출토됨.

미송 지대 【美松地帶】 명 〔Douglas Fir Region〕 〖지〗 북아메리카 주(洲) 서북부 해안의 미송(美松)이 산출되는 지대.

미:-송환 【未送還】 명 아직 돌려 보내지 아니함. ——-하다 타여불

미:쇄[1] 【未刷】 명 미수(未收)❶. ——-하다 타여불

미쇄[2] 【微瑣】 명 미미하고 세쇄(細瑣)함. 작고 잚. ——-하다 형여불

미쇼 〔Michaux, Henri〕 명 〖사람〗 벨기에 태생의 프랑스 시인. 외항 선원(外航船員) 생활을 하다가, 로트레아몽(Lautréamont) 및 쉬페르비엘(Supervielle, J.)의 영향을 받아, 주로 산문시(散文詩)를 씀. 그의 시는 음울(陰鬱)한 해학(諧謔)과 비통한 홍소(哄笑)에 차 있음. 한편, 그림에도 재능을 발휘함. 시집 《옛날의 나》·《밤은 움직이다》, 여행기 《아시아의 야만인》 등이 있음. [1899-1984]

미수[1] 명 〔몽 musi〕 ①꿀물이나 설탕물에, 미숫가루를 탄 여름철의 음료. 흔히, 얼음을 띄워서 먹음. 미식(糜食). ②↗미숫가루.

미수[2] 명 〈옛〉 요리. ¶ 닐굽잿 미수엔 스면과 상화(第七道粉湯饅頭)《朴解 上 6》.

미:수[3] 【未收】 명 ①아직 다 거두지 못함. 미봉(未捧). 미쇄(未刷). ②↗미수금(未收金). ——-하다 타여불

미:수[4] 【未遂】 명 ①목적한 바를 이루지 못함. ②〖법〗 범죄 실행에 착수(着手)하여 행위를 마치지 아니하였거나, 결과가 발생하지 아니한 일. 이 때에, 범죄 행위를 자발적으로 중지한 것을 중지 미수(中止未遂), 외부적(外部的)인 방해(妨害)로 인하여 중지된 것을 장애 미수(障礙未遂)라고 함. ¶ 살인 ~. 1)·2):↔기수(旣遂). ——-하다 타여불

미수[5] 【米壽】 명 〔'米'의 파자(破字)가 '八十八'인 데서〕 여든 여덟 살. *희수(喜壽).

미수[6] 【尾宿】 명 〖천〗 미성(尾星)❶.

미수[7] 【眉叟】 명 〖사람〗 '이인로(李仁老)'의 자(字).

미수[8] 【眉壽】 명 ①눈썹이 세도록 오래 삶. ②오래 삶을 축원(祝願)하는 말. ——-하다 자여불

미수[9] 【美秀】 명 아름답고 빼어남. 또, 그 모양. ——-하다 형여불

미수[10] 【美鬚】 명 아름다운 수염(鬚髯).

미수[11] 【微睡】 명 잠시 눈을 붙임. ——-하다 자여불

미수-가리 명 삼을 잘못 삼아서, 못쓰게 된 것만 모아, 한데 묶어 놓은 「삼꼭지.

미:수-금 【未收金】 명 ①아직 거두어 들이지 못한 돈. ②〖경〗 부기(簿記)에서, 영업 주목적 이외의 임시적 거래에서 발생하는 금전 채권. 토지 판매 대금의 미수 부분, 유가 증권의 외상 매출금 등. 준미수(未收). ↔미지급금(未支給金).

미:수금 계:정 【未收金計定】 명 〖경〗 부기(簿記)에서, 미수금을 처리하「는 계정.

미수라타 〔Misuratah〕 명 〖지〗 리비아 서북부, 지중해안(地中海岸)의 항구 도시. 상업의 중심지. 융단의 제조가 성함. 이탈리아령(領)이던 때에는 중요한 군사 기지였음. [52,000명(1979)]

미:수-범 【未遂犯】 명 〖법〗 범죄 실행(犯罪實行)에 착수하여 그 행위를 끝마치지 못하였거나, 결과가 발생하지 아니한 범죄. 또, 그 범인. 장애 미수범(障礙未遂犯)과 중지 미수범(中止未遂犯)의 두 가지가 있음. ↔기수범(旣遂犯).

미:-수복 【未收復】 명 수복하지 못함. ¶ ~ 지구.

미수-연 【米壽宴】 명 여든 여덟 살 되는 해에 베푸는 잔치.

미수이 〔汨水〕 명 〖지〗 '미뤄 강(汨羅水)'의 현재의 명칭.

미:수-죄 【未遂罪】〔—쬐〕 명 〖법〗 범죄의 실행(實行)에 착수하였으나, 그 행위를 끝내지 못하였거나, 그 결과가 발생하지 아니한 범죄. ↔기수죄(旣遂罪).

미:숙 【未熟】 명 ①열매나 음식이 아직 익지 않다. ②일에 익숙하지 못함. 미련(未練). ¶ ~한 연기(演技). ↔숙달(熟達). ——-하다 형여불

미:-숙련 【未熟練】〔—년〕 명 아직 숙련(熟練)되지 못함. 아직 숙달되지 못함. ——-하다 자여불

미:숙련-공 【未熟練工】〔—년—〕 명 아직 일에 익숙하지 못한 직공(職工).

미:숙련 노동자 【未熟練勞動者】〔—년—〕 명 숙련된 기능을 가지지 못한, 단순한 작업, 즉 단순 노동에 종사하는 노동자.

미:숙-아 【未熟兒】 명 〖의〗 재태 월령(在胎月齡)에 관계없이, 출생 시의 체중이 2,500 g 이하의 아이. 감염(感染)에 대한 저항력이나 포유력(哺乳力)이 약하여 사망률이 높음. ↔성숙아. *조산아(早産兒).

미:숙-자 【未熟者】 명 일에 익숙하지 못한 사람. 수자(豎子).

미술 【美術】 명 ①공간 및 시각(視覺)의 미를 표현하는 예술의 한 분야. 곧, 회화·조각·건축·공예 및 서예(書藝) 등의 조형(造型) 예술을 말함. ②〖연〗 연극이나 영화에서, 배경 및 세트 등의 무대 장치.

미술-가 【美術家】 명 미술품을 창작·연구하는 예술가. 또, 미술에 능한 「사람.

미술 감독【美術監督】[명]〖연〗연극·영화 등의 미술적 효과를 높이기 위하여 무대 장치나 의상(衣裳) 등을 지휘 감독하는 사람. 아트 디렉터(art director).
미술-계【美術界】[명] 미술가들의 사회. 미술의 사회.
미술 고고학【美術考古學】[명] 고고학의 한 분과. 옛 미술품에 대하여 인문 발전(人文發展)의 자취를 연구하는 학문.
미술 공예【美術工藝】[명] 공예 미술.
미술 공예품【美術工藝品】[명] 미술적으로 가공한 공예품.
미술-관【美術館】[명] 회화(繪畫)·조각(彫刻) 등의 미술품을 수집·진열하여, 일반의 관람과 연구에 이바지하는 시설.
미술 교:육【美術敎育】[명] 조형적인 미(美)의 표현·교양 및 감상력을 양성함을 목적으로 하는 교육. 「학문을 전공하는 학과.
미술 교:육과【美術敎育科】[명]〖교〗미술 대학에서, 미술 교육에 관한
미술 대학【美術大學】[명] 미술에 대한 전문적인 최고의 학문과 기술 및 방법 등을 교수 연구하는 대학. [준]미대(美大).
미술 도기【美術陶器】[명] 실용적이 아닌 미술품으로 만든 도기.
미술 도안【美術圖案】[명] 포스터·판화(版畫) 및 그 밖의 미술적인 도안.
미술-론【美術論】[명] 미술에 관한 이론. 또, 그 연구.
미술-사【美術史】[―싸] [명] 미술의 변천과 발달의 과정을 쓴 역사.
미술-상【美術商】[―쌍] [명] 미술품을 매매하는 장사. 또, 그 사람.
미술 영화【美術映畫】[―령―] [명] 미술 작품 또는 미술가의 생활과 미술품의 제작 과정 등을 취급한 기록 영화. 「는 모양.
미술-적【美術的】[―쩍] [명][관] 미술에 관한 모양. 미술로 취급할 수 있
미술 전:람회【美術展覽會】[―절―] [명] 회화·조각·수예(手藝)·서예(書藝)·건축 설계 등의 작품을 진열하는 전람회. [준]미전(美展).
미술-품【美術品】[명] 미술의 제작품. 회화·서도·조각·공예 등의 작품.
미술 학교【美術學校】[명] 각종 학교의 하나. 회화·조각·건축·디자인 및 미술 공예 따위를 교육하는 학교. 고등 학교 과정임.
미술 해:부학【美術解剖學】[명]〖미술〗조각·회화 등에 있어서, 인체 표현(人體表現)을 사실적(寫實的)으로 정확히 행하기 위해 연구되는 인체 해부학. 의학적인 해부학 가운데서, 인체의 골격·근육·표면 등의 요소를 추출(抽出)하여, 그 형상·운동에 의한 변형(變形)을 연구함. 이탈리아 르네상스기(期)에 시체 해부에 의해 인체의 박진적(迫眞的) 표현법을 연구하려는 의도로 시작되었음. 예술 해부학(藝術解剖學). 예용 해 ⌊부학(藝用解剖學).
미숩다 [형]〈방〉무섭다(강원).
미숫-가루 [명] 미수를 만드는 가루. 찹쌀·멥쌀·보리쌀 따위를 씻어서 술을 조금 치고, 볶거나 쪄서 말리어, 매에 갈아 고운 체에 친 가루. 초(麨). [준]미수.
미슈콜츠〔Miskolc〕[명]〖지〗헝가리 북동부의 상공업 도시. 주류(酒類)의 교역(交易)이 성하며 양조장이 많음. 도자기의 산출도 많고, 제철(製鐵)·제강(製鋼) 등의 공장이 있음. [207,826 명(1989)]
미슐랭〔Michelin〕[명] 프랑스의 자동차 타이어 회사인 미슐랭에서 발간하는 여행 안내서. 1900년 《프랑스》를 간행한 이래 각 지역 안내서를 간행함. 1926년부터는 레스토랑의 요리의 우열(優劣)을 별표의 수로 나타내어 세계적인 정평을 얻음.
미슐레〔Michelet, Jules〕[명]〖사람〗프랑스의 역사가. 민중을 주역(主役)으로 한 이상주의적 역사의 서술가로서 소르본·콜레주 드 프랑스 교수가 되었으나, 나폴레옹 3세에 반대하다가 교단(敎壇)에서 쫓겨남. 주저(主著) 《프랑스사(史)》·《프랑스 혁명사》. [1798-1874]
미스¹〔MIS〕[명]〔management information system의 약어〕〖경〗'경영 정보 시스템'의 약칭.
미스² [명] ↗미스테이크(mistake). ¶ 교정(校正) ~/~를 범하다.
미스³〔Miss〕[명] ①미혼 여자의 성이나 이름 앞에 붙이는 호칭. *양(孃). ¶ ~ 김(金). ②젊은 여자. 처녀. ¶ 그녀는 아직 ~다. ③대표적인 미혼 미인의 관칭(冠稱). ¶ ~ 코리아.
미스⁴〔miss〕[명] 빗나감. 못맞힘. 빠뜨림. 실패. ¶ 패스 ~. ――-하다 [자][타][여불] 「[타][여불]
미스-리:드〔mislead〕[명] 잘못 지도함. 판단을 그르치게 함. ――-하다
미:스 반 데어 로에〔Mies van der Rohe, Ludwig〕[명]〖사람〗독일 태생의 미국 건축가. 제1차 대전 후 '유리와 금속에 의한 마천루안(摩天樓案)'을 발표하여, 1920년대의 가장 창조적인 건축 개념으로써 이름을 떨침. 나치스에 쫓겨 1937년 도미(渡美), 일리노이 공과 대학의 교수가 됨. [1886-1969]
미스 아시아〔Miss Asia〕[명] 필리핀의 마닐라에서 매년 개최되는, 아시아 지역 미인 선발 대회에서 뽑힌 미인. 참가 자격은 17-23세의 미혼 여성.
미스 영 인터내셔널〔Miss Young International〕[명] 일본 도쿄에서 매년 열리는, 나이 어린 미인 선발 대회에서 뽑힌 미인. 참가 자격은 15-18세의 미혼 여성.
미스 월:드〔Miss World〕[명] 영국 런던에서 매년 열리는, 세계 미인 선발 대회에서 뽑힌 미인. 참가 자격은 18-23세의 미혼 여성.
미스 유니버:스〔Miss Universe〕[명] 미국 캘리포니아 주 롱비치(Long Beach)에서 개최되는, 세계 미인 대회에서 뽑힌 세계적 대표 미인. 세계 각국과 미국 각 주에서 선발된 대표들이 참가하여 심사를 받음. 참가 자격은 18-28세의 미혼 여성임.
미스 인터내셔널〔Miss International〕[명] 일본 도쿄에서 열리는, 세계 미인 선발 대회에서 뽑힌 미인. 참가 자격은 18-23세의 미혼 여성.
미스-저지〔misjudge〕[명] ①그릇된 판단. 잘못 판단함. ②운동 경기 따위에서, 심판이 판정을 잘못함. 오심(誤審).
미스-캐스트〔miscast〕[명]〖연〗부적당한 배역(配役). 배역의 실패.
미스 코리아〔Miss Korea〕[명] 매년 각국에서 열리는 국제적인 미인 대회에 보내기 위하여 뽑힌, 한국을 대표하는 미인. 1955년에 처음으로 시작되었으며, 자격은 미혼의 18-23세까지의 한국 여성이어야 함.
미스 태평양【―太平洋】〔Miss〕[명] 오스트레일리아의 멜버른에서 매년 열리는, 태평양 지역 미인 선발 대회에서 뽑힌 미인. 참가 자격은 18-23세의 미혼 여성.
미스터〔mister, Mr.〕[명] 남자의 이름, 주로 성(姓) 앞에 붙이는 호칭. 군(君). 님. 씨(氏). 귀하(貴下). ¶ ~ 김/~ 카터.
미스터리〔mystery〕[명] ①신비. 불가사의(不可思議). ②고대 그리스·로마에서 유행한 밀교(密敎)의 의식. ③종교극. 신비극. ④추리(推理) 소설. 탐정 소설. 괴기(怪奇) 소설.
미스터리 스토리〔mystery story〕[명] 추리 소설. 탐정 소설.
미스터리 헌터〔mystery hunter〕[명] 엽기가(獵奇家). 변태 호사가(變態好事家).
미스테리오소〔이 misterioso〕[명]〖악〗'신비(神祕)스럽게'의 뜻.
미스-테이크〔mistake〕[명] 오류(誤謬). 실책. 잘못. 틀림. [준]미스.
미스테카-족【―族】〔Mixteca〕[명]〖인류〗멕시코에 거주하는 한 종족. 전 마야(Maya)족에 기원이 있을 것이라 생각되며, 단두형(短頭型)으로 피부는 암색(暗色)이고 키는 작음.
미스트-기【―機】〔mist〕[명]〖기〗강력한 역풍 구조(逆風構造)로, 수성(水性) 약제와 분말이 섞인 것을 원거리까지 안개처럼 퍼지게 살포하는 기계.
미스트랄¹〔프 mistral〕[명]〖기상〗프랑스 남부에 불어오는 건조한 북풍. 특히, 론 델타(Rhône delta) 지대에 강하게 불며, 삼나무의 방풍림으로 막음.
미스트랄²〔Mistral, Frédéric〕[명]〖사람〗프랑스의 시인. 프로방스(Provence) 지방의 방언(方言)을 혁신하고, 예술적인 지방 분권을 주장하였음. 작품은 서사시 《미레이요(Mirèio)》, 서정시 《황금의 섬》 외에 언어(言語)·풍속(風俗) 사전 《펠리브리주 보전(Félibrige 寶典)》이 있음. 1904년 노벨 문학상을 받음. [1830-1914]
미스트랄³〔Mistral, Gabriela〕[명]〖사람〗칠레의 여류 시인. 본명은 Lucila Godoy de Alcayaga. 국민 학교 교사·외교관 등의 직업에 종사하면서 시작(詩作)을 계속함. 대표작에 사랑과 절망을 노래한 《황폐(荒廢)》·《애정(愛情)》·《개간(開墾)》 등이 있음. 1945년 노벨 문학상을 받음. [1889-1957]
미스트리스〔mistress〕[명] ①주부(主婦). 안주인. ②정부(情婦).
미스티 산【―山】〔Misti〕[명]〖지〗페루(Peru) 남부 안데스 산맥(Andes 山脈) 중에 있는 화산. 전에는 산꼭대기에 세계 최고의 고산(高山) 기상 관측소가 있었음. [5,825 m]
미스티시즘〔mysticism〕[명]〖철〗신비주의(神祕主義).
미스틱〔mystic〕[명] 신비적(神祕的).
미스-프린트〔misprint〕[명] 조판(組版) 과정에서의 실수로 인한, 인쇄물의 잘못. 오식(誤植).
미승【美僧】[명] 용모가 아름다운 중. 「얻지 못한 국가.
미:승인 국가【未承認國家】[명] 세계 각국으로부터, 국가로서의 승인을
미시¹ [명] ☞미수¹.
미:시²【未時】[명]〖민〗①십 이시(十二時)의 여덟째 시. 오후 한 시부터 세 시까지의 동안. ②이십 사시(二十四時)의 열 다섯째 시. 오후 두 시부터 세 시까지의 동안. [준]미(未).
미시³【微示】[명] ↗미시 기의(微示其意). ――-하다 [자][여불]
미시⁴【微時】[명] 아직 이름이 나지 않아, 한미(寒微)하거나 미천(微賤)하여 보잘 것 없던 때.
미시간 대학【―大學】〔Michigan〕[명] 미국 미시간 주, 앤아버(Ann Arbor)에 있는 저명한 주립 종합 대학. 1817년 디트로이트에서 창립되고 1837년 현재의 앤아버로 옮김. 부속 기관으로 도서관·천문대 및 연구소가 있음.
미시간 주【―州】〔Michigan〕[명]〖지〗미국 오대호(五大湖) 지방의 주(州). 미시간 호(湖)와 슈피리어(Superior) 호 사이의 상반도(上半島)와, 미시간 호와 휴런 호 사이의 하반도(下半島)로 나뉘어져 있음. 하반도는 낙농지(酪農地)이고 상반도는 철산지(鐵產地)임. 디트로이트를 중심으로 하는 자동차 공업은 세계 최대로 주(州)의 최중요 산업이며, 그 밖에 각종 기계·화학 공업이 행하여짐. 주도는 랜싱(Lansing). [147,511 km² : 9,295,297 명(1990)]
미시간 호【―湖】〔Michigan〕[명]〖지〗북미 5대호 중에서 세번째로 크며, 휴런 호에 연결되는 호수. 수운 가치(水運價値)가 크며, 호안(湖岸)에 시카고·밀워키(Milwaukee)·게리(Gary) 등 공업 도시가 발달함. [58,016 km²]
미:시-감【未視感】[명]〖심〗기억의 오류(誤謬)의 특수한 형태. 지금 보고 있는 것은 모두가 처음 보는 것이라고 하는 의식. ↔기시감(旣視感).
미시 경제학【微視經濟學】[명]〔microeconomics〕〖경〗개별적 가계(個別的家計)나 개별적 기업의 합리적 경영 활동을 분석하면서 경제 전체의 운영 법칙을 밝히고자 하는 연구 분야. 마이크로 경제학. 미크로 경제학. ↔거시(巨視) 경제학. *미시적 분석.
미시 기의【微示其意】[―/―이] [명] 분명히 말하지 아니하고 눈치만 보임. [준]미시(微示). ――-하다 [자][여불]
미시-령【彌矢嶺】[명]〖지〗강원도 인제군(麟蹄郡)과 고성군(高城郡) 사이에 있는 재. 한계령과 함께 내설악과 외설악을 가르는 고개. 태백 산맥을 넘는 교통로로서, 한때 폐하였던 것을 조선 성종(成宗) 24년에 양양(襄陽)의 소동라령(所冬羅嶺)이 험준하여 통로를 폐하게 되자, 다시 열게 되었음. 미시파령(彌時坡嶺). 여수파령(麗水坡嶺). [826 m]
미시-류【微翅類】[명]〖충〗벼룩목(目).
미시시피 강【―江】〔Mississippi〕[명]〖지〗미국 중앙부를 관류하는 세

계 제3의 강. 본류는 아이태스커 호(Itasca湖)에서 발원하며 멕시코 만에서 삼각주를 만듦. 유역 면적 약 325만 km^2. 수운·발전·관개, 기타 용수 등에 대규모로 이용됨. [6,210 km]

미시시피 주【一州】〔Mississippi〕명〖지〗미국 중남부 미시시피 강 하류 동안(東岸)에 있는 주. 흑토대(黑土帶)를 접하고 있는 면화 지대이며 남부 해안은 삼림과 습지(濕地)임. 주요 산물은 면화 외에도 소·돼지·양 등의 축산과 임업(林業)이 성하며, 석유·천연 가스 등의 광산(鑛産)도 풍부함. 주민은 흑인 인구가 반수임. 주도(州都)는 잭슨(Jackson). [122,333 km^2; 2,573,216 명(1990)]

미시-적【微視的】명관 ①현미경으로 식별할 수 있는 정도의, 작은 대상을 취급하는 경우에 쓰는 말. ②사물을 미세(微細)하게 관찰하는 모양. 또, 현상(現象)을 이해하는 데, 지나칠 정도로 자잘한 데까지 신경을 쓰는 모양. ¶ ~ 분석. 1)·2):↔거시적(巨視的).

미시적 분석【微視的分析】명〔microanalysis〕〖경〗경제 현상을 분석함에 있어서, 생산자와 소비자의 개별적 교환 현상을 각 개인의 동기(動機)에까지 내려가 연구하여, 전체의 경제 현상을 분석하여 나가는 방법. 미크로 분석. ↔거시적 분석(巨視的分析). *미시 경제학.

미시적 세:계【微視的世界】명 현미경에 의해서가 아니면 볼 수 없는 미세한 세계.

미시적 행동【微視的行動】명〖심〗미소 행동.

미시즈〔Mrs.〕명〔Mistress의 약어〕결혼한 여자의 이름이나 성 앞에 붙여 부르는 경칭. 부인(夫人). 여사(女史). ¶ ~ 김/~ 존스.

미시파-령【彌時坡嶺】명〖지〗미시령(彌矢嶺)의 조선 시대의 이름.

미:식[1]【未熄】명 사건이나 변고가 그치지 아니함.

미식[2]【米食】명 쌀밥을 상식(常食)으로 함. *분식(粉食). ——-하다 자여불

미식[3]【美式】명 미국식. ¶ ~ 발음/~ 축구.

미식[4]【美食】명 좋은 음식을 먹음. 또, 맛있는 음식. 옥식(玉食). ¶~에 싫증이 나다/~가(家). ↔악식(惡食). ——-하다 자여불

미식[5]【美飾】명 아름답게 꾸밈. ——-하다 타여불

미식[6]【迷息】명 남에게 대한 자기의 아들이나 딸의 겸칭. 변변하지 못한 자식이라는 뜻. *가돈(家豚)·가아(家兒)·돈아(豚兒)·미돈(迷豚)·미아(迷兒).

미식[7]【糜食】명 미수[1].

미식-가【美食家】명 음식에 대하여 특별한 기호(嗜好)를 가진 사람. 좋은 음식을 먹는 사람.

미식 건:축【楣式建築】명〖건〗창문이나 출입구의 위를 아치(arch)식으로 하지 않고, 수평재(水平材)를 건너지르는 건축 양식. 동양 건축의 특유의 형식임. ↔공식(拱式) 건축.

미식 국민【米食國民】명 쌀밥을 상식(常食)으로 하는 국민.

미식 생활【美食生活】명 좋은 음식을 먹고 사는 생활. 곧, 부유한 생활을 일컬음.

미식 축구【美式蹴球】명 미국식 축구. 한 팀이 11명씩으로 구성되며, 헬멧(helmet)·프로텍터(protector) 같은 것을 착용함. 공을 상대편 엔드 존(end zone)에 터치다운함으로써 득점(得點)함. 아메리칸 풋볼. *럭비 축구.

미:-신[1] 명〈방〉짚신(경상).

미:신[2]【未信】명 미덥지 못함. 믿어지지 않음. ——-하다 형여불

미신[3]【美神】명 미의 신. 비너스(Venus).

미신[4]【美愼】명 남의 병(病)의 높임말. 병환(病患).

미:신[5]【迷信】명 ①마음이 무엇에 홀려서 망령된 믿음에 집착(執着)함. ②종교적·과학적 견지(見地)에서 망령되다고 생각되는 신앙. 항상, 상대적인 표준에 의하여 판정(判定)되며, 보통 현대인의 이성적(理性的) 판단에 의하여 불합리하다고 생각되는 점복(占卜)·금기(禁忌)·굿 등 저급한 민속 신앙을 말함. 속신(俗信). ¶ ~ 타파.

미신[6]【微臣】명 ①지위가 낮은 신하. ↔중신(重臣). ②신하가 임금에 대하여, 자기를 말하는 겸칭(謙稱).

미:신-가【迷信家】명 미신을 믿는 마음이 많은 사람. 미신에 사로잡히기 쉬운 사람.

미-신경【味神經】명〖생〗미각(味覺)을 맡아 보는 신경. 수용성(水溶性)의 물질이 미뢰(味蕾)를 자극하여, 지각 신경에 전하여짐.

미:신-범【迷信犯】명〖법〗자연 법칙을 초월한 미신적 수단으로 범죄적인 결과를 야기하려는 행위. 또, 그러한 사람. 예를 들면, 인형(人形)에 못을 박아 미운 사람을 죽이려 하는 일 같은 것인데, 현실에 위험성이 없는 수단에 기인한 행위이므로, 불능범(不能犯)으로 취급함.

미신-사【微臣詞】명〖악〗정재(呈才) 때에 부르던 노래 이름.

미:신-적【迷信的】명관 미신에 관한 모양. 미신인 모양.

미실【迷失】명 정신이 어지럽고 혼미하여져서 무슨 일을 잘못함. ——-하다 타여불

미실 미가【靡室靡家】명 가난하고 집이 없어 거처할 곳이 없음. 무실 무가(無室無家). ¶ 나는 ~하게 돌아다니는 놈이니까 그래도 궁하면 너더러 밖에 말할 곳이 어디 있니? ≪趙重桓: 菊의 香≫. ——-하다 형여불

미:심【未審】명 ①일이 확실하지 아니하여, 늘 마음이 놓이지 아니함. ②불심(不審). ——-하다 형여불. ——-히 부

미:심-답다【未審一】형ㅂ불 ☞미심쩍다.

미:-심사【未審査】명 아직 심사를 하지 아니함.

미:심-스럽다【未審一】형ㅂ불 미심한 느낌이 있다. 미심한 데가 있어 보인다. 미:심-스레【未審一】부

미:심-쩍다【未審一】형 일이 분명하지 못하여 마음에 꺼림하다.

미싯 가루 명 ☞미숫가루.

미싱 명〔←sewing machine〕재봉(裁縫)틀.

미싱 링크〔missing link〕명〖생〗〔잃어버린 고리의 뜻〕생물의 계통 진화에 있어서, 현생(現生) 생물과 이미 알려진 화석(化石) 생물과의 사이를 이어줄 미발견(未發見)의 화석 생물. 이것이 발견되면 진화의 계열이 이어질 것임. 조류와 파충류의 중간에 위치하는 시조(始祖)새는 그 예임. 멸실환(滅失環).

미싱 자:수【一刺繡】명 재봉틀에 특수한 용구를 장치하여, 도안(圖案)이나 글자 등을 자수하는 방법. 또, 그 제품.

미-쌈 명〈방〉뒤쌈.

미아[1]【迷兒】명 ①남에게 대한 자기 아들의 겸칭. 변변하지 못한 아들이라는 뜻. *가아(家兒)·가돈(家豚)·돈아(豚兒)·미돈(迷豚)·미식(迷息). ②↗미로아(迷路兒). ¶ ~ 보호소.

미:아[2]【微痾】명 가벼운 병. 미양(微恙).

미아 보:호소【迷兒保護所】명 길을 잃어, 집을 못 찾는 아이들을 보호하여, 집이나 부모를 찾아 주는 곳.

미악【美惡】명 미추(美醜).

미안[1]【未安】명 ①마음이 편안하지 못하고 거북함. 미타(未妥). ②남에게 대하여 부끄럽고 겸연쩍은 마음이 있음. ¶ 이거 참 ~합니다. ——-하다 형여불. ——-히 부

미안[2]【美顔】명 ①아름다운 얼굴. 백면(白面). ②얼굴을 아름답게 화장함. 미용(美容).

미안-기【美顔器】명 초음파(超音波)의 작용으로 피부의 청결과 건강미를 유지하고자 하는 세안용(洗顔用)의 미용 기구. 그릇에 물을 넣고 스위치를 누르면, 모터가 돌아서, 그릇 바닥의 기포판(氣泡板)으로 고운 기포가 뿜어 나오는데 그 기포가 서로 부딪치며 초음파를 내고, 그 초음파가 피부의 더럼과 지방을 제거하게 되어 있음.

미안-류【美眼類】[—뉴] 명〖동〗유글레나목(目).

미안-수【美顔水】명 얼굴을 곱게 하기 위하여 바르는 액체로 된 화장품.

미안-술【美顔術】명 미용술(美容術)의 한 가지. 마사지(massage) 등으로 얼굴을 매만져서 곱게 하는 기술.

미안-스럽다【未安一】형ㅂ불 미안한 느낌이 있다. 미:안-스레【未安一】부

미안-쩍다【未安一】형 미안하여 대할 낯이 없다.

미안 천만【未安千萬】명 몹시 미안함. 천만 미안(千萬未安). ——-하다 형여불. ——-히 부

미암 일기【眉巖日記】명〖책〗미암 유희춘(柳希春)의 친필 일기초(抄). 조선 선조(宣祖)가 즉위한 정유년(1567) 10월부터 병자년(1575) 7월에 이르는 10년간의 일상의 사사(私事)에서 국정(國政)의 대요와 인물의 진퇴에 이르기까지의 공사(公私)의 사실이 날짜 순으로 기록되어 있어, 사료(史料)로서 가치가 큼. 모두 11책. 보물로 지정되어 있음.

미압-계【微壓計】명〖물〗0.1 mmHg 이하의 미소한 기압 변화를 측정하는 계기(計器). 대개 자동 기록 장치가 부속되어 있음. 미기압계(微氣壓計).

미:앙-궁【未央宮】명 중국 한(漢)나라의 궁전 이름. 고조(高祖) 초년(202 B.C.)에 승상인 소하(蕭何)가 장안(長安)의 용수산(龍首山)에 조영(造營)함.

미애기 명〈방〉〖어〗메기(전남).

미야기 현【一縣】〔宮城: みやぎ〕명〖지〗일본 북부 지방의 현. 10시 15군. 겨울에 몹시 춥고 강우량이 적음. 쌀 생산이 주산업이며 감·종이·펄프·김·아연 등이 산출되고, 원자력 발전소(原子力發電所)가 있으며, 온천(溫泉)·관광지(觀光地)도 있음. 현청 소재지(縣廳所在地)는 센다이(仙台). [7,291 km^2: 2,257,319 명(1992)]

미야자키〔宮崎: みやざき〕명〖지〗일본 미야자키 현의 현청 소재지. 농산물의 집산지이며 관광 도시(觀光都市)로, 헤이와다이(平和台)·아오시마(青島) 등이 있음. [287,000 명(1990)]

미야자키 현【一縣】〔宮崎: みやざき〕명〖지〗일본 규슈(九州) 동남부의 현. 9시 8군. 기후는 온난 다우(溫暖多雨)하고 산림이 75%를 차지하고 있음. 해안 평야에서는 쌀이 생산되고 기타 지역에서는 고구마·호박·무 등이 산출되며, 고생산 농업(高生産農業)이 행하여지고, 이와 함께 농공(農工) 병행 정책을 추진하여 비료·인견 직물·제사·펄프 등의 공업도 성함. 관광지로서 유명함. 현청 소재지는 미야자키(宮崎). [7,735 km^2: 1,167,280 명(1992)]

미야-지마〔宮島: みやじま〕명〖지〗일본 히로시마 만(広島灣) 북서부의 섬. 일본 3대 관광지의 하나임. [30.17 km^2]

미:약[1]【媚藥】명〖약〗①성욕을 증진(增進)시키는 약. 음약(淫藥). 춘약(春藥). ②상대방에게 연모(戀慕)의 정(情)을 일으키게 한다는 약.

미약[2]【微弱】명 미미(微微)하고 약함. 또, 그 모양. ¶ ~한 존재. ——-하다 형여불

미얀마〔Myanmar〕명〖지〗인도차이나 반도 서부의 연방 공화국. 북방은 산지, 남방에 이라와디 강의 평야가 전개됨. 1886년 영국이 버마 왕국을 멸망시켜 인도에 합병하였는데, 1937년 인도로부터 분리되어 영국 직할 식민지가 되었다가, 1948년에 '버마 연합 공화국'으로 독립하고, 1989년 미얀마 연방으로 국명을 바꿈. 주민은 태반이 버마족(族)이고, 소수 민족도 많은데 거의 대부분이 불교를 믿음. 쌀·망간·납·아연·석유를 산출하여 중요한 수출품을 이룸. 수도는 네피도. 정식 명칭은 미얀마 연방(Union of Myanmar). 면전(緬甸). [676,560 km^2: 42,100,000 명(1991)]

미얄 명〖민〗우리 나라 탈춤 후반부인 가정 이야기에 주역으로 등장하는 중요 인물의 하나. 영감 또는 신할아비의 늙은 조강지처로, 시앗과 다투다가 남편에게 죽음을 당함. 또, 그가 쓰는 탈. 미얄할미.

미얄-할미 명〖민〗미얄.

미얌 명〈방〉〖충〗매미(전북).

미양【微恙】명 ①대단하지 아니한 병. 미아(微痾). ②자기의 병의 겸칭.

미어[1]【美語】명 미국말. 미국 영어.

미어[2]【謎語】명 수수께끼❶.

미어기 명〈방〉〖어〗메기.

미어-뜨리다 타 팽팽하게 켕긴 종이나 가죽 등을 세게 건드리어 구멍을 내다.

미어-지다 자 ①팽팽하게 켕긴 종이나 가죽 등이 해지거나 어떤 것에 의해서 구멍이 나다. ¶ 솔기가 ~. ②꽉 차서 터질 듯하다. ¶ 귀성객들로 열차 안은 미어질 지경이었다/병든 몸으로 밤낮없이 자기를 기다

리고 누워 있을 지애를 생각하니 다시금 가슴이 미어지는 듯했다≪金東里 : 人間動議≫. 1)·2) : [준]미이다.

미어-트리다 [타] 미어뜨리다.

미어 화:제【謎語畫題】[명]〘미술〙동양화의 화제(畫題) 가운데서, 그 제목에 수수께끼를 가지고 있는 것. '충효 연방(忠孝聯芳)'·'백사 여의(百事如意)'처럼 상징(象徵)·유추(類推) 등을 써서 우의(寓意)를 나타낸 화제를 말함.

미언¹【美言】[명] ①좋은 말. 훌륭한 말. 유익한 말. 가언(嘉言). 선언(善言). ②교묘히 꾸민 말. 감언(甘言).

미언²【微言】[명] ①뜻이 깊은 말. 미묘한 말. ②넌지시 말함. 빗대어 말함. 작은 소리로 중얼거림.

미엉 [명]〈방〉무명¹(경남).

미에기 [명]〈방〉〘어〙메기(경기).

미에 현【一縣】〔三重:みえ〕[명]〘지〙일본 긴키(近畿) 지방 동남부의 현. 13시 14군. 기후는 온난하고 다우(多雨)함. 최근 욧카이치(四日市)를 중심으로 한 이세 만(伊勢灣) 공업 지대는 나고야(名古屋) 공업 지대의 연장으로서 급격히 발전하여, 석유 화학·시멘트·화학 비료·기계 공업 등이 행하여짐. 현청 소재지는 쓰 시(津市). [5,777 km²:1,816,546명(1992)]

미여기 [명]〈방〉〘어〙메기(강원·전남).

미역¹ [명] 냇물이나 강물 같은 데에 들어가 몸을 씻는 일. [준]멱.
미역(을) 감:다 [구] 냇물이나 강물 같은 데서 몸을 담그고 씻다. [준]멱감다.

미역² [명]〘식〙[*Undaria pinnatifida*] 갈조류(褐藻類) 미역과(科)에 속하는 해조(海藻). 뿌리는 섬유상(纖維狀)이고 줄기는 한 개가 편원형(扁圓形)이며, 다시 상부에 10 cm 가량 뻗어 잎의 중맥(中脈)을 형성함. 잎은 폭이 넓고 길이 1-2 m의 달걀꼴에 깃 모양으로 째지고, 빛은 흑갈색 또는 황갈색이며 표면에 점상(點狀)의 점액 세포(粘腋細胞)가 있음. 줄기의 좌우에 한 장씩의 날개 모양의 성실엽(成實葉)이 잘게 포개어져 있고 상부의 잎에 자낭군(子囊群)이 났음. 봄·여름에 무성 세대(無性世代)가 번성하고, 늦봄·첫여름에는 성실엽에 사상체(絲狀體)를 형성하여 수정란(受精卵)을 발아(發芽)함. 저조선(低潮線) 이하의 암상(岩上)에 부착하는데, 홋카이도·일본·한국 남부·중국 동부 해안에 분포함. 칼슘의 함유량이 많아, 특히 산부(産婦)와 발육기의 어린이에게 좋음. 국을 끓이거나 여러 가지로 조리하여 먹음. 감곽(甘藿). 해채(海菜). [준]멱.

〈미역²〉

미:역³【未疫】[명] 아직 역질(疫疾)을 치르지 아니함. ——-하다 [자](여불)

미:역⁴【未譯】[명] 아직 번역되지 아니함.

미역-국 [명] 미역을 물에 빨아 장물에다 끓인 국. 감곽탕(甘藿湯). 곽탕(藿湯). [준]멱국.
【미역국 먹고 생선 가시 내라】불가능한 일을 우겨댐을 이르는 말.
미역국 먹다 [구]〈속〉㉠직장 같은 데서 해고(解雇)당하다. ㉡시험 등을 치러서 떨어지다. ㉢퇴짜맞다.
미역국 먹이다 [구]〈속〉미역국 먹게 하다.

미역-귀 [명] 미역의 대가리. 곽이(藿耳).

미역귀 김치 [명] 미역귀로 담근 김치. 곽이저(藿耳菹).

미역 무침 [명] 미역을 잘게 썰어서 장과 기름과 설탕을 치고 주물러 무치거나 볶은 반찬.

미역 볶음 [명] 미역을 잘게 썰어 기름을 치고, 간하여 볶은 반찬.

미역-숲 [명] 미역이 많이 나 있는 바다 속의 숲.

미역-쌈 [명] 물에 불린 미역을 쌈만큼씩 잘라서 고추장을 놓고 밥을 싸서 먹는 쌈.

미역 자:반【一佐飯】[명] 미역을 반듯반듯하고 약간 잘게 썰어서 끓는 기름에 지진 반찬.

미역 지짐이 [명] 물에 불려서 뜯은 미역에다 고추장·된장·고기·파·기름·깨소금을 쳐서 주물러 물을 약간만 붓고 끓인 지짐이.

미역 찬국 [명] 물에 빤 미역을 잘게 뜯어, 고기를 넣고 갖은 양념으로 무쳐서 볶은 것을 냉국에 넣고 초를 친 음식. 감곽 냉탕(甘藿冷湯).

미역-취 [명]〘식〙[*Solidago virga-aurea*] 국화과에 속하는 다년초(多年生). 줄기는 가늘고 흑자색을 띠었으며 높이 30-60 cm 가량임. 잎은 호생하고 유병(有柄)이며, 달걀꼴 또는 긴 타원형인데 하부의 각엽(脚葉)의 잎꼭지에 날개가 있음. 가을철에 좁고 긴 황색 두상화(頭狀花)가 밀생하여 피며, 과실은 관모(冠毛)가 있어 살포 번식함. 산과 들에 나는데 신장병(腎臟病)·방광염(膀胱炎) 등의 약재로 씀. 한국 각지와 일본에 분포함. 메역취.

〈미역취〉

미역-치 [명]〘어〙[*Hypodytes rubripinnis*] 미역칫과에 속하는 바닷물고기. 몸은 긴 달걀꼴에 가깝고 몸빛은 회갈적색(灰褐赤色)인데 배 쪽만은 적색임. 체측·등지느러미·가슴지느러미 및 꼬리지느러미에 불규칙한 작은 흑갈색 무늬가 산재함. 내만성(內灣性) 어종으로 연안에 서식함. 한국 중남부 및 일본 중부 이남에 분포함. 먹지 못함.

미역칫-과【一科】[명]〘어〙[Congiopodidae] 농어목에 속하는 어류의 한 과. 이 과에는 풀미역치·미역치 등이 속함.

미:연¹【未然】[명] 아직 그렇게 되지 아니함. 앞일이 정하여지지 아니함. ¶ ~에 방지하다.

미연²【靡然】[명] ①바람에 초목 따위가 흔들리는 모양. ②전하여, 어떤 세력을 붙좇아 복종하는 모양.

미-연방【美聯邦】[명] 미국(美國).

미:연지-전【未然之前】[명] 아직 그렇게 되기 전.

미열【微熱】[명] 조금 있는 열. 약간 일어나는 몸의 열기(熱氣).

미염¹【米塩】[명] ①쌀과 소금. ②전하여, 잘달고 번거로운 일.

미염²【美髥】[명] 아름다운 구레나룻. ¶ ~공(公).

미염³【美艶】[명] 아름답고 요염함. 또, 그런 모양. ——-하다 [형](여불)

미:염⁴【媚艶】[명] 사람을 호리듯 요염한 모양을 함. 또, 그 모양.

미영 [명]〈방〉①무명¹(경기·강원·충북·전라·경상·함경). ②목화(木花).

미영-베 [명]〈방〉무명¹(경남).

미영 전:쟁【美英戰爭】[명]〘역〙1812-14년의 미국과 영국의 전쟁. 나폴레옹 전쟁 중, 대륙 봉쇄에 대한 보복으로 취한 영국의 대불(對佛) 봉쇄에 대하여, 미국이 상업 상의 자유 확보를 위하여 1812년 개전(開戰)하였으나, 나폴레옹 전쟁의 종결로 이 전쟁도 무의미하게 되어 1814년 벨기에의 강(Gand)에서 강화 조약이 맺어짐. 미국 내의 내셔널리즘 신장(伸張)에는 공헌하였으므로 제2차 독립 전쟁이라 이르기도 함.

미예【美譽】[명] 아름다운 명예(名譽).

미예기 [명]〈방〉〘어〙메기(전북·경북).

미오【迷悟】[명] 미혹(迷惑)과 개오(開悟).

미오글로빈〔myoglobin〕[명]〘화〙헤모글로빈(haemoglobin)과 비슷한 적색 색소 단백질. 산소와 결합함. 근육 세포 내에 있으며 생리적으로는 산소의 운반보다는 저장에 큰 역할을 함.

미오신〔myosin〕[명]〘화〙근단백질(筋蛋白質)의 주요 성분. 근단백질의 약 68%를 점유하는 글로불린(globulin) 모양의 단백질임.

미옥다 [형]〈옛〉미욱하다. ¶ 어리고 미옥다(獃獃)≪語錄 12≫.

미:온¹【未穩】[명] 평온(平穩)하지 못함. ——-하다 [형](여불)

미온²【微溫】[명] 미지근함. ——-하다 [형](여불)

미온-수【微溫水】[명] 미지근하게 데운 물. 미온탕(微溫湯).

미온-적【微溫的】[명][관] 소극적(消極的). ¶ ~인 태도. ↔열정적.

미온-탕【微溫湯】[명] ①미지근하게 데운 물. 미온수(微溫水). ②물을 미지근하게 데운 목욕탕(沐浴湯).

미:완【未完】[명] 끝을 다 맺지 못함. 미완성. ——-하다 [타](여불)

미:-완료【未完了】[—왈—] [명] 아직 완료하지 못함. ——-하다 [타](여불)

미:-완성【未完成】[명] 미완(未完). ——-하다 [타](여불)

미:완성-곡【未完成曲】[명] 완성하지 못한 곡.

미:완성 교향곡【未完成交響曲】[명]〔도 Unvollendete Symphonie〕〘악〙슈베르트(Schubert)가 1822년에 작곡한 교향곡 제8번 b단조(短調)의 딴이름. 제2악장까지 작곡하여 놓고 끝을 못 맺고 죽어서 이 이름이 붙었음. 1865년 초 빈(Wien)에서 초연(初演)됨.

미:완성 어음【未完成一】[명]〘경〙어음 요건(要件)의 기재가 완성되어 있지 아니한 어음. 서명자(署名者)가 소지인(所持人)에 대하여 미완성 부분을 보충하는 권한을 부여하며, 유통(流通)할 때에 백지(白紙) 어음으로서 특수한 효력을 가짐.

미:완성-품【未完成品】[명] 아직 완성하지 못한 작품이나 물건.

미:왕【未往】[명] 아직 가지 아니함. ——-하다 [자](여불)

미요〔Milhaud, Darius〕[명]〘사람〙프랑스의 작곡가. 유태인. '육인조(六人組)'에 참가, 극히 다작(多作)이며, 2차 대전 중 미국에도 거주하였음. 기법적(技法的)으로 초기의 다조적(多調的) 수법을 그대로 유지함. 현대 프랑스의 대표적 작곡가의 한 사람으로, 작품에 ≪세계의 창조≫·≪다윗≫ 등이 있음. [1892-1974]

미용【美容】[명] ①아름다운 얼굴. 미모(美貌). 미안(美顔). ②용모를 아름답게 단장함. 의복 이외의 방법으로 여자의 용자(容姿)를 아름답게 보이도록 하기 위하여 물리적(物理的)·화학적인 기술을 이용하는 일. 머리의 파마·입욕(入浴)·마사지·미용 체조·성형(成形) 수술 같은 것이 포함됨. 미장(美粧). ——-하다 [타](여불)

미용-사【美容師】[명] ①미용술을 베푸는 것을 업으로 삼는 사람. ②〘법〙소정(所定)의 기술을 습득하여 주무 관청으로부터 미용술에 관한 면허를 받은 사람.

미용 성형【美容成形】[명] 미용을 목적으로 하는 특수 외과. 융비술(隆鼻術)·풍흉술(豐胸術)·쌍꺼풀 수술 등으로 널리 알려져 있음.

미용-소【美容所】[명] 미용원. 미장원.

미용-술【美容術】[명] ①얼굴·모발(毛髮)·피부·손발톱·치아(齒牙)에 손질을 하여 외모를 아름답게 꾸미는 기술. ②〘의〙성형(成形)·변형·변색(變色) 및 미관상 결함의 치료법.

미용-식【美容食】[명] 아름다워지게 하려는 목적으로 만든 식사·식품(食品). 저(低)칼로리 식품·강화(強化) 식품 등.

미용-실【美容室】[명] 미장원(美粧院).

미용 오일【美容一】〔oil〕[명] 피부나 모발을 부드럽게 하여 미적 효과를 나게 하는 기름. 올리브유 등의 식물성과 라놀린(lanoline) 등의 동물성이 있음.

미용-원【美容院】[명] 미장원(美粧院).

미용 의학【美容醫學】[명] 의학의 연구 성과를 육체 미화(美化)의 수단으로 응용함으로써, 아름다워지려는 희망을 실현시키려는 의학 분야.

미용 체조【美容體操】[명] 몸의 원만한 발육·발달·균형을 유지하고 육체미·건강미를 나타내기 위하여 부드럽고 경쾌하게 하는 신체 운동. *교정 체조.

미용 학원【美容學院】[명] 미용사를 양성하는 기술 학원. 미용에 관한 지식·기술 등을 습득시킴.

미우¹ [명]〈방〉〘식〙무³(황해).

미우²【尾羽】[명] ①배의 꽁지깃. ②새의 꽁지깃.

미우³【眉宇】[명] 이마의 눈썹 근처.

미우⁴【微雨】[명] 보슬보슬 내리는 가는 비.

미우⁵【黴雨】[명] 매우(梅雨).

미우- [간] '밉다'의 불규칙 어간. ¶ ~ㄴ 사람/~면.
【미운 강아지 우쭐거리며 똥 싼다】미운 자가 유난히도 보기 싫고 미운 짓만 한다. 【미운 개가 주걱 물고 조왕에 오른다】가뜩 미운 자가 더 미운 짓만 한다는 뜻. 【미운 년이 겸상을 한다】보기 싫은 사람과 정면으로 대하게 됐다. 【미운 놈 떡 하나 더 주고 우는 놈 한 번 더 때려라】미운 놈보다 우는 놈이 더 귀찮다는 뜻. 【미운 놈 보려면 딸 많이 낳아라】사위를 보면, 꼴보기 싫은 짓도 많이 겪게 된다는 말. 【미운 놈 보

려면 길 나는 밭 사라] 길이 나는 밭을 사게 되면 길 가는 사람들이 농작물을 짓밟게 되므로 미운 사람을 많이 보게 된다는 말. [미운 놈 보려면 술장사하라] 술장사를 하면 미운 사람을 많이 볼 수 있다는 말. [미운 마누라 죽젓광이에 이 죽인다] 미운 사람이 더욱 미운 짓만 한다는 말. [미운 벌레가 모로 긴다] 몹시 미운 사람은 그 하는 짓마저 자기 눈에 거슬린다는 말. [미운 사람에게는 쫓아가 인사한다] 제가 미워하는 사람일수록 잘해 주고 인심을 얻어 그의 감정을 상하지 않아야 후환이 없을 것이라는 말. [미운 아이 품에 품어라 : 미운 아이 떡 하나 더 주라] 미울수록 더 사랑하라는 말. [미운 아이 떡 하나 더 준다 : 미운 자식 밥 많이 먹인다] 속으로는 미워하면서 겉으로는 귀여워하는 체한다는 뜻. [미운 열 사위 없고 고운 외며느리 없다] 흔히, 사위는 귀히 여기고 아끼며, 며느리는 아무리 잘해도 아껴 주지 않는다 하여, 이르는 말. [미운 일곱 살] 어린 아이가 일곱 살쯤 되면 미운 짓을 많이 한다는 말. [미운 정 고운 정] 오래도록 가까이 지내어 깊이 든 정. [미운 중놈이 고깔을 모로 쓰고 이래도 밉소] ㉠'미운 벌레가 모로 긴다'와 같은 뜻. ㉡부족한 인물이 격에 맞지 아니하는 짓을 함을 말함. '어여쁘지 않은 며느리 삿갓 쓰고 으스름 달밤에 나선다'와 같은 뜻. [미운 털이 박혔나] 몹시 미워하여 못 살게 구는 것을 조롱하는 말. [미운 파리 치려다 고운 파리 상한다] 좋지 않은 사람을 치려다 도리어 그렇지 않은 사람이 그 누를 입게 된다는 말. [미운 풀이 죽으면 고운 풀도 죽는다] 좋지 않은 것을 제거해 버리려면, 적지 않은 희생도 따르게 된다는 말.

미우다 타 〈방〉 메우다¹(경기·경상).

미우라 고로: [三浦梧楼 : みうらごろう] 명 《사람》 일본의 군인. 육군 중장(中將). 공사(公使)로 서울에 부임하여 친로(親露) 정권을 타도하고 친일 정권을 수립코자 민비(閔妃) 시해를 지휘하여 을미 사변(乙未事變)을 일으킴. [1846-1926]

미-우인 【米友人】 명 《사람》 중국 송(宋)나라 때의 서화가(書畫家). 미불(米芾)의 아들. 벼슬은 병부 시랑(兵部侍郎)에 이름. 예서(隸書)에 능하였고, 그림은 아버지의 운산(雲山)식에다 새로운 기법을 더하여 가법(家法)을 완성시켰음. [1086-1165]

미욱-스럽다 형ㅂ불 미욱하게 보이다. ¶ 애에게서 가위를 잡아채는 폼이 어지간히 ~《黃順元 : 풍속》. >매욱스럽다. **미욱-스레** 부

미욱-하다 형여불 [중세 : 미혹(迷惑)ᄒᆞ다. 근대 : 미옥ᄒᆞ다] 어리석고 미련하다. ¶ 살무사 같은 쪽발이 놈들과 미욱한 돼지 같은 되놈들 사이에 벌어진 이 으르렁거림《姜龍俊 : 초망지비》. >매욱하다.

미운¹ 【微雲】 명 엷은 구름. 얼마 안 되는 구름.

미운² 【微運】 명 기박한 운명. 불행한 운수.

미운-증 【一症】 [一쯩] 명 병적으로 미워하는 버릇.

미움 명 밉게 여기는 마음. ¶ ~받다/~을 사지 않도록 해라.

미웁다 형 〈방〉 밉다(경기·충남·전라·제주).

미워시 [Miłosz, Czeslaw] 명 《사람》 리투아니아 출생의 폴란드 시인. 법학을 전공하고, 조국 폴란드가 소련에 점령된 뒤 반(反)나치스 시(詩)로 칭송을 받았으며, 1950년 파리로 망명, 다시 1960년에 미국으로 건너가 캘리포니아 대학에서 슬라브어와 폴란드 문학을 강의함. 1980년 낙원에서 쫓겨난 인간이 살고 있는 세계를, 탁월한 필치로 묘사한 업적으로 노벨 문학상을 수상함. 시집 《열어 붙은 시간(時間)의 시》·《시적 논설(詩的論說)》 등이 있음. 밀로시. [1911-]

미워-하다 타여불 밉게 여기다. 밉게 보다. ¶ 죄는 미워하되 사람은 미워하지 말라.

미원¹ 【薇院】 명 《역》 사간원(司諫院)의 별칭.

미원² 【獼猿】 명 《동》 미후(獼猴).

미:월¹ 【未月】 명 음력 6월의 별칭(別稱).

미월² 【眉月】 명 눈썹같이 생긴 초승달.

미월³ 【微月】 명 가늘게 빛나는 달. 초승달.

미월⁴ 【彌月】 명 한 달 동안이 걸림.

미:-위불가 【未爲不可】 명 옳지 아니하다고 할 것이 없음. ──-하다 형여불

미유기 명 《어》 [*Parasilurus microdorsalis*] 메기과에 속하는 민물고기. 몸길이는 38cm 내외로 메기와 비슷하나 더 가늘고 등지느러미가 아주 작으며 아래턱이 별로 돌출하지 아니함. 몸빛은 짙은 갈람색임. 하천의 상류와 호수에 사는데 전(全)하천에 분포하는 한국 특산어임.

미육¹ 【米肉】 명 쌀과 고기.

미육² 【美育】 명 《교》 미에 대한 감상(鑑賞)과 창작 능력을 기르며 미적 정서를 함양하고, 인품(人品)을 고상하고 순결하게 도야(陶冶)하기 위한 교육. 이에 관하여 미술·음악·작문(作文)·공작(工作) 등을 교과(教科)로 함. *미적 교육.

미음¹ 명 《언》 한글의 자음 'ㅁ'의 이름.

미음² 【米飮】 명 쌀이나 좁쌀을 물을 많이 붓고 푹 끓이어 체에 밭인 음식. 흔히, 병자·어린 아이들이 먹음. ㊌밈.

미음³ 【美音】 명 아름다운 음성. 미성(美聲).

미음⁴ 【微吟】 명 작은 소리로 읊음. ──-하다 타여불

미음⁵ 【微音】 명 희미한 소리. 약한 소리.

미음⁶ 【微陰】 명 ①날이 조금 흐릿함. 박담(薄曇). 미담(微曇). ②음력 5월의 별칭(別稱).

미음드레 명 〈방〉 《식》 민들레.

미음 완:보 【微吟緩步】 명 작은 소리로 읊으며 천천히 거닒. ──-하다 자여불

미음-천 【美音天】 명 《불교》 변재천(辯才天).

미의¹ 【美意】 [一/一이] 명 훌륭한 마음가짐. 아름다운 뜻.

미의² 【微意】 [一/一이] 명 변변하지 못한 작은 뜻. 남에게 물품을 의례적(儀禮的)으로 보낼 때에 흔히 쓰는 말. 미지(微志). 미충(微衷).

미-의식 【美意識】 명 《심》 미를 이해하는 감각과 경험. 미를 창작하거나 감상할 때의 의식.

미이다¹ 자 ↗미어지다.

미이다² 피동 미어뜨림을 당하다.

미이미-교 【美以美教】 명 [Methodist Episcopal Mission] 《기독교》 감리교(監理敎).

미익 【尾翼】 명 비행기의 안정(安定)을 유지하고 자세를 제어할 목적으로 동체(胴體)의 뒤에 장치한 수직(垂直) 및 수평(水平)의 날개. 꼬리날개.

미인¹ 【美人】 명 용모가 아름다운 여자. 미녀(美女). 미희(美姬). 아교(阿嬌). 여질(麗質).

미인² 【美人】 명 미국에 국적을 가진 사람. 미국 사람. 미국인(美國人).

미인-계 【美人計】 명 미인을 미끼로 하여 남을 꾀는 계략.

미인 대:회 【美人大會】 명 [beauty contest] 미인을 선발하는 대회.

미인-도 【美人圖】 명 미인화(美人畫).

미인 박명 【美人薄命】 명 미인은 흔히 불행하거나 병약하여 요절(夭折)하는 일이 많다는 말. 홍안(紅顔) 박명. *재자 다병(才子多病).

미인 별곡 【美人別曲】 명 《문》 조선 중기에 양사언(楊士彦)이 지은 것으로 추측되는 가사. 미인의 아름다운 모습을 노래한 것. 친필(親筆) 수고본(手稿本)으로 전해짐.

미인-제 【美人祭】 명 《공》 중국 명조(明朝) 때 선요(宣窯)에서 나던 제홍(祭紅)을 본떠서, 청조(淸朝) 때 낭요(郎窯)에서 만든 도자기.

미인-총 【美人塚】 명 《역》 중국 지린 성(吉林省) 지안 현(集安縣) 산청쯔(山城子) 귀갑총(龜甲塚) 동쪽에 있는 고구려의 벽화 고분. 현실(玄室) 벽면 윗부분에 두 여인의 그림이 남아 있음.

미인-화 【美人畫】 명 미인을 주제로 하여 그린 그림. 미인도(美人圖).

미:일¹ 【未日】 명 일진의 지지(地支)가 미(未)로 된 날.

미-일² 【美日】 명 미국과 일본. ¶ ~ 안보 조약.

미일³ 【彌日】 명 하루 종일 걸림.

미일 전:쟁 【美日戰爭】 명 태평양 전쟁(太平洋戰爭).

미잉 명 〈방〉 무명¹(경상).

미자 명 〈방〉 한과(漢果).

미자르 [Mizar] 명 《천》 큰곰자리에 있는 항성(恒星)의 이름. 북두 칠성의 자루의 선단으로부터 두 번째의 합성 광도(合成光度) 2등의 실시 연성(實視連星)으로 1650년 세계에서 최초로 발견된 것임. 공전 주기는 20.5일.

미자발 명 〈방〉 미주알(경상·전라·충청).

미작 【米作】 명 《농》 벼를 심고 가꾸고 거두는 일. 도작(稻作). 벼농사. ¶ ~ 지대. ──-하다 자여불

미작 환:지 【米作換地】 명 개간되어 있는 땅으로서 논을 만들 수 있는 땅.

미잘 명 〈방〉 미주알.

미장¹ 명 《한의》 똥이 굳어서 잘 안 나올 때, 검은 엿으로 대추씨처럼 만들어 똥구멍에 넣는 약.

미:장² 명 〈방〉 미닫이.

미장³ 【美匠】 명 의장(意匠).

미장⁴ 【美粧】 명 얼굴이나 머리를 아름답게 다듬어 화장(化粧)함. 미용(美容). ──-하다 타여불

미장⁵ 【美裝】 명 아름답게 꾸밈. ──-하다 타여불

미:-장가 【未一】 명 아직 장가를 들지 아니함. 미성취(未成娶).

미:장가-전 【未一前】 명 아직 장가를 들기 전.

미장-공 【一匠工】 명 미장이.

미장-부¹ 【尾長鳧】 명 《조》 고방오리.

미-장부² 【美丈夫】 명 미남자(美男子).

미장센 [프 mise en scène] 명 《연》 무대 위에서의 등장 인물의 배치·역할 및 무대 장치와 조명 등에 관한 총체적 플랜.

미장-원 【美粧院】 명 요금을 받고 미용술을 베풀어 용모·두발·외모(外貌) 등을 단정하게 화장해 주는 집. 미용원(美容院). 미용소(美容所). 미용실. 뷰티 살롱. 뷰티 팔러.

미-장이 【一匠一】 명 집을 짓거나 고칠 때 흙을 바르는 일을 직업으로 하는 사람. 미장공. 이공(泥工). 이장(泥匠). 토공(土工).
[미장이의 비비송곳 같다] 깊은 생각에 빠져 안타깝게 되풀이하여 고민함을 이르는 말.

미장-질 명 똥이 굳어서 누지 못할 때 똥구멍을 벌리고 파내거나 약을 넣는 짓. ──-하다 자여불

미장트로프 [프 misanthrope] 명 염세가(厭世家).

미장트로피슴 [프 misanthropisme] 명 인간이나 사회와의 접촉·교제를 싫어하는 버릇.

미장 특허 【美匠特許】 명 '의장 특허(意匠特許)'의 구칭(舊稱).

미장 합판 【美粧合板】 명 베니어판(板)의 표면을 플라스틱계(系)의 재료로 덮어, 색채·강도·내화성(耐火性)·내구성(耐久性) 등을 갖게 한 것. 프린트 합판·염화(塩化) 비닐 합판·폴리에스테르 합판·멜라민 합판 등이 있음.

미:재¹ 【未裁】 명 아직 재결(裁決)하지 아니함.

미:재² 【未載】 명 아직 게재(揭載)하지 아니함.

미재³ 【美材】 명 ①아름다운 재목. 양질(良質)의 재목. ②훌륭한 재능. 빼어난 능력.

미재⁴ 【微才】 명 약간의 재지(才智)라는 뜻으로, 자신의 재지에 대한 겸칭.

미-쟁이 명 ☞미장이.

미저-골 【尾骶骨】 명 《생》 미골(尾骨).

미저골-통 【尾骶骨痛】 명 《의》 꽁무니뼈의 부분에 생기는 아픈 증세. 여자에게 많음.

미적¹ 【美的】 [一쩍] 명관 사물의 아름다운 모양. ¶ ~ 관념(觀念).

미적² 【美績】 명 훌륭한 공적(功績).

미적³ 【微積】 명 《수》 ↗미적분(微積分).

미적 감:각 【美的感覺】 [一쩍一] 명 미적 대상(對象)에 반응하는 감각 기관의 기능. 시각·청각을 중심으로 하는 여러 가지 감각 작용에 감정·의지가 더하여져서 성립하며, 미의 판단의 기초를 이룸.

미적 감:정 【美的感情】 [一쩍一] 명 《심》 미적 대상(對象)에 대하여 일어나는 주관적(主觀的)인 감정. 미적 태도에 있어서 의식하는 감정. 가상 감정(假象感情).

미적 객관성 【美的客觀性】 [一쩍一썽] 명 《철》 이론적으로 반성하면 주관적 존재로 보이는 것도 예술에서는 형식과 내용이 똑같이 객관적으로 대립하고 있는 것처럼 보이는 성질. 미적 현실성(美的現實性).

미적-거리다 타 ①조금씩 앞으로 내밀다. ②↗미루적거리다. **미적-미적** 부. ──-하다 타여불

미적 관념【美的觀念】[—쩍—] 명 미에 관한 사고력.

미적 관념론【美的觀念論】[—쩍—논] 명〖철〗미적 유심론(美的唯心論).

미적 관찰【美的觀察】[—쩍—] 명 미적 태도(美的態度)로써 대상을 관찰하는 일.

미적 교:육【美的教育】[—쩍—] 명〖교〗미는 인격이나 품성(品性) 등을 순화(純化)시키고 고상하게 한다는 사고하(思考下)에 미로써 개인 및 민중 교육의 근본 원리를 삼는 교육. 예술 교육과 방법이 같음. *미육(美育).

미적 내:용【美的內容】[—쩍—] 명 예술 표현의 제재(題材)·심리적 내용·가치 내용 등의 총칭.

미적-대다 타 미적거리다.

미적 범:주【美的範疇】[—쩍—] 명〖철·심〗복잡한 미의식(美意識)의 성질적 차이를 몇 개의 종류로 나눈 구분. 제일 기본적인 것으로는 우미(優美)·숭고(崇高)를 말할 수 있고 비장(悲壯)·익살·추(醜) 등도 미적 범주 안에서 논함.

미적-분【微積分】명〖수〗미분(微分)과 적분(積分). 준미적(微積).

미적분-학【微積分學】명〖수〗↗미분 적분학(微分積分學).

미적 생활【美的生活】[—쩍—] 명〖철〗미(美)에서 얻는 쾌감이나 만족으로써 얻는 위안을, 인생의 가장 높은 이상으로 삼는 생활.

미적 유심론【美的唯心論】[—쩍—논] 명〖철〗미적 활동(活動)을 최고로 하는 셸링(Schelling) 중기(中期)의 철학을 평하여 일컫는 말. 미적 관념론(美的觀念論). *논리적 유심론.

미적 인상【美的印象】[—쩍—] 명 미적 대상(美的對象)에서 받는 인상.

미적지근-하다 형여불 ①조금 더운 기운이 있는 듯하다. ¶ 물이 ~. ②미온적이다. ¶ 미적지근한 태도. >매작지근하다. **미적지근-히** 부

미적 쾌감【美的快感】[—쩍—] 명〖심〗미적인 대상(對象)에 의하여 일어나는 쾌감.
「작(創作)할 때의 정신 상태.

미적 태:도【美的態度】[—쩍—] 명〖심〗미적 대상을 감상(鑑賞)하고 창

미적 판단【美的判斷】[—쩍—] 명〖철〗미에 대한 판단. 미적 대상이 성립하는 원리로써 판단하는 취미 판단(趣味判斷)과 미의식(美意識)에 참여하여 이것을 보조(補助)하는 이해 판단(理解判斷), 그리고 미적 감상 의식(鑑賞意識)의 발표로써 판단하는 가치 판단(價値判斷)의 세 가지가 있음.

미적 판단력【美的判斷力】[—쩍—녁] 명〖철〗칸트의 용어(用語). 합목적성(合目的性)이 쾌(快)·불쾌(不快)의 감정에 의하여 주관적으로 포착(捕捉)될 때의 반성적(反省的) 판단력. ↔목적론적 판단력(目的論的判斷力).

미적 현:실성【美的現實性】[—쩍—썽] 명〖철〗미적(美的) 객관성.

미적 형식 원리【美的形式原理】[—쩍—월—] 명〖철〗미적 대상에 있어서의 형식적 조건. 미적 대상이 가능한 한 다양하면서 전체로서 통일되어 있을 것을 요구하는 다양에 있어서의 통일 등, 미적 대상의 공간적·시간적 형식에 관하여 여러 가지 법칙이 설정됨. 형식 원리.

미:적 환경【美的環境】[—쩍—] 명 예술 제작(製作)에 관여하는 자연

미전[1]【米廛】명 싸전.
⌞적·사회적 조건의 총체(總體).

미전[2]【美田】명 비옥한 밭.

미전[3]【美展】명 ↗미술 전람회(美術展覽會).

미전-사【尾前詞】명〖악〗곡파무(曲破舞)에 부르는 석노교(惜奴嬌)의 첫째 장(章).

미전 산【—山】〔迷鎭〕명〖지〗중국 랴오닝 성(遼寧省) 선양(瀋陽) 남쪽에 있는 산. 평원에 홀로 우뚝 서 있고 산상(山上)에 하이윈 사(海雲寺)가 있음. 매년 음력 5월 16일부터 19일까지 묘회(廟會)가 열려 일대 성황을 이룸. 미진산(迷鎭山·迷眞山). 요갑산(瞭甲山). 요고산(瞭

미절[1] 명 국거리로 쓰는 쇠고기의 잡종.
⌞高山).

미절[2]【美節】명 좋은 시절(時節).

미절[3]【微節】명 자신의 절조(節操)의 겸칭.

미점[1]【米點】명〖미술〗동양화(東洋畫)에서 수목(樹木)이나 산수(山水)를 그릴 때 찍는 가로 점(點). 중국 송(宋)나라 때의 서화가(書畫家)인 미불(米芾) 부자(父子)의 창의(創意)에서 나왔음. *미법 산수(米法山水).
「다. ②장처(長處).

미점[2]【美點】[—쩜] 명 ①성품(性品)의 아름다운 점. ¶ 남의 ~을 배우

미:정[1]【未正】명〖민〗미시(未時)의 중간. 곧, 오후 두 시.

미:정[2]【未定】명 아직 결정을 하지 못함. ¶ 행선지는 ~입니다. **——-하**

미정[3]【美政】명 훌륭한 정치. 좋은 정치.
⌞다 타여불

미정[4]【微晶】명 화산암(火山岩)의 석기(石基)에 함유되어 있는 대단히 미세한 결정. 판상(板狀)·주상(柱狀) 등으로 이루어졌음.

미:정 계:수법【未定係數法】[—뻡] 명〖수〗정식(整式)의 성질을 이용하여 여러 가지 식의 미지(未知) 계수를 구하는 방법. 양변을 정리·전개하여 계수를 비교한 후 구하는 법과 미지수에 어떤 값을 대입하여 구하는 법 등이 있음.

미:정-고【未定稿】명 아직 완성되지 못한 원고(原稿). 미정초(未定草).

미:-정년【未丁年】명 미성년(未成年)❷.

미:정 매매【未定賣買】명〖경〗어떤 사실의 발생에 의하여 성립하는 정지 조건부(停止條件附)의 매매 방법. 또, 그 매매 계약.

미:-정비【未整備】명 아직 완전하게 정비를 못함.
「(未定稿).

미:정-초【未定草】명 아직 완전하게 이루지 못한 초고(草稿). 미정고

미:제[1]【未濟】명 ①처리하는 일이 아직 끝나지 아니함. ¶ ~ 사건. ↔기제(既濟). ②〖민〗↗미제괘(未濟卦).

미제[2]【美製】명 미국에서 만들어 낸 물품. 미국제(美國製).

미제[3]【謎題】명 잘 풀어 낼 수 없는 수수께끼 같은 문제.

미:제-괘【未濟卦】명〖민〗육십사 괘(卦)의 하나. 이괘(離卦)와 감괘(坎卦)가 거듭된 괘. 불 밑에 물이 있어서 물이 불을 이기지 못함을 상징함. 준미제(未濟).

미: 제너레이션〔me generation〕명〖사〗〈속〉자기 주장이 강하고, 자기 중심으로 생각하고 행동하는 현대의 젊은 층을 일컬음. 자기 주장(自己主張)의 세대.
「~.

미제라블〔프 misérable〕명 불행함. 무정함. 비참함. 또, 그런 사람. ¶ 레

미제스[1]〔Mises, Ludwig Edler von〕명〖사람〗오스트리아 태생의 미국의 경제학자. 1946년에 미국에 귀화. 뉴욕 대학 교수. 빈 학파에 속하며 화폐는 금가치의 대용임을 한계 효용 학설의 입장에서 해명하고, 은행의 자의적(恣意的)인 신용 창조가 경기 변동을 낳는다고 함. 또, 사회주의 경제는 가격이라고 하는 계산 기준이 없기 때문에 운영 불가능이라는 주장으로도 유명함. [1881-1973]

미제스[2]〔Mises, Richard von〕명〖사람〗오스트리아의 수학자·물리학자. 1920년 베를린 대학 교수. 1933년 나치스 정권 수립과 동시에 망명, 1939년 하버드 대학 교수. 응용 수학·확률론을 연구하고 경험적 확률론을 전개, 항공·유체(流體) 역학 및 기계 공학에도 업적을 남김. 인식론에서는 논리 실증주의의 입장에 섬. [1883-1953]
「(殘額).

미:제-액【未濟額】명 ①미납(未納)한 금액. ②빚을 다 갚지 못한 잔액

미:제-지【未堤池】명〖지〗전라 북도 군산시(群山市) 신풍동(新豐洞)에 있는 못. 남쪽 평야 지대에 관개 용수를 보급함.

미제트〔midget〕명 대단히 작은 제품. 꼬마. ¶ ~ 카메라.

미:제-품【未製品】명 아직 완전하게 만들지 못한 물품. 채취한 채 가공을 가하지 아니한 천연적 산물(產物).

미조[1]【美爪】명 손톱을 아름답게 다듬는 일. 매니큐어(manicure).

미조[2]【迷鳥】명 진로(進路)를 잘못 잡은 철새. 길잃은새.

미조-사【美爪師】명 남의 손톱을 아름답게 다듬어 주는 일을 업으로 삼는 사람.
「큐어(manicure).

미조-술【美爪術】명 미용술의 하나. 손톱을 곱게 다듬는 화장술. 매니

미조-원【美爪院】명 미조술(美爪術)을 베푸는 미장원의 하나.

미-조정【微調整】명 텔레비전에서, 채널을 맞춘 후, 화상(畫像)을 가장 보기 좋게 조정하는 일. 전(轉)하여, 조금 조정함. **——-하다** 타여불

미:-조직【未組織】명 아직 조직되어 있지 아니함. 아직 조직하지 못함. **——-하다** 타여불

미:조직 근로자【未組織勤勞者】[—글—] 명〖사〗노동 조합에 가입하고 있지 아니한 근로자. ↔조직 근로자.

미:조직 노동자【未組織勞動者】명〖사〗미조직 근로자. ↔조직 노동자.

미조쫍거니 타〈옛〉뒤미쳐 좇잡거니. '미좇다'의 활용형. ¶ 다 모다 길잡습거니 미조쫍거니 ᄒᆞ야《月釋 XXI:203》.

미조차 타〈옛〉뒤쫓아. '미좇다'의 활용형. ¶ 로조롤 라귀 모라 미조차가라 ᄒᆞ야ᄃᆞᆫ(命操策驢隨之)《三綱 盧操》.

미:족【未足】명 아직 넉넉지 못함. **——-하다** 형여불

미좇다 타〈옛〉뒤미쳐 좇다. ¶ 비록 이 願不思義를 셰여도 닐그며 미조차니저《月釋 XXI:174》.

미:좌【未坐】명 자리나 집터 같은 것의 미방(未方)을 등진 좌(坐). 곧, 서남(西南)을 뒤로 하고 동북(東北)을 바라보는 방위임.

미:좌 축향【未坐丑向】명 미방을 등지고 축방으로 향한 좌향(坐向).

미죄【微罪】명 사소한 죄. 대단하지 아니한 죄.

미죄 불기소【微罪不起訴】명〖법〗범죄가 경미(輕微)하기 때문에 공소(公訴)를 제기하지 아니하는 일.

미주[1] 명〈방〉메주(충남·전라·경상).

미주[2]【米酒】명 ①쌀로 담근 술. ②대만산(臺灣產)의 알코올 음료의 하나. 찐쌀에 누룩을 넣어 띄운 후 증류시킴. 주정은 20-25%가 포함됨.

미주[3]【美洲】명〖지〗'아메리카 주(America 洲)'의 음역.

미주[4]【美酒】명 맛이 좋은 술. ¶ ~ 가효(佳肴).

미주[5]【美珠】명 아름다운 구슬.

미주[6]【眉州】명〖지〗중국 후위(後魏) 때에, 쓰촨 성(四川省)의 청두(成都) 남쪽, 메이산 현(眉山縣)을 중심으로 설치된 주명(州名). 어메이산(峨眉山)에 연유하여 이 이름이 붙여짐.
「자여불

미주【迷走】명 본래의 정해진 통로 이외의 길로 달리는 일. **——-하다**

미주 개발 은행【美洲開發銀行】명〔Inter-American Development Bank〕〖경〗미주 기구 내의 경제 개발을 촉진하기 위한 융자 기관. 1959년 미주 기구의 후원으로 미국 및 중남미의 21개국에 의해 조인, 1960년 쿠바를 제외한 각국의 비준(批准)을 마쳐 발족됨. 아이 에이 디 비(IADB). 아이 디 비(IDB).

미주 기구【美洲機構】명〔Organization of American States; OAS〕〖정〗1948년 4월에 콜롬비아(Colombia)의 수도 보고타(Bogota)에서 개최된 제9회 미주 회의(美洲會議)에서 조인(調印)된 미주 기구 헌장(美洲機構憲章)에 의거한 남북미 대륙 제국의 협력 조직(協力組織). 그 최고 기관(最高機關)은 미주 회의임. 가맹국은 1991년 현재 31개국임. 아메리카 주 기구. 전미 연합. 오 에이 에스(OAS). *보고타 회의.

미주리 강【—江】〔Missouri〕명〖지〗미국 미시시피 강 최대의 지류. 몬태나 주 남서부의 로키 산맥에서 발원(發源)하여 세인트루이스(Saint Louis)에서 미시시피 강과 합류함. 홍수 피해가 많아 1940년 이후 유역의 종합 개발이 추진되어 수력 발전과 관개 사업이 행해짐. [3,940 km]

미주리-고주리 부〈방〉미주알고주알.

미주리 주【—州】〔Missouri〕명〖지〗미국 중서부(中西部)의 주(州). 중앙부를 미주리 강이 횡단함. 다우지(多雨地)이고 대륙성 기후임. 면화의 산출이 많고 납·석회석·석탄·철 등도 산출함. 농산 가공·농업 기계·피혁 등의 공업 외에 자동차·항공기 등의 공업도 성하며, 공업 의존도가 높아지고 있음. 주도는 제퍼슨(Jefferson). [178,568 km^2 : 5,117,073 명(1990)]

미주리-호【一號】〔Missouri〕 명 〖군〗 미국 전함의 이름. 1944년에 뉴욕 해군 공창에서 건조함. 길이 271 m, 최대 폭 33 m, 시속 33노트, 승무원수 2,700명, 기준 배수량 4만 5천톤 급(級), 1945년 9월 2일 도쿄 만(東京灣)에 정박한 이 배의 함상에서 태평양 전쟁의 항복 조인식이 거행된 것으로 유명함.

미주 신경【迷走神經】 명 〖생〗 연수(延髓)에서 나오는 열 번째의 뇌신경(腦神經). 후두(喉頭)의 여러 근육의 운동, 인두(咽頭)와 후두의 지각(知覺) 및 기관지·식도·심장·위·장·간장(肝臟)·췌장(膵臟)·비장(脾臟)·신장(腎臟) 들의 운동과 분비(分泌)를 맡음.

미주 신경 긴장 항:진【迷走神經緊張亢進】 명 〔도 Vagotonie〕 〖의〗 자율 신경계의 평형(平衡)이 상실되어 부교감(副交感) 신경계의 흥분으로 치우친 상태. 땀이 잘 나고 수족(手足)이 차가워지며, 동공(瞳孔)이 축소(縮小)하고 눈물·콧물이 많아지며, 소화 기관에서는 연동(蠕動) 항진·분비(分泌) 증가가 일어남. 순환기에서는 부정맥(不整脈) 경향이 있고, 호흡기에서는 호흡이 원활하지 아니하게 됨.

미주 신경 마비【迷走神經痲痺】 명 〖의〗 미주 신경이 마비되어 목소리가 쉬어지는 뇌신경 마비의 하나. *부신경(副神經) 마비·설인 신경 마비(舌咽神經痲痺).

미주알 명 똥구멍을 이루는 창자의 끝 부분.

미주알-고주알 부 이것저것 모두 속속들이 캐어묻는 모양. ¶ ~ 캐다. [미주알고주알 밑두리콧두리 캔다] 속속들이 자세히 조사한다는 말.

미주 전:식【迷走電蝕】 명 〔stray current corrosion〕 땅 속의 미주 전류(迷走電流)에 의해서 일어나는 금속의 부식(腐蝕).

미주 회:의【美洲會議】[一/一이] 명 〖정〗 미주 기구(美洲機構)의 최고 기관(最高機關).

미죽【糜粥】 명 미음과 죽 같은 것.

미:준【未竣】 명 맡은 공사(工事)를 다 끝내지 못함. ——-하다 타 여불

미-중【美中】 명 미국과 중국.

미즈 〔Ms., Ms〕 명 여성의 성(姓) 앞에 붙이는 경칭. 미혼·기혼을 가리지 아니함. ¶ ~ 스탠리. ↔미스터(Mr.).

미즙【米汁】 명 쌀뜨물.

미증【微增】 명 조금 불어남. 미미하게 늚. ——-하다 자 여불

미:-증유【未曾有】 명 지금까지 아직 한 번도 있어 본 일이 없음. 파천황(破天荒). ¶ ~의 세계 대전. ——-하다 형 여불

미지[1] 명 〈방〉 메주(경남).

미:-지[2]【一紙】 명 밀을 올린 종이. 납지(蠟紙). 밀종이.

미:지[3]【未知】 명 아직 모름. 알지 못함. ¶ ~의 세계. ↔기지(既知). ——-하다 타 여불

미지[4]【美紙】 명 미국의 신문.

미지[5]【微旨】 명 깊고 미묘한 취지.

미지[6]【微志】 명 변변하지 못한 작은 뜻. 미의(微意).

미지근-하다 형 여불 ①차지도 아니하고 뜨겁지도 아니하고 조금 더운 기가 있는 듯하다. ¶ 성격이 ~. ②미온적이다. ¶ 처사가 ~. 1)·2):>매지근하다. 미지근-히 부 [미지근해도 홍정은 잘 한다] 누구나 다 한 가지 재주는 있다는 말.

미:-지급【未支給】 명 아직 지급하지 아니함. ——-하다 타 여불

미:지급-금【未支給金】 명 〖경〗 부기(簿記)에서, 기업 본래의 거래 이외의 거래에서 발생하는 일시적인 채무 중, 아직 지급이 끝나지 아니한 채무. 구용어: 미불금(未拂金). ↔미수금(未收金).

미:지급금 계:정【未支給金計定】 명 〖경〗 부기(簿記)에서, 이미 채무가 확정되어 있고 아직 지급이 끝나지 아니하거나 또는 이미 제공된 용역(用役)에 대해, 아직 그 대가의 지급이 끝나지 않은 것을 처리하는 계정. 구용어: 미불금 계정(未拂計定).

미:지급 비:용【未支給費用】 명 〖경〗 회계(會計) 용어. 일정한 계약에 따라 계속적으로 용역(用役)의 제공을 받고, 어느 기간 중에 아직 대가를 지출하지 않았을 때, 이미 제공된 용역에 대응하는 금액. 구용어: 미불 비용.

미지다 타 〈옛〉 밀치다. ¶ 미질 애(挨) 《字會 下 24》.

미지-무【美知舞】 명 〖춤〗 신라 신문왕 9년(689) 임금이 베푼 잔치에 추던 춤의 하나. 감(監) 4인, 금척(琴尺) 1인, 무척(舞尺) 2인으로 구성됨. '미지악(美知樂)'과 같은 흐름의 무악(舞樂)일 것으로 추측됨.

미:-지불【未支拂】 명 '미지급'의 구용어.

미:지-수【未知數】 명 ①예상이 닿지 아니하는 앞일의 셈속. 그의 진가(眞價)와 경중(輕重)을 아직 모르는 일. ¶ 그의 수완은 아직 ~이다. ②〖수〗 방정식에서 아직 알려져 있지 아니한 수. ↔기지수(既知數).

미:지 숙시【未知孰是】 명 누가 옳은지 모름.

미지-악【美知樂】 명 〖악〗 신라 시대의 지방 음악의 하나. 법흥왕(法興王) 때 지은 것인데, 지금의 경북 의성(義城) 지방 사람들이 즐겼던 것으로 추측되며, 작자와 내용은 전하지 아니함.

미:지-지【未只池】 명 〖지〗 경상 북도 의성군(義城郡) 단북면(丹北面)에 있는 못.

미:지-칭【未知稱】 명 모르는 사람 또는 사물을 가리키는 대명사. 곧, 누구·무엇·어느 것·어디 따위.

미-지형【微地形】 명 〖지〗 아주 작은 기복(起伏)이 있는 지형.

미:진[1]【未盡】 명 아직 다하지 못함. ¶ ~한 꿈. ——-하다 형 여불

미진[2]【美疢】 명 보기에 아름답지만 독(毒)이 되는 것. 전하여, 나무랄 것을 나무라지 아니하고 오히려 호의를 베풀어 주는 것은 오히려 그 사람에게 재해(災害)가 됨의 비유.

미진[3]【迷津】 명 〖불교〗 오계(悟界)의 피안(彼岸)에 대(對)하여 말하는 미계(迷界).

미진[4]【微塵】 명 ①아주 작은 티끌이나 먼지. ②아주 작고 변변하지 못한 물건.

미진[5]【微震】 명 〔slight〕 〖지〗 흔들리는 정도가 아주 약한 지진(地震). 진도(震度)는 1. *강진(強震).

미진-계【微震計】 명 〖물〗 미동계(微動計).

미진-산【迷鎭山】 명 〖지〗 미전 산.

미진-설【微塵說】 명 〖물〗 뉴턴이 제창한 빛의 기인설(起因說). 곧, 빛은 광소(光素)라고 부르는 작은 입자(粒子)가 물체에서 튀어나와 눈으로 들어가기 때문에 생긴다는 설. 지금은 파동설(波動說)로 말미암아 부정되고 있음.

미진 자항【迷津慈航】 명 〖불교〗 미경(迷境)에서 피안(彼岸)에 건네주는 자비(慈悲)의 배. 불법(佛法)이나 부처의 자비를 말함.

미:진-처【未盡處】 명 아직 끝내지 못하고 남아 있는 부분.

미질[1]【美質】 명 아름다운 성질. 아름다운 본바탕.

미질[2]【微疾】 명 가벼운 질환.

미집【迷執】 명 〖불교〗 미혹된 마음으로 사물에 집착함을 이르는 말.

미차가【彌遮迦】 명 〖사람〗 선종(禪宗)에서, 불타의 법을 이어 온 인도의 스물 여덟 조사(祖師) 가운데 여섯째 조사의 이름. 제다가 존자(提多迦尊者)의 전법(傳法)을 받은 존자. 중인도(中印度) 사람으로 제다가에게 참된 법을 배우고, 제자들과 다 같이 붉은 가사로 몸을 둘렀음. 바수밀(婆須密)에게 전발(傳鉢)함.

미차 압력계【微差壓力計】[一넉一] 명 〖물〗 미소한 압력의 차 또는 그 시간적 변화를 측정하는 장치.

미:착【未着】 명 아직 도착하지 아니함. ——-하다 자 여불

미:-착수【未着手】 명 아직 착수하지 아니함. ——-하다 타 여불

미:착-품【未着品】 명 아직 도착하지 아니한 물품.

미찬-도【美贊島】 명 〖지〗 전라 남도의 서해상(西海上), 신안군(新安郡) 도초면(都草面) 이곡리(二谷里)에 위치한 섬. [0.02 km^2: 6명(1985)]

미채[1]【迷彩】 명 〖군〗 건물·배·전차(戰車)·비행기·화포(火砲) 같은 데에 불규칙한 채색으로 베푸는 위장(僞裝). 카무플라주. *위장(僞裝).

미채[2]【薇菜】 명 고비 나물❷.

미처 부 아직. 채. ¶ 예전엔 ~ 몰랐다. *못미처.

미처너 〔Michener, James Albert〕 명 〖사람〗 미국의 작가. 제2차 대전 때의 체험을 바탕으로 한 《남(南)태평양 이야기》, 한국 동란을 배경으로 한 《도곡리(道谷里)의 다리》·《사요나라(さよなら)》로 대중적 인기를 얻음. [1907-]

미:-처리【未處理】 명 아직 처리하지 아니함. ——-하다 타 여불

미처리히 〔Mitscherlich, Eilhardt〕 명 〖사람〗 독일의 화학자. 1822년 베를린 대학 교수. 결정(結晶)을 연구, 1819년 동형률(同形律)을 발견함. 검당계(檢糖計)를 고안하고 인공 광물(人工鑛物)도 연구함. 저서(著書)에 《화학 교본(化學教本)》이 있음. [1794-1863]

미:처분 이:익 잉:여금【未處分利益剩餘金】 명 〖경〗 부기(簿記)에서, 특정 목적이 부여되어 있지 아니한 잉여금. 당기(當期) 순이익과 이월(移越) 이익 잉여금, 기말 잔고(期末殘高)로 이루어짐.

미척-장【糜脊章】 명 〖책〗 용비 어천가 제88장(章)의 이름.

미천[1]【微賤】 명 신분이나 지위가 낮음. 미약(微弱)하고 비천(卑賤)함. 세미(細微). 천미(賤微). ¶ ~한 신분으로 출세하다. ——-하다 형 여불

미천[2] 자 〈옛〉 미쳐서는. 이르러서는. '및다'의 활용형. ¶ 도라오매 미천 머리 다 셰도다(及歸盡華髮) 《杜諺 Ⅰ:5》.

미천-굴【美千窟】 명 제주도 남(南)제주군 성산읍(城山邑) 삼달리(三達里)에 있는 용암 동굴. 길이 1,695 m.

미천-왕【美川王】 명 〖사람〗 고구려의 15대 왕. 휘는 을불(乙弗). 3년(302)에 현도군(玄菟郡)을 쳐서 8천 명을 사로잡았고, 12년(311)에는 요동(遼東) 서안평(西安平)을 공략하였으며, 14년(313)에 낙랑군(樂浪郡)을 완전히 점령하였음. 호양왕(好讓王). [재위 300-330]

미:첨【媚諂】 명 아첨(阿諂). ——-하다 자 여불

미첩[1]【美妾】 명 아름다운 첩. ¶ ~의 간계(奸計)에 놀아나다.

미첩[2]【眉睫】 명 눈썹과 눈. 미목(眉目).

미첼[1] 〔Mitchell, Margaret〕 명 〖사람〗 미국의 여류 소설가. 남북 전쟁에서 취재한 《바람과 함께 사라지다》로 크게 인기(人氣)를 모아, 퓰리처상(Pulitzer賞)을 탐. [1900-49]

미첼[2] 〔Mitchel, Peter Dennis〕 명 〖사람〗 영국의 생화학자. 생체의 에너지원(源)인 에이 티 피(ATP) 생성(生成) 구조를 연구함. 1978년 생체막(生體膜)에서의 에너지 변환의 연구로 노벨 화학상을 받았음. [1920-]

미첼 산【一山】〔Mitchell〕 명 〖지〗 미국의 동부 노스캐롤라이나 주(North Carolina州)에 있는 애팔래치아 산계(Appalachia山系)의 블랙 산맥(Black 山脈) 중의 산. 로키 산맥 이동(以東)에서는 최고의 산임. [2,037 m]

미-초[1]【一炒】 명 〈방〉 해삼초.

미:-초[2]【未初】 명 〖민〗 미시(未時)의 처음. 곧, 오후 한 시.

미초[3]【美草】 명 〖식〗 메[3]❶.

미초[4]【薇草】 명 〖식〗 백미꽃.

미추[1]【尾椎】 명 〖생〗 꼬리 부분에 있는 등골뼈. 미추골(尾椎骨). *미골(尾骨).

미추[2]【美醜】 명 아름다움과 추함. 미악(美惡). 연치(姸蚩).

미추-골【尾椎骨】 명 〖생〗 미추(尾椎).

미추름-하다 형 여불 한창 때에 건강해서, 기름기가 돌고 이들이들하여 아름다운 태가 있다. >매초롬하다. 미추름-히 부

미추리 명 〈방〉 〖조〗 메추라기(경북).

미추린 농법【一農法】〔Michurin〕[一뻡] 명 〔소련의 원예가·유전학자인 미추린(Michurin, Ivan V.; 1855-1935)의 이름에서〕 〖농〗 미추린이 많은 작품에 대하여 실험하고, 리셍코가 이름을 붙인 야로비 농법(yarovi 農法)의 딴이름.

미추-왕【味鄒王】 명 〖사람〗 신라 제13대 왕. 김씨 왕실의 시조로 농사를 장려하고 변방에서 백제와 자주 겨루었음. [재위 262-284]

미추홀【彌鄒忽】 명 〖지〗 고구려 시조 주몽(朱蒙)이 유리(琉璃)를 태자로 삼자, 형 비류(沸流)가 차지한 땅. 지금의 인천(仁川) 일대. 얼마 후 위례성(慰禮城)에 합치어졌음.

미충[1]【微忠】 명 변변하지 못한 충성. 자기의 충성의 겸칭(謙稱).

미충[2]【微衷】[명] 심중(心中)에만 깊이 있고 겉으로는 변변하지 못하게 나타나는 속 뜻. 물품을 남에게 선사하면서 쓰는 말. 미의(微意). ¶ ~이나마 받아 주십시오.

미:취[1]【未娶】[명] ↗미성취(未成娶). ↔기취(旣娶). ——-하다 [자][여불]

미:취[2]【微醉】[명] 술이 약간 취함. 미훈(微醺). ——-하다 [자][여불]

미:-취학【未就學】[명] 아직 학교에 들어가지 못함. ——-하다 [자][여불]

미:취학 아:동【未就學兒童】[명] 아직 국민 학교에 들어가지 아니한 어린이.

미춤 [자] 〈옛〉 미침. '미치다[1]'의 명사형. ¶ ᄯᅴ롤 ᄯᅴ요니 미츄미 나 마장 우르고져 시브니(東帶發狂欲大叫)≪杜諺 X:28≫.

미츠다 [자] 〈옛〉 미치다[2]. =및다. ¶ 艱虞툴 마고매 예셔어늬 미츠리오(防虞此何及)≪杜諺 I:22≫/미츨 딘(趁)≪類合 下 43≫.

미츠키에비치〔Mickiewicz, Adam〕[명]〖사람〗폴란드 최대의 국민 시인. 독립 운동에 관여하여 망명. 크림 전쟁 때 의용군을 편성, 러시아와 싸우려 하였으나 콘스탄티노플에서 콜레라로 숨짐. 조국의 멸망을 추상하는 ≪조상의 황혼≫ 및 ≪폴란드 인민과 그 순례의 책≫은 국민 문학 중의 보전(寶典)으로 받들림. [1798-1855]

미치-광이 [명] ①미친 사람. ②언어 행동이 미친 것 같은 사람. >매치광이.

[미치광이 풋나물 캐듯] 일을 아주 소홀(疏忽)히 함을 이르는 말.

미치광이-풀 [명]〖식〗①[*Scopolia parviflora*] 가짓과에 속하는 다년초. 땅속줄기는 마디가 있고, 줄기는 높이 30 cm 내외이며, 잎은 쌍생(雙生)하는데 거꿀달걀꼴의 넓은 타원형 또는 타원형임. 4-5월에 흑자색 꽃이 액출(腋出)하여 피고, 삭과(蒴果)는 구형(球形)임. 깊은 산의 숲 밑에 나는데, 경기·강원·평남·함남에 분포함. 유독(有毒)하여 잘못 먹으면 미치광이가 된다고 함. 뿌리 및 잎은 약재로 씀. 낭탕(莨菪). ②개별꽃.

〈미치광이풀❶〉

미치나〔Myitkyina〕[명]〖지〗미얀마 북방의 도시. 이라와디 강(Irrawaddy 江)의 상류에 있으며 중국과의 교통 상의 요지(要地)이고 목재를 집산(集散)함. [18,000 명(1981 추계)]

미치다[1] [자] 〔중세 : 미치다〕 ①신경 계통이 탈이 나서 언어·행동이 이상해지다. ¶ 상사병으로 ~/근심 걱정에 싸여 미칠 것 같다. ②몹시 흥분하여 정신이 보통 때와 다르게 날뛰다. ¶ 저 사람 미쳐도 단단히 미쳤군. 1)·2) : >매치다. ③어떤 일에 지나칠 만큼 골몰하다. ¶ 노름에 세월 가는 줄도 모르게 ~.

[미친 중놈 집 헐기다] 성질이 거칠고 하는 짓이 착란(錯亂)함을 이르는 말. [미친 체하고 떡판에 엎드러진다] 사리(事理)를 잘 알고 있으면서도 짐짓 모르는 체하고 음흉하게 욕심을 부린다는 말.

미치다[2] [一][자] ①어떤 일정한 곳에 가 닿다. ¶ 키가 작아서 손이 책장 위까지 못 ~. ②수량·역량 등이 일정한 곳에 다다르다. ¶ 생산량이 예년 수준에도 미치지 못하다. ③말의 내용이나 생각이 어떤 사실에 이르다. ¶ 이야기가 그 점에까지 ~. ④힘·영향 등이 다른 대상에 끼치게 되다. ¶ 해가 몸에 ~. 1)·4) : [준]및다. [二][타] 끼치다. ¶ 영향을 ~.

미친-개 [명] ①미쳐서 헤매는 개. 광견. ②〈비〉 하는 짓이 못된 사람.

[미친개가 천연한 체한다] 온전하지 못한 자가 온전한 체한다는 말. [미친개가 호랑이 잡는다] 사람이 아무 것도 돌아보지 않고 정신없이 날뛰면 어떤 무서운 짓을 할지도 모른다는 뜻. [미친개 고기 나눠 먹듯] 소유자가 분명치 않은 물건을 여럿이서 되는 대로 나누어 가지거나 먹거나 할 때 이르는 말. [미친개 눈에는 몽둥이만 보인다] 한 가지 강박(強迫) 관념에 사로잡히면 모두 그 물건같이 보인다는 말. [미친개 다리 틀리듯] 무슨 일이 하는 족족 틀어짐을 비유하는 말. [미친개 범 물어 간 것 같다] 성가시게 굴던 것이 없어져서 시원하다는 뜻. [미친개 친 몽둥이 삼 년 우린다] 별로 신통하지도 않은 것을 두고두고 되풀이한다는 말. [미친개 풀 먹듯] 먹기도 싫은 것을 공연히 이것저것 집어 먹어 봄을 비웃는 말.

미친갯-병【一病】[명]〖의〗광견병(狂犬病).

미친-것 [명] 〈속〉 미치광이. >매친것.

미친-년 [명] ①정신에 이상이 생긴 여자를 욕되게 부르는 말. ②언행(言行)이 실없은 여자를 욕되게 부르는 말.

[미친년 널 뛰듯] 멋도 모르고 미친 듯이 함을 이르는 말. [미친년 달래 캐듯] 일을 거칠게 함을 비유하는 말. [미친년의 속곳 가랭이 빠지듯] 옷 매무시가 단정하지 못하고, 불결함을 비유하는 말. [미친년이 아이를 씻어서 죽인다] 쓸데없는 일을 여러 번 함을 비유하는 말.

미친-놈 [명] ①정신 이상이 생긴 남자를 욕되게 부르는 말. ②언행이 실없는 남자를 욕되게 부르는 말.

미친-병【一病】[명] 미친 증세가 일어나는 병.

미친-증【一症】〔一쯩〕[명] 미친병의 증세(症勢). 광증(狂症).

미칠이-부【一隶部】[명] 한자 부수(部首)의 하나. '隸'나 '隷' 등에서 '隶'의 이름.

미침【微忱】[명] 미성(微誠).

미칭【美稱】[명] ①아름다운 칭찬. ②아름답게 일컫는 이름.

미ᄎ다 [자] 〈옛〉 미치다[2]. =및다. ¶ 미출 급(及)≪石千 7≫.

미카도-개미벌 〔mikado〕 [명]〖충〗[*Mutilla europaea mikado*] 개미벌과에 속하는 곤충. 암컷은 몸길이가 14 mm 내외인데 두부·복부·다리 따위는 흑색이며, 흉부는 대부분이 흑적색을 띰. 온 몸에 잔 점각(點刻)이 있으며, 복부의 제1절 후연과 제2-3절 후연 양측의 갈색을 띤 백색(白色)의 장모(長毛)는 대상(帶狀)의 반문을 이룸. 수컷은 날개가 있는데 암컷은 없음. 개미와 비슷한데 산란관으로 쏘며, 유충은 다른 벌에 기생함. 한국·일본·중국에 분포함.

〈미카도개미벌〉

미커리 [명] 〈방〉 미투리.

미케네〔Mycenae〕[명]〖지〗그리스 남부, 펠로폰네소스 반도(Peloponnesos 半島)에 있는 고도(古都). 크레타(Kreta) 문명이 쇠미한 뒤에 에게 문명(Aegae 文明)을 받아들이어 일어났던 고대 문명의 발상지임.

미케네 문명【一文明】〔Mycenae〕[명] 그리스 본토에 발달한 문명. 에게 문명 후기의 중심으로서 크레타 문명의 강한 영향을 받아 펠로폰네소스 반도의 미케네를 중심으로 이루어졌음. 그리스 문명의 선구가 된 이 문명은 오랜 동안 잊혀졌으나, 19세기 말엽 슐리만(Schliemann, H.)의 발굴에 의하여 트로이(Troy) 문명과 함께 재발견되었음.

미켈란젤로〔Michelangelo, Buonarroti〕[명]〖사람〗이탈리아 르네상스기 최대의 조각가·건축가·화가. 작품으로 ≪마돈나≫·≪모세(Moses)≫·≪다윗≫·≪노예≫ 등의 대리석상(大理石像)이 있으며, 또 시스티나(Sistina) 성당의 벽화 ≪최후의 심판≫은 기독교 미술의 최고봉이라 일컬어짐. 만년에는 건축 설계와 시작(詩作)을 즐겼으며, 로마의 베드로 성당(聖堂)은 그의 걸작임. [1475-1564]

미켈란젤리〔Michelangeli, Arturo Benedetti〕[명]〖사람〗이탈리아의 피아니스트. 1939 년 제네바 국제 피아노 콩쿠르에서 우승, 거장으로서 연주 활동을 계속함. 내키지 않으면 연주회를 취소하는 일로도 유명함. [1920-]

미켈로초 디 바르톨롬메오〔Michelozzo di Bartolommeo〕[명]〖사람〗이탈리아의 조각가·건축가. 1435년 이래로 메디치가(Medici 家)의 어용 건축가로 활약함. 브루넬레스키(Brunelleschi)와 더불어 초기 르네상스의 건축계를 대표함. 대표작인 ≪팔라초 메디치 리카르디(Palazzo Medici Riccardi)≫는 팔라초 건축의 전형으로서 성기(盛期) 르네상스 건축에 큰 영향을 끼침. [1396-1472]

미코노스 섬 〔Mykonos〕[명]〖지〗그리스 남부, 키클라데스(Cyclades) 군도 중의 한 섬. 산이 많아 포도·올리브 등을 산출하며, 어업이 성함. 주도(主都)인 미코노스에는 고고학 박물관이 있음. [90 km²]

미코얀〔Mikoyan〕[명]〖사람〗①〔Anastas Ivanovich M.〕소련의 정치가. 경제·무역 문제의 전문가로, 무역상(貿易相)을 거쳐, 1949년 부수상(副首相), 1964-65년에는 국가 원수(國家元首)인 최고 회의 간부회의 의장을 지냄. [1895-1978] ②〔Artëm Ivanovich M.〕소련의 항공기 설계사. ❶의 아우. 1936년 공군 대학을 나와서 1939년부터 전투기의 개발 주임이 되어 미그(MIG)를 설계, 세계적 명성을 얻음. [1905-70]

미코톡신 〔mycotoxin〕[명] 곰팡이독(毒).

미코-플라스마〔mycoplasma〕[명]〖의〗바이러스와 세균의 중간적 성질을 가진 미생물. 호흡기병을 일으킴.

미코플라스마 폐:렴【一肺炎】〔mycoplasma〕[명]〖의〗미코플라스마의 감염에 의하여 생기는 폐렴. 인후 통증·발열·심한 기침 등의 증상을 나타내며, 보통 중증(重症)으로 악화되지 않고 2 주일 정도 지나면 치유됨. 페니실린이 듣지 않는 것이 특징임.

미:쾌【未快】[명] 병이 아직 낫지 아니함. ——-하다 [형][여불]

미쿠리 [명] 〈방〉 미투리.

미쿨리치 증후군【一症候群】〔Mikulicz〕[명]〖의〗1888년 폴란드의 의사 미쿨리치(Mikulicz-Radecki, J. von; 1850-1905)가 처음 발견한 증후군. 누선(淚腺)·타액선의 대칭적인 종창을 특징으로 하며, 전신성 또는 한국성(限局性)의 림프샘 종창이 있는 질환 등에서 볼 수 있음.

미크로- 〔프 micro-〕[두] 마이크로-. ↔마크로-.

미크로 경제학【一經濟學】〔micro〕[명]〖경〗마이크로 경제학. ↔마크로 경제학.

미크로-그람 〔프 microgramme〕[의명] 마이크로그램.

미크로네시아〔Micronasia〕[명]〖지〗〔매우 작은 섬들의 뜻〕태평양 제도 중 서(西)태평양의 동경 180 도 이서(以西), 대략 적도 이북의 구역에 있는 섬들의 총칭. 멜라네시아(Melanesia)의 북쪽에 위치하며, 마리아나(Mariana)·캐롤라인(Caroline)·마셜(Marshall)·길버트(Gilbert) 제도 등을 포함함. 19 세기 후반에 독일 영토, 제 1 차 세계 대전 후는 일본의 위임 통치령, 제 2 차 세계 대전 후는 미국의 신탁 통치를 거쳐, 마리아나 제도는 북마리아나 제도로서 미국의 자치 연방으로, 1979 년 캐롤라인 제도 중 야프(Yap)·포나페(Ponape)·트루크(Truk) 등은 미크로네시아 연방을, 1981 년 팔라우(Palau) 제도는 벨라우(Belau) 공화국을, 1986 년 마셜 제도는 마셜 제도 공화국을 각각 결성함.

미크로네시아 연방【一聯邦】〔Micronesia〕[명]〖지〗태평양의 미크로네시아 지역에 있는 독립국. 미국 신탁 통치령이었으나 1979 년 5 월 야프(Yap)·포나페(Ponape)·트루크(Truk)·코스라이(Kosrae)의 4 개 섬이 연방 결성, 1982 년 미국과 자유 연합 협정을 체결하고 1986 년 독립을 선포함. 수도는 팔리키르(Palikir). [698 km² : 107,662 명(1991)]

미크로네시아-족【一族】〔Micronesia〕[명]〖인류〗미크로네시아 원주민의 총칭. 혼혈 인종으로 멜라네시아인·폴리네시아인·말레이인 등의 인종 요소가 혼합하여 있음. 중키에 눈은 검고, 검은 고수머리.

미크로-미크롱 〔프 micromicron〕[의명] 마이크로미크론.

미크로-적【一的】〔프 micro〕[명][관] 마이크로스코픽(microscopic).

미크로-코스모스〔도 Mikrokosmos〕[명]〖철〗소우주(小宇宙). 우주의 일부분으로서, 우주를 그대로 축소(縮小)하여 나타내고 있는 인간 그 자체(自體). 마이크로코즘. ↔마크로코스모스(Makrokosmos).

미크로톰 〔도 Mikrotom〕[명]〖기〗마이크로톰(microtome).

미크론 〔micron〕[의명] 길이의 단위. 음향이나 전기의 파장(波長), 분자와 분자 사이의 거리, 미생물의 크기 같은 것을 재는데 썼음. 지금은 안씀. 1 mm 의 1,000분의 1. 기호는 μ.

미클다 [타] 〈방〉 밀뜨리다.

미키 마우스〔Mickey Mouse〕[명] 미국의 디즈니(Disney) 제작의, 만화 영화의 주인공인 쥐의 이름.

미:타[1]【未妥】[명] ①온당(穩當)하지 아니함. ¶ 아우 차옥이가 자기 부인 백씨의 손목을 쥐고 오는지라 심중에 얼마쯤 ~히 여기나…≪李海朝 : 雨

中行人≫. ②미안(未安)❶. ¶ ~히 여기는 기색도 없다. ——-하다 형 여불. ——-히 부

미타²【彌陀】명〖불교〗↗아미타불(阿彌陀佛).

미타-불【彌陀佛】명〖불교〗↗아미타불(阿彌陀佛).

미타 산림【彌陀山林】[—살—] 명〖불교〗아미타경(阿彌陀經)을 강설(講說)하고, 아미타불을 부르며, 지난날에 지은 죄를 뉘우치고 기도(祈禱)드리는 일. 정토 산림(淨土山林).

미타 삼존【彌陀三尊】명〖불교〗미타불(彌陀佛)과 그 좌우(左右)의 협시(脇侍)인 관음 보살(觀音菩薩)·세지 보살(勢至菩薩)의 세 부처를 높여서 일컫는 말. 준삼존(三尊).

미타 신:앙【彌陀信仰】명 극락 세계의 아미타불(阿彌陀佛)을 신봉의 대상으로 삼는 불교 신앙의 하나. 정토 신앙(淨土信仰). 아미타불 신앙.

미타-찬【彌陀讚】명〖악〗조선 시대 때의 불가(佛歌)의 하나로, 미타불(彌陀佛)의 법신(法身)을 예찬(禮讚)한 창사(唱詞). 처용무(處容舞)의 둘째 회(回)에서 부름.

미타-참【彌陀懺】명〖불교〗미타 참법.

미타 참법【彌陀懺法】[—뻡] 명〖불교〗날짜를 미리 정하여 놓고, 아미타불 앞에서 참회하고 왕생 극락(往生極樂)을 비는 법회.

미타참 절요【彌陀懺節要】명〖책〗조선 시대 중기의 승려(僧侶) 명연(明衍)이 ≪미타참경(彌陀懺經)≫을 간추려서 번역한 책. 숙종(肅宗) 30년(1704) 간행. 목판본. 1권. 보권 염불문(普勸念佛文).

미타-탱【彌陀幀】명〖불교〗아미타불의 소상(塑像).

미탕【薇湯】명 고빗국.

미태¹【美態】명 아름다운 태도. 어여쁜 자태(姿態).

미:태²【媚態】명 아양을 부리는 태도. 교영(嬌影).

미:터〔meter〕㊀의명 미터법에 의한 길이의 기본 단위. 1983년의 제17회 국제 도량형 총회에서 '평면 전자파 빛이 진공 속을 299,792,458분의 1초 사이에 나아가는 거리와 같은 길이'로 정의됨. 원래 1795년 프랑스 과학(科學) 아카데미가 북극(北極)에서 적도(赤道)까지의 자오선(子午線)의 길이의 1000만분의 1 또는 지구 자오선에 연(沿)한 대원주(大圓周)의 4000만분의 1의 길이를 1m로 하기로 정하고, 1799년 아르시브(Archives)의 원기(原器)를 만든 것에 비롯하여, 1875년의 국제 미터 협약(協約)에 따라 아르시브의 원기를 바탕으로 하여 1887년에 만들어진 국제 미터 원기의 두 표선(標線) 사이의 길이로 정해졌고, 다시 1960년의 제11회 국제 도량형 총회의 결정에 따라 크립톤(krypton) 86의 원자가 내는 적등색광(赤橙色光)의 진공 중의 파장(波長)의 1650763.73배의 길이로 정의되었었음. 'm'로 표시하며, 1m는 100cm임. ㊁명 ①가스·전기·수도·택시 등의 자동 계기(自動計器). 계기(計器). 미터기. 계량기. ¶ ~를 속이다. ②〖문〗시(詩)의 각행의 음악적인 박자에 의하여 규정되는 시의 형식. 메트르.

미:터 글라스〔meter glass〕명〖화〗유리컵에 눈금을 새긴 액체의 용적 계량기.

미:터-기【—器】〔meter〕명 미터 ㊁❶.

미:터 나사【—螺絲】〔meter〕명 홈과 홈 사이의 길이를 미터법의 mm로 표시한 나사. 1899년 독일·프랑스·스위스가 협의하여 처음으로 제정하였는데, 나사의 경사 각도가 60°인 삼각 나사임. *아이 에스 오(ISO) 나사. 삼각 나사.

미터리 명〈방〉미투리(경상).

미:터-법【—法】[—뻡] 명〔metric system〕〖물〗미터를 길이, 킬로그램을 질량(質量)의 기본 단위로 하는 십진법적(十進法的) 도량형법(度量衡法). 18세기 말엽에 도량형 정리(整理)를 위하여 프랑스에서 처음으로 법으로 정하여 채용한 후, 1875년에 각 나라 사이에 미터 협약(協約)을 맺어 세계적으로 널리 쓰임. 우리 나라에서는 1963년 5월에 계량법(計量法)이 제정되어 이에 의거 시행되고 있음.

미:터 원기【—原器】명〔prototype meter〕〖물〗미터 협약으로 정한 1미터의 길이를 나타내기 위하여 제정된 자. 국제 미터 원기는 1887년에 제작되어 프랑스 파리의 국제 도량형국에 영구 보존하기로 되어 있는데, 백금(白金) 90%, 이리듐(iridium) 10%의 합금(合金)으로 되었으며, 그 단면(斷面)이 'X'자 모양으로 되었음. 미터가 빛의 파장으로 정의(定義)되게 되었기 때문에 원기(原器)의 의의(意義)는 감소됨.

〈미터 원기〉

미:터-자〔meter〕명 미터법에 따라 눈금을 새긴 자.

미:터-제【—制】〔meter〕명 전기·가스·자동차 등의 요금을 미터가 가리키는 바에 따라 지급하는 제도.

미:터 촉광【—燭光】〔meter〕명〖전〗럭스(lux).

미:터 톤〔meter ton〕의명 미터법(法)에 의한 중량(重量)의 단위의 하나. 1,000kg.

미:터-파【—波】명〔meter wave〕〖물〗초단파.

미:터 협약【—協約】명〔Convention of Meter〕1875년 프랑스 파리에서, 미터 및 킬로그램을 기본으로 하는 도량형(度量衡)의 보급과 통일을 목적으로 체결한 국제 협약. 이 협약에 의거하여 국제 도량형 위원회 및 그 지휘 아래 국제 도량형국(局)이 설치됨.

미테랑〔Mitterrand, François〕명〖사람〗프랑스의 정치가. 자르낙의 노동자의 아들로 태어나, 파리에서 법학·문학·정치학을 전공함. 1946년 하원 의원에 당선된 후, 1954년 망데스 내각(內閣)의 내무상(內務相)을 역임, 1971년 사회당을 창당하여 당수가 되고, 1981년 제21대 대통령에 당선, 1988년 재선됨. [1916-]

미토〔水戸:みと〕명〖지〗일본 이바라키 현(縣) 중부의 시로, 현청 소재지. 담배·부채 등의 명산이 있음. [231,279명(1990)]

미토겐-선【—線】〔mitogen〕명〖생〗생물체로부터 방사되는 일종의 자외선으로, 핵분열(核分裂)의 유인(誘因)의 하나라고 생각됨.

미토마이신〔mitomycin〕명 마이토마이신.

미토콘드리아〔mitochondria〕명〖생〗세균류·남조(藍藻) 식물을 제외한 모든 동식물, 곧 진핵(眞核) 생물의 세포질 중에 많이 분산하여 존재하는 사상(絲狀)·과립상(顆粒狀)의 세포 소기관(小器官). 내부에 크리스타(crista)라는 선반 모양의 구조가 있으며, 독자(獨自)의 유전자 핵산을 지니고 자기(自己) 증식을 함. 호흡에 관계하는 일련(一連)의 효소(酵素)를 함유하며 세포 에너지 생산의 장(場)을 이룸. 플라스토좀. 콘드리오솜. *세포(細胞)·사상체(絲狀體).

미투리 명 삼으로 삼은 신. 흔히, 날을 여섯 개로 함. 마혜(麻鞋). 승혜(繩鞋).

〈미투리〉

미:트¹〔meat〕명 쇠고기·돼지고기 등의 식용육.

미:트²〔meet〕명 야구에서, 타자(打者)가 투구(投球)에 배트(bat)를 잘 맞히는 일. ¶ 저스트 ~.

미트³〔mitt〕명 ①야구에서, 포수나 1루수가 공을 받을 때 쓰는, 엄지 손가락만 떨어져 있고 나머지는 전부 붙은 글러브. ②통으로 된 장갑. 벙어리장갑.

미트가르트〔도 Midgard〕명〖신〗북유럽 신화에서, 하늘과 지옥 사이에 있다는 대지(大地). '세계의 한가운데의 나라·성(城)'이라는 뜻. 인류가 산다고 함.

〈미트³❶〉

미트가르트 대:사【—大蛇】명〔Midgardschlange〕〖신〗북유럽 신화 속에 나오는 큰 뱀. 로키(Loki)와 여거인(女巨人) 앙그르보다(Angrboda)의 아들. 바다 밑에 살며, 대지를 휘감아 흔든다고 함. 통칭은 요르문간드르(Jormungandr).

미트라〔Mithra〕명〖신〗고대 페르시아 신화 중의 태양(太陽)·광명(光明)·전투의 신(神). 인류에게 모든 선(善)한 것을 마련해 주고 신과 사람과의 중개자로서 1,000개의 이목(耳目)을 가졌다고 함.

미트라-교【—敎】〔Mithra〕명〖종〗기원전 3세기경에 페르시아에서 일어난, 미트라를 숭배하는 종교. 소(小)아시아·로마 제국에 전해졌으나, 기독교에 압박당하여 쇠퇴하였음.

미트로풀:로스〔Mitropoulos, Dimitri〕명〖사람〗그리스 태생의 미국 지휘자. 독일 등지에서 지휘자 생활 끝에 도미(渡美), 미니애폴리스 교향악단·뉴욕 필하모니 등의 지휘자를 역임함. 현대 음악에 명철하고 예리한 해석을 나타내 보였음. [1896-1960]

미트리 명〈방〉미투리(전북·경상).

미트리다테스 육세【—六世】〔Mithridates Ⅵ〕명〖사람〗소(小)아시아의 폰토스 왕(Pontos王). 소아시아 전토를 장악하고 로마의 동지중해(東地中海) 지배에 도전, 기원전 88-63년, 세 차례의 미트리다테스 전쟁을 일으킴. 폼페이우스(Pompeius)에게 패하여 자살함. [132-63 B.C.]

미튼〔mitten〕명 벙어리장갑.

미틀다 타〈방〉밀뜨리다(경상).

미틴〔Mitin, Mark Borisovich〕명〖사람〗소련의 철학자. 교육학·문학의 비평 등으로 활약함. 데보린(Deborin)의 이론을 멘셰비키적(的)·관념론적 편향(偏向)이라고 비판함. '철학사'의 편집, ≪변증법적 유물론≫의 감수(監修) 등을 행함. 18회 당대회 이래, 소련 공산당 중앙 위원, 잡지 '철학의 제(諸)문제'의 편집장을 지냄. [1901-]

미:팅〔meeting〕명 집회(集會). 모임. 회합. ¶ ~ 룸.

미:판【未判】명 아직 판정(判定)되지 아니함.

미:평가 보:험【未評價保險】[—까—] 명〔unvalued policy〕〖법〗보험 계약을 체결함에 있어, 사전에 당사자 간에 보험 가액(價額)이 협정되어 있지 아니한 보험. 사고가 발생했을 때의 가액을 보험 가액으로 함. ↔기평가(旣評價) 보험.

미포【米包】명 쌀부대.

미품¹【美品】명 품질(品質)이 좋은 물건.

미품²【微稟】명 격식을 갖추지 아니하고 넌지시 아룀. ——-하다 타 여불

미풍¹【美風】명 아름다운 풍속. 미속(美俗). ¶ ~ 양속(良俗). ↔악풍(惡風).

미풍²【微風】명 살살 부는 바람. 세풍(細風).

미풍-계【微風計】명〖기상〗보통의 풍속계(風速計)로 측정하기 곤란한, 약한 풍속을 측정하는 기계.

미풍 양속【美風良俗】명 아름답고 좋은 풍속. 양풍 미속. ¶ ~을 해치다.

미:필【未畢】명 아직 끝내지 못함. 미료(未了). ¶ 병역 ~자. ——-하다 타 여불

미:-필연【未必然】명 반드시 그러한 것이 아님. ——-하다 형 여불

미:필적 고:의【未必的故意】[—쩍—/—쩍—이] 명〖법〗불확정적 고의의 하나. 결과 발생의 자체는 불확실하나, 만일의 경우에 결과가 발생할지도 모른다고 인정하면서도, 그러한 결과의 발생을 부득이하다고 용인(容認)하고 있는 심리 상태. 운전사가 골목 길에서 질주하면 통행인이 치일 우려가 있음을 알면서도, 설혹 사람이 치인다 해도 부득이하다고 생각하는 경우 따위.

미하¹【米蝦】명〖동〗쌀새우.

미하²【微瑕】명 작은 결점. 약간의 흠.

미하나이트 메탈〔meehanite metal〕명 미하나이트 주철.

미하나이트 주:철【—鑄鐵】명〔meehanite cast iron〕〖공〗미국의 미한(Meehan, G.E.)이 1922년에 발명한 강인 주철(強靭鑄鐵)의 하나. 용해할 때 강설(鋼屑)을 배합하고 용탕(鎔湯)에 칼슘 실리사이드(calcium silicide)를 첨가한 것. 장력 강도(張力強度) 40 kg/mm² 이상임. 강도(強度)를 요하는 기계 부품 등에 쓰임. 미하나이트 메탈.

미하일 로마노프〔Mikhail Romanov〕명〖사람〗러시아 황제. 로마노프 왕조의 시조. 폴란드 간섭군(干涉軍)이 철수한 다음 대귀족(大貴族)에게 업혀 즉위하였으나, 실권은 부친이 장악함. 농노제(農奴制)의 강화를 촉진함. [1596-1645]

미하일로프스키〔Mikhailovski, Nikolai Konstantinovich〕명〖사람〗러시아의 사회 사상가·문예 평론가. 나로드니키(Narodniki)의 대표적 이론가로서 1870년대(代)에 활약함. 문학의 사회성을 강조하였으며, 저서로는 도스토예프스키론(論)인 ≪잔혹한 천재≫가 있음. [1842-1904]

미학【美學】명〔aesthetics〕〖철〗자연·예술에 있어서의 미의 본질과

구조를 해명하는 학문. 18세기, 독일의 바움가르텐(Baumgarten)이 창시했으며 미적 현상(美的現象) 일반을 대상으로, 그 내적·외적 조건과 기초를 해명, 규정함. 심미학(審美學). *예술학(藝術學).

미학-사【美學史】명 미학 사상의 역사적 발전을 서술·비판하는 학문.

미학-자【美學者】명 미학을 연구하는 학자.

미학-적【美學的】명관 미학을 기초로 하는 모양.

미한【微汗】명 경한(輕汗).

미-합중국【美合衆國】명〖지〗미국(美國).

미해【美海】명〖사람〗미사흔(未斯欣).

미:-해결【未解決】명 아직 해결을 짓지 못함. ¶ ~의 문제.

미행[1]【尾行】명 사람의 뒤를 따라감. 특히, 경찰관 등이 혐의자나 요시찰인(要視察人)의 뒤를 밟으며 몰래 그의 행동을 감시하는 일. ——하다 타여불

미행[2]【美行】명 미담이 될 만한, 아름다운 실행.

미행[3]【微行】명 ① ↗미복 잠행(微服潛行). ②〔Incognito〕〖법〗국제법상, 외교 사절이나 국가 원수가 제3국을 통과하거나 여행할 때, 그 신분을 알리지 아니하고 행하는 일. 이때 제3국에서는 외교 사절로서의 대우를 부여할 수 없으나, 자연히 알게 된 경우에는 호의적으로 외교 사절의 대우를 하는 것은 무방함. 그렇다고 외교 특권의 향유(享有)를 요구할 수는 없음. ——하다 자여불

미행성-설【微行星說】명〖천〗1905년, 미국의 체임벌린(Chamberlain, T.C.; 1843-1928) 등이 제창한 태양계 생성 이론. 원시 태양 근처를 통과하던 항성에서 분출된 미행성들이 응집(凝集)하여 행성·위성(衛星)이 되었다는 설인데, 오늘날엔 믿어지지 아니함.

미헬〔Michel, Hartmut〕명〖사람〗독일의 생물 물리학자. 광합성 반응 중심(中心)을 이루는 단백질 복합체의 3차원 구조를 규명·결정한 업적으로 다이젠호퍼(Deisenhofer, J.)·후버(Huber, R.)와 함께 1988년 노벨 화학상을 받았음. [1946-]

미헬스〔Michels, Robert〕명〖사람〗독일의 정치학자·사회학자. 스위스의 바젤 대학, 이탈리아의 트리노 대학의 교수를 역임. 독일·이탈리아의 사회 민주당의 실태를 연구하고, 소수 지배의 철칙을 제창함. 주저(主著)에 《현대 민주정(民主政)에 있어서의 정당의 사회학》·《애국주의》 등이 있음. [1876-1936]

미현【迷眩】명 정신이 헷갈리어 어지럽고 어수선함. ——하다 형여불

미혈 전설【米穴傳說】명 전설의 한 가지. 탐욕을 경계하는 내용으로 사찰(寺刹)에 많이 분포되어 있음.

미:협【未協】명 뜻이 맞지 아니하여 타협을 못함. ——하다 형여불

미:형[1]【未瑩】명 똑똑하지 못하고 어리석음. ——하다 형여불

미형[2]【美形】명 아름다운 모양.

미호【美好】명 용모가 아름다움. ——하다 형여불

미호-천【美湖川】명〖지〗충청 북도 음성군(陰城郡) 부용산(芙蓉山: 664m)에서 발원하여 진천군(鎭川郡)·청원군(淸原郡) 및 충청 남도 연기군(燕岐郡)을 거쳐 부강(芙江) 서쪽에서 금강(錦江)으로 흘러드는 하천. [89.2km]

미혹【迷惑】명 ①마음이 어둡고 흐려서 무엇에 홀림. ②정신이 헷갈려서 갈팡질팡 헤맴. ——하다 자타여불

미:혼[1]【未婚】명 아직 결혼을 하지 아니함. 또, 그러한 사람. ¶ ~ 여성. ↔기혼(旣婚).

미혼[2]【美魂】명〔도 Schöne Seele〕감성(感性)과 이성(理性), 의무(義務)와 경향성(傾向性)이 스스로 조화(調和)된 성격. 독일의 시인 실러(Schiller)의 말임.

미혼[3]【迷魂】명 미로(迷路)를 헤매는 망자(亡者)의 영혼.

미:혼-모【未婚母】명 결혼을 하지 아니한 몸으로 아이를 가진 어머니.

미:혼 부부【未婚夫婦】명〖사〗필요한 혼인 절차(節次)를 밟지 않고 동거하는 부부.

미:혼-자【未婚者】명 아직 결혼하지 아니한 사람. ↔기혼자(旣婚者).

미화[1]【美化】명 아름답게 꾸미어 보기 좋게 만듦. ——하다 타여불

미화[2]【美花】명 아름답고 고운 꽃.

미화[3]【美貨】명〖경〗미국(美國)의 화폐. '달러(dallor)'를 말함.

미화-법【美化法】[—뻡] 명〖문〗수사법에서 강조법의 일종으로, 표현 대상을 의식적 수법으로 아름답게 만드는 방법. 예를 들면 '화장실'·'양상 군자(樑上君子)' 따위.

미-화석【微化石】명〔microfossil〕현미경으로 확인할 수 있을 정도의 소형 생물 화석의 총칭. 원생(原生) 생물인 유공충류(有孔蟲類)·방산충류(放散蟲類), 소형 조류(小形藻類)인 규조(珪藻)나 편모조류(鞭毛藻類), 화분(花粉) 등의 화석(化石)으로 퇴적 환경의 추정, 지층의 대비 등에 이용됨.

미화-원[1]【美化員】명 ↗환경 미화원.

미화-원[2]【美靴員】명 '구두닦이'의 미칭(美稱).

미화 작업【美化作業】명 어떤 곳을 아름답고 보기 좋게 꾸미는 작업.

미:-확인【未確認】명 아직 확인되지 아니함. ¶ ~ 보도.

미:확인 비행 물체【未確認飛行物體】명 유 에프 오(UFO)의 역어(譯語).

미:확인 정보【未確認情報】명 아직 확인되지 않은 정보.

미:-환입【尾還入】명〖악〗'밑도드리'의 한자 이름. ↔세환입(細還入).

미:황【未遑】명 미처 겨를을 내지 못함. ——하다 형여불

미황-색【微黃色】명 노르께한 빛깔.

미:회【未會】명 아직 만나지 못함. ——하다 타여불

미효【美肴】명 맛이 좋은 술안주. 가효(佳肴).

미후【獼猴·猕猴】명〖동〗원숭이❷.

미후-도【獼猴桃·猕猴桃】명〖식〗다래[1]❶.

미후-사【尾後詞】명〖악〗곡파무(曲破舞)에 부르는 석노교(惜奴橋)의 둘째 장(章).

미훈【微醺】명 미취(微醉). ——하다 자여불

미:흡【未洽】명 아직 넉넉하지 못함. 흡족하지 못함. ——하다 형여불

미:흡-처【未洽處】명 넉넉하지 못한 부분. 아직 덜된 부분.

미희【美姬】[—히] 명 아름다운 여자. 만희(曼姬). 미인(美人).

믹: 명〈방〉〖식〗미역[2](전남).

믹서〔mixer〕명 ①시멘트·모래·자갈 등을 혼합하여 섞는 콘크리트 제조용 기계. ②합성 수지로 만든 동체(胴體)안에 강철제의 날개를 달고, 이것을 소형의 모터로 돌려, 과실·야채 등을 이겨 즙을 내는 기계. ③방송국에서, 음량·음질의 조정을 담당한 기사.

〈믹서❷〉

믹서-차【—車】〔mixer〕명 달리면서 시멘트를 배합하는 수송 겸용의 자동차. 레미콘. 콘크리트 믹서차.

믹스〔mix〕명 ①섞음. 또, 섞은 것. ②남녀 혼성 팀. ——하다 타여불

믹스처〔mixture〕명 혼합(混合). 혼합물.

믹스트 더블스〔mixed doubles〕명 혼합 복식.

민[1]【閔】명 성(姓)의 하나. 본관(本貫)은 여흥(驪興) 하나뿐임.

민[2]【閩】명〖역〗고대 중국의 오대 십국(五代十國)의 하나. 왕심지(王審知)가 후량(後粱)으로부터 민왕(閩王)으로 봉(封)해져, 심지(審知)의 둘째 아들인 연균(延鈞) 때에 이르러 제호(帝號)를 참칭(僭稱)하고, 나라를 대민(大閩)이라 칭함. 지금의 푸젠 성(福建省) 지방이 그 영지였는데, 6대 36년 만에 남당(南唐)에 멸망함.

민[3]【緡】명 꿰미.

민[4]【民】인대〖역〗조상의 무덤이 있는 곳의 백성이, 그 고을 원에게 대하여 자기를 일컫는 말. 화민(化民).

민- 두 ①아무 꾸밈새나 덧붙어 딸린 것이 없음을 나타내는 말. ¶ ~물/~섬표/~저고리. ②닳아 모지라지거나 또는 우툴두툴하던 것이 편편하여진 것을 나타내는 말. ¶ ~대가리. 「세~.

-민【民】미 '사람·국민·백성'의 뜻을 나타내는 말. ¶ 실향(失鄕)~/영세~.

민가【民家】명 일반 국민이 사는 집. 민호(民戶). ↔관가(官家).

민가슴-기어【—旗魚】명〖어〗황새치.

민간【民間】명 일반 국민들의 사회.

민간-기【民間機】명 민간 소유의 비행기. ↔군용기(軍用機). *여객기.

민간 단체【民間團體】명 일반 민간에 의해 구성된 단체.

민간 무:역【民間貿易】명 정부가 개재(介在)하지 아니하고, 민간 자본으로 민간 업자에 의하여, 직접 외국과 행하는 무역. ↔정부 무역.

민간 방:송【民間放送】명 민간 자본(民間資本)으로 설립하여, 광고료(廣告料)로써 경영하는 방송. 상업 방송. 준민방. ↔공공 방송.

민간 사:업【民間事業】명 민간인이 하는 사업.

민간 사:절【民間使節】명 일반 민간으로 구성된 외교 또는 친선 사절.

민간 설화【民間說話】명〖문〗예로부터 구전(口傳)으로 민간에 전해 내려오는 이야기. 민담(民譚). *전설·야사(野史).

민간 신:앙【民間信仰】명 예로부터 민간에 전하여 내려오는 신앙. 민교(民敎). *미신.

민간 신:앙가【民間信仰歌】명〖악〗구전(口傳) 민요의 하나. 농제(農祭)에 따르는 노래와 무가(巫歌)가 주된 것임.

민간-약【民間藥】[—냑] 명 민간에서 예로부터 사용하여 내려오는 약. 경험적인 효력에 의거한 약초(藥草)를 주로 함. *상약(常藥).

민간 어:원【民間語源】명〖언〗비과학적인 어원설에 의한 어원. 가령 '벼'를 경상도 방언에서 '나락'이라고 하는 데 대하여 풀이한 것 따위. 민속(民俗) 어원. 민중(民衆) 어원. 어원 속해(俗解). 통속(通俗) 어원.

민간 예:금【民間預金】[—네—] 명 한국 은행의 정부 예금(政府預金) 이외에 보통 은행의 당좌 예금(當座預金). 일반 예금(一般預金).

민간 외:교【民間外交】명 정부 관계자에 의하지 아니하고, 예술·문화·스포츠 등을 통하여 민간인에 의해서 행해지는 친선 외교.

민간 요법【民間療法】[—뇨뻡] 명 민간에서 예로부터 전해 내려오는 병의 치료법. 침술(鍼術)·뜸질 같은 것. *원시 요법.

민간 은행【民間銀行】명〖경〗정부와 특별한 관계가 없는 민간인이 경영하는 은행. ↔특수 은행(特殊銀行). *시중 은행(市中銀行).

민간 의료【民間醫療】명 민간 요법.

민간-인【民間人】명 관리나 군인이 아닌 보통 사람. ↔관인(官人).

민간인 통:제 구역【民間人統制區域】명 한국의 휴전선 일대의 군작전 및 군사 시설 보호와 보안 유지를 목적으로 민간인 출입을 제한하는 구역. 곧, 비무장 지대 남방 한계선으로부터 5-20km 남쪽의 민통선(民統線)까지의 지역임.

민간 자:금【民間資金】명 자금의 출자(出資) 및 운용(運用)이 민간의 자발적인 주동 아래 이루어지는 자금. ↔정부 자금.

민간 재판소【民間裁判所】명 중재(仲裁)나 조정(調停) 같은 방법으로 법정(法廷) 밖에서 문제를 해결하는 법률 사무소. 미국에서 근래에 성행하기 시작했으며, 보통 약 10시간 정도 걸린다고 함. 조정인(調停人)은 변호사 자격을 가진 사람임.

민간 전승【民間傳承】명 민속학(民俗學)의 연구 대상이 되는, 옛날부터 전해 내려오는 언어(言語)·생활(生活)·습관(習慣)·풍속(風俗)·예능(藝能) 등 유형 무형의 문화재(文化財).

민간 전승학【民間傳承學】명 민간 전승을 연구하는 학문. 민속학(民俗學)의 초기의 호칭.

민간 주도【民間主導】명 민간인이 주체가 되어 어떤 일을 이끌어 나가는 일. ¶ ~형(型) 경제 체제.

민간 질고【民間疾苦】명 정치(政治)의 변동이나 부패로 인하여 받는 백성들의 괴로움.

민간 투자【民間投資】명〖경〗민간에 의한 투자. ↔정부 투자.

민간 항:공【民間航空】명 민간에 의하여 운영(運營)되는 항공.

민감【敏感】명 느낌이 날카롭고 빠름. 감각이 예민함. ¶ ~한 반응. ——하다 형여불 ——히 부

민감성 관계 망:상【敏感性關係妄想】[—썽—] 명〖의〗심인성(心因性) 반응의 하나. 감수성이 지나치게 예민한 반면, 외계에 대한 반응 경향이 지나치게 적어서, 소심 익익(小心翼翼)한 까다로운 윤리관을 가

謙鎬)·민태호(閔台鎬)·민영휘(閔泳徽)·민영익(閔泳翊)·민치상(閔致庠)·민영기(閔泳綺)·민응식(閔應植) 등. 일본이 민비(閔妃)를 살해한 후로 세력이 위축됨.

민아 무간【民我無間】명 민족과 나 자신을 똑같이 생각함.

민악【民樂】명 속악(俗樂)❶.

민애-왕【閔哀王】명 〖사람〗 김명(金明)의 왕호(王號).

민약-론【民約論】[—논] 명 ①사회 계약설. ②〔프 Contrat social〕〖책〗 프랑스의 루소(Rousseau)가 1762년에 발표한 논문. 사회나 국가의 성립은 국민의 자유로운 계약에서 이루어진 것이라고 주장했으며, 그 계약 중에 개인의 의사와 자유가 있고, 그 주권(主權)은 국민에게 있다고 하고 왕권(王權)을 반대하여 현대 민주주의(民主主義)의 선구가 되었음. 사회 계약론.

민약-설【民約說】명 〖정〗 사회 계약설(社會契約說).

민약 헌:법【民約憲法】[—뻡] 명 〖법〗 민정(民定) 헌법.

민어【民魚】명 〖어〗 [*Nibea imbricata*] 민어과에 속하는 바닷물고기. 몸은 길이 60-90 cm로 길쭉하고 측편(側扁)하며, 주둥이는 둔하고 아래턱이 위턱보다 짧음. 몸빛은 등 쪽이 회청색이고 배 쪽은 담색임. 짧은 수염이 있고 등지느러미의 앞쪽이 잘록함. 한국 서남 연해·동남 중국해·일본 중부 이남에 분포함. 맛이 좋으며 부레는 민어풀을 만듦. 면어(鮸魚). 회어(鮰魚).

〈민어〉

민어-과【民魚科】[—꽈] 명 〖어〗 [Sciaenidae] 농어목(目)에 속하는 어류의 한 과. 참조기·강달이·동갈민어·꼬마민어·민어·민태 등이 이에 속함. 부수근(附隨筋)으로 발음(發音)함으로 유명함.

민어 구이【民魚—】명 민어를 양념을 발라 구운 음식.

민어-도【民漁島】명 〖지〗 충청 남도의 서해상(西海上), 태안군(泰安郡) 원북면(遠北面) 방갈리(防葛里)에 위치한 섬. [0.15 km²]

민어 어채【民魚魚菜】명 민어를 토막치고 녹말 따위를 묻혀서, 끓는 물에 데친 음식.

민어 저:냐【民魚—】명 민어로 부친 저냐.

민어 조림【民魚—】명 민어를 간장에 조린 음식.

민어 지짐이【民魚—】명 민어로 만든 지짐이. 면전(鮸膞).

민어-탕【民魚湯】명 민엇국.

민어-회【民魚膾】명 민어를 감으로 한 회.

민-얼굴 명 꾸미지 않은 맨 얼굴.

민엄호-밑【—广戶—】명 한자 부수(部首)의 하나. '厄'이나 '厫'등의 '厂'의 이름. 엄호변(厂戶邊).

민업【民業】명 민간인이 경영하는 사업. ↔관업.

민엇-국【民魚—】명 장국에 민어를 토막쳐서 넣고 끓인 국. 민어탕(民魚湯).

민역【民役】명 〖역〗 백성이 부담하는 구실.

민연¹【泯然】명 형적이 없음. ——하다 형 여불. ——히 부

민연²【憫然·愍然】명 민망(憫惘). ——하다 형 여불. ——히 부

민영【民營】명 민간인(民間人)이 경영함. ↔관영(官營)·국영(國營).

민영 방:송【民營放送】명 민간인의 자본으로 운영되는 방송. ↔국영 방송. *기간 방송.

민-영(:)익【閔泳翊】명 〖사람〗 조선 고종(高宗) 때의 상신(相臣)·서화가. 호는 운미(芸楣)·원정(園丁). 여흥(驪興) 사람. 고종 20년(1883)에 미국에 전권 대신으로 출강(出疆)하였고, 갑오 경장 이후 중국 상해에서 서화 예술에 몰두하였음. [1860-1914]

민영 주:택【民營住宅】명 개인이나 사법인(私法人)이 집단적 규모로 건설하여 공급하는 주택. *국민 주택.

민-영(:)환【閔泳煥】명 〖사람〗 조선 고종(高宗) 때의 문신. 호는 계정(桂庭). 서울 출생. 1896년 3월 러시아 황제 대관식에 특파되었고, 영국·독일·프랑스·이탈리아·오스트리아의 특명 공사(特命公使)를 역임했음. 1905년 을사 조약(乙巳條約)이 체결될 때, 의정 대신 조병세(趙秉世)와 조약의 폐기를 상소하였으나 받아들여지지 않아, 국민과 각국 공사에게 고하는 유서를 남기고 자결하였음. 시호는 충정(忠正). 통칭 민 충정공(閔忠正公). [1861-1905]

민-영(:)휘【閔泳徽】명 〖사람〗 조선 말기의 문신·정치가. 초명은 영준(泳駿). 자는 군팔(君八), 호는 하정(荷汀). 여흥(驪興) 사람. 갑신 정변을 진압하고 이조 판서를 거쳐 좌찬성(左贊成)에 올랐으나, 갑오 개혁(甲午改革)으로 실각하고 다시 중추원(中樞院) 의장·표훈원(表勳院) 총재를 역임하였으며, 국권 피탈 후 지금의 상업 은행의 전신인 천일 은행(天一銀行)과 휘문 학교(徽文學校)를 설립하였음. [1852-1935]

민예¹【民藝】명 서민의 생활 속에서 생겨나, 그 지방의 특유한 풍토·풍물·정서·관습 등을 표현한 예술. 민요·무용·관혼 상제 용구(用具)·건축 장식·노리개·각종 공예품 등으로 실용성과 소박한 미(美)가 있음. ¶ ~품(品). *민속 예술(民俗藝術)·향토 예술.

민예²【敏銳】명 총명하고 예민함. 예민(銳敏). ——하다 형 여불

민-옥잠【—玉簪】명 머리에 아무 새김질이나 꾸밈도 베풀지 않은, 민패의 옥비녀.

민옹-전【閔翁傳】명 〖책〗 조선 정조(正祖) 때 박지원(朴趾源)이 지은 한문 전기(傳記). 민씨 노인의 쾌활하고 씩씩한 성품과 행적을 쓴 것으로 전편에 유머가 넘치고 있음.

민완【敏腕】명 민첩한 수완. 날쌘 수단(手段). ¶ ~ 기자/~ 형사.

민완-가【敏腕家】명 민첩한 수완이 있는 사람.

민요¹【民窯】명 〖공〗 민간에서 사사로이 도자기(陶瓷器)를 굽는 가마. ↔관요(官窯).

민요²【民謠】명 ①〖악〗 민중 속에서 자연적으로 발생하여, 오랫동안 세련(洗練)되고 민중의 생활 감정을 소박하게 반영(反映)시킨 가요(歌謠). 민족성(民族性)·국민성(國民性)을 나타냄. 흔히, 작곡자나 작사자(作詞者)가 분명하지 않고 곡조가 간단한 것이 많으며, 춤과 밀접한 관계를 맺고 있음. *창민요(唱民謠)·토속 민요(土俗民謠)·신민요(新民謠). ②〖악〗 향토(鄕土)를 배경으로 하고 옛 민요와 비슷한 선율(旋律)로 작곡한 민간 가요.

민요³【民擾】명 민란(民亂).

민요-곡【民謠曲】명 〖악〗 민요풍으로 작곡 또는 편곡(編曲)한 가곡.

민요-조【民謠調】[—쪼] 명 민요풍의 가락.

민요-풍【民謠風】명 민요의 가락을 띤 형식.

민욕【民辱】명 민족(民族)의 치욕(恥辱). 국민의 치욕. *국치(國恥).

민우【民友】명 민중의 벗.

민울【悶鬱】명 민망스런 걱정으로 가슴이 답답함. 민답(悶沓). ——하다 형 여불. ——히 부

민원¹【民怨】명 국민의 원망. ¶ ~을 사다.

민원²【民願】명 ①국민이 원함. 국민의 소원(所願). 국민의 청원(請願). ②민간인이 행정 기관에 대하여 어떤 특정한 조치를 요구하는 일.

민원 사:무【民願事務】명 민원인이 제출하는 민원에 관한 사무. 허가·인가·면허·등록의 신청, 이의(異議) 신청·진정·건의·질의 등에 관한 사무 따위.

민원 서류【民願書類】명 민원 사항에 관한 서류.

민원-실【民願室】명 민원 사무를 접수·처리하는 부서.

민원-인【民願人】명 행정 기관에 대하여 어떤 특정한 조치를 요구하는 자연인(自然人) 또는 단체.

민월【閩越】명 〖역〗 중국 진한 시대(秦漢時代)에, 지금의 푸젠 성(福建省) 지방에 있던 만족(蠻族)의 나라.

민유【民有】명 국민·사인(私人)의 소유(所有). ↔국유(國有).

민유-림【民有林】명 국민·사인(私人)의 소유(所有)인 산림(山林). ↔국유림.

민-유중【閔維重】명 〖사람〗 조선 숙종(肅宗)의 장인. 자는 지숙(持叔), 호는 둔촌(屯村). 여양 부원군(驪陽府院君)에 책봉됨. 노론(老論)으로서 경서(經書)에 밝아 사림(士林) 간에 명성이 높았음. [1630-87]

민유-지【民有地】명 민간인이 소유한 땅. ↔국유지.

민유 철도【民有鐵道】[—또] 명 민간인이 소유하고 경영하는 철도. 사설 철도(私設鐵道). ↔국유 철도(國有鐵道).

민-윤노리 명 〖식〗 [*Pourthiaea villosa* var. *laevis*] '윤노리나무' 중에서 잎과 꽃차례의 털이 곧 없어지는 것. *윤노리나무.

민은【民隱】명 국민의 괴로움.

민-음표【—音標】명 〖악〗 점(點)이 붙지 않은 음표. 온음표·2분 음표·4분 음표·8분 음표·16분 음표·36분 음표 등. 단순 음표. ↔점음표(點音標).

민-응(:)식【閔應植】명 〖사람〗 조선 고종(高宗) 때의 척신(戚臣). 자는 성문(性文), 호는 우당(藕堂). 여흥(驪興) 사람. 임오 군란 때 충주(忠州) 장호원(長湖院)의 저택을 민비의 피신처로 제공하여 혜상 공국(惠商公局) 총판(摠辦)이 되었고, 수구파의 중심 인물로 개화파 타도에 활약하였음. 강화부 유수(留守) 역임. 시호는 충문(忠文). [1844-?]

민의【民意】[—/—이] 명 국민의 뜻. 국민의 의사(意思).

민의-원¹【民議院】[—/—이—] 명 〖역〗 구(舊)헌법하에서 참의원과 함께 국회를 조직하던 한 원(院). 민의원 의원(議員)으로써 조직되며, 여기서 국내의 모든 법률이 입법(立法)되었음. 외국의 하원(下院)에 해당함.

민의-원²【民議員】[—/—이—] 명 ↗민의원 의원. ↔참의원.

민의원 의원【民議院議員】[—/—이원—] 명 민의원(民議院)을 구성하는 의원. ㊀민의원(民議員).

민이【民彝】명 사람이 지켜야 할 떳떳한 도리(道理).

민인【民人】명 인민(人民)❶.

민자【民資】명 ↗'민간 자본'. ¶ ~ 역사(驛舍)/~ 주차장.

민-자건【閔子騫】명 〖사람〗 중국 전국 시대 노(魯)나라의 현인(賢人). 이름은 손(損). '자건'은 자임. 일찍이 공자(孔子)의 제자가 되어 효(孝)로 십철(十哲)의 한 사람이 됨.

민자-당【民自黨】명 〖정〗 ↗민주 자유당.

민자-장【民者章】[—짱] 명 〖악〗 용비어천가 제120장의 이름.

민-잠【—簪】명 민비녀.

민:장¹【—長】명 〈방〉 면장(面長)(충북·전라·경상).

민장²【民狀】명 백성의 송사(訟事)·청원(請願) 같은 것에 관한 서류.

민장³〔岷江〕명 〖지〗 중국 쓰촨 성(四川省)의 큰 강. 민산(岷山) 산맥에서 발원하여 남동으로 흘러 청두(成都) 평야로 들어가 이빈(宜賓)에서 양쯔 강(揚子江)에 합류함. 민강. [735 km]

민장⁴〔閩江〕명 〖지〗 중국의 우이(武夷) 산맥, 젠치(建溪) 강에서 발원하여 푸젠 성(福建省) 중부를 동쪽으로 흘러 동중국해로 유입되는 강. 수운(水運)에 이용됨. 민강. [577 km]

민재¹【民財】명 백성의 재물. 국민의 재산. 민탕(民帑).

민재²【民裁】명 ①↗민사 재판(民事裁判). ↔형재(刑裁). ②일반 법원에서 행해지는 재판. ↔군재(軍裁).

민-저고리 명 회장을 대지 않은 저고리.

민저 산지【—山地】〔閩浙〕명 〖지〗 중국 저장 성(浙江省) 항저우(杭州) 부근에서 광둥 성(廣東省)에 이르는 연해 지역(沿海地域)의 산지. 바다에 바싹 다가 있고 갑(岬)과 도서군(島嶼群)이 교차하여 대표적인 침강 해안선(沈降海岸線)을 이루고 있으며 양항(良港)이 많음. 민절 산지.

민적【民籍】명 ①그 나라 국민으로서의 호적(戶籍). ②'호적'의 구칭(舊稱).

민적-법【民籍法】명 〖역〗 대한 제국 말년의 호적에 관한 법.

민적지근:-하다 형 〈방〉 미적지근하다.

민전¹【民田】명 옛날에, 민간 소유의 사유지(私有地). ↔공전(公田).

민전²【緡錢】명 꿰미에 꿴 돈.

민-전갱이 명 〖어〗 [*Caranx helvolus*] 전갱잇과에 속하는 바닷물고기. 몸빛은 갈색. 몸길이는 몸높이의 2.5배 이상. 체측(體側)에는 암색 횡대(暗色橫帶)가 있으며, 체선(體線)은 아주 조금 만곡(彎曲)되어 있음. 한국 남해·일본 남부·대만 연해에 분포함.

민전-학【民傳學】명 민속학(民俗學).

민절¹【泯絕】명 민멸(泯滅). ——-하다 자여불

민절²【悶絕】명 크게 근심한 나머지 기절(氣絕)함. ——-하다 자여불

민절 산지【閩浙山地】명〔지〕민저 산지.

민정¹【民政】명 ①국민을 위한 정치. 공공(公共)의 안녕 유지와 국민의 복리 증진을 도모하는 정무(政務). ②문관(文官)에 의한 정치. 민간인에 의한 정치. ¶～ 이양. ↔군정(軍政).

민정²【民情】명 ①국민의 사정과 형편. ¶～ 시찰. ②민심(民心).

민정-당¹【民正黨】명〔정〕↗민주 정의당.

민정-당²【民政黨】명〔역〕한국의 정당의 하나. 범야 집결체를 목표로 1963년에 발족한 후 1965년 민중당 ❶이 창당되자 발전적으로 해체됨.

민정-부【民政部】명〔정〕군정(軍政)을 실시하는 지역에서, 군정부(軍政府)의 지시를 받아 군정을 제외한 일체의 행정 사무를 관장하는 부서.

민정 장:관【民政長官】명 민정부(民政部)의 장관. ↔군정(軍政) 장관.

민-정중【閔鼎重】명〔사람〕조선 숙종(肅宗) 때의 상신(相臣). 자는 대수(大受), 호는 노봉(老峰). 숙종 6년(1680)에 좌의정을 지냄. 15년(1689)에 노론으로서 남인(南人)에 몰려 벽동(碧潼)으로 귀양가 그곳에서 죽었음. 시호는 문충(文忠). 문집 《노봉집(老峰集)》. [1628-92]

민정 헌:법【民定憲法】[—뻡] 명〔법〕국민에 의해 선출된 국회에서 또는 국민 투표에 의하여 제정된 헌법. 바이마르(Weimar) 헌법·대한 민국 헌법 따위. 민약 헌법. ↔흠정 헌법·협정 헌법. *국약 헌법.

민조【民曹】명〔역〕고려 충렬왕(忠烈王) 24년(1298)에 전리사(典理司)·군부사(軍簿司)·판도사(版圖司)·전법사(典法司)의 사사(四司)를 폐하고 설치한 육조(六曹)의 하나. 그 전의 판도사(版圖司)를 개칭(改稱)한 이름으로서 34년(1308)에 민부(民部)로 고침.

민족【民族】명 인종적 및 지역적으로 기원(起源)을 같이하거나 같다고 믿으며, 역사적 운명과 문화적 전통 특히, 언어를 공통으로 하는 기초적인 사회 집단. 인종이나 국민의 범위와 반드시 일치하지 않음.

민족 국가【民族國家】명〔정〕①민족 의식의 성장에 따라, 절대 군주의 손에 의해서 통일되고 건설된 근대 국가. ②자본주의의 발달에 따라, 성립된 근대 국민(國民) 국가. ③복합(複合) 민족 국가에 대하여, 한 민족이 주체(主體)가 되어 있는 국가. *국민 국가.

민족-권【民族圈】명 민족이 생존하고 활동하는 지역의 범위.

민족 대:이동【民族大移動】명〔역〕4-6세기의 게르만 민족의 대이동. 375년에 훈족(Hun族)의 서진(西進)으로 고트족(Goth族)이 남하(南下)한 데서부터 발단함. 동고트·서고트·부르군트(Burgund) 등 동게르만인(人)은 이탈리아·스페인·북아프리카로 이주(移住)하여 건국하였으나 영속(永續)되지 못하였으며, 프랑크·앵글·색슨 등 서게르만인이 세운 나라는 오래 존속되었음. 또한, 9세기에는 노르만인 등 북게르만인의 대이동이 있었음. 게르만 민족의 대이동.

민족 독립 운:동【民族獨立運動】[—님—] 명 민족의 독립을 요구하는 운동. 민족 자결주의를 그 지도 원리로 삼음.

민-족두리 명 아무 장식이 없는 족두리. ↔꾸민 족두리.

민-족두리풀 명〔식〕[*Asiasarum heterotropoides* var. *mandshuricum*] 세신과(細辛科)에 속하는 다년초. 근경(根莖)은 가늘고 마디가 있으며, 다육질(多肉質)이고 매운 맛이 있음. 잎은 줄기 끝에 두 조각이 달리는데, 장병(長柄)이고 자색이며 달걀꼴 또는 심장형(心臟型)임. 꽃은 잎이 나기 전에 줄기 끝과 잎 사이에서 꽃줄기가 나와, 줄기 끝에 하나씩 달리어 홍자색으로 4-5월에 핌. 과실은 해면질(海綿質)임. 산지의 숲 밑에 저절로 나는데, 거의 한국 각지에 분포함. 뿌리는 약재로 씀. 조리줄.

〈민족두리풀〉

민족 문:제【民族問題】명〔정〕한 민족의 통일, 국가의 수립, 침략국으로부터의 해방 등에 관련된 여러 가지 국제 문제.

민족 문화【民族文化】명 한 민족의 언어·풍속·전통·생활 감정 등을 토대로 하여, 그 민족의 특성을 나타낸 문화. *고유 문화.

민족-복【民族服】명 어떤 민족에 공통되는 특유한 복장.

민족-사【民族史】명 어느 한 민족의 겪어 내려온 역사.

민족 사회【民族社會】명〔사〕혈연·지연·문화 및 전통을 같이하는 인류 집단. 근세에 들어와 이루어진 가장 큰 공동 사회로, 민족 국가가 형성되면서부터 하나의 사회로서의 구실을 하게 된데서 이르는 말.

민족 상잔【民族相殘】명 같은 겨레끼리 서로 다투고 싸움. 동족 상잔.

민족-성【民族性】명 어떤 민족의 특유한 성질.

민족-시【民族詩】명〔도 Volkspoesie〕〔문〕특정 작가에 의하지 않고, 민족 전체 속에서 우러나오는 민족 공통의 감정이나 체험이 자연 발생적으로 발로된 문예(文藝)의 총칭. 민요·민족 설화 등.

민족 심리【民族心理】[—니] 명 민족의 독특한 정신 생활의 현상(現象).

민족 심리학【民族心理學】[—니—] 명〔심〕각 민족에 특유한 심리를 밝혀, 도덕·신화·종교·언어·풍속 등의 문화의 성립·발전을 연구하는 심리학. 특히, 원시 민족의 생활 양식의 특질을 탐구하는 심리학을 일컫는 경우도 있음. *개인 심리학.

민족-아【民族我】명〔철〕①민족의 일원(一員)인 나. ②민족적 인식의 주관(主觀). ③민족 의식의 주체(主體).

민족-애【民族愛】명 같은 민족 상호간의 신애(信愛). *동포애(同胞愛).

민족 양식【民族樣式】명 민족에 따라 다르게 나타나는 모습이나 방식.

민족 운:동【民族運動】명〔정〕①타민족(他民族)의 국가로부터 압박을 받는 약소 민족이 독립하려고 하는 운동. 민족 해방 운동. ②여러 다른 나라에 산재(散在)하는 동일 민족이 힘을 모아서 한 민족 국가를 건설하려고 하는 운동.

민족 음악【民族音樂】명〔악〕어느 민족 속에서 발생·발달하고 그 민족에 고유한 악기(樂器)에 의해 연주되며, 독특한 선율·리듬을 갖는 음악의 총칭.

민족 음악학【民族音樂學】명〔악〕1950년대부터 '비교 음악학'을 고쳐 부르는 이름.

민족 의상【民族衣裳】명 그 민족의 독특한 의상. 한국의 한복, 일본의 기모노, 인도의 사리 따위.

민족 의:식【民族意識】명 동일한 민족에 속한다는 자각(自覺). 곧, 민족이 자기 반성에 의해 단결을 회복(回復)·강화하고, 그 자신의 존속(存續)·독립·확충을 꾀하는 집단적인 의지(意志) 및 감정(感情).

민족 이동【民族移動】명〔역〕민족학의 용어. 여러 가지 이유로 말미암은 인류의 이동의 총칭. 선사(先史) 시대의 기후·지질의 변화로 인한 원시 인류의 이동, 역사 시대에 있어서의 게르만 민족의 대이동 따위.

민족 자결【民族自決】명〔정〕각 민족이 자신의 정치 조직 또는 귀속(歸屬)을 타민족이나 국가에 의한 간섭이나 제약(制約)을 받지 않고 스스로 선택하고 결정하는 일.

민족 자결권【民族自決權】[—꿘] 명〔정〕민족이 정치적 지위를 자유롭게 결정하고, 경제·사회·문화적 발전을 추구하는 권리. 민족 자결주의에 바탕을 둠.

민족 자결주의【民族自決主義】[—쭈— / —쭈이] 명〔정〕민족 자결의 원칙을 실현하려는 주의. 제1차 세계 대전 후, 미국 대통령 윌슨(Wilson)이 제창한 것으로서 파리 평화 회의에서 채용되어, 핀란드·라트비아·에스토니아·폴란드·체코슬로바키아 등이 독립하였음.

민족 자본【民族資本】명〔경〕식민지·반(半)식민지 또는 개발 도상국 등에서, 외국 자본에 저항하는 토착(土着) 자본. ↔매판(買辦) 자본.

민족 자존【民族自存】명 민족이 스스로의 힘으로 삶을 누려 나감.

민족-적【民族的】명관 온 민족이 관계되거나 포함되는 모양. ¶～ 차원(次元)/～ 긍지(矜持).

민족 정:기¹【民族正氣】명 한 민족의 공통 의지로서의 정대(正大)하고 지고(至高)한 기풍. 민족 정신의 정화(精華)가 되는 기개(氣槪).

민족 정기²【民族精氣】명 민족이 생성하는 원기. 민족의 얼이 깃들인 바르고 큰 기운. ¶～를 타고난 위인.

민족 정신【民族精神】명 ①어떤 민족(民族)에게 공통(共通)한 정신적 개성(精神的個性). 민족성. ②민족이라는 집단의 생활에 의하여 형성되는, 개개인의 특수한 정신. ③어떤 민족의 이상으로 하는 정신. 화랑 정신 따위. ④헤겔의 용어로서는, 세계사(世界史)의 각 단계를 대표하는 민족의 정신적 원리. 시대 정신이라고도 함. *민족혼(民族魂).

민족 종교【民族宗敎】명〔종〕종교 분류 상의 용어. 창시자(創始者)의 이름이 알려지지 않고, 민족의 성립과 더불어 형성되고 성장한 종교. 유대교·고대의 바라문교 따위. ↔세계(世界) 종교.

민족-주의【民族主義】[— / —이] 명〔nationalism〕①〔정〕민족의 독립과 자립 및 통일을 제일의적으로 중시(重視)하는 주의. 19세기초부터 국가 형성의 주요 원리가 되었으며, 분열되어 있는 민족의 정치적 통일을 목표로 하는 형태와, 외국의 지배로부터의 해방·독립을 목표로 하는 형태로 대별됨. 민족 지상주의. *국민주의. ②〔악〕민요나 민속무곡(民俗舞曲) 등에 표현되어 있는 자기 국가나 민족에 고유한 음계·리듬·형식 등을 사용하여, 예술적인 음악 작품을 만들고자 하는 주의. *국민주의(國民主義).

민족주의 문학【民族主義文學】[— / —이—] 명〔문〕사회 운동으로서의 민족주의에 의거한 문학. 우리 나라에서는 1908-19년에 최남선(崔南善)·이광수(李光洙) 등에 의하여 형성됨.

민족 주체성【民族主體性】[—썽] 명 민족으로서의 자각과 사명을 「갖는 특성.

민족 중흥【民族中興】명 쇠잔했던 민족이 다시 일어남.

민족-지【民族誌】명 민족지학(民族誌學).

민족 지리학【民族地理學】명〔ethnogeography〕〔인류학〕인종이나 민족 내지 문화 집단의 지리적 분포와 그들의 환경에 대한 적응 및 이합(離合) 등을 연구하는 학문.

민족 지상주의【民族至上主義】[— / —이] 명〔정〕민족주의❶.

민족지-학【民族誌學】명 민족학 연구를 위한 자료를 수집하는 학문. 또, 그 기록. 주로, 미개(未開)한 민족의 생활 양상을 조사하여 인류 문화 구명(究明)의 자료로 함. 민족지(民族誌).

민족 진영【民族陣營】명 민족주의적 입장에서 외세(外勢), 특히 공산 진영에 대항하여 싸우는 동아리.

민족 집단【民族集團】명 후천적으로 학습되어 형성된 언어·종교·관습·제도 등의 공통된 문화적 전통과 일체감을 공유함으로 특징지어지는 집단. ↔인종 집단.

민족 통:일 연:구원【民族統一硏究院】명 국가의 통일 정책 수립에 이바지할 수 있도록 민족 통일 문제에 관한 제반 사항을 전문적·체계적으로 연구·분석하는 기관. 특수 법인임.

민족-학【民族學】명〔ethnology〕민족을 발생적(發生的)으로 또는 비교적(比較的) 방법에 의하여 연구하는 학문. 여러 민족이 갖는 언어·종교·사회 제도·법제(法制)·예술·기술 등 생활 양상·문화 전반에 걸쳐 그 특징적인 것을 적출(摘出)하고, 인류 문화의 발생·전파(傳播)·전개(展開)를 연구함. 에스놀로지. 토속학(土俗學).

민족 해:방 운:동【民族解放運動】명 ①식민지나 종속국 등 피압박 민족이 다른 민족 국가의 지배나 간섭을 배제하고 독립하려는 운동. 19세기에 구미 각국에서 발흥(勃興), 특히 제2차 대전 후, 아시아·아프리카의 여러 민족에 현저히 보임. *민족 운동. ②한 나라 안의 소수(少數) 민족이 다수 민족에 의한 억압 상태로부터의 해방을 구(求)하는 운동.

민족-혼【民族魂】명 한 민족만이 지니고 있는 고유의 혼. *민족 정신.

민-종식【閔宗植】명〔사람〕대한 제국 때의 의병장(義兵將). 자는 윤조(允朝). 여흥(驪興) 사람. 참판(參判)을 지냈으나 충남 정산(定山)에

은거, 을사 조약(乙巳條約)이 체결되자, 홍주(洪州)에서 의병을 일으켰음. 잡히어 융희 1년(1907) 평리원(平理院)에서 사형 선고를 받았으나, 감형되어 진도(珍島)에 유배되고, 특사로 석방됨. [1861-?]

민주[1] [명] 〈방〉 바보(평안).

민주[2]【民主】[명] ①주권(主權)이 국민에게 있음. ②〖정〗 ↗민주주의(民主主義).

민주 공:화국【民主共和國】[명]〖정〗 국체(國體)가 민주 국체이며 정체(政體)가 공화 정체인 나라. 곧, 통치권이 국민에게 있고, 주권의 운용(運用)이 국민의 의사에 의하는 나라. *인민 공화국.

민주 공:화당【民主共和黨】[명]〖역〗한국의 정당의 하나. 1963년 2월에 창당되었다가, 제5 공화국 헌법의 시행에 따라 1980년 자연 해산됨. [준]공화당.

민주 교:육【民主教育】[명] 민주주의적인 교육. 곧, 국민을 위한 교육.

민주-국【民主國】[명] 민주 국가. ↔군주국(君主國). *공화국(共和國).

민주 국가【民主國家】[명] 〔도 Volksstaat〕 민주 정치를 실시하는 국가. 민주주의 국가. 민주국. ↔독재 국가.

민주 국민당【民主國民黨】[명]〖역〗우리 나라 민주당의 전신(前身). 1949년 2월에 조직되었다가, 1955년 9월에 민주당으로 개칭함.

민주 국체【民主國體】[명]〖정〗 국가의 주권이 전국민에게 있는 국체. ↔군주 국체(君主國體).

민주-당【民主黨】[명] ①〖역〗 한국의 정당의 하나. 신익희(申翼熙)를 중심으로 하여 당시의 재야 세력(在野勢力)을 규합, 자유당(自由黨)에 대립해서 1955년 9월에 조직, 창당하여 4·19혁명으로 제 2공화국의 정권을 잡았으나 5·16 군사 정변으로 해체됨. *신민당. ②〖역〗한국의 정당의 하나. 1967년 4월 ❶의 계열과 신민당 조직의 탈락자가 중심이 되어 창당한 후, 1970년에 자진 해체한 보수 정당. ③〖역〗 ↗통일 민주당. ④〖정〗 한국의 정당의 하나. 신민주 연합당 등이 발기하여 1991년 9월에 창당된 보수 정당. ⑤〖정〗 미국의 2대 정당의 하나. 3대 대통령인 제퍼슨(Jefferson)이 1792년에 창당, 전통적으로 노예 존속(奴隷存續)과 자유 무역(自由貿易) 정책을 제창해 왔으나, 오늘날에는 공화당(共和黨)과 명백한 정책 상의 차이는 없으며, 지반(地盤)은 남부(南部)임.

민주-대다 [타] 몹시 귀찮고 미워서 싫어하다. ¶동네 인심이 그악하기루서니 식구 몇간 남아 있는 거야 설마 민주대겠나《洪命憙 : 林巨正》.

민주 복지 국가【民主福祉國家】[명] 민주주의를 바탕으로 하여, 국민 전체의 행복 추구를 목적으로 하는 국가.

민주 사회당【民主社會黨】[명]〖정〗한국의 정당의 하나. 1981년에 창당된 사회주의 정당임. 1982년 신정당과 합당, 신정 사회당이 됨.

민주 사회주의【民主社會主義】[―/―이] [명] 〔democratic socialism〕〖사〗영국 노동당을 중심으로 제창된, 마르크스주의에 의하지 않은 이상주의적 사회주의. 1951년 7월 서독 프랑크푸르트 암 마인(Frankfurt am Main)의 국제 사회주의자 회의(COMISCO) 본회의에서 채택된, '민주 사회주의의 목표와 임무'라는 선언에 의하여 국제적으로 공인되었고, 의회주의·노사(勞使) 협조를 중시하며 계급 투쟁·폭력 혁명을 부정(否定), 국제 공산주의와 대결함을 강령으로 삼고 있음. *사회 민주주의.

민주-스럽다 [형][ㅂ불] ①☞민망스럽다. ¶꺽정이가 거북하게 여기고 민주스럽게까지 여기어서…《洪命憙 : 林巨正》. ②☞면구스럽다.

민주 의원【民主議院】[명]〖역〗태평양 전쟁 직후, 한국에 진주한 미군 사령관 하지(Hodge, J.R.) 중장의 최고 자문 기관(諮問機關). 1946년 2월 14일에 설치되었는데, 의장·부의장·총리가 각 한 명씩이고, 의원은 23명임. 1948년 5월 29일에 해산함.

민주 자유당【民主自由黨】[명]〖정〗한국의 정당의 하나. 1990년 1월 민주 정의당·통일 민주당·신민주 공화당의 3당이 통합하여 창당됨. [준]민자당(民自黨).

민주-적【民主的】[명][관] 민주주의에 적합한 모양. 데모크라틱.

민주적 사회주의【民主的社會主義】[―/―이] [명]〖정〗 사회 민주주의와 대체로 같으나, 사회 민주주의가 사회 개량주의(社會改良主義)의 뜻으로 쓰이기 때문에, 특히 사회주의의 점을 강조하기 위하여 사용되는 말.

민주 정당【民主政黨】[명]〖정〗 민주주의를 표방하는 정당.

민주 정:의당【民主正義黨】[―/―이―] [명]〖정〗 한국의 정당의 하나. 1981년에 창당되어 제5·제6 공화국의 여당이 된 후, 1990년 1월 민주 자유당에 통합됨. [준]민정당(民正黨).

민주 정체【民主政體】[명]〖정〗 민주주의에 입각한 정치 형태. 일정한 자격을 가진 국민의 전부나 국민이 선거한 합의체(合議體)가 통치 작용을 총람(總攬)하는 정체. 데모크라시. ↔군주 정체·독재 정체.

민주 정체론자【民主政體論者】[명]〖정〗 민주 정체를 지지·주장하는 학자·사람. 데모크래트.

민주 정치【民主政治】[명]〖정〗 민주주의에 의거한 정치. 국가의 주권이 국민에게 있고, 국민의 의사에 의하여 운용(運用)되는 정치. 데모크라시. ↔군주 정치·독재 정치·전제 정치. *공화 정치.

민주-제【民主制】[명]〖정〗 ↗민주 제도.

민주 제:도【民主制度】[명]〖정〗 민주주의에 의거하여, 정치를 행하는 제도. [준]민주제. ↔군주 제도.

민주-주의【民主主義】[―/―이] [명] 〔democracy〕〖정〗 〔어원은 그리스어 demokratia로서 demos(인민·민중)와 kratia(지배·권력)가 결합한 것〕 국민이 권력을 소유하고, 그 권력을 스스로 행사하는 경우를 이름. 고대 그리스의 도시 국가에서 처음으로 시행되고 근세에 이르러 시민 혁명을 일으킨 영국·프랑스·미국 등의 나라에서 발전함. 기본적 인권·자유권·평등권 또는 다수결 원리·법치주의 등이 그 주된 속성(屬性)이며 또, 그 실현이 요청됨. 민본주의(民本主義). 데모크라시. [준]민주. ↔군주주의.

민주주의 국가【民主主義國家】[―/―이―] [명] 주권이 국민에게 있어, 민주주의적 정치를 실시하는 국가.

민주주의-자【民主主義者】[―/―이―] [명] 민주주의를 신봉하는 사람. 데모크래트.

민주주의-적【民主主義的】[―/―이―] [명][관] 민주주의에 적합한 모양. 데모크라틱.

민주 집중제【民主集中制】[명]〖정〗 노동자·농민을 바탕으로 하는 민주주의에 입각하여, 프롤레타리아의 정수(精粹) 분자에 의한 당(黨)의 지도로 집중적으로 국가 권력을 운용한다는, 공산 국가의 지도 원리. 레닌이 제창함.

민주 통:일당【民主統一黨】[명]〖역〗한국의 정당의 하나. 신민당(新民黨)의 일부 인사가 중심이 되어 1973년 1월에 창당, 제5 공화국 헌법에 따라 1980년 10월에 해산됨.

민주 평화 통:일 자문 회:의【民主平和統一諮問會議】[―/―이] [명] 조국의 민주적·평화적 통일에 관한 국민적 합의를 확인하고, 범국민적(汎國民的) 의지(意志)와 역량(力量)을 집결하여 민주적 평화 통일을 달성하는 데 필요한 정책의 수립·추진에 관하여 대통령에게 건의하고 그 자문에 응하게 하기 위하여 구성된 헌법 기관(憲法機關)의 하나. 대통령을 의장(議長)으로 하고, 주민이 선출한 지역 대표와 정당 기타 주요 사회 단체·직능 단체(職能團體)의 구성원 중에서 대통령이 위촉하는 7천 인 이상의 자문 위원으로 구성함.

민주 한국당【民主韓國黨】[명]〖정〗한국의 정당의 하나. 1981년에 창당되어, 11대 국회의 제1 야당이었음. [준]민한당.

민주 혁명【民主革命】[명] 민주 정체에 있어서 반민주적 정권을 물리치는 혁명.

민주-화【民主化】[명] 민주주의적으로 되어감. 또, 그렇게 되게 함. ――하다 [자][타][여불]

민-죽절【―竹節】[명] 아무 장식이 없는 죽절 비녀.

민-줄 [명] 개미를 먹이지 않은 연줄.

민중【民衆】[명] 국가나 사회를 구성하고 있는, 많은 사람들. 흔히, 피지배 계급으로서의 일반 대중을 가리킴. 공중(公衆). 군민(群民). 민서(民庶). 중민(衆民).

민중 군경【民重君輕】[명] 백성이 더 중하고 임금이 가벼움.

민중-당【民衆黨】[명]〖정〗①한국의 정당의 하나. 1965년 민주당❶과 민정당(民政黨)이 통합·창당한 후, 1967년 2월 신민당에 통합됨. ②한국의 정당의 하나. 1967년 창당된 보수 정당으로, 1973년에 소멸됨. ③한국의 정당의 하나. 1990년 11월 진보 세력의 정당으로 창당하였다가 1년 4개월 만에 소멸됨.

민중 무:대【民衆舞臺】[명] 〔도 Volksbühne〕 '예술은 민중의 것이며 국민의 일부나 한 계급만의 소유가 아니다'라는 슬로건 아래, 19세기 중엽에 독일의 베를린에서, 처음으로 관람석을 평등하게 하여 설립한 민중을 위한 무대.

민중 문자【民衆文字】[―짜] [명]〖언〗속용 문자(俗用文字).

민중 소송【民衆訴訟】[명]〖법〗 행정 소송의 하나. 일반 국민이나 선거인(選擧人)이 자기의 구체적인 권리 침해를 요건으로 하지 않고, 제기할 수 있는 쟁송(爭訟). 선거 소송·지방 주민이 제기하는 소청 따위. 이 소송은 법률의 규정이 있는 경우에만 인정됨. 민중 쟁송.

민중 어:원【民衆語源】[명]〖언〗 민간 어원.

민중 예:술【民衆藝術】[―네―] [명] ①예술가가 아닌 일반 민중에 의하여 형성된 예술. ②특권 유한 계급만을 위하여서가 아닌 일반 민중을 위한 예술. 1)·2):↔귀족 예술.

민중 오:락【民衆娛樂】[명] 널리 일반 민중이 즐길 수 있는 오락.

민중-왕【閔中王】[명]〖사람〗 고구려 제4대 왕. 휘는 해색주(解色朱). 대무신왕(大武神王)이 승하한 후, 태자가 유소(幼小)하여 민중왕을 내세웠음. [재위 44-48]

민중 운:동【民衆運動】[명] 민중이 어떠한 목적을 달성하기 위하여 행하는 운동.

민중의 적【民衆―敵】[―/―에―] [명] 〔En folke Fiende〕〖문〗 노르웨이의 극작가 입센이 1882년에 발표한 5막짜리 사회극. 광천(鑛泉)을 발견한 의사가, 그 광독(鑛毒)에 의한 공해(公害)를 고발하려다가, 이해 관계에 구애된 민중에게 추방당하기까지를 그림.

민중 재판【民衆裁判】[명] 고대(古代)의 그리스·로마·게르마니아에서 민중의 집회(集會)에서 행하여진 재판.

민중 쟁송【民衆爭訟】[명]〖법〗 민중 소송.

민중-적【民衆的】[명][관] ①민중에 관계가 있는 모양. ②민중을 중히 여기는 모양.

민중-화【民衆化】[명] ①민중에 동화(同化)함. ②일반 민중의 것이 되게 함. 민중이 이해할 수 있도록 함. ――하다 [자][타][여불]

민쥐 [명] 〈방〉 바보(함경).

민지[1] [명] 〈방〉 거스름돈(함경).

민지[2]【民志】[명] 국민의 의사. 국민의 의지.

민지[3]【民智】[명] 국민의 지식 정도. 국민의 슬기. ¶～가 높다.

민지[4]【敏智】[명] 민첩한 지혜.

민-지[5]【閔漬】[명]〖사람〗 고려 때의 학자. 자는 용연(龍延), 호는 묵헌(默軒). 여흥(驪興) 사람. 충렬왕(忠烈王) 때에 정가신(鄭可臣)의 《천추금경록(千秋金鏡錄)》을 증수(增修)하게 하여 《세대 편년 절요(世代編年節要)》를 만들고, 다시 《본국 편년 강목(本國編年綱目)》을 편찬하였음. 시호는 문인(文仁). [1248-1326]

민지근:-하다 [형] 〈방〉 미지근하다.

민지-부모【民之父母】[명] 〔백성의 부모라는 뜻〕 왕과 왕비.

민진용의 옥【閔晉鏞―獄】[―/―에―] [명]〖역〗조선 헌종 10년(1844)에 일어난 반역 사건. 민진용·박순수(朴醇壽)·이원덕(李遠德) 등이 공모하여 강화도에 유배된 은언군(恩彦君)의 손자 원경(元慶)을 추대하려고 하다가 발각되어 죽음을 당함.

민-진(:)원【閔鎭遠】[명]〖사람〗 조선 영조(英祖) 때의 상신(相臣). 노

론(老論)의 거두. 자는 성유(聖猷), 호는 단암(丹巖). 영조 원년(1725)에 우의정이 되었으나 정삼석(鄭三錫)에게 소척(疏斥)되어 한때 원주(原州)로 귀양감. 시호는 문충(文忠). 저서 《단암 주의(丹巖奏議)》·《연행록(燕行錄)》. [1664-1736]

민질【民疾】명 고질화(痼疾化)된 민족성(民族性)의 단점.

민-짜 명〈속〉민패❶.

민짜-건【─巾】명 유건(儒巾).

민-책받침 명 한자 부수(部首)의 하나. '建'이나 '廻' 등의 '廴'의 이름.

민천【旻天】명 ①사천(四天)의 하나. 가을 하늘. ②하늘.

민첩【敏捷】명 빠르고도 능란함. 재빠름. 날램. ¶～한 동작. ──-하다 형여불. ──-히 부

민첩-성【敏捷性】명 재빠른 성질.

민첩 혜:힐【敏捷慧黠】명 눈치 빠르고 약삭빠름. 기민 혜힐(機敏慧黠).

민초【民草】명 '백성'·'민중'·'인민'을 무성하는 풀에 비유하여 이르는 말.

민촌【民村】명 상민(常民)이 사는 마을. ↔반촌(班村).

민-촌충【─寸蟲】명〖동〗[*Taeniarhynchus saginatus*] 촌충과에 속하는 기생충. 머리 끝에 갈고리가 없는 대형의 촌충으로, 소를 중간 숙주(中間宿主)로 하여 사람의 장(腸) 안에 기생(寄生)하는데, 몸길이 4-9m이고, 네 개의 흡반(吸盤)을 가진 대가리는 직경 2mm 정도의 작은 구상(球狀)임. 300-1,000개 이상의 편절(片節)에 암수의 생식기가 있어, 그 속에 알을 수태(受胎)함. 인체(人體) 밖으로 배출된 편절이 파괴되어 알이 나와, 풀과 함께 소의 장 속에 들어가 육구 유충(六鉤幼蟲)이 되어 장벽(腸壁)을 뚫고, 근육 속에서 낭충(囊蟲)으로 발육함. 육회(肉膾)를 먹음으로써 감염됨. 무구조충. 무구촌충. *갈고리촌충.

두부(頭部)
〈민촌충〉

민출-하다 형여불 밋밋하고 훤칠하다.

민춤-하다 형여불 미련하고 덜되다.

민충【民衷】명 겨레의 고충(苦衷).

민충-단【愍忠壇】명〖역〗임진 왜란 때에 우리 나라에서 죽은 중국 명(明)나라 장사(將士)들을 위하여, 명황제(明皇帝)의 지시로 선조(宣祖) 때 각지에 지은 충혼단(忠魂壇).

민충이 명〖충〗[*Deracantha transversa*] 여칫과에 속하는 곤충. 몸길이 46-54mm이고, 몸빛은 대체로 암갈색이며 매우 비대(肥大)하고, 뒷다리는 짧으며 후퇴절(後腿節)도 복부보다 짧음. 날개는 짧고 원형이며, 전흉배(前胸背) 밑에 자리잡고 있음. 한국에는 서북 지방에 분포함.

민-충정공【閔忠正公】명〖사람〗'민영환(閔泳煥)'을 높여 이르는 말.

민취【民娶】명 양반으로서 상민(常民)의 딸과 결혼함. ↔반취(班娶). ──-하다 자여불

민치【民治】명 국민을 다스림.

민칭이 명〖조개〗[*Bullacta exarata*] 연체 동물 민칭잇과에 속하는 고둥. 패각(貝殼)은 얇고 반투명(半透明) 달걀꼴이며, 나탑(螺塔)은 없고 구부(口部) 패각의 길이와 거의 같음. 몸빛은 백색이며 담황색의 각피(殼皮)가 덮이고 나상(螺狀)의 구맥(溝脈)이 있음. 간조시(干潮時)는 몸의 대부분을 진흙 속에 감추고 만조(滿潮)를 기다림. 한국 서해안 및 중국에 분포함. 명주달걀고둥.

민-코 명 밋밋한 코. ¶밀짚 벙거지를 뒤집어 쓰고 외눈깔에 ～에 주걱턱인 허수아비가…《李無影 : 三年》.

민코프스키〔Minkowski, Hermann〕명〖사람〗러시아 출신의 독일 수학자. 정수론(整數論)에 기하학적 개념을 도입함. 1908년에는 특수 상대성 이론에 있어서의 시간·공간의 개념을 논함에 있어, 4차원 시공간(時空間)의 기하학으로서 정식화(定式化)함. [1864-1909]

민탈 명〈방〉낭떠러지.

민탕【民帑】명 백성의 재산. 민재(民財).

민태 명〖어〗[*Johnius belengeri*] 민어과에 속하는 바닷물고기. 길이 19cm 가량의 소형어(小形魚)로서 몸빛은 적황색의 고운 빛깔임. 어린애 우는 소리와 같은 소리를 내어 유명함. 한국 서·남해에서 동·남중국해·인도양 및 남아프리카에까지 분포함.

민-태원【閔泰瑗】명〖사람〗소설가. 호는 우보(牛步). 충남 서산(瑞山) 출생. 신소설기와 현대 소설기에 걸쳐 활약한 작가로 《무쇠탈》·《서유기(西遊記)》 등의 번역물과 《애사(哀史)》·《부평초》 등의 창작 외에, 단편 소설 《소녀》 등을 내었음. [1894-1935]

민통-선【民統線】명 휴전선 남쪽의 '민간인 출입 통제선(統制線)'의 준말.

민트〔mint〕명 ①〖식〗박하(薄荷). ②조폐국(造幣局).

민틋-이 부 민틋하게.

민틋-하다 형여불 울퉁불퉁한 곳이 없이 평평하고 비스듬하다.

민-패 명 ①아무 꾸밈새 없는 소박한 물건. 아무 것도 새기지 않은 평평한 물건. 민짜. ②특히, 순 뼈로만 만든 골패짝. *사모패. ③얼굴에 귀나 코가 없거나, 수족(手足)에 손가락이나 발가락이 없는 것.

민폐【民弊】명 국민에게 끼치는 폐. 민막(民瘼). ¶～ 근절. *관폐.

민-푸너리 명〖악〗푸너리 장단의 하나. 잦은 푸너리에 대하여 보통 속도의 푸너리 장단을 일컫는 말.

민-풀잠자리 명〖충〗[*Chrysotropia japonica*] 풀잠자릿과에 속하는 곤충. 몸길이 10mm 가량이고 편날개의 길이는 25-30mm이며, 몸빛은 황록색에 두부(頭部)에는 무늬가 없고 촉각은 황색임. 날개는 투명하고 연문(緣紋)은 담황색, 종맥(縱脈)은 황색, 횡맥은 대부분이 흑색임. 한국·일본 각지에 분포함.

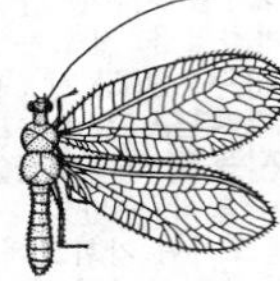
〈민풀잠자리〉

민풍【民風】명 백성의 풍속. 민속(民俗).

민-하늘지기 명〖식〗[*Fimbristylis squarrosa*] 사초과에 속하는 일년초. 잎 사이에 나온 줄기는 높이 10-20cm이고, 줄기와 잎에는 잔 털이 있는 것도 있으며 꼭대기는 갈라졌음. 여름에 길이 6mm 가량의 타원형의 잔 이삭에 녹갈색 꽃이 산형(繖形) 화서로 핌. 논두렁에 나는데, 한국 각지 및 아시아·인도·유럽·아프리카에 분포함. 논뜨기.

〈민하늘지기〉

민-하다 형여불 조금 미련하다. ¶민하게 굴다.

민한-당【民韓黨】명〖정〗↗민주 한국당.

민해【民害】형여불 국민의 피해. 일반 서민이 당하는 재해.

민혜【敏慧】명 민첩하고 지혜로움. ──-하다 형여불

민호【民戶】명 일반 백성이 사는 집. 민가.

민혼【民婚】명 양반으로서 상민(常民)과 결혼함. ──-하다 자여불

민화[1]【民畫】명 조선 시대 이후 일반 민중, 특히 서민층에 전승되어 내려온 민예적(民藝的)인 그림. 무명 화가나 떠돌이 화가에 의해서 생활 공간의 장식을 위하여 민속적(民俗的)인 관습에 따라서 제작된 실용화(實用畫). 익살스럽고 소박한 형태와 파격적인 구성으로, 한국적인 미(美)의 특색을 강렬하게 드러내고 있음.

민화[2]【民話】명 민간에 전승된 설화(說話).

민-화투【─花鬪】명 화투놀이의 한 가지. 2-4 사람이 치는데, 비약·초약·풍약과 청단·홍단·초단 등의 약(約)이 있음.

민활【敏活】명 민첩하고 활발함. ──-하다 형여불. ──-히 부

민회【民會】명 ①일정한 구역 안에 사는 국민들이 자치(自治)를 목적으로 조직한 회. ②〖역〗고대 그리스에 있어서의 정기적인 시민의 총회. 고관(高官)의 선출, 외교 관계의 결정, 입법·사법·행정에 걸친 모든 정치와 외국인에 대한 시민권 부여 등을 기능으로 하는 최고 의결 기관. 아테네에서는 에클레시아(ekklesia)라 불러 1년에 네 번, 스파르타에서는 아펠라(apella), 델포이에서는 아고라(agora)라고 불러, 각각 한 달에 한 번씩 열렸음. *평민회(平民會). ③동학도(東學徒)의 집회. ④독립 협회 주간(主幹)의 만민 공동회(萬民共同會).

민-회상【─會相】명〖악〗잦은 회상에 대하여, 본래의 영산 회상(靈山會相)을 일컫는 말.

민휼【憫恤】명 불쌍한 사람을 도와 줌. ──-하다 자여불

믿[1] 명〈옛〉①불기. ¶믿 둔(臀)《字會 上 27》. ②똥구멍. ¶믿 항(肛)《字會 上 27》. ③밑. ¶시르믿 비(箅)《字會 中 10》. ④밑천. 본전. ¶믿과 길헤 여듧량 은에(本利八兩銀子)《杜解 上 34》.

믿[2] 자〈옛〉미쳐. '및다'의 활용형. ¶믿 주그매 거상을 어딜이 ᄒᆞ고(及歿善居喪)《東國新續三綱 孝子圖 Ⅷ:51》.「諺 Ⅳ:11》.

믿가지 명〈옛〉본가지. ¶자던 새도 믿가질 ᄉᆞ랑ᄒᆞᄂᆞ니(宿鳥戀本枝)《杜

믿겨집 명〈옛〉본처(本妻). ¶鮑蘇ㅣ 그위실 가아 다른 겨집 어러늘 믿겨집 女宗이 싀어미를 더욱 恭敬ᄒᆞ야(女宗 鮑蘇之妻 蘇仕衛三年而娶外妻 女宗養姑愈敬)《三綱 烈女 女宗知禮》.

믿곧 명〈옛〉본고장. ¶순저 믿고대 잇더니(猶在本處)《妙蓮 Ⅱ:215》.

믿글월 명〈옛〉원부(原簿). ¶底 又本也 底簿 믿글월《老朴 單字解》.

믿기다 자 ☞ 믿어지다. ¶믿기지 않는 사실.

믿-나라 명〈옛〉본국(本國). 제 나라. ¶漸漸 돌녀 믿나라해 오니(漸漸遊行過向本國)《圓覺 序 46》.

믿다 타 ①꼭 그렇게 여기어 의심하지 않다. ¶성공하리라 굳게 ～. ②마음으로 의지하다. ¶당신만 믿겠소. ③신앙(信仰)하다. ¶불교를 ～. [믿기는 신주 믿듯] 목적하는 바 없이 매우 굳게 믿음을 이르는 말. [믿는 나무에 곰이 핀다] 잘 되려니 믿고 있던 일에 뜻밖의 파탄이 생김을 이르는 말. ¶영감께서 철옹성같이 아시고 말을 하시나 믿는 나무에 곰이 핀답니다《金宇鎭 花上雪》. [믿는 도끼에 발등 찍힌다] 믿고 있던 일로부터 의외의 재난을 받는다는 말. [믿던 발에 돌 찍힌다] 믿고 있던 것에 탈이 생긴다는 말. [믿었던 돌에 발부리 채었다] 단단히 믿고 있던 일이 틀어지거나, 틀림없을 사람에게 배반당했을 때 이르는 말.

믿브다 형〈옛〉미쁘다. ¶믿블 량(亮)《類合 下 25》.

믿비 부〈옛〉미쁘게. ¶이 이를 믿비 맛노니(保任此事)《妙蓮 Ⅱ:90》.

믿비ᄒᆞ다 타〈옛〉미쁘게 하다. ¶삼가고 믿비ᄒᆞ며(謹而信)《小諺 Ⅰ:16》.

믿음 명 ①믿는 마음. ②〖기독교〗하느님을 확신(確信)하고 신뢰(信賴)하「는 일. *신앙(信仰).

믿음-성【─性】[─썽] 명 믿을 만한 성질. 믿음직한 성질. 신뢰성.

믿음성-스럽다【─性─】[─썽─] 형ㅂ불 믿음성이 있어 보이다. 믿음성-스레【─性─】[─썽─] 부

믿음직-스럽다 형ㅂ불 믿음직한 데가 있다. 믿음직-스레 부

믿음직-하다 형여불 믿음성이 있다.

믿집 명〈옛〉본집. ¶사ᄅᆞ미 믿지블 몰라 일코《月釋 XXI:117》.

밀[1] 명〖식〗↗참밀.

밀:[2] 명 밀랍(蜜蠟).

밀:[3] 명〖광〗함지질할 때에 나오는 사광석(砂鑛石).

밀:[4]〔meal〕명 식사(食事).

밀[5]〔Mill〕명〖사람〗①〔James M.〕영국의 경제학자·철학자. 대표적 자유주의자로서 당시의 벤담주의(Bentham主義)·공리주의의 보급에 공헌하였음. 저서 《인간 정신의 제 현상(諸現象)의 분석》 등. [1773-1836] ②〔John Stuart M.〕철학자·경제학자. ❶의 아들. 일찍부터 재능을 보여 사회·자연 과학 등의 여러 면을 공부하였음. 19세기 영국 경험론(經驗論)의 대표적 철학자로서 귀납법(歸納法)을 대성, 영국의 사회주의 이론의 아버지라 불리어지는 한편, 자유주의 경제학의 최후의 자리

를 지킴. 저서 ≪경제학 원리≫·≪자유론≫·≪부인론≫ 등. [1806-73]
밀⁶ 〔mil〕 의명 ①야드 파운드법의 길이의 단위. 1밀은 1/1000 인치임. 전선의 직경·절단면 및 전기 절연 재료의 두께를 측정하는 데에 씀. ②〖군〗 사격 기점(射擊記點)의 단위. 원주(圓周)의 1/6,400의 호(弧)에 대한 각(角).
밀-가루 [—까—] 명 참밀의 가루. 여러 가지 음식의 감으로 씀. 소맥분(小麥粉). 소맥면(小麥麵). 진가루. 진말(眞末). ②〈속〉 밀매음(密賣淫)하는 여자.
【밀가루 장사하면 바람이 불고 소금 장사하면 비가 온다】 운수가 사나우면 공교로운 일을 당한다는 말.
밀가루 반죽 [—까—] 명 밀가루를 물에 개어 반죽함. 또, 그 반죽. 준밀반죽. ——-하다 자여불
밀:-갈퀴 명 벌통에서 밀을 따는 갈퀴.
밀감【蜜柑】 명 〖식〗 [*Citrus nobilis*] 운향과에 속하는 상록 활엽 관목. 높이 3m 가량이고 잎은 달걀꼴에 톱니가 없음. 첫여름에 백색 오판화(五瓣花)가 총상(總狀) 화서로 액생(腋生)하여 피고, 장과(漿果)는 첫겨울에 황적색으로 익음. 인가 부근에 심는데, 제주도 및 일본·인도에 분포함. 관상용이고, 과실도 '밀감'이라고 하여 식용하고, 껍질은 귤피(橘皮)라 하여 향료·진피(陳皮) 대용임. 귤나무.

〈밀감〉

밀감-류【蜜柑類】 [—뉴] 명 감귤류.
밀감-주【蜜柑酒】 명 밀감을 짠 즙이나 밀감 껍질의 증류액(蒸溜液)을 └섞은 술.
밀갑【密匣】 명 밀부(密符)를 넣어 두는 나무 상자.
밀:-개¹ 명 〖고고학〗 돌날 또는 격지의 한쪽 끝을 잔손질하여 만든 석기(石器). 일반적(一般的)으로 날이 둥글며 날의 너비보다 길이가 더 깊. 깎거나 자르는 데 씀. 구석기 시대 중기 이후에 널리 나타남.
밀개² 명 〈방〉 고무래(충북·경상).
밀-개떡 명 밀가루나 밀가루의 찌끼로 반대기를 지어 찐 떡.
밀:겋다 [—거타] 형ㅎ불 훤하게 멀겋다. ＞말갛다.
밀계¹【密計】 명 비밀한 꾀. 밀책(密策).
밀계²【密契】 명 비밀리에 맺는 계약. ——-하다 타여불
밀계³【密啓】 명 임금에게 넌지시 또는 비밀히 아룀. 또, 그 글. 비계(祕啓). ——-하다 타여불
밀고【密告】 명 ①남몰래 넌지시 일러 바침. ②타인의 범죄를 안 자가, 몰래 관계 당국에 고발하는 일. ——-하다 타여불
밀고-자【密告者】 명 밀고하는 사람. 밀고한 사람.
밀고-장【密告狀】 [—짱] 명 밀고하는 사연을 적은 글.
밀:-골무 명 손가락 끝이 상하였을 때에 끼는 밀로 만든 골무.
밀:-공모선【—工母船】 명 〔factory ship mealing〕 어분(魚粉)을 만드는 기계 설비를 갖춘 모선(母船). 잡힌 고기의 내장을 빼고 삶은 다음, └압축·건조하여 분말을 만듦.
밀과【蜜菓】 명 유밀과(油蜜菓).
밀교【密敎】 명 ①〖불교〗 해석이나 설명을 할 수 없는 경전(經典). 주문(呪文)·진언(眞言) 따위. ②〖불교〗 7세기 후반기에 흥기(興起)하였던 불교의 한 파(派). 법신(法身) 대일 여래(大日如來)가 자기 내증(內證)의 법문(法門)을 개설한 비오 진실(祕奧眞實)의 교법(敎法). 그 교법이 심밀(深密)·유현(幽玄)하여, 여래(如來)의 신력(神力)을 힘입지 않고서는 터득할 수 없기 때문에 이 이름이 있음. 금태양부(金胎兩部)의 ≪대일경(大日經)≫·≪금강 정경(金剛頂經)≫을 그 성전(聖典)으로 함. 비교(祕敎). 비밀교(祕密敎). 진언 밀교. ↔현교(顯敎). 이칭:유가종. ③〖역〗 임금이 살아 있을 때, 종친(宗親) 또는 중신(重臣)에게 남모르게 뒷일을 부탁하여 내린 교서(敎書). ④〖역〗 임금의 비밀한 교서.
밀교-집【密敎集】 명 〖불교〗 진언(眞言)·주문(呪文) 등을 편찬한 책.
밀구¹【蜜灸】 명 〖한의〗 약재(藥材)에 꿀을 발라서 불에 구움. ——-하다 └타여불
밀구²【蜜狗】 명 〖동〗 목도리담비.
밀-국수 명 밀가루로 만든 국수. 소맥면(小麥麵).
밀:-굽 명 말 같은 동물의 다리에 병이 생기거나 굽에 편자를 박지 아니하여 절룩거리기 때문에 앞으로 밀려난 굽.
밀그래 명 〈방〉 고무래(전북).
밀기¹ 명 〈방〉 고무래(전북).
밀기²【密記】 명 비밀히 기록함. 또, 그 기록. ——-하다 타여불
밀:-기름 명 머릿 기름의 한 가지. 밀과 참기름을 섞어서 끓인 기름.
【밀기름 새옹에 밥을 지어 귀이개로 퍼서 먹겠다】 말세(末世)가 되면 사람의 몸이 작아져서, 밀기름 그릇만한 그릇에 밥을 담고 귀이개만한 숟가락으로 퍼먹게 된다고 하는 말.
밀-기울 [—끼—] 명 밀을 빻아서 체로 가루를 빼고 남은 찌끼. 곧, 밀의 속껍질이 많이 섞인 무거리. 소맥부(小麥麩). 맥피(麥皮).
밀기울 된:장 【—醬】 [—끼—] 명 밀기울로 만든 된장. 부시(麩豉).
밀기울-장 【—醬】 [—끼—] 명 밀기울로 메주를 만들어 담근 장. 부장(麩醬).
밀-깜부기 명 밀에 감염된 깜부기. 소맥노(小麥奴).
밀꺼 명 〈방〉 고무래(경북).
밀:-나물 [—라—] 명 〖식〗 ①[*Smilax oldhami*] 백합과에 속하는 다년생의 만초(蔓草). 청미래덩굴과 비슷한데 줄기는 길게 뻗으며 녹색이고, 잎은 호생하고 긴 달걀꼴이며, 엽액에 권수(卷鬚)가 있음. 5-7월에 농녹색 꽃이 산형(繖形) 화서로 잎꼭지보다 길게 액생(腋生)하여 피고, 장과(漿果)는 둥글며, 청흑색으로 익음. 산지에 나는데, 한국·일본·중국에 분포함. 어린 싹을 식용하는데, 구황(救荒) 식물로 재배함. ②〈방〉 멸.

〈밀나물❶〉

밀:-낫 [—란] 명 풀을 밀어 깎는 낫. 모양은 보통 낫과 같으나 등이 날이 되고 자루가 긺.
밀:다 타 ①힘을 주어 앞으로 나아가게 하다. ¶ 수레를 ~. ②거친새가 있는 바닥을 빤빤하게 깎다. 또, 붙은 것을 떨어지도록 문지르다. ¶ 대패로 ~/때를 ~. ③추천하거나 추대하다. ¶ 김씨를 회장으로 ~. ④가루 반죽을 밀방망이로 얇고 넓게 펴다. ¶ 밀반죽을 밀어 만두를 빚다. ⑤↗미루다.
밀담【密談】 [—땀] 명 남몰래 비밀히 이야기함. 또, 그 이야기. 밀어(密語). 밀화(密話). ——-하다 자여불
밀-대¹ [—때] 명 〈방〉 ①밀짚. ②〖식〗 멸.
밀:-대² [—때] 명 ①물건을 밀어 젖힐 때 사용하는 나무 막대. ②다올대. ③누비질할 때 쓰는 제구. 나전·화각 또는 대나무 등으로 길이 10cm 가량 되게 가늘게 만듦. ④〖군〗 카빈·M1 소총 등에서, 노리쇠 뭉치와 연결되어 후퇴·전진(前進)시키는 긴 쇠. 복좌 용수철이 감기어 있고, 큰 밀대·작은 밀대로 구분함.
밀:대 모자【—帽子】 [—때—] 명 〈방〉 밀짚 모자.
밀:대-방망이 [—때—] 명 〈방〉 명미레.
밀:대-싸리 [—때—] 명 〖식〗 [*Lespedeza kiusiana*] 콩과에 속하는 낙엽 활엽 관목. 잎은 삼출(三出)하고 소엽(小葉)은 달걀꼴의 긴 타원형 또는 좁은 타원형임. 7월에 동자색 꽃이 총상(總狀) 화서로 1-3개씩 액생(腋生)하여 피고, 협과(莢果)는 10월에 익음. 산록에 나는데, 강원·경기 및 일본 등지에 분포함. 잎은 사료(飼料), 나무 껍질은 섬유용임.
밀도¹【密度】 [—또] 명 ①빽빽이 들어선 정도. ¶ 도시의 인구 ~. ②내용에 대한 충실함의 정도(程度). ¶ ~ 높은 이야기. ③〔density〕〖물〗 한 물질의 어느 온도에 있어서의 단위 체적(單位體積)의 질량. 보통 C.G.S. 단위인 g/cm³을 씀.
밀도²【密屠】 [—또] 명 밀살(密殺)❷. ——-하다 타여불
밀도 검:층【密度檢層】 [—또—] 명 〔density log〕 감마선(γ線)의 방사와 검출에 의거 갱정(坑井) 안 유층부(油層部)의 밀도를 조사하는 방사능 검층.
밀도-계【密度計】 [—또—] 명 〖물〗 물질의 밀도를 측정하는 계기(計器).
밀도 고도【密度高度】 [—또—] 명 〔density altitude〕〖기상〗 표준 대기(標準大氣)에서, 어떤 주어진 밀도를 가진 고도(高度).
밀도 대:기 속도【密度對氣速度】 [—또—] 명 〔density airspeed〕〖항공〗 기압 고도(氣壓高度)와 공기 온도를 보정(補正)한 대기(對氣) 속도.
밀도-류【密度流】 [—또—] 명 〖해〗 바닷물의 밀도가 장소에 따라서 다르기 때문에, 밀도가 큰 쪽에서부터 작은 쪽으로 흐르는 해류. 쿠로시오나 만류(灣流)가 그 대표적인 예임. *경사류.
밀도 변:조【密度變調】 [—또—] 명 〔density modulation〕〖전자〗 전자빔(電子 beam) 안의 전자 밀도를 시간적으로 변화시킴으로써 그 빔을 변조하는 일.
밀도 비:역적【密度比力積】 [—또—] 명 〔density specific impulse〕〖항공〗 추진제(推進劑) 복합물의 비역적과 추진제의 평균 비중(平均比重)과의 곱. 「하다 타여불
밀-도살【密屠殺】 [—또—] 명 당국의 허가 없이 가축을 도살함. ——
밀:-돌 [—똘] 명 납작하고 반들반들한 작은 돌. 바느질할 때에 문질러 반드랍게 하는 데나, 돌확 같은 데에 양념이나 곡식을 갈아 부스러뜨리는 데 쓰는 것이 있음. 「동자의 형상.
밀:-동자【—童子】 명 수파련(水波蓮)의 장식으로, 밀로 조그맣게 만든
밀:-따기 명 벌통에서 밀을 떼어 내는 일. ——-하다 자여불
밀-따리 명 〖식〗 늦벼의 한 가지. 꺼끄러기가 없고 빛이 붉음.
밀때기 명 〈방〉〖충〗 메뚜기(경북).
밀-떠꾹 명 〈방〉 수제비(경남).
밀-떡 명 밀가루를 설탕물이나 간수나 꿀물 등에 반죽하여 익히지 아니한 날떡. 부스럼에 약으로 붙임.
밀뚜기 명 〈방〉〖충〗 메뚜기(경북).
밀-뚤레 명 ①밀을 둥글넓적하게 뭉친 덩이. ②길들어 윤이 나거나 살져서 윤택한 물건을 가리키는 말.
밀:-뜨리다 타 갑자기 힘있게 밀어 버리다. *밀치다.
밀띠기 명 〈방〉〖충〗 메뚜기(경북).
밀라노 〔Milano〕 명 〖지〗 이탈리아 북부 롬바르디아(Lombardia) 자치주의 주도(主都). 이탈리아 제1의 상업·금융·공업 도시. 자연 섬유 공업 외에 기계·자동차·항공기·화학·식품 가공 등 공업이 행해짐. 중세 이래 상공 도시로서 발전하여 왔으며, 오페라·미술·학술상 볼 만한 것이 많음. 옛이름은 메디올라눔(Mediolanum). [1,548,000명(1984)]
밀라노 성:당【—聖堂】 〔Milano〕 명 중세 이탈리아 고딕의 대표적 건물. 1386년에 착공, 1813년에 완성됨. 길이 약 150m, 정면의 너비가 약 60m에 이르는 5랑식(五廊式)인 순백의 대리석 건축으로, 규모의 크기로는 산 피에트로 대성당(San Pietro大聖堂)에 이어 이 나라 두번째임. 외관상의 특징은 줄줄이 서 있는 135개의 작은 첨탑(尖塔)임.
밀라노 칙령【—勅令】 〔Milano〕 [—녕] 명 〖역〗 ①313년 밀라노에서 콘스탄티누스(Constantinus) 1세가 신교의 자유를 허락하고 기독교를 공인한 칙령. ②1807년 밀라노에서 나폴레옹 1세가 전년의 베를린 칙령(勅令)에 따라, 영국과 통상하는 상선의 나포(拿捕)를 명한 칙령.
밀라노 트리엔날레 명 〔Triennale di Milano〕 밀라노에서 1923년부터 3년마다 개최되는 디자인 중심의 국제 전람회. 세계 디자인의 동향(動向)에 미치는 영향이 큼.
밀라노-파【—派】 〔milano〕 명 〖미술〗 밀라노를 중심으로 15세기말에서 16세기 전반(前半)에 번성했던 이탈리아의 한 화파(畫派). 이 지방

에서는 처음 장식적(裝飾的)이며 중후(重厚)한 그림이 주된 것이었으나, 1500년을 전후하여 레오나르도 다 빈치가 밀라노에서 활동하게 되면서부터 그 영향을 받은 그림이 성함. 그러나 표면적인 모방(模倣)이 많고, 정채(精彩)를 결(缺)하고 있다는 평(評)임.

밀랍【蜜蠟】명〔beeswax〕꿀벌의 집을 만드는 주성분. 세로트산(酸)과 팔미트산(酸)·미리실(myricyl)과의 혼합물로, 꿀을 짜 낸 남은 찌끼를 가열·압축하여 만드는 유지(油脂) 같은 것임. 화장품·초·전기 절연·납형 주물(蠟型鑄物)·광택제(光澤材) 등에 사용됨. 납(蠟). 밀. 황랍(黃蠟). 봉랍(蜂蠟). *동물납.

밀러[1]〔Miller, Arthur〕명〖사람〗미국의 극작가. 현대 작가 중 가장 소시민(小市民)적 입장을 대변하며, 특히 ≪세일즈맨의 죽음≫은 그 사실적인 생활면의 묘사 이외에 인간의 잠재 의식과 무의식의 교착(交錯)된 수법으로 높이 평가됨. [1915-]

밀러[2]〔Miller, Glenn〕명〖사람〗미국의 대중 음악가·편곡가(編曲家). 트롬본 연주자로 출발하여 자기의 악단(樂團)을 창설하였고, 재즈와 포퓰러의 중간을 가는 독자적인 연주 스타일을 개발, ≪아메리칸 패트롤≫ 등으로 성공함. 제2차 대전 중에 공군(空軍)의 밴드 대장으로 활약하다가 비행기 사고로 죽음. [1909-44]

밀러[3]〔Miller, Henry Valentine〕명〖사람〗미국의 작가. 독일계(系) 이민의 아들로 뉴욕에서 태어나, 각처를 방랑하던 끝에 유럽에 건너감. 파리에서 ≪북회기선(北回歸線)≫·≪어두운 봄≫·≪남회기선≫을 쓰고 풍기 문란죄로 문죄(問罪)됨. 1940년 귀국 후에도 ≪섹서스≫ 등의 3부작 ≪장미의 십자가≫로 자전적(自傳的)인 성(性)을 그리면서, 인간 해방을 지향(志向)함. 기계 문명을 비판한 ≪냉방 장치의 악몽≫ 등의 평론도 있음. [1891-1980]

밀러 도법【一圖法】[一뻡] 명〔Miller's projection〕〖지〗미국의 지도학자 밀러(Miller, O.M.)가 1942년에 고안한 지도 도법. 메르카토르 도법을 수정·개량한 것으로, 극지방의 표시가 가능하여 세계 전도(世界全圖)에 이용됨.

밀레〔Millet, Jean François〕명〖사람〗프랑스의 화가. 바르비종파(Barbizon派)의 한 사람. 농가 출신으로 파리에 나와 한때 들라로슈(Delaroche)에게 사사하였음. 농사를 지으면서 회화에 정진, 아카데미슴(académisme)에 반발하고 종교적인 우수성(憂愁性)에 찬 작품을 창작하였음. ≪이삭 줍기≫·≪만종(晩鐘)≫·≪씨뿌리는 사람들≫ 등 농민 생활을 주제로 한 많은 명작을 남김. [1814-75]

밀레도〔Miletos〕명〖성〗소아시아의 서해안 에베소의 남쪽에 있던 도시. 밀레투스의 성서에서의 표기. 바울이 에베소의 장로(長老)를 불러 유명한 결별(訣別)의 설교를 한 곳.

밀레스〔Milles, Carl〕명〖사람〗스웨덴의 조각가(彫刻家). 1897-1904년 파리에서 로댕에 사사(師事), 1920-31년 스톡홀름 미술 학교의 교수를 지낸 다음 도미(渡美)함. 역사적인 초상·기념비 등의 조각에 능하였음. [1875-1955]

밀레이〔Millais, John Everett〕명〖사람〗영국의 화가. 로열 아카데미에서 수학하고 로세티(Rossetti)·헌트(Hunt) 등과 라파엘 전파(前派)를 결성함. 꼼꼼하고 사실적인 묘사와 적당한 감상성(感傷性)으로 시류(時流)를 타서, 1896년 로열 아카데미 회장이 됨. 대표작 ≪양친(兩親)의 집에 있는 그리스도≫·≪오펠리아(Ophelia)≫ 등. [1829-96]

밀레투스〔Miletus〕명〖역〗고대 이오니아 최강의 도시 국가(都市國家). 기원전 7세기 이후 흑해 연안에 많은 식민지(植民地)를 건설하고, 기원전 6세기에는 밀레투스 학파를 낳고 문화의 중심지로서 번영함. 기원전 494년에 페르시아에 의해 파괴되었으나, 재건 후 헬레니즘 로마 시대에는 다시 번영함.

밀레투스 학파【一學派】〔Miletus〕명 기원전 6세기, 밀레투스에서 활약한 그리스 최고(最古)의 철학 학파. 대표적인 인물로는 탈레스(Thales)·아낙시만드로스(Anaximandros)·아낙시메네스(Anaximenes). 신화적(神話的)인 관점(觀點)에서 해방되어 세계 전체의 근본 원리란 무엇인가라는 물음을 제기하고 각자가 여기에 독자적으로 대답한 점에서 서양 철학의 시조(始祖)가 됨. *이오니아 학파.

밀려-나다 자 거라불 ①떼밂을 당하여 어느 위치에서 밀리다. ¶ 길 옆으로 ~. ②어떤 세력에 못 견뎌 어떤 자리에서 쫓겨나다. ¶ 사장 자리에서 ~.

밀려-나오다 자 너라불 ①뒤에서 미는 힘에 의하여 앞으로 나오다. ②어떤 세력에 못 견디어 물러나다. ③여럿이 한꺼번에 몰려나오다. ¶ 군중이 물밀듯이 ~.

밀려-다니다 자 ①뒤에서 미는 힘으로 다니다. ②여럿이 떼를 지어 돌아다니다.

밀려-들다 자 한꺼번에 여럿이 들이닥치다.

밀려-오다 자 너라불 ①밀림을 당하여 이쪽으로 오다. ¶ 조수(潮水)가 ~. ②여럿이 단박에 몰려오다. ¶ 물밀듯이 밀려오는 적군.

밀렵【密獵】명 금제(禁制)를 어기고 몰래 사냥함. ¶ ~꾼. ——하다 자 타 여불

밀렵-자【密獵者】명 몰래 사냥하는 사람.

밀령【密令】명 비밀한 지령(指令). 밀명(密命).

밀례【一禮】명 ☞ 면례. ¶ 명당 자리가 어디람. 어딘 줄이나 알아야 울아부지 ~를 해서…≪李無影 : 農民≫.

밀로〔Milo〕명〖지〗'밀로스(Milos)'의 이탈리아어 이름. ¶ ~의 비너스.

밀로나이트〔mylonite〕명〖지〗지각 변동으로 인하여 파쇄(破碎)작용을 받은 암석.

밀로돈〔mylodon〕명〖동〗빈치류(貧齒類)에 속하는 화석(化石) 동물의 하나. 거대한 몸길이는 7m 가량이고 온몸은 밀모(密毛)로 덮여 있고 머리가 김. 육중한 사지(四肢)가 있고, 전지(前肢)는 다섯 개의 발가락 중 제 4·5 발가락은 짧으며, 후지는 발가락이 네 개로 제 1·4 발가락은 짧음. 초식성(草食性)이며 최신생기(最新生紀)에 남북아메리카·멕시코에 번성하였음.

〈밀로돈〉

밀로스〔Milos〕명〖지〗그리스 남쪽 에게 해 남서쪽 키클라데스(Kikladhes) 군도 중의 화산섬. 그리스령(領). '밀로의 비너스'가 발견된 곳임. 밀로(Milo). [150 km² : 860,000 명(1971)]

밀로시〔Milosz〕명〖사람〗'미워시'의 미국어 이름.

밀로의 비:너스 [一/一에一] 명〔Venus of Milo〕〖미술〗그리스의 유명한 대리석 조각명. 1820년에 그리스의 밀로 섬에서 발굴되어, 현재 루브르(Louvre) 박물관에 보관되어 있음. 아래위 두 개의 석재로 높이 2.04 m이며, 제작 연대는 기원전 4-1세기경으로 추측됨.

밀롱가〔스 milonga〕명〖악〗아바네라(habanera)에서 파생(派生)한 아르헨티나의 무용 음악. 4분의 2 박자로 상당히 빠르고 쾌활한 템포로 연주됨. 한때 크게 유행되었으나 후에 탱고(tango)로 발전함.

밀롱 반:응【一反應】명〔Millon's reaction〕〖화〗〔프랑스의 화학자 A. N. E. Millon(1812-67)에 유래〕단백질의 발색 반응(發色反應)의 하나. 단백질의 시료(試料)에 밀롱 시약(試藥)을 적하(滴下)하면 백색 침전을 만들며, 가열하면 침전은 적갈색이 되거나 용해되어 붉은 액이 됨.

밀롱 시:약【一試藥】명〔Millon's reagent〕〖화〗밀롱 반응에 쓰이는 시약(試藥). 수은 100 g에 150 cc의 진한 질산(50%)을 가한 다음, 중탕(重湯)으로 가열하여 수은을 녹인 후 두 배의 물을 가하여 만듦.

밀류코프〔Milyukov, Pavel Nikolaevich〕명〖사람〗러시아의 정치가·역사가. 1917년의 2월 혁명 후 임시 정부의 외상(外相)에 취임하였으나 반(反)혁명으로 실각, 프랑스에 망명하여 반러시아 운동에 투신하였음. [1859-1943]

밀른〔Milne, Alan Alexander〕명〖사람〗영국의 극작가·아동 문학가. 유머러스한 희곡과 추리 소설 등을 썼는데, 희곡 ≪도버 가도(Dover 街道)≫, 추리 소설 ≪빨간 집의 수수께끼≫, 동화 ≪어렸을 때≫ 등이 알려짐. [1882-1956]

밀리〔milli〕의명 ↗밀리미터.

밀리-〔milli〕접〔라틴어로 1000분의 1이란 뜻〕미터·그램·리터 등의 단위에 붙어 그 1000분의 1을 나타내는 말.

밀리-갈〔milligal〕의명 가속도의 단위. 1 cm/sec²의 1000분의 1. 기호는 mGal.

밀리-그램〔milligram〕의명 무게의 단위의 하나. 1그램의 1000분의 1. 기호는 mg.

밀리다 ⊟ 자 미처 처리 못한 일이나 물건이 쌓이다. ¶ 집세가 ~/일이 ~. ⊟ 피동 떼밂을 당하다. ¶ 인파에 ~.

밀리-뢴트겐〔도 Milliröntgen〕의명 방사능량(放射能量)의 단위의 하나. 뢴트겐의 1000분의 1. 기호는 mR.

밀리-리터〔milliliter〕의명 용량(容量)의 단위. 1리터의 1000분의 1. 기호는 ml.

밀리-몰〔millimol〕의명〖화〗농도(濃度)의 단위. 1몰의 1000분의 1. 기호는 mM.

밀리-미크론〔millimicron〕의명 길이의 단위의 하나. 1000분의 1 미크론. 기호 mμ.

밀리-미:터〔millimeter〕의명 길이의 단위의 하나. 1미터의 1000분의 1. 곧 십분의 일 센티미터. 기호는 mm. 준 밀리.

밀리미:터-파【一波】명〔millimeter wave〕〖물〗파장이 1-10 mm의 극초단파. 주파수 범위에서는 기가 헤르츠(giga hertz)에 해당하며 EHF라고도 함. 밀리파. 약칭: 이 에이치 에프.

밀리-바:〔millibar〕의명〖물〗기압(氣壓)을 재는 단위(單位)의 하나. 10^6 다인/cm²을 1바(bar)로 하고, 이의 1000분의 1을 1밀리바로 함. 1기압은 곧, 1013.250 밀리바임. 기호는 mb. 기상 용어는 헥토파스칼.

밀리-볼트〔millivolt〕의명〖물〗전압(電壓)의 실용 단위의 하나. 1볼트의 1000분의 1. 기호는 mV.

밀리-암미:터〔milliammeter〕명〖물〗전류계(電流計)의 하나. 눈금이 밀리암페어 단위로 되어 있음.

밀리-암페어〔milliampere〕의명〖물〗전류의 실용 단위의 하나. 1암페어(ampere)의 1000분의 1. 기호는 mA.

밀리어네어〔millionaire〕명 백만 장자(百萬長者).

밀리언〔million〕⊟ 수 백만(百萬). ⊟ 명 무한히 많은 수. 무수(無數).

밀리언 셀러 레코:드〔million seller record〕명 미국에서 100만 장 이상의 매상고를 올린 싱글(single)판 레코드. 판매 회사는 그 레코드의 가수·연주자에게 금빛 레코드를 기념으로 선사함. 1958년 이래로 미국 레코드 공업 협회가 이를 대행함. 골든 디스크(golden disk).

밀리-와트〔milliwatt〕의명 1와트의 1000분의 1. 기호는 mW.

밀리외〔프 milieu〕명〖문〗〔'환경(環境)'의 뜻〕프랑스의 텐(Taine)이 그의 ≪영문학사≫ 중에서 일국의 문학 경향의 결정 요소로서 인종·시기와 함께 제시한 것으로, 보통 소설에서의 배경·분위기 등을 말함.

밀리컨〔Millikan, Robert Andrews〕명〖사람〗미국의 물리학자. 전하(電荷)의 크기를 정밀히 측정하고, 또한 단파장(短波長)의 밀리컨선(線)을 발견하여 1923년 노벨 물리학상을 받았음. [1868-1953]

밀리컨-선【一線】명〔Millikan's rays〕〖물〗밀리컨이 발견한 파장이 극히 짧은 자외선(紫外線).

밀리컨의 기름 방울 실험【一實驗】[一빵一/一에一빵一] 명〔Millikan's oil drop experiment〕〖물〗밀리컨의 고안에 의한, 전기 소량(電氣素量) e의 정밀 측정 실험. 미소한 기름 방울을 분무(噴霧)로 만들어 대전(帶電)시키고, 이의 전기(電氣) 안에서의 상승 속도를 측정하여 대전량을 측정한 뒤에 정수배(整數倍)하여 전기 소량 e를 결정하게 됨.

밀리-퀴리〔millicurie〕의명〖물〗방사능의 단위. 1퀴리의 1000분의 1.

기호는 mCi.
밀리터리 룩 〔military look〕 명 금단추·금테두리·견장(肩章) 등 군복의 분위기를 살린 의상 스타일.
밀리터리 마:치 〔military march〕 명 《악》 군대의 행진에 쓰거나 또는 그런 곡조(曲調)를 나타내는 행진곡. 군대 행진곡.
밀리터리즘 〔militarism〕 명 군국주의(軍國主義).
밀리-파 【一波】〔milli〕 명 《물》 밀리미터파.
밀리파 통신 【一波通信】〔milli〕 명 밀리파를 반송파(搬送波)로 하는 통신 방식. 다중(多重) 통신에 이용하면 굉장히 많은 통신로(通信路)를 언을 수 있음.
밀림 【密林】 명 빽빽하게 들어선 수풀. ↔소림(疏林).
밀림 지대 【密林地帶】 명 밀림으로 덮여 있는 지대.
밀링 〔milling〕 명 《기》 밀링 머신(milling machine).
밀링 머신 〔milling machine〕 명 《기》 커터(cutter)로 평면깎기·홈파기·톱니깎기 등의 작업을 하는 공작 기계. 프레이즈반(fraise盤). 밀링.
밀:-막다 타 핑계를 대고 거절하다. ¶ 몇 신하가 중난한 일이니 중지하시라고 밀막았다《洪命憙 : 林巨正》/ 이용익이 처음에는 크게 사양하였으나 민영익이가 도리어 크게 노하는 시늉이었으므로 밀막던 이용익도 딴도리 없이 감역 구실을 살게 된 것이었다《金周榮 : 客主》.
밀-만두 【一饅頭】 명 매끄러운 사람을 놓으로 일컫는 말.
밀만지다 타 〈옛〉 밀어 만지다. ＝밀믄지다. ¶ 밀만져 눌러 봄이라(揣捏)《無寃錄 Ⅰ:55》.
밀매 【密賣】 명 금제(禁制)를 어기고 몰래 팖. ¶ 마약을 ～하다. ——-하다 타여불
밀-매매 【密賣買】 명 금제를 어기고 몰래 물건을 팔고 삼. ——-하다 타여불
밀-매음 【密賣淫】 명 허가없이 몰래 하는 매음(賣淫). ——-하다 자여불
밀매음-녀 【密賣淫女】 명 밀매음하는 여자.
밀매-품 【密賣品】 명 금제(禁制)를 어기고 몰래 파는 물품.
밀-멸 명 《어》 [*Atherion elymus*] 색줄멸과에 속하는 바닷물고기. 항문(肛門)은 뒷지느러미 기부(基部)의 직전에 있으며, 머리에 이 같은 작은 가시가 있고 주둥이는 작음. 연안성(沿岸性) 어종으로, 포항 근해 및 일본에 분포함.
밀명 【密命】 명 몰래 내리는 명령. 밀령(密令). ——-하다 타여불
밀모¹ 【密毛】 명 빽빽하게 난 털.
밀모² 【密謀】 명 비밀히 모의(謀議)함. *밀계(密計). ——-하다 타여불
밀모³ 【蜜毛】 명 《식》 주로 꽃에 있어 꿀을 분비하는 털. 모상(毛狀) 또는 봉상(棒狀)이며, 세막(細膜)은 얇음.
밀몽-화 【密蒙花】 명 ①《식》 높이 2m 가량의 상록 관목(常綠灌木). 잎은 사철나무와 비슷하여 두껍고 등은 희며 가는 털이 있으며, 자주빛 꽃이 여러 개가 모여서 한 꽃송이를 이룸. 중국 쓰촨 성(四川省)에서 남. 수금화(水錦花). ②《한의》 밀몽화의 꽃. 허예(虛瞖)와 청맹(靑盲)·두창(痘瘡) 등의 약재로 씀.
밀-무역 【密貿易】 명 세관(稅關)을 통하지 않고, 비밀히 행하는 무역. *밀수(密輸). ——-하다 타여불
밀:-문 【一門】 명 ①안으로 밀어서 열게 되어 있는 문. ②〈방〉 미닫이(제주).
밀:-물¹ 명 간조(干潮)에서 만조(滿潮)에 걸쳐 해면이 상승하고 육지로 향하여 조수가 밀려오는 현상. 또, 그 조류. 창조(漲潮). ↔썰물.
밀물² 【密勿】 명 ①부지런히 힘써 일함. ②대각(臺閣)의 대신(大臣)같이 군주와 그 사이가 긴밀한 자리. ③중요한 정사(政事). ——-하다 자타여불
밀믈 명 〈옛〉 밀물¹. ¶ 밀므를 마구시니(酒防潮濤)《龍歌 68章》/ 밀믈 됴(潮), 밀믈 셕(汐)《字會 上 5》.
밀밀-하다 【密密一】 형여불 아주 빽빽하게 들어서 있다. 밀밀-히 【密密一】 부
밀믄지다 타 〈옛〉 밀어 만지다. ＝밀만지다. ¶ 손으로써 小腹 아래를 밀믄져 눌으면(以手揉按小腹下)《無寃錄 Ⅰ:35》.
밀-반죽 명 ↗밀가루 반죽.
밀:-발 명 〈방〉 밀굽.
밀:-방망이 명 가루 반죽을 밀어서 얇고 넓게 펴는 데 쓰는 방망이.
밀:-방아 명 물살이 물레바퀴의 아래 쪽에 닿아 물레바퀴를 밀 듯이 하는 물레방아.
밀방 꽃차례 【密房一次例】 명 취산(聚繖) 꽃차례.
밀-밭 명 밀을 심은 밭.
【밀밭만 지나가도 주정한다】 술 안 먹고 밀밭만 지나가도 주정한다는 말이니, 성미가 급하여 미리 일을 서두른다는 뜻. 【밀밭에도 못 지나가다】 술을 전연 못하다. ¶ 내가 밀밭에도 못 지나가는 사람이 술을 어찌 먹겠소《李人稙: 牡丹峰》.
밀-벌 명 《충》 바더리의 작은 종류. 봄과 가을에 집의 서까래 끝에 많이 날아듦.
밀-범벅 명 밀가루에 청둥호박과 청대콩 같은 것을 섞어 만든 범벅.
밀법 【密法】 [一뻡] 명 《불교》 밀교(密敎)에서 법도(法道)를 닦을 때 기도하는 법.
밀보 【密報】 명 비밀히 하는 보고. 또, 몰래 보고함. ——-하다 타여불
밀보-등 【蜜補藤】 명 《식》 인동덩굴.
밀-보리 명 ①밀과 보리. ②《식》 쌀보리.
밀-복 명 《어》 [*Sphoeroides spadiceus*] 참복과에 속하는 복. 길이 22cm 가량으로 몸 모양은 검복과 비슷하나 꼬리 자루 부분이 길. 몸빛은 등 쪽이 회록색 또는 감람색이고, 배쪽은 은백색이며 아감 구멍은 담색임. 꼬리지느러미는 백색이고 다른 지느러미는 황색인데 배지느러미는 없음. 등지느러미·가슴지느러미 및 배 쪽에 작은 가시가 있음. 열대성 어종으로 한국·남일본·동중국해·필리핀·동인도 제도 등의 연해에 분포함.

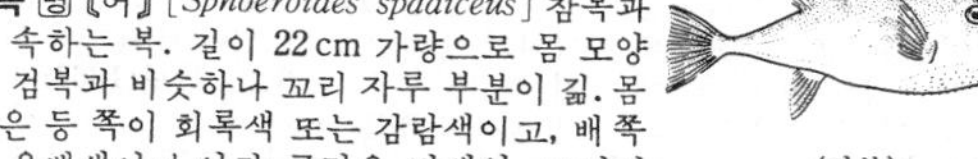

〈밀복〉

밀본 【密本】 명 《사람》 신라 때의 중. 밀교승(密敎僧). 제27대 선덕왕(善德王) 때 약사경(藥師經)을 읽으면서 왕의 병을 고쳤고, 명랑 법사(明朗法師)와 함께 밀교 발전에 공이 컸음. 생몰 연대 미상.
밀봉¹ 【密封】 명 단단히 붙여 봉함. ¶ ～한 편지. ——-하다 타여불
밀봉² 【蜜蜂】 명 《충》 꿀벌.
밀봉 교:육 【密封敎育】 명 첩자(諜者) 기타의 특수 목적을 수행할 사람을 양성하기 위하여 비밀히 행하는 격리(隔離) 교육.
밀-뵙기 명 〔↗미리뵙기〕 설·추석 같은 큰 명절에, 부득이 그 날 찾아가 뵙지 못할 경우, 그 며칠 전에 미리 찾아뵙는 예식.
밀부¹ 【密夫】 명 밀통(密通)한 남자. 샛서방.
밀부² 【密符】 명 《역》 유수(留守)·감사(監司)·병사(兵使)·수사(水使)·방어사(防禦使)에게 병란(兵亂)이 일어나면 때를 가리지 않고 곧 응할 수 있게 하기 위하여 내리는 병부(兵符).

〈밀부²〉

밀부³ 【密婦】 명 밀통(密通)한 여자.
밀-부꾸미 명 ☞밀전병.
밀:-붓 명 붓털에 밀을 먹여 빳빳하게 맨 붓.
밀빵 명 〈방〉 ①밀삐. ②멜빵.
밀삐 명 지게에 매어 걸머지는 끈.
밀삐-세장 명 지게의 윗세장 아래에 가로 박은 나무. 여기에 밀삐의 위 끝을 매고 등태의 위 끝이 닿음.
밀삐-아랫도리 명 밀삐가 지겟다리에 매어진 부분의 끈.
밀사¹ 【密事】 [一싸] 명 비밀한 일.
밀사² 【密使】 [一싸] 명 비밀히 보내는 사자(使者).
밀-사탕 【蜜砂糖】 명 아직 정제(精製)하지 않은 검은 빛의 액상(液狀)의 사탕.
밀산-화 【密繖花】 [一싼一] 명 《식》 밀방 화서(密房花序)의 한 변태로서 많은 소산화(小繖花)가 한데 배게 붙은 것. 다출 취산화(多出聚繖花).
밀살 【密殺】 [一쌀] 명 ①몰래 죽임. ②몰래 가축을 도살함. 밀도살(密屠殺). 밀도(密屠). ——-하다 타여불
밀-살구 【蜜一】 명 살구의 한 가지. 맛이 달고 열매가 작음.
밀삼 【密蔘】 [一쌈] 명 허가없이 몰래 재배하는 인삼. 또, 허가없이 몰래 제조하는 홍삼(紅蔘).
밀상 【密商】 [一쌍] 명 법을 어기고 몰래하는 장사. 또, 그러한 장수. 잠상(潛商). ——-하다 자여불
밀생 【密生】 [一쌩] 명 빈틈없이 빽빽하게 남. ↔소생(疎生). ——-하다 자여불
밀생-지 【密生枝】 [一쌩一] 명 주지(主枝)에서 빽빽하게 난 가지.
밀서 【密書】 [一써] 명 ①비밀히 보내는 편지. ¶ 국왕의 ～. ②비밀 문서(文書).
밀선¹ 【密船】 [一썬] 명 법이나 규약을 어기고 몰래 다니는 배.
밀선² 【蜜腺】 [一썬] 명 《식》 꿀샘.
밀선 식물 【蜜腺植物】 [一썬一] 명 《식》 꿀샘 식물.
밀소¹ 【密召】 [一쏘] 명 《역》 임금이 유사(有司)를 통하지 않고 비밀리에 중신(重臣)이나 측근 신하를 부르는 일. ——-하다 타여불
밀소² 【密訴】 [一쏘] 명 몰래 아뢺. ——-하다 타여불
밀소³ 【密疏】 [一쏘] 명 몰래 상소(上疏)함. ——-하다 타여불
밀-소주 【一燒酒】 명 밀과 누룩으로 곤 소주. 모소주(麰燒酒).
밀속 【密束】 [一쏙] 명 비밀히 협의하여 결속(結束)함. ——-하다 자타여불
밀속-화 【密束花】 [一쏙一] 명 《식》 밀추화(密錐花).
밀송 【密送】 [一쏭] 명 몰래 보냄. ——-하다 타여불
밀수¹ 【密輸】 [一쑤] 명 세관(稅關)을 거치지 않고 비밀히 하는 수출입. 밀수입과 밀수출. *밀무역. ——-하다 타여불
밀수² 【蜜水】 [一쑤] 명 꿀물.
밀수-단 【密輸團】 [一쑤一] 명 밀수를 직업적으로 하는 무리.
밀수-선 【密輸船】 [一쑤一] 명 밀수에 쓰이는 배.
밀수업-자 【密輸業者】 [一쑤一] 명 밀수하는 일을 업으로 삼는 사람.
밀-수입 【密輸入】 [一쑤一] 명 세관(稅關)을 거치지 않고 몰래 하는 수입. ↔밀수출.
밀수입-품 【密輸入品】 [一쑤一] 명 밀수입한 물품.
밀-수제비 명 밀가루를 묽게 반죽하여 끓는 장국물에 조금씩 떼어 넣고 익힌 음식.
밀-수출 【密輸出】 [一쑤一] 명 세관(稅關)을 거치지 않고, 몰래 하는 수출. ¶ 무기의 ～. ↔밀수입. ——-하다 타여불
밀수-품 【密輸品】 [一쑤一] 명 밀수출하거나 밀수입한 물품.
밀스 〔Mills, Charles Wright〕 명 《사람》 미국의 사회학자. 메릴랜드·컬럼비아 대학 교수 역임. 풍부한 조사 자료를 바탕으로 사회 계급, 특히 중산 계급에 대한 연구에 주력함. 저서에 《화이트 칼라》·《파워 엘리트》 등이 있음. [1916-62]
밀스타인 〔Milstein, Nathan〕 명 《사람》 미국의 바이올리니스트. 러시아 출생. 베를린에서 데뷔, 미국에 귀화한 이래 현대적인 지성, 원숙한 연기로 해서 우수한 연주가로 평가됨. [1904-92]
밀스테인 〔Milstein, César〕 명 《사람》 아르헨티나의 생화학자. 바이아블랑카 태생. 부에노스아이레스 대학을 졸업하고 케임브리지 대학에서 연구. 1975 년 림프구(球)와 암세포, 특히 골수종(骨髓腫) 세포를 융합하여 모노클로널 항체를 만듦. 이 공로로 1984 년 쾰러, 예르네와 공동으로 노벨 생리 의학상을 수상함. [1927-]
밀식 【密植】 [一씩] 명 ①빈틈없이 빽빽하게 심음. ②남몰래 심음. ——하다 타여불
밀실 【密室】 [一씰] 명 남이 함부로 출입 못하게 하는 비밀한 방. ¶ ～에 감금하다.
밀-쌈 명 밀전병에 나물과 고기 또는 사탕과 깨소금으로 소를 넣어 말아놓은 음식.
밀알-지다 형 얼굴이 패둥패둥하게 생기다. 빤빤하게 생기다. 「여불
밀약 【密約】 명 비밀히 약속함. 또, 그러한 약속. 짬짜미. ——-하다 타
밀양 【密陽】 명 《지》 경상 남도의 한 시(市). 2 읍(邑) 9 면(面) 6 동(洞). 북쪽은 경상 북도 청도군(淸道郡), 동쪽은 울산 광역시(蔚山廣域市)·양산시(梁山市), 남쪽은 김해시(金海市)·창원시(昌原市), 서쪽은 창녕

군(昌寧郡)과 접함. 주요 산물은 쌀·보리 그밖에 토마토·고추 등의 농산물이며, 근래 요업이 발달하여 도자기의 산출이 많음. 명승 고적으로는 형원사(瑩原寺)·화악산(華嶽山)·자씨산(慈氏山)·월영연(月盈淵)·용진(龍津)·장군정(將軍井)·삼랑루(三浪樓)·표충사(表忠寺)·영남루(嶺南樓)·아랑각(阿娘閣)·작원관(鵲院關)·송운 대사비(松雲大師碑)·용두연(龍頭淵) 유원지 등이 있음. 1995년 1월, 밀양군과 통합, 개편됨. [796.49 km^2 : 131,162 명(1996)]

【밀양 싸움; 밀양 놈 쌈하듯】 일이나 싸움이 쉽게 결말이 나지 않고 오래 계속됨을 이르는 말.

밀양-강【密陽江】명〖지〗경상 남도 울산시(蔚山市) 북서부에서 발원하여 경주·청도·밀양 등지를 지나 낙동강에 흘러드는 강. [96km]

밀양-군【密陽郡】명〖지〗경상 남도에 속했던 군. 1995년 1월, 밀양시에 통합됨.

밀양 백중놀이【密陽百中—】명〖민〗경상 남도 밀양 지방에 전승되어 오는 백중날의 민속놀이. 농신제(農神祭)에 이어, 작두말타기·춤판·뒷놀이 등으로 이루어짐. 주요 무형 문화재 제 68 호.

밀양 아리랑【密陽—】명〖악〗아리랑 민요의 한 가지. 밀양 부사(府使)의 외딸 아랑(阿娘)이 젊은 관노(官奴)의 손에 죽은 것을 슬퍼하여 '아랑아랑' 하고 노래를 부른 것이 유래가 되었다 함.

밀양 영남루【密陽嶺南樓】[—녕—누] 명〖지〗경상 남도 밀양시(密陽市) 내일동(內一洞)에 있는 누각. 밀양의 객사(客舍)인 밀주관(密州館)의 부속 건물이며, 밀양강(密陽江)에 임한 절벽산의 경승(景勝)에 자리잡고 있음. 보물 147호.

밀어[1]【密魚】명〖어〗[*Rhinogobius similis*] 망둑어과에 속하는 민물고기. 몸길이는 7-8cm로 가늘고 꼬리는 측편(側扁)함. 머리와 몸통 부분은 거의 높이가 같으며, 머리의 폭이 넓음. 몸빛은 창흑색으로 체측(體側)에 담갈색의 무늬가 산재하는데, 한국 서남해 및 동해로 흐르는 하천 및 호수에 분포함. 맛이 좋음.

밀어[2]【密漁】명 금제(禁制)를 어기고 몰래 고기를 잡음. *밀렵(密獵). ——하다 자타여불

밀어[3]【密語】명 ①남이 못 알아듣게 넌지시 하는 말. 밀담(密談). ②〖불교〗밀교(密教)에서 여래(如來)의 교의를 설법하는 말. ③〖불교〗밀교의 다라니(陀羅尼)의 칭호. ——하다 자여불

밀어[4]【蜜語】명 달콤한 말. 특히 남녀 간의 정담(情談). ¶～를 속삭이다.

밀어[5]【推旀】〈이두〉 미루어.

밀어[6] 부 ↗통밀어.

밀어-내기 명 야구에서, 주자 만루일 때 타자가 4구를 골라 출루(出壘)함으로써 자연히 득점하는 일.

밀어-내다 타 ①밀어서 밖으로 나가게 하다. ②모략이나 압력으로, 일정한 자리에서 물러나게 하다.

밀어-닥치다 자 여럿이 한목에 닥치다.

밀어-던지기 명 씨름에서 허리 기술의 하나. 바른 자세에서 뒷무릎을 약간 굽혀 몸의 중심이 뒤로 기울어졌을 때 샅바를 당기면서 밀어붙이는 기술.

밀어-붙이다 [—부치—] 타 ①밀어서 한쪽 구석에 붙어 있게 하다. ②한쪽으로 힘주어 밀다. ¶상대방을 구석으로 ～. ③고삐를 늦추지 않고 계속 몰아붙이다. ¶계속 밀어붙여 상대팀을 꺾다.

밀어 상통【密語相通】명 남몰래 서신으로 서로 의사를 통함. ——하다 자여불

밀어-선【密漁船】명 허가없이 몰래 고기를 잡는 배.

밀어-올리기 명 역도에서, 추상(推上).

밀어-젖히다 타 ①밀어서 밀이 곁으로 나오게 하다. ②밀문을 힘껏 밀어서 열다. ¶미닫이를～.

밀어-치기 명 야구에서, 공에 가볍게 배트를 대어, 우타자(右打者)의 경우는 우익 방향을, 좌타자의 경우는 좌익 방향을 노리고 치는 일.

밀어-치다 타 야구에서, 밀어치기로 공을 때리다.

밀엄 국토【密嚴國土】명〖불교〗밀엄 정토.

밀엄 불국토【密嚴佛國土】명〖불교〗밀엄 정토.

밀엄 정:토【密嚴淨土】명〖불교〗밀교(密教)에서 말하는 대일 여래(大日如來)의 정토(淨土). 밀엄 국토(密嚴國土). 밀엄 불국토(密嚴佛國土).

밀연ᄂᆞᆫ 〈옛〉 밀려 있는. 밀린. ¶하ᄂᆞᆯ과 ᄯᅡ과ᄂᆞᆫ 믈 밀연ᄂᆞᆫ 바ᄅᆞ래 어득ᄒᆞ얫고(乾坤霾漲海)《重杜諺 Ⅱ:8》. *밀이다.

밀엽【密葉】명 잎이 촘촘히 붙어 있음. 또, 그 잎.

밀엿다 자〈옛〉 밀렸다. '밀이다'의 과거형. ¶서브로 ᄒᆞᆫ 門 밧긔 ᄆᆞᄅᆞ미 밀엿거ᄂᆞᆯ(江漲柴門外)《杜諺 XIII:27》.

밀영【密營】명 군대나 유격대 등이 활동하기 위하여 깊숙한 밀림이나 산악 지대 같은 곳에 비밀히 자리잡음, 또, 그런 곳. ——하다 자여불

밀영-지【密營地】명 밀영(密營)하는 곳.

밀왇다 타〈옛〉 밀치다. ¶밀와들 졔(擠)《字會 下 24》.

밀우【密友】명〖사람〗고구려 동천왕(東川王) 때의 충신. 위장(魏將) 관구검(毌丘儉)이 침입하였을 때, 죽령(竹嶺)(지금의 황초령(黃草嶺)) 부근에서 결사대를 조직하여 왕의 위급(危急)을 구하고 남천(南遷)을 도왔다 함.

밀운【密雲】명 두껍게 겹친 구름. 많이 모인 구름.

밀워키 (Milwaukee) 명〖지〗미국 북중부 위스콘신 주(Wisconsin州) 미시간 호 서안의 항구 도시. 또, 주(州) 제일의 상공업 도시. 농축산물의 대(大)집산지로서 석탄·곡물의 출하(出荷)가 많음. 맥주의 양조 도시로서도 유명하나 식품 가공·농기구·금속·차량 등 각종 공업이 성함. [628,088 명(1990)]

밀원【蜜源】명 벌이 꿀을 빨아 오는 근원.

밀원 식물【蜜源植物】명〖식〗밀원이 되는 식물. 곧, 꽃이 많이 피고 꿀이 많은 식물.

밀월【蜜月】명 (허니문(honeymoon)의 역어(譯語)) ①결혼 후의 한두 달. 곧, 결혼 직후의 즐겁고 달콤한 동안. 허니문. ②↗밀월 여행.

밀월 여행【蜜月旅行】[—려—] 명 신혼 여행. (준)밀월(蜜月).

밀위-청【密威廳】명〖역〗조선 연산군(燕山君) 때에 의금부(義禁府)의 당직청(當直廳)을 고쳐서 부른 이름. 중종(中宗) 때 다시 본디 이름으로 바꿈.

밀유【密諭】명 남몰래 가만히 타이름. ——하다 타여불

밀음-쇠 명 가방이나 혁대에 장치되어 있어, 밀면 끝이 위로 들리는 쇠.

밀의[1]【密意】[—/—이] 명 비밀한 뜻.

밀의[2]【密議】[—/—이] 명 남몰래 가만히 의논함. 비밀한 회의. ¶～를 거듭하다. ——하다 타여불

밀이【密邇】명 임금에게 가까이함. ——하다 자여불

밀이다 자〈옛〉 밀리다. ¶므레 밀엿ᄂᆞᆫ 몰애ᄂᆞᆫ 草樹ᄅᆞᆯ 묻고(漲沙霾草樹)《杜諺 Ⅱ:18》.

밀인【密印】명〖불교〗부처나 보살이 갖가지의 본원(本願)을 나타내기 위하여 열 손가락으로 짓는 여러 가지 모양.

밀-입국【密入國】명 입국(入國)이 허락되지 않은 사람이 몰래 입국함. ¶～자(者). ↔밀출국. ——하다 자여불

밀-잠자리 명〖충〗①잠자릿과 밀잠자리속(屬)에 속하는 곤충의 총칭. 중간밀잠자리·큰밀잠자리·밀잠자리 등이 있음. ②[*Orthetrum albistylum speciosum*] 잠자릿과 밀잠자리속에 속하는 곤충의 하나. 몸길이 50 mm, 복부 33mm, 뒷날개 39mm 가량, 몸빛은 암수컷이 모두 선황색(鮮黃色)이나, 자라면 수컷은 오회색(汚灰色)에 복배(腹背)에 백분(白粉)이 덮이고, 후부 복절(腹節)은 검으며 암컷은 다 자라도 선황색 그대로이며 복배에 두 개의 검은 줄무늬를 가짐. 4-5월에 발생하여 물가·밀밭·풀밭 등에 날아다님. 한국·일본·중국 등지에 분포함.

〈밀잠자리❷〉

밀잠자리-붙이 [—부치] 명〖충〗[*Deielia phaon*] 잠자릿과에 속하는 곤충. 복부의 길이 25mm, 뒷날개 35mm 가량이고 몸빛은 대체로 흑색이며 흰 가루가 덮이어 있음. 암컷의 복부 배중선(背中線)과 측연(側緣)에는 가느다란 노란 줄무늬가 있음. 한국·일본·중국 등지에 분포함.

밀:-장[1]【—障】[—짱] 명 ↗밀장지.

밀장[2]【密葬】[—짱] 명 남의 땅이나 소위 명당(明堂) 자리에 몰래 지내는 장사(葬事). *암매장(暗埋葬). ——하다 타여불

밀장[3]【密藏】명〖불교〗진언종(眞言宗)의 경전(經典).

밀:장-문 [—짱—] 명〈방〉미닫이(경북·황해).

밀:-장지【—障—】[—짱—] 명 옆으로 밀어서 여닫는 장지. (준)밀장.

밀적【密迹】[—쩍] 명〖불교〗항상 부처에 의지하여 그 비밀한 사적(事迹)을 억지(憶持)하는 일. ——하다 타여불

밀적 금강【密迹金剛】[—쩍—] 명 (범 Vajrápāni)〖불교〗금강의 무기를 가지고 부처를 경호하는 인왕(仁王)의 하나. 밀적 역사(密迹力士).

밀적 역사【密迹力士】[—쩍넉—] 명〖불교〗밀적 금강(密迹金剛).

밀전【密栓】[—쩐] 명 새지 않게 마개로 꼭 막음. 또, 그 마개. ——하다 타여불

밀-전병【—煎餠】명 밀가루로 만든 전병.

밀접【密接】[—쩝] 명 ①사이가 뜨지 않고 가까이 맞닿음. ②서로 가까이 지내는 관계에 놓임. ¶～한 관계. ——하다 형여불. ——히 부

밀정【密偵】[—쩡] 명 몰래 남의 사정을 살핌. 또, 그 사람. 첩자. ¶～을 잠입시키다. ——하다 타여불

밀제【蜜劑】[—쩨] 명 먹기 좋도록 꿀을 바른 환제(丸劑).

밀-제비 명〈방〉수제비(경남).

밀-제학【密提學】[—쩨—] 명〖역〗'밀직 제학(密直提學)'의 잘못 쓰인 말.

밀조[1]【密造】[—쪼] 명 ①금제품(禁制品)을 몰래 만듦. ②허가제(許可制)의 물건을 허가없이 몰래 만듦. ——하다 타여불

밀조[2]【密詔】[—쪼] 명 비밀한 조서(詔書).

밀조[3]【蜜槽】[—쪼] 명〖식〗꿀샘.

밀조[4]【蜜棗】[—쪼] 명 당속(糖屬)의 하나. 꿀에 졸인 대추.

밀종【密宗】[—쫑] 명〖불교〗'진언종(眞言宗)'의 딴이름.

밀주[1]【密奏】[—쭈] 명 비밀히 임금께 아룀. ——하다 타여불

밀주[2]【密酒】[—쭈] 명 허가없이 몰래 담근 술. ¶～ 단속반.

밀주[3]【蜜酒】[—쭈] 명 꿀과 메밀가루를 섞어서 빚은 술.

밀-죽 명〈방〉수제비(전남).

밀줏-집【密酒—】명 밀주(密酒)를 몰래 파는 집.

밀지【密旨】[—찌] 명 몰래 내리는 임금의 명령.

밀-지비 명〈방〉수제비(경남).

밀직 부:사【密直副使】명〖역〗↗밀직사 부사(密直司副使).

밀직-사[1]【密直司】명〖역〗고려 때, 정령(政令)의 출납(出納), 궁중(宮中)의 숙위(宿衛) 및 군기(軍機)에 관한 일을 맡아 보던 관아(官衙). 처음 이름은 중추원(中樞院)이라 하여 성종(成宗) 10년(991)에 둠. 현종(顯宗)이 즉위하여 중추원·은대(銀臺)·남북원(南北院)을 합하여 중대성(中臺省)으로 하였다가, 2년에 다시 중추원으로 회복하고, 헌종(獻宗) 원년(1095)에 추밀원(樞密院)으로 고치고, 충렬왕(忠烈王) 원년(1275)에 밀직사로 고침. 24년에는 다시 광정원(光政院)으로 고치었다가 곧 다시 밀직사로 고치고, 34년에 파했다가 충선왕(忠宣王)이 즉위하여 회복하고 공민왕(恭愍王) 5년에 다시 추밀원으로 고치고, 11년(1362)에 다시 회복함.

밀직-사[2]【密直使】명〖역〗↗밀직사사(密直司使).

밀직사 부:사【密直司副使】명〖역〗고려 밀직사(密直司)의 정삼품 벼슬. 충렬왕(忠烈王) 원년(1275)에 추밀 부사(樞密副使)를 고친 이름임. 공민왕(恭愍王) 5년(1356)에 다시 추밀 부사로 고치었다가 11년(1362)에 또 본이름으로 고침. (준)밀직 부사.

밀직사-사【密直司使】명〖역〗고려 밀직사(密直司)의 종이품 벼슬. 충렬왕(忠烈王) 원년(1275)에 추밀원사(樞密院使)를 고친 이름임. 공민왕

(恭愍王) 5년에 다시 추밀원사로 고치었다가 11년(1362)에 또다시 본 이름으로 고침. ㊌밀직사(密直使).

밀직 제:학【密直提學】명〖역〗고려 밀직사(密直司)의 정삼품 벼슬. 충렬왕(忠烈王) 때에 추밀직 학사(樞密直學士)를 고쳐 부른 것임.

밀직 학사【密直學士】명〖역〗고려 밀직사(密直司)의 정삼품 벼슬. 공민왕 18년(1369)에 밀직 제학을 고친 이름임.

밀집【密集】[―찝] 명 빈틈없이 빽빽이 모임. ¶ 인가가 ～해 있다. 「――-하다 자여불

밀집 교:련【密集敎鍊】[―찝―] 명〖군〗소대 및 중대 이상의 편대를 형성한 채로 행하는 교련. ↔각개 교련(各個敎鍊).

밀집 대형【密集隊形】[―찝―] 명〖군〗부대의 많은 구성원이 좁은 간격과 거리로, 열(列)과 오(伍)를 지어 정렬한 대형.

밀집 방어【密集防禦】[―찝―] 명 ①〖군〗부대 배치를 밀집시켜서 하는 방어. ②축구·농구·럭비 등에서 선수들이 한 곳에 밀집하여 벌이는 방어.

밀집 부대【密集部隊】[―찝―] 명〖군〗대오(隊伍)를 밀집시킨 부대.

밀집 위치【密集位置】[―찝―] 명〔close position〕〖악〗'밭은자리'의 한자 이름.

밀집 종:대【密集縱隊】[―찝―] 명〖군〗①종대로 된 중대나 각 소대를 보통 간격보다 좁은 간격으로 배열하여 훈련하는 밀집 대형. ②직전 차량과의 운전 안전 거리까지로 근접하는 차량 종대.

밀-짚 [―찝] 명 밀알을 떨고 난 밀의 줄기. 소맥간(小麥稈).

밀짚 모자【―帽子】[―찝―] 명 밀짚이나 보릿짚으로 만든 여름 모자. 맥고 모자(麥藁帽子).

밀짚 서까래 [―찝―] 명〖건〗가늘고 짧은 서까래.

밀쩍 명〈방〉살쩍밀이.

밀착【密着】명 ①빈틈없이 단단히 붙음. ¶ ～제(劑). ②현상한 건판(乾板)이나 필름 그대로의 크기로 인화지(印畫紙)에 박아 냄. 밀착 인화(密着印畫). ――-하다 자타여불

밀착 렌즈【密着―】〔lens〕명 콘택트 렌즈.

밀착 연결기【密着連結機】[―년―] 명 열차(列車)에서, 평평한 연결면의 한쪽에 돌기(突起)가 있으며, 차량을 부딪쳐서 이 돌기를 끼워 맞추게 된 연결기. 연결면이 평면이기 때문에 자동 연결기에 비해서, 시동(始動) 및 정거 때 차량 상호간의 충격이 훨씬 적고, 또 압축 공기관·전기 배선 등을 연결할 수 있음.

밀착 인화【密着印畫】명 밀착(密着)❷. ――-하다 자여불

밀:-창【―窓】명〈방〉미닫이(충남·전라·함남·경상·강원).

밀:-창문【―窓門】명〈방〉미닫이(전라·경북).

밀책【密策】명 밀계(密計).

밀-천신【―薦新】명 햇밀가루로 부친 전병(煎餠)으로 지내는 고사. 늦 └여름에 지냄.

밀청¹【密淸】명 조용하고 깨끗함. ――-하다 형여불

밀청²【密聽】명 비밀히 들음. 아무도 모르게 들음. ――-하다 타여불

밀:-초¹ 명 밀로 만든 초. 납밀. 납촉(蠟燭). 황랍초. 황촉(黃燭). 황(黃)초.

밀-초²【―醋】명 밀로 담근 식초.

밀-초³【蜜炒】명 약재(藥材)에 꿀을 발라서 불에 볶음. ――-하다 타여불

밀추-화【密錐花】명〖식〗총상 화서의 한 변태로서, 복수상을 이루고 화병(花柄)이 짧아서 거의 삼각형으로 되어 있음. 포도의 꽃 따위. 밀속화(密束花).

밀-출국【密出國】명 출국이 허락되지 않은 사람이 몰래 출국함. ↔밀입 「국. ――-하다 자여불

밀치¹ 명〖어〗〈방〉멸치(전남).

밀:치² 명 당나귀의 안장에나 소의 길마에 딸린 제구. 꼬리 밑에 거는 나 └무 막대기.

밀치³【密緻】명 치밀(緻密). ――-하다 형여불

밀:치깃-대 명 다올대.

밀:치-끈 명 마소의 꼬리 밑의 밀치에 걸어, 안장 또는 길마에 잡아매는 「끈.

밀:치다 타 힘껏 밀어 버리다.

밀:치락-달치락 명 일변 밀치며 일변 잡아당기며, 서로 밀고 당기고 하 「는 모양. ――-하다 자여불

밀칙【密勅】명 비밀히 내린 칙지(勅旨). 내칙(內勅).

밀카락 명〈방〉머리카락(경남).

밀커〔milker〕명 착유기(搾乳機).

밀크〔milk〕명 ①우유(牛乳). ②연유(煉乳).

밀크 셰이크〔milk shake〕명 우유에 달걀·얼음·설탕 또는 꿀·향료 등을 넣고 기계로 휘저어서 만든 청량 음료수.

밀크 캐러멜〔milk caramel〕명 우유를 섞어 만든 캐러멜.

밀크 푸:드〔milk food〕명 우유를 증발시켜 굳힌 다음 식염·설탕·덱스트린·녹말 같은 것을 넣어 만든 고형(固形)의 식품. 끓는 물에 녹여서 우유 대신으로 어린 아이에게 먹임.

밀크 플랜트〔milk plant〕명 우유 처리장. 농가나 목장의 우유를 여과(濾過)·살균하여 일반 소비자에게 공급하는 시설.

밀크 홀:〔milk hall〕명 우유와 빵을 파는 간이(簡易) 음식점.

밀키 해트〔milky hat〕명 헝겊으로 만든 등산 모자 비슷한 중절 모자.

밀타【密陀】명〖화〗↗밀타승.

밀타-승【密陀僧】명〖화〗일산화(一酸化)납의 별칭. 색상(色相)의 농도(濃度)에 따라서 금(金)밀타·은(銀)밀타 등의 명칭이 있음. ㊌밀타.

밀타-유【密陀油】명 밀타승을 들기름에 녹여서 만든 유화용(油畫用) 채료(彩料). 「여불

밀탐【密探】명 비밀히 하는 정탐. ¶ 적정(敵情)을 ～하다. ――-하다 타

밀턴〔Milton, John〕명〖사람〗영국의 시인. 일찍부터 시재(詩才)를 보여 《쾌활한 사람》 및 가면극 《코머스(Comus)》를 쓰고 이후 청교도(淸敎徒) 혁명에 참가, 크롬웰(Cromwell)의 비서가 되어 많은 정치적 논문을 씀. 왕정 복고(王政復古) 후, 실명(失明)과 실의(失意) 속에 쓴 대작 《실낙원(失樂園)》으로 영국 르네상스의 최후의 거인이 되었음. 이 밖에 《복낙원(復樂園)》·《투기사 삼손(鬪技士 Samson)》 등의 걸작이 있음. [1608-74]

밀통【密通】명 ①배우자 아닌 남녀가 몰래 정을 통함. ②사정을 몰래 알려 줌. ――-하다 자타여불

밀:-트리다 타 밀뜨리다.

밀:티 명〈방〉〖충〗메뚜기(경북).

밀티다 타〈옛〉밀치다. ¶ 올흔 편을 ᄒᆞᆫ번 밀티고《武藝 28》.

밀티아데스〔Miltiades〕명〖사람〗고대 그리스의 군인·정치가. 페르시아 전쟁 중, 마라톤의 싸움에서 크게 이겨 공을 세움. 그러나 파로스(Páros) 섬의 전투에서 실패, 기소되어 벌금형에 처해짐. [540 ?-489 B.C.]

밀파¹【密派】명 비밀히 보냄. 몰래 파송(派送)함. ¶ ～ 간첩. ――-하다 타여불

밀파²【密播】명 씨앗을 빽빽이 배게 뿌림. ――-하다 「여불

밀퍼드〔Milford〕명〖지〗미국 코네티컷 주(州) 남서부, 롱아일랜드 만(灣)에 있는 보양 도시. [50,858 명(1970)]

밀:-펌프 명〔force pump〕〖물〗원통(圓筒)과 피스톤과 위로 열리는 밸브로 이루어진 펌프. 물을 높은 곳으로 퍼올리는 데 쓰임. *빨펌프.

〈밀펌프〉

밀폐【密閉】명 꼭 막음. 꼭 닫음. ¶ ～한 용기(容器). ――-하다 타여불

밀폐 건:물 증후군【密閉建物症候群】명〔closed building syndrome〕〖의〗냉방 등을 위하여 밀폐시킨 건물의 환경 때문에 나타나는 여러 가지 신체 및 정신 증세. 실내의 각종 가스성 화학 물질에 의하여 일어남.

밀폐식 환경 장치【密閉式環境裝置】명〔closed ecological system〕우주선 안에서 쓰이는 시스템. 목숨을 유지(維持)하기 위하여 탄산(炭酸)가스·요소(尿素) 그 밖의 배출 물질을 화학적으로나 광합성(光合成)으로 산소(酸素)·물·식료(食料)로 순환시켜 필요한 물질을 철저하게 재이용함.

밀폐 압력【密閉壓力】[―녁] 명〔shut-in pressure〕가스나 기름의 전체의 유출이 정지한 상태에서 측정하는 평형시(平衡時)의 층압력(層壓力).

밀폐-음【密閉音】명〖언〗입을 꼭 다물고 내는 소리. 곧, 비음(鼻音).

밀포【密布】명 매우 빽빽하게 퍼져 있음. ――-하다 자여불

밀-푸러기 명 국에 밀가루를 풀어 만든 음식.

밀-풀 명 밀가루로 쑨 풀.

밀플 명〈옛〉밀풀. ¶ 밀풀 호(糊)《字會 中 12》. 「이나 베조각.

밀:-피【―皮】명 활의 시위에 밀을 바른 뒤에 문지르고 씻고 하는 가죽

밀함【密函】명 ①비밀의 문서를 넣는 상자. ②비밀의 편지. 밀서(密書).

밀합【密合】명 꼭 들어맞음. ――-하다 자여불

밀항【密航】명 출국 허가를 받지 않고 또는 운임을 내지 않고 배나 비행기를 타고 몰래 외국으로 나가는 일. ――-하다 자여불

밀항-선【密航船】명 밀항하는 배. *밀선(密船).

밀항-자【密航者】명 밀항하는 사람.

밀행【密行】명 ①비밀히 다님. *미행(微行). ②비밀히 어떤 곳으로 감. ――-하다 자여불

밀화¹【密畫】명 화면에 가득 차도록 대상물을 설명적으로 치밀하게 그린 그림. 세부(細部)까지 면밀(綿密)하게 그린 그림.

밀화²【密話】명 남몰래 하는 이야기. 밀담(密談). ――-하다 자여불

밀화³【蜜花·密花】명〖광〗호박(琥珀)의 한 가지. 밀 같은 누른 빛이 나고 젖송이 같은 무늬가 있음.

밀화 단추【蜜花―】명 밀화로 만든 단추.

밀화-부리【蜜花―】명〖조〗[*Eophona personata personata*] 참샛과에 속하는 새. 고지새보다 조금 큰데 날개 길이 110-113 mm, 꽁지는 81 mm 가량이며 몸빛은 회갈색에 두부(頭部)·얼굴·날개와 꽁지는 광택 있는 흑색임. 부리는 강대하고 황색이며, 5-7 월에 잡목림(雜木林)의 나무 위에 집을 짓고 담녹색에 암회색의 반점이 있는 알을 3-4 개 낳음. 과실·곡류(穀類)·어린 싹·곤충 등을 포식하며, 아름답게 욺. 동부 아시아의 특산으로 산지에 서식하는데, 제주도·일본·홋카이도 등지에 분포함.

〈밀화부리〉

밀화 불수【蜜花佛手】[―쑤] 명 대삼작(大三作)의 하나. 밀화로 부처 손같이 만든 여자의 패물. *불수 노리개.

밀화-잠【蜜花簪】명 밀화 조각에 꽃을 새기고 은(銀)으로 고달을 단 비 └녀.

밀화 장도【蜜花粧刀】명 밀화로 장식한 장도.

밀화 패:영【蜜花貝纓】명 밀화 구슬을 꿴 갓끈. 전립(戰笠)에는 굵은 밀화 구슬에 산호 격자(珊瑚格子)를 간걸러 꿰어 달고, 주립(朱笠)이나 다른 갓에는 밀화 구슬만 꿴 것을 닮.

밀환【蜜丸】명 약가루를 꿀에 반죽하여 환(丸)을 만듦. 또, 그 약. ――-하다 「부. ¶ 남녀가 ～하다. ――-하다 자여불

밀회【密會】명 비밀히 모이거나 만남. 특히 남녀가 몰래 만나는 일. 랑데

밀흔 〈옛〉밀은. '밀'의 절대격형. ¶ ᄆᆞᄂᆞᆫ 밀흔 가비야온 고지 듣놋다(細麥落輕花)《杜諺 Ⅶ:5》. 「《杜諺 XXII:28》.

밀히 〈옛〉밀이. '밀¹'의 주격형. ¶ 崆峒애 밀히 니겟ᄂᆞ니(崆峒小麥熟)

밀힐후다 자〈옛〉서로 밀어 다투다. ¶ 陶潛과 謝眺도 枝梧티 몯ᄒᆞ리로소니 風騷로사 서르 밀힐후리로다(陶謝不枝梧風騷共推激)《初杜諺 XVI:2》. *힐후다.

밀흘 〈옛〉밀을. '밀'의 목적격형. ¶ ᄒᆞᄅᆞ ᄒᆞᆫ 열과 ᄒᆞᆫ 밀흘 머거도(日餐一麻一麥)《楞嚴 Ⅸ:106》. 「시려니와《月釋 10》.

밀혀기 명〈옛〉밀고 다리기(推引). ¶ 바ᄅᆞᆯ 믈 밀혀기ᄂᆞᆫ 오히려 盈縮이 이

밄기울 명〈옛〉밀기울. ¶ 밄기우레 봇그니와를(麵麩炒)《救簡 Ⅲ:74》.

밄ᄀᆞᄅᆞ 명〈옛〉밀가루. ¶ 밄ᄀᆞᄅᆞ(麵)《救簡 Ⅲ:2》.

밈: 명 ↗미음(米飮).

밈둘레 [명] 〈방〉 민들레.
밈생이 [명] 〈방〉 〖동〗 염소¹(전북).
밉광-스럽다 [형][ㅂ불] 지나치게 밉살스럽다. 매우 밉살스럽다. 밉광-스레 [부]
밉다 [형][ㅂ불] 생김새나 언동 따위가 마음이나 눈에 거슬려 싫다. ↔곱다❶.
[밉다고 차버리면 떡고리에 자빠진다] 미운 자에게 폭행을 가한 것이 오히려 그 자에게 다행한 일이 되어 더 분하게 될 때에 쓰는 말. [밉다니까 떡 사먹으면서 서방질한다] 미운 자가 더욱 더 미운 짓을 함을 이름. [밉다 하니 업자 한다] 미운 자가 더 미운 짓을 할 때 쓰는 말. *미우-.
밉둥 [명] 어린 아이의 미운 짓.
밉둥(을) 피우다 [구] 어린 아이가 미운 짓을 하다.
밉둥머리-스럽다 [형] 〈방〉 밉살머리스럽다.
밉둥-스럽다 [형][ㅂ불] ☞ 밉살스럽다.
밉디-밉다 [형][ㅂ불] '밉다'를 강조하는 말.
밉-보다 [타] 밉게 보다.
밉-보이다 [자] 밉게 보아지다. ¶시누가 ~/상사(上司)에게 ~.
밉-뵈다 [자] ↗밉보이다.
밉살-맞다 [형] '밉살스럽다'를 얕잡아 쓰는 말.
밉살머리-스럽다 [형][ㅂ불] 〈속〉 밉살스럽다.
밉살-스럽다 [형][ㅂ불] 언행이 남에게 몹시 미움을 받을 만하다. >맵살스럽다. 밉살-스레 [부]
밉-상 【—相】 [명] 미운 얼굴이나 행동. ¶1년 가까이 도둑질하는 나쁜 버릇과 그 외에 여러 나쁜 버릇을 고치지 않고 ~을 부렸으나…《崔貞熙 : 천맥》.
밉쌀 [명] 〈방〉 멥쌀(경북).
밋¹ [명] 〈옛〉 키³. ¶밋 타(舵)《字會 中 25》.
밋² [명] 〈옛〉 미끼. ¶고기 밋글 貪ᄒᆞ면 제 몸 주글ᄯᆞᆯ 모ᄅᆞᄂᆞ니이다《月釋 Ⅶ:18》.
밋³ [부] 〈옛〉 및². ¶술와 밋 져와(銅匙和快子)《老朴 單字解 1》.
밋⁴ [관][수] 〈방〉 몇(경상).
밋갓 [명] 〈방〉 갓무.
밋구모 [명] 〈옛〉 밑구멍❷. =밋구무. ¶밋구모 갓가온ᄃᆡ ᄒᆞᆫ 모ᄃᆡ를 브려 ᄡᅳᄃᆡ 말디니《家禮 X:32》.
밋구무 [명] 〈옛〉 밑구멍❷. =밋구모. ¶밋구무 피(屁)《字會 上 30》.
밋기¹ [명] 〈방〉 미끼(경기·황해).
밋기² [명] 〈방〉 〖식〗 무우¹(함북).
밋난편 [명] 〈옛〉 본남편. =밋남진. ¶밋난편 廣州ㅣ 싸리뷔 장ᄉᆞ 쇼대 난편 朔寧 닛뷔 장ᄉᆞ《古時調 稀本 青丘》.
밋남진 [명] 〈옛〉 본남편. =밋난편. ¶밋남진 廣州ㅣ 싸리뷔 장ᄉᆞ《永言》.
밋다 [자] 〈옛〉 미치다². ¶블근 녀르메 ᄎᆞᆫ 므레 밋게 ᄒᆞ라(朱夏及寒泉)《杜詩諺 Ⅱ:14》. *및다.
밋-대:지 [명] 〈방〉 〖동〗 멧돼지(경북).
밋-돼:지 [명] 〈방〉 〖동〗 멧돼지(경북).
밋-되:지 [명] 〈방〉 〖동〗 멧돼지(경북).
밋디다 [자][타] 〈옛〉 밑지다. ¶돈 밧고와 밋디디 아니면(換錢不折本)《老乞 上 59》.
밋밋-이 [부] 밋밋하게. >맷맷이.
밋밋-하다 [형][여불] ①몸이 거침새없이 곧고 길다. ②흠이 없이 자라서 밉지 않게 생기다. ③☞ 민툿하다. ¶차가 밋밋한 비탈길로 올라서자 잎이 진 가로수 사이로 논밭들이 좌우에 거뭇거뭇 보였다《洪盛原 : 막차로 온 손님들》. 1)·2) : >맷맷하다.
밋비 [부] 〈옛〉 미쁘게. ¶그리 호마홈을 밋비 아니 ᄒᆞ리잇고(而不信其諸邪)《內訓 Ⅲ:17》.
밋싸 [명] 〈옛〉 원산지(原産地). ¶이뵈는 다 밋싸ᄒᆡ셔 ᄡᅡ오고(這布都是地頭織)《老乞 下 55》.
밋음 [명] 〈옛〉 믿음. ¶굴복ᄒᆞ고회ᄀᆡᄒᆞ니 밋음즙쇼셔《찬양가 : 65》.
밋쟁이 [명] 〈방〉 〖어〗 송사리(경남).
밋쳐 【及良】 [부] 〈이두〉 미처.
밍: [명] 〈방〉 무명¹(전남·경상).
밍겅 [명] 〈방〉 거울(경상). *면경(面鏡).
밍경 [명] 〈방〉 거울(충남·전라·경상). *면경(面鏡).
밍근-하다 [형][여불] 조금 미지근하다. ¶밍근한 물. >맹근하다. 밍근-히 [부]
밍긍 [명] 〈방〉 거울(경남). *면경(面鏡).
밍깡 〔중 明槓〕 [명] 마작(麻雀) 용어. 판에 까 놓은 깡쓰(槓子).
밍밍-하다 [형][여불] ①음식물의 맛이 몹시 싱겁다. ②술이나 담배가 싱거워 맛이 없다. ③마음이 싱겁고 심심하다. ¶그저 밍밍한 어조로 매맞은 이야기를 설명했다《朴榮濬 : 颱風地帶》. 1)·2) : >맹맹하다.
밍-베 [명] 〈방〉 무명¹(전남·경북).
밍-비 [명] 〈방〉 무명¹(경북).
밍커 〔중 明刻〕 [명] 마작(麻雀) 용어. 판에 까놓은 커쓰(刻子).
밍크 〔mink〕 [명] 〖동〗 [*Mustela vison*] 족제빗과에 속하는 짐승. 족제비와 비슷한데 좀 커서 수컷의 두동(頭胴) 33-43 cm, 꼬리 18-23 cm이고 암컷은 작음. 몸빛은 광택 있는 암갈색이며 꼬리 끝은 흑색에 가까운데 아래턱 목에 백반(白斑)이 있으며, 하모(下毛)는 부드럽고 밀생함. 주로 물가에 살며 급류(急流)를 자유로 헤엄쳐 물고기 및 개구리·토끼·쥐 등을 잡아먹음. 4월에 4-8마리의 새끼를 낳음. 북미 원산으로 멕시코와 북극 지방에 널리 분포함. 모피(毛皮)는 여성용의 외투 등에 씀. ¶~ 코트.

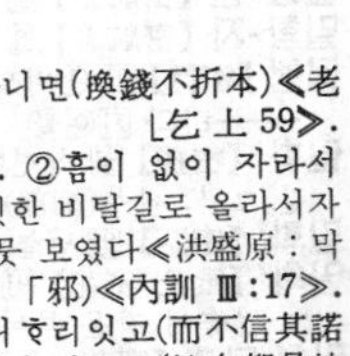
〈밍크〉

밍크-고래 〔Minke〕 [명] 〖동〗 고래잡이 업계에서 '고래¹❷'를 이르는 말. 독일의 포경(捕鯨) 포수의 이름에서 유래함.
및¹ [관][수] 〈방〉 몇(전남·경남).
및² [부] 그 밖에'·'그리고'·'또'의 뜻의 접속 부사. 급(及). ¶문학에는 시·소설 ~ 희곡 등이 있다.
및다 [자] ↗미치다².

밑 [명] ①무엇이 있는 자리의 아래 속이나 아래 쪽. 또, 물체의 아랫 부분. ¶책상 ~/땅 ~. ②정도·지위·나이 따위가 낮거나 적음. ¶형보다 세 살 ~이다. ③안 쪽. ¶~에 내의를 입다. ④체언 다음에 '에'와 함께 쓰이어, 지배·보호·영향 등을 받는 처지임을 나타냄. ¶계모 ~에 자란 아이/장관 ~에서 일하다. ⑤일의 근본. ⑥↗밑구멍. ⑦↗밑바닥. ¶~ 빠진 독. ⑧↗밑동. ¶무 ~. ⑨↗밑절미. ⑩한복 바지 가랑이가 갈라진 데에 대는 헝겊 조각. 또, 그 곳. ¶~이 되다. ⑪〖수〗↗밑면. ⑫〖수〗로그 함수 $y=\log_a x$에서 a를 가리키는 말. ⑬〖수〗지수(指數) 함수 $y=a^x$에서 a를 가리키는 말. ⑭〖수〗어떤 기수법(記數法) 체계의 기초로서, 각 자리의 단위가 하나 위의 자리로 올라가기 위하여 필요로 하는 배수(倍數). 곧, 십진법의 10과 같은 수. 5진법에서 10_5의 $_5$로 표시된 수 따위. 12)-14) 구용어 : 저(底).
[밑 빠진 가마에 물붓기;밑없는 독에 물붓기] ㉠쓸 곳이 많아 아무리 벌어도 항상 부족함을 이르는 말. ㉡아무리 힘을 들여 애써도 보람이 나타나지 않음을 이르는 말.
밑(이) 가볍다 [구] 한 자리에 오래 있지 않고 자꾸만 자리를 뜨다.
밑(이) 더:럽다 [구] 행실이 바르지 못하다.
밑(이) 빠:지다 [구] 탈항(脫肛)이 되다.
밑-가지 [명] 나무의 밑 부분에 돋아 있는 가지. 하지(下枝).
밑-각 【—角】 [명] 〔base angle〕 〖수〗 다각형의 밑변의 양쪽 끝을 꼭지점으로 하는 내각(內角). 구용어: 저각(底角).
밑-감 [명] 원료(原料).
밑갓 [명] 갓의 한 가지. 뿌리를 먹음.
밑갓-채 【—菜】 [명] 밑갓 뿌리를 채쳐서 겨자 양념을 한 생채.
밑-거름 [명] 〖농〗 씨를 뿌리거나 모를 내기 전에 내는 거름. 기비(基肥). 원비(元肥). 또, 비유적으로도 씀. ¶~을 주다/조국 발전의 ~이 되다. *웃거름.
밑-거리 [명] 〖미술〗 단청할 때에 건물 전체에 먼저 한 벌 바르는 엷은 녹색의 채색(彩色).
밑-구리다 [자] 숨기고 있는 범죄나 과실 때문에 떳떳하지 못하다. ¶남의 유서를 위조하였다 하는 밑구린 일이 있으니…《李仁稙:雪中梅》.
밑-구멍 [명] ①어떤 물건의 밑에 뚫린 구멍. ②'항문(肛門)'이나 '하문(下門)'을 간접으로 일컫는 말. [준]밑.
[밑구멍으로 노 꼰다] 겉으로는 점잖고 의젓하나 남이 보지 않는 곳에서는 엉뚱한 짓을 한다는 말. [밑구멍으로 호박씨 깐다] 겉으로는 어수룩한 체하나 보지 않는 곳에서는 상상도 못할 어지러운 행실을 한다. [밑구멍이 웃는다] 하도 우스꽝스러워 똥구멍이 다 웃는다. [밑구멍은 들칠수록 구린내만 난다] 남에게 숨기는 일이 있어 마음에 꺼림칙한데 그것을 말하게 되면, 그 좋지 않은 것만 더 드러나 보인다는 뜻.
밑-그림 [명] ①모양의 대충만을 초잡아 그린 그림. 원화(原畫). ②수본(繡本)으로 쓰기 위하여 종이나 헝겊에 그린 그림. ③색종이 또는 시전(詩箋) 따위에 그려진 그림. 그 위에 글자를 쓰는 것.
밑-글 [명] 이미 배운 글. 이미 알고 있는 밑천 되는 글.
밑-깎기 [명] 〖농〗 묘목(苗木) 둘레에 나는 잡초와 잡목(雜木)을 베어 없애는 일. 묘목을 심은 뒤 5-7년 동안 1년에 1-2회씩 실시하는데, 양수(陽樹)는 전면(全面)깎기, 음수(陰樹)는 줄깎기·둘레깎기 등의 방법을 사용함.
밑깔이-짚 [명] 〖농〗 소나 돼지 우리에 깔아 주는 짚.
밑-꼴 [명] 본디의 모양. 원형(原形). 본형(本形).
밑-나무 [명] 접본(椄本).
밑-널 [명] 밑에 댄 널빤지. 저판(底板).
밑-넓이 [—널비] [명] 〖수〗 원기둥·원뿔 등에서 밑면을 이룬 넓이. 밑면적. 구용어: 저면적(底面積). ↔윗넓이.
밑-놀이 [명] 〖민〗 농악놀이의 하나. 상모놀이를 윗놀이라고 하는 데 대하여 꽹과리·징·장구·소고 등으로 농악 가락을 치는 놀이. 밑놀음.
밑-다깨 [명] 〈방〉 밑씻개.
밑-다짐 [명] 〖토〗 ①지하수 속에 있는 건조물(建造物)의 기초 부분을 보호하기 위하여 조약돌·호박돌·콘크리트 블록 등으로 둘러 쌓고 다지는 일. ②하천·제방의 호안(護岸) 공사에서, 경사면에 호박돌·돌망태·섶다발 등을 깔아 패는 것을 막는 일.
밑다짐-공 【—工】 [명] 〖토〗 밑다짐을 하는 공사.
밑도 끝도 모르다 [구] 어찌 된 영문인지 속내를 전혀 모르다.
밑도 끝도 없다 [—업—] [구] 시작도 끝맺음도 없다는 뜻으로, 까닭모를 말을 불쑥 꺼내어 갑작스럽거나 갈피를 잡을 수 없다는 말.
밑-도드리 [명] 〖악〗 궁중 연례악 수연장(壽延長)의 우리말 이름. 웃도드리가 편곡된 뒤의 생긴 이름임. 미환입(尾還入).
밑-돌 [명] 〖건〗 ①동바리의 밑을 받친 돌. 동바릿돌. ②담이나 건축물의 밑바닥에 쌓은 돌.
밑-돌다 [자] 어떤 기준이 되는 수량보다 적어지다. 하회(下廻)하다. ¶쌀 수확량이 평년작을 밑돌것으로 보인다. ↔웃돌다.
밑-동 [명] ①긴 물건의 맨 아랫 동아리. ②채소 등의 뿌리. [준]밑.
밑동 부리 [명] 원목(圓木)의 아래 쪽을 잘라서 끊은 부분.
밑동-쇠 [명] 장식의 밑동에 붙이는 금속 받침.
밑두리-콧두리 [명] 〈방〉 미주알고주알.
밑둥 [명] ☞ 밑동.
밑-둥치 [명] 둥치의 밑 부분.
밑-뒤 [명] '고물³'의 별칭.
밑-들다 [자] ①무·감자 등의 뿌리가 굵게 자라다. ②연이 공중에서 다른 연과 얽히어 엎어 눌림을 받다.
밑들-이 [명] 〖충〗 밑들이벌레.
밑들이-벌 [명] 〖충〗 [*Leucospis japonica*] 밑들이벌과에 속하는 곤충. 몸길이 12mm 가량, 몸빛은 검으며 전흉배(前胸背) 후연(後緣)의 한 개의 횡대(橫帶)와 소미판 후연의 1횡대 및 제1 복절 위 양쪽의 삼각 반문 및 제4 복절 후연의 횡대와

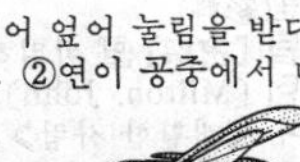
〈밑들이벌〉

퇴절(腿節) 바깥쪽의 초승달 무늬 등은 모두 황색임. 다른 벌의 유충에 기생(寄生)하는데, 한국·일본에 분포함.

밑들이벌-과【一科】[一꽈] 명 《충》 [Leucospidae] 벌목에 속하는 한 과. 몸길이 10mm 내외의 대형종인데 흑색 바탕에 황색 무늬가 있고 거친 조각(彫刻)이 있음. 산란관(産卵管)은 길고 복부 배면(背面)을 향하여 구부러져 들리었음. 단서(單棲)인 벌의 집속에 기생함. 온대 및 열대에 널리 분포함.

밑들이-벌레 명 《충》 [*Panorpa japonica*] 밑들이벌렛과에 속하는 곤충. 몸길이 15mm, 편 날개 35mm 내외이고 몸빛은 흑색에 날개는 투명하고 전연문(前緣紋)은 흑색이며 기타의 반문과 맥(脈)은 암색(暗色)임. 제5 복절의 후연(後緣)에 황갈색의 돌기(突起)가 한 개 있고, 제6·7절 및 생식절(生殖節)은 황갈색임. 4-7월에 발생하여 수간(樹間) 잎 뒤에 많이 모이고 완전(完全) 변태하며 다른 곤충의 즙액(汁液)을 빨아먹음. 유충은 땅 속에 굴을 파고 다니며 서식하는데, 한국·일본 등지에 분포함. 밑들이.

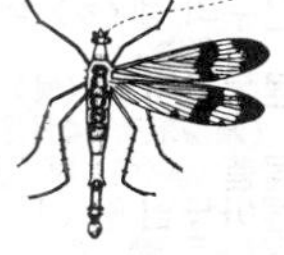

〈밑들이벌레〉

밑들이벌레-목【一目】명 《충》 [Mecoptera] 곤충류 유시 아강(有翅亞綱)에 속하는 한 목(目). 성충의 구기(口器)는 구문상(口吻狀)이고 다른 곤충의 사체(死體)에서 즙액(汁液)을 흡수함. 원시적인 곤충인데 고생대(古生代) 말기에 출현한 것으로 추측됨. 밑들이벌렛과 등이 이에 속하고 전세계에 300여 종이 분포함. 장시류(長翅類).

밑들이벌렛-과【一科】명 《충》 [Panorpidae] 밑들이벌레목(目)에 속하는 한 과. 날개는 가늘고 길며 반문(斑紋)이 뚜렷함. 수컷은 일반적으로 구경상(球莖狀)의 외부 생식절(外部生殖節)이 있고 단안(單眼)은 세 개이며, 한 쌍의 발톱은 간단하거나 또는 빗살 모양임. 성충은 다른 곤충·진디 또는 과실·꽃 등을 먹고 유충은 지표(地表) 가까이 굴을 파고 다니며 새의 똥 등을 먹음. 완전 변태를 하는 곤충 중에서 원시적(原始的)임. 전세계에 140여 종이 있는데, 북반구(北半球)·인도·말레이 등지에 분포함.

밑-마개 명 〈방〉 속속곳.

밑-마디 명 《식》 식물 줄기의 밑동을 이룬 부분. 기절(基節).

밑-마음심【一心】명 한자 부수(部首)의 하나. '恣'나 '恭' 등의 '心'·'⺗'의 이름.

밑막이 문골【一門一】[一꼴] 명 《건》 문짝의 밑에 가로 낀 나무.

밑-말 명 원어(原語).

밑-머리 명 치마머리나 다리를 드릴 때 본디부터 있는 머리털을 일컫는 말.

밑-면【一面】명 ①밑바닥. ②[base] 《수》 다면(多面)체가 어느 면 위에 서 있다고 생각할 때, 그 면과 접촉한 다면체의 면. 구용어: 저면(底面). 준밑.

밑-면적【一面積】명 《수》 밑넓이.

밑-모서리 명 《수》 옆면과 밑면이 만나서 이루는 모서리. 저릉(底稜).

밑-바닥 명 ①물건의 아래로 향한 겉의 바닥. 전(轉)하여, 사회 계층 따위의 맨 밑. ¶ ~ 생활. ②그릇 속의 아랫바닥. ③빤히 들여다보이는 남의 속 뜻. 저의(底意). ¶ ~이 들여다보이는 수작. 1)·2): 준밑.

밑-바탕 명 ①물건의 근본을 이루고 있는 실체(實體). ②사람의 타고 난 근본 바탕.

밑-반찬【一飯饌】명 만들어서 오래 두고 언제나 손쉽게 내 먹을 수 있는 반찬. 젓갈·자반·장아찌 따위.

밑-받침 명 ①밑에 받치는 물건. 전(轉)하여, 토대(土臺)의 뜻으로도 쓰임. ¶ 새나라 건설의 ~이 되다. ②복사지로 글씨를 쓸 때에 밑에 받치는 빳빳한 물건.

밑받침-이음 명 《건》 잇는 부분 밑에 기둥이나 받침 나무가 있을 경우에 사용하는 길이 이음의 한 가지.

〈밑받침이음〉

밑-밥 명 물고기나 새가 모이게 하기 위하여 미끼로 던져 주는 먹이.

밑-변【一邊】명 [base] 《수》 삼각형·사다리꼴 등의 밑바닥을 이루고 있는 변. 저변(底邊). ↔윗변·빗변.

밑-부분【一部分】명 낮은 쪽이나 아래쪽의 부분.

밑-불 명 불을 피울 때에, 본래 살아 있는 불.

밑-붙이다 [一부치一] 자 그 장소에 오래 눌러앉다. 자리를 잡고 오래 머무르다.

밑빠진 시루 구 술을 한없이 많이 마시는 사람.

밑뿌리-쌓음 [一싸一] 명 물건의 기초 부분을 돌로 쌓는 일.

밑-살 명 ①항문(肛門)이 있는 부분의 살. ②미주알. ③〈속〉 보지. ④소의 볼깃살의 하나. 국거리로 씀.

밑-세장 명 지게의 맨 아래의 세장.

밑-손수【一手】명 한자 부수(部首)의 하나. '拏'나 '擊' 등의 '手'의 이름. *손수변.

밑-쇠 명 쇠 그릇의 새 것과 깨어진 것을 웃돈을 주고 바꿀 때의 깨어진 그릇의 쇠.

밑-술 명 ①약주를 뜨고 난 찌끼술. 모주(母酒). *용수뒤. ②술을 빚을 때 누룩·밥과 함께 조금 넣는 묵은 술.

밑-스물입【一廾】[一립] 명 한자 부수(部首)의 하나. '弄'이나 '弊' 등의 '廾'의 이름. '艸'에 유래한 부수임.

밑-싣개 명 그넷줄의 맨 아래에 걸쳐 두 발을 디디게 된 물건.

밑-실 명 재봉틀의 북에 감은 실.

밑-씨 명 [ovule] 《식》 자방(子房) 속에 생기는, 뒤에 종자(種子)가 되는 기관(器官). 배낭(胚囊)·주심(珠心)·주피(珠皮)로 구성됨. 주병(珠柄)을 통하여 태좌(胎座)에 붙어 있으며, 주병과 주공(珠孔)의 위치 관계에서 직생(直生)·도생(倒生)·만생(彎生) 등으로 구별함. 나자(裸子) 식물에서는 심피(心皮)에 직접 착생(着生)하여 나출(裸出)되어 있음. 난자(卵子). 배주(胚珠).

밑-씻개 명 똥을 누고 똥구멍을 씻는 물건의 총칭.

밑-알 [민一] 명 닭의 둥지에 넣어 두는 달걀. 암탉이 제자리에 바로 찾아오도록 하기 위한 것임.

[밑알을 넣어야 알을 내어 먹는다] 자본을 들여야 한다는 말.

밑-알락하루살이 [민一] 명 《충》 [*Ephemerella basalis*] 알락하루살잇과에 속하는 곤충. 몸길이는 13-16mm, 앞날개 15-20mm임. 몸빛은 대체로 갈색에 두부와 흉부는 흑갈색을 이루는데, 날개는 투명하며 시맥(翅脈)과 앞날개의 기부(基部)와 뒷날개는 갈색, 복부는 적갈색, 각절(脚節) 후연은 담색(淡色)임. 한국·일본 등지에 분포함.

밑-앞 [민一] 명 '이물¹'의 별칭. *밑뒤.

밑-음【一音】[민一] 명 [root] 《악》 3도(度)로 된 음정의 3음이 삼화음(三和音)을 이루고 있을 때의 가장 낮은 음. 근음(根音).

밑-자리 명 ①맷방석·바구니 같은 것의 처음 겯기 시작하는 밑바닥. ②사람이 깔고 앉는 자리. ③[root position] 《악》 삼화음(三和音)이나 칠화음(七和音)의 밑음을 낮은 음으로 하여, 제3음과 제5음 또는 제7음을 차례로 겹쳐 놓은 기본형.

밑-자발 명 〈방〉 미주알.

밑-절미 명 사물의 기초. 본디부터 있던 바탕. 준밑. ¶ ~가 없는 거시기를 어찌 꾸며대댄단 말입니까? 《金周榮 : 客主》.

밑-점【一點】명 기점(基點).

밑정 명 젖먹이의 대소변의 횟수(回數).

밑-조사【一調査】명 예비적·기초적으로 하는 조사. ──하다 타 여불

밑-줄 명 가로 쓴 글씨에서 어떤 말의 밑에 긋는 줄. 언더 라인. 저선(底線).

밑-줄기 명 나무나 풀의 아랫동.

밑-지다 자타 들인 밑천을 다 건지지 못하다. 손해를 보다. ¶ 밑지고 팔다. ↔남다.

[밑져야 본전] 손해를 본대도 본전은 남는다는 뜻으로, 이리치나 저리치나 손해될 것이 없다는 말.

밑지는 장사 구 자기에게 아무 이득이 없고 오히려 손해를 보는 일.

밑-질기다 형 어디 가서 앉으면 일어날 줄 모르다. 어디 가서 빨리 돌아올 줄 모르다.

밑집-서까래 명 《건》 매우 가늘고 짧은 서까래.

밑-짝 명 맷돌같이 아래위 두 짝이 한 벌로 되어 있는 물건의 아래짝.

밑-창 명 ①신의 바닥 밑에 붙이는 창. ¶ ~을 갈다. *속창. ②〈속〉 전(轉)하여, 맨 밑바닥. ¶ ~에다 내려놓다/~에서 허덕이다/~에서부터 한 걸음씩 올라가다. *위창.

밑창-널 명 밑창판(板).

밑창-판【一板】명 (궤짝이나 기물의) 밑바닥에 대는 널. 밑창널.

밑-천 명 ①장사나 무슨 일을 경영하는 데 필요한 재물. 또, 기술·실력 따위. 자본. ¶ 한 ~ 잡다/~이 많이 드는 장사/건강이 ~이다. ②본전(本錢). ¶ ~을 까먹다. ③'자지¹'의 곁말.

밑천이 드러나다 구 ㉠평소에 숨겨져 있던 제 바탕·성격이 표면에 나타나다. ㉡가진 돈이 다 떨어져서, 밑천이 짧다는 것이 드러나다.

밑천이 짧다 구 밑천이 모자라거나 적다.

밑-층【一層】명 아래층. 하층(下層).

밑치기-버꾸 명 《민》 판굿놀이의 하나. 풍물잡이들이 큰 원을 그리며 놀다가 버꾸만이 원 안으로 들어가 두 사람씩 마주 서서 앞으로 나갔다가 뒤로 물러섰다 하며 노는 놀이.

밑턱-구름 명 하층운(下層雲).

밑-판【一板】명 밑에 대는 판. 또, 밑이 되는 판.

ᄆᆞ니다 타 〈옛〉 만지다. ¶ 뎡바기ᄅᆞᆯ ᄆᆞ니시며 니ᄅᆞ샤ᄃᆡ 《月釋 XXI:178》/菩薩이 머리 ᄆᆞ녀 授記호ᄆᆞᆯ 得ᄒᆞ리라《月釋 XXI:165》.

ᄆᆞ다 타 〈옛〉 말다. ¶ ᄆᆞ다(攪和)《同文 上 60》.

ᄆᆞ디다 형 〈옛〉 마디다. ¶ ᄆᆞ딜 뎌(儲貯偫也)《字會 中 1》.

ᄆᆞᄃᆞ다 타 〈옛〉 멀다. ¶ 그리 ᄒᆞ면 힘 ᄆᆞᄃᆞ리라(那般時省氣力)《朴解 上 66》.

ᄆᆞ돕 명 〈옛〉 쥐부스럼. =ᄆᆞ틥. ¶ 헌 허믈 ᄆᆞ돕(疽)《四聲 上 76》.

ᄆᆞᄃᆡ 명 〈옛〉 마디. ¶ ᄆᆞᄃᆡ 졀(節) 《字會 上 1》/ᄆᆞᄃᆡ 쵼(寸) 《字會 下 34》.

ᄆᆞ틥 명 〈옛〉 쥐부스럼. ¶ ᄆᆞ틥(疙疽)《字會 中 33 疽字註》.

ᄆᆞ라ᄡᆞ다 타 〈옛〉 말아 싸다. ¶ ᄆᆞ라ᄡᆞ다(纏包)《同文 上 58》.

ᄆᆞᄅᆞ다 자 〈옛〉 마르다. ¶ ᄆᆞᄅᆞᆯ 고(枯)《倭解 下 30》/친히 ᄆᆞᄅᆞᆫ ᄃᆡ와 저즌ᄃᆡᄅᆞᆯ 밧고와 누이며《五倫 Ⅰ:45》.

ᄆᆞ름 명 〈옛〉 마름³. =ᄆᆞ롬. ¶ ᄆᆞ름(莊頭) 《漢淸 Ⅴ:31》.

ᄆᆞᄅᆞ¹ 명 〈옛〉 ①마루. =ᄆᆞᆯ리¹. ¶ ᄆᆞᄅᆞ 종(宗)《字會 上 32, 類合 下 55, 石千 36》. ②마룻대. ¶ ᄆᆞᄅᆞ 동(棟)《字會 中 6》. ③의로운 것. 종요로운 것. ¶ ᄆᆞᄅᆞ 의(義), ᄆᆞᄅᆞ 지(旨)《類合 下 55》.

ᄆᆞᄅᆞ² 의명 〈옛〉 개(箇). 벌. ¶큰 저울 셜흔 ᄆᆞᄅᆞ(秤三十連) 《老乞 下 62》.

ᄆᆞᄅᆞ니 명 〈옛〉 마른 것. ¶ 우리 그저 ᄆᆞᄅᆞ니 먹음이 엇더ᄒᆞ뇨(咱們只喫乾的如何)《老乞 上 54》.

ᄆᆞᄅᆞ다¹ 자 〈옛〉 마르다¹. ¶ ᄆᆞᄅᆞᆯ 간(乾)《字會 下 12》 / 목ᄆᆞᄅᆞᆯ 갈(渴) 《字會 下 13》/ᄆᆞᄅᆞᆯ 조(燥)《類合 下 48》.

ᄆᆞᄅᆞ다² 타 〈옛〉 마르다². ¶ ᄆᆞᄅᆞᆯ 재(裁)《字會 下 19》/ᄆᆞᄅᆞᆯ 젼(剪)《類合 下 41》/옷 ᄆᆞᄅᆞ기 됴ᄒᆞ니(好裁衣)《朴解 中 54》.

ᄆᆞᄅᆞ다³ 타 〈옛〉 모르다. ¶ 山林에 뭇쳐이셔 至樂을 ᄆᆞᄅᆞᆯ것가《丁克仁 賞春曲》.

ᄆᆞᄅᆞ서흘다 타 〈옛〉 말라 썰다. ¶ ᄆᆞᄅᆞ서흘 재(宰)《類合 下 10》.

ᄆᆞᄅᆞᆫ 자 〈옛〉 마른. 조급한. 'ᄆᆞᄅᆞ다¹'의 활용형. ¶ 性ᄆᆞᄅᆞᆫ 사ᄅᆞ미(性燥漢) 《蒙法 52》.

ᄆᆞᄅᆞᆫ감 명 〈옛〉 마른 감. 건시(乾柹). 곶감. ¶ ᄆᆞᄅᆞᆫ감(乾柹) 《老乞 下 34》.

ᄆᆞᄅᆞᆫ보도 명 〈옛〉 마른 포도. 건포도. ¶ ᄆᆞᄅᆞᆫ보도(乾葡萄)《老乞 下 34》.

ᄆᆞᄅᆞᆫ조긔 명 〈옛〉 마른 조기. 건조기. 굴비. ¶ ᄆᆞᄅᆞᆫ조긔 샹(鯗)《字會 中 21》.

ᄆᆞ롬 명 〈옛〉 마름³. =ᄆᆞ름. ¶ 莊은 ᄆᆞᄅᆞ미라《月釋 XXI:92》 / ᄆᆞ롬(莊頭)《同文 14》.

ᄆᆞᄅᆞᆺ낡 명 〈옛〉 마룻대 나무. ¶ 雲臺예 ᄆᆞᄅᆞᆺ남ᄀᆞᆯ 혀가는 ᄃᆞᆺ도다(雲臺引棟梁)《杜諺 XXIV:10》.

ᄆᆞᄅᆞᆺ쇠 명 〈옛〉 용마루. ¶ ᄆᆞᄅᆞᆺ쇠(梁兒)《朴解 上 15》. *마루새.

ᄆᆞᄅᆞᆺ실 명 〈옛〉 벼릿줄. ¶ ᄆᆞᄅᆞᆺ실 긔(紀)《類合 下 9》.

ᄆᆞ상이 명〈옛〉망아지. ¶새 ᄆᆞ상이 졋 머근 ᄯᅩᇰ즐히ᄂᆞᆫ 쟈ᄂᆞᆫ(新駒妳瀉者)《馬經 下 3》.

ᄆᆞ쇼 명〈옛〉우마(牛馬). 마소. ¶ᄆᆞ쇼 머기ᄂᆞᆫ 아히(牧童)《杜諺 Ⅶ:18》.

ᄆᆞᅀᆞᆯ 명〈옛〉마을. 촌락(村落). =ᄆᆞᅀᆞᆯ. ¶巷陌이어나 ᄆᆞᅀᆞᆯ히어나《釋譜 XIX:1》/ᄆᆞᅀᆞᆯ 향(鄕), ᄆᆞᅀᆞᆯ 당(黨)《類合 下 23》.

ᄆᆞᅀᆞᆯ해 〈옛〉마을에. 'ᄆᆞᅀᆞᆯ'의 처소격형(處所格形). ¶艱難ᄒᆞᆫ ᄆᆞᅀᆞᆯ해 가(往至貧里)《妙蓮 Ⅱ:204》.

ᄆᆞᅀᆞᆯ히 〈옛〉마을이. 'ᄆᆞᅀᆞᆯ'의 주격형(主格形). ¶ᄆᆞᅀᆞᆯ히 盛ᄒᆞ야 ᄃᆞᆯ니ᄉᆞ리 서르 들여《月釋 Ⅰ:46》.

ᄆᆞᅀᆞᆯᄒᆞ로 〈옛〉마을로. 'ᄆᆞᅀᆞᆯ'의 향진격형(向進格形). ¶놀애ᄂᆞᆫ 저기 ᄆᆞᅀᆞᆯᄒᆞ로 나오ᄂᆞ다(歌稍出村)《初杜諺 Ⅶ:39》.

ᄆᆞᅀᆞᆯᄒᆞᆫ 〈옛〉마을은. 'ᄆᆞᅀᆞᆯ'의 절대격형(絶對格形). ¶ᄆᆞᅀᆞᆯᄒᆞᆫ 거츨오녀트니(聚落荒淺)《妙蓮 Ⅱ:188》.

ᄆᆞᅀᆞᆯᄒᆞᆯ 〈옛〉마을을. 'ᄆᆞᅀᆞᆯ'의 목적격형(目的格形). ¶굴헝 北녀긔 버렛ᄂᆞᆫ 椒木은 도로 ᄆᆞᅀᆞᆯᄒᆞᆯ 졋도다(塹北行椒却背村)《杜諺 XXV:19》.

ᄆᆞᅀᆞᆯ히 〈옛〉마을에. 'ᄆᆞᅀᆞᆯ'의 처소격형(處所格形). ¶ᄀᆞᄅᆞᆷ ᄆᆞᅀᆞᆯ히 ᄒᆞ오사 도라가ᄂᆞᆫ 짜해(江村獨歸處)《杜諺 XXIII:6》.

ᄆᆞᅀᆞᆷ 명〈옛〉마음. ¶壯ᄒᆞᆫ ᄆᆞᅀᆞᄆᆞᆯ 놀라노라(壯心驚)《杜諺 X:47》.

ᄆᆞᅀᆞᆷ뽁 명〈옛〉심장(心臟). ¶주근 사ᄅᆞᄆᆡ ᄆᆞᅀᆞᆷ뽁 아래 맛게 ᄒᆞ야(當死人心下)《救簡 Ⅰ:73》. 「下 25》.

ᄆᆞᅀᆞᆷ져버보다 타〈옛〉접어주다. 용서하다. ¶ᄆᆞᅀᆞᆷ져버볼 셔(恕)《字會

ᄆᆞᅀᆞᆷ졉다 타〈옛〉용서하다. ¶ᄇᆞ즈런ᄒᆞ며 검박ᄒᆞ며 온공ᄒᆞ며 내 ᄆᆞᅀᆞᆷ 져버ᄂᆞᆷ의 ᄆᆞᅀᆞᆷ 혜아림으로 ᄒᆞ더라(勤儉恭恕)《飜小 IX:95》.

ᄆᆞᅀᆞᆷ조초 부〈옛〉마음대로. ¶花香伎樂ᄋᆞᆯ ᄆᆞᅀᆞᆷ조초 ᄀᆞ초 얻ᄀᆡ 호리라 ᄒᆞ더시니《釋譜 IX:10》.

ᄆᆞᅀᆞᆷᄭᆞ장 부〈옛〉마음껏. ¶ᄆᆞᅀᆞᆷᄭᆞ장 모다 ᄉᆞ랑ᄒᆞ야도《釋譜 XIII:41》.

ᄆᆞᅀᆞᆺᄂᆡ 명〈옛〉마을의 연기. ¶ᄆᆞᅀᆞᆺᄂᆡᄂᆞᆫ 개옛 몰애ᄅᆞᆯ 對ᄒᆞ얏도다(村煙對浦沙)《初杜諺 XV:50》.

ᄆᆞᄉᆡ엽다 형〈옛〉매섭다. ¶ᄆᆞᄉᆡ엽다(利害)《老朴 累字解 8》.

ᄆᆞ야지 명〈옛〉망아지. ¶ᄆᆞ야지 구(駒)《字會 上 18》/머에아랫 ᄆᆞ야지ᄅᆞᆯ 티디 말라(莫鞭轅下)《杜諺 XXIII:36》.

ᄆᆞ양 부〈옛〉매양. ¶졋출 곤고노라 ᄆᆞ양 우ᄂᆞᆫ 아히 굴와 이 누고 뎌 누고ᄒᆞ면 엇운답디 아녜라《古時調 鄭澈》.

ᄆᆞ옴 명〈옛〉마음. =ᄆᆞᅀᆞᆷ·ᄆᆞᅀᆞᆷ. ¶ᄆᆞ오미 뷔여 坐禪호ᄆᆞᆯ 버으리완디 아니ᄒᆞᄂᆞ다(虛空不離禪)《重杜諺 IX:24》.

ᄆᆞ욘 것 구〈옛〉매인 것. ¶내 죵을 구송ᄒᆞ야 ᄆᆞ욘 거슬 글우라(吾叱奴人解其縛)《杜諺 XVII:15》. *ᄆᆞ이다.

ᄆᆞ을 명〈옛〉마을. =ᄆᆞᅀᆞᆯ·ᄆᆞ올. ¶일향과 ᄆᆞ을 사ᄅᆞᆷ이 효ᄅᆞᆯ 잇ᄀᆞ더니(鄕里稱孝)《東國新續 三綱孝子圖 Ⅷ:18應會同死》.

ᄆᆞ음 명〈옛〉마음. ¶인경을 베히고 ᄉᆞ랑ᄒᆞᆫ ᄆᆞ음을 ᄭᅳᆫ허(割情斷愛)《字恤 1》. 「朱義植》.

ᄆᆞ이 부〈옛〉배우. =ᄆᆡ이. ¶ᄶᅡ히 둣텁다고 ᄆᆞ이 ᄇᆞᆲ써 마올 써시《海謠

ᄆᆞ이다 피동〈옛〉매이다. ¶슈고에 모ᄆᆞᆯ ᄆᆞ이리로다(苦纏身)《野雲

ᄆᆞ이미다 타〈옛〉단단히 매다. ¶ᄆᆞ이밀 긴(緊)《類合 下 43》. 「48》.

ᄆᆞ이ᄒᆞ다 타〈옛〉크게 하다. ¶믄득 소리ᄅᆞᆯ ᄆᆞ이ᄒᆞ야 니ᄅᆞ샤ᄃᆡ(忽厲聲云)《飜小 X:27》. 「《重杜諺 Ⅳ:11》.

ᄆᆞ올 명〈옛〉마을. =ᄆᆞᅀᆞᆯ. ¶우리 ᄆᆞ올히 온 지비 남더니(我里百餘家)

ᄆᆞ올히 〈옛〉마을이. 'ᄆᆞ올'의 주격형(主格形). =ᄆᆞ올히. *ᄆᆞ올히.

ᄆᆞ올ᄒᆞ로 〈옛〉마을로. 'ᄆᆞ올'의 향진격형(向進格形).

ᄆᆞ올ᄒᆞᆯ 〈옛〉마을을. 'ᄆᆞ올'의 목적격형(目的格形). ¶ᄆᆞ올ᄒᆞᆯ 아나 흐르ᄂᆞ니(抱村流)《重杜諺 Ⅶ:3》.

ᄆᆞ올히 〈옛〉마을에. 'ᄆᆞ올'의 처소격형(處所格形). ¶우리 ᄆᆞ올히 온 지비 남더니(我里百餘家)《重杜諺 Ⅳ:11》.

ᄆᆞ옴 명〈옛〉마음. ¶늘근 노미 ᄆᆞ오미 측ᄒᆞ야(老夫情懷惡)《重杜諺 Ⅰ:6》/ᄆᆞ옴 심(心)《類合 下 1, 石千 17》/무궁무진ᄒᆞᆫ이ᄆᆞ옴 긔묘ᄒᆞ게 어질다《찬양가:11》.

ᄆᆞ옴멸리 부〈옛〉마음 짧게. 성급하게. ¶그대도록 ᄆᆞ옴멸리 싱각디 마소《新語 IX:21》. 「雲 80》.

ᄆᆞ옴뽁 명〈옛〉폐부(肺腑). ¶셜오미 ᄆᆞ옴뽁의 미엣도다(痛纏心腑)《野

ᄆᆞ옴조초 부〈옛〉마음대로. =ᄆᆞᅀᆞᆷ조초. ¶ᄆᆞ옴조초 葛巾애 빈혀 고자 스고(隨意簪葛巾)《重杜諺 Ⅰ:50》.

ᄆᆞ옴조초ᄒᆞ다 타〈옛〉마음대로 하다. ¶아ᄋᆞ라ᄒᆞᆫᄃᆡ셔 갈바ᄅᆞᆯ ᄆᆞ옴조초ᄒᆞᄂᆞ니(冥冥任所往)《重杜諺 XVI:35》.

ᄆᆞ자 부〈옛〉마저¹. ¶남은 반을 ᄆᆞ자 담아 견쳐로 다은 후의(盛一半亦依前打築而後)《煮硝 5》.

ᄆᆞᄌᆞ 부〈옛〉마저¹. ¶나ᄆᆞᆫ 잔ᄋᆞᆯ ᄆᆞᄌᆞ 머구리라(取盡餘盃)《杜諺 XXII:6》/아릿 習이 ᄆᆞᄌᆞ 업서(了罔陳習)《楞嚴 X:1》.

ᄆᆞᄌᆞ막 부〈옛〉마지막. ¶내 이제 世尊ᄋᆞᆯ ᄆᆞᄌᆞ막 보ᅀᆞᄫᅩ리《月釋 X:8》.

ᄆᆞᄎᆞ다 타〈옛〉마치다²⊟. =ᄆᆞᄎᆞ다. ¶ᄒᆞᆫ거ᄅᆞᆷ 나아가 夜叉掀海勢ᄅᆞᆯ ᄒᆞ야 ᄆᆞᄎᆞ라《武藝 3》.

ᄆᆞᄎᆞ다 타〈옛〉마치다²⊟. 끝내다. ¶목숨 ᄆᆞᄎᆞ리잇가(性命奚戕)《龍歌 51章》/목숨 ᄆᆞᄎᆞᆯ 날애《月釋 Ⅶ:61》.

ᄆᆞᄎᆞ매 부〈옛〉마침내. 드디어. ¶겨집 出家ᄅᆞᆯ ᄆᆞᄎᆞ매 許ᄒᆞ시니《月釋 X:16》/ᄆᆞᄎᆞ매 趙州ᄂᆞᆫ 이 엇던 面目고(必竟趙州是何面目)《蒙法 55》.

ᄆᆞᄎᆞᆷ ⊖명〈옛〉끝마침. 마지막. ¶終은 ᄆᆞᄎᆞ미라《訓諺》. ⊜의명〈옛〉만큼. ¶어느 ᄆᆞᄎᆞᆷ셔 사ᄂᆞ다(那些個住)《老乞 上 43》.

ᄆᆞᄎᆞᆷ내 부〈옛〉마침내. ¶ᄆᆞᄎᆞᆷ내 제 ᄠᅳ들 시러 펴디 몯ᄒᆞᇙ 노미 하니라(而終不得伸其情者多矣)《訓諺 2》.

ᄆᆞᆫᄃᆞᆯ다 타〈옛〉만들다. ¶뎌 긔운 흐터내야 人傑을 ᄆᆞᆫᄃᆞᆯ고쟈《松江 關東別曲》/여호와가시종업고 텬디만물ᄆᆞᆫᄃᆞ러네《찬양가:7》.

ᄆᆞᆫᄆᆞᆫᄒᆞ다 형〈옛〉만만하다. ¶빅샹환은 대극 블근 엄 나니ᄅᆞᆯ 조쟉 운믈에 달혀 ᄆᆞᆫᄆᆞᆫᄒᆞ거든 고기양 업시ᄒᆞ고(百祥丸大戟紅芽者槳水煮軟去骨)《痘要 下 27》.

ᄆᆞᆫ지다 타〈옛〉만지다. ¶定에 드렛다가 나사 虛空ᄋᆞᆯ ᄆᆞᆫ지거늘《月釋 Ⅰ:36》/阿難이 뎡바기ᄅᆞᆯ ᄆᆞᆫ지시니(摩阿難頂)《楞嚴 Ⅴ:4》.

ᄆᆞᆫ치다 타〈옛〉만지다. =ᄆᆞᆫ지다. ¶이의 영장ᄒᆞ매 무덤을 ᄆᆞᆫ치며 우니(旣葬撫塚哀號)《東國新續三綱 烈女圖 Ⅱ:18 慶氏撫塚》.

ᄆᆞᆮ 명〈옛〉맏. 첫째. ¶ᄆᆞᆮ 빅(伯)《石千 15》/ᄆᆞᆮ 형(兄)《字會 上 32》.

ᄆᆞᆮ내 명〈옛〉맏이 되는 사람들. 연장자들. 우두머리들. ¶즉자히 나랏 어비 ᄆᆞᆮ내ᄅᆞᆯ 모도아 니ᄅᆞ샤ᄃᆡ《釋譜 Ⅵ:9》.

ᄆᆞᆮ누의 명〈옛〉맏누이. =ᄆᆞᆺ누의. ¶ᄆᆞᆮ누의 ᄌᆞ(姊), ᄆᆞᆮ누의 져(姐)《字會 上 32》.

ᄆᆞᆮ둥기다 타〈옛〉잡아당기다. 더위잡다. ¶緣ᄋᆞᆯ ᄆᆞᆮ둥기야 가져 著ᄒᆞ야(攀緣取著)《月序 3》.

ᄆᆞᆮᄠᅳᆮ 명〈옛〉첫 뜻. 뜻. ¶ᄆᆞᆮᄠᅳᆮ 지(志)《類合 下 1》.

ᄆᆞᆮ아ᄃᆞ님 명〈옛〉맏아드님. ¶ᄆᆞᆮ아ᄃᆞ니ᄆᆞᆫ 釋迦如來시고《月釋 Ⅱ:1》.

ᄆᆞᆮ아ᄃᆞᆯ 명〈옛〉맏아들. 큰아들. =ᄆᆞᆺ아ᄃᆞᆯ. ¶ᄆᆞᆮ아ᄃᆞ리 즐어업스니(長嗣壬亡)《月序 14》. 「31》.

ᄆᆞᆮ아자비 명〈옛〉큰아버지. =ᄆᆞᆮ아ᄌᆞ비. ¶ᄆᆞᆮ아자비 빅(伯)《字會上

ᄆᆞᆮ아ᄌᆞ븨겨집 명〈옛〉큰어머니. ¶ᄆᆞᆮ아ᄌᆞ븨겨집(姆)《四聲 上 38》.

ᄆᆞᆮ아ᄌᆞ비 명〈옛〉큰아버지. 백부(伯父). =ᄆᆞᆮ아자비·아븨ᄆᆞᆺ형.

ᄆᆞᆮ형 명〈옛〉큰형. 맏형. ¶ᄆᆞᆮ형 빅(伯)《字會上 31》. 「26》.

ᄆᆞᆯ¹ 명〈옛〉마름². =말왐. ¶ᄆᆞᆯ왐 조(藻)《字會 上 9》/ᄆᆞᆯ(海藻)《方藥

ᄆᆞᆯ² 명〈옛〉말¹. ¶ᄆᆞᆯ 마(馬)《字會上 19》/象과 ᄆᆞᆯ와 술위와《釋譜 XIX:3》.

ᄆᆞᆯ³ 명〈옛〉똥과 오줌. ¶차바ᄂᆞᆯ 머거도 自然히 스러 ᄆᆞᆯ보기ᄅᆞᆯ 아니ᄒᆞ며《月釋 Ⅰ:26》/ᄆᆞᆯ보기ᄅᆞᆯ ᄒᆞ니 남진 겨지비 나니라《月釋 Ⅰ:43》.

ᄆᆞᆯ⁴ 명〈옛〉말⁸. ¶네 주글ᄆᆞ리 하다(你的殺子多)《朴解 上 24》.

ᄆᆞᆯ구슈 명〈옛〉말구유. ¶ᄆᆞᆯ구슈(馬槽)《字會 光文會板 中 12 槽字註》.

ᄆᆞᆯ구시 명〈옛〉말구유. ¶ᄆᆞᆯ구시(馬槽)《字會 中 12 槽字註》.

ᄆᆞᆯ굴에 명〈옛〉말굴레. ¶韊今俗韊頭 ᄆᆞᆯ굴에 亦作韊《四聲 上 11》.

ᄆᆞᆯ기 부〈옛〉맑게. ¶녯 뎌래 ᄇᆞᄅᆞ미 ᄆᆞᆯ기 부ᄂᆞ다(古寺風冷冷)《杜諺 Ⅶ:29》. 「《永嘉 上 75》.

ᄆᆞᆯ기다 타〈옛〉맑게 하다. ¶닐오ᄃᆡ ᄆᆞᅀᆞᄆᆞᆯ ᄆᆞᆯ겨 괴외ᄒᆞ야(謂澄心寂怕)

ᄆᆞᆯᄀᆞᆫ 형〈옛〉맑은. 'ᄆᆞᆰ다'의 활용형. ¶ᄆᆞᆯᄀᆞᆫ 거우루 ᄀᆞᆮᄒᆞ야 여러가짓 양ᄌᆞᄅᆞᆯ 잘 나톨 씨라《月釋 Ⅰ:34》.

ᄆᆞᆯᄀᆞᆺᄆᆞᆯ마시 부〈옛〉맑게. 환하게. =ᄆᆞᆯᄀᆞᆺᄆᆞᆯᄀᆞᆺ. ¶이 想 일쩌긔 낫나치 보ᄆᆞᆯ ᄆᆞ장 ᄆᆞᆯᄀᆞᆺᄆᆞᆯ마시ᄒᆞ야《月釋 Ⅷ:8》.

ᄆᆞᆯᄀᆞᆺᄆᆞᆯᄀᆞᆺ 부〈옛〉맑게. 환하게. =ᄆᆞᆯᄀᆞᆺᄆᆞᆯ마시. ¶佛陀ᄂᆞᆫ 예셔 닐오맨 아ᄂᆞ니라ᄒᆞ논 마리니 過去와 未來와 現在 옛 衆生과 衆生 아닌 數와 常과 無常等 一切ㅅ 한 法을 菩提樹下애 겨샤 ᄆᆞᆯᄀᆞᆺᄆᆞᆯᄀᆞᆺ 아ᄅᆞ실ᄉᆡ 일후믈 佛陀ㅣ시다 ᄒᆞᅀᆞᆸᄂᆞ니라《眞言勸供 供養文 16》.

ᄆᆞᆯᄀᆞᆺᄆᆞᆯᄀᆞᆺᄒᆞ다 형〈옛〉뇌락(磊落)하다. 환하다. ¶ᄆᆞᆯᄀᆞᆺᄆᆞᆯᄀᆞᆺᄒᆞᆫ 별와 ᄃᆞᆯ와ᄂᆞᆫ 노피 도댓고(磊落星月高)《杜諺 Ⅰ:15》.

ᄆᆞᆯ다¹ 타〈옛〉마르다². 재단하다. =ᄆᆞᄅᆞ다². ¶죠히 ᄆᆞᆯ아 旗 밍ᄀᆞ라 내 넉슬 브르ᄂᆞ다(剪紙招我魂)《杜諺 Ⅰ:13》.

ᄆᆞᆯ다² 타〈옛〉말다¹. ¶딥지즑에 ᄆᆞ라(薦席卷之)《救簡 Ⅰ:67》.

ᄆᆞᆯ다³ 타〈옛〉말다². 물에 말다. ¶거믄 콩을 ᄆᆞᄅᆞ마라 ᄆᆞ레 ᄆᆞ라 ᄇᆞᆯ로미 됴ᄒᆞ니라(黑豆硏爛水調塗之妙)《救簡 Ⅵ:26》/믈ᄆᆞᆫ밥 손(飱)《字會 中 20》.

ᄆᆞᆯ다⁴ 형〈옛〉맑다. =ᄆᆞᆰ다. ¶人間애 ᄃᆞᆯ그르메 ᄆᆞᆯ도다(人間月影淸)《重杜諺 XII:1》.

ᄆᆞᆯ달호다 자〈옛〉말을 어거하여 다루다. ¶ᄆᆞᆯ달홀 어(馭)《字會 下 9》.

ᄆᆞᆯᄃᆞ롬 자〈옛〉말달림. 말을 달리는 것. 'ᄆᆞᆯᄃᆞᆯ이다'의 명사형. ¶니앳ᄂᆞᆫ 두들근 ᄆᆞᆯᄃᆞ로ᄆᆞᆯ 갊고(甕鐘臯藏奔突)《杜諺 XVII:26》.

ᄆᆞᆯᄃᆞᆯ여 자〈옛〉말을 달려. 'ᄆᆞᆯᄃᆞᆯ이다'의 활용형. ¶ᄆᆞᆯᄃᆞᆯ여 ᄧᅩᆺᄂᆞᆫ 거슨 아디 몯ᄒᆞ고(未知所馳逐)《重杜諺 Ⅱ:69》.

ᄆᆞᆯᄃᆞᆯ이다 자〈옛〉말을 달리다. ¶ᄆᆞᆯᄃᆞᆯ여 ᄧᅩᆺᄂᆞᆫ거슨 아디 몯ᄒᆞ고(未知所馳逐)《重杜諺 Ⅱ:69》/ᄆᆞᆯᄃᆞᆯ일 빙(騁)《類合 下 39》.

ᄆᆞᆯ롬 자〈옛〉마름. 목이 마름. 'ᄆᆞᄅᆞ다¹'의 명사형. ¶비골폼과 목 ᄆᆞᆯ롬과 一切옛 시르미 다 업스며《月釋 Ⅱ:42》. 「的》《朴解 下 44》.

ᄆᆞᆯ뢰다 타〈옛〉말리다. ¶ᄒᆞᆫᄃᆡ 버므려 ᄆᆞᆯ뢰디 못ᄒᆞᆯ소냐(一打裡和著乾不

ᄆᆞᆯ리¹ 명〈옛〉으뜸. 마루❷. =ᄆᆞᄅᆞ¹❶. ¶부모ᄂᆞᆫ 목숨ᄆᆞᆯ칠 ᄆᆞᆯ리오(父母爲育命之宗), 삼보ᄂᆞᆫ 여희여 날 ᄆᆞᆯ리오(三寶爲出離之宗)《勸善》.

ᄆᆞᆯ리² 〈옛〉마루가. 마룻대가. 'ᄆᆞᄅᆞ¹❶❷'의 주격형(主格形). ¶노ᄑᆞᆫ ᄆᆞᆯ리 ᄇᆞᆰᄒᆞᆫ 길헤 비취엿도다(高棟照通衢)《杜諺 Ⅱ:45》.

ᄆᆞᆯᄅᆞᆫ 〈옛〉요지(要旨)는. 'ᄆᆞᄅᆞ¹❸'의 절대격형(絶對格形). ¶그 ᄆᆞᆯᄅᆞᆫ 어딘이ᄅᆞᆯ ᄀᆞᆯᄒᆡ며 몸ᄋᆞᆯ 닷가(其要…擇善脩身)《飜小 IX:14》.

ᄆᆞᆯᄅᆞᆯ 〈옛〉'ᄆᆞᄅᆞ'의 목적격형(目的格形). ①마룻대를. ¶노ᄑᆞᆫ ᄆᆞᆯᄅᆞᆯ 아ᅀᆞᆫ ᄃᆞᆺᄒᆞ며(去高棟)《初杜諺 XXIV:17》. ②마루를. 종(宗)을. ¶그러나 이 ᄆᆞᅀᆞᆷ 發ᄒᆞᇙ 사ᄅᆞᄆᆞᆫ 慈悲心 뷔우ᄆᆞ로 ᄆᆞᆯᄅᆞᆯ 사ᄆᆞᆯ더니《月釋 9》.

ᄆᆞᆯ리 〈옛〉마루에. 'ᄆᆞᄅᆞ¹'의 처소격형(處所格形). ¶긴 놀애 집ᄆᆞᆯ리 激發ᄒᆞᄂᆞ니(長歌激屋梁)《初杜諺 Ⅶ:25》.

ᄆᆞᆯ말 명〈옛〉말말뚝. ¶ᄆᆞᆯ말 앙(枊)《字會 中 19》.

ᄆᆞᆯ메 명〈옛〉①말구유. ¶ᄆᆞᆯ메도(皁)《字會 中 19》. ②견여(肩輿). ¶ᄆᆞᆯ메도(又婦女肩輿亦曰皁子)《字會中 19. 皁字註》.

ᄆᆞᆯ발 명〈옛〉말발(馬脚). ¶君王의 ᄆᆞᆯ바ᄅᆞᆯ 셤긴 견ᄎᆞ로(事君王之馬足)《內訓 上 27》.

ᄆᆞᆯ버릐집 명〈옛〉말벌의 벌집. =ᄆᆞᆯ버리집. ¶ᄆᆞᆯ버릐집 ᄒᆞᆫ량반과(露蜂房兩半)《救簡 Ⅲ:39》.

ᄆᆞᆯ버릐집 명〈옛〉말벌의 벌집. ¶ᄆᆞᆯ버릐집(露蜂房)《救簡 Ⅲ:3》.

ᄆᆞᆯ벌의집 명〈옛〉말벌의 벌집. =ᄆᆞᆯ버릐집. ¶ᄆᆞᆯ벌의집(蜂房)《濟衆》.

ᄆᆞᆯ보기 명〈옛〉①오줌과 똥을 누는 일. 용변(用便). ¶ 차바ᄂᆞᆯ 머거도 自然히 스러 ᄆᆞᆯ보기ᄅᆞᆯ 아니ᄒᆞ며《月釋 Ⅰ:26》. ＊ᄆᆞᆯ³. ②이질(痢疾). ¶ 내 요ᄉᆞ이 ᄆᆞᆯ보기 어더셔(我這幾日害痢疾)《朴解 上 37》.

ᄆᆞᆯᄇᆞ리다 자〈옛〉말에서 내리다. 말에서 짐을 내리다. ¶ 굿드리 ᄆᆞᆯᄇᆞ리디 아니ᄒᆞ야두 무던ᄒᆞ니라(不必下馬可也)《呂約 23》. 「32》.

ᄆᆞᆯᄯᅩᇰ 명〈옛〉말똥. ¶ 주어 온 ᄆᆞᆯᄯᅩᇰ 가져다가(拾來的糞將來)《老乞 下

ᄆᆞᆯᄯᅩᇰ구우리 명〈옛〉말똥구리. =ᄆᆞᆯᄯᅩᇰ구으리. ¶ ᄆᆞᆯᄯᅩᇰ구우리 여러가짓 벌에 그 우희 모ᄃᆞ며(蜣蜋諸蟲而集其上)《妙蓮 Ⅱ:110》.

ᄆᆞᆯᄯᅩᇰ구으리 명〈옛〉말똥구리. ¶ ᄆᆞᆯᄯᅩᇰ구으리 강(蜣), ᄆᆞᆯᄯᅩᇰ구으리 량(蜋)

ᄆᆞᆯ셕 명〈옛〉말고삐. ¶ ᄆᆞᆯ셕(馬紲)《四聲 下 40》. 「《字會 上 22》.

ᄆᆞᆯ속 명〈옛〉베짜는 북. =ᄆᆞᆯ슙. ¶ 柚織具受經(緯의 誤)者 今俗呼 ᄆᆞᆯ속《四聲 上 9》/ᄆᆞᆯ속(柚頭)《譯語 下 3》.

ᄆᆞᆯ손동 명〈옛〉가슴걸이❶. ¶ ᄆᆞᆯ손동(馬鞅)《老乞 下 63》.

ᄆᆞᆯ쇼 명〈옛〉마소. =ᄆᆞ쇼. ¶ ᄆᆞᆯ쇼 주겨(殺牛馬)《三綱 忠臣 蝦蟆自焚》.

ᄆᆞᆯ슙 명〈옛〉베짜는 북. =ᄆᆞᆯ속. ¶ ᄆᆞᆯ슙 튝(柚)《字會 中 18》.

ᄆᆞᆯ어치 명〈옛〉언치. 말 안장 밑에 까는 덮개. ¶ 사ᄅᆞᄆᆞᆫ 와 ᄆᆞᆯ어치예 안ᄌᆞ다(人來坐馬韉)《杜諺 XX:9》.

ᄆᆞᆯ엿귀 명〈옛〉말여뀌. ¶ ᄆᆞᆯ엿귀 룡(蘢)《詩諺》.

ᄆᆞᆯ오다 타〈옛〉말리다³. ¶ 蓮닙과 ᄲᅩᆼ니플 ᄀᆞ티 ᄂᆞᆫ화 ᄀᆞᄂᆞᆯ해 ᄆᆞᆯ와(芙蓉葉桑葉等分陰乾)《救方 下 12》/브레 ᄆᆞᆯ오고(焙乾)《救方 下 85》.

ᄆᆞᆯ오향 명〈옛〉말 외양간. ¶ ᄆᆞᆯ오향(馬房)《譯語 上 19》.

ᄆᆞᆯ외다 타〈옛〉말리다³. ¶ ᄂᆞᆯ개 ᄆᆞᆯ외노라 고기 잡는 돌해 ᄀᆞᄃᆞᆨᄒᆞ얏도다(曬翅滿漁梁)《初杜諺 Ⅶ:5》.

ᄆᆞᆯ음 명〈옛〉마름³. ¶ ᄆᆞᆯ음(庄頭)《譯語 補 19》.

ᄆᆞᆯᄋᆞ사 타〈옛〉말라. 'ᄆᆞᄅᆞ다²'의 활용형. ¶ 雲霧를 ᄆᆞᆯᄋᆞ사 화 님금 오ᄉᆞᆯ ᄆᆡᇰᄀᆞ라(裁縫雲霧成御衣)《初杜諺 XXV:48》.

ᄆᆞᆯ채 명〈옛〉말채찍. ¶ 百步앳 ᄆᆞᆯ채 쏘샤(射鞭百步)《龍歌 63章》/ᄆᆞᆯ채 칙(策)《類合 下 25》. 「34章》.

ᄆᆞᆯ톤자히 구〈옛〉말탄 채. ¶ ᄆᆞᆯ톤자히 건너시니이다(乘馬截流)《龍歌

ᄆᆞᆯ ᄐᆞ다 자〈옛〉말 타다. ¶ ᄆᆞᆯ ᄐᆞᆯ 긔(騎)《類合 下 30》.

ᄆᆞᆰ다 형〈옛〉맑다. =ᄆᆞᆯ다⁴. ¶ 淸淨은 ᄆᆞᆰ고 조ᄒᆞᆯ 씨라《月釋 Ⅱ:12》.

ᄆᆞᆰ안초다 타〈옛〉맑게 가라앉히다. ¶ 기장ᄡᆞᆯ 닷되ᄅᆞᆯ 믈 ᄒᆞᆫ 마래 글혀 서 되ᄅᆞᆯ 取ᄒᆞ야 ᄆᆞᆰ안초아 져져 먹고(卽黍米五升水一斗煮之令得三升澄淸稍稍飮之)《救方 上 34》.

ᄆᆞᆺ 부〈옛〉가장. ¶ 去聲은 ᄆᆞᆺ 노ᄑᆞᆫ 소리라《訓諺 13》.

ᄆᆞᆺ내 부〈옛〉못내. 끝내. ¶ 수풀에 우는 새는 春氣ᄅᆞᆯ ᄆᆞᆺ내 계워《不憂軒集 賞春曲》.

ᄆᆞᆺ노ᄑᆞᆫ소리 명〈옛〉거성(去聲). ¶ 去聲은 ᄆᆞᆺ 노ᄑᆞᆫ 소리라《訓諺》.

ᄆᆞᆺ누의 명〈옛〉맏누이. =ᄆᆞᆮ누의. ¶ ᄆᆞᆺ누의져(姐)《老乞 下 30》.

ᄆᆞᆺ누의 남진 명〈옛〉큰 매부. ¶ ᄆᆞᆺ누의 남진(姐夫)《老乞 下 31》.

ᄆᆞᆺᄂᆞᆺ가ᄫᆞᆫ소리 명〈옛〉평성(平聲). ¶ 平聲은 ᄆᆞᆺ ᄂᆞᆺ가ᄫᆞᆫ 소리라《訓諺》.

ᄆᆞᆺ다 자타〈옛〉마치다². ¶ 矣ᄂᆞᆫ 말 ᄆᆞᆺᄂᆞᆫ 입겨지라《訓諺》/ᄆᆞᆺ고 다시 비르서시ᄂᆞᆯ(終而復始)《圓覺 上 二之一 13》.

ᄆᆞᆺ돍다 형〈옛〉맞갖다. 마뜩하다. ¶ ᄆᆞᆺ돍 협(愜)《類合 下 15》.

ᄆᆞᆺ돍ᄒᆞ다 형〈옛〉마뜩하다. 맞갖다. =ᄆᆞᆺ돍다. ¶ 아기 아ᄃᆞ리 양지 곱거늘 各別히 ᄉᆞ랑ᄒᆞ야 아ᄆᆞ례나 ᄆᆞᆺ돍ᄒᆞᆫ 며느리를 어두리라 ᄒᆞ야《釋譜 Ⅵ:13》. 「疾》《五倫 Ⅲ:13》.

ᄆᆞᆺ아ᄃᆞᆯ 명〈옛〉맏아들. =ᄆᆞᆮ아ᄃᆞᆯ. ¶ 견쳐의 ᄆᆞᆺ아ᄃᆞᆯ 홍이 병드럿거ᄂᆞᆯ(興

ᄆᆞᆺ아자미 명〈옛〉백모(伯母). ¶ ᄆᆞᆺ아자미(伯母)《老乞》.

ᄆᆞᆺ아자븨겨집 명〈옛〉백모(伯母). 큰어머니. ¶ ᄆᆞᆺ아자븨겨집(伯娘)《老乞 下 3》. 「下 3》.

ᄆᆞᆺ아자비 명〈옛〉큰아버지. 백부. =ᄆᆞᆮ아자비. ¶ ᄆᆞᆺ아자비(伯父)《老乞

ᄆᆞᆺ아ᄌᆞ비 명〈옛〉큰아버지. 백부. =ᄆᆞᆺ아자비. ¶ 우리 ᄆᆞᆺ아ᄌᆞ비와 져근아ᄌᆞ비와(我那大爺叔叔叔)《華音 上 4》.

ᄆᆞᆺ처ᅀᅥᆷ 명〈옛〉맨 처음. ¶ ᄆᆞᆺ처ᅀᅥᄆᆡ 形體 업스며《月釋 Ⅱ:69》.

ᄆᆞᆺ초다 타〈옛〉마치다². ¶ 나도 ᄆᆞᆺᄎᆞ리라(我也了了)《老乞 上 20》.

ᄆᆞᆺ추다 타〈옛〉마치다². ¶ 흥졍 ᄆᆞᆺ촘이 무던ᄒᆞ다(成交了罷)《老乞 下

ᄆᆞᆺ하다 형〈옛〉흡족하다. ¶ ᄆᆞᆺᄒᆞ니(恰然)《杜諺》. ⌊54》.

ᄆᆞᆼ아지 명〈옛〉망아지. ¶ ᄆᆞᆼ아지(駒)《詩諺. 物名 2》/그 ᄆᆞᆼ아지ᄅᆞᆯ 머요리라(言秣其駒)《詩諺 Ⅰ:10》.

ᄆᆞᆼ올 명〈옛〉망울. =ᄆᆞᆼ울. ¶ ᄃᆞᆫᄃᆞᆫᄒᆞᆫ ᄆᆞᆼ올리 목 굼긔 막히며(硬核塡喉)《馬經 下 63》.

ᄆᆞᆼ울 명〈옛〉망울. =ᄆᆞᆼ올. ¶ 겨집이 ᄌᆞ식 ᄇᆡ여셔 왼 져제 ᄆᆞᆼ울이 이시면 ᄉᆞ나ᄒᆡ오 올ᄒᆞᆫ 져제 ᄆᆞᆼ울이 이시면 간나ᄒᆡ라(婦人有孕左乳房有核是男右乳房有核是女)《胎產集要 11》. 「上 50》.

ᄆᆞᆾ다 타〈옛〉마치다². =ᄆᆞᆺ다. ¶ 네 밥 먹기 ᄆᆞ차든(你喫了飯時)《老乞

ᄆᆡ¹ 명〈옛〉들¹. ¶ ᄆᆡ햇 쥐(野鼠)《杜諺 Ⅰ:4》/ᄆᆡ 야(野)《字會 上 4》/ᄆᆡ햇 비츤 거츤ᄃᆡ 블갯고(野日荒荒白)《杜諺 X:4》. 「世》.

ᄆᆡ² 명〈옛〉옷차림. 맵시. ¶ ᄆᆡ 뭇고 줄혀(盛衣服雁行)《二倫 31 文嗣十

ᄆᆡ³ 조〈옛〉낱말의 끝에 붙어 운(韻)을 고르는 조사. ¶ 草河溝 어드ᄆᆡ오, 曲은 어드ᄆᆡ오《海謠》.

ᄆᆡ다¹ 타〈옛〉매다. 김매다. ¶ 프를 ᄆᆡ야 두듥 ᄀᆞᅀᆡ 두ᄂᆞ다(除草置岸傍)《杜諺 Ⅶ:34》/기ᄉᆞᆷᄆᆡᆯ 운(耘), 기ᄉᆞᆷᄆᆡᆯ 표(穮)《字會 下 5》.

ᄆᆡ다² 타〈옛〉매다. 동여매다. ¶ 繫ᄂᆞᆫ ᄆᆡᆯ 씨라《月序 3》/江頭에 또 ᄇᆡᄅᆞᆯ ᄆᆡ야셔(江頭且繫船)《杜諺 Ⅶ:32》/ᄆᆡᆯ 톄(締)《類合 下 26》.

ᄆᆡ듭 명〈옛〉매듭. =ᄆᆡ돕. ¶ ᄆᆡ듭(扢搭)《同文 上 57》.

ᄆᆡ돕 명〈옛〉매듭. 마디. =ᄆᆡ듭. ¶ 罪人의 머리ᄅᆞᆯ 가ᄆᆞ며 온 ᄆᆡ돕 안해 다 긴 모ᄃᆞᆯ 바ᄀᆞ며《月釋 XXI:44》.

ᄆᆡ뭇다 자〈옛〉매무시하다. =ᄆᆡ믇다·ᄆᆡ믓다. ¶ 모ᄃᆞᆫ 앗보치들이 ᄆᆡ뭇고 줄혀(群從子皆盛衣雁行)《二倫》.

ᄆᆡ믇다 자〈옛〉매무시하다. =ᄆᆡ믓다. ¶ 옥홰 옫치마ᄅᆞᆯ ᄃᆞᆫᄃᆞ니 ᄆᆡ믇고 구디 버ᄋᆞ리와다(玉花堅東衣裳牢拒)《東國新續三綱 烈女圖 Ⅶ:16》.

ᄆᆡ믓다 자〈옛〉매무시하다. =ᄆᆡ뭇다. ¶ 女ㅣ 盛히 ᄆᆡ믓고 졋어미 도와 室 밧긔 셔셔 南向ᄒᆞ엿거든《家禮 Ⅳ:15》.

ᄆᆡ비 부〈옛〉매. 매우. =ᄆᆡ이. ¶ 엇뎌 ᄆᆡ비 아니 티ᄂᆞᆫ다(何不重乎)《三綱 烈女 禮宗 罵卓》.

ᄆᆡᄫᆞᆫ 형〈옛〉매운. 사나운. 맹렬한. 'ᄆᆡᆸ다'의 활용형. ¶ ᄆᆡᄫᆞᆫ 智慧ㅅ 블로 불이실써《月釋 Ⅶ:49》.

ᄆᆡ실 명〈옛〉매실(梅實). ¶ ᄂᆡ예 그ᅀᅳ린 ᄆᆡ실(烏梅)《救簡 Ⅲ:72》.

ᄆᆡ샹 부〈옛〉매양. 늘. =ᄆᆡᆼ샹. ¶ ᄆᆡ샹 ᄃᆡ나가 수를 기우려《杜諺 XXII:1》/ᄆᆡ샹주렛는 져믄 아ᄃᆞᄅᆞᆯ《杜諺 Ⅶ:2》/ᄆᆡ샹 ᄆᆡ(每)《石千 14》.

ᄆᆡ실 명〈옛〉매일. ¶ ᄆᆡ실 싯기며 빗겨(每日洗刷)《朴解 上 21》.

ᄆᆡ아지 명〈옛〉망아지. =ᄆᆡ야지. ¶ 술위멘 ᄆᆡ아지(轅駒)《杜諺》.

ᄆᆡ야ᄃᆞᆯ다 타〈옛〉매어달다. ¶ 절로 목 ᄆᆡ야ᄃᆞ라 주그니(自縊死)《救簡 目錄 1》.

ᄆᆡ야미 명〈옛〉매미. ¶ ᄆᆡ야미 됴(蜩), ᄆᆡ야미 션(蟬)《字會 上 22》.

ᄆᆡ야ᄆᆡ 〈옛〉매미의. 'ᄆᆡ야미'의 소유격형(所有格形). ¶ ᄆᆡ야ᄆᆡ 소리ᄂᆞᆫ 녯 뎌레 모댓고(蟬聲集古寺)《初杜諺 Ⅸ:34》.

ᄆᆡ야지 명〈옛〉망아지. =ᄆᆡ아지. ¶ 몸과 世間ㅅ 이ᄅᆞᆫ 흰 ᄆᆡ야지 ᄲᆞᆯ리 가ᄂᆞᆫ ᄃᆞᆺ도다(身世白駒催)《杜諺 Ⅲ:8》/ᄆᆡ야지 구(駒)《類合 上 13》.

ᄆᆡ야커뇨 형〈옛〉매정하냐. 매몰하냐. 'ᄆᆡ야ᄒᆞ다'의 활용형. ¶ 사ᄉᆞ믄 엇데 ᄆᆡ야커뇨 ᄒᆞᆫ대(鹿獨不念我乎)《三綱 許孜 埋獸條》.

ᄆᆡ야히 부〈옛〉매정하게. 박정하게. ¶ 다 委曲히 ᄒᆞ시고 ᄆᆡ야히 아니ᄒᆞ시며《月釋 Ⅱ:56》. 「＊ᄆᆡ야커뇨.

ᄆᆡ야ᄒᆞ다 형〈옛〉매정하다. 박정하다. ¶ ᄆᆞ장 ᄆᆡ야ᄒᆞ여《新語 Ⅱ:12》.

ᄆᆡ얌이 명〈옛〉매미. =ᄆᆡ야미. ¶ ᄆᆡ얌이 ᄆᆡᆸ다 울고《古時調 李廷藎》.

ᄆᆡ양 부〈옛〉매양. ¶ ᄆᆡ양 三公이 사ᄅᆞᆷ 거쳔ᄒᆞ야 ᄲᅢᆯ 저기어든(每三公有所選擧)《飜小 X:1》.

ᄆᆡ오 부〈옛〉매우. ¶ 위광이 ᄇᆞᆯ가 ᄆᆡ오 비취샤《地藏解 上 2》.

ᄆᆡ오로시 부〈옛〉한결같이. ¶ 그 殿은 ᄆᆡ오로시 룡사겨 얽키고 금올ᄋᆞᆫ 木香 기둥이오(那殿一刻是纏金龍木香停柱)《朴解 上 68》.

ᄆᆡ온 형〈옛〉매운. 사나운. 맹렬한. 'ᄆᆡᆸ다'의 활용형. ¶ ᄆᆡ온 火聚 ᄃᆞ외ᄂᆞ니라ᄒᆞ샤(成猛火聚)《楞嚴 Ⅴ:65》.

ᄆᆡ올 형〈옛〉매울. 사나울. 맹렬할. 'ᄆᆡᆸ다'의 활용형. ¶ ᄆᆡ올 엄(釅)《字會 下 13》/ᄆᆡ올 신(辛)《字會 下 14》.

ᄆᆡ옵다 형〈옛〉맵다. 사납다. 맹렬하다. ¶ ᄆᆡ온 火聚ᄃᆞ외ᄂᆞ니라(成猛火氣)《楞嚴 Ⅴ:65》.

ᄆᆡ이 부〈옛〉매우. 몹시. =ᄆᆞ이. ¶ ᄆᆡ이 므르맨 ᄂᆞ소ᄅᆞᆯ 거시 잇ᄂᆞ니라(猛噬失蹻騰)《杜諺 XXV:62》. 「《楞嚴 Ⅴ:5》.

ᄆᆡ욘 피동〈옛〉매인. 'ᄆᆡ예다'의 활용형. ¶ 生死애 ᄆᆡ욘(根源生死結根)

ᄆᆡ욤 피동〈옛〉매임. 'ᄆᆡ다'의 피동인 'ᄆᆡ예다'의 명사형. ¶ 能히 一切 生死ㅅ ᄆᆡ요ᄆᆞᆯ 그르게 ᄒᆞᄂᆞ니라《月釋 XVIII:52》.

ᄆᆡ예다 피동〈옛〉매이다. ¶ 이제 二障애 ᄆᆡ요ᄆᆞᆫ 괴외ᄒᆞ며 덛덛ᄒᆞᆫ 心性 아디 몯호ᄆᆞᆯ 브테니(今者 二障所纏 良由不知寂常心性)《楞嚴 Ⅰ:94》.

ᄆᆡ잣다 타〈옛〉맺었다. 'ᄆᆡᆽ다'의 활용형. ¶ ᄃᆞᆫ거셔 ᄡᅳᆫ거셔 다 ᄒᆞᆫ가지로 여르미 ᄆᆡ잣도다(甘苦齊結實)《杜諺 Ⅰ:4》.

ᄆᆡ좆다 자〈옛〉입을 다물다. ¶ 거믄 나비 이비 ᄆᆡ조자 能히 ᄠᅱᆺ프람 몯ᄒᆞ고(玄猿口噤不能嘯)《杜諺 X:41》.

ᄆᆡ즙 명〈옛〉매듭. =ᄆᆡ좁. ¶ 結子俗呼 每緝《樂範 Ⅷ:3》.

ᄆᆡ좁 명〈옛〉맺음. 매듭. ¶ 流蘇 ᄆᆡ좁 同心結也《四聲 上 40》.

ᄆᆡ해 〈옛〉들에. 'ᄆᆡ¹'의 처소격형(處所格形). ¶ 거츤 ᄆᆡ해(荒郊)《妙蓮 Ⅵ:154》.

ᄆᆡ햇쇼 명〈옛〉들소. ¶ 뫼히 서늘ᄒᆞ니 프른 ᄆᆡ햇쇠 울오(山寒靑兕叫)《杜諺 XII:29》.

ᄆᆡ햇쥐 명〈옛〉들쥐. ¶ ᄆᆡ햇쥐ᄂᆞᆫ 어즈러운 굼긔셔 拱手ᄒᆞ얫도다(野鼠拱亂穴)《杜諺 Ⅰ:4》. 「荒郊遠)《杜諺 XXII:8》.

ᄆᆡ히 〈옛〉들이. 'ᄆᆡ¹'의 주격형. ¶ 病ᄒᆞ야 누엣ᄂᆞᆫ 거츤 ᄆᆡ히 머니(臥病

ᄆᆡᄒᆞᆯ 〈옛〉들을. 'ᄆᆡ¹'의 목적격형. ¶ 모ᄆᆞᆯ 도로혀 프른 ᄆᆡᄒᆞᆯ 보니 슬퍼 거츤 못 ᄀᆞᆮ도다(廻身視綠野慘澹如荒澤)《杜諺 Ⅷ:21》.

ᄆᆡᆨ 명〈옛〉맥(脈). ¶ ᄆᆡᆨ ᄆᆡᆨ(脈)《字會 上 28》/ᄆᆡᆨ 잡혀보아(診候脈息)《老乞 下 36》.

ᄆᆡᆨ잡다 자〈옛〉맥 보다. ¶ ᄆᆡᆨ자블 딘(診)《類合 下 18》. 「曲》.

ᄆᆡᆫ 관〈옛〉맨. 가장. ¶ 金剛臺 ᄆᆡᆫ 우層의 仙鶴이 삿기치니《松江關東別

ᄆᆡᆫ- 두〈옛〉맨-. ¶ ᄆᆡᆫ밥을 간대로 먹으라(淡飯胡舌喫些箇)《老乞 上 36》. 「乞 下 47》.

ᄆᆡᆫ글다 타〈옛〉만들다. ¶ 넉량 은을 드려 ᄆᆡᆫ그랏고(結裏四兩銀子)《老

ᄆᆡᆫ들다 타〈옛〉만들다. =ᄆᆡᆫ돌다. ¶ 네 그저 남향ᄒᆞ여 문을 ᄆᆡᆫ들고(你只朝南做門兒)《朴解 下 5》.

ᄆᆡᆫᄃᆞ라미 명〈옛〉맨드라미. ¶ ᄆᆡᆫᄃᆞ라미 씨(靑箱子)《方藥 14》.

ᄆᆡᆫ돌다 타〈옛〉만들다. =ᄆᆡᆼ골다·ᄆᆡᆫ들다. ¶ 뎌 菖蒲 닙흘 다가 자리 ᄆᆡᆫᄃᆞ라(把那蒲葉兒來做席子)《朴解 中 58》.

ᄆᆡᆫ뭇다 자〈옛〉매무시하다. =ᄆᆡ뭇다. ¶ 朝會ᄒᆞᆯ 저근 기들워 관ᄃᆡ ᄆᆡᆫ무수를 다ᄒᆞ여 잇거늘(當朝會裝嚴已訖)《飜小 X:2》.

ᄆᆡᆫ믈 명〈옛〉맹물. ¶ ᄆᆡᆫᄆᆞ레 글혀 머거도 또 됴ᄒᆞ니라(白煮亦佳)《救簡 Ⅲ:105》.

ᄆᆡᆫ밥 명〈옛〉공밥. ¶ 君子ㅣ 늘금애 거러 ᄃᆞᆫ니디 아니ᄒᆞ고 샹인이 늘금애 ᄆᆡᆫ밥 먹디 아니ᄒᆞᄂᆞ니라(君子耆老不徒行庶人耆老不徒食)《小諺 Ⅱ:65》.

ᄆᆡᆸ다 형〈옛〉맵다. =밉다. ¶ ᄆᆡ얌이 ᄆᆡᆸ다 울고 쓰르람이 쓰다 우네 山菜를 ᄆᆡᆸ다더냐 薄酒를 쓰다더냐 우리ᄂᆞᆫ 草野의 무텨시니 ᄆᆡᆸ고 쓴 줄 몰내라.《古時調 李廷藎》.

ᄆᆡᆸ다 형〈옛〉 맵다. ＝밉다. ¶旋嵐風은 ᄆᆞ장 ᄆᆡᄫᆞᆫ ᄇᆞᄅᆞ미라《釋譜 Ⅵ:30》.

ᄆᆡᆺᄆᆡᆺ다 형〈옛〉 매끈매끈하다. ＝ᄆᆡᆺᄆᆡᆺᄒᆞ다. ¶구든 거슬 ᄆᆞ라 ᄆᆡᆺᄆᆡᆺ게 ᄒᆞ야 구무들워 ᄡᅳ라(諸堅實物磨令滑作孔用之)《救方 上 50》.

ᄆᆡᆺᄆᆡᆺᄒᆞ다 형〈옛〉 매끈하다. ¶갗과 ᄉᆞᆯ쾌 보ᄃᆞ랍고 ᄆᆡᆺᄆᆡᆺᄒᆞ샤 ᄠᅵ 아니 무드시며《月釋 Ⅱ:40》.

ᄆᆡᆼ관이 명〈옛〉 청맹과니. ¶쇼경이 ᄆᆡᆼ관이를 두루 쳐 메고《永言》.

ᄆᆡᆼ글다 타〈옛〉 만들다. ＝ᄆᆡᆼᄀᆞᆯ다. ¶勝소갯 金으로 ᄆᆡᆼ그른 고ᄌᆞᆫ 工巧히 치위ᄅᆞᆯ 견듸놋다(勝裏金花巧耐寒)《杜諺 Ⅵ:8》.

ᄆᆡᆼᄀᆞᆯ다 타〈옛〉 만들다. ＝ᄆᆡᆫᄃᆞᆯ다. ¶새로 스믈 여듧字ᄅᆞᆯ ᄆᆡᆼᄀᆞ노니(新制二十八字)《訓例》.

ᄆᆡᆼᄀᆞᆯ오 타〈옛〉 만들고. 'ᄆᆡᆼᄀᆞᆯ다'의 활용형. ¶그 ᄢᅴ ᄆᆡᆼᄀᆞᆯ오 남진 ᄃᆞ려드러《月釋 Ⅰ:44》. ＊-오².

ᄆᆡᆼᄀᆞᆯ이다 타〈옛〉 만들게 하다. ¶뎌ᄒᆞ야 ᄆᆡᆼᄀᆞᆯ이디 몯ᄒᆞᆯ가(着他打不得)/네 ᄆᆡᆼᄀᆞᆯ이면(伱打時)/엇디 ᄆᆡᆼᄀᆞᆯ일다(怎麼打)《朴解 上 15》.

ᄆᆡᆼᄃᆞᆯ다 타〈옛〉 만들다. ＝ᄆᆡᆼᄀᆞᆯ다. ¶우ᄅᆞᆯ ᄀᆞᄅᆞᆯ ᄆᆡᆼᄃᆞ라(右爲末)《馬經 下 5》.

ᄆᆡᆼ셔 명〈옛〉 맹세. ¶ᄆᆡᆼ셧 ᄆᆡᆼ(盟), ᄆᆡᆼ셧 셰(誓)《字會 下 32》.

ᄆᆡᆼ셰 명〈옛〉 맹세. ＝ᄆᆡᆼ셔. ¶죽음오로ᄡᅥ 스스로 ᄆᆡᆼ셰ᄒᆞ니라(以死自誓)《小諺 Ⅳ:36》.

ᄆᆡᆼ썅 부〈옛〉 매양. ＝ᄆᆡ샹. ¶每:ᄆᆡᆼ常썅 아ᄃᆞᄅᆞᆯ ᄉᆡᆼ각ᄒᆞ야 ᄯᅩ 너교ᄃᆡ《月釋 XIII:10》.

ᄆᆡᆽ다 타〈옛〉 맺다. ¶五色 실로 우리 일후믈 ᄆᆡ자《月釋 Ⅸ:62》.

ᄝ (경미음)〈옛〉 ㅁ소리를 내면서 입술을 조금 덜 닫고 내는 소리. 'ㅇ'은 입술을 덜 닫은 틈으로 숨을 내어 부는 꼴을 본뜬 것임. ¶ㅇᄅᆞᆯ 입시울 쏘리 아래 니ᅀᅥ쓰면 입시울 가ᄇᆡ야ᄫᆞᆫ 소리 ᄃᆞ외ᄂᆞ니라《訓例》.

ㅂ¹ (비읍) ①한글 자모의 여섯째 글자. ②〖언〗 자음의 하나. 목젖으로 콧길을 막으면서 입술을 다물었다가 뗄 때에 나는 무성 파열음(無聲破裂音). 받침으로 그치는 경우에는 입술을 떼지 아니함. ¶ ㅂ는 입시울쏘리니 彆字 처엄 펴아나는 소리 ᄀᆞᄐᆞ니 ᄀᆞᆯᄫᅡ쓰면 步字 처엄 펴아나는 소리 ᄀᆞᄐᆞ니라《訓諺》.

ㅂ² 조 〈옛〉 순음(脣音) 밑에서 소유격적(所有格的)으로 쓰는 사잇자. ¶ 侵ㅂ 字《訓諺》/사ᄅᆞᆷ ᄠᅳ디리잇가《龍歌 15章》.

-ㅂ니다 [-닌-] 어미 '하오'할 자리에, 받침 없는 어간(語幹)에 붙어서 진리나 으레 있을 사실을 일러 줄 때 쓰는 종결 어미. ¶ 여름에는 장마가 꼭 한 번은 지~/장미꽃은 늦봄에 피~. *-습니다.

-ㅂ니까 어미 받침 없는 어간(語幹)에 붙어 '합쇼'할 자리에서 의문을 나타내는 종결 어미. ¶ 지금 가~/깨끗하~/보이~/범인이 아니~/이것이 인사~. *-습니까.

-ㅂ니다 어미 받침 없는 어간(語幹)에 붙어서 '합쇼'할 자리에서 존대하여 현재의 동작이나 상태를 나타내거나 긍정적인 서술로 쓰이는 종결 어미. ¶ 나는 집으로 가~/이 꽃은 파라~/내가 아니~/그 분은 정치가~. *-습니다.

-ㅂ디까 어미 받침 없는 어간(語幹)에 붙어 '하오'할 자리에서 지난 일을 돌이켜 묻는 뜻을 나타내는 종결 어미. ¶ 오늘 간다고 하~/집에 오~/산이 푸르~/합격이 아니~/누구~. *-습디까.

-ㅂ디다 어미 받침 없는 어간(語幹)에 붙어 '하오'할 자리에서 지난 일을 돌이켜 말하는 뜻을 나타내는 종결 어미. ¶ 사람이 너무 자~/잘 자~/힘차게 달리~/굉장한 인기~. *-습디다·-습니다.

-ㅂ딘다 어미 받침 없는 어간(語幹)에 붙어 '하오'할 자리에서 지난 일을 돌이켜 말하는 뜻을 나타내는 종결 어미. ¶ 그이는 글을 좋아하~/일이 잘 되~. *-습딘다.

ㅂ 받침 변:칙 【一變則】 [비읍—] 명 ㅂ 불규칙 활용.

ㅂ 불규칙 용:언 【一不規則用言】 [비읍—농—] 명 〖언〗 ㅂ 불규칙 활용을 하는 용언.

ㅂ 불규칙 활용 【一不規則活用】 [비읍—] 명 〖언〗 어간의 말음(末音) 'ㅂ'이 '아·어' 등 모음으로 시작되는 어미 앞에서 '우'로 변하고, 또 '으니'가 '우니' 등으로 변하는 현상. 다만 '곱다' '돕다'와 같은 모음이 '오'인 단음절 어간일 경우에는 '우'가 '와'로 됨. 예컨대 '덥다'가 '더워·더우니', '곱다'가 '고와·고우니'로 변하는 따위.

-ㅂ쇼 ⊟ 어미 ↗-ㅂ시오. ¶ 어서 오~/안녕하~/먼저 가시~. *-읍쇼. ⊟ 미 서술어의 말끝에 붙어, 평서(平敍)·의문 따위를 나타내는 낮은 말. ¶ 큰데~/갈까~/그런가~/장사꾼인데~. 주의 주로 서울의 장사치들이 쓰던 말씨.

-ㅂ시다 어미 받침 없는 동사 어간에 붙어 '하오'할 자리에서 존대하여 청유(請誘)할 때 쓰는 종결 어미. ¶ 쉬었다 가~/내일 떠나~/깨끗이 쓰~. *-읍시다.

-ㅂ시다요 어미 받침 없는 동사의 어간에 붙어서 '합쇼'할 자리에서 존대하여 청유(請誘)할 때 쓰는 종결 어미. ¶ 이것을 보~/좀 더 놀다 가시~. *-읍시다요.

-ㅂ시오 어미 받침 없는 동사의 어간에 붙어 '합쇼'할 자리에서 존대하여 명령의 뜻을 나타내는 종결 어미. ¶ 어서 가시~/빨리 타시~/어서 세어보시~. *-읍시오.

-ㅂ죠 어미 ↗-ㅂ지요. ¶ 제법 크~/내일이 어머님 제사이~/제가 기다리~. *-습죠.

-ㅂ지요 어미 받침 없는 어간에 붙어, '합쇼'할 자리에서 어떤 사실을 베풀어 말하거나 물음을 나타내는 종결 어미. ¶ 그가 범인이~/제가 가~/물이 꽤 차~. *-습지요.

ᄢᅢ다 타 〈옛〉 깨다. 깨뜨리다. ¶ ᄢᅢ여(拚)《語錄 2》.

-ᄢᅦ 미 〈옛〉 -께. 어떤 곳을 중심 잡아 그 가까운 범위. ¶ 훈 거름 낫드러 가슴ᄢᅦ 훈번 디ᄅᆞ라(進一步當胸一刺)《武藝諸譜 1》.

ᄣᅧ올리다 타 〈옛〉 끼어 올리다. 껴 올리다. ¶ 털을 ᄣᅧ올려(套上氈兒)《朴解 中 26》.

ᄣᅴ 〈옛〉 때에. =ᄣᅵ⊟. ¶ 뎌 ᄣᅴ 敗散호ᄆᆞᆯ 엇뎨 ᄲᆞᆯ리 ᄒᆞ뇨(往者散何卒)《杜諺 I:4》. 「19》.

ᄣᅵ 명 〈옛〉 끼. 때. =ᄣᅵ⊟. ¶ ᄒᆞᄅᆞ 세ᄣᅵ 밥 먹고(一日三頓家飯)《朴解 中

ᄣᅵ다 타 〈옛〉 끼다. =ᄣᅵ다. ¶ 블근 구룸이 히ᄅᆞᆯ ᄣᅧ ᄂᆞᆫ 새 ᄀᆞᆮ거늘(有赤雲夾日如飛鳥)《內訓 Ⅱ:24》.

ᄠᅡ 타 〈옛〉 따아. 'ᄠᅡ다²'의 활용형. ¶ 果實 ᄠᅡ머기더니《月釋 Ⅱ:12》/울길히 ᄠᅡ다가 누에 먹켜 보쟈스라《古時調 鄭澈》.

ᄠᅡ디다 자 〈옛〉 터지다. ¶ 옷과 치매 ᄠᅡ디며 믜여디거든(衣裳綻裂)《小諺 Ⅱ:8》. 「202》.

ᄠᅡ히라 구 〈옛〉 땅이라. ¶ 牢는 重혼 罪囚 미야 뒷는 ᄠᅡ히라《妙蓮 Ⅱ:

ᄠᅡᆯ기 명 〈옛〉 딸기. =ᄠᅡᆯ기. ¶ ᄠᅡᆯ기 미(莓)《字會 上 2》.

ᄠᅡᆸ갑다 형 〈옛〉 답답하고 갑갑하다. ¶ ᄠᅡᆸ가온 ᄆᆞᅀᆞᄆᆞᆯ 미러 ᄇᆞ리노라 고돌파 그를 짓노라(排悶強裁詩)《重杜諺 XIV:38》.

ᄠᅢ 명 〈옛〉 때¹. ¶ 우리 졍히 飢渴혼 ᄠᅢ예(我正飢渴)《老乞 上 32》.

ᄠᅥ 타 〈옛〉 떠. 떠서. 'ᄠᅳ다⁴'의 활용형. ¶ 擧티 아니혼 前으로 向ᄒᆞ야 누늘 ᄠᅥ(向未擧已前)《蒙法 59》.

ᄠᅥ가다 자 〈옛〉 떠서 가다. ¶ ᄠᅥ갈 표(漂)《類合 下 54》.

ᄠᅥ나다 자 〈옛〉 떠나다. ¶ 네 언제 王京의셔 ᄠᅥ난다(你幾時離了王京)《老乞 上 1》. 「《杜諺 XXV:30》.

ᄠᅥ니 타 〈옛〉 떠니. 'ᄠᅥᆯ다'의 활용형. ¶ 거믄 紗帽ᄅᆞᆯ 드틀 ᄠᅥ니(烏帽拂塵)

ᄠᅥ뎌오다 자 〈옛〉 뒤떨어져 오다. ¶ 내 혼 벗이 이셔 ᄠᅥ뎌오매(我有一箇火伴落後了來)《老乞 上 1》. *ᄠᅥ디다¹.

ᄠᅥ뎃다 자 〈옛〉 터졌다. ¶ 바ᄅᆞᆯ 그믄 거시 믌겨리 ᄠᅥ뎨시며(海圖拆波濤)《杜諺 I:5》. *ᄠᅥ디다². 「後)《杜諺 IX:21》. *ᄠᅥ디다¹.

ᄠᅥ듀라 자 〈옛〉 뒤떨어지노라. ¶ 隱遁ᄒᆞ욜 됴혼 期約애 ᄠᅥ듀라(隱遁佳期

ᄠᅥ듐 자 〈옛〉 떨어짐. 'ᄠᅥ디다¹'의 명사형. ¶ ᄂᆞᄆᆡ 미리와다 ᄠᅥ듀미 ᄃᆞ외야도(爲人所推墮)《妙蓮 Ⅶ:88》.

ᄠᅥ디다¹ 자 〈옛〉 ①떨어지다❶. =ᄠᅥ러디다. ¶ ᄃᆞ리예 ᄠᅥ딜 ᄆᆞᄅᆞᆯ(橋外隕馬)《龍歌 87章》. ②뒤떨어지다. ¶ 隱遁ᄒᆞ욜 됴혼 期約애 ᄠᅥ듀라(隱遁佳期後)《杜諺 IX:21》. *ᄠᅥ뎌오다·ᄠᅥ듀라.

ᄠᅥ디다² 자 〈옛〉 터지다. ¶ ᄠᅥ딜 탁(坼)《類合 下 56》. *ᄠᅥ뎃다.

ᄠᅥ디우다 타 〈옛〉 떼먹다. ¶ 뎨 내 은 닷량을 ᄠᅥ디워 두세라(他少我五兩銀子裏)《朴解 上 34》.

ᄠᅥ러디다 자 〈옛〉 떨어지다❶. =ᄠᅥ디다¹. ¶ 큰 구데 ᄠᅥ러디다 호ᄆᆞᆫ 惡道애 ᄠᅥ디다 ᄒᆞ둣혼 마리라《釋譜 XIII:45》.

ᄠᅥ러ᄇᆞ리다 타 〈옛〉 떨어 버리다. ¶ ᄃᆞ뇨매 저ᄑᆞᆯ ᄠᅥ러ᄇᆞ려리아(擺落跋涉懼)《杜諺 Ⅱ:57》.

ᄠᅥ보다 타 〈옛〉 뜯어 보다. ¶ 사ᄅᆞ미 유무ᄅᆞᆯ 맛뎌 보내여든 ᄇᆞ틴 거슬 ᄠᅥ보며 머믈워 두디 마롤디니라(人附書信不可開拆沉滯)《飜小 Ⅷ:22》.

ᄠᅥᄇᆞ리다 타 〈옛〉 떨어 버리다. ¶ ᄆᆞᆫ드시 믌 뉘누릴 드위텨 ᄠᅥᄇᆞ리ᄂᆞ다(欻飜盤渦坼)《杜諺 Ⅶ:24》.

ᄠᅥ이다 타 〈옛〉 떼다¹. ¶ 그 어미ᄅᆞᆯ 爲ᄒᆞ야 緦호ᄃᆡ ᄯᅩ혼 벼슬을 ᄠᅥ이고 心喪三年을 申ᄒᆞ라 ᄒᆞ니라《家禮 Ⅵ:34》.

ᄠᅥ튜니 타 〈옛〉 떨치니. 움직이니. 'ᄠᅥᆯ티다'의 활용형. ¶ 머릴 ᄠᅥ튜니 사뫼 기울오(掉頭紗帽側)《杜諺 X:31》. 「明 上 72》.

ᄠᅥ히다 타 〈옛〉 떼다¹. ¶ 네찻 句는 ᄇᆞ튼 딜 ᄠᅥ히여 미인 딜 그르며《南

ᄠᅥᆨ 명 〈옛〉 떡¹. =ᄯᅥᆨ. ¶ 쥐집어 ᄠᅥᆨ을 민ᄃᆞ라(捻作餅子)《無冤錄 I:48》.

ᄠᅥᆯ기 명 〈옛〉 떨기. ¶ ᄠᅥᆯ기 총(叢), ᄠᅥᆯ기 포(苞)《字會 下 4》.

ᄠᅥᆯ다 자타 〈옛〉 떨다¹. ¶ 挑은 ᄠᅥᆯ씨라《月序 9》/震은 ᄠᅥᆯ씨오《楞嚴 V:4》. 「中 14》.

ᄠᅥᆯ리다 자 〈옛〉 떨리다¹. ¶ 몸이 ᄠᅥᆯ려 당티 못ᄒᆞ니(身顫的當不的)《朴解

ᄠᅥᆯᄫᅳᆫ 형 〈옛〉 떫은. 'ᄠᅥᆲ다'의 활용형. ¶ 苦는 ᄡᅳᆯ씨오 澀은 ᄠᅥᆯᄫᅳᆯ씨라《月釋 XVII:67》.

ᄠᅥᆯ잇다 타 〈옛〉 떨다². =ᄠᅥᆯ잇다. ¶ 힝혀 ᄑᆞ른 거슬 ᄂᆞ화 보내야 뭇겨를 ᄠᅥᆯ잇게 ᄒᆞ라(幸分蒼翠拂波濤)《初杜諺 XVIII:11》.

ᄠᅥᆯ잇다 타 〈옛〉 떨다². =ᄠᅥᆯ잇다. ¶ 모로매 구루믈 ᄠᅥᆯ이저 기로ᄆᆞᆯ 볼디로다(會見拂雲長)《初杜諺 XVIII:11》. 「《杜諺 Ⅱ:40》.

ᄠᅥᆯ티다 타 〈옛〉 떨치다². ¶ 도라올 빗도ᄃᆞᆯ 天姥山ᄋᆞᆯ ᄠᅥᆯ텨(歸帆拂天姥)

ᄠᅥᆲ다 형 〈옛〉 떫다. =ᄠᅥᆲ다. ¶ ᄠᅥᆲ다(澀)《華類 31》.

ᄠᅥᆲ다 형 〈옛〉 떫다. =ᄠᅥᆲ다. ¶ 苦는 ᄡᅳᆯ씨오 澀은 ᄠᅥᆯᄫᅳᆯ씨라《月釋 XVII: 「67》.

ᄠᅦ¹ 명 〈옛〉 떼³. ¶ 筏은 ᄠᅦ라《金剛 上 39》.

ᄠᅦ² 명 〈옛〉 떼¹. 무리. ¶ 옥식 빗체 굴근 ᄠᅦ구룸 문혼 비단(惹白骨朵雲)《老乞 下 22》. 「블 ᄯᅩ 주시니《月印 上 33》.

ᄠᅦ혀주다 타 〈옛〉 떼어 주다. ¶ 말올 올히 너기샤터리 ᄠᅦ혀주시고 손ᄅᆞ

ᄠᅦᆺ다 자 〈옛〉 떴다. 떠 있다. ¶ 두려운 蓮은 효근 니피 ᄠᅦᆺ고(圓荷浮小葉)

≪杜諺 Ⅶ:5≫.
뽀로 부 〈옛〉 따로. ¶ 卓은 뽀로 난 양이라≪圓覺 序 2≫/네 뽀로 호 사발 밥을 담고(你另盛一椀飯)≪老乞 上 38≫.
뽀야기 명 〈옛〉 뙈기². ¶ 몸이 뭇도록 밭마올 소양ᄒᆞ야도 ᄒᆞᆫ 뽀야기를 일티 아니ᄒᆞᄂᆞ니라(終身讓畔不失一段)≪小諺 Ⅴ:93≫.
뽐 타 〈옛〉 땀. '뽀다²'의 명사형. ¶ 소ᄂᆞ로 菊花를 길 ᄀᆞ의 뽀몰 兼ᄒᆞ놋
「24≫.
다(手兼菊花路傍摘)≪杜諺 ⅩⅦ:33≫.
뚜리니 타 〈옛〉 뜨리니. '쓰다⁴'의 활용형. ¶ 누늘 뚜리니(開眼)≪蒙法
뚝삼 명 〈옛〉 삼. 수삼. ¶ 뚝삼(䔢麻)≪四聲 下 63 䔢字註≫.
뚫다 타 〈옛〉 뚫다. ¶ 이 노픈 곳의 흙을 뚫고(這高處鑽些土)≪朴解 下 5≫.
뚬¹ 자 〈옛〉 뜸. 사이가 뜸. '쓰다²'의 명사형. ¶ 平則門이 이 廣豐倉의
「Ⅷ:6≫.
셔 ᄉᆞ이 뚜미(平則門離這廣豐倉)≪朴解 上 11≫.
뚬² 타 〈옛〉 뜸. '쓰다⁴'의 명사형. ¶ 눈 ᄀᆞᄆᆞ며 뚜메 다 붉게 호미≪月釋
뛰 명 〈옛〉 띠². 볏과(科)에 속하는 다년초. ¶ 힌 뛰로 니유니(蔭白茅)≪初杜諺 Ⅶ:1≫/뛰를 어루 뷔율디로다(茅可誅)≪杜諺 Ⅸ:30≫.
뛰놀다 자 〈옛〉 뛰놀다. ¶ 뛰놀 됴(跳), 뛰놀 텩(趯)≪字會 下 27≫.
뛰다 자 〈옛〉 뛰다². ¶ 三界를 뛰여 디나샤(超過三界)≪金剛 上 8≫.
뛰어나다 형 〈옛〉 뛰어나다. ¶ 뛰어날 툐(超)≪類合 下 5≫.
뛰여나다 형 〈옛〉 뛰어나다. =뛰어나다. ¶ ᄒᆞ오ᅀᅡ 뛰여나(獨跳)≪永嘉 下 41≫.
쓰다¹ 자 〈옛〉 뜨다¹. ¶ 쁜 ᄆᆞᅀᆞ미(浮心)≪楞嚴 Ⅰ:62≫.
쓰다² 자 〈옛〉 사이가 뜨다. ¶ 閣애셔 쁨이 언메나 머뇨(離閣有多少近遠)≪老乞 上 43≫.
쓰다³ 자 〈옛〉 뜨다². ¶ 쁠 부(㷆)≪字會 下 12≫.
쓰다⁴ 타 〈옛〉 뜨다⁶. ¶ 누늘 쓰거나 ᄀᆞᆷ거나 ᄒᆞ야≪月釋 Ⅷ:8≫.
쓰듣다 자 〈옛〉 듣다. 떨어지다. =쁟듣다. ¶ 이스리 쓰든는 가지로다(滴
「≪痘要 上 1≫.
露梢)≪重杜諺 Ⅶ:1≫.
쓰리 명 〈옛〉 종기. =쁘리. ¶ ᄆᆞ장 네는 힝역 쓰리 업더니(太古無痘疹)
쁟 명 〈옛〉 뜻. ¶ 岐山 올 ᄆᆞ샴도 하ᄂᆞᆶ 쁘디시니(岐山之遷 實維天心)≪龍
「≪杜諺 Ⅹ:13≫.
歌 4章≫.
쁟마장 부 〈옛〉 마음껏. ¶ 쁟마장 ᄀᆞᄅᆞᇝ 하ᄂᆞᆯ홀 向ᄒᆞ노라(恣意向江天)
쁟다 타 〈옛〉 뜯다❶. ¶ 쁘들 셤(撏), 털 쁟다 又 귀모 쁟다(稱撏毛)≪字
「ⅩⅪ:150≫.
會 下 12≫.
쁟다비 부 〈옛〉 뜻대로. 뜻과 같이. ¶ 求ᄒᆞ논 이롤 쁟다비 일우고≪月釋
쁟드러 〈옛〉 떨어져. '쁟듣다 의 활용형. ¶ 눈이 어즐ᄒᆞ니 雜花ㅣ 쁟듣고(日眩隕雜花) ≪杜諺 Ⅰ:32≫.
쁟든는 자 〈옛〉 듣는. 떨어지는. '쁟듣다'의 활용형. ¶ 쁟든는 가지로다(滴露梢)≪初杜諺 Ⅶ:1≫.
쁟듣다 자 〈옛〉 떨어지다. =뜻듯다. ¶ 玉ᄀᆞᄐᆞᆫ 이스레 싣나못 수프리 쁟드러 히야디니(玉露凋傷楓樹林)≪初杜諺 Ⅹ:33≫.
쁟들이다 타 〈옛〉 떨어뜨리다. ¶ 소리롤 머굼고 머므러셔 ᄂᆞᆫ므를 쁟들이노라(呑聲躑躅涕泣零)≪初杜諺 Ⅷ:32≫.
뜰 명 〈옛〉 뜰. ¶ 王宮의 와 뜰헤 드러≪月釋 Ⅷ:90≫.
뜰헤 〈옛〉 뜰에. '뜰'의 처소격형(處所格形). ¶ 버려 너븐 뜰헤 비취옛도다≪杜諺 Ⅴ:48≫.
뜰흐로 〈옛〉 뜰로. ¶ 漢ㅅ 뜰흐로셔 온 거시니라(漢庭來)≪杜諺 Ⅶ:34≫.
뜰히 〈옛〉 뜰이. '뜰'의 주격형(主格形). ¶ 뜰히 뷘ᄃᆡ 여슷 ᄆᆞ리 드러오니(庭空六馬入)≪重杜諺 Ⅴ:48≫.
뜰홀 〈옛〉 뜰을. 뜰'의 목적격형. ¶ 다른 뜰홀 向ᄒᆞ야 가뵈ᅀᆞᆸ고(向殊庭
「近遠)≪老乞 上 43≫.
謁)≪杜諺 ⅩⅫ:17≫.
쁨¹ 명 〈옛〉 떨어짐. 거리(距離). ¶ 閣애셔 쁨이 언메나 머뇨(離閣有多少
쁨² 명 〈옛〉 뜸². ¶ 약도 먹고 쁨도 ᄒᆞ여 이제는 됴화ᄋᆞᆸᄂᆡ이다≪新語 Ⅱ:
「這般重意)≪老乞 上 37≫.
18≫.
뜻 명 〈옛〉 뜻. 의사. 생각. =쁟. ¶ 큰 형이 곳 이런 듣ᄒᆞᆫ 뜻으로(大哥便
뜻드ᄂᆞ니 자 〈옛〉 떨어지느니. '뜻듯다'의 활용형. ¶ 東風細雨의 뜻드ᄂᆞ니 桃花ㅣ로다≪古時調·稀本永言≫.
뜻드롬 자 〈옛〉 떨어짐. '뜻듯다'의 명사형. ¶ 重重인 이스른 젹젹 뜻드로미 이렛고(重露成涓滴)≪杜諺 Ⅺ:48≫.
뜻드르며 자 〈옛〉 떨어지며. '뜻듯다'의 활용형. ¶ 대쵸 볼 블근 골에
「成涓滴)≪杜諺 Ⅺ:48≫.
밤은 어이 뜻드르며≪古時調≫.
뜻듯다 자 〈옛〉 떨어지다. ¶ 重重인 이스른 젹젹 뜻드로미 이렛고(重露
띄놀리다 타 〈옛〉 뛰놀리다. ¶ 나ᄃᆞ린 져믄 것 둘흘 띄놀려 뵈ᅀᆞᆸ고져 ᄒᆞ
「몬ᄒᆞ야≪月釋 ⅩⅧ:56≫.
ᄂᆡᆼ이다≪新語 Ⅵ:6≫.
띄우다¹ 타 〈옛〉 띄우다❶. ¶ 브리 能히 ᄉᆞ디 몬ᄒᆞ며 므리 能히 띄우디
띄우다² 타 〈옛〉 띄우다❷. 뜸들이다❶. ¶ 띄울 류(餾)≪字會 下 12≫.
띄워ᄒᆞ다 타 〈옛〉 떠나게 하다. ¶ 네 길흘 띄워ᄒᆞ고(你離路兒着)≪老乞 上 34≫.
ᄣᅵ 명 〈옛〉 바퀴. ¶ 輪은 술위 ᄣᅵ니≪月序 4≫/ᄣᅵ통 할(轄)≪類合 下 25≫.
ᄣᅵ다 타 〈옛〉 찌다⁵ ㊀. ¶ 우흐로 ᄣᅵᆯ씨(上蒸)≪楞嚴 Ⅳ:18≫.
ᄣᅵ통 명 〈옛〉 바퀴통. ¶ ᄣᅵ통 할(轄)≪類合 下 25≫.
ᄣᅵᆫ밤 명 〈옛〉 찐밤. ¶ 뫼지븨 ᄣᅵᆫ바미 덥고(山家蒸栗暖)≪初杜諺 Ⅶ:18≫.
ᄠᆞ다¹ 타 〈옛〉 타다⁶. ¶ 가락 ᄠᆞ며 눈섭 펴몰(彈指揚眉)≪金三 Ⅱ:11≫.
ᄠᆞ다² 타 〈옛〉 따다. ¶ 집 西ㅅ녀긧 보ᄃᆞ라온 뽕니픈 어루 자바 ᄠᆞ리오(舍西柔桑葉可拈)≪杜諺 Ⅹ:8≫.
ᄠᆞ려디다 자 〈옛〉 깨어지다. =ᄣᆞ려디다. ¶ 그ᄅᆞ시 낫낫치 ᄠᆞ려디고 회 흙의 섯기여 먹디 못ᄒᆞ게 되니≪太平 Ⅰ:6≫.
ᄠᆞ로 부 〈옛〉 따로. 유다르게. ¶ ᄒᆞ나히 ᄠᆞ로 달아≪月釋 Ⅱ:46≫.
ᄠᆞ로다 자타 〈옛〉 따르다¹. =ᄯᆞᆯ오다. ¶ 버리 믹화 ᄠᆞ로는 문엣 비단(蜂赶梅)≪老乞 下 22≫.
ᄠᆞ르다 타 〈옛〉 따르다. 따라가다. ¶ 나아가 ᄠᆞ라 계요 二十里 ᄶᅡ히 다ᄃᆞ라(往前赶到約二十里地)≪老乞 上 27≫.
ᄠᆞ리다 타 〈옛〉 깨뜨리다. =ᄣᆞ리다. ¶ ᄠᆞ릴 셕(析)≪類合 下 59≫.
ᄠᆞᆫ 관 〈옛〉 딴. 다른. ¶ 사ᄅᆞᆷ이 ᄠᆞᆫ 財物을 엇디 못ᄒᆞ면 가ᅀᆞᆷ여디 못ᄒᆞᆫ다
「藥≫.
ᄒᆞᄂᆞ니(人不得橫財不富)≪老乞 上 29≫.
ᄠᆞᆯ기 명 〈옛〉 딸기. =ᄠᆞᆯ기. ¶ 나모 ᄠᆞᆯ기(覆盆子), 멋덕ᄠᆞᆯ기(蓬藟)≪方
ᄯᆞᆯ오다 타 〈옛〉 따르다. =ᄠᆞ로다. ¶ 茶椀 가지며 잔 잡은 이 ᄯᆞᆯ와(拿茶
「≪字會 下 18≫.
椀把盞的跟著)≪朴解 下 47≫.
ᄣᅵ 명 〈옛〉 때². ¶ 더러ᄫᅳᆫ ᄣᅵ 몯디 아니ᄒᆞᄂᆞ니≪月釋 Ⅷ:11≫/ᄣᅵ 구(垢)
ᄣᅵ쥼 자 〈옛〉 때묻음. 때낌. 'ᄣᅵ지다'의 명사형. ¶ 더운 구루멘 ᄣᅵ쥬미 더으ᄂᆞ니(火雲滋垢膩)≪杜諺 Ⅱ:13≫.
ᄣᅵ지다 자 〈옛〉 때가 끼다. 때가 묻다. ¶ ᄣᅵ지고 바래 보셔니 업도다(垢
「≪救簡 Ⅰ:53≫.
膩脚不韈)≪杜諺 Ⅰ:5≫.
ᄡᅡ¹ 타 〈옛〉 싸. 'ᄡᆞ다¹'의 활용형. ¶ 죠히예 ᄡᅡ 믈저져 브레 구어(炮熟)
ᄡᅡ² 타 〈옛〉 쌓아. 'ᄡᆞ다²'의 활용형. ¶ 祿山이 北녀 雄武城을 ᄡᅡ(祿山北築雄武城)≪杜諺 Ⅳ:26≫.
ᄡᅡ놀 타 〈옛〉 쌓거늘. 'ᄡᆞ다²'의 활용형. ¶ 曹溪四境을 다 ᄡᅡ놀(盡罩曹溪四境커놀)≪六祖 序 16≫.
ᄡᅡ다 타 〈옛〉 싸다. =ᄡᆞ다¹. ¶ 糧食과 쳔량올 ᄡᅡ아 주고 ≪三綱 烈女 10≫.
ᄡᅡ타 타 〈옛〉 쌓다. ¶ 술위 일빅이오 만종 곡식을 ᄡᅡ흐며(車百乘積粟萬鍾)≪五倫 Ⅰ:4≫.
ᄡᅡ호다 자 〈옛〉 싸우다. ¶ 가마귀 ᄡᅡ호는 골에 白鷺ㅣ야 가지마라≪古時調≫.
ᄡᅡ홈 명 〈옛〉 싸움. 'ᄡᅡ호다'의 명사형. ¶ ᄡᅡ홈 ᄒᆞ려 ᄒᆞ는 톄 ᄒᆞ니≪五倫 Ⅱ:10≫/동관 ᄡᅡ홈에 패ᄒᆞ매(東關之敗)≪五倫 Ⅱ:21≫.
ᄡᅡ히다 자 〈옛〉 쌓이다. ¶ ᄆᆞᄋᆞᆷ의 미친 실음 疊疊이 ᄡᅡ혀 이셔≪松江 思美人曲≫.
ᄡᅡᆼ 명 〈옛〉 쌍(雙). ¶ ᄒᆞᆫᄡᅡᆼ 훠에(一對靴上)≪老乞 下 48≫.
ᄡᅢ디다 자 〈옛〉 꺼지다. 빠지다. 둘러싸이다. ¶ 섭으로 ᄒᆞᆫ 門ㅣ 비록 프리 거츠러 ᄡᅢ뎌시나(柴扉雖蕪沒)≪重杜諺 Ⅰ:49≫.
ᄡᅥ 부 〈옛〉 써. ¶ 엇데 ᄡᅥ 내 모미 ᄒᆞ오아 오오라 이시리오(焉用身獨完)≪杜諺 Ⅳ:9≫.
ᄡᅥ곰 부 〈옛〉 'ᄡᅥ'를 강조한 말. ¶ 엇데 ᄡᅥ곰 王城을 가 守禦ᄒᆞ리오(何以守王城)≪杜諺 Ⅳ:5≫.
ᄡᅥᆨ다 자 〈옛〉 썩다. ¶ 외나모 ᄡᅥ근 ᄃᆞ리 佛頂臺예 올라ᄒᆞ니≪松江 關東別曲≫.
ᄡᅩ다 자타 〈옛〉 쏘다. ¶ 莫徭ㅣ 그려기 ᄡᅩ노라(莫徭射鴈)≪杜諺 Ⅳ:28≫.
ᄡᅩ아가ᄂᆞᆫ별 명 〈옛〉 별똥. ¶ ᄡᅩ아가ᄂᆞᆫ별(流星)≪譯語 上 1≫.
ᄡᆞᆫ 타 〈옛〉 싼. 'ᄡᆞ다¹'의 활용형. ¶ 書冊앳 사술와 藥ᄡᆞᆫ 거믜 줄이 얼것고(書籤藥裏封蛛網)≪杜諺 ⅩⅪ:4≫.
ᄡᅡᆼ불쥐다 자 〈옛〉 제비뽑다. ¶ ᄡᅡᆼ불쥘 구(鬮)≪字會 下 22≫.
ᄡᅬ다 타 〈옛〉 쐬다¹. ¶ 프른 뵈롤 블 브텨 헌ᄃᆡ ᄡᅬ면 독이 즉재 나리라(燒
「乞 下 11≫.
青布以熏瘡口毒卽出)≪救簡 Ⅵ:30≫.
ᄡᅬ이다 자 〈옛〉 쏘이다. ¶ 사디아니ᄒᆞ면 ᄇᆞᄅᆞᆷ ᄡᅬ이랴(不買時害風那)≪老
ᄡᅮ다¹ 타 〈옛〉 쑤다. ¶ 죽도 ᄡᅮ엇다(粥也熬著裏)≪朴解≫.
ᄡᅮ다² 형 〈옛〉 쓰다⁷. ¶ 돌며 ᄡᅮᆷ과(甛苦)≪楞嚴 Ⅲ:10≫.
ᄡᅮ처 타 〈옛〉 만지어. 비비어. 'ᄡᅮᆺ다'의 활용형. ¶ 婬亂ᄒᆞᆫ 모ᄆᆞ로 ᄡᅮ처(婬躬撫摩)≪楞嚴 Ⅰ:35≫.
ᄡᅮ츠면 타 〈옛〉 만지면. 비비면. 'ᄡᅮᆺ다'의 활용형. ¶ 두 ᄉᆞᆫ바다ᄋᆞ로 虛空애 서르 ᄡᅮ츠면(以二手掌 於空相摩)≪楞嚴 Ⅱ:113≫.
ᄡᅮᆨ 명 〈옛〉 쑥. ¶ 蘭草와 ᄡᅮᆨ의 달옴 이쇼ᄆᆞᆫ(有蘭艾之異)≪內訓 序 3≫.
ᄡᅮᆨ달힘 명 〈옛〉 쑥달임. 화전(花煎) 놀이. ¶ 崔行首 ᄡᅮᆨ달힘ᄒᆞ새 趙同甲 곳달힘ᄒᆞ새≪古時調≫.
ᄡᅮᆨ븘 명 〈옛〉 뜸뜨는 쑥 심지. ¶ ᄡᅮᆨ 븟글(艾炷)≪牛方 1≫.
ᄡᅳᆯ껏 〈옛〉 쓸 것. 'ᄡᅳ다¹'의 명사형. ¶ ᄡᆞᆯ와 布貨와 土木 ᄡᅳᆯ꺼슬 주라ᄒᆞ시니(命輸米布土木之費)≪勸善≫.
ᄡᅳᇙ 〈옛〉 쓸. 사용할. 'ᄡᅳ다¹'의 활용형. ¶ 無盡ᄒᆞᆫ ᄡᅳᇙ 거시 다 낟ᄇᆞᆫ줄 업긔 호리라≪月釋 Ⅸ:15≫.
ᄡᅳᇙ디니라 타 〈옛〉 쓸 것이니라. 'ᄡᅳ다¹'의 활용형. ¶ ᄯᅩ 반ᄃᆞ기 字細히 ᄆᆞᅀᆞᄆᆞᆯ ᄡᅳᇙ디니라(却當字細用心)≪蒙法 39≫.
ᄡᅮᆷ¹ 자타 〈옛〉 씀. 'ᄡᅳ다¹'의 명사형. ¶ 날로 ᄡᅮ메 便安킈(便於日月)≪訓諺 1≫/힘 ᄡᅮ미 져거 뮈여ᄒᆞ니 논 中에(省力於動中)≪蒙法 39≫.
ᄡᅮᆷ² 형 〈옛〉 씀. 'ᄡᅳ다³'의 명사형. ¶ 돌며 ᄡᅮᆷ과(甛苦)≪楞嚴 Ⅲ:10≫.
ᄡᅮᆷ기다 타 〈옛〉 숨기다. ¶ ᄂᆞ믜 사오나온 이롤 ᄡᅮᆷ기며 어딘 사ᄅᆞ믈 위ᄒᆞ며 모ᄃᆞᆫ 사ᄅᆞ몰 용납ᄒᆞᄂᆞᆫ 수롤 보고(含垢藏疾尊賢容衆)≪飜小 Ⅷ:28≫.
ᄡᅮᆺ다 타 〈옛〉 만지다. 비비다. =ᄡᅮᆽ다. ¶ ᄉᆞᆫ바당ᄋᆞ로 虛空올 자바 ᄡᅮᆺ돗ᄒᆞ야(如以手掌撮摩虛空)≪楞嚴 Ⅱ:70≫.
ᄡᅮᆺ돌 명 〈옛〉 숫돌. ¶ 礪ᄂᆞᆫ ᄡᅮᆺ돌히니≪楞嚴 Ⅰ:37≫.
ᄡᅮᆽ다 자 〈옛〉 비비다. 스치다. =ᄡᅮᆺ다. ¶ 婬亂ᄒᆞᆫ 모ᄆᆞ로 ᄡᅮ처(婬躬撫摩)≪楞嚴 Ⅰ:35≫.
ᄡᅲ시다 타 〈옛〉 쑤시다¹. ¶ 닛삿 ᄡᅲ시디 말며(毋刺齒)≪小諺 Ⅲ:26≫.
ᄡᅳ다¹ 타 〈옛〉 쓰다³. ¶ 用ᄋᆞᆫ ᄡᅳᆯ씨라≪訓諺 3≫.
ᄡᅳ다² 타 〈옛〉 쓰다². ¶ 삿갓 빗기 ᄡᅳ고 누역으로 오슬 삼아≪古時調 孟
「嚴 Ⅲ:9≫.
思誠 江湖에 겨월이≫.
ᄡᅳ다³ 형 〈옛〉 쓰다⁷. ¶ 입 시우리 ᄡᅳ며 ᄃᆞᆫ거시 아니어늘(吻非苦舌甘)≪楞
ᄡᅳ다돔다 타 〈옛〉 쓰다듬다. ¶ 后ㅣ 이예 ᄆᆞᄋᆞᆷ을 다ᄒᆞ야 ᄡᅳ다ᄃᆞ마 기르샤(后於是盡心撫育)≪內訓 Ⅱ:35≫.
ᄡᅳ러디다 자 〈옛〉 쓰러지다. ¶ ᄡᅳ러딜 미(靡)≪類合 下 54≫.
ᄡᅳ러ᄇᆞ리다 타 〈옛〉 쓸어 버리다. ¶ 七支를 身口에 ᄡᅳ러 ᄇᆞ리ᄂᆞ니(掃七
「Ⅰ:11≫.
支於身口)≪永嘉 下 76≫.
ᄡᅳ레딜 명 〈옛〉 쓰레질. ¶ 일즉이 드러와 ᄡᅳ레딜 ᄒᆞᆫ대(早入洒掃)≪五倫

쓰레질 명〈옛〉 쓰레질. ¶무덤의 뵈여 쓰레질 ᄒᆞ야(必詣墓省掃)≪東國新續三綱 孝子圖 鄭門世孝≫. 「Ⅱ:40≫.

쓰렛ᄒᆞ다 형〈옛〉 비스듬하다. ¶머리터리 다우흐로 쓰렛ᄒᆞ샤틔≪月釋

쓰르치다 타〈옛〉 쓸어 버리다. 쓸어 치우다. ¶쓰르치다(打掃)≪漢淸 Ⅲ:45≫.

쓰서름 타〈옛〉 쓸어 서릊음. '쓰설다'의 명사형. ¶오래 뜰 쓰서르믈 게을이호미오(不掃除門庭)≪呂約 9≫.

쓰서리ᄒᆞ다 자〈옛〉 쓰레질하다. ¶미일 아ᄎᆞᆷ이 ᄉᆞ당의 가 졀ᄒᆞ고 쓰서리 ᄒᆞ더라(每朝拜掃家廟)≪東國新續三綱 孝子圖 Ⅲ:45 朴薰居廬≫.

쓰설니다 사동〈옛〉 쓸어 치우게 하다. 쓰레질시키다. ¶미양 ᄒᆞ여곰 쇠똥을 쓰설니거든(每使掃除牛下)≪小諺 Ⅵ:24≫.

쓰설다 자〈옛〉 쓰레질하다. ¶아ᄎᆞᆷ미어든 드러가 쓰설어늘(旦入而灑掃)≪飜小 Ⅸ:22≫. 「든(掃除牛下)≪小諺 Ⅵ:21≫.

쓰설이다 타〈옛〉 쓸어 치우게 하다. 쓰레질시키다. ¶쇠똥을 쓰설이거

쓰스릿기 명〈옛〉 쓸어 치우기. 소제하기. ¶그 플이며 가싀 잇거든 즉제 칼히며 도치로 버히며 버히며 쓰스릿기를 ᄆᆞᆺ고≪家禮 Ⅹ:45≫.

쓰서리 명〈옛〉 쓰레질. 소제. ¶소ᄂᆞᆯ 引接ᄒᆞ야셔 쓰서리 호ᄆᆞᆯ 보고(引客看掃除)≪初杜諺 ⅩⅫ:2≫. 「Ⅸ:21≫.

쓰설다 자〈옛〉 쓰레질하다. ¶五色 ᄂᆞ모채 녀허 조ᄒᆞᆫ 짜ᄒᆞᆯ 쓰설오≪釋譜

쓰어리 명〈옛〉 쓰레질. =쓰서리. ¶門庭을 ᄡᅳ겨셔 쓰어리 ᄒᆞ노라(門庭閟掃除)≪重杜諺 Ⅹ:39≫. 「部≫.

쓴너삼 명〈옛〉 쓴너삼. =쓴녀숨. ¶쓴녀삼 불휘(苦蔘)≪湯液 卷三 草

쓴너솜 명〈옛〉 쓴너삼. =쓴녀삼. ¶쓴녀숨 불휘(苦蔘)≪方藥 7≫.

쓴너삸불휘 명〈옛〉 쓴녀삼 뿌리. ¶쓴녀삸불휘(苦蔘)≪救簡 Ⅰ:98≫.

쓴박 명〈옛〉 고호로(苦瓠蘆). 호리병박. ¶쓴바근 불휘조차 쓰니라(苦胡連根苦)≪金三 Ⅱ:50≫. 「66≫.

쓸개 명〈옛〉 쓸개. =쓸게. ¶도틔 쓸개 반잔애(猪膽汁半盞)≪馬經 下

쓸게 명〈옛〉 쓸개. =쓸개. ¶쓸게 담(膽)≪字會 上 27≫/膽은 쓸게라≪金三 Ⅱ:60≫. 「諺 ⅩⅩⅣ:10≫.

쓸다 타〈옛〉 쓸다. ¶나뵈 눈섭 ᄀᆞᆮᄐᆞᆫ 눈서블 ᄆᆞᆯ기 쓸오(淡掃蛾眉)≪杜

쓸알히다 형〈옛〉 쓰라리다. ¶썀이 ᄃᆞ라 쓸알힌다(腮頰凍刺刺的疼)≪朴解 中 29≫.

쓸에질 명〈옛〉 쓰레질. ¶아ᄎᆞᆷ미어든 드러 쓸에질ᄒᆞ거늘 아비 怒ᄒᆞ야 ᄯᅩ 내조ᄎᆞᆫ대(早入灑掃 父怒又逐之)≪三綱 薛包洒掃≫.

씌다 자〈옛〉 쓰이다. '쓰다[3]'의 사동(使動)·피동형. ¶ᄂᆞ미 씌유미 드윌씨 傭이오≪月釋 ⅩⅢ:11≫. 「解 上 32≫.

씌오다 자〈옛〉 쓰이다. ¶진실로 날을 애 씌오ᄂᆞ니라(眞箇氣殺我)≪朴

씌우다 타〈옛〉 씌우다. ¶광대 씌워 ᄂᆞᆯ개 춤 츠이고(帶着鬼臉兒翅兒舞)≪朴解 中 Ⅰ≫.

씨[1] 명〈옛〉 씨[2]. ¶杭州 치ᄂᆞᆫ 씨 ᄂᆞᆯ히 ᄀᆞᆺ고(杭州的經緯相等)≪老乞 下23≫.

씨[2] 명〈옛〉 씨[1]. ¶種은 씨라 혼 마리니≪月釋 Ⅱ:2≫/ᄇᆞᄅᆞ미 디어든 솘 씨를 收拾ᄒᆞ고(風落收松子)≪杜諺 Ⅹ:92≫.

씨둪다 타〈옛〉 씨를 덮다. ¶씨두플 우(耰)≪字會 下 5≫.

씨디다 자〈옛〉 씨가 떨어지다. ¶씨디여 난 휘초리 저 ᄆᆞ티 늙ᄃᆞ록에≪古時調 鄭澈≫. 「鄭澈≫.

씻다 타〈옛〉 씻다. ¶ᄒᆞᆫ적곳 ᄠᅵ 시룬 휘면 고텨 씻기 어려우리≪古時調

씽긔다[1] 자〈옛〉 찡기다. ¶씽긜 추(皺)≪字會 下 33≫.

씽긔다[2] 타〈옛〉 찡그리다. ¶씽긜 준(皴), 씽긜 추(皺)≪字會 下 33≫.

씽의다 자〈옛〉 찡기다. =씽긔다[1]. ¶씽의여 ᄎᆞ기 녀겨(顰蹙而嫌)≪妙蓮 Ⅳ:200≫.

ᄡᅡ놋다 타〈옛〉 쌓도다. 'ᄡᅡ다[2]'의 활용형. ¶潼關ㅅ 길헤 城을 ᄡᅡ놋다(築城潼關途)≪杜諺 Ⅳ:6≫.

ᄡᅡ눈 명〈옛〉 싸라기눈. =ᄡᆞᆯ눈. ¶ᄡᅡ눈 션(霰)≪字會 上 2, 類合 上 2≫.

ᄡᅡ다[1] 타〈옛〉 싸다. 꾸리다. ¶ᄡᆞᆫ 거슬 ᄯᅩ 그르며(亦解苞)≪杜諺 Ⅰ:6≫.

ᄡᅡ다[2] 타〈옛〉 쌓다. =ᄡᅡ다. ¶담 ᄡᅡᄂᆞᆫ 널로(著墻板)≪朴解上 10≫.

ᄡᅡ다[3] 타〈옛〉 싸다[3]. ¶내 쇼변을 ᄡᅡ거든(失便者)≪救簡 Ⅰ:43≫.

ᄡᅡ라기 명〈옛〉 싸라기. ¶ᄡᅡ라기 바ᄇᆞ로 아히ᄅᆞᆯ 對ᄒᆞ얫노라(糠粃對童孺)≪杜諺 Ⅻ:19≫.

ᄡᅡ리 명〈옛〉 싸리. ¶ᄡᅡ리(荊條)≪四聲 下 47 荊字註≫.

ᄡᅡ리뷔 명〈옛〉 싸리비. ¶뫼난편 廣州ㅣ ᄡᅡ리뷔 쟝ᄉᆞ 쇼ᄃᆡ 난편 朔寧 닛비 쟝ᄉᆞ≪稀本 永言≫.

ᄡᅡ리븨 명〈옛〉 싸리비. ¶ᄡᅡ리븨(掃帚)≪譯語 下 14≫.

ᄡᅡ이다 피동〈옛〉 싸이다. ¶無明ㅅ 대가리예 ᄡᅡ일씨≪月釋 ⅩⅣ:7≫.

ᄡᅡ호다 자〈옛〉 싸우다. =싸호다. ¶가마귀 ᄡᅡ호ᄂᆞᆫ 골에 白鷺야 가지마라≪永言 380≫.

ᄡᆞᆯ 명〈옛〉 쌀. ¶ᄡᆞᆯ 시론 ᄇᆡ 드모도다(米船稀)≪杜諺 Ⅴ:11≫.

ᄡᆞᆯ것 명〈옛〉 쌀 것. ¶갈 時節에 里正이 머리 ᄡᆞᆯ거슬 주더니(去時里正與裹頭)≪杜諺 Ⅳ:2≫.

ᄡᆞᆯ고 명〈옛〉 쌀광. ¶ᄡᆞᆯ고 름(廩)≪類合 上 18≫.

ᄡᆞᆯ낯 명〈옛〉 쌀알. 쌀낟. ¶玉ᄀᆞᆮᄒᆞᆫ ᄡᆞᆯ 나ᄎᆞᆫ내의 앗기논 것이 아니라(玉粒未吾慳)≪初杜諺 Ⅶ:38≫.

ᄡᆞᆯ눈 명〈옛〉 싸라기눈. ¶ᄡᆞᆯ눈 션(霰)≪類合 上 4≫.

ᄡᆞᆯ플 명〈옛〉 쌀풀. ¶ᄡᆞᆯ플 강(糨)≪字會 中 12≫.

ᄡᆞᆷ 명〈옛〉 쌈. ¶슈 ᄯᅳᄂᆞᆫ 바ᄂᆞᆯ 일빅 ᄡᆞᆷ(繡針一百帖)≪老乞 下 61≫.

ᄡᅥ오다 타〈옛〉 북을 자꾸 크게 울리다. ¶붑을 ᄡᅥ오믄 이ᄂᆞᆫ 날롤 서괴라 호미니(擂鼓是交鋒)≪兵學指南 明鼓號≫.

ᄢᅡ 타〈옛〉 까아. 까서. 'ᄢᅡ다'의 활용형. ¶이 阿脩羅ᄂᆞᆫ 알 ᄢᅡ나ᄂᆞ니라≪釋譜 ⅩⅢ:10≫. 「Ⅰ:16≫.

ᄢᅢ다 타〈옛〉 깨다. 쪼개다. =ᄢᅢ혀다·ᄣᅢ다. ¶휘ᄋᆞᆫ ᄢᅢ야 ᄂᆞᆫ홀씨오≪楞嚴

ᄢᅢ티다 타〈옛〉 깨뜨리다. ¶큰 둘에를 벼라기 ᄢᅢ티니(巨圍雷霆析)≪初杜諺 ⅩⅧ:19≫.

ᄢᅢ혀다 타〈옛〉 깨뜨리다. =ᄢᅢ혀다. ¶다시 鄰虛를 ᄢᅢ혀면(更析鄰虛)≪楞嚴 Ⅲ:68≫.

ᄢᅢ혀다 타〈옛〉 깨뜨리다. =ᄢᅢ혀다. ¶剖ᄂᆞᆫ ᄢᅢ혈 씨라≪楞嚴 Ⅵ:16≫.

ᄢᅥ듐 자〈옛〉 빠짐. 꺼짐. 'ᄢᅥ디다'의 명사형. ¶샹녜 ᄠᅳ며 ᄢᅥ듀믈 닙논 돌 아롬디니(知…常被漂溺)≪楞嚴 Ⅱ:31≫. 「≪楞嚴 Ⅴ:3≫.

ᄢᅥ디다 자〈옛〉 꺼지다. 빠지다. ¶ᄢᅥ디닐 어엿비 너기쇼셔(哀愍淪溺)

ᄢᅦ다 타〈옛〉 꿰다. ¶ᄒᆞᆫ 사래 ᄢᅦ니(貫於一發)≪龍歌 23章≫.

ᄢᅦ들우다 타〈옛〉 꿰뚫다. ¶百萬衆人 서리예 ᄢᅦ들워 드나ᄃᆞ로ᄆᆞᆯ 咫尺 ᄉᆞ시로브터 ᄒᆞ더라(貫穿百萬衆出入由咫尺)≪初杜諺 ⅩⅩⅣ:11≫.

ᄢᅦ알다 타〈옛〉 꿰뚫어 알다. ¶ᄢᅦ아라 기튼 恨이 업스니(貫穿無遺恨)≪重杜諺 ⅩⅩⅣ:37≫.

ᄢᅦ오 타〈옛〉 꿰고. 'ᄢᅦ다'의 활용형. ¶象寶ᄂᆞᆫ 고키리니 비치 ᄒᆡ오 ᄭᅩ리예 구스리 ᄢᅦ오 ᄒᆡ미 常例ㅅ 一百象두고 더 세며≪月釋 Ⅰ:28≫.

ᄢᅦ윰 명〈옛〉 뀀. 꿰미. ¶鹵莽호미 ᄒᆞᆫ ᄢᅦ유메 ᄀᆞᆮ도다(鹵莽同一貫)≪重杜諺 Ⅱ:53≫. 「≪月釋 Ⅱ:18≫.

ᄢᅧ 타〈옛〉 끼어. 'ᄢᅵ다'의 활용형. ¶諸天이 虛空애 ᄀᆞᄃᆞ기 ᄢᅧ 졷ᄌᆞᄫᅡ

ᄢᅮ다 타〈옛〉 꾸다[2]. ¶돈을 ᄢᅮ어(借錢)≪佛頂 下 12≫.

ᄢᅮ이다 타〈옛〉 꾸이다. ¶監河애 ᄢᅮ이ᄂᆞᆫ 조ᄒᆞᆯ ᄐᆞ노니(監河受貸粟)≪杜諺 ⅩⅩ:41≫.

ᄢᅮᆯ 명〈옛〉 꿀. ¶그 저긔 쌋마시 ᄢᅮᆯ마티 달오≪月釋 Ⅰ:42≫.

ᄢᅮᆺ벌 명〈옛〉 꿀벌. ¶ᄢᅮᆺ벌와 胡蝶은 즐거운 ᄠᅳ들 내어ᄂᆞᆯ(蜜蜂胡蝶生情性)≪初杜諺 ⅩⅧ:4≫.

ᄢᅱ이다 타〈옛〉 꾸이다. ¶ᄢᅱ일 ᄃᆡ(貸)≪字會 下 22≫.

ᄣᅢ 명〈옛〉 때[1]. ¶ᄒᆞᄅᆞ 세 ᄣᅢ 香湯애 沐浴ᄒᆞ야≪月釋 Ⅹ:120≫.

ᄣᅳ다 ㊀타〈옛〉 끄다. ¶ᄇᆞᆯ 멸(滅)≪石千 25≫. ㊁자〈옛〉 꺼지다. ¶브리 제 ᄣᅳᄃᆞᆺ ᄒᆞ니(火則自滅)≪永嘉 上 63≫. 「上 64≫.

ᄣᅳ듣다 자〈옛〉 꺼지다. ¶ᄣᅳ듣고 잇다감 뒤트ᄂᆞ니ᄂᆞᆫ(陷時作搐搦)≪痘要

ᄣᅳ리다 타〈옛〉 포함하다. 꾸리다. 메우다. ¶슬허 ᄣᅳ리여 棺애 녀ᄉᆞᆸ고≪月釋 Ⅰ:7≫. 「Ⅲ:26≫.

ᄣᅳᆫ 〈옛〉 때는. 'ᄣᅳ'의 절대격형(絶對格形). ¶두ᄣᅳᆫ 大食小食 ᄢᅵ라≪楞嚴

ᄣᅳᆯ[1] 〈옛〉 때를. 'ᄣᅳ'의 목적격형. ¶그 ᄣᅳᆯ 當ᄒᆞ야≪月釋 ⅩⅧ:43≫.

ᄣᅳᆯ[2] 명〈옛〉 끌. ¶ᄣᅳᆯ 착(鑿)≪字會 中 16≫.

ᄣᅳᆷ 명〈옛〉 틈. 금. =쁨. ¶ᄣᅳᆷ爲隙≪訓例≫.

ᄣᅴ ㊀명〈옛〉 때. ¶아히ᄢᅴ브터 深山애 이셔≪釋譜 Ⅺ:28≫. ㊁부〈옛〉 때에. 'ᄣᅳ'의 처격형. ¶그ᄢᅴ(爾時)≪佛頂 上 1≫. 「≪杜諺 ⅩⅢ:26≫.

ᄣᅴ니 명〈옛〉 끼. 때. =ᄢᅵ니. ¶더운 구루미 ᄢᅴ니 업시 나고(火雲無時出)

ᄣᅴ리다 타〈옛〉 꾸리다. 에우다. ¶李相將軍이 薊門을 ᄢᅴ려 가졧ᄂᆞ니(李相將軍擁薊門)≪杜諺 Ⅴ:25≫.

ᄣᅴᆫ 〈옛〉 때에는. 'ᄣᅳ'에 처소격(處所格)과 절대격(絶對格)이 연결되어 이루어진 복합격(複合格). ¶그처딘 ᄢᅴ 업슨 ᄢᅴᆫ(無有間斷時)≪蒙法 27≫.

ᄣᅵᆷ 명〈옛〉 틈. =ᄢᅵᆷ·쁨. ¶새지블 小城ㅅ ᄢᅵ메 브텨 뒷노라(茅齋寄在小城隈)≪重杜諺 Ⅹ:39≫.

ᄢᅵ 명〈옛〉 끼. 때. ¶날마다 세ᄢᅵ로 十方諸佛이 드러와≪月釋 Ⅱ:26≫.

ᄢᅵ니 명〈옛〉 끼니. ¶여슷 ᄢᅵ니ᄂᆞᆫ 낫 세 밤 세히라≪月釋 Ⅶ:65≫.

ᄢᅵ다 타〈옛〉 끼다. =ᄡᅵ다. ¶ᄢᅵᆯ 협(挾)≪類合 下 47≫.

ᄢᅵ들다 타〈옛〉 껴들다. ¶다 헐에 디여 ᄂᆞ미 ᄢᅵ드러 오라거ᅀᅡ 셔야≪月釋 ⅩⅪ:22≫.

ᄢᅵ우다 타〈옛〉 끼우다. ¶ᄢᅵ울 감(嵌)≪字會 下 20≫.

ᄢᅵᆷ 명〈옛〉 틈. ¶문득 보니 바횟 ᄢᅵ메 프른 너추레 두외 여렷거늘(忽見巖石間青蔓離披有二瓜焉)≪三綱 王薦≫.

ᄦᅡ다 타〈옛〉 ①까다. 껍질을 벗기다. ¶盤앳 白鴉谷ㅅ 이펫 바ᄆᆞᆯ ᄦᅡ고(盤剝白鴉谷口栗)≪杜諺 Ⅶ:32≫. ②까다. 알을 까다. ¶알ᄦᅡ며 졋머겨 나호ᄆᆞᆫ(孚乳產生)≪妙蓮 Ⅱ:117≫.

ᄦᅡ 타〈옛〉 따서. 따아. ¶손가락을 ᄦᅡ 피론 나야 흘려서 이베 드리되(刺指出血流入於口)≪東國新續三綱 孝子圖 Ⅴ:52 金謙孝感≫.

ᄦᅢ 명〈옛〉 때[1]. 시간. ¶㖐 ᄦᅢ 爲酉時≪訓例≫.

ᄣᅳ리 명〈옛〉 천연두(天然痘). 종기.=ᄯᅳ리. ¶ᄣᅳ리 포(疱)≪字會中 33≫.

ᄣᅵ다 자〈옛〉 넘치다. ¶뼝甁읫 믈이 ᄣᅵ며 다돈이피 열어늘 ≪月印 上 65≫.

ᄣᅵ르다 타〈옛〉 찌르다. ¶ᄣᅵ를 데(觝), ᄣᅵ를 측(觸)≪字會 下 8≫.

ᄣᅵᆯ리다 자〈옛〉 찔리다. ¶畢凌이 가시예 ᄣᅵᆯ여 모ᄆᆞᆯ ᄇᆞ리며(畢凌觸刺而遺身)≪楞嚴 Ⅵ:78≫. 「ᄣᅵᆯ어 피 내오≪圓覺 下 三之一 88≫.

ᄣᅵᆯ어 타〈옛〉 찔러. 'ᄣᅵ르다'의 활용형. ¶올ᄒᆞᆫ 소ᄂᆞ로 갈자바 왼녁 ᄇᆞᆯᄒᆞᆯ

ᄣᅵᆯ여 타〈옛〉 찔려. 'ᄣᅵ르다'의 활용형. ¶가시예 ᄣᅵᆯ여 모ᄆᆞᆯ ᄇᆞ리며(觸刺而遺身)≪楞嚴 Ⅵ:78≫. 「裂)≪杜諺 Ⅰ:3≫.

ᄧᅢ려디다 자〈옛〉 깨지다. 찢기다. ¶蒼崖 우룸제 ᄧᅢ려디놋다(蒼崖吼時

ᄧᅢ리다 타〈옛〉 때리다. =ᄧᅡ리다. ¶온 조가개 ᄧᅢ리도다(百雜碎)≪金三 Ⅱ:72≫.

ᄧᅧ[1] 명〈옛〉 뼈. ¶얼믠 뵈 이운 ᄧᅧ에 가맛ᄂᆞ니(疎布纏枯骨)≪杜諺Ⅱ:65≫.

ᄧᅧ[2] 타〈옛〉 짜. 'ᄧᅡ다[1]'의 활용형. ¶다ᄉᆞᆺ 골비 보ᄂᆞᆫ 覺이 妄ᄋᆞᆯ ᄧᅡ(五疊織見覺之妄)≪楞嚴 Ⅳ:82≫.

ᄧᅡ 타〈옛〉 짜. 'ᄧᅡ다[2]'의 활용형. ¶ᄯᅩ ᄆᆞ쇼 ᄯᅩᆼ을 ᄧᅡ 즙내야 머그라(又午馬屎絞取汁飮之)≪救簡 Ⅰ:43≫.

ᄧᅡᆨ 명〈옛〉 짝. ¶ᄧᅡᆨ 爲隻≪訓例≫/ᄧᅡᆨ 대(對)≪字會 下 33≫.

ᄧᅡᆨ눈 명〈옛〉 짝눈. ¶ᄯᅩ 오직 이 ᄒᆞᆫ ᄧᅡᆨ누니며(亦只是一隻眼)≪金三 Ⅱ:13≫. 「(扁舟已過洞庭湖)≪金三 Ⅱ:8≫.

ᄧᅡᆨᄇᆡ 명〈옛〉 쪽배. 편주(扁舟·片舟). ¶ᄒᆞᆫ ᄧᅡᆨᄇᆡ ᄒᆞ마 洞庭湖에 디나도다

ᄧᅩ각 명〈옛〉 조각. ¶이 ᄒᆞᆫ 드트를 둘헤 ᄧᅢ려 ᄒᆞᆫ ᄧᅩ가ᄀᆞᆯ 닐구베 ᄢᅢ혀 ᄯᅩ ᄒᆞᆫ ᄧᅩ가ᄀᆞᆯ 둘헤 ᄧᅢ리면≪七大 3≫.

ᄧᅩᄎᆞᆷ 타〈옛〉 좇김. 달림. 'ᄧᅩ치다'의 명사형. ¶衣冠ᄒᆞᆫ 사ᄅᆞᆷㅣ ᄧᅩᄎᆞᆷ을 다시 볼가 ᄒᆞ노라(重見衣冠走)≪杜諺 Ⅰ:40≫.

뽀치다 자 〈옛〉 쫓기다. ¶ 네 막던 짜히 敗ᄒᆞ야 ᄲᅩ치거든(舊防敗走)≪杜諺 Ⅳ:26≫.

뽁 명 〈옛〉 쪽. 조각. ¶ ᄲᅩᆨ 린(鱗), ᄲᅩᆨ 판(瓣)≪字會 下 5≫.

뽄머리 명 〈옛〉 상투. ¶ 髻ᄂᆞᆫ ᄲᅩᆫ머리니 부텻 뎡바깃 ᄲᅧ 노포샤 ᄲᅩᆫ머리 ᄀᆞᄐᆞ실ᄊᆡ 肉髻시다 ᄒᆞᄂᆞ니≪月釋 Ⅷ:34≫.

뽐 형 〈옛〉 짬. 'ᄲᅡ다³'의 명사형. ¶ ᄒᆞ마 샹녜 ᄲᅩ몰 受ᄒᆞ릴 ᄊᆡ(旣常受鹹)≪楞嚴 Ⅲ:28≫. 「23≫.

뽓니다 타 〈옛〉 쫓아 다니다. =좃니다. ¶ 東西로 ᄲᅩᆺ니거든≪月釋 XXI:

뽓다 타 〈옛〉 ①쫓다. ¶ 물 돌여 ᄲᅩᆺᄂᆞᆫ 거슨 아디 몯ᄒᆞ고(未知所馳逐)≪杜諺 Ⅱ:69≫. ②달리다. ¶ ᄲᅩᆺ다(趕)≪語錄 2≫.

뽓치다 자 〈옛〉 쫓기다. ¶ 내 ᄲᅩᆺ친 나그내(逐客)≪杜諺 XXI:33≫.

뽗다 타 〈옛〉 ①쫓다. ¶ 雲雪岡애셔 즘싱을 ᄲᅩᄎᆞ놋다(逐獸雲雪岡)≪杜諺 Ⅱ:40≫. ②달리다. ¶ ᄲᅩᄎᆞᆯ 간(趕)≪字會 下 30≫.

뼈다 타 〈옛〉 쬐다. ¶ 熏은 ᄲᅬᆯ씨니≪楞嚴 Ⅳ:72≫. 「47≫.

쁘이다 타 〈옛〉 째다. ¶ 믈읫 코ᄒᆞᆯ ᄠᅳ이려 ᄒᆞᆯ딘댄(凡欲劃鼻)≪馬經 上

쁜디다 형 〈옛〉 인자(仁慈)롭다. 돌보다. ¶ 旻天之心애 그 아니 ᄠᅳᆫ디시리(旻天寧不眷)≪龍歌 116章≫. 「國新續三綱 烈女圖 Ⅳ:23≫.

쁠다 타 〈옛〉 찢다. =ᄠᅳᆯ다. ¶ 그 ᄉᆞ톄ᄅᆞᆯ ᄠᅳᆯ고 가다(裂其四體而去)≪東

뽐 명 〈옛〉 틈. ¶ 棺의 어우른 ᄠᅳᆷ애 松脂로ᄡᅥ 브르면 ᄠᅳᆷ이 굿고≪家禮 ㄴⅤ:7≫.

뽗다 타 〈옛〉 찢다. ¶ ᄠᅳ즐 ᄉᆞ(撕)≪字會 下 12≫.

뼈여디다 자 〈옛〉 찢어지다. ¶ 엇뎨 봆 ᄒᆞᆯᄀᆞᆯ 어더ᄡᅥ ᄠᅴ여딘 ᄯᅡᄒᆞᆯ 기우려뇨(安得春泥補地裂)≪杜諺 X:41≫.

뼈허드렛도다 구 〈옛〉 찢어뜨렸도다. ¶ 돌ᄒᆞᆫ 둗거운 ᄯᅡᄒᆞᆯ ᄠᅴ허드렛도다(石與厚地裂)≪杜諺 Ⅰ:17≫.

뻐다 타 〈옛〉 찌다⁵❶. ¶ ᄧᅵᆫ 고기예 匕首劍 이숌을 들으며(蒸魚聞匕首)≪杜諺 Ⅱ:39≫.

뻐지다 타 〈옛〉 째다. 찢다. ¶ 人彘ᄂᆞᆫ 前漢ㅅ 皇后呂氏ㅣ 戚夫人ᄋᆞᆯ 새와 손발 버히고 눈을 앗고 귀ᄧᅵ지고 말몯ᄒᆞᆯ 藥 머기고 뒷간의 드리텨 두고 일후믈 사ᄅᆞᆷ도티라 ᄒᆞ니라≪內訓 Ⅱ:14≫. 「首≫.

뼘 명 〈옛〉 점. ¶ ᄃᆞᆰ기 개ᄧᅧᆷ의 오려 點心 날 시기소≪古時調 金光煜 崔行

뼝그다 자 〈옛〉 주름지다. 주름잡히다. ¶ ᄧᅵᆼ긘 담에 ᄧᅵᆼ긘 니블에(皺皺毡皺皺被)≪朴解 上 36≫. 「妄≫楞嚴 Ⅳ:82≫.

ᄧᅡ다¹ 타 〈옛〉 짜다¹❼. ¶ 다ᄉᆞᆺ 골비 보논 覺이 妄ᄋᆞᆯ ᄧᅡ(五疊이 織見覺之

ᄧᅡ다² 타 〈옛〉 짜다¹❸. ¶ ᄯᅩ 기름 ᄧᅡᄂᆞᆫ 狹과 말 저울로(亦如壓油狹斗秤)≪妙蓮 Ⅶ:119≫. 「Ⅲ:28≫.

ᄧᅡ다³ 형 〈옛〉 짜다². ¶ ᄒᆞ다가 ᄧᅡᆫ 마시 ᄃᆞ외욤딘댄(若作鹹味ㄴ댄)≪楞嚴

ᄧᅳᆫ히 부 〈옛〉 간절히. ¶ ᄉᆞ지 ᄧᅳᆫ히 뵈샷다(猶切示之)≪妙蓮 Ⅵ:81≫.

ᄧᅳᆫᄒᆞᆫ 형 〈옛〉 간절한. ¶ ᄧᅳᆫᄒᆞᆫ ᄆᆞᅀᆞᆷ으로 工夫 일우믈(切心做工夫)≪龜鑑

ᄢᅵ다 타 〈옛〉 째다. 찢다. ¶ 깁 ᄢᅵᄂᆞᆫ 소리≪內訓 序 4≫. ㄴ上 13≫.

ᄢᅵ야디다 자 〈옛〉 째어지다. ¶ 道術이 ᄢᅵ야디여(道術旣裂)≪楞嚴 Ⅰ:2≫.

ᄢᅵ이다 사동 〈옛〉 짜게 하다. ¶ 그럴ᄉᆡ ᄢᅵ여 너를 뵈노니(故織而示汝)≪內訓 下 Ⅱ:52≫.

ᄢᅵ티다 타 〈옛〉 째다. 째뜨리다. ¶ 그 ᄢᅧ 降히요리라ᄒᆞ야 다리를 것티고 입모ᄉᆞᆯ 귀예 다돋게 ᄢᅵ티니≪三綱 忠臣 26≫. *-티다.

ᄣᅡ¹ 타 〈옛〉 타. 타서. 'ᄣᅡ다'의 활용형. ¶ 화ᄅᆞᆯ ᄣᅡ 狖와 鼯와ᄅᆞᆯ 디요라(抨弓落狖鼯)≪重杜諺 Ⅱ:4≫. 「析)≪南明 上 15≫.

ᄣᅡ² 타 〈옛〉 타. 쪼개서. 'ᄣᅡ다'의 활용형. ¶ 모로매 ᄣᅡ 골히 요리니(須剖

ᄣᅡ³ 타 〈옛〉 타. 타서. 'ᄣᅡ다'의 활용형. ¶ ᄉᆞ과ᄅᆞᆯ 달혀셔 사당 ᄣᅡ머기라≪諺簡 13:宣祖諺簡≫.

ᄣᅡ내다 타 〈옛〉 타다⁵. 가르다. 쪼개다. ¶ 내 能히 심통과 피ᄅᆞᆯ ᄣᅡ 내야 마시며 딕먹게 ᄒᆞ야 외로온 시르믈 慰勞호리라(我能剖心血飮啄慰孤愁)≪杜諺 XⅦ:1≫.

ᄣᅡ헤티다 타 〈옛〉 타 헤치다. 해부(解剖)하다. ¶ 그 ᄃᆞᆰ을 ᄣᅡ헤텨 가ᄉᆞᆷ애 다텨 듯다가(此鷄以搨心下)≪救簡 Ⅰ:66≫.

ᄣᅥ디다 자 〈옛〉 터지다. ¶ ᄣᅥ디며 믈우믄(綻折爛壞)≪楞嚴 Ⅷ:102≫.

ᄣᅥᆨ 부 〈옛〉 턱. 탁. ¶ 모로미 이 一念을 ᄣᅥᆨ ᄒᆞᆫ번 헤텨 사(須得這一念爆地一破)≪龜鑑 上 15≫. 「Ⅲ:13≫.

ᄩᅩᆷ 타 〈옛〉 탐. 'ᄩᅳ다'의 명사형. ¶ 거믄고 ᄩᅩᄆᆞᆯ 뭇도다(罷彈琴)≪杜諺

ᄩᅱ다 자 〈옛〉 뛰다. ¶ 말와매 두위이져 힌고기 ᄩᅱ놋다(飜藻白魚跳)≪杜諺 XXⅤ:19≫. 「杜諺 XⅦ:13≫.

ᄩᅱ여나다 자 〈옛〉 뛰어나다. ¶ 시러곰 ᄩᅱ여나디 몯게 ᄒᆞ라(不得擲)≪初

ᄩᅱ여디다 사동 〈옛〉 뛰어나게 하다. ¶ 오ᄂᆞᆯ ᄯᅩ 돌여 瞿塘ㅅ 돌ᄒᆞ로 믈바래 다텨 ᄩᅱ여디게 ᄒᆞᆯ 시라≪重杜諺 Ⅲ:52≫.

ᄩᅱ우다 사동 〈옛〉 뛰어오르게 하다. 솟아오르게 하다. ¶ 현번 ᄩᅱ운ᄃᆞᆯ ᄂᆞ미 오ᄅᆞ리잇가(雖百騰奮誰得能陟)≪龍歌 48章≫. 「243≫.

ᄠᅳ다 자 〈옛〉 트다¹❸. ¶ 바리 ᄠᅳ디 아니케 ᄒᆞᄂᆞ니(使足不龜)≪妙蓮 Ⅱ:

ᄩᅳᆮ다 타 〈옛〉 뜯다. ¶ 가ᄉᆞᆷ 두드리며 ᄆᆞ장 우러 손ᄋᆞ로 머리 ᄩᅳᆮ고 다시곰 것ᄆᆞᄅᆞ 주거 ᄒᆞ오사 믌ᄀᆞ새 잇다니≪月釋 X:24≫.

ᄩᅳᆺ다 타 〈옛〉 뜯다. 타다. =ᄩᅳ다. ¶ 줄품뉴 ᄩᅳᆺ고(彈絃子)≪老乞 下 49≫.

ᄩᅳᆷ 명 〈옛〉 틈. ¶ 蕭然히 暴露ᄒᆞ야 묏 ᄣᅳᆷ에 브터 이쇼ᄆᆞᆯ 슬노라(蕭然暴露依山阿)≪重杜諺 Ⅶ:28≫.

ᄩᅳ다 타 〈옛〉 ①타다⁶. ¶ 가락 ᄩᅳ며 눈섭 펴며(彈指揚眉)≪金三 Ⅱ:11≫/ᄩᅳᆯ 탄(彈)≪字會 中 17≫. ②쪼개다. 타다. ¶ 도적이 전져내여 비ᄅᆞᆯ ᄩᅳ니라(賊拯出刳腹)≪東國新續三綱 烈女圖 Ⅳ:12≫. ③타다³. ¶ 쓸흔 믈과 ᄎᆞᆫ믈 ᄩᅳ니(生熟湯)≪湯液≫.

바¹ 명 ↗참바. 「음. 파(fa).

바² 명 〔F〕〖악〗 음명(音名)의 하나. '다' 음(音)으로부터 완전 4도 위의

바:³ 〔bar〕 명 ①몽둥이. 막대기. 빗장. 문빗장. ②높이뛰기나 평행봉에 쓰는 횡목(橫木). ③발레 연습 때 붙잡는 가로대. ④〖악〗 세로줄. ⑤여급을 두고 서양식으로 차린 술집. 카페.

바⁴ 의명 다른 말 아래에 와서, '방법 또는 '일'이란 뜻으로 쓰이는 말. ¶ 우리의 할 ~/어찌할 ~를 모르다/네가 알 ~가 아니다/진술한 ~와 같다.

바:⁵ 〔bar〕 의명 〖물〗 압력의 세기의 절대 단위. 1 cm²에 대하여 100만 다인(dyne)의 힘이 작용할 때의 압력.

바⁶ 〔var〕 의명 〖전〗 무효 전력의 MKSA 단위. 볼트 암페어.

바가바 【婆伽婆】 명 〖불교〗 박가범(薄伽梵).

바가바드기타 〔범 Bhagavadgītā〕 명 〔신의 노래란 뜻〕 종교 철학시(宗敎哲學詩). 원전(原典)은 기원전 2세기경에 이룩된 것으로, 인도의 대(大)서사시 '마하바라다(Mahābhārata)'의 제 6권 25-45장(章)에 편입되어 있음. 700송(頌)으로 되어 있고, 골육 상쟁(骨肉相爭)에 회의를 갖는 왕자 아르주나(Arjuna)를 격려하여 최고신(最高神)의 권화(權化)라고 하는 크리슈나(Kṛṣṇa)가 지은 우주 철리(哲理)의 해설. 힌두교의 최고 성전(聖典)임.

바가이 명 〈방〉 바가지(경북).

바가지 명 〔←박+-아지〕 물을 푸거나 물건을 담는 그릇. 박을 둘로 쪼개어 씨통을 파내고 삶아서 말린 것과 나무를 파서 만든 것 또는 플라스틱으로 만든 것이 있음. 표호(瓢壺). ㊀박. *열바가지.

바가지(를) 긁다 구 ㉠옛날, 쥐통이 돌아다닐 때 귀신을 쫓는다 하여 바가지를 득득 문지르면 소리라는 뜻이니, 남의 잘못을 나무라는 것을 가리키는 말. ㉡잔소리를 심하게 하다. 흔히, 아내가 남편에 대하여 할 때 이르는 말. 「다.

바가지(를) 쓰다 구 바가지 씌움을 당하다. ¶ 술집에서 되게 바가지 썼

바가지(를) 씌우다 구 터무니없는 요금이나 값을 요구하다. ¶ 손님에

바가지(를) 차다 구 쪽박 차다. ㄴ게 ~.

바가지 공예 【—工藝】 명 바가지 겉면에 조각도로 조각을 하고, 물감을 칠하거나 인두로 지지기도 하는 공예.

바가지 요:금 【—料金】 명 터무니없이 비싼 요금. ¶ ~을 단속하다.

바가지-탈 명 바가지로 만든 탈.

바가찌 명 〈방〉 바가지(강원).

바가치 명 〈방〉 ①바가지(전라·경상·충청·강원). ②바지랑대(경상).

바가텔 〔프 bagatelle〕 명 〖악〗 〔하찮은 것이라는 뜻〕 짧은 기악(器樂)의 소곡(小曲). 베토벤의 ≪피아노 소곡집≫ 같은 것에서 볼 수 있음.

바각 부 마른 호두 등과 같이 작고 단단한 물건이 맞닿아 나는 소리. ㅆ빠각. <버걱. ——하다 자타 여불

바각-거리다 자타 바각 소리가 계속하여 나다. 또, 바각 소리를 계속하여 내다. ㅆ빠각거리다. <버걱거리다. **바각-바각** 부. ——하다 자타 ㄴ여불

바각-대다 자타 바각거리다.

바:개미 명 〈방〉 바구미(전라·경상).

바:거리 명 〈방〉 바구니(전북·경북).

바:거미 명 〈방〉 바구미(경북).

바:-걸 〔bar girl〕 명 바에서 손님을 접대하는 여급. 호스테스.

바:게미 명 〈방〉 바구미(강원·충남·전라·경상).

바게트 〔프 baguette〕 명 막대기 모양의 길다란 프랑스 빵.

바겐 세일 〔bargain sale〕 명 ①백화점 등에서 일정 기간을 정해 그 기간에만 기존(旣存) 상품의 가격을 할인하여 파는 일. ②특매(特賣).

바고니 명 〈옛〉 바구니. ¶ 바고니 단(簞)≪字會 中 11≫.

바곳¹ 명 〖공〗 옆에 자루가 달린 길쭉한 송곳.

〈바곳¹〉

바곳² 명 〖식〗 ①성탄꽃과에 속하는 각시바곳·개싹눈바곳·선바곳·참줄바곳·이삭바곳 등의 총칭. 쌍란국(雙蘭菊). 오두(烏頭). 원앙국(鴛鴦菊). 초오(草烏). 투구꽃. 바꽃. ②[*Aconitum japonicum*] 성탄꽃과에 속하는 다년초. 뿌리는 비대하고 줄기 높이는 30-120 cm, 잎은 호생(互生) 유병(有柄)이고 장상(掌狀)을 이루며 5-7개로 갈라지고 불규칙한 톱니가 있음. 9월에 청자색 꽃이 복총상(複總狀) 화서로 줄기 끝이나 상부 엽액에 핌. 악편(萼片)은 다섯 개가 화판상(花瓣狀)이고 위의 한 개는 투구 모양으로 크게 뻗는데, 그 안에는 밀선(蜜腺)으로 퇴화한 두 개의 꽃부리가 있으며 골돌과(蓇葖果)를 맺음. 산지에 나는데 북반구(北半球)의 온대에 분포함. 뿌리는 유독(有毒)하여 위험하며, 한방(韓方)에서 말린 괴근(塊根)을 '오두(烏頭)' 또는 '부자(附子)', 곁에 달린 것은 '측자(側子)', 맨 가에 대추씨같이 잘게 달린 것은 '누람자(漏藍子)'라 하고, 단 한 개로만 된 괴근은 '천웅(天雄)'이라 하여 약재로 씀. ③[*Aconitum chinense*] 성탄꽃과에 속하는 다년초의 하나. 중국·한국·만주의 특산종으로, 꽃이 아름다워 관상용·약재로 재배함. ㄴ*노랑투구꽃.

〈바곳²❷〉

바구 명 〈방〉 바위(전라·경상).

바구니 명 〔중세 : 바고니〕 대나 싸리 등으로 둥글고 속이 깊게 결어 만든 그릇. ¶ 시장 ~ / 대~에 담다.

바구니-짜리 명 장바구니를 끼고 반찬거리 같은 것을 사러 다니는 부녀자를 놓으로 이르는 말.

바구레 명 〈옛〉 바구니. ¶ 바구레(籠頭)≪老乞 下 27≫.

바구리 명 〈방〉 바구니(경상·전라·충남·제주).

바구미¹ 명 〈방〉 바구니(강원·충북·경상).

바:구미² 명 〖충〗 ①바구밋과에 속하는 곤충의 총칭. ②[*Sitophilus oryzae*] 바구밋과에 속하는 곤충의 하나. 몸길이는 2.3-3.5 mm이고 긴 타원형이며 몸빛은 광택 있는 적갈색 내지 흑갈색인데, 각 시초(翅鞘)의 어깨와 시단(翅端) 부근은 황색이며 긴 주둥이는 가운데 양쪽으로 촉각이 있음. 초승달 모양의 유충은 젖빛이고 두부만이 황갈색임. 쌀·보리 등의 저장 곡물(貯藏穀物)의 해충으

〈바구미²❷〉

로 세계 각지에 분포함. 강미(強蚌). 고시(蛄簁).

바:구밋-과【一科】 명〖충〗〔Curculionidae〕 딱정벌레목(目)에 속하는 곤충의 한 과. 두부(頭部)에는 비돌기(鼻突起)가 있고 촉각은 10-12절이며, 성충과 유충이 모두 초식성(草食性)으로 뿌리·줄기·과실 또는 쌀·보리·건빵 등을 먹음. 쿨쿨이바구미·바구미·벼바구미·벼배바구미·버들바구미·콩바구미 등이 있음. 전세계에 40,000여 종이 분포함. ⌊코끼리벌렛과.

바구-옷 명〈방〉 이끼[1](전남·경남).

바구이 명〈방〉 바구니(경북).

바군지 명〈방〉 바구니(경남).

바굴레 명〈옛〉 바구니. ¶ 바굴레(籠頭)≪朴解 中 11≫.

바굼치 명〈방〉 바구니(강원·경남).

바궁지 명〈방〉 바구니(경남).

바:귀미 명〈방〉〖충〗 바구미(전북·경북).

바그너[1]〔Wagner, Adolf Heinrich Gotthilf〕 명〖사람〗 독일의 경제학자. 신(新)역사학파를 대표하며, 사회 정책학회의 간부로서 정통 학파(正統學派)의 자유 방임주의(自由放任主義)를 배격함과 동시에 마르크스 등의 과학적 정칙(定則)도 배척하고, 강단 사회주의(講壇社會主義)를 제창하였음. ≪재정학≫·≪사회주의≫·≪사회 민주주의≫·≪강단 및 국가 사회주의≫ 등을 지었음. [1835-1917]

바그너[2]〔Wagner, Otto〕 명〖사람〗 오스트리아의 건축가. 기능주의(機能主義) 건축을 창시하여 필요에 의한 예술, 곧 '실용 양식(實用樣式)'의 실현을 주장하였으며, 건축 장식에도 새 길을 열었음. [1841-1918]

바그너[3]〔Wagner〕 명〖사람〗 ①〔Wilhelm Richard W.〕 독일의 가극 작곡가. 베토벤·베버(Weber) 등의 영향을 받고 종래의 가극에 대해 음악·시가·연극 등의 종합에 힘써 장대한 악극을 많이 썼음. ≪탄호이저(Tannhauser)≫·≪파르시팔(Parsifal)≫ 등의 작품이 있음. [1813-83] ②〔Wolfgang W.〕 독일의 오페라 연출가. ❶의 손자. 바이로이트 음악제에서 오페라 연출가로 활약함. 여러 가지 실험적 시도를 도입하여 바그너 오페라의 혁신을 꾀함. [1919-]

바그너 폰 야우레크〔Wagner von Jauregg, Julius〕 명〖사람〗 오스트리아의 정신 신경병(精神神經病) 학자. 1917년 조발성 치매(早發性癡呆)에 대한 말라리아 접종(malaria接種)의 치료 효과를 발견하여, 1927년에 노벨 생리 의학상을 받았음. [1857-1940]

바그다드〔Baghdad〕 명〖지〗 이라크 공화국의 수도. 티그리스 강의 좌안에 있으며 서부 아시아 대상 무역(隊商貿易)의 대중심지임. 762년에 사라센 제국의 확대와 더불어 대도시로 발전하였으나, 13세기에는 몽고군, 15세기에는 티무르군(Timur軍)에 파괴됨. 1921년 이라크 왕국의 수도로 된 후, 근대적인 신시가(新市街)로 발달함. 밀·양모·피혁의 집산지이며 모직물 공업이 성(盛)하고, 많은 이슬람교의 모스크가 있음. [3,840,000 명(1995)]

바그다드 조약【一條約】〔Baghdad〕 명 1955년 터키와 이라크 사이에 체결된 상호 방위 조약. 뒤에 영국·파키스탄·이란이 참가하였음. 영국을 핵심으로 하는 중근동(中近東)에 있어서의 반공(反共) 방위 조약임. 메토(METO). ⌈기구(機構).

바그다드 조약 기구【一條約機構】〔Baghdad〕 명〖역〗 중동(中東) 조약

바그다드 철도【一鐵道】〔Baghdad〕〔一또〕 명 터키의 코니아에서 바그다드를 거쳐 페르시아 만(灣)에 이르는 철도. 19세기말 독일의 근동 정책(近東政策)의 기축으로 터키 정부에게 독일의 자본으로 건설됨.

바그르르 부 적은 물이나 거품 같은 것이 넓게 퍼지면서 일어나거나 끓어오르는 소리. 또, 그 모양. ¶ 고기 찌개가 ~ 끓는다. 쓰빠그르르. <버그르르·부그르르. *보그르르. ——-하다 자 여불

바그리 명〈방〉〖충〗 바구미(경남).

바:그미 명〈방〉 ①바구니. ②바구미[2].

바그 석굴【一石窟】〔Bāgh〕 명 인도 마디아 프라데시 주(Madhya Pradesh州) 인도르 시(Indore市)의 남동(南東)쪽에 있는 7세기경의 석굴. 불교의 승원굴(僧院窟)로, 벽화는 아잔타(Ajanta)석굴에 필적(匹敵)함.

바글-거리다 자 ①적은 물이나 거품 등이 넓게 퍼지며 자꾸 일어나거나 야단스럽게 끓어 오르다. 쓰빠글거리다. ②사람·짐승·벌레 같은 것이 한 곳에 많이 모여 움직이다. ¶ 구더기가 ~. ③마음이 썩어 속이 타다. 1)-3): <버글거리다. *보글거리다·부글거리다. **바글-바글** 부. ¶ 된장 찌개가 ~ 끓다. ——-하다 자 여불

바글-대다 자 바글거리다.

바기나〔라 vagina〕 명〖생〗 질(膣).

바기미[1] 명〈방〉 바구니(경북).

바:기미[2] 명〈방〉〖충〗 바구미[2](강원·충북·전북·경상).

바기오〔Baguio〕 명〖지〗 필리핀 북부 벵게트주(Benguet州) 남부에 있는 도시. 표고 약 1,370m의 고원에 있는 피서지로, 미국령(領) 시대에는 여름철 수도(首都)였음. 부근에 금·은의 광상(鑛床)이 있음. 148,555 명(1988)

바깥 명〔중세 : 밧겿. *밝〕 문(門) 밖이 되는 곳. 밖으로 향한 쪽. 한데. ¶ ~ 공기가 차다. 준밖. ↔안[1].

바깥-날 명 방안 같은 데서 바깥 한데의 추위나 더위의 기운을 일컫는 ⌊말.

바깥-뜰 명 집 바깥쪽에 있는 뜰. ↔안뜰.

바깥 마당 명 집 바깥쪽에 있는 마당. ↔안마당.

바깥-목【一目】 명〖건〗 기둥 같은 것의 바깥쪽.

바깥-문【一門】 명 ①대문 밖에 또 있는 문. ②겹문의 바깥쪽에 달린 문. 외문(外門). 1)·2):↔안문.

바깥 바람 명 바깥에 나다니며 쐬는 바람. ¶ ~을 쐬다.

바깥 반상【一盤床】 명〖역〗 임금에게 올리는 수라상. ↔안반상.

바깥-방【一房】 명 바깥채에 딸린 방. ↔안방.

바깥-벽【一壁】 명〖건〗 바깥쪽의 벽. 벽이 여러 겹 있을 적의 바깥쪽에 있는 벽. 준밭벽. ↔안벽.

바깥 부모【一父母】 명 늘 밖의 일을 보는 부모라는 뜻에서, 아버지를 일컫는 말: 바깥 어버이. 밭어버이. 준밭부모. ↔안부모.

바깥 사돈【一查頓】 명 딸의 시아버지나 며느리의 친정 아버지와 같은 남자 사돈을 일컫는 말. 준밭사돈. ↔안사돈.

바깥 상제【一喪制】 명 남자 상제. 준밭상제. ↔안상제.

바깥-소리 명〔outer voice〕〖악〗 다성(多聲) 악곡에서의 최고와 최저의 성부(聲部). 혼성 사부에서는 소프라노와 베이스임. 외성(外聲). ↔안소리.

바깥 소:문【一所聞】 명 ①밖에 떠도는 소문. ②어떤 범위 밖의 소문. 외문(外聞).

바깥 소식【一消息】 명 어떤 범위 밖의 소식. 자기가 있는 곳 밖의 소식. ¶ ~이 궁금하다.

바깥 손님 명 남자 손님. ↔안손님.

바깥 식구【一食口】 명 한 집안의 남자 식구. ↔안식구❶.

바깥 심:부름 명 바깥 일에 관한 심부름. 흔히 남자들이 함. ↔안심부름. ——-하다 자 여불

바깥-애〔-깓-〕 명 여자 하인이 자기 남편을 웃어른에게 일컫거나 또는 웃어른이 그 하인에게 그 남편을 일컫는 말.

바깥 양:반【一兩班】〔-냥-〕 명 그 집의 남자 주인. 또, 남편을 일컫는 말. 바깥 주인. ↔안양반. *사랑 양반.

바깥 어:른〔-깓-〕 명 '바깥 주인'의 높임말.

바깥 어버이〔-깓-〕 명 바깥 부모. 준밭어버이. ↔안어버이❶.

바깥-옷〔-깓-〕 명 바깥 식구들의 옷. 남자들의 옷. ↔안옷.

바깥-일〔-닐〕 명 가정 밖에서 보는 일. 주로 남자들이 보는 일. ↔안일[1].

바깥 주인【一主人】 명 남자 주인. 바깥 양반. 준밭주인. ↔안주인.

바깥-지름 명〖수〗 관(管)이나 공 따위의 바깥쪽으로 잰 지름. 외경(外徑). ↔안지름.

바깥-짝 명 ①어떠한 표준 거리에서 더 가는 지점. ¶ 십리 ~에 나갈 수 없다. ②〖언〗 글의 한 구에서 뒤에 있는 짝. ③바깥쪽. 1)·2):↔안짝.

바깥-쪽 명 바깥으로 드러난 쪽. 물건들의 거죽이 되는 부분. 바깥짝. 준밭쪽. ↔안쪽.

바깥-차비【一差備】 명〖불교〗 그 절의 법주(法主)의 초청을 받아 그 절에 가서 전문적으로 범패(梵唄)를 부르는 승려. ↔안차비.

바깥차비 소리【一差備一】 명〖불교〗 바깥차비가 부르는 범패(梵唄). ↔안차비 소리.

바깥-채 명 그 집의 주장이 되는 안채의 바깥쪽에 있는 채. ↔안채.

바깥 출입【一出入】 명 바깥에 나다니는 일. ¶ ~을 삼가다.

바깥 치수【一數】 명〖건〗 바깥목의 길이. ↔안치수.

바깨미 명〈방〉 소꿉장난(전라).

바께쓰 명〔bucket의 전와(轉訛)〕 양동이.

바곁 명〈방〉 바깥.

바꼬다 타〈방〉 바꾸다.

바꼼-새기 명〈방〉 소꿉장난(전북).

바꽃 명〖식〗 바곳[2]❶.

바꾸 명〈방〉 바퀴[1](강원·전라·경상).

바꾸각-질 명〈방〉 바꿈질(함경). ——-하다 자타

바꾸다 타〔중세 : 밧고다〕 ①서로 교환하다. ¶ 쌀과 콩을 ~. ②전과 다른 상태로 하다. 변화시키다. ¶ 황무지를 옥토로 ~. ③갑을 을로 대신하다. 변경하다. ¶ 자리를 ~/계획을 ~. ④피륙을 사다. ¶ 광목 한 필을 바꾸어서 이불을 만들다.

바꿔 말:하다 구 다른 말로 바꾸어서 말하다. 말을 바꾸어서 설명하다. 환언하다. ¶ 바꿔 말하면 이런 얘기지.

바꾸매기 명〈방〉 소꿉장난(전북).

바꾸어-타기 명〖경〗 증권 거래에서, 소유하고 있는 종목을 처분하고 유망주(有望株)라고 생각되는 다른 종목을 매입하는 일.

바꾸이다 피동 바꾸어지다. 준바뀌다.

바꿈-살이 명〈방〉 소꿉질(전라·충남).

바꿈-새기 명〈방〉 소꿉장난(전라).

바꿈-질 명 ①물건과 물건을 바꾸는 짓. ②피륙을 사는 일. ③〈방〉 소꿉질. ——-하다 자타 여불

바꿈치 명〈방〉 발뒤꿈치(경북).

바꿔-지남음【一音】 명〖악〗〔changing note〕 화음(和音)에 속하는 어느 음의 2도(度) 이상 또는 아래의 화음 이외의 음이 강박부(強拍部)에 나타난 경우의 그 음. 전과음(轉過音).

바꿔-치다 타 남에게 눈치채이지 않게 다른 것으로 바꾸다.

바뀌다 피동 ↗바꾸이다. ¶ 해가 ~/장관이 ~.

바끄러움 명 바끄러워하는 마음. 준바끄럼. <부끄러움.

바끄러-이 부 바끄럽게. <부끄러이.

바끄럼 명 ↗바끄러움. <부끄럼.

바끄럼(을) 타다 구 바끄러움을 유달리 쉬 느끼다. 바끄러운 마음을 잘 가지다. <부끄럼(을) 타다.

바끄럼-성【一性】〔-썽〕 명 바끄러워하는 성질. <부끄럼성.

바끄럼성-스럽다【一性一】〔-썽-〕 형 ㅂ불 바끄럼을 타는 성질이 있는 듯하다. <부끄럼성스럽다. **바끄럼성-스레【一性一】**〔-썽-〕 부

바끄럽다 형 ㅂ불 ①양심에 거리낌이 있어 남을 대할 면목이 없다. ②스스러움을 느껴 수줍다. 1)·2):<부끄럽다.

바끔-살이 명〈방〉 소꿉놀이(전북).

바끔-새기 명〈방〉 소꿉질(전라).

바끼 명〈방〉 바퀴[1](경상).

바나나 〔banana〕 명 〖식〗 [*Musa sapientum*] 파초과(芭蕉科)에 속하는 다년초. 파초와 비슷한데 땅속의 구경(球莖)에서 죽순(竹筍) 모양의 싹이 나와 긴 타원형의 녹색 잎이 길이 2-3m로 8-10개가 총생하며 엽초(葉鞘)가 있어 가경(假莖)을 형성하여 높이 1-4m가량 됨. 초여름에 담황색의 꽃이 수상화서로 피는데 포엽(苞葉)이 받치고 있음. 과실은 자방(子房)이 비대하여져서 된 것이고, 익으면 누른 빛이 되며 긴 타원형임. 길이가 15cm, 직경이 3cm 가량에 씨가 없고 냄새와 맛이 좋을 뿐 아니라 자양분이 많음. 인도(印度)가 원산(原產)으로, 열대·아열대 지방에서 과수(果樹)로 재배함. 감초(甘蕉). 파초실.

〈바나나〉

바나나-킥 〔banana+kick〕 명 축구에서, 공이 바나나처럼 휘어서 날아가도록 차는 일. 휘어차기.

바나듐 〔vanadium〕 명 〖화〗 희유(稀有) 원소의 하나. 천연으로 널리 존재하나, 특히 바나듐석(石)으로서 철광(鐵鑛) 속에 포함되어 있음. 회색의 단단한 내산성(耐酸性) 있는 금속임. 오산화(五酸化) 바나듐은 촉매(觸媒)로서 알려짐. 바나딘. [23번:V:50.95]

바나듐-강 【一鋼】 〔vanadium〕 명 〔vanadium steel〕 〖화〗 탄소강(炭素鋼)에 바나듐을 첨가시켜 물리적(物理的)·기계적(機械的) 성질을 개선한 특수강. 경도(硬度)·전성(展性)·항장력(抗張力)이 큼. 다른 합금과 합하여 공구강(工具鋼)·고급 구조용(高級構造用) 특수강 등으로 쓰임. 바나딘강(Vanadin 鋼).

바나듐산 무수물 【一酸無水物】 〔vanadium〕 명 〖화〗 오산화(五酸化) 바나듐의 통칭. 무수 바나듐산.

바나듐 운모 【一雲母】 〔vanadium〕 명 〔roscoelite〕 〖광〗 바나듐을 함유(含有)하고 있는 운모의 일종. 운모와 같은 구조를 갖는 잔 비늘 조각으로서 바나듐의 원료 광물의 하나임. 경도 2.5, 비중 2.92-2.94. $[K(V, Al, Mg)_3Si_3O_{10}(OH)_2]$

바나딘 〔도 Vanadin〕 명 〖화〗 바나듐(vanadium).

바나딘-강 【一鋼】 〔도 Vanadin〕 명 〖화〗 바나듐 강(鋼).

바나바 〔Barnabas〕 명 〖성〗 〔'위로(慰勞)의 아들'이란 뜻〕 구브로에서 순교한 요셉의 이명.

바나트 〔Banat〕 명 〖지〗 루마니아의 서부와 유고슬라비아 동북부에 걸친 지방. 무레시 강(Muresh 江)과 다뉴브 강(江) 사이에 있어, 서부는 비옥한 평야, 동부는 산지(山地)임. 산지에서는 석탄·철광·망간 등을 산출하며 야금(冶金)·기계 공업 등이 성함. [21,795km²]

바나흐 〔Banach, Stefan〕 명 〖사람〗 폴란드의 수학자. 독학으로 수학을 연구하였으며 '바나흐 공간(空間)'의 발견자로서 현대 해석학의 기초를 세웠음. [1892-1945]

바나흐-공간 【一空間】 명 〔Banach space〕 〖수〗 벡터의 크기의 개념을 확장한 놈(norm)을 통하여 거리(距離)를 도입한 선형 위상 공간(線形位相空間). 해석학에 있어서의 기본적인 문제를 무한 차원의 함수 공간에서의 사상(寫像)의 문제로서, 위상적·대수적 방법으로 다루기 위해 바나흐가 도입하였음.

바냐-루카 〔Banja Luka〕 명 〖지〗 보스니아헤르체고비나의 도시. 대공업 지대가 건설되어 제철·기계·직물·목재 가공 등의 공업이 성함. 고대 로마 시대의 요새였음. [123,937명(1981)]

바냐 아저씨 명 〔Uncle Vanya〕 〖책〗 체호프(Chekhov)가 지은 희곡. 19세기말의 러시아의 암울(暗鬱)한 시대상(時代相)을 배경으로 하여 이상을 잃은 인텔리 바냐를 중심으로 어느 지방의 장원(莊園)에서 벌어진 일을 그린 작품으로 전4막으로 됨. 1897년 간행.

바냐위다 형 반지랍고도 아주 인색하다.

바:너드 〔Barnard, Edward Emerson〕 명 〖사람〗 미국의 천문학자. 거의 독학으로 천문학을 연구한 후에 시카고 대학 천문학 교수가 됨. 천체를 촬영하여 은하역(銀河域)을 연구하였음. 또, 16개의 혜성(彗星), 목성(木星)의 제5 위성 및 바너드성(星)을 발견함. [1857-1923]

바:너드-성 【一星】 〔Barnard〕 명 〖천〗 뱀주인자리에 있는 항성(恒星)으로, 1916년 미국의 천문학자 E.E. 바너드가 발견하였음. 실시 등급(實視等級) 9.54등의 미광성(微光星)임. 고유 운동(固有運動)이 항성중 최대(最大)로서 1년에 10.3″을 나타내며, 거리는 6.0광년(光年)임.

바널 명 〈방〉 바늘(경상).

바넬 〔Vanel, Charles〕 명 〖사람〗 프랑스의 배우. 성격이 강렬한 현대 프랑스의 원로급 배우로, 무성 영화 시대 이래 여러 작품에 출연하였고 《공포의 보수》로 칸 연기상(Canne 演技賞)을 받았음. [1892-89]

바농 명 〈방〉 바늘(제주).

바누아레부 섬 〔Vanua Levu〕 명 〖지〗 남태평양에 있는 피지 제도(Fiji 諸島) 제2의 큰 섬. 화산섬임. [5,535km² : 약 60,000명]

바누아투 〔Vanuatu〕 명 〖지〗 오세아니아 주 남태평양상에 위치한 공화국. 1906년 이래 영·불(英佛) 양국에 의하여 공동 통치되어 오던 뉴헤브리디스 제도(New Hebrides 諸島) 중 11개의 섬으로 구성됨. 1980년에 독립. 원주민은 멜라네시아계(Melanesia 系). 주산물(主產物)은 코프라·코코아·커피 등. 정식 명칭은 바누아투 공화국(Republic of Vanuatu). 수도(首都)는 빌라(Vila). *뉴헤브리디스 제도. [12,189km² : 150,000명(1991 추계)]

바누-질 명 〈방〉 바느질.

바누질-광바 〔一광一〕 명 〈방〉 반짇고리(평안).

바누질-패이 명 〈방〉 반짇고리(함경).

바눌 명 〈방〉 ①바늘. ②바다.

바느-질 명 〔←바늘+질〕 바늘로 옷을 짓거나 꿰매는 일. 침선(針線). ¶~ 솜씨가 좋다. ——**하다** 자타 여불

바느질-값 〔一깝〕 명 바느질삯. 침공(針工).

바느질-고리 〔一꼬一〕 명 →반짇고리.

바느질-그릇 〔一끄一〕 명 〈방〉 반짇고리(평안).

바느질-노래 〔一로一〕 명 〖악〗 바느질을 하면서 부르는 여성의 민요.

바느질-당서기 〔一땅一〕 명 〈방〉 반짇고리(경상).

바느질-삯 〔一싹〕 명 바느질에 대한 공전. 바느질값. 침공(針工).

바느질-자 〔一짜〕 명 바느질에 쓰는 자. 침척. 포백척(布帛尺).

바느질치-부 【一黹部】 명 한자 부수(部首)의 하나. '黻'이나 '黼' 등의 '黹'의 이름.

바느질-품 명 바느질로 생계를 삼는 품팔이.

바늘 명 ①바느질을 하는 데 쓰는, 가늘고 끝이 뾰족하며 머리에 실을 꿰는 구멍이 있는 길쭉한 쇠. 봉침(縫針). ②바늘 모양으로 만든 크고 작은 물건의 총칭. 돗바늘·가마니 바늘·망 뜨는 바늘·재봉틀 바늘·구두 바늘·뜨게 바늘 등. 침자(針子). ③시계·저울 따위에서, 눈금을 가리키는 뾰족한 물건. ¶ 시계 ~이 정오를 가리키다.
[바늘 가는 데 실이 간다] 서로 밀접한 관계가 있는 것 끼리는 떨어지지 아니하고 항상 따른다는 뜻. [바늘 끝에 알을 울려 놓지 못한다] 쉬울 듯하나 되지 않을 일이라 할 때 이르는 말. [바늘 넣고 도끼 낚는다] 적은 자본으로 큰 이(利)를 꾀함을 이르는 말. [바늘 도둑이 소도둑 된다] 아주 작은 도둑이 자라서 큰 도둑이 된다는 뜻. [바늘로 몽둥이 막는다] 당해 낼 수 없는 힘으로써 막으려 한다는 말. [바늘로 찔러도 피 한 방울 안 나다] 냉혹한 구두쇠를 이르는 말. [바늘보다 실이 굵다] 사리에 어긋난다는 말. [바늘 뼈에 두부 살] 바늘과 같이 가는 뼈에 두부같이 힘없는 살이란 뜻으로, 몸이 몹시 연약한 사람을 가리키는 말.

바늘-겨레 명 바늘을 꽂아 두는 작은 물건. 속에다 솜이나 머리털 같은 것을 넣고 헝겊 조각을 씌워 만듦. 바늘 방석.

바늘-골 명 〖식〗 [*Eleocharis japonica*] 방동사닛과에 속하는 일년초. 높이 18cm가량, 수근(鬚根)은 총생(叢生)하고 줄기가 원주형이며 잎은 없음. 8-9월에 담자갈색 꽃이삭이 줄기 끝에 단립(單立)하여 달걀꼴 또는 긴 타원형으로 피고, 과실은 수과(瘦果)임. 밭이나 들의 습지 혹은 늪에 나는데, 제주·경남·충북·경기·평북 등지에 분포함. *참바늘골·물바늘골.

바늘 구멍 〔一꾸一〕 명 ①바늘로 뚫은 구멍. ②바늘귀만한 작은 구멍.
[바늘 구멍으로 하늘 보기] 바늘 구멍으로 하늘을 내다보는 것과 같이 소견이 좁아 답답한 사람을 이르는 말. [바늘 구멍으로 황소 바람 들어온다] 추울 때는 작은 구멍으로 들어오는 바람도 차다는 말.

바늘구멍 사진기 【一寫眞機】 〔一꾸一〕 명 〔pinhole camera〕 카메라의 렌즈 대신에 자그마한 구멍을 이용하는 사진기. 핀홀 카메라. 구용어:침공 사진기(針孔寫眞機).

바늘-귀 〔一뀌〕 명 바늘의 위쪽에 뚫린, 실을 꿰는 구멍. 침공(針孔).

바늘-까치밥나무 명 〖식〗 [*Ribes burejense*] 까치밥나뭇과에 속하는 낙엽 활엽의 관목. 줄기에 가시가 많고 잎은 다섯 갈래로 얕게 째지며 앞 뒤에 털이 났음. 봄에 꽃이 한 개씩 액생(腋生)하며 장과(漿果)를 맺는데 가시가 있으며 가을에 검은 빛으로 익음. 깊은 산의 숲 속에 나는데 한국의 북부와 만주·중국·몽고 등지에 분포함. 과실은 식용함.

바늘꼬리-칼새 〔一쌔〕 명 〖조〗 [*Chaetura caudacuta*] 칼샛과에 속하는 새. 날개 길이 20cm 가량이고 꽁지가 바늘 모양으로 뾰족한 것이 특징임. 몸빛은 배면(背面)은 흑색이고 날개에는 하얀 반문(斑紋)이 있으며 아랫부분은 턱·목·하미통(下尾筒)이 백색(白色), 그 외는 담갈색임. 습성이 칼새와 비슷하고 비행 속도가 몹시 빠르며, 흐린 날씨에 많이 하늘에 날아다님. 동부 시베리아·만주·몽고·한국·일본 각지에 서식하고 호주 부근에서 월동함. 바늘꽁지명매기. *칼새.

〈바늘꼬리칼새〉

바늘꽁지-명매기 명 〖조〗 바늘꼬리칼새.

바늘-꽃 명 〖식〗 ①바늘꽃과에 속하는 두메바늘꽃·분홍바늘꽃·돌바늘꽃·구름바늘꽃·큰바늘꽃·넓은잎바늘꽃·여뀌바늘꽃 등의 총칭. ②[*Epilobium pyrrichlophum*] 바늘꽃과에 속하는 다년초. 높이 30-60cm이고 줄기는 옆으로 뻗은 지하경(地下莖)으로부터 곧게 나와 여러 개 갈라지며 잔털이 있음. 잎은 달걀꼴 피침형으로 대생하는데, 무병(無柄)이고 잔 톱니가 있으며 빛은 녹색이나, 여름·가을철에는 홍자색으로 변함. 6-8월에 담홍색의 사판화(四瓣花)가 가지 끝의 엽액(葉腋)에서 나와 피고, 삭과(蒴果)는 네 조각으로 갈라져 흰 관모(冠毛)가 있는 종자를 산포함. 산골짜기의 물가·습지에 나는데, 한국 각지 및 일본에 분포함.

〈바늘꽃②〉

바늘꽃-과 【一科】 명 〖식〗 [Epilobiaceae] 쌍자엽 식물 이판화류에 속하는 한 과. 꽃은 꽃잎과 꽃받침으로 구별되며, 흔히 양성(兩性)임. 화탁(花托)은 관상(管狀)을 이루는데, 꽃잎은 2-4개, 수술은 1-8개임. 전 세계에 500여 종이 분포하고 한국에는 바늘꽃·털이슬·달맞이꽃·마름 등 30여 종이 있음.

바늘-꽃방석게 【一方席一】 명 〖동〗 닭게.

바늘-노래 〔一로一〕 명 〖악〗 바늘을 주제로 하거나, 바늘에 가탁해서 어떠한 심회를 부르는 부녀자들의 민요.

바늘-대 〔一때〕 명 돗자리나 가마니 같은 것을 칠 때, 씨를 날 속으로 들여 지르는 가늘고 길쭉한 막대기.

바늘-두더지 명 〖동〗 [*Tachyglossus aculeatus*] 바늘두더짓과에 속하는 난생(卵生)의 동물. 고슴도치와 비슷한데 크기는 고양이만하며 두동(頭胴)이 42-50cm, 꼬리가 매우 짧고 주둥이는 뾰족하고 길며, 이빨과 혀가 모두 길. 사지(四肢)는 짧으며 오지(五指)가 있고 이개(耳介)는 없음. 몸빛은 암갈색이며 배면(背面)에는 짧고 굵은 털이 혼생(混生)함. 암컷은 번식기에 육아낭(育兒囊)이 복부(腹部)에 생기어 한 개

의 알을 낳아서 품고 부화(孵化) 시키어 젖을 얼마 동안 먹이며 주머니 안에서 기름. 산림·초원·암지(岩地) 따위에 살며, 길고 큰 발톱으로 땅을 잘 파는데, 가늘고 긴 혀로는 개미 등의 곤충을 핥아 먹음. 뉴기니에 분포함. 가시두더지.

〈바늘두더지〉

바늘두더짓-과【一科】 명 〖동〗 [Tachyglossidae] 단공류(單孔類)에 속하는 한 과.

바늘-명아주 명 〖식〗 [*Chenopodium aristatum*] 명아줏과에 속하는 일년초. 줄기는 높이 30cm 내외이고 잎은 호생하며 선형(線形) 또는 선상(線狀) 피침형임. 7-8월에 녹색의 꽃이 액출(腋出)하고 포과(胞果)를 맺음. 산이나 들에 나는데, 강원·함경 등지에 분포함.

바늘-밥 [一빱] 명 바느질할 때, 더 쓸 수 없을 만큼 짧게 된 실동강.

바늘 방석【一方席】 명 ①바늘겨레. ②앉아 있기에 아주 불안스러운 자리를 이르는 말.

【바늘 방석에 앉은 것 같다】 그 자리에 그대로 있기가 매우 불안하여 조마조마함을 비유하는 말.

바늘-사초【一莎草】 명 〖식〗 [*Carex onoei*] 방동사닛과에 속하는 다년초. 줄기는 편편한 삼릉주(三稜柱)로 총생(叢生)하며 높이 30cm 가량임. 잎은 좁은 선형(線形)으로 총생하고 줄기보다 짧거나 혹은 길고 폭 1mm 정도임. 5-6월에 꽃이삭이 정생(頂生)하여 양성(兩性)의 꽃이 피는데 위쪽은 수술, 아래쪽은 암술이며 과실은 수과(瘦果)임. 산지의 습지에 나는데, 거의 한국 전역에 분포함.

바늘 세:포【一細胞】 명 〖동〗 자세포(刺細胞).

바늘-쌈 명 바늘 스물 네 개를 종이로 납작하게 싼 뭉치.

바늘-엉겅퀴 명 〖식〗 [*Cirsium rhinoceros*] 국화과에 속하는 다년초. 줄기는 높이 50cm 내외이고 근생엽(根生葉)은 길이 16cm 가량인데, 우상(羽狀)으로 깊이 갈라지며 경엽(莖葉)은 호생하고 무병(無柄)임. 7-8월에 줄기 끝이나 가지 끝에 자색을 띤 관상(管狀)의 두화(頭花)가 하나씩 피고 수과(瘦果)를 맺음. 산지에 나는데, 제주도에 분포함.

바늘-여뀌 명 〖식〗 [*Persicaria bungeana*] 마디풀과에 속하는 일년초. 줄기는 곧으며 밑에 붉은 가시가 있고, 잎은 피침형이며 초상 탁엽(鞘狀托葉)은 원통형이고 막질(膜質)을 이룸. 7월에 엷은 홍색의 꽃이 줄기 끝 가지에 정생(頂生)하여 수상(穗狀) 화서로 피고, 과실은 수과(瘦果)임. 산지나 길가에 나는데, 한국 북부에 분포함.

바늘-잎 [一립] 명 〖식〗 '침상엽(針狀葉)'의 풀어 쓴 이름. ↔넓은잎.

바늘잎-나무 [一립一] 명 〖식〗 침엽수(針葉樹).

바늘-집 [一찝] 명 바늘을 몇 개 넣어 몸에 달고 다니는 조그마한 갑.

바늘집 노리개 [一찝一] 명 크고 작은 바늘집을 각각 하나씩 아래 위로 곁들여서 단 노리개.

바늘-첩【一帖】 명 바늘을 넣어 두는 제구. 창호지 같은 것을 여러 겹 붙여 접어서 만듦.

바늘-통【一筒】 명 〖고고학〗 바늘을 담아 두던 통. 청동기(靑銅器) 시대의 유적에서 둥근 동물뼈의 한 끝을 막아 사용한 것이 출토됨. 침통(針筒).

바늘-판【一板】 명 다이얼(dial).

바니 〔bani〕 의명 루마니아의 화폐 단위의 하나. 레우(leu)의 1/100.

바니다 자 〈옛〉 바장이다. ＝바자니다. ¶ ᄆᆞᄅᆞ미 이쇼ᄃᆡ 비 업거늘 ᄆᆞᄉᆞᆯ 조차 바니다가≪月釋 Ⅷ:99≫.

바니사드르 〔Bani-Sadr, Abol Hassan〕 명 〖사람〗 이란의 정치가. 반왕정(反王政) 활동으로 프랑스 파리에 망명(亡命)하였다가 귀국 후 1980년 혁명 이란의 초대 대통령이 되었으나, 호메이니와의 불화로 해임(解任)되어 1981년 다시 파리로 망명함. [1932-]

바:니시 〔varnish〕 명 〖화〗 니스.

바닐라 〔vanilla〕 명 〖식〗 [*Vanilla fragrans*] 난초과에 속하는 다년생의 만초(蔓草). 성장한 후에는 뿌리가 없어지고 기근(氣根)으로 생활함. 잎은 줄기 끝에 호생하고 두껍고 타원형이며, 길이 15-20cm임. 황록색의 꽃이 수상(穗狀) 화서로 모여 피고 다육질(多肉質)의 과실을 맺는데 길이 15-20cm이며 익으면 녹색이 농갈색으로 변함. 익기 전의 과실을 발효(醱酵)시키면 강한 향기를 내므로 향료·약재의 '바닐린(vanillin)'을 채취함. 중앙 아메리카 원산(原産)으로, 열대 지방에 분포함.

〈바닐라〉

바닐라 에센스 〔vanilla essence〕 명 바닐라의 과실에서 채취한 향료.

바닐라-콩 〔vanilla〕 명 바닐라의 열매의 속칭. 바닐린을 채취(採取)함.

바닐린 〔vanillin〕 명 〖화〗 바닐라의 익지 아니한 과실을 발효하여 얻은 백색 내지 황백색의 침상 결정(針狀結晶)의 향료. 공업적(工業的)으로는 리그닌(lignin)에서 얻음. 특히 과자·빵·아이스크림·담배·화장품 등의 향료로 많이 씀. [$C_8H_8O_3$]

바ᄂᆞ니 타 〈옛〉 의지하느니. 곁따르나니. '발다'의 활용형. ¶ 불인 고지 이츠며 게을어 비롤 바ᄂᆞ니(吹花困懶旁舟楫)≪初杜諺 ⅩⅧ:3≫.

바ᄂᆞ실 명 〈옛〉 바늘과 실. ¶ 네쟤형은 바ᄂᆞ시리로다(四哥是針線)≪朴解 上 39≫.

바ᄂᆞ질 명 〈옛〉 바느질. ¶ 셰답ᄒᆞ며 바ᄂᆞ질호ᄃᆡ(洗濯紉縫) ≪家禮 Ⅱ:28≫.

바ᄂᆞᆯ 명 〈옛〉 바늘. ＝바롤. ¶ 바ᄂᆞᆯ 아니 마치시면(若不中針)≪龍歌 52章≫.

바다 명 〔중세 : 바다ㅎ〕 ①〖지〗 ①지구상, 육지 이외의 염수를 채우고 있는 곳. 지구 표면적의 70.8%를 차지하여, 361,059,000km^{2}에 이름. ②큰 호수·늪 등을 일컫는 말. 대학(大壑). ③비유적으로, 많은 사물이 모여 있는 곳, 일면에 쫙 깔려 퍼져 있는 것, 양이 많은 일. 또, 매우 넓거나 큰 것을 뜻함. ¶ 불～/～와 같은 어머니의 사랑. ④〔mare〕 〖천문〗 달 표면의 어둡고 평탄한 곳.

【바다는 메워도 사람의 욕심은 못 채운다】 사람의 욕심은 한이 없이 많다는 뜻.

바다가다 타 〈옛〉 밟아 가다. ¶ 도ᄌᆞᆨ기 자최 바다가아 ≪月釋 Ⅰ:6≫.

바다-가마우지 명 〖조〗 [*Phalacrocorax capillatus*] 가마우짓과에 속하는 물새. 날개 길이 31-35cm이고, 몸빛은 녹색을 띤 흑색이며 두부의 백색부에는 회흑색의 작은 반문이 밀포함. 앞머리와 목은 나출하며 부리는 가늘고 끝이 만곡(彎曲)하였음. 물갈퀴가 있어서 잠수(潛水)를 잘하며 물고기를 포식함. 외해(外海)에 서식하며, 바위에 둥지를 짓고 3-6개의 알을 낳음. 일본·제주도·중국 해안에 분포함. 일본·중국 등에서는 잘 길들여 물고기 잡는 데 이용함. 가마우지.

〈바다가마우지〉

바다-거북 명 〖동〗 [*Chelonia japonica*] 바다거북과에 속하는 거북의 한 가지. 배갑(背甲)은 길이 1m 내외의 심장형으로 중앙판(中央板)은 5매, 측판(側板)은 8매, 연판(緣板)은 25매로 되었고, 복갑(腹甲)은 13매임. 몸빛은 암녹색에 암황색의 반점(斑點)이 있음. 바다에 살며 해초(海草)를 주식(主食)으로 하고 6-7월경에는 밤에 해안 근처의 모래 언덕에 1m 정도의 굴을 파고 90-170개의 알을 낳음. 알은 회백색으로 직경 4.5cm 가량인데 식용(食用)으로 하며, 지방(脂肪)은 비누 원료로 씀. 일본·한국에 분포함. 푸른거북. *붉은거북.

〈바다거북〉

바다거북-과【一科】 명 〖동〗 [Chelonidae] 파충류 거북목(目)에 속하는 한 과. 다른 거북과 달리 머리·꼬리·발을 딱지 안에 옴츠려 들이지 못함. 바다에 살며, 산란(産卵)할 때에만 뭍에 올라옴. 바다거북·붉은거북 따위가 이에 속함.

바다-골뱅이 명 〈방〉 〖조개〗 소라[2](강원·경북).

바다-꿩 명 〖조〗 [*Clangula hyemalis*] 오릿과에 속하는 새. 오리와 비슷한데 날개 길이는 23cm 가량이고 꽁지는 짧음. 얼굴·날개는 흑갈색이고 배면(背面)과 중앙의 꽁지 두 개는 길고 검으며 가슴은 갈색이고 어깨 깃과 기타의 부분은 전부 백색임. 암컷은 머리·배면(背面)이 암갈색, 아랫부분은 희고 가슴에 갈색 띠를 두름. 추운 지방의 산에 사는데 한국·일본·사할린 등에 분포함.

〈바다꿩〉

바다-나리 명 〖동〗 바다나리류(類)를 이루는 극피 동물(棘皮動物)의 총칭.

바다나리-류【一類】 명 〖동〗 [Criuoidea] 극피 동물(棘皮動物)에 속하는 한 강(綱). 200-500m의 깊은 바다 밑에 고착(固着)하여 살며, 모양은 식물의 나리처럼 생겼음. 식물처럼 근부(根部)·병부(柄部)·관부(冠部)로 이루어졌는데, 관부에는 40-70개의 팔이 있으며, 이 위에 입과 항문(肛門)이 있고 정자(精子)·난자(卵子)를 수중에 방출함. 성숙하면 관부는 떨어져 나가 단독으로 유영(游泳)하는 경우도 있음. 고생대(古生代)에 번성했던 것으로 그 후에는 감소하였고, 석탄기의 화석(化石)으로 발견됨. 현생종은 약 600여 종이 있음. 체제가 복잡하여 진화사(進化史)의 시준 화석(示準化石)으로 이용함. *갯고사리·바다술.

바다 낚시 명 바다에서 물고기를 낚는 일. ↔민물 낚시.

바다드리다 타 〈옛〉 받아들이다. ¶ 알핏 境을 바다드료ᄆᆞ로(以領納前境)≪楞嚴 Ⅸ:66≫.

바다디니다 타 〈옛〉 받들어 가지다. ¶ 이 바다디니ᄂᆞᆫ 相이라(是奉持之相也)≪圓覺 下 三之二 79≫.

바다리 명 〈방〉 〖충〗 바더리(경상).

바다-망성어【一望星魚】 명 〖어〗 망성어.

바다미 석굴【一石窟】 〔Badami〕 명 인도 카르나타카 주(Karnataka 州) 북부에 있는 석굴. 6세기 후반의 힌두교 굴(Hindu 敎窟)과 7세기 중반의 자이나교 굴(Jaina 敎窟)이 있음.

바다-뱀 명 ①〖동〗 바다에 사는 뱀의 총칭. ②〖동〗 [*Hydrophis cyanocinctus*] 바다뱀과의 뱀의 하나. 바다에 사는 독사로서 몸길이 1.2m 내외이고 머리가 비교적 작고 혀가 짧으며, 꼬리는 지느러미 모양으로 편평하여 빨리 헤엄치기에 알맞음. 용골 돌기(龍骨突起) 또는 유기(瘤起)가 있는 체린(體鱗)은 37-47줄이며, 배비늘은 작으나 뚜렷하여 290-300개가 있음. 5-8개의 보통 이와 한 쌍의 독아(毒牙)가 있으며, 몸빛은 황색 또는 감람색으로 띠 모양의 흑색 무늬가 많이 있음. 난생(卵生)으로 한 배에 3-5개의 알을 낳으며, 어류를 포식함. 남부 중국·대만·인도양 및 태평양의 열대 부근에 분포함. 해사(海蛇). ③〖어〗 물뱀❸.

〈바다뱀❷〉

바다뱀-과【一科】 [一꽈] 명 〖동〗 [Hydrophidae] 뱀목(目)에 속하는 한 과. 바다에서 살며 전부가 독성(毒性)이 약한 독사(毒蛇)로서 머리는 작고 몸뚱이는 조금 납작스름하며, 꼬리는 매우 납작하여 지느러미 형상을 함. 열대·아열대에 분포함.

바다뱀-자리 명 〔라 Hydra〕 〖천〗 처녀자리의 서남쪽에 가늘고 길게 뻗친 별자리. 한봄날 저녁에 남중(南中)함. 히드라(Hydra)자리. 해사(海蛇)자리.

바다-비오리 명 〖조〗 [*Mergus serrator*] 오릿과에 속하는 바다새. 날개 길이 25cm 가량이고, 부리와 다리는 붉은 빛, 수컷의 가슴과 암컷의 머리·목 등은 적갈색임. 후두(後頭)에 검은 도가머리가 있으며, 부리에 톱니 모양의 이가 있음. 물갈퀴가 있어서 물 속에 잘 잠기며 물고기를 포식함. 아시아·유럽의 북부 지방에 분포함. *톱니오리·비오리.

〈바다비오리〉

바다-빙어 명〔어〕[*Osmerus dentex*] 바다빙엇과에 속하는 바닷물고기. 빙어와 비슷한데 몸길이는 30cm 내외이고 입이 크며 아랫 턱이 조금 길. 아가미 뚜껑·옆줄 부분과 등 쪽이 갈색이고 온몸이 껄끄러움. 한국 북부 동해 및 홋카이도에서 알래스카 방면에까지 분포함.

〈바다빙어〉

바다빙엇-과 【—科】[—꽈] 명〔어〕[Osmeridae] 청어목(目)에 속하는 어류의 한 과. 바다빙어·빙어 등이 있음.

바다-사과 명〔동〕바다사과강에 속하는 해생 절멸(海生絶滅) 동물의 총칭. 모양은 구형(球形)·달걀꼴·반구형 등이고, 한 끝에 짧은 자루가 있어서 다른 것에 고착(固着)하여 생활하며, 위 끝에 입이 있고 다섯 판(板)으로 쌓인 항문(肛門)이 있음. 온 몸이 4-6각형의 석회판(石灰板)으로 쌓였음. 캄브리아기(Cambria紀)에 출현하여 석탄기(石炭紀) 초기까지 번식하였음. 화석으로 발견됨.

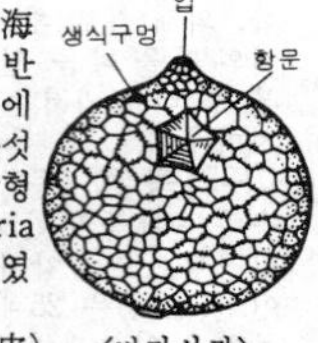

〈바다사과〉

바다사과-강 【—綱】명〔동〕[Cystoidea] 극피(棘皮) 동물 유병 아문(有柄亞門)에 속하는 한 강(綱). 고생대에는 엄청나게 번식하였으나 지금은 다만 화석(化石)으로만 볼 수 있음.

바다-사자 【—獅子】명〔동〕[*Eumetopias jubata*] 물갯과에 속하는 바다 짐승. 물개와 비슷한데 훨씬 크며 몸빛은 담적갈색임. 북극 지방의 유빙(流氷)이 있는 곳을 좋아하며 우는 소리는 사자와 비슷함. 수컷 한 마리가 암컷 10-15마리를 거느리며 번식기가 지나면 흩어짐. 청어 따위 어류를 포식하며 한 배에 한 마리씩 태생(胎生)함. 북태평양에 분포하며 겨울철에는 우리 나라 동해안·홋카이도까지 도달함.

바다-삵 [—삭] 명〔동〕비버(beaver).

바다-새 명 해조(海鳥). ↔산새.

바다-소 명〔동〕[*Trichechus manatus*] 해우류(類)에 속하는 해수(海獸). 몸길이 2.7-4m이고 뒷다리는 외부로 나오지 않았으며 앞다리와 꼬리는 지느러미와 같이 생기었음. 앞발에 발가락은 없으나 네 개의 편평한 발톱이 있음. 빛은 암회색이고 전체에 잔털이 났으며 앞니는 없어졌고 어금니는 아래위의 이틀에 11쌍이 있음. 해조(海藻)와 기타의 수산 식물을 먹고 살며 새끼는 한 배에 한 마리 낳음. 브라질·서아프리카에 근사종(近似種)이 약간 있고 인도양·남태평양 등지에서 나던 것은 절멸(絶滅)되었음. *듀공.

〈바다소〉

바다소-목 【—目】명〔동〕[Sirenia] 포유류(哺乳類)에 속하는 한 목(目). 이 유에 속하는 동물은 해안·하구(河口)에 사는 해수(海獸)의 종류인데, 물 속에서 살도록 변화되어 있으나 고래처럼은 심하지 아니하고, 가죽에는 아직 털이 남아 있으며, 머리와 몸뚱이의 구별이 분명함. 입에는 입술이 있고, 그 위에는 콧구멍이 있는데 몸과 꼬리와의 구별은 분명하지 아니하고, 뒤끝이 가로 넓게 퍼졌으며 앞다리는 짧고 뒷다리는 없음. 해우류(海牛類).

바다-쇠오리 명〔조〕[*Synthliboramphus antiquus*] 바다오릿과에 속하는 바다새. 날개 길이는 14cm가량이고 등은 회색(灰色), 두부(頭部)는 검으며, 후두부와 몸의 아랫면은 백색임. 번식기에는 머리와 기타의 부분에 식우(飾羽)가 생김. 물 속의 조개·게 등을 잡아먹고 2-5월에 한두 개의 알을 낳음. 겨울·봄에 해상(海上)에서 서너 마리에서 천 마리까지 군생하는데, 알래스카·캄차카·한국 북부에서 번식하고 홋카이도·일본·대만 연해에서 월동함.

〈바다쇠오리〉

바다-술 명〔동〕[*Metacrinus rotundus*] 바다나리류에 속하는 극피 동물의 하나. 식물의 나리와 비슷한데 그 줄기에 해당하는 부분은 길이 50cm 가량이며 많은 마디로 되고, 가는 가지가 많이 나와 있음. 꽃에 해당하는 부분은 50개 가량의 가지가 모여서 되었으며 역시 마디가 많음. 몸빛은 대체로 엷은 복숭앗빛을 띰. 바닷 속 깊은 곳에 뿌리 같은 부분으로 다른 물건에 고착하여 사는데, 모양이 기묘할 뿐 아니라 고대의 지층(地層)을 연구하는 데 산 화석(化石)의 구실을 하여 잘 알려져 있음. *바다나리.

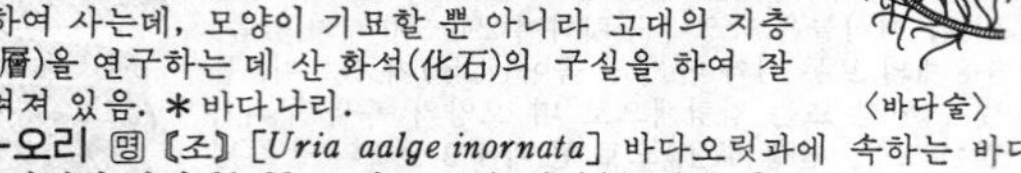
〈바다술〉

바다-오리 명〔조〕[*Uria aalge inornata*] 바다오릿과에 속하는 바다새. 날개의 길이 20-22cm이고 몸의 상면(上面)은 흑색, 얼굴 및 목 부분은 흑갈색, 날개의 일부와 가슴 및 복면(腹面)은 백색이고 겨울에는 두부(頭部)와 목이 백색으로 변함. 직경 8-9cm 정도의 큰 알을 단 한 개 낳아 하복부(下腹部)에 품어서 까는데, 알 빛은 청록색·황토색·백색·담적색 등이 있음. 해상(海上)에 군생(群生)하며 물 속의 작은 고기와 갑각류(甲殼類) 등을 잡아먹고 살며, 때로는 하늘 높이 떠돎. 대서양·태평양의 북해(北海) 지방에 분포하는데 베링 해협과 사할린의 튤레니(Tyulenii) 섬은 번식지로 유명함.

〈바다오리〉

바다오릿-과 【—科】명〔조〕[Alcidae] 도요목(目)의 한 과. 중형의 바다새로, 배면(背面)은 대체로 흑색, 복면(腹面)은 백색(白色)임. 번식기에는 목에 식우(飾羽)가 생기며, 종류에 따라 부리에 각질(角質)의 돌기가 돋아나기도 함. 육지에 올라와 바위 틈이나 땅 속에 1-3개의 알을 낳음. 양반구(兩半球)의 북방 해상에 30여 종이 분포함. 바다오리·바다쇠오리 등이 이에 속함.

바다의 날 [—/—에—] 명 해양 수산부 주관으로, 바다 관련 산업의 중요성과 의의를 높이고 국민의 해양 사상을 고취하며, 관계 종사원들의 노고를 위로하는 행사를 하는 날. 5월 31일.

바다-제비 명〔조〕[*Oceanodroma castro*] 바다제빗과에 속하는 작은 바다새. 날개는 가늘고 길며 끝이 뾰족하여 제비와 비슷한데 날개 길이는 15cm 가량이며, 발가락 사이에 물갈퀴가 있고 입부리는 갈퀴 모양으로 끝이 꼬부라졌음. 몸빛은 흑갈색이고 상미통(上尾筒)에 백색 띠가 있음. 밤에는 섬에서 자고, 낮에는 해면(海面)을 박쥐처럼 날아다니거나 물에서 헤엄을 치면서 작은 물고기나 갑각류(甲殼類) 등을 잡아먹음. 땅 속에 30cm-1m의 구멍을 파고 흰 알을 한 개만 낳음. 태평양·대서양에 널리 분포함. 해연(海燕).

〈바다제비〉

바다제비-목 【—目】명〔조〕슴새목.

바다제빗-과 【—科】명〔조〕[Hydrobatidae] 슴새목(目)에 속한 한 과(科). 소형의 조류. 콧구멍은 부리 위쪽에 있는 관상물(管狀物) 속에 좌우가 한 곳에서 열려 있음. 주로 해상에서 군서(群棲) 생활을 함. 번식기에는 섬에 모여 바위 틈 또는 땅 속에 구멍을 파서 둥지를 짓고 알을 낳음. 전세계에 20여 종이 분포함.

바다-조름 명〔동〕[*Pennatula fimbriata*] 바다조름과에 속하는 강장(腔腸) 동물의 하나. 새의 깃털 모양 또는 물고기의 아가미에 자루를 박은 것과 같은 모양인데, 몸길이는 20cm 가량이고 몸빛은 보통은 엷은 복숭앗빛이나 검은 것도 있음. 자루의 부분은 해저(海底)의 모래 진흙 땅에 부착하며 아가미 같은 엽상체(葉狀體)의 부분은 20-30매 가량이고 그 바깥 쪽에는 50-100개의 폴립(polyp)인 개충(個蟲)이 한 줄로 나란히 있으며, 그 밖에도 작은 관상(管狀)의 폴립이 잔뜩 흩어져 있음. 일본·한국 등의 연안 20-30m 깊이의 모래 진흙땅에 사는 동양의 특산종임.

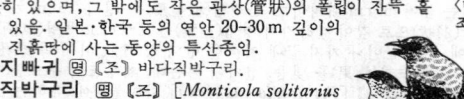

〈바다조름〉

바다-지빠귀 명〔조〕바다직박구리.

바다-직박구리 명〔조〕[*Monticola solitarius magnus*] 지빠귓과에 속하는 바다새. 배면·하면(下面)·턱·목·가슴의 상부는 흑색을 띤 청색이고, 복부(腹部)는 밤색임. 암컷은 배면이 청색을 띤 회갈색이며 하면의 깃은 회백색이고 비늘 모양임. 바다의 바위 많은 곳에 둥지를 짓고 자웅 또는 단독으로 서식하며, 곤충·게·조개 같은 것을 잡아먹음. 5-6월 녹청색의 알을 5-6개씩 낳음. 동부 시베리아·일본·한국 등지에서 번식하고 중국 남부 지방에서 월동함. 바다지빠귀.

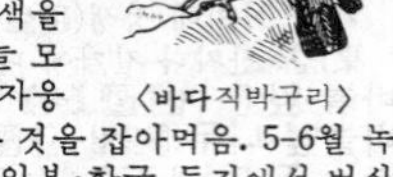
〈바다직박구리〉

바다 짐승 명 바다에 서식하는 짐승. 고래·물개·강치·바다코끼리 등이 있음. 해수(海獸).

바다-참게 명〔동〕대(大)게.

바다-코끼리 명〔동〕[*Mircurga angustirostris*] 물범과에 속하는 바다 짐승. 몸길이 5.5-6.7m, 몸무게 3t 가량이고, 해마(海馬)와 비슷하나 물범과 같이 귓바퀴가 없고 코는 코끼리 모양으로 길고 20cm 가량의 늘어지는 부분이 있음. 지느러미 형상의 사지(四肢)는 발톱이 없음. 털이 짧고 몸빛은 흑색 또는 감람갈색을 띤 회색임. 낮에는 해안에 나와 자고 밤에 바다 속의 새우·물고기·오징어 등을 포식하고 일웅 다자(一雄多雌)로 수컷은 30여 두를 거느리고 살며 암컷은 2-6월에 한 마리의 새끼를 낳음. 북양(北洋)·미국 캘리포니아 연안에 번식하나 남극종(南極種)과 함께 유지(油脂) 채용으로 포획하여 격감(激減)하였음. 해마. 해상(海象).

〈바다코끼리〉

바다-태 【—太】명 바닷바람 속에서 한 달 동안 말린 명태.

바다토끼-고둥 명〔조개〕[*Amphiperas ovum*] 바다토끼고둥과에 속하는 고둥의 하나. 패각(貝殼)은 달걀꼴이며 길이 90mm 내외임. 나탑(螺塔)은 형성하지 아니하고 한 축(軸)으로 내선(內旋)되었으며, 체층(體層)은 크고 그 표면은 자백색(紫白色)에 강한 광택이 나고, 입 안은 적갈색임. 바다에 나는데, 일본 남부 이하의 류큐(琉球), 대만에 분포함. 패각으로는 숟가락·컵 등을 만들며, 남양 원주민들이 장식품에 씀.

바다-표범 【—豹—】명〔동〕물범.

바다해 〈옛〉바다에. '바다'의 처소격형. ¶그 鹹水 바다해 네 셔미 잇ᄂᆞ니《月釋 I:24》/受苦ㅅ 바다해 즈마 잇ᄂᆞ니《月釋 IX:22》.

바다-호랑이 명 ☞ 바다표범.

바다호스 (Badajoz) 명〔지〕스페인 남서부, 포르투갈 국경 근처의 도시. 농산물·가축의 거래 중심지임. 제분·양조·피혁 등의 공업이 성함. 11-13세기에는 이슬람 왕국의 서울이었으며 1660년에는 포르투갈에 점령당하기도 하였음. [114,000명(1981)]

바다흐로셔 〈옛〉바다로부터. ¶다시 불근 구룸이 바다흐로셔 소사나 수믜보롤 어리며《太平廣記 I:53》.

바다-흙 [—흑] 명〔지〕해성토(海成土).

바다히 〈옛〉바다가. '바다'의 주격형. ¶鹹水 바다히 잇거든《月釋 I:23》.

바다히니 〈옛〉바다니. 바다이니. ¶닐굽 山 ᄊᆞ싀는 香水 바다히니《月釋 I:23》.

바다홀 〈옛〉바다를. '바다'의 목적격형. ¶鳴沙길 니근 물이 醉仙을 빗기 시러 바다홀 겻틔 두고 海棠花로 드러가니 나도 좁을 씌여 바다홀 구버보니《松江 關東別曲》.

바닥[1] 명 [중세 : 바닿] ①물체가 편평한 평면을 이룬 부분. ¶마룻~. ②그릇이나 신 같은 것들의 밑 부분. ¶신~. ③일이나 소비할 수 있는 물건이 다 된 끝. ¶쌀이고 나무고 다 ~이 났다. ④피륙의 짜임새. ¶~이 고운 천. ⑤넓고 번잡한 곳. ¶서울 ~/장~. ⑥지역·면적(面積)의 뜻.

¶ 비록 ～은 좁지만 깨끗한 곳이다. ⑦〖광〗사금광의 감흙층 밑에 깔려 있는 흙층. ⑧〔bottom〕〈속〉증권 거래에서, 최저 가격. ¶ ～ 시세 / ～을 치고 반등하다. ↔상투·천장(天障).

【바닥 다 보았다】 맨 속까지 다 보았다는 뜻이니, 모든것이 다 되어 이젠 끝장이라는 말. 금광(金鑛)에서 사용되는 말임.

바닥(을) 긁는다 ㉮ ㉠생계가 곤란하다. ㉡무리 안의 바닥 지위에서 맴돌다.

바닥(이) 나다 ㉮ 다 소비되다. 다 없어지다. 들리다. ¶ 바닥난 쌀독.

바닥(을) 내:다 ㉮ 일정한 분량의 것을 다 소비하다. 모두 없애다.

바닥 누르다 ㉮ ☞바닥 짚다.

바닥(이) 드러나다 ㉮ ㉠밑바닥이 드러나다. 숨겨져 있던 정체가 드러나다. ㉡다 소비되어 동이 나게 되다.

바닥(을) 보다 ㉮ ㉠밑천이 다 없어지다. ㉡실패하다. ¶ 이 장사는 바닥 보았다.

바닥(이) 질기다 ㉮ 증권 거래에서, 바닥으로 보이는 시세에서 더 내리지 아니하고, 오래 버티다.

바닥 짚다 ㉮ 광산에서, 땅의 아래쪽으로 향하여 파가다.

바닥² 명 〈방〉 바다(전라·경상).

바닥³ 명 〈방〉 바둑(경상·강원).

바닥 걸기질 명 〖농〗 논바닥이 높고 낮아서 물이 고루 퍼지지 아니할 때, 높은 데의 흙을 낮은 데로 끌어 내려 편평하게 하는 일. ──-하다 자여불

바닥 깎음 명 〖건〗 기초 공사를 위하여 지면(地面)을 편평하게 깎는 일.

바닥-끝 명 손바닥의 가운데 금이 끝난 곳.

바닥 면:적 【一面積】 명 〖건〗 건물의 바닥이 차지하는 면적. 건축물의 각 층 또는 그 일부로서 벽·기둥 기타 이와 유사한 구획의 중심으로 둘러싸인 부분의 수평 투영 면적.

바닥-바닥 부 〈방〉 바득바득(경상).

바닥 상태 【一狀態】 명 〔ground state〕〖물〗 분자·원자·원자핵 등에서 에너지가 가장 낮은 정상(定常) 상태. 기저 상태. ↔들뜬 상태.

바닥-세 【一勢】 명 주가·인기 따위가 더 이상 내려가기 어려울 만큼 낮은 상태에 있는 상황. 바닥 시세.

바닥-쇠 명 〈속〉 ①벼슬이 없는 양반. ②그 지방에 오래 전부터 사는 사람. 토박이.

「살피는 자.

바닥-자 명 〖공〗 물체의 곧고 곧지 아니한 것이나 그 바닥의 높낮이를

바닥 장:원 【一壯元】 명 글방에서, 말천(末天)으로서 장원이 되는 일.

바닥-주낙 명 〖어업〗 땅주낙.

ㄴ또, 그 사람.

바닥-짐 명 밸러스트❶. 저하(底荷).

바닥 첫째 명 '꼴찌'를 비웃는 뜻으로 이르는 말.

바닥-칠 【一漆】 명 〖공〗 칠할 물건의 바닥에 맨 먼저 바르는 칠. 「조.

바 단조 【一短調】 〔一쪼〕 명 '바'음을 으뜸음으로 하는 단조. 에프(F) 단

바달로나 〔Badalona〕 명 〖지〗 스페인의 동북부, 지중해 연안에 있는 도시. 포도 재배 지대의 중심지이며 화학·섬유·피혁·양조 등의 공업이 성함. 〔228,000 명(1981)〕

「25≫.

바담직ᄒᆞ다 형 〈옛〉 받음직하다. ¶ 法바담직ᄒᆞᆯ씨 法師ㅣ라≪釋譜 XIX:

바닷-가 명 바닷물과 땅이 서로 닿은 곳. 또, 그 근처. 해변(海邊). 해안.

【바닷가 개는 호랑이 무서운 줄 모른다】 아무리 무서운 것이라도 그에 대해 아는 것이 없으면 무서운 줄 모른다는 말.

바닷-개 명 〖동〗 물개❶.

바닷-게 명 〖동〗 바다에서 나는 게의 통칭.

바닷-고기 명 〖동〗 ↗바닷물고기.

바닷-길 명 해로(海路).

바닷-말 명 〖식〗 해조(海藻). ㊥말.

바닷-모래 명 바다에서 나는 모래. 해사(海沙).

바닷-목 명 육지에서 멀어져서 배가 다른 곳으로 빠져 나가는 길목.

바닷-물 명 바다에 괴어 있는 짠물. 짠물. 해수. 해조(海潮). 함수(鹹水). ↔민물.

바닷-물고기 〔一꼬一〕 명 〖동〗 바닷물에 사는 물고기. 해수어. 해어(海魚). ㊥바닷고기. ↔민물고기. *짠물고기.

바닷물-조개 명 바닷물에 사는 조개. ㊥바닷조개. ↔민물조개.

바닷-바람 명 바다에서 불어 오는 바람. 해풍(海風). 조풍(潮風). ↔뭍바

바닷-사람 명 바다에서 일하는 사람. ↔뭍사람. ㄴ람·산바람.

바닷-속 명 바다의 수면 아래. 해중(海中).

바닷-장어 【一長魚】 명 〖어〗 물뱀❸.

바닷-조개 명 ↗바닷물조개.

바당¹ 명 〈방〉 바다(제주·경상·함경).

바당² 명 〈방〉 바닥¹(평안).

바당-간 【一間】 〔一깐〕 명 〈방〉 부엌(함경).

바당-물 명 〈방〉 바닷물(경상·제주·함경).

바ᄛᆞᆯ 명 〈옛〉 바다. ¶ 큰 빗바ᄅᆞ래 ᄀᆞᆺ 괴여 ᄒᆞᄂᆞ니라≪月釋 I:15≫.

바대¹ 명 바탕의 품. 「는 헝겊 조각. ¶ 어깻～ / ～를 대다.

바대² 명 홑적삼이나 고의 등의 잘 해지는 곳에 튼튼하라고 안으로 덧대

바:더리 명 〖충〗 ①등검은쌍말벌. ②땅말벌.

바:데 〔Baade, Walter〕 명 〖사람〗 독일 태생의 미국 천문학자. 특이 소행성(特異小行星) 히달고(Hidalgo)·이카루스(Icarus)를 발견함. 또, 안드로메다 은하를 연구하다 항성에 두 종족(種族)이 있음을 발견하고, 세페우스형(Cepheus型) 변광성의 주기·광도 곡선(光度曲線)이 이 두 종족 사이에 서로 다름을 밝힘. 이 결과, 안드로메다 은하의 거리, 나아가 우주 전체의 거리가 종래의 두 배로 개정됨. 〔1893-1960〕

바:덴 〔Baden〕 명 〖지〗 ①독일(獨逸) 서남부의 프랑스와 스위스에 인접한 지방. 1951년에 주민 투표로 바덴뷔르템베르크 주(Baden-Württemberg 州)의 일부가 됨. 대부분이 산림(山林)·구릉 지대로 목재가 풍부하며 주요 농산물은 포도주·과실·담배·옥수수 등임. 아연(亞鉛)·납 등의 광산도 있음. 독일 제1의 관광지로 외국 관광객이 많이 모여듦. 주요 도시는 만하임(Mannheim)·카를스루에(Karlsruhe) 등임. 〔15,065 km²〕 ②오스트리아의 빈(Wien) 남서쪽에 있는 온천 도시. 온천은 로마 시대부터 유명하였음.

바:덴-바:덴 〔Baden-Baden〕 명 〖지〗 독일(獨逸) 남서부에 있는 휴양 도시. 온천·요양소·병원 등이 많고 로마 시대부터 국제적인 보양지(保養地)로서 알려짐. 〔49,000 명(1985)〕

바:덴 학파 【一學派】 〔Baden〕 명 〖철〗 서남 학파(西南學派).

바독¹ 명 〈옛·방〉 바둑. ¶ 바독 긔(棊)≪字會 中 19≫.

바독² 명 〈옛〉 바닥¹. ¶ 손바독 쟝(掌)≪字會 上 26≫.

바독-법 명 〈옛〉 표범. ¶ 바독 범(豹)≪詩傳物名≫.

바돌 명 〈방〉 바둑(전라·경상·충남).

바돌로매 〔Bartholomaeus〕 명 〖성〗 예수 열두 제자 중의 하나. 그의 행적에 대한 기록은 없으며, 나다나엘과 동일인(同一人)으로 말하는 설도 있음. 바르톨로뮤.

바돌리오 〔Badoglio, Pietro〕 명 〖사람〗 이탈리아의 군인·정치가. 제1차 대전에 이탈리아 대표로 휴전 서명, 브라질 주재 대사, 리비아 총독을 역임하고 에티오피아 전쟁 때는 이탈리아군을 총지휘하였음. 제2차 대전시에는 이탈리아군의 총사령관으로 있다가 1943년 무솔리니(Mussolini) 실각 후 수상직(首相職)을 이어받아, 1944년 연합군에 항복하였음. 1947년 전범자(戰犯者)로서 추방당함. 〔1871-1956〕

바동-거리다 자타 자빠지거나 주저앉거나 매달리거나 또는 신체의 어느 한 부분에 구속을 당하여 팔과 다리를 내저으며 몸을 자꾸 움직이다. <바둥거리다·버둥거리다. **바동-바동** 부. ──-하다 자타여불

바동-대다 자타 바동거리다.

바둑 명 〔중세 : 바독〕 ①두 사람이 바둑판을 사이에 두고 그 판 위에 흑백의 돌을 번갈아 벌여 가며 두는 실내 오락. 두 집 이상이 있어야 살며 서로 에워싼 집을 많이 차지하는 것으로 이기게 됨. 고대 중국에서 유래되었다고 함. 혁기(奕棊). 오로(烏鷺). ②↗바둑돌.

바둑(을) 두다 ㉮ 바둑판에 바둑돌을 번갈아 놓아 승부를 다투다. 수담(手談)하다.

바둑(을) 뒤다 ㉮ 〈방〉 바둑두다.

바둑(을) 뛰다 ㉮ 〈방〉 바둑두다(경상·평안).

바둑(을) 뜨다 ㉮ 〈방〉 바둑두다.

바둑-강아지 명 털에 검은 점과 흰 점이 섞여 얼룩얼룩한 무늬를 이룬 강아지. *바둑이.

바둑-개 명 ☞바둑이.

바둑-돌 명 ①바둑을 둘 때에 쓰는 돌. 흑백(黑白)의 두 가지로 원반상(圓盤狀)이며 흑색 돌은 181개, 백색 돌은 180개인데 상수(上手)가 백색 돌을 차지함. 바둑알. 기석(棊石). 기자(棊子). ㊥바둑·돌. ②모 없이 둥글둥글하며 반드러운 작은 돌.

바둑돌-부전나비 명 〖충〗 〔*Taraka hamada*〕 부전나빗과에 속하는 곤충. 편 날개의 길이는 18-30mm이고 날개 표면은 흑갈색이며 무늬는 없으나 후면(後面)의 흑색 무늬가 희미하게 비치어 보임. 날개 후면은 앞뒷 날개 모두 순백색(純白色)이며 바둑 무늬 모양의 불규칙한 흑색 무늬가 흩어져 있음. 한국·만주·중국·일본·대만 등지에 분포함.

앞 뒷면

〈바둑돌부전나비〉

바둑 마루 명 〈방〉 우물 마루.

바둑-말 명 〖동〗 털빛이 바둑 무늬인 말. 「갈래로 땋은 머리.

바둑 머리 명 두서너 살 된 아이의 머리털을 조금씩 모숨을 지어 여러

바둑 무늬 〔一니〕 명 검은 점과 흰 점이 뒤섞여 얼룩얼룩한 무늬. 바둑

바둑-문 【一紋】 명 바둑 무늬. ㄴ문.

바둑-범 명 〈방〉 표범(강원).

바둑-쇠 명 마고자에 다는 바둑 비슷한 단추.

바둑-알 명 바둑돌❶.

바둑-은 【一銀】 명 〖역〗 은을 바둑만하게 만든 옛날 화폐(貨幣)의 이름.

바둑-이 명 털에 검은 점과 흰 점이 바둑 무늬 모양으로 섞인 개. 또, 그런 개의 이름.

바둑 장:기 【一將棋】 명 바둑과 장기. 박혁(博奕). ㊥박장기.

바둑-점 【一點】 명 바둑돌과 같이 동글동글하고 얼룩얼룩한 점.

바둑점-도마뱀 【一點一】 명 〖동〗 표범장지뱀.

바둑-통 【一筒】 명 바둑알을 넣어 두는 통. 보통 나무로 옴파리 비슷하게 파서 만드는데, 뚜껑이 있음. 기기(碁器).

바둑-판 【一板】 명 바둑을 두는 판. 네모진 나무 판 위에 세로 가로 각각 열아홉 줄을 그어 생긴 361개의 십자형(十字形)이 있으며 그 한 십자형을 한 '집'이라고 함. 기반(碁盤). 기국(棊局). 기평(棊枰).

바둑판 같다 ㉮ 〈속〉 몹시 얽은 얼굴을 형용하는 말.

바둑판 깔음 【一板一】 명 〖건〗 정자(井字) 이음으로 한 돌깔음.

바둑판 마루 【一板一】 명 〈방〉 우물 마루.

바둑판 무늬 【一板一】 〔一니〕 명 네모 반듯한 사각형이 상하 좌우로 연결된, 바둑판 모양을 이룬 무늬.

바둑판식 발굴 【一板式發掘】 명 〖고고학〗 유적지를 바둑판과 같이 일정한 크기의 사각형 구역으로 나누어 발굴 조사하는 방법. 지층(地層) 구분·연결 관계 등을 살피는 데 좋은 방법으로 비교적 규모가 큰 유적에서 사용됨. 방격법(方格法).

바둑판-연 【一板鳶】 〔一년〕 명 연의 한 가지. 전체를 가로 세로 여러 평행선을 그어 바둑판처럼 만들어 칸걸러 먹칠한 연.

바둥-거리다 자타 자빠지거나, 주저앉거나, 매달리거나 또는 신체의 한 부분이 구속되었을 경우에 팔다리를 좀 크게 내저으며 몸을 자꾸 움직이다. >바동거리다. <버둥거리다. **바둥-바둥** 부. **——-하다** 자타여불

바둥-대다 자타 바둥거리다.

바뒤쨍이 명 〈방〉 발뒤꿈치(경북).

바드득 부 ①단단하거나 질긴 물건을 되게 비빌 때에 되바라지게 나는 소리. ¶이를 ~갈다. ②무른 똥을 힘들이어 눌 때에 되바라지게 나는 소리. ㅆ파드득. 1)·2):ㅆ빠드득. <부드득. *보드득. **——-하다** 자타여불

바드득-거리다 자타 ①'바드득' 소리가 자꾸 나다. 또, '바드득' 소리를 자꾸 내다. ②무른 똥을 힘들이어 눌 때에 '바드득' 소리가 자꾸 나다. ㅆ파드득거리다. 1)·2):ㅆ빠드득거리다. <부드득거리다. *보드득거리다. **바드득-바드득** 부. ¶이를 ~ 갈다. 준바득바득. **——-하다** 자타여불

바드득-대다 자타 바드득거리다.

바드럽다 형ㅂ불 빠듯하게 위태하다.

바드름-하다 형여불 밖으로 약간 벋은 듯하다. ¶능견 두루마기에 중절모를 바드름하니 쓰고 들어왔다《李無影 : 흙의 노예》. 준바듬하다. ㅆ빠드름하다. <버드름하다. **바드름-히** 부

바득-바득¹ 부 ①제 고집만 자꾸 부리는 모양. ¶틀린 일을 가지고 ~ 우기는 것은 좋지 않다. ②자꾸 졸라 대는 모양. ¶놀러 가자고 ~ 조르다. ③무리로 악지스럽게 애쓰는 모양. ¶살려고 ~ 기쓰다. 1)-3):ㅆ빠득빠득¹. 1)-2):<부득부득¹.

바득-바득² 부 ↗바드득바드득. ㅆ빠득빠득². <부득부득². *보득보득².

바들-거리다 자타 몸을 좀 작게 자꾸 떨다. <부들거리다. **바들-바들** 부 **——-하다** 자타여불

바들-대다 자타 바들거리다.

바듬-하다 형여불 ↗바드름하다. ㅆ빠듬하다. <버듬하다. **바듬-히** 부

바듯-이 부 바듯하게. ㅆ빠듯이. <부듯이.

바듯-하다 형여불 ①어떤 한도에 차거나 꼭 맞아서 빈 틈이 없다. ¶새로 마춘 구두가 발에 ~. <부듯하다. ②간신히 정도에 미치다. ¶바듯하게 살아 나가다/발돋움을 해야 바듯하게 닿을 정도의 높이/출근 시간에 바듯하게 대어가다. 1)·2):ㅆ빠듯하다.

바등-거리다 자타 ☞바동거리다. **바등-바등** 부. **——-하다** 타여불

바디¹ 명 ①베틀에 딸린 기구의 하나. 가늘고 얇은 대오리를 참빗살같이 세워 두 끝을 앞뒤로 대오리를 대고 단단하게 실로 얽어 만듦. 살의 틈마다 날을 꿰어서 베의 날을 고르며 북의 통로를 만들어 주고 씨를 쳐서 짜는데, 용도에 따라 여러 가지가 있음. 성구(筬簆). ②가마니를 짜는 바디. 길고 납작하고 배가 약간 부르게 나무를 깎아서 점선처럼 구멍을 뚫었음.

〈바디¹❶〉

바디² 명〔악〕판소리에서, 명창(名唱)이 한 마당 전부를 음악적으로 절묘하게 다듬어 놓은 소리. *더늠.

바디³ 명 〈옛〉 바지. ¶아롱바디예 거믄 훠 신은 勇士ㅣ(穿着花袴皂靴的勇士)《杜諺 下 30》.

바디-나물 명〔식〕[*Angelica decursiva*] 미나릿과에 속하는 다년초. 줄기의 높이는 1.5 m 가량에 잎은 호생하며 우상 복엽(羽狀複葉)인데 소엽(小葉)은 달걀꼴 또는 피침형임. 총엽병(總葉柄)의 밑은 초상(鞘狀)으로 줄기를 싸고 있으며 때로는 자색을 띰. 8-9월에 자색의 꽃이 복산형(複繖形) 화서로 피고, 길이 4mm 가량의 타원형 과실을 맺음. 산이나 들에 나는데, 한국 각지에 분포함. 어린 잎은 식용하며, 뿌리는 '전호(前胡)'라 하여 한약재(韓藥材)로 씀.

〈바디나물〉

바디로이 부 〈옛〉 공교스럽게. 공교하게. =바지로이. ¶더욱 먼 양ᄌᆞᄅᆞᆯ 바디로이ᄒᆞ야 녯사ᄅᆞᆷ도 가ᄌᆞᆯ비디 몯ᄒᆞ리로소니(尤工遠勢古莫比)《重杜諺 XVI:32》.

바디-질 명 베나 가마니를 짜는 데 바디를 부리는 일. 바디치는 일. **——-하다** 자여불

바디-집 명 베틀 바디의 테. 홈이 있는 두 짝의 나무로 바디를 끼우고 양편 마구리에 바디집 비녀를 꽂음. 바디틀. 구광(簆框).

바디집 마구리 명 〈방〉 바디집 비녀.

바디집 비녀 명 바디집 두 짝의 머리를 잡아 꿰는 쇠나 나무.

바디-치다 자 바디질하다.

바디-틀 명 바디집.

바:딘: [Bardeen, John] 명〔사람〕미국의 물리학자. 위스콘신 대학·프린스턴 대학에서 수학(修學), 제2차 대전 후 반도체(半導體)의 연구를 시작하여, 협력자 브래튼(Brattain)과 함께 트랜지스터를 완성, 그 연구로 1956년 쇼클리, 브래튼과 함께 노벨 물리학상을 수상함. 51년 일리노이 대학 교수가 되어, 57년에 쿠퍼(Cooper, L.N.)·슈리퍼(Schrieffer, J.R.)와 함께 초전도(超傳導)의 이론을 정립(定立), 72년도 노벨 물리학상을 두번째 수상함. 이 밖에 금속·저온(低溫) 물리 등의 연구로 뛰어난 업적을 올림. [1908-91]

바딤 [Vadim, Roger] 명〔사람〕프랑스의 영화 감독. 《파리 마치》의 기자 등을 거쳐 1955 년부터 영화감독이 됨. 대표작으로는 《위험한 관계》·《과외 수업》 등이 있음. [1928-]

바ᄃᆞ라ᄫᆞ니 형 〈옛〉 위태로우니. '바ᄃᆞ랍다'의 활용형. ¶社稷이 바ᄃᆞ라ᄫᆞ니 便安히 이숌 줄 업스니라(今社稷危逼義無晏安)《三綱 忠臣 桓彝致死》.

바ᄃᆞ라온 형 〈옛〉 위태로운. '바ᄃᆞ랍다'의 활용형. ¶時節이 바ᄃᆞ라온 제 사ᄅᆞ미 이리 急促ᄒᆞ니(時危人事急)《杜諺 VII:15》.

바ᄃᆞ라옴 형 〈옛〉 위태로움. '바ᄃᆞ랍다'의 명사형. ¶쟝ᄎᆞᆺ 늘구매 艱難ᄒᆞ야 바ᄃᆞ라오ᄆᆞᆯ 맛낫도다(將老逢難危)《杜諺 II:54》.

바ᄃᆞ라와 형 〈옛〉 위태로워. '바ᄃᆞ랍다'의 활용형. ¶몸이 바ᄃᆞ라와 다ᄅᆞᆫ ᄀᆞ올ᄒᆞ로 가노니(身危適他州)《杜諺 I:19》.

바ᄃᆞ랍다 형 〈옛〉 몹시 위태롭다. ¶便安ᄒᆞ야 바ᄃᆞ랍디 아니ᄒᆞ시며《月釋 II:56》.

바ᄃᆞ라ᇦ다 형 〈옛〉 위태롭다. =바ᄃᆞ랍다. ¶社稷이 바ᄃᆞ라ᄫᆞ니 便安히 이숌 줄 업스니라(今社稷危逼 義無晏安)《三綱 忠臣 桓彝致死》.

바ᄃᆞ리 명〔충〕〈옛〉 바더리. ¶바ᄃᆞ리 예(蠮), 바ᄃᆞ리 옹(螉)《字會 上24》.

바따라-지다 형 음식의 국물이 바특하고 맛이 있다.

바댕이 명 〈방〉 대님(경북).

바뚜덕 명 〈방〉 밭두둑(강원·전라).

바뚜덩 명 〈방〉 밭두둑(경기·충남).

바뚜둑 명 〈방〉 밭두둑(충남·전라·경남).

바뚜득 명 〈방〉 밭두둑(제주).

바뚜랑 명 〈방〉 밭두둑(경기·강원·충북).

바뚜럭 명 〈방〉 밭두둑(경기·충북·전라).

바뚜럼 명 〈방〉 밭두둑(경상).

바뚜렁 명 〈방〉 밭두둑(경기·강원·충북·전북·경상·제주).

바뚜룩 명 〈방〉 밭두둑(강원·전남·경남).

바뚜룸 명 〈방〉 밭두둑(경남).

바뚜름 명 〈방〉 밭두둑(경남).

바뚝 명 〈방〉 밭두둑(경기·강원·충북·전라·경상).

바뜨랑 명 〈방〉 밭두둑(경기).

바뜨러-지다 형 ☞바따라지다.

바뜨럭 명 〈방〉 밭두둑(강원).

바뜨럼 명 〈방〉 밭두둑(강원).

바뜨렁 명 〈방〉 밭두둑(강원).

바:라¹ 명 ←파루(罷漏).

바라² 명 〈옛〉 바다. ¶돌 바회 바라ᄒᆡ ᄉᆞᄆᆞ차쇼ᄃᆡ(月輪穿海)《百聯 25》.

바:라³ 【哱囉】 명〔악〕①소라²❷. ②↗자바라(啫哱囉). 주의 ②는 '鑁囉'로도 씀.

바라⁴ 부 〈옛〉 의지하여. 곁따라. ¶ᄃᆞᆯ비츤 九霄애 바라 하도다(月傍九霄多)《初杜諺 VI:14》.

바라가다 타 〈옛〉 의지하여 가다. 곁따라 가다. ¶朝會호ᄆᆞᆯ 紫微ㅅ 垣을 바라가 ᄒᆞ리로다(朝傍紫微垣)《初杜諺 VIII:11》.

바라거온 【望良去乎】 〈이두〉 바라니. 바라는.

바라-건대 부 '제발 부탁하노니'·'원컨대'의 뜻의 접속 부사. ¶~ 속히 구제의 손길이 뻗치기를.

바라고 【望良古·望良遣】 〈이두〉 바라고.

바라구 명 〈방〉 바랭이(충청).

바:라기 명 음식을 담는 조그마한 사기 그릇. 보시기만한데, 그보다 입이 훨씬 벌어졌음.

바라나다 자 〈옛〉 마구 나다. ¶눈믈이 바라나니 말ᄉᆞᆷ인들 어이ᄒᆞ며《松江 續美人曲》.

바라나시 [Varanasi] 명〔지〕인도 북부 우타르 프라데시 주(Uttar Pradesh 州) 남동부의 도시. 갠지스 강 좌안에 있는 인도 고도(古都)의 하나. 힌두교의 칠성지(七聖地)의 하나로서 유명하며, 많은 사원이 있음. 학문의 중심지이며, 주요 산물로는 견직물·금속 세공이 유명함. 특히 여성이 입는 사리는 바라나시라고 하여 유명함. 시의 북방 5.5km 지점에 불적지(佛跡地)로서 유명한 녹야원(鹿野苑)이 있는 사르나트(Sārnāth)가 있음. 영어로는 비나레스(Benares). [794,000 명 (1981)]

바라누온일이아금 【望良臥乎事是良尔】 〈이두〉 바라는 것이라고. 바라는 일이라고.

바라니 [Bárány, Robert] 명〔사람〕오스트리아의 의학자. 이비과(耳鼻科)를 전공, 전정 기관(前庭器官)의 생리를 연구하고, 1906년에 미로(迷路)의 장애에 의해서 안구 진탕(眼球震盪)이 일어나는 원인을 확인하였으며, 각종 이질환(耳疾患)의 온열 시험(溫熱試驗)에 의한 진단법을 안출하였음. 1914년 노벨 생리 의학상을 받았음. [1876-1936]

바라다¹ 타 생각대로 또는 소원대로 되기를 원하다. ¶학생에게 ~/출세를 ~.

바라다² 타 〈옛〉 ①의지하다. =발다¹. ¶실에ᄅᆞᆯ 바라 書帙을 ᄀᆞᄌᆞ기ᄒᆞ고(傍架齊書帙)《杜諺 VII:6》. ②곁따르다. ¶어미ᄅᆞᆯ 바라셔 ᄌᆞ오ᄂᆞ다(傍母眠)《杜諺 X:8》.

바라다³ 타 〈옛〉 배우다. 익히다. ¶이제 仁智와 둘흘 바라디 아니ᄒᆞᆯ시(今仁智兩不習)《金三 III:50》.

바라다-보다 타 얼굴을 바로 향하고 쳐다 보다. ¶먼 산을 ~.

바라 ᄃᆞᆫ니다 자 〈옛〉 곁따라 다니다. ¶鬼物은 어스르메 바라 ᄃᆞᆫ니ᄂᆞ다(鬼物傍黃昏)《初杜諺 VIII:12》.

바라문 【婆羅門】 명 [범 Brāhmana]〔불교〕①인도 사성(四姓) 가운데 가장 높은 지위의 승족(僧族). 범천(梵天)의 후예로 그의 입에서 나왔다 하며, 제사(祭祀)와 교법(教法)을 다스려 다른 삼성(三姓)의 존경을 받음. 브라만. 파라문. 브라흐마나. *찰제리(刹帝利). ②↗바라문교(婆羅門教).

바라문-교 【婆羅門教】 명 [범 Brāhmanism]〔종〕불교 이전에 인도 바라문족(族)을 중심으로 고대 인도의 경전인 베다(Veda)의 신앙을 중심하여 발달한 종교의 총칭. 특히 불교 이전의 순수한 베다 사상을 위주로 한 것을 말하며 이것에 대해서 불교 이후의 바라문교를 신(新)바라문교 또는 인도교라 함. 우주의 본체(本體), 곧 범천(梵天)을 중심으로 하여 희생을 중히 여기며 난행 고행(難行苦行)·조행 결백(操行潔白)을 주지(主旨)로 삼는 종교임. 준바라문.

바라문-천 【婆羅門天】 명〔불교〕범천(梵天).

바라문-행 【婆羅門行】 명〔불교〕중의 전방지고 거친 행동.

바라밀【波羅蜜】 명 〖불교〗 ↗바라밀다(波羅蜜多).

바라밀다【波羅蜜多】[-따] 명 (범 pāramitā) 〖불교〗 '현실의 생사(生死)의 차안(此岸)으로부터 열반(涅槃)의 피안으로 건너다'라는 뜻으로 보살(菩薩)의 수행을 이르는 말. 육바라밀(六波羅蜜)·십바라밀(十波羅蜜) 등이 있음. 도피안(到彼岸)으로 번역함. ㊍바라밀.

바라바 (Barabbas) 명 〖성〗 신약 성서에 나오는 인물. 로마 총독 빌라도 앞에서 예수가 최후의 재판을 받을 때, 유대인들의 요청에 의해 예수 대신 석방된 살인 강도범의 이름.

바라-보다 타 ①멀어져 있는 곳을 건너다보다. 멀리 내다보다. ¶ 달을 ~. ②무슨 일에 간섭하지 아니하고 남만 쳐다보다. ¶ 옆에서 바라보고만 있다. ③은근히 희망·기대를 걸고 있다. 제 차지가 되기를 은근히 바라며 있다. ¶ 과장 자리를 ~/내일을 바라보고 살다. ④그 나이에 이를 날을 가까이 두고 있다. ¶ 나이 70을 ~.

바라-보이다 피동 멀리서 눈에 띄다. ¶ 멀리 백두산이 바라보인다.

바라숣거온【望良白去乎】〈이두〉 바라시는. 바라시니.

바라숣아금【望良白良尔】〈이두〉 바라옵는 것은. 바라옵는 것이.

바라숣안누온일【望良白內臥乎事】〈이두〉 바라옵는 일.

바라숣안누온일이여견【望良白內臥乎事是亦在】〈이두〉 바라옵는 일이니. 바라옵는 일이라는.

바라숣오며【望良白乎旀】〈이두〉 바라옵시며.

바라숣제【望白齊】〈이두〉 바라옵나이다.

바:라-수【哱囉手】 명 〖역〗 ↗자바라수(啫哱囉手).

바라오며【望良乎旀】〈이두〉 바라며.

바라이트 (barite) 명 〖광〗 중정석(重晶石).

바라지¹ 명 음식이나 옷을 대어 주는 등 온갖 일을 돌보아 주는 일. ¶ 자식 ~/옥(獄)~. ──-하다 타 여불

바라지² 명 〖불교〗 곁에서 영혼을 위하여 시식(施食)할 때에 시식 법사(法師)가 앉아 송구(頌句)의 경문을 읽으면 옆에서 그 다음의 송구를 받아 읽는 사람. 또, 그 시식을 거들어 주는 사람.

바라지³ 명 바람벽의 위쪽에 낸 작은 창. 쌍바라지·약곗바라지 등이 있음. ¶ ~ 밖으로 그제사 바람이 일기 시작했다. 바라지창. 주의 '破羅之'로 씀은 취음(取音).

바:라-지다¹ 자 ①갈라져서 사이가 뜨다. ¶ 바라진 벽. ②넓게 퍼져서 활짝 열리다. ③옆으로 퍼져서 똥똥하게 되다. 옆으로 퍼지다. ¶ 키는 크지 않고 옆으로만 ~. 1)-3): <벌어지다.

바:라-지다² 형 ①키가 작고 몸이 옆으로 퍼져 똥똥하다. ¶ 딱 바라진 체격. ②그릇이 높이는 얕고 옆으로 퍼진 듯이 위가 납작하고 오긋하다. ③응승 깊지 못하고 포용성(包容性)이 적다. 하는 짓이 나이에 비해서 지나치게 야무지다. 되바라지다. ¶ 바라진 계집애.

바라지-창【-窓】 명 〖건〗 누각(樓閣) 등의 벽 위에 바라보기 좋게 뚫은 창. 바라지.

바:라-춤【哱囉-·嚩囉-】 명 〖불교〗 불전(佛前)에 재(齋)를 지낼 때, 자바라를 치고 천수 다라니(千手陀羅尼)를 외면서 추는 춤.

바라크 (프 baraque) 명 ①허름하게 임시로 지은 작은 집. 판잣집. 가건물(假建物). ②〖군〗 군대가 휴양하기 위하여 급히 지은 영사(營舍).

바라타 나티아 (범 Bhārata Nātya) 명 인도 고전 무용의 일종. 나티아-샤스트라(Nātya-śāstra)의 저자(著者)로 알려진 바라타가 전한 무용이란 뜻.

바라트 (Bharat) 명 인도 제헌 의회에서, 1949년 9월에 채택한 대내적(對內的) 명칭으로서 인도의 고명(古名)임.

바라틴스키 (Baratynskii, Evgenii Abramovich) 명 〖사람〗 러시아의 시인. 염세적인 고뇌와 깊은 사색을 섬세한 필치로 쓴 서정시를 남김. 대표작에 ≪환멸≫·≪마지막 죽음≫ 등이 있음. [1800-44]

바라-팔기【嚩囉-】 명 〖민〗 중부 지방의 제석굿에서, 무녀가 바라를 들고 독주하고 나서 바라에 밤·떡 따위를 얹어 신자들에게 파는 일. 이 일을 '바라를 판다, 바라를 산다'고 하며, 바라를 사서 먹으면 어린이가 수명 장수를 할 수 있다 함.

바라하기암【望良爲只爲】〈이두〉 바라도록.

바라하숣기암【望良爲白只爲】〈이두〉 바라옵도록. 바랍니다고.

바락 부 성이 나거나 하여 갑자기 기를 쓰는 모양. ¶ 고만한 일에 ~ 성을 내다니. <버럭. 바락-바락 부. ¶ ~ 악을 쓰다. <버럭버럭.

바란 (히 Paran) 명 〖성〗 [빛나는 땅이라는 뜻] 이집트와 미디안 중간에 있었던 들판. 석회돌로 된 고층(高層) 지대로 이스라엘 사람들이 피난한 곳임.

바:랄 (bharal) 명 〖동〗 [*Pseudois nayaur*] 솟과(科)에 속하는 야생의 양. 몸길이 1.3-2 m, 어깨 높이 80 cm 정도, 몸무게 55-73 kg. 몸빛은 대체로 푸른 빛, 또는 갈색을 띤 회색임. 뿔은 암수 둘 다 있는데, 염소처럼 뒤로 굽었음. 네팔에서 카슈미르, 몽고 북부, 티베트 등의 산악 지방에 삶.

바람¹ 명 소망. 희망.

바람² 명 (중세 : ᄇᆞ룸) ①기압의 고저에 의하여 일어나는 공기의 유동(流動). 태풍·폭풍·계절풍·무역풍 등의 구분이 있음. ¶ ~에 쓰러진 나무/무슨 ~이 불어 여기 왔나(비유적). ②속이 빈 물체 속에 넣는 공기. ¶ 공에 ~을 넣다/타이어에서 ~이 샌다. ③들뜬 마음이나 짓. ¶ ~이 나서 살림을 돌보지 아니하다/~을 피우다. ④〈속〉 풍병(風病). 중풍. ¶ ~을 맞다. ⑤작은 일을 불려서 크게 말하는 일. 허풍. ¶ 그 친구 어찌나 ~이 센지 믿을 수가 없다. *풍¹(風). ⑥비밀의 탄로. 소문이 나는 일. ⑦남의 비난의 목표가 되거나 어떤 힘의 영향을 잘 받아 불안정한 일. ¶ ~을 잘 타는 자리/워낙 ~이 센 자리라 늘 불안하다. ⑧한꺼번에 밀어닥치는 어수선한 분위기나 소용돌이. ¶ 숙청 ~/선거 ~이 불다. ⑨남을 부추기거나 얼을 빼는 짓. ¶ 옆에서 ~을 넣다.

[바람도 올 바람이 낫다] 이왕 겪어야 할 바에는 아무리 어렵고 괴롭더라도 남보다 먼저 당하는 것이 낫다는 말. [바람 바른 데 탱자 열매같이] 겉은 그럴 듯하나 실속이 없는 모양. [바람 부는 날 가루 팔러 가듯] 바람에 잘 날리는 가루를 바람이 부는 날 팔러 가듯이, 모든 일에서 그 알맞은 기회를 알지 못함을 이르는 말. [바람 부는 대로 돛을 단다] 세상 형편 돌아가는 대로 따른다. [바람 부는 대로 물결 치는 대로] 확고한 주관이나 결심이 없이 모든 일을 되어 나가는 대로 맡긴다는 뜻. [바람 앞에 등불] 풍전 등화(風前燈火). ¶ 참으로 바람 앞의 등불이라 하리로다≪玉樓夢≫. [바람이 불어야 배가 가지] 선행 조건이 해결되어야 목적하는 바의 일이 이루어짐을 이르는 말.

바람(이) 끼:다 구 들뜬 기분이 마음 속에 끼다. 들뜬 마음이 생기다.

바람(이) 나가다 구 ㉠바람이 새어 나가다. ¶ 바람 나간 타이어. ㉡한창 융성한 기운이 없어지다.

바람(이) 나다 구 ㉠들뜬 마음이 생기다. 마음이 들뜨다. ¶ 바람난 여자. ㉡하는 일에 능률이 한창 나다.

바람(을) 내:다 구 ㉠하는 일에 한창 능률을 내다. ㉡(경상 북도 영천(永川) 지방의 풍습에서) 음력 2월 초하룻날 하늘에서 내려 왔다가 그 달 보름에 도로 올라간다는 풍신(風神)을 맞아 밥·나물·떡 등으로 대접하여 그 해 일년 동안의 행운을 빌고 보내다. ㉢ 바람이 나게 하다. 마음을 들뜨게 하다. ¶ 남까지 바람내지 말라.

바람(을) 넣다 구 남을 부추겨서 무슨 행동을 하려는 마음이 부풀도록 「만들다.

바람(이) 들다 구 ㉠무 같은 것이 얼었다 녹았다 하는 바람에 물기가 빠져 속이 푸석푸석하게 되다. ¶ 바람 든 무. ㉡마음이 들뜨다. 허황한 바람이 마음에 차다. ¶ 바람든 여자. ㉢거진 되어 가는 일에 딴 방해가 생기다.

바람(이) 들리다 구 허황하고 들뜬 마음이 들게 되다.

바람(을) 등지다 구 바람이 불어오는 반대쪽으로 향하다.

바람(을) 맞다 구 ㉠풍병에 걸리다. ¶ 바람맞아 반신을 못 쓰다. ㉡몹시 바람이 들다. ㉢남에게 허황된 일을 당하다. 남에게 속다. ¶ 여자한테 ~.

바람 맞은 병:신같이 구 기운이 빠지고 풀이 없어 몸을 가누지 못하는 「모양.

바람(을) 맞히다 구 남을 헛물켜게 만들다.

바람(을) 쐬:다 구 ㉠불어오는 바람을 몸에 맞다. ¶ 바람 쐬면 감기들라. ㉡기분 전환을 위하여 바깥이나 딴 곳을 거닐거나 다니다. ¶ 바람 쐬며 산책하다/바람쐬기 위한 해외 여행.

바람(을) 안다 구 바람이 불어오는 쪽으로 향하다.

바람(을) 올리다 구 음력 2월 초하루부터 스무날까지의 사이에, 폭풍우의 피해를 막기 위해 풍신제(風神祭)를 올리어, 영등할머니와 그 며느리에게 빌다.

바람(이) 자다 구 ㉠불던 바람이 그치다. ㉡들떴던 마음이 가라앉다.

바람(을) 잡다 구 ㉠난봉이 나거나 마음이 들떠서 돌아다니다. ㉡허황한 짓을 꾀하다.

바람(을) 켜다 구 바람난 짓을 하다.

바람(을) 피우다 구 ㉠한 이성(異性)에만 만족하지 않고, 다른 이성과도 일시적으로 애정 관계를 가지다. ㉡허황된 짓을 자주 하다.

바람³ 명 〈방〉 바람벽(황해).

바람⁴ 명 〈방〉 보람¹(경상).

바:람⁵ 명 〈방〉 바랑².

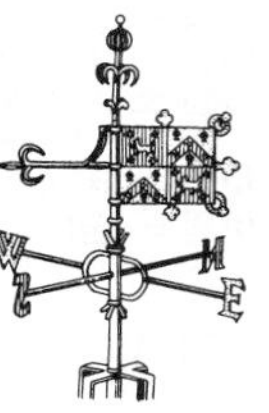

〈바람개비¹❶〉

바람⁶ 의명 ① ('-는[-은] 바람에'의 꼴로 쓰이어) 뒷말의 원인이나 계기가 됨을 나타내는 말. ¶ 하라는 ~에 했소/자꾸 먹으라는 ~에 혼났소. ②몸에 차려야 할 것을 차리지 아니하고 나서는 차림. 또, 그 행색. ¶ 파자마 ~/속옷 ~으로.

바람⁷ 의명 실이나 새끼 같은 것의 한 발쯤 되는 길이. ¶ 한 ~의 새끼.

바람-개비¹ 명 ①〖기상〗 바람의 방향을 알기 위하여 긴 장대에 높이 세운 장치. 풍향계(風向計). ②팔랑개비¹❶.

바람-개비² 명 〖조〗 쏙독새❷.

바람개비-놀이 명 어린애들이 팔랑개비를 손에 들고 뛰어 다니며 노는 「놀이.

바람-결 [-껼] 명 바람이 지나가는 겨를. 풍편(風便). ¶ ~에 들리는 비명 소리/~에 들으니 돈을 벌었다더라.

[바람결에 불려 왔나 떼구름에 싸여 왔나] 뜻밖에 기다리고 기다리던 것이 홀연히 돌아옴을 이르는 말.

바람-고다리 [-꼬-] 명 〖기〗 ☞바람꼭지.

바람 공:포증【-恐怖症】[-쯩] 명 〖심〗 외풍이나 바람을 비정상적으로 두려워하는 상태.

바람과 함께 사라지다 명 (Gone with the Wind) 〖책〗 1936년에 발간된 미첼(Mitchell, M.)의 장편 소설. 10년간에 걸친 대작으로 미국 남북 전쟁 당시의 급변하는 사회와, 주인공 스칼렛(Scarlett)을 중심으로 많은 인간상(人間像)을 등장시키고 애정(愛情)의 갈등(葛藤)을 활기 있게 묘사한 작품임.

바람 구멍 [-꾸-] 명 ①미닫이나 그 밖의 창문 같은 곳에 뚫리어 바람이 들어오는 구멍. ②바람이 통하도록 뚫어 놓은 구멍.

바람-기【-氣】[-끼] 명 ①바람이 불어올 듯한 기운. 바람의 기세. ¶ ~가 전혀 없는 날씨. ②주로 남녀 관계로 일어나는, 마음이나 행동의 들뜬 기운. ¶ ~가 있는 남편.

바람-꼭지 명 〖기〗 튜브(tube)의 바람을 넣는 구멍에 붙은 쇠로 만든 꼭지.

바람-꽃¹ 명 큰 바람이 일어날 때에 먼저 먼 산에 구름같이 끼는 뽀얀 기 「운.

바람-꽃² 명 ①미나리아재빗과에 속하는 국화바람꽃·그늘바람꽃·꿩의

바람꽃·들바람꽃·쌍도바람꽃·회오리바람꽃 등의 총칭. *아네모네(anemone). ②『식』[*Anemone narcissiflora*] 미나리아재빗과에 속하는 다년초. 줄기 높이 15-20 cm이고 근생엽(根生葉)은 장병(長柄)에 장상(掌狀) 전열(全裂)하고 다시 선상(線狀)으로 세열(細裂)하며 줄기 끝의 경엽(莖葉)은 무병(無柄)으로 총포엽(總苞葉)을 이룸. 6-7월에 매화(梅花) 비슷한 백색 꽃이 산형상(繖形狀)으로 줄기 끝에 4-5개의 꽃꼭지에 한 개씩 피고 타원형의 수과(瘦果)를 맺음. 고산(高山) 지대의 습지에 나는데 한국 북부·일본 및 북반구(北半球)의 온대·아한대에 분포함.

〈바람꽃²❷〉

바람-꾼 [명] ☞ 바람둥이.

바람-동이 [명] ☞ 바람둥이.

바람-둥이 [명] ①큰 소리나 펑펑 하며 다니는 실없는 사람. ②바람만 피우고 다니는 사람. 풍객(風客).

바람-등칡 【一藤一】 [一칙] [명] 『식』[*Piper kadzura*] 호초과의 상록 활엽의 만목(蔓木). 잎은 호생하여 달걀꼴 또는 달걀 모양의 피침형을 이루고 가장자리에 톱니가 없음. 여름에 자웅 이가(雌雄異家)의 잔 꽃이 피고, 둥근 장과(漿果)는 가을에서 겨울에 황갈색으로 익음. 산의 낮은 지대에 나는데 전남·제주·일본·대만 등지에 분포함. 관상용으로 심기도 함. 풍등갈(風藤葛).

〈바람등칡〉

바람-떡 [명] 〈방〉 개피떡.

바람-뚝 [명] 〈방〉 바람벽(평안).

바람-막이¹ [명] ①바람을 막는 일. 방풍(防風). ②바람을 막는 물건. ——하다 [자][타][여불]

바람-막이² [명] 전라도 무당춤에서, 두 손에 지전(紙錢)을 쥐고 팔과 어깨를 활짝 벌린 춤사위.

바람막이 고무 [명] 튜브(tube) 등에 넣은 바람을 나오지 못하게 막는 고무. *지렁이 고무.

바람막이-숲 [명] 방풍림(防風林).

바람만-바람만 [부] 바라보일 만한 정도로 뒤에서 멀찍이 떨어져 따라가는 모양.

바람-맞이 [명] 〈방〉 바람둥이.

바람 머리 [명] 바람을 쐬면 머리가 아픈 병.

바람-물 [명] 〈방〉 바닷물(함남).

바람 바퀴 [명] 풍차(風車). *팔랑개비.

바람-받이 [一바지] [명] 바람을 몹시 받는 곳. 바람이 마주치는 곳. ¶ ~에 있는 집.

바람-벽 【一壁】 [一뼉] [명] 『건』 방을 둘러 막은 둘레의 벽. [준]벽(壁). [바람벽에 돌 붙나 보지] 오래 견디어 나가지 못할 것이면 처음부터 그만 두는 것이 좋다는 뜻.

바람-비 [명] 비바람.

바람-빡 [명] 〈방〉 바람벽(경기·강원·충남·전남·경북).

바람-삑 [명] 〈방〉 바람벽(경남).

바람-살 [一쌀] [명] 세찬 바람의 기운. ¶ 매운 ~을 안고 나아가다.

바람-서리 [명] 폭풍우로 말미암은 농업이나 어업 등이 받는 피해. ¶ ~를 맞다.

바람-세 【一勢】 [一쎄] [명] 풍세(風勢).

바람 소리 [一쏘一] [명] 바람이 부는 소리. 풍성(風聲).

바람 소음 【一騷音】 [명] 『물』 물체 위나 물체 주위의 대기 난류(亂流)에 의해서 생기는 소음.

바람-싹 [명] 〈방〉 바람벽(강원).

바람의 숨 [一/一에一] [명] [gustiness] 『기상』 바람이 비교적 짧은 시간 사이에 강해졌다 약해졌다 하면서 불규칙하게 반복하여 변화하는 현상.

바람-잡이 [명] ①야바위꾼이나 치기배 등의 한통속으로서, 옆에서 바람을 넣거나 남의 얼을 빼는 구실을 하는 자. ②☞ 바람둥이.

바람 장미 【一薔薇】 [명] 『기상』 어떤 지점에서, 일정 기간 풍향(風向)을 연속 관측해 얻은 풍향별 빈도(頻度)를, 이에 비례한 길이의 선분(線分)으로 방위반(方位盤) 위에 기입한 것. 또, 그 선단(先端)을 이은 것. 풍배도(風配圖). 윈드 로즈(wind rose).

바람직-하다 [형][여불] 생각하는 대로 또는 소원하는 대로 되었으면 하다. ¶ 바람직한 일.

바람-총 【一銃】 [명] 대나 나무의 긴 통 속에 화살처럼 만든 것을 넣어 입으로 불어서 쏘는 총. 장난감으로나 새를 잡는 데 씀.

바람-칼 [명] 조류(鳥類)가 하늘을 날 때, 마치 그 날개가 바람을 자르는 듯하다는 뜻에서, 조류의 날개를 일컫는 말.

바람-퍽 [명] 〈방〉 바람벽(함경).

바람풍-부 【一風部】 [명] 한자 부수(部首)의 하나. '颯'·'颺' 등에서 '風'의 이름.

바람-하늘지기 [명] 『식』 [*Fimbristylis miliacea*] 방동사닛과에 속하는 일년초. 줄기는 편평한 사각주(四角柱)로 높이 4cm 가량이고 잎은 선형(線形)으로, 좁은 근생엽(根生葉)이 총생(叢生)하고, 그 사이에 10-30 cm 가량의 줄기가 두세 개 남. 8-9월에 줄기 끝에 나온 여러 개의 꽃꼭지에 갈색의 둥실둥실한 꽃이 산형(繖形) 화서로 피고 수과(瘦果)는 삼릉상(三稜狀) 거꿀달걀꼴이며 황색으로 익음. 밭이나 들의 양지 바른 습지에 나는데, 제주·경상·충북·경기 등지에 분포함.

바랑¹ [명] 〈방〉 바라(嚩囉)(제주).

바:랑² [명] ①←배낭(背囊). ¶ ~을 지다. ②『불교』 [←발낭(鉢囊)] 길 가는 중이 등에 지는 자루 같은 큰 주머니. 걸낭. *중바랑.

바랑³ [의명] 〈방〉 바람⁶❷.

바랑이 [명] 〈방〉 바랭이.

바랑키야 [Barranquilla] [명] 『지』 남아메리카 북단 카리브 해로 흐르는 마그달레나 강(Magdalena江) 하류의 항구 도시로 아틀란티코 주(州)의 주도(州都). 콜롬비아 제일의 무역항으로 면화·인견(人絹)·시멘트·제강(製鋼)·담배·제재(製材)·조선(造船)·화학 약품 등의 공업이 성하며, 교외에는 아름다운 주택지가 많음. [1,120,000 명(1985 추계)]

바래 [명] 〈방〉 바자울.

바:래기 [명] ☞ 바라기.

바:래다¹ [一][자] 볕이나 습기를 받아 빛이 변하다. 물건이 오래되어 변색하다. ¶ 빨아도 바래지 아니하는 옷감. [二][타] 빨래 같은 것을 볕에 쬐어 희게 하다. ¶ 광목을 ~.

바래다² [타] 가는 사람을 중도까지 배웅하다. ¶ 손님을 역까지 ~드려라.

바래다³ [타] ☞ 바라다¹.

바래다 주다 [타] 가는 사람을 중도까지 배웅하여 주다. [준]바래 주다.

바래미 [명] 〈방〉 바람 ❶(함경).

바래 주다 [타] ↗바래다 주다. ¶ 정거장까지 바래 주어라.

바랫다 [형] 〈옛〉 의지하여 있다. 의지하였다. ¶片雲은 므슴ᄠ드로 琴台롤 바랫ᄂᆞ니오(片雲何意傍琴台)《初杜諺 Ⅶ:3》.

바:랭이 [명] 『식』 [*Digitaria adscendens*] 볏과(科)에 속하는 일년초. 줄기는 70cm 가량으로 땅에 기어 뻗으며 5-6개로 갈라지고 잎은 선형(線形)이며 긴 털이 나고 엽초(葉鞘)가 있음. 여름과 가을철에 4-7개의 꽃이삭이 가지 끝에 정생하는데 길이 7-15cm이고 피침형이며 녹색에 백색 털이 있음. 밭·길가에 가장 흔한 잡초(雜草)로, 한국·일본·중국 등지에 분포함. 마소의 사료·녹비용임. 같은 종류로 좀바랭이·민바랭이 등이 있음.

〈바랭이〉

바:랭이-사초 【一莎草】 [명] 『식』 [*Carex incisa*] 방동사닛과에 속하는 다년초. 줄기는 능주형(稜柱形)으로 총생(叢生)하고 높이는 약 40cm, 잎은 호생하고 선형(線形)인데 줄기보다 짧고 폭 3-6mm 가량임. 5-6월에 녹갈색 꽃이 수상(穗狀) 화서로 피는데, 소수(小穗)는 4-5개로 선형이며 정수(頂穗)는 양성(兩性), 측수(側穗)는 자성(雌性)임. 과낭(果囊)은 피침상 타원형임. 산림의 습한 곳에 나는데, 제주도에 분포함.

바레스 [Barrès, Auguste Maurice] [명] 『사람』 프랑스의 작가. 로렌 주(Lorraine州)의 출신. 1차 대전 후 파리에서 국회 의원에 선출됨. 삼부작(三部作) 《뿌리 뽑힌 사람들》·《병정들에게》·《모습》 등으로 민족주의(民族主義)를 고취하였음. [1862-1923]

바레인 [Bahrain] [명] 『지』 ①바레인국을 이루는 8개 섬 중, 가장 큰 섬. 유전(油田)이 있음. ②아시아 서남부 페르시아 만에 있는 8개 섬으로 이루어진 입헌 군주국(立憲君主國). 가장 큰 섬은 바레인 섬. 어업·진주 채취가 주된 생업(生業)이었는데, 1932년 바레인 섬에서 유전이 발견되면서 급속히 발전함. 1971년 영국 보호령으로부터 독립함. 정식 명칭은 바레인국(State of Bahrain). 수도는 마나마(Manama). [678 km²: 590,000 명(1995 추계)]

바레일리 [Bareilly] [명] 『지』 인도 북부 람강가 강(Ramganga江) 연안의 도시. 철도의 요지로 1857년 인도의 대반란 때 하나의 거점이기도 했음. 제당업이 성함. [438,000 명(1981)]

바레즈 [Varèse, Edgar] [명] 『사람』 프랑스 태생의 미국 작곡가. 유럽 각지에서 관현악단을 지휘하고, 1916년 도미 후 국제 작곡가 조합을 결성하였음. 음악 개념에서 벗어난 특이한 작풍(作風)으로 유명하며, 전자 음악과 구체(具體) 음악을 채용함. 《이온화》·《밀도 21.5》 등 제명(題名)에 과학적인 것이 많음. [1883-1965]

바렌보임 [Barenboim, Daniel] [명] 『사람』 아르헨티나 태생의 이스라엘 피아니스트·지휘자. 피아노 연주로 악단에 데뷔, 일찍부터 천재 소년으로 이름을 날림. 1962년경부터 지휘자로 활약, 파리 관현악단과 시카고 교향악단의 음악 감독을 지냄. [1942-]

바렌츠 해 【一海】 [Barents] [명] 『지』 북극해의 일부로 유럽 북안(北岸)과 노바야 젬랴(Novaya Zemlya) 섬·프란츠 요제프 란트·스발바르 제도(Svalbard諸島) 사이에 있는 해역(海域). 최대 수심(水深)은 600m 이며 여름철 이외에는 대부분 동결함. [1,405,000 km²]

바려ᄒᆞ다 [자] 〈옛〉 모자라다. ¶頓乏은 마장 바려흘 씨라《妙蓮 Ⅲ:193》.

바로¹ [Barrault, Jean Louis] [명] 『사람』 프랑스의 배우·연출가. 화가를 지망했다가 연극으로 전향, 뒬랭(Dullin)에 사사(師事)하여 재치있고 개성이 강한 무대 예술가로 활동함. 전체 연극(全體演劇)을 제창하는 등 현대의 대표적 연극인의 한 사람임. [1911-]

바로² [Varro, Marcus Terentius] [명] 『사람』 고대 로마의 철학자. 키케로(Cicero)의 친구로, 철학의 목적을 인간의 최고선(最高善)의 탐구에 두었고, 인간의 넋을 공기라 하였음. 역사·지리·법학·문학·건축·의학 등도 연구하였음. 저서는 《농업론》·《라틴어론(Latin語論)》 등. [116-27 B.C.]

바로³ [一][부] ①바르게. 곧게. ¶ 마음을 ~ 가져라. ②정확히. 틀림없이. ¶ 질문을 ~ 맞히다/~ 그 사람이다. ③곧. 지금 곧. ¶ 지금 ~ 가시오. ④곧장. 중도에서 지체하지 아니하고. ¶ 집에 ~ 가시오. ⑤위로 곧게. 똑바로. ¶ ~ 세우다. ⑥틀림없는 곧 그. ¶ ~ 오늘이 내 생일이다. [二][의명] 일정한 방향이나 곳을 가리키는 말. ¶ 저 ~가 우리 학교요. [三][감] ①본디의 자세로 돌아가라는 구령(口令). ¶ 앞으로 나란히, ~/우로 봐, ~. ②〈방〉 아주⁵.

바로-꽂이 [명] 꺾꽂이에서, 버드나무나 미루나무 등의 가지를 직접 꽂아 심어서 자라게 하는 일. ——하다 [타][여불]

바로네 [Barone, Enrico] [명] 『사람』 이탈리아의 경제학자. 군에서 퇴역 후, 연구에 종사, 사회주의 경제에서의 경제 경쟁(競爭)의 중요성을 제창(提唱)하였음. 주저 《집산주의(集產主義) 국가에 있어서의 생산자》. [1859-1924]

바로다 〔Baroda〕 명 『지』 인도 서부 구자라트 주(Gujarat州) 남쪽의 캠베이 만(Cambay灣)에 인접한 도시. 철도의 요지로 면직물·화학 비료·기계·금속 공업이 성하며 공업 단지가 갖 있음. 석유·천연 가스 개발도 성함. 대학·박물관이 있으며 보석·은사직(銀絲織)의 특산이 유명함. [744,000명(1981 추계)]

바로-뒤기 명 씨름에서, 다리 재간의 하나. 상대자를 안낚시 혹은 연장걸이로 걸거나 또는 걸린 이가 몸을 바로 뒤어 상대자를 넘어뜨리는 재주.

바로미터 〔barometer〕 명 ①『물』 청우계(晴雨計). ②사물을 추측하는 준거(準據)나 척도가 되는 것. ¶ 혈압은 건강의 ~.

바로-스위치 〔baroswitch〕 명 『공』 라디오존데에서 쓰는, 압력으로 작동하는 스위치 장치. 이에 의하여 기온·습도 및 이에 관련한 신호 송신 여부가 결정됨. *기압 스위치.

바로-잡다 타 ①굽은 것을 곧게 하다. ¶ 굽은 등뼈를 ~. ②그릇된 일을 바르게 만들다. 잘못된 것을 고치다. ¶ 마음을 바로잡아라/교풍(校風)을 ~.

바로-잡히다 자 ①굽은 것이 곧게 되다. ②그릇된 일이 바르게 만들어지다. 잘못된 것이 고쳐지다. ¶ 국정이 ~/오자(誤字)가 ~.

바로코 〔이 barocco〕 명 '바로크'의 이탈리아어.

바로크 〔baroque〕 명 『예』 〔포 barroco; 비뚤어진 진주(眞珠)의 뜻에서 유래(由來)〕 17-18세기에 유럽, 특히 프랑스와 이탈리아 등에 유행한 회화(繪畫)·건축·조각·문학·음악·장식 미술(裝飾美術)의 한 양식. 명쾌하고 안정된 불변의 미(美)를 형용하는 클래식에 대하여 감각적 효과를 노린 회화적·극적인 동감(動感)에 넘치는 양식임. 외면 장식에 분방(奔放)한 기교로서 표현 내용의 복잡성을 나타냄. 베르사유 궁전이 이 양식의 대표적인 예인데, 이 양식에서 로코코(rococo) 양식으로 발전함. 바로크 양식(樣式).

바로크 건:축 【一建築】 〔baroque〕 명 『건』 16-18세기에 유럽에 유행한 건축 양식. 원형이나 정사각형이 아닌 불규칙한 모양의 움직임이 풍부함. 건축물의 안팎은 금빛이 눈부신 조각·그림으로 장식됨. 교회 건축에서의 산 피에트로 대성당과 세속 건축에서의 베르사유 궁전은 그것을 대표함.

바로크 미술 【一美術】 〔baroque〕 명 『미술』 16세기말부터 18세기초에 걸쳐 유럽에 유행한 미술 양식. 균형(均衡)이 잡힌 정적(靜的)이고 이상주의적인 르네상스 미술이 붕괴한 후에 현실적이며 동적(動的)인 것으로서 생긴 양식. 이탈리아에서 발생하여 이어 독일·프랑스·스페인 등에서도 성행(盛行)함. 이탈리아의 대표적인 예술가는 베르니니(Bernini)임.

바로크 양:식 【一樣式】 〔baroque〕 명 『예』 바로크.

바로크 음악 【一音樂】 〔baroque〕 명 『악』 16-17세기에 시작하여 18세기 중간에 바흐가 대위법적(對位法的) 다성 음악(多聲音樂)의 양식을 확립하기까지의 음악사상(音樂史上)의 바로크 양식. 중세의 교회 음악에서 실내악·극장 음악의 분리 발달(分離發達)과 통주 저음(通奏低音)·조성(調性)에 기초를 둔 악곡의 구축감(構築感), 반음계적 선율(半音階的旋律)의 구사(驅使), 칸타타(cantata)나 오페라에 있어서의 벨칸토 창법의 채용, 아리아와 레치타티보(recitativo)의 구별의 발생 및 기악의 성악에 대한 지배(支配)가 특색임. 바흐와 헨델이 그 정점(頂點)에 위치함.

바로하 〔Baroja, Pío〕 명 『사람』 스페인의 소설가. 평이(平易)한 문장으로, 따뜻한 인간미와 염세관(厭世觀)이 담긴 작품을 발표하였음. 작품 ≪생존 경쟁≫ 등이 있음. [1872-1956]

바룴믌 명 〈옛〉 바닷물. ¶ 봄 城은 바룴믌 마이로다(春城海水邊)≪重杜諺 XXI:27≫.

바루[1] 명 『불교』 〔←발우(鉢盂)〕 바리[1] ❷.

바루[2] 명 〈옛〉 바라(罷漏). ¶ 미실 바루 텨든 니러 굿 시븟고(每日打罷明鑼起來洗臉)≪朴解上 49≫.

바루[3] 부관의명감 〈방〉 바로[3].

바루나 【婆樓那】 명 〔범 Varuna〕 『신』 고대 인도의 베다 신화(Veda神話)의 신. 천공(天空)의 신이라고 하나 자연 현상(自然現象)과의 인연은 적고, 사법신(司法神)으로서 인격화(人格化)됨. 천칙(天則)의 옹호자이고 인륜(人倫)과 우주(宇宙)의 질서의 유지자임. *아디트야(Aditya).

〈바루나〉

바루다 타 바르게 하다. ¶ 옷깃을 ~ / 다시 얼굴빛을 바루고 말하였다.

바루크[1] 〔Baruch〕 명 『성』 구약 성서에 나오는 예루살렘의 종교가·예언자. 예레미야(Jeremiah)의 제자.

바루크[2] 〔Baruch, Bernard Mannes〕 명 『사람』 미국의 정치가·재정가. 윌슨 대통령에게 발탁되어 국방 자문 위원·전시 산업 국장 등을 거쳐 1919년 경제 문제에 관한 전문 위원으로 파리 강화 회의에 참석하였음. 제2차 세계 대전 후에는 유엔 원자력 위원회의 미국 대표로 활약하였는데, 냉전(冷戰) 즉, 콜드 워(cold war)란 말을 그가 처음으로 사용하였음. [1870-1965]

바루크-안 【一案】 〔Baruch〕 명 『정』 1946년 6월, 유엔 원자력 관리 위원회에 미국 대표인 바루크가 제출한 원자력 국제 관리안. 국가 주권보다 우월한 국제 기관을, 유엔 안에 설치하는 것을 목적으로 하였으나 실현 단계에 이르지 못함.

바룸-물 명 〈방〉 바닷물(함남).

바룸-뼉 명 〈방〉 바람벽(경기).

바룸-짝 명 〈방〉 바람벽(경기).

바륨 〔barium〕 명 『화』 알칼리 토금속(土金屬) 원소의 하나. 담황색 또는 은백색이고 연하며 공기 중에서 잘 산화(酸化)함. 상온(常溫)에서 물을 분해하며, 열을 가하면 녹색의 불꽃을 내며 타서 산화 바륨이 되는데 화학적 성질은 칼슘과 비슷함. 독중석(毒重石)에는 탄산(炭酸) 바륨, 중정석(重晶石)에는 황산(黃酸) 바륨으로서 천연(天然)으로 산출함. 합금(合金) 재료로 사용됨. 또, 황산 바륨은 물에 녹지 아니하고, 장관(腸管)에서 전혀 흡수되지 아니하므로 위장관(胃腸管)의 엑스선(線) 진단 때에 조영제(造影劑)로 사용됨. [56번:Ba:137.33]

바륨 연료 전:지 【一燃料電池】 〔barium〕 〔一열一〕 명 연료 전지의 하나. 화학 에너지를 전기 에너지로 변환하는 데 바륨과 산소 또는 염소(塩素)를 사용함.

바륨 유리 【一琉璃】 〔一뉴一〕 명 〔barium glass〕 유리의 하나. 산화(酸化) 칼슘 성분이 산화 바륨과 치환(置換)된 점이 보통 유리와 다름.

바르 부 〈옛〉 바로[3]. ¶ 뵈 우흐로셔 바르 디나시다 ㅎ면≪新語 VI:18≫.

바르가 〔Varga, Evgenii Samoilovich〕 명 『사람』 헝가리 태생의 소련 경제학자. 현대 자본주의, 특히 경기(景氣) 변동의 마르크스주의적 분석에 뛰어나 마르크스 경제학의 교조(敎條)주의적 이해에 반대하였음. 주저 ≪세계 경제 공황사(恐慌史)≫. [1879-1964]

바르가스 〔Vargas, Getulio Dornelles〕 명 『사람』 브라질의 정치가. 1930년 혁명을 일으켜 대통령이 되었음. 노동자·자본가를 배경으로 독재권을 행사하여 사회 입법과 산업 진흥으로 근대화를 추진하였으나 미국의 압력과 경제 위기에 고민하다가 군부의 반란(叛亂)으로 자살함. [1883-1954]

바르나 〔Varna〕 명 『지』 불가리아 북동부 흑해(黑海) 연안의 항구 도시. 조선·기계·섬유·식품 공업이 성하며 의과 대학·해군 사관 학교·고고(考古) 박물관이 있음. 부근은 관광·보양지(保養地)로서도 알려져 있음. 1949-55년에는 스탈린이라 불림. [302,211명(1986)]

바르나울 〔Barnaul〕 명 『지』 러시아의 시베리아 남서부, 알타이 초원에 있는 오비 강(Obi江)의 하항(河港) 도시. 기계·섬유·피혁 등의 공업이 성함. [586,000명(1986)]

바르는-물레 명 〈방〉 씨아(제주).

바르다[1] 타르불 〔중세 : ᄇᆞᄅᆞ다〕 ①헝겊·종이 같은 것에 풀칠을 하여 다른 물건에 붙이다. ¶ 벽지를 ~. ②풀·물 또는 화장품 같은 것을 묻히다. ¶ 분을 ~/버터를 ~. ③이긴 흙 따위를 다른 물체에 붙이다. ¶ 벽에 흙을 ~.

바르다[2] 타르불 ①속에 들어 있는 알맹이를 꺼내려고 겉을 쪼개어 헤치다. ¶ 밤을 ~. ②뼈다귀의 살 따위를 걷다. ¶ 생선의 살을 발라 먹다.

바르다[3] 형르불 〔중세 : 바ᄅᆞ다〕 ①도리에 맞다. ¶ 바른 말. ②틀리거나 비뚤어지거나 굽지 아니하고 곧다. ¶ 바른 자세/마음이 ~. ③그늘이 지지 아니하고 햇볕이 정면으로 잘 비치다. ¶ 양지 바른 언덕.

바르다나 왕조 【一王朝】 〔Vardhana〕 명 『역』 7세기 전반(前半)에 북(北)인도를 지배한 왕조. 시조(始祖)는 허르샤 바르다나(Harṣa-vardhana). 굽타(Gupta) 왕조의 붕괴 후 카나우지(Kanauj)를 수도로 하여 건국. 문학과 불교의 성시(盛時)를 보이었으나 왕이 죽은 뒤 왕국이 분열되어 멸망함.

바르다마:나 〔Vardhamāna〕 명 『사람』 '마하비라'의 본명(本名).

바르도 〔Bardot, Brigitte〕 명 『사람』 프랑스의 여배우. 앳된 용모와 매혹적인 육체미로 인기의 정상을 누렸음. 주연 작품에 ≪순진한 악녀≫·≪사생활≫ 등이 있으며, 근래에는 동물 애호 운동가로도 활동함. 애칭은 '베베(BB)'. [1934-]

바르르 부 ①적은 물이 넓게 퍼져 갑자기 끓어 오르는 모양이나 소리. ②소견이 좁은 사람이 대수롭지 아니한 일에 갑자기 성을 내는 모양. ③얇은 종이나 펴 놓은 나뭇 개비에 불이 타오르는 모양. ④덩치가 작은 것이 몹시 추워서 갑자기 몸을 떠는 모양. 1)-4): 㤙파르르. <버르르. *보르르. ——-하다 자여불

바르바로이 〔그 barbaroi〕 명 『역』 ①고대 그리스 사람의 이방인(異邦人), 특히 동방 민족에 대한 멸칭(蔑稱). ②로마 사람이 그리스·로마 문화를 갖지 아니하는 사람들을 일컫은 말. 특히, 게르만 인(German人)을 가리킴. 1)·2):↔ 헬레네스(Hellenes)

바르바리 〔Barbary〕 명 『지』 북아프리카의 지중해 연안 지방의 리비아·튀니지·알제리·모로코의 총칭. 고대(古代)로부터 페니키아·그리스·로마 등의 식민(植民)이 행해졌음. 16세기 이후 터키령이 되고, 1830년 프랑스가 알제리를 점령할 때까지 이슬람의 해적의 기지로 되어 있었음. 바르바리아.

바르바리아 〔Barbaria〕 명 『지』 바르바리.

바르베라크 〔Barbeyrac, Jean〕 명 『사람』 프랑스의 법학자. 국제법상의 자연법학파의 한 사람. 그로티우스(Grotius), 푸펜도르프(Pufendorf) 등의 저서를 프랑스어로 번역하고 자세한 주석을 가하였음. [1674-1744]

바르부르크 〔Warburg, Otto Heinrich〕 명 『사람』 독일의 생리 화학자. '바르부르크 검압계(檢壓計)'를 발명하고 광합성(光合成)·호흡(呼吸) 등의 연구를 발전시켰음. 황색 호흡 효소(黃色呼吸酵素)를 발견하여 1931년 노벨 생리 의학상을 받았음. 저서에 ≪종양(腫瘍)의 신진 대사≫·≪생체(生體)의 촉매 작용(觸媒作用)≫ 등. [1883-1970]

바르뷔스 〔Barbusse, Henri〕 명 『사람』 프랑스의 작가·저널리스트. 인간의 본능을 적나라(赤裸裸)하게 묘사한 ≪지옥≫ 및 1차 대전에 종군 후 그 체험을 쓴 전쟁 문학 ≪포화(砲火)≫ 등 걸작을 발표하여 1917년 공쿠르상(Goncourt賞)을 받았음. 작품 ≪클라르테(Clarté)≫ 속에서는 전쟁과 제국주의를 고발하여 소위 '클라르테 운동'을 일으키었음. [1873-1935]

바르비롤리 〔Barbirolli, John〕 명 『사람』 이탈리아 태생의 음악가. 런던의 왕립 가극 관현악단 지휘자. 1943년에 토스카니니(Toscanini)의 후임으로 뉴욕 필하모니 교향악단의 지휘자를 거쳐서 할레 관현악단의 지휘자가 됨. [1899-1970]

바르비종-파【一派】〔프 Barbizon〕 명〖미술〗 프랑스 화가의 일단. 19세기 중엽에 파리 근교(近郊) 퐁텐블로(Fontainebleau) 숲 속의 작은 마을 바르비종을 중심하여 살면서 숲의 풍경이나 농민 생활을 그리던 풍속 화가의 그룹. 자연의 단순함과 보편성을 추구하고 19세기 후반의 자연주의적 경향에 영향을 주었음. 루소(Rousseau, T.)·밀레(Millet)·도비니(Daubigny) 등이 그 대표임. 퐁텐블로파(派). 1830년파(派).

바르비탈〔barbital〕 명〖약〗 디에틸바르비투르산(diethyl-barbituric 酸)의 상품명. 1903년 피셔(Fischer, E.)가 발명한 무색 엽상(葉狀)의 결정 또는 백색 결정성의 분말로, 다소 쓴 맛이 있으며 대표적인 수면제(睡眠劑)임. 최면 작용이 강력하고, 흡수 및 배출 속도(排出速度)가 최소(最小)임. 불면증·오심(惡心)·신경 쇠약·흥분 상태·무도병(舞蹈病) 등에 주사 또는 내복약으로 쓰이는데 극약임. *베로날.

바르비탈 중독【一中毒】〔barbital〕 명〖의〗 바르비탈을 복용함으로써 일어나는 중독 증상. 만성 중독에서는 사고 장애(思考障礙)·주의력 저하·감정 불안정·어지러움·운동 실조 따위의 증상을 일으키며, 급성 중독은 일시에 다량을 복용하였을 때 일어나며 혼수(昏睡) 상태에 빠짐.

바르샤바〔Warszawa〕 명〖지〗 폴란드의 수도. 비스툴라 강(Vistula 江) 좌안(左岸)에 위치하며, 상공업·교통의 중심지임. 양차(兩次) 대전의 격전지였음. 와르소. 와르샤와. [1,650,000명(1990 추계)]

바르샤바 대:공국【一大公國】〔Warszawa〕 명〖역〗 1807년, 틸지트(Tilsit) 조약에 의하여 나폴레옹 1세가 세운 폴란드의 국가. 프랑스의 종속국. 제2회·제3회의 폴란드 분할로 프로이센이 탈취한 구(舊) 폴란드 지역에 건국하여 작센왕(Sachsen 王)이 지배하였음. 1814년 빈(Wien) 회의에서 재분할되어 붕괴됨.

바르샤바 조약【一條約】〔Warszawa〕 명〖정〗 1955년 5월, 소련·폴란드·동독·헝가리·루마니아·불가리아 ·알바니아·체코슬로바키아의 사이에 조인된 우호 협력 상호 원조 조약. 가맹국은 개별적·집단적 자위권(自衛權)을 행사하는 동시에, 통일 군사령부(統一軍司令部)를 설치하여 가맹국의 군대를 그 지휘하에 두는 것을 내용으로 하고 있으나 알바니아는 1968년의 소련 등 5개국의 군대에 의한 체코슬로바키아 침입에 항의하여 탈퇴함. 동구 우호 협력 상호 원조 조약. *바르샤바 조약 기구.

바르샤바 조약 기구【一條約機構】 명〔Warszawa Treaty Orgarnization〕〖정〗 바르샤바 조약에 의하여 설치된 방위 기구. 정치 자문 위원회와 통일 군사령부의 두 중요 기관이 있고, 최고 결정 기관은 각국 각료급의 대표로 구성하는 정치 자문 위원회로 되어 있음. 기구 사무국은 바르샤바에, 통일 군사령부는 모스크바에 있었음. 소련 해체, 동유럽 제국의 자유화로 1991년 7월에 해체됨. *나토.

바르셀로나〔Barcelona〕 명〖지〗 스페인 제2의 대도시. 지중해에 임한 스페인 최대의 상항(商港)으로 상공업이 매우 성함. 직물·종이·유리·철기(鐵器) 등을 제조하며 가축·양모(羊毛)·과일·올리브유(olive 油)·코르크(cork) 등을 수출함. 역사적인 건조물이 많으며, 1992년 7월, 제25회 올림픽 대회를 개최함. [1,752,627명(1987)]

바르소비아나〔이 varsoviana〕 명 마주르카(mazurka)를 모방한 춤. 또 그 춤곡.

바르소비엔〔프 varsovienne〕 명 '바르소비아나'의 프랑스어명.

바르시 부〈방〉 겨우(함경).

바르작-거리다 자타 신체의 한 부분을 구속당하였을 때, 또 괴롭고 어려운 고비를 헤어나려고 팔다리를 내저으며 몸을 자꾸 움직이다. 준바릇거리다. 쓰빠르작거리다. <버르적거리다. **바르작-바르작** 부. ——-하다 자타여불

바르작-대다 자타 바르작거리다.

바르-집다 타 ①오므라진 것을 벌리어 펴다. ②남이 모르는 일을 들추어내다. ¶거짓을 ~/비밀을 ~. ③사소한 일을 크게 떠벌리다. ¶작은 일을 바르집어 말한다. 1)-3): <버르집다.

바르카〔Barqah〕 명〖지〗 '키레나이카(Cyrenaica)'의 아랍어 이름.

바르카롤〔프 barcarolle〕 명〖악〗 '뱃노래'의 프랑스 말.

바르카롤:라〔이 barcarola〕 명〖악〗 '뱃노래'의 이탈리아 말.

바르카롤:레〔도 Barkarole〕 명〖악〗 '뱃노래'의 독일 말.

바르키시메토〔Barquisimeto〕 명〖지〗 베네수엘라 북서부의 도시. 판아메리칸 하이웨이에 접한 교통의 요지. 사탕·커피·곡물(穀物)·소 등의 집산지이며 섬유·제과 등의 공업이 성함. [681,961명(1988)]

바르톨로메우 디아스〔Bartholomeu Dias〕 명〖사람〗 디아스³.

바르톨롬메오〔Bartolommeo, Fra〕 명〖사람〗 이탈리아의 피렌체파(Firenze派) 화가(畫家). 본명은 Bartolommeo di Pagolo del Fattorino. 도미니코회(Dominico會)의 수도사(修道士)가 되어 종교화(宗敎畫)만을 그림. 장중(莊重)하고 균형이 잡힌 구도(構圖)와 인물상(人物像)이 그의 작풍(作風)의 특징임. 《최후의 심판》·《마리아의 승천》 등. [1472-1517]

바르톨루스〔Bartolus, Sassoferrato de〕 명〖사람〗 이탈리아의 법학자. 후기 주석학파의 대표자로 《로마법 대전 주석(Roma 法大全註釋)》을 저술. 국제 사법학(私法學)의 시조로 불림. [1314-57]

바르톨린-샘〔Bartholin〕 명〖생〗〔덴마크의 해부학자 바르톨린(Bartholin, Thomas; 1616-80)의 이름에서 유래〕 여성 성기의 소음순 아래쪽의 내측(內側) 질구(膣口)의 측방(側方)에 있는 분비선. 이 분비물은 점조성(粘稠性)으로 성교 때에 윤활유(潤滑油)적인 역할을 함. 대전정선(大前庭腺).

바르톨트〔Bartol'd, Vasilij Vladimirovich〕 명〖사람〗 소련의 동양학자. 근동(近東)·중앙아시아 연구에 뛰어나 동양학의 고어 고문서에 정통하였음. 혁명 후에도 과학 아카데미에서 동양학의 지도적 역할을 하였으며 그 저작은 400편에 이름. 주저 《몽고 침입 시대의 투르키스탄》·《유럽 및 러시아에 있어서의 동양 연구사》 등. [1869-1930]

바르트¹〔Barth, Heinrich〕 명〖사람〗 독일의 탐험가. 처음에는 고전 언어학자. 지중해 지방을 탐험 후 1850-51년 리처드슨(Richardson, J.) 등과 함께 사하라·수단을 탐험하여 이 지방의 사정을 밝힘. [1821-65]

바르트²〔Barth, Karl〕 명〖사람〗 스위스의 프로테스탄트(Protestant) 신학자. 근대의 인간 중심주의적 신학에 반대하고 신의 초절적(超絕的) 절대성을 강조하였음. 1919년 《로마서(Roma 書)》를 발간하여 일시에 주목을 끌어 변증법 신학(辯證法神學) 운동의 기점(起點)이 되었음. 《교회 교의학》·《19세기에 있어서의 프로테스탄티즘의 신학》·《신의 인간성》·《복음주의 신학 입문》 등의 저서가 있음. [1886-1968]

바르트³〔Barthes, Roland〕 명〖사람〗 프랑스의 비평가. 《영도(零度)의 문학》으로 마르크스주의를 문학에 적용하여 근대의 언어 표현의 위기적 상황을 분석하고, 《현대의 신화(神話)》에서는 문화 현상의 의미론적 분석을 시도하였음. 1977년 이후 프랑스 대학 교수. 1980년 교통사고로 세상을 떠남. [1915-80]

바르트부르크〔Wartburg〕 명〖지〗 독일 튀링겐(Thüringen) 지방에 있는 성(城). 11세기에 건설하였으며, 19세기와 제2차 대전 후에 개수함. 1521-22년 루터가 여기에서 신약 성서의 독일어역(語譯)을 완성하였음.

바르한〔barchan〕 명〖지〗 초승달 모양의 사구(砂丘). 바람 부는 쪽을 향한 철면(凸面)은 경사가 완만하나 요면(凹面)은 매우 경사가 급함. 사막에 많으며 특히 사하라 사막·중앙 아시아의 사막 등은 유명함.

바:르후트〔Bhārhut〕 명〖지〗 인도 마디아프라데시 주(Madhya Pradesh 州) 북부에 있는 불교 유적. 숭가 왕조(Sunga 王朝) 때에 세워진 폐탑(廢塔)의 주위에서 문(門)과 난간의 일부가 발견됨. 이 난간에 새겨진 남녀 신상(神像)·연화(蓮花) 무늬 등은 불교 미술 최고(最古)의 유례(遺例)로 존중됨.

바른 관 오른. ¶~ 손.

바른 그:림씨 명〖언〗 '규칙 형용사'의 풀어 쓴 이름. ↔벗어난 그림씨.

바른-길 명 ①굽지 아니하고 곧은 길. ②정당한 길. 참된 도리. ¶~로 인도하다.

바른-끝바꿈 명〖언〗 '규칙 활용(規則活用)'의 풀어 쓴 이름. ↔벗어난 끝바꿈.

바른-네모꼴 명〖수〗 '정사각형(正四角形)'의 풀어 쓴 이름.

바른-대로 부 사실과 틀림없이. ¶~ 말해라.

바른-마침 명〔authentic cadence〕〖악〗 딸림화음에서 으뜸화음으로 나아가는 마침꼴. 갖춘 마침과 못갖춘 마침이 쓰임. 정격 종지(正格終止). *벗어난 마침.

바른-말 명 사리에 합당한 말.

바른 생활【一生活】 명 국민 학교 1학년과 2학년이 쓰는 교과서의 하나. 종전의 도덕(道德)·국어·사회(社會)를 한데 묶어 엮은 것.

바른-손 명 오른손.

바른 움직씨 명〖언〗 '규칙 동사(規則動詞)'의 풀어 쓴 이름. ↔벗어난 움직씨.

바른-쪽 명 오른쪽.

바른-편【一便】 명 오른편.

바른편-짝【一便一】 명 오른편짝.

바른 풀이씨 명〖언〗 '규칙 용언(規則用言)'의 풀어 쓴 이름. ↔벗어난 풀이씨.

바를 명〈방〉 바다(제주).

바를라흐〔Barlach, Ernst〕 명〖사람〗 독일의 조각가·극작가, 2차 대전 이후 독일의 현실주의적 표현파의 대표자로 독일 중세 조각의 영향을 받아 작품은 인간의 오뇌와 절망, 인종(忍從)과 신앙을 중후 소박(重厚素朴)하고 역동적(力動的)으로 표현하여 높이 평가됨. 희곡의 대표 작품으로는 《불쌍한 종형제》·《기아(棄兒)》·《죽은 날》·《대홍수(大洪水)》 등이 있음. [1870-1938]

바름 명〈방〉 바람¹(함경).

바름-물 명〈방〉 바다. 바닷물(함경).

바름-벽【一壁】〔一벽〕 명〈방〉 바람벽.

바름-빡 명〈방〉 바람벽(경기·강원).

바름-재비 명〈방〉 바람개비²(함경).

바릇-하다 형〈방〉 빠듯하다.

바릇-거리다 자타 ↗바르작거리다. **바릇-바릇** 부. ——-하다 자타여불

바릇-대다 자타 바릇거리다.

바리¹ 명〔중세: 바리〕 ①놋쇠로 만든 여자의 밥그릇. 오목주발과 같으나 입이 조금 좁고 중배가 나왔으며 뚜껑에 꼭지가 있음. *오목주발. ②↗바리때. ¶金바리예 힌 밥 ᄀᆞ득 다마《月釋 Ⅶ:90》.

〈바리¹❶〉

바리² 명〖어〗〈방〉 고너리.

바리³〔Bari〕 명〖지〗 이탈리아 남동부, 풀리아 주(Puglia 州)의 주도. 아드리아 해안(海岸)의 항구 도시로 남이탈리아의 상공업의 중심지임. 철강·자동차·제유·섬유·식품 가공 등의 공업이 성함. 십자군의 출항지(出港地). [371,000명(1981)]

바리⁴〔Barye, Antoine Louis〕 명〖사람〗 프랑스의 조각가. 금속 공예에서 조각으로 돌아 종래의 아카데믹한 전통을 무시하고, 극적 감동에 찬 동물 조각을 많이 새김. 대표작에 《사자와 뱀》·《서 있는 곰》 등 [1796-1875]

바리⁵ 一명 마소의 등에 잔뜩 실은 짐. ¶장작 ~. 二의명 ①말이나 소에 잔뜩 실은 짐을 세는 단위. ¶소달구지 한 ~. ②오징어 2천 마리를 세는 단위. ③윷놀이에 있어서 말 한 개.

바리⁶ 부〈방〉 바로(경상·함경).

바리⁷【使內】〈이두〉 ①부리다. ②힘쓰다. ③시키다.

바리거든【使內去等】〈이두〉 ①부리거든. ②시키거든.

바리견【使內在】〈이두〉 ①부린. ②시킨.

바리견을안【使內在乙良】〈이두〉 ①부리거들랑. ②시키거들랑.

바리고【使內遣】〈이두〉 ①부리고. ②시키고.

바리 공:양【一供養】 명 사찰에서 하는 전통적인 식사 의례. 식종(食鐘)

이 울리면 각기 정해진 자리에 앉아 바루를 펴고, 젊은 승려 넷이 밥통·국통·물통·찬통을 들고 대중 앞을 돌면 각자 양에 맞추어 취한 다음 밥그릇을 들어 감사를 표하고 묵언으로 식사를 함. 식사가 끝나면 물그릇에 받은 물로 바리를 깨끗이 씻고 바리 수건으로 깨끗이 씻음.

바리 공주【一公主】명〖민〗지노귀새남에 무당이 색동옷을 입고 부르는 여신(女神)의 이름. 취음(取音): 발리 공주(鉢里公主).

바리 공주 말미【一公主一】명〖민〗지노귀새남에 무당이 구송(口誦)하는 서사 무가(敍事巫歌). 옛날에 임금이 일곱 공주 가운데 막내를 버렸는데, 뒤에 임금이 병들자, 버린 막내 공주가 영약(靈藥)을 가지고 와서 임금의 병을 고쳐 주었다는 내용임.

바리기삼【使內只爲】〈이두〉①부리도록. ②하게 하도록.

바리깨 명〈방〉주발 뚜껑(평안).

바리 꼭지 명 바리 뚜껑에 삐죽 내민 꼭지.

바리 나무 명 마소에 실은 땔나무. *푼거리 나무.

바리누온【使內臥乎】〈이두〉①부리는. ②하게 하는.

바리다[1] 타〈방〉버리다(함경·황해).

바:리다[2] 타〈방〉발리다[1].

바리다[3] 타〈방〉바르다[1](경상).

바리다가【使內如可】〈이두〉①부리다가. ②하게 하다가.

바리다온【使內如乎】〈이두〉①부린. ②시키었다는. ③시키었다니.

바리-데기 명〖민〗바리공주(公主).

바리두【使內置】〈이두〉①부리어도. ②하게 하여도.

바리-때 명〖불교〗나무로 대접같이 만들어서 안팎에 칠을 한, 중이 쓰는 그릇. 응기(應器). ㊥바리[1].

바리때-집 명〖불교〗의발각(衣鉢閣).

바리 뚜껑 명 바리를 덮는 뚜껑. 민틋하게 오목하고 꼭지가 있음.

바리못질하기삼【使內不得爲只爲】〈이두〉①부리지 못하도록. ②하게 하지 못하도록.

바리못질하오되【使內不得爲乎矣】〈이두〉①부리지 못하되. ②하게 하지 못하되.

바리 무 명 말이나 소에 싣고 팔러 다니는 무.

바리-바리 부 바리마다. ¶～ 싣고 가다.

바리산 산맥【一山脈】〔Barisan〕명〖지〗인도네시아 수마트라 섬의 서해안을 북에서 남으로 뻗친 산맥. 화산 활동을 하며 3,800m 이상의 케린치 산(Kerintji山)을 비롯하여 높은 봉우리가 많음. 산간(山間)에는 고원(高原)·호수가 산재하며 중부의 비옥한 미낭카바우(Minangkabau) 고원은 수마트라에서 인구가 가장 많이 집중되어 있음.

바리삷【使內白】〈이두〉부리시는.

바리삷곤【使內白昆】〈이두〉①부리시니. ②하게 하시니.

바리삷다온【使內白如乎】〈이두〉①부리셨다는. 시키셨다는. ②부리셨다니. 시키셨다니.

바리삷며【使內白旀】〈이두〉①부리시며. ②하게 하시며.

바리새〔Pharisees〕명〖성〗바리새교(敎).

바리새-교【一敎】명〖성〗기원전 2세기 후반에 모세의 율법 등을 면밀 복잡하게 엄수하던 유대교의 한 종파. 자기 자신들을 깨끗하게 하기 위하여 일반 서민(庶民) 계급과 구별하였으며, 영혼의 존재와 그 불멸 및 육체의 부활을 믿음. 헤롯왕 때 번성하였으며 형식주의(形式主義)와 위선(僞善)에 빠져 예수를 공격하고 잡아다가 십자가에 못박음. 바리새. 바리새파.

바리새교-인【一敎人】명〖성〗바리새인❶.

바리새-인【一人】명 ①〖성〗바리새교의 교인(敎人). 바리새교인. ②위선자(僞善者)를 비유하는 말.

바리새-파【一派】명〖성〗바리새교.

바리 설포【一布】명〖불교〗바리때를 잡아매는 긴 수건.

바리 수:건【一手巾】명〖불교〗바리때를 닦는 행주.

바리스칸 조:산 운:동【一造山運動】명〔Variscan orogeny〕〖지〗고생대 후반의 석탄기(石炭紀)로부터 중생대(中生代) 초기에 걸쳐 일어난 세계적인 조산 운동. 이에 의해 유럽에서는 영국 남단에서 프랑스·독일에 걸친 습곡(褶曲) 산맥이 이루어졌음.

바리 시:주【一施主】명〖불교〗중들이 바리를 가지고 다니면서 돈이나 쌀 등을 거두는 일.

바리안들【使內不多】〈이두〉①부리지 아니하는. ②하지 아니하는.

바리안들하견나【使內不多爲在乃】〈이두〉①부리지 아니하였으나. ②하게 하지 아니하였으나.

바리안들하견을안【使內不多爲在乙良】〈이두〉①부리지 아니하였거들랑. 부리지 아니한 것을랑. ②하지 아니한 것을랑. 하지 아니하였거들랑.

바리안들하여두【使內不多爲良置】〈이두〉①부리지 아니하여도. ②하게 아니하여도.

바리안-베 명 한 필을 접어서 바리때에 전부 담을 수 있는 베라는 뜻으로, 썩 고운 베를 이르는 말. 바리포(布).

바리안일【使內何事】〈이두〉①부릴 일. ②하게 할 일.

바리안테〔이 variante〕명〖악〗조바꿈의 방식을 쓰지 않고 장조에서 단조로, 또는 그 반대로 단조에서 장조로 갑자기 옮겨가는 것. 교회선법 시대의 피카르디 3도가 원형임.

바리에이션〔variation〕명 ①변화(變化). 변형(變形). ②〖악〗변주곡(變奏曲). ③〖문〗문장을 다듬어서 풍아한 맛을 풍기게 하는 일. 하나의 주제(主題)를 발전시켜서 여러 가지 변화를 갖게 하는 일. 윤색(潤色). ④〖생〗변이(變異). 변종(變種).

바리에이션 루:트〔variation route〕명〖등산〗본길이 아니거나 또는 올라가는 데 기술을 요하는 곤란한 등산로(登山路).

바리에테〔프 variété〕명〖연〗버라이어티(variety)❸.

바리여견들【使內良在等】〈이두〉①부리었거든. ②하게 하였거든.

바리여다【使內良如】〈이두〉①부리었다고. ②하게 하려고.

바리엿다【使內行如】〈이두〉①부리었던. ②하게 하였던.

바리오기삼【使內乎只爲】〈이두〉①부리도록. ②하게 하도록.

바리오되【使內乎矣】〈이두〉부리되.

바리오며【使內乎旀】〈이두〉①부리며. ②하게 하며.

바리오틴〔Variotin〕명〖약〗일본에서 1959년에 발견된 무좀용의 항생물질제(抗生物質體). 외용약(外用藥)이며, 자극이 없음.

바리온〔baryon〕명〖물〗중입자(重粒子).

바리온바【使內乎所】〈이두〉①부린 바. ②하게 한 바.

바리온바안일제【使內乎所不喩齊】〈이두〉①부린 바 아니다. 부린 바 아니라. ②하게 한 바 아니다. 하게 한 바 아니라.

바리온-수【一數】명〔baryon number〕〖물〗중입자수(重粒子數).

바리온일【使內乎事】〈이두〉①부린 일. ②하게 한 일.

바리-장대〔一때〕명 길이가 발이 넘는 굵은 장대.

바리-전【一廛】명〖역〗놋그릇을 파는 전. 서울 종로에 있었으며 이것을 맡아 보는 사람은 나라 일에 응역(應役)하는 의무가 있었음. 취음(取音): 발리전(鉢里廛).

바리제【使內齊】〈이두〉①부리다. 부리라. ②하게 하다. 하게 하라.

바:리-줄 명〈방〉벌이줄.

바:리-집다 타〈방〉바르집다.

바리캉〔프 bariquant〕명〔제작소(製作所) 이름 Bariquant & Marre에서 온 말〕머리 깎는 기구. 이발기(理髮器).

〈바리캉〉

바리케이드〔barricade〕명 시가전 따위에서, 적의 침입을 막기 위하여 흙이나 통·수레 같은 것으로 임시로 쌓은 방색(防塞). ¶～를 치다.

바리콘〔vari+con〕명〔variable condenser의 약칭〕발신기의 발진 회로(發振回路)와 수신기의 동조(同調) 회로에 쓰이는 축전기(蓄電器). 회전극(回轉極)은 반원형의 판(板)이며, 이련식(二連式)·삼련식(三連式) 등이 있음. 가변 축전기(可變蓄電器).

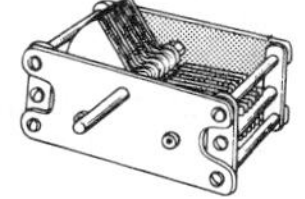
〈바리콘〉

바리타-수【一水】〔baryta〕명〖화〗〔바리타(baryta)는 산화 바륨(酸化 Barium)〕중토수(重土水).

바리타-지【一紙】〔baryta〕명 양질(良質)의 펄프를 써서 만든 종이에 황산 바륨을 함유한 유제(乳劑)를 바른 종이. 인화지 제조에 씀.

바리 탕:기【一湯器】〔一끼〕명 사기로 뚜껑 없이 바리처럼 만든 국을 담는 그릇.

바리톤〔baritone〕명〖악〗①테너와 베이스 사이의 남성 음역(男聲音域). 차저음(次低音). 위낮은청. ②바리톤 가수(歌手). ③색소폰과 유사한 놋쇠로 만든 악기의 일종. 주로 군악대용으로 쓰임.

〈바리톤❶〉

바리톤 색스혼〔baritone saxhorn〕명〖악〗색스혼의 한 가지. 테너 색스혼과 베이스 색스혼의 중간 저음(低音)의 음역(音域)을 갖는 악기.

바-릴리:프〔bas-relief〕명〖미술〗저부조(低浮彫).

바림 명〖미술〗색칠할 때에 한쪽을 진하게 하고 다른쪽으로 갈수록 차츰 엷고 흐리게 하는 일. 선염(渲染). 그러데이션.

바릿-밥 명 바리에 푼 밥.

바ᄅᆞ[1]〈옛〉바다. =바ᄅᆞᆯ[1]. ¶노피 바ᄅᆞ 우흿 들구를 좃놋다(高隨海上槎)≪初杜諺 XV:52≫.

바ᄅᆞ[2] 부〈옛〉바로. 곧게. 세로. ¶곧 그 法을 바ᄅᆞ 기려(輒直讚其法)≪圓覺 14≫. ↔빗기[2].

바ᄅᆞ다 형〈옛〉바르다. 세로 되다. 곧다. ¶바ᄅᆞ디 아니 ᄒᆞ며 빗디 아니 ᄒᆞ며(不縱不橫)≪圓覺 上 一之二 117≫. ↔빗다[4].

바ᄅᆞᆯ[1] 명〈옛〉바다. ¶바ᄅᆞᄅᆞᆯ 건너싫제(爰涉于海)≪龍歌 18章≫.

바ᄅᆞᆯ[2] 명〈옛〉바늘. =바ᄂᆞᆯ. ¶몬져 실 쎈 바ᄅᆞᆯ로써(先用線針)≪馬經 上 94≫.

바ᄅᆞᇗ ᄀᆞᆺ 명〈옛〉바닷가. ¶제 모미 ᄒᆞᆫ 바ᄅᆞᇗᄀᆞᅀᅢ 다ᄃᆞᄅᆞ니≪月釋 XXI:23≫.

바ᄅᆞᇗ믈 명〈옛〉바닷물. ¶바ᄅᆞᇗ믈로 머리예 보숨 ᄆᆞ토미 灌頂住ㅣ라≪月釋 Ⅱ:64≫.

바ᄅᆞᆷ 의명〈옛〉발[9]. 두 팔을 펴서 벌린 길이. ¶바ᄅᆞᆷ 탁(托 伸臂量物)≪字會 下 34≫.

바ᄅᆞᆺ〈옛〉바다의. '바ᄅᆞᆯ[1]'의 소유격형. ¶여러 바ᄅᆞᆺ 가온ᄃᆡ 이쇼라(在諸海中)≪楞嚴 Ⅱ:84≫.

바ᄅᆞᆺ믈 명〈옛〉바닷물. ¶邊庭에 흐르는 피 바ᄅᆞᆺ믈ᄀᆞ티 ᄃᆞ외요ᄃᆡ(邊庭流血成海水)≪杜諺 Ⅳ:2≫.

바ᄅᆡ 명〈옛〉바다. ¶바ᄅᆡ 그륜 거시 믌겨리 뻐뎨시며(海圖折波濤)≪重杜諺 Ⅰ:5≫.

바마코〔Bamako〕명〖지〗아프리카 서부, 말리 공화국의 수도. 니제르강 좌안(左岸)에 위치하는데, 공항이 있으며 서아프리카 오지(奧地)의 경제(經濟)·문화(文化)의 중심지(中心地)임. 착유(搾油)·비누 공장이 있음. [670,000명(1995 추계)]

바:모[1]〔Bhamo〕명〖지〗미얀마 북부의 도시. 이라와디 강 항해의 종점이며 미얀마 철도의 종점. 군사·교통상의 요지이며 중국과 미얀마 사이의 관문적(關門的)인 위치에 있음. 부근에서는 보석이 많이 산출되며 목재의 집산지임.

바 모:[2]〔Ba Maw〕명〖사람〗미얀마의 정치가. 일찍이 반영(反英) 독립운동에 참가, 1937년 미얀마가 인도로부터 분리된 후 초대 수상이 되

었음. 2차 대전 중 대일(對日) 협력 정권의 수상, 뒤에 일본에 망명했음. 전후 전범(戰犯) 용의자로 잡혔으나 기소(起訴)를 면하고, 정계에 복귀하여 마하 바마당(Maha Bama黨)의 지도자가 되었음. [1893-1977]

바믜엿게ㅎ다 타 〈옛〉 부시게 하다. ¶ 농ㅎ기를 그저 눈이 바믜엿게ㅎ고(弄的只是眼花了)≪朴解 中 1≫.

바:미안: 유적【一遺跡】〔Bāmiān〕 명 〖지〗 아프가니스탄 힌두쿠시(Hindukush) 산맥의 계곡에 있는 불교(佛敎) 유적. 절벽에 새겨진 높이 35m·53m의 거대한 석불(石佛)을 중심으로 다수의 석굴(石窟)이 발굴됨. 석불은 간다라(Gandhara) 양식(樣式)에 페르시아의 영향이 가미되어 있음. 5세기 전후에 건조된 것으로 추정되고 있음.

바바루아〔프 bavarois〕 명 양과자의 하나. 난황(卵黃)·젤라틴을 섞어서 익히고 식을 때 거품이 인 생(生)크림과 난백(卵白)을 섞은 후 틀에 넣어 식힘. 나중에 초콜릿·바닐라·딸기 등을 넣기도 함.

바:바리[1]〔Burberry〕 명 ↗바바리 코트(Burberry coat).

바:바리[2]〔Barbary〕 명 〖지〗 ↗ 바르바리.

바바리아〔Bavaria〕 명 〖지〗 '바이에른(Bayern)'의 영어명.

바:바리 코:트〔Burberry coat〕 명 ①비옷의 한 가지. 능면포(綾綿布)의 방수포(防水布) 및 레인코트. 원래는 영국의 바바리 회사의 제품을 말하는데, 한국에서는 보통의 비옷도 이 이름으로 부름. ㊌바바리[1]. ②장교용 정복(正服)의 겉옷의 하나. 육해공군에 따라 빛깔이 다르며 허리띠가 있음.

바바부:티〔Bhavabhūti〕 명 〖사람〗 8세기경의 인도의 산스크리트(Sanskrit) 극작가. 칼리다사(Kālidāsa)와 비견하는 작가로서 유명함. ≪말라티마다바(Mālatī-Mādhava)≫는 흔히 인도의 '로미오와 줄리엣'으로 일컬어지며, 인도 고전극 중의 걸작으로 정중하고 고상한 필치로 쓰여졌음.

바:버[1]〔barber〕 명 ①이발사. ②이발소. 이용소.

바:버[2]〔Barber, Samuel〕 명 〖사람〗 미국의 작곡가(作曲家). 로맨틱한 작풍, 온건한 화성(和聲), 시적(詩的)인 선율로 널리 알려짐. 1935년에 풀리처 상(Pulitzer賞)을 받음. 작품에 관현악곡 ≪악명(惡名)의 학교 서곡≫, 발레곡 ≪메데아(Medea)≫, 독창·합창·관현악을 위한 ≪키르케고르(Kierkegaard)의 기도≫, 오페라 ≪바네사(Vanessa)≫ 등이 있음. [1910-81]

바:버리즘〔barbarism〕 명 ①야만(野蠻). 만행(蠻行). ②〖문〗 불순하고 야비한 언어의 사용법. 라틴어·그리스어에다 다른 민족의 언어를 혼용하여, 문체·어법의 순정(純正)을 교란한다는 뜻으로 처음 쓰인 말인데, 언어의 고전적(古典的) 표현에 따르지 아니하는 말이나 글을 말함.

바:베르〔Bāber〕 명 〖사람〗 바부르(Bābur).

바:베이도스〔Barbados〕 명 〖지〗 서인도(西印度), 트리니다드 토바고(Trinidad Tobago)의 동북쪽에 있는 나라. 영연방(英聯邦)의 일원. 무역풍대(貿易風帶)에 있으며 건기(乾期)·우기(雨期)가 명확함. 주민의 89%가 흑인. 공용어는 영어. 설탕·당밀(糖蜜)·럼주(酒)가 주산물이며 건기(乾期)에는 관광객이 많음. 원수(元首)는 영국왕, 수도는 브리지타운(Bridgetown). [430 km²: 260,000명(1995 추계)]

바:베큐〔barbecue〕 명 ☞ 바비큐.

바벨[1]〔Babel〕 명 〖성〗〔하나님의 문(門)이라는 뜻〕 고대(古代) 바빌로니아의 서울. '바빌론(Babylon)'의 영어식 이름으로, 니므롯이 창건한 도시인데 바벨탑의 전설이 있는 곳임. 바벨론.

바벨[2]〔Babel', Isaak〕 명 〖사람〗 소련의 작가. 1915년 고리키와 사귀어 단편을 발표함. 일시 작가 활동을 단념하고 국내전(國內戰)에 종군(從軍)함. 그 체험에 의하여 쓴 ≪기병대(騎兵隊)≫는 소련 산문(散文) 예술의 최고의 하나로 치임. 이 밖에도 ≪오데사 이야기≫ 등이 있음. 1939년 체포되어 옥사함. [1894-1941]

바:-벨[3]〔barbell〕 명 ①역도(力道)나 근육 단련에 쓰이는 체육 용구. 철봉의 양 끝에 몇 개의 원반들을 끼워 무게를 조절하도록 되어 있음. 역기. ②구간(球竿). ＊덤벨(dumbbell).

바벨론〔Babelon〕 명 〖성〗 ①바벨[1]. ②바빌로니아.

바벨-탑【一塔】〔Babel〕 명 ①〖성〗 구약 성서의 창세기에 나오는 탑. 바벨에 사는 노아(Noah)의 자손들이 홍수(洪水)를 겪은 후 하늘에 이를 수 있는 높은 탑을 건축하기 시작하였으나 하느님이 노하여 그 사람들 사이에 각각 방언(方言)을 쓰게 하니, 서로 말을 알아듣지 못하여 공사를 마치지 못하였다고 함. 이 이야기의 바탕이 된 것은 바벨에 있던 지구라트탑(Ziggurat塔)으로 추정되어 20세기초에 콜데바이(Koldewey)에 의하여 그 유적이 발굴되었음. ②실현 가능성이 없는 가공적(架空的) 계획.

바:보 명 ①못나고 어리석은 사람. 멍청이. 치인(癡人). 주우(朱愚). ¶～와 가위는 쓰기 나름. ②사람을 얕잡는 놀림말. ¶이 ～ 같은 놈아.

바:보-여뀌 명 〖식〗 [*Persicaria flaccida*] 마디풀과에 속하는 일년초. 전체에 선점(腺點)이 산포하고 거친 털이 산재함. 줄기는 직립(直立)하여 높이 1m에 달하는데 마디는 두툼하고 보통 홍자색을 띰. 잎은 호생하며, 잎자루가 있고, 엽면에 '八'자 모양의 흑반이 있음. 초상 탁엽(鞘狀托葉)은 원통형임. 8월에 줄기 끝이나 가지 끝에 담홍색 꽃이 수상(穗狀) 화서로 피고 과실은 수과(瘦果)임. 물가에 나는데, 제주·강원·경기·함남 등지에 분포함.

바:보 온달【一溫達】 명 출세하기 전의 '온달'을 일컫는 말.

바:보 이반〔Ivan〕 명 〖책〗 톨스토이(Tolstoi, L.N.)의 민화(民話) 형식의 소설. 1885년 발표. 고지식한 농민의 막내아들 이반에게는 악마의 어떤 유혹도 소용이 없어, 욕심쟁이 형들은 파멸하고 이반은 최후의 승자가 됨. 만년의 톨스토이의 무저항의 정신주의·반전주의(反戰主義)를 반영하는 작품임.

바:보-짓 명 못나고 어리석게 노는 짓.

바뵈프〔Babeuf, François Émile〕 명 〖사람〗 프랑스 혁명기의 가장 급진적 혁명가. 1796년 혁명에 의한 공산주의 사회 건설을 기도, 총재 정부(總裁政府) 타도를 획책하다 체포·처형되었음. 그의 사상은 부오나로티(Buonarrotti, M.)의 저서로 소개되어 19세기 혁명 운동에 영향을 주었음. [1760-97]

바:부르〔Bābur〕 명 〖사람〗 인도 무굴(Mughul) 제국의 건설자. 본명은 Zahir ud-Din Muhammad. 티무르(Timur)의 오대손(五代孫). 15세기말 중앙 아시아에서 일어나 인도에 침입하여 무굴 제국을 세웠음. 바베르. [1483-1530; 재위 1526-30]

바: 부이〔bar buoy〕 명 강어귀나 항구(港口)의 입구에서 모래톱의 소재(所在)를 나타내는 부표(浮標).

바브-교【一敎】〔Bab〕 명 〖종〗 '바비즘(Babism)'의 역어(譯語).

바브엘만데브 해:협【一海峽】〔Bab-el-Mandeb〕 명 〖지〗 인도양 아덴 만(Aden 灣)과 홍해를 연결하는 폭 32 km의 해협. 조류가 사나워 '눈물의 문'이라는 뜻으로 된 이름임. 예로부터 배의 왕래가 많았으나 수에즈 운하(Suez運河)가 개통된 이후에는 더욱 중요한 지위를 차지함. 가운데에 페림(Perim) 섬이 있음.

바비루사〔babirussa〕 명 〖동〗 [*Babirussa babirussa*] 멧돼짓과에 속하는 돼지의 한 종류. 멧돼지와 비슷한데 좀 작고 털이 거의 없으며 몸빛은 암회색임. 수컷은 아래턱 송곳니가 상아(象牙) 모양으로 되고, 위턱 송곳니는 안쪽 살가죽을 뚫고 바깥쪽으로 나와 얼굴 뒤로 뻗어 진기한 모양을 이룸. 습성은 멧돼지와 비슷하여 숲 속에 삶. 셀레베스(Celebes)·부루(Buru) 등의 섬에 나는데 그 젖을 음료(飮料)로 하는 것도 있음.

〈바비루사〉

바비즘〔Babism〕 명 〖종〗〔바브(Bab)의 교의(敎義)의 뜻. 바브는 창시자인 미르자 알리 모하메드의 칭호(稱號)〕 1844년 미르자 알리 모하메드(Mirza Ali Mohammed)에 의하여 창시(創始)된, 페르시아의 신흥 종교의 교의(敎義). 세계의 종교적 통일을 이상으로 하고, 계시(啓示)는 최종적·결말적인 것이 아니라 발전적으로 이루어진다고 주장, 생활 신조로서 축첩(蓄妾)·일부 다처(一夫多妻)·걸식(乞食) 및 노예 매매(賣買)를 금하였음. ＊바하이즘(Bahaism).

바:비큐〔barbecue〕 명 고기를 직접 통째로 불에 구운 요리. 또, 그 때 쓰는 화로. 미국에서 야외 파티 요리로서 발달하였음.

바빈스키 반:사【一反射】〔Babinski〕 명 〖의〗 프랑스의 의사 바빈스키(Babinski, Josef François Felix; 1857-1932)가 발견한 병적 반사의 한 가지. 발바닥의 바깥쪽을 비비면 엄지발가락이 위로 구부러지고 다른 발가락은 부채꼴로 벌어지는 현상. 젖먹이 이외의 정상인에게는 이 현상이 일어나지 아니하나, 뇌나 척추의 운동 신경(運動神經) 하강로(下降路)에 장애가 있을 때 이 현상이 나타나므로 진단상의 의의(意義)가 큼.

바빌로니아〔Babylonia〕 명 〖역〗〔바빌론을 중심으로 하는 지방의 뜻〕 아시리아(Assyria)를 포함하는 메소포타미아(Mesopotamia) 전토(全土)의 일컬음. 기원전 30세기경에 수메르인(Sumer人)이 도시 국가군을 형성했다가 기원전 28세기경 셈족(Sem族)인 아카드인(Akkad人)이 침입하여 차츰 수메르 문화를 흡수 융합함. 기원전 19세기경 셈계의 아무루인이 침입하여 바빌론 제1 왕조를 창시함. 세계 최고(最古)의 문화 발상지로서 설형(楔形) 문자·종교·문학·학술·예술 등에 찬란한 고대 문화를 이룩하여 세계 문화사상 가장 오랜 문화를 형성하고 후세에 큰 영향을 줌. 바벨론.

바빌로니아-력【一曆】〔Babylonia〕 명 바빌론력.

바빌로니아 미술【一美術】〔Babylonia〕 명 〖역〗 기원전 26세기경부터 기원전 6세기 반경까지의 남(南)메소포타미아에서 셈족에 의하여 이룩된 미술. 대표적인 것으로 나람신(Naramsin)왕 전승 기념비·함무라비 법전비(法典碑)의 부조(浮彫)·이슈타르문(Ishtar門) 등이 있음.

바빌로니아-어【一語】〔Babylonia〕 명 아카드어(Akkad語)의 남방 계통의 방언. 남(南)메소포타미아에 기원전 20세기부터 기원전 1세기 사이의 기록이 있으나 점차로 아람어(Aram語)로 대체됨. 아시리아어(語)와는 달리 함무라비 법전 등 문화적 자료를 많이 남김.

바빌로니아 왕국【一王國】〔Babylonia〕 명 〖역〗 바빌로니아를 지배한 고대 왕국. 셈족(Sem族)의 아카드인(人)이 기원전 1800-1500년경 제1 왕조를 세우고, 6대째 함무라비 시대(1729-1686 B.C.)에 바빌로니아 전체를 지배하여 전성기에 달함. 기원전 1595년 카시트(Kassite) 왕조가 들어서고, 그 후 두세 왕조가 바뀜. 기원전 625년 칼데아인(Chaldea人)이 신(新)바빌로니아 왕국, 곧 칼데아 왕국을 건설했으나, 기원전 539년 페르시아에 공략(攻略)당함.

바빌로프〔Vavilov, Nikolai Ivanovich〕 명 〖사람〗 소련의 식물 육종(育種)학자·유전학자. 레닌그라드 응용 식물 연구소장·소련 농업 아카데미 총재를 역임. 그 간 재배 식물(栽培植物)의 기원에 관한 문제 등 많은 유전학의 연구 성과를 올렸으나, 리센코(Lysenko)에 쫓겨 실각함. [1887-1943]

바빌론〔Babylon〕 명 〖지〗 바그다드의 남쪽 80 km에 있었던, 바빌로니아의 고도(古都). 오리엔트 문명의 중심 도시였으나 기원전 3세기경 알렉산더 대왕에게 정복당하여 황폐(荒廢)하였음. 고대의 세계 최대의 도시로서 번영하였으며, 19세기 이래 조사·발굴이 행하여짐. 영어식 이름은 '바벨(Babel)'.

바빌론-력【一曆】〔Babylon〕〔一녁〕 명 기원전 30세기경 바빌로니아 사람들이 사용한 태음 태양력(太陰太陽曆). 연수(年首)를 춘분(春分) 경에, 월초를 초승달이 보일 때로 하고, 8년 동안에 세 번 윤달을 두는 8년법(B.C. 558-486)과 19년 동안에 일곱 번 윤달을 두는 19년법(B.C. 383이후)을 채택하였는데, 19년법에서의 1역년(曆年)의 평균 일수는 365.2468일이었음. 또, 하루의 시작은 저녁 혹은 야반(夜半)으로 하였던 것 같음. 바빌로니아력.

바빌론 유:수【一幽囚】 명〔Babylonian Captivity〕〖성〗 신바빌로니아 왕 느부갓네살(Nebuchadnezzar) 2세가 유태 왕국을 정복하고, 두 번 그 상층 계급의 사람들을 바빌론으로 잡아갔던 사건. 이러한 사건과 비경(悲境) 속에 유태교의 사상이 형성되었음.

바빠-놀이 명〈방〉 소꿉질(황해).

바빠-하다 자여불 마음을 바쁘게 먹다. 조급해 하다.

바쁘다 형〔중세 : 밧ㅸ다〕 ①일이 많아서 쉴 사이가 없다. ②일이 조급하다. ¶ 바쁘게 날뛴다고 일이 성사되나.

바삐 부 바쁘게. 속히. 급하게. ¶ ~ 서두르다.

바삐 굴:다 구 바쁘게 서두르다. 급하게 재촉하다.

바:사[1]〔Bhāsa〕 명〖사람〗 3세기경의 인도의 극작가·시인. 인적 사항은 알려지지 아니하나 1901년에 남(南)인도에서 발견된 그의 작품으로 믿어지는 13종의 희곡은 산스크리트 고전극의 선구로 불림.

바사[2]〔Persia〕 명〖기독교〗 '페르시아'를 기독교에서 일컫는 말.

바:사[3]〔Vaasa〕 명〖지〗 핀란드 서부, 보스니아 만(Bosnia灣) 연안의 항구 도시. 직물·유리·전기 기구·유지 등의 공업이 활발하며 목재를 수출함. [54,353 명(1986)]

바사[4] 타〈옛〉 벗어. '밧다[2]'의 활용형. ¶ 누믄 밧는 오술 아니 바사(人脫之衣 我獨不脫)≪龍歌 92章≫.

바:사기 명 사물에 이해력이 부족하고 인격을 갖추지 못한 사람. 곧, 덜된 사람의 별명. ¶ 그래, 네 말과 같을진대 기생서방 노릇할 ~ 놈이 있담≪作者未詳 : 天然亭≫.

바사리〔Vasari, Giorgio〕 명〖사람〗 이탈리아의 화가·건축가·역사가. 미켈란젤로(Michelangelo)의 제자. 특히 르네상스의 미술가의 전기를 쓴 ≪저명한 화가·조각가 및 건축가의 생애≫로 유명하며 이 책은 르네상스 미술을 아는 데 크게 참고가 됨. [1511-74]

바사사다【婆舍斯多】 명〖사람〗 인도 사람으로 25대 조사(祖師). 사자비구(師子比丘)의 의발(衣鉢)을 받았고 불여밀다(不如密多)에게 전법(傳法)하였음.

바사-지다 자 ☞ 바서지다.

바사질그다 타〈방〉 깨뜨리다(함경).

바삭 부 ①가랑잎과 같은 잘 마른 것을 밟을 때에 나는 소리. ②단단하고 부스러지기 쉬운 물건을 깨물 때에 나는 소리. 1)·2):ㅆ바싹. <버석.

바삭-거리다 자타 바삭 소리가 연해 나다. 또, 바삭 소리를 연해 나게 하다. ¶ 가랑잎이 바람에 ~. ㅆ바싹거리다. <버석거리다. **바삭-바삭** 부. ─하다[1] 자타여불

바삭-대다 자타 바삭거리다.

바삭바삭-하다[2] 형여불 부드럽고 잘 마른 것이 쉽게 바스러질 듯한 느낌이 있다. ¶ 바삭바삭한 과자. <버석버석하다.

바서만[1]〔Wassermann, August Paul von〕 명〖사람〗 독일의 세균학자. 근대적 면역학(免疫學)의 완성에 주력함. 1906년에 발표한 매독(梅毒)의 혈청 반응에 관한 '바서만 반응'으로 널리 알려졌고, 또, 결핵·암(癌)에 관한 연구에도 큰 공헌을 하였음. 저서로 ≪병원 세균 참고서(病原細菌參考書)≫가 있음. [1866-1925]

바서만[2]〔Wassermann, Jakob〕 명〖사람〗 독일의 유태계 작가. 독일에 사는 유태인의 마음의 상처를 독일인 입장에서 다룬 인도주의적 사회 소설 30여 편을 씀. ≪젊은 레나테 푹스(Renate Fuchs)의 이야기≫·≪크리스티안 반샤페(Christian Wahnschaffe)≫·≪마우리치우스(Maurizius) 사건≫ 3부작 등이 유명함. [1873-1934]

바서만 반:응【一反應】 명〔Wassermann's reaction〕〖의〗 1906년 바서만이 발견한 매독(梅毒)의 혈청 진단법(血清診斷法). 환자의 혈액을 뽑아, 이에 항원(抗原)과 보체(補體)를 가하고 다시 적혈구(赤血球)와 그에 상당하는 용혈소(溶血素)를 가하여 반응을 검사함으로써 매독의 유무(有無)를 판단함.

바서-지다 자 단단한 물건이 깨져 여러 조각으로 잘게 되다. <부서지다.

바선 명〈방〉 버선(함경).

바세인〔Bassein〕 명〖지〗 미얀마 남부의 도시. 바세인 강에 면한 항구(港口)로 쌀의 집산지(集散地)임. 정미(精米)·도자기(陶磁器) 제조 등이 성함. [144,092 명(1983)]

바셀린〔Vaseline〕 명〖화〗 백색 또는 담황색의 반투명한 유상물(油狀物). 비결정성의 고체 탄화 수소를 주성분으로 함. 천연산 원유(天然產原油)에 들어 있어, 석유를 분별·증류할 때 부산물(副產物)로서 얻어지며 인공적으로는 지랍(地蠟) 파라핀을 유동(流動) 파라핀에 용해하여 만듦. 감마제(減摩劑)·방수제(防銹劑)·화약·포마드·연고 등에 씀. 상표명. ＊페트롤레이텀(petrolatum).

바:소[1] 명〖한의〗 곪은 데를 째는 침. 길이 네 치, 넓이 두 푼 반 가량인데 양쪽 끝에 날이 있음. 파침(破鍼). 피침(鈹鍼).

바소[2]〔이 basso〕 명〖악〗 '베이스(bass)'의 이탈리아어.

바:소-꼴 명〖식〗 바소 모양.

바:소 모양 명〖식〗 '피침형(披針形)'의 풀어쓴 말.

바소 오스티나토〔이 basso ostinato〕 명〖악〗〔지속(持續)하는 저음(低音)의 뜻〕 저음의 성부(聲部)가 반복(反覆)되면서 다른 성부가 변화하여 가는 일. 변주곡(變奏曲)의 근원이라고 함.

바-소쿠리 명 ①싸리로 만든 삼태기. ② ☞ 발채[3]❶.

바소프〔Basov, Nikolai Gennadievich〕 명〖사람〗 러시아의 물리학자. 유도 방사(誘導放射) 등에 관한 양자(量子) 이론을 전개하여 메이저(maser)와 레이저(laser) 개발의 이론적 기초를 세움. 1964년 프로호로프(Prokhorov) 및 타운스(Townes)와 함께 노벨 물리학상을 수상함. [1922-]

바소프레신〔vasopressin〕 명 뇌하수체 후엽(腦下垂體後葉) 호르몬의 한 가지. 8개의 아미노산(酸)으로 되는 펩티드(peptide)임. 모세 혈관을 수축시켜 혈압 상승 작용을 일으키며, 또 신장(腎臟)의 신소체(腎小體)에 작용하여 수분의 재흡수를 촉진시킴. 항이뇨(抗利尿) 호르몬.

바쇠 명〈방〉 바소.

바쇼:〔芭蕉:ばしょう〕 명〖사람〗 일본 겐로쿠(元祿) 시대의 가인(歌人). 성은 마쓰오(松尾). 당시 하이쿠(俳句)의 경박한 점을 통탄하여 교토(京都)·에도(江戶) 등지를 방랑, 종래의 저속성(低俗性)을 버리고 독특한 시풍(詩風)을 창시하여 예술적 표현을 높였음. 하이쿠·기행문(紀行文)·일기 등을 많이 남겼음. [1644-94]

바수-거리 명〈방〉 발채[3]❶.

바수다 타 두드리어 자디잘게 깨뜨리다. ㊜바다. <부수다.

바수-뜨리다 타 힘껏 바수다. 바수트리다. <부수뜨리다.

바수라기 명〈방〉 바스라기.

바수-반두【婆修槃頭】 명〖사람〗〔범 Vasubandhu〕 5세기경의 인도의 중. 사야다(闍夜多)로부터 전법(傳法)을 받은 21대 조사(祖師). 처음 소승(小乘)에 들어갔으나, 뒤에 형 무착(無着)을 따라 요가행파로 옮김. 저서로는 ≪법화경론(法華經論)≫·≪무량수경론(無量壽經論)≫·≪대승 성업론(大乘成業論)≫ 등이 있음. 세친(世親).

바수-지르다 타르불 사정없이 모조리 마구 바수다. <부수지르다.

바수톨란드〔Basutoland〕 명〖지〗 '레소토(Lesotho)'의 독립 전의 이름.

바수-트리다 타 바수뜨리다.

바순:〔bassoon〕 명〖악〗 오보에(oboe)보다 두 옥타브 낮은 저음(低音)의 목관 악기. 이중(二重)의 혀가 있는 큰 피리로서 낮은 소리를 냄. 파곳(fagott). 파고토(fagotto).

〈바순〉

바슐라르〔Bachelard, Gaston〕 명〖사람〗 프랑스 현대의 과학 철학자. 푸앵카레 등을 계승하여 과학 이론의 발전에 있어서의 이성(理性)의 가동성(可動性)을 강조하는 '비데카르트적(非 Descartes的) 인식론'을 제창함. 특히, 과학 이론에 있어서의 개념의 변화와 그 정신 분석적인 해명이 특징임. 주저로는 ≪새로운 과학적 정신≫·≪현대 물리학에 있어서의 공간의 경험≫·≪무(無)의 철학≫ 등이 있음. [1884-1962]

바스〔도 Bass〕 명〖악〗 베이스[2](bass).

바스까-제【一祭】〔라 pascha〕 명〖천주교〗 유월절(踰越節).

바스-대다 ㊀자 가만히 있지 못하고 자꾸 군짓을 하다. ¶ 바스대는 아이. <부스대다. ㊁자타 바스락거리다.

바스라〔Basra〕 명〖지〗 이라크 동남부의 도시. 샤트알아랍 강(Shatt-al-Arab江) 서안에 있는 이라크 최대의 하항(河港) 상업 도시. 석유·대추야자 등의 적출항(積出港)으로, 국제 공항이 있음. [616,700 명(1985 추계)]

바스라기 명 잘게 바스러진 찌끼. <부스러기.

바스락[1] 명〖조개〗〈방〉 바지락조개.

바스락[2] 부 마른 검불이나 부드러운 종이 같은 것을 건드리거나 뒤적일 때에 나는 소리. <버스럭. ＊보스락. ─하다 자타여불

바스락-거리다 자타 자꾸 바스락 소리가 나다. 또, 그 소리를 내다. ¶ 낙엽이 바람에 ~. <버스럭거리다. ＊보스락거리다. **바스락-바스락** 부. ─하다 자타여불

바스락-대다 자타 바스락거리다.

바스락 장난 명 바스락거리는 정도의 좀스러운 장난. ＊보스락 장난.

바스러-뜨리다 타 바수어서 깨뜨리다. 바스러지게 하다. 바스러트리다. <부스러뜨리다.

바스러-지다 자 ①깨어져 잘게 조각이 나다. ②덩이가 흐슬부슬 무너져 헤어지다. ¶ 빵이 ~. ③얼굴이 나이에 비하여 일찌기 쇠하다. ¶ 바스러진 얼굴. 1)·2):<부스러지다.

바스러-트리다 타 바스러뜨리다.

바스럭 부 ☞ 바스락[2].

바스스 부 ①누웠다가 조용히 일어나는 모양. ¶ ~ 일어나다. ②머리털 같은 것이 어지럽게 흩어지거나 일어나는 모양. ③바스라기 같은 것이 헤지는 모양. ④물건의 사개가 물러나는 모양. 1)-4):<부스스. ─하다 형여불

바스카라〔Bhaskara Acharya〕 명〖사람〗 인도의 수학자·천문학자. 기호(記號)에 의한 대수학(代數學)을 발전시키고, 양수(陽數)의 제곱근이 +·− 두 개 있으며, 음수(陰數)의 제곱근은 존재하지 아니함을 확인함. [1114-85]

바스켓〔basket〕 명 ①용수·종다래끼·대상자·바구니 같은 그릇. ②농구(籠球)에서, 백보드에 장치된 철제(鐵製)의 링과 거기 매단 그물.

바스켓 메이커 문화【一文化】〔Basket Maker〕 명 북아메리카 콜로라도 고원에서 200-700년경에 융성했던 인디언 문화. 3기로 나누이는데, 제1기에는 수렵 생활, 제2기에는 반수렵·반농업 생활을 하며, 용기(容器)로서는 바스켓을 만들고, 제3기에는 토기(土器)를 만듦.

바스켓 방식【一方式】〔basket〕 명〖경〗 여러 가지 통화(通貨)를 짜맞추어 새로운 합성(合成) 통화 단위를 만드는 방식. SDR·유럽 계산 단위 등 여러 가지가 있으며, 참가국간(參加國間)에 임의로 만들 수 있음.

바스켓 볼:〔basket ball〕 명 농구(籠球).

바스쿠 다 가마〔Vasco da Gama〕 명〖사람〗 가마[8].

바스크〔Basque〕 명〖지〗 이베리아 반도, 피레네 산맥의 서부로부터 칸타브리아 산맥 동부에 이르는 스페인의 한 지방. 프랑스와의 접경(接境) 지대를 이룸. 로마의 지배하에서도 실질적인 독립을 유지하였음. 옥수수를 산출하며 낙농이 성함. 중심 도시는 빌바오(Bilbao). 스페인어(語)로는 바스콩가다스(Vascongadas).

바스크 민족주의 운:동【一民族主義運動】〔Basque〕〔─/─이─〕 명 바스크 지방의 스페인으로부터의 분리(分離)·독립을 요구하는 바스크 민족주의자들의 투쟁. 이 운동의 결과 1979년 자치가 승인되었으나 완전한 독립은 성취되지 못함.

바스크-어【一語】〔Basque〕 명〖언〗 바스크인의 언어. 인도-유럽 어족

(語族)이지만 독자적 언어 조직을 가짐.

바스크-인【一人】〔Basque〕 명 바스크 지방과 그 주변에 분포하는 종족. 한때는 해양 민족으로서 신대륙의 식민화에 활약하였음. 바스크어(語)를 말하며 독특한 풍속·관습을 가짐.

바스트〔Bast〕 명 고대 이집트 신화에서, 고양이 머리를 한 여신(女神). 흔히 발견되는 고양이 미라는 이 여신의 성수(聖獸)임.

바스티아〔Bastia〕 명 《지》 프랑스 코르시카 섬 동북안(東北岸)의 항구 도시. 상공업·관광의 중심지이며 연초 공장·양조장이 있음. 1791년까지 코르시카의 주도(主都)였음. [44,000명(1982)]

바스티안〔Bastian, Adolf〕 명 《사람》 독일의 민족학자(民族學者). 선의(船醫)로서 태평양·아프리카·남아메리카·중국·인도 등지를 여행·탐사(探査)하면서 특히 미개 민족의 비교 연구를 행하여 최초로 민족 심리학에 구체적인 자료를 제공하였음. 저서에 《인류 과학에 있어서의 민족 사고(思考)》가 있음. [1826-1905]

바스티앵-르파주〔Bastien-Lepage, Jules〕 명 《사람》 프랑스의 화가. 카바넬(Cabanel)에게 배우고 쿠르베(Courbet)·모네(Monet) 등의 영향으로 사실적인 전원 생활의 묘사에 힘씀. 1874년 출품의 《봄의 노래》로 명성을 얻음. 기타 《건초》·《성숙한 보리》 등의 작품을 발표하여 외광파(外光派)의 선구자가 되었음. [1848-84]

바스티유〔Bastille〕 명 《역》 1370-83년에 구축(構築)된 파리 동쪽의 요새(要塞). 17세기 루이 13세 시대부터 국사범(國事犯)의 감옥으로 전용되었다가 다시 일반 죄수들의 감옥이 되었음. 1789년 7월 14일에 있었던 파리 시민의 바스티유 습격은 프랑스 혁명의 발단(發端)이 되었음.

바슬-바슬 부 덩이진 가루 같은 것이 물기가 말라서 쉽게 헤어지는 모양. ㅆ파슬파슬. <버슬버슬. *보슬보슬². ——-하다 형여불

바슴 명 《농》〈방〉 바심². ——-하다 타

바시랑-거리다 자타 몸이 좀스럽게 바스대다. 또, 몸을 좀스럽게 바스대다. 바시랑대다. ¶반나절이 지나도록 삽화 한 장을 이루지 못한 채 번민 속에서 바시랑거릴 뿐이었다《李孝石: 라오콘의 후예》. 바시랑-바시랑 부. ——-하다 자타여불

바시랑-대다 자타 바시랑거리다.

바시시 부 ☞ 바스스.

바시 제도【一諸島】〔Bashi〕 명 《지》 바탄 제도.

바시키르〔Bashkir〕 명 《지》 러시아 연방내(聯邦內)의 한 자치(自治) 공화국. 기간 주민은 바시키르족(族)으로 반농 반목(半農半牧)의 정주 생활을 함. 석유·망간·철·금 등이 풍부함. 1919년 자치 공화국이 되었음. 수도(首都)는 우파(Ufa). [143,600 km²: 3,870,000명(1986)]

바시 해:협【一海峽】〔Bashi〕 명 《지》 대만의 남단과 필리핀의 최북단 바탄 제도(Batan 諸島)와의 사이에 있는 해협.

바실렙스카야〔Vasilevskaya, Vanda〕 명 《사람》 폴란드 태생의 소련 여류 작가. 독소(獨蘇) 전쟁 중의 대독(對獨) 레지스탕스를 그린 《무지개》 외에 《오직 사랑뿐》, 3부작 《물 위의 노래》 등이 대표작임. [1905-64]

바실루스〔bacillus〕 명 ①《생》 간균(桿菌). ②전(轉)하여, 어떤 사물에 붙어 다니며 이(利)를 빼앗거나 해(害)를 주는 것.

바실리〔basili〕 명 〔라 basilicum의 약칭〕《약》 바실리콘.

바실리 연:고【一軟膏】〔basili〕 명 《약》 바실리콘(basilicon).

바실리우스〔Basilius〕 명 《사람》 그리스 정교의 교부(敎父)·성인(聖人). 후에 그리스 정교 수도원 규칙의 바탕이 된 《바실리우스 수도원 규칙》을 썼으며, 아리우스파(派) 이단(異端)을 억압하는 데 노력하였음. 주저는 《성령론》. [330?-379]

바실리카¹〔basilica〕 명 ①고대 로마에서 재판소나 상업 회의소 등으로 사용되었던 특수한 형식의 건물. 장방형(長方形)이며, 그 내부는 정면의 고단(高壇)과 중앙의 길쭉한, 지붕이 없는 채광(採光)용의 네이브(nave)와 그 좌우의 측랑(側廊)으로 구성됨. ②바실리카 양식의 초기 기독교의 교회당. 후에 로마네스크 및 고딕 건축 양식의 기초가 됨. ③《천주교》 교황으로부터 특권을 받아 일반 성당보다 격(格)이 높은 성당. 대소(大小) 두 가지가 있음.

바실리카²〔Basilica〕 명 동(東)로마 제국의 바실레이오스 1세 및 그 아들 레오 6세가 편찬한 60권의 법전(法典). 9세기말에 완성됨. 후세 동방 제국(諸國)의 법에 큰 영향을 끼침.

바실리콘〔basilicon〕 명 《약》 올리브유·밀랍(蜜蠟)·탈수 라놀린(脫水 lanolin)·테레빈유(terebin油) 등을 원료로 하여 만든 흡출고약(吸出膏藥). 황갈색의 연고로 화상(火傷)·탕상(湯傷)·동상 등에, 또는 화농(化膿)을 촉진시킬 목적으로 사용함. 바실리(basili). 바실리 연고.

바심¹ 명 ①《건》 집 지을 재목들을 연장으로 깎고 파고 하는 일. ②굵은 것을 잘게 만드는 일. ——-하다 타여불

바심² 명 《농》 ①↗풋바심. ②타작❶. ——-하다 타여불

바심-소리 [—쏘—] 명 《민》 전라도·충청 남도 등 서남 지방에서 불리는 벼 타작 소리.

바심-질 명 《건》 재목을 바심하는 짓. ——-하다 타여불

바손 타〈옛〉 벗은. '밧다'의 활용형. ¶겨플 바손 조히 누네이실쒸(脫粟在眼)《杜諺 Ⅵ:47》.

바싹 부 ①물기가 아주 없이 마르거나, 타 버리는 모양. ¶논에 물이 ~ 말랐다/~ 타고 재만 남다. ②아주 가까이 달라붙거나, 또는 몹시 죄거나 우기는 모양. ¶옆에 ~ 다가앉다/떠블 ~ 죄다. ③거침새 없이 갑자기 나아가거나 또는 늘거나 주는 모양. ¶~ 줄어들다. 2)·3): <부썩. *와싹². ④단단한 물건을 깨물거나 가랑잎 같은 것을 밟을 때에 나는 소리. ¶과자를 ~ 깨물어 먹다. ㅅ바삭. 1)-4): <버썩. ⑤몸이 대단히 마른 모양. ¶몸이 ~ 마르다. 매우 긴장하거나 힘을 주는 모양. ¶정신을 ~ 차리다. *바짝.

바싹-거리다 자타 바싹 소리가 계속적으로 나다. 또, 연하여 바싹 소리를 나게 하다. ㅅ바삭거리다. <버썩거리다. 바싹-바싹¹ 부. ——-하다 자타여불

바싹-대다 자타 바싹거리다.

바싹-바싹² 부 ①물기가 아주 없도록 자꾸 마르거나 타 들어가는 꼴. ②아주 가까이 자꾸 들러붙거나 또는 자꾸 몹시 죄거나 우기는 꼴. ③거침 없이 자꾸 나아가거나 또는 늘거나 주는 모양. 2)·3): <부썩부썩. 1)-3): <버썩버썩². *와싹와싹².

바-씨름 명 씨름에서, 서로 오른쪽 팔뚝에다가 샅바를 몇 번 감아 오른손으로 상대의 왼쪽 허벅다리를 휘감아 잡고 허리에는 띠를 매지 않으며, 서로 왼쪽어깨를 맞대고 왼손을 상대방의 허리 근처에 얹어놓고 하던 씨름으로, 지금은 전승(傳承)되지 않음. 김홍도(金弘道)의 《씨름도(圖)》에 그려진 씨름 모습이 이것임.

바아 명〈방〉 방아¹(경상·제주).

바알〔Baal〕 명 《성》〔히브리어(語)로 '주(主)'·'소유자(所有者)'의 뜻〕 고대 동방 여러 나라의 최고신(最高神). 토지의 비옥과 생물의 번식을 주재한다 함. 이스라엘에 이 신이 이입(移入)되었는데, 엘리야(Elijah)가 그것을 책망하고 바알 선지자 450명을 죽였다 함.

바알세불〔Beelzeboul〕 명 《성》〔거주(居住)의 주인이란 뜻〕 신약에서는 '악귀의 우두머리', 곧 사탄(Satan)과 같은 말임.

바알세붑〔Beelzeboub〕 명 《성》〔파리의 임금이란 뜻〕 구약에 나오는 블레셋 사람의 도시 '에글론'에서 숭배하던 신(神).

바야돌리드〔Valladolid〕 명 《지》 스페인 북서부의 상공업 도시. 농산물의 집산 및 제철·알루미늄·화학 비료 등의 공업이 성함. 콜럼버스가 사망한 곳. 1600-06년에는 스페인의 수도였음. [327,786명(1986)]

바야으로 부 ☞ 바야흐로.

바야지드 일세【——世】[—쎄] 명 〔Bayazid Ⅰ〕《사람》 오스만 터키의 제4대 황제. 처음으로 '술탄'이라 칭함. 1396년, 니코폴리스(Nicopolis)에서 헝가리를 주축으로 하는 그리스도교(敎) 연합군을 격파하여 발칸 반도의 대부분을 영유하였음. 1402년, 티무르의 소(小)아시아 침공에 대항하여 앙카라에서 싸우다 패하였음. [1360-1403; 재위 1389-1403]

바야흐로 부 이제 한창. 이제 막. ¶때는 ~ 봄이다.

바얀¹〔Bayan〕 명 《사람》 중국 원(元)나라의 건국 공신. 훌라구 칸(Hulagu Khan)을 따라 페르시아 원정에서 공을 세우고, 뒤에 세조(世祖) 밑에서 요직으로 있으면서, 1276년 남송(南宋)을 멸망시켰음. 백안(伯顏). [1246-94]

바얀²〔Bayan〕 명 《사람》 중국 원말(元末)의 권신. 카이두(海都)와 싸워 공을 세움. 무종(武宗)·인종(仁宗)·영종(英宗)·태정제(泰定帝) 밑에서 요직을 거치고, 태정제가 죽자, 반대파를 누르고 무종의 장자인 명종(明宗), 아우인 문종(文宗)을 차례로 세워, 지나친 권세를 누린 나머지 실각, 귀양가는 길에 죽음. 백안(伯顏). [? -1340]

바에즈〔Baez, Joan〕 명 《사람》 미국의 포크 송 가수. 보스턴 대학 재학 시절부터 노래를 부르기 시작, '포크 송의 여왕'이라 불림. [1941-]

바-예수〔Bar-Jesus〕 명 《성》〔예수의 아들이란 뜻〕 바울이 제1회 전도 여행 중 만난 거짓 선지자이며 유태인 요술쟁이. 구부로 섬의 로마 총독인 서기오의 신임을 얻고 있던 중, 바울이 총독 서기오에게 전도할 때 방해하다가 도리어 눈이 멀었다고 함.

바오 다이〔Bao Dai〕 명 《사람》 베트남의 정치가. 전 월남(前越南)의 13대 황제. 프랑스에 유학함. 제2차 대전 후 호치민(胡志明)의 침략으로 퇴위(退位)하였다가 프랑스와의 협정으로 1949년 신정부 주석(主席)으로 부활하였으나, 1955년 국민 투표에서 고 딘 디엠(Ngo Dinh Diem)에게 패배하여 물러났음. 보대(保大). [1913- ; 재위 1925-45]

바오달 명〈옛〉〔몽 baγudal(군영). 중세 몽골어 ba'udal〕 군영(軍營). 군막(軍幕). ¶바오달 영(營)《字會 中 8》.

바오달터 명〈옛〉 군영(軍營) 터. ¶바오달터(營盤)《字會 中 8》.

바오달티다 자〈옛〉 군막(軍幕)을 치다. ¶바오달티다(下營)《字會 中 8》.

바오딩〔保定〕 명 《지》 중국 허베이 성(河北省)의 중부에 있는 동성(同省)의 주도. 베이징(北京)에서 남쪽으로 150 km, 징한 철도(京漢鐵道)의 연선(沿線)에 있음. 옛적에는 정객(政客)이 모두 이 곳에 운집(雲集)하여 정치의 중심지를 이루었음. 면직물(綿織物)·화학 섬유·제분(製粉)·농기구·피혁 공업(皮革工業) 등이 발달함. 보정. [523,000명(1984)]

바-오라기 명 바의 동강.

바오로 삼세【一三世】 명 〔Paulus Ⅲ〕《사람》 로마 교황. 속명은 Alessandro Farnese. 1538년 영국왕 헨리 8세를 파문, 반종교 개혁에 착수하여 예수회(會)의 공인, 트리엔트 종교 회의의 소집 등 업적을 올리고 신성 로마 황제 카를 5세를 원조했음. 예술을 애호하여 미켈란젤로로 하여금 시스티나 성당의 벽화를 그리게 함. 파울루스 삼세. [1468-1549]

바오로 육세【一六世】 명 〔Paulus Ⅵ〕《사람》 제262대 로마 교황. 밀라노 대주교·추기경을 역임. 전 교황 요한 23세의 사업을 계승하여 제2차 바티칸 공의회를 주재, 평화주의·신앙의 자유 등을 표명하고, 동서 교회의 접근에도 노력함. 파울루스 육세. [1897-1978]

바오밥〔baobab〕 명 《식》〔*Adansonia digitata*〕 판야과(panja科)에 속하는 낙엽 교목. 높이 24 m, 직경 8 m 가량임. 잎은 호생하고 장병(長柄)이며 장상(掌狀)으로 5-7개의 소엽(小葉)은 긴 타원형인데 끝이 뾰족하며 길이가 8-13 cm, 이면에 연모(軟毛)가 있음. 백색의 오판화(五瓣花)는 직경 15 cm이며 암꽃은 자색을 띠고, 엽액(葉腋)

〈바오밥〉

에 단생(單生)하여 길게 아래로 처져서 핌. 과실은 수세미와 비슷하며 단단하고 작은 털이 밀생하는데 길이 15-30 cm 임. 아프리카 특산으로 열대의 진귀한 나무임. 과실은 식용·약용이며 껍질의 섬유로는 직물(織物)을 짬. 수령(樹齡) 5,000 년의 노목(老木)도 있다고 함.

바오지 〔寶鷄〕 몡 〖지〗 중국 산시 성(陝西省) 서부 웨이수이 평야(渭水平野) 서쪽 끝에 있는 도시. 룽하이(隴海) 철도와 바오청(寶城) 철도의 교차점이며 간쑤(甘肅)·산시(陝西)·쓰촨(四川) 3 성(省)의 물자 교류의 중심지임. 근년에 들어, 철도 관계 기계 공장·석유 기계 공장·화학 비료·면방직 등 많은 공장이 들어섬. 보계. [352,000 명(1984)]

바오터우 〔包頭〕 몡 〖지〗 중국 내몽고 자치구(內蒙古自治區)의 서남부, 황허(黃河) 좌안의 도시. 징바오(京包)·바오란(包蘭)의 두 철도에 의해, 화베이 평원(華北平原) 및 서북 지방과 연락하고, 자동차 도로도 사방으로 통함. 근년에는 부근의 철과 석탄을 기초로 제철·제강 외에 화학·전기·식료품 등의 공업도 발달함. 포두. [912,953 명(1987)]

바-요나 〔Bar-Jonah〕 몡 〖성〗 〔요나의 아들이란 뜻〕 베드로의 속명. 요나는 그 아버지의 이름임.

바우¹ 몡 〈방〉 바위(경기·강원·충북·전라·경상·황해).

바우² 〔bow〕 몡 〖해〗 이물. 뱃머리. 선수(船首).

바우다 타 〈방〉 피하다. ¶ 태수는 방구석에 가 박혀 서서 두 손을 내밀어 김씨를 바워 낸다《蔡萬植 : 濁流》.

바우마이스터 〔Baumeister, Willi〕 몡 〖사람〗 독일의 현대 화가. 작품 《벽화》 이래 추상화(抽象畫)의 경향을 좇아 기하(幾何)학적 질서를 갖는 구상(具象) 작품을 발표. 1933년 나치스(Nazis)에 추방당하고, 그 후 선사 시대(先史時代)의 동굴(洞窟)이나 화석(化石)과 같은 표의 문자적(表意文字的)인 형상으로부터 초현실(超現實)주의나 원자 물리학에 이르는 모든 체험을 모티브(motive)로 극히 폭이 넓은 작풍(作風)을 갖는 대가가 됨. 저작에는 《길가메시 연작(Gilgamesh 連作)》·《두 개의 시대》·《행복한 나날》 등이 있음. [1889-1955]

바우-밥 몡 〈방〉 이끼¹(전남).

바우 스러스터 〔bow thruster〕 몡 〖해〗 뱃머리 부근의 뱃바닥에 가로 방향의 터널을 만들고, 그 속에 프로펠러를 장치한 것. 이 프로펠러의 추력(推力)에 의하여 선회(旋回) 속도가 빨라지고 조종이 쉽게 됨. 선수(船首) 추진기. *선수(船首) 프로펠러.

바우어¹ 〔Bauer, Bruno〕 몡 〖사람〗 독일의 철학자. 헤겔 좌파(Hegel 左派)로 전향(轉向)하여 성서를 비판, 예수의 실재(實在)를 부정하고 국가와 종교를 거부하여 교수직에서 추방되었다가 후에 다시 반전(反轉)하였음. 저서로 《요한 복음서 비판》·《18세기의 정치·문화 및 계몽의 역사》 등이 있음. [1809-82]

바우어² 〔Bauer, Otto〕 몡 〖사람〗 오스트리아의 정치가. 오스트리아 마르크스주의의 이론적 지도자인데 1918-19년 외상으로 있으면서 독일과의 합방을 획책함. 1934년 빈(Wien) 봉기에 실패하여 망명, 국외에서 오스트리아 사회 민주당을 지도함. [1882-1938]

바우-옷 몡 〈방〉 이끼¹(강원·전남).

바우처 〔voucher〕 몡 ①거래 증빙서(證憑書). ②보증인.

바우처 시스템 〔voucher system〕 몡 〖경〗 전기(轉記) 사무의 간소화와 출납 사무의 정확을 위하여 고안된 방법. 즉, 재고품은 물론 기타 물품의 구입과 제경비에 대한 거래를 장부 하나에 총괄(總括), 상세한 과목 분석을 거래 발생과 동시에 행하는 것.

바우하우스 〔도 Bauhaus〕 몡 1919년에 건축가 그로피우스(Gropius)가 중심이 되어, 독일 바이마르(Weimar)에 세운 예술 학교. 기계 기술과 예술과의 종합을 이상으로 하여 실리성·효용성을 중시함. 나치스의 압박을 받아 1932년 폐쇄됨.

바우흐 〔Bauch, Bruno〕 몡 〖사람〗 바덴 학파(Baden 學派)에 속하는 독일의 철학자. 1911년 이래 예나(Jena) 대학의 교수. 논리주의적·자연과학적 마르부르크(Marburg) 학파와 가치론적·역사주의적 바덴 학파의 입장의 통합(統合)을 꾀함. 칸트(Kant)의 선험적 주관(先驗的主觀)에서 객관주의를 취하여, 대상(對象) 형성의 법칙, 전체로서의 칸트의 이념을 동적(動的)·발전적으로 해석하여 헤겔(Hegel)의 변증법(辯證法)에 가까워졌음. 저서로 《비판적 윤리학에 있어서의 행복과 인격성》·《진리·가치·현실》·《생의 철학과 가치의 철학》 등이 있음. [1877-1942]

바운드 〔bound〕 몡 ①경계. 한계. 경계선. ②자동차·공 등이 튐. ¶ 투(two) ~ / 차체(車體)가 ~하다. ——-하다 자 여불

바운드 패스 〔bound+pass〕 몡 〖체〗 농구·핸드볼 따위에서, 공을 바닥에 튀기면서 하는 패스.

바운스 플래시 〔bounce flash〕 몡 〖사진〗 사진 전구나 플래시의 빛을 피사체(被寫體)에 직접 비추지 않고 천장이나 벽 따위에 반사시켜 촬영하는 기법. 조명이 부드러워 상업 사진 등에 잘 쓰임.

바울 〔Paul〕 몡 〖성〗 기독교를 로마 제국에 보급하는 데 가장 공이 많은 전도자(傳道者). 원래는 열렬한 유태교 신자였으나 부활하는 그리스도의 강림(降臨)을 믿고 회심(回心)하여 전 생애(生涯)를 전도에 바치고 64년경 로마에서 순교(殉敎)하였음. '이방인(異邦人)의 사도(使徒)'라고 불리었음. 그의 서한 12 통(通)은 신약(新約) 성서의 중요한 일부를 이루고 있음.

바움가르텐 〔Baumgarten, Alexander Gottlieb〕 몡 〖사람〗 독일의 철학자. 프랑크푸르트(Frankfurt) 대학 교수. 볼프 학파(Wolff 學派) 최대의 철학자로, 이론 철학과 실천 철학을 대립시켜 양자에 선행(先行)하는 인식론을 생각하여, 이에 감성적(感性的) 인식의 교설(敎說)로서의 미학과, 합리적 인식의 교설로서의 논리학을 포함시켰음. 그는 이성(理性)주의의 입장에 있었는데, 그의 윤리학은 볼프 윤리학과 함께 완전설(完全說)임. 저서에 《형이상학(形而上學)》·《미학》·《윤리학》·《자연법》 등이 있음. [1714-62]

바움 테스트 〔도 Baum test〕 몡 〖심〗 정신 진단에서 일종의 투영법(投影法) 검사. A판의 도화지에 4B 연필로 '열매 열리는 나무'의 그림을 그리게 하여, 그 그리는 능력, 배분(配分), 필압(筆壓), 운필(運筆), 묘선(描線)의 질(質), 나뭇가지, 특히 우듬지의 형태, 나무 줄기의 형태, 명암(明暗) 등의 특성을 분석함으로써 정신 진단을 행함. 스위스의 K. 코호에 의하여 1949년에 체계화됨. 수목(樹木) 묘사(描寫) 검사. 트리 테스트(tree test).

바웃-돌 : 몡 〈방〉 바윗돌(강원·황해·평안).

바웨 몡 〈방〉 바위(경기·황해·평안).

바웬사 〔Wałęsa, Lech〕 몡 〖사람〗 폴란드의 노동 운동 지휘자. 본디 전기공(電氣工)으로 1970년부터 노동 운동에 참여, 1980년 자유 노조(勞組) 유대(紐帶)의 위원장으로서 그다니스크 시(市)를 중심으로 한 총파업을 지도함. 1983 년 노벨 평화상을 수상(受賞), 1990 년 대통령에 선출됨. [1943-]

바위 몡 〔중세 : 바회. 고구려어 : 波兮, 巴衣〕 ①부피가 매우 큰 돌. 암석(岩石). ¶ 흔들 ~ / 이끼 낀 ~. ②가위바위보에서, 주먹을 쥐어 내미는 것.

[바위를 차면 제 발부리만 아프다] 일시적 흥분으로, 무모한 짓을 하면 제게만 해롭다는 말.

바위-갯지네 몡 〖동〗 [*Marphysa sanguinea*] 갯지네강(綱) 털갯지렁잇과(科)에 속하는 환형 동물. 몸길이 약 40 cm, 폭 1 cm로, 300 내외의 고리마디가 있음. 몸의 앞 부분은 원통형에 자갈색을 띠고, 그 밖의 부분은 적갈색이며 납작함. 머리에 5개의 촉수가 있음. 해안의 무른 바위 속에 사는데, 일본 홋카이도(北海道)에서 중국·대만(臺灣)에 이르기까지 널리 분포함. 낚시 미끼로 쓰임.

바위-게 몡 〖동〗 [*Pachygrapsus crassipes*] 바위겟과에 속하는 게. 등딱지는 길이 3 cm, 폭 3.4 cm의 사각형이며 양쪽에 많은 주름이 있고 보각(步脚)에는 갈색의 빳빳한 털이 줄지어 났음. 주로 바닷가의 암초에 사는데, 한국·일본 등지에 분포함.

〈바위게〉

바위겟-과 【一科】 몡 〖동〗 [Grapsidae] 절지 동물(節肢動物) 십각류(十脚類)에 속하는 한 과. 참게·바위게·도적게·방게 등이 이에 속함.

바위-고사리 몡 〖식〗 이끼고사리.

바위-괭이눈 몡 〖식〗 [*Chrysosplenium macrostemon*] 범의귓과에 속하는 다년초. 줄기 높이 약 20 cm에 잎은 대생(對生)하고 장병(長柄)이며 달걀꼴 또는 거꿀달걀꼴임. 6-8월에 줄기 끝이나 가지 끝에 엷은 황록색 꽃이 총생(叢生)하여 핌. 과실은 삭과(蒴果)임. 산지의 골짜기에 나는데, 경북·평안·함경 등지에 분포함.

〈바위괭이눈〉

바위-구절초 【一九節草】 몡 〖식〗 구절초.

바위-굴 【一窟】 몡 바위에 뚫린 굴. 암굴(岩窟). 석굴(石窟). 암동(岩洞). 암혈(岩穴).

바위-그림 몡 〖고고학〗 바위면(面)에 칠하기·새기기·쪼기 등의 수법으로 그린 그림. 암각화(岩刻畫).

바위-너구리 몡 〖동〗 [*Procavia capensis*] 바위너구릿과에 속하는 짐승. 몸길이 약 51 cm, 어깨 높이 20 cm 가량인데, 꼬리가 토끼 꼬리와 비슷하고 언뜻 보기에 고슴도치같이 보임. 털빛은 암갈색에 담황색 또는 흰색의 작은 얼룩이 있음. 11월경 1-2 마리의 새끼를 낳음. 먹이는 풀과 나무 껍질 등이며 이른 아침과 해질 무렵에만 먹이를 찾고 낮에는 바위 위에서 일광욕을 함. 아프리카 동부와 남부에 분포함. 암리(岩狸). 하이랙스(hyrax).

바위너구리-목 【一目】 몡 〖동〗 [Hyracoidea] 포유류의 한 목. 형태는 토끼목과 비슷하며, 귀·꼬리는 짧음. 바위너구릿과가 있음. 암리류(岩狸類).

바위너구릿-과 【一科】 몡 〖동〗 [Procaviidae] 포유(哺乳) 동물 바위너구리목의 한 과. 몸은 대체로 토끼 종류와 비슷한데 귀는 짧고 꼬리는 축소되었음. 앞발에는 4개, 뒷발에는 3개의 발가락이 있으며 주로 산지의 바위틈에 사는데 때로는 수상(樹上) 생활을 하는 종류도 있음. 아프리카·아라비아·시리아 지방에 몇 종 분포함.

바위 너설 몡 바위의 험한 너설.

바위-돌꽃 몡 〖식〗 [*Rhodiola tachiroei*] 돌나물과에 속하는 다년초. 근경(根莖)은 비대하고 다수의 인편(鱗片)으로 싸여 있음. 줄기는 총생(叢生)하고 높이 30 cm에 달하며 잎과 함께 백색을 띰. 잎은 호생(互生)·무병(無柄)이고 밀생하며 거꿀달걀꼴의 타원형을 이룸. 7-8월에 자웅 이가(雌雄異家)의 담황색 꽃이 줄기 끝에 밀집하여 취산 화서(聚繖花序)로 피는데 과실은 골돌(蓇葖)로 9월에 익음. 높은 산의 바위에 남. 평북·함경도에 분포함.

바위-떡풀 몡 〖식〗 [*Saxifraga fortunei*] 범의귓과에 속하는 다년초. 근생엽(根生葉)은 총생(叢生)하고 장병(長柄)이며 신장형(腎臟形) 또는 원형이고 장상(掌狀)으로 얕게 갈라지고 뒷면은 백색 또는 자색을 띰. 꽃줄기의 높이 10-30 cm, 8-9월에 백색의 오판화(五瓣花)가 정생(頂生)하여 취산(聚繖) 화서로 피는데 두 개의 화판이 피침형이고 밑으로 늘어져 '大'자 모양을 이룸. 과실은 달걀꼴의 삭과(蒴果)임. 산지의 습지·바위틈에 나는데, 한국·일본·중국 동북부 우수리 등지에 분포함. 어린 잎은 식용함. *참바위취.

〈바위떡풀〉

바위-말발도리 명〖식〗[*Deutzia prunifolia*] 고광나뭇과에 속하는 낙엽 활엽 관목(灌木). 잎은 달걀꼴 또는 타원형이고 4-5월에 백색의 꽃이 정생(頂生)하여 복방상(複房狀) 화서로 피며 삭과(蒴果)는 9월에 익음. 산중턱·기슭의 바위틈에 나는데, 거의 한국 각지와 만주에 분포함. *말발도리나무.

바위-미나리아재비 명〖식〗[*Ranunculus erucilobus*] 미나리아재빗과에 속하는 다년초. 높이 10cm 내외, 근생엽(根生葉)은 장병(長柄)이고 세 갈래로 째지며 경엽(莖葉)은 작고 선형(線形)을 이룸. 7월에 엷은 황백색 꽃이 하나씩 정생(頂生)하여 피며, 과실은 수과(瘦果)임. 높은 산에 저절로 나는데, 제주도의 한라산에 분포함.

바위-버섯 명〈방〉이끼¹(전남).

바위-샘 명 바위 틈에서 솟아 나오는 샘. 암천(岩泉).

바위-섬 명 바위로 된 섬. 또 바위가 많은 섬. 암서(岩嶼).

바위-솔 명〖식〗①둥근바위솔·좀바위솔·지부지기 등의 총칭. ②[*Orostachys iwarenge*] 돌나물과에 속하는 다년초. 높이 30cm 가량, 잎은 다육질(多肉質) 피침형이며 때로는 자색을 띠는데, 다닥다닥 붙어서 기왓장 포갠 듯이 호생하고 바닥에 흰 가루가 있음. 9월에 잎 사이에서 길이 10-40cm의 꽃줄기가 나와 흰 오판화(五瓣花)가 정생(頂生)하여 총상(總狀) 화서로 피고, 결실(結實)하면 말라 죽음. 산지의 바위 위에 저절로 나는데, 본디 일본 원산(原產)으로 알려져 왔으나, 1977년에 제주도에도 자생(自生)함이 확인됨. 전세계에서 관상용으로 재배함. 일년송(一年松). 경천(景天). *좀바위솔.

〈바위솔❷〉

바위-솜나물 명〖식〗[*Senecio phaeanthus*] 국화과(科)에 속하는 다년초. 줄기의 높이 약 30cm. 근엽(根葉)은 총생(叢生)하고 장병(長柄)이며 달걀꼴 또는 타원형이고, 경엽(莖葉)은 무병(無柄)이며 긴 타원상 피침형임. 7-8월에 황색의 두화(頭花)가 방상 산형 화서(房狀繖形花序)로 핌. 과실은 수과(瘦果)임. 깊은 산허리에 나는데, 강원·평북·함경 등지에 분포함.

바위-송이풀 명〖식〗[*Pedicularis nigrescens*] 현삼과에 속하는 다년초. 줄기의 높이 5-10cm이고 잎은 총생(叢生)하며 장병(長柄)에 우상 복엽(羽狀複葉)임. 7-8월에 홍자색 꽃이 줄기 위 엽액(葉腋)에 총상 화수(總狀花穗)로 피는데, 꽃부리는 순형(脣形)이고 삭과(蒴果)는 길쭉한 타원형임. 높은 산허리에 나는데, 함남의 부전 고원(赴戰高原)과 평북의 노봉(鷺峰)에 분포함.

바위-수국【一水菊】명〖식〗[*Schizophragma hydrangeoides*] 수국과에 속하는 낙엽 활엽 만목(蔓木). 잎은 원형 또는 넓은 달걀꼴이고 5월에 흰 꽃이 정생(頂生)하여 기산(岐繖) 화서로 피며, 삭과(蒴果)는 10월에 익음. 산중턱 이상의 숲 속에 나는데, 제주도·울릉도·일본에 분포함. 관상용임.

〈바위수국〉

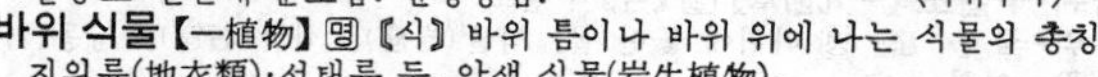

바위 식물【一植物】명〖식〗바위 틈이나 바위 위에 나는 식물의 총칭. 지의류(地衣類)·선태류 등. 암생 식물(岩生植物).

바위-옷 명〖식〗바윗돌에 낀 이끼.

바위옷-무리 명〖식〗선태류(蘚苔類)·지의류(地衣類)의 무리.

바위-옹두라지 명 울퉁불퉁한 바위의 뿌다구니. 또, 그러한 바위.

바위 자리 명〖불교〗바위 형상으로 만든 불상(佛像)의 대좌(臺座). 불상을 모셔 놓고 기도·법사(法事)를 행하는 단(壇). 암좌(岩座).

바위-장대【一때】명〖식〗[*Arabis glauca*] 겨잣과에 속하는 다년초. 줄기 높이 30cm 내외인데, 근생엽(根生葉)은 총생(叢生)하고 유병(有柄)이며 위의 잎은 달걀꼴 또는 긴 타원형임. 6-7월에 흰 꽃이 정생(頂生)하여 총상(總狀) 화서로 핌. 과실은 긴 각선형(角線形)임. 산이나 바위틈에 나는데, 제주도에 분포함.

바위-제비 명〖조〗흰털발제비.

바위-종다리 명〖조〗[*Prunella collaris erythropygia*] 바위종다릿과에 속하는 새. 종다리 비슷한데 날개의 길이는 10cm 가량이고 몸빛은 회색에, 등에는 흑갈색, 턱·목·날개에는 백색의 반문(斑紋)이 있고 허리와 상미통은 황적색을 띰. 고산 지대의 바위 틈에 둥지를 짓고 청색의 알을 3-4개 낳음. 울음 소리가 고움. 시베리아 동부·중국 북부·한국·일본·대만 등지에 분포함.

〈바위종다리〉

바위종다릿-과【一科】명〖조〗[Prunellidae] 참새목에 속하는 한 과. 몸빛은 대체로 갈색에 농갈색·흑갈색의 반문(斑紋)이 있는 것이 많고 자웅이 동색임. 주로 고산 지대에 서식하며, 암석·지상·나뭇가지에 둥지를 짓고 한배에 3-5개 산란(產卵)함. 바위종다리·멧종다리 등이 여기에 속하는데, 유럽·아시아 중부 동부에 30여 종이 분포함.

바위-채송화【一菜松花】명〖식〗[*Sedum polystichoides*] 돌나물과에 속하는 다년초. 줄기는 총생(叢生)하고 높이가 7cm 가량 됨. 잎은 호생 무병(互生無柄)인데 다소 밀생(密生)하고 피침상 선형을 이루며 엽경(葉梗)이 없고 보통 자색을 띰. 8-9월에 황홍색 오판화(五瓣花)가 정생(頂生)하여 취산(聚繖) 화서로 피며 과실은 골돌(蓇葖)임. 산지에 나는데, 한국 각지에 분포함.

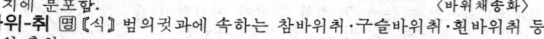

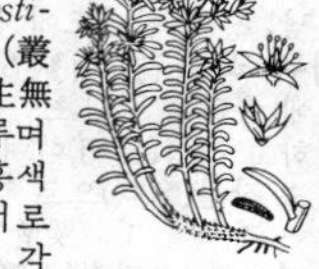
〈바위채송화〉

바위-취 명〖식〗범의귓과에 속하는 참바위취·구슬바위취·흰바위취 등의 총칭.

바위-층【一層】명 바위로 이루어진 지층. 암석층.

바위-타:령【一打令】명〖악〗경기 휘몰이 소리. '배고파 지어 놓은 밥에 뉘도 많고 돌도 많다. 뉘 많고 돌 많기는 임이 안 계신 탓이로다. 그 밥에 어떤 돌이 들었더냐…' 이렇게 시작하여, 서울·시골의 유명한 바위 이름을 80 종류나 들어 긴 사설(辭說)을 빠른 박자로 몰아 부름.

바위-틈 명 ①바위의 갈라진 틈. ②바위와 바위의 틈.

바윗-돌 명 바위.

바윗-등 명 바위의 위. 바위의 윗 부분. ¶ ~에 올라앉다.

바윗-물 명〖지〗'암장(岩漿)'의 풀어쓴 말.

바유〔Vāyu〕명〖신〗베다(Veda) 신화에 나오는 바람의 신. 푸루사(Purusa)의 입김으로 태어나, 천둥과 벼락의 신 인드라(Indra)의 수레에 함께 타고 하늘을 달린다 함.

바음자리-표【一音一標】명〖악〗낮은음자리표.

바이¹ 명〈방〉방아¹(함경).

바이² 명〈방〉팽이(함북).

바:이³ 명〈방〉바위(함경).

바이⁴〔bye〕명 ①테니스·배드민턴 등에서, 추첨에 의해 결정된 부전승자(不戰勝者). ②골프에서, 승부가 결정된 후 아직도 남아 있는 홀(hole).

바이⁵ 부 다른 도리 없이 전연. 아주. 과연. ¶ 나로서는 방법이 ~ 없다/그 후 한 조정에 서서 피차에 귀밑털이 희어졌으니 ~ 안 친한 터수도 아니지만《玄鎭健 : 無影塔》.

바이⁶〔중 百〕수 백(百).

바이다〔Wajda, Andrzej〕명〖사람〗폴란드의 영화 감독. 1954년《세대(世代)》로 영화 감독으로 데뷔, 이후《지하수도(地下水道)》·《재와 다이아몬드》로 세계적 주목을 받음.《대리석의 사나이》·《철의 사나이》·《당통》·《사랑의 기록》·《악령(惡靈)》등이 있음. [1926-]

바이덩〔白登〕명〖지〗중국 산시 성(山西省)의 다퉁 시(大同市)의 동쪽에 있는 산 이름. 한(漢)나라의 고조(高祖)가 흉노(匈奴)를 치러 갔다가 도리어 흉노에게 포위당한 곳. 백등.

바이덴〔Weyden, Rogier van der〕명〖사람〗네덜란드의 종교 화가. 심리적 해부와 힘찬 조소적(彫塑的)인 표현으로 종교화에 풍부한 인간 감정을 나타내 보였음. 작품《십자가 강하(降下)》·《최후의 심판》등. [1399?-1464]

바이덴라이히〔Weidenreich, Franz〕명〖사람〗독일의 해부학자·인류학자. 사람의 뼈를 해부학적으로 연구하여, 인류 진화의 발자취를 밝혔음. 1935년 나치스에 쫓겨 도미(渡美), 같은 해 베이징 협화 의학원(北京協和醫學院) 객원 교수(客員敎授)가 되어 시난트로푸스 페키넨시스(Sinanthropus pekinensis)의 유적 발굴·연구로 유명해짐. 저서는《유인원(類人猿)》·《거인(巨人)》등. [1873-1948]

바이-라인〔by-line〕명 신문·잡지에 있어서, 특종 기사나 기자의 수완·노력이 현저한 기사에 필자의 이름을 넣는 일.

바이람〔Bairam〕명 회교(回敎)의 축제. 1년에 두 번 행해지는데, 회교력(曆)의 제 9일인 라마단(Ramadan) 직후에 행해지는 소(小)바이람제(祭)와, 소바이람제로부터 70일 후에 행해지는 대(大)바이람제가 그것임.

바이러스〔virus〕명〖의〗여과성 병원체(濾過性病原體). 초현미경적인 미생물로서 그 크기와 모양이 여러 가지나, 일반적으로 식물에 기생하는 것은 구조가 단순하고 동물에 기생하는 것은 다소 복잡함. 대개 핵단백질(核蛋白質)을 주요 성분으로 하는데, 증식(增殖) 능력이 있으며 생물의 체세포에 대한 친화성(親和性)이 매우 강함. 생물과 무생물의 경계를 이루는 것으로 논의되며 그 한계가 애매함. 바이러스에 의한 인체의 질환(疾患)으로서 인플루엔자·천연두·마진(痲疹)·광견병(狂犬病)·소아 마비·일본 뇌염 등이 있음. 비루스.

바이러스 간섭【一干涉】명〔virus interference〕먼저 어떤 바이러스에 감염되어 있기 때문에 다른 바이러스에 대해 감염이 억제되는 일.

바이러스성 간:염【一性肝炎】〔virus〕[一썽一] 명〔viral hepatitis〕〖의〗간염 바이러스에 의하여 일어나는 간염. A형(型)·B형·비(非)A 비(非)B형의 세 가지가 있음. 음식물·수혈(輸血) 등에 의해 감염되고, 잠복 기간은 15일에서 수개월임. 전신이 나른하고 식욕 감퇴·발열(發熱)·황달 등의 증상이 나타남. 바이러스 간염.

바이러스성 뇌척수염【一性腦脊髓炎】〔virus〕[一썽一] 명〔viral encephalomyelitides〕〖의〗여러 가지 바이러스에 기인(起因)하는 뇌염성 질환(疾患). 유행성 뇌염·일본 뇌염 등을 포함함.

바이러스성 위장염【一性胃臟炎】〔virus〕[一썽一념] 명〔viral gastroenteritis〕〖의〗여러 가지 바이러스에 기인(起因)한다고 생각되는 급성 감염성 위장염. 설사·오심(惡心)·구토(嘔吐) 및 여러 가지 전신적 증후(全身的症候)가 나타남.

바이러스 억제 인자【一抑制因子】〔virus〕명〖생〗인터페론(interferon).

바이러스-학【一學】〔virus〕명〔virology〕〖생〗바이러스의 본질에 관해 증식(增殖) 기구, 증식의 핵산(核酸)·단백질의 생합성(生合成), 변이(變異)와 유전, 형태와 조성(組成) 등을 주요 연구 대상으로 하는 생물학의 한 부문.

바이러스 혈증【一血症】〔virus〕[一쯩] 명〔viremia〕〖의〗핏속에 바이러스성(性) 입자가 존재하는 상태.

바이런〔Byron, George Gordon〕명〖사람〗낭만파(浪漫派) 시인 중 가장 저명한 영국의 시인. 포르투갈·스페인·그리스 등지를 방랑하면서 쓴《차일드 해럴드의 편력(遍歷)》을 1812년에 발표하여 일약(一躍) 유명해짐. 생의 권태(倦怠), 이국(異國)에의 정열, 원시에의 동경에 사로잡혀 방랑의 생애를 보내면서, 혁명적·반역적 정신으로 그 화려 분방(奔放)한 영웅주의적·자유주의적 시상(詩想)을 구사(驅使)하여 근대 유럽 문학에 큰 영향을 주었음. 1823년 그리스 독립 전쟁에 지원(志

願)하여 종군(從軍) 중 다음 해 병사(病死)함. 저서에 극시(劇詩) ≪맨프레드(Manfred)≫, 서사시(敍事詩) ≪돈 후안(Don Juan)≫ 등이 있음. [1788-1824]

바이로이드 [viroid] 명 『생』 바이러스보다 더 작은 초미소 생물. 미국 농무성 식물 바이러스 연구소의 T.O. 디너 박사 등이 발견함.

바이로이트 [Bayreuth] 명 『지』 독일(獨逸) 남동부, 바이에른 주의 도시. 철도의 요지로, 기계·직물(織物)·피아노 등의 공업이 성함. 바그너 음악을 상연하는 축제(祝祭) 극장으로 유명함. [71,800 명(1985)]

바이로이트 음악제 【一音樂祭】 [Bayreuth] 명 바그너가 독일 바이에른 주의 바이로이트에 창설한 축제 극장(祝祭劇場)에서, 매년 또는 격년으로 그의 업적을 기념하여 그의 악극을 상연하는 음악 제전.

바이루둥 서원 【一書院】 [白鹿洞] 명 『지』 중국 장시 성(江西省) 싱쯔 현(星子縣) 북쪽 루산(廬山)의 산기슭 바이루둥(白鹿洞) 마을에 송초(宋初) 이후 명(明)·청(淸)에 걸쳐 두었던 서원. 당(唐)나라의 이발(李渤)이 독서하던 곳으로, 흰 사슴을 길러 항상 데리고 다녔기 때문에 이 마을 이름이 생겼음. 백록동 서원.

바이루저우 [白鷺洲] 명 『지』 중국 장쑤 성(江蘇省) 서쪽, 난징(南京) 남서쪽의 양쯔 강(揚子江) 가운데에 있는 모래톱. 백로주.

바이룽두이 명 『지』 중국 신장 웨이우얼(新疆維吾爾) 자치구(自治區)의 동부 로브 노르 호수(Lob Nor 湖水)의 동쪽에 있는 사막. 백룡퇴(白龍堆).

바이마르 [Weimar] 명 『지』 독일 중부 지방, 튀링겐 주(Thüringen 州)의 도시. 역사적 건축물이 많고 괴테(Goethe)와 실러(Schiller)의 집도 남아 있음. 모직물(毛織物)·화학 등의 공업도 행하여짐. 1919년에 제정된 바이마르 헌법으로 유명함. 1918년까지 바이마르 공국(公國)의 수도였음. [64,000 명(1985)]

바이마르 공:화국 【一共和國】 명 [Weimarer Republik] 『정』 1918년부터 1933년까지 지속된 독일 공화국. 제1차 세계 대전 후 혁명의 결과로, 제정(帝政)이 무너지고 공화제가 성립되어, 1919년 2월 에베르트가 대통령으로 선출되고 동년 8월에 바이마르 헌법이 제정됨. 연립 내각(聯立內閣)을 형성하였으나 공산당과의 대립으로 점차 우경(右傾)하여 군부(軍部)와 관료(官僚)가 대두(擡頭)하게 되었고, 1929-32년의 세계 경제 공황(恐慌)으로 파멸적인 타격을 받게 되자, 나치스와 공산당의 세력이 증대하여 대통령 권력 중심의 독재 정치로 옮겨졌으나 1933년 나치스의 정권 획득으로 해체(解體)되었음. 독일 공화국.

바이마르 헌:법 【一憲法】 [一뻡] 명 [Weimarer Verfassung] 『법』 제1차 세계 대전에 의한 독일 제국의 붕괴를 계기(契機)로 하여, 1919년 8월 11일 바이마르에서 열린 국민 의회에서 제정된 독일 공화국 헌법. 통일적 경향이 강한 연방제(聯邦制) 국가 조직과 사회 민주주의에 입각한 기본적 인권(人權)의 규정을 특색으로 하는데, 근대의 새로운 민주주의 헌법의 전형이 되었으나, 1933년의 나치스 정권 장악으로 소멸됨.

바이메탈 [bimetal] 명 『물』 열팽창률(膨脹率)이 틀리는 두 장의 금속을 한데 붙여 합친 것. 온도가 높아지면 팽창률의 차이로 말미암아 그 길이가 서로 달라져서 팽창률이 작은 금속 쪽으로 구부러지고, 온도가 낮아지면 그 반대쪽으로 구부러지는 것을 이용하여, 자기(自記) 온도계·화재 경보기(火災警報器)·자동 온도 조절기(自動溫度調節器) 등에 쓰임.

바이메탈 온도계 【一溫度計】 명 『물』 [bimetal thermometer] 바이메탈을 이용한 온도계의 일종.

바이-바이 [bye-bye] 명감 헤어질 때 하는 '안녕' 인사.

바이브레이션 [vibration] 명 『악』 ①떪. 진동(振動). ②성악이나 기악에서 소리를 진동시키는 일. 또, 그 주법(奏法). 비브라토(vibrato).

바이브레이터 [vibrator] 명 ①진동기(振動機). 전기 안마기(按摩器). ②콘크리트를 부어 넣을 때, 콘크리트에 진동(振動)을 주어 균질화(均質化)를 꾀하는 기계. 잘 다지기 위해 막대 또는 가지 모양으로 되어 있음.

바이블 [Bible] 명 ①성서(聖書). ②성서처럼 권위가 있는 전적(典籍). ¶ 경영학의 ~.

바이샤 [범 vaiśya] 명 인도의 사성(四姓) 중 제3의 것. 바라문교 법전(法典)에서는 농업·목축업·상업에 종사하도록 규정함. 7세기경에는 수공업·상업·교역(交易)을 직업으로 하는 사람을 가리켰으나, 오늘날에는 상인 카스트(caste)를 지칭함. 폐사(吠舍).

바이-섹슈얼 [bisexual] 명 자웅(雌雄) 양성(兩性)을 갖추어, 동성(同性)과도 이성(異性)과도 다 같이 성애(性愛)를 느끼는 자.

바이셰시카 [범 vaiśeṣika] 명 『철』 승론(勝論).

바이스[1] [vice] 명 죄악(罪惡). 악덕(惡德). 부도덕(不道德).

바이스[2] [vise; vice] 명 『기』 기계 공작(工作)에서 작은 공작물을 아가리에 물리고 나사로 꽉 죄어 고정시키는 기계.

〈바이스[2]〉

바이스마니즘 [Weismannism] 명 『생』 바이스만이 주장한 진화(進化)에 관한 학설. 변이(變異)의 원인은 생물체 자신에게 있고, 이로 인하여 생긴 변이에 단순한 자연의 도태(陶汰)가 작용하여 진화가 생기며, 또한 생식질(生殖質)은 독립·연속이고 강한 불변성(不變性)이 있으며, 따라서 획득 형질(獲得形質)은 유전하지 아니하며, 진화의 요인(要因)이 되지 아니한다는 학설. 네오다위니즘(Neo-Darwinism). 신다윈설.

바이스만 [Weismann, August] 명 『사람』 독일의 생물학자. 프라이부르크(Freiburg) 대학 교수. 바이스마니즘을 주창하였음. 저서 ≪생식질(生殖質)≫·≪진화론 강의≫ 등. [1834-1914]

바이스호른 산 【一山】 [Weisshorn] 명 스위스 서남부 페나인 알프스(Pennine Alps)의 고봉(高峰). 피라미드형(型)의 봉우리로, 1861년 영국의 존 틴들(John Tyndall)이 처음 등정(登頂)함. [4,510 m]

바이슨 [bison] 명 『동』 ①들소❶. ②북미산(北美産)과 유럽산 들소의 총칭.

바이시클 [bicycle] 명 자전거(自轉車). 사이클.

바이아 [Bahia] 명 『지』 '살바도르(Salvador)'의 구칭.

바이아그라 [viagra] 명 『약』 비아그라.

바이 아메리칸 [buy American] 명 미국의 국산품 우선 구입 운동. 또, 그 정책. ㉠1930년대에 대두되어 1933년 연방법(聯邦法)에 의하여 입법화됨. ㉡1960년 이래 달러 방위를 위하여 아이젠하워 대통령이 제창한 정책.

바이아-블랑카 [Bahía Blanca] 명 『지』 아르헨티나 팜파스(Pampas) 남부의 중심 도시. 바이아블랑카 만에 임한 항구 도시로 제분·통조림 공업이 성하며 밀·소·양털의 수출이 많음. [223,818 명(1980)]

바이앙 [포 baião] 명 『악』 댄스 리듬의 일종. 2박자의 경쾌한 리듬으로 브라질 동북부 지방에서 발생, 2차 대전 후 유럽에도 유행하였음.

바이애슬론 [biathlon] 명 동계 올림픽의 스키 경기의 한 종목. 거리 경기와 사격을 복합한 것으로 개인 종목과 릴레이 종목이 있음. 개인 경기의 경우, 거리는 20 km이며 도중에 네 곳에서 다섯 발씩 모두 20발을 쏨.

바이어[1] [Baeyer, Johann Friedrich Wilhelm Adolf von] 명 『사람』 독일의 유기 화학자. 뮌헨 대학 교수. 1880년 천연 물감 쪽의 색소 성분인 인디고(indigo)의 합성에 성공하여 그 공업적 제법을 연구, 독일 염료 공업의 기초를 확립함. 1905년 노벨 화학상을 받음. [1835-1917]

바이어[2] [Bajer, Fredrik] 명 『사람』 덴마크의 정치가·작가. 하원(下院) 의원. 덴마크 평화 협회를 창립했으며, 또 베른에 국제 평화 사무국을 설립하고 그 의장이 됨. 1908년 노벨 평화상 수상. [1837-1922]

바이어[3] [Bayer] 명 독일의 물감·약품 제조 회사(製造會社)의 이름. 1863년 설립.

바이어[4] [Beyer, Ferdinand] 명 『사람』 독일의 작곡가. 실내악·피아노곡의 작곡으로 이름났으며, 피아노의 초보 교본인 ≪바이어 교칙본(敎則本)≫으로 알려짐. [1803-63]

바이어[5] [Beyer] 명 『악』 바이어가 작곡한 피아노 교칙본의 약칭(略稱).

바이어[6] [buyer] 명 ①매주(買主). ②외국 무역상에서 수출 물품을 매입(買入)하는 사람. 1)·2):↔셀러(seller).

바이어슈트라스 [Weierstrass, Karl] 명 『사람』 독일의 수학자. 베를린 대학 교수. 리만(Riemann)과 비견되는 함수론의 개척자로, 멱급수(冪級數)를 사용하는 해석 접속(解析接續)의 개념에 입각하여 해석 함수의 이론을 세움. 무리수(無理數)·변분학(變分學)·기하학 등도 연구, 미분 계수(微分係數)를 갖지 아니한 연속 함수(連續函數)를 발견하였음. [1815-98]

바이어스 [bias] 명 ①엇비뚜름하게 자르거나 꿰맨 옷감의 금. 사선(斜線). ②편중(偏重). ③경향(傾向). 성벽(性癖). ④↗바이어스 테이프. ⑤진공관(眞空管)·트랜지스터 등의 소자(素子)를 적절한 동작(動作) 상태로 만들기 위하여, 그 소자의 각 단자(端子) 사이에 가하는 직류(直流) 전압. 바이어스 전압.

바이어스 마:켓 [buyer's market] 명 『경』 소비 경제로 발달함에 따라 이루어지는 구매자 중심의 시장 형태(市場形態). 매주 시장(買主市場). ↔셀러스 마켓.

바이어스 전:압 【一電壓】 명 『물』 바이어스❺.

바이어스 크레디트 [buyer's credit] 명 『경』 수출입 은행이 자국산(自國産) 상품이나 용역(用役)을 수입하는 외국 바이어에게 수출 계약의 상당 부분을 신용 공여(信用供與)하는 일.

바이어스 테이프 [bias tape] 명 폭이 2 cm쯤 되게 비스듬히 오린 베로 만든 테이프. 스커트 단 등에 쓰임. ㊌바이어스(bias).

바이얼런트 디그 [violent dig] 명 골프에서, 벙커(bunker)에 들어간 공을 파내듯이 세게 치는 일.

바이얼레이션 [violation] 명 농구 등의 경기에서, 파울(foul)보다 가벼운 규칙 위반. 반칙(反則)으로 기록되지는 않고 공격권만 상대에게 넘어감. ¶ 워킹 ~.

바이-없다 [一업一] 형 ①전연 방법이 없다. 어찌할 도리가 없다. ¶ 나로서는 방법이 ~. ②주로 형용사의 '-기'꼴 다음에 쓰이어, '비할 데 없이 매우 심하다'의 뜻. ¶ 이런 곳에서 너를 만나니 기쁘기 바이없구나.

바이-없이 [一업씨] 부 전연 다른 도리가 없이.

바이에라 [Baiera] 명 은행나무 잎과 비슷한 잎의 화석(化石). 트라이아스기 이후 세계 각지에서 나며, 특히 쥐라기(Jura紀)에 많음. 선형(扇形)이나 끝이 장상(掌狀)으로 깊이 갈라지고, 갈라진 것이 다시 두 가닥으로 되어 있음. 깊이 갈라진 것을 '바이에라', 얕게 갈라진 것을 '깅코이테스(Ginkgoites)', 더 얕은 것을 '깅코(Ginkgo)'라 하여 구별함.

〈바이에라〉

바이에른[1] [Bayer] 명 ☞바이어[3].

바이에른[2] [Beyer] 명 『악』 ☞바이어[5].

바이에른 [Bayern] 명 『지』 독일의 한 주(州). 남부 고원(高原)에 위치(位置)하며 다뉴브 강·마인 강(Main 江) 등이 흘러 수운(水運)이 편리하고, 농경(農耕)·목축·광업이 성하며 맥주의 양조(釀造)는 특히 세계적임. 12세기 이후 공국(公國)이었으나 1918년의 혁명으로 독일 공화국의 일부가 됨. 구교(舊敎)의 세력이 강하고 보수적이며 나치스 세력의 중심지였음. 주도(州都)는 뮌헨. 영어명은 바바리아(Bavaria). [70,547 km²: 11,023,000 명(1987)]

바이오 [bio] 명 ①'생명'·'생물'의 뜻. ②↗바이오테크놀로지.

바이오-그래피 [biography] 명 ①전기(傳記). 일대기(一代記). ②전기

류(傳記類). 전기 문학(傳記文學).

바이오닉 밸리 〔Bionic Valley〕 [명] 미국 유타 주(Utah州) 솔트레이크 시티(Salt Lake City) 주변에 성장하고 있는 생물 의학 공학을 중심으로 한 연구 개발형(型) 기업의 밀집 지역. 실리콘 밸리(Silicon Valley)를 본떠 명명(命名)함.

바이오닉스 〔bionics〕 [명] [생] 생체(生體) 공학.

바이오-리듬 〔biorhythm〕 [명] [생] 사람의 생명의 활동을 통하여 신체·감정·지성(知性) 등에 나타나는 일정한 주기(周期)를 갖는 리듬. 신체의 리듬은 23일, 감정은 28일, 지성은 33일의 주기를 가지는데, 그 주기의 전반기(前半期)는 고조(高調), 후반기는 저조(低調)로 되어 있으며, 그 고조·저조의 전환일(轉換日)이 요주의일(要注意日)이라 함.

바이오-리액터 〔bioreactor〕 [명] 각종 미생물을 초고농도(超高濃度)로 배양할 수 있는 장치. 효소를 이용한 각종 측정이나 양조(釀造)에 크게 이바지함.

바이오-마이신 〔viomycin〕 [명] [약] 결핵 치료에 쓰는 항생(抗生) 물질. 특히 스트렙토마이신에 내성(耐性)을 가진 결핵균에 사용됨.

바이오-매스 〔biomass〕 [명] [생] ①생물량(生物量). ②생물체를 에너지원(源) 또는 공업 원료로서 이용하는 일. 또, 그 생물체.

바이오-메커닉스 〔biomechanics〕 [명] 생물의 운동을 기계 공학적인 면에서 연구하는 학문. 인간의 의수(義手)·의족(義足)의 개발·자동화 따위에 응용하려는 것임.

바이오메트리 〔biometry〕 [명] [생] ①생물 측정학(生物測定學). 생물 통계학(生物統計學). ②인간의 수명 측정법(壽命測定法).

바이오 산:업 【—産業】 〔bio〕 [명] 생물의 기능(機能)을 이용하여 유용(有用) 물질을 생산하는 산업. 유전자(遺傳子) 치환(置換)·세포 융합·세포 대량 배양(培養) 등의 핵심 기술로, 특히 의약품 업계에서는 인터페론·인슐린·성장(成長) 호르몬 등의 대량 생산이 가능하게 됨.

바이오-새틀라이트 〔biosatellite〕 [명] 미국의 생물 위성. 막벌·초파리·아메바 등과 같은 각종 소(小)동물과 알, 식물의 씨앗·모종 등을 싣고, 우주 공간에서의 거동(擧動)이나 방사선 또는 장시간에 걸친 무중력 상태가 개체(個體) 또는 유전 특성(遺傳特性)에 미치는 영향 등을 조사함. 1966년 및 1967년 2차에 걸쳐 실시함. 바이오스(BIOS) 위성.

바이오-세라믹스 〔bioceramics〕 [명] 생체(生體)에 잘 순응하여 이물(異物) 반응을 일으키지 않는 세라믹스. 인공(人工) 잇몸·인공 뼈·인공 관절 등에 이용됨.

바이오-센서 〔biosensor〕 [명] 효소(酵素)나 항체(抗體) 등이 특정한 물질과만 반응하는 것을 이용하여, 화학 물질을 식별하는 계측기(計測器). 혈액 속의 당(糖)이나 지질(脂質), 식품 제조 과정에서의 알코올이나 유기산(有機酸), 어육(魚肉)의 선도(鮮度) 등의 측정에 이용됨. 생체 감각기(感覺器).

바이오-소나: 〔biosonar〕 [명] 박쥐 등의 동물이 날면서 스스로 내는 음파(音波)의 반사를 이용하여, 방향이나 거리를 감지(感知)하는 유도 장치를 이르는 말.

바이오스 【BIOS】 [명] 〔Basic Input Output System의 약칭〕 컴퓨터와 외부 주변 장치에서 정보 전달을 제어하는 운영 체제의 기본 프로그램.

바이오스 위성 【BIOS 衛星】 [명] 바이오새틀라이트.

바이오-스피어 〔biosphere〕 [명] 대기권(大氣圈)을 포함하여 지구 안에 생물이 존재하는 장소 전체의 일컬음. 자연·생태계의 파괴나 오염 문제 등으로 새로이 거론되기 시작한 말. 생물권(生物圈). 생활권(生活圈).

바이오스피어 투: 〔biosphere Ⅱ〕 [명] 1991년 미국 애리조나 주 사막 한가운데에 유리로 외부 세계와 완전히 차단된 도시를 지어 놓고, 8명의 남녀가 3천 8백 종의 동식물과 함께 3년간 밀봉된 채 살게 한 인공 소우주의 이름. 미래 인간의 바람직한 주거 공간의 창조와 지구 환경 오염의 방지가 목적임.

바이오인버터 스탠드 〔bioinverter stand〕 [명] 태양빛과 비슷한 빛을 내는 스탠드. 인버터 회로(回路)를 사용하여 깜박거리는 현상을 늘려서 빛의 떨림을 거의 느낄 수 없게 하고, 삼파장(三波長) 램프를 써서 적색·녹색·청색을 혼합, 자연광(自然光)에 가까운 빛을 내게 하여, 햇빛 아래서 보는 색을 그대로 느끼게 함.

바이오-칩 〔biochip〕 [명] 실리콘칩의 10억 배의 정보량을 축적하며, 1억 배의 연산(演算) 속도를 갖는다고 하는, 유전 공학에 의한 미래의 컴퓨터용의 칩. 생물 화학 소자(素子).

바이오-컴퓨:터 〔biocomputer〕 [명] 생물의 뇌(腦)나 신경(神經)이 하고 있는 정보 처리나 전달 방법을 규명하여, 그것을 응용하려는 컴퓨터. 실리콘칩 대신에 바이오칩으로 구성됨.

바이오-테크놀로지 〔biotechnology〕 [명] 생물이 하는 화학 반응을 공업적으로 이용하려는 기술. 근년에는 특히, 유전자(遺傳子)의 치환(置換)·세포 융합(融合) 등의 기술을 이용하여 품종 개량을 하거나, 의약품·식량 등의 생산이나 환경 정화(淨化) 등에 응용하는 기술을 가리킴. 생명 공학. [준] 바이오.

바이오트론 〔biotron〕 [명] [생] 온도·습도·빛·기압·풍속(風速) 등을 인공적으로 조절하여 어떤 일정한 환경을 조성, 이 환경하에서의 생물의 발생·생육·유전 등의 문제를 연구하는 시설 내지 용기(容器)의 총칭. 생물 환경 조절 실험실.

바이오틴 〔biotin〕 [명] [화] '비오틴'의 영어명.

바이오-팩 〔biopak〕 [명] 우주 비행 중에 생체 조직(生體組織)이 생존해 가는 데 알맞은 환경을 유지하고, 생체의 기능을 기록하기 위한 용기(容器).

바이오포어 〔biophore〕 [명] [생] '비오포어'의 영어명.

바이오-피:드백 〔biofeedback〕 [명] 자발적으로 제어(制御)할 수 없는 생리(生理) 활동을 공학(工學)적으로 측정하여 지각(知覺) 가능한 정보로서 생체(生體)에 전달하고, 그것을 바탕으로 학습이나 훈련을 되풀이하여 자기(自己) 제어를 달성하는 기법(技法). 긴장성 두통·편두통·스트레스성(性) 고혈압 등의 치료에 쓰임.

바이오-해저드 〔biohazard〕 [명] 실험실이나 병원 내(病院內)에서 세균·바이러스 등의 미생물이 외부에 누출됨으로써 일어나는 재해(災害)나 장애. 특히, 유전자(遺傳子) 조작에 의하여 해로운 유전자를 갖게 된 미생물에 의한 생태계(生態系)의 파괴를 일컬음.

바이온트 댐 〔Vaiont Dam〕 [명] 이탈리아 동북부 피아베 강(Piave江)의 지류(支流) 바이온트 계류에 만들어진 아치 댐. 높이 262m, 유효 저수량 1억 5,000만 m^3. 1960년에 완성됨. 1963년 산사태로 저수지의 물이 넘쳐 하류의 촌락에서 약 4,000명의 사망자를 낸 적이 있음.

바이올러지 〔biology〕 [명] [생] ①생물학(生物學). ②생태학(生態學).

바이올렛 〔violet〕 [명] ①[식] 제비꽃. ②보라색.

바이올리니스트 〔violinist〕 [명] [악] 바이올린을 전문으로 잘 타는 사람. 제금가(提琴家).

바이올린 〔violin〕 [명] [악] 현악기(絃樂器)의 한 가지. 중앙부가 잘록한 타원형의 통에 줄 넷을 매어 5도(度) 간격으로 조현(調絃)하였는데, 그 줄을 활로 문질러서 연주함. 찰현(擦絃) 악기의 소프라노부(部)를 맡는데, 음역(音域)이 넓고 음색(音色)도 순수·화려하며 표현의 기술도 폭(幅)이 썩 넓음. 이탈리아의 살로(Salo, Gasparo da; 1540-1609)가 처음으로 만들었다고 하며, 오늘날 독주(獨奏)·실내악·관현악 등에 널리 쓰이고 있음. 제금(提琴). 비올롱. 비올리노. ¶ ~을 켜다.

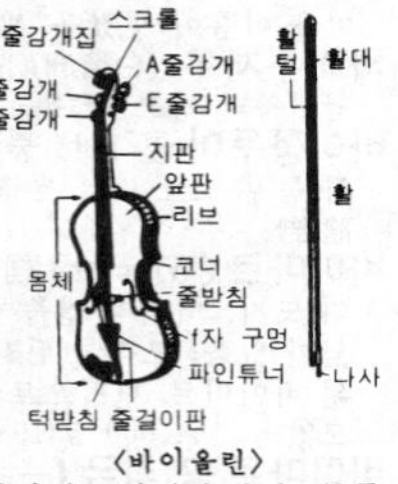

〈바이올린〉

바이올린 소나타 〔violin sonata〕 [명] [악] 기악곡(器樂曲)의 한 형식. 바이올린을 위해 작곡된 소나타. 17세기부터 작곡되기 시작하여, 바이올린과 통주저음(通奏低音)에 의한 독주(獨奏) 소나타와 두 개의 바이올린과 통주저음에 의한 3중주(重奏) 소나타의 두 종류가 있었으나, 바로크 시대 이후 바이올린과 피아노에 의한 소나타가 실내악(室內樂)에서 각광을 받게 되었음.

바이올린-족 【—族】 〔violin〕 [명] 바이올린·비올라·첼로·콘트라베이스의 네 종류로 된 현악기(絃樂器)의 총칭.

바이올린 협주곡 【—協奏曲】 〔violin〕 [명] [악] 협주곡의 하나. 18세기 초엽 토렐리(Torelli, G.)의 바이올린 솔로 콘체르토에서 시작되었고, 비발디(Vivaldi, A.)에 의해 발달됨.

바이옴 〔biome〕 [명] [생] 생물 군계(群系).

바이옵시 〔biopsy〕 [명] [의] 인체 조직의 일부를 채취하여 현미경으로 병리 조직학적으로 검사하는 일. 절개하여 조직을 채취하는 방법과 바늘을 이용하는 방법 등이 있음. 각종 진단의 보조적 방법으로서 특히 악성 종양(腫瘍)의 조기 진단에 중요함. 생체(生體) 검사.

바이청 〔白城〕 [명] [지] 중국 지린 성(吉林省) 북서부의 도시. 창바이(長白)·바이아(白阿)·핑치(平齊) 세 철도의 교점(交點)에 있음. 내몽고(內蒙古) 북부의 농산·가축·피모(皮毛) 등을 집산하며 상업이 성하고, 제지·피혁·기계·양조 공업이 발달함. 백성. [300,000명(1971 추계)]

바이 충시 〔白崇禧〕 [명] [사람] 중국 국민 정부의 군인·정치가. 북벌(北伐) 때 국민 혁명군 총사령부 참모장. 국민 정부 위원·재정 위원 등을 역임. 한때 반(反) 장 제스(蔣介石) 운동을 벌이다가 장 제스와 화해, 대만에서는 전략 고문 위원회 부주임 등을 지냄. 백숭희. [1893-1966]

바이츠 〔Waitz, Theodor〕 [명] [사람] 독일의 철학자·인류학자. 헤르바르트(Herbart)의 철학을 기초로 신체 형질(身體形質)과 문화와의 관련을 추구함. 전세계 미개인의 인종·민족 구분을 시도, 이를 상세히 기술함. 저서에 ≪자연 민족의 인류학≫ 등이 있음. [1821-64]

바이츠만 〔Weizmann, Chaim〕 [명] [사람] 이스라엘의 정치가·화학자. 폴란드 태생. 영국의 맨체스터 대학에서 화학 강의를 담당하였으며 또 아세톤의 대량 생산법을 고안함. 제1차 대전 때부터 시오니즘 운동에 앞장섰으며 이스라엘 건국 후 초대 대통령이 됨. [1874-1952]

바이츠제커 〔Weizsäcker, Carl Friedrich Freiherr von〕 [명] [사람] 독일의 물리학자. 함부르크 대학 교수. 베테(Bethe)와는 별도로 항성(恒星)의 에너지원(源)을 열핵(熱核) 반응으로 설명, 또 가스상(狀)의 물질이 자전(自轉)하고 있는 사이에 소용돌이를 일으켜 행성을 만든다는 태양계 기원설을 발표함. [1912-]

바이카운트 〔viscount〕 [명] 영국의 작위로 자작(子爵). 때로는 백작의 맏아들에 대한 경칭으로도 쓰임.

바이칼-꿩의다리 〔Baikal〕 [—/—에—] [명] [식] [*Thalictrum baicalense*] 미나리아재빗과에 속하는 다년초. 높이는 1m 가량이고 잎은 호생함. 6-7월에 흰 꽃이 원추(圓錐) 화서로 피고 수과(瘦果)는 달걀꼴임. 시베리아 바이칼 호 및 함남·함북의 산지에 분포함.

바이칼 호 【—湖】 〔Baikal〕 [명] [지] 동(東)시베리아의 남부에 있는 아시아 주 제일의 대담수호(大淡水湖). 최대 심도(最大深度)가 1,620m로 세계에서 가장 깊음. 동·식물이 풍부하며 태고(太古)로부터 잔존(殘存)한 고유종(固有種) 1,000여 종이 있음. 12월부터 다음 해 5월초까지 결빙(結氷)하지만 해빙기(解氷期)에는 기선의 교통이 자유롭고 어업이 성함. [31,500km^2]

바이코누:르 〔Baikonur〕 [명] [지] 카자흐스탄 공화국 중부, 아랄 해(Aral 海)의 북동쪽 약 300km 지점에 있는 소련의 대표적인 우주 기지. 1961년 4월 12일 보스토크(Vostok) 1호를 발사한 이래 유명해짐.

바이콜러지 〔bicology〕 [명] 〔bicycle(자전거)과 ecology(생태학)의 합성어〕 미국에서 일어난 시민 운동의 하나. 대기 오염(大氣汚染)의 근원인 자동차를 거부하고 자전거를 탐으로써 환경을 보호하고, 자연과 가까이

하여 인간성을 회복하려는 운동.
바이크 〔bike〕 명 ①모터 바이크(motor bike). ②바이시클(bicycle).
바이크 모:터 〔bike motor〕 명 『기』 자전거에 다는 소형의 가솔린 엔진(gasoline engine). 공랭(空冷) 2 사이클, 0.7마력 정도임.
바이킹 〔Viking〕 명 ①『역』 8-12세기에 걸쳐 유럽에서 활약한 노르만족(Norman族)의 별칭. 매우 호전적(好戰的)인 모험 족속으로 유럽의 각처 특히 북부 및 서부 해안을 무대로 하여 약탈·침략 행위가 잦았으나 뒤에 영국 및 프랑스에 정주(定住)하게 되었음. 이에서 전하여 해적(海賊)의 호칭으로도 쓰임. ②바이킹 요리.
바이킹 계:획 【一計劃】 명 〔Project Viking〕 미국의 화성(火星) 착륙용 무인(無人) 탐사기(探査機) 연착(軟着) 계획. 1975년 8월 20일과 9월 9일에 바이킹 1호·2호가 발사되어 1호는 1976년 6월 19일 화성을 도는 궤도에 진입, 1976년 7월 20일 착륙선(着陸船) 기로스 호가 화성 표면에 연착하여, 선명한 화성 표면 사진을 송신(送信)해 왔음. 착륙선은 본체(本體)로부터 분리되어, 화성 대기(大氣) 중을 사발 모양의 내열(耐熱) 덮개로 덮고 공기 역학적(力學的)으로 감속(減速)시켜 최후에 파라슈트로 착륙함. 착륙 후에는 표면 물질을 자동 분석, 특히 생물의 유무(有無)를 조사하였으나 생물의 존재를 입증할 만한 데이터는 얻지 못하였음. 2호도 1호와 같은 관측을 함.
바이킹 요리 【一料理】 〔Viking〕 명 식탁에 차려 놓은, 전채(前菜)에서 디저트에 이르기까지의 각종 요리를 각자가 마음대로 덜어다 먹는 형식의 식사. 바이킹의 연회에서 힌트를 얻어 시작되었음. 바이킹.
바이타-글라스 〔Vitaglass〕 명 자외선(紫外線)을 잘 투과시키는 유리의 상표명. 품질이 우수한 규산으로 만드는데, 선룸(sunroom)이나 바이타램프(vitalamp)에 쓰임.
바이타-램프 〔vitalamp〕 명 자외선(紫外線)을 많이 내는 전구(電球). 자외선 기타 의료적 효과가 있는 광선을 국소적(局所的)으로 조사(照射)하는 장치에 쓰임.
바이타민 〔vitamin〕 명 '비타민'의 영어명.
바이타-스코:프 〔Vitascope〕 명 영사기(映寫機)의 한가지. 1896년 에디슨이 키네토스코프(kinetoscope)를 개량하여 제작한 것의 상표명.
바이탈륨 〔Vitallium〕 명 비탈륨.
바이탤리티 〔vitality〕 명 생명력(生命力). 생기(生氣). 정신적 활동력(精神的活動力).
바이털리즘 〔vitalism〕 명 ①『생』 생기설(生氣說). ②『철』 활력설(活力說).
바이털 사인 〔vital signs〕 명 『의』 환자를 진찰할 때의 기본적인 관찰 항목, 곧 맥박·호흡·체온 및 혈압을 이르는 말. 생명 징후(徵候).
바이툴라 〔아랍 Baitu'llāh〕 명 『이슬람』 알라의 집, 곧 카바.
바이트¹ 명 〔Arbeit의 머리를 생략한 것〕 아르바이트(Arbeit).
바이트² 〔bite〕 명 『공』 깎는 기구의 일종. 선반(旋盤)·평삭반(平削盤) 등에 붙여 금속 공작물 등을 깎는 데 쓰임.
〈바이트²〉
바이트³ 〔byte〕 의명 정보량(情報量)의 단위. 대부분의 컴퓨터에서는, 1바이트는 8비트(bit)임.
바이트 머신 〔byte machine〕 명 8비트(bit)를 한 단위로 하여 데이터 처리를 하는 컴퓨터.
바이트 홀더 〔bite+holder〕 명 선반 따위에서 바이트(bite)를 고정(固定)시켜 바이트 대(臺)에 장치하기 위한 자루.
바이틀링 〔Weitling, Wilhelm〕 명 『사람』 독일의 공상적 사회주의자. 1835년 파리에서 망명 독일인의 정치 단체인 의인(義人) 동맹에 가맹, 그 지도자가 됨. 1848년 프로이센의 3월 혁명에서 활약하였으나 실패하자, 이듬해 미국으로 망명하여 객사함. [1808-71]
바이-파이 〔Bi-Fi〕 명 입체 녹음 테이프를 써서 입체음을 내는 장치.
바이판 〔중 白板〕 명 마작(麻雀)의 삼원패(三元牌)의 하나. 표면에 아무 글자나 무늬도 새기지 않아 희고 밋밋한 패. 4 짝임.
바이-패스 〔by-pass〕 명 교통 혼잡을 덜기 위하여 에둘러서 지나게 하는 도로. 우회(迂回) 도로.
바이패스 수술 【一手術】 명 〔bypass operation〕 『의』 중요한 동맥(動脈) 등이 막혔을 때 우회로(迂廻路)를 만들어 혈행(血行)을 좋게 하는 수술.
바이프 〔Baïf, Jean Antoine de〕 명 『사람』 프랑스의 시인. 프랑스 전통의 고전시가 운율법(韻律法)을 존중하므로, 시가(詩歌)의 장단 운율을 성악곡(聲樂曲)의 운율에 적합시켜 압운(押韻)하는 시가로 바꾸려는 일종의 철자법(綴字法)의 개혁을 주장하였으며, 또한 '바이팽(baïfin)'이란 15 음절의 신시구(新詩句) 등의 새로운 형태를 시도하였음. [1532-89]
바이-플레이 〔byplay〕 명 연극·영화에서, 배경적(背景的) 효과를 거두는 연기. 배경 동작(背景動作).
바이-플레이어 〔byplayer〕 명 연극·영화 등에서, 조연(助演) 배우.
바이-플레인 〔biplane〕 명 『항공』 복엽 비행기(複葉飛行機).
바이허 〔白河〕 명 『지』 ①중국 허베이 성(河北省) 고원(高原)에서 발원하여 베이징(北京) 동쪽으로 흘러, 톈진(天津)을 지나 보하이 만(渤海灣)으로 들어가는 강. [560 km] ②중국 칭하이 성(青海省) 치롄 산(祁連山)에서 발원, 북류(北流), 내몽고(內蒙古)의 쥐옌하이(居延海)에 이르는 강. [250 km] ③중국 허난 성(河南省) 궁리 산(攻離山)에서 발원, 한수이 강(漢水)에 이르는 강. 백하.
바인가르트너 〔Weingartner, Felix von〕 명 『사람』 오스트리아의 지휘자. 독일 각지 및 빈(Wien) 필하모닉의 지휘자였으며 특히 베토벤의 해석에 뛰어났음. [1863-1942]
바인더 〔binder〕 명 ①서류·잡지 등을 철(綴)하는 데 쓰는 표지. ②인쇄 잉크 속의 안료(顏料)를 지면(紙面)에 고정(固定)시키는 것으로, 건성유(乾性油)와 니스나 수지(樹脂) 따위. ③『농』 곡물을 베어서 단으로 묶는 농업 기계. ④재봉틀 부속 기구의 하나. 가선을 붙이는 데 쓰는 기구.
바인딩 〔binding〕 명 ①스키에 신을 고정(固定)시키기 위한 죔쇠. ②『컴퓨터』 묶음 ➡❷.
바인하오터 〔巴音浩特〕 명 『지』 중국 내몽고 자치구(自治區) 남서부의 교역 도시. 옛 이름은 정원영(定遠營). 아랍선기(阿拉善旗)의 왕부(王府)가 있었던 곳으로, 흔히 친왕부(親王府)·왕야부(王爺府)로 불림. 성 밖의 상업 지구에서는 몽고인과 한인(漢人) 사이에 물자 교환이 성함. 낙타 등의 가죽이나 양털의 집산지(集散地). '巴彥浩特'으로도 씀. 파음호특.
바일 〔Weyl, Harmann〕 명 『사람』 독일의 수학자. 뒤에 미국으로 이주(移住)함. 널리 수학 전반 및 이론 물리학에 걸쳐 많은 선구적·기본적인 업적이 있음. 주저에 《공간·시간·물질》·《군론(群論)과 양자 역학(量子力學)》 등이 있음. [1885-1955]
바일-병 【一病】 〔Weil〕 [—뼝] 명 『의』 1886년에 독일 의사 바일(Weil, Adolf; 1848-1916)이 처음으로 기술(記述)한 전염병. 병원체는 일종의 스피로헤타(spirochaeta)로, 1915년 일본 의사 이나다 류키치(稻田龍吉)가 발견하였음. 물을 취급하는 직업에 종사하는 사람이 걸리기 쉬우며, 피부나 점막(粘膜)으로부터 병원체가 침입함. 처음에 오한(惡寒)·전율(戰慄)을 느끼고 높은 열을 내며, 1주일 후에 황달(黃疸)이 나타나고 점막·피부에 출혈을 일으킴. 시궁쥐에 의해 전염되는 수가 많음. 황달 출혈성 스피로헤타병(黃疸出血性 spirochaeta 病). 황달 출혈병.
바일 펠릭스 반:응 【一反應】 명 『의』 〔Weil-Felix reaction; 독일의 의사 바일(Weil, Edmund; 1880-1922)과 오스트리아의 내과 의사 펠릭스(Felix, Arthur; 1887-1956)의 이름에서〕 발진티푸스·발진열의 진단에 쓰는 혈청 반응. 병후 2 주에 가장 현저함.
바오리 〈옛〉 방울이. '바올'의 주격형. ¶ 君命엣 바오리어늘(君命之毬), 노르샛 바오리실시(嬉戲之毬)《龍歌 44章》.
바올 명 〈옛〉 방울. =방울. ¶ 鈴은 바오리라《月釋 XXI:209》/바숤소리《釋譜 XIX:14》.
바자¹ 명 〔중 '笆子'〕 대·갈대·수수깡 등으로 발처럼 엮거나 결은 물건. 울타리를 만드는 데 씀. 파자(把子·笆子). ¶ ~울타리.
바자² 〔bazaar〕 명 〔페르시아어의 시장의 뜻인 bāzār에서 옴〕 ①공공(公共) 또는 사회 사업의 자금을 모으기 위하여 벌이는 시장. 자선시(慈善市). ②물품 진열장(物品陳列場).

〈바자¹〉
바자니다 자 〈옛〉 바장이다. 부질없이 짧은 거리를 왔다갔다 하다. =바니다. ¶ 오르며 누리며 헤쓰며 바자니니《松江 續美人曲》.
바:자 석굴 【一石窟】 〔Bājā〕 명 인도 봄베이 남동쪽 130km 지점에 있는 최고(最古)의 불교 석굴. 기원 전 2세기경의 것으로, 인드라(Indra)의 그림 등 신화(神話)에서 취재(取材)한 부조(浮彫)가 있음.
바자-울 명 바자로 만든 울타리.
바자웁다 형 ☞ 바잡다. ¶ 이것이 길한 소리냐 흉한 소리냐 하고 바자웁게 애가 타서 물었다《朴鍾和 : 錦衫의 피》.
바:자위다 형 성질이 너무 알뜰하여 너그러운 맛이 없다. 손이 밭다. ¶ 이 형님이 붙들고 앉아서 바자위게 꾸려 나가기 때문에 이만치라도 부지를 하게 된 것이다《廉想涉 : 萬歲前》.
바작¹ 명 〈방〉 『조개』 바지락조개.
바:작² 명 〈방〉 발채³❶.
바작때기 명 〈방〉 바지랑대(전남).
바작-바작 부 ①잘 마른 물건을 빻는 소리. ②잘 마른 물건이 타는 소리. ¶ 종이가 ~ 타다. ③마음이 몹시 죄이는 모양. ¶ ~ 애를 태우다. ④진땀이 몹시 돋는 모양. ¶ 진땀을 ~ 흘리다. 1)-4): ㅆ빠작빠작. <버적버적.
바잔일 명 〈옛〉 되지 않은 일. 우활(迂濶)한 일. ¶ 이 몸이 精衛鳥 갓타여 바잔일만 ᄒᆞ노라《永言》.
바잡다 형 ㅂ불 조마조마하고 두렵고 염려스럽다. ¶ 손을 바잡게 비벼 조마조마 애를 쓴다《朴鍾和 : 多情佛心》.
바-잡이 명 줄을 잡아 당기는 사람. 바를 매어 놓고 당기는 일.
바잣-문 【一門】 명 바자울에 낸 사립문.
바장 【播張】 명 〈이두〉 분배(分排). 파장(播張).
바:장-거리다 자 ☞ 바장이다.
바장때 명 〈방〉 바지랑대(경남).
바:장-이다 자 부질없이 짧은 거리를 왔다갔다 하다. ¶ 벌목(罰目)에 걸자 하면 첫째는 처소를 무단으로 빠져나가 무뢰배처럼 바장인 죄요《金周榮 : 客主》. <버정이다.
바:-장조 【一長調】 [—쪼] 명 『악』 '바'음을 근음(根音)으로 하는 장조. 플랫(♭)이 하나 붙었을 때임.
바재 명 〈방〉 바자. 울타리(강원·함남).
바쟁 〔Bazin, René François Nicolas Marie〕 명 『사람』 프랑스의 소설가. 법학 박사 학위까지 받았으나, 1880년부터 문학을 시작하여 소설 《잉크의 오점(汚點)》·《시시루》로 아카데미상을 받음. 주로 농민의 전원(田園) 생활을 묘사하여 프랑스의 전통적 향토색을 풍기는 작품을 썼음. [1853-1932]
바쟁 경결성 홍반 【一硬結性紅斑】 〔Bazin〕 [—썽—] 명 『의』 작은 달걀 크기만한 암적색(暗赤色)의 반점(斑點)이 생기는 단단한 멍울. 누르면 가벼운 통증이 따름. 주로 젊은 여성의 종아리에 생기는데, 보통은 수 개월 있다 없어지지만 재발(再發)이 잘 됨. 프랑스의 피부과 의사 바쟁(Bazin A.P.E. : 1807-78)이 처음 발견함.

바제도:¹ 〔Basedow, Johann Bernhard〕 명 〖사람〗 독일의 계몽주의 교육가. 범애파(汎愛派)의 창시자. 훈육과 체육을 중히 여겨 실용적 교육 방법에 공헌함. 독일 체조(體操)의 창시자로서도 유명함. [1723-90]

바제도:² 〔Basedow, Karl Adolf von〕 명 〖사람〗 독일의 내과의(內科醫). 1840년 안구 돌출성 갑상선종(眼球突出性甲狀腺腫)의 일례를 기술하여 바제도병으로 알려짐. [1799-1854]

바제도:-병 【一病】〔Basedow〕 명 〖의〗〔독일 의사 Basedow에서 유래〕갑상선(甲狀腺)의 기능 항진(機能亢進)으로 인한 갑상선 호르몬의 과다(過多)로 일어나는 병. 안구 돌출(眼球突出)·심계 항진(心悸亢進)·갑상선 팽대(膨大) 등을 일으키며 남자보다 여자에 많음. 영국에서는 그레이브스병(Graves病)이라 함.

바젠 〔Bazaine, Jean〕 명 〖사람〗 프랑스의 화가. 1941년 독일 점령하의 파리에서, 프랑스 전통 청년 화가전(展)을 조직함. 농피귀라티프(nonfiguratif)의 대표적 화가로, 파리의 유네스코 본부 모자이크를 제작함. [1904-]

바젤 〔Basel〕 명 〖지〗 스위스 북경(北境) 라인 강의 북류점(北流點)에 있는 도시. 독일·프랑스에 대한 문호이며 교통·상공업·무역의 중심지로 화학 제품과 리본의 산출이 유명함. 종교 개혁의 유적이 많으며, 국제 결제(決濟) 은행이 있음. 프랑스어명은 발(Bâle). [169,600명(1989)]

바젤 미술관 【一美術館】〔Basel〕 명 스위스 바젤에 있는 시립(市立) 미술관. 1662년에 창립. 독일과 플랑드르(Flandre)의 회화(繪畫)·판화(版畫) 수집과 홀바인(Holbein) 부자(父子)의 작품들로 알려짐.

바젤 종교 회:의 【一宗敎會議】〔Basel〕[一/一이] 명 교황 마르티누스 5세가 1431년 스위스의 바젤에서 소집한 가톨릭 공(公)회의. 개회 전에 마르티누스가 사망했기 때문에, 에우게니우스(Eugenius) 4세의 주재(主宰)로 열려 여러 가지 교회 개혁의 결의를 하였으나 교황은 불만을 표시하여 회의와 대립하였고, 회의의 다수파는 새 교황을 옹립(擁立)하여 저항하였지만 세속 제후(世俗諸侯)의 지지를 얻지 못해 패배, 1449년에 폐회(閉會)함.

바조 「(籬)《字會 中 6》.
명〈옛·방〉바자¹. ¶ 바조 파(笆), 바조 리

바조프 〔Vazov, Ivan〕 명 〖사람〗 불가리아의 작가. 불가리아 국민 문학의 중심적 인물. 시·희곡·소설 등 많은 작품이 있는데, 1876년의 민족해방 운동을 다룬 《속박(束縛) 밑에서》와 사극(史劇) 《보리슬라프(Borislav)》는 유명함. [1850-1921]

바주 명〈방〉바자¹. 울타리(평안).

바주:카 〔bazooka〕 명 〖군〗 ↗바주카포.

바주:카-포 【一砲】〔bazooka〕 명 〖군〗 포신(砲身)을 어깨에 메고 직접 조준하여 발사하는 휴대용 로켓식 대전차(對戰車)포. 제2차 대전 중 미국이 처음으로 개발, 사용하였음. ㊀바주카.

〈바주카포〉

바즈래미 부〈방〉바지런히(함경).

바즈런-스럽다 형〈방〉바지런스럽다. 바즈런-스레 부

바즈런-하다 형〈방〉바지런하다.

바지¹ 명 〔중세 : 바디〕①아랫도리에 입는 한복(韓服). 겹바지와 솜바지의 구별이 있으며, 위는 통으로 되고 아래는 두 다리를 꿰는 가랑이가 있음. 남자용과 여자용은 짓는 법이 다름. ↔저고리. ②↗양복바지.

바지² 명〈방〉바자¹.

바지³ 미〈옛〉바치. ¶ 성냥바지와 홍정바지왜라《楞嚴 Ⅲ:88》.

바지개 명〈방〉바지랑대(경남).

바:-지게 명 ①발채를 얹은 지게. ②접지 못하게 만든 발채. ③발채³❶.

바지때 명〈방〉바지랑대(경남).

바지라기 명 〖조개〗 바지라깃과에 속하는 조개의 총칭. 마포바지라기·한강바지라기·조선참바지라기 등이 있음. 모시조개. ㊀바지락.

바:지 라인 〔barge line〕 명 여러 척(隻)의 바지를 묶어서 항해하는 해상 수송의 새로운 시스템. 보통 바지 세 척이 한 조(組)가 됨.

바지락 명 〖조개〗 ① [*Tapes philippinarum*] 참조갯과에 속하는 바닷조개. 달걀꼴의 패각(貝殼)은 높이 3cm, 폭 2.2cm 내외이고, 각표(殼表)에는 방사상 늑맥(肋脈)이 있으며 회백색에 회청색의 선상·점상 또는 운상(雲狀) 등의 반문(斑紋)이 있고 색채의 변이(變異)가 심함. 내면은 자색이나 보통 백색이고 주치(主齒)가 세 개 있음. 3-5월에서 8-9월까지에 알을 낳음. 담수(淡水)가 혼합되는, 염도(塩度)가 낮은 바닷가의 사니(砂泥)에 5cm 가량 파묻혀서 서식하는데, 한국·중국·일본 등지에 많이 분포함. 살은 식용함. 황합(黃蛤). 합리(蛤蜊). 바지락조개. ＊새조개. ②↗바지라기.

〈바지락❶〉

바지락 저:냐 명 바지락으로 만든 저냐.

바지락-젓 명 바지락으로 담근 젓. 합리해(蛤蜊醢).

바지락-조개 명 〖조개〗 바지락.

바지랑-대 [一때] 명 〔근대 : 바지랑이〕빨랫줄을 받치는 장대.
[바지랑대로 하늘 재기] 도저히 불가능한 일을 비유하는 말.

바지랑이¹ 명 〖조개〗 바지락.

바지랑이² 명〈옛·방〉바지랑대. ¶ 바지랑이(丌丫)《才物譜 卷六 物譜 1》.

바지랑-장때 명〈방〉바지랑대(경북).

바지랭이 명〈방〉바지랑대(전북).

바지랭이-장때 명〈방〉바지랑대(경북).

바지런 명 놀지 아니하고, 하는 일에 꾸준함. 〈부지런. ——-하다 형「여불」. ——-히 부

바지런-스럽다 형ㅂ불 바지런한 태도가 있다. 〈부지런스럽다. 바지런-스레 부

바지로이 부〈옛〉공교스럽게. ¶ 제 ㅎ는 이리 기픈 나못 소배 수머 굼스러슈믈 바지로이 ㅎ누니(業工窺伏深樹裏)《初杜諺 XVII:5》.

바지 사장 【一社長】 명〈속〉바지저고리 격(格)으로 이름만 빌려 주고 있는 회사 사장.

바:지-선 【一船】〔barge〕 명 ①운하(運河)·하천(河川)·항내(港內)에서 사용하는 밑바닥이 편평한 화물 운반선(運搬船). ②유람선(遊覽船).

바지-씨 【一氏】 명 ①'남자(男子)'의 속된 일컬음. ②'여자의 애인(愛人)'의 속된 일컬음. ¶ ~는 안 왔니?

바지 작때기 명〈방〉바지랑대(전남).

바지-저고리 명 ①바지와 저고리. ②제 구실을 못하는 사람. 로봇(robot). ③〈속〉촌사람.
[바지저고리만 다닌다] 사람이 아무 속이 없고 맺힌 데가 없이 행동함을 조롱하는 말.

바지지 부 뜨거운 쇠붙이에 적은 물기가 갑자기 닿을 때 나는 소리. ㅆ빠지지. 〈부지지. ——-하다 자여불

바지직 부 ①바지지 소리가 급하게 그치는 소리. ②묽은 똥을 급하게 눌 때 되바라지게 나는 소리. 1)·2): ㅆ빠지직. 〈부지직. ——-하다 자여불

바지직-거리다 자 자꾸 바지직 소리가 나다. ㅆ빠지직거리다. 〈부지직거리다. 바지직-바지직 부. ——-하다 자여불

바지직-대다 자 바지직거리다.

바지-춤 명 바지의 허리 부분을 접어 여민 사이.

바지-통 명 바짓가랑이의 통. ¶ ~이 너무 좁다.

바진 〔巴金〕 명 〖사람〗 중국의 작가·에스페란토 학자. 쓰촨 성(四川省) 사람. 본명은 리 푸간(李芾甘). 프랑스에 유학. 어려서부터 무정부주의의 영향을 받았으며, 필명도 바쿠닌(巴枯寧), 크로포트킨(克魯泡特金)에서 딴 것이라고 함. 소시민(小市民) 문학으로 유명한데, 1929년 중편 소설 《멸망(滅亡)》을 발표, 작가 생활을 시작함. 그 후 속편으로 《신생(新生)》과 《애정》·《격류(激流)》 각각 3부작을 발표함. 문화 혁명 때 비판을 받았다가 1981년 중국 작가 협회 주석으로 복귀함. [1904-]

바짓-가랑이 명 다리를 꿰는 바지의 부분.

바짓-부리 명 바짓가랑이의 끝 부분.

바ᄌ 명〈옛〉바자¹. ¶ 바ᄌ문 남녁(笆籬南邊)《老乞 下 1》.

바짜 명〈방〉①반자. ②바보.

바짝 부 ①물기가 아주 졸아붙는 모양. ¶ 빨래가 ~ 마르다. ②아주 가깝게 달라붙거나 또는 몹시 세차게 죄거나 우기는 모양. ¶ ~ 다가앉다/~ 우겨대다/허리를 ~ 졸라매다. ③사물이 거침새 없이 갑자기 줄기차게 나아가거나 또는 늘거나 주는 모양. ¶ 강물이 ~ 줄어 들었다. 2)·3): 〈부쩍. ④몸이 몹시 마른 모양. ¶ 몰라 보게 ~ 말랐다. 1)-4): 〈버쩍. ＊바싹·와짝.

바짝-바짝 부 연해 바짝하는 모양. 〈부쩍부쩍. ＊와짝와짝.

바차 자〈옛〉바빠하여. '바츠다'의 활용형. ¶ 바차 말오(不要忙)《朴解 上 10》.

바첼리 〔Baccelli, Guido〕 명 〖사람〗 이탈리아의 의사·정치가. 로마 대학 의학 교수·국회 의원·문교상(文敎相)을 역임. 동맥류(動脈瘤)의 치료에 시계의 용수철을 넣어 응고(凝固)를 촉진시키는 방법과, 간장 위립충 낭종(肝臟猬粒蟲囊腫)의 치료에 흡인(吸引)·세척(洗滌)의 두 방법을 고안했음. [1832-1916]

바추느다 타〈방〉괴다³(경북).

-바치 미 어떤 물건의 이름에 붙어 그 물건을 만드는 것을 업으로 삼는 사람을 가리키는 말. ¶ 갖~/성냥~.

바치-놀음 명〈방〉소꿉질.

바치다¹ ㊀타 〔중세 : 바티다〕①신이나 웃어른에게 드리다. ¶ 신전에 햇곡을 ~. ②자기가 가진 모든 것, 곧 마음과 몸을 상대방에게 내놓다. ¶ 독립을 위하여 생명을 ~. ③세금·공납금 등을 갖다 내다. ¶ 세금을 ~. ㊁보동 다른 동사의 부사형 아래에 붙어 윗사람에게 드린다는 뜻을 나타내는 말. ¶ 일러 ~/숙제를 해 ~.

바치다² 타 추잡할 정도로 즐기다. ¶ 술을 ~/색(色)을 ~. ㅆ빠치다¹.

바치다³ 타〈방〉괴다³(강원·충북·경상).

바칠루스 〔도 Bazillus〕 명 '바실루스(bacillus)'의 독일어명.

바침-때 명〈방〉바지랑대(전남·경북).

바침-술집 [一집] 명 술을 많이 만들어 술장수에게 파는 것을 업으로 삼는 집. 또, 그 사람.

바츠다 자〈옛〉바빠하다. ¶ 바차 므슴홀다(忙怎麼)《朴解 上 39》.

바치 〈옛〉발치에. '발치'¹의 처격형. ¶ 부텨와 難陁와는 머리마티 셔시고 阿難과 羅雲은 바치 셧숩더니《月釋 X:10》.

바카날 〔프 bacchanale〕 명 〖악〗〔주신(酒神) 바쿠스를 찬양하는 곡(曲)의 뜻〕떠들썩한 연회(宴會)의 술의 노래. 주연곡(酒宴曲).

바카라 〔프 baccarat〕 명 카드놀이의 한 가지. 카드 2장으로 합계 숫자의 끝자리 수의 크고 작음으로 승부를 가리는 게임.

바칼 〔도 Backal〕 명 〖약〗 내복(內服)하지 않고, 입이나 입안의 점막(粘膜)에서 약제(藥劑)를 흡수하는 특수한 정제(錠劑). 호르몬제(Hormon劑)에 사용함.

바칼로레아 〔프 baccalauréat〕 명 프랑스의 후기 중등 교육 종료(後期中等敎育終了)를 증명하는 국가 시험. 동시에 대학 입학 자격도 됨.

바캉스 〔프 vacance〕 명 휴가. 주로 피서지·휴양지(休養地) 등에서 지내는 경우를 이름. 버케이션.

바:커 〔Barker, Ernest〕 명 〖사람〗 영국의 정치 사상사학자. 케임브리지 대학 교수. 그리스 정치 사상의 연구와 다원적(多元的) 국가론의 주

장자(主張者)로서 알려짐. 저서는 《플라톤과 아리스토텔레스의 정치 사상》·《영국의 정치 사상》·《정치에 관한 성찰(省察)》 등이 있음. [1874-1960]

바커스 〔Bacchus〕 명 《신》 '바쿠스'의 영어명.

바커우 〔Bacău〕 명 《지》 루마니아 북동부의 상공업 도시. 섬유·피혁·식품 등의 공업이 성하며 부근에서 석유·석탄이 산출됨. 제2차 대전 전까지는 주민의 약 반이 유태인이었음. [149,000명(1980)]

바켄 〔도 Backen〕 명 스키를 신을 때에, 구두를 고정시키기 위한 쇠고리.

바켄로:더 〔Wackenroder, Wilhelm Heinrich〕 명 《사람》 독일의 낭만파 작가. 티크(Tieck)와의 공저 《예술을 사랑하는 한 수도사(修道士)의 고백》은 예술에 대한 종교적 감격이 넘쳐 흐름. 이 외에도 《예술에 대한 환상》이 있음. [1773-98]

바켄로:더의 용액【—溶液】[—/—에—] 명 〔Wackenroder's solution〕 《화》 섭씨 영도(零度) 이하에서 황화 수소를 아황산의 진한 용액에 통해서 얻는 용액. 여러 가지 다(多)티온산 및 콜로이드 황이 들어 있음. 불안정하여 점차로 황산·아황산 및 황으로 분해됨.

바: 코:드 〔bar code〕 명 제품에 인쇄된 막대기 모양의 줄무늬 암호. 그 상품의 국적·제조원·상품 종류·가격 등이 암호화되어 있어, 기업이 생산품 현황과 재고를 파악하거나 과세(課稅) 근거로 삼고, 슈퍼마켓 계산대에서는 가격을 제대로 체크하는 등 생산관리·물류(物流) 관리에 이용됨.

8 801045 520414
① ② ③ ④
①나라별 코드 ②표준 메이커 코드
③상품 아이템 코드
④체크 디짓(오독(誤讀) 방지용 코드)
〈바 코드〉

바콜로드 〔Bacolod〕 명 《지》 필리핀 중부, 네그로스(Negros) 섬 북서안에 있는 항만 도시. 서(西)네그로스 주(Negros 州)의 주도. 쌀·사탕수수의 집산지이며 제당(製糖) 공업도 성함. [267,000명(1980)]

바쿠[1] 명 〈방〉 바퀴[1](경기·강원·충청·전라·경상·제주·황해·평안).

바쿠[2] 〔Baku〕 명 《지》 아제르바이잔(Azerbaijan) 공화국의 수도. 카스피 해(海)의 서안(西岸)에 있는 카스피 해 최대의 항구이며 대유전(大油田)의 중심지임. 바투미(Batumi)까지 송유관(送油管)이 설치되어 있으며 중앙 아시아와 이란(Iran)과 무역을 함. 석유 정제(石油精製)·기계·석유 화학 등의 공업이 행하여짐. [1,740,000명(1990 추계)]

바쿠닌 〔Bakunin, Mikkail Aleksandrovich〕 명 《사람》 러시아의 무정부주의자. 혁명 운동에 참가, 체포되어 서(西)시베리아에 유형(流刑) 중 탈출하여 런던에 망명하였음. 1868년 제1 인터내셔널에 가맹하였으나 후에 마르크스(Marx)와 대립하여 제명됨. 저서 《국가와 무정부》·《신(神)과 국가(國家)》 등. [1814-76]

바쿠스 〔라 Bacchus〕 명 《신》 로마 신화에 나오는 술의 신(神). 그리스 신화의 디오니소스에 해당함. 주신(酒神). 영어명은 바커스.

바쿠 유전【—油田】〔Baku〕 명 《지》 아제르바이잔 공화국의 동부, 카스피 해 서해안에 있는 유전. 소련에서 가장 오래된 유전으로, 20세기 초에는 세계 최고의 생산량을 올렸으나 최근에 와서 산유량이 정체됨.

바쿠후 〔幕府: ばくふ〕 명 《역》 막부(幕府)❷.

바퀴[1] ㊀명 〔중세: 바회〕 돌게 하기 위하여 둥근 테 모양으로 만든 물건. 도롱태. ¶ 수레~. ㊁의명 원을 그리며 빙 돌아서 본디 위치까지 이르는 한 번 차례. ¶ 한 ~ 돌아오다.

바퀴[2] 명 《충》 ①바퀴과에 속하는 곤충의 총칭. 먹바퀴·별바퀴·왕바퀴·좀날개바퀴·바퀴 등이 있음. 비렴(蜚蠊). 장랑(蟑螂). 향랑자(香娘子). ②[*Blattella germanica*] 바퀴과에 속하는 곤충의 하나. 몸길이 11-14mm이고, 몸빛은 황갈색이고 전흉배(前胸背)에 흑갈색 내지 흑색의 두 종선(縱線)이 있으며 앞날개는 담황갈색 내지 담회갈색임. 유충은 불완전 변태임. 음식물과 의복에 해를 끼치는 실내(室內)의 해충으로 세계 공통종임. 민바퀴. 노랑바퀴. 장랑(蟑螂).

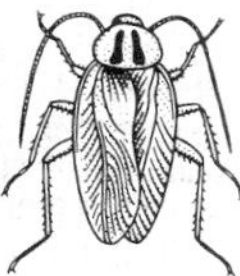
〈바퀴[2]❷〉

바퀴날-도끼 명 《고고학》 지름 10-15cm 가량의 원반형(圓盤形)으로 가운데에 구멍이 뚫리고 한 면은 둥그스름하고 다른 한 면은 편편한 석기. 도끼로 불리지만 톱니날 도끼와 함께 실용(實用)보다는 의식적(儀式的)인 목적을 위해 쓰여졌을 것으로 보임. 환상 석부(環狀石斧).

바퀴-벌레 명 《동》 ①윤충(輪蟲)을 풀어 쓴 말. ②《충》 바퀴[2].

바퀴-살 명 바퀴통에서 테를 향하여 방사상(放射狀)으로 뻗은 가느다란 막대기나 철사.

바퀴살이-호리벌 명 《충》 [*Evania appendigaster*] 호리벌과에 속하는 곤충. 몸길이 7.5mm 가량이고, 몸빛은 흑색이며 날개는 투명함. 복병(腹柄)은 전신 복절(前伸腹節) 위에 부착함. 유충은 바퀴류의 알에 기생하며, 전세계에 분포함.

〈바퀴살이 호리벌〉

바퀴-통【—筒】명 바퀴의 중앙에 있어, 바퀴의 축(軸)이 그 속을 꿰뚫고 또 바퀴의 살을 그 주위에 꽂은 부분.

바퀴-과【—科】명 《충》 [Blattidae] 메뚜기목(目)에 속하는 한 과. 몸은 납작하고 타원형(楕圓形)이며, 촉각은 편상(鞭狀), 단안(單眼)은 없음. 날개가 없는 것, 짧은 것 또는 긴 것이 있음. 무역(貿易) 관계로 전세계에 분포되어 적리(赤痢)·티푸스병균을 전파하는 실내(室內)의 위생 곤충이 많음. 좀날개바퀴·왕바퀴 등이 이에 속함.

바크라 댐 〔Bhakra Dam〕 명 《지》 인도 수틀레지 강(Sutlej 江) 상류에 있는 다목적(多目的) 댐. 두 개의 발전소가 있으며, 총 관개 면적은 약 4만 km^2임.

바:클라 〔Barkla, Charles Glover〕 명 《사람》 영국의 물리학자. 런던·에딘버러 대학 교수. 전자파(電子波)·엑스 광선 등에 관한 논문을 발표함. 1917년 노벨 물리학상을 받음. [1877-1944]

바키다 자 〈옛〉 박히다. ¶ 仕官ᄒᆞ야 보아 바키라 ᄒᆞ시다《楞嚴 跋 4》.

바킬리데스 〔Bacchylides〕 명 《사람》 고대 그리스의 시인. 주로 합창대(合唱隊)를 위한 서정시를 썼음. 그의 작품은 모두 근년에 발견되었는데, 《경기 우승자에의 승리가(勝利歌)》·《디티람보스(Dithyrambos)》 등이 유명함. [505?-450 B.C.]

바타니 〔Battani, al-〕 명 《사람》 아라비아의 천문학자. 프톨레마이오스(Ptolemaios)보다 더 정확한 태양년·황도 경사(黃道傾斜)·세차(歲差)에 관한 천문표(天文表)를 만들었음. 또, 태양의 이심원(離心圓)의 방향이 변화하고 있음을 발견하였음. [850?-929]

바타비아 〔Batavia〕 명 《지》 인도네시아의 수도 자카르타(Jakarta)의 네덜란드령(領) 시대의 명칭.

바타비아 공:화국【—共和國】〔Batavia〕 명 프랑스 혁명 중인 1795년, 혁명군이 암스텔담을 점령하고 네덜란드 연방 공화국의 총독제를 폐지, 발족시켰던 공화국. 1806년 나폴레옹 1세의 동생 루이가 네덜란드 왕으로 임명되어 공화국은 해체됨.

바타유[1] 〔Bataille, Georges〕 명 《사람》 프랑스의 평론가. 젊어서 신앙을 잃고 '정신 공동체'에 의한 인간 구제의 길을 탐구했음. 대작 《무신학 대전(無神學大全)》, 소설 《신부(神父)》, 미술 평론 《에로티시즘》 등이 있음. '비평'지(誌)의 주간(主幹)으로도 활약(活躍)하였음. [1897-1962]

바타유[2] 〔Bataille, Henry〕 명 《사람》 프랑스의 극작가. 처음 시에 뜻을 두어 《흰 방》 등의 시편(詩篇)을 발표하였으나, 실패하여 극작으로 전향한 후 《결혼 행진곡》·《추문(醜聞)》 등을 내어 1차 대전 전, 프랑스 극단의 총아가 되었음. 당시 현대 생활에 있어서의 사랑이나 애정의 위기를 표사하여 인기를 얻었으나 오늘날 그의 작품이 상연되는 일은 거의 없음. [1872-1922]

바탁-족【—族】〔Batak〕 명 서(西)수마트라의 중북부, 토바 호(Toba 湖) 주변에 사는 원(原)말레이인(人). 거무스름한 피부에 머리통이 길며 키가 작음. 벼를 재배하며 물소·말을 기름. 일처 다부혼(一妻多夫婚)도 행하여지며 주술(呪術) 신앙이 성함.

바탄: 반:도【—半島】〔Bataan〕 명 《지》 필리핀 루손(Luzon) 섬의 남서부, 마닐라 만(Manila 灣)의 서쪽에 돌출해 있는 반도. 대부분이 열대성 밀림으로 덮여 있는 산지임. 마닐라 만 방위(防衛)의 요지(要地)로, 제2차 대전 때 일본군이 점령하여 포로 학살 사건인 '죽음의 행진'으로 유명한 곳임. 길이 48km, 너비 32km임.

바탄 제도【—諸島】〔Batan〕 명 《지》 필리핀 최북단(最北端), 루손(Luzon) 섬의 북쪽에 있으며, 바시(Bashi) 해협을 사이에 두고 대만(臺灣)과 마주하는 여러 섬. 해마다 태풍과 북동 계절풍이 이 지역에 불고 해류가 빨라 교통이 불편하며 집은 돌담을 둘러친 것이 특색임. 주도(主都)는 바스코. 바시 제도. [$192km^2$]

바탈 명 〈방〉 바탕[1].

바탕[1] 명 ①타고난 성질이나 체질 또는 모든 재질. ¶ ~이 좋은 사람. ②물건의 재료. 또, 그 품질. ¶ ~이 거친 옷감. ③직물이나 종이 따위의 무늬가 아닌 부분. ¶ 흰 ~에 검은 점의 무늬. ④사물의 근본을 이루는 토대. ¶ 사실주의를 ~으로 한 작품. ⑤물체의 뼈대가 되는 부분. ¶ 가맛~/승교(乘轎) ~.

바탕[2] 〔巴塘〕 명 《지》 중국 쓰촨 성(四川省) 서쪽 끝의 소도시. 진사 강(金沙江) 동안(東岸)에 있음. 기후가 온난(溫暖)하고 토지가 비옥하여 농산이 풍부함. 티베트족이 많이 살고 있음. 파당(巴塘). 별칭은 파안(巴安). [약 10,000명(1971)]

바탕[3] 의명 〔중세: 바탕〕 활을 쏘아 살이 미치는 거리. ¶ 활 두 ~ 거리. *장면(場面).

바탕가스 〔Batangas〕 명 《지》 필리핀 루손(Luzon) 섬의 남부에 있는 항구 도시. 주변에서 사탕수수가 크게 재배되며 제당 공장이 있음. 최근에는 야채와 과수(果樹) 재배도 성함. [144,000명(1980)]

바탕-색【—色】명 본바탕의 빛깔.

바탕-음【—音】〔fundamental tone〕 《악》 음의 높이를 고정하기 위하여 그 기준으로 하는 음. 현재 사용되고 있는 것은 1859년에 파리의 국제 회의에서 정해진 높이, 곧 1점 '가'음(435 진동)임. 기음(基音). *국제 고도.

바탕-칠【—漆】명 칠의 밑바탕으로 처음에 하는 칠. ——-하다 자 여불

바탕-흙 [—흑] 명 질그릇의 원료가 되는 흙. 태토(胎土).

바탕 명 〈옛〉 ①마당. 자리. ¶ 이 노니논 바탕이니라(是遊戲之場)《金三 Ⅱ:19》/바탕 댱(場)《類合 下 39》. ②일터. 본바탕. ¶ 져근덧 날 됴흔제 바탕의 나가보자《古詩調》.

바탱이 명 오지그릇의 한 가지. 중두리와 같이 생겼으며 크기는 그 보다 훨씬 작음.

바:터 〔barter〕 명 《경》 물물 교환(物物交換). ——-하다 타 여불

바:터 무:역【—貿易】〔barter〕 명 《경》 바터제(barter 制)❷.

바:터 시스템 〔barter system〕 명 《경》 바터제(barter 制).

바:터-제【—制】〔barter〕 명 《경》 ①화폐를 매개로 하지 아니하는 물물 교환 제도. ②무역 통제의 한 수단으로서의 교환 무역. 일정한 기간을 정하여 그 기간 중 양국간의 수출입액을 균형시켜, 가능한 한 결제(決濟)할 차액을 내지 아니 하도록 하는 무역 방식. 구상(求償) 무역.

바:턴[1] 〔Barton, Clara〕 명 《사람》 미국의 간호사(看護師). 남북 전쟁(南北戰爭) 때 만국 적십자사에 협력 활동하고, 1882년 미국 적십자사를 창립함. 저서에 《적십자사사(赤十字社史)》가 있음. [1821-1912]

바:턴[2] 〔Barton, Derek Herold〕 명 《사람》 영국의 화학자. 사이클로헥산(Cyclohexane)이 입체 구조를 가지고 있음을 실험적으로 제시, 하셀

(Hassel)이 제기한 입체 배좌(立體配座)의 개념을 테르펜(terpene)·스테로이드(steroid) 등 생체에 중요한 구실을 하는 복잡한 탄소(炭素) 고리 모양 화합물에까지 적용하여 그 구조를 규명함. 1969년 하셀과 함께 노벨 화학상을 수상함. [1918-]

바테리 〔도 Batterie〕 명 ☞ 배터리.

바:-텐더 〔bartender〕 명 카페나 바의 카운터에서 주문을 받고 술을 조합(調合)하는 사람. 술집 지배인 또는 술집 주인.

바텡이 명 〈방〉 항아리(충남).

바토 부 〈방〉 바투.

바토니 〔Batoni, Pompeo Girolamo〕 명 『사람』 이탈리아의 신고전주의(新古典主義)의 화가. 왕족·귀족의 초상화, 종교화, 신화화(神話畫) 등을 많이 그림. 대표작에 《성가족(聖家族)》 등이 있음. [1708-87]

바톱 명 〈옛〉 발톱. ¶ 부으리와 바톱괘 도로 돗글 더레이리라(觜距還汚席)《杜諺 XVII:13》.

바통 〔프 bâton〕 명 ① ☞ 배턴. ② 비유적으로, 후계자에게 인계하는 지위(地位)나 일 따위. ¶ 정권(政權)의 ~을 물려 주다.

바통을 넘기다 구 뒷사람에게 인계하다. ¶ 경영의 ~.

바틔다 자타 〈옛〉 버티다. ¶ 바틸 듀(拄)《字會 下 17》.

바투[1] 〔Batu〕 명 『사람』 흠찰한국(欽察汗國)의 창건자. 몽고의 태조 칭기즈칸의 손자. 러시아를 무찌르고 유럽에 침입하여 폴란드·독일·헝가리 등을 치고 다뉴브 강을 건너 남유럽을 엿보았으나 뜻을 이루지 못하고 남러시아에 머물러 흠찰 한국을 세움. [1207-1255]

바투[2] 부 ① 두 물체의 사이가 썩 가깝게. ¶ ~ 앉아라. ② 길이가 매우 짧게. ¶ 머리를 너무 ~ 깎지 마시오. ③ 시간이 썩 짧게. ¶ 계약 날짜를 너무 ~ 잡았구나.

바투미 〔Batumi〕 명 『지』 그루지야 공화국에 속하는 아자르(Adzhar) 자치(自治) 공화국의 수도. 흑해(黑海) 동안(東岸)에 있는 공업 도시. 조선(造船)·기계·정유(精油) 공업이 성하며, 휴양지로서도 유명함. [123,000 명(1979 추계)]

바투-보기 명 근시(近視).

바투보기-눈 명 근시안(近視眼).

바툼 〔Batum〕 명 『지』 '바투미(Batumi)'의 구칭(舊稱).

바:트 〔baht〕 의명 타이의 화폐 단위(貨幣單位). 1바트는 100사탕(Satang). 약호 : B.

바트가온 〔Bhatgaon〕 명 『지』 네팔 동부에 있는 고도(古都). 865년에 창건(創建). 파탄(Patan)과 더불어 네와르족(族)의 문화의 중심지로, 왕궁·사원들이 많이 남아 있음. [50,000 명(1981 추계)]

바:트 고데스베르크 강령 【一綱領】 〔Bad Godesberg〕 [一녕] 명 〔das Bad Godesberger Grundsatzprogramm〕 독일 사회 민주당이 1959년 11월 본 남쪽의 바트 고데스베르크에서 열린 대회에서 채택한 새 강령. 마르크스주의를 포기하고 민주적 사회주의의 입장을 천명한 것임.

바:트-당 【一黨】 〔Ba'ath〕 명 정식 명칭은 아랍 부흥 사회당. 시리아의 다마스커스에 본부를 두고 아랍 제국(諸國)에 지부(支部)를 둔 정당. 아랍 통일과 사회주의 사회 건설을 목표로 하지만 공산주의에는 반대함. 1960년대 후반부터 시리아·이라크의 최대 정치 세력이 됨.

바트파라 〔Bhatpara〕 명 『지』 인도 동부, 후글리 강(Hooghly 江)에 연한 공업 도시. 황마(黃麻) 공업이 성함. 옛날에는 산스크리트학(Sanskrit學)의 중심이었음. [204,750명(1971)]

바특-이 부 ① 조금 바투. ¶ 손톱을 ~ 깎다 / 양쪽이 다 머리를 ~ 깎고 있었다. ② 바특하게. ¶ 국을 ~ 끓이다.

바특-하다 형여불 국물이 적어 톡톡하다. ¶ 국이 ~.

바:틀릿 〔Bartlett〕 명 『농』 서양 배의 중요 품종의 하나. 영국 원산으로 소출(所出)이 많고 과일이 큼. 담황색으로 향기가 있으며, 거둔 뒤에 후숙(後熟)시켜야 단맛이 남.

바티 〔Baty, Gaston〕 명 『사람』 프랑스의 연출가·극평론가. 주로 고전극을 연출하였으며, 무대 장치에 중점을 두는 특색 있는 연출 방법을 씀. 논문집 《폐막(閉幕)》·《연극 예술의 생명》 등이 있음. [1885-1952]

바티다[1] 타 〈옛〉 받치다. ¶ 의는 하늘을 바티는 白玉ㅣ오(這的擎天白玉柱)《朴解 下 31》.

바티다[2] 타 〈옛〉 바치다. ¶ 疑心을 바티게 ᄒᆞ샤(呈疑)《楞嚴 Ⅳ:1》.

바티스카프 〔프 bathyscaphe〕 명 심해 관측용 잠수정(深海觀測用潛水艇). 스위스의 실험 물리학자 피카르(Piccard)가 고안, 1884년에 처음으로 건조(建造), 실용됨.

바티스트 〔프 batiste〕 명 ①〔최초의 제조자인 Batiste의 이름에서〕 얇고 흰 고급 삼베. ② 면(綿)모슬린의 한 가지.

바티카노 〔Vaticano〕 명 『지』 바티칸(Vatican).

바티카니즘 〔Vaticanism〕 명 『종』 교황 절대권주의.

바티칸 〔Vatican〕 명 ① ↗바티칸 궁전. ② ↗바티칸 시국(市國). ③ 교황청의 별칭.

바티칸 공회의 【一公會議】 〔Vatican〕 [一/一이] 명 가톨릭 교회 전체에 걸친 교의(教義)나, 교회 규율에 관한 중요 사항을 토의하기 위해 교황이 바티칸에 소집한 회의. 지금까지 2회 열렸는데, 제1회는 1869년 비오 9세가 소집하여 교황의 수위권(首位權)·불가류성(不可謬性) 등 신앙상의 주요 결정을 내렸으며, 제2회는 1962년 요한 23세가 소집, 사후(死後) 바오로 6세가 이어 받아 1965년 폐회. 신앙의 자유·세계 평화·교회 합동·교회의 현대화 등을 토의함.

바티칸 궁전 【一宮殿】 〔Vatican〕 명 『지』 로마 시(市)에 있는 교황(教皇)의 궁전. 1150년 교황 에우게니우스(Eugenius) 3세에 의하여 창건되었으며, 1337년 그레고리우스(Gregorius) 11세가 아비뇽(Avignon)으로부터 로마로 돌아온 후, 교황의 주거로 사용되었음. 미술적으로 세계 제1의 궁전인데, 예배당 및 대소의 방이 1,400이나 되며, 대부분은 도서관·미술관·문서관(文書館) 등으로 사용되고 있음. 준바티칸.

바티칸 문고 【一文庫】 〔Vatican〕 명 이탈리아 제1의 도서관. 기원(起源)은 멀리 4세기경 다마수스(Damasus) 교황이 창설한 로마 종교 문서관(文書館)에서 비롯함. 현재의 장서수(藏書數)는 서사본(書寫本) 6만부, 인쇄본 50만 부, 초기 간본(初期刊本)인 인큐내불라(incunabula)가 7천 부로, 저명한 진본(珍本)이 많이 있음.

바티칸 미술관 【一美術館】 〔Vatican〕 명 바티칸 궁전 안에 있는 종합 미술관. 교황청 소유의 회화·조각 등을 다수 수장하고 있는 세계 굴지의 미술관으로, 미켈란젤로(Michelangelo)의 천정 벽화로 유명한 시스티나 성당(Sistina 聖堂)도 여기에 있음.

바티칸 시:국 【一市國】 〔Vatican〕 명 『지』 로마 시의 서북쪽에 있는, 세계 최소의 나라. 무솔리니 정부와 교황청과의 라테란(Lateran) 조약에 의해, 1929년 독립국으로 성립. 로마 교황(教皇)을 원수(元首)로 하며, 1378년 이래 로마 교황의 주재지(駐在地)로 가톨릭 교회의 총본산이며 바티칸 궁전, 산 피에트로 대성전(San Pietro 大聖殿)·바티칸 미술관 등이 있고, 독자적인 화폐와 우표를 발행함. 세계 각국과 대사·공사(公使)를 교환하고 있으며, 연중 해외 관광객들로 붐비고 있음. 준바티칸. [0.44 km² : 800 명(1990)]

바틱 〔batik〕 명 『미술』 크레용·파라핀 등 물감이 묻지 않는 재료로 도화지에 자유로운 무늬를 그린 다음, 그 위에 수채화 물감을 칠하거나 염약(染藥)에 담가, 무늬 외의 부분에 물감이 흡수되게 하여 아름다운 무늬를 만드는 기법(技法).

바틱 염:색 【一染色】 〔batik〕 명 납(蠟)이나 수지(樹脂)를 쓴 방염법(防染法)으로, 무늬 따위를 나타내는 염색법. 또, 그런 염색.

바트다 타 〈옛〉 밭다. 거르다. ¶ 바톨 즈(泲), 바톨 록(漉)《字會 下 14》.

바펜 〔도 Wappen〕 명 펠트(felt) 따위에 금실이나 색실로 무늬나 모양을 수놓은 것. 블레이저 코트(blazer coat)나 모자 따위에 붙여 장식하거나 소속을 나타냄.

바하다 〔스 bajada; bahada〕 명 『지』 건조 지역(乾燥地域)에 있는 충적 평야(沖積平野)의 일종. 산(山) 전면(前面)을 따라 퇴적한 암설(岩屑)로 형성된 경사진 선상지(扇狀地).

바하마 〔Bahamas〕 명 『지』 서(西)인도 제도 북부, 미국 플로리다 반도 동쪽에 있는 나라. 700여 개의 섬과 2,000여 개의 암초·산호초로 이루어짐. 아열대성(亞熱帶性) 기후로 피한지(避寒地)·관광지로 유명함. 산업은 발달하지 못하고 관광 수입이 중심임. 바나나·파인애플 등을 산출함. 1973년 약 250년 간의 영국 지배를 벗어나 독립. 수도는 나소(Nassau). [13,939 km² : 254,685 명(1991)]

바하이-교 【一教】 명 『종』 '바하이즘(Bahaism)'의 역어(譯語).

바하이즘 〔Bahaism〕 명 『종』 바비즘(Babism)에서 전화(轉化)한 국제적 신흥 종교 운동. 바브(Bab)의 제자이던 미르자 후사인 알리(Mirza Hussain Ali)가 스스로 신(神)의 광휘(光輝)라는 뜻으로 바하 알라(Baha Allah)라 칭하고, 1863년에 개교(開教)함. 인류 통합, 기존(既存) 종교의 진리 통일, 남녀 평등, 국제 평화의 달성 등을 강조함. 우리나라에는 1921년에 전래됨. *바비즘.

바호:펜 명 『사람』 ☞ 바흐오펜.

바회[1] 명 〈옛〉 바위. ¶ 바회 암(巖)《字會 上 3》.

바회[2] 명 〈옛〉 바퀴. ¶ 무틔 술윗 바회만 青蓮花ㅣ 나며《月釋 Ⅱ:31》.

바횟벌 명 〈옛〉 바위 틈에 집을 짓고 사는 벌. ¶ 듣흔 바횟버릐 淳훈 뿔리오(二巖蠭淳蜜)《圓覺 上 一之二 177》.

바흐 〔Bach〕 명 『사람』 ①〔Johann Christian B.〕 ❷의 막내 아들. 모차르트의 스승. 만하임 악파(Manheim 樂派)의 영향을 받은 교향곡·소나타·오페라 등을 발표함. [1735-82] ②〔Johann Sebastian B.〕 독일의 작곡가. 여러 곳의 궁정(宮廷)·교회 등에 오르가니스트, 합창단 지휘자로 재직함. 수난곡(受難曲)·미사곡 등의 종교 음악 및 여러 칸타타(cantata)·주명곡(奏鳴曲)·협주곡·조곡(組曲) 등의 관현악곡을 쓰고, 뛰어난 대위법적(對位法的) 작곡 기술로 다성 양식(多聲樣式)을 완성함과 함께 평균율(平均律)을 채용하여 근대 음악 발달의 토대를 이룸. 작품 《마태 수난곡》·《브란덴부르크(Brandenburg) 협주곡》 등. [1685-1750] ③〔Karl Philip Emanuel B.〕 ❷의 둘째 아들. 프리드리히 대왕(Friedrich 大王)의 하프시코드(harpsichord)의 주자(奏者)로 30년을 근속했으며, 교회의 악장(樂長)·오르가니스트로서도 활약함. 소나타 형식의 기초를 만든 공이 크며, 기악·성악·종교악 등의 작품이 있음. [1714-88]

바흐만 왕조 【一王朝】 〔Bahman〕 명 『역』 인도의 이슬람 왕조. 1347년 투글루크 왕조(Tughlug 王朝)의 중신(重臣) 하산(Hassan)이 창시, 15세기 말까지 데칸 고원(Deccan 高原) 북서부를 지배하였으나 이후 다섯 개의 왕국으로 분열함.

바흐오:펜 〔Bachofen, Johann Jakob〕 명 『사람』 스위스의 인류학자·법제사가(法制史家). 가족 제도의 역사를 연구, 인류 발전사상(發展史上) 모권 시대(母權時代)가 있었음을 주장함. 저서에 《모권론(母權論)》이 있음. [1815-87]

바훌 〈옛〉 바다를. '바룰'의 목적격. ¶ 이뫼홀 허러내여 져바훌 예오며 난《永言》.

바히 부 〈옛〉 바이. 전혀. ¶ 부모 효심 바히 업고 무상복덕 브론 보며《普勸文 海印板 43》.

바히다 타 〈옛〉 베다. ¶ 더븐 돗귀와 톱과로 바히ᄂᆞ니라《月釋 Ⅰ:29》.

박[1] 명 〔중세 : 박〕 『식』 ①〔*Lagenaria siceraria* var. *hispida*〕 박과의 일년생 만초. 줄기는 잔 털이 나고 권수(卷鬚)가 있는데, 잎은 호생하고 유병(有柄)이며 원심형 또는 심장형에 얕게 장상(掌狀)으로 째졌음. 여름에 흰 꽃이 엽액(葉腋)에서 나와 단생(單生)하여 피는데 저녁부터 피었다가 아침 햇살이 나면 시듦. 자웅 동주(雌雄同株)이나 암수꽃이 따로 핌. 과실은 원통(圓筒) 또는 둥근 호박이나 배 모양의 대형 액과(液果)이고 긴 타원형의 종자가 있음. 밭·인가(人家)의 담이나 지붕에 올리어 재배(栽培)하는데, 아프리카·아시아 열대 원산(原産)으로 중국·한국·일본 등지에 분포함. 액과는 삶거나 말리어서 바가지를 만들고 속은 식용함. 포과(匏瓜). 포로(匏蘆). ②↗바가지.

〈박¹❶〉

박을 탔다 [구] 일을 벌여놓고 이익을 얻지 못했다는 말.

박²【朴】[명] 성(姓)의 하나. 현재 우리 나라에는 밀양(密陽)·반남(潘南)·죽산(竹山)·함양(咸陽)·순천(順天)·고령(高靈)·무안(務安)·충주(忠州) 등 67개의 본관(本貫)이 있음.
[박가하고 석가하고는 면장을 하면 성을 바꾼다] 박(朴)면장은 방(房)면장으로 석(昔)면장은 성(成)면장으로 발음되기 때문에 하는 익살스러운 말.

박³【拍】[명]〖악〗① 국악의 타악기(打樂器)의 한 가지. 여섯 장의 홀(笏) 모양의 나무쪽 위에 구멍을 뚫어서 녹비(鹿皮) 끈을 꿰었음. 두 손으로 마주 잡고 벌렸다 오그렸다 하며 소리를 내어서, 풍류와 춤의 시종(始終)과 음절(音節)·지속(遲速)을 지휘(指揮)함. 박자(拍子). ②박자의 단위. 곧, 리듬의 단위임. 센박과 여린박이 있음.

〈박³❶〉

박⁴【剝】[명]〖민〗↗박괘(剝卦).

박⁵【箔】[명] 금·은·동·주석 등의 금속을 두드리어 종이같이 얇고 판판하게 늘인 것. 금으로 한 것을 금박, 은으로 한 것을 은박이라 함.

박⁶ [의명] ① 노름에서 여러 번 지른 판돈. ¶ 한 ~ 잡았다/한 ~ 떴다. ② 노름판에서, 패를 잡고 물주(物主) 노릇을 하는 일. ¶ ~을 쥐다.

박⁷【泊】[의명] 객지(客地)에서 묵는 밤의 횟수를 세는 말. ¶ 3 ~ 4일.

박⁸ [부] ①단단한 물건의 두드러진 면을 세게 한 번 갈거나 긁는 소리. ② 단단하고 얇은 물건을 대번에 찢는 소리. 1)·2):〈벅³.

박가범【薄伽梵】[명]〖불교〗[범어 Bhagavat의 음역(音譯)] 석가 세존(釋迦世尊).

박각시 [명]〖충〗↗박각시나방❶.

박각시-나방 [명]〖충〗①박각싯과에 속하는 나방의 총칭. [준]박각시. ② [*Herse convolvuli*] 박각싯과에 속하는 나방의 하나. 몸길이 46 mm, 편날개 97 mm 가량이고 앞날개에는 짙은 회갈색의 무늬가 있고 뒷날개는 회색에 흑색 줄 무늬가 있으며 복부(腹部) 각 마디에 백색·적색·흑색의 가로띠가 있음. 해질 무렵에 나와서 꽃을 찾아 다님. 유충(幼蟲)은 고구마나 나팔꽃의 잎을 갉아 먹는데 '감자벌레'라고도 함. 한국·일본·대만·중국·인도·유럽 등지에 분포함. 박쥐나비. ＊어리박각시.

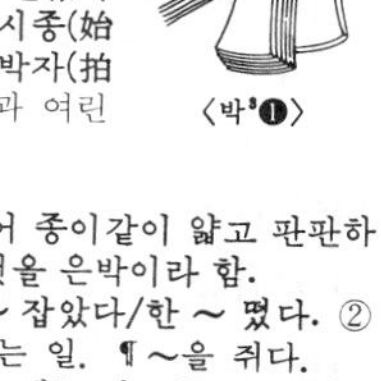

〈박각시나방❷〉

박각시살이-맵시벌 [명]〖충〗[*Ctenichneumon haereticus*] 맵시벌과에 속하는 곤충. 검정맵시벌과 비슷한데 암컷의 몸길이는 17 mm 가량이고, 몸빛은 흑색에 촉각은 흑갈색이며, 중앙에 백색 반문이 있고 두부 흉부와 복절 제1-3절에는 점각(點刻)이 있음. 박각시나방의 유충(幼蟲)에 기생하는데, 한국·일본에 분포함.

〈박각시살이맵시벌〉

박각싯-과【一科】[명]〖충〗[Sphingidae] 나비목(目)의 한 과. 몸빛은 아름답고 촉각은 보통 방추상(紡錘狀)에 말단은 갈고리 모양임. 유충은 '혼웜스(hornworms)'라 하는데 원통형이고 단서성(單棲性)이나 드물게 군서(群棲)하며 재배 식물의 해충임. 어리박각시·박각시나비·유리창어리박각시·창살어리박각시 등이 이에 속하는데 전세계에 900여 종이 분포함.

박감【薄勘】[명] 경감(輕勘). ——-하다 [타][여불]

박-강판【薄鋼板】[명] 얇은 강철판. ↔후(厚)강판.

박거【薄遽】[명] 매우 급박함. 박급(迫急). ——-하다 [형][여불]

박-건【朴建】[명]〖사람〗독립 운동가. 본명 의연(義然). 호는 해사(海蓑). 경북 영덕(盈德) 출생. 1905년 을사 조약(乙巳條約) 체결 후 의병대에 참가, 만주로 망명하여 농민 동맹(農民同盟)을 설립하고 통의부(統義府)의 통화 총관(通化摠管)으로 활약, 항일 투쟁을 하고 취원 학교(聚源學校) 창설, 초대 교장으로 후진 양성에 진력하였음. [1880-1943]

박-검전기【箔檢電器】[명] [leaf electroscope]〖물〗금속박 검전기.

박겁【迫劫】[명] 협박하여 을러댐. ——-하다 [타][여불]

박격¹【迫擊】[명] 바싹 덤비어서 마구 몰아침. ——-하다 [타][여불]

박격²【搏擊】[명] 몹시 후려서 냅다 때림. ——-하다 [타][여불]

박격³【駁擊】[명] 다른 사람의 주장(主張)이나 이론(理論)을 비난 공격함. ——-하다 [타][여불]

박격-포【迫擊砲】[명]〖군〗사각(射角)이 항상 45도 이상에서 발사되는 곡사 탄도(曲射彈道)의 보병 전투 지원용(支援用) 화기(火器). 요새전(要塞戰)·진지전(陣地戰)에서 참호 속에 있는 적(敵)에게 유탄(榴彈)을 내쏠 수 있게 되어 있는데, 구경(口徑)의 크기에 따라 중(重)·중(中)·경(輕), 곧 4.2인치·81 mm·60 mm의 세 종류가 있음.

박-계(:)강【朴繼姜】[명]〖사람〗조선 시대 후기의 문장가. 호는 시은(市隱). 밀양(密陽) 사람. 창랑 홍세태(滄浪洪世泰)가 《해동 유주(海東遺珠)》를 엮을 때 그의 시구(詩句)가 첫째로 실리었음. 생몰년 미상.

박-계(:)주【朴啓周】[명]〖사람〗소설가. 호는 서운(曙雲). 만주 간도 출생. 1938년 '매일 신보'의 장편 소설 현상 모집에 《순애보(殉愛譜)》가 당선되어 문단에 등장, 주로 낭만주의적 색채가 짙은 대중 소설을 써서 한때 많은 대중적 독자를 획득함. 작품에 《애로 역정(愛路歷程)》·《구원(久遠)의 정화(情火)》 등이 있음. [1913-66]

박고¹【舶賈】[명] 다른 나라에서 들어온 상인.

박고²【博古】[명] 고사(古事)에 정통함. ——-하다 [자][여불]

박-고지 [명] 박의 속을 빼어 버리고 길게 오려서 말린 반찬거리.

박곡-지【朴谷池】[명]〖지〗경상 남도 합천군(陜川郡) 용주면(龍洲面)에 있는 못. [0.8 km²]

박공【欂栱·欂栱】[명]〖건〗마루머리나 합각머리에 '∧'자 형상으로 붙인 두꺼운 널. 박풍(欂風). 박공널. 박공판.

박공-각【欂栱刻】[명]〖건〗박공널 끝에 새김질하여 장식한 것.

박공-널【欂栱一】[명]〖건〗맞배지붕에 합장형(合掌形)으로 붙인 두꺼운 널. 박공.

박공-마루【欂栱一】[명]〖건〗박공벽 쪽의 지붕마루.

박공-벽【欂栱壁】[명]〖건〗박공 쪽에 있는, 위가 뾰족한 벽.

박공-지붕【欂栱一】[명]〖건〗건물의 두 옆쪽에 박공널을 대어 추녀가 없이 용마루까지 올라간 지붕. ＊맞배지붕.

박공-집【欂栱一】[명]〖건〗박공지붕으로 된 집. ＊맞배집.

박공-처마【欂栱一】[명]〖건〗박공벽 바깥으로 내민 처마.

박공-판【欂栱板】[명]〖건〗박공널.

박-과【一科】[명]〖식〗[Cucurbitaceae] 쌍자엽 식물에 속하는 한 과. 전세계에 87속, 800여 종이 대개 열대 지방에 분포하고, 한국에는 박·호리병박·외·수박·참외·수세미 등 70여 종이 야생 또는 재배됨.

박-괘【剝卦】[명]〖민〗육십 사 괘(卦)의 하나. 간괘(艮卦)와 곤괘(坤卦)가 거듭된 것으로, 산이 땅에 붙음을 상징함. [준]박(剝).

박구¹ [명]〈방〉바퀴¹(전남).

박구²【博究】[명] 널리 연구함. 두루 연구함. ——-하다 [자][여불]

박구³【博具】[명] 도박에 쓰이는 도구.

박-구기 [명] 작은 박으로 만든 구기.

박-국¹ [명] 덜 익은 박을 잘게 썰어 넣고 끓인 맑은 장국. 포탕(匏湯).

박국²【博局】[명] 바둑 따위의 놀음을 하는 판.

박궁 [명]〈방〉박공(欂栱).

박-귀희【朴貴姬】[一히] [명]〖사람〗판소리 명창. 본명 오계화(吳桂花). 호는 향사(香史). 경북 칠곡(漆谷) 출생. 서편제(西便制)의 박동실(朴東實), 동편제(東便制)의 유성준(劉成俊)에게서 판소리 다섯 마당을 익히고, 강태홍(姜太弘)·오태석(吳泰石)에게서 가야금을 배움. 한양 창극단(漢陽唱劇團)에 들어간 이래 판소리로 이름을 날리고, 1969 년에 가야금 병창 중요 무형 문화재로 지정됨. 선이 굵고 열정적인 소리와 뛰어난 너름새가 특징임. 1956 년에 여성 국악인과 함께 서울 국악 예술 고등 학교의 전신인 국악 민속 예술 학원을 설립하였으며, 가야금 병창의 악보화에도 힘을 씀. [1921-93]

박-규수【朴珪壽】[명]〖사람〗조선 시대 말기의 문신. 자는 환경(桓卿·瓛卿), 호는 환재(桓齋·瓛齋). 박지원(朴趾源)의 손자. 고종 3년 병인년(丙寅年)에 평안도 관찰사로 있을 때 미국선(船) 셔먼 호(Sherman號)를 불지른 사건이 발생하였고, 그 후 일본과 친교(親交)할 것을 주장하여, 강화도 조약을 맺음. 벼슬이 우의정에 이름. 서화에도 능함. [1807-76]

박근【迫近】[명] 시기가 바싹 닥쳐서 가까움. ＊임박(臨迫). ——-하다 [형][여불]

박금【薄衾】[명] 얇은 이불.

박급¹【迫急】[명] 박거(薄遽). ——-하다 [형][여불]

박급²【薄給】[명] 박봉(薄俸).

박기¹【薄技】[명] 변변치 못한 재능. 얕은 재능. 박재(薄才).

박기²【薄器】[명] 대나 갈대로 만든 그릇.

박-기양【朴箕陽】[명]〖사람〗조선 시대 말기의 문신·서화가. 자는 범오(範五), 호는 석운(石雲)·쌍오 거사(雙梧居士). 고종 25년(1888)에 별시문과(別試文科)에 급제, 대사성(大司成)·승지(承旨)·형조 참판(刑曹參判)을 거쳐 의정부 찬정(議政府贊政)·규장각 제학(奎章閣提學)·중추원 참의(中樞院參議)에 이름. 금기서화(琴棋書畫)에 모두 능했음. [1856-1932]

박-기원【朴琦遠】[명]〖사람〗시인. 호는 야청(也靑). 강릉(江陵) 출생. 일본 니혼(日本) 대학 문과 수학, 신문 기자 생활을 하면서 시작(詩作)에 정진, 동양적인 서정의 세계를 탐구함. 시집 《송죽매란(松竹梅蘭)》 등이 있음. [1908-78]

박-김치 [명] 덜 익은 박을 잘게 썰어 담근 김치. 호저(瓠菹).

박-꽃 [명]〖식〗박의 꽃.

박-나물 [명] 박을 얇게 저미고 쇠고기를 섞어서 볶은 뒤에 양념을 하여 주물러서 만든 나물. 포채(匏菜).

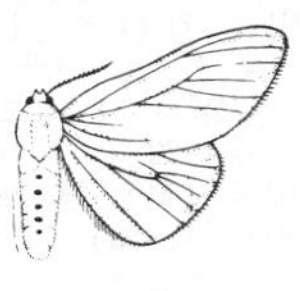

박-나방 [명]〖충〗[*Spilosoma nivea*] 불나방과에 속하는 곤충. 날개 길이 70 mm 가량이고, 몸빛은 백색에 복부(腹部)에는 흑색·적색의 줄 무늬가 있음. 유충(幼蟲)은 풀잎을 먹으며 밤에 등불에 날아 듦. 포아(匏蛾).

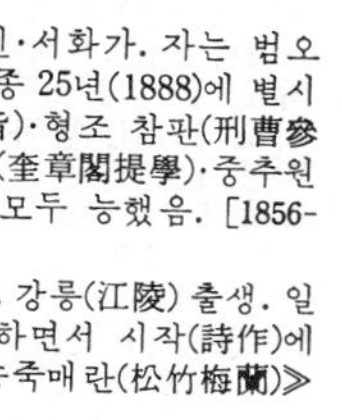
〈박나방〉

박-난영【朴蘭英】[명]〖사람〗조선 시대 인조 때 후금(後金)과 누차 교섭한 신하. 광해군 때부터 인조 초기까지 춘추 신사(春秋信使)로 후금에 왕래하던 중 병자 호란(丙子胡亂)이 일어나자, 청(淸)나라 장군과 교섭하다가 피살되었음. [?-1636]

박-내현【朴崍賢】[명]〖사람〗여류 동양화가. 호는 우향(雨鄕). 평안 남도 남포 출생. 일본 도쿄 여자 미술 전문 학교를 졸업하고, 1956년 국전(國展)에서 대통령상을 수상함. [1921-76]

박-녹주【朴綠珠】[명]〖사람〗여류 판소리 명창(名唱). 경상 북도 선산(善山) 출생. 김정문(金正文)·정정렬(丁貞烈)에게서 사사, 판소리 보존 협회(保存協會)를 창설함. [1904-79]

박-누름적【一炙】[명] 박을 썰어 데쳐서 갖은 양념에 재워 쇠고기·느타리와 함께 꼬챙이에 꿰어서 달걀을 씌워 번철에 지진 음식.

박눌【朴訥】명 사람됨이 꾸민 티가 없고 말이 없음. 순박하고 꾸밈이 없음. 또, 그 모양. ——-하다 형여불

박다[1] 타〔중세 : 박다〕①물건을 다른 물건의 속으로 들어 가게 하다. ¶ 못을 ~/반지에 진주를 ~. ②음식에 소를 넣다. ¶ 송편에 소를 ~. ③인쇄하다. ¶ 명함을 ~. ④사진을 찍다. ¶ 사진을 ~. ⑤판(版)에 넣어 그 모양과 같게 만들다. ¶ 다식을 ~/판에 박은 듯한 사람. ⑥바느질에서, 실을 곱걸어서 꿰매다. ¶ 재봉틀에 치마를 ~. ⑦장기에서 궁이나 사(士)를 가운데 궁밭으로 들어가게 하다. ¶ 사를 박으면 궁이 산다. ⑧식물이 뿌리를 내리다. ¶ 옮겨 심은 나무가 뿌리를 ~. ⑨글씨 따위의 획을 정확하게 쓰다. ¶ 얌전하게 박아 쓴 글씨. ⑩시선을 한 곳에 고정시키다. ¶ 화면에 시선을 박은 채, 떠날 줄을 모르다. ⑪얼굴 따위를 눌러서 대다. ¶ 베개에 코를 박고 엎드려 자다. ⑫머리 따위를 부딪치다. ¶ 전봇대에 이마를 박았다.

박다[2]【博多】명〘지〙 '하카타'를 한국음으로 읽은 이름.

박다[3]【薄茶】명 박차.

박다위 명 종이노나 혹은 삼노를 꼬아서 대자(帶子) 치듯이 만든 멜빵. 짐짝을 걸어서 메는 데에 씀.

박달 명〘식〙 ↗박달나무.

박달-나무 [―라―] 명〘식〙 [*Betula schmidtii*] 자작나뭇과에 속하는 낙엽 활엽 교목. 줄기는 높이 9-12 m이고 회흑색이며, 잎은 호생하고 넓은 달걀꼴 또는 달걀꼴 타원형에 가에는 작은 톱니가 있음. 5월에 자웅일가로 된 갈색 꽃이 수상(穗狀) 화서로 핌. 작은 견과(堅果)가 10월에 익는데, 과수(果穗)는 긴 원기둥형으로 길이 6 cm 가량임. 산복(山腹) 이하의 깊은 숲 속에 나는데 전라도와 황해도를 제외한 한국 각지와 일본·만주 우수리 지방에 분포함. 목질(木質)이 단단하여 차바퀴·기구·기계·조각·빗·기타의 세공재로서 널리 쓰임. 단목(檀木). 준박달. 주의 '朴達'로 씀은 취음(取音).

〈박달나무〉

[박달나무도 좀이 슨다] 똑똑한 사람도 실수할 때가 있고 건강한 사람이라도 앓을 때가 있다는 말.

박달-령【朴達嶺】명〘지〙 충청 북도 제천시(堤川市) 봉양면(鳳陽面)에 있는 산. 박달재. [457 m]

박달-목서【一木犀】명〘식〙 [*Osmanthus asiaticus*] 물푸레나뭇과에 속하는 상록 활엽 교목. 잎은 우상 복생(複生)하고, 소엽(小葉)은 넓은 타원형임. 10-11월에 순백색의 꽃이 엽액(葉腋)에 한데 모여 피고 과실은 긴 달걀꼴 또는 타원형으로 다음 해 5월에 익음. 꽃향기가 좋아, 인가 부근·정원에 재배함. 중국 원산(原産)으로 전남의 거문도(巨文島), 일본의 규슈(九州) 지방에 분포함.

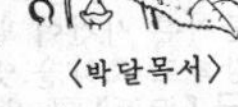
〈박달목서〉

박달-재【朴達一】명〘지〙 박달령.

박담【薄曇】명 날이 약간 흐릿함. 미담(微曇). 미음(微陰).

박답【薄畓】명 기름지지 못하고 메마른 논. ↔옥답(沃畓).

박대【薄待】명 아무렇게나 하는 대접. 푸대접. ↔후대(厚待). ——-하다 타여불

박-대(:)륜【朴大輪】명〘사람〙 불교 태고종(太古宗)의 창시자. 초대 종정(宗正)을 지냄. [1883-1979]

박덕【薄德】명 심덕(心德)이 두텁지 못하거나 덕행이 적음. 과덕(寡德). 양덕(涼德). ¶ 재승(才勝) ~. ↔후덕(厚德). ——-하다 형여불

박도[1]【朴刀】명 주로 들고 다니는, 장식(裝飾)도 없고 칼집도 없는 칼.

박도[2]【迫到】명 가까이 닥쳐옴. ——-하다 자여불

박도[3]【博徒】명 노름꾼.

박동【搏動】명 ①맥이 뜀. ＊맥박. ②장기(臟器)의 율동적인 수축 운동. 주기적인 현상이 많음. 주로 내장근(筋) 등 자동성(自動性)이 있는 장기에서 볼 수 있음. 심장 박동 따위. ——-하다 자여불

박-동량【朴東亮】[―냥] 명〘사람〙 조선 때의 공신. 자는 자룡(子龍), 호는 오창(梧窓) 또는 기재(寄齋). 반남(潘南) 사람. 임진 왜란 때 공을 세워 금계군(錦溪君)에 봉군되고, 인조 반정(仁祖反正) 후 좌참찬(左參贊)을 지냄. 저서에 《기재 사초(寄齋史草)》가 있음. [1569-1635]

박-동완【朴東完】명〘사람〙 3·1 독립 운동 때의 33인 중의 한 사람. 기독교 대표. 서울 출생. 국권 피탈 후 '기독 신보(基督新報)'를 통하여 민족 사상을 강조. 3·1 운동 후 신간회(新幹會)를 조직하고 활약하다가 1923년 하와이로 망명하였음. [1883-1940]

박두[1]【迫頭】명 가까이 닥쳐옴. 당두(當頭). ¶ 시험이 ~하다. ——-하다 자여불

박두[2]【樸頭】명 화살의 한 가지. 길이 주척(周尺)으로 넉 자 또는 석 자 여덟 치. 촉(鏃)을 나무로 한 것이 특색이고 깃이 다른 살보다 대단히 좁으며, 사정(射程)은 2,476 보(步)인데 무과(武科) 보일 때와 교습(敎習)할 때에 씀.

박둔【朴鈍】명 단단하지 못한 그릇.

박락【剝落】[―낙] 명 쇠·돌 같은 물건이 오래 묵어 긁히고 깎이어서 떨어짐. ——-하다 자여불

박람【博覽】[―남] 명 ①책을 많이 읽음. 편독(徧讀). ②사물을 널리 봄. 흡람(洽覽). ——-하다 타여불

박람 강기【博覽強記】[―남―] 명 동서 고금(東西古今)의 책을 널리 읽고 사물을 잘 기억함. ——-하다 타여불

박람-회【博覽會】[―남―] 명 농업·상업·공업 등에 관한 온갖 물품을 모아 벌여 놓고 공중(公衆)에게 관람시키며 판매·선전·우열 심사(審査)를 해서 생산물의 개량 발전 및 산업의 진흥(振興)을 도모하기 위하여 개최하는 회. 지방 박람회·내국(內國) 박람회·만국(萬國) 박람회 등이 있음.

박랑-사【博浪沙】[―낭―] 명 중국 허난 성 무양현(河南省武陽縣)의 고적. 진(秦)나라 무양성(城)의 남쪽에 있는데, 장량(張良)이 역사(力士)들로 하여금 철퇴(鐵槌)로 시황제(始皇帝)를 저격(狙擊)하게 한 곳으로서 유명함.

박래【舶來】[―내] 명 딴 나라로부터 물건이 배에 실리어 옴. 박재(舶載).

박래-품【舶來品】[―내―] 명 ①딴 나라로부터 배에 실어 온 물품. ②외국에서 들어온 물품. 박물(舶物). 외래품.

박략-하다【薄略―】[―냐―] 형여불 얼마 안 되어 매우 간략하다. 후(厚)하지 못하고 약소하다. **박략-히**【薄略―】[―냐―] 부

박력【迫力】[―녁] 명 육박하는 힘. 일을 밀고 나가는 힘. ¶ ~있는 연기/ ~이 모자라다.

박력-분【薄力粉】[―녁―] 명 주로 무른 종류의 밀로 만든 밀가루의 하나. 단백질·끈기가 적음. 비스킷·튀김 등에 쓰임. ↔강력분(強力粉).

박-렬【朴烈】[―녈] 명〘사람〙 독립 운동가. 본명은 준식(準植). 경북 문경(聞慶) 출생. 경성 제2 고등 보통 학교에 다닐 때 독립 운동에 관련된 혐의로 퇴학당하고 1919년 일본에 건너감. 애인 가네코 후미코(金子文子)의 협조를 얻어 일본 천황 암살을 모의, 1923년 거사(擧事) 직전에 발각되어 사형 선고를 받고 해방으로 석방됨. 재일 거류민단장을 역임하고 1948년 귀국하였으나 6·25 전쟁 때 납북되었음. [1902-74]

박-렴[1]【朴濂】[―념] 명〘사람〙 조선 인조(仁祖) 때의 학의(學醫). 아호는 오한(悟漢). 《사의 경험방(四醫經驗方)》과 《삼의 일험방(三意一驗方)》 등의 편찬에 참여하였음. 생몰년 미상.

박렴[2]【薄斂】[―념] 명 박부렴(薄賦斂).

박로[1]【博勞】[―노] 명〘조〙 때까치.

박로[2]【博勞】[―노] 명〔박로는 중국 주(周)나라 때에 말의 좋고 나쁨을 잘 구별하던 사람〕 소·말 따위를 매매하는 상인을 이르는 말.

박록【薄祿】[―녹] 명 ①박한 봉급. 적은 녹봉. 미록(微祿). 박봉(薄俸). ↔후록(厚祿). ②불행(不幸)❶.

박론【駁論】[―논] 명 ①논박(論駁). ②논박하는 논설(論說). ——-하다 타여불

박루【朴陋·樸陋】[―누] 명 세련되지 못하고 촌스러움. 또, 꾸밈이 없고 질박함. ——-하다 형여불

박륙【博陸】[―뉵] 명 ①쌍륙(雙六)을 달리 이르는 말. ②국가의 중책을 맡을 만한 인품이 있는 사람.

박름【薄廩】[―늠] 명 박봉(薄俸).

박릉-진【博陵鎭】[―능―] 명〘역〙 고려 정종(定宗) 때, 거란(契丹)에 대비하여 평안 북도 박천(博川)에 베푼 진성(鎭城).

박리[1]【剝離】[―니] 명 ① 벗김. 벗겨짐. ¶ 태반 조기(胎盤早期) ~/망막 ~ ②〘고고학〙 떼기. ——-하다 자 타여불

박리[2]【薄利】[―니] 명 얼마 안 되는 이익. 많지 아니한 이익. ↔폭리(暴利)·후리(厚利).

박리-각【剝離角】[―니―] 명〘고고학〙 양각[3]❶.

박리 다매【薄利多賣】[―니―] 명 이익을 적게 보고 물건을 많이 팔아, 전체의 이익을 올림. ——-하다 타여불

박리성 피부염【剝離性皮膚炎】[―니썽―] 명〘의〙 홍피증(紅皮症).

박리-주의【薄利主義】[―니―/―니―이] 명 박리 다매하는 주의.

박리-지【剝離紙】[―니―] 명 규소 수지(硅素樹脂)를 한 면(面) 또는 양면에 바른 종이. 점착성 물질을 보호하는 데 씀.

박막【薄膜】명 ①동식물(動植物)의 몸 안의 기관(器官)을 싸고 있는 얇은 막. ②기계 가공으로 만들 수 없는 두께 1/1000 mm 이하의 막(膜)의 총칭. 재료에 따라 금속 박막·반도체 박막·절연체 박막 등이 있고 광학(光學) 용품·전자(電子) 부품 등으로 광범위하게 이용되고 있음. 보통 진공 증착(眞空蒸着)으로 만듦. ③얇은 막.

박막 집적 회로【薄膜集積回路】명 〔thin film integrated circuit〕〘물〙 기판(基板) 위에 구성된 회로 소자(素子)와 그 상호 접속이 박막으로 된 집적 회로.

박만【撲滿】명 벙어리[2].

박매【拍賣】명 경매(競賣)❶. ——-하다 타여불

박멸【撲滅】명 짓두드려서 없애 버림. ¶ 전염병을 ~하다 / 파리·모기를 ~하다. ——-하다 타여불

박명[1]【薄明】명 ①희미하게 밝음. ②〔twilight〕〘천〙 일출(日出) 전이나 일몰(日沒) 후, 대기의 상층에 있는 세말(細末) 물질이 태양의 광선을 반사하여 하늘이 희미하게 밝아 있는 현상. 또, 그 시각. 천문학적으로는 태양이 지평선하(地平線下) 18° 이내에 있을 때를 이름. ＊상용 박명·천문 박명(天文薄明).

박명[2]【薄命】명 ①기구한 운명. 팔자가 사나움. ②수명(壽命)이 짧음. 단명(短命). ¶ 미인 ~. ——-하다 형여불

박명-대【薄明帶】명〔twilight zone〕〘천〙 어떤 시점(時點)에서, 박명기(薄明期)에 있는 지구(地球) 또는 다른 행성(行星)의 띠 모양의 지역.

박명-시【薄明視】명〔twilight vision〕〘생〙 어두운 곳에 있으면 점차 물건이 보여지기 시작하는 암순응(暗順應)의 상태에서 사물을 보는 일. 또는 어둠침침하거나 약한 빛이 있는 곳에서 물건을 보는 일. 이런 약한 빛으로 스펙트럼을 보면 무색의 빛으로 보이게 되는데, 이는 망막(網膜) 세포 속에서 색채 지각을 맡은 추체(錐體)는 작용하지 않고 밝은 정도만을 감각하는 간체(杆體)만이 작용하기 때문임.

박모【薄暮】명 땅거미[1].

박-목월【朴木月】명〘사람〙 현대의 시인. 본명은 박영종(朴泳鍾). 1939년 '문장(文章)'지(誌)를 통해 문단에 등장, 1946년 조지훈(趙芝薰)·박두진(朴斗鎭)과 함께 삼인 시집 '청록집(青鹿集)'을 내어, 청록파(青鹿派)로 불림. 자연 친화(自然親和)를 주제로 한 토속적 서정시에서 출발하여, 사념적인 이미지의 순수성을 추구하는 시를 썼음. 본명으로

동시(童詩)도 많이 썼음. 시집 ≪산도화(山桃花)≫·≪경상도의 가랑잎≫ 등이 있음. [1916-78]

박무【薄霧】[명] 엷게 낀 안개. ↔농무(濃霧).

박문¹【博文】[명] 학문을 널리 닦아 잘 알고 있음. ——-하다 [형][여불]

박문²【博聞】[명] 사물을 널리 들어 잘 앎. 흡문(洽聞). ¶ ~한 사람. ——-하다 [형][여불]

박문³【駁文】[명] 논박(論駁)하는 글.

박문 강:기【博聞強記】[명] 널리 견문(見聞)하고 이를 잘 기억함. ——「하다 [타][여불]

박문-국【博文局】[명]〖역〗신문 잡지의 편찬과 인쇄를 맡은 관아. 조선 시대 고종(高宗) 20년(1883)에 베풀었다가 25년(1888)에 폐하였음. 한성 순보(漢城旬報)·한성 주보(漢城周報)를 발행함.

박-문수【朴文秀】[명]〖사람〗조선 영조(英祖) 때의 판돈령부사(判敦寧府事). 자는 성보(成甫), 호는 기은(耆隱). 고령(高靈) 사람. 영조(英祖) 때 명어사(名御史)로 명성이 높았고, 후에 호조 판서(戶曹判書)로 있으면서 균역법(均役法)을 만드는 데 힘을 썼음. 시호는 충헌(忠憲). [1691-1756]

박문수-전【朴文秀傳】[명]〖책〗조선 영조(英祖) 때의 유명한 어사(御史) 박문수에 관한 많은 이야기 중에서 취재한 소설. 작자·창작 연대 미상. 국문본.

박문 약례【博文約禮】[—녜] [명] 널리 학문을 닦고 언행·예절을 바르게 함. ——-하다 [자][여불]

박-문욱【朴文郁】[명]〖사람〗조선 영조 때의 가객(歌客). 호는 여대(汝大). 김천택(金天澤)·김장수(金長壽)와 사귀었으며 ≪청구 가요(青丘歌謠)≫에 시조 8수가 전하나 확실하지 아니함. 생몰년 미상.

박문-원【博文院】[명]〖역〗국내외의 온갖 서적의 보관을 맡은 관아. 조선 고종(高宗) 때인 광무(光武) 7년(1903)에 베풀었다가 이듬해에 폐하였음.

박물¹【舶物】[명] 국내에 들어온 외국 상품. 박래품(舶來品).

박물²【博物】[명] ①온갖 사물에 대하여 견문(見聞)이 썩 넓음. ② ↗박물학(博物學). ③온갖 사물과 그에 관한 참고가 될 만한 물건.

박물-관【博物館】[명] 인류(人類)·역사·고고(考古)·민속·산업·예술·자연 과학 등에 관한 자료를 수집·보존 전시하고 이들을 조사·연구하여 문화와 예술 및 학문의 발전과 일반 공중(公衆)의 문화 교육에 이바지하는 것을 목적으로 하는 시설. 2개 분야 이상의 자료를 취급하는 종합 박물관과 역사·과학·산업·민속 및 향토 자료 등 특정 분야의 자료를 전문적으로 취급하는 전문 박물관이 있음. 뮤지엄(museum).

박물 군자【博物君子】[명] 온갖 사물에 정통한 사람.

[박물 군자 무불간섭(無不干涉)] 아무데나 참례 아니하는 일이 없다는 말.

박물 세:고【博物細故】[명] 아주 자질구레한 사물.

박물-지【博物誌】[명] ①자연계의 사물이나 현상을 종합적·계통적으로 기술(記述)한 책. ②〔Histoire naturelle générale et particulière〕〖책〗프랑스의 박물학자 뷔퐁(Buffon)의 저서. 1774년부터 1788년까지 36권이 간행되고 저자가 죽은 후에 8권이 보유(補遺)로서 나왔음. 당시의 박물학 지식의 집대성(集大成)으로 박물학 보급에 큰 공헌을 하였음. 44권. ③〔Historia Naturalis〕〖책〗로마 시대의 박물학자 플리니우스(Plinius)의 저서. 77년경 완성. 당시의 자연에 관한 지식의 집대성으로 중세기를 통하여 모든 지식의 원천으로서 존중을 받았음. 37권. ④중국 진(晉)의 장화(張華)와 송(宋)의 이석(李石)이 찬(撰)한 책. 지리략(地理略)·지(地)·산(山)·수(水)·산수 총론(山水總論)·오방 인민(五方人民)·물산(物產)·외국(外國)·이인(異人) 등 38항목으로 나누어 세계의 사물을 기술함. 원본 10권은 장화, 속권(續卷) 10권은 이석의 찬이라고 함.

박물 표본【博物標本】[명] 동물·식물·광물·지질(地質) 등의 표본.

박물-학【博物學】[명] 동물학·식물학·광물학·지질학의 총칭. 원래 천연물(天然物) 전체에 걸친 지식의 기재(記載)를 목적으로 하는 학문의 뜻. [준]박물(博物).

박-미¹【朴瀰】[명]〖사람〗조선 시대 선조(宣祖)의 부마(駙馬). 호는 분서(汾西), 자는 중연(仲淵). 문예(文藝)를 잘 하여 선조·인조(仁祖) 시대에 대가로서 명성이 높았음. 시호는 문정(文貞). [1592-1645]

박미²【薄媚】[명] 아담하고 우아한 자태.

박민【剝民】[명] 부역(賦役)을 과도히 시키거나 조세(租稅)를 많이 거두어 백성을 괴롭게 함. ——-하다 [자][여불]

박씨 [명]〈옛〉박씨. ¶ 박씨(瓠犀)≪詩諺 物名 6≫.

박-박¹ [부] ①단단한 물건의 도드라진 바닥을 세게 연해 갈거나 긁는 소리 ¶ 바가지를 ~ 긁다. ②단단하고 얇은 물건을 잇따라 되바라지게 찢는 소리. ¶ 종이를 ~ 찢다. ③세게 문지르거나 닦는 모양. ¶ ~ 문질러 닦아. ④악지를 부리면서 기를 쓰거나 우기는 모양. ¶ 악을 쓰며 ~ 대들다. 1)-4): <벅벅. *복복².

박박² [부] ①얼굴이 몹시 얽은 모양. ¶ 얼굴이 ~ 얽다. ②머리를 아주 짧게 깎아 버린 모양. ¶ 중처럼 머리를 ~ 깎았다. 1)·2): ㅆ빡빡¹.

박박-이 [부] 틀림없이 그러하리라고 미루어서 헤아리는 뜻을 나타내는 말. ¶그 사람 오늘은 ~ 올 것이다. ㅆ빡빡이. <벅벅이.

박박-주【薄薄酒】[명] 텁텁하고 맛이 없는 술.

박배 [명]〖건〗문짝에 돌쩌귀·고리·배목 등을 박아서 문얼굴에 들이맞추는 일. [주의] '朴排'로 씀은 취음(取音).

박배-장이【—匠—】[명]〖건〗박배의 일을 전문으로 하는 목수. [주의] '朴排匠'으로 씀은 취음(取音).

박-벌 [명]〖충〗↗호박벌.

박변【博辯】[명] 사물을 널리 분별하여 변론함. ——-하다 [자][여불]

박보【博譜】[명] 장기 두는 법을 풀이한 책.

박보 장:기【博譜將棋】[명] 실전과는 별도로 어려운 수(手) 풀기를 연구하기 위해 꾸며 놓은 장기. 어떤 보면(譜面)을 상정하여 정해진 수의 장기짝으로 저 편의 장(將)을 꼼짝 못하게 하는 것.

박복【薄福】[명] 두텁지 못한 복. 복이 없음. 팔자가 사나움. ¶ ~한 여인. ——-하다 [형][여불]

[박복자(薄福者)는 계란에도 유골(有骨)이라] 복이 없는 사람은 모든 일이 순조롭지 못하고 의외의 장애가 생김을 이르는 말.

박봉【薄俸】[명] 적은 봉급. 얼마 안 되는 봉급. 박급(薄給). 박름(薄廩). 박황(薄況). ¶ ~에 허덕이다.

박부¹【搏拊】[명]〖악〗옛 중국 아악기의 한 가지. 절고(節鼓)보다 작은데, 가죽 속에 쌀겨를 채운 북으로, 목에 걸고 좌우 두 손으로 쳐서, 박절(拍節)을 맞춤. 우리 나라에서는 고려 때 등가악(登歌樂)에 쓰이었음.

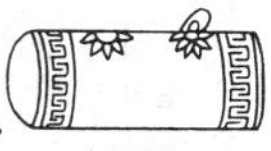

〈박부¹〉

박부²【薄夫】[명] 경박한 남자. 박정한 사람.

박-부득이【迫不得已】[명] 일이 썩 급박하여 말려고 하여도 말 수가 없음. 일이 급하여 어쩌할 수가 없음. 박어부득(迫於不得). ¶ ~한 사정으로 그쯤 된 노릇이라. ——-하다 [형][여불]

박-부렴【薄賦斂】[명] 조세를 적게 매겨 거둠. 박렴(薄斂). ——-하다 [타][여불]

박빙【薄氷】[명] 살얼음.

박빙 여림【薄氷如臨】[명] 살얼음을 밟는 것처럼 대단히 위태함을 이르는 말. ——-하다 [형][여불]

박사¹【博士】[명] ①〖역〗고구려·백제 때 학문이나 전문 기술에 종사하는 사람에게 주던 벼슬. 고구려의 태학 박사(太學博士), 백제의 오경 박사(五經博士)·역박사(易博士)·의박사(醫博士)·역박사(曆博士) 등. ②〖역〗신라 때 국학(國學)·누각전(漏刻典)·의학(醫學)·율령전(律令典)에 두어 학문이나 전문 기술에 종사하던 벼슬. ③〖역〗고려 때 국학·성균관(成均館)·사천대(司天臺)·태의감(太醫監) 등에 둔 벼슬. 품질(品秩)은 칠품으로부터 구품까지. ④조선 시대에 성균관(成均館)·홍문관(弘文館)·규장각(奎章閣)·승문원(承文院)에 두었던 정칠품 벼슬. 각각 교수의 임무를 맡음. ⑤〖법〗대학교 또는 대학이 전문 학술에 관하여 연구가 깊고 일정한 업적을 올렸다고 인정되는 사람이나, 각 대학원 위원회(大學院委員會)의 박사 학위 논문 심사 및 구술 시험에 합격한 사람에게 수여하는 학위. 또, 그 학위를 가진 사람. 전공 부문에 따라 문학·철학·이학·농학·공학·법학·신학·음악·의학 박사 등으로 구분함. 닥터. ¶ ~논문 / ~ 학위. ⑥모든 일에 정통하거나 숙달된 사람을 비유하여 일컫는 말. ¶ 만물 ~. *석사(碩士)·학사(學士).

박사²【博射】[명] 돈을 걸거나 하여 노름삼아 하는 활쏘기.

박사³【薄紗】[명] 얇은 사(紗). ¶ ~ 고깔.

박사⁴【薄謝】[명] 얼마 안 되는 사례의 물품. 약소한 예물. 예물의 겸칭. 박의(薄儀).

박사 과정【博士課程】[명] 박사 학위를 수여하는 대학원의 한 과정.

박사 논문【博士論文】[명] ↗박사 학위 논문.

박사 무:당【—巫—】[명]〈방〉〖민〗박수¹.

박사 학위 논문【博士學位論文】[명] 박사 학위를 얻기 위하여 대학원 위원회(大學院委員會)에 제출하는 논문. [준]박사 논문.

박-산¹【薄山】[명] 중국의 전설(傳說)에 나오는 산. 바다 가운데 있는데 신선이 산다고 함.

박산²【薄饊】[명] 유밀과(油蜜果)의 한 가지. 산자(饊子)의 몸이나, 혹은 엿을 얇고 반듯하게 베고 잣이나 호두를 두 쪽에 붙였음.

박산-로【博山爐】[—노] [명] ↗박산 향로.

박산 송:요【博山宋窯】[명]〖공〗중국 산둥 성(山東省)의 박산요(窯)에서 송(宋)나라 때에 만든 도자기.

박산 정:요【博山定窯】[명]〖공〗중국 산둥 성(山東省)의 박산요(窯)에서 나는, 정요(定窯) 계통의 흰 도자기.

박산향로【博山香爐】[—노] [명] 중국 산둥 성에 있는 박산(博山)의 모양을 본떠서 만든 동제(銅製) 향로. 축부(軸部)가 있으며, 밑은 접시 모양이고 상부는 산형(山形)임. 중국에서는 육조(六朝) 시대부터 당대(唐代)까지 불기(佛器)로 사용하였음. [준]박산로.

박살¹ [명] 깨어져 조각조각 부서지는 일. ¶ 찻잔(茶盞)을 ~내다.

박살(이) 나다 [구] 산산이 부수어져서 조각이 나다.

박살(을) 내:다 [구] 완전히 때려 부수어 조각내다.

박살²【搏殺】[명] 손으로 쳐서 죽임. ——-하다 [타][여불]

박살³【撲殺】[명] 때려 죽임. 타살(打殺). ——-하다 [타][여불]

박-상¹【朴祥】[명]〖사람〗조선 시대 초기의 문장가. 자는 창세(昌世), 호는 눌재(訥齋). 충주 사람. 담양 부사(潭陽府使)로 있을 때 중종(中宗)의 폐비(廢妃) 신씨(愼氏)의 복위를 상소하다가 관직을 삭탈당하였으나 학행(學行)으로 이조(吏曹) 판서의 추증(追贈)을 받음. 시호(諡號)는 문간(文簡). [1474-1530]

박상²【剝喪】[명] 벗겨져 없어짐. ——-하다 [자][여불]

박상³【博顙】[명] 넓은 이마.

박상검의 옥【朴尙儉—獄】[—/—에—] [명]〖역〗조선 경종(景宗) 원년-2년(1721-22)에, 환관(宦官) 박상검이 경종(景宗)과 왕세제(王世弟) 영조(英祖) 사이에 불화를 일으켜 왕세제를 없애려고 한 사건. 발생 원인은 알려지지 않은 채 박상검과 이에 관련된 궁녀 석렬(石烈)·필정(必貞) 등이 처형되었음.

박상이-되다 [자]〈방〉깨지다. 부서지다.

박상이-피다 [자]〈방〉풍비 박산(風飛雹散)하다.

박-상충【朴尙衷】[명]〖사람〗고려 공민왕(恭愍王) 때의 학자. 자는 성부(誠夫). 예조 정랑(禮曹正郎)으로 있을 때, 예속(禮俗)이 문란함을 바로잡고자 사전(祀典)을 만들어 예를 밝혔고, 후에 정몽주(鄭夢周)와 함께 배원론(排元論)을 주장하다가 장류(杖流)되었음. [1332-75] 「피해.

박상-해【雹霜害】명 우박·서리로 농작물이 입은

박상해 보:험【雹霜害保險】명 농업 보험의 하나. 우박이나 서리에 의하여 농작물에 생긴 손해를 전보(塡補)하는 보험.

박새[1] 명〖식〗[*Veratrum grandiflorum*] 백합과에 속하는 다년초. 줄기 높이 60-150 cm 가량으로 직립하고 지하경(地下莖)은 굵고 짧으며, 비스듬히 땅에 묻힘. 밑부분 잎에는 엽신(葉身)이 없고 초상(鞘狀)이 되어 줄기를 쌈. 윗부분의 잎은 큰 엽신이 있고 넓은 타원형이며, 길이는 20-30 cm로 뒷면에 모상(毛狀) 돌기가 있음. 7-8월에 많은 소화경(小花莖)을 분지(分枝)하고 담녹색(淡綠色) 꽃이 자웅 이주(雌雄異株)의 총상 화서로 핌. 한지(寒地)의 습한 초원에 나는데 한국·일본에 분포함. 여로(藜蘆).

〈박새¹〉

박-새[2] 명〖조〗①박샛과 박새속(屬)에 속하는 새의 총칭. ② [*Parus major minor*] 박샛과에 속하는 새의 하나. 날개 길이는 7 cm, 꽁지는 6 cm 가량이고 머리는 흑백색, 뺨은 백색, 배면(背面)은 황록색이고, 날개는 흑색에 백색 띠가 한 개 있으며 하면은 백색이고 중앙에 한 개의 흑색 세로 무늬가 있음. 봄에 나무의 구멍에 집을 짓고 6-12개의 알을 깜. 곤충을 잡아먹는 아름다운 보호조임. 숲 속에 서식하며, 도회지의 정원에 찌지어 오는데 동부 아시아에 분포함. 백협조(白頰鳥). 임작(荏雀).

〈박새²❷〉

박새[3] 명〈방〉우박(함북).

박새기 명〈방〉바가지(제주). 「임.

박색【薄色】명 아주 못생긴 얼굴. 또, 그러한 사람. 흔히, 여자에게 쓰

박샛-과【—科】명〖조〗[Paridae] 참새목(目)에 속하는 한 과. 소형의 조류로 몸빛은 흑색·백색·회청색·황색 등이고 삼림대(森林帶)와 도시의 정원에 서식하며 번식기에는 나무의 바위틈 등에 주로 이끼류로 둥지를 짓고, 한배에 5-6개의 알을 깜. 알은 백색에 갈색 및 흑갈색의 반점이 있음. 박새·뱁새·제주오목눈이 등이 이에 속하는데, 전세계에 200여 종이 분포함.

박-서[1]【朴犀】명〖사람〗고려 고종(高宗) 때 몽고군을 격파한 병마사(兵馬使). 고종 18년(1231) 몽고군이 구주(龜州)로 쳐들어왔을 때 몽고의 장군 살리타(Salietai, 撒禮塔)의 군대를 격퇴(擊退)하였음. 생몰 연대 └미상.

박서[2]【搏噬】명 움켜 쥐고 씹어 먹음. ——-하다 타여불

박서[3]【薄暑】명 초여름의 대단하지 아니한 더위.

박석【薄石·礴石】명 넓고 얇게 뜬 돌. ¶ ~ 고개.

박선【舶船】명 큰 배.

박설[1]【駁說】명 남의 주장을 반박하는 학설. 박론(駁論).

박설[2]【薄雪】명 자국눈.

박섬【縛苫】명〖민〗복쌈.

박섭【博涉】명 널리 섭렵(涉獵)함. ——-하다 타여불

박성【剝姓】명 성을 박탈함. *거성(去姓). ——-하다 자여불

박-성(:)원【朴性源】명〖사람〗조선 숙종(肅宗)·영조(英祖) 때의 학자. 자는 사준(士濬), 호는 포암(圃菴). 운서(韻書) 연구에 공로가 큰 실학(實學) 시대의 학자. 벼슬이 참판에 이름. 저서에 《화동 정음 통석 운고(華東正音通釋韻考)》·《화동 협음 통석(華東叶音通釋)》 등이 있음. 시호는 문헌(文憲). [1697-1767]

박세【迫歲】명 섣달 그믐이 가까워 옴. ——-하다 자여불

박-세(:)당【朴世堂】명〖사람〗조선 숙종(肅宗) 때의 이조 판서(吏曹判書). 자는 계긍(季肯), 호는 서계(西溪). 본관은 반남(潘南). 소론(少論)으로서 숙종 29년(1703) 그의 《사서 집주(四書集註)》가 주자의 학설을 비방하였다 하여 추방당하였음. 저서에 《사변록(思辨錄)》 등이 있음. [1629-1703]

박-세(:)채【朴世采】명〖사람〗조선 숙종(肅宗) 때의 상신(相臣). 자는 화숙(和叔), 호는 현석(玄石) 또는 남계(南溪). 본관은 반남(潘南). 성리학자(性理學者)로서 숙종 20년(1694)에 좌의정이 되었고 황극 탕평설(皇極蕩平說)을 주장하였음. 저서에 《심학 지결(心學至訣)》·《이학 통록(理學通錄)》 등 수백 권이 있음. 문묘(文廟)에 배향(配享)함. 시호는 문순(文純). [1631-95]

박소【朴素】명 수수하고 검소함. 소박(素朴). ——-하다 형여불

박소-하다【薄少—】형여불 얼마 되지 아니하다.

박-속[1] 명 박 안의 씨가 박혀 있는 하얀 부분. ¶ ~같이 흰 살결.

박속[2]【樸樕】명〖식〗떡갈나무.

박속[3]【薄俗】명 경박한 풍속.

박속 나물 명 덜 익은 박을 쪼개어 삶아, 그 속의 씨가 박힌 부분을 버리고 살만 긁어서 무친 나물. 포심채(匏心菜).

박손 문화【—文化】[Bac-son] 명 베트남의 통킹 평야 북부를 중심으로 하는 중석기(中石器) 말기 또는 신석기 초기 문화. 박손 산괴(山塊)에 유적이 많음. 편도형(扁桃形)의 타제(打製) 돌도끼, 날만을 간 직사각형의 돌도끼 등 박손식(式) 석기가 출토됨.

박송[1]【縛送】명 죄인을 포박하여 보냄. ——-하다 타여불

박송[2]【薄松】명 두께 3 cm, 나비 25 cm, 길이 210 cm 가량 되게 켜서 만 └든 소나무 널. *장송(長松).

박쇠기 명〈방〉바가지(제주).

박수[1] 명〖민〗남자 무당. 「는 일. ——-하다 자여불

박수[2]【拍手】명 두 손뼉을 마주 침. 기쁘거나 찬성·환영할 때 손뼉을 치

박수[3]【博搜】명 이 책 저 책에서 널리 찾아 봄. ——-하다 타여불

박수[4]【薄收】명 적은 수확. 얼마 안 되는 수입.

박수 갈채【拍手喝采】명 연하여 손뼉을 치며 칭찬함. ——-하다 자여불

박-수근【朴壽根】명〖사람〗서양 화가. 강원도 양구(楊口) 출생. 독학으로 미술을 공부하여 1932년 조선 미술 전람회에 입선, 1953년에 국전(國展)에 특선, 1962년부터 국전 심사 위원이 됨. 회백색을 구조로 한 간결한 선묘(線描)로 생활 주변의 풍정을 표현함. [1914-65]

박-수량【朴守良】명〖사람〗조선 명종(明宗) 때의 명신. 자는 군수(君遂). 태인(泰仁) 사람. 주세붕(周世鵬)과 깊이 교유하고 청렴하여 벼슬이 좌참찬(左參贊)에 올랐으며 《중종 실록(中宗實錄)》·《인종 실록(仁宗實錄)》을 편찬하였음. [1491-1554]

박수-례【拍手禮】명 박수로 하는 인사.

박-수춘【朴壽春】명〖사람〗조선 인조(仁祖) 때의 학자. 자는 경로(景老), 호는 국담(菊潭). 밀양(密陽) 사람. 정유 재란(丁酉再亂) 때 의병을 모집, 곽재우(郭再祐)를 도왔으며, 병자 호란(丙子胡亂) 때에는 산에 들어가 숨어 살았음. 성리학의 연구로 저서가 많음. 저서 《도통연원(道統淵源)》·《독서 지남(讀書指南)》·《학문 유해(學問類解)》등. 사후에 호조 참의에 추증(追贈)됨. [1572-1652]

박-순[1]【朴淳】명〖사람〗조선 태종(太宗) 때의 문신. 태조(太祖)가 함흥(咸興)으로 가서 오래 돌아오지 아니하므로 태종의 명을 받들고 가서 그의 뜻을 돌리고 오다가 용흥강(龍興江)에서 태조의 신하에게 허리를 잘리어 죽었음. [?-1402]

박-순[2]【朴淳】명〖사람〗조선 선조(宣祖) 때의 영의정. 자는 화숙(和叔), 호는 사암(思庵). 충주(忠州) 사람. 율곡과 퇴계를 변론한 까닭으로 서인으로 지목되어 탄핵을 받고 영평(永平) 백운산(白雲山)에 은거함. 한당체(漢唐體)의 시를 잘 썼음. [1523-89]

박-순우【朴淳愚】명〖사람〗조선 숙종(肅宗)·영조(英祖) 때의 문인. 자는 지수(智叟), 호는 명촌(明村). 효행(孝行)이 지극했고 문재(文才)가 뛰어났음. 저서에 《동유록(東遊錄)》·《금강 별곡(金剛別曲)》등이 있음. [1686-1759]

박-순(:)천【朴順天】명〖사람〗여류 정치가. 본명은 명련(命連). 동래(東萊) 출생. 3·1 운동에 참가, 1년간 옥고를 치름. 1948년 정부가 수립되자 감찰 위원에 임명되고, 대한 부인회 회장 등을 역임. 50년부터 국회의원, 민주당 최고 위원 등으로 활약하였으며, 80년에는 국정(國政) 자문 위원에 임명됨. [1898-1983]

박-술음【朴術音】명〖사람〗교육자·영문학자. 서울 출신. 휘문 중학교 교사 및 교장, 연세대 교수, 한국 외국어 대학 대학원장·학장을 역임. 1952년에는 사회부 장관에 임명됨. [1902-83]

박스[box] 명 ①상자. 궤. ②극장이나 카페의, 칸을 막은 특별석. ③수위·순경·보초들의 직소(職所)로서의 간단한 건축물. ④야구 경기에서, 타자·코치가 서는 자리. ⑤↗전화 박스. ⑥↗박스 코트(box coat).

박스-권【—圈】[box] [—꿘] 명〖경〗주가(株價)의 오르내림이 일정한 가격대(帶) 안에서만 소폭(小幅) 움직일 때, 그 가격의 범위. ¶ ~을 맴도는 지루한 장세(場勢).

박스 스타일[box style] 명 주로 여성의 옷에서 허리 부분이 들어가지 않아 상자 같은 느낌을 주는 스타일. ¶ ~의 원피스.

박스 스패너[box spanner] 명〖공〗너트(nut)의 위로부터 덮어 끼워서 틀게 만든 스패너.

박스 오피스[box office] 명 ①극장의 표 파는 곳 ②극장의 매표 수익.

박스 코:트[box coat] 명 상자형(型) 코트. 본래는 마부(馬夫)들이 입는 긴 코트를 말하였으나 최근에는 특히 여성용으로서 응용됨. ㊤박스.

〈박스 스패너〉

박스트[Bakst, Leon Nikolaevich] 명〖사람〗러시아의 화가·무대 미술가. 처음 풍속화·초상화를 그리다가 파리(Paris)에 나와 주로 발레(ballet)의 무대 장치로 이름을 얻었음. [1866-1924]

박스 플리:트[box pleat] 명 맞주름. ¶ ~ 스커트.

박-습【朴習】명〖사람〗조선 태종(太宗) 때의 병조 판서. 함양(咸陽) 사람. 전라도 관찰사로 있을 때 김제(金堤)의 벽골제(碧骨堤)를 수축(修築)하여 지금도 그에 대한 송덕비(頌德碑)가 남아 있음. [?-1418]

박승【縛繩】명 포승(捕繩).

박-승무【朴勝武】명〖사람〗동양화가. 호는 소하(小霞)·심향(心香)·심향(深香). 서울 출생. 1913년 서울 서화 미술회(書畫美術會) 동양화부를 졸업, 중국 상하이(上海)·일본 도쿄 등지에서 활약하다, 해방 후 대전(大田)에서 작품 생활을 함. 현대 산수 육대가(山水六大家)의 하나로 설경(雪景) 산수가 일품임. 대표작으로 《설경 팔련 곡병(雪景八連曲屛)》·《팔학도(八鶴圖)》·《신선도(神仙圖)》가 있음. [1893-1980]

박-승빈【朴勝彬】명〖사람〗국어학자. 1931년 '조선어학 연구회(朝鮮語學硏究會)'를 조직, 주시경(周時經) 계통의 문법을 반박하고 자기류의 문법 체계를 세웠음. 저서에 《조선어학 강의 요지》·《조선어학》등이 있음. [1884-?]

박-승종【朴承宗】명〖사람〗조선 광해군(光海君) 때의 영의정. 자는 효백(孝伯), 호는 퇴우당(退憂堂). 밀양(密陽) 사람. 인조 반정(仁祖反正)이 일어나자, 손녀가 세자빈(世子嬪)으로 들어간 뒤 그의 일족이 오랫동안 요직에 앉아 권세를 부린 사실을 자책하여 자살하였음. 시호는 숙민(肅愍). [1562-1623]

박-승환【朴昇煥】명〖사람〗순국 지사(殉國志士). 구한국군의 참령(參領)으로서, 시위 연대의 제1대대장. 1907년 고종(高宗)이 양위하였을 때 궁중에 돌입하여 복위 운동을 꾀하다가 뜻을 이루지 못하였으며, 동년 8월 군대를 해산시킬 때, 분격하여 자결하였음. [1869-1907]

박시【博施】명 뭇사람에게 널리 은혜를 베풂. ——-하다 자여불

박시-싸움 명〖민〗경상 북도 군위(軍威)에 전승되는 민속 놀이. 음력 정월 보름날 전후 3일간 동서 양편으로 갈리어 팔짱을 끼고 어깨로 적을 밀어 붙여서 적진을 돌파하는 남성 집단 놀이. 이 놀이의 대장격인

힘센 자를 '박수'라고 하는데 그것에서 '박시'로 굳어진 듯함.

박시 제:중【博施濟衆】명 널리 은혜를 베풀어서 뭇사람을 구제함. ——-하다 자여불

박식¹【博識】명 학식이 많음. 견문이 넓음. ¶ ~을 자랑하다. ——-하다 형여불

박식²【薄蝕】명 해와 달이 흐려지는 일과 이지러지는 일.

박식-가【博識家】명 박식한 사람.

박신-거리다 자 사람이나 짐승이 좁은 곳에 많이 모여 활발하게 움직이다. ¶ 온 동네 사람들이 잔칫집에서 ~. <벅신거리다. 박신-박신 부. ——-하다 자여불

박신-대다 자 박신거리다.

박실-거리다 자 ☞박신거리다.

박식 명〈옛〉〖식〗박새¹. ¶ 박식(藜蘆)《方藥 20》.

박-쌈 명 남의 집에 보내려고 음식을 담고 보자기로 싼 함지박.

박쌈-질 명 음식을 박쌈으로 도르는 일. ——-하다 타여불

박씨부인-전【朴氏夫人傳】명〖책〗박씨전.

박씨-전【朴氏傳】명〖책〗국문으로 전하는 조선 시대 고대 소설의 하나. 작자와 연대는 미상(未詳). 병자 호란(丙子胡亂)의 치욕에 대한 보복으로서 씌어진 작품인데, 이시백(李時白)의 아내 박씨는 아주 얼굴이 못생겼으나 학식과 재주가 많아 도술로써 남편을 과거에 급제시켜 평안 감사가 되게 한 후, 자기도 허물을 벗고 미인이 되어 호왕(胡王)과 적장을 단단히 골려 주었다는 줄거리임. 박씨부인전.

박아【博雅】명 학식이 넓고 성품이 아담(雅淡)함. 또, 그러한 사람이나 모양. ——-하다 형여불

박아 내:다 타 사진이나 글자 등을 찍어 내다.

박악【薄惡】명 ①됨됨이가 두툼하지 못하고 아주 언짢음. ¶~한 제품. ②박정하고 모짊. ¶~한 사람. ——-하다 형여불

박애¹【博愛】명 인류애(人類愛)의 정신에서 널리 자비(慈悲)·동정을 베풀어, 모든 사람을 평등(平等)으로 사랑함. 범애(汎愛). *사랑¹. ——-하다 타여불

박애²【博愛】명〖지〗'보아이'를 우리 음으로 읽은 이름.

박애-주의【博愛主義】[-/-이] 명〔philanthropy〕인종적(人種的) 편견(偏見)이나 국가적 이기심(利己心)을 버리고 인류 전체의 복지 증진을 위하여 전(全)인류가 모두 평등하게 서로 사랑해야 한다는 주의. 그 근거는 종교에 두었음. 사해 동포주의(四海同胞主義).

박액【迫阨】명 ①옹색함. 좁고 답답함. ②제게 이로운 것만 생각하고 남의 사정은 돌보지 아니함. ——-하다 자여불

박야¹【博夜】명 기나긴 밤. 장야(長夜).

박야²【薄夜】명 박모(薄暮).

박야³【樸野】명 질야(質野). ——-하다 형여불

박약【薄弱】명 ①굳세지 못함. 특히 의지(意志)·체력 따위가 약함. 또, 그 모양. ¶ 정신 ~. ②똑똑하지 못하고 어렴풋함. 불확실하고 불충분함. ¶ 이론적 근거가 ~하다. ③얇고도 약함. ——-하다 형여불

박어-부득【迫於不得】명 박부득이(迫不得已). ——-하다 형여불

박언-학【博言學】명 '언어학(言語學)'의 구칭.

박-연¹【朴堧】명〖사람〗조선 세종(世宗) 때의 음률가(音律家). 우리 나라 3대 악성의 한 사람. 자는 단부(坦夫), 호는 난계(蘭溪), 신라 왕족의 후예로 이조 판서에 이름. 세종을 도와 악기를 크게 개량, 한국 고유 음악의 토대를 공고히 하였음. 시호는 문헌(文獻). [1378-1458]

박-연²【朴淵】명〖사람〗조선 시대 때의 전술(戰術) 교관. 본시 네덜란드 사람으로 본명은 벨테브레(Weltevree). 인조(仁祖) 6년(1628)에 표류하여 들어와 귀화한 후 한국 여자와 결혼하였음. 훈련 도감에서 전술을 가르치고 왕명으로 대포를 만들었음. [1595-?]

박연 폭포【朴淵瀑布】명 ①〖지〗경기도 개풍군(開豐郡)에 있는 폭포. 개성(開城)에서 40리 가량 되는 천마산록(天摩山麓)에 있음. 부근에는 약수(藥水)가 있고 가을 단풍이 아름다워 송도 삼절(松都三絕)의 하나로 알려져 있음. 높이 20여 m. ②〖악〗사설의 첫 부분을 따서 부르는, 경기 민요 '개성 난봉가'의 딴이름.

박-염촉【朴厭觸】명〖사람〗이차돈(異次頓)의 중 되기 전의 이름.

박엽-지【薄葉紙】명〔tissue paper〕얇게 뜬 양지(洋紙)의 하나. 사전 용지·담배 용지·타이프라이터 용지·원지(原紙) 등에 쓰임.

박-영【朴英】명〖사람〗조선 중종(中宗) 때의 명신. 자는 자실(子實), 호는 송당(松堂). 밀양(密陽) 사람. 기묘 사화(己卯士禍)에 관련되어 20년간 한거(閑居)하였음. 의술(醫術)에도 정통하여 《경험방(經驗方)》·《활인 신방(活人新方)》을 저술하였음. [1471-1540]

박-영수【朴英秀】명〖사람〗조선 시대 때의 가인(歌人). 자는 사준(士俊). 멀리 떨어져 있는 임을 그리는 열렬한 연정을 읊고 젊은 날의 풍류 생활을 회고하는 시조 5수가 《가곡 원류(歌曲源流)》에 전함.

박-영준【朴榮濬】명〖사람〗소설가. 호는 만우(晩牛). 평안 남도 강서(江西) 출생. 연희 전문 학교 문과 졸업. 1934년 단편 소설 《모범 경작생(模範耕作生)》으로 문단에 데뷔, 소박하고 건실한 문장으로, 소시민의 윤리 문제를 추구하였음. 단편집 《목화씨 뿌릴 때》·《그늘진 꽃밭》·《방관자(傍觀者)》 등이 있음. [1911-76]

박-영(:)효【朴泳孝】명〖사람〗조선 시대 말엽의 친일(親日) 정치가. 자는 자순(子純). 1884년의 갑신 정변(甲申政變)에 사대당(事大黨)에 패하여 일본으로 망명하였다가 귀국하여 내무 대신(內務大臣)을 지냈고, 한일 합방 후 일본의 후작(侯爵)을 받았음. [1861-1939]

박-영희【朴英熙】[-히] 명〖사람〗시인·소설가. 호는 회월(懷月). 서울 출생. 1921년 시(詩) 동인지 '장미촌'을 발간, 상징적인 서정시를 발표하고 카프(KAPF)의 대변자로 활약하다가 순수 예술로 전향하였음. 작품에 시 《유령의 나라》, 소설 《사냥개》·《전투》 등이 있음. 6·25동란 때 납북되었음. [1901-?]

박옥【璞玉】명 쪼거나 갈지 아니한 옥(玉) 덩어리.

박옥 혼금【璞玉渾金】명 아직 쪼지 아니한 옥과 아직 불리지 않은 금이란 뜻으로, 바탕은 좋으나 꾸미지 아니한 것을 이름.

박용【舶用】명 선박에 사용함. 선박용(船舶用).

박용 기관¹【舶用汽罐】명 선박에 장치하여 기관의 증기 발생용으로 쓰이는 보일러.

박용 기관²【舶用機關】명 추진기(推進機)를 회전시키고 물의 저항을 이기어 선박을 진행시키는 원동(原動) 기관의 총칭. 증기 기관·증기 터빈·디젤 기관·전동기(電動機) 등.

박용 기기【舶用汽機】명 선박의 원동기로 쓰이는 증기(蒸氣) 기관.

박-용철【朴龍喆】명〖사람〗시인. 호는 용아(龍兒). 전남 출생. 회의(懷疑)·모색·상징 등이 그의 시의 주조(主調)였음. '시문학(詩文學)'·'문예 월간(文藝月刊)' 등을 창간하고 경향파(傾向派) 문학에 대립하여 순수 문학 운동을 전개하였음. 저서에 《박용철 시선》·《박용철 전집》이 있음. [1904-34]

박용-탄【舶用炭】명 선박의 증기 기관에 쓰이는 석탄. 회분(灰分)이 적고 발열량(發熱量)이 큰 무연탄을 씀. 벙커 콜(bunker coal).

박우【薄遇】명 불친절한 대우. 냉담한 대접. 박정한 예우. ↔후우(厚遇). ——-하다 타여불

박-우물 명 바가지로 물을 뜰 수 있는 얕은 우물. ↔두레우물.

박운¹【薄雲】명 엷게 낀 구름.

박운²【薄運】명 기박한 운명. 불행한 운수. ——-하다 형여불

박운-도【薄雲島】명〖지〗평안 북도 철산군(鐵山郡)의 서해상에 위치한 섬. [0.385 km²]

박-원종【朴元宗】명〖사람〗조선 중종(中宗) 때의 공신. 자는 백윤(伯胤). 순천(順天) 사람. 성종(成宗) 17년(1487) 무과에 급제한 후 연산군(燕山君)의 폭정을 보고 유순정(柳順汀)·성희안(成希顔)과 같이 임금을 내쫓고 중종을 맞아들였음. 시호는 무열(武烈). [1467-1510]

박유【薄帷】명 얇은 휘장. 얇은 장막.

박-은【朴誾】명〖사람〗조선 연산군(燕山君) 때의 청년 학자. 자는 중열(仲說), 호는 읍취헌(挹翠軒). 고령(高靈) 사람. 18세 때 문과에 급제하였고, 문장에 능함. 총명한 재사(才士)로 유자광(柳子光) 등을 탄핵하다가 파직되어 갑자 사화(甲子士禍) 때에 사형됨. 조선 시대 으뜸의 한시인(漢詩人)으로 일컬기도 하며 뒤에 도승지(都承旨)에 추증(追贈)됨. [1479-1504]

박-은식【朴殷植】명〖사람〗독립 운동가. 호는 백암(白巖) 또는 겸곡(謙谷). 황해도 출생. 3·1 운동 뒤에 상하이(上海)에서 '독립 신문'·'한족 회보(韓族會報)'·'사민보(四民報)'의 주필을 지낸 후, 1925년 임시 정부 국무 총리, 1926년 대통령을 역임. 주저 《한국 통사(痛史)》·《한국 독립 운동지혈사(韓國獨立運動之血史)》 등. [1859-1926]

박은-이 명 책을 인쇄한 사람. 인쇄인(印刷人).

박음-질 명 ①바느질의 하나. 실을 곱걸어서 꿰매는 일. 이에는 온 땀침과 반 땀침의 두 가지가 있는데, 온 땀침은 바늘을 전에 바늘 뽑은 구멍에 다시 들이밀어서 앞으로 한 땀을 비켜서 빼내는 것이고, 반 땀침은 전에 바늘 들이민 구멍과 바늘 뺀 구멍의 중간에 바늘을 들이밀어서 앞으로 한 땀을 비켜서 뜸. ②재봉틀로 박는 일. ——-하다 자타여불

박음-판【一版】명 인쇄판(印刷版).

박읍【薄邑】명 잔읍(殘邑).

박의¹【薄衣】[-/-이] 명 얇은 옷.

박의²【薄儀】[-/-이] 명 약소한 예물(禮物). 박사(薄謝).

박-의장【朴毅長】명〖사람〗조선 선조(宣祖) 때의 무신. 자는 사강(士剛). 무안(務安) 사람. 임진 왜란 때 경주 부윤(慶州府尹)으로 경주 탈환 싸움에서 화차(火車)와 비격 진천뢰(飛擊震天雷)로 적을 대파함. 경상 좌절도사(慶尙左節度使)에 승진하였음. 시호는 무의(武毅). 생몰년 미상.

박-의중【朴宜中】명〖사람〗고려 말기의 명신. 자는 자허(子虛), 호는 정재(貞齋). 밀양(密陽) 사람. 우왕(禑王) 때 밀직제학(密直提學)으로 명나라와 교섭, 철령(鐵嶺) 이북 영토 주장을 실현시키고 공양왕(恭讓王) 때 한양 천도(漢陽遷都)를 반대, 음양설(陰陽說)의 허황함을 역설하였음. 조선 시대에 들어와서 《고려사》를 편찬, 검교 참찬 의정부사(檢校參贊議政府事)가 되었음. 생몰년 미상.

박이【雹異】명 우박으로 인한 이상(異狀). 우박이 인축(人畜)에 해를 끼치는 일.

-박이 미 '무엇이 박혀 있는 사람이나 짐승 또는 물건'의 뜻. ¶ 점~/차돌~/금니~.

박이-것 명 ①박아서 만든 물건의 총칭. ②박이옷.

박이-겹것 명 박음질을 하여 지은 겹옷.

박이-겹바지 명 박음질하여 지은 겹바지.

박이-끌 명 때려 박아서 자국만을 내는 끌. 창살같이 조그만 것이 들어갈 구멍을 파는 데에 씀.

박이다¹ 자 ①박아 놓은 듯이 한 곳에 붙어 있거나 끼어 있다. ¶ 발바닥에 못이 ~. ②오랜 버릇이나 느낌이 크거나 깊어 마음이나 몸에 꼭 배다. ¶ 담배를 오래 피우면 인이 박여 끊기 어렵다/머리속에 박인 나쁜 관념. ③지연(紙鳶)이 잘못하여 높은 데에 걸리다.

박이다² 자 ☞배기다¹.

박이다³ 사동 인쇄물이나 사진을 박게 하다. ¶ 책을 ~/사진을 ~.

박이-두루마기 명 박음질하여 지은 두루마기. ¶ 모시 ~.

박이-무 명〈방〉장다리무.

박이 부정【博而不精】명 널리 알되 정밀하지 못함. ——-하다 형여불

박이-연【一鳶】명 연의 한 가지. 돈이나 눈·긴 코 같은 모양을 박은 연. 돈점박이·귀머리장군·눈깔귀머리장군 등이 있음.

박이-옷 명 박음질을 하여 지은 옷. 박이것.

박인【博引】명 널리 예(例)를 인용하는 일. ——-하다 자여불

박-인간【朴仁幹】명〖사람〗고려 충선왕(忠宣王) 때의 충신. 왕을 따라

원(元)나라에 들어가, 모함을 받고 유배된 왕을 시종한 공로로 공신이 되어 판밀직사사(判密直司事)까지 지냈으며, 그 후 원(元)나라 세자의 스승이 되어 원나라에서 죽었음. [? -1343]

박-인량【朴寅亮】[-일-] 명〖사람〗고려의 학자. 자는 대천(代天). 죽주(竹州) 사람. 문장이 뛰어나 요송(遼宋)에 보내는 외교 문서는 대개 그가 썼으며, 저서에는 《고금록(古今錄)》과 김 근(金覲)과 합작한 문집《소화집(小華集)》이 있음. [?-1096]

박-인로【朴仁老】[-일-] 명〖사람〗조선 선조(宣祖) 때의 시인. 호는 노계(蘆溪) 또는 무하옹(無何翁). 안동 사람. 임진 왜란 때 전공을 세우고 또 《태평사(太平詞)》를 지어 사졸(士卒)을 위로하였으며 관계에서 하야한 뒤에는 오로지 시작에 전념하였음. 작품에 《사제곡(莎堤曲)》·《영남가(嶺南歌)》·《노계가》 등이 있음. [1561-1642]

박인 방증【博引旁證】명 여러 가지 서책(書冊)에서 많은 용례(用例)를 끌어내어, 그것으로 사물을 설명하는 일.

박-인범【朴仁範】명〖사람〗신라 말기의 문인. 중국 당(唐)나라에 유학하고, 귀국 후 한림 학사(翰林學士)·수예부시랑(守禮部侍郞) 등을 역임하였는데 시인으로 이름을 떨침. 《동문선(東文選)》에 그의 시 10수가 전함. 생몰년 미상.

박-인호【朴寅浩】〖사람〗명 천도교 제4세 교주. 호는 춘암(春菴). 교도들이 존칭하여 상사(上師)라고도 하였음. 덕산(德山) 사람. 29세 때 동학에 참가한 후, 1908년에 제4세 대도주(大道主)가 되었음. [1855-1940]

박-인환【朴寅煥】명〖사람〗시인. 강원도 출생. 모더니즘에 입각한 시를 썼으나 요절하였음. 시집 《박인환 시선(詩選)》을 남김. [1923-56]

박-일성【朴日省】[-썽] 명〖사람〗조선 시대 중기의 문신. 자는 학로(學魯). 상주(尙州) 사람. 정묘 호란(丁卯胡亂) 때는 주전론을 주장하였고, 인조(仁祖) 24년(1646) 강빈(姜嬪) 옥사에 관련, 파직되었다가 현종(顯宗) 때에 다시 승정원 승지(承旨)가 되었음. [1599-1671]

박자【拍子】명 ①〖악〗센박과 여린박이 규칙적으로 되풀이되는 음악적 시간의 기본 단위. 박자는 마디를 단위로 하여 표시되며 2박자·3박자·4박자 등의 종류가 있음. 탁트(Takt). ¶ 4분의 3~/~를 맞추다. ②〖악〗박(拍)❶. ③〖고고학〗두들개.

박자-기【拍子器】명〖음〗메트로놈.

박자 기호【拍子記號】명〖악〗박자표(拍子標).

박자-표【拍子標】명〖악〗악보 기호의 하나. 흔히 음자리표 다음에 분수형(分數形)이나 C·₵ 등으로 표시하는데, 1박자로 셀 수 있는 음표의 종류와 한 마디 안에 있는 박자의 수를 지시함. 박자 기호(拍子記號).

박작 명〈방〉바가지(전남).

박작-거리다 자 ①많은 사람이 좁은 곳에 모여 어수선하게 뒤끓듯이 움직이다. ¶시장에 사람들이 ~. <벅적거리다. ②물 같은 것이 작은 그릇에서 바글바글 끓어오르다. 박작-박작 명. ──-하다 자여불

박작-대다 자 박작거리다.

박-잔【-盞】명 조그만 박을 두 쪽으로 갈라 옻칠을 하고 금고리를 단 잔. 구식 혼인 때 신랑과 신부가 술을 주고받는 데 씀.

박잡【駁雜】명 뒤섞여서 어수선함. 순수하지 못함. ──-하다 형여불

박장¹【拍掌】명 손바닥을 침. 손뼉을 침. ──-하다 자여불

박장²【薄葬】명 장례(葬禮)를 간단히 지냄. 검장(儉葬). ──-하다 자여불

박-장기 명〈옛〉바둑 장기. ¶여나무 정자(亭子) 아리 박장기 벼려 두고 [《永言》].

박-장기【-將棋】명 ↗바둑 장기.

박장 대:소【拍掌大笑】명 손뼉을 치며 크게 웃음. ──-하다 자여불

박-장호【朴長浩】명〖사람〗독립 운동가. 호는 화남(華南). 황해도 출생. 개화당(開化黨)의 친일 정책을 반대하고 을사 조약(乙巳條約)이 체결되자 의거(義擧), 남만주로 망명하여 독립단 도총재(都總裁)로 항일 투쟁중 피살되었음. 건국 공로 훈장 단장(單章)이 추서됨. [?-1922]

박재¹ 명〈방〉우박(함북).

박재²【舶載】명 ①배에 실음. 선박에 실어 운송함. 선재(船載). ②박래(舶來). ──-하다 타여불

박재³【博載】명 널리 수집하여 실음. 여러 가지 사항을 기재(記載)함. ──-하다 타여불

박재⁴【雹災】명 우박이 농작물(農作物)에 끼치는 재해.

박재⁵【薄才】명 변변하지 못한 재주. 박기(薄技).

박재기 명〈방〉①바가지(경상). ②바지랑대(경북).

박재이 명〈방〉바가지(경북).

박적 명〈방〉바가지(전북).

박전¹【搏戰】명 격투(格鬪). ──-하다 자여불

박전²【薄田】명 메마른 밭.

박전 박답【薄田薄畓】명 지기(地氣)가 메마른 밭과 논. ↔옥전 옥답(玉田沃畓).

박절¹【拍節】명〖악〗일정한 박자(拍子)가 주기적으로 반복하여 진행되는 마디.

박절²【迫切】명 인정이 없고 야박함. ¶ ~하게 굴다. ──-하다 형여불. ──-히 부. ¶ ~ 대하다.

박절-기【拍節器】명〖악〗'메트로놈(metronome)'의 역어(譯語).

박-정¹【朴炡】명〖사람〗조선 인조(仁祖) 때의 문신. 자는 대관(大觀), 호는 하석(霞石). 나주(羅州) 사람. 광해군(光海君) 11년(1619)에 정시(庭試)에 급제함. 인조 반정(仁祖反正)에 참가하여 정사 공신(靖社功臣)이 되고, 이괄(李适)의 난을 평정하였으며, 벼슬은 남원(南原) 부사·홍문관 부제학을 지냈음. 시호는 충숙(忠肅). [1596-1632]

박정²【薄情】명 인정이 적음. 동정심이 희박함. 냉장(冷腸). ¶ ~한 사람. ↔다정(多情). ──-하다 형여불. ──-히 부

박-정길【朴鼎吉】명〖사람〗조선 광해군(光海君) 때의 문신. 자는 양이(養而). 밀양(密陽) 사람. 선조(宣祖) 39년(1616) 문과에 급제하여 참판에 이르렀으며, 폐모론(廢母論)을 주장하여 인조 반정(仁祖反正) 때 피살되었음. [? -1623]

박-정로【朴廷老】[-노] 명〖사람〗조선 광해군(光海君) 때 문신. 자는 여헌(汝獻), 호는 나학자(懶學者). 밀양(密陽) 사람. 조 헌(趙憲)에게 배우고 예학(禮學)에 밝아 광해군 4년(1612)에 행부호군(行副護軍)이 되었음. [1553-1631]

박정-스럽다【薄情-】형(ㅂ불) 박정한 듯하다. 박정-스레【薄情-】부

박-정(:)양【朴定陽】명〖사람〗조선 고종(高宗) 때의 대신. 자는 치중(致中). 반남(潘南) 사람. 고종 18년(1882)에 일본 신사 유람단(紳士遊覽團)의 일원으로 일본을 시찰, 고종 24년(1888)에 미국 특파 대사를 지냈으며, 후에 학부 대신(學部大臣)·내무 대신(內務大臣)을 역임함. [1841-1904]

박-정(:)희【朴正熙】[-히] 명〖사람〗군인·정치가. 경상 북도 선산군(善山郡) 구미(龜尾) 출생. 1937년 대구 사범 학교를 졸업하여 국민 학교 교사를 하다가 1944년 만주 군관 학교를 거쳐 일본 육군 사관 학교 수료. 해방 후 국군(國軍)에 투신(投身), 1961년 육군 소장으로 2군 부사령관 재직시(在職時) 5·16 군사 정변을 주도(主導), 국가 재건 최고 회의 의장이 되었으며, 1963년에 예편(豫編)하여 공화당 총재로서 제5대 대통령으로 취임, 1972년 10월 유신(維新)을 단행, 1979년 제9대 대통령 재임중에 중앙 정보부장의 총탄에 맞아 별세함. [1917-79]

박제【剝製】명 동물의 생태 표본(生態標本)의 하나. 가죽을 곱게 벗기고 속살이나 내장을 발라낸 뒤에 솜 같은 것으로 속을 메우고 방부 방충제(防腐防蟲劑)를 발라서 살아 있는 때와 같은 모양으로 만드는 일. 또, 그 표본. ¶ ~품. ──-하다 타여불

박-제가【朴齊家】명〖사람〗조선 시대 후기의 실학자. 자는 차수(次修), 호는 초정(楚亭). 밀양(密陽) 사람. 박지원(朴趾源)에게 배웠으며, 이덕무(李德懋)·유득공(柳得恭) 등과 교유하여 후세에 이른바 북학파(北學派)를 이룸. 사신(使臣)의 수행원으로 여러 차례 청나라에 왕래하였으며, 합작(合作)한 시집 《건연집(巾衍集)》이 청나라에 소개되자 우리 나라 시문(詩文) 4대가의 한 사람으로 알려짐. 주저(主著) 《북학의(北學議)》·《정유 고략(貞蕤稿略)》. [1750- ?]

박-제상【朴堤上】명〖사람〗신라 눌지왕(訥祗王) 때의 충신. 고구려에 볼모로 가서 있는 왕제(王弟) 복호(卜好)를 돌려 오고, 일본에 볼모로 간 왕제 미사흔(未斯欣)을 돌려 보낸 후 자기는 체포되어 피살되었음. 부인은 그를 기다리다 망부석(望夫石)이 되었다는 전설이 있음. 생몰년 미상.

박-제순【朴齊純】명〖사람〗조선 고종(高宗) 때의 친일(親日) 정치가. 호는 평재(平齋). 반남(潘南) 사람. 한성 부윤(漢城府尹)을 거쳐, 이완용(李完用) 내각의 내부 대신을 지내면서, 국권 피탈에 관한 을사 조약(乙巳條約) 등에 서명하여, 오적(五賊)의 한 사람으로 불려짐. [1858-1916]

박조가리-나물 명〖식〗뽀리뱅이.

박-종경【朴宗慶】명〖사람〗조선 순조(純祖) 때의 권신(權臣). 자는 여회(汝會), 호는 돈암(敦巖). 반남(潘南) 사람. 가순궁(嘉順宮)의 형. 좌찬성·호조 판서 등을 역임함. [1765-1817]

박종일 사:건【朴鍾一事件】[-껀] 명〖역〗조선 순조(純祖) 11년(1811)에 일어난 역모(逆謀) 사건. 박문수(朴文秀)의 아들인 박종일이 강화도(江華島)에 유배된 은언군(恩彦君) 인(䄄)의 아들을 추대하여 홍경래(洪景來)와 호응하려다가 탄로난 사건으로, 그는 이듬해 3월에 잡혀 처형됨.

박-종홍【朴鍾鴻】명〖사람〗철학자. 호는 열암(洌巖). 평양 출생. 경성 제대(帝大) 철학과 졸업. 이화 여전·서울 대학교 교수·성균관 대학 유학 대학장 등을 역임하고, 대통령 특별 보좌관을 지냄. 저서에 《일반 논리학》·《인식 논리학》·《한국 철학사》·《부정(否定)에 관한 연구》 등이 있음. [1903-76]

박-종화【朴鍾和】명〖사람〗소설가·시인. 호는 월탄(月灘). 서울 출생. 휘문 의숙(徽文義塾)을 졸업. 1921년 국내 최초의 시 동인지 '장미촌(薔薇村)'에 《오뇌(懊惱)의 청춘》을 발표하여 문단에 등장, 이듬해 '백조(白潮)' 동인이 되어 단편 소설 《목메이는 여자》를 발표하여 창작에 전념, 시집 《흑방 비곡(黑房祕曲)》·《청자부(靑磁賦)》, 장편 소설 《다정불심(多情佛心)》·《금삼(錦衫)의 피》·《대춘부(待春賦)》·《임진 왜란》·《세종 대왕》 등 많은 저작을 남김. [1901-81]

박-종훈【朴宗薰】명〖사람〗조선 순조(純祖) 때의 상신(相臣). 자는 순가(舜可), 호는 두계(荳溪). 반남(潘南) 사람. 예설(禮說)에 정통하였음. 판중추부사(判中樞府事)를 지냄. 시호는 문정(文貞). 주저(主著)에 《사례 찬요(四禮纂要)》가 있음. [1773-1841]

박주¹ 명〈방〉〖동〗박쥐(전남).

박-주²【-主】명 노름판에서 물주(物主) 노릇을 하는 사람.

박주³【薄酒】명 ①맛이 좋지 못한 술. 조주(粗酒). ②자기가 내는 술의 겸칭. ¶ ~나마 한 잔 하세. [박주 한 잔이 차보다 낫다] 맛이 좋지 못한 탁주가 차보다 낫다는 뜻으로, 아무리 쓰기에 불편한 것이라도 있는 것이 없는 것보다 낫다는 말.

박주가리¹ 명〖식〗[*Metaplexis japonica*] 박주가릿과에 속하는 다년생 만초(蔓草). 줄기는 길이 3m 내외이고 잎은 대생이며 장병(長柄)의 긴 심장형인데 뒷면은 백색임. 7-8월에 담자색 꽃이 액출(腋出)하여 총상(總狀) 화서로 피고, 과실은 골돌과(蓇葖果), 종자에는 털이 있음. 산과 들에 나는데, 한국 각지에 분포함. 줄기와 잎에서 백색 유즙(乳汁)이 나옴. 종자는 식용하는 한편 잎과 함께 한약재로도 씀. 교등(交藤). 구진등(九眞藤). 나마(蘿藦) 새박덩굴.

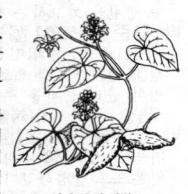

〈박주가리¹〉

박주-가리² 명〈방〉〖동〗박쥐.

박주가릿-과【-科】명〖식〗[Asclepiadaceae] 합판화류(合瓣花類)에 속

하는 한 과. 대개 열대와 온대에 200속(屬) 2,000여 종(種)이 있으며, 한국에는 박주가리·나도은조롱·백미꽃·솜아마존·큰조롱 등의 10속 20종이 분포함.
박주개 명 〈방〉 소꿉장난(경남).
박주개미 명 〈방〉 소꿉장난(경남).
박주게미 명 〈방〉 소꿉장난(전북).
박주기 명 〈방〉 〖동〗 박쥐(경기·황해).
박주 산채【薄酒山菜】명 ①맛이 변변하지 못한 술과 산나물. ②자기가 내는 술과 안주의 겸칭.
박-죽【一粥】명 박의 살을 잘게 썰어 멥쌀과 돼지고기 또는 닭고기를 넣고 쑨 죽. 포죽(匏粥).
박죽-목【一木】명 방앗공이에 가로 박혀 있는 나무. 십자목(十字木)이 돌다가 마주 닿을 때에 방앗공이가 올라가게 됨.
박-중빈【朴重彬】명〖사람〗종교인. 원불교 교조(敎祖). 자는 소태산(少太山). 전라 남도 영광(靈光) 출생. 1926년 각자(覺者)가 되어, 일원(一圓)을 최고 종지(宗旨)로 하고 이를 신앙의 대상과 수행의 표본으로 삼음. [1891-1943]
박:쥐 명 〔중세 : 볽쥐〕〖동〗 ①박쥐목(目)의 관박쥣과(科)·귀박쥣과·박쥣과·집박쥣쥣과·참박과 등에 속하는 짐승의 총칭. 귀박쥐·애기박쥐·조복성박쥐·집박쥐·참관박쥐·털보박쥐 등이 있음. 복익(伏翼). 비서(飛鼠). 선서(仙鼠). 천서(天鼠). 편복(蝙蝠). ②집박쥐.
박쥐의 두: 마음 구 우세한 쪽에 붙는 기회주의자의 교활한 마음.
박:쥐 구실 명 이리 붙고 저리 붙고 하여 반복 무상(反覆無常)하게 지조 없이 행동함을 비유하여 이르는 말. 편복지역(蝙蝠之役).
박:쥐-금【一錦】명 〖건〗 날개를 편 박쥐 모양의 무늬가 연속적으로 놓여진 금단청(錦丹靑) 무늬.
박:쥐-나무 명 〖식〗 [*Marlea platanifolia*] 박쥐나뭇과에 속하는 낙엽 활엽 관목. 높이 3m 가량임. 잎은 원형이고 호생하는데 손바닥 모양으로 3-5 갈래로 얕게 째지고 털이 났음. 여름철에 황색 꽃이 액생(腋生)하여 기산(岐繖) 화서로 피고, 콩 모양의 핵과(核果)는 가을에 검게 익음. 산지의 숲 속에 나는데, 한국·일본·만주·중국에 분포함. 어린 잎은 식용하고, 껍질은 새끼의 대용으로 씀.

〈박쥐나무〉

박:쥐나뭇-과【一科】명〖식〗[Alangiaceae] 쌍떡잎 식물 이판화류(離瓣花類)에 속하는 한 과. 박쥐나무·단풍박쥐나무·누른대나무 등이 있으며, 전세계에 24종이 분포함.
박:쥐-나비 명 〖충〗 박각시나방.
박:쥐-난【一蘭】명〖식〗[*platycerium bifurcatum*] 고사릿과(科)에 속하는 오스트레일리아 원산의 상록(常綠) 양치 식물(羊齒植物). 잎 끝이 사슴뿔 모양으로 갈라진 것이 특색임. 어린 잎은 부드러운 털에 덮인 회록색(灰綠色)인데 자라면 반반하고 짙은 녹색이 됨. 열편은 긴 타원형 또는 혀 모양인데 길이 10cm, 나비 4cm 정도이며 비교적 두꺼움. 온실에서 관상용으로 재배하는데 분(盆)에 매달거나 고목(枯木)을 잘라 그 틈바귀 등에 심음.
박:쥐-목【一目】명〖동〗[Chiroptera] 포유류에 속하는 한 목(目). 앞발의 엄지발가락 이외의 발가락에서 뒷발과 꼬리에 걸쳐 혈관과 신경을 가진 탄력성(彈力性)의 비막(飛膜)이 발달하여, 이것으로 새와 같이 공중을 남. 꽁지는 날 때에 키처럼 사용하나 큰박쥐 아목(亞目)에는 없음. 심장(心臟)과 기낭(氣囊)은 없고, 귀와 코의 촉각이 극히 예민하여 성대에서 독특한 초음파를 내어 그 반사를 귀로 포착하여 거리를 잼. 한배에 보통 한두 마리의 새끼를 낳으며 온대에서는 동면함. 박쥐·참관박쥐·너멀코박쥐·조복성박쥐 등이 이에 속하는데, 큰박쥐 아목(亞目)과 작은박쥐 아목(亞目)의 두 아목(亞目)으로 분류(分類)함. 익수류(翼手類).
박:쥐 삼작【一三作】명 금도금(金鍍金)한 박쥐 모양을 단 삼작 노리개. 오복(五福)을 비는 뜻에서 패용(佩用)하였음.
박:쥐 오입쟁이 명 행세를 잘하는 체하면서, 남몰래 오입질을 하는 사람. 또, 낮에는 들어 앉았다가 밤이면 놀러 다니는 사람.
박:쥐 우:산【一雨傘】명 서양식의 우산. 살을 가는 쇠로 만들고 헝겊으로 씌웠는데 펴면 박쥐의 날개같이 생겼음. 양산(洋傘). 편복산.
박쥐이 명 〈방〉 〖동〗 박쥐(경기).
박:쥐-족【一族】명 낮에는 쉬고 밤이 되면 행동을 개시하는 사람들.
박:쥐-향【一香】명 몸에 차는 향(香)의 한 가지. 온갖 향료를 반죽하여 박쥐 형상같이 만들고 흰 말총으로 집을 하여 차게 되었음. *발향¹·금사향(金絲香).
박:쥣-과【科】명〖동〗[Vespertilionidae] 박쥐목(目)에 속하는 한 과. 비행(飛行) 동물로, 쥐와 비슷한데 외이(外耳)에는 이주(耳珠)가 있고 주둥이에는 뚜렷한 비엽(鼻葉)이 없음. 전지(前肢)의 비막(飛膜)으로 날개를 형성하여 날고, 성대를 통하여 초고음파(超高音波)를 발사, 그 반사음(反射音)을 포착하여 방향을 조정함. 야간 활동성으로 갑충·나비 등을 포식함. 전세계에 120여 종이 분포함.
박:지¹ 명 〈방〉 〖동〗 박쥐(전남·경상).
박지²【薄地】명 ①박토(薄土). ②〖불교〗 범부(凡夫)의 경계(境界)를 이름. 무지(無知)하고 용렬(庸劣)함. ③십지(十地)의 하나로, 욕계(欲界)의 번뇌(煩惱)의 일분(一分)을 끊어 번뇌가 희박해진 경지를 이름.
박지³【薄志】명 ①박약한 의지. 경박한 마음. ②촌지(寸志)❷.
박지⁴【薄紙】명 얇은 종이.
박지기 명 〈방〉 바가지(경상).
박지 기법【剝地技法】[一뻡] 명 도자기 문양 기법의 하나. 분청 사기의 태토(胎土)로 그릇을 빚은 다음 그릇 전체에 백토로 분장(粉粧)을 하여 뜻하는 모양을 그린 뒤, 문양 외의 부분의 백토를 긁어내고 그 위에 투명한 회청색 유약을 발라 문양을 나타내는 방법.
박지-도【朴只島】명〖지〗전라 남도 신안군(新安郡) 안좌면(安佐面) 박지리(朴只里)에 위치하는 섬. [1.75km²: 157명(1985)]
박-지르다 타 힘껏 차서 쓰러뜨리다. ¶결착을 내려는 듯이 몸째 차 박지르고 상구는 홀쩍 나가버렸다《李孝石 : 분녀》.
박지-박【薄之薄】명 ↗박지우박(薄之又薄).
박지-산【薄芝山】명〖지〗강원도 평창군(平昌郡) 도암면(道岩面)과 진부면(珍富面)의 경계를 이루는 산. [1,364m]
박지 약행【薄志弱行】명 의지가 약하여 조금도 어려움을 견디지 못함. 의지가 박약하여 일을 단행(斷行)할 기력이 없음.
박지-우박【薄之又薄】명 아주 박함. 준박지박. ——하다 형여불
박-지원【朴趾源】명〖사람〗조선 시대 정조(正祖) 때의 문장가, 실학의 대가. 자는 중미(仲美), 호는 연암(燕巖). 반남(潘南) 사람. 일찍이 청(淸)나라에 다녀와서《열하 일기(熱河日記)》26권을 저술하여 그 웅혼(雄渾)한 문장으로 중국에까지 이름을 떨쳤음. 홍대용(洪大容) 등과 함께 청조(淸朝)의 문물을 배워야 한다는 이른바 북학파(北學派)의 영수로, 이용 후생(利用厚生)의 실학(實學)을 강조함. 문집에《연암집(燕巖集)》이 있음. 시호는 문도(文度). [1737-1805]
박-지짐이 명 박을 넓적넓적하게 썬 것에다 쇠고기·돼지고기·계란 등을 넣어서 물을 조금 붓고 끓인 음식. 고추장이나 새우젓국을 타서 끓이기도 함. 포전(匏膞).
박지 타:지【縛之打之】명 몸을 묶어 놓고 때림. 준박타(縛打). ——하다 타여불
박직¹【剝職】명 관직을 박탈하는 일. ——하다 자여불
박직²【樸直】명 순박하고 정직함. ——하다 형여불
박-진¹【朴珍】명〖사람〗연출가·극작가. 호는 우석(愚石). 서울 태생. 극단 산유화회(山有花會)를 조직, 연출 활동을 하고 동양 극장에서 연출을 담당하였으며 문교부 예술 위원을 거쳐 1962년에 국립 극장 운영 위원장, 1963년 예총 부회장, 1974년 유신 학술원 이사를 역임하였음. 작품에《소낙비》·《명기 황진이》등이 있음. [1905-74]
박진²【迫眞】명 진실에 가까움. 표현 등이 진실감을 느끼게 함. ¶～한 연기(演技). ——하다 형여불
박진-감【迫眞感】명 진실에 가까운 느낌. ¶～ 넘치는 전투 장면.
박진-력【迫眞力】[一녁] 명 진실되게 보이는 표현력. ¶～이 넘치는 문장.
박질【樸質·朴質】명 질박(質樸). ——하다 형여불
박쭉 명 〈방〉 밥주걱(강원).
박차¹【拍車】명 ①말을 탈 때 신는 신의 뒤축에 댄 쇠로 만든 물건. 그 끝에 톱니바퀴가 달려 있어 말의 배를 툭툭 차서 아프게 하여 말을 빨리 달리게 하는 기구임. ②어떠한 일의 촉진(促進)을 위하여 더하는 힘. ¶더욱 ～를 가하다.

〈박차¹❶〉

박차를 가하다 구 자극이나 힘을 가하여, 사물의 진행을 더 한층 촉진하다. ¶공사에 ～.
박차²【泊車】명 밤에 자동차를 길 가·주차장 등에 세워 둠. ——하다 자타여불
박차³【薄茶】명 ①맛이 변변하지 못한 차. ②자기가 남에게 대접하는 차의 겸칭.
박-차다 타 ①발길로 냅다 차다. ②자기에게 돌아오는 것을 내쳐 버리다. 내쳐 물리치다. ¶유혹을 박차고 공부에 열중하다.
박찬【薄饌】명 잘 차리지 못한 반찬. 변변하지 못한 반찬.
박채【博採】명 널리 채택함. ——하다 타여불
박채 중:의【博採衆議】[一/一이] 명 널리 여러 사람의 의논을 들어 채택함. ——하다 타여불
박처【薄妻】명 아내를 소박(疏薄)함. 아내에게 심하게 함. ——하다 자여불
박천【博川】명〖지〗평안 북도 박천군의 군청 소재지로 읍(邑). 청천강(淸川江) 지류에 연하여 있는 박천선(線)의 종점임. 박천 평야의 중심지.
박천-군【博川郡】명〖지〗평안 북도의 한 군. 관내 1읍 7면. 북은 태천군(泰川郡)과 영변군(寧邊郡), 동은 영변군과 평안 남도 안주군(安州郡), 서는 정주군(定州郡)에 닿음. 쌀·보리·조·피 등의 농산물과 광산·임산·공산·축산물 등이 나며, 명승 고적으로 주필정(駐驆亭)·와룡산(臥龍山)·고박릉성(古博陵城)·영천사(靈泉寺) 등이 있음. 군청 소재지는 박천. [589km²]
박천-선【博川線】명〖지〗경의선 맹중리역(孟中里驛)에서 대령강(大寧江) 유역 평야를 달려 박천에 달하는 철도선. 1926년 12월 10일에 개통함. [9.3km]
박천 평야【博川平野】명〖지〗청천강(淸川江)의 지류인 대령강(大寧江) 하류 지역에 전개된 평야. 박천·구성(龜城)은 평야에서 산출되는 쌀·콩·잡곡의 집산지임.
박철【縛鐵】명〖건〗못을 박을 곳에 못박기가 어려울 때, 못 대신에 걸쳐 대는 쇳조각.
박-첨지【朴僉知】명〖연〗고대 인형극에 쓰이던 민속(民俗) 인형의 하나. 꼭두각시놀음에서 박첨지 역(役)을 함.
박첨지-극【朴僉知劇】명 ☞꼭두각시놀음.
박첨지-놀음【朴僉知一】명 꼭두각시놀음.
박초¹【朴硝】명〖한의〗초석(硝石)을 한 번 구워 만든 약재. 이뇨제(利尿劑)로 쓰임.
박초²【縛草】명 나무에 접을 붙이고 잘 살도록 겉에 대고 묶어주는 볏짚 따위.
박초 바람【舶趠一】명 음력 오월에 부는 바람. 박초풍(舶趠風).
박-초월【朴初月】명 여성 국악인. 판소리 수궁가의 예능 보유자. 전남 순천(順天) 출생. 호는 미산(眉山). 1929년 김정문(金正文)에 사사(師事), 31년 송만갑(宋萬甲)의 문하에 들어감. 40년 국극 동지사(國劇同志社)를 창립, 그 뒤 한국 국악 협회 이사장, 서울 국악 예술단장 등을 지냄. 박초월 국악 연구소를 설립하여 후계자 양성에 힘썼음. [1916-83]
박초-풍【舶趠風】명 박초 바람.
박취【剝取】명 벗겨서 떼어냄. ——하다 타여불
박치기 명 〔←중세 : 박+티+기〕머리로 무엇을 세게 받아치는 것. ——

하다 자여불
박-치원【朴致遠】명〖사람〗조선 시대 숙종(肅宗)·영조(英祖) 때의 학자. 자는 사이(士邇), 호는 설계(雪溪). 벼슬하지 아니하고 무주(茂朱)에 살며 저작(著作)에 몰두함. 저서에 《설계 수록(雪溪隨錄)》이 있음. [1680-1764]
박친〔도 Vakzin〕명〖의〗백신(vaccine).
박침-품【粕沈品】명 물고기나 조개류를 소금에 절였다가 꺼내서 잘 씻은 후 술찌끼에다 담가 익힌 식품.
박쿠 명〈방〉바퀴¹(경기·황해).
박타【縛打】명 ↗박지 타지(縛之打之). ——하다 타여불
박-타다 자 ①박을 두 쪽으로 가르다. ②바라던 일이 틀려 버리다. 일이 낭패되다.
박-타령【—打令】명〖악〗'흥부가(興夫歌)'의 속칭.
박탁¹【剝啄】명 문을 열라고 두드림. ——하다 타여불
박탁²【餺飥】명 수제비.
박탁-성【剝啄聲】명 문을 두드리는 소리.
박탈¹【剝脫】명 벗겨져 떨어짐. 벗겨 떨어지게 함. ——하다 자타여불
박탈²【剝奪】명 재물이나 권리를 빼앗음. 마구 강제로 빼앗음. ¶자유를 ~당하다/관직을 ~하다. ——하다 타여불
박태【薄胎】명〖공〗아주 얇게 만든 도자기(陶瓷器)의 몸.
박태기-나무 명〖식〗[*Cercis chinensis*] 콩과에 속하는 낙엽 활엽 관목. 높이 3m 가량이며 잎은 원형이고 톱니가 없으며 거의 혁질(革質)에 장병(長柄)임. 잎에 앞서 4월에 홍자색 꽃이 나비 모양으로 총생(叢生)하여 피고 길이 6cm 가량 되는 긴 타원형의 협과(莢果)는 10월에 익음. 중국 원산으로 사원(寺院) 및 인가 부근에 심는데, 한국·일본·중국 등에 분포함. 관상용이며, 줄기는 약재로 씀. 자형(紫荊).

〈박태기나무〉

박-태보【朴泰輔】명〖사람〗조선 시대 숙종(肅宗) 때의 간관(諫官). 자는 사원(士元), 호는 정재 산인(定齋散人). 나주(羅州) 사람. 수찬(修撰) 등을 역임하고 숙종이 인현 왕후(仁顯王后)를 사제(私第)로 보낼 때에 그 부당함을 상소하여 왕의 노여움을 사, 심한 고문을 받고 진도로 귀양 도중 노량진(鷺梁津)에서 죽음. 뒤에 이조 판서를 추증받음. 저서 《정재집(定齋集)》 등. 시호는 문열(文烈). [1654-89]
박-태원【朴泰遠】명〖사람〗소설가. 서울 출생. 호는 구보(仇甫, 丘甫). 경성(京城) 제일 고보(高普)를 거쳐 일본 호세이(法政) 대학 예과를 중퇴함. 구인회(九人會) 멤버로서 활약, 식민지 치하에서의 서민층(庶民層)의 변모상을 객관적으로 묘사하여 1930 년대의 주요 작가가 됨. 주요 작품으로는 장편 《천변 풍경(川邊風景)》, 중편 《소설가 구보씨(仇甫氏)의 일일(一日)》 등이 있음. 월북(越北) 작가의 하나. [1909-87]
박-태준【朴泰俊】명〖사람〗작곡가. 명예 음악 박사. 대구 출신. 숭실 전문을 졸업한 후 미국 터스컬럼 대학과 웨스트민스터 음악 대학 및 동 대학원을 졸업함. 돌아와 숭실 전문의 교수를 지내고 해방 후 서울 여자 의과 대학, 연세 대학교 음악 대학 교수를 거쳐 동 음악 대학장을 지냄. 작품에 《오빠 생각》·《사우(思友)》 등이 있음. [1900-86]
박-태현【朴泰鉉】명〖사람〗동요 작곡가. 평양 출생. 숭실 전문(崇實專門) 영문과와 일본 도쿄(東京) 음악 학교를 졸업함. 《누가 누가 잠자나》·《보리 피리》·《산바람 강바람》·《기차 놀이》·《고향 생각》 등 많은 동요와 《삼일절 노래》·《한글날 노래》 등 국경일 노래를 작곡함. [1907-93]
박테로이드〔bacteroid〕명〖생〗혐기성 간균(嫌氣性桿菌)의 일군(一群)으로, 주로 동물의 장(腸)·입·기도(氣道)에 기생하는 세균. 형태는 다양하고 세균 여과기(濾過器)를 통과하는 미소(微小)한 무리도 있음. 그램 염색(Gram 染色) 음성(陰性)이나 병원성(病原性)의 것은 농양(膿瘍)을 형성함.
박테리아〔bacteria〕명〖생〗세균(細菌).
박테리아 리:칭〔bacteria leaching〕명〖화〗무기 영양 세균(無機營養細菌)을 써서 물 속에서 저품위(低品位)의 황화광(黃化鑛)으로부터 동(銅)을 얻는 방법. 퇴적 폐광석(堆積廢鑛石) 등으로부터 동분(銅分)을 회수하는 데 이용됨.
박테리아-법【—法】〔bacteria〕[—뻡] 명〖식〗슬라이드(slide)의 위에 태양 광선 스펙트럼(spectrum)을 만들어 여기에 한 오라기의 수면(水綿)을 놓고 또 그 둘레에 호기성(好氣性)의 박테리아를 놓으면 광합성(光合成)이 활발하여 산소(酸素)가 많이 나오는 데로 박테리아가 떼지어 모이는데, 이러한 사실로부터 수면(水綿)은 어떤 광선으로 광합성을 더욱 잘 행하는가를 알아 내는 방법.
박테리오-클로로필〔bacteriochlorophyll〕명〖식〗광합성(光合成) 세균이 지닌 녹색 식물의 클로로필 비슷한 색소의 하나. 홍색 황 세균(紅色黃細菌)·홍색 무황(無黃) 세균 따위 홍색 세균에 포함된 클로로필 모양의 색소. 광합성 기능에 관여함.
박테리오파:지〔bacteriophage〕명〖식〗〔박테리아를 먹는다는 뜻〕세균에 감염된 균체(菌體) 내에서 증식하는 일군(一群)의 바이러스(virus). 살아 있는 세균에서만 증식을 하며, 세균 바이러스라고도 함. 분자 생물학 및 유전 공학에서 벡터(vector)로 이용됨.
박테리올러지〔bacteriology〕명〖의〗세균학(細菌學).
박토¹【剝土】명〖광〗노천 채광(露天採鑛) 등에 있어서, 광상(鑛床)을 덮고 있는 유용 광물(有用鑛物)을 포함하지 않은 표토(表土)나 암석을 제거하는 일. ——하다 자여불
박토²【薄土】명 매우 메마른 땅. 박지(薄地). ↔옥토(沃土).
박통【博通】명 널리 통하여 앎. ——하다 자여불
박통사 신석 언:해【朴通事新釋諺解】명〖책〗조선 시대 영조(英祖) 41년(1765) 김창조(金昌祚)가 본래의 《박통사》를 대폭 수정하여 《박통사 신석》을 만들고 그것을 다시 언해한 책. 3권 3책.
박통사 언:해【朴通事諺解】명〖책〗조선 시대 숙종(肅宗) 때, 권대련(權大運)·변섬(邊暹)·박세화(朴世華) 등이 당시의 중국어 학습서이던 박통사를 번역 편찬한 책. 부록(附錄)으로 최세진(崔世珍)이 지은 《노걸대 집람(老乞大輯覽)》과 단자해(單字解)를 붙였음. 전 3권으로 되어 있으며, 숙종 3년(1677)에 간행됨. 신석 박통사 언해.
박투【搏鬪】명 서로 치고 때리며 싸움. ——하다 자여불
박트라〔Bactra〕명〖역〗①중앙 아시아, 힌두쿠시 산맥과 아무(Amu)강 사이에 있는 지역의 옛이름. 곧 지금의 아프가니스탄 북부의 발흐(Balkh)에 해당됨.
박트리아〔Bactria〕명〖역〗중앙 아시아에 세워진 고대 왕국(B.C. 255-B.C.139). 알렉산더 대왕의 정복, 셀레우코스 왕조의 지배를 거쳐, 태수(太守) 디오도투스(Diodotus)가 박트라(Bactra), 곧 지금의 아프가니스탄 북부의 발흐(Balkh)를 중심으로 건국(建國). 뒤에 왕국의 지배는 인더스 강가에까지 미쳤으나, 스키타이계(系)의 토하라족(族)의 진출에 의하여 멸망함. *대하(大夏).
박파-자【拍破子】명〖역〗조선 시대에, 당악(唐樂)을 연주할 악공(樂工)을 뽑을 취재(取才)에 과(課)한 시험 곡명(曲名).
박판¹【拍板】명 나무로 만든 박(拍).
박판²【薄板】명 얇은 널빤지.
박-팔양【朴八陽】명〖사람〗시인·평론가. 호는 여수(麗水), 금여수(金麗水), 김니콜라이. 경기도 수원 출생. 배재 고보(培材高普)를 거쳐 경성 법학 전문 학교 졸업. 동아 일보 기자, 만선(滿鮮) 일보 학예부장 역임. 카프(KAPF) 맹원으로 《데모》 등 경향성이 짙은 작품을 썼으나 '구인회(九人會)' 후기 동인으로 참여하면서 다다이즘 색채를 띰. 평론에 《조선 신시(新詩) 운동》·《신시 운동 개관(槪觀)》 등이 있고, 시집 《여수 시초(麗水詩抄)》가 있음. 월북 작가의 하나. [1905-?]
박-패듯 부 마구 패는 모양. ——하다 타여불
박-팽년【朴彭年】명〖사람〗조선 시대 세종(世宗) 때의 집현전(集賢殿) 학자. 사육신(死六臣)의 한 사람. 자는 인수(仁叟), 호는 취금헌(醉琴軒). 순천(順天) 사람. 세조(世祖)가 단종(端宗)을 내쫓고 왕위를 빼앗자 상왕(上王)의 복위를 꾀하다가 피살되었음. 이조 판서에 추증. 시호는 충정(忠正). [1417-56]
박편¹【剝片】명 벗겨져 떨어진 조각. 격지.
박편²【薄片】명 ①얇은 조각. ②현미경으로 보기 위하여 얇게 한 시료(試料).
박편-날【剝片—】명〖고고학〗가죽칼.
박편 도:끼【薄片—】명〖고고학〗자르개.
박편 석기【剝片石器】명〖역〗큰 돌에서 떼어 낸 박편에 가공을 하여 이기(利器)로 사용하는 석기의 하나. 동물의 고기를 다루는 데 썼음. 유럽의 구석기(舊石器) 시대 가운데 비교적 추운 건조(乾燥) 지대에 이 석기를 주로 하는 문화가 분포하고 있음.
박풍【膊風】명〖건〗박공.
박핑이 명〈옛〉조롱박에 구멍을 뚫고 노끈을 매어 휘둘러 소리내는 장난감. =박핑이.¶거리예 박핑이 틸 아히돌히(街上放空中的小厮們)《朴解 上 17》.
박피¹【剝皮】명 껍질을 벗겨 버림. 거피(去皮). ——하다 타여불
박피²【薄皮】명 ①얇은 껍질. ②[pellicle] 어떤 종류의 원생(原生) 동물에서 볼 수 있는 체표(體表)의 얇은 외피(外皮).
박피-술【剝皮術】명〖의〗살갗에 생긴 흉터나 흔적 따위를 깎아 내어 없애는 수술.
박필【撲筆】명 붓을 집어 던짐. 곧, 문필(文筆) 생활을 그만둠. ——하다 자여불
박핑이 명〈옛〉조롱박에 구멍을 뚫고 노끈을 매어 휘둘러 소리내는 장난감. =박핑이. ¶거리예 박핑이 틸 아히 ᄆᆞ장 흔터라(街上放空中的小厮們好生廣)《朴解 上 16》.
박하【薄荷】명〖식〗[*Mentha arvensis*] 꿀풀과에 속하는 숙근성(宿根性)의 다년초. 지하경으로 번식하고 지상경(地上莖)은 직립하며 길이 60-90cm의 방형(方形)임. 잎은 대생하고 단병(短柄)의 긴 타원형이며 유선(油腺)이 많이 흩어져 있음. 7-9월에 담자색 또는 백색의 작은 순형화(脣形花)가 줄기의 상부(上部) 엽액(葉腋)에 윤산(輪繖) 화서로 모여 피고, 수과(瘦果)는 달걀꼴임. 습지에 야생하는데 중국 원산으로 동양·유럽·북미 등에 널리 분포함. 한방에서 경엽(莖葉)을 박하뇌·박하유·박하수·박하정(薄荷精) 등을 만들며 방향(芳香)이 많아 약재·향료·음료·사탕용으로 씀. 민트(mint). 영생이. 페퍼민트.

〈박하〉

박하-뇌【薄荷腦】명〖화〗박하의 경엽(莖葉)을 증류(蒸溜)하여 냉각 정제한 백색 결정체(結晶體). 흔히 박하유를 4°C에 냉각하면 뇌(腦)가 결정하는데 다시 녹여 용해시키고 헝겊으로 걸러 결정시켜서 바람에 건조함. 향기가 있고 시원한 맛이 있어서 건위제와 신경통·결핵 등의 약제 및 구강(口腔)의 향료에 쓰고 고약은 류머티즘·신경통 등에 바름. 박하빙(薄荷氷). 박하상(薄荷霜). 박하정(薄荷錠). 멘톨(menthol).
박-하다¹【駁—】타여불 반박하다.
박-하다²【薄—】형여불 ①인색하다. 후하지 아니하다. ¶점수가 ~/인심이 박한 세상. ②두껍지 아니하고 얇다. ③이익이나 소득이 보잘것없이 적다. ¶복이 ~/이문이 박한 장사. ↔후하다.
[박(薄)한 술이 차(茶)보다 낫다] 없을 때는 좋지 않은 것이라도 낫게 여겨진다.
박하-담배【薄荷—】명 ①박하유를 넣어 만든 담배. ②담배 모양을 본떠서 만든 박하 사탕의 일종.
박하-물부리【薄荷—】[—뿌—] 명 박하뇌(薄荷腦)를 넣어서 입에 무는 기구. 보통 물부리와 같게 만들며, 담배를 끊을 때 텁텁한 입맛을 깨끗하게 하기 위하여 입에 묾. 금연 파이프. 박하 파이프.
박하-빙【薄荷氷】명〖화〗박하뇌(薄荷腦).
박하-사탕【薄荷砂糖】명 박하유(油)를 넣어서 만든 사탕. 보통, 백색임.

박하-상【薄荷霜】명〖화〗박하뇌(薄荷腦).
박하-수【薄荷水】명〖약〗①미온 증류수(微溫蒸溜水)와 박하유(油)를 10:2의 비율로 섞어 잘 저어 가며 끓여서 식힌 다음, 축축한 여과지(濾過紙)로 걸러낸 물. 맑으며 위장약 또는 함수제(含漱劑)로 씀. ②박하정(薄荷精)에 물을 가(加)한 것.
박하-엽【薄荷葉】명 박하의 잎.
박하우스〔Backhaus, Wilhelm〕명〖사람〗독일 출생의 스위스 피아니스트. 1905년 루빈슈타인상(Rubinstein賞)을 획득한 이후 유럽 각지에서 연주하여 '피아노의 사자왕(獅子王)'이란 이름을 얻음. 2차 대전 후 스위스에 귀화하였음. 초인적인 기교와 투철한 음악성(音樂性)으로 현대 최고의 피아니스트로 꼽히며 특히 베토벤과 브람스의 곡 연주에 뛰어났음. [1884-1969]
박하-유【薄荷油】명〖약〗박하의 잎을 건조(乾燥)·증류(蒸溜)하여 냉각 정제(冷却精製)한 무색 또는 담황색의 유상 액체(油狀液體). 휘발성으로 특유한 방향(芳香)과 신맛이 있으며, 청량제(淸凉劑)·과자·의약품·화장품 등의 향료로 쓰임.
박하-정¹【薄荷精】명〖약〗박하유와 알코올을 1:9의 비율로 섞은 무색 투명(無色透明)의 액체. 건위제(健胃劑)·구풍제(驅風劑)로 쓰임.
박하-정²【薄荷錠】명〖약〗박하뇌(薄荷腦).
박하-주【薄荷酒】명 페퍼민트❶.
박하-파이프【薄荷―】〔pipe〕명 박하 물부리.
박학¹【博學】명 학식이 넓고 많음. 널리 학문에 정통함. 홍학(鴻學). ¶~다재(多才). ↔박학(薄學). *서궤(書櫃). ――-하다 형여불
박학²【薄學】명 학식이 얕고 좁음. 천학(淺學). ↔박학(博學). ――-하다 형여불
박학³【樸學】명 ①질박(質樸)한 학문. ②경학(經學)과 유교(儒敎)를 달리 이르는 말.
박학 다문【博學多聞】명 학식과 견문(見聞)이 썩 넓음. ――-하다 형여불
박학 다식【博學多識】명 학문이 넓고 식견(識見)이 많음. ――-하다 형여불
박학 다재【博學多才】명 학문이 넓고 재주가 많음. ――-하다 형여불
박학-편【博學篇】명〖책〗옛 자서(字書). 진(秦)나라 호 모경(胡母敬)의 찬(撰). 주로, 사주편(史籒篇)에서 취한 것임.
박한【薄汗】명 경한(輕汗).
박할【剝割】명 할박(割剝). ――-하다 타여불
박해¹【迫害】명 못 견디게 굴어서 해롭게 함. ――-하다 타여불
박해²【雹害】명 우박으로 인한 피해.
박행¹【薄行】명 경박(輕薄)한 행동.
박행²【薄幸·薄倖】명 불행(不幸)❶. ――-하다 형여불
박혁【博奕】명 장기나 바둑 같은 오락. 전(轉)하여, 도박(賭博)의 뜻으로도 쓰임. 바둑 장기.
박-혁거세【朴赫居世】명〖사람〗혁거세 거서간.
박협【迫脅】명 ①협박(脅迫). ②지세(地勢)가 협착(狹窄)함. ――-하다 타형여불
박홍【薄紅】명 엷게 붉은 빛깔.
박-화성【朴花城】명〖사람〗여류 작가. 본명은 경순(景順). 목포 출생. 1929년 일본 여자 대학 문학부를 수료하고 작가 생활에 들어감. 1966년 예술원 회원, 1968년에는 여류 문인 회장에 선임되었고, 예술원상·한국 문학상 등을 수상함. 남녀 애정 문제를 주제로 한 장편 소설을 많이 발표했으며, 작품에 ≪백화(白花)≫·≪사랑≫ 등이 있음. [1904-88]
박환【薄宦】명 박봉의 관리. 지위가 낮은 관리. 박관(薄官). 냉환(冷宦).
박황【薄況】명 박봉(薄俸).
박회¹ 명〈옛〉바퀴¹. =바회. ¶車只有輪方言曰朴回 ≪雅言 卷二≫.
박회² 명〈옛〉바퀴². ¶박회(金色虫)≪同文 上 43≫.
박-효(:)관【朴孝寬】명〖사람〗조선 시대 고종(高宗) 때의 가객(歌客). 자는 경화(景華), 호는 운애(雲崖). 고종 13년(1876) 제자 안민영(安玟英)과 함께 시가집(詩歌集) ≪가곡 원류(歌曲源流)≫를 편찬하여 그 때까지의 가곡을 총정리하였으며 가론(歌論)을 확립하였음. 시조 13수가 전하여지고 있음. 생몰(生沒) 연대 미상.
박후【樸厚·朴厚】명 인품이 후하고 소박함. ――-하다 형여불
박흡【博洽】명 널리 배워서 막힐 모가 없음. ――-하다 형여불
박-흥보가【朴興甫歌】명〖문〗흥부전(興夫傳).
박희【博戲】[―히]명 노름. 또, 노름을 함. ――-하다 자여불
박-희도【朴熙道】[―히―]명〖사람〗3·1 운동 때 33인 중의 한 사람. 황해도 해주(海州) 사람. 조선 기독교 중앙 청년회 간사(幹事). 독립 선언에 참가하여 2년의 형을 받고 나온 후에 월간지 '신앙 생활'의 주필로 있었고, 1929년 경성 보육 학교를 설립하였음. [1889-1951]
박히다 피동 ①물건이 다른 물건 속으로 들어가 꽂히다. ¶다이아몬드가 박힌 반지/가시가 ~. ②인쇄물이나 사진이 박아지다. 찍히다. ③점 같은 것이 찍히다. ¶얼굴에 박힌 사마귀.
밖 명 ①무슨 테나 금을 넘어선 쪽. 외(外). ¶대문 ~/금~으로 나가다. ↔안❶. ②겉으로 드러나 보이는 부분. ¶~은 노랑, 안은 빨강. ↔안❷. ③정해 놓은 범위 안에 들지 아니한 것. 이외(以外). ¶그 ~의 사람들. ④↗바깥. ¶~에 나가 놀아라.
밖-에 조 '뿐'의 뜻의 보조사. 뒤에 반드시 부정이 따름. ¶너~ 없다/100원~ 없다.
반¹ 명 얇게 펴서 만든 조각. ¶솜~.
반² 명〈옛〉소반. ¶반 반(盤)≪字會 中 10≫.
반:³【反】명〖철〗변증법(辨證法)의 정(正)·반(反)·합(合)의 세 가지 계기(契機) 가운데서 부정(否定)을 의미하는 계기. 반립(反立). ↔정(正).
반:⁴【半】명 ①둘로 똑같이 나눈 것의 한 부분. ¶~으로 가르다/시작이 ~이다. ②사물의 중간. ¶이제 ~쯤 왔다.
반⁵【瓪】명 암키와.
반⁶【班】명 ①벌여 선 자리나 그 차례. ②어떤 공통점을 가지고 조직된 사람들의 집단. ¶수사~/문예~. ③통(統)을 다시 가른 국민 조직의 최하 단위. 열 집 내외로 구성됨. ¶8통 5 ~. ④한 학년을 한 교실의 수용 인원 단위로 나눈 명칭. 학급(學級). ¶5학년 3 ~. ⑤〖군〗군대에서 병영내(兵營內)의 한 방 또는 소대(小隊)를 소구분(小區分)한 단위. ¶내무~(內務班)/박격포~.
반⁷【班】명 성(姓)의 하나. 주요 본관은 개성(開城)·고성(固城)·평해(平海) 등.
반⁸【盤】명 소반·예반·쟁반(錚盤) 등의 총칭.
반⁹【潘】명 성(姓)의 하나. 주요 본관은 기성(岐城)·광주(光州)·남평(南平) 등.
반:¹⁰〔barn〕의명 핵반응 충돌 과정에서의 단면적(斷面積)의 단위. 10^{-28} cm^2. 기호는 b.
반:-¹【反】두 어떠한 명사 앞에 붙어서 그 명사와 반대되는 뜻을 나타내는 말. ¶~국가적/~혁명/~공산주의.
반:-²【半】두 어떠한 명사 앞에 붙어서 '거의 그와 비슷한' 또는 '중간 정도의' 등의 뜻을 나타내는 말. ¶~농담/~노예적 생활/~공일.
반:가¹【半價】[―까]명 반값.
반:가²【返歌】명 남이 보내온 노래에 대하여 답하는 노래.
반가³【班家】명 양반의 집안. 양반의 집. 반갓집. ¶~의 법도를 어기다.
반:-가공품【半加工品】명 완전하지 못하고 반쯤 가공한 물품.
반:-가부좌【半跏趺坐】명〖불교〗책상다리 하고 앉는 법의 한 가지. 오른 발을 왼편 허벅다리에 얹고, 왼 발을 오른편 무릎 밑에 넣고 앉는 일. 결가부좌(結跏趺坐)를 못하는 사람이나 또는 그것을 오래 하여 다리가 아플 때에 함. 준반가좌. ↔결가부좌.

〈반가부좌〉

반가비 부〈옛〉반가이. ¶아톰님 반가비 보샤 혼恩ㅎ愛 겨실씨 ≪月印 上 46≫.
반:가 사유상【半跏思惟像】명〖불교〗불상 조각(佛像彫刻) 가운데, 앉은 자세의 하나. 한쪽 다리를 다른 다리의 무릎 위에 얹고 앉아서 한 손을 뺨에 대고 생각하는 상인데, 미륵 보살(彌勒菩薩)·여의륜 관음(如意輪觀音) 등에서 흔히 볼 수 있음.
반:-가산기【半加算器】명〔half adder〕〖컴퓨터〗가산기의 일부(一部)를 이루는 장치. 입력(入力) 변수인 2개의 2진수(進數)를 더하여 합(合)과 자리 올림수를 산출(算出)하는 회로임. 반덧셈기.
반:가-상【半跏像】명〖불교〗반가부좌(半跏趺坐)로 앉은 부처의 상(像). ¶금동(金銅) 미륵 보살 ~.

〈반가 사유상〉

반:가언적 삼단 논법【半假言的三段論法】[―뻡]명〖논〗가언적 삼단 논법의 하나. 전제(前提)의 하나가 가언적 판단이고 다른 전제와 결론은 정언적(定言的) 판단인 삼단 논법. 정언적(定言的) 가언 삼단 논법. ↔전가언적 삼단 논법.
반가우- 간 '반갑다'의 불규칙(不規則) 어간. ¶~ㄴ/~니.
반가워-하다 자타여불 반가운 느낌을 가지다. 반갑게 여기다. 반기다. ¶편지를 받고 ~.
반가이 부 반갑게. ¶~ 맞다.
반:-가좌【半跏坐】명〖불교〗↗반가부좌(半跏趺坐).
반:-각¹【半角】명 ①〖수〗어떤 각(角)의 반(半). ②〖인쇄〗식자(植字) 과정에서 해당 활자의 반이 되는 크기의 공간이나 간격. ¶자간(字間)을 ~ 정도만 띄우시오. *전각(全角).
반:-각²【半刻】명〖악〗국악(國樂)에서, 일정한 박자수로 되풀이되는 온 장단(長短)에 대한 그 반(半) 장단. 이를테면, 가곡(歌曲)에서 한 장단 16박자에 대하여 8박자를 일컫는 말. *각(刻).
반:각³【返却】명 도로 돌려 보냄. ――-하다 타여불
반:각 공목【半角空木】명〖인쇄〗식자할 때 해당 활자 호수의 반이 되는 크기의 공목.
반:각 공식【半角公式】명〔half-angle formulas〕〖수〗삼각법에서, 어떤 각의 1/2의 삼각 함수를 그 각의 삼각 함수로 나타내는 공식.
반:각 활자【半角活字】[―짜]명〖인쇄〗식자할 때 해당 활자 호수의 반이 되는 크기의 활자.
반:간¹【反間】명 ①이간(離間). ②적의 간첩(間諜)을 잡아서 역이용(逆利用)하는 일. ――-하다 타여불
반:간²【反諫】명 간(諫)하는 것을 듣지 아니함. 간하는 것에 반대함. ――-하다 자여불
반:간 고육지책【反間苦肉之策】명 적을 이간시키기 위하여 자기 편의 고통을 돌보지 않고 쓰는 계책.
반:간접 조:명【半間接照明】명〔semi-indirect illumination〕조명 방식의 하나. 대부분의 빛을 상향(上向)하게 하고 약간의 빛을 내려비치게 하는 수법임. 간접 조명에 비하여 비능률적·비경제적이나 정숙하고 좋은 분위기를 조성함. *간접 조명.

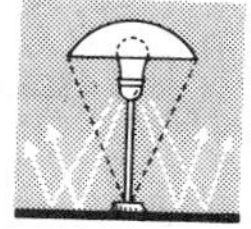
〈반간접 조명〉

반:감¹【反感】명 반발하는 마음. 불쾌하게 생각하여 반항하는 감정. ¶~을 사다.
반:감²【半減】명 ①절반을 덞. ¶값을 ~하다. ②절반으로 줆. ¶약이 오래 되면 효력이 ~한다. ――-하다 자타여불
반감³【飯監】명〖역〗궁중(宮中)에서 음식물과 물품의 진상(進上)을 맡아 보던 벼슬아치.
반:감-기【半減期】명〔half life〕①〖물〗방사성(放射性) 원소(元素)나 소립자(素粒子)가 붕괴 또는 다른 원소로 변할 경우, 그 수(數)가 최초의 반(半)으로 감소될 때까지 걸리는 시간. 라듐은 1622년, 우라늄은 45억년임. ②〖화〗화학 반응에서, 반응물의 농도가 최초의 반(半)으로 될 때까지 소요되는 시간.

반:감 두께【半減―】명〔half thickness〕〖물〗그 속을 통과하는 방사선의 강도가 반감하는 물질의 두께.
반갑다 형ㅂ불〔중세 : 반갑다〕뜻밖에 좋은 일을 당하거나, 바라던 일이 성취되거나 또는 친한 사람을 만나거나 좋은 소식을 들어 기쁘다.
반:-값【半―】[―깝] 명 원값의 절반 되는 값. 반가(半價). 반금. ¶ ～으로 팔다.
반갓-집【班家―】명 반가(班家). ¶ 간택령을 내려서 ～ 처녀들의 혼인을 중지시키다.
반:-강¹【半鋼】명 세미스틸(semisteel).
반강²【頒降】명〖역〗반방(頒放).
반:-강자성【反強磁性】명〖물〗철족 원소(鐵族元素)의 산화물(酸化物)·황화물(黃化物)·할로겐화물(hallogen化物) 등에서 볼 수 있는 자기적(磁氣的) 성질. 상온(常溫)에서는 상자성적(常磁性的)이고 그 자화율이 절대 온도에 반비례하나, 어떤 온도에서 자화율이 극대가 되고 그 이하의 온도에서는 자장(磁場)의 크기에 따라 달라지는 성질.
반:강자성-체【反強磁性體】명〔antiferromagnetic substance〕〖물〗반강자성의 성질을 갖는 물체. 망간·산화 크롬(酸化 chrome) 따위.
반:강 주물【半鋼鑄物】명 세미스틸(semisteel).
반강-하다 타〈방〉반기다(함경).
반:-개¹【半個】명 한 개의 반.
반:개²【半開】명 ①반쯤 열리거나 벌어짐. 또, 반쯤 열거나 벌림. ②꽃이 다 피지 못하고 반만 핌. ③〖사〗인류 사회가 미개(未開)에서 조금 발달하였으나 아직 개화(開化)에는 이르지 못함. ――-하다 자타여불
반-갱【飯羹】명 밥과 국.
반거¹【盤踞】①서리서리 겉침. 넓고도 굳세게 뿌리가 박혀 서림. ②넓은 땅을 차지하고 터전을 굳게 잡음. ――-하다 자여불
반거²【盤據】명 어떤 곳에 근거를 두고 지킴. 근거(根據)를 굳게 잡음. ――-하다 자여불
반거³【蟠踞】명 넓은 토지를 차지하고 세력을 떨침. 반거(盤踞). ――하다 자여불
반:-거들충이【半―】명 무엇을 배우다가 다 이루지 못한 사람. ¶ 게으른 놈은 항상 ～밖에 안 된다. ㈜반거충이.
반:-거충이【半―】명 ↗반거들충이.
반:-거치【反鋸齒】명〖식〗식물의 잎의 가장자리에 생긴, 아래로 향한 톱니.
반:-건대구【半乾大口】명 반쯤 말린 대구.
반:-건성유【半乾性油】[―뉴] 명〖화〗공기 중에 방치하였을 때 차차 산화하여 차진 기운이 증가하나 건조 상태로는 되지 않는 지방유(脂肪油). 건성유와 불건성유의 중간 성질의 것으로 주로 식물유에 많음. 참기름·면실유(棉實油) 같은 것.
반:-걸음【半―】명 한 걸음의 반. 반보(半步).
반겨-하다 자여불 반가워하다.
반:격【反擊】명 쳐들어오는 적을 되잡아 공격함. ――-하다 타여불
반:격-력【反擊力】[―녁] 명 반격하는 힘.
반:격-전【反擊戰】명 반격하는 싸움.
반결【盤結】명 서리서리 얽힘. 서려서 얽힘. ――-하다 자여불
반:결구 배:추【半結球―】명 배추의 한 품종. 완전히 결구하지 않고 윗부분은 그대로 벌어져 자라는 배추. 병에 강하여 온상으로 재배하기도 하는데, 김장에 씀. 서울 배추와 개성 배추 등이 있음.
반:-결음【半―】명 완전히 기름을 먹이지 아니하고 반쯤만 결은 가죽신. 여자와 아이들이 신음. *결은신.
반:결합 궤:도【半結合軌道】명〔antibonding orbital〕〖물〗원자(原子)끼리 접근시켰을 때, 그 에너지가 증가하는 원자 또는 분자 궤도. 인력(引力)이나 화학 결합(化學結合)이 아니라 척력(斥力)을 나타냄.
반:경¹【反耕】명 '번경(反耕)'의 잘못 일컫는 말.
반:경²【半徑】명〖수〗'반지름'의 구용어. ¶ 행동 ～/～ 10 cm의 공. *직경(直徑).
반:경 게이지【半徑―】〔gauge〕명 반지름 게이지.
반:-경드름【半京―】명〖악〗판소리 창법(唱法)으로서, 경(京)드름의 한 변형(變形).
반:경식 항:공선【半硬式航空船】명〖항공〗항공선의 한 가지. 연식(軟式)과 경식(硬式)의 특장(特長)을 절충한 것. 기낭(氣囊) 속의 하부(下部)에 선수(船首)로부터 미단(尾端)까지 용골(龍骨)이 있고, 이에 가스낭(gas囊)·곤돌라(gondola)를 장치한 항공선.
반:계¹【反計】명 모반(謀反)의 계획. ¶ ～를 꾸미다.
반:계²【半季】명 ①일계(一季)의 반. 사계(四季)의 각 계절의 절반. ②일개년(一個年)의 반. 반년(半年).
반계³【班鷄】명〈아〉의젓한 양반과 같다 하여 수탉을 이르는 말.
반계⁴【盤鷄】명 닭의 한 종류. 몸이 작고 다리가 짧음.
반계⁵【磻溪】명〖사람〗'유형원(柳馨遠)'의 호(號).
반계 곡경【盤溪曲徑】명 일을 순리(順理)대로 하지 않고 옳지 않은 방법을 써서 억지로 함을 이르는 말. 방기 곡경(旁岐曲徑). ¶ 어디 똑똑한 계집이 있다면 ～으로 기어이 상종하고야 말던 위인이라… ≪李海朝 : 花世界≫.
반계 수록【磻溪隨錄】명〖책〗실학파(實學派)의 선구자인 유형원(柳馨遠)이 지은 책. 제도에 관한 고증(考證)을 적고, 그 개혁의 경위를 기록한 것으로, 조선 영조(英祖) 45년(1769)에 경상 감사 이미(李瀰)가 왕명에 의해 간행. 사회 경제, 특히 전제(田制)와 제도사 연구의 귀중한 자료임.
반:고¹【反古·反故】명 반고지(反古紙).
반:고²【反庫】명 '번고(反庫)'의 잘못 일컫는 말.
반:고³【反顧】명〔뒤를 돌아다 본다는 뜻〕가족을 그리워함. 집에 돌아가고 싶어함. ――-하다 자타여불
반-고⁴【班固】명〖사람〗중국 후한(後漢) 초기의 역사가·문학가. 산시성(陝西省) 셴양(咸陽) 출신. 자는 맹견(孟堅). 아버지 표(彪)의 유지를 받아 ≪한서(漢書)≫를 편집. 기타 저서 ≪백호통(白虎通)≫·≪양도부(兩都賦)≫ 등이 있음. [32-92]
반고⁵【盤古·盤固】명 ①중국에서 천지 개벽 때에 처음으로 세상에 나왔다고 하는 전설상의 천자(天子)의 이름. ②아득한 옛날. 태고(太古).
반:고리-관【半―管】명〔semicircular canal〕〖생〗척추 동물의 내이(內耳)에 있는 기관으로 막성 미로(膜性迷路)의 상부(上部)를 형성하는 기관. 반원형(半圓形)으로 구부러진 세 개의 관(管)이 수평(水平)·전후·좌우의 3면으로 갈라지고 내부에 림프(lymph)가 충만되어 있어 그 유동(流動)으로 몸의 평형(平衡)과 위치(位置)를 감각함. 반규관. 삼반규관(三半規管).

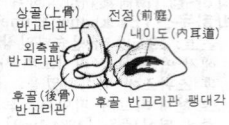

상골(上骨) 반고리관
전정(前庭)
내이도(內耳道)
외측골 반고리관
후골(後骨) 반고리관
후골 반고리관 팽대각

〈반고리관〉

반:고-지【反古紙·反故紙】명 글씨 따위를 써서 못쓰게 된 종이. 반고.
반:-고체【半固體】명 완전한 고체 상태가 아니고 물렁물렁하며 큰 점착성(粘着性)을 가지고 그 형태를 이루고 있는 고체. 묵·두부 따위.
반:고형-식【半固形食】명 연식(軟食).
반:곡¹【反曲】명 뒤로 구부러짐. 반대로 휨. 반굴(反屈). ――-하다 자여불
반:곡²【反哭】명 장지(葬地)로부터 집에 돌아와, 신주(神主)와 혼백 상자를 영좌(靈座)에 모시고, 곡하는 일. 장례 의식의 한 절차임.
반곡³【盤曲】명 얽히어 구부러짐. 반굴(盤屈). 반우(盤紆). ――-하다 자여불
반곡⁴【盤谷】명〖지〗'방콕(Bangkok)'의 음역(音譯).
반:곡물법 동맹【反穀物法同盟】[―뻡―] 명〖역〗1838년, 영국의 자유 무역주의자가 곡물법 폐지를 목적으로 조직한 단체. 리더는 코브던(Cobden)과 브라이트(Bright). 본부를 맨체스터에 둠. 1846년, 필(Peel) 내각(內閣) 때 곡물법 폐지 법안이 의회를 통과, 자유주의 무역 실현의 중요 과제가 해결됨.
반:골¹【半―】명 종이나 피륙 같은 것의 반 폭.
반:골²【反骨·叛骨】명 세상에서 하는 일이나 권위 따위에 맹종하지 아니하고 저항하는 기골. ¶ ～ 정신.
반:공¹【反共】명 공산주의에 반대하는 일. 반공산주의. ¶ ～ 국가(國家)/～ 세력. ↔용공(容共). ――-하다 자여불
반:공²【反攻】명 수세(守勢)에 있던 쪽이 반대로 공세(攻勢)를 취함. ――-하다 자타여불
반:공³【半工】명 반품¹.
반:공⁴【半空】명 ↗반공중(半空中).
반공⁵【飯工】명 대궐 안에서 음식을 만드는 사람. *반빗아치.
반공⁶【飯供】명 조석(朝夕)으로 밥상을 이바지함. ――-하다 자여불
반:-공간【半空間】명〔half space〕〖수〗무한 평면(無限平面)만을 경계로 하는 공간.
반:공-법【反共法】[―뻡] 명〖법〗국가 재건(再建) 과업의 제일 목표인 반공 체제를 강화함으로써 국가의 안전을 위태롭게 하는 공산 계열의 활동을 봉쇄(封鎖)하고 국가의 안전과 국민의 자유를 확보함을 목적으로 하는 법률. 1961년 7월 3일 공포되었다가 1981년 국가 보안법에 통합 폐지됨.
반:-공산주의【反共産主義】[―/―이] 명 공산주의를 반대하는 일. 또, 그 주의. 반공(反共).
반:공산주의-자【反共産主義者】[―/―이―] 명 공산주의를 반대하는 사람.
반:공 의:거【反共義擧】명 공산주의 정치에 반대하는 의거.
반:-공일【半空日】명 오전만 일을 하고 오후에는 노는 날. 곧, 토요일을 가리킴. 반휴일. 반공일날.
반:공일-날【半空日―】[―랄] 명 반공일.
반:-공전【半工錢】명 절반의 품삯.
반:공 정신【反共精神】명 공산주의를 반대·배척하고 국가와 민족을 공산주의의 흉계로부터 지키려는 정신.
반:-공중【半空中】명 하늘과 땅 사이에 그리 높지 않은 허공. 중천(中天). 건공(乾空). 건공중. ㈜반공(半空).
반:공 포:로 석방【反共捕虜釋放】명〖역〗1953년 6월 18일, 이승만(李承晩) 대통령 치하에서 반공 포로를 한국의 단독 의지로 석방한 사건. 6·25사변 때의 공산군 포로 3만 7천명 중 2만 7천명의 반공 포로를 석방한 사건인데 국제적으로 물의를 일으킴. 동기는 전(全)포로를 중립국에 인도한 다음, 남·북한 중 자유로이 선택하게 한다는 한국전 휴전 협정 내용에 대한 불만에 있었음. 이 때문에 한미 간에도 갈등이 생겼지만 이해 6월 25일 미국 국무 차관보 로버트슨(Robertson)이 내한하여 충분한 절충으로 원만히 해결됨.
반과¹【飯菓】명 밥과 과자.
반과²【飯顆】명 밥알.
반:-과거【半過去】명〔프 imparfait〕〖언〗동사의 시제(時制)의 하나. 현재에 가장 가까운 과거의 동작을 나타내는 것.
반:-과격주의【反過激主義】[―/―이] 명 과격주의에 반대하는 주장.
반:-과격파【反過激派】명 과격파에 반대하는 파.
반:관¹【半官】명 반은 관영(官營)으로 하는 일. ¶ ～ 반민(半民).
반:관²【泮館】명〖역〗'성균관(成均館)'의 별칭. *반수(泮水).
반:-관목【半灌木】명〖식〗아관목(亞灌木).
반:관 반:민【半官半民】명 정부와 민간이 공동으로 출자(出資)하여 경영하는 사업 형태. ¶ ～ 회사.
반:-관보【半官報】명 정부의 기관지나 다름없는 구실을 하는, 민간(民間)에서 발행하는 신문.
반:괴【半壞】명 건물 따위가 반쯤 부서짐. ――-하다 자여불
반교【頒教】명 나라에 경사가 있을 때, 그 사실을 백성에게 널리 반포하여 알림. ――-하다 타여불 「반교문. ㈜반교서.
반교 교:서【頒教教書】명〖역〗나라에 경사가 있을 때 반교하던 교서.

반:-교량【半橋梁】명〖토〗도로 폭의 한쪽만을 형성(形成)하고 있는 교량. 대개 급한 경사면에 도로를 가로 부설할 경우에 만듦.

반교-문【頒敎文】명〖역〗나라에 경사가 있을 때에 백성에게 널리 반포(頒布)하던 교서(敎書). 반교 교서(頒敎敎書).

반교-서【頒敎書】명〖역〗↗반교 교서.

반:구[1]【反求】명 어떤 일을 자기 자신에게 돌려서 생각함. 반성하여 자신을 책망함. ——하다 자여불

반:구[2]【半句】명 ①한 구(句)의 반. ②적은 말. ¶일언(一言) ~.

반:구[3]【半球】명 ①구(球)의 절반. ②〖수〗중심을 통하는 한 평면으로 구(球)를 2 등분한 그 한 부분. ③〖지〗지구면(地球面)을 두 쪽으로 나눈 한 부분. ¶동(東)~/서(西)~/육(陸)~.

반:구[4]【返柩】명 객지에서 죽은 시체를 고향으로 가져옴. 반상(返喪). ——하다 타여불

반구[5]【搬具】명 운반구(運搬具).

반구[6]【頒鳩·斑鳩】명〖조〗염주비둘기.

반구대 암각화【盤龜臺巖刻畫】명 경상 남도 울주군(蔚州郡) 언양면(彥陽面) 대곡리(大谷里) 강안(江岸) 암벽(岩壁)에 있는 신석기 시대 말에서 청동기 시대에 해당하는 대표적인 바위 그림. 사냥과 고기잡이 모습, 동물 및 사람의 모습 등 150여 점이 1972년에 발견됨.

반:-구두【半―】명 울을 낮게 하여 발등이 드러나게 만든 구두. 반화(半靴).

반:-구배[1]【半勾配】명〖수〗각도가 같고 길이가 반인 구배.

반:-구배[2]【返勾配】명〖수〗45° 이상이 되는 급한 구배. *급(急)구배.

반:-구비【半―】명 쏜 화살이 알맞은 높이로 날아가는 일.

반:-구절점【半句切點】[―쩜] 명 세미콜론(semicolon).

반:구-형【半球形】명 구(球)를 절반으로 나눈 모양. 반구의 형상.

반:국가 단체 구성죄【反國家團體構成罪】[―쬐] 명〖법〗정부를 참칭(僭稱)하거나 국가를 변란(變亂)할 목적으로 결사(結社)나 집단을 구성하는 죄.

반:국가-적【反國家的】명관 국가의 방침·시책에 반대되는 모양.

반:군[1]【反軍】명 군부(軍部)에 반대하는 일. ——하다 자여불

반:-군[2]【半群】명 [semigroup]〖수〗주어진 결합적 이원 작용(二元作用)에 관하여 닫혀 있는 집합(集合).

반:군[3]【叛軍】명 반란군(叛亂軍).

반:굴[1]【反屈】명 뒤로 구부러짐. 반대 방향으로 굽음. 반곡(反曲). ——하다 자여불

반굴[2]【盤屈】명 서려서 얼크러짐. 꼬불꼬불함. 반곡(盤曲). ——하다 자여불

반:굴 태세【反屈胎勢】명〖의〗턱이 가슴에서 떨어져 머리가 척주와 함께 뒤로 굴곡하여 있는, 자궁강(子宮腔) 안에서의 태아의 이상(異常) 자세.

반:궁[1]【半弓】명 짧은 활. 앉아서 쏠 수 있음.

반:궁[2]【泮宮】명〖역〗성균관(成均館)과 문묘(文廟)의 통칭. *벽옹(辟雍).

반:권【反卷】명〖식〗식물의 잎·꽃잎 같은 것이 배면(背面) 쪽으로 구부러져 말림. ——하다 자여불

반:규【半規】명 반륜(半輪).

반규-가【蟠虯斝】명 옛날 술잔의 하나. 용(龍) 모양을 새기고 세 개의 다리를 달았음.

반:규강-법【半竅強法】[―뻡] 명〖악〗관(管)·약(籥)·훈(塤)과 같은 아악기(雅樂器) 연주에서, 구멍을 반 이상, 3분의 2 정도 막고 연주하는 법. *반규약법·반규법.

반:-규관【半規管】명 [semicircular canal]〖생〗반고리관(管).

반:규-법【半竅法】[―뻡] 명〖악〗관(管)·약(籥)·훈(塤)과 같은 아악기(雅樂器) 연주에서, 구멍을 반만 막고 연주하는 법. *반규강법·반규약법.

반:규약-법【半竅弱法】명〖악〗관(管)·약(籥)·훈(塤)과 같은 아악기(雅樂器) 연주에서, 구멍을 반이 못 되게 3분의 1 정도 막고 연주하는 법. *반규강법·반규법.

반:규칙 변:광성【半規則變光星】명 [semiregular variables]〖천〗약 40-150일의 변광(變光) 준주기(準周期)를 갖는, 절대 등급 약 0-1의 적색 거성(赤色巨星).

반:-그늘【半―】명〖물〗반(半)그림자❶.

반:-그림자【半―】명 ①[penumbra]〖물〗크기를 가지고 있는 광원(光源)에서 나오는 빛에 의하여 물체가 비치어 그림자가 생길 경우에, 다소간 빛이 들어가 있는 부분. 곧, 본그림자 주위의 흐릿한 그림자. 반그늘. 반영(半影). ②〖천〗태양 흑점(黑點)의 외측부(外側部)를 이루는 흐릿한 부분. 반암부(半暗部). 1)·2): ↔본그림자.

〈반그림자〉

반:-근[1]【半斤】명 한 근(斤)의 반. ¶쇠고기 ~.

반근[2]【盤根】명 ①서려서 얽힌 뿌리. ②얼크러져서 처리하기 곤란한 일.

반:-근대주의【反近代主義】[―/―이] 명〖문〗역사의 단계적 발전을 믿고, 근대를 봉건제(封建制)에서 탈각(脫却)하여 인간성을 해방하고 근대적 자아(自我)에 의거한 문학을 수립했다고 생각하는 입장에 대하여, 근대적 자본주의가 초래한 여러 가지 모순이나 개인주의 사상을 부정하며 별개의 공동체(共同體)를 근거로 하여 문학을 상정(想定)하려는 사상을 이름. 미국을 중심한 히피의 유행 등도 그 하나라 생각됨.

반:근-목【半筋目】명〖동〗[Hemimyaria] 원색(原索) 동물 살파류(salpa類)에 속하는 한 아목(亞目). 몸은 원기둥꼴 또는 방추형(紡錘形)이고 근환(筋環)이 복측(腹側)에서 끊어졌음. 광의(廣義)로는 살파류를 일컬음. ↔환근목(環筋目).

반근 착절【盤根錯節】명 ①서린 뿌리와 얼크러진 마디. ②얼크러져 처리하기 어려운 사건. ③세력이 단단히 뿌리 박혀 흔들리지 아니함을 비유하는 말. 반착(盤錯). ——하다 자여불

반:-금[1]【半―】명 반값. ¶~도 못 받다.

반:금[2]【返金】명 돈이나 값을 도로 반환하여 줌. 또, 그 돈. ——하다 자여불

반:금[3]【反錦】명 반벽(反璧·返璧).

반금-류【攀禽類】[―뉴] 명〖조〗[Scansores] 생태상으로 분류한 조류(鳥類)의 한 목(目). 대개 깊은 산 속에 살며, 발가락이 앞뒤로 나뉘어 향하고 구부러진 발톱이 있어서 나무에 잘 기어 오르기에 편리함. 긴 혀 끝에 각질(角質)의 갈고리가 있어서 나무 속에 있는 벌레를 쪼아 먹기에 적당함. 딱따구릿과(科)·두견잇과·앵무샛과 등을 통틀어 일컫는 속칭(俗稱)임. 반목조류(攀木鳥類).

반:-금색【半金色】명 순도(純度)가 50퍼센트인 금으로 칠한 물건. 또, 그 빛깔.

반:-금속【半金屬】명 준(準)금속.

반급[1]【班給】명 나누어 급여하는 일. ——하다 타여불

반급[2]【頒給】명〖역〗임금이 봉록(俸祿)이나 또는 물건을 나누어 줌. ——하다 타여불

반기[1] 명 잔치 또는 제사 때 동네 사람에게 나누어 주려고 작은 목판에 담아 놓은 음식. ——하다 자여불 반기를 나누어 도르다.

반:기[2]【反旗】명 ①반대의 뜻을 나타내는 행동이나 표시. ②반기(叛旗).

반:기(를) 들다 구 반대의 뜻을 표시하고 나서다.

반:기[3]【半期】명 일기(一期)의 절반. ¶상(上)~.

반:기[4]【半旗】명 조의(弔意)를 표하기 위하여 다는 국기(國旗). 깃대 끝에서 좀 내려 달며 흑색 포목을 덧붙이기도 함. 조기(弔旗). ¶~를 걸어 조의를 표하다.

〈반기[4]〉

반:기[5]【叛起】명 배반하여 일어남. ——하다 자여불

반:기[6]【叛旗】명 모반인(謀叛人)이 세우는 기. 반란을 일으킨 표시로 드는 기. 반기(反旗).

반기[7]【飯器】명 밥을 담는 그릇.

반기다 타 반가워하다. ¶사람을 ~.

반:기록 영화【半記錄映畫】[―녕―] 명〖연〗실제로 일어난 사건을 그 일어난 장소를 배경으로 제작한 극영화. 세미다큐멘터리 영화(semi-documentary 映畫).

반:기 보:고서【半期報告書】명 [semi-annual report]〖경〗회사가 회계 연도 중간에 가결산(假決算)을 하여 현재의 재무(財務) 상황이나 사업 내용을 기재한 보고서. 이는 결산기에 만들어지는 사업 보고서와 함께 중요한 공시(公示) 자료임.

반:-기생【半寄生】명〖식〗기생 식물에 있어서 기주(寄主)로부터 필요한 물질의 일부만을 섭취하고 나머지 일부는 외위(外圍)에서 보충하는 기생 생활. 곧, 기주에서 수분·영양분·염분(塩分) 등을 흡수하고 한편 자신의 엽록체(葉綠體)로 탄소 동화 작용을 행하여 살아 나감. ↔전기생(全寄生).

반:기생 식물【半寄生植物】명〖식〗부생 생활(腐生生活)도 할 수 있는 기생 식물. 일반적으로 뿌리는 발달하지 못하고, 기생하지 아니할 때는 생육(生育)이 나쁨. 겨우살이·제비꿀·긴제비꿀·수염며느리밥풀 등. 반더부살이 식물.

반:기 실적【半期實績】[―쩍] 명〖경〗상장(上場) 법인의 상반기 영업 실적. 보통 상장 기업의 1 회계 기간은 1년인데, 투자자(投資者)의 편의를 제공하기 위하여 중간(中間) 결산을 하여 실적 보고를 함.

반:기 조:례【半旗弔禮】명 반기를 달아 조의를 표하는 일. ——하다 자여불

반:-긴지름【半―】명〖수〗타원형의 긴지름의 절반. 반장경(半長徑). 장반경(長半徑).

반깃-반【―盤】명 반기를 도르는 데에 쓰는 굽이 달린 작은 목판. 엄족반(掩足盤)과 직사각형의 것이 있음.

반:-나마【半―】부 반이 조금 지나게. ¶~ 먹었더니 배가 부르다. [반나마 부르다] 아무 걱정이 없이 편하게 '반나마 늙었으니' 하는 따위의 노래나 부르다는 뜻.

반:-나병【半糯餠】명 반찰떡.

반:-나절【半―】명 한 나절의 반. 즉, 하루의 낮을 넷으로 나눈 그 하나. 반향(半晌). ¶도서관에서 ~을 보내다.

반:-나체【半裸體】명 살을 반쯤 내놓은 몸. 준반라(半裸).

반:-날【半―】명 하루 낮의 반. 곧, 한 나절. 반일(半日).

반:-날개【半―】명〖충〗반날갯과에 속하는 곤충의 총칭. 은시충(隱翅蟲).

반:날개-노린재【半―】명〖충〗[*Togo hemiptera*] 긴노린잿과에 속하는 곤충. 몸길이는 7mm 가량이고 몸빛이 흑색이며 반시초(半翅鞘)는 암갈색, 촉각은 황갈색임. 날개는 복단(腹端)에까지 이르지 못함. 한국·일본 등지에 분포함. 볏과 식물의 해충임.

〈반날개 노린재〉

반:날개-벼메뚜기【半―】명〖충〗[*Oxya japonica*] 메뚜깃과에 속하는 곤충. 벼메뚜기와 비슷한데 몸길이는 28-30mm이고 몸빛은 황록색에 전흉배(前胸背)의 측편(側片) 기부(基部)에는 한 개의 흑색 띠가 있고 앞날개는 미단(尾端)에까지 이르지 못함. 한국·일본·중국에 분포함. 벼의 해충임.

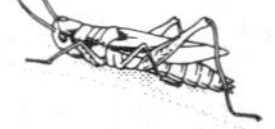
〈반날개벼메뚜기〉

반:날개-여치【半―】명〖충〗[*Gampsocleis inflata*] 여칫과에 속하는 곤충. 몸빛은 황록색 또는 황갈색이고 앞날개에는 반점이 없으며 시맥(翅脈)은 흑색. 수컷은 날개가 짧고 몸이 현저

하게 작음. 풀밭 땅 속에 알을 낳음. 암컷과 수컷이 서로 따라 함께 울고 작은 벌레나 달팽이가 먹이임. 우리 나라와 만주·일본 등지에 분포함.

〈반날개여치〉

반:날개-하늘소【半—】[—쏘] 명〖충〗[*Psephactus remiger*] 하늘솟과에 속하는 곤충. 몸의 길이는 13-30 mm, 몸빛은 흑색이나 암컷은 갈색(褐色)이며, 끝을 제외한 시초(翅鞘)와 촉각 제3절 이하가 황갈색, 수컷은 암갈색이며 시초가 매우 짧음. 한국·일본에 분포함.

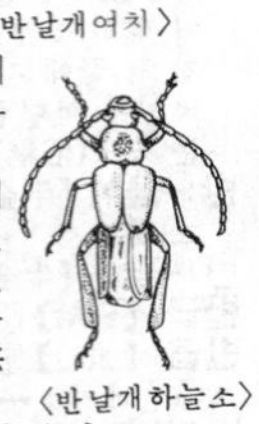

반:날갯-과【半—科】명〖충〗[Staphylinidae] 딱정벌레목(目)에 속하는 한 과. 촉각은 11절(節), 드물게 10절의 곤봉상 또는 실모양임. 큰턱은 낫 모양이고, 복절(腹節)은 6-7개임. 성충은 배설물·썩은 동물질·짐승의 분(糞)에 모임. 전세계에 많은데 개미류와 공서(共棲)하는 종류만도 300여 종이 분포함. 개미·반날개·긴반날개·왕반날개·좀반날개·호리홍반날개 등이 이에 속함.

〈반날개하늘소〉

반:납[1]【半納】명 어떤 일정한 금액이나 물건의 반만 납부하는 일. ——-하다 타여불

반:납[2]【返納】명 도로 돌려 드림. ¶책을 ~하다. ——-하다 타여불

반낭[1]【飯囊】명 밥주머니.

반낭[2]【頒囊】명〖역〗정월 첫 자일(子日)과 첫 해일(亥日)에 궁중에서 재신(宰臣)과 근시(近侍)에게 자낭(子囊)과 해낭(亥囊)을 나누어 주던 일. 또, 그 비단 주머니. 주머니 속에는 풍년을 비는 뜻으로 곡식의 씨를 태운 것을 넣었음.

반:-냥【半兩】명 한 냥의 절반.

반:냥-전【半兩錢】명 중국 진(秦)나라 때의 동전(銅錢)으로, 구멍 좌우에 '半兩'의 글자를 새긴 돈. 한 냥의 반, 곧 12수(銖)에 해당함.

반-녀【班女】명〖사람〗기원 전 1세기경, 한(漢)나라의 여류 시인(女流詩人). 반황(班況)의 딸. 성제(成帝) 때 뽑혀서 첩여(婕妤)가 되었으나 조비연(趙飛燕) 자매(姉妹)에게서 미움을 받아 장신궁(長信宮)으로 물러가 태후(太后)의 시중을 드는 동안 《원가행(怨歌行)》을 지었음. 반첩여(班婕妤).

반:-년【半年】명 한 해의 반. 곧, 6개월간. 반세(半歲). 반계(半季).

반:노【叛奴】명 상전(上典)을 배반한 종.

반-노비【班奴婢】명〖역〗조선 시대에, 양반에 딸린 사노비(私奴婢).

반:-노예【半奴隷】명 노예와 거의 비슷한 처지.

반:농【半農】명 생업의 반이 농업인 일.

반:농-가【半農家】명 생업의 반이 농업인 집.

반:농 반:공【半農半工】명 공장 등에서 일하는 가족의 수입으로 생계를 보충하는 농가.

반:농 반:도【半農半陶】명 농사도 짓고 또 농사철이 아닌 때를 이용하여 도자기를 만드는 요업(窯業)에 종사하는 일.

반:농 반:목【半農半牧】명 농사를 지으면서 목축업(牧畜業)에 종사하는 일. 반목 반농.

반:농 반:어【半農半漁】명 농사를 지으면서 한편으로 고기잡이도 하는 일.

반:뇌-증【半腦症】[—쯩] 명〖의〗뇌(腦)의 절반이 없는 기형(畸形).

반니쏘리【半—】명〈옛〉반잇소리. 반치음(半齒音). ¶△는 半니쏘리니(△半齒音)《訓諺》. *반혀쏘리.

반다기【必只】부〈이두〉반드시.

반:-다드라기【半—】명〖악〗농악(農樂)의 열 두 채의 다섯째 가락 이름.

반다라나이케〔Bandaranaike, Sirimavo〕명〖사람〗스리랑카의 여류 정치가. 수상이던 남편이 암살된 뒤 스리랑카 자유당 총재가 되어 1960년의 총선거에서 대승, 세계 최초의 여성 수상이 됨. 1964년 급진적 정책 수행 때문에 불신임안이 가결되어 정권을 내놓았다가 1970년 5월의 총선거로 다시 집권한 후 1977년 사임함. [1916-]

반다르-샤:〔Bandar Shah〕명〖지〗이란 공화국의 카스피 해 남안에 있는 항구 도시. 이란의 종관(縱貫) 철도의 기점이 됨.

반다르-스리-브가완〔Bandar Seri Begawan〕명〖지〗브루나이의 수도. 항구 도시로, 왕궁과 회교 사원(寺院)이 있으며, 고무 재배의 중심지임. 구칭은 브루나이(Brunei). [100,000명(1991 추계)]

반다르-아바스〔Bandar 'Abbās〕명〖지〗이란 남부, 호르무즈(Hormuz) 해협에 연한 항구 도시. 융단·면화·과실을 산출하며, 어류 통조림 공장이 있음. [89,000명(1976)]

반다시 부〈방〉반드시.

반다-아체〔Banda Atjeh〕명〖지〗인도네시아 수마트라(Sumatra) 북단부(北端部)의 도시. 전에는 쿠타라자(Kutaraja)라 불렸음. 교통의 요지(要地)이며 사업의 중심지로, 13세기에 이슬람 세력의 기지(基地)가 되었으며, 후에 아체(Atjeh) 왕국의 수도였음. 19세기에서 20세기초의 아체 전쟁에서 네덜란드에 정복됨. 제2차 대전 후 아체특별주(Atjeh 特別州)의 주도가 되었음. 쿠타라자(Kutaraja). [72,090명(1980)]

반 다이크〔Van Dyck, Anthois〕명〖사람〗플랑드르(Flandre)의 화가. 루벤스(Rubens)에 사사(師事)함. 영국왕 찰스 1세의 궁정 화가로서 많은 초상화를 제작하였는데 미묘한 채색과 기품(氣品) 있는 인물 묘사로 루벤스에 이어 17세기 플랑드르 최대의 초상화가로 불리며, 명암(明暗)에 갈색을 즐겨 쓰는, 소위 영국풍 초상화의 틀을 이루었음. 작품에 《자화상》·《찰스 1세의 초상》 등. [1599-1641]

반:-다지【半—】명〖건〗기둥 같은 데에 구멍을 내다지로 파지 아니하고 깊이가 기둥의 반쯤만 되게 파는 일.

반다 해【—海】〔Banda〕명〖지〗인도네시아 동부, 셀레베스 섬·티모르섬 및 서(西)이리안 사이의 해역(海域). 대체로 수심이 깊고, 가다랭이·다랑어의 어장으로 알려짐. [740,000 km^2]

반:-단【半—】명 한 단의 절반.

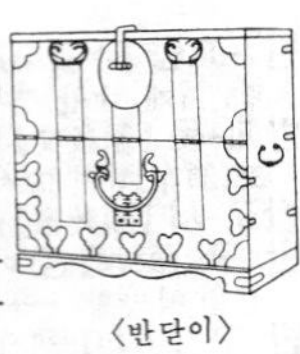
〈반닫이〉

반:-닫이【半—】[—다지] 명 길고 반듯한 큰 궤(櫃)의 한 가지. 앞의 위쪽 반만이 문짝으로 되어 아래로 잦혀 여닫게 되었음. 옷 같은 것을 넣어 둠.

반:-달【半—】명 ①반원형(半圓形)의 달. 곧, 음력 8-9일경의 달. 반월(半月). ②한 달의 절반. 곧 보름 동안. 반월(半月). 반삭(半朔). ③반달 형상으로 된 지연(紙鳶)의 꼭지. ④속손톱.

반:달가슴-곰【半-】명〖동〗곰[2]❷

반:달-곰【半-】명〖동〗반달가슴곰.

반:달-꼴【半—】명 반월형(半月形). 반달형.

반:달-꽂이【半—】명 고구마 등의 줄기를 반달 모양으로 휘어지게 묻어서 꽂아 심는 방법.

반:달-낫【半—】[—랃] 명 날이 반쯤 휘어서 반달 모양으로 생긴 낫.

반:달-돌칼【半—】명〖고고학〗곡물의 이삭을 따는 데에 쓴, 반달 모양의 돌연장. 청동기 시대 유적에서 주로 출토(出土)됨. 반월형 석도(石刀).

반달리즘〔vandalism〕명〖예〗①반달족(族)의 기질(氣質)이나 풍습. ②〔455년경 반달족이 로마를 점령하여 행한 광포(狂暴)한 약탈·파괴 행위에서 유래된 말〕일반적으로 예술·문화에 대한 파괴 경향. 또, 그 행위. 곧, 예술품이나 문화재 등을 마구 때려 부수는 만행(蠻行) 같은 것.

반:달 무늬【半—】[—니] 명 반달 모양의 무늬.

반:달-문【半—門】명 위가 반달처럼 둥글게 생긴 문. 반월문.

반:달 석기【半—石器】명〖고고학〗후기 구석기 시대부터 중석기(中石器) 시대에 널리 쓰인 반달 모양의 돌연장. 한쪽은 날카로운 날이고 등은 다듬어져 있음. 반월형 석기.

반:달 송곳【半—】명 끝의 날을 반달 모양으로 만든 송곳. 안쪽에 끊는 날이 있어 열쇠 구멍·나사 구멍 등을 뚜렷이 뚫을 수 있음.

반:달 썰:기【半—】명 무·고구마·감자 따위를 세로 가운데를 가르고 다시 가로 썰어 반달 모양으로 써는 일. 찜·비빔밥 등에 쓰임. *저며썰기.

반:달-연【半—鳶】[—련] 명 꼭지에 반달 형상을 붙인 연.

반달 왕국【—王國】〔Vandal〕명〖역〗반달족이 카르타고에 도읍하여 북아프리카에 세운 왕국(439-534). 시칠리아·남이탈리아에도 세력을 뻗쳤으나, 동로마 제국에 패망함.

반:-달음【半—】명 거의 뛰는 만큼의 빨리 걷는 걸음.

반달음-질【半—】명 반달음으로 걷기.

반달-족【—族】〔Vandal〕명〖역〗민족 대이동기(大移動期)의 게르만인(人)의 한 부족. 4-5세기에 동구(東歐)로부터 골(Gaul)과 스페인을 거쳐 북아프리카에 건너가 439년 카르타고를 중심으로 왕국을 건설하여 서(西)지중해에 위력을 떨치었으나, 534년 동로마에 망함.

반:달-차기【半—】명 태권도에서, 발 기술의 하나. 정면을 향한 채, 앞차기와 돌려차기의 중간으로 차는 일.

반:달-칼【半—】명 원시 시대의 유물(遺物)인데, 반달 모양으로 둥글게 만든 돌칼. 반월도.

반:달-판【半—瓣】명〖생〗반월판(半月瓣).

반:달-형【半—形】명 반월형(半月形).

반:-담[1]【半—】명〖건〗낮게 쌓은 담.

반:-담[2]【半曇】명 날씨가 반쯤 흐림.

반:답【反畓】명 '번답(反畓)'의 잘못 일컫는 말.

반:당[1]【反黨】명 ①반역을 꾀하는 무리. ②당의 취지에 위반 또는 반대되는 일. ¶~ 분자.

반:당[2]【伴倘】명〖역〗①서울의 각 관아에서 부리던 사환(使喚). ②중국에 가는 사신(使臣)이 자비(自費)로 데리고 가던 종자(從者). ③조선 시대에 왕자·공신(功臣)·당상관(堂上官)에게 내리던 병졸. 병조(兵曹)에서 위계(位階)에 따라 인원을 배정하여 임명하였음.

반당[3]【伴當】명〈옛〉하인(下人). ¶아랫 반당은 독별이 먹디 아니랴(下頭伴當們偏不喫)《老乞 下 35》.

반당이 명〈방〉〖어〗밴댕이.

반:당-적【反黨的】명관 당에 위반·반대 되는 모양. ¶~인 행위.

반대[1] 명〈방〉반두[1].

반:대[2]【反對】명 ①사물이 맞서서 서로 다름. 사물의 모양·위치·순서·방향이나, 생각·의미 내용 등이 다른 것과 역(逆)의 관계에 있는 일. ¶~ 방향. ②남의 의견이나 언론을 찬성하지 아니하고 뒤집어 거스름. ¶~자(者)/~론(論). ↔찬성. ——-하다 자타여불

반대[3]【胖大】명 살이 쪄서 뚱뚱하고 몸집이 큼. ——-하다 형여불

반:대 간섭【反對干涉】명〔contra-intervention〕〖법〗타국의 불법한 간섭을 배제(排除)하기 위하여 행하는 간섭. 반대 간섭은 불법이 아니라는 설도 있으나 통설은 불법으로 취급함.

반:대 개:념【反對概念】명〖논〗어떤 유개념(類概念)에 종속하는 개념 중에서, 그 내포(內包)로 보아 최대의 차이를 갖는 두 개의 개념. 대(大)와 소(小), 현(賢)과 우(愚)와 같이 대립적 관계에 있는 개념. 그들 사이에 제삼(第三) 개념, 즉 현(賢)과 우(愚) 사이에 현(賢)도 우(愚)도 아닌 '평범'을 허용하는 점에서 모순 개념(矛盾概念)과 다름. *모순 개념.

반:대 계:약【反對契約】명〖법〗기존(旣存)의 계약 당사자가 그 계약을 체결하지 않았던 것과 동일한 효과를 발생시킬 것을 내용으로 하여 체결하는 새로운 계약. 해제(解除) 계약.

반:대 급부【反對給付】명〖법〗쌍무 계약(雙務契約)에서, 일방의 급부에 대한 타방(他方)의 급부. 곧, 매매 계약에 있어서 매도인(賣渡人)이 물품을 인도함에 대하여 매수인(買受人)이 대금(代金)을 급여(給與)하는 것과 같은 행위. 반대 이행.

반대기[1] 명 ① 가루를 반죽한 것이나 삶은 푸성귀 같은 것을 편편하고 둥글 넓적하게 만든 조각. ¶엿 ~. ② ☞ 반[1]. ③ ☞ 소래기[1].

반대기² 명 〈방〉 〖충〗 번데기(경남·충남).
반:대-당【反對黨】 명 반대의 처지에 있는 정당(政黨). 곧, 여당(與黨)에 대한 야당(野黨) 같은 것.
반:대 대:당【反對對當】 명 〔라 oppositio contraria〕 〖논〗 대당 관계의 하나. 전칭 긍정 판단(全稱肯定判斷) 'A'와 전칭 부정(否定) 판단 'E'와의 대당 관계. 곧, 'A'와 'E'가 같이 참이 될 수는 없으나 같이 거짓이 될 수는 있음.
반:대 동:기【反對動機】 명 〔도 Gegenmotive〕 〖법〗 범죄의 결과를 예견(豫見)함으로써, 책임 능력 있는 통상인(通常人)인 행위자가 본디 가지고 있는 규범 의식의 평가에서 나오는 '이 행위는 해서 안 된다'라는 도의적 의욕(意慾). 도의적 책임론은 반대 동기가 강한 때에는 책임이 무겁고 반대 동기가 약한 때에는 책임이 가볍다고 함.
반:대-론【反對論】 명 반대되는 이론. 반대하는 이론.
반:대-말【反對—】 명 〖언〗 반대어(反對語).
반:대 매매【反對賣買】 명 〖경〗 대차 거래(貸借去來)나 청산(淸算) 거래에 있어서, 매도 건옥(賣渡建玉) 또는 매수 건옥(買受建玉)을 결제하기 위하여 환매(還買) 또는 전매(轉賣)하는 일.
반:대 명사【反對名辭】 명 〖논〗 반대 개념의 언어적(言語的) 표현.
반:대 무:역풍【反對貿易風】 명 〖지〗 적도(赤道) 부근에서 열을 받아 상승(上昇)한 공기가 남북 양극(南北兩極)을 향해서 흐르는 상층(上層)의 바람. 지구의 자전 때문에 북반구(北半球)에서는 남서풍(南西風)이 되고 남반구(南半球)에 있어서는 북서풍(北西風)이 되어 하층(下層)의 무역풍과는 반대의 방향이 됨.
반대-뿔 명 〈방〉 반딧불(황해).
반:대-색【反對色】 명 섞어서 백색(白色) 또는 회백색(灰白色)이 되는 두 개의 색광(色光). 곧, 서로 보색(補色)을 이루는데, 청(靑)과 등(橙), 자(紫)와 황(黃), 적(赤)과 녹(綠) 같은 것임.
반:대색-설【反對色說】 명 사람의 색각(色覺)의 발현 기구(發現機構)에 대한 가설(假說)의 하나. 삼색설(三色說)에 대립하는 것으로, 1878년 독일의 헤링이 제창함. 백흑(白黑)의 무채색계(無彩色系)와 적·녹·황·청의 사원시색계(四原始色系)를 기본 감각으로 함으로, 사색설(四色說)이라고도 함.
반:대-설【反對說】 명 반대의 뜻을 드러내는 의견이나 논설.
반:대 성토【反對聲討】 명 여러 사람이 모이어 반대하는 뜻을 강경하게 나타내어 잘못을 규탄함.
반:대수 방안지【半對數方眼紙】 명 〖수〗 반(半)로그모눈종이. ↔전대수 방안지.
반:대 신:문【反對訊問】 명 〖법〗 증인 신문에서, 증인 신청을 한 당사자가 먼저 신문한 다음 그 상대방 당사자가 하는 신문. *교호 신문.
반:대-어【反對語】 명 〖언〗 서로 뜻이 반대되는 말. '가다'와 '오다', '크다'와 '작다', '위'와 '아래' 같은 것. 대어(對語). 반대말. 반의어(反義語). 상대어. 안토님(antonym). ↔동의어(同義語).
반:대 운:동【反對運動】 명 어떤 사람의 언론·행동이나 어떤 계획·제도에 반대하기 위하여 일으키는 운동. ——-하다 자 여불
반:대의 일치【反對—一致】〔—/—에—〕 명 〔라 coincidentia oppositorum〕 〖철〗 모든 대립·모순이 유일·절대적인 신(神)에 있어서 융합·통일된다는 말. 곧, 신은 일상(日常) 존재계(存在界)의 이론과 범주(範疇)를 초월하는 고로 차별은 현상계(現象界)의 일이며 신에 있어서는 무한대(無限大)와 무한소(無限小)라고 하는 반대가 일치한다는 뜻임. *지적 무지(知的無知).
반:대-자【反對者】 명 반대하는 사람.
반:대 작용【反對作用】 명 어떤 작용에 대하여 그와 반대로 일어나는 작용. *반작용(反作用).
반대-좀 명 〖충〗 ①반대좀과에 속하는 곤충의 총칭. 음어(鐔魚). 두어(蠹魚). 백어. 벽어(壁魚). 의어(衣魚). 준좀. ②〔*Ctenolepisma longicaudata coreana*〕 반대좀과에 속하는 곤충의 하나. 몸길이는 12mm 내외의 비교적 대형(大形)으로 온 몸이 암회색의 인편(鱗片)으로 덮이고 은백색의 광택이 남. 몸은 달걀꼴에 편평하며 날개가 퇴화(退化)했고 사상(絲狀)으로 된 촉각과 두 개의 긴 꼬리가 있고 중앙에 긴 털이 있음. 특히, 가옥(家屋)의 어둡고 습기 있는 곳에 살며, 풀기 있는 서적·지류(紙類)·의류(衣類)를 해침. 한국·중국에 분포함.

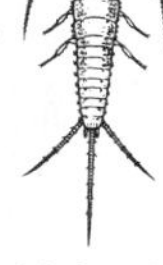
〈반대좀❷〉

반대좀-과【—科】〔—꽈〕 명 〖충〗 〔Lepismidae〕 총미류(總尾類)에 속하는 한 과. 몸은 가늘고 편평하며 흉부(胸部)가 가장 넓음. 몸은 은백색 비늘로 덮였고, 복안(複眼)은 없이 소안(小眼)만 가진 종류도 있음. 원시적(原始的)인 곤충으로서, 날개는 퇴화하여 없고, 불완전 변태함. 낙엽·돌밑·가옥·실내(室內)에 서식하며, 전세계에 200여 종이 분포함.
반:대-쪽【反對—】 명 반대되는 쪽.
반:-대칭률【反對稱律】〔—뉼〕 명 〖수〗 어떤 집합부의 두 개의 원의 상호 관계에 관한 조건의 하나. x가 y와 어떤 관계가 있고, 또한 y도 x와 그러한 관계에 있다면 x와 y는 같다고 하는 일. $x \geq y$, $y \geq x$이면 반드시 $x=y$가 되므로, 관계 ≥는 반대칭률을 만족시킴.
반:대 투표【反對投票】 명 어떤 안건(案件)을 거부하거나, 또는 어떤 입후보자(立候補者)를 반대하여 투표함. ——-하다 자 여불
반:대-파【反對派】 명 반대의 처지에 선 파.
반:대-표【反對票】 명 반대하는 뜻으로 던지는 표. 부표(否票). ↔찬성표.
반:대 해:석【反對解釋】 명 〖법〗 법률 해석 방법의 하나. 어떤 사항에 관하여, 직접의 규정으로부터 그것이 포함하는 상반되는 결과를 이해하기 위한 해석. 가령 '차마 통행 금지'라는 표목(標木)에는, 차와 말의 통행은 금지되어 있으나, 그 이면에는 도보(徒步)라면 통행하여도 좋다는 취지가 있다는 것으로 해석할 수 있는 것과 같은 일.
반: 댄스〔barn dance〕 명 〖악〗 미국 서부(西部)에서 일어난 4분의 4박자계(系) 춤의 한 가지. 메부수수하고 향토적(鄕土的)인 맛이 있음. 농가에서 새로 지은 헛간의 낙성(落成)을 기념하여 그 헛간에서 추었던 것이 그 시초라 함.
반댓-불 명 〈방〉 반딧불(황해).
반댕이 명 〈방〉 〖어〗 밴댕이(황해).
반더룽〔도 Wanderung〕 명 길이 있고 없음을 가리지 아니하고, 자유로 산과 들을 발섭(跋涉)하는 일.
반:더부살이 식물【半—植物】 명 '반기생(半寄生) 식물'의 고친 이름.
반더튀리 명 〈방〉 ①말더듬이. ②반벙어리(평안).
반더포겔〔도 Wandervogel〕 명 ①〖역〗 1901년 독일에서 일어난 자발적인 청년 운동의 하나. 도시의 학생이 중심이 되어 퇴폐적인 도시 생활에서 벗어나 건강 증진, 상호 친목의 도모 및 조국과 자연에의 사랑을 강조할 목적 아래, 각지를 편력(遍歷)하며 자연에 따른 생활을 영위하였음. 뒤에 히틀러 유겐트에 병합되었음. ②〖조〗 철새.
반:덤핑 관세【反—關稅】〔dumping〕 명 특정 물품의 덤핑 수입으로 인하여 국내 산업의 피해가 발생할 경우 재무부 장관이 해당 제품의 정상 가격과 덤핑 가격과의 차익(差益)에 대해 부과하는 과세. 수입 수량 제한 조치와 더불어 산업 피해 구제 수단의 하나임.
반:덧셈-기【半—器】 명 〔half adder〕 〖컴퓨터〗 반가산기.
빈데기 명 〈방〉 반대기¹❶.
반데-나물 명 〖식〗 젓가락나물.
반 데르 발:스〔van der Waals, Johannes Diderik〕 명 〖사람〗 발스.
반덴버:그 결의【—決議】〔—/—이〕 명 〔Vandenberg Resolution〕 〖역〗 미국 상원이 외교 위원장 반덴버그(Vandenberg; 1884-1952)의 제안으로 1948년 6월에 가결한 결의. 미국의 안전에 영향을 미치는 지역적 집단적 방위 협정에 참가할 것을 표명한 것임.
반도¹ 명 〈옛〉 개똥벌레. =반뒤². ¶ 반도 형(螢)《字會 上 21》.
반도² 명 〈옛〉 반두¹. 그물의 한 가지. ¶ 반도(攩網)《譯語 上 23》.
반:도³【半島】 명 〖지〗 세 면(面)이 바다에 싸이고, 한 면은 육지에 연한 땅. 곧, 대륙(大陸)에서 바다 쪽으로 좁다랗게 돌출한 육지. 이것의 작은 것을 갑(岬)이라 함. ¶ 한(韓)~/발칸 ~.
반:도⁴【半途】 명 ①어떤 거리의 반쯤 되는 길. ②일을 다 이루지 못한 그 중간. 중도(中途).
반:도⁵【反跳】 명 〔recoil〕 〖물〗 입자(粒子) A에서 입자 B가 방출되거나 입자 C가 A에 충돌하여 산란(散亂)하거나 하는 경우에, 운동량 보존의 법칙에 따라 A가 되튀기는 현상. 이때의 A가 반도 입자임.
반:도⁶【叛徒】 명 반란을 꾀하는 무리. 반역의 도당. ¶~ 토벌.
반도⁷【蟠桃】 명 선도(仙桃)의 한 가지. 삼천 년 만에 한 번씩 열매가 열린다고 함.
반:도-국【半島國】 명 반도로 되어 있는 나라.
반도네온〔스 bandoneón〕 명 〖악〗 손풍금의 일종. 음색(音色)·구조가 아코디언과 비슷하나, 아코디언으로 표현하기가 어려운 스타카토(staccato) 주법이 가능함. 아르헨티나 탱고의 주요한 주악기(奏樂器)임.

〈반도네온〉

반:도 단체【叛徒團體】 명 〖정〗 한 국가 안에서, 정부를 타도하거나 또는 본국에서 분리할 목적으로 무력 투쟁하는 인민의 단체.
반:도-미【半搗米】 명 속겨에 포함된 양분을 다 버리지 않으려고, 반쯤만 찧은 쌀. *현미.
반도-반【蟠桃飯】 명 쌀을 반쯤 끓이다가 산복숭아를 삶아서 체에 걸러 넣고 지은 밥.
반:도 반:자【半陶半瓷】 명 〖공〗 반자기(半瓷器).
반:도 원자【反跳原子】 명 〔recoil atom〕 〖물〗 원자핵 반응에서 되튀김을 받은 원자. 분자(分子) 중의 어떤 원자에 핵반응이 일어나 반도 원자가 생기면, 원자는 분자에서 떨어져 튀어나가는 수가 많음.
반:도-유【反跳油】 명 〔recoil oil〕 중성(中性)으로 점도(粘度)가 일정한 기름. 유압 전달(油壓傳達)이나 유압(油壓) 용수철에서 반동 흡수(反動吸收)에 쓰임.
반:도-이폐【半途而廢】 명 중도이폐(中途而廢). ——-하다 타 여불
반:도 입자【反跳粒子】 명 〔recoil particle〕 〖물〗 충돌(衝突)하거나 다른 입자(粒子)를 방출함에 따라 다른 운동 상태에 들어간 입자.
반:도 전:자【反跳電子】 명 〔recoil electron〕 〖물〗 충돌(衝突)하여 다른 운동 상태에 놓인 전자.
반:도 전:쟁【半島戰爭】 명 〖역〗 나폴레옹 1세의 이베리아 반도 침략 때의 에스파냐·포르투갈·영국·세 나라와 프랑스와의 전쟁. 나폴레옹이 대륙 봉쇄령의 발령 이후에도 영국과 통상을 계속한 포르투갈을 에스파냐로 하여금 1807년 점령하게 하고, 이어 에스파냐를 프랑스의 점령 상태에 놓자, 1808년에 에스파냐 전토(全土)에 반불(反佛) 반란이 일어났을 뿐 아니라, 영국 웰링턴의 군대가 포르투갈에 상륙함에 이르러, 삼국 연합군과 프랑스는 1813년까지 전쟁을 계속하게 되었음. 이 전쟁으로 나폴레옹은 최초로 유럽 정복을 중단하지 않을 수 없게 되었음. 에스파냐 독립 전쟁.
반:-도체【半導體】 명 〔semi-conductor〕 〖물〗 저온(低溫)에서는 거의 전류(電流)를 전도(傳導)하지 아니하나, 고온(高溫)이 될수록 전기 전도도(電氣傳導度)가 증대하는 물질. 규소(珪素)·게르마늄·셀렌·갈륨 비소(砒素) 등이 있음. 정류기(整流器)·트랜지스터(transistor) 등 중요한 기구에 널리 응용됨.
반:도체 다이오:드【半導體—】 명 〔semiconductor diode〕 〖물〗 반도체를 재료로 한 다이오드.
반:도체 레이저【半導體—】 명 〔semiconductor laser〕 〖물〗 반도체 소자(素子)를 발광원(發光源)으로 하는 레이저. 발광원이 소형(小形)이고 효율성이 높아 광통신(光通信)·콤팩트 디스크(compact disk) 등에서

널리 쓰이고 있음.

반:도체 메모리【半導體—】〔memory〕명 『컴퓨터』 연산(演算)에 필요한 데이터나 명령 따위 정보를, 장기적으로 또는 일시적으로 기억해 두는 집적 회로.

반:도체 소자【半導體素子】명 『물』 반도체를 사용한 전자 회로 소자. 정류기·트랜지스터·발광(發光) 소자·광전 변환(光電變換) 소자·서미스터(thermistor) 따위가 있음.

반:도체 열전쌍【半導體熱電雙】명〔semiconductor thermocouple〕 반도체로 된 열전쌍. 반도체는 전기적(電氣的)으로 양도체(良導體)이지만 열적(熱的)으로는 불량도체(不良導體)이기 때문에 높은 온도 구배(溫度勾配)로 동작함.

반:도체 정:류기【半導體整流器】〔—뉴—〕명〔semiconductor rectifier〕 『물』 반도체를 이용하여 정류 작용을 하게 만든 장치.

반:도체 증폭기【半導體增幅器】명 반도체를 이용하여 전류의 진폭(振幅)의 힘을 더 높이는 장치.

반:도체 집적 회로【半導體集積回路】명〔semiconductor integrated circuit〕 집적 회로의 한 가지. 실리콘과 같은 반도체의 기판내(基板內)에 트랜지스터 등의 능동 소자(能動素子)와 저항·콘덴서 등의 수동(受動) 소자를 만들어 넣어 서로 접속시킨 것. 전자 계산기 제조 등에 사용됨. *막(膜)집적 회로.

반:도체 화합물【半導體化合物】명〔semiconducting compound〕『물』 반도체인 화합물. 산화(酸化)구리·황화아연(黃化亞鉛)·요오드화마그네슘·셀렌화카드뮴 따위.

반:독【反獨】명 독일에 반대함. 또, 독일에 반대됨.

반:-독거제【半獨居制】명 오번제(Auburn 制).

반:-독립【半獨立】〔—닙〕명 ①반은 남의 힘을 입고 있는 독립. ②『정』 한 나라의 일부 독립권 행사가 딴 나라에 의해 제한받고 있는 상태.

반:-독립국【半獨立國】〔—닙—〕명 『정』 일부 주권국(一部主權國).

반:동【反動】명 ①한 동작에 대하여 반대로 일어나는 동작. ②『물』 한 물체가 다른 물체에 작용을 미칠 때, 반작용을 받아서 그 물체 자신의 운동 상태가 변화하는 일. ③역사의 조류에 역행하여 진보적인 운동에 반대하는 보수적인 운동. ——하다 자여불

반동-광【斑銅鑛】명 『광』 동철(銅鐵)의 황화물(黃化物)로 된 적갈색의 동광(銅鑛). 등축정계(等軸晶系)에 속한 결정(結晶)을 이루고, 구리의 원료로서 중요함. 자소동(紫蘇銅).

반:동-기【反動期】명 『심』 반항기.

반:동 기관【反動機關】명〔reaction engine〕 로켓이나 제트 엔진처럼 추진력을 분출(噴出) 물질의 반작용(反作用)으로 얻는 기관. 특히, 기관 안에서 에너지를 부가(付加)함으로써 생기는 가스류(gas流)나 제트를 분출하는 기관.

반:동-력【反動力】〔—녁〕명 ①반동하는 힘. ②반동으로 인하여 일어나는 힘.

반:동 분자【反動分子】명 반동을 하는 자.

반:동 사:상【反動思想】명 역사의 조류에 역행하여 사회의 진보·발달을 방해하는 사상.

반:동-성【反動性】〔—썽〕명 반동적인 성격.

반:동 세:력【反動勢力】명 역사의 흐름을 거슬러 그 진보를 저지하려는 세력.

반:동 수차【反動水車】명 수차의 한 가지. 날개 모양으로 된 수차 속에서 물이 압력 강하(降下)를 일으키는 수차의 총칭. 이에 대하여 충동(衝動) 수차가 있음. 이 식(式)으로 현재 사용되고 있는 것으로는 프랜시스(Francis) 수차 및 프로펠러 수차가 있음.

반:동-심【反動心】명 반동하는 마음.

반동심원-문【半同心圓文】명 『고고학』 무지개무늬.

반:동-자【反動者】명 반동을 일으키는 사람. 반동하는 사람.

반:동-적【反動的】명관 ①하나의 운동 작용에 대해 정반대의 운동 작용이 생기는 모양. ②역사의 조류(潮流)에 역행(逆行)하여, 진보(進步)를 저지(沮止)하려는 경향.

반:동 정당【反動政黨】명 『정』 ①진보적인 성격의 정당에 반대하여 나아가는 보수적인 정당. ②현상에 만족하지 않으며 또한 미래에도 희망을 걸지 아니하는 정당의 한 유형. *급진 정당·보수 정당.

반:동-주의【反動主義】〔—/—이〕명 역사의 조류에 역행하여 진보적인 사회 사상을 폭력적으로 반대하려는 과격한 보수주의. *반동 사상.

반:동 추진【反動推進】명 제트 엔진·로켓 엔진·로켓 모터처럼 뒤쪽으로 방출(放出)되는 가스나 제트의 반작용으로 이루어지는 추진.

반:동-키【反動—】명 『기』 프로펠러 후류(後流)를 정류(整流)하여 키에 추력(推力)이 생기도록 하여 조타(操舵)하기 쉽도록 한 배의 키.

반:동 터:빈【反動—】명〔reaction turbine〕 발전용(發電用) 원동기의 하나. 유체 가속(流體加速)의 정상류(定常流) 원리를 응용하여 노즐이 가동 소자(可動素子)에 달려 있음.

반:동-파【反動派】명 반동하는 세력에 속하는 파.

반:동 형성【反動形成】명〔reaction formation〕『심』 잠재 의식(潛在意識)의 강한 욕구(慾求)가 행동으로서는 반대의 경향으로써 표출(表出)되는 일. 강한 성적 관심이, 격심한 성(性)에의 멸시로 나타나는 따위의 현상.

반:-되[1]【半—】명 한 되의 반. 곧 다섯 홉.

반되[2] 명 〈옛〉 반디. =반도[1]. ¶ 반되 須彌를 소롬 곧ᄒᆞ니(如螢燒須彌)《圓覺 下 二之一 52》.

반되블 명 〈옛〉 반딧불. ¶ 반되브를 가져(取螢火)《圓覺 上 二之三 40》.

반두[1] 명 그물의 한 가지. 두 끝에 막대기를 대어 두 사람이 맞잡고 고기를 몰아 잡도록 되었음. 작게 만들어 한 사람이 하는 것도 있음. 조망(罩網).

〈반두[1]〉

반두[2]【飯頭】명 『불교』 절에서 큰 일이 있을 때에 밥짓는 일을 맡아 보는 사람.

반두깨 명 〈방〉 소꿉 장난(충북).

반두깨비 명 〈방〉 소꿉 장난(경남).

반두깨이 명 〈방〉 소꿉 장난(경북).

반두깽이 명 〈방〉 소꿉 장난(경북).

반두끼미 명 〈방〉 소꿉 장난(경남).

반:-두루마기【半—】명 길이가 재래의 두루마기의 절반쯤 되는 개량(改良) 두루마기.

반두미 명 『동』 〈방〉 말[1](평안).

반:-두부【半豆腐】명 되두부.

반두-질 명 반두로 물고기를 잡는 일. ¶ ～을 나가서 고기 잡히는 재미에 점심 먹을 생각도 아니하다. ——하다 자여불

반두질-꾼 명 반두로 물고기를 잡는 사람.

반둥〔Bandung〕명 『지』 인도네시아 자바 섬 서부의 도시. 주위가 화산으로 둘러싸인 표고 720 m의 고원 분지(高原盆地)에 위치하며, 20세기 초부터 피서지로서 개발됨. 연(年)평균 기온 22°C. 인도네시아의 학술 중심지로 공과 대학, 지질 연구소 등이 있으며, 이 나라 제 3 위의 도시임. 차(茶)와 고무 제품을 산출함. 〔1,602,000 명(1983)〕

반둥-거리다 자 아무 일도 하지 아니 하고 빤빤스럽게 놀기만 하고 보기 싫게 게으름만 부리다. 반둥대다. ㅆ빤둥거리다. ㅆ판둥거리다. 〈번둥거리다. 반둥-반둥 부. ——하다 자여불

반:둥-건둥 부 사물을 다 마치지 못하고 그만두는 모양. 건둥반둥. ¶ 무슨 일이든지 아니 하려면 고만두고, 하랴거든 톡톡히 해야지, ～하면 아무 것도 되지 않소《崔瓚植 : 海岸》. ——하다 타여불

반둥-대다 자 반둥거리다.

반둥 십원칙【—十原則】〔Bandung〕명 1955년의 반둥 회의에서 채택된 평화 공존과 우호 협력 발전을 위한 열 가지 원칙. 즉, ㉠ 기본적 인권 존중, ㉡ 인종·국가의 평등 승인, ㉢ 국가 주권과 영토 보존의 존중, ㉣ 타국 내정 불간섭, ㉤ 자위권(自衛權) 존중, ㉥ 타국에의 압력 배제, ㉦ 국가 영토 보존·정치적 독립의 불침법, ㉧ 평화적 국제 분쟁 해결, ㉨ 상호 이익·협력 촉진, ㉩ 정의와 국제 의무의 존중.

반둥 정신【—精神】〔Bandung〕명 『역』 반둥 10원칙에 의거한 아시아 아프리카 여러 나라의 정부와 국민의 연대(連帶)와 단결의 정신.

반둥 회:의【—會議】〔—/—이〕〔Bandung〕명 『역』 1955년 4월에 아시아·아프리카의 29개국 대표가 반둥에서 개최한 제1차 아시아 아프리카 회의. 동서 진영의 평화적 공존, 인종 차별의 반대, 식민지 문제를 중심으로 토의하였음. 아시아 아프리카 회의.

반:-뒤:링론【反—論】명〔독 Anti-Dühring〕『책』 개량주의의 사회주의 철학자 뒤링의 이론을 철학·경제학·사회주의의 전영역(全領域)에 걸쳐 반박 비판하고, 마르크스주의 세계관을 전개하여 그 필연성을 논술한 책. 엥겔스저(著). 1878년 간(刊).

반드기 부 〈옛〉 반드시. 기필코. ¶ 허물며 百年이 반드기 어려우니《永言》.

반드깨미 명 〈방〉 소꿉 장난(경북).

반드럽다 형ㅂ불 ①거칠지 아니하고 윤기가 나고 매끈매끈하다. ¶ 반드러운 대리석. ②사람됨이 약빨라서 어수룩한 맛이 없다. ¶ 반드럽게 생기다. 1)·2):ㅆ빤드럽다. 〈번드럽다.

〔반드럽기는 삼 년 묵은 물박달 방망이〕 ㉠말을 잘 안 듣고 요리조리 피하기만 하는 사람을 비유하는 말. ㉡반들반들하여 쥐면 미끄러져 나갈 것 같은 것을 이르는 말.

반드레-하다 형여불 실속없이 외모만 반드르르하다. ㅆ빤드레하다. 〈번드레하다.

반드르르 부 윤기가 있고 매끄러운 모양. ¶ 마룻 바닥을 ～하게 닦다. ㅆ빤드르르. 〈번드르르. ——하다 형여불

반:드림-제【半—制】명 『악』 동편제(東便制)와 서편제(西便制)의 중간에 드는 판소리 창법(唱法).

반드시 부 꼭. 틀림없이. 필연코. ¶ ～ 이겨야 한다.

반득[1] 부 한 번 반득이는 모양. ㅆ반뜩·빤득. 〈번득. ——하다 자타여불

반득[2] 부 〈옛〉 반드시. =반드기·반ᄃᆞ시. ¶ 반득 필(必)《石千 8》.

반득개비 명 〈방〉 『충』 반딧불이(황해).

반득-거리다 자타 자꾸 반득이다. ㅆ반뜩거리다·빤득거리다. 〈번득거리다. 반득-반득 부. ——하다 자타여불

반득-대다 자타 반득거리다.

반득-이다 자타 물건의 면이 급히 각도를 바꾸어 움직임에 따라 광선의 비치는 상태가 갑자기 바뀌다. 또, 그리 되게 하다. ¶ 회중 전등을 ～. ㅆ반뜩이다·빤득이다. 〈번득이다.

반들-가시나무 명 『식』 [*Rosa wichuraiana*] 장미과에 속하는 낙엽 활엽 관목. 잎은 우상(羽狀) 복엽(複葉)으로 나고 작은 잎은 원형 또는 달걀꼴을 이루며, 줄기에는 갈고리 모양의 가시가 성기게 돋침. 여름에 흰꽃이 거의 원추 화서(圓錐花序)로 정생(頂生)하고 둥근 과실은 가을에 붉게 익음. 산기슭 양지에 나며, 한국의 경남북·전남북 및 중국에 분포함. 관상용으로 재배함.

반들개 명 〈심마니〉 ①산삼의 새싹. ②눈썹.

반들-거리다[1] 자 ①거칠지 아니하고 윤이 나도록 매끈매끈하게 되다. ②어수룩한 맛이 조금도 없이 약게만 굴다. 1)·2):ㅆ빤들거리다[1]. 〈번들거리다[1]. 반들-반들[1] 부. ——하다[1] 형여불

반들-거리다[2] 자 이리 핑계 저리 핑계하며 게으르게 놀기만 하다. ㅆ빤들거리다[2]. ㅆ판들거리다. 〈번들거리다[2]. 반들-반들[2] 부. ——하다[2] 형여불

반들-대다 자 반들거리다[1·2].

반들-사초【—莎草】명 『식』 [*Carex tristachya*] 방동사니과(科)에 속하는 다년초. 줄기는 높이 30 cm 가량이고 삼릉주(三稜柱)이며, 잎은 총생(叢生)하고 선형(線形)을 이룸. 소수(小穗)는 3-5개 웅수(雄穗)는 한 개인데 4-5월에 정생(頂生)하고 수과(瘦果)를 맺음. 산과 들의 양지바른 곳에 나는데, 전남북·경기도에 분포함.

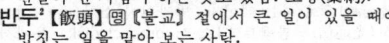

반듯기 뷔 〈옛〉 기필(期必)코. ¶ 허물며 百年이 반듯기 어려오니 《古時調·類聚》.

반듯-반듯 뷔 여럿이 모두 반듯한 모양. ¶ 가로(街路)가 ～하다. 〈번듯번듯. ――-하다 형여불

반듯-이 뷔 반듯하게. ¶ ～ 누이다. 〈번듯이.

반듯-하다 형여불 ①물건들이 어디가 굽거나 기울거나 귀가 나지 아니하고 바르다. 비뚤지 않고 곧다. ¶ 네모 반듯한 유리/반듯한 이마/반듯하게 다듬다. ②아무 흠점이 없다. ¶ 반듯한 집안. ③생김새가 반반하다. ¶ 반듯한 집/반듯한 얼굴. 1)-3):ㅆ반뜻하다. 〈번듯하다.

반:등[1] 【反騰】 명 《경》 하락세(下落勢)에 있던 시세가 반대로 갑자기 등귀(騰貴)함. ¶ ～세를 보이다. ↔반락(反落). ――-하다 자여불

반등[2] 【攀登】 명 기어 오름. 등반(登攀). ――-하다 자여불

반디 명 〈방〉 ①《충》 반딧불이. ②반두[1].

반디-나물 명 《식》 [*Cryptotaenia japonica*] 미나릿과에 속하는 다년초. 줄기는 곧고 가지가 갈라졌으며 높이 30-60 cm, 잎은 호생하며, 잎꼭지가 길. 작은 잎은 달걀꼴 또는 장타원형을 이루며 날카로운 톱니가 있음. 6-7월에 흰꽃이 복산형 화서(複繖形花序)로 피고, 선상 장타원형의 과실을 맺음. 산지에 나는데, 한국 전역과 일본·중국·오키나와에 분포함. 어린 잎은 식용함.

반디-미나리 명 《식》 [*Cryptotaeniopsis tanakae*] 미나릿과에 속하는 다년초. 줄기는 높이 10-20 cm, 잎은 호생하는데, 잎꼭지가 긴 근엽(根葉)은 삼각형을 이루고, 2회 우상 전열(羽狀全裂)이며, 열편(裂片)은 긴 타원형임. 7월에 흰 꽃이 복산형 화서로 피며, 긴 타원형의 과실을 맺음. 깊은 산의 음지에 나는데 제주도에 분포함.

반디-지치 명 《식》 [*Lithospermum zollingeri*] 지칫과에 속하는 다년초. 새 가지에서 뿌리를 내어 뻗어 나가는데, 줄기는 높이 15-20 cm, 잎은 호생하며, 무병(無柄)에 도피침형을 이룸. 5-6월에 청자색(青紫色) 꽃이 정생(頂生)하여 수상(穗狀) 화서로 피고, 백색의 둥근 견과(堅果)를 맺음. 산이나 들에 나는데, 한국의 제주·전남·경남 및 홋카이도·일본·중국 등지에 분포함.

〈반디지치〉

반디-하늘소 [―쏘] 명 《충》 [*Dere thoracica*] 하늘솟과에 속하는 곤충. 몸길이 8-10 mm 이고, 몸빛은 앞가슴이 반투명한 적색, 시초(翅鞘)는 흑람색(黑藍色), 그 외의 부분은 모두 검은데, 몸의 하면(下面)에는 회백색의 털이 났음. 한국에도 분포함.

반딧-벌레 명 《충》 반딧불이.

반딧-불 명 반딧불이의 꽁무니에서 반짝이는 인(燐)의 불빛. 소화(宵火). 형광(螢光). 형작(螢爝). 형화(螢火). *발광기.

【반딧불로 별을 대적하랴】 되지 않을 일은 아무리 억척을 부려도 이루어지지 아니한다는 말.

〈반디하늘소〉

반딧불-고둥 명 《조개》 [*Cochlicopa lubrica*] 반딧불고둥과에 속하는 고둥의 한 가지. 패각(貝殼)은 원통상에 가까운 긴 달걀꼴이며, 반투명의 황회갈색을 이룸. 나층(螺層)은 6 층인데, 달걀꼴의 입은 높이의 3분의 1 가량임. 삼림·낙엽 밑·썩은 나무 줄기에 서식하며, 물 속에 몇 시간씩 잠겨 있을 수 있다고 함. 북극권(北極圈)에 널리 분포하며, 한국에서는 중부 이북에 남.

반딧불-나방 [―라―] 명 《충》 [*Pidorus glaucopis atratus*] 알락나방과에 속하는 곤충의 한 가지. 편 날개의 길이는 55 mm 내외, 몸길이는17-19 mm 가량임. 날개의 빛은 대체로 검은데, 앞날개에는 비스듬한 흰 띠가 있음. 두부(頭部)는 붉고, 언뜻 보면 개똥벌레를 연상하게 함. 1 년에 2 회, 6-7월 및 9월에 발생하고, 유충(幼蟲)은 사스레피나무의 해충임. 성충(成蟲)은 낮에 날아다니는데 잡으면 심한 악취(惡臭)를 풍기면서 끈적끈적한 액체를 분비함. 한국·일본·류큐·대만·중국·인도 등지에 널리 분포함.

〈반딧불나방〉

반딧불이 명 《충》 ①반딧불잇과에 속하는 갑충(甲蟲)의 총칭. ②[*Luciola cruciata*] 반딧불잇과에 속하는 곤충의 하나. 몸길이 12-18 mm 이고, 몸빛은 흑색에 전흉(前胸)은 적색인데, 시초(翅鞘) 중앙에 흑색 띠가 있음. 발광기(發光器)는 제 6-7 복절(腹節)에 있으나 암컷은 6절에 있음. 풀밭·물가에 산란함. 유충은 맑은 물에 서식하며 담수(淡水)의 다슬기 등을 먹음. 이듬해 변태한 성충이 5-6월의 여름 밤에 반작거리며 날아다님. 개똥벌레. 단량(丹良). 단조(丹鳥).

〈반딧불이❷〉

반딧불잇-과 【―科】 명 [Lampyridae] 딱정벌레목(目)에 속하는 한 과. 촉각은 10-12 마디, 복절은 6-7 개임. 대개 복절 후단(後端)에 발광기가 있어 '반딧불'을 발광(發光)하나 열(熱)은 없으며, 보통 1 분간에 70-80 회 반작거림. 반딧불이·꽃반딧불이·애반딧불이 등이 이에 속함. 전세계에 400여 종이 분포함. 개똥벌렛과(科).

반ᄃᆞ개 뷔 〈옛〉 반드시. =반ᄃᆞ기·반ᄃᆞ시. ¶ 반ᄃᆞ개 福 ᄃᆞ외디 아니홀 줄 아니니라(未必不爲福)《初杜諺 XIX:48》.

반ᄃᆞ기 뷔 〈옛〉 반드시. 꼭. 마땅히. =반ᄃᆞ개·반ᄃᆞ시. ¶ 예 이제 반ᄃᆞ기 알라 《月釋 XVII:78》. 「(必自修)《飜小 X:3》.

반ᄃᆞ시 뷔 〈옛〉 반드시. =반ᄃᆞ개·반ᄃᆞ기. ¶ 반ᄃᆞ시 스스로 모믈 닷가

반ᄃᆞᆨ반ᄃᆞᆨ이 뷔 〈옛〉 반듯반듯이. ¶ 글조 굿그시를 모로매 반ᄃᆞᆨ반ᄃᆞᆨ이 정히 ᄒᆞ며(字畫必楷正)《飜小 VIII:16》.

반ᄃᆞᆨ반ᄃᆞᆨᄒᆞ다 자 〈옛〉 반짝반짝하다. ¶ 반ᄃᆞᆨ반ᄃᆞᆨᄒᆞ도다(灼然灼然)《金三 II:28》.

반ᄃᆞᆨᄒᆞ다 형 〈옛〉 반듯하다. ¶ 方正은 모나미 반ᄃᆞᆨᄒᆞᆯ씨오《月釋 II:41》.

반ᄃᆞᆯ원ᄃᆞᆯᄒᆞ다 형 〈옛〉 반짝반짝하다. ¶ 솔션 門엔 드믄 그르메 반ᄃᆞᆯ원ᄃᆞᆯᄒᆞ도다(松門耿疎影)《杜諺 IX:14》.

반ᄃᆞᆺ 뷔 〈옛〉 반드시. =반ᄃᆞ개·반ᄃᆞ기·반ᄃᆞ시. ¶ 반ᄃᆞᆺ 필(必)《類合 下 9》.

반:땀-침 【半―】 명 반박음질. *온땀침. ――-하다 자타여불

반뜩 뷔 반뜩이는 모양. ㅅ반득. 〈번뜩. *빤득. ――-하다 자타여불

반뜩-거리다 자타 자꾸 반뜩이다. ㅅ반득거리다. ㅆ빤득거리다. 〈번뜩거리다. **반뜩-반뜩** 뷔. ――-하다 자타여불

반뜩-대다 자타 반뜩거리다.

반뜩-이다 자타 물건의 면이 급히 각도를 바꾸어 움직임에 따라 반사되는 광선의 상태도 갑자기 바뀌다. 또, 그렇게 되게 하다. ㅅ반득이다. 〈번뜩이다.

반뜻 뷔 갑자기 나타났다가 곧 없어지는 모양. 〈번뜻.

반뜻-반뜻[1] 뷔 여럿이 모두 반뜻한 모양. 〈번뜻번뜻[1]. ――-하다[1] 형여불

반뜻-반뜻[2] 뷔 연해 반뜻 나타났다 반뜻 없어지는 모양. 〈번뜻번뜻[2]. ――-하다[2] 자여불

반뜻-이 뷔 반뜻하게. ㅅ반듯이. 〈번뜻이.

반뜻-하다 형여불 아주 반듯하다. ㅅ반듯하다. 〈번뜻하다.

반:라 【半裸】 명 ↗반나체. ↔전라(全裸). ¶ ～의 여인.

반라청 〔半拉城〕 [발―] 명 《지》 중국 지린 성(吉林省) 훈춘 현(渾春縣)에 있는 토성(土城). 발해(渤海)의 동경 용원부(東京龍原府)의 자리로 비정(比定)되고 있음. 수백 미터의 토벽(土壁)을 쌓았는데, 그 안에는 남쪽에서 북쪽까지 토단(土壇)이 남아 있음. 반랍성.

반:락[1] 【反落】 [발―] 명 등귀세(騰貴勢)에 있던 시세가 역전(逆轉)하여 갑자기 하락(下落)함. ↔반등(反騰). ――-하다 자여불

반락[2] 【般樂】 [발―] 명 놀면서 즐김. ――-하다 자여불

반:란[1] 【叛亂·反亂】 [발―] 명 반역(反逆)하여 난리를 꾸밈. 모반(謀叛)하여 난리를 일으킴. 또, 그 난리. 역란(逆亂). ――-하다 자여불

반란[2] 【斑爛】 [발―] 명 ①《한의》 관농(貫膿)이 터져서 문드러짐. ②여러 빛깔이 섞여서 알록달록하게 빛남. ――-하다 자여불

반:란-군 【叛亂軍】 [발―] 명 반란을 일으킨 군대. 반군(叛軍).

반:란-죄 【叛亂罪】 [발―죄] 명 《법》 군인이 작당하여 병기를 소지하고 반란을 일으킴으로써 성립되는 죄.

반:랍-성 【半拉城】 [발―] 명 《지》 '반라청'을 우리 음으로 읽은 이름.

반:량 【半量】 [발―] 명 절반의 분량. ↔전량(全量). 「타여불

반:려[1] 【反戾·叛戾】 [발―] 명 배반하여 어김. 또, 어긋남. ――-하다 자

반:려[2] 【伴侶】 [발―] 명 짝이 되는 동무. 생각이나 행동을 같이하는 사람. 동려(同侶). ¶ 일생의 ～.

반:려[3] 【返戾】 [발―] 명 반환(返還). ¶ 사표를 ～하다. ――-하다 타여불

반려 섬록암 【斑糲閃綠岩】 [발―녹―] 명 《광》 반려암과 섬록암의 중간되는 심성암(深成岩).

반려-암 【斑糲岩】 [발―] 명 《광》 심성암(深成岩)의 한 가지. 휘석(輝石)과 사장석(斜長石)으로 되는 입상(粒狀) 조직. 푸른 빛을 띤 흑색 또는 암녹색(暗綠色)에다 백색이 섞임.

반:려-자 【伴侶者】 [발―] 명 반려가 되는 사람. 짝이 되는 사람. ¶ 일생의 ～를 맞이하다.

반력 【頒曆】 [발―] 명 책력을 반포(頒布)함. ――-하다 자여불

반:련[1] 【半練】 [발―] 명 생명주(生明紬)를 누일 때, 불순물의 일부만을 제거하는 일. ↔본련(本練).

반련[2] 【攀戀】 [발―] 명 어진 장관(長官)이 갈려 갈 때에 관민(官民)이 차를 끌어당기며 사모하는 뜻을 나타내는 일.

반:렴 【半簾】 [발―] 명 반쯤 내린 발. 「중턱.

반:령 【半嶺】 [발―] 명 산꼭대기와 산기슭과의 가운데쯤 되는 곳. 산의

반령 착수 【盤領窄袖】 [발―] 명 좁은 소매에 둥근 깃을 단 옷.

반:례[1] 【泮隷】 [발―] 명 《역》 조선 시대에 성균관에 딸린 하례(下隷).

반:례[2] 【返禮】 [발―] 명 회례(回禮). ――-하다 자여불

반:로 【返路】 [발―] 명 회로(回路)❶.

반:-로그모눈종이 【半―】 [log] 명 《수》 X축(軸)에는 간격(間隔)이 같은 보통 눈금을 달고 Y축에는 로그 눈금을 표시한 로그모눈종이. 반대수(半對數) 방안지. ↔전(全)로그모눈종이. 「하다 자여불

반록 【頒祿】 [발―] 명 《역》 임금이 녹봉(祿俸)을 반급(頒給)함. ――-

반:론[1] 【反論】 [발―] 명 ①남의 논설이나 비난에 대하여 반박함. 또, 그 논설(論說). ¶ ～의 여지가 없다. ②기왕에 따르던 색론(色論)을 배반하고 다시 다른 색론을 좇음. ――-하다 자여불

반 론[2] 〔Van Loon, Hendrik Willem〕 명 《사람》 네덜란드 출생의 미국 역사가·저널리스트. 철학 박사. 역사·지리·예술·전기(傳記) 등 저작 30책이 넘음. 주저는 《인류(人類)의 이야기》·《예술》·《성서(聖書) 이야기》·《렘브란트전(Rembrandt 傳)》 등. [1882-1944]

반:론-산 【半論山】 [발―] 명 《지》 강원도 정선군(旌善郡)에 있는 산. [1,067m]

반료 【頒料】 [발―] 명 《역》 나라에서 매달 주는 요(料)를 나누어 줌. 방료(放料). ――-하다 자여불 「니한 용(龍).

반룡[1] 【蟠龍】 [발―] 명 지상(地上)에 서려 있어 아직 승천(昇天)하지 아

반룡[2] 【攀龍】 [발―] 명 세력이 있는 사람의 도움으로 출세하는 일.

반룡-경 【盤龍鏡】 [발―] 명 중국 고대의 동경(銅鏡)의 하나. 몸을 비튼 용의 무늬를 가짐. 두부(頭部)에 범을 나타낸 것도 있어 용호경(龍虎鏡)이라고도 함.

반룡 부:봉 【攀龍附鳳】 [발―] 명 세력 있는 사람을 좇아서 공명(功名)을 이룸.

반룡-산【盤龍山】[발―] 명〖지〗함경 남도 함흥시(咸興市)의 진산(鎭山). 이태조가 젊었을 때 말타기를 연습하던 곳이 있음. [319m]

반:류[1]【反流】[발―] 명 해안을 따라 해류가 흐를 때, 해안의 만입부(灣入部) 등지에서 주류(主流)와 반대 방향으로 흐르는 해류.

반:류[2]【伴流】[발―] 명〔wake flow〕정지하고 있는 유체(流體) 속을 물체가 운동하고 있을 때 물체 뒤에 생기는 복잡한 흐름. 항행하는 배 뒤에 생기는 항적(航跡) 따위를 이름. 후류(後流).

반:륜【半輪】[발―] 명 바퀴나 그 밖의 둥근 형상의 반 쪽. 반규(半規).

반:리【反理】[발―] 명〖논〗배리(背理)❷.

반:립[1]【反立】[발―] 명〖철〗반(反).

반립[2]【飯粒】[발―] 명 밥알.

반립 강정【飯粒―】[발―] 명 밥풀 강정.

반-마[1]【班馬】명 중국 전한(前漢) 때의 유명한 역사가인 반고(班固)와 사마천(司馬遷)의 병칭(竝稱).

반마[2]【斑馬】명 얼룩 무늬가 있는 말. 「상치와 비슷함.

반:-마상치【半馬上―】명 옛날에, 남자가 신던 가죽신의 한 가지. 마

반:-마침【半―】명〔half cadence〕〖악〗어떤 화음에서 딸림화음으로 진행하기 위하여 마침하는 꼴. 악곡(樂曲)의 도중에 일시 진행을 그치는 경우에 쓰임. 반종지(半終止).

반:-만년【半萬年】명 '오천 년'의 이칭(異稱). ¶ 역사 ～.

반:-만성【半蔓性】명 줄기가 거의 덩굴처럼 된 식물의 성질.

반:-말[1]【半―】명 한 말의 반. 곧 다섯 되.

반:-말[2]【半―】명 ①말끝이나 조사(助詞) 같은 것을 줄이거나 또는 분명히 닫지 아니하고 존경·하대하는 뜻이 없이 어름어름 넘기는 말. '나는 가오' 대신에 쓰는 '나 가'와 같은 말. ②손아랫사람에게 하듯 낮추어 하는 말. '먹어라'·'먹었니'와 같은 말. ¶ 누구한테 함부로 ～이냐. ――-하다 자여불 반말의 말씨를 써서 말하다.

반:말-지거리【半―】명 반말로 함부로 지껄이는 일. 또, 그 말투. 반말질. ――-하다 자여불 「하다 자여불

반:말-질【半―】명 반말을 하는 짓. 반말지거리. ¶ ～을 삼가라. ――-

반맥【班脈】명 양반의 자손. 또, 그 계통.

반:맹【半盲】명 한 눈이 안 보이는 일. 또, 그 사람. 애꾸눈. 반소경.

반:맹-증【半盲症】[―쯩] 명〔hemianopsia〕〖의〗시야(視野)의 반이 보이지 않게 되는 병증. 뇌저 매독(腦底梅毒)·뇌종양(腦腫瘍)·뇌출혈 등이 원인임.

반:-머리동이【半―】명 넓이가 좁은 색종이를 바른 머리동이.

반:-머리초【半―】명〖건〗반쪽으로 된 머리초.

반:-머슴【半―】명 머슴은 아니나 머슴에 못지않게 일을 하는 사람. 반머슴꾼. ¶ 타작 때는 ～이 되다시피 일한다.

반:머슴-꾼【半―】명 반머슴. 「여불

반:면[1]【反面】명 어디를 갔다가 돌아와서 부모님을 뵘. ――-하다 자

반:면[2]【反面】㊀ 명 반대 방면. 어떠한 다른 방면. ¶ 기쁜 ～에 슬픔도 있다. ㊁ 부 다른 면으로 보아서.

반:-면[3]【半面】명 ①한 면의 반. ②양쪽 면의 한 쪽. ¶ 생활의 ～. ③얼굴의 좌우 어느 한 쪽. ¶ ～ 마비. 「세. 국면. ¶ ～ 3호(戶) 승.

반면[4]【盤面】명 ①바둑·장기·레코드 등의 판의 겉면. ②바둑·장기의 형

반:면 교:사【反面敎師】명〖정〗극히 나쁜 면만을 가르쳐 주는 선생이란 뜻으로, 중국에서 제국주의자·반동파·수정주의자를 가리키는 말.

반:면 미인【半面美人】명 측면에서 한 쪽만 그린 미인도(美人圖).

반:-면상【半面像】명〖광〗결정(結晶)에 있어서, 대칭(對稱)의 관계상 그것에 나타나는 면(面)의 수(數)가 완면상(完面像)의 면수의 절반이 되는 것.

반:-면식【半面識】명 ①잠깐 만난 일이 있었을 뿐인데도 그 얼굴을 기억하고 있는 일. ②조금 아는 처지. 얼굴만 기억하는 정도의 교분.

반:면 신경통【半面神經痛】명〖의〗얼굴의 반쪽만을 앓는 신경통. ㊊ 반면통. 「교제가 아직 두텁지 못한 사이. 반면지식.

반:면지-분【半面之分】명 일면지분(一面之分)도 못 되는 교분(交分).

반:면지-식【半面之識】명 반면지분.

반:면-통【半面痛】명〖의〗↗반면 신경통(半面神經痛).

반:명[1]【反命·返命】명 복명(復命). ――-하다 타여불

반명[2]【班名】명 ①양반이라고 일컬을 만한 명색(名色). ¶ 소위 ～을 한다는 집안에서 자식을 판단 말이 웬 말이냐?≪作者未詳：洗劍亭≫. ②반의 이름. 국화반·매화반 또는 문예반·과학반 따위.

반:모[1]【反毛】명 모직물이나 모사(毛絲) 및 솜의 지스러기를 기계로 처리하여서 다시 원모(原毛)의 상태로 만든 재제품(再製品)의 총칭. 재제모(再製毛). 복제모(複製毛).

반모[2]【斑蝥·盤蝥】명〖충〗가뢰. 「드는 기계. 가넷.

반:모-기【反毛機】명 솜·털 등의 지스러기를 처리하여 원모 상태로 만

반:-모음【半母音】명〔semivowel〕〖언〗모음의 성질을 가지나, 모음에 비하여 자음적 요소가 많은 소리. 단독으로 음절을 만들지 않고, 대개 모음에 선행함. 한국어 'ㅑ·ㅠ·ㅛ'의 첫머리에서 나는 'ㅣ', 'ㅘ·ㅝ'의 첫머리에서 나는 'ㅗ·ㅜ', 영어의 'w·y' 같은 음. 반홀소리.

반:목[1]【反目】명 서로 못 사귀어 미워함. ¶ ～의 동기. ――-하다 자여불

반:목[2]【半牧】명 다른 일을 하면서 목축업을 하는 일. *반농(半農).

반:목 반:농【半牧半農】명 목축과 농작을 겸업함. 반농 반목.

반목조-류【攀木鳥類】명〖조〗반금류(攀禽類).

반:목 질시【反目嫉視】[―씨] 명 서로 미워하고 질투하는 눈으로 봄. 눈을 흘기면서 미워함. ――-하다 자여불

반:-몫【半―】[―목] 명 한 몫의 반.

반묘【斑貓】명〖한의〗'가뢰'를 한방(韓方)에서 부르는 이름. 성질이 찬데, 나력(瘰癧)의 약으로 씀.

반:무[1]【反武】명〖역〗여러 대(代) 무직(武職)으로 있던 집안이 문관(文官)의 집으로 변하였다가 그 자손이 다시 무직으로 돌아가는 일. ――-하다 자여불

반무[2]【盤舞】명 빙빙 돌면서 춤을 춤. ――-하다 자여불

반:-무연탄【半無煙炭】명〔semianthracite〕변성도(變成度)가 무연탄과 역청탄(瀝靑炭)의 중간인 석탄. 86-92 %의 불휘발성(不揮發性) 탄소 성분을 지니고 있음. 「문의 뜻을 ～하다. ――-하다 타여불

반:문[1]【反問】명 물음에 대답하지 아니하고 되받아서 물음. 되물음. ¶ 질

반:-문[2]【半文】명 옛날 돈 일문(一文)의 반.

반:문[3]【泮門】명〖역〗반궁(泮宮)의 문.

반문[4]【斑文·斑紋】명 얼룩얼룩한 무늬.

반문[5]【盤問】명 반핵(盤覈). ――-하다 타여불

반문-나【斑紋癩】명〖의〗전신의 여러 군데 또는 꼭 한 군데에 나성(癩性) 반문이 생기는 상태. 반문의 크기는 여러 가지인데, 특유한 갈홍색을 띰. 반문이 생긴 자리는 지각(知覺)이 마비됨.

반문 농:부【班門弄斧】명〔옛날 중국 노(魯)나라에 기계를 잘 만드는 반수(班輸)라는 사람을 흉내내어, 그의 집 문 앞에서 도끼로 기계를 만들려고 한 어리석은 사람이 있었다는 고사에서 나온 말〕스스로의 실력도 모르고 당치 아니하게 덤빈다는 뜻.

반:-물 명 검은빛을 띤 짙은 남빛. 반물색. 독물. ¶ ～ 치마.

반:물-색【―色】명 반물. ¶ ～ 옷감.

반:-물질【反物質】[―찔] 명〔antimatter〕〖물〗전자·양성자·중성자로 이루어지는 실재의 물질에 대해, 그 반입자(反粒子)인 양전자·반양자·반중성자로 이루어지는 물질. 이론적으로 상정(想定)되어 있으나 실재(實在)는 아직 확인되지 않음.

반:물-집【―찝】명 옷이나 피륙에 반물을 물들여 주는 집.

반:물 치마 명 반물 빛의 치마.

반:미[1]【反美】명 미국에 반대하는 일. 또, 미국에 반대되는 일. ¶ ～ 운동/

반미[2]【飯米】명 밥쌀. ㄴ～ 구호.

반:-미개【半未開】명〖사〗인류의 사회학적 발전 과정에 있어 미개와 문명(文明)과의 과도적 단계.

반미 농가【飯米農家】명 자기 집에서 먹을 쌀밖에 못 짓는 소농(小農).

반:미량 분석【半微量分析】명〔semimicroanalysis〕〖화〗10-100 mg의 시료(試料)를 사용하는 화학 분석법.

반:-미치광이【半―】명 말이나 행동이 거의 미친 사람과 같이 시룽시룽한 사람. 반쯤 미친 사람.

반미-콩【飯米―】명 ☞ 밥밑콩.

반:민[1]【反民】명 ①↗반민족. ¶ ～ 특위(特委). ②↗반민주.

반:민[2]【叛民】명 반역한 사람들. 또, 정부를 배반하여 반란을 일으킨 백

반:-민족【反民族】명 민족에 반역되는 일. ㊊반민(反民). ㄴ성들.

반:민족 행위 처:벌법【反民族行爲處罰法】[―뻡] 명〖역〗1945년 이전 일본 통치(統治) 시대에 악질적인 반민족 행위를 하여 민족을 해친 사람을 처벌하기 위하여 1948년에 제정했던 특별법. 정부의 미온적인 태도로 이렇다 할 성과를 거두지 못하였음.

반:민족 행위 특별 조사 위원회【反民族行爲特別調査委員會】명〖역〗일제 시대에 일본인과 협조하여 악질적으로 반민족적 행위를 한 사람을 조사하기 위하여 제헌 국회(制憲國會)에서 설치했던 특별 위원회. 이 위원회의 사업은 흐지부지 끝나고 말았음. ㊊반민 특위(反民特委).

반:-민주【反民主】명 민주주의에 반대하는 일 또는 반대되는 일. ㊊반민(反民).

반:민주 행위자 공민권 제:한법【反民主行爲者公民權制限法】[―꿘―뻡] 명〖역〗4월 혁명 이전에 민주주의 원칙(原則)에 위배되는 악질적인 행위를 한 자들에 대하여 일정한 기간 동안 선거권·피선거권 및 공직 취임권 등의 공민권을 정지하기 위하여 제정했던 특별법.

반:민 특위【反民特委】명〖역〗↗반민족 행위 특별 조사 위원회.

반-바닥 명 엄지손가락이 박힌 뿌리. 주의 활 쏘는 데에 쓰는 말.

반:-바지【半―】명 길이가 무릎까지 내려오는 짧은 바지.

반:박[1]【反駁】명 남의 의견에 반대하여 논박함. 또, 남에게서 받은 비난 공격에 대하여 도리어 논란함. ¶ ～ 성명(聲明). ――-하다 타여불

반:박[2]【反縛】명 손을 뒤로 모아 묶음. 뒷짐 결박. ――-하다 타여불

반:박[3]【半拍】명 반 박자. 「숙박함. ¶ ～ 요금.

반:박[4]【半泊】명 저녁부터 밤중까지 또는 밤중부터 새벽까지 여관에

반박[5]【斑駁】명 ①여러 빛깔이 한데 뒤섞여 아롱짐. ②여럿이 한데 섞이어 서로 같지 아니함. 차별이 있어 같지 아니한 일.

반:-박음질【半―】명 박음질의 한 가지. 바늘 들이민 구멍과 바늘 빼낸 구멍의 중간에 바늘을 들이밀어 앞으로 한 땀을 드티어 뜸. 반땀침. *온박음질. ――-하다 자타여불

반박지-탄【斑駁之嘆】명 편파적이고 불공정함에 대한 개탄.

반:-반[1]【半半】명 ①똑같이 가른 반과 반. ¶ ～으로 나누다. ②↗반의 반. ③(부사적으로 쓰이어) 반씩. ¶ 소금과 설탕을 ～ 섞다.

반반[2]【斑斑】명 각 반. 「가 섞여 있는 모양.

반반[3]【斑斑】명 ①고르지 아니한 모양. ②여러 가지 빛깔이 얼룩무늬

반반[4]【盤盤】명 구불구불 구부러진 모양.

반반 가:고【班班可考】명 일의 근거가 분명함. ――-하다 형여불

반반-이【班班―】부 반마다. 각 반마다.

반반-하다 형여불 ①구김살이나 울퉁불퉁한 데가 없고 반듯하다. ¶ 길이 ～. 쓰빤빤하다. ②생김생김이 얌전하거나 이쁘장하다. ¶ 반반한 여인. ③지체가 상당하다. ¶ 어느 모로 보나 반반한 집안이다. ④물건이 제법 쓸 만하고 보기에도 좋다. ¶ 반반한 옷 하나 없다. 1)-4) :< 번번하다. ⑤행위나 일 처리가 깨끗하다. ¶ 나도 범절이 반반한 여인으로 아직까지 슬하에 이렇다 할 소생 하나 거두지 못하고 공방을 지키

고 있다는 것은…≪金周榮 : 客主≫. ⑤반반한 옷 가지. 반반-히 부

반:발¹【反撥】명 ①되받아서 퉁김. ②반항하여 받아들이지 아니함. ——하다 자여불

반발²【班髮·斑髮】명 반백(斑白)의 두발(頭髮).

반:발 경도계【反撥硬度計】명〔soleroscope〕『공』표준구(球)를 표준 높이에서 떨어뜨려서, 그 표면에서 되튀어 오르는 높이를 측정함으로써 재료의 경도(硬度)를 알아보는 기구.

반:발 계:수【反撥係數】명〔coefficient of restitution〕『물』두 물체가 충돌하여 반발할 적에, 충돌하기 전의 속도와 충돌 후의 속도와의 비(比). 물질에 따라 특유한 값을 지님. 반발률.

반:발-력【反撥力】명 되받아서 퉁기는 힘. 반발하는 힘.

반:발-률【反撥率】명『물』반발 계수(反撥係數).

반:발-심【反撥心】[—씸] 명 지지 않고 반항하려는 마음.

반:발 유도 전:동기【反撥誘導電動機】명〔repulsion-induction motor〕『전』반발 전동기 코일 외에, 회전자 중에 바구니형 코일이 더 있는 반발 전동기.

반:발-적【反撥的】[—쩍] 명관 반발하는 모양. ¶ ~ 언행(言行).

반:발 전:동기【反撥電動機】명〔repulsion motor〕『전』교류 전원(交流電源)에 직접 접속된 고정자(固定子) 코일과 정류자(整流子)에 접속된 회전자(回轉子) 코일을 가지고 있는 교류 전동기.

반:-밤【半—】명 하룻밤의 절반. 반소(半宵). 반야(半夜).

반:방¹【半紡】명 날실에 생사(生絲), 씨실에 방적 견사(紡績絹絲)를 사용한 견직물. 또, 날실에 방적 면사, 씨실에 수방(手紡) 면사를 사용한 면직물.

반:방²【頒放】명『역』반록(頒祿)과 방료(放料). 반강(頒降).

반:-방전【半方甎】명『건』직사각형으로 된 벽돌. 반전(半甎).

반:-방학【半放學】명 학교에서 정식 방학을 하기 전에 오전에만 수업을 하는 일. ——하다 자여불

반:배¹【半—】명 ①『역』〈속〉'반비의(半臂衣)'의 줄어 변한 말. ②마고자의 예스런 일컬음.

반:배²【反背】명 약속을 어김. 배신함. 위배(違背). ——하다 타여불

반:배³【返杯】명 받은 잔의 술을 마시고 준 사람에게 술잔을 권함. ——하다 자여불

반배⁴【飯配】명 상을 차릴 때의 음식의 배치.

반:-배부르다【半—】형르불 반쯤 배가 부르다. 시장은 면했으되 만족스럽지 못하다.

반:백¹【半白】명 ①반백(斑白). ¶ ~의 머리털. ②현미(玄米)와 백미(白米)가 반반 섞인 쌀. ③『역』조선 시대에, 이속(吏屬)들이 환곡(還穀)에 겨를 섞어 양을 늘리던 일. *환곡(還穀).

반:백²【半百】명 백 살의 반, 곧 쉰 살. ¶ 어느덧 ~의 나이가 되다.

반백³【斑白·頒白】명 흑백(黑白)이 서로 반씩 섞인 머리털. 반백(半白).

반-버버리【半—】명〈방〉반벙어리(강원·충북·전남·경상·제주).

반-버부리【半—】명〈방〉반벙어리(경상).

반벌【班閥】명 양반의 문벌(門閥).

반:-벙어리【半—】명 발성 기관(發聲器官)에 이상이 있어 말을 남이 잘 알아듣지 못하게 말하는 사람.

반:벙어리 축문 읽듯 구 가뜩이나 어려운 축문을 반벙어리가 읽듯, 떠듬떠듬 또는 어물어물 입안에서 웅얼거리는 모양.

반-베【斑—】명 반물 빛의 실과 흰 실을 섞어 짠 수건 감의 폭 좁은 무명. 반포(斑布).

반:벽¹【反璧】명 남이 선사한 물건을 받지 아니하고 돌려보냄. 반금(反錦). 반벽(返璧). ——하다 타여불

반:벽²【返璧】명 ①남에게서 빌린 물건을 도로 돌려보냄. ②선사 받은 물건을 돌려보냄. 반벽(反璧). ——하다 타여불

반:벽 강산【半壁江山】명 절벽에 둘러싸인 산수(山水).

반-별【班別】명 반마다. *조별(組別).

반병-두리 명 놋쇠로 만든 국 그릇의 일종. 둥글고 바닥이 편평하여 양푼과 같으나 매우 작음.

〈반병두리〉

반:-병신【半病身】명 ①몸이 완전하지 못한 사람. ②반편이.

반:보¹【反報】명 ①남의 행위에 대하여 보답함. ②앙갚음. ——하다 자여불

반:-보²【半步】명 한 걸음의 반. 반 걸음.

반:-보기【半—】명『민』①중부 이남(以南)의 농촌에서, 서로 멀리 떨어져 살아 오랫동안 만나지 못한 친척 부인네들이, 양편 집의 중간쯤 되는 시냇가나 산고개 같은 적당한 곳에서 만나 장만해 온 음식을 나누어 먹으며, 하루를 즐기던 풍속. ②갓 시집간 새색시끼리 만나려 할 때 두 집 사이 거리의 반 되는 지점에 나와서 만나 보던 일. 중로(中路) 보기. 중로 상봉.

반:-보다【半—】자『민』반보기를 하다.

반:-보석【半寶石】명 보석류 중에서 비교적 값싼 것. 수정·황옥석·지르콘(zircon)·월장석(月長石)·터키옥(玉)·석류석 따위.

반:복¹【反復】명 같은 일을 되풀이함. ¶ 역사는 ~된다. ——하다 타여불

반:복²【反覆】명 ①언행(言行)을 이랬다저랬다 하여 자꾸 고침. ②생각을 엎치락뒤치락함. ——하다 타여불

반:복³【半腹】명 산의 중턱. 중복(中腹).

반:-복⁴【叛服】명 반역과 복종. ¶ ~ 무상(無常).

반:복 과:정【反復過程】명〔iterative process〕『수』조작의 순환을 몇 번이고 되풀이함으로써 원하는 결과를 계산해 내는 과정. 예컨대, N의 제곱근은 덧셈, 뺄셈, 나눗셈만을 쓰는 반복 과정에 의해서 근삿값에 가까워짐.

반:복 기호【反復記號】명『악』'도돌이표'의 한자 이름.

반:복-담【反復譚】명 설화의 하위 양식인 형식담(形式譚)의 한 종류. 주인공의 유사한 행동이 여러 차례에 걸쳐 반복 표현됨을 특징으로 함.

반:복-명【反復名】명『생』종(種)의 학명(學名)에 있어서, 속명(屬名)과 종소명(種小名)이 같은 것을 말함. 동물학에서는 정식(正式) 학명이 되나 식물학에서는 될 수 없음.

반:복 무상¹【反覆無常】명 언행(言行)을 이랬다저랬다 하여 일정하지 아니함. 일정한 주장이 없음. ——하다 형여불

반:복 무상²【叛服無常】명 배반하였다 복종하였다 하여 그 태도가 늘 한결같지 않음. ——하다 형여불

반:복 발생【反復發生】[—쌩] 명『생』반복 생식.

반:복-법【反復法】명『문』같거나 유사(類似)한 어구(語句)를 되풀이하는 수사법(修辭法). '방방 곡곡'·'일배 일배 부일배(一杯一杯復一杯)' 같은 것.

반:복 생식【反復生殖】명〔dissogeny〕『생』유생(幼生) 시대와 성체(成體) 시대의 2회 생식을 하는 현상. 반복 발생.

반:복-설【反復說】명〔recapitulation theory〕『생』생물의 개체 발생(個體發生)이 계통 발생(系統發生)의 단축된 반복이라고 하는 설. 생물 발생의 원칙이라고도 함. 19세기 중엽 독일의 동물학자 헤켈(Haeckel)에 의하여 제창되었음. 생물 발생 원칙.

반:복 소:인【反覆小人】명 언행(言行)을 늘 이랬다저랬다 하여 그 마음을 헤아릴 수가 없는 옹졸한 사람.

반:복 연:습【反復練習】[—년—] 명〔drill〕『교』어떤 사항을 이해한 후, 그것을 되풀이하여 연습함으로써 정확하고 신속하고 습관적으로 반응(反應)하도록 익히는 일.

반:복 임피던스【反復—】명〔iterative impedance〕『전자』4단자(端子) 변환기에서 한쪽 단자쌍에 접속했을 때, 다른 한 끝의 단자쌍에 같은 임피던스가 나타나는 따위의 임피던스.

반:-복자【半卜者】명 복자(卜字)와 일자(一字)의 중간 모양으로 생긴 망건의 모양.

반:복 진:행【反復進行】명『악』'같은꼴가기'의 한자 이름.

반:복 하중【反復荷重】명〔repeated load〕『물』반복하여 걸리는 힘. 내부에 힘의 크기 또는 형태의 변동을 가져옴.

반:-봇짐【半褓—】명 봇짐의 반만한 것. 즉, 손에 들고 다닐 만한 봇짐.

반:봉【半封】명 메나 썰매로도 다닐 수 없는 해빙기(解氷期)나 결빙기(結氷期)의 과도 기간(過渡期間).

반:-봉건【半封建】명 자본주의 체제 안에 있는 봉건적 생활의 상태. ¶ ~ 사회.

반-뵈【斑—】명〈방〉반베.

반:부¹【返附】명 도로 돌려보냄. ——하다 타

반부²【班祔】명 자식이 없는 사람의 신주(神主)를 조상의 사당(祠堂)에 함께 모시는 일. ——하다 타여불

반:-부담【半負擔】명 절반 가량 부담함. ¶ 결혼 비용을 ~하다. ——하다 타여불

반-부부리【半—】명〈방〉반벙어리(경남).

반:-부새 명 말이 조금 거칠게 닫는 일.

반:분【半分】명 ①절반의 분량. ②절반으로 나눔. 분반(分半). ¶ 이익을 ~하다. ——하다 타여불

반:-불¹【半—】명 촉광(燭光)을 감하여 켜는 자동차의 전조등(前照燈).

반:불²【反佛】명 프랑스에 반대하는 일 또는 반대되는 일.

반:-불개미【半—】명『충』[*Formica fusca japonica*] 개밋과에 속하는 곤충. 일개미의 몸길이는 5mm 내외이고, 몸빛은 흑색 내지 흑갈색임. 다리의 끝은 적갈색 내지 흑갈색이며, 온 몸에 긴 회갈색 연모(軟毛)가 밀생(密生)했음. 양지바르고 건조한 땅 속 깊이 영소(營巢)함. 한국·일본 등지에 분포함.

〈반불개미〉

반:-불겅이【半—】명 ①빛깔과 맛이 제법 좋고 불그스름한 중길의 살담배. ②반쯤 익어서 불그레한 고추.

반:-불여초【反不如初】명 처음과 같지 못하고 도리어 나빠짐.

반:비¹【反比】명『수』어떤 일정한 비(比) A:B에 대하여 그 전항(前項)과 후항(後項)을 바꾸어 놓은 비. B:A를 먼저의 비에 반비 또는 A와 B와의 반비라고 함. 역비(逆比). ↔정비(正比).

반:비²【半臂】명 신라 때 상의의 맨 위에 입던 소매 없는 겉옷. 남녀가 다 입었음.

반:비³【叛婢】명 상전(上典)을 배반한 계집종.

반비⁴【飯匕】명 숟가락. 반시(飯匙).

반비⁵【飯婢】명 밥짓는 일을 맡아 보는 계집종. *반빗.

반비⁶【盤費】명 노자(路資).

반:-비례【反比例】명『수』어떤 양(量)이 다른 양의 역수(逆數)에 비례되는 관계. 곧, A수가 2배, 3배, …가 됨에 따라 B수도 2분의 1, 3분의 1, …로 되는 일. '일정한 거리를 달리는 데 필요한 시간과 속도'·'같은 온도에 있는 유리의 용적과 압력' 등은 반비례임. 역비례(逆比例). ↔정비례(正比例). ——하다 자여불

반비-아치【飯—】명 ☞ 반빗아치.

반:비알-지다【半—】자 땅이 약간 비탈지다.

반:비-의【半臂衣】[—/—이] 명『역』조선 시대에, 나장(羅將)이 저고리 위에 입는 깃·동정이 없는 반팔 겉옷. 빛은 푸른 색. 속칭 '반배'라 함.

반빗【飯—】명 반찬 만드는 일을 맡아 보는 계집 하인. 찬모. 찬비(饌婢).

반빗-간【飯—間】명 음식을 만드는 곳. 주방(廚房). 찬간(饌間).

반:-빗사리【半—】명〈방〉조금 경사가 진 땅.

반:빗사리-지다【半—】자〈방〉반비알지다.

반빗-아치【飯—】[—빋—] 명 반빗 노릇을 하는 사람. 찬비(饌婢). *반공(飯工).

반빗-하님【飯—】명 하인들끼리 '반빗'을 조금 높여 일컫는 말.

반:빙¹【半氷】명 ①반쯤 얼어 붙음. 또, 그 얼음. ②〈속〉반취(半醉).

반빙²【頒氷】명『역』나라에서 여름에, 관리들에게 얼음을 나누어 줌. 또, 그 얼음. ——하다 자여불

반:사¹【反射】명 ①〔reflection〕『물』일정한 방향으로 진행하는 파동(波動)이 다른 물체의 표면에 부딪쳐서 진행의 방향을 반대의 방향으

로 바꾸는 현상. ¶ 빛의 ～. ②〔reflex〕〖생〗 의지(意志)로써 제어(制御)할 수 없는 반응(反應) 작용. 자극(刺戟)이 있으면 무의식적으로 작용이 행하여지는 경우로서, 자극이 대뇌(大腦)를 통하지 않고 다른 중추(中樞)를 거쳐 언제나 일정한 근육이나 선(腺)에 활동을 일으키는 현상. ——하다 자타여불

반:사²【半死】명 반죽음. ＊반생(半生). ——-하다 자여불

반사³【班史】명 반고(班固)가 지은 《한서(漢書)》의 별칭(別稱).

반사⁴【班師】명 ①군사를 이끌고 돌아옴. ②〖기독교〗 주일 학교(主日學校)의 선생을 일컫는 말. ——-하다 자여불

반사⁵【頒賜】명 임금이 물건을 내려서 돌라 줌. ——-하다 타여불

반사⁶【礬砂】명 도사(陶砂).

반:사-각【反射角】명〔angle of reflection〕〖물〗 투사점(投射點)에 있어서 반사선(線)과 법선(法線)이 이루는 각(角). 그 각도는 입사각(入射角)과 같음. ↔입사각.

반:사 거울【反射一】명〖물〗 반사경.

반:사-경【反射鏡】명〖물〗 빛을 반사시켜서 그 방향을 바꾸거나 결상(結像)시키는 데 쓰이는 광학 기계용 거울. 평면 거울·볼록 거울·오목 거울·포물면(拋物面) 거울 등이 있음. 반사 거울.

반:사-광【反射光】명〖물〗 ①〔catoptric light〕 반사경에서 반사되어 온 빛. 예컨대 반사체에 의해서 평행 광선에 집중된 필라멘트로부터의 빛 따위. ②↗반사 광선.

반:사 광선【反射光線】명〔reflected ray〕〖물〗 물체의 표면에 부딪친 투사 광선(投射光線)이 반사하여서 처음의 매질내(媒質內)를 향하여 진행하는 광선. ㊂반사선·반사광. ↔입사 광선.

반:사 광학【反射光學】명〖물〗 광학(光學)의 한 분과. 거울이나 반들반들한 면(面)의 반사광의 현상이나 성질을 연구 대상으로 함.

반:사-궁【反射弓】명〔reflex arc〕〖생〗 구심(求心) 신경과 원심(遠心) 신경으로 이루어지는 특정한 전달 회로(傳達回路). 감각기에 수용(受容)되는 자극이 구심 신경·반사 중추를 거쳐 원심 신경에 전해지고 실행기(實行器)에 도달하여 흥분을 일으키는 전(全)과정을 말함. 반사호. ＊반사시.

반:사-권【反射權】[一꿘] 명〖법〗 반사 이익(反射利益).

반:사-기【反射器】명 반사 작용을 하는 장치.

반:사-능【反射能】명〔reflective power〕〖물〗 복사(輻射)가 어떤 물체에 의하여 수직(垂直)으로 반사되는 경우에, 반사 에너지의 입사(入射) 에너지에 대한 비. 완전 흑체(完全黑體)는 모든 복사(輻射)를 흡수하는 까닭에 반사능이 영(零)이며, 이상적인 물체임. 알베도(albedo).

반:사-등【反射燈】명 반사경의 초점(焦點)에 등화(燈火)를 두어 빛을 한 쪽으로 집중시켜 비추는 장치의 등.

반:사-로【反射爐】명〔reverberatory furnace〕〖물〗 광석의 제련(製鍊)이나 금속의 용융(熔融)에 쓰이는 용광로(鎔鑛爐)의 하나. 연료(燃料)가 연소하여 생기는 고온(高溫)의 불꽃 혹은 가스를 노 안에 보내어 불꽃을 반사시켜 노상(爐床) 위의 광석 또는 금속을 가열(加熱)함. 연료와 장입물(裝入物)이 직접 닿지 않으므로 녹은 금속에 불순물(不純物)이 섞이지 않음.

〈반사로〉

반:-사막【半沙漠】명〖지〗 초원(草原)과 사막 사이에 있는, 식물(植物)이 적은 지역.

반:사 망:원경【反射望遠鏡】명〔reflecting telescope〕〖물〗 대물(對物) 렌즈 대신에 요면(凹面) 반사경을 써서 물체에서 오는 빛을 이곳에서 반사시켜 접안(接眼) 렌즈로 확대(擴大)하게 된 망원경. 보통 천체 관측용(天體觀測用)임.

반:사-면【反射面】명 반사하는 면.

반:사물 기생【半死物寄生】명〖생〗 동물의 시체나 유기물(有機物)에 기생하고 경우에 따라서는 생체(生體) 기생을 하는 일. 털곰팡이·푸른곰팡이 따위.

반:사 반:생【半死半生】명 반생 반사(半生半死). ——하다 자여불

반:사 방지 도장【反射防止塗裝】명〔antireflection coating〕〖공〗 빛이나 그 밖의 전자파(電磁波)의 반사를 줄이고 투과(透過)를 증대하도록 물체의 표면에 유전체(誘電體)의 박막(薄膜)을 입히는 일.

반:사 방지막【反射防止膜】명〔lens coating〕 카메라나 광학 기계의 렌즈 표면에 입힌 얇은 피막(被膜). 입사광의 반사를 막으며 투과 광량(透過光量)을 증가시킴.

반:사 법칙【反射法則】명〔law of reflection〕〖물〗 파동(波動)이 반사할 때에 성립하는 법칙. '입사파(入射波)의 진행 방향과 반사파의 진행 방향은 입사점에서 경계면에 세운 법선(法線)과 동일한 평면내에 있으며, 입사각과 반사각은 서로 같다'는 법칙.

반사-본【頒賜本】명 내사본(內賜本).

반사비 명〈방〉 반살미(함경).

반:사-색【反射色】명 표면색(表面色).

반:사-선【反射線】명〖물〗 ↗반사 광선(反射光線).

반:사 성운【反射星雲】명〔reflection nebula〕〖천〗 산광(散光) 성운의 일종으로, 근처에 있는 밝은 별의 빛을 반사하여 빛나고 있는 성간 가스운(星間 gas 雲)으로 된 성운. ＊암흑(暗黑) 성운·방출 성운.

반:사-시【反射時】명〖생〗 외래(外來) 자극이 가해진 후 실제로 반사가 일어날 때까지 걸리는 시간. 반사 회로(回路)의 장단, 접속하는 신경 단위의 수에 따라 일정하지 아니함. 일반적으로 말초 신경의 전도(傳導) 시간보다 현저히 길지만 자극의 강도·피로·마취로 단축되거나 연장되는데 보통 2/10-3/10 초 또는 그 이하임. ＊반사궁.

반:사 압력【反射壓力】[一녁] 명〔reflected pressure〕〖물〗 폭발에 의한 압력 중, 그대로 공중으로 확산하는 것이 아니라 물체 표면에서 반사된 압력(壓力).

반:사-열【反射熱】명〖물〗 볕 혹은 불에 단 물체에서 내쏘는 열.

반:사 운:동【反射運動】명〖생〗 외래(外來)의 자극에 대하여 무의식적으로 근육이나 선(腺)의 활동을 일으키는 작용. 무릎 반사나 위장의 운동 같은 것. 되돌이 운동.

반:사 위성【反射衛星】명〔reflector satellite〕 라디오파(波) 및 다른 전파를 그 표면에서 반사하도록 설계된 인공 위성.

반사-율¹【反射律】명〔reflective law〕〖수〗 같은 값을 가지는 관계를 규정하는 성질의 하나. 어떤 집합(集合)의 두 개의 원소(元素) x, y 사이에 어떤 관계 R가 있음을 xRy로 나타낼 때, 이 관계 R가 xRx를 만족시키면 R는 반사율을 만족시킨다고 함. 이를테면, 수의 상등 $=$, 도형의 합동 $\equiv$, 도형의 닮음 $\backsim$ 등은 반사율을 만족시키지만, 수의 대소 $>$는 반사율을 만족시키지 않음. ＊이동률(移動律)·대칭률(對稱律).

반:사-율²【反射率】명〔reflectance〕〖물〗 빛의 복사(輻射)가 물체의 표면에 수직으로 입사(入射)하는 경우, 반사 에너지와 입사 에너지와의 비(比). 알베도(albedo).

반:사-의【反射衣】[ㅡ/ㅡ이] 명 야간 라이트의 빛 따위에 반사되어 노랗게 빛나는 의복. 야광(夜光) 조끼 따위.

반:사 이:익【反射利益】명〖법〗 국법이 특정한 단체·기관 또는 개인에게 어떤 약속을 가한 결과, 반사적으로 국민이 향수(享受)하는 이익. 즉 교통 정리에 관한 법규가 있음으로 인하여 사람이 얻는 이익과 같은 것인데, 타인이 그러한 이익을 침해하여도 권리를 주장하여 보호를 구할 수는 없음. 반사권.

반:사 작용【反射作用】명 ①〖심〗 심리상으로 반사 운동이 일어나는 작용. ②〖물〗 파동(波動)이 반사되는 작용.

반:사-재【反射材】명〔reflector, tamper〕〖물〗 반사체(反射體).

반:사-적【反射的】명관 어떤 자극에 순간적으로 반응하여 무의식으로 하는 모양. ¶～으로 눈을 감다.

반:사적 독점【反射的獨占】명〖법〗 사실상 독점의 한 형태. 법이 금지·제한함으로써 생기는 독점. 권리의 대상이 아님. ＊자연 독점.

반:사 중추【反射中樞】명〖생〗 고등 동물의 중추 신경계에 있는 중간 신경 단위의 집합. 또, 그 부위(部位). 구심성(求心性) 신경과 원심성(遠心性) 신경과의 사이에 개재(介在)하여 감각기에서 구심성 신경에 의하여 전달되는 감각 자극을, 의지와는 상관없이 반응 지령(反應指令)으로 바꾸어 원심성 신경에 전달하여 어떤 목적을 가지는 반사 운동을 근(筋)이나 선(腺) 등의 효과기(效果器)에 일으키게 함.

반사-지【礬砂紙】명 반사를 칠한 종이. 서화(書畫) 용지.

반:사-체【反射體】명 ①반사하는 물체. ②〖물〗 노(爐) 안에서 핵분열에 의하여 생성된 중성자가 유효하게 쓰이도록, 중성자를 흡수하는 율이 낮고 산란 단면적(散亂斷面積)이 큰 물질의 벽으로 노심(爐心)을 싸고 중성자의 손실을 막는 데 쓰이는 용재나 물질. 흑연·베릴륨·중수(重水) 따위. 반사재(材).

반:사 측각기【反射測角器】명〔reflection goniometer〕〖물〗 결정면(結晶面)의 반사 각도를 이용하여 결정체의 면각(面角)을 재는 데 쓰는 기구. 보통의 분광기(分光器)와 같은 장치임.

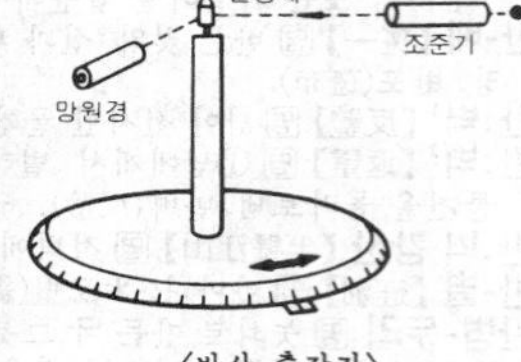

〈반사 측각기〉

반:사-파【反射波】명〔reflected wave〕〖물〗 매질(媒質) 속을 진행하는 파동이 다른 매질과의 경계면에서 반사하는 파(波).

반:사 표지【反射標識】명〔reflecting sign〕 반사 도료(塗料)를 칠한 도로(道路) 표지. 자동차의 불빛으로 운전자에게 똑똑이 보이도록 되어 있음.

반:사 프리즘【反射一】명〔reflecting prism〕〖물〗 빛의 방향을 바꾸는 데 반사경 대신에 쓰이는 프리즘. 보통, 빛의 분산(分散)이 없도록 설계되어 있으며, 빛은 적어도 한 번 내부(內部) 반사를 함.

반:사 현:미경【反射顯微鏡】명〔reflecting microscope〕 광석(鑛石)이나 불투명 광물을 보기 위한 현미경. 대물(對物) 렌즈 위에 니콜(Nicol)과 프리즘을 갖춘 수직 투광기(投光器)를 붙인 것으로, 투광기의 니콜만을 사용하여 반사색(反射色)·다색성(多色性) 등을 관찰하며, 직교(直交) 니콜로 광학적 이방성(異方性) 등을 조사함. 광석(鑛石) 현미경. 금속(金屬) 현미경.

반:사-호【反射弧】명〖생〗 반사궁(反射弓). 「상태. ¶～ 행위.

반:-사회적【反社會的】명관 사회의 진보 발전에 반(反)하는 성질이나

반:사회적 행동【反社會的行動】명〔dissocial behavior〕〖심〗 도박이나 각성제의 매매 등 비합법적인 직업에 종사하여, 사회적 규약의 위반을 공공연히 행하는 행동.

반:사 회절【反射回折】명〔reflection diffraction〕〖물〗 전자선 회절 해석(解析)의 하나. 전자 빔(電子 beam)이 시료(試料)의 표면에서 회전되는 것을 이용함.

반:사회 집단【反社會集團】명〖사〗 공공 사회 질서에 반하여 사회의 단층(斷層)에 발생하는 병리적(病理的) 집단. 보통, 관헌(官憲)에 대한 비밀성이 있고, 직접·간접으로 범죄와 결합해 있음.

반:삭【半朔】명 반달❷.

반:삭-동물【半索動物】명〖동〗[Hemichordata] 체강(體腔) 동물의 한 문(門). 이에 속하는 벌레는 매우 종류가 많은데, 좌우 상칭(相稱)으로 주둥이·목·몸뚱이의 셋으로 나누어지며 자웅 이체(雌雄異體)임. 자랄 때에 변태(變態)하는 것과 그렇지 않은 것이 있음. 장새류(腸鰓類)와 익

새류(翼鰓類) 등이 이에 속함. 원삭(原索)동물의 한 강(綱)으로 분류되기도 함. 의삭류(擬索類).

반:산[1]【半產】명〖한의〗'낙태(落胎)'의 이칭. 소산(小產). ——하다 타여불

반산[2]【盤散】부 비틀거리며 걷는 모양.

반:산 고:묘군【半山古墓群】명 중국 간쑤 성(甘肅省) 둥샹쭈(東鄉族) 자치현(自治縣)에 있는 간쑤 양샤오(仰韶) 문화의 유적. 타오장(洮江) 강 유역(流域)의 표고(標高) 2,200 m의 고원에 있으며 1923-24년에 앤더슨(Anderson, J.G.)이 처음 답사함. 흑(黑)·적(赤)의 기하학적(幾何學的) 무늬를 가진 훌륭한 채도(彩陶)가 출토되어 간쑤·칭하이(青海) 방면의 채도 문화 6기 중의 제2기에 속하는 것으로 밝혀짐.

반:살【反殺】명 자기를 죽이려는 자를 오히려 죽임. ——하다 자타여불

반살미 명 갓 혼인한 신랑이나 신부를 친척집에 초대하는 일. ——하다 자타여불

반삽【飯—】명 밥주걱.

반:상[1]【反上】명 윗사람에게 거역함. ——하다 자여불

반:상[2]【反常】명 떳떳한 이치에 어긋남. ——하다 자여불

반:상[3]【反想】명 돌려 생각함. 생각을 돌림. 반대로 생각해 봄. ——하다 자타여불

반:상[4]【半商】명 ①상업을 하는 한편, 다른 직업에 종사하며 생계(生計)를 세움. ②〖언〗중국 음운학(音韻學)의 용어. 상은 오음(五音) 중의 하나로 치음(齒音)에 해당하며, 36자모(字母) 중의 '일모(日母)'나 '내모(來母)'는 치음과 설음(舌音)의 양쪽에 걸쳐 발음되므로 반은 치음이라는 뜻. ③반치(半齒).

반:상[5]【返喪】명 반구(返柩). ——하다 타여불

반:상[6]【返償】명 돌려서 갚음. ——하다 타여불

반:상[7]【叛狀】명 모반(謀叛)의 상태.

반:상[8]【叛相·反相】명 모반(謀叛)을 할 인상(人相). ¶ 얼굴이 ~이다.

반상[9]【班常】명 양반과 상사람. ¶ ~을 가리지 않다. *반상 계급.

반상[10]【班賞】명〖역〗①지위(地位)의 고하에 따라 상을 나누는 일. ②반사(班師), 곧 군(軍)이 돌아와서 일동이 상을 받는 일.

반상[11]【斑狀】명 얼룩진 모양.

반상[12]【飯床】명 ①↗반상기(飯床器). ②격식을 갖추어 차린 밥상. 밥·국·김치·장류(醬類)·조치를 기본으로 하고, 나물·구이·조림·저냐·마른반찬·회 따위의 반찬을 담은 접시 수효에 따라 3첩·5첩·7첩·9첩·12첩 반상의 구별이 있음. 사대부(士大夫)집 또는 양반집은 구첩 반상을 최고의 상차림으로 하였으며, 임금님의 수라상은 12첩이었음.

반상[13]【盤上】명 ①반(盤)의 위. ¶ ~ 진미(珍味). ②바둑판·장기판 등의 위. ¶ ~ 최대의 끝내기.

반상[14]【盤床】명 소반의 딴이름.

반상 계급【班常階級】명 양반과 상사람의 사회적 등급.

반상-기【飯床器】명 반상 하나를 차리게 만든 한 벌의 그릇. 오(五)첩·칠첩 또는 구첩의 다름이 있고, 주발·대접·쟁반·탕기·조치·보시기·종자·쟁첩 들을 갖추었으며, 대접과 쟁반 외에는 다 뚜껑이 있음. 준반상(飯床).

반:상 낙하【半上落下】명 처음에는 정성껏 하다가 중도에 그만두어 이루지 못함. ——하다 자여불

반:상 반:하【半上半下】명 어느 쪽에도 붙지 아니하고 태도나 성질이 모호함. ——하다 형여불

반상 적서【班常嫡庶】명 양반과 상사람 및 적자(嫡子)와 서자(庶子). 조선 시대의 계급 의식을 나타내는 말.

반상 조직【斑狀組織】명〖광〗암석(岩石) 조직의 하나. 큰 결정(結晶)이 세립(細粒) 결정의 집합 속 또는 유리 속에 산재(散在)함.

반상 출혈【斑狀出血】명〔ecchymosis〕〖의〗피부(皮膚)가 보랏빛으로 변색하는 피하 출혈(皮下出血).

반상-치【斑狀齒】명〔mottled enamel〕〖생〗음료수 속에 함유된 플루오르가 치아(齒牙)의 성장을 막아, 법랑질(質)의 발육 부전(不全)을 일으켜, 표면에 반상을 나타내는 이. 영구치(永久齒)에 나타남.

반상 태반【盤狀胎盤】명〖생〗포유류의 태반의 한 형식. 태아를 둘러싼 장막(漿膜)의 일부에 융모(絨毛)가 있으며, 이것이 원반(圓盤) 모양으로 태반을 형성하는 것. 쥐·박쥐·원숭이·사람 등에서 볼 수 있음.

반-상회【班常會】명 국민 조직의 최하 단위인 반(班)의 구성원의 월례회(月例會). 행정상의 공시 사항 전달과 건의를 반영시키며, 인보 상조(隣保相助)의 정신을 기르기 위하여 모임.

반색【斑色】명 어룽어룽한 빛. 어룽진 빛깔.

반:색-동물【半索動物】명〖동〗☞반삭동물.

반색-하다 자여불 바라던 사물이나 기다리던 사람을 보았을 때에 몹시 반가워하다. ¶ 반색하며 친구를 맞다.

반:생【半生】명 ①한 평생의 절반. ②거의 죽은 상태. ¶ ~ 반사(半死). *반사.

반:생 반:사【半生半死】명 거의 죽게 되어서 죽을는지 살는지 알 수 없는 지경에 이름. 반사 반생. ——하다 자여불

반:생 반:숙【半生半熟】명 반쯤은 설고 반쯤은 익음. 곧, 어떤 기예(技藝)가 아직 숙달되지 못함의 비유. ——하다 형여불

반:-생애【半生涯】명 반생(半生). 반평생.

반:서[1]【反噬】명 ①기르던 짐승이 은혜를 잊고 사람을 해침. ②은혜를 원수로 갚음. ——하다 자여불

반:서[2]【返書】명 반신(返信).

반서[3]【斑犀】명 ①무소의 암컷. ②얼룩 무늬가 있는 무소의 뿔. 흑색을 상품(上品)으로 침.

반석【盤石·磐石】명 ①넓고 편편하게 된 큰 돌. 큰 바위. ②아주 안전하고 견고함. ¶ 그의 지반은 ~ 같다.

반석-어【一魚】명〈방〉〖어〗아귀[2].

반-석평【潘碩枰】명〖사람〗조선 중종(中宗) 때의 문신. 자는 공문(公文), 호는 송애(松崖). 광주(光州) 사람. 미천한 출신으로 고관의 종이었으나 중종 2년(1507)에 등제한 후 지중추부사를 거쳐 형조 판서에 이름. 온건하고 청백한 것으로 유명함. 시호(諡號)는 장절(壯節). [?-1540]

반선[1]【搬船】명 짐을 나르는 배.

반선[2]【頒扇】명〖역〗임금이 신하에게 부채를 나누어 줌. ——하다 자여불

반선[3]【盤旋】명 산길 같은 것이 빙빙 돌아서 오르게 됨. ——하다 자여불

반:설[1]【反舌】명〖조〗때까치의 딴이름.

반:설[2]【半舌】명 중국 음운학에서, 운경(韻鏡) 서(序) 등에 이르는 칠음도(七音圖)의 반치(半徵)를 발음 기관에 따라 바꿔 말한 것. *반치(半徵)·반치(半齒).

반:설 경음【半舌輕音】명〖언〗반설음(半舌音) 'ㄹ' 아래 'ㅇ'이 오는 글자의 소리. 곧 'ᄛ' 같은 것. 훈민정음 합자해(合字解)에 규정되어 있는 소리인데, 'ㄹ'보다 가볍게 발음하라는 뜻이나 실제로 쓰인 예(例)는 없음.

반:-설음【半舌音】명〖언〗훈민정음에서 'ㄹ' 소리를 일컫는 말. 반혓소리. *반혀쏘리.

반설음 장단【一長短】명〖민〗경기도 남부 무속 무용의 반주에 쓰이는 장단의 하나. 서양 음악 박자로 치면 8분의 15 박자이며 2 장단이 한짝을 이룸. 터벌림 장단.

반:-섬【半—】명 한 섬의 반.

반섭-조【般涉調】명〖악〗통일 신라 시대의 삼죽(三竹)에 쓰인 7개의 악조(樂調) 중의 하나. 평조(平調)·황종조(黃鍾調)·월조(越調)와 함께 8세기 당나라의 악조로 추정됨.

반:성[1]【反省】명 ①자기의 과거의 행위에 대하여 그 선악·가부를 고찰함. ¶ ~의 기색이 없다. ②〔reflection〕〖심〗주의(注意)를 자기의 내적(內的) 경험에 기울임. 주체(主體)가 자기 자신을 관찰함. ③〖논〗판단이 존립할 수 있는 조건을 고찰함. ——하다 타여불

반:성[2]【半醒】명 술기운이나 졸음이 반쯤 깸. ¶ 반수(半睡) ~. ↔반취(半醉). ——하다 자여불

반:성[3]【伴星】명〖천〗동반성(同伴星).

반:성-문【反省文】명 자신의 잘못이나 모자람을 돌이켜 생각하는 뜻의 글.

반:-성양【半成樣】명 사물이 반쯤 이루어짐. ——하다 자여불

반:성 유전【伴性遺傳】명〔sex-linked inheritance〕〖생·의〗유전 인자가 성(性)염색체에 있기 때문에 성별(性別)과 특별한 관계를 갖는 유전 현상. 가령 색맹이나 혈우병(血友病) 같은 것은 여자에게는 드물게 유전하는 것과 같은 현상.

♀ ♂
♀(XX) × ♂(XY)
♀(XX) ♀(XX) ♂(XY) ♂(XY)
♀(XX) ♀(XX) ♂(XY) ♂(XY)

〈반성 유전〉

반:성-적【反省的】명관 반성하는 모양. 반성하는 상태.

반:성적 범:주【反省的範疇】명〖철〗대상(對象)을 의식(意識)에 관계시킬 때의 범주. 신(新) 칸트 학파(Kant學派)의 빈델반트의 용어(用語). ↔구성적 범주(構成的範疇).

반:성적 판단력【反省的判斷力】[—녁] 명〔도 reflektierende Urteilskraft〕〖철〗보편적 원리, 즉 합목적성(合目的性)을 만드는 판단력. 합목적성이 주관적으로 포착(捕捉)되느냐 객관적(客觀的)으로 포착되느냐에 따라서 미적(美的) 판단력과 목적론적 판단력으로 나눔. 칸트 철학의 용어임.

반:성 철학【反省哲學】명〔도 Reflexionsphilosophie〕〖철〗헤겔의 용어. 이성 인식(理性認識)에 대하여, 오성(悟性)에 의한 반성에만 호소하여 추상적·일면적(一面的)인 입장에 시종(始終)하는 철학. 칸트·야코비(Jacobi)·피히테(Fichte)의 철학. 오성(悟性) 철학.

반:성 치:사【伴性致死】명〔sex-linked lethal〕〖생〗성(性)염색체에 있는 유전자(遺傳子)에 의하여 일어나는 치사 현상. 초파리의 X염색체상(染色體上)에 있는 치사 유전자, 사람의 혈우병(血友病) 따위가 알려짐.

반:성 코:크스【半成—】명〔semicoke〕500-750°C의 온도로 만든 코크스. 가정용의 난방에 쓰이는데, 특히 영국에서 많이 썼음. 콜라이트.

반:성-품【半成品】명 반제품.

반:세[1]【半世】명 한 세상의 절반. 반세상(半世上).

반:세[2]【半歲】명 한 해의 절반. 반년(半年).

반:-세계【反世界】명 우리들이 살고 있는 물질 세계와는 기본적인 물질의 구성이 거꾸로 되어 있는 세계. 반양성자·반중성자·반전자 등 반입자(反粒子)로 구성되어 있는 물질 세계. 반우주(反宇宙).

반:-세기【半世紀】명 일 세기의 절반, 곧 50년. *사반(四半) 세기.

반:-세상【半世上】명 반세(半世).

반:-세포【伴細胞】명〔companion cell〕〖식〗①피자(被子) 식물의 체관(管)에 부착하는 유(柔)세포. 체관 원기(原基) 세포의 종렬(縱裂)에 의하여 생김. 원형질(原形質)이 풍부하며 체관과는 다수의 막공(膜孔)으로 연락함. ②조균류(藻菌類) 중의 일종에서 볼 수 있는 배우자낭(配偶子囊) 접합에 있어서, 수정(受精)을 완료한 접합자(接合子)에 부착하고 있는, 중공(中空)의 소형 세포. 대배우자낭(大配偶子囊)으로 이행(移行)한 후의 소(小)배우자낭을 이름.

반:-셈족주의【反—族主義】〔Sem〕[—/—이] 명 반(反)유태주의.

반:소[1]【反訴】명〖법〗민사 소송(民事訴訟)에 있어서 소송의 계속(係屬) 중에, 피고(被告)가 방어(防禦) 방법으로서 그 소송에 병합하여 원고(原告)를 상대로 제기하는 소송. 맞소송. ¶ 손해 배상의 ~.

반:소²【反蘇】명 소련에 반대하는 일 또는 반대되는 일. ¶~ 시위(示威).
반:소³【半宵】명 ①한밤중. ②반야(半夜). 반밤.
반:소⁴【半霄】명 중천(中天).
반:소⁵【半燒】명 집 같은 것이 반쯤 탐. ¶화재로 건물이 ~되다. ↔전소(全燒). ——-하다 자여불
반-소⁶【班昭】명〖사람〗중국 후한(後漢) 때의 여류 문학가. 반표(班彪)의 딸. 자는 혜희(惠姬). 조세숙(曹世叔)의 처. 남편의 사후 화제(和帝)의 초청을 받고 황후(皇后)·귀인(貴人)의 스승이 되어, 조대고(曹大姑) 또는 조대가(曹大家)로 불렸음. ≪여계(女誡)≫ 7장(章)을 저술하였으며, 그의 오라비 반고(班固)가 끝내지 못한 ≪한서(漢書)≫를 대성(大成)하였는데, 지금 있는 ≪한서≫의 팔표(八表)와 ≪천문지(天文志)≫는 소(昭)의 저술이라 함. 그 밖에 ≪조대가집(曹大家集)≫ 3권이 있음. [45-117]
반소⁷【礬素】명〖화〗'알루미늄(aluminium)'의 한자 이름.
반:-소경【半—】명 ①애꾸눈. ②시력(視力)이 약하여 잘 볼 수 없는 사람. ③글을 모르는 사람.
반:-소매【半—】명 팔꿈치 정도까지 내려오는 짧은 소매. 반팔. *긴소매.
반-소사【飯疏食】명 거칠고 반찬 없는 밥이라는 뜻으로, 안빈 낙도(安貧樂道)함을 일컫는 말. ——-하다 자여불
반소사 음:수【飯疏食飮水】명 거친 밥을 먹고 맹물을 마심.
반:-소설【反小說】명〖문〗앙티로망(anti-roman).
반:-소작【半小作】명 절반쯤은 자작(自作)을 하면서 절반쯤은 소작을 함. 또, 그렇게 하는 농사. ——-하다 자타여불
반:속¹【反俗】명 독특한 견식에 의거하여, 세상 일반의 사고(思考)나 생활 방식에 반대함. ¶~적(的).
반:속²【半速】명 ①전속력의 반. 또, 반의 속도. ②함선·선박의 속력의 단계의 하나. 전속(全速)과 미속(微速)의 중간 속도. 전속 20노트, 미속 8노트의 경우의 14노트를 이름.
반:속-요【返俗謠】명〖문〗신라 때 여승(女僧) 설요(薛瑤)가 지은 한시(漢詩). 15세에 아버지를 여의고 실망 끝에 삭발 출가(削髮出家)하여 6년간 수도하였으나 뜻을 이루지 못하고 환속(還俗)하면서 이 시를 지은 듯함. 4구의 고시체(古詩體). ≪전당시(全唐詩)≫에 전함.
반:송¹【伴送】명 다른 물건에 붙여서 함께 보냄. ——-하다 타여불
반:송²【返送】명 환송(還送). ¶편지를 ~하다. ——-하다 타여불
반송³【搬送】명 ①운반하여 보냄. 실어 보냄. ②음성·화상(畫像) 등의 신호를 변조(變調)라는 수단으로 고주파(高周波)에 실려 보내는 일. ——-하다 타여불
반송⁴【盤松】명 키가 작고 가지가 옆으로 퍼진 소나무.
반:송-관¹【返送管】명 물건을 본디 자리로 되돌려 보내기 위한 관. 온수식(溫水式) 난방 장치의 환수관(還水管) 따위.
반송-관²【搬送管】명〔carrier pipe〕〖공〗액체의 수송 또는 전도(傳導)에 쓰이는 파이프. 외부 보호용 또는 피복용(被覆用) 파이프와 대비됨.
반송-대【搬送帶】명 전송대(傳送帶). 컨베이어(conveyor).
반송 방식【搬送方式】명〔carrier system〕〖통신〗같은 회선(回線)을 사용하여 여러 개의 독립(獨立)된 통신을 행하는 방식.
반:송-사【伴送使】명〖역〗중국의 사신(使臣)을 호송(護送)하던 임시 벼슬.
반송식 통신 방식【搬送式通信方式】명〖물〗전신(電信)·전화선 또는 전력선에 변조(變調)한 고주파 전류를 보내어, 이것을 이용하여 통신을 행하는 통신 방식. 준반송 통신.
반:-송장【半—】명 아주 늙거나 병이 들어 송장이나 다름없는 사람.
반송 전:류【搬送電流】[—절—] 명〔carrier current〕〖통신〗전화·전신·전력선(電力線) 주파수에 겹쳐, 통신·제어에 사용되는 고주파(高周波)의 교류(交流) 전류.
반송 전:신【搬送電信】명〔carrier telegraphy〕반송파를 이용하는 전신.
반송 전:화【搬送電話】명〔carrier telephony〕〖전〗반송파를 이용하는 전화. 전화기로부터의 통화(通話) 전류를 반송파로 변조(變調)하여 고주파(高周波)로 변환시켜 전송하고 수신자(受信者)는 본래의 주파수로 고쳐서 통화하는 방식. 한 회선으로 다중(多重) 통신과 원거리 통신이 가능함.
반송 통신【搬送通信】명〔carrier communication〕〖물〗↗반송식 통신 방식.
반송-파【搬送波】명〔carrier wave〕〖물〗전신(電信)·전화·텔레비전 따위의 음성이나 영상(映像)의 신호파(信號波)를 전송하는 데 사용하는 고주파 전류.
반:수¹【反數】[—쑤] 명〖수〗역수(逆數).
반:수²【半睡】명 ↗반수 반성(半醒). ¶~ 상태. ——-하다 자여불
반:수³【半數】명 ①어떤 수효의 반. 절반 되는 수. 전수(全數)의 반. ②〔haploid number〕〖생〗감수 분열(減數分裂)에 의해 염색체(染色體)의 수가 반감(半減)된 상태. 정자(精子)의 핵(核) 따위. *단상(單相)·반수성(半數性).
반:수⁴【伴隨】명 짝이 되어 따름. 수반(隨伴). ——-하다 타여불
반:수⁵【泮水】명 반궁(泮宮)의 옆을 흐르는 물.
반수⁶【班首】명 ①수석(首席)의 자리에 있는 사람. 우두머리. ②보부상(褓負商) 조직의 임원(任員)의 하나. 각 읍(邑)의 우두머리가 되는 사람.
반수⁷【盤水】명 대야나 사발에 가득한 물. 법의 공평함을 상징함.
반수⁸【礬水】명 명반(明礬)을 녹인 물에 아교를 섞은 것. 종이에 입혀서 먹·잉크·채료(彩料)가 번지는 것을 방지하는 데 쓰임. 도사(陶砂).
반:-수기앙【反受其殃】명 도리어 재앙을 받음. ——-하다 자여불
반:-수둑이【半—】명 어떠한 물건이 바싹 마르지 아니하고 반쯤만 수둑수둑하게 마른 정도. 또, 그렇게 된 물건.
반:수 반:성【半睡半醒】명 자는 둥 마는 둥 하게 아주 얕은 잠을 잠. 준반수(半睡). ——-하다 자여불
반:수 석고【半水石膏】명〔gypsum hemihydrate〕〖화〗소석고(燒石膏).
반:수-성【半數性】[—썽] 명〔haploidy〕〖생〗체세포(體細胞)의 염색체(染色體)의 수가 통상의 반수(半數)인 상태. 또, 그러한 성질. *배수성(倍數性).
반:수성 가스【半水性—】〔gas〕[—썽—] 명 발생로(發生爐) 가스와 수성(水性) 가스와의 혼합 가스.
반:수성 단위 생식【半數性單爲生殖】[—썽—] 명〖생〗발생을 시작하는 알이 정상적인 난자 형성과 마찬가지로 완전한 감수(減數) 분열을 하여 염색체수가 반수(半數)가 되어 있는 경우의 단위 생식. ↔배수성(倍數性) 단위 생식.
반:수 세:대【半數世代】명〖생〗감수 분열(減數分裂)에서 수정(受精)까지의 세대. ↔배수(倍數) 세대.
반:수-신【半獸神】명 반은 짐승 모양이었다고 전하는 신. 특히, 그리스 신화의 '판(Pan) 신'의 이칭(異稱).
반:수 염:색체【半數染色體】명〖생〗감수 분열 때에 체세포의 염색체 수의 반이 된 염색체. 반수성의 염색체. 반수체(半數體).
반:수-적【半獸的】명관 반짐승과도 같은 상태.
반:수-주의【半獸主義】[—/—이] 명 ①인간의 성적 본능을 만족시키는 주의. ②사람으로서의 수성(獸性), 곧 동물적 본능을 강조하여 반쯤은 짐승이라는 뜻으로, 성욕을 꾸밈없이 그리어 발표하는 문예상의 한 주의.
반수-지【礬水紙】명 반수를 입힌 종이. 윤택이 나며 잉크나 먹 같은 것이 번지지 않음.
반:수-체【半數體】명〔haploid〕〖생〗①반수 염색체(半數染色體). ②세포핵(細胞核)의 염색체(染色體)의 수가 반감(半減)하고 있는 핵상(核相)의 세포·개체. *배수체(倍數體).
반:수체 불화합성【半數體不和合性】명〖생〗반수체끼리의 접합(接合)이 생리적으로 되지 않는 현상. 균류(菌類)의 균사(菌絲) 접합 등에서 볼 수 있음.
반:숙【半熟】명 과실이나 곡식 또는 음식물이 반쯤 익음. 또, 반쯤 익힘. ¶달걀 ~. ——-하다 자타여불
반:숙-란【半熟卵】[—난] 명 푹 삶지 아니하고 흰자만 익을 정도로 슬쩍 삶은 달걀.
반:-숙련공【半熟練工】[—년—] 명 완전히 숙련되지 못하고 반쯤만 숙련된 공원.
반:숙-마【半熟馬】명 ①반쯤 길들인 말. ②〖역〗작은 공이 있는 벼슬아치에게 상(賞)으로 주던 말. *숙마(熟馬).
반:순【反脣】명 '번순(反脣)'의 잘못 일컫는 말.
반:승¹【半僧】명 반승 반속(半僧半俗).
반:승²【伴僧】명〖불교〗장례(葬禮)·수법(修法) 또는 법회(法會) 때에 도사(導師)에게 따라다니는 중.
반승³【飯僧】명〖역〗고려 때 궁중에서 중들에게 음식을 대접하던 일. 「재승(齋僧).
반:-승낙【半承諾】명 달갑게 여기지 아니하거나 또는 마지못하여 대체로 좋겠다는 정도로 하는 승낙. *반허락(半許諾). ——-하다 타여불
반:승 반:속【半僧半俗】명 반은 중이고 반은 속인(俗人)이라는 뜻에서, 사물이 이것도 아니고 저것도 아니어서 뚜렷한 명목(名目)을 붙이기 어려울 때 쓰는 말. 반승(半僧). *비승 비속(非僧非俗).
반:시¹【反始】명 조상(祖上)을 회고하여 공경함. ——-하다 자여불
반:시²【半時】명 ①옛날에, 한 시의 절반. 시반(時半). ②↗반시간(半時間).
반:시³【半翅】명〖조〗[*Perdix fanbata*] 메추라깃과에 속하는 새. 보통 메추라기보다 큰데, 얼굴과 목은 황색, 뒷 목과 등에 회흑색(灰黑色)의 얼룩이 가로 줄지고, 윗 가슴에는 금빛 반점(斑點)이 있으며, 가슴에는 말발굽같이 생긴 검고 큰 무늬가 있음. 한국·만주·일본 등지에 분포함.

〈반시³〉

반시⁴【班示】명 나누어 보임. 모두에게 가르침. ——-하다 타여불
반시⁵【飯匙】명 숟가락.
반시⁶【盤柿】명 납작감.
반:-시간【半時間】명 한 시간의 절반, 곧 30분. 반점(半點). 준반시(半時).
반:시 기호【反始記號】명〖악〗'도돌이표'의 한자 이름.
반:시-류【半翅類】명〖충〗매미목(目).
반시-뱀【飯匙—】명〖동〗[*Trimeresurus flavoviridis*] 살무삿과에 속하는 뱀의 하나. 몸길이 160cm 가량. 머리는 거의 삼각형으로 숟가락처럼 되고, 두부(頭部)·배면(背面)에 판상린(板狀鱗)이 없음. 배면은 담황회색인데 두 줄의 암갈색 고리 무늬가 있음. 나무 위·풀밭에 살며 쥐 같은 것을 잡아먹는데, 인축(人畜)을 물어 해치는 맹독(猛毒)을 가졌음. 3월부터 활동하여 한배에 10-20개의 알을 낳음. 오키나와·대만 등지에 분포함. 반시사(飯匙蛇).

〈반시뱀〉

반시-사【飯匙蛇】명〖동〗반시뱀.
반:-시옷【半—】명〖언〗한글의 옛 자모의 하나인 'ㅿ'의 이름.
반:식¹【伴食】명 ①배식(陪食). ②실권(實權)이나 실력이 없이 어떠한 직(職)에 앉아서 자리만 지키고 있는 일. ——-하다 자여불
반식²【飯食】명 밥¹.
반:식 대:관【伴食大官】명 무위도식(無爲徒食)으로 자리만 차지하고 있는 무능한 대신.
반:-식민지【半植民地】명 주권(主權)을 가지면서도, 제국주의 세력에 제압되어 사실상 식민지 상태에 있는 나라. 제국주의 여러 나라의 세력이 경쟁 충돌하고 있지만 균형을 잃지 아니하고 있어, 아직 일국(一國)의 완전한 식민지가 되지 아니한 지역.

반:신[1]【半身】명 온몸의 절반. ¶ 상~/하~.

반:신[2]【半信】명 아주 믿지는 아니하고 반쯤만 믿음. ¶~ 반의. ——-하다 타여불

반:신[3]【返信】명 회답하는 통신. 회신(回信). ↔왕신(往信)·반서(返書).

반:신[4]【叛臣】명 반역한 신하. 모반(謀叛)을 꾀한 신하. *역신(逆臣).

반:신-료【返信料】[—뇨] 명 '회신료(回信料)'의 구칭.

반:신 반:의【半信半疑】[—/—이] 명 반쯤은 믿고 반쯤은 의심함. ¶아직도 ~의 상태이다. ——-하다 타여불

반:신 반:인【半神半人】명 반은 신(神)인 사람. 아주 영묘(靈妙)한 사람.

반:신 불수【半身不隨·半身不遂】[—쑤] 명 〖의〗 뇌출혈(腦出血)·혈전(血栓)·종양(腫瘍) 따위로, 한쪽 대뇌 반구(大腦半球)의 조직이 손상되어, 그 결과 장애가 있는 쪽의 반대측 반신이 마비되는 일. 또, 그러한 사람. 편고(偏枯). 편마비(片痲痺). 수족 탄탄(手足癱瘓).

반:신-상【半身像】명 상반신(上半身)의 사진·초상(肖像) 또는 소상(塑像).

반:실【半失】명 절반 가량 잃거나 손해봄. ——-하다 타여불

반:-실업【半失業】명 불완전 취업(不完全就業).

반:실-이【半失—】명 ①몸의 일부를 잃은 사람. 신체의 기능이 온전하지 못한 사람. ②반편이.

반:심[1]【半心】명 ①온이로 먹지 아니하는 마음. 할까 말까 하는 마음. ②참되게 먹지 아니하는 마음. 진정(眞情)이 아닌 마음.

반:심[2]【叛心】명 배반하려는 마음. 배심(背心). 반의(叛意).

반:-심리주의【反心理主義】[—니—/—니—이] 명 〖철〗 진(眞)·선(善)·미(美) 등의 가치를 논구(論究)하는 데 있어서 이를 심리적으로 어떻게 생기는가 하는 발생을 문제로 삼는 견해에 반대하는 논리주의의 입장.

반:-심성암【半深成岩】명 〔hypabyssal rock〕〖지〗 화성암(火成岩)의 한 가지. 마그마의 냉각 속도가 심성암과 화산암(火山岩)의 중간 정도로, 양자의 중간 성질을 가짐. *화성암.

반:-쌀눈:【半—】명 〈방〉 싸라기눈(경상).

반:쌍【半雙】명 한 쌍의 반. 쌍으로 된 것의 그 한쪽.

반아【盤牙】명 서로 연결함. 결탁함. 반호(盤互). ——-하다 자여불

반:-아카데미【反—】〔academy〕 명 고지식한 관학적(官學的) 경향을 지양(止揚)하고, 청신하고 진취적인 학풍을 이루려는 정신.

반-악【潘岳】명 〖사람〗 중국 서진(西晉)의 문인(文人). 자는 안인(安仁). 권세가인 가밀(賈謐)의 집에 드나들며 아첨하다가 뒤에 손수(孫秀)의 무고로 주살(誅殺)됨. 유려(流麗)한 시문(詩文)을 썼으며 망처(亡妻)를 애도한 ≪도망시(悼亡詩)≫는 유명함. 또, 미남이었으므로 미남의 대명사로도 쓰임. [247-300]

반악의 투귤(投橘) 구 반악이 용모가 아름다워 젊었을 때, 활을 옆에 끼고 뤄양(洛陽) 길에 나타나기만 하면, 여자들이 몰려와 그를 향해 과일을 던졌다는 고사(故事). ¶반악의 투귤같이 내 머리에 돌 던지던 사람을 생각하여 아픈 것을 정표로 알고 부은 것을 기념물로 알아서≪李仁稙:牡丹峰≫.

반암[1]【斑岩】명 〔porphyry〕〖광〗 반상(斑狀)의 구조를 가지는 화성암(火成岩). 보통, 황색·백색·회색이고 알칼리 장석(長石)·석영(石英) 등을 반정(斑晶)으로 하며, 운모(雲母)·각섬석(角閃石)을 포함함. 특히, 석영을 많이 가지고 있는 것을 석영 반암, 장석과 석영이 많을 때는 화강반암(花崗斑岩)이라 함.

반암[2]【盤岩】명 너럭바위.

반:-암부【半暗部】명 〔penumbra〕〖천〗 부분 그늘.

반:액【半額】명 ①전액(全額)의 반. ②원값의 절반. ¶~으로 드리지요.

반:야[1]【半夜】명 ①한밤중. ②반밤. 반소(半宵).

반야[2]【般若】명 ①〔범 Prajñā〕〖불교〗 대승 불교(大乘佛敎)에 있어서, 모든 법(法)의 진실상(眞實相)을 아는 지혜. 실상(實相)과 진여(眞如)를 달관(達觀)하는 지혜. 여실지(如實智). ②무서운 얼굴을 한 귀녀(鬼女).

반야-경【般若經】명 〖불교〗 ①대반야경. ②↗반야 바라밀다 심경.

반야경 도:량【般若經道場】명 〖불〗 반야경을 독송하거나 서사(書寫)하면서 개최하는 불교 의식의 하나. 재해 방지나 비를 비는 기원으로 행해졌으나, 조선 초기 이후로는 별로 기록이 없음.

반야 다라【般若多羅】명 〖사람〗 석가의 제27대 제자. 동인도(東印度) 출생. 남인도까지 가서 교화에 힘쓰고, 마침내 향지국(香至國)의 제3왕자인 보리 달마에게 법을 전하였음. [?-476]

반야-덕【般若德】명 〖불교〗 삼덕(三德)의 하나. 부처의, 만유(萬有)의 실상(實相)을 아는 절대 평등한 지혜.

반야-면【般若面】명 반야와 같은 무서운 얼굴.

반야 바라밀【般若波羅蜜】명 〔범 prajñāpāramita〕〖불교〗 육바라밀(六波羅蜜)의 여섯째. 보살이 수행(修行)에 의하여 얻는 제법 개공(諸法皆空)의 진실된 지혜로, 이것에 의하여 미망(迷妄)의 차안(此岸)에서 깨달음의 피안(彼岸)으로 건너게 됨. 곧, 지혜의 빛에 의하여 열반(涅槃)의 묘경(妙境)에 이르는 일.

반야 바라밀다 심경【般若波羅蜜多心經】[—따—] 명 〖불교〗 반야 심경. 준반야경.

반야-봉【般若峰】명 〖지〗 전라 북도 남원시(南原市) 산내면(山內面)과 전라 남도 구례군(求禮郡) 산동면(山洞面) 사이에 있는 산. [1,751 m]

반야-사【般若寺】명 〖불교〗 ①충북(忠北) 영동군(永同郡) 황간면(黃澗面) 우매리(友梅里)에 있는 법주사(法住寺)의 말사(末寺). 신라 성덕왕(善德王) 19년(720)에 원효(元曉)의 제자 상원(相源)이 창건. 1325년 신미(信眉)·학일(學一)·학조(學祖) 등이 중건함. ②경남(慶南) 합천군(陜川郡) 가야면(伽倻面) 야천리(耶川里)에 있던 절. 고려 때 김부일(金富佾)이 건립한 원경 왕사(元景王師)의 비가 있었음.

반야-선【般若船】명 〖불교〗 부처가 그 지혜로써 범부(凡夫)를 돕는 일을, 배로 물에 빠진 사람을 구하는 데에 비유한 말.

반야 심경【般若心經】명 〖불교〗 262자(字)로 된 짧은 경으로, 대반야경(大般若經)의 심수(心髓)를 간결하게 설(說)한 것. 반야 바라밀다 심경. 대반야 바라밀다 심경(大般若波羅蜜多心經).

반야 정:관【般若正觀】명 ①지혜와 선정(禪定). ②분별·망상을 떠난 지혜로써 잡념을 버리고 정신 통일을 한 상태.

반야-차【般若茶】명 우리 나라에서 나는 명차(銘茶)의 한 가지.

반야-탕【般若湯】명 〖불교〗 '술'의 변말.

반야-회【般若會】명 〖불교〗 ↗대반야경회.

반약【般若】명 〖불교〗 '반야'의 잘못 일컫는 말.

반:양[1]【半養】명 〖농〗 배내. ¶~으로 키운 소·돼지.

반양[2]【盤羊】명 〖동〗 아르갈리.

반:-양각【半陽刻】[—냥—] 명 〖미술〗 조각(彫刻)에서 새김의 두께가 반 정도의 양각. 메조 릴리에보(mezzo rilievo).

반:-양성자【反陽性子】[—냥—] 명 〔antiproton〕〖물〗 양성자에 대한 반입자(反粒子). 1953년 미국 텍사스 주에서 19 마일 상공에 띄운 실험 기구(實驗氣球)에 의해 우주선 속에서 처음 발견됨. 양성자와 접촉하면 서로 파괴되는데, 우주를 파괴하는 힘이 있다고 함. 앤티프로톤(antiproton). 기호는 $\bar{P}$. 반양자. *반중성자(反中性子).

반:-양식【半洋式】[—냥—] 명 반쯤 서양식을 본뜬 격식.

반:-양자【反陽子】[—냥—] 명 반(反)양성자.

반:-양장【半洋裝】[—냥—] 명 ①반쯤 서양식으로 꾸민 책들의 장황(粧潢). ¶~본(本). ②반쯤만 서양식으로 꾸민 복장.

반-양풍【潘量豐】[—냥—] 명 〖사람〗 백제 때의 유명한 채약사(採藥師). 성왕(聖王) 32년(554)에 의박사(醫博士) 왕유릉타(王有悛陀)와 채약사 시덕(施德)·고덕(固德) 등과 도일(渡日)하여 백제 의약을 일본에 소개하였음.

반:어[1]【反語】명 ①앞의 말의 뜻을 뒤집어 쓰는 말. 곧, 표현 효과를 강하게 하기 위하여, 의문형으로 말함으로써 반대로 강한 긍정의 뜻을 나타내는 일. 이를테면, '생각하지 않을 수 있으랴' 따위. ②그 말의 뜻과 반대되는 뜻으로 쓰는 말. 가령 '못난 사람'을 '잘난 사람', 키가 '큰 사람'을 '작은 사람', '못된 꼴'을 보고 '그 꼴 좋다' 하는 것과 같은 말.

반:어[2]【半漁】명 생업의 반이 어업임. 반어업(半漁業). ¶반농(半農)~.

반:어-법【反語法】[—뻡] 명 ①문장의 의미를 강하게 하기 위하여 반어를 사용하는 수사법(修辭法). ②〖논〗 상대방의 틀린 점을 깨우치기 위해서, 반대의 결론에 도달하는 질문을 하여, 진리로 이끄는 일종의 변증법(辨證法).

반:-어업【半漁業】명 반어(半漁).

반어-피【班魚皮】명 〖역〗 동예(東濊)의 특산물의 하나인 반어, 곧 바다표범의 가죽.

반:-언치【半—】명 〈방〉 언치[2].

반 에이크〔Van Eyck〕명 〖사람〗 플랑드르의 화가 형제. 플랑드르 회화(繪畫) 양식의 확립자. 형 후베르트(Hubert; 1366?-1426)는 겐트(Ghent)의 성당 제단화(祭壇畫) ≪신비의 고양(羔羊)≫의 일부를 제작. 아우 얀(Jan; 1370?-1440)은 형이 착수한 제단화를 계승하여, 그 양식을 완성시켜 치밀한 사실(寫實)로써 종교화·초상화에 기념비적 이름을 남김.

반:-여태혜【半女太鞋】[—녀—] 명 여태혜와 비슷한 남자가 신는 가죽신.

반:역[1]【反逆·叛逆】명 나라와 겨레를 배반함. 괴반(乖叛). ¶~을 꾀하다. ——-하다 타여불

반:역[2]【反譯】명 번역된 것을 다시 번역하여 본디 말로 돌이킴. ——-하다 타여불

반:역-도【反逆徒·叛逆徒】명 반역 행위를 하는 무리.

반:역-자【反逆者·叛逆者】명 반역한 사람. 반인(叛人).

반:역-죄【反逆罪·叛逆罪】명 반역 행위를 함으로써 성립되는 죄. 역죄(逆罪).

반:-역청탄【半瀝青炭】명 〔semibituminous coal〕 역청탄보다 딱딱하고 부서지기 쉬운 석탄. 높은 연료비(燃料比)를 가지고 10-20%의 휘발성분(揮發成分)을 함유함. 역청탄과 반무연탄의 중간으로 연기를 내지 않음.

반:역-향【叛逆鄕】명 〖역〗 반역을 일으킨 고장. 반역자가 나면 그 거주읍은 강등(降等)되고 그 지역 출신자는 관직 진출 등에서 차별 대우를 받았음.

반:연[1]【反衍·叛衍】명 자기 마음대로 함. ——-하다 자여불

반연[2]【絆緣】명 얽혀서 맺는 인연.

반연[3]【攀緣】명 ①기어 올라감. ②의뢰(依賴)하여 출세함. ¶다만 등뒤에 믿는 것은 재물 하나뿐인 고로 ~을 얻기 위하여 세가·훈문에 불소한 재물을 기울였으나…≪趙重桓:菊의 香≫. ③속된 인연에 끌림. ④〖불교〗 원인을 도와서 결과를 맺게 하는 일. ⑤노(怒)함. 평정을 잃음. ——-하다 자타여불

반연-경【攀緣莖】명 〔climbing stem〕〖식〗 부정근(不定根)이나 덩굴손·극침(棘針)·부착근(附着根) 등에 의하여 다른 물건에 붙거나 감겨 기어 오르는 줄기. 포도·담쟁이 같은 것의 덩굴. 붙는줄기.

반:-연귀【半緣歸】[—년—] 명 〖건〗 연귀 맞춤의 한 가지.

반:-연방파【反聯邦派】[—년—] 명 〖역〗 미국 독립 혁명 후, 합중국 헌법을 제정할 때, 연방파와 대립한 주권론자(主權論者). 소농민(小農民)·소상공업자(小商工業者)의 이익을 대변함.

반연-성【攀緣性】[—썽] 명 〖식〗 반연하는 성질. 곧, 포도 덩굴같이 다른 물건에 기어 오르는 식물의 성질.

반연 식물【攀緣植物】명 〔climbing plant〕〖식〗 줄기가 가늘고 길어 직립(直立)할 수가 없기 때문에 덩굴손이나 부정근(不定根) 따위로 다른 물건을 감아 뻗어 올라가는 식물. 호박·수세미 등.

반열【班列】명 품계(品階)나 신분 등급의 차례. 반차(班次). ¶성인(聖人)의 ~에 오르다.

반:-염불【半念佛】명 〖민〗 경기 북부 무의식(巫儀式)에서 삼현 육각으로 연주하는 무용 반주 음악. 진염불을 빠르게 변주(變奏)한 곡으로 8분의 18박자. 자진염불.

반:염숭-포【半塩菘包】[—넘—] 명 얼간쌈.
반:-염장【半塩醬】[—넘—] 명 얼간❶.
반:-엽【半葉】[바넙] 명〖악〗여창(女唱) 가곡 또는 남창 가곡의 하나. 전반은 우조(羽調), 후반은 계면조(界面調)로 되어 각각 반씩이라는 뜻임. 반엇삭대엽(數大葉).
반:영¹【反英】명 영국에 반대하는 일. 또, 영국에 반대되는 것.¶～ 운동.
반:영²【反映】명 ①반사(反射)하여 비침. ②어떤 일에 반사적으로 일어나는 영향을 드러냄. ¶민의를 ～시키다. ——-하다 자타 여불
반:영³【反影】명 반영(反映)되는 그림자.
반:영⁴【半影】명〖물〗반(半)그림자.
반영⁵【繁纓】명 말 안장에 딸린 갖은삼거리의 한 가지. 안장의 양옆으로 늘어뜨리는 장식.
반:-영구【半永久】[—녕—] 명관 거의 영구에 가까운 일.
반:영구-적【半永久的】[—녕—] 명관 거의 영구에 가까운 모양.
반:영구 축성【半永久築城】[—녕—] 명〖군〗반영구적인 목적으로 쌓은 군용 구조물.
반:영-론【反映論】[—논] 명〔도 Widerspiegelungstheorie〕〖철〗인식(認識)은 인간의 의식(意識) 속에서 객관적 실재(實在)를 반영(反映)한 것이라고 하는 마르크스 레닌주의의 인식론.
반:영-식【半影蝕】명〔penumbral eclipse〕〖천〗월식(月蝕)의 하나. 달 표면에 지구의 반영(半影)이 비치는 것을 이름.
반옥【飯玉】명 깨뜨려서 쌀과 섞어 죽은 사람의 입에 넣던 옥.
반:-올림【半—】명〖수〗생략하여 계산할 때, 끝수가 4 또는 4 이하인 경우에는 0으로 하여 떼어 버리고, 5 또는 5 이상인 경우에는 10으로 하여 윗자리로 끌어 올려서 계산하는 일. 곧, 12.4는 12로, 12.5는 13으로 하는 따위. 구용어:사사 오입(四捨五入). ——-하다 타 여불
반:와【泮蛙】명〔'성균관(成均館) 개구리'의 뜻〕 자나 깨나 책만 읽는 사람을 농으로 일컫는 말.
반완【蟠蜿】명 서리서리 꿈틀거림. ——-하다 자 여불
반외【盤外】명 ①바둑·장기판 밖. ②바둑·장기의 대국 이외.
반요【盤繞】명 돌려 감김. ——-하다 자 여불
반요 식물【攀繞植物】명 반연성(攀緣性) 또는 전요성(纏繞性)이 풍부한 식물. 등나무·수세미 등.
반:우¹【返虞】명 장사 지낸 뒤에 신주(神主)를 집으로 모셔 오는 일. 반혼(返魂). ——-하다 자타 여불
반우²【飯盂】명 밥그릇❶.
반우³【盤紆】명 반곡(盤曲). ——-하다 자 여불
반:-우주【反宇宙】명 반세계(反世界).
반운【搬運】명 운반(運搬). ——-하다 타 여불
반:원¹【半圓】명〖수〗원의 절반. 원을 직경으로 이등분한 한 쪽.
반:원²【半圜】명〖역〗광무 9년(1905)에 개정된 화폐 조례(條例)에 의하여, 종래의 원(元)을 원(圜)으로 고치고, 새로 만든 50전짜리 보조 화폐의 하나.
반원³【班員】명 반의 구성원.
반원⁴【攀援】명 반연(攀緣)❶❷❸. ——-하다 자타 여불
반:원권-문【半圓圈文】[—꿘—] 명〖고고학〗활점무늬.
반:원기둥【半圓—】명 벽면(壁面)에 원기둥을 반쯤 파묻은 것 같은 모양의 기둥. 반원주.
반:-원주¹【半圓周】명〖수〗원주를 직경(直徑)으로 이등분한 한 쪽.
반:-원주²【半圓柱】명 '반원기둥'의 구용어.
반:원-형【半圓形】명〖수〗반원으로 된 형상. 반원의 모양. 아치.
반:월【半月】명 ①반달❶. ②한 달의 반. 곧, 15일. 반 달. ③〖불교〗한 달을 둘로 나누어 계명(誡命)을 설하는 기간. 먼저 반월은 하루부터 보름까지, 뒤의 반월은 열 엿새부터 그믐까지로 함.
반:월-간【半月刊】명 보름마다 한 번씩 간행(刊行)함. 또, 그 출판물. ¶～ 문학 잡지.
반:월-도¹【半月刀】[—또] 명 반달칼.
반:월-도²【半月島】[—또] 명〖지〗전라 남도 신안군(新安郡) 안좌면(安佐面) 반월리(半月里)에 위치하는 섬. [2.05 km²: 453명 (1987)]
반:월-문【半月門】명 반달문.
반:월-반【半月盤】명 반면(盤面)이 반달 모양으로 된 소반. 흔히, 다리가 셋임. 큰 상의 모서리에 덧붙이거나, 장식 소반으로 쓰임. 궐반(闕盤). 별반(別盤).
반:월-범【半月帆】명〖생〗반월판.
반:월 부등【半月不等】명〖해〗반월 위상 부등.
반:월상-문【半月狀紋】[—쌍—] 명 반달 모양의 무늬. 반달 무늬.
반:월-성【半月城】[—썽] 명〖지〗경상 북도 경주(慶州)와 충청 남도 부여(扶餘)에 있는 반달 모양으로 된 옛 성.
반:월 위상 부등【半月位相不等】명〔phase inequality〕〖해〗달의 위상 변화에 따라 생기는 조석(潮汐) 및 조류(潮流)의 변동. 반월 부등.
반:월-창【半月窓】명〖건〗틀이 반달 모양으로 된 창.
반:월-판【半月瓣】명〖생〗척추 동물 포유류(哺乳類)의 심장에 있는 혈액 역류 방지용의 판(瓣)의 하나. 심실(心室)에서 유출(流出)되는 혈관의 입구에 있는 세 개의 반달 모양의 판막으로, 우(右)심실과 폐동맥(肺動脈), 좌(左)심실과 대동맥 사이에 있음. 반월범(半月帆). 반달판.
반:월-형【半月形】명 반달같이 생긴 형상. 반달의 모양. 반달꼴. 반달형.
반:월형 석기【半月形石器】명〖고고학〗반달 석기.
반:월형 석도【半月形石刀】명〖고고학〗반달 돌칼.
반:위¹【反胃】명 '번위(反胃)'의 잘못 일컫는 말.
반위²【班位】명 ①등위(等位). 계급. ②순위(順位).
반:유¹【泮儒】명 성균관(成均館)에 유숙하며 공부하는 유생(儒生).
반유²【盤遊】명 즐겁게 놂. 각처를 돌아다니며 놂. ——-하다 자 여불

반:-유동체【半流動體】[—뉴—] 명 되직한 유동체. 곧 죽 같은 것.
반:-유태주의【反猶太主義】[—/—이] 명 인종적·종교적·경제적인 이유에서 유태인을 배척·절멸시키려고 하는 사상. 19세기 후반 체임벌린(Chamberlain, H. S.) 등이 유태인을 인종적으로 열등시(劣等視)하며 악의 근원이라고 주장한 이래 급속히 확대, 독일·오스트리아 등에서는 정치 운동의 한 요소로까지 되었음. 특히 나치스당(黨)은 이 주의를 내걸고 2차 대전 중에 수백만의 유태인을 학살하였음. 반셈족(反Sem族)주의. 앤티세미티즘(anti-Semitism)
반:-은구【半隱溝】명 반쯤 묻힌 수채.
반:음¹【反音】명 반절(反切)의 음.
반:음²【半音】명〖악〗전음(全音)의 절반의 음정(音程). 곧, 한 옥타브(octave)의 12분의 1. 음정의 최소 단위(最小單位)가 됨. 반음정. 세미톤(semitone). 하프톤(half tone). ↔전음(全音)·온음.
반:-음경【半陰莖】명〔hemipenis〕〖동〗뱀이나 도마뱀류의 총배설강(總排泄腔) 바닥에 쌍을 이루는, 비발기성(非勃起性) 반전(反轉)이 가능한 낭(囊)의 하나. 삽입 기관으로서 사용됨.
반:-음계【半音階】명〔chromatic scale〕〖악〗12개의 반음으로 이루어진 음계. 화성적(和聲的) 반음계와 임의적(任意的) 반음계의 두 가지가 있음. 크로매틱 스케일. ↔전음계(全音階)·온음계. ＊반음 음계.
반:음계적 반:음【半音階的半音】명〖악〗소반음(小半音).
반:음계적 음정【半音階的音程】명〔chromatic interval〕〖악〗14종(種)의 온음계 음정 이외의 음정. 예를 들면, 증(增) 6도·감(減) 7도 따위.
반:-음양【半陰陽】명〖생〗남녀추니.
반:음 음계【半音音階】명〖악〗한 옥타브(octave)를 12개의 반음으로 등분한 음계. 12음 음계(十二音音階). ↔전음(全音) 음계. ＊반음계(半音階).
반:-음정【半音程】명〖악〗반음(半音).
반:응【反應】명 ①이 편을 배반하고 다른 편에 응함. ②어떠한 자극에 의하여 어떤 현상이 생기는 일. 또, 어떤 자극으로 행동을 일으키는 일. ¶아무리 요청해도 ～이 없다. ③〔reaction〕〖물·화〗물질 사이에 일어나는 화학적 변화. 가역(可逆)과 불가역(不可逆)이 있으며, 원자핵이 변화하지 않는 화학 반응, 원자핵에 변화를 주는 핵반응도 있음. ④〔response〕〖심〗생체(生體)에 있어서 자극에 의하여 일어나는 모든 신체 운동의 의식 작용. 자극에 대응(對應)하는 체제상(體制上) 최종 단계를 이루는 것임. 눈에 티가 들어가면 눈물이 나고, 목이 마르면 물을 먹으려 하는 것이나, 어떤 문제에 직면하면 해결하려고 하는 일 같은 것. ——-하다 자 여불
반:응-계【反應系】명〔system of reaction〕〖화〗화학 변화에 있어서, 반응하는 물질군(群)의 일컬음. 화학 반응식(化學反應式)에서는 '→'·'=' 등 기호의 좌측에 쓰이는 것이 보통임. ↔생성계(生成系). ＊반응물(反應物).
반:응 계:열【反應系列】명〔reaction series〕〖광〗이미 생성(生成)되어 있는 변종(變種)과 용융체(溶融體)의 반응에 의하여 생긴 광물계(鑛物系). 연속(連續) 반응 계열과 불연속(不連續) 반응 계열이 있음.
반:응-기【反應器】명 ①〖화〗반응 장치(裝置). ②〖생〗실행기.
반:응-도【反應度】명〔reactivity〕〖화〗원자·분자·기(基)가, 다른 원자·분자·기와 화학적으로 결합하는 상대적 능력. 그 대소(大小)는 반응 속도를 가지고 측정할 수 있음.
반:응-물【反應物】명〔reactants〕〖화〗서로 작용하여 새로운 분자(分子)를 생성하는 분자. 예컨대, $HCl+NaOH \rightarrow NaCl+H_2O$의 반응에서 HCl과 NaOH가 반응물임. ↔생성물(生成物).
반:응 물질【反應物質】[—찔] 명〖화〗서로 반응하는 물질.
반:응-법【反應法】[—뻡] 명〖심〗자극에 대한 반응의 관계 및 상태를 기술하여 그 생리 작용과 심리 작용을 연구하는 방법.
반:응 생성물【反應生成物】명〖화〗반응의 결과로 생긴 물질. 생성물(生成物).
반:응성 염:료【反應性染料】[—썽념뇨] 명 섬유와 화학 반응을 하여 염착(染着)되는 염료. 다른 염료와는 달리 공유 결합(共有結合)이라는 강한 결합에 의하여 염착되므로 세탁에 대한 저항성이 월등하게 높음.
반:응 속도【反應速度】명〔reaction velocity〕〖화〗화학 반응이 진행하는 속도. 반응 물질의 농도·온도·압력·촉매(觸媒) 따위에 의해 변화함. 다른 조건이 같은 경우라면 일반적으로 온도가 10도 오르면 반응 속도는 2–3배로 상승(上昇)함.
반:응 속도론【反應速度論】명〔chemical kinetics〕〖화〗화학 반응의 진행 속도에 관한 문제를 취급하는 물리 화학의 한 부분.
반:응 시간【反應時間】명〖심〗자극이 주어진 순간부터 반응이 일어나기까지의 시간.
반:응-식【反應式】명〔equation〕〖화〗화학 변화의 실험에서의 관찰 결과를 간략한 형식으로 나타낸 기호 표시. 각 반응물과 생성물의 바른 화학식을 표시하고, 또 반응한 원자의 수(數)와 생성된 원자의 수가 같고 원자의 보존 법칙을 만족시키도록 표시됨.
반:응-열【反應熱】[—녈] 명〔heat of reaction〕〖화〗화학 반응으로 발생하거나 흡수되는 열. 곧, 연소열(燃燒熱)·중화열(中和熱) 등의 총칭.
반:응 원리【反應原理】[—월—] 명〖지〗마그마에서 정출(晶出)하는 결정이 온도가 내려감에 따라 마그마의 잔액(殘液)과 반응, 결정 자체 및 마그마 잔액의 조성(組成)에 변화를 일으킬 때에 나타나는 법칙성(法則性). 1920년대에 보엔(Bowen, N. L.)이 밝힘.
반:응 장치【反應裝置】명〔reactor〕〖화〗화학 반응을 진행시키고, 또 그 반응을 자유로이 제어(制御)할 수 있도록 만든 장치. 반응기.
반:응 정:적식【反應定積式】명〔reaction isochore〕〖화〗질량 작용의 법칙에 있어서의 평형 상수(常數)의 온도에 대한 관계를 나타내는 식.

반:응 차수【反應次數】[-쑤] 명 〔order of reaction〕【화】 화학 반응의 속도가 반응 물질 n개(個)의 농도(濃度)의 곱에 직접 비례할 경우의 n의 수치(數値)를 이름.

반:의¹【反意】[-/-이] 명 ①뜻에 반대함. 뜻을 어김. ↔동의(同意). ②반대의 뜻. ——-하다 자타여불

반:의²【叛意】[-/-이] 명 배반하려고 하는 의사. 반심(叛心).

반의³【斑衣】[-/-이] 명 여러 빛깔로 된 어린아이들의 때때옷.

반:의 반【半一半】[-/-에-] 명 절반의 또 절반, 곧, 4분의 1. 반지반. 준반반(半半).

반:의사 불론죄【反意思不論罪】[-쬐] 명【법】 피해자가 처벌을 희망하지 않는다는 의사를 표시하면 처벌할 수 없는 범죄. 예컨대, 단순 폭행죄·과실 상해죄·단순 협박죄·명예 훼손죄 등. 반의사 불벌죄. 해제 조건부 범죄.

반:의:사 불벌죄【反意思不罰罪】[-쬐] 명【법】 반의사 불론죄.

반:-의식【半意識】명 〔semiconsciousness〕【심】 ①무의식과 의식 사이의 불명료(不明瞭)한 마음의 상태. 가령 잠자려고 할 때나 깨려고 할 때 같은 분명하지 않은 의식. ②잠재 의식(潛在意識).

반:의-어【反義語·反意語】[-/-이-] 명【언】 반대되는 뜻을 가진 단어. '좋다'에 대한 '나쁘다', '크다'에 대한 '작다' 같은 것. 대어(對語). 반대말. 반대어. 안토님(antonym). 상대어(相對語). ↔동의어(同義語·同意語).

반:의-적【反意的】[-/-이-] 명관 ①자기의 의지(意志)에 반하는 모양. ②서로 상반하는 의미·개념을 가지는 모양.

반의지-희【斑衣之戲】[-히/-이-히] 명 〔중국 노래자(老萊子)의 고사〕 늙은 부모를 위로하려고 색동저고리를 입고 기어가 보임. 효양(孝養)의 비유.

반이【搬移】명 짐을 날라 이사함. 운반하여 옮김. ——-하다 자타여불

반:이중 통신【半二重通信】명 단일 채널을 사용하여 양방향(兩方向)의 전송(傳送)은 가능하지만, 그것을 동시에 할 수 없게 된 통신 방식.

반:이중 회선【半二重回線】명 반이중 통신을 위해 설계된 회선. 약호는 에이치 디 엑스(HDX).

반:인¹【半印】명 도장이 반만 찍힘.

반:인²【泮人】명 관(館)사람.

반:인³【叛人】명 모반을 기도한 사람. 반역자.

반:-인력【反引力】[-일-] 명 〔antigravity〕【물】 만유 인력적으로 작용(作用)하지만 서로 배척하는 힘. 아직 관측되지 않음.

반:일¹【反日】명 일본에 반대하는 일. 또, 일본에 반대되는 것. ¶ ~ 감정. ↔친일(親日).

반:-일²【半一】[-닐] 명 ①하루 일의 절반. ②어떤 일의 절반.

반:일³【半日】명 한나절. 반날.

반:일-조【半日潮】[-쪼] 명【지】 약 반일의 주기를 가지는 천체의 기조력(起潮力)에 의하여 일어나는 조석(潮汐). 보통, 볼 수 있는 조석으로 가장 현저함. *일일조(一日潮)·장주기조(長周期潮).

반:일 학교【半日學校】명【교】 전교(全校)의 학생을 오전과 오후의 두 부(部)로 나누어서 가르치는 학교. 이부제(二部制) 학교.

반입【搬入】명 운반하여 들여옴. ↔반출. ——-하다 타여불

반:-입자【反粒子】명 〔antiparticle〕【물】 반양성자(反陽性子)·반중성자(反中性子)·양전자(陽電子)·반중성 미자(反中性微子) 등의 총칭. 질량(質量) 따위의 물리량(物理量)의 절대수(絶對數)는 같으나, 전하(電荷)나 자기 모멘트(磁氣 moment)의 부호(符號)가 반대이며, 보통의 소립자(素粒子)와 짝을 이루며 입자와 서로 충돌하면 광자(光子)가 됨. *소립자.

반입-품【搬入品】명 반입하는 물품.

반:-잇소리【半一】명【언】 '반치음(半齒音)'의 풀어쓴 말.

반자¹ 명 〔중 板子〕【건】 방이나 마루의 천장을 평평하게 만들어 놓은 시설. 거기에 사용하는 자료와 모양에 따라 목반자·빗반자·소란 반자·장반자·우물 반자·지반자·철반자·토반자·평반자 등의 여러 가지로 구별됨. ¶ ~틀/~를 드리다.

반자² 명 떨잠(簪)의 속칭.

반:자³【半子】명 ↗반자지명(半子之名). ¶ 사위더러 용서가 다 무엇이야. 사위는 ~라는데≪李海朝 : 鬢上雪≫.

반:자⁴【半字】명 한문 글자의 획수(畫數)를 덜고 쉽게 쓴 글자. '體'를 '体'로, '國'을 '国'으로 쓴 것 등. *약자(略字).

반-자⁵【班資】명 지위(地位)와 봉록(俸祿).

반:-자기【半瓷器】명【공】 질그릇에 가까운 사기 그릇. 또, 사기 그릇에 가까운 질그릇. 반도 반자(半陶半瓷).

반자-널 명 반자로 대는 널빤지.

반:-자동【半自動】명 완전한 자동이 못 되고 일정한 작용(作用)을 더함으로써 되는 부분적인 자동. ¶ ~ 예약 시스템.

반:자동 경:계 관:제 조직【半自動警戒管制組織】명【군】 반(半) 자동 방공망 시스템.

반:자동 방공망 시스템【半自動防空網一】명 〔semi-automatic ground environment system〕【군】 미대륙 방공용으로 미공군이 세계에서 최초로 개발한 방공(防空) 경계 관제 조직. 1956년 이후 실용화함. 반자동 경계 관제 조직. 약칭: 세이지(SAGE). 에스 에이 지 이(SAGE).

반:-자동화【半自動化】명 절반쯤은 자동으로 되거나 되게 함. ——-하다 자타여불

반:-자력【半自力】명【불교】 아미타불(阿彌陀佛)의 절대 타력(絶對他力)의 본원력(本願力)에 맡기지 아니하고, 자기의 힘으로 노력하는 염불의 공덕에 의하여 극락 왕생(極樂往生)을 바라며 구하는 일.

반:자르마신〔Bandjarmasin〕명【지】 인도네시아 보르네오 섬 남동부의 하항(河港) 도시. 보르네오 섬 최대의 도시로, 고무·석탄·철광석 등의 수출항임. [331,000명(1980)]

반자-받다 자 몹시 노하여 날뛰다.

반:자 불성【半字不成】[-썽] 명 글자를 쓰다가 다 쓰지 못하고 그만둠. 전(轉)하여, 일을 중도에서 그치고 이루지 못함. ——-하다 타여불

반:-자성【反磁性】명 〔diamagnetism〕【물】 물체를 자기장(磁氣場) 안에 넣었을 때에 자기장과 반대쪽으로 자화(磁化)하는 현상. 궤도 전자(軌道電子)의 전자기 유도(電磁氣誘導)에 의한 가속(加速)이 원인임. 자화(磁化)의 정도는 일반적으로 약하지만 벤젠핵(benzene核)이 있는 방향족(芳香族) 유기 화합물은 비교적 강함. *반자성체.

반:자성-체【反磁性體】명 〔diamagnetic substance〕【물】 반자성을 가진 물체. 물질을 자기장(磁氣場) 속에 둘 때, 자력선(磁力線)이 들어가는 쪽이 양극(陽極), 나가는 쪽이 음극(陰極)으로 대자(帶磁)하는 것. 비스무트·금·은·수은·구리 등이 있음. *반자성(反磁性).

반:-자유민【半自由民】명【역】 중세 영국에서 자유민 다음으로 자유의 정도가 높았던 농민. 전인구의 약 8%였음. 영주(領主)의 직영지(直營地)에서의 일정한 농경 부역 의무는 없으나, 토지·재산의 매각과 자유로운 이사(移徙)가 허용되지 않으며 영주의 재판권에 따라야 했음. *자유민·예농(隸農).

반:-자주【半紫朱】명 자줏빛이 반쯤 섞인 색.

반자-지【一紙】명 반자를 바르는 종이. 여러 가지 무늬가 있음.

반:자지-명【半子之名】명 '사위'를 거의 아들과 같다는 뜻으로 이르는 말. 준반자(半子).

반자-틀 명【건】 반자를 드리느라고 가늘고 긴 나무로 가로 세로 짜서 만든 틀.

반:-자형【半自形】명【광】 자형(自形)과 타형(他形)의 중간 상태. 화성암(火成岩) 성분(成分)의 광물이 그 광물 특유의 결정형을 완전히 나타내지 않은 상태.

반:작¹【反作】명 '번작(反作)'의 잘못 일컫는 말.

반:작²【半作】명【농】 ①소작(小作). ②작물의 수확고가 평년작의 반이 되는 일. 부패한 관리나 악덕 지주들이 환곡 때 구실로 많이 썼음. *서축(鼠縮). ¶ 올 농사는 ~이다. ③병작(並作). ——-하다 타여불

반작³ 부 반작이는 모양. 쓰반짝²·빤작·빤짝. <번적. ——-하다 자타여불

반작-거리다 자타 잇따라 반작이다. 쓰반짝거리다·빤작거리다·빤짝거리다. <번적거리다. 반작-반작 부. ——-하다 자타여불

반작-대다 자타 반작거리다.

반:-작용【反作用】명 〔reaction〕【물】 물체 A가 물체 B에 힘을 작용시킬 때, B가 똑같은 크기의 반대 방향의 힘을 A에 미치는 작용. 뉴턴(Newton)에 의하여 '반작용의 법칙', 곧 '운동의 제3 법칙'으로서 제창되었음.

반작-이다 자타 빛이 잠깐 나타났다가 사라지다. 또, 그리 되게 하다. 쓰반짝이다·빤작이다·빤짝이다. <번적이다.

반:-잔¹【半盞】명 한 잔의 반 되는 분량. [반잔 술에 눈물나고 한잔 술에 웃음난다] 남을 동정하려면 철저히 하라는 말.

반잔²【盤盞】명 받침이 있는 술잔.

반장¹【扮裝】명 →분장(扮裝).

반:장²【泮長】명【역】 대사성(大司成).

반:장³【返葬】명 객사한 사람을 제 곳으로 옮겨다가 장사함. ——-하다 타여불

반:장⁴【叛將】명 반란을 일으킨 장수.

반장⁵【班長】명 ①반(班)의 장(長). 한 반의 지휘자. ②국민 조직의 최하 단위인 반의 장. ¶ 3통 2 ~. ③한 학년 학생을 한 교실의 수용 단위로 나눈 반의 통솔자. ¶ 5학년 3 ~. *조장(組長).

반장⁶【斑杖】명【식】 호장(虎杖).

반:-장경【半長徑】명【수】 반긴지름. 장반경(長半徑).

반:-장부【半一】명【건】 두 개의 나무 토막을 맞대어서 이을 때에 한쪽 나무에만 만든 짧은 장부.

반:-장화【半長靴】명 단화보다는 목이 길고 장화보다는 짧은 구두나 우화(雨靴).

반:재【半齋】명【불교】 선종(禪宗)에서, 조조(早朝)의 죽(粥)과 정오의 재식(齋食)과의 중간 시각(時刻)을 이름. 또, 이 때 하는 간단한 식사. 일설(一說)에는 정오의 식사. 정오는 하루의 반에 해당하니 낮의 재식을 이름.

반재기-꾼 명 <방> 소작인(小作人)(함경).

반:적¹【叛賊】명 제 나라를 배반한 역적.

반:적²【叛跡】명 모반(謀反)을 기도한 흔적.

반:전¹【反田】명 '번전(反田)'의 잘못 일컫는 말.

반:전²【反戰】명 전쟁에 반대함. ¶ ~ 운동. ——-하다 자여불

반:전³【反轉】명 ①반대로 구름. ②일의 형세가 뒤바뀜. ¶ 상황이 ~되다. ③【수】 중심이 O, 반지름이 r인 원에서, O 이외의 임의의 점을 P라고 할 때, OP를 연결하는 직선상에 $OP \cdot OQ = r^2$이 되는 점 Q를 정하는 일. 이 때 O를 반전의 중심, r를 반전의 반지름이라고 함. ④사진에서, 양화(陽畫)를 음화(陰畫)로, 음화를 양화로 함. 또, 그렇게 되는 현상. 솔라리제이션. ⑤고등 비행의 일종으로, 비행기를 신속하게 반회전(半回轉)시킨 후, 다시 반회전(半回轉)시켜서 반대 방향으로 비행함. ——-하다 자여불

r O P Q

〈반전³③〉

반:전⁴【半甎】명【건】 반방전(半方甎).

반:전⁵【半錢】명 ①일전(一錢)의 절반되는 동전. 곧, 오리(五厘). ②적은 돈.

반:전⁶【返電】명 답전(答電). ——-하다 자여불

반전⁷【班田】명【역】 나라에서 백성에게 나누어 주던 밭.

반전⁸【盤纏】명 노자(路資). ¶ ~을 후히 주다.

반:전 기류【反轉氣流】명 〔inversion〕 상공(上空)의 공기가 해면의 공기보다 온난한 기류. 미국 서해안 일대에 흔히 있는 현상임.

반:전기 버스【半電氣―】〔bus〕 명 가솔린차(車)와 전기 자동차의 특징을 겸비(兼備)한 버스. 예컨대, 시내에서는 전지(電池)를 사용하고, 교외(郊外)로 나가면 동력(動力)을 디젤 엔진으로 바꾸는 따위.

슈뢰더의 계단

반전 도감【盤纏都監】 명 〖역〗 고려 충숙왕(忠肅王) 15년(1328)에, 왕이 원(元)나라에 들어갈 때 그 비용을 마련하기 위하여 임시로 설치한 관아. 벼슬아치에게 등급에 따라 말이나 베 따위를 바치게 하였음.

반:전 도형【反轉圖形】 명 〖심〗 동일(同一)한 도형이면서 보고 있는 중에 원근(遠近) 또는 그 밖의 조건이 다르게 뒤바뀌어 보이는 도형. 다의 도형(多義圖形).

루빈의 그림

〈반전 도형〉

반:전-론【反戰論】[―논] 명 전쟁에 반대하는 언론·주장. 비전론(非戰論). ↔주전론.

반:전 망:원경【反轉望遠鏡】 명 물체가 바로 서 보이도록 보통 망원경의 상(像)을 반전시킨 망원경.

반:전 문학【反戰文學】 명 〔도 Gegenkriegsdichtung〕〖문〗 전쟁에 대한 반대를 주제(主題)로 한 문학. 롤랑(Rolland)의 《때는 왔다》, 바르뷔스(Barbusse)의 《포화(砲火)》, 레마르크(Remarque)의 《서부 전선 이상 없다》 등은 이에 속함.

반:전-성【反轉性】[―썽] 명 〖물〗 패리티(parity)❺.

반전어 명 〈방〉〖어〗 밴댕이(황해).

반:전 운:동【反戰運動】 명 전쟁을 반대하는 운동. 인도주의적·기독교적 평화주의의 입장에서 하는 것과, 마르크스주의의 입장에서 주로 제국주의의 전쟁에 반대하는 것들이 있음.

반:전의 이【反轉―理】[―/―에―] 명 〖수〗 두 개의 비가 서로 같으면 그 반비(反比)도 서로 같다는 이치. 곧, a:b=c:d 라면 b:a=d:c 가 되는 이치. 반전의 정리(定理).

반:전의 정:리【反轉―定理】[―니/―에―니] 명 〖수〗 반전의 이(理).

반:전-일【反轉日】 명 〖경〗 주가가 신저가(新低價)를 기록한 후 새로운 매수(買受) 세력의 가담으로 반등하거나, 신고가(新高價)를 형성한 후 대량의 매도 물량으로 하락하는 날. 전자를 저가 반전일, 후자를 고가 반전일이라고 함.

반:전 필름【反轉―】〔film〕 명 반전 현상 조작(反轉現像操作)에 의하여 직접 양화(陽畫)로 할 수 있는 필름. 소형(小型) 영화나 슬라이드용 필름은 주로 이것을 사용함.

반:전 현:상【反轉現像】 명 촬영한 필름에서 직접 양화(陽畫)를 얻는 현상법. 소형 영화·슬라이드 등에 이용함.

반:절[1]【反切】 명 ①한자(漢字)의 음을 다른 두 한자의 음을 반씩 따서 나타내는 방법. '文'자의 음은, '無'의 초성 'ㅁ'과 '分'의 중성 'ㅜ', 종성 'ㄴ'을 합쳐 '문'으로 하는 따위. ②↗반절 본문(反切本文).

반:-절[2]【半―】 명 허리를 굽혀 양손을 바닥에 짚고 앉아 고개를 숙이는 여자의 절. 큰절보다는 덜 깍듯함.

반:절[3]【半切·半截】 명 ①절반으로 자름. ②당지(唐紙)·백지(白紙) 등의 전지(全紙)를 세로 2등분한 것. 또, 그것에 그린 서화(書畫). ――하다 타 여불

반:절[4]【半折】 명 똑같이 반으로 꺾음. ――하다 타 여불

반절[5]【盤折】 명 꾸불꾸불 돌아감. 곡절(曲折). 굴곡(屈曲). ――하다 자 여불

반:절 본문【反切本文】 명 〖언〗 한글을 반절식으로 배열(配列)한 본문. 준 반절(反切)·본문(本文).

ㄱㄴㄷㄹㅁㅂㅅㅇ ㅣ

가갸 거겨 고교 구규 그기ᄀ 아야 어여 오요 우유 으이ᄋ
나냐 너녀 노뇨 누뉴 느니ᄂ 자쟈 저져 조죠 주쥬 즈지ᄌ
다댜 더뎌 도됴 두듀 드디ᄃ 차챠 처쳐 초쵸 추츄 츠치ᄎ
라랴 러려 로료 루류 르리ᄅ 카캬 커켜 코쿄 쿠큐 크키ᄏ
마먀 머며 모묘 무뮤 므미ᄆ 타탸 터텨 토툐 투튜 트티ᄐ
바뱌 버벼 보뵤 부뷰 브비ᄇ 파퍄 퍼펴 포표 푸퓨 프피ᄑ
사샤 서셔 소쇼 수슈 스시ᄉ 하햐 허혀 호효 후휴 흐히ᄒ
과궈 놔눠 돠둬 롸뤄 뫄뭐 봐붜 솨숴 와워 좌줘 촤춰 콰쿼 톼퉈 퐈풔
화훠 각간갈감갑갓강개

반:점[1]【反點】 명 〖악〗 휴지부(休止符).

반:-점[2]【半點】 명 ①한 점의 절반. ②반 시간(半時間). ③매우 작은 것의 비유. ¶ ～의 구름 없이 갠 하늘. ④〖언〗 가로쓰기에 쓰는 쉼표인 ','의 이름. 콤마. ＊모점(點).

반점[3]【斑點】[―쩜] 명 어룽진 점. 특히, 동물·곤충 등의 몸에 얼룩얼룩하게 박힌 점. 얼룩 점. ¶ 다갈색의 ～.

반점[4]【飯店】 명 '식당(食堂)'의 중국식 칭호.

반점 반:응【斑點反應】[―쩜―] 명 〖화〗 시료 용액(試料溶液)의 한 방울을 거름종이·자제판(磁製板) 위에 놓고, 이것에 시약(試藥) 한 방울을 가하여 일으키는 반응. 이것으로 분석을 행함.

반점-병【斑點病】[―쩜뼝] 명 〖식〗 잎이나 줄기의 조직이 죽어, 빛이 변한 작은 반점이 많이 생기는 식물의 병. 아롱병(病).

반점 분석【斑點分析】[―쩜―] 명 〖화〗 점적(點滴) 분석.

반점-지【斑點紙】[―쩜―] 명 〖화〗 반점 분석에 쓰이는 거름종이.

반:정[1]【反正】 명 ①바른 상태로 돌아감. 또, 바른 상태로 돌아가게 함. ②난리를 바로잡음. ③나쁜 임금을 폐하고 새 임금이 대신 서는 일. ¶ 인조(仁祖) ～. ――하다 자 타 여불

반:정[2]【反定】 명 〔프 renvoi〕〖법〗 국제 사법상(國際私法上)의 원칙의 하나. 동일한 사항(事項)에 있어서, 소송지(訴訟地) A국의 국제 사법에 의하면 B국법이 준거법(準據法)이 되고, B국의 국제 사법에 의하면, A 또는 C국법이 준거법이 될 경우, B국법을 적용(適用)하지 아니하고 A 또는 C국법을 준거법으로 하는 일. 이런 때 A국법이 적용되는 경우를 협의(狹義)의 반정(反定)이라 이름. 반치(反致).

반:정[3]【反情】 명 반대하는 심정.

반정[4]【斑晶】 명 〔phenocryst〕〖광〗 화성암의 치밀한 부분. 곧, 석기(石基)의 가운데에 산재(散在)하고 있는 반상(斑狀)의 큰 결정(結晶). 화산암(火山岩) 및 반심성암(半深成岩)에서 흔히 볼 수 있음.

반:정 공신【反正功臣】 명 〖역〗 반정 때에 공이 많은 사람에게 내린 공신의 훈호(勳號). 특히, 조선 중종(中宗) 때는 정국(靖國) 공신, 인조(仁祖) 때는 정사(靖社) 공신이라 하여 훈호를 내렸음.

반:-정립【反定立】[―닙] 명 〖철〗 헤겔(Hegel)이 변증법(辨證法)에서 설명한 3계기(契機)의 하나. 논리가 출발하는 최초의 명제(命題) 또는 상태(狀態)에 대립하고, 논리를 발전시키는 방향에서 최초의 명제를 부정(否定)하고 새로이 세워진 명제 또는 새로이 나타난 상태. 안티테제(Antithese). ↔정립(定立)❸. ＊변증법(辨證法)·지양(止揚)·종합(綜合).

반:-정부【反政府】 명 정부에 반대하는 일. ¶ ～ 단체.

반:정부-적【反政府的】 명 관 정부를 반대하거나 정부 시책에 어긋나는 모양.

반:-정신【半精神】 명 제대로 못 차린 반쯤의 정신. 얼혼.

반:제[1]【反帝】 명 제국주의에 반대하는 일. ¶ ～ 운동.

반:제[2]【半製】 명 가공이 불충분하여 아직 정제(精製) 또는 완제(完製)되지 아니함. ¶ ～품.

반:제[3]【泮製】 명 〖역〗 ①조선 시대에 생원(生員)·진사(進士) 및 성균관·사학(四學)의 거재 유생(居齋儒生)의 출석부. 도기(到記). ②도기과(到記科).

반:제[4]【返濟】 명 빌렸던 금품(金品)을 도로 갚음. ¶ ～ 기일. ――하다 타 여불

반:-제[5]【班第】 명 〖사람〗 중국 청초(淸初)의 장군. 몽고의 양황기(鑲黃旗) 사람. 옹정(雍正) 2년(1724)에 내각 학사(內閣學士)가 된 후, 건륭 연간(乾隆年間)에 병부 상서(兵部尙書)로서 티베트의 이반(離反)을 진정(鎭定)함. 또, 정북(定北) 장군으로서 중가르(Jungar)를 정토(征討)하고, 일리(Ili) 지방의 점령에 성공하여, 공(公)에 봉(封)하여짐. 시호(諡號)는 의열(義烈). [?-1755]

반제[6]【攀躋】 명 제반(躋攀).

반:제국주의 운:동【反帝國主義運動】[―/―이―] 명 〖사〗 사회주의나 민족주의의 입장에서 행하여지는, 제국주의에 반대하는 운동. 직접적으로는 전쟁이나 식민지화(植民地化) 정책 등의 반대를 계기(契機)로 일어나는 운동. 준 반제 운동.

반:제 동맹【反帝同盟】 명 〖사〗 1927년 2월 벨기에의 브뤼셀(Brussel)에서 열린 제1차 반제국주의자 국제 대회에서 창립된 동맹. 모든 피압박 민족의 해방 운동의 전선(戰線) 통일, 민족 자치(自治), 일체의 계급 타파(階級打破), 인간 평등(人間平等)의 실현 등을 그 목적으로 하고 각 식민지 민족 대표와 영·독·미·프·이(伊)·일(日) 등 30여 개국의 공산주의자가 참가하였음.

반:제 반:봉건 투쟁【反帝反封建鬪爭】 명 〖사〗 제국주의와 봉건 세력에 대한 투쟁. 즉 식민지나 반(半)독립 국가에 있어서 제국주의자 및 그와 이해 관계를 맺은 봉건적 요소나 매판(買辦) 자본가와 싸워 민족의 독립과 민주주의를 확립하기 위한 광범위한 대중 투쟁.

반:제 운:동【反帝運動】 명 〖사〗 ↗반제국주의 운동.

반:제 투쟁【反帝鬪爭】 명 〖사〗 제국주의의 침략 또는 정책에 반대하는 투쟁.

반:제-품【半製品】 명 〖경〗 가공이 불충분하여 아직 정제품(精製品)·완제품(完製品)이 될 수 없는 물품. 반성품(半成品). ＊완제품.

반:제품 가구【半製品家具】 명 집에서 조립하여 쓰게 만든 가구. 분해하면 부피가 작아 운반하기에 편리하며, 조립 작업이 간단함.

반:조[1]【半租】 명 ①쌀에 뉘가 반쯤 섞이어 있는 일. ②〖농〗 병작(並作).

반:조[2]【返照】 명 ①빛이 되쬐는 일. ②저녁때 동쪽으로 비치는 햇빛. ――하다 자 여불

반조-문【頒詔文】 명 〖역〗 나라에 경사가 있을 때 백성에게 포고하던 조서(詔書).

반:조 반:미【半租半米】 명 뉘가 반이나 섞인 쌀.

반조 은환수【盤鵰銀環綬】 명 〖역〗 조선 시대에 삼품(三品)의 관원이 조복(朝服)·제복(祭服)에 착용한 후수(後綬). 수리가 앉은 현상을 수놓고, 위에 은(銀)고리를 두 개 닮.

반:-조정【反措定】 명 〖철〗 일반적으로 어떤 관념이나 언명(言明)에 대립한 반대의 관념이나 언명. 철학에서, 사실을 나타내는 명제(命題)나 긍정 명제에 대립하여 설정되는 또하나의 명제. 가령, 칸트에서 '세계는 유한(有限)하다'라는 명제에 대하여 설정된 '세계는 무한하다'라는 명제 따위.

반:조 화전가【返嘲花煎歌】 명 〖문〗 조소하는 사연을 섞은 화전가에 대하여 다시 조롱조의 사연을 섞어 답하는 가사. 답가(答歌). 화전 답가. 화수 답가.

반:족[1]【半族】 명 〔moiety〕 부족 사회가 두 개의 또는 두 무리의 단계적(單系的) 친족(親族) 집단으로 이루어질 때의 그 낱낱.

반족[2]【班族】 명 양반의 겨레붙이. ＊반종(班種).

반:족 세:포【反足細胞】 명 〖식〗 피자(被子) 식물의 자성 배우체(雌性配偶體)인 배낭(胚囊)의 구성 요소의 하나로 주공(珠孔)의 반대 쪽에 있는 세포. 보통 세 개 있으며 배낭에 대한 양분의 공급을 맡음.

조세포
난세포
중심핵
반족세포

〈반족 세포〉

반족-왕【斑足王】 명 〔범 Kalmasa-pāda〕 인도 신화에 나오는 마가다국(Magadha國)의 왕. 그 아버지가 암사자와 관계하여 낳았다고 함. 발에 반문(斑紋)이 있었는데, 성질이 사납고 무서워, 왕위에 오른 뒤에도 어린아이를 즐겨 먹었으며, 마지막에는 나찰(羅刹)의 나라에 들어가서 귀왕(鬼王)이 되었다고 전하여짐. 반족 태자.

반족 태자【斑足太子】 명 반족왕이 태자로 있을 때의 일컬음.

반종【班種】명 양반의 씨. *반족(班族).

반:종교 개:혁【反宗敎改革】명〔Counter Reformation〕〖종〗종교 개혁에 대항하는 구교측(舊敎側) 내부의 혁신 운동. 또, 신교에 대한 종교적·정치적 반격(反擊) 운동. 트리엔트(Trient)의 종교 회의, 예수회(Jesus會)의 창립 등은 이의 구체화된 것. 각지에서 종교 전쟁도 일으켰으나, 병행하여 해외 포교(海外布敎)도 진전했음. 가톨릭 종교 개혁.

반:종교 운:동【反宗敎運動】명〖사〗주로 마르크스주의의 입장에서 행하여지는 종교에 대한 반대 운동.

반:-종지【半終止】명〔half cadence〕〖악〗'반마침'의 한자(漢字) 이름. ↔전종지(全終止).

반:좌[1]【反坐】명〖역〗위증(僞證)이나 무고(誣告)로써 남을 죄에 빠지게 한 자에게 대하여, 피해자가 받은 해(害)와 동일한 해를 형벌로서 법인에게 과하는 일. ¶ ~율(律). ──-하다 타여불

반:좌[2]【半座】명〖불교〗한 좌석의 반. 특히 법화경(法華經)에 석가의 가르침의 진실을 증명하기 위하여 다보불(多寶佛)이 출현하여 다보탑 중의 좌석의 반을 양보한 그 반을 이름. 또, 사후 정토(死後淨土)에서 연대(蓮臺)에 같이 앉는다는 그 자리의 반.

반좌[3]【盤坐】명 책상다리하고 앉음. ──-하다 자여불

반:좌-법【反坐法】[-뻡] 명〖법〗무고(誣告) 또는 위증(僞證)으로써 남을 죄에 빠지게 한 사람에게 대하여 피해자(被害者)와 동일한 정도의 형벌을 주는 법제(法制). 이러한 법률은 오늘날 별로 유례가 없음. 동태 복수법(同態復讎法).

반:-좌서【反左書】명 글자를 음양(陰陽) 반대로 쓰는 것. 예를 들면 '右'를 '𠮦'로, '左'를 '𠇋'로 쓰는 따위.

반:좌-율【反坐律】명〖역〗반좌하는 형률(刑律).

반:주[1]【半周】명 주위(周圍)의 반. 한 바퀴의 반.

반:주[2]【伴走】명 마라톤·역전(驛傳) 경주 등에서, 선수와 함께 달림. 또, 그렇게 달리는 사람. ──-하다 자여불

반:주[3]【伴奏】명〖악〗성악이나 기악의 연주(演奏)에 맞추어 다른 악기로 보조적으로 연주하는 일. ¶ 피아노 ~. ──-하다 자여불

반주[4]【班主】명〖역〗고려 때, 응양군(鷹揚軍)의 상장군(上將軍)으로 병부 상서(兵部尙書)를 겸한 사람의 일컬음.

반주[5]【斑紬】명 아롱주[2].

반주[6]【飯酒】명 밥을 먹을 때 한두 잔 술을 마시는 일. 또, 그 술. ──-하다 자여불

반주게미 명〈방〉소꿉질(경남).

반:-주권국【半主權國】[-꿘-] 명〖정〗일부 주권국(一部主權國).

반주그레-하다 형여불 얼굴의 생김새 같은 것이 겉으로 보기에 반반하다. ¶ 소위 오가의 자식은 외양은 반주그레하게 생겼다 할지라도 걸인 중에 상걸인인즉…《李海朝 : 昭陽亭》. <번주그레하다.

반:-주기【半周期】명〔half cycle〕〖공〗회로(回路)나 장치의 작동 주파수의 1 주기의 반이나 180°에 일치(一致)하는 시간.

반주깨 명〈방〉소꿉질(경상).

반주깨미 명〈방〉소꿉질(경남).

반주꽹이 명〈방〉반짇고리(함경).

반주 삼매경【般舟三昧經】명〖불교〗초기 대승 불교의 경전(經典). 1세기경 성립됨. 범본(梵本)은 전하지 아니하고, 중국 후한(後漢)의 지루가참(支婁迦讖)의 한역(漢譯)으로 된 삼권본(三卷本) 외에 수종이 있음. 아미타불(阿彌陀佛)을 염(念)하면 시방(十方)의 부처가 눈앞에 나타난다는 반주 삼매(般舟三昧)를 밝히는 경전으로, 특히 정토(淨土) 경전의 선구로서 주목됨.

반주-상【飯酒床】[-쌍] 명 반주를 차려 놓은 상.

반:주 악기【伴奏樂器】명〖악〗반주에 쓰는 악기. 피아노·오르간 등.

반:주 음형【伴奏音型】명〖악〗반주부(部)에 쓰이는 음형. 보통, 일소절(一小節) 또는 그것보다 작음.

반:-주인【泮主人】[-쭈-] 명 관주인(館主人).

반:주-자【伴奏者】명〖악〗반주하는 사람.

반주-합【飯酒盒】명 반주를 담는 주전자의 한 가지.

〈반주합〉

반죽[1] 명〔근대 : 반쥭〕가루에 물을 조금 섞어서 되게 이겨 개는 일. 또, 그 물건. ¶ 밀가루 ~ /~이 눅다. ──-하다 타여불

반죽[2]【斑竹】명 인공적으로 반점(斑點)을 낸 대나무.

반죽[3]【斑竹】명〖식〗[*Phyllostachys nigra punctata*] 댓과(科)에 속하는 대의 일종. 높이 10m 가량이고, 흑색의 반점이 있는 것이 특징이며, 피침형의 잎은 가지 끝에 1-5개씩 달림. 꽃은 6-7월에 원추(圓錐) 화서로 피고, 영과(穎果)는 가을에 익음. 약 60년의 주기(週期)로 꽃이 피어 열매를 맺은 후 말라 죽음. 인가 부근에 심는데, 전남북·경남북 및 일본·중국에 분포함. 줄기는 단소·지팡이·붓대·부채 그 밖의 죽세공 재료로 널리 쓰임. 상죽(湘竹).

반죽개 명〈방〉소꿉질(경남).

반죽-고리 명〈방〉반짇고리.

반죽깨비 명〈방〉소꿉질(경남).

반:-죽음【半-】명 몹시 어려운 고비를 당하여 거의 죽게 된 상태. 반사(半死). ──-하다 자여불

반죽 좋:다 [-조타] 형 언죽번죽하여 노염이나 부끄럼을 타는 일이 없다.

반죽-필【斑竹筆】명 붓대를 반죽(斑竹)으로 만든 붓.

반줄〔Banjul〕명〖지〗서(西)아프리카 감비아(Gambia)의 수도. 감비아강 어귀, 대서양 연안의 항구 도시로, 상업·행정의 중심지. 땅콩을 수출함. [50,000명(1990 추계)]

반:-줄모【半-】명〖농〗'편조식(偏條植)'의 풀어쓴 말.

반:중【泮中】명 반촌(泮村).

반:-중간【半中間】명 중간(中間).

반:중성 미자【反中性微子】명〔antineutrino〕중성 미자의 반입자(反粒子). 질량은 0, 스핀 1/2, 정양(正陽)의 헬리시티(helicity)를 가짐. 두가지가 있는데 하나는 전자(電子), 다른 하나는 μ 입자에 따라 나타남.

반:-중성자【反中性子】명〔antineutron〕〖물〗중성자(中性子)의 반입자(反粒子). 1956년 캘리포니아 대학의 양성자 싱크로트론(陽性子 synchrotron)을 사용하여 만들어진 반양성자(反陽性子)가 양성자와 합체(合體)하여 중화(中和)되어, 중성자와 반중성자가 창조됨. 반중성자는 언제나 중성자와 짝을 이루어 생성되며 곧 중성자와 합체하여 수 개의 π 중간자(中間子)로 변환함.

반:-중양성자【反重陽性子】명〔antideuteron〕〖물〗중양성자의 반입자(反粒子). 반중성자(反中性子)와 반양성자(反陽性子)로 이루어짐.

반:-중입자【反重粒子】명〔antibaryon〕〖물〗반핵자(反核子) 및 반(反)하이퍼론을 포함하는 반입자(反粒子)의 일족(一族). 강력한 상호 작용을 하며, 중입자수(數)는 1, 그 정입자(正粒子)와는 반대의 하이퍼차지(hypercharge) 및 하전(荷電)을 가짐.

반:-즈봉【半-】명〔프 jupon〕반바지.

반:증【反證】명 ①사실과는 반대되는 증거. ②〖법〗민사 소송법상 상대방이 신청(申請)한 사실이나 또는 본증(本證)을 반박하기 위한 증거. ③〖법〗형사 소송법상 사실의 부존재(不存在)를 증명하는 자료. 2)·3): ↔본증(本證). ──-하다 타여불

반:지[1]【半紙】명 일본 종이의 일종. 얇고 질기나 거칠며 세로 25cm, 가로 35cm 쯤 됨. 종류가 많고, 용도(用途)도 매우 넓음.

반지[2]【斑指】명 한 짝으로만 된 가락지. ¶ 약혼 ~. *가락지.

반-지기[1]【半-】의명 쌀이나 어떠한 물건에 다른 잡것이 섞이어 순수하지 못한 것을 나타낼 때 쓰는 말. ¶ 돌 ~/뉘 ~/억새 ~.

반:지기[2]【半只其】명〖악〗만횡(蔓橫).

반지껭이 명〈방〉소꿉장난(경북).

반지락 명〖조개〗〈방〉바지라기.

반지랍다 형ㅂ불 기름기가 묻어 매끄럽고 윤택하다. ¶ 반지라운 마루. 「<번지럽다.

반지레 부 매끄럽고 윤이 나서 반지르르한 모양. ㅆ빤지레. <번지레. ──-하다 형여불

반지르르 부 기름이나 물기가 묻어 매끄럽고 윤이 나는 모양. ㅆ빤지르르. <번지르르. ──-하다 형여불

반:-지름【半-】명〖수〗원(圓)이나 구(球)의 중심에서 그 원둘레 또는 구면(球面)상의 한 점(點)에 이르는 선분(線分). 또, 그 거리. 반경(半徑).

반:지름 게이지【半-】〔gauge〕명〖기〗물건의 귀퉁이의 둥근 모양을 검사하는 데 쓰는 가장 간단한 윤곽 게이지의 하나. 반경 게이지.

〈반지름 게이지〉

반:지-반【半之半】명 반의 반.

반지-빠르다 형르불 ①못된 것이 언행이 교만스러워 얄밉다. ¶ 반지빠른 놈 / 서울놈이 본래 반지빠른데 게다가 대궐 안 물을 먹으니 우리 가 눈에 보이겠나《洪命憙 : 林巨正》. ②어중되어서 쓰기에 거북하다. ¶ 옷감이 저고리 감으로는 ~.

반-지주【斑蜘蛛】명〖동〗긴호랑거미.

반:지중 식물【半地中植物】명 반지하 식물.

반:지하 식물【半地下植物】명〖식〗지상경(地上莖)에서부터 땅 속으로 뿌리를 내리고 거기에 눈이 나오는 식물. 로제트엽(rosette葉)을 가진 제비꽃 등. 또, 이 밖에 매화나무이끼 등 하등 조류(下等藻類)·지의류(地衣類) 등을 포함시키기도 함. 반지중 식물. ↔지상 식물·지표(地表) 식물·지하 식물.

반지-화【斑枝花】명〖식〗케이폭수(kapok樹).

반:직【伴直】명 두 사람이 당번으로 한 곳에 숙직함. ──-하다 자여불

반:-직선【半直線】명〖수〗한 직선이 선상(線上)의 한 점(點)에 의하여 나누어진 양쪽 부분의 각각의 일컬음.

반:-직업적【半職業的】명관 다른 목적도 있으나 거의 직업으로 삼다시피 하는 모양.

반진【斑疹】명〖한의〗마진(痲疹)·성홍열(猩紅熱) 등과 같이 몸 전체에 붉고 좁쌀만한 것이 돋는 병의 총칭.

반:-진행【反進行】명〔contrary motion〕〖악〗'갈려가기'의 한자 이름.

반짇-고리 명〔←바느질고리〕바늘·실·골무·헝겊 같은 바느질 도구를 담는 그릇.

〈반짇고리〉

반질-거리다 자 ①기름이 흠뻑 묻어 윤이 나며 매끈거리다. ¶ 마루가 ~. ②몹시 교활하게 반들거리다. 반질대다. 1)·2):ㅆ빤질거리다. <번질거리다. **반질-반질** 부. ──-하다 자형여불

반질-대다 자 반질거리다.

반짐이 명〈심마니〉새옹.

반:-집【半-】명 넉 집 반 또는 다섯 집 반의 덤을 주고 두는 바둑에서, 종국(終局) 후 집계산할 때 생기는 계산상의 집. 빅을 방지하기 위한 방편에서 생긴 것임. 반호(半戶). ¶ ~승을 거두다.

반-짓다 타ㅅ불 과자나 떡 같은 것 들을 둥글고, 얇게 조각을 내어 만들다.

반ᄌᆞ 명〈옛〉반자. ¶ 널로 싼 반ᄌᆞ(仰板)《譯語 上 19》.

반짝[1] 부 ①무게가 좀 있는 물건을 가볍게 얼른 드는 모양. ¶ ~ 들어 올리다. ②물건의 한쪽 끝이 높이 들리는 모양. 1)·2):<번쩍[1].

반짝[2] 부 반짝이는 모양. ㅅ반작[3]. ㅆ빤짝. <번쩍[2]. ──-하다 자타여불

반짝[3] 부 갑자기 정신이 들거나 감각되거나 마음이 끌리는 모양. ¶ 정신이 ~ 들다/귀가 ~ 뜨이는 말. <번쩍[3].

반짝-거리다 자타 자꾸 반짝이다. ¶ 불빛이 ~. ㅅ반작거리다. ㅆ빤짝거리다. <번쩍거리다. *빤작거리다. **반짝-반짝**[1] 부. ──-하다 자타여불

반짝 과외【-課外】명 입학 시험(入學試驗)이 임박해서 벼락치기로 하는 단기간의 과외 공부.

반짝-대다 자타 반짝거리다.

반짝-반짝² 부 여러 번 반짝 들거나 들리는 모양. <번쩍번쩍². ──하다 형여불

반짝-이다 자타 빛이 좀 세게 잠깐 나타났다가 사라지다. 또, 그리 되게 하다. ¶ 밤하늘에 별들이 ~. ㅗ반작이다. ㅆ빤짝이다. <번쩍이다.

반:-쪽【半─】명 한 개를 둘로 쪼갠 한 부분.

반:쪽-고사리【半─】명〖식〗[*Pteris dispar*] 참고사릿과에 속하는 다년초. 높이 70 cm 가량이고, 근경(根莖)은 단단하고 짧으며 밑 부분에는 가는 털이 많음. 잎은 총생(叢生)하는 달걀꼴의 긴 타원형으로, 우상 복엽(羽狀複葉)이며 엽면(葉面)은 다소 혁질(革質)을 띠고 있는데 장병(長柄)임. 산이나 들의 양지바른 땅에 나는데, 제주도에 분포함. 나래반쪽고사리.

〈반쪽고사리〉

반차【班次】명 반열(班列).

반차-도【班次圖】명〖역〗나라 의식(儀式)에서 문무 백관이 늘어서는 차례를 적어 놓은 도식(圖式).

반착【盤錯】명 ①뒤섞임. 혼잡함. ②복잡하여 처리하기 곤란한 일의 비유. 반근 착절(盤根錯節). ──하다 형여불

반찬【飯饌】명 ①밥에 곁들여 먹는 여러 가지 음식. 밥반찬. 식찬. 준찬(饌). ②〈방〉젓.

[반찬 항아리가 열 둘이라도 서방님 비위를 못 맞추겠다] 성미가 몹시 까다로워서 비위 맞추기가 대단히 어렵다는 말.

반찬 먹은 개: 구 아무리 구박을 받고 시달림을 당해도 아무 대항을 못하고 어쩔 줄 모르는 처지.

반찬 먹은 고양이 잡도리하듯 구 죄 지은 사람을 붙잡고 야단치고 혼내는 모양.

반찬 가:게【飯饌─】[─까─] 명 반찬 거리를 파는 가게.

반찬-감【飯饌─】[─깜] 명 반찬 거리.

반찬 거리【飯饌─】[─꺼─] 명 반찬을 만드는 데 쓰이는 여러 가지 재료. 반찬감. 찬거리.

반찬 단지【飯饌─】[─딴─] 명 ①반찬을 담아 두는 작은 항아리. ②요구하는 대로 무엇이든지 곧 주는 사람의 별명.

[반찬 단지에 고양이 발 드나들듯] 매우 빈번히 출입함을 비유하는 말.

반찬-쟁이【飯饌─】명 '반찬 가게를 하는 사람'을 업신여기어 일컫는 말.

반:-찰떡【半─】명 ☞ 메찰떡.

반창【瘢瘡】명 상처의 흔적. 반흔(瘢痕).

반창-고【絆瘡膏】명 파라 고무·발삼(balsam)·라놀린 등의 점착성 물질을 헝겊에 바른 고약의 한 가지. 창상면(創傷面)에 약과 같이 붙이어 붕대 대신 또는 붕대의 고정(固定)에 사용함.

반:채-층【反彩層】명〖천〗태양 대기(太陽大氣)의 최하층(最下層). 광구면상(光球面上) 약 5천 km의 높이에 이르며, 이 층에 함유되어 있는 원소가 일식(日蝕) 때의 섬광 스펙트럼(閃光spectrum)을 현출(現出)함.

반:천【半天】명 ①하늘의 반쪽. ②중천(中天).

반:-천하수【半天河水】명〖한의〗무지렁나무의 구멍이나 또는 대를 잘라 낸 그루터기에 괸 빗물. 약에 씀.

반:첩【反貼】명〖역〗상급 관청에서, 공문서에 의견을 붙여서 회송(回送)함. ──하다 타여불

반-첩여【班婕妤】명〖사람〗['첩여(婕妤)'는 중국 한대(漢代)의 여관(女官)의 하나] '반녀(班女)'의 통칭.

반:청【半晴】명 날씨가 반쯤 갬.

반:청 반:담【半晴半曇】명 날씨가 반쯤은 개고 반쯤은 흐림.

반:-체제【反體制】명 기존 사회 체제를 부정하고 개혁을 도모하는 일. 또, 그러한 입장. ¶ ~ 인사.

반:체제 운:동【反體制運動】명 기존(旣存)의 사회 체제(社會體制)와 정치 체제를 부정(否定)하고 변혁을 꾀하려는 운동.

반:-초¹【半草】명 반흘림. *반해(半楷).

반-초²【班超】명〖사람〗중국 후한(後漢) 때의 서역(西域) 경략자(經略者). 자는 중승(仲升). 반고(班固)의 동생. 흉노(匈奴)와 서역(西域) 제국이 한(漢)을 배반하였을 때 이를 귀속(歸屬)시키고, 서역 도호(都護)가 되었음. 서역 50여 국을 통합한 공으로 정원후(定遠侯)로 봉함을 받았음. [32-102]

반초³【飯蛸】명〖동〗꼴뚜기.

반:-초서【半草書】명 반쯤 흘리어 쓴 글씨. ¶ ~체로 쓴 편지.

반:초-어【伴鮹魚】명〖어〗밴댕이.

반:촌¹【泮村】명 성균관(成均館)을 중심으로 그 근처에 있는 동네를 일컫는 말. 반중(泮中).

반촌²【班村】명 양반이 많이 사는 동네. ↔민촌(民村). *반향(班鄕).

반총-산【蟠葱散】명〖한의〗약방문의 한 가지. 뱃속이 냉하고 기운이 체하여 생긴 산증(疝症)에 쓰는 약.

반쵸 명〈옛〉파초(芭蕉). ¶ 반쵸 파(芭), 반쵸 쵸(蕉)《字會 上 8》.

반:추【反芻】명 ①한 번 삼킨 먹이를 다시 게워 내어 씹는 일. 소나 염소 등과 같이 소화가 곤란한 식물성(植物性) 식물을 상식(常食)으로 하는 포유(哺乳) 동물에서 볼 수 있음. 되새김질. 새김질. ②되풀이하여 음미(吟味)하고 생각함. ──하다 자타여불

반:추 동:물【反芻動物】명〖동〗반추류에 속하는 동물. 되새김 동물. 새김질 동물.

반:추-류【反芻類】명〖동〗[Ruminantia] 우제류(偶蹄類) 중 소화 형태상으로 구분한 한 아목(亞目). 반추위로 되새김질하는 특성을 가졌음. 초식성(草食性)인데 소·양·낙타·사슴·기린·순록(馴鹿) 등이 이에 속함. *봉소위(蜂巢胃).

반:추-위【反芻胃】명〖동〗반추 동물의 위. 3-4개의 실(室) 또는 위(胃)로 나누는데, 소에 있어서는 식물(食物)은 제1위인 유위(瘤胃)에서 제2위인 봉소위(蜂巢胃)로 옮겨 갔다가 다시 입으로 되돌아와서 거듭 잘 씹어서 삼키면, 다시 제2위를 거쳐 차례로 제3위인 중판위(重瓣胃), 제4위인 추위(皺胃)에 들어감. 제1위는 많은 식물과 물을 혼합 저장하고 제2위는 벌집처럼 되어 있어 먹은 것을 뭉쳐서 입으로 내보냄. 제3위는 '처녑'이라고도 하는데, 많은 엽상(葉狀)의 판(瓣)이 있어 잘게 소화시키며, 제4위는 완전한 소화를 행함. 되새김위(胃). 되새김 밥통. *추위(皺胃).

십이지장 제3위 식도 제1위 제4위 제2위

〈반추위〉

반:추-증【反芻症】[─쯩] 명 신경성 위장 장애(胃腸障礙)로, 섭취한 음식물이 불수의적(不隨意的)으로 구강(口腔) 안에 역류(逆流)하는 병증. 신경 쇠약증 또는 히스테리 환자에게 많음.

반출【搬出】명 운반하여 냄. ↔반입(搬入). ──하다 타여불

반:출 유물【伴出遺物】[─류─] 명 동일한 유적(遺跡)의 동일한 층위(層位) 또는 동일한 장소에서 발견된 유물로서, 각각 관계가 있다고 추정되는 것. 공존(共存) 유물.

반출-증【搬出證】[─쯩] 명 반출을 인정하는 증서.

반:-춤【半─】명 춤추는 것같이 흔들거리는 동작.

반:취¹【半醉】명 술이 반쯤만 취함. ↔반성(半醒). ──하다 자여불

반취²【班娶】명 상사람으로서 양반의 딸에게 장가드는 일. ↔민취(民娶). *반혼(班婚). ──하다 자여불

반:취 반:성【半醉半醒】명 술이 깬 듯 만 듯함. ──하다 자여불

반:측【反側】명 ①누운 자리가 편안하지 못하여 몸을 뒤척거림. ¶ 전전(輾轉) ~. ②두 가지 마음을 품고 바른 길을 좇지 아니함. ──하다 자여불

반:측-자【反側者】명 배반자. 두 마음이 있는 사람. 이리저리 붙어, 일정하지 않은 사람.

반:치¹【反致】명〖법〗반정(反定)의 구법례상(舊法例上)의 용어(用語).

반:치²【半齒】명〖언〗중국 음운학(音韻學)의 용어. '운경(韻鏡) 서(序)' 등에서 이르는 칠음도(七音圖)의 반상(半商)을 발음 기관명(發音器官名)에 따라 바꾸어 부른 것. 36자모(字母) 중의 '일모(日母)'의 음(音)을 가리키므로 [nz]의 자음(子音)을 일컫는 것이라 인정됨. 곧, 치음(齒音) [s] [ts] [tʃ] 등에 비하여 설음적(舌音的) 요소가 많으므로 치설(齒舌)이라고도 함. 반상(半商).

반:치³【半徵】명〖언〗①중국 음운학(音韻學)의 용어. 치는 5음 중의 하나로, 설음(舌音)에 해당하며, 36자모(字母) 중의 '일모(日母)'나 '내모(來母)'는 치음(齒音)과 설음의 양쪽에 걸쳐 발음되므로 반은 설음이라는 뜻. ②반설(半舌).

반:-치기【半─】명 ①가난한 양반. ②쓸모 없는 사람.

반치-놀음 명〈방〉각시놀음(함경).

반:-치음【半齒音】명〖언〗훈민 정음의 'ㅿ'의 소리. 반(半)잇소리.

반:칙【反則】명 법칙이나 규정에 어그러짐. 또, 법칙·규정을 어김. 파울(foul). ¶ ~을 범하다. ──하다 자여불

반:칙 우편물【反則郵便物】명 법규에 의하여 우송(郵送)을 금하는 우편물.

반:칙-패【反則敗】명 권투 등 투기(鬪技) 종목 스포츠에서, 규칙을 어겨 상대에게 해를 끼칠 기술·동작이 있거나, 스포츠 정신에 배치(背馳)되는 언동(言動)이 있을 때 내려지는 판정패.

반:침¹【半寢】명〖건〗①큰 방에 붙은 작은 방. ②〈궁중〉반(半)칸방(房).

반:침²【伴寢】명 동숙(同宿)❶. ──하다 자여불

반:침-문【半寢門】명 반침(半寢)에 달린 문.

반:-칸【半─】명 한 칸의 절반.

반:-코:트【半─】[coat] 명 하프코트(half-coat).

반타【盤陀】명 ①안장(鞍裝)❶. ②돌이 편평하지 않은 모양.

반:-타다【半─】타 반으로 나누다. 분반(分半)하다.

반:-타작【半打作】명 ①〖농〗배메기. ②소득이 차지 못함을 가리키는 말. ──하다 타여불

반:탁【反託】명 신탁 통치(信託統治)를 반대함. ↔찬탁(贊託). ──하다 자여불

반:탁 운:동【反託運動】명〖역〗모스크바 삼상 회의(三相會議)에서 채택한 한국 신탁 통치 5개년안을 반대하여 일어난 거족적 국민 운동. 1945년 12월 27일 삼상 회의에서 한국의 신탁 통치를 위하여 미·소 공동 위원회를 구성한다는 보도에 접한 전국민은 크게 분격, 애국 사회단체와 정당의 이름으로 반대 성명을 발표하는 한편 탁치(託治) 반대 국민 총동원 위원회를 구성하여 국민 운동을 전개함.

반:-탁음【半濁音】명〖언〗양순(兩脣) 무성 파열 자음(無聲破裂子音)을 두음(頭音)으로 갖는 음. 일본 문자에만 있음.

반:-탈태【半脫胎】명〖공〗자기(瓷器)의 탈태(脫胎)의 한 가지. 진탈태(眞脫胎)보다 질이 조금 두껍고 반투명체(半透明體)로 됨.

반:-턱【半─】명 반 가량의 정도.

반토【礬土】명〖화〗산화 알루미늄(酸化aluminium).

반:-토다【半─】타〈방〉반타다.

반토 시멘트【礬土─】[cement] 명 알루미나 시멘트(alumina cement).

반:통【泮通】명〖역〗조선 시대에 성균관(成均館)의 대사성(大司成)이 될 사람을 골라 뽑을 때에 세 사람의 후보자 속에 추천되는 일. ──하다 자여불

반:투과-성【半透過性】[─썽] 명〖생〗반투성.

반:-투다【半─】타〈방〉반타다(경상).

반:투-막【半透膜】명 [semipermeable membrane]〖물〗용액 중의 용매(溶媒)만을 통과시키고, 용질(溶質)은 통과시키지 않는 막. 이를테면, 세포의 원형질막(原形質膜)·방광막(膀胱膜)·장벽막(腸壁膜) 같은 것은 물·무기 염류·저분자(低分子) 유기 물질은 통과시키고 고분자

물질·콜로이드 입자(粒子)는 통과시키지 아니함. 투석(透析)·삼투압 측정·한외 여과(限外濾過) 등에 이용됨.

반:-투명【半透明】명〖물〗①투명도(度)가 작은 것. 곧, 투명과 불투명의 중간. *불투명. ②한쪽에서 보면 투명하고 반대 쪽에서 보면 불투명하게 보이는 일. ——-하다 형여불

반:투명-경【半透明鏡】명 매직 미러. 하프 미러.

반:투명-체【半透明體】명〖물〗반투명한 물체. 흰 유리·유지(油紙)·비닐 같은 것.

반:투-벽【半透壁】명〖화〗용액 중의 용매(溶媒)는 통과시키나 용질(溶質)은 통과시키지 않게 된 막 또는 벽.

반:투-성【半透性】[-썽] 명〖생〗용액의 용매(溶媒)는 통과시키나 용질(溶質)은 통과시키지 않는 성질. 반투과성(半透過性).

반투스탄〔Bantustan〕명 '반투 홈랜드'의 구칭.

반투 어족【一語族】〔Bantu〕명〖언〗아프리카 대륙의 콩고와 소말리를 연결하는 선(線)의 남쪽 전역에 분포하는, 같은 계통의 언어 집단. 600 이상의 언어가 이에 속하며 5,000만 명이 이를 사용함. 대표적 언어는 스와힐리어(Swahili語)·줄루어(Zulu語)·루안다어(Ruanda語) 등임.

반투-족【一族】〔Bantu〕명 중앙 아프리카 및 남(南)아프리카에 분포하는 흑인종의 종족군(種族群). 약 300군이 있음. 일반적으로 곱슬머리에 코가 납작하고 입술이 두터우며 반투어(Bantu語)를 사용함. 열대 강우림(降雨林) 속에서 화전(火田)을 경작하는 사람도 있으나, 대부분 사바나 지대(savanna地帶)에서 농경에 종사함.

반투 홈랜드〔Bantu Homeland〕명 남(南)아프리카 공화국에서, 흑인 분리 정책에 따라 설정된 반자치(半自治)의 흑인 거주(居住) 구역. 이 나라 면적의 약 13%를 차지하는데, 대부분이 메마른 땅임. 전에는 '반투스탄'이라고 하였음.

반트〔도 Wand〕명 등산 용어로서, 암벽(岩壁)의 뜻.

반:트러스트-법【反一法】〔trust〕[-뻡] 명〖법〗트러스트를 금지(禁止)·제한하는 법률. 독점으로 인한 폐해(弊害)와 그 밖에 제한적 상관행(商慣行)을 배제(排除)하기 위하여 제정된 것임. 앤티트러스트법(antitrust法).

반:트 호프〔van't Hoff, Jacobus Hendricus〕명〖사람〗네덜란드의 화학자. 탄소(炭素) 화합물의 연구에서 입체 화학(立體化學)의 기본 개념을 수립함. 이 밖에 화학 역학(化學力學)의 법칙 및 용액의 삼투압(滲透壓)의 발견으로 1901년, 제1회 노벨 화학상을 받음. [1852-1911]

반:트 호프의 법칙【一法則】[-/-에-] 명〔van't Hoff's law〕〖물〗묽은 용액의 삼투압(滲透壓)은 절대 온도와 용질(溶質)의 몰수(mol數)에 비례한다는 법칙. 1887년 반트 호프가 발견함. 반트 호프의 삼투압 법칙.

반티-병【一病】〔Banti〕[-뼝] 명〖의〗이탈리아의 의사 반티(Banti, Guido; 1825-1925)가 19세기말에 처음으로 기재한 원인 불명의 질환. 빈혈·비종(脾腫)으로 시작하여 출혈과 더불어 황달·복수(腹水) 현상 등을 나타냄.

반:파【半破】명 반쯤 부서짐. ¶ ~ 가옥. ——-하다 자여불

반:파 유적【半坡遺跡】명 반포 유적.

반:파 정:류【半波整流】[-뉴] 명〔half-wave rectification〕〖전〗교류를 정류(整流)하여 맥류(脈流)로 하기 위한 한 방법. 다이오드(diode)나 정류관을 사용하여, 주기적으로 교대로 변하는 전류 방향 중에서 한 쪽 방향으로 흐르는 전류만을 통하고, 그것과 반대 방향으로 흐르는 전류는 통하지 않게 하는 방법을 이름. ↔양파 정류(兩波整流).

반:파 정:류기【半波整流器】[-뉴-] 명〔half-wave rectifier〕〖전〗진공관이나 산화(酸化) 구리 정류기 등에 의하여 교류를 반파 정류하는 장치.

반판【盤阪】명 꼬불꼬불한 고개.

반:-팔【半一】명 반소매. *긴팔.

반:팔 등거리【半一】명 짧은 소매가 달린 등거리.

반:패¹【反旆】명 군대를 되돌림. 회군(回軍). ——-하다 자여불

반패²【頒牌】명〖역〗방방(放榜).

반:-패부【半貝付】명 방세간의 앞쪽의 어느 한 부분에만 자개를 박는 일. 또, 그 세간.

반:펭이【半一】명〈방〉반편이(경상).

반:편【半偏】명 ①한 개를 절반으로 나눈 한편 짝. ②↗반편이. ¶ ~ 같은 수작.

반:편-스럽다【半偏一】형ㅂ불 사람됨이 반병신(半病身)이나 다름이 없다. 반:편-스레【半偏一】부

반:편-이【半偏一】명 지능(知能)이 보통 사람보다 아주 낮은 사람. 덜된 사람. 반병신(半病身). 준반편.

[반편이 명산 폐묘(名山廢墓)한다] 못난 것이 껍적거려 명당인 줄 모르고 묘를 폐하기나 하니, 국으로 가만히 있으라는 말.

반:-평면【半平面】명〔half plane〕〖수〗평면을 한 직선에 의하여 둘로 나눌 때 생기는 그 각각의 부분.

반:-평생【半平生】명 평생의 절반이 되는 동안.

반:-폐모음【半閉母音】명〖언〗입을 반쯤 다물고 발음하는 모음. 'ㅔ·ㅗ' 따위.

반:폐식 사이클 가스 터:빈【半閉式一】명〔semiclosed-cycle gas turbine〕〖기〗팽창한 가스의 일부를 재순환시키는 열기관.

반:포¹【反哺】명 까마귀 새끼가 자란 뒤에 늙은 어미에게 먹을 것을 물어다 줌. 전하여, 자식이 커서 부모를 봉양함. 또, 은혜를 갚음. 안갚음. *자조(慈鳥). ——-하다 자여불

반포²【斑布】명 반베.

반포³【頒布】명 세상에 널리 펴서 퍼뜨림. ¶ 10월 9일은 세종 대왕이 한글을 ~한 날이다. ——-하다 타여불

반포 대:교【盤浦大橋】명〖지〗서울 특별시 용산구(龍山區) 서빙고동(西氷庫洞)과 서초구(瑞草區) 반포동(盤浦洞)을 잇는 한강 다리. 1976년 잠수교(潛水橋)로 가설(架設), 1982년 잠수교 위에 다시 2층으로 가설함. [잠수교: 795m; 2층 다리:1490m]

반:포 유적【一遺跡】[중 半坡] 명 중국, 산시 성(陝西省) 시안(西安)의 동교(東郊)에 있는 양사오(仰韶) 문화의 취락(聚落) 유적. 유적은 약 5만 평방 미터에 이르며 집터·묘·유물이 다수 나옴. 반파 유적.

반:포-조【反哺鳥】명 '까마귀'의 별칭. *반포(反哺).

반:포지-효【反哺之孝】명 반포하는 효성.

반:-폭【半幅】명 한 폭의 절반.

반:표 반:리증【半表半裏症】[-발-쯩] 명〖한의〗오한(惡寒)·발열(發熱)·두통(頭痛)·구갈(口渴)·변비(便秘)·토사(吐瀉)의 증세가 생기고 맥(脈)이 약하여 오줌 빛깔이 붉게 되는 급성 열병.

반:-푼【半一】명〔←반분(半分)〕①아주 적은 돈. ②한 푼 길이의 절반. ③↗반푼쭝.

반:푼-쭝【半一】명 한 푼쭝의 절반되는 무게. 준반푼.

반:-품¹【半一】명 하루 품의 절반. 반공(半工).

반:품²【返品】명 일단 매입(買入)했던 물건을 도로 돌려 보냄. 또, 그러한 물품. ¶ 잡지의 ~이 많다. ——-하다 타여불

반:-풍수【半風水】명 서투른 풍수.

[반풍수 집안 망친다] 서투른 재주를 함부로 부리다가 도리어 일을 망친다는 말.

반:-필면【反必面】명 밖으로부터 돌아왔을 때에는, 반드시 부모를 뵙고 귀가(歸家)했음을 알림. 효자가 지킬 태도임. *출필곡(出必告). ——-하다 자여불

반:하¹【半夏】명 ①↗반하생(半夏生). ②〖불교〗하안거(夏安居)의 결하(結夏)와 하해(夏解)의 중간. 곧, 90일간의 안거(安居)의 45일째를 이름.

〈반하²❶〉

반:하²【半夏】명 ①〖식〗[*Pinellia ternata*] 천남성과에 속하는 다년초. 지하경(地下莖)은 작은 구형(球形)이고, 높이는 30cm 내외임. 잎은 근생(根生)하고 장병(長柄)이며, 세 개의 소엽(小葉)은 난상 타원형 또는 피침형임. 6-7월에 근생한 화경(花莖) 끝의 불염포(佛炎苞) 속에 담황백색의 꽃이 육수(肉穗) 화서로 정생(頂生)하여 피고, 과실은 장과(漿果)임. 엽병(葉柄)의 상하부에 한 개씩 있는 작은 구아(球芽)가 떨어져 번식함. 밭·원포(園圃)의 잡초(雜草)로 한국·일본·중국에 분포함. 끼무릇. ②〖한의〗반하의 구경(球莖). 유독(有毒)하며 담·구토·습증·해수(咳嗽) 등의 약재로 씀.

반:하-곡【半夏麯】명〖한의〗반하·백반·새앙을 섞어 만든 누룩. 반하의 독은 없어지고 제습(除濕)하는 공효(功効)가 많음.

반:-하다¹ 자여불 무엇이 마음에 취하여 홀리다. ¶ 홀딱 ~.

반:-하다²【反一】자여불 반대가 되다. ¶ 나의 의사에 ~.

반:-하다³【叛一】타여불 ↗배반하다.

반:-하다⁴ 형여불 ①어두운 가운데 밝은 빛이 비치어 환하다. ¶ 동쪽 하늘이 ~. ②바쁜 가운데 잠깐 겨를이 생기다. ③병세가 조금 낫다. ④무슨 일의 내막이 그렇게 될 것이 분명하다. ¶ 실패할 것이 ~. 1)-4):쓰빤하다. <번하다. 반:-히 부

반하-무【班賀舞】명〖악〗고려 때 들어온 당악(唐樂). 궁중춤 연화대(蓮花臺)에 연주되던 당악곡(唐樂曲). 조선 성종(成宗) 때까지 전승되었음.

반하 무-악【班賀舞樂】명〖악〗정재(呈才) 때에 아뢰던 풍류 이름.

반:하-생【半夏生】명 반하가 나올 무렵이란 뜻으로, 72후(候)의 하나. 하지(夏至)의 제이후(第二候), 곧 하지로부터 11일째 되는 날. 양력으로는 태양의 황경(黃徑)이 100도가 되는 7월 2일경임.

반:-하이퍼론【反一】명〔antihyperon〕〖물〗하이퍼론의 반입자(反粒子). 질량·평균 수명(平均壽命)·스핀은 그 하이퍼론과 같으나 전하(電荷)와 자기(磁氣) 모멘트는 부호(符號)가 반대임.

반:한【反汗】명〔흐르는 땀을 다시 몸 속으로 되돌린다는 뜻에서〕앞서 내린 명령을 취소하거나 고치는 일.

반:한¹【泮漢】명〖역〗관놈❶.

반:한²【返翰】명 회한(回翰).

반할【盤割】명〖생〗달걀처럼 배반(胚盤)의 부위만 작은 세포로 갈라지고, 알의 대부분을 이루는 난황(卵黃) 부분은 전연 세포로 갈라지지 않은 난할(卵割). *표면 난할.

반:-할인【半割引】명 어떤 액수의 반을 할인함. ——-하다 타여불

반함【飯含】명 염습(殮襲)할 때에 죽은 사람의 입 속에 구슬과 쌀을 물리는 일. ——-하다 자여불

반:함 반:담층【半鹹半淡層】명 기수 성층(汽水成層).

반:-함수호【半鹹水湖】명 염분이 보통으로 들어 있는 호수. 대략 24%까지의 염분을 포함함. *함수호.

반합【飯盒】명 밥을 지을 수 있게 된 알루미늄으로 만든 그릇. 군대나 등산객(登山客)들이 많이 씀.

〈반합〉

반:합성 섬유【半合成纖維】명〖공〗천연으로 존재하는 유기(有機) 고분자 물질의 유도체(誘導體)로 만들어진 섬유. 아세테이트가 이것임. *무기질 섬유·합성 섬유·재생 섬유.

반:합성 페니실린【半合成一】명〔semisynthetic penicillins〕페니실린의 화학 구조의 기본 골격(骨格)인 6아미노 페니실린산(酸)을 곰팡이로 하여금 만들게 한 다음, 다시 거기에 화학적인 조작을 가하여 합성시킨 페니실린. 내산성(耐酸性)이 있어 내복(內服)할 수 있는 것, 페니실린 분해 효소(分解酵素)에 분해되지 않고 내성(耐性) 포도상 구균에도 유효한 것, 그람 음성 간균(陰性桿菌)에도 유효한 광역(廣域) 페니

실린 등이 있음. 「하다 타여불
반:항¹【反抗】명 순종하지 아니하고 반대하여 저항함. ¶ ～심(心). ——하다 타여불
반:항²【反航】명 반대 방향으로 항행함. ——하다 자여불
반항³【班行】명 ①지위(地位). 석차(席次). ②동렬(同列)의 지위.
반:항-기【反抗期】명 〖심〗아동의 자아 의식(自我意識)이 대단히 강하게 되어 반항을 나타내는 시기(時期). 정상적 발달 과정에 있어서는 3-5 세경과 12-13세경에 두 번 나타남. 전자를 제1 반항기, 후자를 제2 반항기라고 함. 전자는 신체적 자립(自立)에 따르는 자기 주장(自己主張)이고, 후자는 정신적 자립에 따르는 자기 주장의 표시임. 반동기.
반:항-률【反抗律】[—뉼] 명 〖화〗르 샤틀리에(Le Chatelier)의 원리(原理).
반:항 문학【反抗文學】명 〖문〗지배자에 대한 피지배자의 반항을 나타낸 문학. 시대(時代)의 조류(潮流)·사상·주의(主義) 등에 저항하는 의식의 문학. *저항 문학(抵抗文學).
반:항-성【反抗性】[—썽] 명 반항하는 성질.
반:항-심【反抗心】명 반항하는 마음.
반:항-적【反抗的】명관 반항하는 모양. ¶ ～ 태도.
반:해¹【半解】명 사물의 일부분만을 알고 전체를 이해하지 못함. ——하다 타여불
반:해²【半楷】명 해서(楷書)보다 조금 부드럽게 행서(行書)에 가깝게 쓰는 글씨체. *반행(半行).
반:-해탄【半骸炭】명 콜라이트(coalite).
반핵【盤覈】명 자세히 캐물어 조사함. 반문(盤問). 반힐(盤詰). ——하다 타여불
반:-핵자【反核子】명 [antinucleon] 반중성자(反中性子)와 반양성자(反陽性子). 쌍(雙)이 되는 핵자(核子)와 같은 질량을 가지며, 전하(電荷)와 자기(磁氣) 모멘트가 역부호(逆符號)인 입자(粒子).
반:행¹【反行】명 〖악〗'갈려가기'의 한자 이름. 반진행.
반:행²【半行】명 행서보다 조금 더 부드럽게 흘리어 반흘림에 가깝게 쓰는 글씨체. 반초(半草).
반행³【伴行】명 동행¹❷. ——하다 자여불
반행⁴【頒行】명 ①책 따위를 널리 펴냄. ②널리 세상에 배포(配布)함. ——하다 타여불
반:향¹【反響】명 ①〖물〗메아리처럼 음향(音響)이 어떤 물체에 부딪쳐 반사하여 다시 들리는 현상. ②어떤 일의 영향을 받아 다른 것에도 이와 같은 사태가 생기는 현상. ¶ 대단한 ～을 불러일으켰다. ③〖악〗하나의 악구(樂句)를 곧 약하게 반복하는 일. ④〖연〗연극할 때, 무대 뒤에서 반복하며 연주하는 곡.
반:향²【半晌】명 반나절. ¶…벌떡 일어나며 눈이 동그래지더니 ～이나 아무 말 못 하다가 울음이 북바쳐…≪作者未詳：貨水盆≫.
반향³【班鄕】명 양반이 많이 사는 시골. *반촌(班村).
반:향 동:작【反響動作】명 [echopraxia]〖심〗다른 사람의 동작을 무의식적으로 모방하는 증상. 「響) 시간이 긴 방.
반:향-실【反響室】명 흡음성(吸音性)이 적은 재료로 만들어진, 잔향(殘
반:향 언어【反響言語】명 [echolalia]〖심〗다른 사람의 말을 자동적으로 되풀이하는 증상(症狀).
반:향 장애【反響障礙】명 [echo talker]〖컴퓨터〗신호의 송신원(送信元)이 전송(傳送)을 행하고 있는 동안, 송신한 신호가 수신(受信)하는 곳에서 반향되어 되돌아옴으로써 일어나는 장애.
반:-향점【反向點】[—쩜] 명 〖천〗태양 배점(背點).
반:향 증상【反響症狀】명 [echosymptom]〖심〗반향 언어·반향 동작 등 타인이 행한 동작이나 언어 등을 무의식적으로 반복하는 증상. 정신 분열병(精神分裂病)의 긴장(緊張)에서 일어나며 의지 장애(意志障礙)의 하나임.
반:향 회로【反響回路】명 〖생〗몇 개의 뉴론(neuron)이 시냅스(synapse)를 통하여 접속, 폐쇄 뉴론 회로를 구성하고 임펄스(impulse)가 그 회로 속을 윤회(輪回)하여 긴 흥분 상태가 유지되는 회로. 대뇌 피질(大腦皮質)과 피질(皮質) 밑의 핵(核)과의 사이 및 피질 밑의 핵군(核群)의 사이에서 종종 볼 수 있으며, 일시적인 기억 현상이 이 회로에 의하여 유지되는 것으로 생각됨.
반:-허락【半許諾】명 반쯤 허락함. ——하다 자타여불 「諺≫.
반혀쏘리 명 〈옛〉반혓소리. 반설음(半舌音). ¶ ㄹ는 半혀쏘리니 ≪訓
반:-혁명【反革命】명 [counterrevolution] 혁명에 의하여 성취된 사태에 반항하여 이것을 옛 상태로 회복하려는 폭력적 운동이나 계획.
반:혁명-적【反革命的】명관 혁명에 반대하는 모양.
반:현【半舷】명 군함의 승무원(乘務員)을 우현(右舷) 당직과 좌현 당직으로 이분(二分)한 그 한 쪽의 일컬음.
반:현 상:륙【半舷上陸】[—뉵] 명 함선의 승무원을 상륙시킬 때, 반수(半數)씩 교대로 상륙시키는 일.
반:-혓소리【半—】명 〖언〗'반설음(半舌音)'의 풀어쓴 말.
반:호¹【半戶】명 ①세금이나 추렴 같은 것을 반만 내게 되는 집. ↔독호(獨戶)❷. ②반집.
반호²【班戶】명 양반의 가호(家戶). ↔상호(常戶).
반호³【盤互】명 서로 연결함. 결탁함. 반아(盤牙). ——하다 자여불
반호⁴【攀號】명 죽은 사람을 애도하여 울부짖음. ——하다 자여불
반 호⁵【—湖】[Van] 명 〖지〗터키 동부, 이란과의 국경 근처의 호수. 대체로 직사각형과 같은 모양이고, 유출구(流出口)가 없음. 염분을 많이 포함하며 여기서 나오는 소금은 세제(洗劑)로 쓰임. [3,750 km²]
반:-호장【半—裝】명 〈방〉반회장(半回裝).
반:혼¹【返魂】명 ① 반우(返虞). ②〖불교〗죽은 사람을 화장(火葬)하고 그 혼을 집으로 도로 불러들임. ——하다 타여불 「다 자여불
반혼²【班婚】명 상사람이 양반의 집과 혼인을 함. *반취(班娶). ——하
반:혼-단【反魂丹·返魂丹】명 ①중국의 영약(靈藥)의 이름. 죽은 사람의 혼을 다시 부른다고 함. ②목향(木香)·진피(陳皮)·대황(大黃)·황련(黃連)·웅담(熊膽) 등으로 만든 환약. 복통·상처·곽란(霍亂) 등에 약효가 있다고 함.
반:-혼수【半昏睡】명 [semicoma]〖의〗가벼운 또는 부분적인 혼수 상태. 환자(患者)는 각성(覺醒)이 가능하며, 강력한 자극에 대하여는 목적(目的)이 있는 운동으로써 반응(反應)함.
반:혼-제【返魂祭】명 반혼할 때 지내는 제사.
반:혼-초【返魂草】명 〖식〗개미취.
반:-홀소리【半—】[—쏘—] 명 〖언〗'반모음(半母音)'의 풀어쓴 말.
반홍【礬紅】명 〖공〗녹반(綠礬)을 태워서 만든 붉은 채색(彩色). 도자기 「(陶瓷器)에 씀.
반:화【半靴】명 반구두.
반:-화강암【半花崗岩】명 〖지〗애플라이트(aplite).
반:-화방【半火防】명 〖건〗집의 바깥 벽의 중방 위는 흙으로만 얇게 바르고, 아래는 돌을 섞어서 두껍게 합벽(合壁)을 친 벽.
반:화전-가【反花煎歌】명 〖문〗규방(閨房) 가사의 하나. 부녀자들의 행실을 말하고 화전놀이의 준비와 놀이터의 모습을 묘사함. 작자·제작 연대 미상. 총 469구.
반:환¹【半圜】명 〖역〗'반원(半圓)'의 잘못 일컫는 말.
반:환²【返還】명 ①도로 돌려 줌. 반려(返戾). ②되돌아 옴 또는 되돌아감. ¶ ～점(點). ——하다 타여불
반환³【盤桓】명 ①집 같은 것이 넓고 큼. ②머뭇거리며 그 곳을 멀리 떠나지 아니함. ——하다 형여불
반:-환형【半環形】명 둥근 고리의 반쪽과 같이 생긴 형상.
반회¹【班會】명 반(班)의 모임.
반회²【盤回】명 물 흐름이나 길 같은 것이 빙 돌게 됨. ——하다 타여불
반:회 사건【泮會事件】명 〖역〗조선 정조(正祖) 11년(1787), 이승훈·정약용 등이 반촌(泮村)에서 소장(少壯) 반유(泮儒)들과 천주교 교리에 대하여 연구·토론한 일을 유생들이 성토한 사건. 이로 인하여 이듬해 전국에 천주교 관계 서적을 색출, 소각하는 조처가 내려짐.
반:회 신경【反回神經】명 〖생〗후두(喉頭) 속에 있어서 성문(聲門)을 개폐(開閉)하는 근육을 지배하는 신경.
반:-회장【半回裝】명 여자 저고리의 끝동과 깃과 고름만을 자줏빛이나 남빛의 헝겊으로 대어 꾸민 회장.
반:회장 저고리【半回裝—】명 반회장으로 된 저고리. 나이가 좀 많은 「여자가 입음.
반후 농다【飯後濃茶】명 식사 후에 짙은 차를 마심.
반:휴【半休】명 한나절만 일하고 쉼. ——하다 자여불
반:휴면 상태【半休眠狀態】명 [semidormancy] 식물(植物)의 생장 속도가 감소(減少)하는 상태. 계절적인 영향이나 부적당한 환경 조건에 관련이 있음.
반:-휴일【半休日】명 한나절만 일하고 쉬는 날. 반공일(半空日).
반:흉 반:길【半凶半吉】명 길흉(吉凶)이 서로 반반씩 섞임. ——하다 형여불
반흔【瘢痕】명 ①상처나 부스럼 따위가 아물거나 다 나은 자리에 남는 상처 자국. 반창(瘢瘡). ②마음 속에 받은 상처 자국.
반흔 문신【瘢痕文身】명 신앙적·장식적 또는 지위를 상징하는 목적으로 신체의 표면에 인위적으로 상처를 내거나 무늬를 그려 넣는 풍습. 아프리카·뉴기니·오스트레일리아 등지의 원주민들에게서 볼 수 있음. *신체 변공.
반흔 켈로이드【瘢痕—】[keloid] 명 외상(外傷)·염증(炎症)·화상(火傷)을 입은 피부 진피(眞皮)의 상처에서 생긴 섬유종(纖維腫) 모양의 증식(增殖).
반:-흘림【半—】명 초서(草書)와 행서(行書)의 중간이 될 만한 정도로 흘려 쓰는 글씨체. 반초(半草).
반힐【盤詰】명 반핵(盤覈). ——하다 타여불
밙 명 〈방〉반⁴(半)❶(경상).
받¹ 명 〈옛〉밭❶. ¶ 받 뎐(田), 받두듥 롱(壟), 누뎔반 완(畹) ≪字會 上 7≫.
받² 명 〈옛〉겉. ¶ 받 표(表)≪石千 10≫.
받³ 명 〈옛〉밖. ¶ 받 침실애 이시며(居外寢)≪小諺 Ⅱ:40≫.
받개 명 〈옛〉흙받기❶. ¶ 받개 泥托 ≪字會 中 16 鏝字註≫.
받-걷이 [—거지] 명 ①돈이나 물건을 여기저기서 걷어들이는 일. ②남이 무엇을 요구하거나 또는 어떤 괴로움을 끼칠 때 그것을 잘 받아 주는 일. ——하다 타여불
받고 차기 명 ①머리로 받고, 발길로 차는 일. ②서로 말을 빨리 주고받는 일. ¶ 내외가 ～로 말하였다. ③말다툼함. ——하다 자여불
[받고 차기다] 남의 은혜를 입고도 갚지 않는다는 말.
받골항 명 〈옛〉발고랑. ¶ 받골항(溝)≪漢淸 Ⅹ:1≫.
받-낳이 [—나—] 명 실을 사들여서 피륙을 짜는 일. ——하다 타여불
받-내다 타 몸을 쓰지 못하는 사람의 대소변을 받아 내다. 「4≫.
받닐왇다 타 〈옛〉밭을 일구다. 개간하다. ¶ 받닐왇을 곤(墾)≪類合 下
받다¹ ㊀ 타 [중세 : 받다] ①주는 것을 가지다. 자기한테 오는 것을 가지다. ¶ 품삯을 ～. ②남에게서 자기 몸에 가하여지다. 입다. 주어지다. ¶ 존경을 ～/혐의를 ～. ③꾸어 준 것을 도로 가지다. ④물건을 모개로 사들이다. ¶ 시장에서 물건을 받아다가 팔다. ⑤담을 것을 가지고 액체나 반찬 거리 같은 것을 집어넣다. ¶ 물을 두 통만 받아라. ⑥내려오는 것을 잡다. ¶ 공을 ～. ⑦위쪽으로부터의 작용을 입다. ¶ 햇빛을 ～. ⑧우산 같은 것을 펴서 들다. ¶ 우산을 ～. ⑨뿔이나 머리로 다른 물건을 떼어 밀다. ¶ 소가 뿔로 ～. ⑩남의 뒤를 곧 이어서 그와 같게 행동하다. ¶ 내 노래를 받아라. ⑪용납하다. 용인(容認)해 주다. ¶ 그런 사람을 받아 줄 수는 없소. ⑫접객업자(接客業者)가 손을 안으로 들이다. 대접하다. ¶ 손님을 ～. ⑬청원(請願)이나 공격·도전 등을 응하여

들이다. ¶ 주문을 ~/자, 복수의 칼을 받아라. ⑭어떤 평가를 당하다. ¶ 박사 학위를 ~. ⑮동식물의 씨를 거두어 마련하다. ¶ 꽃씨를 ~. ⑯산모(產母) 곁에서 해산(解產) 구완을 하다. ¶ 아이를 ~. ㊁ 자 ①음식 같은 것이 비위에 맞다. ¶ 속에서 잘 받는 음식을 자시오. ②색깔이나 모양 등이 어떤 것에 어울리다. ¶ 몸매가 좋아 아무 옷이나 잘 받는다.

[받은 밥상을 찬다] 제게 돌아온 복을 제가 내찬다는 말.

받아논 밥상 구 이미 작정이 되어, 피하려야 피할 수 없는 일. 또, 틀림없고 걱정할 필요가 없는 일.

받다² 타 〈옛·방〉 뱉다(평안·함경). ¶ 오직 ᄂᆞ치 춤 받고(但唾其面)≪救簡 I:83≫.

받다³ 타 〈옛〉 받들다. 바치다. 받들어 드리다. ¶ 奉ᄋᆞᆫ 바ᄃᆞᆯ씨라 ≪月序 13≫.

-받다 미 어떠한 명사 밑에 붙어서 '입다'·'당하다' 등의 뜻을 나타내는 말. ¶ 곤란~/귀염~/버림~/주목~.

받두듥 명 〈옛〉 밭두둑. ¶ 받두듥 판(畈), 받두듥 롱(壟)≪字會 上 7≫.

받-들다 타 ①썩 공경하다. 공경하여 모시다. ¶ 늙은 부모를 잘 ~. ②물건을 받쳐 들다. ¶ 깨지기 쉬우니 밑에서 잘 받들어라. ③추대하다. ¶ 회장님으로 받들겠습니다.

받들어-총 [一銃] ㊀ 명 〖군〗 집총 경례(執銃敬禮) 중에서 최고의 경의(敬意)를 표하는 경례. 몸을 부동 자세로 하고, 바른손은 편 채로 총 목에 대고, 왼손으로 총신(銃身)의 중심 조금 위를 쥐어 총구를 눈 앞에 닿을 정도의 수직으로 세움. ㊁ 감 '받들어총'의 구령(口令). ——하다 자여불

받아-넘기다 타 ①남의 말을 받아서 척척 대답을 하다. ②남의 노래를 받아서 척 불러 치우다. ¶ 노래를 잘 ~. ③검도에서, 상대방의 칼을 받아 가볍게 피하다. ¶ 내리치는 칼을 ~.

받아-들이다 타 ①받아서 자기 것으로 하다. 받아서 들여오다. ¶ 서양 문화를 ~. ②어떠한 말이나 청을 들어 주다. ¶ 그의 말을 그대로 받아들일 수는 없소.

받아-쓰기 명 강연·강의·글의 낭독 등을 받아서 쓰는 일. 딕테이션(dictation). ——하다 타여불

받아-쓰다 타 강연·강의 혹은 낭독(朗讀)을 받아서 쓰다. ¶ 강의를 ~.

받을 어음 명 〖경〗 부기상의 처리로 자산 계정(資產計定)에 계상(計上)하는 어음. 소지인(所持人) 내지 어음 채권자로서 지급을 받을 수 있는, 어음. 수취(受取) 어음. ↔지급(支給) 어음.

받을 어음 계:정 [一計定] 명 〖경〗 받을 어음을 처리하기 위하여 원장(元帳)에 설치한 계정 계좌(計座)의 일컬음. 자산(資產) 계정에 딸리며 잔액(殘額)이 있는 경우에는 반드시 차변(借邊)에 기입하여 만기일(滿期日)의 도래(到來) 여부와 추심(推尋)의 여부가 명기되어야 함. 수취(受取) 어음 계정.

받이럼 명 〈옛〉 밭 이랑. ¶ 받 이러미 東西ㅣ 업게 가랫도다(隴畝無東西)≪杜諺 IV:2≫.

받자 명 ①관아(官衙)에서 환곡(還穀)이나 조세(租稅) 등을 받아들이는 일. ②남이 끼치는 괴로움이나 부탁을 용납하여 너그럽게 받아 주는 일. 너그럽게 대하여 주는 일. ¶ 이쁘다고 ~하니 너무 버릇없이 군다. ——하다 타여불

받자-빗 명 관아에서 환곡이나 조세를 받아들이는 일을 하는 자.

받잡다 타 ㅂ불 '받다¹'의 공대말.

받ᄌᆞ바 타 〈옛〉 받자와. 받드와. '받ᄌᆞᆸ다'의 활용형. ¶ 부텨 威神ᄋᆞᆯ 받ᄌᆞ바 이 經을 너비 불어≪月釋 XXI:61≫.

받ᄌᆞᄫᆞᆯ 타 〈옛〉 받들어 바치올. '받ᄌᆞᆸ다'의 활용형. ¶ 부텻긔 받ᄌᆞᄫᆞᆯ 고지라 몯ᄒᆞ리라≪月釋 I:10≫.

받ᄌᆞᄫᆞᆷ 타 〈옛〉 받자옴. '받ᄌᆞᆸ다'의 활용형. ¶ 님금 ᄒᆞ시논 이ᄅᆞᆯ 百姓이 다 본 받ᄌᆞᄫᆞ미 ᄆᆞᄐᆞᆯ씨≪月釋 II:72≫.

받ᄌᆞᄫᆞ니라 타 〈옛〉 받들어 바치오니라. '받ᄌᆞᆸ다'의 활용형. ¶ 銀돈 ᄒᆞᆫ 낟곰 받ᄌᆞᄫᆞ니라≪月釋 I:9≫.

받ᄌᆞ오며 타 〈옛〉 받들어 바치오며. '받ᄌᆞᆸ다'의 활용형. ¶ 풍류 받ᄌᆞ오며 바리 받ᄌᆞ오샤(獻樂奉鉢)≪妙蓮 VII:2≫.

받ᄌᆞ올 타 〈옛〉 받들어 바치올. '받ᄌᆞᆸ다'의 활용형. ¶ 받ᄌᆞ올 헌(獻)≪字會 下 15≫.

받ᄌᆞᆸ다 타 〈옛〉 받들다. =받ᄌᆞᇦ다. ¶ 내 이 말ᄉᆞᄆᆞᆯ 받ᄌᆞᆸ고져 ᄒᆞ노라(吾欲獻此詞)≪杜諺 XXV:38≫.

받ᄌᆞᇦ다 타 〈옛〉 받들다. =받ᄌᆞᆸ다. ¶ 弟子ㅣ ᄃᆞ외야 銀돈ᄋᆞᆯ 받ᄌᆞᄫᆞ니≪月釋 I:3≫.

받쳐 들다 타 물건을 밑에서 받쳐서 들다.

받쳐 입다 타 속에 끼어 입다. ¶ 저고리 안에 속적삼을 ~.

받치다 ㊀ 타 ①'받다¹❽'의 힘줌말. ¶ 우산을 받치고 가다. ②다른 물건으로 괴다. ¶ 기둥을 ~. ③〖언〗 모음(母音) 글자 밑에 자음(子音) 글자를 붙이어 적다. ¶ '사' 밑에 'ㄴ'을 받치어 '산'이라고 함. ㊁ 자 ①앉았거나 누웠을 때에 밑바닥이 배기다. ②속에서 어떠한 기운이 치밀다. ¶ 분이 ~. ③먹은 것이 잘 소화되지 않고 치밀어 오르다. ¶ 속이 ~.

받침 명 ①물건의 밑바닥을 받치는 물건. ¶ 책~/~을 괴다. ②〖언〗 한글에서 끝소리로 되는 자음(子音). 지금 쓰고 있는 것은 모든 자음과 ㄲ·ㄳ·ㄵ·ㄶ·ㄺ·ㄻ·ㄼ·ㄽ·ㄾ·ㄿ·ㅀ·ㅄ·ㅆ 등임. 종성(終聲). 종자음. 끝닿소리.

받침-다리 [一따一] 명 농장(籠欌)의 마대(馬臺)의 날개.

받침-대 [一때] 명 지주(支柱).

받침-돌 [一똘] 명 ①물건의 밑바닥에 받치는 돌. 대석(臺石). ¶ ~을 괴다. ②〖고고학〗 남방식(南方式) 고인돌에서 하부 구조를 보호하기 위하여 덮개돌을 받치고 있는 돌. 지석(支石). ③〖고고학〗 모룻돌.

받침-두리 명 양복장 같은 것의 밑에 받침처럼 덧대어 괴게 된 나무.

받침-모루 명 〖고고학〗 두들개로 토기(土器)의 바깥벽을 두드릴 때 안벽에 대는 받침 도구. 내박자(內拍子).

받침-박 [一빡] 명 ①음식 그릇 같은 것을 얹혀 놓거나 받쳐 놓는 함지박. ②이남박이나 바가지로 이는 곡식을 따르는 바가지.

받침 법칙 [一法則] 명 〖언〗 끝소리 규칙.

받침 뿌리 명 〖식〗 지근(支根).

받침 소리 명 〖언〗 끝소리.

받침-유리 [一琉璃] [一뉴一] 명 〖물〗 깔유리.

받침-잔 [一盞] [一짠] 명 잔과 잔받침이 한 벌을 이루는 그릇. 탁잔(托盞).

받침-점 [一點] [一쩜] 명 〖물〗 지레 또는 공간(槓杆)을 지탱하는 고정된 점. 지렛목. 지점(支點). ↔힘점.

받침-틀 명 길고 무거운 물건의 양쪽 끝의 밑을 괴는 틀.

받히다 [바치一] ㊀ 타 도매상 같은 데서 소매상에게 단골로 물품을 대어 주다. ㊁ 피동 떠받음을 당하다. ¶ 소한테 ~.

발¹ 명 [중세 : 발] ①〖생〗 사람이나 동물의 다리 끝에 달려서 땅을 디디게 된 부분. *손¹. ②물건의 다리. 책상 다리·걸상 다리 등. ③한시(漢詩)에서, 시구(詩句) 끝에 다는 운자(韻字). ¶ ~을 달다.

[발보다 발가락이 더 크다] ㉠주물(主物)보다 종물(從物)이 더 크다. ㉡일이 상리(常理)와 반대될 적에 이르는 말. '배보다 배꼽이 더 크다'와 같은 뜻. [발 없는 말이 천리(千里) 간다] 비밀로 한 말도 잘 퍼지니 말을 삼가라는 뜻. [발이 편하려면 버선을 크게 짓고, 집안이 편하려면 계집 하나를 둬라] 첩을 두면 집안이 편하지 못하다는 말. [발 큰 놈이 득(得)이다] 무슨 일이고 동작이 날랜 사람이 이롭다는 말.

발에 채다 구 여기저기 흔하게 널려 있다.

발을 동동 구르다 구 몹시 안타까워 애를 태우다.

발이 손이 되다 구 손만으로는 부족하여, 발까지 동원할 지경에 이르다. ¶ 발이 손이 되도록 쇤네를 개올리고 꿀을 퍼 먹인다≪金宇鎭 : 花上雪≫.

발:² 명 가늘게 쪼갠 대오리나 갈대 같은 것으로 엮어 만든 물건. 무엇을 가리는 데 씀. ¶ ~을 치다/~을 걷어 올리다.

발:³ 명 없던 데서 새로 생긴 좋지 못한 버릇이나 예(例). ¶ 그러다간 아주 나다니는 ~이 생기겠다.

발:⁴ 명 ↗발쇠.

발:⁵ 명 피륙의 날과 씨. 또는 국수 따위의 굵고 가는 정도를 이르는 말. ¶ ~이 굵다/~이 고운 모시.

발⁶ [跋] 명 〖문〗 ↗발문(跋文).

발⁷ [鈸] 명 〖악〗 ①동발(銅鈸). ②본디 중국에서, 요(鐃)에 대해서, 몇 cm 정도의 작은 동발(銅鈸)을 일컫던 이름.

발⁸ [BAL] 명 [British Anti-Lewisite의 약칭] 〖약〗 제2차 세계 대전 중 영국의 페이터(Pater) 박사가 루이사이트(lewisite) 독가스의 해독제(解毒劑)로서 발명한 특효약. 무색 유성(油性)의 액체로, 비소류(砒素類)는 물론 염화제 2 수은·수은·코발트 등의 금속 중독에도 효과가 있음.

발:⁹ 의명 두 팔을 잔뜩 벌린 길이. ¶ 한 ~/두 ~.

발¹⁰ 의명 발걸음을 세는 단위. ¶ 서너 ~ 물러서다. *걸음·보(步)·발짝.

발¹¹ [發] 의명 ①탄환(彈丸)의 수효를 나타내는 말. 방(放). ¶ 한 ~의 총알. ②〖기〗 발동기(發動機)의 수효를 나타내는 말. ¶ 쌍~의 비행기.

-발¹ 미 어떠한 명사 밑에 붙어서 '죽죽 내뻗는 줄'·'내뻗는 듯한 기세' 등의 뜻을 나타내는 말. ¶ 햇~/끗~이 좋아 돈을 따다.

-발² [發] 미 ①어떠한 명사 밑에 붙어서 '떠남'·'떠난'의 뜻을 나타내는 말. ¶ 서울~ 부산행/10시~의 비행기. ↔-착(着). ②어떠한 명사 밑에 붙어서 '발신(發信)'의 뜻을 나타내는 말. ¶ 런던~ 통신/에이피(A. P.)~.

발가- 간 '발갛다'의 불규칙 어간. ¶ ~니/~면/~ㄴ. ㅆ빨가-. <벌거-.

발가댕이 명 〈방〉 발가숭이.

발-가락 [一까一] 명 발의 맨 앞에 따로 갈라진 가락. 족지(足指).

[발가락의 티눈만큼도 안 여긴다] 업신여김이 심하다는 말.

발가락-뼈 [一까一] 명 〖생〗 지골(趾骨).

발가리¹ 명 〈방〉 낟가리(경상).

발가리² 명 ☞발거리.

발가리(를) 놓다 ☞발거리(를) 놓다.

발가-벗기다 타 ①발가벗게 하다. ¶ 어린애를 발가벗기고 목욕시키다. <벌거벗기다. ②금전·재물을 모두 빼앗거나 써버리게 하여 알몸으로 만들다. ¶ 사기(詐欺)를 하여 남을 ~. 1)·2): ㅆ빨가벗기다.

발가-벗다 자 옷을 죄다 벗다. 알몸뚱이가 되다. ㅆ빨가벗다. <벌거벗다.

[발가벗고 달밤에 체조하다] 분별 없이 허황된 말을 떠벌이거나, 체통 없는 짓을 하는 사람을 비웃는 말.

발가-송이 명 ☞발가숭이.

발가-숭이 명 ①발가벗은 알몸뚱이. ②재산이나 돈을 다 털어 먹어 가진 것이 아무 것도 없는 사람. 1)·2): ㅆ빨가숭이. <벌거숭이❶. ③〈방〉 잠자리¹.

발-가지 명 〖언〗 '접미어(接尾語)'의 풀어 쓴 말.

발가치 [몽 balgachi] 명 〖역〗 '팔가치(八加赤)'의 원말.

발각 [發覺] 명 숨겼던 일이 드러남. 또, 드러냄. ¶ 음모가 곧 ~되다. ——하다 자타여불

발각-고사리 명 〖식〗 ☞발풀고사리.

발간¹ [發刊] 명 출판물을 간행(刊行)함. ¶ 신년 특대호를 ~하다. ——하다 타여불

발간² [發柬] 명 초대(招待)하는 편지를 냄. ——하다 타여불

발간³ 관 명사 위에 붙어서 '온통', '아주' 등의 뜻을 나타내는 말. ¶ ~ 상놈/~ 거짓말. ㅆ빨간. <벌건.

발간 거:짓말 명 아주 터무니 없는 거짓말. 새빨간 거짓말.

발간 상놈 [一常一] 명 ①더 말할 나위 없는 상놈. ②위인이 보잘것 없는 사람을 비웃는 말.

발간 적복 [發奸摘伏] 명 숨겨져 있는 일이나 정당하지 못한 일을 집어냄. ——하다 타여불

발-감개 명 버선이나 양말 대신으로 발에 감는 좁고 긴 무명. 상일을 하는 사람들이 먼 길을 걷는 사람들이 흔히 함. 감발. ——하다 자여불

발-감기 명 〈방〉 발감개.

발강 명 발간 빛깔이나 물감. ㅆ빨강. <벌겅.

발강 강의【發強剛毅】[─/─이] 명 오덕(五德)의 하나인 의(義)를 상징하는 말. 강직(強直)한 태도로 굳세게 버팀.

발강-이 명 ①발간 빛깔의 물건. ㅆ빨강이. <벌겅이[1]. ②〖어〗잉어의 새끼.

발갛다 [─가타] 형ㅎ불 조금 연하고 곱게 붉다. ㅆ빨갛다. <벌겋다.

발개 준 '발갛아'의 줄어 변한 말. ¶~ 가지고/~지다. ㅆ빨개. <벌게.

발개-지다 자 발갛게 되다. ㅆ빨개지다. <벌게지다.

발:개-찌트리다 자 평평한 데 앉을 때, 자유롭게 책상다리하다.

발갯-깃 명 펑에서 떼어 낸 날개. 김 같은 것을 잴일 적에 기름을 찍어 바르는 데에 흔히 쓰임.

발갱이 명 ☞발강이.

발거【拔去】명 빼어 버림. 뽑아 버림. ──하다 타여불

발:-거리 명 ①못된 꾀로 남을 해롭게 하는 짓. ②남이 못된 일을 꾀할 때 이것을 미리 다른 사람에게 알려 주는 짓. *발걸이.

발:거리(를) 놓다 구 ㉠간사한 꾀로 남을 곯려 떨어뜨리다. ㉡남이 못된 일을 하는 것을 다른 사람에게 일러 주다.

발-걸음 [─꺼─] 명 ①발 하나 길이만큼 옮겨 놓는 걸음. ¶~이 빠르다. ②〈방〉발그림자.

발걸음을 재촉하다 구 서둘러 가다. 빠른 걸음으로 가다.

발-걸이 명 ①책상다리 아래에 발을 걸쳐 놓게 가로댄 나무 오리. ②자전거의 한 부속물. 발을 걸쳐 놓고 저어서 가게 된 부분. 페달(pedal). ③말을 탈 때 딛고 올라가고, 타고 갈 때 두 발로 디디게 되어 있는 말갖춤의 한 가지. 등자(鐙子). *발거리.

발검【拔劍】명 칼집에서 칼을 빼냄. 발도(拔刀). ──하다 자여불

발견[1]【發見】명 남이 미처 보지 못한 사물을 먼저 찾아 냄. ¶신대륙의 ~. *발명(發明). ──하다 타여불

발견[2]【發遣】명 어떤 임무를 주어 사람을 내어 보냄. 파견(派遣). ──하다 타여불

발견 시대【發見時代】명〖역〗15-17세기에 걸쳐 유럽 사람들의 신항로(新航路)·신세계 발견으로 인하여 활발한 해외 경영열(海外經營熱)이 각국에 일어나 서(西)유럽의 정치·경제상에 중대한 변혁을 가져온 시대. 곧, 상업 혁명, 가격 혁명, 봉건 귀족의 몰락 등의 영향이 생기고, 유럽에 의한 세계 지배(支配)의 계기가 되었음.

발견-자【發見者】명 발견한 사람.

발견적 원리【發見的原理】[─월─] 명〔도 heuristisches Prinzip〕〖철〗칸트 철학(Kant 哲學)의 용어. 설명을 위한 원리가 아니고 새로운 진리(眞理)나 사실(事實)을 발견하는 데 유효한 원리. 즉 어떤 연구를 진행하기 위하여 잠정적으로 설정한 가설(假說)과 같은 것임.

발견 학습【發見學習】명〖교〗교육 목표를 학생 자신이 발견하여 학습하게 하는 교육 과정.

발계[1]【勃啓】명 갑자기 일어나거나 우쩍 성해짐. ──하다 자여불

발계[2]【祓禊】명 재앙을 떨어버림. ──하다 자여불

발계[3]【發啓】명〖역〗임금이 재가(裁可)한 또는 의금부(義禁府)에서 처결(處決)한 죄인(罪人)에 대하여 미심(未審)할 때에 사간원(司諫院)·사헌부(司憲府)에서 죄의 이름을 갖추어서 아뢰는 일. ──하다 타여불

발고[1] 명〈옛·방〉발구. 썰매. ¶小車名曰跋高無輪揉兩木如弓後有橫輗以受物輕疾勝車《耳溪外集 12:5》.

발고[2]【拔苦】명〖불교〗중생의 괴로움을 없애 줌. ──하다 자여불

발고[3]【勃姑】명 '비둘기'의 이칭(異稱).

발고[4]【發告】명〖역〗고발(告發). ──하다 타여불

발-고락 [─꼬─] 명〈방〉발가락.

발-고무래 명 농기구의 하나. 고무래에 넷 혹은 여섯 개의 발이 달린 물건. 흙덩이를 고르고 씨 뿌릴 때에 흙을 긁는 데 씀.

〈발고무래〉

발고 여:락【拔苦與樂】명〖불교〗자비(慈悲)로써 중생의 괴로움을 없애 주고 낙(樂)을 주는 일.

발-곰배 명〈방〉발고무래.

발관【發關】명〖역〗관문(關文)을 내 보냄. ──하다 타여불

발괄【白活】명〈이두〉관아에 대하여 억울한 사정을 글이나 말로 하소연함. ──하다 타여불

발광[1]【發光】명 ①광채를 냄. ②〖물〗원자 속의 전자(電子)가 어떠한 양자(量子)의 상태로부터 다른 양자의 상태로 옮길 때에 두 쪽 상태의 에너지 차(差)를 빛으로 하여 방사하는 현상. ──하다 자여불

발광[2]【發狂】명 ①〖한의〗병으로 미친 증이 일어남. ②미친 것과 같은 짓이 발작함. 정신에 이상을 초래함. ──하다 자여불

발광균-류【發光菌類】[─뉴] 명〖식〗균사(菌絲)·자실체(子實體)·포자(胞子) 등이 발광하는 균류의 총칭. 세계에 약 50종이 알려짐.

발광-기【發光器】명〖생〗생물의 체내(體內)에서 빛을 내는 기관(器官). 빛을 내는 분비 세포(分泌細胞)만 모여서 된 것과 표피(表皮) 자신은 물질을 분비하지 아니하고 표피에 발광 박테리아를 살게 하여 발광하는 것이 있음. 식물인 경우에는 빛을 강하게 반사(反射)시키는 기관으로 된 것도 있음. *반딧불.

발광 다이오드【發光─】명〔light emitted diode; LED〕〖전〗갈륨 비소(gallium 砒素)·갈륨 인(燐)·갈륨 비소인(砒素燐) 등 금속간 화합물 반도체(金屬間化合物半導體)의 접합(接合) 다이오드. 미소한 전력 소비로 소자(素子)의 종류에 따라 수백 미크론 와트 정도의 빨강·초록·노랑의 광출력(光出力)을 얻을 수 있어, 광통신(光通信)을 비롯하여, 탁상 전자 계산기 등의 문자(文字)·숫자(數字) 표시 등에 이용됨.

발광-단【發光團】명〖화〗물질이 형광 현상(螢光現象)을 일으킬 수 있게 하는 분자(分子) 안에 있는 듀어형(Dewar 型) 벤젠핵(核).

발광 도료【發光塗料】명〔luminous paint〕인광성 안료(燐光性顔料)를 섞은 도료. 외부로부터 햇빛의 에너지를 받아 저장하였다가 어두운 곳에서 발광하는 황화 아연(黃化亞鉛)·황화 바륨류(黃化 barium類)와 스스로 방사능(放射能)을 가진 메소토륨(mesothorium)의 염류(塩類)와 황화 아연(黃化亞鉛)을 합성한 것의 두 가지가 있음. 시계 문자반(文字盤) 기타 야광(夜光) 표지에 쓰임. 형광(螢光) 도료.

발광 동:물【發光動物】명 빛을 발하는 동물의 총칭. 야광충·반딧불이 및 방아벌레류의 일부 이외에는 특히 심해(深海)의 샛비늘치류, 연체(軟體) 동물의 두족류(頭足類)에 많음. 몸에서 발광 물질을 분비하여 빛을 발하는 것과 발광 박테리아가 기생하여 빛을 내는 것이 있음. 발광은 개체간의 신호·포획물 유인·자웅 유인·조명(照明) 등에 이용되는데, 설명 안 되는 것도 있음. *발광 생물·발광 식물·생물 발광.

발광-멸【發光─】명〖어〗[*Halosauropsis affinis*] 발광멸과에 속하는 바닷물고기. 몸은 가늘고 길며, 뒷지느러미의 연조(軟條)의 수가 아주 많은 것이 특징임. 주둥이는 길고 머리에는 다수의 점액공(粘液孔)이 발달되어 있고 체측(體側)에는 한 줄의 발광기가 세로로 배열(配列)되어 있음. 꼬리는 실 모양임.

발광멸-과【發光─科】[─꽈] 명〖어〗[Halosauridae] 발광멸목(目)에 속하는 어류의 한 과. 이 과에는 발광멸 하나가 있음.

발광 박테리아【發光─】〔bacteria〕명〖식〗발광 물질을 함유하고 있어 스스로 발광하는 기능(機能)을 가진 세균(細菌). 어류(魚類)나 오징어 따위의 몸에 기생(寄生)하여 발광하는 것도 있음. 백 수십 종이 알려져 있는데, 대부분이 해수산(海水産)임. 크기는 1-2미크론이며, 한 개의 편모(鞭毛)가 있음. 발광 세균.

발광 반:응【發光反應】명〔luminescence reaction〕〖화〗상온(常溫)에서 발광 현상을 동반(同伴)하는 화학 반응. 연소·폭발 등 황린(黃燐)·루미놀과 같은 화학 발광, 반딧불이와 같은 생물 발광이 포함됨.

발광 분광 분석법【發光分光分析法】명〖화〗재료를 연소(燃燒)시켜 그 발하는 빛을 분광기에 의해서 스펙트럼으로 나눠, 스펙트럼선의 출현(出現) 여부 및 스펙트럼선의 세기를 측정하여 원소(元素)의 정량(定量) 및 정성(定性) 분석을 하는 방법.

발광 생물【發光生物】명 어두운 곳에서 발광하는 생물. 체내에 있는 루시페린(luciferin)이 효소(酵素)의 작용에 의하여 산화(酸化)되어 화학적 에너지가 빛의 에너지로 변하여 빛을 낸다고 생각됨. *발광 동물·발광 식물.

발광 성운【發光星雲】명〖천〗방출(放出) 성운.

발광 세:균【發光細菌】명〖식〗발광 박테리아(發光 bacteria).

발광-소【發光素】명〖생〗루시페린(luciferin)

발광 스펙트럼【發光─】〔spectrum〕명〖물〗방출(放出) 스펙트럼.

발광 식물【發光植物】명 몸뚱이에서 빛을 발하는 기능을 가진 식물의 총칭. 세균 식물(細菌植物)·담자균류(擔子菌類)·편모 식물(鞭毛植物)의 세 문(門)에 속하며, 동물에 비하면 종류가 적음. 동물의 공생(共生)·기생(寄生)에 의하거나 빛의 반사(反射)로 빛을 내는 것이 있음. *발광 동물·생물 발광.

발광 신:호【發光信號】명 빛을 내어 하는 신호 방법. 선박에서 신호용 명멸등(明滅燈)을 사용해서, 다른 선박이나 육지와 신호를 하는 따위.

발광 안료【發光顔料】[─알─] 명〔luminous pigment〕자외선을 받았을 때 광(光)에너지를 흡수하여 가시 광선(可視光線)을 방사하는 안료의 하나. 황화(黃化) 스트론튬·황화 아연·황화 카드뮴 등의 인광(燐光) 물질로 만듦.

발광 위성【發光衛星】명 애너 원 비(Anna 1 B).

발광-지【發光紙】명 발광 도료(發光塗料)를 발라 어두운 곳에서 빛을 내도록 된 종이.

발광-체【發光體】명〔luminant〕〖물〗제 몸에서 빛을 내는 물체. 태양·항성(恒星)·화염(火焰)·등불 같은 것. 광체(光體). ↔암체(暗體). *광원(光源).

발광-충【發光蟲】명〖충〗몸의 한 부분에서 빛을 발하는 곤충. 반딧불이 등.

발광 현:상【發光現象】명 ①〔luminescence〕〖지〗지진의 발생과 동시에 또는 직전에, 2-3초 내지 십 수 초 동안 지평선상의 하늘이 밝게 빛나는 현상. 이에 대한 실태는 과학적인 기재(記載) 데이터가 부족하여 아직 해명이 안 되고 있음. ②〔igneous meteor〕대기(大氣) 중에서 보이는 전기 방전(電氣放電). 전광(電光)·코로나 방전(放電) 따위.

발광 효소【發光酵素】명〔luminous enzyme〕〖생〗루시페라아제(luciferase).

발교【醱酵】명 →발효(醱酵). ──하다 자여불

발교-산【髮校山】명〖지〗강원도 홍천군(洪川郡) 동면(東面)과 횡성군(橫城郡) 청일면(晴日面) 경계에 있는 산. [998 m]

발구 명 ①산에서 마소가 끄는 썰매. ②☞걸채.

발-구락 [─꾸─] 명 ☞발가락. ¶네가 어느 ~을 움직이는지도 다 알고 있는데《鄭飛石: 靑春의 倫理》.

발-구르다 자르불 발로 바닥이 울리도록 쿵쿵 내리 굴러 디디다.

발구-채 명〈방〉세장[1].

발군[1]【拔群】명 여럿 속에서 훨씬 뛰어남. 발췌(拔萃). 출류(出類). 일군(逸群). ¶~의 성적. ──하다 자타여불

발군[2]【發軍】명 발병(發兵). ──하다 자여불

발군[3]【撥軍】명〖역〗역마(驛馬)를 급히 몰아서 중요한 공문서를 체송(遞送)하는 군졸. 발졸(撥卒).

발군 공적【拔群功績】명 여럿 중에서 뛰어난 공적.

발굴【發掘】명 ①땅 속에 묻힌 물건을 파냄. ¶고분(古墳) ~. ②알려지지 않거나 뛰어난 것을 찾아냄. ¶인재의 ~. ──하다 타여불

발-굽 [─꿉] 명 동물의 굽. ¶말~ 소리.

발권【發券】[─꿘] 명 은행권(銀行券)·공채권(公債券)·사채권(社債券)·주권(株券)·승차권(乘車券) 등을 발행함. ──하다 자타여불

발권 은행【發券銀行】[─꿘─] 명〖경〗은행권(銀行券) 발행의 권능(權能)을 갖는 은행. 우리 나라에서는 한국 은행이 이에 해당함.

발권 제:도【發券制度】[─꿘─] 명〖경〗은행권(銀行券)의 발행에 제한(制限)을 두는 제도. 최고 발행액(額) 제한 제도·굴신(屈伸) 제한 제도·

비례 준비(比例準備) 제도 등이 있음.

발귀 (명) 〈방〉 발구❶(함경).

발그대대-하다 (형)(여불) 좀 야하고 천격스럽게 발그스름하다. ㅆ빨그대대하다. ＜벌그데데하다.

발그댕댕-하다 (형)(여불) 격에 맞지 아니하게 발그스름하다. ㅆ빨그댕댕하다. ＜벌그뎅뎅하다.

발그레-하다 (형)(여불) 조금 곱게 발그스름하다. ¶ 얼굴이 ~. ＜벌그레하다. 「발그름-히 (부)

발그름-하다 (형)(여불) ↗발그스름하다. ㅆ빨그름하다. ＜벌그름하다.

발-그림자 [—끄—] (명) 오고 가는 발자취. ¶ ~도 얼씬 안 한다.

발그림자도 들여놓지 않다 (구) 전혀 찾아오거나 찾아가지 아니하다.

발그무레-하다 (형)(여불) 썩 얕게 발그스름하다. ＜벌그무레하다.

발그속속-하다 (형)(여불) 과히 보기 싫지 아니하고 수수하게 발그스름하다. ＜벌그숙숙하다.

발그숙숙-하다 (형)(여불) 수수하게 발그스름하다.

발그스레 (부) 발그스름하게. ㅆ빨그스레. ＜벌그스레. ——-하다 (형)(여불)

발그스름-하다 (형)(여불) 정도에 못 미치게 조금 발갛다. (준)발그름하다. ㅆ빨그스름하다. ＜벌그스름하다. **발그스름-히** (부)

발그족족-하다 (형)(여불) 고르지 못하고 칙칙하게 조금 붉다. ㅆ빨그족족하다. ＜벌그죽죽하다.

발그집다 (타) 〈방〉 바르집다.

발근¹ 【拔根】 (명) ①무슨 사물을 뿌리째 뽑아 버림. ¶ ~ 쇄신(刷新). ②종기의 근(根)을 뽑음. ¶ ~고(膏). ——-하다 (타)(여불) 「(여불)

발근² 【發根】 (명) 뿌리를 냄. 뿌리가 나옴. ↔발아(發芽). ——-하다 (자)(타)

발근-기 【拔根機】 (명) 〖토〗 인력·축력(畜力)·동력 등에 의해서, 로프(rope)나 체인(chain)을 감아 낚으면서 강대한 힘으로 땅 속의 그루터기를 뽑아 내는 기계.

발금 【發禁】 (명) ↗발매 금지(發賣禁止). ——-하다 (타)(여불)

발급 【發給】 (명) 발행하여 줌. ¶ 여권(旅券) ~. ——-하다 (타)(여불)

발긋-발긋 (부) 붉은 점이 곱게 군데군데 여러 곳에 박인 모양. 점점이 산뜻하게 붉은 모양. ¶ 꽃이 들에 ~ 피다. ㅆ빨긋빨긋. ＜벌긋벌긋. ——-하다 (형)(여불)

발긔 【件記】 (명) 〈이두〉 물품명(物品名)이나, 금액(金額)을 열기(列記)해 놓은 종이.

발기¹ (명) 〈방〉 발구❶(함경).

발기² 【—記】 (명) 사람이나 물건 이름을 죽 적은 글발. 건기(件記).

발기³ 【勃起】 (명) ①갑자기 성이 발끈 남. ②음경(陰莖)의 해면체(海綿體) 내부가 충혈(充血)하여 팽창·강직(強直)해지는 일. 성욕 때문이지만, 말초 신경의 자극에 따라 반사적으로도 일어남. ¶ ~력(力)/~ 부전(不全). ——-하다 (자)(여불)

발기⁴ 【發歧】 (명) 〖사람〗 고구려 고국천왕(故國川王)의 아우. 고국천왕의 사후, 왕위가 자기 아우인 연우(延優)에게 돌아감을 보고 분개하여 요동 태수(太守) 공손탁(公孫度)의 군대를 얻어, 고국에 쳐들어갔다가 포로가 되자 자살하였음. [? -197]

발기⁵ 【發起】 (명) ①새로운 일을 꾸며 내어 일으킴. ¶ ~인. ②〖불교〗 경문(經文)을 먼저 낭독하는 사람. ③〖불교〗 학인(學人)들이 둘러앉아 경(經)의 뜻을 토론(討論)할 때에 경전(經典)을 읽어 내리는 사람. ——-하다 (타)(여불)

발-기계 【—機械】 [—끼—] (명) 동력(動力)을 쓰지 아니하고 사람의 발로 움직이는 기계. 발틀. ↔손기계.

발:기다 (타) ①속엣것이 드러나게 헤치어 발리다. 찢어서 발리다. ②이리저리 헤아리다가 결딴내다. ¶ 일을 ~. 1)·2):＜벌기다.

발:-기름 (명) 짐승의 복벽(腹壁)에 붙어 있는 기름 덩이.

발기-문 【發起文】 (명) 무슨 일을 일으켜 시작할 때 그 취지와 목적 등을 써 내는 글. ¶ 창당 ~.

발기-발기 (부) 연해 발기어 찢는 모양. ¶ ~ 찢어 버렸다.

발기 보리심 【發起菩提心】 (명) 〖불교〗 보리심(菩提心)을 일으키는 일. 발심(發心). 일념 발기(一念發起).

발기 부전 【勃起不全】 (명) 〖의〗 과로·성적 신경 쇠약·뇌척수 질환·내분비 이상 등의 원인으로 음경(陰莖)의 발기가 불충분한 병적인 상태.

발기 설립 【發起設立】 (명) 〖법〗 발기인(發起人)이 정관(定款)을 작성하여 주식(株式)의 총수(總數)를 인수(引受)함으로써 완료되는 회사의 설립. 단순(單純) 설립. 동시(同時) 설립. 인수 설립. ↔모집 설립(募集設立).

발기 신경 【勃起神經】 (명) 〖생〗 음부 신경총(陰部神經叢)에서 갈려 나온 골반 내장(骨盤內臟) 신경. 부교감(副交感) 신경에 속하는 신경 섬유가 직장(直腸)·방광·요도(尿道) 및 정낭(精囊) 또는 자궁·질(膣) 등의 외음부에 분포하여 배변(排便)·배뇨(排尿)·사정(射精)·분만(分娩)·발기 등의 자율성(自律性) 기능의 조정에 관여함.

발기 이:득 【發起利得】 (명) 〖경〗 주식 회사 창립(創立)의 보수(報酬)로서 발기인에게 주는 특별한 이득.

발기-인 【發起人】 (명) ①새로운 일을 경영하는 데 먼저 꾸며 내는 사람. 발기자. ¶ 친목회 ~. ②〖경〗 주식 회사의 설립(設立)을 기획하여 정관(定款)에 서명(署名)한 사람.

발기인-주 【發起人株】 (명) 〖경〗 주식 회사의 설립 및 그 밖의 일에 관한 발기인의 공로에 대한 보상으로서 무상으로 교부하는 주식.

발기-자 【發起者】 (명) 발기인(發起人).

발기-잡다 (타) 어떤 일을 사리를 따져 바로잡다. ¶ 나야 물론 …거짓말이라 한들 발기잡을 방도가 없었지만, 백지무근한 말이라곤 믿지 않았다《金周榮 : 客主》.

발기-집다 (타) ☞ 바르집다.

발기-회 【發起會】 (명) 새로운 일을 꾀하여 시작하려고 하는 모임.

발-길 [—낄] (명) ①발로 걷어 차거나 걷는 발의 기세 또는 힘. ¶ ~로 차다/~ 닿는 데까지. ②왕래(往來)❶. ¶ 손님도 ~이 잦으면 대접을 못 받는다/~이 뜸해지다.

발길에 채다 (구) 걸어가는 사람의 발에 채다. 천대받고 짓밟힘의 비유로도 쓰임. ¶ 부모를 따라 죽지 못하고 발길에 채어 다니다가 이 곳에 이른 천한 몸을 이같이 돌보아 주시니《朴頤陽:明月亭》.

발길을 돌리다 (구) 어디를 향하여 가다가 돌아서 오다. 또는 오다가 돌아서 가다.

발길이 내키지 않다 (구) 가고 싶은 마음이 좀처럼 내키지 않다.

발길이 멀:어지다 (구) 찾아가는 것이 뜸해지다. 가지 않게 되다.

발길이 무겁다 (구) ㉠가고 싶은 마음이 내키지 않다. ㉡발걸음이 무겁다.

발-길다 (형) 무엇을 먹게 된 판에 마침 한 몫 끼어 재수가 좋다. ↔발짧다.

발길-질 [—낄—] (명) 발로 차는 것. (준)발질. ——-하다 (자)(여불)

발김-쟁이 (명) 못된 짓을 하며 마구 돌아다니는 사람.

발깍 (부) ①갑자기 성을 내거나 기운을 쓰는 모양. ¶ ~ 성을 내다/~ 힘을 주다. ②어떠한 일이나 물건들이 갑자기 뒤집히는 모양. ¶ 집안이 ~ 뒤집히다. 1)·2):ㅆ빨깍. ㅆ발칵. ＜벌꺽.

발깍-거리다 ㊀ (자) ①빚어 담근 술이 푹 괴어서 연달아 부걱부걱 솟아오르다. ②삶는 빨래가 몹시 끓어서 연달아 부풀어 오르다. 1)·2):ㅆ발칵거리다. ＜벌꺽거리다. ㊁ (타) 진흙이나 무슨 반죽 같은 것을 연달아 주무르거나 밟아서 옆으로 비어져 나오게 하다. ㅆ발칵거리다. ＜벌꺽거리다. 발깍-발깍 (부). ——-하다 (자)(타)(여불)

발깍-대다 (자)(타) 발깍거리다.

발-꼬락 (명) 〈방〉 발가락(경상).

발-꼬머리 (명) 〈방〉 발뒤축(경남).

발-꼼치 (명) 〈방〉 발뒤꿈치(전남).

발-꼽재기 (명) 발에 묻은 꼽재기. ¶ 하촌 사람들을 ~만도 안 알아본다요《吳有權 : 방앗골 혁명》.

발-꾸락 (명) 〈방〉 발가락(평안).

발-꾸머리 (명) 〈방〉 발뒤축(강원·충북). 「발뒤꿈치(경북).

발-꿈치 (명) 〖생〗 ①발의 뒤쪽 발바닥과 발목 사이의 불룩한 부분. ②〈방〉

발꿈치를 물리다 (구) 평소에 특별히 관심과 배려를 베풀어 주어, 그렇게 할 리가 없는 상대로부터 뜻밖에 해를 입다.

발꿈치 힘줄 [—쭐] (명) 〖생〗 아킬레스(Achilles) 힘줄.

발끈 (부) ①사소한 일에 소견 없이 왈칵 성을 내는 모양. ¶ ~ 화를 내다. ②뒤집어 엎을 듯이 시끄러운 모양. ¶ 데모로 ~ 뒤집혔다. 1)·2):ㅆ빨끈. ＜벌끈. ——-하다 (자)(여불)

발끈-거리다 (자) 사소한 일에 걸핏하면 늘 성을 내다. ㅆ빨끈거리다. ＜벌끈거리다. 발끈-발끈 (부). ——-하다 (자)(여불)

발끈-대다 (자) 발끈거리다.

발-끊다 [—끈타] (자) ①오지 않기로 또는 가지 않기로 하다. ②관계를 끊다. ¶ 그와는 발끊은 지 오래다.

발-끝 (명) 발의 앞 끝. 「지고 비난함. ——-하다 (자)(여불)

발난 【發難】 [—란] (명) ①병란(兵亂)을 일으키기 시작함. ②질문하여 따

발난타 【跋難陀】 [—란—] (명) 〖불교〗 팔대 용왕(八大龍王)의 하나. 마가다국(國)을 수호하며, 자우(慈雨)를 내리게 한다는 용.

발낭 【鉢囊】 [—랑] (명) 〖불교〗 →바랑¹❷. 「이 넓다.

발-너르다 [—러—] (형)(르불) 알아서 사귀는 사람이 많아 돌아다니는 곳

발-넓다 [—럴따] (형) 발너르다.

발노 【發怒】 [—로] (명) 성을 냄. 노기를 발함. ——-하다 (자)(여불)

발-노구 [—로—] (명) 발이 달린 노구솥.

발니 【勃泥】 [—리] (명) '보르네오(Borneo)'의 한명(漢名). 당대(唐代)의 사서(史書)에 쓰이어 있음.

발다¹ (자) 〈옛〉 의지하다. 결따르다. =바라다². ¶ 불인 고지 이츠며 게을어 비롤 바니니(吹花困慵旁舟楫)《初杜諺 XVIII:3》.

발다² (타) 〈옛〉 발로 재다. 밟다. ¶ 기더냐 다르더냐 발고 남아 자힐너냐 《古時調 수랑이 긔》.

발:-다듬이 [—따—] (명) 〈방〉 밟다듬이.

발다이 구릉 【—丘陵】 [Valdai] (명) 〖지〗 러시아 모스크바 서부의 평탄한 구릉. 서드비나(西 Dvina)·볼가(Volga) 두 강의 수원(水源)을 이룸. 동서(東西)의 최대 나비는 210km, 남북 약 500km, 최고점은 표고 343m로, 빙하호(氷河湖)가 많음.

발다키노 〔이 baldacchino〕 (명) 옥좌(玉座)·주교좌(主教座) 또는 제단(祭壇) 따위의 상부에 있는 장식적인 닫집.

발단 【發端】 [—딴] (명) ①일의 첫머리가 처음으로 일어남. 일의 실마리. 기단(起端). ¶ 사건의 ~. ②말머리를 꺼냄. ——-하다 (자)(여불)

발단 심장 【髮短心長】 [—딴—] (명) 〔머리털은 빠져 짧으나 마음은 길다는 뜻으로〕 나이는 먹었으나 슬기는 많음을 일컬음.

발단-자 【發端者】 [—딴—] (명) 〔propositus〕 〖생〗 유전학적으로 문제가 된 형질(形質)의 혈통(血統) 조사에 있어서, 그 계통을 발견하는 계기가 된 개체(個體).

발달 【發達】 [—딸] (명) ①발육(發育)하여 완전한 형태에 가까워짐. 신체·정신 따위가 성장함. ¶ 지능이 ~하다. ②진보하여 완전한 지경에 이름. ¶ 기술의 ~. ③개체(個體)가 그의 생명 활동에 있어서 그의 환경에 적응하여 가는 과정으로 성장(成長)과 학습(學習)의 두 요인(要因)을 포함함. ¶ 민족 문화의 ~사(史). ④저기압·태풍 따위의 규모가 점차 커짐. ¶ ~한 저기압. ——-하다 (자)(여불)

발달 가속 현:상 【發達加速現象】 [—딸—] (명) 〖생〗 세대(世代)가 교체됨에 따라 신장(身長)·몸무게·초조(初潮) 등 신체 발달의 속도가 촉진되는 현상.

발-달다 (자) 가외의 것을 더 보태어 달다.

발달 단계 【發達段階】 [—딸—] (명) 〖심〗 심신(心身)의 성장에 어떤 구분을 두고 나눈 것. 그 기준 설정에 따라 호칭도 각기 달라지지만, 유아

기(乳兒期)·아동기·청년 전기(前期)·청년 후기·성인기(成人期)·노년기 따위로 나누이고, 다시 각각의 시기내에서의 발달을 세분하는 방법이 ⌊취해지고 있음.

발달-사【發達史】[一딸一] 명 발달한 역사.

발달 심리학【發達心理學】[一딸一니一] 명 정신 발달을 대상으로 하여, 그 일반적 경향이나 법칙 등을 연구하는 심리학의 한 부문. 일반 심리학이 심적(心的) 횡단면을 주로 연구하는데 대하여, 이것은 종단면(縱斷面)을 주로 연구하며, 그 발생·구조·기능(機能)의 변화·발달의 수준 등을 밝히려고 함. 아동 심리학·청년 심리학·민족 심리학·동물 심리학 등을 포함함. 발생(發生) 심리학. 발생적 심리학.

발달 지수【發達指數】[一딸一] 명〖심〗관찰에 의하여 이 아동(兒童)은 발달상으로 보아 몇 년 몇 개월 되는 아동의 평균에 상당하다고 하는 발달 연령을 정하여 이것을 생활 연령으로 나눈 수. ＊발육 지수.

발당【發黨】[一땅] 명 정당을 발기(發起)함. ——-하다 자여불

발-대님 명〈방〉대님(경북). 「하는 의식.

발대-식【發隊式】[一때一] 명 순찰대·기동대 같은 대(隊)를 발기(發起)

발-더듬 명 발로 더듬는 일. ¶너무 어두워 ～해 가며 겨우 변소를 찾았다.

발-덧 [一떧] 명 길을 많이 걸어서 생기는 발병. ¶～이 나다.

발데르 [Balder] 명〖신〗북유럽 신화에 나오는 빛의 신(神). 여러 신(神) 가운데 가장 아름답고 지혜가 있어 만인(萬人)의 사랑을 받았으나, 로키(Loki)의 계략으로 호두르(Hodur)에게 살해됨. 발드르.

발도[1]【拔刀】[一또] 명 칼을 뽑음. 발검(拔劍). ——-하다 자여불

발도[2]【拔都】[一또] 명〖사람〗'바투(Batu)'의 한자식 이름.

발도[3]【發途】[一또] 명 출발❶. ——-하다 자여불

발도비네티 [Baldovinetti, Alessio] 명〖사람〗이탈리아의 피렌체(Firenze)파의 화가. 독특한 정감을 나타내는 풍경 묘사에 특징이 있음. 대표작에 ≪성모자(聖母子)≫ 등. [1425?-1499]

발-돋움 명 ①키를 크게 하기 위하여 발뒤축을 들고 발끝으로만 디디고 서는 짓. ¶～해서 보다. ②키를 돋우느라고 발밑을 괴고 서는 제구. 발판. ¶～이 높아서 좋다. ③목표 따위를 위해 안간힘을 씀. ¶일등으로 ～하다. ——-하다 자여불 「上 47≫.

발돕 명〈옛〉발톱. ¶발돕 다돕기는 다섯난 돈이니(修脚五個錢)≪朴解

발동【發動】[一똥] 명 ①움직이기 시작함. 활동(活動)을 일으킴. 일이 시작됨. ②시끄럽게 떠듦. ③동력(動力)을 일으킴. ¶～이 걸리다. ④권능(權能)을 발(發)함. 법적 권한을 행사함. ¶사법권의 ～. ——-하다 자타여불

발동-기【發動機】[一똥一] 명 동력(動力)을 일으키는 기계. 내연 기관(內燃機關)의 총칭으로, 사용 목적에 따라 육용(陸用)·선박용(船舶用)·차량용·항공기용 등으로 나뉘며 각각 독특한 성능과 구조를 갖고 있음. 엔진(engine). 모터(motor).

발동기-선【發動機船】[一똥一] 명 추진 기관(推進機關)으로서 발동기를 장치하고 운항(運航)하는 선박(船舶). 추진 기관으로는 석유 발동기·가솔린 발동기·알코올 발동기·디젤식 중유 발동기 등이 있음. 동력선. 발동선. 모터 보트. 준기선(機船).

발동기-정【發動機艇】[一똥一] 명 모터 보트.

발동-력【發動力】[一똥녁] 명 동력을 일으키는 힘.

발동-선【發動船】[一똥一] 명 발동기선(發動機船).

발-두꾸머리 명〈방〉발뒤축(경기).

발두마【鉢頭摩】명〖불교〗발특마(鉢特摩).

발두-인【發頭人】[一뚜一] 명 일을 기도하여 일으킨 사람. 장본인. 수 ⌊모자(首謀者). 주모자.

발-뒤꼼치 명〈방〉발뒤꿈치(충북).

발-뒤꼬마리 명〈방〉발뒤축(전남·경남).

발-뒤꼬머리 명〈방〉발뒤축(경북).

발-뒤꼬모리 명〈방〉발뒤축(전북·경북).

발-뒤꼬무리 명〈방〉발뒤축(경남).

발-뒤꼼치 명〈방〉발뒤꿈치(전북·경상).

발-뒤꾸머리 [一뛰一] 명 발뒤꿈치.

발-뒤꾸무리 명〈방〉발뒤축(경상).

발-뒤꿈지 명〈방〉발뒤꿈치(강원·충북).

발-뒤꿈치 [一뛰一] 명 발꿈치의 바닥을 뺀 뒤편의 부분. 족지(足趾). 준뒤꿈치.

【발뒤꿈치가 달걀 같다】며느리가 미워서 달걀같이 예쁘게 생긴 발뒤꿈치까지 나무란다는 뜻.

발뒤꿈치도 따를 수 없다 구 상대가 너무나 뛰어나, 자기와 비교도 안 ⌊될 정도이다.

발-뒤끔치 명〈방〉발뒤꿈치(충북).

발-뒤주머리 명〈방〉발뒤축(충북).

발-뒤지기 명〈방〉발뒤축(경상).

발-뒤축 [一뛰一] 명 발꿈치의 뒤쪽으로 두둑하게 나온 부분. 준뒤축.

【발뒤축이 달걀 같다】'발뒤꿈치가 달걀 같다'와 같은 뜻.

발뒤축을 물다 구 남을 뒤에서 해치다.

발뒤축-후리기 [一뛰一] 명 유도에서, 상대의 발뒤꿈치 근처를 안쪽에서 앞쪽으로 세게 끌어당겨 넘어뜨리는 기술.

발-뒤치거리 명〈방〉발뒤축(경북).

발-뒤치기 명〈방〉발뒤꿈치.

발-뒤칙 명〈방〉발뒤축(경북·제주).

발-들여놓다 [一노타] 자 ①어떤 장소에 들어서다. ¶지하철은 발들여놓을 틈이 없을 정도로 늘 만원이다. ②어떤 환경에 몸을 두다. ¶정계에 ～.

발-등 [一뜽] 명 발의 윗 부분. ↔발바닥.

발등 디디다 구 남이 하려는 일을 앞질러서 먼저 하다.

발등에 불을 끄다 구 신변에 닥친 위험을 제거하다. 가까이 닥친 어려움을 처리하여 해결하다.

발등에 불이 떨어지다 구 갑자기 어떤 불길한 일이 눈앞에 닥쳐옴을 이르는 말.

발등(을) 밟히다 구 제가 하려는 일을 남에게 앞지름을 당하다.

발등(을) 찍히다 구 배신당하다.

발-등거리 [一뜽一] 명 임시로 쓰려고 아무렇게나 만든 작은 초롱. 흔히, 초상 집에서 씀.

발등-걸이 [一뜽一] 명 ①씨름할 때, 발뒤꿈치로 상대방의 발등을 밟아 넘기는 재주. ②운동틀에 두 손으로 매달려서 두 발등을 걸치는 재주. ③남이 하려는 일을 먼저 앞질러서 하려는 행동. ——-하다 자여불

발-등어리 [一뜽一] 명 ①〈방〉발등거리. ②〈속〉발등.

발-디끔치 명〈방〉발뒤꿈치(전남·경남).

발-디꽁치 명〈방〉발뒤꿈치(전남).

발-디꿈치 명〈방〉발뒤꿈치(전남).

발-디끔치 명〈방〉발뒤꿈치(전남).

발-디쩍 명〈방〉발뒤축(경남).

발-디칙 명〈방〉발뒤축(경북).

발딱 부 ①갑자기 급하게 일어나는 모양. ¶～ 일어서라. ②반듯이 자빠지는 모양. ¶뒤로 ～ 넘어졌다. 1)·2):ㅆ빨딱. ＜벌떡.

발딱-거리다 자 ①맥이 힘있게 뛰다. ②심장의 고동으로 가슴이 두근거리다. ③입을 힘있게 놀려서 물을 들이마시다. ④힘이 날 만큼 자란 아이가 그 힘을 부리고 싶어 못참아하다. 1)-4):ㅆ빨딱거리다. ＜벌떡거리다. 발딱-발딱 부. ——-하다 자여불

발딱-대다 자 발딱거리다.

발-떠퀴 명 사람이 가는 곳을 따라서 화복이 생기는 일. ¶오늘은 ～가 사나워 가다가 탈이 났다.

발-뚸꿈치 명〈방〉발뒤꿈치(전북).

발라[1]【鈸鑼】명〖불교〗명발(鳴鈸). 바라(哱囉).

발라[2] [Valla, Lorenzo] 명〖사람〗이탈리아의 인문학자. '콘스탄티누스의 기진장(寄進狀)'이 위서(僞書)임을 증명하고, 교회 공인(公認)의 라틴어역(譯) 성서를 그리스 원전(原典)과 대조하여 비판함. 스콜라 철학의 논리를 비판하고, 또 에피쿠로스(Epikuros)의 쾌락론을 재흥(再興)함. 저서 ≪쾌락론≫·≪라틴어 우미론(優美論)≫. [1406-57]

발라[3] [Walras, Leon] 명〖사람〗프랑스의 수리(數理) 경제학자. 쿠르노(Cournot)를 이어 한계 효용 학파를 대성시켰음. [1834-1910]

발라 내다 타 ①껍데기를 벗기고 속의 알맹이를 따로 추려 내다. ¶뼈를 ～. ②필요 없는 부분은 버리고 필요한 것만을 골라 내다.

발라당 부 좀 굼뜨게 뒤로 발딱 자빠지거나 눕거나 하는 모양. ¶대로변에 사고 차량이 ～ 누워 있다. ＜벌러덩. ——-하다 자여불

발라동 [Valadon, Maria Clémentine] 명〖사람〗프랑스의 여류 화가. 통칭은 Suzanne Valadon. 풍경 화가 위트릴로(Utrillo)의 어머니. 드가(Degas)의 권유로 화단에 데뷔, 정물(靜物)·나체를 주로 강렬한 윤곽으로써 형태를 부상(浮上)시켰음. [1867-1938]

발라드 [프 ballade] 명 ①자유로운 형식의 소서사시(小敍事詩). 담시(譚詩). ②〖악〗서사적(敍事的)인 가곡. ③〖악〗어떤 이야기를 나타낸 자유 형식의 기악곡(器樂曲). 담시곡(譚詩曲).

발라드 오페라 [ballad opera] 명〖연〗희극적인 대화에 노래와 음악을 섞은 오페라. 18세기 영국에서 유행한 것으로, 이탈리아 오페라가 귀족 상류층의 전유물(專有物)로 된 데 대하여, 대중 작가가 서민을 위하여 만든 것임.

발라 맞추다 자 슬슬 꾸며대어 가지고 알랑알랑하며 한때 속여 넘기다. ¶얼렁뚱땅 발라 맞추어서 돈을 뺏다.

발라 먹다 타 ①겉 껍데기를 베끼어 속 알맹이를 빼어 먹다. ②남을 꾀어서 재물을 뽑아 빼앗다.

발라존 [balazone] 명〖화〗강력한 염소(塩素)의 냄새가 나는 백색(白色) 결정. 물과 클로로포름에 약간 녹음. 물의 소독제(消毒劑)로 쓰임. [$COOHC_6H_4SO_2NCl_2$]

발라키레프 [Balakirev, Mili Alekseevich] 명〖사람〗러시아의 작곡가·피아니스트·지휘자. 보로딘(Borodin) 등의 러시아 국민 음악파 오인조(五人組)의 선구자로서, 글링카(Glinka)의 경향을 이어 국민 음악 수립에 전념하였음. 대표작에 교향시 ≪러시아≫, 피아노곡 ≪이슬라미(Islamy)≫ 등이 있음. [1837-1910]

발라흐 [Wallach, Otto] 명〖사람〗독일의 유기 화학자. 테르펜(terpene) 정유(精油)에 관한 연구로 정유 공업의 기초를 열어 1910년 노벨 화학상을 수상함. [1847-1931]

발락【發落】명 결정하여 끝냄. ——-하다 타여불

발락-거리다 자 ① ☞발랑거리다. ② ☞발룩거리다. 발락-발락 부 ¶이차돈은 ～하는 공주의 등을 보았다≪李光洙:異次頓의 死≫.

발란【撥亂】명 어지러운 세상을 평정함. ——-하다 타여불

발란 반:정【撥亂反正】명 난을 평정(平定)하고 질서를 회복함. ——-하다 타여불

발랄[1]【跋剌】명 ①물고기 뛰는 소리. ②새가 나는 소리. ——-하다 형여불

발랄[2]【潑剌】명 ①활발하게 약동(躍動)하는 모양. ¶～한 아가씨/재기(才氣) ～한 사람. ②물고기가 뛰는 모양. ③활을 당긴 모양. ——-하다 형여불. ——-히 부

발랄라이카 [러 balalaika] 명〖악〗만돌린계(系)의 3현(絃) 악기. 공명동(共鳴胴)이 삼각형이며 음색(音色)이 감상적이고 우울함. 러시아, 특히 우크라이나 지방의 민속

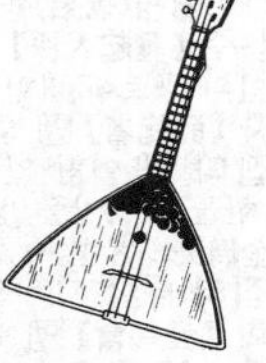

〈발랄라이카〉

(民俗) 음악에 널리 쓰임.

발람【發藍】명 경태람(景泰藍)의 한 가지. 에나멜 종류의 아름다운 물감임.

발랑 부 가볍게 뒤로 자빠지거나 눕거나 하는 모양. ¶뒤로 ~ 나동그라지다. <벌렁.

발랑-거리다 자 민첩한 동작으로 가분가분 행동하다. ㅆ빨랑거리다. <벌렁거리다. *발락거리다. **발랑-발랑** 부. ──-하다 자여불

발랑-대다 자 발랑거리다.

발레〔프 ballet〕명〖악〗여러 사람의 독무(獨舞)·군무(群舞)로써 이루어지는 가사(歌詞) 없는 무용극(舞踊劇). 16-17세기에 프랑스 궁정(宮廷)에서 발달하여 가극(歌劇) 중에도 채용되고 후에 음악 반주·배경(背景)을 동반하는 무대 무용으로서 독립함.

발레르-산【一酸】명〔valeric acid〕〖화〗쥐오줌풀의 뿌리에 함유된 포화 지방산의 하나. 불쾌한 냄새가 나는 무색의 액체. 네 가지 이성질체(異性質體)가 있으며, 이뇨·진통·신경증상 치료 등 약용으로 쓰임. 펜탄산(酸). 길초산.

발레리[1]〔Valeri, Diego〕명〖사람〗이탈리아의 시인. 청년 시절부터 옮겨 산 물의 도시 베네치아의 아름다움을 우아하게 읊은 ≪베네치아의 환상(幻想)≫·≪감상적(感傷的) 베네치아 안내(案內)≫ 등의 시집으로 알려짐. [1887-1976]

발레리[2]〔Valéry, Paul Ambroise〕명〖사람〗프랑스의 시인·사상가. 말라르메(Mallarmé)에 사사. 초기의 작품은 ≪레오나르도 다 빈치의 방법 서설(方法序說)≫ 등. 17년간 침묵을 지키다가 ≪매혹≫ 등의 시로 문단에 복귀, 예술원 회원이 됨. 이색적인 작품≪바리에테(Variété)≫·≪고정 관념≫ 등과, 또한 ≪시론(詩論)≫은 순수시(純粹詩)의 문제를 둘러싼 논쟁을 일으켰음. 사상가로서 주지주의(主知主義)의 입장을 견지, 2차 대전 후(後), 희곡 ≪나의 파우스트≫를 절필(絶筆)로 죽음. [1871-1945]

발레리나〔이 ballerina〕명 발레의 여자 무용자(舞踊者). 특히, 주역(主役)을 일컬음.

발레리노〔이 ballerino〕명 발레의 남자 무용수(舞踊手).

발레 모음곡【一曲】명〔프 ballet suite〕〖악〗발레를 위하여 작곡된 음악을 적당히 몇 개의 순수한 관현악곡으로 엮어 만든 모음곡의 하나. 근대 모음곡의 중요한 형식의 하나로, 연주회에서 연주함을 목적으로 함. 스트라빈스키의 ≪페트루시카≫, 팔랴의 ≪삼각 모자(三角帽子)≫ 따위. 무용 모음곡. 무용 조곡(舞踊組曲). 발레 스위트(ballet suite). *무도(舞蹈) 모음곡.

발레스〔Vallès, Jules〕명〖사람〗프랑스의 소설가. 저널리스트. 나폴레옹 3세의 제정(帝政)에 반대하여, 신문 '거리'·'민중의 외침'을 발행. 대표작으로 자전적(自傳的) 소설 ≪자크 뱅트라(Jacques Vingtras)≫ 3부작이 있음. [1832-85]

발레 스위:트〔ballet suite〕명〖악〗발레 모음곡.

발레아레스 제도【一諸島】〔Baleares〕명〖지〗지중해 서부의 스페인령의 섬들. 주도(主島)는 마요르카(Mallorca) 섬. 올리브·과실의 산출이 많으며, 직물·피혁(皮革)·식품 가공 등의 공업이 행해지고 도기(陶器)로 유명함. 주도(主都)는 팔마(Palma)이며 동도 남해안의 성새(城塞)도시임. 무어식(式) 건축이 많고 미노르카(Minorca) 섬의 닮은 유명함. [5,014 km²:558,287 명(1970)]

발레 조곡【一組曲】〔ballet〕명〖악〗발레 모음곡.

발레타〔Valletta〕명〖지〗지중해의 섬나라 몰타(Malta)의 수도. 세계 최량(最良)의 자연적 항만을 가지고 있어, 편리한 시설과 더불어 군사상·항해상 중요시됨. 영국 해군 기지가 있음. [14,000 명(1995 추계)]

발렌슈타인[1]〔도 Wallenstein〕명〖책〗독일의 시인 실러(Schiller) 작의 비극. 3부 11막. 주인공은 30년 전쟁 당시의 장군 발렌슈타인임. 1800년 간행.

발렌슈타인[2]〔Wallenstein, Albrecht Eusebius Wenzel von〕명〖사람〗독일의 명장. 30년 전쟁 당시 스웨덴군(軍)을 격파하였으나, 뒤에 황제의 불신(不信)을 사서 모살(謀殺)되었음. [1583-1634]

발렌시아〔Valencia〕명〖지〗①스페인 동부 지중해안의 지방. 반건조(半乾燥) 기후로 관개 농업이 발달하여 과실·밀·쌀을 산출함. 어업·제염(製塩)도 성하며, 금속·섬유·화학 공업 등이 행하여짐. 11세기에 회교도의 독립 왕국이었으나 1238년 아라곤 왕국(Aragon王國)에 병합되었음. [23,000 km²] ②❶의 주도(主都). 쌀·과실 재배의 중심지이며 조선(造船)·기계 공업이 성함. 로마 시대 이래의 고도(古都)이며 13-16세기에 상업 중심지였음. [774,748 명(1987 추계)] ③베네수엘라(Venezuela) 북부의 상업 도시. 사탕수수·면화(棉花)·커피 등의 농업 지역의 중심으로, 시멘트·담배·낙제품(酪製品) 등의 공업이 성함. 1830년 베네수엘라의 독립 선언지임. [616,000 명(1981 추계)]

발렌타인〔valentine〕명 ①큐피드(Cupid) 곧, 사랑을 나타낸 그림이나 감상적인 시구(詩句) 등으로 꾸민 카드나 그 밖의 선물. *발렌타인 데이. ②연인(戀人). 애인.

발렌타인 데이〔Valentine Day〕명〔269년경, 로마의 성(聖)발렌타인이 이 날 순교(殉教)한 데서〕성(聖)발렌타인의 기념일. 2월 14일로, 로마 이교도(異教徒)의 축제와 결부되어 유럽에서는 이 날, 애인끼리 사랑의 선물이나 편지를 주고받으며 특히, 여자가 남자에게 먼저 구혼(求婚)해도 괜찮다고 하는 풍습이 있음. 사랑의 날. *발렌타인.

발렌티노〔Vallentino, Rudolph〕명〖사람〗이탈리아 출신의 미국의 영화 배우. 절세의 미남(美男)으로, 무성(無聲) 영화 시대 최대의 스타였음. [1895-1926]

발련-하다【發輦一】자여불 여행을 떠나다.

발렴【撥簾】명 발을 침. ──-하다 자여불

발령【發令】명 ①명령을 발포(發布)함. ②법령이나 사령(辭令)을 발포하거나 공포함. ¶인사 ~. ──-하다 자타여불

발령-일【發令日】명 발령한 날짜.

발령-자【發令者】명 발령하는 사람.

발로[1]【發露】명 겉으로 드러남. ¶애정의 ~. ──-하다 자여불

발로[2]〔이 ballo〕명〖악〗무용(舞踊). 무용곡(舞踊曲).

발로-꾼 명〈방〉발록구니.

발록-거리다 ㊀ 자타 탄력(彈力) 있는 물건이 바라졌다 오므라졌다 하다. 또, 그리 되게 하다. <벌룩거리다. ㊁ 자 하는 일 없이 공연히 놀고 돌아다니다. <벌룩거리다. **발록-발록** 부. ──-하다 자여불

발록-구니 명 하는 일이 없이 공연히 놀고 돌아다니는 사람.

발록-대다 자타 발록거리다.

발록-하다 형여불 틈이 조금 바라져 있다. <벌룩하다.

발론【發論】명 의논을 꺼냄. ¶~자(者). ──-하다 자여불

발롱-구니 명〈방〉발록구니.

발롱 데세〔프 ballon d'essai〕명 ①고공(高空)에서 기상(氣象) 관측을 위해 띄우는 기구(氣球). 관측 기구(氣球). ②여론의 동향이나 주위의 반향(反響)을 살피기 위해 공표(公表)되는 성명·담화 따위.

발룡-갈【拔龍葛】명〖식〗거지덩굴.

발루【撥鏤】명 중국 당(唐)나라 때에 행하여지던 상아 조각(象牙彫刻)의 기법(技法)의 하나로서, 적(赤)·녹(綠)·청(青) 등의 색으로 물들인 상아에 모양을 새기는 일. 염색이 상아의 내부에까지 침투되지 아니하여, 새긴 부분만 희게 나타남.

발루아〔Vallois, Henri Victor〕명〖사람〗프랑스의 인류학자·고생물(古生物)학자. 아프리카·근동(近東) 기타의 인류학적·고생물학적 연구로 널리 알려짐. 주저(主著) ≪고생물학과 인류의 기원≫. [1889-1981]

발루아 왕조【一王朝】〔Valois〕명〖역〗프랑스의 제4 왕조(1328-1589). 백년 전쟁과 위그노 전쟁(Huguenots戰爭)의 사이에 봉건제(封建制)를 타파하고 중앙 집권제를 이룩하여 부르봉(Bourbon) 왕조의 절대제(絶對制)의 선구가 되었음.

발루치스탄〔Baluchistan〕명〖지〗파키스탄의 남서부 지방. 넓게는 이란 남동부에서 아프가니스탄 남부를 포함한 지역. 이란 고원의 남동부를 점하며, 일반적으로 대륙성 건조 기후를 나타냄. 태반이 건조한 황무지로 유목과 관개(灌漑) 농업이 행하여지며 천연 가스를 산출함.

발루키테리움〔Baluchitherium〕명 올리고세(世)에서 마이오세(世)의 전기(前期)에 존재했던 화석(化石) 코뿔소. 어깨 높이 5m를 넘고, 과거와 현재를 통해 가장 큰 육서(陸棲) 포유류로 여겨짐. 나뭇잎을 먹은 것으로 생각되며, 아시아 특산임.

발룽-거리다 ㊀ 자타 탄력(彈力)있는 물건이 부드럽게 바라졌다 오므라졌다 하다. 또, 그리 되게 하다. <벌룽거리다. **발룽-발룽**[1] 부. ──-하다 자타여불 ㊁ 자 ①뭉근한 불에서 국물 같은 것이 끓을락말락 가만가만 움직이다. ②하는 일 없이 공연히 게으르게 놀며 돌아다니다. 1)·2): <벌룽거리다. **발룽-발룽**[2] 부. ──-하다 자여불

발룽-대다 자타 발룽거리다[1·2].

발르다 타〈방〉바르다[1](경기·강원·충청·전라·경북).

발름-거리다 자타 탄력(彈力) 있는 물건이 부드럽고도 넓게 바라졌다 닫혔다 하다. 또, 그리 되게 하다. ¶코를 ~. <벌름거리다. **발름-발름** 부. ──-하다 자타여불

발름-대다 자타 발름거리다.

발름-하다 형여불 탄력 있는 물건이 오므라져 있지 아니하고 조금 바라져 있다. ¶입이 ~. <벌름하다. **발름-히** 부

발리〔volley〕명 ①테니스·축구 등에서, 공이 바닥에 떨어지기 전에 도로 치거나 차 보내는 일. ②↗발리볼(volley ball).

발:리다[1] 타 ①두 사이를 넓히다. ¶틈을 ~. ②열어서 속의 것을 드러내다. ¶껍질을 까서 ~. ③오므라진 것을 펴서 열다. 1)-3): <벌리다. ④일을 베풀어 놓다. ⑤물건을 늘어놓다. 4)·5): <벌이다.

발리다[2] 피동 액체 같은 것이 무엇에 바름을 당하다.

발리다[3] 피동 ①속의 것이 발라냄을 당하다. ②빼앗기다. ¶나 또한 저 청지기놈에게 발린 돈이 기백냥이었기 때문일세≪金周榮 : 客主≫.

발리다[4] 사동 ①액체 같은 것을 바르게 하다. ¶횟가루를 ~. ②발라 내게 하다.

발리-볼:〔volleyball〕명 배구(排球).

발리 섬〔Bali〕명〖지〗인도네시아 자바 섬 동쪽에 있는 섬. 활화산 아궁 산(Agung山)을 비롯하여 북쪽에 높은 산이 많고 풍경이 아름다움. 기후는 비교적 온화하며 쌀·면화·커피·설탕·담배를 산출하는 한편, 관개(灌漑)에 의한 계단식 수전(水田)이 발달됨. 주민은 말레이족으로 힌두교를 신봉함. 특유의 춤과 음악 등으로 관광지로 유명함. 주도(主都)는 덴파사르(Denpasar). [5,560 km² : 2,470,000 명(1981 추계)]

발리 슛〔volley shoot〕명 축구에서, 발리 킥(volley kick)으로 하는 슛.

발리-전【鉢里廛】명〖역〗'바리전'의 취음.

발리 킥〔volley kick〕명 축구에서, 공이 땅에 떨어지기 전에 차는 일.

발릭파판〔Balikpapan〕명〖지〗인도네시아 보르네오(Borneo) 섬 동안(東岸)의 해항(海港). 정유업(精油業)이 성하며, 주위 일대에서 산출하는 원유(原油)를 적출(積出)하는 중요 항구임. [281,000 명(1980)]

발린〔valine〕명〖화〗필수 아미노산(酸)의 하나. 백색의 판상(板狀) 결정으로, 대부분의 단백질에 들어 있음. [$C_5H_{11}NO_2$]

발림[1] 명 살살 비위를 맞추어 달래는 일. ¶~으로 하는 말. *사탕발림.

발림[2] 명〖악〗판소리에서, 창자(唱者)가 몸짓이나 손짓으로 하는 짓거리. 너름새. *추임새.

발림-수 명 놀림 수작. ¶노닥다리 젓장수를 ~로 농락을 쳐도 분수 나름이지, 이게 무슨 도리요?≪金周榮 : 客主≫.

발림 수작【一酬酌】명 발라 맞추는 수작. 비위를 맞추어 달래는 수작. 발림수. ¶~으로 속이려 들다. 「하다 자여불

발마[1]【發馬】명 경주마(競走馬)·파발마 따위의 말이 뛰기 시작함. ──-하다 자여불

발마[2]【撥馬】명〖역〗발군(撥軍)이 타던 역마(驛馬).

발마-패【發馬牌】명〖역〗마패(馬牌).

발막¹ 명 마른 신의 한 가지. 흔히 상류 계급의 노인들이 신는데, 뒤축과 코에 꿰맨 솔기가 없고, 코 끝이 뾰족하지 아니하고 넓적하며, 가죽 조각을 대고 경분(輕粉)을 칠함. 발막신.

〈발막¹〉

발막²【一幕】명 조그만 오막살이집.
발막-신 명 ☞발막¹.
발막-짝 명〈속〉발막의 신짝.
발막-하다 형여불 염치 없고 뻔뻔스럽다. 자기 주장이고 건방지다. ¶저런 발막한 놈 보아라. 전에는 나를 하루 몇 번을 보든지 깍듯이 인사를 하고 말 한 마디 불공히 하는 일이 없더니…≪李海朝 : 雨中行人≫.
발만【醱醞】명 골마지.
발맘-발맘 부 ①한 걸음씩 또는 한 발씩 천천히 걸어나가는 모양. ¶~ 나선 것이 여기까지 오게 됐소. ②남의 뒤를 살펴 가며 좇아가는 모양. ¶수상해서 ~ 따라가 보았소. ——-하다 자여불
발-맞다 자 여러 사람의 걸음걸이가 서로 맞다. 보조가 맞다.
발-맞추다 자 여러 사람의 걸음걸이를 서로 맞추다. 보조를 맞추다.
발매¹ 명 산판의 나무를 한목 베어 냄. ——-하다 타여불
발매(를) 넣다 구 발매 일을 착수하다.
발매(를) 놓다 구 촘촘히 서 있는 나무를 한목 베어 버리다.
발매²【發賣】명 팔기 시작함. 상품을 내어서 팖. 발수(發售). ¶~소(所)/신(新)~. ——-하다 타여불
발매 금:지【發賣禁止】명 발매를 금지하는 일. 특히, 풍속을 어지럽히고 치안(治安)을 방해할 우려가 있는 출판물이나 상품의 발매를 금지하는 행정 처분. ㉶발금(發禁). ——-하다 타여불
발매 나무 명 발매한 땔나무.
발매 놀:다 타 굿을 할 때 무당이 음식을 여기저기 끼얹다.
발매-소【發賣所】명 물건을 내어 파는 곳. 판매소(販賣所). 발매처.
발매-처【發賣處】명 발매소(發賣所).
발매-치 명 베어낸 큰 나무에서 쳐낸 굵고 긴 가지의 땔나무.
발매 허가【一許可】명 산의 나무를 발매하도록 인정하는 행정 처분.
발머 계:열【一系列】명 [Balmer series]〖물〗〔발머는 스위스의 물리학자 이름〕수소(水素)의 스펙트럼 계열의 하나. 수소 원자(原子)가 들뜬 상태에서 주양자수(主量子數) 2의 상태로 천이(遷移)할 때에 내는 것. 가시 광선(可視光線)의 범위에 있음.
발멈-발멈 부 ☞발밤발밤. ¶그 모양으로 ~ 간다는 것이 삼 년 만에 진주 촉석루 앞에 이르러…≪崔瓚植 : 雁의 聲≫.
발명【發明】명 ①아직까지 없던 어떠한 물건이나 방법을 새로 만들어 냄. 알려지지 아니한 일을 생각해 냄. *발견(發見). ②경사(經史)의 뜻을 깨달아서 밝힘. ③무죄(無罪)를 변명함. 변백(辨白)함. 폭백(暴白). ¶이렇게 증거가 있는 이상에는 한 마디도 ~할 수 없습니다 ≪隱菊散人 : 누구의 죄≫. ——-하다 타여불
[발명이 대책(對策)이라] 변명하는 것만이 상대방에 대하여 할 수 있는 일이라는 말.
발명-가【發明家】명 자연력(自然力)이나 자연 법칙을 이용하여 인류 사회에 도움이 되는 어떠한 새로운 고안(考案)을 한 사람.
발명-권【發明權】[一꿘] 명 발명자가 그 발명에 관하여 갖는 권리. 특허를 받을 권리와 특허를 받은 뒤의 특허권을 포함함.
발명 망:상【發明妄想】명 발양(發揚) 망상의 하나. 발명·발견을 하였다고 생각하거나 또는 그것을 실현하기 위하여 가재(家財)를 탕진하였다고 생각하는 망상. *종교(宗敎) 망상.
발명 무로【發明無路】명 죄가 없음을 밝힐 길이 없음. 변명할 도리가 없음. ——-하다 형여불
발명-왕【發明王】명 발명을 많이 한 사람. 곧, 에디슨(Edison) 같은 이.
발명의 날【發明—】[—/—에—] 명 과학 정신의 함양(涵養)과 발명 의욕의 고취를 목적으로 정한 날. 조선 세종(世宗) 24년(1442)에 측우기를 만든 날인 5월 9일을 기념해 1957년에 제정하여 실시하다가 1973년 '상공의 날'에 흡수되어 없어졌다가 1982년부터 다시 부활됨.
발명-인【發明人】명 발명자.
발명-자【發明者】명 발명을 한 사람. 발명인.
발명-품【發明品】명 새로 발명하여 낸 물품.
발모【發毛】명 털이 남. 머리카락이 남. ¶~ 촉진제. ——-하다 자여불
발-모가지 명〈속〉①발¹❶. ②발목¹.
발모-제【發毛劑】명 머리카락이나 털이 나게 하는 약.
발-목¹ 명 다리와 발이 이어지는 곳. 곧, 발의 관절(關節) 부분. ↔손목.
발목(을) 잡히다 구 ㉠어떠한 일에 꽉 잡히어서 벗어날 수가 없게 되다. ㉡남에게 어떠한 단서(端緖)나 약점을 잡히다.
발목²【撥木】명〖악〗비파(琵琶)를 타는 데에 쓰는 나무로 만든 물건.
발목걸어-틀기 명 씨름에서, 샅바를 단단히 잡고 오른쪽 발목으로 상대의 왼다리 발목을 안으로 걸어 왼쪽으로 틀어 젖혀서 상대를 넘어뜨리는 다리 기술의 하나.
발목-동아리 명〈방〉발모가지.
발목-동아지 명〈방〉발모가지.
발목-마디 명〖충〗부절(跗節).
발목-물 명 발목까지 잠길 만한 얕은 물.
발목-뼈 명〖생〗발목을 이룬 뼈. 족근골(足根骨).
발-목재기 명〈방〉발목(평안).
발-목쟁이 명 발모가지.
발몬트 [Bal'mont, Konstantin Dmitriievich] 명〖사람〗러시아의 시인. 초기 상징주의의 대표자의 한 사람. 현실 도피·파멸·악(惡)의 찬미 등 유미주의(唯美主義)의 시작(詩作)을 남겼음. 서구시(西歐詩)의 번역으로도 이름이 높음. 시집(詩集)으로 ≪불타는 건물≫ 등이 있음. [1867~1942]
발몽【發蒙】명 ①어리석음을 깨우쳐 줌. 계몽(啓蒙). ②덮개를 엶. ——-하다 자여불
발묘【拔錨】명 내렸던 닻을 거두어 올림. 곧, 배를 떠나게 함. ↔투묘(投錨). ——-하다 자여불
발묵【潑墨】명 산수화법(山水畫法)의 하나. 글씨나 그림에서 먹물이 번지어 퍼지게 하는 수법(手法). 임리(淋漓)한 묵흔(墨痕)에 의하여 운연(雲煙)의 경치를 묘사하는 수법. *파묵(破墨). ——-하다 자여불
발-묶음 명 길쌈할 때 실을 매는 법의 한 가지.
발-묶이다 자 ①돈이 없거나 방해·장애물들 때문에 나돌아다니지 못할 형편이 되다. ②교통 수단이 불통(不通)이 되어, 그 자리에 갇힌 채 통학·통근 등을 못할 형편이 되다.
발문¹【跋文】명〖문〗책 끝에 본문(本文)의 내용의 대강이나 또는 그에 관계된 사항을 간략하게 적은 글. 발사(跋辭). ㉶발(跋). ↔서문(序文).
발문²【發文】명 발통(發通). ——-하다 타여불
발미【跋尾】명 살인수(殺人囚)의 사람을 죽인 원인이나 그 정황 등을 심사하여 검안(檢案)에 기록하는 검시관의 의견서. 발사(跋辭).
발미의 싸움 [Valmy] [—/—에—] 명〔Valmy는 프랑스의 동북부 마른(Marne) 현(縣)의 한 마을〕1792년, 프랑스 혁명군이 이 곳에서 처음으로 프로이센 오스트리아 정규군을 격파한 싸움. 괴테(Goethe)도 이 싸움에서 프로이센군(軍)에 종군하고 있었는데 '이제 여기에서 세계사의 새 시대가 시작된다'고 한 그의 말은 유명함.
발민【撥悶】명 근심 걱정을 물리쳐 없앰. ——-하다 자타여불
발-밑 명 발의 밑. ¶어두워서 ~도 보이지 않는다.
발-바닥 [—빠—] 명 발의 아래쪽의 땅을 밟는 평평한 부분. 족장(足掌). 족척(足蹠). ↔발등.
발바닥에 흙 안 묻히고 살다 구 생활을 위해 분주히 돌아다닐 필요 없이, 가만히 앉아서 편하게 살다.
발바닥-뼈 [—빠—] 명〖생〗발바닥을 이룬 납작한 뼈. 족장골.
발-바당 [—빠—] 명〈방〉발바닥(평안·경상).
발바리 명 ①〖동〗[*Canis familiaris* var. *japonicus*] 개의 한 종류. 어깨 높이 30cm 가량이고 몸은 작고 다리는 짧으며, 얼굴이 움쑥 들어가고 코가 위로 잦혀졌으며, 온 몸에 긴 털이 축 늘어짐. 성질이 순하고 모양이 우미하여 애완용으로 흔히 실내에서 많이 기름. 중국 원산의 동양 특산종임. ②〈속〉진중하지 못하고 큰 볼 일 없이 여기저기 돌아다니는 사람.

〈발바리❶〉

발-바심 명〖농〗곡식의 이삭을 발로 밟아서 알을 떨어 내는 일. ——-하다 타여불
발-바투 부 발밭게. ¶솔깃한 이야기에 ~ 덤비다 / 저 힘을 써서 ~ 내 발명을 하여 주셨으면 좀 좋을까!≪崔瓚植 : 金剛門≫.
발반【發斑】명〖한의〗천연두(天然痘)·홍역(紅疫)을 앓을 때에 살갗에 발긋발긋한 부스럼 같은 것이 내돋음. ——-하다 자여불
발-받침 명 ①〈방〉발돋움❷. ②〖고고학〗눕혀진 주검의 발을 괴는 받침. 족좌(足座). 족침(足枕).
발발¹【勃勃】명 사물이 한창 일어나는 모양. ——-하다 형여불
발발²【勃發】명 일이 갑자기 크게 일어남. ¶전쟁이 ~하다. ——-하다 자여불
발:발³ 부 삭아 빠진 종이나 헝겊이 건드리기가 무섭게 째어지는 모양. ——-하다 자여불
발:발⁴ 부 ①춥거나 무섭거나 하여 작게 자꾸 떠는 모양. ¶겁이 나서 ~ 떨다. ②몸을 바닥에 대고 작은 동작으로 기는 모양. ¶~ 기어 오다. ③대단치도 아니한 것을 가지고 몹시 아끼는 모양. ¶돈 몇 푼 가지고 ~ 떤다. 1)·3):<벌벌. *오들오들.
발발-성【一聲】[—썽] 명〖악〗①판소리 창법(唱法)에서, 떨리며 나오는 변화된 목소리. ②거문고나 가야고 따위의 연주에서 내는 떨림음.
발밤-발밤 부 부질 없이 발길이 닿는 대로 한걸음 한걸음 걷는 모양. ——-하다 자여불
발밧다 자〈옛〉발 벗다. ¶발바술 션(跣)≪字會下 27≫.
발-방아 명〈방〉디딜방아.
발-밭다 형 무슨 일이든지 기회를 놓치지 아니하고 재빠르게 붙잡아 이용하는 소질이 있다.
발배¹【發配】명 죄인(罪人)을 배소(配所)로 보냄. ——-하다 자여불
발배²【醱醅】명 발효(醱酵). ——-하다 자여불
발버둥이-치다 자 ①불평 불만이 있어 앉거나 누워서 다리를 내뻗었다 오므렸다 하여 몸부림 치다. ¶분해서 ~. ②무슨 일을 피하려고 몹시 애쓰다. 발버둥치다. ¶파산을 면하려고 ~.
발버둥-질 명 발버둥이치는 짓. ㉶버둥질. ——-하다 자여불
발버둥질-치다 자 발버둥이치다. ㉶버둥질치다.
발버둥-치다 자 발버둥이치다.
발-버드래 명〖악〗한강(漢江) 이남 경기도와 충청도의 무속(巫俗) 음악에 쓰이는 장단(長短)의 하나. 6박자임.
발-벗다 자 ①버선이나 양말을 신지 아니하다. ②신을 신지 아니하다. ③있는 재주나 힘을 다하다.
발벗고 나서다 구 무슨 일에 자기를 돌보지 아니하고 적극적으로 덤벼들다. 맨발 벗고 나서다. ¶친구 일에 ~.
발:베크 [Baalbek] 명〖지〗시리아의 고도(古都). 베이루트와 다마스커스의 중간에 있어 교통·상업의 요지로서 번창했음. 디오니소스(Dionysos)와 유피테르(Jupiter)의 신전(神殿) 등 로마 시대의 유적이 남아 있음. [17,700명(1970)]
발-병¹【一病】[—뼝] 명 발에 생기는 병의 총칭.
발병²【發兵】명 군사를 냄. 군사를 보냄. 발군(發軍). ——-하다 자여불
발병³【發病】명 병이 생김. ——-하다 자여불

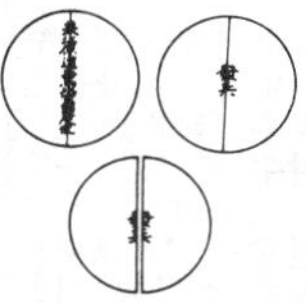
〈발병부〉

발병-부【發兵符】㊔〖역〗동병(動兵)의 표적. 직경 7cm, 두께 1cm쯤 되는 잘 다듬은 나무쪽의 한 면(面)에 '發兵'이란 두 글자를 쓰고 또 다른 한 면에 길이로 어느 도(道) 관찰사(觀察使), 어느 도 절도사(節度使) 등의 칭호(稱號)를 쓴 한 가운데를 쪼개어 오른쪽은 그 책임자에게 주고, 왼쪽은 임금이 가졌다가 동병할 필요가 있을 때 그 쪽과 교서(教書)를 내림. 받은 이는 이것을 맞추어 본 뒤에 동병에 응함. ㊟병부(兵符).

발보아[1] 〔Balboa, Vasco Núñez de〕㊔〖사람〗스페인의 탐험가(探險家). 1513년에 파나마 지협(地峽)을 횡단, 태평양(太平洋)을 발견함. 파나마 총독과 불화가 생겨서 반역죄로 처형됨. ＊피사로(Pizarro). [1475-1519]

발보아[2] 〔balboa〕㊙ 파나마의 화폐 단위. 100 센테시모(centesimo)와 같음.

발-보이다 ㊕ ①재주를 남에게 자랑하느라고 일부러 드러내 보이다. ②무슨 일의 끝만 잠깐 드러내 보이다. ㊟발뵈다.

발복【發福】㊔〖민〗운이 틔어 복이 닥침. ¶금시(今時) ～/당대(當代) ～. ——-하다 ㊄㊒

발복지-지【發福之地】㊔〖민〗자손이 복을 받으리라는 좋은 묏자리.

발본【拔本】㊔ ①장사에서 이익이 남아 밑천을 뽑음. ②근본 원인을 뽑아 버림. ¶～ 색원. ——-하다 ㊕㊒

발본 색원【拔本塞源】㊔ 폐단의 근원(根源)을 아주 뽑아서 없애 버림. ¶부조리를 ～하다. ——-하다 ㊕㊒

발-봉【鉢峯】㊔〖지〗①함경 남도 풍산군(豐山郡) 동천면(東川面)에 있는 산. [1,851 m] ②금강산(金剛山) 속에 있는 봉우리의 하나. [658 m]

발-뵈다[1] ㊕ ↗발보이다. ¶은근히 생정 부모를 생각하여 …눈물을 금치 못하되 김씨 내외 보는 데는 그런 사색을 조금도 발뵈지 아니하는 고로…≪作者未詳：恨月≫.

발뵈다[2] ㊕ 〈옛〉 팔아 내다. ¶발뵐 슈(售)≪字會 下 21≫.

발부[1]【發付】㊔ 증서·영장 등을 발행함. ¶구속 영장의 ～.——-하다 ㊕㊒

발-부[2]【髮膚】㊔ 머리털과 피부(皮膚). ¶신체 ～.

발-부리 [—뿌—] ㊔ 발끝의 뾰족한 부분. 족첨(足尖). ¶돌이 ～에 채다.

발분【發憤·發奮】㊔ 분발(奮發). ¶～해서 공부하다. ——-하다 ㊄㊒

발분 망식【發憤忘食】㊔ 발분하여 끼니까지 잊음. ——-하다 ㊄㊒

발분 흥기【發憤興起】㊔ 분발하여 일어남. 발분하여 힘씀. ——-하다 ㊄㊒

발-붙이다 [—부치—] ㊄ 의지하다. 디디고 서다.

발-붙임 [—부침] ㊔ 의지할 곳.

발비[1] ㊔〖건〗서까래 위에 산자(橵子)를 깔고 알매 흙이 새지 못하게 하기 위하여 그 위에 덧까는 지저깨비들의 잡살뱅이 나뭇조각. 서사을목(西土乙木).

발비[2]【髮匪】㊔〖역〗장발적(長髮賊).

발빈【拔貧】㊔ 가난을 벗어남. 구차하면 사람의 형편이 펴게 됨. ¶이 담에 갈 때 한 몫 따루 가지구 가서 너의 이종매를 ～시켜 주어라≪洪命憙：林巨正≫. ——-하다 ㊄㊒

발-빠르다 ㊖㊋ 발걸음이 빠르다. 이동(移動)이 빠르다. ¶발빠른 행마(行馬)/발빠르게 움직이다.

발-빠지다 ㊄ 무슨 일에 한몫 끼었다가 관계가 끊어지게 되다. ¶겨우 발빠져 나왔다.

발-빼다 ㊄ 어떤 일에 한몫 끼었다가 관계를 끊고 물러나다. ¶그 일에서 발뺐다.

발-뺌 ㊔ 책임을 면하려고 슬슬 피함. 또, 그 변명. ¶비겁하게 ～하려 든다. ——-하다 ㊄㊒

발-뻐드래 ㊔〖악〗몰이[2].

발-뻗다 ㊄ 다리를 뻗어 발을 멀리 두다.

발뻗고 자다 ㊗ 곤란한 일에서 벗어나 마음 놓고 편히 자다.

발-뼈 ㊔〖생〗족골(足骨).

발사[1]【發射】[—싸] ㊔ 총포(銃砲)나 활 같은 것을 내쏨. 방사(放射). ¶어뢰 ～/미사일 ～. ——-하다 ㊕㊒

발사[2]【跋辭】[—싸] ㊔ ①발문(跋文). ②발미(跋尾).

발사-각【發射角】[—싸—] ㊔ 사각(射角).

발사-관【發射管】[—싸—] ㊔〖군〗군함에 장치하여 어형 수뢰(魚形水雷)를 발사하는 주강제(鑄鋼製)의 둥근 통(筒). 수뢰 발사관.

발사-대【發射臺】[—싸—] ㊔〔launcher〕〖군〗미사일 등을 발사하기 위하여 고정시켜 놓은 장치.

발사 속도【發射速度】[—싸—] ㊔ 발사물(發射物)을 발사할 때의 속도. 탄환이나 로켓 따위를 발사하는 속도.

발사-약【發射藥】[—싸—] ㊔ 화기(火器)의 약실(藥室)이나 연소실(燃燒室) 안에서 점화(點火) 연소하여 발생한 고온도의 가스 압력으로 탄환 또는 로켓을 멀리 날아가게 하기 위하여 사용하는 액체 또는 고체의 화약.

발사-장【發射場】[—싸—] ㊔ 지대공(地對空) 또는 지대지(地對地) 미사일의 발사 능력을 가진 기지(基地) 또는 시설.

발사 지점【發射地點】[—싸—] ㊔ 총포 따위를 발사한 지점.

발산[1]【拔山】[—싼] ㊔ 산을 뽑을 만한 정도의 세(勢).

발산[2]【發散】[—싼] ㊔ ①병(病)의 기운이 헤쳐짐. ②퍼져서 흩어짐. 또, 퍼져서 흩어지게 함. ¶악취를 ～하다. ③〖물〗물체가 그 표면으로부터 복사선을 방출함. ¶～ 렌즈. ④〖수〗수열(數列)·급수 등과 같은 수치(數値)의 무한 계열(無限系列)이 어느 유한(有限)의 일정값에 수렴(收斂)하지 아니함. 급수의 합(合)이나 적분(積分)의 값이 무한대나 부정(不定)으로 되는 것. ¶～ 급수. ⑤정열·울분 등을 적당히 행동에 나타내어, 쌓인 것을 해소함. ¶젊음을 마음껏 ～하다. 3)·4)：↔수렴. ——-하다 ㊄㊕㊒

발산 개:세【拔山蓋世】[—싼—] ㊔〔힘은 산을 뽑고, 기(氣)는 세상을 덮을 만큼 용장(勇壯)한 기상(氣象)〕세력이 강하고 원기가 왕성함. 역발산 기개세.

발산 광선속【發散光線束】[—싼—] ㊔〔divergent pencil of rays〕〖물〗한 점에서 흩어져 나가는 광선속. 곧, 오목 렌즈의 앞에 있는 물점(物點)에서 나온 빛이 렌즈를 통과한 후 그 물점의 허상(虛像)에서 발하는 것처럼 나가는 경우의 광선속. ↔수렴(收斂) 광선속.

발산 기류【發散氣流】[—싼—] ㊔〖기상〗좁은 구역에서 넓은 구역으로 불어 나가는 기류. ↔수렴(收斂) 기류.

발산 렌즈【發散—】[—싼—] ㊔〔divergent lens〕〖물〗평행 광선을 대면, 이것을 중심보다 바깥쪽으로 향하여 굴절(屈折)시키는 렌즈. 곧, 오목 렌즈.

발산-류【發散流】[—싼뉴] ㊔〖식〗식물이 잎으로 발산시킨 수분을 채우려고 뿌리로써 땅 속의 물기를 빨아 올리는 작용.

발산 수:열【發散數列】[—싼—] ㊔〖수〗수렴(收斂)하지 아니하는 수열.

발산 작용【發散作用】[—싼—] ㊔〖생〗증산 작용(蒸散作用)의 구칭.

발삼 〔balsam〕㊔〖화〗침엽수(針葉樹)에서 분비되는 반유동성의 액체. 물에 녹지 아니하고, 알코올과 에테르에 녹음. 송지(松脂)는 그 주성분임. 약용과 공업용으로 쓰임.

발상[1]【發祥】[—쌍] ㊔ ①천명(天命)을 받아 천자가 될 길조를 나타냄. ②제왕(帝王)이나 그 조상의 출생. ③상서로운 일이 생김. 행복의 조짐이 나타남. ④기원(起源). ¶고대 문명의 ～. ⑤〖악〗조선 세종 때 창제된 악무(樂舞)의 하나. 조선 왕조를 세운 이 태조(李太祖)와 그의 조상이 하늘의 명을 따른 상서(祥瑞)를 받았다는 내용을 노래와 춤으로 나타낸 무곡(舞曲). 모두 11 악장. 발상지악(發祥之樂). ——-하다 ㊄㊒

발상[2]【發喪】[—쌍] ㊔ 상제가 머리를 풀고 울어서 초상난 것을 발표하는 일. 거애(擧哀). ——-하다 ㊄㊒

발상[3]【發想】[—쌍] ㊔ ①사상을 표현함. ②어떤 생각이 떠오름. 착상(着想). ¶기발한 ～. ③〖악〗곡상(曲想)·곡의 완급(緩急) 강약(強弱)을 표현함. 익스프레션.

발상 기호【發想記號】[—쌍—] ㊔〖악〗'나타냄표'의 한자 이름.

발상-지【發祥地】[—쌍—] ㊔ ①나라를 세운 임금이 난 땅. ②큰 사업(事業)이나 문화가 처음으로 일어난 땅. ¶고대 문명의 ～.

발상지-악【發祥之樂】[—쌍—] ㊔〖악〗발상(發祥)❺.

발상 표어【發想標語】[—쌍—] ㊔〖악〗'나타냄말'의 한자 이름.

발-샅 [—싿] ㊔ 발가락의 사이. 발새.

【발샅에 끼인 때; 발샅의 때꼽재기】아주 미미하고 무가치하고 더러운 것. ¶우리를 발샅에 끼인 때만큼도 못 알 터이니≪金敎濟：牡丹花≫.

발-새[1] [—쌔] ㊔ 발샅.

발새[2] ㊔ ☞발씨[1]. ¶～ 익은 길.

발색【發色】[—쌕] ㊔ ①컬러 필름·염색 따위에서 색채의 됨됨이. ②처리를 하여 빛깔을 냄. ——-하다 ㊄㊒

발색-단【發色團】[—쌕—] ㊔〔chromophoric group〕〖화〗유기 화합물의 빛깔을 나타내는 원인(原因)을 이룬다고 생각되는 원자단(原子團). 카르보닐기(carbonyl基)·아조기(azo基)·니트로기(nitro基) 등. 염색의 기구(機構)를 설명하기 위하여 도입된 개념임. ＊조색단(助色團).

발색 반:응【發色反應】[—쌕—] ㊔〔color reaction〕〖화〗화학 변화를 할 때 발색(發色)·변색(變色)의 현상을 일으키는 반응. 시료 용액(試料溶液)에 시약(試藥)을 가하여 특수한 색을 발현(發現)시켜 물질을 검출하는 정성 분석(定性分析)에 이용됨. 삼가(三價)의 철이온(鐵ion)을 포함한 용액에 로단화 암모늄(rhodan 化 ammonium)을 가하면 농적색(濃赤色)을 나타내는 것과 같은 반응. 정색(呈色) 반응.

발색 시:약【發色試藥】[—쌕—] ㊔〖화〗시료 물질(試料物質)과의 화학 반응에 의하여 특정한 빛깔을 나타내는 시약. 정성(定性) 분석·정량(定量) 분석 등에 쓰임. 정색(呈色) 시약.

발색 시험【發色試驗】[—쌕—] ㊔〖화〗시험재의 일부를 약품으로 녹여서 시약(試藥)을 적당히 넣고 발색 반응을 일으켜 재료의 화학 성분(化學成分)을 조사하는 방법. 정색(呈色) 시험.

발색 현:상【發色現像】[—쌕—] ㊔ 천연색 사진에서, 색화상(色畫像)을 얻기 위하여 행하는 현상 처리. 발색할 때 색화상과 은화상(銀畫像)이 동시에 이루어지기 때문에 현상 후 탈은 정착(脫銀定着)을 하여 색화상만을 남게 함.

발생【發生】[—쌩] ㊔ ①생겨남. 태어남. ②일이 비롯하여 일어남. ③〖생〗생물이 난자(卵子)로부터 차차 성체(成體)가 되는 과정(過程). 또, 배(胚)가 자라서 개체(個體)의 식물이 되는 과정. 개체 발생(個體發生). ——-하다 ㊄㊒

발생-기【發生期】[—쌩—] ㊔〖화〗발생기 상태.

발생 기구학【發生機構學】[—쌩—] ㊔〖생〗실험 발생학(實驗發生學).

발생기 상태【發生期狀態】[—쌩—] ㊔〔nascent state〕〖화〗어떤 원소(元素)의 원자(原子)가 어느 화합물로부터 유리되는 순간에 화학적으로 극히 활성(活性)이 강하여 반응성(反應性)이 풍부한 상태에 이르는데, 이 때의 상태를 말함. 예컨대, 묽은 황산 중에서 아연과 반응해서 생기는 수소(水素)는 발생 순간에는 발생기 상태에 있으며, 보통의 수소보다 강력한 환원력(還元力)을 가짐. 발생기.

발생 단계표【發生段階表】[—쌩—] ㊔〖생〗한 생물의 개체(個體) 발생에 있어서 발생 과정을 외형의 변화를 기준으로 해서 일정한 단계로 구분하여 번호를 매겨, 각 단계의 그림을 발생 순서에 따라 배열(配列)한 그림. 양서류(兩棲類)에서는 약 50기(期), 성게에서는 약 15기(期)로 구분함.

발생로 가스【發生爐—】[—쌩노—] ㊔〔producer gas〕〖화〗백열(白熱)한 석탄에 적당한 공기를 섞어서 만든 연료용 가스. 대개 수소 5%, 메탄 2%, 일산화 탄소 29%, 탄산 가스 2%, 질소 62% 임. 공기(空氣)

가스. *가스(gas) 발생로.

발생 생리학【發生生理學】[—쌩생니—] 명 《생》 생물이 생겨난 경과 중에서 형태의 구성과 작용을 연구하는 과학. 생리학적 방법으로 연구하는 발생학.

발생 생물학【發生生物學】[—쌩생—] 명 《생》 생물의 알에서 성체(成體)로 분화(分化) 성장하는 과정에 있어서 형태(形態)의 변화와 그에 관련된 모든 연구를 목적으로 하는 학문. 포유(哺乳) 동물에 대해서는 '태생학(胎生學)'이라고도 함.

발생 심리학【發生心理學】[—쌩—니—] 명 발달 심리학.

발생 예:찰【發生豫察】[—쌩녜—] 명 농작물이나 산림에 손해를 주는 병충·해충에 대하여 적기(適期)에 방제(防除) 조치를 취하기 위해 그 발생 시기를 예찰하는 일.

발생 유전학【發生遺傳學】[—쌩뉴—] 명 《생》 유전자의 발생 과정에 있어서의 발현 기구(發現機構)를 연구하는 학문. 유전학과 발생학의 경계 영역을 연구하는 분야임. 생리(生理) 유전학과 실험 발생학의 쌍방에서 발전하였음.

발생-적【發生的】[—쌩—] 명관 ①현상·상태·조건의 기원에 관한 모양. ②유전(遺傳)의 원질(原質)에 관한 모양. ③어떤 기원(起源)으로부터 발전하는 과정에 관한 모양.

발생적 방법【發生的方法】[—쌩—] 명 《철》 개념(槪念)이나 인식(認識)이 어떻게 생성(生成)하여 발전해 왔는가를 사실적으로 설명하는 방법. ↔비판적 방법·선험적 방법.

발생적 심리학【發生的心理學】[—쌩—니—] 명 《심》 심리학의 한 분과. 단순한 의식으로부터 복잡한 의식으로 발달하는 경로를 밝히며 다시 정신 발달에 관한 법칙을 연구하는 심리학. 개인의 심의(心意) 발달을 연구하는 것과 생물 또는 인류의 역사적 정신 진화(歷史的精神進化)를 연구하는 것의 두 가지가 있음. 앞의 것엔 아동 심리학이 있으며 뒤의 것엔 민족 심리학이 있음. 발달 심리학.

발생적 연:구【發生的硏究】[—쌩—년—] 명 사물의 발생으로부터 시작하여 시간적·인과적(因果的)인 경과를 좇아 그 발달·변화를 연구하는 방법. 생기적 연구(生起的硏究).

발생적 정:의【發生的定義】[—쌩— / —쌩—이] 명 정의(定義)에 있어서 본질적 속성(屬性)의 분석이 곤란한 경우 그 발생·성립의 조건을 들어 정의하는 것으로, 개념을 그 부분의 내용에서 정의하는 것. *분석적 정의.

발생-주의【發生主義】[—쌩— / —쌩—이] 명 《경》 기업 회계의 기본적 원칙의 하나. 자산·부채·자본의 증감이나 수익과 비용의 기록을 그 발생 사실에 따라서 행하며, 특히 수익과 비용은 발생한 연도(年度)에 할당되도록 처리하는 회계 방식. ↔현금주의(現金主義).

발생-지【發生地】[—쌩—] 명 발생한 지역.

발생-학【發生學】[—쌩—] 명 《생》 생물학의 한 분과. 개체(個體)의 발생 과정에서 볼 수 있는 형태적인 변천을 기술하여 그 기구(機構)를 연구하는 학문. 수법(手法)이나 대상(對象) 등에 의하여, 실험(實驗) 발생학·비교 발생학·발생 유전학 등으로 나누어짐.

발-서슴 명 쉼없이 두루 찾아다님. ¶장사치라면 밝은 날에 ～을 할 일이지 밤중에 웬 거조냐 ≪金周榮 : 客主≫. ——-하다 자여불

발선【發船】[—썬] 명 배를 띄워서 나아감. 배가 떠남. 발항(發航). ↔착선(着船). ——-하다 자여불

발설【發說】[—썰] 명 말을 내어 남이 알게 함. ¶누가 ～했는가. ——-하다 자타여불

발설 지옥【拔舌地獄】[—썰—] 명 《불교》 말로써 사악(邪惡)한 짓을 저지른 자가 떨어진다는 지옥. 혀를 잡아 뺀다고 함.

발섭【跋涉】[—썹] 명 산을 넘고 물을 건너서 길을 감. 전(轉)하여, 여러 곳을 두루 돌아다님. ¶내 소시적부터 쇠전머리를 ～하면서 암소를 행매하기는 예사였네만, …≪金周榮 : 客主≫. ——-하다 타여불

발성【發聲】[—썽] 명 소리를 냄. ¶～ 기관(器官). ——-하다 자여불

발성-기【發聲器】[—썽—] 명 《생》 발성에 관여하는 기관(器官). 성대(聲帶)·구강(口腔)·비강(鼻腔) 같은 것.

발성-법【發聲法】[—썽뻡] 명 ①소리를 내는 방법. ②《악》 성악(聲樂)의 기초 훈련으로서 행하는 소리 내는 방법.

발성 영화【發聲映畫】[—썽녕—] 명 영사(映寫)할 때, 영상(映像)을 따라 동시에 음성과 음악 같은 것을 내게 하는 영화. 발성 활동 사진. 키네토폰(kinetophone). 토키. 음화(音畫). ↔무성 영화(無聲映畫).

발성 활동 사진【發聲活動寫眞】[—썽—똥—] 명 발성 영화.

발셔다 자 〈옛〉 멍울서다. 핏발서다. ¶발션 혼(腪)≪字會 中 35≫.

발소【撥所】[—쏘] 명 《역》 서울과 의주(義州) 사이에 군데군데 있던 역참(驛站).

발-소리 [—쏘—] 명 걸음을 걸을 때 발이 땅에 부딪쳐 나는 소리. ¶～를 죽이고 걷다.

발소-부【—疋部】명 한자 부수(部首)의 하나. '疏'나 '疎' 등의 '疋'의 이름.

발송【發送】[—쏭] 명 물건이나 편지·서류 같은 것을 보냄. ¶～인(人)/화물을 ～하다. ——-하다 타여불

발송-인【發送人】[—쏭—] 명 발송자(發送者).

발송-자【發送者】[—쏭—] 명 발송한 사람.

발-송전【發送電】[—쏭—] 명 발전(發電)과 송전(送電).

발송-지【發送地】[—쏭—] 명 발송한 곳.

발-솥 명 발이 세 개 달린 솥.

발:쇠 [—쐬] 명 남의 비밀을 살펴서 다른 사람에게 알려 주는 짓. 준발.

발쇠(를) 서다 구 남의 비밀을 살펴 알아내어 다른 편 사람에게 일러바치다.

발:쇠-꾼 [—쐬—] 명 발쇠를 서는 사람. ¶실제로 포청의 ～ 노릇을 전문으로 하는 깍정이들도 있었던 것이다 ≪金周榮 : 客主≫.

발수¹【拔穗】[—쑤] 명 《농》 벼나 보리·밀 등의 좋은 씨앗을 받으려고 잘 익은 이삭을 골라서 뽑음. 또, 그 이삭. ——-하다 타여불

발수²【發售】[—쑤] 명 발매(發賣). ——-하다 타여불

발수³【發穗】[—쑤] 명 벼 따위 볏과(科)에 속하는 식물의 이삭이 팸. 또, 그 팬 이삭. 출수(出穗). ——-하다 자여불

발수-기【發穗期】[—쑤—] 명 《농》 벼·보리·밀 따위의 이삭이 패는 시기.

발수-성【撥水性】[—쑤썽] 명 천이나 종이 따위의 표면에 물이 스며들지 않는 성질.

발스¹ [프 valse] 명 《악》 왈츠(waltz).

발:스² [Waals, Johannes Diderik van der] 명 《사람》 네덜란드의 물리학자. 1877년 유명한 기체의 상태 방정식(狀態方程式)을 수립, 또 모세관(毛細管) 현상의 열학(熱學) 이론을 세우는 등 열학 연구에 관한 연구로 1910년 노벨 물리학상을 받음. 반 데르 발스. [1837-1923]

발신¹【發身】[—씬] 명 천하고 구차한 환경으로부터 몸을 일으켜 섬. ¶언제나 ～을 해서 저까짓 놈들 원수를 좀 갚아 주실려오 ≪張德祚 : 狂風≫. ——-하다 자여불

발신²【發信】[—씬] 명 소식이나 우편 또는 전신(電信)을 보냄. ¶～일(日)/～지(地). ↔수신(受信). ——-하다 타여불

발-신경절【—神經節】명 [pedal ganglion] 《동》 연체 동물의 발에 있는 한 쌍의 신경절. 여기서부터 발의 근육에 말초 신경이 분포함. 족(足)신경절.

발신-국【發信局】[—씬—] 명 전파·통신을 보낸 국(局). 곧, 전파·통신을 보낸 우체국이나 전신 전화국 같은 곳. *발신지.

발신-기【發信機】[—씬—] 명 《기》 ①송신기(送信機). ②신호(信號)를 발송하는 기계 장치. 화재 경보기(火災警報機) 같은 것.

발신-소【發信所】[—씬—] 명 발신을 하는 처소(處所). 발신처. *발신국(發信局).

발신-음【發信音】[—씬—] 명 자동식 교환 전화에서, 가입자가 송수화기를 들었을 때 국(局)의 교환기가 보내는 가청(可聽) 주파의 신호음.

발신-인【發信人】[—씬—] 명 발신한 사람. 발신자. ↔수신인(受信人).

발신-일【發信日】[—씬—] 명 발신한 날짜. ↔수신일(受信日).

발신-자【發信者】[—씬—] 명 발신인(發信人).

발신-주의【發信主義】[—씬— / —씬—이] 명 《법》 특정한 상대방에 대해서 의사 표시의 효력 발생 시기에 관하여, 의사 표시는 발신한 때에 그 효력을 발생한다는 주의. 민법은 도달주의를 원칙으로 하나, 민법·상법 중에서 계약의 승낙이나 주주 총회의 통지 등은 예외로 발신주의를 취하는 경우가 있음. ↔수신주의·도달주의(到達主義).

발신-지¹【發信地】[—씬—] 명 통신을 보낸 곳.

발신-지²【發信紙】[—씬—] 명 ↗전보 발신지.

발신-처【發信處】[—씬—] 명 발신한 곳. 발신소.

발심【發心】[—씸] 명 ①무슨 일을 하겠다고 마음을 냄. ②《불교》 보리(菩提)를 얻고자 하는 마음을 일으킴. 보리심을 일으킴. 발기 보리심. ——-하다 자여불

발심-문【發心門】[—씸—] 명 《불교》 사문(四門)의 하나로, 동문(東門)을 말함. 밀교(密教)에서, 발심·수행(修行)·보리(菩提)·열반(涅槃)의 네 단계의 첫 단계인 발심에 견주어 이르는 것임.

발심 수행장【發心修行章】[—씸—] 명 《책》 신라 원효(元曉)가 지은 책. 불교에 뜻을 둔 사람에게 교훈이 되는 책. 조선 선조(宣祖) 10년(1577) 간행.

발-싸개 명 버선을 신을 때에 잘 들어가게 하기 위하여 먼저 발을 싸는 헝겊이나 종이. ¶거지 ～ 같은 놈.

발싸심 명 ①몸을 비틀면서 비비적거리는 짓. ②무슨 일을 하고 싶어서 애를 쓰며 들먹거리는 짓. ¶남의 일에 ～하다. ——-하다 자여불

발쌔 부 〈방〉 벌써(충청·평안).

발써 부 〈방〉 벌써(경남).

발쎄¹ 명 〈방〉 발씨¹.

발쎄² 부 〈방〉 벌써(충청·평안).

발씨¹ 명 길을 걷는데 그 길이 서투르거나 또는 익숙한 발의 버릇. ¶～가 생소하여 동서를 분별키가 어렵다.

발씨(가) 서투르다 구 자주 다녀 보지 않던 길이어서 길이 익숙하지 못하다.

발씨(가) 익다 구 여러 번 다녀서 길이 익숙하다. ¶발씨 익은 길.

발씨² 부 〈방〉 벌써(경북).

발-씨름 명 두 사람이 마주 앉아서 같은 쪽의 다리를 세우고 그 밑으로 두 손을 넣어 깍지를 끼고 그 다리의 발 끝을 땅에다가 맞대고 서로 밀어 넘어뜨리는 장난.

발-씻다 자 (더러워진 발을 씻듯) 못된 짓이나 천한 직업 같은 데서 떠나다.

발아¹【發芽】명 《식》 ①초목(草木)의 눈이 틈. ②씨앗에서 싹이 나옴. 아생(芽生). ¶～가 늦어지다. ↔발근(發根). ——-하다 자여불

발아²【發蛾】명 누에가 나방이 되어서 고치를 뚫고 나옴. 나방내기. ——-하다 자여불

발아-공【發芽孔】명 [germ pore] 《식》 화분(花粉) 표면의 일정한 곳에 있는 하나 또는 몇 개의 작은 구멍. 화분관(花粉管)이 발아할 때 이 구멍으로 나옴.

발아-기【發芽期】명 싹이나 순이 트는 시기.

발아-력【發芽力】명 발아하는 힘.

발아리【勃牙利】명 《지》 '불가리아(Bulgaria)'의 취음(取音).

발아-법【發芽法】[—뻡] 명 《식》 아생법(芽生法).

발아 시험【發芽試驗】명 《농》 씨앗의 발아력(發芽力)을 판정하기 위하여 행하는 시험. 일반적으로 거름종이·모래 따위를 깐 용기(容器)에 물을 좀 주고, 검정할 씨앗을 뿌려 최종적으로 발아한 씨앗 수의 전체

에 대한 백분율로써 발아력의 양부(良否)를 판정하는 일이 많음.

발아 억제 물질【發芽抑制物質】[―찔] 명〖생〗종피(種皮)·배젖·과즙(果汁) 속 따위에 있는, 발아를 억제하는 물질의 총칭. 씨앗이나 과실 안에 있는 것으로는 암모니아·시안화 수소산·에틸렌·개자유(芥子油)·불포화산(不飽和酸) 등이 알려져 있음.

발아-율【發芽率】명〖식〗아생(芽生)하는 율(率). 싹이 트는 율.

발악【發惡】명 사리를 분간하지 아니하고 덮어 놓고 모지락스러운 소리나 짓을 함. ¶ 최후의 ~. ――하다 자여불

발악-스럽다【發惡―】형ㅂ불 어떠한 것에나 배겨내는 힘이 다부지다. 발악-스레【發惡―】부

발안【發案】명 ①고안(考案)을 냄. 생각해 냄. ②의안(議案)을 제출함. 발의(發議). ――하다 자타여불

발안-권【發案權】[―꿘] 명〖법〗법률안 또는 예산안(豫算案) 등을 의회(議會)에 제출할 수 있는 권한. 발의권. 제안권. 이니시어티브.

발안-자【發案者】명 ①어떠한 고안(考案)을 낸 사람. ②의안(議案)을 제출한 사람.

발암[1] 명〈옛〉①바람. ¶ 風壁同訓皆云 발암《雅言 卷一》. ②바람벽. ¶ 風壁同訓皆云 발암《雅言 卷一》.

발암[2]【發癌】명 암이 발생함. 암을 발생시킴. ――하다 자여불

발암 물질【發癌物質】[―찔] 명〔carcinogen〕〖의〗암종(癌腫) 또는 다른 악성 종양(惡性腫瘍)의 발육을 자극하는 요인이 되는 물질. 벤조피렌 등의 다핵 방향족(多核芳香族) 탄화 수소·아조(azo) 화합물·방향족 아민(amine)·방사성 물질 등 많은 화학 물질에 발암성이 있는 것으로 알려져 있음.

발암-성【發癌性】[―썽] 명〖의〗어떤 종류의 약물(藥物)이나 방사선(放射線)에 함유되어 암을 유발하는 작용이나 성질.

발암 실험【發癌實驗】명〖의〗실험 동물을 써서 암을 발생하도록 하기 위한 실험. 여러 가지 약물(藥物)이나 방사선·바이러스(virus) 등을 이용한 실험이 알려져 있음.

발양[1]【勃壤】명 부드러운 가루 모양의 흙. 잘게 부스러진 흙.

발양[2]【發揚】명 마음·기운·재주·기세(氣勢) 같은 것을 떨쳐 일으킴. ¶ 국위를 ~하다. ――하다 타여불

발양[3]【發陽】명 양기(陽氣)가 움직여서 일어남. ――하다 자여불

발양 망:상【發揚妄想】명 자기 자신을 과대(過大) 평가하거나 원망(願望)이 충족되었다고 생각하는 망상. 과대(誇大) 망상·발명(發明) 망상·종교(宗敎) 망상·은사(恩赦) 망상·임신(妊娠) 망상 등이 이에 속함. ↔ 미소(微小) 망상.

발양-머리【發陽―】명 양기가 왕성하게 일어날 시기(時期), 곧 한창 시절.

발양 상태【發揚狀態】명〖의〗의식(意識)은 대체로 혼탁되어 있지 않으나 고성(高聲)을 내거나 울거나 난폭하게 굴거나 자기의 주위에 대하여 분별 없는 행동을 하는 형태.

발양성 정신병질【發揚性精神病質】[―썽―뼝―] 명〖의〗극히 명랑한 기분을 가지며 능동적인 경향이 있는 정신 병질의 한 유형. *억울성 정신병질·무력성 정신병질.

발어【發語】명 발언(發言). ――하다 자여불

발언[1]【勃焉】명 발이(勃爾). ――하다 자여불

발언[2]【發言】명 ①말을 냄. 말을 꺼냄. 또, 그 말. 발어(發語). ¶ ~을 금하다. ②구두(口頭)로 의견을 진술함. 또, 그 말. ――하다 자타여불

발언-권【發言權】[―꿘] 명 ①어떠한 회의 석상(席上)에서 발언할 수 있는 권리. ¶ ~을 얻다. ②발언에 대한 권위. ¶ ~이 세다. ㈜언권(言權).

발여 감〈방〉굽아.

발-연[1]【―鳶】[―련] 명 밑부분이나 양옆 부분에 일정한 길이나 모양으로 색종이를 오려서 발처럼 붙인 연.

발연[2]【勃然·艴然】명 ①벌컥 일어나는 모양. ②왈칵 성을 내는 모양. ¶ ~히 진노하시다. ――하다 자여불. ――히 부

발연[3]【發煙】명 연기를 냄. ――하다 자여불

발연 대:로【勃然大怒】명 왈칵 성을 내어 크게 노함. ――하다 자여불

발연 무:기【發煙武器】명〖군〗발연제(發煙劑)를 써서, 연기를 내게 하는 무기의 총칭. 발연함·발연통 같은 것.

발연 변:색【勃然變色】명 왈칵 성을 내어 얼굴 빛을 변함. 발연 작색. ――하다 자여불

발연-사【鉢淵寺】명〖불교〗금강산에 있는 유점사(楡岾寺)의 말사(末寺). 입구에 발(鉢) 모양의 못이 있음. 신라 때 진표(眞表)가 창건함. 지금은 작은 암자만 남아 있음.

발연 염산【發煙鹽酸】[―념―] 명〖화〗37.2%의 염화 수소를 함유한 염산. 공기 중에서 발연함.

발연 작색【勃然作色】명 발연 변색(勃然變色).

발연-점【發煙點】[―쩜] 명〔smoke point〕등유(燈油)가 연기를 내지 않고 탈 때의 불꽃의 최대 높이. 밀리미터 단위로 표시하며 제트 연료나 등유의 연소 청정도(燃燒淸淨度) 측정에 쓰임.

발연-제【發煙劑】명 연기를 내는 데 쓰는 약제. 곧 황린(黃燐)·황산 무수물·삼염화 비소(三塩化砒素) 등. 흔히 연막·독연(毒煙)·신호연(信號煙) 등으로 군용(軍用)에 쓰임. 연막제.

발연 질산【發煙窒酸】[―싼] 명〔fuming nitric acid〕〖화〗발연성(發煙性)의 질산. 과산화 질소를 많이 함유하고 있는 적갈색의 맑은 액체로 공기 속에서 질식성(窒息性)의 황갈색 증기(蒸氣)를 내며 열을 가하면 완전히 휘발(揮發)함.

발연-체【發煙體】명 연기를 내는 물체.

발연-탄【發煙彈】명〖군〗발연제(發煙劑)를 그 안에 충전한 탄알. 발사하거나 투사(投射)하거나 또는 던져서 연막을 치는 데 씀. 연막탄.

발연-통【發煙筒】명 발연제(發煙劑)가 들어 있어 터뜨리면 연기를 내뿜게 되어 있는 쇠통(筒). 연막이나 신호용으로 쓰임.

발연 황산【發煙黃酸】명〔fuming sulfuric acid〕〖화〗황산 무수물의 증기(蒸氣)를 다량으로 진한 황산(黃酸)에 흡수시킨 것. 끈적끈적한 유상액(油狀液)으로 공기 중에서 발연함. 물감·화약 등의 원료나 산화제 등으로 쓰임.

발열【發熱】명 ①물체가 열을 냄. ②〖의〗체온이 평열(平熱)보다 높아짐. ――하다 자여불

발열-량【發熱量】명〖물〗연료가 일정 단위량만큼 완전 연소하였을 때 발생하는 열량. 고체나 액체는 1kg, 기체는 1 m^3 단위로 나타냄.

발열 반:응【發熱反應】명〔exothermic reaction〕〖화〗①열의 방출을 수반하는 화학 반응. 산(酸)과 염기(塩基)의 중화(中和) 반응, 금속과 산의 반응, 물과 화합하는 수화(水和) 반응 등은 열을 방출하는 화학 반응이며, 탄소나 수소 등이 공기나 산소 속에서 일으키는 연소 반응은 빛을 수반하는 발열 반응임. ②핵 반응에서 생성계의 질량의 총합이 반응계의 질량의 총합보다 적게 되어 있는 반응. 이때 감소된 질량은 생성계의 운동 에너지로 전화됨. ↔흡열 반응.

발열성 물질【發熱性物質】[―썽―찔] 명〔pyrogen〕〖화〗미생물(微生物)로부터 유래하는 다당류(多糖類)로 여겨지는 물질. 사람이나 그 어떤 동물에 주사(注射)하면 체온(體溫)의 상승을 가져옴.

발열 요법【發熱療法】[―료뻡] 명〖의〗진행 마비(進行痲痺)·척수로(脊髓癆) 등의 중추 신경계 매독에 대한 특이(特異) 요법. 1917년 독일의 의사 야우레크(Jauregg, W. von)에 의하여 창시되었음. 보통 삼일열(三日熱) 말라리아를 발열로서 이용하는데 말라리아 접종(接種) 후 약 1주일 만에 39.5°C 이상의 발열이 3-6시간 지속되며 도합 8-12번의 발열 발작을 되풀이한 후 비소제(砒素劑) 등으로 구매(驅梅) 요법을 개시하는 것임. 발열에 이 밖에 티푸스 백신·황제제(黃製劑) 등을 사용하는 방법도 있음. *말라리아 요법.

발열-제【發熱劑】[―쩨] 명 체온을 높이는 작용을 하는 약제(藥劑). ↔해열제.

발열-체【發熱體】명 ①열을 내는 물체. ②〔heating element〕〖전〗가열기(加熱器) 중에서, 전기 에너지를 열(熱)로 변환하는 부품.

발염【拔染】명〔discharge printing〕날염법(捺染法)의 하나. 염색한 천에 발염제(拔染劑)를 섞은 풀을 날인(捺印)하여 모양을 발색(拔色)하는 일. 백색(白色) 발염·착색(着色) 발염·반(半)발염의 세 가지가 있음. ――하다 타여불

발염-제【拔染劑】명〔discharge agent〕발염에 사용하는 색(色)을 빼는 약제. 산화 발염제(酸化拔染劑)·환원 발염제(還元拔染劑) 등의 종류가 있음.

발영-시【拔英試】명〖역〗문관 정삼품(正三品) 이상에게 보인 임시 과거(科擧). 조선 세조(世祖) 12년(1466) 단오(端午)에 베풀었음.

발옴 명〈옛〉세로 곧음. 바름. ¶ 발오ᄆᆞᆫ 過去 처엄 업스며 未來 ᄆᆞᄎᆞᆷ 업서(竪者過去無始未來無終)《圓覺 上 一之二 14》.

발왕-산【發旺山】명〖지〗강원도 정선군(旌善郡)에 있는 산. [1,458 m]

발외 명〈옛〉발구. ¶ 발외(把犁)《字會 中 17 犁字註》.

발욕【發慾】명 욕심을 냄. ――하다 자타여불

발우【鉢盂】명〖불교〗바리. 바리때.

발울【勃鬱】명 가슴이 답답하게 막히는 모양. 울결(鬱結). 울발(鬱勃).

발원[1]【發源】명 ①물의 근원(根源). 물이 비롯하여 흐르는 근원. ②사물이 일어나는 근원. 비롯하여 일어남. ――하다 자여불

발원[2]【發願】명 ①〖불교〗불보살(佛菩薩)이 중생을 제도하려는 서원(誓願)을 일으킴. 불과(佛果)·보리(菩提)를 구(求)하려는 마음을 일으킴. ②어떠한 것을 바라고 원하는 생각을 냄. 소원을 빎. ¶ 병이 낫도록 ~하다. ――하다 자여불

발원[3]【髮怨】명 작은 원한.

발원-문【發願文】명 서원(誓願)으로 쓴 글.

발원-지【發源地】명 사물이 발원한 곳. ¶ 양쯔 강 유역은 고대 동양 문화의 ~이다.

발월【發越】명 기상이 뛰어남. 준수(俊秀)함. ――하다 형여불

발위【鉢位】명〖불교〗선종(禪宗)에서, 승당(僧堂)에 있어서의 대중(大衆)의 식사 때의 좌석. 좌선(坐禪) 때의 좌석인 피위(被位)에 상대(相對)되는 말.

발위 사:자【拔位使者】명〖역〗고구려 후기 직제의 오품(五品)쯤 되는 벼슬. 욕사(褥奢). 수위 사자(收位使者).

발유【髮油】명 머리에 바르는 기름. 머릿기름.

발유-창【發乳瘡】명〖한의〗유방에 생기는 부스럼.

발육【發育】명 발달하여 크게 자람. 나서 성숙기(成熟期)에 달하는 과정을 밟음. 성장(成長). ¶ ~이 늦다. ――하다 자여불

발육-기【發育期】명 발육하는 시기. 성장기(成長期).

발육 기관【發育器官】명〖식〗식물에 있어서 뿌리·줄기·잎 등의 일컬음.

발육 단계설【發育段階說】명〖생〗소련의 생물학자 리센코(Lysenko)가 세운 이론. 생물의 발육은 질적(質的)으로 다른 단계로 구성되며, 각 단계는 특정한 환경 조건을 요구하고 특유한 형(型)의 신진 대사(新陳代謝)를 행하며 선행(先行)하는 단계의 질적 변화는 다음 단계의 내적(內的) 조건이 되며, 한 번 행한 변화는 불가역적(不可逆的)이라고 함.

발육 부전【發育不全】명〖의〗선천적(先天的) 원인으로 어떠한 장기(臟器)나 조직의 발육이 불충분한 일.

발육 인자【發育因子】명〖생〗생물의 기본적인 영양 물질로서 알려진 것 이외의 것으로, 생물 발육에 있어서 불가결한 물질. 비타민류(類)와 같은 것. 성장(成長) 촉진 물질.

발육-지【發育枝】명〖식〗결과지(結果枝).

발육 지수【發育指數】명 난 때의 몸무게를 100으로 보아 그때 그때의 몸무게를 나타낸 수. *발달 지수.

발육 테스트【發育―】〔test〕명 심신(心身)의 형태나 기능(機能)의 성장

적(成長的) 변화를 발생적인 연관(聯關)에서 고찰하기 위한 검사.

발음¹【發音】명 ①소리를 냄. ②〖언〗 말의 음운(音韻)을 음성화(音聲化)하는 일. 또, 그 음성. 소리내기. ――하다 자타여불

발음²【發蔭】명〖민〗 산음(山蔭)이나 선음(先蔭) 같은 것이 내려 운수가 터짐. ――하다 자여불

발음-기【發音器】명〖동〗↗발음 기관❶.

발음 기관【發音器官】명 ①〖동〗 동물체(動物體)의 소리를 내는 기관, 곧 명기(鳴器). 발음 장치. ㊥발음기. ②〖언〗 사람이 발음하는 데 필요한 기관(器官). 성대·구강·기관(氣管)·혀·비강(鼻腔) 등. 소리틀.

발음 기호【發音記號】명〖언〗 발음 부호.

발음-막【發音膜】명 진동(振動)하여 소리를 내는 막.

발음 변:화【發音變化】명〖언〗 말의 발음이 시대에 따라서 변화하는 일. 가령 옛날의 '갈'이 '칼'로, '곳·꽃'이 '꽃'으로 변한 것 등. 음성변화.

발음-부【發音符】명〖언〗↗발음 부호.

발음 부호【發音符號】명〖언〗 언어의 음(音)을 표기하는 데 쓰이는 부호. 만국 음표 문자 같은 것. 발음 기호. ㊥발음부.

발음 장치【發音裝置】명 ①〖동〗 발음 기관❶. ②소리를 내는 장치.

발음-체【發音體】명〔sounding body〕 소리를 내서 음원(音源)이 되는 물체. 특히, 악기(樂器)의 소리를 내는 부분. 피아노·바이올린의 현(絃) 따위.

발음-학【發音學】명〖언〗 성음학(聲音學). 음성학.

발의¹【發意】[―/―이] 명 ①의견(意見)이나 계획을 냄. ②무슨 일을 생각해 냄. ③〖심〗 의식(意識)의 능동적 요소. ――하다 타여불

발의²【發議】[―/―이] 명 회의할 때에 어떠한 의안(議案)을 냄. 발안(發案). ¶ ～권(權). ――하다 타여불

발의-권【發議權】[―꿘/―이꿘] 명 발안권(發案權). *법률 발안권.

발의-봉【發議峰】[―/―이―] 명〖지〗 함경 남도 북청군(北靑郡) 상차서면(上車書面)과 홍원군(洪原郡) 용포면(龍浦面) 사이에 있는 산봉우리. [1,477 m]

발이【勃爾】명 갑자기 성(盛)하는 모양. 발언(勃焉). ――하다 자여불

발인¹【發靷】명〔수레가 떠나간다는 뜻〕 어떠한 일의 출발을 가리키는 말. ――하다 자여불

발인²【發靷】명 상여가 집에서 떠남. ――하다 자여불

발인-기【發靷記】[―끼] 명 뫼터로 상여가 떠나기 전에 대문간에 써 붙이는 기록. 발인 일시(日時)·장지(葬地)·하관(下棺) 일시·반우(返虞) 일시·처소 같은 것을 적음.

발인-제【發靷祭】명 상여가 집에서 떠날 때 상여 앞에서 지내는 제. ¶ ～를 지내다.

발-자곡[―짜―] 명〈방〉 발자국.

발-자구[―짜―] 명〈방〉 발자국(평안).

발-자국[―짜―] 명 발로 밟은 흔적의 형상. 족적(足跡).

발-자귀[―짜―] 명 ①짐승의 발자국. ②〈방〉 발자국.

발-자봉틀【―自縫―】명 ☞ 발재봉틀.

발-자죽[―짜―] 명〈방〉 발자국(경상).

발자-창【發髭瘡】[―짜―] 명〖한의〗 입아귀나 아래턱에 나는 작은 부스럼.

발-자취[―짜―] 명 ①발로 밟은 흔적. ②발을 옮겨 걸어간 그 종적(蹤迹). ¶ ～를 더듬다. *발자국.

발자크〔Balzac, Honoré de〕명〖사람〗 프랑스의 소설가. 근대 사실주의의 대가. 당대 사회의 모든 계급·직업과 그들 인간의 기질을 묘사하여 이 모든 작품을 일련의 총서(叢書)로 《인간 희극(人間喜劇)》이라 이름하였으며, 그 중 《외제니 그랑데(Eugénie Grandet)》·《고리오(Goriot) 영감》·《종매 베트(從妹 Bette)》 등이 유명함. [1799-1850]

발자-하다[―짜―] 형여불 성미가 급하다.

발작【發作】[―짝] 명 ①어떠한 병이나 증세가 때때로 갑자기 일어남. 소발작(小發作). ②일어나기를 비롯함. ――하다 자여불

발작-성【發作性】[―짝―] 명 어떤 동작이나 증상(症狀)이 돌발적으로 세차게 일어나는 성질.

발작성 해수【發作性咳嗽】[―짝―] 명〖의〗 백일해(百日咳)·폐렴(肺炎) 등을 앓을 때, 기침을 하기 시작하면 계속하여 하기 때문에 얼굴이 금방 빨갛게 상기되어 몹시 괴로워하나 일단 기침이 끝나면 편하게 되는 기침.

발작성 혈색소뇨【發作性血色素尿】[―짝―쌕―] 명〖의〗 3-4세 되는 어린 아이에게 있는 병으로, 추위를 만나면 갑자기 요통(腰痛)·두통(頭痛)이 일어나고 권태감(倦怠感)이 생기며 구토(嘔吐)·오한(惡寒)이 나고 날고기 물과 같은 검붉은 오줌을 눔.

발작-적【發作的】[―짝―] 명관 발작하듯 하는 모양. ¶ ～인 증세.

발작-증【發作症】[―짝―] 명 발작하는 병증(病症).

발장【撥長】[―짱] 명〖역〗 발군(撥軍)의 우두머리.

발-장구 명 헤엄칠 때나 또는 어린 아이가 엎드려서 기어 가려고 두 발을 움직이는 것.

발장구-치다 자 ①두 발로 발장구를 치다. ②아무 걱정없이 태평하게 지내다. ¶그 전부터 볼 맞은 놈이 있다가 시골로 가라니까 달고 내려가 발장구치고 잘 살아볼 작정으로 하였다가 《李海朝:鬢上雪》.

발-장단【―長短】[―짱―] 명 두 발로 장단을 맞추는 짓. 족박자.

발-장심【―掌心】명 발바닥의 한가운데.

발-재봉틀【―裁縫―】명 발로 밟아서 돌리게 된 재봉틀. ㊥발틀. ↔손재봉틀.

발저〔Walser, Martin〕명〖사람〗 독일의 작가. 1950 년대 초부터 작가 생활을 시작, 현대 독일의 대표적 작가의 한 사람으로 꼽힘. 헤르만 헤세 상·하우프트만 상·실러 상 등을 수상함. 대표작으로는 《백조의 집》·《사냥》 등이 있음. [1927-　]

발-저리다 자 ①발이 오래 눌리어서 피가 잘 돌지 아니하여 감각이 둔하고 힘이 없게 되다. ②제 몸에 떳떳하지 못한 데가 있다.

발적【發赤】[―쩍] 명〖의〗 피부가 빨갛게 부어 오르는 상태.

발적-약【發赤藥】[―쩡냑] 명 피부나 점막(粘膜)을 자극하여 가벼운 충혈(充血)을 수반하는 발적을 일으키는 약. 타박상·신경통·근육통 등의 치료에 쓰임. 캠퍼·고추 따위. 인적약(引赤藥).

발전¹【發展】[―쩐] 명 ①널리 뻗어 나감. ¶해외로 ～하다. ②매우 번영(繁榮)하여짐. ¶사업의 ～. ③얕은 단계(段階)에서 보다 높은 단계로 옮음. ¶ ～기(期)/사건의 ～을 지켜 보다. ――하다 자여불

발전²【發電】[―쩐] 명 ①〖물〗 전기를 일으킴. ¶수력(水力) ～. ②전보를 발송함. ――하다 자여불

발전-관【發電管】[―쩐―] 명〖물〗 진동(振動) 전류를 일으키는 데 쓰는 진공관.

발전-기¹【發展期】[―쩐―] 명 발전하는 시기.

발전-기²【發電機】[―쩐―] 명〔generator〕〖물〗 도체(導體)가 자기장(磁氣場) 내에서 운동할 때에 전기가 일어남을 이용하여 기계력에 의해서 전기를 일으키는 장치의 총칭. 곧 수력 터빈·증기 터빈·디젤 기관 등의 원동기의 회전 에너지를 받아 전력을 발생하는 기계. 크게 나누어 직류 발전기와 교류 발전기의 두 가지가 있음. 제네레이터.

발전 기관【發電器官】[―쩐―] 명〖어〗 어떤 종류의 어류에서 볼 수 있는 전기를 발생하는 특별한 기관. 수십 볼트(volt) 내지 수백 볼트에 이르는 전기력을 가짐. 전기판(電氣板)이라는 조직이 가로 세로 규칙적으로 나란히 있어 신경으로부터 자극이 전해지면 전기판에 전기가 발생함.

발전기 용:량【發電機容量】[―쩐―냥] 명〖물〗 발전기에서 낼 수 있는 전기 용량(電氣容量). 와트나 볼트·암페어로 나타냄.

발전 단계설【發展段階說】[―쩐―] 명〖역〗 인류(人類)의 문화 형태(文化形態), 곧 종교·국가·법·경제·사회 등에는 꼭 경과해야 할 일정한 발전 단계가 있다고 생각하는 역사 이론(理論).

발전 도상국【發展途上國】[―쩐―] 명 발전하는 과정에 있는 나라. 개발 도상국.

발전동-기【發電動機】[―쩐―] 명〖물〗 발전기와 전동기(電動機)를 한데 붙여 만든 기계. 한 개 또는 두 개의 회전자(回轉子)에 발전기와 전동기의 두 가지 코일을 감고, 이것을 공통의 자기장(磁氣場)에서 회전시킴. 일반적으로 쓰이는 것은 축전지의 저압 직류 전원(直流電源)으로 운전하여 고압(高壓) 직류 전원을 내게 하는 장치.

발전-량【發電量】[―쩐냥] 명 발전한 전기의 총량.

발전-력¹【發展力】[―쩐녁] 명 발전해 나가는 힘.

발전-력²【發電力】[―쩐녁] 명 전기를 일으키는 힘.

발전-부【發展部】[―쩐―] 명〔development〕〖악〗 주제(主題)나 곡상(曲想)을 여러 각도에서 자유로이 전개한 부분. 특히, 소나타 형식에서는 제시부(提示部)의 제 1 주제와 제 2 주제의 동기를 분석·발전시킨 부분으로 재현부(再現部)에 이어짐. 전개부(展開部).

발전 브레이크【發電―】〔brake〕[―쩐―] 명〖전〗 전차(電車)나 전기기관차의 주전동기(主電動機)를 일시적인 발전기(發電機)로 작동시켜 기계적 에너지를 전력으로 변환(變換), 그 전력을 저항기(抵抗器)에 의하여 열(熱)로 방산(放散)시키는 제동(制動) 장치.

발전-상【發展相】[―쩐―] 명 발전하는 모습. ¶서울의 ～을 소개하다.

발전-선【發電船】[―쩐―] 명 화력 발전기(火力發電機)를 장치하여 놓고 전기를 일으키는 선박. 발전함(發電艦).

발전-성【發展性】[―쩐썽] 명 발전할 소질을 가진 성질(性質). 발전할 가능성. ¶ ～ 있는 사업.

발전-소【發電所】[―쩐―] 명 수력 또는 열기관에 의해서 발전기를 돌려 전력을 발생시키는 곳. 수력 발전소·화력 발전소·원자력 발전소·조력(潮力) 발전소·지열(地熱) 발전소 등이 있음.

발전-어【發電魚】[―쩐―] 명〖동〗 발전 기관이 있어 강력한 전기를 발생하는 어류의 총칭. 전기뱀장어·전기메기·전기가오리 등 6 목 10 과에 걸쳐 약 50 종 정도가 알려져 있음. 전기어(電氣魚). *생물 발전.

발전-자【發電子】[―쩐―] 명〖물〗 발전기(發電機) 내에서 유도 전류(誘導電流)를 일으키기 위하여 회전하는 연철(軟鐵) 및 이를 심(心)으로 하여 감은 코일(coil)의 일컬음. *전기자(電機子).

발전 장치【發電裝置】[―쩐―] 명 어떤 에너지를 전기(電氣) 에너지로 바꾸는 장치. 수력(水力)이나 화력 발전소, 기관차의 디젤 발전기·원자력 발전소 따위.

발전-적【發展的】[―쩐―] 명관 발전하는 모양. ¶ ～ 해소.

발전적 해:소【發展的解消】[―쩐―] 명 새로운 단계로의 발전을 위하여 앞의 것을 해소하는 일.

발전-주【發展株】[―쩐―] 명〖경〗 성장주(成長株).

발전-책【發展策】[―쩐―] 명 발전시킬 계책.

발전-체【發電體】[―쩐―] 명〖물〗 전기(電氣)를 일으키는 물체(物體).

발전-함【發電艦】명 발전선(發電船).

발절라【跋折羅】명〔범 vajra:금강(金剛)의 뜻〕 ①금강석(金剛石). ②〖불교〗 독고(獨鈷)·삼고(三鈷)·오고(五鈷)를 일컫는 말. 금강저(金剛杵). ③〖불교〗↗발절라 대장.

발절라 대:장【跋折羅大將】명〖불교〗 약사 십이 신장(藥師十二神將)의 하나. 세지 보살(勢至菩薩)을 본지(本地)로 하는 축시(丑時)를 지키는 호법신(護法神). 분노에 찬 모습을 하고, 오른손은 칼을 잡음. 금강 대장(金剛大將). ㊥발절라.

〈발절라 대장〉

발정¹【發情】[―쩡] 명 ①정욕(情慾)이 일어남. ②〖생〗 성숙(成熟) 포유류(哺乳類)에 일어나는 성적 흥분 상태. 이 시기에 교미(交尾)하나, 사

람 이외는 번식기에 한함. 암컷의 경우는 번식기 중 발정 주기(週期)를 나타내며, 주로 성호르몬에 의하여 일어나는 현상임. ——-하다 자여불

발정²【發程】[—쩡] 명 길을 떠남. 출발. 계정(啓程). ¶그를 버리고 혼자 ~을 하였는가? ——-하다 자여불

발정 간기【發情間期】[—쩡—] 명 발정 휴지기(發情休止期).

발정-기【發情期】[—쩡—] 명〖생〗포유류(哺乳類)의 암컷의 발정 주기 중의 한 시기. 임신 가능한 시기로서 발정 상태에 있으며, 수컷과 교미(交尾)함.

발정 주기【發情週期】[—쩡—] 명〖생〗포유류의 암컷에서 볼 수 있는 성주기(性週期) 또는 주기적으로 변화하는 생식기(生殖期)의 생리 상태. 성주기(性週期).

발정 호르몬【發情—】[—쩡—] 명〔estrus hormone〕〖생〗자성 성호르몬(雌性性 hormone)의 하나. 화학적으로는 스테로이드(steroid)의 일종으로 난소의 여포(濾胞) 또는 부신 피질(副腎皮質)이나 정소(精巢)에서 소량(少量)이 분비됨. 여성 제이차 성징(女性第二次性徵)을 발현시키며 여성(女性)을 발정하게 하는 작용을 함. 뇌하수체 전엽(腦下垂體前葉) 호르몬·황체(黃體) 호르몬과 복잡한 상호 관계를 가지면서 자성 생식 기능(雌性生殖機能)을 조절함. 에스트론(estrone)·에스트라디올(estradiol)·에스트리올(estriol)의 세 가지가 알려져 있음. 여포 호르몬. 난포(卵胞) 호르몬.

발정 호르몬 물질【發情—物質】[—쩡—질] 명〖화〗에스트로겐.

발정 휴지기【發情休止期】[—쩡—] 명〔diestrus〕포유류(哺乳類) 동물의 암컷의 발정이 끝난 후 다음 발정이 있을 때까지의 기간. 발정 호르몬의 분비가 없기 때문에 발정이 멈추며, 생식기계(生植器系)는 다소나마 퇴화 상태로 들어감. 발정 간기(間期).

발제¹ 명〈옛〉목과 머리털이 잇닿은 곳.¶목과 머리터럭이 닛다흔 곳 발제(髮際)≪無寃錄 I:65≫.

발제²【祓除】[—쩨] 명 불제(祓除). ——-하다 타여불

발제³【髮際】[—쩨] 명〖한의〗→발찌.

발제-하【跋提河】명 인도의 강 이름. 석가가 이 강변에서 입적(入寂)하였음.

발졔 명〈옛〉목과 머리털이 잇닿은 곳. ¶빗기 발졔ᄭ지 드러(斜入髮際)≪無寃錄 II:12≫.

발조【發條】[—쪼] 명 태엽.

발조-칭【發條秤】[—쪼—] 명 용수철 저울.

발족【發足】[—쪽] 명 어떤 일이 시작됨. 어떤 일을 시작하기 위하여 첫 걸음을 내어 디딤. ¶회사가 ~하다. ——-하다 자여불

발족-변【—足邊】명 한자 부수(部首)의 하나. '踊'이나 '蹴' 등의 '𧾷'의 이름.

발졸【撥卒】명〖역〗발군(撥軍).

발종 지시【發蹤指示】[—쫑—] 명〔사냥개에게 짐승 있는 곳을 가리켜 잡게 한다는 뜻〕방법을 가리켜 보임. ——-하다 타여불

발주¹【發走】[—쭈] 명 ①경주에서, 달리기 시작함. 스타트. ②경마에서, 그 회(回)의 경기가 시작됨. ③경륜(競輪)에서, 그 날의 첫 경기가 시작됨. ——-하다 자여불

발주²【發注】[—쭈] 명 물건을 주문함. ¶~량(量). ↔수주(受注). ——-하다 자여불

발주-자【發注者】[—쭈—] 명 주문(注文)을 하는 사람.

발-주저리 [—쭈—] 명 해어진 버선이나 양말 등을 신어서 너줄너줄하게 된 발.

발지【髮指】[—찌] 명 몹시 성낸 모양.

발진¹【發疹】[—찐] 명 열성병(熱性病)으로 피부나 점막에 좁쌀 만한 작은 종기가 생김. 또, 그 종기. ——-하다 자여불

발진²【發振】[—찐] 명〔oscillation〕전기 진동을 발생함. 진동 전류(振動電流)를 일으킴. ——-하다 자여불

발진³【發進】[—찐] 명 엔진을 걸어서 항공기 등이 출발함. ¶~ 기지(基地). ——-하다 자여불

발진-기【發振器】[—찐—] 명〔oscillator〕〖물〗일정한 크기를 가지는 진동 전류(振動電流)를 발생시키는 장치. 스파크식(式), 전호식(電弧式)이 있었으나, 지금은 보통 진공관 발진기(眞空管發振器)와 이것의 변형(變形)인 수정(水晶) 발진기가 많이 쓰임.

발진 기구【發震機構】[—찐—] 명〖지〗지진(地震)의 시초의 상황을 인공적으로 설명하기 위하여 진원(震源) 둘레의 변화 및 파동의 분포 상태를 표시하는 역학적인 모형(模型).

발진-병【發疹病】[—찐—] 명〖의〗피부에 발진이 생기는 병.

발진성 전염병【發疹性傳染病】[—찐썽—뼝] 명〖의〗발진이 생기는 전염병. 천연두·풍진(風疹) 따위처럼 바이러스성(virus 性)의 것과, 장티푸스 따위처럼 세균성의 것으로 분류됨.

발진-시【發震時】[—찐—] 명〖지〗지진동(地震動)이 최초로 시작된 시각(時刻).

발진-열【發疹熱】[—찐녈] 명〖의〗쥐나 벼룩이 사람에게 전파하는 병원체인 리케차 모세리(rickettsia mooseri)에 의해서 일어나는 급성 전염병. 잠복기는 8-10일로 비교적 급격하게 발병하여 39-40°C의 고열이 약 1주일 동안 계속되었다가 2-3일 후에 해열됨. 담홍색(淡紅色)의 발진이 이틀째부터 몸통과 사지(四肢)에 나타나며, 백혈구의 수가 증가함. 사망률은 낮음.

발진 작용【發振作用】[—찐—] 명〖전〗한 번 진동(振動) 전류가 흐르기 시작하면 그것을 지속시키도록 작용하는 회로(回路). 진공관이나 트랜지스터로써 만듦.

발진 티푸스【發疹—】〔typhus〕[—찐—] 명〖의〗법정(法定) 전염병의 하나. 병원체는 리케차(rickettsia)의 일종인데, 겨울철부터 봄에 걸쳐 이에 의해서 매개되어 감염됨. 잠복기는 13-17일. 증상은 갑자기 몸이 떨리며, 오한이 나고 40°C 내외의 고열이 계속되어 의식을 잃으며, 온 몸에 붉고 작은 발진이 생김. 장미진(薔薇疹).

발진 회로【發振回路】[—찐—] 명〖전〗교류를 발진시키는 회로.

발-질 명 ↗발길질. ——-하다 자여불

발-짓 [—찓] 명 발을 움직이는 동작. ——-하다 자여불

발짜 명〈방〉발제³(髮際)(전라).

발짝 의명 한 발씩 떼어 놓는 걸음의 수효를 나타내는 말. 주로 걸음을 처음 배우는 어린애의 경우에 씀. ¶한 ~/두 ~.

발짝-거리다 자타 ①일어나려고 애를 써서 조금씩 움직이다. ②적은 물에서 빨래를 두 손으로 조금씩 비비다. 1)·2): <벌적거리다. **발짝-발짝** 부. ——-하다 자타여불

발짝-대다 자타 발짝거리다.

발-짧다 [—짤따] 형 음식을 먹는 자리에, 다 먹은 뒤에 한발 늦게 이르러, 먹을 복이 없다. ↔발길다.

발째 명〈방〉발제³(髮際)(강원·전라·경북·제주).

발쪽-거리다 자타 무엇이 열렸다 닫혔다 하여 그 속의 것이 보였다 안 보였다 하다. 또, 그리 되게 하다. ¶입을 ~. ㅆ빨쭉거리다. <벌쭉거리다. 발쪽-발쪽 부. ——-하다 자타여불

발쪽-대다 자타 발쪽거리다.

발쪽-이 부 발쪽하게. ㅆ빨쭉이. <벌쭉이.

발쪽-하다 형여불 좁고 길게 발려져서 쳐들려 있다. ¶입을 발쪽하게 벌리다. ㅆ빨쭉하다. <벌쭉하다.

발찌 명〖한의〗〔←발제(髮際)〕목 뒤 머리털이 난 가장자리에 생기는 부스럼. 다른 부스럼보다 위험함.

발차¹【發車】명 열차·전차·자동차 등이 떠나감. ¶~ 신호. ↔정차(停車). ——-하다 자여불

발차²【發差】명 죄 지은 사람을 잡아 오려고 사람을 보냄. ——-하다 타여불

발착【發着】명 떠나감과 와서 닿음. 출발과 도착. ¶열차의 ~ 시간. ——-하다 자여불

발착 시간【發着時間】명 출발 시간과 도착 시간.

발착 시간표【發着時間表】명 열차나 자동차 등의 출발 시간과 도착 시간을 나타낸 표. 발착표.

발착-역【發着驛】[—녁] 명 출발하는 역과 도착하는 역.

발착-지【發着地】명 출발하고 도착하는 곳. *종착지(終着地).

발착-표【發着表】명 발착 시간표.

발-창【—窓】명 발을 끼어서 만든 창짝. 여름에 쓰임. 염창(簾窓).

발채¹ 명 소의 배에 붙어 있는 기름. 소의 발기름.

발채² 명〈방〉발제³(髮際)(경남).

발:채³ 명 ①지게에 얹어서 짐을 싣는 제구. 싸리나 대오리로 둥글넓적하게 조개 모양같이 결어서 접었다 폈다 할 수 있게 되었음. ②걸챗불의 바닥에 까는 거적 자리. ③걸채.

〈발채³❶〉

발처【髮妻】명 시집와서 같이 늙은 아내. 처음부터 정해진 정처(正妻).

발천【發闡】명 ①열어서 드러남. ②앞길을 열어서 세상에 나섬. ——-하다 자여불

발초【拔抄】명 필요(必要)한 대목만을 가려 뽑아 베낌. 또, 그 초록(抄錄). ——-하다 타여불

발총【發塚】명 굴총(掘塚). ——-하다 타여불

발출¹【拔出】명 ①빼내서 나오게 함. ②뛰어남. ——-하다 타여불

발출²【發出】명 ①어떤 사물이나 상태가 발생하여 밖에 나타남. ②〔라 Emanatio〕〖철〗최고(最高)의 근원자(根源者)로부터 일체 만물(一切萬物)이 유출함. 유출(流出). ——-하다 자여불

발출적 논리【發出的論理】[—쩍놀—] 명〖철〗19세기의 독일 철학자 라스크(Lask)가 헤겔(Hegel)의 논리를 '구체적 보편이 자기 한정(自己限定)에 의해서 특수(特殊)를 발출(發出)시키는 논리'라고 해석하여 부른 이름. ↔분석적 논리(分析的論理).

발-충관【髮衝冠】명〔머리카락이 곤두서서 관(冠)을 밀어 올린다는 뜻〕몹시 화가 남의 비유. ——-하다 자여불

발췌【拔萃】명 ①여럿 속에서 훨씬 뛰어남. 발군(拔群). ②중요한 부분만을 뽑아 냄. ¶~ 개헌. ——-하다 자여불

발췌 개:헌【拔萃改憲】명 1952년 7월 7일 부산의 피난 국회에서 통과된 정부 수립 후 첫 헌법 개정. 대통령 직선제와 상하 양원제를 골자로 하는 정부안과 내각 책임제와 국회 단원제를 골자로 하는 국회안을 절충 통과한 데서 이 이름이 붙었으나 사실상 이승만의 대통령 재선을 위한 것이었음.

발췌-곡【拔萃曲】명〔selection〕〖악〗접속곡(接續曲)의 하나. 특정한 가극(歌劇), 기타의 악곡의 선율(旋律)을 발췌 편곡한 것.

발췌-문【拔萃文】명 중요한 대목만을 뽑아낸 글.

발췌-안【拔萃案】명 발췌한 안건.

발취¹ 명〈방〉발찌(경북).

발취²【拔取】명 뽑아 냄. ——-하다 타여불

발취 검:사【拔取檢査】명 많은 제품의 그 일부를 검사해서, 추계학(推計學)을 응용하여 제품 전체의 합격·불합격을 결정하는 방식.

발측 명〈옛〉발뒤축. ¶발측爲跟≪訓例 25≫.

발치¹ 명 ①누울 때 발을 뻗는 곳. ¶남의 ~에 드러눕다. ↔머리맡. ②어떤 사물의 아랫부분이나 끝 부분이 되는 곳. ¶선산 ~에 묻다.

발치² 명〈방〉발찌(경기·강원·충북·전라·경상).

발치³【拔齒】명 이를 뽑아 냄. ——-하다 자여불

발치 설화【拔齒說話】명 기생에게 반한 남자가 사랑의 표시로 이를 빼어 주었으나 허사였다는 설화. ≪배비장전(裵裨將傳)≫의 근원 설화의

하나.

발치-술 【拔齒術】 명 〖의〗 이를 뽑아 내는 수술.

발칙-스럽다 형 ㅂ불 발칙한 태도가 있다. **발칙-스레** 부

발칙-하다 형 여불 ①몹시 버릇이 없다. ②하는 짓이 아주 괘씸하다.

발칫-잠 명 남의 발치에서 자는 잠.

발ㅊ 명 〈옛〉 발치. ¶ 主人이 尸ㅅ 東녀긔 나아가 발ㅊ로 도라 西녀긔 가 ≪家禮 Ⅴ:16≫.

발카 먹다 타 〈방〉 발라 먹다(평북).

발칵 부 ①기운이 갑자기 세게 떠 오르는 모양. ②무엇이 갑자기 세차게 뒤집히는 모양. ¶ 집안이 ~ 뒤집히다. ㅅ발깍. <벌컥.

발칵-거리다 ⊟ 자 ①빚어 담근 술이 보각보각 연하여 괴어 오르다. ②빨래를 삶을 때 몹시 보풀어 오르다. 1)·2):ㅅ발깍거리다. <벌컥거리다. ⊟ 타 진흙이나 또는 반죽을 연해 주무르거나 밟아서 옆으로 비어져 나오게 하다. ㅅ발깍거리다. <벌컥거리다. **발칵-발칵** 부. ——-하다 자타 여불

발칵-대다 자타 발칵거리다.

발칸 〔Balkan〕 명 〖지〗 유럽 남부의 발칸 반도 일대의 지역을 이르는 말.

발칸 동맹 【—同盟】 〔Balkan〕 명 〖역〗 1912년 러시아의 지도하에 그리스 수상이 알선하여 불가리아·세르비아·그리스·몬테네그로(Montenegro) 사이에 개별적으로 체결된 방어 동맹의 총칭. 대(對)터키 공동 방어와 마케도니아에 대한 구제(救濟)가 목적이었으며, 제1차 발칸 전쟁의 원인이 되었음.

발칸 문:제 【—問題】 〔Balkan〕 명 〖역〗 19세기에 민족주의가 대두함에 따라 발칸 반도에 있는 여러 민족이 터키의 술탄 정치(Sultan政治)로부터의 독립을 기도한 기회를 타서, 이권(利權) 쟁탈에 부심한 유럽 열강(列強)간의 국제 분쟁. 즉 이집트의 반란, 크림 전쟁(Krim戰爭), 노토(露土) 전쟁, 불가리아(Bulgaria) 독립, 보스니아(Bosnia)와 헤르체고비나(Herzegovina)의 병합, 이토(伊土) 전쟁, 발칸 전쟁 등의 문제가 포함됨.

발칸 반:도 【—半島】 〔Balkan〕 명 〖지〗 유럽 대륙의 동남부 지중해에 돌출한 큰 반도. 이 반도의 불가리아·구(舊) 유고슬라비아·알바니아·그리스 및 터키의 일부에 루마니아를 포함하여 발칸 제국(諸國)이라 하며, 민족 구성이 복잡하여 19세기 이후 자주 전쟁의 발화점이 되었음. [855,000km²]

발칸 산맥 【—山脈】 〔Balkan〕 명 〖지〗 발칸 반도를 동서로 달리는 신기 습곡(新期褶曲) 산맥. 서쪽에서 만곡(彎曲)되어 트란실바니아 알프스(Transylvania Alps)에 이어짐. 최고봉은 보테프 산(2,376m).

발칸 삼국 동맹 【—三國同盟】 〔Balkan〕 명 〖역〗 1953년 2월 28일 터키의 수도 앙카라에서 터키·구(舊) 유고슬라비아·그리스 3개국 사이에 조인된 우호 조약(友好條約). 내용은 군사 동맹에 가까우며 발칸의 평화 유지, 공격을 받을 경우의 공동 방위, 저촉되는 다른 동맹에의 불참가, 북대서양 조약의 인정 등임.

발칸 전:쟁 【—戰爭】 〔Balkan〕 명 〖역〗 ①1912년 터키와 발칸 제국(諸國) 사이에 일어난 전쟁. 미리 영토 확장의 야심을 품고 있던 불가리아·세르비아·그리스·몬테네그로(Montenegro)가 사국(四國) 조약을 맺고 이토(伊土) 전쟁에 패하여 곤경에 빠진 터키에 대해 싸움을 걸어 이긴 뒤 런던 조약에 따라 발칸 반도의 대부분을 할양시켰음. 제1차 발칸 전쟁. ②1913년 6월-8월에, 제1차 발칸 전쟁에서 터키가 할양한 영토의 분할을 둘러 싸고 4국 조약 중의 불가리아가 다른 3개국과 벌인 싸움. 터키도 실지(失地) 회복을 위하여 참전하게 됨에 이르러 불가리아가 굴복하여 부카레스트 조약으로 끝남. 세계 제1차 대전의 근인(近因)이 되었음.

발칸 제국 【—諸國】 〔Balkan〕 명 〖지〗 유럽 남부 발칸 반도에 있는 나라들. 구(舊) 유고슬라비아·루마니아·불가리아·알바니아·그리스·터키 등의 총칭. *발칸 반도.

발칸 협상 【—協商】 명 〔Balkan Entente〕 〖역〗 1934년 터키·그리스·루마니아·유고슬라비아가 결성한 공동 방위 기구. 상호간의 국경 보장과 경제 협력, 발칸 정세의 안정화에의 노력 등이 목적이었으나, 독일의 진출로 무력화(無力化)되고, 제2차 대전으로 붕괴됨.

발코니 〔balcony〕 명 ①서양식 건축에서 방의 문밖으로 길게 달아 내어 위를 덮지 아니하고 드러낸 대. 노대(露臺). ②선미(船尾)의 전망대(展望臺). ③극장에서, 아래층보다 높이 좌우에 만들어 놓은 좌석.

〈발코니❶〉

발키다 자 〈방〉 바치다².

발키리 〔Valkyrie〕 명 〖신〗 북유럽 신화에 나오는 오딘(Odin)을 섬기는 전쟁의 소녀들. 용감한 전사자(戰死者)들을 천계(天界)의 발할라(Valhalla)에 인도한다 함.

발-타다 자 강아지 같은 것이 처음으로 걸음을 걷기 시작하다.

발탁 【拔擢】 명 많은 사람 중에서 사람을 특히 추려 올려서 씀. 탁발(擢拔). ¶ 신인을 ~하다. ——-하다 타 여불

발탄-강아지 명 ①걸음을 걷기 시작한 강아지. ②일 없이 짤짤거리고 쏘다니는 사람을 조롱하는 말.

발탄 강아지 같다 구 일없이 여기저기 쏘다니는 사람을 조롱하여 이르는 말.

발-탈 명 〖민〗 검정 포장막 안에 누운 연희자(演戲者)가 발목만 밖으로 내놓아 발에 탈을 씌우고 갖가지 동작을 하며 앞에 선 어릿광대와 더불어 노래와 재담을 연출하는 민속 연희(演戲). 「발.

발-탕기 【鉢湯器】 〔—끼〕 명 보통 사발보다 아가리가 조금 우긋한 사

발태 【發兌】 명 책을 인쇄하여 발매(發賣)함. ——-하다 타 여불

발터¹ 〔Walter, Bruno〕 명 〖사람〗 독일 태생 유태계의 미국의 음악·오페라 지휘자. 본명은 B.W. Schlesinger. 독일 각지에서 관현악단을 지휘하다가 나치스에 쫓겨 미국으로 망명하여 굴지의 명지휘자로서 활약하였음. 낭만파(派)의 흐름에 속하여, 특히 모차르트의 음악의 지휘에 뛰어남. [1876-1962]

발터² 〔Walther, Johann Gottfried〕 명 〖사람〗 독일의 작곡가. 오르간 주자(奏者)로 있다가 1720년 바이마르 궁정(宮廷) 음악가가 됨. 오르간곡(曲) 등의 작곡으로 널리 알려졌는데, 초기의 음악 사전(事典)의 저자로서도 이름을 남기었음. [1684-1748]

발-터귀 명 〈방〉 발뒤꿈치.

발터 폰 데어 포:겔바이데 〔Walther von der Vogelweide〕 명 〖사람〗 중세 독일의 서정 시인. 빈 궁정(Wien宮廷)에서 미네징거(Minnesänger)가 되었으나 얼마 후 방랑길에 나섰음. 신분이 낮은 여성을 대상으로 한 미네(Minne)도 노래하며, 또 로마 교황의 횡포를 규탄하여 종래의 격언시(格言詩)를 정치시(政治詩)·사상시(思想詩)의 영역으로 끌어 올렸음. [1170?-1230?]

발토로 빙하 【—氷河】 〔Baltoro〕 명 〖지〗 카슈미르 북부 카라코람(Karakoram) 산맥 중부의 빙하. 이 산맥의 고봉(高峰)들인 가셔브룸(Gasherbrum)·브로드 피크(Broad Peak)·마셔브룸(Masherbrum)에 둘러싸여 있음.

발-톱 명 〖생〗 발가락의 끝을 보호하기 위하여 생긴 뿔과 같이 단단한 물질. 피질(皮質)이 변하여 됨.

발톱-꿩의다리 〔—/—에—〕 명 〖식〗 [*Thalictrum sparsiflorum*] 미나리아재빗과에 속하는 다년초. 높이 1m내외임. 잎은 호생하고 복우상 복엽이며, 소엽(小葉)은 둥근 달걀꼴이고 끝은 세 갈래로 얕게 찢어짐. 6-7월에 흰 꽃이 원추(圓錐) 화서로 정생(頂生)함. 과실은 주형(舟形)임. 깊은 산의 숲에 나는데 우리 나라의 이북 지방에 야생함.

발톱-눈 명 〖생〗 발톱의 좌우 쪽 구석.

발톱-도롱뇽 명 〖동〗 꼬리치레도롱뇽.

발통¹ 명 〈방〉 바퀴¹(전북·경상).

발통² 【發通】 명 통지서(通知書)를 보냄. 발문(發文). ——-하다 타 여불

발-툽 명 〈방〉 발톱.

발트 삼국 【—三國】 〔Balt〕 명 〖지〗 발트 해(Balt海)에 면한 에스토니아(Estonia)·라트비아(Latvia)·리투아니아(Lithuania)의 3국. 원래 제정(帝政) 러시아에 속하였던 것이 혁명 후 각각 독립하여 공화국을 이루었으나 제2차 대전 중 소련에 합병, 1991년에 3국이 다시 나란히 독립국이 됨. 발틱 삼국.

발트 순상지 【—楯狀地】 〔Balt〕 명 〖지〗 핀란드·스웨덴을 중심으로 노르웨이 남부와 소련의 일부를 포함한 순상지(楯狀地). *안정 대륙(安定大陸).

발트 어파 【—語派】 〔Balt〕 명 〖언〗 인도 유럽 어족(語族)의 한 어파. 슬라브 어파와 가장 가까우며, 단일 그룹을 형성한 시대가 있었다는 설(說)도 있음. 발트 해(海) 연안의 리투아니아어(語)·라트비아어(Latvia語)와 17세기에 사멸(死滅)된 고프로이센어(古Preussen語)를 포함함.

발트 제국 【—諸國】 〔Balt〕 명 〖지〗 발트 해안에 임한 여러 국가. 곧, 리투아니아(Lithuania)·라트비아(Latvia)·에스토니아·핀란드 등.

발트-족 【—族】 〔Balt〕 명 발트 해(海) 연안에 분포하여 발트어, 곧 리투아니아어 및 라트비아어를 사용하는 주민. 현재는 리투아니아인(Lithuania人)과 라트비아인(Latvia人)으로 대표됨. 농업·어업·임업 외에 낙농·양봉을 하며, 사회 조직의 단위로서 강력한 가장(家長)에 의한 대가족제가 현저히 발달되었음. *발트 어파(Balt語派).

발트하임 〔Waldheim, Kurt〕 명 〖사람〗 오스트리아의 정치가. 1955년 유엔 대표, 1958년 캐나다 대사, 1968년 외상, 1970년 유엔 대사를 거쳐, 1971-81년까지 제4대 국제 연합 사무총장을 지냈으며, 1986년 오스트리아 대통령에 취임함. [1918-]

발트 함:대 【—艦隊】 〔Balt〕 명 발트 해(海)에 있던 제정 러시아의 주력 함대. 노일 전쟁 때 극동으로 파견되어, 1905년 5월의 일본해 해전에서 일본 함대에게 결정적 타격을 입었음. 발틱 함대. *노일(露日)전쟁.

발트 해 【—海】 〔Balt〕 명 〔Baltic Sea〕 〖지〗 유럽 대륙과 스칸디나비아 반도의 사이에 있는 바다. 스웨덴·핀란드·발트 제국·독일 북부·덴마크가 이에 접함. 고래로 국제 분쟁의 곳이었지만 근래에는 소련 세력이 압도적임. 수심(水深)은 평균 55m, 최대는 460m로, 해상 교통이 활발함. 청어·대구·송어 등의 어업이 행하여짐. 발틱 해. [422,000km²]

발특마 【鉢特摩】 명 〔범 Padma〕 〖불교〗 팔한(八寒) 지옥의 하나. 여기에 떨어지면 추위에 시달리는 고통으로 몸이 얼어 터져 붉은 연꽃처럼 된다고 함. 파두마(波頭摩). 발두마(鉢頭摩).

발-틀 명 ①발기계. ②↗발재봉틀. ¶ ~을 돌리다. ↔손틀.

발-틉 명 〈방〉 발톱.

발틱 〔Baltic〕 명 〔발틱 상업 해운 거래소(The Baltic Mercantile and Shipping)의 약칭〕 런던에 있는 대표적인 해운(海運) 및 상품 시장. 1744년 발트 해(海)의 연안 항구들과 교역하던 상인의 거래 장소로서 개점(開店)한 발틱 커피점(店)이, 1900년 런던 시핑(Shipping) 거래소와 합병하여 개칭한 것임.

발틱 삼국 【—三國】 〔Baltic〕 명 〖지〗 발트(Balt) 삼국.

발틱 함:대 【—艦隊】 〔Baltic〕 명 발트(Balt) 함대.

발틱 해 【—海】 〔Baltic〕 명 〖지〗 발트 해(Balt海).

발파 【發破】 명 바위 같은 데에 구멍을 뚫고 화약(火藥)을 장전(裝塡)하여 암석(岩石)을 폭파(爆破)하는 일. ¶ ~공 / ~ 작업/~ 장치를 하다. ——-하다 타 여불

발파라이소 〔Valparaiso〕 명 〖지〗 남아메리카 칠레(Chile) 중부의 항시(港市). 수도 산티아고(Santiago)의 외항(外港)으로 남아메리카 서해안 제일의 상항(商港)이며, 남아메리카 횡단 철도의 기점(起點)임. 조선·기

계·금속·직물·제당 등의 공업이 성함. 지진의 피해가 많으며 1906년에는 대진재(大震災)가 있었음. [277,900명(1986 추계)]

발-판【一板】명 ①높은 곳에 올라가기 위하여 설치해 놓은 널. ②〖건〗비계에 가설한 널판. ③발돋움❷. ④차에 오르내릴 때 디디게 된 장치. ⑤도약(跳躍) 운동에서, 뛰는 힘을 돕기 위하여 쓰는 도구. 탄성판(彈性板)과 고정판(固定板)의 두 가지가 있음. 도약판(跳躍板). ⑥목적을 이루기 위한 수단이나 기반(基盤). ¶ 남을 ～으로 삼아 출세하려는 생각은 옳지 않다.

발편【撥便】명 발군(撥軍)의 인편(人便).

발포[1]【發布】명 세상에 공포(公布)함. ——-하다 타여불

발포[2]【發泡】명 ①거품이 남. ②〔effervescence〕〖화〗가열(加熱)에 의하지 않고 기체(氣體)가 발생한 결과, 원소(元素)나 화합물의 용액이 거품을 내뿜는 일. ¶ ～정(錠)/～제(劑). *포기(泡起). ——-하다 자여불

발포[3]【發砲】명 총·대포를 쏨. ¶ ～자를 색출하다. ——-하다 자여불

발포[4]【發疱】명〖의〗피부(皮膚)에 수포(水疱)가 발생함. ——-하다 자여불

발포[5]【發捕】명〖역〗죄인(罪人)을 잡으려고 포교(捕校)를 내보냄. ——-하다 타여불

발포-고【發疱膏】명 칸타리스(cantharis) 가루와 테레빈유(terebin 油)로 만든 고약. 피부의 국소(局所)에 발라, 수포(水疱)를 생기게 함. 병독을 제거하기도 하고, 혹은 이 수포의 내용을 검사하여 혈액 검사를 대신할 수도 있음. 발포제(劑). 발포약(藥).

발포 스티렌【發泡一】명〔styrene foam〕〖화〗'발포 스티렌 수지'의 속칭.

발포 스티렌 수지【發泡一樹脂】〔styrene〕명〖화〗작은 기포(氣泡)를 무수히 지닌 폴리스티렌. 가볍고 단열성(斷熱性)이 좋아, 단열재(斷熱材)·포장 재료·흡음재(吸音材)·장식용 등으로 널리 사용됨. 발포스티롤. 상품명은 스티로폴.

발포 스티롤【發泡一】〔도 Styrol〕명〖화〗'발포 스티렌 수지(發泡 styrene 樹脂)'의 속칭.

발포-약【發疱藥】명〖약〗발포고(發疱膏).

발포-정【發泡錠】명〖약〗이산화 탄소를 발생시키는 성분이 들어 있는 알약. 물에 넣으면 청량 음료수 같은 액제(液劑)가 되며, 마시기가 쉬움. 위장약(胃腸藥) 등에 쓰임.

발포-제[1]【發泡劑】명 가열 따위로 분해하여 가스를 발생시켜, 고무나 플라스틱을 스폰지 구조로 만들기 위하여 배합하는 물질. 고무용으로 탄산 수소 나트륨 등이 있음.

발포-제[2]【發疱劑】명〖약〗발포고(發疱膏).

발포-주【發泡酒】명 주류(酒類)의 제조 과정에서 생긴 이산화 탄소가 주액(酒液)에 함유되어 있다가 병마개를 따면 거품이 나는 술 종류. 샴페인은 가장 대표적인 발포성(發泡性) 포도주임.

발포 콘크리:트【發泡一】〔concrete〕명〖화〗콘크리트에 알루미늄 가루 따위를 가하여 가열·발포(發泡)시켜 판상(板狀)으로 만든 것. 가벼워 물에 잘 뜨며, 단열성(斷熱性)·방음성(防音性)이 뛰어나, 벽재(壁材)로 쓰임.

발표【發表】명 널리 드러내어 세상에 알림. 여러 사람에게 드러내 보임. ¶ 합격자 ～. ——-하다 자타여불

발표 기관【發表機關】명〖문〗문학적 작품을 발표하는 기관. 즉, 신문·잡지 또는 그 외의 인쇄물 등.

발표-욕【發表慾】명 자기의 재능(才能)이나 작품(作品) 등을 발표하려는 의욕.

발표-회【發表會】명 학술이나 예술 등의 창작(創作) 또는 연구 결과를 발표하는 모임. ¶ 작품 ～.

발:-풀고사리 명〖식〗[*Dicranopteris dichotoma*] 풀고사릿과에 속하는 상록 양치류(羊齒類). 잎은 길이 1-1.5m이고 우상 복엽(羽狀複葉)으로 갈라지며 겉은 녹색, 뒤쪽은 백색이고, 잎꼭지는 가늘고 길죽하며 흑갈색임. 잎꼭지로 과일을 담는 바구니 같은 것을 만듦. 따뜻한 곳에 총생(叢生)하는데, 제주도·경남의 통영(統營) 및 일본·열대 지방 등에 분포함.

〈발풀고사리〉

발-풀무 명 골풀무.

발피[1]【潑皮】명 확실한 직업이 없이 부랑하는 무리.

발피[2]【髮髲】명〖한의〗스무 살 이상의 무병(無病)하고 혈색이 좋은 남자의 머리털을 깎아, 조각자(皂角子)나 고삼(苦蔘)을 하룻밤 담갔던 물에 넣었다가 건져 말려서 태운 재. 임질(淋疾), 똥오줌 못 누는 데와 지혈제(止血劑)로 쓰임.

발하【拔河】명〖민〗줄다리기.

발-하다【發一】㊀ 자여불 ①피어 열리다. ②생겨서 드러나다. ③떠나다❶. ④시작하다. ㊁ 타여불 ①군사를 보내다. ②펴서 드러내다. ¶ 법령을 ～. ③내리다❷. ¶ 명령을 ～. ④소리·빛 따위를 내다. ¶ 노성(怒聲)을 ～.

발하슈 호【一湖】〔Balkhash〕명〖지〗카자흐(Kazakh) 공화국의 동남부에 있는 큰 호수. 초생달 모양을 이룸. 염분은 비교적 적고, 부근은 초원이 많음. [18,650 km²]

발한【發汗】명〖의〗취한(取汗). ¶ ～ 촉진제. ——-하다 자여불

발한 과:다증【發汗過多症】[一쯩] 명〖의〗다한증(多汗症).

발한 부전【發汗不全】명〖의〗땀의 분비(分泌)가 불충분한 현상. 병적으로는 어떤 피부병(皮膚病)에서 오고 또는 중추 신경(中樞神經)의 질환(疾患)에서도 드물게 일어남. 또, 고온(高溫)·다습(多濕)한 때에, 심한 운동을 하면 발한이 잘 안 되어 열의 방출(放出)이 곤란하여 열사병(熱射病)을 일으키는 수가 있음.

발한 요법【發汗療法】[一뇨뻡] 명〖의〗발한제(發汗劑)나 모래찜·온욕(溫浴)·전기욕(電氣浴) 등에 의하여 발한시켜 하는 치료. 급성 기도염(氣道炎)이나 만성 부종(浮腫) 등에 쓰임. 취한 요법(取汗療法).

발한-욕【發汗浴】[一뇩] 명〖의〗신장병(腎臟病) 또는 기타의 부종(浮腫)을 고치기 위하여 땀을 내게 하는 온욕(溫浴) 또는 증기욕(蒸氣浴).

발한-제【發汗劑】명〖약〗땀의 분비(分泌)를 촉진시키는 약. 아스피린 따위. 취한제(取汗劑).

발할라〔Valhalla〕명〖신〗북유럽 신화에 나오는, 천계(天界)에 있다고 하는 곳. 오딘(Odin)이 용감히 죽은 전사자(戰死者)들을 맞아 위로한다는 곳임.

발함【發艦】명 ①항공기가 항공 모함 따위에서 날아 오름. ②군함이 출항함. ——-하다 자여불

발합【鵓鴿】명〖조〗집비둘기.

발항[1]【發航】명 배가 항구를 출발하여 항해를 떠남. 발선(發船). ——-하다 자여불

발항[2]【發港】명 출항(出港). ↔착항(着港). ——-하다 자여불

발해[1]【渤海】명 ①〖역〗고구려 사람 대조영(大祚榮)이 세운 나라. 신라에 망한 고구려의 유민(流民)들이 합류하여, 송화 강(松花江) 이남과 고구려의 옛 영토를 거의 확보하여, 국세(國勢)를 떨치었으나, 신라 말엽에 요(遼)나라에게 망함. 도읍은 건국 초기를 제외하고는 상경 용천부(上京龍泉府)에 두었음. 진국(震國). [699-926] ②〖지〗↗발해만(灣).

발해[2]【發解】명〖역〗과거(科擧)의 초시(初試)에 합격됨. ——-하다 자여불

발해 공:기【渤海貢器】명〖공〗중국 당(唐)나라 때에 발해국(渤海國)에서 진공(進貢)하던 도자기(陶瓷器).

발해-만【渤海灣】명〖지〗보하이 만(灣). ㊟발해(渤海).

발행【發行】명 ①길을 떠나감. ②도서·신문·잡지 등을 출판하여 세상에 폄. ¶ 신문의 ～. ③화폐(貨幣)·증권·상품권·입장권·증명서 등을 만들어 세상에 내놓음. ——-하다 자타여불

발행 가격【發行價格】[一까一] 명〖경〗주식·사채(社債)를 발행할 때의 대가(對價)인 가격. 액면주(額面株)의 발행 가격은 권면액(券面額)을, 무액면주(無額面株)에서는 정관(定款)으로 정한 최저 가격보다 더 내릴 수는 없으나, 사채의 발행 가격은 권면액보다 내릴 수 있음.

발행-고【發行高】명 발행한 총액수(總額數). ¶ 화폐 ～.

발행-권【發行權】[一꿘] 명〖법〗출판물 따위를 발행할 수 있는 권리.

발행 금:지【發行禁止】명〖법〗공서 양속(公序良俗)을 해치거나 국시(國是)에 위배되는 출판물의 발행을 금지하는 행정 처분.

발행-세【發行稅】[一쎄] 명〖법〗①태환 은행권(兌換銀行券)의 발행에 대하여 징수(徵收)하는 세. ②사채 증권(社債證券)·상품권(商品券)·주권(株券) 등의 발행에 대하여 징수하는 인지세(印紙稅).

발행-소【發行所】명 출판물을 발행한 곳. 발행처(發行處).

발행 시:장【發行市場】명〖경〗증권(證券) 시장의 하나. 신규(新規) 발행 증권의 거래를 통하여 장기 자금(長期資金)의 수급(需給)이 행하여지는 추상적(推象的) 시장. 발행자·인수(引受)업자·투자가로 이루어짐. *유통 시장.

발행-인【發行人】명 ①정기 간행물(定期刊行物)을 발간하는 언론 기업(言論企業)의 대표자. *편집인. ②어음 또는 환(換)을 발행한 사람. 발행자.

발행-일【發行日】명 발행한 날짜.

발행일 거:래【發行日去來】명〖경〗↗발행일 결제 거래.

발행일 결제 거:래【發行日決濟去來】[一쩨一] 명〔when issud; WI〕〖경〗신규로 증권이 매출되거나 신주(新株)가 발행될 때에 15일을 한(限)하여 증권 거래소가 지정하는 날에 수도 결제(受渡決濟)하는 거래 방식. 수도 가격은 당해(當該) 매매 거래의 최종일의 기장(記帳) 가격으로 함. ㊟발행일 거래.

발행 일부【發行日附】명〖경〗어음·환(換)의 지면(紙面)에 기재된 발행일자.

발행-자【發行者】명 발행인(發行人). 펴이. 펴낸이.

발행 자:본【發行資本】명〖경〗발행 주식에 의하여 조달되는 자본.

발행자 수익률【發行者收益率】[一뉼] 명〖경〗채권 발행에 따른 비용의 순(純)조달액에 대한 퍼센티지. 곧 발행 비용을 말하는 것으로, 이는 자금 조달 수단으로 채권을 이용할 것인가, 증자를 할 것인가, 차입금을 이용할 것인가의 선택의 기준이 되며 이익률이 낮을수록 발행 부담이 적어짐. *응모자 수익률.

발행 정지【發行停止】명〖법〗발행 절차(發行節次)나 게재 금지 사항(揭載禁止事項)에 위반되는 경우에 신문·잡지의 발행을 당분간 정지시키는 처분.

발행 주식【發行株式】명〖경〗발행 예정 주식의 총수(總數) 중에서 이미 발행된 주식.

발행-지【發行地】명 ①발행한 곳. ②〖법〗어음·수표가 발행된 지(地)로서 증권면(證券面)에 기재된 곳. 어음·수표 요건의 하나임.

발행지-법【發行地法】[一뻡] 명〖법〗유가 증권이 발행된 장소의 법률. 국제 사법(私法)상 준거법(準據法)의 하나임. 우리 나라 섭외 사법(涉外私法)에 있어서는, 환어음·약속 어음과 수표 상의 소구권(遡求權)을 행사하는 기간 및 환어음의 소지인(所持人)이 그 발행의 원인이 되는 채권의 취득 여부에 관한 준거법이 됨.

발행-처【發行處】명 발행소(發行所).

발행필 주식【發行畢株式】명〔issued shares〕〖경〗정관(定款) 소정(所定)의 회사가 발행할 주식의 총수, 곧 수권(授權) 주식 중에서, 이미 발행되어 있는 주식. 설립시에 발행된 주식과 신주(新株) 발행에 의하여 발행된 주식으로 이루어지며, 주식 소각(消却)·주식 병합 등에 의하여 감소됨. *수권 자본(授權資本).

발:-향[1]【一香】명 노리개로 차는 향(香)의 일종. 한충향(漢冲香)을 둥글게 비벼서 토막토막 잘라 실에 꿴 것. 구슬발과 비슷함. *박쥐향·금사향(金絲香).

발향[2]【發向】명 출발하여 목적지로 향함. ——-하다 자여불

발향[3]【發香】명 향기를 풍김. ——-하다 자여불

발-허리 명 발의 앞쪽과 뒤쪽과의 중간되는 부분.

발-헤엄 명 몸을 세우고 발만을 움직여서 치는 헤엄. ――하다 자여불

발현【發現·發顯】명 숨겨져 있던 것이 바깥으로 드러나 보임. 또, 드러나게 함. ¶성모(聖母) ~. ――하다 자타여불

발현 악기【撥絃樂器】명〖악〗현(絃)을 손가락이나 피크(pick)로 뜯거나 또는 방망이로 두들겨 연주하는 악기. 가야금·만돌린·기타 따위.

발호¹【跋扈】명 ①세차고 사나워서 제어할 수 없게 날뜀. ¶군벌(軍閥)의 ~/ 토호가 ~하지 못하게 하니 살판 만난 백성들≪洪命憙 : 林巨正≫. ②세력이 강하여 다스리기가 어려움. ――하다 자여불

발호²【發號】명 호령(號令)을 내림. ――하다 자타여불

발호 시:령【發號施令】명 명령을 내려서 그대로 시행(施行)함. ――하다 자여불

발화¹【發火】명 ①불이 일어남. 불이 타기 시작함. ¶자연 ~. ②점화(點火). ③총포에 실탄(實彈)을 쓰지 아니하고 화약(火藥)만을 다져 넣어 내쏘아 불만 일어나게 함. ――하다 자타여불

발화²【發話】명〔utterance〕〖언〗음성 언어(音聲言語)의 표출(表出) 행동 및 그 결과로 생긴 음성을 말함. 되풀이되는 발화 속에서 같다고 생각되는 요소를 잡아 이를 분석함에 따라, 음소(音素)·형태소(形態素)·문(文) 등의 언어학상 제 요소(諸要素)가 설정됨.

발화-석【發火石】명〖고고학〗불을 일으키려고 막대기 따위를 대고 비비던 구멍이 패 돌. 신석기 시대부터 출토(出土)되는데, 갈돌 따위의 뒷면을 이용한 것이 많음.

발화-성【發火性】[-썽] 명 어떤 온도(溫度)에서 쉽게 발화하는 성질. ¶~ 물질.

발화-약【發火藥】명〖화〗약간의 충격(衝擊)·마찰(摩擦)·감전(感電)으로 쉽게 발화하여 그 폭발의 충격에 의해서 작약(炸藥)이나 폭파약(爆破藥)을 폭발하게 하는 약제. 뇌홍(雷汞)·질화연(窒化鉛)·폭분(爆粉) 등. 기폭약(起爆藥). ＊인화물(引火物). 「하는 사격 연습.

발화 연:습【發火演習】명〖군〗실탄을 쓰지 아니 하고 화약만을 넣고

발화 온도【發火溫度】명〖화〗발화점(發火點).

발화 장치【發火裝置】명〖군〗점화 장치(點火裝置)❶.

발화-전【發火栓】명〖기〗점화전(點火栓).

발화-점【發火點】[-쩜] 명 ①〔ignition point〕〖화〗공기 중 또는 산소 중에서 물질을 가열할 때 스스로 발화하여 연소(燃燒)하기 시작하는 최저 온도. 보통, 인화점(引火點)보다 10-20°C 높음. 자연 발화 온도. 발화 온도. 착화점(着火點). 준화점(火點). ②화재 원인의 감식(鑑識)에서, 화재를 일으킨 자리.

발화 코일【發火—】〔coil〕명〖전〗전기 점화 기관(電氣點火機關)의 전기 회로(回路) 중에서, 점화 플러그(點火 plug)의 전기 불꽃 방전(放電)에 필요한 고전압(高電壓)을 발생시키도록 하는 유도(誘導) 코일.

발화 합금【發火合金】명〔pyrophor metal〕〖화〗철과 세륨(cerium)의 합금. 동(銅)이나 줄로 마찰하면 불꽃을 내기 때문에, 점화 장치·라이터 점화기(點火器) 등에 쓰임.

발화 화:구【發火火具】명 전류·마찰·충격 등으로 발화하여, 발화 장치가 되어 있는 병기(兵器)에 점화하는 제구. 뇌관(雷管) 등이 있음.

발회【發會】명 ①새로 조직된 회의 첫 회합(會合). ¶~식(式). ②〖경〗거래소(去來所)에 있어서의 그 해 최초의 입회(立會). ↔납회(納會)❷. ――하다 자여불 「＊손회목.

발-회목 명〖생〗다리 끝 복사뼈 위의 잘록하게 들어간 곳. 족완(足腕).

발회-식【發會式】명 발회(發會)의 의식(儀式). ――하다 자여불

발효¹【發效】명 효력을 발생함. ――하다 자여불

발효²【醱酵】명〔fermentation〕〖화〗〔←발교(醱酵)〕효모(酵母)·박테리아와 같은 미생물(微生物)에 의해서 유기 화합물(有機化合物)이 분해·산화 환원(酸化還元)하여 주정류(酒精類)·유기산류(有機酸類)·탄산가스 등을 생기게 하는 작용. 술·간장·초·된장 등의 제조에 이용함. 발배(醱醅). 뜸. ――하다 자여불

발효 공학【醱酵工學】명 발효에 관한 공학 기술적 연구를 하는 학문 분야. 술·간장·항생 물질·화학 조미료·효소·비타민·아미노산 제조 등에 응용됨.

발효-관【醱酵管】명〔fermentation tube〕〖생〗미생물의 발효를 조사하기 위하여 쓰이는 U자형 유리관으로 된 실험 기구(器具). 발생하는 이산화 탄소를 잼.

발효-균【醱酵菌】명〖식〗효모균(酵母菌).

발효 단:백【醱酵蛋白】명〖생〗석유의 성분(成分)인 정제(精製) 노르말 파라핀이나 글찌끼·펄프 폐액(廢液) 등 산업 폐기물(產業廢棄物)을 효모균(酵母菌) 그 밖의 미생물의 작용으로 단백질로 바꾼 것. 석유(石油) 단백. 단세포 단백.

발효-소【醱酵素】명〖화〗유기 화합물(有機化合物)을 분해(分解)하여 발효 작용을 일으키는 데 관계(關係)되는 화합물(化合物). 양모균(釀母菌)을 가진 치마아제(zymase)가 가장 저명함.

발효-열【醱酵熱】명〖화〗발효하는 과정에서 생기는 열.

발효-유【醱酵乳】명〖화〗우유나 그 밖의 젖에 젖산균이나 효모(酵母) 등을 가하여 발효시켜, 풍미(風味)를 낸 유제품(乳製品). 자양(滋養) 음료로 쓰임. 요구르트 따위.

발효-제【醱酵劑】명 발효를 하게 하는 물질.

발효 촉진제【醱酵促進劑】명〔fermentation accelerater〕최종적인 화학 변화에는 관계 없이 포도주와 같은 화학적 발효를 촉진하는 물질. 효소(酵素) 또는 다른 촉매(觸媒) 따위.

발훈【發訓】명 훈령을 내림. ――하다 자여불

발휘【發揮】명 떨치어서 나타냄. 실력(實力) 같은 것을 외부에 드러냄. ¶실력을 ~하다. ――하다 타여불

발휼【浡潏】명 물이 콸콸 솟음. ――하다 자여불

발흥¹【勃興】명 갑자기 왕성하게 일어나서 잘 됨. ¶고구려의 ~기.

발흥²【發興】명 일어남. ――하다 자여불 ㄴ――하다 자여불

발흥-기【勃興期】명 발흥하는 시기.

밝기 [발끼] 명 밝은 정도. 광도(光度). 명도(明度). ¶조명의 ~.

밝다¹ [박—] 타〈방〉바르다³(평안).

밝다² [박—] ㊀ 형〔중세 : 붉다〕①불빛 같은 것이 흐리지 아니하고 환하다. ②어둡지 아니하고 환하다. ¶방이 ~. ③청력(聽力)·시력이 똑똑하다. ¶귀가 ~. ④무엇을 능통하게 잘 알다. ¶사리에 ~. ⑤공명(公明)하다. ¶밝은 정치. ⑥표정이나 느낌이 즐겁고 명랑하다. ¶밝고 환한 얼굴. ⑦분명하고 바르다. ¶인사성이 ~/ 예의가 ~. 1)-6) : ↔어둡다. ㊁ 자 날이 새어 아침빛이 비치다. 밤이 물러가고 환하게 되다. ¶밝아 오는 아침. 「상.

밝은 세상 구 부정이나 폭력·범죄 같은 것이 없이 공명하고 명랑한 세

밝은 별 목록【—目錄】[발근—녹] 명〔Bright Stars Catalog〕〖천〗6.5 등급보다 밝은 별의 목록. 위치·운동·시차(視差)·스펙트럼형들을 기재함.

밝을-녘 [발글력] 명 날이 새어서 밝아올 때. 새벽이 지나고 먼동이 틀 때. 개동(開東). ¶~까지 공부하다.

밝-히 [발키] 부 밝게.

밝히다 [발키—] 타 ①어둡던 것을 환하게 하다. 흐리던 것을 똑똑하게 하다. ¶마당을 ~. ②옳고 그른 것을 갈라 분명하게 하다. ¶그의 죄상을 ~. ③알리지 않은 사실을 설명하여 들려 주다. 또, 증명하다. ¶신분을 ~/ 비밀을 ~. ④잠자지 아니하고 밤을 새우다. ¶이야기로 밤을 ~. ⑤지나치게 좋아하다. ¶주색(酒色)을 ~/ 이 애는 어찌나 제 어미를 밝히는지 남이 안으면 그냥 운다. ＊바치다².

밞:다 [밤따] 타 ①팔을 펴서 길이를 재다. ②걸음을 걸어서 거리를 헤아리다. ③어린애가 걷기 시작하다. ④차츰차츰 앞으로 나아가다. 답사하다.

밟:다 [밥—] 타〔중세 : 볿다〕①발바닥으로 누르고 그 위에 서다. 발을 땅에 대고 디디다. ¶문지방을 밟지 마라/ 못을 ~. ②특별한 방식으로 발을 땅 위에 내려놓다. ¶스텝을 ~. ③실지로 그 자리에 가서 서다. 어떤 곳을 찾아가다. ¶조국 땅을 ~. ④실제로 경험하다. ¶무대를 ~. ⑤규칙이나 순서 따위를 거치거나 따라서 하다. ¶수속을 ~/ 계통을 ~. ⑥발자국을 따라서 좇아 가다. ¶형사가 혐의자의 뒤를 ~. ⑦남을 밑에 놓고 괴롭히거나 억누르다. ¶밟으면 밟을수록 꿋꿋이 저항한다. ⑧앞서 겪은 것을 되풀이하다. ¶전철을 ~. ⑨압운(押韻)하다. ¶운을 ~.

밟:-다듬이 [밥—] 명 피륙이나 종이 같은 것을 발로 밟아서 구김살이 펴지게 다듬는 일. ――하다 자여불

밟히다 [발피—] ㊀ 피동 남의 밟음을 당하다. ¶차 안에서 발을 ~. ㊁ 사동 밟게 하다. ¶허리를 ~.

밠귀머리 명〈옛〉발뒤꿈치. ¶밠귀머리ㄴ(脚跟은)≪金三 Ⅱ:7≫.

밠등 명〈옛〉발등. ¶설흔 둘차힌 밠드이 두터보시며≪月釋 Ⅱ:57≫.

밠바당 명〈옛〉발바닥. ＝밧바당. ¶밠바당 가온딘(脚心)≪救方 下 82≫.

밤¹ 명〔중세 : 밤〕저녁 어두운 뒤로부터 새벽 밝기 전까지의 동안. ¶~늦게까지/ ~이나 낮이나. ↔낮.

【밤말은 쥐가 듣고 낮말은 새가 듣는다】비밀히 한 말이라도 새어 나가기 쉬우니, 항상 말을 조심해서 하라는 말. 【밤 쌀 보기, 남의 계집 보기】남의 것이 제것보다 더 좋아 보인다는 말. 【밤에 보아도 낫자루 낮에 보아도 밤나무】무슨 물건이건 그 본색(本色)은 어디에서나 드러난다는 뜻. 어희(語戲)로 쓰는 말. 【밤에 패랭이 쓴 놈 보일라】저녁밥을 너무 일찌기 먹으면 밤중에 배가 고파 혹 패랭이 쓴 환상을 보게 될는지 모른다 함이니, 저녁을 일찌기 먹음을 보고 조롱하는 말. 【밤에 피리를 불면 뱀이 온다】밤에 피리나 휘파람을 불지 못하게 경고하여 이르는 말. 【밤 자고 나서 문안하기】한결같이 같이 놀다가, 혹은 다 지나고 나서 새삼스러운 말을 할 때에 이름. 【밤 잔 원수 없고 날 샌 은혜 없다; 밤 잔 원수 없다】원한과 은혜는 잊기 쉽다는 말.

밤:² 명 밤나무의 열매. 율자(栗子). ¶군~/ ~을 까다.

밤:³ 명 놋그릇을 부어 만드는 거푸집.

밤:⁴ 명 송치가 어미 뱃속에서 섭취하고 자라는 물질.

밤⁵〔BAM〕명〖지〗러시아 바이칼 아무르 철도(Baikalo-Amurskaya Magistral')의 약칭. 시베리아 중부의 타이셰트(Taishet)와 소베츠카야 가반(Sovetskaya Gavan')을 잇는 철도. 1974 년에 착공, 1984 년에 완공됨. 제 2 시베리아 철도. 밤(BAM) 철도. [4,300 km]

밤-거리 [—꺼—] 명 밤의 길거리. ¶~의 여인.

밤:-게 명〖동〗〔*Philyra pisum*〕밤겟과에 속하는 동물. 딱지의 길이 20 mm, 폭은 19.5 mm 내외로 밤톨만하고, 두흉갑(頭胸甲)은 액각(額角)의 돌출이 전혀 없어 원형임. 갑면(甲面)은 흑갈색·담청색·암청색 등이고 복면(腹面)은 백색임. 연안의 모래땅·진흙 속·하구(河口)에 서식하는데, 한국·일본·중국·만주에 분포함.

밤:겟-과【—科】명〖동〗〔Leucosiidae〕십각목(十脚目)에 속하는 절지 동물의 한 과. 주먹게·밤게 등이 있음.

밤-경【—景】명 밤의 경치. 야경(夜景).

밤:-경단【—瓊團】명 밤고물을 묻힌 경단. 반죽한 찹쌀가루를 밤톨만큼씩 동글동글하게 빚은 것에, 밤을 삶아서 어레미에 걸러 만든 밤고물을 묻힌 것과, 경단에 꿀을 바르고 고물 대신 생밤을 가늘게 채로 썰어 묻힌 것의 두 가지가 있음.

밤:-고구마 명 밤처럼 달고 팍팍한 고구마.

밤-공부【—工夫】[—꽁—] 명 밤에 하는 공부. ――하다 자여불

밤-교대【—交代】[—꾜—] 명 밤과 낮으로 패를 지어 교대로 일하는

경우의, 밤에 하는 당번. ↔낮교대.
밤-굿 명 밤에 하는 굿.
밤-글 [─끌] 명 밤에 읽는 글. ¶ ~을 읽다.
밤-길 [─낄] 명 밤에 걷는 길. 야로(夜路). ¶ ~은 위험하다.
밤:-꽃 명 밤느정이.
밤-꾀꼬리 명 〖조〗 나이팅게일(nightingale).
밤-나 부 〈방〉 밤낮.
밤:-나무 명 〖식〗 ①참나뭇과(科) 밤나무속(屬)에 속하는 약밤나무·산밤나무·모밀잣밤나무·밤나무❷ 등의 총칭. ②[*Castanea crenata*] 참나뭇과에 속하는 낙엽 활엽 교목. 높이 5-15 m가량이고, 수피(樹皮)는 암갈색인데, 늙으면 세로로 죽죽 갈라짐. 잎은 대생(對生)하고, 긴 타원상 피침형에 끝이 뾰족한 톱니가 있음. 꽃은 5-6월에 수상(穗狀) 화서가 자웅 일가(雌雄一家)로 피는데, 봄에 긴 화수(花穗)에는 수꽃이, 그 기부(基部)에는 암꽃이 붙어 피며, 특유한 향기를 풍김. 견과(堅果)는 '밤'이라고 하는데, 9-10월에 익고 가시가 많이 난 밤송이와 삽피(澁皮)인 속껍풀에 싸여 두세 개 있음. 산기슭·들·자갈땅에 나며 산이나 인가 부근에 재배함. 한국 각지·홋카이도·일본에 분포함. 나무는 단단하고 수습(水濕)에 잘 견디어, 선재(船材)·침목(枕木)·토목·건축·조각·신탄재 등으로 쓰고, 과실은 식용 또는 약용, 꽃은 약용 또는 물감용임. 율목(栗木). *약밤나무·산밤나무.

〈밤나무❷〉

[밤나무에서 은행이 열기를 바란다] 불가능한 일을 바란다.
밤:나무-벌레 명 〖충〗 참나무하늘소의 유충(幼蟲). 밤나무·굴밤나무 등의 참나뭇과 식물의 나무를 파먹는 해충임.
밤:나무 봉산 【─封山】 명 율목(栗木) 봉산.
밤:나무-뿌리 명 〈속〉 〔밤나무로 신주를 만드는 데서〕 신주(神主)를 가리키는 말.
밤:나무-산누에나방 【─山──】 명 〖충〗 [*Dictyoploca japonica*] 산누에나방과에 속하는 나방의 하나. 편 날개의 길이는 10-12 cm이고, 몸빛은 회갈색 내지 황갈색에 앞날개의 내횡선(內橫線)은 적갈색, 외횡선(外橫線)은 암갈색, 중앙실(中央室) 끝의 원무늬는 적갈색 또는 암갈색이며, 그 중심은 투명함. 유충(幼蟲)은 밤나무·호도나무잎 등의 해충임. 한국에도 분포함.

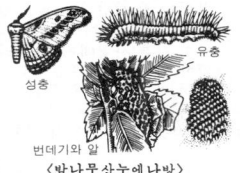

성충 유충 번데기와 알
〈밤나무산누에나방〉

밤:나무-진딧물 명 〖충〗 [*Lachnustropicalis vander*] 진딧물과에 속하는 곤충. 몸길이 3.2-4 mm, 몸빛은 흑색임. 많은 세모(細毛)가 있으며, 날개가 없는 것도 있음. 밤나무·상수리나무의 줄기·가지 등에 기생하고, 월동(越冬)하는 알은 크며, 기주(寄主) 식물의 줄기에 흩어져 부착(附着)함. 한국에도 분포함.

〈밤나무진딧물〉

밤-나방 명 〖충〗 ①밤나방과에 속하는 곤충의 총칭. 야도충나방. ②[*Aletia flavostigma*] 밤나방과에 속하는 곤충. 편 날개의 길이는 31-39 mm이고, 몸빛은 황회색임. 앞날개의 내외 횡선(橫線)은 각각 작은 흑점이 두 줄로 되고, 뒷날개는 담흑색, 후면(後面)은 담갈색임. 수컷의 복부·기부(基部)의 하면은 흑색 털이 총생하였음. 유충은 원통형으로 비대하고 식물의 해충임. 한국·대만·일본 등에 분포함.
밤나방-과 【─科】 [─꽈] 명 〖충〗 [Noctuidae] 나비목(目)에 속하는 나방의 한 과. 몸은 중형(中形) 또는 대형(大形)으로 몸빛은 대체로 음침한 빛깔임. 유충은 털이 없는 원통형이고, 대부분이 농작물 및 각종 나뭇잎의 해충이며, 야행성(夜行性)임. 순무밤나방·갈고리밤나방·밤나방 등이 이에 속하는데, 전세계에 3만여 종이 분포함.
밤-낚시 명 밤중에 하는 낚시질. ¶ ~를 가다.
밤-낮 ㊀명 밤과 낮. 일야(日夜). 주소(晝宵). 주야(晝夜). ¶ ~을 가리지 아니하다. ㊁부 밤에나 낮에나. 늘. 언제나. ¶ ~ 공부만 한다.
[밤낮으로 여드레를 자면 참 잠이 온다] 잠은 잘수록 더 자고 싶어 진다는 말.
밤낮을 가리지 않다 구 쉬지 않고 계속하다.
밤낮-없이 [─업씨] 부 언제나 늘.
밤-놀이 명 밤에 노는 놀이. 야유(夜遊). ──-하다 자여불
밤눈[1] 명 말의 앞다리 무릎 위 안쪽에 붙은 검은 군살. 현제(懸蹄).
밤-눈[2] 명 밤에 어떠한 것을 보는 눈의 힘. ¶ ~이 밝다.
[밤눈 어두운 말이 워낭 소리 듣고 따라간다] 맹목적(盲目的)으로 남하는 대로 따라 함을 이르는 말. *고마 문령(瞽馬聞鈴).
밤눈(이) 어둡다 구 밤에는 잘 보지 못하다.
밤-눈[3] 명 밤에 내리는 눈. 야설(夜雪).
밤:-느정이 명 밤나무의 꽃. 밤꽃. 준밤늦.
밤:-느젱이 명 ☞밤느정이.
밤:-늦 명 ↗밤느정이.
밤-늦다 형 밤이 깊다. 밤이 오래 되다. ¶ 밤늦게 돌아오다.
밤다 자 〈옛〉 밟다. =볿다. ¶ 밤다(臂量)《同文 下 22》.
밤:-다식 【─茶食】 명 황밤 가루로 만든 다식.
밤:-단자 【─團餈】 명 황밤 가루를 묻힌 단자.
밤-대거리 [─때─] 명 〖광〗 인부(人夫)들이 주야 교대(交代)로 일을 하는 광산에서, 밤에 들어가 일을 하는 대거리. ↔낮대거리. ──-하다 자여불 밤대거리의 일을 하다.
밤-도둑 [─또─] 명 밤에 하는 도둑질이나 그 도둑. ¶ ~이 들끓다. ↔낮도둑. *밤손님.
밤-도와 부 밤을 새워서. 밤새도록. ¶ ~ 책을 읽다 / 내일 식전 볼 일이 있는 까닭에 ~서라도 가야한다고 총총히 일어섰다《洪命憙 : 林巨正》.
밤둥만 부 〈옛〉 한밤중. ¶ 日出을 보리라 밤둥만 니러ᄒᆞ니《松江 關東別曲》.
밤-들다 자 밤이 깊어지기 시작하다. 으슥하여지다. ¶ 밤들어서야 겨우 잠을 이루었소.
밤:-떡 명 밤을 섞어서 만든 떡. 쌀가루에 밤을 통째로 섞어서 시루에 찌기도 하고, 삶아 으깨어 쌀가루와 꿀 같은 것을 넣어서 찌기도 함.
밤-똥 명 밤이면 누게 버릇이 된 똥.
밤-마다 명부 매일 밤. 밤이면 언제든지. 매야(每夜). ¶ ~ 공부하다.
밤-마을 명 밤에 다니는 마을. ¶ ~ 가다 / 다 큰 처녀가 웬 ~이냐?
밤-무대 【─舞臺】 명 밤업소(業所)에서 연예인이 공연하는 무대. ¶ ~에 서다.
밤-문안 【─問安】 명 밤에 웃어른에게 편안히 주무시라고 드리는 인사. ¶ 시부모님께 ~을 드리다.
밤바 〔bumper〕 명 ☞ 범퍼.
밤:-바구미 명 〖충〗 거위벌레.
밤-바람 [─빠─] 명 밤에 부는 차거운 바람.
밤-밝히다 [─발키─] 자 자지 않고 밤을 새우다.
밤-밥[1] [─빱] 명 밤늦게 먹는 밥. 야식(夜食). *밤참. 「두 번 먹었다.
[밤밥 먹었다] 아무도 모르게 밤중에 달아난 것을 가리키는 말. 저녁
밤:-밥[2] 명 통밤을 두어서 지은 밥.
밤-배 [─빼] 명 밤에 운행하는 배. 야선(夜船).
밤버리 명 〈방〉 잠자리(제주).
밤-버버리 명 〈방〉 반벙어리(전남·경북).
밤:-버섯 명 〖식〗 [*Hypholoma sublateritium*] 송이과에 속하는 담자균류(擔子菌類). 높이 10 cm 가량이고, 갓의 직경은 3-8 cm임. 갓은 처음에는 반구상(半球狀) 또는 원추상(圓錐狀)이나 나중에는 거의 편평하게 되며 표면은 다갈색임. 줄기는 속이 비고 상반부는 황백색, 하반부는 암갈색임. 가을철에 밤나무·졸참나무 등 활엽 교목의 썩은 밑둥에 다북하게 나는데, 한국·일본 등지에 분포함. 식용(食用)함.

〈밤버섯〉

밤-번 【─番】 [─뻔] 명 밤에 드는 번. ¶ ~을 들다. ↔낮번(番).
밤:-벌레 명 〖충〗 꿀꿀이바구미의 유충. 몸이 토실토실하고 빛이 보유스름한데, 특히 밤알에 구멍을 뚫고 파먹음. *꿀꿀이바구미.
[밤벌레 같다] 어린 아이들의 살이 토실토실하고 살빛이 보유스름함을 비유하는 말.
밤베르크 〔Bamberg〕 명 〖지〗 독일 남부의 도시. 금속·섬유·피혁 등의 공업이 성함. 밤베르크 성당이 있음. [71,000 명(1981)]
밤베르크 성:당 【─聖堂】 〔Bamberg〕 명 〖지〗 독일 밤베르크에 있는 성기(盛期) 로마네스크(Romanesque) 건축의 성당. 12세기 말에 완성된 바실리카식(basilica式) 건물로 고딕으로 이행(移行)하는 과정을 잘 나타내는 건물로 중요시됨. 《밤베르크의 기사(騎士)》·《최후의 심판》 등의 조각으로 유명함.
밤:-볼 명 볼록하게 살이 많이 찐 뺨의 볼.
밤:볼(이) 지다 구 볼이 볼록하게 살이 찌다. 「불.
밤-불 [─뿔] 명 ①밤에 일어난 불. ②밤에 피워 놓는 불. ③〈방〉 반딧
밤븨다 자 〈옛〉 마비(痲痺)되다. =범븨다. ¶ 테 곳 눈이 밤븨여(他偃眼花)《朴新解 Ⅱ:52》.
밤-비 [─삐] 명 밤에 내리는 비. 야우(夜雨).
[밤비에 자란 사람] 깨치지 못하고 묽은 사람을 가리키는 말.
밤:-빛 [─삗] 명 밤색.
밤뿌리 명 〈방〉 물부리(전라).
밤뚱 명 〈옛〉 밤중. ¶ 밤뚱 다ᄃᆞ거든(到半夜裏)《老乞 上 51》.
밤뚱만 부 한밤중. ¶ 밤뚱만 ᄯᅩ 콩을 버므려 주워 머기라(半夜裏却拌饋他料喫)《朴解 上 22》. 「준밤샘.
밤-사이 [─싸─] 명부 밤의 동안. 야간(夜間). 야래(夜來). ¶ ~의 폭우.
밤-새[1] [─쌔] 명 상상(想像)의 새. 꿩과 비슷한데, 목에 무늬가 있으며, 쭉지가 희고 발이 누렇다 함.
밤-새[2] [─쌔] 명부 ↗밤사이. ¶ ~ 내린 비 / ~ 안녕하셨습니까?
밤새-껏 부 밤새도록. ¶ ~ 자지 못하다.
밤-새다 자 ↗밤새우다.
[밤새도록 가도 문 못 들기] 밤새도록 달려 갔어도 성문 안에 못 들었다 함이니, 힘껏 하고도 목적을 이루지 못하거나 공(功)이 없음을 가리키는 말. [밤새도록 물레질만 하겠다] 본래의 계획이 있는데 딴 일만 하게 될 적에 이르는 말. [밤새도록 울다가 누가 죽었느냐고 한다; 밤새도록 통곡(痛哭)을 해도 어떤 마누라 초상(初喪)인지 모른다] ㉠무슨 영문인지도 모르고 그 일에 참여하고 있는 어리석음을 이르는 말. ㉡밤새우며 통곡하고도 누구의 초상인지도 모르듯이, 어떤 일을 죽도록 하면서도 그 일이 뭣인지, 또, 왜 하는지조차 모른다는 말.
밤-새도록 부 밤이 다 지나도록. ¶ ~ 마시다.
밤-새우다 자 잠을 자지 아니하고 밤을 밝히다. ¶ 밤새워 일하다. 준밤새다.
밤-새움 명 ① 밤을 새우는 일. 철야(徹夜). ¶ ~은 몸에 해롭다. ②사자를 장사지내기 전에 가족·친지 등이 유해 곁에서 밤새도록 지키는 일. 1)·2): 준 밤샘. ──-하다 자여불
밤:-색 【─色】 명 익은 밤의 껍질과 같은 빛깔. 갈색(褐色). 초콜릿색. 밤빛. 브라운(brown). ¶ ~ 코트.

밤:색-갈고리나방【—色—】 명 〖충〗[*Falcaria curvatula*] 갈고리나방과에 속하는 곤충. 편 날개의 길이 35-42 mm이고, 몸빛은 갈색이며 앞뒷 날개에는 각각 톱날 모양의 암갈색 횡선(橫線)이 다섯 줄씩 있음. 유충은 오리나무 등의 잎을 먹는 해충인데, 한국에도 분포함. 갈고리나방.

〈밤색갈고리나방〉

밤:색-하루살이【—色—】 명 〖충〗[*Paraleptophlebia chocorata*] 밤색하루살잇과에 속하는 곤충. 몸길이 5-7.5 mm이고, 편 날개의 길이는 6-8 mm임. 몸빛은 대체로 밤색이고, 두부와 흉배(胸背)는 흑갈색이며, 흉부(胸部) 하면(下面)은 적갈색임. 날개는 무색 투명하고, 복부 제 2-6절은 반투명이며, 각절(各節)의 후반부는 갈색임. 한국·일본 등지에 분포함.

〈밤색하루살이〉

밤:색하루살잇-과【—色—科】 명 〖충〗[Leptophlebiidae] 하루살이목(目)에 속하는 유시류(有翅類)의 한 과. 유충(幼蟲)은 몸과 촉각이 길며 꼬리의 미사(尾絲)는 세 개, 아가미는 잎 모양임. 성충은 세시맥(細翅脈)이 많고, 뒷날개는 작으며 수컷의 파악기(把握器)는 3절 또는 4절이며, 신열대(新熱帶)·인도·말레이·에티오피아 등에 분포함.

밤-샘 명 ↗밤새움. ¶ 초상집에서 ~하다. ——-하다 자여불

밤:-소【—쏘】 명 밤을 삶아 으깨서 만든 소. 흔히, 송편에 넣음.

밤-소경 명 ①야맹증(夜盲症). ②야맹증이 있는 사람.

밤-소일【—消日】 명 놀이나 장난 등으로 밤을 새우는 일. ¶ 마작으로 ~하다. ——-하다 자여불

밤-손님 [—쏜—] 명 〈속〉'도둑'의 곁말. 야객(夜客). ¶ 어젯밤에 ~이 들었다.

밤:-송아리 명 〈방〉 밤송이.

밤:-송이 명 밤나무의 과실을 싸고 있는 겉껍데기. 센 가시가 많이 돋고, 익으면 네 갈래로 벌어져 밤알이 떨어짐. 율방(栗房).

[밤송이 우엉송이 다 끼어 보았다] 밤송이나 우엉송이는 다 가시가 있는 것인데 이를 끼어 보았다 함이니, 산전 수전(山戰水戰)을 다 겪어서 많은 뼈아픈 경험을 하였다는 말.

밤:송이-솔 명 그릇을 가시는 데 쓰는 솔. 종려(棕櫚) 털을 짤막하게 잘라 두 오리의 철사(鐵絲) 틈에 끼고 꼬아서 둘로 접어 만든 것.

밤송이 명 〈옛〉 밤송이. ¶ 밤송이(栗毛殼)≪救簡 Ⅲ:30≫.

밤:-쐥이 명 〈방〉 밤송이(경상).

밤-안개 명 밤에 낀 안개.

밤:-알 명 밤의 낱개의 알.

밤:-암죽【—粥】 명 밤을 껍데기를 벗겨 물에 불려서 강판(薑板)에 갈아 낸 뒤에 물을 치고 체에 걸러서 서서히 익힌 암죽.

밤:-얽이 [—얼기] 명 짐을 동일 때에 곱치어 매는 매듭.

밤:얽이(를) 치다 구 밤얽이를 매다.

밤-업소【—業所】 명 밤에 문을 열고 손님을 맞는 술집·카바레 등의 업소.

밤:-엿 [—녇] 명 밤톨만큼씩 동그랗게 만들어 깨를 묻힌 엿. 율당(栗糖).

밤:-윷 [—늍] 명 작은 밤톨만큼씩 하게 만든 윷짝.

밤의다 자 〈옛〉 뒤얽히다. ¶ 코헤 쏠기고 눈에 밤읜 거슨 이 紅白 荷花라(噴鼻眼花的是紅白荷花)≪朴解 上 62≫.

밤-이슬 [—니—] 명 밤에 내리는 이슬. 야로(夜露).

[밤이슬 맞는 놈] 밤에 흔히 다니는 까닭에 이슬에 젖는다는 뜻으로, '도둑놈'을 곁말로 일컫는 말.

밤-일 [—닐] 명 ①밤에 하는 일. 야근. 야공(夜工). 야업(夜業). ↔낮일. ②〈비〉 방사(房事). ——-하다 자여불

밤:잎-고사리 [—닙—] 명 〖식〗[*Polypodium ensatum*] 고사릿과에 속하는 상록 양치류. 근경(根莖)에는 암갈색의 얇은 비늘 조각이 밀생함. 잎은 포복경(匍匐莖)에서 나는데, 잎꼭지의 길이 17 cm 가량이고 앞뒤 쪽에 엷은 비늘 조각이 흩어져 있음. 엽신(葉身)은 피침형으로 길이 20-40 cm, 폭 5-6 cm이고, 중륵(中肋)의 두 쪽에는 둥근 자낭군(子囊群)이 대생(對生)하여 달림. 깊은 산 속 숲 그늘에 야생하는데, 제주도·일본에 분포함.

〈밤잎고사리〉

밤:-자갈 명 밤톨만큼씩한 자갈. 도로 포장 등에 쓰임.

밤잔-물 명 밤을 지낸 자리끼.

밤-잠 [—짬] 명 밤에 자는 잠. ¶ ~을 설치다. ↔낮잠.

밤-잠자리 명 〖충〗 명주잠자리.

밤-장【—場】[—짱] 명 ①명절(名節)의 대목 등에 밤 늦도록 서는 장. ②야시(夜市).

밤-재우다 타 하룻밤을 경과시키다. ¶ 밀가루 반죽을 ~.

밤-저녁 [—쩌—] 명 잠들기 전의 그다지 늦지 아니한 밤.

밤:-주악 명 황밤 가루를 꿀에 반죽하고 계피(桂皮)·건강(乾薑)과 대추·깨·잣가루를 꿀에 범벅하여 소를 넣고, 만두처럼 빚어서 기름에 띄워 지진 주악.

밤:-죽【—粥】 명 밤가루와 쌀가루를 섞어서 끓인 죽. 이유식에 좋음.

밤-중【—中】[—쭝] 명 깊은 밤. 밤의 한가운데. 야분(夜分). 야중(夜中). 야음(夜陰). 야삼경(夜三更).

밤중만 부 〈옛〉 한밤중. ¶ 밤중만 술혀더 우러 님의 귀예 들리리라≪古時調≫.

밤-쥐 명 〈방〉 〖동〗 박쥐(경남).

밤:-즙【—汁】 명 날밤을 물에 담갔다가 매에 갈아서 낸 즙을 불에 놓고 저어 익혀서 묵과 같이 된 음식. 입맛을 돋는 데 씀.

밤-차【—車】 명 밤에 운행하는 차. 야간 열차(夜間列車). ¶ ~로 떠나다. ↔낮차.

밤-참【—站】 명 밤에 먹는 군음식. 야찬(夜餐). ¶ ~을 먹으며 일하다.

*밤밥[1].

밤 철도【—鐵道】[—또] 명 〔BAM railroad〕 〖지〗 밤(BAM).

밤:초【—炒】 명 밤으로 만든 과자의 한 가지. 황밤을 흠뻑 삶은 뒤에 꿀을 치고 다시 조려서, 계피 가루와 잣가루를 뿌림. 또는 삶은 밤을 벗기고 꿀을 쳐서 푹 끓인 뒤에 계피 가루를 뿌림.

밤:-콩 명 빛깔이 밤색이고 맛이 밤 맛과 비슷한 썩 굵은 콩.

밤-털이 명 밤에 하는 도둑질.

밤:-톨 명 ①밤의 알. ②밤의 낱개만한 크기를 형용하여 일컫는 말. ¶ ~만한 녀석.

밤:-편 명 날밤을 껍질 벗기고 물에 담갔다가 강판(薑板)에 갈아 즙(汁)을 낸 뒤에, 녹말을 섞고 꿀을 쳐서 조려 굳힌 떡.

밤-하늘 명 밤의 하늘. 야천(夜天).

밥[1] 명 〔중세 : 밥〕 ①곡류에 물을 부어 솥에 익힌 음식으로, 보통 쌀밥을 일컬음. 보리밥·콩밥·조밥 등이 있음. ¶ ~을 짓다. ②끼니에 먹는 음식. 식사(食事). ¶ ~ 먹었느냐. ③동물이 먹고 살아갈 수 있는 먹이의 총칭. ¶ 돼지~. ④차지되는 모가치. 물건의 한 부분. ⑤〈속〉 미끼. ⑥사람이나 동물의 욕망이 희생물로 되는 대상(對象). ¶ 악인의 ~이 되다. ——-하다 자여불 밥을 짓다.

[밥 군 것이 떡 군 것보다 못하다] '밥 군'과 '바꾼'의 음이 비슷한 데서 생긴 신소리로, 물건은 바꾸는 것이 좋지 않다는 말. [밥 먹는 개도 아니 때린다] 음식을 먹고 있는 사람을 꾸짖거나 때리는 것은 좋지 않다는 말. [밥 빌어다가 죽 쑤어 먹을 놈] 성질이 게으른 데다가 지견(知見)마저 없는 사람을 두고 이르는 말. [밥 선 것은 사람 살려도 의원 선 것은 사람 죽인다] 돌팔이 의사를 경계하라는 말. [밥 아니 먹어도 배부르다] 기쁜 일이 있어 마음에 만족하다는 말. [밥은 굶어도 속이 편해야 산다] 마음 편히 사는 것이 제일이라는 말. [밥은 열 곳에 가 먹어도 잠은 한 곳에서 자랬다] 사람은 거처가 일정해야 된다는 말. [밥을 치면 떡이 되고 사람을 치면 도둑이 된다] 억울하게 도둑으로 몰아 넣을 경우를 이르는 말. [밥이 얼굴에 더덕더덕 붙었다] 얼굴이 복있게 잘 생겼다는 말. [밥이 질다] 일이 뜻대로 되지 않았을 때 이르는 말. [밥 푸다 말고 주걱 남 주면 살림 빼앗긴다] 부인네가 밥 푸다 말고 다른 사람에게 밥 푸라고 주면 시앗을 본다 하여 이르는 말. [밥 한 알이 귀신 열을 쫓는다] 귀신이 붙은 듯이 몸이 쇠약해졌을 때라도 충분히 먹고 제 몸을 돌보는 것이 건강을 회복하는 가장 빠른 길이며, 따라서 귀신도 쫓게 된다는 말.

밥 먹듯 하다 구 일상 생활에 흔히 있는 일처럼 예사로 하다. ¶ 굶기를 ~ / 거짓말을 ~.

밥(을) 주다 구 시계의 태엽을 감아 주다. ¶ 시계가 죽었으니 밥 좀 줘라.

밥[2] 명 죄인에게 형벌을 주어 그 죄상을 드러내는 일. ¶ 그 다음 날은 일가 친척들을 함빡 잡아다 ~을 내었다≪朴鍾和 : 錦衫의 피≫. *밥내다.

밥[3] 의명 연장으로 베거나 깎은 물건의 부스러기. ¶ 가윗~/톱~.

밥-값 [—깝] 명 ①식비(食費). ②밥벌이 정도의 구실. ¶ 그럭저럭 ~은 하고 다닌다.

밥-걱정 명 식(食)걱정. ¶ 이제 ~은 안 해도 된다. ——-하다 자여불

밥고리 명 〈옛〉 밥 담는 그릇. 고리. ¶ 밥고리(食籠)≪字會 中 10 籠字註≫.

밥-과잘 명 〈방〉 누룽지(평안).

밥-과질 명 〈방〉 누룽지(평안).

밥-그릇 명 ①밥을 담아 먹는 그릇. 식기(食器). 반우(飯盂). ②밥벌이를 한다는 뜻으로, 일자리를 일컫는 말.

[밥그릇이 높으니까 생일만큼 여긴다] 조금 대접해 주니까 더 우쭐하는 사람을 두고 이르는 말.

밥-길 명 〖생〗 식도(食道).

밥-내다 타 도둑놈에게 형벌을 주어 그 죄상(罪狀)을 자백하게 하다.

밥닉다 자 〈옛〉 밥이 익다. 밥이 되다. ¶ 밥니글 싈(飪)≪字會 下 12≫.

밥-더기 명 〈방〉 부엌데기.

밥-덩이 명 밥이 뭉쳐진 덩이.

밥-데기 명 〈방〉 부엌데기.

밥-도시락 명 밥을 담는 도시락.

밥-동구리 명 〈방〉 도시락.

밥-때 명 〈방〉 끼니때(경상).

밥-말이 명 국 따위에 밥을 만 것.

밥-맛 명 ①밥의 맛. ②식욕(食慾). ¶ ~이 나다.

밥맛(이) 없:어지다 구 아니꼽고 기가 차서, 입맛이 떨어지다.

밥-물 명 ①밥을 지을 때 쓰는 물. ②밥이 끓을 때 넘어 흐르는 물. 곡정수(穀精水). 식정수(食精水).

밥-밑 명 밥을 지을 때 쌀 이외에 밑에 놓는 콩·보리쌀·팥 등의 잡곡류.

밥밑-콩 명 밥에 두어 먹을 만한 좋은 콩. 흔히, 밥지을 때 밥 밑에 깔고 짓는 콩.

밥-반찬 명 반찬.

밥-받이 [—바지] 명 도둑에게 밥을 내게 하는 일. 죄인의 자백을 받는 일. ——-하다 타여불

밥-벌레 명 일은 하지 아니하고 밥만 많이 먹는 사람을 조롱하는 말. 식충이.

밥-벌이 명 ①겨우 밥이나 먹고 살 정도의 벌이. ¶ ~는 된다. ②먹고 살기 위하여 하는 일. ¶ ~를 하다. ——-하다 자여불

밥-보 명 밥을 유달리 많이 먹는 사람. *식충이.

밥-보자【—褓子】 명 밥그릇이나 밥상을 덮는 베보자기. 밥보자기.

밥-보자기【—褓—】 명 밥보자.

밥부리 명 〈방〉 잠자리[2](제주).

밥-빼기 명 아우 타느라고 밥을 많이 먹는 아이.

밥쒸다 자 〈옛〉 바로 뛰다. ¶ 밥쒸여 간다. 마ᄅ 쒸어 가ᄂ고≪永言≫.

밥-살 명 어린애가 젖을 떼고 밥을 먹게 되면서부터 찌는 살. ¶ ~이 오르다.

밥-상【一床】 명 음식을 차려 놓는 데 쓰는 소반. 식상(食床). ¶ ~을 차리다.

밥상-머리【一床一】 명 밥상을 받고 앉은 사람의 앞은 편 되는 쪽. ¶ ~에 앉다.

밥-소라 명 밥·떡국·국수 같은 것을 담는 큰 놋그릇. 위가 조금 벌쭉하고 높직한 굽이 달렸음.

〈밥소라〉

밥-솔 명 〈방〉 솥솔(함경).

밥-솥 명 밥을 짓는 솥. 식정(食鼎). ¶ 전기 ~.

밥-쇠 명 〖불교〗 절에서 밥 먹을 때에 여러 사람에게 알리기 위하여 다섯 번 치는 종(鐘). 기판종(鐘).

밥-숟가락 명 밥을 떠먹는 숟가락. 밥숟.

밥-술 명 ①밥의 몇 술. ¶ ~이나 얻어 먹으려고/~이나 먹고 살 만하다. ②밥을 떠먹는 숟가락.

밥술(을) 놓다 구 ㉠식사를 마치고 수저를 상위에 내려 놓다. ㉡죽다.

밥술이나 먹게 생기다 구 생김새가 복(福) 있어 보이고 잘 살게 생겼다는 말.

밥식-변【一食邊】 명 한자 부수(部首)의 하나. '飮'이나 '養' 등의 '食'의 이름.

밥-쌀 명 밥을 지을 쌀. 반미(飯米).

밥-알 명 밥의 낱낱의 알. 반과(飯顆). 반립(飯粒).

밥알을 세다 구 입맛이 없거나 하여 밥을 잘 먹지 아니하고 깨지락거림을 이르는 말.

밥알이 곤두 서다 구 배 속의 밥알이 곤두섰다는 뜻으로, 평소에 안 하던 짓을 함을 핀잔하여 이르는 말.

밥-웃물 명 〈방〉 밥물.

밥자 명 〈방〉 밥주걱(제주).

밥-자리 명 〈속〉 직장. 일자리. ¶ ~를 잃다.

밥-자배기 명 밥을 담아 두는 자배기.

밥-잔치 명 국수나 과자 등을 쓰지 않고 밥으로 간단히 차린 잔치.

밥-장【一醬】 명 메주를 많이 넣고 되게 담근 간장.

밥-장사 명 밥을 해서 파는 영업. ——하다 자여불

밥-장수 명 밥을 해서 파는 사람.

밥-조개 명 〈방〉 〖조개〗 가리비.

밥-주개 명 〈방〉 밥주걱(충북·경상).

밥-주걱 명 밥을 푸는 제구. 나무나 놋쇠로 부삽 모양으로 만듦. 반삽(飯臿). ㊂주걱.

밥-주게 명 〈방〉 밥주걱(경상).

밥주리 명 〈방〉 잠자리²(제주).

밥-주머니 명 밥이나 먹고 아무 일도 하지 아니하는 쓸모없는 사람의 비유. 반낭(飯囊).

밥-주벅 명 〈방〉 밥주걱(전북).

밥-죽 명 〈방〉 밥주걱(전남·경북·강원).

밥-줄 명 ①'먹고 살아가는 길'이란 뜻으로 '직업'의 속칭. ②〖생〗 식도(食道).

밥줄이 끊어지다 구 직업을 잃다.

밥줄이 붙어 있다 구 아직 직장에 다니고 있다.

밥죽 명 〈옛〉 밥주걱. ¶ 밥죽 쵸(棗)《字會 中 19》.

밥-지랄 명 핀둥핀둥 놀면서 밥만 축내는 자가 저지르는 못된 짓. ——하다 자여불

밥지슬 자 〈옛〉 밥지을. '밥짓다'의 활용형. ¶ 밥지슬 츄(炊)《字會 下 12》. 「備晨炊」《重杜諺 Ⅳ:8》.

밥지이 명 〈옛〉 밥짓기. ¶ 오히려 시러곰 새뱃 밥지일 マ초호리라(猶得備晨炊)《重杜諺 Ⅳ:8》.

밥-집 명 밥에 반찬을 한두 가지 끼어서 헐값으로 파는 집.

밥-짓다 자ㅅ불 ①쌀에 물을 붓고 열을 가하여 밥을 만들다. ②게가 입으로 거품을 내보내다.

밥-쭈개 명 〈방〉 밥주걱(충북·경상).

밥-쭈거 명 〈방〉 밥주걱(강원).

밥-치다꺼리 명 밥 짓고 상(床) 차리고 설거지하는 따위의 일들. ¶ 손님들 ~에 하루 해가 다 간다.

밥-통【一桶】 명 ①밥을 담는 통. ¶ 보온 ~. ②〖생〗 위(胃)❶. ③밥만 먹고 밥값도 못하는 어리석은 사람을 놀리는 말. 죽반승(粥飯僧). ¶ 이 ~아. ④〈방〉 구유(전라).

밥-투정 명 밥이 먹기 싫어 짜증을 부리는 짓. ¶ ~을 하는 아이. ——하다 자여불

밥-티 명 〈방〉 밥알(경상·전라).

[밥티 두 낱 붙은 데 없이 까분다] 매우 까분다는 말.

밥-티기 명 〈방〉 밥알(경상·전라·충남).

밥티스마 〔그 baptisma〕 명 〖기독교〗 세례(洗禮). 침례(浸禮).

밥-풀 명 ①풀 대신으로 무엇을 붙이는 데 쓰는 밥알. ②밥알.

[밥풀 물고 새 새끼 부르듯] 매우 쉽게 생각하는 모양.

밥풀 강정 명 유밀과(油蜜果)의 하나. 산자 밥풀을 겉에 붙인 강정. 반립(飯粒) 강정.

밥풀 과자【一菓子】 명 쌀을 튀기어 조청을 발라 뭉친 과자.

밥풀-눈 〔一룬〕 명 눈꺼풀에 밥알같은 군살이 붙어 있는 눈.

밥풀눈-이 〔一룬이〕 명 밥풀눈을 가진 사람.

밥풀-때기 명 〈속〉 ①밥풀의 낱개. 밥알. ②〔전에 위관 계급장은 직사각형 놋쇠 바탕에 밥풀 크기만한 은빛 네모가 1-3개 붙어 있었으므로〕 위관(尉官) 계급. ¶ ~ 하나 달았다고 재지 마라.

밥풀-산자【一饊子】 명 〈방〉 산자(饊子).

밥풀-질 명 밥풀로 물건을 붙이는 짓. ——하다 자여불

밥풀-칠 명 밥풀을 이기어 바른 더께.

밥-하다 자여불 밥을 짓다.

밧¹ 명 〈옛〉 ①밖. ¶ 밧 외(外)《字會 下 34》. ②겉. ¶ 밧 표(表)《類合 下 60》.

밧² 명 〈옛〉 밭❶. =받. ¶ 밧 가라 씨 디무로 브터《野雲 49》.

밧가락 명 〈옛〉 발가락. ¶ 밧가락 マ로 짜홀 누르시니(以足地按也)《圓覺 上 二之二 131》.

밧겻 명 〈옛〉 바깥. ¶ 밧겻티라(外間)《語錄 17》.

밧고다 타 〈옛〉 바꾸다. ¶ 뼈를 可히 밧고리어든(骨可換)《杜諺 Ⅸ:7》.

밧귀머리 명 〈옛〉 발뒤꿈치. ¶ 두 밧귀머리 다 수므샤 낟디 아니ᄒᆞ샤미 第六이시고《妙蓮 Ⅱ:14》. 「58章》.

밧기다 타 〈옛〉 벗기다. =밧쏘다. ¶ 기르말 밧기시니(解鞍而息)《龍歌

밧긔 조 〈옛〉 밖에. ¶ 내죄를씻는거슨 예수의 피밧긔업네《찬양가:64》.

밧마락 명 〈옛〉 발가락. ¶ 이 다숫 밧마락 가진 쓸 업슨 룡을 슈질ᄒᆞ니는(這的大紅綉五爪蟒龍)《朴解 上 14》.

밧다¹ 자타 〈옛〉 받다. 받치다. 고이다. ¶ 꿈의나 님을 보려 틱 밧고 비겨시니 앙금(鴦衾)도 추도출샤 이 밤은 언제 샐고《松江 思美人曲》.

밧다² 자타 〈옛〉 벗다. ¶ ᄂᆞᄆᆞᆫ 밧ᄂᆞᆫ 오술 아니 바사(人脫之衣 我獨不脫)《龍歌 92章》.

밧다³ 타 ↗바수다. 〈봇다³.

밧다⁴ 타 〈옛〉 뱉다. ¶ 겨틔 사룸이 춤 밧고 쑤지즈리라(傍人要唾罵)《老乞 下 42》.

밧대이 명 〈방〉 대님(경북).

밧도리 명 〈옛〉 바깥 둘레. ¶ 술윗박회 밧도리 해야디거다(折了車輞子)《老乞 下 32》.

밧돕 명 〈옛〉 발톱. ¶ 밧돕 다드믄 티 다숫낫 돈이니(修脚五錢箇)《朴解 上 52》.

밧둥 명 〈옛〉 발등. ¶ 밧둥 부(跗)《字會 上 29》.

밧맛감 부 〈옛〉 바깥만큼. 바깥쯤. ¶ 그리고 北녀긔 아홉 肘 밧맛감 龍王올 호 모미오 아홉 머리에 그리고《月釋 Ⅹ:369》.

밧모 〔Patmos〕 명 〖성〗 지중해에 있는 작은 섬. 사도 요한이 정배(定配)가서 계시(啓示)를 받아 묵시록을 썼다고 함.

밧목 명 〈옛〉 발목. ¶ 밧목 것그며(跪折)《救方 下 26》.

밧바당 명 〈옛〉 발바닥. ¶ 밧바당(脚板)《字會 上 29 脚字註》.

밧부다 형 〈옛〉 바쁘다. =밧ᄇᆞ다. ¶ 비록 밧분 저기라도(雖居倉卒)《飜小 Ⅹ:2》.

밧브다 형 〈옛〉 바쁘다. ¶ 오늘은 밧브니(今日忙)《老乞 下 6》.

밧비 부 〈옛〉 바삐. =뵈왓비. ¶ ᄇᆞ룸을 타 돗글 돌고 밧비 나가거놀《大平廣記 Ⅰ:3》.

밧ᄇᆞ다 형 〈옛〉 바쁘다. =밧브다. ¶ 밧볼 망(忙)《類合 下 7》.

밧쏘다 타 〈옛〉 바꾸다. =밧고다. ¶ 밧쏠 역(易)《字會 上 34》.

밧쉬 명 〈옛〉 밭. ¶ 종쉬 밧쉬ᄂᆞᆫ 엇기예 쉽거니와《永言》.

밧삼다 타 〈옛〉 셈밖으로 치다. ¶ 萬物을 밧 사모믈 張良과 邴曼容올 思慕ᄒᆞ노라(外物慕張邴)《杜諺 ⅩⅢ:14》.

밧자【捧上】 〈이두〉 받자❶.

밧잣 명 〈옛〉 외성(外城). ¶ 밧잣 부(郛), 밧잣 곽(郭)《字會 中 8》.

밧-줄 명 참바로 된 줄. ¶ ~을 매다.

밧집 명 ①〈궁중〉 대궐 밖 백성의 집. 민가(民家). ②〈옛〉 곽(槨). 외관(外棺). ¶ 밧집 곽(槨)《字會 中 35》.

밧-찹살 명 〈방〉 차좁쌀(경남).

밨 명 〈옛〉 밖. ¶ 城 밧긔 브리 비취여(火照城外)《龍歌 69章》.

방:¹ 명 윷판의 한가운데 밭 이름. *방따다.

방²【方】 명 성(姓)의 하나. 현재 우리 나라에는 본관이 온양(溫陽) 하나뿐임.

방³【坊】 명 〖역〗 ①서울의 오부(五部)를 다시 세분(細分)한 구획(區畫). 고려 때의 개경(開京), 조선 시대의 한양(漢陽)에 있었는데, 오늘의 동(洞)과 비슷함. ②황해도와 평안도의 두 도(道)에서 면(面)으로 일컫던 이름.

방⁴【邦】 명 성(姓)의 하나. 현재 우리 나라에는 광주(廣州)·파주(坡州) 등 세 개의 본관이 있음.

방⁵【芳】 명 성(姓)의 하나. 우리 나라에는 현존하지 아니함.

방⁶【房】 명 〖천〗 ↗방성(房星).

방⁷【房】 명 ①〖건〗 집이나 기타 어떠한 곳에 사람이 거처하기 위하여 만들어진 칸. 방사(房舍). ¶ ~이 많은 집. ②구들. ¶ ~을 놓다. ③〖역〗 궁⁵(宮)❷. ④〖역〗 조선 시대에, 시전(市廛)보다 작고, 가가(假家)보다 큰 가게. *전(廛)·가가·재가(在家).

[방 보아 똥 싼다] 사람의 우열(優劣)에 따라 대우를 달리함을 가리키는 말. [방에 가면 더 먹을까 부엌에 가면 더 먹을까] 어떠한 이익에 급급(汲汲)하여 이게 날까 저게 날까 하고 그 거취(去就)를 확정하지 못함을 이르는 말.

방⁸【房】 명 성(姓)의 하나. 현재 우리 나라에는 남양(南陽)·수원(水原) 등 두 개의 본관이 있음.

방⁹【旁】 명 한자 구성(構成) 상의 명칭으로, 한자의 오른쪽 부분. '列'·'邦' 등에서 'リ'·'阝' 따위를 이르는 말. ↔변(邊). *칼도방.

방:¹⁰【榜】 명 ①↗방목(榜目). ②↗방문(榜文). ¶ ~을 붙이다.

방¹¹【龐】 명 성(姓)의 하나. 현재 우리 나라에는 개성(開城)·갈양(渴陽) 등 세 개의 본관이 있음.

방:¹²【放】 의명 ①총포(銃砲)를 발사(發射)하는 횟수를 세는 말. 발(發). ¶ 한 ~ 쏘다. ②방귀를 뀌는 횟수를 세는 말. ¶ 방귀를 한 ~ 뀌었더니 속이 시원하군. ③주먹 따위로 때리는 횟수를 세는 말. ¶ 주먹 한 ~에 나가떨어지다.

방¹³【磅】 의명 '파운드(pound)'의 음역.

-방¹【方】 미 ①어떠한 명사 뒤에 붙어서 방위(方位)를 나타내는 말. ¶ 동남~/건해(乾亥)~. ②편지에서, 주로 세대주·집주인 이름 뒤에 붙어서, 그 집에 거처하고 있음을 가리키는 말. ¶ 박 춘식 씨~ 허 일호 귀하. *전교(轉交).

-방²【房】 미 일부 명사 뒤에 붙어, 그런 것에 관련된 '방'이나 '곳'임을 뜻함. ¶ 사랑~/복덕~/한약~.

방가¹【邦家】 명 나라. 국가.

방:가²【放暇】 명 휴가(休暇)❶.

방:가³【放歌】 명 큰 소리로 노래를 부름. ¶ 고성(高聲)~. ——하다 자여불

방-가위【方可謂】 부 방가위지(方可謂之).

방-가위지【方可謂之】 부 과연 그렇다고 할 만하게. 방가위. ¶ ~ 명인

(名人)이로고.

방가지 명 〈방〉 〖충〗 방아깨비.

〈방가지똥〉

방가지-똥 명 〖식〗 [*Sonchus oleraceus*] 꽃상추과에 속하는 일년 또는 이년초. 줄기의 길이 100cm 가량으로 속이 비고 모가 짐. 잎은 길고 고르지 아니하게 우열(羽裂)하며, 가시가 없고 온몸에 백색액(白色液)이 들어 있음. 5-6월부터 가지가 갈라져서 누른 빛의 두상화(頭狀花)가 방상 화수(房狀花穗)로 피고, 수과(瘦果)는 편평한데, 꽃 진 뒤에 흰 관모(冠毛)가 있는 씨가 바람에 날려 흩어짐. 흔히, 길가 같은 데에 저절로 나는데, 한국 각지에 분포함. 어린 잎은 식용함.

방:각[1] 【倣刻】 명 모방하여 새김. ——-하다 타여불

방각[2] 【傍刻】 명 〖미술〗 인면(印面)의 인문(印文) 밖에 옆으로 새긴 각자(刻字).

방각-본 【坊刻本】 명 방각판(坊刻版).

방각본 소:설 【坊刻本小說】 명 〖문〗 사본으로 내려오던 고전 소설을 1846년 이후 서울·완산(完山)·안성(安城) 등지에서 판각(板刻)한 것을 이름. 57 종이 알려져 있음.

방각-산 【方覺山】 명 〖지〗 경상 북도 청송군(靑松郡)에 있는 산. [608m]

방각-탑 【方角塔】 명 〖건〗 탑신(塔身)의 평면이 네모진 탑.

방각-판 【坊刻版】 명 중국의 남송(南宋) 이후 영리를 목적으로 하는 서점에서 출판한 사각본(私刻本)의 일컬음. 방각본(坊刻本). 방간본(坊刊本). 방본(坊本). 방판(坊板). *감본(監本)·가각본(家刻本)·가숙본(家塾本).

방간[1] 【防奸】 명 간사한 짓을 못하게 막음. ——-하다 자여불

방간[2] 【坊間】 명 시정(市井). 항간(巷間).

방간-본 【坊刊本】 명 방각판(坊刻版).

방간의 난: 【芳幹一亂】 [一/一에一] 명 〖역〗 조선 정종 2년(1400), 왕위 계승권을 에워싸고 일어난 방원(芳遠)과 방간 사이의 싸움. 이 결과, 방간은 토산(兎山)에 유배되고 방원은 정종의 세제(世弟)가 되었다가 그 해 11월 왕위를 물려받아 제3대 태종(太宗)이 됨. 제2 왕자의 난. 박포(朴苞)의 난.

방갈로 [bungalow, 도 Bangalo] 명 ①인도 벵골 지방의 처마가 깊으며 정면에 베란다가 있는 단층의 소주택(小住宅). ②여름철에만 쓰는 간략한 산막(山幕).

방갈로르 [Bangalore] 명 〖지〗 인도 카르나카타 주(Karnakata 州)의 주도. 남(南)인도 유수의 공업 도시. 전자 기기·항공기·직물 등 공업이 성함. 표고 940m의 고원(高原)에 있어 알맞은 기후의 휴양지임. 많은 공원이 산재하고 시가는 넓은 도로가 특징임. [2,921,751 명(1981)]

방갈로식 주:택 【一式住宅】 [bungalow] 명 〖건〗 지붕의 경사(傾斜)가 완만한 단층(單層) 구조의 건축물(建築物). 보통, 한쪽에 베란다가 붙음.

방감[1] 【方酣】 명 바야흐로 한창임. ——-하다 형여불

방감[2] 【芳甘】 명 향기롭고 달콤함. ——-하다 형여불

〈방갓〉

방-갓 【方一】 명 상제가 밖에 나갈 때 쓰던 갓. 대나무를 가늘게 쪼개어 만드는데, 삿갓과 비슷하나 네 개의 화판(花瓣) 모양으로 네 귀가 우묵하게 파지고 그 밖은 조금 둥그스름함. 신라와 백제 사람이 상용(常用)하였다는 데서 '나제립(羅濟笠)'이라고도 하며, 조선 시대에는 서리(胥吏), 특히 서울의 서리들이 썼으나, 임진 왜란 이후는 상복(喪服)에만 써서 '상(喪)갓'이라고도 함. 방립(方笠). 상립(喪笠).

방갓-쟁이 【方一】 명 〈속〉 방갓을 쓴 사람.

방강[1] 【防江】 명 둑[2]❶.

방강[2] 【邦疆】 명 국경(國境).

방개[1] 명 〖충〗 ↗물방개.

방개[2] 【方蓋】 명 〖악〗 건고(建鼓)의 북통 위에 세운 아래위 2층의 닫집. 아래층이 위층보다 약간 큰 데, 각 층마다 붉은 칠한 네 기둥으로 받쳐 지고, 홍색(紅色)·녹색(綠色) 비단 휘장을 두름.

방개-나무 명 〈방〉 〖공〗 비경이.

방개비 명 〈방〉 〖충〗 방아깨비(강원).

방개 소리 명 〖민〗 전라도와 충청 남도 지방의 논매기 소리의 일종. 뒷소리에 '방개로세'라는 말이 나옴. 방개 타령.

방거 【紡車】 명 물레.

방건[1] 【方巾】 명 조선 시대, 특히 후기 이후에 사인(士人)들이 편복(便服)에 쓰던 건의 하나. 사면이 편평하고 네모진데, 정수리 부분이 터져 있음. 말총이나 인모(人毛)로 만듦. *사방관(四方冠). 사방건.

방건[2] 【防乾】 명 마르지 못하게 함. ——-하다 타여불

방겯기 명 〖건〗 재목(材木)의 끝을 깎아서 둥글게 한 것.

방걸레-질 【房一】 [一껄一] 명 방바닥에 걸레질을 하는 일. ——-하다 자여불

〈방게〉

방:-게 명 〖동〗 [*Helice tridens tridens*] 바위겟과에 속하는 게의 하나. 등딱지의 길이는 30mm, 폭은 35mm 가량이고, 몸은 사각형으로 두툴두툴하며, 다리에 털이 적고 갑면(甲面)에는 'H'자 모양의 홈이 있음. 몸빛은 암녹색이며, 겸부(鉗部)는 황동색임. 해변에 가까운 연못의 갈대가 나는 흙 속에 서식하며, 한국·일본·중국 등에 분포함. 방기(螃蜞). 방해(螃蟹). 팽기.

방:게 볶음 명 고추장 푼 물에, 이긴 파대가리와 고기를 넣고 양념을 하여 끓인 뒤, 방게를 소금 푼 물에 담갔다가 꺼내서 그 끓는 물에 넣어 국물이 자질자질하도록 조린 음식.

방:게-아재비 명 〖충〗 [*Ranatra unicolor*] 장구애빗과에 속하는 곤충. 게아재비와 비슷한데, 몸의 길이는 24-33mm이고, 몸빛은 회갈색이며, 습성도 비슷함. 물가에서 다른 벌레 등을 잡아먹음. 한국·일본·중국에 분포하는데 흔하지 않음.

방:게-젓 명 방게를 간장에 넣어 담근 것. 장방해(醬螃蟹).

〈방경[2]〉

방격-법 【方格法】 명 〖고고학〗 바둑판식(式) 발굴.

방결 【防結】 명 〖역〗 조선 시대에, 고을 아전이 백성에게 논밭의 세금을 감액(減額)하여 주고 기한 전에 받아서 아전끼리 돌려서 쓰기도 하고 또는 사사로이 쓰기도 하던 일. ——-하다 자여불

방경[1] 【方磬】 명 〖악〗 '방향(方響)'의 잘못.

방경[2] 【方鏡】 명 정사각형 또는 직사각형의 금속제(金屬製) 거울.

방경[3] 【邦境】 명 국경(國境).

방경[4] 【邦慶】 명 나라의 경사(慶事).

방계 【傍系】 명 ①직계(直系)에서 갈라져 나온 계통. ②같은 시조(始祖)에서 갈라져 나간 친계(親系). ¶～ 존속. 1)·2):↔직계. *세파(世派).

방계 인족 【傍系姻族】 명 〖법〗 배우자의 방계(傍系) 혈족 및 방계 혈족의 배우자.

방계 존속 【傍系尊屬】 명 방계 혈족에 속하는 존속. 백숙 부모(伯叔父母)·백숙 조부모(伯叔祖父母)·백숙 종부모(伯叔從父母) 등.

방계-친 【傍系親】 명 같은 시조로부터 갈라져 나간 친족간(親族間)의 관계. 형제 자매(姉妹) 및 그 자손 간(子孫間)의 관계 등.

방계 친족 【傍系親族】 명 방계 혈족과 방계 인척(傍系姻戚)의 총칭.

방계 혈족 【傍系血族】 [一쪽] 명 자기와 같은 시조로부터 갈려 나간 혈족. 백숙 부모(伯叔父母)·생질(甥姪)·형제 자매(姉妹) 등임. *남계(男系) 혈족.

방계 회:사 【傍系會社】 명 〖경〗 어느 회사의 계통(系統)을 이어받은 회사로서, 자회사(子會社)보다는 그 관계가 밀접하지 아니하고 비교적 지배권(支配權)이 미치지 아니하는 회사. *계열(系列) 회사.

방고[1] 【一鼓】 명 〖악〗 전남 지방에서, 농악대에 쓰이는 소고(小鼓)보다 조금 큰 북.

방:고[2] 【倣古】 명 옛 것을 모방함. ——-하다 타여불

방:고[3] 【訪古】 명 고적을 찾아다님. 남고(覽古). ——-하다 자여불

방-고래 【房一】 [一꼬一] 명 방구들장 밑으로 있는 고랑. 불길과 연기가 통하여 나가는 길. 갱동(炕洞). ¶～가 막히다. ㊀고래.

방:고리 명 〈방〉 방구리.

방:고-주의 【倣古主義】 [一/一이] 명 〖문〗 옛날의 한문학(漢文學)을 추종하는 주의.

방곡[1] 【坊曲】 명 이(里).

방곡[2] 【防穀】 명 곡식을 다른 곳으로 내가지 못하게 막음. ——-하다 자여불

방:곡[3] 【放哭】 명 목을 놓아 통곡함. ——-하다 자여불

방:곡[4] 【放穀】 명 저장해 둔 곡식을 시장으로 냄. ——-하다 자여불

방곡-나다 【坊曲一】 자 〖역〗 밤에 도성(都城) 안을 행순(行巡)하다.

방곡-령 【防穀令】 [一녕] 명 〖역〗 조선 고종(高宗) 26년(1889)에 함경 감사(咸鏡監司) 조병식(趙秉式)이 내린, 일본에 대한 미곡 수출 금지령(禁止令). 강화도 조약(江華島條約)으로 일상(日商)이 양품(洋品)을 마구 가지고 와서, 미곡을 무역해 감으로써 일어나는 경제 파탄을 막기 위하여 내린 것임. 그 뒤에도 2-3 차 함경·황해도 등에 시행됨. 일본의 강압(強壓)으로 31년(1894)에 해제됨.

방곡 병정 【坊曲兵丁】 명 〖역〗 밤에 도적을 경계하기 위하여 행순(行巡)하는 병정.

방곡 순검 【坊曲巡檢】 명 〖역〗 밤에 도둑이나 화재를 경계하기 위하여 행순(行巡)하는 순검.

방골 【方骨】 명 〖생〗 두개골의 하나로서 아래턱을 받치는 작은 뼈. 포유류에서는 귀의 내부로 옮겨져 침골(砧骨)로 변하였음.

방공[1] 【防共】 명 〖사〗 공산주의의 세력에 대한 방위(防衛). ——-하다 자여불

방공[2] 【防空】 명 적의 항공기 및 미사일 공격에 대한 방어. ¶～ 연습.

방:공[3] 【旊工】 명 〖공〗 중국 주(周)나라 때에 틀로써 예기(禮器)를 만들던 공장(工匠).

방공 감시구 【防空監視區】 명 대공 경계 근무(對空警戒勤務)를 하기 위한 방공 구역의 일부분.

방공 경:계 관제 조직 【防空警戒管制組織】 명 〖군〗 요격기(邀擊機)와 대공(對空) 미사일 등을 내습하는 적목표(敵目標)에 향하도록 요격 관제하는 지상 지원 조직(地上支援組織). 미공군의 반자동 경계 관제 조직(SAGE)이 이 조직의 최초의 것임.

방공 관제소 【防空管制所】 명 〖군〗 일정한 책임 구역내에서 대공(對空) 감시·요격 통제 및 할당된 방공 무기의 운영 등의 능력을 가지고 있는 곳.

방공 기관 【防空機關】 명 〖군〗 국토 방공(國土防空)을 위한 군대의 기관. 방공 비행대(防空飛行隊)·고사포대(高射砲隊)·각종 통신 기관·레이더 부대·대공(對空) 미사일 부대 등.

방공 기구 【防空氣球】 명 적의 항공기(航空機)의 내습(來襲)으로부터 중요 시설·자원(資源) 등을 보호하기 위하여, 높이 올리는 계류 기구(繫留氣球). 조색 기구(阻塞氣球).

방공-대 【防空隊】 명 〖군〗 방공 기관(防空機關)을 구성하는 각 부대.

방공 식별권 【防空識別圈】 [一꿘] 명 [air defence identification zone] 〖군〗 그 권내(圈內)에 들어오는 항공기는 관제관(管制官)에게 그 뜻을 연락하도록 설정한 공역(空域). 이 안에 국적 불명기(國籍不明機)가 들어오면 지상 공군에서 긴급 발진(緊急發進)을 하게 됨. 에이 디 아이 제트(ADIZ). 에이디즈.

방공 연:습 【防空演習】 [一년一] 명 방공 훈련.

방공 작전 지역 【防空作戰地域】 명 〖군〗 방공 작전과 다른 작전과의 혼란을 막기 위하여 지정한 지역과 그 상공의 영역.

방공 조기 경:보 【防空早期警報】 명 전자 장치나 육안으로써 적의 공중 무기 또는 무기 운반체의 근접을 조속히 탐지하여 통보하는 일.

방공 조직【防空組織】명 방공에 있어서, 공중에 존재하는 물체를 발견·감시하며 관제(管制)를 행하는 조직. 보통, 지상(地上)을 기지(基地)로 하는 시설을 말하지만, 미사일 경계선과 같은 해상 시설 및 조기(早期) 경계·관제용의 항공기 등도 포함됨.

방공 해:사【妨工害事】명 남의 일을 방해함. ——-하다 타여불

방공 협정【防共協定】명〖역〗공산주의 세력의 침입을 방지하기 위한 국제간의 협정. 1936년 11월 일본과 독일 사이에 체결되었으며, 다음 해 이탈리아와 스페인·헝가리가 가입했음.

방공-호【防空壕】명 공습(空襲) 때 대피(待避)하기 위하여, 땅을 파서 만든 토굴(土窟). 대피호(待避壕). *엄폐호(掩蔽壕).

방공 훈:련【防空訓練】[—훌—] 명 공습에 의한 피해를 막기 위하여, 적의 공습을 가정하여 행하는 실지 훈련. 방공 연습(演習).

방과[1]【方藁】명 모과[1].

방:과[2]【放課】명 그 날의 학과(學課)를 끝냄. ¶ ～ 후. ——-하다 자여불

방과치 명〈방〉〖충〗방아깨비.

방관【傍觀】명 ①곁에서 봄. ②어떤 일에 관계하지 아니하고 추이(推移)를 보고만 있음. ¶ ～적 태도/수수(袖手) ～하다. ——-하다 타여불

방관-인【傍觀人】명 방관자.

방관-자【傍觀者】명 방관하는 사람. 방관인.

방관-적【傍觀的】명관 방관하는 모양.

방관적 태:도【傍觀的態度】명 어떤 일에 직접 참여하지 아니하고 사태의 추이를 보고만 있는 태도.

방:광[1]【放光】명 서광(瑞光) 또는 광선(光線)이 내쏨. ——-하다 자여불

방:광[2]【放曠】명 마음이 너그러워 일에 구애하지 아니함. 방달(放達). ——-하다 형여불

방광[3]【膀胱】명〖생〗비뇨기(泌尿器)의 하나. 수뇨관(輸尿管)을 경과하며, 양측의 신장(腎臟)으로부터 흘러내리는 오줌을 일단 저장하여 두는 주머니 모양의 기관. 다시 요도(尿道)를 통과하여 체외로 배설됨. 오줌통.

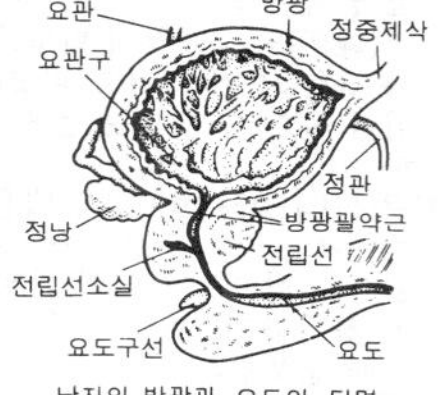

남자의 방광과 요도의 단면
〈방광3〉

방광 결석【膀胱結石】[—썩] 명〔bladder stone〕〖의〗방광 속에 결석이 생기는 병. 여자보다 남자가 많으며, 40-60세의 사이에 제일 많음. 그 증상(症狀)은 형상·크기·운동성(運動性) 등에 따라 다르나 방광 카타르의 원인이 되며, 요도구(尿道口)를 폐색하는 경우는 심히 아프며 혈뇨(血尿)·배뇨 장애(排尿障礙) 등을 일으킴.

방광 결핵【膀胱結核】명〖의〗방광벽(壁)에 결핵성 궤양이나 결절(結節)이 발생하는 질환. 흔히 신결핵(腎結核)의 병소(病巢)로부터 결핵균이 오줌과 함께 내려와서 생김. 증상으로는 오줌이 자주 마렵고 소변을 볼 때 동통(疼痛)을 느끼며, 오줌이 혼탁해짐.

방광-경【膀胱鏡】명〔cystoscope〕〖의〗내시경(內視鏡)의 하나. 요도(尿道)를 통해 방광 내부에 삽입하여 방광 내부의 관찰이나 치료에 사용하는데, 검사·수술·세정(洗淨) 등의 목적에 따라 여러 가지 형(型)이 있음.

방광경 검:사【膀胱鏡檢査】명〖의〗요도(尿道)를 통하여 방광내에 광원(光源)과 반사경(反射鏡)을 삽입하여, 방광 내부의 병세(病勢) 또는 신장(腎臟)의 기능 등을 검사하는 방법.

방광-면【防光面】명 용접할 때, 얼굴과 눈을 보호하기 위하여 얼굴에 가리는 제구. 용접면.

방:광 반야경【放光般若經】명〖불교〗불경(佛經)의 하나. 서진(西晉)의 무라차(無羅叉)·축숙란(竺叔蘭)이 공역(共譯)한 것. 반야경(般若經)의 일종으로, 중국에서 4세기경에 유행하였음. 20권.

방광-암【膀胱癌】명〔도 Blasenkrebs〕〖의〗나이 많은 사람들의 방광 점막(膀胱粘膜)에서 발생하여, 혈뇨(血尿)·배뇨 장애(排尿障礙)·동통(疼痛) 등을 일으키는 병. 배뇨 횟수(回數)가 많아지고, 농즙(膿汁)·혈뇨(血尿)를 흘리기까지에 이름.

방광-염【膀胱炎】[—념] 명〔cystitis〕〖의〗대장균(大腸菌)·포도상 구균(葡萄狀球菌)·연쇄상(連鎖狀) 구균·결핵균 등의 감염 또는 자극성 음식물·변비(便秘)·감기나 방광 주위의 질환 등으로 인하여 방광 점막(粘膜)에 생기는 염증. 보통 딴 병과 같이 생기며, 처음에는 고열(高熱)이 나며 오줌이 자주 마렵고 방뇨(放尿)할 때 아프며, 농즙(膿汁)·혈뇨(血尿)가 있어 오줌이 혼탁함. 방광 카타르. *냉(冷).

방광 종:양【膀胱腫瘍】명〖의〗방광내에 종양이 생기는 병. 배뇨 장애·출혈을 일으킴.

방광 카타르【膀胱—】〔catarrh〕명〖의〗방광염.

방광 파:열【膀胱破裂】명〖의〗외력에 의하여 피부를 다치지 아니하고 방광벽(壁)이 째지는 현상. 복강(腹腔) 안으로 향하여 째지면 오줌이 복강에 고여서 급성 복막염의 증상을 나타내고, 복강 밖으로 향하여 째졌을 때에는 방광 주위에 오줌이 침윤(浸潤)되어 하복부에 압통(壓痛)이 있는 경결(硬結)이 생김.

방교[1]【邦交】명 국교(國交).

방교[2]【邦敎】명 국가의 교육. 국민 교육.

방교[3]【芳郊】명 향기로운 꽃이 만발한 봄의 들판. 봄이 찾아온 교외.

방:교[4]【放校】명〖교〗못된 짓을 한 자를 퇴학(退學) 처분하여 학적(學籍)에서 내침. 출학(黜學). ——-하다 타여불

방구[1] 명〈방〉바위(황해·평안·충북·경상·강원).

방구[2] 명〈방〉〖충〗방개[1].

방:구[3] 명〖악〗농악기(農樂器)의 한 가지. 북과 같이 생겼으되, 얇은 개가죽 같은 것으로 메우고, 모양은 여러 가지인데, 자루가 없고 고리가 있어 줄을 꿰어 메고서 침. 소리는 소구와 비슷함.

방:구[4] 명〈방〉방귀[1](경상·충청·전라·강원·평안).

방구[5]【防口】명 입을 열지 못하게 한다는 뜻으로, 남이 말을 퍼뜨리지 못하게 만듦. ——-하다 타여불

방구[6]【防具】명 호구(護具).

방구[7]【防救】명 막아서 구함. ——-하다 타여불

방구[8]【旁求】명 널리 찾아서 구함. ——-하다 타여불

방:구[9]【訪求】명 쓸 자리가 있어 사람을 찾아 구함. ——-하다 타여불

방:구[10]【訪歐】명 유럽을 방문함. ——-하다 자여불

방구다 타〈방〉①방구(旁求)하다. ②방이다❶. ③겨냥하다(전남).

방-구들【房—】[—꾸—] 명 고래를 켜고 구들장을 덮고 흙을 발라 방바닥을 만들고 불을 때어 덥게 한 장치. 온돌(溫突). 준구들.

방:구리 명 물을 긷는 질그릇. 모양이 동이와 같으나 좀 작음.

방구-매기 명〖건〗양쪽 추녀 끝보다 처마의 중간이 조금 배부르게 하는 일. 추녀로부터 가운데로 향하여 서까래 끝을 차차 조금씩 길게 하여, 가운데 서까래를 가장 길게 함. ↔일자매기.

방:-구멍 명 연의 한복판에 뚫린 둥근 구멍.

방구-부채 명〈방〉단선(團扇).

방-구석【房—】[—꾸—] 명 ①방의 구석. ②'방속, 방안'을 낮추어 일컫는 말. ¶ ～에서 뭘 하냐.

방-구식【方口食】명〖불교〗사사명식(四邪命食)의 하나. 탁발(托鉢)을 지켜야 할 비구(比丘)가 권력과 금권(金權)에 아부하여 호의 호식(好衣好食)하는 일.

방국[1]【邦國】명 나라❶.

방국[2]【芳菊】명 향기 그윽한 국화.

방:군【榜軍】명〖역〗조선 때 과거에 합격한 사람에게 소식을 전달하는 사령(使令).

방:군 수포제【放軍收布制】명〖역〗조선 시대에 복무할 유방 군사(留防軍士)를 방귀(放歸)시키고 그 대가를 베로써 거두어들인 제도.

방:귀[1] 명〔중세 : 방귀〕뱃 속의 음식물이 부패·발효하여 생긴 가스가 똥구멍으로 나오는 것. 구린내가 남. 방기(放氣).
[방귀가 잦으면 똥싸기 쉽다] 무슨 일에나 선문(先聞)이 잦으면 실현되기 쉽다는 말. [방귀 뀐 놈이 성낸다] 제가 잘못하고 도리어 성내는 것을 가리키는 말.
방:귀(를) 뀌:다 구 방귀를 내 보내다.

방:귀[2]【放歸】명 돌아가게 놓아 둠.

방:귀-벌레 명〖충〗[*Pheropsophus jessoensis*] 딱정벌렛과에 속하는 곤충. 몸의 길이는 14-19mm이고 몸빛은 두부와 전배판(前背板)은 황색, 머리 꼭대기의 무늬와 전배판의 'I'자형의 무늬는 흑색임. 시초(翅鞘)는 흑색인데 외연(外緣)·시단(翅端)과 중앙 횡대(橫帶) 및 어깨는 황색임. 적의 공격을 받아 위험을 느끼면 복단(腹端)에서 폭발음(爆發音)과 함께 악취(惡臭)의 가스를 방출함. 한국·일본·중국 등지에 분포함. 방비충(放屁蟲).

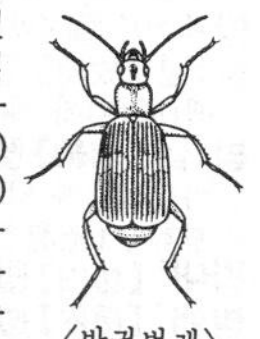
〈방귀벌레〉

방:귀 전리【放歸田里】[—절—] 명〖역〗방축 향리. ——-하다 타여불

방규【防葵】명〖식〗갯기름나물.

방그레 부 소리없이 입만 약간 벌리어 부드럽게 웃는 모양. ㅆ빵그레. <벙그레.

방그죽 부〈방〉방긋. ¶ 그렇다고 웃음이 ～ 열리려는 좋아하는 빛도 없다≪朴鍾和 : 錦衫의 피≫.

방글 부 소리없이 입만 약간 벌리고 귀엽게 웃는 모양. ㅆ빵글. <벙글.

방글-거리다 자 좋아서 입만 벌리고 부드럽게 자꾸 웃다. ㅆ빵글거리다. <벙글거리다. **방글-방글** 부. ——-하다 자여불

방글-대다 자 방글거리다.

방글라데시〔Bangladesh〕명〖지〗인도 동부의 인민 공화국. 인도에 둘러싸여 동남쪽 끝이 미얀마와 접하고, 남쪽은 벵골 만(灣)에 면함. 주민은 벵골인(人), 공용어는 벵골어(語), 국민의 80%가 이슬람 교도(敎徒)임. 농업을 주로 하며, 쌀·사탕수수·담배 등을 산출하는데, 황마(黃麻)의 수출은 세계 제1위. 본디 파키스탄의 한 주(州)였으나, 1972년 파키스탄에서 분리 독립함. 수도는 다카(Dacca). 정식 명칭은 방글라데시 인민 공화국(People's Republic of Bangladesh). [143,998 km^2 : 116,600,000명(1991 추계)]

방금[1]【邦禁】명 나라의 금제(禁制).

방금[2]【防禁】명 못 하게 막아서 금지함. ——-하다 타여불

방:금[3]【放禽】명 잡아 가두었던 새를 놓아 보냄. ——-하다 자여불

방금[4]【方今】부 바로 이제. 금방. 방장(方將). 방재(方在). ¶ ～ 말씀 드린 것처럼.

방긋 부 소리없이 입만 넁큼 벌리어 웃는 모양. ¶ ～ 웃어 보이다. ㅆ빵긋·방끗·빵끗. <벙긋. ——-하다[1] 자여불

방긋-거리다 자 소리없이 입만 넁큼 벌려서 웃다. ㅆ빵긋거리다·방끗거리다·빵끗거리다. <벙긋거리다. **방긋-방긋**[1] 부. ——-하다[1] 자여불

방긋-대다 자 방긋거리다.

방긋-방긋[2] 부 모두 방긋한 모양. ㅆ빵긋빵긋[2]·방끗방끗[2]·빵끗빵끗[2]. <벙긋벙긋[2]. ——-하다[2] 형여불

방긋-이 부 ①방긋하게. ②소리없이 입을 살며시 벌리어 웃는 모양. ¶ ～ 웃다. 1)·2): ㅆ빵긋이·방끗이·빵끗이. <벙긋이.

방긋-하다[2] 형여불 조금 열려 있다. 약간 벌려 있다. ¶ 문이 ～. ㅆ빵긋하다[2]·방끗하다[2]·빵끗하다[2]. <벙긋하다[2].

방기¹【防己】 명 ①〖식〗[*Sinomenium acutum*] 새모래덩굴과에 속하는 낙엽 활엽 만목(蔓木). 원형 또는 삼각상 달걀꼴의 잎은 3-9갈래로 얕게 째지고 장병(長柄)임. 자웅 이가(雌雄二家)인데 여름에 담황색의 잔 꽃이 원추(圓錐) 화서로 액생(腋生)하고, 납작한 핵과(核果)는 가을에 까맣게 익음. 산기슭 양지에 나는데 제주도·진도(珍島) 및 일본·중국에 분포함. 줄기는 뿌리와 함께 약재로 씀. ②〖식〗 댕댕이덩굴. ③〖한의〗 만목(蔓木) 방기(防己)나 댕댕이덩굴의 줄기. 이수도(利水道)의 약으로 부종(浮腫)·각기(脚氣)에 씀.

〈방기¹❶〉

방기²【芳紀】 명 방춘(芳春)❷. ¶ ~ 18세.
방기³【芳氣】 명 향기(香氣).
방기⁴【邦紀】 명 국가의 기강(紀綱). 국기(國紀).
방기⁵【邦畿】 명 서울을 중심으로 한 지역. 기내(畿內). 경기(京畿).
방:기⁶【放氣】 명 방귀.
방:기⁷【放棄】 명 버리고 돌아보지 아니함. ——-하다 타여불
방기⁸【螃蜞】 명〖동〗 방게.
방기⁹〔Bangui〕 명〖지〗 아프리카 중부, 중앙 아프리카 공화국의 수도. 우방기 강(Ubangi江)의 우안(右岸)에 위치한 하항(河港) 도시로, 수륙 교통의 중심지이며 농산물 가공이 성함. [600,000명(1990 추계)]
방기 곡경【旁岐曲徑】 명 반계 곡경(盤溪曲徑).
방-기휘【房忌諱】 명 해산(解産)한 집에서 부정(不淨)을 꺼리기가 어려울 경우에 그 산실(産室)만을 부정과 통섭(通涉)하지 아니하는 일.
방-깨비 명〈방〉 방아깨비.
방:-꾼【榜一】 명〖역〗 방(榜)을 전하는 사령(使令).
방끗 부 소리없이 입만 벌리고 살짝 웃는 모양. ¶ ~ 웃는 월계꽃. ㅅ방긋. ㅆ빵끗. <벙끗. ——-하다¹ 자여불
방끗-거리다 자 연달아 방끗이 웃다. ㅅ방긋거리다. ㅆ빵끗거리다. <벙끗거리다. **방끗-방끗¹** 부. ——-하다¹ 자여불
방끗-대다 자 방끗거리다.
방끗-방끗² 부 모두 방끗한 모양. ㅅ방긋방긋². ㅆ빵끗빵끗². <벙끗벙끗². ——-하다² 형여불
방-끗이 부 방끗하게. ¶ 방문을 ~ 열다. ㅅ방긋이. ㅆ빵끗이. <벙끗이.
방끗-하다² 형 조금 열려 있다. 살짝 벌려 있다. ㅅ방긋하다². ㅆ빵끗하다². <벙끗하다².
방:-나다¹ 자 집안의 재물이 죄다 없어지다. 아주 판셈하게 되다.
방:-나다²【榜一】 자 ①과거(科擧)나 무슨 시험에 급제한 사람의 성명이 발표되다. ②일이 되고 못 되는 것이 아주 드러나서 끝나다. 탄방나다.
방-나비 명〈방〉 박나방.
방:날【放埒】 명〔말이 담을 벗어났다는 뜻〕 제멋대로 놀아나는 일. 주색(酒色)에 빠지는 일. ——-하다 형여불
방:납【防納】 명〖역〗 납공자(納貢者)의 공물(貢物)을 대신 바치고 그 대가(代價)를 납공자로부터 배징(倍徵)하던 일. 이것이 뒤에 폐단이 많아 광해군(光海君) 때부터 대동법(大同法)의 실시를 보게 됨. ——-하다 자여불
방내¹【坊內】 명 마을의 안. 동리의 안.
방내²【房內】 명 방의 안. 방중(房中).
방:-내다 타 살림을 죄다 없애다.
방년【芳年】 명 여자 이십 전후의 꽃다운 나이. 방령(芳齡). ¶ ~ 19세. ＊묘년(妙年)·묘령(妙齡).
방:념【放念】 명 마음을 놓음. 안심(安心). ——-하다 자여불
방농【方濃】 명 바야흐로 짙어 감. ——-하다 형여불
방-놓다【房一】[-노타] 자〖건〗 고래를 켜고 구들을 놓아서 방바닥을 만들다.
방:뇨【放尿】 명 오줌을 눔. ¶ 가두(街頭) ~ 죄. ——-하다 자여불
방다〔Benda, Julien〕 명〖사람〗 프랑스의 사상가. 유태인 출신. 지상적(地上的)인 것에의 일체의 애착을 갖지 아니하는 철저한 관념론자로서 현대에 있어서의 지성(知性)의 파괴, 사색 활동의 쇠퇴를 개탄, 베르크송의 직관 철학을 공격하였음. 2차 대전 중에는 저항 운동에 참가하였고, 일생을 현대의 사상·문학·예술의 비판에 바쳤음. 저작으로 ≪성직자의 배임≫·≪민주주의의 대시련(大試鍊)≫ 및 사상 소설 ≪서품식(敍品式)≫ 등이 있음. [1867-1956]
방단【方壇】 명 네모지게 쌓은 단(壇).
방:달【放達】 명 방광(放曠). ——-하다 형여불
방:담¹【放談】 명 ①생각대로 거리낌없이 말함. 또, 그런 이야기. ¶ 신춘(新春) ~. ②되는 대로 마구 지껄임. 종담(縱談). ——-하다 자여불
방:담²【放膽】 명 큰 마음을 먹고 대담하게 일을 하는 모양. ——-하다 형여불
방:담-문【放膽文】 명 한문에 있어서 자구(字句)나 수사(修辭)에 구애됨이 없이 생각한 대로 자유로이 대담하게 기술(記述)하는 글. 초학자(初學者)가 문장에 대한 자신(自信)을 배양하기 위하여 익혀야 하는 것이라고 함.
방당【芳塘】 명 꽃피는 둑. 특히 연못의 둑.
방대¹【方臺】 명〖악〗 일반 악기(樂器)를 받쳐 놓는 제구(諸具). 그 양식은 여러 가지가 있음.
방:대²【厖大·尨大】 명 매우 많고도 큼. ¶ ~한 예산. ——-하다 형여불. ——-히 부
방대-산【芳臺山】 명〖지〗 강원도 인제군의 인제면과 내면(內面)의 경계를 이루는 높은 산. [1,436m]
방덩 명〈방〉 등잔(燈盞)(평안).
방데의 반:란【一叛亂】〔Vendée〕[-발-/-에발-] 명 프랑스 혁명기인 1793-95년에 걸쳐 프랑스 서부 방데 지방을 중심으로 일어난 반혁명 반란. 후진 지대이며 구교 세력이 강한 이 지방 농민의 불만을 왕당파가 이용한 것으로 공포 정치 성립의 요인이 됨.
방뎅이 명〈방〉 궁둥이(전북).
방도¹【方道·方途】 명 일을 치러갈 길. 일에 대한 방법과 도리. ¶ 어찌할 ~가 없다.
방도²【邦盜】 명 나라의 보물을 훔치는 도둑.
방독¹[一똑] 명〈방〉 다듬잇돌.
방독²【防毒】 명 독기(毒氣)를 막아 냄. ¶ ~ 마스크. ——-하다 자여불
방:독³【訪獨】 명 독일을 방문함. ——-하다 자여불
방독⁴【謗讟】 명 원망하여 비방함. 중상(中傷). ——-하다 타여불
방독-구【防毒具】 명 방독 기구.
방독 마스크【防毒一】〔mask〕 명〖군〗 방독면(防毒面).
방독-면【防毒面】 명〖군〗 독가스(毒gas)의 흡입(吸入)을 막기 위하여 얼굴에 덮어 쓰는 마스크. 활성탄(活性炭) 등의 흡착(吸着) 작용에 의하여 흡기(吸氣)를 무해(無害)한 것으로 하는 장치. 가스 마스크. 방독 마스크.
방독-복【防毒服】 명 방독의(防毒衣).
방독-의【防毒衣】[-/-이] 명 독가스 같은 화학제(劑)가 몸에 접촉하는 것을 방지하기 위하여 화학적으로 처리된 피복(被服). 방독복.
방독-전【防毒戰】 명 적의 독(毒)가스 공격전에 대한 방어적 싸움.
방:돈【放豚】 명 ①놓아 기르는 돼지. ②다잡지 아니하여 제멋대로 자라난 아이를 욕하여 일컫는 말.
방돌【房一】[-똘] 명 ☞구들장.
방동【方冬】 명 음력 시월의 딴이름.
방동사니 명〖식〗 ①방동사닛과 방동사니속(Cyperus屬)에 속하는 초본(草本)의 총칭. 물방동사니·우산방동사니·참방동사니·쇠방동사니·알방동사니 등이 있음. ②금방동사니. 건(乾)골.
방동사니-대가리 명〖식〗[*Pycreus sanguinolentus*] 방동사닛과에 속하는 다년초. 뿌리는 총생(叢生)하고 줄기는 높이 35cm이며, 잎은 호생하고 좁은 선형(線形)임. 8-9월에 단일(單一) 또는 두상화(頭狀花)가 산형(繖形) 화서로 피고, 과실은 수과(瘦果)임. 산이나 들의 습지 또는 논에 나는데, 거의 전국에 분포함.

〈방동사니대가리〉

방동사니-아재비 명〖식〗[*Mariscus cyperoides*] 방동사닛과에 속하는 다년초. 줄기는 삼릉주(三稜柱)이고 높이 50cm 가량. 잎은 호생하고 넓은 선형으로 길이가 거의 줄기와 같음. 꽃은 8월에 산형(繖形) 화서로 정생하고, 과실은 수과(瘦果)임. 들의 양지바른 곳에 나는데 제주도에 분포함.
방동사닛-과【一科】 명〖식〗[Cyperaceae] 단자엽 식물에 속하는 한 과. 온대·한대에 2,600여 종, 한국에는 200여 종이 분포함.
방두¹【方斗】 명 모말.
방-두²【房杜】 명 중국 당나라 때의 명상(名相)인 방현령(房玄齡)과 두 여회(杜如晦)를 이르는 말.
방두³【枋頭】 명〖건〗 뺄목.
방두깨미 명〈방〉 소꿉질. ——-하다 자
방두-산지【枋頭一】 명〖건〗 뚫어 나온 장부촉 끝에 박는 나무못.

〈방두산지〉

방두어【方頭魚】 명〖어〗 달강어.
방두재비 명〈방〉 소꿉장난(경남).
방:둥-구부렁이 명 방둥이가 구부러진 길짐승. 대개 암컷에 있음.
방:둥이 명 길짐승의 엉덩이.
[방둥이 부러진 소 사돈 아니면 못 팔아 먹는다] 장사꾼이 흠이 있는 물건을 잘 아는 사람에게 팔면서 하는 말.
방등【方等】 명〔범 vaipulya〕〖불교〗 ①대승(大乘)의 별명. ②방정(方正)하고 보편·평등한 중도(中道)의 이(理).
방등 경전【方等經典】 명 대승 경전(大乘經典) 가운데 화엄(華嚴)·반야(般若)·법화 열반(法華涅槃) 등에 속하지 않는 경전.
방등-산【方等山】 명〖악〗 신라 말기 시대의 노래. 가사는 전해지지 아니함. 신라 말기 방등산(전라도 장성(長城) 소재)에 웅거해 있던 도둑들이 백성을 잡아 갔는데, 포로가 된 한 부인이 자기 남편이 구해 주지 아니함을 원망하여 부른 노래라 함. 방등산곡(曲).
방등산-곡【方等山曲】 명〖악〗 방등산.
방:등-일【放燈日】 명〖역〗 연등절(燃燈節).
방:-따다 자 윷놀이에서 말을 방에서 꺾인 첫 밭에 놓다.
방란【芳蘭】[-난] 명 향기 좋은 난초.
방:랑【放浪】[-낭] 명 정처없이 떠돌아다님. ¶ 세계를 ~하다. ——-하다 자여불
방:랑-객【放浪客】[-낭-] 명 떠돌아 다니는 길손.
방:랑-기【放浪記】[-낭-] 명 방랑 생활의 기록.
방:랑 문학【放浪文學】[-낭-] 명 방랑 생활을 소재(素材)로 한 작품.
방:랑-벽【放浪癖】[-낭-] 명 정처 없이 떠돌아다니기 좋아하는 버릇.
방:랑 생활【放浪生活】[-낭-] 명 일정한 주거(住居)나 직업도 없이 이리저리 떠돌아다니는 생활. ——-하다 자여불
방:랑-시【放浪詩】[-낭-] 명 방랑 생활의 슬픔과 즐거움을 그대로 읊어서 노래한 시(詩).
방:랑-자【放浪者】[-낭-] 명 방랑하는 사람. 보헤미안.
방략【方略】[-냑] 명 방법과 재략(才略). ¶ ~을 생각하다.
방:량¹【放良】[-냥] 명〖역〗 노비(奴婢)를 놓아, 양인(良人)이 되게 함. ——-하다 자타여불
방량²【搒掠】[-냥] 명 볼기를 침. ——-하다 자여불
방:렬¹【放列】[-녈] 명〖군〗 화포 진지(火砲陣地)에서 화포 사격 대형(隊形)을 취함. 포열(砲列). ——-하다 타여불
방렬²【芳烈】[-녈] 명 ①향기가 몹시 풍김. ②의열(義烈). ——-하다

형여불
방:렬-선【放列線】[―녈 썬] 명 〖군〗 화포 진지(火砲陣地)에 있어서 포열(砲列)의 대형(隊形)을 연락하는 선(線).
방렴¹【方廉】[―념] 명 방정(方正)하고 염직(廉直)함. ——-하다 형여불
방렴²【防簾】[―념] 명 물고기가 모여드는 연안(沿岸)의 바닷물 속에 대나무나 갈대발을 세워 물고기를 가두어 잡는 재래식 어구의 일종. *어전(魚箭).
방령¹【方領】[―녕] 명 〖식〗 무의 품종의 하나.
방령²【方領】[―녕] 명 〖역〗 백제 때의 지방관(地方官).
방령³【方領】[―녕] 명 목판(木版)깃.
방령⁴【芳齡】[―녕] 명 방년(芳年).
방례【邦禮】[―녜] 명 나라의 길흉의 의식.
방례 초본【邦禮草本】[―녜―] 명 〖책〗 경세 유표(經世遺表).
방로¹【房勞】[―노] 명 방사(房事)로 인한 피로(疲勞).
방로²【紡纑】[―노] 명 삼실을 만듦. 또, 그 실. ——-하다 자여불
방:론【放論】[―논] 명 생각대로 거리낌없이 의논함. ——-하다 자여불
방뢰【方賂】[―뇌] 명 가지고 있는 재산(財産).
방:료【放料】[―뇨] 명 〖역〗 반료(頒料). ——-하다 자여불
방루【防壘】[―누] 명 적의 공격을 방어하기 위하여 구축한 요새(要塞).
방:류【放流】[―뉴] 명 ①가두어 놓은 물을 터놓아 흘려 보냄. ②어린 물고기를 흐르는 강물에 놓아 줌. ¶ 강에 잉어를 ～하다. ——-하다 타여불
방:륜【放倫】[―뉸] 명 ↗방송 윤리 위원회.
방:륜-자【放輪子】[―뉸―] 명 〖충〗 추충류(箒蟲類)의 유충(幼蟲).
방리【方里】[―니] 명 사방 일리(一里)가 되는 면적.
방림【芳林】[―님] 명 방향(芳香)이 있는 숲.
방립【方笠】[―닙] 명 방갓.
[방립에 쇄자(刷子)질] 격에 맞지 않는 지나친 호사를 하여 도리어 흉하다는 말.　「다형여불. ——-히 부
방:만【放漫】명 엉터리없고 제 멋대로임. ¶ ～한 경영(經營). ——-하
방-만춘【方萬春】명 〖사람〗 조선 말기 순조·철종 때의 판소리 명창. 충청 남도 해미(海美) 출신. 해미의 일락사(日落寺), 황해도 봉산(鳳山)의 어느 절에서 목소리를 닦아 명창이 됨. 특히 ≪적벽가(赤壁歌)≫를 잘 불렀음. ≪적벽가≫와 ≪심청가≫를 고전에 맞게 윤색하였다고 하는데, 그 사설은 지금 전하지 않음. [1825-?]
방망이¹ 명 [중세어 '방마치'와 '몽둥이'의 혼효(混淆)] ①나무를 둥글고 길게 깎아 만들어 무엇을 두드리거나 다듬는 데에 쓰는 제구. 다듬잇방망이·빨랫방망이·끝방망이 등이 있음. 침저(砧杵). ②곤봉(棍棒).
[방망이가 가벼우면 주름이 잡힌다] 다듬이질을 할 때에 다듬잇방망이가 가벼우면 다듬이에 주름이 잡히듯이, 감독이 허술하면 위반자가 생긴다는 말.
방망이(를) 들다 구 남의 일에 방해를 놓아 어울리지 못하게 하다.
방망이² 명 ①필요하고 참고될 만한 사항(事項)을 간추려서 적은 책. ②〈속〉 커닝(cunning)을 하기 위하여 글씨를 잘게 쓴 작은 종이 쪽지.
방망이-꾼 명 어떤 일에 간섭하며 방해하는 사람.
방망이-술 명 술의 일종. 유소(流蘇) 끝이나 호패의 술 등에 쓰임. 머리 부분을 나무나 종이로 구슬형을 만들어 금색 물을 들인 뒤 색실로 망을 떠서 입히고 그 밑에 술실을 두른 것과, 술의 머리를 서각(犀角)이나 상아로 둥글게 깎아 만들고 그 밑에 술을 두르는 두 종류가 있음.
방망이-질 명 ①방망이로 다듬거나 두드리는 일. ②가슴이 몹시 두근거리는 모양을 비유하는 말. ¶ 연단 앞에 서려니 가슴이 마구 ～하고 다리가 떨려 왔다. ——-하다 자여불
방망이-찜질 명 〈속〉 방망이로 사정없이 마구 때리는 일.
방:매【放賣】명 물건을 내놓아 팖. 매출(賣出). ——-하다 타여불
방:매-가【放賣家】명 팔려고 내놓은 집.
방:매 문기【放賣文記】명 〖역〗 방매(放賣)한다는 뜻을 명기한 가옥·토지 등의 배도 문서. 보통, 환퇴 문기(還退文記)의 환퇴 기한이 지나고도 환퇴하지 않을 때, 이 문기와 교환함.
방맹이 명 ☞방망이.
방멱【方冪】명 〖수〗 어떤 한 점 P를 지나는 임의(任意)의 직선이 정원(定圓) O와 만나는 점을 A, B라고 할 때, 선분(線分) PA와 PB의 곱을 원 O에 관한 P점의 방멱이라 함.
방면¹【方面】명 ①네모 반듯한 얼굴. ②어떤 방향의 지방. ¶ 서울 ～. ③전문적으로 뜻을 두거나 생각하는 분야. ¶ 문학 ～/영화 ～.
방:면²【放免】명 ①용서하여 놓아 줌. 석방(釋放). ②체포·구금 중인 피의자·피고인을 석방함. ¶ 훈계 ～. ③형기를 마친 재소자를 내보냄. ——-하다 타여불
방면 대:이【方面大耳】명 네모진 얼굴에 큰 귀.
방면 위원【方面委員】명 〖사〗 1853년 프러시아에서 창설한 구빈(救貧) 제도로서, 일정한 지역 안에서 그 담당 구역내(擔當區域內) 거주자의 생활 상태를 조사하여, 빈곤으로 생활 곤란을 받는 사람들을 인보(隣保) 사업의 정신으로 보호·지도하는 기관.
방면-장【方面章】[―짱] 명 〖악〗 용비 어천가 제 85장의 이름.
방면지-임【方面之任】명 관찰사(觀察使)의 임무.
방명¹【方命】명 명령(命令)을 어김. ——-하다 자여불
방명²【芳名】명 남의 이름의 존칭. 방함(芳啣).
방명³【芳命】명 남의 명령의 존칭.
방명-록【芳名錄】[―녹] 명 남의 성명을 적어 놓은 기록. 방함록. 인명록. ¶ ～에 서명하다.
방모【紡毛】명 ①짐승의 털을 방적함. ②방모사(紡毛絲).
방모 방적【紡毛紡績】명 짧은 섬유(纖維)가 섞인 채로의 양모(羊毛)와 넝마·실보무라지 등의 재생모(再生毛)를 소모(梳毛)하지 아니하고, 정방기(精紡機)에 걸어 털실로 만들어 내는 방적법. 언뜻 보기에는 거칠어 보이나 실지로는 부드럽고 따뜻함.
방모-사【紡毛絲】명 모사(毛絲)의 일종. 원료인 양모(羊毛)를 방모 방적법(紡績法)에 의하여 만든 실의 일종. 한 종류의 양모를 사용한 것, 여러 종류의 양모를 혼합하여 만든 것 또는 이들 방모사에다가 인견(人絹)·면(棉) 등을 섞은 혼방사(混紡絲)의 삼종(三種)이 있음. 준 방모(紡毛).
방모 직물【紡毛織物】명 방모사(紡毛絲)를 사용하여 직조한 보풀이 있는 모직물. 털이 길고 방한(防寒) 효과가 커서 오버코트지(地)로 많이 쓰이며, 모포(毛布)도 방모 직물의 하나임.
방:목¹【放牧】명 소·말·양 등의 가축(家畜)을 목장(牧場)에 놓아서 기름. 방축(放畜). ——-하다 타여불　「책. 계적(桂籍). 준방(榜).
방:목²【榜目】명 〖역〗 과거(科擧)에 급제한 사람의 성명(姓名)을 적은
방:목-유【放木釉】명 〖공〗 청(淸)나라 건륭요(乾隆窯)에서 자단(紫檀)·흑단(黑檀)의 목기(木器)를 모방하는 데에 쓰는 도자(陶瓷)의 잿물.
방:목-장【放牧場】명 방목을 하는 일정한 장소. ¶ 젖소 ～.
방:목-지【放牧地】명 방목을 하는 일정한 땅이나 장소. 목장. 목지(牧
방몽치 명 〈방〉 방망이¹.　　└地). 목축지(牧畜地).
방무【防務】명 〖군〗 해안(海岸)에 건설한 방어 지점(防禦地點)에서 방어에 관한 것을 맡아보는 사무. 육·해군이 분담하여, 육군은 육지에서 보루(堡壘)나 포루(砲壘)·방어 공사(防禦工事)·경계 근무(警戒勤務)를 맡고, 해군은 해상에서 경계 근무와 그 밖에 함선(艦船)으로써 경계하는 모든 근무를 맡음.
방무-림【防霧林】명 경지(耕地)를 해무(海霧)의 피해로부터 방어하기 위한 해안 지대의 숲. 보통, 고채목·오리나무·물참나무 등의 활엽수를 앞쪽에, 낙엽송을 뒤쪽에 심음.
방묵【芳墨】명 ①향기가 좋은 먹. ②남의 편지를 높여 일컫는 말.
방문¹【方文】명 ↗약방문(藥方文).
방문²【房門】명 방으로 출입하는 문.
방:문³【訪問】명 남을 찾아 봄. 성문(聲問). ¶ 가정 ～. ——-하다 타여불
방:문⁴【榜文】명 여러 사람에게 알리기 위하여 길이나 사람이 많이 모이는 곳에 써 붙이는 글. ¶ ～을 내 붙이다. 준방(榜).
방:문-객【訪問客】명 방문해 온 사람. 찾아온 손님.
방:문-기【訪問記】명 어떤 곳을 방문하여 그 곳의 정상이나 사건의 진상을 탐지하여 적어 놓은 기록. 신문이나 잡지에 흔히 실림.
방:문-자【訪問者】명 찾아온 사람.
방문-주【方文酒】명 맛을 좋게 하기 위하여 특별한 방법으로 만든 술.
방문-차【房門次】명 지겟문의 덧문이나 다락문 같은 데에 붙이는, 그림이나 글을 쓴 종이.
방:문 판매【訪問販賣】명 [call sales] 〖경〗 판매원이 가정이나 직장 등을 돌아다니며 상품을 권유(勸誘)하거나 판매하는 일.　「사.
방물¹ 명 여자에게 소용되는 화장품·바느질 그릇·패물 같은 것. ¶ ～ 장
방물²【方物】명 〖역〗 ①감사(監司)나 수령(守令)이 임금께 바치던 그 고장의 산물(産物). ②중국 명(明)나라에 진헌(進獻)하는 공물(貢物).
방물-가【方物歌】명 〖악〗 경기 십이 잡가(京畿十二雜歌)의 하나. 여자들이 사용하는 방물의 이름을 주워섬기면서, 남녀의 사랑을 주제로 한 내용임.
방물 색떡【方物色―】명 〈방〉 갖은 색떡.　「떤 계.
방물 석자계【方物席子契】명 〖역〗 중국에 보내는 인석(茵席)을 바치
방물 장사 명 방물을 팔러 다니는 영업.
방물 장수 명 방물을 팔러 다니는 여자. 흔히, 노파가 함. 아파(牙婆).
방물 진:상【方物進上】명 〖역〗 조선 시대에 그 지방의 특산물을 진상하던 일. 명일(名日) 진상·행행 강무 방물(行幸講武方物) 등으로 나뉨. *제향(祭享) 진상·물선 진상(物膳進上).
방물-판 명 방물을 파는 장사판.
방물 포자【方物布子】명 〖역〗 조선 시대에 방물로서 진헌(進獻)하는
방미¹【防尾】명 치너매기.　　└피륙붙이.
방미²【防微】명 ↗방미 두점(防微杜漸).
방미³【防黴】명 곰팡이가 생기는 것을 막음. ——-하다 자여불
방미⁴【芳味】명 향기로운 맛.
방:미⁵【訪美】명 미국을 방문함. ——-하다 자여불
방미 가공【防黴加工】명 셀룰로오스(cellulose) 섬유·풀먹인 직물에 곰팡이가 생기는 것을 방지하기 위하여 하는 가공. ——-하다 타여불
방미 두점【防微杜漸】명 어떤 일이 커지기 전에 미리 막음. 준방미. ——-하다 타여불
방민【坊民】명 〖역〗 그 방(坊) 안에 사는 백성.　「底).
방-밑【枋―】명 〖건〗 벽(壁)이 땅에 닿은 부분. 곧, 하방의 밑. 방저(枋
방-바닥【房―】[―빠―] 명 방의 바닥.
[방바닥에서 낙상한다] 안전한 곳에서 뜻밖에 실수함을 이르는 말.
방-밖【房―】명 방의 바깥. 실외(室外). ↔방안⁴.
방:반 유철【放飯流歠】명 밥을 많이 뜨고 국을 흘리면서 먹는다는 뜻이니, 곧 음식을 마음껏 먹고 절약할 줄 모른다는 말.
방발¹ 명 〖광〗 굿을 만드는 데 양쪽에 세우는 기둥. 주방(柱房).
방:발²【放發】명 제 멋대로 함. ——-하다 타여불
방발-법【―法】[―뻡] 명 〖광〗 방발을 하는 방법. 주방법(柱房法).
방:방¹【放榜】명 〖역〗 과거에 급제한 사람에게 증서(證書)를 주던 일. 문무과(文武科)는 붉은 종이에, 생원(生員)·진사(進士)는 흰 종이에 이름을 써서 주었는데, 붉은 종이를 홍패(紅牌), 흰 종이를 백패(白牌)라 하였음. 반패(頒牌). 창방(唱榜). 출방(出榜). *탁방(坼榜). ——-하다 타
방방²【房房】부 방방이.　　└여불

방방[3] 【滂滂】 명 눈물이 뚝뚝 떨어지는 모양. ¶ ~한 홍루가 옷깃을 적시며 수심에 싸여 넋을 잃고 가더니…≪崔瓚植：金剛門≫. ——-하다 형 여불

방방 곡곡 【坊坊曲曲】 명 한 군데도 빠짐 없는 여러 곳. 도처(到處). 골골샅샅. ¶ 만세 소리가 전국 ~에 울려 퍼지다. 준곡곡(曲曲).

방방-이 【房房—】 부 여러 방이 다. 방마다. 방방(房房). ¶ ~ 만원이다.

방배 【傍輩】 명 ①같은 주인 밑에서 일하는 동료(同僚). ②같은 스승 밑에서 수업(修業)하는 사람. ③같은 직장에 근무하는 사람. ④동료(同僚). 친구.

방-배석 【方拜席】 명 관원(官員)이 예식에 참여(參與)할 적에 쓰던 네모진 방석.

방백[1] 【方伯】 명 〖역〗 관찰사(觀察使)❷.

방백[2] 【傍白】 명 〖연〗 청중(聽衆)에게는 들리나 무대 위에 있는 상대방에게는 들리지 않는 것으로 약속하고 말하는 대사(臺詞).

방백-신 【方伯神】 명 음양도(陰陽道)에서 방위(方位)를 다스린다는 신(神). 이 신이 있는 방위를 불길하다고 꺼림.

방:벌 【放伐】 명 악정(惡政)을 행하는 군주(君主)는 토벌(討伐)하여 쫓아내야 한다는 중국의 역세 혁명관(易世革命觀). 방살(放殺). 선양(禪讓) 방벌. ＊선위(禪位).

방범 【防犯】 명 범죄를 방지함. ¶ ~대/~비(費). ——-하다 자 여불

방범-등 【防犯燈】 명 범죄 예방을 위하여 어두운 곳이나 외진 곳에 설치하는 전등.

방범 주간 【防犯週間】 명 범죄를 방지하기 위하여 계몽과 단속을 특별히 강조하는 주간.

방법 【方法】 명 ①어떤 목적을 달성하기 위하여 취하는 수단 또는 그 계획적 조치(措置). ¶ 새로운 ~. ②〖철〗 인식 목적(認識目的)을 달성하기 위하여 사유 활동(思惟活動)을 행하는 방식. 곧, 사유 대상(思惟對象)의 취급법.

방법-론 【方法論】 [—논] 명 〖논〗 논리학에 있어서 학(學)의 방법을 논하는 부문. 이것은 지식의 원리를 논하는 원리론을 기초로 하는 것으로서, 일반적 방법론과 특수적 방법론으로 나뉨. 전자는 과학의 전반에 공통된 방법을 연구하는 것이고 후자는 낱낱의 과학에 특유한 방법을 연구하는 것임. ＊통정법론(統整法論).

방법 서:설 【方法敍說】 명 〔프 Discours de la Méthode〕 〖책〗 1637년에 간행된 데카르트의 저서(著書). 바르게는 ≪이성(理性)을 올바르게 이끌어, 여러 가지의 학문에 있어서 진리를 구하기 위한 방법의 서설(敍說)≫이라고 불리어지는 것이며, 하나의 방법이 어떻게 하여 형성(形成)되어 왔는가의 과정을 서술(敍述)한 것으로, 데카르트의 주저(主著)이며 사상적 자서전(自敍傳)임.

방법적 회의 【方法的懷疑】 [—/—이] 명 〖철〗 진리의 존부를 의심하는 것이 아니고 진리의 소재를 탐구하여, 학(學)을 확실한 기초 위에 두기 위하여, 의심할 수 있는 모든 것을 의심하여 보는 방법적 의미의 회의(懷疑). 프랑스의 데카르트가 주창(主唱)한 술어(術語)로, 그의 회의의 특질(特質)을 이루고 있음. ＊방법적 회의론.

방법적 회의론 【方法的懷疑論】 [—/—이—] 명 〖철〗 방법적 회의로써 진리를 탐구(探究)하는 방법론(方法論).

방벽[1] 【防壁】 명 공격을 방어하기 위한 벽. 방어의 역할을 하는 사물. ¶ 공산주의에 대한 ~.

방:벽[2] 【放辟】 명 아무 꺼림없이 제 멋대로 놂. ——-하다 자 여불

방보[1] 【坊報】 명 〖역〗 방(坊)에서 관아(官衙)에 올리던 보고.

방보[2] 【防報】 명 〖역〗 상급 관아(官衙)의 지시대로 업무를 수행할 수 없을 적에 그 이유를 변명하여 올리던 보고.

방:보[3] 【放步】 명 걸음을 되는 대로 걸음. 또, 그 걸음. ——-하다 자 여불

방-보라 명 〖건〗 ①사이가 좁은 곳에 벽을 만드는데 중깃과 욋가지를 쓰기 곤란한 곳에 욋가지 대신으로 세로 지르는 단단한 나무 막대기. ②설외를 엮기 위하여 벽선과 벽선 사이를 버티는 막대기.

방보라(를) 치다 구 〖건〗 벽에 방보라를 대다.

방-보래 명 〖건〗 〈방〉 방보라.

방복 【尨服】 명 염색(染色)한 옷.

방본[1] 【坊本】 명 방각판(坊刻版).

방본[2] 【邦本】 명 국가의 근본.

방:봉 【放烽】 명 봉화를 올림. ——-하다 자 여불

방부[1] 【防腐】 명 썩지 못하게 함. 건조(乾燥)·냉장(冷藏)·밀폐(密閉)·훈제(燻製)·가열(加熱) 등의 방법이 있음. ——-하다 타 여불

방부[2] 【房付】 명 〖불교〗 중이 남의 절에 가서 좀 있기를 부탁하는 일.

방부(를) 들이다 구 다른 절의 중이 와서 있기를 원하는 것을 허락하여 받아들이다.

방부 목재 【防腐木材】 명 세균 기타의 균류(菌類)에 의해 썩는 것을 막기 위해서 방부제를 바르거나 주입(注入)한 목재. 침목(枕木)·전주(電柱)·교량재(橋梁材)·항만재 외에, 건축용재·갱목 등으로도 사용됨.

방부-성 【防腐性】 [—썽] 명 썩지 못하게 하는 성질.

방부-재 【防腐材】 명 〖약〗 건축 재료 또는 침목(枕木) 같은 것이 박테리아·버섯 등의 작용으로 썩는 것을 막기 위하여 사용하는 약품. 황산 구리·염화 제이 수은·크레오소트(creosote) 등이 사용됨.

방부-제 【防腐劑】 명 〔antiseptic〕 〖화〗 미생물의 생육(生育) 활동을 막고, 물건이 썩지 못하게 하는 약제. 식품 방부제 외에도 의약품·화장품 방부제와 공업용 방부제 등이 있으며, 특히 식품 방부제의 사용에 관해서는 법으로 엄격히 규제하고 있음. 지부제(止腐劑).

방분[1] 【方墳】 명 고분(古墳) 분류의 한 가지. 모양이 네모진 무덤. 네모무덤.

방분[2] 【芳芬】 명 향기로움. ——-하다 형 여불

방:분[3] 【放糞】 명 똥을 눔. ——-하다 자 여불

방:불[1] 【彷彿·髣髴】 명 그럴 듯하게 비슷함. 근사함. ¶ 실전을 ~하게 하는 맹연습. ——-하다 형 여불. ——-히 부

방:불[2] 【訪佛】 명 프랑스를 방문함. ——-하다 자 여불

방-비[1] 【房—】 [—삐] 명 방을 쓸기 위한 비.

방비[2] 【防備】 명 ①적을 막아서 힘써 지킴. ¶ 재해 ~. ②방어(防禦)하는 설비. 방새. ¶ ~를 굳게 하다. ——-하다 타 여불

방비[3] 【芳菲】 명 화초(花草)가 향기롭고 무성함. ——-하다 형 여불

방비[4] 【傍妃】 명 임금의 첩. 왕비에 대한 말.

방-비석 【方沸石】 명 〖광〗 비석, 곧 제올라이트(zeolite)의 일종. 무색의 등축(等軸) 또는 육방 정계(六方晶系) 결정으로 유리 광택이 남. 아날심(analcime). 아날사이트(analcite). [$Na(ALSi_2O_6)\cdot H_2O$] ＊ 제올라이트.

방비-선 【防備線】 명 방어선(防禦線).

방비-책 【防備策】 명 방비할 대책.

방:비-충 【放屁蟲】 명 〖충〗 방귀벌레.

방빌 〔Banville, Théodore Faullain de〕 명 〖사람〗 프랑스의 시인(詩人)·극작가(劇作家). 완벽한 형식, 조형적(造型的) 미(美)와 아름다운 환상을 추구하는 시를 썼으며 낭만파와 고답파(高踏派)의 중간에 위치함. 시집(詩集) ≪인상주(人像柱)≫·≪종유석(鍾乳石)≫·≪망명자(亡命者)≫ 등 외에 희곡·회상록 등이 있음. [1823-91]

방사[1] 【方士】 명 신선(神仙)의 술법(術法)을 닦는 사람. 도사(道士).

방사[2] 【方事】 명 〈폐〉 변경(邊境)의 사고.

방사[3] 【坊舍】 명 〖불교〗 중들이 거처하는 방. ＊방장²(方丈).

방사[4] 【房事】 명 남녀가 교합하는 일. 성교(性交). ——-하다 자 여불

방사[5] 【房舍】 명 〖건〗 방⁷(房)❶.

방:사[6] 【放士】 명 산야(山野)에 숨어 자기 뜻대로 사는 사람. 방인(放人).

방:사[7] 【放射】 명 ①중앙의 한 점(點)에서 그 주위 사방에 직선으로 내뻗침. ②발사(發射). ③〖물〗 복사(輻射). ——-하다 자 타 여불

방:사[8] 【放赦】 명 ①죄수(罪囚)를 석방함. ②〖천주교〗 지정된 성물(聖物)에 은사(恩赦)를 붙임. ——-하다 타 여불

방:사[9] 【放飼】 명 가축을 가두지 아니하고 놓아 먹임. ——-하다 타 여불

방:사[10] 【放肆】 명 거리낌없이 제 멋대로 함. ——-하다 형 여불

방:사[11] 【倣似】 명 아주 비스름함. ——-하다 형 여불

방사[12] 【紡絲】 명 ①실을 자음. 또, 그 실. ②섬유 형성(形成)이 가능한 물질을 녹여, 가는 구멍을 통해 실을 만드는 조작. 용융(溶融) 방사·건식(乾式) 방사·습식(濕式) 방사 등이 있음. ——-하다 자 타 여불

방:사-계 【放射計】 명 〖물〗 복사계(輻射計).

방:사 고온계 【放射高溫計】 명 복사(輻射) 고온계.

방:사-광 【放射光】 명 〔radiation〕 〖물〗 광원(光源)으로부터 발사(發射)되었다는 뜻에서 일컫는 빛의 딴이름.

방:사구-법 【放射溝法】 [—뻡] 명 어떠한 한 지점을 중심으로 하여 그 주위 사방에 방사상(放射狀)으로 도랑을 파는 법.

방:사-균 【放射菌】 명 〖생〗 방선균(放線菌).

방:사균-병 【放射菌病】 [—뼝] 명 〖의〗 방선균병(放線菌病).

방:사-기[1] 【放射器】 명 〔ejector〕 액체나 기체를 방사하는 데 쓰는 기구. 분무기(噴霧器) 같은 것. ¶ 화염 ~.

방:사-기[2] 【紡絲機】 명 〖기〗 인조 섬유(人造纖維)의 실을 만드는 기계.

방:사 냉:각 【放射冷却】 명 〖기상〗 복사(輻射) 냉각.

방:사-능 【放射能】 명 〔radioactivity〕 〖물〗 물질에서 자발적으로 방사선이 방출(放出)되는 성질. 원자핵(原子核)의 방사성 붕괴로 인함. 천연적으로 존재하는 물질의 방사능을 천연 방사능, 인공적으로 만들어진 물질의 방사능을 인공 방사능이라고 함. 방사능의 강도(強度)는 퀴리(curie)로 나타냄.

방:사능 광:물 【放射能鑛物】 명 〖광〗 방사성 광물.

방:사능-대 【放射能帶】 명 밴 앨런대(帶).

방:사능 병기 【放射能兵器】 명 방사능 효과로 인원을 살상하는 병기. 우라늄 235의 핵분열 생성물(核分裂生成物)을 사용하는 것 외에 3F 폭탄·코발트 폭탄 같은 것이 있음.

방:사능-비 【放射能—】 명 핵폭발에 의하여 대기 중에 방출된 인공 방사능이 함유된 비.

방:사능-선 【放射能線】 명 〔radioactive rays〕 〖물〗 방사선(放射線)❷.

방:사능 선:광 【放射能選鑛】 명 〔radioactivity separation〕 〖광〗 광석(鑛石)이 천연적으로 지닌 방사능의 차(差)를 이용한 선광법. 캐나다 등에서, 우라늄광·토륨광의 선광에 실용되고 있음.

방:사능 오염 【放射能汚染】 명 핵폭발, 원자로의 운전, 방사성 물질을 이용한 연구 등으로 방사성 물질이 기구(器具)·인체·환경 등에 부착·확산하여 어떤 장애의 원인이 되는 일.

방:사능 원소 【放射能元素】 명 〖화〗 방사성 원소(放射性元素).

방:사능 작전 【放射能作戰】 명 방사성 물질 또는 방사선 생성 장치를 써서 사람을 죽이거나 특정한 지역의 사용을 불가능하게 만드는 작전.

방:사능 조사 【放射能調査】 명 환경(環境)·식품·인체에 포함되는 방사성 강하물(放射性降下物)의 조사.

방:사능 존데 【放射能—】 〔도 Sonde〕 명 라디오 존데의 한 가지. 대기 상층에 부유(浮遊)하고 있는 세진(細塵)의 방사능을 측정하는 기계. 가이거 뮐러 계수기(計數器)가 장치된 라디오 존데임.

방:사능-증 【放射能症】 [—쯩] 명 〖의〗 방사선 장애.

방:사능-진 【放射能塵】 명 원자 폭탄·수소 폭탄이 폭발할 때의 핵분열로 생긴 먼지가 지구 표면에 떨어진 것. 생물체를 죽음에 이르도록 해를 줌. 죽음의 재. 방사진. 방사성 낙진(落塵). 낙진.

방:사능-천 【放射能泉】 명 물 1 리터 속에 라돈(radon) 5.5 마헤(Mache) 이상 또는 라듐 10^{-8} mg 이상을 함유(含有)하는 광천(鑛泉). 류머티즘·통풍(痛風)·창상(創傷) 등에 효능이 있다 하며, 유성 온천(儒城溫泉)이 이에 속함. ＊라듐천(radium泉).

방:사능 탐광【放射能探鑛】 명 〖광〗 방사능 탐사.
방:사능 탐사【放射能探査】 명 계수관(計數管) 등을 사용하여서 방사선(放射線)의 강도(強度)를 측정하여, 지하의 우라늄 광상(鑛床)·석유 등을 탐사(探査)하거나, 지질 구조를 추정하는 방법. 방사능 탐광.
방:사능 탐지기【放射能探知機】 명 방사능의 분량을 알아내는 기계. *가이거 뮐러 계수관.
방:사 대:칭【放射對稱】 명 〖생〗 상하의 축(軸)을 중심으로 하여 몸이 방사상(放射狀)으로 되어 있는 형상. 동물에서는 성게·말미잘 따위에서, 식물에서는 꽃이나 줄기에서 볼 수 있음. 방사 상칭(相稱).
방:사-도【放射度】 명 〖물〗 어떤 온도를 가진 물체가 단위 면적에서 단위 시간에 어떤 파장(波長)의 방사선을 열복사(熱輻射)할 때의 그 복사 에너지를 그 물체의 온도·파장에 대하여 일컫는 말. 복사능(輻射能).
방사-림【防沙林】 명 산이나 바닷가 같은 데에 비에 씻기거나 바람에 날리는 모래를 막기 위하여 심어 가꾼 삼림.
방:사-무【放射霧】 명 〖기상〗 복사(輻射) 안개.
방-사백【旁死魄】 명 사백의 다음날, 곧 음력 초이튿날. 정월에는 임진일(壬辰日)을 일컬음.
방:사-법【放射法】 [—뻡] 명 〖토〗 한 측점(測點)에 평판(平板)을 세우고, 그 주위에 있는 목표점의 방향선과 거리를 측정하여 트래버스(traverse) 모양을 만들고 실지 지형을 알아내는 방법.
방:사 보일러【放射—】 〔boiler〕 명 증발 전열면(蒸發傳熱面)이 모두 수냉 노벽(水冷爐壁)으로 구성된 보일러.
방:사-사【放射絲】 명 거미줄의 방사상(狀)의 줄. 테두리 실을 친 다음 나선사(螺旋絲)를 치기 전에 중심부와 테두리 사이를 왕래하면서 침.
방:사-상【放射狀】 명 중앙의 한 점에서 사방으로 바퀴살처럼 죽죽 내뻗친 형상. 방사형(形). 복사상(輻射狀). ¶ ~ 도로.
방:사상-균【放射狀菌】 명 〖생〗 방선균(放線菌).
방:사상 등산【放射狀登山】 명 일정한 장소에 전원이 모여, 그 곳을 근거지로 하여 방사상으로 주위의 여러 산을 올라가는 등산 방식.
방:사상-운【放射狀雲】 명 〖기상〗 몇 개의 구름의 띠가 평행으로 가로 놓인 것 같은 구름. 투시(透視)의 작용으로 지평선 위의 한 점에서 방사되어 있는 것같이 보임. 주로 권운(卷雲)·권적운(卷積雲)·고적운(高積雲) 등에서 볼 수 있는데, 10종 운형(雲形)의 변종(變種)으로서 분류함. 방사운.
방:사 상칭【放射相稱】 명 〖생〗 방사 대칭.
방:사 상칭화【放射相稱花】 명 〖식〗 속씨 식물(植物)의 꽃 이름의 하나. 두 개 이상의 상칭면(相稱面)을 가진 것, 곧 꽃을 바로 위에서 내려다 보아, 좌우(左右)·상하(上下)의 구별이 없이 윤생상(輪生狀)으로 꽃잎·꽃받침·수꽃술이 배열된 꽃. 매화꽃·벚꽃 등. 복사화(輻射花). 복상 상칭화(輻狀相稱花).
방:사-선【放射線】 명 〖물〗 ①동일한 점을 끝점으로 하는 반직선(半直線)의 떼. ②〖물〗 방사성 원소의 붕괴(崩壞)에 따라 방출되는 입자선(粒子線) 또는 복사선(輻射線). 프랑스의 물리학자 베크렐(Becquerel)이 발견한 것으로, 알파선(α線)·베타선(β線)·감마선(γ線)이 있는데, 모두 전리(電離)·형광(螢光)·열작용이 있는 외에, 세포(細砲)를 파괴하는 작용이 있음. 방사능선(放射能線). ③〖물〗 널리, 각종 입자선(粒子線)이나 X선·적외선 등의 전자기파(電磁氣波)의 총칭.
방:사선 검:출기【放射線檢出器】 명 입자(粒子) 검출기.
방:사선-과【放射線科】 [—꽈] 명 〖의〗 X선이나 라듐·인공 방사성 동위 원소에서 방출되는 방사선 등을 이용하여 병의 진단·치료 등을 하는 진료(診療) 과명(科名).
방:사선-대【放射線帶】 명 〔radiation belts〕 〖물〗 밴 앨런대(Van Allen 帶).
방:사선-량【放射線量】 [—냥] 명 〔radiation dose〕 〖물〗 물질 또는 조직에 흡수된 전리(電離) 방사선의 총량. 래드(rad)로 나타내는 흡수 선량(吸收線量), 뢴트겐(r)으로 나타내는 조사(照射) 선량, 렘(rem)으로 나타내는 선량 당량(當量)으로 구분하여 사용됨.
방:사선량-계【放射線量計】 [—냥—] 명 〔dosimeter〕 〖물·화〗 인체에 조사(照射)된 방사선의 양을 보여주는 장치. 어느 한도 이상의 방사선이 조사되면 큰 장애가 일어나므로, 원자핵 반응을 다루는 분야의 종업원은 반드시 지니고 다녀야 함. *가이거 뮐러 계수관.
방:사선 물리학【放射線物理學】 명 〖물〗 방사선과 물질(物質)과의 상호(相互) 작용을 연구하는 물리학의 한 분야.
방:사선 방호제【放射線防護劑】 명 〖의〗 방사선 장애(障礙)에 대하여 그것을 방호하는 약제. 예방 약제와 체내에 침입한 방사성 동위 원소의 체외 배설 촉진제 및 치료 회복용 약물을 널리 포함함.
방:사선 부:식【放射線腐蝕】 명 방사선으로 인하여 일어나는 금속의 조기(早期) 부식.
방:사선 분해【放射線分解】 명 〔radiolysis〕 〖물·화〗 방사능의 작용으로 야기되는 화합물의 분해.
방:사선-사【放射線士】 명 의료 기사(醫療技士)의 하나. 의사의 지시·감독 아래 방사선을 취급하고 관리하는 일을 맡음. *물리 치료사.
방:사선 사진【放射線寫眞】 명 〖물〗 물질 자체에서 나온, 혹은 물질을 투과(透過)해서 나온 방사선에 의한 사진. 라디오그래프.
방:사선 사진법【放射線寫眞法】 [—뻡] 명 사진 필름이나 건판(乾板)에 상(像)을 박아 시료(試料) 중의 방사능을 검출하는 방법.
방:사선 산:란【放射線散亂】 [—살—] 명 방사선이 방사선원(放射線源)과 거리가 떨어진 어느 점과의 사이에 있는 원자·분자 기타 매개체와 충돌 또는 상호 작용하여 원래의 진로를 이탈하는 현상.
방:사선 살균【放射線殺菌】 명 감마선(γ線)이나 음극선(陰極線) 따위의 방사선을 조사(照射)하여 행하는 살균.
방:사선 생물학【放射線生物學】 명 〔radiation biology〕 여러 가지 방사선 에너지가 생체(生體) 내의 물질과의 상호 작용에 의해서 생물에 흡수된 뒤, 최종적 반응 결과로서의 죽음 또는 상해를 일으킬 때까지 생기는 과정을 연구하는 복합 과학(複合科學).
방:사선 손:상【放射線損傷】 명 각종 방사선의 조사(照射)에 의하여 물질의 구조에 변화가 일어나고, 그 물질의 여러 성질이 변화하는 현상.
방:사선 수술【放射線手術】 명 〔radiosurgery〕 방사선을 환부(患部)에 집중적으로 쬐어 이를 제거 치료하는 요법. 뇌수술도 두개골을 열 필요 없이 외부에서 방사선을 쬐는 것만으로 뇌 속 깊은 곳의 종양을 제거할 수 있음.
방:사선 암:【放射線癌】 명 〔radiation cancer〕 〖의〗 X선(線)의 반복 조사(反復照射)를 받은 사람, 또는 X선을 직업적으로 다루는 사람에게 때로 생기는 암. 주로 피부암이 많음. 뢴트겐 암.
방:사선 염색법【放射線染色法】 [—념—] 명 섬유에 방사선을 조사(照射)하여 염색하는 방법. 20만 뢴트겐 전후의 강력한 감마(γ)선을 섬유에 조사하여 그 분자 구조를 바꾸어서, 폴리아크릴니트릴계의 오존이나 폴리에스테르계의 테트론과 같이 염색이 잘 안 되는 섬유를 염색함.
방:사선 요법【放射線療法】 [—뇨뻡] 명 〖의〗 방사선을 이용하여 치료하는 방법. 자외선(紫外線)·엑스선(X線)·라듐 방사선 또는 열선(熱線)을 온 몸이나 어떠한 국부(局部)에 조사하여 치료하는 이학적(理學的) 요법의 총칭. 광선 요법.
방:사선-원【放射線源】 명 〔radiation source〕 인공적으로 방사성 물질을 봉입(封入)한 것. 원격 조사법(遠隔照射法) 외에 라디오그래피에 전지(電池)의 전력원으로, 또 각종 공업용 계기에 쓰임. 넓게는, 가속기(加速器) 등의 방사성 발생 장치 및 자연 방사성 핵종(自然放射性核種)도 방사선원(放射線源)으로 간주됨.
방:사선 유전학【放射線遺傳學】 [—뉴—] 명 〔radiation genetics〕 〖생〗 생물에 각종 방사선을 조사(照射)하여, 돌연 변이(突然變異)를 유발시켜 유전 현상을 해명하고자 하는 유전학의 한 분야.
방:사선 육종【放射線育種】 [—뉵—] 명 농작물 등의 품종 개량법의 하나. 인공적으로 방사선을 조사(照射)하여 돌연 변이(突然變異)를 일으키게 하여 유용(有用)한 형질(形質)을 가진 개체(個體)를 가려내는 방법. 교배(交配)에 의한 육종법에 상대하여 일컬음.
방:사선 의학【放射線醫學】 명 〖의〗 방사선에 관한 물리학적·생화학적·생물학적 지식을 빌려서 방사선의 의학적 이용과 인체 장애에 관한 문제를 연구하는 의학.
방:사선 인체 당량【放射線人體當量】 [—냥] 명 〖의〗 렘(rem).
방:사선 장애【放射線障礙】 명 〖의〗 방사선을 받았을 때의 인체에 나타나는 직접적·간접적 장애의 총칭. 방사선의 양·종류, 방사선을 받은 신체 부위(部位)나 기간 등에 따라서 각각 양상은 다르나, 식욕 부진(不振)·두통·구토·설사·출혈·탈모(脫毛)·수포(水疱) 및 궤양의 형성, 백혈구수 감소·빈혈·무정자(無精子)·불임(不姙) 등 외에 돌연 변이(突然變異)·염색체 이상 등의 장애가 일어남. 방사능증. *방사선 후유증.
방:사선 저:항성 암:【放射線抵抗性癌】 [—썽—] 명 〖의〗 방사선 조사에도 조직 파괴를 일으키지 않는 암. 임상적으로는 5,000 뢴트겐을 조사(照射)해도 효과가 없을 때의 암을 이름.
방:사선 전문의【放射線專門醫】 [—/—이] 명 병의 진단 및 치료에 방사선 에너지를 사용하는 것을 전문으로 하는 의사.
방:사선 중합【放射線重合】 명 〖물〗 X선·감마(γ)선·전자선(電子線)의 고(高)에너지 방사선 조사(照射)에 의해 일어나는 부가(付加) 중합. 저온(低溫)에서나 기체상(氣體相)·액체상(相)·고체상(相)의 어느 경우에도 반응을 일으킬 수 있고, 각종 고분자(高分子) 물질의 제조에 이용함.
방:사선 차폐【放射線遮蔽】 명 방사선원(放射線源)과 방사선에 감응(感應)하는 물체 사이에 두는 가리개나 벽(壁). 방사선에 감응하는 것을 막음. γ선에 대해서는 납이나 쇠, 중성자선(中性子線)에 대해서는 물이나 파라핀이 쓰임.
방:사선 투과 검:사【放射線透過檢査】 명 물체의 내부에 결함이 있으면 방사선의 투과 정도가 변하는 것을 이용, 투과한 방사선의 강도를 측정하여 내부의 결함을 검사하는 방법. 방사선으로서는 엑스선(X線)·감마선(γ線)·베타선(β線)·중성자선(中性子線) 등을 이용함.
방:사선 피부염【放射線皮膚炎】 명 〔radiodermatitis〕 〖의〗 X선이나 라듐 동위(同位) 원소에서 나오는 β선, γ선 등의 피부 조사(照射)로 인하여 야기되는 피부의 염증.
방:사선-학【放射線學】 명 〖의〗 임상 의학(臨床醫學)의 한 분과. 엑스선(X線)·라듐 방사선·자외선(紫外線) 등의 방사선을 진료(診療)에 사용하는 것을 연구하는 학문.
방:사선 허용량【放射線許容量】 [—냥] 명 인체에 장애가 없다고 생각되는 방사선의 양적 한계. 방사선 허용 선량.
방:사선 허용 선량【放射線許容線量】 [—설량] 명 방사선 허용량.
방:사선 화학【放射線化學】 명 〔radiation chemistry〕 〖화〗 물질에 α선, β선, γ선, X선 가속 전자선(加速電子線) 등 고(高)에너지의 전리 방사선(電離放射線)을 조사(照射)했을 때에 일어나는 화학적 변화를 연구하는 화학의 한 분과.
방:사선 후:유증【放射線後遺症】 [—쯩] 명 방사선을 과도하게 받았을 때에 생기는 비가역적(非可逆的) 변화의 총칭. *방사선 장애.
방:사-성【放射性】 [—썽] 명 〔radioactive〕 〖물·화〗 물질이 방사능을 가진 성질.
방:사성 강:하물【放射性降下物】 [—썽—] 명 핵폭탄이 공중에서 폭발할 때에 방출되어 지표에 떨어지는 방사성 물질.
방:사성 광:물【放射性鑛物】 [—썽—] 명 우라늄·토륨(thorium)·

라듐(radium) 등 방사성 원소를 상당량 함유하고 있는 광물. 역청(瀝靑) 우라늄광(鑛)·섬(閃)우라늄광·인회(燐灰) 우라늄광·모나즈석(monaz石) 등. 원자력 자원으로서 중요함. 방사능 광물.
방:사성 낙진【放射性落塵】[—썽—] 명 방사능진. 낙진.
방:사성 동위 원소【放射性同位元素】[—썽—] 명 〔radioisotope〕〖물·화〗방사성을 가지는 동위 원소. 칼륨 40 등과 같이 천연으로 존재하는 것과, 원자로·사이클로트론 등을 써서 인공적으로 생산하는 것이 있음. 트레이서(tracer)로서 농학·의학·생물학 연구 또는 방사선 치료용으로서 암(癌)·종양 등의 치료에 쓿. 라디오 아이소토프. 방사성 동위체(同位體).
방:사성 동위체【放射性同位體】[—썽—] 명 방사성 동위 원소.
방:사성 물질【放射性物質】[—썽—찔] 명 〔radioactive substance〕방사성 원소를 함유하는 물질의 총칭.
방:사성 붕괴【放射性崩壞】[—썽—] 명 〔radioactive decay〕〖물〗핵종(核種)이 스스로 방사선을 방출하고 다른 핵종으로 변환하는 현상. 붕괴의 종류로는 알파(α) 붕괴·베타(β) 붕괴 및 감마(γ) 붕괴와 전자 포획(電子捕獲)·양성자(陽性子) 붕괴 등이 있음.
방:사성 붕괴 계:열【放射性崩壞系列】[—썽—] 명 〔radioactive decay series〕〖물〗하나의 핵종이 붕괴하여 차례차례 다른 핵종으로 변환하여, 최종적으로 안정된 핵종으로 변환하여 가는 일련의 핵종의 계열.
방:사성 연대【放射性年代】[—썽—년—] 명 〔radiometric age〕〖지〗방사성 원소와 그것들의 붕괴 생성물을 양적(量的)으로 측정함으로써 결정되는 지질 연대.
방:사성 오염【放射性汚染】[—썽—] 명 방사능을 가진 물질에 의해 환경(環境)·인체·기구·의복 등이 오염되는 일.
방:사성-원【放射性源】[—썽—] 명 〔radioactive source〕〖물〗전리 방사성원(電離放射性源)으로 쓰기 위한 방사성 물질.
방:사성 원소【放射性元素】[—썽—] 명 〔radioactive element〕〖물·화〗방사선을 자발적(自發的)으로 방출(放出)하는 원소. 천연적으로 있는 것과 인공적으로 만들 수 있는 것의 두 가지가 있음. 방사능 원소.
방:사성 원소 변:이 법칙【放射性元素變移法則】[—썽—] 명 방사성 원소의 붕괴에 따르는 주기표 중의 위치의 변화에 관한 법칙. α붕괴의 경우에는 원자 번호는 2가 줄고 질량수는 4가 줆. β^-붕괴에서는 원자 번호만 1이 늘고 β^+붕괴 및 전자 포획(電子捕獲)에서는 원자 번호만 1이 줄며 질량수는 변화하지 않음. 또, γ붕괴에서는 원자 번호나 질량수 모두 변화하지 않음.
방:사성 탄:소【放射性炭素】[—썽—] 명 〖화〗〔radiocarbon〕 탄소의 방사성 동위 원소. 특히, 연대 측정(年代測定)에 쓰이는 탄소 14의 일컬음.
방:사성 탄:소 연대 측정법【放射性炭素年代測定法】[—썽—뻡] 명 〔radiocarbon dating〕질량수 14인 탄소의 방사성 동위체(放射性同位體)를 이용한 연대 측정법. 살아 있는 생물은 항상 대기(大氣)와 물질 교환을 하고 있으므로, 질량수 14의 탄소 원자와 질량수 12의 보통 탄소 원자의 비(比)가 일정하지만, 생물이 죽으면 교환이 없어지므로 질량수 14인 원자는 붕괴되어 때가 흐름에 따라 줄어듦을 이용하여 과거 수만년 정도까지의 연대를 측정함. 탄소 십사법(炭素14法). 탄소 동위체법(炭素同位體法). 라디오 카본 데이팅.
방:사성 폐:기물【放射性廢棄物】[—썽—] 명 〔radioactive waste〕원자로의 운전, 핵연료의 정제(精製), 인공 방사성 동위 원소의 사용 등에 따라 생기는 방사능을 가진 쓸모 없는 물질. 인체에 해를 주고 환경을 오염할 우려가 있음.
방:사성 폐:수 처:리【放射性廢水處理】[—썽—] 명 방사성 물질을 취급하는 연구실·병원·공장 등에서 배출된 폐수를 물리적·화학적 방법으로 희석시켜 폐기하는 일.
방:사성 포:획【放射性捕獲】[—썽—] 명 〔radiative capture〕〖물〗입사 입자(入射粒子)가 표적이 되는 원자핵(原子核)에 흡수되어, γ선이 방출되는 핵반응(核反應). 중성자(中性子) 포획·양성자(陽性子) 포획 따위.
방:사성 핵종【放射性核種】[—썽—] 명 〔radionuclide〕방사능(能)을 가지는 핵종(核種). 자연계에 존재하는 것을 천연(天然) 방사성 핵종, 인공적으로 핵반응(核反應)에 의해서 만들어진 것을 인공(人工) 방사성 핵종이라 함.
방:사-속【放射束】명 복사속(輻射束).
방:사-스럽다【放肆—】형ㅂ불 방사한 태도가 있다. 방:사-스레【放肆—】부
방:사-압【放射壓】명〖물〗복사압(輻射壓).
방:사 에너지【放射—】명〖물〗복사(輻射) 에너지.
방:사 연대【放射年代】명 방사성 동위체의 괴변(壞變) 생성물의 양(量)으로 추정되는, 평균 태양일 또는 평균 태양년을 단위로 하는 지질 연대. 루비듐 스트론튬법(法)·칼륨 아르곤법·탄소 14(^{14}C)법 등으로 측정됨.
방:사-열【放射熱】명〖물〗복사열(輻射熱).
방:사 온도계【放射溫度計】명〖물〗복사(輻射) 온도계.
방:사-운【放射雲】명 방사상운(放射狀雲).
방:사 적정【放射滴定】명 〔radiometric titration〕〖화〗평형(平衡) 상태에 있는 두 개의 액체상(相) 사이에서 물질의 이동(移動)을 추적(追跡)하기 위하여 방사성 시약(試藥)을 사용(使用)하는 일. 염화(塩化) 칼륨을 $^{110}AgNO_3$으로 적정하는 일 따위.
방:사 전:류【放射電流】[—절—] 명〖물〗진공관의 음극으로부터 방사되는 전자(電子)에 의하여 생기는 전류.
방:사 전열【放射傳熱】명〖물〗복사 전열(輻射傳熱).
방:사-점【放射點】[—쩜] 명〖천〗복사점(輻射點).
방사-제【防砂堤】명 흙이나 모래가 항만에 밀려드는 것을 막기 위하여 쌓은 둑. 수심(水深)이 얕아지는 것을 방지함.
방:사 조직【放射組織】명〖식〗사출수(射出髓).
방사주【紡紗紬】명〈옛〉비단 이름. =방ㅅ쥬. ¶ 빅방사주 진 초미를 되는 더로 파라다가《春香傳 192》.
방:사-진【放射塵】명 방사능진(放射能塵).
방:사-체【放射體】명 복사체.
방:사 평형【放射平衡】명 복사 평형(輻射平衡).
방:사-학【放射學】명 〔radiology〕엑스선(X線) 또는 알파(α)·베타(β)·감마(γ) 등의 방사선의 성질이나 작용을 연구하는 학문.
방:사-형【放射形】명 방사상(放射狀).
방:사화 분석【放射化分析】명 〔radioactivation analysis〕〖화〗시료(試料)에 중성자·감마선(γ線)·하전 입자(荷電粒子) 등을 조사(照射)하여 목적하는 원소를 인공 방사선 원소로 변환, 그 방사능의 종류·강도 등을 비교하여 정량(定量)·정성(定性)을 행하는 분석. 미량 성분(微量成分)의 분석법으로 효과적임.
방:사 화학【放射化學】명 〔radiochemistry〕〖화〗방사성 물질을 취급하는 화학의 한 부문. 자연에 있어서의 방사성 핵종(核種)의 분포, 인공 방사성 핵종의 생성, 방사성 핵종의 분리와 정제(精製), 그 화합물의 성질 및 방사성 핵종의 이용 등을 연구함.
방:사 화학 분석【放射化學分析】명 〔radiochemical analysis〕시료(試料) 중의 어떤 원소가 방사능(能)을 가지고 있을 경우, 그 방사능을 측정하여 원소를 정량(定量)하는 방법.
방:사 화학적 정제【放射化學的精製】명 〔radiochemical purification〕방사성 핵종(核種)의 방사능(能)에 관한 순도를 높이는 화학 처리.
방산¹【方繖】명〖역〗의장(儀仗)의 한 가지. 자방산(紫方繖)·청방산(靑方繖)·청화 방산(靑華方繖)·홍방산(紅方繖) 등이 있음.

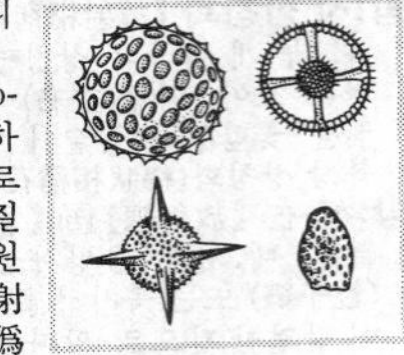
〈방산¹〉

방산²【防産】명 ↗방위 산업.
방:산³【放散】명 ①풀어 헤침. ②각각 흩어짐. ——-하다 자타여불
방산⁴【謗訕】명 ①남을 헐어 말함. ②나무람. ——-하다 타여불
방:산-충【放散蟲】명〖동〗방산충류(放散蟲類)에 속하는 원생(原生) 동물의 총칭. 열대 지방에 분포함. 라디올라리아(radiolaria).
방:산충-류【放散蟲類】[—뉴] 명〖동〗[Radiolaria] 원생(原生) 동물 위족류(僞足類)에 속하는 한 목(目). 해생(海生)의 부유(浮遊) 동물로서 키틴질(chitin質)을 분비하고 외부는 규질(硅質)의 골격(骨格)으로 싸여 구상(球狀)·원반형(圓盤形)·타원형이며 모두 방사상(放射狀)의 모양을 함. 많은 골침(骨針)의 위족(僞足)은 몹시 섬세하고 아름다우나 부스러지기 쉬움. 유해(遺骸)는 화석(化石)으로 바다 밑에 쌓여 방산충 연니(放散蟲軟泥)를 형성함. 현재 4,200종 750여 속(屬)이 있음. ＊유공충류(有孔蟲類).

〈방산충류〉

방:산충 연니【放散蟲軟泥】[—년—] 명 방산충의 유해(遺骸)가 많이 함유된 적색의 이토(泥土). 태평양·인도양의 열대 지역의 해저(海底)에만 있는데, 그 해저면(海底面)의 2-3%를 차지함.
방:산충 판암【放散蟲板岩】명 방산충의 유해(遺骸)를 함유하는 적색(赤色) 또는 녹색(綠色)의 점판암(粘板岩). 해양(海洋)의 퇴적층의 고생층(古生層)에 많이 보임.
방:살【放殺】명 추방함과 멸(滅)함. 요순(堯舜)의 선양(禪讓)에 대하여, 탕무(湯武)가 걸주(桀紂)를 토벌한 일을 이름. 방벌. ——-하다 타여불
방상¹【方相】명〖불교〗오종(五種)의 결계(結界)의 하나. 수업(修業)의 장애를 막기 위하여, 사방에 돌을 세우거나 나무를 심어 경계(境界)로 삼는 일.
방상²【方箱】명 수레의, 물건을 넣는 네모진 상자.
방상³【棒狀】명 봉상(棒狀).
방:상 괘:명【榜上掛名】명〖역〗과방(科榜)에 성명이 기록됨.
방상-수【方相—】명〈방〉〖역〗방상시(方相氏).
방상-시【方相氏】명〖역〗구나(驅儺)할 때에 나자(儺者)의 하나. 악귀(惡鬼)를 쫓는다는 신(神)으로 곰의 가죽을 들씌운 큰 탈에 붉은 옷 검은 치마를 입고, 금빛의 눈이 2-4개이고 창과 방패를 가졌음. 중국 주례(周禮)에는 금빛의 사목(四目)의 것을 '방상(方相)'이라 하고 이목(二目)의 것은 '기(倛)'라 하였으나, 한국에서는 모두 방상이라 하는데, 단지 품계(品階) 높은 사람만이 사목을 썼음. 이것은 광중(壙中)의 악귀(惡鬼)를 쫓는다는 목적으로 쓰였는데, 장식(葬式) 밖에도 궁중의 연말(年末)·연시(年始)의 행사, 임금의 행행(行幸), 중국 사신(使臣)을 맞을 때에 악귀를 쫓는다는 뜻으로도 썼음.

〈방상시〉

방상 절리【方狀節理】명 〔cubic joint〕〖지질〗마그마(magma)의 냉각·수축에 따라서 화강암 따위에 규칙적으로 생긴 육면체 모양의 틈새.
방상 화서【房狀花序】명〖식〗산방 화서.
방새【防塞】명 적이 쳐들어오지 못하도록 막는 요새. 방비. 요새.
방색¹【方色】명 동·서·남·북·중(中)의 다섯 방위에 따른 청·백·적(赤)·흑(黑)·황색의 다섯 가지의 빛.
방색²【防塞】명 ①틀어막거나 가려서 막음. 당색(搪塞). 방알(防遏). ②

남의 청을 받아들이지 않고 막음. ¶ 좋은 일이나 악한 일이나 아비가 시키는 대로 하지 않고 ~이 무슨 ~이냐!≪崔瓚植 : 海岸≫. ——-하다 [타][여불]
방색-기【方色旗】[명] 다섯 방위에 따라 각기 빛을 달리한 기.
방:생¹【放生】[명]〖불교〗사람에게 잡힌 생물을 놓아서 살려 줌. ¶ ~회/물고기를 ~하다. ——-하다 [타][여불] 「물고기 등.
방생²【傍生】[명]〖불교〗몸이 옆으로 되어 있는 생물. 곧, 벌레·날짐승·
방:생-계【放生契】[명]〖불교〗해마다 일정한 날에 살아 있는 물고기와 살아 있는 짐승들을 사다가 살려 보내는 계. *방생회. 「주는 연못.
방:생-지【放生池】[명]〖불교〗사람에게 잡힌 물고기를 놓아서 살리어
방:생-회【放生會】[명]〖불교〗방생계에 의하여, 잡아 놓은 산 물고기나 산 짐승을 사서 살려 보내는 의식. 보통 음력 삼월 삼짇이나 팔월 보름
방서¹【方書】[명] 방술(方術)을 적은 글. ㄴ에 행함.
방서²【防暑】[명] 여름의 더위를 막아냄. 또, 더위를 막아내기 위한 건물.
방서³【芳書】[명] 타인(他人)의 편지에 대한 존칭.
방서⁴【傍書】[명] 본문(本文) 곁에 적음. ——-하다 [타][여불]
방서⁵【謗書】[명] 남을 비방하는 서면(書面). 「앉다.
방석¹【方席】[명] 깔고 앉는 네모난 작은 자리. 좌욕(坐褥). ¶ ~을 깔고
방:석²【放釋】[명] 석방(釋放). ——-하다 [타][여불]
방석-니【方席—】[명]〖생〗〔←방석이〕송곳니의 바로 다음에 있는 첫
방석 덮개【方席—】[명] 방석 위에 덮어 씌우는 보. ㄴ어금니.
방석 둘레【方席—】[명]〖건〗둘레 방석과 같이 된 단청(丹青).
방석-딱정이【方席—】[명]〖충〗먹멍주딱정벌레.
방석 매듭【方席—】[명] ☞방승 매듭.
방석 머리초【方席—】[명]〖건〗방성 머리.
방석-벌레【方席—】[명]〖충〗머리대장벌레.
방석 예수【方席禮數】[—녜—] [명]〖역〗계급이 낮은 무관(武官)이 계급이 높은 이에게 대하여 절하고 앉을 때 다시 손으로 읍하는 예(禮).
방석의 난:【芳碩—亂】[—/—에—] [명] 방석을 세자(世子)로 정함으로 말미암아 일어난 싸움이라 하여 '방원(芳遠)의 난'을 일컫는 딴이름.
방석-이【方席—】[명] →방석니.
방석-집【方席—】[명] 온돌방 같은 데에 방석을 깔고 앉아 접대부의 시중을 받으며 마시는 술집. *니나놋집.
방선¹【防船】[명]〖역〗옛날 수영(水營)에 딸렸던 병선(兵船)의 한 가지. 중맹선(中猛船)을 고쳐 일컫던 배.
방:선²【放禪】[명]〖불교〗좌선(坐禪)이나 간경(看經)하는 시간이 다 되어 공부하던 것을 쉬는 일. 좌선(坐禪)을 깨뜨리는 일. 화두(話頭)를 놓는 일. ↔입선(入禪). *선내다. ——-하다 [자][여불]
방선³【傍線】[명] 세로 쓰기에서 언더라인처럼 그은 줄. *밑줄.
방:선-균【放線菌】[명]〖생〗흙 속이나 마른 풀 같은 데에 붙은 미생물로서, 곰팡이와 박테리아의 중간 성질을 가지고 있으며, 균사(菌絲)와 같은 것을 방사상(放射狀)으로 내놓으면서 퍼지는 균. 동물이나 식물에 기생하며, 병의 원인을 일으키는 종류도 있으나 이 균의 생산물에서 스트렙토마이신을 만듦. 방사상균(放射狀菌). 방사균. 방선상균(放線狀菌). 방사선 균류. 액티노마이시스(actinomyces).
방:선균-병【放線菌病】[—뼝] [명]〖의〗방선균에 의한 만성 전염병(慢性傳染病). 주로 가축(家畜)에, 드물게는 사람에게도 발병(發病)함. 균은 구강(口腔)·호흡기(呼吸器)·소화기(消化器) 등으로부터 침입하여 국소(局所)에 육아 조직(肉芽組織)을 형성하고 경결(硬結)·농양(膿瘍)을 수반함. 방사균병. 악티노미코제(Aktinomykose).
방:선상-균【放線狀菌】[명]〖생〗방선균(放線菌).
방설¹【防泄】[명] 액체 따위가 새는 것을 막음. ——-하다 [자][여불]
방설²【防雪】[명] 눈을 막음. ——-하다 [자][여불]
방설-림【防雪林】[명] 눈보라를 막기 위하여 조성(造成)한 삼림.
방설-복【防雪服】[명] 눈을 막기 위하여 입는 의복.
방설-책【防雪柵】[명] 눈을 막기 위하여 둘러친 울타리.
방성¹【房星】[명]〖천〗28수(宿)의 넷째 별. 마신(馬神)을 맡았다고 하는 별. 마조(馬祖). [준]방(房).
방:성²【放聲】[명] 소리를 크게 지름. ¶ ~ 통곡.
방:성³【榜聲】[명] 방꾼이 보고(報告)하는 소리.
방성-기【房星旗】[명]〖역〗의장기(儀仗旗)의 한 가지. 삼각형의 기폭에 28수의 하나인 방성(房星) 모양을 그림.

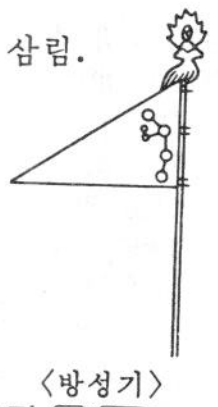

〈방성기〉

방:성 대:곡【放聲大哭】[명] 대성 통곡(大聲痛哭). ——-하다 [자][여불]
방성-도【方星圖】[명]〖역〗별의 크기와 위치를 밝힌 한역(漢譯) 천문도(天文圖).
방:성 머리 [명]〖건〗보·도리·평방(平枋)에 그리는 단청의 한 가지. 꽃 한 송이를 주로 하고 실과 휘를 교착(交錯)한 그림. 방석 머리초.
방:성 통:곡【放聲痛哭】[명] 목을 놓아 몹시 섧게 욺. ——-하다 [자][여불]
방-세¹【房貰】[—쎄] [명] 남의 집 방에 세 들고 내는 돈. 방을 빌린 세. ¶ ~를 올리다/~가 밀리다.
방세²【芳歲】[명] ①봄철. ②젊은 나이. 청춘(青春).
방-세간【房—】[—쎄—] [명] 방안에 갖추어 놓고 쓰는 세간.
방소¹【方所】[명] 방위(方位).
방소(를) 꺼리다 [구]〖민〗어떠한 방위가 언짢다고 꺼리다.
방:소²【放笑】[명] 소리를 크게 내어 웃음. ——-하다 [자][여불]
방소 항:변【妨訴抗辯】[명]〖법〗민사 소송에 있어서, 원고(原告)의 편에 특별한 소송 조건(訴訟條件)의 결함이 있을 때, 피고(被告)가 그 결함을 지적하여 본안(本案)의 변론(辯論)을 거부할 수 있는 소송상의 권리.
방속【邦俗】[명] 나라의 풍속. 우리 나라의 풍속.
방손【傍孫】[명] 방계(傍系) 혈족의 자손.
방:송【放送】[명] ①라디오·텔레비전을 통해, 보도·음악·강연·연예 등을 보내어 널리 보고 듣게 하는 일. ②석방(釋放). ——-하다 [타][여불]
방:송 교:육【放送教育】[명] 방송을 통하여 실시하는 교육. *교육 방송.
방:송-국【放送局】[명] 국가 또는 방송 사업자(事業者)가 방송을 목적으로 하여 개설한 무선국(無線局). 무선 방송국. 「권리.
방:송-권【放送權】[—꿘] [명] 방송에 의한 저작물이나 시설물 이용의
방:송권-료【放送權料】[—꿘뇨] [명] 방송권 취득을 위하여, 방송국측에서 저작자·극장·운동장주(運動場主)·주최자 등에게 지불하는 대금.
방:송-극【放送劇】[명] 라디오나 텔레비전을 통하여 방송하는 연극. 방송 드라마. *라디오 드라마(radio drama)·텔레비전 드라마.
방:송극-본【放送劇本】[명] 방송극에 쓸 수 있도록 그 내용을 적은 대본.
방:송-기【放送機】[명] 라디오 송신기(radio 送信機).
방:송 기자【放送記者】[명] 라디오·텔레비전 방송을 위해 뉴스를 담당하는 기자.
방:송 드라마【放送—】〔drama〕[명] 방송극.
방:송-망【放送網】[명]〔network〕라디오·텔레비전 등에서 각 방송국을 연결시키어 동시에 같은 프로그램을 방송하는 체제. 네트워크. ¶ 전국의 ~을 연결하다.
방:송 무:대극【放送舞臺劇】[명] 라디오에 의하여 무대극을 그대로 방송하는 것. 플레이(radio play).
방:송 문화【放送文化】[명] 방송을 통하여 이루어지는 문화. 강연·보도·음악·라디오 드라마·텔레비전 드라마 등을 통틀어 일컬음.
방:송-법【放送法】[—뻡] [명]〖법〗방송의 자유와 공적 기능을 보장함으로써 민주적 여론 형성과 국민 문화의 향상을 도모하고 공공 복지에 기여하게 할 목적으로 제정된 법률. 방송 편성의 자유, 방송의 공적 책임, 방송의 공정성과 공공성, 방송국의 준수 사항 등에 관해 규정함.
방:송 설비【放送設備】[명] 방송의 송신에 사용하는 무선 설비, 연주실 설비 및 중계 연락 설비 등의 총칭.
방:송-소【放送所】[명] '송신소(送信所)'의 구칭.
방:송 수신기【放送受信機】[명] 라디오 수신기(radio受信機).
방:송-실【放送室】[명] 방송을 하는 방.
방:송-원【放送員】[명] 방송을 맡아 하는 사람.
방:송 위성【放送衛星】[명] 각 가정의 수신기(受信機)에 직접 방송 전파를 보내는 인공 위성. 지상에서 보낸 전파를 위성이 증폭(增幅)하여 방송국을 경유하지 아니하고 직접 각 가정에 보냄. 산간(山間) 벽지 등의 난시청(難視聽) 지역 해소에도 이용됨. *통신 위성.
방:송 위원회【放送委員會】[명]〖법〗방송의 공적 책임 및 공정성과 공공성(公共性)을 유지하고, 방송 내용 전반의 질적 향상을 도모할 목적으로 설치한 기구. 방송 관계 전문가 및 학식·경험과 덕망이 있는 자 중에서 대통령이 임명한 9명의 위원으로 구성되며, 위원 중 3명은 국회 의장이, 3명은 대법원장이 추천한 사람을 임명함.
방:송의 날【放送—】[—/—에—] [명] 방송이 문화 향상과 공공 복지를 위해 공헌함을 국민에게 인식시키기 위하여 제정한 날. 1964년 국무 회의에서, 1947년 미국 애틀랜틱시티에서 열린 국제 무선 통신 회의가 정식으로 한국 호출(呼出) 부호 '에이치 엘(HL)'을 배정(配定)한 날을 기념하여, 매년 10월 2일로 정함.
방:송 자문 위원회【放送諮問委員會】[명]〖법〗방송 편성에 관한 자문에 응하기 위하여 각 방송국에 두는 기구. 방송국의 장(長)이 위촉하는 정치·경제·사회·문화 등 각 분야의 전문가·경험자 중에서 자문 위원을 위촉함.
방:송 작가【放送作家】[명] 라디오 방송·텔레비전 방송에 쓰일 드라마·코미디·다큐멘터리 등의 대본을 쓰는 사람. 특히 방송극 작가를 일컬음. 「력.
방:송 전:력【放送電力】[—절—] [명] 방송에 공급하는 송신 공중선의 전
방:송 주파수【放送周波數】[명] 라디오 방송에 사용하는 주파수.
방:송-탑【放送塔】[명] 방송국의 송신용(送信用) 안테나를 세운 탑.
방:송 통신 고등 학교【放送通信高等學校】[명] 국·공립의 고등 학교에 부설한 고등 학교 과정의 방송 통신에 의한 교육 기관. 국립 학교의 경우에는 교육부 장관이, 공립 학교의 경우에는 당해 특별시·직할시 및 도(道)의 교육감이 설치함.
방:송 통신 대학【放送通信大學】[명] ↗한국 방송 통신 대학.
방:송-파【放送波】[명] 국내 방송에 사용되는 주파수 300-3,000 킬로사이클의 중파(中波) 전파.
방수¹【方—】[명]〈방〉방위(方位).
방수²【方手】[명] 방법(方法)과 수단(手段). ¶ 재산은 그렇게 말하기가 용혹무괴이지만 식솔은 왜 ~에 꺼리게 줄여 말을 했나?≪李海朝 : 鳳仙花≫.
방수³【方數】[명]〖수〗평방수(平方數). 「——-하다 [자][여불]
방수⁴【防水】[명] 넘치어 흐르는 큰 물이나 스미어 드는 물을 막음. ¶ ~복.
방수⁵【防守】[명] 막아서 지킴. ——-하다 [타][여불]
방수⁶【防戍】[명] 국경(國境)을 지킴. ¶ ~군(軍). ——-하다 [자][여불]
방수⁷【防銹】[명] 녹스는 것을 방지함. ¶ ~ 도료(塗料). ——-하다 [자][여불]
방:수⁸【放水】[명] 물을 흘리어 보냄. ——-하다 [자][여불]
방:수⁹【放囚】[명] 죄수를 석방함. ——-하다 [자][여불]
방수¹⁰【房水】[명]〖생〗눈의 모양체(毛樣體)에서 분비되는 물 같은 물질. 후방(後房)에 괴었다가 동공(瞳孔)을 통하여 전방(前房)으로 흘러 들어 그 곳을 가득 채우고 있음. 안구 안의 영양(營養)을 맡으며, 안내압(眼內壓)을 일정하게 유지하는 작용을 함. 방수가 많아지거나 배출(排出) 장애가 일어나면 안압이 높아지고 녹내장(綠內障)을 일으킴.
방수¹¹【房宿】[명]〖천〗28수(宿)의 하나. 창룡 칠수(蒼龍七宿)의 제사수(第四宿). 지금의 전갈자리의 북서쪽 귀퉁이에 해당함.
방수¹²【芳樹】[명] 방향(芳香)이 있는 나무.
방수¹³【傍受】[명] 무선 통신에서, 통신(通信)의 직접 상대자가 아닌 다른

사람이 그 통신을 우연히 또는 고의적으로 수신(受信)하는 일. ——-하다 타여불

방수 가공【防水加工】명 직물(織物)·피혁(皮革)·종이 등에 방수성(防水性)을 부여하는 가공. 통기성(通氣性)과 불통기성(不通氣性)의 두 가지 방법이 있는데, 의복에는 보통 통기성 가공이 적용됨. 불통기성 가공은 고무·합성 수지 등으로 피막(被膜)을 만드는 가공임.

방수-각【防水殼】명〖군〗군함이 적의 어뢰(魚雷) 공격에 대항하기 위하여 함저(艦底)의 외부에 붙여 놓은 방어용 강판(鋼板).

방수 격벽【防水隔壁】명 선박(船舶)의 외피(外皮)가 손상(損傷)되어 배 안에 물이 들어와도, 이것을 일부(一部)에 그치게 하여 배의 침몰을 막기 위해서 배 안의 구획(區劃)에 설치해 놓은 장벽.

방수 격실【防水隔室】명 함선에서 종횡(縱橫)의 방수 격벽과 아래위의 철갑판(鐵甲板)으로 엄밀히 구획되어 있는 방.

방수끄럽다 형ㅂ불〈방〉방정스럽다.

방수 도료【防銹塗料】명 녹을 방지하기 위해 금속(金屬)에 칠하는 도료. 보일유(boil油)·알키드 수지(Alkyd樹脂)·페놀(phenol) 수지·알루미늄 분말 등을 사용한 페인트 등은 방수 도료의 한 가지임.

방수 도시【防守都市】명〔프 villes défendus〕국제법상, 무차별 포격(砲擊)이 적법(適法)으로 되는 방어력(防禦力)이 있는 도시. 옛날에는 성곽(城郭) 도시라고 불렀음. ↔개방 도시(開放都市).

방수 동맹【防守同盟】명〖법〗방어 동맹(防禦同盟).

방:수-로【放水路】명 하천(河川)의 이용 가치를 증대(增大)하고, 홍수(洪水)의 피해를 방지하며, 또 수력 발전소에서 이용한 물을 하천으로 흘려 보내기 위하여 인공적으로 설정한 수로(水路).

방수 망토【防水一】〔manteau〕명 방수포(防水布)로 만든 우천용(雨天用) 망토.

방수-모【防水帽】명 방수포(防水布)로 만든 모자.

방수-법【放水法】〔一뻡〕명 하천(河川)의 개수(改修)로 새로운 수로(水路)를 만들거나 하천의 굴곡부(屈曲部)에 방수를 위한 수로를 만들어 홍수의 피해를 방지하는 일.

방수-벽【防水壁】명〖건〗방수 장치를 한 벽.

방수-복【防水服】명 물이 새어 들지 아니하도록 방수포로 만든 옷. 곧, 우의(雨衣) 같은 것. 워터프루프.

방수-성【防水性】〔一썽〕명 물이 스며들거나 배어 들지 못하게 하는 성질. 워터프루프.

방수 장치【防水裝置】명 물의 침투(浸透)를 막는 장치.

방수-제[1]【防水劑】명 종이·헝겊 등에 물이 배어 젖지 못하게 바르는 약제. 고무류·지방질·수지(樹脂)·파라핀납(paraffin蠟) 등.

방수-제[2]【防銹劑】명 소량(少量) 첨가함으로써 금속의 녹스는 것을 막는 물질. 금속 표면에 피막(被膜)을 형성하여 방식(防蝕) 효과를 나타냄.

방수-지[1]【防水地】명 방수 가공을 한 천. 우의(雨衣)의 천 같은 것.

방수-지[2]【防水紙】명 수분(水分)이 침투(浸透)하지 아니하도록 방수제(防水劑)를 발라 가공한 종이.

방수-층【防水層】명 지붕이나, 지하실의 벽과 바닥에 물기의 침투(浸透)를 막기 위한 시설. 곧, 내수 재료(耐水材料)로 시공(施工)한 부분.

방수-토【防水土】명 물기가 침투하지 아니하는 흙.

방수-포【防水布】명 방수제를 발라 가공한 피륙. 워터프루프.

방수 포장【防銹包裝】명 금속 제품에 녹이 나는 것을 막기 위한 포장. 흔히, 포장에 앞서 깨끗이 닦고 말린 다음 방수유(防銹油)·방수 그리스(grease) 등을 칠함. *커쿤(cocoon) 포장.

방수-화【防水靴】명 물이 배어 들지 아니하는 고무나 방수제를 바른 재료로 만든 신발.

방순【芳醇】명 향기 높은 미주(美酒).

방순-하다【芳醇一】형여불 향기롭고 진하다. ¶ 묵을수록 점점 더 방순한 향기를 발하는 술도 있는 사실을 최여사는 아셔야 합니다《張德祚 : 누가 罪人이냐》.

방술【方術】명 ①방법(方法)과 기술(技術). ②방사(方士)와 술법(術法).

방숫-둑【防水一】명 물이 들어오는 것을 막기 위해 쌓은 둑.

방습【防濕】명 습기(濕氣)를 방지함. ——-하다 자여불

방습-재【防濕材】명〖건〗건물 내부에 습기가 스며들지 아니하도록 방지하기 위하여 사용하는 재료. 도료(塗料)·합성 수지·아스팔트계(系)의 물질이 사용됨.

방습-제【防濕劑】명〖화〗습기를 방지하는 약제. 농황산(濃黃酸)·염화 칼슘·무수 탄산 칼리·산화 칼슘 등. 건조제(乾燥劑).

방습-지【防濕紙】명 습기가 스며들지 못하게 만든 종이.

방습 포장【防濕包裝】명 저장 또는 수송 중의 물건이 습기로 인해 녹이 슬거나 부패하는 일이 없도록 하는 포장. 수지 가공지(樹脂加工紙)·알루미늄박(箔) 등이 그 재료로 쓰임.

방승【方勝】명 금전지(金箋紙).

방승-매듭【方勝一】명 끄나풀이나 끈 실로 납작하게 네모지게 맺은 매듭.

방:시【榜示】명〖역〗방문(榜文)을 붙이어 널리 보임. ——-하다 타여불

방시레 부 소리를 내지 아니하고 입을 약간 벌리어 평화스럽고 예쁘게 웃는 모양. ㅆ빵시레. <벙시레.

방식[1]【方式】명 일정한 형식(形式). 법식(法式). ¶ 영업 ～.

방식[2]【防蝕】명 금속 표면의 부식(腐蝕)을 막음. 도료 등에 의한 피복(被覆), 도금, 전기적(電氣的)인 방식(防蝕) 등의 방법이 있음.

방식-제【防蝕劑】명〖화〗금속 표면의 부식(腐蝕)을 방지하는 약제(藥劑). 페인트·흑연(黑鉛)·유류(油類) 등.

방신【芳信】명 ①화신(花信). ②방한(芳翰). 혜한(惠翰).

방실【房室】명〖생〗①식물의 씨방의 내강(內腔). ②심장의 심방(心房)과 심실(心室)을 아울러 이르는 말.

방실-거리다 자 소리를 내지 아니하고 입만 벌리어 평화스럽고 예쁘게 웃다. ㅆ빵실거리다. <벙실거리다. **방실-방실** 부. ——-하다 자여불

방실 결절【房室結節】〔一쩔〕명〔atrioventricular node〕〖생〗우심방(右心房)의, 심실(心室)과의 경계에서 삼첨판(三尖瓣)이 붙은 부분에 있는 심근(心筋) 세포의 덩어리. 동방 결절(洞房結節)에서 심방으로 전해 온 흥분을 심실 전체에 전하는 최초의 부분임. 자동성(自動性)도 있어, 제 2 의 페이스메이커가 될 수 있음.

방실-대다 자 방실거리다.

방실-판【房室瓣】명〖생〗심장의 심방(心房)과 심실(心室) 사이에 있는 판막(瓣膜). 삼첨판(三尖瓣)·이첨판(二尖瓣)·반월판(半月瓣) 등이 있으며 혈액의 역류(逆流)를 막음. 범상판(帆狀瓣). 방판.

방심[1]【芳心】명 방정(芳情).

방:심[2]【放心】명 ①마음을 다잡지 아니하고 풀어 놓아 버림. 정신을 차리지 아니함. 산심(散心). ②안심(安心)❶. ——-하다 자여불

방심[3]【傍心】명〖수〗방접원(傍接圓)의 중심. 삼각형의 하나의 내각(內角)의 이등분선과, 다른 두 내각에 인접하는 외각(外角)의 이등분선이 교차하는 점.

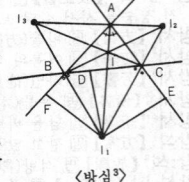

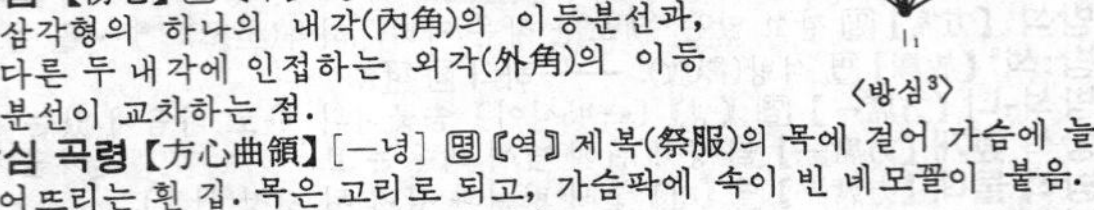

〈방심[3]〉

방심 곡령【方心曲領】〔一녕〕명〖역〗제복(祭服)의 목에 걸어 가슴에 늘어뜨리는 흰 깁. 목은 고리로 되고, 가슴팍에 속이 빈 네모꼴이 붙음. 목의 고리 좌우쪽이 끈이 달려 있음.

방심 장단【一長短】명〖악〗제마수 장단.

방싯 부 ①소리를 내지 아니하고 입을 예쁘게 벌리며 가볍게 한 번 웃는 모양. ㅆ빵싯. <벙싯. *방싯이. ②문을 소리 없이 가볍게 여는 꼴. ¶ 계집은 주섬주섬 옷을 주워입고 ～하니 문을 열어 밖으로 나왔다《張德祚 : 狂風》. ——-하다 자여불

방싯-거리다 자 입을 예쁘게 벌리어 소리 없이 연해 가볍게 웃다. ¶ 대청으로 나 있는 장지가 열리고 대문 따주던 처자가 방싯거리고 들어왔다《金周榮 : 客主》. ㅆ빵싯거리다. <벙싯거리다. **방싯-방싯** 부 ——-하다 자여불

방싯-대다 자 방싯거리다.

방싯-이 부 ①소리없이 입을 예쁘게 벌리어 가볍게 웃는 모양. ¶ 잠자코 ～ 웃고만 앉았다. ㅆ빵싯이. <벙싯이. ②방싯❷. ¶ ～ 문을 열고 얼굴을 내밀었다.

방ᄉ쥬 명〈예〉비단 이름. 방사주. ¶ 방ᄉ쥬(紡紬)《同文 下 24》/방ᄉ쥬(紡絲)《漢清 X:56》.

방아[1] 명〔중세 : 방하〕곡식을 찧는 틀. 땅에 절구 확을 묻고 긴 나무채의 한 끝에 공이를 끼고, 다른 한 끝을 눌렀다 놓았다 하여 찧게 됨. 디딜방아와 물레방아의 구별이 있음. ¶ ～를 찧다.

방아[2] 명〖식〗배초향.

방아-가랭이 명〈방〉방아깨비.

방아-게 명〖동〗[*Scopimera globosa*] 달랑겟과에 속하는 게의 하나. 배갑(背甲)은 길이 9mm, 폭 11mm 내외의 반구형(半球形)이고 밤색인데, 다리는 회색이며 암색 반문이 있음. 각 다리의 장절(長節) 배면(背面)에 매끈매끈한 타원형 무늬의 인각(印刻)이 있는 것이 특징임. 내만(內灣)이나 강변의 진흙이 쌓인 곳에 구멍을 파고 서식하며, 간조(干潮) 때 많이 나타남. 한국의 황해 연안 및 일본 홋카이도에서 인도양까지 분포함.

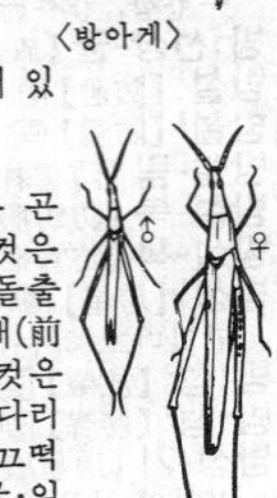
〈방아게〉

방아-굴대〔一때〕명 물방아의 중심(中心)을 가로질러 있는 굵은 나무.

방아-까비 명〈방〉방아깨비(경기).

방아-깨비 명〖충〗[*Acrida lata*] 메뚜깃과에 속하는 곤충. 몸의 길이는 시단(翅端)까지 수컷은 54mm, 암컷은 89mm 가량이고, 몸빛은 녹색 또는 회색에 머리는 돌출하고, 촉각은 칼 모양임. 두정(頭頂)에는 한 개, 전흉배(前胸背)에는 세 개의 종융기선(縱隆起線)이 있음. 수컷은 고음(高音)을 내며 날. 여름철에 풀밭에 많은데, 뒷다리가 매우 커서 끝을 손으로 잡아 쥐면 디딜방아처럼 끄떡끄떡 몸을 움직임. 암컷은 아이들이 구워 먹음. 한국·일본·중국·유럽 등지에 분포함. 계종(鼇螽). 번종(蠜螽). 용서(舂黍). *섬서구메뚜기.

〈방아깨비〉

방아-꾼 명 방아를 찧는 사람.

방아-다리[1] 명 금·은·옥 같은 것으로 만든 노리개의 한 가지. 허수아비 비슷한데, 두 끝에 가로 잠(簪)을 지르고 잠에 의지하여 두 다리가 달리며, 맨 위에는 꼭지가 있어서 두 팔을 늘인 것 같음.

방아-다리[2] 명〈방〉방아깨비(강원).

방아다리 노리개 명 방아다리를 몸체로 하여 귀이개를 곁들여서 꾸민 노리개.

방아다리 양:자【一養子】명 두 집에서 서로 아들을 바꾸어 양자로 들이는 일. 또, 그 양자. 양자를 들인 집에서 아들을 낳고, 양자를 준 집에서는 그 후 아들이 모두 요절했을 경우, 양자를 들인 집의 낳은 아들을 양자로 삼은 일.

방아-두레박 명 지렛대를 장치해 놓고 물을 푸는 두레박. 우물 옆에 기둥을 세우고 긴 나무를 방아같이 걸치어, 한 쪽 끝에 두레박을 달고 한 쪽을 눌렀다 놓았다 하게 되었음. *두레박틀.

방아-메뚜기 명〈방〉방아깨비.

방아-벌레 명〖충〗①방아벌렛과에 속하는 곤충의 총칭. ②[*Agriotes sericeus*] 방아벌렛과에 속하는 갑충(甲蟲)의 하나. 몸길이 9mm 가량

인 원통형이며, 몸빛은 흑색에 광택이 나고, 겉날개와 다리는 농갈색임. 유충은 몸길이 21mm 내외의 원통형이며 광택이 나고, 고목·땅 속 등에 살며 보리 뿌리를 갉아먹는 해충임. 도끼벌레. 고두충.

〈방아벌레〉

방아벌레붙잇-과【一科】[一부칟一] 명 『충』 [Languriidae] 딱정벌레목(目)에 속하는 한 과. 몸은 가늘고 원주상(圓柱狀)이며, 촉각은 11절로, 연쇄상(連鎖狀)이고, 말단의 세째 마디는 굵음. 전지(前肢)의 기절은 구형이고 부절(跗節)은 4절임. 여러 가지 식물의 해충임.

방아벌렛-과【一科】명 『충』 [Elateridae] 딱정벌레목에 속하는 한 과. 몸은 미소(微小) 내지 중형(中形)임. 촉각은 11절로 톱 또는 빗살 모양이고, 복판(腹板)은 다섯 개, 말단절은 가동절(可動節)임. 성충은 수년 만에 나타나며, 개미 집에 살기도 하고, 어떤 것은 반딧불의 발광기(發光器)도 갖춘 것이 있음. 성충은 과수나 관목(灌木)의 눈을 갉아 먹고 식물의 종자도 먹으며, 유충은 농작물의 뿌리를 갉아먹는 해충임. 전세계에 8,000여 종이 분포함.

방아-살 명 쇠고기의 등심의 복판에 있는 고기.

방아-쇠 명 ①화승총(火繩銃)의 화승을 끼는 굽은 쇠. 총 쏠 때에 잡아당겨서 귀약에 불을 붙이는 데 쓰는 고동. ②소총(小銃)·권총(拳銃) 등에 붙어, 집게손가락으로 잡아당겨 총을 쏘는 굽은 쇠. 방화쇠. ¶ ~를 당기다.

방-아이【房一】명 『역』 각심이.

방아-채 명 방앗공이를 낀 긴 나무.

방아-촉【一鏃】명 『광』 수차(水車)의 방앗공이 끝에 달린 무쇠촉.

방아-타:령【一打令】명 경기 민요(民謠)의 한 가지. 신라 자비왕(慈悲王) 때에 매우 가난한 백결(百結) 선생이 세모(歲暮)를 당하여 집집마다 떡방아를 찧는 소리를 듣고 탄식하는 부인을, 거문고로 떡방아 소리를 내어 위로하였다는 고사(故事)에서 시작되었다 하나, 근거는 없음.

방아틀 뭉치 명 총의 방아쇠가 달려 있는 쇠뭉치 부분.

방아-풀 명 『식』 [*Isodon japonicus*] 꿀풀과에 속하는 다년초. 줄기는 방형(方形)이고 높이 1m 이상임. 잎은 대생하고 장병(長柄)에 넓은 달걀꼴임. 8-9월에 담자색의 꽃이 취산(聚繖) 화서로 정생 또는 액출하며, 과실은 수과(瘦果)임. 산이나 들에 나는데, 한국 각지에 분포함. 약재로 씀. 회채화(回菜花).

〈방아풀〉

방아-품 명 방아를 찧어 주고 품삯을 받는 품.

방아-확 명 방앗공이로 찧을 수 있게 땅에 묻어 놓은 절구. 찧을 물건을 담고 공이가 내리찧게 된 자리.

방안¹【方案】명 방법에 관한 고안. ¶ ~을 세우다.

방안²【方眼】명 『수』 '모눈'의 구용어.

방안³【芳顔】명 ①아름다운 얼굴. ②남의 얼굴을 높이어 이르는 말.

방-안⁴【房一】명 방의 안. 실내(室內). ↔방밖.
[방안 풍수(風水)] 일의 실제는 잘 모르면서 앉아서 이론만으로는 잘 하는 체 나타내는 자.

방:안⁵【榜眼】명 『역』 갑과(甲科)에 둘째로 급제한 사람의 일컬음. 정칠품(正七品)의 품계를 줌. *장원랑(壯元郞)·탐화랑(探花郞).

방안 도법【方眼圖法】[一뻡] 명 『지』 비투시(非透視) 원통 도법에 속하는 지도(地圖) 도법의 하나. 적도(赤道)를 나타내는 선에 평행되게 축척(縮尺)에 따른 간격으로 각 위선(緯線)을 표시하고, 적도에 직교(直交)하는 한 경선(經線)과 평행되게 적도상의 호(弧)의 길이에 따른 간격으로, 각 경선을 표시함. 적도 부근은 정확하게 표시되어, 메르카토르(Mercator) 도법이 사용되기 전까지 널리 쓰였음.

방안-지¹【方案紙】명 방안(方案)을 적은 종이.

방안-지²【方眼紙】명 '모눈종이'의 구용어.

방안 지도【方眼地圖】명 『군』 동서 남북으로 좌표선(座標線)이 그려져 있는 지도.

방안 칠판【方眼漆板】명 모눈이 그려져 있는 칠판.

방알【防遏】명 방색(防塞). ——-하다 타여불

방앗-간【一間】명 ①방아를 놓고 곡식을 찧는 곳. 정미소(精米所). ②제분소(製粉所).
[방앗간에서 울었어도 그 집 조상(弔喪)] 마음이 문제이지 장소가 문제가 아니라는 말.

방앗-고 명 〈방〉 방앗공이.

방앗-공이 명 절구 확 속에 든 물건을 내리찧는 몽둥이. 나무나 쇠·돌 등으로 만듦.
[방앗공이는 제 산 밑에서 팔아 먹으랬다] 무엇이나 산출되는 본바닥에서 팔아야 실수가 없지, 이익을 더 남기려고 멀리 가지고 가거나 하면 도리어 손해를 보게 된다는 말.

방앗-귀 명 〈방〉 절굿공이.

방앗-대 명 〈방〉 절굿공이.

방앗돌 굴:리는 노래 명 『민』 제주도에서 연자방아에 쓸 돌을 산에서 마을까지 날라 올 때 부르던 노동요(勞動謠). 선소리꾼이 먼저 메기면, 수십명의 역군이 뒷소리를 받음.

방앗-삯 [一삭] 명 방아를 찧는 삯. 도정료(搗精料).

방앗-소리 명 방아를 찧을 때 나는 소리.

방앗잎-쌈 [一닙一] 명 방아의 잎을 상추와 곁들여서 먹는 쌈.

방앙-간【一間】[一깐] 명 〈방〉 방앗간(경상).

방애¹ 명 〈방〉 ①방아¹(강원·전라·경상·제주). ②『식』 방아². ③팽이(함남).

방애²【妨礙】명 막아 거리끼게 함. ——-하다 타여불

방애³【芳埃】명 꽃 아래의 티끌.

방앳-고 명 〈방〉 방앗공이.

방약【方藥】명 ①약제(藥劑)를 조합(調合)하는 일. ②단지 처방(處方)에 의하여 조합한 약. ③막힌 일을 해결할 수 있는 방책(方策). ¶ 달리 무슨 좋은 ~이 없을까.

방약-과【方藥果】명 모과¹.

방약 무인【傍若無人】명 좌우에 사람이 없는 것같이 언어나 행동이 기탄없음. ¶ ~한 태도. ——-하다 형여불

방약 합편【方藥合編】명 『책』 우리 나라 한의서(韓醫書)로 대표적 처방집(處方集). 조선 고종 21년(1884)에 황도연(黃道淵)이 편찬한 것을 그의 아들 황필수(黃泌秀)가 증보하여 간행한 책. 대증 용약(對症用藥)에 아주 편리함. 1권 1책.

방양¹【彷徉】명 배회(徘徊). ——-하다 자여불

방:양²【放養】명 놓아 먹임. 놓아 기름. ——-하다 타여불

방:양식 사육【放養式飼育】명 동물원 등에서, 흙과 나무·물 등으로 자연에 가까운 환경을 만들어, 거기에다 동물을 자유로이 놓아 기르는 사육법의 하나. 관객과의 사이는 벽·도랑 등으로 가로막음.

방얘 명 〈방〉 팽이(함남).

방어¹【邦語】명 국어(國語)❶.

방어²【防禦】명 ①남이 침노하는 것을 막아 냄. 한어(扞禦). 디펜스(defence). 병장(屛障). ¶ 진지(陣地)를 ~하다. *수비(守備). ②『법』 민사 소송의 진행중 피고가 원고(原告)의 주장을 배척하기 위하여 사용하는 소송 행위. ——-하다 자타여불

방:어³【放語】명 방언(放言). ——-하다 자타여불

방어⁴【魴魚】명 『어』 [*Seriola quinqueradiata*] 전갱잇과에 속하는 바닷물고기. 몸길이 1m 가량으로 긴 방추형이고, 주둥이는 원추형임. 몸빛은 등 쪽이 철색을 띤 청색, 배 쪽은 은백색인데, 주둥이 끝에서 꼬리 자루 사이에 하나의 담황색 세로띠가 있음. 해안성 회유어(回遊魚)로 온대에 사는데, 한국 동해안·일본·대만에 분포함. 맛이 매우 좋아 생선·열간으로 먹고 건어(乾魚) 또는 통조림 등을 만듦.

〈방어⁴〉

방어 갑판【防禦甲板】명 『군』 군함의 치명부(致命部)를 방어하기 위하여 흘수선(吃水線)에 가까이 두꺼운 강철로 만든 갑판.

방어-구【魴魚炙】명 방어 구이.

방어 구이【魴魚一】명 방어를 저며서 양념하여 구운 반찬. 방어구(魴魚炙).

방어 동맹【防禦同盟】명 공동으로 다른 제삼국의 공격을 방어할 목적으로 맺은 두 나라 이상의 동맹. 방수 동맹. ↔공격 동맹.

방어-력【防禦力】명 방어하는 힘.

방어-망【防禦網】명 ①『군』 정박중인 군함(軍艦)이 어뢰(魚雷)의 공격을 막기 위하여, 현측(舷側)에서 10m 바깥 쪽에 수면(水面) 밑으로 깊이 늘인 금속제(金屬製)의 그물. ②방어를 위한 경계망.

방어 백숙【魴魚白熟】명 방어를 슬쩍 데친 술안주.

방어-사【防禦使】명 『역』 조선 시대 인조(仁祖) 때 경기도·강원도·함경도·평안도의 요긴한 곳을 방어하기 위하여 둔 무관(武官)의 벼슬. 수령(守令)·변장(邊將)이 겸하였음.

방어산 마애불【防禦山磨崖佛】명 경상 남도 함안군(咸安郡) 군북면(郡北面) 하재리(下材里)에 위치한 방어산 꼭대기에 남향(南向)으로 노출(露出)한 암벽을 이용하여 조각한 삼존불(三尊佛). 신라 애장왕(哀莊王) 2년(801)에 제작된 것으로, 간단한 선각(線刻)으로 이루어진 우수한 신라 마애불의 하나임.

방어-선【防禦線】명 『군』 적의 공격을 막기 위하여 진(陣)을 쳐 놓은 선. 방비선. ¶ ~을 구축하다.

방어 수뢰【防禦水雷】명 『군』 기계 수뢰(機械水雷). ↔공격 수뢰.

방어 운전【防禦運轉】명 다른 사람의 잘못에 의한 불리한 교통 상황에서도 이에 빠져 들지 않고 사고(事故)를 피해 가는 적극적인 자기 보호 운전법.

방어-율【防禦率】명 야구에서, 투수(投手)의 방어 성적을 나타내는 기록 용어. 그 투수의 자책점(自責點)을 투구 횟수로 나누고, 이것에 9를 곱한 것. 즉, 한 경기분, 곧 9이닝의 평균 자책점. ↔타격률. *수비율.

방어 저:냐【魴魚一】명 방어를 저며 소금을 뿌렸다가 만든 저냐. 방어전유화(煎油花).

방어-전¹【防禦戰】명 적의 공격을 방어하기 위한 싸움. ¶ 타이틀 ~. 준 방전(防戰). ——-하다 자여불

방어-전²【魴魚膞】명 방어 지짐이.

방어 전유화【魴魚煎油花】명 방어 저냐.

방어-주【防禦株】명 [defensive stock] 『경』 경기(景氣)의 변동에도 불구하고 주가(株價)의 움직임이 민감하지 않은 주식. 경기가 침체되고 주가 하락이 예상되는 시점에서는 방어주가 상대적으로 안전함.

방어 지역【防禦地域】명 적의 공격으로부터 방어하기 위하여 각 부대에 배당된 지역.

방어 지짐이【魴魚一】명 자반 방어나 혹은 생선 방어를 큼직큼직하게 토막치고 무와 쇠고기를 섞어 만든 지짐이. 방어전(魴魚膞).

방어-진¹【方魚津】명 『지』 경남 울산시 울산만(灣)에 있는 항구. 천연의 양항(良港)으로서, 동해에 출어하는 고깃배의 피난항(避難港)이기도 함. 주요 수산물은 멸치·방어·상어·대구·갈치·청어 등임.

방어-진²【防禦陣】명 방어하기 위해서 군사가 주둔하여 친 진. *수비진(守備陣).

방어 진지【防禦陣地】명 『군』 적의 공격을 막기 위해서 지형(地形)을 이용하여 병력을 배치하여 둔 진지.

방어 찌개【魴魚一】명 방어를 토막치고 무와 쇠고기를 섞어서 만든 찌개.

방어-책【防禦策】명 방어하기 위한 꾀와 방법.

방어 포화【防禦砲火】명 『군』 적군의 공격을 막기 위하여 발사(發射)하는 포화.

방어 해:면【防禦海面】명 군사상 방어를 위하여 지정한 해면 구역. 방어 해역.

방어 해:역【防禦海域】명 방어 해면.

방어-회 【魴魚膾】 명 방어로 만든 회.

방언¹ 【方言】 명 ①어떤 지방이나 어떤 계급층(階級層)에 한하여 행하여지는 언어의 체계(體系). ②〔dialect〕〖언〗 한 나라의 언어 중에서 지역(地域)에 따라 발음·의미·어휘(語彙)·음운(音韻)·어법(語法) 등이 표준어(標準語)와 서로 다른 언어 체계를 가진 말. 사투리. ↔공통어·서울말·표준어. ③〖성〗 신약 시대에, 성령(聖靈)의 강림(降臨)으로 말미암아, 제자들이 자기도 모르는 외국어를 하여 이방인(異邦人)을 놀라게 한 말. 또, 황홀 상태에서 성령에 의해서만 말할 수 있는 내용 불명(不明)의 말.

방:언² 【放言】 명 거리낌없이 함부로 말을 내놓음. 또, 그런 말. 방어(放語). 광언(廣言). ──-하다 자타여불

방언³ 【謗言】 명 비방하는 말. 욕설.

방언 경계선 【方言境界線】 명〖언〗 어떤 방언과 그에 입각한 다른 방언을 구획하는 지대. 각 방언 체계에 대하여 구조적인 가치가 있는 몇몇 등어선(等語線)의 뭉치로 나타남.

방:언 고론 【放言高論】 명 거침없이 큰소리함. ──-하다 자여불

방언 구획 【方言區劃】 명〖언〗 방언 특징에 의하여 언어 지역 사회를 분단하는 방언학적 작업.

방언-권 【方言圈】 [-꿘] 명〖언〗 방언 구획에 따라 나뉜 구획 단위의 공통 지역.

방언-량 【方言量】 [-냥] 명〖언〗 어떤 어휘의 방언에 따른 변이(變異)의 양. 방언량은 변이의 방언형이 많으면 크고, 변이의 방언형이 적으면 작음.

방언 문법 【方言文法】 [-뻡] 명〖언〗 한 언어 또는 여러 방언의 문법 체계, 혹은 특정한 문법적인 현상의 연구를 말함.

방언 문학 【方言文學】 명〖문〗 ①한 지방의 방언으로 쓰인 문학의 총칭. 단테의 ≪신곡(神曲)≫이나 프랑스 11세기의 서정시(敍情詩) 같은 것. ②세계 문학에 대하는 이념에서 민족 의식에 뿌리를 박고 사실주의 문예 사조를 타고 19세기 중엽 이후 프랑스와 독일에서 발생한 방언으로 씌어진 문학.

방언 영역 【方言領域】 [-녕-] 명〖언〗 어떤 방언형의 분포 지역.

방언 예:술 【方言藝術】 [-네-] 명〖문〗 방언을 보람 있게 써서 지방색이나 인물의 성격을 또렷하게 나타낸 문예 작품.

방언 음운 【方言音韻】 명〖언〗 음운의 지방적인 상위(相違)를 말함.

방언 의:식 【方言意識】 명〖언〗 방언 화자(方言話者)가 그의 방언이나 다른 방언 또는 방언 특징들에 대하여 가지고 있는 의식.

방언 지도 【方言地圖】 명〖언〗 동일 언어 사상(事象)의 지리적 분포나 언어 사상의 지리적 변이(變異)를 지도 위에 나타낸 것. 언어 지도(言語地圖).

방언 지리학 【方言地理學】 명〖언〗 언어 지리학.

방언 집석 【方言集釋】 명〖책〗 조선 정조(正祖) 2년(1778)에 역관 홍명복(洪命福) 등이 저술한 만주어(滿洲語)의 학습서. 일명 방언 유석(方言類釋). 책의 체재는 한어(漢語)를 기본으로 그 밑에 중국 근대어·청어(淸語)·몽어(蒙語)·왜어(倭語)를 각각 한글로 기입하였음. 권두에 서명응(徐命膺)의 서문이 실려 있음. 4권. 사본(寫本).

방언-학 【方言學】 명〖언〗〔dialectology〕 방언에 관하여 연구하는 학문.

방언 혼:잡 【方言混雜】 명〖성〗 구약(舊約)에 있는 설화(說話)의 하나. 노아 홍수(洪水) 이후, 사람들이 저희들의 죄악은 생각하지 아니하고 바빌로니아(Babylonia) 평야에 높은 탑(塔)을 쌓아서 홍수의 난을 피하려 하므로, 하느님이 저주하여 서로 뜻이 통하지 못하는 언어(言語)를 말하게 하자 탑의 공사를 못 하고 각각 헤어졌다 함. *바벨탑.

방엇귀 명〈방〉 절굿공이.

방여 【方輿】 명 지구(地球). 여지(輿地).

방역¹ 【防役】 명〖역〗 시골 백성이 부역(賦役) 대신으로 돈이나 곡식을 미리 바치는 일.

방역² 【防疫】 명 전염병의 발생·침입을 소독·예방 주사 등의 방법으로 미리 막음. ¶ ~ 대책. ──-하다 타여불

방역³ 【邦譯】 명 외국문(外國文)을 국어로 번역하는 일. 또, 그 번역된 것. ──-하다 타여불

방역-진 【防疫陣】 명 방역을 위한 의료 진용(陣容).

방연¹ 【方椽】 명〖건〗 ①모지게 만든 서까래. ②굴도리 밑에 받치는 네모진 나무.

방연² 【尨然】 부 두툼하고 큰 모양. ──-하다 형여불. ──-히 부

방연-광 【方鉛鑛】 명〖광〗 등축 정계(等軸晶系)에 속하며 연회색(鉛灰色)의 금속 광택이 나는 광석. 보통 육면체(六面體)의 결정 또는 괴상(塊狀)·입상(粒狀)의 모양으로 산출됨. 황화(黃化)납으로, 납의 중요한 원료이며, 또 황화은(黃化銀)도 포함되어 있어 은(銀)의 원료로도 됨.

방연-림 【防煙林】 [-님] 명 연기의 해독을 막기 위한 삼림(森林). 연기에 강한 사스레피나무 등을 연기가 오는 방향에 대상(帶狀)으로 심음.

방:열 【放熱】 [-녈] 명 열을 방산(放散)함. 또, 그 열. ¶ ~ 장치. ──-하다 자여불

방:열-기 【放熱器】 [-녈-] 명〔radiator〕〖기〗 ①난방 장치(煖房裝置)에서 증기(蒸氣)의 열을 발산하여 공기를 뜨뜻하게 하는 철관(鐵管). 증기 난방 장치(蒸氣煖房裝置). 스팀(steam). ②공기나 물 따위에 열을 발산시키어 기계를 냉각(冷却) 시키는 기구. 자동차의 수냉식 기관(水冷式機關)의 방열기나 변압기(變壓器)의 바깥 둘레에 있는 철판 등. 라디에이터.

〈방열기❶〉

방열형 음극 【傍熱型陰極】 [-녈-] 명〖물〗 진공관(眞空管)에 있어서, 음극(陰極)이 그 옆에 있는 히터(heater)에 의해 가열되어, 열전자(熱電子)를 방출하는 형(型)의 것. 음극의 온도가 비교적 균일하게 됨.

방염 가공 【防炎加工】 명 타는 것을 방지하기 위하여 커튼·융단 등에 불연성(不燃性) 액체를 뿜어 칠하는 일.

방:영¹ 【放映】 명 텔레비전으로 방송하는 일. ¶ ~ 시간. ──-하다 자타여불

방영² 【芳詠】 명 다른 사람의 시가(詩歌)를 공대하여 일컫는 말. 방음(芳吟).

방:영³ 【訪英】 명 영국을 방문함. ¶ ~ 사절단. ──-하다 자여불

방:영권-료 【放映權料】 [-꿘뇨] 명 텔레비전 방송국이 스포츠 경기 등을 방영할 권리를 얻기 위해 지불하는 돈.

방예¹ 【方枘】 명 모가 진 자루.

방예² 【防豫】 명 예방(豫防)❶. ──-하다 타여불

방예 원조 【方枘圓鑿】 명 모난 자루와 둥근 구멍이라는 뜻으로, 사물이 서로 맞지 아니함을 비유하는 말. 원조 방예(圓鑿方枘). ㊟예조(枘鑿). *방저 원개(方底圓蓋).

방예 원착 【方枘圓鑿】 명 방예 원조(方枘圓鑿).

방오 【旁午】 명 ①왕래하는 사람이 많음. ②일이 번잡함. 바쁨. ──-하다 형여불

방오 가공 【防汚加工】 명 기름이나 먼지를 쉽게 끌어 당기는 직물에 특별한 합성 수지를 흡수시켜 더럼을 덜 타게 하는 일.

〈방오궁〉

방-오궁 【方五宮】 명 바둑에서, 두 집과 세 집으로 갈라져서 나란히 붙은 다섯 집으로 된 오궁. *매화 육궁(梅花六宮).

방옥 【房屋】 명 가방(假房).

방외¹ 【方外】 명 ①범위 밖. 국외(局外). ②세속 사람의 테 밖. ③유가(儒家)에서 도가(道家)·불가(佛家)를 가리키는 말. ④외국(外國).

방외² 【房外】 명 방의 바깥.

방외-객 【方外客】 명 그 일과는 전혀 관계 없는 손.

방외 범:색 【房外犯色】 명 자기의 처 이외의 여자와 색사(色事)를 범함. ㊟방외색(房外色). ──-하다 자여불

방외-사 【方外士】 명 속된 세상 일에서 벗어난 고결(高潔)한 사람.

방외-색 【房外色】 명 ↗방외 범색(房外犯色).

방외-인 【方外人】 명 그 일에 전혀 관계 없는 사람. 국외자(局外者).

방외지-지 【方外之志】 명 속세를 떠나 불문(佛門)에 들고자 하는 뜻.

방외-학 【方外學】 명 유교(儒敎)에서 도교(道敎)나 불교를 일컫는 말.

방용 【芳容】 명 꽃다운 용모라는 뜻으로, 다른 사람의 용모에 대한 경칭.

방우¹ 명〈방〉 바위(평안·경상).

방우² 【傍羽】 명〖역〗 공작우(孔雀羽)❶.

방우-구 【防雨具】 명 비에 젖지 않도록 하는 도구. 곧, 우산·우의(雨衣) 따위.

방울 명 [중세: 방올, 바올] ①얇은 쇠붙이로 공같이 둥그렇게 속이 비게 만들고, 그 속에 단단한 물건을 넣어서 흔들면 소리가 나게 된 물건. 탁령(鐸鈴). ¶ 왕~ / ~ 소리. *종(鐘). ②구슬같이 동글동글하게 맺힌 액체. 또, 물이 공기를 머금어서 둥글고 속이 빈 덩어리. ¶ 이슬 ~ / 눈물 ~. ③액체의 작고 둥근 덩어리를 세는 하나치. ¶ 비가 한 ~ 두 ~ 떨어지다. ④〖역〗 영(鈴).

방울-꽃 명 ①'물방울'을 아름답게 일컫는 말. ②꽃송이가 방울 모양으로 핀 꽃.

방울-나귀 [-라-] 명 몸은 작으면서 걸음을 빨리 걷는 나귀.

방울-낚시 [-락-] 명 낚싯줄에 단 방울의 울림으로 어신(魚信)을 잡아 물고기를 낚는 일.

방울-눈 [-룬] 명 방울처럼 둥글둥글하고 부리부리하게 큰 눈.

방울-동애등에 명〖충〗 [*Craspedometopon frontali*] 동애등엣과에 속하는 곤충. 몸의 길이 7-9 mm 이고, 몸빛은 광택 있는 흑색이며 촉각은 적갈색임. 날개의 기부(基部)는 흑갈색이고, 그 외연(外緣)은 약간 황색을 띰. 흉배(胸背)는 흑색이고 복부(腹部)는 흑갈색의 작은 털로 덮여 있음. 한국·일본·대만 등지에 분포함.

〈방울동애등에〉

방울-떡 명 방울 모양으로 만든 과자의 일종.

방울-목 명〖악〗 판소리 창법(唱法)에서, 둥글둥글 굴려 내는 목소리.

방울-방울 부 ①방울이 여러개 맺힌 모양. ¶ 빨랫줄에 이슬이 ~ 맺혔다/눈물이 ~ 떨어지다. ②방울마다 모두.

방울-뱀 명〖동〗 [*Crotalus adamenteus*] 살무삿과에 속하는 독사의 하나. 몸길이 약 2m이고, 몸빛은 황록색이며 배면(背面)은 암갈색에 대형(大形)의 마름모꼴의 반문(斑紋)이 있고, 비늘은 27 렬(列)임. 꼬리 끝 부분에 방울 모양으로 된 표피(表皮)가 변한 각질(角質)의 환상물(環狀物)이 탈피(脫皮)할 때마다 한 개씩 늘어 성장하면 크게 되어 연령을 알 수 있으며, 위험을 당할 때 꼬리를 흔들어 불쾌(不快)한 소리를 냄. 한번 물리면 30-60 분 만에 죽게 됨. 쥐·토끼를 주식(主食)으로 하는데, 북아메리카 남동부에 분포함. 향미사(響尾蛇).

〈방울뱀〉

방울-벌레 명〖충〗 [*Homoeogryllus japonicus*] 귀뚜라밋과에 속하는 곤충. 몸길이 16-18 mm. 몸빛은 암갈색 또는 흑갈색이며, 촉각은 담황갈색에 중앙은 백색이고, 길이가 몸의 3배나 됨. 전흉배(前胸背) 중앙에 주름과 황색 선문(線紋)이 있으며, 머리 위에 네 개의 무늬가 있음. 뒷날개는 꼬리 모양이며 후에 탈락(脫落)함. 알로 흙 속에서 월동하며, 성충(成蟲)은 8월에 나와 수풀 밑에 사는데, 잡초의 잎을 먹고 야간 활동성이며, 가을에 수컷은 곱게 방울 소리를 내어 욺. 한국·일본·대만 등지에 분포함. 금종충(金鐘蟲).

〈방울벌레〉

방울-새 [-쌔] 명〖조〗 [*Chloris sinica ussuriensis*] 참샛과에 속하는 새. 장박새와 비슷한데 날개 길이는 44cm, 꽁지 길이 46cm 가량임. 수컷은 어두운 황록색에 흑색 축반(軸斑)이 있고, 얼굴·가슴·죽지털·꽁지 붙은 데는 황색, 머리·눈·목·날개의 깃·꽁지의 끝은 흑색, 복부(腹部)는 백색임. 울음 소리는 매우 고우며, 여러 가지 새의 우는 흉내

를 잘 냄. 벼·보리·조·풀씨·곤충을 먹음. 산·들·숲에 서식하는데, 한국·만주 동부·우수리·홋카이도 등지에 분포함.

방울-쇠 명 〈방〉 방아쇠.

방울-술 명 술의 하나. 납작하게 짠 12사로 연(蓮)봉 매듭을 맺고 두 끝을 가지런히 늘어뜨려 그 끝을 금실이나 배색(配色)이 잘 되는 색실로 감음. 주로 남자용 선초(扇貂) 끝에 다는 것으로 아기 노리개에도 닮.

방울-알 명 방울을 흔들 때 방울벽을 때려 소리가 나게 하는 방울 속의 알맹이. 영환(鈴丸). 탁설(鐸舌).

방울-열매 명 〖식〗 구과(毬果).

방울-잔【—盞】명 〖고고학〗 그릇 안에 흙으로 빚은 방울알을 넣어 흔들면 소리가 나도록 만든 토기(土器). 가야 토기의 속이 깊숙한 잔(盞) 따위에서 많이 볼 수 있음.

방울-잠자리 명 〖충〗 [*Ictinogomphus clavatus*] 장수잠자릿과에 속하는 곤충. 몸길이 65mm, 날개 길이 95mm 가량이고, 몸빛은 흑색에 가슴은 황색 반문이 있으며, 등에는 'W'자 무늬가 있음. 수컷의 복부 여덟째 마디에 부채 모양 또는 방울 모양의 부속물(附屬物)이 있음. 연못에 날아 들며, 여름 더운 날에 나무때기 끝에 수평으로 정지(靜止)하는 습성이 있음. 한국·일본·중국에 분포함. 부채장수잠자리.

〈방울 잠자리〉

방울 증편【—蒸—】명 증편의 한 가지. 묽은 반죽을 틀에 앉히고 팥으로 상수리만하게 소를 만들어. 죽 늘어놓고, 다시 반죽을 떠서 그 위에 덮은 다음 대추·밤·석이(石耳) 등을 잘게 채쳐서 무늬지게 놓고 틈틈이 실백(實柏)을 박아서 찜. 영증병(鈴蒸餠).

방울 집게 명 못대가리를 잡는 부분이 둥글게 된, 못을 뽑는 연장.

〈방울 집게〉

방원[1]【方圓】명 방형과 원형. 모진 것과 둥근 것.

방원[2]【芳園】명 화원(花園).

방원의 난【芳遠—亂】[—/—에—] 명 〖역〗 [방원은 조선 태종의 휘(諱)] 조선 태조 7년(1398), 왕위 계승권을 둘러싸고 일어난 왕자 간의 싸움. 태조가 계비 강씨(繼妃康氏)의 소생 방석(芳碩)을 세자로 정한 데 불만을 품은 방원 일파가 당시 권세를 쥐고 있던 정도전(鄭道傳) 일파를 비롯한 방석·방번(芳蕃) 왕자를 죽이고 세자의 위(位)를 제2자인 방과(芳果)에게 넘겨줌. *방석의 난·무인 정사(戊寅靖社)·정도전의 난.

방월【方越】명 〖악〗 슬(瑟)의 뒤 쪽 아래에 있는 네모진 구멍.

방위[1]【方位】명 공간(空間)의 어떤 점이나 방향이 한 기준의 방향에 대하여 어떠한 방향으로 향하는가를 표시하는 말. 동서 남북을 기준으로 하여 16방위·32방위를 정함. 민속에서 북을 자(子)로 해서 동으로 향하여 축(丑) 인(寅) 묘(卯) … 등으로 십이지(十二支)순으로 배열함. 방소(方所). 방향(方向). ¶ ~가 나쁘다. [방위 보아 똥 눈다] ㉠사람의 됨됨이를 보아 차별하여 대우한다는 말. ㉡잘 살펴서 경우에 맞는 처사를 한다는 말.

〈방위[1]〉

방위[2]【邦威】명 국위(國威).

방위[3]【防圍】명 막아서 에워쌈. 막기 위하여 에워쌈. ——하다 타여불

방위[4]【防衛】명 ①막아서 지킴. ¶ ~ 산업/국토 ~. ②〖법〗 외래의 침해에 대하여 자기나 남의 권리를 보호함. ——하다 타여불

방위-각【方位角】명 ①[azimuth]〖천〗 천구상(天球上)에 있어서의 천체(天體)의 위치를 표시하는데, 그 천체를 포함하는 수직권(垂直圈)과 관측자가 서 있는 위치를 포함하는 자오선면(子午線面)이 이루는 각도. ②〖물〗 편각(偏角).

〈방위각❶〉

방위 과:정【防衛過程】명 〖의〗 신체 내외로부터 생체(生體) 조직에 유해하게 작용하는 모든 생물 및 무생물에 대하여 생명 보전을 위해서 하는 적극적인 반응. 병(病)에 대한 염증(炎症)이 이에 상당함.

방위-군【防衛軍】명 ①나라를 방위하는 군대. ②↗국민 방위군(國民防衛軍).

방위 기제【防衛機制】명 [defense mechanism]〖심〗 인간이 갖는 심리적 메커니즘(心理的 mechanism) 중에 적응하기 곤란한 상황(狀況)이나 파국적(破局的) 사태에서 면하려고, 자기를 방어하는 방법의 기본적 기제. 도피(逃避)·억압(抑壓)·치환(置換)·반동 형식(反動形式)·승화(昇華)·보상(補償)·투사(投射)·퇴행(退行)·방위적 공세(防衛的攻勢)·절충(折衷)·변명(辯明) 등이 있음.

방위 도법【方位圖法】[—뻡] 명 [azimuthal projection]〖지〗 지구에 접(接)하는 평면에 경위선(經緯線)을 투영(投影)하는 도법의 총칭. 도(圖)의 중심으로부터 임의(任意)의 점까지의 최단 거리가 직선으로 표시되어 올바른 방위를 나타냄. 심사(心射) 도법·평사(平射) 도법·정사(正射) 도법·정거(正距) 방위 도법·람베르트(Lambert) 정적(正積) 방위 도법 따위. 극방위 도법.

방위-력【防衛力】명 방위하는 힘.

방위-반【方位盤】명 〖물〗 자침(磁針)이 없는 나침반(羅針盤) 카드. 배 위에서 목표물의 방위를 측정할 때에 장애물에 차단되어 직접 나침반으로 방위를 측정하기 곤란하면 그 보조로서 사용함.

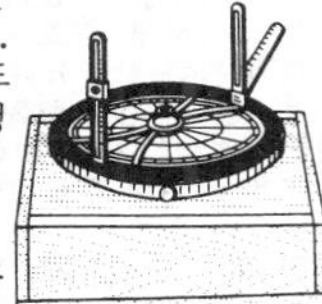

〈방위반〉

방위-병【防衛兵】명 〖군〗 1969년 제정 공포된 병역법에 의거하여, 향토 방위와 후방 근무 지원을 수행하기 위하여 소집되었던 병사. *공익 근무 요원.

방위 사통【防僞私通】명 〖역〗 아전들이 보내는 공문(公文). '防僞'의 두 글자를 적어서 사서(私書)가 아닌 것을 표시함.

방위 산:업【防衛産業】명 방위 산업 물자를 생산하거나 연구 개발하는 산업. 군수(軍需) 산업. ㊟방산(防産).

방위 산:업체【防衛産業體】명 방위 산업을 경영하는 사업체(事業體).

방위-선[1]【方位線】명 방향과 위치를 표시하기 위하여 그어 놓은 경선(經線)과 위선(緯線).

방위-선[2]【防衛線】명 방위하기 위하여 진(陣)을 쳐놓은 선.

방위 성금【防衛誠金】명 자주 국방(自主國防)을 위하여 국민이 자발적으로 헌납하는 성금. *국방 헌금.

방위-세【防衛稅】명 〖법〗 국토 방위를 위하여 국방력을 증강(增強)하는 데 필요한 재원(財源)을 확보하기 위하여 부과하던 세금. 국세(國稅)의 하나로, 관세(關稅)·소득세·법인세·등록세·주세(酒稅)·재산세·균등할(均等割) 주민세 등의 납세 의무자에게 부과하였음. 1975년 7월 16일에 신설된 목적세(目的稅)로 1990년 12월 31일부로 폐지됨.

방위 소집【防衛召集】명 〖군〗 군사·향토 방위 또는 이와 관련되는 업무를 지원하게 하기 위하여 보충역에 대하여 행하는 소집. 기간은 2년 이내이고, 31세부터 면제됨.

방위-신【方位神】명 〖민〗 오방 신장(五方神將).

방위적 공:세【防衛的攻勢】명 〖심〗 적응하기 곤란한 상황(狀況)을 피하는 대신에 적극적으로 그 상황에 작용을 가하여 파국(破局)을 해소(解消)하려고 하는 방위 기제(防衛機制).

방위 조약【防衛條約】명 집단 안전 보장의 필요에 따라 방위를 목적으로 하는 조약. 한미 방위 조약·미일(美日) 신(新) 안전 보장 조약·북대서양 조약 등이 있음.

방위-주【防衛株】명 [도 Schutzaktien]〖경〗 외국 자본 또는 환영 못할 내국(內國) 자본에 의하여 회사 기업이 지배됨을 방위하기 위하여, 발행한 의결 특권주(議決特權株). 제1차 대전 후 마르크 화폐의 폭락 때에 독일에 있었던 것인데 회사의 소수자 지배를 촉진한다는 이유로 1937년 금지되었음.

방위 지역【防衛地域】명 방위력이 미치는 지역.

방위 측정기【方位測定器】명 〖물〗 방향 탐지기.

방위 편차【方位偏差】명 〖군〗 포(砲)로부터 표적에 이르는 선과 포로부터 포탄이 낙하 또는 파열한 지점에 이르는 선 사이의 각도 차(差).

방위 포장【防衛褒章】명 국방 또는 치안에 노력하여 그 공적이 뚜렷한 사람 또는 생명의 위험을 무릅쓰고 인명·재산을 구조한 사람에게 수여하던 포장. 이 가운데 전투에 참가하여 무공을 세워 받은 포장은 '무공 포장'으로, 국가 안전 보장 및 사회 안녕 질서 유지의 공적으로 받은 포장은 '보국 포장'으로 바뀌었음.

〈방위 포장〉

방위-표【方位表】명 방위를 나타내는 표.

방위 효소【防衛酵素】명 〖생〗 혈액 속에 이질물(異質物)이 들어오면 즉각 그 물질을 분해시키려고 나타나는 효소. 1907년 스위스의 화학자 압더할덴(Abderhalden; 1897-1950)이 발견함.

방유【芳油】명 [ho oil] 대만산(臺灣産)의 방장(芳樟)을 증류(蒸溜)하여 얻은 무색 휘발성(無色揮發性)의 액체. 다량(多量)의 리날로올(linalool)과 미량(微量)의 장뇌(樟腦)를 함유하고 있음. 비누의 향료(香料)로서 널리 사용됨. 방장유(芳樟油).

방음[1]【方音】명 〖언〗 지방의 발음. 방언(方言)에 의한 발음(發音).

방음[2]【防音】명 ①실외(室外)의 잡음을 실내에 전하지 못하게 하거나, 실내에서 생기는 소리의 반사를 어떤 장치로 막음. ¶ ~ 시설. ②복잡한 도시에서 자동차·전차 등의 경적(警笛)이나 진동의 소리를 방지함. 소음(騷音) 방지. ——하다 자여불

방음[3]【芳吟】명 남의 시가(詩歌) 또는 남의 음영(吟詠)을 높이어 이르는 말.

방음 구조【防音構造】명 외부로부터 소음(騷音)을 차단하도록 된 건축 구조. 외벽(外壁)에는 차음재(遮音材)를, 실내에는 흡음재(吸音材)를 사용함. *방음 장치.

방음-림【防音林】[—님] 명 식물(植物)의 차음(遮音) 기능을 이용하여 비행기·공장 등의 소음을 줄이고, 그 주변의 주민(住民)을 보호하기 위한 숲. 키가 크고 빽빽할수록 기능이 큼.

방음-벽【防音壁】명 외부의 소음(騷音)이나 실내의 음향을 차단하기 위하여 두껍게 하거나 방음재를 사용한 벽.

방음 스테이지【防音—】[stage] 명 〖연〗 방음 장치를 한 발성 영화(發聲映畫)의 실내(室內) 촬영장.

방음 장치【防音裝置】명 〖건〗 외부의 소음이 실내에 들어오는 것을, 또 실내의 음향이 외부로 새는 것을 막는 장치. 실내의 벽·천장·바닥 등에 방음재를 사용함. 차음(遮音) 장치. *방음 구조.

방음-재【防音材】명 소리를 흡수하는 성질이 있는 건재(建材). 흔히, 코르크·유리 섬유·펠트(felt) 등이 이용됨.

방음 카메라【防音—】[camera] 명 발성 영화 촬영에 쓰는 무음(無音) 내지 정음(靜音)의 카메라.

방:응【放鷹】명 매사냥.

방-응모【方應謨】명 〖사람〗 언론인. 호는 계초(啓礎). 평북 정주(定州) 태생. 광산업에 투신하여 치부한 후, 1932년 때마침 운영난에 빠진 '조선 일보'를 인수, '동아 일보'와 함께 2대 민족지의 하나로 육성함. 해방 후 조선 일보를 복간(復刊) 운영 중, 6·25 전쟁으로 납북됨. [1890-?]

방의[1]【防衣】[—/—이] 명 〖역〗 동북변(東北邊) 또는 서변(西邊) 등의 위수(衛戍)에 종사하던 병사의 옷.

방의²【芳意】[-/-이] 명 ①남의 친절한 마음을 공경하여 이르는 말. 후의(厚意). 방지(芳志). ②화창한 봄의 정취(情趣). 또, 봄철의 경치.

방의³【訪議】[-/-이] 명 상의함. 의논함. ──-하다 타여불

방의⁴【謗議】[-/-이] 명 남을 비방하는 의논. ──-하다 타여불

방이 명 〈방〉 팽이(함북).

방:이다 타 ①윷놀이에서, 말을 방에 놓다. ②후려치다. ¶ 한 대 방이었더니 죽었소.

방이동 백제 고:분군【芳荑洞百濟古墳群】명 서울 특별시 송파구 방이동 일대에 위치한 백제 초기의 고분군. 현재 고분 공원으로 조성되었음.

방이 설화【旁㐌說話】명 신라 사람 방이에 대한 설화. 형과 동생의 갈등을 통하여 권선 징악(勸善懲惡)적인 면을 보여 주고 있음. 《흥부전》의 근원이 되었다고 하는 견해도 있음.

방인¹【邦人】명 자기 나라 사람. 자국인(自國人). ↔이방인¹(異邦人)❶.

방:인²【放人】명 산야(山野)에 숨어 속세(俗世)의 구속을 받지 아니하고 자기 뜻대로 사는 사람.

방:인³【旊人】명 〖공〗 물레로 도자기(陶瓷器)를 만들지 아니하고 틀로 만드는 사람. *방공(旊工).

방인⁴【傍人】명 옆의 사람. 곁의 사람.

방-인근【方仁根】명 〖사람〗 소설가. 호는 춘해(春海). 충남 예산(禮山) 출생. 1924년에 사재(私財)로 《조선 문단》을 이광수(李光洙) 주재로 간행, 민족주의 옹호와 그 발전에 힘썼으며 차차 대중 작가로서 인기를 끌어 《괴청년(怪青年)》·《인생 극장》·《마도(魔都)의 향불》 등 많은 대중 소설을 발표하였음. [1899-1975]

방:일¹【放逸】명 마음대로 꺼림 없이 놂. 방탕한 짓이나 하며 함부로 놂. ──-하다 자여불

방:일²【訪日】명 일본을 방문함. ──-하다 자여불

방임¹【坊任】명 〖역〗 방(坊)의 공무를 맡아 보던 구실아치.

방임²【房任】명 〖역〗 지방 관아(官衙)의 육방(六房)의 임무.

방:임³【放任】명 제대로 내버려 둠. 통 상관하지 아니하고 되는 대로 맡겨 둠. ¶ 자유 ~. ──-하다 타여불

방:임-주의【放任主義】[-/-이] 명 ①각자(各自)의 자유에 맡겨 간섭하지 않는 주의. 자유 방임주의. ②[latitudinarianism] 〖윤〗 선악의 구별에 대하여 너무 엄격하지 아니한 타협적·포용적(包容的)인 주의. ↔엄숙주의.

방:임 행위【放任行爲】명 〖법〗 형법학 상(刑法學上)의 용어로, 법의 보호를 받지도 못하고 또한 처벌도 받지 아니하는 중간 행위(中間行爲)를 가리킴. 곧, 범죄가 안 되는 행위.

방:임-형【放任形】명 〖언〗 어미 변화(語尾變化)의 하나. 뒤에 말할 사실에 구속하는 힘이 미치지 아니함을 나타내는 형(形). 곧 '-어도·-더라도' 따위. 놓는 꼴. ↔구속형(拘束形).

방자¹ 명 남이 못 되기를 귀신에게 비는 것. ──-하다 타여불

방자²【房子·幇子】명 〖역〗 ①각심이. ②지방 관아(官衙)의 종의 하나. ③고려 때, 사관(使館)에 딸리어 허드렛일을 맡아 보던 잡직(雜職).

방:자³【放恣】명 꺼리거나 삼가는 태도가 없고 교만(驕慢)스러움. 자방(恣放). 자일(恣逸). ¶ ~한 행동. ──-하다 형여불

방자⁴【芳姿】명 아름다운 자태(姿態).

방:자⁵【放資】명 〖경〗 ①이식(利殖)을 목적으로 자본을 방출(放出)함. 투자(投資). ②증권 투자(證券投資). ──-하다 자여불

방자⁶【膀子】명 〖역〗 차자(箚子).

방:자-고기 명 양념을 하지 아니하고 소금만 뿌려서 구운 짐승의 고기.

방:자 무기【放恣無忌】명 건방지고 꺼림이 없음. ──-하다 형여불

방:자-스럽다【放恣─】형ㅂ불 방자한 태도가 있다. 방:자-스레【放恣─】부

방잠【防潛】명 〖군〗 적의 잠수함에 대한 방어(防禦).

방잠-망【防潛網】명 적의 잠수함의 통로(通路)나 항만 침입(港灣侵入)을 막기 위하여, 항만의 입구에 치는 그물. 포획망(捕獲網)·특설망(特設網)·급설망(急設網) 등 용도(用途)에 의하여 많은 종류가 있으며, 폭약(爆藥)을 장치한 것도 있음.

방잡【厖雜】명 뒤섞여 어수선함. 또, 그 모양. ──-하다 형여불

방장¹【方丈】명 ①가로·세로가 일장(一丈)인 넓이. 곧, 사방 열자. ②〖불교〗 화상(和尙)·국사(國師)·주실(籌室) 등 높은 중들의 처소(處所). 장실(丈室). ③〖불교〗 주지(住持). 상방(上方). ④총림(叢林)의 최고 어른.

방장²【方丈】명 〖민〗 삼신산(三神山)의 하나. 동해에 있다고도 하며 또는 지리산이라고도 함. 방호(方壺).

방장³【方長】명 한창 자라고 있음.

방장⁴【坊長】명 〖역〗 방(坊)의 우두머리.

방장⁵【房長】명 감방(監房) 안의 죄수(罪囚) 가운데 맨 먼저 갇힌 고참(古參) 죄수.

방-장⁶【房帳】[-짱] 명 ①방 안에 두르는 휘장. 흔히, 겨울에 외풍(外風)을 막기 위하여 침. ②〈방〉 모기장.

방장⁷【房掌】명 〖역〗 서울과 지방 관아(官衙)의 육방(六房)의 분장(分掌). 소송(訴訟)에 관한 일을 맡은 형방(刑房)의 관원(官員).

방장⁸【方將】부 ①이제 곧. ¶ 저의 모친은 ~ 남편이 임종하듯 눈이 똥똥히 붓도록 울며 앉았는데…《李海朝 : 鴛鴦圖》. ②방금(方今).

방장 부절【方長不折】명 ①한창 자라는 초목을 꺾지 아니함. ②전도(前途)가 양양한 사람이나 사업에 대하여 헤살을 놓지 아니함.

방장-유【芳樟油】[-뉴] 명 방유(芳油).

방장지-년【方壯之年】명 한창 때의 나이.

방재¹【方在】부 방금(方今). ¶ 그 여인이 저 앞 축동나무 가지에다 목을 매고 ~ 사경인 것을 보시고 급급히 구제하여…《李海朝 : 鳳仙花》.

방재²【防材】명 〖군〗 큰 재목을 쇠줄로 엮어서 항만의 뱃길에 베풀어 놓아 적군의 배가 드나들지 못하게 막는 것. ¶ 항구에 ~를 부설하다.

방재³【防災】명 재해를 막음. 폭풍·홍수·지진·화재 등의 재해를 방지함. ¶ ~ 시설을 갖추다. ──-하다 자타여불

방재 과학【防災科學】명 〖기상〗 폭풍·호우(豪雨)·호설(豪雪)·홍수·고조(高潮)·지진·해일(海溢) 기타 이상한 자연 현상에 의한 재해를 방지·경감(輕減)하는 일에 관한 과학.

방재 설비【防災設備】명 〖건〗 건축 설비 중에서 재해를 방지하기 위한 일체의 시설. 방화·소화·피뢰(避雷)·방진(防震) 설비 같은 것.

방저【枋底】명 〖건〗 방밑.

방저 원개【方底圓蓋】명 네모진 밑바닥에 둥근 뚜껑이란 뜻으로, 사물이 서로 맞지 아니함을 가리키는 말. *방예 원조(方枘圓鑿).

방적【紡績】명 〖공〗 동식물의 섬유(纖維)를 가공(加工)하여 실로 만드는 일. *길쌈·방직(紡織). ──-하다 자여불

방적 견사【紡績絹絲】명 양잠(養蠶)·제사(製絲) 등에서 생기는 불량품(不良品)이나 찌꺼기를 원료로 하여, 이것을 정련(精練)하여 풀솜으로 만들어 방적 공정(工程)을 거쳐서 만든 실. 견방사(絹紡絲).

방적 공업【紡績工業】명 〖공〗 ①동식물 등의 섬유(纖維)를 가공하여 방적사(紡績絲)를 만드는 섬유 공업의 총칭. ②특히, 면화(棉花)로 면포(綿布)나 면사(綿絲)를 만드는 섬유 공업을 가리킴. 방적업.

방적-기【紡績機】명 〖기〗 ↗방적 기계.

방적 기계【紡績機械】명 〖기〗 방적사(紡績絲)를 만드는 데 쓰는 기계의 총칭. 타면기(打綿機)·소면기(梳綿機)·정방기(精紡機) 등. 준방적기.

방적 돌기【紡績突起】명 〖동〗 ①거미의 배의 밑면 끝에 있는 사마귀 모양의 세 쌍의 돌기. 복부의 부속지(附屬肢)가 변한 것으로 그 끝에 200-400개의 구멍이 있고, 속의 방적선(紡績腺)에서 점액(粘液)이 나와 공기 중에서 곧 응축(凝縮)되어 지름 0.0068-0.0034 mm의 실이 됨. 출사(出絲) 돌기. ②개미핥기의 몸 끝에 있는 마디. 말피기 관(Malpighi管)으로부터의 분비물(分泌物)로 고치 실을 뽑아 냄. 뜸물돌기. 출사(出絲)돌기. *방적선.

항문 여기서 거미줄을 뽑아냄

〈방적 돌기❶〉

방적 면사【紡績綿絲】명 면화(棉花), 곧 면섬유(綿纖維)를 방적 공정(工程)에 의하여 만들어 낸 실의 총칭.

방적-사【紡績絲】명 ①면화(棉花)·양모(羊毛)·삼·명주 등의 섬유를 방적 가공(加工)하여 만든 실의 총칭. ②면사(綿絲) 방적 기계로 방적한 외올면사.

방적-선【紡績腺】명 〖동〗 거미류(類)의 복부(腹部) 뒤쪽에 있는 외분비선(外分泌腺). 그 분비물은 방적 돌기로부터 몸밖에 나와 공기 중에서 굳어져 거미의 집을 만드는 실이 됨. 출사선(出絲腺). *방적 돌기(紡績突起).

방적-업【紡績業】명 방적 공업. 면업(綿業).

방적업-자【紡績業者】명 방적업을 경영하는 사람.

방적 회:사【紡績會社】명 방적업을 경영하는 회사.

방전¹【方田】명 네모 반듯한 논밭.

방전²【方甎】명 네모 반듯한 벽돌. 종벽(宗甓).

방전³【妨電】명 ①혼신(混信)이나 전파 잡음 때문에 일어나는 수신 방해. ②〖물〗 무선 전신에서 송신 전류(送信電流) 이외의 원인으로 전자기적(電磁氣的) 영향을 수신측(受信側)이 받는 일.

방전⁴【防戰】명 〖군〗 ↗방어전(防禦戰). ──-하다 자여불

방:전⁵【放電】명 [discharge] 〖물〗 ①축전지·축전기에 저장된 전기를 방출하는 현상. ↔충전(充電). ②사이를 둔 양극(兩極) 간에 전압을 높이어 그 전극 사이에 전류가 흐르게 하는 일. 불꽃 방전·진공 방전 등. *대류 방전. ──-하다 자여불

방:전 가공【放電加工】명 두 전극(電極) 사이의 방전(放電)에 의한 열 및 전기적·기계적 힘이 전극의 표면(表面)을 침식하는 작용이 있음을 이용하여 금속·비금속에 구멍을 뚫거나 절단·연마(硏磨) 등의 가공을 하는 방법.

방:전-관【放電管】명 [discharge tube] 〖물〗 비활성(非活性) 기체나 수은 증기(水銀蒸氣)를 봉입(封入)한 전자관(電子管). 형광등·수은등·네온관등(neon管燈)·크룩스관(Crookes管) 따위가 있음.

방:전-광【放電光】명 기체(氣體)를 봉입(封入)한 방전관(放電管)에 전압을 가하여 방전(放電)을 일으켰을 때에 일어나는 발광(發光).

방:전-등【放電燈】명 〖물〗 기체내(氣體內) 방전을 이용한 전등. 봉입(封入) 기체에 의하여 특유의 빛깔, 곧 네온은 빨강, 아르곤은 청자(青紫), 헬륨은 흰빛, 질소는 누른빛을 내며, 네온 사인은 이것을 응용한 것임. 네온 램프·나트륨 램프·형광(螢光) 램프 등이 있음.

방:전 전:류【放電電流】[-전절-] 명 〖물〗 방전할 때 생기는 전류.

방:전-차【放電叉】명 [discharging rod] 〖물〗 라이덴 병(Leiden瓶)이나 그 밖의 축전기(蓄電器)의 전하(電荷)를 중화(中和)시키는 데 쓰는 도체(導體). 가운데에 절연물(絕緣物)의 자루가 있으며, 여기에 가랑이 모양의 도체를 달았는데, 양쪽 끝에 작은 놋쇠 구(球)가 있음.

방:전-함【放電函】명 〖물〗 방전 현상(放電現象)을 이용하여 하전 입자(荷電粒子)의 비적(飛跡)을 관찰하는 장치.

〈방전차〉

방절【芳節】명 봄의 계절. 봄철.

방점¹【坊店】명 동네의 가게.

방점²【傍點】[-쩜] 명 ①〖언〗 옛말에서 글자의 왼편에 찍어 장음(長音)을 표시하던 부호. ②보는 사람의 주의를 환기시키기 위하여 글귀나 글자의 위나 오른편에 찍는 점. ③사성점(四聲點).

방접【傍接】명 〖수〗 어떠한 도형(圖形)이 다각형의 한 변과 거기에 인접하는 두 변의 연장선(延長線)에 접하는 일.

방접-원【傍接圓】명 〖수〗 삼각형의 한 변과 다른 두 변의 연장선(延長線)에 접하는 원. 삼각형에는 이 원이 세 개가 있음.

I_3 A I_2 B C I_1

〈방접원〉

방정¹ 명 [근대 : 방경] 경망스러운 언행.

방정(을) 떨다 구 드레지지 못하고 아주 경망스럽게 굴다. ¶ 네가 방정을 떨어 일을 망쳤다.
방정²【方正】명 ①언행이 바르고 점잖음.단정(端正). ¶ 품행이 ~한 사람. ②물건이 네모지고 반듯함. ——하다 형여불 ——히 부
방정³【方釘】명〖건〗둥글지 아니하고 네모진 못.
방정⁴【方程】명 1세기경, 중국의 예수(隸首)가 만들었다고 하는 '구장산술(九章算術)' 중의 한 장(章). 일차(一次) 연립 방정식을 가감법(加減法)으로 풀었음. 「志).
방정⁵【芳情】명 꽃답고 애틋한 정. 향기로운 마음. 방심(芳心). 방지(芳
방정-꾸니 명〈방〉방정꾼.
방정-꾸러기 명 방정을 잘 떠는 사람.
방정-꾼 명 방정을 떠는 사람.
방정-맞다 형 ①말이나 짓이 경망스러워 요망스럽다. ②몹시 요망스럽게 굴어서 상서롭지 못하다. ¶ 방정맞은 소리 작작 해라.
방정-스럽다 형ㅂ불 방정맞은 태도가 있다. **방정-스레** 부
방정-식【方程式】명〖수〗미지수(未知數)를 품은 등식(等式)이 그 미지수에 어떠한 특정의 수치(數值)를 줄 때에만 성립(成立)되는 등식. 그 미지수를 방정식의 근(根)이라 하며, 그 수치를 구(求)하는 것을 '방정식을 푼다'고 함. 대수(代數) 방정식·미분(微分) 방정식·적분(積分) 방정식·함수(函數) 방정식 등이 있음. *일원 이차 방정식.
방-정(:)환【方定煥】명〖사람〗소년 운동가. 호는 소파(小波)·잔물·목성(牧星)·북극성(北極星). 서울 출생. 1920년 한국에서 처음으로 소년 운동을 주창하고 '어린이 날'을 창설함. 동화집 《사랑의 선물》을 출판하고, 잡지 '어린이' 등을 발간하였음. [1900-32]
방제¹【方劑】명 약을 조합(調合)함. 또, 그 약. ——하다 자여불
방제²【防除】명 ①예방하여 재앙을 제거(除去)함. ②농작물(農作物)을 병해(病害)나 충해(蟲害)로부터 예방하고, 또 그것을 구제(驅除)함. ¶ 병충해 ~. ——하다 타여불
방제³【旁題】명 신주 아래 왼쪽에 쓴, 제사를 받드는 사람의 이름.
방제-경【倣製鏡】명〖고고학〗본뜬거울.
방제-수【方諸水】명〖한의〗명월(明月)을 향하여 조가비로 뜬 물. 어린아이의 해열(解熱)과 목마른 것을 그치게 하는 데 씀.
방제-학【防除學】명〖식〗식물의 병의 진단·위생·방역·치료·약리(藥理) 등을 연구하는 식물병학의 한 분야. *식물 병리학. 「여불
방조¹【防潮】명 조수(潮水)의 해(害)를 막음. ¶ ~제(堤). ——하다 자
방:조²【放鳥】명 ①새를 날려 보냄. 또, 그 새. ②방생회(放生會) 등에서, 공덕(功德)을 쌓기 위하여 잡은 새를 놓아 줌. ——하다 자여불
방조³【幇助·幫助】명 ①어떠한 일을 거들어서 도와 줌. 흔히 나쁜 일의 뒤를 돕는 경우에 씀. ②〖법〗타인의 범죄 수행(遂行)에 편의를 주는 유형(有形)·무형(無形)의 모든 행위. ¶ ~죄(罪). ——하다 타여불
방조⁴【傍助】명 옆에서 도와 줌. ——하다 타여불
방조⁵【傍祖】명 육대조(六代祖) 이상이 되는 직계가 아닌 조상.
방조⁶【傍照】명 꼭 필요한 법문(法文)이 없을 적에 그와 비슷한 다른 법문을 참조(參照)함. ¶ ~ 인용(引用)하다. ——하다 타여불
방조-림【防潮林】명 바닷바람이나 해일(海溢) 등의 피해를 막기 위하여 해안 지방에 만든 숲. *해안 방풍림.
방조-범【幇助犯】명〖법〗타인의 범죄 수행에 편의를 제공함으로써 성립되는 범죄. 또, 그 범인. 가담범.
방조-자【幇助者】명 방조하는 사람.
방조-제【防潮堤】명 폭풍 해일(海溢) 등의 피해를 막기 위하여 쌓은 둑. *방파제(防波堤).
방조제 관리법【防潮堤管理法】[一괄一뻡] 명〖법〗간척지를 보존하고 농수산물의 재해를 방지하기 위하여, 특히 필요한 방조제를 국가나 지방 자치 단체가 관리함으로써 농수산업 생산력의 증진을 기(期)하려는 법.
방조-죄【幇助罪】[一쬐] 명〖법〗타인의 범죄 수행(遂行)을 방조함으로써 성립되는 죄.
방:종¹【放縱】명 아무 꺼림없이 제 마음대로 놀아 먹음. 자사(恣肆). ¶ ~한 생활을 청산하다. ——하다 형여불
방종²【傍腫】명〖한의〗부스럼이 번져서 옆으로 돋은 작은 부스럼.
방-종현【方鍾鉉】명〖사람〗언어학자. 호는 일사(一簑). 경기도 출생. 서울 대학교 문리과 대학장을 역임. 저서에 《고어(古語) 재료 사전》·《훈민 정음 통사》 등이 있음. [1905-52]
방좌【方佐】명〖역〗백제 때의 지방관의 하나. 「주.
방주¹【方舟】명 ①방형(方形)의 배. ②[the ark]〖성〗노아(Noah)의 방
방주²【方柱】명〖건〗네모진 기둥. 각주(角柱).
방주³【房主】명 ↗방주 감찰(房主監察).
방주⁴【蚌珠】명 진주(眞珠).
방주⁵【旁註·傍注】명 본문(本文) 옆에 단 주석(註釋). ¶ ~를 달다. *각주(脚註)·두주(頭註).
방주 감찰【房主監察】명〖역〗조선 시대에 사헌부(司憲府)의 첫자리의 감찰. 준방주(房主).
방주깨미 명〈방〉소꿉장난(충남·전북).
방-주인【坊主人】[一쭈一] 명〖역〗주부군현(州府郡縣)과 방(坊) 사이를 왕래하던 심부름꾼.
방죽¹【方竹】명 단면이 네모진 대나무의 한 가지.
방죽²【防一】명 [←방축(防築)] ①물을 막기 위하여 쌓은 둑. ¶ ~이 무너지다. ②파거나 둑으로 둘러막은 못.
[방죽을 파야 머구리가 뛰어들지] 준비와 노력이 있어야 좋은 결과를 얻을 수 있다는 말.
방죽-갓끈 명 연밥을 잇달아 꿰어 만든 갓끈.
방준【芳樽】명 좋은 술을 담은 통. 또는 맛이 좋은 술.
방중¹【房中】명 ①방안. 방내(房內). ②〖불교〗사중(寺中).
방:중²【訪中】명 중국을 방문함. ——하다 자여불
방중-술【房中術】명 방사(房事)의 방법과 기술.
방중-악【房中樂】명〖악〗예전에, 율방(律房)에서 연주되던 작은 인원에 의한 합주곡. 양악의 실내악(室內樂)에 상당함. 방중지악.
방중 악보【房中樂譜】명〖악〗국악(國樂)에서, 방 안에서 연주되는 음악의 악보. 주로 거문고 악보를 일컬음.
방중지-악【房中之樂】명〖악〗방중악(房中樂).
방증【傍證】명 ①증거가 될 방계(傍系)의 자료. 간접적인 증거. ②〖법〗자백(自白) 따위와 같이 범죄를 직접 증명하는 증거(證據)는 아니나, 그 주변(周邊)의 상황을 명백하게 하고 이것을 굳힘으로써, 간접적으로 범죄의 증명에 도움이 되는 증거. ¶ ~을 수집하다. ——하다 타
방지¹【防止】명 막아서 그치게 함. ——하다 타여불 「여불
방지²【芳志】명 방정(芳情).
방지³【旁支】명 원몸에서 갈려 나간 분기(分岐).
방지거【方濟各】명〖사람〗'프란치스코'의 중국어 취음(取音).
방-지기【房一】명〖역〗①방을 지키는 사람. ②관아(官衙)의 심부름꾼의 하나. 방직(房直).
방지-책【防止策】명 방지하는 계책. ¶ ~을 강구하다.
방직¹【方直】명 바르고 곧음. ——하다 형여불
방직²【房直】명〖역〗방(房)지기❷.
방직³【紡織】명 방적(紡績)과 기직(機織). 곧, 기계를 사용하여 실을 날아서 피륙을 짬. ——하다 타여불
방직-공【紡織工】명 방직에 종사하는 직공. 「의 총칭.
방직 공업【紡織工業】명 방적(紡績)과 직포(織布)·염색 등에 관한 공업
방직 공장【紡織工場】명 직물(織物)을 짜는 공장.
방직-기【紡織機】명〖기〗↗방직 기계.
방직 기계【紡織機械】명〖기〗실을 다루어 피륙을 짜는 기계의 총칭.
방직-랑【紡織娘】명 [一낭]〖충〗여치. 「준방직기.
방직-물【紡織物】명 방직 기계로 짜낸 피륙의 총칭.
방직-업【紡織業】명 피륙을 짜내서 상품화(商品化)시키는 영업.
방진¹【方陣】명 ①사각형으로 친 진(陣). ②〖역〗정대업지무(定大業之舞)의 내무(內舞)가 원진(圓陣)으로부터 변하는 장면. 빨강은 남쪽에, 검정은 북쪽에 각기 어깨를 나란히 하여 한 줄로 벌여 서고, 파랑은 첫째가 빨강의 동쪽 끝 사람 뒤에서부터 차례로 서서 일곱째가 검정의 동쪽 끝 사람 옆에 닿고, 하양은 빨강의 서쪽 머리 사람의 옆에서부터 시작하여 차례로 일곱째가 검정의 머리 사람 앞에 서게 되어 방형을 이루고, 노랑은 곡진(曲陣)에서와 같음. ③〖수〗마방진(魔方陣).
방진²【防振】명 건조물에서, 진동이 전해짐을 막음. ¶ 방음 ~ 장치.
방진³【防塵】명 먼지가 들어오는 것을 막음. ¶ ~ 장치/~ 마스크.
방진-강【防振鋼】명 2장의 강판(鋼板) 사이에 플라스틱을 끼운 판. 방진·방음(防音)에 유효함.
방진 고무【防振一】명 진동(振動) 방지에 쓰는 고무로 만든 용수철. 사용되는 곳에 따라 여러 가지 모양으로 만들어지며, 운동 에너지를 잘 「흡수함.
방진-도【方陣圖】명 방진형(方陣形)을 그린 그림.
방진-형【方陣形】명 방진(方陣)을 친 대형(隊形). 「야.
방:짜 명 품질이 좋은 놋쇠를 부어 내서 다시 두드려 만든 그릇. ¶ ~ 대
방차¹【防遮】명 막아서 가리움. ¶ 철로변의 ~ 시설물. ——하다 타여불
방:차²【倣此】명 이것을 모떠서 함. ——하다 자여불
방차³【紡車】명 물레.
방:차⁴【榜次】명〖역〗방목(榜目)에 적힌 차례. 「경칭.
방찰【芳札】명 ①좋은 소식이 있는 편지. 반가운 편지. ②남의 편지의
방:참¹【放參】명〖불교〗선사(禪寺)에서, 주지승(住持僧)의 사고나 또는 임시 기도 등에 의하여 만참(晩參)을 그만두는 일. ——하다 자여불
방참²【傍參】명 옆에 참렬(參列)함. ——하다 자여불
방:참-종【放參鐘】명〖불교〗방참(放參)을 대중에게 알리기 위하여 치는 종.
방:참-패【放參牌】명〖불교〗방참(放參) 사실을 게시하는 패.
방창【方暢】명 바야흐로 화창함. ¶ 만화(萬化) ~. ——하다 형여불
방:채¹【放債】명 여유 있는 돈을 남에게 빚으로 줌. 돈놀이. ——하다
방:채²【訪採】명 찾아 모아 취함. ——하다 타여불 「자여불
방책¹【方策】명 방법과 꾀. ¶ 만전의 ~을 세우다.
방책²【防柵】명 방위하기 위하여 끝이 뾰족한 말뚝을 세워서 만든 울타
방:척【放擲】명 내던져 버림. 내던짐. ——하다 타여불 「리.
방척추 마취【傍脊椎痲醉】명〖의〗척추로부터 척수(脊髓) 신경이 나온 부분에 국소 마취제를 놓아서 마비를 일으키는 국소 마취 방법. *전달(傳達) 마취·경막외(硬膜外) 마취. 「——하다 자여불
방천【防川】명 ①둑을 쌓아서 냇물이 넘쳐 들어옴을 막음. ②〈방〉냇둑.
방천-극【方天戟】명 창(槍) 종류의 중국 무구(武具)의 하나.
방천-길【防川一】[一낄] 명 방천 위로 난 길. ¶ ~을 산책하다.
방천-숲【防川一】명 냇물이 범해 들어옴을 막기 위하여 만든 숲.
방첨-비【方尖碑】명 오벨리스크(obelisk).
방첨-주【方尖柱】명 오벨리스크(obelisk).
방첨-탑【方尖塔】명 오벨리스크(obelisk).
방첩【防諜】명 간첩을 방어함. 나라의 기밀이 외국으로 새어 나감을 방지하고 적국(敵國) 또는 가상(假想) 적국이 행하는 첩보·선전·모략에 대하여 국방의 안전을 확보하는 행위. ——하다 자여불
방첩-대【防諜隊】명 ↗육군 방첩 부대.
방첩 부대【防諜部隊】명〖군〗방첩(防諜)에 관한 일을 주요 임무로 하던 부대.

방청[1] 명 〈방〉 둑(경상).
방청[2] 【防錆】 명 방수(防銹).
방청[3] 【房廳】 명 안방과 대청(大廳).
방청[4] 【傍聽】 명 회의·연설·공판(公判)·공개 방송 실황 같은 것을 옆에서 들음. ——-하다 타여불
방청-객 【傍聽客】 명 방청하는 사람. 방청인. 방청자.
방청-권 【傍聽券】 [—꿘] 명 입장하여 방청함을 허락하는 표.
방청-석 【傍聽席】 명 방청하는 사람들이 앉는 자리.
방청 용:기 【房廳用器】 [—농—] 명 내실(內室)에 두고 쓰는 살림살이. 장롱·반닫이·함·문갑·경대·화로 따위. *재중 용기·주중 잡물.
방청-인 【傍聽人】 명 방청하는 사람. 방청객.
방청-자 【傍聽者】 명 방청인.
방청-제 【防錆劑】 명 방수제(防銹劑).
방초[1] 【—草】 명 〈심마니〉 산삼(山蔘).
방초[2] 【防草】 명 『건』 ①지붕 마루의 좌우 끝에 와구토(瓦口土)를 물리지 않고 내림새를 엎어 놓아 마무른 것. ②막새.
방초[3] 【芳草】 명 꽃다운 풀. 향기가 좋은 풀. 향초(香草). ¶ 녹음 ~.
방초-박이 【防草—】 명 『건』 수막새를 빠지지 않도록 박는 못.
방-초석 【方礎石】 명 『건』 사각형으로 된 주춧돌.
방촌 【方寸】 명 ①사방(四方)으로 한 치. 곧, 좁은 땅의 뜻. ¶ ~의 땅. ②[사람의 마음은 가슴 속의 한 치 사방 넓이 속에 깃들여 있다는 뜻에서] 마음. 흉중(胸中). ¶ 당장 민망하고 답답한 사정이 있어 ~이 더욱 산란하도다《作者未詳：恨月》.
방촌[2] 【坊村】 명 마을❷.
방촌[3] 【厖村】 명 『사람』 '황희(黃喜)'의 호(號).
방총 【芳叢】 명 꽃이 만발한 풀숲.
방추[1] 명 〈방〉 방망이.
방추[2] 【方錐】 명 ①네모진 송곳. ②↗방추형(方錐形).
방추[3] 【防秋】 명 [옛날 중국에서 북쪽 오랑캐가 항상 가을에 침입하였던 데서] 북적(北狄)의 침노를 방어함.
방추[4] 【防皺】 명 천이 구김이 가지 않도록 방지하는 일. ——-하다 타여불
방추[5] 【紡錘】 명 ①물레의 가락. ②북[1].
방추 가공 【防皺加工】 명 구김이 잘 가는 천에 수지(樹脂)를 먹여서 구김을 방지하는 가공. 모직물은 열(熱)처리, 마(麻)는 혼방(混紡)하기도 함.
방추-근 【紡錘根】 명 『식』 저장근(貯藏根)의 한 가지. 무와 같이 방추형으로 생긴 뿌리.

〈방추근〉

방추-사 【紡錘絲】 명 『생』 세포(細胞)가 유사 분열(有絲分裂)을 할 때, 방추체(紡錘體)의 내부(內部)에 형성된 섬유 구조.
방추상 성운 【紡錘狀星雲】 명 『천』 외관상 보이는 은하계외(銀河系外) 성운의 하나. 분류적으로 보통의 와상(渦狀) 성운에 불과함.
방추-차 【紡錘車】 명 『고고학』 가락바퀴.
방추-체 【紡錘體】 명 ①방추(紡錘) 모양을 한 입체(立體). ②『생』 세포가 유사 분열(有絲分裂)할 때 핵분열(核分裂) 전기(前期)의 마지막에 나타나는 분열 장치(裝置).
방추-충 【紡錘蟲】 명 『동』 푸줄리나(fusulina).
방추충 석회암 【紡錘蟲石灰岩】 명 방추충(紡錘蟲)의 화석(化石)을 포함하는 고생대(古生代)의 석회암.
방추-형[1] 【方錐形】 명 『수』 밑면이 정사각형인 각뿔. 바른네모뿔. 정사각추. ㈜방추(方錐).
방추-형[2] 【紡錘型】 명 물레의 가락 비슷한 모양. 곧, 원기둥꼴의 양끝이 뾰족한 모양. 유선형(流線型).
방축[1] 【防築】 명 →방죽[2].
방축[2] 【防縮】 명 줄어드는 것을 막음. 천이 줄어들지 아니하게 함. ——-하다 타여불
방:축[3] 【放畜】 명 방목(放牧). ——-하다 자타여불
방:축[4] 【放逐】 명 ①쫓아 냄. 추방(追放). ②『역』 ↗방축 향리(放逐鄕里). ——-하다 타여불
방축 가공 【防縮加工】 명 직물이 세탁 등으로 수축되는 것을 방지하기 위한 가공. 물리적·화학적 방법이 있음.
방축-도 【防築島】 명 『지』 전라 북도 서해상, 군산시(群山市) 미성읍(米星邑) 말도리(末島里)에 위치한 섬. 고군산 군도(古群山群島)에 속하며 수산업의 중심지를 이룸. [1.9 km^2]
방축-뚜룩 명 〈방〉 방죽[2](강원).
방:축 향리 【放逐鄕里】 [—니] 명 『역』 벼슬을 삭탈(削奪)하고 제 고향으로 내리 쫓음. 유배(流配)보다 한 등(等) 가벼운 형임. 방귀 전리(放歸田里). ㈜방축(放逐).
방춘 【芳春】 명 ①꽃이 한창 핀 봄. ¶ ~ 가절(佳節). ②아름다운 여자의 젊은 시절. 방기(芳紀).
방춘 화시 【方春和時】 명 바야흐로 봄이 한창 화창한 때.
방:출[1] 【放出】 명 ①한꺼번에 확 내놓음. ②쟁이어 두었던 물품을 일반에게 제공함. ¶ 정부미(政府米)를 ~하다. ③[emission] 『물』 전파 송신기(電波送信機)와 같이 에너지 전자기파(電磁氣波)의 꼴로 방사하는 일. ——-하다 타여불
방:출[2] 【放黜】 명 물리쳐 내쫓음. ——-하다 타여불
방:출 궁인 【放出宮人】 명 『역』 궁인(宮人)으로 있다가 궁 밖으로 나와 살게 된 여자. 궁인은 대개 늙도록 궁을 못 떠나는 법이었으나, 예외로 궁에서 나와 살게 된 여자라도 임금과의 상관(相關) 여부에 관계 없이 남과는 정교(情交)하지 못하며 만약 범하면 문죄(問罪)되었음.
방:출-미 【放出米】 명 방출하는 쌀. ¶ 정부 ~.
방:출 성운 【放出星雲】 명 [emission nebula] 『천』 오리온자리의 대성운(大星雲)과 같이, 내부 또는 근처에 고온(高溫)의 별이 있어 그 복사(輻射)를 받아 빛을 내는 성운. 발광 성운. *반사(反射) 성운.
방:출 스펙트럼 【放出—】 명 [emission spectrum] 『물』 물질 중의 전자(電子)가 높은 에너지 준위(準位)로부터 전자기파(電磁氣波)의 형태로 에너지를 방출하여 낮은 에너지 준위(準位)로 전이(轉移)할 때에 방출되는 전자기파(電磁氣波)의 스펙트럼. 발광(發光) 스펙트럼.
방춧-돌 명 〈방〉 다듬잇돌.
방충 【防蟲】 명 해충(害蟲)이 침노하지 못하도록 막음. ——-하다 타여불
방충 가공 【防蟲加工】 명 충해(蟲害)를 방제(防除)할 목적으로 주로 양모 제품(羊毛製品)에 베푸는 가공. 흔히 염색할 때에 방충제를 흡수시킴.
방충-망 【防蟲網】 명 파리·모기 등의 해충이 날아들지 못하게 창문 같은 곳에 치는 망.
방충-복 【防蟲服】 명 해충의 침입을 막기 위하여 덧입는 옷.
방충-제 【防蟲劑】 명 해충(害蟲)을 방지하는 약제. 장뇌(樟腦)·나프탈렌·파라디클로로벤젠 등.
방취 【防臭】 명 못된 냄새가 풍기지 못하게 막음. ——-하다 타여불
방취-제 【防臭劑】 명 나쁜 냄새를 방지하는 데 쓰이는 약제(藥劑). 목탄이나 석탄처럼 냄새를 흡수하는 것과 석탄산(石炭酸)·장뇌유(樟腦油)·방향유(芳香油)처럼 강한 향기로써 냄새를 억제하는 것의 두 가지가 있음.
방치[1] 명 ←방추(方錐).
방:치[2] 【放置】 명 내버려 둠. ¶ 노상에 ~하다. ——-하다 타여불
방치-질 명 〈방〉 다듬이질. ——-하다 타
방치-찜질 명 〈방〉 방망이 찜질.
방칙 【方則】 명 규칙(規則).
방친 【傍親】 명 방계(傍系)의 겨레붙이.
방-친영 【房親迎】 명 나이가 어린 신랑 신부가 삼일(三日)을 치를 때 신부가 신방(新房)에 들어가서 얼마 동안 가만히 앉아 있다가 도로 나오는 일. ——-하다 자여불
방:칠-유 【倣漆釉】 [—류] 명 『공』 청조(淸朝)의 건륭요(乾隆窯)에서 만든 도자기(陶瓷器). 칠기(漆器)를 모떠 만든 그릇.
방침[1] 【方枕】 명 네모난 베개.
방침[2] 【方針】 명 ①앞으로 일을 치러 나갈 방향과 계획. ¶ ~을 정하다. ②방위(方位)를 가리키는 자석(磁石)의 바늘. 자침(磁針).
방칫-돌 명 〈방〉 다듬잇돌.
방카 섬 [Bangka] 명 『지』 인도네시아 수마트라의 동쪽에 있는 부속도(附屬島)로서 한 주(州)를 이룸. 세계적인 주석의 산지로 인도네시아의 주석광의 60%를 생산함. [11,937 km^2 : 400,000 명]
방코 [스 banco] 명 걸상. 의자.
방콕 [Bangkok] 명 『지』 타이 왕국의 수도. 차오프라야 강 하류에 위치하고, 불교 사원이 많음. 타이 무역액(貿易額)의 90%는 이곳을 통해 거래됨. 쌀·티크재(teak材)·주석 등의 수출항이며, 기계·차량·정유(精油)·제재·정미(精米) 따위의 공업이 행하여지는데, 상권(商權)은 대부분 화교(華僑)의 수중에 들어 있음. 공식 명칭은 '천사의 도시'라는 뜻의 크룽 테프(Krung Thep). 반곡(盤谷). [5,570,000 명(1995 추계)]
방콕 왕조 【—王朝】 [Bangkok] 명 『역』 타이의 현(現) 왕조. 1782 년에 무장(武將) 차오프라야 차크리가 방콕을 수도로 왕조를 창건함. 19 세기 후반 이후 근대 국가 건설을 목표로 독립을 지켜오다가 1932 년에 무혈(無血) 쿠데타가 일어나 입헌 군주제를 시행, 오늘에 이르고 있음. 정식으로는 크룽 테프 왕조. 차크리(Chakri) 왕조.
방쿠 명 〈방〉 바위(경상·황해).
방퀴 명 〈방〉 바위(황해·평안).
방크스-소나무 [banks] 명 『식』 [*Pinus banksiana*] 소나뭇과에 속하는 상록 침엽 교목. 잎은 두 잎씩 함께 붙어 있으며 꽃은 자웅 일가(雌雄一家)로, 수꽃이삭은 긴 타원형에 황갈색이고, 암꽃이삭은 달걀꼴로 5월에 핌. 과실은 구과(毬果), 과린(果鱗)은 갈라지지 아니하며 다음해 10월에 익음. 비옥한 땅에 나는데, 북미 원산(原産)으로 한국 각지에도 분포함. 정원수·신탄재 등으로 씀.
방:타[1] 【放惰】 명 방심하여 게을러짐. ——-하다 자여불
방타[2] 【滂沱】 명 ①비가 세차게 쏟아짐. ②눈물이 끊임없이 흘러내림. ——-하다 자여불
방탄[1] 【防彈】 명 탄알을 막음. 탄알이 맞지 아니하도록 몸을 보호함. ¶~유리. ——-하다 자여불
방:탄[2] 【放誕】 명 터없이 허튼 소리만 함. 분수없이 허튼 소리만 하여 허황함. ——-하다 자형여불
방탄-구 【防彈具】 명 방탄을 목적으로 하는 장치나 도구.
방탄-벽 【防彈壁】 명 차탄벽(遮彈壁).
방탄-복 【防彈服】 명 총탄을 막기 위하여 입는 옷. 방탄의(衣).
방탄 유리 【防彈琉璃】 [—뉴—] 명 두 장 이상의 유리를 특수한 접합제(接合劑)로 밀착시켜 총탄에도 깨지지 않도록 한 강화(強化) 유리. 전차(戰車)의 전망창(展望窓) 같은 데 씀.
방탄-의 【防彈衣】 [—/—이] 명 방탄복.
방탄 조끼 【防彈—】 명 권총 등으로 사격을 받은 경우에 흉복부(胸腹部)를 보호하기 위하여 입는 특수 강제(特殊鋼製) 또는 강화(強化) 플라스틱제의 조끼.
방탄-차 【防彈車】 명 방탄 장치를 한 승용 자동차.
방탑 【方塔】 명 모가 진 탑.
방:탕 【放蕩】 명 술과 계집에 빠져 난봉을 부림. ¶ ~한 생활. ——-하다 형여불. ——-히 부
방:탕-아 【放蕩兒】 명 방탕한 생활을 하는 남자. 탕아.
방토[1] 【方土】 명 어느 한 지방(地方)의 땅.
방토[2] 【邦土】 명 국토(國土)❶.
방토[3] 【防土】 명 흙이 무너져 내리는 것을 방지(防止)하기 위하여 만들어 놓은 시설.
방:통[1] 【放通】 명 '방송 통신'의 준말.

방통[2]【旁通】명 조리가 자세하여 분명하게 앎. ――-하다 타여불

방통-대【放通大】명 ↗방송 통신 대학.

방퉁이 명 작은 화살. 내기로 쏘거나 새를 잡는 데 씀.

방퉁이 명 〈비〉 바보.

방틀【方―】명〖농〗①모낼 때 못줄 대신으로 쓰이는 나무 틀. 한 사람이나 두 사람이 연방 넘겨 가며 눈금에 모를 심음. ②통나무나 각재(角材)를 같은 길이로 잘라서 '井'자 모양으로 귀를 맞추어 둘러 짠 틀. ¶ 우물에 ～을 만들다.

방틀-굿【方―】명〖광〗땅 속으로 곧게 내려간 광구덩이를 '井'자 모양으로 만든 굿.

방틀-집【方―】명 〈방〉 귀틀집.

방파-제【防波堤】명 바다의 센 물결을 막아서 항내(港內)의 정온(靜穩)을 보전하기 위하여 항만에 쌓은 둑. ＊방조제(防潮堤).

방-판[1]【―瓣】명〖생〗방실판(房室瓣).

방판[2]【方板】명 네모가 번듯한 널.

방판[3]【坊板】명 방각판(坊刻版).

방판[4]【幇判】명〖역〗조선 시대말 기기국(機器局)·전환국(典圜局)과 인천·부산·원산 세 항구의 감리서(監理署)의 한 벼슬.

방패[1]【方牌】명〖역〗요패(腰牌)의 한 가지. 관례(官隷)의 허리에 차는 네모지게 나무로 만든 패. 예속(隷屬)된 관아(官衙)의 이름과 성명을 기록하고 한성부(漢城府)의 낙인(烙印)을 찍음.

방패[2]【防牌·旁牌】명 ①〖역〗전쟁 때 적의 칼·창(槍)·화살 등을 막는 무기. 원방패(圓防牌)와 장방패(長防牌)가 있음. 간(干). ②무슨 일을 할 때에 앞장을 세울 만한 사람. ¶ 청년은 나라의 ～.

방패간-부【防牌干部】명 한자 부수(部首)의 하나. '平'이나 '年'·'幸' 등의 '干'의 이름.

방패-막이【防牌―】명 닥쳐오는 일이나 말썽거리에 대하여 이리저리 피를 부려서 막아내는 일. ――-하다 타여불

방패-벌레【防牌―】명〖충〗①방패벌렛과에 속하는 곤충의 총칭. 냉이벌레. ②[*Tingis ampliata*] 방패벌렛과에 속하는 곤충의 하나. 몸의 길이 4.5mm 가량이고 몸빛은 엷은 황갈색이며 두정(頭頂)에 두 쌍의 가시가 있음. 전흉배(前胸背)에는 세 개의 종융기(縱隆起)가 있고, 시초(翅鞘) 날개는 일률적인 그물코 모양의 무늬가 있음. 전체가 장방패(長防牌) 모양을 이룸. 식물(植物)의 줄기·잎의 즙액(汁液)을 빨아 먹음. 한국·일본 등지에 분포함. 냉이벌레. ＊배방패벌레.

〈방패벌레❷〉

방패벌렛-과【防牌―科】명〖충〗[Tingitidae] 매미목에 속하는 한 과. 몸은 미소(微小) 또는 소형(小形)이며, 촉각(觸角)과 구문(口吻)은 4절이고 두부(頭部)는 전흉 배판(前胸背板)보다 짧거나 또는 같으며, 복안(複眼)은 발달하였고 단안(單眼)은 없음. 대부분이 초식성(草食性)으로 재배(栽培) 식물의 해충임. 전세계에 800여 종이 분포함. 방패벌레·배방패벌레 등이 이에 속함.

방패 비늘【防牌―】명〖어〗어류의 비늘의 한 가지. 단단하고 작은 방패 모양을 하고 있으며, 상어의 비늘 따위가 이에 속함. 순린(楯鱗).

방패-선【防牌船】명〖역〗조선 시대에 쓰던 전선(戰船)의 한 가지. 임진 왜란 전부터 쓰던 소형 전투선으로, 포수(砲手)들을 위한 방패만을 세운 병선(兵船) 비슷한 것으로 추측됨.

방패-연【防牌鳶】명 연의 한 가지. 네모 반듯한 종이를 한 귀퉁이를 접어서 대가리 쪽이 되게 하고 '干'자 모양의 달을 붙이고 꽁지를 달고 구멍은 없이 하여, 세로 두 줄의 벌이줄과 가로활 벌이줄을 잡았음. [방패연의 갈개발 같다] 갈개발은 연의 꼬리에 붙은 긴 종이를 말하는 것으로, 무엇이든지 특별히 긴 것을 일컫는 말.

방패-엽【防牌葉】명〖식〗방패 모양의 잎. 순상엽(楯狀葉). 방패잎.

방패-잎【防牌―】명〖식〗방패엽.

방패-자리【防牌―】명 〔라 Scutum〕〖천〗독수리자리의 남서쪽에 있는 별자리. 8월 하순경 저녁에 남중(南中)함. 은하의 아름다운 부분을 차지함.

방패-춤【防牌―】명 방패를 들고 추는 춤. 간무(干舞).

방패-팔기【防牌―】명〖경〗증권 거래에서, 사는 측이 시세를 올리려고 대량의 매수 주문을 하는 데 대항하여, 시세 상승을 방지하기 위하여 파는 일.

방편【方便】명 ①목적을 위하여 이용되는 일시적인 수단. ¶ 출세의 ～. ②〔범 upāya〕〖불교〗보살(菩薩)이 근기(根機)가 얕은 중생(衆生)을 구제(救濟)하기 위하여 쓰는 편의적(便宜的)인 수단. 또, 진실한 교법(敎法)에 끌어 넣기 위하여 가설(假設)한 법문(法門).

방편-도【方便道】명〖불교〗가행도(加行道)❶.

방편-물【方便物】명 방편으로 쓰는 물건.

방폐[1]【防弊】명 폐단을 막음. ――-하다 자타여불

방폐[2]【房嬖】명 감사(監司)나 수령(守令) 들의 사랑을 받는 기생.

방-포[1]【方苞】명〖사람〗중국 청(淸)나라의 학자·정치가. 자는 영고(靈皐), 호는 망계(望溪). 안후이(安徽) 통청(桐城)사람. 강희(康熙)·옹정(雍正)·건륭(乾隆)의 3조(朝)에 역사(歷仕), 학자로서 명성이 높았음. 저서(著書)에 《예기 절의(禮記折疑)》·《상례 혹문(喪禮或問)》 등이 있음. [1668-1749]

방포[2]【方袍】명〖불교〗'가사(袈裟)'를 네모졌기 때문에 일컫는 말.

방:포[3]【放砲】명 ①〖역〗군중(軍中)의 호령으로 총을 놓아 소리를 냄. ②공포(空砲). ――-하다 자여불

방:포-성【放砲聲】명 방포하는 소리.

방폭 암분【防爆岩粉】명〖광〗탄갱내(炭坑內)의 탄진(炭塵)에 의한 인화·폭발의 위험을 방지하기 위하여 살포(撒布)하는 암분.

방풍[1]【防風】명 바람을 막아 냄. ――-하다 자여불 ¶ ～림(林).

방풍[2]【防風】명 ①〖식〗방풍나물. ②〖한의〗방풍나물의 묵은 뿌리.

방풍-나물【防風―】명〖식〗[*Siler divaricatum*] 미나릿과에 속하는 다년초(多年草). 줄기는 곧게 서며, 많은 가지로 갈라지고 높이 20-80cm. 잎은 삼회(三回) 우상 분열(羽狀分裂)하며 열편(裂片)은 피침상 설형(楔形)임. 7-8월에 백색 오판화(五瓣花)가 복산형(複繖形) 화서로 가지 끝에 다수 정생(頂生)하고, 과실은 넓은 타원형임. 중국 원산(原産)으로, 야생 또는 재배하는데, 경북·평북·함북도에 분포함. 한방(漢方)에서 황백색의 말린 뿌리를 '방풍'이라 하여 약재로 씀. 병풍나물. 방풍(防風)

〈방풍나물〉

방풍-림【防風林】[―님] 명 풍해(風害)를 방지하기 위하여 가꾸어 놓은 숲. 바람막이숲.

방풍-원【防風垣】명 바람을 막기 위하여 만든 울타리. 방풍장.

방풍-장【防風牆】명 방풍원(防風垣).

방풍-재【防風材】명 방풍을 위한 재료.

방풍-죽【防風粥】명 방풍나물의 어린 싹을 썰어서 입쌀과 섞어서 쑨 죽.

방풍 중방【防風中枋】명〖건〗바람을 막기 위하여 머름처럼 기둥 아래에 낀 중방.

방풍-창【防風窓】명 바람을 막기 위하여 단 창문.

방풍-채【防風菜】명 방풍나물의 싹을 잘라서 데친 다음 소금과 기름에 무친 나물.

방풍 통성산【防風通聖散】명〖한의〗몸에 열이 너무 많아서 부스럼이 나고 얼굴이 붉어지며 똥과 오줌의 배설이 잘 안 되는 병에 쓰는 약.

방풍-판【防風板】명〖건〗바람을 막기 위하여 박공벽(牔栱壁)에 붙인 널빤지.

방:하【放下】명〖불교〗선종(禪宗)에서, 정신적·육체적인 일체(一切)의 집착을 버리고 해탈(解脫)하는 일. 또, 집착을 일으키는 제연(諸緣)을 방기(放棄)하는 일.

방:-하다[1]【放―】타여불 ①↗방매하다. ¶ 시세대로 사천원에 방하여 경환을 부치고 즉 그시에 정거장에 나와 남행열차를 타고…《作者未詳: 金의 錚聲》. ②죄인을 놓아주다.

방:-하다[2]【倣―】타여불 그림·글씨·조각 따위를 모방하여 그것과 같게 하다.

방학【放學】명〖교〗학교에서 학기(學期)가 끝난 뒤 혹은 더위와 추위를 피하여 수업을 일정한 기일 동안 중지하는 일. ――-하다 자여불

방한[1]【防寒】명 추위를 막음. 어한(禦寒). ¶ ～복/～ 준비. ＊바람막이. ――-하다 자여불

방한[2]【防閑】명 ①하지 못하게 막는 범위. ②화(禍) 따위를 막음.

방한[3]【芳翰】명 타인의 서한(書翰)의 경칭. 귀함(貴函). 귀한(貴翰). 혜한(惠翰).

방:한[4]【訪韓】명 한국을 방문함. ¶ ～ 일정(日程). ――-하다 자여불

방한-구【防寒具】명 추위를 막는 온갖 제구.

방한-력【防寒力】[―녁] 명 추위를 막아내는 힘.

방한-모【防寒帽】명 추위를 막기 위한 모자.

방한-벽【防寒壁】명〖건〗추위를 막기 위하여 만든 벽.

방한-복【防寒服】명 추위를 막기 위하여 체온(體溫)을 잘 보존하는 감을 써서 만든 옷. 곧, 외투나 솜을 많이 넣은 옷 따위.

방한-화【防寒靴】명 추위를 막기 위하여 신는 신.

방함【芳啣】명 방명(芳名). ¶ ～록(錄).

방함-록【芳啣錄】[―녹] 명 ①〖불교〗안거(安居)할 때에 안거객(安居客)들의 직명(職名)·성명·법명(法名)·나이·본적·사명(寺名) 등을 적어 두는 기록. ②방명록(芳名錄).

방합【蚌蛤】명〖조개〗[*Margaritifera margaritifera*] 방합과에 속하는 민물조개. 패각(貝殼)의 길이 10cm 가량이며 각표(殼表)는 흑색에 갈색 무늬가 있고 긴 타원형이며 두껍고 매우 단단함. 안쪽은 청백색에 자색을 띤 것이 많고 진주(眞珠) 광택이 나며 아름다움. 맑은 냇물의 진흙 바닥이나 모래땅에 삶. 유럽 북부에서부터 시베리아·중국·한국·홋카이도·북미(北美) 등에 분포함. 껍질이 날카로워 옛날에는 칼로 썼으며 여러 가지 공예(工藝) 재료로 쓰임.

〈방합〉

방합-과【蚌蛤科】명〖조개〗진정 판새류(眞正瓣鰓類)에 속하는 한 과.

방합-례【房合禮】[―녜] 명 구식 혼인에서, 초례를 끝마친 다음 신방에서 신랑과 신부가 간단히 만나 인사함. 또, 그 예식. ¶ 신방인 건넌방에 먼저 신랑을 들여앉히고 다음에 신부를 데리고 와서 방합례를 시키었다《洪命憙: 林巨正》. ――-하다 자여불

방해[1]【妨害】명 남의 일에 헤살을 놓아 못하게 함. ¶ 영업 ～/안면(安眠) ～. ――-하다 타여불

방해(를) 놀다 구 방해를 하다.

방해[2] 명〖동〗①게[2]❶. ②방게.

방해-꾼【妨害―】명 방해하는 사람을 하대(下待)하는 말.

방해-물【妨害物】명 방해가 되는 물건.

방해 배:제 청구권【妨害排除請求權】[―꿘] 명〖법〗물상(物上) 청구권의 하나. 물권 내용의 완전한 실현(實現)이 점유(占有) 이외의 방법으로 방해되어 있을 때 그 방해를 배제하도록 청구하는 권리. 가령 제집의 마당에 옆집의 소나무가 쓰러졌을 경우에 옆집 사람에게 그 소나무를 치우라고 청구하는 것이 이 예임. 방해 제거 청구권.

방해-석【方解石】명 〔calcite〕〖광〗광맥이나 석회석의 틈에서 천연적으로 나는 탄산 칼슘(calcium)의 결정. 탄산 칼슘의 수용액(水溶液)이 가라앉아 된 것으로 육방 정계에 속하며, 능면체(菱面體) 또는 편삼각(偏三角) 십이면체(十二面體)의 형상으로 결정되어 있음. 순수한 것은 무색 투명하여 유리 광택을 내지만 불순물에 의하여 적색·녹색·자색·청색 등도 있고 불투명한 것도 있음. 광선(光線)을 복굴절(複

屈折)시키는 성질이 매우 높아서 '니콜의 프리즘'과 같은 편광기(偏光器)를 만들 수 있음. *빙주석(氷洲石).

방해 예:방 청구권【妨害豫防請求權】[-꿘] 명 〖법〗물상(物上) 청구권의 하나. 물권 내용의 완전한 실현이 현재 방해되고 있는 것은 아니나 방해될 우려가 있을 경우에 방해가 생기지 않도록 예방 조치를 강구하기를 청구하는 권리. 가령 옆집 담이 금이 가 계짓으로 무너질 우려가 있을 때 무너지지 않도록 예방 공사를 하라고 옆집에 청구하는 것이 이 예임. 「권.

방해 제거 청구권【妨害除去請求權】[-꿘] 명 〖법〗방해 배제 청구

방해-죄【妨害罪】[-쬐] 명 〖법〗 권리자(權利者)의 행위나 수익(受益)을 방해함으로써 성립하는 죄. 공무 집행 방해죄·수리(水利) 방해죄·업무 방해죄 등. 「자여불

방행¹【方行】명 ①널리 미침. ②마음대로 행동함. 횡행(橫行). ——-하다

방:행²【放行】명 ①〖불교〗 선종(禪宗)에서, 수행자(修行者)를 교도하는 방법. 수행자를 속박하지 않고 자유롭게 놓아 둠. ②자유로이 보냄. 통행을 허가함. ——-하다 타여불

방향¹【方向】명 ①향하는 쪽. 방위(方位). ¶ 반대 ~. ②뜻이 향하는 곳. 의향(意向). ¶ 장래의 ~.

방향²【方響】명 〖악〗 당악기(唐樂器)에 속하는 타악기의 하나. 상하 2단으로 된 가자(架子)에 직사각형의 강철판(鋼鐵板)을 각각 여덟 개씩 벌여 놓고, 두 개의 채로 쳐서 소리를 냄. 철향(鐵響). 주의 방경(方磬)으로 쓰은 잘못.

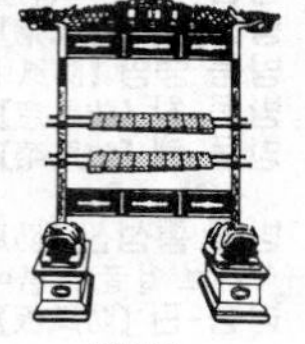
〈방향²〉

방향³【芳香】명 꽃다운 향내. 좋은 냄새. 훈향(薰香). 방훈(芳薰).

방향-각【方向角】명 〔direction angles〕〖수〗①평면각이나 이면각(二面角)의 한 변 또는 한 면을 기준으로 하여 이에 대한 다른 한 변과 면의 방향차(差)를 나타내는 양. ②직선처럼 일정한 방향을 갖는 도형이 일정한 기준 방향에 대하여 이루는 각. 편각(偏角). ③평면상의 점의 위치를 나타내는 극좌표(極座標)의 하나.

방향 감:각【方向感覺】명 방향을 알아차리는 능력. ¶ ~을 상실하다.

방향 경제【方向經濟】명 〖경〗 계획(計劃) 경제의 한 가지. 경제가 무질서하여 인플레이션(inflation)이 발생할 우려가 많고 기업 경영(企業經營)이 불건전할 때, 국가가 일정한 방향을 지시하여 경제 재건(再建)에 노력하려고 하는 일.

방향 계:수【方向係數】명 〔direction coefficient〕〖수〗평면 해석 기하학(平面解析幾何學)에서, 직선의 방향을 나타내는 계수(係數).

방향 계:전기【方向繼電器】명 〔directional relay〕〖전〗 전력·전압·전류·회전 따위의 방향에 따라서 작동하는 계전기.

방향-부【方向符】명 방향표(方向標). 「(量).

방향-비【方向比】명 〔direction ratio〕〖수〗방향 코사인에 비례하는 양

방향-산【芳香散】명 〖한의〗 계피·소두구·생강 등의 향내가 나는 약재의 가루를 섞어서 만든 약. 건위제·구풍제(驅風劑) 또는 가루약의 맛을 내는 데 씀.

방향-성【芳香性】[-썽] 명 향내를 내는 성질. ¶ ~ 물질.

방향속 화:합물【芳香屬化合物】명 〖화〗 방향족 화합물.

방향-수【芳香水】명 방향유를 섞은 수용액. 물약의 맛과 향내를 내는

방향 여현【方向餘弦】명 〖수〗'방향 코사인'의 구용어. 「데 씀.

방향-유【芳香油】[-뉴] 명 〖화〗 식물의 잎·줄기·과실·꽃·뿌리 등에서 채취(採取)한 향기 있는 휘발성 기름의 총칭. 향료로 쓰이며, 또 인조향료(人造香料)의 원료가 됨. 물에는 녹지 않으며 알코올과 에테르에는 녹음. 정유(精油).

방향 전:환【方向轉換】명 ①방향을 바꿈. ②방침(方針)과 주의(主義)를 변경함. 전향(轉向). ——-하다 자여불 「약.

방향-제【芳香劑】명 주로 기분을 상쾌하게 하기 위하여 복용(服用)하는

방향족 니트로 화:합물【芳香族—化合物】명 〔nitroaromatic〕〖화〗 니트로 벤젠($C_6H_5NO_2$) 또는 니트로 벤조산($NO_2C_6H_4COOH$)처럼 니트로화된 벤젠 또는 벤젠 유도체.

방향족 탄:화 수소【芳香族炭化水素】명 〖화〗 방향족 화합물이 모체가 되는, 벤젠핵(核)을 가지는 탄화 수소. 벤젠·나프탈렌·안트라센 따위. *지방족(脂肪族) 탄화 수소.

방향족 화합물【芳香族化合物】명 〖화〗 탄소(炭素) 고리 화합물 중 벤젠핵(benzene核)을 가지는 화합물의 총칭. 벤젠 따위의 방향족 탄화 수소와 그 유도체(誘導體)를 포함하는 유기(有機) 화합물의 한 군(群). 명명(命名) 당시 발견된 화합물이 일반적으로 방향을 가지고 있었기 때문에 이름이 있음. 방향속(屬) 화합물.

방향 지시기【方向指示器】명 자동차의 차체의 좌우에 달려 있으며, 진행 방향의 변경을 알리는 장치.

방향 코사인【方向—】명 〔direction cosine〕〖수〗입체 해석 기하학에서 직선의 방향을 나타내는 양(量). 직선이 각 좌표축(座標軸)과 이루는 각(角)의 코사인으로 표시함. 구용어:방향 여현(方向餘弦).

방향-키【方向—】명 〔rudder〕 비행기의 방향을 조정하기 위하여 꼬리 날개의 위에 세운 수직의 키. 방향타. 키. *수직(垂直) 꼬리날개·수직 안정판(安定板)·승강키.

방향-타【方向舵】명 방향키.

방향 탐지기【方向探知器】명 〔direction finder〕〖물〗 무선 전신(無線電信) 및 무선 전화에 있어서 수신(受信)된 전파의 발신지(發信地)를 측정하는 장치. 보통 지향성(指向性)이 센 수신 안테나와 고감도(高感度)의 무선 수신기로 되어 있으며 비행기나 함선에 설비하여 자기나 목표물의 위치를 아는 데 이용(利用)됨. 방위 측정기(方位測定器). 약칭:디에프(D.F.).

방향-틀【方向—】명 〔aiming circle〕〖군〗 수평 및 수직각을 측정하는 기구. 자북(磁北) 방위각을 결정 또는 읽을 수 있는 자침(磁針)을 가지고 있음. 포병 또는 기관총 사격에 관련된 측지(測地) 또는 이와 동등 「한 작업에 사용됨.

방향-표【方向標】명 화살표. 방향부(方向符).

방헌【邦憲】명 국법(國法).

방험-병【防險餠】명 밤·대추·호두·곶감 등을 짓찧어서 두껍게 조각을 지어 볕에 말린 음식. 피난 때나 구황(救荒)에 씀.

방-현령【房玄齡】[-혈-] 명 〖사람〗 중국 당나라의 창업 공신. 산둥성(山東省) 사람. 이세민(李世民)을 도와 수말(隋末)의 대란(大亂)을 평정, 세민이 즉위하자, 문하성사(門下省事)가 되어 율령 국가(律令國家)의 건설을 이룩함. 그 지위(地位)에 의해서 《진서(晉書)》의 명목상 편찬자가 되어 있음. [578-648]

방형¹【方形】명 네모진 형상.

방형²【邦刑】명 나라의 형률(刑律).

방형-분【方形墳】명 〖고고학〗 네모무덤.

방형-전【方形塼】명 〖건〗 사각형의 전. 삼국 시대에 썼으며, 표면에는 산경(山景)·봉황(鳳凰)·보상화(寶相華) 등의 무늬가 새겨져 있음.

방호¹【方壺】명 〖민〗 방장²(方丈).

방호²【防護】명 ①막아 지켜서 호위함. ②사람이 방사선에 쬐는 것을 줄이기 위한 예방 수단. 외부 방사를 줄이기 위한 방호벽이나 방사성 물질의 흡입(吸入)을 막기 위한 마스크 따위. ——-하다 타여불

방호-벽【防護壁】명 〔bulkhead〕 가스·물·불·방사선 따위를 막기 위한 바위·진흙·콘크리트 등으로 만든 칸막이.

방호-원【防護員】명 방호직(防護職) 기능 공무원. 6급·7급·8급·9급·10급의 다섯 등급이 있음.

방호 의복【防護衣服】명 방사선 종사자들이 몸이나 의복이 오염되는 것을 막기 위하여 덧입는 특수 의복.

방혼【芳魂】명 ①꽃의 정령(精靈). 전(轉)하여, 아름다운 여자의 죽은 영혼. ②영혼을 아름답게 일컫는 말.

방화¹【防火】명 ①불이 나지 아니하도록 미리 단속함. ¶ ~ 주간. ②불이 났을 때 불이 번지는 것을 막음. ¶ ~벽(壁). ——-하다 자여불

방화²【邦貨】명 우리 나라의 화폐.

방:화³【放火】명 ①일부러 불을 지름. 종화(縱火). ¶ ~죄. ↔실화(失火). ②화희(火戲). ③〖민〗 섣달 그믐날 밤이나 설날 아침 또는 사양(邪禳)할 때에 화전(火箭)이나 화포(火砲)를 놓음. ——-하다 자여불

방화⁴【邦畫】명 국산 영화. ↔외화(外畫).

방화⁵【芳花】명 향기 좋은 꽃. 방화(芳華).

방화⁶【芳華】명 ①꽃답고 빛남. ②방화(芳花).

방:화⁷【訪花】명 꽃을 찾아 구경함. 꽃구경. ——-하다 자여불

방:화⁸【榜花】명 〖역〗 과거(科擧)에 급제한 사람 중에 나이가 가장 젊고 지체가 가장 높은 사람. 「하도록 하는 가공.

방화 가공【防火加工】명 종이·직물(織物)·목재(木材) 따위를 타지 아니

방:화-광【放火狂】명 변태적 심리로 불을 놓는 못된 버릇이 있는 사람.

방화 구조【防火構造】명 〔fire-proof structure〕〖건〗 목조(木造) 건축에서, 외벽·추녀·천장 등을 모르타르나 회반죽을 바르거나 방화 도료로 마무리하여 소실·연소(延燒)를 방지할 수 있도록 시공한 구조.

방화 구획【防火區劃】명 한 동(棟)의 건물을 몇 개의 부분으로 나누고, 각 부분을 방화적(防火的)으로 절연(絕緣)할 수 있도록 방화용의 계벽(界壁)을 설치하는 일.

방화-대【防火帶】명 방화선(防火線).

방:화-도【放火島】명 〖지〗 경상 남도의 남해상(南海上), 거제군(巨濟郡) 둔덕면(屯德面) 술적리(述赤里)에 있는 섬. [0.037 km²: 2명(1984)]

방화 도료【防火塗料】명 가연물(可燃物)에 발라서 착화(着火)·연소를 방지하거나 지연시키기 위한 도료. 수성(水性) 방화 도료, 용제 용성(溶劑溶性)의 발포성(發泡性) 방화 도료 등이 있음. 내화(耐火) 도료.

방화-림【防火林】명 삼림의 연변(緣邊)에, 상록 활엽수·낙엽 활엽수 등 화재(火災)에 강한 수목을 심어서 화재의 연소(延燒)를 막는 숲.

방화 목재【防火木材】명 〖건〗 내화(耐火) 목재.

방:화-범【放火犯】명 방화죄(放火罪)를 저지른 사람.

방화-벽【防火壁】명 ①화재의 연소(延燒)를 방지하기 위하여, 건물과 건물의 경계나 건물의 내부에 설치한 내화 구조(耐火構造)의 장벽(障壁). 곧, 철근 콘크리트나 벽돌로 만든 벽. ②컴퓨터 통신망의 보안 시스템.

방화-사【防火砂】명 화재 때 쓸 수 있게 마련한 모래.

방화-선【防火線】명 화재의 연소(延燒)를 막기 위한 어느 정도의 넓이를 가진 지대(地帶). 방화대(防火帶).

방:화-쇠【放火—】명 〖군〗 방아쇠❷.

방화-수¹【防火水】명 화재 때 쓸 수 있게 마련한 물.

방화-수²【防火樹】명 가옥이나 삼림의 가에 띠 모양으로 심는 방화 효력이 많은 나무. 소나무·측백나무 등의 상록 침엽수를 심음.

방:화 수류정【訪花隨柳亭】명 〖지〗 경기도 수원(水原)에 있는 정자. 조선 정조(正祖) 18년(1794)에 세운 것으로 건물의 아름다움과 조각의 섬세함은 근세 한국 건축 예술의 대표적인 것으로 꼽힘.

방화-용【防火用】명 방화에 소용됨. 방화에 쓰임. ¶ ~수(水).

방:화-자【放火者】명 불을 지른 사람.

방화-전¹【防火栓】명 소화전(消火栓).

방화-전²【房火錢】명 옛날에, 주막(酒幕)의 숙식료(宿食料).

방화-제【防火劑】명 〖화〗 불연소성(不燃燒性) 또는 흡습성(吸濕性)이 있는 약제. 붕산(硼酸) 나트륨·붕산·탄산(炭酸) 마그네슘 등.

방:화-죄【放火罪】[-쬐] 명 〖법〗 불을 놓아서 건조물이나 기타의 물건을 태워 공공의 위험을 야기시킴으로써 성립되는 죄.

방화 주간【防火週間】명 방화 관념을 일반에게 고취시키고 방화 시설

과 훈련의 완비를 특히 강조하기 위하여 설정한 주간. 불조심 주간.

방화 지역【防火地域】명 도시의 집단적 방화 계획상 고도의 방화 규제를 받는 구역. 이 지역 안의 건축물은 주요 구조부·외벽·지붕 등 연소(延燒)의 우려가 있는 부분을 내화성(耐火性)으로 하여야 함.

방화-포【防火布】명 불연소성(不燃燒性) 섬유로 만들거나 또는 방화제를 바르거나 한 천.

방환[1]【方環】명 네모지게 만든 고리.

방환[2]【坊還】명〖역〗방(坊)에서 베푸는 환곡(還穀).

방환[3]【芳環】명〖건〗박공(膊栱)널에 박은 못대가리를 감추는 쇠.

방:환[4]【放還】명〖역〗정배(定配)의 죄인을 놓아 제 집으로 돌려 보냄. ——-하다 타여불

방황【彷徨】명 일정한 목적이나 방향이 없이 헤맴. 배회(徘徊). ¶ 정처 없이 ~하다. ——-하다 자여불

방황 변:이【彷徨變異】명〔fluctuation〕〖생〗유전적(遺傳的)으로는 같은 소질을 가지고 있어도 외계(外界)의 조건이 종합적인 영향으로 개체(個體)에 따라서 그 성질에 서로 조금씩 차이가 있고 동일하지 아니한 현상. 개체 변이(個體變異). *비유전적 변이.

방황 운:동【彷徨運動】명 직선상을 단위 시간에 같은 길이만큼 오른쪽 또는 왼쪽으로 움직이되, 좌우로 움직이는 확률이 각각 1/2인 한 점의 운동.

방황하는 네덜란드인【彷徨一人】〔Netherland〕명〔도 Der fliegende Holländer〕〖연〗바그너(Wagner) 작사·작곡의 3막으로 된 가극(歌劇). 신을 모독한 죄로 영원히 항구에 돌아갈 수 없게 된 네덜란드인의 배가 희망봉(喜望峰) 근처 또는 북해(北海)를 표류한다는 북유럽의 전설을 소재로 한 것. 1841년에 완성, 1843년 초연(初演). 기법적(技法的)으로도 개성(個性)을 발휘한 최초의 오페라라 할 수 있음.

방황하는 유태인【彷徨一猶太人】명〔The Wandering Jew〕유럽의 전설. 유태인이 형장(刑場)에 끌려가는 그리스도를 모욕한 죄로 죽지도 못하고 영원히 세계를 방랑한다는 줄거리. 괴테(Goethe), 워즈워스(Wordsworth)의 시재(詩材)가 됨. 영원(永遠)한 유태인.

방회【傍灰】명 광중(壙中)의 관(棺) 언저리에 메우는 석회.

방:효【倣效】명 모떠서 본받음. ——-하다 타여불

방-효(:)유【方孝孺】명〖사람〗중국 명(明)나라 건문제(建文帝)의 시강학사(侍講學士). 자는 희직(希直)·희고(希古). 연왕(燕王) 영락제(永樂帝)가 건문제를 쫓고 즉위하여 즉위의 조서를 기초하도록 시켰으나 듣지 않고 '연적 찬위(燕賊簒位)'라 써서 일족과 함께 처형당함. 저서 ≪손지재집(遜志齋集)≫. [1357-1402]

방훈【芳薰】명 꽃다운 향기. 좋은 냄새. 방향(芳香)

방-휼【蚌鷸】명 방합(蚌蛤)과 도요새.

방휼지-세【蚌鷸之勢】[―찌―]명 도요새가 방합을 먹으려고 껍데기 안에 주둥이를 넣는 순간, 방합이 껍데기를 닫는 바람에 도리어 물려 서로 다툰다는 뜻으로, 서로 적대하여 버티고 양보하지 않음을 이르는 말.

방휼지-쟁【蚌鷸之爭】[―찌―]명 방휼지세(蚌鷸之勢)로 다투는 일. 휼방지쟁. 견토지쟁(犬兎之爭). *어부지리.

방희【棒戲】[―히]명 타구(打毬). ——-하다 자여불

방희-편【滂喜篇】[―히―]명〖책〗옛 자서(字書)의 하나. 후한(後漢)의 가방(賈魴)의 찬(撰). '방희(滂喜)'의 두 글자로 끝나므로 이렇게 일컬음.

방귀 명〈옛〉방귀. ¶ 방귀 비(糟)≪字會 上 30≫.

방긔ᄒᆞ다 자〈옛〉방귀 뀌다. ¶ 방긔ᄒᆞ다(屁)≪四聲 上 16≫.

방마치 명〈옛〉방망이[1]. ¶ 방마치(棒椎)≪字會 中 18 椎字註≫.

방법ᄒᆞ다 자타〈옛〉액막이하다. ¶ 방법홀 염(厭)≪字會 下 32≫.

방쇄ᄒᆞ다 형〈옛〉방자(放恣)하다. ¶ 말ᄉᆞ미 ᄒᆞ마 너므면 방쇄호미 반ᄃᆞ기 니라와ᄃᆞ며 방쇄호미 ᄒᆞ마 니ᄅᆞ와ᄃᆞ면 남진 므던히 너굘 ᄆᆞᅀᆞ미 나ᄂᆞ니(語言旣過縱恣必作縱恣旣作則侮夫之心生矣)≪內訓 Ⅱ 上 9≫.

방사오리 명〈옛〉안석(案席). ¶ 방사오리 올(几)≪字會 中 11≫.

방애ᄒᆞ다 타〈옛〉방해하다. ¶ 므슴 이리 방애ᄒᆞ료(碍甚事)≪老朴 累字解 10≫.

방언 명〈옛〉방언(方言). 우리 나라말. ¶ 方言은 우리 東方ㅅ 마리라≪月釋 序 23≫.

방올 명〈옛〉방울. =바올. ¶ 한 보비엣 방올 돌오, 鐘은 쇠부피오 鈴은 방오리라≪月釋 XVII:60≫.

방츄 명〈옛〉방망이. ¶ 머구릐 밥과 부듨 방츄오(是浮萍蒲棒)≪朴解 上 70≫.

방탕 명〈옛〉가죽 며. ¶ 방탕 뎡(鞓)≪字會 中 23≫.

방패 명〈옛〉방패. ¶ 盾은 방패라≪楞嚴 Ⅰ:22≫.

방하 명〈옛〉①방아. =방해. ¶ 디ᄂᆞᆫ히예 치위옛 방핫소리ᄅᆞᆯ 드로니(落景聞寒杵)≪杜諺 Ⅸ:11≫. ②다듬잇돌. ¶ 방하ᄂᆞᆫ 어젯 바밋 소리로다(寒砧昨夜聲)≪杜諺 Ⅲ:36≫.

방하디타 타〈옛〉방아 찧다. ¶ 오란 病에 믈 기르며 방하디호ᄆᆞᆯ ㅈ노니(沉緜疲井臼)≪杜諺 XX:45≫.

방핫고 명〈옛〉방앗공이. ¶ 杵ᄂᆞᆫ 방핫괴니 굴근 막다히 ᄀᆞᄐᆞᆫ 거시라≪釋譜 Ⅵ:26≫.

방해 명〈옛〉방아. =방하. ¶ 듥긔둥 방해나 디히히야≪鄕樂 相杵歌≫.

밦대ᄒᆞ다 형〈옛〉방자하다. ¶ 곧 憍慢ᄒᆞ며 밦대ᄒᆞᆫ ᄆᆞᅀᆞᄆᆞᆯ 니ᄅᆞ와다≪月釋 XVII:14≫.

밭 명〔중세 : 받〕①물을 대지 아니하고 야채나 곡류를 심어 가꾸는 땅. 전(田). ¶ 논 ~/~ 갈이하다. ②식물이 저절로 들어박혀서 무성한 땅. ¶ 솔~/풀~. ③무엇이 많이 들어찬 평지. ¶ 돌~/자갈~/모래~. ④장기·고누·윷놀이 같은 것에 말이 머무르는 자리. ¶ 세 ~을 가다/윷~이다.

[밭을 사려면 변두리를 보라] 농토를 사려면 경계선을 반드시 알아야 한다는 말. [밭 장자(長者)는 있어도 논 장자는 없다] 밭농사가 논농사보다 더 이익이 있다는 말. [밭 팔아 논 사면 좋아도 논 팔아 밭 사면 안 된다] 살림을 줄어드는 방향으로 하면 안 된다는 말. [밭 팔아 논 살 때는 이밥 먹자는 뜻] 못한 것을 버리고 나은 것을 취할 때는 더 낫게 되기를 바라서인데, 도리어 그보다 못할 때 이르는 말. ¶ 남의 첩 된 자들이 얼풋하면 하는 말이 밭 팔아 논 살 적에는 이밥 먹자는 것이니 알뜰살뜰할 것 무엇 있나 ≪朴顚陽:明月亭≫.

밭- 부 '바깥'을 줄이어 쓰는 말. ¶ ~부모/~사돈/~주인.

밭-가리 명〈방〉밭둑.

밭-갈이 명 밭을 가는 일. ——-하다 자여불

밭-걷이 [―거지]명 밭에 심었던 곡물이나 야채 등을 거두어 들이는 일. ——-하다 자여불

밭-걸이 명 씨름할 때에 다리를 밖으로 대어 상대방의 오금을 걸거나 당기거나 미는 재주. ↔안걸이. ——-하다 자여불

밭-고랑 명 밭이랑 사이의 홈이 진 곳. 준밭골.

밭-곡【―穀】명 ↗밭곡식.

밭-곡식【―穀―】명 밭에서 나는 보리·밀·콩·팥 같은 곡식. 전곡(田穀). 준밭곡.

밭-골 명 ↗밭고랑.

밭-귀 명 밭의 귀퉁이.

밭-길 명 밭 사이에 난 길.

밭-날갈이 명 며칠 동안 걸려서 갈 만큼 큰 밭. ¶ ~나 부치다.

밭-농사【―農事】명 밭에서 짓는 농사. ↔논농사. ——-하다 자여불

밭다[1] 자 액체가 바싹 졸아서 말라 붙다.

밭다[2] 타 건더기와 액체가 섞여 있는 것을 체 같은 데에 따라서 액체만을 따로 받아 내다. 거르다. ¶ 술을 ~.

밭다[3] 타〈옛·방〉뱉다. ¶ 춤바ᄐᆞᆯ 타(唾)≪類合 下 30≫.

밭다[4] 형 ①너무 알뜰히 아껴서 인색하게 보이다. ¶ 사람이 ~. *강밭다. ②시간이나 공간이 매우 가깝다. ¶ 시일(時日)이 ~/자리가 너무 ~. ③길이가 짧다. ¶ 밭은 키 / 목이 ~ / 목이 밭고 메탈의 단추가 달린 흰 웃도리…≪康信哉 : 琉璃의 덫≫. ④숨결이 가쁘고 급하다. ¶ 밭은 기침 / 밭은 숨을 몰아 쉬다. ⑤입이 지나치게 짧다. ¶ 입이 밭은 사람. ⑥즐기거나 탐하는 정도가 심하다. ¶ 색(色)에 밭은 사람.

밭-다리 명 씨름·유도 등에서, 걸거나 후릴 때 상대의 다리의 바깥쪽. ↔안다리.

밭다리-감아돌리기 명 씨름에서, 밭다리걸기 공격을 받았을 때 재빨리 오른쪽 어깨를 빼면서 오른쪽으로 돌아, 감겨 있는 오른다리를 올리어 감아돌리는 다리 기술의 하나.

밭다리-걸기 명 씨름에서, 오른쪽 다리로 상대의 오른쪽 다리를 밖으로 걸어 앞으로 당겨 붙이면서 상대의 뒷면으로 중심이 기울어지도록 감아 밀어붙여 넘어뜨리는 기술.

밭다리-후리기 명 씨름에서, 밭다리걸기 기술과 비슷한 동작에서 상대를 시계 방향의 반대쪽으로 중심을 이동시키면서 공격자의 오른다리로 상대의 오른다리를 감아 후리치는 모양으로 다리를 감아 올리면서 넘어뜨리는 기술.

밭-도랑 명 밭 가로 돌려 있는 도랑. 준밭돌.

[밭도랑을 베개하고 죽을 놈] 제집에서 고이 세상을 떠나지 못하고 여기저기 떠돌아다니며 괴로운 말기를 보내다가 죽으라는 뜻으로, 남을 저주하는 말.

밭-돌 명 ↗밭도랑.

밭-두덕 명〈방〉밭둑.

밭-두둑 명 밭의 두둑. 휴반(畦畔). 전주(田疇). 진역(畛域).

밭-두렁 명〈방〉밭둑(평안).

밭-둑 명 밭 가에 둘려 있는 둑. ¶ ~길.

〈밭둑외풀〉

밭둑-외풀 명〖식〗[*Lindernia pyxidaria*] 현삼과에 속하는 일년초. 줄기는 15cm 가량, 잎은 대생(對生)하며 달걀꼴 피침형인데 잎꼭지는 없음. 7-8월에 담홍자색의 잔 꽃이 액출하고 꽃부리는 통상 순형(筒狀脣形)이며 타원형의 삭과를 맺음. 원포·밭둑에 나는데 한국 중부 이남에 분포함.

밭-뒤다 자 밭을 거듬 갈다.

밭-딱정이 명〖충〗등빨강먼지벌레.

밭-떼기 명 밭작물, 흔히 채소류에 대하여 산지(産地)에서 일정한 밭의 산물(産物) 전체를 모개로 거래하는 흥정. ¶ 마늘을 ~로 사재기하다. *차(車)떼기.

밭-뙈기 명 얼마 안 되는 밭. 두서너 뙈기의 밭. 얼마 안 되는 밭을 얕잡아 일컫는 말. ¶ ~나 있다고.

밭-마늘 명 밭에서 재배하는 마늘. ↔논마늘.

밭-매기 명 밭에 김매는 일. ¶ ~ 품삯. ——-하다 자여불

밭-머리 명 밭이랑의 양쪽 끝이 되는 부분.

밭-못자리 명 물을 대지 않고 키우는 못자리. 흔히 밭에 만듦. 간편하고 튼튼하며 뿌리 잡는 것이 빠름.

밭-문서【―文書】명 밭의 소유권을 증명하는 문서.

밭밟는 노래 [―밥―]명〖민〗제주도 농부들이 밭에 조의 씨를 뿌린 다음 마소떼와 함께 밭을 밟아 다지며 부르는 민요.

밭-번지기 명 씨름할 때에 상대방을 막는 자세로 왼쪽 다리를 상대자의 앞으로 가까이 내어 디디고 힘있게 몸을 가누는 재주. ↔안번지기.

밭-벼 명 밭에 심는 벼. 볍씨를 뿌리어 가꾸는데, 알이 굵고 잘 여묾. 산도(山稻). 육도(陸稻). 한도(旱稻). ↔논벼.

밭-벽【―壁】명 ↗바깥벽.

밭-보리 명 밭에 심는 보리. ↔논보리.

밭-부모【―父母】명 ↗바깥 부모.

밭-사돈【―査頓】명 ↗바깥 사돈.

밭-상제【―喪制】명 ↗바깥 상제.

밭-소주방【―燒酒房】[―빵]명〖역〗조선 시대에, 진전(眞殿) 차례(茶禮)·진연(進宴)·진찬(進饌)·회작(會酌) 또는 탄신(誕辰) 때, 각 철 고사(告祀), 왕자녀의 백일·생일 등에 음식을 차리는 곳. *안소주방.

밭소주방 나:인【—燒酒房—】[—빵—] 명 〖역〗 조선 시대에, 밭소주방에 딸린 나인. ＊안소주방 나인.

밭-어버이 [받—] 명 '아버지'를 남성인 어버이란 뜻으로 일컫는 말. 엄친(嚴親). 바깥어버이. 바깥부모. ↔안어버이❶.

밭-언덕 [받—] 명 〈방〉 밭두둑.

밭은-기침 명 소리도 크지 아니하고 자주 하는 기침. 병으로 그러하기도 하고 버릇으로 그러하기도 함. 큼큼거려서 코로 김을 내어 보내며 하는 수도 있음.

밭은-오금 명 활의 대림끝과 한 오금 되는 사이.

밭은-자리 명 〔close position〕 〖악〗 사성부(四聲部)에 있어서, 베이스를 제외한 소프라노·테너·알토의 삼성부(三聲部)가 한 옥타브 안에 배치됨을 말함. 동일 화음내의 음을 더 넣을 여지가 없도록 밀집시켜서 배치함. 밀집 위치(密集位置). ↔벌린자리.

밭이다 [바치—] 피동 건더기가 섞여 있는 액체가 체 같은 데에 받음을 당하다.

밭-이랑 [—니—] 명 밭의 흙을 높게 올리어서 만든긴 이랑. 전묘(田畝). ＊이랑.

밭-일 [—닐] 명 밭에서 하는 온갖 일. ↔논일. ——-하다 자여불

발장-다리 명 두 발끝이 밖으로 벌어지게 걷는 사람. 곧, 팔자 걸음을 걷는 사람. ↔안짱다리.

밭-재 명 〈방〉 외성(外城).

밭-쟁이 명 채소 농사를 전업으로 하는 사람.

밭전-변【—田邊】명 한자 부수(部首)의 하나. '界'나 '町'·'留' 등의 '田'의 이름.

밭-종다리[1] 명 〖조〗 [*Anthus spinoletta japonicus*] 할미샛과에 속하는 작은 새. 종달새와 비슷한데 날개 길이 85-90 mm, 꽁지 65 mm 가량이고, 몸빛은 배면(背面)이 갈색에 암갈색의 반점(斑點)이 있고, 하면(下面)은 백색에 담갈색과 흑갈색의 반문(斑紋)이 있음. 뒷발가락의 발톱은 꾸부정하고 꽁지를 아래위로 흔듦. 가을과 봄에 날아와 열 마리 가량이 떼를 지어 평지(平地)의 냇가·논밭·해안(海岸) 등에 서식하고, 땅 위를 걸어다니면서, 풀씨·곤충 등을 먹으며 높은 소리로 욺. 동부 시베리아·사할린에서 번식하고, 한국·일본·중국·유럽·북아메리카의 중북부에서 월동함. 논종다리.

〈밭종다리〉

밭종-다리[2] 명 〈방〉 발장다리.

밭-주인【—主人】명 ↗바깥 주인.

밭-지밀【—至密】명 〖역〗 임금이 거처하는 지밀. ↔안지밀. ＊지밀.

밭-집 명 ①〈궁중〉 민가(民家). ②농막(農幕).

밭-쪽 명 ↗바깥쪽.

밭-치다 타 '밭다[2]'를 강조한 말.

밭-칠성【—七星】명 〖민〗 제주도에서 집 뒤곁에 모시는 여자 귀신. 몇 장의 기와로 울을 만들고 그 사이에 오곡(五穀) 낟알을 넣되, 발벼를 맨 위에 놓고 짚가리로 덮음. 뱀의 화신(化身)으로, 재물을 관장함. ＊안칠성.

밭-팔다 자 〈속〉 여자가 정조를 팔아 생활을 유지하다.

밭-풀 명 밭에 나는 온갖 잡풀.

배[1] ㊀ 명 [중세:비] ①〖생〗 척추(脊椎) 동물의 흉강(胸腔)과 골반(骨盤)과의 사이 부분. 위(胃)·장(腸) 등이 있음. 강자(腔子). ②물체의 중앙에 내민 부분. 중배. ¶ ~가 부른 독. ③절지(節肢) 동물, 특히 곤충에 있어서 머리·가슴이 아닌 부분. 여러 마디로 되고 기문(氣門)·항문 등이 있음. 복부. ④마음. 속마음. ¶ 혼자서 ~를 앓다/둘이 ~가 잘 맞다. ⑤아이가 드는 태내(胎內). 전(轉)하여, 낳은 어머니. ¶ ~ 다른 형제. ⑥〔loop〕 〖물〗 정상(定常) 진동 또는 정상파(定常波)에 있어서, 진폭(振幅)이 극대가 되는 곳을 이름. 복(腹). ↔마디. ㊁ 의명 짐승이 새끼를 낳는 횟수(回數). ¶ 1년에 두 ~/한 ~에 다섯 마리를 낳다.

[배가 맞는다] 서로 마음이나 배짱이 통한다는 말. [배만 부르면 세상인 줄 안다] 배불리 먹기만 하면 아무 근심 걱정도 모른다는 말. [배보다 배꼽이 크다] 주장되는 것보다 딸린 것이 더 크다. [배 안엣 조부(祖父)는 있어도 배안엣 형은 없다] 자기보다 나이 어린 사람이 할아버지 뻘은 될 수 있으나, 나이 어린 사람을 보고 형이라고 하지는 않는다는 말. [배에 발기름이 꼈다] 없이 지내던 사람이 조금 잘 살게 되었다고 호기(豪氣)를 부리고 떵떵거림을 이름.

배가 남산만하다 구 ㉠애를 밴 여자의 배가 몹시 부르다. ㉡되지 못하게 거만하고 떵떵거림을 이름.

배에 기름이 오르다 구 ㉠살림이 넉넉해지다. ㉡배짱이 생기다.

배의 때를 벗다 구 형편이 피어서, 주리던 배를 채울 수 있게 되다.

배[2] 명 [중세:비] 나무·쇠 같은 것으로 만들어 물에 떠 다니게된 물건. 보트·나룻배·기선·군함 등의 총칭. 선박(船舶). 선척(船隻). 주선(舟船).

배[3] 명 ①배나무의 과실. 생리(生梨). 이자(梨子). 쾌과(快果). ¶ 달기가 ~맛 같다. ②〖한의〗 배나무 과실의 살. 성질은 찬데, 똥·오줌을 순하게 하고 열을 내리게 하며, 해수·번열(煩熱)·갈증에 좋음.

[배 먹고 이 닦기] 배도 먹고 이도 닦아진다는 뜻으로, 한 가지 일에 두 가지 이로움이 있음을 이름. [배 썩은 것은 딸을 주고 밤 썩은 것은 며느리 준다] 썩은 배는 그래도 먹을 수 있으나, 밤 썩은 것은 먹지 못하는 것인 즉, 며느리보다는 딸을 더 아낀다는 뜻. [배 주고 속 빌어 먹는다] 자기의 배를 남에게 주고 그 속을 얻어 먹는다는 말로, 큰 이익은 남에게 주고 거기서 조그만 이익을 얻음을 이름.

배[4] 명 〈방〉 삼베(경남·황해·함경·평안).

배[5]【胚】명 〔embryo〕 〖생〗 ①다세포 생물의 발생 초기에 난세포(卵細胞)가 수정(受精)하여 어지간히 자랄 때까지의 유생물(幼生物). ＊배축(胚軸). ②식물에 있어서 씨 속에 있는 발생(發生) 초기의 어린 식물(植物). 자엽(子葉)·배축(胚軸)·유아(幼芽)·유근(幼根)의 네 가지로 되었음. 배아(胚芽). 씨눈. ③동물에 있어서는 배자(胚子)를 일컬음.

배:[6]【倍】명 ①갑절. ¶ 인구가 ~가 늘다. ②곱절. ¶ 비용이 세 ~나 더 들다.

배[7]【裵】명 성(姓)의 하나. 주요 본관은 경주(慶州)·김해(金海)·성주(星州)·대구(大邱)·흥해(興海)·협계(俠溪)·곤양(昆陽)·화순(和順) 등.

배[8]【杯】의명 술이나 음료의 잔 수를 헤아리는 말. ¶ 일 ~/삼 ~.

-배【輩】미 '무리'·'들'의 뜻을 나타내는 말. ¶ 모리~/간신~/간상~.

배:가【倍加】명 갑절로 늚. 갑절로 늘림. ——-하다 자타여불

배가사리 명 〖어〗 [*Microphysogobio longidorsalis*] 돌상어과에 속하는 민물고기. 몸길이 8-12 cm. 몸의 등 쪽 반은 푸른 갈색. 몸 중앙부에 분명하지 않은 암색 띠가 세로 뻗어 있고, 이 띠 안에 8-9개의 암색 반점이 나란히 있음. 계류의 맑은 물에 삶. 대동강·한강 및 금강 수계(水系)에만 분포하는 우리 나라 특산어임.

배:가 시간【倍加時間】명 〔doubling time〕 증식로(增殖爐)에서 연료(燃料)의 양을 2배로 하는 데 쓰이는 시간.

배:가 운:동【倍加運動】명 회원·교도(敎徒) 등을 배가하기 위하여 모집·전도(傳道)하는 운동.

배각[1]【排却】명 밀어 내어 물리침. 물리쳐 버림. ——-하다 타여불

배각[2] 부 작고 단단한 물건이 서로 닿아 갈려서 나는 소리. ㅆ빼각·빼깍. <비걱. ——-하다 자여불

배각-거리다 자타 자꾸 배각 소리가 나거나 배각 소리를 내다. ㅆ빼각거리다·빼깍거리다. <비걱거리다. 배각-배각 부. ——-하다 자타여불

배각-대다 자타 배각거리다.

배:각-류【倍脚類】[—뉴] 명 〖동〗 노래기강(綱).

배:간【焙乾】명 →배건(焙乾).

배갈 명 고량(高粱)을 원료로 하여 만든 일종의 향기 있는 증류주(蒸溜酒). 중국 특산의 소주로, 무색 투명(無色透明)하고 조금 신맛을 띰. 백주(白酒). 고량주(高粱酒).

배:갑【背甲】명 거북류(類)의 갑각(甲殼)의 등쪽 부분. 등딱지. ＊게딱지.

배:강【背講】명 책을 스승 앞에 펼쳐 놓고 자기는 보지 않고 돌아앉아서 욈. 배독(背讀). 배송(背誦). ↔임문(臨文). ——-하다 타여불

배개 명 〈방〉 베개(경상).

배:객【陪客】명 배빈(陪賓)❶.

배거본드 〔vagabond〕 명 ①정처없이 떠돌아다니는 사람. 방랑자. 유랑자. ②〔Vagabond〕 미군의 이동 방송국의 별칭.

배거본디즘 〔vagabondism〕 명 〖문〗 방랑(放浪)하는 습성. 일상의 속된 관습에서 벗어나 자유로운 행동을 하려는 정신에서 옴.

배:건【焙乾】명 [←배간(焙乾)] 불에 쬐어 말림. ——-하다 타여불

배:건-법【焙乾法】[—뻡] 명 식품을 직접 불에 볶거나 쬐어서 건조시키는 방법. 보리를 볶아 보리차를 만드는 방법 같은 것이 이것임.

배겨-나다 자 잇따라 오는 고통에 능히 견디어 나다. ¶ 갖은 고생 속에서 ~.

배겨-내다 타 잇따라 오는 고통을 견디어 내다. ¶ 어려운 시련을 용하게 ~.

배격【排擊】명 남의 의견·사상·물건 같은 것을 물리침. ¶ 사대 사상을 ~하다. ——-하다 타여불

배:견【拜見】명 ①삼가 뵘. ②남의 글 따위를 공손하게 봄. ¶ 하서(下書)를 ~하옵고. ③배관(拜觀). ——-하다 타여불

배-견지 명 거룻배를 타고 하는 견지질.

배:경【背景】명 ①뒷경치. 또, 주위의 상태. ②무대(舞臺) 정면 안쪽에 꾸미거나 그린 경치. ③회화(繪畫)·사진 등에서 그 주요 제재(題材) 배후의 부분. ④사람이나 사건 등의 표면에 나타나지 않고 뒤에서 이것을 조종하는 사람이나 세력. 또, 사상·행동의 근거가 되는 것. 빽. ¶ 정치적 ~/사상적 ~/~이 좋은 사람.

배:경 동:작【背景動作】명 〖연〗 바이 플레이(by-play).

배:경 음악【背景音樂】명 상점·사무실·공장 등의 직장이나 영화·연극 등에서 대사 따위의 배경에 흐르는 음악 또는 일종의 환경·분위기를 조성(造成)하기 위해 연주하는 음악. 백그라운드 뮤직. 백뮤직.

배:경 화:법【背景畫法】[—뻡] 명 〖미술〗 투시(透視) 화법. 투시 도법.

배:경 휘도【背景輝度】명 〔background luminance〕 〖물〗 시계(視界)의 이론에서, 관측되고 있는 표적과 대비(對比)되는 휘도(輝度).

배:계【拜啓】명 절하고 사뢴다는 뜻으로, 편지 첫머리에 쓰는 말.

배:-계절【拜階節】[—꼐—] 명 계절(階節)보다 한 층을 낮추어, 절하기 위하여 만든 무덤 앞의 땅. 배제절(拜除切).

배고마 명 〈방〉 배꼽❶(전라).

배-고프다 형 뱃속이 비어서 음식이 먹고 싶다.

[배고프다고 바늘로 허리 저리랴] 배가 고프다고 바늘로 허리를 찔러 위협할 수 없듯이, 어려운 경우를 당했다 하여 무리한 짓을 할 수는 없다는 말. [배고픈 놈더러 요기시키란다] ㉠제 일도 감당 못 하는 사람에게 무엇을 요구함에 이르는 말. ㉡주어야 할 사람에게 도리어 달라고 한다는 뜻. [배고픈 때에는 침만 삼켜도 낫다] 배가 고픈 때에는 조그마한 것으로 입맛만 다셔도 좀 허기증이 덜하다는 말. [배고픈 호랑이가 원님을 알아보나] 가난하고 굶주리면 인사 체면을 돌아볼 겨를이 없다는 말.

배-곯다 [—골타] 자 먹는 것이 늘 적어서 배가 차지 못하다. 배가 고파 고통을 받다. ¶ 배곯기를 부자 밥 먹듯 하다.

배공[1]【胚孔】명 〖동〗 동물의 알이 될 때에 생긴 구멍. 새끼가 될 때에 입과 똥구멍이 됨.

배:공[2]【背孔】명 〔dorsal pore〕 〖동〗 지렁이 따위 육상에 사는 빈모류(貧毛類)의 각 체절 간구(體節間溝)에 열리는 작은 구멍. 정중선상(正中線上)에 줄지어 있고 자극(刺戟)에 응하여, 고약한 냄새를 풍기는 황색 또는 백색의 체강액(體腔液)을 분출함.

배:관[1]【背關】명 〖역〗 하급 관아(官衙)의 첩보(牒報) 뒤에 기록된 관문(關文).

배:관² 【拜觀】 명 불각(佛閣)이나 궁전(宮殿) 또는 그 보물 따위를 삼가 관람함. 배견(拜見). ——-하다 타여불

배:관³ 【配管】 명 〔piping〕 기체나 액체 등을 딴 곳으로 보내기 위하여 파이프를 배치함. ¶ ~ 공사. ——-하다 자타여불

배:관⁴ 【陪觀】 명 어른을 모시고 구경함. ——-하다 타여불

배:관-공 【配管工】 명 배관 일을 하는 직공.

배:관-도 【配管圖】 명 관의 배치를 표시한 도면. 펌프·판(瓣) 등의 위치, 관의 굵기와 길이, 배관의 위치·방법 등을 밝힘. *계통도·배선도.

배:광¹ 【背光】 명 후광(後光)❶. 「하다 자여불

배:광² 【配光】 명 조명(照明)하기 위하여 어떤 물체에 빛을 보냄. ——-

배:광 곡선 【背光曲線】 명 〖물〗 광원(光源)의 광도를 방향의 함수(函數)로 하여 나타낸 곡선. 보통 빛의 중심을 극(極)으로 한 극좌표(極座標) 곡선으로 나타냄.

배:광-성 【背光性】 [—썽] 명 〖생〗 식물체가 그 주위의 광선의 강도(強度)의 차에 자극되어 광선이 약한 쪽으로 뻗는 성질. 음성(陰性)의 굴성(屈性)인데, 식물의 뿌리, 어떤 종류의 세균(細菌), 성장한 곰팡이 같은 것이 이 성질을 띰. 음성 굴일성(陰性屈日性). ↔향광성. *배일성(背日性).

배:교 【背教】 명 ①신앙하던 종교를 배반함. ②〔그 apostasia〕 기독교에서 그 신앙을 배반하고 다른 종교로 개종하거나 또는 무종교자가 되는 └일. ——-하다 자여불

배:교-자 【背教者】 명 배교(背教)한 사람.

배구¹ 【胚球】 명 동물이 맨 처음 생길 때에,여러 개의 할구(割球)가 모여 엉긴 덩어리. 「인에게 경의를 표하는 말.

배:구² 【拜具】 명 삼가 글월을 갖춘다는 뜻으로, 편지의 끝에 써서 수신

배:구³ 【倍舊】 명 먼저보다 갑절이나 더함. ¶ ~의 애호.

배:구⁴ 【配球】 명 ①야구에서, 투구(投球)의 종류를 적절히 안배함. ¶ 절묘한 ~. ②배구·농구·축구 등에서, 다른 선수에게 볼을 안배하는 일. ——-하다 타여불

배구⁵ 【排球】 명 구기(球技)의 하나. 직사각형의 코트 중앙에 네트(net)를 사이에 두고 두 팀이 상대하여 공을 손으로 쳐서 넘기어 상대편의 실수·반칙(反則) 등으로 점수를 땀. 다섯 세트(set)의 경기로 승부(勝負)를 가리는데, 한 세트는 9인제에 있어서는 21점, 6인제에 있어서는 15점을 선취함으로써 이김. 발리볼(volleyball). *국제식 배구·극동 └식 배구.

배-구녕 명 〈방〉 배꼽❶(경상).

배-구멍 명 〈방〉 배꼽❶.

[배구멍이 톡 튀어 나와 콧구멍 보고 형님 한다] 배꼽이 코보다 높다는 뜻으로, 매우 배부르다는 말.

배:궤 【拜跪】 명 절하고 꿇어앉음. ——-하다 자여불

배균 【排菌】 명 세균을 자기 몸 밖으로 내어 보냄. 또, 내어 보내어 병을 남에게 옮김. ¶ ~자(者). ——-하다 자여불

배균-자 【排菌者】 명 체내에 세균을 보유하고 있으면서 무의식적으로 세균을 체외로 내보내 다른 사람에게 병균을 옮길 염려가 있는 자. *보균자(保菌者).

배-극렴 【裵克廉】 [—념] 명 〖사람〗 조선 개국 공신. 자는 양가(量可). 성주(星州) 사람. 고려말, 지방관을 지내다가 문하 시중(門下侍中)에 이름. 이성계(李成桂)를 추대, 조선 왕조를 세우는 데 공을 세우고 성산백(星山伯)의 봉작을 받음. 시호는 정절(貞節). [1325-92]

배:근¹ 【背筋】 명 〖생〗 사람의 등에 있는 근육의 총칭. 천층(淺層)과 심층(深層)이 있고, 대표적인 것은 승모근(僧帽筋)과 광배근(廣背筋)임.

배:근² 【配筋】 명 〖건〗 건축에서 설계대로 철근(鐵筋)을 배열함. ——-하다 자여불

배:근³ 【培根】 명 뿌리를 북돋움. ——-하다 자타여불

배:근-력 【背筋力】 [—녁] 명 몸집과 하지(下肢), 특히 무릎 관절을 쭉 편 뒤에 고관절(股關節)을 구부리고 몸집을 앞으로 꾸부렸다가 한꺼번에 몸통을 바로 쭉 펼 때에 낼 수 있는 최대의 역량(力量). 체력 판정(判定)의 중요한 한 항목(項目)으로 취급되고 있음.

배:근력-계 【背筋力計】 [—녁—] 명 배근력을 측정하는 기계.

배:금 【拜金】 명 돈을 무상(無上)의 물건으로 여기고 지극히 소중하게 여김. ¶ ~ 사상.

배:금-가 【拜金家】 명 돈을 무상의 물건으로 여기고 지극히 소중하게 여기는 사람. 마모니스트(mammonist).

배:금-주의 【拜金主義】 [—/—이] 명 돈을 인생에 가장 존귀한 것으로 생각하여 위하는 주의. 마모니즘(mammonism).

배:급 【配給】 명 〔분배 급여(分配給與)의 합성어〕 ①별러서 줌. ②〖경〗 상품을 생산자로부터 소비자에게 옮기는 일. ③〖경〗 영리를 목적으로 하지 아니하는 물자의 분배. ④〖경〗 통제 경제(統制經濟) 아래에서 일정한 상품의 일정한 양을 특별한 방법 또는 기관을 통하여 소비자에게 파는 일. ¶ ~소/~품(品). ——-하다 타여불

배:급-소 【配給所】 명 ①배급하는 곳. 배급하는 장소. ②배급을 맡아보는 곳. 또, 그 기관.

배:급-인 【配給人】 명 배급하는 사람.

배:급-제 【配給制】 명 나라에서 식량·생활 필수품 등을 배급하는 제도.

배:급-처 【配給處】 명 배급을 받는 곳. 배급하는 데.

배:급-표 【配給票】 명 물건을 배급받을 수 있음을 증명하는 표.

배:급-품 【配給品】 명 배급하는 물품.

배:기¹ 【背鰭】 명 〖어〗 등지느러미.

배기² 【排氣】 명 ①속에 든 공기를 뽑아 버림. ¶ ~구(口). ②〔exhaust〕 〖기〗 열기관(熱機關)에서 일을 마친 뒤의 쓸데없는 증기나 가스체(體). 폐기(廢氣). ③〔upcast〕 광산(鑛山)에서, 수갱(竪坑) 안을 통하여 상승(上昇)하는 기류. ④〔evacuate〕 〖공〗 기밀실(氣密室)에서 기체(氣體)나 증기(蒸氣)를 제거하는 일. ——-하다 자타여불

-배기 미 ①'나이가 들어 있음', 또는 '그러한 아이'의 뜻. ¶ 나이~/세살~ 옷. ②'무엇이 들어 있거나 차 있는 것'의 뜻. ¶ 알~ 조기. ③특정한 곳이나 물건을 나타냄. ¶ 귀퉁~/대짜~/공짜~.

배기 가스 【排氣—】 〔gas〕 명 ①〔exhaust gas〕 〖기〗 내연 기관 따위에서 작동을 마치고 배출하는 가스. 연소 생성물(燃燒生成物)·미연소(未燃燒) 연료·잉여(剩餘) 공기 등으로 됨. 일산화 탄소 등 인체에 대한 유해(有害) 성분을 함유하고, 특히 자동차의 경우는 도시 공해의 한 원인이 되기 때문에 그 성분을 규제함. ②〔occluded gases〕 〖광〗 급광기(給鑛機)나 송풍기 또는 발파 작업에서 발생하여, 갱내(坑內) 공기에 혼입된 기체.

배기 가스 공해 【排氣—公害】 명 〔exhaust gas pollution〕 공장·발전소·교통 기관 등의 배기 가스로 인한 대기 오염(大氣汚染). 호흡기 질환의 원인이 됨.

배기-갱 【排氣坑】 명 〖광〗 광산에서 갱내(坑內)의 공기를 유통 배출시키기 위하여 설치한 수갱(竪坑).

배기-관 【排氣管】 명 〔exhaust pipe〕 〖기〗 내연 기관(內燃機關)에 있어, 기통(氣筒) 속에 있는 폐기(廢氣)나 연소 생성물(燃燒生成物)을 배출하 └는 관.

배기-기 【排氣機】 명 배기 펌프(排氣 pump).

배기다¹ 자 눌리는 힘으로 밑에서 단단히 받치는 힘을 느끼게 되다. ¶ 등이 배기어서 누울 수가 없다.

배기다² 자타 고통을 능히 견디다. 잘 참고 버티어 나가다. ¶ 그 등쌀에 배기어 내지 못하다.

배기지 못하다 구 고통이나 성화를 능히 견디어 내지 못하다. ¶ 내 손에 배기지 못하리라고 야단을 치는 품이 참 대단합니다≪崔瓚植: 金剛門≫.

배기-두 【排氣頭】 명 〔exhaust head〕 〖공〗 기름과 물을 제거하여 소음을 더는, 배기관 끝에 설비하는 장치.

배기-량 【排氣量】 명 〔piston displacement〕 엔진·펌프·압축기(壓縮機)에서, 실린더 안의 피스톤이 1행정(行程)으로 밀어 내는 부피.

배기-류 【排氣流】 명 〔exhaust stream〕 〖항공〗 로켓 또는 다른 반동(反動) 엔진의 노즐로부터 배출(排出)되는 물질 또는 방사류(放射流).

배기 속도 【排氣速度】 명 〔exhaust velocity〕 배기(排氣)하는 속도. 진공 펌프 등에서 단위 시간 안에 배기할 수 있는 기체의 부피로 표시함.

배:-기수 【陪旗手】 명 〖역〗 군영(軍營)의 제조(提調)·대장(大將)·사(使)들을 따라다니는 기수.

배기 조직 【排氣組織】 명 〖식〗 식물의 통기 조직(通氣組織)의 하나. 대사(代謝)의 결과로 생긴 산소 따위의 기체를 배출하기 위하여 분화(分化)된 조직의 총칭. 기공(氣孔)·피목(皮目)·호흡근(呼吸根)의 수강(髓腔)·이끼류(類)의 호흡공(孔)·기공의 호흡실(室) 따위.

배기-종 【排氣鐘】 명 〖물〗 진공 펌프를 달아 속을 진공(眞空)으로 하여 실험에 쓰는 종(鐘) 모양의 용기(容器). 대개는 유리로 만듦.

배기지 〔baggage〕 명 여행할 때 들고 다니는 짐. 수화물(手貨物).

배기 터:빈 【排氣—】 〔turbine〕 명 〖기〗 내연 기관(內燃機關)의 배기(排氣)가스 속에 있는 에너지로 터빈을 작동시켜 동력(動力)을 얻는 장치.

배기 트라우저 〔baggy trouser〕 명 배기 팬츠.

배기-판 【排氣瓣】 명 내연 기관 또는 다른 열기관(熱機關)에 있어서 일을 마친 배기 가스(排氣 gas)를 기통에서 방출하는 판(瓣). 배출판(排出瓣). 폐기판(廢氣瓣).

배기 팬츠 〔baggy pants〕 명 자루같이 헐렁헐렁하게 만든 판탈롱. 배기 트라우저.

배기 펌프 【排氣—】 명 〔exhaust pump〕 밀폐한 그릇 속의 공기를 빼내어 진공(眞空)에 가까운 저압(低壓)으로 하는 펌프. 공기(空氣) 펌프(pump). 배기기(排氣機).

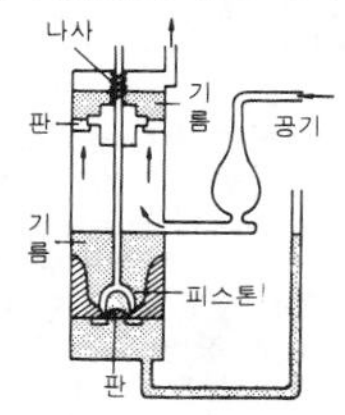

〈배기 펌프〉

배기 행정 【排氣行程】 명 〔exhaust stroke〕 〖물〗 내연(內燃) 기관에서의 폭발(爆發) 행정에서 작용(作用) 후에 폐기(廢氣)를 배출하는 행정(行程). *흡입(吸入) 행정·폭발 행정.

배기형 전:지 【排氣型電池】 명 〔vented battery〕 정상 동작 중에 발생하는 기체(氣體)의 재결합 장치를 갖지 않은 니켈 카드뮴 전지(電池) 따위. 케이스의 파열(破裂)을 막기 위하여, 기체를 대기 중에 배출함.

배김-사위 명 〖민〗 동래(東萊) 지방 탈놀음에 나오는 덧뵈기 춤사위의 하나.

배-까 명 〈방〉 나루¹(경상).

배-까리 명 〈방〉 낟가리(경남).

배-깍지벌레 명 〖충〗 [*Aspidiotus perniciosus*] 사철나무깍지벌렛과의 곤충. 암컷은 등깍지가 지름 2mm 가량, 회색 내지 암회색이고, 원형을 이루는데 수컷의 등깍지는 타원형에 암회색을 이룸. 배·사과·복숭아·벚나무 등의 수피(樹皮)나 과실에 기생하는데, 한국·일본에 분포 └함.

배-껏 부 양이 차도록. 양껏. ¶ 고기를 ~ 먹다.

배:-꼬다 타 '비꼬다'를 얕잡아 쓰는 말.

배-꼽 명 ①〖생〗 탯줄을 끊은 자리. 배 한 가운데에 있음. ②〖식〗 과실의 꽃받침이 붙었던 자리. ③소의 양지머리에 붙은 고기.

[배꼽 딴 질광이] 보기에도 작고 실지로도 먹잘 것이 없는 것의 비유. [배꼽에 노송(老松)나무 나거던] 죽은 뒤 땅속에 묻히어 배꼽에 소나무가 나고 그것이 늙을 때라는 말로, 기약(期約)없음을 이르는 말. [배꼽에 어루쇠를 붙인 것 같다] 눈치가 빠르고 경우가 밝아 남의 마음 속을 들여다 보듯이 정확히 안다는 말.

배꼽도 덜 떨어지다 구 탯줄 끊은 자국도 채 떨어지지 않은 탯덩이다.

배꼽(이) 떨어지다 구 생후 1주일쯤 되어, 신생아의 배꼽에서 탯줄 끊

은 자국이 말라 비틀어져 떨어지다.
배꼽(을) 맞추다 구 남녀가 정을 통하다.
배꼽 밑에 털 나다 구 장성하여 어른이 되다.
배꼽(을) 빼다 구 〈속〉 배꼽을 뺄 정도로 웃다. ¶ 하도 우스워서 ~.
배꼽이 웃:다 구 하는 짓이 하도 어이가 없거나 어린아이의 장난 같아, 가소롭기 짝이 없다.
배꼽(을) 쥐다 구 우스움을 참지 못하고 배를 움켜 잡고 크게 웃다.
배꼽-노리 명 배꼽이 있는 언저리.
배꼽 시계【一時計】명 〈속〉 배가 고픈 것으로 시간을 짐작하는 일.
배꼽-쟁이 명 배꼽이 유달리 큰 사람.
배꼽쟁이-외 명 배꼽참외.
배꼽-점[1]【一占】명 〖민〗 골패(骨牌)로 떼는 점놀이의 하나.
배꼽-점[2]【一點】명 바둑판 한가운데의 점. 또, 거기 놓은 바둑. 어복점(於腹點). 천원(天元). 천원점(天元點).
배꼽-참외 명 꽃받침이 떨어진 자리가 유달리 내민 참외. 배꼽쟁이외.
배꼽-춤 명 ①배를 꿈틀거리는 반나체(半裸體)의 춤. 아라비아에서 발생한 벨리 댄스(belly dance). ②산대 놀음에서, 왜장녀가 배를 드러내놓고 미친 듯이 추는 춤.
배꼽 헤르니아〔hernia〕명 〔도 Nabelschnurbruch〕〖의〗 배꼽의 탈장(脫腸) 현상. 제대(臍帶) 헤르니아·소아(小兒) 배꼽 헤르니아·성인(成人) 배꼽 헤르니아의 3종이 있음. 소아 배꼽 헤르니아는, 흔히 배꼽이 나오는 증세이며, 성인 배꼽 헤르니아는 임신·비만 등의 원인으로 여성에게 많음. *제대 헤르니아.
배-꼼 명 〈방〉 배꼽(전라).
배-꽃 명 배나무의 꽃. 이화(梨花).
배꽃 타:령【一打令】명 〖민〗 예쁜 큰애기의 얼굴을 노래하는 황해도민요의 하나.
배-꾸녁 명 〈방〉 배꼽(경상).
배-꾸녕 명 〈방〉 배꼽(강원·전남·경남).
배-꾸마리 명 〈방〉 배꼽(전남).
배-꾸멍 명 〈방〉 배꼽(전남·경상).
배-꾸무 명 〈방〉 배꼽(경상).
배-꾸미 명 〈방〉 배꼽(경상).
배-꾸부 명 〈방〉 배꼽(경북).
배-꾸북 명 〈방〉 배꼽(경북).
배-꾸영 명 〈방〉 배꼽(경상).
배-꾼 명 선원(船員). 뱃사람.
배-꿈 명 〈방〉 배꼽(경상·강원).
배-꿉 명 〈방〉 배꼽(황해·평북·경기·강원·전남).
배끄러-지다 자 〈방〉 배뚜러지다.
배끗 부 ①맞추어 끼일 물건이 어긋나서 맞지 아니하는 꼴. ②잘못해 일이 어긋나는 꼴. 1)·2): 쓰빼끗. <비끗. ——-하다 자여불
배끗-거리다 자 ①일이 될 듯 될 듯 하면서도 아니 되다. ②맞추어 끼인 물건이 서로 맞지 아니하여 어긋나다. 쓰빼끗거리다. <비끗거리다.
배끗-배끗 부. ——-하다 자여불
배끗-대다 자 배끗거리다.
배-나들 명 〈방〉 나루[1](함남).
배-나무 명 〖식〗 ①능금나뭇과 배나무속에 속하는 나무의 총칭. 야생종으로는 돌배나무·남해배나무·들배나무·문배나무·콩배나무 등과, 재배하는 개량 품종으로는 일본종(日本種)·서양종·중국종의 3종이 있음. 이목(梨木). ②[*Pyrus sinensis*] 능금나뭇과 배나무속에 속하는 낙엽 활엽 교목. 재배종의 하나로, 중국 원산인데, 높이 2-3m, 잎은 넓은 달걀꼴 내지 거꿀달걀꼴에 톱니가 있고 장병(長柄)임. 4-5월에 흰 오판화(五瓣花)가 산방(繖房) 화서로 액생(腋生)하여 핌. 이과(梨果)는 '배'라고 하는데, 구형(球形) 또는 긴 구형·달걀꼴이고 담갈색·갈색 등이 있음. 즙(汁)이 많고 맛이 좋으며 과수원에서 재배함. 중국배.

〈배나무❷〉

배나무-쐐기나방 명 〖충〗 [*Narosoideus flavidorsalis*] 쐐기나방과에 속하는 곤충. 편 날개의 길이는 35-37mm, 몸빛은 황색인데, 앞날개는 누르스름한 갈색(褐色)이며 그 전반(前半)은 암갈색임. 유충은 배·감·단풍나무 등의 잎을 갉아먹는 해충임. 한국·일본·중국·아무르 등지에 분포함.
배나무-진드기 명 〖동〗 [*Paratetranychus pilosus*] 진드깃과에 속하는 절지(節肢) 동물의 하나. 암컷은 타원형에 몸길이 0.6mm, 수컷은 방추형(紡錘形)에 0.3mm 내외임. 몸빛은 암홍색이며 네 쌍의 다리가 있고 만두 모양의 알은 지름 0.15mm 가량임. 한 해에 10여 회 발생하는데, 여름에 유충이 잎의 뒷면에 붙어 즙액(汁液)을 빨아먹음. 피해가 심하면 잎이 누렇게 되어 떨어짐. 배·사과나무에 기생함. 비교적 한랭한 지방에 분포함.

〈배나무 진드기〉

배나무-진딧물 명 〖충〗 [*Toxoptera piricola*] 진딧물과에 속하는 곤충. 몸길이 1.2-1.8mm, 몸빛은 황록색에, 유시형(有翅形)의 두흉부(頭胸部)는 검음. 복부 제6·7·8절(節)에는 거무스름한 가로띠가 있고, 더듬이는 흑색, 날개는 투명함. 한 해에 10여 회 발생하는데 3월부터 출현하여 배나무의 즙액(汁液)을 빨아먹으며, 피해를 입은 잎은 돌돌 말리어 오므라듦. 한국·중국·일본 등지에 분포함.

성충

〈배나무진딧물〉

배-낚시 명 배를 타고 하는 낚시질.
배:납【拜納】명 삼가 바침. 봉납(奉納). ——-하다 타여불
배낭[1]【胚囊】명 〔embryo sac〕〖식〗 현화 식물의 배주(胚珠) 안에 있어, 나중에 그 안에 배(胚)가 생기는 자성 배우체(雌性配偶體). 이 안에 있는 난세포가 수정하여 발육하면 배(胚)가 됨.

주공(珠孔)
외주피
내주피
조란기(造卵器)
주심(珠心)
배낭(배유)
〈배낭〉

배:낭[2]【背囊】명 물건을 담아서 등에 지도록 만든 사각형의 주머니. 군인(軍人)·학생·등산가들이 많이 쓰며 즈크나 가죽으로 만듦.
배낭 모:세포【胚囊母細胞】명 〔embryo-sac mother cell〕〖식〗 감수 분열하여 배낭(胚囊)이 되는 세포. 배주(胚珠) 속의 모세포가 감수 분열해서 생긴 네 개의 세포 중 가장 밑자리의 하나가 발달하여 배낭(胚囊)이 됨.
배낭 세:포【胚囊細胞】명 〔embryo-sac cell〕〖식〗 종자 식물의 대포자(大胞子). 배낭 모세포의 환원 분열(還元分裂)에 의해 생긴 단상(單相)의 세포로, 나중에 분열하여 배낭을 형성함.
배낭 여행【背囊旅行】[—녀—] 명 기본 생활에 필요한 최소한의 물건만 꾸려 넣은 배낭을 메고 되도록 돈을 적게 들이며 하는 여행.
배낭-핵【胚囊核】명 〖생〗 극핵(極核).
배내 명 남의 가축(家畜)을 길러, 다 자라거나 또는 새끼를 낸 뒤에 임자와 나누어 가지는 제도. 지방이나 약속에 따라 그 나누는 비율이 다름. 반양(半養). ¶ 배냇돼지/배냇소.
배:내- 두 '배 안에 있을 때부터'의 뜻. ¶ ~똥/~옷/배냇병신.
배내기 명 〈방〉 배내.
배:내-똥 명 ①갓난아이가 먹은 것 없이 맨 처음 싸는 똥. 빛이 검고 유난히 반드러움. 태변(胎便). 태시(胎屎). 태아분. 해분(蟹糞). ②사람이 죽을 때에 싸는 똥. 갓난아이 똥과 비슷함.
배-내밀다 자 남의 요구에 버티고 응하지 아니하다. 배퉁기다.
배:내-옷 명 깃저고리.
배:내-웃음 명 〈방〉 배냇짓.
배내-털 명 뱃속에서 아이가 자라날 때 돋는 털.
배:냇-냄새 명 갓난아이의 몸에서 나는 냄새.
배:냇-니 명 〔←배냇이〕 젖먹이 때에 나는 이. 아직 갈기 전의 이. 젖니. 유치(乳齒). 츤치(齔齒).
배냇-닭 [—닥] 명 배내로 작정하고 기르는 닭.
배냇-돼지 명 배내로 작정하고 기르는 돼지.
배:냇-머리 명 출생 후 아직 한 번도 깎지 않은 갓난아이의 머리털. 산모(產毛)·태발(胎髮).
배:냇-버릇 명 날 때부터 가지고 있는 버릇.
배:냇-병신【一病身】명 날 때부터의 병신.
배냇-소 명 배내로 작정하고 기르는 소.
배:냇-저고리 명 깃저고리.
배:냇-짓 명 갓난아이가 자면서 웃거나 얼굴을 찡긋거리는 짓. ——-하다 자여불
배냉이-벌레 명 〖충〗 배방패벌레.
배너〔banner〕명 ①기(旗). 군기(軍旗). 표상(表象). ②신문의 일면 톱(top) 왼쪽 끝에서 오른쪽 끝에 이르는 대표제(大標題).
배년【排年】명 해마다 얼마씩 나누어 줌. ——-하다 타여불
배:-녹사【陪錄事】명 〖역〗 조선 시대에, 대신(大臣)에 전속되어, 명령·공문의 전달 등을 담당하던 녹사. ↔수청(守廳) 녹사.
배농【排膿】명 염증으로 고름이 생긴 곳을 절개(切開)하거나 절제(切除)하여 고름을 배출시키는 일. ——-하다 자여불
배농-관【排膿管】명 농즙(膿汁)이나 진물이 괴지 않도록 바깥으로 인도하여 배출(排出)시키기 위하여 삽입하는 관. 금속·유리·고무 등으로 만듦.
배뇨【排尿】명 오줌을 요도(尿道)를 통하여 몸 바깥으로 내보냄. ——-하다 자여불
배뇨-통【排尿痛】명 배뇨할 때 일어나는 아픔. 요도나 방광의 염증이 있을 때 느낌.
배눌 명 〈방〉 낟가리(전남).
배니싱 크림:〔vanishing cream〕명 화장용 크림의 한 가지. 건성(乾性) 크림으로서, 매우 담백(淡白)하여 살갗에 바르면 자취를 남기지 않고 흡수되는 특성이 있음.
배니티〔vanity〕명 허영. 허식. 허영심.
배니티 케이스〔vanity case〕명 화장 도구 같은 것을 넣는 손가방.
배니티 페어〔Vanity Fair〕명 〖문〗 영국 문학가 버니언(Bunyan)이 지은 ≪천로 역정(天路歷程)≫에 나오는 시장(市場)의 이름. 허영의 도시.
배:다[1] 자 ①물기가 스미어 젖다. ¶ 옷에 땀이 ~. *내배다. ②버릇이 되어 익숙해지다. ¶ 일이 손에 ~/기술이 몸에 ~.
배다[2] ㊀ 자 〈옛〉 망하다. ¶ 나라히 배디 아니터늘(國不亡)≪杜諺 Ⅵ:2≫. ㊁ 타 〈옛〉 망치다. 결딴 내다. ¶ 모롤 배리니(亡己)≪內訓 Ⅱ:14≫.
배:다[3] 타 ①뱃속에 아이·새끼 또는 알을 가지다. ¶ 애기를 ~. ②아직 피지 아니한 이삭을 잎이나 껍질이 싸고 있다.
[배지 아니한 아이를 낳으라 한다] 무턱대고 무리한 요구를 함을 이르는 말. **[밴 아이 사내 아니면 계집애지]** 앞으로 결정될 일이 둘 중의 하나일 때 이르는 말.
배:다[4] 타 ↗배우다.
배다[5] 형 ①사이가 매우 촘촘하다. 조밀하다. ¶ 그물코가 ~/모를 배게 심다. ②빈틈이 없이 속이 차다. 1)·2): ↔성기다. ③소견이 좁다. ¶ 남자가 그렇게 속이 배서야 어디 되겠니.
배-다르다 형르불 형제 자매의 아버지는 같으나 어머니가 다르다. ¶ 배다른 형제. *이복(異腹).
배-다리 명 ①배를 잇따라 띄워 그 위에 널판을 깐 다리. 주교(舟橋). 선교(船橋). 선창(船艙). 주량(舟梁). ②교각(橋脚)을 세우지 아니하고 널조각을 걸쳐 놓은 다리. 부교(浮橋).
배다리 장단【一長短】명 〖악〗 경기도 지방의 무속(巫俗) 음악에 쓰이는 장단의 하나. 2박자 계통임.

배다릿-집 명 대문 앞에 배다리를 걸쳐 놓은 집.

배:단【拜壇】명 배례(拜禮)를 하기 위하여 신위(神位) 앞에 베푼 단(壇).

배:달[1]【倍達】명 ↗배달 나라.

배:달[2]【配達】명 물건을 가져다가 돌라 줌. 또, 돌라 주는 사람. ¶ 우편~. ──-하다 타여불

배:달 겨레【倍達—】명 배달 민족.

배:달 나라【倍達—】명 상고 시대(上古時代)의 우리 나라의 이름. 단국(檀國). ㊟배달(倍達).

배:달-나무【倍達—】[—라—] 명 ☞박달나무.

배:달 민족【倍達民族】명 우리 나라 민족을 역사상으로 또는 예스럽게 일컫는 말. 배달 겨레. 한족(韓族). ㊟배달족.

배:달-부【配達夫】명 배달을 업으로 하는 사람. ¶ 우유 ~.

배:달-소【配達所】명 배달하는 일을 맡아보는 곳.

배:달-원【配達員】명 배달부. ¶ 신문 ~.

배:달-족【倍達族】명 ↗배달 민족(倍達民族).

배:달 증명 우편【配達證明郵便】명 우편물 특수 취급의 하나. 우체국에서 우편물을 틀림없이 배달하였다는 증명서를 우편물을 보낸 사람에게 보냄. 등기(登記) 또는 가격 표기(價格表記)의 우편물에 한함.

배달 직입【排闥直入】명 주인 승낙 없이 문안으로 쑥 들어감. ──-하다 자여불

배담 작용【排膽作用】명〖생〗쓸개에 괴어 있는 쓸개즙(汁)이 쓸개의 수축에 따라 십이지장(十二指腸)으로 배출되는 일.

배:당【配當】명 ①적당하게 별러 나눔. 나누어 줌. 또, 그 액(額)이나 양. ¶ 일을 ~하다. ②〖경〗밑천을 낸 사람에게 그 이익을 몫몫이 나누어 줌. 이익 배당. ¶ ~금(金). ③〖법〗↗배당 변제. ──-하다 타여불

배:당 가:능 이:익【配當可能利益】명〖경〗현행 상법(商法)에 정해진, 회사의 이익 배당 한도. 대차 대조표상의 순(純)자산액에서, 자본금, 기왕의 자본 적립금과 이익 준비금의 합계액 및 그 결산기의 이익 준비금을 공제한 액수를 한도로 함. 처분 가능 이익.

배:당 공:제【配當控除】명 [credit for dividends] 배당 소득(配當所得)을 다른 소득과 합산(合算)하여 신고(申告)하였을 경우, 종합 과세(綜合課稅)로 산출된 세액에서 배당 소득의 일정 비율만큼 공제하는 일.

배:당 과세【配當課稅】명 주식에 대한 이익 배당·투자 신탁에 대한 수입 분배금 등, 배당 소득에 대한 과세.

배:당-금【配當金】명 ①배당하는 돈. 분배금. 할부금(割賦金). ②〖법〗주식에 대한 분배 이익.

배:당-기【配當期】명〖법〗이익 배당 또는 건설 이자(建設利子)의 배당을 실시할 시기. 결산기(決算期)와 동일함.

배:당 담보 계:약【配當擔保契約】명〖법〗특정한 주식 회사에 대하여 일정률(一定率)의 이익 배당을 가능케 하기 위하여 보급금(補給金)을 급부할 것을 약속하는 계약.

배:당-락【配當落】[—낙] 명〖경〗매매(賣買)되는 주식에 있어서, 최근의 배당금을 받을 권리가 부대(附帶)되어 있지 않은 것. ¶ ~ 시세가 이론가(價)보다 높게 형성되다. ↔배당부(配當附). *권리락(權利落).

배:당-률【配當率】[—뉼] 명〖경〗주권 액면(株券額面)에 대한 배당금 총액의 연(年) 비율.

배:당 법원【配當法院】명〖법〗강제 집행에 있어서 배당 절차(節次)가 행하여지는 경우에 그 절차를 행하는 법원.

배:당 변:제【配當辨濟】명〖법〗다수(多數)의 채권자에 대한 채무(債務)의 변제에 충당할 재산의 총액이 채무의 총액에 미달하는 경우에, 채권액(債權額)에 따라 안분(按分) 비례로 변제하는 일. ㊟배당.

배:당 보증【配當保證】명〖법〗국가나 공공 단체가 특정한 회사를 위하여 일정한 비율의 이익 배당의 보증을 하는 일.

배:당-부【配當附】명〖경〗매매(賣買)되는 주식(株式)에 있어서 최근의 배당을 받을 수 있는 권리가 부대(附帶)되어 있는 것. ↔배당락(配當落). *권리부(權利附)

배:당부 보:험【配當附保險】명〖경〗상호 조직(相互組織)의 생명 보험 회사가 이익금 또는 잉여금(剩餘金)이 발생하였을 경우, 그 계약자에게도 분배하는 보험.

배:당 분리 과세【配當分離課稅】[—불—] 명 배당 소득을 다른 소득과 분리시켜 과세하는 일.

배:당 성:향【配當性向】명〖경〗기업 이익금 중 주주(株主)에게 돌아가는 배당금의 비율. 세금을 뺀 이익금에 대한 배당금 총액의 백분율로 나타냄.

배:당 소:득【配當所得】명〖법〗법인(法人)으로부터 받는 이익·이자(利子)의 배당, 잉여금(剩餘金)의 분배 또는 증권 투자 신탁(證券投資信託)의 수익(收益)의 분배 등으로 인한 소득. *이자 소득.

배:당 수속【配當手續】명〖법〗배당 절차(配當節次).

배:당 수익률【配當收益率】[—뉼] 명〖경〗현주가(現株價) 또는 매입 주가에 대한, 전년도 배당금의 비율.

배:당-안【配當案】명〖법·경〗재단(財團)의 돈이나 물품을 배당하기 위하여 미리 만든 개요서(概要書).

배:당 요구【配當要求】명〖법〗강제 집행에 있어서 압류 채권자(押留債權者) 이외의 채권자가 집행에 참가하여 변제(辨濟)받을 것을 요구하는 의사 표시.

배:당 재단【配當財團】명〖법〗파산 채권자(破産債權者)가 평등하게 나누어 가질 수 있는 재단. 현유 재단(現有財團)을 법정 재단(法定財團)으로 다시 매긴 뒤에 별제권(別除權)과 재단 채권(財團債權)의 변제(辨濟)를 한 뒤의 남은 재단.

배:당 절차【配當節次】명〖법〗민사 소송법상 집달관(執達官)이 압류한 재산의 경매(競賣)로써 얻은 금전을 여러 채권자에게 나누어 주는 재판상(裁判上)의 절차.

배:당 정책【配當政策】명 [dividend policy]〖경〗기업 이익을 주주(株主)에게 얼마나 분배할 것인가를 결정하는 경영 방침. 주주들의 이익에 직접적인 영향을 주며, 주가 변동에도 큰 영향을 미침. *배당 가능 이익.

배:당 제:한【配當制限】명 [limitation on dividend] 기업(企業)이 행정 지도(行政指導)나 법(法)의 규제에 따라 이익 배당에 제한을 받는 일.

배:당-주【配當株】명〖경〗현금을 배당하는 대신에 주주(株主)에 대하여 나누어 주는 납입필(納入畢)의 주식(株式).

배:당 준:비 적립금【配當準備積立金】[—닙—] 명〖경〗장래의 이익 배당에 충당하기 위하여 그 기(期)의 이익을 유보(留保)한 적립금.

배당체【配糖體】[glycoside]〖화〗당(糖)의 화원기(還元基)와 당 또는 당 이외의 화합물의 수산기(水酸基)와 탈수 축합(脫水縮合)하여 생긴 물질의 총칭. 당과 당이 축합한 것을 홀로시드(holoside)라 하고, 당과 당 이외의 성분으로 된 것을 헤테로시드(heteroside)라 함. 식물계에 널리 존재하며 드물게는 동물체에도 존재함. 글리코시드. 당원질.

배:당-표【配當表】명〖법〗①강제 집행에서 배당 준비(配當準備)를 위하여 집행 법원이 만드는 서면. ②파산법상 배당의 준비를 위하여 채권자를 기초로 하여 파산 관재인(管財人)이 작성하는 서면.

배:덕【背德】명 도덕에 어그러짐. ──-하다 형여불

배:덕-자【背德者】명 〔프 L'immoraliste〕〖책〗지드의 소설. 책과 폐허(廢墟)밖에 몰랐던 고고학자(考古學者) 미셸이, 큰 병을 앓고 난 뒤 인생의 기쁨을 발견하여 기성의 모랄에 안주(安住)할 수 없게 된 영원의 고민을 묘사한 것으로, 20세기의 불안(不安) 문학의 선구가 된 작품임. 1902년 작.

배:도[1]【背道】명 도리(道理)에 어그러짐. ──-하다 자여불

배:도[2]【配島】명 섬으로 귀양 보냄. *유배(流配). ──-하다 타여불

배:도[3]【倍道】명 배도 겸행(倍道兼行). ──-하다 자여불

배:도[4]【陪都】명〖역〗중국에서, 행정 조직상 국도(國都)에 준하는 취급을 받았던 도시. 명대(明代)의 금릉(金陵), 청대(淸代)의 심양(瀋陽) 따위.

배:도 겸행【倍道兼行】명 하루에 보통 사람의 갑절의 길을 걸음. 배도. ──-하다 자여불

배독[1] 명〈방〉바둑(전라).

배:독[2]【拜讀】명 남의 글을 삼가 읽음. 배람(拜覽)·배송(拜誦). ──-하다 타여불

배:독[3]【背讀】명 배강(背講). ──-하다 타여불

배-돌다 자 싸돌지 아니하고 밖으로 돌다. 한데 어울리지 아니하고 떨어져 따로 돌다. ¶ 평소부터 다른 사람들과 어울리기를 싫어하고 혼자 배돌기를 잘하는 버릇이긴 하지만,…≪金東里: 목공 요셉≫. <베돌다.

배동 명 벼가 알을 밸 때, 대가 불룩하여지는 현상.

배동(이) 서다 구 배동이 되다.

배동-바지 명 벼가 알을 밸 무렵.

배-두드리다 자 배불리 먹어 만족하다. 식생활이 풍족하여 안락하게 지내다.

배-두렁이 명 어린 아이의 배만 가리는 작은 두렁이.

배둥근-끌 명〖공〗날이 반원(半圓)을 이룬 끌. 조각(彫刻)하는 데 씀.

배둥근 대:패 명〖공〗날과 배가 둥근 대패. 면(面)을 둥글게 미는 데 쓰임.

배드랜드 지형【—地形】[badland] 명〖지〗악지(惡地) 지형.

배드민턴 [badminton] 명 ①1847년경 인도에서 창시된 테니스와 유사한 경기. 네트를 사이에 두고 라켓으로 제기와 비슷하게 생긴 셔틀 콕(shuttle cock)을 서로 치는 경기. ②클라레(claret)에 소다수(soda水) 등을 넣은 여름 음료.

〈배드민턴❶〉

배듬-하다 형여불 ↗배스듬하다. <비듬하다. 배듬-히 부

배:등【倍騰】명 물건 값이 갑절 오름. ──-하다 자여불

배-따다 자 생선 따위의 배를 가르다.

배-따라기[1] 명〖악〗[←배떠나기] ①서경(西京) 악부(樂府) 열두 가지 춤의 하나. 배를 타고 외국으로 떠나는 사신(使臣)의 출발 광경을 보이는 춤. 춤추는 자리에 채선(彩船)을 갖다 놓고 융복(戎服)한 기생 셋이 삼사(三使)의 배 타는 흉내를 내며, 역시 붉은 융복에 소교(小校)의 차림을 한 동기(童妓) 한 쌍이 군례(軍禮)를 하고 호령하면 뜰에서는 취타(吹打)하며, 나상(羅裳)과 수군(繡裙)을 입은 기생들이 배 좌우에 서서 주의 깊게 듣다가 주악(奏樂)에 맞추어 어부사(漁父辭)를 부르며 춤추고, 둘째번에는 취타에 월출곡(月出曲)을 부르고, 셋째번에는 처음과 같은 절차를 되풀이한 뒤에 뱃머리에 선 소교가 배 떠나라고 명령하면, 횃총을 놓고 닻을 감고 돛을 달아, 여러 기생이 이선 악곡(離船樂曲)을 부르며 배가 떠남. 이선악(離船樂). 선리(船離) ②서도(西道) 민요의 하나. 배따라기 춤을 출 때 나중에 부름. 이선 악곡(離船樂曲). 주의 '排打羅其'로 쓴은 취음(取音). *선유락(船遊樂).

배따라기[2] 명〖문〗1921년에 발표한 김동인(金東仁)의 단편 소설. '내'가 만난 어떤 표박자(漂泊者)의 의처증(疑妻症)이 빚어 낸 골육간의 비극을 그린, 작자의 초기 작품임.

배-따래기 명〈방〉배따라기.

배딱-거리다 자 물건이 배스듬히 이리저리 자주 갸울어지다. ㅆ빼딱거리다. <비딱거리다. 배딱-배딱 부. ──-하다 자형여불

배딱-대다 자 배딱거리다.

배딱-이 부 배딱하게. ㅆ빼딱이. <비딱이.

배-딱지 명 복갑(腹甲).

배딱-하다 형여불 한쪽으로 조금 기울어져 있다. ㅆ빼딱하다. <비딱하다.

배-때 명 ↗배때기.

배-때기 명〈속〉배[1]. ¶ ~가 부른가 보다.

배때-벗다 형 천한 사람이 말씨나 하는 짓이 거만하고 반지빠르다. ¶ 위인이 저지르는 짓이 항용 배때벗고 추잡하고 허황하기 그지 없었다

네《金周榮 : 客主》.
배-때지 명 〈방〉 배¹(전남·경상).
배-떠나기 명 〖악〗 →배따라기¹.
배-또롱 명 〈방〉 배꼽(제주).
배뚜로 부 배뚤어지게. ㅆ빼뚜로. <비뚜로.
배뚜름-하다 형여불 조금 배뚤어져 있다. ㅆ빼뚜름하다. <비뚜름하다. 배뚜름-히 부
배뚝-거리다 자 ①한쪽이 낮아 흔들거리다. ②한쪽 다리가 짧거나, 바닥이 고르지 못하여 흔들거리며 걷다. 1)·2): ㅆ빼뚝거리다. <비뚝거리다. 배뚝-배뚝 부. ——-하다 자여불
배뚝-대다 자 배뚝거리다.
배뚤-거리다 자 ①이리저리 자꾸 기우뚱거리다. ②곧지 못하여 이리저리 구부러지다. 1)·2): ㅆ빼뚤거리다. <비뚤거리다. 배뚤-배뚤 부. ——-하다 자형여불
배뚤다 형 바르지 못하고 한쪽으로 기울어지거나 쏠려 있다. ㅆ빼뚤다. <비뚤다.
배뚤-대다 자 배뚤거리다.
배뚤어-지다 자 ①한쪽으로 기울어지다. ②반듯하지 못하고 한쪽으로 굽어지거나 쏠리다. ③성이 나서 뒤틀어지다. 1)-3): ㅆ빼뚤어지다. <비뚤어지다.
배-뚱아리 명 〈방〉 배¹(전남).
배-띠 명 복대(腹帶)❶.
배라-먹다 자타 살기 위하여 남에게 무엇을 거저 얻어먹다. <빌어먹다.
배락 명 〈방〉 ①벼락(전남·경상·제주). ②벼룩(경남).
배란【排卵】명 〔ovulation〕〖생〗 난자(卵子)가 난소(卵巢)에서 배출(排出)되는 일. 배출된 난자는 수란관(輸卵管)을 통하여 자궁에 이름. 사람의 경우는 월경(月經)이 시작할 때부터 끝날 때까지, 보통 한 달 동안에 한 번 행하여짐. 알슬기. ——-하다 자여불
배란-기【排卵期】명 〖생〗 성숙 난자가 난소에서 배출되는 시기.
배란 유발제【排卵誘發劑】〔—뉴—쩨〕 명 〖약〗 배란이 없는 여자에게 배란을 일으키게 하는 불임증(不姙症) 치료약. 경구용(經口用)·주사용(注射用) 등이 있음.
배:람【拜覽】명 배독(拜讀). ——-하다 타여불
배람-빡 명 〈방〉 바람벽(충남).
배랍다 형 〈방〉 가렵다.
배랑¹ 명 〈방〉 벼랑(경남).
배:랑²【背囊】명 ←배낭(背囊).
배랑-뱅이 명 〈속〉 '거지'를 얕잡아 일컫는 말. <비렁뱅이.
배랑-빡 명 〈방〉 바람벽(충남·전남).
배래¹ 명 육지에서 멀리 떨어진 바다 위. *난바다.
배래² 명 ↗배래기¹.
배래기¹ 명 ①물고기의 배 부분. ②한복의 옷소매 아래쪽에 물고기의 배처럼 불룩하게 둥글린 부분. 준 배래.
배래기² 명 〈방〉 벼룩(경상).
배:량【倍量】명 어떤 양(量)의 갑절이 되는 양. ↔약량(約量).
배럭 명 〈방〉 벼룩(경상).
배럭-빡 명 〈방〉 바람벽(경남).
배럴 〔barrel〕 ㊀ 명 중배가 나온 통(桶). ㊁ 의명 부피의 단위. 영국·미국에서 액체·과일·야채 등의 계량(計量)에 쓰임. 영국에서는 36갤런 즉 163.5리터, 미국에서는 31.5갤런 곧 119.2리터임. 그러나 미국에서 석유의 경우에는 42갤런, 즉 159리터를 말함.
배럴 스커:트 〔barrel skirt〕 명 허리와 치맛자락에 주름을 잡아서 통 모양으로 만든 스커트.
배럼-빡 명 〈방〉 바람벽(경기).
배:려¹【背戾】명 배반되고 어그러짐. ——-하다 자여불
배:려²【配慮】명 이리저리 마음을 씀. 근심하고 걱정함. ¶특별한 ~. ——-하다 타여불
배렵다 형 〈방〉 가렵다.
배:령【拜領】명 배수(拜受). ——-하다 타여불
배:례¹【拜禮】명 절하는 예(禮). 절을 함. ¶신전에 ~하다. ——-하다 자여불
배:례²【陪隷】명 배료(陪僚).
배로¹ 명 〈방〉 벼루(전라·경상).
배:로²【焙爐】명 ①배롱(焙籠). ②제다(製茶)에 쓰이는 건조로(乾燥爐).
배로: 곶【—串】〔Barrow〕 명 〖지〗 미국 알래스카 주(州)의 북단, 북극해에 돌출한 곶. 북극 탐험 기지. 해군의 통신 시설이 있으며 부근에 에스키모 부락이 있음. 포인트 배로.
배록 명 〈방〉 벼룩(경상).
배론 명 〖천주교〗 충청 북도 제천군(堤川郡) 봉양면(鳳陽面) 구학(九鶴) 2리에 위치한 천주교 사적지. 한자어로는 '주론(舟論)', 마을 지역이 배 밑바닥을 닮은 데서 붙여진 이름임. 조선 정조(正祖) 15년(1791)의 신해 박해를 피하여 모인 천주교 신도들이 옹기를 구워 생계를 유지하며 신앙 공동체를 이루었고, 순조(純祖) 원년(1801) 신유 박해 때엔 황사영(黃嗣永)이 백서(帛書)를 쓴 곳이기도 함.
배:롱【焙籠】명 화로 위에 씌워 놓고 그 위에 기저귀나 옷 같은 것을 얹어 말리는 기구. 대나 쇠붙이로 만듦. 배로(焙爐).
배:롱-나무 명 〖식〗 백일홍(百日紅)❶.
배롱-질【焙籠—】명 기저귀나 옷 같은 것을 배롱에 얹어 말리는 일. ——-하다 자여불
배:뢰【蓓蕾】명 막 피려는 꽃봉오리.
배:료¹【配料】명 〖역〗 유배(流配)된 사람에게 주는 식료(食料).
배:료²【陪僚】명 귀인(貴人)을 시중드는 종. 몸종. 배례(陪隷).
배루 명 〈방〉 벼루¹(전남·경남).
배룩 명 〈방〉 벼룩(전남).
배:류【配流】명 먼 곳이나 섬으로 귀양보냄. 유배(流配). ——-하다 타여불
배:륜【背倫】명 윤리에 어그러짐.
배륵 명 〈방〉 벼룩(경남).
배리¹ 명 〈방〉 벼루¹(경상·전남).
배리² 명 〈방〉 배알¹.
배리³ 명 〈방〉 팽이(함북).
배:리⁴【背理】명 ①도리에 어긋남. 이치에 맞지 아니함. 부조리. *불합리. ②〔paralogism〕〖논〗 부주의(不注意)에서 생기는 추리(推理)의 착오. 반리(反理). *궤변(詭辯). ③칸트의 용법(用法)에서 자의식(自意識)의 통일성(統一性)으로부터 심령(心靈)의 단순성(單純性)·지속성(持續性)을 추론(推論)하는 일. 역리(逆理).
배:리⁵【背離】명 등지고 떨어짐.
배:리⁶【陪吏】명 〖역〗 세자(世子)를 모시던 나이 어린 이서(吏胥).
배리⁷ 〔Barrie, James Matthew〕 명 〖사람〗 스코틀랜드(Scotland) 출신의 영국 작가(作家). 즐겨 사회적 테마(thema)를 취급했으며 페이소스(pathos)와 유머(humor)·감상(感傷)·풍자(諷刺)에 능하였음. 작품 《피터 팬(Peter Pan)》 등이 있음. [1860-1937]
배리⁸ 〔Barry, Charles〕 명 〖사람〗 영국의 건축가. 주로 교회당을 건축했는데, 1840년 국회 의사당 건축에 착수, 고딕 양식을 채택하여 1852년에 완성하였음. [1795-1860]
배리⁹ 〔Barry, Philip〕 명 〖사람〗 미국의 극작가. 익살 섞인 희극을 잘 썼음. 대표작에 《필라델피아 이야기》가 있음. [1896-1949]
배리다 형 ①맛이나 냄새가 조금 비리다. ②마음에 차지 아니하게 적다. ③하는 짓이 다랍고 아니꼽다. ¶두번의 대덕을 입은 셈이니 제 아무리 배리게 여기고 있다 할지라도 이젠 비켜날 재간도 빌미도 없게 되었다는 것이었다《金周榮 : 客主》. 1)-3): <비리다.
배리-배리 부 배틀어지게 여윈 모양. ¶서리맞은 호박 덩굴처럼 ~ 말라 비틀어진 백성들《李無影 : 사랑의 화첩》. <비리비리. ——-하다 형여불
배:리-법【背理法】〔—뻡〕 명 〖논〗 귀류법(歸謬法).
배리스터¹ 〔barrister〕 명 영국에서의 법정 변호사. 고등 법원 이상의 법원에서 변론 자격을 가진 자.
배리스터² 〔varistor〕 명 〖공〗 어떤 수치(數値) 이상의 높은 전압이 가해지면 흐르는 전류가 갑자기 증가하는 저항 소자(抵抗素子).
배리어 〔barrier〕 명 선박이나 비행기(飛行機)의 통과를 방해(妨害), 차단(遮斷)하는 물체의 총칭.
배리착지근-하다 형여불 조금 배린 맛이나 냄새가 나는 듯하다. 준 배리치근하다·배착지근하다·배치근하다. <비리척지근하다.
배리치근-하다 형여불 ↗배리착지근하다.
배립【排立】명 열(列)을 지어서 늘어섬. ——-하다 자여불
배릿-배릿¹ 부 남에게 무엇을 요구할 때 스스로 다랍고 아니꼬움을 느끼는 모양. <비릿비릿. ——-하다 형여불
배릿-배릿² 부 매우 배릿한 모양. ——-하다 형여불
배릿-하다 형여불 냄새나 맛이 조금 배리다. ¶배릿한 냄새. <비릿하다.
배-마디 명 〖충〗 '복절(腹節)'의 풀어쓴 이름.
배막【胚膜】명 〔embryonic membrane〕〖동〗 배자(胚子)에 부수된 여러 가지 막(膜). 배자의 보호·영양·호흡·배출(排出) 따위의 중요한 구실을 함. 곤충·척추 동물의 양막류(羊膜類)에서 볼 수 있음.
배만 복명【排滿復明】명 〖역〗 병자 호란(丙子胡亂) 뒤에 일어나 효종(孝宗) 때에 성하였던 사상으로, 만주족(滿洲族)이 세운 청나라를 물리치고 명(明)나라를 도와 부흥시키자는 주장.
배-맞다 자 ①남녀가 남모르게 서로 몸을 허락하다. ¶배맞아 달아나다. *눈맞다. ②떳떳하지 못한 일을 하는 데 서로 뜻이 통하다.
배:맹【背盟】명 맹세를 어김. ——-하다 자여불
배-멀미 명 ☞뱃멀미.
배메기 명 〖농〗 지주와 소작인이 소출(所出)을 똑같이 나누는 제도. 반타작(半打作). 병작(並作). 타작(打作). *잡을도조. ——-하다 타여불
배메기 농사【—農事】명 〖농〗 배메기로 짓는 농사. 병작농. ——-하다 타여불
배메깃-논 명 〖농〗 배메기로 부치는 논.
배:면【背面】명 향한 곳의 뒤쪽. 등. 등 쪽. 후배(後背). ↔복면(腹面).
배:면 공:격【背面攻擊】명 적의 배후에서 하는 공격.
배:면-뛰기【背面—】명 〔Fosbury-back-flop〕 육상 경기에서, 도움닫기 높이뛰기의 한 폼(form). 몸을 뒤로 뉘어서 등으로 바(bar)를 넘음.
배:면복-흥【拜俛伏興】명 〖춤〗 절하고 고개 숙여 엎드렸다가 일어남. 향악 정재(鄕樂呈才)를 시작할 때의 인사법. *궤면복(跪俛伏)·면복흥퇴(俛伏興退).
배:면 비행【背面飛行】명 비행기가 기체를 뒤집어 수평으로 나는 비행.
배:명【拜命】명 명령을 삼가 받음. 임명(任命)을 삼가 받음. ——-하다 자여불
배모양-석기【—模樣石器】명 〖고고학〗 옆면이 배 모양이고 아랫면이 펀펀한 돌연장. 간접떼기로 날을 만드는 것이 특징인데 밀개·새기개 등이 있음. 유선형(流線形) 긁개.
배목¹ 명 〖건〗 문고리나 삼배목(三排目)에 꿰는 쇠. 모양이 못과 비슷하나 대갈이에 구멍이 있어서 자물쇠를 꽂게 되었음. 주의 '排目'으로 씀은 취음(取音).
배:목²【配木】명 나무를 나눔. 나무를 분배함. ——-하다 자여불
배-몰미 명 〈방〉 뱃멀미.
배:무【背舞】명 〖악〗 서로 등지고 추는 춤. ——-하다 자여불
배무쟁이 명 〈방〉 뱀장어(경북).
배:문¹【拜聞】명 ①공경하는 마음으로 삼가 들음. ②전해 주는 말을 삼가 들음. ——-하다 타여불
배:문²【配文】명 〖역〗 죄인을 유배(流配)할 적에 형조(刑曹)에서 유배할 곳의 관아(官衙)에 보내는 통지(通知).
배문³【排門】명 〖역〗 범인(犯人)의 집에 그 죄목을 써서 붙이는 일.
배:-문자【背文字】〔—짜〕 명 책 표지의 등에 박은 글자.
배:-문중【裵文仲】명 〖사람〗 '페이 원중'을 우리 음으로 읽은 이름.
배:물-교【拜物教】명 〔fetishism〕 주물(呪物)을 숭배함으로써 안위(安

慰)·가호(加護) 등을 얻고자 하는 종교. 원시 종교 형태의 하나로, 미개인들 사이에 행하여짐. *물신 숭배·주물 숭배.

배미[1] 명 ↗논배미. 취음:야매(夜昧).

배미[2] 명 〈방〉 배암(경상).

배:미[3]【拜眉】명 삼가 얼굴을 뵘. 만나 뵘. 배안(拜顔). ——-하다 타 「여불

배미장개 명 〈방〉 뱀장어(함경).

배미장어 명 〈방〉 뱀장어(경북).

배미쟁이 명 〈방〉 뱀장어(경북).

배미-콩 명 〈방〉 밥밑콩.

배민【排悶】명 걱정을 없앰. ——-하다 자여불

배-밀이[1] 명 ①어린 아이가 엎드려서 배를 바닥에 문칫문칫 밀면서 기어가는 짓. ②씨름에서, 들재간의 하나. 상대방을 배로 밀어서 넘어뜨림. ③나무를 켤 때에, 기계톱에 나무를 배로 밀어서 먹이는 일. ¶~공(工). —— 하다 자타여불

배-밀이[2] 명〖건〗가운데 것이 조금 넓게 세 줄을 파는 대패.

배-밀이[3] 명〖건〗창살을 맞추어 고르게 하기 위하여 바닥을 대패질하는 일. ——-하다 자여불

배-밀이[4] 명 민간에서 배앓이할 때 따뜻하게 데워 배 위에 올려 놓고 문지르기 위하여 만든 민간 의료 기구의 하나. 화로의 불돌 대신 한약방 등에서 손잡이까지 붙여서 오지나 도자기 등으로 특별히 만들어 썼음.

배-바쁘다 형 〈방〉 몹시 바쁘다(평북). ¶마음이 배바빠 아침도 덤비어 치우다.

배반[1] 명〖악〗예전에, 가곡(歌曲)의 신인(新人)을 등용(登用)하기 위하여, 일류 풍류객(一流風流客)들이 모여서 신인의 노래를 심사하던 일.

배반[2]【杯盤】명 ①술상에 차려 놓는 그릇이나 거기에 담긴 음식의 총칭. ②멋지게 노는 잔치. 「다 자여불

배:반[3]【背反】명 논리적으로 양립할 수 없음. ¶이율(二律) ~. ——-하

배:반[4]【背反·背叛】명 믿음과 의리를 저버리고 돌아섬. 또, 배신하여 반역함. 구역(遘逆). ¶애인을 ~하다/나라를 ~하다. ——-하다 타여불

배반[5]【胚盤】명 ①〔blastodisk〕〖동〗조류(鳥類)·파충류(爬蟲類) 등의 알의 노른자 위에서 희게 보이는 원형질(原形質). 노른자 위의 끝에 반상(盤狀)으로 모였다가 분할(分割)하여 유체(幼體)를 만드는 물질. 알눈. 얼씨. ②〔scutellum〕〖식〗볏과 식물에 많은 배(胚)와 배유(胚乳)를 연결하는 흡수 조직(吸收組織). 「다 형여불

배반 낭:자【杯盤狼藉】명 술 먹은 자리의 혼잡한 모양을 이름. ——-하

배반 사:건【排反事件】[—껀] 명 〔exclusive events〕〖수〗확률론(確率論)에서, 두 개 이상의 사건(事件)이 있을 때 그 중 한 사건이 나타나면 나머지 사건은 절대로 일어나지 않을 경우의 몇 개의 사건 상호간의 일컬음. 예를 들어, 세 닢의 엽전(葉錢)을 던질 때 전부 거죽이 드러나는 일과 두 장만이 거죽이 드러나는 일과는 서로 배반 사건이 됨. 배반 사상(排反事象). *독립 사건(獨立事件)·복사건(複事件)·종속 사건(從屬事件).

배반 사:상【排反事象】명〖수〗'배반 사건'의 구용어.

배:반-자【背反者·背叛者】명 믿음과 의리를 저버리고 돌아서는 자.

배:반-죄【背叛罪】[—쬐] 명〖법〗'외환죄(外患罪)'의 구칭.

배:방【陪房】명 하인들이 거처하는 방.

배-방패벌레【—防牌—】명〖충〗〔*Stephanitis nashi*〕방패벌렛과에 속하는 곤충. 몸길이 3.5mm 가량, 몸빛은 흑갈색임. 촉각과 발은 황색이고, 날개는 반투명인데 배면(背面)의 위에 이것을 접으면 마치 X자형(字形)처럼 되는 검은 반문이 있음. 유충(幼蟲)은 담회색 내지 담갈색을 띰. 성충은 5월에 나타나며, 겨울에는 잡초·가랑잎 등에서 월동함. 유충·성충이 모두 배나무·벚나무 뒤에 붙어 진을 빨아먹는 해충임. DDT·황산 니코틴 등의 약제로 구제(驅除)함. 한국·중국·일본에 분포함. 배냉이벌레.

성충 벌레먹은 잎

〈배방패벌레〉

배밭다 타 〈방〉 뱉다(전남).

배:배 부 여러 번 꼬이거나 뒤틀린 모양. <비비. 「꼬다.

배:배 꼬:다 구 여러 번 배틀어 꼬다. 단단히 꼬다. ¶실을 ~. <비비

배:배 꼬이다 구 여러 번 배틀려서 단단히 꼬이다. ¶줄이 ~. 준배배

배:배 꾀:다 구 ↗배배 꼬이다. 「꾀다. <비비 꼬이다.

배:배 틀다 구 여러 번 배틀다. 단단히 배틀다. ¶몸을 ~/말을 ~. <비비 틀다. 「비비 틀리다.

배:배 틀리다 구 여러 번 배틀리다. 단단히 배틀리다. ¶감정이 ~. <

배:백【拜白】명 '엎디어 사뢰'의 뜻. 편지 끝의 이름 아래에 쓰는 말.

배뱅잇-굿 명〖민〗황해도를 중심으로 서도(西道) 지방에 전파되어 있는 민속극의 하나. 한 사람의 배우가 등장하여 창(唱)으로 여러 역할을 도맡아 진행하는 것이 특색임. 푸닥거리로써 처녀로 죽은 배뱅이의 혼을 불러 그 부모와 만나게 하려는 무당·박수들의 경쟁이 극의 구성으로 되어있음.

배버들-나방 명〖충〗〔*Gastropacha quercifolia*〕솔나방과에 속하는 곤충. 편 날개의 길이는 75-80mm임. 몸빛은 적갈색에 앞날개에는 네 개의 암갈색 횡선(橫線)이 있는데, 모두 톱날 모양을 이루고, 뒷날개 전연(前緣)은 등갈색인데, 드물게 한 줄의 암색(暗色) 횡선이 있음. 유충은 버드나무·밤·사과·배나무 등의 해충임. 한국·일본·동부 아시아에 분포함.

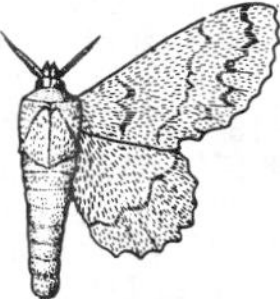

〈배버들나방〉

배:번【背番】명 운동 선수 등이 유니폼의 등에 붙이는 번호. 백넘버.

배벌-과【—科】[—꽈] 명〖충〗〔Scoliidae〕벌목(目)에 속하는 한 과. 몸은 소형(小形) 내지 대형(大形)으로 몸빛은 흑색에 백·황·등황·적색 등의 반문(斑紋)과 띠무늬가 있음. 유충은 풍뎅이류·딱정벌레 등의 유충에 외부 기생(外部寄生)함. 노랑띠배벌·노랑눈배벌·호리무늬배벌 등이 이에 속하는데, 전세계에 1000여 종이 분포함.

배:-법선【陪法線】명〔binormal〕〖수〗삼차원(三次元) 유클리드 공간에 있어서 접점(接點)에서 접촉 평면(接觸平面)과 직교(直交)하는 직선. ↔주법선(主法線).

배변【排便】명 대변을 몸 밖으로 배설함. ——-하다 자여불

배:별【拜別】명 '작별(作別)'의 높임말. ——-하다 자타여불

배:병[1]【胚柄】명〔suspensor〕〖식〗배주(胚珠)를 태좌(胎座)에 부착시키는 자루. 합점(合點). 「하다 자타여불

배:병[2]【配兵】명 병정을 긴요한 곳에 배치하는 일. 또, 그 병정. ——-

배:복[1]【拜伏】명 절하여 엎드림. 엎드려 절함. ——-하다 자여불

배:복[2]【拜覆·拜復】명 한문 편지 답장의 첫머리에 쓰는 높임말. 복계(復啓).

배:복[3]【陪僕】명 하인. 종.

배:본【配本】명 ①책을 배달(配達)함. 배책(配冊). ②예약 출판물(豫約出版物)을 예약자에게 배부(配付)함. ——-하다 타여불

배:부[1]【背部】명 등 부분. 어떠한 면(面)의 뒤쪽. ↔복부(腹部).

배:부[2]【配付】명 나누어 줌. ¶원서를 ~하다. ——-하다 타여불

배:부[3]【配賦】명 세금 따위를 돌라 매김. ——-하다 타여불

배:부 개:가【背夫改嫁】명 남편을 배반하고 다른 곳으로 시집감. ——-하다 자여불

배부 기가【背夫棄家】명 남편을 배반하고 집에서 나와 버림. ——-하다 자여불

배:부 도주【背夫逃走】명 남편을 배반하고 도망감. ——-하다 자여불

배-부르다 형르불 ①더 먹을 수 없이 양이 차다. ¶배부르게 먹다. ②배가 크고 뚱뚱하다. ③애를 배어 배가 불룩하다. ④재물이 넉넉하다. 궁하지 아니하다. ¶배부른 소리하다.

[배부른 고양이 새끼 냄새 맡아 보듯] 마음에 흡족하여 살뜰하게 냄새를 맡는다는 말. [배부른 흥정] 아쉬움이 없어 급히 서둘지 아니하고 배짱을 튀겨 가며 마음에 차면 하고 싫으면 아니하는 흥정. 또, 그런 식으로 일을 처리함을 일컫는 말.

배:부-세【配賦稅】[—쎄] 명 조세 징수에 있어서, 미리 조세 수입의 금액을 결정하여, 그것을 납세자 또는 과세 목적물에 할당하여 과하는 세(稅). 정률세(定律稅).

배부장 나:리 명 〈속〉 배가 똥똥하게 나온 사람.

배-부장이 명 〈방〉 배부장 나리.

배:분[1]【陪墳】명〖고고학〗'딸린무덤'의 구용어.

배:분[2]【配分】명 몫몫이 나누어 줌. 분배(分配). ——-하다 타여불

배:분 법칙【配分法則】명 분배 법칙.

배분성 명 〈심마니〉 골짜기. *고분성.

배:분적 정:의【配分的正義】[—/—이] 명〖철〗아리스토텔레스의 정의의 관념. 인간 가치의 차별성(性)에 의한 평등을 근거로 하는 공정한 정의. 정치적 권리와 복리의 분배가 이에 속함. ↔균형적 정의.

배불【排佛】명 불교(佛敎)를 물리침. 또, 그런 사상. ¶~ 사상.

배불뚝-과【—科】명〖어〗〔Menidae〕농어목(目)에 속하는 어류의 한 과. 이 과에 속하는 어종으로 배불뚝치 하나만 알려져 있음.

배-불뚝이 명 배가 불뚝하게 나온 사람.

배불뚝-치 명〖어〗〔*Mene maculata*〕배불뚝과에 속하는 바닷물고기. 몸은 길이 20cm 내외로 몹시 측편(側扁)하고, 배가 불뚝하며, 비늘이 없고, 주둥이가 작은데 길게 뽑아 낼 수가 있음. 몸빛은 등 쪽은 청색 바탕에 몇 줄의 곱고 짙푸른 무늬가 산재하고, 배지느러미는 검음. 열대성(熱帶性) 어종으로 한국 남부해·일본·중국해·하와이·필리핀 및 동인도 제도에서 인도양에까지 널리 분포함.

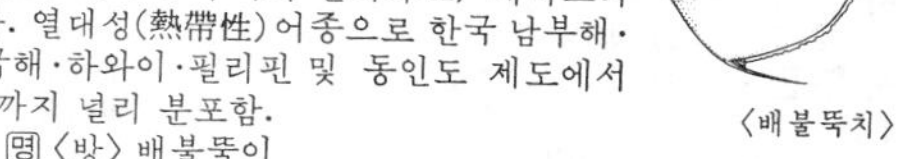

〈배불뚝치〉

배-불룩이 명 〈방〉 배불뚝이

배-불리 부 배부르게. ¶~ 먹다.

배-불리다 ㊀사동 먹을 것을 많이 주어 흡족히 먹게 하다. 배가 차게 하다. ㊁자 치부하다. 사리 사욕을 채우다.

배불 숭유 정책【排佛崇儒政策】명 조선 시대에 불교를 배척하고 유교를 숭상하던 국가 정책. 조선 시대 초기에 조준(趙浚)·정도전(鄭道傳) 등의 유학자가 주장함.

배-붙이기 [—부치—] 명 명주 올이 거죽으로, 무명 올이 안으로 가게 짠 피륙.

배-붙이다[1] [—부치—] 자 배를 나룻턱이나 선창에 대다.

배-붙이다[2] [—부치—] 자 씨름에서, 서로 배를 대다.

배브콕 보일러〔Babcock boiler〕명 미국의 발명가 배브콕(Babcock, G.H.; 1832-93)이 1867년에 발명하여 특허를 얻은 경사식(傾斜式) 수관(水管) 보일러.

배:비[1]【配備】명 나누어 베풂. 배치하여 설비함. ——-하다 타여불

배비[2]【排比】명 비례를 따라 몫몫이 나눔. 나누어 몫을 지음. ——-하다 타여불

배비다 타 〈방〉 뱌비다.

배비-대다 타 ☞뱌비대다.

배비작-거리다 타 ☞뱌비작거리다.

배비장-전【裵裨將傳】명〖문〗조선 시대 후기(後期)의 소설. 판소리 열두 마당의 하나인 '배비장 타령'을 소설화한 것임. 여색(女色)에 빠지지 않겠다고 본처에게 맹세하고 제주 목사를 따라 임지(任地)에 부임한 비장 배선달이 제주 명기(名妓) 애랑(愛娘)의 계교에 넘어가 망신당한다는 이야기. 작자·연대는 미상임.

배비장-타:령【裵裨將打令】명〖악〗판소리 열 두 마당의 하나. 현재 판소리 창으로나 창본(唱本)인 사설로 전하지 아니함. 《배비장전》이 창

본의 내용이 되리라고 추측됨.

배비적-거리다 타 ☞바비작거리다. ¶치마고름을 배비적거리며 서 있다.

배:빈[1]【陪賓】명 ①높은 사람을 모시고 참여하는 손. 배객(陪客). ②주빈(主賓) 이외의 손.

배빈[2]【排擯】명 밀어내어 물리침. 배척(排斥). 빈척(擯斥). 척빈(斥擯). ——-하다 타여불

배빗〔Babbitt, Irving〕명〖사람〗미국의 비평가. 하버드 대학 불문학 교수. 휴머니즘 운동의 가장 유력한 지도자로, 루소식의 자연주의와 낭만주의를 배격하고 고전주의를 역설하였음. 저작에 ≪문학과 미국의 대학≫·≪루소와 낭만주의≫·≪민주주의와 지도자≫ 등이 있음. [1865-1933]

배빗-대 명 베틀에 딸린 기구의 하나. 도투마리에 베실을 감을 때 이 사이에 대는 나뭇가지.

배빗 메탈〔Babbitt metal〕명〖광〗감마 합금(減摩合金)의 한 가지. 성분은 아연(亞鉛)에 주석·구리·규소(硅素)·납 등을 포함하고 있으며, 고속(高速)·고하중(高荷重)의 베어링용(用)으로 높은 성능을 나타냄. 미국인 발명가 배빗(Babbitt, Isaac; 1799-1862)이 발명하였음.

배빛-거리다 타〈방〉바비작거리다. **배빛-배빛** 부. ——-하다 타여불

배뽕 명〈방〉배꼽❶(전남).

배뿌장 명〖식〗〈방〉질경이.

배뿍 명〈방〉배꼽❶❸(함경).

배-뿡기 명〈방〉배꼽(경북).

배삐 부〈방〉빨리(경남).

배삐-굴다 자타〈방〉바삐 굴다. 재촉하다(함경).

배:사[1]【背斜】명〔anticline〕〖지〗파상(波狀)으로 습곡(褶曲)한 지층(地層)의 지질(地質) 구조상 봉우리가 된 부분. ↔향사(向斜).

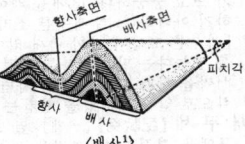

〈배사[1]〉

배:사[2]【拜賜】명 웃어른이 주시는 것을 삼가 공손히 받음. ——-하다 타여불

배:사[3]【拜謝】명 삼가 사례함. ——-하다 자여불

배:사[4]【拜辭】명 ①〖역〗숙배(肅拜)와 조사(朝辭). ②삼가 사양함. ——-하다 타여불

배:사[5]【倍蓰】명 '배'는 한 갑절, '사'는 다섯 갑절. 곧, 갑절 이상 댓 갑절 가량.

배:사-곡【背斜谷】명〔anticlinal valley〕〖지〗습곡(褶曲)의 배사(背斜)가 되는 부분에 발달한 침식곡(浸蝕谷).

배-사공 명 ☞뱃사공.

배:사 구조【背斜構造】명〖지〗암류(岩類)의 퇴적 후, 지각의 변동이나 압력으로 생긴 낙타의 육봉(肉峰)과 같이 된 지질 구조. 두꺼운 암석층을 밖으로 하여 그 내부에 천연 가스·원유·물 등이 비중이 가벼운 순으로 각각 층을 형성, 석유의 유출을 막고 있어 석유 단지(團地)로 불림.

〈배사 구조〉

배:-사령【陪使令】명 벼슬아치를 따라다니는 사령. 배하인(陪下人).

배사-문【排沙門】명〖토〗쌓인 모래를 흘려 없애기 위하여 만든 수문.

배-사이 명〈방〉나루[1](함남).

배:사-축【背斜軸】명〔anticlinal axis〕〖지〗지층의 배사(背斜)가 되는 부분의 중축(中軸).

배:사축-면【背斜軸面】명〖지〗배사의 양쪽에서 같은 거리에 있는 면.

배삭【排朔】명 한 달에 얼마씩 나누어 여러 달에 벼름. 배월(排月). *배년(排年). ——-하다 타여불

배:산 임수【背山臨水】명 지세(地勢)가 산을 등지고 물에 면하고 있음.

배-삼익【裵三益】명〖사람〗조선 명종(明宗) 때의 문신. 자는 여우(汝友). 호는 임연재(臨淵齋). 흥해(興海) 사람. 퇴계(退溪)의 문인. 황해 감사를 지냄. 퇴계에게 심경(心經)과 시전(詩傳)을 배웠음. [1534-88]

배상[1]【杯狀】명 술잔 모양.

배:상[2]【拜上】명 절하고 올림. 삼가 올림. 흔히 편지 끝에 씀. ——-하다 타여불

배:상[3]【拜相】명〖역〗정승(政丞)을 배명(拜命)함. ——-하다 타여불

배상[4]【賠償】명 ①남에게 입힌 손해를 갚아 줌. ¶손해 ~. ②〖법〗남의 권리를 침해한 자가 그 손해를 보상하는 일. *변상(辨償)·판상(辦償). ——-하다 타여불

배상-국【賠償國】명 배상하는 나라.

배상 권리자【賠償權利者】[—궐—] 명 어떤 사실을 원인으로 하여 그 결과로써 손해를 입은 자. 손해 배상을 청구할 권리가 있는 자. ↔배상 의무자.

배상-금【賠償金】명 배상하는 돈. ¶손해 ~. 준상금(償金).

배상-꾼 명 배상부리는 사람.

배-상명【裵祥明】명〖사람〗교육가. 평남 강서(江西) 출생. 일본 도쿄(東京) 고등 기예 학교 졸업. 미국 시카고 대학 교육학부 수학. 상명 학원(祥明學園)을 설립, 상명 여자 사범 대학 학장, 녹지(綠地) 여성 협회장 등을 역임함. [1906-86]

배상 명:령【賠償命令】[—녕] 명〖법〗상해(傷害)·절도 등 형사 사건의 피해자나 그 유족이 물질(物質) 피해와 치료비의 손해 등을 따로 민사 소송을 거치지 않고 배상받도록 법원(法院)이 관련 형사 사건 선고(宣告)와 동시에 명령하는 일. 우리 나라에는 1981년에 이 제도가 도입됨.

배상-부리다 자 거만하게 몸을 아끼고 꾀만 부리다.

배상 시:설【賠償施設】명 교전국(交戰國)의 한쪽이 패전으로부터 발생하는 배상 의무에 사용하는 시설. 금전(金錢) 배상은 실익(實益)이 적다는 이유로, 제2차 대전 후는 시설에 의한 배상이 요구됨.

배상-안【杯狀眼】명 플라나리아·거머리 등과 같이 시세포가 색소 세포에 둘러싸인 잔 모양의 눈을 가지며, 명암과 빛의 방향을 느끼는 시각기.

배상-액【賠償額】명 배상하는 금액.

배상 의:무【賠償義務】명〖법〗①배상할 의무. ②전쟁 중의 손해 따위를 보상하기 위해 조약의 규정에 따라 패전국이 전승국에 현금·역무(役務)·자재 따위를 제공하는 의무.

배상 의:무자【賠償義務者】명 손해 배상을 할 의무가 있는 자. ↔배상 권리자.

배상적 환취권【賠償的還取權】[—꿘] 명〖법〗대상적(代償的) 환취권.

배상-주의【賠償主義】[—/—이] 명〖법〗형벌은 범죄로 인하여 어지럽혀진 사회의 무형적 손해를 배상시키는 데에 그 목적이 있다는 주의.

배상 책임 보:험【賠償責任保險】명 제3자에 대하여 일정한 재산적 급부를 할 법적 책임을 졌을 때, 거기 따른 손해를 보전(補塡)하는 보험.

배상 청구권【賠償請求權】[—꿘] 명 ↗손해 배상 청구권.

배상-체【盃狀體】명〔cupule〕〖식〗태류(苔類)의 엽상체(葉狀體)에 생기는 술잔 모양의 기관(器官). 기실(氣室)이 변형된 것으로, 가에 톱니가 있으며, 안에 눈이 생겨 이것으로 무성(無性) 번식을 함.

배:색【配色】명 색의 배합. 또, 배합한 색. ——-하다 자타여불

배:서【背書】명 ①책장이나 서면(書面) 같은 것의 뒤쪽에 글씨를 씀. 또, 그 글씨. ②〖법〗어음 기타 지시 증권의 권리자가 보통 그 이면에 소요 사항을 기입 서명하여 상대방에 교부하는 행위. 특히, 양도(讓渡) 배서를 이름. 양도 배서로 인해 증권상의 권리는 상대방에 이전되고, 배서인은 증권상의 채무가 판제되지 않을 경우 대상(代償) 책임을 짐. 뒷보증. 구칭은 이서(裏書). ——-하다 자여불

배:서 금:지【背書禁止】명〖법〗어음·수표 등 지시 증권의 발행인 또는 배서인이 그 증권에 배서를 금지하는 뜻을 기재(記載)하는 일. 뒷보증 금지. 지시 금지. 이서 금지.

배:서 금:지 배:서【背書禁止背書】명〖법〗어음·수표 등 지시 증권(證券)의 배서인이 이후의 새 배서를 금지하는 뜻을 기재(記載)하는 일.

배:서 금:지 어음【背書禁止—】명〖법〗발행인이 배서를 금지하는 문구를 기재한 어음. 배서의 방법으로는 양도가 불가능함.

배-서낭 명〖민〗경남 지방에서 배고사를 지내는 대상인 배의 신. 대개 도깨비 신이며, 수수떡에 수수밥을 좋아한다고 함.

배:-서리【陪書吏】명〖역〗조선 시대에, 서리 가운데, 대신(大臣)의 명령을 받들어 수행하던 이속(吏屬). ↔수청(隨廳) 서리.

배서스트〔Bathurst〕명〖지〗'반줄(Banjul)'의 구칭.

배:서 양:도【背書讓渡】명〖법〗배서에 의해 어음 등 지시 증권상의 권리를 양도하는 일. 뒷보증 양도. 이서 양도.

배:서 양:도인【背書讓渡人】명〖법〗배서에 의해 어음 등 지시 증권상의 권리를 양도한 사람.

배:서 양:수인【背書讓受人】명〖법〗배서에 의해 어음 등 지시 증권상의 권리를 타인에게서 양수한 사람.

배:서-인【背書人】명〖법〗배서에 의하여 어음 또는 기타 지시 채권을 양도 또는 입질(入質)한 사람. 뒷보증인. 이서인.

배:석[1]【拜席】명 의식(儀式) 때 배례(拜禮)하는 데 쓰는 자리.

배:석[2]【陪席】명 ①어른을 모시고 자리를 같이 함. ②〖법〗↗배석 판사. ——-하다 자여불

배:석 판사【陪席判事】명〖법〗합의(合議) 재판의 구성원 가운데서 재판장 이외의 판사. 소송 지휘권은 없으나 재판장에게 고(告)하고 당사자·증인·감정인 들에게 질문할 수 있음. 합의부원. 준배석.

배:선[1]【配船】명 배를 할당함. 배에 임무를 할당하여 필요로 하는 항구로 배치하는 일. ——-하다 자여불

배:선[2]【配線】명 ①전선을 끌어 닮. 전선으로 연결함. ¶~ 공사. ②↗배전선(配電線). ——-하다 자여불

배:선-도【配線圖】명 전기·전자 장치의 각 부품의 배선과 수량 등을 나타낸 회로도(回路圖). *배관도(配管圖)·결선도(結線圖).

배:선-반【配線盤】명〖전〗①전화 교환국에서, 전화 가입자로부터 오는 선(線)을 끌어들여서 교환기에 이끌기 전에 우선 통제(統制)하기 위하여 달아 놓는 장치. ②라디오 수신기에서 광석이나 진공관·코일 등 여러 가지 부분품을 달아 놓는 반(盤).

배:선 손:료【配線損料】[—뇨/—솔—] 명 배전선(配電線)을 쓰는 사람이 다달이 무는 손료(損料). 자기 비용으로 가설하고 전기의 공급만 받게 되면 손료는 물지 않음.

배:선-함【配線函】명〖전〗가공 케이블(架空 cable)을 가공 나선(裸線)에 접속시키는 곳에 두는 함(函). 그 안에 피뢰기(避雷器)·가용편(可鎔片)·단자반(端字盤) 등을 설비하여 과대한 전압이나 전류에 의한 케이블의 손상을 막고, 전환(轉換)을 쉽게 함.

배설[1]【排泄】명 ①안에 있는 것을 밖으로 새어 내보냄. ②〔excretion〕〖생〗생물이 영위하는 물질 대사(物質代謝)의 결과 생기는 쓸데없거나 유해(有害)한 생성물(生成物) 중, 암모니아 같은 것이 몸 안에서 무해(無害)한 물질로 변하여 몸 밖으로 배출되는 작용. 배출(排出)·걸러내기. ——-하다 타여불

배설[2]【排設】명 의식(儀式)에 쓰는 제구를 벌여 베풀어 놓음. 진설(陳設). ——-하다 타여불

배설[3]【排雪】명 ①쌓인 눈을 길바닥·선로 따위에서 치워 버림. ¶~차(車). ②쌓인 뒤에 치워진 눈. ¶~이 개천을 메우다.

배-설[4]【裵說】명〖사람〗'베델(Bethell, Ernest Thomas)'의 한국 이름.

배설-강【排泄腔】명〔cloaca〕〖동〗배설구(排泄口)와 생식기를 겸하고 있는, 고등 포유 동물의 항문(肛門)에 상당하는 구멍. 개구리·뱀·새 등에서 볼 수 있음.

배설-계【排泄系】명〔excretory system〕〖생〗배설기와 그 부속 기관(器官)의 총칭. 포유류에서는 신장(腎臟)·땀샘 외에도 신장에 연결된

수뇨관(輸尿管)·방광·요도(尿道)가 포함됨. 비뇨기계(系).

배설-기【排泄器】명〔excretory organ〕《생》배설 작용을 하기 위하여 분화(分化)된 기관(器官). 일반적으로 체강(體腔) 또는 체액계(體液系)와 밀접한 관계를 가지며, 농축·여과·분비 등을 행하며 오줌을 몸 밖으로 배출함. 원신관(原腎管)·신관(腎管)·말피기관(Malpighi管)·신장(腎臟) 등이 대표적인 것임. 배설기는 수분 조절·삼투 조절의 기능을 겸하고 있음. 인체(人體)의 경우는 비뇨기라고도 함. 배설 기관.

배설-기관【排泄器官】명 배설기.

배설-물【排泄物】명 배설된 물질. 똥·오줌·땀 따위. 분비물.

배설-방【排設房】명《역》궁중에서 차일(遮日)·휘장 따위를 치는 일을 맡아 보던 직소(職所).

배설 작용【排泄作用】명《생》동물체가 배설을 하는 작용.

배:성【陪星】명《천》위성(衛星).

배:성-교【拜星教】명 별을 받드는 종교.

배:-세:포【胚細胞】명〔germ cell〕《생》생식 세포.

배:소[1]【拜掃】명 조상의 묘를 깨끗이 하고 돌봄. ——-하다 타여불

배:소[2]【配所】명《역》죄인을 유배할 곳. 또, 죄인이 유배된 곳. 적소(謫所).

배:소 가다 구 유배(流配)되는 곳으로 가다. 곧, 귀양살이 가다.

배:소[3]【配疏】명 상주(上奏)하는 글을 올림. 상소(上疏). ——-하다 자여불

배:소[4]【焙燒】명〔roasting〕《화》광석(鑛石)을 녹는점 이하에서 열을 가하여 그 화학적 조성(組成)을 변화시키는 야금상(冶金上)의 준비 조작(操作). ——-하다 타여불

배:소-로【焙燒爐】명 제련(製鍊)에 제공되는 여러 가지 황화 광석(黃化鑛石)을 배소하여, 산화 광물(酸化鑛物)로 만드는 화로. 노(爐).

배:속【配屬】명 ①분배하여 부속(附屬)시킴. ②사람을 여러 곳으로 갈라 붙여서 종사(從事)·근무(勤務)하게 함. ¶ 유능한 인재를 적재 적소에 ～시키다. ——-하다 타여불

배:속 부대【配屬部隊】명《군》편제상(編制上)의 자기 소속을 떠나, 한동안 다른 상급(上級) 부대의 지휘 아래 배치되는 부대.

배속-애기잎말이나방 명《충》[*Grapholitha molesta*] 애기잎말이나방과에 속하는 곤충. 편 날개의 길이 11-13mm, 앞날개는 암갈색에 회백색의 또렷하지 않은 물결 모양의 횡선(橫線)이 여러 줄 있고, 뒷날개는 암갈색이며 그 외연부(外緣部)는 회황색을 이룸. 유충은 몸길이 12mm이고 복면은 대황색, 등은 홍색임. 배·복숭아나무의 과실 속에 기생하는데, 한국·일본·중국 등에 분포함.

〈배속애기잎말이나방〉

배:속 장:교【配屬將校】명《군》군사 훈련을 시키기 위하여 학교나 훈련소 같은 데에 배속된 장교. ＊학교 배속 장교.

배:송[1]【拜送】명 ①삼가 보냄. ②《민》천연두(天然痘)를 앓은 뒤 13일 만에 두신(痘神)을 전송(餞送)하는 일. ③《불교》신에게 밥을 주며 경문(經文)을 읽고 마지막으로 신들을 보내는 일. ——-하다 타여불

배:송(을) 내:다 구 ㉠《민》두신(痘神)을 배송(拜送)하는 의식(儀式)을 하다. ㉡ '쫓아내다'의 곁말. ¶ 에그 영감도 내가 영감을 배송낼 리가 있습니까?《李海朝: 鬢上雪》.

배:송[2]【拜誦】명 배독(拜讀). ——-하다 타여불

배:송[3]【背誦】명 배강(背講). ——-하다 타여불

배:송[4]【配送】명 배달과 발송. 별러 보내 줌. ——-하다 타여불

배:송[5]【陪送】명 귀인(貴人)을 따라가서 전송함. ——-하다 타여불

배:송-굿【拜送一】명《민》별성마마를 떠나 보내는 푸닥거리.

배:수[1]【背水】명《토》하천(河川)을 댐이나 수문(水門)으로 막았을 때 그 상류 쪽에 불어 괴는 물. 백워터(backwater).

배:수[2]【拜手】명 손을 들어 읍하고 절함. ——-하다 자여불

배:수[3]【拜受】명 공경하여 삼가 받음. 배령(拜領). ——-하다 타여불

배:수[4]【配水】명 ①물을 보내 줌. ¶ ～지(池). ②논에 물을 댐. ——-하다 자여불

배:수[5]【配囚】명《역》유배(流配)된 죄인(罪人).

배:수[6]【倍數】명 ①갑절이 되는 수. ②《수》어떤 정수(整數) '*a*'가 다른 정수 '*b*'로 나누어질 때 '*b*'에 대한 '*a*'의 일컬음. 곱수. ↔약수(約數). ③《인쇄》조판(組版)이나 원고 용지의 1행에 들어가는 자수(字數).

배:수[7]【陪隨】명 높은 사람을 모시고 따름. ——-하다 타여불

배수[8]【排水】명 ①안에 있는 물을 밖으로 뽑아 냄. ¶ ～ 장치. ②물 가운데 뜬 물체가 그것이 물 속에 잠긴 만큼의 부피의 물을 사방으로 밀어 헤침. 흔히 선박에 대하여 쓰임. 구수(驅水). ¶ ～량(量). ——-하다 자여불

배수-갱【排水坑】명《광》갱내(坑內)의 물을 갱외(坑外)로 배제(排除)하는 수갱(竪坑)·사갱(斜坑) 또는 수평 갱도(水平坑道).

배수-공【排水孔】명 옹벽(擁壁) 표면에 만든, 물을 빼는 구멍.

배:수-관[1]【配水管】명 물을 보내는 관. 보통 상수도관(上水道管)을 말함.

배수-관[2]【排水管】명 ①물을 뽑아 내는 관. ②〔water pipe〕건물 안의 세면대·욕조(浴槽)·개수통으로부터의 폐수를 뽑아내는 파이프. ③〔drain〕하수(下水)를 배수(排水)하기 위한 관.

배수-구[1]【排水口】명 불필요한 물 또는 유해한 물을 배출하는 구멍.

배수-구[2]【排水溝】명 도로나 경작지 등에 설치한 배수용의 도랑. 배수로(排水路).

배수-권【排水權】[—꿘] 명 인접한 남의 땅에 배수를 할 수 있는 권리.

배수-기【排水器】명 배수(排水)하는 데에 쓰이는 기구. 곧, 펌프 같은 것.

배수 기준【排水基準】명 공장이나 사업장 등에서 배출할 수 있는 물의 오염 상태에 대한 허용 한도. 카드뮴 등 유해(有害) 물질과 화학적 산소 요구량 등에 대한 기준을 설정함. ＊배출 기준.

배수-답【排水畓】명 물을 뺀 논.

배수-량【排水量】명 ①물에 뜬 배가 배제(排除)하는 물의 분량. 곧, 그 배의 중량이 됨. ②펌프가 물을 뽑아 내는 분량.

배수-로【排水路】명 배수(排水)하기 위하여 만든 수로(水路). 배수구(排水溝).

배수-모【排水毛】명〔hydathodal hair〕《식》식물체의 표피(表皮)에 있는 다세포(多細胞)의 모상 돌기(毛狀突起). 선단(先端) 또는 측면의 세포에서 수분을 분비하는 작용을 가짐. 배수털.

배:수 비:례의 법칙【倍數比例一法則】[— / —에—] 명〔law of multiple proportion〕《화》A·B의 두 원소로 된 여러 종류의 화합물이 있을 적에, A의 일정량(一定量)에 대한 B의 양(量)은 간단한 정수(整數)의 비례가 된다는 법칙. 1802년 돌턴(Dalton, J.)이 발견했음. 원자론(原子論)의 근거가 됨. 배수 비례의 정률(定律).

배:수 비:례의 정:률【倍數比例一定律】[—뉼 / —에—뉼] 명《화》배수 비례의 법칙.

배:수-성【倍數性】[—썽] 명〔polyploidy〕《생》어떠한 생물의 염색체(染色體)의 수가 통상의 개체(個體)의 것의 배수로 되어 있는 현상. 식물에 많이 있고 동물에서는 흔히 단위(單爲) 생식하는 것에서 볼 수 있는 현상임. ＊반수성(半數性).

배:수성 단위 생식【倍數性單爲生殖】[—썽—] 명〔diploid parthenogenesis〕《생》발생을 시작하는 알이 사실은 감수 분열을 하지 않고, 도중에서 극체(極體)의 핵(核)이 난세포의 핵과 합하는 결과 배수성의 염색체를 가지고 있는 경우의 단위 생식. ↔반수성(半數性) 단위 생식.

배:수성 육종법【倍數性育種法】[—썽—뻡] 명《생》배수체(倍數體)에 있어서의 유전 물질의 증량(增量)에 수반하는 새로운 변이(變異)의 출현, 배수화(倍數化)에 수반하는 자웅(雌雄)의 비율의 변화, 배수체의 이용에 의한 종속간(種屬間) 잡종의 작성 등을 이용하는 품종 개량법의 하나. ＊돌연 변이(突然變異).

배:수 세:대【倍數世代】명《생》수정(受精)한 후 감수 분열할 때까지의 세대. ↔반수(半數) 세대.

배수 세:포【排水細胞】명〔hydathodal cell〕《식》수분(水分)의 분비를 행하는 세포. 잎의 표면에 분포하여 있으며, 표피 세포가 변형한 것으로 외막(外膜)의 한끝이 돌출하여 그 끝에서 수분이 배출됨.

배:수-자【倍數一】명〔line gauge〕편집 또는 조판(組版) 작업에 있어서, 일정한 공간에 어떤 크기의 활자가 몇 자(字), 몇 행(行) 들어갈 수 있는가를 재는 자.

배수 장치【排水裝置】명 ①물을 뽑아 내는 장치. ②선박의 항해 중에 괴는 물 따위를 소통(疏通)시키거나 또는 펌프로 배 밖으로 배제하는 장치. 구수 장치(驅水裝置).

배수 조직【排水組織】명〔hydathode〕《식》식물체 안의 불필요한 수분을 배출하거나 표면의 습도를 유지하기 위하여 물을 분비하는 조직. 표피(表皮) 세포가 변형한 표피 수선(水腺)과 수공(水孔)의 두 가지가 있는데, 모두 잎에 많음.

배-수중다리잎벌 명《충》[*Cimbex carinulata*] 수중다리잎벌과에 속하는 곤충. 몸의 길이는 22mm 내외이고, 몸빛은 황갈색에 복배(腹背) 기부(基部)의 네 마디는 적갈색을 이루며, 흉배(胸背)에는 검은 무늬가 있고, 복배 제1·2절(節)의 기반(基半)과 제3절 이하 각 절(節) 중앙의 삼각형 무늬도 검음. 유충은 배·벚나무 등의 해충임. 한국·일본 등지에 분포함.

배:수-지【配水池】명〔distribution reservoir〕수돗물을 공급하기 위하여 마련한 저수지.

배:수-진【背水陣】명 ①중국 한(漢)나라의 한신(韓信)이 조(趙)나라 군(軍)을 공격할 때의 고사(故事)로, 강·호수·바다 같은 것을 등지고 치는 진(陣). 물러가면 물에 빠지게 되므로 필사(必死)의 각오로 적과 싸우게 됨. ¶ ～을 치다. ②목숨을 걸고 싸우는 경우의 비유.

배:수-체【倍數體】명〔polyploid〕《생》배수성(倍數性)의 생물. 이배체(二倍體) 이상의 삼배체·사배체 등을 말하며 콜히친(colchicine) 등으로 인위적으로 생기게 할 수도 있어 삼배체(三倍體)인 씨없는 수박을 만들어 내는 등, 품종 개량에 이용됨. 재배 식물에서 흔히 볼 수 있음. 준 배체(倍體). ＊삼배체(三倍體).

배:수-탑【配水塔】명〔water tower〕배수하기 위하여 만든 탱크. 강철과 철근 콘크리트로 만드는데, 지대(支臺)를 이용하여 공중에 높이 세움. 배수지(配水池)를 만들기 곤란한 곳, 공장이나 역(驛) 같은 데에 흔히 가설함.

배수-털【排水一】명《식》배수모.

배수 톤수【排水一數】〔ton〕명 선박의 중량(重量)을 배수량(排水量)으로 나타낸 것. 보통, 영국 톤 또는 미터 톤으로 표시하며, 주로 군함에 사용함.

배수 펌프【排水一】명〔sump pump〕쓸데없는 물을 다른 곳으로 뽑아 내는데 쓰는 펌프. 토목·건축·광산 등에서 쓰임.

배수 현:상【排水現象】명《식》식물이 엽변(葉邊)의 수공(水孔)으로부터 몸 안의 쓸데없는 수분을 물의 형태로 배출하는 현상. 여름철의 아침 같은 때 외계가 수증기로 포화(飽和)되어 있을 적에 일어나는 현상으로, 대나무·벼 같은 것에서 볼 수 있음.

배-숙[1]【一熟】명 배를 껍질을 벗겨 삶은 뒤에 끓인 꿀물 속에 담근 음식. 이숙(梨熟).

배숙[2]【胚熟】명 후숙(後熟).

배-숨쉬기 명 복식 호흡(腹式呼吸). ↔가슴숨쉬기.

배스〔bath〕명 ①목욕. ¶ ～ 타월. ②욕탕(浴湯).

배스듬-하다 형여불 한쪽으로 조금 기울어져 있다. 수평이나 수직되지 않다. 준배듬하다. <비스듬하다. 배스듬-히 부

배스-로:브〔bathrobe〕명 목욕 뒤에 입는, 타월천 따위로 만든 실내복.

배스-룸:〔bathroom〕명 ①목욕실. ②화장실(化粧室).

배스름-하다 형여불 거의 비슷한 듯하다. <비스름하다. 배슴름-히 부

배스 매트〔bath mat〕명 욕실용 매트. 젖은 발을 닦기 위해 목욕탕의

문바깥이나 마루에 깔아 놓는 두꺼운 깔개.

배스 케이프 〔bath cape〕 명 목욕 후에 어깨로부터 걸치는 타월(towel) 천으로 만든 케이프. 욕의(浴衣).

배스 타월 〔bath towel〕 명 목욕 타월.

배스-터브 〔bathtub〕 명 목욕통. 욕조(浴槽).

배스-하우스 〔bathhouse〕 명 ①목욕탕. ②해수욕장 같은 데의 탈의소(脫衣所).

배스 해:협 【—海峽】〔Bass〕 명 〖지〗 오스트레일리아의 빅토리아 주와 태즈메이니아(Tasmania) 섬 사이의 해협. 폭 130-240 km. 평균 심도 70 m, 중앙에 88 m의 최심부(最深部)가 있음.

배슥-거리다 자 무슨 일을 마음먹고 하지 않다. <베슥거리다. 배슥-배슥 부. ——-하다 자여불

배슥-대다 자 배슥거리다.

배슥-이 부 배슥하게. <비슥이.

배슥-하다 형여불 한쪽으로 조금 기울어져 있다. <비슥하다.

배슬 명 〈방〉 벼슬[1](전남).

배슬-거리다[1] 자 어떤 일에 딱 대들지 아니하고 배슥거리는 태도로 살살 배돌다. >뱌슬거리다. <베슬거리다. 배슬-배슬[1] 부. ——-하다[1] 자여불

배슬-거리다[2] 자 힘없이 배쓱거리다. <비슬거리다[1]. 배슬-배슬[2] 부. ——-하다[2] 자여불

배슬-대다 자 배슬거리다[1·2].

배슷-이 부 배슷하게. <비슷이[1].

배슷-하다 형여불 한쪽으로 조금 기울어져 있다. <비슷하다[1].

배:승[1] 【拜承】 명 공경하는 마음으로 삼가 받거나 들음. ——-하다 타여불

배:승[2] 【倍勝】 명 갑절이나 나음. ——-하다 형여불

배:승[3] 【陪乘】 명 〖역〗 귀인을 모시고 수레에 탐. 참승(驂乘). ¶ ~의 영광을 입다. ——-하다 타여불

배:시 【陪侍】 명 귀인을 모심. ——-하다 타여불

배시-서:모그래프 〔bathythermograph〕 명 수중(水中) 수백 미터까지의 수온의 연직 분포(鉛直分布)를 기록할 수 있는 해양 측기(海洋測器). 약칭은 BT.

배시시 부 ①입이 약간 벌어지며 소리없이 살짝 웃는 꼴. <비시시. ¶ 꼭 다문 도독한 입술이 ~ 벌어지며 정말 석류씨 같은 이들이 반쯤 보인다 ≪李無影 : 三年≫. ② ☞ 바스스.

배시황-전 【裵是愰傳】 명 〖문〗 작자·제작 연대 미상의 고전 소설의 하나. 국문본. 조선 효종(孝宗) 때 러시아 정벌을 한 배시황의 무용담을 다룬 전쟁 소설.

배:식[1] 【配食】 명 ①군대·단체 같은 데서 식사를 분배함. ②배향(配享)❶❷. ——-하다 자타여불

배:식[2] 【陪食】 명 귀인을 모시고 먹음. 반식(伴食). ——-하다 타여불

배:식[3] 【培植】 명 식물을 재배함. 북돋아 심음. ——-하다 타여불

배식-하다 형 〈방〉 배슥하다.

배:신[1] 【背信】 명 신의(信義)를 저버림. ——-하다 자여불

배:신[2] 【陪臣】 ㊀ 명 가신(家臣). ㊁ 인대 제후(諸侯)의 신하가 천자(天子)에 대하여 자기를 일컫던 말.

배:신-자 【背信者】 명 신의를 저버린 사람.

배:신-적 【背信的】 명관 배신하는 모양. ¶ ~ 행위.

배:신 행위 【背信行爲】 명 ①신의(信義)를 저버린 행위. *불신 행위. ②〖법〗 전쟁에서 진실을 알릴 의무가 있는데도 불구하고, 작전을 유리(有利)하게 하기 위하여 적을 오류(誤謬)에 빠지게 하는 허위의 행위. 휴전기(休戰旗)·적십자기(赤十字旗)의 부정 사용, 항복의 위장(僞裝) 등으로, 전시 국제법상 위법임.

배실 명 〈방〉 ①벼슬[1](전남·경상). ②볏[1](경상).

배실-거리다[1] 자 ☞ 배슬거리다[1].

배실-거리다[2] 자 ☞ 배슬거리다[2].

배:심[1] 【背心】 명 배반하는 마음. 반심(叛心).

배:심[2] 【背心】 명 '등심[1]'의 취음(取音).

배:심[3] 【陪審】 명 ①재판의 심리(審理)에 배석(陪席)함. ②〖법〗 배심원(陪審員)이 재판의 기소 또는 심리에 참여하는 일. ——-하다 자여불

배:심-관 【陪審官】 명 배심원(陪審員).

배:심-원 【陪審員】 명 〖법〗 일반 국민으로부터 선출되어 배심 재판에 참여하는 사람. 법률의 전문가가 아님. 배심관. ¶ ~ 일동은 유죄의 판결을 내렸다. *참심원(參審員).

배:심 재판 【陪審裁判】 명 〖법〗 배심 제도에 의한 재판.

배:심 제:도 【陪審制度】 명 〖법〗 재판 제도의 한 가지. 재판관의 법률 적용에 국민의 건전한 상식적 판단을 반영(反映)시키기 위하여 배심원(陪審員)이 심리(審理)나 기소(起訴)에 참여하는 제도. 민중(民衆) 재판의 현존 형태의 하나로, 영미법(英美法)에서 특히 발달됨.

배-쌈 명 타는 배의 양쪽 또는 그 전.

배-쏘개 명 〈방〉 설사(泄瀉)(함경).

배쓱 부 대수롭지 않은 일에도 곧잘 틀어져서 돌아서는 모양. 경솔하게 돌아서는 모양. ¶ ~ 돌아서며 눈물을 똑똑 떨어뜨리다.

배쓱-거리다 자 이쪽저쪽으로 쓰러질 듯이 비틀비틀하다. <비쓱거리다. 배쓱-배쓱 부. ——-하다 자여불

배쓱-대다 자 배쓱거리다.

배-씨[1] 명 서너 살 된 어린 계집아이의 머리 꾸미개. 은(銀)으로 배의 씨 모양으로 만들어 칠보(七寶)를 올린 것으로, 가리마 중심에 얹고 가는 보조 댕기를 머리카락과 함께 종종머리를 땋아 맴.

배-씨[2] 【胚—】 명 〖식〗 밑씨. 배주(胚珠).

배아 【胚芽】 명 〖식〗 배(胚)❷.

배아리 명 〈방〉 팽이(함북).

배아-미 【胚芽米】 명 ①벼의 배아(胚芽)가 떨어지지 않게 쓿은 쌀. 비타민 B 같은 것을 함유하여 영양가(營養價)가 많음. ②벼를 물에 담갔다가 싹이 나올 듯할 때 찧어 만든 쌀.

배-아지 명 〈방〉 배[1](전남).

배아파-하다 자여불 남이 잘 되는 것을 마땅치 않게 여기다. 쓰리게 생각하다.

배-아프다 형 ①뱃병(病)이 나서 배가 아프다. ②남이 잘된 것에 심술이 나서 마음이 편하지 아니하다. ¶ 남 잘된 게 그렇게도 배아픈가? *배앓다.

배악-비 명 가죽신의 창이나 울 속에 넣는 두껍게 여러 겹 붙인 헝겊 조각. 배포(褙布). 준백비.

배:안 【拜顔】 명 삼가 얼굴을 뵘. 만나 뵘. 배미(拜眉). ¶ ~의 영광을 베풀어 주십시오. ——-하다 타여불

배알[1] 명 〈속〉 ①창자. ②마음. 심정. 준밸.

배알이 꼴리다 구 비위에 거슬려 아니꼽게 생각되다.

배알이 뒤집히다 구 언짢은 일 등으로 아니꼽거나 분한 마음이 일어나다.

배알[2] 명 〈방〉 팽이(함북).

배:알[3] 【拜謁】 명 높은 어른께 뵘. 배오(拜晤)·면알(面謁). ¶ 천자를 ~하다. ——-하다 타여불

배-앓다 [—알타] 자 ①뱃병으로 앓다. ②남이 잘되는 것을 시새워 배아파하다. *배아프다.

배-앓이 [—알—] 명 배를 앓는 병. 뱃병.

배암[1] 명 〖동〗 ☞ 뱀.

배암[2] 자 〈옛〉 망침. '배다[2]'의 명사형. ¶ 집을 배암이(喪家) ≪小諺 V·16≫.

배암-나무 명 〖식〗 ☞ 뱀나무.

배암-도랏 명 〈방〉 〖식〗 뱀도랏.

배암-딸기 명 〈방〉 〖식〗 뱀딸기.

배암의-혀 명 〈방〉 〖식〗 뱀혀.

배암-장어 【—長魚】 명 〖어〗 ☞ 뱀장어.

배암-톱 명 〈방〉 〖식〗 뱀톱.

배:암 투명 【背暗投明】 명 그른 길을 버리고 바른길로 돌아감. ——-하다 자여불

배:압 【背壓】 명 〔back pressure〕 증기 원동기(蒸氣原動機) 또는 내연 기관에 있어서, 일을 한 뒤, 토출(吐出)되는 증기 또는 가스의 압력. 압력의 여하(如何)가 기관의 효율(効率)에 상당한 영향을 끼치는 것으로서 중요함.

배:압 터:빈 【背壓—】 명 〔back-pressure turbine〕 〖공〗 복수기(復水器)를 마련하지 않고 배압을 대기압(大氣壓) 이상의 일정압(一定壓)으로 하여 배기를 모두 공장의 작업용으로 하는 터빈의 형식. 배기를 열원(熱源)으로 이용할 수 있기 때문에 전체의 열효율은 극히 높고 가장 값싼 동력을 얻을 수 있어 널리 공장의 터빈으로서 이용됨.

배앝다 타 〈방〉 뱉다.

배애미 명 〈방〉 뱀(경상·함경).

배:액[1] 【倍額】 명 두 배의 값. 두 배의 금액.

배액[2] 【排液】 명 체강(體腔)에 쌓인 고름·흉수(胸水)·복수(腹水)·수액(髓液) 등의 체액(體液)을 배출시키는 일.

배:약 【背約】 명 약속을 배반함. ——-하다 자여불

배얌 명 〈방〉 뱀(충남·전라·경상).

배얌-장어 【—長魚】 명 〈방〉 뱀장어(전북·경북).

배:양 【培養】 명 ①식물을 북돋아 기름. ②사람을 가르쳐 기름. ¶ 인재(人材)를 ~하다. ③〖생〗 미생물(微生物)을 인공적(人工的)으로 기르거나 조직의 한 부분을 떼내어 기름. ¶ 세균 ~ 검사. ——-하다 타여불

배:양-기 【培養基】 명 〔culture medium〕 미생물을 배양하는 데 쓰는 영양물(營養物). 액체나 고체의 물질인데, 보통 육즙(肉汁)에다 펩톤(peptone)·우무 같은 것을 섞어 만듦. 배지(培地).

배:양-액 【培養液】 명 〖생〗 생물의 성장이나 발육에 필요한 화학 성분을 포함하고 삼투압(滲透壓), 수소 이온의 농도, 온도 등의 물리적 조건을 조정한 액체.

배:양-토 【培養土】 명 〖식〗 관상용의 화초나 목본(木本) 식물의 재배에 사용하기 위하여 인위적으로 가공한 흙.

배어-들다 자 어떤 기운이나 물기 따위가 속에까지 스미다. ¶ 빗물이 옷 속으로 ~.

배-어루러기 명 배에 난 털빛이 얼룩얼룩한 짐승.

배:여 【配與】 명 몫몫이 나누어 줌. ——-하다 타여불

배:역[1] 【背逆】 명 배반하고 거스름. ¶ ~ 행위. ——-하다 타여불

배:역[2] 【背域】 명 〖지〗 후배지(後背地).

배:역[3] 【配役】 명 〖연〗 연극이나 영화 같은 데서 배우에게 역(役)을 할당함. 또, 그 역. ¶ ~진(陣) / ~을 정하다. ——-하다 타여불

배연 【排煙】 명 ①공장의 굴뚝 따위에서 뿜어 나오는 연기. ②건물 따위의 안에 찬 연기를 밖으로 뽑아 냄.

배연 소방차 【排煙消防車】 명 가반식 송풍(可搬式送風) 겸 배연기(排煙機)를 적재(積載)하고 개구부(開口部)가 작은 빌딩 또는 지하가(地下街) 등의 화재 때 안에 찬 연기를 뽑아 내고 바깥 공기를 들여보낼 수 있는 소방차. *조명 소방차.

배연신-굿 명 〖민〗 서해안 지역에서 배의 진수식(進水式)을 하면서 베푸는 굿.

배연 탈질 기술 【排煙脫窒技術】 [—찔—] 명 질소 산화물에 의한 대기 오염원(源)에서 질소를 제거하는 일. 암모니아 접촉 환원법·오존 산화 흡수법·산화 환원 흡수법 등이 있음.

배:열[1] 【背熱】 명 〖한의〗 등에 몹시 열이 나는 병.

배:열[2] 【配列】 명 ①죽 벌여서 열을 지음. 차례로 늘어 놓음. ¶ 큰 것부터 차례로 ~하다. ②〔array〕 컴퓨터의 입력(入力) 데이터를 적절히 배치(配置)하는 일. ——-하다 타여불

배열[3] 【排列】 명 배열(配列). ——-하다 타여불

배염 명 〈방〉 뱀(제주).

배엽 【胚葉】 명 〔germ layer〕 〖생〗 동물의 난자(卵子)가 수정(受精)하여 많은 세포로 분열되어 생기는 세 개의 세포층(細胞層). 바깥쪽에 있어

서 피부와 신경이 되는 것을 외배엽(外胚葉), 안쪽에 들어가 소화관(消化管)의 안 벽(壁)이 되는 것을 내배엽(內胚葉), 내배엽과 외배엽의 사이의 체강(體腔)을 싸는 것을 중배엽(中胚葉)이라 함.

배:영【背泳】명 수영에서, 위를 향해 번듯이 누워서 치는 헤엄. 등헤엄. 송장 헤엄. 백스트로크(backstroke).

배:오【拜晤】명 웃어른에게 뵘. 배알(拜謁). ——-하다 타여불

배-오징어 명 어획 즉시 배에서 건조 가공한 근해산(近海産) 오징어포.

배:-온음표【倍一音標】명〖악〗온음의 배가 되는 길이의 음표. 배전음부.

배옹 명〈방〉배웅. ——-하다 타

배:외[1]【拜外】명 외국의 문물(文物)·사상 같은 것을 숭배함. ¶～ 사상이 짙다. ↔배외(排外). ——-하다 타여불

배외[2]【排外】명 외국의 문물(文物)·사상 같은 것을 배척함. ¶～ 운동. ↔배외(拜外). ——-하다 타여불

배외 사상【排外思想】명 외국의 문물(文物)·사상 같은 것을 배척하고 자기 나라의 것만을 존중하는 사상.

배외-적【排外的】명관 외국인이나 외국의 문물·사상 따위를 배척하는 경향.

배욤 타〈옛〉'배다²'의 명사형. ①망침. 멸함. ¶勇猛ᄒᆞᆫ 士卒은 되 배요ᄆᆞᆯ ᄉᆞ랑ᄒᆞ고(猛士思滅胡)《杜諺 XXI:36》. ②망함. 멸망함. ¶ᄠᅳ데 犬戎이 배요ᄆᆞᆯ 기들워(意待犬戎滅)《杜諺 XXIV:22》.

배:우[1]【配偶·配耦】명 배필(配匹). 항려(伉儷).

배우[2]【俳優】명 ①〖연〗연극·영화에서 어떤 인물로 분(扮)하여 대사(臺詞)나 동작·표정 등으로 그 내용을 실연(實演)하는 사람. ②〖민〗광대.

배우 기계학【俳優機械學】명〖연〗비오메하니카(biomekhanika).

배우는-이 명 ①교육을 받는 사람. 학생. ②〖불교〗불도(佛道)를 배워서 행하는 사람. 학인(學人).

배우다 타〔중세 : 비호다〕①가르침을 받거나 자꾸 되풀이해서 익히다. ¶영어를 ～. ②남의 하는 일을 보고 그와 같이 하다. ¶그에게 배울 점이 많다. ③공부하다. 학문을 닦다. ¶배운 사람. ④경험하여 잘 알다. ¶인생을 ～. ㊄배다.
【배운 도둑질 같다】버릇이 되어 자꾸 하게 된다는 뜻.

배우리 명〈방〉병아리(함경).

배:우 상속인【配偶相續人】명〖법〗배우자인 상속인. *혈족(血族) 상속인.

배:우 생식【配偶生殖】명〖생〗두 개의 생식 세포(生殖細胞)가 합체(合體)하여 새로운 개체(個體)를 만드는 현상(現象). 보통은 배우자(配偶子)나 성세포(性細胞)에 의하여 이루어짐.

배:우-자[1]【配偶子】명〔gamete〕〖생〗식물의 접합(接合)·합체(合體)에 관여하는 생식 세포(生殖細胞). 암수 분화(分化)의 정도, 운동성(運動性)의 유무(有無)에 따라 동형(同形) 배우자·이형(異形) 배우자, 대(大)배우자·소(小) 배우자, 부동(不動) 배우자·운동성 배우자 등의 구별이 있음. *접합자(接合子).

배:우-자[2]【配偶者·配耦者】명 부부의 한쪽. 곧, 남편에 대한 아내, 아내에 대한 남편. 혼대(婚對). ¶～ 선택을 신중히 하라.

배:우자 공:제【配偶者控除】명 소득(所得) 공제 제도의 하나. 소득세 부과에 있어 납세자에게 공제 대상이 되는 배우자가 있을 경우, 납세자의 총소득 금액에서 일정액을 공제하고 과세 표준을 계산함.

배:우자 접합【配偶子接合】명〔gametogamy〕〖생〗단세포 생물에 있어서 모체(母體)에 만들어진 특수한 세포, 즉, 배우자에 의하여 행하여지는 접합. ↔개체(個體) 접합.

배:우자 합체【配偶子合體】명〔syngamy〕〖생〗배우자의 결합을 포함하는 유성(有性) 생식.

배:우-체【配偶體】명〔gametophyte〕〖식〗세대 교번(世代交番)을 하는 이끼류(類) 따위 식물(植物)에서 배우자가 생기는 식물의 몸체. 여기에서 장란기(藏卵器)와 장정기(藏精器)가 생기고 이곳에서 난세포(卵細胞)와 정자(精子)를 만듦.

배우 학교【俳優學校】명 배우로서 필요한 실기 및 기초 지식을 교수하는 배우 양성 기관.

배운-무당【一巫一】명〖민〗어려서부터 세습 무당 집안에서 자라, 무당 음악이나 춤에는 익숙하지만 강신(降神) 태도에 있어서 진짜 무당의 경지에는 이르지 못한 무당.

배움-배움 명 배워서 이루어진 지식의 정도. *뱀뱀이.

배움-터 명 배우는 곳. 학원(學園).

배웅 명 떠나가는 손을 따라 나가 작별하여 보내는 일. 배행(陪行). ¶문밖까지 ～하다. ↔마중. ——-하다 타여불

배워-먹다 타 '배우다'의 낮춤말. ¶그게 어디서 배워먹은 짓이냐.

배월【排月】명 배삭(排朔). ——-하다 타여불

배:월-정【拜月亭】[—쩡] 명〖연〗중국 명(明)나라 때의 희곡(戲曲). 시혜(施惠)의 작(作). 전란 중의 유랑(流浪) 속에서 우연히 맺어진 남녀의 비환 이합(悲歡離合)을 그린 작품으로, 40막으로 됨.

배:위[1]【拜位】명 의식장에 만들어 놓은 절하는 자리.

배:위[2]【背違】명 서로 어겨 어긋남. 위배(違背). ——-하다 타여불

배:위[3]【配位】명 부부가 다 죽었을 때의 그 아내에 대한 경칭.

배:위[4]【配位】명〔coordination〕〖화〗한 개의 중성(中性) 또는 이온화(ion化)된 원자의 둘레에 복수 개(複數個)의 원자·분자·이온이 배열하는 일. 특히, 착체(錯體) 내에서, 중심이 되는 원자에 대하여 공간적으로 일정한 위치를 점한 배위자(配位子)가 결합하는 일.

배:위[5]【陪衛】명 ①귀인(貴人)을 따르며 호위함. ②〖역〗세자(世子)가 나들이할 때 그를 모시고 따름. *시위(侍衛). ——-하다 타여불

배:위 결합【配位結合】명〔coordinate bond〕〖화〗한 원자에서 제공된 전자쌍(電子雙)을 2개의 원자가 공유함으로써 생기는 화학 결합. 착체(錯體)의 중심 원자와 배위자와의 결합 등에서 볼 수 있음. 전자쌍을 공유하는 점에서, 공유 결합의 일종이라고 할 수 있음.

배:위 다면체【配位多面體】명〔coordination polyhedron〕〖화〗결정(結晶)에서 하나의 구조(構造) 단위로 여겨지는 어떤 원자의 둘레에 근접(近接)하는 4-8개의 원자에 의하여 형성되는 다면체.

배:위-설【配位說】명〔coordination theory〕〖화〗금속 착염(錯塩) 분자의 구조(構造)에 관하여 스위스의 화학자 베르너(Werner, A.)가 내세운 학설. 그는 배위수(配位數) 6인 착염 분자의 구조를 입체적으로 생각하여, 금속 원자를 정팔면체(正八面體)의 중심에 놓고, 착이온(錯ion) 중의 원자단(原子團)을 그 여섯 개의 정점(頂點)에 놓았음. 이것으로 여러 가지의 기하 이성(幾何異性)과 광학 이성(光學異性)이 존재함을 설명함.

배:위-수【配位數】명〔coordination number〕〖화〗배위설(配位說)에 있어서 착이온(錯ion) 속의 중심되는 금속 원자에 결합하는 원자 또는 원자단(原子團)의 리간드(ligand)의 수(數).

배위 이:성【配位異性】명〔coordination isomerism〕〖화〗중심 금속 원자(中心金屬原子)에 배위(配位)하는 원자단(原子團)의 전부 또는 일부분을 서로 바꾸어 생기는 2종(種) 또는 3종 이상의 착염(錯塩)이 존재할 때에 이들 착염은 서로 배위 이성이라 함.

배:위-자【配位子】명〖화〗리간드(ligand).

배:위 화:학【配位化學】명〔coordination chemistry〕금속 이온(金屬ion)과 다른 분자 또는 이온과의 교호 작용(交互作用)에 관한 화학.

배:위 화:합물【配位化合物】명〔coordination compound〕〖화〗①어떤 원자, 주로 금속 원자를 중심으로 하여 어떤 일정수의 원자·이온 또는 기(基)가 공간적으로 배위하여 결합한 것이 한 단위로서 포함되어 있는 화합물의 총칭. ②착화합물(錯化合物).

배유[1]【胚乳】명〖식〗배(胚)젖.

배:유[2]【陪遊】명 웃어른을 모시고 함께 놂. ——-하다 자여불

배유 종자【胚乳種子】명〖생〗유배유 종자.

배:율[1]【倍率】명〔←배률(倍率)〕①어떤 수(數)가 기준이 되는 수의 몇 배가 되는가를 나타내는 수. ¶지원자수(志願者數)의 합격자수에 대한 ～. ②〔magnification〕〖물〗망원경이나 현미경 같은 것으로 물체를 볼 때의 물체와 상(像)과의 크기의 비율(比率). ¶～이 높은 현미경. ③어떤 그림의 크기와 그 원도(原圖) 또는 실물(實物) 크기와의 비(比).

배율[2]【排律】명〖문〗〔←배률(排律)〕한시(漢詩)의 한 체(體). 오언(五言) 또는 칠언(七言)의 대구(對句)를 여섯 구 이상 배열한 시.

배:율-기【倍率器】명〔multiplier〕〖물〗열(熱)·전기(電氣)·진동수(振動數) 같은 것의 효력을 정수배(整數倍)로 증가시키는 장치.

배:융 교:위【陪戎校尉】명〖역〗고려 때 무관(武官)의 품계(品階). 종구품(從九品)의 상(上).

배:융 부:위【陪戎副尉】명〖역〗고려 때 무관의 품계. 종구품(從九品)의 하(下).

배:은【背恩】명 은혜를 저버리고 돌아섬. ↔보은(報恩). ——-하다 자여불

배:은 망덕【背恩忘德】명 남한테 입은 은덕(恩德)을 저버림. ¶이 ～한 놈. ——-하다 자여불

배:음[1]【背音】명 대사(臺詞)·해설(解說) 등의 효과를 내기 위하여 배후에서 들려주는 음악이나 음향. 백 뮤직(back music).

배:음[2]【倍音】명〔harmonics〕〖물〗어떤 진동체(振動體)가 내는 여러 가지 음(音) 가운데, 원음(原音)보다 많은 진동수(振動數)를 가진 음. 곧 상음(上音). 좁은 의미로는 원음의 정수배(整數倍)가 되는 음을 일컬음. 하모닉스. 오버톤.

배:의【配意】[—/—이] 명 배려. ——-하다 자타여불

배이 명〈방〉①팽이(함경). ②병(瓶)(경남).

배일[1]【排日】명 날마다 얼마씩 나누어 몇 날에 벼름. *배년(排年)·배삭(排朔). ——-하다 타여불

배일[2]【排日】명 일본 사람·일본 세력·일본의 문물(文物) 따위를 배척함. ¶～ 감정이 고조되다. ↔친일(親日). ——-하다 자여불

배일 사상【排日思想】명 일본을 배척하는 사상. ↔친일 사상(親日思想).

배:일-성【背日性】[—썽] 명〖식〗광원(光源)이 특히 태양일 때의 배광성(背光性). 해질성(性). ↔향일성(向日性). *배광성.

배:임【背任】명 임무(任務)를 배반함. 임무의 본지(本旨)를 어김. ¶～ 횡령(橫領).

배:임 수증재죄【背任收贈財罪】[—쬐] 명〖법〗타인의 사무를 처리하는 자가 그 임무에 관하여 부정한 청탁(請託)을 받고 재물 또는 재산상(財産上)의 이익을 취득(取得)하거나 부정한 청탁을 하고 재물 또는 재산상의 이익을 공여(供與)함으로써 이루어지는 죄.

배임쟁이 명〈방〉〖어〗뱀장어(경북).

배:임-죄【背任罪】[—쬐] 명〖법〗남을 위하여 어떤 사무를 처리하는 사람이 그 임무에 배반되는 행위를 하여 자기나 제삼자가 이익을 얻어 본인에게 재산상(財産上)의 손해를 입힘으로써 이루어지는 죄.

배:입【倍入】명 일정한 수량보다 갑절이나 듦. ——-하다 자여불

배잉【胚孕】명 아이 또는 새끼를 뱀. ——-하다 타여불

배자[1]【一子】명〖역〗←패자(牌子).

배자[2]【胚子】명〖생〗알에서 발생(發生)하여 아직 외계(外界)에 나오지 않고 포피(包皮) 또는 모체(母體) 속에서 보호되고 있는 동물의 유생(幼生). 배(胚).

배자[3]【排字】명 글자를 벌여 놓음. 글씨를 쓰는 데 그 글자를 배정(排定)함. ——-하다 타여불

배:자[4]【褙子】명 저고리 위에 덧입는 옷. 마고자와 같으나 소매가 없고, 양옆구리의 귀가 겨드랑까지 틔어 있으며, 흔히 양단 천에 속에는 토끼·너구리·양 등의 털을 넣음. 겨울철에 여자가 입음. 양당(裲襠).

〈배자[4]〉

배-자루【胚一】명〖식〗배병(胚柄).

배:자-바구미【褙子一】명〖충〗[*Alcides trifidus*] 바구밋과에 속하는 곤충. 몸길이 7.5-10mm이고 몸빛은 흑색에 전배판(前背板)·시초(翅

鞘)의 뒤쪽 중흉 측판(中胸側板) 및 후흉(後胸)에는 백색의 인모(鱗毛)가 밀생(密生)하고, 시초의 어깨는 혹 모양임. 한국·일본·중국·대만에 분포함.

배자 예부 운:략【排字禮部韻略】[—울—] 명〖책〗예부 운략.

배자 예:채【—子例債】명〖역〗잡혀 가는 죄인이 법사(法司)의 사령(使令)에게 인정으로 주던 뇌물.

배자-학【胚子學】명〖생〗발생학.

배:장【配臟】명 내장(內臟)을 나누는 일. 시골에서, 추렴을 하여 돼지를 잡을 때, 내장을 동네 노인들에게 나누어 주던 풍습.

배-장수 명 〔수허전(水滸傳) 중 반금련(潘金蓮)의 일에 간섭하고 나선 배장수의 얘기에서〕 남의 은근한 일을 캐어 내어 말을 퍼뜨리고 변을 꾸미는 사람을 이르는 말.

배:장-품【陪葬品】명 부장품(副葬品).

배:재【培栽】명 재배(栽培). ——하다 타여불

배-재기 명 아이를 배어 배가 부른 여자를 농으로 이르는 말.

배:재 학당【培材學堂】명 조선 시대 말기, 고종(高宗) 12년(1885)에 미국 북감리회(北監理會) 선교부(宣教部)에서 서울에 세운 사립 학교. 지금의 배재 중·고등학교의 전신(前身)임.

배저【排詆】명 물리치며 비방함. ——하다 타여불

배-저녁나방 명〖충〗[*Acronycta rumicis*] 밤나방과에 속하는 곤충. 편 날개의 길이는 35-42 mm이고 몸빛은 회흑색에, 복면(腹面)은 회갈색, 복부(腹部)와 뒷날개는 암갈색, 앞날개의 아기선(亞基線), 내횡선(內橫線)과 외횡선(外橫線)은 각각 흑색의 두 줄로 됨. 유충은 배나무·벚나무·콩류 등의 해충임. 한국에도 분포함.

배:적【配謫】명〖역〗유형(流刑)할 죄인을 그 배소(配所)로 보냄. ——하다 타여불

배:전¹【拜甎】명 묘(廟)의 배단(拜壇)에 깔린 벽돌.

배:전²【倍前】명 이전의 갑절. ¶ ~의 애호를 바랍니다.

배:전³【配電】명 전력(電力)을 소용되는 여러 곳으로 나누어 보냄. *송전(送電). ——하다 자여불

배:전 계:통【配電系統】명〔distribution system〕〖전〗고전압 차단기(高電壓遮斷器)·체강 변압기(遞降變壓器)·분압기(分壓器) 및 이에 관련된 기기(機器)를 포함하는 회로(回路). 송전 계통(送電系統)으로부터 고전압(高電壓)으로 수전(受電)한 전력을 저전압(低電壓)으로 떨어뜨려 재배전(再配電)하는 회로망(回路網)임.

배:전두 커:피【焙煎豆—】〔coffee〕명 볶은 커피 원두(原豆)를, 그 때 그 때 가루로 갈아서 뽑은 커피. 레귤러 커피에 비해, 향내가 짙음. *인스턴트 커피·원두(原豆) 커피.

배:전-반【配電盤】명〖전〗발전소(發電所)나 변전소(變電所) 또는 전기 시설이 되어 있는 건물 같은 데에 장치한 대리석(大理石) 또는 철제(鐵製)의 반상(盤狀)의 장치. 개폐기(開閉器)·표시등(表示燈)·계기(計器) 등을 배치하여 전로(電路)의 개폐(開閉)나 기계의 제어(制御)를 손쉽게 하며, 부하(負荷)·결선(結線)의 상태도 지시(指示)함. 스위치보드(switchboard).

배:전-선【配電線】명 배전(配電)하는 데 쓰이는 전깃줄. 발전소나 변전소(變電所) 같은 데서 직접 수요소(需要所)에 이르는 전선. 지중선(地中線)과 가공선(架空線)이 있음. 준배선(配線).

배:전-소【配電所】명 발전소(發電所) 또는 변전소(變電所)에서 보내온 전력(電力)을 다시 여러 곳으로 나누어 보내는 곳.

배:-전음부【倍全音符】명〔double note〕〖악〗배온음표.

배:전-함【配電函】명 개폐기(開閉器)를 비롯한 배전 기구(器具)를 붙인 배전반(盤)이나 계량기 등을 넣어 두는 철판으로 만든 상자.

배:-젊다[—점따] 형 나이가 썩 젊다. ¶ 배젊은 떠꺼머리 총각.

배:점¹【背點】[—쩜] 명〖천〗천구상(天球上), 태양 향점(向點)의 반대의 점. ↔향점(向點).

배:점²【配點】[—쩜] 명 점수(點數)를 배정(配定)함. 또, 그 벼른 점수. ¶ ~이 큰 문제부터 풀어나가라. ——하다 자여불

배:접【褙接】명 종이·헝겊 또는 얇은 널 조각 같은 것을 여러 겹 포개서 붙이는 일. ——하다 타여불

배젓〔Bagehot, Walter〕명〖사람〗영국의 경제학자·사회학자·문예비평가. '내셔널 리뷰(National Review)'지를 창간, '이코노미스트(Economist)'지의 주필로 문예·경제 평론에 활약함. 그의 저서 《영국의 국가 구조》 및 《물리학과 정치학》은 사회 심리학적 방법에 의한 독창적인 저술로 이름있음. [1826-77]

배:정¹【拜呈】명 절하고 드림. 공손히 드림. ——하다 타여불

배:정²【配定】명 별러 몫을 정함. ¶ 역(役)을 ~하다. ——하다 타여불

배정³【排定】명 여러 군데로 갈라서 벌여 놓음. ——하다 타여불

배-정과【—正果】명 배를 얇게 썰어서 만든 정과.

배정-기【排定記】명〖천주교〗본당(本堂)의 주임 신부가 관할 공소(公所)를 방문하기 전에 미리 공소 교우들에게 보내던 사목(司牧) 서한.

배-젖【胚—】명〔endosperm〕〖식〗어떠한 종류의 현화(顯花) 식물의 씨앗 속에 있어 배(胚)를 싸고 있으며, 그 세포 속에 양분을 비축하고 씨앗이 발아(發芽)하여 배가 생장하는 데 필요한 양분을 공급하는 조직. 외배유(外胚乳)와 내(內)배유의 두 종류가 있음. 배유(胚乳). 씨젖.

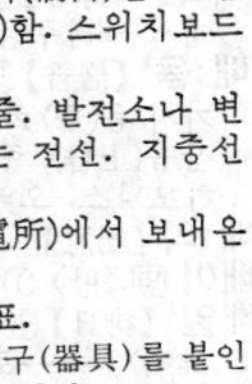

〈배젖〉

배:제¹【背題】명〖역〗소장(訴狀) 뒤에 제사(題辭)를 기록함. 또, 그 제사.

배:제²【配劑】명 ①약제(藥劑)를 배합(配合)함. ②전(轉)하여, 세상사나 운명이 알맞게 배합됨. ¶ 하늘의 ~. ——하다 타여불

배제³【排除】명 물리쳐서 치워 냄. ¶ 폭력의 ~. ——하다 타여불

배제⁴【排擠】명 물리쳐 어려운 지경에 빠뜨림. 배함(排陷). ——하다 타여불

배:-제관【陪祭官】명〖역〗나라의 제사에서 임무를 맡은, 집사관(執事官) 이외의 일반 제관.

배:-제절【拜除切】[—쩨—] 명 배계절(拜階節).

배:-좁다 형 ①여럿이 촘촘히 들어 있어 자리가 몹시 좁다. ②어떠한 장소나 사이가 퍽 좁다. 1)·2):<비좁다.

배:종¹【背腫】명〖한의〗등에 나는 부스럼의 총칭.

배:종²【陪從】명 임금을 모시고 따라감. 또, 귀인 또는 웃어른을 모시고 따라감. 배호(陪扈). ——하다 타여불

배:종 무:관【陪從武官】명〖역〗대한 제국 때의 황태자 배종 무관부(皇太子陪從武官府) 또는 동궁(東宮) 배종 무관부의 한 벼슬.

배:좌【配座】명〔conformation〕〖물·화〗분자 속의 원자의 공간 배치. 주로 분자가 같은 화학 결합으로 두 가지 이상의 안정(安定)된 입체 배치(立體配置)를 취할 때 적용(適用)됨.

배주¹【杯酒】명 ①술잔에 따른 술. ②잔술.

배:주²【背主】명 천주교에서, 예수 그리스도를 배신하는 일. ——하다 자여불

배주³【胚珠】명〖식〗밑씨.

배주룩-배주룩 부 여러 개의 끝이 다 배주룩한 모양. 준배죽배죽. 쓰빼주룩빼주룩. <비주룩비주룩. ——하다 형여불

배주룩-이 부 배주룩하게. ¶ ~ 내민 새싹. 준배죽이. 쓰빼주룩이. <비주룩이.

배주룩-하다 형여불 솟아나오는 물체의 끝이 조금 내밀고 있다. 준배죽하다. 쓰빼주룩하다. <비주룩하다.

배주-변【—舟邊】명 한자 부수(部首)의 하나. '航'이나 '船' 등의 '舟'의 이름.

배죽-거리다 자타 비웃거나 울음이 솟을 때 또는 불만스러울 때, 입술을 내밀고 실룩거리다. 쓰빼죽거리다. <비죽거리다. 배죽-배죽¹ 부. ——하다¹ 자타여불

배죽-대다 자타 배죽거리다.

배죽-배죽² 부 ↗배주룩배주룩. 쓰빼죽빼죽². <비죽비죽². ——하다² 형여불

배죽-이 부 ↗배주룩이. 쓰빼죽이. <비죽이.

배죽-하다 형여불 ↗배주룩하다. 쓰빼죽하다¹. <비죽하다.

배:준【陪罇】명 제식(祭式)에서 준(罇)의 좌우에 벌여 놓는 그릇.

배중【排中】명 이것도 저것도 아닌 중간(中間)을 배척함. ——하다 자여불

배중-론【排中論】[—논] 명〖논〗배중률(排中律).

배중-률【排中律】[—뉼] 명〔law of excluded middle〕〖논〗형식 논리학(形式論理學)에 있어서 사유(思惟) 법칙의 하나. '갑(甲)은 을(乙)이거나 을이 아니거나의 어느 것이다'하는 형태로 표현되어, 갑이 을 또는 을이 아닌 것 이외의 제삼(第三)의 개념(槪念)인 것을 거부(拒否)하는 법칙. 배중론. 배중 원리(排中原理). 불용 간위율(不容間位律). *선언율.

배-중손【裵仲孫】명〖사람〗고려 원종(元宗) 때의 삼별초(三別抄)의 수령. 원종이 개성(開城)으로 환도한 후에, 강화(江華)에 있던 야별초(夜別抄)를 이끌고 반란을 일으켜 왕온(王溫)을 임금으로 내세웠음. 후에 제주도(濟州道)로 도망가 반항하다가 피살됨. [?-1271]

배중 원리【排中原理】[—월—] 명〖논〗배중률(排中律).

배:즈 명〈방〉다래끼²(강원).

배:증【倍增】명 갑절이나 늚. ¶ 정원(定員)이 ~되다. ——하다 자여불

배지¹ 명〈방〉바가지(평안·함경).

배:지² 명〈속〉배¹❶❶. ¶ ~가 터지게 실컷 먹다.

배지³【—旨】명〖역〗←패지(牌旨).

배:지⁴【培地】명 배양기(培養基).

배:지⁵【陪持】명〖역〗①지방 관아의 장계(狀啓)를 가지고 서울에 가던 사람. ②기발(騎撥).

배지⁶【排至】명〖역〗격구(擊毬)의 한 동작. 처음 말을 달려 귀견줌·할흉(割胸)·치니매기를 하고 곧 치구표(馳毬標)에 이르러 장(杖)의 안쪽으로 공을 빗당기어 높이 일으키는 동작. ——하다 자여불

〈배지⁶〉

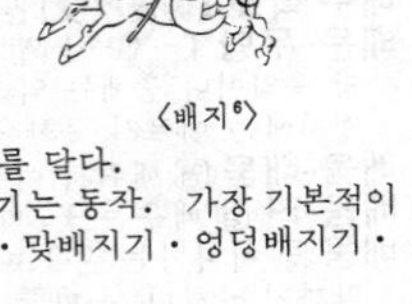

배지⁷〔badge〕명 휘장(徽章). ¶ 의원(議員) ~를 달다.

배-지기 명 씨름에서, 상대방의 배를 지고 넘기는 동작. 가장 기본적이고 대표적인 공격 재간의 하나로, 오른배지기·맞배지기·엉덩배지기·들배지기 등이 있음.

배-지느러미 명〖어〗물고기의 배에 달린 지느러미. 뱃바닥 좌우에 한 쌍이 있음. 가슴 지느러미 한 쌍과 함께 몸의 전진(前進)을 맡아 보며, 짐승의 네 다리의 구실을 함. 복기(腹鰭).

배:지-성【背地性】[—썽] 명 ①〖식〗식물체(植物體)가 자라감에 따라 지구 인력의 자극(刺戟)을 받아 지구의 중심과 정반대 방향으로 벋는 성질. 보통 지상경(地上莖)은 위로 굴곡하여 나중에는 수직(垂直)으로 자라감. 음성 굴지성(陰性屈地性). 땅질성. ②〖동〗동물이 날거나 뛰거나 하는 것이 지구의 인력과 정반대의 방향인 성질. ¶ ~이 강하다. ↔향지성(向地性).

배:진¹【背進】명 뒤쪽으로 나아감. ——하다 자여불

배:진²【拜診】명 삼가 진찰(診察)함. ——하다 타여불

배:진³【拜塵】명 귀인의 수레에서 나는 먼지에 절한다는 뜻으로, 권세(權勢)에 아첨하는 일. ——하다 자타여불

배:진⁴【配陣】명 진(陣)을 배치함. 또, 그 진. ——하다 자여불

배:-진⁵【倍振】명〖물〗↗배진동(倍振動). ——하다 자여불

배:-진동【倍振動】명〔overtone〕〖물〗진동체(振動體)가 진동할 때에 최소(最小)의 진동수(振動數)를 가진 진동 즉 기본 진동(基本振動)에 대하여 그 배수(倍數)가 되는 진동을 일컫는 말. 오버톤. 준배진(倍振). ——하다 자여불

배-질 명 ①노를 저어 배를 가게 하는 일. 노(櫓)질. ②앉아서 끄덕끄덕

좇고 있는 것을 일컫는 말. ――-하다 [자][여불]

배:징【倍徵】[명] 정한 액수의 갑절이나 징수(徵收)함. ¶ 목표액을 ~하다. ――-하다 [타][여불]

배-짱 [명] ①이해(利害)를 따지는 속마음. 또, 마음 속으로 다져 먹은 생각. ¶ 검은 ~/도둑놈의 ~. ②굽히지 아니하고 버티어 나가는 힘. 배포. ¶ ~이 세다.

배짱(을) 내:밀다 [구] 배짱있는 태도를 취하다.

배짱(이) 맞다 [구] 피차간에 배짱이 있는 사람끼리, 무슨 일을 도모하는 데 뜻과 마음이 맞다.

배짱(을) 부리다 [구] 배짱을 드러내어, 굽히지 않고 버티어 나가다.

배짱(이) 좋:다 [구] 담력과 박력이 있어, 아무것도 무서운 것이 없다.

배짱(을) 퉁기다 [구] 배짱을 부리어 남을 받아들이지 않다. ¶ 오름세라 팔지 않고 ~.

배짱(을) 튀기다 [구] 고자세(高姿勢)로 버티다.

배쭉 [부] ①비웃거나 못마땅하거나 슬픈 때에 입 끝을 쑥 내미는 모양. ②형체를 일부만 살짝 내미는 모양. 또, 물건의 끝을 날카롭게 내미는 모양. 1)·2): ㅆ빼쭉. <비쭉. ――-하다¹ [자][타][여불]

배쭉-거리다 [자][타] 못마땅하거나 슬프거나 비웃을 때에 입을 내밀고 샐룩거리다. ㅆ빼쭉거리다. <비쭉거리다. **배쭉-배쭉** [부]. ――-하다 [자][타][여불]

배쭉-대다 [자][타] 배쭉거리다.

배쭉-이 [부] 배쭉하게 ㅆ빼쭉이. <비쭉이.

배쭉-하다² [형][여불] 내민 물체의 끝이 날카롭다. ㅆ빼쭉하다². <비쭉하다².

배:차¹ [명]〈방〉〖식〗 배추(경기·강원·충청·전라·경상).

배차²【坏車】[명]〖공〗 녹로(轆轤)❷.

배:차³【配車】[명] 자동차 같은 것을 여러 곳으로 별러서 보냄. 차를 배치함. ¶ ~계(係). ――-하다 [자][여불]

배차⁴【排次】[명] 차례를 배정함. 또, 그 차례. ¶ 이렇게 되면 나도 다른 ~를 차리지 않을 수가 없다《金裕貞 : 동백꽃》. ――-하다 [타][여불]

배-차기 [명]〈방〉 배참¹. ――-하다 [자]

배:차-원【配車員】[명] 배차를 맡아서 하는 사람.

배착-거리다 [자][타] ↗배치작거리다. **배착-배착** [부]. ――-하다 [자][타][여불]

배착-대다 [자][타] 배착거리다.

배착지근-하다 [형][여불] ↗배리착지근하다.

배:찰【拜察】[명] 삼가 살핌. ――-하다 [타][여불]

배참¹ [명] 윗사람에게 꾸지람을 듣고, 그 화풀이를 다른 데다 하는 일. ――-하다 [자][여불]

배참²【排站】[명]〖역〗 역참(驛站)을 배정(排定)함. ――-하다 [타][여불]

배창¹ [명]〈방〉 배참¹. ――-하다 [자]

배:창²【背瘡】[명]〖한의〗 등창.

배창³【俳倡】[명]〖민〗 광대❶.

배창-내다 [자]〈방〉 배참하다.

배-창자 [명] 뱃속에 있는 창자.

배:채【―菜】[명]〈방〉〖식〗 배추¹(평안·함경·충북).

배채기¹ [명]〈방〉 배참¹. ――-하다 [자]

배-채기² [명]〖건〗〈방〉 배척¹.

배-채우다 [자] ①공복(空腹)을 채우다. ②제 잇속을 차리다.

배:책【配冊】[명] 배본(配本)❶. ――-하다 [타][여불]

배:챗-괘기 [명] ☞ 배추속대.

배처 플랜트 [batcher plant] [명] 댐(dam) 공사 따위에서 대량의 콘크리트를 섞어 이기는 장치.

배척¹ [명]〖건〗 쇠로 만든 지레의 한 끝을 노루발장도리 끝같이 만든 연장. 큰 못을 뽑는 데 씀.

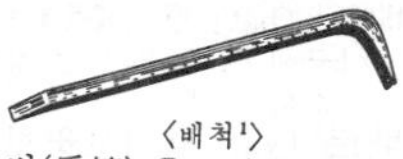
〈배척¹〉

배척²【排斥】[명] 물리쳐 내뜨림. 배빈(排擯). 척빈(斥擯). ¶ ~ 운동. ――-하다 [타][여불]

배척-거리다 [자] 다리에 힘이 없어 쓰러질 것같이 걷다. <비척거리다. 배척-배척 [부]. ――-하다 [자][여불]

배척-대다 [자] 배척거리다.

배척 조항【排斥條項】[명]〖법〗 유보 약관(留保約款).

배척지근-하다 [형][여불] ☞ 배착지근하다.

배천【白川】[명]〖지〗 황해도 연안(延安) 북동쪽에 있는 도시. 연백 평야(延白平野)의 중심지로 농산물의 집산지임. 온천장(溫泉場)이 있어 휴양객이 많으며 토탄(土炭)의 산출이 많음.

배:천-곡【配天曲】[명]〖악〗 조선 성종(成宗) 23년(1492)에 문선왕 제향(文宣王祭享)을 위하여 새로 지은 악장(樂章)의 곡명. 경기하여체(景幾何如體) 가락으로 되어 있음.

배천 목숙전【白川苜蓿典】[명]〖역〗 신라 시대 네 목숙전의 하나. 배천은 왕성 경주의 땅이름.

배천 온천【白川溫泉】[명]〖지〗 황해도 연백군(延白郡) 배천읍(白川邑)에 있는 온천. 1927년에 발견되었음. 부근에 기운정(起雲亭)·무호정(無號亭) 등의 명승 고적이 많음.

배:-천지일월【拜天地日月】[명] 옛날에, 원일(元日)에 천지와 해 및 달에 배례(拜禮)하는 종교적 의식.

배철러 [bachelor] [명] ①학사(學士). ②미혼(未婚) 남자. 독신 남자.

배철러 오브 아:츠 [Bachelor of Arts] [명]〖교〗 미국·영국의 대학에서 문과계(文科系)의 학과를 마친 사람에게 수여하는 칭호. 우리 나라의 문학사(文學士)에 해당함. 비 에이(B.A.).

배:청【拜聽】[명] 공손히 들음. ――-하다 [타][여불]

배:체【倍體】[명]〖생〗 ↗배수체(倍數體).

배초-향【排草香】[명]〖식〗 [*Agastache rugosa*] 꿀풀과에 속하는 다년초. 줄기는 사각형에 높이 1.5m 가량이고, 잎은 대생(對生)하며 장병(長柄)에 심장형 달걀꼴임. 7-9월에 자색 꽃이 윤산(輪繖) 화서로 줄기 끝이나 가지 끝에 밀착하여 피고, 수과(瘦果)는 거꿀달걀꼴임. 산과 들의 습지에 나는데, 한국 각지에 분포함. 약용·관상용이고 어린 잎은 식용함. 방아.

〈배초향〉

배-총¹ [명]〈방〉 배꼽(경북).

배:총²【陪塚】[명]〖고고학〗 '딸린무덤'의 구용어.

배:추¹ [명]〖식〗 [*Brassica pekinensis*] 겨잣과에 속하는 월년초(越年草). 근출엽(根出葉)은 다수 총생하고, 긴 타원 또는 넓은 달걀꼴에 담황록색이고, 엽맥(葉脈)이 많으며 가장자리는 물결 모양의 톱니가 있음. 경엽(莖葉)은 달걀꼴에 포경(抱莖) 또는 유병(有柄)임. 4-5월에 담황색 사판화(四瓣花)가 핌. 잎·줄기·뿌리를 식용함. 김장용으로 재배하는데, 중국·한국·일본에 분포함. 개량 품종이 많음. 백채(白菜). 숭채(菘菜).

[배추밭에 개똥처럼 내던지다] 마구 집어 내던져 버린다는 말.

〈배추¹〉

배:추²【拜趨】[명] 공손히 추창(趨蹌)함. ――-하다 [자][여불]

배:추 김치 [명] 배추로 담근 김치.

배:추 꼬랑이 [명] 배추 뿌리의 전체.

배:추 꼬랑잇국 [명] 배추 꼬랑이를 넣어 끓인 국. 숭미탕(菘尾湯).

배:추-꽃 [명] 배추의 꽃.

배:추-명나방【―螟―】[명]〖충〗 [*Oebia undalis*] 명나방과(科)에 속하는 곤충. 편 날개의 길이는 16mm 내외이고, 몸빛은 회색임. 앞날개에는 회백색의 물결 모양의 횡선(橫線)이 있고 중앙에 심장형 흑색 무늬가 있음. 뒷날개는 회백색으로 외면은 갈색임. 유충은 두부가 흑갈색, 동부(胴部)는 담황색이고, 배면(背面) 양측과 기문(氣門) 상하에 흑색 띠무늬가 있음. 유충은 무·배추 등에 모이는 해충임. 전세계에 분포함.

성충
유충
벌레 먹은 잎

〈배추명나방〉

배:추-밤나방 [명]〖충〗 [*Mamestra brassicae*] 밤나방과에 속하는 곤충. 편 날개의 길이는 45-50mm이고, 몸빛은 암갈색임. 앞날개의 선문(線紋)은 흑색이며, 외횡선(外橫線) 밖의 전연(前緣)에는 세 개의 흰 점이 있음. 유충은 콩·무·배추·딸기 등의 해충으로 한국에도 분포함.

성충
유충

〈배추밤나방〉

배:추-벌레 [명]〖충〗 ①배추에 모이는 해충의 총칭. 눈나빗과·잎벌렛과·배추좀나방과에 속하는 곤충의 유충(幼蟲). ②배추흰나비의 유충.

배:추벌레-고치벌 [명]〖충〗 [*Apanteles glomerratus*] 고치벌과에 속하는 곤충의 하나. 암컷의 몸길이는 3mm 가량임. 몸빛은 대체로 흑색이고, 촉각은 농갈색이며 두부 중순판(中楯板)에는 점각(點刻)이 있고, 전신(前伸) 복절(腹節)과 제1·2 복절에는 주름 모양의 조각이 있음. 배추흰나비의 유충에 기생하는데, 한국·일본·유럽 등지에 분포함. 나비살이고치벌.

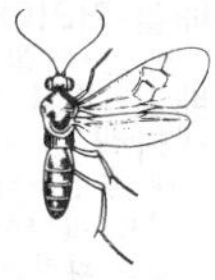
〈배추벌레 고치벌〉

배:추-속대 [명] 배추 속에서 자라는 잎. 빛깔이 노랗고 맛이 고소함.

배:추속대-쌈 [명] 배추속대를 생으로 먹는 쌈. 숭심포(菘心包).

배:추속대-찜 [명] 배추속대에 쇠고기를 넣고 양념하여 국물이 바특하게 끓인 찜. 숭심증(菘心蒸).

배:추속댓-국 [명] 배추속대로 끓인 국. 숭심탕(菘心湯).

배:추씨 기름 [명] 배추씨에서 짠 기름. 식용(食用)함.

배:추 저:냐 [명] 배추의 흰 줄기를 데치거나, 배추 김치를 물에 씻어 쇠고기를 잘게 다져 반대기를 지은 뒤에 배추를 싸서 지진 저냐.

배:추-좀나방 [명]〖충〗 [*Plutella maculipennis*] 나방 아목(亞目) 배추좀나방과에 속하는 곤충. 편 날개의 길이는 12-15mm이고, 앞날개는 회갈색에 백색 반문(斑紋)이 있고, 뒷날개는 회색임. 다이아몬드 백 모스(Diamond back moth)라고 하는 십자과(十字科) 식물의 해충으로 유명함. 전세계에 분포함.

배:추-찜 [명] 통배추를 잠깐 데쳐서 쇠고기·돼지 고기·숙주 나물 같은 것을 썰어 양념한 것을 그 속에 넣어 국물 없이 푹 쪄낸 찜.

배:추-흰나비 [―흰―] [명]〖충〗 [*Pieris rapae*] 흰나빗과에 속하는 나비의 하나. 몸길이 20mm, 편 날개의 길이는 34-62mm 내외, 암컷은 수컷보다 흑색 무늬가 훨씬 분명하고, 또 앞날개의 끝은 흑색이고, 앞날개에 두 개, 뒷날개에 한 개의 흑색 무늬가 있음. 계절에 따른 변이가 심하여 춘형(春形)은 하형(夏形)에 비하여 날개 뒷면의 흑반(黑斑)의 발달이 약하며, 수컷의 날개는 유백색이고 암컷은 황색이 섞였음. 유충은 '배추벌레'라고 하는데 몸길이 17mm 가량의 녹색 방추형(紡錘形)이며 온 몸에 잔털이 나고 기문(氣門)은 흑색임. 첫봄에 나와 한배에 100-200개씩 알을 낳으며 유충은 배추·무 잎 따위를 갉아먹는 대해충(大害蟲)임. 한국·일본의 각지에 분포함. [준]흰나비.

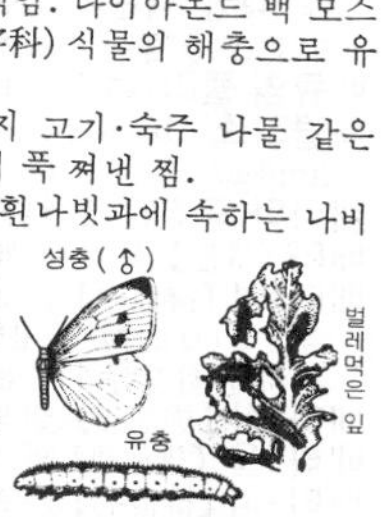

성충(♂)
유충
벌레 먹은 잎

〈배추흰나비〉

배축【胚軸】[명]〖식〗 고등 식물(高等植物)의 배기관(胚器官)으로, 자엽 부착부(子葉付着部) 밑에 생기는 최초의 줄기와 같은 부분. 밑은 유근(幼根)과 닿음. 하자엽부(下子葉部). *배(胚).

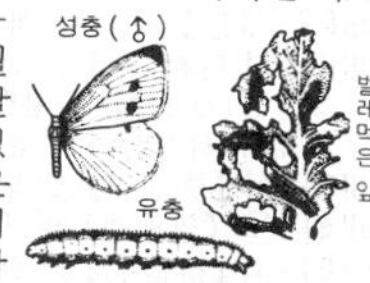

배:출¹【倍出】명 전보다 갑절이나 더 남. ¶올 농사는 작년의 ~이다. ――-하다 자여불
배출²【排出】명 ①밀어 내보냄. ¶공해(公害) ~ 업소. ②〖생〗배설(排泄). ――-하다 타여불
배:출³【輩出】명 인재(人材)가 계속하여 나옴. ¶많은 인재가 ~되다. ――-하다 자여불
배출-구【排出口】명 배출하는 곳. ¶감정의 ~.
배출-기【排出器】명 ①〖생〗배설기(排泄器). ②밖으로 밀어 내거나 뿜아 내는 장치의 기구. ¶가스 ~를 점검하다.
배출 기준【排出基準】명 공장이나 사업장 등에서 배출할 수 있는, 매연(煤煙)에 함유되어 있는 유기(有機) 물질의 최대 허용량 내지 농도의 기준. *배수(排水) 기준.
배출-판【排出瓣】명 배기판(排氣瓣).
배출-형【排出型】명〖생〗침·위액(胃液)·오줌·젖·정액(精液) 등의 속에 그 사람의 혈액형(血液型)을 나타내는 물질이 배출되는 사람의 형. ↔비배출형(非排出型).
배:춧-국 명 배추를 넣고 끓인 국.
배:춧-속 명 ①배추에서 속이 연한 잎. ②배추로 포기김치를 담글 때 배추 잎 사이에 넣는 양념.
배:치¹ 명〈방〉〖식〗배추¹(전남·경북·제주).
배:치²【背馳】명 엇나감. 반대가 됨. ¶이론과 ~되는 행동 / 서로 ~되는 주장을 하다. ――-하다 자여불
배:치³【配置】명 ①할당(割當)하고 분배(分配)하여 저마다의 자리에 둠. ¶~도(圖). ②〔pattern〕〖수〗서로의 관계나 성립(成立)을 나타내는 분포(分布)의 상태. 즉 인구(人口)의 집산(集散)이나, 공장·주택·학교 따위의 놓여진 상태. ――-하다 타여불
배치⁴【排置】명 갈라 나누어 벌여 놓음. 배포(排布). 포치(布置). ――-하다 타여불
배치근-하다 형여불 ↗배리착지근하다.
배-치기 명〖악〗연평도(延坪島) 일대에서 불려지고 있는 어요(漁謠)의 하나. 흔히 정월 대보름날을 전후해서 그 해의 풍어를 빌면서 풍어제를 지낸 다음 고기를 잡으러 나갈 때 부르는 소리임.
배:치-도【配置圖】명 ①인원이나 물자의 배치를 표시한 도면의 총칭. ②공장내에서 여러 기계를 장치할 위치를 표시한 도면. ③건축·정원의 설계·파악을 위하여 건물·수목 등의 위치를 평면상에 나타낸 도면. *장치도(裝置圖)·기초도(基礎圖).
배-치성【―致誠】명〖민〗배에서 지내는 치성. 뱃일을 할 때의 무사고와 행운을 빎.
배치작-거리다 자타 가볍게 몸을 절룩거리다. ¶배치작거리며 걷다. ㊟배착거리다. <비치적거리다. 배치작-배치작 부. ――-하다 자타여불
배치작-대다 자타 배치작거리다.
배:치 전:환【配置轉換】명 종업원을 다른 부서(部署)로 이동시키는 일. 의무·책임·보수의 변동이 크지 아니한 것이 승진과 다름.
배치 처:리 방식【―處理方式】〔batch〕명 발생한 사상(事象)을 전표(傳票)나 카드에 기입, 일정 기간 동안 모았다가 컴퓨터로 처리하는 방식.
배치 프로세싱〔batch processing〕명〖컴퓨터〗일괄(一括) 처리.
배칠-거리다 자타 이리저리 어지럽게 자꾸 비틀거리다. <비칠거리다. 배칠-배칠 부. ――-하다 자타여불
배칠-대다 자타 배칠거리다.
배커랙〔Bacharach, Burt〕명〖사람〗미국의 포퓰러 송 작곡가. 1950년대 후반부터 작곡·편곡 활동을 시작함. 뮤지컬·영화 음악의 작곡 등에도 활약하며, 현대 미국을 대표하는 팝 작곡가로 침. 영화 ≪내일을 향해 쏴라≫로 1969년 아카데미 주제가상·작곡상을 수상함. [1929-]
배코 명 상투 밑의 머리털을 돌려 깎는 자리.
배코(를) 치다 구 ①상투 밑의 머리털을 돌려 깎다. ②머리를 면도하듯이 빡빡 깎다.
배코-칼 명 배코를 치는 칼.
배콧-자리 명 배코를 친 자리.
배큐엄〔vacuum〕명 진공(眞空). 진공 상태.
배큐엄 카:〔vacuum car〕명 진공 펌프와 탱크를 갖춘 자동차. 액상(液狀)의 물건을 빨아들여 싣고 운반함. 변소의 오물(汚物)을 흡입 호스로 처리하는 차를 말함. *분뇨차·똥차.
배큐엄 콘크리:트〔vacuum concrete〕명 막 바른 콘크리트 표면에 진공 상태를 만들어 물·공기를 뽑아 낸 콘크리트. 여분(餘分)의 물을 뽑아 내기 때문에 강도(強度)가 증대하고 경화 수축(硬化收縮)이 줄어 도로 포장 등에 유리함.
배큐엄 클리:너〔vacuum cleaner〕명 전기 청소기. 진공 소제기. ㊟클리너.
배클리스〔backless〕명 등을 깊이 판 드레스나 수영복. *토플리스(topless).
배키다 타〈방〉숨기다(함경).
배타【排他】명 남을 배척함. ¶~적 경향. ↔의타(依他). ――-하다 자여불
배타-성【排他性】[―썽] 명 ①남을 배척하는 성질. ②〖법〗한 개의 목적물(目的物)에 관한 물권(物權)은, 같은 내용을 가진 다른 권리의 존재를 허락하지 않는 일.
배타-심【排他心】명 남을 배척하는 마음. ↔의타심(依他心).
배타-율【排他律】명〔exclusion principle〕〖물〗파울리의 원리.
배타-적【排他的】명관 남을 배척하는 경향이 있는 모양.
배타적 경제 수역【排他的經濟水域】명 200해리(海里)까지의 경제 수역 안에서는 연안국(沿岸國)에 대하여 일체의 어업(漁業) 및 광물 자원(鑛物資源)에 대한 배타적 관할 및 해양 오염을 규제하는 권한을 인정하려는 제도.
배타적 명:제【排他的命題】명〖논〗배타적 판단(判斷)을 나타내는 명제. 이를테면, '신(神)만이 완전하다' 따위.
배타-주의【排他主義】[―/―이] 명 남을 배척하고 자기만의 이득을 취하려는 주의 주장.
배-탈¹ 명 ①체하거나 설사가 나거나 하는 뱃속 병의 총칭. ②설사병.
배탈(이) 나다 구 배탈이 생기다.
배탈(을) 내:다 구 '배탈 나다'의 사역형.
배:탈²【背脫】명〖역〗토지(土地)의 일부분을 팔아 넘길 때에 그 사유(事由)를 문권(文卷) 뒤쪽에 기록하는 일.
배태¹ 명〈방〉뱃대끈❶.
배태²【胚胎】명 ①아이를 뱀. 새끼를 뱀. ¶~기(期). ②전(轉)하여, 사물의 시초. 싹틈. 배혼(胚渾). ¶화근(禍根)을 ~하다. ――-하다 자타여불
배:태-법【背笞法】[―뻡] 명〖역〗죄인을 엎어놓고 곤장으로 등을 치는 형벌. 사상자(死傷者)가 많이 나와 세종(世宗) 때 둔태법(臀笞法)으로 바꾸었음.
배탱이 명〈방〉바탱이.
배터〔batter〕명 야구에서, 배트를 치는 사람. 타자(打者).
배터리〔battery〕명 ①야구에서, 투수(投手)와 포수(捕手)의 한 쌍. ②축전지(蓄電池). ③한 벌의 기구 또는 장치. ④양계(養鷄)에서, 아파트식 닭장. *케이지(cage). ⑤〖군〗포대(砲臺). 포병 중대.
배터리 사육【―飼育】〔battery〕명 양계에서, 아래 위로 총총히 만든 선반형 계사(鷄舍)에 닭을 몰아 넣고, 알을 많이 낳게 하는 것만을 목적으로 사육하는 일. 또, 그러한 사육 방법. *케이지(cage) 사육.
배터 박스〔batter's box〕명 야구에서, 타자의 정(正)위치. 타석(打席).
배터 인 더 홀:〔batter in the hole〕명 야구에서, 볼 카운트로 보아 타자(打者)가 불리한 입장에 몰린 상태를 말함.
배턴〔baton〕명 ①릴레이 경주에서, 주자(走者)가 갖고 뛰다가 다음 주자에게 넘겨 주는 막대기. ②〖악〗지휘봉(指揮棒). 발레에서, 사용하는 장식적(裝飾的)인 지팡이나 막대기.
배턴 걸:〔baton girl〕명 퍼레이드나 악대(樂隊)의 맨 앞에서 배턴을 흔들며 행진하는 소녀. 배턴 트월러.
배턴-루:지〔Baton Rouge〕명〖지〗미국, 중남부(中南部) 루이지애나주(Louisiana州)의 주도(主都). 배후(背後)에 농업지를 끼고 사탕·쌀·면화의 거래가 성하며 정유(精油)·화학 공업도 발달함. 루이지애나 대학이 있음. [219,531명(1990)]
배턴 존:〔baton zone〕명 릴레이 경주에서, 배턴을 넘겨주고 받기 위하여 구획된 지역. 출발선에서 20m까지임.
배턴 터치〔baton+touch〕명 ①릴레이 경주 따위에서, 배턴을 주고 받는 일. ②일의 인계 인수.
배턴 트월러〔baton twirler〕명 배턴 걸(baton girl).
배-털보파리매 명〖충〗[*Cyrtopogon pictipennis*] 파리맷과에 속하는 곤충. 몸길이는 10-15mm이고, 몸빛은 흑색에 흉배(胸背)는 갈색 가루로 덮임, 측연(側緣)의 구부러진 종대(縱帶)와 횡구(橫溝)는 담갈회색이며, 날개의 밑단은 흑갈색이고, 중앙부에 불규칙한 갈색 띠가 있음. 복부(腹部)에는 백색의 연한 털이 밀생함. 한국·일본에 분포함.
배텔 연:구소【―硏究所】〔Battelle〕[―련―] 명 미국의 대표적인 연구 개발 조직의 하나. 박사급의 과학자·기술자를 수천 명이나 거느린 두뇌 집단으로, 스위스·독일에도 지소(支所)를 가지고 있으며, 특히 그 기술 예측(豫測)·기술 개발의 경험은 정평(定評)이 있음.
배토¹【坏土】명〖공〗질그릇의 원료가 되는 흙. 질흙.
배:토²【培土】명 그루를 북주는 흙. 또, 그 일. ――-하다 타여불
배-통¹ 명 ①몸에서 배를 이루고 있는 전체 부분. ②배퉁이.
배:통²【背痛】명〖한의〗흉격(胸膈)과 등이 아픈 병.
배-퉁기다 자 제 뱃심만 믿고 남의 말에 응하지 아니하다. 거만하게 굴다. 배내밀다. *배짱(을) 퉁기다.
배-퉁이 명〈속〉배¹⊟❶. ¶잘 먹어 ~가 툭 튀어나왔구나.
배트¹〔bat〕명 ①〖동〗박쥐. ②크리켓이나 야구에서, 공을 치는 방망이. ③탁구나 테니스의 라켓.
〈배트¹❷〉
배트²〔vat〕명 사진을 현상·정착(定着)할 때나 또는 요리·화학 실험 때에 쓰는, 사기로 만든 작은 접시.
배트 물감【―깜】명〔vat dye〕물에 불용성(不溶性)인 물감을 우선 환원(還元)시켜 수용성(水溶性) 물질이 되게 한 후, 섬유에 흡착시켜 공기에 의한 산화(酸化)로 아름다운 빛을 내게 하는 물감. 인디고(indigo) 물감·인단스렌(Indanthrene) 물감 따위. 건염(建染) 물감.
배트 보이〔bat boy〕명 야구장에서, 배트나 볼 따위의 정리 등 잡일을 하는 소년.
배트작-거리다 자타 약간 배틀거리며 걷다. ㅆ빼트작거리다. <비트적거리다. 배트작-배트작 부. ――-하다 자타여불
배트작-대다 자타 배트작거리다.
배튼〔batten〕명 제도 용구(製圖用具)의 하나. 끝으로 갈수록 두께가 달라지게 만든 가는 막대 자. 느슨한 만곡(彎曲)의 곡선(曲線)을 그을 때 씀.
〈배튼〉
배틀 부 힘이 없거나 어지러워 이리저리 쓰러질 듯한 모양. ¶이리 ~ 저리 ~. <비틀. ――-하다¹ 자여불
배틀-거리다 자타 몸을 가누지 못하고 이리저리 쓰러질 듯이 걷다. ㅆ빼틀거리다. <비틀거리다. 배틀-배틀 부. ――-하다 자타여불
배틀-걸음 명 배틀거리며 걷는 걸음. <비틀걸음. ――-하다 자여불
배틀걸음(을) 치다 구 배틀걸음을 걷다.
배:틀다 타 힘있게 잡아 틀다. ¶손목을 잡아 ~. <비틀다.
배틀-대다 자 배틀거리다.
배:틀리다 피동 배틀음을 당하다. <비틀리다.
배틀-법【―法】〔Battle〕[―뻡] 명〖법〗'상호 방위 원조 통제법(Mutual Defense Assistance Control Act)'의 별칭. 미국 민주당 하원 의원 배틀(Battle, L.C.)에 의하여 작성되었음. 군수품과 병기 생산의 직접 원료가 되는 것을 금수 품목(禁輸品目)으로 규정하여, 이를 공산권내에

수출한 나라에 대하여는 미국의 군사적·경제적 원조를 정지한다고 규정되어 있음. 한국의 6·25 전쟁을 계기로 작성되었고, 1951년 10월에 발효됨.

배:틀어-지다 ㉠ 어느 한쪽으로 배배 꼬이다. <비틀어지다.

배틀 재킷 〔battle jackets〕 명 전투복형(型) 상의(上衣)로, 허리와 소매 끝에 단을 달고, 꼭 끼게 만든 재킷. 가우초(gaucho)나 판탈롱 또는 미디 스커트에도 잘 어울려, 손쉽게 입을 수 있음.

배틀-하다 형여불 조금 배릿하고 감칠 맛이 있다. <비틀하다.

배티다 타 〈옛〉 흔들다. 휘젓다. ¶ 믈우희 뻐워 배텨 구르터(離水面擺動倒)《老乞 上 32》.

배틱 〔battik〕 〖미술〗 바티크(batik).

배팅 〔batting〕 명 ①야구에서, 타격(打擊). 타격법. ②권투에서, 머리 따위로 상대 선수에게 부딪치는 일. 반칙(反則)임. ③정제(精製)한 솜.

배팅 애버리지 〔batting average〕 명 야구에서, 타율(打率). 타격률(打擊率).
「라인업(line-up). ㊊오더.

배팅 오:더 〔batting order〕 명 야구에서, 타순(打順). 타격순(打擊順).

배팅 케이지 〔batting cage〕 명 야구에서, 타격 연습 중 빗나가는 볼의 위험을 막기 위한 울타리. ㊊케이지.

배:판¹ 【背板】 명 ①등널. ②〖충〗 배부(背部)의 판판한 부분. ¶ 흉부(胸部) ~. ↔복판(腹板).
「기. ¶ 사륙(四六) ~.

배:판² 【倍判】 명 〖인쇄〗 일정한 규격(規格)의 갑절이 되는 인쇄물의 크

배:판³ 【褙板】 명 배접(褙接)할 때 밑에 깔고 쓰는 널.

배-편 【一便】 명 배가 오고 가고 하는 그 편. 선편(船便). ¶ ~에 짐을 부치다.
「하다 타여불

배:포¹ 【配布】 명 널리 배부하는 일. ¶ 광고 삐라를 집집에 ~하다. ——

배포² 【排布·排鋪】 명 ①머리를 써서 일을 이리저리 조리 있게 계획함. ¶ 그의 ~를 누가 알겠소. ②배짱. ③배치(排置). ——-하다 타여불

배포(가) 유(柔)하다 귀 조급하게 굴지 않고 성미가 유들유들하다. 웬만한 일에는 별로 개의(介意)하지 않고 유유 자약(悠悠自若)하다.

배포(가) 크다 귀 도량과 담력이 크다.

배:포³ 【焙脯】 명 쇠고기나 돼지고기를 저미어 간을 친 뒤에 화롯불 같은 데에 배롱(焙籠)을 씌우고 그 위에 말린 포육(脯肉).

배:포⁴ 【褙布】 명 배악비.

배포-춤 명 〖민〗 제주도 큰굿에서 처음에 귀신을 청할 때 추는 춤. 손에 칼을 들고 뿌리는 동작을 많이 하는 비교적 얌전한 춤임.

배-표 【一票】 명 배 타는 표. 선표(船票). 승선표.

배표 분화 【胚表分化】 명 〖동〗 동물 개체의 발생 초기의 배(胚)에 있어서 배의 표면 재료가 분화하는 현상.

배:품 【拜稟】 명 공손히 여쭘. 삼가 아룀. ——-하다 타여불

배:풍 【背風】 명 뒤에서 불어 오는 바람.

배풍-등 【排風藤】 명 〖식〗 [*Solanum lyratum*] 가짓과에 속하는 다년초. 줄기는 덩굴지고, 잎자루로써 다른 물건에 감아 올라가는데 잎은 호생하고 달걀꼴 또는 긴 타원형에 끝이 뾰족함. 여름에 원추상의 흰 오판화(五瓣花)가 취산(聚繖) 화서로 액출(腋出)하여 피고, 장과(漿果)는 가을에 붉게 익음. 산과 들에 나는데, 한국·일본·대만·인도차이나에 분포함. 열매는 약재로 씀.

〈배풍등〉

배:피¹ 【拜披】 명 편지 같은 것의 봉(封)한 글을 공손히 폄. ——-하다 타여불

배:피² 【背皮】 명 책 표지에 대는 가죽. 배혁(背革).

배:피 제:본 【背皮製本】 명 표지를 가죽으로 싸는 제본.

배핀 〔Baffin, William〕 명 〖사람〗 영국의 항해가. 북아메리카의 북극권(北極圈)을 탐험하여 배핀 만(Baffin 灣)을 발견함. [1584-1622]

배핀-랜드 〔Baffin Land〕 명 〖지〗 배핀(Baffin) 섬.

배핀 섬 〔Baffin〕 명 〖지〗 북극해 제도(諸島) 중 가장 큰 섬으로 세계 제 5 위임. 캐나다의 북쪽 프랭클린 지구(Franklin 地區)에 속하며, 허드슨 만구를 가리고 있음. 기후가 한랭(寒冷)하여 에스키모인이 살고 있으며 모피(毛皮)를 산출함. 배핀랜드. [476,100 km² : 3,400 명] 「~.

배:필 【配匹】 명 부부. 부부의 짝. 배우(配偶). 필우(匹偶). ¶ 천생(天生)

배:하¹ 【拜賀】 명 삼가 치하(致賀)함. ——-하다 타여불

배:하² 【配下】 명 지배 아래. 또, 지배 아래 있는 사람.

배:-하다 【拜一】 타여불 조정(朝廷)에서 벼슬을 받다. 관직을 배수(拜受)

배:-하인 【陪下人】 명 배사령(陪使令).
└하다.

배:한¹ 【背汗】 명 등에 나는 냉한(冷汗).

배:한² 【背寒】 명 〖한의〗 등이 몹시 시린 병.

배함 【排陷】 명 배제(排擠). ——-하다 타여불
「하다 타여불

배:합 【配合】 명 이것 저것을 알맞게 섞어 한데 합함. ¶ 색의 ~. ——

배:합 금:기 【配合禁忌】 명 〖약〗 약제(藥劑)의 혼합에 있어, 서로의 화학 작용에 의하여 얻고자 하는 효력을 변하게 하거나 감소시키는 물질을 혼합하지 아니하는 일.

배:합-률 【配合率】 [一뉼] 명 배합하는 비율.

배:합 비:료 【配合肥料】 명 농작물에 필요한 양(量)의 질소·인산·칼륨을 포함하도록, 어비(魚肥)·골분(骨粉)·유조(油糟)·과린산 석회(過燐酸石灰) 같은 것을 적당히 혼합하여 만든 비료. 혼합 비료. 조합 비료.

배:합 사료 【配合飼料】 명 동물의 사육에 필요한 여러 가지 영양소를 적당히 배합하여 만든 사료. 농후(濃厚) 사료.

배합-조개 명 〈방〉 〖식〗 질경이.

배해 【俳諧】 명 재미있거나 우스운 문구(文句).

배해 처:분 【排害處分】 명 〖법〗 위험성(危險性)이 있는 자를 사회로부터 격리(隔離)하여 사회에 대한 침해(侵害)를 예방하는 처분. 넓은 의미로는 형벌도 포함하나, 좁은 의미로는 보안 처분(保安處分)을 가리키는 말임.

배:행¹ 【陪行】 명 ①윗사람을 모시고 따라감. ②배웅. ——-하다 타여불

배:행² 【輩行】 명 나이가 비슷한 친구.

배:향¹ 【背向】 명 향배(向背).

배:향² 【配向】 명 ①〖물〗 전기 쌍극자(雙極子) 모멘트를 가지는 분자로 이루어진 계(系)가 전기장(電氣場) 안에 놓여질 때, 그 쌍극자의 방향이 전기장의 방향과 일치하는 일. 또, 자기(磁氣) 모멘트를 가지는 분자·원자나 원자핵이 자기장(磁氣場) 안에 놓여져 그 방향을 일치시키는 것에 대해서도 일컬음. ②〖화〗 어떤 치환기(置換基)가 벤젠 고리에 결합한 결과, 벤젠 고리 중의 위치에 따라 탄소 원자의 반응성(反應性)에 차이가 생기는 일. ③고분자로 이루어진 고체 물질 속에서, 구성 단위가 되는 미결정(微結晶), 또는 고분자 사슬이 일정한 방향으로 배열(配列)하는 일. ——-하다 자타여불

배:향³ 【配享】 명 〖역〗 ①종묘에 공신(功臣)의 신주를 모심. 종향(從享). 종사(從祀). 배식(配食). ②문묘나 사원(祠院)에 학덕이 있는 사람의 신주를 모심. 배식. 종사. 철향(醊享). 종향. ——-하다 타여불

배:향 공신 【配享功臣】 명 〖역〗 종묘(宗廟)에 부제(祔祭)된 공신.

배-허리노린재 명 〖충〗 [*Homoeocerus dilatatus*] 허리노린잿과에 속하는 곤충. 몸의 길이는 13-15 mm이고, 몸빛은 황갈색이며 촉각은 적갈색임. 반시초(半翅鞘)의 혁질부(革質部)에 불명확한 흑점(黑點)이 있음. 복부(腹部)가 다른 종류에 비하여 특히 넓음. 콩과 식물의 해충으로, 한국·일본·중국 등에 분포함.

〈배허리노린재〉

배:혁 【背革】 명 책 표지의 등만을 가죽으로 입히는 일. 또, 그 가죽. 배피(背皮). ¶ ~ 제본.

배:현 【配玄】 명 〖식〗 수선화(水仙花).

배형-뉴 【杯形鈕】 명 〖고고학〗 잔모양 꼭지.

배-형성 【胚形成】 명 〔embryogenesis〕 알에서 배(胚)가 형성되고 발달(發達)하는 일.

배:호 【陪扈】 명 배종(陪從). ——-하다 타여불

배호다 타 〈방〉 배우다.

배-호흡 【一呼吸】 명 〖생〗 복식 호흡(腹式呼吸).

배혼 【胚渾】 명 ①막연하여 판별하기 어려운 모양. ②배태(胚胎).

배화 【排貨】 명 어떠한 나라나 어떠한 사람의 물화(物貨)를 배척하여 거래(去來)하지 아니함. ——-하다 자여불

배:화-교 【拜火教】 명 〖종〗 ①불을 신화(神化)하여 숭배하는 신앙의 총칭. 바라문교(婆羅門教)·조로아스터교 따위. ②조로아스터교.

배:화교-도 【拜火教徒】 명 〖종〗 배화교의 교도(教徒). 파시(Parsi).

배화 동맹 【排貨同盟】 명 배화(排貨)를 목적으로 하는 동맹.

배-화채 【一花菜】 명 배를 얇게 썰어, 불그스름하게 연지(臙脂)를 푼 꿀이나 설탕에 재어, 오미잣국에 꿀을 타고 넣어 만든 화채.

배:화 학당 【培花學堂】 명 조선 말기 광무(光武) 2년(1898)에 미국 남감리교(南監理教) 여선교부(女宣教部)의 캠블(Camble, Josephine)이 서울 인달방(仁達坊), 지금의 종로구 필운동(弼雲洞)에 창립한 사립 여자 중학교. 지금의 배화 여자 중고등 학교의 전신(前身)임.

배회¹ 【俳詼】 명 해학(諧謔).

배회² 【徘徊】 명 어떤 곳을 중심으로 어치렁거리며 이리저리 거닐어 다님. 목적 없이 거닒. 지회(遲徊). 방양(彷徉). ¶ 길거리를 ~하다. ——-하다 자여불

배회-증 【徘徊症】 [一쯩] 명 〖의〗 정신병의 하나. 이렇다 할 목적지(目的地)도 없이 여기저기를 배회하는 증상(症狀). 각종의 정신병자·변질자(變質者) 등에서 볼 수 있음.

배:획 【倍畫】 명 〖역〗 강서(講書)의 성적을 매기는데, 주역(周易)·춘추(春秋)를 강한 사람에게 여느 경서(經書)의 배의 점수를 주는 일. ——-하다 자여불
「¶ ~ 조종자.

배:후 【背後】 명 ①등 뒤. 뒤편. ¶ ~에서 찌르다. ②일의 이면(裏面).

배:후 관계 【背後關係】 명 겉으로 나타나 있지 아니한 어떤 일의 이면(裏面)에 여러 가지 얽혀진 관계. ¶ ~를 조사하다/복잡한 ~.

배:후지 【背後地】 명 〔도 Hinterland〕 〖지〗 어떤 경제적 중심지의 세력권. 일반적으로, 항구의 배후에 있어 출입하(出入荷) 물자의 수급(需給) 관계가 밀접한 지역. 배역(背域). 후배지. 힌터란트.

배:훼 【背毁】 명 뒤에서 비방함. ——-하다 타여불

배흘림-기둥 명 〖건〗 기둥의 중간이 배가 부르고 아래 위로 가면서 점점 가늘게 된 주형(柱形).

배흘림-낚시 명 〖낚시〗 배를 물살에 띄워 흘러가게 하면서 하는 배낚시.

배히다 타 〈옛〉 베다. ¶ 門을 논호며 이플 배혀(分門割戶)《內訓 Ⅲ:44》.

백¹ 명 〈방〉 바람벽(경남).

백² 【白】 명 ①↗백색(白色). ¶ 흑과 ~의 조화. ②↗백(白)지¹. ¶ ~을 잡다. ③↗백군(白軍).

[백 모래 밭의 금 자라 걸음] 맵시를 내고 아양을 부리며 아장아장 걷는 여자의 걸음.

백³ 【白】 명 성(姓)의 하나. 현재 우리 나라에는 사실상 본관이 수원(水原) 하나뿐임.

[백문선(白文善)의 헛문서] 〔옛날에 백문선이란 서리(書吏)가 거짓 문서로 남을 속이기를 일삼았다는 데서〕 남을 속이려는 거짓 서류.

백⁴ 【伯】 명 ↗백작(伯爵).

백⁵ 【柏】 명 성(姓)의 하나. 우리 나라에는 현존(現存)하지 아니함.

백[6]【苩】[명] 백제(百濟) 팔대성(八大姓)의 하나.
백[7]〔back〕[명] ①배경(背景). 원경(遠景). ②→빠꾸. ＊로[5](low). ③등[1]. ¶～ 넘버/～ 미러. ④후위(後衛). ¶～을 보다. ＊빽.
백[8]〔bag〕[명] 휴대용 가방. 자루. 부대. ¶ 핸드～/보스턴 ～/숄더 ～.
백[9]【百】[수][관] 열의 열 곱절. 아흔아홉에 하나를 더한 수. ¶～ 점/～ 날. [백 번 듣는 것이 한 번 보는 것만 못하다] 듣기만 하는 것보다 직접 보는 것이 확실하다는 말. 백문 불여일견(百聞不如一見). [백 톤의 말보다 한 그램의 실천] 말만 하고 실천하지 않으면 소용 없다는 뜻.
백-【白】[부] '흰'의 뜻을 나타내는 말. ¶～설탕/～장미/～포도주.
-백【白】[미] '말씀 드린다'는 뜻으로, 말하는 사람의 명칭 밑에 붙여 쓰는 말. ¶ '외상 사절' 주인～.
백가【百家】[명] ①많은 학자 또는 작자(作者). 백씨(百氏). 백자(百子). ②↗백가서(百家書).
백가-반【百家飯】[명]〖민〗 정월 대보름날 아이들이 그 해의 운수나 건강을 위하여 여러 집의 오곡밥을 얻어 먹는 풍속. 경상도에서는 '조릿밥', 전라 남도에서는 '조릿밥' 또는 '세성받이밥'이라고도 함.
백가-서【百家書】[명] 여러 학자들의 저서(著書). [준]백가(百家).
백가-어【百家語】[명] 중국 전국(戰國) 시대의 제자 백가(諸子百家)의 말. 제자 백가서(諸子百家書).
백가 쟁명【百家爭鳴】[명] ①많은 학자·문화인 등의 활발한 논쟁. 의론 백출(議論百出)하는 일. ②〖정〗 1956년 중국에서, '백화 제방(百花齊放)'과 함께 중국 공산당에 대한 비판을 널리 당외(黨外)에 호소하여, 후에 반우파(反右派) 투쟁의 계기가 된 운동의 슬로건.
백-가지【白—】[명]〖식〗 가지의 한 종류. 열매가 황백색(黃白色)임.
백각【白—】[명]〖광〗 흰 빛깔의 석영(石英).
백-각사【百各司】[명]〖역〗 서울 안의 모든 관아.
백-각전【百各廛】[명]〖역〗 평시서(平市署)에서 관할하던 서울의 각전(各廛).
백간【白簡】[명] 아무 것도 적지 아니하고 백지(白紙) 그대로 넣은 편지.
백간-령【白澗嶺】[—갈—] [명]〖지〗 함경 남도 신흥군(新興郡)에 있는 산. [1,329 m]
백간-잠【白乾蠶】[명]〖한의〗 백강잠(白殭蠶).
백-간죽【白簡竹】[명] 담뱃대로 쓰는 흰 설대.
백감【百感】[명] 온갖 느낌. 만감(萬感).
백-강[1]【白江】[명]〖지〗 백마강(白馬江).
백강[2]【白殭】[명] ↗백강잠(白殭蠶).
백강구 전:투【白江口戰鬪】[명]〖역〗 660 년 백제 멸망 후 백제 부흥군이 일본의 구원군과 합세해 나당 연합군과 벌인 싸움. ≪삼국 사기≫, ≪구당서(舊唐書)≫에는 백강구, ≪일본 서기(日本書記)≫에는 백촌강(白村江)이라 하였으나 그곳이 어디인지는 아직 정설이 없음. 나당 연합군은 이 싸움에서 크게 승리함.
백강-균【白殭菌】[명]〖식〗 사상균(絲狀菌)의 하나. 누에에 기생하여 백강병(白殭病)을 일으킴. 포자(胞子)는 구형(球形)으로 흰 색이며, 누에의 피부를 통하여 몸 안으로 침입함.
백강-병【白殭病】[—뼝] [명]〖의〗 누에의 경화병(硬化病)의 하나. 백강균의 기생(寄生)으로 일어나는데, 이것으로 죽은 누에의 피부(皮膚)는 크고 작은 흑갈색 반점(斑點)이 있으며, 점점 굳어져 붉은색을 띠다가 결국 흰 빛의 균사(菌絲)로 덮임. ＊녹강병(綠殭病).
백강-잠【白殭蠶】[명]〖한의〗 백강병(白殭病)으로 죽은 누에. 풍증(風症)을 다스리는 데 씀. 백간잠(白乾蠶). [준]백강(白殭).
백-강홍【白降汞】[명]〖약〗 흰 빛의 덩어리 또는 가루 약품의 한 가지로, 염화 수은($HgCl_2$) 용액 2g을 40g의 물에 녹여 암모니아수(水)를 가하여 만든 것. 연고(軟膏)를 만들어 옴 기타 피부병에 씀.
백개먼〔backgammon〕[명] 서양의 주사위 놀이의 하나. 두 사람이 각각 15개씩의 말을 배치한 다음 2개의 주사위를 교대로 던져 진행하는데, 상대방 말의 진로(進路)를 방해하면서 먼저 자기쪽 말밭에 전부 들어서는 쪽이 이김. 서양 쌍륙.
백개-일【百箇日】[명]〖불교〗 사람이 죽은 백일째. 이 날에 불공을 드림.
백-개자【白芥子】[명]〖한의〗 갓의 씨앗. 위장(胃腸)을 돕고 땀을 나게 하므로 기침과 담을 다스리는 데 씀. 성질은 더움.
백거【白蕖】[명] 흰 연꽃. 백련(白蓮).
백-거이【白居易】[명]〖사람〗 중국 당(唐)나라의 대표적 시인. 자는 낙천(樂天). 호는 향산 거사(香山居士). 대중적 작품 ≪장한가(長恨歌)≫·≪비파행(琵琶行)≫ 등은 문사(文士)·서민(庶民)들간에 널리 애송되었음. 평이(平易)·유려(流麗)한 시풍은 원진(元稹)과 병칭되어 원백체(元白體)로 통칭됨. 시문집 ≪백씨 문집(白氏文集)≫이 있음. 백낙천. 백씨(白氏). [772-846]
백건[1]【白建】[명]〖공〗 중국 남쪽 건주요(建州窯)에서 만들어 내던 명(明)나라 이후의 백자기(白瓷器).
백건[2]【白鍵】[명]〖악〗 흰 건반(鍵盤). ↔흑건(黑鍵).
백겁【百劫】[명] 영겁(永劫).
백견【白犬】[명] 털이 흰 개.
백견-병【白絹病】[—뼝] [명]〖식〗 어떤 담자균(擔子菌)의 기생(寄生)에 의하여 오이·토마토·콩·담배·깨·삼 같은 식물 줄기의 밑둥에 처음에 흰 비단실 모양의 광택 있는 균사(菌絲)가 엉기어 그 뒤 다갈색(茶褐色)의 좁쌀 모양의 균핵(菌核)이 생기고 피부(皮部)가 썩으며 아래쪽의 잎이 시들어 때로는 식물 전체가 말라 죽는 식물의 병. 따뜻한 곳에 많으며 장마철에 발생함.
백결 선생【百結先生】[명]〖사람〗 신라의 탄금가(彈琴家). 본명은 전해지지 아니함. ≪대악(碓樂)≫이라는 방아 곡조를 지었음. 가난한 생활을 하면서 예술에 평생을 바쳤다 함. ＊방아 타령.
백경[1]【白鏡】[명] 빛깔이 없는 알을 낀 안경.
백경[2]【白鯨】[명]〔Moby Dick〕〖책〗 1851년에 미국의 멜빌(Melville, H.)이 발표한 소설의 역명(譯名). 포경선(捕鯨船)의 선장과 거대한 흰 고래와의 대결을 그린 해양 소설로, 깊은 상징성(象徵性)을 지닌 서사시적 대작임. 모비 딕.
백계[1]【白契】[명]〖역〗 중국에서, 계세(契稅) 절차를 밟지 않고 관인(官印)이 찍혀 있지 않은 매매 증서. ↔홍계(紅契).
백계[2]【白鷄】[명] 털 빛이 흰 닭.
백계[3]【百計】[명] 여러 가지의 꾀. 온갖 계책. ¶～를 다하다.
백계 노인【白系露人】[명] 시월 혁명(十月革命) 후, 소비에트 연방 정부에 반대하여 해외로 망명한 러시아 사람. 백계(白系) 러시아인.
백계 무책【百計無策】[명] 있는 꾀를 다 써 봐도 별 수 없음. 계무소출(計無所出).
백고【伯固】[명]〖사람〗 고구려 신대왕(新大王)의 이름.
백고-괴【白糕塊】[명] 흰무리.
백고 불마【百古不磨】[명] 몇 백 년 후까지도 마멸(磨滅)되지 않고 남음. ¶～의 경전(經典). ——하다 [자][여불]
백고좌 법회【百高座法會】[명]〖불교〗 사자좌(獅子座) 백자리를 만들고 백 명의 고승(高僧)을 모셔다가 설법을 듣는 법회. 신라 진흥왕(眞興王) 12 년(551) 고구려에서 온 혜량 법사(慧亮法師)에 의해 처음 열렸으며, 조선 시대에 들어와서 폐지됨.
백고 천난【百苦千難】[명] 수없이 많은 고통. 온갖 고난. ¶～을 겪다.
백곡[1]【†白麯】[명]〔←백국(白麴)〕흰누룩.
백곡[2]【百穀】[명] 온갖 곡식. ¶～이 무르익다.
백곡[3]【栢谷】[명]〖사람〗 김득신(金得臣)의 호.
백곡-왕【百谷王】[명] 여러 골짜기의 물을 모았다는 뜻에서, 바다를 이르는 말.
백골【白骨】[명] ①송장의 살이 썩고 남은 뼈. 효골(髐骨). ②칠을 하지 아니한 목기나 목물(木物) 같은 것.
백골 난망【白骨難忘】[—란—] [명] 죽어 백골이 되어도 깊은 은덕을 잊을 수 없다는 말. ¶이 은혜는 ～ 입니다.
백골 남항【白骨南行】[—람—] [명]〖역〗 음직(蔭職)❶.
백골-송【白骨松】[명]〖식〗 백송(白松).
백골 양:자【白骨養子】[—량—] [명] 신주 양자(神主養子). ——하다 [타][여불]
백골-집【白骨—】[명]〈속〉①단청(丹靑)을 칠하지 않은 궁전(宮殿). ②아무 칠도 하지 않은 집.
백골 징포【白骨徵布】[명]〖역〗 조선 시대 말엽에, 죽은 사람의 이름을 군적(軍籍)과 세부(稅簿)에 강제로 올려 놓고 군포(軍布)를 징수하던 일.
백-곰【白—】[명]〖동〗 흰곰.
백공【百工】[명] ①온갖 장색(匠色). ②백관(百官).
백공 기예【百工技藝】[명] 온갖 장색(匠色)의 재주.
백-공작【白孔雀】[명]〖조〗 인도 공작의 백변종(白變種). 전신은 백색이고 주둥이와 발은 담색(淡色)임.
백공 천창【百孔千瘡】[명] 여러 가지 폐단으로 엉망 진창이 됨. 천창 만공(千瘡萬孔). ¶ 세상에 못할 노릇은 사람 기다리기라.… 때없이 사립짝 문 밖에 나가서 남편을 바라보고 눈이 뚫어질 것 같으면 ～이 더될 지경이라≪李海朝：巢鶴嶺≫.
백과[1]【白瓜】[명] 흰 오이.
백과[2]【白果】[명] 은행(銀杏).
백과[3]【百果】[명] 온갖 과실. ¶ 오곡 ～.
백과[4]【百科】[명] 많은 과목(科目). 온갖 학과(學科).
백과 사서【百科辭書】[명] 백과 사전.
백과 사:전[1]【百科事典】[명] 학술·기예(技藝)·가정·사회 등 모든 분야에 걸친 사항을 한데 모아 부문별 또는 자모순(字母順)으로 배열하여 항목(項目)마다 풀이한 사전. 백과 사휘. 백과 전서. 백과 사서. 엔사이클로피디어(encyclopaedia).
백과 사전[2]【百科辭典】[명] 백과 사전(事典).
백과 사휘【百科辭彙】[명] 백과 사전.
백과-석【白—石】[명]〈방〉 차돌. ＊백각.
백과 전서[1]【百科全書】[명] ①백과 사전. ②모든 분야에 걸친 사항을 체계 있게 해설한 총서(叢書).
백과 전서[2]【百科全書】[명]〔프 Encyclopédie ou Dictionaire raisonné des sciences, des arts et des métiers ; '과학·예술·기술에 관한 이론적인 사전(事典)'이란 뜻〕〖책〗 1751-80 년에 간행된 프랑스의 백과 사전(事典). 달랑베르(d'Alembert)와 디드로(Diderot)의 감수 하(監修下)에 볼테르·몽테스키외·루소 등 184 명의 다방면에 걸친 집필자가 협력, 프랑스 혁명의 사상적 준비에 큰 역할을 하였음. 모두 35 권, 수록 항목 수 약 6 만 600.
백과 전서가【百科全書家】[명]〔프 encyclopédistes〕 백과 전서의 편찬(編纂)에 종사하거나 또는 협력한 18세기의 사상가(思想家)·학자들. 곧, 디드로(Diderot)와 달랑베르(d'Alembert)를 비롯하여, 그림(Grimm)·볼테르(Voltaire)·루소(Rousseau)·케네(Quesnay)·돌바크(d'Holbach)·마르몽텔(Marmontel) 등을 가리킴. 그 입장은 주로 합리주의적·회의론적·감각론적·유물론적임. 백과 전서파. 앙시클로페디스트(encyclopédistes).
백과 전서파【百科全書派】[명] 백과 전서가.
백과-주【百果酒】[명] 온갖 과실의 즙(汁)을 소주에 타서 빚은 술.
백과 총서【百科叢書】[명] 각 과의 전문 서적을 한데 모은 것. 또, 관계 문헌 자료를 수집한 것.
백관[1]【白鸛】[명]〖조〗 황새.
백관[2]【百官】[명] 모든 벼슬아치. 백공(百工). 백규(百揆). 백료(百寮). 백사(百司). 서관(庶官). 천관(千官). ¶ 문무(文武) ～.
백관-당【百官幢】[명]〖역〗 신라 때 군대의 이름. 중앙의 여러 관아를 수위하는 임무를 띠었던 것으로 짐작됨.
백관-복【百官服】[명]〖역〗 왕조(王朝) 시대 관원의 정복(正服), 조복(朝服), 왕 배알시에 입는 공복(公服), 평상 집무시의 상복(常服)으로 구분됨.

백-관수【白寬洙】[명]〖사람〗민족 운동가·언론인. 호는 근촌(芹村). 전북 고창(高敞) 출생. 1919년 도쿄(東京)에서 조선 청년 독립단을 조직, 그 대표로 독립 선언문을 발표하고 투옥되었으며, 1937년 동아 일보 사장에 취임, 민족 언론 창달에 노력하였음. 해방 후 입법 의원을 거쳐 제헌 국회 의원에 당선됨. 6·25 전쟁 때 납북되었음. [1889-?]

백관 유:사【百官有司】[명] 조정(朝廷)의 많은 관리(官吏).

백광【白光】[명] ①백색광(白色光). ②〖천〗 개기 일식(皆旣日蝕) 때 태양 주위에서 발(發)하는 은백(銀白)의 광휘(光輝). 광관(光冠). 코로나(corona).

백-광석【白廣席】[명] 넓고 큰 흰 돗자리.

백-광홍【白光弘】[명]〖사람〗조선 시대 중기의 문장가. 자는 대우(大祐). 호는 기봉(岐峰). 해미(海美) 사람. 아우 광훈(光勳)과 더불어 문장으로 이름이 났음. 벼슬은 평사(評事)에 이름. 《관서 별곡(關西別曲)》은 그 또는 광훈의 지음이라 함. [1522-?]

백-광훈【白光勳】[명]〖사람〗조선 선조 때의 시인. 자는 창경(彰卿). 호는 옥봉(玉峯). 해미(海美) 사람. 시재(詩才)가 뛰어나 최경창(崔慶昌)·이달(李達)과 함께 삼당(三唐) 시인으로 불리었으며, 이산해(李山海)·최립(崔岦) 등과 더불어 팔문장(八文章)의 칭호를 들음. 글씨에도 일가를 이루었음. 문집에 《옥봉집(玉峯集)》이 있음. [1537-82]

백교-유【白絞油】[명] 평지나 콩에서 채유(採油)하여 정제한 것을 다시 가열(加熱)하여 얻은 담황색 기름. 식용하며, 향유(香油)로도 씀.

백교-향【白膠香】[명]〖한의〗단풍나무의 진. 지혈(止血)·종기(腫氣)·피부병(皮膚病) 같은 데 씀. 풍향지(楓香脂).

백구[1]【白球】[명] 야구·골프 등의 흰 공. ¶ ~를 날리다.

백구의 향:연(饗宴) [구] 화려하게 펼쳐지는 큰 야구 시합이나 골프 시합. ¶ ~이 벌어지다.

백구[2]【白駒】[명] 흰 망아지.

백구[3]【白鷗】[명]〖조〗갈매기❷.

백구[4]【百口】[명] ①백 사람의 식구(食口)란 뜻으로, 많은 가족. ②여러 가지 변명(辯明).

백구[5]【伯舅】[명] 천자(天子)가 성(姓)이 다른 제후(諸侯)를 존경하여 이르는 말.

백구-가【白鷗歌】[명] 백구사.

백구 과:극【白駒過隙】[명] 흰 망아지가 빨리 닫는 것을 문틈으로 본다는 뜻으로, 인생과 세월이 덧없고 짧음을 이르는 말. [준]구극(駒隙).

백구-사【白鷗詞】[명] 십이 가사(十二歌詞)의 하나. 작자·제작 연대 미상. 벼슬에서 물러난 처사(處士)가 상춘(賞春)의 승경(勝景)을 한가롭게 읊음. 75구. 《청구 영언(青丘永言)》에 전함. 백구가.

백국[1]【白菊】[명] 꽃이 흰 국화(菊花). 흰 국화. *황국(黃菊).

백국[2]【白麴·白麯】[명] → 백곡(白麯).

백군【白軍】[명] ①〖역〗↗백위군(白衛軍). ②경기(競技) 특히 홍백전 또는 청백전에서, 양편을 백색 표와 청색 또는 홍색 표로 갈라 놓았을 때의 백색 표의 편. [준]백(白). ↔청군·홍군.

백굴-채【白屈菜】[명]〖식〗애기똥풀.

백귀【百鬼】[명] 온갖 귀신.

백귀 야:행【百鬼夜行】[명] 온갖 잡귀(雜鬼)가 밤에 웅성거린다는 말로, 모양이나 하는 짓이 극히 흉악한 것들이 덤벙거리는 일을 이름. ——하다 [자][여불]

백규[1]【白圭】[명] ①희고 맑은 옥(玉). ②말을 삼가야 한다는 뜻.

백규[2]【百揆】[명] 백관(百官).

백-그라운드〔background〕[명] ①배경(背景). ②이면(裏面). ③배음(背音).

백그라운드 뮤:직〔background music〕[명]〖악〗영화나 텔레비전·라디오의 드라마·다큐멘터리 등의 배경에 쓰이는 효과 음악. 또, 회사·공장 등의 직장에서 작업 능률 향상을 위한 분위기 조성을 위하여 사용되는 음악을 말함. 배경 음악. 백 뮤직. *배음(背音).

백근【白根】[명]〖한의〗백렴(白蘞)❷.

백금[1]【白金】[명] ①〔platinum〕〖화〗은백색의 금속 원소. 은(銀)보다 단단하고 전성(展性)·연성(延性)이 많으며, 팽창 계수는 유리와 같음. 공기 가운데서 센 열을 가하여도 산화(酸化)하지 않으며, 왕수(王水)·수산화 나트륨에는 약간 상함. 장식품·도량형기(度量衡器)·이화학용(理化學用) 기계 등 여러 방면에 쓰임. 플래티나(platina). [78번: Pt: 195.09] ②은(銀)의 속칭.

백금[2]【百金】[명] 많은 돈. 만금(萬金). *천금(千金).

백금-거미【白金—】[명]〖동〗중백금거미.

백금 로듐 합금【白金—合金】[명]〔platinum-rhodium alloy〕40% 이하의 로듐을 함유하는 백금 합금. 로듐의 농도(濃度)가 커짐에 따라, 백금 이리듐(iridium) 합금에는 떨어지지만 내약품성(耐藥品性)과 굳기가 커짐. 질산(窒酸) 제조용의 촉매(觸媒)·열전기쌍(熱電氣雙)·인조 견사의 방사용(紡絲用) 노즐에 쓰임.

백금 무:당【白衿武幢】[명]〖역〗신라 군대(軍隊)의 이름. 삼무당(三武幢)의 하나.

백금 사진【白金寫眞】[명] 백금의 염류(塩類)를 써서 만든 사진의 인화(印畫). 오랫동안 변하지 않음.

백금 서:당【白衿誓幢】[명]〖역〗신라 구서당(九誓幢)의 하나. 문무왕(文武王) 12년(672)에 백제 사람으로 편성된 군대. 금색(衿色)이 백청색임.

백금 석면【白金石綿】[명]〔platinum-asbestos〕〖화〗석면(石綿)을 염화 백금산(塩化白金酸) 용액에 담갔다가 구워 만든 것. 산화(酸化)·환원(還元)의 촉매(觸媒) 또는 백금 회로(懷爐)의 점화물(點火物)로 사용함.

백금 시안화 바륨【白金—化—】[명]〔barium platinocyanide〕〖화〗백금의 착염(錯塩). 일염화 백금을 시안화 바륨으로 처리한 것. 노란빛 결정(結晶)인데, 방사선·음극선·X선 등에 의하여 형광(螢光)을 내기 때문에 형광판(螢光板)을 만드는 데에 쓰임. 백금 청화(青化) 바륨. [$BaPt(CN)_4 \cdot 4H_2O$]

백금 염화 수소산【白金塩化水素酸】[명]〔hydrogen chloroplatinate〕〖화〗염화 백금산❶.

백금 음반상【白金音盤賞】[명]〖악〗싱글판 판매고 2백만 장 또는 LP판 판매고 1백만 장을 돌파한 경우에 레코드 회사 등이 백금으로 만든 음반을 가수에게 주는 포상(褒賞). 미국에서는 출반(出盤) 이후 2개월의 기간 안의 기록으로 제한하고 있음.

백금 이리듐【白金—】[명]〔platinum-iridium〕〖광〗은백색(銀白色)의 등축 정계(等軸晶系) 광물. 백금과 이리듐 그 밖의 관련 금속으로 되어 있으며, 입상(粒狀)으로 존재함.

백금 이리듐 합금【白金—合金】[명]〔platinum-iridium alloy〕1-30%의 이리듐을 함유하는 백금 합금. 이리듐의 농도(濃度)가 높아질수록 굳기·내약품성(耐藥品性)·녹는점(點)이 높아지고, 장신구(裝身具)·전기 접점(電氣接點)·주사침(注射針) 등으로 쓰임.

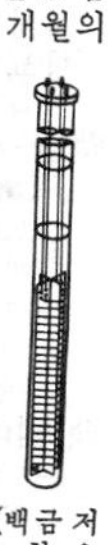
〈백금 저항 온도계〉

백금 저:항 온도계【白金抵抗溫度計】[명]〔platinum resistance thermometer〕〖물〗고온계(高溫計)의 하나. 운모(雲母) 또는 사기로 만든 박판(薄板)에 백금선(線)을 감아, 사기나 니켈로 만든 보호관(保護管) 속에 넣은 일종의 전기 저항 온도계. *열전퇴(熱電堆) 온도계.

백금 전:극【白金電極】[명]〔platinum electrode〕〖물·화〗전해질(電解質)의 전해 중량(電解重量) 분석을 할 때 쓰이는 백금선(白金線) 전극.

백금족 원소【白金族元素】[명]〔elements of the platinum group〕〖화〗원소 주기표(週期表) 제8속의 원소 중 루테늄(ruthenium)·로듐(rhodium)·팔라듐(palladium)·오스뮴(osmium)·이리듐(iridium)·백금 등 6개 원소의 총칭.

백금지-사【白金之士】[명] 백금(百金)과 맞먹는 선비. 곧, 양사(良士).

백금 청화 바륨【白金青化—】〔barium〕[명]〖화〗백금 시안화 바륨.

백금 해:면【白金海綿】[명]〔platinum sponge〕〖화〗염화 백금산 암모늄을 고도로 열을 가하여 만든 해면(海綿) 모양의 백금 덩어리. 표면적(表面積)이 넓어 촉매(觸媒)로 쓰임.

백금-흑【白金黑】[명]〔platinum black〕〖화〗백금의 흑색 분말(粉末). 염화 백금산(塩化白金酸)의 용액에다 포름산(酸)이나 그 밖의 환원제(還元劑)를 넣고 열을 가하여 만듦. 왕수(王水)에 녹으며, 기체의 흡착제(吸着劑), 가스의 점화제(點火劑), 산화·환원(還元)의 촉매(觸媒)로 씀. 백금 흑분.

백금 흑분【白金黑粉】[명]〖화〗백금흑.

백급【白芨】[명]〖한의〗대왐풀. 외과(外科)약으로 바르거나 내복(內服)하는데, 수렴 지혈(收斂止血)의 효험이 있음.

백급-쇄【百扱碎】[명]〖공〗중국 송(宋)나라 때, 가요 청자(哥窯青瓷)의 개편열(開片裂)의 한 가지.

백-기[1]【白起】[명]〖사람〗중국 전국 시대 진(秦)나라의 장군. 산시 성(陝西省) 출생. 진나라 소양왕(昭襄王) 때에 좌서장(左庶長)이 됨. 260년에는 장평(長平)에서 조(趙)나라 대군을 격파하여 40만의 포로를 땅속에 묻어 죽였음. [?-257 B.C.]

백기[2]【白氣】[명] 흰 빛깔의 기체(氣體).

백기[3]【白旗】[명] ①바탕이 흰 기. ②항복의 표시로서 쓰는 흰 기. 백치(白幟). 항기(降旗).

백기(를) 들다 [구] 항복하다. 굴복하다.

백기[4]【百技】[명] 온갖 기예(技藝). ¶ ~에 능한 사람.

백 기어〔back gear〕[명]〖기〗선반(旋盤)의 주축대(主軸臺)에 딸린 톱니바퀴 장치. 주축과는 따로 된 백 기어축(back gear軸)에 끼어 있고 임의로 주축과 단속(斷續)되어, 주축의 회전 속도 변화수를 2배(倍)로 하는 역할을 함.

백-김치【白—】[명] 고춧가루를 쓰지 않고 담그는 김치. 절인 배추를 씻어 소를 약간씩 넣는데, 소에는 고춧가루 대신 실고추를 넣음. 평안도 지방에서 잘 담가 먹음.

백-나비【白—】[명]〈방〉흰나비.

백-나일【白—】[명]〔White Nile〕〖지〗나일 강 상류의 일부 명칭. 보통 수단 공화국의 노 호(No湖)에서 하르툼(Khartoum)까지의 청(青)나일강에 합류하는 약 1,000 km의 회백색 물이 흐르는 나일 강의 본류(本流)를 이름. *청(青)나일.

백낙 [명]〈방〉〖조〗해오라기.

백-낙준【白樂濬】[명]〖사람〗교육자·정치가. 아호는 용재(庸齋). 평북 정주(定州) 출신. 1916년 미국 프린스턴 대학 등에서 역사학·신학을 공부함. 27년에 《조선 신교사》로 철학 박사 학위를 받고 귀국, 46년 연희 대학 초대 총장에 취임함. 50년 문교부 장관으로 6·25를 만나 전시(戰時)교육에 진력, 4·19 이후 참의원 의원에 당선, 참의원 의장으로 선출됨. 주요 저서로는 《한국의 현실과 이상》·《한국 개신교사(史)》 등이 있음. [1895-1985]

백-낙천【白樂天】[명]〖사람〗백거이(白居易)를 자(字)로 일컫는 이름.

백난【百難】[명] 온갖 고난. 여러 가지의 어려움. ¶ ~을 무릅쓰고.

백난지-중【百難之中】[명] 온갖 고난을 겪는 판.

백-날【百—】[명] ①아이가 난 지 백 번째의 날. 백일(百日). ②많은 날짜. ¶ ~ 해 봐도 마찬가지다.

백날-기침【百—】[명]〖의〗백일해(百日咳).

백-남훈【白南薰】[명]〖사람〗정치가. 황해도 은율(殷栗) 출생. 교육계에 종사하다가 1945년 한국 민주당 부위원장을 거쳐 1958년에 민주당 최고 위원, 1960년 5대 국회 의원에 당선되었으나 5·16혁명으로 의원직을 상실하였음. 그 후 1964년에 민정당(民政黨) 최고 위원을 지냈음. [1885-1967]

백납【白ㅡ】명〖한의〗살가죽에 희게 어루러기가 생겨 차차 퍼져 가는 병. 백전풍(白癜風).
백납(이) 먹다 구 살가죽에 희게 어루러기가 생기다.

백-내장【白內障】명〖의〗눈병의 하나. 눈의 수정체(水晶體)가 회백색(灰白色)으로 변하여 흐려지는 병. 원인은, 선천적(先天的)으로는 어머니의 임신 초기 질환 등에 의하여, 후천적(後天的)으로는 외상(外傷)·당뇨병·내분비 이상 등에 의하는 수가 있는데, 가장 많은 것은 노인성 변화(老人性變化)에 가까운 것으로, 이를 특히 노인 백내장이라고 함.

백냥-금【百兩金】명〖식〗[*Bladhia lentiginosa*] 자금우과(紫金牛科)에 속(屬)하는 상록 활엽 관목. 잎은 타원형 후질(厚質)이고 표면은 광택이 있으며 뒷면의 엽맥(葉脈)은 분명하지 아니함. 여름에 백색꽃이 산형(繖形) 화서로 정생(頂生)하여 아래로 늘어져 피고 핵과(核果)는 가을에 붉게 익음. 골짜기 및 숲 속의 음지(陰地)에 나는데, 제주도·일본·대만·중국·만주에 분포함. 관상용임.

〈백냥금〉

백 넘버〔back number〕명 ①묵은 호(號)의 잡지 또는 정기 간행물 따위. ②〔back+number〕자동차의 뒤쪽에 단 번호. ③〔back+number〕운동 선수의 등 뒤에 단 번호. 배번(背番).

백-네트〔back+net〕명 야구장 따위의 배터 박스 뒤쪽에 친 그물. 영어로는 백스톱(backstop).

백년【百年】명 ①한 해의 백 배. ②오랜 세월. 한 평생의 세월.
[백년을 다 살아야 삼만 육천 일] 오래 산다고 한들 사람의 일생이란 어이없게 짧다는 말.

백년 가기【百年佳期】명 백년 가약(百年佳約).

백년 가약【百年佳約】명 젊은 남녀가 결혼하여 한평생을 아름답게 지내자는 언약. 백년 가기(百年佳期). 백년 언약. ¶ ~을 맺다.

백년 대:계【百年大計】명 먼 뒷날까지에 걸친 큰 계획. 만년지계. ¶ 국가 ~를 위하여.

백-년설【白年雪】명〖사람〗대중 가요 가수. 본명은 이창민(李昌民). 경상 북도 성주(星州) 출생. 1938년 문학 공부하러 일본에 유학갔으나, 태평양 레코드사(社)의 문예 부장 박영호(朴英鎬)의 권유로 ≪유랑 극단(流浪劇團)≫을 취입하여 가수로 데뷔, ≪나그네 설움≫·≪고향설≫·≪번지없는 주막≫ 등으로 크게 성공함. 1953년 서라벌 레코드사 창립, 1963년 은퇴함. [1914-80]

백년-손【百年ㅡ】명 백년지객(百年之客).

백년 손님【百年ㅡ】명 백년손.

백년 언약【百年言約】명 백년 가약.

백년 전:쟁【百年戰爭】명〔Hundred Years' War〕〖역〗1337-1453년에 걸쳐 영국과 프랑스 사이에 간헐적(間歇的)으로 일어난 전쟁. 프랑스의 왕위 계승 문제와 플랑드르(Flander) 지방의 양모(羊毛) 공업을 둘러싼 이해 관계가 첨가되어 영국군이 침입함으로써 발단하였음. 처음에는 영국군이 각지에서 대승(大勝)하여 프랑스는 위기(危機)에 빠졌으나 오를레앙 성(Orléans 城)의 포위를 뚫고 일어선 잔 다르크(Jeanne d'Arc)의 분기(奮起)에 힘을 얻은 프랑스군이 각지에서 영국군을 물리쳐 마침내 프랑스의 승리로 종전(終戰), 1453년에 아라스(Arras)에서 화의(和議)를 맺음. 이 전쟁의 결과 양국은 모두 왕권(王權)이 신장하여 봉건 제후(封建諸侯)가 몰락하고 중앙 집권화로의 진전을 보게 되었음.

백년지-객【百年之客】명〔아무리 스스럼이 없어져도 예의를 지켜 한평생을 두고 언제나 어려운 손님으로 맞아야 한다는 뜻으로〕사위를 가리키는 말. 백년손. 백년 손님.

백년지-계【百年之計】명 먼 장래까지 내다보면서 세우는 계획. *백년 대계(百年大計).
【백년지계(百年之計)는 막여수인(莫如樹人)】백년지계로는 사람을 기르는 것이 가장 좋다는 말.

백년-초【百年草】명〖식〗선인장(仙人掌).

백년 하청【百年河淸】명 중국의 황허(黃河)가 항상 흐리어 맑을 때가 없다는 데서 나온 말로, 아무리 오래 되어도 사물이 이루어지기 어려움을 일컫는 말. ¶ 말뿐이고 이행은 ~이다.

백년 해락【百年偕樂】명 부부가 함께 평생토록 화락하게 보냄. ——-하다 자여불

백년 해로【百年偕老】명 부부가 화락하게 함께 늙음. ¶ ~를 약속하다. ——-하다 자여불

백년 행락【百年行樂】[ㅡ낙] 명 한평생 잘 놀고 즐겁게 지냄. ——-하다 자여불

백녈【白熱】명 '백열(白熱)'의 잘못 쓰는 말.

백념【百念】명 온갖 생각. 여러 가지 생각.

백 노이즈〔back+noise〕명 방송·영화·연극 따위에서, 줄거리의 전개에 맞추어서 그 배후에 넣는 소리나 음악.

백 다이브〔back dive〕명 수영에서, 뒤로 돌아서서 행하는 다이빙.

백-다잔【白茶琖】명 중국 명(明)나라 때 선덕요(宣德窯)에서 만든 백자(白瓷).

백단¹【白椴】명〖식〗자작나무.

백-단²【白檀】명〖식〗백단향.

백단³【百端】명 수 많은 사단(事端). 온갖 일의 실마리.

백단-유【白檀油】[ㅡ뉴] 명 백단향(白檀香)의 나뭇조각을 물과 함께 증류하여 얻는 황색(黃色)의 끈끈하고 진한 휘발성(揮發性)의 기름. 주로 인도·오스트레일리아에서 산출하는데, 특이한 향기가 있어 향료(香料)로 또는 임질(痳疾)·방광염(膀胱炎) 등의 치료에 쓰임.

백-단잔【白檀琖】명 중국 명(明)나라 때, 선덕요(宣德窯)에서 만든 백자(白瓷)의 제기(祭器).

백-단향【白檀香】명〖식〗[*Santalum album*] 단향과에 속하는 반기생(半寄生)의 상록 활엽 교목. 높이 6-10m 가량이고 잎은 대생하며 달걀꼴 피침형임. 꽃은 처음 황록색이 차차 홍적색으로 변하여 원추(圓錐) 화서로 정생(頂生) 또는 액생(腋生)하고, 구형(球形)의 핵과(核果)는 흑색으로 익음. 나무의 겉은 백색이나 심재(心材)는 담황색에 방향(芳香)이 나고 특히 근부(根部)에서 짙은 향기가 남. 말레이·인도 지방에 분포함. 재목은 향료·불상(佛像) 조각·세공물에 쓰임. 백단(白檀).

〈백단향〉

백담¹【白毯】명 흰 빛의 담(毯).

백담²【白痰】명 묽고 흰 가래.

백답【白畓】명 날이 가물어서 아무 것도 심지 못한 논.

백당【白糖】명 ①백설탕(白雪糖). ②흰 엿.

백당-나무 명〖식〗[*Viburnum sargentii*] 인동과에 속하는 낙엽 관목. 줄기 높이 3m 가량이며 잎은 호생하고 장병(長柄)에 타원형이며, 깊게 삼렬(三裂)하여 톱니가 있음. 첫여름에 흰 빛의 오판화(五瓣花)가 산방상(繖放狀) 화서로 피고 과실은 붉으며 팥알만함. 재목은 이쑤시개로 쓰임. 산야에 나는데, 한국·일본·사할린·아무르·우수리 및 중국 등지에 분포함. 청백당나무. 목수국(木水菊). 불두화(佛頭花) 나무. 까마귀밥나무. 산영수(山榮樹).

〈백당나무〉

백-당포【白唐布】명 당모시.

백대¹【白帶】명〖역〗흰 술띠. 조례(弔禮) 또는 제례(祭禮) 때 띰.

백대²【白帶】명 ↗백대하(白帶下).

백대³【百代】명 ①백 번째의 대(代). ②멀고 오랜 세대(世代). 오랜 동안. 영원(永遠). 영겁(永劫).

백대⁴【柏臺】명〖역〗'사헌부(司憲府)'의 별칭.

백-대(:)붕【白大鵬】명〖사람〗조선 선조(宣祖) 때의 시인. 통신사(通信使) 허성(許筬)을 따라 일본에 가서 시로써 이름을 날렸으며, 임진 왜란 때 상주(尙州)에서 전사함. [? -1592]

백대지-과:객【百代之過客】명 영원히 지나가고 다시 돌아오지 않는 나그네. 곧, 세월(歲月)·광음(光陰).

백대지-친【百代之親】명 먼 조상 때부터 친하게 지내오던 친분(親分). ¶ ~의 세교(世交).

백-대하【白帶下】명〖의〗대하증(帶下症)의 한 가지. 하문(下門)에서 백혈구(白血球)가 많이 섞인 허연 염증성(炎症性) 삼출액(滲出液)이 나옴. (준)백대. *냉(冷).

백댕이 명〈방〉백장(평안).

백덕【百德】명 온갖 덕행(德行).

백덕-산【白德山】명〖지〗강원도 평창군(平昌郡) 방림면(芳林面)과 영월군(寧越郡) 수주면(水周面) 사이에 위치하는 산. 태백 산맥(太白山脈) 중에 솟아 있는 사자산(獅子山) 내에 있는 봉우리. [1,350m]

백도¹【白桃】명〖식〗복숭아의 한 품종. 과실은 흰 바탕에 엷은 홍색을 띠고 짧은 털이 밀생함. 매우 달며, 물이 많음. *황도(黃桃).

백도²【白徒】명〖역〗과거를 보지 않고 벼슬아치가 되는 일. 또, 그런 사람.

백도³【白陶】명 중국 은(殷)의 후기 곧, 안양(安陽)에 도읍(都邑)했던 시대의 토기. 철분이 적은, 질이 좋은 점토로 만들어 1,000°C 전후의 온도로 구운 것으로서, 백색 또는 그에 가까운 빛인데 분묘(墳墓)에서만 출토(出土)됨. 술잔·항아리·술항아리 같은 것이 있고, 동물 무늬·뇌문(雷文) 등으로 장식된 것이 많음.

백도⁴【白道】명〖천〗달이 천구상(天球上)에 그리는 궤도(軌道). 황도(黃道)와는 평균 5도(度) 9분(分)의 경사(傾斜)를 이루며, 약 18년 7개월의 주기(週期)로 황도와는 반대쪽으로 돎.

백도⁵【百度】명 ①여러 가지의 법도(法度). 모든 법률(法律)·제도(制度). ②온도계·각도기 등의 백의 눈금.

백도-교【白道敎】명〖종〗1912년경 동학(東學) 교도인 전정운(全廷芸)이 강원도 김화(金化)의 오성산(五聖山)에서 일으킨 유사(類似) 종교의 하나. 교주 사망 후, 백백교(白白敎)와 인천교(人天敎) 두 파로 갈라짐.

백-도라지【白ㅡ】명〖식〗흰 꽃이 피는 도라지. ¶ 도라지 도라지 도라지 심심 산천의 ~.

백-도화【白桃花】명〖식〗빛이 흰 복숭아꽃.

백-독두창【白禿頭瘡】명〖한의〗나두창(癩頭瘡).

백동【白銅】명 →백통. ¶ ~전(錢).

백동 딱지【白銅ㅡ】명 백통으로 된 몸시계의 껍데기.

백-동백나무【白多柏ㅡ】명〖식〗[*Benzoin glaucum*] 녹나뭇과에 속하는 낙엽 활엽 관목. 잎은 타원형에 백록색의 털이 돋았음. 4-5월에 황색 꽃이 자웅 이가(雌雄二家)의 산형(繖形) 화서로 피고, 구형의 장과(漿果)는 9월에 자흑색으로 익음. 산록 양지에 나는데, 한국 중부 이남 및 일본·중국에 분포함. 지팡이 재료로 씀.

백동 시계【白銅時計】명 백통으로 딱지를 한 몸시계.

백동자-도【白童子圖】명〖미술〗선동(仙童)들의 연날리기·팽이치기·썰매타기·잠자리잡기·새잡기·그네뛰기·씨름·물놀이·활쏘기·사냥·임금놀이 등 야외(野外)에서 벌이는 어린이들의 갖가지 놀이 모습을 그린 그림. 기자(祈子)의 뜻을 내포(內包)함. 배경은 소나무·학·구름·바위·대나무 등의 장생(長生) 무늬.

백동-전【白銅錢】명 백통돈.

백동-화【白銅貨】명 백통돈.

백두【白頭】명 ①허옇게 센 머리. 백수(白首). 화전(華顚). ②〖역〗지체는 높으나 벼슬하지 않은 양반. 민머리. ¶ ~로 늙을지언정 진사 벼슬은 않는다.

백-두구【白荳蔻】명 ①〖식〗빛이 흰 육두구(肉荳蔻). ②〖한의〗흰 육두

구의 뿌리. 성질은 온(溫)한데, 소화를 도우며 위한(胃寒)·구토에 씀.

백두-급【白頭級】[—끕] 명 프로 씨름의 체급의 하나. 95 kg 이상.

백두 대:간【白頭大幹】명〖지〗한반도(韓半島)를 동서로 갈라 놓은 큰 산줄기의 조선 시대의 이름. 백두산(白頭山)에서 시작되어 동쪽 해안선을 끼고 남쪽으로 흐르다가 태백산(太白山) 부근에서 서쪽으로 기울어 지리산에 이름. ＊장백 정간(長白正幹).

백-두루미【白—】명〖조〗두루미.

백두-사초【白頭莎草】명〖식〗[*Carex peiktusani*] 방동사닛과에 속하는 다년초. 줄기 높이는 60 cm 가량이고, 잎은 호생하며 선형(線形)임. 6월에 소수(小穗)는 1-4 개의 양성(兩性)이나, 정수(頂穗)는 웅성(雄性) 혹은 양성이고, 측수(側穗)는 자성(雌性) 또는 양성(兩性)으로 피며, 과낭은 황록색의 삼릉(三稜) 타원형임. 산지의 습지에 나는데, 전남·강원·평북·함북 등지에 분포함.

백두-산【白頭山】명〖지〗①함경 북도·함경 남도와 만주의 국경 사이 창바이 산맥(長白山脈)의 동쪽에 자리잡은 한국 제1의 산. 최고봉인 병사봉(兵使峰)에 칼데라 호(caldera 湖)인 천지(天池)가 있음. 천지의 물은 서쪽으로 압록강, 동으로 두만강, 북동으로 쑹화 강(松花江)을 형성함. 불함산(不咸山). 장백산(長白山). [2,744 m] ②평안 남도 양덕군(陽德郡)에 있는 산. [1,370 m] ③평안 북도 초산군(楚山郡) 풍면(豐面)과 송면(松面) 사이에 있는 산. [1,623 m]

[백두산이 무너지나 동해수가 메어지나] 싸우려면 결판이 날 때까지 해 보겠다는 말.

백두산-사슴【白頭山—】명〖동〗[*Cervus elaphus xanthopygus*] 사슴과에 속하는 동물. 사슴과 비슷한데 어깨 높이 1.2 m, 뿔길이 1 m 가량임. 몸빛은 하모(夏毛)는 적갈색, 겨울은 회갈색에 꽁무니에 황백색 원반(圓斑)이 있음. 해질 무렵부터 활동하기 시작하며 초식성이고 5-6월에 새끼를 낳음. 뿔은 '녹용(鹿茸)'이라 하여 한약에 씀. 한국의 특산종으로 유럽·중국·아무르 지방에도 분포함. 고기는 식용하며 가죽과 뿔은 여러 가지 용도에 쓰임. 청록(靑鹿). 큰사슴.

백두산 정:계비【白頭山定界碑】명〖역〗조선 숙종(肅宗) 38년(1712)에 중국 청(淸)나라와의 국경을 정한 비. 천지(天池) 남동 4 km 지점에 있음. 정계비(定界碑).

백두산-표범나비【白頭山豹—】명〖충〗[*Argynnis angarensis*] 표범나빗과에 속하는 곤충. 앞날개의 길이는 21-28 mm이며 날개의 뒷면은 자갈색의 인분(鱗粉)으로 덮였고 은색(銀色) 무늬가 있으며, 바깥 선두리에는 은색의 작은 무늬가 나란히 있음. 한국의 백두산 지방과 시베리아 등지에 분포함.

백두 여신【白頭如新】명 머리가 셀 때까지 오랫동안 사귀어도 서로 상대방을 이해 못하면 새로 사귄 벗과 조금도 다름이 없다는 말.

백두-옹【白頭翁】명 ①머리털이 허옇게 센 노인. ②〖조〗알락할미새.

백두-초【白頭草】명〖식〗봉의꼬리. ㄴ③〖식〗할미꽃. 일본할미꽃.

백두 화:산맥【白頭火山脈】명〖지〗백두산을 중심으로 하여 남북으로 뻗어 울릉도·독도(獨島)에 연속하는 화산맥. 현재 활화산(活火山)은 없고, 제3기말에서 제4기에 걸쳐 활동한 것임.

백등[1]【白登】명〖지〗'바이덩'을 우리 음으로 읽은 이름.

백등[2]【白藤】명 흰 꽃이 피는 등나무.

백등-록【白登錄】[—녹] 명〖책〗병자록.

백등-색【白藤色】명 등나무의 꽃 같은 흰 빛깔.

백-등유【白燈油】명 원유(原油)를 정제하여 만든 등유.

백-라이트〔back light〕명 무대 뒤쪽에서 비추는 조명(照明).

백 라인〔back line〕명 럭비·미식 축구에서, 후위(後衛)가 구성하는 공방 포진선(攻防布陣線).

백라-창【白癩瘡】[—나—] 명〖한의〗피부에서 나오는 기름이 말라 붙어서 회백색(灰白色)으로 되었다가 마른 버짐처럼 떨어지는 병.

백락【伯樂】[—낙] 명〖사람〗중국 주(周)나라 때의 사람. 말의 감정(鑑定)을 잘하였음. ＊백락 일고(伯樂一顧).

백락 일고【伯樂一顧】[—낙—] 명 명마(名馬)가 백락(伯樂)을 만나 세상에 알려진다는 뜻으로, 자기의 재능을 남이 알아 주어 잘 대우함을 이르는 말. 「을 떱.

백란[1]【白卵】[—난] 명 해 묵은 누에씨. 빛깔이 검지 아니하고 누른 빛

백란[2]【白蘭】[—난] 명〖식〗백목련(白木蓮).

백람【白藍】[—남] 명〖화〗인디고(indigo)를 아연 가루로 환원(還元)시켜서 얻어지는 흰 가루. 알칼리(alkali)에 녹이면 산화(酸化)되어 푸른빛으로 바뀌므로 푸른 물감에 씀.

백랍[1]【白蠟】[—납] 명 ①동물납의 한 가지. 백랍벌레의 수컷의 유충이 분비한 납(蠟)을 가열(加熱) 용해하여 냉수(冷水)로 응고(凝固)한 것. 백랍초·환약 제조에 쓰고, 생사(生絲)·직물·기구에 광택이 나게 하며, 지혈(止血)·진통제·사마귀를 치료하는 데 씀. 납(蠟). ②〔white wax〕밀랍(蜜蠟)을 녹여서 냉수 속에 넣어 햇볕에 쬐어 만든 순백색의 물질. 녹는점 62-64℃, 연고의 기초 재료로 쓰이며 주성분은 팔미트산의 미리실에스테르($C_{15}H_{31}COOC_{30}H_{16}$)임. 백밀(白蜜)❶. 수랍(水蠟).

백랍[2]【白鑞】[—납] 명 땜납.

백랍-금【白鑞金】[—납—] 명〖민〗육십 화갑자(六十花甲子)에서, 경진(庚辰) 신사(辛巳)에 붙이는 납음(納音). 경신(庚辛)은 금(金)이요, 진(辰)은 바람이며 사(巳)는 용광로라, 허약한 금(金)이 바람에 시달리고 용광로에 녹으니 백랍과 같다는 말.

백랍-나무【白蠟—】[—납—] 명〖식〗쥐똥나무.

백랍-벌레【白蠟—】[—납—] 명〖충〗[*Ericeruspala chauannes*] 사철나무깍지벌렛과에 속하는 곤충. 몸길이 3 mm, 편 날개 길이 6 mm 가량, 몸빛은 등황색에 배면(背面)에는 적갈색 줄무늬가 있음. 촉각은 짧고 여섯 마디이며 꼬리에는 한 쌍의 긴 흰 털이 있음. 다리는 세 쌍이며 암컷은 수태(受胎)하면 몸이 구형(球形)이 되어 지름 10 mm 쯤 되고 광택 있는 적갈색이 됨. 숙주(宿主) 식물에 붙는 부분에 백색 납질(蠟質)을 수컷의 유충이 분비하여 '백랍(白蠟)'의 원료가 됨. 쥐똥나무·광나무 등에 모여 기생하는데, 한국·일본·중국·유럽에 분포함. 백랍충. ＊랙깍지벌레.

백랍-병【白蠟病】[—납—] 명〖의〗산림(山林) 노동자로서 기계톱을 사용하는 사람에게 일어나는 직업병. 진동 공구(振動工具)를 오래 사용함으로써 혈관 운동 신경 장애로 생기는데, 사지(四肢)가 간헐적으로 창백해지고 저리며, 심해지면 어깨의 관절 장애, 근육통, 손의 감각 마비 등을 일으킴.

백랍-초【白蠟—】[—납—] 명 백랍으로 만든 초. 백랍촉.

백랍-촉【白蠟燭】[—납—] 명 백랍초. 「못 일컬음.

백랍-충【白蠟蟲】[—납—] 명〖충〗①백랍벌레. ②'나비강충이'의 잘

백량-대【柏梁臺】[—냥—] 명 중국 한무제(漢武帝)가 장안(長安)의 북서쪽에 지은 누대. 들보에 향백(香柏)을 쓴 데서 생긴 이름.

백량-미【白粱米】[—냥—] 명〖식〗조의 한 품종. 알이 굵고 희며 맛이 좋음.

백량-체【柏梁體】[—냥—] 명〔중국 한무제(漢武帝)가 백량대(柏梁臺) 낙성 잔치에 군신을 모아 짓게 한 데서〕한시체(漢詩體)의 하나로 칠언 고시(七言古詩)를 이름.

백-러시아【白—】명〔Belorussia〕〖지〗'벨로루시 공화국'의 구칭.

백러시아-어【白—語】〔Russia〕명〖언〗벨로루시 공화국의 공용어. 인도 유럽 어족(語族) 동(東)슬라브어(語)에 속함. 폴란드·리투아니아어(語)로부터의 차용어(借用語)가 많음.

백-레스트〔backrest〕명 의자 따위의 등받이.

백려【百沴】[—녀] 명 많은 나쁜 기운. 온갖 요기(妖氣). 「(白木蓮).

백련[1]【白蓮】[—년] 명〖식〗①흰 빛깔의 연꽃. 백거(白蕖). ②↗백목련

백련[2]【百鍊】[—년] 명 ①거듭하여 단련함. ②예전 중국의 명검(名劍).

백련-교【白蓮敎】[—년—] 명〖종〗중국 남송(南宋)의 초엽에 자조 자원(慈照子元)이 제창한 종교적 비밀 결사로, 미륵(彌勒)을 신앙하고 주로 천태(天台)의 교의(敎義)에 뿌리박아 보(普)·각(覺)·묘(妙)·도(道)의 네 강령(綱領)을 세워 염불 참회(念佛懺悔)를 하여 금육주의를 받들던 교. 원(元)나라 때 한산동(韓山童) 일파의 백련회(白蓮會)가 성했고, 명(明)나라 때, 왕삼(王森)이 교명(敎名)을 '백련교'라 하였음. 그 후, 풍속 교란(風俗攪亂)의 폐해가 있어 금지되었음. 분향교(焚香敎). 백련종(白蓮宗).

백련교의 난:【白蓮敎—亂】[—년— / —년—에—] 명〖역〗①중국의 명·청(明淸) 시대에 백련교의 지도에 의하여 일어난 여러 반란. ②청(淸)나라의 가경(嘉慶) 원년(元年)(1796)에 일어난 백련교도의 큰 난리. 처음 후베이(湖北)에서 일어나 허난(河南)·쓰촨(四川)·산시(陝西)·간쑤성(甘肅省)의 여러 성(省)을 휩쓸었는데, 1804년에 평정되었음.

백련-사【白蓮社】[—년—] 명〖역〗〔동림사를 세울 때 연못을 파고 백련(白蓮)을 심은 데서 유래〕중국 동진(東晉)의 명승(名僧) 혜원(慧遠)이 384년 루 산(廬山) 산에 동림사(東林寺)를 세우고, 402년에 만든 서방 왕생(西方往生)의 정토 신앙(淨土信仰)을 내용으로 하는 염불 수행(念佛修行)의 결사(結社). 이는 중국의 정토교(淨土敎) 융성의 발단이 되었음. ㊟연사(蓮社).

백련-종【白蓮宗】[—년—] 명 백련교(白蓮敎).

백련 초해【百聯抄解】[—년—] 명〖책〗조선 명종(明宗) 때, 김인후(金麟厚)가 한시 연구(漢詩聯句) 백 수(首)를 뽑아 국문으로 번역한 책.

백렴【白蘞】[—념] 명 ①〖식〗가위톱. ②〖한의〗가위톱의 뿌리. 어린 아이의 학질·경간(驚癇) 및 대하(帶下)·음통(陰痛)·창독(瘡毒)에 씀. 곤륜(崑崙). 묘아란(貓兒卵). 백근(白根). 토핵(兎核).

백령-도【白翎島】[—녕—] 명〖지〗경기도의 서해상, 옹진군(甕津郡) 백령면(白翎面)에 위치한 섬. 황해도 장산곶(長山串) 남쪽에 위치하며 조기를 비롯한 어획이 많음. [45.75 km² : 4,814 명(1990)]

백령 백리【百伶百俐】[—녕—니] 명 여러 가지 일에 민첩함. 모든 일에 영리함. ——하다 형여불

백령-작【白翎雀】[—녕—] 명〖조〗몽고종다리.

백령-조【白翎鳥】[—녕—] 명〖조〗몽고종다리.

백로[1]【白露】[—노] 명 ①이십사 절후의 열다섯 번째. 처서(處暑)와 추분(秋分)의 사이로, 9월 8일경임. ②흰 이슬.

백로[2]【白鷺】[—노] 명〖조〗①백로과에 속하는 대백로·백로·중백로 등의 총칭. ②[*Egretta garzetta garzetta*] 백로과에 속하는 물새의 하나. 날개 길이는 27 cm, 꽁지는 10 cm 가량, 몸빛은 백색인데 눈의 주위는 황백색이고 긴 부리와 다리는 흑색이며 발가락은 황록색임. 생식기(生殖期)에는 2-3개의 긴 식우(飾羽)가 머리 위에 생김. 4-5월경에 3-5개의 알을 낳고 연못·논·강가에서 물고기·개구리를 포식하고 숲에서 잠. 홋카이도와 대만 사이의 각지에서 번식하며 아시아·유럽·아프리카에 분포함. 깃털은 여성용 모자의 장식품에 씀. 해오라기. 노사(鷺鷥). 백조(白鳥). 사금(絲禽). 설객(雪客). 용서(舂鋤).

〈백로²❷〉

백로[3]【伯勞】[—노] 명〖조〗때까치. 「선수들.

백 로:[4]〔back row〕명 럭비에서, 스크럼을 짤 때 셋째 줄의 2-3 명의

백로-과【白鷺科】[—노꽈] 명〔Ardeidae〕백로목(目)에 속하는 한 과. 몸빛은 순백(純白)·회흑(灰黑)·청색 등 변화가 심함. 생식기(生殖期)에 머리와 가슴에 식우(飾羽)가 생기는 종류가 많음. 부리는 길고, 연못·강변 등에 모여 살며, 물고기·개구리·가재 등을 잡아 먹음. 나무 위나 대 숲에 둥지를 짓고 3-6 개의 청록색 또는 백색 알을 낳음. 전세계에

100여 종이 분포함.
백로-목【白鷺目】[—노—] 명〖조〗[Gressores] 조류(鳥類)에 속하는 한 목(目). 황새과(科)·백로과 등이 이에 속함. 황새목(目).
백로-수【百勞水】[—노—] 명〖한의〗감란수(甘爛水).
백로-주¹【白露酒】[—노—] 명 방문주(方文酒)의 한 가지. 어떤 방문(方文)대로 담그든지, 썩 말쑥하게 된 술.
백로-주²【白鷺洲】[—노—] 명〖지〗'바이루저우'를 우리 음으로 읽은 이름.
백로-지¹【白露紙】[—노—] 명 ①흰 종이의 한 가지. 강원도 영월(寧越)에서 남. ②'갱지(更紙)'의 속칭.
백로-지²【白鷺池】[—노—] 명〖불교〗왕사성(王舍城)의 죽림원(竹林園)에 있던 연못. 반야경(般若經) 제십육 법회(第十六法會) 때 석존(釋尊)이 설교를 한 곳.
백록¹【白鹿】[—녹] 명 흰 사슴.
백록²【白綠】[—녹] 명 흰 빛을 띤 녹색. 아무 것도 섞이지 않는 녹색. 백록색.
백록³【百祿】[—녹] 명 온갖 복. 많은 복록(福祿).
백록-담【白鹿潭】[—녹—] 명〖지〗제주도 한라산(漢拏山)의 봉우리에 있는 화구호(火口湖). 동서 600 m, 남북 500 m 가량의 타원형임.
백록동 서원【白鹿洞書院】[—녹—] 명〖지〗바이루둥 서원.
백록-색【白綠色】[—녹—] 명 백록.
백론【百論】[—논] 명〖불교〗삼론(三論)의 하나. 용수 보살(龍樹菩薩)의 제자인 제바(提婆)가 지은 책. 외도(外道)의 좋지 못함을 논하고, 대승 불교와 소승 불교의 옳음을 설파하였음.
백뢰¹【白賴】[—뇌] 명 신문(訊問)을 받을 때 죄가 없는 것처럼 꾸며 댐. ——하다 자여불
백뢰²【百雷】[—뇌] 명 많은 우뢰. 또, 요란한 소리의 형용. 만뢰(萬雷).
백뢰-산【白磊山】[—뇌—] 명〖지〗경상 남도 거창군(居昌郡) 웅양면(熊陽面)과 가북면(加北面) 사이에 있는 산. [1,094 m]
백료¹【白醪】[—뇨] 명 쌀·차좁쌀·누룩 따위로 빚은, 빛깔이 보얗고 맛이 좋은 술의 한 가지. 백료주(白醪酒).
백료²【百僚】[—뇨] 명 백관(百官).
백룡【白龍】[—뇽] 명 흰 빛의 용. 천제(天帝)의 사자(使者)라 함.
백룡 기우제【白龍祈雨祭】[—뇽—] 명〖역〗서방 토룡단(西方土龍壇)에서 서방을 맡은 백룡에 비를 빌던 제사. 서방 토룡제.
백룡 어복【白龍魚服】[—뇽—] 명 귀인의 미행(微行)을 일컫는 말.
백룡-퇴【白龍堆】[—뇽—] 명〖지〗'바이룽두이'를 우리 음으로 읽은 이름.
백류-석【白榴石】[—뉴—] 명 [leucite]〖광〗칼륨이 특히 많이 들어 있는 특수한 화성암(火成岩) 속에 있으며, 대개 백색 또는 회색의 사방(斜方) 24면체(面體)로 되어 있는 광물. 성분은 칼륨의 알루미노(alumino) 규산염(珪酸塩)임. [$KAlSi_2O_6$]
백률-사【栢栗寺】[—뉼싸] 명〖불교〗경주(慶州)에 있는 신라(新羅) 때의 절. 이차돈(異次頓)이 이 곳에서 죽었으므로 신문왕(神文王) 때 절을 지었다고 함.
백률사 금동 약사 여래 입상【栢栗寺金銅藥師如來立像】[—뉼싸—] 명〖역〗통일 신라 시대인 8세기 중엽에 제작된 것으로 추측되는 약사 유리광 여래 입상. 백률사에 있었으며 우리 나라에서 가장 큰 동조 도금(銅造鍍金) 입상임. 높이 1.77 m. 경주 박물관 소장. 국보 제28호.
백리¹ 명〈방〉〖민〗벵니.
백리²【白狸】[—니] 명〖동〗흰여우.
백리³【白痢】[—니] 명〖한의〗흰 곱똥이 나오는 이질(痢疾)의 한 가지. ↔적리(赤痢).
백리⁴【百罹】[—니] 명 백우(百憂).
백리 남방【百里南邦】[—니—] 명 멀고 먼 남쪽 나라.
백리지-명【百里之命】[—니—] 명〔백 리는 중국 주(周)대 제후(諸侯)의 나라의 면적, 명(命)은 백성의 운명〕일국의 정치(政治).
백리지-재【百里之才】[—니—] 명 백 리쯤 되는 땅을 다스릴 만한 재주. 사람됨이 크기는 하나, 썩 크지는 못함을 이름.
백리-향【百里香】[—니—] 명〖식〗[*Thymus quinquecostatus*] 꿀풀과에 속하는 낙엽 활엽 관목. 줄기는 덩굴지고, 잎은 달걀꼴의 타원형 또는 피침형이며, 양면에 선점(腺點)이 있고 향기가 있음. 8-10월에 분홍색 꽃이 윤산(輪繖)화서로 정생(頂生)하고, 핵과(核果)는 가을에 암갈색으로 익음. 높은 산의 바위 위에 나는데, 전남·경남북·강원·함북 및 일본·사할린·우수리·시베리아·캄차카·만주 등지에 분포함. 관상용이고, 경엽(莖葉)은 약용 또는 소스(sauce)의 원료로 씀.

〈백리향〉

백린【白燐】[—닌] 명〖화〗황린(黃燐).
백림【伯林】[—님] 명〖지〗'베를린(Berlin)'의 음역.
백림 봉쇄【伯林封鎖】[—님—] 명〖역〗베를린 봉쇄.
백림 회:의【伯林會議】[—님—/—님—이] 명〖역〗베를린 회의.
백립【白笠】[—닙] 명 흰 베로 만든 갓. 국상(國喪) 때의 국민이나, 대상(大祥) 뒤의 상인(喪人)이 씀.
백립-암【白粒岩】[—닙—] 명〖광〗석영(石英)·장석(長石)·휘석(輝石)·석류석(石榴石) 등으로 이루어진 입상(粒狀)의 변성암(變成岩).
백립-전【白笠廛】[—닙—] 명 백립을 파는 가게.
백마¹【白馬】명 털 빛이 흰 말.
백마²【白麻】명 ①〖식〗어저귀. ②중국 당(唐)나라 때 한림(翰林)이 천자(天子)의 내칙(內勅)을 받들어 기록하는 데에 쓰던 삼으로 만든 흰 종이. ③천자의 칙서(勅書).
백마³【白魔】명 큰 피해를 입도록 썩 많이 내린 눈을 악마에 비유한 말.
백마-강【白馬江】명〖지〗금강(錦江)의 하류로, 부여(扶餘)를 돌아가는 부분. 부소산(扶蘇山)을 싸고 흐르며 낙화암(落花岩)·조룡대(釣龍臺)·고란사(皐蘭寺) 등이 강가에 있음. 종어(鯮魚)가 유명함. 백강(白江).
백마 고지【白馬高地】명〖지〗강원도 철원군(鐵原郡) 서북방에 있는 고지. 6·25 전쟁 때의 격전지. [395 m]
백마-봉【白馬峰】명〖지〗금강산(金剛山)에 있는 산봉우리. 장안사(長安寺)·명경대(明鏡臺)·영원암(靈源庵) 등의 경승지가 있음. [1,510 m]
백마 비:마론【白馬非馬論】명〖논〗중국 고대의 학자 공손룡(公孫龍)이 《공손룡자(公孫龍子)》 백마편(白馬篇)에서 논한 털빛이 흰 말은 말이 아니라는 논법(論法). 곧, '말'은 모양의 이름으로 붙여졌으며, '백마(白馬)'의 '백(白)'은 털빛에 붙여진 이름인 까닭으로 별개(別個)의 것이라 했음. 전(轉)하여, 궤변(詭辯)을 놀림의 비유.
백마-사【白馬寺】명〖불교〗중국 최초의 불사(佛寺). 그 유적은 중국 허난 성(河南省) 뤄양(洛陽) 교외에 있음.
백마-산【白馬山】명〖지〗①함경 남도 갑산군(甲山郡) 동인면(同仁面)에 있는 산. [1,440m] ②평안 북도 의주군(義州郡) 고성면(古城面)과 위원면(威遠面)의 경계에 있는 산.
백마산-성【白馬山城】명 평안 북도 의주군(義州郡) 백마산(白馬山)에 있던 성. 조선 시대 병자 호란(丙子胡亂) 당시, 임경업(林慶業) 장군이 지키던 곳으로 지금도 그 터가 남아 있음.
백마 신장도【白馬神將圖】명 무당이 모시는 흰 말을 탄 장군을 그린 무신도(巫神圖)의 하나.
백마-치【白馬峙】명〖지〗충청 북도 음성군(陰城郡)에 있는 재. [207 m]
백마-통【白馬通】명〖한의〗흰 말의 오줌. 약으로 씀.
백막¹【白幕】명〖식〗백미꽃.
백막²【白膜】명〖생〗눈알의 겉을 싼 얇은 막.
백만【百萬】㊀ 수 만(萬)의 백 갑절. ㊁ 관 썩 많은 수.
백만 교태【百萬嬌態】명 사람의 마음을 끌려고 부리는 갖은 아양스러운 태도.
백만 도시【百萬都市】명 [million city]〖지〗인구 100만 명 이상을 가진 도시.
백만-언【百萬言】명 많은 말. 모든 말.
백만 장:자【百萬長者】명 재산이 썩 많은 사람. 아주 큰 부자.
백-말¹【白—】명 ☞ 흰말.
백말²【白沫】명 흰 빛으로 부서지는 물거품. 백포(白泡).
백망【白望】명 실속 없는 성망(聲望). 헛된 명망. 허명(虛名).
백망-중【百忙中】명 몹시 바쁜 때.
백매【白梅】명 ①흰 매화(梅花). ②〖한의〗매화나무 열매를 매우(梅雨) 때에 소금에 절인 약. 설사·곽란(霍亂)·중풍·경간(驚癎)·유종(乳腫) 같은 데에 씀. 상매(霜梅). 염매(塩梅).
백 맨〔back man〕명 후위(後衛). 백(back).
백면¹【白面】명 ①연소(年少)하여 희고 고운 얼굴. 미안(美顏). ②연소하여 경험이 없음. 또, 그런 사람. ¶ ～ 서생.
백면²【白綿】명 백면지(白綿紙).
백면³【白麪】명 ①메밀 가루. ②메밀 국수.
백면 서생【白面書生】명 글만 읽고 세상 일에 경험이 없는 사람. 풋내기.
백면-장【白麪醬】명 밀가루 메주로 담근 간장.
백면-지【白綿紙】명 품질이 좋은 백지. 백면(白綿).
백면지전-계【白綿紙廛契】[—계] 명〖역〗백면지(白綿紙)를 공물(貢物)로 바치던 계.
백-면포【白綿布】명 품질이 좋은 무명베.
백모¹【白茅】명〖식〗띠².
백모²【伯母】명 큰어머니.
백모-근【白茅根】명〖한의〗모근(茅根).
백-모란【白牡丹】명 꽃이 흰 모란.
백모-봉【白茅峯】명〖지〗함경 남도 갑산군과 풍산군(豐山郡) 사이에 있는 산. [1,909 m]
백목¹【白木】명 ①무명. ②〈방〉백묵¹.
백목²【白目】명〖생〗눈알의 흰자. 백안(白眼).
백-목³【柏木】명〖식〗잣나무.
백-목련【白木蓮】[—년] 명〖식〗[*Magnolia denudata*] 목련과에 속하는 낙엽 교목. 높이 4-5 m 가량, 잎은 대생하고 거꿀달걀꼴이며, 어린 잎은 잎 뒤에 잔털이 있음. 3월에 흰 꽃이 큰 종형(鐘形)으로 잎에 앞서 피고, 골돌(蓇葖)은 갈색으로 가을에 익음. 중국 원산(原産)인데, 관상용으로 정원에 심음. 목필(木筆). 백란(白蘭). 옥란(玉蘭). 생정(生庭). 신이(辛夷). ㊊백련(白蓮). ＊자목련(紫木蓮).

〈백목련〉

백목-전【白木廛】명〈속〉면포전(綿布廛).
백묘【白描】명〖미술〗동양화 묘법(描法)의 하나. 엷고 흐릿한 곳이 없이 먹으로 진하게 선(線)만을 그리는 일. 백묘화. 선화(線畫).
백묘-법【白描法】[—뻡] 명〖미술〗백묘의 화법.
백묘지-전【百畝之田】명〖역〗중국 하(夏)·은(殷)·주(周)나라 때의 정전제(井田制)에서, 한 사람의 남자가 받던 전지(田地). 일 정(一井)을 900묘로 하고 100묘씩 아홉으로 나누어 그 중앙의 100묘는 공전(公田), 주위의 800묘는 여덟 가구에 분여(分與)되는 사전(私田)이었음. 공전은 여덟 가구가 공동으로 경작토록 하여 그 수확을 공동의 조세로 상납하게 하였음.
백묘-화【白描畫】명 백묘로 그린 그림. 백묘(白描).
백무-선【白茂線】명〖지〗혜산선(惠山線) 백암역(白岩驛)에서 갈라져 두만강의 삼림 지대를 횡단하고 무산(茂山)에 이르는 철도선. 협궤임. 1944년 12월 1일에 개통. [192.1 km]
백-무소성【百無所成】명 일마다 하나도 성취되지 아니함.
백-무일실【百無一失】[—씰] 명 일마다 하나도 실패가 없음.
백-무일취【百無一取】명 많은 말과 행실 중에 하나도 쓸 만한 것이 없음.

백-무일행【百無一幸】명 조그마한 요행도 없음.
백묵[1]【白一】명 녹말로 쑨 흰 묵.
백묵[2]【白墨】명 분필(粉筆).
백문[1]【白文】명 ①〖역〗관인(官印)이 찍히지 아니한 문서. ②구두점(句讀點)과 주석이 없는 한문.
백문[2]【白紋】명 흰 무늬.
백문[3]【百聞】명 여러 번 들음. 천문(千聞).
【백문이 불여 일견(不如一見)】 백 번 듣는 것이 한번 보는 것만 못하다는 뜻으로, 뭣이든지 실지로 경험해야 확실히 안다는 말.
백-문보【白文寶】명〖사람〗고려 말기의 문신. 자는 화부(和夫), 호는 담암(澹菴). 벼슬이 정당 문학(政堂文學)에까지 이름. 불교를 배척하고 정주(程朱)의 학을 받들었으며 그의 글 몇 편이 《동문선(東文選)》에 수록되어 전함. [?-1374]
백물【百物】명 여러 가지의 물건. 온갖 물건.
백 뮤:직〔back+music〕명 백그라운드 뮤직(background music).
백미[1]【白米】명 희게 쓿은 멥쌀. 흰쌀. ↔현미(玄米).
【백미에 뉘 섞이듯】 드물어서 얻기 힘듦을 일컫는 말. 【백미에는 뉘나 섞였지】 아무런 티가 없는 것을 비유한 말.
백미[2]【白眉】명〔중국 촉한(蜀漢)의 마량(馬良)의 다섯 형제가 다 재주가 있되 그 중에도 양(良)이 가장 뛰어났는데 눈썹 속에 흰 털이 있었다는 고사에서〕여럿 가운데서 가장 뛰어난 사람이나 물건. ¶ 군담(軍談) 소설의 ~.
백미[3]【白薇】명 ①〖식〗백미꽃. ②〖한의〗백미꽃의 뿌리. 성질이 찬데, 풍증(風症)·학질(瘧疾) 같은 데에 씀.
백미[4]【百味】명 온갖 음식물.
백미[5]【百媚】명 사람을 홀리는 온갖 아름다운 태도.
백미 경:주【百米競走】명 육상 경기에서, 100 m를 한도로 겨루는 단거리 경주.
백미-꽃【白薇一】명〖식〗[*Cynanchum atratum*] 박주가릿과에 속하는 다년초. 줄기는 높이 50-80 cm 내외로 곧게 서며 잎은 대생하고 잎자루는 짧고 두꺼운데 타원형 또는 달걀꼴임. 5-7월에 흑자색 꽃이 엽액(葉腋)에 산형상(繖形狀) 화서로 화경(花梗) 끝에 피고 과실은 골돌(蓇葖)임. 산과 들에 나는데, 한국·일본 등지에 분포함. 뿌리는 약재로 씀. 미초(薇草). 백미(白薇). 백막(白幕). 아마존. 춘초(春草). *민백미꽃·선백미.

〈백미꽃〉

백미-돔 【白尾一】명〖어〗[*Lobotes surinamensis*] 백미돔과에 속하는 바닷물고기. 몸은 길이 50 cm 가량으로 타원형인데 측편(側偏)하여 있고, 체고(體高)가 높으며 입이 작음. 몸빛은 암갈색으로 꼬리지느러미 후연(後緣)은 희고 등지느러미와 뒷지느러미의 기저(基底)는 깊. 한국 동남해·태평양 및 대서양의 온대·열대에 분포함.

〈백미돔〉

백미돔-과 【白尾一科】[一꽈] 명〖어〗[Lobotidae] 농어목(目)에 속하는 어류의 한 과. 백미돔 하나가 알려져 있음.
백 미러〔back+mirror〕명 뒤쪽을 보기 위해 자동차의 앞이나 옆에 붙인 거울.
백미-병 【白米病】[一뼝] 명 백미를 주식(主食)으로 하기 때문에 비타민 B의 부족으로 생기는 병. 두통·식욕 부진·불면(不眠)·설사·각기(脚氣) 등이 일어남.
백민【白民】명 아무 벼슬이 없는 백성(百姓). 평민(平民).
백밀【白蜜】명 ①〖한의〗황랍을 하얗게 한 것. 고약의 기본 재료로 쓰임. 백랍(白蠟)❷. ②벌꿀.
백-박산【柏薄饊】명 잣박산❷.
백반[1]【白斑】명 ①흰 반점(斑點). ②〖천〗태양 표면의 흑점(黑點) 부근에 나타나서 특히 채광(彩光)을 방사하여 하얀 반점으로 보이는 부분. 광점(光點). ③〖의〗백반증(白斑症).
백반[2]【白飯】명 ①흰밥. 쌀밥. ②음식점에서, 흰밥에 국과 몇 가지 반찬을 끼어 파는 한 상의 음식.
백반[3]【白盤】명 칠을 칠하지 않은 소반.
백반[4]【白礬】명 ①〖화〗명반(明礬)을 구워서 만든 덩이. 매염료(媒染料)로 쓰임. ②〖한의〗백반의 가루. 지혈 수렴약(止血收斂藥)으로 쓰임.
백반[5]【百般】명 여러 가지. 제반(諸般). ¶ ~의 준비.
백반 곽탕【白飯藿湯】명 흰밥과 미역국.
백-반기【白飯器】명 중국 명(明)나라 말엽(末葉)에 징더전(景德鎭) 샤오난 요(小南窯)에서 만든 흰 자기(瓷器).
백반-병 【白斑病】[一뼝] 명〖농〗야채류(野菜類)에 생기는 병의 하나. 잎에 둥그스름한 흰점이 생기고 그것이 나은 뒤에는 노란 색으로 변하여 시들어 죽게 되는 병.
백반-증【白斑症】[一쯩] 명〔leukoplakia〕〖의〗뺨이나 입술 또는 혀의 점막(粘膜)에 흰 얼룩이 지는 병. 점막의 각화(角化)를 수반하는 증식(增殖)으로서, 전암성(前癌性) 질환의 하나라 생각되고 있음. 담배·술을 즐기는 사람에게 흔히 나타남. 백반. 류코플라키아. 로이코플라키.
백반 총탕【白飯葱湯】명 흰밥과 팟국. 검소한 음식을 이름.
백발【白髮】명 하얗게 센 머리털. 상발(霜髮). 소발(素髮). 센 머리. 은발(銀髮). 흰털. 흰머리. 곡발(鵠髮). ¶ ~의 노신사/~ 삼천장(三千丈).
백발-가【白髮歌】명〖문〗작자·제작 연대 미상의 가사의 하나. 백발이 되기 전에 허송 세월을 말라는 교훈적인 노래.
백발 노:인【白髮老人】[一로一] 명 머리털이 허옇게 센 늙은이.
백발 동:안【白髮童顔】명 백발 홍안.
백발 백중【百發百中】명 ①총·활 같은 것이 겨눈 곳에 꼭꼭 맞음. ②앞서 생각한 일들이 꼭꼭 들어맞음. ¶ 내 점(占)은 ~이다. ③하는 일마다 실패 없이 잘 됨. ——-하다 자 여불
백발 삼천장【白髮三千丈】명 이태백의 추포가(秋浦歌)에 나오는 구절로, 백발이 매우 길게 자랐음을 과장해서 표현한 말. 근심 걱정이나 비탄(悲嘆)이 쌓여 가는 모양을 이르기도 함.
백발 성성【白髮星星】명 머리털이 희끗희끗함. ——-하다 형 여불
백발-증【白髮症】[一쯩] 명 나이에 어울리지 아니하게 일찍 백발이 되는 증세. 조발성(早發性) 백발·장년성(壯年性) 백발 등이 있고, 선천성이나 유전성 또는 후천적인 피부 질환에서 옴.
백발 홍안【白髮紅顔】명 흰 머리에 소년처럼 불그레한 얼굴. 백발 동안.
백발 환흑【白髮還黑】명 ①허옇게 센 머리털에 검은 머리털이 다시 남. ②도로 젊어짐. ——-하다 자 여불
백방[1]【白放】명 무죄로 판명되어 놓아 줌. ¶ 무죄 ~. ——-하다 타 여불
백방[2]【百方】명 ①여러 가지의 방법. ¶ ~으로 손을 쓰다. ②여러 방향 또는 방면. 천방(千方). ¶ ~으로 주선하다.
백방사-주【白紡絲紬】명 흰 누에고치의 실을 켜서 짠 명주(明紬).
백배[1]【百拜】명 수없이 절을 함. ——-하다 자 여불
백배[2]【百倍】명 백 갑절. ¶ 용기 ~하여 싸우다. ——-하다 타 여불
백배[3]【百倍】명〖식〗쇠무릎지기.
백배 사:례【百拜謝禮】명 몹시 고마워 거듭거듭 사례함. 백배 치사(致謝). ——-하다 자 여불
백배 사:죄【百拜謝罪】명 수없이 절을 하며 용서를 빎. ——-하다 자 여불
백배 치:사【百拜致謝】명 수없이 절을 하며 치사함. 백배 사례. ——-하다 자 여불
백백-교【白白教】명〖종〗1915년경에 전정운(全廷雲)이 세운 백도교(白道教)에서 갈라져 나온 유사 종교(類似宗教)의 하나. 1923년에 차병간(車秉幹)이 경기도 가평(加平)에서 창건(創建)한 것으로, 유·불·선(儒佛仙)의 교리(教理)를 받들어 퇴폐된 세도 인심(世道人心)을 교화 순도하여 광명 세계를 실현한다 표방(標榜)하였으나, 우민(愚民)을 현혹(眩惑)하여 많은 재물을 편취(騙取)하고 교도(教徒)를 함부로 사형(私刑)하는 등 그 폐해가 막심하여, 관(官)의 단속과 세상의 여론으로 마침내 자취를 감춤.
백번[1]【白番】명 바둑에서, 흰 돌을 가지고 나중에 두는 차례에 당함. 또, 그 차례에 당한 사람. ↔흑번(黑番).
백-번[2]【百番】부 ①여러 번 거듭. ¶ 나한테 ~ 얘기해 봤자 소용 없다. ②전적(全的)으로 다. ¶ 자네 말이 ~ 옳다.
백범[1]【白凡】명〖사람〗김구(金九)의 호(號). 『~ 일지(逸志).
백범[2]【白帆】명 흰 돛.
백벽[1]【白壁】명 흰 칠을 한 벽. 흰벽.
백벽[2]【百辟】명 제후(諸侯). 백관(百官).
백벽 미하【白璧微瑕】명 거의 완전하나 약간의 흠이 있음. ——-하다 형 여불
백변[1]【白邊】명 ①통나무의 중심에서 바깥 쪽으로 좀 무르고 흰 부분. ↔황장(黃腸). ②같은 겨레붙이 중에서 번성하지 못한 집안.
백변[2]【白變】명 빛깔이 하얗게 변함. ——-하다 자 여불
백변[3]【百變】명 백 번이나 변함. 여러 가지로 변함. ——-하다 자 여불
백-변두【白扁豆·白藊豆】명 ①〖식〗빛이 흰 변두(藊豆). ②〖한의〗백변두의 열매. 소화(消化)를 돕고 설사를 그치게 함.
백변-재【白邊材】명〖건〗통나무의 백변(白邊) 부분에서 켜낸 목재(木材). 백육재(白肉材).
백변-종【白變種】명 알비노(albino).
백병[1]【白兵】명 ①적(敵)을 베고 찌를 수 있는 병기(兵器). 칼·창 같은 것. ¶ ~전. ②백인(白刃).
백병[2]【白餠】명 흰떡.
백병[3]【百病】명 여러 가지 병. 온갖 병. *만병(萬病).
백병-산【白屛山】명〖지〗강원도 삼척군(三陟郡)에 있는 산. [1,259 m]
백병-전【白兵戰】명 백병(白兵)을 가지고 하는 육박전. 『치열한 ~을 벌이다. ——-하다 자 여불
백병 통치【百病通治】명 무슨 병에든지 효험이 있음. 만병 통치.
백-보:드〔backboard〕명 ①농구에서, 바스켓을 붙인 배판(背板). ②〖의〗어린 아이들의 척추 교정판(矯正板). ③짐수레·액자(額子)·전화기·보트 등에 대는 뒷판.
백보-장【百步章】[一짱] 명〖문〗용비 어천가 제66장의 이름.
백-보지【白一】명 ☞ 밴대 보지.
백보 천양【百步穿楊】명〔중국 초(楚)나라의 양유기(養由基)가 백 걸음 떨어진 곳에서 버드나무 잎을 활로 맞힌 고사(故事)에서 나온 말〕활을 썩 잘 쏨을 일컫는 말.
백복【百福】명 여러 가지 복(福). 온갖 복. 만복(萬福).
백-복령【白茯苓】[一녕] 명〖한의〗흰 복령(茯苓). 오줌·땀에 효험이 있고, 담증(痰症)·부증(浮症)·습증(濕症)·설사 등에 쓰는데, 보(補)하는 효험이 있음.
백-복신【白茯神】명〖한의〗복신(茯神).
백복 장엄【百福莊嚴】명〖불교〗백 가지의 복업인(福業因)에 의하여 얻은 부처의 장엄한 상(相). 곧 삼십 이상(三十二相).
백-본:〔backbone〕명 ①등뼈. ②국가·정당·단체 등의 정신적 지주(支柱).
백봉[1]【白峯】명〖지〗강원도 회양군(淮陽郡) 난곡면(蘭谷面)과 평강군(平康郡) 세포면(洗浦面) 사이에 있는 산. [1,095 m]
백봉[2]【白鳳】명 털이 흰 봉.
백부[1]【百部】명〖식〗파부초(婆婦草).
백부[2]【伯父】명 큰아버지. ↔계부(季父).
백부[3]【栢府】명〖역〗사헌부(司憲府).
백부-과【百部科】[一꽈] 명〖식〗[Stemonaceae] 현화 식물 단자엽문(單子葉門)에 속하는 한 과. 전세계에 3속(屬) 8종이 있는데 파부초 등이 이에 속하고, 아시아·오스트레일리아·북아메리카 등지에 분포함.
백부-근【百部根】명〖한의〗파부초(婆婦草)의 뿌리. 해수(咳嗽)·골증(骨蒸)·노채(勞瘵)와 살충제(殺蟲劑)로 씀.
백부근-주【百部根酒】명〖한의〗백부근(百部根)을 볶아서 주머니에 넣어 술에 담가 우려 낸 약. 온갖 기침을 다스림.
백-부자【白附子】명 ①〖식〗[*Aconitum koreanum*] 성탄꽃과에 속하는 다년초. 바곳과 비슷한데 줄기는 높이 1 m 가량이고 잎은 호생하며 잎

자루가 짧은데 3-5 갈래로 갈라짐. 7-8월에 황색 또는 자색 꽃이 총상(總狀) 화서로 정생하고, 과실은 골돌(蓇葖)임. 산지에 나는데, 충북·경기·황해·평남·함북에 분포함. 유독(有毒)함. 노랑돌쩌귀. ②〖한의〗 백부자의 뿌리. 중풍(中風)과 외과(外科)의 약재로 씀. 흰바곳. 「장.

백부-장¹【百夫長】명〖성〗로마 군대의 100명으로 조직된 단위 부대의

백부-장²【伯父丈】명 다른 사람의 큰아버지에 대한 존칭.

백분¹【白粉】명 ①흰 가루. ②여자의 얼굴을 화장하는 데 바르는 흰 가루. 광분(光粉). 연분(鉛粉). 연화(鉛華). 와분(瓦粉). 호분(胡粉). ㊥분(粉).

백분²【百分】명 백으로 나눔. ——하다 타여불

백분-법【百分法】[—뻡] 명〖수〗각도(角度)의 단위계(單位系). 1 직각(直角)은 100 도(度), 1 도는 100 분(分), 1 분은 100 초(秒)로 함. *육십분법(六十分法).

백분-병【白粉病】[—뼝] 명〖식〗흰가룻병.

백분-부【百分符】명 백분율(百分率)을 나타내는 부호. 곧, %. 백분표.

백분-비【百分比】명 백분율(百分率). ㄴ쌍방울표.

백분-산【百分算】명〖수〗보합산(步合算).

백분-율【百分率】[—뉼] 명〔percentage〕〖수〗전체의 100 분의 1을 단위(單位)로 하여 나타낸 비율. 그 단위를 '퍼센트' 또는 '프로'라 함.

백분-표【百分標】명 백분부(百分符). ㄴ백분비(百分比). 퍼센티지.

백-분화【白賁華】명〖사람〗고려 고종(高宗) 때의 문인. 자는 무구(無咎), 호는 남양(南陽)·참선 거사(參禪居士). 경산 부사(京山府使)로 죽음. 소년 시절부터 학문에 힘써 글을 잘 하였음. 문집에 《남양 시집(南陽詩集)》이 있음. [1180-1224] 「형여불

백-불유인【百不猶人】[—류—] 명 모두가 남만 같지 못함. ——하다

백붕【百朋】명〔붕(朋)은 쌍패(雙貝)의 뜻. 옛날에 조개가 화폐로 사용된 데서〕많은 보배나 많은 재화. 많은 돈. 또, 많은 녹(祿).

백:비¹ 명 ↗배악비.

백비²【白砒】명〖화〗삼산화 이비소(三酸化二砒素).

백비-탕【白沸湯】명 맹탕으로 끓인 물. 백탕.

백빈¹【白蘋】명 흰 꽃이 피는 마름.

백빈²【白鬢】명 상빈(霜鬢).

백사¹【白—】명〈심마니〉소금.

백사²【白沙】명 흰 모래. 소사(素沙).

백사³【白沙】명〖사람〗이항복(李恒福)의 호(號).

백사⁴【白蛇】명 몸빛이 흰 뱀. ¶ ~주(酒).

백사⁵【白絲】명 흰 실.

백사⁶【百司】명 많은 관원. 백관(百官).

백사⁷【百事】명 온갖 일. 만사(萬事). ¶ ~ 제쳐놓고.

백사⁸【帛絲】명 윤이 나는 흰 명주실. 「연한.

백-사과 명 사과참외의 한 종류. 재래종으로 빛깔은 희고 맛이 좋고

백-사기【白沙器】명 흰 빛깔의 사기. 백자(白瓷).

백-사모【白紗帽】명 국상(國喪) 때, 조관(朝官)이 삼베 단령(團領)에 갖추어 쓰는, 흰 사(紗)로 만든 사모.

백사-봉【白沙峯】명〖지〗①함경 남도 혜산군(惠山郡) 운흥면(雲興面)과 함경 북도 무산군(茂山郡) 삼사면(三社面) 사이에 있는 산. [2,099 m] ②함경 북도 경성군(鏡城郡) 주북면(朱北面)에 있는 산. [1,479 m] ③함경 북도 회령군(會寧郡) 창두면(昌斗面)에 있는 산. [1,139 m]

백사 불리【百事不利】명 모든 일이 다 이롭지 못함. ——하다 형여불

백사 불성【百事不成】[—썽] 명 모든 일이 다 되지 아니함. 일마다 실패함. ——하다 자여불 「자여불

백사 여의【百事如意】[—/—이] 명 모든 일이 뜻대로 됨. ——하다

백-사이드〔backside〕명 ①후방(後方). 배면(背面). ②탁구대의 중앙에서 왼쪽 반분(半分). 왼손잡이의 경우에는 오른쪽 반분. ③배구에서,

백사이드 킥〔backside kick〕명 인사이드 킥. ㄴ코트 후방의 양사이드.

백-사이트〔backsight〕명 배 위에서, 육분의(六分儀)로 천체(天體)를 관측하는 일. 관측자는 그 천체의 방위각(方位角)으로부터 180° 방향의 수평선을 향하여 관측함. 「의 뜻.

백사 일생【百死一生】[—쌩] 명 겨우 살아남. 곧, 구사 일생(九死一生)

백-사장【白沙場】명 강이나 바닷가의 흰 모래가 깔린 곳. ¶ 한강 ~.

백사-주【白蛇酒】명 백사(白蛇)를 넣고 담근 약술.

백사-지【白沙地】명 흰 모래가 많아, 초목(草木)이 무성하지 아니한 메마른 땅.

【백사지에 무엇이 있나】토박하여 나는 물건이 없음을 이름.

백사-집【白沙集】명〖책〗백사(白沙) 이항복(李恒福)의 시문집(詩文集). 영조(英祖) 때에 간행된 것으로, 내용은 시(詩)·계(啓)·명(銘)·잡저(雜著) 등 15 편(編)임.

백사 청송【白沙靑松】명 흰 모래와 푸른 소나무. 강변·바닷가의 아름다운 경치를 이름.

백-사탕【白砂糖】명 백당(白糖).

백-산¹【白山】명〖지〗①함경 남도 풍산군(豐山郡)에 있는 산. [2,476 m] ②함경 남도 장진군(長津郡) 상남면(上南面)과 장진면(長津面) 사이에 있는 산. [2,077 m] ③함경 남도 고원군(高原郡) 운곡면(雲谷面)과 평안 남도 양덕군(陽德郡) 오강면(吳江面) 사이에 있는 산. [1,451 m] ④함경 남도 풍산군(豐山郡) 안수면(安水面)·웅이면(熊耳面)과 신흥군(新興郡) 동상면(東上面) 사이에 있는 산. [2,379 m] ⑤평안 남도 영원군(寧遠郡) 덕화면(德化面)·신성면(新城面)과 함경 남도 영흥군(永興郡) 요덕면(耀德面) 사이에 있는 산. [1,724 m] ⑥평안 남도 양덕군 온면(溫面)과 양덕읍(邑) 경계에 있는 산. [1,119 m] ⑦평안 남도 영원군 신성면(新城面)과 함경 남도 정평군(定平郡) 고산면(高山面) 사이에 있는 산. [1,837 m] ⑧평안 북도 희천군(熙川郡) 동창면(東倉面)과 강계군(江界郡) 화경면(化京面) 사이에 있는 산. [1,875 m] ⑨↗백두산(白頭山).

백-산²【柏山】명〖지〗황해도 곡산군(谷山郡)의 멱미면(覓美面)과 봉명면(鳳鳴面) 사이에 있는 산. [1,240 m]

백-산다【白山茶】명〖식〗[*Ledum palustre* var. *dilatatum*] 철쭉과에 속하는 상록 활엽 관목. 잎은 호생하고 혁질(革質)이며 피침형에 양끝이 뾰족하고, 가에 톱니가 없으며, 잎 뒤에 백색 및 갈색의 잔 털이 밀포함. 5월에 흰 꽃이 묵은 가지 끝에 산방(繖房) 화서로 다수 정생(頂生)하여 피고, 삭과(蒴果)는 타원형인데 10월에 익음. 높은 산의 숲 속에 나는데, 함경 남북도 및 일본·미국에 분포함. 관상용으로 심고, 잎은 차의 대용 또는 약용으로 쓰임.

〈백산다〉

백산-버들【白山—】명〖식〗[*Salix floderusii* var. *fuscescens*] 버드나뭇과에 속하는 낙엽 활엽 관목. 잎은 타원형 또는 장타원형이며 끝이 뾰족하고 톱니가 없거나 또는 파상(波狀)의 톱니가 있으며 갈색 털이 있음. 봄에 꽃이 유제 화서(葇荑花序)로 피고, 삭과는 여름에 익음. 산골짜기 및 산중턱 습지에 나는데, 평안 남도 소백산(小白山)에 야생함. 신탄재로 쓰임.

백산 학회【白山學會】명 우리 나라 고대사 연구를 위한 학술 단체. 1966년 유봉영(劉鳳榮) 등이 중심이 되어 서울에서 설립됨. 학술지 《백산학보(白山學報)》를 간행함.

백-산호【白珊瑚】명〖동〗[*Corallium konojoi*] 산호과에 속하는 강장(腔腸) 동물. 산호충과 비슷한데 가지는 많지 않고 각 가지의 말단은 둥글. 폴립(polyp)은 대형(大形)으로 직경 2-3 mm이고, 주로 가지의 말단의 앞쪽에 착생(着生)하며 황색 또는 홍색임. 골편(骨片)은 6-7 또는 팔복형(八輻形) 혹은 이중(二重) 곤봉상이며, 골축(骨軸)은 유백색(乳白色)인데 대체로 휨. 산호충보다 다소 얕은 곳에 서식함. 흰산호.

〈백산호〉

백산-흑사초【白山黑莎草】명〖식〗[*Carex paishanensis*] 방동사닛과에 속하는 다년초. 줄기는 삼릉주(三稜柱)로 곧게 서며 높이 20-30 cm 인데, 잎은 호생하고 선형(線形)이며 길이 10 cm, 폭 3 mm 내외임. 7-8월에 작은 이삭이 3-4 개 정생(頂生) 또는 측생(側生)함. 양성(兩性)이며, 과낭(果囊)은 넓은 타원형 혹은 달걀꼴임. 높은 산에 나는데, 백두산에 분포함.

백산 흑수【白山黑水】명〖지〗백두산과 흑룡강(黑龍江). 「홑옷.

백삼¹【白衫】명 제관(祭官)이 제복(祭服)을 입을 때 받침으로 껴 입는 흰

백삼²【白蔘】명〖한의〗수삼(水蔘)의 잔 뿌리를 따고 껍질을 벗기어 볕에 말린 인삼. ↔홍삼(紅蔘).

백삼-봉【白三峯】명〖지〗평안 북도 강계군(江界郡) 종남면(從南面)과 후창군(厚昌郡) 칠평면(七坪面) 사이에 있는 산. [1,556 m]

백삼위 성:인【百三位聖人】명 한국 천주교회 2 백주년 기념으로 내한한 교황 바오로 2 세가 1984 년 5 월 6 일 여의도 광장에서 한국 순교복자 103 위 시성식(諡聖式)을 거행함으로써 복자(福者)에서 성인의 품위에 오른 인물들의 총칭. 이 중 93 명은 한국인, 10 명은 파리 외방전교회 소속 선

백삽-병【白澁病】명〖식〗흰가룻병. ㄴ교사임.

백상¹【白狀】명 ①자기의 죄상을 자백함. 또, 그 기록. ②비밀로 하여 두던 사실을 터놓고 이야기함. ——하다 자여불

백상²【白商】명 '가을'의 이칭(異稱).

백상³【白象】명 흰 빛의 코끼리.

백상⁴【百祥】명 많은 행복. 온갖 상서로운 일.

백상-루【百祥樓】[—누] 명〖지〗관서 팔경(關西八景)의 하나. 평안 남도 안주(安州) 북성(北城) 안에 있는 누각. 청천강(淸川江)이 굽이쳐 흐르고 넓은 들을 바라보는 조망(眺望)이 아름다움.

백상루 별곡【百祥樓別曲】[—누—] 명〖문〗조선 선조(宣祖) 때 사람인 이현(李俔)이 지은 가사. 제작 연대 미상. 평안도 안주(安州) 백상루의 전망과 청천강 부근의 경승(景勝)을 읊음. 작자의 문집인 《문취당집(文翠堂集)》에 전함.

백-상아리【白—】명〖어〗[*Carcharodon carcharias*] 악상어과에 속하는 바닷물고기. 몸길이 12 m에 방추형으로 통통하고 체측에 다섯 쌍의 아가미 구멍이 있으며 눈에 순막(瞬膜)이 없음. 몸빛은 등 쪽이 회청색이고 배는 백색임. 위턱의 이는 폭이 넓은 삼각형이고 거치연(鋸齒緣)이 있음. 성질이 사나워 사람에게 잘 덤벼듦. 거의 전세계의 난해(暖海)에 분포하는데, 한국의 부산 근해에서도 가끔 목격됨.

백-상지【白上紙】명 화학 펄프를 원료로 하는 질(質)이 좋은 양지(洋紙)의 하나. '모조지(模造紙)'의 고친 이름.

백색【白色】명 ①흰 빛깔. 흰 빛. ㊥백(白). ↔흑색(黑色). ②〖사〗자본주의 세력을 상징(象徵)한 색. ¶ ~ 테러. ↔적색(赤色)❷.

백색 공:포【白色恐怖】명〖사〗백색 테러.

백색-광【白色光】명 ①흰 빛깔의 광선. 낮의 일광(日光)과 같은 빛. ②〖물〗각 파장(波長)의 빛이 합쳐진 빛. 즉, 분광기(分光器)에 나타나는 빛. 태양 광선 등. 백광(白光).

백색 광:유【白色鑛油】명〔white mineral oil〕고도(高度)로 정제한 무색(無色)의 탄화 수소계의 기름. 휘발성(揮發性)이 낮음. 완하제(緩下劑) 의약품 등으로 쓰임.

백색 시멘트【白色—】〔cement〕명 보통 시멘트보다 철(鐵)의 함유량이 3 %쯤 적은 시멘트. 곧, 철의 함량이 1 % 내외인 흰 빛의 시멘트.

백색 왜성【白色矮星】명〔white dwarf〕〖천〗백색 미광(白色微光)의 항성(恒星). 절대 등급 +10～+20 정도로 어두우며, 평균 100만 g/cm³의 극히 고밀도(高密度)인 것이 특징임. 시리우스(Sirius)의 동반성(同伴星) 같은 것. *축퇴성(縮退星).

백색-인【白色人】명 백색 인종(白色人種)에 속하는 사람. 백인(白人).
백색 인종【白色人種】명〔white race〕살빛에 따라 구분한 인종의 하나로, 백색의 피부를 가진 인종군(人種群). 유럽·아메리카의 민족은 거의 이에 속함. 백석 인종(白皙人種). ㊀백인종(白人種). ↔유색(有色) 인종.
백색 전:화【白色電話】명〈속〉사용권을 양도할 수 있는 가입 전화. ↔청색 전화.
백색 제충국【白色除蟲菊】명〖식〗제충국.
백색-종【白色種】명 빛깔이 흰 생물의 종류.
백색-체【白色體】명〔leucoplast〕〖식〗엽록소(葉綠素)가 없어진 엽록체(葉綠體). 녹색 식물을 그늘에 두면 엽록체는 희게 되어 식물의 푸른빛이 없어짐. 유색체(有色體)로 발전할 수는 있음. 콩나물 같은 것.
백색 테러【白色—】명〔white terror〕〖사〗〔백색은 프랑스 왕권의 상징이었던 백합(百合)에서 유래〕지배 계급, 곧 자본가·지주나 정부가 혁명 운동 또는 혁명 운동자에게 내리는 탄압. 백색 공포. ↔적색 테러.
백-생채【白生菜】명 고춧가루를 넣지 아니하고 무친 무 생채.
백서¹【白書】명〔white paper; 영국 정부의 공식(公式) 보고서에 흰 표지를 사용한 데서〕①〖정〗정부가 발표하는 공식적인 실정(實情) 보고서. 화이트 페이퍼. ¶ 경제 ～. ②일반적인 실정 보고서. 화이트 페이퍼. ＊청서(靑書).
백서²【白鼠】명 털빛이 흰 쥐. 흰쥐.
백서³【帛書】명 비단에 쓴 글. 또, 그 비단.
백서 사:건【帛書事件】[—껀] 명〖역〗조선 순조(純祖) 원년(元年)에 신유 사옥(辛酉邪獄)이 일어나서 천주교도가 크게 박해를 받고 있을 때, 제천(堤川)에 피신한 천주교도 황사영(黃嗣永)이 이 사실을 비단에 적어서 몰래 베이징(北京)에 있는 서양 주교(西洋主敎)에 보내려다가 발각되어 참수형(斬首刑)을 받은 사건.
백서-피【白鼠皮】명 흰 쥐의 가죽. 귀하게 씀.
백서-향나무【白瑞香—】명〖식〗[*Daphne kiusiana*] 팥꽃나뭇과에 속하는 상록 활엽 관목. 잎은 도피침형(倒披針形)이며 표면은 윤이 남. 3-4월에 흰 꽃이 두상(頭狀)으로 총생하여 가지 끝에 정생(頂生)하고, 장과(漿果)는 5-6월에 붉게 익음. 바닷가 산기슭에 나는데, 한국 남부 및 일본에 분포함. 관상용임.

〈백서향나무〉

백석¹【白石】명 흰 돌.
백-석²【白石】명〖사람〗시인. 본명은 백기행(白夔行). 평북 정주(定州) 출생. 오산(五山) 중학을 나와, 일본 아오야마(青山) 학원 영문과 졸업. 잠시 조선 일보 출판부 근무. 시집 《사슴》이 있으며, 대표작은 《고방》·《모닥불》·《절간의 소 이야기》·《여우난곬족(族)》·《남신의주(南新義州) 유동(柳洞) 박시봉방(朴時逢方)》 등임. 해방 직전에 만주(滿洲)로 감. 토속적인 정감이 깃들인 서정시를 주로 썼으며, 우리 말을 세련되게 사용하였음. [1912-?]
백석³【白皙】명 얼굴 빛이 희고 잘 생김. ¶ ～의 학자. ——하다 형여불
백석-봉【白石峰】명 강원도 정선군(旌善郡)에 있는 산. [1,220m]
백석-산【白石山】명〖지〗①강원도 평창군(平昌郡) 진부면(珍富面)과 대화면(大和面) 사이에 있는 산. [1,374m] ②강원도 양구군(楊口郡) 방산면(方山面)에 있는 산. [1,142m]
백-석영【白石英】명〖광〗빛깔이 없는 맑은 수정.
백석 인종【白皙人種】명 백색 인종(白色人種).
백석 창파【白石蒼波】명 푸른 물결에 흰 돌이 깔린 좋은 경치.
백석 청탄【白石淸灘】명 흰 돌이 깔리고 물 맑은 여울.
백선¹【白銑】명〔white pig iron〕탄소 3.5% 이하를 포함하는 선철. 빛깔이 희며 경질(硬質)임. 주물(鑄物)로 하며 제강(製鋼) 재료로 씀. 백선철(白銑鐵). ＊서선(鼠銑)
백선²【白線】명 흰 줄.
백선³【白磰】명 질그릇을 만드는 백토(白土).
백선⁴【白鮮】명〖식〗[*Dictamnus albus*] 운향과에 속하는 다년초. 뿌리는 희고, 다소 비대하며 줄기는 높이 90cm임. 잎은 기수 우상 복엽(奇數羽狀複葉)이고 호생하며 소엽(小葉)은 달걀꼴 또는 타원형임. 5-6월에 담홍색 오판화(五瓣花)가 줄기 끝에 총상(總狀) 화서로 정생(頂生)하고, 과실은 삭과(蒴果)임. 산기슭에 나는데 한국 각지에 분포함. 뿌리 껍질은 '백선피(白鮮皮)'라 하여 한방 약재로 쓰임. 검화. 백양선(白羊鮮).

〈백선⁴〉

백선⁵【白癬】명〔ringworm〕〖의〗①사상균(絲狀菌)의 하나인 백선균(白癬菌)에 의하여 생기는 전염성(傳染性)의 피부병. 표피(表皮) 또는 진피(眞皮)의 변화로 피부가 변색하거나 모발이 탈락하거나 반문(斑紋)이 발생함. 두부(頭部) 백선·안면(顔面) 백선·수포성(水疱性) 백선 등으로 구분함. 쇠버짐. ＊버짐. ②↗두부 백선.
백선⁶【白鱓】명〖어〗뱀장어.
백선⁷【百選】명 가려서 뽑은 백 가지의 것. ¶ 명시(名詩) ～.
백선-법【白線法】[—뻡] 명 도면(圖面)의 복제(複製)나 기타에 응용되는 청사진(靑寫眞)에서, 백선으로 나타내는 방법.
백선-철【白銑鐵】명 백선(白銑).
백선-피【白鮮皮】명〖한의〗백선 뿌리의 껍질. 황달(黃疸)·피부병(皮膚病)에 씀. ＊검화 뿌리.
백설¹【白雪】명 흰 눈. 소설(素雪). 호설(皓雪). ¶ ～같이 희다.
백설²【百舌】명〖조〗↗백설조(百舌鳥).
백설-고【白雪糕】명 백설기.
백설 공주【白雪公主】명〖문〗그림 동화집(Grimm 童話集)에 나오는 옛이야기. 백설같이 살결이 흰 아름다운 공주가 심술궂은 계모에게 살해되어 유리로 된 관(棺) 속에 들어가나 왕자가 와서 공주를 되살리고, 계모는 벌을 받는다는 내용으로 됨.
백-설기【白—】명 시루떡의 하나. 멥쌀 가루를 고물 없이 시루에 켜켜이 백지를 깔고 안쳐 쪄낸 떡. 백편. 백설고(白雪糕). ㊀설기. ＊흰무리.
백설-봉【白雪峰】명〖지〗평안 북도 자성군(慈城郡)에 있는 산. [1,222m]
백설-조【百舌鳥】명〖조〗①지빠귀. ②개똥지빠귀. ③때까치. ㊀배설.
백설-총이【白雪驄—】명 온 몸의 털 빛이 희고 입술만 검은 말.
백-설탕【白雪糖】명 잘 정제(精製)한 흰빛의 설탕. 백당(白糖). ＊황설탕·흑설탕.
백설-풍【白屑風】명〖한의〗머리가 늘 가렵고 비듬이 생기는 병. 두풍.
백성¹【白城】명〖지〗'바이청'을 우리 음으로 읽은 이름.
백성²【百姓】명 '일반 국민'의 예스러운 말. 서민. 인민. 국본(國本). [백성의 입막기는 내 막기보다 힘들다] 국민의 여론이나 소문은 막을 수 없다는 말. [백성이 제구실을 돋운다] 섣불리 나대다가 일 봐주는 사람의 미움을 덧들여서 역효과를 낸다.
백성-성【百姓姓】명〖역〗조선 시대 초기의 성씨(姓氏) 종류의 하나. 고려 때 백성 집단의 성씨. 세종 실록 지리지(地理志)에는 5 본관(本貫), 19 성(姓)이 있음. ＊인리성(人吏姓)·토성(土姓)·입진성(入鎭姓).
백-성(:)욱【白性郁】명〖사람〗불교인·정치가. 서울 출생. 1925년 독일 뷔르츠부르그 대학에서 수학(修學)한 후, 금강산(金剛山)에서 10년간 불도(佛道)를 닦았으며, 동국 대학 총장·내무부 장관 등을 지냄. [1896-1981]
백세¹【百世】명 오랜 세대(世代). 백대(百代).
백세²【百歲】명 ①백 년. ②백 살.
백세 소주【百洗燒酒】명 쌀가루를 쪄서 누룩과 함께 찬 물에 빚어, 한 이틀 가량 물에 담갔다가, 쪄 익힌 보리와 함께 버무려서 뚜껑을 덮어 두었다가 열흘 만에 곤 소주(燒酒).
백세지-사【百世之師】명 오랜 후세까지 인류의 스승으로 받듦을 받는 사람.
백세지-후【百歲之後】명 ①백 년 뒤. 백세후. ②사람의 사후(死後)를 일컫는 말. 백세후(百歲後).
백세-창【百世瘡】명 늙어 죽기까지 꼭 한 번은 치른다는 뜻으로, 두창(痘瘡)을 일컫는 말.
백세 청풍비【百世淸風碑】명 황해도 해주시(海州市) 광석동(廣石洞)에 있는 비. 절의(節義)를 장려하는 뜻에서, 조선 시대 영조(英祖) 4년(1728)에 백이·숙제를 모신 묘우(廟宇)의 뜰에 세웠음.
백세-후【百歲後】명 백세지후(百歲之後).
백 센터〔back center〕명 배구에서, 후위(後衛)의 중앙. 또, 그 사람.
백소¹【白蘇】명〖식〗들깨.
백-소:²〔backsaw〕명 톱양에 쇠붙이를 덧붙여서 튼튼하게 만든 톱.

〈백소²〉

백-소주【白燒酒】명 빛깔을 들이지 않은 보통의 소주. ↔홍소주(紅燒酒).
백손【白損】명 신문 용어. 인쇄하기 전 수송·운반할 때 흠이 나서 쓰지 못하게 된 용지. ↔흑손(黑損).
백송【白松】명〖식〗[*Pinus bungeana*] 소나뭇과에 속하는 상록 침엽 교목. 나무 껍질은 백악색(白堊色)이고, 연륜을 거듭할수록 껍질 조각이 저절로 박락(剝落)되어 회백색이 되며, 잎은 세 개가 삼엽(三葉)으로 붙어 남. 자웅 일가(雌雄一家)로, 5월에 꽃이 피는데 수꽃이삭은 긴 타원형, 암꽃이삭은 달걀꼴임. 구과(毬果)는 달걀꼴이고 씨가 크며 이듬해 10월에 익음. 북중국 원산으로, 베이징(北京) 지방에서는 거의 멸종돼 가고 있으며, 서울에 몇 그루가 있고, 경기의 광주·이천, 경남 밀양, 충남 예산, 충북 단양, 평남 평양 등지에, 북중국에서 이식한 것이 분포함. 거의 다 천연 기념물(天然記念物)로 지정되어 있음. 백골송(白骨松).

〈백송〉

백-송고리【白松—】명〖조〗[*Falco rusticola*] 독수릿과에 속하는 새. 날개 길이는 36cm, 부리는 3.2cm 가량임. 등허리의 깃에 'V'자 모양의 얼룩 무늬가 있을 뿐이고 온 몸이 백색임. 꽁지 중앙에 불명확한 줄이 있고 부리는 창색(蒼色)이나 끝은 흑색임. 성질이 굳세고 날쌔어 해동청(海東靑) 중에서 귀히 아끼는 매의 하나임. 한국·일본·그린란드 등에 분포함. 백송골(白松鶻).

〈백송고리〉

백-송골【白松鶻】명〖조〗백송고리.
백수¹【白水】명 ①맑은 물. ②쌀뜨물. ③맑은 마음의 비유.
백수²【白岫】명〖지〗전라 남도 영광군(靈光郡)의 한 읍(邑). 군의 서쪽에 위치하여 칠산(七山) 바다에 임함. [10,053명(1990)]
백수³【白首】명 백두(白頭). 호수(皓首). 학수(鶴首).
백수⁴【白叟】명 노인. 늙은이.
백수⁵【白壽】명〔'百'에서 '一'을 빼면 99가 되고 '白'자가 됨〕99세(歲). ＊망백(望百).
백수⁶【白鬚】명 허옇게 센 수염.
백수⁷【百獸】명 온갖 짐승. ¶ ～의 왕 라이온.
백수-가【白首歌】명〖악〗단가(短歌)의 하나. 백발을 한탄하는 내용의 노래.
백수 건달【白手乾達】명 아무 것도 없는 멀쩡한 건달.
백수-문【白首文】명〖책〗〔중국 후량(後梁) 주흥사(周興嗣)가 하룻밤 사이에 만들고 머리털이 허옇게 세었다고 하는 고사(故事)에서 온 말〕'천자문(千字文)'의 이명(異名).
백수 백복【百壽百福】명 갖가지 전자(篆字)로 써 놓은 수복자(壽福字).
백수 북면【白首北面】명 재덕(才德)이 없는 사람은 늙어서도 북쪽을 향하여 스승의 가르침을 빈다는 말.
백수-산【白水山】명〖지〗함경 남도 장진군(長津郡)에 있는 산. [1,164m]
백수 습복【百獸慴伏】명 온갖 짐승들이 두려워서 엎드림. ——하다

자 여불

백수 잔년【白首殘年】명 머리가 허옇게 세고 죽을 날이 가까운 늙바탕.

백-수정【白水晶】명 백색의 수정.

백수-증【白水症】[—쯩] 명 〖한의〗 심장병(心臟病)으로 말미암아 다리에서부터 붓기 시작하는 병.

백수지-년【白首之年】명 늙은 나이.

백수지-심【白首之心】명 늙은이의 마음.

백수 진인【白水眞人】명 ①옛날 중국에서 후한(後漢)의 흥기(興起)를 예언했던 참어(讖語). 왕망(王莽) 때, 엽전(葉錢)에 '금도(金刀)'라는 글자가 씌어 있었는데, 두 글자를 합치면 '유(劉)'자가 되므로 유씨의 흥기를 꺼려 글자를 고쳐 '화천(貨泉)'이라 일렀음. 그러나 천(泉)자를 나누면 백수(白水)의 두 자가 되고 화(貨)자를 나누면 진인(眞人)의 두 자가 되어 이 또한 광무제(光武帝)가 백수향(白水鄕)에서 일어나는 전조가 되었음. ②전(轉)하여, '돈'의 이칭.

백수 풍신【白首風神】명 노인의 좋은 풍채.

백수 풍진【白首風塵】명 늙바탕에 겪는 세상의 어지러움.

백수-한【白首恨】명 〖악〗 판소리 부르기에 앞서 목을 풀기 위하여 부르는 단가(短歌)의 하나. 무정한 세월에 어느덧 백발이 되어 늙음을 한탄하는 내용으로, 중모리 장단임.

백숙[1]【白熟】명 맹물에 삶은 음식. 또, 맹물에 삶는 일. ¶ 영계 ~. ——-하다 타 여불

백숙[2]【伯叔】명 네 형제 가운데 맏이와 셋째.

백숙-병【白熟餠】명 밀가루를 세 쪽으로 나누어, 하나는 술을 부어 괴게 하고, 다른 하나는 물에 반죽하고, 나머지는 꿀이나 조청에 반죽하여 모두 합쳐서 치고 밀어서 조각 낸 뒤에 번철(燔鐵)에 익힌 떡.

백-숭희【白崇禧】[—히] 명 〖사람〗 '바이 충시'를 우리 음으로 읽은 이름.

백-스윙〔backswing〕명 구기(球技)·투척 경기에서, 타력(打力)·투력(投力)을 증가시키기 위해 팔을 뒤로 크게 젓는 일.

백 스크린〔back+screen〕명 야구에서, 투수의 투구가 타자에게 잘 보이도록 구장(球場)의 센터 후방에 설치하는 녹색의 차광벽(遮光壁).

백-스톱〔backstcp〕명 야구에서, 공이 멀리 달아나지 아니하도록 포수(捕手)의 뒤에 설치한 철망 같은 것. 백네트.

백-스트레치〔backstretch〕명 육상 경기 등의 트랙(track)에서, 결승점의 반대쪽 직선 주로(走路).

백-스트로:크〔backstroke〕명 수영에서, 배영(背泳). 송장 헤엄.

백-스페이스〔backspace〕명 타이프라이터에서, 백스페이스 키를 누름으로써 캐리지(carriage)를 한 글자 분만큼 후퇴시키는 일. ——-하다 자 형 여불

백-스페이스 키:〔backspace key〕명 타자기(打字機)의 후퇴 단추. 뒷걸음쇠.

백승【百勝】명 ①노상 이김. ¶ 백전(百戰) ~. ②모든 것이 다 나음.

백승지-가【百乘之家】명 〔전시(戰時)에 수레 백 대를 놓은 집이라는 뜻〕 경대부(卿大夫)의 집.

백시[1]【白柹·白柿】명 곶감. 건시(乾柹).

백시[2]【白視】명 시야 상실(視野喪失).

백시-죽【白柹粥】명 곶감을 물에 담갔다가 체에 걸러서 찹쌀 뜨물과 꿀을 타서 쑨 죽.

백신[1]【白身】명 ①벼슬이 없는 사람. ②백장.

백신[2]〔vaccine〕명 〖의〗 〔본디, 우두(牛痘)의 뜻〕 각종 전염병의 병원균(病原菌)으로 만든 세균성 제제(細菌性製劑)로, 접종용(接種用)에 쓰이는 면역 재료(免疫材料). 감작(感作) 백신·자가(自家) 백신·다가(多價) 백신 등의 종별(種別)이 있음. '왁친(Vakzin)'의 영어명.

백신-기【白神旗】명 〖역〗 중오방기(中五方旗)의 하나. 서방(西方)에 세움. 흰 바탕에 가장자리와 화염은 누른빛이며 바탕에 마원수(馬元帥)라는 군신(軍神)의 화상과 운기(雲氣)를 그렸음. 기면(旗面) 다섯 자 평방, 깃대 길이 열여섯 자. 영두(纓頭)·주락(珠絡)·장목이 있음.

백-신(:)애【白信愛】명 〖사람〗 여류 소설가. 본명 무잠(武岑). 경북 영천(永川) 출생. 대구 사범 학교 강습과를 나와, 보통 학교 교사를 하다가, 단편 ≪나의 어머니≫로 1929년에 문단에 데뷔, ≪꺼래이≫·≪적빈(赤貧)≫·≪호도(糊塗)≫ 등 현실주의 경향의 단편을 발표하였으나, 32세로 요절함. [1908-39]

백신 요법【—療法】〔vaccine〕[—뻡] 명 〖의〗 백신을 사용하는 전염병의 예방 방법. 결핵에 대한 비시지(BCG) 요법, 천연두에 대한 종두, 소아 마비에 대한 소크(Salk) 백신 요법 및 그 밖의 세균성 질환에 대한 백신의 주사 따위.

백신 주:사【—注射】〔vaccine〕명 〖의〗 예방 주사의 한 가지. 이것을 주사하면, 그것이 함유하는 균 또는 독소에 대하여 몸 안에 항체(抗體)를 발생시켜 면역(免疫)을 얻을 수 있음. 장티푸스·콜레라·백일해·폐렴·결핵병·홍역 등에 놓음.

백실【白失】명 밑천까지 몽땅 잃음. ——-하다 타 여불

백-씨[1]【白氏】명 백거이(白居易)를 성씨(姓氏)로 일컫는 이름.

백씨[2]【百氏】명 백가(百家).

백씨[3]【伯氏】명 남의 맏형을 존대하여 일컫는 말.

백씨 문집【白氏文集】명 〖책〗 중국 당(唐)나라 백거이(白居易)의 시문집(詩文集). 71권으로 됨. 백씨 장경집(白氏長慶集).

백씨 장경집【白氏長慶集】명 〖책〗 〔장경(長慶)은 저자가 활약한 중국 당나라 목종(穆宗)의 연호〕 백씨 문집.

백아[1]【白鵝】명 ①〖조〗 거위[1]. ②〖악〗 편경(編磬)의 가자(架子)를 버티기 위하여 방대(方臺) 위에 올려 놓은 나무로 만든 물오리.

백아[2]【伯牙】명 〖사람〗 중국 춘추 시대의 거문고의 명인. 그의 거문고를 잘 들어 주고 이해하던 친구 종자기(鍾子期)가 죽자, 자기의 거문고 소리를 이해하는 사람을 잃었다고 슬퍼한 나머지 현(絃)을 끊고 일생 동안 거문고를 타지 아니하였다고 함. 생몰년 미상.

백아-도【白牙島】명 〖지〗 인천 광역시(廣域市) 옹진군(甕津郡) 덕적면(德積面) 백아리(白牙里)를 이루는 섬. 덕적도(德積島)의 서남쪽 14 km 해상에 있음. [1.75 km²]

백아 절현【伯牙絶絃】명 〔백아(伯牙)가 친구의 죽음을 슬퍼하여 거문고 줄을 끊었다는 중국 고사(故事)에서〕 참다운 벗의 죽음을 이르는 말.

백아-현【白鵝峴】명 〖지〗 경상 북도 안동시(安東市)와 예천군(醴泉郡) 사이에 있는 고개. 뱁재. [281 m]

백악[1]【白堊】명 ①유공충(有孔蟲) 또는 그 밖의 미생물의 시체가 쌓여서 되는 백색 분상(白色粉狀)의 부드러운 탄산 석회(炭酸石灰). 영국·독일·프랑스·미국 등지에 광대한 지층을 형성하고 있음. 호분(胡粉). ②백토(白土)❶. ③석회(石灰)로 칠한 흰 벽. 소악(素堊). ¶ ~의 전당.

백악[2]【百惡】명 모든 악(惡). 온갖 나쁜 짓.

백악-계【白堊系】명 백악기(白堊紀)의 지층(地層). 일본 홋카이도(北海道) 등지에 많음.

백악-관【白堊館】명 미국 워싱턴에 있는 미국 대통령의 관저(官邸). 미국 정부를 지칭하기도 함. 1815년 개장(改裝)할 때 외벽을 희게 칠한 데서 이 이름이 유래됨. 화이트 하우스(White House).

백악 구비【百惡具備】명 온갖 나쁜 짓이 다 갖추어져 있음. ——-하다 형 여불

백악-기【白堊紀】명 〔Cretaceous period〕〖지〗 지질 시대에 있어 중생대(中生代)의 말기. 약 1억 4천만 년-6천 5백만 년 전의 시대. 이 시대는 유공충(有孔蟲)·파충류 등이 번성하였으며, 식물은 양치류(羊齒類)·피자(被子) 식물 등이 있었음.

백악기 해:침【白堊紀海浸】명 〔transgression〕〖지〗 백악기 중기부터 후기에 거쳐 대륙의 많은 지역이 침강(沈降)하여 해역(海域)이 넓어진 현상.

백악-산【白嶽山】명 〖지〗 북악산(北嶽山).

백악-질【白堊質】명 ①백악의 성질. 백토질(白土質). ②시멘트질(質).

백악-층【白堊層】명 〖지〗 백악의 층을 이룬 것으로 백악기(白堊紀)의 대표적인 지층.

백안[1]【白眼】명 ①〖생〗 눈알에 있는 흰자. 백목(白目). ②시쁘게 여기거나 냉대(冷待)하여 보는 눈. 노려 보는 눈. ↔청안(靑眼).

백안[2]【白雁】명 흰 기러기.

백안[3]【伯顏】명 〖사람〗 '바얀(Bayan)'의 한자 이름.

백안-도【百雁圖】명 〖미술〗 여러 모양의 기러기를 그린 그림.

백안-시【白眼視】명 시쁘게 여기거나 냉대(冷待)하여 봄. 냉대(冷待)함. ¶ 센징(鮮人)이라고 한국 학생들이 ~ 당하고 있었다. ↔청안시(靑眼視). ——-하다 타 여불

백안-작【白眼雀】명 〖조〗 동박새.

백암【白巖】명 〖사람〗 박은식(朴殷植)의 호(號).

백암-산[1]【白庵山】명 〖지〗 강원도 회양군(淮陽郡) 안풍면(安豐面)과 사동면(泗東面) 사이에 있는 산. [1,241 m]

백암-산[2]【白巖山】명 〖지〗 ①강원도 김화군(金化郡) 원동면(遠東面)과 화천군(華川郡) 화천읍(華川邑) 사이에 있는 산. [1,179 m] ②경상 북도 울진군(蔚珍郡) 온정면(溫井面)에 있는 산. [1,004 m] ③강원도 회양군(淮陽郡) 난곡면(蘭谷面)에 있는 산. [1,110 m] ④함경 남도 신흥군(新興郡) 동상면(東上面)과 영고면(永高面) 사이에 있는 산. [1,740 m] ⑤함경 남도 덕원군(德源郡)과 강원도 이천군(伊川郡) 사이에 있는 산. [1,229 m] ⑥평안 북도 위원군(渭原郡) 숭정면(崇正面)과 강계군(江界郡) 화경면(化京面) 사이에 있는 산. [1,822 m] ⑦평안 남도 영원군(寧遠郡) 온화면(溫和面)과 영락면(永樂面) 사이에 있는 산. [1,105 m] ⑧평안 남도 영원군과 덕천군(德川郡) 사이에 있는 산. [1,523 m]

백암 온천【白巖溫泉】명 〖지〗 경상 북도 울진군(蔚珍郡) 온정면(溫井面) 온정리(溫井里)에 있는 온천. 방사능 유황천(放射能硫黃泉)으로, 수온은 32-53℃이고 우리 나라에서 가장 강한 알칼리성을 나타냄. 피부염·관절염·신경통·간질환 등에 효과가 있음.

백앙【百殃】명 백 가지 재앙. 많은 재앙.

백-애(:)회【白愛繪】명 〖사람〗 조선 선조·인조 때의 문인. 자(字)는 여빈(汝彬). 19세 때 임진 왜란을 당하여 일본에 붙잡혀 가 온갖 형극을 겪다가 9년 만에 돌아옴. 문집으로 ≪송담집(松潭集)≫이 전함. [1574-1642]

백액【白額】명 흰 이마.

백액 대:호【白額大虎】명 백액호(白額虎).

백액-호【白額虎】명 이마와 눈썹이 흰 범. 백액 대호.

백야[1]【白也】명 '이백(李白)'을 이름. '也'는 친한 사람 이름 밑에 붙이는 접미사.

백야[2]【白冶】명 〖사람〗 김좌진(金佐鎭)의 호(號).

백야[3]【白夜】명 고위도(高緯度) 지방에서, 여름에 일몰(日沒)과 일출(日出) 사이에, 반영(反映)하는 태양 광선 때문에 박명(薄明)이 계속되는 굉장히 짧은 밤. 또, 그러한 현상. 북극 지방에서는 하지(夏至), 남극 지방에서는 동지(冬至)경에 일어나는데, 길이는 위도(緯度)에 따라 다르며, 가장 긴 데는 반 년이나 계속됨. ↔극야.

백야-도【白也島】명 〖지〗 ①전라 남도 남해안(南海岸), 여천군(麗川郡) 화정면(華井面) 백야리(白也里)를 이루는 섬. [3.08 km²: 1,100명(1987)] ②전라 남도 서해상(西海上), 신안군(新安郡) 장산면(長山面) 팽진리(彭津里)에 위치한 섬. [0.24 km²]

백약【百藥】명 온갖 약. ¶ 술은 ~의 으뜸.

백약 무효【百藥無效】명 좋다는 약을 다 써도 병이 낫지 아니함. ——-하다 형 여불

백약-전【百藥煎】명 〖한의〗 ①오배자(五倍子)와 찻잎과 누룩을 조합하여 발효(醱酵)시킨 약. 기침·담증·하혈·탈항(脫肛) 등에 씀. ②아선약(阿仙藥).

백약지-장【百藥之長】명 '술'의 이명(異名).

백양[1]【白羊】명 흰 양.

백양[2]【白楊】명 〖식〗 ①황철나무. ②사시나무. ③은백양.

백양[3]【百樣】명 여러 가지 모양. 백태(百態). ¶ ~ 백색.

백양-궁【白羊宮】명 〔Aries〕〖천〗 황도(黃道) 십이궁(十二宮)의 제1궁. 황도상의 경도(經度) 영도(零度)에서 30도(度)까지를 이름. 태양은 해

마다 3월 21일에 경도 영도인 춘분점(春分點)을 지나서 이 궁(宮)에 들어 4월 21일경까지 있음.
백양-사【白羊寺】명〖불교〗전라 남도 장성군(長城郡) 북하면(北下面) 약수리(藥水里) 백양산(白羊山)에 있는 25 교구 본사(敎區本寺)의 하나. 백제 무왕(武王) 33년(632)에 여환 대사(如幻大師)가 세웠음. 종전에 31 본산(本山)의 하나였음.
백양-선【白羊鮮】명〖식〗백선(白鮮).
백-양지【白洋紙】명 색이 하얗고 질이 좋은 서양 종이.
백어【白魚】명 ①〖어〗뱅어. ②〖충〗반대좀.
백어-도【百魚圖】명 어락도(魚樂圖).
백어 입주【白魚入舟】명〔중국 주(周)나라 무왕(武王)이 은(殷)나라의 주왕(紂王)을 치려고 강을 건널 때 백어가 배에 뛰어들어 은나라가 항복할 조짐을 보였다는 고사(故事). 백(白)은 은조(殷朝)의 빛깔〕적이 항복함을 비유하여 이르는 말.
백억 세:계【百億世界】명〖불교〗부처가 백억 화신이 되어 교화시키는 세계. 곧, 온 세상.
백억-신【百億身】명〖불교〗↗백억 화신(百億化身).
백억 화:신【百億化身】명〖불교〗백억(百億)이나 되는 석가(釋迦)의 화신. 준 백억신(百億身).
백업¹【白業】명〖불교〗착한 짓.
백-업²〔backup〕명 ①야구에서, 수비자(守備者)의 실수에 대비하여, 그 뒤에 다른 수비자가 대비하는 일. ②배후에서 지원(支援)하는 일. ③〖컴퓨터〗잘못된 조작에 의한 데이터 파일(data file) 등의 파괴나 동작 장애에 대비하여 카피(copy)를 만들어 놓는 일. ──-하다 타 여불
백업 시스템〔backup system〕명〖컴퓨터〗보완(補完) 시스템.
백업 파일〔backup file〕명〖컴퓨터〗보완(補完) 파일.
백-여우【白─】[─녀─] 명 ①흰 여우. 백호(白狐). ②〈속〉요사스러운 여자를 욕하는 말.
백역-산¹【白亦山】명〖지〗함경 남도 신흥군(新興郡)의 원천면(元川面)·영고면(永高面)·동상면(東上面) 경계에 있는 산. [1,855 m]
백역-산²【白易山】명〖지〗강원도 김화군(金化郡) 창도면(昌道面)과 원북면(遠北面) 사이에 있는 산. [1,109 m]
백연¹【白煙】명 흰 연기.
백연²【白鉛】명〖화〗염기성(鹽基性) 탄산납.
백연³【百緣】명 여러 가지 인연(因緣).
백연-광【白鉛鑛】명〔cerussite〕〖광〗납의 중요한 광석(鑛石). 성분은 탄산(炭酸)납이며 사방 정계(斜方晶系)이고, 결정(結晶)은 주상(柱狀)·추상(錐狀)인데, 다이아몬드 광택(光澤)이 있음. 세루사이트(cerussite). [$PbCO_3$]
백-연와【白煉瓦】[─년─] 명 광재(鑛滓)를 원료로 하여 만든 벽돌.
백열【白熱】[─녈] 명 ①〔white-heat〕〖물〗물체가 백색광(白色光)에 가까운 빛을 발할 정도로 아주 높은 온도에서 가열되는 일. 구리·철(鐵)은 1500°-1600°C에 백열을 냄. ②극도에 오른 정열의 비유. 최고조(最高潮)에 달했을 때의 열기(熱氣). ¶ 토론이 ∼화하다.
백열 가스【白熱─】〔gas〕[─녈─] 명 ↗백열 가스등(燈).
백열 가스등【白熱─燈】〔gas〕[─녈─] 명 백열투(白熱套)를 씌운 가스등(gas燈). 흰 빛의 불꽃이 나서 보통 것보다 더 밝음. 준 백열 가스.
백열-등【白熱燈】[─녈뜽] 명 백열 가스등·백열 전기 등의 총칭.
백열 맨틀【白熱─】〔mantle〕[─녈─] 명 맨틀²(mantle)❶.
백열-선【白熱線】[─녈썬] 명〖전〗백열 전구 안의 불이 켜지는 코일선(coil線). 녹는점이 높고 저항(抵抗)이 큰 금속이 쓰임.
백열-적【白熱的】[─녈쩍] 명관 정열이 최고조(最高潮)에 달하거나 또는 극도로 열중한 모양.
백열-전【白熱戰】[─녈쩐] 명 온갖 재주와 힘을 들여 맹렬히 싸우는 싸움이나 경기(競技). 익사이팅 게임. 클로즈 게임.
백열 전:구【白熱電球】[─녈─] 명 전구의 한 가지. 그 속을 진공(眞空)으로 하였거나 적당한 기체(氣體)를 봉입(封入)한 유리 구내(球內)에 융해점(融解點)이 높은 금속 코일이나 텅스텐선(tungsten線) 같은 것을 넣어서 흰 빛이 나게 만든 것으로, 일반적으로 흔히 사용하는 전구임.
백열 전:기등【白熱電氣燈】[─녈─] 명 백열 전구를 사용하는 전등. 준 백열 전등.
백열 전:등【白熱電燈】[─녈─] 명 ↗백열 전기등(白熱電氣燈).
백열-철【白熱鐵】[─녈─] 명 고온으로 가열되어 백색광을 내는 철.
백열 텅스텐 전:구【白熱─電球】〔tungsten〕[─녈─] 명〖전〗필라멘트(filament)를 텅스텐으로 하고 이를 백열시켜서 빛을 내는 전구. 보통의 전구는 모두 이 방식임.

흑색유리
외부도입선
차열판
내부도입선
앵커
필라멘트
〈백열 텅스텐 전구〉

백열-투【白熱套】[─녈─] 명 가스등의 불길을 싸서 그 광력(光力)을 세게 하는 물건. 면사·인조 견사 같은 것으로 만든 망상(網狀)의 주머니를 질산 나트륨·질산 세륨의 용액에 적시어서 구워 만듦. 가스 맨틀(gas mantle).
백열-화【白熱化】[─녈─] 명 더없이 열띤 상태로 되어 감. 매우 열띤 상태로 몰아 감. 곧, 긴박감이 한층 높아지며 최고조의 무드가 조성되어 가는 상태. ──-하다 자타 여불
백염【白塩】[─념] 명 정제(精製)한 하얀 소금. 알이 굵고, 청염(青塩)보다 깨끗함.
백엽【百葉】명〖생〗처녑.
백엽고-병【白葉枯病】[─뼝] 명〖식〗박테리아의 기생에 의하여 일어나는 벼의 병. 폭풍우나 뇌우(雷雨)가 지나간 다음에 갑자기 퍼지는데 잎의 끝에서부터 청백(青白) 또는 회백색의 병반(病斑)이 커져서, 이삭이 나온 후에 발생하면 잎 전체가 말라 버림.
백엽-다【柏葉茶】명 동쪽으로 뻗은 잣나무의 잎을 말렸다가 달인 차.
백엽-상【百葉箱】명〖기상〗기온·습도·기압 등을 측정하기 위하여 만들어진 상자. 보통 크기가 1 m³가량인데, 일사(日射)나 복사(輻射)를 반사하기 위해 그 안팎 쪽에 흰 페인트를 칠한 미늘 창살로 되었고 통기가 잘되게 천장에 통기통을 달았음. 지상 1.5 m 가량 되는 곳에 네 다리로 고정(固定) 시켜 둠.

〈백엽상〉

백엽-주【柏葉酒】명 측백(側柏)나무 잎을 담갔다가 우려 낸 술.
백-영사【白靈砂】[─녕─] 명〖한의〗수은(水銀)을 고아서 하얀 결정(結晶)으로 만든 물건. 약에 씀. 분상(粉霜). 은상(銀霜). 수은상(水銀霜).
백-영산【白映山】명〖식〗영산백(映山白).
백오【白烏】명 ①〔진시황(秦始皇)이 인질로 삼았던 연(燕)나라의 태자 단(丹)에게, 까마귀의 머리가 하얗게 되고 말에 뿔이 나면 고국(故國)으로 보내주겠다고 하여 단은 탄식의 세월을 보내고 있었던 바, 과연 그런 사실이 나타났다는 고사(故事)에서 온 말〕중국에서, 길(吉)한 징조를 뜻한다는 상상(想像)의 흰 까마귀. 있을 수 없는 일을 비유하는 말로도 쓰임. ②〖지〗강원도 평창군(平昌郡)의 신라 때 이름.
백 오:더〔back order〕명 전번 주문(注文)이, 납기(納期)가 늦어 차기(次期)로 이월(移越)되는 일.
백오인 사:건【百五人事件】[─껀] 명〖역〗1911년에서 그 이듬해에 걸쳐 일제(日帝)가 조작(造作)하여, 민족주의자들을 체포·투옥한 사건. 1910년 선천(宣川)에서 안명근(安明根)의 조선 총독 데라우치 마사타케(寺內正毅) 암살 미수 사건이 일어나자, 이를 구실로 각계의 지도층 인사 6백여 명을 체포하고, 이듬해 그 중, 윤치호(尹致昊)·양기탁(梁起鐸)·이승훈(李昇薰)·유동열(柳東說) 등 신민회(新民會) 회원 105명을 징역에 처하였음. 이 사건으로 신민회는 자연 해체됨.
백옥¹【白玉】명 흰 빛깔의 옥. ¶ ∼같이 희다. ↔홍옥(紅玉).
[백옥이 진토에 묻힌다] ㉠현상(現狀)은 곤궁하게 보이나 본색(本色)은 변함없이 훌륭함을 이름. ㉡훌륭한 인재가 불우(不遇)하게 지냄을 일컫는 말.
백옥²【白屋】명 가난한 사람의 초가집.
백옥-경【白玉京】명 옥경(玉京).
백옥-루【白玉樓】[─누] 명〔당(唐)나라 시인 이하(李賀)가 죽을 때에 천사가 와서 '천제(天帝)의 백옥루가 이루어졌는데, 그대를 불러 그것을 기록하게 하려 하노라'라고 말했다는 고사(故事)에서 온 말〕문인·묵객(墨客)이 죽은 뒤에 간다는 누각. 준 옥루(玉樓).
백옥 무하【白玉無瑕】명 아무 흠이 없는 사람의 비유.
백옥-미【白玉米】명 백옥같이 흰 쌀.
백옥-반【白玉盤】명 ①봉선제(封禪祭)에 쓰는, 안주를 담는 그릇. ②'달'의 이칭(異稱).
백옥-유【白玉釉】[─뉴] 명〖공〗도자기에 칠하는 유약의 한 가지. 납유리 가루로 만든 저화도(低火度)의 연유(鉛釉).
백-완두【白豌豆】명 완두콩의 백색 품종으로 꽃이나 종자가 흰 것.
백완-반【百玩盤】명〖민〗첫 돌날 돌잡힐 때 어린아이 앞에 여러 가지 물건을 담아 벌여 놓는 반(盤). 그 반에 담긴 물건 중에서 맨 먼저 집는 것으로써 그 아이의 장래를 점치는데, 가령 붓을 들면 문인(文人), 활을 집으면 무인(武人)이 된다 함. 돌상.
백왕【百王】명 ①많은 임금. ②백대(百代)의 임금.
백-용성【白龍城】명〖사람〗항일(抗日) 독립 운동을 한 조선 말기의 승려. 3·1 운동 때의 민족 대표 33인 중의 한 사람. 전남 출생. 법명은 진종(震鍾), 속명은 상규(相奎), 용성은 그의 법호. 저서로는 ≪용성 선사 어록(龍城禪師語錄)≫ 따위가 있음. [1864-1940]
백우¹【白雨】명 ①누리². ②소나기.
백우²【白疣】명〖의〗무사마귀.
백우³【百憂】명 여러 가지 근심. 백리(百罹).
백우-선【白羽扇】명 새의 흰 깃으로 만든 부채.

〈백우선〉

백우-시【白羽矢】명 흰 깃으로 깃을 단 화살. 독수리의 그것을 씀.
백운¹【白雲】명 ①흰 구름. ↔흑운(黑雲). ②〖불교〗절의 큰방 웃목 벽에 써 붙인, 손님의 자리를 가리키는 문자(文字). 오고 가고 한다는 뜻.
백운²【白雲】명〖사람〗이규보(李奎報)의 호(號).
백운 거사 어:록【白雲居士語錄】명〖문〗고려 고종 때의 문인 이규보(李奎報)가 백운 거사로 자호(自號)하고, 이 호를 가지게 된 내력과 이 시기의 그의 인생관 내지 사상을 나타낸 소품적(小品的)인 글.
백운거사-전【白雲居士傳】명〖문〗고려 고종 때의 문인 이규보(李奎報)가 청년 시절 천마산(天摩山)에 은거할 시기에 그의 심경을 서술한 자서전적(自敍傳的) 전기(傳記).
백운-관【白雲觀】명 중국 베이징(北京) 교외에 있는 도교(道敎)의 본산.
백운-교【白雲橋】명 불국사의 연화교. 칠보교의 동쪽에 위치함.
백운-대【白雲臺】명〖지〗삼각산(三角山) 가운데의 가장 높은 봉우리. 인수봉(仁壽峰)·만경대(萬景臺)와 함께 기암 절벽·약수물 등과 전망이 훌륭하여 좋은 등산처로 알려짐. [836 m]
백운동 서원【白雲洞書院】명〖역〗조선 시대 중종(中宗) 38년(1543)에 풍기 군수(豐基郡守) 주세붕(周世鵬)이 고려의 명유(名儒) 안향(安珦)의 구거지(舊居地)인 백운동(白雲洞), 지금의 영주시(榮州市) 순흥면(順興面) 내죽리(內竹里)에 세운 서원. 명종(明宗) 때 소수 서원(紹修書院)이라 고침. 우리 나라 서원의 시초임.
백-운모【白雲母】명〖광〗운모의 한 가지. 성분 구조는 칼륨·알루미늄

등의 규산염류. 단사 정계(單斜晶系)에 속하며, 육각판 모양을 이루고 무색 또는 담색을 띰. 전기 절연체(絕緣體) 또는 내열(耐熱) 보온 재료로 쓰임. 흰돌비늘. 은운모(銀雲母).

백운-산【白雲山】명〖지〗①경상 남도 함양군(咸陽郡)의 백전면(柏田面)과 서상면(西上面) 사이에 있는 산. [1,279m] ②전라 남도 광양시(光陽市)의 옥룡면(玉龍面)·진상면(津上面)·다압면(多鴨面) 사이에서 경계를 이루는 산. [1,218m] ③충청 북도 제천시(堤川市) 백운면(白雲面)과 강원도 원주시(原州市) 판부면(板富面) 사이에 있는 산. [1,087m] ④강원도 정선군(旌善郡) 고한읍(古汗邑)과 영월군(寧越郡) 상동읍(上東邑) 사이에 있는 산. [1,425m] ⑤함경 남도 장진군(長津郡)에 있는 산. [1,075m] ⑥함경 남도 함주군(咸州郡)과 정평군(定平郡) 사이에 있는 산. [1,078m]

백운-석【白雲石】명 〔dolomite〕〖광〗백색(白色) 또는 무색(無色)의 삼방정계(三方晶系) 탄산염(炭酸塩) 광물. 방해석(方解石)과 같은 정도의 대칭 구조(對稱構造)를 가지고 있지만 마그네슘과 치환(置換)된 층(層)과 칼슘 이온층(層)이 엇갈려 있음. 돌로마이트. 고회석(苦灰石).

백운 소:설【白雲小說】명〖책〗고려 고종 때의 문인 이규보(李奎報)가 지은 시화(詩話) 및 잡기(雜記). 삼국 시대부터 이규보 당대까지의 시인들과 그들의 시에 대하여 논함. '소설'이라는 명칭은 조그만 이야기의 뜻으로 쓴 듯함. 홍만종(洪萬宗)이 찬집한 ≪시화 총림(詩話叢林)≫에 28편이 전함.

백운-암【白雲岩】명〖광〗백운석(白雲石)으로 된 바위. 내화(耐火) 벽돌의 원료임. 돌로마이트(dolomite).

백운-천【白雲天】명 흰 구름이 낀 하늘.

백운-타【白雲朶】명〖식〗꽃이 희며 꽃판이 크고 두꺼운 국화.

백운타-회【白雲朶膾】명 육회(肉膾)나 어회(魚膾)에 백운타(白雲朶)의 꽃잎을 넣은 것.

백운-향[1]【白雲香】명 이화주(梨花酒)❶.

백운-향[2]【白雲鄕】명 천제(天帝)의 거소(居所). 선향(仙鄕).

백웅【白熊】명〖동〗흰곰.

백-워:터〔backwater〕명〖토〗하천이나 댐(dam)을 수문으로 막았을 경우, 그 상류 쪽에 불어서 괸 물. 배수(背水).

백-원미【白元味】명 흰 원미.

백원 학파【百源學派】명〔백원(百源)은 소옹(邵雍)이 독서한 허난 성 후이 현(河南省輝縣)의 산 이름〕중국 북송(北宋)의 소옹(邵雍)의 학파. 수리(數理)로써 천지(天地)를 관찰하며, 천지 만물은 일원(一元), 곧 12만 9천 600년 만에 일변(一變)한다는 학설을 주장함.

백월[1]【白月】명 밝은 달. 명월(明月)·소월(素月).

백월[2]【白月】명〖불교〗한 달을 두 보름으로 갈라서 계명(戒命)을 설(說)하는 기간(期間)인 선보름을 일컫는 말. ↔흑월(黑月).

백월-비【白月碑】명 ↗백월 서운탑비(白月栖雲塔碑).

백월 서운탑비【白月栖雲塔碑】명 신라 효공왕(孝恭王)과 신덕왕(神德王)의 국사(國師)인 낭공 대사(郎空大師)의 탑(塔)의 명(銘)을 새긴 비(碑). 경상 북도 봉화군(奉化郡) 태자산(太子山) 속의 태자사(太子寺)에 세운 것을 영주시(榮州市)로 옮겼다가, 서울 경복궁(景福宮) 안의 박물관에 보존함. ㊀백월비.

백위-군【白衛軍】명〖역〗1917년의 러시아 혁명에서, 적위군(赤衛軍)에 대항하여 정권(政權)을 탈회(奪回)하려고 한 제정파(帝政派)에 의하여 조직된 반혁명군(反革命軍). ㊀백군(白軍). ↔적위군(赤衛軍).

백유[1]【白油】명 유동 파라핀(流動 paraffin).

백유[2]【白楡】명 ①느릅나무. ②'별'의 아칭(雅稱).

백-유마【白油麻】명〖식〗참깨.

백-유와【白釉碟】명〖미술〗무색유(無色釉)로 쓰이는 석료(石料).

백육-운【百六韻】[―뉴―] 명〖언〗중국의 음운학(音韻學)에서 운목(韻目)을 106으로 나눈 것. 원(元)의 음시중(陰時中)·음시부(陰時夫) 형제의 운부 군옥(韻府群玉)에 의하여, 백칠운(百七韻) 곧 평수운(平水韻) 중의 상평성(上平聲), 증(拯)의 운을 형(迥)의 운에 합한 것임. 현행(現行)의 한시(漢詩)의 운은 이것에 의함.

백육-재【白肉材】명〖건〗백변재(白邊材).

백은【白銀】명 은(銀).

백-은배【白殷培】명〖사람〗조선 시대 말기의 화가. 자는 계성(季成). 호는 임당(琳唐). 임천(林川) 사람. 화원(畫員)으로 벼슬이 지중추부사(知中樞府事)에 이르렀으며 인물(人物)·산수(山水)·영모(翎毛)를 잘 그렸음. [1820-?]

백음【白淫】명〖한의〗누정(漏精) 또는 유정(遺精)이 되는 병. 수음(手淫)·과색(過色)·임질(淋疾)·포경(包莖)·신경 쇠약(神經衰弱) 등이 원인으로 생김.

백응【白鷹】명〖조〗흰 매.

백의【白衣】[―/―이] 명 ①흰 옷. ¶~의 천사. ②포의(布衣). ③〖불교〗속인(俗人)❸.

백의 관음【白衣觀音】[―/―이―] 명〖불교〗33관음(觀音)의 하나. 흰 옷을 입고 흰 연꽃 가운데에 앉은 관음.

〈백의 관음〉

백의-단【白衣團】[―/―이―] 명〖사〗큐 클럭스 클랜❷.

백의 동포【白衣同胞】[―/―이―] 명 백의 민족.

백의 민족【白衣民族】[―/―이―] 명〔예로부터 흰 옷을 숭상하여 즐겨 입은 데서〕한국 민족의 일컬음. 백의 동포.

백의 선인【帛衣先人】[―/―이―] 명〖역〗조의 선인(皁衣先人).

백의 용:사【白衣勇士】[―/―이―] 명〔치료중에 흰 옷을 입는 데서 나온 말〕상이 군인.

백의 재:상【白衣宰相】[―/―이―] 명 백의 정승(白衣政丞).

백의정승【白衣政丞】[―/―이―] 명 유생(儒生)으로 있던 사람이 단번에 의정(議政) 벼슬에 오른 사람. 백의 재상(白衣宰相).

백의 종군【白衣從軍】[―/―이―] 명 벼슬이 없는 사람으로 군대를 따라 전장(戰場)으로 감. ――하다 자여불

백의 천사【白衣天使】[―/―이―] 명 '간호사'의 미칭(美稱).

백이[1]【百二】명〔이(二)는 배(倍)·곱절의 뜻〕방어(防禦)가 튼튼하여 적(敵)의 백배(百倍)나 되는 유리한 지세.

백이[2]【伯夷】명〖사람〗중국 은(殷)나라의 처사(處士). 성(姓)은 묵태(墨胎), 자(字)는 공신(公信). 고죽군(孤竹君)의 장남이며 숙제(叔齊)의 형임. 무왕(武王)이 은(殷)을 치려는 것을 말리다가 듣지 않으므로, 주(周)나라의 곡식 먹기를 부끄럽게 여기어 수양산(首陽山)에 들어가 고사리를 캐어 먹으며 숨어 살다가 굶어 죽음. 아우와 함께 백이 숙제로 병칭됨.

백이[3]【伯彝】명 공자묘(孔子廟)에서 쓰는 제기(祭器)의 하나.

백이 군자【百爾君子】명 모든 관위(官位)에 있는 사람.

백이 사지【百爾思之】명 갖가지로 생각해 봄. ――하다 타여불

백이 숙제【伯夷叔齊】명〖사람〗중국 은(殷)나라 말기의 사람인 형 백이와 아우 숙제의 병칭. 역성(易姓) 혁명에 반대하는 사상(思想)을 투영한 전설상의 인물임. *백이·숙제.

백이의【白耳義】[―/―이] 명〖지〗'벨기에(België)'의 취음(取音).

백-이정【白頤正】명〖사람〗고려 충선왕 때의 학자. 남포(藍浦) 사람. 중국 원나라에서 정주(程朱)의 성리학(性理學)을 배우고 돌아와 이제현(李齊賢)·박충좌(朴忠佐) 등에게 가르쳐 고려의 성리학을 개척하였음. 생몰 연대 미상.

백인[1]【白人】명 ①날 때부터 터럭과 살빛이 아주 하얀 사람. ②↗백색 인종(白色人種).

백인[2]【白刃】명 시퍼런 칼날. 백병(白兵).

백인[3]【百人】명 ①백 사람. ②성질이 서로 다른 많은 사람. ¶~ 백색(百色). 「*천인(千仞).

백인[4]【百仞】명〔팔백 척(八百尺)을 이르는 말〕몹시 높거나 깊은 모양.

백인[5]【百忍】명〔중국 당(唐)나라 때 고종(高宗)이 9세(世) 동안 일족(一族)이 동거(同居)한 장공예(張公藝)에게 그 도리(道理)를 물으니 인(忍)자 100개를 써서 올렸다는 고사(故事)에서 온 말〕온갖 어려움을 참고 이기며 살아 감을 이름.

백-인걸【白仁傑】명〖사람〗조선 선조 때의 유학자. 자(字)는 사위(士偉). 호는 휴암(休菴). 수원(水原) 사람. 기묘 사화·을사 사화로 고향에 은거하던 중 선조가 즉위하자 대사간·참찬(參贊)에 올랐으며 동서 당쟁의 폐를 논하고 군비 강화를 강조하였음. 시호는 문경(文敬). [1497-1579]

백-인종【白人種】명 ↗백색 인종(白色人種).

백인-화【白人禍】명 백화(白禍).

백일[1]【白日】명 ①쨍쨍하게 비치는 해. ¶죄상이 ~하(下)에 드러나다. 「②대낮.

백일[2]【百日】명 ①하루의 백 갑절이 되는 동안. 일관일(一貫日). ②백날❶. ¶~ 잔치.

[백일 장마에도 하루만 비 더 왔으면 한다] 사람은 일기에 대하여 언제나 자기 본위로 바란다는 말.

백일 개:혁【百日改革】명〖역〗중국 청(淸)나라 덕종(德宗) 때의 정치 개혁. 변법 자강(變法自強)을 목표로 함. 1898년 6월 11일에 시작하여 9월 21일 정변(政變)이 일어남으로써 백일(百日)로 끝남. 무술(戊戌)의 변법. 「――하다 자여불

백일 기도【百日祈禱】명 백 날을 기한하고 어떤 목적으로 드리는 기도.

백일 기침【百日―】명 백일해(百日咳).

백일-도【白日島】[―또] 명〖지〗①전라 남도의 남해상(南海上), 완도군(莞島郡) 군외면(郡外面) 당인리(唐仁里)에 위치한 섬. [0.85km²: 252명(1985)] ②전라 남도의 남해안(南海岸), 고흥군(高興郡) 과역면(過驛面) 백일리(白日里)를 이루는 섬. [2.048km²: 659명(1987)]

백일-몽【白日夢】명 대낮의 꿈. 공상을 심하게 하는 일.

백일 승천【白日昇天】명〖종〗도(道)를 극진히 닦아서 육신(肉身)을 가진 채 신선이 되어 대낮에 하늘로 올라감. 육신 승천. ――하다 자여불

백일 일수【百日日收】[―쑤] 명 백 날에 벌려서 거두는 일수.

백일-장【白日場】[―짱] 명〖역〗유생(儒生)의 학업(學業)을 장려하려고 각 지방에서 베풀던, 시문(詩文)을 짓는 시험. 현재도 한시(漢詩)·시조·자유시 등을 장려하는 목적으로, 국가 또는 어떤 단체에서 실시함. 시문 경작 대회.

백일-재【百日齋】명〖불교〗사람이 죽은 지 백 날 되는 날에 드리는 불공. ㊀백재(百齋).

백일-주【百日酒】[―쭈] 명 담근 뒤에 백 일 동안 땅 속에 묻어 두었다가 거른 술.

백일 천하【百日天下】명〖역〗나폴레옹 1세가 엘바 섬을 탈출하여 1815년 3월 20일에 파리에 들어가 제정(帝政)을 부흥하고 워털루의 싸움에서 패전하여 6월 29일에 퇴위할 때까지의 약 백 일간의 지배. *워털루 대회전.

백일 청천【白日青天】명 해가 비치고 맑게 갠 푸른 하늘.

백일-초【百日草】명〖식〗〔*Zinnia elegans*〕국화과에 속하는 일년초. 줄기 높이 50-90cm이고, 잎은 대생하며 무병(無柄)에 달걀꼴 모양의 타원형임. 7-10월에 엽액(葉腋)에서 화경(花莖)이 나와서 빨강·노랑·자주·담황색·백색 등의 두상화(頭狀花)가 오랫 동안 피고, 번식력도 좋음. 멕시코 원산(原産)으로 각지에서 관상용으로 심음. 백일홍(百日紅).

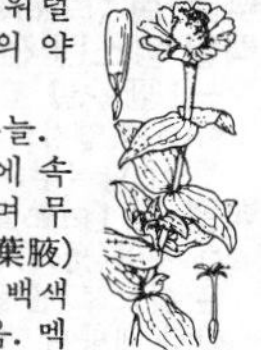
〈백일초〉

백일-해【百日咳】명〔whooping cough〕〖의〗백일해균(菌)에 의하여 생기는 전염병. 3-6세의 어린이들에게 잘 걸리는 기침병으로 특히 겨울에서 봄에 걸쳐 많음. 기침을 연달아 하다가 휘파람 소리를 내고 들이쉼. 오래 되면 끈끈하고 반투명한 가래를 내며 기관지염(氣管支炎)·폐렴을 일으키기 쉬움. 한 번 걸리면 종생(終生) 면역(免疫)이 됨. 효증(哮症). 백일 기침. 백날 기침.

백일해-균【百日咳菌】명〖의〗[*Haemophilus pertussis*] 백일해의 병원균. 1906년 벨기에의 세균학자 보르데(Bordet, Jules)와 프랑스의 세균학자 장구(Gengou, Octave)가 함께 발견하였음. 그람 염색 음성(Gram 染色陰性)이며 비운동성의 작은 간균(桿菌)임.

백일-홍【百日紅】명〖식〗①[*Lagerstroemia indica*] 부처꽃과에 속하는 낙엽 활엽 교목. 높이 7-10m, 잎은 대생하고 길이 3-6cm의 타원형 내지 달걀꼴이며 어린 가지에는 잔털이 났음. 8-10월에 붉은 오판화가 가지 끝에 한 개씩 피며, 삭과(蒴果)는 길이 2cm 가량의 거꿀달걀꼴의 구형(球形)으로 털이 있고 다음해 10월에 익음. 품종에 따라 흰 꽃·담홍색 꽃이 있고 9월부터 다음해 4월까지 피기도 하여 '백일홍'이라 일컬음. 인도·중국 원산으로 한국·일본·오스트레일리아에도 분포함. 종자로 기름을 짜고 재목은 도구재·세공물로 씀. 관상용임. 배롱나무. 자미(紫薇). 자미화. 패양수(怕痒樹). ②백일초(百日草).

〈백일홍❶〉

백일-화【百日花】명 백일초(百日草). 또, 그 꽃.

백자[1]【白子】명 ①→백지[1]. ②〖어〗이리[1].

백자[2]【白字】명 '白'자를 새긴 왕세자(王世子)의 인(印).

백자[3]【白瓷·白磁】명 흰 빛깔의 자기. 순백색의 태토(胎土) 위에 투명한 유약(釉藥)을 씌워서 구운 자기. 청자에 비해 깨끗하고 담박하며 검소한 아름다움을 풍김. 고려 말기에 송나라 정요(定窯)의 영향을 받아 시작되었으나 청자에 눌려 발달하지 못하다가 조선 시대에 들어와 전성기를 이룸. 백사기(白沙器).

백자[4]【百子】명〖역〗백가(百家).

백자[5]【伯姉·伯姊】명 맏누이.

백자[6]【柏子】명 잣.

백자 단자【柏子團餈】명 잣단자.

백자-당【柏子糖】명 잣엿.

백자-도【百子圖】명〖미술〗여러 아기들이 노는 광경을 소재(素材)로 그린 그림. 백자동.

백자-동【百子童】명〖미술〗백자도.

백자-말【柏子末】명 잣가루.

백자 상감【白磁象嵌】명 백자의 바탕에 음각한 후 자토(赭土)를 감입(嵌入)하여 초벌구이한 다음 그 위에 백자유(白磁釉)를 입혀 번조(燔造)한 자기. 고려 때의 것은 자토 외에 청자 태토(胎土)가 감입되기도 함.

백자 상감 연당초문 대:접【白瓷象嵌蓮唐草文大楪】명 15세기 조선 시대에 제작(製作)된 백자 대접. 구연부(口緣部)가 약간 벌어진 고려 백자의 그릇 모양을 하였음. 안쪽 구연(口緣)에 당초문대(唐草文帶)가 있고 외부 측사면(側斜面)은 연당초문대(蓮唐草文帶)를 두름. 높이 7.6cm, 구경 17.5cm, 바닥 지름 6.2cm. 국보 제175호. 국립 중앙 박물관 소장.

백자-인【柏子仁】명〖한의〗측백나무 열매의 씨. 경계(驚悸)·정충(怔忡)·허한(虛汗)·어린애 경간(驚癎)에 약으로 씀. 측백인. 측백자.

백자 전서【百子全書】명〖책〗중국 선진(先秦) 시대에서 명(明)에 이르기까지의 제자 백가(諸子百家)의 책을 합각(合刻)한 책. 1875년에 후베이(湖北)의 숭문 서국(崇文書局)에서 내었음.

백자 전:유어【白子煎油魚】명 이리 저냐.

백자-주[1]【百子酒】명 소주 50 근(斤), 찹쌀 술 10 근에 구기자(枸杞子)·용안육(龍眼肉)·행인(杏仁)·백청(白淸) 각 한 근씩을 넣어서 담갔다가 3 주일 만에 먹는 술. 재래식 특주(特酒)의 하나임.

백자-주[2]【柏子酒】명 잣을 짓이겨 기름을 내서 멥쌀에 섞어 쪄서 술을 담글 때 밑에 깔았다가 떠낸 술.

백자 진사【白瓷辰砂】명 백토 바탕 위에 진사 즉 산화(酸化) 구리로 무늬를 그려서 구워내면 환원(還元) 상태에서 진사가 붉은 색의 문양을 띠게 되는 백자. 도자기에 진사를 사용하여 문양을 나타내는 기법은 우리 나라가 세계에서 최초로 12 세기 후반경부터이며, 17 세기 후반경에는 백자에 진사가 사용되었음이 확실함.

백자 진사 매국문병【白瓷辰砂梅菊文甁】명 15세기 조선 시대의 제작으로, 진사로 파초문(芭草文)과 매국문을 그려 넣은 백자 병. 병구(甁口)가 바깥으로 벌어지고, 목이 조금 긴 형태로 됨. 높이 21.4cm, 구경 4.9cm, 바닥 지름 7.2cm, 국립 중앙 박물관 소장. 국보 제168호.

백자 천손【百子千孫】명 많은 자손.

백자 철화 매죽문 대:호【白瓷鐵畫梅竹文大壺】명 16세기 조선 시대에 만들어진 백자 항아리. 구부(口部)에 당초문(唐草文), 어깨에 연잎문대(文帶), 몸체에는 매화와 죽문(竹文), 그리고 밑면은 파도문대(文帶)가 장식되어 있음. 높이 40cm, 구경 19cm, 바닥 지름 21.5cm. 국립 중앙 박물관 소장. 국보 제166호.

백자 철화 포도문호【白瓷鐵畫葡萄文壺】명 철채(鐵彩)로 포도를 그린 백자 항아리의 하나. 18세기 전반기, 조선 시대의 백자 중 대표적인 항아리. 높이 30.8cm, 구경 15cm. 몸통 지름 28.4cm. 국립 중앙 박물관 소장. 국보 제93호.

백자 청화【白瓷靑華】명〖공〗청화 자기(靑華磁器).

백자 총통【白字銃筒】명 불씨를 손으로 점화하여 발사하는 조선 때의 유통식(有筒式) 화기(火器).

백자-탕【白子湯】명 이리탕.

백자-판【柏子板】명 잣나무의 널빤지.

백작【伯爵】명 오등작(五等爵)의 세째 작위. 후작(侯爵)의 다음, 자작(子爵)의 위. 카운트(count). ㊀백(伯).

백-작약【白芍藥】명〖식〗[*Paeonia japonica* var. *pilosa*] 작약과에 속하는 다년초. 뿌리는 마디가 있고, 줄기는 높이 50cm 내외이며, 여러 조각의 초상엽(鞘狀葉)을 가졌음. 잎은 호생하고 엽병(葉柄)은 길며 잎 뒤는 백색을 띰. 5-6월에 흰 꽃이 줄기 끝에 하나씩 달려 피고, 과실은 골돌(蓇葖)임. 산지의 숲에 나는데 한국 각지에 분포함. 뿌리는 보혈(補血)·진정(鎭靜)·부인과·외과(外科)의 약재로 진중(珍重)됨.

백장[1] 명〔←백정(白丁)〕①소·돼지·개 같은 것을 잡는 것을 업으로 삼는 사람. 도한(屠漢). 재인(宰人). 포정(庖丁). 포한(庖漢). 백신(白身). ¶개 ~. *칼잡이. ②고리 백장❶.
[백장도 올가미가 있어야지] 장사에는 밑천이 있어야 한다는 말. [백장이 버들잎을 물고 죽는다] '백정이 버들잎 물고 죽는다'와 같은 뜻.

백장[2] 명〈방〉벽장(전남·경상).

백장[3]【白藏】명 ①'가을'의 별칭(別稱). 기(氣)가 희고 수장(收藏)한다는 뜻. ②사장(死藏)함. ——-하다 자타여불

백장-고누 명 우물고누에서, 먼저 두는 편이 첫 수에 남의 말의 갈 길을 막는 짓. 이 짓은 허락되지 아니함.

백장 청규【百丈淸規】명〖불교〗중국의 선종(禪宗)의 의식과 규율을 정한 책. 당(唐)나라 원화(元和) 시대(810년경)에 백장산(百丈山)의 회해(懷海)가 만든 것인데, 뒤에 원(元)나라 지원(至元) 2년(1336)에 순종(順宗)의 명으로 여러 청규(淸規)를 집대성(集大成)하여 ≪칙수(勅修) 백장청규≫ 8권이 편찬되었음.

백재[1]【白材】명 변재(邊材).

백재[2]【百齋】명〖불교〗↗백일재(百日齋).

백저【白苧】명 빛깔이 흰 모시. 눈모시. 흰 모시.

백저-포【白紵袍】명 고려 때에 왕 이하 평민에 이르기까지 남녀 구별없이 두루 입었던 흰 모시 포.

백적-산[1]【白跡山】명〖지〗강원도 통천군(通川郡)과 회양군(淮陽郡) 사이에 있는 산. [1,160m]

백적-산[2]【白積山】명〖지〗강원도 평창군(平昌郡)의 대화면(大和面)과 진부면(珍富面) 사이에 있는 산. [1,141m]

백적의 난:【百賊一亂】[ㅡ/ㅡ에ㅡ] 명〖역〗고려 고종(高宗) 24년(1237) 이연년(李延年) 형제가 백제의 옛 땅인 전라도 지방에서 백제의 부흥을 목적으로 일으킨 민란(民亂). 자신을 백적 도원수(百賊都元帥)라 일컬으며 지배층에 항거하였으나 전라도 지휘사(指揮使) 김경손(金慶孫)에 의해 평정되었음.

백전[1]【白錢】명 백통돈.

백전[2]【白戰】명 ①맨손으로 하는 싸움. ②문인(文人)끼리 글재주를 다투는 싸움.

백전[3]【白顚】명 별박이[2].

백전[4]【百戰】명 수없이 많은 전투나 전쟁.

백전-계【百全計】명 안전한 계획. 빈틈 없는 계책(計策).

백전 노:장【百戰老將】명 수많은 싸움을 치른 노련한 장수의 뜻으로, 세상의 온갖 풍파를 다 겪은 사람의 비유. *백전 노졸(百戰老卒).

백전 노:졸【百戰老卒】명 수많은 싸움을 치른 늙은 군졸의 뜻으로, 세상의 온갖 풍파를 다 겪은 사람의 비유. *백전 노장(百戰老將).

백-전립【白氈笠】[ㅡ절ㅡ] 명〖역〗흰 돼지털을 깔아 덮은 전립. 국상(國喪) 때 씀.

백전 백승【百戰百勝】명 싸울 때마다 모조리 이김. ——-하다 자여불

백전-풍【白癜風】명〖한의〗백납.

백절【百折】명 여러 번 꺾임. ——-하다 자여불

백절 불굴【百折不屈】명 수없이 꺾어도 결코 굽히지 아니함. 만난(萬難)을 극복하여 이겨 나감. 백절 불요. ——-하다 자여불

백절 불요【百折不撓】명 백절 불굴(百折不屈). ——-하다 자여불

백절-치듯 副 ☞백차일 치듯. ¶~ 박혀 있는 관객들 사이에서 곽주범을 알아낼 수는 도저히 없는 것이다≪張德祚 : 누가 죄인이냐≫.

백-점토【白粘土】명 흰 찰흙. 경상 남도 진양군(晋陽郡)에서 나는데 자기(陶瓷器)의 원료임.

백접【白蝶】명〖충〗흰나비❶.

백접-도【百蝶圖】명〖미술〗온갖 나비가 여러 가지 꽃에서 노니는 광경을 소재(素材)로 그린 그림.

백정[1]【白丁】명〖역〗①고려 시대에, 토지를 직접 경작하는 일반 농민. 특정한 직역(職役)이 없었음. ②고려 시대에, 단독으로 정호(丁戶)를 구성하여 토지를 가지지 못하고, 한 사람의 정(丁)으로 취급할 수 없는 사람들. 서인(庶人) 계급에 속하는 일종의 한인(閑人)이었음. ③조선 세종 7년(1425)에, 북방 민족의 귀화인(歸化人)인 양수척(揚水尺)을 평민으로 승격시켜 그들의 불평을 없애고 또 쉽게 부려먹기 위해, 병정(兵丁)에 편입시켜 관(官)에서 내린 칭호. 특수 부락을 이루어 도살업(屠殺業)·광대·고리 제조 등에 종사하였음. 천인(賤人)으로서, 국가에 대한 부담이 없었음. 고려 때부터의 종래의 백정에 대하여 '신백정(新白丁)'이라고도 일컬어짐. ④→백장.
[백정년 가마 타고 모퉁이 도는 격] 실상은 흉악한 것이 그것을 잘 모르는 사람들 앞에서는 훌륭한 체하고 꾸민다는 말. [백정이 버들 잎 물고 죽는다] 고리 백정은 늘 다루던 버들잎을 물고 죽는다는 뜻으로, 버릇을 버리지 못한다는 말. [백정이 양반 행세를 해도 개가 짖는다] 겉모양을 잘 꾸민다 하더라도 제 본색은 결국 드러나고야 만다는 뜻.

백정[2]【白定】명〖공〗중국 딩저우 요(定州窯)에서 만든 순백색(純白色)의 자기(瓷器). 분정(粉定).

백-정기【白貞基】명〖사람〗독립 운동가. 전북 정읍(井邑) 출생. 3·1 운동 후 동지들과 구국 운동에 힘쓰다가 중국으로 망명, 1932년 중국 톈진(天津)의 일본 총영사관·군사령부를 습격, 다음해 주중(駐中) 일본 대사를 암살하려다가 체포되어 옥사함. [1896-1936]

백정-대【白丁隊】명〖역〗고려 시대에 백정만으로 편성한 북계(北界) 여러 진(鎭)의 부대.

백정-봉【白鼎峰】명〖지〗금강산(金剛山)의 한 봉우리. [748m]

백정 설화【白丁說話】명 주로 백정 사회에서 폐쇄적으로 전승되던 설화. 하늘 나라의 소 또는 왕자 등이 잘못을 저지르고 그 벌로 인간 세계에 내려와 일정 기간 인간에게 부림을 당하고 죽어서 그 혼이 하늘 나

라로 다시 올라간다는 내용으로 주제가 거의 비슷함.
백정-창【白疔瘡】 명 〖한의〗 털구멍에 나는 종기.
백제[1]【白帝】 명 〖민〗 가을을 맡은 서쪽의 신(神).
백제[2]【百濟】 명 〖역〗 삼국 시대의 한 나라. 한반도의 서남쪽에 위치하여 고구려·신라와 더불어 패권을 다투던 나라로, 고구려 왕족 온조(溫祚)가 건국하여, 의자왕(義慈王) 때에 나당(羅唐) 연합군에게 망함. 도읍은 한산(漢山), 지금의 광주(廣州)에서 웅진(熊津), 지금의 공주(公州)로, 다시 사비(泗沘), 지금의 부여로 옮겼음. 역대(歷代) 31 왕, 역년(歷年) 678년. [18 B.C.-A.D. 660]
백제[3] 부 〈방〉 백判.
백제 가요【百濟歌謠】 명 백제 때의 가요. 서동요(薯童謠)는 향가로서 ≪삼국 유사(三國遺事)≫에, 정읍사(井邑詞)는 ≪악학 궤범(樂學軌範)≫에 실리어 전하고, 지리산가(智異山歌)·선운산가(禪雲山歌)·무등산가(無等山歌)·방등산곡(方等山曲) 등은 그 이름만이 ≪고려사(高麗史)≫ 악지(樂志)에 전함.
백제 고:분【百濟古墳】 명 백제 시대의 분묘. 기단식 적석총(基壇式積石塚)과 토분(土墳)의 두 양식으로 나뉨. 토분을 그 내부 구조에 따라 토광묘(土壙墓)·석실분(石室墳)·전축분(塼築墳)·옹관분(甕棺墳)·화장묘(火葬墓)의 다섯 가지로 나눌 수 있으며, 전축분으로 교촌리(校村里) 3호분, 무령왕릉(武寧王陵), 송산리(松山里) 6호분 등이 알려져 있음.
백제-국【百濟國】 명 〖역〗 마한(馬韓) 소국의 하나. 부여계 고구려 이주민인 온조(溫祚) 집단에 의하여 형성된 정치집단으로 초기의 중심지는 위례성(慰禮城)이었으나 그 뒤 한성(漢城)으로 옮겼으며, 장차 백제(百濟)로 성장 발전함.
백제 금제관식【百濟金製冠飾】 명 〖역〗 1971년 7월 8일 공주(公州)에 있는 무령왕릉(武寧王陵)에서 출토(出土)한, 백제 왕관의 금제 관식(金製冠飾). 왕의 것은 전장 30.8cm로 얇은 금판(金板)에 보상화 당초문(寶相華唐草文)을 투각(透刻)하였으며 좌우로 전개되는 줄기에는 중간 화형(花形)을 배치하였으나, 그 선(線)만은 모두가 길게 반전되면서 화염형(火焰形)을 이루고 있음. 국보 제154호. 왕비의 금제 관식은 모양이 조금 다르며, 길이 22.7 cm. 국보 제155호.
백제 부흥 운:동【百濟復興運動】 명 〖역〗 660년 백제가 나당 연합군에게 패망한 후 복신(福信)·흑치상지(黑齒常之)·도침(道琛)을 중심으로 661년부터 663년에 걸쳐 펼쳐진 백제 부흥 운동. 한때 그 기세가 왕성하여 2백여 성을 회복하기도 하였으며, 662년 5월 일본에 가 있던 의자왕의 아들 부여풍(扶餘豐)과 함께 170척의 일본 구원군이 도착함으로써 그 기세가 더욱 떨쳤음. 그러나 663년 내분으로 복신이 도침을, 풍이 복신을 살해함으로써 부흥 운동에 타격이 가하여지고, 그러는 가운데 나당 연합군이 부흥 운동의 본거지인 주류성을 공격하자 왕자 풍은 고구려로 도망가고 일본군은 백강에서 대패하였으며, 흑치상지는 당군에게 끌려감으로써 부흥 운동은 끝나고 맒.
백제 불교【百濟佛敎】 명 〖불교〗 백제 제13대 근초고왕(近肖古王) 때 중국에서 들어온 불교.
백제-성【白帝城】 명 〖지〗 중국 쓰촨 성(四川省) 펑제 현(奉節縣) 동부의 옛 성(城).
백제 신집방【百濟新集方】 명 〖책〗 백제 시대에 썼다고 전하여지는 의서(醫書). 중국 약방(藥方)을 쓰지 않고 전래(傳來)의 경험에 의거하여 정리한 것으로 약방만 약간 전하여지고 그 책은 전하여지지 않음.
백제 십육등 관계【百濟十六等官階】[—뉴—] 명 〖역〗 백제 때의 16가지 관계. ≪삼국 사기(三國史記)≫에 의하면 백제 고이왕(古爾王) 27년(260)에 최상급에 여섯 좌평(佐平)을 두어 국무(國務)를 분담하게 하고, 그 아래로 2품인 달솔(達率), 3품인 은솔(恩率), 4품인 덕솔(德率), 5품인 한솔(扞率), 6품인 나솔(奈率), 7품인 장덕(將德), 8품인 시덕(施德), 9품인 고덕(固德), 10품인 계덕(季德), 11품인 대덕(對德), 12품인 문독(文督), 13품인 무독(武督), 14품인 좌군(佐軍), 15품인 진무(振武), 16품인 극우(剋虞)를 마련하였음. 이 16등 관계는 관직의 명칭인 동시에 관등을 나타내고 있는 점이 그 특색임. 좌평 및 달솔에서 나솔까지는 보랏빛, 장덕에서 대덕까지는 파란 빛의 공복(公服)을 각각 입었음.
백제-악【百濟樂】 명 백제 시대의 음악. 9세기경의 악기로는 횡적(橫笛)·공후(箜篌)·막목(莫目) 등이 있었으며, 고려악(高麗樂)·신라악(新羅樂)과 함께 일본의 고대 음악 발달에 크게 공헌하였음. 7세기경에는 당(唐)나라에까지 전하여졌고, 8세기에 전성기를 이루었음.
백제 오:도독부【百濟五都督府】 명 〖역〗 백제 멸망 후 당나라가 옛 백제 지역을 통치하고자 설치한 지방 통치 기구. 최고의 치소(治所)는 웅진 도독부로서 오늘의 공주에 두었으며, 그 밖에 마한(馬韓)·동명(東明)·금련(金蓮)·덕안(德安)의 네 도독부를 두었는데 그 위치는 모두 불분명함.
백제 오:방【百濟五方】 명 〖역〗 백제 후기의 지방 행정 구역. 백제가 지금의 부여인 사비(泗沘)에 도읍하고 관제를 정비하면서 지방을 5개로 나누어 편제한 방(方). 방위에 따라 동방 득안성(得安城), 서방 도선성(刀先城) 혹은 역광성(力光城), 남방 구지하성(久知下城) 혹은 변성(卞城), 북방 웅진성(熊津城), 중방 고사성(古沙城)임. 각 방은 군장(郡將)이 다스리는 10여 개의 군(郡)을 통솔하였으며, 그 밑에 성(城)이 있었음.
백제 오:부【百濟五部】 명 〖역〗 백제 시대의 국가 통치 조직. 세 가지가 있는데 첫째는 고대 국가 성립 이전에 있었던 부족적 성격이 강한 중부(中部)·동부·서부·남부·북부의 오부제(五部制)이고, 둘째는 고대 국가 성립 후 서울을 상부(上部)·전부(前部)·중부(中部)·하부(下部)·후부(後部)의 다섯 구역으로 편제한 수도 오부제이며, 셋째는 지방 행정 조직으로서 중·동·서·남·북부의 오부제임. 지방 행정 조직으로서의 오부제는 뒤의 오방제(五方制)의 바탕이 되었고, 백제 멸망 후 당나라가 백제의 고지(故地)에 오도독부(五都督府)를 둘 때 그 조직을 이용한 것으로 추측됨. 오부.
백제 오:층 석탑【百濟五層石塔】 명 〖역〗 부여 정림사지 오층 석탑(扶餘定林寺址五層石塔).
백제 와당【百濟瓦當】 명 〖역〗 부여(扶餘) 부근과 부소산성(扶蘇山城)에서 발견된 백제 때의 기와. 파와(巴瓦)와 평와(平瓦)의 두 종류가 있는데 일본 아스카(飛鳥) 시대의 와당은 모두 이것을 본뜬 것으로 일본에 많은 영향을 주었음.
백제-지【百濟池】 명 〖역〗 옛날 백제(百濟) 사람들이 일본(日本)에 건너가 백제의 발달된 농사법(農事法)을 가르칠 때 만든 저수지(貯水池)를 일본 사람이 일컫는 이름.
백제-탑【百濟塔】 명 〖역〗 백제 오층 석탑.
백조[1]【白鳥】 명 〖조〗 ①고니·큰고니·혹고니의 총칭. 천연 기념물 제201호로 지정됨. ②고니❷. ③백로(白鷺).
백조[2]【白潮】 명 〖문〗 1922년에 창간된 순문학(純文學) 동인지(同人誌). 낭만파에 속하는 홍사용(洪思容)·이상화(李相和)·박영희(朴英熙)·박종화(朴鍾和)·나빈(羅彬) 현진건(玄鎭健) 등이 함께 간행하였으나 3호밖에 내지 못하였음.
백조-봉【白鳥峰】 명 〖지〗 함경 남도 갑산군(甲山郡) 회린면(會麟面)에 있는 산. [1,755m]
백-조부【伯祖父】 명 큰할아버지.
백조-어【白條魚】 명 〖어〗 [*Culter brevicauda*] 잉어과에 속하는 민물고기. 강준치와 비슷한데 입이 위로 향하고 체폭(體幅)이 좀 넓은 편임. 몸길이 20-30 cm 가량으로 길고 측편(側扁)하며 몸빛은 은백색이고 등쪽은 창갈색(蒼褐色)임. 한국 서남해에 주입하는 대동강·한강·낙동강 및 중국·대만 등지에도 분포함.
백조의 노래【白鳥—】[—/—에—] 명 ①죽음에 이른 백조가 부른다는 노래. 전하여, 죽기 전에 마지막으로 지은 시가·가곡 등을 일컬음. ②〔도 Schwanengesang〕〖악〗 1828년에 작곡된 슈베르트의 마지막 가곡집. 14곡으로 됨. 그의 사후(死後), 그가 마지막으로 작곡한 가곡이라는 뜻으로 그의 친구들이 붙인 이름임. 독일 가곡 최고(最高)의 예술적 수준을 나타내며 제4곡 '세레나데'는 특히 유명함.
백조의 호수【白鳥—湖水】[—/—에—] 명 〔러 Ljebjedinoje ozero〕〖악〗 4막으로 된 발레 모음곡(曲). 1876년 차이코프스키가 작곡한 것. 1877년 모스크바에서 초연(初演)됨. 고대 게르만의 전설을 소재로 한 것이며 고전 발레의 최고 걸작으로 일컬어짐.
백조-자리【白鳥—】 명 〔라 Cygnus〕〖천〗 북반구(北半球)에 있는 큰 성좌(星座). 은하(銀河)의 중간에 위치하는데, 육안(肉眼)으로 볼 수 있는 별은 약 200 개이며, 주성(主星) 데네브(Deneb)는 백색으로 실시 등급(實視等級)은 1.3이며, 거리는 1,800광년임. 별의 배열이 백조가 날아가는 모양과 비슷하며, 9월 하순 저녁때에 천정(天頂)에 남중(南中)함. 북십자성(北十字星). 약자 : Cyg.
백조자리 엑스선 천체【白鳥—X線天體】 명 〖천〗 백조자리에 있는 특이(特異)한 X선 천체. 1966년부터 로켓 관측·기구(氣球) 관측 등이 계속되어 오던 중 1971년 인공 위성에 의해 정밀한 위치가 확인되었고, 그 후 광도 19도의 천체라고 광학적(光學的)으로 고정되고 루프(Loop)라고 명명됨. 그 정체(正體)는 블랙홀(black-hole)을 반성(伴星)으로 가진 근접 쌍성(近接雙星)으로 추측되고 있음.
백족지-충【百足之蟲】 명 ①〖동〗 발이 많은 그리마·노래기·지네 같은 것의 총칭. *다지류(多肢類). ②겨레붙이나, 아는이들의 떼가 많은 사람을 비유한 말.
백족지충은 지사 불강(至死不僵) 구 남의 도움이 많은 사람은 쉽사리 멸망하지 아니함을 이름.
백족-충【百足蟲】 명 〖동〗 노래기[1].
백종[1]【白腫】 명 〖의〗 피부가 창백(蒼白)해지는 경우의 슬관절(膝關節) 결핵. *슬관절 결핵.
백종[2]【百種】 명 ①백 가지. ②여러 가지. 온갖 종류.
백종[3]【百種】 명 〖불교〗 백중(百中).
백-종조【伯從祖】 명 큰할아버지.
백죄 부 〈방〉 백주에.
백주[1]【白洲】 명 흰 모래로 된 사주(沙洲).
백주[2]【白紬】 명 흰 명주.
백주[3]【白酒】 명 ①빛깔이 흰 술. 막걸리. 백차(白醝). ②배갈. ③주로 서울 지방에서 빚던, 약주와 탁주의 중간에 위치하는 술. 약주처럼 분국(粉麴)을 쓰며, 숙성 기간도 탁주보다 조금 길어서 약주에 가까우나, 탁주처럼 쌀알을 뭉개어 체에 걸러 냄. 맛은 달고 젖과 같이 흼. 합주(合酒).
백주[4]【白晝】 명 대낮. ¶ ~의 강도.
백주 발검【白晝拔劍】 명 대낮에 칼을 빼어 들고 날뜀. ——하다 자 여불
백주-에【白晝—】 부 〔대낮에는 할 수 없는 것을 멀쩡하게 한다는 뜻에서 나온 말〕 터무니없이. 아무 까닭없이. 공연히. 엉터리로. ¶ ~ 봉변을 당했다. 준백죄.
백주 창:탈【白晝搶奪】 명 대낮에 남의 물건을 강탈함. ——하다 타 여불
백-주철【白鑄鐵】 명 〔white cast iron〕 용융(溶融) 상태에서 갑자기 냉각하여 만든, 극도(極度)로 경도(硬度)가 높은 주철(鑄鐵). 약 3%의 탄소를 함유함.
백주 현:상【白晝現像】 명 사진에서, 특수 장치를 한 현상 탱크에 의해 밝은 장소에서 행하는 현상.
백주 혜:성【白晝彗星】 명 〖천〗 낮에도 육안(肉眼)으로 볼 수 있는 큰 혜성. 1910년 1월과 1927년 12월에 나타났음.
백죽[1]【白竹】 명 껍질을 벗긴 대나무.
백죽[2]【白粥】 명 ☞ 흰죽.
백중[1]【百中·百衆】 명 〖불교〗 ↗백중날.
백중[2]【伯仲】 명 ①맏형과 그 다음. ②서로 어금지금하여 맞섬. 우열(優劣)이 없는 것을 일컫는 말. 백중지간(伯仲之間). ¶ ~한 경기를 벌이다. ——하다 형 여불

백중-날【百中一·百衆一】명〖불교〗음력 칠월 보름날. 허물을 대중(大衆) 앞에 들어 말하여 참회(懺悔)를 구하며, 여름 동안 안거(安居)를 마치고 절에서 재(齋)를 올림. 근래 민간에서는 여러 가지 과실과 음식을 마련하여 먹고 놂. 백종(百種). 준백중(百衆). *중원(中元).

백-중력[1]【白中曆】[一녁] 명 품질이 낮은 종이로 배접하여 만든 책력「(冊曆).

백중-력[2]【百中曆】[一녁] 명 앞으로 올 100 년 동안의 일월(日月)·성신(星辰)·절후(節候)를 미리 헤아려 만든 책력. 10년 만에 한 번씩 수보(修補)함. 조선 정조(正祖) 6년(1782)에 시작됨. 천세력(千歲曆).

백중-맞이【百中一】명 ①〖불교〗백중날에 절이나 부처를 모신 집에서 죽은 사람의 명복을 비는 불공. 백중 불공(百中佛供). ②〖민〗무당이 백중날에 하는 굿.

백중-물【百中一】명 백중 무렵에 많이 오는 비.

백중 불공【百中佛供】명〖불교〗백중맞이❶.

백중 사리【百中一】명 백중날의 사리. 음력 칠월 보름에 조수(潮水)가 가장 높이 들어오는 때.

백-중-숙-계【伯仲叔季】명 맏이, 둘째, 셋째, 막내인 네 형제의 차례.

백중-장【百中場】명 농촌에서 백중날 전후에 서는 장.

백중지-간【伯仲之間】명 백중(伯仲)❷.

백중지-세【伯仲之勢】명 서로 어금지금한 형세. ¶~를 보이다.

백-중학【百衆學】명〖불교〗승려의 생활 규범 가운데의 하나. 비구와 비구니가 지켜야 할 중학(衆學) 중에서 백계(百戒)만을 든 것. 수도함에 있어 응당 지켜야 할 생활 규범이라는 뜻에서 응당학(應當學)이라고도 함.

백쥐 부 ↗백주에. ¶놈이 앳된 어미의 불어오른 젖꼭지를 물고 있는 걸 보면 어딘지 모르게 든든한 생각이 들어… 입이 차게 베물고 있는 젖꼭지를 ~ 쑥 빼 버릴라치면…≪金廷漢: 뒷기미나루≫.

백지[1]【白一】명〔←백자(白子)〕바둑돌의 흰 알. 준백(白). ↔흑지.

백지[2]【白地】⊟ 명 사실이 없음. ⊟ 부 아무 턱도 없이. 백판(白板). 생판(生板). ¶~ 생사람 잡는다.

백지[3]【白芷】명〖한의〗구리때의 뿌리. 감기로 인한 두통·요통(腰痛)·비연(鼻淵) 등에 쓰며, 외과(外科) 약으로도 널리 씀. 구리때뿌리. 지(芷).

백지[4]【白紙】명 ①흰 빛깔의 종이. ②공지(空紙). ¶답안지를 ~로 내다. ③↗백지 상태.

[백지 한 장도 맞들면 낫다] 쉬운 일이라도 서로 힘을 합쳐 하면 더 쉽게 할 수 있다는 말.

백지 한 장의 차이 구 근소한 차이를 비유하는 말.

백지[5]【百紙】명 백 번 손길이 간다는 뜻으로 한지(韓紙) 백지(白紙)의 일컬음.

백-지도【白地圖】명 대륙·섬·나라 등의 윤곽만 그린, 기입 연습용 또는 분포도 작성용의 지도. ¶~에 지명을 써 넣다.

백지 동맹【白紙同盟】명 학교에서 학생들이 시험 답안지에 아무 것도 쓰지 않기로 하는 동맹. ——-하다 자여불

백지-마【白脂麻·白芝麻】명〖식〗참깨.

백지 묵서 묘:법 연화경【白紙墨書妙法蓮華經】명 백지에 먹으로 쓴 법화경. ①고려 우왕 3년(1377) 하덕란(河德蘭)이 그의 죽은 어머니 철성군 부인 이씨(鐵城郡夫人李氏)의 명복을 빌고, 아버지인 중대광 진성군(重大匡晉城君)의 장수를 빌어 사성(寫成)한 첩장본(帖裝本). 7권 7첩. 성보(成保) 문화 재단 소장. 국보 제 211 호. ②고려 창왕 1년(1389) 장씨 부인의 발원에 의하여 고려 말에 돌아가신 부모와 일체 중생을 위하여 발심(發心)하여 사성된 개인 공덕경임. 권 1·3의 2권 2첩. 경북 안동군 광흥사(廣興寺) 소장. 보물 제 315 호.

백지 묵서 지장 보살 본원경【白紙墨書地藏菩薩本願經】명 백지에 먹으로 쓴 지장 보살 본원경. 조선 세종 22년(1440) 현고사(玄高寺) 주지를 역임했던 대선사(大禪師) 해연(海淵)에 의하여 이루어짐. 3권 3첩. 보물 제 940 호.

백지 발행【白地發行】명〖경〗발행인이 발행 서명만 하고 그 밖의 어음 요건(要件)의 전부 또는 일부를 나중에 취득자로 하여금 보충 기입하도록 어음을 미완성(未完成)인 채로 발행하는 일.

백지 보:증【白地保證】명〖법〗어음·수표 요건(要件)의 전부 또는 일부를 공백으로 한 백지 어음이나 백지 수표에 보증하는 일. 기존하는 백지의 어음·수표에 보증인으로서 기명 날인(記名捺印)하는 경우와 백지의 어음·수표를 작성하고 보증인으로서 기명 날인하는 경우의 두 가지가 있음.

백지 보:충권【白地補充權】[一꿘] 명〖법〗백지 어음의 흠결(欠缺)된 요건을 보충하여 이것을 완전한 어음으로 할 수 있는 권리. 백지 어음의 어음 행위자와 상대방 사이의 보충 계약에 의하여 그 권리가 상대방에게 생기며 백지 어음의 양도와 함께 권리가 이전됨.

백지-사【白紙死】명〖역〗조선 말기에 천주교 죄인을 처형한 형(刑)의 하나. 뒷짐결박한 죄인의 상투를 풀어 결박된 손에 한데 묶고 얼굴을 젖힌 뒤, 얼굴에 물을 뿌리고 백지를 붙여 숨이 막히게 하여 죽임.

백지 상태【白紙狀態】명 ①종이에 아무 것도 쓰지 않은 상태. ②어떠한 사물에 대하여 아무 것도 모르는 상태. ¶컴퓨터에 대해선 거의 ~다. ③어떠한 일을 하기 이전의 상태. ¶모든 일이 ~로 돌아가다. ④잡념이나 선입 관념 등이 없는 상태. ¶~에서 시작하다. 준백지(白紙).

백지 수표【白地手票】명〖법〗미완성의 수표. 수표 요건의 일부 또는 전부를 백지(白地)로 하고 후일(後日) 소지인으로 하여금 보충시키도록 한 수표. *백지 어음.

백지식 배:서【白地式背書】명〖법〗피배서인(被背書人)을 기재(記載)하지 않은 배서. 피배서인의 기재는 없으나 배서 문언(文言)이 있는 경우와 피배서인과 배서 문언의 기재가 없고 다만 배서인의 기명·날인만 있는 경우의 두 가지가 있음. 무기명 배서. 약식 배서. 보통 배서. ↔기명식 배서.

백지식 양:도 증서【白地式讓渡證書】명〖법〗주권(株券)에 주주로서 표시된 양도인의 서명만 있고 피양도인이 기재되어 있지 않은 양도 증서. 기명식 양도 증서에 대한 것으로 기명 주식의 양도에 사용됨.

백지 애:매【白地曖昧】명 까닭없이 죄를 받아 재앙을 입음. ——-하다 형여불

백지 어음【白地一】명〖법〗미완성의 어음. 즉, 어음 행위자가 그 소지인(所持人)에 대하여 어음 금액·지급지·만기(滿期) 등의 어음 요건(要件)의 전부 또는 일부의 보충권(補充權)을 부여한 어음. *백지 수표.

백지 위임【白紙委任】명 조건을 붙이지 아니하고 모든 것을 맡기는 일. ——-하다 자여불

백지 위임장【白紙委任狀】[一짱] 명〖법〗위임장의 전부 또는 일부에 아무 것도 써 넣지 아니하고 일정한 사람에게 그것을 보충(補充)하게 하는 위임장. 곧, 미완성(未完成)의 권한 수여 증서임. 위임하는 사항(事項)을 공백(空白)으로 하는 것과 위임하는 상대방의 이름을 공백(空白)으로 하는 것 등이 있음. 위임장.

백지 인수【白地引受】명〖법〗환(換)어음의 지급인이 미완성 어음에 대하여 하는 인수. 기존의 백지 어음의 인수를 하는 경우와 발행인의 기명·날인이 없는 백지 어음의 인수를 하는 경우의 두 가지가 있음. ——-하다 타여불

백지-장【白紙張】[一짱] 명 ①흰 종이의 낱장. ②새하얀 것을 비유하는 말. ¶얼굴이 ~ 같다.

[백지장도 맞들면 낫다] 힘을 합치면 무슨 일이든 수월하다는 말.

백지-주의【白紙主義】[一/一이] 명 미리 정하여 둔 방침(方針)이 없이 상대편의 언행(言行)에 따라 임기 응변의 처리를 하는 주의.

백지 징세【白地徵稅】명 조선 중기 이후 지방 관원들의 농민 착취 형태의 하나. 수확이 없어서 조세의 면세를 받아야 할 땅에서 억지로 세를 받음. *백징(白徵). ——-하다 타여불

백지 형벌 법규【白地刑罰法規】명〖법〗백지 형법.

백지 형법【白地刑法】[一뻡] 명〖법〗일정한 형벌만을 법률에서 규정하고, 그 요건(要件)인 범죄의 규정을 다른 법령에 양보한 형벌 법규. 백지 형벌 법규.

백지-화【白紙化】명 백지 상태가 됨. 백지 상태로 돌림. ¶이것으로 계획은 ~되었다. ——-하다 자타여불

백질【白質】명〖생〗고등 동물의 신경 중추부(中樞部)에서, 주로 신경 섬유의 집단을 이루는 부분. 뇌(腦)에서는 내층(內層)에 있고, 척수(脊髓)에서는 외층(外層)에 있음.

백-질려【白蒺藜】명 ①〖식〗꽃이 흰 남가새. ②〖한의〗남가새의 흰 꽃. 요통(腰痛)·유정(遺精) 같은 데나 외과(外科)에 씀.

백질 절제법【白質切除法】[一쩨뻡] 명〖의〗로보토미(lobotomy).

백집사 가:감【百執事可堪】명 무슨 일을 하든지 능히 감당할 수 있음.

백징【白徵】명 조세를 면할 만한 땅이나 납세 의무가 없는 사람에게 까닭없는 세를 물리거나, 아무 관계 없는 사람에게 빚을 물리는 일. 생징(生徵). *백지 징세(白地徵稅). ——-하다 타여불

백차[1]【白車】명 차체에 흰 칠을 한 경찰·헌병의 순찰차.

백차[2]【白醝】명 백주(白酒)❶.

백-차일【白遮日】명 빛깔이 흰 차일.

백차일 치듯 구 사람이 많이 모인 모양을 이르는 말.

백 차:지〔back charge〕명 축구나 럭비 따위에서, 상대방 선수의 뒤쪽에서 몸을 부딪치는 반칙. ¶~를 범하다.

백창【白菖】명〖식〗이창포(泥菖蒲).

백-창포【白菖蒲】명〖식〗이창포(泥菖蒲).

백채【白菜】명 ①〖식〗배추. ②배추를 잘게 썰어 양념하여 볶은 나물.

백-채문【白彩紋】명 흰 선으로 이루어진 채문(彩紋). 지폐(紙幣) 따위의 무늬로 많이 씀. ↔흑채문(黑彩紋). *채문(彩紋).

〈백채문〉

백척 간두【百尺竿頭】명 높은 장대 끝에 섰다는 말로, 막다른 위험에 빠진 것을 일컫는 말. ¶~에 서다. 준간두.

백척 간두 진:일보(進一步) 구 백척이나 되는 긴 장대 위에 있어서 다시 한 걸음 더 나간다는 뜻으로, 이미 충분히 향상(向上)하였는데 다시 더욱 분발하여 향상하거나, 충분히 설명하였는데 다시 정채(精彩) 있는 말을 추가함을 이름.

백천【白川】명〖지〗'배천(白川)'의 잘못.

백천만-겁【百千萬劫】명〖불교〗무한(無限)한 연수(年數). 영원한 시「간.

백천만-사【百千萬事】명 온갖 일.

백천 학해【百川學海】명〖책〗중국 송(宋)나라의 좌규(左圭)가 편집한 10집(集) 100 종(種)의 총서(叢書). 그 후, 명(明)나라의 오영(吳永)이 계속하여서 30집을 편찬하고 풍가빈(馮可賓)은 또 다시 10집을 증편(增編)「하였음.

백철[1]【白鐵】명 ①함석❷. ②'주석'의 딴 이름.

백-철[2]【白鐵】명〖사람〗문학 평론가. 본명은 세철(世哲). 평북 의주(義州) 출생. 1931 년 도쿄(東京) 고등 사범 학교 문과를 졸업, 귀국하여 카프(KAPF) 중앙 위원으로 활약하다가 1934 년에 제 2 차 카프 검거 사건에 연좌됨. 해방 후 대학 강단에서 현대 문학을 강의하는 한편 비평 활동을 계속함. 중앙 대학교 문과 대학장. 국제 펜클럽 한국 본부 위원장 등을 역임함. 저서에 ≪조선 신문학 사조사(思潮史)≫·≪문학 개론≫ 등이 있음. [1908-85]

백철-광【白鐵鑛】명〔marcasite〕〖광〗철의 황화(黃化) 광물. 청동색 내지 백색의 사방 정계(斜方晶系) 결정. 덩어리로 산출됨. 엷은 금속 광택을 가지며 연백색(鉛白色)으로 불투명함. 철·황산(黃酸)의 원료로 쓰임. [FeS_2]

백첩【白貼】명 종이에 옻칠을 하지 않은 아주 큰 부채. 살은 40-50 개. *칠첩(漆貼).

백청【白清】명 빛깔이 희고 품질이 좋은 꿀.

백청-자【白青瓷】명〖공〗청백자(青白瓷).

백체【白體】명 ①〔white〕〖물〗그 표면(表面)이 어떠한 파장(波長)의 방사(放射)도 흡수(吸收)하지 않는 가상적 물질. ②〔corpus alibicans〕〖생〗난소(卵巢)의 하얀 섬유상(纖維狀)의 조흔(條痕). 황체(黃體)가 퇴축(退縮)하여 생김. *적체(赤體).

백초[1]【白草】명〖식〗가위톱.

백초[2]【百草】명 여러 가지 풀. 온갖 풀.

백초-상【百草霜】명〖한의〗앉은검정.

백-초서【白貂鼠】명〖동〗흰담비.

백초-피【白貂皮】명 흰담비의 모피(毛皮). 돈피(獤皮) 중에 품질이 가장 나쁨. 초곽(草鞹).

백총【百摠】명〖역〗조선 시대에 관리영(管理營)의 정삼품 벼슬.

백축【白丑】명〖한의〗흰 나팔꽃의 씨. 성질이 냉(冷)함. 대소변을 통하게 하며, 부종(浮腫)·적취(積聚)·요통(腰痛)에 씀. *흑축(黑丑).

백출[1]【白朮】명〖한의〗삽주의 덩어리진 뿌리. 성질은 온(溫)함. 비위(脾胃)를 돕고, 소화 불량·구토·설사·습증 등에 씀. 걸력가(乞力伽). 마계(馬薊). 산강(山薑). 산계(山薊). *창출(蒼朮).

백출[2]【百出】명 여러 가지 모양으로 많이 나옴. ¶ 묘기 ～/ 의견이 ～하다. ——-하다 자여불

백출-산【白朮散】[—싼] 명〖한의〗토사(吐瀉)·만경(慢驚)에 쓰는 탕약(湯藥). 전씨 백출산(錢氏白朮散).

백출-주【白朮酒】[—쭈] 명 백출(白朮)을 넣어서 담근 술.

백충【白蟲】명〖동〗↗촌백충(寸白蟲).

백충-창【白蟲倉】명〖한의〗오배자(五倍子).

백층【栢層】명 잣알을 솔잎에 꿰어 붉은 종이로 싸고, 자루를 달아 그 자루 머리에 연꽃을 새기고 주홍(朱紅) 칠을 한 것. 음력 2월 초하룻날 임금이 진상(進上) 받은 것을 정원(政院)에 하사(下賜)하던 것임.

백-치[1]【白峙】명〖지〗경상 남도 산청군(山清郡)에 있는 산. [142 m]

백치[2]【白雉】명 빛깔이 흰 꿩. 남양(南洋)에 분포함.

백치[3]【白痴·白癡】명 ①뇌수(腦髓)의 장애나 질병 등으로 정신 작용의 발달이 저지(阻止)되어, 연령에 비하여 지력(知力)이 진보하지 못한 사람. 또, 그 병. 천치(天痴). 광치(狂痴). ¶ ～미(美). ②〖한의〗뇌수의 장애 같은 것으로 정신 작용이 완전하지 못한 병.

백치[4]【白痴】명〔러 Idiot〕〖책〗도스토예프스키의 장편 소설. 간질(癎疾)의 지병(持病)을 가졌으며, 백치라고 불리어질 만큼 순수한 성격의 소유자인 주인공 미슈킨을 둘러싼 인간성의 명암(明暗)을 묘사한 작품. 1868년에 발간됨.

백치[5]【白幟】명 백기(白旗).

백치[6]【白齒】명 빛깔이 하얀 이. 호치(皓齒).

백-치[7]【柏峙】명〖지〗충청 북도 음성군(陰城郡)에 있는 산. [219 m]

〈백치기〉

백치-기【白雉旗】명 의장기(儀仗旗)의 한 가지.

백치-미【白痴美】명 지능이 낮은 여자에게서 볼 수 있는, 표정이 결핍된 일종의 아름다움.

백치 아다다【白痴—】명〖책〗계용묵(桂鎔默)의 단편 소설. 선천적으로 백치에 가까우며 벙어리인 아다다를 여주인공으로 하여, 황금 만능의 세태를 비판한 작품. 1935 년에 발표됨.

백치 천재【白痴天才】명〔idiot savant〕백치이면서도, 드문 일이지만, 어떠한 한 가지 일에는 뛰어난 재주를 가진 사람.

백치-파【白痴派】명〖문〗백치(白痴)와 같이 사회나 세계에 대하여 순진하고 무위(無爲)한 면을 추구해 가는 시인(詩人)·작가(作家)의 무리.

백-코:트〔backcourt〕명 농구 경기장을 반으로 나누었을 때의 프런트 코트 이외의 코트. 즉, 자기편의 코트.

백탁【白濁】명〖한의〗오줌이 뿌옇고 걸쭉함. 또, 그러한 병. ——-하다 형여불

백탄【白炭】명 화력(火力)이 가장 센 참숯. 화이트 코크스 ↔검탄(黔炭).

백탈[1]【白脫】명 무죄(無罪)하다는 것이 드러남. ——-하다 자여불

백탈[2]【白頉】명 까닭 없이 신역(身役)을 면함.

백탈[3]【白奪】명 백주(白晝)에 남의 것을 겁탈(劫奪)함. ——-하다 타여불

백탑【白塔】명 표면에 백색 칠을 한 중국의 불탑(佛塔). 요(遼)나라·금(金)나라의 전탑(塼塔)을 때에 따라 이렇게 부름. 베이징(北京)의 묘응사(妙應寺)에 있는 원(元)의 백탑은 특히 유명함.

백탑-산【白塔山】명〖지〗평안 남도 개천군(价川郡) 조양면(朝陽面)과 덕천군(德川郡) 잠상면(蠶上面) 사이에 있는 산. [1,160 m]

백탕【白湯】명 아무 것도 섞지 아니하고 끓인 물. 백비탕(白沸湯).

백태[1]【白苔】명 ①〖한의〗혓바닥에 끼는 황백색의 물질. 몸의 열, 영양 부족 또는 위경(胃經)의 병으로 생김. ②눈에 황백색 물질이 끼어 앞을 볼 수 없게 되는 눈병. 또, 그 물질. 백태눈.

백태[2]【百態】명 여러 가지 자태(姿態). 여러 가지 상태. 백양(百樣). ¶ 백인(百人) ～.

백태-눈【白苔—】명 백태❷.

백태 청기【白胎青器】명〖공〗청백자(青白瓷).

백택【白澤】명 중국에서 일컬어지는 상상상(想像上)의 신수(神獸). 사람의 말을 하며, 유덕(有德)한 임금의 치세(治世)에 출현한다고 함.

백택-기【白澤旗】명 의장기(儀仗旗)의 한 가지.

백택 흉배【白澤胸背】명〖역〗조선 시대에, 왕자군(王子君)이 다는 흉배. 백택을 수놓음.

〈백택〉

백토[1]【白土】명 ①빛깔이 흰 흙. 백악(白堊). ②화산회(火山灰)·화산암이 풍화(風化)한 흙. 주성분은 이산화 규소(珪素)·규산 알류미늄임. 벽화(壁畫)·건축의 도료(塗料), 그릇을 만드는 데 희게 하는 원료로 쓰임.

백토[2]【白兎】명 흰 토끼.

백 토스〔back toss〕명 배구에서, 세터(setter)가 뒤로 올려 주는 토스.

백토-질【白土質】명 백악질(白堊質).

백통【白—】명〔←백동(白銅)〕구리·아연(亞鉛)·니켈의 합금(合金). 은백색으로, 화폐나 장식품 따위에 쓰임.

〈백택기〉

백통-돈【白—】명 백통으로 만든 돈. 백동전(白銅錢). 백동화(白銅貨). 백전(白錢). 백통전.

백통 연죽장【白—煙竹匠】명 백통죽을 만드는 장인. 백통은 경도가 크고 녹슬지 않을 뿐 아니라 가공이 용이하며 완전히 냉각된 상태에서만 단조함.

백통-전【白—錢】명 백통돈.

백통-죽【白—竹】명 대통과 물부리를 백통으로 만든 담뱃대.

백통-화【白—貨】명 백통돈.

백퇴【白退】명 옳고 그름의 제지(題旨)를 주지 아니하고 소장(訴狀)을 각하(却下)함.

백투백 신:용장【—信用狀】[—짱] 명〔back-to-back L/C〕〖경〗바터 무역 따위에서 두 나라 사이에 물자를 교환하는 경우, 물품 매매의 형식을 취하기 위하여 양국에서 동시에 개설하는 신용장. 동시 개설 신용장. 상쇄 신용장.

백파[1]【白波】명 ①흰 거품이 이는 물결. ②'도둑'의 이칭(異稱).

백파[2]【白坡】명〖사람〗조선 정조(正祖) 때의 중. 속성(俗姓)은 이(李). 이름은 긍선(亘璇). 무장(茂長) 출생. 설파(雪坡)·설봉(雪峰)의 문하에서 불도를 닦고 후에 선문(禪門) 중흥(中興)의 종주(宗主)가 됨. 저서에 《정혜 결사문(定慧結社文)》·《선문 수경(禪門手鏡)》 등이 있음. [1767-1852]

백파[3]【白播】명 거름을 주지 않은 맨땅에 씨를 뿌림. ——-하다 자타 여불

백-파이어〔backfire〕명 역화(逆火).

백파이어-기【—機】〔Backfire〕명 소련이 개발한 중거리 폭격기의 하나. 항속 거리(航續距離) 5,600 km 의 초음속 가변익기(可變翼機). 6,300 kg 의 폭탄과 공대지(空對地) 미사일 2기(基)를 적재할 수 있음.

백-파이프〔bagpipe〕명〖악〗스코틀랜드의 민속 악기(民俗樂器)로 공기 주머니가 달린 피리. 가락을 연주하는 피리 하나와 곁음(音)만을 내는 3-6개의 피리로 이루어짐. 옆구리에 끼고 주머니에 바람을 넣으면서 연주하는데, 바람을 넣는 데는 입으로 부는 방식과 손으로 조작(操作)하는 풀무를 이용하는 방식이 있음. 음색(音色)이 독특하며 중세(中世)에는 유럽 전역(全域)에 퍼지기도 하였으나 오늘날에는 영국군의 군악대 등에서 사용함.

〈백파이프〉

백판[1]【白板】명 흰 널조각.

백판[2]【白板】㊀명 아무 것도 없는 터. 아무 것도 모르는 상태. ¶ 그 역시 컴퓨터에 대해선 ～이나 다름없었다. ㊁부 전혀 터무니 없이. 백지(白地). ¶ 돈 좀 벌더니 ～ 딴 사람이 되었군 / ～ 아무 상관도 없고 초면인 사람.

백판-증【白板症】[—쯩] 명〖의〗점막(粘膜)에 생기는 백색 평활(平滑)한 반면(斑面). 구강내(口腔內) 점막, 혀의 전반부, 입술 및 외음부·요도 등에 생김. 때로 암(癌)이 되는 수가 있음.

백팔【百八】명 ①〖불교〗인간의 번뇌(煩惱)의 수. ②1년의 12월·24기(氣)·72후(候)를 합하여 일컫는 말.

백팔 대:참【百八大懺】명〖불교〗108 번 절을 하여 참회(懺悔) 정진(精進)하는 수행(修行).

백팔 번뇌【百八煩惱】명 ①〖불교〗108가지의 번뇌. 눈·귀·코·입·몸·뜻의 육관(六官)에 각각 고(苦)·낙(樂)·불고 불락(不苦不樂)이 있어 18가지가 되고, 거기에 탐(貪)·무탐(無貪)이 있어 36가지가 되며, 이것을 과거·현재·미래에 각각 풀면 모두 108가지가 됨. ②〖책〗1926년 간행된 우리 나라 최초의 개인 시조집. 육당(六堂) 최남선(崔南善)이 지은 것으로 총 111편이 실렸는데 근대적인 감각으로 소재를 다루어 우리 나라 현대 시조집의 남상(濫觴)으로 불림.

백팔십도 전:환【百八十度轉換】[—씹—] 명〔중심에서 한 선분(線分)의 각이 180° 인 데서 나온 말〕지금까지와는 정반대의 방향으로 바뀜. 백팔십도 전회. ——-하다 자여불

백팔십도 전:회【百八十度轉回】[—씹—] 명 백팔십도 전환. ——-하다 자여불

백팔 염:주【百八念珠】[—렴—] 명〖불교〗작은 구슬 108개를 꿰서 그 끝을 맞맨 염주. 이것을 돌리며 염불을 하면 백팔 번뇌를 물리쳐 무상(無想)의 경지에 이른다 함.

백팔-종【百八鐘】[—쫑] 명〖불교〗①절에서 제야(除夜)에 108 번 치는 종. ②절에서 조석(朝夕)으로 108번 치는 종. 백팔 번뇌를 멸한다는 뜻.

백패【白牌】명〖역〗소과(小科)에 급제한 생원(生員)이나 진사(進士)에게 주던 흰 종이의 증서(證書).

백 패스〔back pass〕명 ①축구 등에서, 자기 편 골 쪽으로 넘기는 패스. ②농구에서 손을 몸 뒤로 돌려 넘기는 패스.

백 패스 룰:〔back pass rule〕명 농구에서, 공을 가지고 있는 팀은 그 프런트 코트(front court)에서 백코트로 공을 보내서는 안 된다는 규칙.

백-팩〔backpack〕명 양쪽에 세로 긴 프레임(frame)이 붙은 등산·하이킹용의 배낭.

백 퍼센트【百—】〔percent〕명 ①1 퍼센트의 100 배(倍), 곧 10할(割). ②완전 무결함. ¶ 효과 ～.

백편【白一】명 ①백설기. ②흰무리.
백폐[1]【百弊】명 온갖 폐단. 많은 폐단.
백폐[2]【百廢】명 쇠하여 없어진 많은 행사(行事).
백폐 구존【百弊俱存】명 온갖 폐단이 죄다 있음. ——-하다 자여불
백폐 구흥【百廢俱興】명 여러 쇠폐(衰廢)한 일이 다시금 일어남. ——-하다 자여불
백포[1]【白布】명 ①흰 베. ②포의(布衣).
백포[2]【白泡】명 백말(白沫).
백포[3]【白袍】명 흰 도포(道袍).
백-포도주【白葡萄酒】명 푸른 포도를 주성분으로 하는 빛깔이 희읍스름한 포도주.
백-포장【白布帳】명 흰 베로 만든 휘장.
백표【白票】명 ①백색의 표. ②아무 것도 기입하지 않은 채 투표한 표.
백 프레셔〔back pressure〕명 배압(背壓).
백 프레셔 터:빈〔back pressure turbine〕명 배압(背壓) 터빈.
백피-증【白皮症】〔一쯩〕명 〔leukoderma〕『의』 사람·동물의 피부 또는 머리털이 선천적 색소 결핍으로 하얗게 되는 병증.
백하[1]【白河】명『지』 '바이허'를 우리 음으로 읽은 이름.
백하[2]【白蝦】명『동』 쌀새우. ☞새우젓.
백하-젓【白蝦一】명 ①한겨울에 흰 새우로 담근 새우젓. 질이 좋음. ②새우젓.
백하-해【白蝦醢】명 ①백하젓. ②새우젓.
백학【白鶴】명『조』 두루미.
백학선-전【白鶴扇傳】명『문』 작자·창작 연대 미상의 고전 소설의 하나. 국문본. 배경은 중국 명(明)나라. 남주인공 백로(伯魯)와 여주인공 은하(銀河)의 가연담(佳緣談).
백학자-악【白鶴子樂】명『악』 정재(呈才) 때 아뢰는 풍류의 하나.
백한【白鷳】명『조』〔*Lophura nycthemera*〕 꿩과에 속하는 새. 날개 길이 27 cm, 꽁지 60 cm 가량이고 몸빛은 배면(背面)이 순백색에 'V'자의 흑색 반문이 있고, 복면(腹面)은 흑색이며, 자흑색의 긴 우관(羽冠)이 있음. 얼굴·볏은 적색, 다리는 홍색이고 며느리발톱이 큼. 암컷은 작고 암탉과 비슷한 흑백색의 횡반이 있음. 산지의 숲 속에 서식하는데, 티베트 남동부·중국 남부·하이난 섬에 분포함. 애완용으로 유럽·아시아 각지에서 사육함.

〈백한〉

백-한(:)성【白漢成】명『사람』 법률가. 충남 대덕(大德) 출생. 1932년부터 평양 등지의 판사를 거쳐, 1949년에 대법관(大法官), 11대 내무 장관, 1954년에 국무 총리 서리에 임명되었다가 그 이듬해 다시 대법관이 되었음. [1899~1971]
백한 흉배【白鷳胸背】명『역』 조선 시대 고종(高宗) 이전에, 정삼품·종삼품의 문관이 달던 흉배. 백한을 수놓음.
백-할미새【白一】명『조』〔*Motacilla alba lugens*〕 할미새과에 속하는 새. 검은등할미새와 비슷한데 날개 길이 95 mm, 꽁지 95 mm 가량이며, 몸빛은 얼굴의 흑색 과안선(過眼線)을 제외하고는 백색이며, 턱에서 목의 상부(上部)까지 백색인 것으로 구별함. 풀밭·길가에서 곤충·지렁이·풀씨 등을 먹으며, 4-6개의 백색 알을 낳음. 동부 시베리아·캄차카·홋카이도·만주에서 번식하고, 중국 남부·대만·한국의 제주도에서 월동(越冬)함. *검은등할미새.

〈백할미새〉

백합[1]【白蛤】명『조개』〔*Dosinia japonica*〕 참조갯과에 속하는 조개. 모시조개와 비슷하나 패각(貝殼)의 길이는 80 mm 가량의 원형(圓形)이고 각피(殼皮)는 회백색에 둥근 무늬와 공심원맥(共心圓脈)이 있고 내면은 백색이며 반드러움. 세 개의 주치(主齒)와 점상(點狀)의 측치(側齒)가 있음. 한국의 서해 및 일본에 널리 분포함. 살은 식용함. 마당조개. 떡조개.

〈백합[1]〉

백합[2]【白鴿】명『조』 집비둘기.
백합[3]【百合】명『식』 백합과 백합속(屬)에 속하는 다년생 초본의 총칭. 잎은 선상(線狀) 또는 피침형에 평행맥(平行脈)이 있음. 꽃은 단립(單立) 또는 총상(總狀)으로 피는데 수술에는 '丁'자형 약(葯)이 있음. 인경(鱗莖)은 구형(球形)으로 백색 또는 자색이며 식용(食用)함. 아시아에 59종, 북미(北美)에 25종, 유럽에 14종이 있음. 한방에서 뿌리를 '선뇌저(蒜腦藷)'라고 하여 보음(補陰)으로 허로(虛老)·해수(咳嗽)에 씀. 나리. *참나리.
백합-과【百合科】명『식』〔Liliaceae〕 피자(被子) 식물 단자엽(單子葉) 식물에 속하는 한 과. 초본(草本)·목본(木本)으로, 전세계에 2,600여 종, 한국에는 참나리·중나리·당개나리 등 120여 종이 분포함.
백합-꽃【百合一】명 백합의 꽃. 백합화.
백합-면【百合麪】명 백합의 인경(鱗莖)을 가루로 만들어, 메밀 가루 혹은 밀가루에 섞어 만든 국수.
백합-병【百合餠】명 백합의 인경(鱗莖)을 가루로 만들어 밀가루나 쌀가루에 섞어 만든 시루떡.
백합 저:냐【百合一】명 백합의 인경(鱗莖)으로 만든 저냐.
백합-죽【百合粥】명 백합의 인경(鱗莖)을 찧어 꿀을 섞어 쑨 죽.
백합-증【百合症】명『한의』 급성 열병(急性熱病)을 앓은 뒤에, 조섭(調攝)을 잘못하여 식욕 부진(食慾不振)·불면증(不眠症)·한열 왕래(寒熱往來)로 오줌이 붉그스름하고 약을 먹는 대로 토하는 병.
백합-화【百合花】명 백합의 꽃. 나리꽃. 백합꽃.
백해[1]【白海】명〔White Sea〕『지』 러시아의 서북부, 바렌츠 해(Barents 海) 최대의 만. 북은 콜라(Kola) 및 카닌(Kanin) 반도에 둘러싸여 있으며, 1년 중 6개월간은 결빙함. 연안에 아르항겔스크(Arkhangel'sk) 항구가 있음.
백해[2]【百害】명 온갖 해로움. 많은 해.
백해[3]【百骸】명 몸을 이룬 모든 뼈.
백해 구규【百骸九竅】명 인체를 구성하고 있는 모든 뼈와 양안(兩眼)·양이(兩耳)·양비공(兩鼻孔)·입·전음(前陰)·후음(後陰)의 아홉 개 구멍.
백해 구통【百骸俱痛】명 온 몸이 모두 아픔. ——-하다 형여불
백해 무익【百害無益】명 해는 되어도 이로울 것은 전혀 없음. 백해 무일리(百害無一利). ——-하다 형여불
백해 무일리【百害無一利】명 백해 무익(百害無益). ——-하다 형여불
백해 발트 해 운:하【白海一海運河】〔Balt〕명『지』 백해와 오네가 호(Onega 湖)를 연결하는 운하. 못과 강을 이용하였기 때문에 굴착(掘鑿)한 부분은 40 km 밖에 안 됨. 1933년에 준공. 구명(舊名)은 '스탈린 운하'. [227 km]
백-해삼【白海蔘】명『동』〔*Paracaudina chilensis ransonnetii*〕 백해삼과에 속하는 해삼의 하나. 몸은 방추형이며 길이 10 cm 내외이고, 반투명으로 내장(內臟)이 보일 정도임. 15개의 촉수(觸手)를 가졌으며, 5월과 11월경에 알을 낳음. 육지의 만지(灣地)와 해안에 많이 살고 간조선(干潮線) 부근의 모래밭에 묻혀이 있음. 생리학의 실험 재료로 쓰임.

〈백해삼〉

백해삼-과【白海蔘科】〔一꽈〕명『동』 극피(棘皮) 동물 해삼강(海蔘綱)에 속하는 한 과. *광삼(光蔘)과.
백-핸드〔backhand〕명 테니스·탁구 등에서, 공을 치는 손의 손등을, 치는 방향으로 하는 타구법(打球法). ↔ 포어핸드(forehand).
백행【百行】명 모든 행위. 온갖 행실. ¶ 효(孝)는 ~의 근본.
백향-목【栢香木】명『성』 레바논에 나던 삼목(杉木)의 일종으로, 높이는 30 m 가량, 향기가 나고 내구력(耐久力)이 강하여 솔로몬왕이 여호와의 성전(聖殿)을 짓는 데 썼다 함.
백혁【白洫】명 물이 바싹 마른 봇도랑.
백-현【白峴】명『지』 경상 북도 영풍군(榮豐郡) 이산면(伊山面)에 있는 산. [192 m]
백-혈구【白血球】명『생』 혈구(血球)의 한 가지. 핵(核)이 있으나 그 모양이 일정하지 아니한 아메바 모양의 세포. 자유롭게 모세 혈관(毛細血管) 밖에까지 나와서 해로운 균(菌)을 잡아먹음. 크기는 0.002-0.013 mm, 수효는 적혈구의 1/500로 혈액 1 mm³ 중에 약 4,000-11,000개 있는데, 림프선(lymph腺)과 골수(骨髓)에서 신생(新生)됨. 흰피톨. ↔적혈구(赤血球).
백혈구 감:소증【白血球減少症】〔一쯩〕명『의』 혈액 속의 백혈구가 1 mm³에 4,000 이하로 감소하는 병증(病症). 장(腸)티푸스·홍역·풍진(風疹)·유행성 감기 등이나 X선 조사(照射) 후에 일어남.
백혈구 과:다증【白血球過多症】〔一쯩〕명『의』 백혈구 증가증.

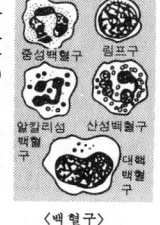

중성백혈구 림프구 알칼리성백혈구 산성백혈구 대핵백혈구
〈백혈구〉

백혈구-독【白血球毒】명『의』 포도상 구균이나 연쇄상 구균(連鎖狀球菌)의 배양 여과액(培養濾過液) 중에서 만들어지는, 백혈구를 용해하는 물질. 열에 대한 저항력이 약함.
백혈구 증가증【白血球增加症】〔一쯩〕명『의』 혈액 중의 백혈구가 굉장히 많아지는 병증. 폐렴·성홍열(猩紅熱)·충양 돌기염(突起炎)·뇌막염(腦膜炎)·단독(丹毒)·디프테리아 그 밖의 전염병이나 또는 중독·악성 종양(惡性腫瘍)에서 일어남. 백혈구 과다증.
백혈-병【白血病】〔一뼝〕명『의』 백혈구가 혈액 1 mm³ 중에 10만-50만 개로 이상(異常) 증가하여 유혈(流血) 속에 나타나는 병. 혈액을 만드는 기관(器官)인 골수·림프·비장 등의 악성 종양(惡性腫瘍)에 의하여 차츰 빈혈(貧血)·출혈(出血)을 일으키게 되어 전신 쇠약에 이름.
백협-조【白頰鳥】명『조』 박새[2].
백형【伯兄】명 맏형.
백혜【白鞋】명 흰 신의 한자(漢字)말.
백호[1]【百戶】명『역』 본디 원(元)나라의 제도를 본뜬, 고려·조선 시대의 오품·육품의 무관직. 부하 병졸 100명을 거느림. 고려 때에는 왜구(倭寇)를 막기 위해 두었으며, 조선 시대에는 주로 내공(來貢)하는 여진(女眞) 추장에게 주는 명예직으로 이용되었음.
백호[2]【白虎】명 ①『천』 서쪽 일곱 별인 규(奎)·누(婁)·위(胃)·묘(昴)·필(畢)·자(觜)·삼(參)의 총칭. ②『민』 서쪽 방위의 금(金) 기운을 맡은 태백신(太白神)을 상징(象徵)한 짐승. 범으로 나타내어 예로부터 무덤 속의 오른 벽과 관(棺)의 오른쪽에 그렸음. ③『민』 주산(主山)에서 갖겨 나간 오른쪽의 산맥(山脈). 여러 가닥으로 된 때는 내백호(內白虎)·외백호(外白虎)로 나눔. 우백호(右白虎). 2·3):↔청룡(靑龍).

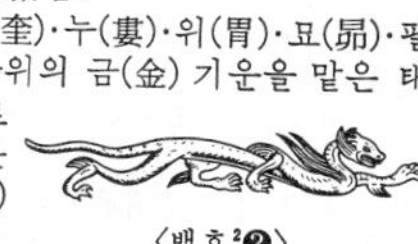
〈백호[2]❷〉

백호[3]【白狐】명『동』 흰 여우.
백호[4]【白毫】명『불교』 부처의 32상(相)의 하나. 눈썹 사이에 난 터럭으로 광명을 무량세계(無量世界)에 비친다 함.
백호[5]【白湖】명『사람』 임제(林悌)의 호(號).
백호[6]【白蒿】명『식』 산흰쑥.
백호-기【白虎旗】명『역』 ①대오방기(大五方旗)의 하나. 진영(陣營) 오른편 문에 세워서 우군(右軍)·우영(右營) 혹은 우위(右衛)를 지휘함. 기면(旗面)은 5척 평방, 깃대 15척. 흰 바탕에 백호(白虎)와 운기(雲氣)를 그리고, 가장자리와 화염은 누른 빛임. 영두(纓頭)·주락(珠絡)·장목이 있음. ②의장기(儀仗旗)의 하나.

〈백호기❶〉 〈백호기❷〉

백호-도【白虎圖】명 민화(民畫)의 화제(畫題)의 하나. 흰 빛의 호랑이를 그린 그림. 벽사(辟邪)를 상징함.

백-호마【白胡麻】명〖식〗참깨.
백호 방:광【白毫放光】명〖불교〗백호(白毫)가 사방에 빛을 내뿜음. ——-하다 자여불
백호-소【百戶所】명〖역〗중국 명대(明代)에 112 호(戶)로 구성되는 위소제(衛所制)의 가장 작은 단위. 그것이 열이 모여 천호소(千戶所)를 이루었음.
백-호접【白蝴蝶】명〖충〗흰나비❶.
백호-주의【白濠主義】[—/—이] 명 〔White Australianism〕 주로 연방(聯邦) 형성 당시 오스트레일리아에서 백인(白人) 이외의 인종, 특히 황색 인종의 입국(入國)이나 정주(定住)를 배척하던 주의 또는 정책. 1965 년에 원칙적으로 폐지됨.
백호-탕【白虎湯】명〖한의〗상한(傷寒)에서 오는 위열(胃熱)로 인하여 번갈(煩渴)이 심한 데에 쓰는 탕약.
백호-통【白虎通】명〖책〗↗백호 통의.
백호 통의【白虎通義】[—/—이] 명〖책〗중국, 후한(後漢)의 반고 찬서(班固撰書). 후한의 장제(章帝) 4년에, 학자를 북궁(北宮)인 백호관(白虎觀)에 모아, 경서(經書)의 문자나 해석의 이동(異同)을 논의하게 하여 정리한 ≪백호 통덕론(白虎通德論)≫을 반고(班固)로 하여금 정리하도록 한 것임. 44 편으로 나뉨. 4권. 준백호통.
백홋-날【白虎—】명〖민〗산(山)의 백호로 된 등성이.
백홍【白虹】명 빛이 흰 무지개.
백화[1]【白花】명 빛이 흰 꽃.
백화[2]【白話】명 중국에서, 일상 생활에 쓰는 구어(口語)·속어(俗語).
백화[3]【白禍】명 백색 인종(白色人種)이 세계에 발호(跋扈)하여, 유색(有色) 인종에게 화를 입히는 일. 백인화(白人禍). ↔황화(黃禍).
백화[4]【白樺】명〖식〗자작나무.
백화[5]【百花】명 여러 가지 꽃. 온갖 꽃. 중방(衆芳). ¶ ~가 만발하다.
백화[6]【百貨】명 여러 가지 상품이나 재화.
백화 난:만【百花爛漫】명 온갖 꽃이 피어서 아름답게 흐무러짐. *백화 요란(撩亂). ——-하다 형여불
백-화등【白花藤】명〖식〗〔*Trachelospermum majus*〕 협죽도과에 속하는 상록 활엽 만목(蔓木). 밑의 잎은 넓으나 위의 잎은 크고, 백반(白斑)이 적으며, 잎 뒤에 털이 적음. 초여름에 흰 꽃이 취산(聚繖) 화서로 액생(腋生) 또는 정생(頂生)하며 원통형 삭과(蒴果)는 가을에 익음. 산기슭에 나는데, 경남 및 일본·대만에 분포함. 관상용임.
백화-문【白話文】명 백화로 쓴 중국의 글.
백화 문학【白話文學】명〖문〗중국 근대 문학을 형식 및 용어(用語)에 주안점(主眼點)을 두고 부른 이름. 1917년 이후, 후스(胡適) 등이 중심이 되어 재래(在來) 문학에 대한 반동으로 문학상의 혁명을 일으키어 백화, 즉 구어(口語)를 정통적(正統的)인 국어로 하며, 구어만이 근대 문학의 산 표현 도구(表現道具)가 된다고 주장했음. *문학 혁명·백화 운동.
백화-사【白花蛇】명〖동〗산무애뱀.
백화-산【白華山】명〖지〗충청 북도 괴산군(槐山郡) 연풍면(延豐面)과 경상 북도 문경군(聞慶郡) 마성면(麻城面) 사이에 있는 산. [1,063 m]
백화 상점【百貨商店】명 백화점(百貨店).
백화 소:설【白話小說】명〖문〗중국 문학사(史)에 있어서 구어(口語)로 쓰여진 소설. 사대 기서(四大奇書)로 불리는 ≪삼국지(三國誌)≫·≪서유기(西遊記)≫·≪수호전(水滸傳)≫·≪금병매(金瓶梅)≫ 및 ≪홍루몽(紅樓夢)≫ 등의 저명한 작품은 모두 백화 소설임.
백화-왕【百花王】명 '모란(牡丹)'의 이명(異名).
백화 요란【百花燎亂】명 가지가지 꽃이 불이 타오르듯 찬란하게 핌. *백화 난만. ——-하다 자여불
백화 운:동【白話運動】명 1917 년 중국에서 일어난 문체(文體)의 개혁 운동. 종래 문어(文語)가 중히 여겨지고, 구어(口語)가 경시된 데 반대하여 백화를 고취한 운동. 1917년 후스(胡適)에 의하여 제창되었으며, 1919년의 5·4 운동에서 언어상의 문제에 그치지 아니하고 구래(舊來)의 윤리·사상의 타파 운동으로 발전하였음. *백화 문학.
백화 자기【白畫瓷器】명 흰 빛으로 그림이 그려진 도자기(陶瓷器).
백화-점【百貨店】명 상품을 각 부문으로 나누어 진열 판매(陳列販賣)하는 대규모(大規模)의 종합 소매점. 백화 상점(百貨商店). 디파트먼트 스토어. ↔단위 상점.
백화 제방【百花齊放】명 ①많은 꽃이 일제히 핌. ②갖가지 학문·예술이 함께 성함의 비유. *백가 쟁명(百家爭鳴).
백화-제충국【白花除蟲菊】명〖식〗흰제충국.
백화-주【百花酒】명 온갖 꽃을 넣어서 빚은 술.
백화-춘【百花春】명 찹쌀로만 빚은 술. 맛이 시원하고 향기로움.
백화 현:상【白化現象】명〖식〗철이나 마그네슘 등의 양분이 부족하여 엽록소가 형성되지 아니하고 식물체가 백색이 되는 현상. *황화(黃化) 현상.
백회【白灰】명 백색 덩이인 석회, 곧 생석회(生石灰). 산화 칼슘.
백회-혈【百會穴】명〖생〗정수리의 숫구멍 자리.
백훼【百卉】명 온갖 초목. 온갖 꽃.
백-흑【白黑】명 청탁(淸濁) 또는 정사(正邪). 흑백(黑白).
백흑지-변【白黑之辨】명 선악과 정사(正邪)를 구별하여 가려냄.
백희【百戲】[—히] 명〖연〗여러 가지 놀이. 갖가지 연희(演戲). 가면놀이·곡예(曲藝)·요술 따위의 통칭.
밴[1]〔van〕명 ①선두(先頭). 선도자(先導者). ②선진(先陣). ③↗라이트 밴.
밴[2]【VAN】명 〔value added network의 준말〕 부가 가치 통신망.
밴-나들 명〈방〉나루¹(함경).
밴달 명〈방〉비탈(경상).
밴대 명 ↗밴대 보지.
밴대 보:지 명 불두덩에 음모(陰毛)가 나지 아니한 어른의 보지. 알보지. 준밴대.
밴대-질 명 여자끼리 성교를 흉내내는 짓. ↔비역. ——-하다 자여불
밴대질-치다 자 상대자에게 밴대질을 하다.
밴댕이 명〖어〗〔*Harengula zunashi*〕 청어과에 속하는 바닷물고기. 몸길이 5-12 cm 내외로, 전어(錢魚)와 비슷하나 등지느러미의 맨 끝 연조(軟條)가 실 모양으로 연장되어 있지 않고, 체고(體高)가 좀 높음. 몸빛은 등 쪽이 청흑색이고, 옆구리와 배 쪽은 은백색임. 한국서 남해·일본 등의 연안, 대만에 많이 분포함. 평북과 전남 지방에서는 멸치젓의 대용, 젓갈 원료로 중요시됨. 반초어(伴鮹魚). 소어(蘇魚).

〈밴댕이〉

밴댕이 소:갈머리 구 아주 좁고 얕은 심지(心志).
밴댕이 구이 명 밴댕이를 구운 반찬.
밴댕이 수제비 명 밴댕이의 살을 짓이겨 수제비처럼 토막 치어 장국에 넣고 달걀·후춧가루를 풀어 끓인 음식.
밴댕이 저:냐 명 밴댕이로 만든 저냐.
밴댕이-젓 명 밴댕이로 담근 젓.
밴댕이 찌개 명 밴댕이를 토막 쳐서 쇠고기를 섞어 고추장물에 끓인 찌개.
밴댕이-회【—膾】명 밴댕이로 썰어 만든 회.
밴 더 그래프 정전 발전기【—靜電發電機】[—쩐—] 명 〔Van de Graaff electrostatic generator〕〖기〗〔발명자인 미국의 물리학자 밴 더 그래프(Van de Graaff, Robert Jemison ; 1901-67)의 이름에서〕 가속 장치에 쓰이는 특수한 정전(靜電) 고압 기전기(起電機). 모양이 작고 값이 싸며, 균일한 고(高)에너지 입자(粒子)를 얻을 수 있기 때문에 널리 사용됨. 벨트 기전기.
밴:덕 명 요랬다조랬다 하여 변하기 잘하는 마음씨. 〈변덕. 〉반덕.
밴:덕(을) 부리다 구 밴덕스러운 말이나 짓을 하다. 〈변덕(을) 부리다. 〉반덕(을) 부리다.
밴:덕-꾸러기 명 밴덕을 잘 부리는 사람. 〈변덕꾸러기. 〉반덕꾸러기.
밴:덕-맞다 형 밉살맞게 밴덕스럽다. 〈변덕맞다. 〉반덕맞다.
밴:덕-스럽다 형ㅂ불 한번 정한 일이나 마음을 실없이 자꾸 변하는 태도가 있다. 〈변덕스럽다. 〉반덕스럽다. **밴:덕-스레** 부.
밴:덕-쟁이 명 밴덕스러운 사람. 〈변덕쟁이. 〉반덕쟁이.
밴 도:런〔Van Doren, Carl〕명〖사람〗미국의 비평가·문학사가. 컬럼비아 대학에서 교편을 잡는 한편 '네이션지(Nation誌)' 등의 문예난을 담당함. ≪미국의 소설≫·≪벤저민 프랭클린≫ 등의 연구·평론이 있음. [1885-1950]
밴둥-거리다 자 하는 일 없이 보기 싫게 게으름만 부리고 놀다. ㅆ뺀둥거리다. ㅉ팬둥거리다. 〈빈둥거리다. **밴둥-밴둥** 부. ——-하다 자여불
밴둥-대다 자 밴둥거리다.
밴드[1]〔band〕명 ①띠. 고리. ¶ 고무 ~. ②허리띠. ③벨트(belt).
밴드[2]〔band〕명〖악〗음악대(音樂隊). 특히, 관악기의 합주단. ¶ ~맨.
밴드-마스터〔bandmaster〕명 악단의 수석 연주자. 악장(樂長).
밴드-맨〔bandsman〕명 악단원(樂團員). 악사(樂士).
밴드 이:론【—理論】〔band〕명〖물〗고체 내(固體內)의 전자(電子) 상태를 근사적(近似的)으로 다루는 이론. 전자의 에너지 준위(準位)가 띠 구조를 형성하므로 이런 이름으로 불림. 전기 전도(傳導) 등, 전자가 관련되는 여러 가지 현상(現象)에 이론적 기초를 부여함. 띠이론(理論).
밴들-거리다 자 하는 일 없이 부끄러운 줄도 모르고 놀기만 하다. ㅆ뺀들거리다. ㅉ팬들거리다. 〈빈들거리다. 〉반들거리다. **밴들-밴들** 부. ——-하다 자여불
밴들-대다 자 밴들거리다.
밴디지〔bandage〕명 ①붕대(繃帶). 특히 복싱에서, 주먹과 손목을 보호하고 펀치력을 높이기 위하여 감는 붕대. ②안대(眼帶).
밴밴:-하다 형〈방〉반반하다(평안).
밴 블렉〔Van Vleck, John Hasbrouck〕명〖사람〗미국의 물리학자. 미국 하버드 대학 명예 교수로, 전자기(電磁氣) 및 자기(磁氣) 감응에 관한 이론을 비롯해서 자기 연구에 시종하여 현대 자기학의 아버지라 불리며, '원자와 이온' 현상을 이해하는 데 기여함. 레이저 광선 개발과 유리의 공업 이용 증진 분야에 활용되는 공학인 '자성체(磁性體)와 무질서(無秩序)한 계(系)의 전자 구조'에 관한 이론적(理論的) 연구에서 이룩한 업적으로, 앤더슨(Anderson, P.W.). 모트(Mott, N.F.) 등과 함께 1977년 노벨 물리학상을 수상함. [1899-1980]
밴 앨런〔Van Allen, James Alfred〕명〖사람〗미국의 물리학자. 아이오와 주립(州立) 대학을 졸업하여, 1939-41년 카네기 연구소에서 지자기(地磁氣)를 연구, 제2차 대전 후 존스 홉킨스 대학 응용 물리학 연구소 고공(高空) 그룹 주임(主任)을 역임, 1951년 이후 아이오와 주립 대학 물리학 부장으로 있음. 대기권(大氣圈) 로켓 연구 위원회 위원장으로, 익스플로러 인공 위성 방사능 측정 장치를 설계하고 1958년 밴 앨런 대(帶)를 발견함. [1914-]
밴 앨런 대【—帶】〔Van Allen〕명〖천〗적도(赤道) 상공을 중심으로 지구를, 지축(地軸)을 직교(直交)하는 도넛 모양으로 둘러싸고 있는 방사능대(放射能帶). 1958년 미국의 인공 위성 익스플로러(Explorer) 1호의 관측 결과에서 미국의 밴 앨런이 발견했음.

A: 내대 B: 외대
〈밴 앨런 대〉

내대(內帶)와 외대(外帶)가 있으며 내대에는 양성자(陽性子), 외대에는 전자(電子)가 많음. 성인(成因)은 우주선(宇宙線)에 의하여 대기(大氣) 분자로부터 분리된 입자(粒子)가 지구 자기장(磁氣場)에 포착된 것이라고 알려짐. 방사선대.

밴조: 〔banjo〕 명 〖악〗 발현(撥絃) 악기의 하나. 현(絃)은 보통 4-5줄이며 공명동(共鳴胴)은 원형으로 양피(羊皮)를 발랐음. 주로 미국 민요·재즈 음악 연주에 쓰임.

밴주그레-하다 형여불 ☞ 반주그레하다.

밴죽-거리다 자 ☞ 반죽거리다.

밴쿠:버[1] 〔Vancouver, George〕 명 〖사람〗 영국의 항해가·탐험가. 쿡(Cook, J.) 선장의 안내자로 항해에 나섬. 태평양을 항해하고 1792-94년 북아메리카의 태평양 연안을 탐험·측량함. 밴쿠버 섬은 그의 이름을 따서 붙인 이름임. [1757-98]

〈밴조〉

밴쿠:버[2] 〔Vancouver〕 명 〖지〗 캐나다 브리티시컬럼비아 주(British Columbia 州) 남부의 항시(港市). 캐나다 태평양 철도의 종점임. 펄프·제지(製紙)·기계·섬유·모피·조선(造船) 등의 공업이 행하여짐. 무역액(貿易額)은 캐나다 제일임. [431,137 명(1986)]

밴쿠:버 섬 〔Vancouver〕 명 〖지〗 캐나다 밴쿠버 시(市) 대안(對岸)에 있는 큰 섬. 구릉성(丘陵性)으로 높이 700-1,000 m임. 석탄·철광을 산출하며 어업이 성함. 주도(主都)는 빅토리아(Victoria). [32,135km²: 210,000 명(1981) 추계)]

밴크로프트 〔Bancroft, George〕 명 〖사람〗 미국의 역사가·정치가. 독일 사학(史學)을 처음으로 도입함. 또 아나폴리스의 해군 사관 학교를 창설함. 저서 ≪미국 역사≫ 10권. [1800-91]

밴크로프트 사상충 【一絲狀蟲】 〔Bancroft〕 명 〖생〗 〔19세기말의 영국 의사의 이름 Joseph Bancroft에서〕 원형 동물의 하나. 혈액이나 림프액에 기생하여 상피병(象皮病)을 일으킴. 주혈 사상충(住血絲狀蟲).

밴텀-급 【一級】 〔bantam〕 〔一끕〕 명 권투·레슬링 등에서, 선수의 체중에 따라 나눈 등급의 하나. 아마추어 권투에서는 51-54kg, 프로 권투에서는 51.16-53.52kg, 레슬링에서는 아마추어의 경우 주니어 56kg, 시니어 57kg의 체급을 말함. 밴텀 웨이트.

밴텀 웨이트 〔bantam weight〕 명 밴텀급(級).

밴티지 〔vantage〕 명 어드밴티지(advantage).

밴팅 〔Banting, Frederick Grant〕 명 〖사람〗 캐나다의 의사·생리학자. 당뇨병의 인슐린 요법(insulin療法)을 발견하여 1923년 노벨 의학상을 받음. [1891-1941]

밴프 국립 공원 【一國立公園】 〔一닙一〕 명 〔Banff National Park〕 〖지〗 캐나다의 산악(山岳) 국립 공원. 캐나디언 로키의 동부 산허리에 위치하여 장대한 로키 산지의 경관(景觀)과 좋은 시설을 갖춘 온천·호텔이 있어 세계적으로 유명함.

밴-하다 형여불 ☞ 반하다.

밸[1] 명 〈방〉 〖어〗 뱅어(함경).

밸:[2] 명 ↗배알. ¶그런 말을 듣고도 가만히 있다니. 넌 ~도 없니.

밸:[3] 명 〈방〉 별(경남).

밸:-꼴리다 자 아니꼬워서 견딜 수가 없다. 비위가 틀리다.

밸러니 제도 【一諸島】 〔Balleny〕 명 〖지〗 남극 대륙(南極大陸)의 빅토리아랜드 앞바다에 있는 제도. 화산성(火山性)이며, 빙하(氷河)가 발달함. 1839년 영국인 밸러니(Balleny, J.)가 발견함.

밸러랫 〔Ballarat〕 명 〖지〗 오스트레일리아 남동부, 멜버른 서쪽의 도시. 직물·양조 공업이 행하여지며, 멜버른의 피서(避暑)·휴양지임. 한때는 중요한 금광(金鑛) 도시로 번영하였음. [74,000 명(1982 추계)]

밸러-상 【一賞】 명 〔Valour in Sports Prize〕 영국의 빅토리아 스포츠 클럽이 1976년 2월에 창설한, 용감한 스포츠맨에게 주는 상. 상은 5만 5천 파운드 상당의 순금제(純金製) 월계관임.

밸러스트 〔ballast〕 명 ①배의 흘수(吃水)를 깊이 하고, 전복(顚覆)을 방지하기 위하여 배 밑에 쌓는 석탄·돌·쇠 같은 물건. 지금은 물로 대신함. 바닥짐. 저하(底荷). 각하(脚荷). ②철도나 궤도에 깔거나, 콘크리트에 섞는 자갈.

밸런스 〔balance〕 명 ①균형(均衡). ¶~를 잡다. ②나머지. 차액 잔액(差額殘額). 1)·2):↔언밸런스.

밸런스 시:트 〔balance sheet〕 명 〖경〗 대차 대조표(貸借對照表).

밸런스 오브 파워 〔balance of power〕 명 〖정〗 세력 균형(勢力均衡).

밸런스 웨이트 〔balance weight〕 명 저울추. 평형추.

밸런친 〔Balanchine, George〕 명 〖사람〗 러시아 출생의 미국 무용가·안무가(按舞家). 디아길레프(Diaghilev)의 발레단에 참가, 1933년 도미하여 순연(巡演), 미국 발레 학교를 창립하고 발레 협회를 창립하는 등 미국 근대 발레의 발전과 육성에 힘씀. [1904-83]

밸럿 〔ballot〕 명 ①투표용의 작은 공. ②투표 용지. ③추첨(抽籤).

밸류 〔value〕 명 ①가치(價値). ¶뉴스 ~/네임 ~. ②〖미술〗 그림의 명암(明暗) 또는 그 도(度). ③〖연〗 영화의 명암(明暗)의 화면(畫面) 효과.

밸류 아날리시스 〔value analysis〕 명 〖경〗 가치 분석.

밸브 〔valve〕 명 ①〖기〗 판[6](瓣)❷. ②전자관(電子管). 진공관(眞空管). ③〖악〗 금속 관악기(金屬管樂器)에서 자연음 이외의 소리를 내기 위한 장치. 이것으로 반음(半音)을 쉽게 취주(吹奏)할 수 있음. 활전(活栓). 피스톤.

밸브 트롬본 〔valve trombone〕 명 〖악〗 관악기의 하나. 슬라이드 대신에 밸브를 장치한 트롬본.

밸:빠진 놈 명 '쓸개 빠진 놈'과 같은 뜻.

밸:-뽑는다 자 제가 마음 속에 생각하고 있는 것을 전부 털어 놓아 애기하다.

밸아-먹다 자타 ☞ 배라먹다.

밸:없는 놈 명 밸빠진 놈.

밸푸어[1] 〔Balfour, Arthur James. 1st Earl of Balfour〕 명 〖사람〗 영국의 정치가. 1902-05년 수상(首相). 영불 협상·영일(英日) 동맹 체결에 진력. 1차 대전중 외상으로서 밸푸어 선언을 발표. 파리 강화 회의·국제 연맹 총회·워싱턴 군축 회의 대표 등을 역임함. [1848-1930]

밸푸어[2] 〔Balfour, Francis Maitland〕 명 〖사람〗 영국의 동물학자. 상어의 발생을 연구. 당시까지의 발생학의 여러 업적들을 종합·정리하여 펴낸 ≪비교 발생학(比較發生學)≫이 널리 알려짐. 알프스 등반 중 추락, 사망하였음. [1851-82]

밸푸어 선언 【一宣言】 〔Balfour〕 명 제1차 대전중인 1917년, 영국 외상 밸푸어가 팔레스타인에 유태 민족 국가를 건설하는 것을 지지한다고 약속한 선언. 터키에 대한 작전 수행을 위한 유태인의 협력을 기대하여 행한 것이었는데, 이것은 오스만 제국 안의 아랍 민족의 독립을 약속한 후사인-맥마혼(Husain-McMahon) 협정과 모순되어, 유태인과 아랍인 간의 팔레스타인 분쟁을 불러일으키는 원인이 되기도 하였음. *맥마혼 선언.

뱀: 명 〖동〗 〔↗배암〕 뱀강(綱) 뱀목(目)에 속하는 척추(脊椎) 동물의 총칭. 몸은 길고 비늘로 덮였으며 많은 척수골(脊髓骨)과 늑골(肋骨)이 연결되고, 보통 사지가 퇴화(退化)했음. 상악(上顎)과 구개(口蓋)가 가동적(可動的)이므로 입을 크게 벌릴 수 있고, 복린(腹鱗)을 세워 전진(前進) 운동을 함. 혀는 끝이 갈라지고 깊. 유독(有毒)·무독(無毒)의 두 종이 있으며 난생(卵生)이나, 살무사 등은 태생(胎生)이고 변온(變溫) 동물이며 온대에서는 동면(冬眠)함. 전세계에 분포하는데, 누룩뱀·방울뱀·반시뱀·산무에뱀·살무사·율모기 등이 있음.
[뱀 발을 덧붙인다] 사족(蛇足)을 붙이다. 쓸데없는 군 일을 한다. [뱀이 용(龍)되어 큰소리한다] 천한 사람이 갑자기 귀해지면, 유난히 아니꼽게 큰소리를 친다는 말.

뱀:본 새:짖어 대 듯 구 뱀을 본 새가 야단스럽게 지저귀듯 몹시 시끄럽게 떠드는 모양.

뱀:-강 【一綱】 명 〖동〗 〔Reptilia〕 유양막류(有羊膜類)에 속하는 척추(脊椎) 동물의 한 강(綱). 몸은 머리·목·몸뚱이·꼬리의 네 부분으로 나뉘는데, 꼬리의 장단(長短)의 차이가 심하고 네 발의 발달이 불량(不良)하여, 뱀이나 어떤 종류의 도마뱀은 전연 발이 없음. 여러 가지 모양의 비늘이 있고, 귀별류(龜鼈類)에는 진피(眞皮) 속의 배갑(背甲)과 복갑(腹甲)이 있음. 피부선(皮膚腺)이 전연 없어서, 귀별류 이외는 대개 탈피(脫皮)를 하며, 골격은 대개 경골(硬骨)임. 악어를 제외하고는 심장은 두 개의 심이(心耳)와 한 개의 심실(心室)로 되고 불완전한 격막(隔膜)이 있어 허파로 숨을 쉼. 배설기(排泄器)는 후신(後腎)에서 이루어진 신장(腎臟)이며, 수컷은 교미기(交尾器)가 있어서 항문(肛門)에서 나오는 정충(精蟲)을 운반함. 냉혈(冷血)이며 난생(卵生)임. 인척류(鱗蜴類)·수척류(水蜴類)의 두 아강(亞綱)으로 나뉘며 거북목(目)·뱀목(目)·악어목(鰐魚目) 등이 있음. 파충류(爬蟲類).

뱀:-과 【一科】 〔一꽈〕 명 〖동〗 〔Colubridae〕 뱀목에 속하는 한 과.

뱀:-꼬리고사리 명 〖식〗 〔*Athyrium coreanum*〕 꼬리고사릿과에 속하는 다년생 양치류(羊齒類). 근경(根莖)은 비후(肥厚)하며 비스듬히 누워 있고 밑에 수염뿌리가 났으며 잎은 총생(叢生)함. 잎자루는 길이 10-20cm 가량이고 갈색의 인편(鱗片)이 기부(基部)에 약간 촘촘히 났음. 잎새귀는 긴 달걀꼴로 끝은 길게 뾰족하고 우상 복엽(羽狀複葉)이며, 우편(羽片)은 선형(扇形) 또는 달걀꼴의 피침형(披針形)임. 자낭(子囊)은 짤막하며 작고, 잎 뒤 맥 위에 줄지어 붙었으며, 갈고리 모양 또는 말굽 모양의 포막(包膜)이 있음. 산지의 나무 그늘 밑에 나며 우리 나라의 각지에 분포함. 어린 잎은 식용함.

뱀:-나무 명 〖식〗 〔*Viburnum koreanum*〕 인동과(忍冬科)에 속하는 낙엽 활엽 관목. 잎은 넓고 손바닥 모양으로 갈라지는데, 5월에 녹백색을 띤 꽃이 산형 화서(繖形花序)로 풋가지 끝에 정생(頂生)하여 핌. 과실은 핵과(核果)이고 9월에 붉게 익음. 한국 중부 이북 지방에 야생함.

뱀:-날 명 〈속〉 사일(巳日).

뱀:눈나빗-과 【一科】 명 〖충〗 〔Satyridae〕 나비목(目)에 속하는 한 과(科). 몸의 크기는 소형(小形) 또는 중형이며, 몸빛은 대체로 회색·갈색으로 된 암색(暗色)이고, 날개에 대·소형(大小形)의 뱀눈 모양의 무늬가 있음. 보통 나무 그늘 같은 음침한 곳에 서식하는데 전세계에 1,500여 종이 분포함. 굴뚝나비·도시처녀·부처나비·애물결나비·왕알락나비·왕잘나비·참산뱀눈나비 등이 이에 속함.

뱀:-다우 명 〈방〉 〖어〗 뱀장어(평안).

뱀:-당구 명 〈방〉 〖어〗 뱀장어(평안).

뱀:-도랏 명 〖식〗 〔*Torilis japonicus*〕 미나릿과에 속하는 월년초. 줄기에 거친 털이 있고, 높이는 70cm 가량임. 잎은 호생하고 이회 삼출 복엽(二回三出複葉)함. 여름에 줄기 끝에 희고 작은 오판화(五瓣花)가 산형(繖形) 화서로 피고, 과실은 날카로운 가시가 있는 타원형의 수과(瘦果)로, 짐승의 몸이나 의복(衣服)에 붙어 퍼짐. 열매를 말린 것을 '사상자(蛇床子)'라고 하여 약재로 씀.

〈뱀도랏〉

뱀:-딸기 명 〖식〗 〔*Duchesnea indica*〕 장미과에 속하는 다년초. 줄기는 땅 위에 벋으며 거친 털이 있고, 마디마다 새 싹을 냄. 잎은 호생하고, 장병(長柄)이며 세 개의 소엽(小葉)으로 되고 거꿀달걀꼴의 타원형인데 가는 톱니로 둘렸음. 4-6월에 황색 오판화(五瓣花)가 단립(單立) 또는 대생(對生)으로 액출(腋出)하여 피고, 삭과(蒴果)는 구형(球形)의 육질(肉質)인데, 붉게 익고 맛이 좋지 아니함. 들이나 길가에 나는데, 한국·일본·중국·인도 등지에 분포함. 사매(蛇莓). 잠매(蠶莓). 지매(地莓). *땅딸기.

〈뱀딸기〉

뱀:-띠 명 〖민〗 '사생(巳生)'을 뱀의 속성을 상징하여 일컫는 말.

뱀:-목【一目】[명]〖동〗[Squamata] 뱀강(綱)에 속하는 한 목(目). 몸 거죽에는 털이 변하여 이루어진 각질(角質)의 비늘이 마치 기와를 엎어 놓은 것 모양으로 덮이고, 혀는 길어 입 밖에 내두를 수 있음. 침은 점착성(粘着性)이 강함. 뱀아목(亞目)·도마뱀 아목 등이 이에 속함. 유린류(有鱗類).

뱀:-무 [명]〖식〗[*Geum japonicum*] 장미과에 속하는 다년초. 줄기는 높이 25-60cm로 곧게 자라며, 잔 털이 많고 근엽(根葉)은 무 잎과 비슷하게 호생하고 우상 복엽(羽狀複葉)에 세 갈래로 째짐. 6월에 황색 오판화(五瓣花)가 취산(聚繖) 화서로 가지 끝에 피고, 수과(瘦果)는 구형(球形)에 센 털이 밀생(密生)함. 야생하는데, 한국·일본·중국에 분포함. 잎과 줄기는 식용함.

〈뱀무〉

뱀:-밥 [명]〖식〗쇠뜨기 포자(胞子)의 줄기. 토필(土筆).

뱀:-뱀이 [명] 예의에 대한 교양(教養). ¶그 ~ 없는 놈의 시시덕거림을 더 이상은 구경하고 있을 수가 없었다. *배움배움.

뱀:-상어 [명]〖어〗[*Galeocerdo arcticus*] 행락상어과에 속하는 바닷물고기. 몸길이 10m 내외의 대형으로서, 몸빛은 회갈색에 배 쪽은 조금 담색, 등 쪽은 암갈색 무늬가 있음. 유어(幼魚) 때의 몸빛은 담갈색으로 체측에 가로줄이 있으나, 성어(成魚)가 되면 체측과 지느러미에 불규칙한 흑점이 산재하여, 때로는 이 점들이 호랑이 모양을 이룸. 눈에는 순막(瞬膜)이 있음. 한국 중부 이남, 일본 남부에서 인도양·홍해에까지 분포함. 성질이 사나움. 껍질은 여러 용도에 쓰이며, 지느러미는 중국 요리에 쓰고 간유(肝油)도 채취함.

뱀:-세 [명]〈방〉〖식〗뱀혀.

뱀:-술 [명] 배갈이나 소주 등 독한 술에 뱀을 넣어 우린 술. 병이나 항아리에 뱀을 넣고 술을 부은 후, 잘 봉하여 땅 속에 묻거나 보관하였다가 꺼내어 마심. 사주(蛇酒).

뱀:-아목【一亞目】[명]〖동〗[Ophidia] 뱀목에 속하는 파충류(爬蟲類)의 한 아목(亞目). 대개 몸이 가늘고 긴 원통형인데, 머리·몸뚱이 및 꼬리의 세 부분으로 나누며 사지(四肢)가 퇴화(退化)하였고 많은 척추골(脊椎骨)과 늑골(肋骨)이 계속 연결되었음. 난생(卵生)과 태생(胎生)이 있고, 독(毒)이 있는 것과 없는 것이 있음. 먹구렁이·방울뱀·뱀·보아·살무사·우산뱀·율모기 등이 이에 속함. 사류(蛇類).

뱀:-자리 [명]〔라 Serpens〕〖천〗북천(北天)에 있는 별자리. 헤르쿨레스(Hercules)자리와 목자(牧者)자리와의 사이에 있으며, 7월 중순의 저녁에 남중(南中)함. 사좌(蛇座). 약자(略字) : Ser.

뱀자우 [명]〈방〉〖어〗뱀장어(경북).

뱀:-잠자리 [명]〖충〗[*Protohermes grandis*] 뱀잠자릿과에 속하는 곤충. 몸길이 35-45mm, 편 날개 길이는 90-115mm이고, 몸빛은 황색 내지 암황색이며, 후두(喉頭) 양측에 네 개의 흑색 무늬가 있음. 날개는 투명하고 앞날개에는 6-7개, 뒷날개에 세 개의 원형 황색 무늬가 있음. 유충은 흐르는 얕은 물의 돌 밑에 서식하고, 다른 곤충의 유충을 포식함. 성충은 6-8월에 발생하여 등불에도 모여 듦. 완전 변태함. 유충은 소아(小兒)의 감질(疳疾) 약재로 씀. 한국·일본·대만 등지에 분포함.

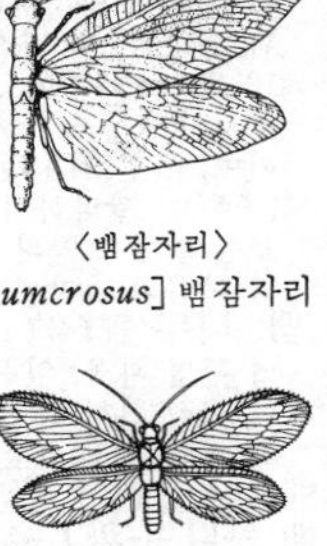
〈뱀잠자리〉

뱀:잠자리-붙이 [—부치] [명]〖충〗[*Eumicromus numcrosus*] 뱀잠자리붙잇과에 속하는 곤충. 몸의 길이 7mm, 편 날개의 길이는 18mm 내외임. 두부는 대황갈색으로 얼굴에는 두 개의 흑갈색 반문(斑紋)이 있음. 전흉배(前胸背)는 황갈색, 가장자리는 흑갈색, 중·후흉(中後胸)은 갈색, 복부는 암갈색임. 앞날개는 투명하며, 회갈색 조문(條紋)이 있음. 한국·일본 등지에 분포함.

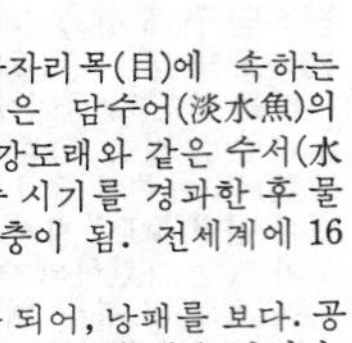
〈뱀잠자리붙이〉

뱀:잠자리붙잇-과【—科】[—부친—]〖충〗[Hemerobiidae] 뿔잠자리목(目)에 속하는 한 과. 몸은 소형이며 몸빛은 대체로 대갈색(帶褐色)임. 단안(單眼)은 없고 촉각은 길며 염주상(念珠狀)임. 포복성(匍匐性)이며 나무에 붙어 있는 작은 동물을 포식함. 뱀잠자리붙이·애뱀잠자리붙이가 이에 속하는데, 전세계에 25 속 220여 종이 분포함. 특히 북온대(北溫帶) 지방에 많음.

뱀:잠자릿-과【—科】[명]〖충〗[Corydalidae] 뿔잠자리목(目)에 속하는 한 과. 잠자리와 전연 다른 곤충으로, 유충(幼蟲)은 담수어(淡水魚)의 먹이임. 물 속의 암석 밑에 서식하며, 하루살이·강도래와 같은 수서(水棲) 곤충의 어린 벌레를 포식함. 2-3년간의 유충 시기를 경과한 후 물가나 돌 밑에 나와 탈피(脫皮)하여 초여름에 성충이 됨. 전세계에 16 속 80여 종이 분포함.

뱀:-잡다 [자] 기대했던 것과는 달리 엉뚱한 결과가 되어, 낭패를 보다. 공들인 일을 망치다.

뱀:-장아 [명]〈방〉〖어〗뱀장어(경기·충북).

뱀:-장애 [명]〈방〉〖어〗뱀장어(강원·경남).

뱀:-장어【—長魚】[명]〖어〗[*Anguilla japonica*] 참장어과에 속하는 바닷물고기. 몸길이 60cm 가량으로, 뒤쪽이 측편하여 뱀과 비슷하나 피하에 묻힌 잔 비늘로 덮였고, 옆 줄은 분명하며 배지느러미가 없고, 눈은 아주 작음. 몸빛은 암갈색에 하면은 은백색임. 대양의 심해에서 산란하고 유어(幼魚)는 봄철에 소하(遡河)하여, 한국 서남안에 주입하는 하천과 함남 안변(安邊) 이남의 동해 연안에 주입하는 하천 및 일본 중부 이남·중국 등지에 널리 분포함. 양식(養殖)도 하며, 고기 맛이 좋음. 백선(白鱓). 만리(鰻鱺). 만리어(鰻鱺魚). [준]장어.

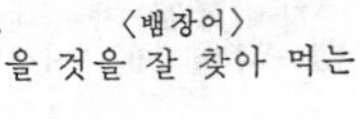
〈뱀장어〉

[뱀장어 눈은 작아도 저 먹을 것은 다 본다] 먹을 것을 잘 찾아 먹는 사람에게 하는 말.

뱀:장어-목【—長魚目】[명]〖어〗[Anguillida] 경골 어류(硬骨魚類)에 속하는 한 목(目). 참장어과·먹붕장어과·날붕장어과·곰칫과 등이 이에 속하는데, 몸은 뱀처럼 길고 비늘이 없으며, 피하에 묻힌 작은 비늘이 있고, 지느러미에 가시가 없음. 등지느러미와 뒷지느러미는 길며, 보통 꼬리지느러미와 유합(癒合)함.

뱀:장어-포【—長魚脯】[명] 뱀장어를 쪼개서 뼈를 발라 말린 포. [준]장어포(長魚脯).

뱀:장어-회【—長魚膾】[명] 뱀장어의 살을 저며서 막걸리에 빨아 비린 맛을 없애고 잘게 썰어서 만든 회.

뱀:-장에 [명]〈방〉뱀장어(경기·강원).

뱀장와 [명]〈방〉뱀장어(강원).

뱀장우 [명]〈방〉뱀장어(강원·경북).

뱀:-재이 [명]〈방〉뱀장어(경상).

뱀쟁애 [명]〈방〉뱀장어(강원).

뱀:-쟁이 [명]〈방〉뱀장어(강원·경상).

뱀제이 [명]〈방〉뱀장어(경남).

뱀종애 [명]〈방〉뱀장어(강원).

뱀:주인-자리【—主人—】[명]〔라 Ophiuchus〕〖천〗적도상(赤道上)의 별자리. 헤르쿨레스(Hercules)자리의 남쪽, 은하의 바로 옆에 있으며, 8월 초순의 저녁에 남중(南中)함. 오피우커스자리. 약자 : Oph.

뱀:-짱애 [명]〈방〉뱀장어(전남).

뱀:-짱어 [명]〈방〉뱀장어(전남).

뱀:-차조기 [명]〖식〗[*Salvia plebeia*] 꿀풀과에 속하는 이년초. 줄기는 곧으며 잔털이 많고, 높이 80cm 가량임. 잎은 대생하고, 유병(有柄)에 긴 타원형이며, 거친 톱니가 있음. 5-7월에 담자색 꽃이 줄기 끝에 윤산(輪繖) 화서로 피고, 수과(瘦果)는 3-5개로 나뉨. 야생이며, 제주도 및 한국 각지에 분포함. 관상용임.

뱀:-톱 [명]〖식〗[*Lycopodium serratum*] 석송과에 속하는 다년생 상록초. 줄기는 총생(叢生)하고 원주상 침선형(針線形)으로 곧게 자라 높이 13cm 가량임. 잎은 밀생(密生)하고, 암록색 혹은 황록색(黃綠色)이며, 도피침형(倒披針形) 또는 긴 타원형으로 끝이 뾰족하고 폭이 좁으며 가장자리는 날카로운 톱니임. 포자낭(胞子囊)은 큰 신장형(腎臟形)으로, 가지 끝 엽액(葉腋)에 단생(單生)하며 백황색인데, 가을에 째져서 포자(胞子)를 산포(散布)함. 산이나 어둑한 숲에 나는데, 한국·일본 등지에 분포함. 배암톱.

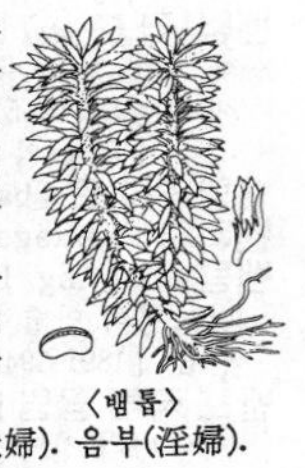
〈뱀톱〉

뱀파이어〔vampire〕[명] ①흡혈귀(吸血鬼). ②요부(妖婦). 음부(淫婦).

뱀프〔vamp〕[명] 뱀파이어(vampire).

뱀:-해 [명]〈속〉사년(巳年).

뱀:-혀 [명]〖식〗[*Potentilla kleiniana*] 장미과에 속하는 다년초. 줄기는 땅으로 뻗고, 길이 60cm 가량이며, 근생엽(根生葉)은 장병(長柄)으로 다섯 개의 소엽(小葉)이 있고, 거친 톱니로 둘렸음. 5-7월에 황색의 오판화가 줄기 끝에 취산(聚繖) 화서로 여러 개 핌. 수과(瘦果)는 구형(球形)이고, 매끈함. 들의 습지(濕地)에 나는데, 한국·중국·일본·인도·말레이에 분포함. 사함초(蛇含草). 가락지나물. 배암의 혀.

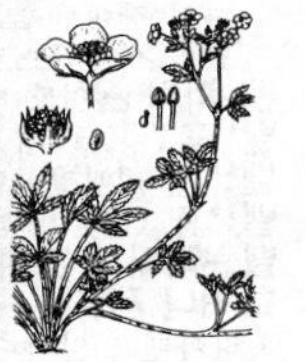
〈뱀혀〉

뱁-대 [명] 뱁댕이.

뱁-댕이 [명] 베를 짤 때에 날이 서로 붙지 못하게 사이 사이에 지르는 막대. 뱁대. 뺑대.

뱁:-새 [명]〖조〗'붉은머리오목눈이'의 통칭.

[뱁새가 황새를 따라가면 다리가 찢어진다; 뱁새가 황새 걸음을 걸으면 가랑이가 찢어진다] 힘에 넘치는 짓을 하면 도리어 해만 입는다는 말. [뱁새는 작아도 알만 잘 낳는다] 생김새가 작고 볼품없다 해도 제 구실은 다 한다는 말.

뱁:새-눈 [명] ①작으면서 가늘게 째진 눈. ②작고 가늘게 뜬 눈. ¶가늘게 뜬 ~으로 그들을 노려보았다《金容誠 : 잃은자와 찾은자》.

뱁:새눈-이 [명] 눈이 작고도 샐룩한 사람을 일컫는 말.

뱁:-재 [명]〖지〗백아현(白鵝峴).

뱁초 [명]〈방〉배추¹(경남).

뱁추 [명]〈방〉배추¹(경상).

뱁티스트〔Baptist〕[명]〖기독교〗①침례교도(浸禮教徒). ②세례(洗禮) 요한. ③〔baptist〕침례, 곧 세례를 행하는 사람.

뱁티스트 교:회【—教會】[명]〔Baptist Church〕〖기독교〗침례교회(浸禮教會).

뱁티즘〔baptism〕[명]〖기독교〗침례(浸禮). 세례(洗禮).

뱃-가죽 [명]〈속〉뱃살.

[뱃가죽이 땅 두께 같다] 염치없고 배짱 센 사람의 비유.

뱃-간【—間】[명] 배 안에 사람이나 짐승을 싣기 위하여 만든 간.

뱃-고동 [명] 배가 떠날 때 '붕' 소리를 내는 고동. ¶~이 울다.

뱃-고물 [명] 고물³.

뱃-고사【—告祀】[명] 어부들이 배의 안전과 풍어를 기원하여 배 위에서 배서낭 귀신에게 올리는 제사. 보통 한 달에 한 번씩 지내나, 초하루와 보름에 두번 지내기도 함.

뱃-구레 [명] 사람이나 짐승의 배의 통. 또, 그 안. ¶~가 크다.

뱃-굿 [명]〖민〗남해안과 서해안 지방에서, 어선의 선주(船主)가 배의 안전과 선원의 무사고, 풍어 등을 기원하여 벌이는 굿.

뱃-길 [명] ①배가 늘 다니는 길. 또, 다니도록 정해 놓은 길. 선로(船路). 수로(水路). 주로(舟路). 항로(航路). *물길. ②배로 가는 여로(旅路). ¶~을 택하다. *물길.

뱃-노래 [명] ①배를 저어 가며 부르는 노래. 도가(棹歌). ②〔barcarola〕

〖악〗 베니스의 곤돌라(gondola) 사공이 부르는 노래. 또, 그것을 본떠서 씌어진 기악·성악 작품. 보통 8분의 6 박자임. 바르카롤라.
뱃-놀이 명 배를 타고 흥겹게 노는 일. 선유(船遊). 주유(舟遊). ——-하다 자여불
뱃-놈 명 〈비〉 뱃사람.
[뱃놈의 개] 하는 일 없이 늘 놀고 먹는 사람을 가리키는 말.
뱃놈 배 둘러대듯 구 말을 잘 둘러대는 모양.
뱃대 명 ↗뱃대끈❷.
뱃대-끈 명 ①여자의 바지 위에 매는 끈. ②말이나 소의 배에 걸쳐서 조르는 줄. 마앙(馬鞅). ㊟뱃대.
뱃-덧 명 먹은 것이 체하여 음식을 잘 받지 아니하는 병.
뱃덧(이) 나다 구 뱃덧이 생기다.
뱃덧(을) 내:다 구뱃덧이 나게 하다.
뱃-도랑 명 선거(船渠).
뱃두리 명 양념이나 꿀 따위를 넣어 두는 항아리의 하나.
뱃-말 명 배를 매어 놓는 말뚝.
뱃-머리 명 떠 있는 배의 앞 끝. 현두(舷頭). ¶ ~를 돌리다.
뱃-멀미 명 배를 탄 사람이, 배의 요동으로 기분이 메스꺼워지는 일. 선취(船醉). 선훈(船暈). 수질(水疾). *차멀미. ——-하다 자여불
뱃-물질 명 〖민〗 제주도의 해녀(海女) 놀이에서, 배를 타고 나가서 하는 물질.
뱃-바닥 명 ①짐승의 배에 있는 살. 또, 그 바닥. ②타는 배의 바닥.
뱃-바람 명 배를 타고 가는데 불어 오는 바람.
뱃-밥 명 배의 틈으로 물이 못 들어오게 틈을 메우는 물건. 흔히 대의 얇은 껍질을 씀.
뱃-방 【―房】 명 배가 많이 드나드는 곳에 두어 뱃사람들이 밥을 붙여 먹거나 잠을 자는 방.
뱃-배래 명 〈방〉 배래기[1]❶.
뱃-병 【―病】 명 배에 일어나는 온갖 병.
뱃-사 명 〈방〉 나루[1](평북·함남).
뱃-사공 【―沙工】 명 배를 부리는 일을 업으로 삼는 사람. 고사(篙師). 고공(篙工). 선부(船夫). 선인(船人). 주자(舟子). 초공(梢工). ㊟사공(沙工).
뱃-사군 명 〈방〉 뱃사공(함경).
뱃-사람 명 배를 부리거나, 배 속에서 일하는 사람. 선인(船人). 수부(水夫). 초공(梢工).
뱃사람-말 명 뱃사람 사이에서 통용되는 말. 이를테면, 동풍(東風)을 '샛바람', 서풍(西風)은 '하늬바람', 북풍(北風)을 '된바람', 남쪽을 '마쪽'이라고 하는 따위.
뱃-사이 명 〈방〉 나루[1](함남).
뱃-삯 [―삭] 명 배를 타거나 짐을 싣는 데 내는 돈. 선임(船賃). 선가(船價). 선비(船費).
뱃-살 명 배를 싸고 있는 가죽. 두피(肚皮). ¶ ~을 잡고 웃다.
뱃-새 명 〈방〉 나루터(평북).
뱃-세[1] 명 〈방〉 나루[1](함남).
뱃-세[2] 【―貰】 명 배를 빌려 쓰는 삯. 용선료.
뱃-소 명 〈방〉 나루[1](함남).
뱃-소리 명 뱃사공들이 노를 저으며 부르는 소리. 애내성.
뱃-속 명 〈속〉 마음속. 속생각. 복중(腹中). ¶ 엉큼한 ~/시커먼 ~. ㊟속.
뱃속에 능구렁이가 들어 있다 구 엉큼하고 능글맞다.
뱃속을 들여다보다 구 속마음을 환히 꿰뚫어 보다.
뱃속을 채우다 구 염치없이 자기 욕심만 차리다.
뱃속이 검:다 구 마음보가 더럽고 음흉하다.
뱃-숨 명 배에 힘을 주어 쉬는 숨.
뱃-심 명 염치없이 욕심만 부리며 버티는 힘.
뱃심(을) 부리다 구 뱃심 좋은 태도를 드러내다.
뱃심(이) 좋:다 구 염치없이 욕심만 부리다. ¶ 뱃심 좋게 버티다.
뱃-일 [―닐] 명 배에서 하는 일. ——-하다 자여불
뱃-자반 【―佐飯】 명 생선을 잡은 곳에서 바로 소금에 절여 만든 자반.
뱃-장대 명 [―때] 명 〈방〉 상앗대(함경).
뱃-장사 명 물건을 배에 싣고 다니면서 하는 장사. ——-하다 자여불
뱃-장수 명 뱃장사를 하는 사람.
뱃-장작 【―長斫】 명 배로 운반해 온 장작.
뱃-전 명 타는 배의 좌우쪽 가장자리 부분. 선연(船緣). 현(舷). 선현(船舷). 현측(舷側). ¶ ~이 기울어지다.
뱃-줄 명 배를 매어 두거나 끄는 데에 쓰는 밧줄. ¶ ~을 풀다.
뱃-증 【―症】 명 〈방〉 설사(泄瀉)(평안).
뱃-지게 명 배에서 일할 때 쓰는 지게. 위가 높고 대가리 사이가 넓적함.
뱃-짐 명 배에 싣는 짐. ¶ ~을 부리다.
뱃-집[1] 명 〖건〗 맞배집.
뱃-집[2] 명 사람의 배의 부피. ¶ ~이 두둑하다.
뱃집-지붕 명 〖건〗 맞배지붕.
뱅[1] 명 〈방〉 병[2](病)(경남).
뱅[2] 명 〈방〉 병[3](瓶)(전남).
뱅[3] [bang] 명 헤어스타일의 하나. 앞머리를 이마에 가지런히 내린 모양. 가지런히 깎은 앞머리.
뱅[4] 부 ①한 바퀴 도는 모양. ¶ 한 바퀴 ~ 돌다. ②갑자기 정신이 아찔해지는 모양. ¶ 정신이 ~ 돌다. 1)·2): ㅆ뺑. ㅆ팽. ③에워 둘린 모양. ¶ 사람들이 ~ 둘러싸다. ㅆ뺑. 1)-3): <빙.
뱅가:드 계:획 【―計劃】 [Vanguard] 명〖물〗 국제 지구 물리 관측년(觀測年)의 인공 위성 계획으로서, 미국 해군을 중심으로 진행되었던 계획. 1959년 3월 17일에 1호가 발사되었고, 태양 X선·지구의 자기장(磁氣場)·유성진(流星塵)·온도 측정을 임무로 함. 3호를 끝으로 이 계획은 끝났음.
뱅그레 부 소리없이 입만 약간 벌리고 부드럽게 웃는 모양. ㅆ뺑그레. <빙그레.
뱅그르르 부 작은 것이 매끄럽게 한 바퀴 도는 모양. ㅆ뺑그르르. ㅆ팽그르르. <빙그르르.
뱅글-거리다 자 소리없이 입만 약간 벌리고 연달아 부드럽게 웃다. ㅆ뺑글거리다. <빙글거리다. **뱅글-뱅글**[1] 부. ——-하다 자여불
뱅글-대다 자 뱅글거리다.
뱅글-뱅글[2] 부 작은 것이 매끄럽게 자꾸 도는 모양. ㅆ뺑글뺑글[2]. ㅆ팽글팽글. <빙글빙글[2].
뱅긋 부 소리없이 입만 살짝 벌리고 가볍게 웃는 모양. ㅆ뺑긋. <빙긋. ——-하다 자여불
뱅긋-거리다 자 소리없이 입만 살짝 벌리고 연달아 가볍게 웃다. ㅆ뺑긋거리다. <빙긋거리다. 뱅긋-뱅긋 부. ¶ 혜경은 손수 찻잔을 들고 ~ 웃으면서 들어오더라《鮮于日 : 杜鵑聲》. ——-하다 자여불
뱅긋-대다 자 뱅긋거리다.
뱅긋-이 부 소리없이 입만 살짝 벌리고 가볍게 웃는 모양. ㅆ뺑긋이. <빙긋이.
뱅노 명 〈방〉〖조〗 해오라기(전역).
뱅니 명 〖민〗 무당의 넋두리에서, 죽은 이의 넋이 그 배우자(配偶者)를 가리키는 말.
뱅-뱅 부 ①작은 것이 연해 도는 모양. ㅆ뺑뺑. ㅆ팽팽. <빙빙. ②요리조리 돌아다니는 모양. ¶ 집 안에서만 ~ 돌고 있다.
뱅사리 명 〈방〉 병아리(함경).
뱅살 명 〈방〉 병아리(함남).
뱅 스타일 [bang style] 명 〖미용〗 이마에 앞머리를 늘어뜨린 모양.
뱅시레 부 소리없이 입을 벌리는 듯하면서 아름다운 태도로 가볍게 웃는 모양. ㅆ뺑시레. <빙시레.
뱅실-거리다 자 소리없이 입을 벌리는 듯하면서 아름다운 태도로 가볍게 연달아 웃다. ㅆ뺑실거리다. <빙실거리다. **뱅실-뱅실** 부. ——-하다 자여불
뱅실-대다 자 뱅실거리다.
뱅싯 부 소리없이 입을 살며시 벌릴 듯 하면서 부드럽고 가볍게 한 번 웃는 모양. ㅆ뺑싯. <빙싯. ——-하다 자여불
뱅싯-거리다 자 소리없이 입을 살며시 벌릴 듯 하면서 부드럽고 가볍게 잇따라 웃다. ㅆ뺑싯거리다. <빙싯거리다. **뱅싯-뱅싯** 부. ——-하다 자여불
뱅싯-대다 자 뱅싯거리다.
뱅싯-이 부 소리없이 입을 벌릴 듯 하면서 부드럽고 가볍게 웃는 모양. ㅆ뺑싯이. <빙싯이.
뱅아리 명 〈방〉 병아리(함경·평안).
뱅야 명 〈방〉 팽이(함북).
뱅:어 명 〖어〗 [*Salangichthys microdon*] 뱅엇과에 속하는 바닷물고기. 몸은 10cm 내외로 길고 머리 부분은 측편함. 몸빛은 백색 반투명으로 배 쪽에 따라 작은 흑점이 산재함. 아래턱은 뾰족하며 암컷은 비늘이 없고, 수컷은 뒷지느러미 기저(基底) 위에 16-18개의 큰 비늘이 한 줄로 배열되어 있음. 4-5월경 하천 하류에서 산란한 지 1년 만에 성숙하는데, 한국 동해안 일대와 일본에 분포함. 식용함. 백어(白魚).

〈뱅어〉

뱅:어-저냐 명 뱅어를 쪼개서 몇 개씩 붙여 만든 저냐.
뱅:어-젓 명 괴도라치의 잔 새끼로 담근 젓.
뱅:어 찌개 명 뱅어에 쇠고기를 넣고 만든 찌개.
뱅:어-포 【―脯】 명 괴도라치의 잔 새끼를 통으로 여러 개 붙여서 반대기를 지어 만든 포.
뱅:어포 구이 【―脯―】 명 뱅어포에 간장·기름·고추장 같은 것을 발라서 구운 반찬.
뱅:엇-과 【―科】 [―꽈] 명 〖어〗 [Salangidae] 청어목에 속하는 어류의 한 과. 도화뱅어·뱅어·젓뱅어 등이 이에 속함.
뱅열 명 〈방〉 납작감.
뱅이 명 〈방〉 병(瓶)(경남).
-뱅이 미 어떤 습관이나 성질·모양 같은 것으로써 그 사람을 가리키어 낮게 이르는 말. ¶ 게으름~/주정~/앉은~/비렁~.
뱅찬 명 〈방〉〖어〗 붕장어.
뱅:충-맞다 형 똘똘하지 못하여 어리석고 수줍기만 하다. <빙충맞다.
뱅:충-맞이 명 뱅충맞은 사람. ㊟뱅충이. <빙충맞이.
뱅:충-바리 명 〈방〉 뱅충맞이.
뱅:충-이 명 ↗뱅충맞이.
뱅커 [banker] 명 ①은행가. 은행업자. ②카드놀이에서의 물주.
뱅크[1] [bank] 명 은행(銀行).
뱅크[2] [bank] 명 ①〖지〗 대륙붕(大陸棚)에 있는 작은 융기(隆起), 곧 육지에서 떨어진 해저(海底)의 얕은 곳. 해저 화산의 꼭대기, 침강한 본디의 육지나 산호초로 된 것 등. 퇴(堆). ②비행기가 신호하기 위하여 날개를 좌우로 기울이는 일. ③경륜장(競輪場) 등의 외주(外周)를 높게 한 주로(走路). *캔트(cant).
뱅크 론: [bank loan] 명 〖경〗 국제간의 민간 경제 협력 방식의 하나. 은행이 상대국의 금융 기관에 융자(融資)하고, 그 금융 기관이 자기의 책임 아래, 자기 나라의 기업에 그 자금을 대출(貸出)하는 형식을 취함. 은행간 차관(銀行間借款).
뱅크 오브 아메리카 [Bank of America] 명 아메리카 은행.
뱅킹 [banking] 명 ①은행 업무. ②당구에서, 선공(先攻)을 결정하기 위하여 치는 일. 쿠션(cushion)의 짧은 쪽의 가까이 놓인 공을, 상대편과 동시에, 맞은쪽의 짧은 쿠션을 향하여 쳐서, 앞에 있는 짧은 쿠션에 보다 가까이 서도록 한 편이 선공(先攻)과 큐 볼을 선택할 권리를 얻음. ——-하다 자여불
뱅킹 시스템 [banking system] 명 온라인 뱅킹 시스템.
뱉 명 〈방〉 볕(경남·경상).
뱉:다 타 ①입속에 든 물건을 입밖으로 내보내다. ¶ 침을 ~. ②차지한

물건을 도로 내놓다. ¶ 착복한 돈을 밸어 놓았다. ③말 따위를 함부로 하다. ¶ 말을 마구 ～.
밸:-듯이 부 상대편을 멸시하는 태도로 말을 던지는 모양. ¶ ～ 말하다.
뱌랑-뱅이 명 〈방〉 배랑뱅이.
뱌뷔티다 타 〈옛〉 비비적거리다. 뱌비작거리다. ¶ 纖纖玉手로 두 긋 마조 잡아 뱌뷔텨 니으리라《永言》.
뱌비다 타 ①둘을 맞대거나, 어디에 무엇을 대고 문지르다. ②구멍을 뚫으려고 끝이 뾰족한 연장을 대고 이리저리 돌리다. ③사이에 든 것이 둥글게 또는 길게 뭉쳐지도록 문질러 돌리다. ④어떤 재료에 다른 재료들을 넣고 고루 섞이도록 문지르다. 1)-4):＜비비다.
뱌비-대다 타 자꾸 대고 뱌비다. ＜비비대다.
뱌비작-거리다 타 자꾸 비비는 동작을 하다. 준뱌빗거리다. ＜비비적거리다. 뱌비작-뱌비작 부. ——하다 타여불
뱌비작-대다 타 뱌비작거리다.
뱌비-치다 타 함부로 뱌비작거리다. ¶ 무릎 위까지 살을 드러내 놓고 모시나 삼을 훔빨아 가며 바비쳐 이을 때는 시어머니의 눈이 둥그래지기도 했지만…《金廷漢 : 수라도》.
뱌빗-거리다 타 ↗뱌비작거리다. ＜비빗거리다. 뱌빗-뱌빗 부. ——하다 타여불
뱌빗-대다 타 뱌빗거리다.
뱌빈다 타 〈옛〉 뱌비다. 비틀다. ¶ 뱌빌 념(捻), 뱌빌 녈(捏), 뱌빌 년(撚), 뱌빌 렬(挒)《字會 下 23》.
뱌슬-거리다 자 착 덤벼 붙지 아니하고 슬슬 피하는 태도로 자꾸 배돌다. 탐탁스럽게 하기를 싫어하다. ＜배슬거리다·베슬거리다. 뱌슬-뱌슬 부. ——하다 자여불
뱌슬-대다 자 뱌슬거리다.
뱍: 부 ↗비악.
뱍:-뱍 부 ↗비악비악.
뱐:덕 명 요랬다조랬다 하여 변하기 잘하는 마음씨. ＜변덕·밴덕.
뱐:덕(을) 떨:다 구 몹시 뱐덕스러운 언행을 하다. ＜변덕(을) 떨다.
뱐:덕(을) 부리다 구 뱐덕스러운 말이나 짓을 하다. ＜변덕(을) 부리다.
뱐:덕-꾸러기 명 뱐덕을 잘 부리는 사람. ＜변덕꾸러기.
뱐:덕-맞다 형 밉살맞게 뱐덕스럽다. ＜변덕맞다.
뱐:덕-스럽다 형(ㅂ불) 뱐덕을 부리는 태도가 있다. ＜변덕스럽다·밴덕스럽다. 뱐:덕-스레 부
뱐:덕-쟁이 명 뱐덕스러운 사람. ＜변덕쟁이·밴덕쟁이.
뱐둥-거리다 자 〈방〉 밴둥거리다.
뱐들-거리다 자 아무 일도 하지 아니하고 부끄러운 줄도 모르고 게으름만 부리다. ＜밴들거리다. 뱐들-뱐들 부. ——하다 자여불
뱐들-대다 자 뱐들거리다.
뱐미주룩 부 물건의 민틋한 끝이 비어져 나오려고 조금 내민 모양. ＜빈미주룩. ——하다 형여불
뱐미주룩-이 부 뱐미주룩하게. ＜빈미주룩이.
뱐뱐-하다 형여불 ①나이 적은 사람의 얼굴이 구김 데가 없고 넉넉하게 생기다. ②사물의 겉이나 내용이 구비하여 흠절이 없다. 1)·2):＜변변하다. 뱐뱐-히 부
뱐주그레-하다 형여불 얄팍하고 깜찍하리만큼 반주그레하다.
뱐죽-거리다 자 얄밉게 자꾸 외양만 반반하게 꾸며대다. ㅆ빤죽거리다. 뱐죽-뱐죽 부. ——하다 자여불
뱐죽-대다 자 뱐죽거리다.
뱐:-하다 형여불 조금 번하다. ㅆ빤하다.
뱜[1] 명 〈방〉 뺨(경상·충청·경기·강원·황해).
뱜[2] 명 〈방〉 뼘(전북).
뱜[3] 명 〈방〉〖동〗 뱀(충남·전북).
뱝뛰어-가다 자(거라불) 깡총깡총 뛰어 가다.
뱝새 명 〈옛〉 뱁새. ¶ 굴헝에 뱝새 춤새는 못내 즑어 ᄒᆞ드라《海謠》.
뱡그레 부 〈방〉 뱅그레.
뱡그르르 부 〈방〉 뱅그르르.
뱡글-거리다 자 〈방〉 뱅글거리다.
뱡우리 명 〈방〉 병아리(함경).
버개 명 〈방〉 베개(충남·경기).
버개스 [bagasse] 명 사탕수수의 설탕을 짜고 난 찌끼. 펄프의 원료, 조당(粗糖) 압착기의 연료 등으로 씀.
버거 부 〈옛〉 버금으로. 다음으로. ¶ 버거 舍利弗目揵連의 물 五百을 濟渡ᄒᆞ시니《釋譜 VI:18》.
버거미 명 〈방〉 버케.
버:거-병 【―病】[―뼝] 명 [Buerger's disease] 〖의〗 주로 청장년 남자의 다리에 생기는 만성 폐색성 동맥 질환. 동맥이 막히고, 통증으로 인해 발을 절기도 하는데, 원인은 불명임. 1908년에 미국 뉴욕의 의사 버거(Buerger, L. 1879-1943)가 처음으로 기술함.
버거우- 간 '버겁다'의 불규칙 어간. ¶ ～니/～면.
버걱 부 겉이 딱딱하거나 가볍고 단단한 큰 물건, 또는 질기고 빳빳한 물건이 서로 맞닿아 문질러질 때에 나는 소리. ㅆ뻐걱. ＞바각. ——하다 자타여불
버걱-거리다 자타 자꾸 버걱 소리가 나다. ㅆ뻐걱거리다. ＞바각거리다. 버걱-버걱 부. ——하다 자타여불
버걱-대다 자타 버걱거리다.
버:건디 [Burgundy] 명 프랑스 중동부 '부르고뉴(Bourgogne)' 지방의 영어명. 또, 그 곳에서 나는 포도주의 통칭.
버겁다 형(ㅂ불) ①두껍거나 부피서 다루기가 힘에 부치다. ¶ 어린애의 힘으론 버거운 물건. ②만만하지 아니하다. ¶ 버거운 상대.
버구니 명 〈방〉 바구니(함경).
버구리 명 〈방〉 바구니(충북).
버구미 명 〈방〉 바구미(경상).
버국새 명 〈옛〉 뻐국새. ¶ 버국새 시(鳲), 버국새 국(鵴)《字會 上 17》.
버굼 명 〈옛〉 버금. 다음. ¶ 버구매 各別히 펴샤(其次別申)《永嘉 上 117》.
버굿 명 〈옛〉 보굿❷. ¶ 그물버굿(網瓢兒)《譯語 上 22》.
버:그[1] [Berg, Paul] 명 〖사람〗 미국의 생화학자. 스탠퍼드 대학 교수. 사람의 유전 인자(遺傳因子)를 박테리아의 유전자에 심어서 박테리아에서 사람의 호르몬을 생성(生成)하는 길을 연 공로로, 1980년 노벨 화학상을 수상함. [1926-]
버그[2] [bug] 명 〖컴퓨터〗 [벌레의 뜻] 프로그램이나 하드웨어의 잘못된 동작 또는 그 오류(誤謬)의 원인이 되는 부분. ¶ ～ 패치.
버그다 자 〈옛〉 버금가다. 다음가다. ¶ 賢은 聖에 버그샤미오(賢則亞聖)《圓覺 上 一之二 75》.
버그러-뜨리다 타 버그러지게 하다. ¶ 의자를 ～. ㅆ뻐그러뜨리다.
버그러-지다 자 짜임새가 벌어져 틈이 생기다. ¶ 책상 다리가 ～/동생을 때린 데서부터 일이 버그러진 것도 아니었다《孫素熙 : 원색의 계절》.
버그러-트리다 타 버그러뜨리다. ㅆ뻐그러지다.
버그르르 부 ①많은 물이 넓게 퍼져 끓어 오르는 모양. 또, 그 소리. ②굵은 거품이 넓게 퍼져 일어나는 모양. 또, 그 소리. 1)·2):ㅆ뻐그르르. ＞바그르르. ＊부그르르. ——하다 자여불
버:그먼 [Bergman, Ingrid] 명 〖사람〗 스웨덴 출생의 미국 여배우. 《가스 등(gas燈)》과 《추상(追想)》 및 《카사블랑카》에서 아카데미 주연상을 받았음. [1915-82]
버그미 명 〈방〉 바구니(충북).
버그 패치 [bug patch] 명 〖컴퓨터〗 프로그램에서 버그(bug)가 발견되었을 때 그것을 고치기 위해 프로그램의 한두 곳을 약간 고치는 일.
버근 관 〈옛〉 버금된. 다음가는. 다음의. ¶ 버근 氣韻은 닐굽 山이 ᄃᆞ외오《月釋 I:41》/ 굿貴ᄒᆞᆫ 氣韻 버근 氣韻《月釋 I:41》.
버근-하다 형여불 맞붙인 틈이 꼭 달라붙지 못하고 사이가 벌다. 버근-히 부
버글 명 〈옛〉 버금[1]. ¶ 버글 부(副)《字會 中 1》/버글 시(貳)《字會 下 33》.
버글-거리다 자 ①많은 물이 넓게 퍼져 야단스럽게 자꾸 끓다. ②굵은 거품이 넓게 퍼져 자꾸 일어나다. ③사람·짐승·벌레 같은 것이 많이 모여 움직이다. ¶ 옷에 이가 ～. ④마음이 씌어 속이 타다. ¶ 속이 버글거려 죽겠다. 1)·2):ㅆ뻐글거리다. 1)-4):＞바글거리다. ＊부글거리다. 버글-버글 부. ——하다 자여불
버글-대다 자 버글거리다.
버금[1] 명 다음 되는 차례. 다음.
버금-가다 구 다음가다. 순서로 보아 다음이 되다. ¶ 임금에 버금가는 자리.
버금[2] 명 〈방〉 거품(전라).
버금-딸림음 【―音】 명 [subdominant] 〖악〗 음계(音階)의 제4음. 으뜸음의 아래쪽 완전 5도로, 딸림음 다음가는 중요한 음. 내림표 음계를 구성할 때 그 으뜸음이 됨. 하속음(下屬音).
버금-딸림조 【―調】 명 [subdominant key] 〖악〗 어떤 조(調)를 원조로 하여 완전 5도 아래의 음을 으뜸음으로 한 관계조. 예를 들면, 다장조(원조)의 버금딸림음은 바음인데, 이것을 으뜸음으로 하는 장조, 즉 바 장조가 다 장조의 버금딸림조가 됨. 하속조(下屬調).
버금-딸림화음 【―和音】 명 [subdominant chord] 〖악〗 버금딸림음 위의 3화음. 장조(長調)에서는 '파·라·도', 단조(短調)에서는 '레·파·라'의 화음. 장조에서는 Ⅳ, 단조에서는 Ⅳ의 표로 나타냄. 하속 화음(下屬和音).
버금-막청 명 〖악〗 메조 소프라노(mezzo soprano).
버금 삼화음 【―三和音】 명 [secondary triad] 〖악〗 주요 3화음인 으뜸화음·딸림화음·버금딸림화음 이외의 3화음. 즉, 음계의 2도·3도·6도·7도 위의 삼화음. 구용어 : 부(副)삼화음·부차(副次) 삼화음.
버금-청 명 〖악〗 알토(alto)❶.
버긋-하다 형여불 맞붙인 틈이 조금 벌리어 있다. ¶ 석류가 버긋하게 벌어졌다.
버깥 명 〈방〉 겉(전남·경북).
버:깨 명 〈방〉 아궁이(함경).
버껌 명 〈방〉 거품(경상).
버꾸 명 〖악〗 [←법고(法鼓)❸] 농악기의 하나. 자루가 달린 작은 북. 모양은 소구와 비슷한데 그보다는 훨씬 큼.
버꾸기 명 〈방〉〖조〗 뻐꾸기.
버꾸-놀음 명 농부들이 버꾸를 가지고 하는 농악(農樂)놀이의 하나. 버꾸놀이. ——하다 자여불
버꾸-놀이 명 버꾸놀음. ——하다 자여불
버꾸-님 명 버꾸잡이의 우두머리.
버꾸-잡이 명 버꾸놀음을 할 때에 버꾸를 치는 사람.
버꾸-춤 명 농악에서, 버꾸잡이들이 버꾸를 치면서 추는 춤.
버꿈 명 〈방〉 거품(경남·전북).
버끔 명 〈방〉 거품(전라·경상).
버끔-내기 명 〈방〉 겨끔내기.
버끼기 명 〈방〉〖조〗 뻐꾸기(함경).
버나 명 〖민〗 광대·남사당패 들의 놀이 종목의 하나. 한 손에 든 앵두나무 막대기 끝에 얹은 대접·접시·대야·쳇바퀴 등을 공중에서 돌리는 재주. 버나돌리기. ＊살판·버나잡이·매호씨.
버나-돌리기 명 〖민〗 버나.
버나-쇠 명 〖민〗 버나잡이의 우두머리.
버나-잡이 명 〖민〗 남사당패 등에서 대접돌리기 등 버나의 재주를 부리는 사람.
버:너 [burner] 명 〖화〗 기체 연료 또는 무상(霧狀) 액체의 연소 장치. 연료와 공기를 적당하게 혼합하여 그 분출구(噴出口)에 점화함. 가열 작업(加熱作業) 등에 사용함. 가스 버너·알코올 버너 따위.
버:너 중:유 【―重油】 [burner] 명 벙커 시유(bunker C 油).

버:널〔Bernal, John Desmond〕 명 〖사람〗 영국의 물리학자. 런던 대학 교수. 결정학(結晶學)과 생화학(生化學)을 연구했으며 평화 운동에도 참가. 1959년부터 세계 평화 평의회 대표 위원회 의장. 과학론·과학사·철학·사회 문제에 관한 저서도 많음. 주저(主著)에 ≪과학의 사회적 기능≫·≪역사에 있어서의 과학≫ 등이 있음. [1901-1971]

버:널리제이션〔vernalization〕 명 〖농〗 야로비자치야(yarovizatsiya).

버:넘〔Burnham, James〕 명 〖사람〗 미국의 사회 사상가. 1930년대에는 공산주의 운동을 하였으나 후에 반공주의로 전향함. ≪경영자 혁명≫에서 '소유와 경영이 분리'되어 있는 현대에서는 경영자 집단이 경제와 정치 권력을 장악한다고 주장함. [1905-]

버네 명 〈방〉 보늬.

버:넷[1]〔Burnett, Frances Eliza Hodgson〕 명 〖사람〗 영국 출생의 미국 여류 소설가. 많은 가정(家庭) 소설을 썼으며 소년 소설 ≪소공자(小公子)≫·≪소공녀(小公女)≫로 유명함. [1849-1924]

버:넷[2]〔Burnet, Frank Macfarlane〕 명 〖사람〗 오스트레일리아의 의학자. 멜버른(Melbourne) 대학 실험 의학 교수. 면역 현상(免疫現象)에 있어서의 항체(抗體)에 관한 클론 선택설(clone 選擇說)을 발표하였음. 1960년 노벨 생리 의학상 수상. [1899-1985]

버늬 명 〈방〉 보늬.

버:니어〔vernier〕 명 〔본디, 이 장치의 원리를 발명한 프랑스의 수학자 Pierre Vernier(1580-1637)에 유래〕 아들자.

버:니어 캘리퍼스〔vernier calipers〕 명 물체의 두께·구(球)·구멍의 지름 등을 재는 금속제의 자. 벌렸다 좁혔다 할 수 있는 기계의 두 부분 사이에 물체를 끼워, 아들자와 어미자의 눈금에 의하여 그 정확한 치수를 알게 됨. 노기스.

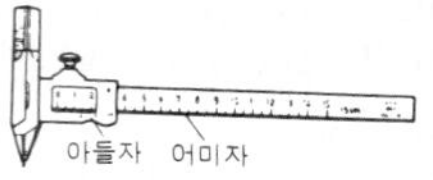

〈버니어 캘리퍼스〉

버니언〔Bunyan, John〕 명 〖사람〗 영국의 목사·문필가(文筆家). 왕정 복고기(王政復古期)에 있어서의 청교주의(淸敎主義) 문학가로 ≪천로역정(天路歷程)≫을 씀. 밀턴(Milton)과 함께 영국 최대의 종교 문학가로 손꼽힘. [1628-88]

버덕 명 〈방〉 들[1](함경).

버덕-버덕 부 〈방〉 부득부득[1·2].

버:던〔Verdun〕 명 〖지〗 캐나다, 몬트리올의 남부에 접하는 주택 위성 도시. 대(大)몬트리올의 일부를 이룸. [66,000명(1980)]

버덜기 명 〈방〉 들[1](함북).

버덤 조 〈방〉 보다[4].

버덩 명 높고 평평하며 나무는 없이 잡풀만 많이 우거진 거친 들. ¶ 흉측스러운 산으로 빵빵 둘러싼 이 산골에서 벗어나 넓은 ~으로 나간다면 기쁘기가 이보다 좀 더하리라…≪金裕貞 : 산골≫.

버덩-이 명 ☞ 버덩.

버덩 명 〈옛〉 ①다듬잇돌. ¶ 버덩 팀(砧)≪字會 中 11≫. ②모탕. ¶ 버덩 심(椹), 버덩 질(櫍)≪字會 中 15≫. ③돌층계. ¶ 버덩 폐(陛)≪字會 中 6≫.

버데기[1] 명 〈방〉 들[1](함남).

버데기[2] 명 〈심마니〉 다리.

버:돌라이드 화:합물【一化合物】〔berthollide〕 명 〖화〗 정비례의 법칙에 따르지 아니하는 화합물. 천이 금속(遷移金屬)의 산화물(酸化物)·황화물(黃化物)·수소화물·탄화물·붕화물(硼化物) 등으로, 그 원자비(原子比)가 일정하고 간단한 정수비(整數比)가 되지 아니하는 것. 반도체(半導體)·강유전체(强誘電體)·고체 촉매 등으로서 중요한 것이 많음.

버두룩-거리다 타 〈방〉 버르적거리다.

버둥-거리다 자타 ①자빠지거나, 주저앉거나, 매달리거나 누워서 팔다리를 자꾸 내저으며 움직이다. ¶ 애기가 울며 ~. ②곤란한 처지에서 벗어나려고 부득부득 애를 쓰다. ¶ 살려고 ~/무엇을 그리 버둥거리느냐. > 바동거리다. 버둥-버둥 부. ¶ ~ 애를 쓰다. ——하다 자타 여불

버둥-대다 자타 버둥거리다.

버둥-질 명 ↗발버둥질. ——하다 자 여불

버둥질-치다 명 ↗발버둥질치다.

버:드〔Byrd, Richard Evelyn〕 명 〖사람〗 미국의 탐험가. 해군 소장. 1926년 극지(極地) 항공 탐험을 계획하여 아문센보다 사흘 앞서 북극 비행에 성공하고, 다음 해에 대서양을 횡단하였으며, 1933년 이후에 세 차례에 걸쳐 비행기로 남극 조사를 행하였음. [1888-1957]

버드나모 명 〈옛〉 버드나무. ¶ 버드나모 션 믌ᄀ새로 디나(過楊柳渚)≪初杜諺 XV:10≫.

버드-나무 명 〖식〗 ①버드나뭇과 버들속(*Salix* 屬)에 속하는 낙엽 교목의 총칭. 버들. 양류(楊柳). ②[*Salix koreensis*] 버드나뭇과에 속하는 낙엽 활엽 교목. 높이 8-10m이고, 잎은 긴 타원형 또는 피침형인데, 양면에 기공(氣孔)이 있음. 꽃은 자웅 이가(異家)로 된 유제(葇荑) 화서로 4월에 피는데, 화수(花穗)는 달걀꼴 또는 난상 타원형이고, 삭과(蒴果)는 '버들개지'라 하여 4-5월에 익으면 두 개로 째져서 흰 솜털이 있는 종자(種子)가 바람에 날려 흩어짐. 개울가나 들에 나는데, 한국 각지 및 일본·중국·만주에 분포함. 세공재(細工材)로 쓰고, 가로수·풍치목(風致木)으로 많이 심음. ③수양버들.

버드나무-벌레 명 〖충〗 버드나무하늘소의 유충. 나무굼벵이의 하나로서 한방(韓方) 약재로 경간(驚癎)에 씀. 유잠충(柳蠶蟲).

버드나무-잎벌레 명 〖충〗 [*Chrysomela vigintipunctata*] 잎벌렛과에 속하는 곤충. 몸길이 8mm 내외이고, 몸빛은 녹람색(綠藍色), 시초(翅鞘)는 황색에 흑색 내지 녹람색의 반문이 열 개 있음. 촉각은 기부(基部)로부터 녹람색·갈색·흑색임. 성충·유충이 모두 버드나무 잎의 해충임. 한국에도 분포함. 버들돼지벌레.

〈버드나무잎벌레〉

버드나무-판【一板】 명 버드나무로 된 널판대기.

버드나무-하늘소【一쏘】 명 〖충〗 [*Megopis sinica*] 하늘솟과에 속하는 곤충. 몸길이는 30-52mm이고, 몸빛은 암갈색이며, 온 몸에 황토색(黃土色)의 털이 있고, 몸의 하면(下面)은 암적갈색이며, 시초(翅鞘)에는 끝에서 유합(癒合)되는 두 개의 종륵(縱肋)이 있음. 촉각은 11절로 매우 길어서 몸의 네 배나 되는 것도 있고 전흉(前胸)과 중흉(中胸) 사이에 발음기(發音器)가 있어서 욺. 성충은 4-9월에 발생하며 유충은 '버드나무벌레'라고 하는데, 나뭇잎 등을 갉아 먹는 원예(園藝)와 임업(林業)에 대해충(大害蟲)임. 한국·일본·중국에 분포함. 유천우(柳天牛). 잎사귀하늘소.

버드나뭇-과【一科】 명 〖식〗 [Salicaceae] 이판화류(離瓣花類)에 속하는 한 과. 관목(灌木) 또는 교목(喬木)으로 전세계에 200여 종, 한국에는 갯버들·꽃버들·수양버들·능수버들·사시나무·백양미루나무 등 50여 종이 분포함.

버드러-지다 자 ①끝이 밖으로 벌어지다. ¶ 앞니가 ~. ②굳어서 뻣뻣하게 되다. 1)·2): ㅆ빠드러지다.

버드렁-니 명 바깥쪽으로 버드러진 이. 뻐드렁니.

버드렁-발 명 외번족(外翻足).

버드름-하다 형 여불 밖으로 약간 벋은 듯하다. ¶ 이가 ~. ㅆ뻐드름하다. > 바드름하다. 준 버듬하다. 버드름-히 부

버:드-맨〔bird-man〕 명 비행가(飛行家). 조인(鳥人).

버드쟁이-나물 명 〖식〗 [*Aster pinnatifidus*] 국화과에 속하는 다년초. 지하경을 뻗어 번식하고, 줄기는 높이 30-150cm임. 잎은 호생하고, 넓은 피침형인데, 결각(缺刻)이 깊음. 7-8월에 두화(頭花)가 다수 피는데, 설상화(舌狀花)는 백색에 담자색, 중심의 관상화(管狀花)는 황색이며, 과실은 수과(瘦果)임. 거의 관모(冠毛)가 없음. 들에 나는데, 충북·강원·경기 등지에 분포함.

〈버드쟁이나물〉

버든-빼든 명 〈방〉 버덩.

버들 명 〖식〗 버드나무❶. ¶ ~ 같은 허리.

버들-가지 명 〈방〉 지겟가지.

버들-강아지 명 버들개지[1].

버들개 명 〈방〉 ①미꾸라지(함북). ②번개(강원·경북).

버들-개지[1] 명 버드나무의 열매. 솜 비슷하며 바람에 날려 흩어짐. 유서(柳絮). 버들강아지. 준 개지.

버들-개지[2] 명 〈방〉 〖어〗 버들치.

버들-개치 명 〈방〉 〖어〗 버들치.

버들-개회나무 명 〖식〗 [*Ligustriina fauriei*] 물푸레나뭇과에 속하는 낙엽 활엽 관목. 잎은 피침형 또는 좁은 피침형으로 가에는 톱니가 없음. 5월에 흰 꽃이 원추(圓錐) 화서로 피며, 과실은 삭과(蒴果)이고 소형이며, 길이 1cm로 9월에 익음. 골짜기에 나는데, 금강산에 야생함. 관상용임.

버들-겨이삭 명 〖식〗 [*Persicaria paludicola*] 마디풀과에 속하는 일년초. 줄기 높이 60cm 가량이며, 잎은 호생하고 유병(有柄)이며 선형(線形) 또는 선상 피침형임. 초상 탁엽(鞘狀托葉)은 원통형이고 막질(膜質)임. 8-9월에 담홍색 꽃이 수상(穗狀) 화서로 줄기 끝이나 가지 끝에 정생(頂生)하여 피고, 과실은 수과(瘦果)임. 들이나 물가에 나는데, 경기도에 분포함.

버들 고리 명 고리버들의 가지로 엮어 만든 옷 넣는 고리.

버들-금불초【一金佛草】 명 〖식〗 [*Inula salicina* var. *asiatica*] 국화과에 속하는 다년초. 높이는 30-60cm이고 잎은 호생하며, 무병(無柄)에 넓은 피침형으로, 가에 잔 톱니가 있고, 기부(基部)는 줄기를 싸고 있음. 6-7월에 황색 두화(頭花)가 줄기 끝에 한 개씩 피고, 수과(瘦果)는 백색 관모(冠毛)가 있음. 산·들의 양지에 나는데, 한국·일본·중국 동북부·시베리아에 분포함.

버들-까치수염【一鬚髥】 명 〖식〗 [*Naumburgia thyrsiflora*] 앵초과(櫻草科)에 속하는 다년초. 줄기 높이 30-60cm이고, 잎은 대생하며, 무병의 피침형 또는 긴 타원상임. 6-7월에 황색 꽃이 총상(總狀) 화서로 액출(腋出)하여 피고, 과실은 삭과(蒴果)임. 고원(高原)의 습지에 나는데, 평북·함북에 분포함.

버들-낫[一랃] 명 낫의 한 가지. 보통낫보다 날이 짧은데, 예전에 백장들이 고리를 짤 때에 많이 썼음.

〈버들낫〉

버들-눈[一룬] 명 버들의 처음으로 트는 싹.

버들-독나방【一毒一】 명 〖충〗 [*Stilpnotia candida*] 독나방과에 속하는 곤충. 편 날개의 길이는 암컷이 64mm, 수컷 45mm 가량이고, 몸빛은 흑색이지만 순백색의 인모(鱗毛)가 덮여 백색으로 보임. 날개도 순백색이고 다리는 흑색과 백색의 반문을 이루고, 촉각은 수컷은 흑색, 암컷은 회갈색임. 유충은 황철나무 잎을 갉아먹는 해충임. 한국에도 분포함.

버들-돼지벌레 명 〖충〗 버드나무잎벌레.

버들-말즘 명 〖식〗 말[2]❷.

버들-명아주 명 〖식〗 [*Chenopodium acuminatum*] 명아줏과에 속하는 일년초. 줄기는 높이 1.5m 가량이고, 잎은 호생하며 난상 피침형 또는 선상 피침형이며, 잎 뒤에 흰 가루가 산포되어 있음. 6-7월에 줄기 끝이나 가지 끝에 황록색의 원추상 꽃이 수상(穗狀) 화서로 정생 또는 액생(腋生)하고, 과실은 포과(胞果)임. 들에 나는데, 한국 각지에 분포함. 어린잎은 식용함.

버들-바구미 명 〖충〗 [*Cryptorrhynchus lapathi*] 바구밋과에 속하는 곤충. 몸길이 8-10mm이고, 몸빛은 흑

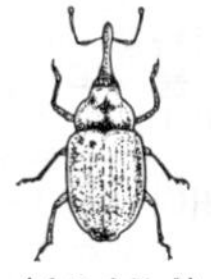
〈버들바구미〉

색 내지 흑갈색에 암색(暗色)의 인모(鱗毛)가 밀포하고 전배판(前背板)과 시초(翅鞘)에는 흑갈색의 모괴(毛塊)가 산재함. 각 시초에는 열 줄의 점각(點刻)이 있음. 버드나무의 해충임. 한국에도 분포함.

버들-박각시 명 〖충〗 [*Smerinthus caecus*] 박각싯과에 속하는 곤충. 편 날개의 길이는 80mm 내외이고, 몸빛은 회갈색이며, 앞날개의 내외 횡선(內外橫線) 사이와 외연(外緣)의 큰 무늬는 갈색이고 횡선은 모두 짙은 빛임. 뒷날개의 원문(圓紋)은 중앙이 담흑색이고, 그 주위는 청백색(靑白色)이며 그 외륜(外輪)은 흑색임. 유충은 버드나무·사과나무·벚나무 등의 해충으로 한국에도 분포함.

버들-버들 부 〈방〉 부들부들.

버들-분취【一粉一】 명 〖식〗 [*Saussurea maximowiczii*] 국화과에 속하는 다년초. 줄기 높이 60-90cm이고, 잎은 호생하며 밑의 잎은 우상 심렬(羽狀深裂)하고, 가지 끝의 잎은 톱니가 있으며 장병(長柄)에 긴 타원형임. 7-9월에 담홍자색의 두화(頭花)가 원주형의 방상화수(房狀花穗)로 핌. 산지에 나는데, 제주·경북·강원·평북·함북에 분포함. 어린잎은 식용함.

〈버들분취〉

버들-붕어 명 〖어〗 ①버들붕어과에 속하는 물고기의 총칭. 투어(鬪魚). ②[*Macropodus chinensis*] 버들붕어과에 속하는 민물고기. 몸길이 약 7cm, 몸빛은 짙은 녹회색 바탕에 후면에 불분명한 'V'자 무늬가 나열되어 있음. 더러운 물에 잘 견디는 성질이 있고, 수컷은 다른 물고기를 공격하는 투쟁력이 강하며 또 거품과 진을 뿜어 집을 만들어 새끼를 기름. 관상용임. 중국 원산으로, 한국 서남 하천·수전(水田) 및 못 등과 동해안의 남쪽 및 중국·일본에 분포함.

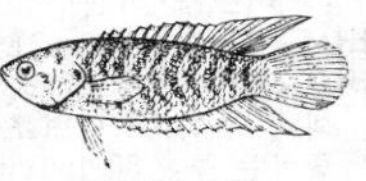

〈버들붕어❷〉

버들붕어-과【一科】 [一꽈] 명 〖어〗 [Anabantidae] 잉어목에 속하는 어류의 한 과.

버들 상자【一箱子】 명 고리버들로 만든 상자.

버들-수중다리잎벌 명 〖충〗 [*Pseudoclavellaria amerinae*] 수중다리잎벌과에 속하는 곤충. 암컷의 몸길이는 20mm 내외이고, 몸빛은 대체로 흑색에 복부 제2절을 제외하고는 황백색임. 촉각은 흑갈색, 그 말단은 갈색이며, 유충은 황철나무·버드나무의 해충(害蟲)임. 한국·일본·유럽에 분포함.

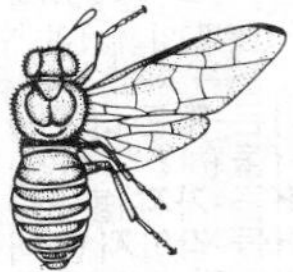

〈버들수중다리잎벌〉

버들-여뀌 [一려一] 명 〖식〗 여뀌[1].

버들-올벼 명 〖식〗 올벼의 한 가지. 한식(寒食) 뒤에 심는데, 빛은 미황색(微黃色)이고 이삭에 까끄라기가 있음.

버들-옷 명 〖식〗 대극(大戟).

버들-잎 [一립] 명 버드나무의 잎.

버들-쥐똥나무 명 〖식〗 [*Ligustrum salicinum*] 물푸레나뭇과에 속하는 낙엽 활엽의 작은 교목. 잎은 피침형 또는 도피침형(倒披針形)에 가에 톱니가 없음. 5월에 백색 꽃이 총상 화서로 정생(頂生)하여 피고, 장과(漿果)는 10월에 흑색으로 익음. 산골짜기에 나는데, 제주도·일본에 드물게 분포함.

버들-청돼지벌레【一靑一】 명 〖충〗 버들청잎벌레.

버들-청잎벌레【一靑一】 명 〖충〗 [*Plagisdera verscolora*] 잎벌렛과에 속하는 곤충. 몸길이는 4-5mm이고, 몸빛은 녹람색(綠藍色)에 촉각은 갈색, 시초(翅鞘)에는 작은 흑색 점이 있고, 기부(基部)는 황갈색, 다리는 암록색임. 버드나무 등의 해충임. 버들청돼지벌레.

버들-치 명 〖어〗 [*Moroco oxycephalus*] 잉어과에 속하는 민물고기. 몸은 소형으로 피라미 비슷한데 길이 8-15cm의 방추형(紡錘形)임. 입에 수염이 없고 비늘이 비교적 큼. 몸빛은 등 쪽이 암갈색, 배 쪽이 회끄무레한데, 체측에 연청색(鉛靑色)의 넓적한 무늬가 가로 둘렸음. 수컷은 생식기가 되면 붉은 빛을 띠어 보기에 고움. 한국 서해·남해에 주입하는 하천 전부와 동해에 주입하는 하천 일부 및 중국·일본에 분포함.

버들-피리 명 ①버들을 꺾어 만든 피리. ②버들잎을 접어 물고 피리 소리처럼 내부는 것.

버들-하늘나방 [一라一] 명 〖충〗 [*Melalopa anastomosis*] 하늘나방과의 곤충. 편 날개 길이는 30-40mm이고, 몸빛은 회갈색에 두부(頭部)와 흉부(胸部) 중앙까지에는 농적갈색의 넓은 띠가 있음. 날개는 암회갈색이고 내외 횡선(內外橫線)은 자회색(紫灰色)이며, 뒷날개는 암갈색임. 유충은 버드나무 등의 잎을 갉아먹는 해충으로, 한국에도 분포함.

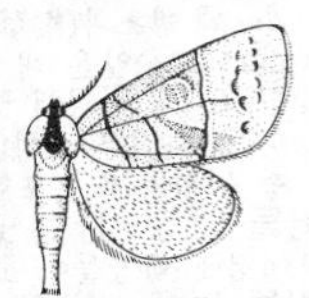

〈버들하늘나방〉

버들-회나무 명 〖식〗 [*Euonymus trapococcus*] 노박덩굴과에 속하는 낙엽 활엽의 작은 교목. 잎은 긴 타원형임. 여름에 녹황색 꽃이 취산(聚繖) 화서로 액생(腋生)하여 피고, 삭과(蒴果)는 10월에 익음. 산기슭에 나는데, 한국 각지에 분포함. 어린 싹은 식용함.

버듨가야지 명 〈옛〉 버들개지[1]. =버듨개야지. ¶업드려 미친 버듨가야지는 ᄇᆞᄅᆞ믈 조차가고(顚狂柳絮隨風去)《初杜諺 X:8》.

버듨개야지 명 〈옛〉 버들개지[1]. =버듨가야지. ¶버듨개야지 소오미라와 히요믈 마자 믜노라(生憎柳絮白於綿)《初杜諺 XⅢ:13》.

버듬 명 〈방〉 ①버짐(경기·전라·충청). ②비듬[1](경기·강원).

버듬-하다 형여불 ↗버드름하다. 빠듬하다. >바듬하다. **버듬-히** 부

버:디 [birdie] 명 골프에서, 기준 타수(基準打數)보다 하나 적은 타수로 홀에 공을 넣는 일. ↔보기(bogey).

버디 비행【一飛行】 [buddy] 명 2대 이상의 비행기가 일정한 간격을 두고 같은 속도로 서로 초단파 통신으로 연락하면서 행하는 비행. 핵실험에 의한 통신 장애 때문에 채용된 방식임.

버떡 부 〈방〉 얼른(경북).

버라이어티 [variety] 명 ①변화(變化). 잡다(雜多). 다양성(多樣性). ②변종(變種). ③〖연〗 ↗버라이어티 쇼.

버라이어티 쇼: [variety show] 명 변화가 풍부한 오락 연예(娛樂演藝). 곧, 노래·춤·촌극(寸劇)·곡예(曲藝) 등으로 엮어서 하나로 묶은 연예. 준버라이어티. *보드빌(vaudeville).

버라이어티 스토어 [variety store] 명 소매(小賣) 형태의 하나. 대량 매입(買入)·대량 판매 방식에 의하여 양질(良質)의 물건을 염가로 제공하는 업태(業態). 슈퍼 스토어에 비하여, 식품류가 적고 일용 잡화를 많이 취급하며, 작은 점포로 좁은 인근 지역의 단골을 대상으로 함.

버러[1] 명 〈옛〉 팔찌. 가죽 토시. ¶모로매 이 버러 우희서 드위이즈리라(會是韝溝上)《杜諺 XIV:36》.

버러[2] [borough] 명 영국의 지방 행정 단위. 자치 도시(自治都市)인 타운(town)에 상대한 호칭. 봉건 시대에는 성시(城市), 의회 제도의 발생과 더불어 선거구(選擧區)를 의미했음.

버러기 명 〈방〉 자배기.

버러지 명 벌레.

버럭 부 성이 나서 갑자기 세게 기를 쓰는 모양. ¶~ 소리를 지르다. >바락.

버럭-버럭 부 점점 기를 더 쓰는 모양. ¶악을 ~ 쓰다. >바락바락.

버럭지 명 〈방〉 벌레(황해·충남·전라·함남).

버럼 명 〈방〉 비름(경남).

버럿 명 〈방〉 버릇(경북).

버럿다 형 〈옛〉 정연(整然)하다. ¶문과 골이며 과실 남글 반ᄃᆞ시 방경ᄒᆞ고 버럿게 ᄒᆞ야(門巷果木 必方列)《小諺 Ⅵ:100》.

버렁[1] 명 새 잡은 매를 받을 때 끼는 두꺼운 장갑(掌甲).

버:렁[2] 명 ①물건이나 또는 일이 차지한 둘레. ②갓양태의 가운데가 가나 갓모자와의 접착부(接着部)보다 봉긋이 솟아 오른 일. 또, 그 부분.

버레 명 〈방〉 벌레(충청·전라·경상).

버레기 명 ①벌레(전라). ②자배기[1]. ¶~ 깨지는 소리.

버레-줄 명 〈옛·방〉 벌이줄. ¶헌 破笠에 버레줄 총총 미여《春香傳》.

버렝이 명 〈방〉 벌레. 구더기(제주).

버력[1] 명 하늘이나 신령(神靈)이 사람의 죄악을 징계하느라고 내린다는 벌(罰). ¶~이 내리다.

버력(을) 입다 구 하늘이나 신령의 벌(罰)을 당하다. 앙얼(殃孽) 입다. ¶이 버력 입을 놈 같으니.

버력[2] 명 ①물밑의 기초를 만들기 위하거나 또는 수중 구조물(水中構造物)의 근부(根部)를 방호(防護)하기 위하여 물 속에 집어넣는 돌. ②〖광〗 광물의 성분이 섞이지 아니한 잡석(雜石). ↔감돌.

버력-꾼 명 〖광〗 〈방〉 질통꾼.

버력-더미 명 버력이 쌓인 큰 무더기.

버력-탕 명 〖광〗 광산에서 버력을 버리는 곳.

버로:스 [Burroughs, John] 명 〖사람〗 미국의 박물학자·수필가. 휘트먼(Whitman)·에디슨(Edison)·포드(Ford) 등과의 교우(交友)는 유명함. [1837-1921]

버룩 명 〈방〉 벼룩(전남).

버르-때기 명 〈방〉 버르장이(평안·강원·경남).

버르르 부 ①많은 물이 넓게 퍼져 갑자기 끓어오르는 모양. 또, 그 소리. ②속이 좁은 사람이 대수롭지 아니한 일에 갑자기 성을 내는 모양. ③추위나 분노로 갑자기 몸을 떠는 모양. ¶이 올라오는 불덩어리를 참으려니 수족이 ~ 떨리신다《朴鍾和 : 錦衫의 피》. *부르르. ④얇은 종이나 펴 놓은 나뭇개비에 불이 붙어 타오르는 모양. 1)-4) : ㅆ퍼르르. >바르르.

버르장-머리 명 〈속〉 버르장이. ¶~ 없는 녀석.

버르장머리-없다 [一업一] 형 〈속〉 버릇없다.

버르장머리-없이 [一업씨] 부 〈속〉 버릇없게.

버르-장이 명 〈속〉 버릇.

버르장이-없다 [一업一] 형 〈속〉 버릇없다.

버르장이-없이 [一업씨] 부 〈속〉 버릇없이.

버르-쟁이 명 〈방〉 버르장이(경기·강원·충청·전라·경상·제주).

버르적-거리다 자타 어려운 일이나 고통스러운 고비를 헤어나려고 팔다리를 내저으며 몸을 괴롭게 자꾸 움직이다. ¶그러나 이진악은 말을 하지 못하고 버르적거렸다. 재갈을 물렸던 것이다《劉賢鍾 : 들꽃》. 준버릇거리다. ㅆ빠르적거리다. >바르작거리다. **버르적-버르적** 부 ——-하다 자타여불

버르적-대다 자타 버르적거리다.

버르정-머리 명 〈방〉 버르장머리(전남·경남).

버:르-집다 타 ①오므라진 것을 벌려 펴다. ②숨은 일을 들추어 내다. ③작은 일을 크게 떠벌리다. ¶무슨 일이든지 크게 버르집고 뒤떠들려고만 든다고, 동혁이와 의견 충돌까지 되었지만…《沈熏 : 常綠樹》. 1)-3) : >바르집다.

버르-짜기 명 〈방〉 버르장이(평안).

버르토크 [Bartók, Béla] 명 〖사람〗 헝가리의 작곡가·피아니스트. 마자르(Magyar) 민요를 채집, 연구하여 작곡의 기조(基調)를 이룸. 후에 표현주의적 작풍을 이루었으며 1940년 미국으로 망명한 후에는 신고전적 격조(格調) 높은 걸작을 발표하였음. 《오케스트라를 위한 협주곡》·《무반주 바이올린 소나타》 외에 3곡의 피아노 협주곡, 6곡의 현악 사중주곡, 합창곡, 가곡 등을 남김. [1881-1945]

버름 명 〈방〉 비름(경남).

버름버름-하다 형여불 여러 틈이 다 버름하다.

버름-하다 형여불 ①물건이 서로 맞지 아니하여, 틈이 좀 벌어져 있다. ②마음이 서로 맞지 아니하다. ¶두 분 사이가 ~. **버름-히** 부

버릇 명 [중세 : 버릇] ①여러 번 거듭하여 저절로 마음이나 몸에 배어

굳어 버린 성질이나 짓. 습관. 행습(行習). 습벽. ¶잘 때 이를 가는 ~. ②어른에게 마땅히 차려야 할 예의(禮儀). ¶~을 가르치다. ③편벽되게 즐겨서 고치기 어렵게 된 병통. 예증(例症). ¶고약한 ~.
[버릇 배우라니까 과부(寡婦)집 문고리 빼어 들고 엿장수 부른다] 남에게 훈계(訓戒)를 받고도 오히려 나쁜 짓을 함을 이름.
버릇(이) 되다 [구] 나쁜 습관이 붙게 되다. 전례(前例)가 되다.
버릇-소리 [명]〖어〗 습관음(習慣音).
버릇-없다 [—업—] [형] 어른에게 대하여 마땅히 지켜야 할 예절을 못 차리다. 뱀뱀이가 없다. ¶버릇없는 짓을 하다.
버릇-없이 [—업씨] [부] 버릇없게. ¶~ 굴다.
버릇-하다 [보동][여불] 동사의 어미 '-아·-어·-여' 아래에서 무슨 일을 자꾸 거듭하여 버릇이 됨을 나타내는 말. ¶일을 해 ~/반주를 먹어 버릇하여 중독이 됐다.
버룻-거리다 [자타] ↗버르적거리다. 버룻-버룻 [부]. ——하다 [자타][여불]
버룻다 [타] 속의 것을 드러내서 흩어지게 하다. 파서 헤집어 놓다. ¶닭이 모이를 ~.
버룻-대다 [자타] 버룻거리다.
버리¹ [명] 〈옛〉 벌⁴. ¶버리도 모ᄎᆞ매 모디로ᄆᆞᆯ 머겟ᄂᆞ니(蜂蠆終懷毒)《杜諺 V:9》.
버:리² [명] 〈방〉 ①벌³(평안·함경·황해·경상). ②벌⁴(전남·경상·황해).
버리다¹ [一][타] [중세 : ᄇᆞ리다] ①쓰지 못할 것을 다 내던지다. ¶쓰레기를 ~. ②돌보지 아니하다. 모른 체하다. ¶가정을 ~. ③떠나다. 등지다. ¶속세를 ~. ④상해서 쓰지 못하게 만들다. ¶과음으로 몸을 ~/흙탕물에 옷을 ~. ⑤체념하다. 포기하다. ¶희망을 ~/왕위를 ~. ⑥어떤 성격이나 나쁜 버릇 따위를 떼어 없애다. ¶낭비하는 습관을 ~.
[二][보동] 동사의 어미 '-아·-어·-여' 아래에 붙어서 그 동작을 완전히 끝냄을 표시하거나, 그 동작의 실현(實現)을 강조하는 말. ¶돈을 다 써 ~/그 책을 다 읽어 ~/울어 ~/죽어 ~/녹여 ~.
버리다² [타] 〈옛〉 ①벌리다. ¶이비 불라 입시우리 져겨 버리디 몯ᄒᆞ야(口緊脣小不能開合)《救簡 Ⅲ:5》. ②벌이다. ¶가ᄉᆡ야 엿더술 버리고 音樂ᄒᆞ야(更安忍置酒張樂)《內訓 I:58》.
버리쁘다 [타] 〈옛〉 벌이다. 벌여놓다. =버립즈다. ¶ᄯᅩ 尋常애 혜아려 버리쁘는 거시이 識情ㅣ며(又尋常計較安排底是識情)《龜鑑 上 16》
버리켜다 [타] 〈옛〉 벌리다. ¶왼 손으로 ᄆᆞᆯ눈 버리켜고 올ᄒᆞᆫ 손으로 침을 잡어(左手睜開馬眼 右手持針)《馬經 上 91》.
버리혀다 [타] 〈옛〉 버르집다. ¶이블 버리혀고 브ᅀᅳ라(拗開口灌之)《救簡 I:16》.
버림 [명]〖수〗 어림수를 만드는 방법의 한 가지. 구하고자 하는 자리까지의 숫자는 그대로 두고 그 아랫자리인 숫자를 모두 0으로 하는 일. ↔올림. * 반올림.
버림-받다 [자] 쓰지 못할 것으로서 버려지다. 돌보지 아니하고 내던져지다. ¶버림받은 사람.
버림-치 [명] 못쓰게 되어서 버려 둔 물건. ¶~도 쓸 데가 있다.
버립즈다 [타] 〈옛〉 벌이다. 벌여놓다. =버리쁘다. ¶사롬이 힘드려 구틔여 버립즈다(安排)《語錄 9》.
버릿 [명] 〈방〉 버릇(경상).
버:마 [Burma] [명]〖지〗 '미얀마'의 구칭.
버:마 루:트 [Burma Route] [명]〖지〗 미얀마의 라시오(Lashio)로부터 중국의 쿤밍(昆明)에 이르는 교통로. 중일 전쟁(中日戰爭) 중 미국의 충칭(重慶) 원조 수송로였음. [973km]
버:마 암살 폭파 사:건 【一暗殺爆破事件】 [Burma] [—껀] [명] 1983년 10월 9일 현재의 미얀마인 버마의 아웅산 묘소(墓所)에서 한국 대통령의 암살을 노린 북한 공작원(工作員)에 의하여 저질러진 폭파 사건. 당시 전두환(全斗煥) 대통령은 묘소 도착 직전이어서 위기를 모면하고 수행했던 각료 및 기자 중 17명이 사망, 14명이 부상하였음. 아웅산 사건.
버:마-어 【一語】 [Burma] [명]〖언〗 티베트 버마어족(語族)의 일파(一派). 광의로는 미얀마 국내에서 쓰이는 말을 총괄하여 일컬음. 팔리어(Pali語)의 영향이 크며, 중국어와 같이 문장 가운데의 위치에 따라서 품사(品詞)를 구별하는 것이 특징임. 버마 문자는 인도 문자를 고친 것임.
버:마-인 【一人】 [Burma] [명] 상부(上部) 미얀마의 중앙부에 사는 미얀마의 주요 인종. 체질(體質)은 중국인과 말레이인의 중간쯤 되고, 피부색은 황갈색이며, 두발은 흑색임. 미얀마 인구 4천만의 약 80%쯤을 차지하는데, 인도 문화의 영향을 많이 받았으며, 종교는 남방(南方) 불교를 믿음.
버:마재비 [명]〖충〗 '사마귀²'의 일반적 이름.
버:마재빗-과 【一科】 [명]〖충〗 사마귓과.
버:마 전:쟁 【一戰爭】 [Burma] [명]〖역〗 영국의 버마 침략 전쟁. 아라칸(Arakan)·벵골(Bengal) 간의 불명확한 국경선을 둘러싸고 1824-26년, 1852년, 1885-86년에 걸쳐 세 차례 싸웠음. 그 결과 버마 왕국은 멸망하고, 전영토가 영국령이 되었음.
버:몬트 주 【一州】 [Vermont] [명]〖지〗 미국 동북부, 뉴잉글랜드(New England)의 한 주. 남북으로 길며 중앙부를 남북으로 그린 산맥(Green 山脈)이 뻗쳐 전체가 구릉성의 지형임. 기후는 습윤(濕潤)·냉온(冷溫)하고 겨울에는 적설이 많음. 낙농(酪農) 지대에 속하며 화강암·대리석·석면 등의 광산(鑛産)과 사무 기기·악기·농구(農具)·섬유 등의 공업도 성(盛)함. 주도(州都)는 몬트필리어(Montpelier). [24,017km²: 562,758명(1990)]
버무땅개 [명] 〈방〉 버마재비(충북).
버무땅개비 [명] 〈방〉 버마재비(충북).
버무르다 [타] 〈방〉 버무리다.
버무리 [명] 여러 가지를 한데 뒤섞어서 만든 음식. ¶콩~.
버무리다 [타] 여러 가지를 골고루 한데 뒤섞다. ¶나물을 ~.
버무리-떡 [명] 콩 또는 팥과 쌀가루를 한데 골고루 뒤섞어 만든 떡.
버물다 [자] 못된 일이나 범죄에 관계하다. 연루(連累)하다.
버물리다 [一][피동] 한데 뒤섞여 버무려지다. [二][사동] 버무리게 하다. ¶어멈에게 나물을 ~.
버:뮤다 쇼:츠 [Bermuda shorts] [명] 버뮤다 팬츠.
버:뮤다 제도 【一諸島】 [Bermuda] [명]〖지〗 북대서양에 있는 영국의 식민지. 약 300개 섬으로 이루어짐. 관광업이 경제 기반임. 1684년부터 영국의 식민지가 되었으나 1968년 내정(內政)에 대한 자치권이 주어졌음. 수도는 해밀턴(Hamilton). [53km²: 60,000명(1995 추계)]
버:뮤다 팬츠 [Bermuda pants] [명] 무릎이 보일 정도의 길이로 좁게 한 쇼트 팬츠. 놀이용 의복으로 사용하며, 버뮤다 제도(Bermuda 諸島)에서 사용되어 이 이름이 유래됨. 버뮤다 쇼츠.
버:뮤다 회:담 【一會談】 [Bermuda] [명] 1957년 3월 23일 버뮤다 제도에서 미국 대통령 아이젠하워(Eisenhower)·영국 수상 맥밀런(Macmillan)이 가진 회담. 1956년의 수에즈(Suez) 운하 분쟁 후의 중동 지역에 대한 공산주의 세력 침투에 대비하여 그 정책을 논의함.
버므러 [자] 〈옛〉 둘러. '버믈다²'의 활용형. ¶바ᄃᆞ라온 길히 이 뫼 ᄉᆡ이예 버므러 서렷ᄂᆞ니(急途中縈盤)《杜諺 I:32》.
버므롬 [타][자] 〈옛〉 둘러쌈. 둘러싸임. 얽매임. '버믈다²'의 명사형. ¶듣글 ᄢᅵ 시름 버므로ᄆᆞᆯ 벗고저(斷脫手塵垢患累故也)《妙蓮 Ⅵ:145》.
버므리다 [타] 〈옛〉 침범 당하게하다. 얽매이게 하다.
버믈다¹ [자] 〈방〉 버물다.
버믈다² [자타] 〈옛〉 둘리다. 얽매다. 걸리다. 버무리다. =보ᄆᆞᆯ다. ¶繞ᄂᆞᆫ 버믈 씨라《月釋 Ⅱ:32》.
버미땅개 [명] 〈방〉 버마재비(충남).
버미땅개미 [명] 〈방〉 버마재비(충남).
버:미큘라이트 [vermiculite] [명]〖광〗 금운모(金雲母)·흑운모(黑雲母) 등의 변성된 이차 광물(二次鑛物). 비중은 1.2-1.6임. 고열을 가하면 결정수(結晶水)를 방출하며 아코디언 모양으로 팽창함. 건축용 단열재(斷熱材)·흡음재(吸音材) 및 원예(園藝)용으로 쓰임. 질석(蛭石).
버:밀리언 [vermilion] [명]〖미술〗 서양화의 주홍(朱紅) 채색.
버:밍엄 [Birmingham] [명]〖지〗 영국의 잉글랜드 중부에 있는 런던 다음가는 대공업 도시. 수륙 교통의 중심지이며, 부근에는 철·석탄이 풍부하여 14세기 이래 금속 공업이 유명함. 기계·총기(銃器)·차량·화학 제품의 제조 및 양조가 성함. 경치가 좋으며 공원이 많고, 대학·박물관·성당이 있음. [2,170,000명(1990 추계)]
버:밍햄 [Birmingham] [명]〖지〗 미국의 앨라배마 주(Alabama 州)에 있는 공업 도시. 강철 제품(鋼鐵製品)·기계·시멘트 그 밖에 목화·무명·목재 등을 산출함. [265,968명(1990)]
버:뱅크 [Burbank, Luther] [명]〖사람〗 미국의 원예가(園藝家). 토마토·포도·자두·딸기 등의 새 품종을 만들어 냄. [1849-1926]
버버리 [명] 〈방〉 ①벙어리¹(제주·전라·경상·충청·강원·함경·평안·황해). ②반벙어리(강원).
버버지 [명] 〈방〉 땅강아지.
버:번 [bourbon] [명] ↗버번 위스키.
버:번 위스키 [bourbon whiskey] [명] 옥수수와 귀리를 원료로 하는 미국산(産) 위스키. 18세기 말, 켄터키 주(州) 버번(Bourbon) 지방에서 영국 이민(移民)이 만든 데서 유래됨. [준]버번.
버벌찌 [명] 〈방〉 벙어리¹(평안).
버벌치 [명] 〈방〉 벙어리¹(황해).
버:베나 [verbena] [명]〖식〗 [*Verbena phlogiflora*] 마편초과에 속하는 다년초. 높이 20-30cm로, 풀 전체에 털이 있으며 잎은 대생하고 긴 타원형임. 여름부터 가을에 걸쳐 통상(筒狀)의 합판화가 줄기 끝에 산형 화서(繖形花序)로 백색·홍색·자색·담홍색 등으로 핌. 남아메리카의 원산(原産)인데 관상용으로 재배함.

〈버베나〉

버부리 [명] 〈방〉 벙어리¹(전남·경상).
버블 자기 구역 【一磁氣區域】 [bubble] [명]〖물〗 얇은 막상(膜狀)의 강자성체(強磁性體)의 막면(膜面)에 수직이 되도록 자기장(磁氣場)을 작용시켰을 때에 발생하는, 안정된 형태의 원형(圓形)의 자기 구역. 컴퓨터의 소형화에 도움이 됨.
버블 현:상 【一現象】 [bubble] [명]〖경〗 실체가 없는데도 가격이 상승하고 그것이 많은 사람들의 투기를 유발하여 더욱 상승세를 보이다가, 이윽고 거품이 사라지듯 급격히 원래의 상태로 되돌아가는 현상. 외환(外換) 거래나 주식·부동산 등의 투기 행위에서 많이 나타남. * 거품 경제.
버빼듬:-하다 [형] 〈방〉 번버듬하다.
버뺏스름:-하다 [형] 〈방〉 번버스름하다.
버:새 [명]〖동〗 ①[*Equus hinnus*] 암나귀와 수말 사이에 난 1대(代) 잡종. 보통 노새보다 작고 외모는 나귀 비슷함. 체질은 강장하나, 노새만은 못함. 체격과 견인력이 노새보다 떨어지며, 수컷은 번식력이 전연 없고, 암컷은 혹 수태하나 새끼는 매우 허약함. 거허(駏驉). 결제(駃騠). ②수말과 암노새 사이에서 난 잡종의 말. 몸은 약하고 성질이 사나워 실용 가치가 적음.
버서나다 [자타] 〈옛〉 벗어나다. ¶解脫ᄋᆞᆫ 버서날 씨니《釋譜 Ⅵ:29》.
버석 [부] ①가랑잎을 밟을 때에 나는 것 같은 소리. ②부숭부숭한 것이 가볍게 부스러지는 때 나는 소리. 1)·2) : > 바삭.
버석-거리다 [자타] 자꾸 버석 소리가 나다. 또, 연해 버석 소리를 나게 하다. ¶풀을 세게 먹여서 버석거리는 치마를 뻗질러 입고 그 뒤를 따랐다《沈熏 : 常綠樹》. ㅆ버썩거리다. >바삭거리다. 버석-버석 [부] ——하다 [자타][여불]
버석-대다 [자타] 버석거리다.
버선 [명] [중세 : 보션] 발에 꿰어 신도록 무명·광목 같은 것으로 만든 것. 솜버선·겹버선·홑버선과 어린아이들의 꽃버선 등이 있음. ¶외씨 ~.

버선-꿈치 명 버선을 신었을 때 발꿈치에 닿는 부분.
버선-농【一籠】명 버선을 넣어 두는 농장(籠欌).
버선-등〔一뜽〕명 버선의 발등에 닿는 부분.
버선-목 명 버선의 발목에 닿는 부분.
[버선목에 이 잡을 때 보아야 알지] 장차 거지가 되어 버선목에 이를 잡는 처지가 되어야 정신차리겠느냐는 뜻으로, 잘 산다고 너무 자랑하고 뽐냄을 핀잔주는 말. [버선목이라 뒤집어 보이나] 남에게 혐의를 받았을 적에 어떻게 변명할 방책이 없음을 말함.
버선-발 명 버선만 신고, 신은 신지 아니한 발. ¶ ~로 도망치다.
버선-본【一本】〔一뽄〕명 버선 모양으로 종이를 오려 버선을 지을 때에 감을 떠내기 위하여 만들어 놓은 본보기.
버선-볼〔一뽈〕명 ①버선의 너비. ¶ ~이 좁아 발이 들어가지 않는다. ②해진 버선을 기울 적에 덧대는 헝겊 조각.
버선-장【一欌】〔一짱〕명 버선을 넣기 위한 자그마한 이층장. 애기장.
버선-코 명 버선 끝의 위로 치켜 올라가게 된 부분. 어린 아이들의 것에는 수술을 달기도 함.
버섬 명〈방〉〖의〗버짐(경상).
버섭 명〈방〉보습[1](강원·함북).
버섯[1] 명〖식〗담자균류(擔子菌類)에 속하는 고등균류(高等菌類)의 총칭. 대부분이 우산 모양으로 생겼으며, 밑에는 많은 포자(胞子)가 착생함. 송이(松栮)처럼 독이 없는 것은 식용(食用)이 되나 유독(有毒)한 것도 적지 아니함. 산과 들의 그늘이나 썩은 나무에서 무성 생식(無性生殖)함. 송이·석이·싸리버섯·파리버섯·밤버섯 등이 있음. 균심(菌蕈). *알버섯.
버섯[2] 명〈방〉버짐(경상).
버섯-갓 명〖식〗균산(菌傘).
버섯-구름 명 원자운(原子雲).
버섯-국 명 버섯에 두부나 다른 것을 넣고 끓인 맑은 장국.
버섯 나물 명 마른 버섯을 물에 불려서 기름에 볶아 다시 쇠고기나 돼지고기를 섞어 양념을 쳐서 볶은 나물.
버섯 누름적【一炙】명 마른 버섯을 물에 불려 꼬챙이에 꿰어 만든 누름적.
버섯-벌레 명〖충〗〔*Aulacochilus decoratus*〕버섯벌렛과에 속하는 갑충(甲蟲)의 하나. 몸길이는 7 mm 가량 되며, 몸빛은 광택이 나는 푸른빛에 정수리·가슴·등 쪽에 점각(點刻)이 있으며, 딱지 날개에는 한 쌍의 무늬가 있음. 버섯에 기생하며 우리 나라 제주도에서 남.
버섯벌렛-과【一科】명〖충〗〔Erotylidae〕딱정벌레목(目)에 속(屬)하는 한 과. 몸은 소형(小形)·중형(中形)·장형(長形) 또는 구형(球形)임. 몸빛은 일반적으로 둔색(鈍色)이거나 금속(金屬)의 적람색(赤藍色) 또는 녹색임. 촉각은 11절이며, 전(前)·중(中)의 양각(兩脚)의 복부(腹部)는 5절임. 땅 속·나무 줄기·버섯 등에 서식하는데, 전세계에 2,600여 종이 분포함.
버섯-살 명〖식〗균습(菌褶).
버섯속-산호【一珊瑚】명〖동〗〔*Fungia scutaria*〕버섯속산호과에 속하는 산호충의 하나. 몸은 대체로 20 cm 내외의 타원형이며, 홀몸으로 고생(孤生)하는 단체(單體) 산호임. 표면에는 길이로 많은 격벽(隔壁)이 있고, 격벽은 여섯 개의 구부(溝部)가 거의 규칙적인 방사선상(放射線狀)으로 배열되어 버섯의 갓 속 모양임. 주로 열대 해안의 얕은 바다에 서식하는데, 대만 이남의 얕은 바다에 분포함. 석지(石芝).

〈버섯속산호〉

버섯-쇠바구미 명〖충〗눈쇠바구미.
버섯 저:냐 명 ①버섯 조각으로 만든 저냐. ②버섯을 잘게 썰어 갖은 양념을 하여 만든 저냐.
버섯 중독【一中毒】명〖의〗유독(有毒)한 버섯을 먹어서 생기는 중독. 일반적으로 침을 흘리고 발한(發汗)·구토·설사·조광(躁狂)·허탈(虛脫) 등의 증세가 나타나며 심하면 죽는 수도 있음.
버-성기다 형 ①벌어져서 틈이 있다. ②두 사람의 사이가 탐탁하지 아니하다. ¶ 탁주 몇 동이를 비우는 중에 버성기던 사이가 형님 아우님 하는 처지가 되었고…《金周榮 : 客主》.
버:스[1]〔berth〕명 ①기차나 기선의 침대. ②선박의 안전을 유지하기 위하여 다른 선박·육지와의 사이에 남겨 두어야 할 여지(餘地). 항행중의 조선(操船) 여지, 계류중의 정박(停泊) 여지가 있음. 또, 항만에 있어서의 계류 위치를 말하는 경우도 있음.
버:스[2]〔birth〕명 출산(出產). 탄생(誕生).
버스[3]〔bus〕명 ①일정한 운임을 받고 일정한 노선(路線)을 운행하는 대형의 합승 자동차. ②〖컴퓨터〗컴퓨터 내부에서 제어부(制御部)·메모리부(部)·입출력부(入出力部)를 병렬(並列)로 접속하고 있는 회선(回線). 각부(各部) 사이의 데이터 교환은 이 회선을 통하여 이루어짐.
버:스[4]〔verse〕명 ①시구(詩句). ②운문(韻文). 시형(詩形). ③시(詩)의 한 구절(句節). ④성경(聖經)의 한 절(節). *장(章).
버스 가이드〔bus+guide〕명 주로 관광 버스에서, 승객에게 관광지나 풍경의 안내를 맡아 하거나 승객의 시중 따위를 드는 승무원.
버스 걸:〔bus girl〕명 버스의 여자 안내원.
버:스-데이〔birthday〕명 생일(生日). ¶ ~ 케이크.
버:스데이 케이크〔birthday cake〕명 생일 축하 케이크.
버스러-지다 자 ①뭉그러져 잘게 조각이 나서 흩어지다. ②벗겨져서 헤어지다. ③어떠한 둘레 안에 들지 못하고 벗나가다. ¶ 값이 예상외로 ~.
버스럭 부 마른 검불이나 낙엽 같은 것을 밟거나 뒤적일 때 나는 소리. 또, 그와 같은 소리. >바스락. *부스럭. ——-하다 자타 여불
버스럭-거리다 자타 연하여 버스럭 소리가 나다. 또, 자꾸 그런 소리를 내다. >바스락거리다. *부스럭거리다. 버스럭-버스럭 부. ——-하다 자타 여불
버스럭-대다 자타 버스럭거리다.
버스름-하다 형 여불 버스러져서 사이가 버름하다. 버스름-히 부
버스리-떡 명〈방〉시루떡(함경).
버스스리 명〈심마니〉고기.
버스 터:미널〔bus terminal〕명 대도시의 버스 종합 발착장(發着場).
버:스트[1]〔burst〕명〖물〗우주선(宇宙線)에 의하여 한꺼번에 많은 이온(ion)이 만들어지는 현상.
버스트[2]〔bust〕명 ①흉상(胸像). 반신상(半身像). ②양재에서, 가슴 둘레.
버스트 라인〔bust line〕명 양재에서, 여자의 가슴의 가장 굵은 부분을 수평으로 지나는 선(線).
버슬-버슬 부 덩이가 된 가루 같은 것이 말라서 따로따로 쉽게 헤어지는 모양. ㅆ퍼슬퍼슬. >바슬바슬. *부슬부슬[2]. ——-하다 형 여불
버슴 명〈방〉버짐(경상).
버습 명〈방〉버섯(경상).
버슷 명〈옛〉버섯. ¶ 버슷 균(菌), 버슷 싀(栮)《字會 上 13》.
버슷버슷-하다 형 여불 여러 사람의 사이가 모두 버슷하다.
버슷-하다 형 여불 두 사람 사이가 버스러져 잘 어울리지 아니하다.
버시로 부〈방〉벌써(경남).
버신 명〈방〉버선(경상).
버썩 부 ①물기가 아주 없거나 타 버리는 모양. ¶ 오랜 가뭄이 계속하여 논들이 ~ 말랐다. ②아주 가까이 들러 붙거나 죄거나 우기는 모양. ¶ 허리띠를 ~ 죄다 / ~ 껴안다 / 그래서 도영혜는 웃방 학생이 오면서부터 ~ 안방 영감님과 가까워졌던 것이다《崔貞熙 : 녹색의 문》. ③갑자기 나아가거나 늘거나 주는 모양. ¶ 내외가 ~ 줄었다. *버쩍·부쩍·우썩·부썩. ④무엇을 깨무는 모양이나 소리. 1)-4) : >바싹.
버썩-거리다 자타 버썩 소리가 계속적으로 나다. 또, 그런 소리를 연하여 나게 하다. ㅅ버석거리다. >바싹거리다. 버썩-버썩[1] 부. ——-하다 자타 여불
버썩-대다 자타 버썩거리다.
버썩-버썩[2] 부 ①물기가 아주 없거나, 불이 타 들어가는 모양. ②아주 가까이 들러 붙거나 몹시 죄거나 우기는 모양. ③조금하거나 애가 타서 자꾸 나아가거나 또는 늘거나 주는 모양. 1)-3):>바싹바싹[2]. *부썩부썩.
버쓰시리 명〈심마니〉고기.
버외다 자〈옛〉사이가 틀리어서 벌다. =버울다. ¶ 이비 버외오 므ᄋᆞ믈 甚히 ᄀᆞ바ᄒᆞ놋다(口睽心甚勞)《重杜諺 XVII:2》.
버우다 자〈옛〉사이가 틀리어서 벌다. =버울다. ¶ 귀 먹고 입 버워 諸根이 ᄀᆞ디 몯ᄒᆞ리며(聾啞 諸根 不具)《妙蓮 II:168》.
버울다 자〈옛〉사이가 틀리어서 벌다. 벙어리가 되다. =버울다·벙글다·버외다·버우다. ¶ 입버웂 報ᄅᆞᆯ 니ᄅᆞ고《月釋 XXI:66》.
버워리 명〈옛〉벙어리. ¶ 根이 ᄂᆞᆯ카바 智慧ᄒᆞ야 百千萬世예 乃終내 버워리 아니 ᄃᆞ외며《月釋 XVII:52》.
버으리왇다 타〈옛〉거부하다. ¶ 최시 남글 안고 버으리 왇고 분로ᄒᆞ며 ᄭᅮ지저 ᄀᆞ로ᄃᆡ(崔抱樹而拒奮罵曰)《東國三綱 烈女圖》.
버으는 자〈옛〉사이가 틀어서 버는. '버울다'의 활용형. ¶ 살면 모ᄃᆡ 죽고 어울면 모ᄃᆡ 버으는 거시니(生者必滅會者定離)《月釋 II:15》.
버으롬 명〈옛〉서로 사이가 뜸. 떠남. '버울다'의 명사형. ¶ 그 남기 臺에 버으로미(其樹去臺)《妙蓮 VI:135》.
버으리 왇다 타〈옛〉버그러져 떠나다. 버그러뜨리다. ¶ ᄆᆞᄋᆞ미 뷔여 坐禪호ᄆᆞᆯ 버으리왇디 아니ᄒᆞ놋다(虛空不離禪)《杜諺 IX:24》.
버을다 자〈옛〉사이가 틀리어서 벌다. ¶ 眞에 버으로미(離眞)《金剛 下 138》/河 버으로미 먼 ᄯᅡ해(去河遙處)《楞嚴 III:87》.
버저〔buzzer〕명〖물〗전자석(電磁石)의 코일에 단속적으로 전류를 보내서, 철편(鐵片)을 진동시켜서 내는 신호. 또, 그 장치. 초인종의 대용 또는 모르스 부호(Morse 符號) 등을 수신(受信)하는 데 이용됨.
버적-버적 부 ①물기가 적은 물건을 짓이기어 빻는 소리. ②물기가 거의 없는 물건이 타는 소리. ③마음이 죄는 모양. 1)-3): ㅆ뻐적뻐적. ④진땀이 몹시 돋는 모양. 1)-4): >바작바작.
버:전〔version〕명〖컴퓨터〗①어떤 소프트웨어가 개발된 후 몇 번 개정되었는지를 나타내는 번호. ②한 소프트웨어를 서로 다른 시스템 환경에서 사용할 수 있도록 각각 제작된 프로그램을 이르는 말(도스 버전·윈도 버전 따위).
버점 명〈방〉버짐(경상).
버젓-이 부 버젓하게. ㅆ뻐젓이.
버젓-하다 형 여불 번듯하고 떳떳하여 흠잡히거나 굽힐 것이 없다. ¶ 버젓한 남편이 있는 여자/버젓한 회사. ㅆ뻐젓하다.
버정이다 자 짧은 거리(距離)를 시름없이 오락가락하다. >바장이다.
버:제스〔Burgess, Ernest Watson〕명〖사람〗캐나다 태생의 미국 사회학자. 가족 사회학의 수립자. 가족의 실체(實體)는 그 각 구성원의 인격의 상호 작용의 통일성에 있다고 함. [1886-1966]
버줌 명〈방〉버짐(제주).
버:즈-아이〔bird's-eye〕명 새의 눈처럼 작은 원(圓)을 배열한 직물의 무늬. 또, 이러한 무늬의 모직물.
버즈 학습【一學習】〔buzz〕명〖교〗소집단(小集團) 방식에 의한 학습 지도 형태의 하나. 일정 시간, 보통 6분 동안 각 6명씩의 작은 그룹으로 나누어, 서로 활발한 토론을 갖게 함. 떠드는 소리가 마치 벌이 웅웅거리는 소리와 같대서 이 명칭이 붙음.
버즘 명〈옛·방〉버짐(전라·경상·강원). ¶ 버즘 션(癬)《字會 中 32》.
버:지널〔virginal〕명〖악〗건반 악기의 하나. 하프시코드와 같은 모양의 발현(撥絃) 악기로 소형이며, 현(絃)이 건반과 평행으로 뻗어 있음. 15-18 세기에 영국 등 유럽에서 사용됨.
버:지니아 종교 자유령【一宗敎自由令】〔Virginia〕명〖종〗신교(信敎)의 자유를 가장 철저하고 완전하게 확립한 최초의 입법(立法). 1786년 미국 독립 혁명 이후, 버지니아 주에서 국가와 교회와의 분리를 실

현 확립한 것으로, 제퍼슨(Jefferson)이 기초(起草) 제안하였음.

버:지니아 주【一州】〔Virginia〕 명 〖지〗 미국의 남부 대서양 지방의 주. 독립 13주의 하나. 고추·담배·목재를 산출함. 수도는 리치먼드(Richmond). [102,832 km²: 6,187,358명 (1990)]

버:지니아 플랜〔Virginia plan〕 명 〖교〗 1930년 미국 버지니아 주에서 7년 계획에 따라 착수한 커리큘럼안(案). 국민 학교 7년, 중학교 4년을 일관시킨 가장 철저한 통합 커리큘럼으로 유명함. 사회 문제의 학습을 중심으로 한 코어 커리큘럼(core curriculum)의 전형(典型)임.

버:지다 자 ①베어지거나 조금 긁히다. ¶ 유리 조각에 손이 ~. ②가장자리가 닳아서 찢어지게 되다. ¶ 소매가 버졌다.

버지럭-버지럭 부 ☞버르적버르적. ¶ 물 위에 공중 떨어진 물매미는 잠겼다 솟았다 수염을 내저으며 뒷다리를 ~ 헤어 돌아간다《桂鎔默: 물매미》.

버:진〔virgin〕 명 처녀(處女). 미혼(未婚) 여성.

버:진 소일〔virgin soil〕 명 처녀지(處女地).

버:진 제도【一諸島】 명〔Virgin Islands of the United States〕〖지〗 서(西)인도 제도, 푸에르토리코(Puerto Rico) 동쪽에 있는 미국령의 40여 개의 섬들. 주산업은 목축·관광업. 본디 덴마크령(領)이었는데, 1917년 미국이 매수(買收)함. 주도(主都)는 샤를로트 아말리(Charlotte Amalie). [345km²: 96,000명(1980)]

버:질〔Virgil〕 명 〖사람〗 베르길리우스(Vergilius)의 영어식 이름.

버짐 명 백선(白癬)에 의하여 일어나는 피부병의 통칭. 마른버짐·진버짐 등이 있고, 흔히 안면(顏面) 백선이 많음. 선창(癬瘡). *백선(白癬).
버짐이 먹다 구 버짐에 걸리다.

버짐-병【一病】[一뼝] 명 〖농〗 노균병(露菌病).

버짓 운임【一運賃】 명〔budget fare〕〖관광〗 항공 할인 운임 제도의 하나. 운임은 이코노미 클래스(economy class)의 반액(半額)인데, 이용객(利用客)은 3주일 전까지 탑승(搭乘)할 주(週)를 예약하고 표(票)를 산 다음, 일주일(一週日) 전에 비로소 탑승편(搭乘便)을 지정받음.

버짜 명 〈방〉 벙어리[1](전라).

버쩍 부 ①물기가 아주 졸아 붙는 모양. ¶ ~ 졸아 붙었다. ②차지게 달라 붙거나 또는 세차게 우기거나 죄는 모양. ¶ ~ 우기다. ③사물이 급하게 나아가거나 또는 갑자기 늘거나 주는 모양. ¶ 물이 ~ 늘었다. ④몸체가 몹시 마른 모양. 1)-4): >바짝. *버썩·부쩍·우쩍.

버쩍-버쩍 부 버쩍의 계속적인 뜻을 나타내는 말. <부쩍부쩍.

버찌 명 〖식〗 벚나무의 열매. 흑앵(黑櫻). 앵실(櫻實). 준벚.

버찌 소주【一燒酒】 명 버찌의 즙(汁)을 탄 소주.

버찌-편 명 버찌를 체에 걸러 냄비에 담고 꿀과 녹말(綠末)을 타서 뭉근한 불에 조려 굳힌 음식. 앵병(櫻餠).

버치 명 자배기보다 조금 깊고 크게 만든 그릇. 「~/오줌 ~.

버캐 명 액체 속에 섞이었던 염분(塩分)이 엉기어서 뭉쳐진 찌끼. ¶ 소금

버캐뷸러리〔vocabulary〕 명 〖언〗 어휘(語彙). 어휘집. 용어수(用語數). 용어 범위(用語範圍). 단어집(集). 「(語彙編輯者).

버캐뷸리스트〔vocabulist〕 명 〖언〗 단어학자(單語學者). 어휘 편집자

버커-나오다 자 〈방〉 내배다.

버커리 명 늙고 병들거나 또는 고생살이로 살이 빠지고 쭈그러진 여자.

버:컨헤드〔Birkenhead〕 명 〖지〗 영국 잉글랜드 서북부의 항구 도시. 머지 강(Mersey江)을 사이에 두고 리버풀(Liverpool)과 마주하며, 하저(河底) 터널로 연결됨. [124,000명(1981추계)]

버컬〔buccal〕 명 삼키지 아니하고 입에 물고 있으면 점막(粘膜)을 통하여 흡수되는 정제(錠劑).

버케 명 〈방〉 버캐.

버케이션〔vacation〕 명 휴가(休暇). 휴일(休日). 바캉스.

버쿰 명 〈방〉 거품(전북).

버:크[1]〔Burke, Edmund〕 명 〖사람〗 영국의 정치가·미학자(美學者). 휘그당(Whig黨) 당원. 자유애(自由愛) 전통에의 찬미를 기초로 한 보수주의 입장에서, 조지(George) 삼세의 전제에 반대하는 한편 프랑스 혁명의 과격화(過激化)에도 반대하였음. 또, 《숭고(崇高) 및 미(美)의 관념의 기원에 대한 철학적 고찰》에서 미학에의 재능도 보임. [1729-97]

버:크[2]〔Burke, Kenneth〕 명 〖사람〗 미국의 문예 평론가. 그의 평론은 문학 작품에 대한 단순한 분석이 아니라 여러 학문에 걸친 넓은 관점에서 문화의 전체상을 밝히려는 데 특징이 있음. 대표작으로는 《문학 형식의 철학》·《동기(動機)의 문법》 등. [1897-]

버:크[3]〔Burke, Robert O'Hara〕 명 〖사람〗 영국의 탐험가. 유럽인(人)으로는 처음으로 오스트레일리아를 남북으로 종단(縱斷)함. 돌아오는 길에 아사(餓死)하였음. [1820-61]

버크럼〔buckram〕 명 풀·아교 등으로 빳빳이 먹인 아마포(亞麻布). 책의 장정(裝幀)이나 양재(洋裁)의 심(心) 따위에 쓰임.

버:크셔[1]〔Berkshire〕 명 〖지〗 영국 남부, 런던 서쪽에 있는 주(州). 주의 북쪽 경계를 템즈(Thames) 강이 흐르며, 주산업(主產業)은 농업과 목축으로, 맥류(麥類)·버터·치즈·연유(煉乳) 등을 산출하는데, 특히 돼지의 사육(飼育)은 유명함. 주도(主都)는 레딩(Reading). [1,255km²: 734,100명(1986 추계)]

버:크셔[2]〔Berkshire〕 명 〖동〗 돼지의 한 품종(品種). 재래종에 중국종을 교배(交配)시켜 개량한 것으로, 영국의 버크셔 주(州)에서 많이 사육함. 추위에 강하고 번식력이 왕성함. 육질(肉質)도 좋아 생후 4개월 만 되면 곧 육용으로 할 수 있음.

〈버크셔[2]〉

버:크-화이트〔Bourke-White, Margaret〕 명 〖사람〗 미국의 여류 사진 작가. 산업 사진가(產業寫眞家)로서 출발하여, 1936년 라이프지(誌) 창간호의 표지 사진을 찍은 후부터 동지(同誌)의 중심적 사진 작가가 되었으며, 주로 문명 비평적인 보도 사진으로 활약함. [1906-71]

버클[1]〔buckle〕 명 혁대(革帶)를 죄어 고정시키는 장치의 장식물.

버클[2]〔Buckle, Henry Thomas〕 명 〖사람〗 영국의 역사가. 과학적 문명사관(文明史觀)을 바탕으로 《영국의 문명사》 2권을 썼음. [1821-62]

버:클륨〔berkelium〕 명 〖화〗 초(超)우라늄 원소의 하나. 1950년에 캘리포니아(California) 대학의 시보그(Seaborg, G.T.)·톰프슨(Tompson, S. G.) 등이 사이클로트론(cyclotron)으로 가속(加速)한 헬륨(helium)을 아메리슘(americium)에 작용시켜서, 인공적으로 만들었음. 버클륨 247의 반감기(半減期)는 1,400년인데, 극소량으로 강력한 방사선을 방출함. 3가(價)와 4가의 화합물이 가장 안정(安定)되고 성질은 테르븀(terbium)의 화합물과 비슷함. 질량수 243부터 251까지 9종류가 알려져 있음. [97번:Bk:243-251]

버:클리[1]〔Berkeley〕 명 〖지〗 미국 캘리포니아 주 샌프란시스코 만의 동안(東岸) 오클랜드(Oakland) 북쪽에 접한 학술 도시. 주택지로 풍경이 좋으며, 도료(塗料)·화학 약품·금속 기구 등이 나고, 캘리포니아 대학이 있음. 지명(地名)은 18세기의 영국 철학자 버클리(Berkeley, G.)에서 유래됨. [104,000명(1986)]

버:클리[2]〔Berkeley, George〕 명 〖사람〗 영국의 경험론 철학자. 감각(感覺)의 심리학적(心理學的) 연구에서 출발하여 '일체의 물(物)은 감각의 결합에 불과하며, 물이 존재(存在)한다고 하는 것은 단지 지각(知覺)되어 있음에 지나지 아니한다'고 주장함. 저서에 《인간 지식의 원리》 등이 있음. [1685-1753]

버클링〔buckling〕 명 장주(長柱) 또는 평반(平盤)의 굴곡.

버큼 명 〈방〉 거품(전라·경상·충남).

버킷〔bucket〕 명 ①기중기 끝에 붙어 흙·모래 따위를 퍼 올리는 통. ②바께쓰.

버킷-선【一船】〔bucket〕 명 환상(環狀)의 사슬에 버킷을 달아 토사(土砂)를 연속적으로 퍼올리는 장치를 갖춘 준설선. 버킷 준설선.

버킷 시:트〔bucket seat〕 명 항공기나 자동차의 개인용 좌석. 안전성과 타는 기분을 좋게 하기 위하여 의자의 등과 앉는 부분이 몸에 꼭 맞도록 되어 있음.

버킷 엘리베이터〔bucket elevator〕 명 수직 방향 운반용의 버킷 컨베이어. 몇 개의 버킷을 단 사슬이나 벨트를 상하로 이동·회전하게 하여 물건을 버킷에 담아 운반하게 된 장치.

버킷 운광기【一運鑛機】〔bucket〕 명 〖광〗 채광장(採鑛場)·선광장(選鑛場)·제련소(製鍊所) 등에서, 여러 개의 버킷을 철삭(鐵索)에 매달아 그 철삭을 회전시키어 광석류를 운반하는 데에 쓰이는 기계.

버킷 준:설선【一浚渫船】〔bucket〕[一썬] 명 버킷선(船).

버킷 컨베이어 명〔bucket conveyor〕 환상(環狀)의 사슬에 몇 개의 킷을 달아맨 운반 장치.

버킷 펌프〔bucket pump〕 명 빨아 올리게 된 펌프의 한 가지. 피스톤과 실린더의 한 끝에 각각 역지판(逆止瓣)을 붙이고 피스톤을 왕복시켜서 빨아 올림. 가정용 우물 펌프로 많이 이용됨.

버킹엄 궁전【一宮殿】〔Buckingham〕 명 〖지〗 런던에 있는 영국왕의 궁전. 1703년 버킹엄공(公)이 건조한 것을 1761년에 조지 3세가 매입하여 왕실의 소유가 됨.

버태다 타 〈방〉 보태다.

버터[1]〔butter〕 명 우유의 지방(脂肪)을 여러 가지 조작(操作)으로 분리하여 응고시킨 영양 식품(營養食品). 지방이 85%에 달하며 그 밖에 수분·단백질·회분(灰分)·식염(食塩) 등과 비타민 A와 D를 많이 함유하고 있음. 빵에 발라 먹거나 요리·과자의 재료로 쓰임. 우락(牛酪).

버터[2] 조 〈방〉 부터.

버터 나이프〔butter knife〕 명 빵에 버터를 바르는 데 쓰이는 나이프.

버터 롤:〔butter roll〕 명 버터가 많이 들어 있는 롤빵.

버터링〔buttering〕 명 용접(鎔接)을 하기 전에 금속(金屬)의 접합면을 피복(被覆)하는 일. 용접용 금속과 모재(母材)가 서로 오염(汚染)됨을 방지함.

버터-밀크〔buttermilk〕 명 우락유(牛酪乳).

버터-볼:〔butterball〕 명 ①식탁용으로 쓰이는, 직경 1-2cm 쯤 되는 버터의 둥근 덩어리. ②버터가 들어간 서양식 눈깔사탕.

버터 옐로:〔butter yellow〕 명 식용 색소 중 인조 버터 등의 착색(着色)에 사용하는 유용성(油溶性) 물감. 간단한 염기성(塩基性) 아조(azo) 물감으로서 기름에만 용해됨. 오일 옐로(oil yellow).

버터 컬러〔butter color〕 명 버터에 착색하는 황색의 색소(色素).

버터 크림:〔butter cream〕 명 버터에 설탕 등을 넣고 휘저어 만든 크림. 케이크 장식용 재료의 하나임.

버터플라이〔butterfly〕 명 ①나비. ②버터플라이 수영법. 접영(蝶泳). ③스트립 쇼를 하는 여자가 음부를 가리는 나비 모양의 헝겊.

버터플라이 밸브〔butterfly valve〕 명 유체관로(流體管路) 중에 넣어서, 흐르는 방향의 직각으로 놓인 축(軸)의 주위에, 회전하는 밸브판(板)을 붙인 구조의 밸브. 흐르는 방향에 대하여 밸브판의 각도를 바꾸어 유량(流量) 또는 압력을 조절할 목적으로 사용함.

〈버터플라이 밸브〉

버터플라이 수영법【一水泳法】〔butterfly〕[一뻡] 명 수영법의 하나. 두 손을 동시에 앞으로 뻗쳐 물을 끌어당기면서 나비가 날 듯이 헤엄쳐 나아감.

버터 피:너츠〔butter+peanuts〕 명 버터로 가미(加味)한 땅콩.

버:턴[1]〔Burton, Richard Francis〕 명 〖사람〗 영국의 여행가(旅行家)·저술가. 인도 및 아라비아(Arabia)를 편력하였고, 《아라비안 나이트

(Arabian Nights)》를 번역함. [1821-90]

버:턴[2] 〔Burton, Robert〕 명 〖사람〗 영국의 목사(牧師)·작가. 《우울(憂鬱)의 해부(解剖)》를 지어 문명(文名)을 얻음. 필명(筆名)은 데모크리투스(Democritus Junior). [1577-1640]

버텀 조 〈방〉 부터.

버텅 명 〈옛〉 뜰 층계. ¶ 버텅 폐(陛)《字會 中 6》.

버텅아래 명 〈옛〉 폐하(陛下). ¶ 陛下ᄂᆞᆫ 버텅아래니 皇帝를 바로몯 ᄉᆞᆯ바 버텅아래를 ᄉᆞᆲᄂᆞ니라《月釋 Ⅱ:65》.

버텂길 명 〈옛〉 섬돌 길. 층계 길. ¶ 階道ᄂᆞᆫ 버텂길히라《月釋 Ⅶ:57》.

버트레스 〔buttress〕 명 벽체(壁體)가 쓰러지지 않도록 외벽의 곳곳에 돌출하여 만든 보강용(補強用)의 벽. 벽 전체를 두텁게 하는 것보다 효과적이며, 장식의 효과도 있어 고딕 건축에서 많이 볼 수 있음. 버팀벽. 부벽(扶壁).

버트레스 댐 〔buttress dam〕 명 〖공〗 40-45도의 경사를 가진 몇 개의 부벽(扶壁)으로 지탱된 댐. 중력 댐(重力dam)에 비해서 사용 재료가 적게 드나, 구조가 복잡하고 시공이 번잡함. 소규모의 댐 건설에 쓰임. 부벽 댐.

버트 용접 【一鎔接】〔butt〕 명 전기 저항 용접의 일종. 두 금속의 끝을 대고, 금속으로 졸라 붙여 이것에 전류를 통하고 압박을 가하여 용접함. 충합(衝合) 용접.

버튼 〔button〕 명 단추.

버튼다운 스커:트 〔button-down skirt〕 명 허리로부터 아랫단까지 터서 단추를 끼도록 만든 스커트. 앞 중앙을 트는 수가 많음.

버튼 스위치 〔button switch〕 명 두 개의 버튼이 있어 한쪽을 누르면 점등(點燈)되고, 다른 쪽을 누르면 소등되는 스위치.

버틀러[1] 〔Butler, Joseph〕 명 〖사람〗 영국의 신학자. 국교파의 성직자로서 이신론(理神論)에 반대하여 계시 종교(啓示宗敎)로서의 그리스도교를 역설했음. 주저(主著)에 《종교의 유비(類比)》가 있음. [1692-1752]

버틀러[2] 〔Butler, Nicholas Murray〕 명 〖사람〗 미국의 교육가(敎育家). 컬럼비아 대학 총장. 자유주의 국제주의자로, 1931년 노벨 평화상을 받음. 저서에 《교육의 의의》·《오늘의 세계》 등이 있음. [1862-1947]

버틀러[3] 〔Butler, Richard〕 명 〖사람〗 영국의 보수당 출신의 정치가. 제 2차 대전중에는 문교상(文敎相)으로 문교 개혁을 단행, 전후(戰後)에는 재상(財相)으로 긴축 정책에 의한 재정 재건에 성공함. 1963년 외상(外相)을 지냄. [1902-82]

버틀러[4] 〔Butler, Samuel〕 명 〖사람〗 ①영국의 풍자 시인(諷刺詩人). 영웅시담(英雄詩譚)《휴디브라스(Hudibras)》를 지어 왕당파(王黨派)에 환영 받음.[1612-80] ②영국의 시인·소설가. 소설 《에레훤(Erewhon)》을 지어 영국 사회를 공격, 일종의 자서전인 《만인의 길》을 지어 위선적 도덕을 비난하였음. [1835-1902]

버티다 자타 〔중세 : 버티다('바퇴다'의 큰말)〕 ①참고 배기다. ②맞서서 겨루다. ③쓰러지지 아니하게 가누다. ④의지하게 하다. 괴다. ¶ 기둥으로 벽을 ~.

버:티컬 수차 【一水車】〔vertical〕 명 종축(縱軸)에 설치한 수차. 협소한 장소나 낮은 낙차(落差)의 수력을 이용하는 데에 씀.

버팀-대 [一때] 명 쓰러지지 않게 버티어 대는 물건. ¶ ~를 대다.

버팀-목 【一木】 명 물건을 쓰러지지 아니하게 버티는 나무. 탱주(撑柱). ¶ ~을 지르다.

버팀-줄 명 벌이줄❶.

버팅 〔butting〕 명 권투에서, 선수끼리 머리를 부딪는 반칙.

버패 명 〈방〉 허파(강원).

버퍼 〔buffer〕 명 〖컴퓨터〗 〔완충(緩衝) 장치의 뜻〕 데이터의 처리 속도나 처리 단위, 데이터 사용 시간이 서로 다른 두 장치나 프로그램 사이에서 데이터를 주고 받기 위한 목적으로 사용되는 임시 기억 장소.

버펄로[1] 〔buffalo〕 명 ①물소. ②들소.

버펄로[2] 〔Buffalo〕 명 〖지〗 미국 뉴욕 주 서부, 이리 호반(Erie 湖畔)의 동단(東端)에 있는 항구 도시·공업 도시. 농축산물·기계·광석 등의 중계항(中繼港)으로서 중요한 자리를 차지하며 미국 굴지의 규모를 갖는 제분(製粉) 공장 외에 철강·화학·기계 등의 중공업도 발달함. 나이아가라 폭포의 입구임. [328,123명(1990)]

버펄로 빌 〔Buffalo Bill〕 명 〖사람〗 미국 최후의 서부 개척자의 한 사람. 본명은 코디(Cody W.F.). 대륙 횡단 철도 건설 노동자에 대한 식육(食肉) 공급업을 할 때, 18개월 동안에 4,820마리의 들소를 잡았다고 해서 이런 이름이 붙음. [1846-1917]

버프-반 【一盤】〔buff〕 명 〖기〗 연마기(硏磨機)에 달린 둥근 반(盤). 이것을 고속으로 회전시켜 물건을 갈거나 윤을 냄.

버피팅 〔buffeting〕 명 〖물〗 비행 중의 항공기의 기체(機體) 각부에 생긴 난기류(亂氣流)가 꼬리 날개나 동체(胴體) 후부(後部)에 부딪쳐서 일어나는 이상 진동(震動) 현상.

버홈 타 〈옛〉 벰. 베는 일. '버히다'의 명사형. ¶ 풀완 버후메(斫畬)《杜諺 Ⅶ:17》.

버흐다 자 〈옛〉 베어지다. 끊어지다. ¶ 세발 가진 가마괴톨 바리 어러 버흘가 전노니(三足之烏足恐斷)《初杜諺 Ⅹ:41》.

버히다 타 〈옛〉 베다. ¶ 버힐벌(伐), 긋버힐결(截)《類合 下 21》.

벅:[1] 명 〈방〉 부엌(경북·함남).

벅[2] 〔Buck, Pearl Sydenstricker〕 명 〖사람〗 미국의 여류 작가. 오래 중국에서 거주, 주로 중국 서민 생활을 그렸음. 1934년 귀국한 후로는 미국을 무대로 한 많은 작품을 발표하였고, 1938년 노벨 문학상을 받음. 작품에 《대지(大地)》·《중국의 하늘》·《싸우는 사도》·《어머니》·《숨은 꽃》 등 외에도 다수. [1892-1973]

벅[3] 부 ①질긴 종이나 헝겊 따위가 찢어지는 소리. ②세게 긁거나 문지르는 소리. 1)·2):>박[7].

벅게 자 〈옛〉 다음가게. 버금가게. ¶ 聖果애 벅게 코져 ᄒᆞ샬딘댄(亞次聖果者)《圓覺 上 一之二 75》.

벅구 명 〖악〗 ① ☞ 버꾸. ② ☞ 소구[1].

벅국-새: 명 〈방〉 뻐꾹새.

벅국-이 명 〈방〉 뻐꾸기.

벅국-종 【一鐘】 명 〈방〉 뻐꾹종.

벅글래기 명 〈방〉 잔거품(제주).

벅다 자 〈옛〉 다음 가다. 버금가다. ¶ 法 아로미 버그니(了法次之)《楞嚴 Ⅳ:1》.

벅디검 명 〈옛〉 절차(節次). ¶ 節次連次也 猶鄕言 벅디검《吏文輯覽 Ⅱ:7》.

벅-벅 부 ①단단한 물건의 두드러진 바닥을 연해 긁는 소리. ¶ 머리를 ~ 긁다. ②단단한 종이 같은 것을 연해 찢는 소리. ③바닥이 번번해지도록 자꾸 닦거나 문지르는 모양. ¶ 마룻바닥을 ~ 문지르다. ④억지를 부리면서 기를 쓰거나 우기는 모양. ¶ 끝까지 ~ 우기다. 1)-4) : >박박[1]. *북북.

벅벅-이 부 틀림없이 그러하리라고 미루어서 헤아리는 뜻을 나타내는 말. ㅆ뻑뻑이. >박박이.

벅세 명 〖민〗 〈방〉 벅수.

벅수 명 〖민〗 경상 남도·전라도 등지에서 돌 장승의 일컬음.

벅-스킨 〔buckskin〕 명 ①녹피(鹿皮) 또는 무두질을 한 양·염소 등의 누런 가죽. 구두·장갑·재킷으로 이용됨. ¶ ~ 장갑. ②모직물(毛織物)의 한 가지. 양복 바지·코트 감으로 이용됨.

벅신-거리다 자 사람이나 짐승 등이 한 곳에 많이 모여 활발하게 움직이다. >박신거리다. **벅신-벅신** 부. ——-하다 자여불

벅신-대다 자 벅신거리다.

벅실-벅실 부 〈방〉 벅신벅신. ——-하다 자

벅-장 명 〈방〉 벽장(충남).

벅적-거리다 자 넓은 곳에 많은 사람이 모여 뒤끓어 움직이다. >박작거리다. **벅적-벅적** 부. ——-하다 자여불

벅적-대다 자 벅적거리다.

벅좇다 자타 〈옛〉 계속하다. ¶ 벅조차 다 머그라(相次頓服)《救簡 Ⅲ:83》.

벅차다 형 ①감당하기 어려울 정도로 힘에 겹다. ¶ 그 임무가 나에게는 ~. ②어떤 생각이나 분량이 많아서 밖으로 넘칠 듯하다. ¶ 벅찬 감격/가슴이 벅차서 말이 안 나온다.

벜: 명 〈방〉 부엌(강원·함남).

번[1] 명 ↗시룻번.

번[2] 【番】 ㊀ 명 ①차례로 갈마드는 일. ②차례로 숙직하는 일. ¶ 든~/난~. ㊁ 의명 ①차례를 나타내는 말. ¶ 1~/끝~. ②일의 횟수를 나타내는 말. ¶ 한 ~/백 ~.

번[3] 【煩】 명 ①↗번요(煩擾). ②↗번조(煩燥).

번[4] 【幡】 명 〖불교〗 법요(法要)를 설법(說法)할 때에 절 안에 세우는 깃대. 부처와 보살의 성덕(盛德)을 표시하는 기구. 꼭대기에 종이나 비단 같은 것을 가늘게 오려서 닮.

번[5] 【潘】 명 성(姓)의 하나. 본관은 기성(岐城)·광주(光州)·남평(南平)의 세 본이 있으나 모두 동원 분파(同源分派)라 함.

번[6] 【旛】 명 〖역〗 의장(儀仗)으로 쓰는 기(旗)의 하나. 강인번(降引旛)·신번(信旛)·표미번(豹尾旛) 등.

번가[1] 【煩苛】 명 까다롭고 번거로움. ——-하다 형여불

번가[2] 【繁苛】 명 ①법식(法式)이나 규칙이 까다롭고 번거로움. ②법령(法令) 등이 번거롭고 가혹(苛酷)함. ——-하다 형여불

번가[3] 【繁柯】 명 무성한 나뭇가지.

번-가루 [一까一] 명 곡식의 가루를 반죽할 때에 물손을 맞추어 가면서 덧치는 가루.

번각 【飜刻】 명 〖인쇄〗 한 번 새긴 책판(冊板) 같은 것을 본보기로 삼아서 다시 새김. 복각(覆刻). ——-하다 타여불

번각-물 【飜刻物】 명 번각한 책. 번각본(飜刻本). 번각서(飜刻書).

번각-본 【飜刻本】 명 번각물(飜刻物). 번본(飜本).

번각-서 【飜刻書】 명 번각물(飜刻物).

번각-질 명 〈방〉 뒤집개질. ——-하다 타

번간[1] 【煩簡】 명 번다(煩多)함과 간략함.

번간[2] 【幡竿】 명 깃대[2]❶.

번갈 【煩渴】 명 가슴이 답답하고 목이 마름.

번-갈다 【番一】 자 한 패씩 한 패씩 차례로 갈마들다. 차례로 돌려가다.

번-갈아 【番一】 부 하나씩 하나씩 차례로 갈마들어서. 교대(交代)하여서. ¶ ~ 이야기하다/셋이 ~ 불침번을 서다.

번갈아-들다 【番一】 자 ①차례로 돌려 가면서 일을 맡다. ②숙직이 차례로 바뀌다.

번갈아-들이다 【番一】 사동 차례로 번갈아들게 하다. 갈마들이다.

번갈-증 【煩渴症】 [一쯩] 명 〖의〗 병적으로 몹시 목이 마른 증상. 병적으로 목이 몹시 말라서 다량의 음료(飮料)를 마시는 증상. 당뇨병(糖尿病)에서 오줌이 많을 때, 땀을 지나치게 흘렸을 때, 오래 연설을 하거나 노래를 불러서 구강(口腔)·인두(咽頭)의 점막이 건조할 때에 이 증상이 나타남.

번개 명 〔중세 : 번게〕 강한 상승 기류를 만나 대전(帶電)하게 된 구름이, 서로 다른 전기 곧 음전(陰電)과 양전(陽電)을 가진 구름 사이에서 생기는 방전(放電) 현상. 전기의 절연(絶緣) 상태를 파괴할 때 구름이 진동하여 나는 소리를 '천둥'이라 하고, 대전한 구름이 지상(地上)에 가까워질 때 지상의 음전과 양전에 유도(誘導)되어서 방전하는 것을 '벼락'이라 함. 뇌화(雷火). 전광(電光). 뇌편(雷鞭). 열결(熱缺). 전정(電霆). [번개가 잦으면 벼락 늦이라] 무슨 일의 전조가 잦으면 반드시 그 일이 일어난다는 말. [번개가 잦으면 천둥을 한다] ㉠선문(先聞)이 잦으면 결국 그 일이 실현됨을 이르는 말. ㉡나쁜 일이 잦으면 결국에는 큰 봉변을 보게 된다는 말.

번개-같다 형 동작이 매우 빠르다. ¶ 번개같은 솜씨.

번개-같이 [—가치] 부 아주 빨리.

번개-매미충 【—蟲】 명 〖충〗 [*Deltocephalus dorsalis*] 매미충과에 속하는 곤충. 몸길이 시단(翅端)까지 4mm 가량, 작은 매미 모양인데 몸빛은 담황색에 등쪽에 뚜렷한 번갯불 모양의 반문(斑紋)이 있음. 한 해에 수회 발생하는데, 성충은 6-8월에 출현하며 150개 가량의 알을 낳고, 유충은 20일 내에 우화(羽化)하여 벼의 줄기의 즙액(汁液)을 빨아먹어 위축병(萎縮病)을 발생시킴. 벼·소나무 등의 대해충으로 난대(暖帶) 지방에 분포함. 한국에서도 발견됐음.

〈번개매미충〉

번개-무늬 [—니] 명 〖고고학〗 ①주로 청동기 시대의 거울에서 볼 수 있는 번개 모양의 무늬. ②'돌림무늬'의 구용어. 뇌문(雷文).

번개 발생기 【—發生器】 [—쌩—] 명 〔lightning generator〕 〖물〗 절연물 기타 고전압용 구성 요소의 시험을 위해 번개와 같은 서지 전압(surge 電壓)을 발생시키는 고전압 전원(電源).

번개 시:장 【—市場】 명 〈속〉 아침 시간에 번개처럼 장이 서고, 번개처럼 물건이 팔리며, 어느 틈에 번개처럼 파장이 되는 무허가 시장.

번개-오색나비 【—五色—】 명 〖충〗 [*Apatura iris*] 네발나빗과에 속하는 곤충. 오색나비와 비슷한데 편 날개의 길이는 77mm 내외이고, 몸빛은 흑갈색에 백색 반문이 있고, 날개 뒷면의 무늬가 뚜렷하고 적갈색이 짙어서 쉽게 구별됨. 한국·아무르·시베리아·유럽에 분포함. 오색나비.

번개-재주 【—才—】 명 〖민〗 땅재주에서 살판(板)뜀을 십여 차례 계속하되 나가떨어지는 폭이 좁게 빨리빨리 넘는 동작.

번개-치기 명 으슥한 곳에 기다리고 있다가 행인을 얼떨결에 길에 주저앉혀 번개처럼 주머니를 뒤져서 털어 가는 강도 짓. 또, 그런 도둑.

번개-통 【—筒】 명 〈속〉 라이터.

번갯-불 명 번개가 번쩍이는 빛. 전광(電光). 천섬(天閃). 전화(電火). 【번갯불에 담배 붙인다; 번갯불에 콩 볶아 먹겠다】 행동이 민첩함의 비유. 【번갯불에 솜 구워 먹겠다】 거짓말을 푸실푸실 쉽게 잘 함을 비유하는 말.

번거-로우- 간 '번거롭다'의 불규칙(不規則) 어간. ¶ ~ㄴ/~니.

번거-롭다 형ㅂ불 ①일의 갈피가 어수선하고 복잡(複雜)하다. ¶ 번거로운 제례(祭禮) 의식. ②조용하지 못하고 수선하다. ¶ 번거로운 아이들. 번거-로이 부

번거-하다 형여불 조용하지 아니하고 자리가 몹시 어수선하다.

번겁 【燔劫】 명 집에 불을 지르고 약탈함. ——-하다 자여불

번게 명 〈옛·방〉 번개. ¶ 업던 번게를 하늘히 불기시니(有燁之電天爲之明)《龍歌 30章》.

번견 【番犬】 명 도둑을 지키거나 망(望)을 보는 개.

번경 【反耕】 명 〖농〗 논을 여러 번 갈아 뒤집음. ——-하다 타여불

번계 【蕃界】 명 야만인이 사는 곳.

번고[1] 【反庫】 명 ①창고에 있는 물건을 뒤적거려 조사함. ②구역질하여 토함. ——-하다 타여불

번고[2] 【煩告】 명 번거롭게 알려 바침. ——-하다 타여불

번고[3] 【煩苦】 명 번민(煩悶)하여 괴로워함. ——-하다 자여불

번곡 【飜曲】 명 ①곡을 바꿈. ②〖악〗 조선 시대에, 외국에서 들여온 악기, 이를테면 양금(洋琴) 따위로 우리 국악을 연주하던 일. ——-하다 자여불

번곤 【藩閫】 명 〖역〗 감사(監司)·병사(兵使)·수사(水使)의 총칭.

번과-수 【蕃瓜樹】 명 〖식〗 파파이아.

번구 명 〈방〉 번고(反庫)❷.

번국[1] 【蕃國】 명 오랑캐 나라.

번국[2] 【藩國】 명 제후(諸侯)의 나라. 번방(藩邦).

번권 【飜拳】 명 법무(法舞)를 출 때의 동작의 하나. 팔을 구부려 어깨에 올리고 주먹은 뒤로 향함.

번극 【煩劇·繁劇】 명 몹시 번거롭고 바쁨. ——-하다 형여불

번금 【蕃琴】 명 '양금(洋琴)❶'의 딴이름.

번급 【煩急】 명 몹시 번거롭고도 급함. ——-하다 형여불

번기 명 〈방〉 번개(경북).

번-기수 【番旗手】 명 〖역〗 대궐에 번들어서 호위하는 기수(旗手). 번수.

번기 명 〈옛〉 번개. ¶ 번기(閃電)《齊諧物名考天文類》.

번-나다 【番—】 자 번을 치르고 나오다. 입직(入直)하였다가 끝마치고 나오다. ↔번들다.

번노 【煩惱】 명 →번뇌(煩惱).

번-놓다 [—노타] 타 ☞번놓다.

번뇌 【煩惱】 명 〔←번노(煩惱)〕 마음이 시달려서 괴로움. 취(取). 진로(塵勞). ¶ ~의 포로가 되다. ——-하다 자여불

번뇌-마 【煩惱魔】 명 〖불교〗 사마(四魔)의 하나. 탐욕(貪慾)·진에(瞋恚)·우치(愚痴) 등이 사람을 괴롭히고 어지럽게 하여 보살(菩薩)의 방해가 되는 일.

번뇌-장 【煩惱障】 명 〖불교〗 번뇌가 마음을 몹시 어지럽게 하는 일.

번뇌-탁 【煩惱濁】 명 〔범 kleśa-kaṣāya〕 〖불교〗 오탁(五濁)의 하나. 애욕(愛慾)을 탐하여 마음을 괴롭히고 여러 가지의 죄를 범함.

번뇨 【煩鬧】 명 번잡하고 시끄러움. ——-하다 형여불

번다 【煩多】 명 번거롭게 많음. 다번(多煩). ——-하다 형여불. ——-히 부

번다-스럽다 【煩多—】 형여불 번다한 듯하다. 번다-스레 【煩多—】 부

번답 【反畓】 명 〖농〗 밭을 논으로 만듦. ↔번전(反田). ——-하다 타여불

번닷-소리 명 〈방〉 잡말(함경).

번대[1] 명 〈방〉 대머리(평안).

번대[2] 명 〈방〉 번데기[1](충청).

번대-머리 명 〈방〉 대머리(평안·황해).

번대머리-수리 명 〈방〉 독수리.

번더기 명 〈방〉 번데기[1](강원).

번더지 명 〈방〉 번데기[1](강원).

번덕-번덕 부 〈방〉 번적번적. ——-하다 자타

번데 명 ↗번데기[1].

번데기[1] 명 〖충〗 ①완전 변태(完全變態)를 행하는 곤충류의 유충(幼蟲)이 성충(成蟲)으로 옮아 가는 도중에, 한 동안 아무 것도 먹지 아니하고 고치 같은 것의 속에 가만히 들어 있는 것. 이 시기에 유충의 조직은 성충에 필요한 조직으로 변해 감. 회용(蛔蛹). ㈜번데. ②특히, 누에의 번데기.

번데기[2] 명 〈방〉 〖농〗 번지[1].

번독 【煩瀆·煩黷】 명 너저분하게 많고 더러움. 개운하지 못하고 번거로움. ——-하다 형여불

번두 명 〈방〉 번데기[1](강원).

번둥-거리다 자 아무 일도 않고 뻔뻔스럽게 게으름만 부리다. ㅆ뻔둥거리다. ㅆ편둥거리다. >반둥거리다. **번둥-번둥** 부. ¶ ~ 놀지 말고 집안 일이나 거들어라. ——-하다 자여불

번둥-대다 자 번둥거리다.

번드 〔bund〕 명 동양(東洋)의, 항구 도시의 해안 길. 배가 닿는 하안(河岸).

번드기[1] 명 〈방〉 번데기[1].

번드기[2] 부 〈옛〉 환하게. 뚜렷이. ¶ 번드기 제 보리니(曉然自見)《金剛序 13》.

번드럽다 형ㅂ불 ①윤기가 나고 미끄럽다. ②사람의 됨됨이가 바냐위고 약아서 어수룩한 맛이 없다. 1)·2):ㅆ뻔드럽다. >반드럽다.

번드레-하다 형여불 외모(外貌)가 번드르르하다. 실속없이 겉만 번드르르하다. ㅆ뻔드레하다. >반드레하다.

번드르르 부 매우 윤기가 있고 미끄러운 모양. ㅆ뻔드르르. >반드르르. ——-하다 형여불

번드시 부 〈옛〉 드러나게. 뚜렷이. =번드기[2]. ¶ 번드시 아디 몯ᄒᆞᄂᆞ다(宛不知)《楞嚴 Ⅲ:86》.

번드치다 타 ①물건을 번득이어 뒤집다. ¶ 크고 작은 바위를 타고 넘으며 돌 사이사이로 줄기줄기 하얀 물이 번드쳐 흘러내려온다《朴花城 : 고개를 넘으면》. ②처음 먹은 마음을 변하여 바꾸다.

번득 부 한번 번득이는 모양. ㅆ번뜩·뻔득[1]. >반득. ——-하다 자타여불

번득-거리다 자타 자꾸 잇따라 번득이다. ㅆ번뜩거리다. >반득거리다. **번득-번득** 부. ——-하다 자타여불

번득-대다 자타 번득거리다.

번득-이다 자타 물건의 표면이 갑자기 뒤척거림에 따라 열비치는 광선이 굼벅거리다. 또, 그렇게 되게 하다. ㅆ번뜩이다·뻔득이다. >반득이다.

번득히 부 〈옛〉 분명히. ¶ 번득히 怨恨을 놀애 가온ᄃᆡ 議論ᄒᆞ도다(分明怨恨曲中論)《杜諺 Ⅲ:68》.

번득-ᄒᆞ다 형 〈옛〉 ①뚜렷하다. ¶ 번득ᄒᆞ야(宛然)《楞嚴 Ⅸ:54》. ②번듯하다. ¶ 너모 번득ᄒᆞᆫ 연(四方鶴兒)《朴解 上 17》.

번들-거리다[1] 자 ①부드럽고 윤기가 날 정도로 미끄럽게 보이다. ②어수룩한 맛이 전혀 없이 약게만 굴다. 1)·2):ㅆ뻔들거리다[1]. >반들거리다[1]. **번들-번들**[1] 부. ¶ 마룻바닥이 ~ 윤이 나다. ——-하다[1] 형여불

번들-거리다[2] 자 밉살스럽게 게으름만 피우고 놀기만 하다. ㅆ뻔들거리다[2]. ㅆ편들거리다. >반들거리다[2]. **번들-번들**[2] 부. ¶ 집안에서 ~ 게으름만 피운다. ——-하다[2] 자여불

번들-대다 자 번들거리다[1·2].

번-들다 【番—】 자 번차례가 되어서 직소(直所)로 들어가다. 입직(入直)하다. ¶ 번들 차례. ↔번나다. *번서다.

번들원들ᄒᆞ다 형 〈옛〉 번들번들하다. 번쩍번쩍하다. ¶ 熠熠은 번들원들ᄒᆞᆫ 양지라《楞嚴 Ⅹ:2》.

번듯-번듯 부 여럿이 다 번듯한 모양. ㅆ번뜻번뜻[1]. >반듯반듯. ——-하다 형여불

번듯-이 부 번듯하게. ㅆ번뜻이. >반듯이.

번듯-하다 형여불 어디가 비뚤어지거나 기울거나 굽지 아니하고 바르다. ¶ 이목구비가 번듯한 얼굴/번듯한 집. ㅆ번뜻하다. >반듯하다.

번등 【翻謄·飜謄】 명 번역하여 베낌. ——-하다 타여불

번듸기 명 〈방〉 번데기[1](경상·충청).

번디[1] 명 〈옛〉 번지[1]. ¶ 번디 륙(磟), 번디 독(碡)《字會 中 17》.

번디[2] 명 〈방〉 번데기[1](경남).

번디기 명 〈방〉 번데기[1](충북·경상).

번디치다 타 ☞번드치다. ¶ 월교가 몸을 번디쳐 쫓아가서 달아나는 시숙의 소매를 잡고…《崔瓚植 : 桃花園》.

번ᄃᆞ시 부 〈옛〉 환하게. 뚜렷이. =번드기[2]. ¶ 九萬里長天에 번ᄃᆞ시 걸려 이셔《松江 時調》.

번ᄃᆡ티다 타 〈옛〉 번드치다. ¶ 가온대ᄂᆞᆫ 니르러 몸을 번ᄃᆡ텨 믈의 ᄲᅡ뎌 죽다(至中流飜身溺水而死)《東國新續三綱 烈女圖 Ⅶ:59》.

번때기 명 〈방〉 번데기[1](경남).

번뜩[1] 부 광선에 물체가 반사되어 순간적으로 한 번 번뜩이는 모양. ㅅ번득. >반뜩. ——-하다 자타여불

번뜩[2] 부 〈방〉 얼른(경북).

번뜩-거리다 자타 연하여 번뜩이다. ㅅ번득거리다. ㅆ뻔득거리다. >반뜩거리다. **번뜩-번뜩** 부. ——-하다 자타여불

번뜩-대다 자타 번뜩거리다.

번뜩-이다 자타 물건의 표면이 갑자기 뒤척거림에 따라 열비치는 광선이 세게 굼벅거리다. 또, 그렇게 되게 하다. ㅅ번득이다. ㅆ뻔득이다. >반뜩이다.

번뜻 부 갑자기 나타났다가 곧 없어지는 모양. >반뜻. ——-하다[1] 자여불

번뜻-번뜻[1] 부 여럿이 다 번뜻한 모양. ㅅ번듯번듯. >반뜻반뜻[2]. ——-하다[1] 형여불

번뜻-번뜻[2] 부 여러 번 잇따라 번뜻하는 모양. >반뜻반뜻[1]. ——-하다[2] 자여불

번뜻-이 부 번뜻하게. ㅅ번듯이. >반뜻이.

번뜻-하다[2] 형여불 어디가 조금도 비뚤어지거나 기울거나 굽지 아니하

고 바르다. ᅩ번듯하다. >반뜻하다.

번라【煩羅】[벌—] 명 시끄럽고 수선스러움. ——-하다 형여불

번란【煩亂】[벌—] 명 ①마음이 괴롭고 산란함. 번뇌(煩惱). ②번잡(煩雜). ——-하다 자형여불

번려【煩慮】[벌—] 명 번거롭고 귀찮은 생각.

번례【煩禮】[벌—] 명 번거로운 예법. 욕례(縟禮).

번로【煩勞】[벌—] 명 ①일이 번거로워 수고로움. ②번거로운 노력(勞力). ——-하다 형여불

번론【煩論】[벌—] 명 번거로운 언론.

번롱[1]【樊籠】[벌—] 명 ①새장. ②속박되어 자유가 없음. ③자유를 속박당한 좁은 경계(境界). ④〖불교〗 번뇌에 묶임.

번롱[2]【飜弄】[벌—] 명 이리저리 마음대로 희롱함. 얕보고 놀림감으로 함. ——-하다 타여불

번루[1]【煩累】[벌—] 명 번거로운 근심. 번거로운 괴로움. 번폐(煩弊). ¶ 인생의 ~.

번루[2]【蘩蔞】[벌—] 명 〖식〗 닭의장풀.

번리【樊籬】[벌—] 명 울타리.

번리문-경【蟠螭文鏡】[벌—] 명 중국의 춘추 전국 시대에 성행(盛行)한 거울의 하나. 뿔이 없는 용이 서로 엉킨 무늬가 있음.

번만【煩懣】명 ①가슴 속이 답답함. ②번민(煩悶). ——-하다 형여불

번망【煩忙·繁忙】명 번거롭고 매우 바쁨. ——-하다 형여불

번목-별【番木鼈】명 〖약〗 마전자(馬錢子).

번무[1]【煩務】명 번잡한 사무. 어수선하고 번거로운 일. 번용(煩冗).

번무[2]【繁茂】명 번성(蕃盛)❷. ——-하다 자여불

번무[3]【繁蕪】명 ①잡초 등이 무성함. ②번잡하고 어지러움. 또, 문장이 장황함. 준번욱.

번문 욕례【繁文縟禮】[—녹녜] 명 번거롭고 까닭이 많은 예문(禮文).

번문 착절【繁文錯節】명 규칙(規則)의 조목 따위가 복잡하고 번거로움.

번민[1]【煩悶】명 마음이 번거로워 답답해 함. 번만(煩懣). 번원(煩冤). ¶ 사랑에 ~하다. ——-하다 자여불

번민[2]【蕃民】명 번인(蕃人)❶.

번밀【繁密】명 자질구레하고 번잡함. ——-하다 형여불

번-바라지【番—】[—빠—] 명 번든 사람에게 먹을 것과 또는 그 밖의 온갖 치다꺼리를 하는 일. ——-하다 자여불

번-방[1]【番房】[—빵] 명 번을 들 때에 묵는 방.

번방[2]【藩邦】명 번국(藩國).

번-백옥【燔白玉】명 〖역〗 흰 빛의 번옥. 조선 시대에, 사품(四品) 이하의 관원이 조복(朝服)에 패옥(佩玉)으로서 늘어뜨려 닮. *번청옥.

번백-초【飜白草】명 〖식〗 솜양지꽃.

번번【飜飜】명 펄럭이며 나부낌. ——-하다 자여불

번번-이【番番—】부 여러 번 다. 매매(每每). 연차(連次). ¶ 할 때마다 ~ 실패하다.

번번-하다 형여불 ①구김살이나 울퉁불퉁한 데가 없다. ②생김생김이 얌전하다. ¶ 외모는 ~. ③지체가 남만 못하지 아니하게 상당하다. ¶ 번번한 집 자손일세. ④물건이 제법 쓸 만하고 보기에 괜찮다. ¶ 번번한 세간 하나 없다. 1)-4): >반반하다. **번번-히** 부

번법【煩法】명 [—뻡] 번거로운 법. 까다로운 법.

번병【藩屛】명 ①번리(藩籬)와 문병(門屛). ②나라를 지키는 제후(諸侯). ③〖역〗 먼 밖의 감영(監營) 또는 병영(兵營).

번복【飜覆·翻覆】명 이리저리 뒤쳐서 고침. 뒤집음. ¶ 증언을 ~하다. ——-하다 타여불

번본【飜本·翻本】명 번각(飜刻)한 판에 박아 낸 책. 번각본.

번봉【藩封】명 〖역〗 제후(諸侯).

번부【藩部】명 〖역〗 중국 청대(淸代)에 있어서 몽고·칭하이(靑海)·신장(新疆)·티베트 지방의 총칭. 원주민의 자치가 허용되었음.

번-분수【繁分數】[—쑤] 명 〔complex fraction〕〖수〗 분수의 분자나 분모가 분수로 된 분수. 복분수(複分數). ↔단분수(單分數).

번분수-식【繁分數式】[—쑤—] 명 〖수〗 분수(分數)의 분자나 분모가 분수인 분수식.

번비【煩費】명 번거로운 출비(出費). 이것저것 많은 비용.

번사【燔師】명 〖공〗 사기 굽는 가마에 불을 맡아 때는 사람.

번삭【煩數】명 번거롭게 잦음. 너무 잦아 귀찮음. ——-하다 형여불

번-살이【番—】명 하루를 몇 개의 번으로 나누어 번갈아들며 번을 드는 생활.

번상[1]【番上】명 〖역〗 지방의 군사를 골라 뽑아서 차례로 서울의 군영(軍營)으로 보내는 일.

번-상[2]【番床】[—쌍] 명 번을 들 때에 자기 집에서 차려 내오는 밥상.

번상[3]【繁霜】명 서리가 많이 내림. 또, 많이 내린 서리.

번상 정:병【番上正兵】명 〖역〗 조선 시대 전기에, 지방에서 올라와 중앙의 오위(五衛)에 근무하던 정병. *유방(留防) 정병.

번서[1]【繁暑】명 몹시 더움. 또, 그 더위. 성서(盛暑).

번서[2]【蕃庶】명 많음. 또, 번식함.

번서[3]【蕃藷】명 〖식〗 감자[1]❶.

번-서다【番—】자 번들어 지키다. *번들다.

-번선【番線】미 ①철사(鐵絲)의 굵기를 나타내는 말. ¶ 3~ 철사/기타 줄의 6~. ②역 구내의 선로(線路)를 배치한 차례를 나타내는 말. ¶ 부산행 열차는 2~에 대기합니다.

번설[1]【煩屑】명 번잡스럽고 자질구레하여 아주 귀찮음. ——-하다 형여불

번설[2]【煩說】명 ①너저분한 잔말. ②떠들어 소문을 냄. ——-하다 타여불

번설[3]【煩褻】명 번잡스럽고 설만(褻慢)함. ——-하다 형여불

번성[1]【蕃盛】명 ①자손이 늘어서 많이 퍼짐. 번연(蕃衍). ¶ 대대로 자손이 ~하기를 빌다. ②초목이 무성함. 번무(繁茂). ——-하다 자여불

번성[2]【繁盛】명 한창 잘 되어 성함. 번창(繁昌). ¶ 사업이 ~하다. ——-하다 자여불

번세【繁細】명 번거롭고 잔닮. ——-하다 형여불

번소【番所】명 번(番)을 드는 곳.

번쇄【煩瑣·煩碎】명 너더분하고 자차분함. 세쇄(細碎). ¶ ~한 의례(儀禮). ——-하다 형여불

번쇄 철학【煩瑣哲學】명 〖철〗 스콜라 철학(schola 哲學).

번수[1]【番手】명 〖역〗 번기수(番旗手).

번-수[2]【番數】[—쑤] 명 차례의 수효.

번수[3]【燔燧】명 밤중에 봉화의 횃불을 올림. 또, 그 횃불. ——-하다 자여불

번수[4]【番手】의명 제사(製絲) 또는 방적사(紡績絲)의 굵기를 나타내는 단위. 보통, 1 lb 곧 약 454 g에 840 yd 곧 약 768 m 되는 실을 1번수로 함. 길이가 2배(倍)가 되면 2번수, 50배의 것을 50번수라고 하는데, 그 숫자가 커질수록 실은 가늘게 됨. ¶ 20 ~의 면사(綿絲). *데니어(denier).

번수-계【番手計】명 〖공〗 아크 밸런스(arc balance).

번순【反脣】명 입술을 비쭉거리며 비웃음. ——-하다 자타여불

번:스[1] 〔Burns, Robert〕 명 〖사람〗 스코틀랜드(Scotland)의 시인. 일생을 농민으로 종신. 방언색(方言色) 짙은 진지한 단시(短詩)로 향토를 노래하여 18세기말 낭만파 시풍의 선구를 이룸. 대표작에 ≪올드 랭 사인(Auld Lang Syne)≫이 있음. [1759-96]

번:스[2] 〔Byrnes, James Francis〕 명 〖사람〗 미국의 정치가·변호사(辯護士). 1911년 민주당 출신 하원 의원, 1941년 대심원(大審院) 판사를 역임하고 1945년 국무 장관(國務長官)으로서 2차 대전 직후 대소(對蘇) 강경론을 주장함. [1897-1972]

번:스타인 〔Bernstein, Leonard〕 명 〖사람〗 미국의 지휘자·작곡가. 하버드 대학과 커티스 음악 학교를 나와 1943년 뉴욕 필하모니 교향악단 부지휘자, 1945년 뉴욕 시립 교향악단장, 1958년 뉴욕 필하모니 교향악단 지휘자를 역임함. 피아노 연주도 능숙하고, 음악 해설가로서도 탁월함. 통속 음악에서 순수 음악에 이르기까지 폭넓은 작곡 활동을 펼침. 뮤지컬 ≪웨스트사이드 스토리≫ 등을 작곡함. [1918-90]

번승【番僧】명 번갈아서 입직(入直)하는 승병(僧兵).

번시[1] 〔本溪〕 명 〖지〗 중국 랴오닝 성(遼寧省) 중동부의 광업 도시. 선양(瀋陽) 동남쪽 선안(瀋安) 철도 연변에 있으며 질(質)이 좋은 석탄·철광석을 산출, 제철·제강업(製鋼業)을 중심으로 도자기의 생산도 성함. 구명(舊名)은 번시후(本溪湖). 본계. [811,000 명(1984)]

번시[2]【燔柴】명 섶나무를 태우며 하늘에 제사 지냄. ——-하다 자여불

번시-후 〔本溪湖〕 명 〖지〗 '번시(本溪)'의 구명(舊名).

번식【繁殖·蕃殖·蕃息】명 붇고 늘어서 많이 퍼짐. 번육(蕃育)·산식(產殖). ¶ 세균의 ~. ——-하다 자여불

번식-기【繁殖期】명 〔breeding season〕〖생〗 동물이 새끼를 치는 시기. 산식기(產殖期). *생식기(生殖期)·산란기(產卵期).

번식 기관【繁殖器官】명 〖식〗 식물(植物)의 번식을 맡은 기관. 식물의 꽃·포자(胞子)·자낭(子囊)·씨·열매 따위.

번식 능력【繁殖能力】[—녁] 명 〔biotic potential〕 개체군(個體群)이 일정 환경내에서, 일정 번식 기간중에 증식할 수 있는 최대 능력. 일정 기간내의 산출 가능한 자손의 개체수로 표시하며, 암컷의 산란(產卵) 능력에 의하여 규정됨.

번식-력【繁殖力】[—녁] 명 번식하는 힘. ¶ ~이 강한 쥐.

번식-률【繁殖率】[—뉼] 명 〔breeding coefficient〕〖생〗 암·수 한 쌍이 일정한 기간 중에 낳은 새끼 중에서 성장하여 성숙기에 이르는 율. 기후 조건·먹이·암컷과 수컷이 만나는 기회·적(敵)의 수·어린 새끼의 사망률 등이 영향을 미침.

번식-법【繁殖法】명 생물이 새로운 개체를 증식하는 방법. 유성(有性) 생식과 무성(無性) 생식으로 대별(大別)됨.

번식성-염【繁殖性炎】[—념] 명 〔proliferative inflammation〕〖의〗 세포나 섬유의 번식 또는 증식을 주체로 하는 염증의 한 형. 결핵·신장염·나병(癩病)·육아종증(肉芽腫症) 등. *증식성염.

번식-우【繁殖羽】명 〖동〗 번식기에 평상시와 달라지는 조류의 깃. 또, 깃의 빛깔. 깃의 빛깔 외에도 부리·다리 기타 나출부(裸出部)의 색채나 모양까지 포함시키는 일이 있음. 생식우(生殖羽).

번식 행동【繁殖行動】명 〔reproductive behavior〕 교미(交尾)·산란(產卵)·출산·새끼 기르기 등 번식에 관하여 행해지는 동물의 일련의 본능 행동.

번신[1]【藩臣】명 〖역〗 번병(藩屛)의 관찰사(觀察使).

번신[2]【翻身·飜身】명 몸을 번드침. ——-하다 자여불

번안【飜案】명 ①먼젓 사람이 만든 안건(案件)을 뒤집음. ②옛사람의 시문(詩文)을 원안으로 하여 이리저리 고침. ¶ ~ 작품. ③외국(外國)의 소설(小說)·희곡(戲曲) 등을 사건(事件)이나 줄거리는 그대로 하고 인정(人情)·풍속·지명(地名)·인명(人名) 등을 자기 나라의 것으로 고쳐서 개작(改作)함. ¶ ~극/~ 소설/~ 가요. ——-하다 타여불

번안 가요【飜案歌謠】명 외국 가요의 가사(歌詞)를 번안해서 부르는 노래.

번안-극【飜案劇】명 〖연〗 외국의 희곡(戲曲)을 번안하여 상연(上演)하는 극.

번안 소:설【飜案小說】명 〖문〗 외국 소설을 그 내용이나 줄거리는 원작(原作)대로 두고 인정·풍속·지명(地名)·인명(人名) 같은 것을 자기 나라의 것으로 고쳐서 번역한 소설.

번암【樊巖】명 〖사람〗 채제공(蔡濟恭)의 호(號).

번역【飜譯·翻譯·繙譯】명 한 나라의 말로 표현된 문장의 내용을 다른 나라 말로 옮김. 트랜슬레이션(translation). 수역(修譯). 역(譯). ——-하다 타여불

번역-가【飜譯家】명 번역을 전문적으로 하는 사람.

번역-관【飜譯官】명 ①〖역〗 조선 시대 말기에 번역이나 통역(通譯)을 맡아 보던 주임관(奏任官). ②번역에 종사하는 관리.

번역관-보【飜譯官補】명 〖역〗 번역이나 통역을 맡아 보던 판임관(判任官).

번역-권【飜譯權】명 〖법〗 저작권(著作權)의 일종. 어떤 저작물(著作物)

을 외국어로 번역·출판할 수 있는 권리. 「는 극.
번역-극【飜譯劇】명〖연〗외국의 희곡(戲曲)을 번역하여 상연(上演)하
번역-기【飜譯機】명 번역을 하는 기계. 컴퓨터가 그 주체(主體)를 이룸. 컴파일러. 번역 기계. 자동 번역기.
번역 기계【飜譯機械】명 번역기.
번역-문【飜譯文】명 번역한 문장.
번역 문학【飜譯文學】명〖문〗외국의 문학 작품을 제 나라 말로 번역하여 독특한 예술미(藝術美)가 있도록 한 문학. 해외 문학의 소개·비교· └연구 등에 이바지함.
번역-물【飜譯物】명 번역한 문서나 작품.
번역-생【飜譯生】명〖역〗번역이나 통역을 맡아 보던 판임관(判任官).
번역 소:학【飜譯小學】명〖책〗조선 시대에 김전(金銓)·최숙생(崔叔生) 등이 소학을 한글로 번역한 책. 중종(中宗) 12년(1517) 간행. *소학 언해(小學諺解).
번역-시【飜譯詩】명 번역한 시. 주로 서양의 시를 번역한 것.
번역-자【飜譯者】명 번역한 사람. 역자(譯者). ↔원저자.
번연¹【蕃衍】명 번성(蕃盛)❶. ——-하다 자여불
번연²【幡然·翻然】부 모르던 것을 갑자기 환하게 깨닫는 모양. ——-하다 형여불. ——-히¹ 부
번연³〔Bunyan〕명 ☞버니언. 「다 타여불
번연 개오【幡然開悟】명 모르던 사리(事理)를 갑자기 깨달음. ——-하
번연-히² 부 일이 그렇게 될 것이 분명하게. *번히.
[번연히 알면서 새 바지에 똥싼다] 사리를 다 알 만한 사람이 실수를 저지름을 나무라는 말.
번열【煩熱】명〖한의〗↗번열증(煩熱症).
번열-증【煩熱症】[—쯩] 명〖한의〗몸에 열(熱)이 몹시 나고 가슴 속이 답답하며 괴로운 증세. 준번열(煩熱).
번열-하다 형여불 ←벌열(閥閱)하다.
번엽【飜葉】명〖건〗고팽이 뒤집힌 모양으로 된 무늬.
번영¹【繁英】명 많이 피어 있는 꽃.
번영²【繁榮】명 번성(繁盛)하고 영화(榮華)로움. 일이 성하게 잘 되어 영화로움. ¶ 국가의 ~. ——-하다 자형여불 「側)의 다음.
번예【樊穢】명〖역〗삼한(三韓) 때 군장(君長)의 한 칭호(稱號). 험측(險
번옥【燔玉】명 돌가루를 구워 만든 인조옥(人造玉).
번왕【藩王】명 토후(土侯).
번왕-국【藩王國】명〖역〗토후국❶.
번요【煩擾】명 번거롭고 요란스러움. 준번(煩). ——-하다 형여불
번욕【繁縟】명 ↗번문 욕례.
번용【煩冗】명 번무(煩務).
번우【煩憂】명 괴로워 근심스러움. ——-하다 형여불
번울【煩鬱】명〖한의〗가슴 속이 답답하고 갑갑한 증세.
번원¹【煩冤】명 ①성가심. ②번민(煩悶). ——-하다 자형여불
번원²【藩垣】명 ①울타리. ②제왕(諸王) 또는 절도사(節度使)를 이름.
번위【反胃】명〖한의〗위경(胃經)의 탈의 한 가지. 구역질을 하여 위(胃)에 들어갔던 음식을 토하는 증세.
번육¹【燔肉】명 구운 고기.
번육²【膰肉】명 제사에 쓰고 난 고기.
번육³【蕃育】명 ①길러 키움. ②번식(繁殖). ——-하다 타여불
번은【燔銀】명 품질이 아주 낮은 은.
번음【繁陰】명 나무가 무성한 곳에 지는 짙은 그늘.
번의【飜意·翻意】[—/—이] 명 앞서 가졌던 의사(意思)를 뒤집어서 마음을 달리 먹음. ¶ ~를 촉구하다. ——-하다 자여불
번인【蕃人】명 ①만인(蠻人). ②대만(臺灣)의 원주민.
번임【藩任】명〖역〗번신(藩臣)의 직임(職任).
번작¹【反作】명 ①이속(吏屬)들이 환곡(還穀)을 사사로이 축내고 그것을 메우려고 온갖 못된 꾀를 부리던 일. ②사실과 어긋나는 것을 그럴 듯하게 기록함. ——-하다 타여불
번작²【燔灼】명 불에 구움. ——-하다 타여불
번작이-끽【燔灼而喫】명 구워 먹는다는 뜻.
번작-질 명〈방〉뒤집개질. ——-하다 타
번잡【煩雜】명 번거롭고 혼잡함. ¶ 도시의 ~을 피하여 교외로 나가다. ——-하다 형여불 「잡-스레【煩雜—】부
번잡-스럽다【煩雜—】형ㅂ불 말이나 행동이 번잡한 태도가 있다. 번
번장【番將】명 번승(番僧)의 장수.
번적 부 번적이는 모양. 쓰번쩍²·뻔적·뻔쩍. >반작³. ——-하다 자타여불
번적-거리다 자타 자꾸 번적이다. 쓰번쩍거리다·뻔적거리다·뻔쩍거리다. >반작거리다. 번적-번적 부. ——-하다 자타여불
번적-대다 자타 번적거리다.
번적-이다 자타 빛이 여리게 잠깐 나타났다 없어지다. 또, 그리 되게 하다. 쓰번쩍이다·뻔적이다·뻔쩍이다. >반작이다.
번전¹【反田】명 논을 밭으로 만듦. ↔번답(反畓). *반전(反田). ——-하다 타여불 「대신에 바치던 번포(番布)를 대납(代納)하는 돈.
번전²【番錢】명〖역〗조선 시대에, 오위(五衛)의 군졸들이 번(番)드는
번제¹【煩提】명 번거롭게 말을 꺼냄. ——-하다 타여불
번제²【燔祭】명〖성〗구약(舊約) 시대에 하느님께 올리던 제사의 한 가지. 짐승을 통째로 구워 제물로 바친 것으로, 매일 아침 저녁과 안식일, 또, 매달 초하루와 무교절(無酵節)·속죄제(贖罪祭)에 지냄. *희생(犧牲). 「는 짓. 준번(煩). ——-하다 자여불
번조¹【煩燥】명〖한의〗신열(身熱)이 나서 손과 발을 가만히 두지 못하
번조²【燔造】명〖공〗질그릇·사기 그릇 등을 구워서 만들어 냄. ——-하다 타여불
번조-관【燔造官】명〖역〗조선 시대에, 사옹원(司饔院)에 속하여 질그릇·사기 그릇을 구워서 만드는 일을 감독하던 벼슬아치.
번조-소【燔造所】명〖역〗질그릇·사기 그릇 들을 만들던 곳.
번조-증【煩燥症】[—쯩] 명〖한의〗번조가 일어나는 증세.
번족¹【蕃族·繁族】명 일가(一家)가 번성함. ↔고족(孤族). ——-하다 형
번족²【蕃族】명 대만(臺灣)의 원주 민족. 고산족(高山族). └여불
번:-존:스〔Burne-Jones, Edward〕명〖사람〗영국의 화가. 라파엘 전파(Raphael 前派)의 대표자로, 구도(構圖) 및 색채의 화려함이 특색임. 《금의 계단》·《비너스(Venus)의 거울》 등이 있음. [1833-98]
번종【蟠螽】명〖충〗방아깨비. 「하다.
번주그레-하다 형여불 생김새가 겉으로 보기에 번번하다. >반주그레
번-주홍【燔朱紅】명 진홍색(眞紅色)의 도료(塗料).
번죽-거리다 자 얼굴이 번번하게 생긴 사람이 이죽이죽하면서 느물거리다. 쓰뻔죽거리다. 번죽-번죽 부 ¶ 골을 올리려는 듯이 순탄한 어조로 ~ 대꾸를 하고 섰다《廉想涉: 萬歲前》.
번죽-대다 자 번죽거리다.
번-증상【樊增祥】명〖사람〗'판 정샹'을 우리 음으로 읽은 이름.
번지¹ 명〖농〗①논밭의 흙을 고르는 농구(農具). 흔히 씨뿌리기 전에 모판을 판판하게 고르는 데 쓰는 널판대기. 양쪽 끝에 줄을 매어 들고 뒤로 옮기면서 발로 잘 디디어 고름. ②땅에 떨어 놓은 곡식을 긁어모으는 데 쓰는 농기구(農器具). 직사각형의 널조각의 두 쪽 끝에 채 둘을 매어 잡고, 앞으로 내밀게 되고 앞쪽에는 줄 둘을 꿰어서 한 사람이나 두 사람이 당김. 넓적한 돌 조각으로 만들기도 함.
번지²【番地】명 ①시·읍·면·동 따위 지역내의 토지의 소구획(小區劃)마다 매긴 번호. 또, 그 토지. ②번지(蕃地). 이역(異域). ③〖컴퓨터〗데이터가 저장되어 있는 기억 장소의 위치. 또, 그것을 나타내는 숫자. 바이트(byte)를 단위로 번지를 부여함. 어드레스(address).
번지³【樊紙】명〖역〗삼한(三韓) 시대의 군장(君長)의 한 칭호.
번지⁴【蕃地】명 오랑캐가 사는 땅. 미개한 땅. 만지(蠻地). 번지(番地).
번지개 명〈방〉번개(충남). └번토(蕃土).
번지구러-하다 형여불 번주그레하다.
번지기 명 몸을 바로잡고 힘을 써서 공격을 막는 씨름 자세.
번:지다 자 ①액체나 독기(毒氣)의 묻은 자리가 퍼져서 넓어지다. ¶ 붓글씨가 ~/잉크가 ~. ②사물이, 그 자리에 있지 아니하고 다른 곳으로 옮아 가다. 넓은 범위에 미치다. 퍼지다. ¶ 전염병(傳染病)이 사방으로 ~/부스럼이 ~/불길이 ~. ③작은 일이 크게 벌어져 나가다. ¶ 일이 크게 번지기 전에 빨리 처리해라.
번지럽다 형ㅂ불 기름기가 묻어서 미끄럽고 윤이 나다. >반지럽다.
번지레 부 조금 번지르르한 모양. ¶ 말만은 ~하다/얼굴이 ~하다. 쓰뻔지레. >반지레. ——-하다 형여불
번지르르 부 ①미끄럽고 윤이 나는 모양. ¶ 머리가 ~하다. 쓰뻔지르르. >반지르르. ②말 따위를 막히거나 걸리는 일 없이 매끄럽게 해 내는 모양. ¶ ~하게 온갖 거짓말을 늘어놓다. ——-하다 형여불
번지 버스【番地—】명〔address bus〕〖컴퓨터〗중앙 처리 장치가 메모리나 입출력(入出力) 기기의 번지를 지정할 때에 사용되는 전송로(傳送路).
번지-부【番地部】명〔address part〕〖컴퓨터〗명령어의 일부로, 그 명령어의 대상이 되는 데이터가 기억되어 있는 번지를 가진 부분.
번지-수【番地數】[—쑤] 명 번지의 호수.
번지수가 틀리다 구 엉뚱한 데를 잘못 짚다.
번지수를 잘못 찾다 구 올바로 찾아가지 못하고, 엉뚱한 데를 잘못 짚어 찾아가다.
번지 점프〔bungee jump〕명〔번지는 탄성 고무의 뜻〕강물이 흐르는 다리 또는 높은 크레인 등에서 발목에 신축성이 있는 고무 밧줄을 묶고 아래로 번드쳐 뛰는 경기(競技).
번지-질 명〖농〗번지로 논밭의 흙을 고르는 것. ——-하다 자여불
번진【藩鎭】명〖역〗중국 당나라 때의 절도사(節度使). 주로 변경(邊境) 지방의 수비 병정(兵丁)을 통할하였음. 안녹산(安祿山)의 난(亂) 후에는 내지(內地)에까지 널리 설치하였으나, 당말(唐末)에는 제각기 세력을 떨쳐 어지러웠음. 송나라 초기에 폐지됨.
번질-거리다 자 ①몹시 윤이 나고 미끈거리다. ②몹시 약게만 굴고 일을 아니하다. 1)·2): 쓰뻔질거리다. >반질거리다. 번질-번질 부. ——-하다 자형여불
번질-대다 자 번질거리다.
번쩍¹ 부 ①물건을 아주 가볍게 또, 쉽게 드는 모양. ¶ 쌀가마니를 ~ 쳐들다. ②물건의 끝이 얼른 높이 들리는 모양. ¶ 치맛자락이 바람에 ~ 들리다. 1)·2): >반짝¹.
번쩍² 부 빛이 잠깐 강하게 나타났다 없어지는 모양. ㅅ번적. 쓰뻔쩍. >반짝². ——-하다 자타여불
번쩍³ 부 갑자기 정신이 들거나 감각되거나 마음이 끌리는 모양. ¶ 정신이 ~ 들다 /귀가 ~ 뜨이는 말. >반짝³.
번쩍-거리다 자타 자꾸 번쩍이다. ㅅ번적거리다. 쓰뻔쩍거리다. >반짝거리다. 번쩍-번쩍¹ 부. ¶ 번개가 ~하다. ——-하다¹ 자타여불
번쩍-대다 자타 번쩍거리다.
번쩍-번쩍² 부 여러 번 번쩍 들거나 들리는 모양. ¶ 무거운 짐들을 ~ 나르다. >반짝반짝². ——-하다² 형여불
번쩍-이다 자타 빛이 똑똑하게 잠깐 나타났다 없어지다. ¶ 번개가 ~. ㅅ번적이다. 쓰뻔쩍이다. >반짝이다.
번-차【番次】명 ↗번차례.
번-차례【番次例】명 돌려 가며 갈마드는 차례. 번들 차례. ¶ ~를 기다리다. 준번차(番次).
번차-하다 형〈방〉번거하다(함경).

번창【繁昌】 명 번화(繁華)하고 창성(昌盛)함. 번성(繁盛). ¶ 사업이 ～하다. ——-하다 자 여불

번철【燔鐵】 명 지짐질할 때에 쓰는, 솥 뚜껑을 잦힌 것처럼 생긴 무쇠 그릇. 적자(炙子). 전철(煎鐵). ¶ ～에 저냐를 부치다. 준철(鐵).

〈번철〉

번-청옥【燔青玉】 명 〖역〗 파란 빛의 번옥. 조선 시대에, 삼품(三品) 이상의 관원이 조복(朝服)에 패옥(佩玉)으로서 늘어뜨려 닮. *번백옥.

번체-자【繁體字】 명 중국에서, 간체자(簡體字)로 정한 글자의, 필획(筆畫)이 복잡한 본디 글자. '广'의 '廣' 따위.

번초【蕃椒】 명 〖식〗 고추.

번추【煩醜】 명 번잡하고 더러움. ——-하다 형 여불

번치〔Bunche, Ralph Johnson〕 명 〖사람〗 미국의 흑인 정치가. 1946년 유엔에 들어가 팔레스타인 문제 해결에 노력. 1950년 노벨 평화상 수상. 1955년 이후 유엔 사무 차장을 지냄. [1904-71]

번-쾌【樊噲】 명 〖사람〗 중국 한(漢)나라 고조 때의 공신. 장쑤성(江蘇省) 페이 현(沛縣) 사람. 천하의 장사(壯士)로, 홍문(鴻門)의 모임에서 호기(豪氣)로써 고조의 위난(危難)을 구함. 연무공(燕武公)이 되었다가 뒤에 무양후(舞陽侯)에 봉해짐. 시호는 무후(武侯). [?-189 B.C]

번토[1]【蕃土】 명 오랑캐가 사는 땅. 번지(蕃地).

번토[2]【燔土】 명 질그릇이나 사기 그릇의 원료로 쓰이는 흙.

번트〔bunt〕 명 야구에서, 주자(走者)를 진루(進壘)시키기 위하여 타자(打者)가 배트를 공에 가볍게 대는 타격(打擊) 방법. 연타(軟打). ¶ 보내기 ～/～를 대다. ——-하다 자 여불

번:트 시에나〔burnt sienna〕 명 〖미술〗 서양화에 쓰이는 적갈색(赤褐色)의 채색. 동양화의 고사빛과 같음.

번트 앤드 런〔bunt and run〕 명 야구에서, 누상(壘上)의 주자와 타자가 짜고, 투수의 투구 동작과 동시에 주자는 다음 베이스에 나가고, 타자는 반드시 번트하는 공격법. *히트 앤드 런.

번트 히트〔bunt hit〕 명 야구에서, 번트를 안타(安打)로 하는 일.

번폐【煩弊】 명 번거로운 폐단. 번루(煩累).

번폐-스럽다【煩弊—】 형 ㅂ불 번거롭고 폐가 되는 듯한 느낌이 있다. ¶ 전학을 하느니 자리를 옮기느니 하면 번폐스럽기만 하겠은즉…≪蔡萬植 : 濁流≫. 번폐-스레【煩弊—】 부

번포[1]【番布】 명 〖역〗 오위(五衛)의 군졸이 궁중에 번(番)드는 대신에 바치던 포(布). 일년에 두 달 번들 의무가 있는데 특별한 사정에는 그 대신 포 두 필을 바치고 면할 수 있었음.

번포[2]【飜浦】 명 〖지〗 함경 북도 부령군(富寧郡) 관해면(觀海面)에 있는 못. [0.714 km²]

번품【煩稟】 명 번거롭게 상사(上司)에게 여쭘. ——-하다 타 여불

번하【番下】 명 〖역〗 ①서울에서 역(役)을 끝마친 장정이 고향으로 돌아감. ②번(番)을 치르고 직소(直所)에서 나옴. ——-하다 자 여불

번:-하다 형 여불 ①어두운 가운데 조금 훤하다. ¶ 동쪽 하늘이 ～. ②무슨 일이 그렇게 될 것이 분명하다. ¶ 실패할 것은 번한 일이다. ③바쁜 가운데 잠깐 여가가 있다. ④병세가 조금 가라앉다. 1)-4):쓰뻔하다[1]. >반하다[4]. 번:-히 부

번-하번【番下番】 명 상번(上番)과 하번(下番)을 함께 이르는 말.

번한[1]【繁閑】 명 번망(繁忙)함과 한가함.

번한[2]【藩翰】 명 〔번(藩)은 울타리, 한(翰)은 기둥의 뜻〕 왕실(王室)의 수호신이 됨. 또, 그 수호신. 특히, 변방에서 나라를 지키는 일. ——-하다 자 여불

번한 지표【繁閑指標】 명 〖증권〗 거래의 양(量)과 질(質)을 동시에 분석할 수 있는 지표. 거래량 회전율에 거래 성립률을 곱하여 산출함. 일반적으로 번한 지표가 높게 나타날수록 시장이 활황을 보여 거래가 전 종목에 걸쳐 많이 이루어지고 있다고 봄.

번행-과【蕃杏科】 [—꽈] 명 〖식〗 [Tetragoniaceae] 쌍자엽 식물 이판화류(離瓣花類)에 속하는 한 과. 전세계에 600여 종, 한국에는 번행초 등 2종이 분포함.

번행-초【蕃杏草】 명 〖식〗 [*Demidovia tetragonoides*] 번행과(蕃杏科)에 속하는 다년초. 온 풀에 선점(腺點)이 밀포하고, 줄기는 높이 60 cm에 달함. 잎은 호생하고 육질(肉質)을 이루며 난상 능형(卵狀菱形)임. 5-6월에 황색 꽃이 한 두 개씩 액생(腋生)하여 피고, 핵과(核果)를 맺음. 해변(海邊) 모래 땅에 나는데, 제주·부산 등지에 분포함. 잎은 식용함.

〈번행초〉

번현【繁絃·繁弦】 명 현악기의 곡조가 격렬함. 또, 그 곡조. ——-하다 여불

번호[1]【番戶】 명 ①중국 당(唐)나라 때, 죄인의 가속(家屬)의 경번(更番)을 보던 자. ②중국 청(淸)나라 때, 간쑤(甘肅)·쓰촨(四川)·윈난(雲南) 등의 변비(邊鄙)에 사는 번인(蕃人)의 호별(戶別).

번호[2]【番號】 명 ①차례를 나타내는 호수(號數). ¶ 전화 ～부(簿)/～표(票). ②순번(順番)의 수를 외치는 일. 또, 그 구령(口令). ——-하다 자 여불

번호-기【番號器】 명 넘버링 머신.

번호-부【番號簿】 명 번호를 적어 놓은 책. ¶ 전화 ～.

번호-순【番號順】 명 번호의 차례. ¶ ～으로 서다.

번호 인자기【番號印字器】 명 넘버링 머신.

번호-패【番號牌】 명 남의 물건을 맡고 그 표적으로 내어 주는 번호를 매긴 패. 나무나 플라스틱 따위로 만듦. 목욕탕이나 은행 같은 데서 사용함.

번호-표【番號票】 명 번호를 적은 표.

번화【繁華】 명 ①번성하고 화려함. ¶ ～한 거리. ②얼굴에 달기(達氣)가 있고 환함. ——-하다 형 여불

번화-가【繁華街】 명 번화한 거리. 번성하고 화려한 거리.

번화-곡【繁花曲】 명 〖역〗 신라 경애왕(景哀王)이 경주 포석정(鮑石亭)에서 잔치할 때에 부르게 했다는 노래. 사(詞)는 전하나 조(調)는 전하지 아니함.

번화-자【繁華子】 명 얼굴빛이 꽃같은 사람. 또, 세도 있는 부자.

번화-창【飜花瘡】 명 〖한의〗 면화창(棉花瘡).

번휴【番休】 명 〖역〗 태평할 때 나라에서 번(番)을 쉬게 하던 일.

번ᄒᆞ다 형 〈옛〉 번하다. ¶ 精誠이 고ᄌᆞᆨᄒᆞ니 밤누니 번ᄒᆞ거늘≪釋譜 Ⅵ:19≫.

벋 명 〈옛〉 벗. =벗. ¶ 두 버디 ᄇᆡ 배얀마론(兩朋舟覆)≪龍歌 90章≫.

벋-가다 자 거라불 올바른 길에서 버드러져 가다. ¶ 저만한 나이에는 흔히 벋가기 쉽다. 쓰뻗가다.

벋-나가다 자 거라불 버드러져 나가다.

벋-나다 자 거라불 ①새 싹이나 잔 가지 같은 것이 바깥 쪽으로 향하여 나다. ¶ 앞니가 ～. ②못된 길로 나가다.

벋-놓다 [—노타] 타 ①제멋대로 놓아 먹여서 못된 길로 들게 하다. ②잠자야 할 때 자지 아니하고 그대로 지나가다. ¶ 잠이 벋놓였다.

벋-니 명 뻐드렁니. ↔옥니[1].

벋다[1] 자 〔중세 : 벋다〕 ①나뭇가지나 덩굴 같은 것이 본줄기에서 바깥 쪽으로 향하여 길게 자라나다. ¶ 칡덩굴이 ～. ②길이나 긴 물체가 어떤 방향으로 길게 이어져 가다. ¶ 신작로가 두메 산골까지 벋어 나갔다. ③힘이나 영향 따위가 다른 것에 미치다. ¶ 한국의 기술이 동남아에까지 ～. 1)-3) : 쓰 뻗다.

[벋어 가는 칡도 한이 있다] 사물은 무엇이든지 한정이 있다는 뜻.

벋다[2] 형 끝이 안으로 옥지 아니하고 바깥 쪽으로 향하여져 있다. ¶ 이가 ～. ↔옥다[2].

벋-대다 자 ①순종(順從)하지 아니하고 힘껏 버티다. 쓰뻗대다. ②벋서다.

벋드듸다 타 〈옛〉 벋디디다. ¶ 큰 버미 ᄯᅡ흘 벋드듸고(大虎據地)≪續三綱 孝子圖 梁郁感虎≫.

벋-디디다 타 ①발에 힘을 주고 버티어 디디다. ¶ 어머니를 생각해서 벋디디던 다리의 힘이 풀렸던 것이다≪崔貞熙 : 속·녹색의 문≫. ②금 밖으로 내어디디다. 1)·2) : 준벋딛다. 쓰뻗디디다.

벋디르다 타 〈옛〉 거부하다. 막다. ¶ 벋디를 거(拒), 벋디를 한(捍)≪類合 下 25≫.

벋-딛다 타 ↗벋디디다. 쓰뻗딛다.

벋버듬-하다 형 여불 ①두 끝이 바깥 쪽으로 벋어서 잔뜩 버름하다. ②말이나 태도가 거만하다. ③사이가 틀려 버성기다. ¶ 꺽정이와 최서방 만 사이가 서로 벋버듬하여 친하지 못할 뿐이고…≪洪命憙 : 林巨正≫.

벋버스레 부 벋버스름하게. ——-하다 형 여불

벋버스름-하다 형 여불 두 사람의 사이나 단체의 사이가 서로 맞지 아니하여 잔뜩 버름하다.

벋벋ᄒᆞ다 자 〈옛〉 뻣뻣해지다. ¶ 음신이 브어 크며 밋 신이 벋벋ᄒᆞᆫ 병을 고티ᄂᆞ니(治陰腎腫大及木腎病)≪馬經 下 71≫.

벋뷔 명 〈옛〉 벗. 벗무리. 벗들. =벋비. ¶ 벋뷔 글워를 해 오게 호니(多枉友朋書)≪初杜諺 XIX:20≫.

벋븨 명 〈옛〉 벗. 벗무리. ¶ 벋븨 ᄉᆞ이예ᄂᆞᆫ(朋友之際)≪小諺 Ⅴ:77≫.

벋비 명 벗. 벗무리. 벗들. ¶ 이글 ᄒᆞ기로 ᄡᅥ 벋비 하니(以妶朋故多)≪重杜諺 Ⅰ:49≫.

벋-새 명 〖건〗 지붕이 경사(傾斜)지지 아니하고 거의 평면(平面)으로 된 지붕의 기와.

벋-서다 자 반항하는 언행(言行)으로 맞서서 겨루다. 벋대다. 쓰뻗서다.

벋은-씀바귀 명 〖식〗 [*Ixeris nipponica*] 꽃상춧과에 속하는 다년생의 포복초. 줄기 높이 20 cm 가량, 잎은 긴 잎꼭지가 달리고 짙은 황록색인데, 뒤쪽은 조금 희고 거꿀피침형(披針形) 또는 주걱 모양을 이루며, 아래쪽은 대개 우상 분열(羽狀分裂)함. 5-7월에 황색 또는 자색의 설상(舌狀) 두화(頭花)가, 가지 끝에 총상(總狀)으로 배열하여 피고 수과(瘦果)를 맺음. 밭에나 들에 나는데, 제주·경남·강원·경기·평북에 분포함. 근경(根莖)과 어린 잎은 식용함. *선씀바귀.

벋장-다리 명 ☞벋정다리.

벋정-다리 명 ①구부렸다 폈다 하지 못하고 늘 뻗치기만 하는 불구(不具)의 다리. 또, 그런 다리를 가진 사람. ¶ 그는 ～로 걷는다. ②뻣뻣하여서 마음대로 굽힐 수가 없이 된 물건. 1)·2):쓰뻗정다리.

벋정-대다 자 순종(順從)하지 아니하고 맞서서 버티다. 쓰뻗정대다.

벋쳐-오르다 자 르불 물줄기나 불줄기 같은 것이 벋쳐서 위로 오르다. 쓰뻗쳐오르다.

벋치다 자 '벋다[1]'의 힘줌말. 쓰뻗치다.

벌[1] 명 〔근대 : 벌〕 넓고 평평하게 생긴 땅. ¶ 황량한 ～. 쓰펄. *들[1].

벌[2] 명 상투를 짤 때 고를 돌려 감는 가닥. ¶ 세～ 상투/아랫～/윗～.

벌[3] ㊀ 명 옷이나 그릇 같은 것의 짝을 이루거나 여러 가지가 한데 모여서 갖추어진 한 덩이. ¶ 옷～이나 가지고 있다. ㊁ 의명 옷이나 그릇 등 짝을 이루는 물건을 세는 말. ¶ 양복 한 ～. *세트.

벌:[4] 명 〔중세 : 벌〕 〖충〗 ①막시류 중 개미류를 제외한 곤충의 총칭. 몸의 길이는 1-20 mm까지 있고, 두부에는 한 쌍의 복안(複眼)과 촉각, 흉부에는 두 쌍의 날개가 있으며, 방추형(紡錘形)의 복부는 많은 환절(環節)로 되어 있음. 대개는 몸 끝에 산란관(產卵管)의 독침(毒針)이 있어서 적을 해침. 단독(單獨) 또는 집단적 사회 생활을 함. 집단 생활의 벌은 한 마리의 여왕벌과 수펄·일벌 등의 구별이 있고, 유성 생식·무성 생식(生殖)을 교대로 하는 종류도 있음. 대부분의 종류는 복부의 환절(環節) 사이에서 분비(分泌)되는 밀로써 '벌집'을 만들어 알을 낳아서 새끼를 기르며, 완전 변태함. 꿀벌과(科)·송곳벌과·호박벌과·뱁시벌과·말벌과 등이 이에 속하는데 전세계에 12만 종 이상이 분포함. ②↗꿀벌.

[벌도 법이 있지] 인간 사회의 무법함을 탓하는 말. 【벌에 쏘였나】 말대답도 못 하고 곧 돌아가거나 달아나는 사람을 보고 조롱하는 말. *벌쐰 사람 같다.

벌:(이) 역사(役事)하듯 구 여럿이 손을 모아 일을 하는 모양.

벌⁵【罰】명 ①죄를 지은 사람에게 괴로움을 주어서 징계(懲戒)하고 억누르는 일. ②『심』행위의 금지, 습관의 파기(破棄) 등을 목적으로 생체(生體)에 부여된 불쾌한 자극. ——-하다 타여불
[벌도 덤이 있다] 벌을 받을 때도 덤으로 더 받게 되는 법이니, 하물며 물건을 받을 때에야 더 받지 않겠느냐는 말.
벌⁶【閥】의명 명사 아래에 붙어서 그 방면의 지위나 세력을 뜻하는 말. ¶재(財)~/학(學)~/군(軍)~.
벌- 투 '일정한 테두리를 벗어난'의 뜻. ¶~모/~물/~윷.
벌가지¹ 명〈방〉벌레(전남).
벌가지² 명〈방〉버들치.
벌개-둥이 명〈방〉벌거숭이(황해).
벌-개미취 명『식』[*Aster koraiensis*] 국화과에 속하는 다년초. 줄기는 높이 60-100cm이고 잎은 긴 타원형에 엽병(葉柄)이 없고 6-10월에 두화(頭花)가 가지 끝에 하나씩 피는데, 변화(邊花)는 담자색의 설상화(舌狀花), 심화(心花)는 황색의 관상화(管狀花)이며 과실은 수과(瘦果)임. 산이나 들에 나는데, 한국 중부 이남에 분포함. 어린잎은 식용함.
벌개이 명〈방〉벌레(전라·경북).
벌개지 명『어』〈방〉버들치.
벌개-지다 자 ☞벌게지다.
벌갱 명〈방〉벌레(경상).
벌갱이 명〈방〉벌레(경상·전라).
벌거- 간 '벌겋다'의 불규칙 어간. ¶~ㄴ 물감. 쓰뻘거-. >발가-.
벌거-벗기다 타 알몸이 되도록 옷을 죄다 벗기다. ¶어린 아이를 ~. 쓰뻘거벗기다. >발가벗기다❶.
벌거-벗다 자 ①알몸뚱이가 다 드러나도록 옷을 죄다 벗다. ②산에 나무나 풀들이 없어 흙이 벌겋게 드러나 보이다. ¶벌거벗은 산. 쓰뻘거벗다. >발가벗다.
[벌거벗고 전동(箭筒) 찰까; 벌거벗고 환도(環刀) 차기] 서로 어울리지 아니하여 어색하게 보임을 말함. [벌거벗은 손님이 더 어렵다] 어린 손님이나 가난한 사람 대접하기가 더 어렵다는 말.
벌거-숭이 명 ①벌거벗은 알몸뚱이. ¶~로 달아나다. ②가졌던 재산이나 돈을 다 털어먹은 사람. ③벌거숭이산. 1)-3): 쓰뻘거숭이. >발가숭이. ④〈방〉잠자리².
[벌거숭이 불알에 붙듯] 잠자리가 불알에 붙는다 해도 그 시간이 짧을 것이니, 사물이 오래 가지 못함을 비유하는 말.
벌거숭이-산【-山】명 나무나 풀이 없는 산. 민둥산.
벌거지 명〈방〉벌레(평안·함경·강원·전라·경상·충청·경기·황해).
벌거지-이 명〈방〉충치(蟲齒).
벌걱지 명〈방〉벌레(평안·함경·전라).
벌건 관 '아주' 또는 '온통'의 뜻으로 쓰는 말. ¶~ 거짓말. 쓰뻘건.
벌겅 명 벌건 빛깔이나 물감. 쓰뻘겅. >발강.
벌겅-이¹ 명 벌건 빛의 물감이나 물건. 쓰뻘겅이. >발강이.
벌겅이² 명〈방〉벌레(경상).
벌:겋다 [-거타] 형ㅎ불 연하고도 곱게 붉다. ¶뺨이 ~. 쓰뻘겋다. >발갛다.
벌게¹ 명〈방〉벌레(평안·충청·전라·강원).
벌게² 준 '벌겋어'가 줄어 변한 말. ¶얼굴이 ~가지고 어쩔 줄 모르다.
벌게이 명〈방〉벌레(경북).
벌:게-지다 자 벌겋게 되다. ¶얼굴이 귀밑까지 ~. 쓰뻘게지다. >발개지다.
벌겡이 명〈방〉벌레(경상).
벌곡조【伐谷鳥】명『역』고려 16대 예종(睿宗)이 지은 노래. 예종이 자기의 정사(政事)에 대하여 백성들로부터 여론을 듣고자 하나 신하들이 감히 말하지 못함을 탄하여 지었다고 함. 가사는 전하지 아니하고, ≪고려사≫ '악지(樂志)'에 그 내력만 전함.
벌-곰【罰-】명 보금자리를 버리고 겨우내 떠돌아다니며 한데서 지내는 곰을 사냥꾼이 일컫는 말.
벌과-금【罰科金】명 벌금.
벌교¹【筏橋】명 뗏목을 엮어 만들어 놓은 다리.
벌교²【筏橋】명『지』전라 남도 보성군(寶城郡) 동부의 읍(邑). 도로 교통상의 요지임. 농업이 주로, 오이·딸기 등의 재배가 성하며 고막의 산출도 많음. 읍내(邑內)에 보물(寶物) 304호로 지정된 홍교(虹橋)가 있음. [29,097명(1990)]
벌:-구멍 [-꾸-] 명 벌통의 구멍.
벌그데데-하다 형여불 곱지 아니하고 조금 천하게 벌그스름하다. 쓰뻘그데데하다. >발그대대하다.
벌그뎅뎅-하다 형여불 어울리지 아니하게 벌그스름하다. 쓰뻘그뎅뎅하다. >발그댕댕하다.
벌그레-하다 형여불 조금 곱게 벌그스름하다. ¶얼굴이 ~. >발그레하다.
벌그름-하다 형여불 ↗벌그스름하다. 쓰뻘그름하다. >발그름하다. 벌그름-히 부
벌그무레-하다 형여불 가장 엷게 벌그스름하다. >발그무레하다.
벌그숙숙-하다 형여불 수수하게 벌그스름하다. >발그속속하다.
벌그스레 부 벌그스름하게. 쓰뻘그스레. >발그스레. ——-하다 형여불
벌그스름-하다 형여불 조금 붉다. 준벌그름하다. 쓰뻘그스름하다. >발그스름하다. **벌그스름-히** 부
벌그죽죽-하다 형여불 빛깔이 고르지 못하고 칙칙하게 벌그스름하다. 쓰뻘그죽죽하다. >발그족족하다.
벌근【伐根】명 그루터기.
벌금【罰金】명 ①『법』재산형의 하나. 범죄의 처벌로서 부과하는 돈. 금액은, 벌금 등 임시 조치법에 의거, 현재 30,000원 이상임. 벌금을 완납(完納)할 수 없을 때에는 1일 이상 3년 이하의 기간, 노역장(勞役場)에 유치됨. ②못된 짓에 대한 징계로서 물리는 돈. 벌과금.
벌금-형【罰金刑】명『법』범죄의 처벌 방법이 벌금인 형(刑). ↔체형(體刑).

벌긋-벌긋 부 칙칙하게 붉은 점이 군데군데 박힌 모양. 쓰뻘긋뻘긋. >발긋발긋. ——-하다 형여불
벌기¹ 명〈방〉벌레(평안·함남·경상).
벌:기² 명〈방〉볼기(경북).
벌기³【伐期】명 수목(樹木)의 벌채·수확의 시기. 윤벌기(輪伐期).
벌:기다 타 속엣 것이 드러나게 쪼개어 벌리다. ¶밤송이를 벌기어 밤톨을 꺼내다. >발기다. *벌리다.
벌깨-덩굴 명『식』[*Meehania urticifolia*] 꿀풀과에 속하는 다년초. 줄기는 사각형으로, 높이 20-50cm 내외, 꽃이 피지 아니하는 것은 줄기의 끝이 넌출 모양으로 뻗어 땅에 뿌리를 내림. 잎은 대생하고 하부(下部)의 잎은 장병(長柄), 경엽(莖葉)은 단병(短柄)에 심장상 달걀꼴을 이룸. 5월에 자색 꽃이 줄기 끝의 엽액(葉腋)마다 2-6개씩 윤산(輪繖) 화서로 피고, 수과(瘦果)를 맺음. 산지의 응달에 나는데, 한국 각지에 분포함. 어린 잎은 식용함.
〈벌깨덩굴〉
벌꺽 부 ①기운이 갑자기 솟아나는 모양. ¶~ 성을 내다/열이 ~ 나다. ②무엇이 갑자기 뒤집히는 모양. ¶집안이 ~ 뒤집히다. 1)·2): 쓰뻘꺽. 쓰벌컥. >발칵.
벌꺽-거리다 ㊀자 ①빚어 담근 술이 몹시 부걱부걱 괴어 오르다. ¶술이 ~. ②빨래를 삶을 때에 몹시 부풀어 오르다. 1)·2): 쓰벌컥거리다. >발깍거리다. ㊁타 무엇을 주물러 반죽하거나 진흙을 밟아서 옆으로 비어져 나오게 하다. ¶진흙을 ~. 쓰벌컥거리다. >발깍거리다. **벌꺽-벌꺽** 부. ¶냉수를 ~ 들이마시다. ——-하다 자타여불
벌꺽-대다 자타 벌꺽거리다.
벌:-꿀 명 벌이 친 꿀. 봉밀(蜂蜜).
벌끈 부 ①걸핏하면 성을 왈칵 내는 모양. ¶그 사람은 ~하는 성질이 있다. ②뒤집어 엎을 듯이 시끄러운 모양. ¶데모로 온 거리가 ~ 뒤집혔다. 1)·2): 쓰뻘끈. >발끈. ——-하다 자여불
벌끈-거리다 자 걸핏하면 성을 내다. 쓰뻘끈거리다. >발끈거리다. **벌끈-벌끈** 부. ——-하다 자여불
벌끈-대다 자 벌끈거리다.
벌-낫 [-랃] 명 벌판에 무성한 갈대 같은 것을 휘둘러 베는 낫. 모양은 보통 낫과 같으나, 크고 자루가 길.
벌-노랑이 [-로-] 명『식』[*Lotus corniculatus* var. *japonicus*] 콩과에 속하는 다년초. 줄기는 땅에 뻗거나 곧게 서는데, 높이 30cm, 잎은 호생하며 유병(有柄)에 삼출(三出)하고 소엽은 타원형 또는 거꿀달걀꼴임. 5-7월에 선황색 꽃이 산형(繖形) 화서로 액출하여 피고 선형(線形)의 협과(莢果)를 맺음. 들이나 길가에 나는데, 한국 각지 및 일본에 분포함. 가축의 사료로 씀.
벌:다¹ 자 ①틈이 나서 사이가 뜨다. ¶마루의 사이가 ~. ②맞닿은 자리가 벌어지다.
벌:다² 타 ①일을 하여 돈이 생기게 하다. ¶육체 노동으로 생활비를 ~. ②못된 짓을 하여 벌받을 일을 스스로 청하다. ¶그릇을 깨뜨리고 맷거리를 ~. ③이익을 얻다. 득을 보다. ¶차를 거저 탔으니 차비는 벌었군/쉬운 방법을 써서 시간을 ~.
[버는 자랑 말고 쓰는 자랑 하랬다] 돈을 모으려면 저축을 잘 해야 된다는 말.
벌다³ 타자〈옛〉벌리다. 벌리어 있다. ¶五百獅子ㅣ 門의 와 벌며 白象이 뜰헤 와 벌며≪月釋 Ⅱ:31≫
벌:다⁴ 형 물건의 몸피가 한 주먹이나 한 아름에 들 정도보다 좀 더 크다. ¶아름에 ~.
벌대-총【伐大驄】[-때-] 명『역』조선 시대에 효종(孝宗)이 특별히 아끼어 강화도(江華島)에 놓아 기르던 말의 이름. *뻘때추니.
벌-떠구니 명〈방〉벌판.
벌떡 부 ①갑자기 급하게 일어나는 모양. ¶~ 일어서다. ②별안간 뒤로 자빠지는 모양. ¶~ 자빠지다. 1)·2): 쓰뻘떡. >발딱.
벌떡-거리다 자 ①맥(脈)이 힘있고 크게 뛰다. ¶벌떡거리는 맥박. ②심장(心臟)의 고동으로 가슴이 두근거리다. ¶가슴이 ~. ③입을 크게 벌리고 물을 세차게 들이마시다. ¶벌떡거리며 물을 마시다. ④힘이 겨우 날 만큼 자란 아이가 그 힘을 부리고 싶어서 못 참아하다. 1)-4): 쓰뻘떡거리다. >발딱거리다. **벌떡-벌떡** 부. ¶맥이 ~ 뛰다. ——-하다 자여불
벌떡-대다 자 벌떡거리다.
벌:-떼 명 벌의 한 무리. 봉군(蜂群). ¶~같이 들고일어나다.
벌떼-추니 명 ☞뻘때추니.
벌래 명〈방〉벌레(경기).
벌러덩 부 굼뜨게 뒤로 벌떡 자빠지거나 눕거나 하는 모양. ¶빙판에 ~ 나가자빠지다. >발라당. ——-하다 자여불
벌러지 명〈방〉벌레(경기·황해·충남).
벌러톤 호【-湖】(Balaton) 명『지』헝가리 서부의 호수. 중부 유럽에서 가장 크며, 다뉴브 강(江)과도 연결됨. 길이가 80km로, 호수 연안에 휴양지 등이 많음. [596km²]
벌럭-거리다 자〈방〉벌렁거리다. **벌럭-벌럭** 부
벌럭지 명〈방〉벌레(황해·충청).
벌렁 부 별안간 힘없이 뒤로 자빠지는 모양. ¶~ 나가자빠지다. >발랑.
벌렁-거리다 자 거분거분하고도 들뜨게 움직이다. 쓰뻘렁거리다. >발랑거리다. **벌렁-벌렁** 부. ——-하다 자여불
벌렁-대다 자 벌렁거리다.
벌렁-코 명 넓적하게 벌어진 코. *들창코·주먹코.
벌레 명 [중세: 벌에] ①사람·짐승·새·물고기·조개 같은 것을 제외한 동물. 대부분 원생(原生) 동물·환형(環形) 동물·선형(線形) 동물 등을 일컬음. 충(蟲). ②곤충(昆蟲). 버러지. *짐승.
[벌레 먹은 배추 잎 같다; 벌레 먹은 삼 잎 같다] 얼굴에 검버섯이 끼고 기미가 흉하게 퍼진 것을 이르는 말.

벌레 그물 명 '포충망(捕蟲網)'의 풀어 쓴 이름.
벌레-꾐:등불【—燈—】[—뿔] 명 유아등(誘蛾燈). ㊞꾐등불.
벌레-문치 명〖어〗[*Lycodes tanakai*] 등가시치과에 속하는 바닷물고기. 몸길이 약 80cm이고, 몸은 뱀장어 모양이나 약간 굵음. 우리 나라의 동해 북부 연해(沿海)·일본 중부 이북 연해에 분포하는데, 어획(漁獲)이 적음.
벌:레스크〔burlesque〕명 ①〖악〗자유로운 형식(形式)의 기교적(技巧的)인 악곡(樂曲). 해학적(諧謔的) 기분을 내포하고 있음. ②〖연〗저속(低俗)한 풍자적인 희가극(喜歌劇).
벌레이 명〈방〉벌레(경남).
벌레잡이 식물【—植物】명〔insectivorous plants〕〖식〗곤충 그 밖의 작은 동물을 잡아 소화 흡수하여 양분을 취하는 식물의 총칭. 잎에 점액(粘液)을 분비하는 다수(多數)의 선모(腺毛)를 가진 모드라기풀·끈끈이귀개 같은 것과, 잎의 일부분이 주머니 모양으로 되어 그 안에 들어온 벌레를 소화하기 위하여 액(液)을 분비하는 통발·사라세니아(sarracenia) 등과 그 외 파리풀·파리지옥풀 등이 있음. 식충 식물(食蟲植物). 육식 식물(肉食植物). 식육 식물(食肉植物). *벌레잡이잎.
벌레잡이-잎 명〖식〗벌레잡이 식물에 있어서 날아 붙는 벌레 따위를 움켜 잡아 소화·흡수하여 양분을 취하는 잎. 대개 잎의 표면에 잔털이 있거나 주머니 모양으로 되어 있으며, 점액(粘液)을 분비함. 끈끈이귀개·파리지옥풀·네펜데스 따위에서 볼 수 있음. 식충엽. *벌레잡이식물.
벌레-집 명 고치 같은 것처럼 벌레들이 들어 있으려고 만들어 놓은 집.
벌레충-변【—蟲邊】명 한자 부수(部首)의 하나. '蛔'나 '蛋'·'蜀' 등의 '虫'의 이름. 벌레훼변.
벌레-통이 명 재목에 벌레가 먹어서 생긴 흠.
벌레-혹 명 '충영(蟲癭)'의 풀어 쓴 이름.
벌레훼-변【—虫邊】명 벌레충변.
벌:려 놓다〔—노타〕타 ↗벌리어 놓다.
벌력천-정【伐力川停】명〖역〗통일 신라 때 십정(十停)의 하나. 강원 춘천 지방의 수약주(首若州)의 속현(屬縣)인 벌력천현 곧 지금의 강원도 홍천군 홍천읍에 소재했음.
벌례-연【罰禮宴】명〖역〗조선 시대에, 관청에서 관리들의 잘못이 있을 경우, 벌로 서로 잘못한 자에게 술을 사게 하여 같이 마시며 즐기던 일.
벌례-전【罰禮錢】명〖역〗조선 시대에, 의금부(義禁府)의 선임 도사(先任都事)가 새로 들어오는 도사에게서 받던 돈.
벌로 부 건성으로. 아무렇게나. ¶ 남의 말을 ～ 듣다/행동이 ～ 돼먹다/어깻살을 부르르 떨며 쪽마루 밑에 있는 짚신을 찾아 ～ 손을 휘젓고 있는데…《金周榮 : 客主》.
벌룩-거리다 ⊟ 자타 탄력 있는 물건이 벌어졌다 오므라졌다 하다. 또, 그리 되게 하다. ¶ 코가 ～. >발록거리다. ⊟ 자 하는 일 없이 공연히 놀고 돌아다니다. >발록거리다. **벌룩-벌룩** 부. ——하다 자타여불
벌룩-대다 자타 벌룩거리다.
벌룩-하다 형여불 틈이 조금 크게 벌어져 있다. >발록하다.
벌룬〔balloon〕명 기구(氣球). ¶ 애드 ～.
벌룽-거리다 ⊟ 자타 탄력 있는 물건이 부드럽게 벌어졌다 우므러졌다 하다. 또, 그리 되게 하다. ¶ 코를 ～. >발룽거리다. ⊟ 자 ①뭉근한 불에서 국물 같은 것이 끓을락말락 가만가만 움직이다. ②하는 일 없이 공연히 게으르게 놀고 돌아다니다. 1)·2):>발룽거리다. **벌룽-벌룽** 부. ——하다 자타여불
벌룽-대다 자타 벌룽거리다.
벌류【筏流】명 뗏목을 물에 떠내려 보냄. ——하다 자여불
벌름-거리다 자타 탄력(彈力) 있는 물건이 부드럽고 넓게 벌어졌다 닫혀졌다 하다. 또, 그리 되게 하다. ¶ 코를 ～/혜봉은 … 너무 즐거워서 입을 바보처럼 벌름거린 것은 그만두고라도 몇 번을 소리 높여 웃었는지 모릅니다《崔貞熙 : 인맥》. >발름거리다. **벌름-벌름**[1] 부. ——하다 자타여불
벌름-대다 자타 벌름거리다.
벌름-벌름[2] 부〈방〉버름버름.
벌름-하다 형여불 탄력 있는 물건이 우므러져 있지 아니하고 조금 벌어져 있다. >발름하다. **벌름-히** 부
벌리 명〈옛〉벌레. ¶ 셔거 벌리 나며 개야미 모돌 거시니《家禮 Ⅶ:91》.
벌:리다[1] 자 돈벌이가 되다. ¶ 돈이 잘 벌리는 장사.
벌:리다[2] 타 ①두 사이를 넓히다. ¶ 틈을 ～/팔을 ～. ②열어서 속의 것을 드러내다. ¶ 굴 껍질을 까서 ～. ③우므러진 것을 펴서 열다. ¶ 입을 ～. 1)-3):>발리다. *벌기다·벌이다.
　벌:리나 오므리나 구 이렇게 하나 저렇게 하나 마찬가지라는 말.
　벌:린 입을 다물지 못하다 구 몹시 감탄하거나 어이없어하거나 한다는 뜻.
벌:린〔Berlin, Irving〕명〖사람〗미국의 대중 가요 작사·작곡가. 러시아 출신. 많은 뮤지컬(musical) 영화 음악을 작곡함. 《화이트 크리스마스》·《애니여 총을 들라》는 특히 유명함. [1888-1989]
벌:린 음정【—音程】명〖악〗겹음정.
벌:린입구-부【—部】명 한자 부수(部首)의 하나. '凶'이나 '出' 등에서 '凵'의 이름.
벌:린-자리 명〔open position〕〖악〗화성(和聲) 배치의 명칭으로, 사성부(四聲部)에서 베이스를 제외한 소프라노·알토·테너의 삼성부가 옥타브 이상으로 배치되어 있는 형태. 개리 위치(開離位置). ↔밭은자리.
벌:린-춤 명 벌인춤.
벌:린-화성【—和聲】명〔open harmony〕〖악〗사성부(四聲部)에서 베이스를 제외한 소프라노·알토·테너의 삼성부가 옥타브 이상으로 떨어져서 진행하는 화성. 개리 화성(開離和聲).
벌:림-새 명 ☞ 벌임새.
벌:림-줄〔—쭐〕명〈방〉벌이줄.
벌:-매듭 명 곤목을 벌 모양으로 매는 매듭의 한 가지.
벌-모 명〖농〗①허튼모. ②모판 구역 밖에 볍씨가 떨어져 자라난 모. ③일을 말막음으로 대충 하였을 때 쓰는 말. ¶ 품삯이 적다고 일을 ～로 하다.
벌-모듬 명〈심마니〉본집.
벌목[1]【伐木】명 나무를 벰. 간목(刊木). ——하다 자여불
벌:-목[2]【—目】명〖충〗[Hymenoptera] 곤충강(昆蟲綱) 유시아강(有翅亞綱)에 속하는 한 목(目). 날개는 막질(膜質)로 되고 투명하며, 시맥(翅脈)이 적고 앞뒤 날개가 날기에 편리함. 암컷의 꼬리 끝에는 산란관(産卵管) 또는 그것의 변형(變形)인 독침(毒針)이 있고, 완전 변태를 함. 유충은 '구더기' 모양이고 대개는 발이 없음. 개밋과(科)·꿀벌과·송곳벌과·말벌과·잎벌과 등이 이에 속하는 고등(高等) 곤충으로 성충은 사회생활을 영위함. 막시류(膜翅類).
벌목-꾼【伐木—】명 벌목을 생업(生業)으로 하는 일꾼. 벌목부(伐木夫).
벌목-부【伐木夫】명 벌목꾼.
벌목-장【伐木場】명 벌목하는 장소.
벌-물[1] 명 논이나 그릇에 물을 넣을 때에 한데로 나가는 물.
벌-물[2]【罰—】명 ①고문(拷問)을 하거나, 무슨 벌을 주기 위하여 강제로 먹이는 물. 벌수(罰水). ②맛도 모르고 함부로 마시는 물.
　[벌물 켜듯 한다] 젖이나 술 같은 것을 세게 빨거나 들이켤 때에 그것을 형용하는 말.
벌-바람〔—빠—〕명 벌판에서 부는 바람.
벌-받다【罰—】자 벌을 당하다. ↔벌주다.
벌방【罰房】명〖일제〗↗징벌방(懲罰房).
벌배【罰杯】명 술자리에서 주령(酒令)을 어긴 사람에게 벌로 주는 술잔.
벌버〔vulva〕명 보지. ↔페니스.
벌번【罰番】명 번(番)들 차례 외에, 벌로 들게 하는 번. 벌직(罰直).
벌벌 ①춥거나 무서워서 몸을 자꾸 크게 떠는 모양. ¶ 추워서 ～ 떨다/무서워서 ～ 떨다. *와들와들. ②몸을 바닥에 대고 좀 큰 동작으로 기는 모양. ¶ 아기가 ～ 기다. ③얼마 되지 아니한 것을 가지고 몹시 아끼는 모양. ¶ 돈 백 원에 ～ 떨다. 1)-3):>발발. *오들오들. ——하다 자여불
벌:-벙거지 명〖민〗편쌈할 때에 쌈꾼들이 쓰는 벙거지. 말뚝 벙거지의 양쪽 위에 짚으로 테두리를 여러 개 틀어 얹고 종이로 꽃송이를 만들어 붙임.
벌봉【罰俸】명〖역〗감봉(減俸)❷.
벌부【筏夫】명 뗏목을 물에 띄워 타고 가는 사공.
벌-불 명 등잔불이나 촛불 같은 것의 심지의 옆으로 번져 댕기는 불.
벌불-지다 자 벌불이 생기다.
벌:붙이-파리〔—부치—〕명〖충〗[*Conops curtulus*] 벌붙이파릿과에 속하는 파리의 하나. 몸길이 14-15mm이고, 몸빛은 흑갈색에 흉배(胸背)의 전연(前緣)을 제외한 주연(周緣)·흉측(胸側) 및 흉복(胸腹)은 적갈색, 제 2-5복절(腹節)의 후연(後緣)은 황갈색이고, 날개 전반(前半)은 담갈색을 이룸. 꽃에 모이는데, 한국·일본 등지에 분포함.

〈벌붙이파리〉

벌:붙이파릿-과【—科】〔—부치—〕명〖충〗[Conopidae] 파리목(目)에 속하는 한 과(科). 벌과 비슷하게 보이는 파리 종류로서 몸빛은 흑색·대적색(帶赤色)·갈색에 황색·백색 또는 등황색 반문이 있음. 촉각과 입은 길며 구문(口吻)에 두 개의 강모(剛毛)가 있고, 복부는 원주상(圓柱狀)임. 꽃에 모이는데 전세계에 500여 종이 분포함.
벌브〔bulb〕명 ①〖식〗구근(球根). ②사진기의 셔터 눈금의 하나로, B를 말함. ③섬광(閃光) 전구(電球).
벌:-비 명 분봉(分蜂)할 때 그릇이나 자루 등에 벌을 천천히 쓸어 넣는 비. 봉추(蜂箒).
벌빙【伐氷】명 간직해 두었다가 쓰려고 강에서 얼음장을 떠냄. ——하다 자여불
벌빙-가【伐氷家】명 중국에서 경(卿) 대부(大夫) 이상의 귀(貴)한 가문. 예전에 이러한 가문의 상사(喪事)에 얼음을 사용한 데서 이름.
벌빙-기【伐氷器】명 얼음장을 떠내는 기구.
벌:-사상자【—蛇床子】명〖식〗[*Cnidium monnieri*] 미나릿과에 속하는 이년초. 줄기는 높이 1m 내외, 잎은 호생하며, 3회 우상 세열(羽狀細裂)하고 열편(裂片)은 선형을 이룸. 8월에 흰 꽃이 복산형(複繖形) 화서로 정생(頂生)하여 피고, 길이 3mm 가량의 과실을 맺음. 산지에 나는데 경남·충북·강원·평남·평북·함북에 분포함.
벌-사양 명 혼례식(婚禮式) 때 신부 큰머리 밑에 쪽찌는 머리. 머리털을 두 갈래로 땋아 두 개로 둥글게 사리고 큰 봉잠(鳳簪)을 지름. ㊞벌생.
벌상【伐喪】〔—쌍〕명 남의 땅에 몰래 투장(偸葬)하는 사람을 벌로 두들겨 내어쫓는 일. ——하다 타여불
벌:-새 명〖조〗벌샛과에 속하는 벌 비슷한 작은 새. 남북 아메리카 특산으로 북은 알래스카까지 분포하나, 열대 지방에 많음. 그 종류는 약 320 종이나 되며, 형태·색채에 변화가 많고, 큰 것은 전장 22cm에 달하는 것도 있고, 작은 것은 5cm, 체중 2.8그램으로서 조류 중 가장 작음. 다리는 매우 짧고, 깃털의 색채도 각색이나 대체로 강한 금속 광택을 띠며 아주 고움. 부리의 모양·길이도 종류에 따라 다름. 나는 힘이 강하고 고속으로 날 수 있음. 벌처럼 공중의 일점에 날면서 정지하여 꿀을 빨아 먹음. 긴 혀로 꽃 속에서 꿀·곤충·거미 등을 끌어내어 먹고 꽃가루를 매개함. 가지 위에 솜·털·이끼 등속을 거미줄로 얽어 작은 것은 호두만한 집을 만들고, 그 속에 작은 알을 둘 낳음. 옆의 그림은 북미에 가장 흔한 붉은목벌새(*Archilochus colubris*)임. 꿀새.

〈벌새〉

벌:-샘 명 〈방〉 샘²(경북).
벌:샛-과【—科】명〖조〗〔Trochilidae〕벌새목에 속하는 한 과.
벌-생 명 ↗벌사양.
벌-서다【罰—】자 잘못한 것이 있어 서 있는 벌을 받다. ¶ 30 분 동안이나 ~. *벌쓰다.
벌선【伐善】[—썬] 명 자기의 장처(長處)를 자랑함. ——하다 자여불
벌성지-광약【伐性之狂藥】[—썽—] 명 여색(女色)에 빠지어 타락하게 하는 약. 곧, 술의 별칭.
벌성지-부【伐性之斧】[—썽—] 명 여색(女色)에 빠지면 사람의 성명(性命)에 해롭다는 말.
벌수【罰水】[—쑤] 명 벌(罰)물²❶.
벌수지【伐首只】[—쑤—] 명〖역〗충청 남도 당진군(唐津郡) 지역에 있었던 백제 때의 현(縣). 부지(夫只).
벌-술【罰—】[—쑬] 명 벌로 먹이는 술. 벌주(罰酒).
벌시로 부 〈방〉 벌써(경남).
벌써 부 〔중세 : 볼써〕 ①이미 오래 전에. ¶ 그 소식은 ~ 들어 알고 있다. ②예상(豫想)보다 빠르게. 어느새. ¶ ~ 아이가 둘이나 된다.
벌쎄 부 〈방〉 벌써(전라·경남).
벌:-쐬다 자 ①벌의 독(毒)바늘에 찔리다. ②밤이 익기 전에 송이가 병적으로 터지어 벌어지다.
[벌쐰 사람 같다] 왔다가 머무를 사이도 없이 곧 가버림을 가리키는 말.
벌-쓰다【罰—】자 잘못한 것이 있어 벌을 당하다. *벌서다.
벌-씌우다【罰—】[—씨—] 사동 벌쓰게 하다. ¶ 선생은 그 아이를 벌씌웠다.
벌:어-들이다 자 일을 하여 돈이나 물건을 벌어서 가져오다.
벌:어-먹다 자 벌이를 하여 먹고 살다. ¶ 겨우 ~.
벌어지 명 〈옛〉 벌레. =벌에. ¶ ᄯᅩ ᄂᆞᄂᆞᆫ 벌어질 잡노라 사ᄅᆞᄆᆞᆯ 마리티ᄂᆞ다(更接飛蟲打著人)《杜諺 X:7》.
벌:어-지다 자 ①갈라져서 사이가 뜨다. ¶ 틈이 ~. ②두 사람 사이가 버성기게 되다. ③활짝 펴져서 넓게 열리다. ¶ 밤송이가 ~. ④가로 퍼져서 뚱뚱하게 되다. ¶ 딱 벌어진 어깨. ⑤일이 생기어 터지다. ¶ 싸움이 ~. ⑥식물의 가지 따위가 옆으로 번게 되다. ¶ 향나무 가지가 옆으로 ~. ⑦잔뜩 늘어놓이다. ¶ 술상을 떡벌어지게 차리다. 1)-3): >바라지다.
벌에 명 〈옛〉 벌레. ¶ 벌에 곤(蜫), 벌에 튱(蟲)《字會 下 3》.
벌에중싱 명 〈옛〉 벌레. '중싱'은 '짐승'의 뜻. ¶ 사ᄅᆞ미 ᄃᆞ외락 벌에중싱이 ᄃᆞ외락ᄒᆞ야《月釋 I:12》.
벌역【罰—】명 〈방〉 버력¹.
벌열【閥閱】명 나라에 공로가 많고 벼슬 열력(閱歷)이 많음. 또, 그 집안. 벌족(閥族). ——하다 형여불 →번열하다.
벌-윷 [—륟] 명 윷놀 때 정한 자리 밖으로 떨어져 나간 윷짝.
벌:음 명〖건〗건물의 한 면(面)에서 보이는 몇 칸살의 벌어져 있는 길이. ¶ 삼 칸 ~/~이 크다.
벌음지【伐音支】명〖역〗충청 남도 공주시(公州市) 신풍면(新豐面) 지역에 있었던 백제 때의 현(縣). 무부(武夫).
벌:의-줄 명 〈방〉 벌이줄❶❷.
벌:의-집 [—/—에—] 명 벌집❷.
벌:이 명 먹고 살기 위하여 일을 하고 돈을 버는 일. 생업. 돈벌이. ¶ ~가 좋다. ——하다 자여불
벌:이다 타 ①일을 베풀어 놓다. ¶ 일을 크게 ~/싸움을 ~. ②가게를 차리다. ¶ 생선 가게를 ~. ③물건을 늘어놓다. ¶ 상품을 벌이어 놓고 판다. 1)·3): >발리다. *벌리다².
벌:이-줄 명 ①물건을 버티어서 이리저리 얽어 매는 줄. 버팀줄. ②과녁의 솔대를 켕겨 매는 줄. ③지연(紙鳶)에 벌여 매는 줄.
벌:이줄(을) 잡다 구 지연(紙鳶)에 벌이줄을 벌여 매다.
벌:이-터 명 벌이하는 일터.
벌:인-춤 명 이미 시작한 일을 중간에 그만둘 수 없음을 가리키는 말. 기장지무(旣張之舞). 벌린춤. ¶ ~이니 끝장을 봐야지.
벌:임-새 명 사물을 많이 벌리어 놓은 형편이나 모양. 또, 그러한 경우의 일이나 모양. ¶ 그 상품의 ~가 훌륭하다.
벌:잇-속 명 ①돈벌이의 실속. ¶ ~이 좋다. ②벌이하는 속내.
벌:잇-자리 명 돈벌이를 하는 자리.
벌:잇-줄 명 돈벌이를 할 수 있는 길. 밥줄. ¶ ~이 끊어지다.
벌작【罰爵】[—짝] 명 ①옛날 군신(君臣)이 함께 술자리를 베풀었을 때, 예의에 어긋난 사람에게 벌로 술을 먹이던 일. ②벌주(罰酒).
벌전【罰錢】[—쩐] 명 약속을 어기거나 하여 벌로 내는 돈. 벌금.
벌절라【伐折羅】명 발절라(跋折羅).
벌점【罰點】[—쩜] 명 잘못한 일이 있어 벌로 따지는 점수. 다른 점수에서 벌로 빼내는 점수. ¶ ~을 주다.
벌점-제【罰點制】[—쩜—] 명 〔bad mark system〕 레슬링에서, 경기의 결과에 따라 경기자에게 벌점을 과(課)하는 일. 레슬링은 폴승(fall勝)을 목적으로 하기 때문에 폴승이나 그에 상응(相應)하는 승리 이외에는 벌점을 과하되, 폴패(fall敗)에는 4점을 과하는 등으로 벌점의 총계가 6점이 넘으면 그 경기자(競技者)는 경기에서 제외됨.
벌제【伐祭】[—쩨] 명 남의 제삿집에 가서 제사 음식을 달라고 하여 얻어먹는 일. 토제(討祭). ——하다 자여불
벌제 위명【伐齊爲名】[—쩨—] 명 〔중국 전국(戰國) 때, 연(燕)나라의 장수 악의(樂毅)가 제(齊)나라를 치는 것을 보고 제(齊)의 장수 전단(田單)이 반간(反間) 놓기를 '악의가 벌제(伐齊)한 후 제왕(齊王)이 되려고 한다'고 연나라에 퍼뜨리어 연왕(燕王)이 듣고 악의를 불렀다는 데서 나온 말〕 어떤 일을 하는 체하고 속으로는 딴 짓을 함을 가리키는 말. 또는 유명 무실(有名無實)함을 이르는 말.
벌족【閥族】[—쪽] 명 벌열(閥閱). ¶ ~ 정치.
벌주【罰酒】[—쭈] 명 벌로 억지로 먹이는 술. 벌술. 벌작. ↔상주(賞酒).
벌-주다【罰—】타 벌을 가하다. 벌을 당하게 하다. *벌받다.
벌직【罰直】[—찍] 명 벌번(罰番).
벌:-집 [—찝] 명 ①벌이 산란(産卵)하고 먹이와 꿀을 저장하며 생활하는 집. 일벌의 흉부(胸部)에서 분비한 밀 같은 물질(物質)과 수지(樹脂)로써 만들며 많은 층(層)과 방(房)으로 되어 있음. 땅속·나무 밑·바위 틈에 지음. 봉소(蜂巢). 봉방(蜂房). ②소의 양(䑋)에 벌집같이 생긴 고기. 탕거리로 씀. 벌의집.
[벌집을 건드렸다] 섣불리 건드리고 큰 탈을 만났을 때에 일컫는 말.
벌:집(을) 쑤신 것 같다 구 소란이 커져서 수습을 할 수 없게 되다.

꽃가루 꿀
번데기
유충
알
왕대(王臺)
〈벌집❶〉

벌:집-위【—胃】[—찝—] 명 〔honeycomb〕〖생〗반추 동물(反芻動物)에 있는 벌집 모양으로 생긴 둘째 위. 제일위(第一胃)와 함께 음식물을 혼합하여 다시 입으로 내보내는 작용을 함. 봉소위(蜂巢胃). 제이위(第二胃). *반추위(反芻胃).
벌:집-틀 [—찝—] 명〖공〗이형 공대(異形孔臺).
벌째기 명 〈방〉 볼¹❶.
벌쩍-거리다 자타 ①일어나려고 애를 써서 조금씩 움직이다. ②빨래를 두 손으로 맞잡고 조금씩 비비어 빨다. 1)·2): >발짝거리다. **벌쩍-벌쩍** 부. ——하다 자타여불
벌쩍-대다 자타 벌쩍거리다.
벌쭉-거리다 자타 ①무엇이 벌려졌다 여며졌다 하여 그 속의 것이 드러났다 가려졌다 하다. 또, 그리되게 하다. ②이가 보일 듯 말 듯 하게 입을 벌리며 소리 없이 웃다. ¶ 뭐가 좋아서 벌쭉거리는구《劉賢鍾 : 들꽃》. 쓰뻘쭉거리다. >발쭉거리다. **벌쭉-벌쭉** 부. ——하다 자타여불
벌쭉-대다 자타 벌쭉거리다.
벌쭉-이 부 벌쭉하게. 쓰뻘쭉이. >발쭉이.
벌쭉-하다 형여불 좁고 길게 벌어져서 쳐들려 있다. 쓰뻘쭉하다. >발쭉하다.
벌쯤-하다 형 〈방〉 버름하다.
벌찌 명 〈방〉 벙어리¹(평안).
벌창 명 ①물이 많아 넘침. ¶ 흙탕물이 ~하다. ②물건이 많이 퍼짐. ¶ 시장에 구호 물자가 ~하다. ——하다 자여불
벌채【伐採】명 나무를 베어 내고 섶을 깎아 냄. 채벌(採伐). ¶ ~ 허가. ——하다 타여불
벌책【罰責】명 죄과(罪過)를 책하여 가볍게 벌함. ¶ ~을 당하다. ——하다 타여불
벌책 처:분【罰責處分】명 가볍게 벌하여 처분함. ——하다 타여불
벌초【伐草】명 무덤의 잡초를 베어서 깨끗이 함. ——하다 자여불
벌초 사래【伐草—】명 묘지기가 벌초하는 값으로 부쳐 먹는 사래.
벌총 명 〈방〉 벌충. ——하다 타
벌충 명 모자라는 것을 다른 것으로 대신 채움. ¶ 결손을 ~하다. ——하다 타여불
벌-치¹ 명 벌판에 심어 놓고 손을 대지 아니하는 참외. 크기만 하고 맛이 적음.
벌치² 명 〈방〉 벙어리¹(황해).
벌칙【罰則】명 법규에 대한 위반 행위의 처벌을 정하여 놓은 규칙. ¶ ~을 강화하다.
벌:-침¹【—針】명 암펄의 꼬리에 있는 독침(毒針). 다른 동물을 찔러 독을 주입(注入)함.
벌:-침²【—鍼】명 벌의 침(針)으로 환부(患部)를 찌르는 침(鍼).
벌커나이즈드 파이버 〔vulcanized fiber〕 명〖공〗헝겊 같은 것을 염화 아연의 짙은 수용액에 담근 다음 압축하여 만든 가죽 대용품. 전기 절연물·트렁크·배낭(背囊) 등의 재료로 씀. 준파이버.
벌컥 부 ①기운이 갑자기 세게 치밀어 오르는 모양. ¶ ~ 성내다. ②흔히 비유적으로, 어떤 상태 따위가 갑자기 뒤집히는 모양. ¶ 집안이 ~ 뒤집히다. 1)·2): 쓰뻘컥. >발칵.
벌컥-거리다 一 자 ①빚어 담근 술이 몹시 부걱거리며 연하여 괴어 오르다. ②빨래를 삶을 때에 연하여 크게 부풀어 오르다. ③액체를 세차게 여러 모금 들이마시다. 1)-3): 쓰벌꺽거리다. 1)·2): >발칵거리다. 二 타 무엇을 주물러 반죽하거나 진흙을 밟아서 옆으로 비어져 나오게 하다. 쓰벌꺽거리다. >발칵거리다. **벌컥-벌컥** 부. ¶ 물을 ~ 들이마시다. ——하다 자타여불
벌컥-대다 자타 벌컥거리다.
벌컨 〔Vulcan〕 명 ①〖신〗불카누스(Vulcanus). ②〖천〗수성(水星) 궤도(軌道) 안쪽에 궤도를 가진 것으로 여겨지는 가설상(假說上)의 행성(行星). 1859년부터 수년 동안 그 존재가 연구되었으나, 현대의 천문학자들은 그 존재를 부정함.
벌컨-포【—砲】〔Vulcan〕 명〖군〗한데 묶인 6개의 총신을 회전시키어 연속적으로 발사하게 된 항공 기관포. 구경(口徑) 20 mm. 대공(對空) 방어 시스템과 연동시켜 수상(水上) 함정에도 장비함.
벌컨 화:약【—火藥】명 〔vulcan powder〕 고성능 폭약의 한 가지. 30%의 니트로글리세린, 25.5%의 질산(窒酸) 나트륨, 10.5%의 목탄(木炭), 7%의 황으로 이루어짐.
벌크 〔bulk〕 명 상품이 포장되어 있지 않고 낱낱이 흩어져 있는 상태. ¶ ~ 판매/~ 적재의 곡물.
벌크 라인 〔bulk line〕 명 일정한 크기를 나타내는 선(線)이란 뜻으로, 생산비에 의거하여 물가를 결정할 때 사용하는 말.
벌크-선【—船】〔bulk〕 명 곡물(穀物)이나 석탄 따위 짐을 꾸리지 않고 흩어진 채로 싣고 운송하는 배. 산적(散積) 화물선. 벌크 캐리어.
벌크 와인 〔bulk wine〕 명 병에 담겨 있지 않은 포도주. 원료로서 수입(輸入)됨.
벌크 카:고 〔bulk cargo〕 명 광물이나 석탄 등 꾸리지 아니하고 흩어진 채 싣는 짐. 산적 화물(散積貨物).
벌크 캐리어 〔bulk carrier〕 명 벌크선.
벌키 〔bulky〕 명 ①굵은 모사(毛絲). 또, 특수 가공으로 모사처럼 만든

합성 섬유. ②투박하여 거친 감이 드는 복장(服裝). 굵은 털실로 크게 짠 스웨터 따위.

벌키 가공【—加工】〔bulky〕 명 화학 섬유의 부피를 늘리는 가공. 보통, 섬유에다 소용돌이·물결 모양을 붙여 부피가 늘게 함과 동시에 탄력성을 갖게 하는 신축성 가공을 말함.

벌키 스웨터〔bulky sweater〕 명 굵은 실을 사용하여 거칠고 투박하게 짠 스웨터.

벌-타령【—打令】 명 무슨 일에 규율이 없고 난잡함을 일컫는 말. ¶어른이 없다고 ～으로 놀아선 안 된다.

벌-태기 명 〈방〉 볼¹❶.

벌-태독【—胎毒】 명 〔의〕 태독의 하나.

벌택 명 〈방〉 무턱.

〈벌통〉

벌터-질 명 활터에 들 형편이 못 되는 활량이 들이나 산등성이 같은 데서 활쏘기를 연습하는 일. ——하다 자여불

벌:-통【—桶】 명 꿀벌을 치는 통.

벌-통시 명 〈방〉 한뎃뒷간(경상).

벌판 명 넓은 들판. 원야(原野).

벌-하다【罰—】 타여불 벌을 주다. 처벌하다. *벌쓰다.

벌환【罰鍰】 명 정하여진 금액의 돈을 내어 죄를 보상하게 함.

벌휴-왕【伐休王】 명 〔사람〕 신라의 제9대 왕. 성(姓)은 석(昔)씨. 탈해왕(脫解王)의 손자. 구추 각간(仇鄒角干)의 아들. 왕 2년(185)에 군주(軍主)를 두었는데 신라 관직에 군주(軍主)란 이름이 이 때부터 생김. [?-196; 재위 184-195]

벌-흙 [—흑] 명 〔광〕 광산(鑛山) 구덩이에서 광물이 나기 전의 흙.

범:¹ 명 〔중세 : 범〕 〔동〕 호랑이.
[범 가는 데 바람 간다] 언제나 떨어지지 않고 같이 다님을 일컫는 말. [범 굴에 들어가야 범을 잡는다] 목적을 달성(達成)하려면 직접 그 위험한 곳에 들어가야만 한다는 뜻. 곧, 그만한 위험과 노력을 겪어야 성사한다는 말. [범 나비 잡아먹듯] 범은 양(量)이 커서 작은 나비 한 마리를 먹는다 해도 먹는 둥 마는 둥 하다는 뜻으로, 음식 같은 것이 양이 차지 아니할 때에 쓰는 말. [범도 보기 전에 똥을 싼다] 지레 겁을 낸다. [범도 새끼 둔 곳을 두남 둔다] 범도 제 새끼를 둔 굴을 끔찍이 여긴다는 뜻으로, 자기와 관계가 있는 것이면 대단하게 생각하는 것이 당연하다는 말. [범도 제 소리 하면 오고, 사람도 제 말 하면 온다] 남의 말을 하자 마침 그 사람이 나타났을 때에 하는 말로, 그 사람이 없다고 그 사람의 흉구덕을 하지 말라는 말. [범도 죽을 때 제 굴에 가 죽는다] 누구나 죽을 때는 자기가 난 고장을 그리워한다는 말. [범 아가리에 날고기 넣는 셈] 욕심 사나운 자에게 간 물건은 도로 찾지 못한다는 말. [범 없는 골에는 토끼가 스승이라] 잘난 사람이 없는 곳에서 못난 사람이 잘난 체함을 비유하는 말. [범에게 물려 가도 정신을 차려라] 당연히 죽을 경우라도 정신을 차리면 살 길이 나선다는 말. [범에 날개] 범은 민속(敏速)한 동물인데 거기에다 날개까지 돋치면 그 위력(威力)을 더한다는 뜻으로, 원래 위대한 힘을 가진 데다가 더 큰 위력이 가하여졌을 때에 이르는 말. [범은 그려도 뼈다귀는 못 그린다] 겉 모양은 볼 수 있어도 그 내막(內幕)은 모른다는 말. [범을 그리려다 개를 그린다] '화호 불성(畫虎不成)'과 같은 말. [범을 길러 화(禍)를 받는다] 화근을 길러 스스로 걱정거리를 산다는 말. 양호 유환(養虎遺患). [범을 보니 무섭고 범 가죽을 보니 탐난다] 힘드는 노력은 하기 싫고, 그 이득에 대해서는 욕심이 난다는 말. [범의 입을 벗어난다] 매우 위급한 경우를 벗어난다는 말. 호구(虎口)를 벗어나다. [범의 차반] 여투어서 모을 생각은 아니하고 생기는 대로 다 써 버림에 비유하는 말. [범이 날고기 먹을 줄 모르나] 뻔한 사실이 아니냐는 말. [범이 불알을 동지에 얼구고 입춘에 녹인다] 동지부터 추워져서 입춘부터 누그러진다는 말. [범 잡아 먹는 담비가 있다] 범 같은 맹수를 잡아먹는 담비가 있다는 말로, 곧 위에는 위가 있다는 뜻이니, 혼자 잘난 체하지 말라는 말. [범 탄 장수 같다] 장수가 날래고 용맹스러운 범을 탔다는 뜻으로서, 위세(威勢)로운데 또 위력이 가(加)해진 사람을 보고 일컫는 말.

범:같은 장수 구 사납고 위엄 있는 장수.

범:본 여편네 창구멍 틀어막듯 구 ㉠공연히 황급하게 서두르는 모양. ㉡배고픈 사람이 밥을 분주히 퍼먹는 것을 보고 하는 말.

범:의 아가리 구 호구(虎口).

범:의 어금니 구 매우 요긴한 사물의 비유.

범²【凡】 명 성(姓)의 하나. 우리 나라에는 현존하지 아니함.

범:³【汎】 명 성(姓)의 하나. 우리 나라에는 현존하지 아니함.

범:⁴【泛】 명 성(姓)의 하나. 우리 나라에는 현존하지 아니함.

범:⁵【范】 명 성(姓)의 하나. 본관(本貫)은 나주(羅州) 단본(單本)임.

범:⁶【梵】 명 〔범 brahman〕〔불교〕 인도 바라문교에 있어서의 우주(宇宙)의 최고 원리(最高原理) 또는 신(神).

범⁷【凡】 부 무릇².

범:-【汎】 두 어떠한 명사 앞에 붙어서, '널리 전체(全體)에 걸치는'의 뜻을 나타내는 말. ¶～태평양 회의/～국민 운동.

-범【犯】 미 '범행·범인'의 뜻. ¶살해～/형사～/단독～.

범:-가자미 명 〔어〕 [*Verasper variegatus*] 붕넙칫과에 속하는 바닷물고기. 몸길이 30-60cm로 눈이 오른쪽에 있고, 몸빛은 암갈색 바탕에 크고 작은 흑갈색과 유백색의 반문이 있으며, 왼쪽은 흰 빛임. 입은 몹시 만곡되고, 뒷지느러미에 가시가 하나 있음. 유안측(有眼側)은 빗비늘이고, 무안측(無眼側)은 둥근 비늘에 빗비늘이 다소 섞여 있음. 한국 서남부 연해 및 일본 중부 이남에 분포함. 겨울철에 맛이 좋음.

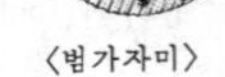
〈범가자미〉

범:각【梵閣】 명 〔불교〕 범궁(梵宮)❷.

범:간¹【犯姦】 명 강간·간통 등의 간음죄를 범함. ——하다 자여불

범:간²【泛看】 명 눈여겨 보지 아니하고 데면데면하게 봄. ——하다 타여불

범:강-장달이【范彊張達—】 명 키가 크고 흉악하게 생긴 사람을 가리키는 말.

범:강장달이 같다 구 범강·장달은 삼국지(三國志)에 나오는 인물(人物)로 그 대장 장비(張飛)를 죽인 사람이니, 힘세고 흉악한 인물 같다는 말. ¶범강장달이 같은 삯군 몇 놈만 사 데리고 이씨 부인의 사지를 꽉꽉 동여다가 《李海朝:鬢上雪》.

범:-게¹ 명 〔동〕 [*Orithyia sinica*] 면두겟과에 속하는 게의 하나. 갑각(甲殼)의 길이 90.2mm, 폭 78.2mm 내외이며, 갑면(甲面)은 다소 융기(隆起)하고 작은 과립(顆粒)으로 싸였는데, 큰 과립은 열 한 개가 규칙적으로 배열되어 있음. 한국·중국·만주 등지에 분포함.

〈범게〉

범:게²【梵偈】 명 〔불교〕 불경(佛經)의 시사(詩詞). 게(偈)는 찬미(讚美)의 말.

범:-게르만주의【汎—主義】[—/—이] 명 〔Pan-Germanism〕 〔정〕 19세기말부터 20세기초 독일·오스트리아를 중심으로 게르만 민족이 뭉쳐가 되어 세계의 패권을 잡고자 하던 주의. 트라이치케(Treitschke)가 주창(主唱)하고 카이저(Kaiser)가 정책화(政策化)하였으나, 제1차 세계 대전 결과 수포(水泡)로 돌아갔음. 범독일주의(汎獨逸主義). 판게르마니스무스(Pan-Germanismus). 팬저머니즘(Pan-Germanism).

범경¹【凡境】 명 〔불교〕 보통 장소. ↔영지(靈地).

범:경²【梵境】 명 〔불교〕 사원(寺院)의 경내(境內).

범:계¹【犯戒】 명 계율(戒律)을 범함. 계칙(戒飭)을 어김. ——하다 자여불

범:계²【犯界】 명 남의 지경(地境)을 침노함. ——하다 자여불

범:-고래 명 〔동〕 [*Grampus orca*] 돌고랫과에 속하는 고래의 하나. 몸길이는 수컷이 9m, 암컷은 4.5m 가량이고, 몸빛은 흑색에 두흉부 아래와 체측(體側)에 뚜렷한 백반(白斑)과 등지느러미 뒤에 반달 모양의 자색 반점이 있음. 주둥이는 뭉뚝하고 아래윗니는 각각 40-50 개이며 등지느러미가 큰데 직립(直立)하고 가슴지느러미는 달걀꼴임. 40 마리 가량씩 떼지어 다니며, 성질이 사나워서 다른 고래나 물고기를 잡아먹음. 북극·남극 및 여러 해양(海洋)에 분포함. 도극경(倒戟鯨).

〈범고래〉

범골【凡骨】 명 ①도(道)를 닦지 못한 범인(凡人). ②신라 때 성골(聖骨)이나 진골(眞骨)이 아닌 평민(平民)을 가리키던 말.

범:-골수로【汎骨髓癆】[—쑤—] 명 〔panmyelophthisis〕〔의〕 적혈구·백혈구·혈소판 등의 골수 조혈(造血) 조직의 전(全)계통이 폐퇴(廢頹)해 있는 상태.

범:과¹【犯科】 명 범법(犯法). ——하다 자여불

범:과²【犯過】 명 허물을 저지름. ——하다 자여불

범:과³【泛過】 명 정신을 차리지 않고 데면데면하게 지나감. ——하다 자여불

범:국민-적【汎國民的】 명관 널리 국민 전체에 관계되는 모양. ¶～운동/～행사.

범:-굴【—窟】 명 범이 사는 굴. 호굴(虎窟). 호혈(虎穴).

범:-굿 명 〔민〕 동해안 지역에서 베풀어지는 별신(別神)굿의 한 제차. 호랑이의 해(害)를 면하고자 하는 기원에서 유래된 굿거리임. 범안굿. 호탈굿. 호석(虎席).

범:궁【梵宮】 명 〔불교〕 ①범천(梵天)의 궁전(宮殿). ②절과 불당(佛堂)의 총칭. 범각(梵閣). 범왕궁(梵王宮).

범:궐【犯闕】 명 〔역〕 대궐(大闕)을 침범함. ——하다 자여불

범그룸 자 〈옛〉 둘림. 얽힘. '범글다'의 명사형. ¶雜거시 범그룸과 쁘데 法이 흠쾌라 《釋譜 XIII:38》.

범:근【犯斤】 명 〈이두〉 버금. 다음.

범글다 자 〈옛〉 얽히다. =버믈다². ¶오히려 疑悔예 범그로이다(尙紆疑悔) 《楞嚴 Ⅳ:4》/오히려 범글면(尙縈) 《楞嚴 Ⅳ:4》.

범:금【犯禁】 명 금제(禁制)하는 것을 범함. ——하다 자여불

범:금 팔조【犯禁八條】[—쪼] 명 〔역〕 고조선의 여덟 조항의 금법. 그 중 3개조만이 전하고, 나머지는 전하지 아니함. 첫째, 살인자는 사형에 처하고, 둘째, 남을 상한 자는 곡물(穀物)로써 보상하며, 셋째, 남의 물건을 도둑질하면 그 주인의 노예가 되는 것이 원칙이나 속죄(贖罪)하고자 하면 매인당(每人當) 50만 전(萬錢)을 내놓아야 한다는 것 등. 기자 팔조교. *팔조지교.

범:-꼬리 명 〔식〕 [*Bistorta vulgaris*] 마디풀과에 속하는 다년초. 근경(根莖)은 두툼하고 흑갈색의 수근(鬚根)이 있음. 줄기가 길고 높이 80cm에 달하며, 근엽(根葉)은 총생(叢生)하고, 잎자루가 길며, 경엽(莖葉)은 호생하고 잎자루는 짧거나 또는 없음. 엽초(葉鞘)는 막질(膜質)이고, 길이 3-5cm 가량이며 아래쪽은 다소 백색을 띰. 7-8월에 담홍색 꽃이 수상(穗狀) 화서로 피고, 과실은 수과(瘦果)임. 깊은 산에 나는데, 거의 한국 각지(各地)에 분포함.

〈범꼬리〉

범:-나방 명 〔충〕 두줄제비나방붙이.

범:-나비 명 〔충〕 호랑나비.

범:나비-벌레 명 〔충〕 호랑나비의 유충(幼蟲). 몸빛은 녹색이고, 머리 위에 두 개의 뿔이 있음. 감귤류(柑橘類)·향나무·황경피나무·초피나무 등의 잎을 갉아먹음. 소오촉(小烏蠋).

범:-날 명 〔민〕 ①'인일(寅日)'의 속칭. ②특히, 음력 정월의 첫 인일(寅日). 호환(虎患)을 예방한다는 뜻에서, 남과 서로 왕래를 하지 않으며,

특히, 여자는 외출을 삼감. 상인일(上寅日).

범:납【梵衲】명〖불교〗중.

범:노【犯怒】명 노함. 화를 냄. ——-하다 자여불

범:-논리주의【汎論理主義】[—놀—/—놀—이] 명〖철〗범리론(汎理論).

범:독【泛讀】명 정신을 기울이지 않고 읽음. 데면데면하게 읽음. ——「하다 타여불

범:-독일주의【汎獨逸主義】[—/—이] 명〖정〗범게르만주의.

범:-돔 명〖어〗[*Microcanthus strigatus*] 범돔과에 속하는 바닷물고기. 몸길이는 20cm 가량, 나비고기와 비슷하나, 조금 길고 측편(側扁)함. 몸빛은 황색으로 체측(體側)에 다섯 줄의 얼룩진 검은 세로띠가 있음. 온대성 어종으로 연안 암초 사이에서 작은 동물을 잡아먹고 사는데, 한국 남부해 특히 부산·제주도 연해에 흔하고 일본 중부 이남·중국·오스트레일리아·하와이 등의 연해에 분포함. 맛이 좋으며 관상용 어류의 하나임.

〈범돔〉

범:돔-과【—科】[—꽈] 명〖어〗[Scorpididae] 농어목에 속하는 어류의 한 과. 이 과에 속하는 것으로는 범돔 하나가 알려져 있음.

범땅개미 명〈방〉〖충〗버마재비(충남).

범:-띠 명〖민〗인생(寅生)을 범의 속성(屬性)을 상징(象徵)하여 일컫는 「말. 호랑이띠.

범:란【汎瀾】[—난] 명 물결이 널리 퍼짐. 전(轉)하여, 사물(事物)이 퍼짐.

범:람【氾濫·汎濫】[—남] 명 ①물이 넘쳐 흐름. 범일(汎溢). ¶ 큰비로 강이 ~하다. ②바람직하지 못한 것들이 크게 나돎. ¶ 외래어의 ~/악서(惡書)가 ~하다. ——-하다 자여불

범:람-만【氾濫灣】[—남—] 명〖지〗토지가 서서히 침강(沈降)하여 생긴 저지(低地)에 바닷물이 범람하여 이루어진 만. 발해만(渤海灣) 같은 것. ↔계단(階段)만·함몰(陷沒)만.

범:람-원【氾濫原】[—남—] 명〖지〗하천(河川)의 양쪽 곁에 있는 낮은 땅. 곧 평상시에는 물이 들지 않고 홍수(洪水)가 날 적에만 침수(浸水)되는 땅. 모래나 진흙으로 되어 있는데, 여기에다 농사를 많이 지음. 홍함지(洪涵地). 홍함 평원(洪涵平原).

범:람-해【氾濫海】[—남—] 명〖지〗해진(海進)에 의하여 생긴 얕은 바 「다.

범:-러시아주의【汎—主義】[Russia][—/—이] 명 범슬라브주의(汎Slav 主義).

범:-려【范蠡】[—녀] 명〖사람〗중국 춘추(春秋) 시대 월(越)나라의 재상. 초(楚)나라 사람. 자는 소백(少伯). 월왕(越王) 구천(句踐)을 잘 도와, 오왕 부차(吳王夫差)를 죽여 회계(會稽)의 치욕을 씻게 했음. 뒤에 제(齊)나라에서 크게 치부(致富)하여 소위 도주공의 부(富)를 쌓음. 도주공(陶朱公).

범:령【犯令】[—녕] 명 법령(法令)을 범함. ——-하다 자여불

범:령-론【汎靈論】[—녕논] 명〖철〗범리론(汎理論)과 범의론(汎意論) 과를 조화시킨 학설. 우주의 본체(本體)는 의지(意志)와 관념이라고 하는 학설. 독일 철학자 하르트만(Hartmann; 1842-1906)이 주장함.

범례[1]【凡例】[—녜] 명 책 속의 대강(大綱)과 주의할 사항을 책 머리에 따서 적은 글. 일러두기. 예언(例言).

범:례[2]【範例】[—녜] 명 예시(例示)하여 모범으로 삼는 것.

범:례 학습【範例學習】[—녜—] 명〔도 Das Exemplarische Verfahren〕독일에서 1950년대부터 시도되고 있는 새로운 교수 방법. 지식의 과중으로부터 탈출하기 위하여, 본질적인 교재를 정선(精選)하여 그것을 범례로서 철저하게 학습시키는 방식.

범:로【犯路】[—노] 명 ①통행(通行)이 금지된 길을 범함. ②집 같은 것을 지을 때 길을 범하여 지음. ——-하다 자타여불

범:로 작가【犯路作家】[—노—] 명 길을 범하여서 집을 지음. ——-하다 자여불

범:론[1]【汎論·汎論】[—논] 명 ①개괄적인 언론. ②범론(泛論).

범:론[2]【泛論】[—논] 명 요령을 알 수 없는 이론. 데면데면하게 들띄워 놓고 하는 말. 범론(汎論).

범:론-자【梵論字】[—논—] 명〖불교〗인도의 바라문(婆羅門) 가운데 남의 스승 되는 사람을 일컫는 말.

범류【凡類】[—뉴] 명 뛰어나지 못한 평범(平凡)한 사람의 부류.

범:리-론【汎理論】[—니—] 명〖철〗만유(萬有)의 본체(本體)를 이성(理性)이라고 하는 이론. 논리적 필연(必然)과 자연적 필연(自然的必然)을 동일시(同一視)하고, 논리적 사유(思惟)의 형식을 실재의 형식이라고 하여 세계의 전개(展開)를 논리적 법칙의 발전(發展)이라고 하는 이론. 헤겔의 논리적 유심론(唯心論)을 말함. 범(汎)논리주의.

범:망【梵網】명〖불교〗①잘못된 견해(見解). ②↗범망경.

범:망-경【梵網經】명〖불교〗대승계(大乘戒)의 제일경(第一經). 상권에는 보살의 심지(心地)가 전개되어 가는 모양을 썼고, 하권에는 대승계를 설하였음. ㊌범망.

범:-모기 명〖충〗[*Lutzia vorax*] 모깃과에 속하는 곤충. 몸길이 7mm, 암컷의 날개 길이는 5.7mm 가량임. 몸빛은 황백색 광채가 도는 암갈색인데 흉배(胸背)는 암적갈색과 황백색의 협곡린(狹曲鱗)으로 덮이고, 복배(腹背)는 흑갈색이며, 각 마디의 후연(後緣)에는 황백색 횡대(橫帶)가 있으며 측방(側方)에는 하얀 반문이 있음. 한국·일본 등지에 ˪분포함.

범목 명〈방〉무명[1](충북).

범:무【梵舞】명 전통적인 불교 의식 무용. 현재 전하는 유형으로는 나비춤·바라춤·법고춤·타주(打柱) 등 네 가지가 있음.

범:문【梵文】명 범서(梵書)❶.

범-문란【范文瀾】[—물—] 명〖사람〗'판 원란'을 우리 음으로 읽은 이름.

범물【凡物】명 하늘과 땅 사이의 모든 물건. 만물(萬物).

범:미【汎美】명 남미와 북미 양주(兩洲)의 총칭. ¶ ~ 회의(會議).

범:미-주의[1]【汎美主義】[—/—이] 명〔Pan-Americanism〕〖정〗남북 아메리카 대륙 제국간(諸國間)의 정치적·경제적 관계 개선 및 지역적 결속(結束)을 목적으로 하는 사상 및 그 운동. 여러 차례의 범미 회의에 의하여 범미 동맹·경제 블록 등이 조직되었으며, 미합중국이 사실상의 주도권을 쥐고 있음. 제2차 세계 대전 후는 공동 방위면이 강조됨. 범아메리카주의. ＊범미 회의.

범:미-주의[2]【汎美主義】[—/—이] 명〔도 Panästhetizismus〕〖철〗모든 것은 있는 그대로의 형태에 미적(美的) 성질을 갖추었다고 보는 입장.

범:미 회:의【汎美會議】[—/—이] 명〔Pan-American Conference〕미국의 제창으로 남북 아메리카의 21개국이 구성하는 범미 동맹의 연차 회의. 남북미 제국의 연대(連帶)를 강화하고 정치·경제상의 협력을 목적으로 하는 범미주의를 원리(原理)로 함. 1889년에 제1회 회의를 워싱턴에서 개최. 1948년 제9회 회의에서는 미주(美洲) 지구가 조직됨. 전미 회의(全美會議). ＊범미주의[1](汎美主義).

범민【凡民】명 모든 국민. 관리가 아닌 모든 백성. 서민(庶民). 서인(庶人). 하민(下民).

범:발【汎發】명〖의〗온몸에 작용함. 병변(病變)이 체내(體內)에서 넓은 범위로 생김. ¶ ~성(性). ——-하다 자여불

범:발성 공피증【汎發性鞏皮症】[—썽—쯩] 명〔라 scleroderma diffusa〕〖의〗공피증의 하나. 체표(體表)의 넓은 부분의 피부가 굳어지는 것으로, 처음에 부어 올랐다가 바로 경화(硬化)하며 일종의 광택이 나고 피부 색소가 많아져서 색이 검게 됨. ↔한국성 공피증.

범:-발톱 명 날카로운 두 개의 발톱이 맞물린 모양의 무늬. 또, 그런 모양으로 만든 노리개.

범:방【犯房】명 방사(房事)를 함. ——-하다 자여불

범배【凡輩】명 범인(凡人).

범백【凡百】명 ①여러 가지 사물. ②상궤(常軌)에서 벗어나지 아니하는 「언행. ¶ ~을 가르치다.

범백-사【凡百事】명 갖가지의 일. 온갖 일. 「~에 능하다.

범벅 명 ①늙은 호박과 콩·팥 따위를 푹 삶은 다음 거기에 곡식 가루를 섞어서 풀과 같이 되게 쑨 음식. ¶ 메밀 ~. ②뒤섞이어 갈피를 잡을 수가 없이 된 일이나 물건을 가리키는 말. ¶ 일이 ~이 되다.

[범벅에 꽂은 저(箸)라] 일이 확고 부동하지 못함을 비유한 말.

범벅(이) 되다 ㉮ 일이나 물건이 뒤섞이어 갈피를 잡을 수 없게 되다. 「장화가 온통 진흙 ~이 되다.

범벅-타:령【—打令】명 경기 잡가(京畿雜歌)의 한 가지로, 무당이 부르는 노래의 하나. 행실이 부정한 여인이 죄를 뉘우칠 때는 이미 늦은지라, 죽음으로써 뒷사람을 훈계하려는 내용이 담긴 서사 민요(敍事民謠)임. 열 두 가지 범벅 이름을 주워 섬긴 데서 생긴 이름임.

범:범-하다【泛泛—】형여불 사물(事物)에 대하여 꼼꼼하지 아니하고 데면데면하다. 범:범-히【泛泛—】부

범:법【犯法】[—뻡] 명 법(法)에 어그러지는 짓을 함. 범과(犯科). ¶ ~ 행위. ——-하다 자여불

범:법-자【犯法者】[—뻡—] 명 법을 범한 사람.

범:보-천【梵輔天】명〖불교〗초선천(初禪天)의 제2천(天). ＊범중천(梵衆天)·대범천(大梵天).

범:복【梵服】명〖불교〗범행(梵行)을 하는 비구(比丘)들이 입는 의복이라는 뜻으로, '가사(袈裟)'를 달리 일컫는 말.

범:본【梵本】명〖불교〗범어(梵語)로 씌어진 불경의 원본.

범부【凡夫】명 ①범인(凡人). ②〖불교〗번뇌에 얽매여서 생사를 초월하지 못하는 사람. 이생(異生).

범부-승【凡夫僧】명〖불교〗일체의 정견(正見)을 갖추고 널리 남을 위하여 가지가지 성도(聖道)의 법을 일깨워 주며 중생을 이익되게 하는, 중이 아닌 사람. ＊보살승(菩薩僧)·성문승(聲聞僧).

범:-부전나비 명〖충〗[*Rapala arata*] 부전나빗과에 속하는 곤충. 편 날개의 길이는 28-40mm이고, 춘형(春型)의 것은 날개 뒷면이 회백색이고, 하형(夏型)의 것은 담갈색이며, 그 사대(斜帶)는 황갈색, 뒷날개 표면에는 붉은 무늬가 있음. 한국·아무르·중국·일본·시베리아 등지에 분포함.

〈범부전나비〉

범:-부채 명〖식〗[*Belamcanda chinensis*] 붓꽃과에 속하는 다년초. 높이 1m 가량이고, 잎은 호생하며 넓은 칼 모양으로 넓게 퍼져서 칠부채와 비슷함. 7-8월에 황적색의 육판화(六瓣花)가 취산(聚繖) 화서로 가지 끝에 정생하여 피고, 삭과(蒴果)는 타원형, 씨는 까맣게 익음. 산과 들에 나는데, 제주도 및 한국 각지에 분포함. 관상용이고, 근경(根莖)은 한방(韓方)에서 '사간(射干)'이라 하여 인후병(咽喉病) 치료·하제(下劑) 등으로 씀.

〈범부채〉

범부-춤【凡夫—】명〖민〗경상 남도 밀양 지방의 토속적인 춤. 백중날을 전후하여 머슴들이 논매기를 마친 7월 보름경 하루를 즐기는 호미씻이에서 여러 가지 놀이와 함께 추어진 춤임.

범:분【犯分】명 제 신분에 어긋나는 짓을 함. ——-하다 자여불

범브다 자〈옛〉거치적거리다. ¶ 스지 가벼얍고 건장ᄒᆞ여 것기놀 범브미 업고(四肢輕健行無澁)《馬經 上 33》.

범븨다 ㊀형〈옛〉떫다. 깔깔하다. ¶ 범빌 숩(澁)《類合 下 53》. ㊁자〈옛〉마비되다. ¶ 스지와 몸과 범븨여(肢體癱瘓)《救簡 1:10》.

범비다 자〈옛〉거치적거리다. ¶ 삼관이 활ᄒᆞ고 삼부 부ᄒᆞ면 힘줄이 패ᄒᆞ야 앏도 범비며 뒤도 범비고(三關滑而三部浮筋敗而把前後)《馬經 上 23》.

범사【凡事】명 ①모든 일. ¶ ~에 조심해라. ②평범(平凡)한 일.

범:산【梵山】명『사람』김범린(金法麟)의 호(號).

범:살-문【—門】명 ☞범살장지.

범:살-장지【—障—】명『건』창살문의 장살·동살을 서로 에어물려서 짜지 않고 성기게 교차(交叉)되게 짠 장지문. 범살문.

범삼-덩굴 명〈방〉한삼덩굴.

범상[1]【凡常】명 대수롭지 아니하고 평범함. 심상(尋常). 용상(庸常). ¶~하지 않은 사람. ——-하다 형여불. ——-히 부

범:상[2]【犯上】명 아랫사람이 윗사람을 범함. 신하(臣下)가 임금을 범함. *하극상(下剋上). ——-하다 자여불

범:상[3]【犯狀】명 범죄(犯罪)의 상황(狀況).

범:상-판【帆狀瓣】명『생』방실판(房室瓣).

범:-새끼 명『동』범의 새끼. 개호주.

범:색【犯色】명 함부로 색을 씀. ——-하다 자여불

범:색 건판【汎色乾板】명 '팬크로매틱(panchromatic)'의 역어(譯語).

범:-생명관【汎生命觀】명 미개인은 물질과 마음을 구별하지 아니하고 모든 것을 영화(靈化)하여 생명과 의지를 갖는다고 생각하는 것으로 보는 설(說).

범서[1]【凡書】명 평범(平凡)한 서적(書籍).

범서[2]【凡庶】명 억서(億庶).

범:서[3]【梵書】명 ①범자(梵字)로 기록된 글. 범문(梵文). ②『불교』'불경(佛經)'의 일컬음.

범:선【帆船】명 돛단배. 돛배.

범:선 시대【帆船時代】명 주로 범선에 의하여 수상 교통을 하던 시대. 목선 시대(木船時代)의 다음. 로마 시대부터 증기선(蒸氣船)이 발명되어 실용화(實用化)한 18세기 말엽까지의 시대.

범:설【汎說】명 개괄(概括)하여 설명함. 또, 그 설명. 개설(概說). ——-하다 타여불

범성【凡聖】명 범인(凡人)과 성인(聖人).

범:-성대【范成大】명『사람』중국 남송(南宋)의 정치가. 자는 치능(致能). 호는 석호 거사(石湖居士). 쑤저우(蘇州) 출신. 1174년 쓰촨(四川) 총독, 1177년 재상이 됨. 시인으로는 남송 사대가(四大家)의 한 사람으로 꼽히는데 특히 그 전원 풍물시는 유명함. 저서 《전원 잡흥(田園雜興)》·《석호 거사 시집》. [1126-93]

범:성-설【汎性說】명 무엇에나, 그리고 무엇보다도 성적(性的)인 것을 강조하는 프로이트의 이론.

범성 일여【凡聖一如】명『철』상(相)의 차이는 있으나, 이성(理性)에 있어서는 범부(凡夫)나 성자(聖者)가 동일하다는 말.

범:-세(:)향【范世享】명『사람』'앵베르(Imbert, Laurent Marie Joseph)'의 한국 이름.

범소[1]【凡小】명 인물(人物) 등이 평범하고 작음. ——-하다 형여불

범:소[2]【犯所】명『법』죄를 범하던 그 자리.

범속【凡俗】명 평범하고 속됨. ¶~한 사람들. ——-하다 형여불

범속-성【凡俗性】명 평범하고 속된 성질.

범수[1]【凡守】명 야구에서, 평범한 수비(守備).

범수[2]【凡數】명『불교』수많은 범부(凡夫), 곧 많은 중생(衆生)을 일컫는 말.

범:수[3]【犯手】명 ①남에게 먼저 손찌검을 함. ②범용(犯用). ——-하다 타여불

범:수-론【汎水論】명 수성론(水成論).

범:-슬라브주의【汎—主義】[—/—이] 명〔Pan-Slavism〕『정』모든 슬라브 민족의 문화적·정치적 통합을 꾀하는 주의. 18세기말에 비롯된 것으로, 특히 제정(帝政) 러시아에서 모든 슬라브 민족을 차르(tsar) 아래에 결속시키려고 한 운동. 범러시아주의.

범승[1]【凡僧】명『불교』①범용(凡庸)한 중. ②전당(建幢)하지 못하여 종사(宗師)가 되지 못한 중. 「고 깨끗한 중.

범:승[2]【梵僧】명『불교』계행(戒行)을 지키는 중. 행덕(行德)이 단정하

범:식【範式】명 ①예절이나 기물(器物)의 모범(模範)이 될 만한 양식(樣式). ②『수』공식(公式)❸.

범:신-교【汎神敎】명〔pantheism〕『종』만유(萬有)는 신(神)이며 신은 곧 만유 일체(一切)라고 보는 종교. 만유신교. *범신론(論).

범:신-론【汎神論】[—논] 명〔pantheism〕『철』일체의 만유가 신(神)이며, 신은 일체의 만유라고 하는 종교관 내지 철학관. 불교의 철리(哲理), 그리스 사상, 근대의 스피노자·괴테·셸링 등의 사상도 이에 속함. 범일론(汎一論). 만유신론. *이신론(理神論)·유신론(有神論).

범실【凡失】명 야구에서, 능히 잡을 수 있는 공을 놓친다든가, 주루(走壘)를 잘못한다든가 하는, 대수롭지 않은 장면에서의 실책(失策).

범:심-론【汎心論】[—논] 명〔panpsychism〕『철』만물(萬物)에 다 마음이 있다는 학설. 만유심론(萬有心論). *물활론(物活論).

범:씨 칠계【范氏七戒】명 언어(言語)에 관해 경계한, 중국 송(宋)나라 고종(高宗) 때의 문신(文臣) 범익겸(范益謙)의 7가지 좌우명(座右銘). 첫째는 불언 조정이해 변보차제(不言朝廷利害邊報差除), 곧 조정에 대한 이해와 변방(邊方)의 보고 및 관원(官員)의 임명에 대한 것을 말하지 말 것. 둘째는 불언 주현관원 장단득실(不言州縣官員長短得失), 곧 지방 관원의 옳고 그름과 득실을 말하지 말 것. 셋째는 불언 중인소작 과악지사(不言衆人所作過惡之事), 곧 뭇사람의 못된 짓하는 것을 말하지 말 것. 넷째는 불언 사진관직 추시부세(不言仕進官職趨時附勢), 곧 관직에 오르는 일과 때를 따라 아부하는 말을 하지 말 것. 다섯째는 불언 재리다소 염빈구부(不言財利多少厭貧求富), 곧 재물과 이것의 많고 적음과 가난을 싫어하고 부귀를 구하는 말을 말 것. 여섯째는 불언 음설희만 평론여색(不言淫媟戲慢評論女色), 곧 음탕하고 장난스럽고 오만한 말을 하지 말고 여색(女色)을 논하지 말 것. 일곱째는 불언 구멱인물 간색주식(不言求覓人物干索酒食), 곧 인물을 찾고 술과 먹을 것을 찾는 말을 하지 말 것.

범:-아귀 명 엄지손가락과 둘째 손가락과의 사이.

범:-아랍주의【汎—主義】[—/—이] 명〔Pan-Arabism〕『정』아랍 민족주의 기반을 이루며 페르시아 만에서 대서양에 이르는 아랍 세계의 통일을 목표로 하는 사상·운동. 범이슬람주의에서 발단, 20세기에 들어와 반(反)식민주의에 바탕을 둔 민족 독립 운동의 대두(擡頭)와 함께 형성되었으며, 현재 아랍 연합을 중심 세력으로 하여 이스라엘과 대립하고 있음. 팬아라비즘. *범(汎)이슬람주의.

범:-아메리카주의【汎—主義】〔America〕[—/—이] 명 범미주의.

범:-아시아주의【汎—主義】[—/—이] 명〔Pan-Asianism〕『정』아시아의 여러 민족이 대동 단결하여 식민지 또는 반식민지 상태에서 벗어나려는 국제 정치상의 입장. 산업 혁명 이후, 구미(歐美) 자본의 침략에 대한 반항적 운동이며, 아시아 자본가들의 정신적 무기였음. 팬아시아니즘.

범:아 일여【梵我一如】명『철』인도 우파니샤드(Upanisad)의 중심 사상. 우주의 중심 생명인 범(梵)과 개인의 중심 생명인 아(我)의 본체(本體)가 궁극적(窮極的)으로는 동일하다는 사상.

범:-아프리카주의【汎—主義】[—/—이] 명〔Pan-Africanism〕『정』아프리카인(人) 스스로 아프리카 대륙을 식민지 지배로부터 해방시켜 통일하려는 사상·운동. 20세기 초엽 미국계(系) 흑인 사이에서 일어났으며 1963년의 아프리카 통일 기구의 결성은 이 운동의 성과임. *팬아메리카니즘.

범안[1]【凡眼】명 ①평범한 사람의 안식(眼識). ¶~을 가진 사람. ②범인(凡人)의 눈.

범:안[2]【犯顔】명 임금이 싫어하는 안색(顔色)을 하는데도 불구하고 간(諫)함. 임금의 뜻을 거슬러가며 직간(直諫)함. ——-하다 자여불

범:애【汎愛】명 모든 사람을 차별 없이 널리 사랑함. 박애(博愛). ——-하다 타여불

범:애-주의【汎愛主義】[—/—이] 명〔도 Philanthropismus〕『교』18세기 후반에 유럽에서 일어난 교육상의 한 주의. 루소의 《에밀(Émile)》의 교육관을 기초로 한 자연에 일치하는 방법으로써, 아동(兒童)을 행복한 생활로 인도함을 목적으로 하는 교육 사상. 애정을 주로 하고 인간의 합리성(合理性)과 행복에 치중함. *범애 학파.

범:애-파【汎愛派】명 범애 학파.

범:애 학파【汎愛學派】명 범애주의 교육 사상을 주장하는 학파. 바제도(Basedow, J. B.)가 중심이 되어 독일에서 일으킨 교육 활동. 교회 지배의 종교 교육을 타파하기 위한 바제도의 활동이 학교 개혁을 위한 운동이 됨. 범애파(汎愛派). *범애주의.

범:야【犯夜】명『역』야간 통행 금지 시간에 다니는 일. 초경 삼 점에서 오경 삼 점까지 금했음. 범종(犯鐘). ——-하다 자여불

범약【凡弱】명 평범하고 나약함. 용약(庸弱). ——-하다 형여불

범:어[1]【汎語】명『언』수사학(修辭學)에서, 널리 일반에게 적용되는 말을 이름. '권리'·'국가'처럼 넓은 의미·내용을 가진 말로서 일반에게 여러 가지 의미로 풀이되는 말. *범의어.

범:어[2]【梵語】명『언』고대 인도의 문어(文語)인 산스크리트(Sanskrit)의 한 분파. 산스크리트. 천축어(天竺語).

범:어-법【範語法】[—뻡] 명『교』언어 교수(言語敎授)의 한 방법. 처음에 실물(實物)을 보이고 다음에 해당되는 단어(單語)의 발음을 가르친 후 단어 사용법을 알려서 목적을 이룸.

범-어사[1]【凡於事】명 세상의 모든 일.

범:어-사[2]【梵魚寺】명『불교』부산 광역시 금정구(金井區) 청룡동(青龍洞) 금정산(金井山)에 있는 25 교구 본사(敎區本寺)의 하나. 신라 때, 의상 법사(義湘法師)가 지은 절로 당시의 석탑(石塔)이 있음. 서산 대사의 법손(法孫)이 죽 계승하여 왔음. 종전에 31 본산의 하나였음.

범:어사 삼층 석탑【梵魚寺三層石塔】명 범어사의 대웅전 앞에 있는 통일 신라 시대의 석탑. 높이 4 m. 이층 기단 위에 세워진 방형의 3층 석탑으로 신라 석탑의 전형 양식을 따르고 있음. 보물 제 250 호.

범:역【犯域】명 남의 영역이나 지역을 침범함. ——-하다 자타여불

범:연[1]【泛然】명 ①대범한 모양. 속박되지 아니한 모양. ¶매사에 ~한 성격 / 하물며 불행한 아내에게 대해서 ~할 리가 없었다《張德祚 : 누가 죄인이냐》. ②애매한 모양. 멍한 모양. ——-하다 형여불. ——-히 부

범:연[2]【泛然】명부 차근차근한 맛이 없이 데면데면함. 또, 그런 모양. ——-하다 형여불. ——-히 부

범:염【犯染】명 ①초상집에 드나들어서 통섭(通涉)함. ②남이 좋지 아니하게 여기는 일에 간섭하거나 끌려들게 됨. ——-하다 자여불

범:영【帆影】명 돛의 그림자. 멀리 있는 배의 돛의 모양.

범:왕【梵王】명『불교』↗범천왕(梵天王).

범:왕-궁【梵王宮】명『불교』범궁(梵宮)❷.

범용[1]【凡庸】명 평범(平凡)하고 용렬(庸劣)함. ——-하다 형여불

범:용[2]【犯用】명 남의 물건이나 보관하여야 할 물건을 써 버림. 범수(犯手). ——-하다 타여불

범:용[3]【汎用】명 널리 여러 방면에 씀. ¶~ 컴퓨터. ——-하다 타여불

범:용 기관【汎用機關】명 특별한 사용 목적의 명시 없이 내연(內燃) 기관만이 제조업자에 의해 시장에 출품되고, 사용자에 의해서 사용 목적이 결정되어 어떤 작업(作業) 기계와 결합 사용하게 되는, 출력 범위 30마력 이하의 내연 기관.

범:용 컴퓨:터【汎用—】명〔general-purpose computer〕널리 기업(企業) 기타의 조직체 등에서 일반 업무 처리와 일반 과학 기술 계산 등 대부분의 용도에 쓰이는 보통 컴퓨터.

범우[1]【凡愚】명 평범하고 어리석은 사람. 범인(凡人).

범:우[2]【梵宇】명『불교』범찰(梵刹).

범:우-고【梵宇攷】명『책』삼국 사기(三國史記)·고려사(高麗史) 기타 고금(古今)의 여러 문헌을 참고하여, 전국에 흩어져 있는 절의 존폐(存廢)·소재(所在)·연혁(沿革)을 쓴 책. 조선 정조(正祖) 때에 된 것으로

한 책(冊)임.

범:월【犯越】명 남의 국경(國境)을 침범하거나 또는 불법 입국(不法入國)함. ——-하다 타여불

범:월 죄:인【犯越罪人】명 남의 국경을 침범하거나 불법 입국(不法入國)한 사람.

범:위【範圍】명 한정(限定)된 구역(區域)의 언저리. 어떤 힘이 미치는 한계(限界). 테두리. ¶ ~를 벗어나다/내가 아는 ~ 내에서는.

범:유【汎游·汎遊】명 ①널리 배움. ②뱃놀이를 함. ——-하다 자여불

범을다 자〈옛〉둘리다. 얽히다. =버믈다. ¶ 驪龍은 錦을 시서 범으렷도다(驪龍濯錦紆)≪重杜諺 Ⅱ:8≫.

범:음【梵音】명【불교】①범자(梵字)의 음. ②불경(佛經)을 외는 소리. 「범패(梵唄).

범:음 심원【梵音深遠】명【불교】삼십이상(三十二相)의 한 가지. 음성이 부드럽고 맑아 멀리까지 들리는 상.

범:의[1]【犯意】[—/—이] 명 범죄 행위(犯罪行爲)라는 것을 인식하면서도 이것을 행하려는 의사. ¶ ~를 인정할 수 없다. *고의(故意).

범:의[2]【汎意】[—/—이] 명 넓은 의미. 널리 일반적으로 쓰이는 뜻.

범:의-귀 명 [—/—에—]【식】[*Saxifraga Furumii*] 범의귓과에 속하는 다년생 상록초. 줄기는 적자색이고 높이 20 cm 가량, 실같이 가는데 땅 위에 누워 뻗어 나가다가 아무 데서나 싹이 남. 잎은 뿌리에서 총생하며, 잎자루는 거의 없고 긴 타원형 또는 주걱 모양인데, 두껍고 털이 있음. 7-8월에 백색 오판화(五瓣花)가 취산상 원추(聚繖狀圓錐) 화서로 정생(頂生)하여 성기게 피고, 삭과(蒴果)를 맺음. 높은 산, 습한 곳에 나는데, 함남·함북에 분포함. 관상용이고, 잎은 기침·동상(凍傷)에 약재(藥材)로 씀. 호이초(虎耳草).

〈범의귀〉

범:의귓-과【—科】[—/—에—] 명【식】[Saxifragaceae] 이판화류에 속하는 한 과. 전세계에 650여 종, 한국에는 노루오줌·괭이눈·돌부채·바위떡풀·범의귀 등 60여 종이 분포함.

범:의-론【汎意論】[—/—이—] 명【철】만물(萬物)의 본질을 의지(意志)라고 하는 유심론 일파의 학설. 쇼펜하우어의 철학이 이에 해당함. 범의설.

범:의-설【汎意說】[—/—이—] 명【철】범의론(汎意論).

범:의-어【汎意語】[—/—이—] 명【논】한 가지의 말이 연상(聯想)과 유추(類推)에 의하여 두 가지 이상의 뜻으로 해석될 수 있는 말. *범어(汎語).

범:이슬람-주의【汎一主義】〔Islam〕[—/—이] 명 이슬람교국(敎國)이 19세기 후반부터 대동 단결하여 기독교국의 침략에 저항하기를 주장한 운동. 이슬람교의 존엄성을 그대로 유지하면서 근대 문명을 도입할 방법을 전개했으며, 동시에 전쟁의 황폐를 가져오는 근대 문명의 결함을 원시 이슬람교의 입장에서 통렬히 비판하고 일종의 유토피아적(Utopia的) 사상을 전개하였음. *범아랍주의.

범인[1]【凡人】명 평범한 사람. 범부(凡夫). 범서(凡庶). 범우(凡愚). 범배(凡輩). 용인(庸人). 용부(庸夫).

범:인[2]【犯人】명 죄를 범한 사람. 범죄인. 범죄자.

범:인 은닉죄【犯人隱匿罪】명【법】벌금(罰金) 이상의 형(刑)에 해당하는 사람 또는 구속 중에 도주한 사람을 그 정을 알면서 은닉함으로써 성립되는 죄. 준은닉죄.

범:일[1]【氾溢·汎溢】명 물이 넘쳐 흐름. 범람(氾濫). ——-하다 자여불

범:일[2]【梵日】명【사람】신라 때의 고승. 성은 김(金)씨. 당나라에 가서 제안(齊安)에게 사사하며 6년간 수도함. 귀국 후, 사굴산(闍崛山)에 근거를 두고 선(禪)을 널리 일으켰으며, 그 후 제자에 낭원(朗圓)·낭공(朗空)이 나와 일파를 일으켰으니 이것이 사굴산파(派)임. 품일(品日). 시호는 통효 대사(通曉大師). [810-889]

범:일-론【汎一論】명【철】범신론(汎神論).

범:입【犯入】명 금지된 구역(區域)을 범하여 들어감. ——-하다 자여불

범:자【梵字】[—짜] 명 범어(梵語) 즉 산스크리트를 표기하는 데 쓰는 문자. 옛날 인도 문자의 일파인 실담 문자(悉曇文字)를 말함. 데바나가리 문자. 브라흐미 문자.

॥ अथ प्रज्ञापारमिताहृदयसूत्रं ॥
॥ नमः सर्वज्ञाय ॥
आर्यावलोकितेश्वरबोधिसत्त्वो
गंभीरायां प्रज्ञापारमितायां
चर्यां चरमाणो व्यवलोकयति
स्म । पंच स्कन्धाः । तांश्च स्वभा-
वशून्यान्पश्यति स्म ।

〈범자〉

범작[1]【凡作】명 평범한 작품. *태작(馱作).

범:작[2]【犯斫】명 금양(禁養)하는 나무를 벰. ——-하다 자여불

범:장[1]【犯葬】명 남의 산소의 지경을 범하여 장사(葬事)를 지냄. ——-하다 자여불

범:장[2]【犯贓】명【법】①장물죄(贓物罪)를 범함. ②탐장(貪贓). ——-하다 자타여불

범:장[3]【帆檣】명 돛대.

범재[1]【凡才】명 평범한 재주. 또, 평범한 재능의 소유자. 범재(凡材).

범재[2]【凡材】명 평범한 인재(人材). 범재(凡才).

범재[3]【凡宰】명 평범한 재상(宰相).

범:재[4]【犯齋】명【천주교】'단식재'나 '금육재'를 범함. ——-하다 자여불

범:-저【范雎】명【사람】중국 전국 시대의 위(魏)나라 사람. 처음 위왕을 섬기다가 훗날 이름을 장록(張祿)으로 개칭(改稱), 진(秦)나라에 들어가 원교 근공책(遠交近攻策)을 진나라의 소왕(昭王)에게 진언하여 재상이 되고 응후(應侯)에 봉해졌음. 생몰년(生沒年) 미상.

범:적【犯跡】명 범죄의 형적(形迹).

범:적응 증:후군【汎適應症候群】명【의】셀리에(Selye, H; 1907-82)에 의하여 제기된 학설. 생체(生體)는 외계(外界)에서의 스트레스에 대하여 뇌하수체 부신계(副腎系)가 반응하여 부신 피질 호르몬의 과잉 분비를 초래하나, 이 반응의 강약에 따라 고혈압·위궤양·관절 류머티즘 등이 일어난다고 함.

범:전【梵殿】명【불교】불당(佛堂).

범절【凡節】명 모든 절차. 모든 일. ¶ 예의 ~.

범:접【犯接】명 가까이 범하여 접촉함. ¶ 귀신이 ~하다. ——-하다 자여불

범:정【犯情】명 범죄의 정황(情況).

범:제【泛齊】명 오제(五齊)의 하나로 '탁주'를 말함. 범주(泛酒).

범조【凡鳥】명 범용(凡庸)한 인물.

범:존-종【汎存種】명【생】생활할 수 있는 환경 조건의 폭이 넓고, 넓은 지역에 분포할 수 있는 생물종(生物種). 번식력이 강하고 이동력(移動力)이나 종자·포자(胞子)의 살포력(撒布力)이 큼. 식물에서는 질경이·개망초, 동물에서는 쥐·풍뎅이 등. 또, 토양(土壤) 세균이나 미생물도 이에 포함됨.

범:종[1]【犯鐘】명【역】범야(犯夜). ——-하다 자여불

범:종[2]【梵鐘】명 중국의 고악기(古樂器)인 종에 대하여 절에 걸어 두는 종. 대개 종대에 걸어 놓고 당목(撞木)으로 침.

범:죄【犯罪】명 ①죄를 범함. 또, 범한 죄. ②【법】사회 생활의 질서를 해하는 행위 가운데 형법이나 다른 법률에 의하여 형벌을 가하기로 규정된 범죄의 구성 요건(構成要件)에 해당하는 유책(有責)·위법(違法) 행위. 죄(罪). 죄범(罪犯). ——-하다 자여불

범:죄 감식【犯罪鑑識】명 범죄의 수법(手法) 등을 감정하며 식별하는 일. 지문·사진·총기 탄환류·위폐 따위, 자료에 의한 감식과 법의학·화학·물리학 등을 활용 각종 자료를 채취·감정하는, 기술에 의한 감식이 있음.

범:죄 과학【犯罪科學】명【법】범죄의 원인·성질·결과·종류를 연구하는 과학. 목적에 따라 범죄 심리학(心理學)·범죄 사회학(社會學)·범죄 생물학(生物學)으로 구분됨.

범:죄 구성 사:실【犯罪構成事實】명 형벌 법규(刑罰法規)에 규정된 일정한 범죄 구성 요건에 해당하는 사실.

범:죄 구성 요건【犯罪構成要件】[—껀] 명 형벌 법규에 정하여진 일정한 범죄의 정형(定型)에 해당하는 법정(法定) 요건. 형법상 범죄가 성립하기 위해서는 어떤 행위가 구성 요건에 해당해야 하며 또한 위법·유책(有責)한 것이라야 함.

범:죄 능력【犯罪能力】[—녁] 명 위법 행위(違法行爲)를 할 수 있는 사실상의 능력. 위법 행위에 대하여 형벌을 과(科)하기에 알맞은 적응성(適應性). ↔형벌 능력. *책임 능력(責任能力).

범:죄 단체【犯罪團體】명【법】형법상(刑法上)의 범죄를 행할 목적으로 조직된 단체.

범:죄 사회학【犯罪社會學】명 범죄의 원인을 사회적 환경에 구하여 사회 현상으로서의 범죄 법칙을 연구하는 학문. 범죄 행위의 과정(過程)을 자아내는 사회의 여러 조건을 연구하는 학문. 형사 사회학.

범:죄 생물학【犯罪生物學】명【생】범죄인의 인격(人格)의 본성과 생성(生成), 곧 범죄인의 정신적 특성(特性)과 신체적 특성을 고려하여 생물학적으로 연구하는 학문.

범:죄-성【犯罪性】[—썽] 명 ①범죄가 될 만한 성질. ②죄를 범(犯)하는 성격이나 성질.

범:죄 소:년【犯罪少年】명【법】죄를 범한 14세 이상 20세 미만의 소년. 벌금 이하의 형이나 보호 처분에 해당할 때에는 관할 소년부에 송치하고, 징역형을 선고할 때에는 원칙적으로 부정기형을 선고해야 함.

범:죄 소:설【犯罪小說】명【문】현대 사회의 암흑면(暗黑面)에서 일어날 수 있는 범죄 사실을 흥미의 중심으로 하여 그려 낸 통속 소설. 추리 소설의 대부분이 이것임.

범:죄 심리학【犯罪心理學】[—니—] 명【심】심리학의 한 부문. 범죄자의 심성(心性)과 사회적 행동을 연구하는 학문.

범:죄 예:측【犯罪豫測】명 사회적 예후.

범:죄와 형벌【犯罪—刑罰】명〔이 Deidelitie delle pene〕【책】베카리아(Beccaria)가 지은 법학서(法學書). 1764년 발행. 프랑스 계몽 사상의 영향 아래, 자의적(恣意的)이며 잔혹한 형벌 제도를 비판하여 형벌권을 사회 계약으로서 규정, 근대 형법학의 기초를 세움.

범:죄 유:형【犯罪類型】명【법】형법의 각칙(各則) 및 그 밖의 형벌 규정에 규정된 범죄의 유형.

범:죄 윤리학【犯罪倫理學】[—율—] 명【윤】윤리학의 한 부문. 범죄 현상을 윤리적으로 연구하여, 그 예방법, 범죄자나 형여자(刑餘者)의 취급법(法)·선도법(善導法) 등을 강구하는 것을 목적으로 하는 학문.

범:죄 의학【犯罪醫學】명【의】법의학(法醫學).

범:죄-인【犯罪人】명 죄를 범한 사람. 범죄자(犯罪者). 범인(犯人).

범:죄인 가계【犯罪人家系】명【법】그 자손 중에 이상(異常)하게 많은 범죄자와 방탕자가 인지(認知)되는 가계.

범:죄인 인류학【犯罪人類學】[—일—] 명【법】근대 형사학의 시조인 이탈리아의 롬브로소(Lombroso)가 제창한 학문. 범죄자에게는 신체적·육체적으로 많은 변질(變質) 징후가 있어서, 인류학적으로 보면 범죄는 원시인적 특성이 격세(隔世) 유전에 의하여 현재 사회에 재현(再現)된 것이고, 병리학적으로 보면 간질(癎疾) 병세와 다름이 없으며, 심리학·정신 의학적인 견지에서는 패덕광(悖德狂)에 해당한다고 함. 오늘날 롬브로소의 이와 같은 생래(生來) 범죄인설은 부인되고 있지만 범죄의 생물학적 연구의 선구로서 중요한 의미가 있음.

범:죄인 인도【犯罪人引渡】명【법】외국에서 범죄를 범한 자가 자기 나라에 도망하여 왔을 때, 외국의 청구에 응하여 그 범죄인을 그 본국에 인도하는 일. 보통 국가 상호간에 범죄인 인도 조약에 의해 행해지나 정치범에 대해서는 인도하지 않는 것이 원칙임. 우리 나라는 1988년 범죄 진압에 국제적인 협력을 증진할 목적으로 범죄인 인도에 관하여 그 범위와 절차를 규정한 범죄인 인도법을 제정하였음.

범:죄-자【犯罪者】명 범죄인(犯罪人).

범:죄-적【犯罪的】명관 범죄 행위가 되는 모양. ¶ ~ 사실.

범:죄-지【犯罪地】명【법】범죄의 구성 요건에 해당하는 사실의 전부

또는 일부가 발생한 곳.

범:죄 징표설【犯罪徵表說】명〖법〗범죄는 범인의 반사회적(反社會的) 성격의 징표라고 하여, 이로써 범인의 형사 책임을 설명하는 학설.

범:죄 피:해자 구:조법【犯罪被害者救助法】[一뻡] 명〖법〗범죄 행위로 인하여 사망한 사람의 유족 또는 중장해(重障害)를 당한 사람에 대하여 국가가 유족 구조금이나 장해 구조금을 지급할 것을 규정한 법률. 1987년 제정. 「또는 사회학적으로 연구하는 학문.

범:죄-학【犯罪學】명〖법〗범죄의 성질·원인 등을 인류학적(人類學的)

범:죄학-자【犯罪學者】명 범죄학을 연구하는 사람.

범:죄 행위【犯罪行爲】명 범죄가 되는 행위.

범:죄 현:상론【犯罪現象論】[一논] 명〖법〗범죄의 발생과 증감 상태를 객관적으로 인식·연구하는 학문.

범:죄-형【犯罪型】명 범죄를 저지를 듯한 사람의 유형(類型).

범:주¹【帆走】명 돛에 바람을 받아 물 위를 항행(航行)함. ──하다 ⌊자여불

범:주²【帆柱】명 배의 돛대.

범:주³【泛舟】명 배를 물에 띄움. 부주(浮舟). ──하다 자여불

범:주⁴【泛酒】명 범제(泛齊).

범:주⁵【範疇】명 ①분류(分類). ②〖철〗사물(事物)의 개념을 분류함에 있어서 그 이상 일반화(一般化)할 수 없는 가장 보편적이고 기본적인 최고의 유개념(類槪念). 더 분석할 수 없는 근본 개념에 의한 실재(實在)와 사유(思惟)의 근본 형식. 아리스토텔레스가 실재의 형식으로 실체(實體)·성질·분량·관계·장소·시간·능동(能動)·수동(受動)·위치·상태의 10범주로 분류한 것과 칸트가 사유의 형식으로 분량에 관한 단일(單一)·다수·전체, 성질에 관한 실재·부정(否定)·제한, 관계에 관한 실체·인과(因果)·상호 작용(相互作用), 양상(樣相)에 관한 가능·현실·필연으로 분류한 12범주 등이 있음. 카테고리(Kategorie). 캐티고리(category). 오성 형식(悟性形式). 오성 개념.

범:주 명:제【範疇命題】명〖수〗정하여진 대상만을 포함하고, x나 y 등과 같은 부정(不定)한 대상을 포함하지 아니하는 명제. 가령, '2와 3의 합(合)은 5와 같다'·'3은 2보다 작다' 등.

범:주적 직관【範疇的直觀】명〖철〗본질 직관(本質直觀).

범:주적 태:도【範疇的態度】명〖심〗적색(赤色)의 종이를 볼 때 이것을 색채 범주(色彩範疇)에 속하는 한 개의 색채로서의 적색이라고 판단하는 것처럼, 대상(對象)을 일정한 개념 체계(槪念體系)에 귀속시켜서 인식하는 태도. 독일의 정신병(精神病) 학자 골트슈타인(Goldstein, Kurt; 1878~1965)이 실어증(失語症)의 연구에서 얻은 개념임. 추상적 태도. ↔즉사적 태도(卽事的態度). 「일컫는 말.

범:중【梵衆】명〖불교〗깨끗한 행실을 하는 무리라는 뜻으로, 승려들을

범:-중엄【范仲淹】명〖사람〗중국 북송(北宋) 때의 명신. 자는 희문(希文). 쑤저우 우현(蘇州吳縣) 사람. 인종(仁宗) 때 참정 지사(參政知事)가 되어, 정치의 개혁을 피하여 십 개조(十個條)를 상소하였으나 반대파 때문에 실패함. 저서 《범문정공집(范文正公集)》. [990~1053]

범:중-천【梵衆天】명〖불교〗초선천(初禪天)의 제1천(天). 사바 세계(娑婆世界)의 주인인 대범천왕(大梵天王)이 다스리는 천중(天衆)이 살고 있다 함. *범보천(梵輔天)·대범천(大梵天).

범:-증【范增】명〖사람〗중국 전국 시대 항우(項羽)의 모신(謀臣). 진(秦)나라 사람. 홍문(鴻門)의 연(宴)에서 한 고조(漢高祖)를 죽이려다가 뜻을 이루지 못하였으며, 뒤에 항우와 불화하여 팽성(彭城)에 가서 죽음. [?~204 B.C.] 「신의 중.

범:지【梵志】명〖불교〗'바라문(婆羅門)'의 별칭. 또, 그 계급(階級) 출

범:찬【梵讚】명〖불교〗범어(梵語)로 부르는, 불덕(佛德)을 찬미한 글. ↔한찬(漢讚).

범찰¹【凡察】명〖역〗두만강 북쪽에 있던 야인(野人)의 부락.

범:찰²【梵刹】명〖불교〗절. 사찰(寺刹). 범우(梵宇).

범창¹【凡娼】명 평범한 창녀(娼女).

범:창²【範唱】명 노래를 가르칠 때, 교사가 모범으로서 가곡을 부름. ──하다 자여불

범책【凡策】명 평범한 책략(策略).

범:처【梵妻】명 중의 아내.

범:천【梵天】명〖불교〗범천왕(梵天王).

범:천-왕【梵天王】명〖불교〗①〔범 Brahmadeva〕바라문교(婆羅門敎)의 교조(敎祖)인 조화(調和)의 신. 우주 만물의 창조신으로서 사바(娑婆) 세계를 주재(主宰)함. 특히 불교 보호의 신으로서 불교도의 존숭(尊崇)을 받고 있음. ②제석천(帝釋天)과 한 가지로 불상(佛像)의 좌우에 모시는 신. 범천(梵天). 바라문천. ㊥범왕(梵王).

〈범천왕❶〉

범:-천후【汎天候】명 수일내지 수주간에 걸쳐, 동일한 물리적 작용이 원인이 되어 비교적 넓은 범위에 지속되는 기후 상태.

범:철-관【泛鐵官】명〖역〗조선 시대에, 관상감(觀象監)에 속하여 능(陵)이나 산실청(産室廳) 등을 만들 적에 윤도(輪圖)를 띄워 그 방위(方位)를 정하던 벼슬. 「타여불

범:청【泛聽】명 주의(注意)를 기울이지 않고 무심하게 들음. ──하다

범:체【梵砌】명〖불교〗사원(寺院)의 경내(境內).

범치 명〈방〉〖어〗망둥이.

범:칙【犯則】명 규칙을 깨뜨림. 규칙을 범함. ──하다 자여불

범:칙-금【犯則金】명〖법〗경범죄 처리법·도로 교통법을 위반한 범칙자에게 과하는 돈. 국고 수납 대리점에 납부하며, 납부 기한이 지나면 즉결 심판에 회부됨.

범:칙 물자【犯則物資】[一짜] 명 규칙을 어기고 비밀히 거래하는 물자.

범:칙-자【犯則者】명 규칙을 범한 사람.

범:칭【泛稱·汎稱】명 넓은 범위로 쓰는 명칭. 총칭(總稱) 「다 자여불

범타¹【凡打】명 야구에서, 히트(hit)가 되지 못한 타격(打擊). ──하

범:타²【犯打】명 자기보다 윗사람을 때림. ──하다 타여불

범태 육신【凡胎肉身】명 사람의 몸에서 태어난 범인(凡人)의 몸. 곧, 환골 탈태(換骨脫胎)나 화신(化身)이 아닌 몸.

범:-태평양【汎太平洋】명 태평양 전역(全域)에 걸침. ¶ ~ 회의.

범:태평양 건:축상【汎太平洋建築賞】명〔Pan-Pacific Prize〕미국 건축 협회가 1957년에 100주년을 기념하여 설정한 상(賞). 태평양에 접하는 각국 건축가 중에서 가장 뛰어난 업적을 남긴 건축가를 매년 한 사람씩 뽑아 표창함.

범:택【泛宅】명 뜨는 집이라는 뜻에서, '배²'의 별칭.

범:-털 명 ①호랑이의 털. ②〈속〉돈 많은 사람. 죄수들의 은어임. ↔개털.

범:털-방【一房】명〈속〉교도소 안의 은어(隱語)의 하나. 지적(知的) 수준이 높은 죄수를 수용한 감방. *쥐털방.

범퇴【凡退】명 야구에서, 타자(打者)가 아무 소득 없이 물러감. ¶ 삼자(三者) ~. ──하다 자여불

범:패【梵唄】명〖불교〗여래(如來)의 공덕(功德)을 찬미하는 노래. 범음(梵音). 성명(聲明). 여래패(如來唄). *게송(偈頌).

범퍼

〈범퍼〉

범퍼〔bumper〕명 철도 차량이나 자동차 등의 앞뒤에 대 놓은 탄력(彈力) 있는 중간물로 급격한 충격을 완화하기 위한 장치. 완충기(緩衝器).

범:포¹【犯逋】명 국고(國庫)에 바칠 전곡(錢穀)을 써 버림. ¶ 노형이 주인의 돈을 ~하였다 하나 그 돈을 충수하여서 내놓으면 고소당할 이유도 없을 것이요…《趙重桓 : 長恨夢》. ──하다 타여불 「못. [0.527 km²]

범:포²【帆布】명 돛을 만드는 포목.

범:포³【泛浦】명〖지〗함경 남도 홍원군(洪原郡) 용원면(龍源面)에 있는

범:포-호【泛浦湖】명〖지〗함경 남도 영흥군(永興郡) 진평면(鎭平面)과 인흥면(仁興面) 사이에 있는 호수(湖水). 둘레 4.5 km. [1.2 km²] 「여불

범품【凡品】명 평범한 물건.

범:필【犯蹕】명 임금이 거둥할 때에 연(輦) 앞을 범함. ──하다 자

범:-하늘소【一쏘】명〖충〗호랑하늘소.

범:-하다【犯一】타여불 ①법률·규칙이나 도덕에 어긋나는 일을 하다. ¶ 계율(戒律)을 ~. ②그릇된 일을 저지르다. ¶ 과오(過誤)를 ~. ③남의 권리나 정조·재산 따위를 무시하거나 짓밟거나 빼앗다. ¶ 여자를 ~/경계를 ~. 「에 관한 학문.

범:학【梵學】명 ①〖불교〗불교에 관한 학문. 불학(佛學). ②범어(梵語)

범:한【犯限】명 제한되어 있는 것을 범함. ──하다 자여불

범:-함수【汎函數】[一쑤] 명〖수〗사상(寫像)의 하나. 정의역(定義域)이 함수로서 성립되며, 치역(値域)이 수(數)로서 성립되는 따위 사상을 ⌊이름.

범:-해¹ 명〖민〗'인년(寅年)'의 속칭.

범:해²【梵海】명〖사람〗'각안(覺岸)'의 호(號). 「──하다 자여불

범:행¹【犯行】명 범죄 행위. 법령에 위반된 행위. ¶ ~의 동기(動機).

범:행²【梵行】명〔범 brahma-carya〕〖불교〗①불도(佛道)의 수행(修行). ②음욕(淫慾)을 끊는 청정(淸淨)한 행위. 「(經典).

범:협【梵夾】명〖불교〗패다라엽(貝多羅葉)에 범어(梵語)로 새긴 경전

범:호-밑【一虎一】명 한자 부수(部首)의 하나. '虐'이나 '處' 등의 '虍'

범:혼【犯昏】명 날이 저물어 어둑어둑하여짐. ⌊의 이름.

범:홀【泛忽】명 데면데면하여 탐탁하지 아니함. ──하다 형여불. ──히 부

범:화【汎化】명〖심〗어떤 특정한 자극에 대하여 어떤 반응(反應)을 형성한 뒤에 그 자극과 약간 다른 자극을 제시(提示)하여도 동일한 반응이 일어나는 현상. 「범. ──하다 타여불

범:휘【犯諱】명 ①웃어른의 이름을 함부로 부름. ②남의 비밀을 들추어

법¹【法】㊀명 ①법률·법령 등 구속력을 갖는 온갖 규칙. 승구(繩矩). 구도(矩度). ¶ ~의 존엄성. ②예의와 도리. ¶ 그런 ~이 어디 있단 말이냐. ③방식과 방법. 전범(典範). ¶ 학습~/교수~. ④〖수〗제수(除數). ⑤〔범 dharma〕〖불교〗삼보(三寶)의 하나. 법보(法寶). ⑥〖불교〗물(物)·심(心)·선(善)·악(惡)의 모든 사상(事象). ⑦〔mood〕〖언〗인도 유럽계 언어에서, 동사의 어형 변화(語形變化). 직설법(直說法)·가정법(假定法)·명령법(命令法) 등이 있음. ㊁의명 ①어미 '-는'·'-ㄴ' 뒤에 붙어서, '으레 그렇게 됨' 또는 '으레 그러함'의 뜻을 나타내는 말. ¶ 겨울이 가면 봄이 오는 ~이다. ②어미 '-는'·'-ㄴ'의 뒤에 붙어서 태도나 습성 따위를 나타내는 말. 흔히, '있다'·'없다'가 따름. ¶ 이 세상에 굶어 죽으라는 ~은 없다. ③어미 '-는' 뒤에 붙어서, '방법'·'방식'을 나타내는 말. ¶ 먹는 ~/읽는 ~. ④어미 '-ㄹ'·'-을'의 뒤에 붙어서, 추측이나 가능성을 나타내는 말. ¶ 그게 될 ~이나 한 말이오.

[법 모르는 관리가 볼기로 위세 부린다] 실력이 없고 일에 자신이 없으면, 공연히 애매한 사람을 치는 것으로써 일을 얼버무린다는 말. [법 밑에 법 모른다] 법을 가장 잘 지켜야 할 법률 기관에서 도리어 위법하는 수가 많다는 말. [법은 멀고 주먹은 가깝다] 사리(事理)를 따지기보다는 완력이 먼저 힘을 쓴다는 뜻. 당장에 주먹다짐이라도 일어날 것 같은 경우에 조심하라는 말.

법 없:이 살:다 구 마음이 착하고 곧아, 구태여 법의 규제가 없어도 올 ⌊바르게 살 수 있다.

법²【法】의명 '프랑(franc)'의 취음(取音).

법가¹【法家】명 ①고대 중국의 학파의 하나. 천하를 다스리는 데는 인(仁)·의(義)·예(禮)와 같은 도덕보다는 법률이 중요하다고 주장하였음. 그 학설의 대표자로 관자(管子)·신자(申子)·상자(商子)·한비자(韓非子) 등이 있음. ②법률을 닦는 학자. ③예법(禮法)을 숭상하는 집안.

법가²【法駕】명〖역〗임금이 거둥할 때의 의장(儀仗)의 하나. 영희전(永

禧殿)·문묘(文廟)·단향(壇享)·전시(展試) 등에 갈 때에 타는 수레. *대가(大駕)·소가(小駕).

법가 필사【法家拂士·法家弼士】[―싸] 명 단정한 사람과 도움이 될 만 「한 사람.

법강[1]【法綱】 명 법률과 기율(紀律). 법기(法紀).

법강[2]【法講】 명 〖역〗 예식(禮式)을 갖추어 임금 앞에서 하는 강의(講義). 아침·낮·저녁 세 차례 하였음.

법검【法劍】 명 〖불교〗 진리(眞理)의 검. 부처의 가르침이 번뇌(煩惱)를 잘라 버리는 것을 칼에 비유한 말.

법경【法經】 명 〖책〗 중국 전국 시대의 위(魏)의 이회(李悝)가 지은 법률책. 6편. 도법(盜法)·적법(賊法)·수법(囚法)·포법(捕法)·잡법(雜法)·구법(具法)으로 나누어지고 구법은 다시 오형(五刑)·십악(十惡)·팔의(八議)로 나누어져 죄의 실제와 그에 상응하는 형벌을 설명하여 놓았음.

법계[1]【法系】 명 〖법〗 국민 또는 민족이 가진 법률 질서의 특이성(特異性)을 통하여 또는 법률의 발생 경향(發生傾向)을 고려하여 분류한 계통. 로마 법계·독일 법계·중국 법계·인도 법계·영국 법계 등이 있음.

법계[2]【法戒】 명 〖기독교〗 율법(律法)❷.

법계[3]【法界】 명 ①〖불교〗 불법(佛法)의 범위. ②〖불교〗 불교도의 사회. ③↗법조계(法曹界).

법계[4]【法階】 명 〖불교〗 불도(佛道)를 닦는 사람의 수행 계급(修行階級).

법계단-설【法階段說】 명 〖법〗 법단계설.

법계-불【法界佛】 명 〖불교〗 〔여래는 법계(法界)에 널리 통한다는 데서〕 '여래(如來)'를 일컫는 말.

법계사 삼층 석탑【法界寺三層石塔】 명 경상 남도 산청군(山淸郡) 소재 법계사 경내에 있는 고려 시대의 석탑. 높이 2.5 m. 기단부로 이용된 자연 암석의 상면 중앙에 탑신(塔身)을 받치기 위하여 2 단의 굄을 마련하고 그 위에 별석으로 3층 탑신을 얹었음. 보물 제 473 호.

법계-신【法界身】 명 〖불교〗 법신(法身)❶.

법계 연기【法界緣起】 명 〖불교〗 우주 만유(宇宙萬有)를 일대 연기(一大緣起)로 보는 교리의 하나. 우주의 만물은 각기 하나와 일체(一切)가 서로 연유하여 있는 중중 무진(重重無盡)한 관계라고 봄. 법계 무진 연기(法界無盡緣起).

법고【法鼓】 명 ①〖불교〗 부처 앞에서 치는 쇠가죽으로 만든 작은 북. ②〖불교〗 설에 중이 지고 다니는 북. 이 북을 치면서 일반 사람에게 떡을 주고받는 습관이 있는데, 이 떡을 먹으면 두창(痘瘡)에 걸리지 않으며 걸려도 가볍게 앓는다 함. ③〖악〗→버꾸.

법고-문【法庫門】 명 〖지〗 '파쿠먼'을 우리 음으로 읽은 이름.

법고-수【法鼓手】 명 법고를 치는 사람.

법고-춤【法鼓―】 명 〖불교〗 조석 예불 때나 여러 재(齋) 의식의 사이사이에 삽입되는 북춤.

법공[1]【法供】 명 〖불교〗 불공(佛供).

법공[2]【法空】 명 〖불교〗 색심(色心)의 제법(諸法)은 인연생(因緣生)으로서 실체(實體)가 없다고 하는 것. ↔아공(我空).

법-공양【法供養】 명 〖불교〗 ①불경(佛經)을 남에게 읽어 들려 주는 일. ②법(法)답게 대중 공양(大衆供養)을 하는 일.

법-과【法科】 명 ①법률에 대한 과목(科目). ②대학에서 주로 법률에 대한 학문을 연구하는 학과. ¶ ~ 출신(出身). 「법대.

법과 대학【法科大學】 명 〖교〗 법률학을 전문적으로 연구하는 대학. ㊜

법관【法官】 명 〖법〗 사법권의 행사에 관여(關與)하는 공무원. 보통, 법원(法院)의 법관을 이르나, 경우에 따라서는 검찰관(檢察官)을 포함하여서 이름. 사법관(司法官).

법관 징계법【法官懲戒法】 [―뻡] 명 〖법〗 법관의 징계에 관한 법률. 징계의 사유·종류·절차 및 징계 위원회의 구성 등을 규정하고 있음.

법관 탄:핵 재판【法官彈劾裁判】 명 〔trial of judge impeachment〕 부적격한 법관을 탄핵하기 위한 재판.

법교【法橋】 명 〖불교〗 불법(佛法)을, 사람을 건너게 하는 교량(橋梁)에 비유하여 일컫는 말.

법구[1]【法句】 명 〖불교〗 불교 경문(經文)의 문구(文句).

법구[2]【法具】 명 〖불교〗 불전(佛前)을 장식하는 도구. 불사에 쓰이는 기구. 불구(佛具).

법구[3]【法救】 명 〖사람〗 인도 간다라 국(Gandhara 國) 사람. 인도명은 다르마트라타(Dharmatrata). 소승(小乘) 불교의 중. 설일체유부(說一切有部)의 학자로서 ≪아비달마 대비바사론(阿毘達磨大毘婆沙論)≫의 비평가 중의 한 사람. 저서에 ≪법구경(法句經)≫ 등이 있음.

법구-경【法句經】 명 〖불교〗 인도의 법구(法救)가 서술한 원시 불교(原始佛敎)의 경전(經典). 아함경(阿含經) 등에서 석가의 금언(金言)을 모아 적었으며 현실의 깊은 통찰(洞察) 위에 인간의 진실된 삶을 평이(平易)하게 설(說)하였음. 2 권.

법구 폐:생【法久弊生】 명 좋은 법도 오래 되면 폐단이 생김.

법국【法國】 명 〖지〗 '프랑스(France)'의 한자 이름.

법국-새 명 〈방〉〖조〗 뻐국새.

법국이 명 〈방〉〖조〗 뻐꾸기.

법굴【法窟】 명 〖불교〗 도량(道場).

법권[1]【法眷】 명 〖불교〗 같은 법문(法門)에서 수행(修行)하는 동료.

법권[2]【法圈】 명 〖법〗 ①법제도·법문화가 한 법계(法系)에 속해 있는 지역. ¶ 영미 ~/독일 ~. ②법률 관계가 달라짐에 따라 그 법률 관계를 지배하는 법체계가 별개로 이루어진다고 하는 중세 독일 특유의 현상 및 그 여러 특별법. 또, 이들 특별법에 의하여 규율되는 법영역(法領域). 예를 들어 장원법(莊園法)의 법권은 영주(領主)와 농민 관계이며, 봉건법(封建法)은 군주(君主)와 봉신(封臣)의 관계임.

법권[3]【法權】 명 〖법〗 ①법률의 권한(權限). ②국제법상 일국(一國)이 외국인에 대하여 갖는 민사·형사의 재판권.

법궤【法櫃】 명 〖성〗 계약의 궤.

법규【法規】 명 〖법〗 ①법률의 규정(規定). 규칙. 규범(規範). ②국민의 권리·의무를 규정하여 활동을 제한한 법률·명령·규정 등.

법규 교:정소【法規校正所】 명 〖역〗 조선 말기 광무(光武) 3년(1889) 교전소(校典所)에서 분리, 개편된 기관. 전장(典章)·법률을 개정하는 임무를 맡음. 우리 나라 최초의 헌법이라 할 수 있는 '대한국 국제(大韓國國制)'를 반포하였음.

법규 명:령【法規命令】 [―녕] 명 〖법〗 법규의 성질을 갖는 명령. 즉, 권리·의무에 관한 사항을 내용으로 하는 명령. ↔행정명령. *행정 입법.

법-규범【法規範】 명 〖법〗 법을 구성하는 개개의 규범. 법률 규범.

법규 재량【法規裁量】 명 〖법〗 행정 기관(行政機關)의 재량의 하나. 구체적(具體的)인 사실이 법이 정하는 요건에 객관적(客觀的)으로 적합(適合)하는가 어떤가를 재량하는 일. 기속(羈束) 재량. ↔편의(便宜) 재량·공익(公益) 재량.

법규 정:비【法規整備】 명 〖법〗 제정된 법규에 수시로 부분적인 개정을 가하여 시세(時勢)의 진운(進運)에 적응시키는 일.

법규-집【法規集】 명 법규를 모아 엮어 놓은 책.

법금[1]【法琴】 명 〖악〗 정악(正樂)에 쓰이는, 옛 법도(法度)대로 만든 가야금. ↔산조 가얏고.

법금[2]【法禁】 명 법령(法令)이나 금지령(禁止令). 또, 법으로써 금함.

법기[1]【法紀】 명 법강(法綱). └――-하다 타여불

법기[2]【法器】 명 〖불교〗 ①불도(佛道)를 능히 수행할 수 있는 소질이 있는 사람. 불연(佛緣)이 있는 사람. 불법을 배울 만한 재기(材器). ②불구(佛具).

법기 보살【法起菩薩】 명 〖불교〗 금강산의 주불(主佛). 화엄경(華嚴經)의 일만 이천 불(佛) 중에서 가장 주장되는 부처로, 그 모든 권속(眷屬)과 함께 이 산 가운데에서 설법(說法)을 하고 있다 함.

법난【法難】 명 〖불교〗 교법(敎法)을 널리 폄으로 해서 받는 박해(迫害).

법내 조합【法內組合】 명 〖경〗 노동 조합법의 요건(要件)이 갖추어져 있고 노동 조합으로서 인정할 수 있는 조합. 인사이더(insider) 조합. ↔법외 조합(法外組合).

법다이 부 〈옛〉 법대로. 법에 맞게. ¶ 法다이 持戒ᄒᆞ면(如法持戒)≪楞嚴 Ⅶ:52≫

법단【法緞】 명 비단의 한 가지. 모본단(模本緞)보다 무늬가 잘고 두꺼우며, 감촉이 매우 부드러움.

법단계-설【法段階說】 명 〔도 Stufentheorie des Rechts〕 법질서, 특히 국법 질서를 단계 구조로 보는 설. 국법은 무수한 법규범의 단순한 병렬적(竝列的) 집합이 아니고 복수의 단계에 정서(整序)된 체계이며 그 정점에 근본 규범(根本規範)이 있고, 헌법·법률·명령의 종위 입법(從位立法)의 각 단계를 거쳐 구체적인 재판 또는 행정 처분에 이른다고 함. 독일의 공법(公法)학자 메르켈(Merkel, Adolf; 1836-96)에 의하여 제창되고 켈젠(Kelsen, Hans)에 의하여 상세히 전개되었음. 법계단설.

법담【法談】 명 〖불교〗 ①불법(佛法)을 이야기함. 법어(法語). ②좌담식(座談式)으로 불법을 서로 묻고 대답함. 법어(法語).

법답【法畓】 명 〖불교〗 법사(法師)로부터 받은 논밭.

법당[1]【法堂】 명 〖불교〗 불상(佛像)을 안치하고 설법도 하는 절의 정당(正堂). 법전(法殿).

[법당 뒤로 돈다] 남이 보지 않는 곳이라고 옳지 못한 짓을 한다는 뜻.
[법당은 호법당(好法堂)이나 불무 영험(佛無靈驗)] 겉치레는 매우 훌륭하나 실상은 쓸모가 없다는 뜻.

법당[2]【法幢】 명 〖역〗 신라 때 군대의 이름. 6 세기 초에 창설되어 7 세기 중엽 신라 군제가 크게 재편성될 때까지 유력한 군단으로 활약하였음.

법당-감【法幢監】 명 〖역〗 신라 시대의 군대 계급. 사지(舍知)로부터 나마(奈麻)까지 나뉘었으며, 옷에는 무금(無衿)으로 표시하고 정원은 194 명임.

법당 두상【法幢頭上】 명 〖역〗 신라 때 무관직의 하나. 법당(法幢)에 소속되어 있는 여갑당(餘甲幢)에 45 인, 외법당(外法幢)에 102 인, 노당(弩幢)에 45 인이 배속되어, 정원이 모두 192 인이었음.

법당 벽주【法幢辟主】 명 〖역〗 신라 때 무관직의 하나. 법당(法幢)에 소속되어 있는 여갑당(餘甲幢)에 45 인, 외법당(外法幢)에 306 인, 노당(弩幢)에 135 인, 모두 486 인이었으며 법당 두상을 보좌하였음.

법당-주【法幢主】 명 〖역〗 신라 때 무관직의 하나. 법당(法幢)에 소속되어 있는 여러 당(幢)의 지휘관인 당주(幢主)의 총칭. 정원은 모두 158 명임.

법당 화:척【法幢火尺】 명 〖역〗 신라 때 무관직의 하나. 법당주(法幢主) 이하 법당감(法幢監) 등을 보좌함. 「출신.

법대【法大】 명 ①〖역〗↗법부 대신. ②〖교〗↗법과 대학(法科大學). ¶ ~

법도[1]【法度】 명 ①법률과 제도(制度). 제계(制戒). ②생활상의 예법과 제도. ¶ ~가 있는 집안.

법도[2]【法道】 명 ①법률을 지켜야 할 도리(道理). 승구(繩矩). ②〖불교〗 └불도(佛道)❶.

법도-서【法度書】 명 법도를 쓴 문서.

법동【法棟】 명 〖불교〗 절.

법등【法燈】 명 〖불교〗 ①부처 앞에 밝히는 등불. ②불법(佛法)을 비유한 말. 곧, 불법이 세상의 어둠을 밝히는 것을 비유해서 하는 말. ③불법을 서로 널리 전하는 전통(傳統).

법딩이 명 〈방〉 벙어리(경상).

법라【法螺】 [―나] 명 ①〖조개〗 소라고둥. ②〖악〗 소라[2]❷.

법락【法樂】 [―낙] 명 ①〖불교〗 불법(佛法)을 경애(敬愛)하여 선(善)한 덕행을 쌓고 스스로 즐거워하는 일. ②〖불교〗 법회(法會) 때 불경을 외거나 주악(奏樂)으로 부처 앞에 공양하는 일. ③〖불교〗 불도(佛道)를 수행(修行)하여 얻는 즐거움. 법열(法悅).

법랍【法臘】[—납] 명 〖불교〗 중이 된 뒤로부터 치는 나이. 한 여름 동안을 안거(安居)하면 한 살로 쳐서 나이가 얼마라고 일컫는 일. 법세(法歲). 하랍(夏臘). ＊하(夏).

법랑¹【法朗】[—낭] 명 〖사람〗 중국 삼론종(三論宗)의 중. 쉬저우(徐州) 사람. 고구려 승려. 승랑(僧朗) 대사의 제자임. 지관사(止觀寺)의 승전(僧詮)에게 지도론(智度論)·중론(中論) 등을 배워 혜용(慧勇)·혜포(慧布)·지변(智辯)과 함께 사철(四哲)이라 칭하여짐. [508-581]

법랑²【琺瑯】[—낭] 명 ①광물을 원료로 하여 만든 유약(釉藥). 사기 그릇의 겉에 올려 불에 구우면 밝은 윤기가 나고 쇠그릇에 올려서 구우면 사기 그릇의 잿물과 같이 됨. 에나멜(enamel). ②파란.

법랑-막【琺瑯膜】[—낭—] 명 각질(角質)로 변화되어, 치관(齒冠) 외측의 법랑질의 표면을 덮은 극히 얇은 막.

법랑 소:적【琺瑯小滴】[—낭—] 명 법랑 진주(琺瑯眞珠).

법랑-유【琺瑯釉】[—낭—] 명 〖공〗 법랑(琺瑯)으로 된 잿물.

법랑유 토기【琺瑯釉土器】[—낭—] 명 도기(陶器)의 일종. 많은 석회(石灰)가 포함되고 극히 약하게 구워진 기공성(氣孔性) 점토기(粘土器). 불투명하며 산화물이 많음. 자기(瓷器)가 발견되기 전에 유럽에서는 장식품·실용품으로 널리 사용되었음.

법랑 진주【琺瑯眞珠】[—낭—] 명 법랑질(琺瑯質)의 작은 덩어리가 치아(齒牙)의 뿌리의 분기점(分岐點)에 진주와 같은 모양으로 붙어 있는 것. 법랑질류(琺瑯質瘤). 법랑 소적(琺瑯小滴).

법랑-질【琺瑯質】[—낭—] 명 ①치아(齒牙)의 주부(主部)인 상아질을 싸고 있는 투명한 박층(薄層). 방선상(放線狀)으로 배열된 무수한 결정석회(結晶石灰)의 능주(稜柱)로 됨. 에나멜질(enamel質). 사기질(沙器質). ②법랑을 올린 것처럼 보이는 상태. 또, 법랑을 올린 것.

법랑질-류【琺瑯質瘤】[—낭—] 명 법랑 진주(琺瑯眞珠).

법랑 철기【琺瑯鐵器】[—낭—] 명 쇠를 바탕으로 하여 법랑을 올려서 만든 그릇.

법량【法量】[—냥] 명 〖불교〗 불상(佛像)의 크기.

법려【法侶】[—녀] 명 〖불교〗 불법(佛法)을 같이 배우는 벗.

법력【法力】[—녁] 명 ①〖법〗 법률의 효력(效力). ②〖불교〗 불법의 위력(威力).

법령¹【法令】[—녕] 명 〖법〗 ①법률과 명령의 통칭. 영갑(令甲). 액트(act). ㊈영(令). ②성문법(成文法)을 이름. ¶ ~집(集).

법령²【法令】[—녕] 명 〖민〗 양쪽 광대뼈와 코 사이로부터 입 가를 지나 내려오는 굽은 선(線). 이 선의 끝이 입으로 흘러 들어가면 굶어 죽는다고 함. ¶그의 눈은 점점 모가 나기 시작하고 ~ 위에 얹힌 누렁 사마귀는 꿈적거리는 것 같았다≪金東里 : 산화≫. 법령금.

법령³【法領】[—녕] 명 불령(佛領).

법령-금【法令—】[—녕끔] 명 〖민〗 법령²(法令).

법령 심:사권【法令審査權】[—녕—꿘] 명 〖법〗 법원이 재판함에 있어 적용해야 할 법령이 헌법이나 법률에 위배되는지의 여부(與否)를 심사하는 권리. 우리 나라 헌법에서는 법률이 헌법에 위배되는지 여부의 심사권은 헌법 재판소에, 명령·규칙·처분이 헌법이나 법률에 위배되는지의 여부 심사권은 대법원에 이를 인정하고 있음. 위헌 법령 심사권. ＊법률 심사권.

법령 위반【法令違反】[—녕—] 명 〖법〗 소송법상 법원이 재판에 있어서, 적용하여야 할 법률·명령 또는 규칙을 적용하지 아니하거나 부당하게 적용하는 일. 판결에 영향을 미쳤을 때는 항소·상고의 이유가 됨.

법령 위배【法令違背】[—녕—] 명 〖법〗 법령 위반.

법령-집【法令集】[—녕—] 명 법령을 모아 편찬한 간행물.

법례¹【法例】[—녜] 명 ①법률상의 규정. 종래의 규칙·관습. ②〖법〗 법률 시행의 시기와 관습법의 효력에 관한 것과, 그 밖에 외국법과 저촉될 경우에 적용할 수 있는 법을 결정한 국제 사법(私法)의 전거(典據)가 되는 일반 통칙(通則).

법례²【法禮】[—녜] 명 예법(禮法).

법론【法論】[—논] 명 〖불교〗 법의(法義)에 관한 의논(議論). 종론(宗論).

법루【法淚】[—누] 명 〖불교〗 부처의 공덕에 감응(感應)하여 나오는 눈물.

법류【法類】[—뉴] 명 〖불교〗 같은 종지(宗旨)로 같은 파에 속하여 친한 관계에 있는 절 또는 승려(僧侶).

법륜【法輪】[—뉸] 명 〖불교〗 〔전륜 성왕(轉輪聖王)의 금륜(金輪)이 산악 지대의 암석(岩石)을 분쇄하는 것과 같이 중생의 악(惡)을 잘 분쇄한다는 뜻에서〕 부처의 교법(教法).

법률【法律】[—뉼] 명 ①법(法)과 율(律). 국법과 형률(刑律). 지켜야 할 규율. 법. 율법. ②통치자(統治者)가 제정(制定) 또는 인정한 규칙. 사회 생활을 유지하기 위하여 강제력(強制力)을 갖는 사회 생활의 규범(規範). ③국회의 의결(議決)을 거쳐 제정되는 성문법(成文法)의 한 형식. 국회 의원 또는 행정부에 의해 제안되어 국회의 가결을 얻어 공포됨. 헌법에 이어 명령과 규제(規制)에 우선(優先)하는 효력을 가짐. ④〖불교〗 〔'법(法)'은 불타(佛陀)가 설한 진리, '율(律)'은 불타가 제정한 생활 규정〕 불교를 성립시키는 두 가지의 것. 즉, 불타의 가르침을 정한 규칙. ⑤〖불교〗 부처가 제정한 계율. 소승계(小乘戒)와 대승계(大乘戒) 따위.

법률-가【法律家】[—뉼—] 명 〖법〗 법률을 연구하여 이에 정통(精通)한 사람. 율사(律士).

법률 가치【法律價値】[—뉼—] 명 〖법〗 법률 생활에 있어서 실현되는 가치.

법률 고문【法律顧問】[—뉼—] 명 〖법〗 법률에 대해서 어느 개인이나 단체의 자문에 응하여 의견을 말해 주는 직무. 또, 그 사람이나 기관.

법률 관계【法律關係】[—뉼—] 명 〖법〗 ①사회 생활 관계 중 법률에 의하여 규정되는 일. ②권리 의무의 관계.

법률 구:조【法律救助】[—뉼—] 명 〖법〗 법률상의 문제에 있어서, 가난하고 무지(無知)한 사람을 위하여 법률 지식을 보충해 주고 소송 비용을 빌려주는 동시에 변호사를 선임하여 구조하는 사회 제도.

법률 규범【法律規範】[—뉼—] 명 〖법〗 법률 질서(法律秩序)의 구성 단위가 되는 낱낱의 규범. 법규범(法規範).

법률 만:능 사:상【法律萬能思想】[—뉼—] 명 사회 생활에 있어서 법률의 가치를 극도로 중시하여 법률에 관한 지식과 기능을 부당하게 중요시하는 일종의 사회관. 실제적으로는 법률가나 법률학자를 사회의 중요 위치에 둘 것을 주장하는 사상으로 나타나며 관료주의(官僚主義)와 밀접한 관계가 있음.

법률 문:제【法律問題】[—뉼—] 명 ①〖법〗 소송 사건의 심리 재판에 있어 법률의 해석·적용 같은 점에서 특히 연구를 요하는 문제. 사실 문제, 곧 법률을 적용해야 할 사실 관계의 확정에 관한 문제에 대해 쓰임. ↔사실 문제. ②법률적인 연구를 요하는 문제. 특히 정치 문제·경제 문제에 대하여 사회 현상을 법률적으로 논할 때 말함.

법률 발안권【法律發案權】[—뉼—꿘] 명 〖법〗 법률안을 의회에 제출할 수 있는 권리. 우리 나라에서는 국회 의원과 정부에 이 권리를 인정함. ＊발의권(發議權).

법률 불소급의 원칙【法律不遡及—原則】[—뉼—쏘—/—뉼—쏘—에—] 명 법률이 새로 제정되었을 경우에, 시행 이전의 사실에 소급하여 적용되지 아니한다는 원칙. 형사(刑事) 관계의 법률에는 특히 엄하게 이 원칙이 적용됨.

법률-비【法律費】[—뉼—] 명 〖법〗 법률의 실시에 필요한 경비.

법률 사:무소【法律事務所】[—뉼—] 명 〖법〗 변호사(辯護士)가 법률에 대한 모든 사무를 취급하는 사무소.

법률 사:실【法律事實】[—뉼—] 명 〖법〗 법률상의 효력이 부여(附與)되어야 할 사실. 법률 요건(法律要件)의 구성 요소, 곧 권리(權利) 의무(義務)의 발생·이전(移轉)·변경·소멸의 원인이 되는 등의 사실.

법률 사:항【法律事項】[—뉼—] 명 헌법상 법률로써 정하여야 할 것으로 작정되어 있는 사항.

법률 사회학【法律社會學】[—뉼—] 명 〖법〗 법사회학.

법률상의 감:경【法律上—減輕】[—뉼— / —뉼—에—] 명 〖법〗 어떤 범죄에 대하여 정해진 형벌을 법률이 규정하는 어떤 사정이 있을 경우, 그 형량(刑量)을 감경하는 일. 심신 미약자(心神微弱者)나 종범(從犯)에 대한 형의 감경 등.

법률 생활【法律生活】[—뉼—] 명 법에 의하여 직접 제약을 받는 사회 생활.

법률-서【法律書】[—뉼써] 명 ①법률에 관한 책. 법서(法書). ②여러 가지의 법률 명령을 모은 법규집(法規集).

법률-심【法律審】[—뉼—] 명 〖법〗 소송 사건에 관하여 사실심이 행한 재판에 대하여 그 법령의 위반(違反)의 유무(有無)만을 심사하여 재판하는 상급심(上級審). 형사 소송·민사 소송의 상고심(上告審)은 광의적(廣義的) 의미의 법률심임. ↔사실심(事實審).

법률 심:사권【法律審査權】[—뉼—꿘] 명 〖법〗 법원이 재판함에 있어 적용하여야 할 법률이 헌법에 적합한 것인가 아닌가를 심사하는 권리. 우리 나라 헌법에서는 헌법 재판소에 이 권리를 인정하고 있음. ＊법령 심사권.

법률-안【法律案】[—뉼—] 명 〖법〗 ①법률의 원안(原案). ②법률로 될 사항을 조목별의 형식으로 정리하여 국회에 제출하는 문서. ＊입법안.

법률안 거:부권【法律案拒否權】[—뉼—꿘] 명 〖법〗 대통령이 의회에서 가결한 법률안에 동의(同意)할 것을 거부할 수 있는 권한.

법률안의 환부【法律案—還付】[—뉼—/—뉼—에—] 명 〖법〗 의회에서 의결된 법률안을 대통령이 공포(公布)하지 아니하고 재의(再議)를 위해 의회로 되돌려 보내는 일.

법률 요건【法律要件】[—뉼료껀] 명 〖법〗 일정한 법률 효과를 발생시키기 위하여 필요한 사실. 계약 따위처럼 여러 개의 법률 사실의 결합으로 이루어지는 경우와, 유언이나 출생 따위와 같이 한 개의 법률 사실이 그대로 법률 요건이 되는 경우가 있음.

법률의 우위【法律—優位】[—뉼—/—뉼에—] 명 〖법〗 법치주의의 내용의 하나. 법률의 형식으로 나타난 국가 의사는 행정권이나 사법권의 의사 등과 같은 다른 모든 국가 의사보다 우월하고 상위에 있다는 것.

법률의 유보【法律—留保】[—뉼— / —뉼에—] 명 〖법〗 법률의 근거(根據)에 의하지 아니하면 행정권은 발동할 수 없는 일.

법률의 착오【法律—錯誤】[—뉼—/—뉼에—] 명 〖법〗 형법상, 어떤 행위가 법률로 금지된 것임을 모르는 일 또는 허용된다고 믿는 일. 고의(故意)인가 아닌가에 따라 문제가 됨.

법률 이:념【法律理念】[—뉼—] 명 〖철〗 법과 법률 생활이 어떠한 것인가를 표시하는 객관적 규준(規準)이 되는 사상 또는 관념. 법률의 제정·해석·적용 등을 지도하는 최고 목표이며, 그 작용의 가치를 제정하는 기본적 표준이 됨.

법률 적용【法律適用】[—뉼—] 명 추상적인 법률 규범(規範)을 개개의 생활 현상에 적용하여 판단하는 일.

법률적 책임【法律的責任】[—뉼쩍—] 명 〖법〗 법적 책임(法的責任).

법률 정책학【法律政策學】[—뉼—] 명 〖법〗 법률의 이상(理想)에 따라 입법하는 것과 현행법을 고치는 일에 관하여 연구하는 실천적 과학.

법률 질서【法律秩序】[—뉼—써] 명 특정 범위의 사회 생활을 규율하는 여러 법규가 일정한 원리하(原理下)에 서로 관련해서 통일적이고 체계적인 전체를 형성하는 일.

법률 철학【法律哲學】[—뉼—] 명 〖철〗 법철학(法哲學).

법률-학【法律學】[—뉼—] 명 〖법〗 법률의 이론과 그 적용을 연구하는 학문. 법률 해석학(解釋學)·비교(比較) 법학·법률 사회학·법률 정책학(政策學)·법률사학(史學) 등의 여러 부문으로 나눔.

법률학-과【法律學科】[—뉼—] 명 〔교〕 법학과(法學科).

법률학 사전【法律學辭典】[—뉼—] 명 법률에 관한 말을 모아 해설한 사전. 「법학자.

법률학-자【法律學者】[—뉼—] 명 법률학을 전문적으로 연구하는 학자.

법률 해:석학【法律解釋學】[—뉼—] 명 〔법〕 법해석학(法解釋學).

법률 행위【法律行爲】[—뉼—] 명 〔법〕 당사자의 의사에 의하여 일정한 사법적 효과(私法的效果)를 발생시키는 행위. 채무 면제(免除)·유언 등 한쪽 당사자의 의사 표시에 의해서 소기(所期)의 법률 효과를 발생시키는 단독 행위와, 계약 등과 같이 당사자 쌍방의 동의에 의해 법적 효력이 발생하는 행위, 여러 사람의 당사자가 공통된 목적을 이루기 위하여 합의된 경우, 그 합의에 대해서 법률 효과가 일어나는 합동 행위의 세 가지가 있음.

법률 행위 자유의 원칙【法律行爲自由—原則】 [—뉼— / —뉼—에—] 명 〔법〕 사적 자치(私的自治)의 원칙.

법률-혼【法律婚】[—뉼—] 명 〔법〕 혼인 신고 따위와 같은 법률상의 절차를 거쳐서 성립됐다고 인정되는 혼인. ↔사실혼(事實婚).

법률혼-주의【法律婚主義】[—뉼— / —뉼—이] 명 〔법〕 일정한 법률상의 절차에 의하여 비로소 혼인의 성립을 인정하는 입법주의. ↔사실혼주의.

법률 회피【法律回避】[—뉼—] 명 〔법〕 국제 사법상(國際私法上) 당사자가 고의로 일정한 연결소(連結素)를 일으켜서 본래 규정된 강행 규정(強行規定)·금지 규정의 적용을 회피하는 일.

법률 효:과【法律效果】[—뉼—] 명 〔법〕 법률 요건(要件)이 갖추어짐으로써 거기에서 생기는 법률상의 일정한 결과.

법륭-사【法隆寺】[—늉—] 명 〔지〕 일본의 '호류사(法隆寺)'를 우리 음으로 읽은 말.

법리[1]【法吏】[—니] 명 사법(司法)의 관리(官吏). 재판관. 법관.

법리[2]【法理】[—니] 명 ①〔법〕 법률의 원리. ②〔법〕 법에 내재하는 사리(事理). ③〔법〕 법적인 논리. ④〔불교〕 불법(佛法)의 진리. 불법의 이법(理法).

법리 철학【法理哲學】[—니—] 명 〔철〕 법철학(法哲學).

법리-학【法理學】[—니—] 명 ①〔철〕 법철학. ②〔법〕 법률에 관한 일반적 원리(原理)를 연구하는 학문.

법말【法末】 명 〔불교〕 불법(佛法)이 쇠(衰)하는 말세(末世). 말법(末法).

법망【法網】 명 법률의 그물. 범죄자가 법률의 제재를 벗어날 수 없음을 물고기나 새가 그물을 벗어날 수 없음에 비유한 말. ¶ ~에 걸리다/~을 뚫다.

법맥【法脈】 명 〔불교〕 전법(傳法)의 계맥(系脈).

법면【法面】 명 〔토목〕 둑·호안(護岸)·절토(切土) 등의 경사면(傾斜面).

법멸【法滅】 명 〔불교〕 불법(佛法)이 멸하는 일. 정법 오백년(正法五百年)·상법 일천년(像法一千年)·말법 일만년(末法一萬年)의 삼시(三時)가 지나면 불법(佛法)은 멸진(滅盡)한다고 함.

법명[1]【法名】 명 〔불교〕 ①불문(佛門)에 들어가 승려가 되는 사람에게 종문(宗門)에서 지어 주는 이름. 또, 속가(俗家)에 있는 신자(信者)에게는 수계(授戒)를 할 때 지어 주는 이름. 계명(戒名). *법호(法號). ②불가(佛家)에서 죽은 사람에게 붙여 주는 이름. 계명(戒名).

법명[2]【法命】 명 〔불교〕 ①불지(佛智)의 생생한 활동. ②승려의 수명(壽命).

법모【法帽】 명 법관이 법정에서 법복(法服)을 입을 때 쓰는 규정된 형식의 모자.

법무[1]【法務】 명 ①〔법〕 법률에 관한 사무. ②〔불교〕 절의 법회 의식(法會儀式)의 사무. 또, 이것을 지휘 감독하는 직임(職任).

법무[2]【法舞】 명 〔악〕 궁중에서 정재(呈才) 때에 추는 춤. 고구려 때부터 조선 순조(純祖) 때까지의 약 1,000여 년간에 지어져 전해 온 법무가 50여 종이 있음.

법무-감【法務監】 명 〔군〕 법무감실의 장(長).

법무감-실【法務監室】 명 〔군〕 군 사법(軍司法)의 운영과 군의 형정(刑政)·법제(法制) 및 군에 관련된 민사 행정(民事行政)에 관한 사항을 분장하는 기관. 육군 본부·해군 본부 및 공군 본부에 둠. 「설(consul).

법무-관【法務官】 명 〔법〕 ①〔군〕 ↗군법무관. ②고대 로마의 집정관. 콘

법무관-법【法務官法】[—뻡] 명 〔라 Ius praetorium〕 〔역〕 로마 공화정(共和政) 후기의 사회적 대변동 시대에 민사 소송을 관장하던 법무관이 고래의 시민법을 적용하면서 이것을 보충하고 수정하여 발달시킨 법. 명예법의 중핵(中核)을 이룸.

법무-국【法務局】 명 〔역〕 법부(法部)의 한 국(局). 광무 3년에 설치하여 9년에 폐지하였음.

법무 법인【法務法人】 명 변호사법에 의하여, 5명 이상의 변호사가 그 직무를 조직적·전문적으로 행하기 위하여 법무부 장관의 인가를 받아 설립하는 법인. 변호사 및 공증인의 직무에 속하는 업무를 행함.

법무-부【法務部】 명 행정 각부의 하나. 검찰·행형(行刑)·인권 옹호·출입국 관리 기타 법무에 관한 사무를 맡아 봄. 산하에 검찰청을 둠.

법무부 장:관【法務部長官】 명 법무부의 장(長)인 국무 위원.

법무-사【法務士】 명 ①〔군〕 군법 회의의 재판관으로 임명된 군 법무관. 군법 회의법이 군사 법원법으로 개정되면서 '군판사(軍判事)'로 명칭이 바뀜. ②〔법〕 남의 위촉(委囑)에 의하여 일정한 보수를 받고 법원과 검찰청에 제출하는 서류의 작성 등을 업으로 하는 사람. 자격 요건은 법원·헌법 재판소·검찰청에 일정 기간의 근무 경력이 있거나 법무사 시험에 합격하여야 됨. 구칭: 사법 서사·사법 대서인.

법무-실【法務室】 명 법무부 장관 소속 하의 한 기관. 법령안의 기초, 법령의 해석·자문(諮問), 변호사에 관한 사항, 법률 학설의 조사 연구, 인권 옹호, 국적의 이탈·회복·귀화, 송무(訟務) 행정을 분장함. 1976년 법무국에서 승격.

법-무아【法無我】 명 〔불교〕 만유 제법(萬有諸法)은 모두 인연이 모여 생긴 일시적인 가짜 존재이므로 실다운 본체가 없다는 말. *법공(法空).

법무 아:문【法務衙門】 명 〔역〕 조선 시대의 사법 행정·경찰·사유(赦宥) 등의 사무를 관리하고 고등 재판소 이하의 각 재판소를 감독하던 관청. 고종 31년(1894)에 설치하여 이듬해에 법부(法部)로 개칭하였음.

법-무애지【法無礙智】 명 〔불교〕 사무애지(四無礙智)의 하나. 온갖 교법(敎法)에 통달하여 막힘 없이 잘 변설(辯說)하는 지혜. 법무애변(法無礙辯).

법무 연:수원【法務研修院】 명 법무부 장관에 소속하여 법무부 소속 공무원의 교육 훈련과 법무 행정의 발전을 위한 조사 연구를 하는 기관.

법무 요원【法務要員】 명 법무에 관계하는 요원.

법무 자문 위원회【法務諮問委員會】 명 〔법〕 법무 관계 법령의 개선 및 운영에 관한 사항과 국내외의 법률 학설 및 판례를 조사·연구하는, 법무부 장관의 자문 기관. 「한 사항을 분장함.

법무 참모부【法務參謀部】 명 〔군〕 사령부의 한 참모 부서. 법무에 관

법무 행정【法務行政】 명 법률 관계 및 시설의 구성·지휘 또는 감독에 관한 사무를 장리(掌理)하는 일. 준법정(法政).

법문[1]【法文】 명 ①〔법〕 법령(法令)의 문장(文章). ②〔불교〕 경(經)·논(論)·석(釋) 등 불법(佛法)을 설(說)한 문장.

법문[2]【法門】 명 〔불교〕 ①진리에 이르는 문의 뜻으로 부처의 가르침. 제불(諸佛)의 가르침. 불법. ¶ ~에 귀의하다. ②법사(法師)의 문정(門庭).

법문[3]【法問】 명 〔불교〕 불법(佛法)에 대해서 문답함. 또, 그 문답.

법문학-부【法文學部】 명 〔교〕 법학부와 문학부의 병칭.

법문-화【法文化】 명 〔법〕 법문(法文)으로 만듦. ——-하다 타여불

법물【法物】 명 〔불교〕 법사(法師)에게서 물려 받은 전답(田畓)이나 금전 같은 재물.

법미【法味】 명 〔불교〕 불교의 묘미(妙味).

법박【法博】 명 ↗법학 박사(法學博士).

법-받다【法—】 타 ☞본받다.

법방【法方】 명 법식(法式). 방법(方法). 「황(熟地黃).

법변【法卞】 명 〔한의〕 〔←법하(法卞)〕 격식(格式)대로 만든 좋은 숙지

법보【法寶】 명 〔불교〕 ①'불경(佛經)'을 보배에 비유하여 일컫는 말. ②깊디 깊고 유미(幽微)한 불교의 진리.

법보 사찰【法寶寺刹】 명 〔불교〕 삼보(三寶) 사찰의 하나. 팔만 대장경(八萬大藏經)을 간직하고 있는 '해인사(海印寺)'의 일컬음.

법-보-응【法報應】 명 〔불교〕 불신(佛身)을 세 가지로 나눈 법신(法身)·보신(報身)·응신(應身)을 아울러 일컫는 말.

법보-전【法寶殿】 명 〔불교〕 대장경이 법보(法寶)인 데서 일컫는 대장전(大藏殿)의 딴이름.

법복【法服】 명 ①제왕(帝王)의 예복(禮服). ②〔법〕 법정에서 판사·검사·변호사 등이 입는 옷. ③〔불교〕 법의(法衣).

법복 귀:족【法服貴族】 명 프랑스의 절대 군주 제도 하의 관료 귀족. 중세 이래의 봉건 귀족에 대하여, 관직 매매 제도를 통하여 사법(司法)·재정(財政)의 관직을 획득, 귀족 신분을 얻은 신흥 귀족. 18세기 이후 비판 세력의 중핵으로서 프롱드(Fronde)의 난(亂)에 큰 역할을 함.

법부【法部】 명 〔역〕 ①백제 관부의 하나. 22 관부 중 궁중(宮中) 사무를 관장하는 내관 12 부의 하나로 법률 관계의 직능을 담당하였음. ②조선 고종(高宗) 32년(1895)에 법무 아문(法務衙門)을 개칭(改稱)한 이름. 사법 행정(司法行政)·은사(恩赦)·복권(復權) 같은 일을 맡고 각 재판소를 감독하였음. 「에 상당함. 준법대(法大).

법부 대:신【法部大臣】 명 〔역〕 법부의 으뜸 벼슬. 지금의 법무부 장관

법부 협판【法部協辦】 명 〔역〕 법부의 버금 벼슬. 준법협(法協).

법사[1]【法司】 명 〔역〕 조선 시대에 형조(刑曹)와 한성부의 일컬음.

법사[2]【法使】 명 〔정〕 법국(法國), 곧 프랑스의 사절(使節).

법사[3]【法事】 명 〔불교〕 불사(佛事).

법사[4]【法師】 명 ①〔불교〕 설법하는 승려. ②〔불교〕 심법(心法)을 전하여 준 승려. ③〔불교〕 도통한 승려. 법주(法主). ④〔민〕 충청도에서, 점도 치고 경문을 읽는 박수의 일컬음. ⑤원불교에서, 수위단원(首位團院)을 역임한 사람과 수위단원 및 대각 여래위(大覺如來位)·출가위(出家位)·법강 항마위(法降降魔位)인 사람.

법사[5]【法嗣】 명 〔불교〕 법통(法統)을 이어받은 후계자.

법사 당상【法司堂上】 명 〔역〕 조선 시대에, 형조의 판서(判書)·참판·참의(參議)와 한성부의 판윤(判尹)·좌윤(左尹)·우윤(右尹) 들의 일컬음.

법-사상【法思想】 명 법과 법제도에 관련되는 제반 문제에 대하여 각 시대의 사람들이 가지는 관념. *법철학(法哲學). 「會).

법사 위원회【法司委員會】 명 〔법〕 ↗법제 사법 위원회(法制司法委員

법-사학【法史學】 명 인간의 법률 생활의 역사를 연구하는 학문.

법-사회학【法社會學】 명 법을 역사적인 사회 현상으로서 고찰하며 정치·도덕·종교·가족 따위와 관련시키면서 법의 형성·발전·소멸의 과정 따위를 분석 연구하는 학문. 법률 사회학. *해석 법학(解釋法學).

법-삼장【法三章】 명 〔역〕 중국 한(漢)나라 고조(高祖)가 진(秦)나라의 가법(苛法)을 없애고 '법은 3장뿐이며, 사람을 죽이는 자는 죽고, 사람을 상해(傷害)하거나 물건을 훔치는 자는 벌을 받는다'라고 하여 살(殺)·상(傷)·도(盜)만을 죄로 삼던 일. 나중에 이것이 변하여 법치 만능주의(法治萬能主義)에 대한 비판이 되었음.

법상[1]【法床】 명 〔불교〕 설법(說法)하는 승려가 올라앉는 상(床).

법상[2]【法相】 명 ①〔불교〕 일체(一切)의 존재의 차별의 모양. 천지 만유(萬有)의 모양. 만유는 그 본바탕은 같으나 모양은 다르므로 하는 말. ↔법성(法性). ②〔불교〕 현상적 존재(現象的存在)의 본래의 모양. ③〔불교〕 ↗법상종. ④〔정〕 '법무부 장관'의 일컬음. *외상(外相).

법상-종【法相宗】 명 〔불교〕 중국 불교의 십삼종(十三宗)의 한 종파. 또, 신라 오교(五敎) 중의 하나. 유식론(唯識論)을 근거로 하여, 만유(萬有)는 다만 마음의 변화로서 마음 이외에는 아무 것도 존재하지 아니한다고 말함. 중국 당(唐)나라의 규기(窺基)를 시조로 함. 우리 나라에서는 신라 경덕왕 때의 진표(眞表)가 개조(開祖)이며 근본 도량(根本道場)은

금산사(金山寺)임. 유식종(唯識宗). 자은종(慈恩宗). ㉰법상(法相).

법:새: 명〖조〗〈방〉뱁새.

법:새 넘:다 [—따] 자 〈방〉재주 넘다.

법서¹【法書】명 ①법첩(法帖). ②법률 서적. ③개인이 사사로이 편저(編著)한 법률 책. ↔법전(法典).

법서²【法誓】명〖불교〗부처가 중생을 제도(濟度)하려고 하는 서원(誓願).

법서 요록【法書要錄】명〖책〗중국 당대(唐代)의 장언원(張彦遠)이 서도(書道)에 관한 고래의 문헌을 집록(集錄)한 10권으로 된 책.

법석¹ 명 여러 사람이 어수선하게 떠드는 모양. ¶ 밖이 왜 이리 야단 ~이냐. ——하다 자여불

법석(을) 떨:다 구 함부로 법석을 부리다. ¶ 여기서 법석 떨지 말고 나가 놀아라.

법석(을) 부리다 구 짐짓 어수선하게 떠들어대다.

법석(을) 피우다 구 법석거리는 짓을 하다.

법석²【法席】명〖불교〗설법(說法)하는 회합의 자리. 법회 대중(法會大衆)이 둘러 앉아서 법을 강(講)하는 자리. 법연(法筵).

법석-거리다 자 자꾸 법석이다. 법석-법석 부. ——하다 자여불

법석-대다 자 법석거리다.

법석-이다 자 여러 사람이 어수선하게 떠들다.

법석-치다 자 여러 사람이 시끄럽게 떠들다.

법석-판 명 법석거리는 판.

법선¹【法船】명〖불교〗불법(佛法)을 일러서 중생의 침닉(沈溺)을 구하는 배에 비유해서 일컫는 말.

법선²【法線】명 [normal]〖수〗곡선이나 곡면 위의 한 점을 지나는 접선(接線)에 수직되는 직선. 또, 공간(空間)에 있는 곡면(曲面) 위의 한 점을 지나는 접평면(接平面)에 수직되는 직선.

법선
T
P 접선(접면)
Q
곡선
(곡면)

〈법선²〉

법성¹【法性】명〖불교〗모든 법의 체성(體性). 만유(萬有)의 실체(實體). 우주(宇宙)의 본체(本體). ↔법상(法相)❶.

법성²【法城】명 불법(佛法)이 견고하고, 신뢰할 수 있고, 또한 온갖 악(惡)을 막는다고 해서 이것을 성(城)에 비유하여 일컫는 말.

법성³【法聲】명〖불교〗①설법하는 소리. ②경전을 읽는 소리.

법성-게【法性偈】명〖불교〗신라 때, 의상 대사(義湘大師)가 중국에서 화엄경을 전문(專門)하고 그 경의 뜻을 추려서 지은 시(詩).

법성-종【法性宗】명〖불교〗신라 오교(五敎)의 하나. 문무왕(文武王) 때 원효 대사(元曉大師)가 개창(開創)한 종파로, 경주(慶州) 분황사(芬皇寺)를 본사(本寺)로 하였음. 해동종(海東宗). 원효종(元曉宗).

법성-토【法性土】명〖불교〗삼불토(三佛土)의 하나. 여래(如來)의 맑고 깨끗한 법신(法身)이 산다고 하는 정토.

법성-포【法聖浦】명〖지〗전라 남도 영광군(靈光郡) 영광읍에서 서북쪽으로 8km 지점에 있는 포구(浦口). 조기가 많이 남. 만내(灣內)의 개펄은 간척(干拓)되어 논과 염전(塩田)으로 이용됨.

법성포-창【法聖浦倉】명〖역〗조선 때 전라 남도 영광군(靈光郡) 법성포에 설치되었던 조창(漕倉). 법성창(法聖倉).

법세【法歲】명〖불교〗법랍(法臘).

법손【法孫】명 한 스승에게서 불법(佛法)을 이어받아 대(代)를 이은 제자들.

법수¹【法水】명 ①〖약〗아비산(亞砒酸) 칼륨액. ②〖불교〗불법(佛法)이 중생(衆生)의 번뇌(煩惱)를 씻어 정(淨)하게 함을 물에 비유하여 일컫는 말.

법수²【法手】명 ①방법과 수단. ②한국 고유의 순장 바둑에서, 정수(正手)를 일컫던 말.

법수³【法首】명〖건〗난간(欄干)의 귀퉁이에 세운 기둥 머리.

법수⁴【法數】명〖수〗제법(除法)에서 실수(實數)를 제(除)하는 수.

법수⁵【法數】명〖불교〗불교의 교의(敎義) 중에 어떤 수(數)로 이루어진 것. 사제(四諦)·십이 인연(十二因緣)·육도(六道) 따위.

법술【法術】명 ①방법과 기술. ②방사(方士)의 술법(術法).

법술-사【法術士】명 술법(術法)으로 재주 부리는 방사(方士).

법시【法施】명〖불교〗타일러 깨달음을 베푸는 보시(普施) 속의 삼시(三施)의 하나.

법식【法式】명 ①법도(法道)와 양식(樣式). 법방(法方). ②방식(方式). ③〖불교〗불전(佛前)의 법요 의식(法要儀式).

법식-시【法食時】명〖불교〗부처가 제정한 승려들의 식사하는 시간. 오시(午時), 곧 오전 11시-오후 1시를 가리킴.

법신【法身】명〖불교〗①석가 여래(釋迦如來)의 삼신(三身)의 하나. 법계 진여(法界眞如)의 이치(理致)와 일치하는 부처의 몸. 또, 그 부처가 설(說)한 정법(正法). 부처의 생신(生身)에 상대하여 일컫는 말. 법계신(法界身). ↔보신(報身)·응신(應身). ②법체(法體)가 된 몸. 승려의 몸. 중. ③진여 실상(眞如實相).

법신-덕【法身德】명〖불교〗열반(涅槃)에 구비된 삼덕(三德)의 하나. 열반이 상주 불멸(常住不滅)의 법성(法性)을 구비함을 말함.

법신-불【法身佛】명〖불교〗삼신불(三身佛)의 하나. 대일 여래불(大日如來佛)을 일컫는 말. 비로자나불(毘盧遮那佛). 천진불(天眞佛).

법신 설법【法身說法】[—뻡] 명〖불교〗법신(法身)의 설법.

법신-탑【法身塔】명〖불교〗사리(舍利)를 안치(安置)하는 둥근 탑.

법-실증주의【法實證主義】[—쯩— / —쯩—이] 명〖법〗법학의 연구 대상을 전적으로 실정법에만 국한하려는 주의. 19세기 이후 자연 과학의 발달과 함께 발달되었지만 실정법의 의의 또는 힘의 본질 해석에 따라 그 경향은 통일된 바 없음.

법악【法樂】명 ①나라에서 쓰는 정악(正樂). 예로부터 의식과 법도(法度)에 맞게 연주하는 엄숙한 음악. 정악. ②불교의 엄숙한 음악.

법안¹【法案】명〖법〗①법률의 안건(案件). ¶ ~을 제출하다. ②법률의 초안(草案). ¶ ~ 심의.

법안²【法眼】명〖불교〗불타(佛陀)의 오안(五眼)의 하나. 모든 법(法)을 관찰(觀察)하는 눈.

법안-종【法眼宗】명〖불교〗선가 오종(禪家五宗)의 한 파. 법안 문익 선사(法眼文益禪師)의 종지(宗旨)를 근본으로 하여 일어난 종파(宗派).

법애【法愛】명〖불교〗①불법(佛法)에 대한 애착. 즉, 자기가 깨친 선법(善法)을 사랑하고 즐겨하는 것. ②이애(二愛)의 하나. 진리로서의 불법을 찾음.

법약【法藥】명〖불교〗중생 심중(衆生心中)의 번뇌(煩惱)를 없이하는 불법(佛法)을 약에 비유한 말.

법어¹【法語】명 ①〖불교〗정법(正法)을 설(說)하는 말. 부처나 고승(高僧)들이 한 불교에 관한 말이나 글월. 법담(法談). 법화(法話). 불어²(佛語)❶. 법언(法言)❷. ②〖법〗법률학상의 용어. 법령상의 용어.

법어²【法語】명〖언〗불어³(佛語).

법어 언:해【法語諺解】명〖불교〗조선 세조(世祖) 12년(1466)에 출간(出刊)된 혜각 존자(慧覺尊者) 신미(信眉)가 불경《법어(法語)》를 한글로 번역한 책. 환산 정응 선사 시몽산 법어(皖山正凝禪師示蒙山法語)·동산 숭장주 송자 행각 법어(東山崇藏主送子行脚法語)·몽산 화상 시중(蒙山和尙示衆)·고담 화상 법어(古潭和尙法語)의 네 법어로 되었으므로 일명《사법어(四法語)》라 함.

법어 학교【法語學校】명 조선 고종(高宗) 33년(1896), 정월 프랑스인 모텔(Mautel, E.)이 관립 학교로 서울 박동(礴洞), 지금의 종로구 수송동(壽松洞)에 세운 불어 학교. 광무 10년(1906) 폐교됨.

법언¹【法言】명 ①바른 도리(道理)로 법도(法度)가 되게 하는 말. ②법어(法語)❶.

법언²【法諺】명 법에 관한 격언(格言)이나 이언(俚諺). '신법은 구법을 개폐(改廢)한다'·'이익이 없으면 소권(訴權)이 없다'·'특별법은 보통법에 우선(優先)한다' 등과 같은 것.

법업【法業】명〖불교〗불법에 관한 사업. 법사(法事). 불사(佛事).

법역【法域】명〖법〗①법령의 효력이 미치는 지역적 범위. ②법령의 적용범위.

법연¹【法筵】명 ①〖역〗예식(禮式)을 갖추고 임금이 신하를 접견(接見)하는 자리. ②〖불교〗불전(佛前)에 절하는 자리. ③〖불교〗불도(佛道)를 설(說)하는 자리. 법좌(法座). ④〖불교〗법석(法席).

법연²【法緣】명〖불교〗불법(佛法)을 듣고 믿게 되는 인연.

법열【法悅】명〖불교〗①설법(說法)을 듣고 마음 속에 일어나는 기쁨. 법락(法樂). ②진리(眞理)에 사무칠 때의 기쁨. ③황홀한 기쁨. 도취(陶醉). 법희(法喜).

법온【法醞】명 내온(內醞).

법옹-사【法翁師】명〖불교〗노법사(老法師).

법왕¹【法王】명 ①〖불교〗법(法)을 설(說)하는 주왕(主王)이란 뜻으로서, 석가 여래를 존대하여 부르는 말. ②〖천주교〗교황(敎皇).

법-왕²【法王】명〖사람〗백제의 제29대 왕. 휘는 선(宣) 또는 효순(孝順). 불교를 신봉하여 살생을 금하고, 민가에서 기르는 매를 날려 보내게 하였음. 왕흥사(王興寺) 창건을 착수함. [재위 599-600]

법왕-령【法王領】[—녕] 명 교황령(敎皇領).

법왕-사【法王寺】명〖역〗고려 개경 십사(開京十寺)의 하나로 그 중에서 으뜸 가는 절. 왕건(王建)이 창건하였음.

법왕 정치【法王政治】명 교황 정치(敎皇政治).

법왕-청【法王廳】명〖천주교〗교황청(敎皇廳).

법외【法外】명 법률(法律)이나 규칙(規則)의 밖.

법외 조합【法外組合】명 노동 조합법이 정한 노동 조합의 자격 요건을 갖추지 못한 노동 조합. 아웃사이더 조합(outsider組合). ↔법내 조합.

법요【法要】명〖불교〗불사(佛事)의 의식(儀式).

법우¹【法友】명〖불교〗'법사(法師)❷'의 겸칭(謙稱).

법우²【法雨】명〖불교〗중생(衆生)을 교화(敎化)하여 덕화(德化)를 사람들에게 입히는 것을 비에 비유한 말. 곧, 불법(佛法)의 은혜.

법원¹【法院】명 국가(國家)의 사법권(司法權)을 행사하는 기관. 대법원(大法院)·고등 법원(高等法院)·특허 법원·지방 법원·가정 법원·행정 법원이 있음. 좁은 뜻으로는, 법관 1명 또는 수명의 합의체(合議體)로 구성되어, 모든 소송 사건을 심판하는 기관을 일컬음. 넓은 뜻으로는, 위의 뜻 이외에 법원의 사무 직원과 집행관까지 넣은 복합적 관서(官署)의 뜻으로도 씀. ↔검찰청. *재판소.

법원²【法源】명〖법〗법의 연원(淵源), 즉 무엇이 법이냐를 정하는 경우에 그 근거로서 드는 것. 성문법·불문법(不文法)으로 대별되나, 보통 법이 표현되는 성립 현상에 따라 법률·명령·관습법·관례 등으로 분류함.

법원 공무원 교:육원【法院公務員敎育院】명〖법〗법원 조직법에 의거 설치된 교육 기관. 법원 직원·집행관·법무사 및 대법원장이 필요하다고 인정하는 자의 연수 및 양성에 관한 사무를 관장함.

법원 권:근【法遠拳近】명 법은 멀고 주먹은 가깝다는 뜻으로서, 일이 급박할 때에는 이치보다도 완력에 호소하게 되기 쉽다는 말.

법원-장【法院長】명 법원의 행정 사무를 총괄하고 부하 직원을 지휘 감독하는 직위(職位). 또, 그 사람. 대법원장(大法院長)·고등 법원장·지방 법원장·가정 법원장 등이 있음.

법원 조직법【法院組織法】명〖법〗헌법에 의하여 사법권을 행사하는 법원의 조직을 정한 법. 법원의 종류·법관·법원 직원·재판 및 법원의 경비 등이 규정되어 있음.

법원 주림【法苑珠林】명〖책〗불교에 관한 사전의 한 가지. 중국 당초(唐初)의 중, 도세(道世)가 10년 동안에 걸쳐 편찬한 책. 668년 완성. 전부 100권으로 100편 668부(部)로 되어 있음.

법원 행정【法院行政】명〖법〗사법 행정(司法行政).

법원 행정처【法院行政處】명 대법원의 한 부서. 법원에 관한 인사·회

계와 등기(登記)·호적·집행관·법무사·통계 및 판례(判例) 편찬에 관한 사무를 장리(掌理)함.

법월【法月】명〖불교〗불법(佛法)이 중생의 미로(迷路)를 밝히어 주는 것을 달에 비유한 말.

법위¹【法位】명〖불교〗①온갖 법(法)이 안주(安住)하는 자리라는 뜻으로, '진여(眞如)'의 이칭(異稱). ②승려의 지위. 승위(僧位).

법위²【法威】명〖불교〗불법(佛法)의 위력(威力).

법유【法油】명 들기름.

법음【法音】명〖불교〗설법(說法) 또는 독경(讀經)의 소리.

법의¹【法衣】[―/―이] 명〖불교〗승려가 입는 옷. 곧, 가사(袈裟)·장삼(長衫) 같은 것. 법복(法服).

법의²【法意】[―/―이] 명〖법〗법률의 근본 취지(根本趣旨).

법의³【法義】[―/―이] 명 ①〖불교〗불법(佛法)의 본의(本義). ②법의 의의(意義). 또, 법칙으로서 지켜야 할 도의(道義).

법의 계:수【法―繼受】[―/―에―] 명〔도 Rezeption des Recht〕〖법〗외국 민족의 법률 제도를 받아들이는 일. 관습 등으로 자연히 이루어지는 경우와 입법을 통하여 인위적으로 이루어지는 경우가 있음.

법의 날【法―】[―/―에―] 명 법무부 주관으로, 국민의 준법 정신을 앙양시키고, 법의 존엄성에 관련된 행사를 하는 날. 5월 1일.

법의 맹:점【法―盲點】[―쩜/―에―쩜] 명 법의 정신으로 보아 분명히 불법 행위인데도 이에 적용시켜 단속할 현행 법규가 없는 일.

법의 목적【法―目的】[―/―에―] 명〔도 Zweck im Recht〕〖책〗독일의 법률학자 예링(Jhering)이 1877~84년간에 저술한 책. 인간의 모든 생활과 인간 사회의 모든 제도를 그 목적으로 설명하고, 법도 인간 사회의 한 제도이므로 목적의 소산이며, 목적은 모든 사물의 창조라고 하였음.

법의 범:주【法―範疇】[―/―에―] 명〖법〗어떤 현상 또는 제도를 법학적으로 구성함에 있어서 이론상 필연의 제약을 이루는 기본적인 여러 개념. 법률 요건·법률 효과, 권리·의무, 권리의 주체와 객체 따위.

법의 사회화【法―社會化】[―/―에―] 명〖법〗①법에 관한 지식을 법률 전문가의 손에서 민중에게 널리 해방하여 보급 일반화하는 일. ②개인주의적인 법을 사회 본위적(本位的)인 법으로 진화시키는 일.

법-의식【法意識】명 사람들이 법에 대하여 가지는 사상·감정·인식·견해 따위를 일컬음.

법의 실효성【法―實效性】[―썽/―에―썽] 명〖법〗법이 수범자(受範者)에 의하여 현실로 준수·실현되는 것.

법의 적용【法―適用】[―/―에―] 명〖법〗법규를 개별적인 사회 현상에 맞추어 구체적으로 실현하는 작용.

법의 정신【法―精神】[―/―에―] 명〔프 L'Esprit des Lois〕〖책〗몽테스키외의 주저(主著)인 정치학서. 입법·행정·사법 3권의 분립을 논하고 법은 인간 이성(人間理性)이지만 정체(政體)의 성질과 원리·지세(地勢)·풍토(風土)·종교·상업·생활 양식 등과 관계를 가지며 이들과의 관계에 있어서 법을 고찰하는 것이 법의 정신을 고찰하는 것이라고 함. 2권. 1748 년 제네바에서 출판됨.

법의 주체【法―主體】[―/―에―] 명〖법〗①법률 관계의 주체. ②법질서의 주체. 법질서를 유지하는 임무가 있는 법적 단체를 뜻하며, 특히 법질서 유지의 독점적 강제 권력을 가지는 국가를 말함.

법의 지배【法―支配】[―/―에―] 명〖법〗군주·제왕에 의한 '사람의 지배'에 대응되는 말로, 누구나 법원이 적용하는 법 이외에는 지배되지 아니한다는 법지상주의 원칙. 민주주의의 근간(根幹)의 하나임.

법의 타:당성【法―妥當性】[―썽/―에―썽] 명〖법〗법이 그 수범자(受範者)를 구속할 수 있는 정당한 자격이나 권능.

법-의학【法醫學】명 응용 의학(應用醫學)의 한 분과. 의학을 기초로 하여 법률적으로 중요한 사실 관계를 연구하고 해석하며 감정하는 학문. 살인(殺人)에 대한 사인(死因)·범행(犯行)의 시각 등을 취급함. 범죄 의학(犯罪醫學).

법의 해:부【法醫解剖】[―/―이―] 명 법의학에서 사인이나 방법 등을 구명하기 위하여 하는 해부. 행정 해부와 사법(司法) 해부로 분류됨.

법의 해:석【法―解釋】[―/―에―] 명 법의 의미 내용(意味內容)을 밝혀 내는 일.

법의 효:력【法―効力】[―/―에―] 명 법이 그 규범 의미 내용대로 실현될 수 있는 상태에 있는 것.

법의 흠:결【法―欠缺】[―/―에―] 명 어떤 예상 외의 일이 생겼을 때 법에 규정이 없어 법을 적용할 수 없는 등 입법 기술의 미비 등으로 인한 법의 결여.

법-이념【法理念】명〔idea of law〕〖법〗법이 추구해야 할 정의·합목적성(合目的性)·안정성 등의 이념.

법익【法益】명 법률에 의하여 보호되는 생활상의 이익 또는 가치(價値). 보호 법익.

법익-설【法益說】명〖법〗공법(公法)은 공익(公益)을, 사법(私法)은 사익(私益)을 목적으로 한 법이라는 법률상의 학설.

법인¹【法人】명〖법〗자연인(自然人)이 아니고 법률상으로 인격을 인정받아서 권리 능력을 부여받은 주체(主體). 공법인(公法人)과 재단 법인(財團法人)·사단 법인(社團法人) 같은 사법인(私法人)의 두 종류가 있음. 무형인(無形人). ↔자연인(自然人).

법인²【法印】명〔범 dharma-uddāna〕〖불교〗불교를 외도(外道)와 구별하기 위한 표지(標識). 불법(佛法)이 참되고 부동 불변(不動不變)함을 나타내는 표. 소승 불교(小乘佛敎)에서는 무상인(無常印)·무아인(無我印)·열반인(涅槃印)의 삼법인(三法印)으로 하고 대승 불교에서는 상인(相印)의 일법인(一法印)으로 함.

법인³【法認】명 법률의 인정. 법이 인정하는 일.

법-인격【法人格】[―껵] 명〖법〗권리·의무의 주체가 될 수 있는 법률상의 자격·권리 능력.

법인 기업【法人企業】명 기업 가운데 법인격을 취득한 조직체. 주식 회사 따위.

법인 부:인설【法人否認說】명〖법〗법인이 독자적인 사회적 실체를 가진다는 것을 부정하고, 그 본체는 결국 개인 내지 일정한 재산에 불과하다고 하는 이론.

법인-세【法人稅】[―쎄] 명〖법〗법인의 소득 등에 부과되는 국세(國稅). 내국(內國) 법인에 있어서는 각 사업 연도의 소득 및 해산한 경우의 청산(淸算) 소득에 대해 부과되며 외국 법인에 있어서는 각 사업 연도의 국내 원천 소득에 대해서만 부과되고, 청산 소득에 대해서는 부과되지 아니함.

법인세-법【法人稅法】[―쎄뻡] 명〖법〗법인세에 대하여, 그 과세 요건(課稅要件)이나 납부의 절차 등을 규정한 법률.

법인세-할【法人稅割】[―쎄―] 명〖법〗법인세액을 과세 표준으로 하여 부과하는 주민세.

법인 소:득【法人所得】명〖법〗분배 국민 소득을 구성하는 항목의 하나로, 법인격을 갖는 기업이 일정 기간 내에 취득한 재화.

법인 실재설【法人實在說】[―째―] 명〖법〗자연인(自然人) 이외에도 법적 주체(主體)로인 실체(實體)를 갖는 단체가 있다고 하며 법인은 법이 의제(擬制)한 공허한 것이 아니고 자연인과 마찬가지로 하나의 사회적 실재라고 하는 이론. ↔법인 의제설(法人擬制說).

법인 예:금【法人預金】[―녜―] 명 법인격(法人格)이 있는 기업이 가지고 있는 예금. ↔개인 예금.

법인 의제설【法人擬制說】명〖법〗자연인(自然人)만이 본래의 법적 주체(主體)이며 법인은 자연인에 의제하여 인정된 인격자에 불과하다고 하는 이론. ↔법인 실재설(法人實在說).

법인 주주【法人株主】명〔institutional stockholder〕〖경〗법인으로서 회사의 주주가 되어 있는 것. 예컨대, 모회사(母會社)·자회사(子會社)·거래선(去來先)의 사업(事業) 회사·은행·보험 회사 및 이것들을 포함하는 기관 투자가(機關投資家) 등. ↔개인(個人) 주주.

법인-체【法人體】명 법인(法人)의 체제(體制). 또, 법인으로서의 주체(主體).

법인 형성【法人形成】명〖법〗개인 기업이 주식 회사·유한(有限) 회사 등의 법인이 되는 일.

법인화 현:상【法人化現象】명〖경〗주식의 기관화 현상.

법자¹ 명〈방〉벙어리¹(전남·경상).

법자²【法資】명〖불교〗〔자(資)는 스승의 가르침의 도움의 뜻으로〕제자를 이름. 법제자(法弟子)의 딴이름.

법장¹【法匠】명〖불교〗불법(佛法)을 가르치는 스승.

법장²【法杖】명〖불교〗힘이 되어 주기를 원하는 불법(佛法)을 지팡이에 비유한 말.

법장³【法場】명 ①〖법〗형장(刑場). ②〖불교〗불사(佛事)를 행하고 설교·법회(法會) 등을 하는 장소.

법장⁴【法藏】명〖불교〗①↗법장 보살. ②불교의 교법(敎法). 또, 교법을 실천(實踐)하므로 인해서 쌓인 공덕(功德).

법장⁵【法藏】명〖사람〗중국 당나라 때의 승려. 화엄종(華嚴宗)의 제3조(祖). 속성(俗姓)은 강(康)씨, 자는 현수(賢首). 화엄종은 법장에 의해 대성된 까닭에 화엄종의 고조(高祖)라 함. 저서 《오교장(五敎章)》 등. 향상 대사(香象大師). 강장 법사(康藏法師). [643~712]

법장⁶【法藏】명〖사람〗고려 말·조선 초기의 승려. 속성(俗姓)은 김(金), 호는 고봉(高峰). 명리(名利)를 버리고 입산 수도(入山修道), 혜근(惠勤)의 법을 이어받았고, 조선 정종(定宗) 2년(1400)에 송광사(松廣寺) 본당을 중수(重修), 고려 16 국사(國師)에 들게 되었음. [1351~1428]

법장 보살【法藏菩薩】명 아미타불의 성불(成佛)하기 전의 이름. ㊟법장(法藏).

법-적¹【法的】명관 법에 의거하는 모양 ¶ ~ 근거.

법적²【法跡】명〖불교〗불교 유포(佛敎流布)의 자취.

법적³【法敵】명〖불교〗불법(佛法)에 적대(敵對)하는 것. 불적(佛敵).

법적 안정성【法的安定性】[―썽] 명〖법〗법에 의하여 보호되거나 보장되는 사회 생활의 안전 또는 안전성. 법적 확실성.

법적 책임【法的責任】명〖법〗법이 정한 사회 질서에 대한 책임. 보통의 개념 책임을 넘어서 널리 적용됨. 법률적 책임.

법적 확실성【法的確實性】[―썽] 명〖법〗법적 안정성.

법전¹【法典】명〖법〗특정한 사항에 관한 법규를 체계(體系)를 세워서 편별(編別)로 조직한 성문 법규집(成文法規集). ↔법서(法書).

법전²【法殿】명 ①임금이 백관(百官)의 조하(朝賀)를 받는 정전(正殿). ②〖불교〗법당(法堂).

법전³【法專】명〖교〗↗법학 전문 학교(法學專門學校).

법전⁴【法煎】명〖한의〗약방문(藥方文)에 적혀 있는 대로 약을 달임. ――-하다 타여불

법전 조사국【法典調査局】명〖역〗대한 제국 때 내각 총리 대신의 감독 아래 형법·민법·형사 소송법·민사 소송법 등 법전의 기안(起案)을 맡았던 관청. 융희(隆熙) 2년(1908) 정월에 개설. 융희 4년(1910) 국권 상실로 담당 업무는 총독부 취조국(取調局)으로 이관됨.

법전 편찬 위원회【法典編纂委員會】명 '법제 조사 위원회'의 전신(前身).

법정¹【法廷·法庭】명 법원(法院)이 소송 절차(訴訟節次)에 따라 송사(訟事)를 심리(審理)하고 판결(判決)하는 곳. 재판정(裁判廷).

법정²【法定】명 법률로 규정함. ¶ ~ 기간. ――-하다 타여불

법정³【法定】명〖사람〗신라 진평왕(眞平王) 때의 이름난 승려.

법정⁴【法政】명 ①법률과 정치. ②법률 운용면(運用面)의 정치. 사법상(司法上)의 정치. ③↗법무 행정(法務行政).

법정 가격【法定價格】[―까―] 명 법령(法令)으로 규정한 가격.

법정 갱:신【法定更新】명〖법〗당사자의 의사 여하에 상관 없이 일정

한 사실이 있으면 계약의 갱신이 있었던 것으로 인정하는 일.

법정 경:위【法廷警衛】명〔법〕법정에 있어서 법관이 명하는 사무와 소송서류 송달을 하는 법원 공무원.

법정 경:찰권【法廷警察權】[—꿘] 명〔법〕재판장(裁判長)이 법정의 존엄(尊嚴)과 질서를 유지하기 위하여 질서를 해치거나 해칠 우려가 있는 사람의 입정(入廷) 금지 또는 퇴정을 명하는 등 필요한 명령을 내리는 권리.

법정 공고【法定公告】명〔법〕상법(商法)과 그 밖의 법령에 의거, 의무적으로 하여야 하는 공고. 예를 들면 결산(決算) 공고·정기 주주 총회 소집 공고·신주식(新株式) 발행 결의 공고·회사 합병 공고 등.

법정 과:실【法定果實】명〔법〕어떤 물건의 사용의 대가(代價)로서 받는 금전 또는 물건. 금리(金利)·지대(地代)·소작료(小作料) 따위. ↔천연 과실(天然果實).

법정 관리【法定管理】[—괄—] 명 기업이 자기 힘으로 회사를 꾸려가기 어려울 정도로 부채가 많을 때, 법원에서 지정한 제 3 자가 자금을 비롯하여 기업 활동 전반을 관리하는 일. 법원은 부도 위기에 몰린 기업을 파산시키는 것보다 살리는 것이 채권자 및 국민 경제 전반에 이로울 때 허가함.

법정 관할【法定管轄】명〔법〕민사 소송에서, 법률의 규정에 따라 정해지는 재판의 관할. *합의 관할.

법정 금리【法定金利】[—니] 명〔법〕법률로 정하여진 금리(金利).

법정 기간【法定期間】명〔법〕어떤 수속 절차(手續節次)에 관하여 법률로 정하여진 기간. 예컨대 호적상(戶籍上)의 신고 기간 또는 상고(上告)의 기간 같은 것. ↔재정 기간(裁定期間).

법정 담보 물권【法定擔保物權】[—꿘] 명〔법〕어떤 종류의 채권(債權)에 대하여 법률상 당연히 인정되는 담보 물권. 유치권(留置權)·선취 특권(先取特權) 같은 것.

법정-대【法政大】명〔교〕↗법정 대학.

법정 대:리【法定代理】명〔법〕본인의 위임(委任)에 의하지 아니하고 법률의 규정에 의하여 당연히 발생하는 대리 관계. 미성년자(未成年者)에 대한 친권자(親權者)의 대리 따위가 이에 해당함. ↔임의 대리(任意代理).

법정 대:리인【法定代理人】명〔법〕위임을 받지 아니하고도 법률의 규정에 의하여 당연히 대리할 권리가 있는 사람. 미성년자·금치산자의 친권자(親權者)나 후견인 같은 사람. ↔임의 대리인.

법정 대:위【法定代位】명〔법〕대위 변제(代位辨濟)에서 보증인·연대 채무자 등 정당한 이해 관계를 가지는 자가 변제를 하는 경우, 채권자의 승낙 없이 당연히 대위하는 일. ↔임의(任意) 대위.

법정 대학【法政大學】명〔교〕법률·정치에 대한 전문적인 학습을 교수·연구하는 단과 대학. ㊟법정대.

법정 득표수【法定得表數】[—쑤] 명〔법〕법률에 정해져 있는 당선인(當選人)이 되는 데 필요한 최저 한도의 득표수.

법정 모:욕죄【法廷侮辱罪】명〔법〕법원의 규칙·명령 등에 대한 무시(無視)·불복종 또는 그 밖에 법원의 권위를 해(害)하는 행위에 의해 성립되는 죄. 법관이 기소(起訴)를 기다리지 아니하고 독자적으로 처벌할 수 있음.

법정-범【法定犯】명〔법〕행정상의 단속 등을 위해서 정해진 법규에 위반하는 행위. 행정범(行政犯). ↔자연범(自然犯).

법정 비:가【法定比價】[—까] 명 복본위제(複本位制) 하에서 국가가 법률로써 일정하게 정한 금은(金銀) 상호의 가치의 비율.

법정 상속분【法定相續分】명〔법〕법률에서 정하여진 상속분. 피상속인이 상속분을 지정하지 않을 경우에 적용됨. ↔지정(指定) 상속분.

법정 상속인【法定相續人】명〔법〕피상속인(被相續人)이 상속인을 지정하지 아니하였을 경우 민법의 규정에 따라 상속하게 되는 사람. 피상속인의 직계 비속(卑屬)·직계 존속(尊屬)·배우자·형제 자매·팔촌 이내의 방계(傍系) 혈족의 차례임.

법정 상속주의【法定相續主義】[—/—이] 명〔법〕누구를 상속인으로 하는가를 법률로써 정하여 자유로 이것을 변경하지 못하게 하는 주의.

법정 서:열주의【法定序列主義】[—/—이] 명〔법〕민사 소송법상 공격 방어 방법의 제출을 주장·항변·재항변 등의 성질에 따라 심리의 단계에 좇아서 법으로 정하는 주의. ↔자유(自由) 서열주의.

법정 선:거 비:용【法定選擧費用】명〔법〕법률에 의한 선거 비용의 제한액(制限額). 선거 비용 조달에 수반되는 정치의 부패(腐敗)를 피하기 위하여 선거 비용을 일정액으로 제한함.

법정-수【法定數】명〔법〕법률 행위의 성립에 필요한 수효.

법정 순:서주의【法定順序主義】[—/—이] 명〔법〕동시 제출주의. ↔수시 제출주의.

법정-악【法井嶽】명〔지〕제주도 서귀포시(西歸浦市)에 있는 산봉우리. 한라산과 함께 신생대 제3-4기에 분출된 화산. [760 m]

법정 의:무【法定義務】명〔법〕법률의 규정에 의하여 당연히 지는 의무. 부모가 미성년자(未成年者)인 자기 아들을 보호 감독하는 의무 같은 것.

법정 이:율【法定利率】명〔법〕법률의 규정에 의하여 정하여진 이율. 민사 채무(民事債務)는 연(年) 5푼(分)이며, 상사(商事) 채무는 연 6푼임. ↔약정 이율.

법정 이:자【法定利子】명〔법〕법률의 규정에 의하여 당연히 발생하는 이자. ↔약정 이자.

법정 재단【法定財團】명〔법〕파산법(破産法)에 의하여 파산 재단(破産財團)에 속할 것으로 규정되는 재산. ↔실재(實在) 재단. *파산 재단.

법정 재산제【法定財産制】명〔법〕부부의 재산의 귀속, 그 관리 방법, 부부 공동 생활의 비용 부담 등에 관하여 법률에 규정하는 바에 따르도록 하고 있는 제도.

법정 적립금【法定積立金】[—닙—] 명〔법〕법정 준비금(法定準備金).

법정 전염병【法定傳染病】[—뼝] 명〔법〕법률상 그 환자를 격리 병사(隔離病舍)에 수용하여야만 하는 전염병. 콜레라·페스트·발진(發疹) 티푸스·장티푸스·파라티푸스·디프테리아·세균성 이질(細菌性痢疾)·황열(黃熱)의 제일종(第一種) 전염병과, 폴리오·백일해(百日咳)·홍역(紅疫)·유행성 이하선염(耳下腺炎)·일본 뇌염(腦炎)·공수병(恐水病)·말라리아·발진열·성홍열(猩紅熱)·재귀열(再歸熱)·아메바성 이질·수막 구균성 수막염(髓膜球菌性髓膜炎)·유행성 출혈열·파상풍(破傷風)·후천성 면역 결핍증·렙토스피라증(症)·쓰쓰가무시증(症)의 제이종(第二種) 전염병과, 결핵(結核)·성병(性病)·나병(癩病)·만성 B형 간염의 제삼종(第三種) 전염병이 있음. *전염병.

법정 조건【法定條件】[—껀] 명〔법〕법률 행위가 효력을 발생하기 위하여 당연히 필요한 것으로서 법률이 규정하고 있는 조건.

법정 준:비금【法定準備金】명〔법〕주식 회사가 상법(商法)의 규정에 따라 손실 보충의 목적으로 적립하는 준비금. 이익(利益) 준비금과 자본(資本) 준비금의 두 가지가 있음. 법정 적립금. ↔임의 준비금.

법정 증거주의【法定證據主義】[—/—이] 명〔법〕일정한 사실의 인정은 반드시 일정한 증거에 의하여야 한다든가, 일정한 증거가 있을 때에는 반드시 일정한 사실을 인증(認證)하여야 한다는 등 사실 판단에 관하여 의거 할 증거 법칙을 정하여 재판관을 구속하는 소송법상의 입장. ↔자유 심증(自由心證)주의.

법정 지상권【法定地上權】[—꿘] 명〔법〕저당권(抵當權)을 실행할 때에 법률의 규정에 따라 당연히 생기는 지상권. 토지와 그 위의 건물이 동일한 소유자에게 속하는 경우, 그 한편만을 저당에 넣으면 경매를 하는 경우에는 건물은 존립(存立)의 근거를 잃어 파괴하지 아니하면 안 되게 되는데 이것을 방지하기 위하여 법률이 설정한 지상권임.

법정책-학【法政策學】명〔법〕입법 정책을 주요 대상으로 하는 학문. 일정한 법 목적의 실현을 위하여 가장 유효하고 능률적인 법기술의 체계를 과학적으로 탐구함. 실용 법학의 분야에 속하는 한 학과임.

법정 청산【法定清算】명〔법〕청산인(清算人)에 의하여 법정 절차(節次)에 따라 행하여지는 청산 방법. 인적 회사(人的會社)에서는 임의 청산(任意清算)과 아울러 선택적(選擇的)으로 인정되는 데, 물적 회사(物的會社)·공익 법인(公益法人) 등에서는 파산(破産)·합병(合倂)의 경우를 제외하고는 법정 청산이 강제됨. ↔임의 청산.

법정 청산인【法定清算人】명〔법〕법정 청산의 경우에 법원(法院)·주주 총회(株主總會) 또는 정관(定款)의 규정에 의하여 청산인이 특정되지 아니하는 한, 법률상 당연히 취임하는 청산인. 인적 회사(人的會社)에서는 업무 집행 사원(業務執行社員), 물적 회사(物的會社)에서는 이사(理事) 전원이 이것으로 되어 있음.

법정 추인【法定追認】명〔법〕취소(取消)의 원인인 정황(情況)이 끝난 후에 취소할 수 있는 법률 행위에 관하여 이행·이행의 청구 등을 한 때는 법률상 당연히 추인한 것으로 간주하는데 이 추인을 말함.

법정 충당【法定充當】명〔법〕변제(辨濟)의 충당 방법 중에서 법률의 정하는 순서에 따라 행하여지는 충당 방법.

법정 통화【法定通貨】명〔법〕국법으로 그 강제 통용력(強制通用力)이 인정된 화폐. 법정 화폐(法定貨幣). 법화(法貨). ㊟법폐.

법정 투쟁【法廷鬪爭】명 노동 운동이나 정치 운동에 관한 계쟁(係爭)이 재판에 돌려졌을 때 피고와 그것을 지지하는 노동 조합·정당 등이 재판을 통하여 사용자나 정부의 부당을 주장하여 널리 일반의 지지를 획득하려고 하는 활동.

법정 평:가【法定評價】[—까] 명〔법〕한 나라의 본위 화폐(本位貨幣)인 금의 품위(品位)·분량(分量)을 다른 나라의 것과 비교하여 법률상으로 정하여진 가치 비율. 자유 환시세(自由換時勢)는 이것을 중심으로 변동함. 금평가.

법정 해:제권【法定解除權】[—꿘] 명〔법〕법률의 규정에 의하여 생기는 해제권. ↔약정(約定) 해제권.

법정 혈족【法定血族】[—쪽] 명〔법〕사실상의 혈연 관계는 없으나 법률상 혈연 관계가 있는 것으로 취급되는 혈족. 양친자(養親子)·적모 서자(嫡母庶子) 관계 따위. 준혈족(準血族). 인위 혈족. ↔자연 혈족.

법정-형【法定刑】명〔법〕형법 등의 형벌 법규 중에서 각 개의 범죄에 대해 규정되어 있는 형. 형의 종류·범위를 엄격하게 규정하여 법원에 선택·재량의 여지를 주지 아니하는 절대 법정형과, 형의 종류·범위에 대해 어느 정도의 폭을 두어 규정하여 법원에 선택·재량의 여지를 주는 상대 법정형이 있음. *선고형(宣告刑).

법정 화:폐【法定貨幣】명 법정 통화.

법정 후:견인【法定後見人】명 법률의 규정에 의하여 당연히 후견인이 되는 사람.

법제[1]【法制】명 ①법률과 제도. ¶ ~사. ②법률로 정해진 각종의 제도.

법제[2]【法製】명 ①물건을 법에 따라 그대로 만듦. ②〔한의〕약의 성질을 좀 다르게 가공할 때에 정해 있는 방법대로 함. 백출 토초(白出土炒)·황금 주세(黃金酒洗) 같은 것. 수치(修治). ③〔한의〕약재를 약방문(藥方文)대로 만듦. ——-하다 타여불

법제 경제【法制經濟】명 법률 제도와 경제 상태.

법제-관【法制官】명 국가 공무원의 한 관명(官名). 법제에 관한 사항을 담당함. 2급 공무원임.

법제-국【法制局】명 ①과거 국무원 사무처에 속하였던 한 국. ②〔역〕의정부(議政府)의 한 국. 광무(光武) 9년(1905)에 설치하였음. ③〔역〕광무 11년에 설치하였던 내각(內閣)의 한 국.

법제-사【法制史】명 과거의 법률 제도를 역사적으로 연구하는 학문.

법제 사법 위원회【法制司法委員會】명 법제 사법에 관한 사항을 심의하는 국회의 상임 위원회. 소관 범위는 법무부·법제처·감사원·법원·군사 법원의 사법 행정·헌법 재판소 사무·법률안·탄핵 소추·국회 규칙안의 체계와 자구(字句)의 심사 등에 관한 사항을 다룸. ㊟법사 위원회.

법제-실【法制室】명 과거 국무원 사무처 법제국의 전신(前身).
법제이 부 〈방〉 대단히(평안).
법-제자【法弟子】명〖불교〗불법(佛法)의 가르침을 받는 제자.
법제 조사 위원회【法制調査委員會】명 법제처장 소속하의 자문 기관. 법전 편찬 위원회의 후신(後身)으로, 법제처장의 자문에 응하며, 국내외 법제와 그 운용·법령 용어 개선에 관한 조사 연구를 맡아 봄.
법제-처【法制處】명 국무 총리 소속 하에 둔 중앙 행정 기관의 하나. 국무 회의에 상정될 법령안과 총리령안(總理令案) 및 부령안(部令案)의 심사와 기타 법제에 관한 사무를 맡아봄.
법제처-장【法制處長】명 법제처의 장(長).
법조¹【法曹】명 ①일반적으로 법률 사무에 종사하는 사람. 특히, 법관 또는 변호사(辯護士)를 말함. 법조인(法曹人). ¶ ~계. ②〖역〗고려 때 개성부(開城府)·동경(東京)·서경(西京)·남경(南京)과 도호부(都護府)·목(牧)·방어진(防禦鎭) 등에 두어진 외관직. 품질(品秩)은 8품(品) 이상. 성종 14년(995) 서경(西京)에 처음 두어졌고, 그 밖의 지역에는 대체로 문종(文宗) 때에 관제가 정비되면서 설치됨.
법조²【法條】명〖법〗법률의 조문(條文).
법조 경:합【法條競合】명〖법〗하나의 행위로부터 발생한 결과가 형식상 여러 죄명(罪名)에 해당하는 일. 이 경우 여러 법조에 해당이 되어도 그 중에서 가장 무거운 것을 적용함.
법조-계【法曹界】명 사법(司法)에 관계하는 사람들의 사회. 또, 변호사들의 사회. ㊟법계(法界).
법조 사회주의【法曹社會主義】[─/─이] 명 사회주의의 이상을 현행 법률 질서의 입법적 개혁이라는 평화적 방법에 의해서 실현하려는 입장. 오스트리아의 법학자 멩거(Menger, Anton; 1841-1906)에 의해서 조직적으로 전개되었음.
법조-인【法曹人】명 법조(法曹).
법조 일원화【法曹一元化】명〖법〗변호사로서 일정한 경험이 있는 사람 중에서 법관을 뽑는 제도. 미국·영국 등에서 실시되고 있음.
법좌【法座】명〖불교〗법연(法筵)❷.
법주¹【法主】명〖불교〗①부처의 존칭. ②한 종파(宗派)의 우두머리. ③설법(說法)을 주장(主掌)하는 사람. ④법사(法師).
법주²【法舟】명〖불교〗불법을 이 세상의 고해(苦海)를 건너 극락의 피안(彼岸)에 닿게 하여 주는 배에 비유하여 일컫는 말.
법주³【法酒】명 ①법식(法式)대로 만든 술. ②예의 바른 주연(酒宴). 예작(禮酌). ③쌀과 누룩을 주원료로 하여 덧술하여 빚는 약주. 고려 때부터 있었으며, 오늘에는 특히 경주(慶州) 지방의 법주가 유명함.
법-주권【法主權】[─꿘] 명〖법〗주권(主權)이 의회에서 제정되는 법 자체에 존재한다는 개념. 오스트리아의 법학자 켈젠(Kelsen) 등이 제창하였음. *국가 주권설·인민 주권.
법주-사【法住寺】명〖불교〗충청 북도 보은군(報恩郡) 내속리면(內俗離面) 사내리(舍乃里) 속리산(俗離山)에 있는 25 교구 본사(敎區本寺)의 하나. 신라 진흥왕 14년(553)에 의신 화상(義信和尙)이 인도에서 돌아와 지었다고 함. 쌍사자 석등(雙獅子石燈)·석련지(石蓮池)·팔상전(捌相殿) 등의 국보가 있음. 종전에 31 본산(本山)의 하나였음.
법주사 석련지【法住寺石蓮池】[─년─] 명 법주사에 있는 화강암으로 된 석조물. 8세기 통일 신라 시대에 제작된 것으로 추정됨. 극락 세계의 연화지(蓮花池)를 상징하여 반개(半開)한 연화 모양으로 정묘(精妙)하게 조각됨. 높이 1.95 m, 둘레 6.65 m. 국보 제64호.
법주사 쌍사자 석등【法住寺雙獅子石燈】명 법주사에 있는 석등의 하나. 신라 선덕왕(善德王) 19년(720)에 건립된 것으로 추정됨. 사자를 이용한 석등으로는 가장 오래된 것이며 높이 3.3 m. 쌍사자가 앞발로 앙연석(仰蓮石) 위에 놓인 화사석(火舍石)을 받치고 있는 모습을 함. 국보 제5호.
법주사 팔상전【法住寺捌相殿】[─쌍─] 명 법주사에 있는 목조 5 층의 건물. 현존하는 것은 조선 인조(仁祖) 2 년(1624)에 벽암 대사(碧巖大師)가 재건한 것으로 전해짐. 국보 제 55 호. 「[1,066 m]
법중동-산【法中洞山】명〖지〗평안 북도 희천군(熙川郡)에 있는 산.
법지【法知】명〖사람〗신라 진흥왕 때의 악사. 대나마(大奈麻)로 있다가 왕명으로 가야국의 우륵(于勒)에게 사사(師事), 노래를 배워서 어전 연주회를 가졌음.
법지-법【法之法】명 법대로만 하여 조금도 변통이 없음.
법-질서【法秩序】[─써] 명 국가 사회가 법률에 의해 정연히 규율되고 질서가 유지되어 있는 상태. ¶ ~를 확립하다.
법집【法執】명〖불〗불교 수행에 장애가 되는 그릇된 두 가지 집착 중의 하나. 일체의 사물이 각기 고유한 본체와 성격을 가지고 있다는 생각에서 생겨나는 집착.
법천-사【法泉寺】명〖불교〗①강원도 원주군(原州郡) 부론면(富論面) 법천리(法泉里)에 있던 절. 지광 국사(智光國師)의 현묘 탑비가 있었음. ②전라 남도 무안군(務安郡) 몽탄면(夢灘面) 달산리(達山里) 승달산(僧達山)에 있는 사찰. 대한 불교 조계종 제 22 교구 본산인 대흥사(大興寺)의 말사임.
법천사 지광 국사 현묘탑【法泉寺智光國師玄妙塔】명〖불교〗법천사에 있던 지광 국사의 묘탑(墓塔). 고려 선종(宣宗) 2년(1085)경 화강암(花崗岩)으로 만들어짐. 평면 방형(平面方形)의 새로운 양식의 부도(浮屠)로서 조각이 아름다우며 한국 묘탑 중 최대의 걸작임. 현재 경복궁에 소재함. 높이 6.1 m. 국보 제101호.
법천사 지광 국사 현묘탑비【法泉寺智光國師玄妙塔碑】명 법천사터에 있는 탑비. 고려 선종(宣宗) 2년(1085)에 건립. 비문에는 지광 국사의 사적과 제자의 이름이 새겨 있음. 총 높이 4.55 m.
법-철학【法哲學】명〖철〗법 및 법 현상의 철학적 고찰. 법의 기초 개념의 분석, 법의 존립의 근거, 법 세계의 구조·성질, 다른 문화 영역과의 관련, 법의 궁극(窮極) 가치의 고찰 따위를 기본적인 임무로 함. 법률 철학. 법리 철학. 법리학(法理學). *법사상.
법첩【法帖】명 ①체법(體法)이 될 만한 명필의 서첩(書帖). 법서(法書). ②서도(書道)에 있어서 모범적인 고인의 필적을 돌·나무 등에 새긴 것.
법청¹【法靑·琺靑】명〖공〗경태람(景泰藍)의 법랑(琺瑯) 중에 푸른 빛을 써서 만든 도자기의 빛.
법청²【法廳】명 ↗사법 관청(司法官廳). 「승체(僧體).
법체【法體】명〖불교〗①법자체(法自體). 법의 본체(本體). ②중의 모습.
법치【法治】명 법에 의거하여 다스림. 또, 그 정치. ──-하다 타여불
법치-국【法治國】명 ↗법치 국가.
법치 국가【法治國家】명 국민의 의사에 의하여 제정된 법을 기초로 해서 국가 권력을 행사하는 국가. 권력 분립주의가 행하여지고 개인의 자유가 인정되어 있음. ㊟법치국. ↔경찰 국가.
법치국 사:상【法治國思想】명〖정〗행정은 의회에서 제정된 법률을 중심으로 한 국가의 법규에 의거하여 행하여져야 한다는 사상. 독일에서 발달된 관념. 이 경우의 법이라는 것은 의회에서 제정된 법률을 중심으로 함. 이러한 사상이 영국에서는 '법의 지배(支配)'라는 관념 아래 독자적으로 전개되고, 법에 의하지 아니한 공무원의 행위는 엄중히 추궁되었음.
법치-주의【法治主義】[─/─이] 명〖법〗①권력자의 자의(恣意)를 배척하고 법률에 준거(準據)한 정치를 주장하는 근대 시민 국가의 정치 원리. ②사람의 본성을 악하다고 생각하여 덕치주의를 배격하고 법률에 의하여 인민을 통치해야 한다는 주의. 이 사상은 한비자(韓非子)와 홉스(Hobbes)가 그 대표자임.
법-치학【法齒學】명 법의학의 한 분과. 치과 의학을 기초로 하여 법률적으로 중요한 사실 관계를 연구하고 해석하며 감정(鑑定)하는 학문. 시체의 신원 확인에 중요한 역할을 함. 치과 법의학.
법칙【法則】명 ①반드시 지켜야만 하는 규범(規範). 전칙(典則). 구도(矩度). 구확(矩矱). 기(紀). ¶ ~에 따르다. ②언제나, 어디서나 일정한 조건 하에 성립하는 보편적 필연적 관계. 경기(經紀). ¶ 만유 인력의 ~/질량 불변의 ~. ③〖수〗운산(運算)의 방식. 경기(經紀).
법칙 과학【法則科學】명〔도 Gesetzeswissenschaft〕〖철〗여사여사한 사건이 있었다는 것을 기술하는 역사적 과학에 대하여, 법칙의 정립(定立)을 목적으로 하는 과학. 독일의 철학자 빈델반트의 용어임. ↔역사 과학.
법칙-적【法則的】명관 법칙의 성질이 있는 모양.
법칭【法稱】명〖사람〗〔Dharmakīrti의 한자 이름〕7세기 중반경의 남인도 출신의 불교학자. 논리학자 디그나가(Dignāga)의 뒤를 이어 인도 논리학을 대성함. 티베트에서 우상적으로 숭배함. 저서 《양평석(量評釋)》·《관상속(觀相屬)》 등. 생몰년 미상(未詳).
법통【法統】명〖불교〗불법(佛法)의 전통(傳統). 법문(法門)의 계통. 불법의 유파. 비유적으로도 씀. ¶ 전통 야당의 ~을 잇다.
법-평면【法平面】명〔normal plane〕〖수〗공간 곡선(曲線)의 일점을 통하며 그 점에 있어서의 접선(接線)에 수직(垂直)인 평면.
법폐【法幣】명〖경〗①법정 통화(法定通貨). ②1935년의 폐제(幣制) 개혁에 의하여 생긴 중국 국민 정부의 통화(通貨).
법풍【法風】명〖불교〗불법(佛法)의 한 가지. 마음의 번뇌를 날리는 것이 바람 같다는 데 비유한 말.
법하【法苄】명〖한의〗→법변(法苄).
법-하다 보형 여불 과거 또는 현재의 일을 추상적으로 그러한 듯 또는 그러할 듯 싶다는 뜻을 표하는 말. ¶ 듣고 보니 그럴 법한 일이다.
법학【法學】명 법률학.
법학 개:론【法學槪論】명 법학 통론(法學通論). 「*경제학과.
법학-과【法學科】명〖교〗대학에서, 법학을 전공하는 학과. 법률학과.
법학-도【法學徒】명 법학을 배우고 연구하는 학도. 주로 대학의 법학과 학생을 이름.
법학 박사【法學博士】명 법률에 관하여 전문적 지식과 이론에 정통하고 일정한 과정을 통과한 이에게 주는 박사 학위. ㊟법박(法博).
법학-사【法學士】명 법과 대학 과정을 마친 자에게 수여하는 학위.
법학-자【法學者】명 법학을 연구하는 학자. 법률학자. 「교. ㊟법전.
법학 전문 학교【法學專門學校】명〖교〗법학을 가르치는 단과 전문 학
법학 제요【法學提要】명〔라 Institutionum Commentarii〕〖책〗2세기의 로마의 법률학자 가이우스(Gaius)의 저서(著書). 사람의 법·물(物)의 법 및 소송의 법의 순서로 로마 사법(私法)의 개요를 설명하였음. 모두 4권.
법학 통론【法學通論】[─논] 명 법률 전반을 통해서 그 개념을 들어 말한 설명. 또, 그 책. 법학 개론.
법학 협회 잡지【法學協會雜誌】명〖책〗우리 나라 최초의 법률 전문의 월간 잡지. 융희(隆熙) 2년(1908)에 창간. 동년 3월에 서울에서 처음으로 생긴 법학 협회를 조직 발족하게 되면서 기관 잡지(機關雜誌)로 창간한 것임. 지령(誌齡) 20호 전후까지 발간하였음.
법한 자전【法韓字典】명〔프 Petit Dictionnaire Français-Coréen〕〖책〗프랑스 사람 알레베크(Alévêque, C.)가 지은 책. 국어의 발음을 프랑스어식 철자법으로 표기하였음. 부록에 당시 한국의 관청명·도량형 제도가 수록됨. 광무(光武) 5년(1901) 서울에서 발간.
법해¹【法海】명〖불교〗바다처럼 깊고 넓은 불법의 세계.
법해²【法海】명〖사람〗신라 경덕왕(景德王) 때 이름난 중.
법해석-학【法解釋學】명〖법〗해석 법학(解釋法學).
법헌【法憲】명 법. 법규. 헌법(憲法). 「타나는 효험(効驗).
법험【法驗】명〖불교〗불법(佛法)의 영험(靈驗). 수법(修法)에 의하여 나
법현【法顯】명〖사람〗중국 동진(東晉) 때의 중. 339년 장안(長安)을 출

발하여 육로로 중인도(中印度)에 이르러 불적(佛蹟)을 순력(巡歷)하여 경률(經律)을 구하고, 해로(海路)로 사자국(獅子國)을 거쳐 귀국하였음. 여행 중의 견문(見聞)을 기록한 《법현전(法顯傳)》이 있음.

법현-전【法顯傳】명〖책〗불국기.

법협【法協】명〈역〉↗법부 협판(法部協辦). 「어 일컫는 말.

법형【法兄】명〖불교〗한 스승에게서 법(法)을 같이 받은 사람을 높이

법호【法號】명〖불교〗승려의 호(號). *법명(法名).

법화[1]【法花】명〖공〗①중국제의 교지 삼채기(交趾三彩器)로서 법랑유(琺瑯釉) 아래에 꽃 무늬가 있게 만든 자기. ②무늬가 있는 도자기를 진흙의 선으로 윤곽을 그리고, 이 윤곽을 경계(境界)로 하여 남빛·자줏빛·누른 빛 등의 여러 가지 안료(顏料)의 잿물을 입히어 만든 자기.

법화[2]【法貨】명 법정 통화(法定通貨).

법화[3]【法話】명〖불교〗불법(佛法)에 관한 이야기. 법담(法談). 법어(法

법화-경【法華經】명〖불교〗↗묘법 연화경(妙法蓮華經). 　　　　　　　⌊語).

법화경 언:해【法華經諺解】명〖책〗법화경을 한글로 번역한 책. 조선 세조(世祖) 9년(1463), 왕명(王命)에 의하여 윤사로(尹師路)·황수신(黃守信) 등이 번역·간행함. 본래의 이름은 '묘법 연화경 언해(妙法蓮華經諺解)'. 목판본. 7권.

법화경 종요【法華經宗要】명〖책〗원효 대사(元曉大師)가 《법화경》의 요지를 원효의 독특한 견해와 사상으로 기록한 책.

법화-당【法華堂】명〖불교〗법화 삼매(法華三昧)를 닦는 집.

법화 도:량【法華道場】명〖불〗일정 기간을 정하여 법화경을 강하고 그에 대한 논의를 하며 일반 대중은 이를 청강하는 불교 의식의 하나. 주로 낮에 강경(講經)하고 밤에는 예참(禮懺)을 함.

법화 만다라【法華曼荼羅】명〖불교〗석가가 법화경을 강설하고 있는 모습. 곧, 법화경 설법의 모임을 그린 그림. 법화경법(法華經法)을 수행할 때 본존(本尊)으로 함.

법화-법【法華法】명〖불교〗법화경(法華經)을 전독(轉讀)하여 식재 연명(息災延命)·멸죄 생선(滅罪生善)·돈생 보리(頓生菩提)를 기도하는 수법(修法). 「읽어서 그 묘리(妙理)를 깨닫는 일.

법화 삼매【法華三昧】명〖불교〗한결같은 마음으로 법화경(法華經)을

법화 삼매 참법【法華三昧懺法】[—뻡] 명〖불〗3·7일 동안을 기한으로 정하고 법화경을 독송하면서 죄업을 참회하고 실상 중도(實相中道)의 도리를 관조하는 수행법.

법화 삼부경【法華三部經】명〖불교〗법화부의 삼경(三經). 곧, 무량의경(無量義經)·묘법 연화경(妙法蓮華經)·보현관경(普賢觀經).

법화-원【法華院】명〖지〗신라 때 중국 등주(登州)에 있었던 신라의 사원(寺院). 신라 사람들의 불교 신앙의 중심이었음. 적산원(赤山院).

법화-종【法華宗】명〖불교〗천태종(天台宗)과 같은 말. 중국의 지자(智者) 대사가 법화경(法華經)을 종지(宗旨)로 하였기 때문에 이 이름이 있음.

법화 참법【法華懺法】[—뻡] 명〖불교〗법화경을 읽으며 육근(六根)의 죄장(罪障)을 참회하고 멸죄(滅罪)를 원하는 법요(法要). ㊥참법(懺法).

법화 팔강회【法華八講會】명〖불교〗법화경 팔권(法華經八卷)을 아침 저녁 한 권씩 사일(四日) 동안 독송(讀誦)·공양(供養)하는 법회(法會). 팔강회(八講會).

법화 현의【法華玄義】[—/—이] 명〖불교〗중국 수(隋)나라 때의 불교서(書). 천태 대사(天台大師) 지의(智顗)가 설도하고 관정(灌頂)이 적은 것. 개황(開皇) 13년(593) 성립. 법화경의 진의를 밝히려 한 것. 10권. 현문(玄文).

법화-회【法華會】명〖불교〗법화경(法華經)을 강설(講說)하는 법회.

법황【法皇】명〖천주교〗교황(教皇).

법황-청【法皇廳】명〖천주교〗교황청(教皇廳).

법회【法會】명〖불교〗①설법(說法)을 하고 공양(供養)을 하기 위한 모임. 천불회(遷佛會). ②죽은 사람을 위하여 재를 올리는 모임.

법흥-사【法興寺】명〖불교〗①강원도 영월군(寧越郡) 수주면(水周面) 법흥리(法興里)에 있는 절. 월정사(月精寺)의 말사(末寺). 신라 때에는 흥녕사(興寧寺)라 하였음. 도윤(道允)과 그의 제자 절중(折中)이 이 곳에서 선풍(禪風)을 앙양하여 신라 선종 구산(禪宗九山)의 한 파를 구성하였음. ②평안 남도 평원군(平原郡) 공덕면(公德面) 법홍산(法弘山)에 있는 절. 신라 때에 보리 유지(菩提流支)가 세운 절. 종전에 31 본산(本山)의 하나였음.

법흥-왕【法興王】명〖사람〗신라 제23대 임금. 이 때 신라에 정식으로 불교가 들어 왔고, 연호(年號)를 처음으로 썼으며, 관리(官吏)들의 제복을 처음으로 정하고 율령(律令)을 만들어 신라의 문화가 발전하기 시작하였음. [재위 514-539]

법희【法喜】[—히] 명〖불교〗법열(法悅).

벗:[1] 명 ①염밭에 걸어 놓고 소금을 굽는 가마. ②↗벗집.

벗:[2] 명〔중세 : 벋〕마음이 서로 통하여 친하게 사귄 사람. 붕우(朋友). 붕지(朋知). 붕집(朋執). 우인. 친구. 동무. 동포. ——하다 자여불

【벗 따라 강남(江南) 간다】㉠벗을 따라서는 먼 길이라도 간다는 말. ㉡하기 싫지만 남이 권하므로 마지못해 따라 하게 된다는 말. 추우 강남(追友江南). 【벗 줄 것은 없어도 도적 줄 것은 있다】가난하여 남에게 줄 것은 없어도 도둑 맞을 것쯤은 있다는 말.

벗:[3] 명 숯불을 피울 때에 불씨에서 불이 옮기어 닿는 숯.

벗-가다 자 ↗벗나가다. ¶ 일마다 ~/벗간 짓.

벗가랭이 명〈방〉아지랑이(제주).

벗-개다 자 구름이 벗어지고 날이 차차 개다.

벗-걸다 자 염전에 소금 굽는 가마를 걸다.

벗겨내다 타〈옛〉벗어나게 하여 내다. ¶ 그 스싀옛 衆生올 다 벗겨내야 受苦롤 여희에 호라《釋譜 XI:8》.

벗겨-지다 자 ↗벗기어지다. ¶ 베일이 ~/바람에 모자가 ~.

벗기다[1] 타〔중세 : 벗기다('벗다'의 사동사)〕①입은 옷을 벗게 하다. ②껍질이나 가죽을 이르집어 내다. ¶ 사과 껍질을 ~. ③거죽을 긁어 내다. ¶ 때를 ~. ④씌웠거나 덮었던 것을 걷다. ¶ 제막식에서 백포(白布)를 ~. ⑤감추었거나 숨긴 것을 드러나게 하다. ¶ 위선자의 가면을 ~. ⑥잠기거나 걸린 것이 열리게 하다. ¶ 단추를 ~/빗장을 ~/남의 안경을 ~.

벗기다[2] 타〈옛·방〉베끼다[1]. 복사(複寫)하다. ¶ 屍帳을 벗겨다가(抄錄屍帳)《無寃錄 I:3》.

벗기어-지다 자 벗김을 당하여 벗어지다. ㊥벗겨지다.

벗-나가다 자 테 밖으로 벗어져 나가다. ㊥벗가다.

벗남 명〈방〉벚나무(제주).

벗-낭구 명〈방〉벚나무(경기·강원·전남).

벗-님 명 '벗[2]'을 다정하게 이르는 말.

벗다[1] 자 겉에 거칠새가 없어져 매끈하게 트이다.

벗다[2] 자 ↗벗어지다. ¶ 칠이 ~.

벗다[3] 자〈옛〉벗다. 비켜나다. ¶ 길 버서 쏘샤(避道而射)《龍歌 36章》.

벗다[4] 타〔중세 : 벗다, 밧다〕①옷·모자·신 등을 몸에서 떼어 내다. ¶ 외투를 ~. ②의무나 누명 또는 책임 등을 면하다. ¶ 억울한 누명을 ~. ③졌던 짐을 내려 놓다. ¶ 지게를 ~. ④빚을 다 갚다. ⑤벌레 같은 것이 껍질을 갈아 내다. ¶ 뱀이 허물을 ~. ⑥괴로운 처지나 고통 따위에서 헤어나다. ¶ 가난을 ~. ⑦어떤 습관이나 태도 따위를 고쳐 없애다. ¶ 촌티를 ~/구습을 ~. 「어나게 되다.

벗:-닿다 [—다타] 자 나뭇조각이나 숯이 여럿이 한데 닿아서 불이 일

벗듯다 자〈옛〉벗겨져 떨어지다. '벗'과 '듯다'의 복합 동사. ¶ 모로미 긴홀 두라야 뵈야흐로 벗듯디 아니ᄒᆞ리라《家禮 11》.

벗:-바리 명 뒷배를 보아 주는 사람. 곁에서 도와 주는 사람. ¶ 그년의 ~가 어찌 좋은지 사면에 버레줄같이 늘어서 있어, 몇 시간만 지체가 되면 이 소문을 다 듣고 달아날 터이올시다《李海朝 : 驅魔劍》.

벗:바리-좋다 [—조타] 형 뒷배를 보아 줄 만한 사람이 많다.

벗-비슬 명〈방〉비탈. 「아 살다.

벗:-삼다 [—따] 타 벗이라고 생각하고 대하다. 벗하다. ¶ 자연을 벗삼

벗-새 명 거의 평면으로 된 기와.

벗어-나다 자타 거라불 ①어려운 일에서 헤어나다. ¶ 고생살이에서 ~/책임을 ~. ②자유롭게 되다. ¶ 생지옥을 ~. ③남의 눈에 들지 못하다. ¶ 주인의 눈에 ~. ④이치(理致)나 규율(規律)에 어그러지다. ¶ 사리(事理)에 벗어난 짓을 하지 마라. ⑤금·테 같은 것의 밖으로 비어져 나가다. ¶ 인공 위성이 궤도에서 ~/과녁에서 ~.

벗어난-그림씨 명〖언〗'불규칙 형용사(不規則形容詞)'의 풀어 쓴 말. ↔바른 그림씨. 「바른끝바꿈.

벗어난-끝바꿈 명〖언〗'불규칙 활용(不規則活用)'의 풀어 쓴 말. ↔

벗어난-마침 명〖악〗버금딸림화음에서 으뜸화음으로 진행하여 악곡을 끝맺는 마침. 흔히 찬송가에 쓰이는데, 악곡의 도중에 가끔 쓰이는 동시에 자유로 쓰임. 교회 종지(教會終止). 변격 종지(變格終止). 교회 마침. *바른 마침.

벗어난-움직씨 명〖언〗'불규칙 동사(不規則動詞)'의 풀어 쓴 말. ↔ 바른움직씨. 「바른풀이씨.

벗어난-풀이씨 명〖언〗'불규칙 용언(不規則用言)'의 풀어 쓴 말. ↔

벗어-버리다 타 ①옷·모자·신 같은 것을 벗어 던지다. ②빚을 갚아 끝내다. ③졌던 짐을 내려 놓다. ④책임(責任)·의무(義務)·누명(陋名)·허물 같은 것을 벗어서 다 없애 버리다. ¶ 누명을 ~.

벗어-붙이다 자타 힘차게 대들 기세로 옷을 벗다. ¶ 훌훌 ~.

벗어-젖히다 자타 입었던 옷을 벗어서 젖혀 놓다. ¶ 웃통을 벗어젖히고 ⌊덤비다.

벗어-제치다 자타 벗어젖히다.

벗어-지다 자 ①옷·모자·신 같은 것이 몸에서 떨어져 나가다. ¶ 신이 ~. ②덮었거나 얽었거나 가리었던 물건이 그 자리에서 물러나다. ③무엇에 스치어 거죽 면(面)이 깎이다. ¶ 넘어져서 무릎이 ~. ④대머리가 되다. ¶ 이마가 ~. ⑤때나 기미 따위가 없어져 미끈하게 되다. ¶ 때가 ~/기미가 ~.

벗-쟁이 명 익숙하지 못한 장색이나 무엇을 배우다 그만둔 사람을 가리키는 말. ¶ 목수(木手) ~/활량 ~.

벗-줄 명〖악〗거문고나 가얏고 따위의 현악기를 연주할 때, 실제 타는 줄의 옆줄을 가리키는 말.

벗-집 명 염전의 벗을 걸어 놓고 소금 굽는 시설을 하여 놓은 집. ㊥벗.

벗:-트다 자 서로 쓰던 경어(敬語)를 그만 두고 터놓고 사귀기 시작하다.

벗틔오다 타〈옛〉버티게 하다. ¶ 이 창을 다가다 벗틔오라(把這麼這般蠅子廣)《朴解 中 55》.

벗-풀 명〖식〗[*Sagittaria trifolia*] 택사과에 속하는 다년초. 쇠귀나물과 비슷한데 높이는 70cm 가량이고, 잎은 뿌리에서 총생(叢生)하며, 장병(長柄)이고 화살 모양에 각엽(脚葉)은 긴 달걀꼴 또는 달걀꼴 피침형임. 7-8월에 흰 꽃이 총상(總狀) 화서로 정생하여 길이 40-80cm의 화경 끝에 피며 암꽃은 다수 모여 구상(球狀)을 이룸. 과실은 밀집하고 편편한 구형에 녹색이고, 괴경(塊莖)은 식용하기도 함. 못·무논·물가에 나는데, 한국·일본 등지에 분포함. 관상용임. *택사(澤瀉).

〈벗풀〉

벗:-하다 자여불 ①벗으로 삼다. ¶ 산천(山川)과 벗하여 조용히 살다. ②서로 경어를 쓰지 아니하고 허물 없이 사귀다.

벙개 명〈방〉번개(충남·전라·경상).

벙거지 명〔근대 : 벙거지〕①〖역〗털로 검고 두껍게 만든 갓처럼 쓰는 물건. 갓모자는 높고 위가 둥글며 전이 평평하고 넓게 만들었음. 처음

에는 군인·하례 들만 썼으나, 뒤에는 여정(輿丁)·혼여(婚輿)꾼·상여(喪輿)꾼·교군(轎軍) 들이 썼음. *전립(戰笠)·벙테기. ②〈속〉 모자(帽子)❷. ③〘불교〙 땡추중들이 쓰는, 남녀의 합궁(合宮)의 결말.
[벙거지 시울 만지는 소리] 아주 모호하여 요령을 알 수 없이 하는 말을 가리키는 말. [벙거지 시울을 만진다] 어색하고 무안할 때에 비유하는 말. [벙거지 조각에 콩가루 묻혀 먹을 놈] 부당한 재물(財物)을 탐내는 사람을 일컫는 말.

벙거지-떡 명 색떡을 그릇에 담을 때에 속에 담는 흰떡의 한 가지. 절편판에 박아 내는데, 가운데가 우묵하고 전이 뒤둥그러지게 하여서 벙거지 비슷하게 만듦.

벙거지-해파리 명 〘동〙 고깔해파리.

벙거짓-골 명 전골을 지지는 그릇. 무쇠나 곱돌 같은 것으로 벙거지를 잦혀 놓은 것과 비슷하게 만듦. 전립골(戰笠骨). 전립투(戰笠套). *전골틀.

〈벙거짓골〉

벙그레 부 소리없이 입만 약간 크게 벌리고 부드럽게 웃는 모양. ㅆ뻥그레. >방그레.

벙글 부 소리없이 입만 약간 벌리고 귀엽게 웃는 모양. ㅆ뻥글. <방글.

벙글-거리다 자 좋아서 입만 연해 벌리고 소리없이 부드럽게 웃다. ㅆ뻥글거리다. >방글거리다. **벙글-벙글** 부. ——-하다 자여불

벙글-대다 자 벙글거리다.

벙긋 부 소리없이 입만 벌리고 자연스럽게 웃는 모양. ㅆ뻥긋·벙끗·뻥끗. >방긋.

벙긋-거리다 자 소리없이 입만 넝큼넝큼 벌려서 웃다. ㅆ뻥긋거리다·벙끗거리다·뻥끗거리다. >방긋거리다. **벙긋-벙긋**[1] 부. ——-하다[1] 자여불

벙긋-대다 자 벙긋거리다.

벙긋-벙긋[2] 부 모두 벙긋한 꼴. ㅆ뻥긋뻥긋[2]·벙끗벙끗[2]·뻥끗뻥끗[2]. >방긋방긋[2]. ——-하다[2] 형여불

벙긋-이 부 벙긋하게. ¶ ~ 웃음짓다. ㅆ뻥긋이·벙끗이·뻥끗이. >방긋이.

벙긋-하다 형여불 조금 열려 있다. 약간 벌려 있다. ㅆ뻥긋하다·벙끗하다[2]·뻥끗하다[2]. >방긋하다.

벙끗 부 소리없이 입만 벌리고 살짝 웃는 모양. ㅅ벙긋. ㅆ뻥끗. >방끗. ——-하다[1] 자여불

벙끗-거리다 자 연달아 벙끗이 웃다. ㅅ벙긋거리다. ㅆ뻥끗거리다. <방끗거리다. **벙끗-벙끗**[1] 부 ——-하다[1] 자여불

벙끗-대다 자 벙끗거리다.

벙끗-벙끗[2] 부 모두 벙끗한 모양. ㅅ벙긋벙긋[2]. ㅆ뻥끗뻥끗[2]. >방끗방끗[2]. ——-하다[2] 형여불

벙끗-이 부 벙끗하게. ㅅ벙긋이. ㅆ뻥끗이. >방끗이.

벙끗-하다[2] 형여불 조금 열려 있다. 살짝 벌려 있다. ㅅ벙긋하다[2]. ㅆ뻥끗하다[2]. >방끗하다[2].

벙끗-하면 부 입을 열기만 하면 곧. ¶ 자넨 ~ 돈타령이군.

벙드레-죽 명 〈방〉 수제비(경북).

벙벙-하다 형여불 ①얼빠진 사람처럼 아무 말이 없다. ¶ 어안이 ~. ②물이 넓게 밀려 오거나 흘러 내려가지 못하여 가득히 차 있다. ¶ 홍수로 들판에 물이 ~. ㊟벙하다. *뻥뻥하다. **벙벙-히** 부. ¶ ~서 있지 말고 무엇 좀 해라/ 걸자는 ~ 듣고 앉았는 그 두 사람의 얼굴을 이리저리 바라보고 빙긋 웃으며 또다시 말을 잇는다《廉想涉: 萬歲前》. ㊟벙히.

벙시레 부 소리없이 입만 약간 벌려 평화스럽게 웃는 모양. ㅆ뻥시레. >방시레.

벙실-거리다 자 소리없이 입만 약간 벌려 평화스러운 태도로 복스럽게 자꾸 웃다. ㅆ뻥실거리다. >방실거리다. **벙실-벙실** 부. ——-하다 자여불

벙실-대다 자 벙실거리다.

벙싯 부 입을 조금 크게 벌리어 소리없이 평화스럽고도 가볍게 한 번 웃는 모양. ㅆ뻥싯. >방싯. ——-하다 자타여불

벙싯-거리다 자 입을 좀 크게 벌리어 소리없이 평화스럽고도 가볍게 자꾸 웃다. ㅆ뻥싯거리다. >방싯거리다. **벙싯-벙싯** 부. ——-하다 자여불

벙싯-대다 자 벙싯거리다.

벙싯-이 부 소리없이 입을 좀 크게 벌려 화기롭고 가볍게 슬쩍 웃는 모양. ㅆ뻥싯이. >방싯이.

벙어리[1] 명 〔중세 : 버워리〕 ①선천적 또는 후천적으로 청각(聽覺)과 언어 능력을 잃은 사람. 듣기는 하나 발음 기관에 탈이 나서 말을 못 하는 수도 간혹 있음. 아자(啞子·瘂者). ②〈방〉 반벙어리(강원).
[벙어리가 서방질을 해도 제 속이 있다] 말은 하지 않더라도 제딴에는 정당한 이유도 있고 뜻도 있는 것이라는 말. [벙어리 냉가슴 앓듯] 답답한 사정이 있어도 남에게 말하지 못하고 혼자만 괴로워하며 걱정한다는 말. [벙어리 두 몫 떠들어댄다] 언변이 없는 사람일수록 떠들썩하게 말이 많다는 말. [벙어리 발등 앓는 소리냐] 책을 읽는지 노래를 하는지 분명하지 못함을 비웃어 하는 말. [벙어리 속은 그 어미도 모른다] 설명을 듣지 않고는 그 내용을 알 수 없다는 말. [벙어리 예장(禮狀) 받은 듯 싱글벙글한다] 말은 안 하고 싱글벙글 웃기만 하는 사람을 이르는 말. [벙어리 웃는 뜻은 양반 욕하자는 뜻이다] 의미(意味)를 알 수 없음을 이름. [벙어리 입에 깻묵장 처넣듯] 무턱대고 한 입 가득 퍼넣는 모양. [벙어리 재판(裁判)] 심히 곤란한 일을 두고 하는 말. [벙어리 차첩(差帖)을 맡았다] 정당히 담판할 일에 감히 입을 열어 말하지 못할 경우를 이르는 말. ¶ 저것이 벙어리 차첩을 맡았나, 말도 아니 하고 속만 태우게《李海朝: 鬢上雪》.
벙어리 호적(胡狄)을 만나다 구 가뜩이나 서로 말이 통하지 않는 오랑캐를 벙어리가 만난 것처럼, 입을 다물고 말을 하지 않음의 비유.

벙어리[2] 명 푼돈을 넣어 모으는 질그릇. 돈이 들어갈 만한 구멍을 뚫어 만든 항아리인데 꺼내 쓸 때는 깨뜨리게 됨. 나무·생철·플라스틱 등으로 만들기도 함. 박만(撲滿). 항통(缿筒). ¶ ~ 저금통.

벙어리-매미 명 〘충〙 매미의 암컷을 울지 못하므로 일컫는 말.

벙어리-문갑 【—文匣】 명 앞면에 두껍닫이식 문판(門板)이 닫혀 있어 내부 공간이 보이지 않는 문갑. 문을 열려면 좌측에서 세 번째 문짝을 밀어 올려 떼어 내고, 다른 문짝들도 그 자리까지 밀어서 떼어 냄.

벙어리-뻐꾸기 명 〘조〙 [*Cuculus saturatus*] 두견잇과에 속하는 새. 뻐꾸기와 비슷한데 좀 작아서 날개 길이 18-21 cm, 꽁지 12-17 cm이고 몸빛은 상면(上面)은 회색이고, 하면은 백색에 흑색의 가로 무늬가 많고, 암컷은 상면이 적갈색에 흑색 무늬가 있는 것도 있음. 큰 북이나 대통 또는 벙어리를 치는 듯이 아침 일찍부터 울어서 '통조(筒鳥)'라고도 함. 4-5월에 다른 새의 둥지에 알을 낳음. 모기와 유충, 다른 곤충을 포식함. 동부 시베리아·한국·중국·일본에서 번식하고, 인도·오스트레일리아 등지에서 월동하는 철새임.

〈벙어리뻐꾸기〉

벙어리 장:갑 【—掌甲】 명 다섯 개의 손가락이 따로 되어 있지 아니하고, 엄지손가락 외의 네 손가락이 한데 붙은 장갑.

〈벙어리 장갑〉

벙이 부 〈방〉 물끄러미(함경).

벙추 명 〈방〉 벙어리[1].

벙치[1] 명 〈방〉 벙어리[1](강원·충북·전남).

벙치[2] 명 〈방〉 벙거지❶.

벙커 〔bunker〕 명 ①배의 석탄 창고. ②골프장의 코스 중, 자연의 흙이 나타나 있거나 또는 모래가 들어 있는 우묵한 곳. ③〘군〙 엄폐호(掩蔽壕).

벙커 시:유 【—C 油】 〔bunker〕 명 대형 내연 기관·보일러 따위의 연료용으로 쓰이는 중유(重油). 점착성(粘着性)이 강하고, 잔류 탄소분(殘留炭素分)이 많음. 버너 중유.

벙커 힐 〔Bunker Hill〕 명 〘지〙 미국의 보스턴(Boston) 시(市)의 북부에 있는 작은 언덕. 1775년 7월 19일 미국 독립 전쟁 때, 미·영(美英) 양군이 처음으로 격전한 곳. 언덕 위에 기념비(記念碑)가 있음.

벙태기 명 ☞ 벙테기.

벙테기 명 ①벙거지의 낮은 말. ②〘역〙 군뢰복다기.

벙:-하다 형여불 ↗벙벙하다. *뻥하다. **벙:-히** 부↗벙벙히.

벙글다 자 〈옛〉 사이가 틀리어서 벌다. =벙을다. ¶ 벙글 돈(褪)《字會 下 20》/벙그러진 柯枝 휘두드려 받나 주어 담고《永言》. *버울다.

벙어리 명 〈옛〉 벙어리. =버워리. ¶ 숫글 먹움어 벙어리 되여(呑炭爲啞)《小諺 Ⅳ:31》.

벙으리 왇다 타 〈옛〉 사이를 틀어서 벌리다. 떠나게 하다. ¶ 훈번 紫臺를 벙으리왇고 朔漠애 나어가니(一去紫臺連漠)《杜諺 Ⅲ:68》.

벙을다 자 〈옛〉 사이가 틀리어서 벌다. =버울다·벙글다. ¶ 옷 벙으다(衣褪了)《字會 下 20 褪字註》.

벚[1] 명 ①↗버찌. ②〈방〉 버찌(경기·강원·충남·전북).

벚[2] 명 〈옛〉 벗[2]. =벋. ¶ 버지 와 무로매 내 누치 붓그러우니(朋知來問腆我顔)《重杜諺 Ⅲ:53》.

벚-꽃 명 벚나무의 꽃. 앵화(櫻花). 체리(cherry).

벚꽃-뱅어 명 〘어〙 [*Hemisalanx prognathus*] 뱅어과에 속하는 물고기. 몸길이 약 14 cm. 몸은 가늘고 길며 투명함. 우리 나라에서 나는 뱅어 중 가장 많이 산출됨. 4월 하순에서 5월 초에 걸쳐 큰 강의 어귀에 산란하며 알에서 부화한 새끼 고기는 바다로 내려 가서 해를 넘김. 산란 후 어미는 곧 죽음. 압록강·대동강·금강 하류에 많음.

벚-나무 명 〘식〙 ①장미과에 속하는 가는잎벚나무·개벚나무·산벚나무·거문도벚나무·섬벚나무 등의 총칭. 한국에도 10여 종이 분포함. 화목(樺木). 산앵(山櫻). ②[*Prunus serrulata*] 장미과에 속하는 낙엽 활엽 교목. 높이 6-9 m이고 잎은 호생하는데 거꿀달걀꼴 타원형임. 4-5월에 담홍색 오판화가 산방(繖房) 또는 산형(繖形) 화서로 피고, 핵과(核果)는 '버찌'라 하여 7월에 흑자색으로 익음. 산지 및 촌락 부근에 나는데, 전남·경남북·평북 및 일본·중국에 분포함. 관상용으로 심음. 과실은 식용, 수피는 약용함. ③산벚나무.

〈벚나무❷〉

벚나무-모시나방 명 〘충〙 [*Elcysma westwoodi*] 알락나방과에 속하는 곤충. 편 날개의 길이 60 mm 내외, 몸빛은 암갈색에 날개는 거의 백색이며 뒷날개의 외연(外緣)은 돌출하여 미상(尾狀)을 이룸. 유충은 벚나무꽃·매화나무·자두나무·복숭아나무의 잎을 먹는 해충임. 한국·일본·중국에 분포함. 흰제비밤나방.

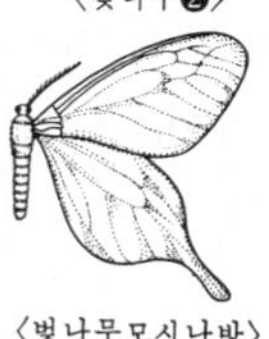

〈벚나무모시나방〉

벚나무-풍뎅이 명 〘충〙 [*Anomala daimiana*] 풍뎅잇과에 속하는 곤충. 몸길이 15-19 mm이고, 몸은 달걀꼴에 황갈색이며 등 쪽은 녹색임. 촉각은 적갈색으로 가늘고 시초(翅鞘)는 황갈색에 녹색 광택이 남. 성충은 벚나무 기타 과수(果樹)의 잎을 갉아 먹는 해충임. 한국·일본 등지에 분포함.

〈벚나무풍뎅이〉

벚나무-하늘소 〔—소〕 명 〘충〙 [*Aromia cyanicornis*] 하늘솟과에 속하는 하늘소의 하나. 몸빛은 까맣고 목은 붉음. 살구나무에 많이 모이는데, 한국 각지에 분포함. 송장하늘소.

벜: 명 〈방〉 ①부엌(경기·충청·전라). ②아궁이(경상).

벜-거래 명 〈방〉 아궁이(충청).

베[1] 명 〔중세 : 뵈〕 ①삼실·무명실·명주실로 짠 피륙. ②↗삼베.
[베는 석 자라도 틀은 틀대로 해야 된다] 사소하거나 급하다 하여 기

본 원칙을 무시할 수 없다는 말. *석자 베를 짜도 베틀 벌이기는 일반. 【베 주머니에 의송(議送) 들었다】 외모로 보아서는 인물이 훌륭하지 못하나, 실상은 비범한 일을 행함을 일컫는 말.

베[2] 명 〈방〉 ①벼[1](경기·강원·충청·전라·황해·함경·평안). ②무명[1](충남). ③배[1](제주).

베[3] 〔도 B〕 명 【악】 하(H)에 플렛(flat)이 붙어서 반음(半音) 낮게 된 음. 영어의 비 플렛(b flat)과 같음.

베가[1] 〔히 bekah〕 명 【성】 한 세겔(shekel)의 반. 스무살 이상된 사람이 예배당에 바치던 의무금(義務金).

베가[2] 〔Vega, Lope de〕 명 【사람】 스페인의 시인·극작가. 무적 함대(無敵艦隊)에 자원 종군. 성직(聖職)에도 종사함. 서사시 《드라곤테아(Dragontea)》 등과 희곡 수백 편 중 《올메도(Olmedo)의 신사》 등이 저명함. 스페인의 국민 연극의 시조(始祖)로 불림. [1562-1635]

베-가리 명 〈방〉 낟가리(충청·전북).

베가-성 【一星】 〔Vega〕 명 【천】 직녀성(織女星).

베가-톤 〔begaton〕 의명 〔베가는 10억의 뜻〕 10억 톤.

베갈기다 타 당연히 가야할 것을 안 가다.

베개 명 누울 때에 머리를 괴는 물건.

베개를 높이 베:다 구 안심하고 푹 자다. 태평스럽게 자다. 전(轉)하여, 안심하다. 태평스럽게 지내다. ¶우물 안 개구리가 돈짝만한 하늘을 쳐다보고 좋다는 듯이 신선의 나라 조선은 아직도 봄 꿈자리가 드높아 베개를 높이 베고 코고는 소리가 요란하다《朴鍾和 : 前夜》.

베개-말 명 〈방〉 머리말.

베갯-마구리 명 〈방〉 베갯모.

베갯-머리 명 베개를 베고 누웠을 때에 머리가 향하는 곳. 침두(枕頭). 침변(枕邊). 침상(枕上). ¶ ～에 앉다. *머리말.

베갯머리 송:사 구 '베갯밑공사(公事)'와 같은 뜻.

베갯-모 명 베개의 양 끝에 대는 꾸밈새. 조그마한 널조각에 수를 놓은 헝겊으로 덮어 끼우는데, 네모진 것과 둥근 것이 있음.

베갯밑-공사 【一公事】 명 부부가 잠자리를 같이 하여 아내가 남편에게 바라는 바를 속삭이며 청하는 일. 베갯머리 송사(訟事).

베갯-속 명 베개의 속에 넣어서 퉁퉁하게 만드는 물건. 겨·조·메밀 나깨·볏짚 같은 것.

베갯-잇 〔一닏〕 명 베개의 겉을 덧싸서 시치는 헝겊. ¶ ～을 씌우다.

베:거리 명 꾀를 써서 남의 속 마음을 떠보는 짓. ——하다 타여불

베-것 명 〈방〉 베옷.

베게 명 〈방〉 베개(전라·강원·경기·충북·경상·제주).

베게너 〔Wegener, Alfred Lothar〕 명 【사람】 독일의 기상·지구 물리학자. 1911년에 특색 있는 대기 구조론 등을 포함하는 《대기 열역학(熱力學)》을 저술하였고, 1915년에는 《대륙과 대양(大洋)의 기원》으로 유명한 대륙 이동설을 발표함. 그린란드를 탐험하기 4회, 최후의 탐험 때 행방 불명이 됨. [1880-1930]

베-겡이 명 〈방〉 비경이.

베고니아 〔begonia〕 명 【식】 추해당(秋海棠).

베그람 〔Begram〕 명 【지】 아프가니스탄의 수도 카불(Kabul)의 북동쪽 70km 지점에 있는 고대 카피사국(Kapiśa國)의 수도 카피시(Kapiśi)의 유적. 1937-40년 프랑스의 고고학 발굴단의 발굴로 그리스·로마의 청동상과 유리 제품, 인도의 상아 제품, 중국 한대(漢代)의 칠기(漆器) 등 동서(東西)의 훌륭한 미술 공예품이 출토됨.

베긴 〔Begin, Menachen〕 명 【사람】 이스라엘의 정치가. 폴란드에서 태어나, 1942년 지하 군사 조직을 지도하여 대영(對英) 게릴라전에 참가, 48년 국회 의원에 당선되고, 67년 무임소상(無任所相)으로 입각(入閣), 77년 리쿠드 당수(黨首)로서 수상에 취임함. 78년 중동 평화 노력으로 노벨 평화상을 수상함. [1913-92]

베깨 명 〈방〉 부엌(함남).

베께 명 〈방〉 부엌(평북).

베끼다[1] 타 〔근대 : 벗기다〕 글 같은 것을 원본(原本) 그대로 옮겨 쓰다. ¶ 책을 ～.

베끼다[2] 타 〈방〉 벗기다[1].

베나레스 〔Benares〕 명 【지】 '바라나시(Varanasi)'의 영어명.

베나벤테 〔Benavente, Jacinto〕 명 【사람】 스페인의 극작가. 최초의 희곡 《타인의 집》 이래 스페인 극단의 제일인자로 활약. 특색 있는 대화(對話)와 기지·풍자에 찬 살롱극(salon劇)이 많으며, 1922년 노벨 문학상을 받음. [1866-1954]

베나세라프 〔Benacerraf, Baruj〕 명 【사람】 카라카스 출생의 미국 의학자. 하버드 대학 교수. 유전자(遺傳子)의 연구로 면역학(免疫學) 분야에 공로를 끼쳐, 1980년 노벨 생리 의학상을 수상(受賞)함. [1921-]

베납 명 〈방〉 서랍.

베:-내다 타 ↗베어 내다.

베냉 〔Benin〕 명 【지】 아프리카 서부 기니 만(灣)에 임(臨)하는 공화국. 부근의 해안은 노예 해안(奴隷海岸)이라는 이명(異名)이 있음. 중북부는 표고 200-500 m의 구릉지이고 남부는 저지임. 기후는 열대성, 공용어는 프랑스어(語). 농업이 주고, 옥수수·면화·땅콩·야자유(椰子油) 등을 산출함. 18-19세기에는 강대한 니그로 왕국이었는데, 1894년에 프랑스 식민지가 되었다가 1960년 8월에 독립함. 수도는 포르토노보(Porto Novo). 전 이름 다호메이(Dahomey). 정식 명칭은 베닝 인민 공화국(People's Republic of Benin). [112,622 km^2 : 4,800,000명(1991 추계)]

베네 〔Benét〕 명 【사람】 ①〔Stephen, Vincent B.〕 미국의 시인·작가. ❷의 동생. 작품 《하늘과 땅》 등을 발표. 1929년 《존 브라운(John Brown)의 시체》로 퓰리처상(Pulitzer賞)을 받음. [1898-1943] ②〔William, Rose B.〕 미국의 시인·소설가. 1941년 퓰리처상을 받음. 작품에는 시집 《캐세이(Cathay)의 상인》·《국화(菊花)와 칼》 등이 있음. [1886-1950]

베네딕토 〔라 Benedictus〕 명 【사람】 이탈리아의 수도사(修道士). 성인(聖人). 500년경부터 수비아코의 동굴에 은둔(隱遁), 제자들을 몬테 카시노(Monte Cassino)에 모아 서양 최초로 수도원(修道院)을 시작, 베네딕토회(會)를 열었음. [480?-543?]

베네딕투스[1] 〔라 Benedictus〕 명 【천주교】 미사에서, 성변화(聖變化)가 끝난 다음 곧 이어 '주의 이름으로 오시는 이여 찬미받으소서, 높은 데에 호산나'하고 성가대가 창하는 짧은 찬가(讚歌), 및 그 음악.

베네딕투스[2] 〔Benedictus〕 명 【사람】 '베네딕토'의 라틴어 이름.

베네딕트[1] 〔Benedict〕 명 【사람】 베네딕토.

베네딕트[2] 〔Benedict, Ruth〕 명 【사람】 미국의 여류 문화 인류학자. 컬럼비아 대학 교수. 문화 인류학에 있어서의 양식(樣式) 주의를 창설, 문화와 인간의 사상(思想)·행동 연구의 기초를 닦은 공적이 큼. 주저(主著)에 《문화의 제양식(諸樣式)》 등이 있음. [1887-1948]

베네딕트-회 【一會】 명 〔Benedictine Order〕 【천주교】 이탈리아의 수도사인 성(聖)베네딕토가 이탈리아의 몬테 카시노에 창설한 수도 단체. 청빈(淸貧)·정결(貞節)·복종의 의무를 중히 여기고 오로지 수행(修行)과 노동에 종사, 중세기에 있어서는 학문과 문화의 보존과 보급에 공헌하였음. 여기의 수도 규칙(修道規則)은 유럽 수도원의 전형(典型)임.

베네룩스 〔Benelux〕 명 벨기에·네덜란드·룩셈부르크 3개국의 머리 글자를 짝지어 만든 명칭. 1947년 이 3개국이 국가 경제의 장애를 제거하기 위하여 관세 동맹(關稅同盟)을 체결한 데서 시작한 말로서 오늘날 정치적으로도 흔히 이처럼 부르며, 북대서양 동맹의 일환(一環)으로서도 중요한 역할을 하고 있음. 이 3개국은 지역이 근접하였을 뿐만 아니라 문화·사회·경제의 여러 면에 많은 공통점이 있음.

베네룩스 경제 동맹 【一經濟同盟】 명 〔Benelux Economic Union〕 1948년에 발족한, 베네룩스 삼국간의 관세 동맹이 발전한 조직. 자본·노동력의 자유화를 실현함. EEC의 원형(原型)으로 여겨짐. 약칭 : BEU.

베네른 호 【一湖】 〔Vänern〕 명 【지】 스웨덴 남부에 있는 이 나라 최대의 호수. 평균 수심 33m. 예타(Göta) 운하의 일부를 이룸. [5,546 km^2]

베네수엘라 〔Venezuela〕 명 【지】 남아메리카 북단의 공화국. 열대 지대이며, 오리노코 강(Orinoco江)이 관류(貫流)함. 마라카이보 호안(Maracaibo湖岸) 유전(油田)에서 많은 원유를 산출, 한때 세계 3위의 생산고를 자랑함. 이 밖에 철·보크사이트·금 등의 광산물과 밀·옥수수·바나나·사탕수수 등의 농산물을 산출함. 주민은 스페인계 혼혈인으로 가톨릭교를 신봉함. 공용어는 스페인어. 국회는 양원제이고 원수(元首)는 대통령임. 1821년 스페인 식민지로부터 독립하였음. 1953년 베네수엘라 합중국을 공화국으로 고쳤음. 정식 명칭은 베네수엘라 공화국(Republic of Venezuela). 수도는 카라카스(Caracas). [912,050 km^2 : 20,100,000명(1991 추계)]

베네시 〔Beneš, Eduard〕 명 【사람】 체코슬로바키아의 정치가. 제1차 대전 중 독립 운동에 참가, 독립 후 외상과 대통령을 지냄. 1938년 뮌헨 협정이 성립하자 영국에 망명함. 제2차 대전 중에는 망명 정부를 이끌었고, 전후(戰後) 1946년 대통령이 되어 동서 양진영의 화해에 힘을 기울였으나 1948년의 혁명으로 실각, 병사(病死)함. [1884-1948]

베네치아 〔Venezia〕 명 【지】 이탈리아의 북부 베네치아 만(灣)에 임(臨)한 항구. 117개의 작은 섬 위에 도시가 발달되어 있으며, 175개의 운하(運河)가 종횡으로 달림. 시내의 교통은 주로 곤돌라와 작은 증기선(蒸氣船)에 의함. 산 마르코 성당(San Marco聖堂)·궁전·박물관 등이 있으며 상공업이 성함. 중세 이래 잠시 공화국의 중심으로서 번영하였음. 영어명은 베니스(Venice). [327,700명(1988)]

베네치아노 〔Veneziano, Domenico〕 명 【사람】 이탈리아의 화가. 베네치아 출신이지만 초기(初期) 피렌체 회화(Firenze 繪畫)를 대표하는 한 사람임. 대표작 《성모자(聖母子)와 성인들》·《사막의 성(聖) 요한》 등. [1410-61]

베네치아 유리 【一琉璃】 〔Venezia〕 명 베네치아에서 제작(製作)된 유리. 기원(起源)은 불명하나 시리아에서 만든 유리를 본뜬 듯, 무늬가 든 유리가 1291년부터 무라노(Murano) 섬을 중심으로 생산되었으며 16-17세기에 특히 발전하였음. 고도(高度)의 기교(技巧)와 세련된 형태, 착색(着色) 유리나 금·은을 쓴 장식성(裝飾性)이 그 특징임.

베네치아-파 【一派】 〔Venezia〕 명 【미술】 르네상스 시대에 이탈리아의 베네치아를 중심으로 하여 일어난 회화(繪畫)의 한 파(派). 채화적(彩畫的)인 색채주의(色彩主義)를 특색으로 하며, 유채 화법(油彩畫法)과 색채의 농담(濃淡)에 의한 원근법(遠近法)을 구사하여, 황금 색조(黃金色調)의 호화스러운 풍속 및 인간 묘사와 자유 분방한 관능미(官能美)를 다루었음. 그 대표적 작가로서 벨리니 형제·지오르지오네·티치아노·틴토레토·베로네세 등이 있음.

베네치아파 건:축 【一派建築】 〔Venezia〕 명 【건】 이탈리아의 베네치아에서 일어난 르네상스식 건축(Renaissance式建築)의 한 파. 처음에는 고딕(Gothic) 건축이었으나, 그 후에 정면의 요철(凹凸)이 없이 평탄(平坦)하고 우미 경쾌(優美輕快)하게 되었음.

베네피키움 〔라 beneficium〕 명 【역】 군주가 가신(家臣)에게 토지 사용권을 부여한 제도. 로마 제정 말기에서 중세에 걸쳐 유럽에서 실시됨.

베넷 〔Bennett, Enoch Arnold〕 명 【사람】 영국의 작가. 사실주의적 작품을 썼는데, 주로 고향 근처의 마을에서 취재. 유머가 섞인 따뜻한 인간미 있는 《노처(老妻)의 이야기》로 성공하였음. 그 밖에 《클레이행거(Clayhanger)》·《이정표(里程標)》 등이 있음. [1867-1931]

베누까리 명 〈방〉 낟가리(전북).

베누스 〔Venus〕 명 『신』 비너스❶의 라틴어 이름.

베누에 강【一江】〔Benue〕 명 『지』 서(西)아프리카에 있는 나이저 강(江) 최대의 지류(支流). 카메룬 북부(北部)의 산지(山地)에서 시작하여 동서(東西)로 흘러 나이지리아 중앙부의 로코자(Lokoja) 부근에서 나이저 강과 합류함. 나이지리아 영내(領內)에서는 대부분 항행(航行)이 가능함. [1,400km]

베눌 명 〈방〉 낟가리(전라).

베늘 명 〈방〉 낟가리(전남).

베니션 〔Venetian〕 명 ①〔원산지인 이탈리아의 베니스의 이름에서 온 말〕 모직물의 한 가지. 씨는 면사(綿絲), 날은 소모사(梳毛絲)를 사용하여 짠 것으로 씨의 밀도는 날의 약 2배임. 표면은 공단 모양이며, 검정이나 무지임. 드레스나 외투 등의 감으로 쓰임. ②↗베니션 블라인드.

베니션 블라인드 〔Venetian blind〕 명 가늘고 긴 얇은 쪽을, 같은 간격으로 가로 늘어뜨린 블라인드. 이탈리아의 베니스에서 처음 발달되었음. 목판·금속판·플라스틱 등으로 만드는데, 좌우 양쪽에 끈이 매달려 있어 미늘을 자유 자재로 여닫음. 준베니션.

〈베니션 블라인드〉

베니스 〔Venice〕 명 『지』 '베네치아(Venezia)'의 영어명(英語名).

베니스 국제 영화제【一國際映畫祭】 명 〔Venice International Film Contest〕 『연』 이탈리아의 베니스(Venice)에서 매년 초가을에 거행되는 국제 영화제. 1932년 무솔리니의 영화 정책에 의해 창시되어, 전시중 일시 중단되었다가 전후 재등장한 것으로, 가장 오랜 역사를 가지고 있으며 그 전통과 권위가 높음. 베네치아 국제 영화제.

베니스의 상인【一商人】[一/一에一] 명 〔The Merchant of Venice〕 『문』 셰익스피어의 희극. 베니스의 상인 안토니오는 포셔에 구혼하는 친구 바사니오를 위해 인육(人肉)한 파운드를 저당으로 하여 유태인 수전노(守錢奴) 샤일록으로부터 빚을 얻어 썼으나, 기한이 지나도 이를 갚지 못하매 소위 인육 재판에 걸리어 궁지에 빠지는데, 법률가로 변장한 포셔의 기지(機智)에 찬 판결로 무난히 낙착된다는 줄거리. 초기의 대표작으로, 1596년경에 초연(初演)되었음. 5막(幕).

베니스 진주【一眞珠】 명 〔Venetian pearl〕 유리로 만든 모조 진주.

베니어 〔veneer〕 명 재목(材木)을 아주 얇게 만든 널빤지. 단판(單板)과 합판(合板)이 있는데, 대개는 합판을 가리킴.

베니어 기계【一機械】〔veneer〕 명 원목(原木)에서부터 합판(合板)을 제조하기까지의 각 공정(各工程)에 쓰이는 기계의 총칭. 원목으로부터 단판(單板)을 잘라 내는 베니어 레이드(veneer lathe), 단판을 일정한 치수로 절단하는 로터리 클리퍼(rotary clipper), 접착제를 칠하고 접착 가압(接着加壓)을 하는 접착기 등이 있음. 합판 기계(合板機械).

베니어 합판【一合板】〔veneer〕 명 석 장 이상의 얇은 판자를 수축하거나 굽지 아니하도록 결이 엇갈리게 붙여 만든 널빤지. 흔히, 소나무나 나왕으로 만들며, 벽판(壁板)이나 천장·가구 등의 재료로 쓰임.

베니젤로스 〔Venizelos, Eleutherios〕 명 『사람』 그리스의 정치가. 크레테(Krētē) 섬에서 출생. 반(反) 터키 독립 전쟁에 참가하여 1899년 자치(自治) 정부의 수상이 됨. 1909년 그리스의 영입(迎入)으로 1910-33년 사이에 다섯 차례나 수상이 됨. 제1차 대전에 참전하였고 왕제(王制) 폐지와 공화제 확립 등 대(大)그리스주의(主義)를 추진하였으나, 1935년 왕제 복고(王制復古)에 반대하여 파리로 망명함. [1864-1936]

베니-하산 〔Beni Hasan〕 명 『지』 이집트의 나일 강 좌안(左岸), 카이로로부터 남쪽으로 약 250km 지점에 있는 마을. 기원전 2000-1900년에 만들어진 암굴 분묘(岩窟墳墓)와 아르테미스(Artemis)를 모신 암굴 신전(神殿)으로 유명함.

베닌-시티 〔Benin City〕 명 『지』 나이지리아 남부에 있는 도시. 벤델주(Bendel州)의 주도(州都). 12세기경에 요루바족(Yoruba族)이 이 지역 일대에 베닌 왕국을 세워 브론즈상(bronze像) 등 독특한 미술을 낳았으나 18세기에 들어 노예 무역으로 쇠퇴하여, 1897년 영국에 점령되었었음. [192,700명(1989 추계)]

베:다¹ 타 베개나 다른 물건으로 고개를 받치다. 누워서 베개 위에 머리를 얹다. ¶ 베개를 ～.

베:다² 타 〔중세 : 버히다←벟-+-이+다〕 ①날이 있는 연장으로 물건을 끊거나 자르거나 가르다. ¶ 풀을 ～. ②맡은 직책을 떠나게 하다. 파면시키다. ¶ 그의 목을 ～.

[베어도 움돋이] 아무리 없애도 아니 없어지고 자꾸 다시 생겨 나옴을 가리키는 말.

베:다³ 〔Beda〕 명 『사람』 영국 중세의 성직자·역사가. 그리스어·라틴어 등을 비롯하여 모든 학문에 박식함. 《영국 교회사(英國敎會史)》의 집필자로 영국 사학(史學)의 아버지로 불림. [673-735]

베다⁴ 〔범 Veda〕 명 『불교』 인도 바라문교(婆羅門敎) 사상의 근본 성전(聖典). 인도의 가장 오래된 종교 문헌. 인도의 종교·철학·문학의 근원을 이루는데, 약 3,000여 년 전에 아프가니스탄에서 인도의 서북방 갠지스 강(Ganges江) 지방으로 이주하여 온 아리안족(Aryan族)이 자연 현상을 찬미하여 노래한 종교적 서사시(敍事詩)를 모은 책. 리그베다(Rig-Veda)·사마베다(Sāma-Veda)·야주르베다(Yajur-Veda)·아타르바베다(Atharva-Veda)의 4 베다가 있음. 폐타(吠陀·吠咜).

베다니 〔Bettany〕 명 『성』 ①감람산(橄欖山) 동남쪽 30 리 되는 곳에 있는 작은 마을. 예수의 친구인 마르다와 마리아와 그의 형제인 나사로의 집이 있던 곳. ②요단 강의 동쪽에 있는 지명. 소재(所在)는 확실하지 아니함.

베다-어【一語】〔Veda〕 명 인도 유럽 어족의 인도 어파(語派)에 속하는 언어. 《리그 베다(Rig-Veda)》를 비롯하여 제식(祭式)의 규정·철학·문법 등에 방대한 문헌이 있으며, 인도 유럽어 중에서 가장 고형(古形)을 유지함.

베다 조판【一組版】〔일 べた〕 명 『인쇄』 활자 사이에 스페이스나 인테르를 끼우지 아니하고 판을 짜는 일. 붙여짜기.

베다-족【一族】〔Vedda〕 명 실론(Ceylon) 섬의 선주 종족(先住種族). 원시적인 화전(火田)에 의존함. 오스트레일리아 원주민과 흡사하며, 인구는 크게 감소하여 1964년 현재 약 800 명 정도가 있는 것으로 알려짐.

베다지 명 〈방〉 서랍(경남)

베데스다 〔Bethesda〕 명 『성』 예루살렘 성내(城內)의 양(羊)을 매매하는 시장(市場) 가까이 있는 못. 천사가 가끔 여기에 내려와 물을 동(動)하게 하는데, 동할 때 이 물에 들어가면 병이 낫는다고 함.

베데커 〔도 Baedeker〕 명 ①독일 프라이부르크에 있는 칼 베데커 회사 발행의 여행 안내서. 1832년 《라인 여행—마인츠에서 퀼른까지》의 발행을 시초로 하여, 붉은 표지의 각국 여행 안내서를 간행하고 있음. 처음 베데커(Baedeker, K.; 1801-59)가 출판하였음. ②전(轉)하여, 널리 여행 안내서를 이름.

베데킨트 〔Wedekind, Frank〕 명 『사람』 독일의 극작가. 일찍 자유로운 방랑 생활을 보내고 처녀작 《젊은 세계》 이래 성(性)의 비극을 그린 《봄의 눈뜸》으로 성공하였으며, 배우로서 무대에도 나섰음. 신낭만주의가 팽배하던 당시 시류(時流)에 대하여 대담한 반역을 시도하였는데 그 풍자적이고 특이한 작품은 표현주의(表現主義)의 선구를 이루었음. [1864-1918]

베델 〔Bethel〕 명 『성』 예루살렘의 북쪽 30 리 반 되는 곳. 야곱이 그의 형의 칼을 피하여 도망하던 중 하느님의 계시(啓示)를 받아 그곳에 단(壇)을 쌓고 하느님에게 기도를 올렸다 함. 후에 유명한 성소(聖所)가 되었음.

베델른 〔도 Wedeln〕 명 스키에서, 좌우로 작게 스키를 흔들며 움직이는 활주 방법.

베도라치 명 『어』 [*Enedrias nebulosus*] 황줄베도라칫과의 바닷물고기. 길이 18cm 가량으로 몸은 납작하고 길며 전체가 작은 둥근 비늘로 덮여 있음. 머리·눈이 작고, 등지느러미가 머리 뒤쪽서부터 꼬리에까지 달하며 옆줄이 없고, 배지느러미가 짧음. 몸빛은 회갈색 바탕에 불분명한 흑갈색 무늬를 가짐. 한국 전연해의 내만, 일본 전연해에 널리 분포함. 식용함.

〈베도라치〉

베도:스 〔Beddoes, Thomas Lovell〕 명 『사람』 영국의 시인. 독일에서 생리학·의학을 수학하고 취리히에 살았음. 후기 낭만파(後期浪漫派)에 속하는 시인으로서, 시극(詩劇) 《신부(新婦)의 비극》·《죽음의 소화집(小話集)》을 써서 음산한 세계를 그림. 자살함. 사후(死後)에 《시집》이 편찬됨. [1803-49]

베-돌:다 자 한데 어울려 싸이지 아니하고 따로 떨어져 밖으로 돌다. 탐탁스럽게 덤비지 아니하다. >배돌다.

[베돌던 닭도 때가 되면 홰 안에 찾아 든다] 서로 어울리지 않고 따로 놀던 사람도 언젠가는 다시 그들에게로 돌아올 때가 있다는 말.

베-돌이 명 일에 어울려 싸이지 아니하고 베도는 사람.

베-돛 명 베로 만든 돛. 포범(布帆).

베두인-족【一族】〔Bedouin〕 명 아라비아·북(北)아프리카·시리아 등지의 사막에 천막을 치고, 낙타·양·염소 등을 방목하는 아랍계(系) 주민. 이슬람교(敎)를 믿으며, 자존심이 강하고 호전적(好戰的)임. 외부 세계로부터 고립하여 고유(固有)의 풍속을 지키는 경향이 있음.

베드 〔bed〕 명 침대(寢臺).

베드로 〔Peter, Petros, Petrus〕 명 『성』 예수의 열 두 제자 중의 제일인자. 예수의 승천(昇天) 후 예수의 구세주임을 증거하는 대설교(大說敎)를 하여, 3,000명의 회개자(悔改者)를 냈다 함. 만년에 로마에서 전도하다가, 네로 황제의 박해를 받아 순교(殉敎)하였으며 그의 묘(墓) 위에 성(聖)베드로 성당이 건립되었음. 가톨릭교에서는 베드로를 초대 교황으로 보며, 역대 교황(敎皇)은 베드로가 그리스도로부터 받은 천국(天國)의 열쇠를 승계(承繼)한다 함. 본명은 시몬(Simon).

베드로의 둘째 편:지【一片紙】〔Peter〕 [一/一에一] 명 『성』 베드로 후서(後書).

베드로의 첫째 편:지【一片紙】〔Peter〕 [一/一에一] 명 『성』 베드로 「전서(前書).

베드로 전서【一前書】 명 〔The First Epistle of Peter〕 『성』 공동 서간(公同書簡)에 속하는 신약(新約)의 한 편. 일반 교회에 보내는 편지로, 신자(信者)에게 격려(激勵)를 보냄과 동시에, 박해에 대하여 신자가 취할 신앙과 희망을 토대로 하는 태도에 관하여 가르친 것. 베드로의 첫째 편지.

베드로 후:서【一後書】 명 〔The Second Epistle of Peter〕 『성』 신약(新約)의 한 편. 택함을 받은 자의 합당한 생활을 지시하며 천국에 들어감을 위하여 노력하고, 베드로 자기의 가르침을 생각하게 하고, 거짓 선지자들의 심판과 멸망을 선포하였으며, 예수의 재림을 주장하여 말세(末世)의 올바른 신앙을 가르침. 베드로의 둘째 편지.

베드-룸 〔bedroom〕 명 침실(寢室).

베드 마:크 시스템 〔bed mark system〕 명 레슬링 경기에서, 독특한 경기 운영 방식의 하나. 국제 올림픽 대회나 세계 선수권 대회 따위 다수의 선수가 참가하여 개인 우승을 다툴 때 적용함. 번호순으로 경기를 하여 벌점이 6점 이상이 되면 그 선수는 실격시키면서 최후 세 사람이 남을 때까지 계속시키고, 최후의 세 사람에게는 리그전을 시켜 우승자를 정하는 방법.

베드 신: 〔bed scene〕 명 『연』 연극·영화·문학 작품 등에서 침실을 묘「사한 장면. 정사(情事) 장면.

베드 타운 〔bed+town〕 명 대도시의 주변에 생긴 주택 지구. 그 주민(住民)이 낮에는 도심(都心) 지역에서 활동하고, 밤에 잠을 자기 위해서만 귀가(歸家)하는 데서 일컫는 말. 위성 도시가 이에 속함.

베들레헴 〔Bethlehem〕 명 『지』 예루살렘의 남방 약 8km, 팔레스티나의 중앙 산맥 지대에 속하는 표고 775m의 구릉 위에 있는 도시. 현재는 요르단 왕국에 속하며, 그리스도의 출생지로서 그리스도 교도의 성지(聖地)임. 시내에는 현재 사용되고 있는 것으로서 세계에서 가장 오래된 교회의 하나인 성탄 교회가, 예수가 탄생하였다고 전해지는 동굴 위에 서 있음. [16,000명(1967 추계)]

베라크루스 〔Veracruz〕 명 『지』 멕시코 동부, 베라크루스 주(洲)의 항구 도시. 멕시코 시티(Mexico City)의 외항(外港)으로 멕시코 최대의 무역항임. 금·은·설탕을 수출하며 철도의 기점(起點)임. 1599년에 건설되었음. [284,822명(1980)]

베락 명 〈방〉 ①벼락(경상·평안·경기·전북·충북·황해·함경). ②벼랑(전북·경남·제주).

베락때 명 〈방〉 벼랑(함남).

베락장 명 〈방〉 벼랑(함경).

베란다 〔veranda〕 명 『건』 양옥(洋屋)에서 집채의 앞쪽으로 넓은 툇마루같이 튀어 나오게 잇대어 만든 부분. 유리 문으로 싸둘린 것도 있고 열어 젖힌 채로 있는 것도 있음. 보통, 정원에 면하고 휴식·납량(納凉)·일광욕 등에 쓰임.

베람-빡 명 〈방〉 바람벽(경기·강원·충북·전라·경북).

베람-빨 명 〈방〉 바람벽.

베랑 명 〈방〉 벼랑(황해·함남·평안·경기·강원·충남·전라·경북).

베랑-간 부 〈방〉 별안간(瞥眼間).

베랑때 명 〈방〉 벼랑(함남).

베랑-빡 명 〈방〉 바람벽(충남·전라).

베랑-삑 명 〈방〉 바람벽(전남).

베랑제 〔Béranger, Pierre-Jean de〕 명 『사람』 프랑스의 시인. 가요집(歌謠集)에 수록된 시에 의해 민중에게 가장 인기 있던 샹송 작가이며 경쾌하고 애국적인 그의 시는 왕정 복고 시대의 지배 계급에 대하여 통렬한 비판을 가하고 있음. 《낡은 기(旗)》·《노병사(老兵士)》 등이 특히 유명함. 국장(國葬)함. [1780-1857]

베래[1] 명 〈방〉 벼루(전라).

베래[2] 명 〈방〉 낭떠러지. 벼랑(함남).

베래이 명 〈방〉 벼랑(함경).

베랭이 명 〈방〉 벼랑(함남).

베러-빡 명 〈방〉 바람벽(경북).

베럭 명 〈방〉 벼룩(전라·경남).

베레[1] 명 〈옛〉 벌레. =벌에. ¶ 베레 츙(蟲) 《倭解 下 26》.

베레[2] 〔프 béret〕 명 차양이 없고, 둥글 납작하게 생긴 모자. 털실로 짜거나 천으로 만듦. 베레모(béret 帽). ¶그린 ~.

〈베레[2]〉

베레기 명 〈방〉 벼룩(경북·경기·강원·함경).

베레-똘 명 〈방〉 벼루(충북).

베레-모 【一帽】〔프 béret〕 명 베레.

베레아 〔Berea〕 명 『성』 마케도니아의 도시. 데살로니가의 서남 80km 벨뮤 산 기슭에 있음. 바울이 둘쨋번의 전도(傳道) 여행 때에 데살로니가에서 쫓기어 나와 이곳에서 큰 성공을 거두고 교회를 세운 곳임.

베:렌스 〔Behrens, Peter〕 명 『사람』 독일의 건축가. 뮌헨에서 화가·공업 디자이너로 활동하다가 뒤에 건축가로 전향. 합리주의적 경향에 고전주의적 경향을 가미하여 다름슈타트(Darmstadt)·베를린 등지에 많은 주택을 세워 현대 건축의 개척자로서 많은 업적을 남김. 문하(門下)에서 르 코르뷔지에(Le Corbusier)·그로피우스(Gropius) 등이 나옴. [1868-1940]

베렝이 명 〈방〉 벌레(제주).

베로 명 〈방〉 벼루(경북).

베로나 〔Verona〕 명 『지』 이탈리아 북부 아디제 강(Adige江) 연안의 도시. 농산물 시장이 있으며 중(中)유럽과의 교통의 요지. 고대 로마의 원형 극장(圓型劇場)과 로마네스크식·고딕식 건축의 성당(聖堂)이 있음. [258,523명(1988 추계))]

베로날 〔도 Veronal〕 명 『약』 최면 진정약(催眠鎭靜藥)의 상품명(商品名). 무색(無色)의 결정(結晶)으로 냄새는 없으나 맛이 좀 쓰고 물에 약간 녹음. 극약(劇藥)임. ＊바르비탈(Barbital).

베로네제 〔Veronese, Paolo〕 명 『사람』 이탈리아의 화가. 티치아노(Tiziano) 등과 함께 베네치아파(Venezia派)의 최후를 장식함. 티치아노의 금색조(金色調)에 대하여 은색조(銀色調)를 주조(主調)로 하여 화려하면서도 조화 있는 색채를 가미(加味)하여 다음 대(代)의 바로크 예술에 통하는 대양식(大様式)을 전개함. 대표작에 《가나(Cana)의 혼인 잔치》·《베네치아의 승리》 등이 있음. [1528-88]

베로니카 〔veronica〕 명 그리스도의 모습을 그린 손수건. 그리스도 처형일(處刑日)에, 십자가를 지고 가는 얼굴의 땀을 닦은 한 부인의 손수건에 그리스도의 얼굴이 나타났다는 전승(傳承)에 유래함.

베로-치 명 『어』 [*Bero elegans*] 둑중갯과에 속하는 바닷물고기. 몸은 원통형이며, 몸길이 20cm 안팎. 몸빛은 등은 갈색, 배는 담색이며, 옆구리에 여섯 줄의 회갈색 가로띠가 있음. 우리 나라 서남 동해안과 일본 중부 이북에 분포함.

베로키오 〔Verrocchio, Andrea del〕 명 『사람』 이탈리아의 화가·조각가. 피렌체(Firenze) 태생. 피렌체의 대표적 조각가로 활약함. 화가로서는 별다른 활약이 없고 레오나르도 다 빈치의 스승으로 알려지며, 그와의 합작으로 《그리스도의 세례》가 있음. 대표작으로 《다윗》·《도마(Thomas)의 회의(懷疑)》 등이 있음. [1435-88]

베록 명 〈방〉 벼룩(제주·전남·경상·강원).

베루 명 〈방〉 ①벼루[1](경기·강원·충청·전라·경상·제주·황해·함경·평안). ②벼루[2]. ③벼리. ④벼랑(충북).

베루기 명 〈방〉 벼룩(충청·강원·황해·경기·경북).

베루둑 명 〈방〉 벼루[1](충남).

베루디 명 〈방〉 벼룩(평남).

베루-똘 명 〈방〉 벼루(경기·강원·충북·경북).

베루-빡 명 〈방〉 바람벽(경북).

베루지 명 〈방〉 벼룩(황해·함남).

베룩 명 〈방〉 벼룩(경기·강원·충청·전라·경상·제주).

베룸-빡 명 〈방〉 바람벽(경기·강원·충북·전남).

베르가 〔Verga, Giovanni〕 명 『사람』 이탈리아의 작가. 고향 시칠리아 사람들의 모습에서 원시 인간의 본능을 탐구하고 새로운 리얼리즘의 문체(文體)를 수립하여, 베리즈모(Verismo) 문학의 완성자로 불림. 대표작 《말라볼리아가(Malavoglia家)의 사람들》 외에 단편집 《전원 생활》이 있으며, 단편 《카발레리아 루스티카나(Cavalleria Rusticana)》는 마스카니(Mascagni)의 가극으로 널리 알려짐. [1840-1922]

베르가모 무:곡 【一舞曲】〔Bergamo〕 명 『악』 이탈리아의 베르가모 지방의 민속 무곡(民俗舞曲). 타란텔라(tarantella)와 비슷하며, 17-18세기경에 유럽에서 유행하였음.

베르가모트 〔프 bergamote〕 명 『식』 [*Citrus bergamia*] 운향과에 속하는 상록 교목. 꽃은 작은데 백색이며, 과실은 타원형·거꿀달걀꼴을 이룸. 과피(果皮)는 레몬색(lemon色)인데 베르가모트유(油)를 함유함. 주로 이탈리아에서 재배되고 있음.

베르가모트-유 【一油】〔프 bergamote〕 명 베르가모트의 과피(果皮)에서 나오는 기름. 녹색 내지 황갈색으로, 오 드 콜로뉴(eau de cologne) 따위 화장수의 향료로 쓰임.

베르거 〔Berger, Erna〕 명 『사람』 독일의 소프라노 가수. 콜로라투라 가수로서, 드레스덴(Dresden)·베를린·런던·메트로폴리탄 가극장(歌劇場) 등 구미(歐美)에서 활약함. 모차르트(Mozart)·베르디(Verdi)·바그너(Wagner) 등의 가극에 능함. 1955년 은퇴. [1900-]

베르겐 〔Bergen〕 명 『지』 노르웨이 서해안의 해항(海港). 북해 연안 항로(北海沿岸航路)의 요지로, 수도 오슬로 서방 320km되는 곳에 있으며, 노르웨이 최대의 무역항임. 조선·금속·수산 가공·직물·제지 등의 공업이 성하고, 부근의 어업의 근거지임. 14-16세기에는 한자(Hansa) 동맹의 요지로서 번영하였음. [211,214명(1989 추계)]

베르겐그륀 〔Bergengruen, Werner〕 명 『사람』 독일의 대표적 작가(作家). 기독교적 인도주의를 기초로 사실적 수법에 완벽한 서사시적 기법을 가미한 엄정한 작풍을 수립하였음. 특히, 1936년 가톨릭교로 개종하여 한계 상황(限界狀況)의 인간을 그린 단편에 걸작이 많음. 작품에 《대지주》·《붕괴되는 제국》·《하늘에도 땅에도》 등. [1892-1964]

베르그송 〔Bergson, Henri Louis〕 명 『사람』 프랑스의 철학자. 프랑스 학사원(學士院) 회원. 기계론적 유물론에 반대하여 생명의 내적(內的) 자발성을 강조하고, 프랑스 유심론 및 스펜서의 진화론의 영향으로 참된 실재(實在)는 순수 지속(純粹持續), 생(生)의 비약(飛躍), 창조적 진화이며 이지(理智) 아닌 직관(直觀)으로 파악된다 하여 생(生)의 철학을 주조(主潮)로 하는 근대 철학계에 강력한 영향을 주었음. 저서에 《의식(意識)의 직접 여건(與件)에 관한 시론(試論)》·《물질과 기억(記憶)》·《창조적 진화》·《도덕과 종교와의 두 원천(源泉)》 등이 있음. 1927년 노벨 문학상을 받았음. [1859-1941]

베르글라 〔프 verglas〕 명 〔우빙(雨氷)의 뜻〕 등산에서, 바위의 표면을 미끄럽게 덮은 얇은 얼음.

베르기우스 〔Bergius, Friedrich〕 명 『사람』 독일의 공업 화학자(化學者). 수소 가스(水素gas)에 의한 석탄 액화법(石炭液化法)·목재 당화법(糖化法) 등 합성 화학에 공헌하였음. 1931년 노벨 화학상을 받음. [1884-1949]

베르기우스-법 【一法】〔Bergius〕 [一뻡] 명 『화』 석유 액화에 의한 인조 석유 제조법의 하나. 1913년 베르기우스가 석탄을 가루로 만들어 중유(重油)와 섞은 다음 450°C, 200-300기압으로 수소를 작용시켜서, 석탄을 중유 또는 중유(中油)로 바꾸는 데 성공함. 이후 각국에서 공업화에 손을 대었으나 경제성이 없기 때문에 제2차 대전 후에는 쇠퇴함.

베르길리우스 〔Vergilius〕 명 『사람』 고대 로마의 시인. 본 이름은 Publius Vergilius Maro. 황제 아우구스투스(Augustus)의 궁정 시인(宮廷詩人)으로 최초의 시집 《시선 목가(詩選牧歌)》와 그후 《농경시편(農耕詩篇)》으로 전원 생활을 그렸으며, 12년의 세월이 걸린 대작 《아에네이스(Aeneis)》는 라틴 문학의 최고봉으로서 로마 최대의 시인으로 꼽혔음. 영어명은 버질(Virgil). [70-19 B.C.]

베르나노스 〔Bernanos, Georges〕 명 『사람』 프랑스의 작가. 1926년 《악마의 태양 아래》로 문단에 등장, 현대인의 악(惡)을 그리면서 인간에게 있어서의 성(聖)스러운 것을 추구한 가톨릭 작가. 스페인 내란 이후에는 평론을 많이 써서, 저항 운동의 정신적 지주(支柱) 구실을 함. 그는 늘 미온적인 신자와 위선적인 성직자를 비난한 투사였으나 한편으로 전통적인 가톨릭의 입장에서 죄(罪)·죽음·성성(聖性) 등 형이상학적(形而上學的)인 여러 문제를 깊이 추구함. 대표작은 《시골 신부(神父)의 일기》. [1888-1948]

베르나:르[1] 〔Bernard, Claude〕 명 『사람』 프랑스의 생리학자. 췌액(膵液)의 기능, 교감 신경의 맥관(脈管) 운동, 간장(肝臟)의 당(糖)생산 등을 발견, 그밖에 인공 당뇨병의 실험으로 실험 생리학을 수립하였음. 주저에 《실험 의학 서설》 등이 있음. [1813-78]

베르나:르[2] 〔Bernard de Clairvaux〕 명 『사람』 프랑스의 신학자. 성인(聖人). 시토회(Cîteaux會)의 분원(分院) 클레르보(Clairvaux)의 수도원을 창설, 마침내 여기가 시토회의 중심지가 됨. 이단(異端)과 싸우며 종교적 개혁과 국가 사회의 개선에 공헌함. 그는 당시 전(全)유럽

의 사상계에 군림하여 제2차 십자군을 일으키는 설교도 함. 그의 저작은 중세 신비 사상의 백미(白眉)로 일컬어짐. 저서에 《명상(瞑想)에 대하여》 등이 있음. [1091-1153]

베르나:르[3] 〔Bernard, Emile〕 명 『사람』 프랑스의 화가. 고흐·고갱(Gauguin)·세잔(Cézanne)과 교우(交友), 그들의 영향을 받아 전위적인 작품을 만들었으나 1900년 전후부터 르네상스기(期)의 베네치아 회화(繪畫)에 끌리어 보수적 화풍으로 바뀜. 저서 《회상의 세잔》 외에 시와 평론도 있음. [1868-1941]

베르나:르[4] 〔Bernhardt, Sarah〕 명 『사람』 프랑스의 여우(女優). 비극(悲劇)에 능하며 '춘희(椿姬)'로 세계적 명성을 얻음. 사후(死後) 배우(俳優)로서는 이례적인 국장(國葬)의 예를 받음. 본명은 Rosine Bernard. [1844-1923]

베르나르댕 드 생피에:르 〔Bernardin de Saint-Pierre, Jacques Henri〕 명 『사람』 프랑스의 박물학자·소설가. 루소(Rousseau)와 친교가 있으며 그의 권유로 《자연의 연구》를 집필함. 유명한 연애 소설 《폴(Paul)과 비르지니(Virginie)》는 문명 죄악설의 실례를 보인 것으로 자연 묘사에 뛰어나 로망주의에 영향을 끼침. [1737-1814]

베:르나르트 〔Beernaert, Auguste〕 명 『사람』 벨기에의 정치가. 공공사업상(公共事業相)·재상(財相)·수상 등을 역임. 두 차례 헤이그 국제 평화 회의 위원을 지냄. 1909년 노벨 평화상 수상. [1829-1912]

베르나츠키 〔Vernadski, Vladimir Ivanovich〕 명 소련의 지구 화학자. 처음에는 광물학자로서 소련 및 프랑스에서 모스크바 대학·파리 대학 교수로 활약함. 그 후 지구 화학자로 전향하여, 레닌그라드의 생물 지구 화학 실험소와 라디움 연구소를 창립, 지도함. 대기(大氣)의 진화(進化)와 원소(元素)의 지구 화학적 윤회(輪廻)에 있어서의 생물체의 역할을 강조하여, 생물 지구 화학의 개척자로 유명함. [1863-1945]

베르너[1] 〔Verner, Karl Adolph〕 명 『사람』 덴마크의 언어학자. '그림(Grimm)의 법칙'의 예외 연구에서 음운 추이(音韻推移)에 관한 '베르너의 법칙'을 발견하였음. [1846-96]

베르너[2] 〔Werner, Abraham Gottlob〕 명 『사람』 독일의 지질학자(地質學者). 근대(近代) 지질학의 개조(開祖)의 한 사람. 광물·암석의 분류법의 기초를 이룩하고 화성암(火成岩)의 기원에 관해 극단적인 수성설(水成說)을 주장하였으나 이것은 후에 영국의 에든버러(Edinburgh) 학파에 의하여 깨어짐. [1750-1817]

베르너[3] 〔Werner, Alfred〕 명 『사람』 스위스의 화학자. 주원자가(主原子價)·측원자가(側原子價)의 개념을 적용하여 복잡한 착염(錯塩)의 구조를 설명하였음. 1913년 노벨 화학상을 받음. [1866-1919]

베르네 〔Vernet, Claude Joseph〕 명 『사람』 프랑스의 풍경화가. 시정(詩情) 넘치는 풍경화를 잘 그렸으며, 특히 항구의 풍경과 폭풍·난파선의 모티프와 관련이 있는 작품에 독자적인 맛을 풍겨 해양(海洋) 화가로서 유명함. [1714-89]

베르뇌 〔Berneux, Siméon François〕 명 『사람』 프랑스인 천주교 주교(主教). 성인. 파리 외방 전교회(外邦傳教會) 소속으로, 1856년 조선 교구(朝鮮教區)의 제4대 주교로 임명되어 잠입, 전도중 고종(高宗) 3년(1866) 대원군(大院君)의 박해로 다른 프랑스인 신부 2명과 함께 순교하였으며, 이로 인해 병인 양요(丙寅洋擾)가 일어나게 되었음. 한국명은 장경일(張敬一). 1984년 교황 요한 바오로 2세에 의해 한국인 순교자들과 함께 성인으로 시성(諡聖)됨. [1814-66]

베르뇌유-법 【一法】 [一뻡] 명 『화』 〔Verneuil method; 베르뇌유는 19세기 프랑스의 광물 학자〕 녹는점이 높은 금속 산화물의 단결정(單結晶) 제조법. 루비(ruby)·사파이어(saphire)의 합성 등에 쓰임.

베르누이 〔Bernoulli〕 명 『사람』 ①〔Daniel B.〕 스위스의 이론 물리학자. ❷의 조카. 바젤(Basel) 대학 교수. 1738년에 《유체 역학(流體力學)》을 내어 '베르누이의 정리'를 발표, 유체 역학의 기초적 개념을 이론·실험 양면에서 확립하였음. [1700-82] ②〔Jacques B.〕 스위스의 수학자. 해석 기하·변분법(變分法)·확률론의 연구 결과로 유저(遺著) 《아르스 콘젝탄디(Ars conjectandi)》를 발표, 그 중의 '대수(大數)의 법칙'과 함께 불후의 공적으로 꼽힘. [1654-1705] ③〔Jean B.〕 스위스의 수학자. ❶의 아버지, ❷의 동생. 미적분학·미분 방정식 등 업적이 큼. [1667-1748]

베르누이의 정:리 【一定理】 [一니/一에一니] 명 〔Bernoulli's theorem〕 『물』 유체(流體)에 있어서의 압력과 속도와의 관계를 설명하는 법칙. 줄지 아니하는 완전 유체가 정상적(定常的)으로 흐르고 있을 때, 하나의 유선(流線)에 따라서 $p+1/2\,\rho v^2+\rho gh$=일정(一定)이라는 관계가 성립된다는 법칙(p는 압력, ρ는 유체 밀도, v는 속도, g는 중력 가속도, h는 높이). 베르누이(Bernoulli, D.)가 발견하였음.

베르니나 산 【一山】 〔Bernina〕 명 『지』 스위스·이탈리아의 국경에 있는 알프스의 고봉(高峰). 엔가딘(Engadin) 계곡과 아다 강(Adda江) 상류의 계곡 사이에 있음. [4,055 m]

베르니니 〔Bernini, Giovanni Lorenzo〕 명 『사람』 이탈리아 바로크파를 대표하는 조각가·건축가. 교황 우르바누스(Urbanus) 8세의 총애를 받아 로마의 성베드로 대성당의 조영(造營) 등에 참가하였음. 만년(晩年)에는 루이 14세의 부름을 받아 루브르궁(Louvre宮)의 개조 계획에도 참가하였음. 대표작으로는 조각의 《아폴로와 다프네》·《다비드》·《성(聖)테레사의 황홀(恍惚)》·《루이 14세의 초상》, 건축에서 성베드로 대성당(大聖堂)의 주랑(柱廊) 등을 꼽을 수 있음. [1598-1680]

베르니케 〔Wernicke, Carl〕 명 『사람』 독일의 정신과 의사. 실어증(失語症)의 연구·반맹증(半盲症)의 동공 반응(瞳孔反應) 등을 발견함. 언어 중추에 그의 이름을 남김. [1848-1905]

베르니케 실어증 【一失語症】 [一쯩] 명 〔Wernicke's aphasia〕 베르니케 중추(中樞)의 파괴로 말미암아 일어나는 실어증. 곧, 감각(感覺) 실어증.

베르다 타 〈방〉 벼르다.

베르댜예프 〔Berdyaev, Nikolai Aleksandrovich〕 명 러시아의 철학자. 키에프의 귀족 출신. 청년 시절에 정치 운동에 참가하여 3년간 북부에 추방당함. 혁명 후 파리에 망명, 도스토예프스키 등의 영향을 받아 동방 그리스도교(教) 신비주의에 바탕을 둔 독자적인 역사 철학을 전개함. 종교적 실존주의자의 한 사람. 저서에 《나와 객체(客體)의 세계》·《역사의 의미》 등이 있음. [1874-1948]

베르데 곶 【一串】 〔Verde〕 명 『지』 아프리카 최서단의 곶. 세네갈(Senegal)에 속함.

베르됭 〔Verdun〕 명 『지』 프랑스 동북부의 요새(要塞) 도시. 제1차 대전 중 프랑스군과 독일군 사이에 격전(激戰)이 있었음.

베르됭 조약 【一條約】 〔Verdun〕 명 『역』 루드비히(Ludwig) 1세의 사후(死後), 843년에 맺은 프랑크 왕국의 삼분할 상속(三分割相續)의 조약. 세 손자 로타르(Lothar)·루드비히·칼(Karl)이 베르됭에서 회합하여 유령(遺領)을 삼분(三分)하기로 결정하였음. 메르센(Mersen) 조약과 더불어 오늘날의 독일·프랑스·이탈리아 삼국 형성의 기초가 됨. *메르센 조약.

베르디 〔Verdi, Giuseppe Fortunaio Francesco〕 명 『사람』 이탈리아의 오페라 작곡가. 1851년 《리골레토(Rigoletto)》로 크게 성공하였음. 이탈리아 가극의 성악적 장점을 활용하고 극적 진실성을 존중한 장대한 작품을 이루어 이탈리아의 최대 가극 작곡가로 꼽힘. 이외에 《일 트로바토레(Il Trovatore)》·《라 트라비아타(La Traviata)》·《아이다(Aida)》 등이 있음. [1813-1901]

베:르 리브르 〔프 vers libre〕 명 『문』 자유시(自由詩).

베르무트 〔프 vermouth〕 명 리큐어의 한 가지. 포도주에 다북쑥속(屬)의 베르무트초(草) 등 50여 종의 향료 약품(香料藥品)을 우려서 만든 술. 짙은 다갈색인데 상쾌한 쓴 맛이 있음. 프랑스와 이탈리아에서 많이 제조함.

베르베르-어 【一語】 〔Berber〕 명 베르베르인(Berber人)의 언어. 셈어(Sem語)·고대(古代) 이집트어(語)·쿠시어(Cuchi語)·차드어(Chad語)와 함께 함셈 어족(Ham-Sem語族)을 이룸. 이 말의 사용자는 대략 500-600만 명임.

베르베르-인 【一人】 〔Berber〕 명 튀니지·알제리·모로코 등 북(北)아프리카 일대에 분포하는 함어계(Ham語系)의 원주민. 백인종군(白人種群)에 속함. 로마인(人)의 영향을 받아 한때는 그리스도교(教), 라틴어(語)를 받아들였으나 7세기부터 시작되는 아랍인(人)의 침입으로 이슬람교(教)로 전향, 주로 산지(山地)에서 살며 농경 외에 채광(採鑛)·대장일·교역(交易) 등에 종사함. 북아프리카 독립 운동에 활약하였음. 현재 약 600만 명이 있음.

베르사:유 〔Versailles〕 명 『지』 프랑스 중북부(中北部), 이블린 주(Yvelines州)의 주도(主都). 파리 남서쪽 약 20 km에 있는 관광 도시로, 베르사유 궁전이 있음. [92,000 명(1982)]

베르사:유 궁전 【一宮殿】 〔Versailles〕 명 베르사유에 있는 루이 왕조의 궁전. 처음에는 루이 13세의 이궁(離宮)으로서 세워진 것이 루이 14세의 계획으로 1664년에 시작하여 1714년에 대궁전으로 완성되었음. 호화(豪華)·장려(壯麗)하기로 유명하며 바로크와 로코코 미술의 정화(精華)가 모여 있음. 이 곳에서 미국 독립 전쟁·보불 전쟁(普佛戰爭)·제1차 세계 대전의 각 강화 조약(講和條約)이 체결되었음.

베르사:유 악파 【一樂派】 명 『악』 17-18 세기, 루이 14 세 및 루이 15 세의 치하에서 베르사유 궁전을 중심으로 활약한 궁정(宮廷) 음악가의 총칭. 바로크 후기(後期), 로코코 시대의 프랑스 음악의 황금 시대를 이루었음. 대표적인 작곡가로 륄리(Lully, J.B.)·쿠프랭(Couperin, F.)·라모(Rameau, J.P.) 등이 있음.

베르사:유 조약 【一條約】 〔Versailles〕 명 『역·정』 ①1783년 9월 미국 독립 전쟁의 종결에 관하여 영국과 프랑스 두 나라 사이에 조인(調印)된 조약. ②1919년 6월, 제1차 세계 대전의 결말로 연합국측과 독일 사이에 체결된 평화 조약. 독일의 영토(領土)·배상(賠償)·군비 문제(軍備問題) 등의 여러 조항을 포함한 바, 15편(篇) 440조(條)와 18의 부속서(附屬書)로 되었으며, 제1편에 국제 연맹의 설립안이 포함됨. *파리 회의.

베르사:유 체제 【一體制】 〔Versailles〕 명 『역·정』 제1차 세계 대전 후, 베르사유 조약의 성립에 의하여 생긴 국제적 질서(秩序). 곧, 전승국(戰勝國)과 패전국(敗戰國)을 포함한 여러 국가 사이의 안전 보장의 체제. 유럽 중심적인 성격을 띠었으나, 패전 독일에 히틀러 정권이 들어서자 재군비를 개시하여 1935년 베르사유 조약의 군비 제한 조항을 파기함으로써 사실상 이 체제는 붕괴되었음.

베르셀리우스 〔Berzelius, Jöns Jakob〕 명 『사람』 스웨덴의 화학자. 전기 화학(電氣化學)의 기초를 세우고 세륨(Ce)·셀레늄(Se)·토륨(Th) 등 원소를 발견하였으며 규소(珪素)·지르코늄(Zr)·탄탈(Ta) 등을 산화물에서 분리하였음. 또, 촉매(觸媒) 개념을 도입, 산소(酸素)를 표준으로 하는 모든 원소의 원자량(原子量)을 계산 결정하였고 화합물의 명명법(命名法)을 고안함. [1779-1848]

베:르셰바 〔Beersheba〕 명 『지』 이스라엘 남부, 네게브(Negev) 지방의 도시. 경작 지대와 사막의 경계선에 있으며 도기(陶器)·유리·화학·제분(製粉) 등 공업이 행하여짐. 성서와 관계가 깊은 땅으로 성지(聖地)의 남쪽 끝으로 지칭됨. 브엘세바. [11,500 명(1987 추계)]

베르쇠:즈 〔프 berceuse〕 명 『악』 자장가. 기악곡(器樂曲)에도 이름 붙이는 경우가 있음.

베르크 〔Berg, Alban〕 명 『사람』 오스트리아의 작곡가. 쇤베르크(Schönberg)의 고제(高弟)로, 12음 음악의 대표적인 작곡가임. 가극 《보이첵

(Weuzzeck)≫에서 무조(無調) 및 12음의 수법에 의하면서도 음악적인 서정성(抒情性)을 잃지 아니한 혁신적인 면을 보였음. [1885-1935]

베르크만의 규칙【一規則】〔Bergmann〕[—/—에—] 명 〖동〗 항온 동물에서는, 추운 지방에서 생활하는 개체의 체중이 따스한 지방에서 생활하는 동종의 개체의 그것보다 크다는 현상(現象). 근연(近緣)의 종류에 있어서도 이러한 관계는 성립함. 1847년에 19세기 독일의 생물학자 베르크만(Bergmann, C.)에 의해 발견됨. *알렌(Allen)의 법칙.

베르타-포【一砲】〔Bertha〕 명 〖군〗 제1차 세계 대전에서 독일군이 파리 포격(砲擊)에 사용한 210mm 장거리포. 장사정포(長射程砲).

베르테르〔Werther〕 명 〖문〗 괴테의 작품인 ≪젊은 베르테르의 슬픔≫의 주인공의 이름. 병적(病的)으로 과민한 감수성(感受性)과 자의식(自意識)을 가진 청년으로 그려져 있는데, 감상적(感傷的) 연애의 전형적(典型的) 인물로 일컬어짐.

베르테리스무스〔도 Wertherismus〕 명 〖문〗 베르테르의 성행(性行)에서 유래된 말로, 연애 탐미주의(戀愛耽美主義)의 뜻.

베르톨레〔Berthollet, Claude Louis〕 명 〖사람〗 프랑스의 화학자. 처음에 의학을 배워 오를레앙공(公)의 시의(侍醫)가 됨. 1781년 아카데미 회원, 1784년 왕립 염색 공장의 감독이 되어, 1785년 염소(塩素)의 표백성을 발견함. 에콜 드 폴리테크니크(École de polytechnique) 창립자의 한 사람으로 화학 교수를 역임하였음. 라부아지에(Lavoisier)의 반연소설(反燃素說)을 인정하고 일찍부터 그를 도와 화학 용어의 제정을 돕기도 하였으나, 정비례(定比例)의 법칙은 인정하지 아니하고 프루스트(Proust, J.L.)와 논쟁하였음. 나폴레옹의 이집트 원정 때는 과학 고문으로 종군하였으며, 1804년 원로원 의원이 됨. [1748-1822]

베르톨루치〔Bertolucci, Bernardo〕 명 〖사람〗 이탈리아의 영화 감독. 1960년대 초부터 감독으로 활약하여 새로운 영화 언어의 기수로 주목을 받음. 그의 감독 작품 ≪마지막 황제≫는 아카데미상 9개 부문을 획득함. 그 밖에 ≪암살의 숲≫·≪파리에서 마지막 탱고를≫·≪루나≫ 등이 있음. [1940-]

베르트랑[1]〔Bertrand, Aloysius〕 명 〖사람〗 프랑스의 시인. 본명 Louis Bertrand. 생전에는 무명(無名)으로 가난 속에 죽음. 사후(死後)인 1842년 시집 ≪밤의 가스파르(Gaspard)≫가 출판됨. 이것은 환상적이며 다양한 65편의 산문시로 되었는데 보들레르(Baudelaire)의 산문시 형식에 영향을 끼침. [1807-41]

베르트랑[2]〔Bertrand, Marcel〕 명 〖사람〗 프랑스의 지질학자. 1880년대에 습곡(褶曲) 산맥을 중심으로 하는 구조 지질학의 발전에 이바지함. 프랑스 알프스의 역전 구조(逆轉構造), 알프스 전체의 남에서 북으로 덮친 듯한 비대칭적(非對稱的) 구조 등을 해명함. 또한 유럽 대륙의 기원을 논(論)함. [1847-1907]

베르트하이머〔Wertheimer, Max〕 명 〖사람〗 독일의 심리학자. 독일의 각 대학에서 강의. 1912년 운동시(運動視)의 실험을 실시하여 게슈탈트(Gestalt) 심리학의 창시자가 됨. 유태계로 나치스에 쫓겨 1933년 미국에 이주함. [1880-1944]

베르틀로〔Berthelot, Pierre Eugène Marcelin〕 명 〖사람〗 프랑스의 화학자·정치가. 1865년 콜레주 드 프랑스(Collège de France) 교수. 유기 화합물의 합성 반응을 연구, 연소열(燃燒熱)을 측정하는 등으로 열화학의 개척에 공헌함. 그 밖에 흙 속의 미생물에 의한 질소 고정에 관한 연구 등이 있음. 만년에는 화학사를 연구하여 저서도 많음. 정치가로서는 1881년 상원 의원이 된 후에 문상(文相)·외상(外相)을 역임함. [1827-1907]

베르티용〔Bertillon, Alphonse〕 명 〖사람〗 프랑스의 범죄(犯罪) 인류학자. 베르티용법이라는 범인 식별법을 창안하였음. [1853-1914]

베르펠〔Werfel, Franz〕 명 〖사람〗 오스트리아의 시인·극작가. 프로이트적인 심리 분석으로 ≪세계의 벗≫ 등의 시집을 발표, 인류에의 열정을 음악적으로 표현하였으며, 제1차 대전 후 표현주의 희곡의 걸작 ≪경인(鏡人)≫을 내었음. 만년에 나치스의 박해로 미국에 망명, 작품은 가톨릭적으로 기울었음. [1890-1945]

베르하:렌〔Verhaeren, Emile〕 명 〖사람〗 벨기에의 시인. 처녀 시집 ≪플랑드르(Flandre)의 여인들≫ 이래 전예술적 생애의 주조(主調)라 할 3부작 ≪환각의 들≫ 등의 농촌 대(對) 도시의 갈등을 노래한 작품을 내었고, 후기 ≪지상(至上)의 리듬≫ 등의 여러 시집에서는 일전(一轉)하여 생(生)의 줄기찬 건설을 노래하여 20세기 초두 최대의 시인이 되었음. [1855-1916]

베르호얀스크〔Verkhoyansk〕 명 〖지〗 러시아 연방 야쿠트(Yakut) 자치 공화국 중북부의 하항(河港) 도시. 야나 강(Yana江)에 면함. 원래는 유형지(流刑地)였음. 세계에서 가장 추운 곳의 하나. 1892년 2월에는 −67.8°C를 기록하였다 함. [2,500명(1966)]

베륵 명 〈방〉 벼룩(경남).

베른[1]〔Bern〕 명 〖지〗 ①스위스의 수도. 제네바 동북 128km에 있는, 스위스에서 가장 아름다운 도시로, 여기에서 알프스 산봉우리를 볼 수 있음. 기계·섬유·식품 등의 공업이 행해지며, 만국 우편 연합 사무국(事務局)이 있음. [134,400명(1989)] ②스위스 서부의 주(州). 쥐라·알프스 두 산맥 사이에 있음. [6,886 km²: 912,000명(1980)]

베른[2]〔Verne, Jules〕 명 〖사람〗 프랑스의 과학적 모험 소설가. ≪해저 이만리≫·≪80일간의 세계 일주≫ 등의 교육적이고 흥미 있는 모험 소설을 내어 근대 공상 과학 소설의 선구자로 불림. [1828-1905]

베른슈타인〔Bernstein, Eduard〕 명 〖사람〗 독일의 사회주의자. 마르크스 이론을 비판하여 수정(修正) 마르크스주의를 제창, 사회주의에의 점차적 개량을 주장하여 수정주의의 개척자가 되었음. 저서는 ≪사회주의의 제전제(諸前提)와 사회 민주주의의 임무≫ 등임. [1850-1932]

베른 조약【一條約】〔Bern〕 명 〖문〗 정식 명칭은 '문학적 및 미술적 저작물 보호에 관한 베른 조약'. 저작권을 국제적으로 보호하기 위한 조약. 1886년 베른에서 체결되어 1952년 만국 저작권 보호 동맹 조약으로 이행(移行)되었음. *만국 저작권 보호 동맹 조약.

베른하임〔Bernheim, Ernst〕 명 〖사람〗 독일의 역사학자(歷史學者). 글라이비츠발트(Gleiwitzwald) 대학 교수. 역사(歷史) 인식은 자연 과학적 법칙이나 개념으로는 포착되지 아니한다는 방법론(方法論) 상의 논저로 유명함. 저서에 ≪역사란 무엇인가≫ 등이 있음. [1850-1942]

베를라헤〔Berlage, Hendrick Petrus〕 명 〖사람〗 네덜란드의 건축가. 재료와 구조를 중시한 합리주의를 주장한 20세기 초엽의 혁신적 건축가의 한 사람임. 건축 평론가로서의 공적도 큼. [1856-1934]

베를렌〔Verlaine, Paul〕 명 〖사람〗 프랑스의 시인. 고답파(高踏派)의 영향 아래 출발하였으나 독자적인 시풍을 보였음. 가정을 버리고 젊은 천재 소년 시인 랭보(Rimbaud)와 둘이서 여러 나라를 방랑하다가 자기에게서 떨어져 나가려는 랭보를 권총으로 쏘아 2년간을 옥중에서 보냈고, 이 때 가톨릭에의 신앙심을 되찾아 개심하고, 이후 아름다운 종교시 ≪예지(叡智)≫를 내었음. 전형적인 데카당(décadent) 시인이었으나, 일면 영혼에의 요구도 강렬하였으며, 1894년에는 시왕(詩王)으로도 뽑혔음. 말라르메·랭보와 비견(比肩)되는 상징파(象徵派)의 시인임. [1844-96]

베를리너 앙상블〔Berliner Ensemble〕 명 브레히트(Brecht)가 그의 아내인 여우(女優) 헬레네 바이겔(Helene Weigel)을 중심으로 1949년 베를린에 창설한 극단(劇團).

베를리오:즈〔Berlioz, Louis Hector〕 명 〖사람〗 프랑스의 작곡가. 로마 대상(大賞) 수상. 정열의 고조(高潮)와 색채적 악기법(色彩的樂器法)에 천품(天稟)을 표시, 낭만주의 음악 운동의 선구자로서 표제(標題) 음악을 확립하였음. 작품에 ≪환상 교향곡≫ 등이 있음. [1803-69]

베를린〔Berlin〕 명 〖지〗 독일 북동부, 엘베(Elbe) 강의 지류와 슈프레(Spree) 강의 합류점(合流點)에 있는 대도시. 독일의 수도. 한때 국제적 정치·경제·문화의 중심지. 제2차 대전 후 포츠담(Potsdam) 협정에 의하여 시의 중앙부에 있는 브란덴부르크 문(Brandenburg門)을 경계로 하여 동쪽은 소련이, 서쪽은 미·영·불이 분할 점령하여 관리함. 17세기 전반 프리드리히 빌헬름에 의해 성벽이 건설되어 18세기 전반 프리드리히 대왕 시대에 프로이센 왕국의 수도로서 발전하였음. 화학 공업은 세계적임. 1990년 동·서독이 통일되면서 다시 독일 연방 공화국의 수도가 됨. 백림(伯林). [883 km²: 3,410,000명(1990 추계)]

베를린 공중 회랑【一空中回廊】〔Berlin〕 명 〖역〗 베를린과 서독과 간의 교통을 위해 설정된 세 항공로. 소련의 단독 점령 지구내에 들어 있는 베를린에 미·영·불 삼국군이 진주(進駐)하면서 미·영·소 삼국 수뇌의 서간(書簡) 왕복에 의해 인정된 교통 연락로. *베를린 봉쇄.

베를린 국립 미술관【一國立美術館】〔Berlin〕[—닙—] 명 베를린 교외(郊外)에 있는 종합 미술관. 회화관(繪畫館) 외에 이집트와 이슬람 관계(關係)·조각과 공예 관계·판화 문고(版畫文庫) 등 각 개별 미술관의 총칭. 가장 유명한 회화관은 프로이센의 프리드리히 대왕의 수집품을 바탕으로 1830년에 세워진 구(舊) 카이저 프리드리히 미술관으로, 중세기에서 19세기에 이르는 유럽 미술 대가의 작품이 많이 수집되어 있음.

베를린 대학【一大學】〔Berlin〕 명 정식 명칭은 Friedrich Wilhelm Universität로, 근세 대학의 전형이 된 독일의 대표적 종합 대학. 1809년 왕명(王命)으로 훔볼트(Humbolt) 등이 프로이센의 수도(首都) 베를린에 창설함. 이 대학의 '교수(教授)와 연구의 자유'의 이념은 세계의 여러 대학에 영향을 끼침. 제2차 대전 후 동독(東獨)에 접수되어 훔볼트 대학으로 개칭되기도 함.

베를린 로마 추축【一樞軸】 명 〔Berlin-Rome Axis〕〖역〗 1936년 10월에 성립된 독일의 나치스(Nazis) 정권과 이탈리아의 파시스트(Fascist) 정권과의 협력 체제(協力體制). 일본을 포함한 방공 협정(防共協定)으로 구체화 되고, 다시 3국의 군사 동맹으로 발전하였음.

베를린 문:제【一問題】〔Berlin〕 명 〖역〗 제2차 대전 후 동서 독일의 분열을 배경으로 일어난, 베를린의 지위와 관리를 둘러싼 국제 분쟁.

베를린 봉쇄【一封鎖】〔Berlin〕 명 〖역〗 제2차 대전의 결과, 분할 점령된 베를린의 서방측 점령 지구에 대하여, 1948년 6월에 소련군이 행한 육로상의 봉쇄. 이에 대하여 미국은 공수(空輸)로써 베를린 관리 지구에 식량·연료 등을 보급하였고, 1949년 5월 미·소 간의 협의로 봉쇄는 해제되었으나, 독일의 동서 분열을 결정짓는 계기가 되었음. 백림 봉쇄.

베를린 블루:〔Berlin blue〕 명 〖화〗 감청색(紺青色)의 안료(顏料). 베를린청(青).

베를린 악파【一樂派】 명 〔Berlin School〕〖악〗 18세기 후반, 베를린의 프리드리히 대왕의 궁정을 중심으로 활약한 전고전파(前古典派) 작곡가들의 총칭. 북(北)독일 악파.

베를린 어필:〔Berlin appeal〕 명 베를린에서 1951년에 개최된 세계 평화 평의회(評議會) 제1회 총회에서 채택된, 미·영·불·소·중국의 오대국 평화 협정 요구 운동(五大國平和協定要求運動). *빈 어필.

베를린 자유 대학【一自由大學】〔Berlin〕 명 베를린에 있는 대학. 제2차 세계 대전 후, 베를린 대학이 동베를린 지구에 포함됨으로써 따로 신설됨. 1948년에 창립.

베를린 장벽【一障壁】〔Berlin〕 명 동·서 베를린 경계 상의 43km에 걸친 장벽. 서베를린으로의 탈출을 막기 위하여 1961년 8월에 동독(東獨)이 구축함. 동(東)유럽이 민주화되면서 1989년 11월 실질적으로 철폐됨.

베를린-청【一青】〔Berlin〕 명 〖화〗 베를린 블루.

베를린 칙령【一勅令】〔Berlin〕[—녕] 명 〖역〗 1806년 11월 6일, 나폴레옹이 베를린에서 대륙 봉쇄(大陸封鎖)를 명한 최초의 칙령.

베를린 필하:모니 관현악단【一管絃樂團】 명〔Berliner Philharmonisches Orchester〕『악』 1882년에 베를린에서 조직된, 유럽에서 가장 권위(權威) 있는 관현악단의 하나.
베를린 협정【一協定】〔Berlin〕 명『역』 1972년 6월 미국·영국·프랑스·소련의 4 개국이 동·서 베를린의 교류(交流)에 관하여 맺은 협정.
베를린 회:의【一會議】〔Berlin〕[-/-이] 명『역』 ①1849년 독일 각방(各邦)의 대표가 베를린에 모여, 28 방(邦)의 연합을 형성한 회의. ②1878 년 비스마르크의 주창으로 베를린에서 열린 국제 회의. 영국·러시아·독일·오스트리아·프랑스·이탈리아·터키의 7개국이 참가하여 발칸을 둘러싸고 격화한 여러 나라의이해 대립의 조정을 토의하였음. 산스테파노 조약을 수정하여 베를린 조약이 체결되고 그 결과 러시아의 발칸 남하책을 저지시킨 회의. ③1884년 비스마르크의 주창에 의하여, 여러 나라 대표가 베를린에 모여, 콩고 강(Congo江) 유역 일대의 땅을 콩고 자유국으로 할 것을 결정한 협상. ④1890년 유럽 여러 나라의 위원(委員)이 베를린에 모여, 노동 계급의 대우 개선에 관한 규정을 결의한 회의. ⑤1954년 1-2월에 행하여진 영국·미국·프랑스·소련의 외상(外相) 회의. 유럽 안전 보장 문제와 독일·오스트리아 문제 등을 토의하였음. 백림 회의(伯林會議).
베름-쟁이 명 〈방〉 대장장이(경북).
베름-칸 명 〈방〉 대장간(경북).
베리[1] 명 〈방〉 ①벼루[1](강원·전남·경상·제주·함남). ②벼루[2]. (경북). ③벼리(제주·전라·경상·충청·함경).
베리[2] 명 〈방〉 별(함경).
베리기 명 〈방〉『충』 벼룩(강원·황해·함경).
베리다 타 〈방〉 ①버리다. ②벼리다.
베리디 명 〈방〉『충』 벼룩(평북).
베리만〔Bergman, Ingmar〕 명『사람』 스웨덴의 영화 감독·무대 연출가. ≪여름 밤은 세 번 미소한다≫·≪제7의 봉인(封印)≫으로 세계적 명성을 얻음. 그 후에도 ≪들딸기≫·≪거울 속에 있는 듯이≫·≪침묵≫·≪페르소나≫ 등 화제작을 만듦. 인간의 죄업(罪業)을 추구하고 신(神)을 갈구(渴求)하는 정신이 그 기조(基調)를 이루고 있음. [1918-]
베리베리〔beriberi〕 명『의』 각기(脚氣).
베리 세트〔berry set〕 명 과실을 먹기 위한 크고 작은 쟁반·접시·나이프·포크 등의 한 세트.
베리스트룀〔Bergström, Sune K.〕 명『사람』 스웨덴의 생리학자. 일군의 생리(生理) 활성 물질 가운데 프로스타글란딘 E와 F의 분자 구조를 결정한 공로로 1982 년 베인(Vane, J.R.)·사무엘손(Samuelsson, B. I.)과 공동으로 노벨 생리·의학상을 수상함. [1916-]
베리야〔Beriya, Lavrenti Pavlovich〕 명『사람』 소련의 군인·정치가. 빈농의 집에서 태어나 학생 시절부터 마르크스주의 운동에 참가, 1917년 공산당에 입당함. 1920년대에 카프카즈(Kavkaz)의 비밀 정치 경찰로 활약하였으며 그 후 내상(內相)·부수상(副首相)을 역임. 스탈린 사후, 치안 관계의 각료로서 실권을 장악하고 있었으나 '인민의 적'이라는 죄명으로 총살됨. [1899-1953]
베리에이션〔variation〕 명 바리에이션.
베리오〔Berio, Luciano〕 명『사람』 이탈리아의 작곡가. 밀라노 음악원에서 수학한 후, 미국에서 달라피콜라(Dallapiccola)에 사사(師事)함. 1955년 이탈리아 국립 방송국의 전자 음악(電子音樂) 창설에 참가, 전자 음악과 전위적(前衛的) 작품을 다수 발표함. [1925-]
베리-줄 명『농』 소의 길마 위에 얹어 곡식 단을 싣는, 걸채의 앞뒤 마구리 두 편 끝에 건너 맨 굵은 새끼.
베리즈모〔이 verismo〕 명『악』〔리얼리즘이란 말〕 19세기 이탈리아 가극에 나타난 사실적(寫實的) 경향 및 그 양식(樣式). 당시의 반(反)낭만적 오페라 작곡가 레온카발로(Leoncavallo)·마스카니(Mascagni) 등이 그 대표자임.
베리지 명 〈방〉『충』 벼룩(함남·평북).
베릴륨〔beryllium〕 명『화』 알칼리 토금속(Alkali 土金屬)의 하나. 천연으로는 녹주석(綠柱石) 속에 있는 은백색의 금속. 공기 중에서 표면만 산화하며 성질이 마그네슘·알루미늄과 같고, 황산(黃酸)과 염산(塩酸)에 잘 녹으며 이 때에 수소를 발생시킴. 유독(有毒)하여 피부나 폐(肺) 등을 침해함. [4번 : Be : 9.01218]
베릴륨-구리 명〔beryllium copper〕 1-2.5%의 베릴륨을 포함하는 구리 합금(合金). 흔히 코발트 0.3% 정도를 첨가(添加)한 베릴륨 1.9% 정도의 것이 실용됨. 특수강(特殊鋼)에 맞먹는 강도(強度)와 내마모성(耐磨耗性)을 지니고 있어 용수철의 재료와 전기 기기 부품(電氣機器部品) 등에 사용됨.
베림-쟁이 명 〈방〉 대장장이(강원).
베릿-돌 명 〈방〉 벼루[1](함경).
베:링[1]〔Behring, Emil Adolph von〕 명『사람』 독일의 세균학자. 코호(Koch) 밑에서 일본인 기타자토 시바사부로(北里柴三郞)와 함께 혈청 요법(血淸療法)을 발견, 1901년 노벨 의학상을 받음. [1854-1917]
베:링[2]〔Bering, Vitus〕 명『사람』 덴마크의 항해가(航海家). 북태평양을 탐험, 베링 해협·코만도르스키 제도(Komandorskie諸島)·알류샨 열도(Aleutian 列島)를 발견함. [1680-1741]
베:링 육교【一陸橋】〔Bering〕 명『역』 홍적세(洪積世)의 빙하기에 해면이 저하(低下)되어 생겨난, 시베리아와 알래스카 사이를 연결하는 육지. 매머드와 그것을 좇는 인류가 아시아 대륙에서 아메리카 대륙으로 이주(移住)하였음.
베:링 해【一海】〔Bering〕 명『지』 태평양의 최북부(最北部)에 있는 바다. 베링 해협으로 북극해와 연결되며 캄차카(Kamchatka) 반도·알래스카·알류샨 열도에 둘러싸여 있음. 동쪽은 수심이 얕고 광대(廣大)한 대륙붕(大陸棚)을 이루며 서쪽은 깊어 최심(最深) 4,773m에 이름. 일본·미국·캐나다·소련 등의 북양 어업(北洋漁業)의 주된 어장이며, 물개·표범 등의 동물도 많음. [2,290,000km²]
베:링 해:협【一海峽】〔Bering〕 명『지』 알래스카와 시베리아 동단(東端) 사이에 있는 해협. 북극해와 베링 해를 연결하며 그 중앙에 날짜 변경선(變更線)이 통과함. 최단폭(最短幅) 85km, 수심(水深) 약 50m. 1648년 데지네프(Dezhnev, S.I.; 1605?-72)가 발견하였으며, 1728년 처음 이 곳을 통과한 베링의 이름을 땀.
베-매기 명 베를 짜려고, 날아 놓은 실을 매는 일.
베:-먹다 타 ↗베어먹다.
베-목【一木】 명 삼으로 짠 옷감. 베. *포목(布木).
베:-물다 타 이빨로 물어서 자르다.
베믈다 타 〈옛〉 베물다. ¶ 저즌 고기란 니로 베믈고(濡肉齒決)≪小諺 Ⅲ: 24≫.
베바트론〔bevatron〕 명『물』 양자(陽子) 가속 장치의 한 가지. 6.2 베브(Bev), 곧 62억 전자 볼트의 양자를 낸다 하여 이 이름이 붙여짐.
베버[1]〔Weber〕 명『사람』 ①〔Alfred W.〕 독일의 사회학자·경제학자. ❷의 동생. 공업 입지학(立地學)·문화 사회학의 창시자. 나치스에 의하여 추방(追放)됨. 저서에 ≪문화사로서의 문화 사회학≫·≪역사 사회학 및 문화 사회학≫ 등이 있음. [1868-1958] ②〔Max W.〕 독일의 사회학자·경제학자. 리케르트(Rickert) 등의 영향을 받아 경제 행위나 종교 현상의 사회학적 이론 분야를 개척하였음. ≪경제와 사회≫·≪종교 사회학 논집≫ 등의 저서가 있음. [1864-1920]
베버[2]〔Weber, Carl Maria von〕 명『사람』 독일의 오페라 작곡가. 독일 민요조의 선율을 소화하고 관현악법에 신기축을 이룸으로써 국민 가극 및 낭만파 가극을 창시함. 대표작은 ≪마탄(魔彈)의 사수(射手)≫, 피아노곡 ≪무도회에의 권유≫ 등. [1786-1826]
베버[3]〔Weber〕 명『사람』 ①〔Ernst Heinrich W.〕 독일의 생리학자·심리학자. 실험적 방법에 의하여 자극과 감각과의 상호 관계를 연구, 정신 물리학을 개척하고 '베버의 법칙'을 발견하였음. [1795-1878] ②〔Wilhelm Eduard W.〕 물리학자. ❶의 동생. 분자 전류(分子電流)의 가설에서 반자성(反磁性)을 설명, 전기량의 절대 단위계(絶對單位系)를 도입하였으며 이외 전류계·전력계 등도 고안하였음. [1804-91]
베:-버리다 타 ↗베어버리다.
베버리지〔Beveridge, William Henry〕 명『사람』 영국의 경제학자. 2차 대전중 '베버리지안(案)'을 발표, 완전 고용 제도를 제창함. 주저(主著) ≪실업 문제≫ 등. [1879-1963]
베버리지 보:고【一報告】〔Beveridge〕 명 베버리지안(案).
베버리지-안【一案】 명〔Beveridge plan〕 1942년 영국에서 베버리지를 장(長)으로 하는 한 위원회가 작성한 혁신적인 사회 보장안. 전후의 재정난으로 실현되지는 못하였으나 '요람(搖籃)에서 무덤까지'의 전반적인 사회 보장 계획을 구체적으로 제시, 세계 각국의 사회 보장 제도 책정에 중대한 영향을 끼침. 베버리지 보고(報告).
베버-선【一線】 명〔Weber's line〕『생』 생물 지리학상의 동양구와 오스트레일리아구와의 경계선. 민물고기의 분포(分布)를 바탕으로 하여 네덜란드의 동물학자 베버(Weber, Max)가 제창한 것으로, 동물 분포상의 한 경계선임. *월리스선(Wallace線).
베버의 법칙【一法則】[-/-에-] 명〔Weber's law〕『생·심』 자극의 강도에 관하여 독일의 베버(Weber, E.H.)가 발견한 법칙. 같은 종류의 두 자극을 구별할 수 있는 최소 차이(最小差異)는 자극의 강도(強度)에 비례한다고 하는 법칙. *페히너의 법칙·식별역(識別閾).
베버 페히너의 법칙【一法則】[-/-에-] 명〔Weber-Fechner law〕『생·심』 자극과 감각과의 강도(強度)의 양적(量的) 관계에 관한 법칙. 베버는 감각이 판별할 수 있는 자극의 최소(最小) 변화량은 그 때의 자극의 강도에 비례함을 발견하였고, 페히너는 이에 다시 감각의 강도를 생각하고 이것은 자극의 강도의 로그(log)에 비례한다고 한 법칙.
베번〔Bevan, Aneurin〕 명『사람』 영국의 정치가. 노동당 좌파의 지도자로 1945년 노동당 내각에 참여, 재군비(再軍備)를 위한 사회 보장 계획 삭감(削減)에 반대하여 사직하였음. [1897-1960]
베베르〔Veber, Carl〕 명『사람』 러시아의 외교관(外交官). 1884년 조선과의 우호 조약 체결에 성공하여, 조선 주재 공사 겸 총영사(總領事)로 재임하였다가 1897년 멕시코 공사(公使)로 전임되었음. 한국명은 위패(韋貝).
베베른〔Webern, Anton von〕 명『사람』 오스트리아의 작곡가(作曲家). 빈 대학에서 음악학을 배우고, 1904년부터 쇤베르크(Schönberg, A.)에게 사사(師事), 그 영향으로 밀도 높은 무조 작품(無調作品)을 썼고, 1924년부터 십이음 기법(十二音技法)에 의한 작품을 발표. 동문의 베르크(Berg, A.) 등과 함께 현대 음악의 선구적 역할을 함. [1883-1945]
베벨〔Bebel, Ferdinand August〕 명『사람』 독일의 정치가. 1869년 사회 민주노동당(社會民主勞動黨)을 창립, 1875년 사회주의 노동당을 결성, 당수가 됨. 저서에 ≪여성론(女性論)≫이 있음. [1840-1913]
베벨 기어〔bevel gear〕 명『기』 회전력(回轉力)을 평행하지 아니한 축(軸)방향으로 전하는 우산 모양의 톱니바퀴. 직각(直角)으로 물린 것이 많고 축이 교차(交叉)할 때의 동력(動力) 전달에 사용함. *스큐 기어.
베-보【一褓】 명 삼베로 만든 보.
베-붙이[-부치] 명 모시실·베실 등으로 짠 피륙. 포속(布屬).
베브〔BEV〕 의명『물』〔billion electron volt의 약칭〕 미국 등에서, 10억 전자 볼트. 소립자(素粒子)가 갖는 에너지를 나타냄. 빌리언 엘렉트론 볼트.
베블런〔Veblen, Thorstein〕 명『사람』 미국의 경제학자. 사회 경제학적 입장에서 고전파 이론·한계 효용 이론 등을 비판하고 진화론적 제도론(制度論)을 주창하였음. 제도학파의 시조. 주저(主著) ≪유한 계급론(有限階級論)≫·≪기업의 이론≫ 등. [1857-1929]

베빈 〔Bevin, Ernest〕 명 〖사람〗 영국의 정치가. 노동당(勞動黨) 출신 의원(議員). 처칠(Churchill) 연립 내각의 노동상(勞動相), 애틀리(Attlee) 내각의 외상(外相)을 지냄. 나토(NATO) 설립에 힘을 씀. [1884-1951]

베사라비아 〔Bessarabia〕 명 〖지〗 동유럽 우크라이나의 드네스트르 강(Dnestr江) 이남 루마니아와의 국경 지방. 러시아와 루마니아 사이에서 분쟁이 잦았으나 1945년에 소련령이 되었음. 주도(主都)는 키시네프(Kishnev). [44,420 km²] *몰다비아(Moldavia).

베살리우스 〔Vesalius, Andreas〕 명 〖사람〗 벨기에의 해부학자. 최초로 인체를 해부하고, 부활골(復活骨)의 미신을 부정하여 종교의 박해를 받았음. 근대 해부학(解剖學)의 시조로서, 저서 《인체 해부학》 7 편은 이후 의학도의 보전(寶典)이 되었음. [1514-64]

베샤르 〔Béchar〕 명 〖지〗 알제리 북서부, 모로코와의 국경에 가까운 도시. 철도의 요지이며 부근에서 철광·구리·망강·석탄 등이 나와 광업의 중심지이기도 함. [107,311명(1987)]

베샤멜 소:스 〔영 béchamel sauce〕 명 〔베샤멜은 이를 고안한 루이 14 세의 요리사 이름〕 화이트 소스에 고기즙(汁)을 가한 걸쭉한 소스.

베서머 〔Bessemer, Henry〕 명 〖사람〗 영국의 발명가·기업가. 활자 주조기(活字鑄造機)·식자기(植字機) 등을 발명하고 생애에 120여의 특허를 얻음. 가장 중요한 발명은 1856년의 베서머 전로(Bessemer轉爐)로, 이로써 제강업(製鋼業)에 성공하여 거부가 되었음. [1813-98]

베서머-강 【一鋼】 명 〔Bessemer steel〕 〖물〗 베서머 전로(轉爐)로 제련(製鍊)한 강철.

베서머-법 【一法】 〔Bessemer〕 〔一뻡〕 명 베서머 전로(轉爐)를 사용한 제강법(製鋼法). 인(燐)·황 등의 불순물을 충분히 제거할 수 없으므로, 순산소(純酸素)를 사용하는 전로법에 밀려, 현재는 거의 쓰이지 아니함. 산성(酸性) 전로법.

베서머 전:로 【一轉爐】 〔一절一〕 명 〔Bessemer converter〕 〖물〗 1856년 영국의 베서머가 발명한 전로. 산화의 발열(發熱)을 이용하므로 연료를 보급할 필요가 없는 것이 특징임. 10-20톤의 쇠를 15분 정도로 완전히 녹여 다량의 강철을 얻을 수 있음. 회전로(回轉爐). *전로.

베서흘다 타 〈옛〉 베어 썰다. ¶ 베서흘 견(剸)《類合 下 20》.

베셀¹ 〔Bessel, Friedrich Wilhelm〕 명 〖사람〗 독일의 천문학자·수학자. 쾨니히스베르크(Königsberg)의 초대 천문대장. 기초 천문학, 특히 항성(恒星)의 위치에 관한 연구가 많고, 해왕성(海王星)의 존재를 예언, '베셀 함수(Bessel函數)'를 발표하였음. [1784-1846]

베셀² 〔Bethell, Ernest T.〕 명 〖사람〗 영국의 언론인. 1904년 노일(露日) 전쟁 때, 런던 데일리 뉴스 지(Daily News紙)의 특파원으로 내한하여, 1906년 매일 신보(每日申報)의 사장을 역임함. 일본의 한국 병합을 규탄하고 고종(高宗)의 친서를 게재하는 등 활약을 하였음. 죽어서 한국에 묻힘. 한국식 이름은 배설(裵說). [1872-1909]

베셀-년 【一年】 〔一련〕 명 〔Besselian year〕 〖천〗 평균 태양의 적경(赤經)이 18 시 40 분에 달한 순간을 연초로 잡은 회귀년. 길이는 1 태양년과 같아, 365.2422 평균 태양일임. 역년(曆年)상의 길이는 윤년 때문에 일정하지 아니하고, 천체의 위치를 추산하는 데 편리하므로, 독일의 천문학자 베셀(Bessel, F.W.)이 고안하여 낸 것임. 가상년(假想年).

베수비어스 산 【一山】 〔Vesuvius〕 명 〖지〗 '베수비오 산(Vesuvio山)'의 영어명.

베수비오 산 【一山】 〔Vesuvio〕 명 〖지〗 이탈리아 나폴리 만(Napoli灣) 동쪽의 활화산. 이중 화산(二重火山)으로 79년의 분화(噴火)에 의하여 폼페이(Pompeii)가 매몰(埋沒)되었음. 1631·1794·1822·1872·1906·1929년에도 대분화가 있었음. 베수비어스 산(Vesuvius山). [1,281 m]

베-쉬염 명 〈방〉 까끄라기(경기·강원·충청).

베스 〔Bes〕 명 〖신〗 고대 이집트의 신(神). 튼튼하고 작은 키에, 큰 혀를 내미는 괴기한 모습을 하여 '쾌활한 베스'라고 불림. 무용과 전투의 신, 또 출산·병으로부터 여성을 수호한다고도 함.

베스도 〔Festus〕 명 〖성〗 서기 60년 벨릭스(Felix)의 후임으로 임명된 유대의 로마 총독(總督). 성품이 어질어 짧은 치세 중에도 신망이 있었다 함.

베스타 〔Vesta〕 명 ①〖신〗 그리스 신화 중의 불의 여신(女神) '헤스티아(Hestia)'의 로마 명(Roma名). ②〖천〗 1807년에 발견된 소행성(小行星) 4번. 공전 주기 3.6년, 궤도(軌道)는 긴반지름 2.36 천문 단위, 지름 538km.

〈베스타❶〉

베스트¹ 〔best〕 명 ①최선(最善). 최상. ②전력(全力). ¶ ~를 다하다.

베스트² 〔vest〕 명 ①조끼. 특히, 여성복에서 남자의 조끼와 비슷한 소매 없는 윗도리. ②↗베스트 코닥.

베스트 드레서 〔best dresser〕 명 옷을 세련되게 입는 사람. 옷차림이 「멋있는 이.

베스트 멤버 〔best member〕 명 ①가장 우수한 선수를 갖춘 일단(一團). 또, 그 선수. ②선발된 인원(人員).

베스트 셀러 〔best seller〕 명 어떤 기간에 최고의 매상(賣上)을 올린 책.

베스트 스웨터 〔vest sweater〕 명 조끼처럼 된 스웨터.

베스트 코닥 〔미 vest kodak〕 명 미국의 이스트먼이 발명한 소형(小型) 사진기(寫眞機)의 상품명.

베스트 텐 〔best ten〕 명 어떤 부문(部門)에서 가장 우수한 열 명 또는 「열 개의 작품.

베스트-판 【一判】 〔vest〕 명 사진 필름의 크기. 세로 4cm, 가로 6.5cm.

베스트팔:렌 〔Westfalen〕 명 〖지〗 독일의 노르트라인베스트팔렌 주(州) 북동(北東)의 지방명. 뮌스터(Münster)를 중심으로 하는 낙농 지대와 루르 탄전(Ruhr炭田)의 일부를 포함함. 철광(鐵鑛)의 채굴과 더불어 독일 공업의 중요지를 이룸. 1648년 30년 전쟁 후의 평화 회의를 이 지방의 뮌스터와 오스나브뤼크(Osnabrück)의 두 곳에서 개최함. 영어명은 웨스트팔리아(Westphalia). [19,000 km²]

베스트팔:렌 왕국 【一王國】 〔Westfalen〕 명 〖역〗 1807년 나폴레옹 1세가 그의 동생 제롬 보나파르트(Jérome Bonaparte)를 봉(封)하여 세운 왕국. 헤센 카셀(Hessen-Kassel)·브라운슈바이크(Braunschweig)의 전부, 프러시아 및 하노버(Hannover)의 대부분, 삭소니아의 일부를 포괄하고 카셀을 그 수도(首都)로 하였음. 1813년 나폴레옹의 러시아 원정(遠征) 실패 후 제롬이 서울을 버리고 도망쳐, 하루 아침에 왕국은 무너져 버렸음.

베스트팔:렌 조약 【一條約】 〔Westfalen〕 명 〖역〗 삼십년 전쟁을 종결짓기 위한 강화 조약. 1645년 이래 관계 각국이 베스트팔렌의 주도 뮌스터 및 오스나브뤼크에서 협의하여 1648년에 조인되었음. 이 조약에 의하여 열국(列國)의 종교적 분란(紛亂)은 끝을 맺고 스웨덴과 프랑스는 영토 확장과 더불어 신성 로마 제국(神聖 Roma 帝國) 의회에서 참가권을 획득하였으며 독일 제후(諸侯)는 완전한 영토 주권을 인정받아 독일의 분립주의(分立主義)가 확정됨. 또한 네덜란드와 스위스의 독립이 정식으로 인정됨.

베스파시아누스 〔Vespasianus, Titus Flavius Sabinus〕 명 〖사람〗 로마의 황제. 네로 사후의 혼란 속에서 황제로 추대되어 내란을 진정, 질서를 회복하였음. 갈리아·브리타니아·유태의 반란을 진압하고, 로마에 콜로세움(Colosseum) 따위 대건축 사업을 일으킴. [9-79; 재위 69-79]

베스푸치 〔Vespucci, Amerigo〕 명 〖사람〗 이탈리아의 항해가·천문학자. 세 번 남미(南美)를 탐험하였음. 아메리카(America)의 이름은 그의 이름에서 유래한 것임. 아메리고 베스푸치. [1454-1512]

베슥-거리다 자 어떠한 일에 대하여 탐탁스럽게 하기를 싫어하다. >배슥거리다. 베슥-베슥 부. ——-하다 자여불

베슥-대다 자 베슥거리다.

베슬¹ 명 〈방〉 벼슬¹(강원·충청·전라·경상·함남).

베슬² 명 〈방〉 볏¹(경기·강원·전남·경상).

베슬-거리다 자 베슥거리는 태도로 슬슬 베돌다. >배슬거리다·뱌슬거리다. 베슬-베슬 부. ——-하다 자여불

베슬-대다 자 베슬거리다.

베시 명 〈방〉 〖식〗 맨드라미(함경).

베-실¹ 명 삼 껍질로 만든 실. 마사(麻絲). 포사(布絲).

베실² 명 〈방〉 볏¹(경기·강원·충청·전라·경상·평안).

베실³ 명 〈방〉 벼슬¹(평안·강원·전라·경기·충청·경상·제주).

베실-거리다 자 〈방〉 베슬거리다.

베아리¹ 명 〈방〉 병아리(함남).

베아리² 명 〈방〉 벼랑(경북).

베아트리체 〔Beatrice, Portinari〕 명 〖사람〗 이탈리아 피렌체(Firenze)의 귀부인. 바르디(Bardi)의 아내로, 단테(Dante)의 《신곡(神曲)》에서 영원한 여성으로 묘사되었음. [1266-90]

베어 〔Baer, Karl Ernst von〕 명 〖사람〗 에스토니아(Esthonia) 출생의 독일 동물 학자(動物學者). 포유류(哺乳類)의 난세포(卵細胞) 척색(脊索)의 발견으로 근대 발생학(發生學)의 조(祖)가 됨. 여러 동물의 발생을 비교하면, 서로 다른 동물이라도 발생 초기로 거슬러 올라갈수록 유사(類似)한 점이 많다고 하는 '베어의 법칙'을 발견하여 헤켈(Haeckel)의 발생 원칙을 예견(豫見)함. 주저(主著) 《동물 발생학》·《관찰과 고찰(考察)》 등. [1792-1876]

베어-내다 타 얼마쯤을 베어서 따로 떼내다. 준베내다.

베어드 〔Baird, John Logie〕 명 〖사람〗 영국의 발명가. 글래스고 대학 수학. 몸이 약해 전기 기술자 직업을 그만두고 아마추어 연구가로서 화상(畫像) 전송(傳送) 기술을 연구하여 1925년 세계 최초의 텔레비전 장치를 발명, 방송(放送)에 성공함. 1928 년에는 컬러 텔레비전 실험에도 성공함. [1888-1946]

베어링 〔bearing〕 명 〖기〗 굴대 등을 일정한 위치에 고정시켜 자유롭게 회전시키는 기구(器具). 축(軸)받이.

베어링-강 【一鋼】 〔bearing〕 명 〖기〗 볼 베어링(ball bearing)의 알이나, 베어링의 내륜(內輪)·외륜(外輪)을 만드는 내마모성(耐磨耗性)이 강한 특수강(特殊鋼). 주로 고탄소 크롬강(高炭素 chrome鋼)임.

베어-먹다 타 ①얼마쯤을 베어서 먹어 버리다. ¶ 사과를 한입 ~. ②한 물건이 딴 물건을 무질러서 끊어지게 하다. 준베먹다.

베어먼 〔Behrman, Samuel Nathaniel〕 명 〖사람〗 미국의 극작가(劇作家). 작품 《둘째 번 사나이》·《짤막한 순간》 등. [1893-1973]

베어-버리다 타 얼마쯤을 베어서 떼버리다. 준베버리다.

베어 어웨이 〔bear away〕 명 요트가 바람이 부는 반대 방향으로 코스를 바꾸는 일.

베어울프 〔Beowulf〕 명 〖문〗 영국 중세(中世)의 서사시(敍事詩). 주인공 '베어울프가 괴물과 화룡(火龍)을 퇴치(退治)한 무용담(武勇談)으로 8세기경의 작품임. 작자 미상.

베어-톱 〔bare top〕 명 이브닝 드레스나 선 드레스·스포츠웨어 따위에서 어깨 등의 부분이 노출된 스타일.

베:에르 데: 【도 B.R.D.】 명 〔Bundesrepublik Deutschland의 약칭〕 독 「일 연방 공화국.

베역 명 〈방〉 부엌(황해).

베오그라드 〔Beograd〕 명 〖지〗 신(新) 유고 연방의 수도. 다뉴브 강가에 위치함. 정치·경제의 중심지이며 공업 도시이기도 함. 기계·자동차·항공기·식품 가공·제분(製粉)·섬유(纖維)·피혁(皮革) 등 공업이 성하며, 왕궁(王宮)·대학·박물관 등이 있음. 영어명은 벨그라드(Belgrade). [1,500명(1990 추계)]

베오그라드 선언 【一宣言】 〔Beograd〕 명 1961년 제16차 유엔 총회를 앞두고 베오그라드에서 열린 제1차 비동맹 제국(諸國) 회의에서 채택된 선언. 반제(反帝)·반(反)식민지주의·평화 공존·전면 군축 등을 그 「내용으로 함.

베-올 명 베의 올. ¶ ~이 굵다.

베-옷 명 베붙이로 지은 옷.
베왇다 타 〈옛〉 물리치다. 밀치다. ¶ 베와돌 비(排)≪字會 下 24≫.
베유 〔Weil, Simone〕 명 〖사람〗 프랑스의 여류 철학자·작가. 유태인으로 파리에서 태어나 철학을 수학, 여공(女工) 생활도 하고 의용병으로서 스페인 내란에도 참가함. 제2차 대전중에는 미국·영국으로 건너가 본국의 대독(對獨) 레지스탕스 활동을 지원함. 주저(主著)≪중력(重力)과 은총(恩寵)≫. [1909-43]
베이 명 〈방〉 병(甁)(경남).
베이구 산 【一山】〔北固〕 명 〖지〗 중국 장쑤 성(江蘇省) 전장(鎭江) 교외에 있는 명승(名勝). 양쯔 강 연안에 연하여 못·바위·굴 및 간루 사(甘露寺) 등의 고찰(古刹)이 많아 고고학자들도 찾음. 북고산.
베이다 피동 연장으로 벰을 당하다. ¶ 칼에 손가락을 ~.
베이든-파:월 〔Baden-Powell, Robert Stephenson Smyth〕 명 〖사람〗 영국의 장군. 1908년에 보이 스카우트를 창설함. [1857-1941]
베이딩 슈:트 〔bathing suit〕 명 수영복(水泳服). 해수욕복.
베이라 〔Beira〕 명 〖지〗 아프리카 남동부, 모잠비크의 항도. 짐바브웨·말라위에 통하는 철도의 기점. 짐바브웨의 움탈리(Umtali)까지 송유관(送油管)이 통함. 자연 동물원이 있음. [291,604 명(1989 추계)]
베이 럼 〔bay rum〕 명 무유성(無油性)의 비듬 제거용 머리 화장수(化粧水). 본디, 서인도산(西印度產) 월계수(月桂樹)의 잎을 럼주(rum酒)에 담가 증류(蒸溜)한 것. 피부병의 예방약으로 쓰던 것인데, 특유한 냄새로 해서 두발용(頭髮用)으로 개량됨.
베이루:트 〔Beirut〕 명 〖지〗 레바논 공화국의 수도. 지중해 연안에 있는 아름다운 서구풍(西歐風)의 항구로 유럽과의 교통이 성함. 견직물·모직물·도기를 산출함. 부근에서는 올리브의 재배와 양잠을 함. 페니키아와 더불어 로마 시대부터 중요한 무역항이었음. 지금은 교육의 중심지. [1,500,000 명(1995추계)]
베이망 산 【一山】〔北邙〕 명 〖지〗 중국 허난 성(河南省) 뤄양(洛陽) 땅의 북쪽에 있는 작은 산. 한(漢)나라 이후의 역대 제왕과 귀인(貴人)·명사(名士)의 무덤이 많았으나 지금은 논밭과 목장(牧場)이 되었음. 북망. 북망산.
베이비 〔baby〕 명 ①젖먹이. 영아(嬰兒). ②〈속〉 작은 것의 비유. ¶ ~ 골프.

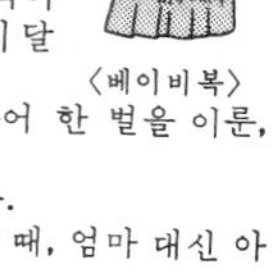
〈베이비복〉

베이비 골프 〔baby+golf〕 명 소형의 골프장에서 하는 약식(略式) 골프 유희. 피위 골프(peewee golf).
베이비 베드 〔baby bed〕 명 젖먹이용의 침대.
베이비-복 【一服】〔baby〕 명 낳은 지 1년 내외의 젖먹이가 입는 옷. 보통, 앞이 터진 내리닫이로 단추나 끈이 달려 있고, 깃은 없거나 또는 작음. ＊어린이 옷.
베이비 세트 〔baby set〕 명 모자·양말 등을 모두 갖추어 한 벌을 이룬, 서양의 어린 아이의 옷붙이.
베이비 스타: 〔baby+star〕 명 인기 있는 어린이 배우.
베이비 시터 〔baby sitter〕 명 아기 엄마가 집을 비울 때, 엄마 대신 아기를 돌봐 주는 여성을 이름.
베이비 파우더 〔baby+powder〕 명 유아용(幼兒用)의 땀띠약. 파우더.
베이비 페이스 〔baby face〕 명 동안(童顔).
베이비 푸:드 〔baby food〕 명 시판(市販)되는 이유식(離乳食) 및 유아식(幼兒食). 대체로 통조림·분말(粉末) 주스·플레이크(flake)로 되어 있으며, 그대로 먹이거나 간단하게 조리해서 줌. 살코기·간(肝)·야채 따위를 재료로 하여 영양을 강화, 담백(淡白)하게 조미한 제품이 많음.
베이비-후드 〔babyhood〕 명 유년 시절(幼年時節).
베이스¹ 〔base〕 명 ①기초(基礎). 기준. ②야구에서, 내야(內野)의 네 귀퉁이에 놓아 두는 방석 같이 생긴 물건. 또, 그 위치. 누(壘).
베이스² 〔bass〕 명 〖악〗 ①저음(低音). ②남성(男聲)의 최저 음역(最低音域). 또, 그 가수(歌手). ③↗콘트라베이스(contrabass). ④기악 합주곡에서 최저음부(最低音部)를 맡는 악기들. ⑤화음(和音)의 최저음부(最低音部). ⑥대위법(對位法)의 악절(樂節)에서 가장 낮은 성부(聲部). 바스(Bass). ↔테너.

〈베이스²❷〉

베이스(를) 넣:다 구 ㉠저음(低音)으로 반주를 넣다. ㉡옆에서 남의 말을 거들어 주다.
베이스 드럼 〔bass drum〕 명 〖악〗 '큰북'의 영어명. ↔사이드 드럼.
베이스 라인 〔base line〕 명 ①테니스 코트의 한계선. ②야구에서, 베이스와 베이스를 연결하는 선.
베이스 러너 〔base runner〕 명 주자.
베이스 바리톤 〔bass baritone〕 명 〖악〗 남성의 바리톤 가운데서 베이스에 가까운 저음역의 소리. 또, 오보에·호른·색소폰 따위 악기에서 베이스 다음가는 저음을 내는 악기.
베이스-볼: 〔baseball〕 명 ①야구(野球). ②야구 공.
베이스 비올 〔bass viol〕 명 〖악〗 비올라 다 감바.
베이스 엄파이어 〔base umpire〕 명 누심(壘審).
베이스 업 〔base+up〕 명 임금(賃金)의 기준을 인상하는 일.
베이스 온 볼: 〔base on balls〕 명 야구에서, 포볼로 일루(一壘)에 나가는 일.
베이스 캠프 〔base camp〕 명 ①등산이나 탐험(探險)할 때, 근거지로 하는 고정 천막. 약호(略號): B.C. ②외국군의 주둔 기지.
베이스 코:트 〔base coat〕 명 매니큐어용 화장품의 하나. 에나멜을 칠하기 전에 손톱에 칠함. 손톱 보호와 에나멜이 잘 먹도록 하는 효과가 있음.
베이스 클라리넷 〔bass clarinet〕 명 〖악〗 변(變)나조(調)의 클라리넷보다 한 옥타브(octave) 낮은 클라리넷.

〈베이스 클라리넷〉

베이스 클레프 〔bass clef〕 명 〖악〗 '낮은음자리표'의 영어명.
베이스 튜:바 〔bass tuba〕 명 〖악〗 대형(大型)의 금관(金管) 악기의 하나로, 최저음(最低音) 튜바.
베이스 트롬본 〔bass trombone〕 명 〖악〗 저음(低音)의 트롬본. 크기가 테너 트롬본과 콘트라베이스 트롬본의 중간쯤 됨.
베이스 플루:트 〔bass flute〕 명 〖악〗 보통 플루트보다 음역(音域)이 4도(度) 낮은 플루트. 관현악(管絃樂)에서 쓰이는데, 저음부(低音部)의 음색(音色)이 부드러움.
베이식 〔BASIC〕 명 〔beginner's all-purpose symbolic instruction code의 약칭〕 1960년대말에 미국의 다트머스(Dartmouth) 대학의 케니 교수에 의해서 개발된 초심자(初心者)를 위한 간이(簡易) 프로그래밍 언어(言語). 문법(文法)이 간단하고, 프로그램의 편집·수정이 용이함.
베이식 잉글리시 〔Basic English〕 명 〖언〗 영국의 심리학자 오그던(Ogden, C.K.)이 1930년에 발표한 850개의 어휘를 기본으로 하는 간이화(簡易化)된 영어. 국제 보조어로서 또는 영어 교수를 위하여 만들어졌음. 기초 영어.
베이식 휴먼 니:즈 〔basic human needs〕 명 의식주(衣食住)나 의료(醫療)·교육 등 인간 생활에서 기본적으로 필요한 것.
베이안 〔北安〕 명 〖지〗 중국 헤이룽장 성(黑龍江省) 중부의 도시. 빈베이(濱北)·치베이(齊北)·베이헤이(北黑) 세 철도의 교차점이며 부근의 농산물 집산지로 급속히 발전함. 북안. [442,000 명(1984)]
베이양 〔중 北洋〕 명 〖역〗 중국 청(淸)나라 말엽에 즈리(直隸)·산둥(山東)·펑톈(奉天)의 세 성(省)을 합쳐 부른 이름. 즈리 총독이 베이양 대신을 겸하였음. 북양❷.
베이양 군벌 【一軍閥】〔중 北洋〕 명 〖역〗 중화 민국 초기에 베이징 정부의 실권을 쥔 군벌의 총칭. 청(淸)나라 말엽, 베이양 대신 위안 스카이(袁世凱)가 편성한 베이양 육군에서 기원(起源). 위안 스카이는 이를 배경으로 중화 민국 초대 대통령이 되었음. 북양 군벌.
베이얼 호 【一湖】〔貝爾〕 명 〖지〗 몽골 공화국 동단, 중국 북쪽 내몽고 자치구와의 국경에 있는 호수. 수심(水深)은 얕고 가장 깊은 곳이 10 m 내외임. 호수는 염분(塩分)이 적고 어업이 성함. 겨울철 반 년 동안은 결빙(結氷)함. 부이르노르(Buir Nor). 패이호(貝爾湖). [615 km²]
베이장 〔北江〕 명 〖지〗 중국 광둥 성(廣東省)에 있는 대하(大河). 상류는 후난 성(湖南省)의 우수이(武水) 강과 광둥 성의 잔수이(湞水) 강으로 되었고 취장(曲江)에 이르러 두 강이 합친 것을 베이장이라 함.
베이지 〔beige〕 명 밝은 다갈색(茶褐色). 낙타색. ¶ ~색 승용차.
베이징 〔北京〕 명 〖지〗 중국 허베이 성(河北省) 화베이(華北) 평야의 분지(盆地)에 있는 대도시로, 중화 인민 공화국의 수도. 요조(遼朝) 이래 역대 900 년간의 수도였으며, 전중국의 정치·군사상의 중추(中樞)임. 시가(市街)는 허베이 평야(河北平野)에 자리잡아 내성(內城)·외성(外城)의 이대부(二大部)로 되어 성곽(城郭)·건축이 웅장하고 모직물·철강(鐵鋼)·제지·금속·화학·식품 등의 근대 공업이 발달하였음. 자금성(紫禁城)은 구왕궁이며 징산(景山) 산·베이하이(北海) 공원·천단(天壇)·이허위안(頤和園)·천안문(天安門)·공자묘(孔子廟) 등의 명승 고적이 많음. 연경(燕京). 베이핑(北平). 북경. [12,510,000 명(1995)]
베이징 대학 【一大學】〔중 北京〕 명 중국 베이징에 있는 국립 종합 대학. 1898 년 캉 유웨이(康有爲) 등이 창설한 경사 대학당(京師大學堂)의 후신으로 1912 년 베이징 대학으로 개칭함. 중국 근대화 운동의 요람지였음. 중화 인민 공화국 설립 후 1952 년에는 문과 및 이과(理科)계의 종합 대학으로 개편됨. 북경 대학.
베이징 방송 【一放送】〔중 北京〕 명 중국의 국제 광파 전대(國際廣播電臺)에 의해 실시되고 있는 해외 방송. 신화사(新華社) 통신과 함께 중화 인민 공화국의 중요한 발표 수단으로 주로 단파(短波) 방송을 함. 북경 방송.
베이징 요리 【一料理】〔중 北京〕 [一뇨一] 명 베이징을 중심으로 한 중국 북부 지방 고유의 요리. 청조(淸朝)의 궁정(宮廷) 요리로서 발달했으며, 연회(宴會) 요리로서 정평이 있음. 튀김과 볶음이 많으며, 맛은 농후하나 조미(調味)에 간장과 설탕을 그다지 쓰지 아니함. 경채(京菜). 북채(北菜). 북경 요리.
베이징 원인 【一原人】〔중 北京〕 명 〖인류〗 [*Homo erectus pekinensis*] 1923년에 베이징의 남서방 40 km 지점인 저우커우뎬(周口店)의 석회 동굴(石灰洞窟)에서 발견된, 호모 에렉투스(*Homo erectus*)에 속하는 화석 인류(化石人類). 약 50만-22만 년 전에 생존하였으리라고 추정되는 인류로, 두개(頭蓋)의 용량은 750-1300 cm³이고 불을 사용한 것 같으며, 석기(石器)나 뼈·뿔 등의 그릇을 사용한 흔적도 있음. 안와상 융기(眼窩上隆起)의 발달이 두드러지고 아래턱이나 이빨도 원시적임. 북경 원인(北京原人). 베이징인. 북경 인류. 중국 원인(中國原人).
베이징 의정서 【一議定書】〔중 北京〕 명 〖역〗 의화단(義和團)의 난(亂) 후, 1901 년에 청(淸)나라와 연합국 사이에 체결된 조약. 열국(列國)편의 강화 조건 대강(大綱) 12 조를 골자로 하고 책임자의 처벌, 배상금의 사정(査定) 등을 포함함. 북경 의정서. ＊의화단(義和團).
베이징-인 【一人】〔중 北京〕 명 〖인류〗 베이징 원인(原人).
베이징 인류 【一人類】〔중 北京〕 [一일一] 명 〖인류〗 베이징 원인(原人).
베이징 조약 【一條約】〔중 北京〕 명 〖역〗 ①중국의 베이징을 조인지(調印地)로 한 조약의 통칭. ② 1860 년 10 월에 청국과 영국·프랑스·러시아 사이에 맺어진 조약. 1858 년의 톈진 조약(天津條約)의 비준(批准)을 위하여 영국과 프랑스의 공사(公使)가 톈진에 들어가려다가 청국군의 공격을 받게 되자 연합군(聯合軍)으로써 베이징을 공격하여 새로이 조약을 맺었는데, 톈진 조약을 확인하고 약간의 조건을 추가한 것임. 그 결과로 청국은 영국에게 주룽(九龍)을 내어 주고, 프랑스에게는 청국이 몰수(沒收)한 가톨릭 교회와 그 재산의 반환, 그리고 러시아에게는 조정

(調停)의 대가로 우수리 강(江) 동쪽의 땅을 내어 주었음. 북경 조약.

베이츠-하늘소 〔Bates〕〔一쏘〕 명 《충》〔*Rosalia betesi*〕 하늘솟과에 속하는 곤충. 몸길이는 20-32mm이고 몸에는 청백색 털이 밀생(密生)함. 전배판(前背板) 전연(前緣) 및 중앙의 한 개의 무늬와 각 시초(翅鞘)의 세 개의 무늬는 흑색이고 촉각 제 3-5절의 말단에 흑색 털이 총생(叢生)하였음. 유충은 호두·단풍나무 등의 해충임. 한국에도 분포함.

〈베이츠하늘소〉

베이커¹ 〔Baker, George Pierce〕 명 《사람》 미국의 연극학자(演劇學者). 하버드(Harvard) 대학에서 처음으로 연극 강좌를 담당, 실험 소극장을 열어 이론적으로 많은 후진을 지도함. [1866-1935]

베이커² 〔Baker, Josephine〕 명 《사람》 미국 출생의 프랑스 샹송 가수(歌手)·무희. 스페인 사람과 미국 흑인(黑人)의 혼혈녀인데, 1925년 파리에 초대되어 성공, '호박(琥珀)의 무희(舞姬)'라는 별명으로 레뷔계(révue界)의 스타가 됨. [1906-75]

베이커³ 〔Baker, Samuel White〕 명 《사람》 영국의 탐험가. 적도 나일(赤道Nile)의 총독(總督). 청나일(青Nile)을 탐험(探險)하고 앨버트 호(Albert湖)를 발견함. [1821-93]

베이커리 〔bakery〕 명 빵이나 과자 따위를 파는 집. 제과점(製菓店).

베이커 수차 【一水車】〔Baker〕 명 가는 구멍으로부터 물이 분출할 경우에 그 반작용으로 회전을 일으키게 하는 장치. 영국의 베이커가 발명하였음.

〈베이커 수차〉

베이컨¹ 〔bacon〕 명 돼지고기를 소금에 절여 불에 그슬리거나 말린 것. 주로 돼지의 등과 배의 살로 만듦.

베이컨² 〔Bacon, Francis〕 명 《사람》 영국의 정치가·철학자. 하원 의원·검찰 총장·대법관 등을 역임. 근대 경험론(經驗論)의 선구자. 데카르트(Descartes)와 함께 근대 철학의 조(祖)임. 스콜라(shola) 철학에 반대하여 모든 선입관(先入觀)과 편견(偏見), 곧 '우상(偶像)'을 없애고, 관찰과 실험을 통한 경험을 지식의 유일한 원천으로, 귀납법(歸納法)을 유일한 방법으로 삼아 자연을 올바르게 인식하고 이 인식을 통하여 자연을 지배함을 학문의 최고 과제라 하였음. 주저(主著)에 《노붐 오르가눔(Novum Organum)》·《수상록(隨想錄)》 등이 있음. [1561-1626]

베이컨³ 〔Bacon, Francis〕 명 《사람》 아일랜드 태생의 영국 화가. 극도로 일그러진 인상(人像) 묘사를 통해 억압당한 현대인의 고독·불모(不毛)·욕망·폭력성을 표현주의적(的)으로 나타냄. [1909-92]

베이컨⁴ 〔Bacon, Roger〕 명 《사람》 영국의 철학자·자연 과학자. 프란시스코회(會)의 수사(修士). 스콜라 철학의 비판과 실험학(實驗學)의 제창으로 프란시스 베이컨의 선구임. 저서에 《대저작(大著作)》·《소저작》 등이 있음. [1214?-94]

베이크트 포테이토 〔baked potato〕 명 서양 감자 요리의 하나. 감자를 껍질째 씻어 오븐 따위에 구운 것.

베이클라이트 〔bakelite〕 명 〔발명자의 이름 베이클랜드(Baekeland)에서 유래하는 상품명〕 페놀(phenol)과 포름알데히드(formaldehyde)를 반응(反應)시켜서 만든 인조 수지(人造樹脂). 일반적으로 전기 절연성·내산성(耐酸性)·내수성(耐水性)·기계적 강도가 뛰어나나 알칼리에는 비교적 약하고 황갈색으로 착색(着色)되어 있어 착색성에 제한(制限)이 있음. 전기 절연물(電氣絕緣物)·기계 부품·도료(塗料)·합판용 접착제로서 사용 가치(使用價値)가 큼. 석탄산 수지. 페놀 수지.

베이클랜드 〔Baekeland, Leo Hendrik〕 명 《사람》 벨기에 출생의 미국 화학자. 사진 인화지와 베이클라이트를 발명하여 현대 플라스틱 제조의 선구가 됨. [1863-1944]

베이킹 파우더 〔baking powder〕 명 비스킷(biscuit)·빵·과자(菓子) 따위를 구울 때에 팽창제(膨脹劑)로서 사용되는 가루. 주석산(酒石酸)·중탄산 소다·명반(明礬) 등을 섞어 만듦. 중조(重曹)의 혼합 분말(混合粉末)로서 여기에 전분(澱粉)을 섞어 상품화(商品化)함.

베이트슨 〔Bateson, William〕 명 《사람》 영국의 동물학자·유전학자(遺傳學者). 멘델 법칙(Mendel法則)의 보편성(普遍性)을 연구하여 '멘델의 유전 원리(遺傳原理)'를 성립하였음. 또, 중앙 아프리카 서부 함호(鹹湖)의 동물상(動物相)을 탐측(探測)하였음. [1861-1926]

베이퍼-로크 〔vapor lock〕 명 《물》 증기 밀폐 현상(蒸氣密閉現象). ① 연료 공급 장치 안에서 가스나 기포(氣泡)가 발생하여, 가솔린 엔진의 연료 공급에 장애가 생기는 일. ②브레이크액(液)이 과열(過熱)되어 일부가 증발함으로써 유압 전달관계(油壓傳達管系)에 기포(氣泡)가 고여, 제동력(制動力)의 전달이 안 되게 되는 일. 브레이크의 과도한 사용 등으로 일어남.

베이핑 〔北平〕 명 《지》 중국 베이징(北京)의 별칭. 명(明)나라 초기에 원(元)의 대도(大都)를 점령하여 북평부(北平府)를 두었고, 성조 영락제(成祖永樂帝)의 천도(遷都) 후 베이징(北京)으로 개칭, 1928년 국민 혁명군(國民革命軍)의 북벌 완성에 의하여 베이핑으로, 1949년에 다시 베이징으로 고침.

베이하이 〔중 北海〕 명 중국의 수도 베이징의 내성(內城)에 있는 호수. 고궁(故宮)의 북서, 징산(景山) 산의 서쪽에 접함. 호상(湖上)에 인공의 충화(瓊華) 섬이 있으며, 그 위에 흰색의 라마탑(塔)이 서 있음. 경승지(景勝地)로서, 공원이 되어 있음. 북해.

베인 〔Vane, John Robert〕 명 《사람》 영국의 약리(藥理)학자. 버밍엄·옥스포드 양(兩) 대학에서 화학과 약리학을 전공, 런던 대학 교수를 지냄. 1982년 전립선(前立腺)·정낭(精囊) 등에서 생리(生理) 활성 물질인 프로스타글란딘을 발견한 공로로 스웨덴의 베리스트룀(Bergström, S.K.)·사무엘손(Samuelsson, B.I.)과 공동으로 노벨 생리·의학상을 수상함. [1927-]

베일 〔veil〕 명 ①면사포(面紗布). ②가리거나 덮어서 보이지 아니하게 하는 물건. ¶신비의 ∼을 벗기다.

베일리¹ 〔Bailey, Liberty Hyde〕 명 《사람》 미국의 식물학자(植物學者)·원예가(園藝家). 여러 신품종을 재배·육성하였음. [1858-1954]

베일리² 〔Bailey, Nathanniel〕 명 《사람》 영국의 사서(辭書) 편찬가. 《영어 어원 사전(Universal Etymological English Dictionary)》을 지음. [? -1742]

베-자루 명 베로 만든 자루.

베자르 〔Béjart, Maurice〕 명 《사람》 프랑스의 무용가 겸 안무사. 브뤼셀의 모네 왕립 극장에 소속하여 20세기 발레단을 인솔 활약. 《봄의 제전》·《로미오와 줄리엣》·《보들레르》 등 많은 걸작을 안무함. [1928-]

베-적삼 명 무명이나 삼베로 만든, 여름에 입는 홑저고리.

베-전 【一廛】 명 〈속〉 포전(布廛).

베정적 명 폭행이나 위협 같은 것에 대하여 떠들면서 항거(抗拒)하는 짓.

베제 〔프 baiser〕 명 키스. ──하다 자여불

베-주머니 명 삼베나 무명베로 만든 주머니.

[베주머니에 의송(議送) 들었다] 허름한 베주머니에 기밀한 서류가 들었다는 뜻으로, 사람이나 물건이 겉보기와는 달리 비범한 가치나 훌륭한 자질을 지녔다는 말.

베짐 명 〈방〉 버짐(전북).

베짱-베짱 부 베짱이의 우는 소리.

베짱이¹ 명 《충》〔*Hexacentrus japonicus*〕 여칫과에 속하는 곤충. 몸길이는 시단(翅端)까지 30-36mm이고, 몸빛은 담청색에 두정(頭頂) 돌기는 황갈색이며, 전흉배(前胸背)의 뒤쪽에 굵은 갈색 조문(條紋)이 있음. 촉각은 몸길이보다 길고 앞날개는 꽁무니보다 약간 길. 산란관(產卵管)은 짧고 칼 모양이며, 발음경(發音鏡)은 타원형으로 '베짱베짱'하고 욺. 성충은 8월에 나와 인가(人家) 부근에서 서식하며 등불에도 날아듦. 한국·일본·중국·대만 등에 분포함. 낙위(絡緯). 사계(莎鷄). 홍낭자(紅娘子). 회화아(灰花蛾). 종사(螽斯). 등불베짱이.

〈베짱이¹〉

베짱이² 명 〈방〉 《충》 버마재비(경기).

베-천 명 베붙이의 천.

베:체트-병 【一病】〔터 Behçet〕〔一뼝〕 명 《의》 [1937년 지중해 연안에서 이 병을 발견한 터키의 피부과 의사의 이름에서] 교원병(膠原病)의 한 가지. 피부에는 여러 가지 발진(發疹), 구강 점막(口腔粘膜)이나 음부 점막에는 아프타성(Aptha性) 궤양, 눈에는 포도막염이나 홍채염(紅彩炎) 등을 일으키는 병인데, 그 원인이나 치료법은 아직 확인·개발되지 못함.

베추아날란드 〔Bechuanaland〕 명 《지》 보츠와나 공화국(Botswana共和國)의 구(舊) 영국 보호령 시대의 호칭.

베치 명 〈방〉 버찌(강원).

베-치기 명 〈방〉 벼훑이(함경).

베카리아 〔Beccaria, Cesare Bonesana di〕 명 《사람》 이탈리아의 형법학자·사상가. 형법학(刑法學) 고전파(古典派)의 선구자로, 저서 《범죄와 형벌》로 근대적인 객관주의 형법 사상을 확립함. [1738 -94]

베커 〔Becker, Gary〕 명 《사람》 미국의 경제·사회학자. 펜실베이니아주 포츠빌(Pottsville) 출신. 시카고 대학 교수. 개인·가정·집단 들이 일상적인 의사 결정을 하면서 어떻게 경제 이론을 도입하는지를 설명하였으며, 미시 경제의 분석 영역을 폭넓은 인간 행동과 상호 작용으로까지 확대한 공로로 1992년 노벨 경제학상을 수상함. 저서로는 대표작인 《인적 자본-이론적·실증적 분석》 외에 《차별의 경제학》·《인생에서의 시간과 재화의 배분》·《인간 행위에 관한 경제학적 접근》 등이 있음. [1930-]

베케시 〔Békésy, Georg von〕 명 《사람》 헝가리 출신의 미국 생리학자. 부다페스트 국립 전화(電話) 연구소를 거쳐, 2차 대전 후 하버드 대학 교수. 1961년 '와우각내(蝸牛殼內) 자극의 물리적 기구에 관한 발견'으로 노벨 생리 의학상(生理醫學賞)을 수상. [1899-1972]

베케트 〔Beckett, Samuel〕 명 《사람》 아일랜드 출신의 프랑스 작가·극작가. 《몰로이(Molloy)》를 비롯한 3부작의 소설을 프랑스어로 발표, 현대인의 의식의 절망적 고독(絕望的孤獨)을 그림. 《고도를 기다리며(En Attendant Godot)》 등으로 전위(前衛) 연극에도 활약. 1967년 노벨 문학상 수상. [1906-89]

베켓 〔Becket, Thomas〕 명 《사람》 영국의 고위 성직자(聖職者). 헨리 2세의 고문(顧問)으로서 왕과 친교를 맺었으나 후에 캔터베리 대주교가 되어 교권(教權) 옹호를 위하여 왕과 대립, 살해됨. 이 사건을 계기로 교회측에 굴복한 왕은 그를 성인(聖人)으로 인정하고 성골함(聖骨函)을 캔터베리에 묻음. [1118?-70]

베크 〔Becque, Henry François〕 명 《사람》 프랑스의 극작가. 1882년에 새로운 형식의 사실극(寫實劇) 《까마귀떼》로 큰 성공을 거두었고, 이래 앙투안(Antoine, A.)과 함께 프랑스 사실주의 연극의 비조(鼻祖)로 불림. [1837-99]

베크렐¹ 〔Becquerel, Antoine Henri〕 명 《사람》 프랑스의 물리학자. 자기(磁氣)에 의한 편광면(偏光面)의 회전·인광(燐光)·적외선 스펙트럼 등을 연구. 1896년 우라늄 광석에서 나오는 새로운 방사선을 발견, 방사능 연구의 신기축(新機軸)을 이룸. 1903년 퀴리 부부와 함께 노벨 물리학상을 수상함. [1852-1908]

베크렐² 〔becquerel〕 의명 〔물리학자 베크렐의 이름에서 유래〕 국제 단위계의 방사능의 단위. 1초당 1개의 원자핵이 붕괴될 때 방출하는 방사선의 수. 1퀴리는 3.7×10^{10} 베크렐. 기호는 Bq.

베크렐-선 【一線】 명 〔Becquerel rays〕 《물》 우라늄으로부터 발하는 방

사선의 예전 일컬음. 현재는 알파(α)·베타(β)·감마선(γ線)으로 불림. 베크렐이 발견하였음.

베크만 〔Beckmann, Ernest Otto〕 명 〖사람〗 독일의 화학자(化學者). 카이저 빌헬름 협회 유기 화학 연구 소장 겸 베를린 대학 교수. 1886년 '베크만 전위 반응(轉位反應)'을 발견함. 비점(沸點) 상승·빙점(氷點) 강하의 추정 방법을 연구하여 베크만 온도계를 고안함. [1853-1923]

베크만 온도계 【一溫度計】 명 〔Beckmann's thermometer〕 〖물〗 온도계의 세관(細管) 상부에 보조적인 수은 주머니를 붙인 수은 온도계. 온도차(差)를 0.01°C까지 세밀히 측정할 수 있음. 영점(零點)을 임의(任意)의 온도에 일치시키고 사용함.

〈베크만 온도계〉

베:타 【ㄱβ】 명 〔beta〕 ①그리스 자모의 둘째 글자. ②〖화〗 유기(有機) 화합물의 치환기(置換基)의 위치를 나타내기 위한 기호. 사슬 모양 화합물에서는 그 구조식의 주요 작용기(作用基)에 대하여 두 번째 위치에 있는 탄소 원자를 나타냄. 고리 모양 화합물에서는 나프탈린·인돌(indole)·피리딘(pyridine) 따위의 구조식(構造式) 중에서 치환기(置換基)의 특정한 위치를 나타냄. ③〖화〗 당류(糖類) 등의 입체 이성질체(立體異性質體)를 구별하는 기호. ④〖화〗 변태를 나타내는 물질을 구별하는 기호. ⑤〖화〗 유사한 물질을 구별하는 기호. ⑥〖물〗 ↗베타선(β線). ⑦〖천〗 베타성(β星).

베:타 구조 【β構造】 명 단백질을 구성하고 있는 폴리펩티드 구조의 하나. 2개의 평행(平行)한 펩티드 사슬이 수소(水素) 결합에 의하여 고정되어 있는 상태를 말함.

베:타-나프톨 〔beta-naphthol〕 명 〖화〗 나프탈린의 유도체(誘導體). 백색의 결정성(結晶性) 가루인데 페놀(phenol)과 같은 냄새가 있고 맛이 매움. 물에는 잘 안 녹으나 알코올에는 잘 녹음. 방부제(防腐劑)로 쓰이며 습진(濕疹)이나 옴 같은 가려운 피부병에 바르고, 물감을 만드는 원료가 됨. ㊌나프톨.

베:타 녹말 【β綠末】 〔beta〕 명 결정 구조(結晶構造)를 가진 녹말. 천연으로 나는 생(生)녹말은 모두 베타 녹말이며, 소화가 잘 안 되고 찬물에 녹지 아니함. 보통 물 30% 이상으로, 100°C로 20분 이상 가열하면 알파(α) 녹말으로 바뀌어 결정 구조가 없어지며 풀이 됨. 녹말 식품 가공 목적은 베타 성분을 알파 녹말으로 바꾸는 데 있음.

베:타 방:출체 【β放出體】 명 〔beta emitter〕 〖물〗 전자(電子) 또는 양전자(陽電子)를 방출하고 붕괴하는 방사성 핵종(放射性核種).

베:타 붕괴 【β崩壞】 명 〔beta-disintegration〕 〖물〗 원자핵의 방사성(放射性) 붕괴의 일종으로, 전자(電子)와 반뉴트리노(反 neutrino) 또는 양전자와 뉴트리노를 방출하는 현상. 그 결과 원자 번호는 전자에서는 하나 증가하고 후자에서는 하나 감소하나 원자핵의 질량수는 변하지 아니함.

베:타-선 【β線】 명 〔beta-rays〕 〖물〗 방사성 원소로부터 나오는 방사선의 일종. 고속도의 전자(電子), 곧 β입자로 이루어짐. 인공적인 전자선(電子線)도 β선이라 칭하는 수가 있음. 투과력(透過力)이나 전리(電離) 작용의 세기는 α선과 γ선의 중간이며 자계(磁界)에 의하여 구부러짐. 화학 작용·사진 작용·형광(螢光) 작용을 가짐. ㊌베타.

베:타-성 【β星】 〔beta〕 명 〖천〗 한 별자리 중 두 번째로 밝은 별. ㊌베타.

베:타 세:포 【β細胞】 명 〔beta cell〕 〖생〗 ①선성 하수체(腺性下垂體)의 전엽(前葉)에 있는 호염기성(好塩基性) 세포. ②인슐린을 분비하는 췌장(膵臟)의 세포.

베:타 입자 【β粒子】 명 〔beta-particle〕 〖물〗 베타선(β線)을 형성하고 있는 전자(電子). 방사선 중 가장 심하게 구부러짐.

베:타카로틴 〔beta-carotene〕 명 〖화〗 카로티노이드(carotenoid) 탄화(炭化) 수소 색소의 한 가지. 천연적으로 널리 존재하며, 흔히 엽록소와 공존함. 동물의 간장(肝臟)에서 비타민 A로 변화됨. [$C_{40}H_{56}$]

베:타 테스트 〔beta test〕 명 〖심〗 문자 대신으로 그림이나 부호를 사용하는 지능 검사. 제1차 대전 말기에 미국 육군이 교육을 받지 아니한 신병에 대하여 행하였음. 베타식 지능 검사. ↔알파(alfa) 테스트.

베:타트론 〔betatron〕 명 〖물〗 고전압(高電壓)을 쓰지 아니하고도 쓴 것과 같은 정도로 전자(電子)를 가속(加速)하는 장치. 1928년 독일의 비데뢰(Wideröe, R.)가 고안(考案)하였으며, 1940년 미국의 커스트(Kerst, D.W.)가 제작에 성공하였음. 둥근 교류 전자석(交流電磁石)의 극(極)을 서로 향하게 해 놓고 그 극의 주변에 따라 생기는 감응 기전력(感應起電力)을 이용함. 비교적 간단하고 소형(小型) 구조이므로, 원자핵 연구 외에 의료용·공업용 X선원(線源)으로 쓰임.

베:타-황 【β黃】 명 〔beta-sulfur〕 〖화〗 단사 정계 황.

베:타 황동 【β黃銅】 명 〔beta brass〕 구리와 아연(亞鉛)을 거의 비슷한 만큼 함유하고 있는 황동.

베터 〔better〕 명 ①더욱 좋은 것. ②손윗사람. 선배.

베터 하:프 〔better half〕 명 〔'보다 나은 반쪽'·'자기의 대부분'이란 뜻〕 배우자(配偶者). 아내.

베:테 〔Bethe, Hans Albrecht〕 명 〖사람〗 독일 출신의 미국 물리학자. 1928-33년 독일 각지의 대학에서 교편을 잡다가 도영(渡英), 1934년 다시 미국으로 건너가 코넬 대학 교수가 됨. 1941년 미국에 귀화. 원자핵 물리학에 관한 다방면의 연구가 있으며 항성(恒星)의 에너지원(源)을 연구하여 탄소·질소를 거쳐 수소가 헬륨으로 변환하는 CN 반응을 발견함. 제2차 대전중에는 로스앨러모스 원폭 연구소의 이론 물리학 부장을 지냄. 1967년 노벨 물리학상 수상. [1906-　]

베테랑 〔프 vétéran〕 명 노련가(老練家). 고참자(古參者).

베텔게우스 〔Betelgeuse〕 명 〖천〗 오리온별자리 중의 알파성(α星)으로, 붉은 빛을 띤 변광성(變光星). 거리 500 광년.

베토넨트 〔도 Betonend〕 명 〖악〗 '강약(強弱)을 명백하게'·'악센트(accent)를 붙여서'의 뜻.

베:토벤 〔Beethoven, Ludwig van〕 명 〖사람〗 독일의 작곡가. 고전파 말기에 나와 낭만파의 선구를 이룸. 본디 피아니스트였으나 작곡에 전념, 하이든·모차르트의 영향 아래 작곡가로서의 지위를 확립한 제1기 과정으로부터, 자신의 양식을 확립한 제2기를 거쳐, 말년 귀가 먹었으면서도 극히 깊은 경지에까지 도달한 제3기에로 발전함. 《영웅》·《운명》·《합창》 등 아홉 개의 교향곡과 《장엄 미사(莊嚴 missa)》 및 유일한 오페라 《피델리오(Fidelio)》, 그 밖에 소나타·현악 사중주 등 세계 음악사상 불후의 걸작을 많이 남겨 '악성(樂聖)'으로 불림. [1770-1827]

베트남 〔Vietnam〕 명 〖지〗 동남 아시아 인도차이나 반도 동부의 사회주의 공화국. 이전의 월맹과 월남을 영토로 하며, 북쪽은 중국, 서쪽은 라오스·캄보디아에 접하고, 남동쪽은 남중국해에 면함. 주민(住民)의 다수는 베트남족(族)임. 공용어는 베트남어(語). 북부에서는 석탄·철광석 등 지하 자원이 많이 나며, 남부에서는 쌀을 많이 산출함. 태평양 전쟁 말기에 일본군의 지원하에 베트남 제국이 독립하였으나, 1945년 하노이를 중심으로 베트남 민주 공화국이 성립하고, 이어 1949년 사이공을 중심으로 베트남 공화국이 성립하여 두 정부가 항쟁, 마침내 베트남 전쟁으로 확대되었다가 1975년 4월 30일 베트남 공화국이 패망하여 통일이 이룩됨. 수도는 하노이(Hanoi). 월남(越南). [331,689km²: 74,540,000명(1995 추계)]

베트남 공:화국 【一共和國】 〔Vietnam〕 명 〖역〗 1949-75년 베트남의 북위 17도선 이남에 있던 나라. 베트남 전쟁의 패전으로 패망함. 베트남 전쟁 중에는 우리 나라가 베트남 공화국을 도와 파병(派兵)한 일도 있음. [173,809km²]

베트남 민주 공:화국 【一民主共和國】 〔Vietnam〕 명 〖역〗 1945-75년 베트남의 북위 17도선 이북에 있던 나라. 베트남 전쟁에서 승리하여 남북을 통일, 베트남 사회주의 공화국을 수립함. [158,750km²]

베트남-어 【一語】 〔Vietnam〕 명 안남어의 제2차 대전 후의 일컬음.

베트남 파병 【一派兵】 〔Vietnam〕 명 〖역〗 공산군과 전쟁 중인 베트남 공화국을 돕기 위하여 1965년부터 1973년까지 이루어진 우리 나라 최초의 국군 해외 파병. 월남 파병(越南派兵).

베트노르츠 〔Bednorz, Johannes Geork〕 명 〖사람〗 독일의 물리학자. 스위스의 IBM 취리히 연구소 연구원으로, 뮐러와 함께 세라믹스의 고온 전도체(傳導體) 발견으로 1987년 노벨 물리학상을 수상. [1950-　]

베트만-홀베크 〔Bethmann-Hollweg, Theobald von〕 명 〖사람〗 독일의 정치가. 1909년 수상이 되어 내정 개혁과 영(英)·독(獨) 두 나라와의 화해(和解)를 역설하면서도 이를 실현하지 못하여 국내외의 격렬한 대립만을 초래함. 제1차 대전이 발발한 후에는 군부 지배(軍部支配)에 저항하여 내정 개혁과 조기(早期) 화평(和平)의 실현을 꾀하였으나 1917년에 실각함. [1856-1921]

베트민 〔Vietminh, Viet-minh, Viet Minh〕 명 〔베트남 독립 동맹(獨立同盟)의 약칭〕 제2차 대전중, 일본군에 저항하기 위하여 일어난 국민 전선 여러 단체의 결합체. 베트남 민주 공화국의 중핵 단체임. 월남 민주 동맹. 월맹(越盟).

베트콩 〔Vietcong〕 명 〖역〗 〔본디는 월남 공산주의자의 뜻〕 월남 인민 해방 전선(越南人民解放戰線)의 속칭. 1960년 12월 남부 월남에서 결성된 통일 전선(統一戰線)으로, 1968년 6월 월남 임시 혁명 정부를 수립, 반미(反美)·반정부(反政府) 무력 투쟁을 벌여, 월맹(越盟)의 지원 아래 1975년 4월 사이공 정부를 무너뜨리는 데 성공함.

베-틀 명 명주·무명·삼베 같은 피륙을 짜는 틀. 기저(機杼). *도투마리[1]

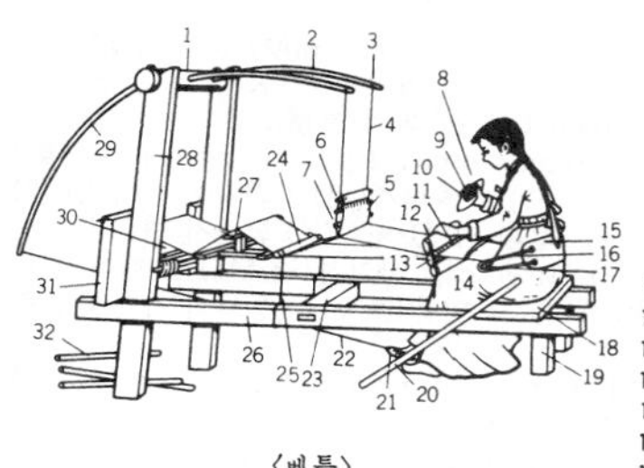

〈베틀〉

1. 용두머리
2. 눈썹대
3. 눈썹노리
4. 눈썹줄
5. 잉아
6. 잉앗대
7. 속대
8. 북
9. 북바늘
10. 꾸리
11. 바디
12. 바디집
13. 바디집비녀
14. 최활
15. 부티
16. 부티끈
17. 말코
18. 앉을깨
19. 베틀 뒷기둥
20. 다올대
21. 베틀신
22. 베틀 신끈
23. 가로대
24. 눌림대
25. 눌림끈
26. 베틀다리
27. 비경이
28. 베틀 앞기둥
29. 베틀 신대
30. 사침대
31. 도투마리
32. 뱁댕이

[베틀 설겆어 낸 듯하다] 베틀 들여놓은 어수선한 방을 잘 정돈한 것처럼, 말끔하고 시원하다.

베틀-가 【一歌】 명 〖악〗 구전 민요(口傳民謠)의 하나. 부녀자들이 베틀에서 피륙을 짜면서 그 과정을 부른 노래. 부요(婦謠)의 대표적 존재로, 경북의 김천·안동, 경남의 통영, 강원도의 통천·횡성, 황해도의 평산·안악, 충청도의 공주, 서울 등에 여러 종류가 전함.

베틀-다리 [一따一] 명 베틀을 지탱하고 가로 누운 굵고 긴 나무. 누운다리.

베틀 뒷기둥 명 베틀다리의 뒤를 버티는 짧은 기둥. 그 위에 앉을깨를 걸쳐 놓음.

베틀-신 명 베틀의 용두머리를 잡아 돌리기 위하여 신끈에 잡아맨 신. 한쪽 발에 신고, 다리를 오므렸다 뻗쳤다 하게 됨.

베틀 신끈 명 베틀 신대의 끝과 베틀신과를 연결한 끈. 신찐줄.

베틀 신대 [一때] 명 베틀의 용두머리 중간에 박아 뒤로 내뻗친 조금 굽은 막대. 그 끝에 베틀 신끈이 달림. 신대. 신초리.

베틀 앞기둥 명 베틀다리의 앞쪽에 구멍을 뚫어 거기에 박아 세운 기둥. 위에는 용두머리가 얹히고 뒤에는 도투마리가 놓이게 되었음.

베틀-올갱이 명〈방〉 고둥(충북).
베틀쟁이 명〈방〉 사마귀²❷ (전남).
베티 명〈방〉 부티.
베퍼 타〈옛〉 베풀어. 펼치어. '베프다'의 활용형. ¶ 일홈을 後世에 베퍼 써 父母를 현뎌케 홈이 효도의 므ᄎᆞᆷ이니라(揚名於後世 以顯父母 孝之終也)≪小諺 Ⅱ:31≫.
베퍼나다 자〈옛〉 비롯하여 나다. ¶ 보ᄆᆞᆯ 當ᄒᆞ여 베퍼나게 ᄒᆞᄂᆞ다(當春乃發生)≪杜諺 Ⅻ:24≫.
베풀다 타 ①차리어 벌이다. ¶ 큰 잔치를 ~. ②남에게 돈을 주거나 일을 도와서 은혜를 입히다. ¶ 선정(善政)을 ~/베푼 은혜도 헛되이.
베풂-꼴 명〖언〗'서술형'의 풀어 쓴 이름.
베프다 타〈옛〉 베풀다. =베플다. ¶ 時世 거리칠 뙤를 베프고져 ᄒᆞ나(欲陳濟世策)≪初杜諺 Ⅶ:15≫.
베플다 타〈옛〉 베풀다. =베프다. ¶ 베플 시(施)≪類合 下 20≫.
베하임〔Behaim, Martin〕명〖사람〗 독일의 항해가(航海家)·지리학자(地理學者). 1492년 최초의 지구의(地球儀)를 만들었음. [1459-1507]
베한〔Behan, Brendan〕명〖사람〗 ☞ 비언.
베허〔Becher, Johannes Robert〕명〖사람〗 독일의 시인. 표현(表現)주의 좌파의 대표적 존재로 독일 공산당 창당 당원. 사회주의 건설을 찬양하는 서사시 등을 씀. 제2차 대전중에는 소련에 망명, 전후에는 문화상(文化相)을 역임하고 조직 활동과 이론적 저작에 힘을 기울임. 시집 ≪멸망과 승리≫·≪우리 시대의 인간≫, 논문집 ≪시의 옹호≫ 등이 있으며, 동독(東獨) 국가(國歌)의 작사자임. [1891-1958]
베-훑이 [-훌치] 명〈방〉 벼훑이.
베히다 타〈옛〉 베다. ¶ 어화 베힐써고≪海謠≫.
베히스툰〔Behistun〕명〖지〗 이란(Iran) 서부 자그로스(Zagros) 산맥에 있는 마을. 이곳 산중의 암벽(岩壁)에 다리우스(Darius) 1세 시대의 대부조 군상(大浮彫群像)과 설형 문자(楔形文字)의 비문(碑文) 등이 있음.
벡¹ 명〈방〉 부엌(평안).
벡² 명〈방〉 바람벽(강원·전남·경상).
벡-바름 명〈방〉 바람벽(제주).
벡번¹ 명〈방〉 백반(白礬).
벡-번² 명〈방〉 바람벽(경북).
벡-썩 명〈방〉 바람벽(강원).
벡-아구리 명〈방〉 부엌 아궁이(평안).
벡장 명〈방〉 벽장(강원·충청·전라·경상·제주).
벡-칼 명〈방〉 식칼(평안).
벡터〔vector〕명 ①〖수·물〗한 점에서 다른 점을 향하는 방향을 가진 선분(線分)으로 표시되는 양(量). 힘·속도·가속도 등을 이것으로 나타냄. 이 벡터는 화살표로 나타냄. *스칼라(scalar). ②〖생〗어떤 유전자(遺傳子)를 하나의 생물로부터 대장균(大腸菌) 등 다른 생물에게 이식(移植)할 때에 그 유전자를 운반하는 역할을 하는 자율적 증식(增殖) 능력을 지닌 DNA 분자. 대개는 플라스미드(plasmid)나 박테리오파지의 DNA가 쓰임. ③〖심〗개체 내부의 긴장으로 생긴 추진력.
벡터 공간【一空間】명〔space vector〕〖수〗 직면(直面)하는 상황 아래서, 벡터라고 생각되는 것 전체의 집합을 이르는 말. 선형(線型) 공간.
벡터-량【一量】〔vector〕명〖물〗 벡터로 표시되는 물리량(物理量). 힘이나 속도 따위.
벡터 방정식【一方程式】명〔vector equation〕〖수〗 벡터를 써서 나타낸 방정식.
벡터 심리학【一心理學】〔vector〕[一니一] 명 레빈(Lewin, K.)의 심리학 체계 중 역학적 여러 문제(問題)를 연구하는 분야. 심리학적 힘·유발성(誘發性)·긴장(緊張) 등의 개념 위에 섬.
벡터-장【一場】명〔vector field〕〖물〗 어떤 영역(領域) 안의 각점(各點)의 함수로서 벡터가 주어졌을 때의 그 영역의 일컬음.
벡터-적【一積】명〔vector product〕〖수〗 외적(外積).
벡터 중간자【一中間子】명〔vector meson〕〖물〗 스핀 양자수(量子數) 1과 음(陰)의 패리티(parity)를 가지고 벡터장(場)에 의하여 기술(記述)될 수 있는 중간자. 오메가(ω)·로(ρ)·피(φ)·케이(K) 중간자 따위.
벡터 퍼텐셜〔vector potential〕명〖물〗 자기장(磁氣場)에 대해 정의(定義)되는 위치(位置) 함수에서, 그 미분(微分)을 통해서 자기장을 주는 벡터량.
벡터 함:수【一函數】[一쑤] 명〔vector function〕〖물〗 위치와 시간의 함수로, 각점(各點)에서의 값이 벡터인 것.
벡퍼드〔Beckford, William〕명〖사람〗 영국의 소설가. 오랫 동안 하원 의원을 지냄. 미술품 수집과 기인(奇人)으로 알려짐. 프랑스어로 쓴 ≪바테크(Vathek)≫는 아라비아를 무대로 한 신비적 공포 소설의 걸작임. [1760-1844]
벢 명〈방〉 부엌(강원).
벤¹〔이 ben〕명〖악〗 '충분히'의 뜻.
벤²〔Benn, Gottfried〕명〖사람〗 독일의 시인(詩人)·개업의(開業醫). 인간을 육체로서 폭로한 처녀 시집 ≪시체 공시소(公示所)≫ 이래 표현주의의 대표적 존재가 됨. 한때 나치스의 기능주의를 지지, 후에 니힐리즘을 바탕으로 한 예술 지상주의를 지향(指向). 대표작 ≪정역학적 시편(靜力學的詩編)≫ 외에 ≪이중 생활≫·≪서정시의 여러 문제≫ 등 평론도 있음. [1886-1956]
벤-구리온〔Ben-Gurion, David〕명〖사람〗 이스라엘의 사회주의 정치가. 시오니즘 운동의 지도자로, 1948년 이스라엘 공화국의 성립과 함께 수상(首相)에 취임, 수차 재임하였음. [1886-1978]
벤네비스 산【一山】〔Ben Nevis〕명〖지〗 영국 스코틀랜드 북서부에 있는 산. 영국에서 가장 높은 산으로 중복(中腹)에 빙하의 침식에 의한 카르(Kar)가 있음. [1,343m]
벤 다이어그램〔Venn diagram〕명 ①〖논〗 영국의 논리학자 벤(Venn, John;1834-1923)이 고안한 도식. 삼단 논법의 대명사(大名辭)·중명사(中名辭)·소(小)명사를 각각 원으로 나타내어 그 세 개의 원을 교차(交叉)시킨 도식을 만들고, 그 도식 중에서 삼단 논법의 타당성을 확인하는 것. ②〖수〗 전체 집합(全體集合)과 그것의 부분 집합·부분 집합의 합집합·교집합·보집합(補集合) 등의 사이의 관계를 나타내는 도식. ❶의 생각을 수학에 응용한 것. 스위스의 수학자 오일러(Euler, Leonhard; 1707-83)에도 유사한 생각이 있었다는 데서 '벤 오일러 도식'이라고도 함.
벤담〔Bentham, Jeremy〕명〖사람〗 영국의 철학자·법률학자·경제학자. 애덤 스미스(Adam Smith)에 사숙. 공리가 모든 행위의 궁극의 원칙이며, '최대 다수의 최대 행복'이 인생의 목적이라 주장하였음. 법학자로는 자연법(自然法) 사상에 반대하고, 경제학자로는 철저한 자유 방임론자임. 저서에 ≪도덕 및 입법의 원리≫ 등이 있음. [1748-1832]
벤더-업【一業】〔vendor〕명 슈퍼마켓이나 편의점(便宜店)에 특정 상품을 지속적으로 공급해 주고 일정액의 수수료를 받는 특수 물류업(物流業).
벤 도식【一圖式】〔Venn〕명〖논·수〗 벤 다이어그램.
벤-돈: [一똔] 명〈방〉 변돈.
벤두 명〈방〉 볏¹(강원).
벤드〔bend〕명 굽음. 특히, 스키 따위의 휘어진 부분. ¶ 톱(top) ~.
벤디고〔Bendigo〕명〖지〗 오스트레일리아, 빅토리아 주(Victoria州) 중앙부의 도시. 1851년 금광이 발견되어 금광 도시로 발전, 농·목축업의 중심지이기도 함. [53,000명(1981 추계)]
벤딩 모:멘트〔bending moment〕명〖공〗 지레에 어떤 하중(荷重)이 가하여질 때에 생기는 힘의 모멘트.
벤또:〔일 弁当:べんとう〕명 ①도시락. ②점심.
벤벤-하다 형〈방〉 변변하다(평안·함경).
벤 벨라〔Ben Bella, Ahmed〕명〖사람〗 알제리의 정치가. 1940년대부터 반불(反佛) 독립 운동에 참가, 1952년 알제리 민족 해방(解放) 전선의 지도자가 됨. 1962년 독립과 동시에 수상, 1963년 대통령이 되었으나 1965년 쿠데타로 실각함. [1916-]
벤벵-두리 명〈방〉 반병두리.
벤소 명〈방〉 변소(便所)(강원·전라·경상·제주).
벤자리 명〖어〗[*Parapristipoma trilineatum*] 농어목(目) 하스돔과(科)에 속하는 바닷물고기. 몸길이 40 cm 내외로 측편(側扁)하며, 농어와 닮았음. 치어(稚魚)는 석 줄의 담황색 세로띠가 있는데, 성어(成魚)가 되면 없어지며 몸빛은 암갈색이 됨. 온대성 물고기로 한국·일본·중국해·오키나와 등지의 연해에 분포함. 식용함.
벤저민〔benjamin〕명〖식〗〔종명(種名) benyamiana에서 유래된 이름〕 뽕나뭇과(科) 무화과나무속(屬)에 속하는 상록 교목의 하나로, 원예(園藝) 상의 통칭. 인도 원산. 높이 20m에 이르는 것도 있음. 나뭇가지는 담갈색으로 평활(平滑)하고 광택이 있으며 연약하여 잘 꼬임. 잎은 호생(互生)하며 작은 타원형으로 경질(硬質)임. 관엽(觀葉) 식물로 분(盆)에 심음.
벤젠〔benzene〕명〖화〗 콜타르를 분류(分溜)·정제(精製)한 무색(無色)의 휘발성 액체. 녹는점(點) 5.4°C, 끓는점(點) 80.5°C로 특이한 냄새가 있으며 물과는 화합(化合)되지 아니하나 특히 기름을 잘 녹이는 성질이 있으며, 불을 붙이면 검은 연기를 내는데 그 연기는 독함. 방향족(芳香族) 화합물의 모체(母體)로 용해제(溶解劑) 또는 물감·향료(香料)·폭약(爆藥)의 원료로 사용됨. 벤진과는 전혀 다름. 벤졸. [C_6H_6]
벤젠 중독【一中毒】〔benzene〕명〖의〗 벤젠의 흡수에 의하여 생기는 중독. 피부로부터도 흡수되지만, 벤젠 가스의 흡입에 의한 중독이 대부분임. 얼굴이 창백해지고, 현기증·구토·호흡 곤란·인두통(咽頭痛)·피하 출혈·체온 및 혈압 강하 등을 일으키어 혼수(昏睡) 상태에 빠짐. 벤졸 중독.
벤젠-핵【一核】명〔benzene nucleus〕〖화〗 벤젠의 한 개 이상의 수소 원자를 다른 원자 또는 기(基)로 치환한 화합물에서 볼 수 있는 탄소 육원환(炭素六圓環). 흔히, 케쿨레(Kekule, S.F.A)의 화학식으로 나타냄. 벤젠환.
벤젠-환【一環】명〔benzene ring〕〖화〗 벤젠핵.
벤조-산【一酸】명〔benzoic acid〕〖화〗 방향족(芳香族) 카르복시산(酸) 중 가장 간단한 화합물. 안식향(安息香)을 승화(昇華)하여 얻는데, 공업적으로는 톨루엔(toluene)을 이산화(二酸化) 망간과 황산(黃酸)으로 산화(酸化)하든가 또는 벤조트리클로리드로 가수 분해하여 얻음. 무색(無色)이며 인편상(鱗片狀)·침상(針狀)의 결정. 열을 가하면 휘발하여 특이한 냄새를 피우는 방향족의 산(酸)임. 방부제(防腐劑)·거담제(祛痰劑)·매염제(媒染劑)·벤조산 나트륨의 원료(原料) 등으로 쓰임. 승화 온도 100℃ 전후, 녹는점 122.5℃, 끓는점 250℃. 전에는 안식향산(安息香酸)이라 하였음. [C_6H_5COOH].
벤조산 나트륨【一酸一】〔도 Natrium〕명〔sodium benzoate〕〖화〗 백색 무정형(無定形) 결정. 단맛이 있고 물·알코올에 녹음. 식품용 보존제·방부제·약제(藥劑)·의료(醫療)에 쓰임. 구칭 : 안식향산 나트륨. [$NaC_7H_5O_2$]
벤조산 나트륨 카페인【一酸一】〔도 Natrium〕명〔caffeine sodium benzoate〕〖화〗 카페인과 벤조산 나트륨과의 염(塩). 흥분·강심·이뇨 등에 쓰임. 약리 작용은 주로 카페인에 의함. 0.2-0.5g을 1일 수회 내복 또는 10% 액 1-2 밀리리터를 피하 주사(皮下注射)함. 극약임.
벤조산 에스테르【一酸一】명〔benzoic ester〕〖화〗 벤조산의 수소 원자를 탄화 수소기(炭化水素基)로 치환(置換)한 화합물의 총칭. 무색(無色)에 방향(芳香)이 있는 액체임. 용제(溶劑)·향료(香料) 등으로 쓰임. [C_6H_5COOR]

벤조-퀴논 〔benzoquinone〕 명 〖화〗 퀴논(quinone)의 한 가지. *p*-, *o*-의 두 이성질체(異性質體)가 있음. *p*-벤조퀴논은 그냥 퀴논이라고도 함. 황색 결정(結晶)에 녹는점은 116.5°C. 물에는 잘 녹지 아니하나 에탄올(ethanol)에는 잘 녹음. 아닐린(anilin)의 산화(酸化)에 의해 얻어지며 중합 저지제(重合沮止劑)로 쓰임. *o*-벤조퀴논은 암적색 결정으로 60-70°C에서 분해(分解)됨. [$C_6H_4O_2$]

벤조-피렌 〔benzopyrene〕 명 〖화〗 발암 물질(發癌物質)의 하나. 타르(tar) 등에 함유된 결정(結晶). 담배 연기·배기(排氣) 가스에도 존재하는 것으로 알려짐. [$C_{20}H_{12}$] 「있음.

벤졸 〔benzol〕 명 〖화〗 벤젠. 주의 공업용 조제품(粗製品)을 말하는 수가

벤졸 중독 【一中毒】 〔benzol〕 명 〖의〗 벤젠 중독.

벤즈-알데히드 〔benzaldehyde〕 명 〖화〗 방향족(芳香族) 알데히드의 하나. 녹는점(點) −26°C, 끓는점(點) 178°C. 공기 중에서 점차 산화하여 벤조산(酸)이 됨. 복숭아·살구의 씨의 정유(精油) 중에 존재함. 비누의 향료, 각종 화학 약품의 합성 원료로 쓰임. [C_6H_5CHO]

벤지딘계 물감 【一系一】 〔benzidine〕 〔一깜〕 명 벤지딘을 제조 원료로 하는 물감. 값싸고 발색 효과(發色效果)도 좋으며 퇴색하지 아니하는 특색이 있으나 물감의 중간체인 벤진 크롤히드라드에 발암(發癌)의 요인이 있다고 생각되어 생산이 중지됨.

벤진 〔benzine〕 명 〖화〗 석유성(石油性) 휘발유의 하나. 석유를 증류(蒸溜), 정제(精製)할 때에 끓는점 범위(範圍) 30-150°C에서 얻는 무색(無色) 투명(透明)하고 특이한 냄새가 나는 액체. 불이 붙기 쉽고 물에는 혼합되지 아니하나 알코올과 에테르와는 혼합함. 유지(油脂)와 수지(樹脂)의 용해제(溶解劑)·항공기 등의 내연 기관 연료·소독·드라이 클리이닝 등에 씀. 석유 벤진. ＊벤젠.

벤질 알코올 〔benzyl alcohol〕 명 약한 방향(芳香)을 가진 무색의 액체. 화정유(花精油) 등에 천연(天然)으로 존재함. 녹는점 −15.3°C, 끓는점 205.4-205.7°C. 물·에탄올에 녹는 방향족 알코올의 하나임. 향료·용제(溶劑)·방부제·국소(局所) 마취제 등에 쓰임. [$C_6H_5CH_2OH$]

벤처 기업 【一企業】 〔venture〕 명 〖경〗 고도의 지식과 집중적인 연구로 신제품(新製品)·신기술(新技術) 개발을 이룩하려는 지식 집약적(知識集約的) 소기업(小企業). 주로 에너지·대체(代替) 에너지·전기 및 정보 통신·영상물(映像物) 창작·환경·소프트웨어(software)·생명 공학(生命工學) 등 분야에서 발전하고 있음. 산업의 구조 조정(構造調整)·경쟁력 강화를 위해 국가적으로 창업(創業)·육성(育成)에 대하여 지원이 이루어지고 있음.

벤처 캐피털 〔venture capital〕 명 〖경〗 ①새로운 또는 급성장(急成長)하고 있는 사기업(私企業)에 대한 투자. 또, 그런 투자를 하는 대기업이나 금융 기관. 가격 상승과 배당(配當)의 기대는 있지만, 주식 소유자의 위험을 수반함. ②자금 능력이 없어 보유하고 있는 새 기술(技術)을 활용하지 못하고 있는 중소 기업(中小企業)에 대해, 기술 개발을 위한 전문 금융 기관이 주식 투자(株式投資) 형태로 지원하는 자금(資金). 위험 부담 자본(危險負擔資本).

벤츠[1] 〔Benz, Karl Friedrich〕 명 〖사람〗 독일의 기계 기술자. 소형 고속(小型高速) 내연(內燃) 기관을 연구, 1878년 2 사이클 엔진을 만들고, 1885년에는 4 사이클 가솔린 엔진이 달린 삼륜(三輪) 자동차를 만듦. 그 후, 만하임(Mannheim)에 공장을 세워 자동차를 제작, 1926년 다임러(Daimler)의 공장과 합병(合併)하여 다임러 벤츠 회사를 이룩함. [1844-1929]

벤츠[2] 〔Benz〕 명 독일의 다임러 벤츠 회사에서 만든 자동차명.

벤치 〔bench〕 명 ①여러 사람이 같이 앉을 수 있도록 나무로 길게 만들어 놓은 의자. 장의자. ②야구 경기장 따위의 선수석과 감독석.

벤치-마:크 〔benchmark〕 명 ①측량(測量)의 수준점(水準點). ②〖컴퓨터〗 여러 컴퓨터의 성능을 비교·평가하는 데 쓰이는 표준 문제.

벤치-마:킹 〔benchmarking〕 명 〖경〗 기업이 경쟁 기업의 제품이나 행동을 비교하고 배우는 일.

벤치 워:머 〔bench warmer〕 명 〔벤치를 따뜻하게 하는 이의 뜻〕 야구에서, 대기중인 후보 선수를 이름.

벤치 프레스 〔bench press〕 명 파워 리프팅(power lifting) 종목의 하나. 폭이 좁은 벤치에 바로 누워 양팔로 바벨을 가슴 위로 밀어올리는 경기.

벤턴 〔Benton, Thomas Hart〕 명 〖사람〗 미국의 화가. 파리에 유학하여 입체파(立體派)에 관심을 가졌으나, 귀국 후에는 생동감이 넘치는 형체(形體)와 강렬한 색채로 생활에 바탕을 둔 풍속화를 그려 우드(Wood, G.)와 더불어 미국의 대표적 화가가 됨. 벽화(壁畫) 《미국의 회화(繪畫)》 등이 있음. [1889-1975]

벤토나이트 〔bentonite〕 명 응회암(凝灰岩) 같은 것이 풍화(風化)하여 생성(生成)된 점토질(粘土質) 물질의 총칭. 산성 백토(酸性白土)와 비슷하며, 물에 담그면 부풀어 오름. 도자기 등에 쓰임.

벤토스 〔benthos〕 명 〖생〗 물밑에 생활하는 동식물의 총칭이며, 생활 양식에서 구분한 생물군(群). 녹조(綠藻)·홍조(紅藻)·갈조(褐藻)·말미잘·성게·불가사리·갯지렁이·조개류 따위인데 해산종(海産種)의 대부분은 유생기(幼生期)에는 플랑크톤으로서 생활함. 저생(底生) 생물.

벤톤 자모 조각기 【一字母彫刻機】 〔Benton〕 명 〖기〗 활자의 모형(母型)을 직접 금속 재료에 조각하는 기계. 미국의 한 활자 주조소의 경영자 벤톤(Benton, Linn Boyd; 1844-1932)이 1884년에 발명한 것으로, 현재 이 종류의 기계로는 가장 정교한 것임. 벤톤 조각기. 벤톤형 모형 조각기.

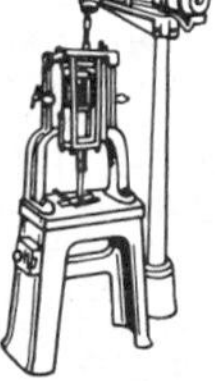
〈벤톤 자모 조각기〉

벤톤 조각기 【一彫刻機】 〔Benton〕 명 〖기〗 벤톤 자모 조각기. 「기.

벤톤형 모:형 조각기 【一型母型彫刻機】 〔Benton〕 명 벤톤 자모 조각

벤투리 〔Venturi, Lionello〕 명 〖사람〗 이탈리아의 미술사가. 로마 대학 교수. 주된 저서에 《다비드(David)로부터 쿠르베(Courbet)까지》·《마네(Manet)로부터 로트렉(Lautrec)까지》·《세잔(Cézanne) 작품 총색인》 등이 있음. [1889-1975]

벤투리-계 【一計】 〔Venturi〕 명 〖물〗 벤투리 미터.

벤투리-관 【一管】 명 〔Venturi tube〕 〖물〗 〔최초의 관찰자(觀察者)인 이탈리아의 물리학자 벤투리(Venturi, G. B.; 1746-1822)의 이름에서〕 차압 유량계(差壓流量計)의 일종. 관(管)의 중간을 잘룩하게 하고 그 전후에 직립관(直立管)을 세워 직립관 속의 액면(液面)의 차로 흐름의 유량을 측정함. 벤투리계(Venturi計). 벤투리 미터.

벤투리 미:터 〔Venturi meter〕 명 〖물〗 벤투리관(管).

벤트[1] 〔bent〕 명 버릇. 성벽(性癖). 경향(傾向).

벤트[2] 〔vent〕 명 양복 저고리의 뒷자락의 가운데나 양옆에 터 놓은 곳.

벤트리스 〔Ventris, Michael〕 명 〖사람〗 영국의 고고(考古)학자. 건축가로 활약하는 한편 그리스 본토와 크레타(Creta) 섬에서 출토된 점토판 문서(粘土板文書)를 연구, 1952년 문자 가운데 선문자(線文字) B의 해독(解讀)에 성공, 이것이 그리스어(語)를 기록한 것임을 증명함. 자동차 사고로 사망. [1922-56]

벤틀리 〔Bentley, Richard〕 명 〖사람〗 영국의 교육가·비평가. 고전 문학에 관한 밀(Mill)에의 비평 서한으로 유명함. [1662-1742]

벤틸레이터 〔ventilator〕 명 ①통풍기(通風機). 송풍기. ②통풍 설비. 환기 장치.

벤 헤다 〔Ben Khedda, Youssef〕 명 〖사람〗 알제리의 정치가. 1954년 알제리 민족 해방 전선 결성에 참가, 정치국원이 됨. 임시 정부의 사회상·수상을 역임. 1962년 독립 후 벤 벨라(Ben Bella)와 대립하여 은퇴함. [1920-]

벨:[1] 명 〈방〉 별(평안·함경·경상·강원·전라·경기·충북·제주).

벨[2] 〔Bayle, Pierre〕 명 〖사람〗 프랑스의 철학자. 데카르트(Descartes)의 회의 정신(懷疑精神)을 역사 영역에 도입함. 저서 《철학적 비판적 사전》. [1647-1706]

벨[3] 〔bell〕 명 ①종(鐘). ②초인종(招人鐘). ③〖악〗 철금(鐵琴). 차임(chime).

벨[4] 〔Bell, Alexander Graham〕 명 〖사람〗 영국 출생의 미국 물리학자·발명가(發明家). 음파(音波)의 전류 전송(電流傳送)을 연구, 1876년 자석식 전화기(磁石式電話器)를 발명하였음. [1847-1922]

벨[5] 〔Bell, Daniel〕 명 〖사람〗 미국의 사회학자. 산업 고도화(高度化)에 의한 사회 구조의 변화를 관점으로 하는 산업 사회론을 전개함. 저서에 《이데올로기의 종언》·《탈(脫)공업 사회의 도래》 등. [1919-]

벨[6] 〔프 belle〕 명 ①미인[1](美人). ②모임 같은 데서 제일 가는 미인.

벨가리 명 〈방〉 병아리(경남).

벨거이 명 〈방〉 벌레(경남).

벨그라드 〔Belgrade〕 명 〖지〗 '베오그라드'의 영어명.

벨기에 〔België〕 명 〖지〗 유럽의 서북부에 있는 입헌 왕국(立憲王國). 네덜란드·프랑스·독일에 접경(接境)해 있으며 서쪽은 북해(北海)에 면해 있음. 지형은 낮아서 습(濕)하며 인구 밀도가 세계 제일임. 석탄이 풍부하고 전국토의 반이 농업 용지인 이점으로 농업과 공업이 함께 발전하였음. 주민은 게르만계이며 대부분 신교를 신봉함. 정식 명칭은 벨기에 왕국(Kingdom of Belgium). 수도는 브뤼셀(Brussel). 백이의(白耳義). 벨줌(Belgium). [30,513 km²: 10,110,000명 (1995 추계)]

벨데 〔Velde, van de〕 명 〖사람〗 ①〔Willem V.〕 네덜란드의 화가. 영국의 궁정 화가로 종사, 특히 해양화(海洋畫)에 능하였음. [1633-1707] ②〔Adriaen V.〕 화가. ❶의 동생. 풍경화에 능하고 동물화(動物畫)도 그렸으며, 특히 목장의 풍경 등을 많이 그렸음. 이들의 아버지도 화가였음. [1636-72]

벨-띠 명 〈방〉 유성(流星)(평안).

벨라 계:획 【一計劃】 명 〔Project Vela〕 미국 국방성의 지하 핵폭발(地下核爆發)·초고공(超高空) 핵폭발 탐지(探知) 계획.

벨라도나 〔belladonna〕 명 〖식〗 〔*Atropa belladonna*〕 가짓과에 속하는 다년초. 높이 1 m 가량이며, 잎은 달걀꼴임. 엽액(葉腋)에 암갈색(暗褐色)의 꽃이 피며, 검은 색의 장과(漿果)를 맺음. 독(毒)이 많아 잎은 진경약(鎭痙藥)·진통약(鎭痛藥)으로 씀.

벨라스케스 〔Velázquez, Diego Rodriguez de Silvay〕 명 〖사람〗 스페인의 화가. 이탈리아 사실주의(寫實主義) 화풍의 영향을 받고, 24세에 궁정 화가가 되어 국왕의 초상화 등 많은 작품을 남겼음. [1599-1660]

벨라우 〔Belau〕 명 〖지〗 미국 신탁 통치령 팔라우 제도(Palau 諸島)가 1981년 자치(自治) 정부를 발족시켜서 수립한 공화국의 이름. 주민은 미크로네시아인(人), 팔라우어(語)와 영어가 쓰임. 타피오카·코프라·보크사이트 등을 산출함. 정식 명칭은 벨라우 공화국(Republic of Belau). 수도는 코로르(Koror). ＊팔라우 제도. [500 km²: 20,000명 (1991)]

벨라트릭스 〔Bellatrix〕 명 〖천〗 오리온자리의 감마성(γ星). 청백색(青白色)의 1.6등성(等星)으로 거리는 400광년(光年).

벨러미 〔Bellamy, Edward〕 명 〖사람〗 미국의 작가. 신문 편집에 종사하면서 소설을 씀. 미래의 이상 사회(理想社會)를 그린 《되돌아보면》은 미국을 비롯하여 외국에서도 큰 반향(反響)을 불러일으켜, 그 이상의 실현을 위해 각종 단체와 기관지(機關紙)가 만들어짐. 본인도 주간지 '뉴 네이션'을 만들어 사회 개혁 운동에 종사하여, 사회 운동·노동 운동에 큰 영향을 끼침. [1850-98]

벨레로폰 〔Bellerophon〕 명 〖신〗 그리스 신화의 영웅. 시시포스(Sisyphos)의 손자뻘이 됨. 천마(天馬) 페가수스(Pegasus)를 타고 갖가지 모험을 하여 공을 세워 왕이 되었으나 교만해져서 페가수스의 등에서 떨어져 불구가 되어 죽음.

벨렘나이트 〔Belemnite〕 몡 〖동〗 고생대(古生代) 쥐라기(紀)·백악기에 번성하였던 두족류(頭足類)에 속하는 해생(海生) 화석 동물. 껍데기는 화살촉 모양이고 팔은 6개임. 전석(箭石).

벨렙트 〔도 Belebt〕 몡 〖악〗 아니마토(animato).

벨로:¹ 〔Bellow, Saul〕 몡 〖사람〗 유태계(系)의 미국 작가. 캐나다 태생. 현대 미국의 지성파를 대표하는 작가로서 다양한 작품 형식과 절묘한 수법을 구사, 황무지(荒蕪地)적 허무주의에 도전하는 인간상을 예리하게 표사하여 3회에 걸쳐 전미(全美) 도서상을 받음. 작품의 주인공(主人公)으로 즐겨 유태인을 썼으며 대표작은 《오기 마치(Augie March)의 모험》·《회생자》·《비의 왕 헨더슨(Henderson)》·《훔볼트의 선물》 등. 1975년 퓰리처상 수상, 1976년 인간적인 이해와 현대 문화에 대한 세밀한 분석으로 노벨 문학상을 수상함. [1915-]

벨로:² 〔Below, Georg von〕 몡 〖사람〗 독일의 중세사가(中世史家). 마르부르크(Marburg)·튀빙겐(Tübingen)·프라이부르크(Freiburg) 각 대학의 교수를 역임. 날카로운 비판적 역사관을 가지고 독일 연방의 발전, 봉건 제도와 국가와의 관계, 도시 제도 등의 문제를 추구(追求)함. 주된 저서에 《영방(領邦)과 도시》·《중세 독일 국가론》·《독일 중세 농업사》 등이 있음. [1858-1927]

벨로:나 〔Bellona〕 몡 〖신〗 로마 신화 속의 전쟁의 여신.

벨로니테 〔도 Belonite〕 몡 〖지〗 화산의 한 형식. 거의 굳어진 용암이 화구(火口) 안에서 밀려 올라와 생긴 탑 모양의 화산. 높이에 비하여 기저(基底)가 현저히 좁음. 서인도 제도 마르티니크(Martinique) 섬의 몽펠레(Mont Pelée) 화산은 그 전형적인 예임.

벨로드롬 〔velodrome〕 몡 경사진 트랙이 있는 사이클 경기장.

벨로루시 공:화국 【一共和國】〔Belorus'〕 몡 〖지〗 〔벨로루시(Belarus)는 '백(白)러시아'의 뜻〕 독립 국가 연합(CIS)에 속하는 공화국의 하나. 북은 발트 제국(諸國), 남은 우크라이나, 서는 폴란드에 접함. 1922년 소연방(蘇聯邦)에 편입되었으나 1991년 8월 25일 독립을 선언, 그 해 12월 러시아·우크라이나와 함께 독립 국가 연합의 창설을 주도함. 전통적으로 대토지 소유 제도하의 농업 지역이었으나 2차 세계 대전 후 공업이 비약적으로 발전, 기계·자동차·화학 공업 등이 발달해 있음. 수도는 민스크(Minsk). 구칭은 백(白)러시아 공화국. [207,600 km²: 10,260,000명(1990)]

벨로리존테 〔Belo Horizonte〕 몡 〖지〗 브라질 남동부 미나스제라이스주(Minas Gerais州)의 주도(州都). 표고 900m의 고원 위에 세워진 계획 도시이며, 중심부에는 고층 건물이 즐비함. 철강·시멘트·섬유 등의 공업이 성하며 부근에는 이타비라(Itabira) 철산(鐵山) 등 지하 자원이 풍부함. [2,122,073명(1985)]

벨로시티 마이크로폰 〔velocity microphone〕 몡 〖물〗 진동체(振動體)의 전면과 후면이 모두 음장(音場)에 개방되어 있어 공기의 운동 속도에 비례하여 진동체가 변위(變位)하는 마이크로폰. *카본 마이크로폰.

벨로체 〔이 veloce〕 몡 〖악〗 '빠르게'의 뜻.

벨록 〔Belloc, Hilaire〕 몡 〖사람〗 프랑스 태생의 영국 시인·역사가·수필가. 가톨릭의 논객(論客)으로서 여러 분야에 걸친 저서를 남김. 대표작은 《악동(惡童)의 동물첩》·《로마에의 길》·《노예 국가》·《영국사》 등. [1870-1953]

벨루 뮈 〈방〉 별로(평안·함경).

벨루어 〔velours〕 몡 가는 방모사(紡毛絲)를 두 겹으로 짜서, 털이 서게 한 직물. 털이 길고 윤이 남. 주로 코트 감으로 씀.

벨루어-지 【一紙】 몡 〔velour paper〕 벨벳과 비슷한 감촉을 가진 종이. 레용·나일론·면(綿)·양모(羊毛)의 보푸라기를 붙여서 만들며, 여러 가지 무늬를 엠보스(emboss)할 수 있음.

벨루치스탄 〔Beluchistan〕 몡 〖지〗 '발루치스탄'의 별칭.

벨루하 산 【一山】〔Belukha〕 몡 〖지〗 러시아 공화국 서남부 고르노알타이(Gorno-Altai) 자치주(自治州)와 카자흐 공화국과의 경계에 있는 알타이 산맥의 최고봉. [4,506m]

벨리: 〔Belyi, Andrei〕 몡 〖사람〗 소련의 작가. 후기 상징주의에서 출발하여 삼부작 《은(銀)비둘기》·《페테르부르크》·《모스크바》로 20세기 소설의 창조를 목표함. 그 문학적 실험과 혁명적 예술 이론은 전위적(前衛的)인 문학 운동의 출발점이 되고 있음. [1880-1934]

벨리니¹ 〔Bellini〕 몡 〖사람〗 ①〔Gentile, B.〕 이탈리아 베네치아의 화가. ❸의 장남(長男). 많은 초상화를 풍속화적으로 그렸음. 작품 《산 마르코 광장의 행렬》·《성모상(聖母像)》 등. [1429-1507] ②〔Giovanni, B.〕 이탈리아의 화가. ❸의 차남(次男). 16세기 베네치아파(Venezia派)의 창시자. 처음 충실한 수법으로 엄숙한 종교화를 그렸으나 차츰 현세적인 우아한 그림으로 옮아 유채화(油彩畫)의 기술을 높여 새 경지를 이룸. 작품 《예수의 세례》·《마리아의 대관》 등. [1430?-1516] ③〔Jacopo, B.〕 이탈리아의 화가(畫家). 주로 피렌체(Firenze)에서 제작. 스케치 북(sketch book) 두 권이 남아 있음. [1400?-70?]

벨리니² 〔Bellini, Vincenzo〕 몡 〖사람〗 이탈리아의 가극 작곡가. 낭만파 이탈리아 가극의 거장(巨匠)으로 작품 《몽유병의 여자》·《노르마(Norma)》 등이 있음. [1801-35]

벨리 댄스 〔belly dance〕 몡 배꼽춤.

벨리 롤: 〔belly roll〕 몡 육상 경기에서, 높이뛰기의 바(bar)를 뛰어넘는 방법의 하나. 배를 아래로 하고 바에 평행하게 회전하면서 넘음.

벨리사리우스 〔Belisarius〕 몡 〖사람〗 비잔틴 제국의 명장(名將). 유스티니아누스 황제(Justinianus皇帝)의 명으로 페르시아의 침입을 격파하고, 아프리카에 원정하여 반달(Vandal) 왕국을 정복, 또 이탈리아에서 동(東)고트 왕국과도 싸워 시칠리아를 정복, 그 사이에 페르시아의 침입을 거듭 격퇴하는 등 국토 확장에 큰 공을 세움. [505?-565]

벨리슴 〔프 beylisme〕 몡 19세기 프랑스 작가인 스탕달(Stendhal)이 그 작품 속에서 강조한 일종의 처세 철학. 스탕달의 본명인 '벨(Beyle)'에서 온 말로, 권력 숭배가 그 신조임.

벨리즈 〔Belize〕 몡 〖지〗 ①중앙 아메리카 유카탄 반도 동남에 있는 영연방내 독립국. 1964년 내정(內政) 자치권 획득, 1981년 독립함. 열대 과실·마호가니재(mahogany材)·치클(chicle) 등을 산출함. 수도는 벨모판(Belmopan). 구칭 브리티시 온두라스. [22,965 km²: 200,000명(1991 추계)] ②벨리즈의 1970년까지의 수도(首都). 카리브 해 연안의 항도로 마호가니재(材)의 가공·수출이 성함. [70,000명(1989)]

벨리퉁 섬 〔Belitung〕 몡 〖지〗 인도네시아의 중서부(中西部), 수마트라와 보르네오 사이에 있는 섬. 지형은 구릉성(丘陵性) 밀림 지대. 서쪽에 이웃해 있는 방카(Bangka) 섬과 함께 주석(朱錫)의 산출지로 유명함. [4,832 km²: 102,000명(1964)]

벨릭스 〔Felix〕 몡 〖성〗 유태의 제11대 로마 총독(總督). 성질이 잔인하여 바울이 예루살렘에서 유태인에게 고소되었을 때 그가 무죄함을 알면서도 뇌물을 받고자 구류시켰다 함.

벨린스키 〔Belinskii, Vissarion Grigorievich〕 몡 〖사람〗 러시아의 철학자·문예 비평가. 유물론적인 입장에서 예술상의 리얼리즘을 이론적으로 확립하였으며, 푸슈킨(Pushkin) 등 걸출한 문인들의 재능을 발굴함. 저서 《러시아 문학관(文學觀)》 등. [1811-48]

벨링스하우젠 〔Bellingshausen, Fabian Gottlieb von〕 몡 〖사람〗 러시아의 해군 군인·탐험가. 1819-21년 남극 지방을 탐험하여 알렉산더(Alexander) 섬을 발견하고 명명(命名)함. 남극 반도 서쪽의 벨링스하우젠 해(海)는 그의 이름을 딴 것임. 러시아 이름은 벨린스가우젠(Bellinsgauzen). [1778-1852]

벨 메탈 〔bell metal〕 몡 주석 20-25%를 함유하는 구리 합금. 교회의 종을 만들면 아름다운 음색을 내는 데서 붙여진 이름임. 종동(鐘銅).

벨모판 〔Belmopan〕 몡 〖지〗 벨리즈(Belize)의 수도. 벨리즈❷의 남서(南西) 65km에 위치. 1970년에 수도가 됨. [5,000명(1991 추계)]

벨벳 〔velvet〕 몡 거죽에 고운 털이 돋게 짠 비단. 비로드.

벨-보이 〔bellboy〕 몡 호텔 현관 등에서 손님의 짐 시중을 드는 종업원.

벨-빡 몡 〈방〉 바람벽(경북).

벨스 〔Wels〕 몡 〖지〗 오스트리아 북부의 도시. 린츠(Linz)의 남서에 위치함. 농경지와 인접되어 곡물·가축의 집산지(集散地)임. 농기구·종이·식료품·섬유 공업이 행하여짐. 15세기부터 내려오는 교회와 막시밀리안(Maximilian) 1세가 죽은 성채(城砦)가 있음. [51,000명(1981)]

벨-아미 〔Bel-Ami〕 몡 〖책〗 〔미모(美貌)의 벗이란 뜻〕 프랑스 모파상(Maupassant)의 장편 소설. 1885년에 간행함. 온갖 파렴치(破廉恥) 행위를 다하여 입신 출세하는 한 청년의 금력 만능주의(金力萬能主義)를 묘사하였음. 프랑스 자연주의의 전형적 작품임.

벨 에포크 〔프 belle époque〕 몡 〔좋은 시절이라는 뜻〕 프랑스에 있어서 1871-1914년의 산업 혁명에 의한 호경기 시대.

벨츠-수 【一水】 몡 〔도 Bälzwasser〕 거친 피부나 피부가 터지는 데 바르는 화장수(化粧水). 독일 사람 벨츠의 처방에 의한 것인데, 글리세린 20g·알코올 20g·수산화 칼륨 0.5g·증류수 60g의 혼합액(混合液)임.

벨 칸토 〔이 bel canto〕 몡 〖악〗 〔아름다운 노래라는 뜻〕 악곡(樂曲)의 성격 표현(性格表現)보다도 오로지 아름다운 소리를 내는 데 치중하는, 이탈리아에서 일어난 발성법(發聲法). 가극(歌劇) 같은 데 흔히 쓰임.

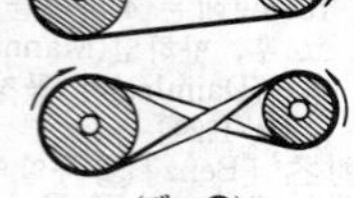

〈벨트❷〉

벨트 〔belt〕 몡 ①혁대(革帶). ②〖기〗 두 개의 기계 바퀴에 걸어 동력(動力)을 전하는 띠 모양의 물건. 피대(皮帶). 피댓줄. 조대(調帶).

벨트 기전기 【一起電機】〔belt〕 몡 〖기〗 밴 더 그래프 기전기.

벨트라인 〔beltline〕 몡 ①벨트를 매는 위치. ②권투에서, 트렁크스(trunks)의 상부(上部)의 선. 이 아래를 치면 반칙이 됨. ③환상선(環狀線).

벨트라인 스토어 〔beltline store〕 몡 체인 스토어.

벨트 바퀴 〔belt〕 몡 〖기〗 벨트 전동(傳動)을 위해 쓰이는 바퀴. 벨트가 벗겨지지 않도록 테를 하거나 벨트 밑을 달거나 함. 보통 주철(鑄鐵)로 만드는데, 목제(木製)·경합금제(輕合金製)·강판제(鋼板製)의 것도 있음. 피대(皮帶) 바퀴.

벨트-슈메르츠 〔도 Weltschmerz〕 몡 〖문〗 〔세계고(世界苦)라는 뜻〕 문화 변동기(文化變動期)에 생기는 자아(自我)와 세계와의 모순에서 오는 염세주의적 생활 감정. 괴테의 《젊은 베르테르의 슬픔》은 이 감정을 그린 작품이며, 19세기 전반(前半)의 낭만주의 시대를 특징짓는 일종의 세기병(世紀病)이라 할 수 있음.

벨트 전동 【一傳動】〔belt〕 몡 두 개의 피대(皮帶) 바퀴에 피대를 걸어서 생기는 마찰에 의하여 동력을 전달하는 일. 피대 전동.

벨트 컨베이어 〔belt conveyer〕 몡 〖공〗 컨베이어의 한 가지. 벨트를 두 바퀴 사이에 걸어서 회전시켜, 그 위에 각종 물품을 올려 놓아 연속적으로 운반시킴. 대량 생산의 일관(一貫) 작업에 이용함.

〈벨트 컨베이어〉

벨트-폴리틱 〔도 Weltpolitik〕 몡 대외 정책. 세계 정책.

벨파스트 〔Belfast〕 몡 〖지〗 영국 북아일랜드의 주도(主都). 아일랜드 섬의 동북 해안에 위치한 항구 도시로, 예로부터 마직물(麻織物)·조선(造船)으로 유명함. [303,000명(1987)]

벰베르크 〔도 Bemberg〕 몡 벰베르크 인견사 및 그 제품의 상품명.

벰베르크 인견사 【一人絹絲】〔Bemberg〕 몡 코튼 린터(cotton linter)·목재 펄프·황산(黃酸)구리·암모니아·가성 소다 등을 주원료로 하여 만든 인조견사의 하나. 독일 '벰베르크 회사'에서 처음 만든 상품(商品)으로 광택이 비교적 부드럽고 가는 실로 만들 수 있으며, 비스코스

의 역관(驛館). 조선 시대에 중국으로 가는 사절(使節)이 이 곳에서 휴식하였음. 임진 왜란 때 왜군(倭軍)과 명(明)나라의 원군(援軍)이 싸웠던 곳으로 유명함.

벽제관 싸움【碧蹄館―】[명]〖역〗임진 왜란 때 벽제관에서 일어난 중국 명(明)나라의 원군(援軍)과 왜군(倭軍)과의 싸움. 이여송(李如松)이 이끈 명나라 군대와 고바야카와 다카카게(小早川隆景)가 이끈 왜군이 격전을 벌여 명군이 대패하였음.

벽제 소리【辟除―】[명]〖역〗벽제할 때에 부르는 소리. '에라 게 들어섰거라'라고 부름.

벽조【碧潮】[명] 빛이 푸른 조수(潮水).

벽-조목【霹棗木】[명] 벼락 맞은 대추나무. 요사스러운 잡귀(雜鬼)를 물리친다 하여 몸에 지님.

벽-좌우【辟左右】[명] 밀담(密談)을 하기 위하여 옆에 있는 사람을 물리침. ¶재상 김속명이 가만히 밀조를 받아 가끔가끔 ~를 하고 편전으로 드나들었다《朴鍾和 : 多情佛心》. ――-하다 [자][여불]

벽주【壁柱】[명]〖건〗중깃.

벽중-깃【壁中―】[명]〖건〗'중깃'을 벽 속에 대는 것이란 뜻으로 똑똑히 일컫는 이름.

벽중-방【壁中枋】[명]〖건〗'중방'을 벽 가운데에 대는 것이란 뜻으로 똑똑히 일컫는 이름.

벽중-서【壁中書】[명]〖책〗벽경(壁經).

벽지¹【僻地】[명] 도시에서 멀리 떨어져 으슥하고 한적한 곳. 궁벽한 땅. 두메. 벽경(僻境). 변지(邊地). 한토(寒土). 편국(偏國). ¶산간 ~.

벽지²【壁紙】[명] 벽에 바르는 종이. ¶갈포 ~.

벽지³【擘指】[명] 엄지손가락.

벽-지다【僻―】[형] ①☞궁벽하다. ②☞외지다.

벽지 학교【僻地學校】[명]〖교〗문화·문명의 혜택을 받지 못하는 궁벽한 지역(地域)의 학교. 아동의 학습 환경·생활 환경·학교 운영에 관한 문제를 다루는 데 쓰이는 말임.

벽진 가야【碧珍伽倻】[명]〖역〗성산 가야(星山伽倻).

벽창-우【碧昌牛】[명] ①평안 북도의 벽동(碧潼)·창성(昌城)에서 나는 크고 억센 소. ②→벽창호.

벽창-호¹【碧昌―】[명]〔←벽창우(碧昌牛)〕고집이 세고 무뚝뚝한 사람의 비유.

벽-창호²【壁窓戶】[명]〖건〗장식으로 창문 모양만 꾸미고 벽을 친 것.

벽창호-같다【碧昌―】[형] 고집이 세고 무뚝뚝하다.

벽창호-같이【碧昌―】[―가치] [부] 고집이 세고 무뚝뚝하게.

벽채 [명]〖광〗광산(鑛山)에서 광석을 긁어 모으거나 파내는 데 쓰는 연장. 호미와 비슷하나 훨씬 큼.

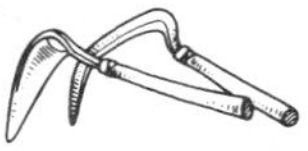
〈벽채〉

벽채-질 [명]〖광〗벽채로 버력을 쳐내거나 광석을 파서 긁어 모으는 일. ――-하다 [자][여불]

벽처【僻處】[명] 문명의 혜택을 받지 못하는 궁벽한 곳. 벽향(僻鄕). 벽촌(僻村).

벽천¹【碧天】[명] 벽공(碧空).

벽천²【壁泉】[명] 분수(噴水)의 일종. 건축물의 측벽면(側壁面)에 붙인 조각물(彫刻物)의 입에서 물을 뿜어 내도록 만든 분수.

벽청【碧靑】[명] 구리에 녹이 나서 생기는 푸른 색.

벽체¹【壁體】[명]〖공〗측면(側面)이 넓고 두께가 얇은 공작물(工作物)의 구조 부분(構造部分).

벽체²【鷿鷉】[명]〖조〗되강오리.

벽촌【僻村】[명] 도시에서 떨어져 으슥한 마을. 궁벽한 곳에 있는 마을. 벽처. 벽향.

벽-치다【壁―】[자]〖건〗욋가지를 얽고 그 위에 진흙을 이기어 발라서 벽을 만들다.

벽탑【甓塔】[명]〖건〗전탑(塼塔).

벽태【碧苔】[명] 푸른 이끼. 벽선(碧蘚). 청태(靑苔).

벽토¹【壁土】[명] 바람벽에 바른 흙.

벽토²【闢土】[명] 땅을 갈아 쓸모 있게 만드는 일.

벽-토지【闢土地】[명] ↗벽토 척지(闢土拓地).

벽토 척지【闢土拓地】[명] 버려 두었던 땅을 갈아 개척함. [준]벽토지(闢土地). ――-하다 [자][여불]

벽파¹【碧波】[명] 푸른 파도. 벽란(碧瀾). 벽랑(碧浪). 녹파(綠波).

벽파²【劈破】[명] ①찢어 발김. ②쪼개서 깨뜨림. ――-하다 [타][여불]

벽파³【僻派】[명]〖역〗조선 시대 후기에 일어난 당파의 하나. 장헌 세자(莊獻世子), 일명 사도 세자(思悼世子)를 무고(誣告)한 노론(老論) 계열이 이에 속하며, 장헌 세자를 두둔한 시파(時派)와 대립함. 시파와 벽파의 대립으로 사색 당쟁(四色黨爭)은 더욱 악화됨. *벽론(僻論).

벽파 문벌【劈破門閥】[명] 사람을 골라서 벼슬을 시키는데, 문벌(門閥)에 거리끼지 아니함. ――-하다 [타][여불]

벽파-진【碧波津】[명]〖역〗전라 남도 진도군(珍島郡) 고군면(古郡面) 지역에 있었던 나루터. 진도(珍島)로 들어가는 관문의 역할을 하였음.

벽판【壁板】[명]〔wallboard〕천장이나 벽을 바르는 데 쓰는, 여러 가지 재료(材料)로 만든 패널. 석면(石綿) 시멘트판·합판(合板)·석고판·플라스틱 합판 따위.

벽-하다【僻―】[형][여불] ①한편으로 치우쳐서 궁벽하다. ②흔하지 아니하고 괴벽하다.

벽하 원군【碧霞元君】[명] 중국 북부 일대의 민중이 신앙하는 여신. 전설에 의하면 동악 대제(東岳大帝)의 딸로 황제(黃帝) 때 처음 나타나고 한(漢) 명제(明帝) 때 다시 나타났다고 함. 산악(山岳)의 신으로 그 묘(廟)가 중국 북부의 각지에 많음.

벽항【僻巷】[명] 외따로 있는 궁벽한 동네.

벽항 궁촌【僻巷窮村】[명] 궁벽한 곳에 있는 가난한 마을.

벽해【碧海】[명] 깊고 푸른 바다.

벽해 상전【碧海桑田】[명] 상전 벽해(桑田碧海).

벽향【僻鄕】[명] 외따로 떨어져 있는 궁벽한 시골. 벽처. 벽촌(僻村).

벽향-주【碧香酒】[명] ①썩 맑고 향기가 있는 좋은 술. ②멥쌀로 덧술하여 빚는 술. 평안도의 명주로 조선 시대에 이름이 나 있었음.

벽허【碧虛】[명] 푸른 하늘. 벽천(碧天).

벽혈【碧血】[명] 푸른빛을 띤 진한 피.

벽호¹【壁虎】[명]〖동〗수궁(守宮).

벽호²【癖好】[명] 버릇이 되다시피 즐겨 좋아함. ――-하다 [타][여불]

벽화【壁畫】[명] ①장식으로 벽에 그린 그림. ②벽에 걸어 붙인 그림.

벽화 고:분【壁畫古墳】[명]〖고고학〗벽화 무덤.

벽화 무덤【壁畫―】[명]〖고고학〗벽면과 천장에 그림이 그려져 있는 무덤. 벽화 고분.

벽-효과【壁效果】[명]〔wall effect〕벽(壁)에서 방출되는 전자(電子)가 전리실(電離室) 안의 전리(電離)에 기여(寄與)하는 효과.

변¹ [명] 다른 사람이 모르게 저희끼리만 쓰는 암호(暗號)의 말. '불'을 '병정', '소금'을 '곰소', '아편'을 '검은 약'이라 하는 따위. ¶장사치 ~/판수~.

변:²【卞】[명] 성(姓)의 하나. 현재 우리 나라에는 초계(草溪)·밀양(密陽) 등 두 개의 본관이 있음.

변³【便】[명] 대소변(大小便). 특히, 대변(大便). ¶~을 보다.

변⁴【甂】[명] 조그마하고 아가리가 큰 항아리.

변⁵【邊】[명] 한문 글자의 왼쪽에 붙는 부수(部首). ¶사람인 ~/재방~. *부수(部首).

변⁶【邊】[명] ①물건의 가장자리. ②〖수〗다각형의 변두리의 선분(線分). ③〖수〗등식(等式)이나 부등식에서 부호의 양편에 있는 식(式) 또는 수(數). 왼편의 것을 좌변(左邊), 오른편의 것을 우변(右邊)이라 함. ④바둑판의 중앙과 네 귀를 빼놓고 남은 변두리 부분. ⑤과녁의 복판이 아닌 부분. ↔관¹.

변⁷【邊】[명]〖경〗↗변리(邊利). ¶연 3할 ~.

변⁸【邊】[명] 성(姓)의 하나. 현재 우리 나라에는 황주(黃州)·원주(原州) 등 세 개의 본관이 있음.

변⁹【辯·辨】[명]〖문〗한문학에서, 문체의 일종. '분별을 한다'는 뜻으로, 옳고 그름 또는 참되고 거짓됨을 가리는 목적으로 씌어진 글에 붙임.

변:¹⁰【變】[명] ①갑자기 생긴 이상한 일. ②때 없이 생기는 재앙. ¶~을 당하다. ③난리. 야단. ¶~이 나다.

변¹¹【籩】[명] 과실을 담는 제기(祭器)의 한 가지. 굽이 높고 두께가 있는 대오리를 결어서 만든 물건.

〈변¹¹〉

-변【邊】[미] 한자어로 된 일부 명사 뒤에 붙어, 그것의 '가장자리'임을 뜻함. ¶한강~/도로~.

변강【邊疆】[명] 변경(邊境).

변강쇠-전【―傳】[명]〖문〗판소리 계통의 소설의 하나. 전라도 잡놈인 변강쇠와 평안도 음녀(淫女)인 옹녀가 만나 지리산에 살던 중, 변강쇠가 장승을 패어 불땐 동티로 죽으매, 옹녀는 이 시체를 치우기 위해 행인(行人)을 끌어들이나, 그 때마다 시체에 달라붙어 죽으니, 고사를 드리고 송장을 끌어냈다는 이야기. 가루지기타령. 횡부가(橫負歌).

변강쇠-타:령【―打令】[명]〖악〗판소리 여섯 또는 열두 마당의 하나. 창본(唱本)이 신재효(申在孝)작 사설 이외는 현재 전하는 것이 없음.

변:개【變改】[명] ①변경(變更). ②변역(變易). ――-하다 [타][여불]

변:격【變格】[―껵] [명] ①일정한 격식(格式)에서 벗어난 격식. ↔정격(正格)❶. ②〖언〗변칙(變則).

변:격 동:사【變格動詞】[―껵―] [명]〖언〗불규칙 동사.

변격-법【變格法】[―껵―] [명]〖논〗환원법(還元法).

변:격 선법【變格旋法】[―껵―뻡] [명]〖악〗교회(敎會) 선법의 하나. 마침음에서 마침음까지의 1 옥타브(octave)를 음역(音域)으로 하는 정격(正格) 선법에 대하여, 마침음의 아래 4 도에서 위 5도까지를 음역으로 하는 선법.

변:격 종지【變格終止】[―껵―] [명]〔plagal cadence〕〖악〗'벗어난마침'의 한자 이름.

변:격 형용사【變格形容詞】[―껵―] [명]〖언〗불규칙 형용사.

변:격 활용【變格活用】[―껵―] [명]〖언〗불규칙 활용. ↔정격(正格) 활용.

변견【邊見】[명]〖불교〗오견(五見)의 하나. 사후 단멸(死後斷滅)한다는 단견(斷見)과, 영구 상주(永久常住)한다는 상견(常見)의 어느 하나에 집착하여 중도(中道)를 보지 못하는 견해.

변경¹【汴京】[명]〖지〗중국의 구도(舊都). 현재의 허난 성 카이펑(開封).

변경²【邊境】[명] 나라의 경계가 되는 변두리의 땅. 변강(邊疆). 변계(邊界). 변국(邊國). 변방(邊方). 변새(邊塞). 변수(邊陲). 변우(邊隅). 변지(邊地). 새방(塞方).

변경³【邊警】[명] 국경에서 일어나는 사변(事變)의 경계(警戒). 국경의 경비(警備) 또는 경보(警報).

변:경⁴【變更】[명] 바꾸어서 고침. 변개(變改). 개변(改變). ¶명의(名義) ~. ――-하다 [타][여불]

변경-백【邊境伯】[명]〔도 Markgraf〕〖역〗프랑크 왕국·신성 로마 제국이 국경 방비를 위해 군사 식민(軍事植民)으로 설치한 변경구(邊境區)의 으뜸 벼슬. 구내(區內)의 군사·행정·사법상의 최고 권력을 장악하고 직위가 세습화(世襲化)함에 따라 강대한 영방(領邦) 군주로 성장함.

변:경 유전자【變更遺傳子】[―뉴―] [명]〔modifier〕〖생〗어떤 유전자의 작용의 발현(發現)에 변화를 주는 딴 유전자.

변:경-주의【變更主義】[―/―이] [명]〖법〗일단 제기한 공소의 취소를 인정하는 주의.

변:경 판결【變更判決】[명]〖법〗판결을 한 법원이 스스로 판결의 실질적 내용을 변경하는 일. 미국의 법제도로 우리 나라에서는 인정하지 아니함.

변계¹【邊戒】[명] 변경(邊境)의 경계(警戒).

변계²【邊界】[명] 변경(邊境).

변:-계(:)량【卞季良】[명]〖사람〗조선 초기의 학자. 자는 거경(巨卿), 호는 춘정(春亭). 밀양(密陽) 사람. 고려 우왕(禑王) 때부터 벼슬을 하

여 조선 태종(太宗) 9년(1409)에는 예문관 제학(藝文館提學)이 되었음. ≪국조 보감(國朝寶鑑)≫을 편찬하였으며 세종의 사업을 많이 도왔음. 저서에 문집 ≪춘정집(春亭集)≫ 12 권 5 책이 있음. 시호는 문숙(文肅). [1369-1430]

변:고[1] 【辨告】 명 이해시켜 알림. 사리를 따져 타이름. ——-하다 타여불

변:고[2] 【變故】 명 재변(災變)과 사고. 이상한 사고. ¶ ~ 없이 지내다.

변:-곡점 【變曲點】 명 〔수〕 곡선이 위쪽으로 요(凹)에서 철(凸)로 또는 아래쪽으로 철에서 요로 바뀌는 점.

〈변곡점〉

변공 【邊功】 명 변경(邊境)의 수비(守備)나 싸움에서 세운 공적(功績).

변관 【邊關】 명 국경(國境)의 관문(關門).

변:-관식 【卞寬植】 명 〔사람〕 동양화가. 호(號)는 소정(小亭). 황해도 출생. 외조부인 소림(小琳) 조석진(趙錫晋)에게서 서화를 배워, 전통적 남화 산수에서 출발, 독특한 적묵법(積墨法)을 구사하여, 치졸미(稚拙美)로써 소탈한 향토성을 표현함. [1910-76]

변:광-성 【變光星】 명 〔천〕 밝기가 시간에 따라 변화하는 별. 변광에는 주기적(週期的)인 것과 비주기적인 것이 있는데, 전자는 맥동(脈動) 변광성이라 하며 주기의 장단에 따라 장주기(長週期) 변광성과 단주기(短週期) 변광성으로 구분되며, 후자는 일식(日蝕)이나 월식 현상에서 오는 식(蝕)변광성·폭발(爆發)변광성인 신성(新星)·초신성(超新星) 등으로 구분됨. 모든 별의 95%가 이에 해당하며 미라성(Mira星)은 대표적인 장주기 변광성임. *맥동 변광성.

변:광 성운 【變光星雲】 명 〔variable nebula〕 〔천〕 그 모양과 광도(光度)가 변동하는 성운. 외뿔소자리에 한 예(例)가 있음.

변:광성 주기 【變光星週期】 명 〔천〕 변광성에서, 그 변광이 1 순환하는 데 드는 시간의 평균값.

변:광 회전 【變光回轉】 명 〔mutarotation〕 〔물〕 편광(偏光)이 광학 활성(光學活性) 물질을 통과할 때 조건에 따라 그 편광면을 회전시켜 그 광회전도(光回轉度)를 변경하는 일. 변선광(變旋光).

변:괴 【變怪】 명 ①이상야릇한 재변. ②도리를 벗어난 악한 짓.

변:교 【辨校】 명 분별하고 생각함. ——-하다 타여불

변구[1] 【甂甌】 명 아가리가 작은 항아리.

변구[2] 【邊寇】 명 변경(邊境)에 침입하는 외적(外敵).

변:구[3] 【辯口】 명 변설(辯舌).

변국[1] 【邊國】 명 변경(邊境).

변:국[2] 【變局】 명 평상(平常)과 다른 국면(局面). 변사(變事)의 국면.

변군 【邊軍】 명 국경을 지키는 군대.

변:궁 【變宮】 명 중국의 칠성(七聲)의 하나. 궁(宮)보다 반음 낮은 음.

변:급 【卞急】 명 조급(躁急). ——-하다 형여불

변기 【便器】 명 똥·오줌을 받아 내는 그릇.

변:-기종 【卞基鍾】 명 〔사람〕 연극 배우. 본명은 창규(昌圭). 서울 출생. 1912년 극단 유일단(唯一團)을 창립한 이래, 청춘좌(靑春座)·자유 극장·민극(民劇)·극예술 협회(劇藝術協會) 등에서 연극 생활을 계속함. [1895-1977]

변:-기호 【變記號】 명 〔악〕 '내림표'의 한자 이름.

변:난 【辯難】 명 트집을 잡아서 비난함. 여러 가지로 비난하여 말함. ——-하다 타여불

변:난 공:격 【辯難攻擊】 명 여러 가지를 들추어 내어 비난하며 공격함. ——-하다 타여불

변-놀이 【邊—】 명 돈놀이. ——-하다 자여불

변:덕 【變德】 명 이랬다 저랬다 잘 변하는 성질. ¶ ~쟁이. >밴덕·뱐덕.

변:덕(을) 부리다 구 변덕스러운 것이나 말을 하다. >밴덕부리다·뱐덕부리다.

변:덕이 죽 끓듯 하다 구 몹시 변덕을 부리다.

변:덕-꾸러기 【變德—】 명 변덕을 잘 부리는 사람. >밴덕꾸러기·뱐덕꾸러기.

변:덕-맞다 【變德—】 형 밉살맞게 변덕스럽다. >밴덕맞다·뱐덕맞다.

변:덕-스럽다 【變德—】 형 ㅂ불 변덕부리는 태도나 성질이 있다. ¶ 변덕스러운 날씨. >밴덕스럽다·뱐덕스럽다. **변:덕-스레** 【變德—】 부

변:덕-쟁이 【變德—】 명 변덕스러운 사람. >밴덕쟁이·뱐덕쟁이.

변독 【便毒】 명 〔한의〕 음식창(陰蝕瘡).

변-돈 【邊—】 [—똔] 명 변리를 무는 돈. 변문(邊文). 변전(邊錢).

변-돈냥 【邊—兩】 [—똔—] 명 냥으로 셀 만큼 얼마 안 되는 변돈. 변전냥(邊錢兩).

변:동 【變動】 명 변하여 움직임. 움직임. ¶ 물가의 ~. ——-하다 자타여불

변:동-대 【變動帶】 명 〔mobile belt〕 〔지〕 지구상의 변동이 집중적으로 일어나는 지대. 지진이나 화산 활동이 현저히 활발한 지대. 해저에 이어진 중앙 해령계(海嶺系), 호상(弧狀) 열도로 특징지어진 도호(島弧)·해구계(海溝系), 알프스·히말라야로 대표되는 대(大)산맥계(系)가 있음.

변:동-비 【變動費】 명 〔경〕 조업도(操業度), 곧 생산량의 증감(增減)에 따라 그 발생액이 증감하는 원가(原價). 직접 재료비(材料費)·직접 노무비(勞務費) 같은 것이 이에 속함. 가변비(可變費). ↔고정비(固定費).

변:동-성 【變動性】 [—썽] 명 변동하는 성질.

변:동 소:득 【變動所得】 명 〔경〕 어업자(漁業者)의 어업 소득이나 저작자의 인세(印稅) 소득처럼 매년 일정하지 아니하고 특수한 때에 따라 변동하는 소득. 불규칙 소득.

변:동 예:산 【變動豫算】 [—네—] 명 〔variable budget〕 〔경〕 실제 조업도(操業度)의 변화에 따라 탄력적(彈力的)으로 조정되도록 작성되는 예산. 탄력성 예산.

변:동 원가 【變動原價】 [—까] 명 〔경〕 직접 원가.

변:동 원가 계:산 【變動原價計算】 [—까—] 명 직접 원가 계산.

변동 일실 【便同一室】 [—씰] 명 사이가 아주 가까워 한 가족 같음.

변:동 자본 【變動資本】 명 〔경〕 유동(流動) 자산에서 고정적(固定的)인 재고(在庫)를 공제한 것. 원칙적으로 수익(收益)·매상고의 증감(增減)에 의하여 변동함. ↔고정 자본.

변:동 파일 【變動—】 명 〔transaction file〕 〔컴퓨터〕 자료를 처리할 때 상대적으로 잘 변하는 자료를 저장하는 파일.

변:동 환:율제 【變動換率制】 [—쩨] 명 〔floating-rate system〕 〔경〕 시세의 변동이 지나치게 심할 경우에 고정 환율제를 일시 정지하여 외환 시장의 실세(實勢)에 따르는 환율 제도. ↔고정 환율제.

변두[1] 명 〈방〉 〔식〕 맨드라미(평안).

변두[2] 【藊豆】 명 〔식〕 [*Leus esculenta*] 콩과에 속하는 만초(蔓草). 잎은 삼출 복엽(複葉)으로 칡잎과 비슷하며, 여름에 화병(花柄)이 나와 나비 모양의 백색 또는 담자색 꽃이 총상(總狀) 화서로 액출(腋出)하여 꽃줄기 위에 핌. 과실은 협과(莢果)로, 씨는 보통 콩과 같으나 눈에 흰 줄이 있음. 흰 꽃의 씨는 백변두(白藊豆), 담자색의 꽃을 흑변두(黑藊豆)라고 함. 씨와 어린 꼬투리까지 식용함. 잎은 약재로도 씀.

변두[3] 【邊頭】 명 〔의〕 ↗변두통(邊頭痛).

변-두[4] 【籩豆】 명 제사 때에 쓰는 변(籩)과 두(豆).

변두-놓다 【邊頭—】 [—노타] 자 변두통을 고치기 위하여 침을 놓다.

변-두리 【邊—】 명 ①어떤 지역(地域)의 가장자리가 되는, 번화하지 아니한 궁벽한 곳. ¶ 도시의 ~. ②어떤 물건의 가장자리. 가. ¶ 쟁반의 ~.

변두리 기둥 【邊—】 명 〔건〕 건물의 변두리에 세운 기둥.

변두-맞다 【邊頭—】 자 변두통(邊頭痛)을 고치기 위하여 침을 맞다.

변두-엽 【藊豆葉】 명 변두의 잎. 약재로 씀.

변두-죽 【藊豆粥】 명 백변두(白藊豆) 반 근과 인삼(人蔘) 두 근을 가루로 만들어 끓여 낸 물에 쌀을 넣어 쑨 죽.

변두-통 【邊頭痛】 명 〈속〉 〔의〕 편두통(偏頭痛). 준변두(邊頭).

변두-풍 【邊頭風】 명 〔한의〕 편두통.

변두-화 【藊豆花】 명 변두의 꽃. 약재로 씀.

변:란 【變亂】 [별—] 명 사변(事變)이 일어나 세상이 어지러움. 또, 그 소란(騷亂).

변:량 【變量】 [별—] 명 〔수〕 ①변화하는 양(量). ②통계 자료(統計資料)를 정리함에 있어서 수량으로 분류(分類)해 놓은 통계 단위(統計單位).

변:량 분석법 【變量分析法】 [별—] 명 〔심〕 분산(分散) 분석법과 상관 분석법(相關分析法)을 일괄하여 일컫는 말. 이 방법은 실험 조건으로 생각되는 요인(要因)의 불편 분산(不偏分散)과 요인의 교호 작용항(交互作用項) 내지는 오차항(誤差項)을 계산하고 뒷것의 양을 기준으로 하여서 한 요인에 따라 이루어진 귀무 가설(歸無假說)을 검정(檢定)하는 것인데, 이 결과에서 실험 조건의 상위(相違)에 의한 결과의 차이를 검토할 수 있음.

변:려-문 【騈儷文】 [별—] 명 〔문〕 한문체의 하나. 수사(修辭)하는 데 대구(對句)를 많이 써서 읽는 이에게 미감(美感)을 주게 하는 것인데, 네 글자와 여섯 글자의 대구로 되어 있으며 중국의 육조(六朝) 때에 성행하였음. 준변문(騈文). →병려문(騈儷文).

변:론 【辯論】 [별—] 명 ①사리를 밝혀 옳고 그름을 말함. 논변(論辯). ②〔법〕 소송 당사자(訴訟當事者)가 법정에서 하는 진술. 넓은 의미로는 검사(檢事)의 논고(論告)와 피고인(被告人)·변호인의 진술을 말하나 일반적으로는 피고인과 변호인의 진술(陳述)을 말함. ③웅변. ¶ ~반. ——-하다 타여불

변:론-가 【辯論家】 [별—] 명 변론을 하는 사람. 또, 변론에 능한 사람.

변:론 능력 【辯論能力】 [별—녁] 명 〔법〕 법정에서 변론 또는 소송 행위를 할 수 있는 능력. 민사 소송법에서는, 소송 능력이 있는 자는 원칙적으로 이 능력을 가지나 경우에 따라서는 소송 절차의 확실·신속을 기하기 위하여 제한되며, 형사 소송법에서는, 피고인(被告人)도 일심(一審)에서는 변론 능력을 가지나 이심과 삼심에서는 변론할 수 없고 변호인만이 할 수 있음.

변:론 대:회 【辯論大會】 [별—] 명 웅변 대회(雄辯大會).

변:론-인 【辯論人】 [별—] 명 〔법〕 공판정에서 변론하는 변호인.

변:론 자유 【辯論自由】 [별—] 명 언론 자유.

변:론-주의 【辯論主義】 [별—/별—이] 명 ①민사 소송법상, 소송의 해결 또는 심리(審理) 자료의 수집을 당사자의 권능과 책임으로 하는 주의. ②형사 소송법상, 당사자 쌍방의 변론에 의하여 재판하는 주의.

변루 【邊壘】 [별—] 명 국경(國境)의 요새(要塞).

변:류-기 【變流器】 [별—] 명 〔converter〕 〔전〕 직류를 교류(交流)로 또는 교류를 직류로 바꾸는 장치. 전동기와 발전기를 혼용한 것임.

변:리[1] 【辨理】 [별—] 명 일을 맡아서 처리함. ——-하다 타여불

변리[2] 【邊吏】 [별—] 명 〔역〕 옛날에 국경 수비를 맡아보던 하급 관리.

변리[3] 【邊利】 [별—] 명 〔경〕 변돈에서 느는 이자. 길미. 준변(邊)·이(利).

변:리 공사 【辨理公使】 [별—] 명 〔minister resident〕 외교 사절(使節)의 제3 계급. 곧, 특명 전권 공사(全權公使)의 다음이며, 대리 공사(代理公使)의 위임. 우리 나라 직제(職制)에서는 인정하고 있지 아니함.

변:리-사 【辨理士】 [별—] 명 〔법〕 특허·디자인·실용 신안(實用新案) 또는 상표(商標)에 관한 신청(申請)·소송(訴訟) 등 특허청(特許廳) 또는 법원에 대하여 하여야 할 사항을 대리(代理)하거나 감정하는 것을 업으로 하는 사람. 일정한 자격을 가진 자(者)로서 변리사 명부에 등록을 하여야 함.

변:리사-법 【辨理士法】 [별—뻡] 명 변리사의 직무·권한·자격·의무·변리사회(會)의 조직 및 제재(制裁)에 관하여 규정한 법률.

변-말 명 변으로 쓰는 말. *은어(隱語).

변:매 【變賣】 명 〔역〕 환곡(還穀)을 돈으로 바꾸기 위하여 팖. ——-하다 타여불

변:멸 【變滅】 명 변하거나 없어지거나 함. ——-하다 자여불

변:명[1] 【辨明】 명 ①사리(事理)를 분별하여 똑똑히 밝힘. 변백(辨白). ②

잘못이 아님을 사리로 따져 밝힘. ¶ ~의 여지가 없다. ——-하다 ㉹여불

변:명² 【變名】 명 이름을 바꾸어 고침. 또, 그 이름. ——-하다 ㉶여불

변:명 무로 【辨明無路】 명 변명할 길이 없음. ——-하다 형여불

변모¹ 【弁髦】 명 〖역〗 [변(弁)은 치포관(緇布冠)으로서 관례(冠禮)를 행하기 전에 잠시 쓰는 갓, 모(髦)는 총각의 더펄머리로, 관례가 끝나면 모두 소용 없게 됨] '무용지물(無用之物)'의 비유.

변:모² 【變貌】 명 모습이나 모양이 변함. 또, 그 모습·모양. 변용(變容). ——-하다 ㉶여불

변:모-없다 [—업—] 형 ①남의 체모는 돌보지 아니하고 거리낌 없이 말이나 행동을 하다. ②변통성이 없고 고지식하다.

변:모-없이 [—업씨] 부 변모없게. ¶ ~ 그런 말을 하면 어찌 하느냐.

변:-모음 【變母音】 명 〖언〗 움라우트.

변:무¹ 【抃舞】 명 기뻐서 덩실덩실 춤을 춤. 또, 그 춤. 변용(抃踊). ——-하다 ㉶여불

변:무² 【辨誣】 명 억울함에 대하여 변명함. ——-하다 ㉹여불

변:무-사 【辨誣使】 명 〖역〗 조선 시대에, 중국에서 조선에 대하여 곡해(曲解)한 일이 있을 때, 이를 밝히기 위해서 임시로 중국에 보내던 사절(使節).

변:-무애지 【辯無礙智】 명 〖불교〗 사무애지(四無礙智)의 하나. 중생의 근기(根基)에 맞추어 자유 자재하게 법을 말하여 중생에게 듣기 좋게 하는 여래(如來)의 지혜 변재(智慧辯才).

변:문¹ 【駢文】 명 〖문〗 ↗변려문(騈儷文).

변문² 【邊文】 명 변돈.

변문³ 【邊門】 명 〖역〗 조선 시대에 평안 북도 의주(義州) 성 밖 만주와의 국경 지대에 있던 관문.

변:문⁴ 【變文】 명 〖불교〗 중국 당대(唐代) 중기 이후부터 일어난 속강(俗講)의 자료(資料). 변상도(變相圖)를 보이면서 설법(說法)하였는데, 보통 산문(散文)과 운문(韻文)이 번갈아 섞인 문체임.

변:물 【變物】 명 보통과 다른 물건. 이물(異物).

변:미 【變味】 명 음식 맛이 변함. 또, 변(變)한 음식 맛. ——-하다 ㉶여불

변:미-류 【變尾類】 명 〖동〗 [Anomura] 절지 동물 십각류(十脚類)에 속하는 한 아목(亞目). 새우와 비슷한 게로서 다섯 쌍의 보각(步脚)이 생태상(生態上) 변화를 일으켜 다리는 아주 작게, 불안전하게 발달되거나 퇴화(退化)된 것도 있음. 복부(腹部)는 갑화(甲化) 불충분으로 인해서 부드럽고 통통하여 항상 나사 모양으로 된 조개 껍질 속에 들어가서 그 껍질을 짊어지고 옮겨 다님. 좌우 상칭(左右相稱)이 아니고 집게도 좌우(左右)가 같지 아니함. *장미류(長尾類)·단미류(短尾類).

변민 【邊民】 명 변경(邊境)에서 사는 백성.

변:박 【辨駁·辯駁】 명 시비를 가려서 논박함. ——-하다 ㉹여불

변:발 【辮髮】 명 남자의 머리의 주위(周圍)를 깎고 중앙의 머리만을 따서 뒤로 길게 늘인 것. 만주(滿洲) 사람의 풍습(風習)으로서, 청(清)나라 시대에는 온 백성에게 강요(強要)되었으나 청이 망한 뒤에는 산발(散髮)을 하게 되었음. 판발(辮髮). 편발(編髮).

〈변발〉

변방¹ 【邊方】 명 ①가장자리가 되는 쪽. ②변경(邊境).

변방² 【邊防】 명 변경(邊境)의 방비(防備).

변방³ 【邊旁】 명 편방(偏旁).

변:백 【辨白】 명 변명(辨明)❶. ——-하다 ㉹여불

변:법¹ 【辨法·辦法】 [—뻡] 명 취급(取扱)하는 방법. 대처(對處)하는 방법.

변:법² 【變法】 [—뻡] 명 ①법률을 고침. 또, 그 법률. ②변칙적인 방식·방법. ——-하다 ㉶여불

변:법 상:주 【變法上奏】 [—뻡—] 명 법을 고칠 것을 상주(上奏)함. ——-하다 ㉶여불

변:법 자강 【變法自彊】 [—뻡—] 명 〖역〗 법을 고쳐 스스로 강하게 한다는 뜻으로, 청조(清朝) 말기에 혁신(革新)의 필요를 절실히 느낀 식자(識者)들이 창도(唱導)한 슬로건. 캉 유웨이(康有爲) 등이 광서(光緒) 24년(1897)에 국난 타개(國難打開)를 목표로 혁신 의견을 헌책(獻策), 급격한 개혁을 꾀하였으나 수구파(守舊派)의 반대로 실패하였음.

변변-하다 형여불 ①됨됨이나 생김새가 좋다. ¶ 변변하게 생기다. ②지체나 살림살이가 남보다 떨어지지 아니하다. ¶ 변변한 집안. ③훌륭하거나 또는 넉넉하다. ¶ 변변한 대접도 못 해 드리고. ④사물의 겉이나 내용이 구비되어 흠이 없다. ¶ 변변하지 못한 물건이나마. 1)-4): >뱐반하다. 변변-히 부

변:별 【辨別】 명 ①시비(是非)·선악(善惡)을 분별(分別)함. 식별(識別). ②분변(分辨). ——-하다 ㉹여불

변:별-력 【辨別力】 명 사물의 시비·선악을 분별할 만한 힘.

변:별-역 【辨別閾】 [—력] 명 〖심〗 같은 종류의 두 감각(感覺)의 차이를 변별하는 데 요하는 자극(刺戟)의 최소량(最小量). 가령 100g되는 중량을 차차 무겁게 하여 105g으로 하였을 때에 비로소 무거워졌다는 느낌이 나면 그 차(差)인 5g이 이 경우에 있어서의 변별역임. 상변별역(上辨別閾)과 하변별역(下辨別閾)으로 구분됨. 식별역(識別閾). 차이역(差異閾).

변:별 학습 【辨別學習】 명 〖심〗 학습 형식의 하나. 천생적(天生的)으로 또는 선행 경험(先行經驗)의 이용에 의하여 자극(刺戟) 상황(狀況)의 변별을 중심으로 하는 학습. *운동 학습(運動學習).

변보¹ 【邊報】 명 변경(邊境)에서 들어오는 경보(警報).

변:보² 【變報】 명 어떠한 변(變)을 알리는 보고.

변:복 【變服】 명 남의 눈을 속이려고 옷을 달리 차려서 바꿔 입음. 또, 그 옷. 개복(改服). ¶ 여자로 ~하다. ——-하다 ㉶여불

변:복조 장치 【變復調裝置】 명 〖컴퓨터〗 컴퓨터의 신호와 전화 회선(回線)의 신호를 서로 변환(變換)하는 장치. 모뎀(MODEM).

변:분-법 【變分法】 [—뻡] 명 [calculus of variations] 〖수〗 범함수(汎函數)에 극(極)값을 주는 함수(函數)를 구하는 일반적 방법. 미적분법(微積分法)의 발견과 거의 같은 연대에 발견됨.

변:분-학 【變分學】 명 〖수〗 범함수(汎函數)의 극(極)값 문제를 연구하는 수학의 한 분과(分科).

변:-불신기 【便不神奇】 명 별로 신기할 것이 없음.

변:비¹ 【便祕】 명 〖의〗 ↗변비증(便祕症). ¶ ~로 고생하다. 준비결(祕結).

변비² 【邊備】 명 국경(國境)의 경비(警備). 변경(邊境)의 수비(守備).

변비³ 【邊鄙】 명 ①궁벽한 시골. ②변방(邊方)의 땅.

변:비-증 【便祕症】 [—쯩] 명 〖의〗 똥이 잘 누어지지 아니하는 병. 습성이나 장(腸)의 연동(蠕動) 운동의 감약(減弱)에 의해 일어남. 준변비.

변:사¹ 【辨似】 명 유사한 것을 구별함. 특히 자서(字書)에서, 비슷하여 혼동하기 쉬운 글자를 모아 그 이동(異同)을 밝힘. ——-하다 ㉹여불

변:사² 【辯士】 명 ①입담이 좋아서 말을 잘 하는 사람. ②연설(演說)·강연 등을 하는 사람. 연사(演士). ③무성 영화(無聲映畫)를 상영(上映)할 때에 영화에 맞추어서 그 줄거리를 설명하던 사람.

변:사³ 【變死】 명 ①뜻밖의 재난(災難)으로 죽음. 횡사(橫死). 사고사(事故死). ¶ ~자(者). ②자해(自害)하여 죽음. 자살(自殺). ——-하다 ㉶여불

변:사⁴ 【變事】 명 보통 일이 아닌 변스러운 일. 이변(異變).

변:사⁵ 【變詐】 명 ①요변스럽게 요랬다 조랬다 함. ②요리조리 속임. ③병세(病勢)가 졸지(猝地)에 달라짐.

변:사(를) 부리다 구 ㉠요변스럽게 요랬다 조랬다 하다. ㉡요리조리 속이다. ㉢병세(病勢)가 졸지(猝地)에 달라지다.

변:사⁶ 【變辭】 명 먼저 한 말을 이리저리 고침. ——-하다 ㉶여불

변:사-극 【辯士劇】 명 〖극〗 발성 영화가 나온 뒤, 무성 영화의 변사들이 연출한, 신파극(新派劇)과 비슷한 연극. 발성법이 변사풍(風)인 것이 특징이었음.

변:사-스럽다 【變詐—】 형ㅂ불 변사한 감이 있다. **변:사-스레** 【變詐—】 부

변:사-자 【變死者】 명 ①변사한 사람. ②사인(死因)에 범죄의 의혹이 있는 사망자.

변:사-체 【變死體】 명 변사자의 시체(屍體).

변산 반:도 【邊山半島】 명 〖지〗 전라 북도 부안군(扶安郡) 서해상에 뻗어 나온 반도. 해변의 백사 청송(白沙青松)은 부근의 아름다운 구릉(丘陵)과 아울러 명승지(名勝地)로 꼽히며, 해안 일대는 여름철의 해수욕장으로 유명함.

변산 반:도 국립 공원 【邊山半島國立公園】 [—님—] 명 〖지〗 전라 북도 부안군(扶安郡)의 변산 반도와 그 해역의 국립 공원. 1988년 지정됨. 쌍선봉(雙仙峰)·옥녀봉(玉女峰)·채석강(採石江)·적벽강(赤壁江)·우금(遇金) 바위 등과 내소사(來蘇寺)·개암사(開巖寺) 대웅전(大雄殿) 등이 알려져 있음. [157 km^2(육지 148 km^2)]

변:삼투압 동:물 【變滲透壓動物】 명 〖동〗 외계의 삼투압의 변화에 따라 체액(體液)의 삼투압이 변화하는 동물. 바다에서 사는 무척추 동물 및 하등의 바닷물고기는 대개 이에 속함. ↔항삼투압(恒滲透壓) 동물.

변:상¹ 【辨償】 명 ①빚을 갚음. 변제(辨濟). 판상(辦償). ②손실을 물어 줌. 배상(賠償). ③재물을 내어 죄과를 갚음. 판상(辦償). ——-하다 ㉹여불

변:상² 【變狀】 명 보통과 다른 상태. 전과 다른 상태.

변:상³ 【變相】 명 ①형상(形相)을 바꿈. 또, 그 변한 형상. ②〖불교〗 부처의 법신(法身)이 한 모양으로 드러나지 아니하고 여러 모양으로 달리 보이는 모양. ③극락(極樂)의 장엄(莊嚴)한 모양과 지옥(地獄)의 참상(慘狀)을 그린 그림. 또, 경전(經典)의 내용을 나타낸 그림. 변상도(變相圖).

변:상⁴ 【變喪】 명 ①변사(變死)한 상사(喪事). ②자손이 부모나 조부모보다 먼저 죽는 일.

변상 가변 【邊上加邊】 명 변지변(邊之邊).

변:상-도 【變相圖】 명 〖불교〗 변상(變相)❸.

변-상(:)벽 【卞尙璧】 명 〖사람〗 조선 숙종(肅宗) 때의 화가. 자는 완보(完甫). 호는 화재(和齋). 밀양(密陽) 사람. 초상화를 잘 그리어 '국수(國手)'라는 칭호를 받았고 고양이·닭 등의 동물화를 잘 그렸으므로 '변괴양(卞怪樣)'이라는 칭호를 받았음. 생몰 연대 미상.

변상 중:지 【邊上重地】 명 변경(邊境)의 중요한 땅.

변새 【邊塞】 명 ①변경(邊境)에 있는 요새(要塞). ②변경(邊境).

변:색¹ 【辨色】 명 사물의 흑백을 분간함. ——-하다 ㉹여불

변:색² 【變色】 명 ①빛깔이 변하여 달라짐. 빛깔을 바꿈. ②성이 나서 얼굴빛이 달라짐. ③동물이 환경의 색채에 따라 몸빛을 바꿈. 체색 변화(體色變化). ④[tarnish] 〖공〗 금속 표면에 산화물·황화물 또는 부식 생성물의 얇은 막이 생겨 빛깔이 변하는 일. ——-하다 ㉶㉹여불

변:색-병 【變色病】 명 〖식〗 세포 내용의 변화나 조직의 이상(異常)으로 말미암아 식물의 기관이나 그 일부가 이상한 색채를 띠게 되는 병. 연백화(軟白化)나 위황병(萎黃病) 따위.

변:색-족제비 【變色—】 명 〖동〗 [*Mustela pygmaea mosanensis*] 족제비과에 속하는 짐승. 몸길이 190-200 mm, 꼬리는 26-30 mm 내외이고, 몸빛은 여름에는 등의 털이 담적갈색이고 복부는 순백색이나 겨울에는 눈빛을 따라 온 몸이 순백색으로 변함. 주로 숲 속에서 살며, 과실·작은 동물·곤충 등을 잡아먹음. 한국·만주·몽골·시베리아에 분포함. 은서(銀鼠).

변:생 【變生】 명 변하여 생김. ——-하다 ㉶여불

변:석¹ 【辨釋】 명 사리(事理)를 변명하여 해석함. ——-하다 ㉹여불

변:석² 【辯析】 명 시비(是非)를 따지어 가림. ——-하다 ㉹여불

변선 【邊線】 명 가장자리 금.

변:-선광 【變旋光】 명 〖물〗 변광 회전(變光回轉).

변:설¹【辯舌】명 재치 있는 말솜씨. 변구(辯口). 언설(言舌). 구협(口頰). ¶ ~이 유창하다.

변:설²【辯說】명 사리(事理)를 분별하여 설명함. ——하다 타여불

변:설³【變說】명 ①종래의 설(說)을 변경함. ②자기가 하던 말을 중간에 고침. ——하다 타여불

변:설-가【辯舌家】명 말을 썩 잘하는 사람. 말솜씨가 좋은 사람.

변성¹【邊城】명 변경(邊境)의 성(城). ¶만리 ~에 일장검 짚고 서서… 석양을 바라보다.

변:성²【變成】명 ①모양이 다르게 변하여 이루어짐. ②〖불교〗 부처의 공덕(功德)으로 여자가 남자로, 남자가 여자로 바뀌어 태어나는 일. 변생(變生). *변성 남자. ——하다 자여불

변:성³【變性】명 ①성질을 달리 고침. 성질이 바뀜. 또, 그 성질. ②보통과 다른 성질. ③〔denaturation〕〖화〗 열·압력·자외선·X선·음파·동결(凍結) 등의 물리적 원인이나 산·염기·알코올·중금속염(重金屬塩)·요소(尿素) 등의 첨가에 의한 화학적 원인으로 말미암아 단백질의 상태나 구조가 변화하는 일. ④〖의〗 세포나 조직 안에 생리적으로 존재하지 아니하는 물질이 나타나거나 생리적으로 존재하는 물질이 이상 부위(部位)에 출현 또는 증가하여 세포 또는 조직의 기능이 장애된 상태. 신진 대사의 이상(異常)이며 적극적 반응이 없는 수동적인 병변(病變)임. ⑤〖경〗 음식품이 될 수 있는 물질을 공업 원료로 사용하기 위하여 감세(減稅)의 목적으로 여러 가지 변성제(劑)를 첨가하는 공업상의 조작(操作). ——하다 자타여불

변:성⁴【變姓】명 성을 갊. 다른 성으로 바꿈. ——하다 자여불

변:성⁵【變聲】명 ①목소리를 달리 고침. 목소리가 변함. ②〖생〗 성장기에 있는 사람의 목소리가 어떤 시기에 낮고 굵게 변하는 일. 여자는 남자보다 이 현상이 뚜렷하지 아니함. *변성기².

변:성 격조사【變成格助詞】명〖언〗 부사격 조사(副詞格助詞)의 한 가지. 체언에 붙어 무엇이 그것으로 바뀜을 나타내는 말로, 가령 '구름이 비가 되어', '누에 고치가 명주로 된다'에서 '가'나 '로' 따위. 받침 있는 체언에는 '이'나 '으로'가 붙음.

변:성 광:상【變成鑛床】명〖광〗 암석·지층 속에 존재하였던 광상이 변성 작용의 영향을 받아 본디 광물 조성(組成)과는 다른 성질이 된 광상. 따라서 변성 광상은 변성암(變成岩) 속에 존재함. 철광상·망간 광상 및 여러 가지 비금속(卑金屬) 광상이 있음. ↔화성 광상(火成鑛床).

변:성-기¹【變成器】명〖전〗 약한 전류(電流)의 회로(回路)에 삽입(挿入)하는 변압기(變壓器).

변:성-기²【變聲期】명〔mutation〕〖생〗 사춘기(思春期)에 성대(聲帶)가 성장함에 따라 목소리가 굵고 낮게 달라지는 시기. 대개 12-15세경에 나타남. *변성(變聲).

변:성 남자【變成男子】명〖불교〗 부처의 힘으로 여자가 남자로 바뀌어 태어나는 일. 여자에게는 오장(五障)이 있어 성불(成佛)이 곤란하므로, 남자의 몸이 되어 성불함. *변성(變成).

변:성 남자원【變成男子願】명〖불교〗 미타(彌陀) 사십팔원(四十八願) 가운데의 한 가지. 여자가 불타(佛陀)의 이름을 듣고 기뻐하여 믿어서 죽은 뒤에 남자의 몸으로 태어나기를 바라는 소원.

변:성-대【變成帶】명〖지〗 일련의 변성 작용에 의하여 생긴 변성암이 배열되어 있는 곳. 흔히, 조산 운동(造山運動)에 따른 광역(廣域) 변성대를 일컬음.

변:성 독소【變性毒素】명〖화〗 톡소이드(toxoid).

변:성 매독【變性梅毒】명〖의〗 감염(感染)된 후, 수 년이나 수 십년 후에 나타나서, 신경 계통(神經系統)을 침범하는 매독. 척수로(脊髓癆)·마비성 치매(痲痺性癡呆) 따위. 변태 매독.

변:-성명【變姓名】명 성명을 다르게 고침. ¶ ~하고 숨어 살다. ——하다 자여불

변:성-상【變成相】명〖지〗 변성암(變成岩)이 어떠한 광물 조성(鑛物組成)으로 생기는가를, 변성 작용 때의 물리적 조건에 따라 구분하여 놓인 것. 변성암이 생길 때 총화학 조성(總化學組成)과 변성상이 같으면 같은 광물 조성이 되며, 화학 조성이 다르고 변성상이 같으면 광물 조성은 일정한 규칙에 따라 다르게 나타남.

변:성성-염【變性性炎】[—썽념] 명〖의〗 변질성염.

변:성 알코올【變性—】〔alcohol〕명〖화〗 에틸 알코올에 악취(惡臭)가 나며 맛이 좋지 아니하고 분리하기 어려운 메틸 알코올이나 석유 따위를 섞은 것. 공업용으로 사용함.

변:성-암【變成岩】명〖광〗 변성 작용에 의하여 그 조직이나 성질이 변한 암석. 대개 수성암(水成岩) 또는 화성암(火成岩)이 편상(片狀)의 암석으로 되는데, 그 원인에 따라 접촉(接觸) 변성암·동력(動力) 변성암 등으로 구분됨. 변질암. 변해된 바위.

변:성 의:식 상태【變性意識狀態】명〖심〗 각성시(覺醒時)의 의식과 다른 의식 상태. 수면·최면·트랜스(trance) 따위.

변:성 작용【變成作用】명〖광〗 깊은 땅 속의 암석이 열이나 압력 또는 암장(岩漿)의 작용으로 성질이 변하는 일. 열(熱) 변성 작용·동력(動力) 변성 작용·광역(廣域) 변성 작용 등이 있음.

변:성-제【變性劑】명〔denaturant〕〖화〗 공업 원료 중 기호품(嗜好品)으로 쓸 수 없는 것을 혼입(混入)하여, 먹을 수 없도록 하는 물질. 공업 알코올에는 메틸 알코올·석유·벤졸·피리딘(pyridine)을, 공업염(工業塩)에는 타르(tar)를 변성제로서 가함.

변소【便所】명 대소변(大小便)을 보게 된 곳. 뒷간. 측간(厠間). 화장실. [변소에 기와 올리고 살겠다] 인색하게 굴어도 큰 부자가 못 된다고 비꼬는 말.

변:속【變速】명 속도(速度)를 바꿈. 속도가 바뀜. ——하다 자타여불

변:속-기【變速器】명〖기〗 자동차 따위의 기어식(gear 式) 전동(傳動) 장치. 자동차에서는 이 장치 안에 있는 톱니바퀴의 맞물림을 필요에 따라 바꾸어 고속(高速)·저속·역회전의 동력을 구동륜(驅動輪)에 전달함. 클러치와 체인지 레버로 조작하는 것, 자동 클러치로 변속하는 것이 있음. 트랜스미션. *자동 클러치.

변:속 레버【變速—】〔lever〕명 속도를 변하게 하는 레버. 체인지 레버.

변:속 장치【變速裝置】명〖기〗 속도를 조절하여 변화시키는 장치. 기어(gear)식·유체식(流體式)·전동기(電動機)식 등이 있음.

변:송¹【辨訟】명 송사(訟事)를 가려서 밝힘. ——하다 자여불

변:송²【變送】명 다른 것으로 바꾸어서 보냄. ——하다 타여불

변:쇠【變衰】명 변화하여 쇠함. ——하다 자여불

변수¹【邊戍】명 변경(邊境)의 수비(守備).

변수²【邊首】명 '편수¹'의 취음.

변수³【邊陲】명 변경(邊境).

변:수⁴【變數】명 ①〖수〗 어떤 관계에 있어서 어떤 범위 안의 임의(任意)의 수값으로 변할 수 있는 수. 자변수(自變數). ↔상수(常數)·극한(極限). *독립 변수(獨立變數)·종속 변수(從屬變數). ②어떤 상황의 가변적 요인. ¶ 부동표의 향배가 당락(當落)의 ~로 작용하다.

변:수 변:환【變數變換】명〖수〗 변수를 다른 변수로 바꾸는 일. 표현을 간단히 하기 위하여 씀.

변:수 분리형【變數分離形】[—불—] 명〖수〗 미분 방정식의 형태. 포함되는 미지(未知) 함수의 도(導)함수의 최고차수(最高次數)가 일차 미분 방정식 $\frac{dy}{dx}=F(x,y)$의 우변(右邊) $F(x,y)$가 $f(x)g(y)$라는 꼴을 하고 있을 때, 이를 변수 분리형의 미분 방정식이라 함. 변수 x와 y가 분리되어 있으므로 이 이름이 있음.

변:수-층【變水層】명〖지〗 바다나 하천에서, 수온(水溫)이나 수질이 갑자기 변화하는 층.

변:-스럽다【變—】형ㅂ불 평순(平順)하지 아니하고 이상한 태도가 있다. 괴이하다. ¶무서워서 여럿 자는 방으로 가고 싶은 마음이 간절하였으나 변스럽게 여길 듯 고만두었다《洪命憙 : 林巨正》. 변:-스레【變—】부

변시¹ 명〈옛〉 편수. ¶변시(餛飩)《字會 中 20》.

변:시²【便是】부 '다를 것이 없이 바로 이것이'의 뜻.

변:시-증【變視症】[—쯩] 명 외계(外界)의 물체의 모양이 비뚤어지게 보이는 질환. 망막 황반부(網膜黃斑部)에 있는 시세포(視細胞)의 종창(腫脹) 혹은 위치 변화 등에 의하여 일어남.

변:-시체【變屍體】명 변사(變死)한 시체.

변:신【變身】명 모습이나 모양을 바꿈. 또, 그 바뀐 모습이나 모양. ¶학자에서 정치가로 ~하다. ——하다 자여불

변:신-론【辯神論】[—논] 명〔theodicy〕〖철〗 이 세상의 악(惡)의 존재가 신의 전지 전능(全知全能)한 선성(善性)과 모순(矛盾)되는 것이 아니라고 신의(神義)를 변론하며 신을 변호하는 이론. 독일의 라이프니츠(Leibniz)가 제창한 사상임. 신의론(神義論). 신정론(神正論).

변:신-술【變身術】명 변신하는 기술.

변:심【變心】명 마음이 변함. ¶ ~한 애인. ——하다 자여불

변심 거:리【邊心距離】명〖수〗 정다각형의 중심에서 변까지의 거리.

O
H
〈변심거리〉

변:-쑥돌【變—】명〖광〗 편마암(片麻岩).

변:-쓰다 자 암호(暗號)로 말을 하다.

변:씨 만두【卞氏饅頭】명 편수¹.

변:압【變壓】명 압력(壓力)을 바꿈. ——하다 자여불

변:압-기【變壓器】명〔transformer〕〖전〗 전자 유도(電磁誘導)를 이용하여 교류의 전압을 변화시키는 장치. 철심(鐵心)에 두 개 이상의 코일을 감아서 만듦. 트랜스.

변:압-소【變壓所】명〖전〗 변전소.

변:약¹【抃躍·忭躍】명 변용(抃踊). ——하다 자여불

변:약²【變約】명 어떠한 약속을 바꿈. ——하다 자여불

변:양【變樣】명 모양을 바꿈. 양상(樣相)이 바뀜. ——하다 자타여불

변어【邊語】명〖역〗 서울 시전(市廛)과 장시(場市)에서 가게 주인인 방주(房主)와 거간 사이에 주고받던 물건값의 은어. 한자의 부변(部邊)을 응용한 데서 변어라 하게 됨. 곧, 천불대(天不大)는 일(一), 인불인(仁不仁)은 이(二), 왕불주(王不柱)는 삼(三), 죄불비(罪不非)는 사(四), 오불구(吾不口)는 오(五), 곤불의(袞不衣)는 육(六), 조불백(皂不白)은 칠(七), 태불윤(兌不允)은 팔(八), 욱불일(旭不日)은 구(九)를 나타내는 따위.

변역¹【邊域】명 국경 지방의 토지. 또, 그 지역. 변토(邊土).

변:역²【變易】명 변하여 바꿈. 변하여 바뀜. 변개(變改). ——하다 자타여불

변:역³【變域】명〔domain〕〖수〗 함수(函數)에서 변수(變數)가 변화할 수 있는 값의 범위.

변:역 생사【變易生死】명〖불교〗 보살(菩薩)이나 아라한(阿羅漢)이 삼계(三界)의 윤회(輪廻)를 떠난 몸으로, 그 원력(願力)에 의하여 육체나 수명을 자유 자재로 바꾸며 이 윤회의 세계에 나타나서 일부러 받는 생사(生死). 보살의 행(行)을 닦아 불과(佛果)에 이르는 일. ↔분단 생사(分段生死).

변:역 평균【變易平均】명〖화〗 불안전한 평균. 원소나 성분이 분해하기 쉽고 다른 화합물로 변하기 쉬운 평형(平衡)의 상태. 변역 평형.

변:역 평형【變易平衡】명〖화〗 변역 평균.

변연 대:비【邊緣對比】명〔border contrast〕〖심〗 나란히 놓은 두 가지 빛깔의 경계(境界)를 응시할 때, 그 경계에 따라서 현저하게 나타나는 색채(色彩) 대비. *복사(覆紗) 대비·접촉 대비.

변:-연수【卞延壽】명〖사람〗 조선 선조(宣祖) 때의 무신. 자(字)는 오원(五元). 초계(草溪) 사람. 임진 왜란 때 의병을 일으켜 이순신과 함께 옥포(玉浦)에서 왜군을 격파, 당포(唐浦)에서 전사함. 병조 판서에

추증(追贈)됨. [1538-93]

변:열¹【抃悅】명 손뼉을 치며 좋아함. ——-하다 자여불

변:열²【駢列】명 늘어섬. 또, 늘어 놓음. ——-하다 자타여불

변:영【辯佞】명 영변(佞辯).

변:-영로【卞榮魯】[—노] 명〖사람〗시인·수필가. 호는 수주(樹州). 경기도 출생. 한국 펜클럽 회장·대한 공론사 이사장 등을 역임함. 시집《조선의 마음》, 수필집《명정(酩酊) 사십년》등이 있음. [1898-1961]

변:-영만【卞榮晩】명〖사람〗법학자·한학자. 호는 삼청(三淸). 서울 출생. 조선 시대 말기에 법관 양성소(法官養成所)를 거쳐 변호사·판사를 역임. 말년에는 한학·영문학 등에 전념하였음. 영태(榮泰)·영로(榮魯)는 그의 동생임. 저서로는《단재전(丹齋傳)》·《시재전(施齋傳)》이 있음. [1888-1954]

변:-영예【卞榮譽】명〖사람〗중국 청나라 초기의 감식가(鑑識家). 자는 영지(令之). 호는 선객(仙客). 벼슬은 우시랑(右侍郞). 서화를 좋아하고 감식에 밝아, 널리 법서(法書)·명화(名畫)를 연구하여《식고당 서화휘고(式古堂書畫彙考)》를 저술하였음.

변:-영태【卞榮泰】명〖사람〗정치가·학자. 호는 일석(逸石). 경기도 출생. 1945년 고려 대학교 교수, 1951년 외무부 장관, 1954년 국무 총리, 제네바 정치 협상 회의 대표를 역임한 후 관직을 떠나, 서울·고려 대학교 교수를 지냄. 1963년 정민회(正民會)를 조직, 대통령에 출마하였음. [1892-1969]

변:온 동:물【變溫動物】명〖동〗외계(外界)의 온도에 따라 체온(體溫)이 변하는 동물. 겨울의 추운 동안은 체온이 썩 내려가 생활력이 약해지므로 땅 속에서 동면(多眠)하게 됨. 파충류(爬蟲類)·양서류(兩棲類) 따위. 냉혈(冷血) 동물. ↔정온(定溫) 동물·등온(等溫) 동물.

변:온-성【變溫性】[—썽] 명 외계(外界)의 온도에 따라 체온이 변화하는 성질. 냉혈성(冷血性).

변:옹【便癰】명〖한의〗가래톳이 생기는 병. 임질(淋疾)의 임독성(淋毒性)이나 음식창(陰蝕瘡)의 미독성(黴毒性)으로부터 일어남. 혈산(血疝).

변:용¹【抃踊】명 변무(抃舞).

변:용²【變容】명 용모가 변함. 또, 그 용모. 변모(變貌). ——-하다 자여불

변우【邊隅】명 변경(邊境).

변월【邊月】명 변방을 비추는 달.

변:위【變位】명〔displacement〕〖물〗물체가 위치를 바꾸는 일. 또, 그 크기와 방향을 나타내는 양(量). ——-하다 자여불

변:위 기호【變位記號】명〖악〗임시표.

변:위 법칙【變位法則】명〖물〗변위칙.

변:위 전:류【變位電流】[—절—] 명 맥스웰(Maxwell)이 전자기장(電磁氣場)의 이론에 있어서 도입(導入)한 것으로, 외부(外部)의 전기장(電氣場)의 변위(變位)에 따라 유전체(誘電體)내를 흐르는 전류. 전속 전류(電束電流). *분극 전류·전기 변위(電氣變位).

변:위-칙【變位則】명〖물〗방사성의 핵종(核種)의 붕괴에 따르는 주기표(週期表) 중, 위치의 변화에 관한 법칙. 즉, α 붕괴로 원자 번호는 2가 줄고 질량수는 4가 줄며, β 붕괴로 원자 번호는 1이 증가하고 질량수는 변하지 아니한다는 일. 변위 법칙(變位法則). 파얀스 소디(Fajans Soddy)의 법칙.

변:음【變音】명 ①원음이 변하여 된 음. ②〖악〗본위음(本位音)보다 반음 낮은 음. 플랫(♭) 기호가 붙은 음.

변읍【邊邑】명 ①변경(邊境)에 있는 고을. ②두메.

변:의【便意】[—/—이] 명 소변·대변을 보고 싶은 느낌. ¶ ~를 느끼다.

변:이¹【變異】명 ①이변(異變). ②〔variation〕〖생〗같은 종류의 생물의 개체 사이에 있는 여러 가지의 상위(相違). 외계의 영향에 의한 경우(境遇) 변이, 유전질의 결합(結合)에 의한 교배(交配) 변이, 유전질의 변화에 의한 돌연(突然) 변이의 셋으로 대별함. ③〔variation〕〖언〗화자(話者) 또는 환경에 따라 나타나는 언어적 차이. ¶ ~체(體).

변:이²【變移】명 변화하여 다른 상태로 옮김. ——-하다 자여불

변:이 계:수【變異係數】명〖수〗표준 편차(標準偏差)를 평균치(平均値)로 나누어서 백분율로 나타낸 수치.

변:이 곡선【變異曲線】명〖생〗변이의 상황을 이해하기 쉽게 측정 결과를 통계적으로 처리하여 그래프 위에 표현한 곡선. 측정 결과를 계급으로 나누어 빈도(頻度)를 나타낸 점을 연결하여 생기는 다각형을 변이 곡선이라 함. 측정 개체수(個體數)를 증가시키면 이 곡선은 정규(正規) 곡선에 가깝게 됨.

변이대【變移帶】명〔transition zone〕〖생〗어떤 생물군집(生物群集)과 이와 인접하는 다른 생물군집이 지역적으로 확연히 구획되어 있지 않은 경우에, 그 이행부(移行部)를 이름.

변:이-성【變異性】[—썽] 명〖생〗변이가 나타나는 성질. ↔유전성(遺傳性).

변:이 유기 물질【變異誘起物質】[—찔] 명〖생〗돌연 변이 유기 물질.

변:이-음【變異音】명 이음(異音).

변-이(:)중【邊以中】명〖사람〗조선 선조(宣祖) 때의 공신. 자(字)는 언시(彦時), 호는 망암(望庵). 본관(本貫)은 황주(黃州). 임진 왜란 때, 호남 소모사(湖南召募使)로 있으면서 승자총(勝字銃)을 계속 발사할 수 있는 화차(火車) 300 대를 만들어, 그 중 40 량(輛)을 순찰사(巡察使) 권율(權慄)에게 나누어 주어, 행주(幸州) 대첩을 이룩하게 하였음. 예문(禮文)에도 정통함. [1546-1611]

변:이-표【變異表】명〖생〗변이(變異)를 나타내는 표(表).

변:인【變人】명 성질이나 모습이 여느 사람과는 다른 사람.

변자【邊子】명 물건의 가에 대는 꾸미개.

변:-자성【變磁星】명〖천〗자기 변광성(磁氣變光星).

변:작【變作】명 고쳐 만듦. 변조(變造). ——-하다 타여불

변장¹【邊將】명〖역〗첨사(僉使)·만호(萬戶)·권관(權管)의 총칭.

변:장²【變裝】명 옷차림이나 모양을 고쳐서 다르게 꾸밈. ——-하다 자여불

변:장-술【變裝術】명 변장하는 재주.

변:-장음부【變長音符】명〖언〗억양 음부.

〈변재천〉

변재¹【邊材】명 통나무의 겉 부분. 빛은 희고 몸은 무르며 질은 거칢. 겉재목. 백재(白材). 액재(液材). ↔심재(心材).

변:재²【辯才】명 말 재주. 구재(口才)·언재(言才).

변:재³【變災】명 사변(事變)과 재액(災厄).

변:재-천【辯才天】명〔범 Sarasvati〕〖불교〗음악·지혜·변재(辯才)·재복(財福)의 주재자(主宰者). 두 개나 여덟 개의 팔을 가졌는데, 비파(琵琶)를 타고 아름다운 소리로써 중생(衆生)을 기쁘게 한다고 함. 묘음천(妙音天). 미음천(美音天). 대변재공덕천(大辯才功德天). 준변천(辯天).

변전¹【邊錢】명 변돈.

변:전²【變電】명 전류의 전압을 올리거나 내리거나, 교류(交流)를 직류로 바꾸거나 또는 주파수를 바꾸거나 하는 일. ——-하다 자여불

변:전³【變轉】명 이리저리 변하여 달라짐. ——-하다 자여불

변전-냥【邊錢兩】명 변돈냥.

변:전-소【變電所】명〖전〗발전소에서 보내오는 고압의 교류 전력(交流電力)을 강하(降下)시키는 곳. 회전 변류기(回轉變流機)·수은 정류기(水銀整流器) 등을 설치하여 교류(交流)를 직류(直流)로 정류(整流)하며 주파수(周波數)의 변환(變換)도 행함. 변압소.

변:절【變節】명 ①계절(季節)이 바뀜. ¶ ~기(期). ②절개(節槪)가 변함. 또, 절개를 고침. ¶ ~ 여인. ↔수절(守節). ③종래의 주장(主張)을 바꿈. ——-하다 자타여불

변:절-기【變節期】명 환절기(換節期).

변:절-자【變節者】[—짜] 명 변절한 사람.

변:절-한【變節漢】명 절개를 바꾼 사나이.

변:정¹【辨正·卞正】명 변명하여 바로잡음. ——-하다 타여불

변정²【邊情】명 변경(邊境)의 형편과 사정.

변정-사【邊政司】명〖역〗조선 시대 말의 통리 기무 아문(統理機務衙門)에 소속된 12 사(司) 중의 하나. 변방(邊方)의 군무를 맡아보았음.

변:정-원【辨定院】명〖역〗조선 시대에 노예(奴隸)의 부적(簿籍)과 결송(決訟)을 맡아보던 관아. 전의 형조 도관(刑曹都官)을 세조(世祖) 12년(1446)에 이 이름으로 고쳐 독립 아문(獨立衙門)이 되고, 13년에는 다시 장례원(掌隸院)이라 고침.

변:제¹【辨濟】명 빚을 갚음. 변상(辨償). 판상(辦償). ¶ ~ 기일. ——-하다 타여불

변제²【邊際】명 시간·공간·정도 따위에서 그 이상 더는 없는 한계(限界). 끝. 끝간데.

변:제³【變除·變制】명 ①소상(小祥)을 마친 뒤에 상복(喪服)을 벗고 수질(首絰)을 벗음. ②대상(大祥)을 마친 뒤에 상복을 벗음. ——-하다 자타여불

변:제-기【辨濟期】명〖법〗채권자가 권리로써 채무의 이행을 청구할 수 있는 시기.

변:제 비:용【辨濟費用】명〖경〗변제(辨濟)를 하는 데 드는 비용.

변:제 의사【辨濟意思】명〖법〗변제를 할 때, 특히 그 채무(債務)를 소멸시키려는 의사.

변:조¹【遍照】명〖불교〗불광(佛光)이 모든 세계(世界)와 사람의 마음을 두루 비추는 일.

변:조²【變造】명 ①〖법〗기존물(旣存物)의 형상이나 내용에 변경을 가함. ¶ 수표 ~범(犯)/유언장(遺言狀)을 ~하다. *위조(僞造). ②변작(變作). ——-하다 타여불

변:조³【變調】명 ①말이나 행동이 먼저와 달라짐. 또, 그 달라진 말이나 행동. ②〔modulation〕〖악〗조(調)바꿈. ③〔modulation〕〖물〗반송 전류(搬送電流)의 주파수(周波數) 또는 진폭(振幅)을 신호로 변화시키는 일. 주파수 변조·진폭 변조 등이 있음. *검파(檢波)❷.

변:조⁴【變潮】명 변화하는 사조(思潮).

변:조-관【變調管】명〖물〗변조(變調) 작용을 하는 진공관.

변조 금강【遍照金剛】명 대일 여래(大日如來)의 밀호(密號). 광명(光明)이 두루 비치어, 그 본체가 불괴(不壞)임을 나타낸 말.

변:조-기【變調器】명〖물〗변조(變調) 작용을 하는 장치.

변:조-수【變調數】명 경수(徑數).

변:조 어음【變造—】명〖경〗서명(署名) 이외의 어음 문언(文言)을 권한 없이 변경한 어음. 변조 후의 서명자는 변조된 문언에 따라서 어음상의 책임을 지며, 변조자 자신은 어음상의 책임을 지지 아니함.

변조 여래【遍照如來】명〖불교〗대일 여래(大日如來).

변:조 요법【變調療法】[—뻡] 명〖의〗인체(人體)에 어떠한 자극(刺戟)을 주어 인체(人體)에 급격한 변화를 일으킴으로써 병을 낫게 하는 방법. 말라리아균(malaria菌)을 병체(病體)에 주사하여 그 고도의 발열(發熱)로 병을 고치는 방법 따위.

변조 자나불【遍照遮那佛】명〖불교〗비로 자나불(毘盧遮那佛).

변:조-파【變調波】명〖물〗변조된 전파(電波).

변:조 화:폐【變造貨幣】명〖경〗진화(眞貨)를 가공(加工)하여 명가(名價)가 다른 화폐로 만든 위화(僞貨).

변족【邊族】명 문벌(門閥)이 좋은 집안의 낮은 일가.

변:종【變種】명 ①종류가 바뀜. 또, 그 바뀐 종류. ②〖생〗생물에 있어 원종(原種)에서 변한 종(種). 곧, 항존적(恒存的)인 일정한 변이(變異)를 하고 있는 개체군(個體群)으로, 보통 아종(亞種)보다도 낮은 단계의 것임. 종소명(種小名) 다음에 var.를 붙여 변종 이름을 나타냄. ¶ 인공(人工) ~. ↔원종. ③성질이나 언행(言行) 따위가 남보다 유난히 다른 사람. ——-하다 자여불

변주¹【邊柱】명〖건〗변두리 기둥.

변:주²【變奏】명〔variation〕〖악〗주제(主題)는 그대로 두고서 리듬

(rhythm)·선율형(旋律型) 같은 것을 여러 가지로 바꾸고 장식(裝飾)하며 연주(演奏)하는 일. ——하다 자타여불

변:주-곡【變奏曲】명〖악〗하나의 주제(主題)를 토대 삼아 선율·율동(律動)·화성(和聲) 등을 여러 가지로 변화시켜 나가는 기악곡(器樂曲). 바리에이션(variation).

변:주곡 형식【變奏曲形式】명〔variation form〕〖악〗주제(主題)와 이에 계속되는 몇 단의 변주곡(變奏曲)으로 된 악곡의 형식. 변주 형식.

변:주 형식【變奏形式】명〖악〗변주곡 형식.

변죽【邊一】명 그릇·세간 들의 가장자리.

[변죽을 치면 복판이 운다] 암시(暗示)를 조금만 주어도 그 뜻이 잘 통하게 될 때에 쓰는 말. 「눈치를 채서 깨닫게 하다.

변죽(을) 울리다 구 바로 집어 말을 안 하고 에둘러서 말을 하여 상대가

변죽(을) 치다 구 ☞ 변죽(을) 울리다.

변죽-울림【邊一】명 간접적으로 주는 암시(暗示).

변:증¹【辨證】명 ①논변(論辨)하여 증명함. ②〖한의〗음증(陰症)·양증(陽症)·허증(虛症)·실증(實症) 들의 병증을 분별함. ——하다 타여불

변:증²【變症】[一쯩] 명 병증(病症)이 달라짐. 다른 병으로 바뀜. 또, 달라진 병증.

변:증-법【辨證法】[一뻡] 명〖철〗①문답(問答)에 의한 진리에의 도달법(到達法). ②사유(思惟)·정신(精神)·역사(歷史) 등의 발전을 반대물(反對物)·모순(矛盾)의 투쟁(鬪爭)·종합(綜合)으로서 파악하는 사고법(思考法). 헤겔 철학에서는 즉자(即自)가 스스로의 발전에 의해 그 자신 속에 그 자신을 부정(否定)하는 대자(對自)를 낳고, 다시 이 모순을 지양(止揚)함으로써 새로운 통일(統一)을 얻는다고 하였음. 이 세 가지 곧 즉자·대자·새로운 통일을 변증법의 삼계기(三契機)라고 함. 다이얼렉틱. 디알렉틱. *안 운트 퓌어 지히(an und für sich)·반정립.

변:증법 신학【辨證法神學】[一뻡一] 명〖철〗변증법적 신학.

변:증법-적【辨證法的】[一뻡一] 명관 ①변증법에 입각한 모양. ②변증법에 속하는 모양.

변:증법적 논리학【辨證法的論理學】[一뻡一놀一] 명〖논〗헤겔·마르크스(Marx)주의에서, 사유(思惟)의 형식을 문제로 하는 형식 논리학에 대하여 객관적 실재(實在)의 변증법적 형식을 연구하는 논리학.

변:증법적 발전【辨證法的發展】[一뻡一쩐] 명〖철〗자기 모순(自己矛盾)을 지양(止揚)함으로써 이루어지는 진전(進展).

변:증법적 신학【辨證法的神學】[一뻡一] 명〖철〗제1차 세계 대전 후, 바르트(Barth, Karl)와 그의 일파가 독일에서 일으킨 복음파(福音派) 신학의 혁신 운동. 키에르케고르의 실존 변증법(實存辨證法)의 영향을 크게 받아 슐라이어마허(Schleiermacher)의 낭만주의적 경향에 반대하여, 인간과 신(神)을 연속시키는 생각을 배척하고 신을 절대 타자(絕對他者)로 해서 인간과의 사이의 단절(斷絕)을 강조하는 것이 그 특질임. 위기 신학(危機神學). 변증법 신학.

변:증법적 유물론【辨證法的唯物論】[一뻡一] 명〖철〗유물 변증법.

변지¹【胼胝】명 ①살갗에 생기는 못. ②추위 때문에 피부가 건조하여 탄력(彈力)이 없어지고 갈라지며 틈.

변지²【邊地】명 ①가장자리의 땅. 벽지(僻地). ②변경(邊境). ③〖불교〗극락 정토의 변계(邊界)의 땅. 미타(彌陀)의 본원(本願)에 의혹을 품으면서, 왕생한 사람이 태어나는 곳.

변지-변【邊之邊】명 변리(邊利)의 변리. 변상 가변(邊上加邊).

변지변 이:지리【邊之邊利之利】명 변리(邊利)에 대하여 덧붙은 변리와 이익(利益)에 대하여 또 생긴 이익.

변지-종【胼胝腫】명 살갗에 생기는 못.

변지 이:력【邊地履歷】명〖역〗조선 시대(時代)에, 무관(武官)이 병사(兵使)·수사(水使) 등으로 임명되기 위하여 반드시 거쳐야 하는 이력. 해변(海邊) 또는 국경 등 변두리 수비의 관원을 지내야만 하였음. *사송(詞訟) 이력.

변지 첨사【邊地僉使】명〖역〗조선 시대에, 황해도의 백령도(白翎島)·철도(鐵島)·초도(椒島), 전라도의 청산도(青山島), 경상도의 부산포(釜山浦)·다대포(多大浦), 평안도의 동진(東津)·신도(薪島)·신광(神光)·아이(阿耳)·만포(滿浦)·고산리(高山里), 함경도의 혜산(惠山)·고령(高嶺)·훈융(訓戎)·성진(城津) 등의 변지에 둔 첨사.

변지-체【胼胝體】명〖생〗'뇌량(腦梁)'의 구칭(舊稱).

변진¹【弁辰】명〖역〗변한(弁韓).

변진²【邊鎭】명 변경(邊境)을 지키는 군영(軍營).

변-진한【弁辰韓】명〖역〗변한(弁韓).

변:질【變質】명 ①성질이나 물질이 변함. 또, 그 변한 성질이나 물질. ¶ ~한 맥주. ②〖광〗광물(鑛物)이나 암석이 화산(火山) 또는 물의 작용 등으로 인해서 질(質)이 달라짐. ——하다 자여불

변:질 가:상【變質假像】명 광물(鑛物)이 변질해서 다른 광물과 환치(換置)될 경우에, 새 광물이 변질전의 광물의 결정형(結晶形)을 이어받은 것. 가상(假像).

변:질성-염【變質性炎】[一썽념] 명〔alterative inflammation〕〖의〗염증의 한 가지. 변성(變性)을 주로 하고 동시에 삼출(滲出)·증식(增殖) 등의 증상이 있는 염증. 신장(腎臟)·간장·심장·뇌 등 실질성의 장기(臟器)에 일어남. 변성성염(變性性炎). 실질성염(實質性炎).

변:질성 정신병【變質性精神病】[一썽一뼝] 명〔도 Degenerationspsychose〕〖의〗어떤 사람의 뇌수(腦髓) 기능에 생래성 유전적(生來性遺傳的)인 변질 경향이 있는데다가 어떤 유인(誘因)이 가해져서 특이한 정신병 상태에 빠지는 것의 총칭. 히스테리·전간(癲癎)·조울병(躁鬱病) 따위. *혼합 정신병.

변:질-암【變質岩】명〖광〗변성암(變成岩).

변:질-자【變質者】[一짜] 명 ①〖의〗성격·기질(氣質)이 이상한 사람. 건강한 사람과 정신병자(精神病者)의 중간에 위치함. ②범죄 또는 반사회적 행동을 야기(惹起)할 성격의 소유자. ③성적(性的) 행동이 정상

변:질-재【變質材】[一째] 명 변질한 재목(材木). ㄴ이 아닌 자.

변ᄌᆞ 명〈옛〉변자(邊子). ¶치마에 변ᄌᆞ롤 도로디 아니 ᄒᆞ더시니(裙不加緣)《內訓 Ⅱ 上 44》.

변:채【變彩】명〖광〗광물 속에 미세한 물질이 평행으로 배열되어 있거나 불규칙한 균열(龜裂)이 발달하여 각면(各面)에서의 반사광이 간섭(干涉) 작용을 일으키는 까닭에, 광선을 비추고 광물의 방향을 바꾸면 바뀔 때마다 무지개빛이 번쩍거렸다 급변(急變)하였다 하는 현상. *천

변:천¹【辯天】명〖불교〗↗변재천(辯才天). ㄴ색(遷色).

변:천²【變天】명 구천(九天)의 하나. 동북쪽에 있음.

변:천³【變遷】명 시대의 흐름과 더불어 바뀌고 변함. 옮겨서 달라짐. ¶시대의 ~. ——하다 자여불

변:체【變體】명 형체(形體)나 체재(體裁)를 바꾸거나, 바꾸이게 함. 또, 그 변하여 달라진 형체나 체재. ——하다 자타여불

변촌【邊村】명 도시에서 떨어진 외딴 마을.

변추【邊陬】명 변경(邊境). 변수(邊陲).

변축【萹蓄】명〖식〗마디풀. 「하다 자여불

변:출 불의【變出不意】[一/一이] 명 변고(變故)가 뜻밖에 생김. ——

변:치【變置】명 ①다른 것으로 바꾸어 놓음. ②그 일에 책임을 다하지 못하는 사람을 바꾸어 갈아 냄. ——하다 타여불

변:칙【變則】명 ①원칙(原則)에서 벗어난 법칙. ②규칙이나 규정에서 벗어남. 변격(變格). ——하다 자여불

변:칙 국회【變則國會】명 다수당(多數黨)인 여당이 수를 믿고 억지 수단으로 국회 운영을 할 경우, 여야당(與野黨)이 정면 충돌하여, 야당이 심의(審議)를 거부하고, 여당만으로 국회를 운영하는 일.

변:칙 동:사【變則動詞】명〖언〗불규칙 동사.

변:칙 용:언【變則用言】명〖언〗불규칙 용언. 「(運營).

변:칙-적【變則的】명관 원칙이나 규칙에 어긋나는 모양. ¶ ~인 운영

변:칙 형용사【變則形容詞】명〖언〗불규칙 형용사.

변:칙 활용【變則活用】명〖언〗불규칙 활용.

변:침【變針】명 침로(針路)를 바꿈. ——하다 자여불 「타여불

변:칭【變稱】명 고치어서 다르게 일컬음. 또, 그 고친 명칭. ——하다

변:탈【變脫】명〔disintegration〕〖화〗방사성(放射性) 원소가 방사선(放射線)을 내서 다른 원소로 변화하는 현상. α선(線)에서는 α변탈(變脫), β선에서는 β변탈이 일어남. ——하다 자여불

변탕【邊鐋】명〖건〗재목을 깎을 때, 모서리를 턱지게 깎는 대패. 협포(脅鉋).

〈변탕〉

변탕-붙임【邊鐋一】[一부침] 명〖건〗변탕질을 하여 이룬 쪽붙임. ——하다 자타여불

변탕-질【邊鐋一】명〖건〗재목의 한쪽 가를 변탕으로 깎아 내는 일. ——하다 자타여불

변탕-홈【邊鐋一】명〖건〗변탕으로 파낸 홈.

〈변탕붙임〉

변:태【變態】명 ①형태나 상태가 달라짐. 또, 그 달라진 형태나 상태. ↔상태(常態). ②〔metamorphosis〕〖동〗동물이 알에서 부화(孵化)해서 완전한 성체(成體)가 되기까지의 사이에, 시기(時期)에 따라 여러 가지 형태로 변하여 자라는 형상. 곤충 또는 개구리 등에서 볼 수 있는데, 알·유충·번데기·성충의 순서를 갖춘 '완전 변태'와 번데기를 거치지 아니하는 '불완전 변태'로 구분함. 탈바꿈. *올챙이. ③〖식〗식물의 줄기·잎·뿌리가 정상적인 상태에서 변하여 다른 형태가 됨. 곧, 잎이 바늘처럼 된다든가, 선인장(仙人掌)의 경우처럼 줄기가 잎 모양으로 편평하게 되고, 잎은 가시 모양으로 되는 것. ④〖심〗↗변태 성욕.

변:태-경【變態莖】명〖식〗보통의 줄기가 다른 특수 작용을 하기 위하여 형태의 변화를 가져온 줄기. 덩굴손 따위. 탈바꿈줄기.

변:태-근【變態根】명〖식〗보통 뿌리와는 달리 특수 작용을 영위하려고 형태의 변화를 가져온 뿌리. 저장 뿌리·공기 뿌리 따위. 탈바꿈뿌리.

변:태 매독【變態梅毒】명〖의〗변성 매독(變性梅毒).

변:태 설립【變態設立】명〖경〗주식 회사 또는 유한(有限) 회사의 설립에 있어 발기인(發起人)이 받는 특별 이익, 현물 출자(現物出資), 재산 인수(財産引受), 회사의 부담으로 돌아가는 설립 비용(設立費用), 발기인이 받는 보수 등에 대하여 특별한 규정이 있는 회사 설립.

변:태 성:욕【變態性慾】명〔erotopathy, perversion〕〖심〗정상이 아닌 성행위. 정신병학(精神病學)에서 넓은 의미로는 성욕 본능의 이상(異常), 좁은 의미로는 성행위의 이상을 말함. 사디즘(sadism)·마조히즘(masochism)·페티시즘(fetishism)·노출증(露出症)·동성애(同性愛) 따위. 도착증(倒錯症). 성도착(性倒錯). 이상 성욕. 준변태.

변:태 심리【變態心理】[一니] 명〖심〗정신의 장애나 이상에 의하여 생기는 심리 현상. 특히, 성적 도착 내지 성적 이상(異常)에 의한 심리.

변:태 심리학【變態心理學】[一니一] 명〔abnormal psychology〕〖심〗심리학의 한 부문. 비정상적인 정신 현상을 연구하는 학문으로서, 정신 병리학적(病理學的) 연구, 천재·백치 등 중용(中庸)이 아닌 사람에 대한 연구, 꿈·최면(催眠) 등 특수한 심적(心的) 연구를 포함함. 상태(常態)와 변태의 판정(判定)은 가치 규범(價值規範)보다 평균 규범(平均規範)에 의함.

변:태-엽【變態葉】명〖식〗변형엽(變形葉). ↔심상엽(尋常葉).

변:태-점【變態點】[一쩜] 명〖물〗전이 온도(轉移溫度).

변:태 조절【變態調節】명〖생〗동물의 발생 도중에 변이(變異)가 조절되는 일. 개구리가 처음에는 아가미로 호흡을 하다가 꼬리가 떨어지고 폐(肺)가 생기어서 폐로 호흡을 하는 따위.

변:태 호르몬【變態一】명〔metamorphosis hormone〕〖생〗곤충이 변

태를 하는 데 필요한 호르몬. 곤충의 탈피(脫皮) 호르몬 등.

변토【邊土】[명] ①궁벽한 촌. ②도시(都市)의 변두리 땅. 근교(近郊). ③변역(邊域). 「됨. ——-하다 [자][여불]

변:통[1]【便通】[명]〖한의〗병적으로 잘 나오지 아니하던 똥이 잘 나오게

변:통[2]【便痛】[명]〖한의〗대변을 볼 때에 일어나는 아픔.

변:통[3]【變通】[명] ①일의 경우에 따라서 이리저리 막힘없이 잘 처리함. 임기 응변(臨機應變)으로 일을 처리함. ¶ 임시 ~. ②물건을 이리저리 돌라 맞춰 씀. ¶ ~해 쓰다. ——-하다 [타][여불]

변:통 무로【變通無路】[명] 변통할 도리가 없음. ——-하다 [형][여불]

변:통-성【變通性】[—썽] [명] 이리저리 변통하는 성질. 또, 그 주변성. 탄력성.

변:통-수【變通數】[—쑤] [명] 변통하는 방법과 수단. ¶ ~도 없는 객담 수작들을 나누다.

변파【邊波】[명] 해변(海邊)이나 뱃전에 부딪치는 파도.

변:-편마암【變片麻岩】[명]〖지〗수성암 속에 마그마가 관입(貫入)하여 변성(變成)된 편마암. ↔정(正)편마암·준(準)편마암.

변:폐【便閉】[명]〖한의〗대변(大便)이 꽉 막혀 아니 나오는 증세.

변폭【邊幅】[명] ①올이 안 풀리게 짠 피륙의 가장자리 부분. 식서(飾緖). ②겉을 휘갑쳐서 꾸밈의 비유. 표폭(表幅).

변-풀이 [명] 변말을 보통 말로 푸는 일. ——-하다 [자][여불]

변:풍【變風】[명] 정통적·정상적이 아닌 문학 풍조. ↔정풍(正風).

변:하[1]【汴河】[명]〖지〗중국 수(隋)나라 양제(煬帝)가 연 운하(運河). 황허(黃河) 강의 물과 화이수이(淮水) 강을 연락시켰음.

변:하[2]【汴賀】[명] 기뻐하며 하례(賀禮)함. ——-하다 [자][타][여불]

변:-하다【變—】㊀[자][여불] ①사물이 전과 다르게 되다. 바뀌다. 달라지다. ¶ 거리의 모습이 ~. ②사람의 마음·성질·취미·습관 따위가 달라지다. 바뀌다. ¶ 변하기 쉬운 세상 인심. ③세월이 달라지다. 세태(世態)가 바뀌다. ¶ 시대가 변한 탓. ㊁[타][여불] 어떠한 것을 다르게 고치다. 새롭게 하다. 바꾸다. 변경하다. ¶ 안색을 ~.

변:한【弁韓】[명]〖역〗삼한(三韓)의 하나. 현재의 경상 남북도 및 경기도·강원도 일부를 차지하는 20여 부락 국가로 이루어졌음. 농경(農耕)을 주로 하고, 직포(織布)와 철(鐵)의 산출로 유명하였음. 후에 신라에 병합됨. 변진(弁辰). 변진한(弁辰韓). 가라한(駕羅韓). 「따위.

변:한-말【變—】[명]〖언〗변하여 된 말. '곤난(困難)'이 '곤란'으로 된

변:-함수【變函數】[—쑤] [명] [argument function]〖수〗함수 $F(x)$의 정의역(定義域)이 함수의 집합일 때의 x의 함수 F에 대한 일컬음. 곧, 함수의 함수의 변수를 이름.

변:함-없다【變—】[—업—] [형] 달라지지 아니하다. ¶ 내 마음은 ~.

변:함-없이【變—】[—업씨] [부] 변함없게.

변해[1]【邊海】[명] ①근변(近邊)의 바다. ②국경의 바다. ③먼 바다.

변:해[2]【辯解】[명] 말로 풀어 밝힘. ——-하다 [타][여불]

변:해된 바위【變—】[명]〖광〗'변성암(變成岩)'의 풀어 쓴 말.

변:향 무정위 운:동성【變向無定位運動性】[—썽] [명]〖생〗클리노키네시스(klinokinesis). 「다가 꺼낸 향부자(香附子).

변:-향부【便香附】[명]〖한의〗어린 사내아이의 오줌에 오래 담가 두었

변:-헌[1]【卞獻】[명]〖사람〗조선 중기의 문인. 자는 시재(時哉), 호는 삼일 산인(三一山人) 또는 우용(寓慵). 초계(草溪) 사람. 임진 왜란 때 승군(僧軍)에 종군하여 공을 세우고 광해군 2년(1610)에 등제(登第)했으나 간관(諫官)의 탄핵으로 파직됨. 시서(詩書)에 뛰어나 ≪동국 필원(東國筆苑)≫에 그 문장이 실려 있음. [1570-1636]

변-헌[2]【邊憲】[명]〖사람〗조선 경종 때의 역관(譯官). 자는 덕장(德章). 원주(原州) 사람. 동지중추부사(同知中樞府使)로 중국어에 능하여, ≪노걸대(老乞大)≫를 수정 보완한 ≪노걸대 신석(新釋)≫을 편찬하였음. [1707-?] 「——-하다 [자][타][여불]

변:혁【變革】[명] 바꾸어 새롭게 함. 바뀌어 새로워짐. ¶ 제도를 ~하다.

변:혁-기【變革期】[명] 변혁을 겪는 시기.

변:혈【便血】[명] 대변에 섞여 나오는 피. 혈변(血便).

변:혈-증【便血症】[—쯩] [명]〖한의〗대변에 피가 섞여 나오는 병.

변:형【變形】[명] ①형태(形態)를 바꿈. 모양이 바뀜. 또, 그 바뀐 모양. 꼴바꿈. ②[strain]〖물〗탄성체(彈性體)가 형태나 용적(容積)을 바꾸는 일. 데포르마시옹. ——-하다 [자][타][여불]

변:형-균【變形菌】[명]〖식〗점균(粘菌).

변:형균-류【變形菌類】[—뉴] [명]〖생〗점균류(粘菌類).

변:형 근로 시간제【變形勤勞時間制】[—글—] [명] 법정(法定) 근로 시간제의 탄력적 운용 형태로서, 일정 기간의 평균 주당 근로 시간이 근로 기준법상의 근로 시간을 넘지 않는 범위 내에서 특정한 날 또는 주(週)에 기준 시간을 넘어 근무하여도 가산 임금이 지급되지 않는 제도.

변:형-능【變形能】[명]〖공〗재료가 변형할 수 있는 한도.

변:형-력【變形力】[—녁] [명] [stress]〖물〗물체가 하중(荷重)을 받았을 때, 원형(原形)을 유지하기 위하여 물체 내부에 생기는 저항력(抵抗力). 응력(應力). 내력(內力). 스트레스(stress).

변:형-률【變形率】[—뉼] [명]〖물〗재료 역학에서, 재료가 어떤 힘을 받아서 늘어나거나 줄어들거나 하는 비율.

변:형 문법【變形文法】[—뻡] [명] [transformational grammar]〖언〗변형 규칙(變形規則)에 중점을 두어 붙인 생성(生成) 문법의 딴 이름.

변:형 생성 문법【變形生成文法】[—뻡] [명]〖언〗생성(生成) 문법.

변:형성 관절증【變形性關節症】[—썽—쯩] [명] [라 Arthrosis deformans]〖의〗퇴행성(退行性) 관절 질환의 대표적인 병증. 관절에 만성 퇴행성 변화와 증식성(增殖性) 변화가 일어나서 관절체(體)의 형태가 변하는 것으로서, 관절의 노쇠 현상이나 이상(異常) 형태 및 외상(外傷)으로 말미암아 발생함.

변:형 에너지【變形—】[명] [strain energy]〖물〗탄성(彈性) 변형으로 물체 속에 비축(備蓄)된 포텐셜 에너지. 그 탄성 변형을 일으키는 데 필요한 일과 같음.

변:형-엽【變形葉】[명]〖식〗보통의 잎과 그 모양이 달라져서 동화 작용 이외의 작용을 하는 잎. 선인장의 가시 따위. 변태엽.

변:형-체【變形體】[명]〖생〗점균류(粘菌類)의 영양체(營養體)로서, 점액 아메바(粘液 amoeba)가 많이 융합하여 된 원형질의 덩이.

변:형충-류【變形蟲類】[—뉴] [명]〖동〗아메바류(類).

변:호【辯護】[명] ①남의 이익을 위하여 변명하여 비호(庇護)함. ②〖법〗법정(法廷)에서의 상대방의 공격(攻擊)에 대한 방어. 특히, 형사 소송에 있어서 검사가 하는 공소(公訴)의 공격에 대하여 변호사가 피고인의 이익을 옹호하는 일. ——-하다 [타][여불]

변:호-권【辯護權】[—꿘] [명]〖법〗①피고인(被告人)이 그 이익을 옹호하기 위하여, 법률상 허용된 각종의 소송 행위(訴訟行爲)나 권리 내지 자유, 즉 침묵의 자유나 신체의 자유 따위를 행하는 권리. ②변호인이 변호를 위하여 행하는 여러 가지 권리.

변:호-사【辯護士】[명]〖법〗법률상에 규정된 자격을 가지고 당사자나 그 밖의 관계인의 의뢰 또는 관공서의 위촉에 의하여 소송에 관한 행위와 그 외의 일반 법률 사무를 행하는 것을 직무로 하는 사람. 민사 소송에 있어서는 의뢰자의 대리인(代理人)이 되며, 형사 소송에 있어서는 피고인의 변호인이 됨. ¶ 국선(國選) ~.

변:호사 강:제【辯護士強制】[명]〖법〗민사 소송에 있어서, 변호사가 아니면 법원의 소송 절차에 관여할 수 없고, 당사자는 반드시 변호사에 의뢰할 것을 강제하는 일. 변호사 소송.

변:호사-법【辯護士法】[—뻡] [명]〖법〗변호사의 사명과 직무, 변호사의 자격, 변호사의 등록과 개업, 변호사의 권리와 의무, 법무 법인, 대한 변호사 협회, 징계 등에 관하여 규정한 법률.

변:호사 소송【辯護士訴訟】[명] 변호사 강제. ↔본인 소송.

변:호사-회【辯護士會】[명]〖법〗변호사의 품위 보전과 사무의 개량·진보를 도모하기 위하여 조직된 법인(法人). 각 지방 법원의 관할 구역마다 설치하며, 대한 변호사 협회 및 법무 장관의 감독을 받음.

변:호-인【辯護人】[명] ①〖법〗형사 소송상 피고인의 이익을 보호하기 위한 변호의 임무를 지는 사법 보조 기관. 원칙적으로 변호사가 이에 당(當)하나 법원의 허가를 얻어 변호사 아닌 사람을 선임(選任)할 수도 있으며, 변호인의 선임이 피고인의 빈곤이나 그 밖의 이유로써 불능할 때에는, 법원이 국선 변호인을 선임함. ②피고인의 변호를 하는 변호사.

변:화【變化】[명] ①사물의 형상·성질 따위가 달라짐. ¶ ~ 무쌍(無雙). ②〖언〗동일한 말이 용법(用法)에 따라 어형(語形)을 바꾸는 일. 격변화(格變化)·어미(語尾) 변화 따위. ——-하다 [자][여불]

변:화-구【變化球】[명] 야구·배구 등에서, 투수의 투구나 서버의 서브가 타자(打者)나 리시버에 이르러 변화하는 공.

변:화 기질【變化氣質】[명] 기질이 다르게 변함. 또, 그 변한 기질.

변:화 기호【變化記號】[명]〖악〗임시표(臨時標). 「하다 [형][여불]

변:화 난측【變化難測】[명] 변화가 많아 이루 다 헤아리기 어려움. ——

변:화 막측【變化莫測】[명] 변화 불측(變化不測). ——-하다 [형][여불]

변:화 무궁【變化無窮】[명] 변화함이 한정이 없음. 한없이 변화함. ——-하다 [형][여불] 「는 일. ——-하다 [형][여불]

변:화 무방【變化無方】[명] 변화에 일정한 방향이 없음. 다양하게 변하

변:화 무상【變化無常】[명] 변화가 많거나 심하여 종잡을 수 없음. ——-하다 [형][여불] 「한 것이 없음. ——-하다 [형][여불]

변:화 무쌍【變化無雙】[명] 더없이 변화가 많거나 심하여 서로 견줄 만

변:화-법【變化法】[—뻡] [명]〖화〗환원법(還元法).

변:화 불측【變化不測】[명] 무궁(無窮)한 변화를 헤아릴 수가 없음. 변화 막측. ——-하다 [형][여불]

변:화-신【變化身】[명]〖불교〗불타(佛陀)가 모든 사람을 제도(濟度)하기 위하여 여러 가지로 변신한 화신(化身). 화신(化身). 응신(應身).

변:화-율【變化率】[명]〖수〗↗순간 변화율(瞬間變化率).

변:화지-례【變化之禮】[명]〖천주교〗미사 때에, 빵과 포도주가 예수의 몸과 피로 변하는 거룩한 변화의 예식.

변:화-토【變化土】[명]〖불교〗불타(佛陀)의 변화신(變化身)이 있는 국토(國土).

변:화-표[1]【變化表】[명] 변화를 나타낸 도표.

변:화-표[2]【變化標】[명]〖악〗임시표. 변화 기호.

변:화 화음【變化和音】[명]〖악〗화음(和音) 중의 어떤 음(音)이 반음계적 변화(半音階的變化)를 한 것. 증오도(增五度)의 화음(和音)·증육도의 화음 따위.

변환[1]【邊患】[명] 국경(國境)에서 생기는 근심. 곧, 이웃 나라의 침략(侵略)을 당하는 일. 「——-하다 [자][여불]

변:환[2]【變幻】[명] 갑자기 나타났다 없어짐. 종잡을 수 없이 빠른 변화.

변:환[3]【變換】[명] ①물건의 성질·상태 등을 바꿈. 성질·상태 등이 바뀜. ②〖수〗어떤 수식(數式)·함수(函數)·관계식 등 중의 하나 또는 여러 개의 변수(變數)를, 모든 위치에서 제각기 특정한 다른 변수 또는 변수를 포함한 수식·함수 등으로 바꾸는 일. ③〖수〗일정한 법칙에 따라 기하학적 도형의 위치·형상·크기 등을 바꾸는 일. 도형의 평행 이동·회전(回轉)·비례 변형(比例變形) 따위. ④〖수〗같은 기하학적 도형에 대해서 이것을 나타내는 좌표 변수(座標變數)를 어떤 관계, 즉 좌표축(座標軸)의 평행 이동·회전 따위에 의하여 다른 좌표 변수와 바꾸는 일. ⑤ [transmutation]〖물〗어떤 핵종(核種)이 다른 원소의 핵종으로 바뀌는 과정. ——-하다 [자][타][여불]

변:환-기[1]【變換器】[명]〖전〗전기(電氣) 에너지 또는 전기 신호의 전달계(傳達系)를 변환하는 장치. 일반적으로 전력(電力) 관계에서는 컨버터(converter), 통신 관계에서는 트랜스듀서(transducer)라고 부르나,

근자에 와서는 이를 구별하지 않고 컨버터라고 하는 수가 많음.

변:환-기² 【變換機】 명 〔물〕 한 종류의 연료(燃料)를 사용하여 딴 종류의 연료를 생산하는 원자로.

변:후 안산암 【變朽安山岩】 명 〔propylite〕〔광〕 바위가 열수(熱水)의 작용으로 변질하여 생기는 암석.

변흔 【邊釁】 명 국경(國境)에서 인접(隣接) 국가와의 사이에 일어난 다툼질.

변:희 【抃喜】 [—히] 명 손뼉을 치며 기뻐함. ——-하다 타여불

볃 명 〈옛·방〉 ①볕(강원·함남). ¶ 볃 경(景), 볃 양(陽)《字會 下 1》. ② 볏². ¶ 볃 화(鏵)《字會 中 17》.

볃뙤다 자 〈옛〉 볕쬐다. ¶ 볃뙬 포(曝)《類合 下 7》.

별¹ 명 〈옛〉 벼랑. ¶ 삭삭기 셰몰애 별헤 나는 구은 밤 닷되를 심고이다《樂詞 鄭石歌》

별:² 명 〔중세 : 별〕 ①〔천〕 태양·달·지구를 제외한 천체. 광의로는 모든 천체, 협의로는 항성(恒星)을 말함. 성두(星斗). 성신(星辰). ②보통 다섯 개의 뾰족한 모가 나와서 방사상(放射狀)을 이룬 별 모양의 물건. ¶ ~사탕. ③〈속〉 별 모양을 한 장성(將星) 계급장의 표지. 전(轉)하여, 장성(將星) 또는 장성급의 직위. ¶ ~을 달다/검찰(檢察)의 ~ 대검 검사. ④〈속〉 매우 하기 힘든 일의 비유. ¶ 하늘의 ~따기. ⑤〈속〉 전과(前科)의 범수(犯數)를 일컫는 변말. ¶ ~을 세 개나 단 폭력 전과자.

별: 결듯 하다 구 별이 총총 박히듯 빽빽하다.

별: 하나 나 하나 구 별의 수만큼 자기도 많아지고 싶다고 외는 말.

별³ 【別】 一 관 '보통과 다른·별난'의 뜻. ¶ ~ 이상한 소리 다 듣겠네. 二 부 ↗별로. ¶ ~ 뾰족한 수가 없다.

별- 【別】 접 어떤 말 위에 붙어서 '보통과 다른·별난' 등의 뜻을 나타내는 말. ¶ ~소리/~일이 다 있군.

-별 【別】 미 명사 아래에 붙어서 그 명사와 같은 종류로 구별할 때에 쓰는 말. ¶ 개인~/능력~/산업~/직업~.

별가¹ 【別加】 명 〔역〕 조선 시대에, 나라에 경사가 있을 때, 관원(官員)의 사만(仕滿)에 관계없이 특별히 가계(加階)하는 일. *대가(代加)·사가(仕加). ——-하다 자여불

별가² 【別家】 명 ①작은집❸. ②딴 집.

별가³ 【別駕】 명 〔역〕 ①고려 때 중추원(中樞院)의 이속(吏屬). ②조선 시대 승정원(承政院)의 서리(書吏).

별가⁴ 【鼈瘕·鱉瘕】 명 〔한의〕 먹은 자라고기가 잘 삭지 아니하여 생기는 적병(積病). 명치에 자라의 대가리 또는 발과 비슷한 물건이 만져지며, 이것이 움직일 때에는 통증(痛症)이 일어남.

〈별가화〉

별-가락 【別一】 명 보통 것과 다른 곡조(曲調)의 가락.

별-가화 【別假花】 명 〔역〕 나라 잔치 때에 쓰던 준화(樽花)의 한 가지.

별간 【別間】 명 별실(別室)❶.

별-간역 【別看役】 명 〔역〕 ①나라에 큰일이 있을 때에 그것을 감독하는 임시 벼슬. 잡직(雜職)을 지낸 사람에게 시켰음. ②규장각(奎章閣)의 잡직(雜職)의 하나.

별-간장¹ 【別一醬】 명 손님장.

별-간장² 【別肝腸】 명 이상한 성격(性格). 또, 그러한 성격을 가진 사람.

별-간죽 【別簡竹】 명 특별히 잘 만든 담배 설대.

별감 【別監】 명 〔역〕 ①나라에서 조사(調査)·감독(監督)·취렴(取斂) 등이 있을 때 지방에 보내던 임시 벼슬. 산성 별감(山城別監)·권농 별감(勸農別監)·염장 별감(塩場別監)·채방 별감(採訪別監) 따위. ②조선 시대 액정서(掖庭署)의 예속(隷屬)의 하나. 대전(大殿) 별감·중궁전(中宮殿) 별감·세자궁(世子宮) 별감·처소(處所) 별감의 구별이 있음. ③향청(鄕廳)의 좌수(座首) 버금 자리. ④남의 하인끼리 서로 부르던 존칭.

별갑 【鱉甲·鼈甲】 명 〔한의〕 자라의 등딱지. 한열(寒熱)·학질(瘧疾)·적취(積聚)·징가(癥瘕)·외과(外科) 등의 약으로 사용함.

별강 【別講】 명 〔역〕 하루에 두 차례씩 소대(召對)를 행하던 일.

별개 【別個】 명 서로 다른 것. 관련성이 없는 것. ¶ 그것과는 ~의 문제이다.

별-거¹ 【別一】 명 ↗별것. ¶ ~ 아니야/~ 다 있다.

별거² 【別居】 명 ①따로 떨어져 삶. ②부부가 한집에 같이 살지 아니함. ¶ ~ 생활. ↔동거(同居). ——-하다 자여불

별-걱정 【別一】 명 쓸데없는 걱정. ¶ ~을 다 한다.

별건 【別件】 [—껀] 명 ①보통 것보다 매우 다르게 된 물건. ② ↗별사건(別事件). ③다른 건(件). 별개의 건.

별-건곤 【別乾坤】 명 별세계(別世界). 별천지(別天地).

별건 체포 【別件逮捕】 [—껀—] 명 어떤 사건의 혐의자로 체포한 자에 대하여, 그 사건에 대한 유력한 증거가 없을 때, 다른 혐의로 체포하는 일.

별-건화 【別建花】 명 〔역〕 나라 잔치 때에 장식(裝飾)으로 쓰던 큰 가화(假花).

별검 【別檢】 명 〔역〕 조선 시대, 전설사(典設司)의 종팔품(從八品), 빙고(氷庫)·사포서(司圃署)의 종팔품 또는 정(正)팔품 벼슬.

별:검정날개-재니등에 명 〔충〕 [*Anthrax putealis*] 재니등엣과에 속하는 곤충. 몸길이 10mm 내외, 몸빛은 흑갈색에 흉배(胸背) 측연(側緣)에는 황백색 털이 나고, 어깨에는 적갈색 털이 덮임. 날개의 기부(基部)는 암갈색인데 다리는 담갈색임. 한국·일본 등지에 분포함.

별-것 【別一】 명 ①드물고 이상스러운 물건. ¶ 참 ~이 다 있군. ②다른 물건. 별개의 물건. 준별거.

별게 【別揭】 명 따로 게시함. ——-하다 타여불

별격 【別格】 [—껵] 명 보통 것과 다른 형체나 격식(格式). 출격(出格).

별견 【瞥見】 명 흘끗 봄. ——-하다 타여불

별경 【別徑】 명 달리 통한 길.

별고¹ 【別故】 명 ①뜻밖의 사고(事故). ¶ ~ 없네. ②다른 까닭.

별고² 【別庫】 명 물건을 특별히 넣어 두는 곳집.

별:-고사리 명 〔식〕 [*Cyclosorus acuminatus*] 꼬리고사릿과에 속하는 다년생의 상록 양치류. 근경(根莖)은 길게 옆으로 뻗고, 약간 거칠며 단단함. 잎은 길이 70cm 가량, 우상(羽狀)을 이루며 빛은 갈색임. 각 우편(羽片) 가에 황갈색의 작은 자낭군(子囊群)이 배열되었음. 흔히 따뜻한 지방의 산과 들의 양지에 나는데, 전남·경남·제주 지방에 분포함.

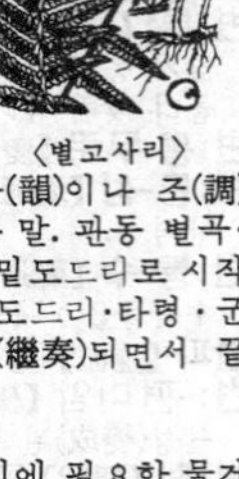
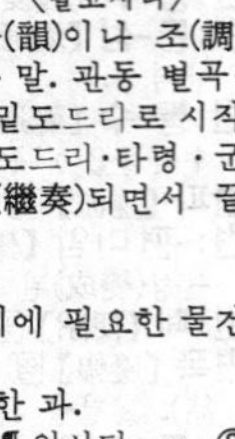

〈별고사리〉

별고-색 【別庫色】 명 〔역〕 조선 시대, 호조(戶曹)의 한 분장(分掌). 공물(貢物)을 주고받는 일을 맡음.

별곡 【別曲】 명 ①〔문〕 중국의 시가(詩歌)에 대하여 운(韻)이나 조(調)가 없이 된 것이라 하여, 한국의 독특한 시가를 일컫는 말. 관동 별곡·상사 별곡 따위. ②〔악〕 궁중 연례악(宴禮樂)의 하나. 밑도드리로 시작하여 삼현(三絃)도드리·염불(念佛)도드리·타령·군악(軍樂)에 이어 천년 만세(千年萬歲)의 세 곡이 계주(繼奏)되면서 끝남. 아명(雅名)은 정상지곡(呈祥之曲).

별곤 【別棍】 명 썩 크게 만든 곤장(棍杖).

별공 【別貢】 명 〔역〕 특수한 물품의 공물(貢物). 또, 불시에 필요한 물건을 공납(貢納)하게 하는 공물. ↔상공(常貢).

별과 【別科】 [—꽈] 명 〔교〕 본과(本科) 밖에 따로 설치한 과.

별관¹ 【別館】 명 ①본관(本館) 밖에 따로 설치한 관(館). ¶ 의사당 ~. ②작은집❸.

별관² 【瞥觀】 명 잠깐 봄. 얼른 봄. ——-하다 타여불

별구 【鼈炙】 명 자라구이.

별-구경 【別一】 명 특별한 구경. 보기 드문 구경. ¶ ~을 다 한다.

별-구청 【別求請】 명 〔역〕 옛날에 사신이 외국에 갈 때에, 그 지나가는 지방의 관아에서 관례(慣例)로 받는 여비(旅費) 이외에 따로 더 청하는 여비. 정식으로 받는 구청전(求請錢)에 상대하여 일컫는 말.

별국 방언 【別國方言】 명 〔책〕 양자 방언(揚子方言).

별군 【別軍】 명 〔군〕 본대(本隊) 밖에 따로 독립한 군대.

별-군관 【別軍官】 명 〔역〕 조선 시대에, 훈련 도감·금위영(禁衛營)·어영청(御營廳)·수어청(守禦廳) 등에 속한 하사(下士)의 하나.

별-군직 【別軍職】 명 〔역〕 조선 시대에, 별군직청(別軍職廳)에 속하여 임금의 시위(侍衛)와 적간(摘奸) 등의 일을 맡아보던 무직(武職).

별군직-청 【別軍職廳】 명 〔역〕 조선 시대에, 별군직(別軍職)에 관한 일을 맡아보던 관아. 효종(孝宗)이 봉림 대군(鳳林大君)으로 선양(瀋陽)에 귀양가 있을 때 옆에서 떨어지지 않고 모신, 소위 팔장사(八壯士)를 모체(母體)로 하여 베푼 것임.

별궁 【別宮】 명 〔역〕 ①왕이나 왕세자의 혼례 때에 비(妃)를 맞아들이던 궁전. ②특별히 따로 지은 궁전.

별-궁리 【別窮理】 [—니] 명 달리 하는 궁리. ¶ ~를 다 해 보다.

별권 【別卷】 명 ①전집 등에서 본체(本體)에 추가해서 따로 붙인 권(卷). ¶ 색인은 ~에 수록. ②따로 철한 권. 별책(別冊).

별:-그림 명 〔고고학〕 무덤 안벽에 그려진 별자리 그림. 성신도(星辰圖).

별급 【別給】 명 〔역〕 특별히 급여(給與)한다는 뜻으로 '증여(贈與)'를 일컫던 말. ——-하다 타여불

별급 문기 【別給文記】 명 〔역〕 재산의 증여(贈與) 때에 연월일과 별급 사유를 적어, 작성 교부하는 문기(文記).

별급 호:적 【別給戶籍】 명 〔역〕 조선 시대에, 호적 대장에 따라 작성하여 각 개인에게 발급하던 일종의 호적 등본. 지패(紙牌). 호구(戶口).

별기¹ 【別岐】 명 따로 갈라진 길.

별기² 【別記】 명 본문 이외에 따로 기록하여 첨부함. 또, 그 기록. ——-하다 타여불

별기-군 【別技軍】 명 ①특별한 기술 교육을 받은 군대. ②〔역〕 조선 시대 말에 두었던 신식 군대. 고종(高宗) 18년(1881)에 소총 등 신식 무기를 지급받았으며 일본군 소위 호리모토 레이조(堀本礼造)에 의해 훈련을 받았음. 임오 군란(壬午軍亂)의 한 원인이 되어 폐지됨.

별기-대 【別騎隊】 명 〔역〕 조선 시대 후기에 훈련 도감에 소속된 마병(馬兵). 영조 4년(1728) 이인좌의 난 때 마병과 보병에서 자원(自願)하는 자로 마병초(馬兵哨) 1초(哨)를 만들어 도순무사(都巡撫使)에 예속시켰다가 개선 후 그대로 무과(武科)에 합격시켜 좌전초(左前哨)에 충당한 뒤 별기대라 불렀음. 대조회(大朝會) 때 배호(陪扈)하고, 집춘문(集春門)에서 공북문(拱北門)까지 순라(巡邏) 및 남영(南營) 입직(入直)을 담당함.

별-기위 【別騎衛】 명 〔역〕 조선 시대에, 금위영(禁衛營)에 속하였던 하사. 정원은 32명.

별-기은제 【別祈恩祭】 명 고려·조선 시대에 대전(大殿)이나 중궁전(中宮殿)에서 국행(國行)으로 임금과 왕자의 안녕을 빌어 덕적(德積)·감악(紺岳)·백악(白岳)·송악(松岳) 등 명산 대천에서 하던 굿.

별:-꼬리하루살이 명 〔충〕 엘무늬꼬리하루살이.

별:-꼭지 명 썩 작게 만들어 붙인 지연(紙鳶)의 꼭지. 또, 그런 연.

별-꼴 【別一】 명 남의 눈에 거슬려 보이는 꼬락서니. ¶ ~ 다 보겠다/정말이지 ~이야.

별:-꽃 명 〔식〕 [*Stellaria media*] 너도개미자릿과에 속하는 월년초. 줄기는 총생(叢生)하며 길이는 30cm 가량, 땅 위에 덩굴 모양으로 뻗음. 잎은 대생(對生)하는데 밑의 잎은 잎꼭지가 있으며 넓은 달걀꼴의 꼭대기 잎은 잎꼭지가 없음. 5-6월에 흰 오판화(五瓣花)가 취산(聚繖) 화서로 정생(頂生) 또는 액생(腋生)하고, 삭과(蒴果)를 맺음. 산이나 길가에 나는데, 거의 한국 전역 및 일본 등지에 분포함. 어린 엽경(葉莖)은 식용함.

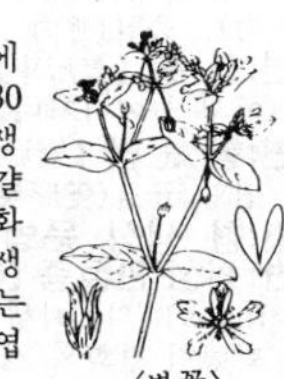

〈별꽃〉

별:-꽃등에 명 〔충〕 [*Chilosia motodomariensis*] 꽃등엣과에 속하는 곤

충. 몸길이는 11-13 mm, 몸빛은 검은데 담황회색(淡黃灰色) 및 갈색의 털이 밀생(密生)함. 더듬이는 흑갈색이고 날개의 뒷무늬는 다소 흐리며 중앙엔 담갈색의 또렷하지 않은 무늬가 있음. 한국·사할린·일본 등지에 분포함.

별:꽃-풀 명 【식】 [*Swertia veratroides*] 용담과에 속하는 이년초. 줄기 높이 40 cm 내외, 잎은 대생하며 밑의 잎은 총생(叢生)함. 경엽(莖葉)은 잎꼭지가 없는데 타원형 또는 긴 타원형을 이룸. 9월에 흰 꽃이 취산(聚繖) 화서로 줄기 끝이나 가지 끝에 정생하고, 삭과(蒴果)를 맺음. 산골짜기에 나는데, 평남·함경 등지에 분포함.

별:-꿩의밥 [—/—에—] 명 【식】 [*Luzula macrocarpa*] 골풀과에 속하는 다년초. 줄기는 총생하고 높이 20 cm 가량임. 밑의 잎은 총생하고 경엽(莖葉)은 작은 선형(線形)을 이루는데 끝이 점차로 뾰족함. 4-6월에 담갈색 꽃이 산형상(繖形狀)으로 피고, 삭과(蒴果)를 맺음. 제주·강원·평안 등지에 분포함.

별:-나나니 [—라—] 명 【충】 [*Ammophila clavus*] 구멍벌과의 곤충. 수컷의 몸길이는 30-35 mm, 몸빛은 검은데 복부(腹部)는 남색이고, 복부 제1절의 양끝을 제외한 대부분과 제2절 기부(基部)를 제외한 부분은 적갈색임. 얼굴·흉부(胸部)에는 갈색의 잔털이 나고, 복부 중앙 이하의 배면(背面)에는 흑갈색의 잔털이 밀생하였음. 한국에도 분포함.

별-나다 【別—】 [—라—] 형 됨됨이가 보통 것과 매우 다르다. ¶ 별나게 굴지 말아라/별난 사람.

별:-나라 [—라—] 명 〈소아〉 별의 세계. 하늘.

별납 【別納】 [—랍] 명 ①당연히 바치는 것 외에 따로 바침. ②한데 껴서 바치지 아니하고 따로 떼어서 바침. ¶ 우편 요금 ~. ——-하다 타여불

별:-넙치 [—럽—] 명 【어】 [*Pseudorhombus cinnamoneus*] 가자밋과에 속하는 바닷물고기. 몸길이 30 cm 내외의 달걀꼴이고, 유안측(有眼側)의 몸빛은 암갈색에 반점이 다수 산재함. 옆줄 부근에는 흰 고리 속에 둘린 큰 흑색 무늬가 있음. 심해에 살다가 산란기인 5-6월경에는 얕은 바다로 이동함. 한국 중부 이남·일본 중부 이남·동남지나해에 분포함.

〈별넙치〉

별-놈 【別—】 [—롬] 명 생김새나 성질·언행 따위가 별난 놈. ¶ ~ 다 보겠군.

별-다례 【別茶禮】 명 정례(定例) 밖에 드리는 다례(茶禮).

별-다르다 【別—】 형 르불 유난히 다르다. ¶ 별다른 사건은 없었다.

별단[1] 【別段】 [—딴] 명 별반(別般). ¶ ~ 조치.

별단[2] 【別單】 [—딴] 명 주본(奏本)에 첨부하는 문서(文書) 또는 인명부(人名簿).

별단 예:금 【別段預金】 [—딴네—] 명 【경】 금융 기관이 거래처로부터 의뢰받은 일시적 자금, 곧 어음의 추심(推尋) 대금, 주식의 배당금, 사채(社債)의 이표(利標), 보증 수표 따위를 처리하기 위하여 설치한 일종의 잡종 예금.

별-달리 【別—】 부 별다르게. ¶ 내 말을 ~ 생각하지 마시오.

별당 【別堂】 [—땅] 명 ①몸채의 곁이나 뒤에 따로 지은 집. ¶ ~아씨. ②【불교】 절의 주지나 강사(講師) 같은 이가 거처하는 곳. 퇴설당(堆雪堂).

별대 【別隊】 [—때] 명 본대(本隊) 밖에 따로 독립한 부대.

별대 마병(馬兵) 편구 치듯 구 훈련 도감 마병들이 편을 갈라 타구(打毬)하듯, 날쌘 몸짓으로 내리치는 모양. ¶ 용천검 드는 칼로 사또 친히 버히시되 별대 마병 편구치듯 백송골이 생치 차듯 《春香傳》.

별-대왕 【別大王】 [—때—] 명 【문】 《시용 향악보(時用鄕樂譜)》에 전하는 무가(巫歌) 계통의 노래. 의미 없는 구음(口音)으로만 이루어져 있음.

별도 【別途】 [—또] 명 ①딴 방면. 딴 방법. ¶ ~ 수입/~로 취급하다. ②딴 용도(用途).

별-도리 【別道理】 명 별다른 도리(道理). 딴 도리. ¶ ~가 없다.

별도 적립금 【別途積立金】 [—또—닙—] 명 【경】 회사가 지출 목적을 특정(特定)하지 아니하고, 어떠한 목적에도 지출할 수 있도록 한 일반적 임의 준비금(任意準備金).

별-돈 【別—】 명 【역】 별전(別錢)의 딴이름. ↔본(本)돈.

별돌 명 〈방〉 벼루(경기).

별동 【別棟】 [—똥] 명 따로 떨어져 있는 집채. ↔본동(本棟).

별동-대 【別動隊】 [—똥—] 명 【군】 본대(本隊)로부터 따로 떨어져 독립하여 전반의 작전에 유리하도록 행동을 하는 부대. ¶ ~원(員).

별두 【別頭】 명 고려 때, 중국 사람으로서 과거(科擧)의 갑과(甲科)에 합격한 사람을 일컫던 말.

별:들의 전:쟁 【—戰爭】 [—/—에—] 명 【군】 에스 디 아이(SDI)의 속칭. 스타워스.

별:-똥 명 〈속〉 운성(隕星).

별:똥-돌 명 〈속〉 운석(隕石).

별:똥-별 명 〈속〉 유성(流星).

별:똥-지기 명 〈방〉 천둥지기.

별-뜨기 【別—】 명 【역】 〈속〉 별순검(別巡檢).

별:-띠 명 〈방〉 별똥.

별례 기은 도감 【別例祈恩都監】 명 【역】 고려 명종(明宗) 8년(1178)과 고종(高宗) 4년(1217)에 임시로 두었던 관아(官衙). 나라의 환난(患難)을 없이 하기 위하여 스무 섬 이상의 녹봉(祿俸)을 받는 벼슬아치에게 열 섬마다 한 말씩 거두어서 기도(祈禱)하는 일을 맡았음. 준 기은 도감(祈恩都監).

별례-방 【別例房】 명 【역】 조선 시대의 호조(戶曹)의 한 분장. 경비사(經費司)를 뒤에 고친 이름. *전례방(前例房).

별로[1] 【別路】 명 ①이별하고 떠나는 길. ②딴 길.

별-로[2] 【別—】 부 그다지. 이렇다 하게 따로. 별반(別般). 뒤에 '아니하다'·'없다'·'못하다' 따위의 부정의 말이 따름. ¶ ~ 할 말은 없지만/~ 바쁘지 않다. 준 별[3].

별로-이 【別—】 부 ☞ 별로.

별록[1] 【別錄】 명 별도로 만든 기록.

별록[2] 【別錄】 명 【책】 중국 한(漢)나라 학자 유향(劉向)이 편찬한, 조정(朝廷)의 장서(藏書) 목록과 해제집(解題集). 당대(唐代)에 없어져 지금은 일부밖에는 전하지 않음. 20권.

별루 【別淚】 명 이별할 때 흘리는 눈물. 이별의 눈물.

별류 【別類】 명 다른 종류.

별름-별름 부 〈방〉 벼름벼름. ——-하다 타

별리 【別離】 명 이별(離別). ——-하다 자여불

별-마대 【別馬隊】 명 【역】 황해도 군보(軍保) 및 무예에 출중한 양정(良丁)으로서 금위영(禁衛營)과 어영청(御營廳)에 차례로 돌아가며 상번(上番)하는 기사(騎士). 신영(新營)·사직단(社稷壇)을 순찰함.

별-말 【別—】 명 ①뜻밖의 말. 이상한 말. 별소리. ¶ ~을 다 하더군. ②별다른 말. ¶ ~은 없었네. ——-하다 자여불

별-말씀 【別—】 명 '별말'의 높임말. ——-하다 자여불

별-맛 【別—】 명 별다른 맛. 유별난 맛. ¶ 먹어 봐도 ~ 아니다/~ 없는 요리.

별:-망둑 명 【어】 [*Chasmichthys gulosus*] 망둑엇과에 속하는 바닷물고기. 몸길이 25 cm 내외, 머리가 크고 주둥이가 넓은데, 몸빛은 푸른빛을 띤 회색 바탕에 짙푸른 반점이 산재함. 비늘은 아주 작고 좌우의 배지느러미는 빨판을 이룸. 한국 동남부 및 일본 중부의 함수(鹹水)에 분포함. 먹지 못함.

별면 【別面】 명 원고지나 인쇄물 등에서, 한 단락(段落)을 짓고 새로 시작하는 면. ¶ ~ 조판(組版) / ~을 잡다.

별명[1] 【別名】 명 본이름 밖에 그 사람의 생김새·행동·성질 같은 것으로 남들이 지어 부르는 이름. 닉네임(nickname). ↔본명(本名).

별명[2] 【別命】 명 다른 명령. 별도 명령. ¶ ~이 있을 때까지 대기하라.

별묘 【別廟】 명 【역】 종묘(宗廟)에 들어갈 수 없는 신주(神主)를 모시기 위하여 따로 지은 사당. *칠궁(七宮).

별무 【別貿】 명 【역】 조선 시대 후기, 원공(元貢) 이외의 부족량이나, 공안(貢案)에 들어 있지 않은 가용 공물(加用貢物)을 시전(市廛) 또는 공방(貢房)에서 따로 사는 일. *원공(元貢)·사무(私貿). ——-하다 타여불

별무-가 【別貿價】 명 【역】 조선 시대 후기에, 별무(別貿)에 대한 공물값. 호조(戶曹)에서 지급함. ↔원공가(元貢價).

별-무가관 【別無可觀】 명 별로 볼 만한 것이 없음.

별:-무늬 [—니] 명 별들이 박힌 모양으로 놓은 무늬.

별-무반 【別武班】 명 【역】 고려 숙종 때, 윤관(尹瓘)이 여진 정벌(女眞征伐)에 쓰기 위하여 기병(騎兵)을 중심으로 해서 만든 군대의 이름. 신기군(神騎軍)·신보군(神步軍)·항마군(降魔軍)의 세 부대로 편성함.

별-무사 【別武士】 명 【역】 조선 시대에, 훈련 도감(訓鍊都監)·금위영(禁衛營)·어영청(御營廳)에 속한 하사(下士)의 하나.

별-무신통 【別無神通】 명 별로 신통할 것이 없음.

별-문서 【別文書】 명 【역】 서울 각 방(各坊)에서 호적(戶籍) 기타의 공공 사무를 맡아보던 사역(使役)의 하나. *임장(任掌).

별-문석 【別紋席·別文席】 명 별다르게 꽃무늬를 놓은 돗자리.

별문석자-계 【別文席子契】 명 【역】 무늬 놓은 돗자리를 공물로 바치던 계.

별-문제 【別問題】 명 다른 문제. 본문제와는 관계가 없는 문제. ¶ 이것과 저것과는 ~이다.

별물 【別物】 명 ①특별한 물건. ②〈속〉 별사람. 변물(變物). ¶ ~로군.

별미 【別味】 명 특별히 좋은 맛. 또, 그 음식. 이미(異味). ¶ 이 찌개, 참 ~로군.

별미-적다 【別味—】 형 ☞ 별미쩍다.

별미-쩍다 【別味—】 형 성질이나 행동이 멋없이 별쭝나다.

별:-바퀴 명 【충】 이질바퀴.

별:-박이 명 ①높이 오르거나 멀리 떠나가서 아주 조그맣게 보이는 지연(紙鳶). ②이마에 흰 점이 박힌 말. 백전(白顚). 대성마(戴星馬). 적로마(駒驢馬). 적상마(駒顙馬). ③살치 끝에 붙은 고기. 쇠고기 중에서 가장 질김.

별:박이-노린재 명 【충】 [*Pyrrhocoris tibialis*] 별박이노린잿과(科)에 속하는 곤충(昆蟲). 몸길이 9 mm 내외, 몸빛은 담갈색 내지 회갈색에 짙고 엷은 변화가 심함. 촉각은 흑갈색. 전흉배의 전연(前緣)에 흑갈색의 무늬가 두 개 있고 막질부(膜質部)는 복단(腹端)에까지 달하지 않음. 건조한 지상에 사는데, 한국·일본에 분포함. 별점박이노린재.

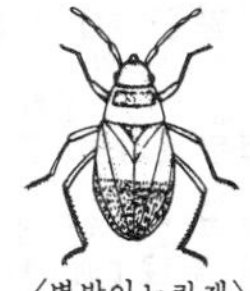
〈별박이노린재〉

별:박이노린잿-과 【—科】 명 【충】 [Pyrrhocoridae] 매미목(目)에 속하는 한 과. 몸길이 5-50 mm, 촉각은 굵고 4 절(節)을 이루며, 복안(復眼)은 크고 단안(單眼)은 없음. 주둥이는 4 절이며, 큰 전흉배판(前胸背板)에는 날개도 발달되어 있음. 다리는 둥글고 부절(跗節)은 3 절이며 발톱과 욕반(褥盤)이 있음. 목화 기타 여러 가지 작물의 해충임. 전세계에 450 여 종이 분포함.

별:박이-안주홍불나방 【—朱紅—】 [—라—] 명 【충】 [*Rhyparioides amurensis*] 불나방과 안주홍불나방속(屬)에 속하는 불나방의 하나.

별:박이-왕잠자리 【—王—】 명 【충】 [*Aeschna juncea*] 왕잠자릿과에 속하는 곤충. 배의 길이 50 mm, 뒷날개 길이 40 mm 내외임. 두부는 황록색, 흉부는 갈색, 복부는 흑갈색이며, 각 절(各節) 후연(後緣)과 측연(側緣)의 앞쪽에 푸른 반문이 있고 중흉부(中胸部)에 한 개, 흉측(胸側)에 두 개의 황록색 띠가 있음. 한국에도 분포함.

별:박이-자나방 명 【충】 [*Naxa seriaria*] 자나방과(科)에 속(屬)하는 곤충. 편 날개의 길이 41-49 mm, 몸빛은 흰데 날개는 거의 투명하고 반문(斑紋)은 검음. 유충(幼蟲)은 쥐똥나무 등의 눈잎의 해충임. 한국·만주·중국·일본·아무르(Amur) 지방에 분포함.

별반¹【別般】㊀ 명보통과 다름. 별다름. 별양(別樣). 별단(別段). ㊁ 부 별다르게. 별로. ¶ ~ 좋은 줄 모르겠다.
별반²【別飯】명 별밥.
별반³【別盤】명 주로, 대궐에서 특별한 때에 쓰인다 하여 일컫는 반월반(半月盤)의 딴이름.
별반 거:조【別般擧措】명 특별히 다르게 차리는 노릇. 특별한 행동. ¶ 이번엔 용서하나 이 다음에 또다시 그런 일이 있으면 ~를 내릴 테니 그리 알구 있거라《洪命憙 : 林巨正》.
별반 조처【別般措處】명 특별히 다르게 하는 조처.
별-밥【別一】명 보통과 다르게 지은 밥. 찹쌀이나 멥쌀에다 조·콩·팥 또는 무·고구마 등을 섞어서 지은 밥. 별반(別飯).
별방【別房】명 작은집❸. 첩.
별배¹【別杯】명 이별할 때 서로 나누는 술잔. 「거느리고.
별배²【別陪】명〖역〗벼슬아치 집에서 부리던 하인. ¶ ~ 구종(驅從)을
별-배달【別配達】명〖법〗↗별배달 우편(別配達郵便).
별배달 우편【別配達郵便】명〖법〗우편물의 특수 취급(特殊取扱)의 한 가지. 등기(登記)·가격 표기(價格表記)의 통상 우편물·소포(小包) 등을 통상(通常) 배달 시각(時刻) 외의 시간에도 특별한 배달부로 배달하는 제도. 특별 요금을 냄. ㊥별배달.
별:배-바구미 명〖충〗길쭉바구미.
별-배종【別陪從】명〖역〗임금이 거둥할 때 한직(閑職)에 있는 문관을 같이 모시게 하던 임시 벼슬.
별백【別白】명 명백함. 분명함.
별-백지【別白紙】명 품질이 아주 좋은 백지. 「갑번(甲燔).
별번【別燔】명〖공〗왕실(王室)에서 쓰던 특제(特製)의 도자기. *
별:-벌레 명〖동〗[*Phascolosoma japonica*] 별벌레강(綱)에 속하는 동물의 하나. 몸은 지렁이 모양인데 길이 50 mm가량, 전단(前端)에 주둥이가 있고 그 내부에 두 쌍의 강대한 견인근(牽引筋)이 부착해 있음. 주둥이 주위에는 잔 촉수(觸手)가 환생(環生)하여 별 모양을 이루므로 이런 이름이 나옴. 항문(肛門)은 몸의 앞 배면(背面)에 있고, 장(腸)은 체내에 선회(旋回)하여 하단(下端)까지 달함. 배설기의 구조, 한 쌍의 신관(腎管) 등으로 환형(環形) 동물과 구별됨. 연안의 바위 틈에 가라앉은 진흙 속에 서식하는데, 일본 중부 이남에 분포함. 성충(星蟲).

〈별벌레〉

별:벌레-강【一綱】명〖동〗[Sipunculoidea] 전항(前肛) 동물문(動物門)에 속하는 한 강(綱). 분류학(分類學)에서 내항(內肛) 동물·의연체(擬軟體) 동물 또는 환형(環形) 동물 등에 속하는 것으로 보기도 함. 별벌레 등이 이에 속함. 성충류(星蟲類).
별법【別法】[一뻡] 명 ①다른 방법. ②별도의 법률.
별별【別別】관 보통보다 아주 다른 이상한 가지가지. 별의별. ¶ ~ 소릴 다 듣겠다/~ 음식을 다 먹어 보다.
별보¹【別報】명 별다른 보도(報道). 특별한 기별.
별보²【別報】명〖불교〗총보(總報)에 더하여 업인(業因)에 따라 제각기 달리 나타나는 과보(果報). 이를테면, 인간으로 태어난 것은 다 같은 총보지만, 빈부, 귀천, 남녀, 미추(美醜) 따위의 차별이 있는 것은 별보라 함. ↔총보.
별보³【別譜】명 별도로 만든 족보.
별:-복¹ 명〖어〗[*Tetraodon firmamentum*] 참복과에 속하는 바닷물고기. 몸길이 약 30 cm. 주둥이와 꼬리지느러미를 제외한 온 몸에 두 가닥의 뿌리로 된 가시가 밀포(密布)함. 등은 암회색, 배는 담색이며 몸 전체에 달걀꼴의 흰 점이 산재함. 열대성 어류로 우리나라 부산 연해·
별복²【別腹】명 이복(異腹). 「제주도 및 남부 일본에 많이 남.
별복³【鱉腹】명〖한의〗복학(腹瘧).
별-복정【別卜定】명〖역〗지방에서 나는 물건을 정례(定例) 외로 서울의 각 관아(官衙)·각 도·각 군에 바치던 일. 「이나 책.
별본【別本】명 ①보통 것보다 달리 된 모양이나 본새. ②별도로 된 글
별봉【別封】명 ①〖역〗외직(外職)에 있는 지방의 벼슬아치가 정례(定例)로 서울의 각 관아에 바치는 토산물(土産物)에 웃짐을 쳐서 보내던 일. ②별도로 봉한 편지. ③따로 싸서 봉함. ——-하다 타여불
별부¹【別付】명〖역〗옛날 왕실(王室)에서 중국에 물건을 따로 주문(注文)하여 오던 일. 사람을 따로 보내기도 하고 사행편(使行便)에 부치기
별부²【別賦】명 이별의 노래. 「도 함.
별-부료【別付料】명〖역〗↗별부료 군관(別付料軍官).
별부료 군관【別付料軍官】명〖역〗조선 시대의 관직. 총융청(摠戎廳)·용호영(龍虎營)의 무관직(武官職)의 하나. 원래는 평안도·함경도에서 뽑아 온 군관(軍官)인데 경상비(經常費)가 아닌 다른 비목(費目)에서 봉급을 주게 되므로 이 이름이 생기었음. ㊥별부료.
별:-불가사리 명〖동〗[*Asterina pectinifera*] 불가사리류(類) 별불가사릿과에 속하는 극피 동물. 몸 직경은 9 cm 내외, 복(輻)이 보통 4-6개가 있어서 별처럼 보임. 구부(口部)는 등적색(橙赤色), 구부의 반대쪽은 남흑색(藍黑色)과 등적색이 불규칙하게 혼합되어 있음. 6-7월경에 산란함. 연안의 암초(岩礁) 위에 사는데 한국·일본·태평양에 분포함. 말리어서 비료(肥料)로 씀.

〈별불가사리〉

별:불가사릿-과【一科】명〖동〗[Asterinidae] 극피 동물 불가사리류에 속하는 한 과. 별불가사리가 이에 속함.
별비【別備】명 ①특별히 하는 준비. ②굿을 할 때에 목돈 밖에 따로 무당에게 행하(行下)로 주는 돈. 주의 ②는 '別費'로도 씀.
별:-빙어 명〖어〗[*Spirinchus verecundus*] 바다빙어과에 속하는 바닷물고기. 빙어와 비슷하나 배지느러미는 등지느러미의 제2·제3 연조(軟條) 밑에서 시작됨. 우리 나라 특산어이며, 청진(淸津)·웅기(雄基)에서 잡힘. *빙어.
별:-빛 [一삗] 명 별의 반짝이는 빛. 성광(星光). 성망(星芒). 성영(星影).
별사¹【別仕】명〖역〗조선 시대에, 특근(特勤) 그 밖의 기술(技術)의 우수함을 고려하여, 특별히 가산해 주는 근무 일수. *원사(元仕).
별사²【別使】[一싸] 명 ①특별한 사신(使臣). ②다른 사자(使者).
별사³【別事】[一싸] 명 별일. 별다른 일.
별사⁴【別辭】[一싸] 명 ①이별의 인사. ②그 외의 말.
별-사건【別事件】[一껀] 명 ①특별한 사건. ②관련이 없는 다른 사건. ㊥별건(別件).
별-사람【別一】명 ①생김새나 하는 짓이나 말 따위가 별난 사람. ¶ ~ 다 보겠군. ②딴 사람. 별인. 별인물(別人物).
별-사미인곡【別思美人曲】명〖문〗조선 숙종(肅宗) 때의 김춘택(金春澤)이 지은 가사. 작자가 제주도에서 귀양살이할 때 지은 것으로, 송강(松江)의 《사미인곡》과 똑같은 체재로 되어 있고 문체와 수사(修辭)에 있어 닮은 점이 많음. 「실아치.
별-사옹【別司饔】명〖역〗각 궁전(宮殿)에서 음식을 조리(調理)하던 구
별-사전【別賜田】명〖역〗고려 때, 승직(僧職)이나 지리업(地理業)에 종사하는 사람에게 나라에서 특별히 내려 주던 논밭.
별:-사초【一莎草】명〖식〗[*Carex tenuiflora*] 방동사닛과에 속하는 다년초. 줄기는 삼릉주(三稜柱)로 총생(叢生)하여 높이 40 cm 가량, 잎은 호생하고 좁은 선형(線形)을 이루는데 꽃이삭은 1-5개가 양성(兩性)이고 7월에 둥글게 핌. 과낭(果囊)은 달걀꼴의 긴 타원형임. 산지의 습지에 나는데, 평북·함북에 분포함.
별산-제【別産制】[一싼一] 명 부부 재산제(夫婦財産制)의 일종인 법정 재산제(法定財産制)의 하나. 부부가 각기 재산을 보유하고 또는 스스로 이것을 사용 수익(使用收益)하고 관리하는 제도.
별:-삼광조【一三光鳥】명〖조〗[*Terpsiphone paradisi incei*] 딱샛과에 속하는 새. 날개 길이는 85-100 mm, 몸빛은 흰데 머리·목·우관(羽冠)이 흑색에 초록 또는 남빛의 광택이 나고 날개 끝은 검음. 한국·중국에서 번식하고 남양에서 월동함. 북방긴꼬리딱새.
별:-상어 명〖어〗[*Mustelus manazo*] 참상어과에 속하는 상어. 몸은 길이 1.5 m 가량, 꼬리는 가늘고 길며, 머리는 종편(縱扁)하여 폭이 넓고 주둥이는 돌출함. 눈은 가늘고 길며 순막(瞬膜)이 잘 발달됨. 빛은 회갈색에 배 쪽은 흰데, 등과 옆줄 위에 작은 흰 점이 산재함. 상어 무리 중 가장 보통의 종류로서 얕은 바다의 내만에 사는데 특히 한국 남해와 일본에 분포함. 태생으로 6-7월경 열 마리쯤 낳음. 식용하는데, 상어 중 가장 맛이 좋음.

〈별상어〉

별-생각【別一】명 별다른 생각. ¶ ~을 다 하다.
별서【別墅】[一써] 명 들 같은 곳에 한적하게 지은 집. 별장(別莊)과 비슷하나 농사를 경영하는 점이 다름.
별석【別席】[一썩] 명 따로 베푼 자리. ¶ ~을 마련하다.
별선¹【別扇】[一썬] 명 보통 것보다 달리 잘 만든 부채.
별선²【別膳】[一썬] 명 ①궁중에서 특별히 만들던 음식물. ②외국의 사신(使臣)이나 공신(功臣)에게 특별히 내려 주던 궁중 음식물.
별선³【別船】[一썬] 명〖역〗조선 시대 군선(軍船)의 일종. 크기는 중선(中船)과 같으며, 충청도에 4척, 전라도에 40척을 보유하였던 특수선.
별선⁴【別選】[一썬] 명 ①궁술(弓術) 용어. 사정(射亭)의 임원(任員)을 개선(改選)할 때, 그 사정에 적당한 사람이 없으면, 다른 사정의 인물을 골라서 정하는 일. 그 사연(事緣)을 알리면 본인이나 그 사정에서 쾌락(快諾)하고, 그 직무를 보다가 뒷날에 임원이 갈리는 때에는 자기의 사정으로 돌아감. ②특별히 따로 뽑음. ——-하다 타여불 「벼슬.
별선-관【別選官】[一썬一] 명〖역〗조선 시대에, 관상감(觀象監)의 한
별선 군관【別選軍官】[一썬一] 명〖역〗조선 시대에, 힘센 사람을 골라 뽑아서 특별히 대전(大殿)을 호위(護衛)하게 하던 군관.
별:-선인장【一仙人掌】명〖식〗[*Astrophytum myriostigma*] 선인장과에 속하는 관상용 다년초. 줄기는 처음에 둥글다가 자라면 다섯모꼴이 됨. 짧은 흰 털이 작은 반점 모양을 이루며 밀생하여 전체가 회백색으로 보임. 가시가 없으며 자점(刺點)은 둥글고 작은데 회갈색의 털이 많음. 봄에서 여름에 걸쳐 노랑 꽃이 핌. 멕시코 원산.
별설¹【別設】[一썰] 명 특별히 따로 설치함. ——-하다 타여불
별설²【瞥躠】[一썰] 명 같은 곳으로만 늘 돌아다니는 모양.
별성【別星】[一썽] 명 ①봉명 사신(奉命使臣). ②〖민〗↗호구 별성(戶口別星). ③〖민〗무당의 열두거리 굿의 여섯째 거리. 무당이 동달이에 쾌자(快子)를 입고 전립(戰笠)을 쓴 구군복(具軍服) 차림을 함.
별:-성대 명〖어〗[*Peristedion rieffeli*] 양성댓과에 속하는 바닷물고기. 모양은 황성대와 비슷한데 턱에 2쌍의 수염이 있으며 두 눈 중간에 한 개의 가시가 있음. 등지느러미에는 갈색의 작은 점이 산재함. 한국 서남해·동지나해·대만 연해의 깊은 곳에 분포함.
별성 마:마【別星媽媽】[一썽一] 명〖민〗'호구 별성(戶口別星)'의 높임말. 역신 마마. ㊥마마(媽媽).
별성 마:마 송(拜送) 내듯 구 마음에 달갑지 않으나 후환이 두려워, 좋도록 하여 내보내는 모양.
별성 행차【別星行次】[一썽一] 명 봉명 사신(奉命使臣)의 행차.
별세¹【別世】[一쎄] 명 세상을 떠남. 윗사람의 죽음에 대하여 이름. 기세(棄世). 하세(下世). ——-하다 자여불
별세²【別歲】[一쎄] 명〖민〗수세(守歲).
별-세계【別世界】명 ①지구 밖의 세계. ②속된 세상과는 아주 다른 세상. 딴 세상. 별천지. 별건곤(別乾坤). 별천계(別天界). 별유천지(別有天地). ¶ 마치 ~에서 온 사람 같다.

별-세상【別世上】 명 별다른 딴 세상.
별-세초【別歲抄】 명〖역〗 사전(赦典)이 있을 때, 죄인의 이름을 뽑아 내어서 주달(奏達)하던 일.
별소 금:지주의【別訴禁止主義】[―쏘―/―쏘―이] 명〖법〗 한번 소송이 일어나면 이를 기회로 장래 동일한 생활 관계에 관한 분쟁을 없애기 위해, 그 생활 관계에 기인한 모든 청구를 그 소송에 아울러 제기하도록 하고, 그 소송 후에는 이것을 제기할 수 없도록 하는 주의. 소송 일회주의(訴訟一回主義).
별-소리【別―】 명 별말❶. ¶원 ～를 다 듣겠네. **――하다** 자 여불
별송【別送】[―쏭] 명 따로 보냄. ¶소포를 ～하다. **――하다** 타 여불
별쇄【別刷】 명〖인쇄〗 ①본문과는 별도로 색(色)·용지(用紙) 등을 바꿔 인쇄함. 또, 그 인쇄물. ②서적·잡지의 일부를 그 부분만 따로 인쇄함. 또, 그 인쇄물. ¶～본(本)으로 내다.
별-수【別數】 명 ①특별히 좋은 운수. ②아주 미묘(微妙)한 도리(道理). ③별다른 방법. ¶난 ～나 있는가 했지. ④여러 방법. ¶～를 다 써 봐도 소용없다. 「유혹하다.
별-수단【別手段】 명 ①특별한 수단. ②여러 가지 수단. ¶～을 다 써서
별수 없:다【別數―】[―업―] 구 달리 어떻게 할 방법이 없다. ¶너도 ～. *어쩔 수 없다.
별수 없:이【別數―】[―업씨] 구 별수 없게. *어쩔 수 없이.
별순【別巡】[―쑨] 명 특별히 하는 순행(巡行). **――하다** 자 여불
별-순검【別巡檢】 명〖역〗 대한 제국 때, 경무청(警務廳)이나 경위원(警衛院)의 제복을 입지 아니하고 비밀 정탐(偵探)에 종사하던 순검.
별-스럽다【別―】 형 ㅂ불 별난 데가 있다. 남다르게 이상하다. ¶별스럽게 굴다/별스러운 사람 다 보겠네. **별-스레**【別―】 부
별-승호【別陞戶】 명〖역〗 조선 선조(宣祖) 때, 보인(保人)으로서 뽑히어 훈련 도감의 포수 정병(砲手正兵)으로 된 병졸. *승호 포수(陞戶砲手).
별시[1]【別時】[―씨] 명 ①이별할 때. ②다른 때.
별시[2]【別試】[―씨] 명〖역〗 조선 시대에, 나라에 경사(慶事)가 있을 때 또는 병년(丙年)마다 행하던 문무(文武)의 과거(科擧). 초시(初試)·전시(殿試)만으로, 한성(漢城)에서 과시(科試)함.
별:-시계【―時計】 명 밤하늘에 빛나는 별의 위치를 측정하여 시각을 알아 내던 고대 자연(自然) 시계의 하나. *해시계.
별-시위【別侍衛】 명〖역〗 ①조선 시대에, 오위(五衛)의 하나인 용양위(龍驤衛)에 속한 장교(將校)의 부대(部隊). 내금위(內禁衛)의 취재(取才)에 뽑힌 사람과, 무과(武科) 복시(覆試)에 화살 여섯 대 이상을 맞힌 사람으로 편성(編成)함. 수효 1,500명. 다섯 번(番)에 나누어 여섯 달 만큼씩 체번(遞番)함. ②성중관(成衆官)의 하나.
별식【別食】[―씩] 명 늘 먹지 않는 특별한 음식. ¶오늘 저녁은 ～으로 해 먹자.
별신-굿【別神―】[―씬꿋] 명〖민〗 ①남쪽 지방에서 주로 어민(漁民)들이 하는 굿의 한 가지. ②서울 근방에서 무당들이 하는 굿의 한 가지. **――하다** 자 여불
별신-대【別神―】[―씬때] 명〖민〗 별신굿할 때에 세우는 신장대.
별신 대:기【別神大旗】[―씬―] 명〖민〗 별신굿에 쓰는 열 다섯 자 길이의 대나무 깃대에 흰 베 깃발을 단 기(旗). 기폭에 '별신대기(別神大旗)'라 씀.
별실【別室】[―씰] 명 ①특별히 따로 마련된 방. 별간(別間). ②소실(小室). 작은집❸.
별:-쌕쌔기 명〖충〗 점박이쌕쌔기.
별악 명〈옛〉 벼락. ¶별악(霹靂火閃)《譯語 上 2》. 「2》.
별악티다 자〈옛〉 벼락치다. 벼락 때리다. ¶별악티다(雷打了)《譯語 上
별안-간【瞥眼間】 부 눈 깜박할 동안. 갑자기. 난데없이. 거연(遽然)히. ¶～ 나타나다/～ 웬 말이냐. →벼란간.
별안-군【別案軍】 명 조선 순조(純祖) 30년(1830), 어가(御駕)를 호위하던 호련대(扈輦隊)를 개편한 군대의 이름.
별안-색【別鞍色】 명〖역〗 고려 우왕 11년(1385)에 요동(遼東) 공격을 위하여 동원되었던 정벌군의 마필을 준비하기 위한 관부.
별양【別樣】 명 별반(別般)㊀.
별-어장【別魚醬】 명 토막친 붕어를 기름장에 재었다가 구운 것을 물고기를 넣고 끓인 간장에 넣어 꼭 봉해서 5-6일 지난 뒤에 먹는 반찬.
별업[1]【別業】 명 ①별장(別莊). ②농장(農莊).
별업[2]【別業】 명〖불교〗 ①사람은 다 같으나 제각기 마음이 다른 일. ②세계는 하나인데 극락(極樂)·천국(天國)·사바(娑婆)가 다른 일.
별에-별【別―別】 관〈방〉 별의별(경상).
별연【別宴】 명 이별할 때 베푸는 잔치. 송별연(送別宴).
별-연죽【別煙竹】 명 보통 것보다 다르게 잘 만든 담뱃대.
별영【別營】 명〖역〗 ①별도로 설치한 군영. ②친군영(親軍營)의 하나. 조선 고종(高宗) 21년(1884)에 베풀어서 25년에 총어영(摠禦營)이라 개칭하였음.
별영-색【別營色】 명〖역〗 조선 시대의 호조(戶曹)의 한 분장(分掌). 공물(貢物)의 값을 치러 주는 일과 훈련 도감(訓鍊都監)의 군사의 요(料)를 주는 일을 맡음.
별옴【別乎】 명〈이두〉 벼름.
별옴둑가지 소리【別―】 명 별의별 괴상한 소리. ¶～를 다 듣겠다.
별와-요【別瓦窯】 명〖역〗 조선 태종 6년(1406) 승려 해선(海宣)의 청원으로 설치되었던 민수용 기와의 제조·판매를 위한 관설(官設) 제와장(製瓦場). 승려들이 운영을 주관하였으며, 제품은 양반층을 대상으로 판매되었음. 임진 왜란 이후 사영(私營) 제와장의 발전으로 폐지됨.
별완【鼈盌】 명 ①그릇의 아가리의 전이 자라 아가리처럼 울뭉줄뭉하게 된 자기(瓷器). ②잿물의 무늬 모양이 대모(玳瑁) 무늬같이 된 자기.
별완-지【別浣紙】 명 창호지(窓戶紙)❷.

별-욕【別辱】[―룍] 명 갖가지 욕. ¶～을 다 먹다.
별:-우럭 명〖어〗[*Epinephelus fario*] 농어과에 속하는 바닷물고기. 몸길이 30cm가량, 타원형으로 측편하고 몸빛은 등 쪽이 다갈색 배 쪽이 흰 빛이며 체측에 눈구멍만한 붉은 점이 밀포함. 한국·남해·일본 도쿄 이남·동인도 제도·인도 등지의 연해에 분포함.
별우조-타:령【別羽調打令】 명〖악〗 '금전악(金殿樂)'의 속칭.
별-운검【別雲劍】 명〖역〗 조선 시대에, 운검(雲劍)을 차고 노부(鹵簿)를 모시던 임시 벼슬.
별원[1]【別院】 명〖불교〗 ①칠당 가람(七堂伽藍) 이외에 중이 거주(居住)하기 위하여 세운 당사(堂舍). ②본사(本寺) 외에 따로 건립한 본사 소속의 사원(寺院).
별원[2]【別願】 명〖불교〗 보살이 수업 중에 개별적으로 세우는 서원(誓願). 아미타(阿彌陀)의 48원(願), 약사(藥師)의 12서원 따위. ↔총원(總願).
별위 개:념【別位概念】 명〖논〗 괴리(乖離) 개념.
별유【別諭】 명〖역〗 특별한 유고(諭告)나 유지(諭旨).
별-유사【別有司】 명〖역〗 서울 각 방(各坊)에서 호적(戶籍), 기타의 공공 사무(公共事務)를 맡아 보던 사역(使役)의 하나. *임장(任掌).
별유 천지【別有天地】 명 별세계(別世界)❷.
별유 풍경【別有風景】 명 썩 좋은 풍경. 특별한 곳에 있는 진귀(珍貴)한 풍경.
별은【別銀】 명 황금(黃金)❶.
별음【別音】 명〈이두〉 벼름.
별의【別意】[―/―이] 명 ①다른 의사. 딴 뜻. 타의(他意). ②이별을 섭섭하게 여기는 마음.
별의-별【別―別】[―/―에―] 관 ①아주 별다른. ②보통보다 다른 이상한 가지가지. 온갖. 별별. ¶～ 소리를 다 듣겠다/～ 놈.
별:-이끼 명〖식〗[*Callitriche japonica*] 별이낏과에 속하는 일년생의 초록색 이끼. 줄기는 여러 개로 갈라져서 땅 위에 뻗으며 곳곳에 가는 뿌리를 냄. 높이 5cm 내외, 잎은 대생하고 거꿀달걀꼴의 원형 또는 주걱 모양을 이룸. 5-7월에 녹백색 꽃이 자웅 동주(雌雄同株)로 액출(腋出)하고, 삭과(蒴果)를 맺음. 원포(園圃)의 습지에 나는데, 평북·함북에 분포함.
〈별이끼〉
별:이낏-과【―科】 명〖식〗[Callitrichaceae] 별이끼목(目)에 속하는 한 과. 물별이끼·별이끼가 있음.
별인【別人】 명 ①별사람❷. ②딴 사람.
별-인물【別人物】 명 별사람❷.
별-일【別―】[―릴] 명 드물고 이상한 일. 별다른 일. ¶～ 없다.
별임 영위【別任領位】 명〖역〗 조선 시대에, 육의전(六矣廛)의 도중(都中)의 임원(任員)의 하나. 도원(都員)의 선거에 의해서 선출되는데, 차지 영위(次知領位)의 아래임.
별-입시【別入侍】 명〖역〗 신하가 임금을 사사로운 일로 뵘. **――하다** 자 여불
별자[1]【別子】[―짜] 명 서자(庶子)❶.
별자[2]【別字】[―짜] 명 딴 글자.
별자[3]【別者】[―짜] 명〈속〉 ①→별짜. ②별순검(別巡檢).
별:-자리[―짜―] 명〖천〗 천구상의 항성(恒星)을 그 위치에 따라 동물·기물(器物) 또는 신화 중의 인물 따위 형상으로 맞추어 집단적으로 모아서 구분한 것. 옛날 동양에서는 3원(垣) 28수(宿)로 나누었고, 현재는 하늘의 적경(赤經)·적위(赤緯)에 평행한 경계선에 의하여 황도(黃道)는 12, 북천(北天)은 28, 남천(南天)은 48의 88별자리로 구분함. 성좌.
별:자리-표【―表】 명〖천〗 별자리를 나타낸 천체도.
별작-면【別作麪】[―짝―] 명 밀국수의 한 가지. 밀가루를 소금물에 반죽하여 안반에 기름을 바르고 방망이로 얇게 밀어 조각을 지어 잠깐 말렸다가 찬물에 담가 길쭉길쭉하게 찢어 찬국이나 장국에 넣거나 말려 두었다가 삶아 먹기도 함.
별-작전【別作錢】 명〖역〗 조선 시대 말, 지방 수령들의 축재(蓄財) 방법의 하나. 전세(田稅)를 받을 때, 정한 액수보다 더 매겨, 돈으로 따로 받는 일. *작전(作錢).
별잔【鼈盞】[―짠] 명 별완(鼈盌) 비슷하게 생긴 술잔. 「장(章).
별장[1]【別章】[―짱] 명 ①이별의 정을 나타낸 시문(詩文). ②별개의 딴
별장[2]【別莊】[―짱] 명 살림을 하는 본집 외에 경치 좋은 곳에 따로 지어 놓은 집. 별업(別業). 별저(別邸). 별제(別第).
별장[3]【別將】[―짱] 명〖역〗 ①고려 때 낭장(郎將) 다음의 정칠품(正七品) 무관(武官)의 벼슬. ②조선 시대 초, 의흥 친군 십위(義興親軍十衛)의 칠품(七品) 벼슬. ③조선 시대, 용호영(龍虎營)의 종이품의 주장(主將). ④용호영 이외의 각 영(營)의 정삼품 당상(堂上)의 벼슬. ⑤산성(山城)·도진(渡津)·포구(浦口)·보루(堡壘)·소도(小島) 등의 수비(守備)를 맡은 무직(武職). 종구품(從九品)임. ⑥별군(別軍)의 장교(將校).
별장-지기【別莊―】[―짱―] 명 별장을 지키는 사람.
별재【別才】[―째] 명 특별한 재주. 특별한 재능.
별-재간【別才幹】 명 ①별다른 재간. ¶참을 수밖에 ～이 없군. ②별의별 온갖 재간. ¶～을 다 부려도 소용없다.
별저【別邸】[―쩌] 명 별장(別莊). 「하다 자 여불
별적【別籍】[―쩍] 명 호적(戶籍)을 분이(分異)함. *이재(異財). **――**
별전[1]【別電】[―쩐] 명 ①따로 친 전보. ②다른 계통으로 들어온 전보.
별전[2]【別奠】[―쩐] 명 조상에게 임시로 지내는 제사.
별전[3]【別殿】[―쩐] 명 본궁(本宮) 외에 따로 지은 궁전.
별전[4]【別傳】[―쩐] 명 ①특별한 전수(傳授). ②〖불교〗↗교외 별전(敎外別傳). ③〖문〗 중국에 있어서의 전기(傳記)의 한 체(體). 정사(正史)의

열전(列傳) 이외에 쓰여진 개인의 전기로, 후한(後漢)에서 위·진(魏·晉)에 걸친 시대의 것이 많은데, 조식 별전(曹植別傳)·육기 별전(陸機別傳) 등이 전하여짐.

별전[5] 【別錢】[—쩐] 명 〖역〗 조선 시대 후기에, 주화(鑄貨)의 견양(見樣)이나 기념 화폐로서 만든 엽전의 하나. 나중에는 주로 장식용으로 쓰이었음. 별돈. 이전(耳錢). 그림돈. 열쇠돈.

별:-점 【—占】 명 별의 빛이나 위치로써 점을 치는 일. 성점(星占).

별:점박이-노린재 【—點—】 명 〖충〗 별박이노린재.

별:점-반날개베짱이 【—點半—】 명 〖충〗 점박이쌕쌔기.

별정[1] 【別定】[—쩡] 명 별도로 정함. ¶ ~ 요금.

별정[2] 【別情】[—쩡] 명 이별의 정(情).

별정 우체국 【別定郵遞局】[—쩡—] 명 〖법〗 우체국이 없는 지역에, 체신부 장관의 지정을 받아 자기의 부담으로 청사 기타의 시설을 갖추고 체신 업무를 국가로부터 위임 받아 자기 계산하에서 경영하는 우체국.

별정직 공무원 【別定職公務員】[—쩡—] 명 〖법〗 특수(特殊) 경력직 공무원의 한 갈래. 국회 전문 위원, 감사원 사무차장 및 서울특별시·직할시·도(道) 선거 관리 위원회의 상임 위원, 국가 안전 기획부 기획조정실장, 각급 노동위원회 상임 위원, 해난(海難) 심판원의 원장 및 심판관, 비서관·비서 기타 다른 법령이 별정직으로 지정하는 공무원을 일컬음. *전문직 공무원.

별제[1] 【別除】[—쩨] 명 특별히 제외함. ——-하다 타여불

별제[2] 【別第】[—쩨] 명 별장(別莊).

별제[3] 【別提】[—쩨] 명 〖역〗 조선 시대에, 정·종육품(正從六品)에 속한 벼슬. 호조(戶曹)·형조(刑曹)·교서관(校書館)·상의원(尙衣院)·군기시(軍器寺)·예빈시(禮賓寺)·전설사(典設司)·수성 금화사(修城禁火司)·전연사(典涓司)·전함사(典艦司)·소격서(昭格署)·내수사(內需司)·빙고(氷庫)·장원서(掌苑署)·사포서(司圃署)·사축서(司畜署)·조지서(造紙署)·도화서(圖畫署)·활인서(活人署)·와서(瓦署)·귀후서(歸厚署) 등에 둠.

별제[4] 【別製】[—쩨] 명 별다르게 만듦. 또, 그 물품. 특제(特製).

별제-권 【別除權】[—쩨꿘] 명 〖법〗 파산 재단(破産財團)에 속한 특정 재산 중에서 담보권(擔保權)을 가진 채권자(債權者)가 일반 파산 채권자보다 우선적으로 파산 절차에 의하지 않고 변제(辨濟)를 받을 수 있는 권리. 파산 재단 중의 재산상에 존재하는 유치권(留置權)·질권(質權)·저당권(抵當權)·전세권(傳貰權)을 가진 자(者)가 이 권리를 가짐.

별-조 【別—】[—쪼] 명 ☞ 별수. ¶…그런 저력(?)들이 있는지 모를 노릇이라고 고개를 비틀어 보아야 ~도 없다《康信哉 : 琉璃의 덫》.

별-조식 【別早食】 명 평상시보다 일찍 먹는 아침밥. 「尊).

별존 【別尊】[—쫀] 명 〖불교〗 별존법(別尊法) 때에 따로 청하는 일존(一

별존-법 【別尊法】[—쫀뻡] 명 〖불교〗 밀교(密敎)에서 만다라(曼茶羅) 중의 일존(一尊)을 따로 청하여 행하는 수법(修法).

별종 【別種】[—쫑] 명 ①다른 종자(種子). ②다른 종류. ③특별히 선사하는 물건. ④〈속〉 별사람❶. ¶ 그런 ~은 처음 봤다.

별좌[1] 【別坐】[—쫘] 명 〖역〗 조선 시대에, 정·종오품(正從五品)에 속한 벼슬. 교서관(校書館)·상의원(尙衣院)·군기시(軍器寺)·예빈시(禮賓寺)·수성 금화사(修城禁火司)·전설사(典設司)·내수사(內需司)·전함사(典艦司)·전연사(典涓司)·빙고(氷庫) 등에 둠.

별좌[2] 【別座】[—쫘] 명 〖불교〗 ①불사(佛事)가 있을 때에 부처 앞에 음식을 차리는 일. ②예물(禮物)을 차리는 사람. ③절에서 반찬과 음식을 만드는 소임.

별주 【別酒】[—쭈] 명 ①별다른 방법으로 빚은 술. ②↗이별주(離別酒).

별주부-전 【鼈主簿傳】[—쭈—] 명 〖문·악〗 별주부, 곧 자라를 주인공으로 하는 고대 소설 토끼전(傳)이나 판소리 수궁가(水宮歌)의 딴이름.

별주-색 【別酒色】[—쭈—] 명 고려 말기 우왕 11년(1385)에 군인들에게 술을 공급하기 위하여 설치한 관부.

별:-죽지성대 명 〖어〗 [*Daicocus peterseni*] 죽지성댓과에 속하는 바닷물고기. 몸길이 약 30cm, 죽지성대와 유사(類似)하며, 몸이 길고 세로로 편평함. 입은 복면(腹面)에 있고, 등은 회적색(灰赤色)에 흑색의 둥근 점이 흩어져 있으며, 복부(腹部)는 희고, 주둥이·등지느러미·꼬리지느러미는 특히 붉음. 옆줄은 없고, 머리 뒤쪽에 긴 가시가 있으며 가슴지느러미가 특히 길고 커서 이것으로 낙하산식으로 해상을 낢. 우리나라 연해 및 일본 중부 이남에 분포함.

별-줄 명 〖농〗 〈방〉 베리줄.

별:줄-물방개 [—쭐—] 명 〖충〗 꼬마줄물방개.

별중-승 【別衆僧】[—쭝—] 명 〖불교〗 제멋대로 도당을 만들어 저희들끼리만의 의식(儀式)을 행하는 중.

별증 【別症】[—쯩] 명 어떤 병에 병발(倂發)하는 딴 증세. ¶ 산후 ~.

별지 【別紙】[—찌] 명 서류나 편지 등에 따로 적어 덧붙이는 종이쪽.

별-지장 【別支障】 명 별다른 지장. 특별한 지장.

별:진-부 【—辰部】[—찐—] 명 한자 부수(部首)의 하나. '辱'이나 '農' 등의 '辰'의 이름. 「——-하다 타여불

별-진상 【別進上】 명 〖역〗 정례(定例) 외에 따로 올리는 진상(進上).

별집 【別集】[—찝] 명 〖문〗 서책(書冊)을 내용에 따라 분류하는 경우, 개인의 시문집(詩文集)을 일컫는 말. ↔총집(總集).

별짜 【別—】 명 〔←별자(別者)〕〈속〉 ①별스럽게 생긴 물건이나 일. ②별

별:-짜리 명 〈속〉 장성급(將星級). 「사람.

별쭝-나다 형 말이나 행동이 별스럽다. ¶ 저 애는 별쭝나게 떠든다.

별쭝-맞다 형 별쭝나고 방정맞다.

별쭝-스럽다 형ㅂ불 별쭝난 태도가 있다. 별쭝-스레 부

별차[1] 【別差】 명 사물에 대한 별다른 차별이나 차이. ¶ ~ 없다.

별차[2] 【別差】 명 〖역〗 동래(東萊)와 초량(草梁)의 장시(場市)에 보내던 일

별찬 【別饌】 명 별다르게 잘 만든 반찬. 특별한 반찬. 「본말 통역.

별-채 【別—】 명 딴채. ¶ ~에서 기거(起居)하다.

별책[1] 【別冊】 명 ①따로 나누어 엮어 만든 책. 별권(別卷). ¶ ~ 부록. ②

별책[2] 【別策】 명 별다른 대책(對策). 특별한 계책(計策). 「다른 책.

별챗-집 【別—】 명 딴채.

별-천계 【別天界】 명 별세계(別世界)❷.

별-천지 【別天地】 명 별세계(別世界)❷. ¶ ~에 온 기분.

별첨 【別添】 명 서류 따위를 따로 붙임. ¶ ~ 서류. ——-하다 타여불

별청 【別請】 명 여러 스님 가운데 특히 한 스님만을 청하여 공양하는 일. ——-하다 타여불

별체 【別體】 명 ①체(體)를 달리함. 또, 그 체(體). ②한자의 정자(正字) 이외의 속자(俗字)·고자(古字)·약자(略字) 등의 총칭.

별초 【別抄】 명 〖역〗 ①고려 때 정규 군대가 아니고 특수하게 조직된 군대의 이름. 기록에 처음으로 나오는 것은 명종(明宗) 때부터이며 뒤에 삼별초로 발전하였음. ②↗별초군(別抄軍).

별-초군 【別抄軍】 명 〖역〗 조선 시대에 성균관(成均館) 근처에서 사는 장정(壯丁)을 뽑아서 편제(編制)하던 군사의 대오(隊伍)의 하나. ㊟별

별-초당 【別草堂】 명 몸채에서 따로 떨어진 곳에 지은 초당. 「초(別抄).

별축-나다 형 〈방〉 별쭝나다.

별축-맞다 형 〈방〉 별쭝맞다.

별축-스럽다 형 〈방〉 별쭝스럽다(경상).

별취 【別趣】 명 별다른 취미.

별치 【別置】 명 특별히 존속(存續)시켜 둠. 또, 따로 둠. ——-하다 타여불

별-치부 【別致賻】 명 〖역〗 정·종삼품(正從三品) 이하의 시종(侍從)이나 대시(臺侍)가 상사(喪事)를 당하였을 때 임금이 따로 돈이나 물건을 내

별칙 【別勅】 명 특별한 칙명(勅命). 「리던 일.

별침 【別寢】 명 〖역〗 대궐 안에서 임금과 왕비가 거처하던 곳.

별칭 【別稱】 명 달리 부르는 명칭.

별-쾌선 【別快船】 명 〖역〗 조선 세종(世宗) 22년(1440)에 관선(官船)인 추왜선(追倭船)을 고쳐 부른 이름.

별탕 【鼈湯】 명 자라탕. 「가(別家).

별택[1] 【別宅】 명 ①별장(別莊) 등과 같이 본집 이외로 지어 놓은 집. ②별

별택[2] 【別擇】 명 특별히 가려서 뽑음. 잘 골라 뽑음. ——-하다 타여불

별파 【別派】 명 다른 파. 별개의 유파(流派).

별:-파리 명 〖충〗 [*Phasia analis*] 넓적꽃파릿과에 속하는 곤충. 몸의 크기는 중형(中形)이고, 몸빛은 황갈색임. 복부(腹部)·배면(背面)·제2·3절(節)의 중앙에 흑색의 세로띠가 있고, 그 양측은 담등색(淡橙色)이며 그 외의 배면은 흑색임. 날개의 기부(基部)는 황색인데 이것에 연하여 암갈색의 넓은 가로띠 무늬가 있음. 여름철의 꽃에 모이는데, 한국·일본 등지에 분포함.

별-파진 【別破陣】 명 〖역〗 ①군기시(軍器寺)의 한 벼슬. ②군사의 대오(隊伍)의 한 가지.

별-판 【別—】 명 ①뜻밖의 좋은 판세. ②아주 별스럽게 된 국량(局量). ③따로 차리는 판.

별-판부 【別判付】 명 〖역〗 상주문(上奏文)에 대하여 특별히 임금의 성의(聖意)를 붙이던 유시(諭示). ——-하다 자여불

별편 【別便】 명 ①별도로 내는 편지. ②딴 인편이나 차편.

별포 무:역 【別包貿易】 명 〖역〗 조선 시대에, 서울의 각 군문(軍門)·아문(衙門)이 매년 중국으로 가는 사신(使臣)에게 의뢰하여 필요한 중국 물화(物貨)를 사들이던 일. 팔포 무역(八包貿易)과 구별하여 이르는 말.

별폭 【別幅】 명 다른 쪽지나 조각.

별:-표[1] 【—標】 명 별 모양의 표(標). 곧, '★'.

별표[2] 【別表】 명 따로 붙인 표시(表示)나 도표(圖表). ¶ ~ 참조.

별품 【別品】 명 특별히 좋은 물품.

별:-풍뎅이파리 명 〖충〗 [*Anisia towadensis*] 긴다리침파릿과에 속하는 곤충. 몸길이는 10-12mm임. 몸빛은 회흑색에 복부 배면(背面)은 제2절에서 4절 전연(前緣)까지 중앙에 흑색 세로띠가 있고, 그 양측은 담등색(淡橙色)에 반투명하며, 제4-5절은 검음. 흉배(胸背)는 백색에 네 개의 흑색 세로띠가 있음. 한국·일본·사할린에 분포함.

별-하다 【別—】 형여불 보통 것과 다르게 별나다.

별-학 【鼈瘧】 명 〖한의〗 복학(腹瘧).

별학-도 【別鶴島】 명 〖지〗 경상 남도의 남해상(南海上), 사천군(泗川郡) 서포면(西浦面) 비토리(飛兎里)에 위치한 섬. [0.025km² : 4명(1984)]

별한[1] 【別恨】 명 이별의 한탄. 이별할 때의 섭섭한 마음.

별한[2] 【別爲】 〈이두〉 특별한.

별한바잇거든 【別爲所有去等】 〈이두〉 특별한 바가 있거든.

별한어오이어 【別爲無亦】 〈이두〉 특별한 것 없이.

별항 【別項】 명 다른 조항(條項). 또, 다른 사항(事項).

별해 〈옛〉 벼랑에. '별'의 처격형(處格形). ¶ 六月ㅅ 보로매 아으 별해 ᄇᆞ룐 빗다호라 《樂範 動動》.

별행 【別行】 명 ①글을 써 내려가다가 따로 잡아 쓰는 줄. 다른 줄. ¶ ~을 잡다. ②임시로 가는 특별 사행(使行).

별헤 〈옛〉 벼랑에. '별[1]'의 처격형. ¶ 삭삭기 셰몰애 별헤 나는 구은 밤 닷되를 심고이다 《樂詞 鄭石歌》.

별협 【批頰】 명 남의 뺨을 때림. 비협(批頰). ——-하다 타여불

별호 【別號】 명 ①호(號). 당호(堂號). ②별명(別名)처럼 지은 호.

별:-호리병벌 【—葫—甁—】 명 〖충〗 [*Odynerus dantici*] 말벌과에 속하는 곤충. 암컷의 몸길이는 14mm 내외이고, 몸빛은 검은데 복부(腹部)는 등황색(橙黃色) 또는 적황갈색(赤黃褐色)의 반문이 있으며, 제1배판(背板)의 기부(基部) 및 중앙부의 요부(凹部)는 검음. 한국 및 구북구(舊北區)에 널리 분포함. 「는 일.

별화 명 〖미술〗 단청(丹靑)한 뒤에, 공간(空間)에 사람·꽃·새 등을 그리

별황자 총통【別黃字銃筒】[—짜—] 명 〖역〗 임진 왜란 때, 거북선에 장착(裝着)하여 사용한 소형 곡사포. 황자(黃字) 총통의 일종으로, 길이 89.5 cm 무게 65.25 kg이며, 청동(靑銅)으로 만들어짐.
별-회심곡【別悔心曲】명 〖문〗 회심곡.
별-효사【別驍士】명 〖역〗 조선 정조 17년(1793) 총융청(摠戎廳)의 외영(外營)으로 남양(南陽)·파주(坡州)·장단(長湍)에 두었던 군병(軍兵). 각각 2초(哨)씩을 두어 도합 6초였음.
별-효장【別驍將】명 〖역〗 조선 시대, 총리영(摠理營)의 정삼품(正三品)의 무관직(武官職).
별후【別後】명 작별이나 이별(離別)한 뒤.
별후부 천총【別後部千總】명 〖역〗 조선 시대, 어영청(御營廳)의 정삼품의 무관직.
별히 부 〈옛〉 별로. ¶ 별히 장망호 것 업서(別無調度) ≪內訓 Ⅲ:57≫.
볍: 명 가락지나 병 아가리 같은 것이 헐거워서 손가락이나 마개 등이 꼭 맞지 않을 때에 맞도록 끼는 헝겊이나 종이.
볍새 명 〈옛〉 뱁새. ¶ 볍새 쵸(鷦), 볍새 료(鷯) ≪字會 上 16≫.
볍-쌀 명 입쌀과 찹쌀을 벼 이외의 잡곡쌀에 상대하여 일컫는 말.
볍-씨 명 못자리에 치는 벼의 씨. 씨벼. 종도(種稻).
볏[1] 명 [중세: 빗, 볏] 닭이나 꿩 같은 조류(鳥類)의 이마 위에 세로 서서 붙은 살 조각. 빛깔이 붉고 시울이 톱니처럼 생겨서, 마치 맨드라미꽃과 같음. 계관(鷄冠).
볏[2] 명 〖농〗 보습 위에 비스듬히 대어 흙이 한쪽으로 떨어지게 하는 쇠.
볏[3] 명 〈방〉 볕(경기·충남·전북).
볏-가락 명 벼의 까끄라기.
볏-가리 명 볏단을 차곡차곡 가리어서 쌓은 더미. 곡퇴(穀堆).
볏가릿-대 명 〖민〗 농가에서 정월 14일이나 보름날에 짚으로 둑처럼 만들어, 벼·수수·조·기장 등의 이삭을 싸서 세우는 장대. 둑 위에 목화송이를 덮기도 함. 그 해에 풍년이 들어서 곡식을 그와 같이 많이 쌓는다는 뜻에서 나온 풍속임. 도간(稻竿). 화간(禾竿). 화적(禾積).
볏-가을 명 벼를 거두어 타작하는 일. 준 볏갈. ——-하다 자 여불
볏-갈 명 ↗볏가을. ——-하다 자 여불
볏-과【—科】명 〖식〗 [Gramineae] 단자엽(單子葉) 식물의 벼목에 속하는 한 과. 대개가 초본인데, 간혹 목본상(木本狀)으로 된 것도 있음. 줄기는 둥그나 속이 비고 마디가 있으며, 잎은 호생(互生)하고 단엽(單葉)이며 평행맥(平行脈)이 있음. 꽃은 수상(穗狀) 또는 총상(總狀) 혹은 원추상이며, 열매는 영과(穎果)·수과(瘦果) 또는 장과(漿果)임. 전세계에 4,000여 종이 있는데, 강아지풀·둑새풀·띠·바랭이·벼·보리·억새·포아풀·피 등이 이에 속함. 포아풀과. *댓과(科)·화본과.
볏-귀 명 쟁기의 볏바닥의 오똑하게 내민 삼각형으로 된 부분. 쟁기 볏바닥 둥근 쪽 꼭대기의 가운데 한마루에 끼움.
볏뉘 명 〈옛〉 볕기. ¶ 九年之水에 볏뉘 본듯 ᄒᆞ여라 ≪海謠≫ / 北風이 슬아져 블제 볏뉘 몰라 ᄒᆞ노라 ≪永言≫.
볏-단 명 벼를 베어 묶은 단. ¶ ～을 쌓다.
볏-대 명 〈방〉 볏짚.
볏-모 명 벼의 모. 도묘(稻苗). 화묘(禾苗). 앙도(秧稻). 앙묘(秧苗). 앙침(秧針). 종화도(種禾稻).
볏-뭇 명 〈방〉 볏단.
볏-밥 명 논밭을 보습으로 갈 때 볏으로 받아 넘긴 흙덩이. 볏밥덩이.
볏밥-덩이 명 볏밥.
볏-섬 명 벼를 담은 섬.
볏-술 명 가을에 벼로 갚기로 하고 외상으로 먹는 술.
볏-자리 명 쟁기 볏의 한마루의 비녀장 구멍 위에 앞 바닥을 에어서 볏 대가리가 의지하게 한 곳.
볏-지게 명 쟁기에 속하는 한 부분. 조붓한 널조각의 한쪽에 구멍을 뚫어서 줄을 꿰어 아래덧방 오른편에 대고, 홀아비좆에 붙들어 매되, 엔 곳이 보습귀와 술바닥의 사이를 지나서 보습 뒷바닥에 닿게 함.
볏-짚 명 벼의 이삭을 떨어 낸 줄기. 고초(藁草). 화고(禾藁). ¶ ～을 엮다. 준 짚.
볏짚 무쿠리 명 〈방〉 짚신.
병:[1]【丙】명 ①〖민〗 천간(天干)의 셋째. ②사물의 차례에서 제삼위. 을(乙)의 다음, 정(丁)의 앞. ③〖민〗 ↗병방(丙方). ④〖민〗 ↗병시(丙時).
병[2]【兵】명 〖군〗 군(軍)의 '병장·상등병·일등병·이등병'을 일컫는 말.
병:[3]【病】명 ①생물체의 전신 또는 일부분에 생활 기능의 장애로 인해 생리 상태(生理狀態)의 변화가 일어나, 건강을 해하거나 고통을 느끼는 현상. 질병(疾病). 질환(疾患). 탈(頉). ¶ 불치의 ～. ②사물이 고장 나든가 탈나는 일. ¶ 시계가 또 ～났군. ③결점. 단점. 흠. ¶ 술을 너무 좋아하는 것이 그의 ～이다. ④↗병집. ⑤↗병통(病通).
[병 늙으면 산으로 간다] 병이 오래 되면 결국은 죽는다는 말. [병에는 장사 없다] 아무리 장사라도 병에 걸리면 맥을 못 춘다는 말. [병은 한 가지, 약은 천 가지] 한 가지 병에 대하여 그 치료법이 매우 많다는 말. [병이 생기면 죽겠지] 사리에 맞지 않은 추측을 한다는 뜻. [병이 양식이다] 병들어 누워 있으면 오래 먹지 않아도 배고픈 줄 모르며, 먹지 않으므로 양식이 그만큼 남는다는 말. [병 자랑은 하여라] 병이 들었을 때에는, 혼자서 애를 태우지 말고 다른 사람에게 널리 이야기하여, 좋은 치료법이나 용한 의원에 대한 정보를 얻도록 하라는 말. [병 주고 약 준다] 해를 입힌 뒤에 어루만진다는 뜻.
병[4]【甁】명 액체(液體) 등을 담는 그릇의 한 가지. 유리·사기·오지 등으로 만드는데, 좁은 아가리에 몸의 모양은 여러 가지임.
[병에 찬 물은 저어도 소리가 나지 않는다] 깊은 학식이 있는 사람은 아는 체 떠들고 다니지 않는다는 말.
병[5]【餠】명 ☞절편.
-병【兵】미 일부 명사 뒤에 붙어 '군인'임을 나타냄. ¶ 보충～ / 부상～.
병가[1]【兵家】명 ①병학(兵學)의 전문가. 병법(兵法)을 연구하는 사람. ②군사에 종사하는 사람. 군인. 무사. ③중국에서 제자 백가(諸子百家)의 하나로 병술(兵術)을 논하던 학파. 전국 시대(戰國時代)에 크게 발달하여 손자(孫子) 82편, 오자(吳子) 48편 등의 많은 병서(兵書)가 저술되었음. 한서 예문지(漢書藝文志)에 의하면 이 학파에 속하는 사람이 모두 53가(家) 있었다고 함. ④↗병가자류(兵家者流).
병:가[2]【病家】명 앓는 사람이 있는 집. 환가(患家).
병:가[3]【病暇】명 병으로 얻는 휴가(休暇). ¶ ～를 내다.
병가 상사【兵家常事】명 ①전쟁에서 이기고 지는 것은 보통 있는 일. ②실패는 흔히 있는 일이니 낙심할 것 없다는 뜻. ¶ 한번 실패는 ～라.
병가자-류【兵家者流】명 병학(兵學)에 정통한 사람. 준 병가(兵家).
병:가 제구【並駕齊驅】명 수레를 나란히 하여 달림. 곧, 능력이나 지위가 같음을 비유하여 이르는 말. ——-하다 자 여불
병간[1]【兵間】명 ①전쟁터. 전장(戰場). ②전쟁하는 사이. 전쟁 중.
병:간[2]【病看】명 ↗병간호(病看護). ——-하다 자타 여불
병:간[3]【病間】명 ①병을 앓는 동안. 병중(病中). ②병이 좀 나음. 병이 약간 차도가 있음.
병간[4]【屛間】명 〖불교〗 절의 판도방(版圖房)이나 법당(法堂) 정문의 좌우 쪽에 있는 칸.
병:-간호【病看護】명 병자를 잘 보살펴 구호함. 준 병간(病看). ——-하다 자타 여불
병:감【病監】명 병든 죄수를 수용하는 감방.
병-갑【兵甲】명 ①병기(兵器)와 갑주(甲冑). 갑장(甲仗). 갑철(甲鐵). ②무장한 병정.
병-개암나무【甁—】명 〖식〗 [*Corylus hallaisanensis*] 개암나뭇과에 속하는 낙엽 활엽 관목. 잎은 넓은 거꿀달걀꼴 혹은 난상 타원형에 가에 톱니가 있음. 봄에 자웅 동가(雌雄同家)로 수꽃이삭은 정생하고 암꽃이삭은 구형으로 피며, 견과(堅果)는 달걀꼴로 10월에 익음. 산기슭 양지에 나는데, 제주도 및 일본에 분포함. 과실은 식용 및 약용함.
병:객【病客】명 ①↗포병객(抱病客). ②병자(病者).
병거[1]【兵車】명 전쟁에 쓰는 수레. 군사를 실은 수레. 공거(公車). 융거(戎車).
병:거[2]【並居】명 한 곳에 같이 삶. ——-하다 자 여불
병:거[3]【秉炬】명 〖불교〗 화장(火葬)할 때에, 도사(導師)가 횃불을 들고 법어(法語)를 하는 불사(佛事)의 의식. 하거(下炬).

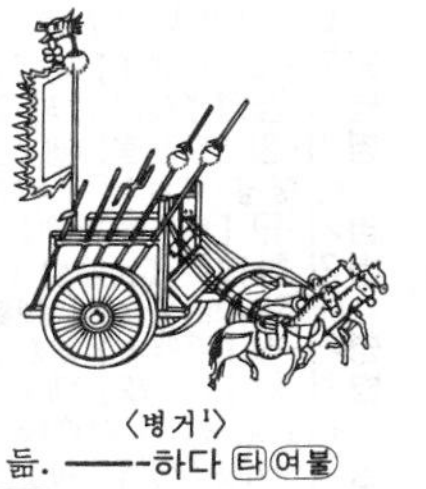

〈병거[1]〉

병:거[4]【並擧】명 두 가지 이상의 예를 함께 듦. ——-하다 타 여불
병거[5]【屛去】명 물리쳐 버림. ——-하다 타 여불
병거[6]【屛居】명 세상에서 물러나서 집에만 들어 있음. ——-하다 자 여불
병거지-속【兵車之屬】명 병거지회.
병거지-회【兵車之會】명 병거를 거느리고 무력으로 하는 회맹(會盟). 병거지속(兵車之屬). ↔의관지회(衣冠之會).
병:견【並肩】명 ①서로 어깨를 나란히 함. ②낫고 못함이 없이 비슷하게 함. 비견(比肩). ——-하다 자 여불
병:결[1]【倂結】명 행선지가 다르거나 객차·화차와 같이 용도가 다른 차량을 한 열차로 편성하는 일. ——-하다 타 여불
병:결[2]【病缺】명 병으로 인한 결석 또는 결근(缺勤). ——-하다 자 여불
병:겸【倂兼】명 어떤 일을 한데로 아울러서 겸함. ——-하다 타 여불
병경[1]【兵經】명 병법서(書) 중의 경전(經典). ≪손자(孫子)≫를 말함.
병:경[2]【並耕·倂耕】명 〖역〗 조선 시대 후기에서 일제 초기에 걸쳐, 경상남도 진주(晋州)·고성(固城) 일대에서 도지권(賭地權)을 보유하는 '도지(賭地)'를 일컫던 말.
병:경[3]【病經】명 〖민〗 병든 사람을 위해서 판수 따위가 외는 경문.
병:경-주【並耕主】명 〖역〗 병경(並耕) 제도에 의한 도지권(賭地權)을 가진 소작인(小作人).
병고[1]【兵庫】명 병기고(兵器庫).
병고[2]【兵鼓】명 전쟁에 쓰는 북.
병:고[3]【病苦】명 병으로 인한 고통(苦痛). 질고(疾苦).
병:고[4]【病故】명 병에 걸린 사고(事故). 질고(疾故).
병:골【病骨】명 병으로 몸이 약한 사람. 병이 깊이 밴 몸. *약골.
병공【餠工】명 〖역〗 조선 시대 사옹원(司饔院)의 일꾼의 하나.
병:과[1]【丙科】명 〖역〗 ①과거(科擧)의 성적(成績)에 의해 나뉜 등급의 하나. 문과 급제자의 제삼급(第三級). 23명을 뽑아 종구품(從九品)의 품계를 줌. *갑과(甲科)·을과(乙科). ②고려 숙종(肅宗) 이후, 제술과(製述科)의 합격자 성적의 버금 차례. 을과(乙科)의 아래, 동진사(同進士)의 위. 7명을 뽑음. *동진사(同進士).
병과[2]【兵戈】명 ①군사에 쓰는 창(槍). 병극(兵戟). ②무기(武器). ③전쟁(戰爭)❶.
병과[3]【兵科】[—꽈] 명 〖군〗 ①육해공군(陸海空軍)에서 군무(軍務)의 종류를 분류한 종별(種別). 기본 병과와 특수 병과로 구분함. ②직접 전투에 종사하는 병종(兵種)들. 곧, 보병(步兵)·포병(砲兵)·공병(工兵)·기갑병(機甲兵) 따위. 전투 병과. *특과(特科).
병:과[4]【倂科】명 〖법〗 동시에 둘 이상의 형에 처하는 일. 자유형과 벌금형을 아울러 과하는 따위. ——-하다 타 여불
병:과-주의【倂科主義】[—/—이] 명 〖법〗 경합범에 대하여 그 각 죄의 형벌을 병과하는 주의. 현행 형법에서는 과료(科料)와 과료, 몰수와 몰수는 병과할 수 있고, 각 죄에 정한 형이 무기 징역이나 무기 금고 이외의 이종(異種)의 형인 때에는 병과한다는 주의를 채택하고 있음.
병관【兵官】명 〖역〗 고려 초기에 있었던 육관(六官)의 하나. 성종(成宗) 14년(995)에 상서 병부(尙書兵部)로 고침.
병관 좌:평【兵官佐平】명 〖역〗 백제 때 육좌평(六佐平)의 하나. 외방(外方)의 병마(兵馬)를 맡아 보던 최고의 직위.
병교【兵校】명 〖역〗 장교(將校)❸.
병구[1]【兵具】명 전쟁에 쓰는 도구. 무구(武具). 병기(兵器).

병:구[2]【病軀】명 병든 몸. 병체(病體). ¶ ~를 무릅쓰고.
병:-구완【病—】명〔←병구원(病救援)〕 병자(病者)에게 시중드는 일. 병시중. 간병(看病). ——-하다 자타여불
병:-구원【病救援】명 →병구완. ——-하다 자타여불
병:-굿【病—】명〖민〗우환굿의 딴이름.
병권[1]【兵權】[—꿘] 명 ↗병마지권(兵馬之權).
병:권[2]【秉權】명 정권(政權)의 고동을 잡음. ——-하다 자여불
병:귀【病鬼】명 병마(病魔)❶. 「로 해야 한다는 뜻.
병-귀신속【兵貴神速】명 군사를 지휘함에는 신속(神速)을 위주(爲主)
병:균【病菌】명〖의〗병의 원인이 되는 미균(黴菌). 병원균(病原菌). ㊜
병극【兵戟】명 병과(兵戈)❶. └균.
병:근【病根】명 ①〖의〗병의 근원. 병의 뿌리. 병원(病原). 병인(病因). ②깊이 밴 나쁜 습관. 고치기 어려운 악습(惡習). 「棋) 놀이.
병기[1]【兵棋】명 전략·전술상의 훈련을 쌓기 위하여 응용되는 장기(將
병기[2]【兵器】명〖군〗전쟁에 쓰는 기구(器具)의 총칭. 무기. 병구(兵具). 병장기(兵仗器). 군기(軍器). 융구(戎具). 「(用兵)의 기미(機微).
병기[3]【兵機】명 ①전쟁의 기회. 전기(戰機). ②전쟁의 기략(機略). 용병
병:기[4]【並起】명 양쪽이 함께 일어남. ——-하다 자여불
병:기[5]【併記】명 함께 합하여 기록하는 일. 나란히 기록함. ——-하다 타
병:기[6]【病氣】[—끼] 명 병의 기운. 병색(病色). └여불
병:기[7]【病期】명 질병의 경과를 그 특징에 따라서 구분한 시기. 잠복기(潛伏期)·발열기(發熱期)·초기(初期)·극기(極期)·하열기(下熱期)·회복
병기-감【兵器監】명〖군〗병기감실의 장(長). └기(恢復期) 등.
병기감-실【兵器監室】명〖군〗병기에 관한 사항을 분장하는 한 실(室). 육군 본부와 해군 본부에 둠. 「(武器庫). 군기고(軍器庫).
병기-고【兵器庫】명〖군〗병기를 넣어 두는 창고. 병고(兵庫). 무기고
병기 공업【兵器工業】명 병기 제조를 목적으로 하는 공업.
병기-관【兵器官】명〖군〗①해군 통제부에 둔 한 직명(職名). 병기에 관한 행정·병기의 정비(整備) 및 기술에 관한 사항을 분장함. ②〈속〉육
병기-단【兵器團】명〖군〗↗ 육군 병기단. └군의 병기 장교.
병기 참모부【兵器參謀部】명〖군〗사령부의 한 참모 부서(部署). 병기·탄약(彈藥)·차량 등에 관한 사항을 분장함.
병기-창【兵器廠】명〖군〗병기를 만들거나 수리하는 공장.
병기-학【兵器學】명〖군〗병기(兵器)의 구조(構造)·제조법(製造法)·이론(理論) 등을 연구하는 학문.
병기 학교【兵器學校】명〖군〗↗육군 병기 학교.
병꼴-꽃부리【瓶—】명〖식〗배가 불룩하게 항아리처럼 생긴 통꽃부리의 하나. 호상 화관(壺狀花冠).

〈병꼴 꽃부리〉

병꽃-나무【瓶—】명〖식〗①인동과에 속하는 골병꽃나무·축자병꽃나무·붉은병꽃나무·통영병꽃나무 등의 총칭(總稱). ②[*Weigela subsessilis*] 인동과에 속하는 낙엽 활엽 관목. 높이 2-3 m, 잎은 대생하며 잎꼭지가 짧고, 거꿀달걀꼴 또는 도란상 타원형임. 가에 톱니가 있고 뒷면에는 성상모(星狀毛)가 남. 5-6월에 황록색의 오판화(五瓣花)가 가지 끝에 액생(腋生)하여 병 모양의 총상(總狀)으로 피는데, 후에 빨갛게 변함. 과실은 삭과(蒴果)이고 9월에 익음. 산록 양지에 나는데, 한국 특산종으로 평남을 제외한 한국 각지에 분포함. 관상용임. 「탈이 생기다.

꽃

열매

〈병꽃나무❷〉

병:-나다【病—】자 ①병이 생기다. ②사물(事物)에
병-나발【瓶—】명〈속〉〔←병나팔〕 병을 나발불듯이 거꾸로 입에 대고, 안의 액체를 들이켜는 일.
병나발(을) 불:다 구〈속〉〔←병나팔불다〕 병을 나발불듯이 거꾸로 입에 대고 안의 액체를 들이켜다. 나팔 불다.
병난[1]【兵難】명 전쟁으로 인하여 입는 재난(災難). 병액(兵厄). 전재(戰
병:난[2]【病難】명 병에 걸림. 병으로 인한 재난(災難). └災).
병낭-태기 명〈방〉낭떠러지.
병:-내다【病—】사동 병나게 하다. 고장을 내다.
병:뇌【病惱】명 병에 걸려 괴로워하는 일.
병단[1]【兵端】명 전단(戰端).
병단[2]【兵團】명〖군〗병사를 일단(一團)으로 조직한 것.
병단이 명〈방〉〖어〗병어[1](평안).
병대-벌레【兵隊—】명〖충〗[*Cantharis ciusiana*] 병대벌렛과에 속하는 곤충. 몸길이는 10-14 mm, 이 종류는 몸빛의 변이(變異)가 심한데 몸의 배면은 보통 황갈색이고 전배판(前背板)의 무늬·소순판(小楯板)과 몸의 하면(下面)은 검음. 온 몸에 황색털이 밀생(密生)함. 한국·일본 등지에 분포되어 있음.
병대벌렛-과【兵隊—科】명〖충〗[Cantharidae] 딱정벌레목(目)에 속하는 한 과. 몸은 가늘고 연약하며 몸길이가 4 mm 정도의 소형종(小形種)에서 25 mm 정도의 대형종(大形種)에 이르기까지 전세계에 1,500 종류가 있음. 촉각은 실 또는 빗살 모양이고 11마디, 다리는 길. 암수의 형태적 차이는 없음. 모두 육식성(肉食性)으로 다른 곤충을 잡아먹음. 또한 꽃에 모여 화분(花粉)을 먹는 일도 있음. 구조상(構造上)으로는 개똥벌레 종류에 가까움. 우리 나라·일본에 분포함.
병도【兵道】명 ①군사(軍事)의 길. 무도(武道). ②군사 도로(軍事道路).
병:독[1]【併讀】명 아울러 읽음. ——-하다 타여불
병:독[2]【病毒】명 병의 근원이 되는 독기(毒氣).
병동[1]【屛東】명〖지〗'핑둥'을 우리 음으로 읽은 이름.
병:동[2]【病棟】명 여러 개의 병실(病室)로 된 건물. ¶ 제3 ~/격리 ~.
병:두-련【竝頭蓮】명 ①한 줄기에 두 송이의 꽃이 나란히 피는 연꽃. ②전(轉)하여, 금실이 좋은 부부의 비유.
병:-들다【病—】자 몸에 병이 생기다.
[병든 까마귀 어물전 돌듯] 마음에 잊지 못하는 것이 있어, 공연히 그 주위를 빙빙 도는 모양. [병든 놈 두고 약 지으러 가니 약국(藥局)도 두건(頭巾)을 썼더란다] 가도 소용이 없으니 갈 필요가 없다고 할 때 비유하는 말. 급하고 긴요한 때일수록 일이 어긋나기 쉽다는 말. [병든 솔개같이] 잠시도 쉬지 않고 여기저기 살펴보며 빙빙 돈다는 뜻. [병 들어야 설움을 안다] 직접 경험하지 않고는 설움을 모른다는 말.
병-따개【瓶—】명 병마개를 따는 기구.
병:란[1]【丙亂】[—난] 명〖역〗↗병자 호란(丙子胡亂).
병란[2]【兵亂】[—난] 명 나라 안에서 싸움질하는 난리. 병변(兵變). 군란(軍亂). ¶~의 거리로 화하다.
병략【兵略】[—냑] 명 군략(軍略). 전략(戰略).
병략-가【兵略家】[—냑—] 명 군략가(軍略家).
병량【兵糧】[—냥] 명 군량(軍糧).
병량-미【兵糧米】[—냥—] 명 군량미(軍糧米). 「문(儷文).
병려-문【騈儷文】[—녀—] 명〖문〗←변려문(騈儷文). ㊜병문(騈文)·여
병력[1]【兵力】[—녁] 명〖군〗①군대의 힘. 전투력. 무력(武力). 군력(軍力). 군세(軍勢). ②직접 전투력(直接戰鬪力)의 이칭(異稱). 병원수(兵員數)·군함수(軍艦數)·비행기수(飛行機數)·병기수(兵器數)의 총체(總體)의 힘. ¶ ~량(量). *군사력.
병:력[2]【並力】[—녁] 명 힘을 한데 합함. ——-하다 자여불
병:력[3]【病歷】[—녁] 명 지금까지 걸린 일이 있는 병의 경험. ¶ 환자의 ~을 묻다.
병력 동:원 소집【兵力動員召集】[—녁—] 명〖군〗전시·사변 또는 동원령이 선포된 경우에 부대 편성이나 작전 수요(需要)를 위하여 예비역, 교육 소집을 마친 보충역 등에 대하여 실시하는 소집. 현역과 같은 처우를 받으며, 소집 사유가 해소(解消)된 때에 소집이 해제됨.
병력 동:원 훈:련 소집【兵力動員訓練召集】[—녁—훌—] 명〖군〗'병력 동원 소집'에 대비한 훈련 또는 점검(點檢)을 위하여 병력 동원 소집 대상자에 대하여 실시하는 소집. 기간은 30일 이내임.
병력-량【兵力量】[—녁냥] 명〖군〗사단수(師團數)·군함 톤수·비행기수(飛行機數)·병기수(兵器數) 따위의 총계(總計)의 역량(力量). 전투력의 총역량.
병:력-서【病歷書】[—녁—] 명 전에 앓았던 병증, 현재 앓고 있는 병증 및 그 치료 경과에 관한 종합적인 기록.
병력 전:개표【兵力展開表】[—녁—] 명〖군〗전쟁 계획에 의거하여, 주요 사령부 및 주요 전투 부대를 지리적 지역별·시간적 단계로 전개 기록한 표.
병:렬【並列】[—녈] 명 ①나란히 늘어섬. 죽 잇달아 벌여 섬. ②〔parallel〕〖전〗병렬 연결. ↔직렬(直列). —— 하다 자타여불
병:렬 연결【竝列連結】[—녈련—] 명〔parallel connection〕〖전〗몇 개의 도선(導線)·축전기(蓄電器)·전지 따위를 연결할 때 같은 전극끼리 연결하는 일. 병렬. 병렬 접속. ↔직렬(直列) 연결.
병:렬 접속【並列接續】[—녈—] 명〖전〗병렬 연결.
병:렬 회로【並列回路】[—녈—] 명〔parallel circuit〕〖전〗두 개 이상의 소자(素子)를 병렬로 접속한 회로.
병:록【病錄】[—녹] 명 병증세의 기록.
병:류【並流】[—뉴] 명 유체(流體)가 서로 같은 방향을 향하여 흐르는 일. *향류(向流). ——-하다 자여불 「따위에 관한 이론.
병:리【病理】[—니] 명 병의 원리. 곧, 병의 원인·경과·결과 및 그 변화
병:리 가족【病理家族】[—니—] 명〔pathological-family〕〖사〗정상을 벗어나 문제성이 있는 가족. 결손(缺損) 가족·빈곤(貧困) 가족·분쟁(紛爭) 가족으로 나뉨.
병:리 생리학【病理生理學】[—니—니—] 명〔pathological physiology〕〖의〗병의 현상을 생리학적 입장에서 연구하는 병리학의 한 분과. 병태 생리학.
병:리 심리학【病理心理學】[—니—니—] 명〔pathopsychology〕〖심〗정신 과정을 다루는 과학의 한 부분. 특히, 정신 장애의 경과 중의 비정상적인 인지(認知), 지각 및 지적(知的) 기능에 초점을 둠.
병:리 조직 검:사【病理組織檢査】[—니—] 명〖의〗환자의 장기(臟器) 병변(病變)에 대한 직접 검사. 세포진(細胞診)·수술 절제(切除) 검사·병리 해부 등이 포함됨.
병:리 조직학【病理組織學】[—니—] 명〖의〗병변(病變)을 조직학적인 입장에서 육안 및 현미경을 빌어서 관찰해 연구하는 병리학의 한 분과.
병:리-학【病理學】[—니—] 명〔pathology〕〖의〗병의 원인을 탐구하기 위하여 병체(病體)의 조직·기관(器官)의 형태 및 기능의 변화를 조사 규명하는 학문. 병리 해부학을 중심으로 병리 조직학·비교 병리학·실험 병리학·병리(病理) 생리학 등의 분과(分科)가 있음.
병:리 해:부【病理解剖】[—니—] 명〖의〗병으로 사망한 사체(死體)에 대하여 해부를 하여, 발병(發病)에서 죽음에 이르기까지의 병의 양태(樣態)를 과학적으로 밝히는 일. 부검(剖檢).
병:리 해:부학【病理解剖學】[—니—] 명〔도 Pathologische Anatomie〕〖의〗병리 해부(解剖)에 의하여 병의 원인, 질병으로 인한 장기(臟器)나 조직의 변화, 사인(死因)을 추구하는 학문.
병:리 화학【病理化學】[—니—] 명〖의〗병의 현상을 화학적 입장에서 연구하는 병리학(病理學)의 한 분과.
병:립【並立】[—닙] 명 나란히 섬. 공립(共立). ——-하다 자여불
병:립 개:념【並立概念】[—닙—] 명〖논〗동위 개념(同位概念).
병:립 열석【並立列石】[—닙녈썩] 명 고고학상(考古學上)의 거석 건조물(巨石建造物)의 하나. 높이 1-3 m 가량의 자연석(自然石)을 줄줄이 벌여 세운 것인데, 신석기(新石器)·금석기(金石器) 시대의 것으로 추측되

은-반지【銀斑指】 명 은으로 만든 반지.
은발【銀髮】 명 ①은빛의 머리털. ¶～ 미인. ②백발(白髮).
은방【銀房】[—빵] 명 금은(金銀) 그 자체나, 또 그것의 제품을 매매하는 가게. ¶～에 은숟가락.
은-방울【銀—】 명 은으로 만든 방울. 은령(銀鈴).
은방울-꽃【銀—】 명 『식』 [*Convallaria keiskei*] 은방울꽃과에 속하는 다년초. 긴 근경(根莖)이 가로 벋으며, 잎은 두세 개로 길이 12-18cm의 달걀꼴 타원형 또는 긴 타원형을 이룸. 5월에 흰 꽃이 꽃줄기 끝에 피는데 밑으로 늘어지며, 화피(花被)는 아랫부분이 종상(鐘狀)이고 윗부분은 여섯 갈래로 째지며 빨갛고 둥근 액과(液果)를 맺음. 한국의 중부 이북과 일본·사할린·시베리아 등지에 분포함. 유럽 원산(原產)의 것은 독일은방울꽃(*C. majalis*)이라 하는데 은방울꽃보다 크고 아름다우며 향기도 강함. 모두 생화(生花)로서 진중(珍重)되고, 전초(全草)를 강심제로 쓰며, 또 행복을 상징하는 꽃으로 흔히 결혼식에 신부가 가짐.

〈은방울꽃〉

은방울꽃-과【銀—科】 명 『식』 [Convallariaceae] 쌍자엽 식물에 속하는 한 과.
은-방주【銀坊主】 명 [본디, 일 ぎんぼうず] 『식』 벼의 품종의 하나. 수확이 많고, 품질이 좋으며, 도열병(稻熱病)에 강함.
은배【銀杯】 명 은잔(銀盞).
은백-색【銀白色】 명 은과 같이 흰 빛.
은-백양【銀白楊】 명 [white poplar] 『식』 ①[*Populus alba*] 버드나뭇과에 속하는 낙엽 활엽 교목. 잎은 넓은 달걀꼴 또는 원형으로, 뒷면에 은백색 솜털이 밀생함. 높이 20m, 지름 50cm까지 자람. 유럽 원산으로, 유럽 중부에서 아시아 중부까지 분포하며 정원수로 심음. 백양(白楊). ②미루나무.
은벽【隱僻】 명 궁벽하여 사람의 왕래가 적음. ——하다 형 여불
은벽-처【隱僻處】 명 궁벽하여 사람의 왕래가 드문 곳.
은병【銀瓶】 명 ①은으로 만든 병. ②『역』 고려 때 화폐(貨幣)의 한 가지. 숙종(肅宗) 때부터 무게 한 근의 은으로 나라의 지형을 상징하여 만든 병인데, 속명(俗名)을 활구(闊口)라 하였고, 병 한 개의 교환 가치(交換價值)는 때를 따라 일정하지 않아서 쌀 열다섯 섬에서 쉰 섬 사이를 오르내리었음. 조선 태종(太宗) 8년(1408)에 유통(流通)이 금지됨.
은보【恩補】 명 은상(恩賞)으로 관직에 보임(補任)함. 또, 그 보직. ——하다 타 여불
은복[1]【隱卜】 명 『역』 일부러 양안(量案)에 올리지 않고, 결세(結稅)를 받는 은토(隱土). 은결(隱結).
은복[2]【隱伏】 명 ①숨어 엎드림. ②사람이 안에 숨어 있음. ——하다 자 여불
은복 오:도【隱伏五度】 명 『악』 '숨은 오도(五度)'의 한자 이름.
은본위-제【銀本位制】 명 『경』 화폐의 단위 가치를 일정량(量)의 은의 가치와 관련시키는 제도. ＊본위 화폐.
은-봉[1]【銀—】[—뽕] 명 미술 장식품 등에 은을 새겨 넣은 것.
은봉[2]【隱鋒】 명 해서(楷書)를 쓸 때, 예리한 규각(圭角)을 나타내지 않고 부드러운 형태로 쓰는 서법.
은봉 야:사 별록【隱峰野史別錄】 명 『책』 [은봉은 저자 안방준(安邦俊)의 아호(雅號)] 조선 시대 때의 야사서(野史書). 인조(仁祖) 5년(1627) 안방준(安邦俊)이 저술, 현종(顯宗) 4년(1663)에 흥양현(興陽縣) 향교(鄕校)에서 간행함. 임진록(壬辰錄)·노량 기사(鷺梁記事)·진주 서사(晉州敍事)의 3편으로 됨. 1권 1책.
은봉 전서【隱峰全書】 명 『책』 [은봉은 저자 안방준(安邦俊)의 아호(雅號)] 조선 인조(仁祖) 때의 학자 안방준(安邦俊)의 문집. ≪우산집(牛山集)≫과 기타 단행본을 합편한 것으로 고종(高宗) 1년(1864) 후손인 안수록(安壽錄)이 간행함. 시(詩)·소(疏)·서(書)·묘문(墓文)·제문(祭文)·행장(行狀)·유사(遺事)·기축 기사(己丑記事)·임진 기사(壬辰記事) 등이 실림. 44권 21책.
은-봉채【銀鳳釵】 명 꼭지를 봉의 형상으로 조각한 은비녀의 한 가지.
은부[1]【恩傅】 명 은사(恩師).
은부[2]【殷富】 명 성하게 부하여짐. 풍성하고 넉넉함. ——하다 형 여불
은분【銀粉】 명 은가루❶.
은분-취【銀粉—】 명 『식』 [*Saussurea pseudogracilis*] 국화과에 속하는 다년초. 줄기 높이 약 70cm, 잎은 호생(互生)하며 밑의 잎은 장병(長柄)이고, 긴 달걀꼴이며, 꼭대기 잎은 피침형(披針形)임. 8-9월에 홍자색 꽃이 가지 끝에 관상화(管狀花)로 된 두화(頭花)로 달려 핌. 과실은 수과(瘦果)이고 산지에 나며, 제주·전북·경남·충남·강원·평북·함북에 분포함. 어린 잎은 식용함.
은-붕장어【銀—長魚】 명 『어』 [*Rhynchocymba nystromi*] 먹붕장어과에 속하는 바닷물고기. 붕장어에 비하여 몸빛은 희고, 측선부(側線部)의 백점(白點)이 뚜렷하지 않으며, 위턱이 아래턱보다 길고, 위턱 골치(骨齒)는 몹시 노출(露出)되어 있음. 양(兩)턱의 이는 치대(齒帶)를 이루고 있음. 척추골수(脊椎骨數)는 114-132개. 몸길이는 30cm 이상임. 맛은 붕장어만 못하지만 널리 식용으로 쓰이고 있음. 우리 나라 남부 연해에 분포함.
은-붙이【銀—】[—부치] 명 은으로 만든 물건의 총칭.
은비[1]【隱庇·隱疪】 명 덮어 줌. 비호(庇護)함. ——하다 타 여불
은비[2]【隱祕】 명 감추고 나타내지 않음. 감추고 보이지 않음. 비밀로 함. ——하다 타 여불
은-비녀【銀—】 명 은으로 만든 비녀. 은잠(銀簪). 은채(銀釵).
은-비늘치【銀—】 명 『어』 [*Triacanthus brevirostris*] 은비늘칫과에 속하는 바닷물고기. 몸길이 20cm이고 쥐치 비슷하게 생겼으나 몸이 길고 꼬리지느러미가 깊게 가랑이진 점이 다름. 등은 청갈색, 아래쪽은 은백색인데 등지느러미 가시에 큰 흑점이 하나 있음. 한국 남서부·일본 중부 이남·중국·대만 연해 등지에 분포함.
은비늘칫-과【銀—科】 명 『어』 [Triacanthidae] 복어목에 속하는 어류의 한 과. 은비늘치가 이에 속함.
은-비둘기【銀—】 명 『조』 [*Streptopelia risoria* var. *alba*] 염주비둘기의 흰 변종(變種). 널리 사육됨.
은-빛【銀—】[—삗] 명 은과 같은 빛깔. 은색(銀色).
은빛-담쟁이덩굴【銀—】[—삗—] 명 『식』 [*Scindapsus pictus* var. *argyraeus*] 토란과에 속하는 온실성 관엽 식물. 줄기는 가늘고 녹색이며 감겨 오르는데, 잎은 달걀꼴로 톱니가 있고 두꺼우며 광택이 있음. 끝은 뾰족하고 녹색 바탕에 모난 은백색의 얼룩점이 있음. 잎은 길이가 7-10cm, 폭 5-7cm이며, 길이 2-3cm의 잎꼭지는 둥글고 뒷면 전체가 은백색임. 필리핀·자바 원산으로, 온실에서 재배함.
은사[1]【恩師】 명 ①은혜를 입은 스승. 은부(恩傅). ②『불교』 처음 출가(出家)하여, 의지하고 살 만한 스님.
은사[2]【恩赦】 명 『역』 나라에 경사가 있을 때 경죄인(輕罪人)을 석방하는 일. ——하다 타 여불
은사[3]【恩賜】 명 임금이 은혜로써 하사(下賜)함. 또, 그 물건. ¶～금(金). ——하다 타 여불
은사[4]【銀沙】 명 은빛같이 흰 모래.
은사[5]【銀絲】 명 은박(銀箔)을 얇은 종이에 입힌 것을 가늘게 썬 것 또는 실에 드린 것.
은사[6]【隱士】 명 벼슬을 아니한 숨은 선비.
은사[7]【隱私】 명 비밀로 하고 있는 사사로운 일.
은사[8]【隱事】 명 비밀로 하여 감추어야 할 일.
은사-가【隱士歌】 명 『문』 작자·제작 연대 미상의 가사. 조선 시대 말 개화기(開化期)에 일본이 침입하여 옴을 개탄하고, 패망한 나라의 백성으로 산야에 묻혀 옛 왕조의 문물을 그리는 애국적인 노래.
은사-과【恩賜科】 명 『역』 고려 때, 제술과(製述科)에서 정례적(定例的)인 합격 이외에 임금의 은혜로 특별히 내리는 입격(入格). 10회 이상 응거자(應擧者)나 나이·학업(學業) 등을 참작하여 줌.
은-사슬【銀—】 명 은으로 만든 사슬.
은사-죽음 명 마땅히 보람이 드러나야 할 일이 나타나지 아니하고 마는 일. ——하다 자 여불
은산[1]【銀山】 명 은을 산출하는 광산. 은광(銀鑛).
은산[2]【殷山】 명 『지』 평안 남도 순천군(順川郡)에 있는 고읍(古邑). 순천 동남 12km인 대동강의 지류 동천(東川)에 임한 평원선(平元線)의 한 역이며 도로망(道路網)의 초점으로, 1914년까지는 구(舊)은산군의 군청 소재지였음. 부근 일대는 콩·밀·조·밤·소 등의 집산이 성하고 은산 금광(金鑛)이 있음. 명승지로는 천성산(天聖山)·숭화산(崇化山)의 아난굴(阿難窟) 등이 있음.
은산 덕해【恩山德海】 명 은덕이 산과 바다와 같이 크고 넓음.
은산 별신당【恩山別神堂】[—씬—] 명 『민』 부여군 은산면 은산리에 있는 산신 제당(山神祭堂). 은산리 뒤에 당산(堂山)이 있고, 당산 남쪽 기슭에 신당이 있어, 여기서 매년 정초에 산신제를, 3년에 한 번씩 별신제를 지냄.
은산 별신제【恩山別神祭】[—씬—] 명 『민』 부여군 은산면 은산리에서 열리는 향토제. 중요 무형 문화재 제9호.
은-살대【隱—】[—때] 명 『건』 두 널빤지를 맞붙이기 위해 쓰이는 가늘고 납작한 나무쪽. 맞붙일 두 널의 접합부의, 가운데로 은장홈을 내고 거기에 이것을 끼워 맞붙이게 됨.
은살대-붙임【隱—】[—때부침] 명 『건』 은살대로 두 널빤지를 맞붙이는 일. ——하다 타 여불

〈은살대붙임〉

은상[1]【恩賞】 명 공을 기리어 임금이 상을 내림. 또, 그 상. ——하다 타 여불
은-상[2]【殷相】 명 『사람』 백제 의자왕 때의 장군. 649년 좌평(佐平)으로서 정병 7천 명을 거느리고 신라의 석토성(石吐城) 등 7성(城)을 공취했으나 신라 장군 김유신(金庾信)·천존(天存) 등의 역습을 받고 도살성(道薩城) 싸움에서 패하여 전사함. [? -649]
은-상[3]【銀賞】 명 상의 등급을 금·은·동으로 이름지었을 때의 2등상. 보통, 은메달이나 은으로 된 상패(賞牌) 같은 것을 줌. ＊금상(金賞)·동상(銅賞).
은상[4]【銀霜】 명 『한의』 백영사(白靈砂).
은-상어【銀—】 명 『어』 [*Chimaera phantasma*] 은상엇과에 속하는 바닷물고기. 몸길이 1m 내외로 길고 머리가 크며 꼬리가 실 모양임. 몸빛은 은백색(銀白色)이며 양쪽에 각각 두 줄의 갈색 세로띠가 있음. 주둥이는 둔하고 입이 작으며 이는 크고 튼튼한데 배 쪽에는 뒤로 향한 작은 가시가 있음. 수컷의 배지느러미에는 교미기(交尾器)가 세 가닥으로 갈라져 있으며 난생(卵生)임. 90-540m 깊이의 깊은 바다에 사는데 한국·일본의 연해(沿海)에 분포(分布)함.

〈은상어〉

은상어-목【銀—目】 명 『어』 [Chimaerida] 전두류(全頭類)에 속하는 한 목. 이 목에 속한 것으로 은상엇과가 있음. 주둥이가 칼 모양으로 내밀고 교미기(交尾器)가 두세 가닥으로 되어 있는 것이 특징임.
은상엇-과【銀—科】[—꽈] 명 『어』 [Chimaeridae] 은상어목(目)에 속하는 어류의 한 과. 이 과에 속하는 것으로 은상어가 있음.
은색【銀色】 명 은빛.

은생-대【銀生代】[명]〖지〗시원대(始原代).
은생이 [명]〈방〉〖어〗은어(銀魚)(전남).
은서[1]【恩敍】[명] 특별한 은혜로써 관직(官職)에 서임(敍任)됨. ——-하다 [자][여불]
은서[2]【銀鼠】[명]〖동〗변색족제비.
은서[3]【隱棲·隱栖】[명] 세상을 피(避)하여 숨어 삶. 은거(隱居). ——-하다 [자][여불]
은서-피【銀鼠皮】[명] 변색족제비의 가죽.
은선-대【隱仙臺】[명]〖지〗강원도 고성군(高城郡)에 있는 산봉우리. 금강산 기봉(奇峰)의 하나이며, 칠보대(七寶臺)와 함께 신금강(新金剛) 안에 있음. [1,060 m]
은설【銀屑】[명] 은(銀)의 부스러기. 한방(韓方)에서 해열 해독약(解熱解毒藥)으로 씀.
은섬【銀蟾】[명] '달'의 이칭. 달 속에 두꺼비가 있다는 전설(傳說)에서 나온 말.
은-섭옥【銀鑷玉】[명] 은으로 섭옥잠(鑷玉簪)처럼 만든 비녀.
은성【殷盛】[명] 번화하고 성함. ——-하다 [형][여불]
은성 탄:전【恩城炭田】[명]〖지〗경상 북도 문경군(聞慶郡) 가은읍(加恩邑) 왕릉리(旺陵里)에 있는 무연탄 탄전(無煙炭炭田). 문경선(聞慶線)의 종점(終點)인 은성역에서 1 km 지점에 있음. 매장량(埋藏量) 약 800만 톤.
은-세계【銀世界】[명] ①눈이 많이 내리어 은빛으로 덮인 눈 경치. ②〖문〗이인직(李人稙)의 신소설. 부패한 양반 관리에 항거, 지배층의 학정을 폭로하고 이에 반기를 든 피지배층의 반항을 고취한 내용으로 1908년에 간행됨.
은-세공【銀細工】[명] 은을 재료로 한 세공. 또, 그 세공품. ——-하다 [자][여불]
은솔【恩率】[명]〖역〗백제 십육품 관등(十六品官等)의 셋째 위계(位階). 삼등(三等).
은-수【恩讐】[명] 은원(恩怨).
은-수복【銀壽福】[명] 그릇의 거죽에 은(銀)으로 새겨 장식(裝飾)한 '壽福' 두 글자.
은-수저【銀—】[명] 은으로 만든 숟가락과 젓가락. 은시저(銀匙箸).
은-시계【銀時計】[명] 딱지가 은인 시계. 은시표(銀時表). 은표(銀表).
은시-류【隱翅類】[명]〖충〗미시류(微翅類).
은시안화 칼륨【銀—化—】[명]〔도 Kaliumsilbercyanid〕〖화〗은염(銀塩)의 수용액에 시안화 칼륨 수용액을 가하여 시안화은(銀)을 침전시킨 다음 다시 시안화 칼륨을 가하여 얻는 무색 육변형(六邊形)의 결정. 은도금(銀鍍金)에 쓰임. $K[Ag(CN)_2]$
은-시저【銀匙箸】[명] 은수저.
은시-충【隱翅蟲】[명]〖충〗반날개.
은-시표【銀時表】[명] 은시계.
은-시호【銀柴胡】[명]〖식〗대나물.
은신【隱身】[명] 몸을 숨김. ——-하다 [자][여불]
은신-법【隱身法】[—뻡] [명] 몸을 숨기는 술법(術法).
은신-처【隱身處】[명] 몸을 숨기는 곳. 숨을 곳.
은-실【銀—】[명] 은사(銀絲).
은실 타:령【—打令】[명] '아리랑'과 같이 '은실은실'을 본떠서 부르는 노래. 근래까지 많이 불린 작자·연대 미상의 타령임.
은아 [명]〈방〉〖어〗은어(銀魚).
은악【隱惡】[명] 드러나지 아니한 악(惡)한 일.
은안【銀鞍】[명] 은으로 장식한 안장(鞍裝).
은안 백마【銀鞍白馬】[명] 은으로 장식한 안장과 흰 빛의 말.
은암【隱岩】[명] 암초(暗礁).
은앙 [명]〈방〉〖식〗은행(銀杏)(충청·전라·경북).
은애[1] [명]〈방〉〖어〗은어(銀魚)(경남).
은애[2]【恩愛】[명] ①은혜와 사랑. ②부모 자식 사이나 부부간의 애정. ③애정이나 은혜에 끌리는 집착(執着).
은애-옥【恩愛獄】[명]〖불교〗육친(六親)이 서로 정애(情愛)로써 애착하여 속박되는 상태라는 뜻으로 '사바 세계'의 이칭.

〈은양지꽃〉

은앵 [명]〈방〉〖식〗은행(銀杏)(충청·전라·경남).
은약【隱約】[명] ①말이 분명하지 않음. ②아주 작고 간략함. ——-하다 [형][여불]
은-양지꽃【銀陽地—】[—냥—] [명]〖식〗[*Potentilla nivea*] 장미과에 속하는 다년초. 줄기 높이 10-20 cm이고, 근생엽(根生葉)은 장병(長柄)으로 삼출(三出)하며, 소엽(小葉)은 타원형 또는 토란상 타원형임. 7월에 황색 꽃이 취산(聚繖) 화서로 정생(頂生)하며, 과실은 수과(瘦果)임. 높은 산에 나는데 함북 지방에 분포함.
은어[1]【銀魚】[명]〖어〗①[*Plecoglossus altivelis*] 은어과에 속하는 물고기. 몸길이 20-30 cm로 모양이 가늘고 긺. 몸빛은 암녹황색 바탕에 배 쪽으로 갈수록 담백색이고 눈 위는 황색, 위턱은 백색, 아래턱은 녹색임. 유어(幼魚)는 바다에서 지내고 이른 봄에 강을 거슬러 올라 급류에 삶. 두만강(豆滿江)을 제외한 각 하천(河川)과 제주도 및 일본 등지에 분포함. 향기가 있고 맛이 좋음. 은구어(銀口魚). 은조어(銀條魚). ②도루묵.

〈은어[1]❶〉

은어[2]【隱語】[명] 어떤 패나 동아리가 자기네 이외의 사람에게는 모르도록 뜻을 감추어 붙인 말. 상인(商人)·학생·군인·노름꾼·거지·부랑패 등의 각종 집단(集團)에 따라 다른데, 의태어(擬態語)·의성어·전도어(顚倒語)·생략어(省略語)·형용어로 그 발생을 구분할 수 있음. 색시를 '깔치', 두목을 '왕초', 죄수들이 담배를 '강아지'라고 하는 따위. 수어(瘦語). ¶깡패들의 ~. *변말.
은어-과【銀魚科】[—꽈] [명]〖어〗[Plecoglossidae] 청어목(目)에 속하는 어류의 한 과. 은어가 이에 속함.
은어-받이 [—바지] [명] 음력 시월 보름께 함경도 연안에 몰려 오는 명태의 떼. 몸이 크고 암컷이 많음.
은에 [명]〈방〉〖어〗은어(銀魚)(전라·경남·제주).
은연[1]【恩筵】[명] 임금이 베풀어 주는 주연(酒宴).
은연[2]【隱然】[명] ①뚜렷이 겉으로 나타나지는 않으나 어딘지 모르게 모양(模樣)이 드러남. ②은근(慇懃)하고 진중(鎭重)함. ——-하다 [형][여불]. ——-히 [부]
은연-중【隱然中】[명][부] 은연한 가운데. 남 모르는 가운데. 은연지중(隱然之中). ¶~ 사랑하게 되었소.
은연중-에【隱然中—】[부] 남이 모르는 가운데에. 은연한 가운데에. 은근한 가운데에. ¶~ 그 말을 하게 되었소.
은연지-중【隱然之中】[명][부] 은연중.
은염[1]【銀塩】[명]〖화〗염화 제일주석(塩化第一朱錫).
은염[2]【銀髥】[명] 흰 수염.
은영[1]【恩榮】[명] 임금의 은덕을 입은 영광.
은영[2]【隱映】[명] 은은하게 비침. ——-하다 [자][여불]
은영-연【恩榮宴】[명]〖역〗과거(科擧)에 급제(及第)한 사람의 영예를 축하하여 임금이 내리는 연회(宴會). 의정부(議政府)에서 베풂.
은예【隱藝】[명] 남 모르게 가지고 있는 기예(技藝).
은-오염【銀汚染】[명] 사진을 밀착할 때에 일어나는 이상 현상의 하나. 용해성 은염(銀塩)을 포함하는 인화지와 사진 음판(陰板)을 밀착하여 구울 때 음판이 갈색 또는 적색으로 오염되는 일.
은-오절【隱五節】[명] 담배 설대 다섯 마디 중의 상사에 감추인 끝마디.
은-옥색[1]【銀玉色】[명] 엷은 옥색.
은-옥색[2]【隱玉色】[명] 은은한 엷은 옥색.
은우[1]【恩佑】[명]〖천주교〗하느님의 도우시는 은총(恩寵).
은우[2]【恩遇】[명] 고마운 대우(待遇). 은혜(恩惠)로 대우함. 후우(厚遇). ——-하다 [타][여불]
은우[3]【殷憂】[명] 깊은 근심. 큰 근심.
은우[4]【隱憂】[명] 남모르는 숨은 근심.
은-운모【銀雲母】[명]〖광〗백운모(白雲母).
은-원【恩怨】[명] 은혜와 원수. 은수(恩讐).

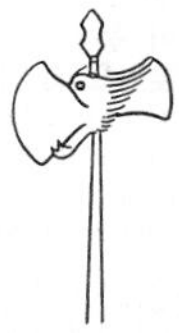
〈은월부〉

은월【隱月】[명] 비파(琵琶)의 겉널판의 아래쪽에 세로 한 치 한 푼, 가로 한 치 칠 푼 정도로 파 놓은 타원형(楕圓形)의 구멍.
은-월부【銀鉞斧】[명]〖역〗의장(儀仗)의 한 가지. 나무로 만든 것으로서, 은칠을 한 도끼를 붉은 창대에 꿴 것.
은-위[1]【恩威】[명] 은혜와 위엄(威嚴). 위혜(威惠).
은위[2]【銀位】[명] 은의 품질의 정도.
은위[3]【銀緯】[명]〔galactic latitude〕〖천〗은하 좌표상의 위도. 은하 적도(赤道)에서 남북으로 각기 0-90도가 있음. *은경(銀經).
은위 병:행【恩威並行】[명] 은혜와 위엄(威嚴)을 아울러 베풂. ——-하다 [자][여불]
은유[1]【恩宥】[명] 은혜를 베풀어 용서함. ——-하다 [타][여불]
은유[2]【隱喩】[명] ↗은유법(隱喩法).
은유-법【隱喩法】[—뻡] [명] 표면상(表面上)으로는 비유(比喩)의 형식(形式)을 취(取)하지 않는 수사법(修辭法). '-같다'·'-비슷하다'·'-듯하다'의 형식을 취하지 않음. 키가 큰 사람을 '전봇대', 내 귀는 하나의 '소라 껍데기'라고 하는 것 따위. [준]은유(隱喩). ↔직유법(直喩法).
은율【殷栗】[명]〖지〗황해도 은율군의 주읍(主邑). 구월산(九月山) 서록(西麓)에 있는데 남쪽은 송화(松禾)·장연(長淵), 동북쪽은 장련(長連)에 접함. 비옥한 평야로 쌀·콩·면화·사과·소 등의 집산지며, 북쪽에는 은율 철산(鐵山)이 있음.
은율 관산리 지석묘【殷栗冠山里支石墓】[—니—] [명]〖고고학〗황해도 은율군 관산리에 있는 고인돌. 우리 나라 최대의 고인돌 중의 하나.
은율-군【殷栗郡】[명]〖지〗황해도의 한 군. 관내 7면. 도의 서북단 대동강구(大同江口) 남안에 위치하고 동은 안악군(安岳郡), 남은 신천군(信川郡), 서남은 송화군(松禾郡)에 인접하고 북은 황해(黃海)와 대동강구에 면함. 주요 산물로는 농산물이 많고 특히 사과와 면화의 재배는 유명함. 명승 고적으로는 고분군(古墳群)·장대지(將臺址)·고인돌(한국 제일)·백운대(白雲臺)·인형 인조석(人形人造石)·구월산·구월산성(城)·원정사 사적비(圓井寺事蹟碑) 등이 있음. 군청(郡廳) 소재지는 은율. [467 km^2]
은율 운성리 유적【殷栗雲城里遺蹟】[—니—] [명]〖고고학〗황해도 은율군 운성리 소재 초기 철기 시대의 고분군 유적.
은율 철산【殷栗鐵山】[—싼] [명]〖지〗은율군에 있는 철산. 괴상(塊狀)의 갈철광(褐鐵鑛)·적철광(赤鐵鑛)이 집합을 이룸. 1900년 대한 제국의 궁내부(宮內府)에 의해 채굴됨.
은율 탈춤【殷栗—】[명]〖민〗황해도 은율 지방에 전승되어 온 탈춤. 중요 무형 문화재 제61호. 산대도감극(山臺都監劇) 계통의 해서형(海西型) 탈춤임.
은은-하다[1]【殷殷—】[형][여불] 대포·우레·차 등의 소리가 요란하고 굉굉(轟轟)하다. ¶은은한 포성. 은은-히[1]【殷殷—】[부]
은은-하다[2]【隱隱—】[형][여불] ①겉으로 드러나지 아니하고 아슴푸레하

며, 프랑스·영국·벨기에 등지에서 발견됨.

병:립 관다발【竝立管—】[—닙—따—] 명 [collateral vascular bundle]〖식〗관다발의 한 형. 물관부(管部)나 체관부(管部)가 상접해 있는 형. 겉씨 식물·속씨 식물에 흔히 볼 수 있음. 줄기는 바깥쪽에 체관부, 안쪽에 물관부, 잎은 위쪽에 물관부, 아래쪽에 체관부가 있음.

병마[1]【兵馬】명 ①병사(兵士)와 군마(軍馬). ②군비(軍備). 군대(軍隊). 또, 군대나 전쟁에 관한 모든 일. ③군마(軍馬)❷.

병:마[2]【病馬】명 병에 걸린 말.

병:마[3]【病魔】명 ①사람을 병에 걸리게 한다는 악마(惡魔). 병귀(病鬼). ②병을 악마에 비유한 말. ¶～에 시달리다. ③병이 들어서 앓는 마장(魔障). 이수(二豎).

병-마개【甁—】명 병의 아가리를 막는 마개.

병마 공:총【兵馬倥偬】명 전쟁 때문에 몹시 바쁨.

병-마구리 명〈방〉칼새.

병마 단련 부:사【兵馬團練副使】[—달—] 명〖역〗조선 초기(初期), 각 도에 둔 종사품(從四品) 외직 무관(外職武官)의 하나. 세조(世祖) 12년(1466)에 병마 동첨절제사(兵馬同僉節制使)로 고침.

병마 단련사【兵馬團練使】[—달—] 명〖역〗조선 초기, 정삼품(正三品)의 외직 무관(外職武官)의 하나. 전주(全州)에 두었는데 세조(世祖) 12년(1466)에 병마 절제사(兵馬節制使)로 고침.

병마 단련 판관【兵馬團練判官】[—달—] 명〖역〗조선 초기, 종육품(從六品)의 외직 무관(外職武官)의 하나. 세조(世祖) 12년(1466)에 병마 절제 도위(兵馬節制都尉)로 고침.

병마 도사【兵馬都事】명〖역〗조선 초기, 정육품(正六品)의 외직 무관의 하나. 세조(世祖) 12년(1466)에 병마 평사(兵馬評事)로 고침.

병마 도절제사【兵馬都節制使】[—쩨—] 명〖역〗조선 초기(初期), 종이품(從二品) 외직 무관(外職武官)의 하나. 세조(世祖) 12년(1466)에 병마 절도사(兵馬節度使)로 고침.

병마 도절제사 도진:무【兵馬都節制使都鎭撫】[—쩨—] 명〖역〗조선 초기(初期), 종삼품(從三品)의 외직 무관(外職武官)의 하나. 세조(世祖) 12년(1466)에 병마 우후(兵馬虞侯)로 고침.

병마 동첨절제사【兵馬同僉節制使】[—쩨—] 명〖역〗조선 시대의, 종사품(從四品)의 외직 무관의 하나. 그 전의 병마 단련 부사(兵馬團練副使)를 세조(世祖) 12년(1466)에 이 이름으로 고침. ↔수군(水軍) 동첨절제사. *동첨절제사(同僉節制使).

병마 만:호【兵馬萬戶】명〖역〗조선 시대의, 종사품(從四品) 외직 무관(外職武官)의 하나. 평안(平安)·함경(咸鏡) 양도에 둠.↔수군 만호(水軍萬戶). *만호(萬戶).

병마-사【兵馬使】명〖역〗고려 때 외직(外職)의 하나. 품질(品秩)은 삼품(三品). 성종(成宗) 8년(989)에 처음으로 동북면(東北面)과 서북면(西北面) 쪽에 두어 군권을 전담하게 함.

병마 수군 절제사【兵馬水軍節制使】[—쩨—] 명〖역〗조선 시대의, 정삼품(正三品)의 외직 무관(外職武官)의 하나. 제주에 두었음.

병마 우:후【兵馬虞侯】명〖역〗조선 시대의, 종삼품(從三品)의 외직 무관(外職武官)의 하나. 그 전의 병마 도절제사 도진무(兵馬都節制使都鎭撫)를 세조(世祖) 12년(1466)에 이 이름으로 고침. ↔수군(水軍) 우후. *우후(虞侯).

병마 절도사【兵馬節度使】[—또—] 명〖역〗조선 시대의, 각 지방에 두어 병마를 지휘하던 종이품(從二品)의 무관. 각도(各道)에 한 사람 또는 두 사람을 두었음. 그 전의 병마 도절제사(兵馬都節制使)를 세조(世祖) 12년(1466)에 이 이름으로 고침. ㊀병사(兵使)·절도사. ↔수군(水軍) 절도사.

병마 절제 도위【兵馬節制都尉】[—쩨—] 명〖역〗조선 시대의, 종육품(從六品)의 외직 무관(外職武官)의 하나. 그 전의 병마 단련 판관(兵馬團練判官)을 세조(世祖) 12년(1466)에 이 이름으로 고침.

병마 절제사【兵馬節制使】[—쩨—] 명〖역〗조선 시대의, 정삼품(正三品) 외직무관(外職武官)의 하나. 전라(全羅) 및 경상도(慶尙道)에 두었음. 그 전의 병마 단련사(兵馬團練使)를 세조(世祖) 12년(1466)에 이 이름으로 고침.

병마지-권【兵馬之權】명 군(軍)을 편제(編制)·통수(統帥)할 수 있는 권능(權能). 통수권. ㊀병권(兵權).

병마 첨절제사【兵馬僉節制使】[—쩨—] 명〖역〗병마 절도사(兵馬節度使)에 속한 각도 병영(兵營)의 종삼품 무관 벼슬. 목(牧)·부(府)의 소재지에서는 수령이 겸임하였음. ↔수군(水軍) 첨절제사. *첨절제사.

병마 평:사【兵馬評事】명〖역〗조선 시대의, 정육품(正六品) 외직 무관(外職武官)의 하나. 평안도(平安道)·함경도(咸鏡道)에 둠. 그 전의 병마 도사(兵馬都事)를 세조(世祖) 12년(1466)에 이 이름으로 고침. ㊀평사(評事).

병막[1]【兵幕】명 군인들이 주둔하고 있는 막사(幕舍).

병:막[2]【病幕】명 전염병 환자를 격리(隔離)시켜 수용하는 집.

[병막 구경이 장자(長者)] 다 죽어 가는 전염병 환자를 보고 나면, 가난하고 불행한 사람도 자기 신세를 장자(長者)보다 낫게 생각하게 마련이라는 말.

병:맥【病脈】명 병자(病者)의 맥(脈). 병을 앓고 있을 때의 맥박.

병-머리 명〖건〗도리·보·평방(平枋)에 그리는 단청(丹靑)의 한 가지. 꽃송이를 품자(品字) 모양으로 마주 그리고, '실'과 '휘'를 교착(交錯)하여 그리는 그림. 병머리초.

병-머리초 명〖건〗병머리.

병:면【病免】명 병으로 벼슬을 그만둠. ——하다 자여불

병:명【病名】명 병의 이름. ¶～ 미상의 질병.

병모[1] 명〈방〉빙모(경상).

병:모[2]【病母】명 병든 어머니.

병-목【甁—】명 병의 모가지.

병목꼴-꼭지【甁—】명〖고고학〗병의 목처럼 가늘고 길게 올라간 그릇 뚜껑의 꼭지.

병목 현:상【甁—現象】명 도로의 노폭(路幅)이 병목처럼 갑자기 좁아진 곳에서 일어나는 교통 정체(停滯) 현상. ¶～을 해소하다.

병:몰【病沒】명 병사(病死). ¶～자(者). ——하다 자여불

병무【兵務】명 병사상(兵事上)의 사무(事務).

병무-청【兵務廳】명 국방부 장관 소속 하의 중앙 행정 기관. 징집 및 소집과 기타 병무 행정에 관한 사무를 관장함.

병무청-장【兵務廳長】명〖법〗병무청의 장(長).

병문[1]【兵門】명 군문(軍門)❷.

병:문[2]【病文】명 잘못되거나 부족한 점이 있는 글.

병문[3]【屛門】명 골목 어귀의 길가.

병문[4]【騈文】명〖문〗↗병려문(騈儷文).

병문 친구【屛門親舊】명 늘 길거리에 모여서 뜬벌이하는 막벌이꾼을 일컫는 곁말. 장석 친구(長席親舊).

병문 파수【屛門把守】명〖역〗임금이 거둥할 때 길 어귀를 지키던 군사.

병:반[1]【病斑】명 병으로 일어나는 반점(斑點).

병반[2]【餠盤】명 [lacolith]〖지〗마그마가 분출되어 수성암 지층(水成岩地層) 사이에 들어가서 둥근 떡 모양으로 굳어진 암괴(岩塊).

병:발【竝發·倂發】명 ①두 가지 이상의 일이 한꺼번에 일어남. 동시(同時)에 발생(發生)함. ②특히 병중에 또 다른 병이 겹쳐 생김. ¶～증(症). ——하다 자여불

병:방[1]【丙方】명〖민〗이십 사 방위의 하나. 정남(正南)으로부터 동쪽으로 15도째의 방위를 중심으로 한 15도의 각도 안. ㊀병(丙).

병방[2]【兵房】명〖역〗①조선 시대에, 병전(兵典)에 관한 사무를 맡아 보던 승정원(承政院)의 육방(六房)의 하나. 좌부승지(左副承旨)가 맡아 봄. ②병전(兵典)에 관한 일을 맡아 보던 지방 관아(地方官衙)의 육방(六房)의 하나. ¶～ 아전(衙前).

병:방[3]【病房】명 ①병원. ②〖역〗중국 당(唐)나라 때 병로(病老)한 퇴직 관리들이 맡았던 벼슬. 비서감(祕書監)·비서랑(祕書郞)·저작랑(著作郞) 등이 있음.

병방 승지【兵房承旨】명〖역〗조선 시대에, 승정원(承政院)의 병방을 맡아 보던 승지. 곧, 좌부승지(左副承旨).

병-배【甁—】명〖식〗모가지가 잘록한 병(甁) 모양으로 생긴 배.

병:벌레-해【病—害】명 병충해(病蟲害).

병법[1]【兵法】[—뻡] 명 군사에 대한 모든 법칙. 군사를 부려서 전쟁을 수행하는 방법. 병술(兵術). 전술(戰術). 군법(軍法). ¶손자 ～.

병:법[2]【秉法】명〖불교〗불전(佛前)에서 예식을 집행하는 사람의 직명(職名).

병법-가【兵法家】[—뻡—] 명 병법(兵法)의 전문가.

병법-서【兵法書】[—뻡—] 명 병법에 관한 서적(書籍).

병:벽【病癖】명 병적(病的)인 버릇. 고질이 되어 잘 고쳐지지 아니하는 나쁜 버릇. 어떤 것에만 치우친 성벽(性癖).

병변[1]【兵變】명 병란(兵亂).

병:변[2]【病變】명 병이 원인이 되어 일어나는 생체(生體)의 변화. ¶～ 조직(組織).

병:-별강【丙別講】명〖역〗병년(丙年)마다 별시(別試)를 보아 초시(初試)에 급제한 사람으로 시관 앞에서 강송(講誦)시키던 일.

병:병【病兵】명 병을 앓고 있는 병사(兵士).

병복【屛伏】명 세상을 피하여 숨어서 삶. ——하다 자여불

병:-본리【竝本利】[—볼—] 명 구본변(具本邊).

병:부[1]【丙部】명〖책〗자부(子部).

병부[2]【兵部】명〖역〗①신라 때 군사(軍事)를 맡아 보던 관청. 법흥왕(法興王) 3년(516)에 두었음. ②고려 태조(太祖) 1년에 두었던, 군사를 맡아 보던 관청. 후에 병관(兵官)·상서 병부(尙書兵部)·군부사(軍簿司)·병조(兵曹) 등으로 고쳤다가, 공민왕(恭愍王) 5년(1356)에 다시 이 이름으로 되었는데, 동왕 11년(1362) 다시 군부사로 개칭됨. ③↗상서병부(尙書兵部).

병부[3]【兵符】명〖역〗↗발병부(發兵符).

병부[4]【兵簿】명 병사(兵士)의 명부(名簿).

병:부[5]【柄部】명 어떤 형체나 물건에서 자루가 되는 부분. 자루.

병:부[6]【病父】명 병든 아버지.

병:부[7]【病夫】명 ①병든 남편. ②병든 사내.

병:부[8]【病婦】명 ①병든 아내. ②병든 부인.

병부 상서【兵部尙書】명〖역〗고려 상서병부(尙書兵部)의 정삼품(正三品) 관직. 문종(文宗) 때 둠. 충렬왕 1년(1275)에 군부 판서(軍簿判書)로 개칭. 이후 몇 차례 환원·개칭을 거듭함.

병부-절【兵符卩】명 한자 부수(部首)의 하나. '卽'이나 '卷' 등에서 '卩'나 '㔾'의 이름.

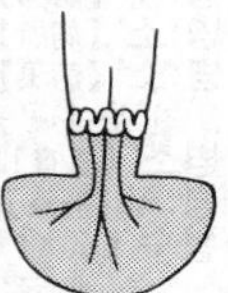

〈병부 주머니〉

병부 주머니【兵符—】명〖역〗병부(兵符)를 넣던 주머니.

병-분【甁盆】명 병과 동이.

병:-불공【病佛供】명 병이 낫기를 비는 불공.

병-불염:사【兵不厭詐】명 군사에 있어서는 간사한 꾀를 꺼리지 아니함.

병:-불이신【病不離身】명 몸에 병이 떠날 날이 없음. ——하다 형여불

병비[1]【兵批】명〖역〗병조(兵曹)에서 무관(武官)의 벼슬을 골라서 뽑던 일. 또, 그 벼슬. *이비(吏批).

병비[2]【兵備】명 군사에 관계되는 준비. 무비(武備).

병:비[3]【病費】명 병을 치료하는 데 드는 비용. 치료비.

병:사[1]【丙舍】명 묘막(墓幕).

병사[2]【兵士】명 ①군사(軍士). ②사병(士兵). ③구세군(救世軍)에서, 일반 신도를 일컫는 말. *사관(士官).

병사[3]【兵史】명〖역〗고려 시대의 향리직(鄕吏職)으로, 호장(戶長) 아래 사병(司兵)의 말단 관직. 병부(兵部)가 사병(司兵)으로 개편되면서 유

내(維乃)가 개칭된 것임. 부병정(副兵正)의 아래임.

병사4 【兵使】 명 〖역〗 ↗병마 절도사(兵馬節度使).

병사5 【兵舍】 명 군대가 들어 거처하는 집. 병영(兵營). 군영(軍營).

병사6 【兵事】 명 〖군〗 병역(兵役)·군대(軍隊)·전쟁(戰爭) 등에 관한 모든 일. 군사(軍事). 전사(戰事). ¶ ～계(係).

병:사7 【病死】 명 병으로 죽음. 병몰(病沒). 병폐(病斃). ——-하다 자여불

병:사8 【病邪】 명 〖한의〗 오래 된 병자가 정신이 이상해져서 부리는 야릇한 성미.

병:사9 【病舍】 명 ①병원의 건물. ②병실(病室).

병사-구 【兵事區】 명 〖법〗 구(舊)병역법에서, 병사(兵事)에 관한 행정을 실시하기 위하여 각 도(各道) 단위로 마련해 놓은 구역(區域).

병사구 사령부 【兵事區司令部】 명 〖법〗 구(舊)병역법에서, 병사구의 행정 사무를 맡아 보던 국방부의 한 기관.

병사리 명 〈방〉 병아리(황해).

병사-봉 【兵使峰】 명 〖지〗 백두산(白頭山)의 최고봉(最高峰). 산기슭은 높이 1,500 m 내외의 현무암(玄武岩)의 대지를 이루고, 산정부(山頂部)는 알칼리 조면암(粗面岩)으로 구성되어 급경사(急傾斜)를 이루며 부석층(浮石層)으로 덮여 있음. [2,744 m]

병사-비 【兵事費】 명 병사 업무에 소요되는 경비.

병:사-자 【病死者】 명 병들어 죽은 사람.

병:산1 【迸散】 명 힘차게 솟아나와 흩어짐. ——-하다 자여불

병:산2 【並算】 명 함께 포함시켜 계산함. ¶ 택시 요금을 시간·거리 ～제(制)로 하다. ——-하다 타여불

병산 서원 【屛山書院】 명 〖지〗 경상 북도 안동군(安東郡) 풍천읍(豐川邑)에 있는 서원(書院). 조선 광해군(光海君) 5년(1613)에, 선조(宣祖) 때의 명신(名臣) 유성룡(柳成龍)을 위하여 세웠고, 뒤에 그의 아들 유진(柳袗)을 배향하였음.

병-산적 【餠散炙】 명 떡산적.

병산-탈 【屛山—】 명 〖민〗 경상북도 안동군(安東郡) 풍천읍(豐川邑) 병산(屛山) 마을에 전승(傳承)되어 오는 한국 최고(最古)의 탈놀이 목조(木造)탈. 두 개가 전래(傳來)되며, 하회동(河回洞)에 옮겨져 하회탈과 함께 보존됨. 하회탈 9 개와 함께 국보 제121호로 지정됨.

병:살 【倂殺】 명 야구에서, 두 사람의 주자(走者)를 한꺼번에 아웃시키는 일. 중살(重殺). 더블 플레이(double play). 겟 투(get two).

병삼 【甁蔘】 명 둥글고 기름한 투명(透明) 유리 그릇에 술을 담그기 위해 넣어 두는 굵은 수삼(水蔘).

병:상1 【病床】 명 병자가 눕는 침상. ¶ ～에 눕다.

병:상2 【病狀】 명 〖의〗 병의 상태(狀態). 병의 증세. 병태(病態). 증상(症狀).

병:상3 【病桑】 명 병든 뽕.

병:상-병 【病傷兵】 명 〖군〗 전장(戰場)에서 병들고 다친 군사.

병:상 일지 【病床日誌】 [—찌] 명 ①병상에 있는 사람이 적는 일지. ②〖의〗 병의 경과를 나날이 적은 기록.

병:상-자 【病傷者】 명 상병자(傷病者).

병:상 첨병 【病上添病】 명 앓는 중에 또 딴 병이 겹쳐 생김. ——-하다 자여불

병:색 【病色】 명 병든 사람의 얼굴빛. ¶ ～이 완연하다.

병:생 부:아 【並生副芽】 명 여러 개의 부아가 생길 때에 좌우로 나란히 나는 부아. ↔중생(重生) 부아.

병서1 【兵書】 명 병법(兵法)에 관한 책. 음부(陰符).

병:서2 【並書】 명 같은 자음(子音) 두 글자나 혹은 서로 다른 자음 둘이나 셋을 가로 나란히 붙여 씀. 같은 자음의 병용(並用)은 각자 병서(各字並書), 서로 다른 자음의 병용은 합용 병서(合用並書)라 함. *부서(附書)·연서(連書). ——-하다 타여불

병:석 【病席】 명 병자가 눕는 자리. 병욕(病褥). ¶ ～에 눕다.

병선1 【兵船】 명 ①전쟁에 쓰는 모든 배. 몽동(艨艟). 전함(戰艦). ②〖역〗 '소맹선(小猛船)'의 고친 이름.

병선2 【兵燹】 명 난리 때문에 일어나는 불. 병화(兵火).

병선-군 【兵船軍】 명 〖역〗 고려 중기의 수군(水軍)의 일컬음. *기선군(騎船軍).

병:설 【並設·倂設】 명 함께 베풂. ¶ ～ 중학교. ——-하다 타여불

병:성 【病性】 명 병의 성질. 병질(病質).

병세1 【兵勢】 명 병마(兵馬)의 세력.

병:세2 【病勢】 명 병의 형세. ¶ ～가 호전되다.

병:소1 【病所】 명 〖의〗 ①병실(病室). ②병처(病處).

병:소2 【病巢】 명 〖의〗 병원균(病原菌)이 침입하여 조직(組織)이 허물어진 부분. 병집.

병소3 【甁筲】 명 ①병과 대그릇. ②도량이 좁은 사람.

병:쇠 【病衰】 명 병약(病弱). ——-하다 형여불

병수 【甁水】 명 촉병(觸甁)에 담은 물. 중들이 대변(大便)을 본 뒤 밑을 씻는 데 씀.

병-수사 【兵水使】 명 〖역〗 병사(兵使)와 수사(水使).

병:술1 【丙戌】 명 〖민〗 육십 갑자(六十甲子)의 스물셋째.

병술2 【兵術】 명 전투 기술. 병법(兵法). 전술(戰術).

병-술3 【甁—】 [—쑬] 명 병에 담아서 파는 술. *잔술.

병술-집 【甁—】 [—쑬찝] 명 병술을 파는 집.

병:시 【丙時】 명 〖민〗 이십사시(時)의 열두째 시. 오전 10시 30분부터 11시 30분까지의 동안. 준병(丙).

병:-시중 【病—】 명 병구완. ¶ ～을 들다. ——-하다 자타여불

병식1 【兵食】 명 ①군량(軍糧). ②군사(軍士)와 군량.

병:식2 【病識】 명 현재 병에 걸려 있다는 자각(自覺). 정신병에서는 때때로 이것이 결여(缺如)되어 있어, 진단에 도움이 됨.

병식3 【屛息】 명 겁이 나서 소리를 죽이고 숨을 쉼. 누식(累息). ——-하다 자여불

병:신1 【丙申】 명 〖민〗 육십 갑자(六十甲子)의 서른셋째.

병:신2 【柄臣】 명 권력을 잡은 신하. 권신(權臣).

병:신3 【病身】 명 ①몸의 어느 부분이 온전하지 못하거나 기형적(畸形的)인 사람. 불구자(不具者). 신체 장애자. ¶ 배냇～. ②병든 몸. 난치(難治)의 병에 걸린 신체(身體). ③온전한 형체를 갖추지 못하거나 제구실을 하지 못하는 물건. ④지력(智力)이나 재능(才能)이 보통 사람보다 낮은 사람. ¶ ～ 같은 녀석. ⑤남을 얕잡아 일컫는 말. ¶ 이 ～아.

[병신 고운 데 없다] 몸이 완전하지 못한 사람은 마음까지도 바르지 못하다는 말. [병신 달밤에 체조한다] 못난 자가 더욱 더 미운짓만 한다는 뜻. [병신도 병신이라면 좋다는 사람 없다] 누구라도 자기의 결점을 맞대어 놓고 지적하면 좋아하지 않는다는 말. [병신이 한 고집이 있다] 못난 인간이 고집을 부린다는 말. [병신이 호미 훔친다] 겉으로 병신 같지만, 속으로는 제 실속만 차린다는 말. [병신 자식이 효도한다] 대수롭지 않은 것이 도리어 제구실을 할 때 하는 말.

병:신(이) 육갑(六甲)하다 구 되지 못한 자가 엉뚱한 짓을 하다.

병:신 구실 【病身—】 [—꾸—] 명 병신이나 다름없는 얼빠지고 못난 짓. ——-하다 자여불

병:신성-스럽다 【病身—】 [—썽—] 형ㅂ불 어리석어 남 보기에 병신이나 다름없다. **병:신성-스레** 【病身—】 [—썽—] 부

병:신 야:반 생무자 【丙辛夜半生戊子】 명 〖민〗 일진(日辰)의 천간(天干)이 병(丙)이나 신(辛)으로 된 날의 자시(子時)는 무자시(戊子時)가 됨.

병:신지년 경인두 【丙辛之年庚寅頭】 명 〖민〗 태세(太歲)의 천간(天干)이 병(丙)이나 신(辛)으로 된 해의 정월(正月)의 월건(月建)은 경인(庚寅)이 됨.

병:신-춤 【病身—】 명 갖가지 병신의 흉내를 내는 민속 춤.

병:실 【病室】 명 환자(患者)가 드는 방. 병소(病所). 병사(病舍). 환자실(患者室).

병:심 【病心】 명 ①병중(病中)의 마음. ②마음 병. ③근심이 있는 마음.

병:아 【病兒】 명 병에 걸린 아이.

병아리 명 〔중세 : 비육. 근대 : 병아리〕 닭의 새끼. 어린 닭. 계추(鷄雛).
[병아리 우장(雨裝) 쓰다] 겨에 맞지 않는다는 말.

병아리 눈물만큼 구 아주 적은 수량의 비유.

병아리 본 솔개 구 병아리를 보고, 덮칠 기회를 엿보느라고 맴도는 솔개.

병아리 감별사 【—鑑別士】 [—싸] 명 병아리의 부화 후 30 시간 이내에 그 항문을 손으로 벌려 암수를 가려내는 사람. 양계 협회에서 주관하는 자격 시험이 있음.

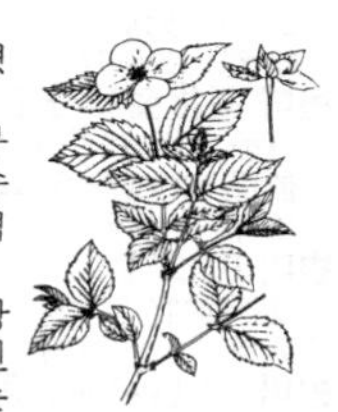
〈병아리꽃나무〉

병아리-꽃나무 명 〖식〗 [*Rhodotypos scandens*] 장미과에 속하는 낙엽 활엽 관목. 높이 1.5 m 가량인데 달걀꼴의 잎은 대생하며 끝이 뾰족하고 가에는 톱니가 있으며 잎 뒷면에는 견모(絹毛)가 났음. 5월에 흰 사판화(四瓣花)가 하나씩 정생(頂生)하고 작고 둥근 핵과(核果)를 맺는데 가을에 흑색으로 익음. 인가 부근에 나는데 전남·경기·황해 및 일본·중국에 분포함. 관상용임.

〈병아리난초〉

병아리-난초 【—蘭草】 명 〖식〗 [*Amitostigma gracilis*] 난초과에 속하는 다년초. 높이는 15 cm 가량이고 잎은 하부에 단생(單生)하며 긴 타원형임. 6-8월에 담자색의 꽃이 총상(總狀) 화서로 한쪽으로만 향해서 핌. 삭과(蒴果)는 긴 타원상 원주형에 길이 5-7 mm 임. 산지의 바위틈에 나는데, 제주·전남·충남·강원·경기·함남 등지에 분포함.

병아리-다리 명 〖식〗 [*Salomonia stricta*] 원지과에 속하는 일년초. 줄기 높이 10-15 cm 내외이고, 가지는 총생(叢生)하며, 잎은 호생하고 잎자루가 없으며 긴 타원형 또는 거꿀달걀꼴임. 7-8월에 자홍색 삼판화(三瓣花)가 수상(穗狀) 화서로 가지 끝에 정생(頂生)하고 삭과를 맺음. 들의 습지에 나는데, 지리산(智異山)에 분포함.

병아리 매듭 명 국화(菊花) 매듭의 양쪽에 생쪽 매듭을 연결한 매듭.

병아리-방동사니 명 〖식〗 [*Cyperus hakonensis*] 방동사닛과에 속하는 일년 또는 다년초. 줄기 높이 10 cm 가량, 잎은 뿌리에서 총생하여 길이 10-20 cm, 폭 1-2 mm 가량임. 꽃은 7-8월에 산형(繖形) 화서로 복생(複生)하고, 수과(瘦果)를 맺음. 밭이나 들의 습지에 나는데, 제주·전남·경남·경기·평남에 분포함.

병아리 오줌 명 〈속〉 정신이 희미하고 고리타분한 사람을 이름.

병아리-풀 명 〖식〗 [*Polygala triphylla*] 원지과에 속하는 일년초. 줄기 높이 6-20 cm 이고, 잎은 호생하며, 유병(有柄)으로 달걀꼴 또는 주걱 모양임. 8-9월에 엷은 자색꽃의 총상(總狀) 화서가 이삭 모양으로 가지 끝에 정생(頂生)하고 삭과(蒴果)를 맺음. 야생으로 한국 중부 이북에 분포함.

병:안 【病眼】 명 병든 눈. 질병으로 앓는 눈.

병:안-류 【柄眼類】 [—뉴] 명 〖동〗 [Stylommatophora] 복족강(腹足綱) 유폐류(有肺類)에 속하는 연체(軟體) 동물의 한 아목(亞目). 육지 또는 물에 사는데 대개 패각(貝殼)이 있고 머리에는 두 쌍의 촉각(觸角)을 갖추었음. 앞에 있는 제 1 촉각은 후각(嗅覺)을 맡고, 뒤에 있는 작은 제 2 촉각은 눈이 있어서 시각(視覺)을 맡음. 달팽잇과 등이 이에 속함. *기안류(基眼類).

병-암죽 【餠—粥】 명 ☞ 떡암죽.

병액1 【兵厄】 명 전쟁의 재액(災厄). 전란(戰亂)으로 인한 재앙. 병난(兵難).

병액2 【兵額】 명 군사의 수효. 군액(軍額).

병:야 【丙夜】 명 '삼경(三更)'을 오야(五夜)의 하나로 일컫는 말. *삼고(三鼓).

병:약 【病弱】 명 ①병에 시달려서 쇠약함. 병쇠(病衰). ②몸이 허약하여 늘 병에 걸리기 쉬움. ¶ ～한 몸. ↔강건(康健). ——-하다 형여불

병어[1] 명 《어》 [*Pampus argenteus*] 병어과에 속하는 바닷물고기. 몸길이 60cm 가량, 몹시 측편하여 둥그스름한 마름모를 이루는데 몸빛은 등 쪽이 푸른빛을 띤 은백색에 온몸에 벗겨지기 쉬운 잔비늘이 있음. 주둥이는 뭉툭하고 양턱에 아주 작은 이가 있고, 등지느러미는 기저(基底)가 길며 꼬리지느러미는 두 가닥, 배지느러미는 없음. 난해성(暖海性) 외양(外洋) 어종으로 한국 서남과 동해 및 일본 남부에 분포함. 맛이 좋음. 창어(鯧魚).

〈병어[1]〉

병어[2] 【兵語】 명 군사상(軍事上)의 전문어(專門語). 군사 용어(用語).
병어[3] 【屛語】 명 사람을 물리치고 소곤소곤 이야기함. ──하다 자여불
병어-과 【一科】 [一꽈] 명 《어》 [Pampidae] 농어목(目)에 속하는 어류의 한 과. 한국에서는 병어 1 종만 알려져 있음.
병어-젓 명 병어를 절여서 담근 젓.
병어 조림 명 병어를 간장에 조려 만든 반찬.
병어 주둥이 명 입이 썩 작은 사람을 농으로 이르는 말.
병어 지짐이 명 병어를 토막쳐서 고추장·된장을 풀어 지진 지짐이.
병어-회 【一膾】 명 병어로 만든 회.
병:언 【炳焉】 명 환한 모양. 명확한 모양. 병연(炳然).──하다 형여불
병:여 【病餘】 명 병후(病後).
병:-여일성 【炳如日星】 [一썽] 명 해와 별처럼 밝고 빛남.
병역 【兵役】 명 《법》 국민의 의무로서, 군적(軍籍)에 편입되어 군무(軍務)에 봉사하는 일. 현역(現役)·예비역(豫備役)·보충역(補充役)·제1 국민역(國民役)·제2 국민역의 5 종으로 구분함.
병역 거:부 【兵役拒否】 명 종교적 신조(信條)나 반전(反戰) 사상적 입장에서 병역 의무를 거부하는 일.
병역 기피 【兵役忌避】 명 도망하거나 숨거나, 짐짓 몸에 상처를 내거나 병을 앓는 체하여 병역을 피하는 일.
병역 면:제 【兵役免除】 명 《법》 전신 기형자·정신병자·나병자·맹농아자(盲聾啞者) 등과 징병 검사 결과 정종(丁種) 판정을 받은 사람에 대하여 병역을 면제하는 일.
병역-법 【兵役法】 명 《법》 국민 개병(皆兵)주의 원칙하에 국민의 병역 의무에 관하여 구체적으로 규정한 법률. 「하나임.
병역 의:무 【兵役義務】 명 《법》 군무에 복무할 의무. 국민 4대 의무의
병역 제:도 【兵役制度】 명 국민의 병원 충족(兵員充足)에 관한 제도. 강제병(強制兵) 제도와 자유병(自由兵) 또는 지원병(志願兵) 제도로 분류하는데, 전자는 징병(徵兵) 제도와 민병(民兵) 제도로, 후자는 의용병제(義勇兵制)와 용병제(傭兵制)로 나눔.
병역 처:분 【兵役處分】 명 《군》 지방 병무청장이 징병 검사를 받은 자에 대하여, 현역 입영 대상자 또는 보충역, 제 2 국민역, 병역 면제, 재(再) 신체 검사 등의 결정을 하는 일.
병:연 【炳然】 명 환한 모양. 명확한 모양. 병언(炳焉). ──하다 형여불
병영[1] 【兵營】 명 ①《역》 병마 절도사(兵馬節度使)가 있던 영문(營門). 군영(軍營). ②병사(兵舍). ¶ ~ 생활.
병:영[2] 【炳映】 명 번쩍번쩍 빛남. 빛나서 환히 비침. ──하다 형여불
병영[3] 【屛營】 명 ①방황하는 모양. ②두려워하는 모양.
병영 국가 【兵營國家】 명 [garrison state] 현대에 있어서 군국주의와 관료 통제(官僚統制)가 결합되어 만들어진 국가의 형태.
병영-도 【兵營道】 명 《역》 병마 절도사(兵馬節度使)가 있던 고을.
병:오 【丙午】 명 《민》 육십 갑자(六十甲子)의 마흔셋째.
병-오두 명 〈방〉 오디(강원).
병:오 박해 【丙午迫害】 명 《역》 조선 헌종(憲宗) 12년 병오년(1846)에 김대건(金大建) 신부의 체포를 계기로 일어난 천주교 박해 사건.
병:와 【病臥】 명 병으로 자리에 누움. 와병(臥病). ──하다 자여불
병와 가곡집 【甁窩歌曲集】 명 《책》 [병와는 이형상(李衡祥)의 호(號)이며 그의 유품 속에서 이 책이 발견되었음] 1956년 경북 영천시(永川市) 고경면(古鏡面)에서 발견된 시조집. 편찬 연대는 정조 연간(正祖年間)으로 추측되며 수록된 작가는 172 명, 작품은 1,109 수로 시조 연구를 위한 중요한 자료임. 편자는 미상(未詳).
병:요 【炳耀】 명 빛나고 번쩍임. ──하다 형여불
병:욕 【病褥】 명 병석(病席). 「하다. ──하다 타여불
병:용 【並用·倂用】 명 아울러서 씀. 아울러 같이 씀. ¶ 한글과 한자를 ~
병:용 궤:도 【並用軌道】 명 공중(公衆)이 다니는 도로(道路)에 설치한 궤도.
병:우 【病友】 명 병에 걸린 친구.
병우리 명 〈방〉 병아리(함북).
병:욱 【炳煜】 명 밝게 빛남. ──하다 형여불
병원[1] 【兵員】 명 《군》 군사. 또, 그 수효.
병:원[2] 【病院】 명 《의》 환자를 수용하여 진찰·치료를 하는 규모가 비교적 큰 의료 기관. 의료법에서는 입원 환자 30 명 이상을 수용할 수 있는 시설을 갖춘 곳이어야 함. *종합 병원·의원.
병:원[3] 【病原·病源】 명 ①병의 근원. 병근(病根). ②질병(疾病)을 퍼뜨리는 세균(細菌)이나 바이러스.
병:원-균 【病原菌】 명 《의》 병의 원인이 되는 균. 병균(病菌). *병원충.
병:원 급식 【病院給食】 명 병원에서 입원 환자를 대상으로 하는 급식.
병:원-기 【病院機】 명 상병자(傷病者)의 공수(空輸)를 임무로 하는 비행기. 「과 병원충(蟲)의 총칭.
병:원 미생물 【病原微生物】 명 《의》 병원체가 되는 미생물. 병원균(菌)
병:원 보:유자 【病原保有者】 명 보균자(保菌者).
병:원-선 【病院船】 명 ① 상병자(傷病者)를 수용해 진찰·치료하는 배. 백색(白色) 선복(船腹)에 녹색(綠色)의 가로줄을 긋고 적십자기(赤十字旗)를 게양함. ②의료 시설이 없는 낙도(落島) 등을 돌며 주민을 진찰·치료하는 배.
병:원-성 【病原性】 [一썽] 명 병원체(病原體)가 숙주(宿主)에 감염하여 병을 일으키는 능력.
병:원-장 【病院長】 명 병원의 장.
병:원-체 【病原體】 명 《의》 생물체(生物體)에 기생하여 일정(一定)한 병을 일으키는 생물(生物). 세균·리케차(rickettsia)·바이러스(virus)·원생 동물(原生動物)·기생충(寄生蟲) 따위.
병:원-충 【病原蟲】 명 《의》 병원 미생물의 하나. 포자충류(胞子蟲類)·편모충류(鞭毛蟲類) 등 병원체가 되는 원생(原生) 동물. *병원균.
병원-회 【兵員會】 명 《역》 고대 로마의 민회(民會)의 하나. 기원전 5세기에 성립된 것으로 추측됨.
병:월[1] 【丙月】 명 《민》 월건(月建)의 천간(天干)이 병(丙)으로 된 달.
병:월[2] 【秉鉞】 명 장수가 병권(兵權)을 잡음. ──하다 자여불
병위[1] 【兵威】 명 군대의 위력(威力).
병위[2] 【兵衛】 명 경비(警備)하는 군사. 호위병.
병:유 【並有】 명 한데 아울러서 가짐. ──하다 타여불
병:육 【並育】 명 가지런히 자람. 모두 함께 자람. ──하다 자여불
병:이 【秉彝】 명 상도(常道)를 굳게 지킴. ──하다 자여불
병:이지-성 【秉彝之性】 명 타고난 천성(天性).
병:인[1] 【丙寅】 명 《민》 육십 갑자(六十甲子)의 셋째.
병인[2] 【兵刃】 명 칼·창 등과 같이 날이 있는 병기(兵器). 전하여, 무기·병기.
병인[3] 【屛人】 명 좌우의 사람을 물리가게 함. ¶ 매일 …밤을 타서 담담정(淡淡亭)을 찾아다니며 늘 ~하고 무슨 밀회를 한다는데…《金東仁 : 首陽大君》.
병:인[4] 【病人】 명 병자(病者).
병:인[5] 【病因】 명 《의》 병의 원인. 병근(病根). 병원(病源).
병:인 교:난 【丙寅敎難】 명 《역》 병인 박해.
병:인-론 【病因論】 [一논] 명 [pathogenesis] 《의》 병의 원인을 광범한 견지에서 연구하는 기초 의학의 한 부문.
병:인 만:세 운:동 【丙寅萬歲運動】 명 《역》 1926년 병인년(丙寅年)에 일어난 '육십 만세 사건'의 별칭.
병:인 박해 【丙寅迫害】 명 《역》 조선 고종(高宗) 3년(1866) 곧, 병인년의 대원군에 의한 천주교 박해 사건. 러시아로부터 통상 개시의 요청을 받았을 때 조선 정부는 천주교를 이용해 프랑스의 힘을 빌리려고 하다가 뜻대로 안 되자, 대원군이 천주교 탄압의 영(令)을 내리고 교도 남종삼(南鍾三)·홍봉주(洪鳳周) 등과 프랑스 선교사 베르뇌(Berneux) 등 팔도(八道)에서 8천여 명의 교도를 학살하였음. 이로 인하여 병인양요(丙寅洋擾)가 일어났음. 병인 교난. 병인 사옥(丙寅邪獄).
병:인 사옥 【丙寅邪獄】 명 《역》 병인 박해(丙寅迫害).
병:인-식 【病人食】 명 병자의 치료를 위하여 칼로리·영양소·비타민 등을 고려한 식사. 당뇨병식·신장병식·고혈압병식 따위.
병:인 양요 【丙寅洋擾】 명 《역》 대원군(大院君)의 천주교도 학살과 탄압으로, 고종(高宗) 3년(1866) 병인년에 프랑스 함대(艦隊)가 강화도(江華島)에 침범한 사건. 프랑스 극동 함대 사령관 로즈(Rose)는 7척의 함대로 상륙했다가 40 일 만에 격퇴되었고, 이로부터 대원군의 쇄국 양이(鎖國攘夷) 정책과 천주교 탄압이 강화되었음.
병:인 요법 【病因療法】 [一뇨뻡] 명 《의》 치료의 중점을 증세에만 두는 것이 아니라, 그 병의 원인을 제거하거나 다스리어 병인(病因)에 따라서 병을 치료하는 법. ↔대증(對症) 요법.
병:일 【丙日】 명 《민》 일진(日辰)의 천간(天干)이 병(丙)으로 된 날.
병:-입고황 【病入膏肓】 명 병이 중태(重態)에 빠져 완치될 가망이 없음. *병입 골수. ──하다 자여불
병:-입골수 【病入骨髓】 [一쑤] 명 병이 뼛속 깊이 스며듦. ──하다 「자여불
병:자[1] 【丙子】 명 《민》 육십 갑자(六十甲子)의 열셋째.
【병자년 까마귀 빈 뒷간 들여다보듯】 ㉠어떤 일이 행여나 될까 하고 일루(一縷)의 희망을 붙이어 기다리는 데에 비유하는 말. ㉡무엇을 구하는 자가 행여나 하고 구차스럽게 여기저기를 기웃거림을 비웃는 말.
병:자년(丙子年) 방죽이다 구 조선 고종(高宗) 13년 병자년에 몹시 가물어서 방죽이 모두 말라 붙어, '건(乾)방죽'이 된 것을 발음이 비슷한 '건방지다'에 엇먹는 말로 씀. '건방지다'의 곁말.
병:자[2] 【病者】 명 병에 걸려서 앓는 사람. 병객. 병인(病人). 환자.
병:자 국치 【丙子國恥】 명 '병자 호란'으로 인한 수모(受侮)를 나라의 수치로 일컫는 말.
병:자-록 【丙子錄】 명 《책》 병자 호란 때, 조정을 중심으로 하여 일어난 일들을 일기체로 기록한 책. 저자는 나만갑(羅萬甲). 총 3권. 백동록(白澄錄).
병자리 명 〈방〉 병아리(충남).
병:자 사:화 【丙子士禍】 명 《역》 조선 세조(世祖) 2년(1456) 병자년(丙子年)에, 성삼문(成三問)·박팽년(朴彭年) 등이 단종(端宗)의 복위(復位)를 도모하다가 실패하여 일어난 사화(士禍). *사육신.
병:자 수호 조규 【丙子修好條規】 명 《역》 강화도 조약.
병:자 수호 조약 【丙子修好條約】 명 《역》 강화도 조약.
병:자의 성:사 【病者一聖事】 [一/一에一] 명 《천주교》 칠성사(七聖事)의 하나. 중병(重病)을 앓는 신자나 고령의 노인 신자가 받음. '종부성사'의 고친 이름.
병:자 임:진록 【丙子壬辰錄】 [一녹] 명 《문》 작자·창작 연대 미상의 고전 소설의 하나. 국문본. 인조 2년(1624) 이괄(李适)의 난을 배경으로, 정충신(鄭忠臣) 막하의 남장 여인(男裝女人) 일타홍(一朶紅)의 지모(智謀)로 이괄의 난이 평정되고 두 사람이 결혼한다는 줄거리.
병:자-자 【丙子字】 명 《역》 조선 중종(中宗) 11년(1516) 병자년(丙子年)에 만들어진 구리 활자. 명판본(明版本) 《자치 통감(資治通鑑)》을 자본(字本)으로 삼았으며, 크기는 갑진자(甲辰字)보다 약간 큼.

병:자 조약【丙子條約】[명]〖역〗병자 수호 조약(丙子修好條約).

병:자 호란【丙子胡亂】[명]〖역〗조선 인조(仁祖) 14년(1637) 곧, 병자년 12월에 청(淸)나라가 침입한 난리. 청(淸)이 군신(君臣)의 관계를 맺을 것을 요구함에, 척화론(斥和論)의 주장에 따라 이를 배격하자 청 태종(淸太宗)이 직접 20만 대군으로 침략해 옴. 조정은 일시 남한산성(南漢山城)으로 피란했으나, 다음해 1월에 삼전도(三田渡)에서 항복하고, 굴욕적인 화약(和約)을 맺음. [준]병란(丙亂)·호란.

병:자 호란 창:의록【丙子胡亂倡義錄】[—/—이—] [명]〖책〗병자 호란 때 호남의 의사들이 의거(義擧)한 사실을 기록한 책. 영조 46년(1770) 간행, 철종 9년(1858)에 보수·중간함. 5권 2책. 호남 병자 창의록.

병:작【並作·幷作】[명] 소작인이 농사를 지어 그 소출(所出)을 지주와 똑같이 나누어 차지하는 제도. 배메기. 반타작(半打作). 반작(半作). 반조(半租). 병작 반수. ↔잡을 도조. *소작. ——하다 [타][여불]

병:작(을) 주다 [구] 지주(地主)가 소출(所出)을 작인과 똑같이 나누어 가지기로 정하고, 자기 소유의 땅을 소작인(小作人)에게 부치게 하다.

병:작-농【並作農】[명] 병작을 하는 농사. 배메기 농사. ——하다 [자][여불]

병:작 반:수【並作半收】[명]〖농〗병작(並作).

병:작-인【並作人】[명] 병작으로 농사짓는 사람.

병:잠【病蠶】[명] 병든 누에.

병잠기 [명]〈옛〉병기. =잠개. ¶ 동뉴에 이셔 드토면 병잠기에 해 ᄒᆞ이ᄂᆞ니(在醜而爭則兵)《重內訓 I:37》.

병장[1] [명]〈방〉빙장[2](경남).

병장[2]【兵仗】[명] ↗병장기(兵仗器).

병장[3]【兵長】[명]〖군〗사병(士兵) 계급의 하나. 하사(下士)의 아래, 상등병의 위임.

병:장[4]【病狀】[명]〖역〗병으로 일을 쉰다는 뜻을 적어 윗사람에게 글을 올림. 또는 그 글. ——하다 [자][여불]

병장[5]【屛帳】[명] 병풍(屛風)과 장막(帳幕).

병장[6]【屛障】[명] ①방어(防禦)❶. ②안팎을 가려 막는 물건. 곧 담·장지·병풍 따위.

병장-기【兵仗器】[명] 병기(兵器). 무기(武器). 융기(戎器). [준]병장(兵仗).

병장 도설【兵將圖說】[명]〖책〗조선 문종(文宗)의 명(命)으로 편찬한 ≪진법(陣法)≫을 수정한 책. 성종(成宗) 23년(1492)에 유자광(柳子光) 등이 왕명에 따라 개정하여 정본(定本)으로 간행한 병서(兵書). 1책, 목판본(木版本). *속(續)병장 도설.

병장-설【兵將說】[명]〖책〗조선 세조(世祖)가 여러 장수들에게 훈시(訓示)한 바를 신숙주(申叔舟)·정인지(鄭麟趾)·강희맹(姜希孟) 등이 주석(註釋)한 책. 병설(兵說)·장설(將說)·병법 대지(兵法大旨) 등으로 나뉘어 있음. 1책. 인본.

병:저-체【病抵體】[명] 병에 저항하는 체질.

병적[1]【兵籍】[명] ①군인의 적(籍). ¶ ~ 증명서. ②↗병적부.

병적[2]【屛迹】[명] 자취를 감추고 드러내지 아니함. ——하다 [자][여불]

병:적[3]【病的】[—쩍] [명][관] 육체나 정신이 건전하지 못한 모양. 언어·동작 등이 상태(常態)를 벗어나고 불건전한 모양. ¶ ~으로 좋아하다.

병:적 도벽【病的盜癖】[—쩍—] [명] 〔cleptomania〕〖심〗절도욕(竊盜慾)에 이끌리는 버릇·상태. 훔치는 물건은 극히 하찮은 것들인데, 단지 절도 물품이라는 상징적인 의미를 지닐 에 불과함.

병:적 반:사【病的反射】[—쩍—] [명] 〔도 Pathologische Reflexe〕〖의〗정상인의 경우에는 대뇌 피질(大腦皮質)로부터의 신경 섬유에 의해서 억제되어 나타나지 않는 반사가, 추체로(錐體路)의 장애로 말미암아 해방 현상(解放現象)으로서 나타나는 반사.

병적-부【兵籍簿】[명] 군인의 신분(身分)에 관한 사항을 기록한 공부(公簿). [준]병적.

병:적 탈구【病的脫臼】[—쩍—] [명]〖의〗관절에 병변(病變)이 생겨서 일어나는 탈구.

병:적-학【病跡學】[명] 〔도 Pathographie〕〖의〗정신 병리학(病理學)의 한 영역. 예술가·사상가·과학자 등 걸출(傑出)한 인물의 전기나 작품을 정신 의학적으로 해명하여, 정신적 이상성(異常性)이 그 인물의 창조 활동에 미친 영향이나 의의(意義)를 밝히려고 하는 것임. 병지(病誌).

병:적 허언【病的虛言】[—쩍—] [명]〖의〗공상 허언(空想虛言).

병전【兵典】[명]〖역〗육전(六典)의 하나. 무관(武官)의 관계(官階)·관직(官職) 및 임명(任命)·분한(分限)·무과(武科)·군대(軍隊)·방비(防備) 등 병조(兵曹)의 모든 소관 사항을 규정함.

병:절【柄節】[명]〖충〗곤충의 촉각(觸覺)의 첫째 마디. 다른 마디보다 큼.

병:절 교:위【秉節校尉】[명]〖역〗조선 시대, 무관의 종육품(從六品)의 품계.

병:점【病占】[—쩜] [명] 병의 길흉(吉凶)을 알고자 쳐보는 점. ——하다 [자][여불]

병정[1]【兵丁】[명] ①병역(兵役)에 복무하는 장정. ②〈속〉돈 있는 사람을 따라다니며, 잔 시중을 들고 공술이나 얻어 먹는 사람을 놀리는 말.

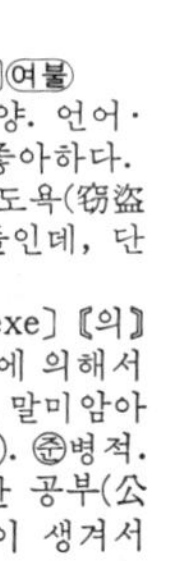
〈병정개미〉

병정[2]【兵正】[명] 고려 시대 향직(鄕職)의 하나. 부호장(副戶長)의 아래, 부(副)병정의 위인 상급 이직(吏職)임.

병정[3]【娉婷】[명] 예쁜 모양. 아름다운 모양. ——하다 [형][여불]

병정-개미【兵丁—】[명]〖충〗개미나 흰개미 종류에서 투쟁(鬪爭) 임무를 맡은 특수한 일개미. 머리가 특별히 크거나, 머리 앞쪽에 방위용 분비액(分泌液)의 사출구가 있음. *일개미.

병정-놀이【兵丁—】[명] 아이들의 놀이의 한 가지. 군사 훈련이나 편을 갈라 전투 따위를 모방하여 놂. ——하다 [자][여불]

병정-타:령【兵丁打令】[명] 경기 휘몰이 곡조의 하나. 신식 병정으로서 교육받는 과정을 그린 긴 사설을 빠른 박자로 부르는 소리 곡조.

병제[1]【兵制】[명] 병비(兵備)에 관한 제도. 군대의 편제(編制)·병원 징모(兵員徵募) 등에 관한 제도. 군제(軍制).

병:제[2]【並製】[명] 보통으로 만든 제품(製品). ↔특제(特製).

병제-사【兵制史】[명] 병제에 관한 역사. 병제의 변천·발전에 관한 역사.

병조[1]【兵曹】[명]〖역〗①고려 충렬왕(忠烈王) 24년(1298)에 둔 육조(六曹)의 하나. 종래의 군부사(軍簿司)를 개칭한 것으로 무선(武選)·군무(軍務)·의위(儀衛)·우역(郵驛)에 관한 일을 맡아 보았음. ②조선 시대의 육조(六曹)의 하나. 무선(武選)·군무(軍務)·의위(儀衛)·우역(郵驛)·병갑(兵甲)·기장(器仗)·문호 관약(門戶管鑰), 서울의 경비 등의 일을 맡음. 태조(太祖) 원년(1392)에 베풀어서 개국(開國) 503년(1894)에 폐하고 군무 아문(軍務衙門)을 두었음. 기조(騎曹). 기성(騎省). 서전(西銓). 하관(夏官).

병조[2]【兵曹】[명] 전의 해군 하사관 계급의 이름.

병-조림【甁—】[명] 음식물을 병에 넣고 부식하지 않게 밀봉(密封)하는 일. 또, 그 음식물. *통조림. ——하다 [타][여불]

병조-선【兵漕船】[명]〖역〗조선 시대에, 조운(漕運)과 전투(戰鬪)의 두 가지로 쓰이던 배. 평시에는 짐을 나르고 전시에는 전함(戰艦)으로 썼음.

병-조이풀【甁—】[명]〖식〗〔*Clematis urticifolia*〕미나리아재빗과에 속하는 낙엽 활엽 관목. 잎은 삼출 복생(三出複生)함. 7-8월에 청자색 꽃이 밀산(密繖) 화서로 액생하며 수과(瘦果)는 9-10월에 익음. 산기슭이나 골짜기에 나는데, 충북 속리산에 분포함. 뿌리는 약용임.

병조-장【兵曹長】[명] 전의 해군 하사관의 한 계급. 일등 병조(一等兵曹)의 위. 지금의 상사에 해당함.

병조 적간【兵曹摘奸】[명] 병조가 간신을 적발한다는 뜻으로서, 사물(事物)을 세밀히 분석 조사함을 비유하는 말.

병조 취:재【兵曹取才】[명]〖역〗조선 시대에, 병조에서 주관하여 뽑는 무직(武職) 계통의 취재. 내금위(內禁衛)·별시위(別侍衛)·친군위(親軍衛)·갑사(甲士)·도총부(都摠府)의 당하관(堂下官)·부장(部將) 등을 시취(試取) 하는데, 기사(騎射)·기창(騎槍)·격구(擊毬)·무경(武經)을 시험 과목으로 하여, 부정기적으로 시행함. *이조(吏曹) 취재·예조 취재.

병조 판서【兵曹判書】[명]〖역〗병조의 으뜸 벼슬. 품질(品秩)은 정이품(正二品)임. 기판(騎判). 대사마(大司馬). 사마(司馬). 본병(本兵). [준]병판(兵判).

[병조 판서집 활량 나그네 드나들 듯] 병조 판서의 집에 취직 청탁을 하러 오는 활량이 드나들듯 뻔찔나게.

병:존【並存】[명] 함께 존재함. ——하다 [자][여불]

병졸[1]【兵卒】[명] 군사(軍士).

병:졸[2]【病卒】[명] 병사(病死)의 높임말. ——하다 [자][여불]

병:종[1]【丙種】[명] ①등급(等級)으로 셋째 가는 종류. ②〖군〗징병 검사에서, 체격 등위의 하나. 현역 복무에 적합하지 못하여 징집(徵集)을 면제받음.

병종[2]【兵種】[명]〖군〗병과(兵科)의 종별(種別). 육군의 전투병·전자병(電子兵)·통신병·병기병·기공병(機工兵)·수송병·일반 기술병·보건병·행정병·특수병, 해군의 수병·보병·포병·기갑병·공병·통신병·차량병·기관병·시공병·위생병·무전병·전탐병(電探兵)·기암병(記暗兵)·군악병, 공군의 일반병·기술병으로 나뉨.

병:-종구입【病從口入】[명] 〔병은 음식을 조심하지 아니하는 데서 생긴다는 뜻〕지나친 구복(口腹)의 욕심을 삼가야 한다는 말.

병:좌[1]【丙坐】[명]〖민〗묏자리나 집터 같은 것의 병방(丙方)을 등진 좌(坐).

병:좌[2]【並坐】[명] 함께 앉음. 나란히 앉음. ——하다 [자][여불]

병:좌 임:향【丙坐壬向】[명]〖민〗묏자리·집터 따위의 병방(丙方)을 등지고 임방(壬方)을 향한 좌향(坐向).

병:주 고향【竝州故鄕】[명] 〔중국 당나라 사람 가도(賈島)가 병주(竝州)에 오래 살다가 떠날 때 한 말〕오래 살던 타향을 고향에 견주어 이르는 말. 곧 제이 고향(第二故鄕)이라는 말.

병:-주머니【病—】[—쭈—] [명] 갖가지 병이 많은 사람을 이름.

병:-줄【病—】[—쭐] [명] 오래 계속해 앓는 병. ¶ ~은 떨어졌으니 조섭만 잘 하면 곧 회복되리라는 것이다《金東里:애정의 윤리》.

병:줄(을) 놓다 [구] 오래 앓던 질병이나 큰 병에서 벗어나 몸이 회복되다.

병:중【病中】[명] 병으로 앓는 동안. 앓는 가운데. 병간(病間). ¶ ~의 몸.

병:증【病症】[—쯩] [명] 병의 증세(症勢). 앓는 증세.

병:지[1]【病誌】[명]〖의〗병적학(病跡學).

병지[2]【駢指】[명] 손가락의 선천성 유착증(先天性癒着症). 손가락이 발생도중 서로 갈라지지 않은 것.

병지[3]【駢趾】[명] 발가락의 선천성 유착증(先天性癒着症). 발가락이 발생도중 서로 갈라지지 않은 것.

병:직-랑【秉直郞】[—낭] [명]〖역〗조선 시대에, 종친(宗親)의 정오품의 품계.

병:-직렬【並直列】[—녈] [명] 〔parallel series〕〖전〗두 개 이상의 부품이 병렬로 접속되어 수 개의 병렬 회로를 만들고, 이들 병렬 회로에 직렬로 접속된 회로.

병:진[1]【丙辰】[명]〖민〗육십 갑자(六十甲子)의 쉰셋째.

병진[2]【兵塵】[명] 전장(戰場)의 티끌. 연진(煙塵). 풍진(風塵). 전진(戰塵).

병:진[3]【並進】[명] 함께 나란히 나아감. 평행 이동. 병진 운동. ¶ 농공(農工) ~책(策). ——하다 [자][여불]

병진 시:궁【兵盡矢窮】[명] 병사들이 거의 다 희생되고 화살이 다 떨어짐.

병:진 운:동【並進運動】[명] 〔translation〕〖물〗질점계(質點系) 또는 강체(剛體)의 운동(運動) 중에서 각 점(點)의 동일한 평행 이동만으로 성립되는 운동. 강체의 운동은 병진 운동과 회전(回轉) 운동으로 이루어짐. 평행 이동. 병진(並進).

병:진-자【丙辰字】[명]〖역〗조선 세종(世宗) 18년(1436) 병진년에 만든 납 활자(活字).

병:-진행【並進行】[명]〖악〗'같이가기'의 한자 이름.

병:질【病質】[명] 병의 성질. 병성(病性).

병:질-부【病疾部】명 병질안.
병:질-안【病疾一】명 한자 부수(部首)의 하나. '疲'·'痛' 등의 '疒'의 이름.
병:-집【病一】[一찝] 명 ①병소(病巢). ¶～을 제거하다. ②깊이 뿌리 박힌 잘못이나 결점. ¶그것이 자네 ～일세. (준)병(病).
병참【兵站】명〖군〗군대의 전투력을 유지하고, 작전을 지원하기 위한 보급·정비·회수(回收)·교통·위생·건설 등의 일체의 기능의 총칭.
병참-감【兵站監】명〖군〗병참감실의 장(長).
병참감-실【兵站監室】명〖군〗육군 본부의 감실(監室)의 하나. 병참에 관한 사항을 분장함.
병참 기지창【兵站基地廠】명〖군〗↗육군 병참 기지창.
병참-단【兵站團】명〖군〗↗육군 병참단.
병참-로【兵站路】[一노] 명 병참선(線)이 되는 도로.
병참 병:원【兵站病院】명〖군〗병참지(兵站地)에 설치하는 병원. 전선의 야전 병원(野戰病院)으로부터 후방으로 보내는 환자와 병참부(兵站部)를 통과하는 환자를 수용하여 치료함.
병참-부【兵站部】명〖군〗①병참 업무를 맡아보는 곳. ②↗병참 참모부.
병참-선【兵站線】명〖군〗작전군과 병참 사이에 병참 업무 수행상 필요한 여러 설비를 베푼 교통선.
병참적 위치【兵站的位置】명〖군〗한 나라의 많은 영토가 징검다리 모양으로 띄엄띄엄 벌여 있어서 그것을 군사상으로 연락하기에 좋게 된 위치.
병참-지【兵站地】명〖군〗병참 지대(兵站地帶).
병참 지대【兵站地帶】명〖군〗병참부(兵站部)에서 그 임무를 수행하기에 적당한 위치에 있는 땅. 병참지.
병참 참모부【兵站參謀部】명〖군〗사령부의 한 참모 부서. 병참에 관한 사항을 분장함. (준)병참부.
병참 학교【兵站學校】명〖군〗↗육군 병참 학교.
병창[1] 명 선박(船舶)의 칸막이 나무.
병창[2] 명〈방〉벼랑(강원).
병:창[3]【並唱】명 소리를 한데 아울러서 노래를 부름. ¶가야금 ～. ↔산조(散調). ——-하다 타여불
병:처[1]【病妻】명 병든 아내.
병:처[2]【病處】명 ①몸의 병이 생긴 부분. 병소(病所). 환부(患部). 환처(患處). 환소(患所). ②병통.
병:체【病體】명 ①병에 걸려 있는 몸. ②병구(病軀).
병:체 결합【並體結合】명〔parabiosis〕〖동〗살아 있는 동물의 둘 또는 그 이상의 개체가 신체의 일부에서 서로 결합되어 있는 상태. 허리가 한데 붙어서 나오는 쌍둥이의 경우 따위.
병:촉【秉燭】명 촛불을 켬. ——-하다 자여불
병:-추기【病一】명 병이 들어서 늘 성하지 못한 사람. ¶～가 되고 나서부터 근력도 떨어지고 오기도 전만 같지 않다는 말이네《金周榮：客主》.
병:축【秉軸】명 정권(政權)을 잡음. ——-하다 자여불
병:출【迸出】명 힘차게 솟아 나옴. 분출(噴出). 용출(湧出). ——-하다 자여불
병:출-암【迸出岩】명〖지〗화성암(火成岩)의 일종. 땅 속의 마그마가 지각(地殼)의 갈라진 곳이나 약한 곳을 뚫고 지상(地上)으로 유출해서 응고하여 된 암석. 유문암(流紋岩)·안산암(安山岩)·현무암(玄武岩) 등. 분출암. 화산암.
병:-축원굿【病祝願一】명〖민〗병을 낫게 하기 위한 축원굿. *재수 축원굿.
병:충【病蟲】명 병해(病害)를 일으키는 벌레.
병:충-해【病蟲害】명 식물(植物)이 병균과 벌레로 말미암아 입는 해독. 병벌레해.
병치[1] 명〈방〉병어(전라).
병치[2]【兵峙】명〖지〗전라 남도 강진군(康津郡)과 해남군(海南郡) 사이에 있는 산. [87m]
병:치[3]【倂置】명 둘 이상의 것을 같은 장소에 두거나 베풂. ——-하다 타여불
병:치[4]【並置】명 나란히 놓음. 또, 나란히 설치함. ——-하다 타여불
병:-치기【病一】명〈방〉병추기.
병치-돔 명〖어〗[*Antigonia capros*] 병치돔과에 속하는 바닷물고기. 몸길이 21cm가량. 마름모 모양의 어종으로 몸빛은 엷은 갈색을 띤 붉은 빛임. 태평양·대서양의 온대와 열대에 널리 분포하는데, 한국 동남해·일본 중부 이남에 많음.
병치돔-과【一科】[一꽈] 명〖어〗[Caproidae] 달고기목(目)에 속하는 어류의 한 과. 병치돔이 이에 속함.
병:-치레【病一】명 병을 앓아 치러 내는 일. ¶～가 잦은 아이. ——-하다 자여불
병치-매가리 명〖어〗[*Formio niger*] 병치매가릿과에 속하는 바닷물고기. 몸은 길이 20cm가량인데 타원형으로 매우 넓으며 주둥이가 짧고 눈이 작음. 몸빛은 황회색에 배지느러미가 없고 비늘이 극히 작은 원형임. 열대성 어종으로, 한국 남부·일본 중부 이남·대만·하와이·동인도 제도의 연해에 분포함.

〈병치매가리〉

병치매가릿-과【一科】명〖어〗[Formionidae] 농어목(目)에 속하는 어류의 한 과. 한국에는 병치매가리 하나만이 알려짐.
병:침【丙枕】명 임금이 침소에 드는 시각. 하룻밤을 갑(甲)·을(乙)·병(丙)·정(丁)·무(戊)의 오야(五夜)로 나누어서 병야(丙夜)를 취침(就寢) 시각으로 정하였음.
병:칩【病蟄】명 병으로 집에 틀어박혀 있음. ——-하다 자여불
병:칭【並稱】명 한데 어울러서 같이 일컬음. ——-하다 타여불
병:탄【倂呑】명 ①남의 물건을 한데 아울러서 제것으로 만듦. ②다른 나라를 평정(平定)하여, 자기의 세력권(勢力圈)에 넣음. 병합(倂合). 탄병(呑倂). ——-하다 타여불
병:탄 합병【倂呑合倂】명〖경〗흡수 합병(吸收合倂).
병:탈【病頉】명 ①병으로 인한 탈. ②병을 내세워 핑계를 댐. ¶～을 하고 회의에 불참하다. ——-하다 자여불
병탕【餠湯】명 떡국.
병:태[1]【病胎】명〈속〉병든 탯덩이라는 뜻으로, 남을 욕하는 말.
병:태[2]【病態】명〖의〗①병상(病狀). ¶～ 생리학. ②병적(病的) 상태.
병:태 모델 동:물【病態一動物】〔model〕명 사람의 병의 본태(本態)를 연구하는 데 모델로 사용하는 동물. 마우스(mouse)나 쥐를 고혈압이나 당뇨병을 연구하기 위한 모델로 사용하는 따위.
병:태 생리학【病態生理學】[一니一] 명〖생〗병리 생리학(病理生理學).
병:통【病一】명 어떤 사물의 자체(自體) 안에 해가 되는 점. 병처(病處). (준)병(病). ¶일에 ～이 생기다.
병판【兵判】명〖역〗↗병조 판서.
병:패【病敗】명 병폐(病弊).
병:폐[1]【病弊】명 병통과 폐단(弊端). 병적(病的)인 폐해. 병패(病敗).
병:폐[2]【病廢】명 병으로 인하여 몸을 잘 쓰지 못하게 됨. 또, 병신이 됨. ——-하다 자여불
병:폐[3]【病斃】명 병사(病死). ——-하다 자여불
병-포자기【柄胞子器】명 녹균 정자기.
병:표【炳彪】명 '범'의 이칭(異稱).
병:표-충【並瓢蟲】명〖충〗무당벌레❷.
병-풀【瓶一】명〖식〗[*Centella asiatica*] 미나릿과에 속하는 다년생의 만초(蔓草). 줄기는 가늘고 땅 위에 누워 뻗으며 녹색 또는 홍자색인데 마디에서 수근(鬚根)이 남. 잎은 잎꼭지가 길고 원신형(圓腎形)임. 7-8월에 홍자색 오판화(五瓣花)가 산형(繖形) 화서로 정생하며, 과실은 직경 3mm 내외의 둥근 수과(瘦果)를 맺음. 산이나 들에 나는데, 제주·진도(珍島)·완도(莞島) 및 일본·중국을 비롯한 열대·아열대에 분포함. 제방(堤防)에 심고, 어린 잎은 식용함.
병풍【屛風】명 바람을 막거나 무엇을 가리기 위하여 방안에 치는 물건. 직사각형으로 짠 나무틀에 종이를 바르고 그림이나 글씨를 붙이기도 하며, 소(素)로 꾸미기도 하는데, 두 쪽으로부터 우수(偶數)로 열두 쪽까지 한데 잇달아 접었다 폈다 하게 됨.
[병풍에 그린 닭이 홰를 치거든] 도저히 불가능한 일이어서 기약할 수 없음을 이름. [병풍에 모과 구르듯 한다] 병풍에 그려진 모과가 아무렇게나 굴러 있어도 상관없듯이, 이리저리 굴러다녀도 탈이 없는 사람을 두고 이르는 말.
병풍-나물【屛風一】명〖식〗방풍나물.
병풍-도【屛風島】명〖지〗전라 남도 서해상, 신안군(新安郡) 증도면(曾島面) 병풍리(屛風里)에 위치한 섬. [2.5 km^2 : 551명(1987)]
병풍-바위【屛風一】명 병풍을 둘러친 것처럼 생긴 바위.
병풍-산【屛風山】명〖지〗함경 남도(咸鏡南道) 영흥군(永興郡) 요덕면(耀德面)과 맹산군(孟山郡) 횡천면(橫川面) 사이에 있는 산. [1,353m]
병:풍 상서【病風傷暑】명 바람에 병들고 더위에 상함. 곧, 세고(世苦)에 조들림. ——-하다 자여불
병:풍 상:성【病風喪性】명 병으로 본성(本性)을 잃어 버림. ¶매를 죽도록 얻어맞고 멀쩡한 사람이 ～한 놈이란 소리를 듣고 등밀려 쫓겨나왔다《洪命憙：林巨正》. ——-하다 자여불
병풍-석【屛風石】명 능(陵)의 위 둘레에 병풍같이 둘러 세운 사각형의 넓적한 돌. 겉에는 12신(神)의 형상과 꽃무늬 등을 새김.
병풍-쌈【屛風一】명〖식〗[*Miricacalia firma*] 국화과에 속하는 다년초. 줄기는 높이 약 1-1.5m, 잎은 대생하며 방패 모양의 원형(圓形)임. 근생엽(根生葉)의 엽병(葉柄)은 길고 속이 비어 있으며, 경엽(莖葉)은 소수인데, 거의 전부가 엽병이 없음. 7-9월에 황백색의 관상화(管狀花)로 된 잔 두상화(頭狀花)가 원추(圓錐) 화서로 다수 착생하며, 수과(瘦果)를 맺음. 깊은 산에 나는데 경북·경기·강원·평남·평북·함남에 분포함. 어린 잎은 식용함. 큰병풍.
병풍-차【屛風次】명 병풍을 꾸밀 그림이나 글씨.
병풍-틀【屛風一】명 병풍을 꾸미는 데 바탕이 되는 물건. 얇고 좁은 나무 오리를 사각형으로 가로 세로 간(間)을 질러 짠 틀.
병:필지-임【秉筆之任】[一찌一] 명〖역〗'사필(史筆)을 잡은 소임'이라는 뜻에서 예문관(藝文館)의 검열(檢閱)을 일컫던 말.
병학【兵學】명 병법(兵法)에 관한 학문. 군사에 관한 일체를 연구하는 학문. 군사학. 군학(軍學). 무학(武學).
병학 지남【兵學指南】명〖책〗중국 명(明)나라 장수 척계광(戚繼光)의 저서인《기효 신서(紀效新書)》중에서 조련법(操鍊法)을 간추려 편찬한 책. 조선 정조 11년(1787) 왕명에 의하여 출판함. 5권 1책, 목판본.
병학-통【兵學通】명〖책〗군사학(軍事學)에 관한 책. 조선 왕조 정조(正祖)의 명을 받아 장 지항(張志恒) 등이 편찬한 것인데, 대체로 명(明)나라의 병학 지남(兵學指南)에 준(準)하고 그 때에 실행하면 장조(場操)·별진(別陣)·호령(號令)·야조(夜操)·성조(城操)·진도(陣圖) 등을 수록(蒐錄)하였음. 2권 1책.
병함【兵艦】명〖군〗전함(戰艦)❶.
병:합【倂合】명 합병(合倂). ——-하다 타여불
병:합-죄【倂合罪】명〖법〗'경합범'의 구형법상의 용어.
병:해【病害】명 병으로 말미암은 농작물의 피해.
병:행[1]【並行】명 ①나란히 같이 감. ②두 가지 일을 한꺼번에 아울러서 행함. ③〖악〗화음(和音) 중의 두 소리가 서로 같은 방향으로 진행하는 일. ——-하다 자타여불
병:행[2]【病行】명〖불교〗오행(五行)의 하나. 자비심으로써 중생에 어울리어 병고(病苦)·번뇌 등을 함께 하는 일.
병:행-론【並行論】[一논] 명〔parallelism〕〖철〗마음과 물질, 정신과

신체와의 사이의 교호적(交互的)인 인과(因果) 관계를 부정(否定)하고, 양자(兩者)간에는 병행적(並行的)인 대응 관계(對應關係)가 있다고 하는 철학설(哲學說). 또, 우주 전체에도 물심(物心)의 병행을 주장하는 형이 상학설(形而上學說)이 있음. 정신 물리적 병행론. 병행설. 평행론. ↔상제설(相制說).

병:행-맥【並行脈】명〖식〗나란히맥.

병:행 본위제【並行本位制】명〖경〗두 종류 이상의 화폐, 주로 금과 은을 본위 화폐로 하고 둘 다 자유 주조(自由鑄造)를 인정하는 제도.

병:행 불패【並行不悖】명 두 가지 일을 한꺼번에 치러도 사리(事理)에 어그러짐이 없음.

병:행-설【並行說】명〖철〗병행론(並行論).

병:행-조【並行調】명 평행조(平行調).

병:행 증자【並行增資】명〖경〗유상 증자와 무상 증자를 동시에 하는 증자. 유무상(有無償) 병행 증자. *포괄(包括) 증자.

병혁[1]【兵革】명 ①무기(武器)의 총칭. ②전쟁(戰爭). 전란(戰亂).

병:혁[2]【病革】명 병세가 위독하게 됨. ——-하다 형여불

병화[1]【兵火】명 전쟁으로 인하여 일어나는 화재(火災). 병선(兵燹). 전화(戰火).

병화[2]【兵禍】명 전화(戰禍).

병화[3]【甁花】명 화병(花甁)에 꽂은 꽃.

병:환【病患】명 '어른의 병'의 경칭(敬稱). 환절(患節). *미신(美愼).

병:회【病懷】명 병중의 회포.

병:후【病後】명 병이 나은 뒤. 병을 앓고 난 뒤. 병여(病餘).

병:후 면:역【病後免疫】명〖의〗한번 병을 치른 후에는 다시 그 병에 걸리지 않게 되는 후천 면역. *자연(自然) 면역.

병잠개 명〈옛〉병기. =잠개. ¶ 병잠개(兵)≪瘟疫 7≫.

병ᄒᆞ다 자〈옛〉앓다. ¶ 병ᄒᆞᆯ 질(疾)≪字會 中 32≫.

볍: 명〈방〉부엌(황해·평안).

볍:-악지 명〈방〉아궁이(평안).

볕 명 ↗햇볕. ¶ ~이 따갑다/~을 쬐다.

볕-기【一氣】명 볕의 기운.

볕-뉘 명 볕의 그림자. 또, 그 빛. ¶ ~라도 있어야 빨래를 말리지.

볕-들다 자 볕이 비치어 들어오다.

볕-발 명〈방〉햇발.

볘〈옛〉벼가. '벼'의 주격형. ¶ 볘 므레 누워 두의티 몯ᄒᆞ얫도다(粳稻臥不飜)≪杜諺 XVI:4≫.

볘갱이 명〈방〉병아리(경상).

볘다 타〈옛〉베다[2]. ¶ 둘흔 須彌山ᄋᆞᆯ 볘며≪月釋 1:17≫.

볘티다 타〈옛〉베다. 찍다. ¶ 즉재 돗긔로 불ᄒᆞᆯ 볘티니 길 녈 사ᄅᆞ미 보고(卽引斧自斷其臂路人見者)≪三綱 李氏≫.

보[1] 명 ↗보시기[1].

보[2] 명 ↗들보[2].

보[3] 명〈옛·방〉보습[1]. 쟁기(충남). ¶ 보 려(犂)≪字會 中 17≫.

보[4]【保】명 ①보증(保證). ¶ ~를 서다. ②보인(保人). 보증인(保證人).

보[5]【保】명〖역〗①조선 시대 실역(實役)에 복무하는 정군(正軍)을 경제적으로 지원하기 위하여 편성된 신역(身役)의 단위. 세조 10년(1464) 봉족제(奉足制)를 개편하여 2정(丁)을 1보(保)로 하는 보법이 마련되었음. ②↗보포(保布).

보[6]【保】명〖역〗고려 때 세자 첨사부(世子詹事部)의 으뜸벼슬. 곧, 세자보(世子保)의 일컬음.

보[7]【洑】명〖농〗①논에 물을 대기 위하여 둑을 쌓고 흐르는 냇물을 막아 두는 곳. ¶ ~를 막다. ②↗봇물.

보[8]【堡】명〖역〗토석(土石)으로 쌓은 작은 성(城).

보:[9]【補】명 관직에 임명함. ¶ 임(任) 국무 위원, ~ 외무부 장관. ——-하다 타여불

보:[10]【補】명〖역〗왕·왕비·세자·세손(世孫) 및 공주·옹주가 다는 흉배(胸背)의 특칭(特稱). *용보(龍補)·봉황보(鳳凰補)·수보(壽補).

보[11]【褓】명 ①물건을 싸거나 씌워 덮기 위하여 네모지게 만든 피륙. 크고 작은 것, 귀마다 끈을 맨 것 등 여러 가지가 있음. ¶ 책~/상~. ②가위바위보의 하나. 손을 보와 같이 펴서 내민 것인데, 가위를 내민 사람에게는 지고 바위를 내민 사람에게는 이김.

보:[12]【簠】명〖역〗제향(祭享) 때 기장이나 피를 담는 그릇. 나무나 대, 혹은 흙으로 밖은 네모 지고 안은 둥글게 만들었는데 궤(簋)와 껴서 한 벌을 이룸.

〈보[12]〉

보:[13]【寶】명〖역〗고려 때 나라에서 각종의 사업(事業) 기금(基金)을 만들 목적으로 돈·곡식 등을 저축하였다가 백성에게 꾸어 주고, 그 변리(邊利)를 이용하면 재단(財團). 그 목적에 따라 학보(學寶)·제위보(濟危寶)·팔관보(八關寶) 등이 있음.

보:[14]【寶】명〖역〗↗어보(御寶).

보[15]【譜】명 ①순서와 계통을 따라 적은 도면이나 문서. ②가계(家系)를 적은 기록.

보:[16]〔bow〕명 양재(洋裁)에서 나비 모양의 리본. *보타이.

보[17]【甫】의명 평교간(平交間)이나 손아랫사람을 부를 때에 성이나 이름 밑에 붙여서 쓰는 말. ¶ 홍길동~는 유망하다.

보[18]【步】의명 ①거리를 재는 단위의 하나. 주척(周尺)으로 여섯 자. ②평(坪)❶. ③거리를 발걸음으로 재는 단위. 한 발짝 띄어 놓을 때 발과 발 사이를 말함. ¶ 50~/100~.

-보[1] 미 어떤 말 밑에 붙어 그것을 즐기거나 그 정도가 심한 사람임을 나타내는 말. ¶ 겁~/느림~/먹~/떡~/울~.

-보[2]【補】미 ①어떤 관직이나 직책의 보좌관. ¶ 차관~. ②수습(修習)후보의 뜻.

보:가[1]【保家】명 집안을 보전하여 감. ——-하다 자여불

보:가[2]【補家】명 바둑에서, 본디 차지한 집에 보탬이 되는 그 외의 집. ¶ 백의 ~.

보:가[3]【寶駕】명 임금이 타는 수레. 대가(大駕). 어가(御駕).

보:가[4]【譜架】명 라이어(lyre)❶.

보가드〔VOGAD〕명〔voice operated gain adjusting device의 약칭〕국제간의 장거리 전화 회선(回線)과 같은 대규모 무선 송수신(送受信) 장치에 있어서, 음성의 고저(高低)를 자동적으로 조정하는 장치.

보가즈-쾨이〔Bohazkög〕명〖지〗터키의 앙카라 동쪽 약 150km 지점에 있는 작은 마을. 히타이트 제국(Hittites帝國)의 서울 하투샤시(Hattushash)의 유적이 있음. 1905-12년 독일 오리엔트 학회가 발굴, 히타이트의 역사가 밝혀짐으로써 오리엔트사(史)를 고쳐 쓰게 됨.

보가지 명〖어〗까치복.

보가:트〔Bogart, Humphrey〕명〖사람〗미국의 배우. 갱(gang)역에서 차츰 드라이(dry)한 성격의 연기로 인정을 받음. 1951년 ≪아프리카의 여왕≫으로 아카데미 주연상을 탐. [1900-57]

보:각[1]【步脚】명 ①절지(節肢) 동물의 흉부(胸部) 부속지(附屬肢) 중, 기는 데 쓰는 발. 곤충의 다리, 새우의 흉각(胸脚) 따위. ②육상(陸上) 동물의 보행에 쓰는 다리.

보:각[2]【補角】명〖수〗두 각(角)의 합이 2 직각이 될 때, 한쪽 각의 다른 쪽 각에 대한 말. 이 때 두 개의 각은 서로 보각을 이룬다 함.

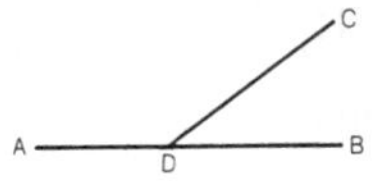

〈보각[2]〉

보:각[3]【補閣】명 내각의 각료(閣僚)의 결원을 보충함. ——-하다 자여불

보:각[4]【寶閣】명 훌륭한 전각(殿閣).

보각[5] 부 술 따위가 괼 때 거품이 생기면서 나는 소리. <부걱.

보각-거리다 자 연달아 보각 소리가 나다. <부걱거리다. **보각-보각** 부. ——-하다 자여불

보:각 국사【普覺國師】명〖사람〗고려 우왕(禑王) 때의 국사(國師). 자는 무작(無作). 호는 환암(幻菴). 속성은 조(趙). 풍양현(豐壤縣) 사람. 명리(名利)를 떠나 충주 청룡사(青龍寺) 연회암(宴晦菴)에서 수도하고 공민왕이 부르자 자취를 감추어 명산(名山)을 돌아다녔으나, 끝내는 왕명에 눌리어 불호사(佛護寺)에 있으면서 왕의 청으로 내불당(內佛堂)에 들어가 불법(佛法)을 문답하고 존경을 받음. [1320-92]

보각-대다 자 보각거리다.

보:각-본【補刻本】명〖인쇄〗목판이 오래 되어 문자에 완결(刓缺)이 있고 목륜(木輪)이 심하여 판독할 수 없거나 또는 분실된 부분이 있어서 이를 보수하여 간행한 책. 보수본(補修本). 수보본(修補本). 보판본(補版本).

보:간【補諫】명〖역〗고려 시대 중서 문하성(中書門下省)의 정 6품 벼슬. 좌우(左右) 각 1인. *좌보간·우보간.

보:간-법【補間法】[-뻡] 명〔interpolation〕〖수〗연속적 변수(連續的變數) 가운데, 어느 간격을 둔 두 개 이상의 값을 알고, 그것들을 만족시키는 어느 함수(函數)의 형(形)을 정하여, 그 사이의 변수의 값에 대한 함수의 값을 구하는 근사 계산법(近似計算法). 내삽법(內挿法). 삽입법(挿入法). *보외법.

보:감【寶鑑】명 ①보경(寶鏡). ②모범이 될 만한 일이나 물건. ¶ 명심(明心)~.

보:갑[1]【保甲】명〖역〗①중국에서 지방민(地方民) 사이에 행하여지는 작은 단위의 자치(自治)·경찰(警察)·인보(隣保)의 제도. 주(周)나라 때에 시작되었음. ②대만(臺灣)에서 행하여지던 특유한 지방 자치 단체로서 경찰 사무를 맡아 보던 인보(隣保) 단체.

보:갑[2]【寶匣】명 보석으로 장식한 상자. 보석 상자.

보:갑-법【保甲法】명〖역〗강한 병사를 기르고 군사비(軍事費)의 부담을 덜어 가볍게 하기 위하여 송(宋)나라의 왕안석(王安石)이 만든 민병 제도(民兵制度). 열 집을 '보(保)', 쉰 집을 '대보(大保)', 열 대보는 '도보(都保)'라 하여 각각 정부(正副)의 장(長)을 두고, 농한기(農閑期)에는 유사시에 대비하여 무장(武裝)을 시켜서 훈련을 하게 하였으며, 평상시에는 연좌(連坐)의 제도를 설치하여 자치적으로 지방 경찰의 사무를 행하게 하였음. *보마법(保馬法).

보:강[1]【補強】명 ①부족하고 약한 것을 보태고 채워서 더 튼튼하게 함. ¶ 팀을 ~하다. ②〖심〗러시아의 생리학자 파블로프(Pavlov)의 조건 반사(條件反射) 실험에 있어서, 조건 자극(條件刺戟)에 이어 무조건 자극(無條件刺戟)을 제시하는 절차의 일컬음. 또, 일반적으로 일정한 자극과 반응에 이어 보수(報酬)나 벌을 주는 절차를 일컫는 말. ——-하다 타여불

보:강[2]【補講】명 결강(缺講)이나 휴강(休講)을 보충하여 강의함. 또, 그 강의. ——-하다 자타여불

보:강-보【補強一】명〖건〗덧대어서 더 든든하게 하는 보.

보:강-약【補強藥】[-냑] 명 보강제(補強劑).

보:강-제【補強劑】명 건강을 보강(補強)하는 약품. 보강약(補強藥).

보:강 증거【補強證據】명〖법〗어떤 증거의 증명력(證明力)을 보강하는 증거. 형사 소송법상 피고인의 자백에 의한 증명력은 제한(制限)을 받으며, 그것을 보강하는 다른 증거가 없는 한 자백만에 근거를 두고 유죄(有罪) 판결을 선고할 수는 없음.

보강지 명〈방〉아궁이(경기).

보:개[1]【保介】명〖역〗중국 주(周)나라 때 농사를 장려하던 관리.

보:개[2]【寶蓋】명〖불교〗①상륜(相輪)의 보륜(寶輪)과 수연(水煙) 사이에 있는, 닫집 모양의 부분. ②보주(寶珠) 같은 것으로 장식된 천개(天蓋).

보:개 천정【寶蓋天井】명〖건〗궁전(宮殿)·불전(佛殿) 등에서 한가운데를 높게 하여 보개처럼 만든 천장.

보:개 회향가【普皆廻向歌】명〖악〗고려 광종(光宗) 때 균여(均如)가 지은 향가.

보:갱【保坑】명〖광〗갱내(坑內)의 붕괴를 방지하는 일. 갱내 지주(坑內支柱)를 사용함. ——-하다 자여불

보:거【輔車】명 상호 부조하는 사물의 비유.

보거리 명 〈방〉 고삐.

보:거 상의【輔車相依】[―/―이] 명 수레의 덧방나무와 바퀴가 떠날 수 없는 것처럼 서로 도와서 의지함. ――-하다 자여불

보:거-주【保擧主】명〖역〗과거(科擧)를 볼 거자(擧子)를 보증 추천하는 사람.

보:건[1]【保健】명 건강을 보전함. ――-하다 자여불

보:-건[2] 〔bowgun〕명 석궁(石弓)의 일종. 총(銃)처럼 방아쇠를 당겨서 쏘는 활.

보:건 경:찰【保健警察】명 방역(防疫) 경찰·의약(醫藥) 경찰 이외에 국민의 건강 유지를 목적으로 하는 경찰. *위생 경찰.

보:건 관리자【保健管理者】[―괄―] 명 기업체에서, 일정한 자격을 갖추고 종업원들의 보건을 관리하는 사람. 보건 관리자의 증원(增員)·해임(解任)을 노동청장이 고용주(雇用主)에게 명하여 실시하는 수도 있음.

보:건 교:육【保健教育】명 건강 교육.

보:건 급여【保健給與】명〖법〗공무원에게 지급하는 단기(短期) 급여의 하나. 공무상(公務上) 요양비·공무상 요양 일시금(一時金)·의료 부조금(醫療扶助金)·분만비·건강 진단비가 있음.

보:건-림【保健林】[―님] 명 도회 또는 공장 부근의 방진(防塵)·방연(防煙) 등의 작용으로 공중 위생에 공헌케 하는 보안림(保安林)의 하나.

보:건 물리학【保健物理學】명 〔health physics〕〖물〗방사선 그 밖의 물리적 요인(要因)이 건강에 미치는 영향을 연구하는 물리학의 한 분야.

보:건 복지부【保健福祉部】명 행정 각부의 하나. 보건 위생·방역(防疫)·의정(醫政)·약정(藥政)·생활 보호·자활(自活) 지원·여성 복지·아동·노인·장애인 및 사회 보장에 관한 사무를 맡아 처리함. 산하에 식품 의약품 안전청(食品醫藥品安全廳)을 둠. 준복지부.

보:건 복지부 장:관【保建福祉部長官】명 보건 복지부의 장(長)인 국무 위원.

보:건 복지 위원회【保建福祉委員會】명〖법〗국회 상임 위원회의 하나. 보건 복지부·환경부·국가 보훈처 소관 사항을 심의함.

보:건-부【保健部】명 사회부(社會部)와 나누어져 있었던 현 '보건 사회부'의 구칭(舊稱).

보:건 부:이사관【保健副理事官】명 보건직(保健職) 국가 공무원 직급 명칭의 하나. 보건 직렬(職列)에 속하며, 보건 서기관·환경 서기관의 위, 보건 이사관의 아래로 3급 공무원임.

보:건-비【保健費】명 보건 사업에 드는 비용.

보:건 사:무관【保健事務官】명 보건직(保健職) 국가 공무원 직급 명칭의 하나. 보건 직렬(職列)에 속하며, 보건 주사(主事)의 위, 보건 서기관의 아래로 5급 공무원임.

보:건 사회부【保健社會部】명 전에, 행정 각부의 하나. 1994년 보건 복지부로 바뀜.

보:건 서기【保健書記】명 보건직(保健職) 국가 공무원 직급 명칭의 하나. 보건 직렬(職列)에 속하며, 보건 서기보의 위, 보건 주사보(主事補)의 아래로 8급 공무원임.

보:건 서기관【保健書記官】명 보건직(保健職) 국가 공무원 직급 명칭의 하나. 보건 직렬(職列)에 속하며, 보건 사무관(事務官)의 위, 보건 부이사관(副理事官)의 아래로 4급 공무원임.

보:건 서기보【保健書記補】명 보건직(保健職) 국가 공무원 직급 명칭의 하나. 보건 직렬(職列)에 속하며, 보건 서기의 아래로 9급 공무원임.

보:건-소【保健所】명 지방 자치 단체인 시(市)·군(郡)·구(區)가 지역 보건법에 의하여 설치한 보건 행정 및 의료 기관. 관할 구역 안의 주민에 대한 진료·건강 진단 및 질병 관리, 전염병에 대한 예방·관리·진료, 모자 보건 및 가족 계획 사업, 노인 보건 사업 등 여러 가지 사업을 함.

보:건-식【保健食】명 보건식량. 표준식.

보:건 식량【保健食糧】[―냥] 명 사람의 건강을 유지하는 데 필요한 식량. 한국인 성인의 하루의 표준식(標準食)의 칼로리는 2,300-2,500이며, 단백질 90g, 지방 20g, 탄수화물 450g임. 보건식.

보:건-원[1]【保健員】명 보건 위생직 기능 공무원. 6급·7급·8급·9급·10급의 다섯 등급이 있음.

보:건-원[2]【保健院】명 ↗국립 보건원.

보:건 위생비【保健衛生費】명 가계부(家計簿)상의 생활 필수품비의 하나. 의료·약품·입원·치료·이발·미용·목욕·화장품·비누 등에 쓰이는 비용을 이름.

보:건의 날【保健―】[―/―에―] 명 보건 복지부 주관으로, 국민 보건 향상을 위한 관련 분야의 각종 행사를 하는 날. 4월 7일임.

보:건 이:사관【保健理事官】명 보건직(保健職) 국가 공무원 직급 명칭의 하나. 보건 직렬(職列)에 속하며, 보건 부이사관(副理事官)의 위, 관리관의 아래로 2급 공무원임.

보:건 주사【保健主事】명 보건직(保健職) 국가 공무원 직급 명칭의 하나. 보건 직렬(職列)에 속하며, 보건 주사보(主事補)의 위, 보건 사무관(事務官)의 아래로 6급 공무원임.

보:건 주사보【保健主事補】명 보건직(保健職) 국가 공무원 직급 명칭의 하나. 보건 직렬(職列)에 속하며, 보건 서기(書記)의 위, 보건 주사(主事)의 아래로 7급 공무원임.

보:건 지대【保健地帶】명 큰 도시에서, 공기와 시설이 건강에 좋게 되어 있는 지대.

보:건 진:료원【保健診療員】[―질―] 명 〔community health practitioner〕지역 사회의 1차 보건 의료 업무를 수행하는 의료 요원. 일정한 교육을 마친 간호사·조산원 등이 배치되어, 치료, 약품 공급 외에 보건 교육, 환경 위생 유지, 모자(母子) 보건 사업, 가족 계획 사업, 지역 학교 보건 등의 일을 담당함.

보:건 체조【保健體操】명 근대인(近代人)의 생활 양식·직업·환경 등에 의하여 초래되는 신체적 결함을 교정하고 없애어 건강의 유지·증진(增進)을 꾀하는 체조. 라디오 체조 따위.

보:건 행정【保健行政】명 국민의 보건에 관한 행정.

보:건 환경 연:구원【保健環境研究院】[―년―] 명 국민 보건의 증진과 환경 보전을 목적으로, 보건·환경에 관한 검사 및 연구 업무를 합리적으로 운영하기 위하여 설치한 특수 법인.

보:검【寶劍】명 ①의장(儀仗)에 쓰던 칼의 한 가지. ②보도(寶刀). 명검(名劍). ¶선조 전래의 ～.

보:게【寶偈】명〖불교〗'시사(詩詞)'의 경칭(敬稱). 지보적(至寶的)인 게송(偈頌).

보겐〔도 Bogen〕명 ①활 모양. 만곡(彎曲). ②〖수〗궁형(弓形). ③〖건〗아치. 둥근 천정. ④〖악〗바이올린의 활. 현악기의 활. ⑤스키에서, 회전 기술의 하나. 스키를 여덟 팔자(八字) 형으로 벌리고 돎. 제동(制動) 회전.

보:격【補格】[―껵] 명〖언〗체언(體言)이 문장에서 보어(補語) 구실을 하는 격. 기움자리.

보:격 조:사【補格助詞】[―껵―] 명〖언〗체언에 붙어서 그 체언이 보어(補語)임을 나타내는 조사. '아들이 의사가 되다'에서 '가', '그것은 소설이 아니다'에서 '이' 따위. *가[10]·이[29].

보:결[1]【保結】명〖역〗사람을 보증(保證)함. 또, 사람을 보증하는 보증서. 관리(官吏)가 처음으로 관직(官職)에 들 때 제출하는 동향(同鄕) 관리의 신원 보증서.

보:결[2]【補缺】명 ①비어 모자라는 곳을 채움. 또, 그 자리를 채우기 위한 예비(豫備) 인원. 보궐(補闕). ¶～ 입학생. ②결점(缺點)을 보충함. ――-하다 타여불

보:결 모집【補缺募集】명 지원자수 또는 채용자수가 정원(定員)에 미달인 경우, 그 부족수를 보충하기 위한 모집. ――-하다 자여불

보:결 분자단【補缺分子團】명〔prosthetic group〕〖화〗①복합(複合) 단백질 속에서 아미노산과 결합되어 있는 분자단(分子團)을 일컬음. ②효소 단백(酵素蛋白)에 결합하는 비(非)단백성의 기(基)로, 효소가 촉매(觸媒)하는 화학 반응에 직접 관여하고 산화 환원(酸化還元)을 받는 부분.

보:결-생【補缺生】[―쌩] 명 보결로 뽑힌 학생.

보:결 선:거【補缺選擧】명〖법〗보궐 선거(補闕選擧).

보:결 선:수【補缺選手】명 본선수(本選手)가 경기 도중 사고가 생겼을 때, 이를 보충하여 출전하는 선수.

보:결 시험【補缺試驗】명 보결생을 모집할 때 치르는 시험.

보:결 원자단【補缺原子團】명〔prosthetic group〕〖화〗단순 단백질과 결합하여 복합 단백질을 형성하고 있는 원자단을 이름.

보:결 의원【補缺議員】명 보궐 선거(補闕選擧)에서 당선된 의원.

보:경[1]【寶慶】명〖지〗'사오양(邵陽)'의 옛이름.

보:경[2]【寶鏡】명 보배로운 거울. 귀한 거울. 보감(寶鑑).

보:경-사【寶鏡寺】명 경상 북도 영일군 송라면(松羅面) 중산리(中山里) 내연산(內延山) 동쪽 기슭에 있는 사찰. 대한 불교 조계종 제11교구 본사인 불국사의 말사. 신라 진평왕(眞平王) 24년(602) 지명(智明)이 진(陳)나라 유학 때 어떤 도사(道士)로부터 받은 팔면경(八面鏡)을 내연산 아래 큰 못에 묻고 못을 메워 금당(金堂)을 지어 창건됨.

보-계[1]【洑契】명〖역〗벼 재배 지역에서 수리 시설의 하나인 보(洑)를 수축하고 관리하기 위하여 향촌 사회 성원들이 구성한 계조직.

보:계[2]【補階】명 잔치나 큰 모임이 있을 때 사람을 많이 앉히기 위하여 대청 앞에 잇대서 임시로 베푼 자리.

보:계[3]【譜系】명 혈통 관계를 도식(圖式)으로 나타낸 것. 보첩(譜牒).

보:계[4]【寶戒】명 ①중대한 훈계(訓戒). ②〖불교〗'계율(戒律)'의 경칭.

보:계[5]【寶界】명〖불교〗극락 정토.

보:계[6]【寶髻】명〖불교〗보살(菩薩)이나 천부(天部)의 불상(佛像)의 머리 위에 있는 상투.

보:계[7]【寶鷄】명〖지〗'바오지'를 우리 음으로 읽은 이름.

보:계-판【補階板】명 보계에 쓰는 좌판(坐板). 준보판(補板).

보:고[1]【保辜】명〖역〗맞은 사람의 상처가 나을 때까지 때린 범인(犯人)의 죄를 보류하던 일. ――-하다 타여불

보:고[2]【報告】명 ①알리어 바침. 통지함. ②어떤 임무를 띤 사람이 그 일에 대한 정상이나 결과를 글 또는 말로 알림. ¶경과 ～. ③↗보고서(報告書). ――-하다 타여불

보:고[3]【補考】명 본론(本論)이나 이미 발표한 논(論)·설(說) 등을 보충하는 고찰(考察). ――-하다 타여불

보:고[4]【寶庫】명 ①귀중한 재화를 넣어 두는 창고. ¶지식의 ～. ②재화가 많이 산출되는 땅. ¶석유의 ～.

보고[5] 조 '더러'의 뜻의 부사격 조사. ¶나～ 가라고요/누구～ 하는 말이요.

보:고 기한【保辜期限】명〖역〗보고를 허락한 기한. 준고한(辜限).

보고-놓기 [―노키] 명 주산을 놓을 때 숫자가 적힌 전표나 종이 혹은 학습장을 눈으로 보면서 놓는 방식. *듣고놓기.

보고르〔Bogor〕명〖지〗인도네시아, 자바(Java) 섬의 서부, 살라크 산(Salak 山)의 북쪽 기슭에 있는 피서지(避暑地). 1817년에 개설된 보고르 식물원이 있으며, 열대 식물원(植物園)으로서 세계적으로 유명함. 구칭은 보이텐조르흐. [247,000명(1980)]

보고르 식물원【―植物園】〔Bogor〕명 인도네시아의 국립 식물원(植物園). 1817년에 개원. 보고르의 중심부에 있으며 세계 제1의 식물원이라고 일컬어짐. 식물 연구소·박물관·표본관 등이 부설됨.

보고리 명 〈방〉 바구니(충북).

보:고-문【報告文】명 보고하는 글.

보:고 문학【報告文學】 명 〔문〕 제1차 세계 대전 후에 일어난 문학상의 한 장르(genre)로서, 사회적인 현실을 필자(筆者)가 조금도 만들어 보태지 아니하고, 있는 그대로를 서술(敍述)한 문학. 르포르타즈. 기록문학.

보고미 명 〈방〉 바구니(함경).

보고-부르기 명 〔악〕 악보를 보고 그 가락을 부르는 일. 시창(視唱). ↔듣고부르기.

보:고-서【報告書】 명 보고하는 문서(文書). 계서(計書). 준보고(報告).

보:고-장【報告狀】[—짱] 명 보장(報狀).

보:고 증서【報告證書】 명 처분 증서(處分證書) 이외의 증서로서, 사람의 견문(見聞)·의견 등을 기재한 문서. 영수증·상업 장부·일기장·진단서 따위. ↔처분 증서.

보고타〔Bogota〕 명 〔지〕 남아메리카 콜롬비아 공화국의 수도. 안데스 산맥 중의 해발 2,642 m의 고원(高原) 위에 위치하고 있음. 열대 지방이지만 기후가 늘 봄철 같아서 보양지(保養地)로 유명함. 부근에는 농경지(農耕地)가 개척되었으며, 북쪽에는 에메랄드 광산이 있음. 정치·경제·문화의 중심지로 섬유 제품·담배·유리 공업이 성함. 1538년에 건설되었으며, 스페인 통치 시대에는 뉴그라나다(New Granada)의 수도였음. [4,240,000(1990 추계)]

보고타 회:의【—會議】〔Bogota〕[—/—이] 명 1948년 보고타에서 열린 제9회 범미(汎美) 회의의 통칭. 아메리카 제국(諸國)의 공동 방위와 경제·문화면에서의 협력을 규정한 미주 기구 헌장(美洲機構憲章)을 채택, 미주 기구 설립을 결정함. *미주 기구.

보:곡【譜曲】 명 〔악〕 악보(樂譜).

보:골-지【補骨脂】[—찌] 명 〔식〕 파고지(破古紙).

보곰-자리 명 〈방〉 보금자리.

보곳 명 〈방〉 ①보습¹. ②끄챙이.

보:공【補空】 명 빈 곳을 채워서 메움. 또, 그 물건. *관멤. ——-하다 타 여불

보:공신-장【保功身章】[—짱] 명 〔악〕 군신이 연향(宴享)할 때 부르던 악장의 이름. 문덕곡(文德曲)의 둘째 장인데 정도전(鄭道傳)이 지었다 함.

보:공 장군【保功將軍】 명 〔역〕 조선 시대, 무관(武官)의 종삼품의 품계.

보:과【報果】 명 어떤 일의 보답으로 돌아오는 결과. 한 일의 보람.

보과라 타 〈옛〉 보노라. ¶ 俊哲흔 사르미 쁘들 믄득 보과라(欻見俊哲情)《杜諺 XXV:33》.

보:과 습유【補過拾遺】 명 임금의 잘못을 바로잡아 고치게 함. ——-하다 타 여불

보:관¹【保管】 명 기탁(寄託) 받은 물건을 잘 간직하여 관리함. ¶ ~물/~증(證). ——-하다 타 여불

보:관²【寶冠】 명 ①보석으로 꾸민 관. ②보배가 되는 왕관.

보:관-계【步管系】 명 〔동〕 수관계(水管系).

보:관 공:탁【保管供託】 명 〔법〕 남의 물건을 즉시 처분할 수 없는 경우에 일시(一時) 공탁으로 보관하는 일.

보:관-료【保管料】[—뇨] 명 남의 물품을 보관하는 보수로서 받는 일정한 요금.

보:관-림【保管林】[—님] 명 사찰(寺刹)에서 보관하는 관유림(官有林).

보:관 문화 훈장【寶冠文化勳章】 명 제3 등급의 문화 훈장. 수(綬)는 중수(中綬)이며, 백색 바탕에 적색 줄이 여섯 줄 있음. *문화 훈장·옥관 문화 훈장.

〈보관 문화 훈장〉

보:관-물【保管物】 명 보관하고 있는 물품.

보:관-인【保管人】 명 보관자(保管者).

보:관-자【保管者】 명 남의 물건·금전을 보관하는 사람. 보관인.

보:관자의 책임 보:험【保管者—責任保險】[—/—에—] 명 〔법〕 대차인(貸借人) 또는 남의 물품을 보관하고 있는 사람이 화재로 인한 보관물의 손실(損失)이 있을 경우를 우려하여 그 물품의 임자에 대해서 부담하는, 손해 배상 책임에 관한 책임 보험.

보:관 전:보【保管電報】 명 수신인의 주소가 불명하거나 이사하였거나 하여 배달하지 못하여, 착신국(着信局)에서 보관하고 있는 전보.

보:관-증【保管證】[—쯩] 명 남의 물품을 보관함을 증명하는 표.

보:관 창고【保管倉庫】 명 〔경〕 상인(商人)의 의뢰(依賴)로 상품을 맡아 보관하는 창고.

보:광【寶光】 명 보배에서 나는 광채.

보:광-유【寶光釉】 명 〔공〕 송진(松津)처럼 두껍게 덮이고 속에서부터 광채(光彩)가 나는 잿물의 하나. 중국 명(明)나라 선덕요(宣德窯)에서 만든 그릇에 흔히 썼음. 보석유(寶石釉).

보:교¹【步轎】 명 모양이 정자(亭子) 지붕 모양으로 가운데가 솟고 네 귀가 내밀고, 바닥은 소의 생가죽 오리로 가로세로 엮어서 만든 가마의 하나. 바닥과 뚜껑과 기둥을 각각 뜯게 되어 있음. *승교(乘轎).

〈보교¹〉

보:교²【輔教】 명 〔불교〕 승려 계급의 하나.

보:교-꾼【步轎—】 명 보교를 메는 사람.

보:교-판【補橋板】 명 배를 잇대어 만든 다리 위에 깔아 놓은 널빤지.

보:구【報仇】 명 앙갚음. ——-하다 타 여불

보구니 명 〈방〉 바구니(경기).

보구래 명 〈방〉 나무로 만든 보습(강원).

보구리 명 〈방〉 바구니(충북).

보구미 명 〈방〉 바구니(강원·충북·경북).

보 구엔 지압〔Vo Nguyen Giap〕 명 〔사람〕 베트남의 정치가·군인. 하노이 대학을 나와, 1930년 인도 차이나 공산당에 입당하여 중국에 망명, 제2차 대전 후 내상(內相)·국방상·인민군 총사령관을 역임하고 1954년 디엔비엔푸에서 프랑스군(軍)에 대승(大勝), 1976년 베트남 통일로 부수상 겸 국방상이 됨. [1912-]

보:구 여관【保救女館】 명 〔역〕 우리 나라 최초의 여성 전용 병원. 조선 고종 24년(1887) 한국 감리교 의료 선교 관리자였던 스크랜튼(Scranton, W.B.)이 한국 여성이 남자 병원으로 갈 수 없는 풍습을 고려하여 미국 감리교 여성 해외 선교부에 의뢰, 여의사 하워드(Howard, Meta)가 내한하여 이화 학당(梨花學堂) 구내에 한옥을 개조하여 치료를 시작한 것이 시초임. '보구 여관'은 뒤에 민비(閔妃)가 지어준 이름임. 1930년 동대문 부인(婦人) 병원으로 개칭 되었으며 현재는 이화 여자 대학 부속 병원으로 사용되고 있음.

보구치 명 〔어〕 [*Argyrosomus argentata*] 민어과에 속하는 바닷물고기. 몸길이 30 cm 가량으로 참조기와 비슷하나 몸빛이 희고, 가슴지느러미가 길며 아래턱이 위턱을 덮음. 경북 이남의 동남서해 및 중국·인도·아프리카 연안 등에 분포함. 특히 6월경에 다도해(多島海)에 많이 나는데, 맛은 조기만 못함.

〈보구치〉

보:국¹【保國】 명 국가를 보위(保衛)함. ——-하다 자 여불

보:국²【報國】 명 나라의 은혜를 갚음. 나라를 위하여 충성을 다함. ——-하다 자 여불

보:국³【輔國】 명 〔역〕 ↗보국 숭록 대부.

보:국-대【報國隊】 명 ①보국하기 위하여 조직된 대(隊). ②〔일제〕 징용으로 동원되었던 노무대(勞務隊).

보:국 대:장군【輔國大將軍】 명 〔역〕 고려 때, 정이품 무관의 품계.

보:국 숭록 대:부【輔國崇祿大夫】[—녹—] 명 〔역〕 조선 시대, 정일품 문무관의 품계. 고종(高宗) 2년부터 문무관·종친·의빈(儀賓)의 품계로도 병용하였음. 준보국(輔國).

보:국 안민【輔國安民】 명 나라 일을 돕고 백성(百姓)을 편안하게 함. ——-하다 자 여불

보:국-자【輔國資】 명 〔역〕 보국 숭록 대부의 지위.

보:국 포장【保國褒章】 명 국가 안전 보장 및 사회 안녕 질서 유지에 공적이 뚜렷한 사람 또는 생명(生命)의 위험을 무릅쓰고 인명(人命)·재산을 구조한 사람에게 수여하는 포장. 수(綬)는 소수(小綬)이며, 황색 바탕에 백색 줄이 한 줄 있음.

〈보국 포장〉

보:국 훈장【保國勳章】 명 국가 안전 보장에 공(功)을 세운 사람에게 수여하는 훈장. 통일장·국선장·천수장·삼일장·광복장 등의 다섯 등급이 있음.

〈보국 훈장〉

보:국 훈장 광복장【保國勳章光復章】 명 제5등급의 보국 훈장. 수(綬)는 소수(小綬)이며, 연두색 바탕에 백색 줄이 두 줄 있음.

보:국 훈장 국선장【保國勳章國仙章】 명 제2등급의 보국 훈장. 수(綬)는 중수(中綬)이며, 엷은 보라색 바탕에 백색 줄이 여덟 줄 있음.

보:국 훈장 삼일장【保國勳章三一章】[—짱] 명 제4 등급의 보국 훈장. 수(綬)는 소수(小綬)이며, 담황색 바탕에 백색줄이 넉 줄 있음.

보:국 훈장 천수장【保國勳章天授章】 명 제3 등급의 보국 훈장. 수(綬)는 중수(中綬)이며, 검은 적색 바탕에 백색 줄이 여섯 줄 있음.

보:국 훈장 통:일장【保國勳章統一章】[—짱] 명 제1 등급의 보국 훈장. 수(綬)는 대수(大綬)이며 자색(紫色)임.

보:군¹【步軍】 명 ①보병(步兵)❶. ②〔역〕 고려 초기의 보병 부대.

보:군²【輔君】 명 임금을 도움. ——-하다 자 여불

보군지 명 〈방〉 바구니(경기).

보굴-어【—語】〔Vogul〕 명 보굴족(Vogul族)의 언어. 러시아자(字) 정서법(正書法)에 의한 문장어로 쓰임. 남동(南東)의 오스탸크어(Ostyak語), 동(東)유럽의 헝가리어(語)와 가까운 친족 관계에 있음.

보굴-족【—族】〔Vogul〕 명 우랄(Ural) 산맥의 동서쪽에 분포하는 종족. 약 8천 명. 북방(北方) 보굴을 제외하고 생활·신앙은 모두 러시아화(化)됨. 거의가 고기잡이와 사냥에 종사함. 언어는 보굴어(語)를 사용함.

보:굴-충【步屈蟲】 명 〔충〕 자벌레.

보굼지 명 〈방〉 바구니(함경).

보굿 명 ①굵은 나무의 두껍고 비늘같이 생긴 껍데기. ②그물의 벼릿줄에 듬성듬성 매어 그물이 뜨게 하는 가벼운 물건. 흔히 크고 두꺼운 나무 껍질로 함.

보굿-질【—質】 명 〔식〕 수베린(suberin).

보굿-켜 명 〔식〕 나무의 겉껍질 안쪽의 껍질.

보:권¹【寶卷】 명 〔종〕 중국 근세 원말(元末)부터 불교·도교 및 신흥 종교에서 사용된 통속적이고 창도적(唱道的)인 문화의 한 양식. 당대(唐代)의 변문(變文)의 계통을 이은 것으로 교리·수행담(修行譚)·여인·성불(成佛) 등을 주제로 한 것이 많으며, 후대에 와서 소설·연극으로 널

리 민간에 유포되고 있는 얘기가 보권체(寶卷體)로 개작된 것이 많음.
보:권²【寶眷】명 ①은혜. ②남의 가족에 대한 존칭.
보:권 염:불문【普勸念佛文】[—념—] 명〖책〗미타참 절요(彌陀懺節要).
보:궐¹【補闕】명 보결(補缺)❶.
보:궐²【補闕】명〖역〗①고려 때 중서 문하성(中書門下省)의 낭사(郎舍) 벼슬. 정육품. 좌·우 각 한 사람씩 있었는데, 예종(睿宗) 때에 사간(司諫)으로 고치었음. ②조선 초기의 문하부(門下府)의 낭사 벼슬. 정오품. 태종(太宗) 원년에 낭사가 사간원(司諫院)으로 독립하면서 '헌납(獻納)'으로 고치었음.
보:궐 선:거【補闕選擧】명〖법〗의원(議員)의 임기 중에 사직·사망·실격(失格) 등으로 궐원이 생긴 경우에 행하는 선거. 보결 선거. ㊞보선(補選).
보:궤【簠簋】명 제향(祭享) 때에 기장과 피를 담는 그릇인 네모진 보(簠)와 둥근 궤(簋).
보:균【保菌】명 병균(病菌)을 몸속에 지님. ——-하다 자여불
보:균 식물【保菌植物】명〖식〗병원균(病原菌)을 체내에 가지고 있으면서 장기간 또는 절대로 병징(病徵)을 나타내지 않는 식물. *보독(保毒) 식물.
보:균-자【保菌者】명 발병(發病)은 하지 않았으나, 병원균(病原菌)을 체내(體內)에 지니고 있는 사람. 병원 보유자(病原保有者).
보그〔프 vogue〕명 ①유행(流行). ②유행을 취급하는 프랑스의 잡지 이름. 주로 유행 복식(流行服飾)과 그 밖의 예술·미용(美容)에 관한 기사도 실림. 1892년에 창간된 프랑스판(版) 외에 미국판·영국판이 있으며 각각 그 나라의 특색을 살려 출판되고 있음.
보그다노프〔Bogdanov, Aleksandr Aleksandrovich〕명 러시아의 철학자·경제학자·의사. 처음 볼셰비키에 속하여 당 중앙 위원이 되었으나 후에 반(反)레닌파(派)의 전진파(前進派)와 소환파(召還派)의 조직자가 되어 탈당함. 경험 일원론(一元論)을 주장, 레닌의 비판을 받기도 함. [1873-1928]
보그래 명〈방〉나무로 만든 보습(강원).
보그르르 부 물이나 거품이 좁은 범위(範圍) 안에서 야단스럽게 끓어 오르거나 일어나는 모양. 또, 그 소리. 쓰뽀그르르. <부그르르. *바그르르. ——-하다 자여불
보:극【補極】명〔interpole〕〖물〗정류(整流) 작용의 원활을 위하여 직류기(直流機)에서 주계자극(主界磁極) N과 S와의 사이에 있는 보조자극. 정류극(整流極).
보글-거리다 자 물이나 거품이 좁은 범위 안에서 야단스럽게 자꾸 끓거나 일어나다. 쓰뽀글거리다. <부글거리다. *바글거리다. 보글-보글 부. ——-하다 자여불
보글-대다 자 보글거리다.
보금-자리 명〔근대: 보곰자리〕①새가 깃들이는 둥우리. 새둥주리. 둥우리. 둥지. ②지내기에 매우 포근하고 아늑한 자리. ¶ 사랑의 ~/신혼의 ~를 꾸미다.
　보금자리(를) 치다 구 보금자리를 만들고 거기 들어 있다.
보:급¹【普及】명 세상에 널리 퍼지게 함. ¶ 텔레비전의 ~률. ——-하다 타여불
보:급²【補給】명 물품을 뒷바라지로 대어 줌. ——-하다 타여불
보:급-계【補給係】명〖군〗보급품을 맡아서 관리하는 계. 공급계.
보:급-관【補給官】명〖군〗보급품을 맡아서 관리하는 장교. *출납관.
보:급-금【補給金】명〖법〗보조금(補助金).
보:급 기지【補給基地】명〖군〗전투 지역이나 함선(艦船)에 군수품(軍需品)을 보급하는 요지(要地).
보:급-량【補給量】[—냥] 명 보급하는 물품의 수량. ¶ 풍부한 ~.
보:급-로【補給路】[—노] 명 보급품을 수송하는 길. ¶ ~가 끊기다.
보:급-망【補給網】명 보급하기 위하여 체계적으로 짜여진 계통.
보:급-선¹【補給船】명 보급품을 실어 나르는 배.
보:급-선²【補給線】명〖군〗전투 기지 또는 전선 부대(戰線部隊)에 인원·병기·군수품·식량 따위를 수송하기 위한 후방의 책원지(策源地), 혹은, 중간 기지로부터의 육상(陸上)·해상·공중의 교통 노선(路線).
보:급-소¹【普及所】명 일정한 구역 안의 정기 구독자에게 신문을 배달하는 신문사의 판매 조직.
보:급-소²【補給所】명 보급품의 지급(支給)·운송(運送)·저장·관리를 하는 곳.
보:급-자¹【普及者】명 보급하는 사람.
보:급-자²【補給者】명 보급하는 사람이나 기관.
보:급-주의【普及主義】[—/—이] 명〖법〗국제 파산에 있어서, 파산 선고의 효력이 파산자의 타국에 있는 재산에도 미치게 하는 주의. ↔속지주의(屬地主義).
보:급-판【普及版】명〖인쇄〗널리 보급할 것을 목적으로 값을 싸게 하여 박아 내는 인쇄물. *학생판(學生版)·장서판(藏書版).
보:급-품【補給品】명 보급하는 물품.
보기¹ 명 ↗본보기. ¶ ~를 들면.
보기² 명〈방〉보시기(평안).
보:기³【步騎】명 보병(步兵)과 기병(騎兵).
보:기⁴【保驥】명〖역〗조선 시대에 사복시(司僕寺)에 속한 종구품의 잡직(雜職).
보:기⁵【補氣】명 ①〖한의〗약을 먹어서 원기를 도움. 보원(補元). *보혈(補血). ②〖생〗사람이 호흡할 때에 최대 한도로 들이마실 수 있는 공기의 양(量). 보통 1,500-2,000cc. *호흡기(呼吸氣)·축기(蓄氣)·잔기(殘氣). ——-하다 자여불
보:기⁶【補機】명 배의 추진 기관(推進機關)에 대하여 그 밖의 기기류(機器類)의 총칭. 펌프·하역용(荷役用) 기계·윈들러스(windlass)·압축기 따위.
보:기⁷【寶伎】명〖악〗삼국 시대 신라 가야금 곡의 하나. 우륵(于勒)이 지은 12곡 중의 하나임.
보:기⁸【寶器】명 보배로운 그릇.
보:기⁹〔bogey〕명〖골프〗기준 타수(打數), 곧 파(par)보다 하나 많은 타수로 공을 홀(hole)에 넣는 일. ¶ 그는 18번 홀을 ~로 얻었다. ↔버디(birdie).
보기-감【步騎監】명〖역〗신라 때의 무관 이름. 왕도(王都)를 비롯하여 육정(六停)과 구서당(九誓幢)의 예하 부대에 약간명씩 배속시켰으며, 정원은 모두 63인. 보기당주(寶騎幢主)를 보좌하며, 관등은 나마(奈麻)로부터 사지(舍知)까지.
보기-감각【—感覺】명〖생〗시각(視覺).
보기-기관【—器官】명〖생〗시관(視官).
보기당-주【步騎幢主】명〖역〗신라 때의 무관 이름. 왕도를 비롯하여 육정(六停)과 구서당(九誓幢)의 예하 부대에 약간명씩 배속시켰으며, 정원은 모두 63인. 관등은 사찬(沙湌)으로부터 나마(奈麻)까지였음.
보기-식【—式】〔bogie〕명 철도 바퀴를 붙이는 한 양식. 2축(軸) 4륜 또는 3축 6륜의 차대(車臺) 두 개 위에 차체(車體)를 올려 놓아, 차체를 자유로 회전할 수 있게 된 구조. 차륜수에 따라 4륜 보기 차대·6륜 보기 차대 등으로 부름. 동요를 방지하고, 탈선할 우려가 적기 때문에 객차·기관차 등에 사용함. 전향식(轉向式).
보기-신경【—神經】명〖생〗시신경(視神經).
보기-차【—車】〔bogie〕명 바퀴를 직접 차체의 대(臺)에 붙이지 않고, 전후 2대의 차대(車臺) 위에 차체를 올려 놓아 차체가 자유로 회전할 수 있게 된 차량. 대부분 2축 4륜 보기 차대를 사용함. 전향차(轉向車).
보길-도【甫吉島】[—또] 명〖지〗전라 남도 남해상(南海上), 완도군(莞島郡) 노화읍(蘆花邑)에 속하는 섬. 경지(耕地)가 좋아서 어업보다도 농업에 종사하는 사람이 많으며, 주요 수산물은 천초(天草)·김·미역·갈치 등임. [32.99 km² : 5,481명(1985)]
보깨 명〈방〉바리 뚜껑(함경).
보깨다 자 ①먹은 음식이 소화가 잘 안 되어 뱃속이 거북하고 괴롭다. ②무슨 일이 뜻대로 되지 않아 마음이 자꾸 쓰이어 불편하다.
보꼴-새: 명〈방〉소쩍새(경상).
보꾸 명〖광〗사금판에서, 물목을 거친 물을 흘려 보내기 위하여 친 도랑.
보-꾸러미【褓—】명 보자기에 물건을 싼 꾸러미.
보꾹 명〖건〗지붕의 안쪽, 곧 더그매의 천장. 천장. 양상(梁上).
보꿍제기 명〈방〉보자기(평안).
보끔 명〈방〉거품(전남).
보꽁-제기 명〈방〉보자기(평북).
보나르〔Bonnard, Pierre〕명〖사람〗프랑스의 화가. 나비파(Nabis派)의 한 사람. 색채(色彩)의 조화에 능하여 '색채의 마술사'로 불림. 석판화(石版畫)·포스터에도 우수한 작품을 남김. [1867-1947]
보나 마:나 구 보지 아니하여도 뻔히. ¶ ~ 승부(勝負)는 결정되었다.
보나벤투라〔Bonaventura〕명〖사람〗중세 이탈리아의 스콜라파(schola派) 철학자. 프란체스코회(Francesco會) 소속의 수사(修士). 금욕(禁慾)에 의한 신(神)에의 침잠(沈潛)을 주장하였음. [1221-74]
보나파르트〔Bonaparte〕명〖사람〗①〔François Charles Joseph B.〕나폴레옹의 아들. 나폴레옹 2세로 불렸으나 등극(登極)하지 않고 라이히슈타트공(Reichstadt公)으로 종신(終身)함. [1811-32] ②〔Louis B.〕나폴레옹 1세의 동생, 나폴레옹 3세의 아버지. 이탈리아·이집트 원정(遠征)에 참가. 네덜란드 국왕으로 되었으나 대륙 봉쇄령을 지키지 않고 형과 대립하여 퇴위하였음. [1778-1846] ③〔Louis Napoléon B.〕나폴레옹 1세의 조카. 1848년 프랑스 대통령(大統領), 1852년 황제로 즉위하여 나폴레옹 3세로 불림. [1808-73] ④〔Napoléon B.〕나폴레옹 일세(Napoléon 一世).
보나파르트-가【—家】〔Bonaparte〕명 나폴레옹 1세와 3세를 낳은 가계(家系). 조상은 이탈리아계(系)이며 제노바의 용병(傭兵). 보나파르트가의 제위(帝位)는 자유주의·애국주의의 상징으로 19세기 전반에서 중엽에 걸쳐 프랑스에서 커다란 정치적 영향력을 가짐.
보나파르티슴〔프 Bonapartisme〕명 나폴레옹 보나파르트 및 루이 보나파르트의 정치에 전형적으로 나타난 것과 같은 국가 형태. 부르주아지와 프롤레타리아트 양계급의 균형을 이용하여, 그 중간의 보수적 농민이나 도시 중산 계급 등을 지주(支柱)로 하여, 앞의 양계급의 조정자(調停者)처럼 가장한 절대 독재주의적 국가. 본질적으로는 부르주아 국가임. 프러시아의 비스마르크 정권도 이 종류에 속함.
보나 피데〔라 bona fide〕명〖법〗'선의(善意)로서'의 뜻.
보난자〔bonanza〕명 ①노다지❶. ②큰 행운(幸運).
보난자-그램〔bonanzagram〕명 퀴즈의 하나. 군데군데 빈 칸이 있는 문장을 주어진 힌트에 따라 추리(推理)하여 메꾸어 완전한 문장을 만들어, 원문(原文)과 일치하면 정해(正解)가 됨. 추리 작문.
보낭〔bonang〕명〖악〗인도네시아의 가믈란(gamělan)용의 악기. 직경 20cm 내외, 높이 15cm 내외의 항아리 모양의 10-14개의 공(gong)을 나무로 만든 대(臺) 위에 두 줄로 올려 놓고 바퀴 모양의 대가리가 달린 두 개의 채로 옥타브 연주(演奏)를 함.

〈보낭〉

보-내기【洑—】명〖농〗논에 물을 대기 위하여 봇도랑을 내는 일.
보내기 번트〔bunt〕명 야구에서, 주자(走者)를 전진시키기 위하여 타자(打者)가 배트를 공에 가볍게 대는 타격 방법.
보내다 타 ①물건을 다른 곳으로 부쳐 주다. ¶ 돈을 우편으로 ~. ②사람을 가게 하다. 파견하다. ¶ 사람을 ~/군대를 ~. ③시간이나 세월을 지나가게 하다. ¶ 덧없이 세월을 ~. ④떠나가는 것을 아쉬워하며 이별하다. ¶ 친구를 ~/봄을 ~. ⑤자기 의사를 전하기 위하여 어떤 동작을 하거나 표정을 짓다. ¶ 신호를 ~/추파를 ~. ⑥결혼하게 하다. ¶ 시집을 ~. ⑦시설을 통하여 제공하다. ¶ 전기를 ~/수돗물을 ~.

보:내-인【保內人】 명 〖역〗 조선 시대에, 조졸(漕卒)의 실역(實役)에 복무하는 대신 보포(保布)를 바쳐, 실지로 복무하는 조졸을 뒷받침하는 사람.

보너빌 댐 〔Bonneville Dam〕 명 미국 서부, 오리건 주(州)와 워싱턴 주(州)의 경계인 컬럼비아 강에 있는 댐. 1938년 완성. 둑의 높이 60m, 길이 380m의 중력(重力)댐으로, 수력 발전용임.

보:너스 〔bonus〕 명 ①상여금(賞與金). ¶ 연말 ~. ②〖경〗 주식(株式)의 예외적 특별 배당금. ③업적에 따라 할증(割增)하는 임금(賃金).

보:너스 쿼:터 〔bonus quota〕 명 업적을 특별히 보상하기 위하여 과외로 더 주는 할당량이나 할당금.

보네 명 〈방〉 보늬.

보넬리아 〔bonellia〕 명 〖동〗 [*Bonellia fuliginosa*] 개불강(綱)에 속하는 환형 동물. 암컷의 몸길이 20mm, 폭 7mm, 수컷은 길이 1mm, 폭 0.15mm 가량임. 암컷은 앞쪽에 몸의 두 배나 되는 주둥이를 가지고 있음. 몸빛은 짙은 녹색이나 주둥이는 담색(淡色)이고, 수컷은 항상 암컷의 인두(咽頭) 안에 기생함. 죽은 산호초에 굴을 파고 그 속에서 서식함. '개불'과 같은 종류임.

〈보넬리아〉

보-노루 명 〈방〉 〖동〗 고라니.

보노미 〔Bonomi, Ivanoe〕 명 〖사람〗 이탈리아의 정치가. 처음 사회당원이었으나 개혁주의자라고 하여 제명됨. 제1차 대전 후 수상(首相)·재무상(相)을 역임. 제2차 대전 중에는 국민 해방 위원회 의장으로서 대독(對獨) 저항을 지휘함. 이탈리아 해방 후 1944-45년 수상을 지냄. [1873-1951]

보:-노트 〔bowknot〕 명 보타이.

보늬 [-니] 명 밤 같은 것의 속에 있는 얇은 껍질. 내피(內皮). 본의(本衣).

보니 명 ☞ 보늬.

보니다 타 〈옛〉 자세히 보다. ¶ 들을 제는 우레러니 보니는 눈이로다《松江 關東別曲》/두 늘그늬 骨髓를 스뭇 보닌댄(見徹二老骨髓) 《蒙法 32》.

보니파키우스 팔세 【一八世】 〔Bonifacius Ⅷ〕 [-쎄] 명 〖사람〗 로마 교황. 중세적 교황권(中世的敎皇權)의 재흥(再興)을 꾀하여, 근세 국가의 절대주의 왕권을 지향하는 프랑스 국왕 필리프 4세에 대항함. 1296년 프랑스의 성직자 과세(聖職者課稅)에 반대하고, 1302년 회칙(回勅)을 발표하여 교권(敎權)이 속권(俗權)보다 우위(優位)에 있다고 선언함. 1303년 아나니(Anagni) 사건으로 필리프에 패함. [1235?-1303]

보ᄂᆞᆫ다 타 〈옛〉 보는 것인가. ¶ 爲頭 도ᄌᆞ기 무로티 녀희돌히 므스글 보ᄂᆞᆫ다 《月釋 X:28》.

보닛 〔bonnet〕 명 ①턱 밑에서 끈을 매게 되어 있는 여자·어린이용의 모자. 양태가 있는 것과 없는 것이 있음. ②자동차의 엔진 덮개.

〈보닛❶〉

보다[1] 타 〔중세 : 보다〕 ①사물의 모양을 눈을 통하여 알다. ¶ 자세히 ~. ②알려고 두루 살피다. ¶ 어느 모로 보아도. ③구경하다. ¶ 영화를 ~. ④보살피어 지키다. ¶ 집을 ~/애기를 ~. ⑤일을 맡아서 하다. ¶ 사무를 ~. ⑥누려서 가지다. ¶ 재미 많이 ~. ⑦시험을 치르다. ⑧팔거나 사려고 장(場)으로 가다. ¶ 시장 보러 간다. ⑨값을 부르다. ¶ 팔려고 하니 반값 밖에 안 보더라. ⑩똥·오줌을 누다. ¶ 뒤를 ~. ⑪몸소 당하다. ¶ 손해 ~. ⑫참고 기다리다. ¶ 보자보자 하니까 별꼴 다 보겠다. ⑬좋은 때를 만나다. ¶ 좋은 세상 보고 살게 될는지. ⑭자손(子孫)을 낳거나 며느리·사위를 얻어 들이다. ¶ 며느리를 ~. ⑮남의 계집이나 사내를 몰래 사귀다. ¶ 샛서방을 ~. ⑯음식상을 차리다. ¶ 빨리 상 보아라. ⑰운수 따위를 점치다. ¶ 사주 ~. ⑱어떤 목적 아래 만나다. ¶ 자네를 보러 가는 길일세/나 좀 봅시다. ⑲어떤 결과에 이르다. ¶ 끝장을 ~/합의를 ~.
[보고 못 먹는 것은 그림의 떡] 아무 실속이 없다는 말. [보기 싫은 반찬이 끼마다 오른다] 너무 잦아서 싫증난 것이 그대로 또 계속하여 눈에 띈다는 말. [보기 좋은 떡이 먹기도 좋다] 내용이 좋으면 겉모양도 반반하다는 말. [보기 좋은 음식 별수없다] 겉모양은 좋으면서 그 내용이 특별히 좋지 못할 때 하는 말. [보자보자 하니까 얻어 온 장(醬) 한번 더 뜬다] 과오(過誤)를 범한 사람을 꾸짖지 않고 그 개과(改過)할 때를 기다리는데 도리어 다른 과오를 저질러서 손해를 끼쳐 준다는 말. [보지 못하는 소 멍에가 아홉] 능력 없는 이에게 과중한 책임이 지워졌다는 말. [본 놈이 도둑질한다] 미리 보지 않고서는 도둑질을 못한다는 말.

보다[2] 보동 ①동사의 어미 '-어'·'-아'·'여' 등의 아래에 쓰이어 시험삼아 하는 뜻을 나타내는 말. ¶ 먹어 ~/잡아 ~/시험해 ~. ②'보았자'·'보았댔자'의 꼴로 쓰이어, 별 수 없다는 뜻을 나타내는 말. ¶ 약을 먹어보았자 별 수 없다.

보다[3] 보형 형용사나 동사의 어미 '-ㄴ가'·'-는가'·'-ㄹ까'·'-을까' 등의 아래에 쓰이어 추측이나 막연한 자기 의향을 나타내는 말. ¶ 이 쪽이 더 큰가 ~/비가 오나 ~/그만 둘까 ~. *-ㄴ가보다·-는가 보다.

보다[4] 부 한층 더. ¶ ~ 나은 내일/~ 정확히 말하자면.

보다[5] 조 체언(體言) 아래에 붙어서 두 가지를 비교하는 데에 쓰는 부사격 조사. ¶ 돈~ 책을 좋아한다/작년~ 덥다 / 보기~(는) 어렵다 / 출세를 위해서라기~ 자신을….

보다가 조 〈방〉 보다[4].

보다-못해 부 어떠한 일을 보고 참다가 더 참을 수가 없어서. ¶ ~ 일어섰다.

보닥-솔 명 ☞ 보득솔. ¶ ~ 밑에서 장끼가 까투리를 따르며 꾀는데… 《吳永壽 : 머루》.

보닥지 명 〈방〉 포대기(전남).

보닥-지다 형 〈방〉 보동되다.

보-단자 【保單子】 명 〖역〗 신분 보증서(身分保證書).

보담 조 〈방〉 보다[4].

보답[1] 【洑畓】 명 봇논.

보:답[2] 【報答】 명 남의 호의(好意)나 은혜를 갚음. 수보(酬報). ——-하다 자여불

보:대[1] 명 〈방〉 보지[1](함경).

보대[2] 【步帶】 명 〔ambulacral zone〕 〖생〗 극피 동물(棘皮動物), 예컨대 성게의 껍질에서 관족(管足)이 나오는 작은 구멍이 규칙적으로 배열된 석회판(石灰板)의 줄. 껍질의 중심에서 오방사상(五放射狀)으로 갈라짐.

보:대[3] 【保大】 명 〖사람〗 '바오 다이(Bao Dai)'의 한자 이름.

보:대[4] 【寶帶】 명 보옥으로 장식한 훌륭한 띠.

보대기 명 〈방〉 포대기(전남).

보대끼다 자 시달려 괴로움을 당하다. <부대끼다.

보댕 〔Bodin, Jean〕 명 〖사람〗 프랑스의 정치 사상가·경제학자. 위그노(Huguenot) 전쟁 때에 왕권의 옹호와 종교상의 관용을 주장함. 주저(主著)《국가론》은 근대적 주권 개념을 확립한 정치학의 고전으로 불리며, 이 밖에 《역사의 방법》·《물가 등귀 원인고(原因考)》 등이 있음. 경제면에서도 중상주의 정책의 선구자로 평가됨. [1530-96]

보:댕이 명 〈방〉 보지[1].

보:더 〔border〕 명 ①가장자리. 변두리. ②경계(境界). 국경 지방(國境地方).

보:더 라이트 〔border light〕 명 〖연〗 무대 전체를 고르게 비추기 위하여 무대 천장에 달아 놓은 조명등(照明燈).

〈보더 라이트〉

보:더 라인 〔border line〕 명 경계선(境界線). 국경선(國境線).

보:더라인 케이스 〔borderline case〕 명 확연치 않아 어떠하다고 판단하기 어려운 경우 또는 사건. 경계선적 사례(境界線的事例).

보:더 테리어 〔Border terrier〕 명 〖동〗 개의 한 품종. 영국 원산(原産)으로, 어깨 높이 약 30cm. 몸빛은 갈색·다갈색·보리색 등임. 몸집은 작지만 성질이 사나움.

보:더 프린트 〔border print〕 명 〖복식〗 피륙의 한쪽에만 프린트한 무늬.

보:덕[1] 【報德】 명 남의 은덕(恩德)을 갚음. ——-하다 자여불

보:덕[2] 【普德】 명 〖사람〗 고구려 보장왕(寶藏王) 때의 이름 높은 중. 법명(法名)은 지법(智法). 열반종(涅槃宗)의 시조. *경복사.

보:덕[3] 【輔德】 명 〖역〗 조선 시대의 세자 시강원(世子侍講院)의 종삼품 벼슬. 뒤에 정삼품으로 올림.

보:덕-국 【報德國】 명 〖역〗 신라 문무왕(文武王) 14년(674), 고구려의 유민(遺民) 안승(安勝)이 금마저(金馬渚) 곧 지금의 전북 익산군(益山郡)에 세운 나라. 신라는 그를 보덕국왕으로 봉했다가 신문왕(神文王) 3년(684)에 보덕국을 폐하고 안승을 경주로 불러 들이어 귀족으로 삼음.

보:덕-사 【報德寺】 명 〖불교〗 강원도 영월군 영월읍 영흥리(永興里) 발봉산(鉢峰山)에 있는 절. 월정사(月精寺)의 말사(末寺). 신라 문무왕(文武王) 8년(668)에 의상(義湘) 대사가 창건하였다고 함. 장릉(莊陵)의 능사(陵寺)임.

보데 〔Bode, Johann Elert〕 명 〖사람〗 독일의 천문학자. 베를린 천문대 대장. '보데의 법칙'을 발견하였음. [1747-1826]

보데의 법칙 【一法則】 [-/-에-] 명 〔Bode's law〕 〖천〗 태양에서 각 행성(行星)에 이르는 거리의 관계를 나타내는 법칙. 태양과 수성 사이의 거리를 4라 하고, 이하 $4+3\times2^n$의 자리에 행성이 위치한다는 법칙. $n=0$은 금성, $n=1$은 지구, $n=2$는 화성 등으로 됨. 1772년에 보데가 발표하였음.

보덴 호 【一湖】 〔Boden〕 명 〖지〗 독일·오스트리아·스위스의 국경에 있는 호수. 라인 강(江)의 일부를 이룸. 평균 수심 90m. 호안(湖岸)에서는 포도 재배가 성하며, 관광·휴양지도 많음. [538.5km²]

보:도[1] 【步度】 명 행군할 때의 걸음의 속도와 보폭(步幅)의 기준(基準). 도보(途步)·속보(速步)·구보(驅步) 따위.

보:도[2] 【步道】 명 인도(人道)❶. ¶ 횡단 ~. ↔차도(車道).

보:도[3] 【保導】 명 보호하여 지도함. ——-하다 타여불

보:도[4] 【報道】 명 나라 안이나 밖에서 생긴 일을 전하여 알려 줌. 또, 그 알림. ¶ 신문 ~/현지 ~. ——-하다 타여불

보:도[5] 【輔導·補導】 명 ①바른 방향으로 도와서 잘 인도함. 보익(輔翊). 익찬(翊贊). ¶ 직업 ~. ②위법 행위를 한, 또는 그럴 염려가 있는 소년·소녀를 대상으로 한 지도. ——-하다 타여불

보:도[6] 【寶刀】 명 보배로운 칼. 보검(寶劍). ¶ 전가(傳家)의 ~.

보:도 가치 【報道價值】 명 뉴스 밸류.

보:도-계 【步度計】 명 계보기(計步器).

보:도 관:제 【報道管制】 명 비상시(非常時)에 그 필요에 따라 보도를 국가의 관리 밑에 두어 제한하는 일. ——-하다 자여불

보:도-국 【報道局】 명 방송국 등에서, 보도 업무를 담당하는 부서(部署).

보:도 기관 【報道機關】 명 사회에서 일어나는 일을 널리 알려 주는 것을 목적으로 하는 온갖 시설. 신문사·방송국·통신사 따위.

보도독 부 ←보드득. ——-하다 자여불

보도독-거리다 자 ←보드득거리다. **보도독-보도독** 부. ——-하다 자여불

보도독-대다 자 보도독거리다.

보도록 부 〈옛〉 볼수록. ¶ 人心이 ᄂᆞᆺ ᄀᆞᆺ트야 보도록 새롭거ᄂᆞᆯ 《松江 星山別曲》.

보도롬 명 〈옛〉 뾰루지. =보도롯. ¶ 어미 보도롬을 알커ᄂᆞᆯ(母患疽)《東國 新續三綱 孝子圖》.

보도롯 명 〈옛〉 뾰루지. =보도롬. ¶ 보도롯 헤티ᄃᆞᆺ ᄒᆞᄂᆞ니(如決疣)《妙蓮 Ⅵ:145》.

보-도리 명 〖건〗 보와 도리.

보:도-부 【報道部】 명 어느 단체나 기관 같은 데에서 보도에 관한 일을 맡아 보는 부(部).

보:도 부:이사관 【輔導副理事官】 명 공안직(公安職) 국가 공무원 직급 명칭의 하나. 보도 직렬(職列)에 속하며, 교정 이사관의 아래, 보도 서

기관의 위로 3급 공무원임.
보:도 블록【步道—】〔block〕 명 보도에 포석(鋪石)으로 까는 시멘트 블록.
보:도 사:무관【輔導事務官】 명 공안직(公安職) 국가 공무원 직급 명칭의 하나. 보도 직렬(職列)에 속하며, 보도 서기관의 아래, 보도 주사의 위로 5급 공무원임.
보:도 사진【報道寫眞】 명 보도할 목적으로 사회 현상이나 자연계의 현상을 찍은 사진. ¶ ～전(展).
보:도 서기【輔導書記】 명 공안직(公安職) 국가 공무원 직급 명칭의 하나. 보도 직렬(職列)에 속하며, 보도 주사보의 아래, 보도 서기보의 위로 8급 공무원임.
보:도 서기관【輔導書記官】 명 공안직(公安職) 국가 공무원 직급 명칭의 하나. 보도 직렬(職列)에 속하며, 보도 부이사관의 아래, 보도 사무관의 위로 4급 공무원임.
보:도 서기보【輔導書記補】 명 공안직(公安職) 국가 공무원 직급 명칭의 하나. 보도 직렬(職列)에 속하며, 보도 서기의 아래로 9급 공무원임.
보도:시 부 〈방〉 겨우(전라·경상).
보:도-안【輔導案】 명 교안[2](敎案).
보:도 연맹【保導聯盟】 명 『역』 광복 후 좌익 활동을 하다가 전향(轉向)한 사람들로 구성되었던 단체. 정식 명칭은 국민 보도 연맹. 1949년 6월에 결성되었으나 한국 전쟁의 발발로 소멸됨.
보:도-원【報道員】 명 먼 곳의 일을 현지에서 보도하는 사람.
보도-족【—族】〔Bodo〕 명 인도 아삼(Assam) 지방에 분포하는 종족. 티베트 버마어계(語系) 종족으로 동서(東西) 두 군(群)으로 나뉨. 한때는 지배적 민족으로 왕국을 건설했었다고 함. 인구 약 120만 명 정도로 추정되며 서방(西方)으로부터의 영향을 받아, 대부분 표면적으로는 힌두화(化)함.
보:도 주사【輔導主事】 명 공안직(公安職) 국가 공무원 직급 명칭의 하나. 보도 직렬(職列)에 속하며, 보도 사무관의 아래, 보도 주사보의 위로 6급 공무원임.
보:도 주사보【輔導主事補】 명 공안직(公安職) 국가 공무원 직급 명칭의 하나. 보도 직렬(職列)에 속하며, 보도 주사의 아래, 보도 서기의 위로 7급 공무원임.
보:도-진【報道陣】 명 보도 기관이 무슨 일을 보도하기 위해 기자·카메라맨 등을 배치하고 갖춘 태세.
보:독【報毒】 명 원망을 독(毒)으로 앙갚음함. ——-하다 자여불
보독-보독 부 물건의 거죽이 몹시 보독한 모양. ㅆ뽀독뽀독. <부둑부둑. ——-하다 형여불
보:독 식물【保毒植物】 명 『식』 병원 바이러스(病原 virus)를 체내에 갖고 있으면서 장기간 또는 절대로 병징(病徵)을 나타내지 아니하는 식물. 그 즙액(汁液)을 이병성(罹病性) 식물에 접종(接種)하면 병징을 나타내므로 전염원(傳染源)이 될 수 있음. *보균 식물. 「둑하다.
보독-하다 형여불 물기가 거의 말라 좀 굳은 듯하다. ㅆ뽀독하다. <부
보돌옷 명 〈옛〉 뾰루지. ¶ 옴이며 버즘이며 큰 죵긔며 보돌옷이며 창질을(疥癬癰瘸瘡)《無冤錄 Ⅰ:25》.
보돌옷 명 〈옛〉 뾰루지. ＝보도롯. ¶ 아비 극의 보돌오즐 근십ᄒ거ᄅᆞᆯ(父
보돔다 [—따] 타 〈방〉 안다. ㄴ克義患疽)《東國 新續三綱 孝子圖》.
보돕시 부 〈방〉 겨우. 빠듯이(전라).
보돗-이 부 〈방〉 겨우. 빠듯이(전라·경상).
보-동【洑垌】[—똥] 명 보의 동막이. 보를 둘러 쌓은 둑. 봇둑.
보:동 공:양【普同供養】 명 『불교』 누구나 다같이 참여할 수 있는 공양.
보동-되다 [—뙤—] 형 ①길이가 짧고 가로 퍼지다. ②키는 작달막하고 통통하다.
보동-보동 부 살이 통통하고 매우 보드라운 모양. ㅆ포동포동. <부둥부둥. ——-하다 형여불 「인을 세우다.
보-두다【保—】 ㊀ 자 보증인이 되어 보증서에 이름을 쓰다. ㊁ 타 보증
보두-청【—廳】 명 『역』 포도청(捕盜廳).
보:드[1] 〔baud〕 의명 『컴퓨터』 데이터 전송(傳送)에 있어서의 변조(變調) 속도의 단위. 1보드는 1초 동안에 1요소(要素)를 보내는 속도.
보:드[2] 〔board〕 명 ①〔↗black board〕 칠판(漆板). ②건축 자재로 가공한
보드기 명 크게 자라지 못한 어린 나무. ㄴ판자.
보드득 부 ①질기거나 딱딱한 물건을 되게 맞비빌 때에 나는 소리. ②무른 똥을 힘들이어 눌 때에 나는 소리. ㅆ포드득. 1)·2):ㅆ뽀드득. <부드득. →보도독. *바드득. ——-하다 자타여불
보드득-거리다 자타 자꾸 '보드득' 소리가 나다. 또, 연해 '보드득' 소리를 내다. ㅆ포드득거리다. ㅆ뽀드득거리다. <부드득거리다. →보도독거리다. *바드득거리다. **보드득-보드득** 부. 준보득보득.
보드득-대다 자타 보드득거리다. ㄴ——-하다 자타여불
보드라치 명 〈방〉 뾰루지.
보드랍다 형ㅂ불 ①거세지 아니하고 물러서 연하고 매끈매끈하다. ¶ 비단처럼 보드라운 살결. ②바탕이 곱고도 순하다. ¶ 마음씨가 ～. ③동작이나 움직임이 유연하다. ¶ 몸놀림이 매우 ～. 1)-3):<부드럽다.
보드레-하다 형여불 ①퍽 보드라워 보이다. ②썩 약하여 맞설 힘이 없다. 1)·2):<부드레하다.
보드빌 〔프 vaudeville〕 명 『연』 춤과 노래 등을 곁들인 경묘하고 풍자적(諷刺的)인 통속 희극(通俗喜劇). *버라이어티 쇼.
보드카 〔러 vodka〕 명 러시아 특산인 증류주(蒸溜酒)의 일종. 호밀이나 밀 또는 감자·옥수수 등을 원료로 하여, 이에 엿기름을 가해서 당화(糖化) 발효시킨 누룩을 증류하여 만듦. 무색 투명으로, 거의 냄새가 없으며 조금 달콤한 맛이 있는 화주(火酒). 알코올 함유량 40-60%임.
보득-보득[1] 부 〈방〉 바득바득.
보득-보득[2] 부 ↗보드득보드득. ㅆ뽀득뽀득. <뿌득뿌득[2]. *바득바득[2]. ——-하다 자타여불
보득-솔 명 작달막하고 가지가 많은 소나무.
보들레르 〔Baudelaire, Charles Pierre〕 명 『사람』 프랑스의 시인·미술 비평가. 포(Poe)의 영향을 받아 프랑스 상징파의 선구를 이룸. 시집 《악의 꽃》은 세계적인 반향을 일으켜 근대시의 영역을 개척하였음. 이 밖에 산문시(散文詩)·회화(繪畫) 비평의 저서가 있음. [1821-67]
보들보들-하다 형여불 살갗에 닿는 느낌이 매우 보드랍다. ¶ 보들보들한 옷감. <부들부들하다.
보듬다 [—따] 타 〈방〉 안다(전북·충남).
보:등【寶燈】 명 『불교』 불전(佛前)의 등(燈)의 미칭(美稱).
보디[1] 명 〈방〉 바디[1].
보디[2] 〔body〕 명 ①신체(身體). 몸. ②동체(胴體). 몸통. ③차체(車體). 선체(船體). 기체(機體). ④양장에서 동부(胴部)나 동의(胴衣). 또, 진열용 동체의 모형. 코르사주. ⑤권투에서, 복부(腹部)를 이름. ¶ ～를 강타하다. ⑥체질 안료(體質顔料).
보디-가:드 〔bodyguard〕 명 경호원. 호위. 수행원. *가드 맨.
보디-라인 〔body-line〕 명 어깨너비·가슴둘레·웨이스트·히프 등에 따라서 구성되는 몸의 선(線).
보디 랭귀지 〔body language〕 명 〔육체 언어(肉體言語)의 뜻〕 ①『사』 몸짓·손짓·표정 등에 의한 비언어적(非言語的)인 표현. ②『극』 전위 연극에서, 격렬한 육체의 움직임에 의한 표현을 존중하는 수법(手法). 미국의 전위 연극 운동가 리차드 셰크너의 주장. ③요염한 율동과 허리의 회전, 몸 비틀기 등을 특징으로 하는 춤의 하나. 미국의 팝송 '보디 랭귀지'에서 유래한 것으로, 관능적·격정적임.
보디 로:션 〔body lotion〕 명 목욕 후에 몸에 바르는 로션.
보디 마사:지 〔body massage〕 명 전신 미용법의 하나. 피부를 곱게 하고 균형 잡힌 육체를 만들기 위하여 몸 전체를 마사지하는 일.
보디 블로: 〔body blow〕 명 권투에서, 배와 가슴 부분을 치는 일.
보디-빌더 〔body-builder〕 명 보디 빌딩을 하는 사람.
보디-빌딩 〔bodybuilding〕 명 역기나 아령(亞鈴) 운동 등으로 몸의 근육을 발달시키어 보기 좋고 튼튼한 신체를 만드는 일.
보디-슈:트 〔bodysuit〕 명 여성용 속옷의 하나. 가슴·허리·엉덩이 부분을 하나로 이어 만듦. 체형(體型)을 보기 좋게 하기 위한 것임.
보디스 〔bodice〕 명 코르셋 위에 입는 여성용의 옷. 어깨로부터 끈으로 내려서 가슴과 허리 둘레를 덮게 되어 있음. 얇은 옷의 밑에 입음.
보디 스윙 〔body swing〕 명 경기하기 전의 컨디션 조절을 위한 운동.
보디 슬램 〔body slam〕 명 프로 레슬링에서, 상대를 높이 들어올렸다가 매트에 메치는 기술. 「직이는 동작. ¶ ～가 좋은 선수.
보디-워:크 〔bodywork〕 명 권투에서, 경기 중에 상반신(上半身)을 움
보디 체크 〔body check〕 명 ①아이스 하키에서, 퍽(puck)을 가진 공격자에 대하여, 방어자가 자기 몸을 상대편의 몸에 부딪쳐 어깨·가슴·등·팔꿈치 등을 써서 공격을 막는 일. ②총포(銃砲)·도검(刀劍)·화약 등 위험물 소지의 여부를 확인하기 위하여 직접 몸을 수색하는 일.
보디톱 컴퓨:터 〔body-top computer〕 명 『컴퓨터』 미래형 컴퓨터의 하나. 음성 인식 기술을 이용하여 키보드 자체를 없애고 음성으로 명령을 전달하는 초소형 컴퓨터. 어깨·허리·손목 등에 장착하고 이동 중에도 여러 가지 업무를 수행할 수 있음. *데스크톱 컴퓨터·랩톱 컴퓨터.
보디 페인팅 〔body painting〕 명 벌거벗은 몸에 그림 물감을 칠하여 환상적인 그림이나 무늬를 그리는 짓.
보디 프레스 〔body press〕 명 레슬링에서, 자기의 체중으로 상대의 몸을 덮어 눌러 폴(fall)시키려는 기술.
보:딩 브리지 〔boarding bridge〕 명 공항의 탑승 대합실(待合室)에서 항공기의 출입구로 직접 연결된 통로. 탑승교(搭乘橋).
보ᄃᆞ라빙 부 〈옛〉 보드라이. 보드랍게. ¶ 아뫼나 ᄆᆞᅀᆞᄆᆞᆯ 보ᄃᆞ라빙 가지면 사ᄅᆞᆷ돌토 다 ᄒᆞ마 佛道ᄅᆞᆯ 일우며《釋譜 XIII:51》
보ᄃᆞ라ᄫᅳ며 형 〈옛〉 보드라우며. '보ᄃᆞ랍다'의 활용형. ¶ 八功德水ᄂᆞᆫ 여듧가짓 功德이 ᄀᆞ잔 므리니 ᄆᆞᆯᄀᆞ며 ᄎᆞ며 ᄃᆞᆯ며 보ᄃᆞ라ᄫᅳ며 흐웍ᄒᆞ며 《月釋 Ⅱ:42》. 「勞ᄒᆞ야《月釋 XXI:140》.
보ᄃᆞ라ᄫᆞᆫ 형 〈옛〉 보드라운. '보ᄃᆞ랍다'의 활용형. ¶ 보ᄃᆞ라ᄫᆞᆫ 말로 慰
보ᄃᆞ라온 형 〈옛〉 보드라운. '보ᄃᆞ랍다'의 활용형. ¶ ᄒᆞ다가 사ᄅᆞ미 이든 보ᄃᆞ라온 ᄆᆞᅀᆞᆷ 가지닌(若人善軟心)《妙蓮 Ⅰ:216》.
보ᄃᆞ라와 형 〈옛〉 보드라와. '보ᄃᆞ랍다'의 활용형. ¶ 이플 ᄌᆞ음ᄒᆞ얏ᄂᆞᆫ 버드리 보ᄃᆞ라와 노혼노혼ᄒᆞ니(隔戶楊柳弱嫋嫋)《初杜諺 X:9》.
보ᄃᆞ라이 부 〈옛〉 보드라이. ¶ 기름 져기 드려 보ᄃᆞ라이 ᄒᆞ야(入小油令軟)《救簡 Ⅲ:5》. 「랍게 호미오《月釋 XVII:19》.
보ᄃᆞ랍다 형 〈옛〉 보드랍다. ＝보ᄃᆞᇙ다. ¶ 디호믄 센 거슬 것거 보ᄃᆞ
보ᄃᆞᇙ다 형 〈옛〉 보드랍다. ＝보ᄃᆞ랍다. ¶ 보ᄃᆞ라ᄫᆞᆫ 이든 말도 ᄒᆞ시며《月釋 Ⅸ:22》.
보-따리【褓—】 명 보자기로 물건을 싸서 꾸린 뭉치.
 보따리(를) 싸다 구 관계하거나 다니던 일을 그만두다.
 보따리(를) 풀다 구 ㉠숨은 사실을 폭로하다. ㉡계획이 짜여진 일을 실지로 하기 시작하다.
보따리-장수【褓—】 명 ①물건을 보자기에 싸 가지고 다니며 장사하는 사람. 봇짐 장수. ②전(轉)하여, 소규모로 하는 장사의 비유.
보땅 명 〈방〉 대들보(평안).
보때기 명 〈방〉 볼때기(강원·충남·전북·경상).
보라[1] 명 ↗보랏빛. ¶ 연(軟)～.
보라[2] 명 쇠로 큰 쐐기같이 만든 연장. 멧목이나 장작을 팰 적에 도끼로 찍은 자리에 박고 내리쳐서 나무가 쪼개지게 하는 데 씀.

보라³ 〔bora〕 명 〖지〗 재넘이의 일종으로 겨울철에 아드리아 해(Adria海)의 동해안이나 흑해의 북동 해안에 별안간 불어 내려오는 차고 건조한 강풍(強風). 고원(高原)에서 발생한 한랭(寒冷)한 공기가 고기압에 밀려서 일어남. 또, 한랭한 돌풍을 동반한 사면 하강풍(斜面下降風)을 말하는 수도 있음.

보라-노린재 명 〖충〗 [*Menida violacea*] 노린잿과(科)에 속(屬)하는 곤충. 몸길이 10mm 내외이고 몸빛은 보랏빛 광택이 강한 흑색임. 소순판(小楯板)의 선단(先端)은 백색 또는 담황색임. 결합판(結合板)의 각절(各節) 중앙에 삼각형의 백색 반문(斑紋)이 있고 몸의 하면은 담갈색임. 산에 서식(棲息)하는데, 한국·일본·만주·시베리아 등에 분포함. 점박이보라노린재.

보라-매 명 〔중세 : 보라매. 몽 boro, bora(어린 매)〕 ①〖조〗 난 지 1년이 채 되지 아니하는 새끼를 잡아 길들이어 곧 사냥에 쓰는 매. *육지니. ②공군에서, 전투기나 폭격기 따위의 조종사. ③재지니.

보라-머리동이 명 머리에 보랏빛의 종이를 붙인 연(鳶).

보라민 명 〈옛〉 보라매. ¶ 보라미를 엇그제 갓손 쎄여 《永言》.

보라-색 【一色】 명 보랏빛.

보라-성게 명 〖동〗 [*Heliocidaris crassispina*] 극피 동물 성게류에 속하는 성게의 하나. 껍질의 직경은 6cm, 온 몸이 진한 보라색인데 껍질은 두껍고 빳빳한 털이 있으며 다소 편평함. 간보대(幹步帶)와 보대(步帶)의 무공부(無空部)에는 2개의 규칙적인 세로줄 무늬가 있음. 산란기는 5월부터 초여름까지임. 한국·일본 등의 연안 암초에 분포함. 생식선은 구중 향정(口中香錠)의 재료가 됨.

보라-잎벌레 명 〖충〗 [*Chrysolina virgata*] 잎벌렛과에 속하는 곤충. 몸길이 13mm 내외, 몸은 다소 원통상에 배면(背面)은 금속 광택이 나는 보랏빛 또는 녹색이며 복면(腹面)은 자갈색임. 날개에는 점각(點刻)이 밀포되고 전배판(前背板)과 측연(側緣)에 각각 한 개씩의 깊은 세로홈이 있음. 한국에도 분포함.

보라-자루맵시벌 명 〖충〗 [*Thyreodon purpurascens*] 맵시벌과에 속하는 곤충. 암컷의 몸길이는 30mm 가량, 몸빛은 흑색에 보랏빛의 광택이 나고, 촉각은 황적색, 날개는 암적갈색, 그 외연(外緣)은 흑갈대(黑褐帶)를 이루며 다리는 검음. 포도박각시의 유충에 기생하는데, 한국·일본·중국·시베리아에 분포함.

보라-장기 【一將棊】 명 오래도록 들여다보기만 하고 빨리 두지 아니하는 장기.

보라존 〔borazon〕 명 〖화〗 질화 붕소(窒化硼素)의 일종. 초고압(超高壓)에 의한 합성 신물질(新物質)의 하나. 밀도가 3.48로 거의 다이아몬드만큼 단단하여 각종 공구나 연마재로 쓰임.

보라-초 명 꼭지 외에 전체가 보랏빛으로 된 연.

보라 치마 명 위쪽 반은 희고 아래쪽 반은 보랏빛으로 된 연.

보라-탈 명 탈춤 놀이에 쓰는 보랏빛의 탈.
보라탈이냐 구 남에게 매를 잘 맞는 사람을 농으로 이르는 말.

보라-털 명 〖식〗 [*Bangia fusco-purpurea*] 홍조류에 속하는 바닷말. 빛은 짙은 자갈색인데 적황색 또는 연한 황색을 띰. 마르면 옻과 같은 광택이 있고 대지(臺地)에 밀착함. 몸은 배게 뭉치어 나고 한 줄기 세포로 된 사상체(絲狀體)이며, 길이 3-15cm임. 고조선(高潮線) 부근의 바위, 또는 목공물(木工物)에 붙고 겨울철에 번성함. 한국 전연안 지역과 일본·오스트레일리아·미국 태평양 연안·대서양에 분포함. 식용함.

보:락-당 【保樂堂】 명 〖사람〗 김안로(金安老)의 호(號).

보:란¹ 【寶欄】 명 〖건〗 옛 건축에서의 헌함(軒檻) 또는 난간(欄干)의 한 종류.

보란² 〔borane〕 명 〖화〗 수소와 붕소(硼素)와의 화합물의 총칭. B_nH_{n+4}, B_nH_{n+6}, B_nH_{n+8} 등으로 분류되며, 구조·조성(組成)은 여러 가지임. 디보란(B_2H_6)·테트라보란(B_4H_{10}) 외에 B_5H_9·B_6H_{10} 등은 안정된 분자임. 공기·물 등과 격렬하게 반응하여 유독함. 연소할 때 발열량이 크기 때문에 로켓 연료로 사용됨. 수소화 붕소(水素化硼素). 붕화 수소(硼化水素). *디보란·테트라보란.

보:란-좌 【寶欄座】 명 〖건〗 보란을 돌리어 놓은 대좌(臺座).

보람¹ 명 〔중세 : 보람(표적)〕 ①조금 드러나 보이는 표적. ②잊지 않기 위해서는 딴 물건과 구별하기 위하여 두드러지게 하여 두는 표. ③한 일에 대하여 나타나는 좋은 결과. 효력(效力). ¶ 약을 먹은 ~이 있다. ——하다 자여불 잊지 않기 위해서나 딴 물건과 구별하기 위하여 두드러지게 표하다.
보람(이) 뵈:다 구 무슨 사물의 표적이 조금 드러나 보이다.

보람² 명 〈방〉 바람(함경).

보람두다 자타 〈옛〉 표하다. 서명(署名)하다. ¶ 네 보람두라(你記認著)《老乞 下 13》.

보람-없다 〔一업一〕 형 어떤 일에 대한 노력의 결과가 좋지 아니하거나 드러나지 아니하다. ¶ 그것은 해도 보람없는 일이다.

보람-없이 〔一업씨〕 부 보람없게. ¶ 아무 ~ 끝나다.

보:람-유 【寶藍釉】 명 〖공〗 보석 남유(寶石藍釉).

보람 은행 【一銀行】 명 시중 은행의 하나. 1991년 금융 기관의 합병 및 전환에 관한 법률에 의거 한양투자 금융 주식 회사와 금성(金星) 투자 금융 주식 회사가 합병하여 설립함.

보람-차다 형 매우 보람있다. ¶ 보람찬 인생을 영위(營爲)하다.

보람ᄒᆞ다 타 〈옛〉 표하다. ¶ 表는 物을 보람ᄒᆞ야 나토씨라(表標物以表顯也)《楞嚴 1:70》.

보랏-빛 명 남빛과 자줏빛이 섞인 빛. 보라색. 준보라.

보레아스 〔그 Boreas〕 명 ①〖신〗 그리스 신화(神話)의 북풍(北風)의 신. ②〖문〗 북풍(北風). 시어(詩語)로 흔히 쓰임.

보렐 〔Borel, Émile〕 명 〖사람〗 프랑스의 수학자·정치가. 파리 대학 교수·하원 의원·해군 장관을 역임. 함수론·확률론 등에 이바지함. 《공간과 시간》·《우연론》 등 뛰어난 해설서를 씀. [1871-1956]

보:력¹ 【補力】 명 〔intensification〕 사진 용어로서 현상(現像)을 마친 원판의 화상(畫像)의 농담(濃淡)이 불충분한 때에 고치는 일.

보:력² 【寶曆】 명 보령(寶齡). 보산(寶算).

보:련 【寶輦】 명 〖역〗 옥교(玉轎).

보:-련대 【寶蓮臺】 명 〖불교〗 '연대(蓮臺)'의 미칭(美稱).

보:-련화 【寶蓮華】 명 '연화(蓮華)'의 미칭(美稱).

보:렴 【報念】 명 〖악〗 남도 입창(南道立唱)의 하나. 염불 구절을 모은 것으로, 순 한문으로 엮어짐. 장쾌한 멋이 있음.

보:령¹ 【保寧】 명 〖지〗 충청 남도의 한 시(市). 1읍(邑) 10면(面) 6동(洞). 북쪽은 홍성군(洪城郡), 동쪽은 청양군(青陽郡)과 부여군(扶餘郡), 남쪽은 서천군(舒川郡), 서쪽은 바다에 접함. 산물은 농산물과 축산·임산·수산·광산임. 대천 해수욕장·도화담(桃花潭) 등의 명승지가 있음. 1995년 1월, 대천시와 보령군을 통합, 보령시로 개편됨. [561.23 km²: 122,862명(1996)]

보:령² 【寶齡】 명 임금의 나이. 보산(寶算). 보력(寶曆).

보:령 교:성리 유적 【保寧校成里遺蹟】 〔一니一〕 명 〖고고학〗 충청 남도 보령시(保寧市) 오천면(鰲川面) 교성리(校成里)의 해발 188m되는 산정 상부에 이루어진 청동기 시대 후기 주거지 유적. 여러 토기들과 석기들이 섞여서 출토됨. 유적의 연대는 민무늬토기 시대의 후기에 해당되는 기원전 3세기경으로 추정됨.

보:령-군 【保寧郡】 명 〖지〗 충청 남도에 속했던 군. 1995년 1월, 대천시와 통합되어 보령시로 개편됨.

보:례¹ 【普禮】 명 〖불교〗 모든 성현(聖賢)에게 한꺼번에 배례(拜禮)함. ——하다 자여불

보:례² 【補禮】 명 〖천주교〗 급한 사정으로 온전한 예식을 갖추지 못하고 약식으로 거행한 세례식이나 결혼식을 나중에 보충하는 예식. ——하다 타여불

보로¹ 【甫老】 명 〈옛〉 치마. ¶ 裳俗稱보로《樂範 目錄 8》.

보로:² 〔Borrow, George〕 명 〖사람〗 영국의 작가·언어학자(言語學者). 유럽 각지를 여행, 로망스어(Romance語)를 연구함. 대표작 《스페인의 성경(聖經)》 등. [1803-81]

보:로-금 【報勞金】 명 ①노고(勞苦)에 대하여 보상하는 돈. ②〖법〗 국가보안법에 규정된 죄를 범한 자를 수사·정보 기관에 통보(通報)하거나 체포한 사람에게, 압수물이 있는 경우 상금과 함께 지급하는 돈. 또, 반(反)국가 단체나 그 구성원으로부터 금품을 취득하여 수사·정보 기관에 제공(提供)한 금품 중에서 지급하는 돈.

보로기 명 〈옛〉 포대기. ¶ 보로기 강(襁), 보로기 보(褓)《字會 中 24》.

보로네슈 〔Voronezh〕 명 〖지〗 러시아 연방의 도시. 보로네슈 강(江) 연안의 하항(河港) 도시로 굴착기(掘鑿機)·프레스 기계·합성 고무·염료(染料) 등의 공업이 성함. [809,000명(1981)]

보로노프 〔Voronoff, Serge〕 명 〖사람〗 러시아 출생의 프랑스 생리학자·외과의(外科醫). 동물의 선(腺)을 인체에 이식, 회춘법(回春法)을 연구한 대가임. [1866-1951]

보로디노 〔Borodino〕 명 〖지〗 러시아의 모스크바 남서쪽 90km 지점에 있는 마을. 1812년 나폴레옹의 야망이 좌절된 고전장(古戰場)임.

보로딘 〔Borodin, Aleksandr Porfir'evich〕 명 〖사람〗 러시아의 작곡가·화학자. 러시아 국민악파(國民樂派)의 대표자의 하나임. 작품은 오페라 《이고르 공(Igor 公)》·《중앙 아시아의 초원에서》 등. [1834-87]

보로미니 〔Borromini, Francesco〕 명 〖사람〗 이탈리아 바로크의 건축가·조각가. 베르니니(Bernini) 등의 아래서 산피에트로 대성당의 조각에 종사, 그 후 여러 성당의 건축을 맡아 함. 곡선(曲線)을 많이 써서 회화적인 아름다움을 강조, 동감(動感)이 넘치는 내부 공간을 만들어 내어 후기(後期) 바로크, 로코코(rococo) 건축에 커다란 영향을 끼침. [1599-1667]

보로부두르 〔Borobudur〕 명 〖지〗 인도네시아 자바 섬의 중부에 있는 광대한 불교 유적. 7세기 후반에 만들어진 석조(石造)의 대솔도파(大率堵婆)가 있어 유명함. 1814년에 발견됨.

보로사 【普魯斯】 명 〖지〗 '프러시아(Prussia)'의 취음(取音).

보로서 【普魯西】 명 〖지〗 '프러시아(Prussia)'의 취음(取音).

보로시 부 〈방〉 겨우. 빠듯이(전라).

보로실로브-그라드 〔Voroshilovgrad〕 명 〖지〗 우크라이나(Ukraina) 공화국 남서부의 도시. 돈바스(Donbas) 공업 지구의 중심지로, 기계·제철·제분(製粉) 공업 등이 성함. 구명(舊名)은 루간스크(Lugansk).

보로실로프¹ 〔Voroshilov〕 명 〖지〗 '우수리스크'의 구칭.

보로실로프² 〔Voroshilov, Kliment Efremovich〕 명 〖사람〗 소련의 군인·정치가. 육군 원수(元帥). 1904년 이래 볼셰비키로 활동, 2차 대전 중 국가 방위 위원으로 있었으며, 부수상을 거쳐 최고 회의 간부회 의장을 지냄. [1881-1969]

보로통-하다 형여불 ①부어 올라서 볼록하다. ②불만스러운 빛이 얼굴에 나타나 있다. 1)·2):쓰뽀로통하다. <부루퉁하다. **보로통-히** 부

보:록¹ 【譜錄】 명 악보(樂譜)를 모아 실은 기록.

보:록² 【寶錄】 명 보배로운 기록.

보:록³ 【寶籙】 명 ①제왕(帝王)의 위에 오를 전조(前兆). ②수보록무(受寶籙舞)를 추기 위한 채비.

보:록-사 【寶籙詞】 명 〖악〗 수보록무(受寶籙舞)에 맞추어 부르는 가사(歌詞).

보:록-장 【寶籙章】 명 〖악〗 수보록사(受寶籙詞)에 맞추는 악곡.

보롬 명 〈옛〉 보름. ¶ 보롬 망(望)《字會 上 2》/보롬(月半)《譯語 上 3》.

보롱이 명 〈방〉 산봉우리(경남).

보:료 명 속을 두껍게 넣고 만들어서, 앉는 자리에 항상 깔아 두는 요.

보:루¹ 【堡壘】 명 ①적의 접근을 저지하기 위하여 돌·흙·콘크리트 따위로 만든 견고한 구축물. 보채(堡砦). 채보(砦堡). 영루(營壘). ②전(轉)하여, 튼튼한 발판. ¶ 민주주의의 ~.

보:루² 【寶樓】 명 '누(樓)'의 미칭(美稱).

보:루 [의명] 〔←board〕 담배 열갑을 한 묶음으로 세는 단위.

보:루-각【報漏閣】[명]〖역〗누각(漏刻)에 관한 일을 맡아보던 관아. 경복궁과 창덕궁 안에 있었음. 누국(漏局).

보:루 박스 [명] 〔←board box〕〖속〗판지(板紙)로 만든 상자. 골판지 상자.

보루퉁-하다 [형] 〈방〉 보로통하다.

보:류¹【保留】[명] 일이나 안건(案件)의 결정을 미루어서 머물러 둠. 유보(留保). ¶ 징집 ~. ——-하다 [타][여불]

보:류²【補流】[명] 바닷물이 다른 장소로 이동했을 때, 다른 바닷물이 그 빈자리를 보충하기 때문에 생기는 흐름. 「류시킴.

보:류-제【保留劑】[명] 향료(香料)의 하나. 휘발(揮發)을 막고 향기를 보

보:륜【寶輪】[명]〖불교〗탑(塔)의 상륜(相輪)의 중심이 되는 부분. 노반(露盤) 위의 앙화(仰花)와 보개(寶蓋)와의 중간에 있는 아홉 개의 바퀴 모양의 부분. 구륜(九輪).

보:륨 〔Bohrium〕 [명]〖화〗인공 방사성 원소의 하나. 가속기(加速器)로 가속한 크롬(chrome) 이온으로 비스무트(bismuth)를 충격하여 만듦. 반감기(半減期)는 10^{-3}초. 덴마크의 물리학자 보어(Bohr, Niels)의 이름에서 유래함. [107번 : Bh : 264]

보르게세-가【一家】〔Borghese〕 [명] 이탈리아 시에나(Siena)의 명가(名家). 16세기로부터 19세기에 걸쳐 정계(政界)·사교계에 명성을 떨쳤으나 후에 로마에 옮아갔음.

보르게세 미술관【一美術館】〔Borghese〕 [명] 로마에 있는 미술관. 건물은 17세기에 보르게세가(家)에서 별장으로 세웠던 것. 보르게세가의 수집품 외에 고대 로마 및 헬레니즘의 조각 외에 카노바(Canova)·베르니니(Bernini)의 조각, 코레조(Correggio) 등의 그림이 있음.

보르네오 〔Borneo〕 [명]〖지〗동남 아시아 말레이 군도 중 가장 큰 섬. 세계에서 셋째로 큰 섬으로 북부의 사바(Sabah)·사라와크(Sarawak)는 말레이시아령(領), 또한 브루나이(Brunei)는 영국의 보호령이며 나머지 약 70%는 인도네시아령(領)으로 칼리만탄(Kalimantan)이라 부름. 고원·산지(山地)가 많고 삼림이 도처에 무성하여 티크재(teak材)·야자·향료·고무·담배·쌀 등의 산출이 많으며, 석유·석탄·금·다이아몬드 등의 광산물도 풍부함. 주민의 대부분은 다야크족(Dyak族)이고, 말레이족·한족(漢族)이 다음을 차지하며, 종교는 대개가 이슬람교(教)임. [746,300 km²: 7000,000명(1972 추계)]

보르데 〔Bordet, Jules〕 [명]〖사람〗벨기에의 세균학자. 1901년 이래 브뤼셀의 파스퇴르 연구소장 역임. 전염병의 혈청학적(血清學的) 진단법의 연구로 1919년 노벨 생리 의학상을 받음. [1870-1961]

보르도¹ 〔Bordeaux〕 [명]〖지〗프랑스 남서부 지롱드 주(Gironde州)의 주도로서 상항(商港)·공업 도시. 가론 강(Garonne江)의 좌안(左岸)에 위치하여 포도주·과실·직물·피혁(皮革) 등을 수출함. 부근은 포도주의 산지로 유명하며, 설탕·브랜디·담배·면직물·도자기·유리 외에 철강(鐵鋼)·조선(造船)·정유(精油)·석유 화학 등의 공업도 행하여짐. 대학·도서관·박물관·미술관 등이 있으며 제1차 세계 대전 중에 한때 프랑스 정부가 이 곳에 이전한 일도 있음. [201,965명(1983)]

보르도² 〔프 Bordeaux〕 [명] ①프랑스의 보르도 지방에서 나는 포도주. 영국에서는 클라레(claret)라고 함. ②산성(酸性) 물감의 한 가지. 붉은빛을 띤 밤색으로 염색(染色)에 쓰임.

보르도-액【一液】〔프 Bordeaux〕 [명]〖화〗살균제의 하나. 황산구리와 생석회(生石灰)를 혼합한 액체. 프랑스 보르도 지방에서 처음 사용한 데서 온 말로, 젖빛이 도는 푸른 액체인데 채소·과실 등의 해충 구제 또는 살균제로 쓰임. 석회 보르도액.

보르래기 [명] 〈방〉 뾰루지(평안).

보르르 [부] ①좁은 그릇에서 적은 물이 갑자기 끓어 오르는 모양이나 소리. ②한데 모인 마른 나뭇개비나 종이 같은 것에 불이 붙어 가볍게 타오르는 모양. ③춥거나 무서워서 갑자기 몸을 옴츠리면서 떠는 모양. 1)-3): ㅆ포르르. <부르르. *바르르. ——-하다 [자][여불]

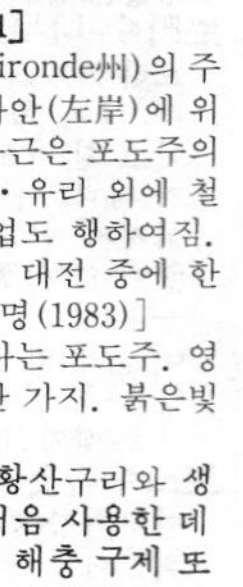

〈보르반〉

보:르-반【一盤】[명] 〔도 Bohrbank〕〖기〗고정식으로 된 구멍을 뚫는 공작 기계. 수직인 회전축(回轉軸)에 드릴(drill)을 끼워서 버팀대(臺)에 고정한 공작물에 구멍을 뚫음. 탁상(卓上) 보르반·직립(直立) 보르반 등이 있음. 천공기(穿孔機). 드릴링 머신(drilling machine).

보르조이 〔borzoi〕 [명]〖동〗개의 일종. 몸이 크고 입은 뾰족하며 네 다리는 긴 털로 덮임. 원래 사냥개였으나 지금은 집 지키는 개로 사용함. 러시아 원산임.

보:르-지【一紙】[명] 〔board〕 판지(板紙). 마분지.

보르지아 〔Borgia, Cesare〕 [명]〖사람〗이탈리아의 전제 정치가. 교황 알렉산드로 6세의 아들. 종교계의 요직을 거치면서 교황령을 확대함. 그 정치적 수완 때문에 권모 술수의 대표적 인물로 간주되어 마키아벨리(Machiavelli)의 군주론(君主論)의 모델이 됨. 그의 부친의 사후(死後) 불우한 생활을 함. [1475-1507]

보르탁 【VORTAC】 [명]〖군〗〔VOR and TACAN의 약칭〕 브이 오 아르(VOR) 장비의 민간 항공기와 타칸(TACAN) 장비의 군용기(軍用機)가 병용할 수 있는 지상 표지국(地上標識局). VOR국(局)에 거리 측정 장치를 병설한 것으로 방위(方位)와 거리를 동시에 알 수 있기 때문에 극좌표 항법(極座標航法)이나 항공 관제에 쓰임.

보르토크 〔Bartók, Béla〕 [명]〖사람〗☞ 버르토크.

보르헤르트 〔Borchert, Wolfgang〕 [명]〖사람〗독일의 작가. 배우 지망이었으나 제2차 대전에 징집되어 반전(反戰) 사상으로, 투옥·전선 근무·병원(病院) 입원을 되풀이하다가 스위스의 병원에서 사망함. 병상(病床)에서 그의 체험에서 우러나온 약 50편의 단편과 전쟁 세대의 기념비적 희곡인 ≪문 밖에서≫를 씀. [1921-47]

보른 〔Born, Max〕 [명]〖사람〗독일 출신의 영국 물리학자. 나치에 쫓기어 영국에 귀화함. 양자 역학(量子力學)의 개척자의 한 사람으로 입자 산란(粒子散亂)의 연구로부터 파동 함수(波動函數)의 확률적인 해석을 제창, 양자 역학과 파동 역학(波動力學)과의 연결을 명확히 하여 1954년에 보테(Bothe, W.)와 함께 노벨 물리학상을 받음. [1882-1970]

보른홀름 섬 〔Bornholm〕 [명]〖지〗덴마크 동단(東端), 발트 해(海) 어귀에 있는 섬. 낮고 평평한 섬으로 낙농·어업을 주로 하며 석재(石材)를 산출함. 1660년에 덴마크령(領). [587 km²]

보름¹ [명] 〔중세 : 보롬〕 ①열다섯 날 동안. 15일간. ¶ ~ 안에 갚겠다. ②↗보름날. ③대보름날. ④〈방〉 한가위(경상).

보름² [명] 〈방〉 부럼.

보름-게 [―께] [명] 음력 보름께에 잡히는 게. *그믐게.

보름-날 [명] 음력으로 초하루로부터 열다섯째 되는 날. 음력 15일. 망(望). 망일(望日). [준]보름.

보름-달 [―딸] [명] 음력 보름날에 뜨는 둥근 달. 만월(滿月). 망월(望月). [보름달 밝아 구황(救荒)하러 가기 좋다] 별로 내키지 않는 일을 하는 데 약간의 호조건이 갖추어져 있다는 말.

보름-밤 [―빰] [명] 보름날 밤.

보름-보기 [명] '애꾸눈이'를 조롱하는 말. ¶ 이제 ~가 되었으니…만약 입정을 함부로 놀렸다간 하나 남은 누깔은 물론이요, 혓바닥까지 뽑아 버릴 것이니…≪金周榮 : 客主≫. 「날 무렵에 잡힌 조기.

보름-사리 [명] ①음력으로 매달 보름날의 조수(潮水). ②음력으로 보름

보름-새 [명] 피륙의 날의 15새, 곧 1200올의 일컬음.

보름스 〔Worms〕 [명]〖지〗서독 라인란트 팔츠 주(Rheinland Pfalz州)의 고도(古都). 라인 강 좌안(左岸)의 항구 도시. 포도주를 산출하며, 기계·피혁·가구 제조 공업이 성함. 보름스 성당(聖堂)을 비롯하여 많은 로마네스크 건축이 남아 있음. [78,000명(1970 추계)]

보름스 국회【一國會】〔Worms〕 [명]〖역〗보름스에서 열린 신성 로마 제국의 국회로, 1521년 독일 황제 카를(Karl) 5세가 루터의 종교 개혁 운동을 탄압할 목적으로 보름스에서 연 회의. 루터를 소환·심문하여 그의 25부의 저서(著書)를 취소하고 아울러 신설(新說)을 번복할 것을 요구하였으나 끝내 불응하므로 그에게 제국 추방(帝國追放)을 선고함. 보름스 회의.

보름스 성:당【一聖堂】〔Worms〕 [명] 보름스에 있는 로마네스크 교회당. 12-13세기초에 건립되어 사원탑(四圓塔) 십자형(十字形)의 평면을 가진, 독일 로마네스크의 전형으로 일컬어짐.

보름스 협약【一協約】〔Worms〕 [명]〖역〗1122년 로마 교황과 신성 로마 황제 사이에 맺어진 협약. 1076년 이래 성직 서임권(聖職敍任權)을 둘러싼 싸움은 성직 이외에서의 성직 서임권이 교황의 손에 돌아가 황제권이 후퇴함으로써 일단 타협이 성립됨.

보름스 회:의【一會議】〔Worms〕 [―/―이] [명]〖역〗보름스 국회.

보름-차례【一茶禮】[명] 음력 보름날마다 집안 사당에 드리는 차례. 망다례(望茶禮).

보름-치¹ [명] 보름 동안 충당할 분량. ¶ ~ 봉급.

보름-치² [명] 음력 보름께에 비나 눈이 오는 날씨. ——-하다 [자][여불]

보리¹ [명] 〔중세 : 보리〕〖식〗[*Hordeum vulgare* var. *hexastichon*] 볏과에 속하는 1-2년생의 재배식물. 줄기는 곧고 속이 비었으며 높이 1 m 가량임. 잎은 호생하고 긴 피침형에 걸이 매끄러우며 평행맥(平行脈)이 있음. 꽃은 5월에 길이 8 cm 가량의 수상(穗狀) 화서로 줄기 위에 피는데 긴 수염이 달림. 봄보리와 가을보리가 있는데 서남 아시아·이집트의 원산으로 전세계 온대 지방에서 재배함. 영과(穎果)는 '보리'라 하여 쌀 다음가는 주식(主食) 곡물로서 보리밥·맥주·된장·빵 등의 원료이고 줄기는 여름 모자·공예품·땔감·제지용(製紙用)·퇴비 등으로 씀. 대맥(大麥). *겉보리·쌀보리.

〈보리¹〉

[보리 가시랭이가 까다로우냐 괭이 가시랭이가 까다로우냐] 배우 성미가 까다로운 사람을 두고 이르는 말. [보리 갈아 놓고 못 참는다] 어서 결과를 얻으려고 성급히 구는 사람을 두고 하는 말. [보리 갈아 이태 만에 못 먹으랴] 으레 정해져 있다는 말. [보리로 담근 술 보리 냄새가 안 빠진다] 제 본성은 그대로 지닌다는 말. [보리 밥알로 잉어 낚는다] 작은 것을 주고 큰 것을 받거나, 작은 밑천으로 많은 이익을 본다는 말. [보리 안 패는 3월 없고 나락 안 패는 6월 없다] ㉠모든 일에 때가 있다는 말. ㉡계절은 어김없이 돌아온다는 말. [보리 주면 오이 안 주랴] 받는 것이 있어야 주기도 한다는 말.

보리²【菩提】[명] 〔범 Bodhi〕〖불교〗①〔도(道)·지(智)·각(覺)의 뜻〕 불교에서 최상의 이상(理想)인 불타 정각(佛陀正覺)의 지혜. 성문(聲聞)·연각(緣覺)·보살(菩薩) 등이 번뇌(煩惱)를 잊고 불멸(不滅)의 진리(眞理)를 깨달아 얻는 불과(佛果). 삼보리(三菩提). ②불타 정각의 지혜를 얻기 위하여 수행하여야 할 길. 불과에 도달하는 길.

보리-감주【一甘酒】[명] 보리로 담근 감주.

보리-강 【菩提講】 [명]〖불교〗보리(菩提)를 구(求)하기 위하여 법화경(法華經)을 강설(講說)하는 법회(法會).

보리-고추장【一醬】[명] 보리쌀을 재료로 하여 담근 고추장.

보리-까락 [명] 보리의 까끄라기.

보리-깜부기 [명] 보리에 감염(感染)된 깜부기병. 또, 그 보리.

보리깨 [명] 〈방〉 바리 뚜껑(평안).

보리-논 [명] 보리를 심은 논. 맥답(麥畓). *논보리.

보리-농사【一農事】[명] 보리의 씨를 뿌리고 가꾸고 수확하는 일. 맥농(麥農). 맥작(麥作).

보리-누룩 [명] 보리를 껍질째 말렸다가 갈아서 보리 뜨물에 반죽하여 닥

나무 잎에 싸서 두어 달 동안 바람받이에 달아 두어 만든 누룩. 대맥국(大麥麴). 맥혼(麥麮). 황자(黃子). 황혼(黃麮). 황의(黃衣).

보리-누름 명 보리가 누렇게 익는 철.
[보리누름까지 세배한다] 정초에 한번 했으면 그만인 세배를 때 늦게까지도 한다는 뜻으로, 지나치게 예의를 차리는 사람을 조롱하여 일컫는 말. [보리누름에 선 늙은이 얼어 죽는다] 더워야 할 계절에 도리어 춥게 느껴지는 때가 있다는 말.

보리다 타 〈방〉 바르다¹(전남·경남).

보리 달마【菩提達磨】명〖불교〗 달마(達磨).

보리-동지【一同知】명 곡식을 바치고 벼슬을 얻은 사람을 조롱하여 일컫는 말. 맥동지(麥同知).

보리 등겨 명 보리의 등겨.

보리-때 명 〈방〉 보릿고개(경상).

보리-떡 명 ①보리쌀의 고운 겨나 보릿가루로 만든 떡. ②〖성〗 유태인들이 보리로 만들어 먹던 떡. 예수가 이 떡 다섯 개로 많은 사람을 먹이고 남긴 이적(異蹟)을 나타냈음.
[보리떡을 떡이라 하며 의붓아비를 아비라 하랴] 보리떡과 의붓아비는 좋지 않다는 말.

보리-똥 명 〈방〉 보리수¹.

보리똥-나무 명 〈방〉〖식〗 보리수나무.

보리-락【菩提樂】명〖불교〗 보리를 이루어 법계(法界)에서 자재(自在)로 되는 법락(法樂).

보리 막걸리 명 보리로 빚어 담근 막걸리.

보리-매미 명〖충〗[*Enterpnosia inanulata*] 매밋과에 속하는 곤충. 참매미와 비슷하나 몸이 좀 작고 우는 소리도 똑똑하지 못함. 제일 먼저 나와 보리누름 때부터 울기 시작한 데서 이름지어짐.

보리맥-부【一麥部】명 한자 부수(部首)의 하나. '麪'이나 '麴' 등의 '麥'의 이름.

보리-멸 명〖어〗[*Sillago sihama*] 보리멸과에 속하는 바닷물고기. 몸길이 24cm 가량. 앞쪽은 원통상, 뒤쪽은 측편한데 주둥이는 길고 끝이 뾰족하며 입이 작음. 몸빛은 등 쪽이 담황색, 배 쪽은 그보다 담색임. 등지느러미는 두 개, 비늘은 작고 벗겨지기 쉬움. 내만성(內灣性) 물고기로서 해안 근처 모래 바닥에 사는데 한국 서남부 및 동해 남부·일본·필리핀·동인도 제도·홍해에 분포함. 여름철에 맛이 좋음. 서두어(鼠頭魚).

〈보리멸〉

보리멸-과【一科】[一꽈] 명〖어〗[Sillaginidae] 농어목(目)에 속하는 어류의 한 과. 보리멸과 청보리멸 등이 이에 속함.

보리-문【菩提門】명〖불교〗 ①사문(四門)의 하나. 보리(菩提)에 들어가는 문. 불도(佛道). ②장사 지내는 곳에 세우는 사문(四門) 중에서 서쪽의 문을 일컫는 말.

보리-문둥이 명 〈속〉 경상도 사람을 홀하게 일컫는 별명.

보리 바둑 명 〈속〉 법식도 없이 아무렇게나 되는 대로 두는 바둑. 또, 서투른 바둑.

보리 밟:기 [一밥一] 명〖농〗 겨울 동안 부풀어 오른 보리 고랑의 표토(表土)와 뿌리의 착생(着生)을 튼튼히 하기 위하여 이른 봄에 보리 싹의 그루터기를 밟는 일. 밟는 대신에 흙을 덮기도 함. ——하다 자 여불

보리-밥 명 쌀에 보리를 섞거나 또는 보리로만 지은 밥. 맥반(麥飯).
[보리밥에는 고추장이 제격이다] 무엇이든지 자기의 격에 알맞도록 해야 좋다는 뜻.

보리밥-나무 명〖식〗[*Elaeagnus macrophylla*] 보리수나뭇과에 속하는 반상록(半常綠) 활엽 관목. 잎은 원형 또는 넓은 달걀꼴로 가에 톱니가 없고 잎 뒤는 동백색임. 9-10월에 은백색 꽃이 종(鐘)모양으로 액생(腋生)하여 피는데 갈색의 비늘 조각이 산포되어 있음. 장과(漿果)는 다음 해 4-5월에 발갛게 익음. 해안 지대에 나는데 한국 중부 이남·일본·대만 등지에 분포함. 과실은 식용함. 봄보리수나무.

〈보리밥나무〉

보리-밭 명 보리를 심은 밭. 맥전(麥田).
[보리밭만 지나가도 주정한다] ㉠성미가 급하여 지나치게 서두르는 사람을 이르는 말. ㉡술을 전혀 마시지 못하는 이를 놀리는 말.

보리뿌리-점【一占】명〖민〗 입춘(立春)날에 농가(農家)에서 보리 뿌리를 캐어 보고 그 해의 농작물의 풍흉(豐凶)을 알아내는 점. 보리의 뿌리가 세 가닥으로 되었으면 풍년이고, 두 가닥으로 되었으면 평년이고, 가닥이 없으면 흉년이라 함.

보리-사초【一莎草】명〖식〗[*Carex kobomugi*] 방동사닛과에 속하는 다년초. 줄기는 총생(叢生)하고 높이 30cm 가량, 잎은 넓은 선형(線形)으로 줄기보다 길고 나비가 5-8mm임. 6-8월에 자웅 이가(雌雄二家)의 수꽃이삭은 긴 타원형, 암꽃이삭은 길이 6cm 내외로 정생(頂生)하여 피고 과낭(果囊)은 피침상 달걀꼴임. 해변의 모래 땅에 나는데, 강원도·함경도에 분포함. 큰보리대가리.

암꽃
수꽃
〈보리사초〉

보리 살타【菩提薩埵】명〖불교〗 보살(菩薩)❶. ㊀살타.

보리-새우 명〖동〗[*Acetes japonicus*] 보리새웃과에 속하는 절지(節肢) 동물의 한 무리. 소형(小形)의 새우로 복부(腹部)는 두흉부(頭胸部)의 네 배 가량 되고 배면(背面)에는 미세(微細)한 가시가 있으며 제2 촉각은 긴데 중도(中途)에서 꺾이고, 털이 대생(對生)하며 몸은 반투명체임. 넷째와 다섯째 다리는 퇴화하였음. 한국의 서해안과 대동강 부근에 분포함. 소금에 절여 식용으로 함. 강하(糠蝦). 해강어(海糠魚). 젓새우.

〈보리새우〉

보리새우 무침 명 마른 보리새우를 볶거나 또는 그대로 양념하여 무친 반찬.

보리-성【菩提聲】명〖불교〗 염불(念佛)하는 소리.

보리-소매고둥 명〖조개〗[*Pyrene varians*] 소매고둥과에 속하는 고둥의 하나. 패각(貝殼)은 방추형으로, 높이 12mm, 직경 5.5mm 내외이고, 나층(螺層)은 8층 내외임. 껍질 표면은 흰데 갈색의 세로무늬가 있음. 입은 측면(側面)에서 보면 'S'자형을 이룸. 흔히 해안의 모래 속에 사는데, 한국·일본 등지에 분포함.

보리 소주【一燒酒】명 보리밥에 누룩을 섞어 담갔다가 곤 소주.

보리수¹ 명 보리수나무의 열매.

보리-수²【菩提樹】명〔범 Bodhi-druma〕①〖불교〗 석가(釋迦)가 그 아래 앉아서 도(道)를 깨달아 정각(正覺)을 성도(成道)했다는 나무. 인도 가야산(伽倻山)에 있으며 해마다 석가가 입멸(入滅)한 날에는 잎이 시든다고 함. 본명은 피팔라수(pippala樹)임. 각수(覺樹). 도수(道樹). 불수(佛樹). 사유수(思惟樹). 용화수(龍花樹). ②〖식〗[*Ficus religiosa*] 뽕나뭇과에 속하는 상록 활엽 교목. 높이 30m 가량이고, 혁질(革質)의 잎은 호생하고 잎꼭지가 긴데 심장형을 이루고 끝은 꼬리처럼 되어 매끄러움. 꽃은 은두화(隱頭花)이고 과실은 무화과(無花果)와 비슷한데 직경 1cm 가량이고 암자색으로 익음. 인도 원산으로, 관상용으로 온실(溫室)에서 재배할 수 있음. 인도의 가야산에 나는 것을 불교에서는 성수(聖樹)로 신성시함. 인도보리수. ③〖식〗[*Tilia miqueliana*] 피나뭇과에 속하는 낙엽 활엽 교목. 염주나무와 비슷하나 중국 원산으로 높이 15m 이상이고, 가지가 많으며 별 모양의 잔털이 밀생함. 잎은 호생하고 잎꼭지가 짧은데 삼각상 심장형을 이루며, 뒷면에만 잔털이 있어 회백색임. 첫여름에 담황색 오판화가 액생하여 취산(聚繖) 화서로 늘어져 피고, 길이 직경 8mm 가량의 둥근 열매는 회갈색 털이 나 있음. 사원(寺院)의 정원에 심음. 열매는 '보리자'라 하여 염주를 만듦. *염주나무.

〈보리수²❷〉

〈보리수²❸〉

보리-수³【菩提樹】명〔도 Der Lindenbaum〕〖악〗 슈베르트 작곡의 가곡(歌曲). 1827년에 지은 연작(連作) 가곡 《겨울 나그네》 중의 제5곡(曲)이나 독립적으로 흔히 불리어짐. 연인(戀人)에게 버림받은 젊은이가 보리수 그늘 아래 마음의 안식(安息)을 구하는 내용의 노래로, 나뭇잎의 흔들거림을 나타낸 전주(前奏)를 따라 시작되는 민요풍(民謠風)의 선율(旋律)이 아름다움. 린덴바움.

보리수-나무 명〖식〗[*Elaeagnus crispa* var. *typica*] 보리수나뭇과에 속하는 낙엽 활엽 관목. 높이 3m 가량, 잎은 호생하며 긴 타원상 피침형에 길이 4-7cm 이고 흰 인모(鱗毛)가 밀생하며 윗면은 나중에 떨어져 지나, 아랫면과 작은 가지에서는 언제까지나 떨어지지 아니하고 회백색을 띰. 초여름에 황백색의 꽃이 엽액(葉腋)에 1-3개씩 나는데 자웅 일가(雌雄一家)임. 둥근 장과(漿果)는 직경 7-8mm이고 가을에 붉게 익음. 산과 들에 나는데, 한국의 중부 이남·일본·중국 등지에 분포함. 과실은 식용, 산울타리용으로 심기도 함. *볼레나무.

〈보리수나무〉

보리수나뭇-과【一科】명〖식〗[Elaeagnaceae] 쌍자엽(雙子葉) 식물 이판화류(離瓣花類)에 속하는 한 과. 전세계에 55여 종, 한국에는 보리수나무·볼레나무·보리밥나무·녹보리수나무·왕보리수나무 등이 분포함.

보리 수단【一水饍】명 보리로 만든 수단. 삶은 통보리에 녹말을 씌워 다시 삶거나 또는 보릿가루를 반죽하여 잘게 빚어서 삶은 것을 꿀물에 넣어 만든 음식. 맥수단(麥水饍).

보리 수제비 명 보릿가루를 반죽하여 만든 수제비. 대맥 운두병(大麥雲頭餠).

보리-술 명 보리로 빚은 술.
[보리술은 보리술 맛; 보리술이 제 맛 있다] 보리술은 쌀로 담근 술보다 못하다 함이니, 근본이 나쁘면 그 결과도 좋지 못하다는 말.

보리 숭늉 명 볶은 보리를 숭늉에 넣어 끓인 물. 맥탕(麥湯).

보리-심【菩提心】명〖불교〗 보리(菩提)·정각(正覺)을 구하는 마음. 불교의 구도심(求道心). 선심(善心). 종자(種子).

보리-쌀 명 보리의 열매를 찧어서 껍데기를 벗긴 곡식.

보리-알 명 보리의 낟알.

보리-윷 명 법식도 없이 아무렇게나 되는 대로 노는 윷.

보리-자【菩提子】명〖식〗 '보리수²(菩提樹)❸'의 열매. 보리주(菩提珠).

보리자 염:주【菩提子念珠】명 보리자로 만든 염주.

보리 장:기【一將棋】명 법식도 모르고 아무렇게나 되는 대로 두는 장기.

보리장-나무 명 〈방〉〖식〗 ①보리수나무. ②볼레나무.

보리-주【菩提珠】명 보리자(菩提子).

보리-죽【一粥】명 닦인 보리를 갈아서 쑨 죽.
[보리죽에 물 탄 것 같다] ㉠사람이 싱겁다. ㉡덤덤하여 별재미가 없다.

보리-차【一茶】명 까맣게 볶은 겉보리를 넣어 끓인 차. 맥다(麥茶).

보리-타다 자 〈속〉 매를 되게 얻어맞다. 매맺다. ¶박 의관네 청지기가 형장에 끌려간 때는 돌이가 한참 보리타는 판이었다《李無影 : 農民》.

보리 타:작【一打作】명 ①〖농〗 보릿단을 태질치거나 탈곡기(脫穀機)에 넣어서 떠는 일. ②〈속〉 매를 되게 얻어맞음. ——하다 자 여불

보리 타:작 소리【一打作一】명〖악〗 경상도 민요의 하나. 보리 타작할 때 도리깨질하면서 부르는 소리. 내용은 작업의 통괄, 작업의 성과에 대한 기쁨과 주인에 대한 평소의 울분의 발산 등을 소박하면서도 교묘히 표현한 것임. '옹헤야'로 메기고 받으므로 '옹헤야'로도 불림.

보리-풀 명〖농〗 보리 갈 땅에 거름하기 위하여 벤 풀이나 나뭇잎. 보릿

거름. ——-하다 자여불 보리풀을 베어 오다.
보리풀(을) 꺾다 구 ☞보리풀하다.
보:린【保隣】명 이웃끼리 서로 돕고 돌보아 줌. ——-하다 타여불
보:린-관【保隣館】명〖사〗인보관(隣保館).
보:린 사:업【保隣事業】명〖사〗인보 사업(隣保事業).
보:림-사【寶林寺】명〖불교〗①전라 남도 장흥군(長興郡) 유치면(有治面) 봉덕리(鳳德里) 가지산(迦智山)에 있는 절. 송광사(松廣寺)의 말사(末寺). 신라 헌안왕(憲安王) 4년(860)에 보조 선사(普照禪師)가 종래의 초암(草庵)을 중수(重修)한 것임. 인도와 중국에도 보림사가 있어서 이 세 절을 합하여 삼보림(三寶林)이라 함. 신라 때 가지산파(迦智山派)의 근본 도량(道場)이었으며, 신라 때 세운 보조 선사탑비(普照禪師塔碑)가 있음. ②전라 북도 정읍시(井邑市) 북면(北面) 보림리(寶林里)에 있는 절. 선운사(禪雲寺)의 말사(末寺). ③경상 남도 창녕군(昌寧郡) 영산면(靈山面)에 있던 절. 절터에 있는 진경(眞鏡)의 보월 능공탑비(寶月凌空塔碑)의 비문(碑文)에는 신라 경명왕(景明王) 7년(923)에 세운 것으로 되어 있음.
보:림사 삼층 석탑【寶林寺三層石塔】명 전라 남도 장흥군(長興郡) 유치면(有治面) 소재 보림사에 있는 남북 두 개의 석탑. 통일 신라 시대에 건립된 것으로, 높이 3.12 m, 모두 화강석으로 된 경쾌한 구조임. 석등(石燈)과 함께 국보 제44호.
보:림사 철조 비로사나불 좌:상【寶林寺鐵造毘盧舍那佛坐像】[—쫘—] 명 전라 남도 장흥군(長興郡) 소재 보림사에 있는 쇠로 된 불상. 신라 헌안왕(憲安王) 3년(859)에 제작되었음. 머리에는 나발(螺髮), 미간(眉間)에는 백호(白毫), 목에는 삼도(三道)가 있으며, 전신(全身)의 도금(鍍金)은 탈락되었음. 높이 2.51 m. 국보 제117호.
보릿-가루 명 보리를 빻아서 만든 가루.
보릿-가을 명 보리가 익어 거두어 들일 만하게 된 계절.
보릿-거름 명 보리 심을 밭에 넣을 거름. *보리풀.
보릿-겨 명 보리의 속겨. 맥강(麥糠).
보릿겨 수제비 명 보리의 속겨로 만든 수제비. 맥강 운두병(麥糠雲頭餠).
보릿-고개 명 묵은 곡식은 다 떨어지고 보리는 아직 여물지 않아 농가 생활에서 가장 식량(食糧)에 고통을 받는 고비. 대개 음력 4-5월경임. 궁춘(窮春). 맥령(麥嶺). ↔피고개. *단경기(端境期).
[보릿고개가 태산보다 높다] 춘궁기를 넘기기가 매우 어렵다는 말.
[보릿고개에 죽는다] 묵은 곡식은 거의 떨어지고 햇보리는 아직 여물지 아니하여 농가(農家)가 심히 곤궁한 상태를 두고 이르는 말.
보릿-국 명 보리순에 홍어의 내장을 넣고 끓인 된장국. 전라도 지방에서 이른 봄철에 먹음.
보릿-대 명 보릿짚의 대.
보릿-동 명 햇보리가 날 때까지의 보릿고개를 넘기는 동안. ¶ ~을 겨우 대다.
보릿-자루 명 보리를 넣은 자루.
보릿-재 명 보리밭에 낼 재거름.
보릿-짚 명 이삭을 떨어 낸 보리의 짚.
보릿짚 모자【—帽子】명 ☞밀짚 모자.
보:링¹〔boring〕명 ①시추(試錐). ②구멍을 뚫는 일. 천공(穿孔).
보:링²〔Boring, Edwin Garrigues〕명〖사람〗미국의 심리학자. 하버드(Harvard) 대학 교수. 감각(感覺)의 연구에서 비롯하여 실험 현상학(實驗現象學) 및 조작주의(操作主義)를 거친 방법론과 심리학사(心理學史)의 연구로 이름 있음. 주저는 ≪실험 심리학사≫. [1886-1968]
보링거〔Worringer, Wilhelm〕명〖사람〗독일의 미술사가·미학자(美學者). 원시 미술과 중세 예술의 '추상성'에 착안하여, 그 의의와 독자(獨自)의 미를 평가한 주저(主著) ≪추상과 감정 이입(移入)≫은 추상 예술의 발전을 촉진하는 데 중요한 역할을 하였음. [1881-1965]
보:링 머신〔boring machine〕명〖기〗①원통 내면(圓筒內面)을 깎는 데 사용하는 공작 기계. 실린더(cylinder) 등의 내면을 깎거나 정확한 구멍을 정공(精工)하는 데에 사용함. ②지질 조사·광상 탐사(鑛床探査)를 하기 위하여 지반(地盤)에 둥근 구멍을 뚫는 기계. 강관(鋼管) 끝에 단 다이아몬드나 고속도강제(高速度鋼製)의 비트(bit)를 회전하거나 연타(連打)할 때의 압력으로 구멍을 팜. 착정기(鑿井機).
보롬 명〈옛〉보름. =보롬. ¶ 밤中에 보롬 드롤 對ᄒᆞ야든≪七大 4≫.
보:마¹【寶馬】명 뛰어난 명마(名馬). 양마(良馬).
보마²〔Boma〕명〖지〗콩고 민주 공화국 서부, 대서양안(大西洋岸)의 항도(港都). 목재·바나나·커피·카카오 등을 수출. 18세기 이후 노예 무역의 중심지였으며, 1929년까지 벨기에령(領) 콩고의 주도(主都)였음. [246,207명(1991)]
보:마르셰〔Beaumarchais, Pierre Augustin Caron de〕명〖사람〗프랑스의 극작가(劇作家). 재기(才氣)가 넘치는 풍자(諷刺)로 귀족 계급의 횡포를 묘사함. 대표작 ≪세비야(Sévilla)의 이발사(理髮師)≫·≪피가로(Figaro)의 결혼≫ 등 유쾌한 희극(喜劇)으로 불후의 명성을 남김. [1732-99]
보:마-법【保馬法】[—뻡] 명〖역〗중국 송(宋)나라 때의 왕안석(王安石)의 신법(新法)의 하나. 병마(兵馬)와 목축(牧畜)을 목적으로 정부가 각 보갑(保甲)의 희망자에게 관마(官馬)와 마료(馬料)를 지급하여 사육시켜서 평시에는 농경(農耕)에 사용하고 전시에는 징발(徵發)하던 군마(軍馬) 사육법.
보마:크〔Bomarc〕명〖군〗북(北)아메리카 대륙 방공용(防空用)으로 배치하고 있는 미공군의 지대공(地對空) 요격(邀擊) 미사일. 핵탄두를 장비함. 고체 연료 로켓으로 수직 상승(上昇)을 한 후 램제트(ram-jet) 엔진으로 목표를 향하여 날아감. 발사 중량 6.8-7.26 톤, 사정 거리 720 km. 유도 방식은 지시 유도 및 레이더 호밍(radar homing).
보:마 향거【寶馬香車】명 좋은 말과 훌륭한 수레.
보-막이【洑—】명〖농〗보(洑)를 막느라고 둑을 쌓거나 고치는 일. ——하다 자여불
보:만-당【保晩堂】명〖사람〗이정구(李廷龜)의 호(號).
보-만두【褓饅頭】명 ↗보쌈 만두.
보:매 부 언뜻 보기에. ¶ ~ 가정 부인은 아닌 듯하다.
보-머리 명〖건〗보뺄목.
보:먼 주머니 명〔Bowman's capsule〕〖생〗〔보먼은 영국의 의사 이름〕 신장(腎臟)의 말피기 소체에 있어서 사구체(絲球體)를 둘러싸고 있는 주머니. 사구체 낭.
보메〔프 baumé〕의명〖물〗액체의 비중의 보조 계량(計量) 단위. 물보다 무거운 액체에는 중액(重液) 보메, 물보다 가벼운 액체에는 경액(輕液) 보메를 사용함. 「°Bé'로 나타냄.
보메-도【—度】명〔Baumé degree〕〖물〗보메 비중계(比重計)의 눈금.
보메 비:중계【—比重計】명〔Baumé's hydrometer〕〖물〗액체의 비중 측정에 쓰이는 부칭(浮秤)의 한 가지. 중액용(重液用)과 경액용(輕液用)이 있음. 보메도(度)를 눈금으로 새겼으며 화학 공업에 널리 이용됨. 프랑스의 화학자 보메(Baumé, A.; 1728-1804)가 고안하였음.
보:면【譜面】명〖악〗큰 종이에 적은 악보.
보:면-대【譜面臺】명〖악〗연주자가 연주중 악보를 펼쳐서 놓는 대.
보:명¹【保命】명 목숨을 보전함. ——하다 자여불
보:명²【報命】명 ①명령을 받아 일을 한 뒤에 보고함. 복명(復命). ②답례를 함. ——하다 타여불
보:명-주【保命酒】명 감초(甘草)·설탕·육계(肉桂)·홍화(紅花) 등을 베주머니에 넣고 담가서 5-6 일 동안 우려 낸 소주.
보:모【保姆】명 ①〖역〗왕세자(王世子)를 가르치고 보육(保育)하던 여자. ②보육원(保育院) 등의 아동 복지 시설에서 아동의 보육에 종사하는 여자. ③유치원(幼稚園)의 교사의 구칭.
보:모 상궁【保姆尙宮】명〖역〗조선 시대에, 왕자·왕녀의 양육을 도맡은 나인들의 책임자인 상궁. 각 왕자·왕녀궁에 한 명씩임. *대령(待令) 상궁·시녀(侍女) 상궁.
보-목¹ 명〖건〗기둥 위에 얹히는 들보의 목.
보:목²【寶木】명〖천주교〗'성십자가'를 일컫던 말.
보:몬트〔Beaumont, Francis〕명〖사람〗영국의 극작가(劇作家). 플레처(Fletcher)와의 합작(合作)으로 전해지는 수다한 극작을 발표. 대표작은 ≪필라스터(philaster)≫·≪처녀의 비극≫ 등. [1584-1616]
보:몽〔Beaumont, Léonce Elie de〕명〖사람〗프랑스의 지질학자. 광산(鑛山) 대학 교수·프랑스 지질 학회 회장·상원 의원을 역임함. 프랑스 전토의 지질도를 만듦. ≪산맥에 관한 각서≫에서 지구의 냉각·수축에 의한 습곡(褶曲) 산맥의 형성을 제창하였음. [1798-1874]
보:무【步武】명 ①〔보(步)는 6자 또는 6자 4치, 무(武)는 그 절반〕얼마 안 되는 거리. 지척(咫尺). ②활발하고 버젓하게 걷는 걸음.
보:무 당당【步武堂堂】명 걸음걸이가 씩씩하고 버젓함. ¶ ~한 국군의 행진. ——하다 형여불
보무라기 명〈방〉보무라지.
보무라지 명 ①종이나 헝겊 같은 것의 잔 부스러기. ㊀보물. ②〈방〉보푸라기.
보:-무타려【保無他慮】명 아주 확실하여 조금도 의심할 나위가 없음. 「——하다 형여불
보:문-각【寶文閣】명〖역〗고려 예종(睿宗) 11년(1116)에 둔 학사 기관(學事機關)의 하나. 유신(儒臣)이 경서(經書)를 강론(講論)하던 곳으로, 충렬왕(忠烈王) 원년(1275)에 보문서(寶文署)로 고치고, 24년에는 동문원(同文院)에 합쳤다가 충숙왕(忠肅王) 원년(1314)에 다시 독립시키고 공양왕(恭讓王) 원년(1389)에 또다시 경연(經筵)으로 고침.
보:문 관광 단지【普門觀光團地】명 경주시 보문동(普門洞)·신평동(薪坪洞)·암곡동(暗谷洞)·천군동(千軍洞) 등에 대단위로 조성된 관광 단지. 총면적 320 만평.
보:문-사【普門寺】명〖불교〗①서울 특별시 성북구(城北區) 보문동에 있는, 대한 보문종(普門宗) 직할의 절. 비구니만 있음. 고려 예종(睿宗) 10년(1115) 담진(曇徵)이 창건하였음. 속칭 탑골 승방. ②인천(仁川) 광역시 강화군(江華郡) 삼산면(三山面) 매음리(煤音里) 낙가산(洛迦山)에 있는 절. 총무원(總務院) 직할의 말사(末寺). 신라 선덕 여왕(善德女王) 4년(635) 회정(懷正)이 창건하고, 조선 순조(純祖) 12년(1812)에 중수함. 경내에 1928년에 새긴 높이 12자의 관음상이 있음. 관세음보살(觀世音菩薩)의 기도 도량(道場)으로 유명함.
보:문-산【普門山】명〖지〗①경상 북도 안동시(安東市) 풍산읍(豐山邑)과 예천군(醴泉郡) 보문면(普門面) 사이에 위치하는 산. [643 m] ②대전(大田)의 남서쪽에 있는 작은 산.
보:문-품【普門品】명〖불교〗〔↗묘법 연화경 관세음 보살 보문품(妙法蓮華經觀世音菩薩普門品)〕법화경(法華經)의 제25품(品)의 이름. 관음이 중생의 온갖 고난을 구제하고 소원을 만족시켜 주며 널리 교화(敎化)하는 일을 설파하였음. 관음경(觀音經)의 이름.
보물¹ 명 ↗보무라지❶.
보:물²【寶物】명 ①금은 주옥(珠玉)같이 썩 드물고 귀한 물건. ②예로부터 대대로 물려 내려오는 보배로운 물건. 보재(寶財). 보화(寶貨). ③건조물·전적(典籍)·고문서(古文書)·회화(繪畫)·조각·공예품·고고(考古)자료·무구(武具) 등의 중요 유형 문화재(有形文化財) 중 문화부 장관이 문화재 위원회의 심의를 거쳐 지정·보호하는 문화재.
보:물-고【寶物庫】명 보물을 간수하여 두는 곳.
보:물-사【寶物司】[—싸] 명〖역〗구한국 때의 내장원(內藏院)의 한 분장(分掌). 왕실의 보물(寶物)을 보관하던 곳. 고종(高宗) 32년(1895)에 설치되었는데, 같은 해 내장원이 내장사(內藏司)로 되면서 폐함.
보:물-섬【寶物—】[—썸] 명 ①보물이 있는 섬. 보물을 감추어 둔 섬. ②〔Treasure Island〕〖책〗영국의 스티븐슨(Stevenson, R.L.)이 지은 장편 모험 소설. 소년 짐(Jim)이 절름발이 해적 실버(Silver)를 만나 보

물이 숨겨진 고도(孤島)에서 큰 모험을 한 끝에 보물을 손에 넣을 때까지를 생생하게 그렸음. 아동 문학의 대표적 작품. 1883년 출판.

보:물-찾기【寶物一】명 상품(賞品)의 이름을 적은 종이 쪽지를 여러 장 만들어 군데군데 감추어 놓고 이것을 찾아 가지고 오는 사람에게 거기 적힌 물건을 주는 놀이의 한 가지.

보믜 명〈옛〉녹³. ¶ 壁上에 걸린 칼이 보믜가 나단 말가《永言》.

보믜거다 자〈옛〉녹슬었다. ¶ 뭇는 몰 셔셔 늙고 드는 칼 보믜거다《古時調》.

보믜다 자〈옛〉녹슬다. =보미다. ¶ 朝天路 보믜닷 말가《古時調》.

보미¹ 명〈방〉보늬(경상).

보미² 명〈방〉등겨(제주).

보:미-계【補米契】명 식량을 마련하기 위한 계.

보:-미사【補彌撒】명〖천주교〗미사 예식을 돕는 일, 또 돕는 사람. ——-하다 자여불

보:민【保民】명 ①백성을 편안하게 함. ②백성을 기름. ——-하다 자여불

보:민-사【保民司】명〖역〗조선 시대의 관청. 영조(英祖) 45년(1769) 장례원(掌隷院)을 폐지하고 전국에서 속전(贖錢)을 거두어 들여 형조(刑曹)·한성부의 비용을 조달하고자 설치하였으나 잘 이행되지 않아 영조 50년(1774)에 폐함.

보:민-편【保民編】명〖책〗보민(保民)의 근본을 적은 책. 임금이 백성을 다스리는 방법을 덕기(德器) 함양·인재 교육·보민 방법 등으로 나누어 수록함. 작자·연대는 미상(未詳). 1책.

보믈다 자〈옛〉둘리다. 걸리다. =버믈다². ¶ 도로혀 우믌 欄干애 보믈라 낫나치 더으고(却繞井欄添箇箇)《初杜諺 XVII:38》.

보믜 명〈옛〉보늬. =뵈믜. ¶ 보믜 하니 바믜 주머귀라와 넘도다(穰多栗過拳)《初杜諺 XX:9》.

보믜다 자〈옛〉녹슬다. =보믜다. ¶ 쇠보밀 슈(銹), 쇠보밀 싱(鉎)《字會 下 15》.

보바리 부인【一夫人】명〔프 Madame Bovary〕〖책〗프랑스 소설가 플로베르(Flaubert)의 소설. 평범한 시골 의사 샤를 보바리(Charles Bovary)의 아내가 된 미모의 분방(奔放)한 엠마(Emma)가 따분한 생활에서 빠져 나오려고 난봉꾼 시골 귀족 로돌프(Rodolf)와 공증인(公證人)의 서기 등과의 애욕 편력을 거듭한 끝에 빚에 몰려 음독 자살하기까지의 과정을 사실주의적(寫實主義的)·객관적 수법으로 묘사한, 작자의 대표작임. 1857년에 간행됨.

보바리슴〔프 bovarysme〕명〖문〗욕망과 꿈과의 사이의 불균형이 상상력을 항진(亢進)시켜 현실적인 자기를 분수 이상의 것으로 상상하는 정신 작용. 프랑스의 철학자 고티에(Gautier, Jules de)가 소설 '보바리 부인'의 여주인공의 성격에서 따서 지은 이름.

보반【步班】명〖역〗고려 시대에 양계(兩界) 지방에 두었던 주진군(州鎭軍)의 하나. 상비군(常備軍)이 아니라 각 주진에 거주하는 장정들로 이루어진 예비 부대로 추측됨.

보:발【步撥】명〖역〗조선 선조(宣祖) 30년(1597) 보행(步行)으로 급한 공문(公文)을 전송(傳送)하기 위하여 두었던 파발. 남북로(南北路)에 두었는데, 북발(北撥)은 경기도 양주(楊州)로부터 함경도 경원(慶源)까지, 남발(南撥)은 경기도 광주(廣州)로부터 경상도 동래(東萊)까지의 사이에 각각 두었음. 보발꾼.

보:발-꾼【步撥一】명〖역〗〈속〉보발.

보:방¹【保放】명〖법〗보석(保釋). ¶ 사방 세력 있는 집으로 전갈도 하고 편지도 하여 ~이라도 하고 방송하기를 청하나…《金宇鎭 : 榴花雨》. ——-하다 타여불

보:방²〔Vauban, Sébastien Prestre de〕명〖사람〗프랑스의 축성가(築城家)·전술가(戰術家). 루이 14세 전성기에 프랑스 북동부 국경과 툴롱 항(Toulon港)에 요새(要塞)를 구축, 그 새로운 형식의 축성은 널리 유럽 여러 나라의 모범이 됨. 수로(水路)·운하의 설계도 하여 근대 건설 공학 개척자의 한 사람이며 경제학에서도 중농주의(重農主義)의 선구자로 주목됨. [1633-1707]

보:배 명〔←보패(寶貝)〕귀중한 물건. 소중한 물건. 소중한 재물. ¶ 나라의 ~.

보:배-롭다 형비 보배로 삼을 만한 가치가 있다. 매우 귀중하다. 보:배-로이 부

보:배-스럽다 형비 보배롭게 보이다. 보:배-스레 부

보:법¹ 명 품격(品格)과 법도(法度).

보:법²【步法】[-뻡] 명 걸음걸이. 걷는 법.

보법³【譜法】[-뻡] 명〖악〗악보의 법식.

보베〔Bovet, Daniel〕명〖사람〗이탈리아에 귀화한 스위스 태생의 약학자. 프론토실(Prontosil)의 항균(抗菌) 작용의 연구와 항(抗)히스타민제의 발견 등 합성 화학 물질의 약리 작용 연구로 1957년 노벨 생리 의학상 수상. [1907-92]

보베리〔Boveri, Theodor〕명〖사람〗독일의 동물학자. 말에 기생하는 회충, 섬게의 알 등을 써서 염색체와 발생·분화(分化)의 관계를 연구함. 주저는《세포의 연구》. [1862-1915]

보:베 성:당【一聖堂】〔Beauvais〕명 프랑스 북부의 보베 시(市)에 있는 성당으로 전성기(全盛期) 고딕의 대표적 건물. 1230-40년경부터 건축 공사가 시작되어 13-14세기에 주요 부분이 완공되고 공사는 16세기까지 계속되었으나 끝내 완성을 보지 못함. 플랑부아양(flamboyant) 양식의 창(窓) 등으로 유명함.

보:벽【寶璧】명 귀한 옥(玉). 보옥(寶玉).

보:병¹【步兵】명 ①〖군〗육군 병과(兵科)의 하나로 주로 소총(小銃)을 소지하고 도보(徒步)로 전투하는 군대. 또, 그에 속하는 군인. 육군의 주병력(主兵力)으로서 소총·기관총·수류탄·박격포(迫擊砲)·바주카포 등을 사용하면서 적(敵)에게 진격·돌격하고 점령하여 최후의 승리를 결정함. 보군(步軍). 보졸(步卒). ②〖역〗↗보병목(步兵木).

보:병²【寶甁】명〖불교〗①꽃병·물병 등의 미칭(美稱). ②진언 밀교(眞言密教)에서, 관정(灌頂)의 물을 담는 그릇.

보:병-것【步兵一】[-껃] 명 보병목(步兵木)으로 지은 옷.

보:병-궁【寶甁宮】명〔라 Aquarius〕〖천〗황도(黃道) 12궁(宮)의 제11번 째. 염소자리의 서쪽에서 물병자리의 서쪽에 이르는 범위. 태양은 1월 21일경부터 2월 20일경까지 이 궁에 있음.

보:병-대【步兵隊】명 보병으로써 편성된 부대.

보:병-목【步兵木】명〖역〗보병의 옷감으로 백성이 바치던 거칠고 올이 굵은 무명. 준보병(步兵).

보:병-포【步兵砲】명 보병이 휴대하는 소형의 가벼운 포.

보:병 학교【步兵學校】명〖군〗↗육군 보병 학교(陸軍步兵學校).

보:보【步步】명 걸음걸음. 걸음마다.

보보-디울라소〔Bobo-Dioulasso〕명〖지〗서아프리카 부르키나파소 서부의 도시. 기니(Guinea)만에 면한 아비장(Abidjan)과 연결되는 철도의 요지로 공항(空港)이 있으며 농산물의 집산지임. [115,000명(1981 추계)]

보:보 행진【步步行進】명 한 걸음 한 걸음 발을 맞추어 나아감. ——-하다 자여불

보:복¹【報服】명 존속(尊屬)이 비속(卑屬)에 대해서 입는 복(服).

보:복²【報復】명 ①앙갚음. 반보(返報). ②〔retorsion〕〖법〗국제간에 다른 나라로부터 자국민(自國民) 또는 선박 등에 불이익(不利益)한 행위를 받은 나라가 그 나라에 대하여 동등하게 불이익한 행위를 하여 앙갚음하는 일. ¶ ~ 수단. ③〔second strike〕〖군〗전쟁, 특히 핵(核)전쟁에서 최초의 반격(反擊)을 이름. ——-하다 자여불

보:복 관세【報復關稅】명〔retaliatory duties〕일국이 자국의 수출품에 대하여 부당하게 높은 관세를 부과할 경우 자국도 그 나라로부터의 수입품에 대하여 높게 부과하는 관세.

보:복 능력【報復能力】[-녁] 명〔second strike capability〕〖군〗적(敵)의 제1격으로부터 파괴를 면하여, 충분한 수단을 가지고 효과적인 반격을 실시할 수 있는 능력.

보:복지-리【報復之理】명 서로 대갚음하는 자연의 이치.

보:복-책【報復策】명 보복을 하는 계책.

보:본¹【報本】명 생겨 나오게 된 그 근본을 잊지 않고 갚음. ——-하다 타여불

보:본²【補本】명 밑진 본전을 보충함. ——-하다 타여불

보:본 반:시【報本反始】명 조상의 은혜에 보답하는 일.

보:본 법회【報本法會】명〖불교〗절의 개산조(開山祖)나 종조(宗祖)를 추천하는 법회.

보:부¹【保傅】명 태자를 모시고 보살피는 사람. 또, 그 벼슬.

보:부²【寶符】명 부적. 신부(神符).

보부-상【褓負商】명 봇짐 장수와 등짐 장수. 부상(負商)은 삼국 시대 이전에 보부상은 신라 시대부터 있었는데, 이의 활동은 조선 왕조의 수립과 함께 활발하였음. 이들은 규율과 신의(信義)를 지키고 조선 시대에는 정부의 무슨 일이 있을 적에는 양식을 대기도 하였으므로 정부에서는 이들을 크게 믿고 소중히 여기어 때로는 전령(傳令)이나 치안(治安)의 일을 거들게 하였음. 부보상(負褓商). *부상(負商).

보:부아르〔Beauvoir, Simone de〕명〖사람〗프랑스의 여류 작가·평론가.《초대받은 여자》로 문단에 나옴. 실존주의적 입장에서 시와 평론으로 사르트르(Sartre)를 도와 활약, 특수한 지적(知的) 주제를 표명하였음. 저서는《타인(他人)의 피》, 여성의 주체성 획득을 논한《제2의 성(性)》·《처녀 시절》·《레 망다랭(Les Mandarins)》과 일련의 자서전적 작품 등이 있음. [1908-86]

보:-부족【補不足】명 부족되는 것을 메움. ——-하다 자여불

보부-청【褓負廳】명〖역〗조선 고종(高宗) 3년(1866)에 정부에서 지시하여 팔도(八道)의 보부상들을 모이게 한 단체. 정부에 무슨 사고가 있을 적에는 정부에 양식을 대기도 하고 일을 거들어 주기도 하였음.

보:불【黼黻】명〖역〗임금이 예복으로 입던 하의(下衣)인 곤상(袞裳)에 놓은, 도끼와 '亞'자 모양의 수.

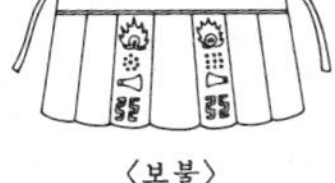
〈보불〉

보:불 전:쟁【普佛戰爭】명〖역〗프로이센 프랑스 전쟁.

보브〔bob〕명 여성의 머리형의 하나. 목덜미까지 내려오는 단발(斷髮).

보:브나르그〔Vauvenargues, Luc de Clapiers〕명〖사람〗프랑스의 모럴리스트. 라 로슈푸코(La Rochefoucauld)의 페시미즘에 대하여 낙천적인 인간관(人間觀)을 제창함. 이성(理性)보다도 감정을 중시하여 니체(Nietzsche)의 존경을 받음. 저서《격언집》등. [1715-47]

보:비¹【補肥】명 농작물이 자랄 때 기비(基肥)를 보충하기 위하여 비료를 줌. 주로 유안(硫安) 등을 씀. 추비(追肥). ——-하다 자여불

보:비²【補備】명 보충하여 갖추어 둠. ——-하다 타여불

보:비³【補裨】명 보익(補益)하고 비조(裨助)함. ——-하다 타여불

보:비 관음【普悲觀音】명〖불교〗33관음 중의 제27 위의 관음. 옷 끝에 바람을 받고 서 있는 관음상(觀音像)임. 관음 33신(身) 중 대자재천신(大自在天身)을 나타냄.

보:비-력【保肥力】명 땅이 비료를 오래 지니는 힘.

보:비리 명 몹시 다랍게 인색한 사람의 별명.

보:-비소【補裨所】명〖민〗도성(都城)이나 궁궐 또는 일반 살림집으로 삼은 터가 풍수상으로 흠이 되는 곳을 보충함. ——-하다 자타여불

보:-비위【補脾胃】명 ①위경(胃經)의 기운을 보양함. ②남의 비위를 잘 맞추어 줌. ③〖악〗판소리에서, 고수(鼓手)가 추임새로써 창자(唱者)의 창(唱)의 장단·고저(高低)와 창자(唱者)의 자기 도취(陶醉) 등을 조절하는 일. ——-하다 자타여불

보빈〔bobbin〕명 ①방직 용구(紡織用具)의 하나. 나무·파이버(fibre)로 만든 원통(圓筒)으로 스핀들(spindle)에 끼워 방적(紡績)된 실을 감는 실감개. ②전선(電線)을 감아 코일이나 저항기(抵抗器)를 만드는 원형

또는 다각형의 통(筒). 자기(瓷器)·베이클라이트 등으로 만듦. ③재봉틀의 밑실을 감는 기구. 북.

보빗-거리다 타 〈방〉 바비작거리다. 보빗-보빗 부. ——-하다 타

보:빙[1]【堡氷】명 〖지〗 내륙빙(內陸氷)의 선단(先端)이 바다로 흘러 들어 육지의 앞쪽을 둘러싸고 바닷물 위에 낭떠러지 모양을 이룬 얼음덩이. 남극(南極) 대륙에서 볼 수 있는데 차차 그 가장자리가 깨어져 흘러 가서 빙산이 됨.

보:빙[2]【報聘】명 답례(答禮)로서 외국을 방문(訪問)함. ——-하다 자여불

보:빙 대:사【報聘大使】명 답례(答禮)로서 외국을 방문하는 대사.

보ᄇᆡ 명 〈옛〉 보배. ¶ 보ᄇᆡᆺ 보(寶)《字會 中 31》.

보ᄇᆡ호다 타 〈옛〉 보고 배우다. ¶ 어딘 벋은 보ᄇᆡ화 달마 어딘 일을 ᄒᆞ고 (君子之友 則薰陶漸染以成其善)《正俗 14》.

보-뺄목 명 〖건〗 기둥을 뚫고 나온 들보의 머리 끝. 보머리. 양두(樑頭).

보:사[1]【步射】명 시사(試射)할 적에 달음질하면서 과녁을 쏨. ——-하다 타여불

보:사[2]【報祀】명 보새(報賽).

보:사[3]【報謝】명 ①은혜를 갚고 덕(德)을 사례(謝禮)함. 물건을 보내어 사례함. ②〖불교〗 불사(佛事)를 닦은 중이나 순례자에게 보시물(布施物)을 바침. ③신불(神佛)에게 보은(報恩)하는 뜻으로 자선을 베풂. ——-하다 자타여불

보:사[4]【補瀉】명 〖한의〗 보약으로 원기를 돕는 일과 하제(下劑)로 병을 고치는 일. 허증(虛症)은 보하고 실증(實症)은 사함.

보:사[5]【寶砂】명 금강사(金剛砂)의 가루.

보:사 공신【保社功臣】명 〖역〗 조선 숙종(肅宗) 7년에 허견(許堅)을 주벌(誅伐)한 공(功)으로 김석주(金錫胄)를 비롯한 다섯 사람에게 내린 훈명(勳名).

보사 노바〔포 bossa nova〕명 〖악〗〔새로운 경향이란 뜻〕 브라질 음악에 모던 재즈의 요소를 가미한 것. 리듬은 삼바(samba)와 흡사함. 재즈삼바.

보사리-감투 명 ☞ 보살 감투.

보:사-부【保社部】명 ↗보건 사회부(保健社會部).

보:사 양:난【補瀉兩難】명 〖한의〗 병이 중태(重態)에 빠져 보약도 하제(下劑)도 쓰기 어려움. ——-하다 형여불

보:사 위원회【保社委員會】명 〖법〗 ↗보건 사회 위원회.

보삭 부 물기가 없는 물건이 가볍게 바스러질 때 나는 소리. <부석. ——-하다 자여불

보삭-거리다 자 물기 없는 물건이 연해 바스러지다. 또, 연하여 보삭 소리를 내다. <부석거리다. 보삭-보삭[1] 부. ——-하다 자여불

보삭-대다 자 보삭거리다.

보삭-보삭[2] 부 살이 좀 부어 오른 모양. <부석부석[2]. ——-하다 형여불

보삭지 명 〈방〉 보시기(전라).

보:산【寶算】명 보령(寶齡).

보:산-개【寶傘蓋】명 〖불교〗 불전(佛前) 재식(齋式)에 쓰는 붉은 양산(陽繖).

보살[1]【菩薩】명 ①〔범 bodhisattva〕〖불교〗〔본디, 석가 모니(釋迦牟尼)의 전생(前生)에서의 호칭〕 불도(佛道)를 닦아 보리(菩提)를 구하고 아울러 뭇 중생을 교화하여 부처의 다음가는 지위에 있는 성인(聖人)의 일컬음. 상사(上士). 보리 살타(菩提薩埵). 개사(開士). 진신(眞身). ②〖불교〗 ↗보살승(菩薩乘). ③〖불교〗 나이 먹은 신녀(信女)를 대접하여 부르는 말. ④〖불교〗 고승(高僧)을 높이어 일컫는 말. ⑤〖불교〗 ↗보살할미. ⑥'점쟁이'의 별칭.

보:살[2]【補殺】명 야구에서, 야수(野手)가 잡은 공을 어느 누(壘)에 보내어, 주자(走者)를 아웃시키는 행위를 돕는 일. 어시스트(assist). ——-하다 자여불

보살 감투【菩薩—】명 ①돼지 통짓에 붙은 고기 조각. ②잣 속껍질의 안에 있어서 대가리에 씌운 꺼풀의 한 부분.

보살 거사【菩薩居士】명 〖불교〗 보살계(菩薩戒)를 받은 거사. *보살신녀.

보살-계【菩薩戒】명 〖불교〗 자리(自利)·이타(利他)의 보살도(菩薩道)에 정진하는 중이 받아 지켜야 하는 계. 대승 보살계. 대승계(大乘戒).

보살계 도:량【菩薩戒道場】명 〖불교〗 보살계를 받는 의식(儀式) 도량. 고려 시대에는 6월 15일 궁중에서 국사(國師)와 왕사(王師)를 비롯한 고승 대덕들의 주재 아래 국왕이 보살계를 받는 관례가 있었고, 조선 시대에는 출가승이나 속인들을 위하여 일정한 날짜없이 베풀어졌음.

보살-도【菩薩道】명 〖불교〗 ①보살이 자리(自利)·이타(利他)를 원만(圓滿)히 하여 불과(佛果)에 이르는 행도(行道). ②대승(大乘) 불교.

보살 비구【菩薩比丘】명 〖불교〗 보살계(菩薩戒)를 받은 비구. *보살사미.

보살 사미【菩薩沙彌】명 〖불교〗 보살계(菩薩戒)를 받은 사미. *보살거사.

보살 삼취계【菩薩三聚戒】명 〖불교〗 삼취 정계(三聚淨戒).

보살-승[1]【菩薩乘】명〔범 bodhisattvayāna〕〖불교〗 삼승(三乘)의 하나. 큰 서원(誓願)을 세워 위로 보리(菩提)를 구하고 아래로 중생(衆生)을 교화하는 교법(敎法). ㊟보살(菩薩)❷.

보살-승[2]【菩薩僧】명 〖불교〗 보살로서의 중. 문수(文殊)나 미륵(彌勒) 등. *성문승(聲聞僧)·범부승(凡夫僧).

보살-신【菩薩身】명 〖불교〗 ①화엄종(華嚴宗)에서 해경(解境)의 십불(十佛)의 하나. ②보살로 나타나는 절대(絶對)의 부처.

보살 신:녀【菩薩信女】명 〖불교〗 보살계(菩薩戒)를 받은 신녀. *보살비구.

보살-탑【菩薩塔】명 〖불교〗 보살의 사리(舍利)를 넣고 쌓은 일곱 층의 탑.

보-살피다 타 ①뒤를 돌보아주다. ¶ 환자를 ~. ②감독하면서 두루 돌보다. ¶ 집안 일을 ~.

보살핌 명 보살피는 일.

보살 할미【菩薩—】명 〖불교〗 머리를 안 깎은 여승(女僧). ㊟보살(菩薩)❺.

보살-형【菩薩形】명 보살(菩薩)같이 부드럽고 온화한 용모(容貌).

보:삼【步衫】명 우장(雨裝)의 한 가지. 들쓰어 입는데, 장옷처럼 생겼음.

보:삽 명 〖농〗 보습[1](충남·함남).

보:상[1]【報償】명 ①남에게 진 빚이나 받은 물건을 갚음. 변상(辨償). ②앙갚음함. 복수(復讐). 보복(報復). ——-하다 타여불

보:상[2]【補償】명 ①남의 손해(損害)를 메워 갚아 줌. ¶ 피해 ~. ②〖법〗 적법 행위(適法行爲)에 의하여 가해진 재산상(財産上)의 손실(損失)을 보전(補塡)하고자 제공되는 대상(代償). 국가(國家)나 국가의 위임(委任)을 받은 자에 의하여 행하여짐. ③〖심〗 정신적·신체적 결점이나 약점을 의식하였을 때 이것을 메우기 위한 마음의 움직임. 고의(故意)로 상대방에게 난폭한 공격적 행동을 취하려는 마음의 움직임 따위. 대상(代償). *보상 작용. ——-하다 타여불

보:상[3]【輔相】명 대신(大臣)을 거느리고 임금을 도와서 나라를 다스리는 일. 또, 그 사람.

보상[4]【褓商】명 봇짐 장수. 복상(袱商).

보:상 가격【補償價格】[—까—] 명 〖법〗 특정물(特定物)의 수용 징발(收用徵發) 등의 경우에 그 손실의 보상으로서 치르는 가격.

보상 객주【褓商客主】명 〖역〗 보부상(褓負商)을 상대로 하는 객주. *만상(灣商) 객주.

보:상 계:약【報償契約】명 성질상으로 독점적인 경향을 가지는 전기 사업(事業)이나 가스 사업 같은 기업의 경영자와 시 또는 이에 준하는 공공 단체 사이에 체결되는 계약. 시 등은 기업의 경영자를 위해 그 구역내에서의 독점적 공급권(供給權)을 보장함과 동시에 그가 관리하는 도로·교량·공원이나 토지 공작물(土地工作物) 같은 것의 무료 사용(無料使用)을 허가하고, 기업의 경영자는 일정한 보상금(報償金)을 납부하여 사업의 경영이나 요금(料金) 등에 관해서 공공의 이익에 맞게 시 등의 특별한 감독에 복종하고 필요에 따라 시 등의 매수(買受)에 응할 의무를 갖는 것을 내용으로 하는 계약.

보:상 관계【補償關係】명 〖법〗 발행된 환(換)어음 및 수표의 인수(引受)와 지급(支給)을 하게 되는 실질적 법률 관계. 자금 관계에 있어서는 발행인이 지급인에게 미리 자금을 공급하고 있거나 채권(債權)을 가지고 있는 것이 보통이지만, 이와는 달리 지급인이 지급을 한 후에 발행인으로부터 보상을 받을 뜻을 약정(約定)하는 경우를 특히 보상 관계라 이름. 당좌 대월(當座貸越)의 경우 따위. *자금 관계.

보:상-금[1]【報償金】명 ①보상(報償)으로 내놓는 돈. ②〖법〗 유실물(遺失物)의 습득자(拾得者)가 습득물을 주인에게 반환할 경우, 주인이 보상으로서 습득자에게 지급하는 돈. 물건 값의 5-20%.

보:상-금[2]【補償金】명 보상(補償)하여 주는 돈.

보:상 당초문【寶相唐草文】명 보상화문(寶相華紋).

보:상-무【寶相舞】명 〖악〗 정재(呈才) 때 추던 춤. 조선 순조(純祖) 28년(1828)에 예제(睿製). 연화항(蓮花缸)을 올려놓은 보상반(寶相盤)을 갖다 놓고 봉화(奉花)와 봉필(奉筆)이 좌우로 갈라선 다음, 춤추는 사람 여섯 명이 두 편이 되어 주악(奏樂)에 맞추어 춤을 추며 채구(彩毬)를 두 명씩 세 차례 몸을 구부리고 희롱하다가 통에 던져 넣는데 간간이 창사(唱詞)가 있고 공이 통에 들어가면 상으로 꽃을 받음.

보:상-반【寶相盤】명 보상무(寶相舞)를 할 적에 연화항(蓮花缸)을 올려놓는 기구.

〈보상반〉

보:상 심의회【補償審議會】[—/—이—] 명 〖법〗 징발 보상 심의회.

보:상 작:용【補償作用】명 ①〖생〗 대상 작용(代償作用). ②〖심〗 심리적인 보상을 위한 행동. 곧, 신체적 결함, 지능이나 학업의 열등, 경제적·사회적 지위의 저급, 품성의 조야(粗野) 등의 결점이 실제로 있거나 또는 있다고 오신(誤信)하고 있을 때, 이 열등감에서 오는 고통의 의식을 배제하기 위하여 결점을 극복하고 또는 결점의 대상이 되는 활동을 하는 일. 보상 행동. *보상(補償).

보:상-점【補償點】[—쩜] 명〔compensation point〕〖식〗 녹색(綠色) 식물에 있어서 호흡으로 방출된 탄산 가스의 양(量)이 광합성(光合成)에 드는 양과 같고, 광합성으로 방출되는 산소량이 호흡에 드는 양과 같을 때의 빛의 세기.

보:상 책임【報償責任】명 〖법〗 특수한 양태(樣態)로 특별한 이익을 얻고 있는 자가 그 이익에 수반하는 특별한 손해에 대하여 부담하는 배상(賠償) 책임.

보:상 청구권【報償請求權】[—꿘] 명 〖법〗 손실 보상을 청구할 수 있는 권리.

보:상 행동【補償行動】명 〖심〗 보상 작용❷.

보:상-화【寶相華】명 〖미술〗 ①당초(唐草) 무늬의 주제(主題)로 사용된 가상적(假想的) 오판화(五瓣花). 불교에서 쓰이는, 이상화(理想化)한 꽃이며 원명은 만다라화(曼茶羅華)이고 백련화(白蓮花)를 가리킴. ②↗보상화문(寶相華紋).

보:상화-문【寶相華紋】명 〖미술〗 당(唐)나라 때부터 흔히 사용된, 보상화를 주제(主題)로 한 장식적 당초(唐草) 무늬의 하나. ㊟보상화(寶相華).

〈보상화문〉

보:새[1]【報賽】명 신명(神明)의 은혜에 보답하기 위한 제사. 보사(報祀). 보제(報祭).

보:새[2]【寶璽】명 옥새(玉璽)❶.

보새기 명 〈방〉 보시기(경기·강원·충북·함경).

보:색【補色】명 ①〖미술〗 색상(色相)이 다른 두 가지 빛을 합하여 무채색 곧 흑색 또는 회색의 한 빛을 이룰 때에 이 두 빛을 서로 일컫는 말. 곧 빨강과 초록, 주황과 파랑 등인데 두 빛은 서로 색상을 도와 뚜렷해 보임. 여색(餘色). *원색(原色). ②〖심〗 한 빛깔의 소극적 잔상(消極的殘像)으로서 나타나는 빛깔.

보:색 잔상【補色殘像】명〖물〗어떤 빛깔을 주시(注視)한 후 이것을 제거하거나 다른 색면(色面)에 눈길을 돌렸을 때 그 색의 보색이 잔상으로 나타나는 현상. 또, 그 영상(影像). 여색 잔상.
보:색 적응【補色適應】명〖생〗해조(海藻)가 바다 속에서 자기 빛깔의 보색의 색광(色光)으로 광합성(光合成)을 함으로써 분포의 심도(深度)에 적응하는 일.
보:생【寶生】명〖불교〗↗보생 여래(寶生如來).
보:생-불【寶生佛】명〖불교〗보생 여래(寶生如來).
보:생 여래【寶生如來】[—녀—] 명〖불교〗오불(五佛)의 하나. 대일 여래(大日如來)의 평등 성지(平等性智)로부터 나온 여래로, 남쪽 오불(五佛) 중의 제삼위(第三位). 살갗은 금빛이고 일체의 재보(財寶)를 장악(掌握)함. 보생불(寶生佛). (준)보생(寶生).
보:서¹【報書】명 ①일러 주는 편지. ②답장.
보:서²【寶書】명 비급(祕笈).
보서기 명〈방〉보습¹(충남).
보-서다【保—】자 보증 서다.
보석¹ 명〈방〉보습¹(충남·경남).
보:석²【步石】명 ①디디고 다니려고 깔아 놓은 돌. ②섬돌.
보:석³【保釋】명〖법〗형사 재판의 진행 중 일정한 보증금을 받고 미결 구류(未決拘留) 중의 피고인을 석방하는 일. 또, 그 제도. 보방(保放). ¶병~. *임의적 보석. ——-하다 타(여불)
보:석⁴【寶石】명〖광〗비금속(非金屬) 광물로, 단단하고 빛깔·광택이 아름답고 굴절률(屈折率)이 크며 산출량(產出量)이 적은 돌. 장식품으로 사용함. 금강석(金剛石)·옥수(玉髓)·비취(翡翠)·에메랄드·사파이어(saphire)·루비(ruby)·단백석(蛋白石) 등. 넓은 뜻으로는, 광물이 아닌 진주(眞珠)·산호(珊瑚)도 이에 포함됨. 보옥(寶玉). *반(半)보석.
보:석-금【保釋金】명〖법〗↗보석 보증금(保釋保證金).
보:석 남유【寶石藍釉】명〖공〗경태람(景泰藍)의 청색(青色)과 자색(紫色)을 도자기에 응용한 유색(釉色). 보람유(寶藍釉).
보:석 반지【寶石斑指】명 보석을 박아 만든 반지. 흔히, 금반지나 백금 반지에 박음.
보:석 보증금【保釋保證金】명〖법〗보석이 허락되었을 경우에 납부하는 보증금. 범죄의 성질·정상(情狀), 피고인의 재산 상태 등을 고려하여 정함. (준)보석금.
보:석-사【寶石寺】명〖불교〗충청 남도 금산군(錦山郡) 남이면(南二面) 석동리(石洞里) 진악산(進樂山)에 있는 마곡사(麻谷寺)의 말사(末寺). 신라 헌강왕(憲康王) 11년(885)에 조구 대사(祖丘大師)가 세운 절로, 종전에는 31 본산(本山)의 하나였음.
보:석-상【寶石商】명 보석·금·은 등으로 만든 패물을 파는 상점. 또, 그 직업이나 장수.
보:석-원【保釋願】명〖법〗형사 피고인 또는 법정 대리인(法定代理人)이나 변호인이 보석의 허가를 법원에 제출하는 원서.
보:석-유【寶石釉】명〖공〗보광유(寶光釉).
보:석-함【寶石函】명 보석이나 장신구(裝身具) 따위를 넣어 두는 조그마한 함. *도장함.
보:석-홍【寶石紅】명〖공〗중국 명나라 선덕요(宣德窯)의 제홍(祭紅)의 한 가지.
보선¹ 명〈방〉버선(전라·함경·경기·강원·충청·경상·제주).
보:선²【保線】명 ①언제나 열차의 운전에 지장이 없도록 철도 선로를 관리·보호하여 안전을 유지함. ②↗보선 작업(保線作業). ——-하다 자(여불)
보:선³【普選】명〖정〗↗보통 선거(普通選擧).
보:선⁴【補選】명 ①보충하여서 뽑음. ②↗보궐 선거(補闕選擧). ——-하다 타(여불)
보:선⁵【補繕】명 기왕에 되어 있는 곳을 보충하여 수선(修繕)함. ——-하다 타(여불)
보:선-공【保線工】명 보선 작업(保線作業)에 종사하는 공원.
보:선 공사【保線工事】명 보선 작업을 맡아 하는 공사.
보:선 사:무소【保線事務所】명 선로 건조물과 건널목 설비의 보수·관리에 관한 사항을 분장(分掌)하는, 지방 철도청의 현업(現業) 기관.
보:선 임:원【補選任員】명 보궐 선거에서 뽑힌 임원.
보:선 작업【保線作業】명 열차 운행을 안전하게 하기 위하여 선로 건조물을 유지하고 수선하는 작업. (준)보선(保線). ——-하다 자(여불)
보:설【報雪】명 보복하여 설치(雪恥)하거나 설원(雪冤)함. ——-하다 자(여불)
보섭¹ 명 ☞보습¹.
보:섭²【步涉】명 길을 걷고 물을 건넘. ——-하다 자(여불)
보:섭³【步躡】명 →보첩(步躡).
보:섭 여비【步躡如飛】[—녀—] 명 →보첩 여비. ——-하다 형(여불)
보:성【寶城】명〖지〗전라 남도 보성군의 군청 소재지로 읍. 경전선(慶全線)의 요역(要驛). 농산·임산·축산물의 집산지. [15,503 명(1990)]
보:성-강【寶城江】명〖지〗전라 남도 보성군(寶城郡) 웅치면(雄峙面)에서 발원(發源)하여 보성·승주(昇州)를 지나 곡성(谷城)의 압록(鴨綠)에서 섬진강(蟾津江)과 합류하는 강. [120 km]
보:성강 댐【寶城江—】〔dam〕명 전라 남도 보성군(寶城郡) 겸백면(兼白面) 용산리(龍山里)의 섬진강 지류인 보성강에 위치하는 댐. 1937년에 완성됨. 높이 11.9 m, 제방 길이 274 m의 콘크리트 중력 댐으로 총저수량 470만 t이며, 만수위 127.27 m, 최저 수위 120.48 m임. 연간 용수 공급량 1억 1800만 t.
보:성강 발전소【寶城江發電所】[—쩐—] 명〖지〗전라 남도 보성군 득량면(得粮面)에 있는 수력 발전소. 최대 출력은 3,360 kW.
보:성-군【寶城郡】명〖지〗전라 남도의 한 군. 관내 2 읍 10 면. 북은 화순군(和順郡)과 순천시(順天市), 동은 순천시, 남은 고흥군(高興郡)과 바다, 서는 장흥군(長興郡)과 화순군에 닿음. 홍차·한지(韓紙)·마포(麻布)의 산출로 유명하며, 이 밖에 수산(水產)·임산·축산도 있음. 명승 고적으로는 율포(栗浦) 해수욕장·다원(茶園)·홍교(虹橋) 등이 있음. 군청 소재지는 보성. [663.05 km^2 : 70,054 명(1996)]
보:성-만【寶城灣】명〖지〗전라 남도 남해안에 있는 만. 고흥 반도(高興半島)에 의하여 둘러싸였음.
보:성 학교【普成學校】명 조선 말기, 광무 9년(1905)에 이용익(李容翊)이 서울 전동(磚洞), 지금의 종로구 수송동(壽松洞)에 설립한 사립 학교. 보성 전문 학교는 1932년 김성수(金性洙)의 중앙 학원(中央學園)으로 인계되고, 중학교는 1924년 조선 불교 중앙 교무원(教務院)이 인수(引受), 다시 1940년 전형필(全鎣弼)이 인수하여, 지금의 보성 중고등 학교가 됨.
보:세¹【保稅】명〖법〗관세(關稅)의 부과(賦課)를 유예(猶豫)하는 일. 수입 절차가 끝날 때까지 관세 징수를 하지 아니하는 일.
보세²【洑稅】[—쎄] 명 ↗보수세(洑水稅).
보:세³【普世】명〖천주교〗온 세상. ¶~ 만민의 행복.
보:세 가공【保稅加工】명 관세의 부과가 유예(猶豫)되는 상태에서 수입 원료(輸入原料)를 가공하는 일.
보:세 가공 무:역【保稅加工貿易】명 원료를 수입하여 가공하는 동안에는 과세(課稅)를 보류하고, 제품의 수출이 확인되었을 때 관세를 면제하는 방식의 무역.
보:세 건:설장【保稅建設場】명 산업 시설의 건설을 위하여 수입한 기계류 설비품(設備品) 또는 공사용 장비를 놓아 두거나 그것을 사용하여 건설 공사를 하는 특허 보세 구역.
보:세 공장【保稅工場】명 특허 보세 구역의 하나. 통관 절차(通關節次)가 아직 끝나지 아니한 외국의 화물을 받아들여, 제조·가공 등을 행하는 공장.
보:세 구역【保稅區域】명〖법〗수입 화물을, 관세 부과가 유예된 채로 놓아 둘 수 있는 구역. 지정(指定) 보세 구역과 특허(特許) 보세 구역이 있는데, 전자는 지정 장치장 및 지정 검사장으로, 후자는 보세 장치장·보세 창고·보세 공장·보세 전시장·보세 건설장 및 보세 판매장으로 구분함. 보세 지역.
보:세 수입【保稅輸入】명〖경〗제품 원료가 부족한 나라에서 가공 무역(加工貿易)을 진흥(振興)시키기 위해 원료의 수입 절차나 수입세 과세(課稅)의 복잡한 절차를 밟지 않게 하는 수입 방법.
보:세 장:치장【保稅藏置場】명〖법〗통관 절차(通關節次)를 취하려고 하는 물품을 장치(藏置)하기 위한 특허 보세 구역(特許保稅區域).
보:세 전:시장【保稅展示場】명 특허 보세 구역의 하나. 박람회·전람회·견본시(見本市) 등을 운영하기 위하여 외국 물품을 장치(藏置)·전시 또는 사용하는 곳.
보:세 제:도【保稅制度】명 수입 화물이 일정한 보세 구역에 있는 동안 수입 관세의 부과를 유예하는 제도. 가공 무역이나 중계(中繼) 무역을 촉진하기 위하여 만든 제도임.
보:세 지역【保稅地域】명〖법〗보세 구역.
보:세 창고【保稅倉庫】명〖법〗특허 보세 구역의 하나. 수입 절차(輸入節次)를 마치지 못한 외국 화물을 넣어 두는 창고. 세관장의 허가를 받은 경우에는 통관을 하지 아니한 내국(內國) 화물도 넣어 둘 수 있음.
보:세 판매장【保稅販賣場】명 특허 보세 구역의 하나. 외국 물품을 외국으로 반출하거나 우리 나라에 주재하는 외교 기관의 직원 및 그 가족 등이 사용하는 것을 조건으로 판매하는 구역.
보:세-품【保稅品】명 보세 지역에 있는 보세가 된 물품.
보:세 화:물【保稅貨物】명〖법〗수입 절차를 마치지 못한 외국 화물. 보세 창고에 넣어 둠.
보:셋-집【保稅—】명 보세 가공(保稅加工) 과정에서 흠집이 생겼거나 규격에 맞지 않아 불합격이 된 물건을 파는 가게. 주로, 의류나 신발류에 대해서 이름.
보션 명〈옛〉버선. ¶보션 말(韈)≪字會 中 23≫.
보:소【譜所】명 족보(族譜)를 만들기 위하여 임시로 설치한 사무소. 보청(譜廳).
보:속【補贖】명〖천주교〗죄의 악결과(惡結果)를 보상(報償)함. ——-하다 타(여불)
보속-보속 부〈방〉보삭보삭. ——-하다 형(여불)
보:속-음【保續音】명〔organ point〕〖악〗끎음.
보:속-증【保續症】명〖의〗직전(直前)에 한 말이나 동작을 반복 계속하는 정신 증상.
보손¹ 명〈방〉버선(평안·함경·전남·경남).
보:손²〔boson〕명〖물〗보스 아인슈타인(Bose-Einstein) 통계에 따르는 입자. 스핀(spin)이 0 또는 1 등의 정수(整數)인 게이지 입자(gauge 粒子)와 중간자(中間子) 그리고 질량(質量)이 짝수인 ^{2}H·^{4}He 등의 동종(同種) 입자로 이루어지는 원자핵. 보스 입자(Bose 粒子). ↔페르미온(fermion).
보솝 명〈방〉보습¹(함경·경기).
보송-보송 부 ①잘 말라서 물기가 아주 없는 모양. ¶말라서 ~하다. ②거칠지 아니하여 곱고 보드라운 모양. ¶살결이 ~하다. 1)·2): <부숭부숭. ——-하다 형(여불)
보쇠다 타〈옛〉부시다(洗). ¶보쉴 탕(蕩)≪類合 下 23≫.
보수¹ 명〈방〉보시기.
보:수²【步數】명 바둑이나 장기의 어려운 수를 푸는 방법.
보:수³【步數】[—쑤] 명 걸어서 몇 걸음이 되는가의 수. 거리를 잴 때에 일컬음. *보수계.
보:수⁴【保手】명〖경〗↗보증 수표(保證手票).
보:수⁵【保囚】명 죄수(罪囚)를 보석(保釋)함. ——-하다 타(여불)
보:수⁶【保守】명 ①보전하여 지킴. ②재래의 풍속·습관과 전통·제도 등을 중요시하여 그대로 지킴. ↔혁신(革新). ——-하다 타(여불)
보:수⁷【保授】명 보석(保釋)된 사람을 맡음. ——-하다 타(여불)
보:수⁸【補修】명 낡거나 상한 것을 보충하여 수선함. 손질을 함. 수보(修補). ¶도로 ~ 공사. ——-하다 타(여불)
보:수⁹【報酬】명 ①고마움을 갚음. 보답함. ②노무(勞務) 또는 물건을

사용한 대가(代價)로 주는 금전이나 물품. ¶ ～금(金). ③〖심〗 행위(行爲)를 촉진시키거나 학습(學習)을 조성(助成)시키기 위하여 사람이나 동물에 부여하는 언어적 상찬(言語的賞讚). ——-하다 자여불

보:수[10]【報讐·報讎】명 앙갚음. ¶ 피를 ～하는 자가 그 고살자(故殺者)를 친히 죽일 것이니《구약 민수기 : XXXV : 19》. ——-하다 자여불

보:수[11]【寶樹】명〖불교〗↗칠중 보수(七重寶樹).

보:수-가【保守家】명 ①보수적인 사람. ②완고한 사람.

보:수-계【步數計】[—쑤—] 명 〔pedometer〕〖물〗 보행(步行)할 때의 진동에 의해, 걸음의 횟수를 자동적으로 기록하는 계기(計器). 육지 측량에서 개략적(概略的)인 거리를 구할 때 사용함. 보측계(步測計). 계보기(計步器). 측보기(測步器). *보수[5](步數).

〈보수계〉

보:수 공사【補修工事】명 보수하는 공사.

보:수 교:육【補修敎育】명〖교〗 어떤 기술이나 학문에 대하여 다시 보충하여 행하는 교육. *보습(補習) 교육.

보:수-금【報酬金】명 보수로 주는 돈.

보수다 타〈방〉빻다(경남).

보:수-당【保守黨】명 ①보수주의를 신봉하는 당파. 보수 정당. 토리당(Tory黨). ↔혁신당(革新黨). ②〔Conservative Party〕〖정〗 영국의 한 정당(政黨). 17세기말에 일어난 궁정당(宮廷黨)인 토리당(Tory黨)을 1835년에 고치어 부른 이름. 처음에는 귀족(貴族)의 이익을 대표하였다가 지금은 주로 대자본가의 이익을 대표함. 1874-1905년에 대부분의 영국 정권을 담당하여 제국주의와 전통적인 제도의 옹호를 주장, 제1차 대전 후는 노동당과 대립하여, 이대(二大) 정당 정치를 벌이고 있음. ③〖정〗 1876-1918년에 있었던 독일의 정당. 자유 보수당과 함께 독일 제국을 지지한 정당. 국가 인민당은 이의 후신임. 독일 보수당. ④완고한 사람들을 비유하여 일컫는 말.

보:수당-원【保守黨員】명 보수당 소속의 당원.

보수락-비 명〈방〉가랑비(황해·함남·평안).

보:수-력【保水力】명 토양 입자(土壤粒子) 사이에 존재하는 수분(水分)을 중력(重力)에 거슬러서 그 자리에 머물러 있게 하는 능력. 엄밀하게는, 어떤 상태의 토양이 보전(保全)할 수 있는 함수량(含水量)으로서 정의(定義)됨. 일반적으로 토양 입자의 대소(大小)가 함수량을 규정함.

보:수-병【堡守兵】명〖군〗 보루(堡壘)를 지키는 병사.

보:수-비【補修費】명 보수에 소용되는 경비(經費).

보:수-성【保守性】[—썽] 명 구습을 보존하고 새로운 것을 반대하는 경향.

보수-세【洑水稅】[—쑤—] 명 봇물을 이용한 값으로 내는 돈이나 곡식. ㊂보세(洑稅)·수세(水稅).

보:수-적【保守的】명관 보수의 경향이 있는 모양. ↔진보적(進步的).

보:수 정당【保守政黨】명〖정〗 현상에 만족하고 미래의 개혁에 기대를 가지지 아니하는 정당의 한 유형. 보수당. ↔혁신 정당. *반동(反動) 정당·자유 정당.

보:수-주의【保守主義】[—/—이] 명 〔conservatism〕 현상 유지나 점진적(漸進的) 개혁(改革)을 받아들이는 주의. ↔혁신주의·진보주의.

보:수주의-자【保守主義者】[—/—이—] 명 보수주의를 주장하는 사람. ↔혁신주의자(革新主義者)·진보주의자.

보:수 주인【保授主人】명〖역〗 유배(流配)된 죄인을 감호(監護)하는 책임을 지는 사람. 수령(守令)이 그 지방의 유력자에게 위촉함.

보:수-파【保守派】명 보수주의(保守主義)를 신봉하는 일파. ↔혁신파.

보순 명〈방〉버선(평안·전남·경남).

보숭이 명 '깨보숭이'나 '떡보숭이' 등의 총칭.

보쉬에 〔Bossuet, Jacques-Bénigne〕명〖사람〗 프랑스의 성직자·신학자. 모(Meaux)의 주교(主敎). 엄숙·정연한 설교로 유명하며, 프랑스 교회의 자유와 절대 왕제(絶對王制)를 변호함. 저서 《세계사 서설(序說)》·《철학 입문》은 유명하며 그 밖에 《조사집(弔辭集)》·《설교집(說敎集)》 등이 있음. [1627-1704]

보슈 〔Bosch, Karl〕명〖사람〗 독일의 공업 화학자. 카이저 빌헬름 협회 총재. 1905년 하버(Haber)와 협력하여 암모니아 합성법의 공업화에 성공하였으며, 1931년 고압(高壓) 화학 기술에 대한 공헌으로 베르기우스(Bergius, F.)와 함께 노벨 화학상을 받음. [1874-1940]

보스[1] 〔Bosch, Hieronymus〕명〖사람〗 초기 네덜란드의 대표적 화가. 생애에 관하여는 불명한 점이 많음. 종교화·우의화(寓意畫)·풍속화 등을 잘 그렸으며, 정교한 사실적 수법과 특유의 기괴(奇怪)·분방(奔放)한 환상을 배합한 수법에서 쉬르레알리슴의 요소를 엿볼 수 있음. 대표작 《쾌락의 동산》·《죽음의 승리》 등. [1450?-1516]

보스[2] 〔boss〕명 ①두목(頭目). 우두머리. ②정계(政界)의 수령(首領). 정당(政黨)의 영수(領袖). 거물(巨物). ③〖기〗 차량·핸들 등의 축(軸)을 끼운 구멍을 보강·고정하기 위하여 단 테.

보스니아 〔Bosnia〕명〖지〗 유고슬라비아 중부의 지방 이름. 원래 로마 제국의 속주(屬州)였다가 12세기에 독립했는데, 15세기 후반에 오스만투르크(Osman Turks)에 합병된 후 1871년 이로부터 분리되어 오스트리아 헝가리 제국(Austria-Hungary帝國)의 지배하에 들어가 1908년 헤르체고비나 주(州)와 합병됨. 산업은 농업·임업·목축·광업을 주로 하며, 철강·식품 가공·제재(製材) 공업이 행해지고, 목재와 건과(乾果)는 주요 수출품임. 주민은 세르비아(Serbia)계이며 주도(主都)는 사라예보(Sarajevo).

보스니아-헤르체고비나 〔Bosnia-Herzegovina〕명〖지〗 동유럽에 있는 공화국. 1916년 유고슬라비아의 주(州)가 되었다가 1946년 북부의 보스니아와 남부의 헤르체고비나 지방이 합쳐 공화국이 됨. 1991년 2월, 국민 투표로 연방으로부터의 독립이 승인됨으로써 민족 분규가 일어남. 아드리아 해(海)에 면하여 있으며 농산물로는 담배·맥류(麥類)·과실, 광산물에는 석탄·철 등이 있음. 수도는 사라예보. [51,129 km^2 : 4,360,000명(1990)]

보스니아 헤르체고비나 병:합 문:제【—倂合問題】〔Bosnia Herzegovina〕명〖역〗 1908년 오스트리아 헝가리 제국(帝國)이 보스니아 및 헤르체고비나 양주(兩州)의 병합(倂合)을 선언한 데서 생긴 국제 문제. 독일은 오스트리아를 지지하였으나 세르비아(Serbia)와 러시아는 이에 반대하였음. 특히 세르비아의 반(反)오스트리아 감정이 강하여, 드디어 사라예보 사건을 일으키게 되었으며 이는 곧 제1차 세계 대전의 발화점이 되었음.

보스라기 명〈방〉바스라기.

보스라-지다 명〈방〉바스러지다.

보스락 부 바싹 마른 검불이나 나뭇잎을 밟거나 뒤적일 때 나는 소리. <부스럭. *바스락. ——-하다 자타여불

보스락-거리다 자타 자꾸 보스락 소리가 나다. 또, 보스락 소리를 자꾸 내다. <부스럭거리다. *바스락거리다. **보스락-보스락** 부. ——-하다 자타여불

보스락-대다 자타 보스락거리다.

보스락-장난 명 좀스럽게 보스락거리는 정도의 장난. *바스락 장난.

보스랑-비 명〈방〉보슬비.

보스러기 명〈방〉바스라기.

보스러-뜨리다 타〈방〉바스러뜨리다.

보스러-지다 자〈방〉바스러지다.

보:스 입자【—粒子】명〔Bose particle〕〖화〗 보손(boson). ↔페르미 입자(Fermi 粒子).

보스 정치【—政治】〔boss〕명〖정〗 보스와 부하의 정실(情實) 관계로 결합하여 행하는 정치.

보스콥-인【—人】〔Boskop〕명 1913년 아프리카 트란스발(Transvaal)의 보스콥(Boskop)에서 발견된 현생 인류(現生人類)의 화석종(化石種). 제4기 빙하(氷河) 시대에 속하며, 형태는 니그로와 크로마뇽(Cro-Magnon) 인종과 비슷함.

보스턴[1] 〔Boston〕명〖지〗 미국의 동북부 매사추세츠 주(州)의 주도. 동해안에서 둘째 가는 큰 무역항으로 수출입(輸出入)이 성하며 직물·의복·구두·전기 기구·가구·인쇄 등 소비재 공업이 성하고 어항(漁港)은 미국 제일의 규모임. 1630년 청교도(淸敎徒)들이 창건함. 문화 도시로서 미술관·공립 도서관·보스턴 대학 등이 있음. 필라델피아와 더불어 독립 전쟁의 본거지였음. [574,283명(1990)]

보스턴[2] 〔boston〕명 ①미국 사교 댄스의 하나. 느린 템포의 왈츠. 1870년에 시작되어 1920년대에 유럽에 보급됨. ②카드놀이의 하나.

보스턴 교향악단【—交響樂團】명 〔Boston Symphony Orchestra〕〖악〗 1881년에 창설된 미국 굴지(屈指)의 대관현악단(大管弦樂團).

보스턴 마라톤 〔Boston marathon〕명 매년 4월 19일에 미국 보스턴에서 열리는 국제적 마라톤 경주 대회. 1897년부터 시작되었는데 코스는 홉킨턴(Hopkinton)과 보스턴 사이의 42.195km임. 매사추세츠 주(Massachusetts州)와 메인 주(Maine州)가 독립 전쟁의 용사(勇士)를 추념하는 '애국자의 날'의 기념 행사로 시작한 것이 기원임.

보스턴 미술관【—美術館】〔Boston〕명 보스턴에 있는 미국 유수의 미술관의 하나. 1876년에 스튜어트(Stuart, Gilbert)의 콜렉션 등을 가지고 개관하였으며, 현재의 건물은 1909년에 완성됨. 이집트 미술을 비롯하여 특히 인도·일본·중국 등 동양 미술품의 소장(所藏)으로 유명함.

보스턴 백 〔Boston bag〕명 여행용 손가방의 한 가지. 바닥이 직사각형이며 가운데쯤이 불룩하게 나왔음.

〈보스턴 백〉

보스턴 티:파:티 〔Boston Tea Party〕명〖역〗 미국의 다회 사건(茶會事件). 1773년 12월에 영국의 차조례(茶條例)에 반대하여, 보스턴의 급진파(急進派)가 인디언으로 가장하여 동 항구에 정박 중이던 동인도 회사의 기선 두 척을 습격하고 적재한 차상자 342개를 바닷속에 던진 사건임. 이 사건으로 영국 정부의 미식민지에 대한 탄압이 엄해지고 1775년 무력 충돌이 일어나서 독립 전쟁의 직접적인 도화선이 되었음.

보스토크 〔러 Vostok〕명 〔동방(東方)의 뜻〕 소련의 초기(初期)의 일련의 1인승 유인 우주선(有人宇宙船). 1호는 1961년 4월 12일 사상(史上) 처음으로 가가린(Gagarin, Y.A.)이 지구를 일주하여 우주 비행에 성공, 그 후 3호와 4호, 5호와 6호는 아베크 비행을 하였음.

보:스틀 시스템 〔Borstal system〕명〖법〗 1908년 영국의 범죄 방지법에 의하여 제정된 교정(矯正) 제도. 16-21세의 청소년 범죄인들을 2-4년 동안 감화원(感化院)에 수용하여 직업 교육과 계호(戒護)를 실시, 석방된 후에도 조직적인 보호 관찰(保護觀察)을 실시함. 영국 보스틀 시(市)에서 처음 실시된 데서 이렇게 부름.

보스포루스 해:협【—海峽】〔Bosporus〕명〖지〗 흑해와 마르마라 해(Marmara海)를 연결하는 협장(狹長)한 해협. 유럽과 아시아의 접합점(接合點)임. 연안에 깎아지른 듯한 낭떠러지가 많으며 옛 성지(城址)가 점재(點在)함. 마르마라 해 입구에 이스탄불이 있으며, 교통·군사상의 요지임. 길이는 30km, 폭은 0.8-4km.

보스호트 〔러 Voskhod〕명 〔해돋이의 뜻〕 소련의 제2기(期)의 유인 우주선(有人宇宙船)의 이름. 1964년 10월 12일 3인승의 1호가 발사되고, 1965년 3월 18일 2인승의 2호가 발사되어, 레오노프(Leonov)가 사상(史上) 처음으로 우주 유영(遊泳)에 성공함.

보:슨 〔boatswain〕명〖해〗 상선(商船)의 갑판장(甲板長).

보슬-보슬[1] 부 눈이나 비가 아주 가늘고 성기게 내리는 모양. ¶ 봄비가 ～ 내리다. <부슬부슬'.

보슬-보슬[2] 부 덩이를 이룬 가루 같은 것이 물기가 적어서 잘 엉기지 못

하는 모양. ㅆ포슬포슬. <부슬부슬². *바슬바슬. ——-하다 형여불

보슬-비 명 바람 없이 조용히 내리는 가랑비. 보슬보슬 내리는 비. <부슬비.

보습¹ 명 〔근대 : 보십〕〖농〗쟁기나 극젱이의 술바닥에 맞추는 삽(鍤) 모양의 쇳조각. 땅을 갈아서 흙덩이를 일으키는 일을 함.

보:습²【補習】명 소정(所定)의 학과를 마치고 다시, 학습이 부족한 것을 보충하여 익힘. ——-하다 타여불

보:습-과【補習科】명〖교〗일정한 교과 과정을 보습하기 위하여 베푼 「과.

보:습 교:육【補習教育】명 일정한 직업에 이미 종사하고 있는 사람에게 지식과 기술을 가르쳐 직업상의 능력을 돕고 일반적 교양(教養)을 높이는 것을 목적으로 하는 교육. *보수 교육.

보습-살 명 설깃에 붙은 고기. 구이·회 같은 것에 씀.

보습-윷 [—늧] 명〖민〗'산윷'의 딴이름.

보:습 학교【補習學校】명〖교〗보습 교육을 행하는 학교.

보:승-지【保勝地】명 경승지(景勝地).

보시¹ 명〈방〉보시기(경상).

보시² 명〈옛〉볼모. ¶ 보시드다. 俗稱保施 볼모 잡히다《平壤本 經國大典》.

보:시³【布施】명〔범 dāna〕〖불교〗①깨끗한 마음으로 법(法)이나 재물을 아낌없이 사람에게 베풂. 포시(布施). ②중에게 베풀어 주는 금전이나 물건. 포시(布施). 단시(檀施). ——-하다 타여불

보:시⁴【普施】명 은혜를 널리 베풂. ——-하다 타여불

보:시⁵【報施】명 은혜를 갚아서 베풂. ——-하다 자여불

보:시⁶【報時】명 시각(時刻)이나 시간을 알림. ——-하다 자여불

보:시⁷【普試】명〖법〗↗보통 고시(普通考試). ↔고시(高試).

보:시-구【報時球】명 시구(時球).

보시기¹ 명 김치·깍두기 같은 것을 담는 작은 사발. 사기와 놋그릇의 다름이 있음. 보아(甫兒). 준보.

보:시-기²【報時器】명 시각이나 시간을 알리는 장치·기구.

보시다 형〈방〉부시다³.

보시비 명〈방〉보습¹(경북).

보:시 신:호【報時信號】명 귀에 들리는 소리나 광선·기(旗)·구(球) 등과 같이 눈으로 볼 수 있는 것을 이용하여 시각을 통보하는 신호. 또, 그 설비.

보:식【補植】명 인공 조림(人工造林) 특히, 식수(植樹) 조림에 있어서 묘목(苗木)이 시들거나 상하여 공지(空地)가 생긴 경우 그곳에 묘목을 심는 일. ——-하다 타여불

보신¹ 명〈방〉버선(경상·전라).

보:신²【保身】명 몸을 보전함. 보신명(保身命). ——-하다 자여불

보:신³【報身】명〔범 saṁbhogakāya〕〖불교〗부처의 삼신(三身)의 하나. 보살(菩薩)이 발원(發願)을 하여 수행(修行)하고 여러 겁(劫)을 정진(精進)한 과보(果報)에 의하여 불덕(佛德)이 나타난 몸. 곧 공덕(功德)이 집적(集積)한 몸. ↔법신(法身)·응신(應身).

보:신⁴【補身】명 보약을 먹어 몸을 잘 보함. ——-하다 자여불

보:신⁵【補腎】명 보약을 먹어 정력(精力)을 도움. ——-하다 자여불

보:신-각【普信閣】명 서울 종로(鐘路)에 있는 종각(鐘閣). 조선 태조(太祖) 4년(1395)에 처음으로 세운 것을 세종(世宗) 때에 층루(層樓)로 고쳐 건립하고 임진 왜란 때에 소실(燒失)된 것을 선조(宣祖) 때 재건, 6·25 사변 때 또 소실되어 다시 건립함. 고종 32년(1895) 3월 15일에 '보신각'이라는 현판을 건 후부터 이 이름이 붙었음.

보:신각-종【普信閣鐘】명 보신각 안에 있던 종. 조선 태조(太祖) 4년(1395)에 처음 만들었는데, 이 종소리에 따라 서울의 각 성문을 열고 닫았음. 임진 왜란 때, 종루(鐘樓)가 타는 바람에 녹아 없어졌고, 현재의 것은 원각사(圓覺寺)의 종으로 세조(世祖) 4년(1469)에 윤자운(尹子雲)과 서거정(徐居正) 등이 만든 것임. 보물 2호로 지정됨. 지금은 국립 중앙 박물관에 옮겨져 있음.

보:신 대:부【保信大夫】명〖역〗조선 시대에 종친(宗親)의 종삼품 품계(品階).

보:-신명【保身命】명 몸을 보존함. 보신(保身). ——-하다 자여불

보:신-불【報身佛】명〖불교〗삼신불(三身佛)의 하나로 노사나불(盧舍那佛)인 아미타불.

보:신-술【保身術】명 호신술(護身術).

보:신-용【保身用】명 호신용(護身用).

보:신지-책【保身之策】명 한 몸을 보전하는 계책. 준보신책.

보:신-책【保身策】명 ↗보신지책(保身之策).

보:신-총【保身銃】명 몸을 보전하기 위하여 지니고 다니는 총.

보:신-탕【補身湯】명〈속〉보신(補身)에 효과가 많은 탕국. 흔히 '개장국'을 일컬음.

보실-보실 부〈방〉보슬보슬.

보:심-록【報心錄】[—녹] 명〖문〗작자·연대 미상의 조선 시대의 국문 소설. 명(明)대의 중국을 배경으로 하고 보은지도(報恩之道)를 주제(主題)로 한 12회의 장회(章回) 소설. 금양 이산(錦襄二山).

보십 명 ☞보습¹.

보:싯-돈【布施—】명〖불교〗보시로 받은 돈.

보숣피다 타〈옛〉보살피다. ¶ 보숣피기 쉽게 ᄒᆞ라(容易照管)《老乞 上 52》.

보숣피다 타〈옛〉돌보아 주다. ¶ 내 門戶를 보숣피고 자리라(我照覷了門戶睡也)《老乞 上 23》.

보-싸기 명 활의 줌허리를 벚나무 껍질로 싼 꾸밈새.

보-싸움【洑—】명 아이들의 놀이의 하나. 도랑에서 한 아이는 위에다 보를 막고 한 아이는 아래에다 보를 막았다가 위의 보에 물이 잔뜩 괸 다음에 이것을 터서 그 물이 아랫보를 무너뜨리면 이기고 그렇지 못하면 짐.

보-쌀 명〈방〉보리쌀.

보-쌈【褓—】명 ①〖민〗귀한 집 딸이 둘 이상의 남편을 섬기게 될 팔자일 때에 팔자 땜을 시키려고 그 수효대로 밤에 넌지시 남의 남자를 보자(褓子)에 싸서 잡아다가 상관(相關)시키고 죽이던 일. ¶ 어제 아바지 하시던 말씀과 같이 팔자 탓으로 ~ 겪은 셈치고 그 양반은 잊어버려라《李海朝 : 花의 血》. ②뜻밖에 누구에게 붙잡혀 가는 일을 비유해서 일컫는 말. ③양푼만한 그릇 바닥에 먹이를 붙이고, 고기가 들어갈 구멍을 낸 보로 싸서 물 속에 가라앉혔다가 건져내어 물고기를 잡는 일.

【보쌈에 들었다】남의 꾐에 걸려들었다는 말.

보쌈 김치【褓—】명 통배추를 쪼개서 절이어 소를 넣고 잎사귀를 휘감아서 담근 김치. 준쌈김치.

보쌈-질【褓—】명 다림질할 때에 옷을 축축하게 추긴 보자기에 싸두어 눅지게 하는 일. ——-하다 타여불

보쑤 명〈방〉보법¹.

보씹 명〈방〉〖농〗보습¹(평안).

보ᄉᆞ 명〈옛〉보시기¹. =보ᄋᆞ. ¶ 보ᄉᆞ 구(甌)《字會 中 12》.

보ᄉᆞᆸᄂᆞ니 타〈옛〉보오니. '보ᄉᆞᆸ다'의 활용형. ¶ 後人이 보ᄉᆞᆸᄂᆞ니(後人相之)《龍歌 27章》.

보ᄉᆞᆸ라 타〈옛〉보오라. 뵈오려고. '보ᄉᆞᆸ다'의 활용형. ¶ 大王ᄋᆞᆯ 보ᄉᆞᆸ라 오ᄂᆞ이다《月釋 Ⅷ:90》.

보ᅀᆞᆸ다 타〈옛〉보옵다. ¶ 至今에 보ᅀᆞᆸᄂᆞ니(今人猶視)《龍歌 5章》.

보아¹【甫兒】명 보시기¹.

보:아²【報衙】명〖역〗관아에서 북을 쳐서 관리의 출근을 알리던 일.

보아³〔boa〕명 [*Constrictor constrictor*] 보아과에 속하는 뱀의 하나. 몸길이 3.6-4m이고 몸빛은 적갈색에 꼬리는 벽돌색이고 배면(背面)에는 15-20개의 큰 황갈색의 반문(斑紋)이 있어서 아름답게 보임. 꼬리는 짧고 하미판(下尾板)은 1렬(列)로 45-69개가 있음. 난태생(卵胎生)인데 한 번에 64마리까지 낳는 일이 있음. 무독(無毒)한 큰 뱀으로 성질이 온순(溫順)하고 쥐 같은 것을 감아서 죽여 먹음. 남아메리카의 열대(熱帶) 산림에 분포함. 식용(食用)하며 가죽은 가방·지갑·패스포트 등을 만드는 데 씀. 왕사(王蛇). 왕뱀.

〈보아³〉

보아너게〔Boanerges〕명〖성〗〔벼락의 아들들이라는 뜻〕예수가 그 제자 야고보·요한의 형제에게 지어 준 이름.

보아란-듯이 부 자랑삼아 버젓하게 드러내어 너 좀 보라는 태도로. ¶ ~ 자랑하다. 준봐란듯이.

보아이〔博愛〕명〖지〗중국 허난 성(河南省) 북서부의 보아이 현의 현 공서 소재지. 산시 성(山西省) 경계에 가깝고 다오칭(道淸) 철도의 종점임. 성(省) 서북의 농산물·광산물을 집산하며 동쪽의 자오쭤(焦作)는 본성 최대의 무연탄 산지임. 구명(舊名)은 칭화전(淸化鎭). 박애.

보아-주다 타 ①도와 주다. 돌보아 주다. 보살펴 주다. ¶ 그의 일을 ~. ②눈감아 주다. ¶ 한 번만 보아 주십시오. 준봐주다.

보아지 명〖건〗판잣집같이 작은 집에 있어서의 들보 구실을 하는 것.

보아-하니 부 '살피어 보니·보아 짐작하건대'의 뜻의 접속 부사. ¶ ~ 학생인 듯한데 그래서 되겠소. 준봐하니.

보아-한들 부 '살펴본다고 한들'의 뜻의 접속 부사. 이치가 어그러져 뜻밖으로 여길 때 쓰는 말. ¶ ~ 네가 이길 것 같지도 않다.

보:안¹【保安】명 ①안전을 유지함. ②사회의 안녕 질서(安寧秩序)를 보전함. ¶ ~ 조치(措置). ——-하다 타여불

보:안²【保眼】명 눈을 보호함. ——-하다 자여불

보:안³【寶案】명 임금의 보물을 올려놓는 받침.

보:안 거:리【保安距離】명 콤비나트·석유 저장 탱크의 폭발이나 화재에 대비하여, 공장 시설과 민가(民家) 사이에 두어야 하는 거리.

보:안 경:찰【保安警察】명〖법〗사회 공공의 안녕 질서를 유지하기 위한 경찰. 출판(出版)·집회(集會)·결사(結社)·선거 등을 단속함. 치안 경찰(治安警察). *행정 경찰.

보:안-관【保安官】명〔sheriff〕미국의 군(郡)에서 치안을 맡아 보는 민선(民選) 관리. 보통, 사법권과 경찰권을 장악함.

보:안 관찰【保安觀察】명〖법〗보안 관찰 처분을 받은 자에 대하여 주거지 관할 경찰서장이 재범 방지에 필요한 범위 안에서 적절한 지시와 관찰을 하는 일.

보:안 관찰법【保安觀察法】[—뻡] 명〖법〗형법의 '내란의 죄·외환의 죄'나 국가 보안법 등 특정의 범죄를 범한 자에 대하여 재범의 위험성을 예방하고 건전한 사회 복귀를 촉진하기 위하여 보안 처분을 함으로써 국가의 안전과 사회의 안녕을 유지할 목적으로 제정된 법률.

보:안 관찰 처:분【保安觀察處分】명〖법〗보안 관찰법에 규정된 특정한 범죄를 범하고 형의 집행을 받은 사람이 다시 그 범죄를 범할 위험이 있어 재범의 방지를 위해 관찰이 필요할 때 내리는 처분. 이 처분은 검사의 청구에 의하여 보안 관찰 처분 심의 위원회의 의결을 거쳐 법무부 장관이 결정함. 기간은 2년임.

보:안 관찰 처:분 심:의 위원회【保安觀察處分審議委員會】[—/—이—] 명〖법〗검사가 청구한 보안 관찰 처분에 관한 사안을 심의·의결하기 위하여 법무부에 둔 기관. 위원장은 법무부 차관이 되고, 6명의 위원은 학식과 덕망이 있는 자로 하되, 그 과반수는 변호사 자격이 있는 자라야 함.

보:안 규정【保安規定】명〖법〗광산 보안법에 의하여 광업권자(鑛業權者) 또는 조광권자(租鑛權者)가 광산의 보안을 확보하기 위하여 정한 규정. 동력 자원부 장관의 승인을 얻어야 함.

보:안-등【保安燈】명 사회의 안녕 질서를 지키기 위해 어두운 곳에 달아 놓은 전등. 흔히, 도둑을 막고 골목길을 환하게 하기 위해 달아 놓은 전등을 말함.

보:안-림【保安林】[—님] 명 산림법에 의하여 수원(水源)의 함양(涵養), 풍수해의 방지, 풍치(風致)의 보존, 토사(土砂)의 유출 및 붕괴의

방지, 공중(公衆)의 보건, 항해와 항공 목표의 보존 등의 목적으로 벌채(伐採)·개간(開墾) 등을 금지·제한하도록 지정된 삼림. 산림청장이 지정함. 보존림(保存林). ↔공용림(供用林).

보:안 명:령【保安命令】[—녕] 명〖법〗광업에 사용하는 기계·기구·건설물·공작물 기타 시설의 사용이나 화약류·재료·동력 또는 화기(火氣)의 취급, 광업 경영의 방법 등이 광산 보안법에 위배되었을 때, 동력자원부 장관이 그 시정을 위하여 내리는 명령.

보:안-법【保安法】[—뻡] 명〖법〗↗국가 보안법.

보:안 부대【保安部隊】명〖군〗방첩(防諜)에 관한 일을 주요 업무로 하는 부대.

보:안-사【保安司】명 ↗보안 사령부.

보:안 사령관【保安司令官】명 ↗국군(國軍) 보안 사령관.

보:안 사령부【保安司令部】명 ↗국군(國軍) 보안 사령부. 준보안사.

보:안 장치【保安裝置】명 전기 기구·기계 등에 발생할 우려가 있는 위험을 방지하고, 안전을 유지하기 위하여 설치한 장치.

보:안 처:분【保安處分】명〖법〗'보안 관찰 처분'으로 바뀜.

보:안-회【保安會】명 대한 제국 때 있었던 배일 단체(排日團體). 광무(光武) 8년(1904) 6월에 원세성(元世性)이 중심이 되어 배일 운동을 계속하다가 송병준(宋秉畯)의 유신회(維新會)와 충돌하여 없어졌음.

보암-보암 명 이모저모로 보아서 짐작할 수 있는 겉모양. ¶ ~으로는 쉬워 뵈지만 실제는 어렵다/~으로는 할 것 같더라.

보암직-하다 형여불 볼 만한 값어치가 있다. 볼 만하다.

보애[1] 명〈방〉팽이(함경).

보:애[2]【寶愛】명 보배롭게 여기어 사랑함. 소중히 여김. ——-하다 자여불

보애스〔Boas, Franz〕명〖사람〗독일 출생의 미국 인류학자(人類學者). 종래의 진화주의적 문화의 해석에 반대하고, 아메리카 인디언의 문화 특성·분포의 연구에 종사하여 그 전파 경로(傳播經路)를 객관적으로 밝히려고 시도함. 이 전파 방법 연구는 미국 인류학의 특색의 하나가 됨. 저서에는 《미개인의 정신》·《북미 인디언의 신화와 민화(民話)》등이 있음. [1858-1942]

보야- 간 '보얗다'의 불규칙 어간. ¶ ~ㄴ/~니.

보야누스 기관【—器管】〔Bojanus〕명〖동〗연체 동물(軟體動物) 판새류(瓣鰓類)의 배설 기관. 신관(腎管)이 변형된 것으로 체액의 침투(浸透) 조절과 노폐물의 배설 기능이 있음. 리투아니아의 비교 해부학자 보야누스(Bojanus, H.B.; 1776-1826)가 기재(記載)함.

보야호로 부〈옛〉바야흐로. ¶ 내 보야호로 中原싸올 히믈 드려 도로 앗고져 ᄒᆞ노니(吾方致力於中原)《飜小 X:7》.

보야흐로 부〈옛〉바야흐로. ¶ 보야흐로 告ᄒᆞ며(方告)《無寃錄 I:8》.

보야ᄒᆞ로 부〈옛〉바야흐로. ¶ 보야ᄒᆞ로 孝道로(方以孝道)《內訓 I:59》.

보:약【補藥】명 몸을 보하는 약. 건강제.

보얀-목【—木】명〖식〗비목나무.

보:양[1]【保養】명 몸과 마음을 휴양하여 건강을 보전하고 활력을 기름. 양생(養生). ——-하다 타여불

보:양[2]【補陽】명〖한의〗약을 써서 남자의 양기(陽氣)를 도움. ↔보음(補陰). ——-하다 자여불

보:양-관【輔養官】명〖역〗조선 시대에, 보양청(輔養廳)의 한 벼슬. 원자 보양관(元子輔養官)은 종이품 이상이고 원손 보양관(元孫輔養官)은 정삼품 이상임.

보:양 도시【保養都市】명 온천·피서지·피한지(避寒地)·유람지(遊覽地) 등으로 알려져 보양(保養)을 위하여 발달한 도시. 우리 나라의 동래·주을(朱乙)이나 프랑스의 니스(Nice) 같은 곳.

보:양-제【補陽劑】명〖한의〗양기를 돕는 약제. ↔보음제(補陰劑).

보:양-지【保養地】명 보양하기에 적당한 곳.

보:양-청【輔養廳】명〖역〗조선 시대에, 원자(元子)·원손(元孫)의 보좌(輔佐)·교도(敎導)를 맡아 보던 관청.

보:얗다 [—야타] 형ㅎ불 투명(透明)하지 않고 연기나 안개가 낀 것같이 희끄무레하다. ¶ 보얀 젖/먼지가 보얗게 끼다. ㅆ뽀얗다. <부옇다.

보:얘 준 '보얗아'의 줄어 변하여 된 말. ¶ ~지다. ㅆ뽀얘. <부예[2].

보:얘-지다 자 보얗게 되다. ㅆ뽀얘지다. <부예지다.

보:어[1]【補語】명〔complement〕〖언〗①주어(主語)와 술어(述語)만으로는 뜻이 완전하지 못한 문장에 있어서 그 불완전한 곳을 보충하여 뜻을 완전하게 하는 구실을 하는 수식어(修飾語). 국어에서는 '되다'·'아니다' 앞에서 조사 '이'·'가'를 취하여, 나타나는 문장 성분을 말함. '구름이 비가 된다'에 있어서 '비가'와 같은 말. 보족어(補足語). 보충어. 기움말. ②넓은 뜻으로, 풀이를 보충해 주는 문장 성분이라 하여, 목적어·수식어까지도 포함시켜 가리키기도 함.

보:어[2]〔Bohr, Niels〕명〖사람〗덴마크의 물리학자. 코펜하겐(Copenhagen) 대학 교수. 러더퍼드(Rutherford, E.)의 원자 모형(原子模型)에 양자 조건(量子條件)을 적용하여 수소의 선(線)스펙트럼을 설명하고 대응(對應) 원리를 발표함. 양자 역학(量子力學)이 성립된 후는 상보성(相補性)의 개념 등으로 그 기초의 해명에 노력하였음. 1940년 독일군을 피하여 도미(渡美)한 후 원폭(原爆) 제조 계획에 참가함. 1922년 노벨 물리학상과 1957년 제1회 원자력 평화상을 받음. [1885-1962]

보:어-인【—人】〔Boer〕명 남아 공화국(南阿共和國)의 네덜란드계(系) 백인. 이 나라 백인의 약 60%를 차지하며, 아프리칸스어(Afrikaans 語)를 사용함. 17세기 후반에 시작된 네덜란드 식민자(植民者)와 그 자손으로, 케이프(Cape) 식민지를 형성하였음. 후에 영국이 진출하자 오렌지 자유국(Orange 自由國)과 트란스발(Transvaal) 공화국을 건설하였으나 남아(南阿) 전쟁 때 영국 식민자에 패하였음. 현재 아파르트헤이트(Apartheid) 정책을 추진하는 국민당(國民黨)의 기반을 이루고 있음.

보어 전:쟁【—戰爭】명〔Boer War〕〖역〗1899년부터 1902년까지 계속된 영국과 트란스발(Transvaal) 공화국 및 오렌지(Orange) 자유국과의 전쟁. 영국은 그 두 지역에서 금과 보석이 발견되자 이를 탐내어 영국인의 참정권(參政權) 요구의 거절을 구실로 싸움을 시작함. 트란스발·오렌지 두 나라는 유격전으로 맞서 잘 싸웠으나 결국 굴복하여 영국의 식민지가 됨. 남아 전쟁(南阿戰爭).

보어홀: 펌프〔borehole pump〕명〖물〗깊은 우물의 양수(揚水)에 사용하는 펌프의 일종. 수직형의 회전축에 여러 단(段)의 터빈 날개가 꼬치 모양으로 달려 있는 축류식(軸流式) 펌프임.

보:어 효:과【—効果】〔Bohr〕명 헤모글로빈과 같은 산소 운반능(酸素運搬能)이 있는 물질이 혈액 등의 수용액 중에 있을 때, 그 산소 평형(平衡)은 혈액 중의 탄산(炭酸)의 분압(分壓)의 영향을 받아서 탄산 분압이 높을수록 산소에 대한 친화성(親和性)이 낮아지며 산소를 해리(解離)하기 쉽게 되는 현상. 1904년 보어가 발견함.

보에티우스〔Boethius, Anicius Manlius Severinus〕명〖사람〗로마 말기의 정치가·철학가. 신(新)플라톤주의에 스토아 철학적 섭리론을 가미하여 현세적 쾌락을 배격하고 덕(德)으로 마음의 편안을 얻을 것을 역설하였음. 옥중에서 지은 《철학의 위안》은 중세 이후 많이 읽힘. [480?-524?]

보:엔〔Bowen, Norman Levi〕명〖사람〗캐나다 태생의 미국 암석학자(岩石學者). 워싱턴 시(市)의 카네기 협회 지구 물리학 연구소 소원. 규산염 융해물(珪酸塩融解物)의 결정 작용(結晶作用)에 관한 실험적 연구에 바탕을 두고 화성암 성인론(火成岩成因論)에 있어서의 반응 원리를 제창함. 명저(名著) 《화성암의 성인》이 있음. [1887-1956]

보:여【寶輿】명 천자(天子)의 수레.

보여이〔Bolyai, János〕명〖사람〗헝가리의 수학자. 기하학자인 아버지 보여이(Bolyai, Farkas : 1775-1856)의 평행선 문제의 연구를 계승하여 1825년경, 로바체프스키(Lobachevskij, N. I.)와는 별도로 비(非)유클리드 기하학의 수립에 성공하여 이 결과를 26페이지의 소책자(小册子)로 만들어 1822년에 간행된 부친의 저서의 부록으로 발표함. [1802-60]

보여-주다 타 보이다[1] 目. ¶ 신분증을 ~.

보:영【報營】명〖역〗고을 원들이 감영(監營)에 보고하는 일. ——-하다 타여불

보:예[1]【保乂】명〖악〗조선 세종 때 회례악(會禮樂)으로 창작된 《보태평(保太平)》의 제5번 악장. 4언 10구의 한시(漢詩)로 쌍성(雙城)에서의 환조(桓祖)의 덕을 노래한 것임.

보예[2]〔Boye, Karin〕명〖사람〗스웨덴의 여류 작가. 재녀(才女)로서 많은 기대를 모았으나 자살하였음. 이색적(異色的)인 시집 《나무를 위해서》와 나치즘에 대한 공포에서 이루어진 소설 《칼로카인(Kallocain)》 등이 있음. [1900-1941]

보오리 명〈방〉산봉우리(경상).

보오 전:쟁【普墺戰爭】명〖역〗프로이센 오스트리아 전쟁.

보:옥【寶玉】명〖광〗보석(寶石). ¶ 장중(掌中) ~.

보:온【保溫】명 일정한 온도를 보전함. ——-하다 자여불

보:온-기【保溫器】명 주위의 온도보다 높은 온도를 유지하는 데 쓰이는 가열 장치가 달린 용기(容器). 용도에 따라 부란기(孵卵器)·건조기 등으로 불리는 일도 있음.

보:온 못자리【保溫—】명〖농〗보온 묘포(苗圃).

보:온 묘:포【保溫苗圃】명〖농〗추운 지방에서 볏모를 빨리 키우기 위하여, 유지(油紙)·비닐 등을 덮어 씌워 온도를 보전하는 묘포. 보온 못자리.

보:온-병【保溫甁】명 보온·보냉(保冷)에 쓰이는 그릇. 중간의 공기를 빼고 진공(眞空)이 되게 한 유리제의 이중벽 그릇을 내통(內筒)으로 하고 그 바깥 쪽을 금속·플라스틱제의 외통(外筒)으로 보호한 것. 유리 안벽의 진공으로 열전도(熱傳導)가 차단됨. 여행·하이킹 등을 할 때 쓰는 휴대용과 가정용이 있는데, 아가리가 큰 자(jar)는 밥의 보온에도 쓰이며, 아가리가 작은 것은 포트(pot)라고 함. 듀어병. 이중병.

보:온-성【保溫性】[—썽] 명 일정한 온도를 보존하는 성질. 솜·털 같은 것의 따뜻한 성질 등. *보온재.

보:온-재【保溫材】명 보온·보냉(保冷)의 목적으로 쓰는 열전도(熱傳導)가 낮은 재료(材料)의 총칭. 내부에 많은 기포(氣泡)를 가짐. 상온(常溫) 이상의 보온재로서는 석면(石綿)·보온 벽돌 등이 있음. *보온성.

보:온 절충 못자리【保溫折衷—】명〖농〗마른 논에 보온 자재(資材)를 써서 육묘(育苗)를 하는 못자리. 써레질한 논에 온상(溫床)을 만들고 파종(播種)한 후 흙을 덮은 위에 온상지(溫床紙)를 씌움. 본엽(本葉)이 두 잎 정도 나왔을 때 온상지를 제거하고 상면(床面)까지 물을 댐. 이후는 물못자리와 같은 방법으로 관리함. 이것으로 병해(病害)에 강하고 조기 재배(早期栽培)와 안정된 벼농사가 가능하게 됨.

보:완【補完】명 모자라거나 덜된 것을 보충하여 완전하게 함. ¶ 미비점을 ~하다. ——-하다 타여불

보:완 관계【補完關係】명〔complementary relation〕〖경〗두 개 이상의 재화(財貨)가 상호(相互) 보완하여 한 용도(用途)를 이루는 관계. 이를테면, 실과 바늘 또는 커피와 설탕과 같은 관계를 이르는데, 이 경우 한 재(財)는 타재(他財)의 보완재(補完財)라고 함. *보완재.

보완다보왜라 감〈옛〉군사가 노숙(露宿)할 때 병졸(兵卒)이 잠들지 못하게 주의시키어 외치는 소리. ¶ 보완다보왜라 소릐에 가슴 금즉ᄒᆞ여라《永言》.

보:완-세【補完稅】[—쎄] 명 복세(複稅) 제도를 취하는 조세 체계 밑에서, 조세 원칙을 보다 잘 실현할 목적으로 기간(基幹)이 되는 세를 보충하기 위하여 과하는 세. 소득세·소비세에 대한 재산세·유통세 같은

것. *경상 재산세.
보:완 시스템【補完—】〔system〕[명]〖컴퓨터〗주(主)된 장치가 고장을 일으켰을 때 수행 중인 작업을 이어 받아 새로 작업을 시작할 수 있도록 설계된 시스템. 장비의 오류를 찾아내어 고치는 여러 가지 정교한 기술들이 필요함. 백업(backup) 시스템.
보:완-재【補完財】[명]〔complementary goods〕〖경〗펜과 잉크, 버터와 빵과 같이 상호(相互) 보완하는 관계에 있는 재물(財物). *보완 관계.
보:완 파일【補完—】〔file〕[명]〖컴퓨터〗잘못된 조작이나 정전(停電) 등으로 인해, 프로그램이나 데이터의 파일이 파괴되는 일에 대비하기 위하여 백업(backup)해 놓은 파일. 백업 파일(backup file).
보왐직ᄒᆞ다 [형]〈옛〉볼 만하다. ¶덕과 업이 가히 보왐직ᄒᆞ니(德業可觀者)《呂約 2》.
보:외【補外】[명]〖역〗조선 시대에, 고관(高官)을 시골 수령으로 좌천하여 징계(懲戒)하던 일. ——-하다 [타][여불]
보:외-법【補外法】[—뻡] [명]〖수〗외삽법(外揷法).
보:요[1]【步搖】[명] 떠는 잠(簪).
보요[2] [부]〈옛〉배게. 보이게. ¶굽겨지 보요 박은 잣딩이 무되ᄃᆞ록 ᄃᆞ녀 보새《古時調》.
보:우[1]【保佑】[명] 보살피어 도와 줌. ¶하느님이 ~하사. ——-하다 [자][타][여불]
보:우[2]【普雨】[명]〖사람〗조선 명종(明宗) 때의 중. 호(號)는 허응당(虛應堂). 문정 왕후(文定王后)의 신임을 받아 궁중에 거처하면서, 선교(禪敎) 양종의 승과를 제정하고 8도의 사찰을 새롭게 하였음. 문정 왕후가 승하한 뒤에 제주도에 유형되었다가 피살되었음. [1515-65]
보:우[3]【普愚】[명]〖사람〗고려 말의 중. 처음 이름은 보허(普虛). 성은 홍씨(洪氏). 우리 나라 임제종(臨濟宗)의 시조(始祖)로, 선종(禪宗)의 주류를 이룩하였고 공민왕의 신임을 받아 선문 구산(禪門九山)의 폐를 없앴음. 원증 국사(圓證國師). 태고 국사(太古國師). 태고 화상(太古和尙). [1301-82]
보우지-차【鴇羽之嗟】[명]〔보우는 시경(詩經) 당풍(唐風)의 편(篇) 이름〕백성이 싸움터에 나가 있어 그 어버이를 봉양치 못하는 차탄(嗟歎).
보우츠〔Bouts, Dirk〕[명]〖사람〗초기 네덜란드 회화(繪畫)의 대표적 화가. 명상적 표현을 특색으로 하는 종교화를 그림. [1410?-75]
보:운[1]【寶雲】[명]〖사람〗중국의 동진(東晉) 말에서 남북조(南北朝) 초기의 중. 4세기말 서역(西域) 북인도(北印度)를 순유(巡遊)하여 불적(佛跡)을 찾고 범문(梵文)을 배우고 귀국함. 뒤에 도량사(道場寺)에 머물러 교화(敎化)에 힘쓰고 만년에는 육합산사(六合山寺)에 은둔함. 한역(漢譯) 불전(佛典)에 《신무량수경(新無量壽經)》·《불본행경(佛本行經)》 등이 있음. [376-449]
보:운[2]【寶運】[명] 천자(天子)의 운명을 높여 이르는 말.
보:원[1]【補元】[명] 보기(補氣). ——-하다 [자][여불]
보:원[2]【堡垣】[명]〖역〗성가퀴.
보:원[3]【報怨】[명] 앙갚음. ——-하다 [자][여불]
보:원 이:덕【報怨以德】[명] 원한이 있는 자에게 은덕으로 갚는 일.
보:원 해:전고【寶源解典庫】[명]〖역〗고려 때, 피혁(皮革)·직물(織物)을 관장하던 관아. 공민왕(恭愍王) 18년(1369)에 베풀었음.
보:월【步月】[명] 월영(月影)을 밟으면서 거닒. 달밤에 거닒.
보:위[1]【保衛】[명] 보전(保全)하여 지킴. ¶국가를 ~하다. ——-하다 [타][여불]
보:위[2]【寶位】[명] 보조(寶祚). ¶~ 계승(繼承).
보:유[1]【保有】[명] 가지고 있음. 지니어 둠. 보지(保持). ¶선수권 ~자. ——-하다 [타][여불]
보:유[2]【補遺】[명] 빠진 것을 채워 보탬. 또, 채운 그것. ——-하다 [타][여불]
보:유-량【保有量】[명] 지니고 있는 분량(分量).
보:유-미【保有米】[명] 보유하고 있는 쌀. ¶정부 ~/농가 ~.
보:유-불【保有弗】[명] ↗정부(政府) 보유불.
보:유-수【保有水】[명]〔retained water〕〖지〗중력수(重力水)가 배출(排出)된 뒤에 암석(岩石)이나 토양(土壤) 속에 보유되고 있는 물.
보유스럼-하다 [형]〈방〉보유스름하다.
보유-스레 [부] 보유스름하게. ㅆ뽀유스레. <부유스레. ——-하다 [형][여불]
보유스름-하다 [형][여불] 빛이 진하지 아니하고 조금 보얗다. 희미하고 좀 보얀 듯하다. ¶점두에 매달린 전등불 빛까지 졸리운 듯…보유스름하게 비치는 것이 더욱 쓸쓸하여 보였다《廉想涉 : 萬歲前》. ㅆ뽀유스름하다. <부유스름하다. **보유스름-히** [부]
보:유-자【保有者】[명] 보유(保有)하고 있는 사람. 보지자(保持者).
보육[1] [명]〈옛〉포. 편포. ¶보육 포(脯), 보육 셕(腊)《字會 中 21》.
보:육[2]【保育】[명] ①어린아이를 돌보아 기르는 일. ②유아(幼兒)의 심신(心身)을 보호하고 정상적인 발달을 성취하기 위하여 유치원·보육 시설·유아원 등에서 행하여지는 양호(養護)가 포함된 교육 작용. 유아 교육. ——-하다 [타][여불]
보:육-과【保育科】[명]〖교〗'유아 교육과'의 구칭. *아동학과(兒童學科).
보:육 교:사【保育敎師】[명] 보육 시설에서, 영아(嬰兒)나 유아(幼兒)의 보육과 교육을 맡아 하는 사람. 전문 대학 이상의 학교에서 유아 교육 또는 아동 복지에 관련된 학과를 전공하거나, 고등 학교 이상의 학교를 졸업하고 보건 사회부령이 정하는 교육 훈련 시설에서 소정의 교육 과정을 이수한 사람이 되며, 1급·2급·3급의 세 급이 있음.
보:육-기【保育器】[명] 출생시의 체중이 2.5kg에 미달하는 미숙아(未熟兒)에게 적당한 환경을 제공하는 상자. 온도·습도 등은 자동 조절되며 산소의 농도도 자유로이 조절할 수 있고 상부(上部)는 투명한 합성 수지로 된 뚜껑이 있어 관찰이 용이하며, 포유(哺乳)·양호(養護)·진찰 기타 제반 처치는 네 개의 창구를 통해 손을 넣어 함. 인큐베이터(incubator). 온육기. *미숙아(未熟兒).
보:육 시:설【保育施設】[명] 영유아(嬰幼兒) 보육법에 의한 아동 복지 시설의 하나. 보호자의 위탁을 받아 영유아를 보육하는 시설. 국공립·민간·직장·가정 보육 시설의 네 종류가 있음. 탁아(託兒) 시설의 고친 이름.
보:육-원【保育院】[명] 부양 의무자가 없는 아동을 수용하는 시설. 곧, 고아·기아(棄兒)·미아(迷兒) 등 불행한 아동과 부모가 있으나 빈곤하여 부양할 수 없는 아동을 수용하여 보육하고 교육함. 1991년 '보육 시설'로 개칭.
보:육 위원회【保育委員會】[명] 영유아(嬰幼兒)의 보육에 관한 사업의 기획, 조사, 실시 등에 관해 필요한 사항을 심의하는 기관. 보건 사회부에 중앙 보육 위원회, 서울 특별시·광역시·도(道) 및 시·군·구에 지방 보육 위원회를 둠.
보:육 학교【保育學校】[명]〖교〗유치원의 보모(保姆)를 양성하던 학교.
보:육 행정【保育行政】[명] 직접적으로 사회 공공 복리의 증진을 도모할 목적으로 하는 행정.
보윤【甫尹】[명]〖역〗고려 때, 구품 향직(九品鄕職)의 팔품.
보:은[1]【報恩】[명] 은혜를 갚음. 수은(酬恩). ↔배은(背恩). ——-하다 [자][여불]
보:은[2]【報恩】[명]〖지〗충청 북도 보은군의 군청 소재지로 읍(邑). 소백산 기슭의 산간 벽지(山間僻地)에 위치하나, 포장 도로가 통하여 교통이 편리함. 미곡·연초·누에고치·감·황색 연초·대추 등을 산출함. 명소로는 신라 때에 쌓은 삼년 산성(三年山城)이 있음. [18,628명(1996)]
[보은 아가씨 추석 비에 운다] ㉠추석에 비가 오면 흉년이 들어 혼수를 장만하지 못하므로 운다는 말. ㉡가을비는 농가로서는 반갑지 않다는 말.
보:은[3]【寶銀】[명] 말굽은.
보:은-군【報恩郡】[명]〖지〗충청 북도의 한 군. 관내 1읍 10면. 북은 청원군(淸原郡)과 괴산군(槐山郡), 동은 속리산(俗離山)과 경상 북도 상주군(尙州郡), 남은 군산시(群山市), 서는 청원군과 대전(大田) 광역시에 닿음. 삼면이 산으로 둘러싸인 분지에 위치하며, 철도가 없어 자동차 교통이 주임. 주요 산물은 쌀·보리·담배·누에고치·마늘·감 등의 농산물과 광산·임산·축산 등임. 명승 고적으로 국립 공원 속리산·법주사(法住寺)·삼산루(三山樓)·삼년 산성(三年山城)·함림 산성(含林山城)·주성(酒城)·상현 서원(書院) 등이 있음. 군청 소재지는 보은(報恩). [584.70 km^2 : 48,459명(1996)]
보:은 기우록【報恩奇遇錄】[명]〖문〗조선 시대 말기의 소설의 하나. 작자·창작 연대 미상. 국문본. 주인공 위연청(魏延青)의 일대기(一代記).
보:은-대추나무【報恩—】[명]〖식〗〔*Zizyphus jujuba* var. *boeunensis*〕갈매나뭇과에 속하는 낙엽 활엽 교목. 가시가 있으며, 잎은 달걀꼴, 뒷면에 세 개의 엽맥이 있음. 6월에 황록색 꽃이 취산(聚繖) 화서로 액생(腋生)하고, 암적색 핵과(核果)는 9월에 익음. 종자는 거의 인(仁)이 없음. 촌락 부근에 심는데, 경북, 충북의 보은(報恩), 경기도에 분포함. 과실은 식용 및 약용하고 재목은 농구(農具)·차량재로 쓰임.
보:은 법회【報恩法會】[명]〖불교〗나라를 위한 기원(祈願)이나 또는 대시주(大施主)를 추천(追薦)하는 법회.
보:음【補陰】[명]〖한의〗약으로 몸의 음기(陰氣)를 보(補)함. ↔보양(補陽). ——-하다 [자][여불]
보:음 익기전【補陰益氣煎】[명]〖한의〗보혈(補血)이 되면서 외감(外感)을 푸는 탕약(湯藥).
보:음-제【補陰劑】[명]〖한의〗몸의 음기(陰氣)를 돕는 약제. ↔보양제.
보:응【報應】[명] 인과(因果)에 따라 선악이 대갚음됨. ——-하다 [자][여불]
보:의 장군【保義將軍】[—/—이—] [명]〖역〗고려 말엽에서 조선 초엽의 종삼품 무관의 품계(品階).
보:이[1]〔Bowie, David〕[명]〖사람〗영국의 록 아티스트·작곡가. 1967년 싱어송라이터로 데뷔. 《스페이스 오디티》가 히트한 후 많은 히트 곡을 내고, 무대와 TV·영화에도 출연함. [1947-]
보이[2]〔boy〕[명] ①소년(少年). ↔걸(girl). ②심부름하는 사내 아이. 사환(使喚). 사동(使童).
보이다[1] [一][피동] ①눈에 뜨이다. 눈에 들어와 비치다. ¶산이 ~/외야석에서도 잘 보인다. ②여겨지다. ¶기쁜 듯이 ~/주인으로 보이는 사람. [준]뵈다. [二][사동] 남으로 하여금 보게 하다. ¶영화를 ~/의사에게 ~/시험을 ~/모습을 ~/재주를 ~. [준]뵈다. [三][타] 남이 알도록 나타내어서 드러내다. ¶성의를 ~/반응을 ~. [준]뵈다. [四][보동] 동사 어미 '-어' '-아' 아래에 붙여서, 남이 알도록 하여서 보게 하는 뜻을 나타내는 말. ¶글씨를 써 ~/웃어 ~.
보이다[2] [형]〈방〉배다.
보이드 오어〔Boyd Orr, John〕[명]〖사람〗영국의 생리학자. 처음 의사를 개업하였다가 뒤에 동물의 영양에 관한 연구에 종사하였음. 유엔 식량 농업 기구 사무국장을 지냄. 1949년 노벨 평화상 수상. [1880-1971]
보이 소프라노〔boy soprano〕[명]〖악〗변성기(變聲期) 전의 소년의 목소리. 소프라노와 같은 맑은 음색과 높은 음역을 가지므로 이렇게 부르며, 중세 교회 음악의 소프라노 부분을 맡았고 현재는 소년 합창의 주체를 이룸.
보이스럼-하다 [형]〈방〉보유스름하다.
보이스름-하다 [형]〈방〉보유스름하다.
보이스 발로트의 법칙【—法則】[—/—에—] [명]〔Buys-Ballot's law〕〖물〗'바람을 등지고 서면, 북반구에서는 왼손의 앞쪽, 남반구에서는 오른손의 앞쪽의 기압이 낮다'는 바람과 기압 배치 관계의 법칙. 선원(船員)이 폭풍의 중심이 있는 방향을 간단하게 탐지할 수 있도록 1857년 네덜란드의 기상학자 보이스 발로트(Buys-Ballot, C.H.D.; 1817-90)가 제창함.
보이 스카우트〔Boy Scouts〕[명]〖사〗1908년 영국의 베이든파월(Baden-Powell. R.S.S.)에 의하여 창설된 소년단. 심신의 단련을 기조로 삼고, 협동 작업에 의한 협동심의 양성, 특수 기능의 습득을 목적으로 함. 연령별 조직이 있으며, 국제 조직으로 스위스 제네바에 세계 보이 스카우트 연맹이 있고 4년마다 세계 잼버리(Jamboree)가 열림. 우

리 나라는 1922년 10월 5일 조철호(趙喆鎬)가 조선 소년군(朝鮮少年軍)을, 같은 날 정성채(鄭聖采)가 조선 소년 척후대(斥候隊)를 각각 조직하여 보이 스카우트 조직이 본격화되다가 일제 때 해산된 후 1946년 '대한 보이 스카우트'로 재발족함. 소년군(少年軍). 소년단(少年團). [준]스카우트. ↔걸 스카우트. *시 스카우트.

보이스 타운 〔Boys Town〕 [명] 〔소년의 마을의 뜻〕 미국 중부 네브래스카 주 오마하(Omaha) 시(市)의 서쪽 15km에 있는 마을. 1917년 플래너건(Flanagan) 신부(神父)에 의해 창설되어, 1936년 이래 행정적으로도 독립된 마을이 되었음. 130헥타르의 광대한 농장을 갖고 있으며, 소년 시장(市長)이 있어 소년들의 완전한 자치에 맡겨져 있음. 마을의 경비는 일반적 기부금으로 충당되고 있음.

보이스트 〔Beust, Friedrich Ferdinand〕 [명] 〖사람〗 오스트리아의 정치가. 비스마르크의 정적(政敵). 처음엔 작센의 내무상. 1859년 이후 중소(中小) 독일 제방(諸邦)에 의한 제3 세력 결성을 획책하였으며, 보오 전쟁(普墺戰爭) 때는 오스트리아에 가담하였으나 패함. 1866년 오스트리아 외상, 이어 수상 겸 외상이 되어 오스트리아 헝가리 제국을 성립시켜 반(反)프로이센 정책을 속행하였음. [1809-86]

보이아르도 〔Boiardo, Matteo Maria〕 [명] 〖사람〗 이탈리아의 시인. 일찍부터 고전(古典)을 즐겼으며 인문주의적(人文主義的) 교육을 받았음. 대표작 《사랑의 오를란도(Orlando)》는 기사(騎士)에 관한 장편 담시(長篇譚詩)로 그 중의 인물은 현재 보통 명사가 된 것도 있음. 이 밖에 연애 시집·전원시(田園詩) 등이 있음. [1441-94]

보이에르 〔Bojer, Johan〕 [명] 〖사람〗 노르웨이의 작가. 리얼리즘과 로맨티시즘이 섞인 작풍으로 국외에서 알려짐. 《거짓의 힘》은 심리주의적 경향을, 《커다란 굶주림》은 종교적 경향을 보임. 《최후의 바이킹》·《해변 사람들》 등과 해양 문학의 가작을 남김. [1872-1959]

보이오티아 〔Boiotia〕 [명] 〖지〗 그리스 중부에 있는 한 지방. 코린트만(Corinthos灣)에 둘러싸여 지형(地形)은 평탄하며 농업·목축업이 성하여 보리·면화·담배·올리브 등을 산출함. 오래 전부터 문화가 일어나고, 기원 전 477년 테베(Thebes)를 맹주(盟主)로 하는 보이오티아 동맹(同盟)이 수립되었으며, 기원 전 4세기에 전성기(全盛期)를 이루었음. 현재는 현(縣)의 하나이며, 주도(主都)는 레바디아(Levádeia)임. [3,211 km²: 117,000 명(1981)]

보이저 〔Voyager〕 [명] 〖천〗 〔항해자(航海者)의 뜻〕 미국이 발사한 목성(木星)과 토성(土星)의 탐측기(探測機). 1호는 1977년 9월에 발사되어, 1979년 3월에 목성에 접근하여 목성과 그 위성 사진을 촬영하고, 1980년 11월 토성을 탐측함. 2호는 1977년 8월에 발사되어 1979년 목성에 접근 촬영하고 1981년 8월 토성을 탐측함.

보이콧 〔boycott〕 [명] ①〖사〗 〔1880년 아일랜드의 소작인들로부터 배척당한 지주의 마름 이름에서〕 어떤 압박 세력에 대한 대항 수단으로서 조직적·집단적으로, 그 세력하에 있는 상품을 사지 아니하고 거래를 단절하는 일. 불매 동맹(不買同盟). ②어떤 개인이나 국가들에 대하여 제재(制裁) 또는 보복(報復)의 수단으로 공동으로 절교(絕交)하여 배척하는 일.

보이텐조르히 〔Buitenzorg〕 [명] 〖지〗 '보고르(Bogor)'의 구칭.

보이 프렌드 〔boy friend〕 [명] 남자 친구. 특히, 여성측에서 보아 일컬음. ↔걸 프렌드(girl friend).

보:익[1] 【補益】 [명] 보충하여 늘게 함. 비익(裨益). ――-하다 [타][여불]

보:익[2] 【輔翊·輔翼】 [명] 보도(輔導). ――-하다 [타][여불]

보:익 공신 【保翼功臣】 [명] 〖역〗 조선 명종 즉위년(1546)에 을사 사화(乙巳士禍)를 일으키고 윤임(尹任) 등 대윤(大尹) 일파를 몰아낸 공신. 1등에 정순붕(鄭順朋)·이기(李芑)·임백령(林百齡)·허자(許磁) 등 4명, 2등에 홍언필(洪彥弼)·윤인경(尹仁鏡) 등 9명, 3등에 송기수(宋麒壽)·안함(安馠) 등 4명, 4등에 최연(崔演)·송세형(宋世珩) 등 7명임. 뒤에 공신호(功臣號)를 삭탈(削奪)당함. 위사(衛社) 공신.

보:익-수 【補益水】 [명] 〖약〗 강장제(強壯劑)로 쓰이는 물약.

보인[1] 【保人】 [명] ①보(保)서는 사람. ¶ ∼을 세우다. ②〖역〗 조선 시대에, 군(軍)에 직접 복무하지 않는 병역 의무자. 정군(正軍) 1 명에 대하여 2-4 명씩 배당되어, 실역(實役) 대신, 군사 비용을 나라에 바침.

보:인[2] 【輔仁】 [명] 벗끼리 서로 격려하고 도와 덕(德)을 닦는 일.

보일[1] 〔Boyle, Robert〕 [명] 〖사람〗 영국의 물리학자·화학자·철학자. 아일랜드의 귀족 출신. 사비(私費)로 실험실을 세우고 평생 독서와 실험에 몰두함. 공기의 탄성(彈性)과 무게를 연구, '보일의 법칙'을 발견함. 또, 종래의 원소설(元素說)을 실험 과학의 입장에서 비판, 데카르트의 입자 가설(粒子假說) 등에 바탕을 둔 새로운 원소의 정의를 제창하는 한편 원소와 화합물, 혼합물과 화합물을 구분함. 이 밖에 연소(燃燒)에 관한 연구, 빛과 열(熱)에 관한 연구 등의 업적을 남김. [1627-91]

보일[2] 〔voile〕 [명] 날과 씨를 세게 꼰 연사(撚絲)로써 평직(平織)으로 성기게 짠 얇은 직물. 주로 면직물이 많은데, 모직·견직(絹織)·화섬(化纖)도 있음. 여름철 여성복·아동복감이나 셔츠·스카프·커튼감으로 쓰임.

보일 다운 〔boil down〕 [명] 원고를 간추려 신문 기사를 작성하는 일.

보일드 〔boiled〕 [관] '끓인'·'삶은'의 뜻. ¶ ∼ 에그(egg).

보일드 에그 〔boiled egg〕 [명] 삶은 달걀.

보일드 피시 〔boiled fish〕 [명] 물고기를 삶아서 만든 식품(食品).

보일드 햄 〔boiled ham〕 [명] 햄(ham)을 삶아서 만든 식품(食品).

보일락-말락 [부] 보이는 듯하면서도 잘 안 보이는 모양. ――-하다 [자][여불]

보일러 〔boiler〕 [명] 〖공〗 밀폐(密閉)한 강철 용기(容器) 속에서, 압력이 높은 증기를 발생시키는 장치. 기관(汽罐).

보일러 맨 〔boiler man〕 [명] 보일러에 불을 때는 사람. 화부(火夫).

보일러 셸 〔boiler shell〕 [명] 〖공〗 보일러의 주체가 되는 동체. 원통형으로, 안에 증기수(蒸氣水)를 담고 있음.

보일러 수압 시험 【―水壓試驗】 〔boiler〕 [명] 사용하기 전의 새 보일러나 개조(改造) 또는 수리(修理)한 낡은 보일러의 수압을 시험하는 일. 설계압(設計壓)의 1.5배의 압력을 가(加)하여 보일러의 내수압(耐水壓)을 테스트함.

보일러-실 【―室】 〔boiler〕 [명] 보일러를 설치한 방.

보일러 제:어 【―制御】 〔boiler〕 [명] 급수량(給水量)·연소 속도·증기 온도와 같은 변동량을 제어하여 보일러의 운전 상태를 일정하게 유지하는 장치.

보일 마리오트 법칙 【―法則】 [명] 〔Boyle-Mariotte's law〕 〖물〗 프랑스의 물리학자 마리오트(Mariotte Edme)가 1676년 별도로 보일의 법칙을 실험·발견한 데서 붙인 '보일의 법칙'의 딴이름.

보:-일보 【步一步】 [부] 한 걸음 한 걸음. 조금씩. ¶ ∼ 전진하는 우리 나라의 약진상(躍進相).

보일 샤를의 법칙 【―法則】 〔―/―에―〕 [명] 〔Boyle-Charles' law〕 〖물〗 '보일의 법칙'과 '샤를의 법칙'을 종합한 물리학 상의 법칙. 곧, 기체의 부피는 압력에 반비례(反比例)하고 절대 온도에 정비례한다는 법칙. 실제의 기체는 압력이 낮고 온도가 높으면 대체로 성립되나, 고압·저온에서서는 성립하지 아니함. *이상 기체.

보일 셔츠 〔voile shirt〕 [명] 보일로 만든 여름 셔츠.

보일시-변 【―示邊】 〔―씨―〕 [명] 한자 부수(部首)의 하나. '禮'·'福' 등의 '示' 및 옆으로 붙을 때의 약자(略字) '礻'의 이름.

보일-유 【―油】 〔boil〕 〔―류〕 [명] 건성유(乾性油)의 하나. 아마인유(油)·콩기름 등에 금속 산화물·금속 비누 등의 건조제(乾燥劑)를 가하여 고도의 건조성을 갖게 한 기름. 페인트·인쇄 잉크·인주·그림 물감 등의 용제(溶劑)나 유지(油紙) 등에 쓰임.

보일의 법칙 【―法則】 〔―/―에―〕 [명] 〔Boyle's law〕 〖물〗 온도가 일정할 때 일정량의 기체(氣體)의 부피는 그 압력에 반비례한다는 법칙. 곧, 부피와 압력의 곱은 상수(常數)라고 하는 법칙. 1660년 영국의 보일이 발견함.

보임[1] [명] 〈방〉 빔[1].

보:임[2] 【補任】 [명] 어떠한 직(職)에 보하여 관(官)에 임명함. ――-하다 [타][여불]

보임-새 [명] 외관(外觀).

보잇-하다 [형][여불] 좀 보유스름한 듯하다.

보:잉 〔bowing〕 [명] 〖악〗 바이올린·첼로 등 현악기에서, 오른손의 활을 쓰는 솜씨. 현악기의 연주 효과의 태반은 오른손의 보잉 여하에 좌우된다고 함. 운궁법(運弓法).

보:잉 칠사칠 〔Boeing 747〕 [명] 미국의 보잉사(社)가 개발한 초(超)대형 제트 여객기. 첫 비행은 1969년. 최대 이륙 중량 약 299 t, 순항 속도 시속 920 km, 항속(航續) 거리 약 9,100 km, 객석수 281-390. 애칭(愛稱) 점보(jumbo).

보:잉 칠삼칠 〔Boeing 737〕 [명] 미국의 보잉사(社)가 개발한 단거리 중형 제트 여객기. 1967년에 첫 비행. 굵은 동체(胴體)를 가진 쌍발기. 길이 30.5 m, 무게 45.4 t, 순항 속도 시속 840 km, 항속(航續) 거리 2,350 km, 객석수 115.

보:잉 칠이칠 〔Boeing 727〕 〔―리―〕 [명] 미국의 보잉사(社)가 개발한 중형(中型)의 중·단거리 제트 여객기. 첫 비행은 1963년. 미부(尾部)에 터보팬 제트 3 기(基)를 장착(裝着)하고, T 자형 미익(尾翼)이 특징임. 총중량 약 69 t, 순항 속도 시속 950 km, 항속(航續) 거리 약 2,200 km, 객석수 131.

보:잉 회:사 【―會社】 〔Boeing〕 [명] 미국 항공기 제작 회사. 1916년 설립. 제 2차 세계 대전 때 B-17·B-29의 사발(四發) 폭격기를 양산(量産)하고 전후에는 B-47·B-52의 제트 폭격기를 개발함. 1957년에는 세계 최초의 본격적인 장거리 제트 여객기 보잉 707을 완성하고 이어 중거리용의 727, 단거리용 737을 발표함. 1970년에 점보(jumbo) 747을 취항시키는 한편 초음속 여객기 2707을 개발중임.

보ᄋᆞ [명] 〈옛〉 보시기[1]. =보수. ¶ 보ᄋᆞ(甌子) 《譯語 下 13》.

보오리 [명] 〈옛〉 봉우리. ¶ 그 뫼 보오리 쇠머리 ᄀᆞᄐᆞᆯ씨 《月釋 I :27》.

보자 【褓子】 [명] 보자기[2].

보:자-관 【補字官】 [명] 〖역〗 조선 시대 때, 사감(司勘)을 한때 고친 이름.

보자기[1] [명] 바닷물 속에 들어가서 조개·미역 등 해물을 채취하는 사람. 해귀(海鬼). 해인(海人). *해녀(海女).

보자기[2] 【褓―】 [명] 물건을 싸는 작은 보. 보자(褓子). *보(褓).

보자락 [명] 〈방〉 보지락.

보:자-력 【保磁力】 [명] 〖물〗 강자성체(強磁性體)를 포화 상태가 될 때까지 자화(磁化)한 후 자기장(磁氣場)을 감소시켜 0이 되게 하여도 남아 있는 잔류 자화(磁化)를 다시 0이 되게 하는 데에 소요되는 반대 방향의 자장의 크기. 일반적으로 영구 자석(永久磁石)은 값이 큼.

보작[1] [명] 〈방〉 보자기[2](경북).

보:작[2] 【步爵】 [명] 잔을 돌림. 행작(行爵). ――-하다 [자][여불]

보작지 [명] 〈방〉 보자기[2](경북).

보잘것-없다 〔―껏업―〕 [형] ①볼만한 값어치가 없다. ¶ 보잘것없는 책이다. ②하찮다. ¶ 보잘것없는 물건이나마 받아 주시오. ③못생기다. ¶ 인물이 ∼.

보잘것-없이 〔―껏업씨〕 [부] 보잘것없게.

보:장[1] 【保障】 [명] ①장애(障礙)가 없도록 보증함. ¶ 생활 ∼/신분 ∼. ②장애가 되지 아니하게 보호함. ¶ 안전 ∼. ③조세를 가볍게 하여 백성을 편하게 하는 정치. ――-하다 [타][여불]

보:장[2] 【報狀】 [명] 상관에게 보고하는 공문. 보고장. ¶ 첨사가 수영과 병영으로 ∼을 띄우고 성문을 닫고 있는 중이었다《洪命憙 : 林巨正》.

보:장[3] 【報障】 [명] 〖불교〗 삼장(三障)의 하나. 악업(惡業)의 결과가 정도(正道)나 선근(善根)의 방해가 되는 일.

보:장[4] 【堡障】 [명] 옛날 한 성(城)의 바깥 요소에 일시적 또는 소규모로 설치한 요새(要塞). 목책(木柵)을 둘러치고 속은 병영(兵營)을 이룸.

보:장[5] 【寶帳】 [명] 상여(喪輿)에 친 화려한 휘장(揮帳).

보:장[6]【寶藏】명 ①보배를 저장하여 두는 곳집. ②소중히 보관하여 둠. ③〖불교〗중생(衆生)의 괴로움을 구하는 묘법(妙法)의 비유. ——-하다 타여불

보:장-구【補裝具】명 의수(義手)·의족·휠체어 등 손발이 자유스럽지 못한 사람의 행동을 보조하는 기구.

보:장-국【保障國】명 보장 조약(保障條約)에 있어서 보호 의무를 부담하는 국가. 담보국(擔保國).

보:장-금【報獎金】명 정부가 백성에게 어떠한 일을 장려하려고 그 보수로 주는 돈.

보:장-급【保障給】명 도급제(都給制)나 일한 분량대로 받는 임금(賃金)의 폐단을 없애기 위하여 노동의 성과 여하에는 관계없이 노동 시간에 따라 지불하는 임금.

보-장기 명〖농〗〈방〉보쟁기.

보:장-왕【寶藏王】명〖사람〗고구려 28대 마지막 왕. 형(兄)이 되는 영류왕(榮留王)이 연 개소문(淵蓋蘇文)에 의하여 죽음을 당하자 왕위에 오름. 27년(668)에 당(唐)의 고종(高宗)이 이세적(李世勣)을 보내어 쳐들어 왔고 남에서는 신라(新羅)가 쳐들어 와 고구려는 멸망(滅亡)하였음. [?-681; 재위 642-668]

보:장 점:령【保障占領】[一녕] 명 군사 점령의 하나. 일정한 조건의 이행을 상대국에게 간접적으로 강제하기 위한 목적으로 행하여지는 평시(平時) 점령. 휴전 조약·항복 조건(降服條件) 등을 확보하는 경우에 많이 행하여짐. 전후 점령.

보:-장정【保章正】명〖역〗고려 때 태사국(太史局)의 종팔품 벼슬.

보:장 조약【保障條約】명 국가의 안전을 보장하는 조약.

보:장 조처【保障措處】명〔safeguard〕원자력의 평화 이용을 위해 제공되는 핵물질이나 그 밖의 물질·역무(役務)·설비(設備)·시설·정보 등이 피제공국(被提供國)에서 악용되는 것을 막기 위하여 그 핵물질 등의 제공국 또는 국제 기구에 의하여 실시되는 관리 조처.

보재[1] 명〈방〉보자기[2](강원·경북).

보:재[2]【補材】명 보약의 재료. 강장제(強壯劑).

보:재[3]【寶財】명 보물(寶物).

보재기 명〈방〉보자기[2](경기·강원·충청·전라·경상).

보쟁기 명〖농〗①보습을 낀 쟁기. ②〈방〉겨리.

보쟁이다 타 부부가 아닌 남녀가 남몰래 서로 친밀한 관계를 연하여 맺다.

보:적-경【寶積經】명〖책〗↗대보적경(大寶積經).

보전[1]【甫田】명 큰 밭.

보:전[2]【保全】명 보호하여 안전하게 함. ¶ 몸을 ～하다. ——-하다 타여불

보:전[3]【補塡】명 부족을 메우어 보충함. 전보(塡補). ——-하다 타여불

보:전[4]【補箋】명〖법〗①부전(附箋). ②수표·어음에서 배서(背書)·보증을 기입할 여백이 없는 경우에 보충하기 위하여 덧붙이는 종이쪽.

보:전[5]【寶典】명 ①귀중한 법전(法典). ②귀중한 책.

보:전[6]【寶殿】명 ①금은 보옥으로 장식한 궁전. 훌륭한 궁전. ②〖불교〗대웅 보전(大雄寶殿).

보:전 명:령【保全命令】[一녕] 명〖법〗가압류 명령·가처분 명령 등, 보전 처분으로서 법원이 내린 결정의 총칭. ＊보전 처분.

보:전-소【保全素】명 영양을 유지하기 위하여 섭취하는 데 필요한 물질. 다른 물질로 대용할 수 없으므로 그 중 한 가지가 부족해도 장애를 일으킴. 필수 아미노산·무기 원소류(無機元素類)·비타민 등.

보:전 소송【保全訴訟】명〖법〗강제 집행의 보전을 목적으로 하는 특별 민사 소송 절차. 곧, 가압류 및 가처분의 총칭. 집행 보전 절차.

보:전 옥차【寶鈿玉釵】명 금은 보옥으로 장식한 비녀. 또, 그와 같이 아름다운 것.

보:전 이:자【補塡利子】[一니一] 명〖경〗이자의 한 가지. 채무자가 채권자의 돈이나 곡물(穀物) 같은 물질을 이용한 보수로 내는 돈 또는 물질. ↔지연 이자(遲延利子).

보:전적 기능【保全的機能】명〔protecting function〕기업 회계에서 채권자로서의 권리 행사, 채무자로서의 의무 이행, 기타 모든 거래·계약이 확보되어, 일상(日常)의 경영 활동이 적정 신속히 행하여지며 위법(違法)·부당·오류(誤謬) 등에 의한 재산·자본의 감손(減損)을 방지하는 기능. ＊관리적(管理的) 기능.

보:전 처:분【保全處分】명〖법〗사법(私法)상의 권리를 보전하기 위하여 그 소송의 확정 또는 강제 집행 실현까지의 사이에 있어서 법원으로부터 명령된 잠정적(暫定的) 처분의 총칭. 가압류(假押留)·가처분(假處分)과 넓은 뜻으로는 파산법(破産法)과 화의법(和議法) 상의 보전 처분도 포함하여 일컬음. ＊보전 명령. ——-하다 타여불

보:전 회:사【保全會社】명 대재벌(大財閥)이 세금의 부담을 가볍게 하고 그 여러 사업의 통할 기관(統轄機關)으로 할 목적으로 설립한 동족 회사(同族會社).

보:정[1]【保定】명〖지〗'바오딩'을 우리 음으로 읽은 이름.

보:정[2]【補正】명 ①보충하고 바로 고침. ②실험·관측 또는 근사값 계산 등에서 결과에 포함된 외부적인 원인에 의한 오차(誤差)를 없애고 참값에 가까운 값을 구함. ③〖법〗소장(訴狀)·항소장(抗訴狀)·상고장(上告狀) 등의 형식적인 요건(要件)이나 소송 능력·법정 대리권·소송 대리권·선정 당사자의 자격 등에 결함이 있을 때 당사자의 자발적 의사로나 법원·재판장의 명령에 의하여 이것을 보충·정정함. ——-하다 타여불

보:정[3]【補整】명 부족한 곳을 보충하여 정돈함. ——-하다 타여불

보:정 기준점【補正基準點】[一쩜] 명〖공〗광학 기계의 시야 속에 보이는, 참조점(參照點) 또는 측정용 기준점으로 쓰이는, 하나 또는 몇 개 지점 중의 하나.

보:정 달러【補整一】〔dollar〕명 통화 가치(通貨價値)의 안정을 도모(圖謀)하기 위하여, 물가의 변동에 따라서 금중량(金重量)을 변화시켜 일정한 구매력(購買力)을 유지하려는 일.

〈보정 진자〉

보:정 예:산【補正豫算】[一녜一] 명〖정〗당초에 국가나 지방 자치 단체의 연간(年間) 예산으로 확정된 본(本)예산을 보정하기 위하여 작성하는 예산. 추가 예산과 경정(更正) 예산이 있음.

보:정 진:자【補整振子】명〔compensation pendulum〕〖물〗팽창률(膨脹率)이 다른 두 종류의 금속을 사용하여 온도의 변화가 있어도 일정한 길이를 유지하며, 진동(振動)의 주기(週期)가 변하지 아니하도록 보정한 진자.

보제[1]【菩提】명 보리(菩提).

보:제[2]【補劑】명〖약〗①몸을 보하는 약제. ②처방(處方) 중의 주약(主藥)의 작용을 돕거나 부작용을 없애기 위하여 넣는 약제. 조제(助劑).

보:제[3]【報祭】명 기원이 성취된 사례로서 신불(神佛)에 드리는 제사. 보사(報祀). 보새(報賽).

보:제[4]【補題】명〖수〗보조 정리(補助定理).

보제-수【菩提樹】명 보리수(菩提樹).

보제이 명〈방〉보자기[2](경남).

보:조[1]【步調】명 ①보행(步行)의 속도·모양 등의 상태. 특히, 여러 사람이 같이 걸을 때의 걸음걸이. ②다수인(多數人)의 사고 방식이나 행동 통일의 정도·형편. 또, 그 방법. ¶ ～를 맞추다.

보:조[2]【補助】명 ①모자라는 것을 보충하여 도와 줌. ②↗보조금(補助金). ——-하다 타여불

보:조[3]【寶祚】명 제왕(帝王)의 자리. 보위(寶位).

보조개 명 ①흔히 웃거나 할 적에 볼에 오목하게 우물져 들어가는 자국. 볼우물. ②〈방〉볼.

보:조 공업【補助工業】명〖공〗하나의 주된 공업에 대하여 보조적 역할을 하는 공업. 한 방적 공장(紡績工場)에 있어서 방적 기계의 제작 또는 수리를 위한 기계 공장이나 수리 공장 같은 것이 이에 해당함.

보:조 관념【補助觀念】명 원관념의 뜻이나 분위기가 잘 드러나도록 도와 주는 관념. 비교·비유하는 관념.

보:조 국사【普照國師】명〖사람〗고려 조계종 수선사(曹溪宗修禪社)의 개조(開祖). 속성은 정씨(鄭氏), 이름은 지눌(知訥), 호는 목우자(牧牛子). 송광산(松廣山) 길상사(吉祥寺)에서 11년간 불도를 닦아 성적 등지문(惺寂等持門)·원돈 신해문(圓頓信解門)·경절문(徑截門)의 삼종(三宗)을 세움. 국사(國師)에 추증(追贈)됨. 시호는 불일 보조(佛日普照). 저서 《절요(節要)》·《진심 진설(眞心眞說)》·《수심결(修心訣)》등. [1158-1210]

보:조-금【補助金】명 ①보조하여 주는 돈. ②특정한 사업의 촉진(促進)·발전을 기하기 위하여 국가가 공공 단체나 사적(私的) 단체 또는 개인에게 교부하여 주는 돈. 교부금. 보급금. 1)·2): 준보조.

보:조 기관【補助機關】명 중앙 행정 기관에 예속하여 그 의사(意思) 결정을 보조(補助)하는 기관. 자기의 의사를 결정하고 선고(宣告)하는 권리나 능력은 없고 다만 관청의 의사 결정에 대하여 준비하고 또는 이미 결정된 의사를 실현함에 그치는 기관으로, 각 부 차관(次官)·국장(局長)·과장(課長) 등.

보:조 기억 장치【補助記憶裝置】명〔auxiliary memory〕〖컴퓨터〗주(主)기억 장치의 기억 용량의 부족을 메우기 위한 기억 장치. 일반적으로 자기(磁氣) 디스크·자기 테이프 등을 씀. ＊주기억 장치.

보:조 날개【補助一】명 보조익(補助翼).

보:조 단위【補助單位】명〖수〗①기본 단위(單位)를 세분(細分)하거나 몇 배로 확대하여 부르는 단위. 기본 단위만으로는 측량하기가 너무 크거나 또는 너무 작을 때 보조로 사용하기 위한 단위로서, 기본 단위인 미터·그램·리터에 대하여 킬로미터·밀리그램·데시리터 같은 것. ②국제 단위계에서 기본 단위 외에 설정된 단위. 평면각의 라디안과 입체각의 스테라디안이 있음. 1)·2): ↔기본 단위.

보:조 동:사【補助動詞】명〖언〗독립하여 사용되지 못하고 원동사(原動詞)의 아래에 붙어 그 풀이를 보조하는 동사. 도움 움직씨. 조동사(助動詞). ↔본동사(本動詞).

보:조 법어【普照法語】명〖책〗보조 국사(普照國師)가 불문(佛門)을 설법한 책.

보:조-부【補助簿】명 ↗보조 장부(補助帳簿).

보:조-비【補助費】명 국가 또는 공공 단체(公共團體)가 어떤 특수한 목적으로서 무상(無償)으로 교부하는 경비.

보:조 비:료【補助肥料】명〖농〗자극 비료(刺戟肥料).

보:-조사【補助詞】명〖언〗체언뿐 아니라 부사·활용 어미 등에 붙어서, 그것에 어떤 특별한 의미를 더해 주는 조사. 특정한 격(格)을 담당하지 않으며 문법적 기능보다는 의미를 담당함. '은·는·도·만·마다·부터·까지·야·인들·라도·나·든지·나마·조차·커녕' 따위. 특수 조사. 도움토씨.

보:조 상업【補助商業】명 고유(固有) 상업에 대하여 상품 판매 활동을 촉진(促進) 원조하는 상업. 운수업·창고업·통신업·금융업·보험업·대리상(代理商) 등.

보:조 상인【補助商人】명 남에게 종속하지 아니하고 독립하여 경영하면서 고유(固有) 상업을 보조하는 상인. 운송업자·보험업자 등 상업 사무의 일부를 보조하는 것과, 대리상 등 직접 타인의 상업의 계산에 참가하여 상업 경영을 보조하는 것이 있음.

보:조-석【補助席】명 자동차·관람석 등에서 보통 좌석이 찼을 때 사용하는 보조적 좌석. 스페어 시트.

보:조-선【補助線】명〖수〗도형(圖形)에 관한 문제를 풀 때, 주어진 도형에는 없지만 문제 해결을 위하여 편의상 새로 긋는 직선이나 원.

보:조 선사【普照禪師】명〖사람〗신라 헌강왕(憲康王) 때의 명승(名僧). 속성은 김씨(金氏), 이름은 체징(體澄). 희강왕(僖康王) 2년(837)

중국 당나라에 건너가 도의 대사(道義大師)의 심인(心印)을 받고 귀국 후 심인종(心印宗)을 세우고, 전라 남도 장흥(長興)의 보림사(寶林寺)를 중수(重修)하여 선종(禪宗)을 폄. [804-880]

보:조 신:관【補助信管】명 탄두 신관과 함께 써서 탄환의 폭약을 더욱 고도로 폭발시키는 신관.

보:조-어【補助語】명 언어를 달리하는 사람 사이에서 각자의 모어(母語) 대신 쓰는 언어. 국제 보조어.

보:조 어:간【補助語幹】명〖언〗용언의 어간과 어미 사이에 끼어서 그 뜻을 여러 가지로 돕는 말. 용언의 어간에 붙어서 그 어간과 함께 다시 한 덩어리의 어간이 되는 말. '먹었다'·'먹겠다'·'먹었었다'에 있어서 '-었-'·'-겠-'·'-었었-' 같은 것이나, '가시다'·'가옵고'·'쓸리다'·'먹히다'에 있어서 '-시-'·'-옵-'·'-리-'·'-히-' 같은 것. 통일 학교 문법에서는 선어말 어미(先語末語尾) 및 어간 형성 접미사로 다룸. 도움 줄기. *어간(語幹).

보:조-역【補助役】명 보조하는 구실. 또, 보조의 구실을 하는 사람.

보:조 용:언【補助用言】명〖언〗용언 아래에 붙어서 그 용언을 돕는 구실을 하는 용언. 보조 동사·보조 형용사 등이 있음. 도움 풀이씨.

보:조-원[1]【補助員】명 보조하는 사람.

보:조-원[2]【補助圓】명〖수〗①타원의 장축(長軸)을 직경으로 하는 원을 그 타원에 대하여 일컫는 말. ②쌍곡선의 두 꼭지점을 잇는 선분(線分)을 직경으로 하는 원을 그 쌍곡선에 대하여 일컫는 말.

보:조 원장【補助元帳】[一짱] 명〖경〗총계정(總計定) 원장의 계정 과목의 내용을 상세히 기록하는 원장. 거래선 원장·재료 원장·공장 원장 같은 것.

보:조-음【補助音】명〖악〗'도움음'의 한자 이름.

보:조 의자【補助椅子】명 임시로 쓰기 위한 의자. 정원(定員) 이상의 손님을 수용하기 위하여 규정된 좌석 이외로 준비하여 두는 의자. 스페어 시트.

보:조-익【補助翼】명 기체(機體)가 옆으로 동요하지 못하게 하고 또한 기체를 전후(前後)의 축을 중심으로 회전시킬 때 사용하려고 달아 놓은 장치. 주익의 좌우 양쪽 날개의 뒤쪽에 붙어서 그 주익의 일부를 형성하며, 뒷부분이 상하로 올라갔다 내려갔다 함. 보조 날개. ↔주익(主翼).

보조익 트림탭
보조익
〈보조익〉

보:조-인【補助人】명〖법〗피고인(被告人) 또는 피의자(被疑者)의 보조자(補助者)를 형사 소송법 상으로 이르는 말. 피고인 또는 피의자의 법정 대리인·배우자·직계 친족·형제 자매·호주(戶主)는 언제든지 서면으로 신고하고 보조인이 될 수 있음. *보좌인(補佐人).

보:조-자【補助者】명 보조하여 주는 사람.

보:조-장【補助帳】[一짱] 명 ↗보조 장부(補助帳簿).

보:조 장부【補助帳簿】명 부기(簿記)에서, 주요 장부의 내역(內譯)에 관한 설명을 하고, 특정(特定)한 거래에 대하여 상세한 기록을 하는 장부. 현금 출납장·매상장(賣上帳) 등. ㊟보조부(補助簿)·보조장(補助帳).

보:조-재【補助材】명 보조하는 자재.

보:조-적【補助的】명관 보조가 될 만한 모양.

보:조적 상행위【補助的商行爲】명〖법〗상인의 영업을 보조하는 행위.

보:조적 압류【補助的押留】[一뉴] 명〖법〗압류된 채권에 관한 증서를 채무자가 가지고 있을 경우에, 압류 채권자가 압류 명령에 의하여 그 증서를 채무자로부터 강제 집행의 방법으로 인도(引渡)시키는 일.

보:조적 연결 어:미【補助的連結語尾】[一년一] 명〖언〗연결 어미의 한 가지. 본용언에 보조 용언을 연결하는 어말 어미. '의자에 앉아 있다.'·'학교에 가지 않았다.'·'영화를 보게 되었다.'에서의 '-아'·'-지'·'-게' 따위.

보:조 정:리【補助定理】[一니] 명〔lemma〕〖수·물〗중요한 정리를 증명하기 위하여 보조적으로 쓰이는 정리. 문제의 정리(定理)를 증명함에 있어서 이 보조 정리를 증명한 다음에 이것을 사용하여서 본제(本題)의 정리를 증명함. 예비(豫備) 정리. 보제(補題).

보:조-제【補助劑】명 약품이나 항원(抗原)의 작용을 높이는 물질.

보:조 조:사【補助助詞】명〖언〗보조사(補助詞).

보:조 집행【補助執行】명〖법〗어떤 행정 기관의 권한에 속하는 사무를 다른 행정 기관의 소속원이 보조하여 집행하는 일. 도지사가 그 권한에 속하는 사무의 일부를 시·읍·면의 직원으로 하여금 집행하게 하는 일 같은 것.

보:조 참가【補助參加】명〖법〗민사 소송의 계속(繫屬) 중에 제삼자가 당사자의 일방(一方)을 보조하여 소송 행위에 참가하는 일. 종참가(從參加). ↔당사자 참가(當事者參加).

보:조-척【補助尺】명 부척(副尺).

보:조 투영도【補助投影圖】명 제도(製圖)에 있어서, 경사면이 있는 부품(部品)이 있을 경우에 도면의 이해를 용이하게 하기 위하여 그 사면의 실제 형태를 나타낼 목적으로 사면의 평행한 투영면(投影面)을 설정해서 이에 투영하여 그린 도면.

보:조 표지【補助標識】명 교통 안전 표지(交通安全標識)의 하나. 주의 표지·규제(規制) 표지·지시(指示) 표지 등 정식 표지 이외에 필요한 규제 내용을 표시하는 표지판(標識板). 날짜 시간의 규제, 거리 구역의 규제, 안전 속도 지시 등이 포함됨. *주의 표지(注意標識)·지시(指示) 표지.

〈보조 표지〉

보:조-함【補助艦】명〖군〗주력함(主力艦)의 보조를 주목적으로 하는 함정(艦艇)의 총칭. 순양함(巡洋艦)·구축함(驅逐艦)·잠수함(潛水艦) 같은 것.

보:조 함:정【補助艦艇】명〖해〗전투 함정 이외의 해군 함정. 수송선·상륙용 주정 같은 것. ↔전투 함정.

보:조-항【補助港】명 다른 항구(港口)의 결점을 보충하여 보조하고 있는 항구. 중국의 우쑹(吳淞)은 상하이(上海)의 보조항임.

보:조 형용사【補助形容詞】명〖언〗그 윗 말에 의지하여 형용사 구실을 하는 말. '못하다'·'싶다'·'아니하다' 등. 의존(依存) 형용사. 도움 그림씨.

보:조-화【補助貨】명〖경〗↗보조 화폐(補助貨幣).

보:조 화:폐【補助貨幣】명〖경〗본위 화폐의 보조로서 소액(少額)의 거래에 사용하는 법정(法定) 화폐. 일정한 금액까지에만 강제 통용되며, 본위 화폐보다 싼 값의 금속을 사용함. 은화(銀貨)·백동화(白銅貨)·동화(銅貨) 같은 것. 저위 화폐. ㊟보조화. ↔본위 화폐.

보:조 회전익【補助回轉翼】명 헬리콥터와 같은 회전익 항공기에서 양력(揚力)을 얻기 위하여 주(主)회전익 이외로 장치한 회전익. 미부(尾部) 회전익 따위.

보:조 효소【補助酵素】명 조효소(助酵素).

보:족【補足】명 모자라는 것을 보태어 넉넉하게 함. ——-하다 타여불

보:족-어【補足語】명〖언〗보어(補語).

보:족 유전자【補足遺傳子】[一뉴一] 명〔complementary genes〕〖생〗어떤 두 쌍의 유전자가 공존(共存)할 때 그 각각의 유전자의 독립된 형질(形質)과는 다른 형질을 나타내는 유전자.

보:존【保存】명 ①잘 지니어 잃지 아니하도록 함. ②원상(原狀)대로 유지(維持)함. ¶ 문화재의 ~. ——-하다 타여불

보:존 과학【保存科學】명 물질적인 구조와 재질(材質)을 밝혀 그 노화(老化) 또는 붕괴(崩壞) 등의 변화를 연구하고 방지하기 위한 과학. 주로 문화재 특히 미술품에 대하여 응용됨.

보:존 등기【保存登記】명〖법〗미등기 부동산 물권(未登記不動産物權) 특히 소유권(所有權)을 보존하기 위하여 처음으로 등기부에 올리는 단계의 등기.

보:존-력【保存力】[一녁] 명〖물〗질점(質點)이 두 점 사이를 이동할 때 그 경로(徑路)와 관계없이 질점에 작용하는 일이 일정하게 되는 경우의 힘. 자기력(磁氣力)·정전력(靜電力)·만유 인력 등.

보:존-림【保存林】[一님] 명 보안림(保安林).

보:존-법【保存法】[一뻡] 명 어떤 사물(事物)을 원상(原狀) 그대로 잘 보존하여 두는 방법.

보:존-비【保存費】명 어떤 물건 또는 재산의 보존을 위하여 필요로 하는 비용. 가옥의 수선비, 채권의 소멸 시효 중단을 위한 비용 등.

보:존 수역【保存水域】명 어업(漁業) 자원의 보존을 도모하기 위하여 특별한 규정으로 어업의 자유가 제한되는 공해(公海)의 특정 수역. 총어획량(總漁獲量)과 어획물의 종류·크기·어구(漁具)·어획 방법·어획 기간 등을 적당히 제한 규제함.

보:존 식품【保存食品】명 보존하기에 적합하게 가공하여 비축(備蓄)한 식품.

보:존 요법【保存療法】[一뇨뻡] 명〖의〗근치(根治) 요법을 행할 수 없을 경우 또는 급히 서두를 필요가 없을 경우에 대증(對症) 요법을 중심으로 행하는 치료의 총칭.

보:존-자【保存者】명 보존(保存)하는 사람.

보:존 재산【保存財産】명 국유 재산 구분의 하나. 국가가 법령의 규정에 의거하거나 필요에 의하여 보존하는 재산. 그 관리·처분에 특별한 규정이 있음. *국유 재산.

보:존 창고【保存倉庫】명 부패하기 쉬운 물건이나 감량(減量)하기 쉬운 물건에 관하여 상당한 기간 동안 그 본질을 보존하기 위한 창고. 냉장(冷藏) 창고·건조(乾燥) 창고 등. *가공(加工) 창고.

보:존 철도【保存鐵道】[一또] 명 동력(動力) 근대화의 물결에 밀려난 증기 기관차를, 움직이는 상태대로 보존하기 위하여 만든 철도. 관광(觀光) 자원으로 주목되고 있으며 영·미에서 특히 발달하고 있음.

보:존-칙【保存則】명〖물〗물리 현상의 과정을 통하여 어떤 종류의 물리량이 일정 불변하게 보존됨을 나타내는 법칙. 물질 불멸의 법칙과 에너지 보존의 법칙이 가장 기본적인 것임.

보:존-함【保存函】명 물건을 넣어서 보존하여 두는 상자.

보:존 행위【保存行爲】명〖법〗관리 행위(管理行爲)의 하나. 재산의 멸실(滅失)·훼손(毁損)을 방지하고 그 현상(現狀)을 유지하기 위한 행위. 곧, 가옥(家屋)의 수선, 시효(時效)의 중단 같은 것.

보:존 혈액【保存血液】명〖의〗혈액이 응고(凝固)하지 아니하게 시트르산(酸) 나트륨·ACD액(液) 등의 항응고제(抗凝固劑)를 가하여 2°-8°C의 저온하에서 수시간에서 수일간 냉장(冷藏)한 혈액. 긴급 수혈(輸血)에 대비하여 상시 준비하며, 혈액 은행에서 취급함. 보존 기간은 대개 일주간(一週間)임.

보:졸【步卒】명 보병(步兵).

보:졸-장【步卒將】[一짱] 명 탈것이 없어 걸어만 다니는 점잖은 사람을 '보병의 장수와 같다'는 뜻으로 농으로 이르는 말.

보:종[1]【步從】명〖역〗①임금이 거둥할 때에 백관이 걸어서 뒤따르는 일. ②고관(高官)이 행차하여 올 때에 노문(路文)을 받은 역(驛)에서 보내어 따르게 하는 역졸(驛卒).

보:종[2]【補宗】명 종가(宗家)나 종중(宗中)을 도와 가문을 이어나가는 일.

보:좌[1]【保佐】명 ①보호하여 도움. ②〖법〗구민법(舊民法)에 있어서, 준금치산자(準禁治産者)를 보호하여 그 능력을 보충하던 일. ——-하다 타여불

보:좌[2]【補佐·輔佐】명 상관(上官)을 도와 일을 처리함. 보필(輔弼). 우조(佑助). 익보(翼輔). ¶ ~역(役). ——-하다 타여불

보:좌[3]【寶座】명 ①옥좌(玉座). ②〖불교〗부처가 앉는 자리. ③〖기독교〗하느님이 앉아 있는 높고 귀한 자리.

보:좌-관【補佐官】명 ①보좌하는 관리. ②〖군〗참모 부장·국장·과장 등의 소관 사무를 보좌하는 선임 장교(先任將校).

보:좌 기관【補佐機關】명 중앙 행정 기관이 그 기능을 원활하게 수행할 수 있도록 그 기관장이나 보조 기관을 보좌(補佐)하는 기관. 차관보(次官補)나 담당관(擔當官) 따위.

보:좌-상【補佐相】명〖역〗고려 국초(國初)에 태봉(泰封)의 제도를 따서 베푼 관등의 넷째 관계(官階). 대사훈(臺司訓)의 다음.

보:좌 신부【補佐神父】명〖천주교〗본당의 주임 신부를 보좌하는 사제.

보:좌-인[1]【保佐人】명〖법〗구민법(舊民法)에 있어서, 준금치산자(準禁治產者)를 보호하고 그 능력을 보충시키던 사람. 그 권한은 준금치산자의 행위에 동의(同意)를 주는 것만으로 대리권(代理權)은 없었음.

보:좌-인[2]【補佐人】명 ①보좌(補佐)하는 사람. ②〖법〗구민사 소송법상(舊民事訴訟法上) 당사자(當事者)·법정 대리인 또는 소송 대리인을 따라 재판소에 출두(出頭)하여 변론(辯論)을 보조하던 사람.

보:좌 주교【補佐主教】명〖천주교〗교구장을 보좌하는 명의 주교.

보죠개 명〈옛〉볼[1]❶. ¶ 보죠개 협(頰 脣生處)《字會 上 25》.

보주[1]【洑主】명〖농〗보(洑)의 주인.

보:주[2]【補註】명 부족한 점을 보충하여 단 주해(註解). ——-하다 타여불

보:주[3]【寶珠】명 ①보배로운 구슬. ②〖불교〗위가 뾰족하고 좌우 양쪽과 위에서 불길이 타오르고 있는 형상으로 된 구슬. ③〖불교〗여의 보주(如意寶珠). ④〖건〗탑이나 석등롱 같은 것의 맨 꼭대기에 있는 공 모양의 부분. *석비.

〈보주[3]❷〉

보:중【保重】명 몸을 아끼어 잘 보전함. ¶ 부디 ~하시오. ——-하다 타여불

보:중 익기탕【補中益氣湯】명〖한의〗원기(元氣)를 도우며 외감(外感)을 푸는 탕약. 학질·탈음(脫陰)·탈항(脫肛)에 쓰고 외과에도 씀.

보즈네센스키〔Voznesenski, Andrei〕명〖사람〗소련의 시인. 스탈린 격하후의 세대를 대표하는 사람으로 그 강렬한 비판 정신·실험 의욕이 높이 평가되고 있음. 시집(詩集)《반세계(反世界)》 등이 있음. [1933-]

보즈웰〔Boswell, James〕명〖사람〗영국의 전기(傳記) 작가. 스코틀랜드 출신의 변호사로 존슨(Johnson, S.) 박사와 친교를 맺음. 전기 문학의 걸작이라고 하는 《새뮤얼 존슨전(Samuel Johnson 傳)》을 씀. 이 밖에 방대한 《사기(私記)》·《일기》 등이 있음. '보즈웰'이라는 이름은 성실하고 존경할 만한 전기 작가의 대명사(代名詞)로 쓰이게 됨. [1740-95]

보:즌킷〔Bosanquet, Bernard〕명〖사람〗영국의 철학자. 영국에 있어서 헤겔주의의 대표자. '구체적 보편자(具體的普遍者)'의 개념 아래 모든 현실을 유심론적으로 해석함. 저서로서 《지식(知識)과 실재(實在)》·《개성 원리(個性原理)와 가치(價值) 원리》가 있음. [1848-1923]

보증【保證】명 ①어떤 사물(事物)에 대하여 틀림없음을 책임짐. ¶ 신원 ~. ②〖법〗협의로는 채무자(債務者)가 채무를 이행하지 못할 경우에 그를 대신하여 제삼자가 채권자(債權者)에게 채무를 이행할 것을 부담하는 일. 광의로는 신원 보증처럼 주채무(主債務)에 관계없이 독립적으로 배상 책임을 부담하는 경우도 일컬음. *보(保). ③담보(擔保). ④보인(保人)과 증인(證人). ——-하다 타여불 「(保)서다.

보증(을) 서다 구 남의 채무나 신원(身元)에 대하여 보증하여 주다. 보

보증 계:약【保證契約】명〖법〗보증 채무(債務)를 내용으로 하는 계약.

보증-금【保證金】명〖법〗①사법상(私法上) 일정한 채무(債務)의 담보(擔保)로서 미리 채권자(債權者)에게 내 주는 금전(金錢). ②회계 법규상(會計法規上) 정부(政府)와 입찰(入札)이나 어떤 계약(契約)을 맺은 자가 계약 이행의 담보로서 납입하는 금전.

보증 기간【保證期間】명 어떤 사항을 이행(履行)할 것을 약속하는 일정 기간. 무료 수리(無料修理)의 보증 기간 등.

보증 대:부【保證貸付】명〖경〗은행 금융에서, 채권자가 채무자에게 본인 이외의 제삼자의 보증인을 세우는 것을 조건으로 하는 대부. 전액 보증과 부분 보증이 있음. *무담보 대부.

보증-도【保證渡】명〖법〗화물 인환증(貨物引換證)·선하 증권·창고 증권이 발행되어 있는 경우에 운송업자나 창고업자가 증권과 인환하는 것이 아니고 보증장을 내게 하여 운송품·기탁물(寄託物)을 인도하는 일. 「하는 요금.

보증-료【保證料】[—뇨] 명 보증을 의뢰한 사람이 보증인에게 지급

보증 발행【保證發行】명〖경〗보증 준비(保證準備)에 의한 발행. ↔정화 준비 발행(正貨準備發行).

보증 발행 한:도【保證發行限度】명〖경〗은행권의 보증 발행을 할 경우의 한도. 일반적으로 최고 발행 제한 제도를 채택하고 있으며, 준비된 보증과 같은 은행권의 발행이 인정되고 있음.

보증 보:험【保證保險】명〖경〗①신용 보험의 하나. 관청이나 회사의 사용인(使用人)의 부정 행위에 의하여 생기는 손해를 보전(補塡)함을 목적으로 하는 보험. ②청부(請負) 공사나 물품 납입에 관하여 낙찰자가 계약을 체결하지 아니하거나 계약 후에 그것을 이행하지 아니할 때에 주문자(注文者)가 입는 손해를 보전하는 보험.

보증 사채【保證社債】명 사채 발행 회사가 제3자, 보통 금융단(金融團)에 의한 이자 지급과 원금 상환의 신용 보증을 얻고 발행하는 사채. ↔무보증 사채.

보증-서【保證書】명〖법〗①보증하는 글. 보증의 증거가 되는 문서. ②〖법〗형사 소송법에서 구속중인 피고인이 보석(保釋)될 때 보증금 대신으로 피고인 이외의 사람이 법원에 제출하는 서면.

보증 수표【保證手票】명〖경〗①자기앞 수표. ②은행에 제시하여 지급 보증을 받은 수표. 지급 보증 수표. 준보수(保手). *수표.

보증 어음【保證—】명〖경〗단자 회사(短資會社)나 종합 금융사가 지급을 보증한 융통 어음. 상업 어음과는 달리 단순히 자금의 융통만을 위한 것으로, 은행은 딴 금융 기관이 지급 보증한 보증 어음을 신탁 자산의 10% 이내에서 매입할 수 있음.

보증-인【保證人】명〖법〗①어떤 사람의 신원(身元)이나 채무를 보증하는 사람. 증인(證人). ②보증 채무(保證債務)를 지는 사람. *보인(保人). 「주식.

보증-주【保證株】명〖경〗일정한 이익 배당의 지급이 보증되어 있는

보증 준:비【保證準備】명〖법〗은행권(銀行劵)에 대한 신용 보증(信用保證)의 하나. 곧, 은행권 발행의 보증으로서 상업 어음이나 국채 그 밖의 유가 증권(有價證券)을 준비하는 일. 또, 그 물건(物件). ↔정화 준비(正貨準備).

보증 준:비 굴신 제:한 제:도【保證準備屈伸制限制度】[—썬—] 명〔elastic fiduciary issue system〕〖경〗발권(發券) 제도의 하나. 정화 준비(正貨準備)에 의한 은행권(銀行劵)의 발행에는 제도를 설정하지 아니하고, 공채나 어음을 보증으로 하는 은행권의 발행액, 곧 보증 준비 발행고만을 법으로 정하여, 필요한 경우에는, 일정한 조건 아래 한외(限外) 발행을 인정하는 제도. 은행권의 발행에 신축성을 주는 데 목적이 있음. *최고 발행액 제한 제도. 「채권.

보증 채:권【保證債權】[—꿘] 명〖법〗보증 채무(保證債務)에 대한

보증 채:무【保證債務】명〖법〗주된 채무자가 채무를 갚지 못할 경우 보증인이 책임지는 채무. 보증 계약에 의하여 발생함. 보증 책임.

보증 책임【保證責任】명 ①보증할 책임. ②〖법〗채무자가 채무를 이행하지 아니할 때 그 채무를 이행하는 보증인의 책임. 보증 채무(保證債務). 「(陰門). 여근(女根). ↔자지.

보:지[1] 명 여자의 음부(陰部). 소문(小門). 음호(陰戶). 하문(下門). 음문

보:지[2]【保持】명 보전하여 잘 지님. 보유(保有). ——-하다 타여불

보:지[3]【報知】명 고하여 알려줌. 통지(通知). ——-하다 타여불

보:지-기【報知機】명 경보기(警報機).

보지락 의명 비가 온 분량(分量)을 헤아리는 말. 곧, 보습이 들어갈 만큼 빗물이 땅 속으로 스며 들어간 깊이를 말함.

보:지-자【保持者】명 보유하고 있는 사람. 보유자. ¶ 기록 ~.

보:직【補職】명 공무원에게 구체적인 직무의 담당을 명함. 또, 그 직(職). ¶ 업무과장으로 ~되다.

보:직 변:경【補職變更】명 전보(轉補).

보진【一陳】명 ☞포진[4] ¶ 연산이 납신다는 소식을 들은 제안의 궁중은 집안을 정하게 치고 ~을 준비하느라 한동안 부산하다《朴鍾和 : 錦衫의 피》.

보:진【補賑】명 진휼(賑恤)을 보조(補助)함. ——-하다 자여불

보:진-재【葆眞齋】명〖사람〗노사신(盧思愼)의 호(號).

보:-집합【補集合】명〖수〗여집합(餘集合).

보짱 명〈방〉보짱[1]. 「다/검은 ~을 품다. *배짱.

보짱[1] 명 꿋꿋하게 가지는 속마음. 속으로 품은 요량(料量). ¶ ~이 세

보짱[2] 명〈방〉들보[1](경상). 「두(褓饅頭).

보찜 만두【褓一饅頭】명 여러 개를 보에 싸서 찐 조그만 만두. 준보만

보차다 타〈옛〉보채다. 성가시게 굴다. ¶ 사ᄅᆞ몰 보차 어즈리다가(惱亂是人)《楞嚴 Ⅸ:89》. 「語와 妄言과(侵奪綺妄)《圓覺 下 一之一 28》.

보차아솜 타〈옛〉보채어 빼앗음. '보차다'의 명사형. ¶ 보차아솜과 綺

보차욤 타〈옛〉보챔. '보차다'의 명사형. ¶ 또 瞋恚愚嫉의 보차요미 아니 ᄃᆞ외며 또 憍慢嫉妬 여러 가짓 뼈의 보차요미 아니 ᄃᆞ외야《月釋 ⅩⅧ:273》.

보:찰【寶刹】명 절. 사찰(寺刹).

보:창-군【保昌軍】명 고려 시대 북계(北界) 주진군(州鎭軍) 가운데의 하나. 초군(抄軍)·좌군·우군과 함께 북계 주진군의 핵심을 이루었음.

보:채[1]【堡砦】명 보루(堡壘).

보:채[2]【報債】명 채무(債務)를 갚음. ——-하다 자여불

보채다 타〔중세 : 보차다〕①억지를 부려 심하게 조르다. ②남을 몹시 성가시게 굴다.

【보채는 아이 밥 한 술 더 준다; 보채는 아이 젖 준다】스스로 나서서 구하여야 된다는 뜻.

보:처【補處】명〖불교〗①주불(主佛)의 좌우에 모신 보살. 보처존(補處尊). ②↗일생 보처(一生補處).

보:-처자【保妻子】명 처자를 보양(保養)함. ——-하다 자여불

보:처-존【補處尊】명〖불교〗주불(主佛)의 좌우에 모셔 둔 보살. 보처

보:천[1]【普天】명 하늘이 두루 덮고 있는 땅. 천하(天下). 「(補處).

보:천[2]【寶釧】명 훌륭한 팔찌.

보:천-교【普天教】명〖종〗훔치교(吽哆教) 교주의 제자 차경석(車京錫)이 전라도 정읍(井邑)에서 창건한 유사 종교(類似宗教). 1921년 보화교(普化教)라 하다가 이듬해 보천교로 고침. 차경석이 사망한 후 사교(邪教)로 규정되어 해산함.

보:천-성【寶泉省】명〖역〗군자감(軍資監).

보:천 솔토【普天率土】명 온 천하(天下).

보:천지-하【普天之下】명 넓은 세상.

보:천지하 솔토지빈【普天之下率土之濱】구 하늘이 두루 덮고 있는 밑, 육지가 연속해 있는 한(限)의 해빈(海濱)이란 뜻으로, 온 세계·천하(天下)를 이름. 「——-하다 타여불

보:철【補綴】명 ①부족한 것을 보충하여 철(綴)함. ②떨어진 데를 기움.

보:철-구【補綴具】명 신체적인 기능 장애(機能障礙) 또는 활동력이 상실된 부분은 보충하거나 정형(整形)·보완(補完)해 주는 장구(裝具).

보:첨【補添】명 보충하여 덧붙임. ——-하다 타여불

보:첩[1]【步睫】명〔←보섭(步躡)〕내처 걷는 걸음.

보:첩[2]【譜牒】명 족보(族譜) 책. 보계(譜系). 「형여불

보:첩 여비【步睫如飛】[—녀—] 명 걸음이 나는 듯이 빠름. ——-하다

보:청[1]【普請】명〖불교〗널리 시주(施主)를 청함. ——-하다 타여불

보:청²【譜廳】명 보소(譜所).

보:청-기【補聽器】명〖의〗귀가 잘 들리지 아니하는 사람이 청력(聽力)을 보강하기 위하여 쓰는 기구. 소형(小形) 마이크 등을 이용, 소리를 모으거나 증폭(增幅)하여 잘 들리게 함. 청화기(聽話器).

보:체¹【保體】명〖불교〗몸을 보호한다는 뜻으로, 살아 있는 사람의 축원문(祝願文)의 성명 밑에 쓰는 말.

보:체²【補體】명〖생〗동물의 혈액이나 림프액(液) 중에 있는 효소(酵素)와 유사(類似)한 물질. 특이적(特異的)인 용균(溶菌)·식균(食菌)·살균(殺菌) 이외에 용혈(溶血) 현상 등에 관여(關與)함.

보:체³【寶體】명 보배로운 몸. 귀중한 몸. 특히, 편지에서 상대방을 높여 일컫는 말. ¶ 객중(客中) ~.

보:체 결합 반:응【補體結合反應】명〖의〗혈청학(血淸學)·면역학(免疫學)의 용어. 신선한 정상 혈청 속에 있는 보체가 항원(抗原)과 항체(抗體)가 결합된 복합체(複合體)와 결합하는 반응. 이 때에 일어나는 용혈(溶血) 반응을 지표로 하여 보체 결합 반응은 바서만 반응(Wassermann 反應) 등 세균·바이러스·리케차 등의 진단에 응용됨.

보체다 타 ☞보채다.

보첵〔Wozzeck〕명〖악〗오스트리아의 작곡가 베르크(Berg, A.)가 지은 오페라. 뷔히너(Büchner, G.)의 《보이첵(Woyzeck)》을 바탕으로 자신의 제1차 대전 종군 체험(從軍體驗)을 가미하여 1921년 대본을 완성함. 1925년에 초연. 19세기 독일을 무대로 단순하고 소심(小心)한 병사 보첵이 상관에게도 아내에게도 학대받고 자살할 때까지를 묘사한 3막 15장.

보:초¹ 명〈방〉보추.

보:초²【步哨】명〖군〗①주군(駐軍)할 때 최전선(最前線)에서 경계·감시의 임무를 맡는 병정. ②사령부·영문(營門)·탄약고(彈藥庫)·영창(營倉)·부대의 출입문 같은 곳에 배치되어 위병(衛兵) 근무와 경계(警戒) 근무 등을 맡는 초병(哨兵). 보초병(步哨兵). *입초(立哨).

보:초³【堡礁】명〔barrier reef〕〖지〗섬이나 육지를 따라 난바다 쪽에 발달한 산호초(珊瑚礁). 해안과의 사이에는 초호(礁湖)라고 하는 해수가 드나드는 호수가 있음. 오스트레일리아의 동북 해안의 것은 그 가장 대규모의 예(例)임.

c:중앙섬 1:초호
〈보초³〉

보:초⁴【寶鈔】명〖역〗고려 후기에 유입되어 사용된 중국 원나라의 지폐.

보초니〔Boccioni, Umberto〕명〖사람〗이탈리아의 화가·조각가. 미래파의 중심적 존재로, 1910년 카라(Carra) 등과 함께 '미래파 화가 선언'을 발표. 1912년 조각으로 전향, 《인간의 다이너미즘(dynamism)의 종합》·《공간에서의 병(甁)의 전개》 등의 작품을 통하여 조각에 운동과 시간의 요소를 도입하려고 하였음. 제1차 대전중, 낙마(落馬)가 원인으로 죽음. [1882-1916]

보:초-막【步哨幕】명〖군〗보초가 서는 막사(幕舍).

보:초-망【步哨網】명〖군〗보초 서기 위하여 여러 군데 늘어놓은 조직의 체계.

보:초-병【步哨兵】명〖군〗보초(步哨). 초병(哨兵). 파수병.

보:초-선【步哨線】명〖군〗전초선(前哨線)에 있는 각 보초의 연락선(連絡線).

보:총【補聰】명 생각이 미처 이르지 못한 곳을 보충하여 도와 줌. ——하다 타여불

보:추 명〈속〉진취성(進就性).

보:추-때기 명〈속〉보추.

보:추-없다 [—업—] 형 진취성(進就性)이 없다.

보:추-없이 [—업씨] 부 보추없게.

보:춘-화【報春花】명〖식〗[*Cymbidium virescens*] 난초과에 속하는 다년초. 근경(根莖)은 긴 구상(球狀)이고 옆으로 뻗으며 여러 개의 수근(鬚根)이 있는데 백색임. 줄기는 막질(膜質)의 비늘 조각으로 싸여 있고 잎은 다수 근생(根生)하며, 길이 20-50 cm의 선형(線形)이고 상부에서는 꺾이거나 만곡(彎曲)하며, 짙은 황록색에 혁질(革質)임. 이른 봄에 뿌리에서 푸르스름한 화경(花莖)이 나와 5-6월에 담황색의 삼판화(三瓣花)가 한두 개 정생하고 순판화(脣瓣花)는 백색에 자색(紫色) 반문(斑文)이 있음. 건조한 삼림에 나는데, 제주·전라·경상 및 일본·중국 등에 분포함. 배우 아름다우므로 정원이나 화분에 재배함. 또, 꽃은 소금에 절이었다가 차(茶)를 끓이는 데에 넣음.

〈보춘화〉

보:충【補充】명 ①모자람을 보태어 채움. 충보(充補). ¶ ~ 교재/~ 수업. ②〖법〗백지(白地) 어음의 결여된 요건(要件)을 채워서 완전한 형태를 갖추게 하는 일. ——하다 타여불

보:충-군【補充軍】명〖역〗보충대❶.

보:충-권【補充權】[—꿘] 명〖법〗①백지(白地) 어음에 소정의 요건을 보충하여 완전한 어음을 작성해서 서명자(署名者)의 의무를 발생하게 하는 권리. ②임의 채권(任意債權)에서 대용권(代用權)을 일컫는 말.

보:충 규정【補充規定】명〖법〗당사자의 의사 표시가 전연 결여되어 있는 부분을 보충하는 임의(任意) 규정. ↔해석(解釋) 규정.

보:충-금【補充金】명 부족되는 액수(額數)를 보충하기 위한 돈.

보:충-대【補充隊】명 ①〖역〗조선 시대에, 양반이 종을 첩으로 하여서 낳은 자손으로써 조직한 군역(軍役)의 하나. 태종(太宗) 15년(1415)에 설치함. 1년에 4개월씩 근무하여, 사만(仕滿) 1,000일에 종량(從良)됨. 의흥위(義興衛)에 딸렸음. 보충군. ②〖군〗출정군(出征軍)의 감원을 보충하기 위하여 설치하는 부대. ③〖군〗배속(配屬) 근무를 명령하기 전에 장병을 수용하는 부대.

보:충 명:령【補充命令】[—녕] 명〖법〗성질상 법률의 내용을 보충한다고 해석되는 뜻에서의 '위임 명령'의 호칭.

보:충 법규【補充法規】명〖법〗보충 규정(補充規定).

보:충-병【補充兵】명〖군〗보충되는 병사.

보:충 병역【補充兵役】명〖법〗구병역법에 규정된 병역의 하나. 현역병에 보충하기 위하여 필요에 따라 소집하고 소요(所要)의 교육 훈련을 실시하여 전시의 요원(要員)에 충당하는 것으로서, 제일 보충 병역과 제이 보충 병역이 있었음.

보:충-비【補充費】명 보충에 요(要)하는 비용.

보:충 선:거【補充選擧】명〖정〗정원(定員)의 일부를 보충하기 위하여 행하는 선거. 보궐 선거(補闕選擧)에서나 또는 정원(定員)만의 당선이 없었을 경우에 다시 하는 선거 같은 것.

보:충성 월경【補充性月經】[—썽—] 명〖의〗과소(過少) 월경에 수반하여 일어나는 질(膣) 이외로부터의 이상(異常) 출혈. *대상(代償) 월경.

보:충 세:포【補充細胞】명〖생〗기저 세포(基底細胞).

보:충 수업【補充授業】명 일반 교과 과목 중에 학습 기초가 부족한 학생들에게 보충하여 실시하는 수업.

보:충 수역【補充水域】명 접속(接續) 수역.

보:충 수요【補充需要】명〖군〗소모된 품목이나 사용 불능품의 보충에 필요한 수요.

보:충-어【補充語】명〖언〗보어(補語).

보:충-역【補充役】명〖법〗병역의 한 가지. 징병 검사를 받아 현역 복무를 할 수 있다고 판정된 자(者) 중에서 병력 수급 사정에 의하여 현역병 입영 대상자로 결정되지 아니한 자와 병역법에 의하여 이 역(役)에 편입된 자가 복무함.

보:충 유증【補充遺贈】명〖법〗수유자(受遺者)가 유증의 효력 발생 전에 사망하거나 또는 효력 발생 후에 유증을 포기하는 경우에 그 수유자가 받은 이익을 다른 사람에게 유증할 것을 정한 유증.

보:충-적【補充的】명관 보충할 만한 모양.

보:충 판결【補充判決】명〖법〗민사 소송법상 법원이 청구의 일부에 대하여 재판을 탈루(脫漏)하였을 경우 이것을 보충하기 위하여 추가 재판에 의해서 하는 판결. 추가 판결. 탈루 판결.

보:충 해:석【補充解釋】명〖법〗법의 목적에 비추어 법문(法文)의 자구(字句)를 보충해서 하는 법률 해석. '청구(請求)'라는 자구를 상대편의 승낙을 요하지 아니하는 '고지(告知)'의 뜻으로 해석하는 일과 같은 것.

보취¹ 명〈방〉보추.

보:취²【步驟】명 ①걸어 감과 뛰어 감. ②진보가 빠름.

보:츠〔bortz〕명 불완전하게 결정(結晶)한 다이아몬드 광물(鑛物). 모양·크기·빛깔·흠·불순물 등 때문에 보석으로는 쓰이지 않고, 연마제(硏磨劑)와 절삭용(切削用)으로 쓰임.

보츠와나〔Botswana〕명〖지〗아프리카 남부의 공화국. 내륙국(內陸國)으로 기후는 반건조성(半乾燥性)임. 국토의 중앙부의 약간 남쪽으로 남회귀선이 지남. 영어를 공용하며 주민의 약 10%는 그리스도교도임. 국토의 대부분이 사막이기 때문에 목축이 주산업이며 석면(石棉)·망간·동(銅)·니켈 등도 산출함. 1885년 영국의 보호령, 1966년 9월 영연방의 공화국으로 독립함. 수도는 가보로네(Gaborone). [581,730 km²: 1,290,000명(1991)]

보:측【步測】명 보폭(步幅)으로 거리를 잼. 걸음짐작. ——하다 타여불

보:측-계【步測計】명〖기〗보수계(步數計).

보:칙【補則】명〖법〗법령(法令)의 본체(本體)의 규정을 보충하기 위하여 특별히 설정한 일부의 장(章).

보침 명〈방〉보자기²(함경).

보카치오〔Boccaccio, Giovanni〕명〖사람〗문예 부흥기(文藝復興期) 이탈리아의 시인·작가·인문학자. 단테(Dante)에 관한 저서와 언어학상의 저서·시문(詩文) 등이 많으며, 특히 문예 부흥기의 상인(商人)들과의 접촉·경험을 소재로 한 《데카메론(Decameron)》으로 근대 소설의 조(祖)로 불림. 작품으로 《단테전(Dante傳)》과 장편 소설 《필로콜로(Filocolo)》 등이 있음. [1313-75]

보:컬〔vocal〕명 성악(聲樂). 노래 부르기. ¶ ~ 그룹.

보:컬리스트〔vocalist〕명〖악〗재즈 밴드 등의 가수(歌手).

보:컬 뮤:직〔vocal music〕명〖악〗성악(聲樂).

보:컬 솔로〔vocal solo〕명〖악〗독창(獨唱).

보케리니〔Boccherini, Luigi〕명〖사람〗이탈리아의 작곡가·첼리스트. 마드리드에서 작곡을 시작하여 서정적인 많은 현악 사중주곡과 첼로 협주곡을 씀. 특히 《미뉴에트》는 유명함. [1743-1805]

보코더〔vocoder〕명〔voice coder의 약칭〕음성을 분해하여 그 요소(要素)만을 보내면 수신측(受信側)에서 이것을 원래의 음성으로 합성(合成) 재생하는 음성 전송(傳送) 장치. 1939년 미국의 더들리(Dudley, Homer)가 발명함. 전화의 대역폭(帶域幅)의 10분의 1 정도이므로 성능이 좋으며, 비밀을 요하는 통신 수단 등에 이용됨.

보:크〔balk, baulk〕명 ①실책(失策). 미스(miss). ②야구에서, 주자(走者)가 있는 경우에 이루어지는 투수(投手)의 반칙 행위. 주자는 있던 자리에서 한 베이스(base) 더 나아갈 수 있음. ③높이뛰기 등 육상 도약 경기에서, 발구름선을 넘어선 후 구르고 나서 시기(試技)를 중지하는 일. ④배드민턴에서, 서비스할 때 상대편을 현혹시키는 행동을 하는 일.

보:크라인〔balk line〕명 ①육상 경기에서, 트랙 종목(track 種目)의 스타트 라인(start line). ②도약(跳躍) 경기에서, 발구름선(線). 금지선(禁止線). ③당구(撞球)의 보크 라인 게임에서, 당구대(臺)의 면을 9개로 구획하기 위하여 '井'자(字) 모양으로 그은 네 개의 줄. 또, 보크라인 게임.

보:크라인 게임〔balkline game〕명 종래의 당구(撞球)가 단조롭다고 하여 생긴 당구의 한 가지. 세 개의 공으로 하는데, 보크 라인을 긋고 그 안에서는 두 번 이상 칠 수 없다는 약속하에 침.

보:크사이트〔bauxite〕명〖광〗〔프랑스의 지방명 '보(Baux)'에서 유래한 이름〕알루미늄의 수산화물(水酸化物)을 주성분으로 하는 광석.

괴상(塊狀) 또는 점토상(粘土狀)이며, 내화(耐火) 재료·명반(明礬)·알루미늄의 중요 원료임. 철반석(鐵礬石). 수반토(水礬土).

보타다 타〈옛〉보태다. ¶ 補는 보탈씨오≪月釋 Ⅱ:8≫/福올 보타 救ᄒᆞ야 ᄡᅡᄒᆡ더≪月釋 XXI:53≫.

보:타 대:사【補陀大士】명〖불교〗〔보타(補陀)는 보타락산(補陀落山), 대사(大士)는 보살(菩薩)의 의역(意譯)〕'관세음 보살'의 이칭.

보:타락【補陀落·普陀落】명〔범 Potalaka〕〖불교〗인도의 남해안에 있는, 관음(觀音)이 사는 팔각형(八角形)의 산이라고 하며, 이 산의 화수(華樹)는 광명과 방향(芳香)을 낸다고 하는데 관음의 영현(靈現)에 관하여 쓰이는 말. 관음의 영장(靈場)에 이 이름을 많이 씀. 보타락산(補陀落山).

보:타락-산【補陀落山】명〖불교〗보타락(補陀落).

보:타-산【普陀山】명〖지〗푸퉈 산.

보: 타이〔bow tie〕명 길게 늘어뜨리어 매지 않고, 나비의 편 날개 모양으로 가로 짧게 매는 넥타이 (necktie). 나비 넥타이. 보노트.

〈보타이〉

보:탁-초【寶鐸草】명〖식〗애기나리.

보탈로 동:맥관 개존증【一動脈管開存症】〔Botallo〕〔一쯩〕명〖의〗선천성 심장 질환의 일종. 보탈로 동맥관은 대동맥과 폐동맥을 연결하는 것으로 태생(胎生) 때부터 있어 차츰 폐쇄되는데 폐쇄 장애로 벌어져 있는 경우가 있음. 증상은 경도(輕度)의 발육 장애, 격동할 때 호흡 곤란과 함께 가슴이 두근거림. 이 동맥관은 이탈리아의 의사 보탈로 (Botallo, L.)가 발견한 데서 붙은 이름임. 동맥관 개존증.

보탑[1] 명〈방〉보습[1](함남).

보:탑[2]【寶塔】명 ①귀한 보배로 장식한 탑. ②미술적 가치가 많은 탑. ③절에 있는 탑의 경칭. ④〖불교〗다보 여래(多寶如來)를 안치(安置)한 탑.

보:탑[3]【寶榻】명 옥좌(玉座).

보탕〔포 botão〕명 단추.

보:태[1]【步態】명 걸음걸이의 자태. 걷는 태도.

보:태[2]【補胎】명 아이 밴 여자의 기력을 보하게 함. ──-하다 자여불

보태기[1] 명〖수〗셈을 보태는 일. 더하기. 가법(加法). ↔빼기.

보태기[2] 명〈방〉보추.

보태다 타〔중세 : 보타다〕①모자람을 채우다. ②있는 데다 더하여 늘리다.

보:-태평【保太平】명〖악〗↗보태평지무(保太平之舞).

보:태평-무【保太平舞】명〖악〗↗보태평지무(保太平之舞).

보:태평-악【保太平樂】명〖악〗↗보태평지악(保太平之樂).

보:태평지-무【保太平之舞】명〖악〗정재(呈才) 때 추는 춤의 이름. 무기(舞妓) 서른 여섯 명이 왼손에 약(籥)을, 오른손에 적(翟)을 쥐고 여섯 명씩 여섯 줄에 사각형으로 서서 주악(奏樂)과 박(拍) 소리에 맞추어 추는데 향악(鄕樂)과 당악(唐樂)을 섞어 연주(演奏)함. 제향(祭享)에는 남악(男樂)을 쓰므로 악공(樂工)이 대신함. ㊀보태평(保太平)·보태평무(保太平舞).

보:태평지-악【保太平之樂】명〖악〗보태평지무(保太平之舞)에 연주하는 음악. ㊀보태평악.

보탬 명 ①수(數)·양(量) 등을 가함. ②도움.

보탬-표【一標】명 덧셈표.

보탸크-어【一語】〔Votyak〕명 피노우그리아(Finno Ugria) 어족(語族)의 핀어파(Finn語派)에 속하는 언어. 러시아 연방 내의 우드무르트(Udmurt) 자치 공화국에서 주로 사용되어 러시아자(字) 정서법에 의한 문장어로 채용됨.

보탸크-족【一族】〔Votyak〕명 러시아 연방 내의 우드무르트 자치 공화국에 사는 종족(種族). 주로 농업에 종사하며 13세기에는 몽고에 복속(服屬), 16세기부터 모스크바의 통치를 받아 러시아화(化)함. 현재는 우드무르트(Udmurt)라고 불림.

보터니〔botany〕명 식물학(植物學).

보텀 패션〔bottom fashion〕명〔보텀은 밑·밑변(邊)의 뜻으로, 복식(服飾) 용어로는 바지의 아랫단을 말함〕바지의 아랫단에 중점을 둔 패션. 판탈롱(pantalon)이나 진(jeans)의 유행과 더불어 여러 가지 형(型)의 것이 나옴. 배기 팬츠(baggy pants)·벨 보텀(bell bottom)·재규어 팬츠(jaguar pants) 따위.

보테〔Bothe, Walter〕명〖사람〗독일의 물리학자. 기센(Giessen) 대학·하이델베르크(Heidelberg) 대학 등의 교수 역임. 1924년 가이거(Geiger)와 함께 계수관 동기 장치(計數管同期裝置)를 고안함. 두 개의 계수관(計數管)을 나란히 놓고 한 개의 입자가 이 두 개를 관통하여 생기는 동시 방전(同時放電)을 비교하는 방법을 통해 콤프턴 효과(Compton 效果)의 반도 전자(反跳電子)를 확인하고, 일차 우주선이 감마선(γ線)이 아니라 고(高)에너지의 하전 입자(荷電粒子)임을 증명함. 1954년 보른(Born)과 함께 노벨 물리학상 수상. [1891-1957]

보:토[1]【報土】명〖불교〗삼불토(三佛土)의 하나. 보신불(報身佛)이 사는 국토(國土).

보:토[2]【補土】명 ①우묵한 땅을 흙으로 메워서 채움. ②〖농〗'객토(客土)'의 새 용어(用語). ──-하다 타여불

보토쿠도〔Botocudo〕명〖인류〗남아메리카 브라질 동부에 사는 아메리카 인디언의 하나. 신체가 튼튼하며 남녀 함께 아랫입술과 귀에 직경 8cm 쯤 되는 원판을 낌. 남자는 수렵(狩獵), 여자는 채집(採集) 생활을 영위하나, 브라질인(人)의 영향을 받아 일부는 농경(農耕)에 종사함. 50-200명이 집단으로 행동하며, 그 지도자는 가장 뛰어난 영력(靈力)을 가진 자가 뽑힘.

보:통【普通】㊀명 널리 일반에게 통함. 특별하지 아니하고 예사로움. 통상(通常). ↔특별(特別). ㊁부 ↗보통으로.

보:통 가구【普通家口】명 가계(家計)를 같이하는 자들로써 구성된 가구. ↔준(準)가구.

보:통 감:각【普通感覺】명〖심〗몸안에 수용기(受容器)를 갖는 감각. 쾌락이나 피로감(疲勞感) 같은 것. 일반 감각.

보:통-강[1]【普通江】명〖지〗평안 남도 평원군(平原郡)에서 발원(發源)하여, 평원(平原)·대동(大同) 등지를 거쳐 대동강(大同江)으로 흘러 들어가는 강. [59km]

보:통-강[2]【普通鋼】명 중(中) 내지 저탄소강(低炭素鋼)으로서 특수한 금속을 함유하거나, 특수한 열처리를 필요로 하지 아니하는 강철.

보:통 개:념【普通概念】명〖논〗일반 개념(一般概念).

보:통 거:래【普通去來】명〖경〗거래소 거래의 하나. 매매 계약이 체결된 날로부터 3일 째에 현금과 현물로써 수도 결제(受渡決濟)하는 거래. 3일 째란 계약한 날을 포함하고, 휴일은 제외함.

보:통 거:래 약관【普通去來約款】명〖법〗보통 계약 약관.

보:통 결의【普通決議】〔─/─이〕명〖법〗일반적으로 법정 정족수의 사원·주주가 출석하여 그 의결권의 과반수로써 성립시키는 결의. 주식 회사에서는 발행 주식 총수의 과반수에 해당하는 주식을 가진 주주의 출석으로 그 의결권의 과반수로 하고 정관(定款)에 이 정족수를 완화하는 규정을 둘 수 있으나 이사(理事) 선임의 경우만은 법정 정족수를 지켜야 함. ↔특별 결의.

보:통 경:찰【普通警察】명〖법〗직접으로 개인의 신체·재산 같은 것에 대한 위해(危害)를 막는 것을 목적으로 하는 경찰.

보:통 계:약 약관【普通契約約款】명〖법〗기업자가 다수의 계약을 신속하고 안전하게 획일적(劃一的)으로 체결하기 위하여 어떤 종류의 계약에 대해서 미리 일반적으로 정해 놓은 계약의 조항. 보통, 계약서에 부동(不動) 문자로 인쇄되어 있음. 운송 계약에서의 운송 약관, 은행 거래에서의 은행 예금 약관·창고 기탁(倉庫寄託) 약관 같은 것. 보통 약관. 보통 거래 약관. *부합(附合) 계약.

보:통 고시【普通考試】명〖법〗전에 사급(四級) 공무원, 곧 주사(主事)급 공무원의 임용 자격(任用資格)에 관한 고시. 1963년 폐지됨. ㊀보시(普試). *고등 고시(高等考試).

보:통 공리【普通公理】〔─니〕명〖수〗유클리드(Euclid)가 그 기하학을 전개할 때 출발점으로 채용한 14개의 명제 중 보다 일반적인 성격을 띤 9개의 공리. 곧, 같은 양(量)에 같은 양을 더하면 그 합(合)도 서로 같다는 것 등. ㊀공준(公準).

보:통 관습【普通慣習】명 일반적으로 사회에서 행하여지는 관습.

보:통 교부세【普通交付稅】명〖법〗지방 교부세의 하나로, 지방 자치 단체의 매년도의 기준 재정 수입액(收入額)이 기준 재정 수요액(需要額)에 미달할 때, 그 부족액에 대하여 국가가 당해 지방 자치 단체에 교부하는 세.

보:통 교:육【普通敎育】명〖교〗모든 청소년에 대하여 사람으로서, 또한 시민으로서 공통적으로 필요한 지식과 교양을 베푸는 교육. 국민학교와 중·고등 학교에서 행하고 있음. 근대 국가에서는 대개 10년 가량의 의무 교육을 과하고 있음. 보편적(普遍的) 교육. ↔전문 교육(專門敎育)·직업 교육.

보:통 군법 회:의【普通軍法會議】〔─뻡─/─뻡─이〕명〖군〗'보통 군사 법원'의 구칭.

보:통 군사 법원【普通軍事法院】명〖군〗군사 법원의 하나. 국방부 본부 및 국방부 직할 통합 부대와 각군(各軍) 본부 및 예하 부대 중 편제상 장관급(將官級) 장교가 지휘하는 부대에 설치됨. 사건을 제일심(第一審)으로 심판함. 재판관은 군판사 1명과 심판관 2명 또는 4명으로 구성됨.

보:통-내기【普通一】명 그다지 뛰어나지 아니한 예사로운 사람. 여간내기. 예사내기. 주의 부정(否定)할 때에만 씀. ¶그는 ~가 아니다.

보:통 대:체【普通對替】명 우편 대체의 하나. 전신(電信) 대체에 대하여, 보통의 우편에 의하여 대체하는 일.

보:통-림【普通林】〔─님〕명 일반적인 경제 임업(林業)의 대상이 되는 삼림. *제한림·특용림(特用林).

보:통 면:허【普通免許】명 자동차 운전 면허의 하나. 제일종 보통 면허와 제이종 보통 면허가 있음. 제일종으로는 승용(乘用) 자동차, 승차 정원 17인 이하의 승합(乘合) 자동차, 화약류나 고압 가스 등을 적재하지 않은 화물 자동차 등을 운전할 수 있으며, 제이종으로는 승용 자동차, 승차 정원 9인 이하의 승합 자동차, 적재 중량 4톤 이하의 화물 자동차, 원동기 장치 자전거 등을 운전할 수 있음. *대형 면허·소형 면허·특수 면허·원동기 장치 자전거 면허.

보:통 명사[1]【普通名詞】명〖언〗같은 종류의 사물에 쓰이는 명사. 책·소·사람 같은 것. 두루 이름씨. ↔고유 명사(固有名詞).

보:통 명사[2]【普通名辭】명〖논〗일반 개념을 나타내는 명사. '사람' '잎' '책상' '집' 따위.

보:통 문관【普通文官】명 외교관이나 재판관 같은 특수 문관 이외의 문관.

보:통 배:당【普通配當】명〔regular dividend〕〖경〗이익을 올리고 있는 회사가 결산기(決算期)마다 주주에게 지급하는 기본적인 배당.

보:통 배:서【普通背書】명〖법〗어음·수표의 뒷면에 피배서인(被背書人)의 성명을 기입하지 아니하고 배서인의 서명(署名)만 한 것. 무기명식 배서.

보:통-법【普通法】〔─뻡〕명〖법〗①일반법(一般法). ↔특별법. ②코먼로(common law)❶.

보:통 분열【普通分裂】명〖생〗체세포(體細胞) 분열.

보:통 분해【普通分解】명 ①보통으로 하는 분해. ②〖군〗병기(兵器) 분해의 한 가지. 일반 병사(兵士)가 간단한 부분만을 하는 분해. ↔특별 분해(特別分解).

보:통 비:칭【普通卑稱】명〖언〗예사 낮춤. ↔보통 존칭(尊稱).

보:통 사:망률【普通死亡率】〔─뉼〕명 일정 기간에 있어서 평균 인구

1,000에 대한 사망자수(死亡者數).

보:통 상이 기장【普通傷痍記章】명〖법〗상이 기장의 하나. 전투시(戰鬪時)나 작전상 필요한 공무 수행 중 부상을 입었으나 불구(不具)에는 이르지 아니한 상이자에게 수여함. ↔특별 상이 기장(特別傷痍記章). *상이 기장.

〈보통 상이 기장〉

보:통 생명 보:험【普通生命保險】명〖경〗생명 보험의 계약에 있어서 피보험자에 대하여 회사가 엄밀한 신체 검사를 행하는 보험의 한 가지. ↔간이(簡易) 생명 보험.

보:통-석【普通席】명 일반석.

보:통 선:거【普通選擧】명〖정〗일정한 나이가 된 이상, 교육·성별(性別)·신앙·재산·납세(納稅)·계급 등을 제한적 요건(要件)으로 하지 않는 선거. ㊎보선(普選). ↔제한 선거(制限選擧).

보:통 선:거 운:동【普通選擧運動】명〖정〗인종·성별·연령·종교·재산·납세·주소 등에 의한 선거권·피선거권의 제한을 철폐하는 운동. 영국의 차티스트(Chartist) 운동에서 비롯되어 노동자의 정치 의식(政治意識)의 향상과 함께 각국에서 행하여졌음.

보:통-세【普通稅】[—쎄]명 지방 자치 단체가 일반 경비를 지변(支辨)하기 위하여 부과하는 조세. 서울 특별시·광역시·도(道)가 부과하는 취득세·등록세·면허세 등의 보통세와, 서울 특별시·광역시·시·군(郡)이 부과하는 주민세·재산세·자동차세·농지세·도축세·마권세 등의 보통세가 있음. ↔목적세(目的稅).

보:통 송:금환【普通送金換】명 송금환의 한 가지. 송금 의뢰인이 송금액과 수수료를 은행에 내고, 은행은 수취인 소재지의 은행을 지급인으로 하여 발행하는 환어음 또는 수표.

보:통 수출 보:험【普通輸出保險】명〖경〗보험 계약 성립 후에, 외환 거래의 제한이나 그 밖의 일정한 사고로, 수출 계약의 이행 또는 수출 대금의 회수가 불가능하게 될 때의 수출자의 손해를 전보(塡補)하는 수출 보험. *수출 대금 보험.

보:통 수표【普通手票】명 수표의 표면 구석 여백에 두 줄의 평행선이 그어져 있지 않은 수표. 횡선(橫線) 수표가 아닌 수표.

보:통 심리학【普通心理學】[—니—]명〖심〗정신 생활의 일반적 법칙을 발견하여 그 원리를 밝히는 심리학. 일반 심리학. ↔특수 심리학·개성 심리학.

보:통 약관【普通約款】명〖법〗보통 계약 약관.

보:통-어【普通語】명 ①일반 사람들이 일상 생활에 보통으로 쓰는 말. ↔전문어·학술어. ②중국에 있어서, 베이징어(北京語)를 기초로 하여 귀로 들어서 쉽게 알 수 있는 중국 전국의 공통어.

보:통 열차【普通列車】[—녈—]명 거의 각 역(驛)에 정거하는, 특급·급행 이외의 열차. ↔급행 열차. *완행 열차.

보:통 염:색체【普通染色體】명〖생〗염색체의 하나. 성(性)염색체 이외의 염색체. 상염색체.

보:통-엽【普通葉】명〖식〗통상의 형태로 된 잎. 포엽(包葉)·인편엽(鱗片葉)·화엽(花葉) 등 다양화(多樣化)한 잎에 대하여 광합성(光合成)이나 증산(蒸散)을 주로 하고 있는 본래의 잎.

보:통 예:금【普通預金】[—녜—]명〖경〗은행 예금의 하나. 예금 통장이 발행되고 요구에 따라서 수시로 찾아 쓸 수 있는 예금. *저축 예금.

보:통 우편【普通郵便】명〖법〗속달(速達)·등기(登記) 등과 같이 특수 취급(特殊取扱)으로 하지 않는 통상 우편. ↔특수 우편.

보:통 우편물【普通郵便物】명 우편물 종류의 하나. 접수한 날의 다음날부터 3일 이내에 배달되는 우편물. ↔빠른 우편물.

보:통 은행【普通銀行】명〖경〗일반 은행법(一般銀行法)의 적용을 받아 예금(預金)의 입금(入金)과 단기 대출(短期貸出)을 주요 업무로 하는 은행. 시중(市中) 은행과 지방 은행으로 나뉨. ↔특수 은행.

보통이【褓—】명 ☞ 보퉁이.

보:통 작물【普通作物】명 식용(食用)으로 하는 일반 작물.

보:통 재판적【普通裁判籍】명〖법〗민사 소송에서, 일반 소송 사건에 대하여 재판을 받는 쪽에서 본, 법원의 토지 관할(土地管轄). 자연인의 경우는 주소에 의하여, 법인(法人)은 주된 사무소·영업소에 의하여 정하여짐.

보:통 존칭【普通尊稱】명〖언〗예사 높임. ↔보통 비칭(卑稱). *극(極)존칭.

보:통-주【普通株】명〖경〗우선주(優先株)·후배주(後配株)·혼합주(混合株)와는 달리 특별한 권리 내용이 없는 보통의 주식. 일반적으로 주식이라 하면 보통주를 이르며, 단일종(單一種)의 주식만을 발행하였을 때는 이 명칭을 붙이지 않음. 통상주(通常株).

보:통 지방 자치 단체【普通地方自治團體】명〖법〗구성·조직·기능·사무 등 여러 면에서 보편적 성격을 띤 지방 자치 단체. 도(道)·서울 특별시·직할시와 시(市)·군(郡)을 이름. ↔특별 지방 자치 단체.

보:통 지방 행정 기관【普通地方行政機關】명〖법〗중앙 관청의 직할로 되어 있는 사무나, 당해 관할 구역내에 시행되는 일반적인 국가 행정 사무를 관장하는 국가의 지방 행정 기관. 국가 사무를 위임받아 처리하는 지방 자치 단체의 장이 이에 해당함. ↔특별 지방 행정 기관.

보:통 지식【普通知識】명 누구나 다 일반적으로 알아야 할 지식. 상식.

보:통 징계 위원회【普通懲戒委員會】명〖법〗6-9급 및 기능직 공무원의 징계(懲戒)를 심의·의결하기 위한 기관. 위원장은 설치 기관의 장(長)의 차순위자(次順位者)가 되고, 구성은 위원장 1인과 위원 4인 이상 7인 이내로 함. *중앙 징계 위원회.

보:통 징수【普通徵收】명〖법〗세무 공무원이 납세 고지서를 해당 납세자에게 교부하여 납부하게 하는 지방세의 징수. ↔특별 징수.

보:통 출생률【普通出生率】[—뉼]명 일정 기간에 있어서 평균 인구 1,000에 대한 출생자수. *특별 출생률.

보:통-학【普通學】명 일반적인 교양을 위하여 필요한 학문. ↔전문학(專門學).

보:통 학교【普通學校】명 1906년부터 1938년까지 지금의 '초등 학교(初等學校)'를 일컫던 이름.

보:통 항:고【普通抗告】명〖법〗법률상 즉시 항고(卽時抗告)라고 명시되지 않은 항고(抗告) 및 재항고(再抗告)로서 즉시 항고의 성질을 갖지 않은 것. 그 제기(提起)에 관하여 불변 기간(不變期間)이 정하여지지 않고 또 집행 정지의 효력도 갖지 않는 점에서 즉시 항고와 다름. *즉시 항고.

보:통 해:면류【普通海綿類】[—뉴]명〖동〗해면 동물에 속하는 한 무리. 보통 얕은 바다나 담수에서 볼 수 있으며 골편(骨片)은 규질(珪質)로서, 해면질이 발달한 것과 전혀 없는 것이 있음. 규각(珪角) 해면류.

보:통 형법【普通刑法】[—뻡]명〖법〗보통 일반의 사람·사건·장소에 대하여 적용(適用)되는 형법. 일반 형법. ↔특별 형법(特別刑法).

보:통 혼인율【普通婚姻率】[—뉼]명 1년 동안에 신고된 법률상의 혼인수를 그 해의 인구(人口)로 나눈 후 1,000배(倍)로 한 수. 곧, 인구에 대한 혼인의 수. *특수 혼인율.

보툴리누스-균【—菌】〔botulinus〕명〖식〗[*Clostridium botulinum*] 세균 독소형(細菌毒素型) 식중독 원인균(食中毒原因菌)의 하나. 아포(芽胞)를 만드는 혐기성(嫌氣性)의 그람 양성 간균(Gram陽性桿菌)임. 산(酸)으로 파괴하기 어려운 균체외 독소(菌體外毒素)를 만들어 그 독소를 지닌 음식을 섭취함으로써 식중독을 일으킴. 독소의 독성은 지극히 강하여 200g이면 전인류를 사멸(死滅)시킬 수 있음.

보퉁이【褓—】명 물건을 보에 싼 덩이.

보:트〔boat〕명 ①서양식(西洋式)의 작은 배. ②본선(本船)과 부두(埠頭) 사이에서 사람과 짐을 나르는 작은 배. ③〖군〗군함에 탑재(搭載)한 조그만 배. 단정(端艇).

보:트 갑판【—甲板】명〔boat-deck〕배에서, 흔히 구명정(救命艇)을 격납(格納)하는 갑판.

보:트 넥〔boat neck〕명 배의 바닥처럼 생긴 모양의 네크라인. 즉, 옆으로 넓고 앞뒤는 얕게 파낸 옷깃.

보:트 노:트〔boat note〕명〖경〗화물(貨物)을 양륙할 경우 본선측(本船側)과 수취인 사이의 화물 수수(授受)를 증명하는 서류.

보트니아 만【—灣】〔Bothnia〕명〖지〗발트 해(Balt海)의 한 지만(支灣). 스웨덴과 핀란드와의 사이에 있는 올란드(Åland) 제도 이북에 깊이 들어간 부분. 연안부는 겨울철 3-6개월간 결빙(結氷)함. 연어·청어의 어업이 성함. [길이 650km, 폭 80-240km]

보:트 덱〔boat deck〕명〖해〗보트 갑판.

보:트 레이스〔boat race〕명 조정(漕艇) 경기.

보:트-먼〔boatman〕명〖해〗보트를 젓는 사람. 뱃사공.

보틀〔bottle〕명 병(甁). 술병.

보:티시즘〔vorticism〕명〖문〗20세기 초 영국에서 일어난 전위적(前衛的)인 신미술 운동(新美術運動)의 하나. 파운드(Pound, E.L.)가 중심이 되어 제창, 이탈리아의 미래파(未來派)를 공격하고 새로운 큐비즘을 부르짖는 등 자연을 예술 작품 속에 재건(再建)하려는 비사실주의적(非寫實主義的) 경향의 하나임. 회화(繪畵)·조각(彫刻)으로부터 시(詩)의 영역(領域)에까지 미침.

보티첼리〔Botticelli, Sandro〕명〖사람〗이탈리아 르네상스 초기의 화가. 본명(本名)은 Alessandro Filipepi. 우아하고 섬세한 감각으로 신화(神話)와 마돈나(Madonna) 등의 성화(聖畵)를 그렸음. 대표작은 《비너스의 탄생》·《봄》등. [1444?-1510]

보:파【補播】명 뿌린 씨가 싹트지 않았거나 잘 자라지 않았을 때 씨를 보태어 더 뿌림. ——-하다 타여불

보:판¹【保版】명〖인쇄〗인쇄판(印刷版)을 해판(解版)하지 않고 보관해 둠.

보:판²【補板】명 ↗보계판(補階板). ——-하다 타여불

보팔〔Bhopal〕명〖지〗인도 중부, 마디아프라데시 주(Madhya Pradesh州)의 주도. 철도의 요지로 상업의 중심지. 면공업(綿工業)·보석류 가공이 행해짐. [672,000명(1981)]

보:패【寶貝】명 →보배.

보퍼트〔Beaufort, Francis〕명〖사람〗영국의 해양학자·기상학자·제독(提督). 1787년 해군에 입대하여 여러 해전(海戰)에 참가한 후 해군 수로부원(水路部員)이 됨. 보퍼트 풍력 계급과 일기(日氣)의 보퍼트 기호의 제안(提案)을 통하여 기상 통보와 종관 기상학(綜觀氣象學)의 발전에 공헌함. [1774-1857]

보퍼트 풍력 계급【—風力階級】[—녁—]〔Beaufort〕명〖기상〗1805년 영국의 제독 보퍼트가 고안한 풍력 계급. 풍력을 0-12의 13계급으로 나누어 지표(地表)의 상태가 구분되어 있음. 원래 해상용(海上用)이었으나 국제적으로 인정을 받아 오늘날에는 기상 통보(氣象通報) 등에 쓰이기도 함. *풍력 계급.

보:편【普遍】명 ①두루 널리 미침. ②일정한 범위 안의 모든 사상(事象)에 공통하며 예외가 없는 일. ↔특수(特殊). ③〔universal〕〖철〗모든 사물에 대하여 공통한 성질. ↔개물(個物). ④〖논〗우주 전체를 통하여 적용되는 명사(名辭). 많은 특수(特殊)를 자기의 하위(下位)의 자리로 하는 한 자리 위의 자리. '한국인'에 대한 '인류' 등. 일반(一般). ↔특수.

보:편 개:념【普遍槪念】명〖논〗일반 개념.

보:편 기체 상수【普遍氣體常數】명〖물〗기체 상수(氣體常數).

보:편 논쟁【普遍論爭】명〖철〗중세(中世)의 스콜라 철학(schola哲學)에서, 보편(普遍)은 실체(實體)로서 존재(存在)하는 것인지 또는 인간의 사고(思考) 속에 존재할 뿐인지를 둘러싸고 실념론(實念論)과 유명론(唯名論) 사이에 벌어진 논쟁.

보:편-론【普遍論】[—논]명〖철〗철학상 특수(特殊)보다도 보편, 개체(個體)보다도 전체를 중히 여기며, 전자(前者)는 후자(後者)와의 관계

에 있어서만 존재한다고 주장하는 설.

보편 상수【普遍常數】명〖물〗물리 법칙의 수식적(數式的) 표현에서, 대상(對象)의 개개의 종류나 상태에 관계 없이 일정한 수치를 갖는 상수. 만유 인력 상수 및 진공 속에서의 광속도(光速度)·전기 소량(電氣素量)·볼츠만(Boltzmann) 상수·플랑크(Planck) 상수 같은 것.

보:편-성【普遍性】[—썽] 명〖철〗①모든 것에 두루 통하는 성질(性質). ②온갖 경우에 널리 합당한 가능성(可能性). 일반성. 유니버샐리티.

보:편 수:학【普遍數學】명 보편학(普遍學).

보:편 의:지【普遍意志】명〖철〗계약설(契約說)에서, 국가 주권(主權)의 궁극적인 근거(根據)가 된다고 하는 의지(意志). 루소가 ≪민약론(民約論)≫에서 쓴 말.

보:편-적【普遍的】명관 한 무리의 대상(對象) 전체에 예외(例外) 없이 공통하는 모양. 유니버설.

보:편적 교:육【普遍的敎育】명〖교〗보통 교육.

보:편적 국제법【普遍的國際法】[—뻡] 명〖법〗국제 사회의 모든 국가에 타당(妥當)한 국제 법규(法規).

보:편-종【普遍種】명〖생〗대륙 전체 또는 두 대륙에 걸친 넓은 분포역(分布域)을 가진 동물이나 식물.

보:편-주의【普遍主義】[—/—이] 명 ①〖철〗개체(個體) 아닌 보편이 보다 참된 실재(實在)라고 주장하는 견해. ↔개체주의. ②〖윤〗개인보다도 국가나 사회 같은 단체를 더 중요시하는 주의. ↔개인주의.

보:편 타:당성【普遍妥當性】[—썽] 명〖철〗①개인적·주관적 사고(思考)나 지각(知覺)과 관계 없이 모든 사고나 인식(認識)에 타당한 성격. ②보편적인 타당성. 곧, 한 명제(命題)가 모든 사물(事物)에 일반적·필연적으로 통하는 성질.

보:편-학【普遍學】명〖철〗모든 인식(認識)을 공리(公理)로부터 기호적 연산(記號的演算)에 의하여 연역적(演繹的)으로 유도하려는 학문. 데카르트가 이름짓고 라이프니츠(Leibniz)가 구상(構想)하여 낸 하나의 학문의 이념(理念)임. 보편 수학.

보:편-화【普遍化】명 특수한 것을 버리고 공통된 것을 남김으로써 보편적인 개념·법칙 같은 것을 만듦. 일반화. ——하다 자타여불

보:폐【補弊】명 폐단을 바로잡음. ——하다 타여불

보:포【保布】명〖역〗조선 시대에, 보인(保人)에게서 군보(軍保)로 거두어 들이던 베나 무명.

보:폭【步幅】명 '걸음나비'의 구용어.

보:표【譜表】명〖악〗음표(音標)·쉼표 등을 표시하기 위하여 가로 그은 평행선. 흔히, 오선(五線)을 쓰므로 '오선 보표'라고도 함.

보푸라기 명 보풀의 낱개. <부푸러기.

보풀[1] 명 종이·헝겊 같은 것의 거죽에서 일어나는 가는 털. ¶~이 일다. <부풀.

보풀[2] 명〖식〗[*Sagittaria aginashi*] 택사과(澤瀉科)에 속하는 다년초. 근경(根莖)은 짧고 흰 수근(鬚根)이 총생(叢生)하며 화경(花莖)은 가늘에 곧게 나와 높이 50-80cm 가량으로 됨. 잎은 근경에서 총생하는데 장병(長柄)이며 화살 같고 열편(裂片)은 좁은 피침형임. 7-8월에 흰 삼판화(三瓣花)가 윤생(輪生)하여 단성(單性)의 원추 화서로 정생하는데 수꽃은 암꽃보다 훨씬 많고 열매는 긴 구형임. 연못·도랑 속에 나는데, 한국·일본 등에 분포함.

〈보풀[2]〉

보풀다 자 종이·피륙 같은 것의 거죽에 잔털이 일어나다. <부풀다.

보풀리다 ㊀ 자 보풀어지다. <부풀리다. ㊁ 타 보풀게 하다. <부풀리다.

보풀 명주【—明紬】명 고치실의 찌끼로 짜서 거죽에 보푸라기가 보풀보풀 많이 일어나는 명주.

보풀-보풀 부 보푸라기가 잘게 일어난 모양. <부풀부풀. ——하다 형여불

보풀-스럽다 형(ㅂ불) ☞ 앙칼스럽다. ¶ 안존하던 박씨의 음성은 더럭 보풀스러워지면서, 아직 고운 때가 안 가신 눈이 샐룩 까라집니다≪蔡萬植 : 太平天下≫.

보프〔Bopp, Franz〕명〖사람〗독일의 언어학자. 베를린 대학 교수. 비교 언어학의 창시자. 저서는 ≪인구어(印歐語)의 비교 문법(比較文法)≫·≪산스크리트(Sanskrit) 문법≫. [1791-1867]

보피롭다 형〈옛〉방탕스럽다. ¶ 노롯ᄒᆞ며 홍동여 놀며 보피로온 男女로 ᄒᆞ며(敎些幇閑的發男女)≪老乞 下 44≫.

보:필[1]【補筆】명 덜 된 데를 보충하여 씀. ——하다 타여불

보:필[2]【輔弼】명 임금의 덕업(德業)을 보좌함. 보좌(輔佐). 우조(佑助). ——하다 타여불

보:필지-신【輔弼之臣】[—찌—] 명 보필하는 신하.

보:필지-임【輔弼之任】[—찌—] 명 보필의 책임. 보필의 직임(職任).

보:필지-재【輔弼之才】[—찌—] 명 보필할 만한 재능. 또, 그러한 재능이 있는 사람.

보:-하다[1]【補—】자타여불 ①자양분이나 약을 먹어 몸의 원기(元氣)를 돕다. ¶ 몸을 ~. ②어떤 관직(官職)을 맡겨 주다. ¶ 회계 과장에 ~.

보:-하다[2]【報—】타여불 ①알리다. 알려 주다. ②갚다. 보답하다.

보하이 만【—灣】〔渤海〕명〖지〗랴오둥 반도(遼東半島)와 산둥 반도(山東半島)에 둘러싸인 황해(黃海)의 한 만(灣). 평균 심도(深度)는 21m, 가장 깊은 곳도 74m에 불과함. 발해만. [42,900km²]

보:-학【譜學】명 계보(系譜)에 관한 학문.

보:한-재【保閑齋】명〖사람〗신숙주(申叔舟)의 호(號).

보:한재-집【保閑齋集】명〖책〗조선 성종(成宗)의 특명으로 간행한 신숙주(申叔舟)의 시문집(詩文集). 인조(仁祖) 때에 손숙(孫淑)이 다시 증간하였음. 17권 4책.

보:한-집【補閑集】명〖책〗고려 고종 41년(1254)에 최자(崔滋)가 지은 책. 이인로(李仁老)의 파한집(破閑集)을 본떠서 시구(詩句)·취미(趣味)·사실(史實)·부도(浮屠)·기녀(妓女)에 관한 여러 가지 이야기를 모은 책. 3권 1책.

보:합[1]【步合】명〔rate〕〖수〗어떤 수량의, 다른 수량에 대한 비율의 값을 소수(小數)로 나타낸 것. 즉 1/10=0.1 곧 일 할(一割), 1/100=0.01 곧 일 푼(一分), 1/1000=0.001 곧 일 리(一厘), 1/10000=0.0001 곧 일 모(一毛)라 부르는 방법.

보:합[2]【保合】명〖경〗①시세(時勢)가 변동 없이 계속되는 일. ¶ ~ 시세. ②거래소에서, 시세가 전연 변동하지 않거나 조금밖에 변동하지 아니하는 상태. *강보합 · 약보합.

보:합-고【步合高】명〖수〗보합산(步合算)에 있어서, 원금(元金)과 보합(步合)을 곱한 값.

보:합-산【步合算】명〖수〗원금(元金)·보합·기간(期間)과의 사이에 성립하는 함수(函數) 관계를 써서 보합고·합계고(合計高)·잔액(殘額) 등을 산출하는 계산법. 이자산(利子算). 백분산(百分算).

보:합-세【保合勢】명〖경〗보합을 유지하는 시세. 멈춤세. *약세(弱勢)·강세(強勢).

보:합 장세【保合場勢】명〖경〗증권 시장에서, 활약 전에 잠시 쉬는 것같이 보이는 일시적 보합.

보:합 제:도【步合制度】명〖경〗임금(賃金)을 지급할 때의 한 형태. 생산고(生產高)에서 직접 경비를 뺀 나머지를 일정한 비율로 분배하는 제도. 흔히, 어업(漁業)에 종사하는 사람들 사이에 행하여짐.

보:항-제【保恒劑】명 사진 현상액이 공기 때문에 산화(酸化)하는 것을 방지하고 그 보존성을 높이기 위하여 가하는 약제. 아스코르브산(酸)·아황산(亞黃酸) 나트륨 등이 쓰임.

보:해[1]【補害】명 손해를 보충함. ——하다 타여불

보:해[2]【寶海】명〖사람〗복호(卜好).

보:행【步行】명 ①무엇을 타지 않고 걸어서 감. 도행(徒行). 워킹. ②먼 길에 보내는 급한 심부름. ——하다 자여불

보:행-객【步行客】명 걸어서 다니는 나그네.

보:행 객주【步行客主】명 걸어서 길을 가는 나그네를 치르던 집. 보행집.

보:행-기【步行器】명 유아(幼兒)가 보행을 익히는 바퀴 달린 기구.

보:행 기관【步行器官】명〖생〗운동 기관의 하나. 동물이 보행을 하는 데 사용하는 기관의 총칭.

보:행-꾼【步行—】명 ①삯을 받고 먼 길에 급한 심부름을 가는 사람. ②〈속〉보행객.

보:행-삯【步行—】[—싹] 명 ☞ 길품삯.

보:행 실조【步行失調】[—쪼] 명〖의〗근운동(筋運動)의 협조가 잘 안 되어서 노력은 하여도 똑바로 보행할 수 없는 일.

보:행-인【步行人】명 보행자.

보:행-자【步行者】명 걸어서 가는 사람. 길거리를 왕래하는 사람. 보행인(步行人).

보:행-전【步行錢】명 길품삯.

보:행-집【步行—】[—찝] 명 보행 객주(步行客主).

보:향-제【保香劑】명〖화〗조합 향료(調合香料)의 각 성분의 휘발도를 균일하게 하고 또 향료 전체로서의 휘발을 느리게 하여 향기의 균형을 잡고 안정성을 갖게 하는 조합 조제(調合助劑). 사향(麝香)·백단유(白檀油) 등이 사용됨.

보:허-자【步虛子】명〖악〗정재(呈才) 때에 부르던 창사(唱詞)의 하나. 고려 때 도입된 중국 송(宋)나라의 사악(詞樂)으로, 가사가 ≪악장 가사(樂章歌詞)≫에 전하며, 본문은 한문으로 되어 있고 왼쪽에 한글 음이 달렸음. 관악(管樂)으로서의 이름은 장춘 불로지곡(長春不老之曲).

보:허-탕【補虛湯】명〖한의〗산후(產後)의 몸을 보하는 탕약.

보:험【保險】명 ①손해를 물어 주겠다는 보증. 확실하다는 보증. ②〔insurance〕〖경〗사망·화재 같은 우연한 사고 발생의 위험에 놓여 있는 사람들이 미리 일정한 부금(賦金) 곧 보험료를 갹출하여 두었다가 그 적립금으로써 그 사고를 당한 사람에게 일정한 금액을 주어 손해를 보상하는 제도. 조직에 따라 상호 보험·영리 보험, 경영 주체에 따라 국영(國營) 보험·민영(民營) 보험, 보험의 목적에 따라 생명 보험·교육 보험·운송(運送) 보험·화재 보험·신용 보험·퇴직 보험 등으로 나눔.

보:험 가액【保險價額】[—까—] 명〖경〗보험에 든 목적물(目的物)을 금전적으로 평가(評價)한 가액. 보험 금액의 표준이 됨. 보험 가격.

보:험 감독원【保險監督院】명〖법〗전에, 보험업법에 의거하여, 보험 사업을 감독하고, 보험 계약자의 보호와 공정한 보험 거래 질서를 확립하기 위하여 설립된 무자본(無資本) 특수 법인. 재정 경제부 장관의 감독을 받았음.

보:험 계:리인【保險計理人】명〖경〗액추어리(actuary).

보:험 계:약【保險契約】명〖경〗보험자 곧 보험 회사는 우연한 특정 사고에 의하여 발생하는 생명·재산 등의 손해를 전보(塡補)할 것을 약속하고, 상대방인 보험 계약자는 일정한 보험료(保險料)를 지급할 것을 약속하는 계약.

보:험 계:약자【保險契約者】명〖경〗보험 계약에서 보험자와 상대되는 당사자의 일방. 피보험자와 동일인이 될 때가 많음. ↔보험자.

보:험-금【保險金】명〖경〗보험 사고가 발생하였을 때 보험 회사가 피(被)보험자 또는 보험금 수취인에게 지급하는 돈.

보:험 금액【保險金額】명〖경〗보험금.

보:험 기간【保險期間】명〖경〗보험자가 계약에 의하여 손해 전보(塡補)의 책임을 부담하는 기간.

보:험 대:리점【保險代理店】명〖경〗보험 회사의 위임을 받고 보험 계약의 중개, 지급 보험금 또는 보험료의 수납 등을 행하는 대리점. *보험 브로커.

보:험 대:위【保險代位】명 손해 보험에서 보험자가 손해를 전보(塡補)한 경우, 보험 계약자가 보험의 목적에 따라 가졌던 권리와 제삼자에 대하여 갖는 손해 배상 청구권(損害賠償請求權) 등의 권리를 법률상 당연히 취득(取得)하는 일.

보:험 대:체 대:부【保險對替貸付】명〖경〗보험료의 납입(納入)이 없

어서 보험 계약의 효력이 없어질 경우, 그 계약을 위하여 적립된 책임 준비금(責任準備金) 중에서 보험 회사가 대부 형식으로 보험료를 체당(替當)하여 계약을 유효하게 계속시키는 제도. *보험 증권 담보 대부(保險證券擔保貸付).

보:험 등기 우편물【保險登記郵便物】명〖법〗특수 취급 우편물의 일종으로, 통화 및 유가 증권·보석, 그 밖의 고가(高價)의 물건을 보험에 붙여 등기로 발송하는 우편물. 통화 등기(通貨登記)·물품 등기(物品登記)·유가 증권 등기로 분류되며, 체신부에서 발행하는 보험 등기 취급용 봉투를 사용하도록 되어 있음. 이 우편물이 망실되거나 훼손된 경우에는 정부가 손해를 배상함.

보:험-료【保險料】[—뇨] 명〖경〗보험에 가입한 사람이 보험자에게 정기적으로 내는 일정한 요금. 보험 금액을 표준으로 하여 정함. 보험 부금. 프리미엄(premium).

보:험료 기간【保險料期間】[—뇨—] 명〖경〗보험료 산정(算定)의 기초가 되는 기간. 이 기간을 한 개의 단위로 하여 위험(危險)을 측정해서 보험료가 정하여짐.

보:험료-율【保險料率】[—뇨—] 명〖경〗보험료의 비율. 보통, 피보험자(被保險者)의 보수 월액(報酬月額)에 대한 비율로 나타냄.

보:험료 적립금【保險料積立金】[—뇨—닙—] 명〖경〗생명 보험에 특유한 보험 회사의 책임 준비금의 하나. 보험료의 일정 부분을 뒷날의 위험에 대비하여 적립하는 돈.

보:험-법【保險法】[—뻡] 명〖법〗광의(廣義)로는 보험에 관한 법률인 보험업법·수출 보험법 등의 총체(總體)를 이르고, 협의(狹義)로는 보험 계약에 관한 법을 이르는데, 일반적으로는 후자를 말함.

보:험 법학【保險法學】명 보험 약관(約款) 및 판례(判例)를 주로 연구하는 보험학의 한 분야.

보:험-부【保險附】명 ①보험에 들어 있음. ②품질의 확실성이 보증되어 있음. 또, 그 물건.

보:험 부:금【保險賦金】명〖경〗보험 가입자가 월부 또는 연부(年賦) 등의 방법으로 분할하여 납입하는 돈. 보험료.

보:험부 선하 증권【保險附船荷證券】[—꿘] 명〖경〗적색(赤色) 선하 증권.

보:험 브로:커【保險—】〔broker〕명〖경〗피보험자를 위하여 가장 적당한 보험을 유리한 조건으로 계약하도록 마련해 주는 것을 임무로 하는 중개인. *보험 대리점(保險代理店).

보:험 사:고【保險事故】명 보험자에게 손해 전보(塡補) 의무 또는 보험금의 지급 의무가 발생하게 되는 우발적인 사고. 생명 보험에서의 사망이나, 화재 보험에 있어서의 화재 따위.

보:험 사:업【保險事業】명 보험의 경영을 목적으로 하는 사업. 재무부장관의 허가(許可)가 필요함. (준)보험업.

보:험 수:학【保險數學】명 보험 제도의 수학적 바탕을 연구하는 응용 수학의 한 부문. 보험료·책임 준비금 등 개개 보험 계약의 가액을 계산하는 분야와 보험 회사의 경영에 관한 분야가 있음.

보:험 신:탁【保險信託】명〖경〗생명 보험의 신탁. 생명 보험 계약과 신탁 계약을 합친 특수한 계약. 보험 회사측에서 보면 신탁 회사를 보험금 수취인으로 하는 보험 계약이고, 신탁 회사측에서 보면 수익자(受益者)를 위한 보험금 채권의 신탁 계약이 됨.

보:험 약관【保險約款】[—냑—] 명〖경〗보험자가 미리 정하여 보험 증권에 기재한, 보험 계약에 관한 정형적(定型的)인 계약 조항.

보:험-업【保險業】명 ↗보험 사업.

보:험업-법【保險業法】명〖법〗보험 사업을 효율적으로 지도·감독하고, 보험 계약자·피보험자 기타 이해 관계인의 이익을 보호하기 위하여 제정된 법률. 총칙 외에 보험 사업자, 보험의 모집, 보험 감독원, 보험 분쟁의 조정, 보험 보증 기금, 보험 관계 단체 등에 관한 사항을 규정함.

보:험 외:무원【保險外務員】명 보험 계약의 모집(募集)과 권유(勸誘)에 종사하는 사람.

보:험 위부【保險委付】명〖법〗위부의 한 가지. 해상 보험(海上保險)에 있어서, 선박이 침몰하였을 때, 행방 불명인 때, 수선 불능(修繕不能)인 때, 포획(捕獲)되거나 또는 관(官)의 처분에 의하여 압수(押收)된 때에 피보험자(被保險者)가 그의 일방적(一方的) 의사 표시(意思表示)에 의하여 보험의 목적에 관한 일체의 권리를 보험자에게 취득(取得)시키고 보험 금액의 전부(全部)를 청구하는 권리를 취득하는 경우를 이름. *면책 위부(免責委付).

보:험-의【保險醫】[—/—이] 명 보험 회사의 위촉을 받아, 생명 보험 계약을 할 피보험자의 체질(體質)·건강 상태 등을 진찰하는 의사.

보:험-자【保險者】명〖경〗보험 계약 당사자의 한쪽으로, 보험 사고가 발생하였을 때 손해의 전보(塡補) 또는 보험금 지급의 의무를 지는 한편, 보험료를 받을 권리를 가지는 자. 곧, 보험 회사측을 이름. ↔보험 계약자.

보:험 중개인【保險仲介人】명 보험 계약의 중개인. 보험의 모집(募集)을 행하여 보험업자 또는 보험업자의 대리점과 교섭하여 계약의 중개를 함. 피(被)보험자의 대리인으로서 그 의뢰 밑에 피보험자를 위해서 가장 유리한 계약을 체결함을 사명(使命)으로 함.

보:험 증권【保險證券】[—꿘] 명〖경〗보험 계약이 성립한 후, 보험자가 보험 계약의 요항(要項)을 적어서 보험 계약자에게 주는 증권. 보험 계약의 증명이 되는 것임. 보험 증서.

보:험 증권 담보 대:부【保險證券擔保貸付】[—꿘—] 명〖경〗보험 회사가 보험 계약자의 신청에 의해서 그 보험 계약을 위하여 적립된 책임 준비금(責任準備金)의 범위 안에서 보험 증권을 담보로 잡고 하여 주는 대부. *보험 대체 대부.

보:험 증서【保險證書】명〖경〗보험 증권(保險證券).

보:험 통:계학【保險統計學】명 보험 사업에 관련되는 통계를 주제로 하는 보험학의 한 분야.

보:험-학【保險學】명 경제적 지식을 기초로 하여 보험을 연구하는 학문. 보험 법학·보험 수학·보험 통계학·보험 경제학 등을 포함함.

보:험 회:사【保險會社】명〖경〗보험 계약자로부터 보험료를 징수하고 그 이재자(罹災者)에게 보험금을 지급하는 일을 업으로 하는 주식회사(株式會社) 또는 상호 회사(相互會社). 우리 나라는 인보험 사업(人保險事業)은 2억 원 이상, 손해 보험 사업은 3 억 원 이상의 자본금·기금을 납입하는 것으로 되어 있음.

보헤미아〔Bohemia〕명〖지〗체코 공화국의 중서부를 점하는 지방. 엘베 강(Elbe江)의 상류 지역에 해당하며 보헤미아 분지를 차지하고 있음. 토지가 기름져 보리·감자·설탕·호프(hop) 등이 많이 나며 석탄·철·금·은·납 등이 풍부하고, 유리·화학 약품·기계류·전기 기구·직물(織物) 등이 많이 산출되는데 특히 유리 생산은 세계적으로 유명함. 수도 프라하와 기타 여러 공업 도시가 있어서 이 나라 정치·경제의 중심 지대를 이룸. [52,060 km^2]

보헤미아 반:란【—叛亂】[—발—]〔Bohemia〕명〖역〗독일인의 지배에 대한 슬라브계(Slav系) 체크인(Czech人)의 반란. 1415년 종교 개혁의 선구자 후스(Huss, J.)의 분형(焚刑)으로 발단되어 1419년 후스 전쟁의 형태로 일어났음.

보헤미아 숲〔Bohemia〕명〖지〗체코 서부(西部)에 있는, 독일 바이에른(Bayern)과 경계를 이루는 산지. 북록(北麓)에서는 석탄이 산출됨.

보헤미아 유리【—琉璃】〔Bohemia〕명〖화〗칼륨 유리.

보헤미아 팔츠 전:쟁【—戰爭】명〔Böhmisch-Pfalzischer Krieg〕〖역〗1618년 새로 왕위에 오른 페르디난트(Ferdinand) 2세의 구교주의(舊教主義)를 겁낸 보헤미아의 신교도가 팔츠 선거후(選擧侯) 프리드리히(Friedrich) 5세를 국왕으로 맞이하여 일어난 전쟁. 1620년에 신교도측이 패하였는데, 이 반란이 30년 전쟁의 발단이 되었음.

보헤미아 형제단【—兄弟團】〔Bohemia〕명〖종〗종교 개혁기(改革期)를 전후하여 보헤미아를 중심으로 활동한 기독교 신앙 단체. 엄격한 금욕(禁慾)주의를 표방(標榜)하며, 보헤미아의 종교 개혁 선구자 후스(Huss, J.; 1369-1415)의 흐름을 이어 받음.

보헤미안〔Bohemian〕명 ①보헤미아 지방 사람. ②15세기경 프랑스 사람이 집시(gypsy)에 대하여 붙인 호칭. 방랑자(放浪者). ③〖문〗속세를 무시하고 방랑적이고 자유 방종(放縱)한 생활을 하는 시인이나 예술가. 특히 19세기 후반 프랑스에서 흔히 있었음.

보:현【普賢】명〖불교〗↗보현 보살.

보:현관-경【普賢觀經】명〖불교〗관보현경.

보:현 보살【普賢菩薩】명〔범 Samantabhadra〕〖불교〗불타(佛陀)의 이(理)·정(定)·행(行)의 덕(德)을 맡아 보는 보살. 문수(文殊) 보살과 함께 석가의 협시(協侍)로, 흰 코끼리에 타고 불타의 우측에 있음. 일체 보살의 상수(上首)로서 항상 불타의 교화(敎化)·제도(濟度)를 보좌함. (준)보현(普賢).

〈보현 보살〉

보:현-사【普賢寺】명〖불교〗평안 북도 영변군(寧邊郡)의 묘향산(妙香山) 속에 있는 절. 고려 광종(光宗) 19년(968)에 사문(沙門)인 탐밀(探密)·난야(蘭若)·굉확(廣廓) 대사가 세운 절. 서산(西山)·사명(四溟)이 있었고, 종전에 31 본산(本山)의 하나였음.

보:현-산【普賢山】명〖지〗경상 북도 영천군(永川郡) 화북면(華北面)과 청송군(靑松郡) 현서면(縣西面) 사이에 있는 산. [1,124 m]

보:현 십원가【普賢十願歌】명〖악〗균여 대사(均如大師)가 지은 11수(首)의 향가(鄕歌). 보현 보살의 십종 원왕(十種願往)을 노래로 지은 것인데, 전부 이두(吏讀)로 되어 있고 형식은 십구체(十句體)임. ≪균여전(均如傳)≫에 실려 전함. *청불주세가(請佛住世歌).

보:현 연명 보살【普賢延命菩薩】명〖불교〗제장 연명법(除障延命法)을 수도(修道)할 때의 본존(本尊). 두 팔을 가진 것과 이십 개의 팔을 가진 것이 있으며, 전자는 삼상(三象) 또는 일신(一身) 삼두상(三頭象)을, 후자는 사상(四象)을 탐. 연명 관음(延命觀音).

〈보현 연명 보살〉

보:현원 사:건【普賢院事件】[—껀] 명〖역〗고려 의종(毅宗) 24 년(1170) 무신 정중부(鄭仲夫) 등이 경기도 장단(長湍)에서 남쪽으로 25 리 떨어진 곳에 있는 보현원에서 왕을 시종(侍從)하던 문신(文臣)들을 살해하여 무신란(武臣亂)의 발단이 된 사건.

보:현의 십원【普賢—十願】[—/—에—] 명〖불교〗보현 보살이 세운 열 가지의 서원(誓願). 예경 제불(禮敬諸佛)·칭찬 여래(稱讚如來)·광수 공양(廣修供養)·참회 업장(懺悔業障)·수희 공덕(隨喜功德)·청전 법륜(請轉法輪)·청불주세(請佛住世)·상수 불학(常隨佛學)·항순 중생(恒順衆生)·보개 회향(普皆廻向) 등.

보:현-찰【普賢刹】명〖악〗고려 동요로 작자·연대 미상. 원래의 가사는 전하지 않고 한역(漢譯)된 시가 ≪문헌 비고(文獻備考)≫에 실려 있음. 의종(毅宗) 때의 무신(武臣) 정중부(鄭仲夫)·이의방(李義方)·이고(李高) 등이 여러 문관들을 보현원(普賢院)에서 죽일 무렵 세상에 떠돌아 다니던 노래로서 '何處是普賢刹隨此盡月力殺'이라 되어 있음.

보:혈[1]【補血】명〖한의〗약(藥)을 먹어서 몸의 피를 도움. ↔보기(補氣). ——하다 (자)(여불)

보:혈[2]【寶血】명〖기독교〗인류의 죄를 구속(救贖)하기 위하여 예수가 십자가(十字架)에 못박혀 흘린 피.

보:혈-약【補血藥】[—략] 명 〖약〗 보혈제(補血劑).

보:혈-제【補血劑】[—쩨] 명 〖약〗 강장제의 하나로서 혈액을 보족(補足)하는 데 효과가 있는 약. 주로 철제(鐵劑)를 씀. 보혈약.

보:협인-탑【寶篋印塔】 명 〖불교〗 본래 보협인 다라니(寶篋印陀羅尼)의 주문(呪文)을 넣어 두는 탑. 후에는 공양탑(供養塔)·묘비탑(墓碑塔)으로서 세워졌음. 오월왕(吳越王) 전홍숙(錢弘俶)의 팔만 사천탑(八萬四千塔)이 원형(原型)이며, 석조(石造)가 많고 간혹 금동제(金銅製)·목제(木製)도 있음.

〈보협인탑〉

보:혜-사【保惠師】 명 〖성〗 〔comforter : 신자(信者)를 보호하여 돕는다는 뜻〕 성령(聖靈)을 일컫는 말.

보:호【保護】 명 ①보전(保全)하여 호위(護衛)함. 돌보아서 잘 지킴. ②경찰에 일시적으로 머무르게 함. ¶ ~실(室). ③〖법〗 노령(老齡)·질병(疾病) 기타 노동 능력의 상실로 인하여 생활 유지의 능력이 없는 자에 대하여 국가 또는 지방의 보호 기관(機關)이 생계 유지에 필요한 금품의 급부, 지정(指定) 의료 시설에서 의료 조치 등을 받게 하는 일, 기타 해산(解產)·상장(喪葬) 등을 돕는 일. ——**하다** 타 여불

보:호 간섭주의【保護干涉主義】[—/—이] 명 보호 무역주의.

보:호 감호【保護監護】 명 〖법〗 사회 보호법에 따라, 실형(實刑) 복역(服役) 후에 보호 감호소에 격리 수용되어, 직업 훈련과 교화(敎化)를 받는 보호 처분(保護處分)의 하나. 기간은 7년을 초과할 수 없음.

보:호 감호소【保護監護所】 명 법무부 장관 소속 기관의 하나. 보호 감호 처분을 받은 자를 수용하고, 감호·교화 및 사회 복귀에 필요한 직업 훈련과 근로에 관한 사무를 관장함. *치료 감호소.

보:호 검:속【保護檢束】 명 보호 조치(保護措置)의 일정 때 이름.

보:호 계:전기【保護繼電器】 명 〖전〗 전력 계통의 선로 또는 기계에 고장이 생겼을 때, 고장 발생 구간(區間)을 급속히 발견 차단하여 기기(機器)의 손상을 경감시키고, 또 딴 계통에 누(累)가 미침을 피할 목적으로 사용하는 계전기.

보:호-관【保護管】 명 〖물〗 ①내용물을 보호하는 관의 총칭. ②온도계를 사용할 때 온도계를 보호하기 위하여 넣는 관. 수은(水銀) 온도계는 파손(破損)을 방지하기 위하여, 저항 온도계·열전(熱電) 온도계 등은 온도계의 감온 소자(感溫素子)에 유해(有害)한 기체가 접촉하지 못하도록 보호관을 사용하는데 보통 금속·유리로 만듦.

보:호 관세【保護關稅】 명 〖경〗 국내 산업을 보호·장려(獎勵)할 목적으로 자국(自國) 상품과 경쟁하는 수입품에 과하는 관세. 보호세. ↔재정(財政) 관세.

보:호 관찰【保護觀察】 명 〖법〗 ①범죄자를 교도 시설(矯導施設)에 수용하지 아니하고, 특정인에게 동태(動態)를 관찰시켜 필요한 때에 보도(輔導)·원호를 하여 그 갱생(更生)을 도모하는 제도. 가정 법원 또는 지방 법원 소년부의 심판에서 보호 관찰에 부쳐진 소년에 대하여 행해짐. ②사회 보호법(社會保護法)에 따라, 보호 감호소의 출소자 또는 치료 감호소 이외의 장소에서 치료받기 위해 친족에게 위탁된 자에 대하여, 경찰이 실시하는 보호 처분의 하나. 일정 장소의 출입 금지·특정 물품의 사용을 금지시킬 수 있음. 기간은 3년임.

보:호 관찰관【保護觀察官】 명 〖법〗 보호 관찰소에서, 형사 정책학·행형학·범죄학·사회 사업학·교육학·심리학 기타 전문적 지식을 가지고 보호 관찰 사무를 처리하는 사람.

보:호 관찰 부:이사관【保護觀察副理事官】 명 공안직(公安職) 국가 공무원 직급 명칭의 하나. 보호 관찰 직렬(職列)에 속하며, 교정 이사관의 아래, 보호 관찰 서기관의 위로 3급 공무원임.

보:호 관찰 사:무관【保護觀察事務官】 명 공안직(公安職) 국가 공무원 직급 명칭의 하나. 보호 관찰 직렬(職列)에 속하며, 보호 관찰 서기관의 아래, 보호 관찰 주사의 위로 5급 공무원임.

보:호 관찰 서기【保護觀察書記】 명 공안직(公安職) 국가 공무원 직급 명칭의 하나. 보호 관찰 직렬(職列)에 속하며, 보호 관찰 주사보의 아래, 보호 관찰 서기보의 위로 8급 공무원임.

보:호 관찰 서기관【保護觀察書記官】 명 공안직(公安職) 국가 공무원 직급 명칭의 하나. 보호 관찰 직렬(職列)에 속하며, 보호 관찰 부이사관의 아래, 보호 관찰 사무관의 위로 4급 공무원임.

보:호 관찰 서기보【保護觀察書記補】 명 공안직(公安職) 국가 공무원 직급 명칭의 하나. 보호 관찰 직렬(職列)에 속하며, 보호 관찰 서기의 아래로 9급 공무원임.

보:호 관찰소【保護觀察所】[—쏘] 명 보호 관찰, 사회 봉사·수강(受講) 및 갱생 보호에 관한 사무를 관장하기 위하여 법무부 장관 소속하에 둔 기관.

보:호 관찰 주사【保護觀察主事】 명 공안직(公安職) 국가 공무원 직급 명칭의 하나. 보호 관찰 직렬(職列)에 속하며, 보호 관찰 사무관의 아래, 보호 관찰 주사보의 위로 6급 공무원임.

보:호 관찰 주사보【保護觀察主事補】 명 공안직(公安職) 국가 공무원 직급 명칭의 하나. 보호 관찰 직렬(職列)에 속하며, 보호 관찰 주사의 아래, 보호 관찰 서기의 위로 7급 공무원임.

보:호 교질【保護膠質】 명 〖화〗 보호 콜로이드.

보:호-구【保護區】 명 일정한 목적을 위하여 보호하는 구역.

보:호 구속【保護拘束】 명 〖일제〗 '보호 조치'의 일정(日政) 때 이름.

보:호 구역【保護區域】 명 〖군〗 군사 시설을 보호하고 군작전의 원활을 기하기 위해 설정한 지역. 보통 접적(接敵) 지역에 있어서는 적과의 대치선으로부터 27km, 그 밖의 지역에 있어서는 군사 시설의 최(最)외곽 경계선으로부터 1km 이내의 범위로 정하고 출입 제한 및 위반자에 대한 처벌 등이 따름.

보:호-국【保護國】 명 〖정〗 ①보호 조약에 의거하여 외교·군사상 타국(他國)으로부터 안전 보장을 받고 있는 나라. 국제법상 반주권국(半主權國)에 속함. ②피보호국(被保護國)을 보호하는 나라.

보:호 근로자【保護勤勞者】[—글—] 명 국가의 법률에 의하여 취업 제한(就業制限)을 두고 특별히 보호받는 근로자. 나이 어린 근로자나 여성(女性) 근로자 같은 사람. 「나 장려금.

보:호-금【保護金】 명 산업을 개량·발달시키기 위하여 주는 보조금이

보:호 금품【保護金品】 명 〖법〗 생활 보호법(生活保護法)에 의하여 피(被)보호자에게 급여하거나 대여하는 금전 또는 물품.

보:호-기【保護器】 명 ↗보호 기관(保護器官).

보:호 기관【保護器官】 명 ①〖식〗 화피(花被). ②〖생〗 동식물에 있어서 외적(外敵)에 대하여 몸을 보호하는 특수 기관. 피부·피선(皮腺)·피골(皮骨)이나 비늘·가시 같은 것. ㊀보호기(保護器).

보:호-령【保護領】 명 서(西)유럽 국가가 아시아·아프리카 지역에 식민지를 확대할 때, 토착민의 우두머리와 협정의 형식으로 스스로 보호하에 들게 한 지역. 국제법상 보호령은 식민 국가의 영역의 일부로, 보호령 자체는 국가로서의 지위를 인정받지 못함.

보호로 〈옛〉 보(褓)로. '보(褓)❶'의 조격형(造格形). ¶ 옷 보호로 싸들이더라(裹而納之)≪內訓 V:48≫.

보:호-림【保護林】 명 명승 고적의 풍치 보존·학술 참고 및 보호 동식물의 번식을 위하여 나라에서 벌채(伐採) 등을 금지하여 보호하는 산림.

보:호-목【保護木】 명 나무가 쓰러지거나 흔들리지 않도록 보호하려고 대는 말목.

보:호 무:역【保護貿易】 명 〖경〗 중요 산업을 중심으로 한, 국내 산업을 보호·육성하기 위하여 국가가 외국 무역에 간섭하는 일. 보호 관세·수출 장려금의 채용, 수입 할당제 등의 수단이 강구됨. ↔자유 무역.

보:호 무:역주의【保護貿易主義】[—/—이] 명 〔protective system〕 〖경〗 국내의 산업(產業)을 보호하기 위하여 대외 무역(對外貿易)에 간섭하고 구속(拘束)을 가하는 주의. 보호 간섭주의.

보:호 법익【保護法益】 명 〖법〗 어떤 법의 규정이 보호하려고 하는 이익. 살인죄에서의 사람의 생명 같은 것. 법익.

보:호 본능【保護本能】 명 적으로부터 자기를 보호하려는 본능.

보:호-사【保護士】 명 공안직(公安職) 국가 공무원 직급 명칭의 하나. 보호관의 아래, 보호사보의 위. 6급 공무원임.

보:호 사:건【保護事件】[—껀] 명 〖법〗 ↗소년 보호 사건.

보:호사-보【保護士補】 명 공안직(公安職) 국가 공무원 직급 명칭의 하나. 보호사의 아래, 보호원의 위. 7급 공무원임.

보:호 상:피【保護上皮】 명 〖생〗 상피 조직의 하나. 동물의 보호 조직의 하나로, 몸의 표면 및 몸 안의 강소(腔所)의 내면을 싸고 있는 상피.

보:호-새【保護—】 명 〖조〗 보호조.

보:호-색【保護色】 명 〖생〗 몸빛이 생활 환경의 빛깔과 비슷하기 때문에 포식(捕食)하려는 동물에게 쉽게 발견되지 않음으로써 자기의 생명을 보호할 수 있는 동물의 몸빛. 푸른 잎에 사는 곤충의 푸른 빛 같은 것으로, 가랑잎나비·메뚜기·송충이 등의 몸빛 따위를 가리킴. 가림색. *경계색·은폐색(隱蔽色). 「버스 등에 마련한 좌석.

보:호-석【保護席】 명 유아(幼兒)나 노인들을 보호하기 위하여 기차나

보:호-선【保護線】 명 〖전〗 끊어진 전화·전신선의 접촉 단락(短絡)을 방지하기 위하여 송전선(送電線) 위에 옆으로 가로 친 선.

보:호-세【保護稅】 명 〖경〗 보호 관세(保護關稅).

보:호세-율【保護稅率】 명 〖경〗 보호 관세에 적용되는 세율(稅率).

보:호 세:포【保護細胞】 명 〖식〗 공변 세포(孔邊細胞).

보:호 소:년【保護少年】 명 〖법〗 소년법의 규정에 의하여, 가정 법원 소년부 또는 지방 법원 소년부에서 심판을 받는 소년. 곧, 죄를 범한 소년, 형벌 법령(刑罰法令)에 저촉되는 행위를 한 12세 이상 14세 미만의 소년 또는 성격이나 환경에 비추어 장래 형벌 법령에 저촉되는 행위를 할 우려가 있는 12세 이상의 소년. *소년 보호 사건.

보:호-수【保護樹】 명 풍치 보존과 학술의 참고 및 그 번식을 위해 보호하는 나무.

보:호 수면【保護水面】 명 〖법〗 수산 자원의 보호·배양을 위하여 어획(漁獲)이나 공사(工事)의 제한 등이 행하여지는 수면. 보호 수역.

보:호 수역【保護水域】 명 보호 수면.

보:호 시:설【保護施設】 명 〖법〗 ①생활이 곤궁한 사람 등을 국가가 보호하기 위하여 설치한 사회 복지 시설(社會福祉施設). 양로(養老) 시설·양육(養育) 시설·보호 시설·재활(再活) 시설·의료(醫療) 시설 등이 있음. ②보호 시설❶의 하나. 신체상·정신상의 장애 때문에 독립하여 일상 생활을 할 수 없는 요보호자(要保護者)를 수용(收容)하여 생계(生計) 보호를 하기 위한 시설.

보:호 예:수【保護預受】 명 〖경〗 ①증권 회사에서 투자가(投資家)가 갖고 있는 유가 증권의 유실(遺失)을 방지하기 위하여 보관하는 일. ②금융 기관이 금·은 같은 귀중품이나 공채 증서(公債證書)·주권(株券) 등의 유가(有價) 증권을 소유자의 의뢰에 의하여 수수료를 받고 보관하는 일. 「는 말.

보:호 예:치【保護預置】 명 '보호 예수(預受)'를 고객의 입장에서 일컫

보:호-원【保護員】 명 공안직(公安職) 국가 공무원 직급 명칭의 하나. 보호사보의 아래, 보호원보의 위. 8급 공무원임.

보:호원-보【保護員補】 명 공안직(公安職) 국가 공무원 직급 명칭의 하나. 보호원의 아래. 9급 공무원임.

보:호 위원【保護委員】 명 〖법〗 보호 관찰 대상자의 교화(敎化), 개선(改善)과 자립을 도우며, 범죄 예방 활동을 하는 사람. 보호 관찰소장의 추천으로 법무부 장관이 위촉함.

보:호 위원회【保護委員會】 명 〖법〗 생활 보호법(生活保護法)에 의한

보호 사업의 기획·조사와 실시, 기타 보호 사업에 관하여 필요한 사항을 심의하기 위하여 둔 기관. 보건 사회부에 중앙 위원회, 서울 특별시·직할시·도·시·군에 지방 위원회가 있음.

보:호-자【保護者】명 ①약한 입장에 있는 사람을 보호하는 사람. ②〖법〗미성년자에 대하여 친권(親權)을 행사하는 사람.

보:호 정치【保護政治】명〖정〗남의 나라의 보호를 받아 하는 정치.

보:호-조【保護鳥】명 법률로써 잡지 못하도록 금하는 새. 천연(天然) 기념물, 학술의 연구, 품종(品種)의 희귀, 산업상 유익 등의 이유로 보호하는데 지역적인 것과 시기적인 것이 있음. 크낙새·딱다구리·백조(白鳥)·두루미·백로 등. 보호새. *수렵조(狩獵鳥)·금렵조.

보:호 조약【保護條約】명 ①〖법〗국제법상의 보호 관계를 맺는 조약. ②〖역〗을사 오조약(乙巳五條約).

보:호 조치【保護措置】명 행동이 수상한 자 또는 응급의 구호를 요하는 자를 경찰 관서·병원 기타 적당한 장소에 보호하는 조치를 취하는 일. *가영치(假領置).

보:호-주의【保護主義】[ㅡ/ㅡ이] 명 ①〖경〗보호 무역의 실현을 주장하는 사상 및 그 운동. ②〖법〗형법상 법인의 국적·범죄지(犯罪地)에 관계없이 자기 나라 또는 자기 국민의 이익을 침범하는 모든 범죄는 자기 나라의 형법을 적용해야 한다는 주의.

보:호-책【保護策】명 보호하기 위한 방책.

보:호 처:분【保護處分】명〖법〗①가정 법원이나 지방 법원 소년부가 비행 소년에 대하여 그 건전한 육성을 위해 형벌을 피하고 결정으로 내리는 처분. 보호자 등에게 감호를 위탁하는 것, 보호 관찰관의 보호 관찰을 받게 하는 것, 아동 복지 시설이나 소년 보호 시설에 감호를 위탁하는 것, 병원·요양소에 위탁하는 것, 소년원에 송치하는 것 등의 처분이 있음. ②사회 보호법(社會保護法)에 따라, 상습범·심신 장애자·마약이나 알코올 중독자 중 특히 위험한 범죄인에 대하여 보호(保護)와 감호(監護)를 실시하여 갱생케 하는 격리 조처. 보호 감호·치료 감호·보호 관찰의 세 가지 처분으로 구분됨. 형(刑)을 선고할 때, 검사의 청구에 따라 병과(倂科)하여 선고함.

보:호 콜로이드【保護—】[protective colloid]〖화〗소수 콜로이드(疎水colloid)가 전해질(電解質)이나 열(熱)에 의해서 응고(凝固)하는 것을 막기 위하여 가(加)하는 친수(親水) 콜로이드. 묵즙(墨汁)에 가한 아교 같은 것을 이름. 보호 교질(保護膠質).

보:화[1]【普化】명〖사람〗중국 당(唐)나라의 선승(禪僧). 방울을 흔들며 각처를 유행(遊行), 중생을 교화(敎化)함. [?-860]

보:화[2]【普化】명〖사람〗승려(僧侶). 속명(俗名)은 설태영(薛泰榮). 호는 석우(石友). 1912년 금강산 장안사(長安寺)에서 구족계(具足戒)를 받고 응신(凝信)의 법을 이어받음. 1954년 대한 불교 조계종(曹溪宗)의 초대 종정(宗正)이 됨. [1875-1958]

보:화[3]【寶貨】명 보물(寶物). 화보(貨寶).

보:화[4]【寶華】명〖불교〗①뛰어나게 존귀한 꽃. ②제불(諸佛)이 결가부좌(結跏趺坐)하는 연대(蓮臺).

보:환【報還】명 갚아서 돌려줌. ——-하다 타여불

보:황-회【保皇會】명〖역〗중국 청(淸)나라 때 있던 결사(結社)의 명칭. 1898년에 서태후(西太后)가 정치 혁신을 도모한 광서제(光緖帝)를 폐위시키려고 할 때 캉 유웨이(康有爲)·량 치차오(梁啓超) 등이 해외에서 이것을 반대하기 위하여 조직하였음.

보:회【補回】명 야구에서, 9회(回)가 끝나도 승부가 나지 아니하였을 때 경기를 연장하는 일. 또, 그 회(回).

보:-효소【補酵素】명〖화〗조효소(助酵素).

보:후【補後】명〖역〗내직(內職)에 들어가기 전에 임시로 외관(外官)에 보임(補任)하는 일.

보:훈【報勳】명 국가(國家) 보훈.

보:훈-처【報勳處】명 ↗국가 보훈처.

보훔[Bochum] 명〖지〗독일(獨逸)의 서부 노르트라인베스트팔렌 주(Nordrhein-Westfalen 州)의 도시. 루르(Ruhr) 공업 지대에 있어 철강·기계·화학·섬유 공업이 성함. [399,000 명(1981)]

보흘〈옛〉보(褓)를. '보(褓)❶'의 목적격형. ¶내 衣裳과 니블 뽄 보흘 다 텨서(衣裳被兒袱也都皺了)≪朴解 中 56≫.

보:흡【普洽】명 두루 퍼짐. 두루 미침. ——-하다 자여불

보:흥-고【寶興庫】명〖역〗고려 후기에 충혜왕(忠惠王)이 사치와 향락에 빠져서 그 비용 마련을 위하여 사사로이 설치한 재정 기관.

보히〈옛〉들보가. '보[2]'의 주격형. ¶댓므로와 보히 믈어디쇼믈 니르ᄂ다(告訴棟梁摧)≪杜諺 Ⅸ:28≫.

보히〈옛〉보(褓)에. '보(褓)❶'의 처격형. ¶뵈보히 담아(布袱盛)≪無冤錄 Ⅲ:53≫.

복[1] 명〖어〗참복과에 속하는 바닷물고기의 총칭. 몸이 똥똥하고 등지느러미가 작으며 이가 날카로움. 수면에서 공격을 받으면 공기를 들이마셔 배를 불룩하게 내미는 성질이 있음. 고기는 맛이 좋으나 내장의 독으로 중독될 우려가 있음. 가시복·검복·메리복·밀복·황복·흰점복 등이 있음. 하돈(河豚). 복어.

【복의 이 갈듯 한다】원한(怨恨)이 있어서 이를 바드득바드득 간다.

【복 치듯 하다】어부(漁父)가 복을 잡아 함부로 치듯이 되는 대로 마구 두드림을 이르는 말.

복[2] 명〈옛〉폭(幅). 너비. ¶호복 복(幅)≪字會 中 17≫.

복[3]【卜】명 성(姓)의 하나. 현재 우리 나라에는 본관(本貫)이 면천(沔川) 나하나뿐임.

복[4]【伏】명〖민〗↗복날.

복[5]【服】명 ①↗복제(服制). ②상복(喪服).

복[6]【復】명〖민〗①↗복괘(復卦). ②복제(復除).

복[7]【腹】명〖생〗'배[1]❻'의 한자 이름. ↔절(節)·마디.

복[8]【福】명 ①아주 좋은 운수. 큰 행운과 오붓한 행복. 복조(福祚). ②〖성〗하느님의 축복(祝福)을 받은 상태. 구약에서는 하느님으로부터 물질적인 은사(恩賜)를 받은 것을 의미하나, 신약(新約)에서는 예수가 이를 순화시켜 정신적·내적(內的)·신앙적(信仰的)인 것을 의미하며 하느님 나라에 들어갈 수 있는 구원(救援)의 완성, 곧, 의로운 자의 행복(幸福)을 일컬음.

[복(福) 없는 가시내가 봉놋방에 가 누워도 고자 곁에 가 눕는다] 운수가 아주 불길(不吉)함을 말함. [복은 쌍으로 안 오고 화는 홀로 안 온다] 복 받기는 매우 어렵고, 화는 연거푸 겹쳐 온다는 말. *화불단행(禍不單行). [복 있는 과부는 앉아도 요강 꼭지에 앉는다] 운수가 좋은 사람은 저절로 운 좋은 일만 생기게 된다는 말.

복이야 명:(命)이야 하다 구 뜻밖에 좋은 수가 나서 어쩔 줄을 모르고 기뻐하다.

복[9]【僕】명〖역〗고려 때 동궁(東宮)의 종오품(從五品) 벼슬. 문종(文宗) 22년(1068)에 정함.

복[10]【輻】명〖동〗불가사리·갯걸이·별불가사리 등의 극피(棘皮) 동물에서 팔처럼 돌출한 부분.

복[11]【蹼】명〖조·동〗물갈퀴. 오리발.

복[12]【鰒】명〖조개〗전복(全鰒).

복:[13] 부 ①무르고 보드라운 물건의 거죽을 세게 갈거나 긁는 소리. ②몸이 무르고 도톰한 물건을 단번에 찢는 소리. 1)·2):<북[10].

복:[14]【復】감〖민〗초혼(招魂)할 때에 부르는 소리.

복-【複】두 '단일하지 않고 중복된'의 뜻을 나타내는 접두어. ¶~소수(素數)/~선(線). ↔단(單).

-복【服】미 '옷'의 뜻을 나타내는 말. ¶군~/위생~/기성~.

복가[1]【復價】명 [도 Aufwertung]〖경〗인플레이션 수습 후 인플레이션에 의하여 감가(減價)된 금전 채권을 채권 발행 당시의 실질(實質) 가치로 복원(復元)시키는 일. ——-하다 타여불

복가[2]【福家】명 ①복이 많은 집안. ②〖민〗길(吉)한 터에 지은 집.

복각[1]【伏角】명 [dip, inclination]〖물〗지구 자기(磁氣)의 삼요소(三要素)의 하나. 지구 자기의 전자기력(全磁氣力)의 방향이 수평면과 이루는 각(角). 곧, 지구 상의 임의의 지점에 놓은 자침(磁針)의 방향이 수평면(水平面)과 이루는 각(角). 자기 적도(磁氣赤道)에서는 0°, 자기극(磁氣極)에서는 90°임. 경각(傾角).

복각[2]【腹脚】명〖동〗절지(節肢) 동물의 복부에 있는 부속지(附屬肢). 기능은 일정하지 않으며, 퇴화하여 흔적 기관(痕跡器官)이 된 것, 운동의 보조 기관으로 되어 있는 것, 아가미로 변화하여 호흡 기관이 된 것 또는 포란(抱卵) 기관이나 교미(交尾) 기관으로 되어 있는 것 등 여러 가지가 있음. 복지(腹肢).

복각[3]【覆刻·復刻】명〖인쇄〗판본(版本)을 중간(重刊)하는 경우에 원형을 모방하여 재각(再刻)하는 일. 또, 그 판. 번각(飜刻). ——-하다 타여불

복각-계【伏角計】명 [inclinometer]〖물〗지자기(地磁氣)의 복각을 측정하는 기계. 자침(磁針)의 중심을 수평축(水平軸)으로 버티고 자침은 연직면(鉛直面) 안에서 회전하도록 하여 이 연직면을 자기 자오면(磁氣子午面)과 일치시킨 다음 수평으로부터의 회전각을 봄.

복각-본【復刻本·覆刻本】명〖인쇄〗복각한 인쇄물(印刷物). *모각본(模刻本)·영인본(影印本).

복간【復刊】명〖인쇄〗간행(刊行)을 중지 혹은 폐지하고 있던 출판물을 다시 간행하는 일. ¶~ 제1호. ——-하다 타여불

복갑【腹甲】명〖동〗거북류(類)의 몸을 싸고 있는 골질(骨質)의 겉질의 하나. 복면(腹面)에 있는 평면의 골판(骨板)으로, 좌우 두 줄의 골판과 앞 부분의 하나의 골판으로 되어 있음. 배딱지.

복강[1]【腹腔】명〖생〗척추 동물(脊椎動物)의 체강(體腔)의 한 부분. 배의 얼안. 위에는 횡격막(橫隔膜)으로써 흉강(胸腔)과 격하고 아래로는 골반강(骨盤腔)에 통하였으며 이 속에는 위장(胃腸)·간장(肝臟)·췌장(膵臟)·신장(腎臟)·방광(膀胱)·난소(卵巢)·자궁(子宮) 등이 들어 있음.

복강[2]【福岡】명〖지〗'후쿠오카'를 우리 음으로 읽은 이름.

복강[3]【覆講】명〖불교〗스승이 강술(講述)한 사항을 되풀이하며 강술하는 일. 또, 그 역할의 중.

복강-경【腹腔鏡】명〖의〗복강과 복강 안의 장기(臟器)를 검사하기 위한 내시경(內視鏡)의 하나. 복벽(腹壁)에 소절개(小切開)를 내고 삽입하여 공기를 넣어 복강 속을 보기 쉽게 하고 담낭(膽囊)·복막(腹膜)·간장(肝臟)·소화관(消化管)의 외측(外側) 따위를 검사함. 검체 채취(檢體採取)도 할 수 있음.

복강 동:맥【腹腔動脈】명〖생〗척추 동물(脊椎動物)의 동맥의 하나. 횡격막(橫隔膜)의 바로 아래에서 배행(背行)하는 대동맥으로부터 갈린 동맥으로, 위(胃)·십이지장(十二指腸)·회장(回腸)·간장(肝臟)·췌장(膵臟)·비장(脾臟) 등에 분포함.

복강 임:신【腹腔姙娠】명〖의〗복막(腹膜) 임신.

복개【覆蓋】명 ①뚜껑. 덮개. ②덮개를 덮음. ¶하천 ~ 공사. ——-하다 타여불

복개-나물 명〈방〉새모래덩굴.

복개-봉【覆蓋峰】명〖지〗①함경 남도 단천군(端川郡) 남두일면(南斗一面)과 수하면(水下面) 사이에 있는 산. [1,555m] ②함경 남도 갑산군(甲山郡) 동인면(同仁面)에 있는 산. [1,575m] ③함경 북도 무산군(茂山郡) 삼사면(三社面)에 있는 산. [1,791m]

복거【卜居】명 살 만한 곳을 가려서 정함. 복지(卜地). ——-하다 자여불

복거지-계【覆車之戒】명 [앞의 수레가 엎어지는 것을 보고 뒤의 수레는 미리 경계하여 엎어지지 않도록 한다는 뜻] 앞 사람의 실패를 거

울삼아 뒷사람은 경계하라는 뜻. *복철(覆轍).

복건【幞巾·幅巾】명〖역〗도복(道服)에 갖추어서 머리에 쓰는 건(巾). 검은 헝겊으로 위는 둥글고 삐죽하게 만들었으며 뒤에는 넓고 긴 자락을 늘어지게 대고 양옆에 끈이 있어서 뒤로 돌려 매게 되었음. 현재는 흔히 어린 사내 아이가 명절이나 돌 또는 경사스러운 때에 씀. *쾌자(快子).

〈복건〉

복건-성【福建省】명〖지〗푸젠 성.

복걸【伏乞】명 엎드리어 빎. ——-하다 타여불

복검【覆檢】명〖역〗조선 시대의 검시(檢屍) 방법으로, 송장을 두 번째 검증(檢證)하는 일. 검복(檢覆). *초검(初檢). ——-하다 타여불

복결1【服闋】명 복상(服喪)의 기간이 끝나는 일.

복결2【復結】명〖역〗일정한 전결(田結)에 대하여, 그 전세(田稅) 이외의 잡세(雜稅)의 징수를 면제하여 주는 땅.

복경【福慶】명 행복과 경사.

복계1【伏雞】명 '부계(伏雞)'의 잘못된 말.

복계2【復啓】명 '답장으로 말씀드린다'는 뜻으로 한문투 편지의 첫머리에 쓰는 말. 배복(拜復).

복계3【福溪】명〖지〗강원도 평강군(平康郡)에 있는 경원선(京元線)의 한 정거장. 용암(熔岩) 대지 위에 자리잡고 있는 피서지로 북한에 속함.

복계4【覆啓】명〖역〗임금에게 복명(復命)함. ¶신 잘 생각하와 ~하오리다《金東仁 : 首陽大君》. ——-하다 타여불

복고1【復古】명 ①옛날대로 회복함. ¶~조(調). ②과거의 체제로 복귀시킴. ¶왕정(王政) ~. ③손실을 회복함. 복구(復舊). ——-하다 타여불

복고2【腹稿】명 ①〖문〗시문(詩文)의 초고(草稿)를 마음 속으로 짬. 또, 그 초고. ②계획을 마음 속에서 생각하여 둠. 또, 그 내용. 복안(腹案). ——-하다 타여불

복고3【覆考】명 이리저리 뒤집어 생각함. ——-하다 타여불

복고 사:상【復古思想】명 복고적인 경향이 있는 사상.

복고-여산【腹高如山】명 ①배가 산같이 높다는 뜻으로 아이 밴 여자의 부른 배를 형용하는 말. ②부자의 교만스러움을 형용하는 말. ——-하다 형여불

복고-적【復古的】명관 과거의 사상이나 전통으로 되돌아가려는 모양. ¶~ 경향.

복고-조【復古調】[—쪼] 명 새로운 풍조(風潮)에 대하여 과거의 사상이나 전통 속에서 의지할 곳을 구하려는 경향.

복고-주의【復古主義】[—/—이] 명 ①과거의 상태나 체제(體制)로 복귀하려는 주의. ②자기 나라의 고전(古典)·고사(古史)를 중히 여기고 외래 사상을 배척하는 사고 방식.

복고-치【福高峙】명〖지〗함경 남도 장진군(長津郡)에 있는 고개. [1,203m]

복고 학파【復古學派】명 16세기에 프랑스를 중심으로 발흥(勃興)한 로마법(Roma法)의 연구(研究) 학파. 휴머니즘(humanism)의 일반 사조의 영향을 받아 일어났으며 로마법 대전(Roma法大全) 중의 여러 법문을 고전 언어학과 역사학의 힘을 빌어 비판적으로 검토하고 로마법의 고전 시대에 있어서의 순수한 자태를 발견하려고 노력하였음. 로마법의 순역사적·비판적 연구에 있어서 근대(近代)의 선구가 됨.

복골【覆骨】명〖생〗막골(膜骨).

복공【覆工】명 터널의 붕괴나 누수(漏水)를 방지하기 위하여 안쪽에 콘크리트·벽돌·석재(石材) 등을 쌓아 보호하는 일.

복공-증【腹空症】[—쯩] 명 헛헛증.

복과1【復科】명〖역〗과거(科擧)에 급제한 사람의 이름을 방문(榜文)에서 지워서 낙제한 것으로 하였다가 다시 합격시킴. ——-하다 타여불

복과2【福裹】명〖민〗복쌈.

복과3【複果】명〖식〗복화과(複花果).

복과 재생【福過災生】명 복이 너무 지나치면 도리어 재앙(災殃)이 생김. ——-하다 자여불

복관【復官】명 물러났던 관직에 복귀함. ——-하다 자타여불

복관세 제:도【複關稅制度】명〖법〗한 품목에 대해 2종 또는 3종의 세율을 설정하는 관세 제도. 원칙적으로 통상 조약이 없는 나라나 자국 상품에 차별 대우를 하는 나라에는 고율(高率)을 적용하고, 자기 나라에 호혜적(互惠的) 대우를 하는 나라에는 저율(低率)을 적용함. 미국·프랑스 등에서 이를 채택하고 있음.

복-관절【複關節】명〖생〗관절을 구성하는 뼈의 수에 의한 분류의 하나. 두 개 이상의 뼈로 구성된 관절. 팔꿈치의 관절 같은 것. ↔단관절.

복광1【複光】명〖물〗여러 색채(色彩)의 단광(單光)이 섞여서 된 빛. 분광기(分光器)에 의하여 프리즘(prism)으로 분산(分散)시킬 수 있음. 복색광(複色光).

복광2【幅廣】명 →폭광(幅廣).

복-괘【復卦】명〖민〗육십 사 괘(六十四卦)의 하나. 곤괘(坤卦)와 진괘(震卦)가 거듭된 것으로, 우레가 땅 속에서 움직이기 시작함을 상징함. 준복(復).

복교【復校】명 정학(停學)·휴학(休學)·전교(轉校)·퇴교(退校)하였던 학생이 다시 그 학교에 다니게 됨. 복학(復學). ——-하다 자여불

복구1【復仇】명 ①원수를 갚는 일. 복수(復讎). 앙갚음. ②〖법〗국제법상 한 나라가 불법 행위의 중지나 구정(救正)을 위하여 그와 동등한 정도의 강력 행위를 가해국(加害國)에 가하는 일. 상대국의 불법 행위에 이르지 아니한 행위에 대하여 같은 정도로 갚는 보복(報復)과 구별되며 위법성(違法性)이 조각(阻却)됨. 보통 상대국과의 조약(條約)의 정지, 상대국의 국민이나 화물의 억류, 평시 봉쇄(封鎖), 영토의 점령 등이 행하여짐.

복구2【復舊】명 ①그 전의 상태로 회복함. 복고(復古). ②손실을 회복함. 복고(復古). ③〔recovery〕〖컴퓨터〗프로그램이나 시스템이 수행 도중 오류가 발생하여 정상적인 수행에 방해를 받았을 때 그 오류로부터 벗어나 정상적인 수행을 유지하기 위해 취하는 행동 또는 절차. ④↗복구례(復舊例). ——-하다 타여불

복구 공사【復舊工事】명 그 전 상태대로 다시 만드는 공사. ——-하다 자여불

복-구렁이【福—】명〖민〗집 안에 들어온 구렁이를 그 집에 복을 준다하여 이르는 말.

복-구례【復舊例】명 한때 없어졌던 전례를 다시 회복함. 준복구(復舊). ——-하다 타여불

복구-류【腹口類】명〖동〗[Gasterostomata] 편형(扁形) 동물 이생류(二生類)에 속하는 한 목(目). 입이 몸의 앞쪽에 있지 아니하고 훨씬 뒤쪽 복부(腹部)의 하면(下面)에 있고 흡반(吸盤)은 몸 앞 끝에 있으며 창자는 하나임. *전구류(前口類).

복구 현:상【復舊現象】명〖생〗생물체(生物體)가 장애를 받아서 다시 본디의 상태로 회복하는 모든 현상. 재생(再生)과 거의 같은 뜻임.

복-국 명 복생선을 끓인 국. 하돈탕(河豚湯).

복국-지【複局地】명 둘 이상의 전화국이 있는 도시. ↔단국지(單局地).

복-굴절【複屈折】[—쩔] 명〔double refraction〕〖물〗광선이 방해석(方解石)·수정(水晶) 등과 같은 결정체에 입사(入射)할 때 둘로 나뉘어 이중으로 굴절하는 현상. 두 광선은 진동 방향(振動方向)이 서로 수직(垂直)인 편광(偏光)임. 중(重)굴절. ↔단굴절(單屈折). *굴절(屈折).

복권1【復權】명 ①한번 잃은 권리 등을 회복함. ②〖법〗사면(赦免)의 하나. 형(刑)의 선고에 의하여 일정한 자격이나 권리를 상실하였거나 또는 정지된 자에 대해서 그 자격이나 권리를 회복시키는 일. ③〖법〗파산법상(破産法上), 파산 선고에 의하여 박탈된 공사권(公私權)의 제한을 해제하고 그 권리 능력을 회복시켜 주는 일. 당연(當然) 복권과 신청에 의한 복권이 있음.

복권2【福券】명 ①번호를 기입하였거나 어떤 표시를 해 놓은 표(票)를 팔아서 제비를 뽑아 맞은 표에 대하여서는 표의 값보다 훨씬 많은 상금을 주는 표찰. 복표. ¶주택 ~. ②경품권(景品券).

복권-장【復權狀】[—짱] 명〖법〗복권의 결정을 검찰 총장이 검찰관을 경유하여 본인에게 통지하여 주는 서장(書狀).

복궤【複軌】명 ↗복선 궤도(複線軌道). ↔단궤(單軌).

복궤 철도【複軌鐵道】[—또] 명 상하행(上下行) 열차가 따로따로 왕래할 수 있는 복선 궤도에 의하여 운행하는 철도. ↔단궤(單軌) 철도.

복귀【復歸】명 ①본디의 자리·상태로 다시 돌아감. ¶원대(原隊) ~. ②〖컴퓨터〗리셋(reset). ——-하다 자여불

복귀 돌연 변:이【復歸突然變異】명〔back mutation〕〖생〗돌연 변이의 하나. 우성 유전자(優性遺傳子) A에서 열성(劣性) 유전자 a가 되는 열성 돌연 변이의 결과 생긴 a가 우성 돌연 변이를 일으켜 A가 되는 현상. 역(逆)돌연 변이.

복균-류【腹菌類】[—뉴] 명〖식〗[Gasteromycetes] 담자균류(擔子菌類) 중 모균류(帽菌類)를 제외한 일군(一群). 자실층(子實層)은 나출(裸出)하지 않든가 또는 성숙(成熟)한 뒤에 나출함. 송로(松露) 따위. *모균류.

복근1【服勤】명 힘든 일에 종사함. 복로(服勞). ——-하다 자여불

복근2【腹筋】명〖생〗복강(腹腔)의 배 쪽에 있는 근육의 총칭. 포유류(哺乳類)는 복직근(腹直筋)·외사 복근(外斜腹筋)·내사 복근(內斜腹筋)·복횡근(腹橫筋)의 네 쌍의 근육으로 되어 있음. 이 근육은 몸을 전후 좌우로 굽히고 돌리는 외에 호흡 운동의 일부 작용을 맡으며, 배뇨(排尿)·배분(排糞)·분만(分娩) 때 복압(腹壓)을 높이는 중요한 역할을 함.

복근3【複根】명〖식〗가랑이진 뿌리. ↔단근(單根).

복근4【複筋】명〖건〗철근 콘크리트의 구조에 있어서 두 개 이상으로 된 철근.

복근-랑【服勤郞】[—낭] 명〖역〗조선 시대 잡직(雜職)의 동반(東班) 정구품(正九品)의 품계. 전근랑(展勤郞)의 위, 부공랑(赴功郞)의 아래.

복금【福金】명 제비를 뽑아서 맞은 사람에게 태워주는 상금. ¶~부(附) 장학 적금.

복기1【服忌】명 기복(忌服).

복기2【復碁】명 한번 두고 난 바둑의 판국을 비평하기 위하여 두었던 대로 다시 처음부터 놓아 봄. ——-하다 타여불

복기3【腹鰭】명 배지느러미.

복길【卜吉】명 길(吉)한 날을 가려서 받음. ——-하다 타여불

복-꾼【卜—】명 짐꾼.

복-낙원【復樂園】명〔Paradise Regained〕〖책〗밀턴(Milton)이 지은 장편 서사시(長篇敍事詩). 1665년에 지은 것으로 4권으로 되어 있음. 《실낙원(失樂園)》의 속편(續篇)으로 볼 수 있는 작품으로서, 아담과 이브의 원죄(原罪)를 갚기 위하여 그리스도가 사탄(Satan)의 유혹을 물리치고 인간을 위하여 일찌기 잃어버린 낙원을 회복하는 나날을 구가(謳歌)하였음. 1671년에 간행됨.

복-날【伏—】명 초복(初伏)·중복(中伏)·말복(末伏)이 되는 날. 복일(伏日). 준복(伏). *삼복(三伏).

【복날 개 맞듯】복날에는 개를 때려 잡아 먹으므로, 개처럼 몹시 매를 맞는다는 말. 【복날 개 패듯】몹시 매질한다는 말.

복남【福南】명〖사람〗고구려 보장왕(寶藏王)의 태자. 나라가 망한 뒤에 당(唐)나라에 잡혀 갔음.

복년【卜年】명 점쳐 정한 햇수란 뜻으로, 왕조(王朝)의 운명을 이름.

복념-어【伏念魚】명〖어〗천징어.

복-놀이【伏—】명〖민〗복날에 복달임하는 일로 여러 사람이 모여서 노는 놀이. ——-하다 자여불

복다 타〈옛〉볶다. =봇다. ¶훈디 닉게 복가 부은 고디 붓티라(同熬熟敷腫處)《馬經 下 111》.

복다기 명〈방〉복대기.

복다기다 자〈방〉복대기다.

복다기-치다 자〈방〉복대기치다.

복-다리【福—】명〈방〉명다리.

복닥-거리다 [자] 많은 사람이 좁은 곳에 모여 수선스럽게 뒤끓다. 복작거리다. ¶ 복닥거리는 초상집. 복닥-복닥 [부]. ——하다 [자][여불]
복닥-대다 [자] 복닥거리다.
복닥이 [명] 〈옛〉 모자. 벙거지. ¶ 丙子 丁丑 亂離時예 訓鍊院앞 건너 붉은 복닥이 쓴 놈 간다《古時調 海謠》.
복닥-질 [명] 수선스럽고 복잡하여서 정신을 차릴 수 없게 하는 일. ¶ 창우의 가슴도 ~을 했다《朴榮濬 : 颱風地帶》.
복달【扑撻】[명] 종아리를 때림. 편달(鞭撻). ——하다 [타][여불]
복-달임¹【伏—】[명] 복이 들어 달치게 더운 철.
[복달임에 죽은 개 끌듯] 사정 없이 끌고 감을 이르는 말.
복-달임²【伏—】[명]〖민〗복날에 더위를 물리치는 뜻으로 고기붙이로 국을 끓여 먹는 일. 전하여, 널리 복날에 계절의 과일 등을 먹는 일도 가리킴. ——하다 [자][여불]
복당¹【復黨】[명] 본래의 당에 다시 입당(入黨)함. ——하다 [자][여불]
복당²【福堂】[명] '옥(獄)'의 딴이름.
복당-류【複糖類】[—뉴] [명]〖화〗이당류(二糖類).
복대【腹帶】[명] ①임부(姙婦)의 배에 감는 띠. 태아의 위치를 고정시키고 보온(保溫) 같은 것을 목적으로, 흔히 5개월째부터 착용함. 배띠. ②〖충〗복부(腹部)에 있는 띠무늬.
복대기 [명] ①〖광〗광석(鑛石)을 찧어 금을 잡고 난 뒤에 방아확에서 물과 함께 흘러 나오는 광석 가루. 광미(鑛尾). 복사(覆沙). ②〈방〉 북더기.
복대기(를) 삭히다 [구]〖광〗복대기를 복대기탕에 퍼넣고 약품을 탄 물을 부어서 복대기금을 잡다.
복대기-금【—金】[명]〖광〗복대기 속에서 잡아낸 품질이 좀 낮은 금. 송장통에서 복대기의 금분(金分)을 흡수한 아연사(亞鉛絲)를 질산(窒酸)에 태워 가지고 도가니에 넣고 녹여서 덩어리가 된 뒤에 다시 분석(分析)하여 금을 골라냄. 청화금(靑化金).
복대기다 [자] ①많은 사람이 법석하게 마구 떠들어대다. ¶ 많은 사람이 복대기는 유흥장. ②여러 가지 일에, 서둘러서 쇄치다. ③갑자기 몰아쳐서 정신을 못 차리게 되다. ¶ 손님이 갑자기 복대기니 정신 못 차리겠다.
복대기-치다 [자] 정신을 못 차리게 몹시 복대기다. ¶ 도범으로 잡혀와서 이 복대기치는 판에 또 무슨 반죽으로 도둑질을 하리까《金周榮 : 客主》.
복대기-탕 [명]〖광〗복대기를 삭히는 데 쓰는 큰 통. 복새통.
복대깃-간【—間】[명]〖광〗복대기를 삭히어 금을 잡아내는 공장. 청화공장(靑化工場).
복-대리【復代理】[명]〖법〗대리인이 자기의 명의(名義)로 다시 대리인을 선임(選任)하여 그 권한의 전부 또는 일부를 행하게 하는 일.
복대리-인【復代理人】[명]〖법〗복대리(復代理)를 위임(委任)받은 사람. 장본인의 대리인으로서의 지위(地位)를 가지므로 그의 행위의 효력(効力)은 직접 그 본인에 대하여 발생함.
복대립 유전자【複對立遺傳子】[명] [multiple allelie]〖생〗같은 유전자좌(遺傳子座)에 있는 유전자가 돌연 변이(突然變異) 등으로 변화하여, 형질(形質) 발현(發現)에 대한 작용을 조금씩 달라지게 하는 일군(一群)의 유전자의 총칭. 복대 유전자(複對遺傳子). 복대 인자(因子).
복대립 형질【複對立形質】[명] [multiple alleles]〖생〗복대립 유전자에 의하여 나타나는 여러 형질.
복대 유전자【複對遺傳子】[명]〖생〗복대립(複對立) 유전자.
복대 인자【複對因子】[명]〖생〗복대립 유전자.
복-더위【伏—】[명] ↗삼복 더위.
복덕【福德】[명] ①복과 덕. 복이 많고 덕이 두터움. ②〖불교〗선행(善行)과 그에 대한 과보(果報)로서 받는 복리(福利). 복스러운 공덕.
복덕-궁【福德宮】[명]〖민〗십이궁(十二宮)의 하나.
복덕-방【福德房】[명] 가옥·토지 같은 것의 매매(賣買)나 임대차(賃貸借)를 중개하는 곳. *집주름·가쾌(家儈)·부동산업.
복덕-성【福德星】[명]〖민〗길(吉)한 별이란 뜻으로 '목성(木星)'을 일컫는 말. ㉾복성(福星).
복덕-일【福德日】[명]〖민〗사람의 난 해의 간지(干支)를 팔괘(八卦)로 나누어 가린 길한 일진(日辰)의 날.
복덕-장【福德藏】[명]〖불교〗정토(淨土)로 회향(廻向)하는 모든 선행(善行).
복도¹ [명]〈옛〉복두(幞頭). ¶ 복도 복(幞 俗呼幞頭), 복도 변(弁)《字會 中 22》.
복도²【伏圖】[명] 위에서 내려다본 모양을 나타내는 도면. 평면도(平面圖).
복도³【伏禱】[명] 엎드리어 축도(祝禱)함. ——하다 [자][여불]
복도⁴【復度】[명] 최고 온도계·최저 온도계의 시도(示度)나 지표(指標)를 그 때의 기온에 맞추는 일. 측정이 끝나면 흔들어서 수은주(水銀柱)를 내려가게 하거나 지표(指標)를 움직이어 다시 측정할 수 있게 조작함. ——하다 [타][여불]
복도⁵【複道】[명] ①집과 집 사이에 비를 맞지 아니하도록 지붕을 씌워 만든 통로. 각도(閣道). ②건물 안에 다니게 된 긴 통로. 낭하. 각도(閣道).
복도-지【複圖紙】[명] 설계도·지도·의장도(意匠圖) 등을 모사(模寫)하는 데 쓰이는 얇은 종이. 트레이싱 페이퍼(tracing paper).
복-독¹【—毒】[명] 복의 생식선(生殖腺) 특히, 난소(卵巢) 및 간장(肝臟) 속에 있는 독소(毒素). 마비성(痲痺性)의 맹독(猛毒)임. 사람이 중독되면 운동 신경·말초 신경·중추 신경·연수(延髓) 등을 마비시키는 성질이 있음. 중독초에는 손발이 저리고 다음에 목·어깨·허리 등이 움직이지 아니하며 죽는 수가 많음. 화학명은 테트로도톡신(tetrodotoxin).
복독²【服毒】[명] 독약을 마심. ——하다 [자][여불]
복독³【復讀】[명] 글을 되풀이하여 읽음. ——하다 [타][여불]

복동 신:관【複動信管】[명] [combination fuse]〖군〗착발(着發)과 시한(時限)의 두 작용을 갖춘 신관. 보통 폭탄이나 대공탄(對空彈)에 이용됨.
복동 증기 기관【複動蒸氣機關】[명]〖기〗증기 기관의 하나. 피스톤이 기통(氣筒) 안을 왕복할 때 그 양행정(兩行程)에 다같이 고압(高壓) 증기가 작용하도록 급배판(給排瓣)을 장치한 기관.
복동 척【複動—】[chuck] [명]〖기〗단동(單動)척과 연동(聯動)척의 양쪽을 겸한 척. 각 조(jaw)를 단독으로 움직일 수 있고, 연동 척의 작용을 할 수 있음.
복-되다【福—】[형] 생김새나 됨됨이가 복스럽다. ¶ 복된 나날.
복두【幞頭】[명]〖역〗관건(冠巾)의 하나. 조선 시대에, 모든 관원(官員)이 공복(公服)에 쓰도록 규정되었으나, 차차 사라지고, 주로 과거(科擧) 급제자가 홍패(紅牌)를 받을 경우에 쓰게 됨. 사모(紗帽)같이 두 단(段)으로 되어 있되, 위가 모지고, 뒤쪽의 좌우에 날개가 달렸음.

〈복두〉

복두-봉【幞頭峰】[명]〖지〗전라 북도 진안군(鎭安郡)에 있는 산. [1,004 m]
복두-쟁이【幞頭—】[명] 과거(科擧)에 급제하여 복두를 쓴 사람을 홀하게 이르는 말.
복-등화【覆燈火】[명]〖민〗육십 화갑자(六十花甲子)에서, 갑진(甲辰)을사(乙巳)에 붙이는 납음(納音). 화(火)는 진사(辰巳)에서 불길이 치솟듯 밝은데 갑을목(甲乙木)의 숲에 가리우니, 불을 가린 등화와 같다는 말. 옥등화(屋燈火).
복-딸기 [명] 복딸나무.
복딸-나무 [명] [—라—]〖식〗[*Rubus myriadenus*] 장미과에 속하는 낙엽 활엽 관목. 높이 1-2m에, 무딘 가시가 있고 짙은 녹색의 선모(腺毛)가 밀생함. 잎은 넓은 피침형의 복엽(複葉)으로 가에 톱니가 있고 털은 없음. 여름에 흰 꽃이 복산방(複繖房)화서로 정생(頂生)하여 피고, 과실군은 타원형이며 가을에 백색으로 익음. 산지에 나는데, 제주도의 특산임. 과실은 식용함.

〈복딸나무〉

복-띠【服—】[명] 상복(喪服)에 띠는 베띠.
복락【福樂】[—낙] [명] 행복과 안락(安樂).
복란【鰒卵】[—난] [명] 전복(全鰒)의 알.
복란-엽【覆卵葉】[—난—] [명] [oostegite]〖생〗절지(節肢) 동물 연갑류(軟甲類)의 암컷이 가지고 있는 알을 키우는 육방(育房). 암컷의 생식시기에 흉지(胸肢)의 밑절(節)에서 안쪽을 향하여 엽상(葉狀) 구조가 뻗어 수정란(受精卵)을 수용함. 등각류(等脚類)·단각류(端脚類) 등에서 볼 수 있음.
복랍【伏臘】[—납] [명] 삼복(三伏)과 납일(臘日).
복량【服量】[—냥] [명] 약 같은 것을 복용하는 분량(分量).
복량-적【伏梁積】[—냥—] [명]〖한의〗배꼽 가장자리가 딴딴하고 아픈 병. 맹장염(盲腸炎)·국소성 복막염(腹膜炎)·장간막염(腸間膜炎) 및 림프선염(腺炎) 같은 것이 이에 포함됨.
복량-학【服量學】[—냥—] [명] 약의 용량(用量)에 관하여 연구하는 임상적(臨床的) 약리학(藥理學)의 한 부문. 용량학(用量學). 약량학(藥量學).
복력¹【伏櫪】[—녁] [명] 말이 마구간 속에 엎드리고 있음. 또, 그 말. 전(轉)하여, 불우(不遇)함. ——하다 [형][여불]
복력²【福力】[—녁] [명] 복을 누리는 힘. 행복한 운수.
복련-좌【覆蓮座】[—년—] [명]〖건〗연꽃을 엎어 놓은 모양의 무늬를 새기어 넣은 대좌(臺座).
복렬형 기관【複列型機關】[—녈—] [명]〖기〗크랭크축(crank 軸)의 둘레에 기통(氣筒)을 두 줄로 배치한 기관.
복령【茯苓】[—녕] [명]〖식〗[*Pachyma hoelen*] 땅 속의 솔뿌리에 기생하는 불완전 균류(菌類)의 한 가지. 보통, 둥글거나 타원형의 큰 덩어리인데 껍질은 흑갈색으로 주름이 많고 속은 담홍색으로 부드러우나 마르면 딱딱해져서 흰 빛을 나타냄. 적송(赤松)에는 적복령(赤茯苓), 흑송(黑松)에는 흑복령(黑茯苓)이 많음. 이뇨(利尿)의 효과가 있어 한방(韓方)에서 수종(水腫)·임질(淋疾) 같은 데에 약재로 씀.
복령-관【複靈觀】[—녕—] [명] 다령관(多靈觀).
복령-병【茯苓餠】[—녕—] [명] 백복령(白茯苓) 가루와 쌀 가루를 꿀물에 버무리어 시루에 찐 떡.
복령-죽【茯苓粥】[—녕—] [명] 찹쌀 가루와 백복령 가루를 섞어서 끓인 죽.
복령-피【茯苓皮】[—녕—] [명]〖한의〗복령의 껍질. 이뇨제(利尿劑)로 씀.
복례¹【復禮】[—녜] [명] 예(禮)의 본질로 되돌아가는 일. 예를 따라 좇는 일. ——하다 [자][여불]
복례²【僕隸】[—녜] [명] 종. 노복(奴僕).
복로¹【伏老】[—노] [명]〖조개〗꼬막.
복로²【服勞】[—노] [명] 힘드는 일에 부지런히 종사함. 복근(服勤).
복로³【福老】[—노] [명] 중국 푸젠 성(福建省) 동부와 광둥 성(廣東省) 동북에 주로 사는 민족. 타이완의 북부 평야에도 이주하여 살며, 광둥 성에만도 30만 명이 거주함. 한족계(漢族系)로 중국어의 방언을 씀.
복로⁴【僕虜】[—노] [명] 종으로 삼은 포로.
복록¹【復祿】[—녹] [명] 원래의 봉록(俸祿)을 받게 되는 일.
복-록²【福祿】[—녹] [명] 복(福)과 녹(祿). ¶ ~을 누리다.
복-록-수【福祿壽】[—녹—] [명] 복과 녹과 수명.
복뢰【腹雷】[—뇌] [명]〖의〗복명(腹鳴).
복룡【伏龍】[—뇽] [명] ①숨어 누워 있는 용(龍). 와룡(臥龍). ②은거하며 세상에 나오지 아니하는 준걸(俊傑). 장래가 유망한 젊은이. ¶ ~ 봉추(鳳雛).
복룡-간【伏龍肝】[—뇽—] [명]〖한의〗아궁이 속에서 오랫동안 불 기운

에 달아 누렇게 된 흙. 습증(濕症)·부종(浮腫)·번울(煩鬱)·대하(帶下)·해수(咳嗽)·토혈(吐血)·악조(惡阻)·혈뇨(血尿)·자궁 출혈·옹(癰) 같은 병을 다스리는 데 쓰임.

복룡-산【伏龍山】[—농—] 명《지》강원도 강릉시(江陵市) 양양군(襄陽郡) 사이에 있는 산. [1,014m]

복루【僕累】[—누] 명 부착(附着)하여 쌓임. ——-하다 자여불

복류【伏流】[—뉴] 명 ①〔under flow〕《지》땅 위를 흐르는 물이 선상지(扇狀地)나 화산회지(火山灰地) 또는 사막과 같이 물을 잘 침투시키는 지역에서 지하로 스며들어가서 흐르는 것. 지하수도 이 중의 하나임. ②어떤 의미·내용·움직임이 그 사물의 밑바탕에 있는 일. 저류(底流).

복류-수【伏流水】[—뉴—] 명《지》지하수의 한 가지. 하천수(河川水)와 지하 체수층(滯水層)과의 중간에 있어 강바닥 또는 그 부근에 스미어 흐르고 있는 물.

복류 전:신【複流電信】[—뉴—] 명《전》전신 부호의 마크(mark)와 스페이스(space)의 부호에 대응하여 각각 양(陽) 및 음(陰)의 전류를 전송로(傳送路)에 보내는 방식. ↔단류(單流) 전신.

복륜¹【伏輪·覆輪】[—뉸] 명 갑옷·투구·칼집·말안장 등의 가장자리를 금이나 은으로 덮어서 장식한 것.

복륜²【複輪】[—뉸] 명 대형 버스나 트럭의 후축(後軸) 타이어를 병렬로 2개 붙인 수레바퀴.

복륜-드라세나【覆輪—】〔dracaena〕[—뉸—] 명《식》[*Dracaena fragrans* var. *victoria*] 용설란과의 관엽 식물(觀葉植物). 단간(單幹) 교목상(喬木狀)으로 분식(盆植)한 것은 보통 높이 2-3m이나 온실내에서 땅에 심으면 5m 이상까지도 자람. 타원상의 잎은 사방으로 벌어져 원대 끝에 빽빽이 나는데 대개는 아래쪽으로 구부러져 물결 모양을 이루고, 피침형임. 잎의 길이 30-50cm, 폭은 3-6cm, 잎의 중앙에는 굵은 녹색의 띠얼룩이 있고, 주위는 선황색의 아름다운 복륜이 있음. 번식은 꺾꽂이로 함. 겨울에 5°C 정도에서도 견디어 내며, 실내 온도가 높으면 발육이 좋음. 남미 가이아나(Guyana)가 원산임.

복륜-산세비에리아【覆輪—】〔sansevieria〕[—뉸—] 명《식》[*Sansevieria laurentii*] 용설란과의 관엽 식물(觀葉植物). 잎은 넓은 피침형, 육질(肉質)임. 끝은 뾰족하고 기부(基部)는 가늘어서 오목하고 백색의 엷은 얼룩점이 있음. 거의 곧은데 잎의 모양이 정연하고 잎 주위에 굵은 황금색 복륜이 아름답고, 잎의 수가 많아서 꽃꽂이·분재용으로 많이 쓰임. 겨울에 10-15°C로 보온하며, 새로 나오는 싹은 어느 것이나 복륜이 없고 녹엽(綠葉)뿐임. 아프리카 콩고 원산임. *산세비에리아.

복-리¹【福利】[—니] 명 행복과 이익. 복지(福祉). ¶국민의 ~를 증진하다.

복리²【複利】[—니] 명《경》이자에 대하여 또 다시 이자를 붙이는 셈. 복리법으로 계산한 이자. 복변리(複邊利). 중리(重利). ↔단리(單利).

복리 계:산【複利計算】[—니—] 명《경》①복리법에 의한 이자나 원리(元利) 합계의 계산. ②복리법.

복리-법【複利法】[—니뻡] 명《경》일정한 기간 뒤의 이자를 원금에 가산한 것을 차기(次期)의 원금으로 하고 다시 그 기간 후의 이자를 원금에 가산하여 차기의 원금으로 하는 것처럼 차례로 한 기간중의 이자를 다음 기간중의 원금에 가산해 나가는 이자 계산법의 하나. 복리 계산. 복변법. 중리법. ↔단리법(單利法).

복리-비【福利費】[—니—] 명 복리 후생(厚生)에 관한 비용. 법정(法定) 복리비·복리 시설 부담액·후생비·퇴직금·현물 급여 등이 있음.

복리 사:업【福利事業】[—니—] 명《사》복지 사업(福祉事業).

복리 시:설【福利施設】[—니—] 명 복지 시설(福祉施設).

복리-표【複利表】[—니—] 명《수·경》복리 계산을 간단히 할 목적으로 여러 가지 이율(利率)에 대하여 원금(元金)을 1로 한 경우의 매기말(每期末)의 원리 합계(元利合計)를 배열·표기한 표.

복린【腹鱗】[—닌] 명《동》파충류(爬蟲類)의 복부에 있는 비늘. 뱀류(類)에 가장 많이 발달해 있는데 전신의 파상(波狀) 운동과 동시에 몸의 운동에 관계함.

복마¹【卜馬】명 ①짐을 싣는 말. ②〈방〉상마.

복마²【服馬】명 ①마차를 끄는 네 마리의 말 중에서 끌채 안쪽에 서는 두 마리의 말. ②포병(砲兵)의 짐을 끄는 말 중에서 말을 모는 사람이 타는 말.

복마-전【伏魔殿】명 ①마물(魔物)이 숨어 있는 전당(殿堂). 마귀굴. ②미명(美名)의 그늘에 숨어서 음모가 그치는 일 없이 꾸미어지는 곳. 악(惡)의 근원지. ¶정계의 ~.

복막【腹膜】명〔peritonaeum〕《생》체강(體腔)의 내면(內面)과 복강 내장(腹腔內臟)의 표면을 싸고 있는 얇고 질긴 장막(漿膜). 상피(上皮) 조직과 그 밑의 결합(結合) 조직으로 이루어지고 흰빛이며 반드러운 광택이 있음. 포유류(哺乳類)는 횡격막(橫隔膜)에 의하여 흉막(胸膜)과 분리됨. 내장 표면을 싸고 있는 부분을 내장엽(內臟葉), 체강 내면을 싸고 있는 부분을 체벽엽(體壁葉)이라 함.

복막-강【腹膜腔】명〔peritoneal cavity〕《생》체강(體腔)의 일부로서, 복막 내장엽(內臟葉)과 체벽엽(體壁葉)에 의하여 둘러싸인 강. 속에 소량의 장액(漿液)이 있으며, 포유류에서는 횡격막으로 흉막강과 칸막이가 되어 있음.

복막-암【腹膜癌】명《의》복막에 생기는 암종(癌腫). 흔히 위(胃)·장(腸)·지라·담낭(膽囊)·난소(卵巢) 등의 암종으로 말미암아 속발(續發)함. 복막 암종.

복막 암:종【腹膜癌腫】명《의》복막암.

복막-염【腹膜炎】[—념] 명〔peritonitis〕《의》복막에 생기는 염증. 급성의 것은 매우 격렬한 복통(腹痛)·구토(嘔吐)·동계(動悸)를 일으키며 배가 잔뜩 부풀어 오르거나 뱃가죽이 땅기고 열이 심하게 남. 위장 궤양(潰瘍)·맹장염(盲腸炎)·장폐색(腸閉塞)·여자 생식기의 질환 등으로 인한 천공(穿孔)으로 말미암아 일어나며, 만성(慢性)의 것은 결핵 또는 악성 종양(腫瘍)이 복강에 이르러 일어남.

복막 임:신【腹膜姙娠】명《의》자궁외 임신의 하나. 수정란이 복막 위에 착상(着床)하여 발육하는 상태. 때때로 임신 말기까지 지속하여 아이를 낳는 수도 있음. 복강(腹腔) 임신.

복망¹【伏望】명 엎드려 바람. 웃어른의 처분을 바람. ——-하다 타여불

복망²【覆亡】명 나라나 집이 망함. 멸망(滅亡). *복멸(覆滅). ——-하다 자여불

복면¹【腹面】명 복부가 되는 면. 배 쪽. ↔배면(背面)·복배(腹背)❸.

복면²【覆面】명〔←부면(覆面)〕얼굴을 남이 알아보지 못하게, 그 전부 또는 일부를 헝겊 같은 것으로 싸서 가림. 또, 가리는 데에 쓰이는 물건. ——-하다 자여불

복면 강:도【覆面强盜】명 복면을 한 강도.

복면 광:고【覆面廣告】명〔teaser advertising〕먼저 무슨 광고일까 하는 의문을 품게 하여 주의와 관심을 모은 다음, 점차 상품명이나 광고주(主)를 밝혀 나가는 수법의 광고. 시리즈 형식의 광고에 흔히 쓰임.

복면-엽【腹面葉】명《식》태류(苔類) 중에서, 경엽(莖葉)의 분화를 볼 수 있는 이끼의 줄기 하면(下面)에 일렬(一列)로 나오는 소형의 잎. 줄기의 측면에 좌우 이열(二列)로 생기는 보통엽(普通葉)에 대하여 이름. 모양이나 크기는 여러 가지이지만 두께는 일세포층(一細胞層)으로 길이는 1mm 정도.

복멸【覆滅】명 뒤집히어 망함, 또 망하게 함. *복망(覆亡). ——-하다 자타여불

복명¹【復命】명 명령을 받고 일을 처리한 사람이 그 결과를 보고함. 반명(返命). 보명(報命). 복신(復申). *복창(復唱). ——-하다 타여불

복명²【腹鳴】명〔borborygmus〕《의》장(腸)의 내용물의 부패·발효(醱酵)의 항진(亢進)과 함께 가스와 액체가 섞인 내용물이 이동할 때에 생기는 잡음. 복뢰(腹雷).

복명³【複名】명 한자(漢字) 두 자로 된 이름. '은천상(殷天祥)'의 '天祥' 따위.

복명 복창【復命復唱】명 상관(上官)으로부터 명령과 임무를 받고 곧 되풀이하여 그 일을 수행하겠음을 말함. ——-하다 타여불

복명-서【復命書】명 사명을 띤 사람이 일을 마치고 돌아와 그 결과를 작성한 보고서.

복-명수【複名數】[—쑤] 명〔compound denominative number〕《수》제등수(諸等數). ↔단명수(單名數).

복명 어음【複名—】명《경》어음상의 채무자(債務者)의 수가 두 명 이상 기재(記載)된 어음. ↔단명(單名) 어음.

복모【伏慕】명 웃어른을 공손히 사모함. ¶~ 동동이오며 첩은 무사히 마님을 모시고 지내오나…≪金宇鎭 : 花上雪≫. ——-하다 타여불

복모 구구【伏慕區區】명 '삼가 사모하는 마음 그지없습니다'의 뜻으로 편지에 쓰는 말. ¶~ 불리옵지 못하오며, 여식은 그때 곧 동경으로 와서 공부하고 잘 있사오나…≪崔瓚植 : 秋月色≫ / 가내 일안하온지 ~ 무읍하성지지이오며…≪作者未詳 : 浮碧樓≫.

복모-류【腹毛類】명《동》[Gastrotricha] 윤형 동물문(輪形動物門)에 속하는 한 강(綱). 몸 모양은 대개 방추형(紡錘形)에 두부(頭部)의 끝은 약간 무디고 맨 앞에 입이 있으며 복부(腹部)는 불룩하고 미부(尾部)는 홀쭉하며 두 갈래로 갈라짐. 두부에는 긴 촉모(觸毛)가 있고 복부에도 강모(剛毛)가 드문드문 있음. 자웅 동체(雌雄同體)이고 윤충류(輪蟲類)와 습성이 비슷함. *동문류(動吻類).

복모 불임【伏慕不任】명 '삼가 사모하여 아뢰나이다'의 뜻으로 편지에 쓰는 말.

복-모음【複母音】명《언》둘 이상으로 되어서 그 소리나는 동안의 처음과 나중에 따라 다름이 생기는 모음. 곧, ㅑ·ㅕ·ㅛ·ㅠ·ㅒ·ㅖ·ㅘ·ㅝ·ㅙ·ㅞ·ㅟ·ㅢ 등. 'ㅙ·ㅞ' 등은 삼중(三重)으로 된 복모음임. 이중 모음. 중모음. 거듭 홀소리. 겹홀소리. ↔단모음.

복몰【覆沒】명 ①배가 뒤집혀 가라앉음. ②한 집안이나 나라 또는 군대가 아주 기울어져 망함. ——-하다 자여불

복묘【覆墓】명《불교》장사를 지내고 사흘째 되는 날 무덤에 참배하는 일. ——-하다 자여불

복무【服務】명 직무를 맡아 봄. 사무·업무에 종사함. ¶병역에 ~하다. ——-하다 자여불

복무 규율【服務規律】명 복무 규정.

복무 규정【服務規程】명 복무하는 사람이 지켜야 할 사항을 정한 규정. 복무 규율.

복무 연한【服務年限】명 복무하기로 결정된 기간의 햇수.

복무-자【服務者】명 복무하는 사람.

복문【複文】명〔complex sentence〕《언》한 글월의 성분(成分) 속에 두 개 이상의 절(節)이 종속적 관계로 겹치어진 글월. 곧, 주절(主節)과 종속절(從屬節)로 이루어진 글. '청개구리가 울면 비가 온다'·'봄이 오면 꽃이 핀다' 등. 겹월. *중문(重文)·단문(單文).

복문의 허위【複問—虛僞】[—/—에—] 명《논》보기에는 하나의 질문이지만, 그 속에 둘 이상의 질문이 내포되어 응답자가 답변에 궁해지도록 하는 질문. 다문(多問)의 허위(虛僞).

복물¹【卜物】명 말에 실어 나르는 짐.

복-물²【伏—】명 복날에 또는 복날을 전후하여서 오는 비.

복물-지다【伏—】자 복날에 또는 복날을 전후하여서 비가 많이 오다.

복-박사【卜博士】명《역》고려 때, 사천대(司天臺)의 종구품(從九品)의 벼슬.

복-받치다 자 ①속에서 들고 오르다. ②밑에서 솟아오르다. ③감정이 치밀어 오르다. ¶복받치는 울분/설움이 ~. 1)-3): <북받치다.

복발¹【復發】명 근심이나 설움이 다시 일어남. ——-하다 자여불

복발²【覆鉢·伏鉢】명《건》상륜(相輪) 등의 노반(露盤) 위에 있는, 바리때를 엎어 놓은 형상의 한 부분.

복방【複方】명 일정한 처방(處方)에 따라 다른 약품과 조합(調合)하는 처방. 또, 그 약제(藥劑). ¶~ 디아스타아제. ↔단방(單方). ——-하다 타여불

복배¹【伏拜】명 땅에 엎드려 절함. 몸을 굽혀 예를 표함. ——-하다 자여불

복배²【復配】명《경》배당(配當)을 부활함. 주로 주식(株式)의 배당에 대

하여 일컬음. ——-하다 자여불
복-배³【腹背】명 ①배와 등. ②앞면과 뒷면. ③복부의 배면(背面). 배의 등 쪽. ↔복면(腹面).
복배 수적【腹背受敵】명 앞뒤로 적을 만남. ——-하다 자여불
복배지-모【腹背之毛】명 배와 등에 난 털이란 뜻으로 쓸데없음을 비유하는 말. 있으나마나의 뜻.
복배지-수【覆盃之水】명 엎지른 물이라는 뜻으로 다시 수습하기 곤란할 때 쓰는 말.
복백¹【伏白】명 엎드려서 사뢴다는 뜻으로 한문투의 편지에 쓰는 말.
복백²【復白】명 다시 한번 말함. 다시 한번 상주(上奏)함. ——-하다 타여불
복법¹【卜法】명〖민〗점 치는 법의 한 가지. 귀갑(龜甲)이나 짐승의 뼈에 점을 치려고 하는 문구를 써서 태운 다음 거기에 생기는 틈의 모양에 의하여 점을 치는 방법. 중국 은(殷)나라 때 가장 성행하였음.
복법²【伏法】명 복주(伏誅). ——-하다 자여불
복법 화:폐【複法貨幣】명〖경〗두 종류 이상의 화폐를 법화(法貨)로 하는 화폐 제도.
복-벗다【服—】자 기년복(朞年服) 이하의 복제(服制)의 기간이 지나가다.
복벽¹【復辟】명 ①물러났던 임금이 다시 왕위(王位)에 오름. ②중신(重臣)이 섭정(攝政)을 그만둠. ——-하다 자여불
복벽²【腹壁】명〖생〗복강(腹腔)의 둘레, 특히 앞 쪽의 벽. 피부·근육 및 복막(腹膜) 등으로 되어 있음.
복벽³【複壁】명〖건〗이중(二重)으로 된 벽. 속이 비어 그 속에 물건을 감추기도 함.
복벽 반:사【腹壁反射】명〔abdominal skin reflex〕〖의〗복부(腹部)의 피부를 자극할 때에 복근(腹筋)이 반사 수축(反射收縮)하는 현상. 복피(腹皮) 반사.
복-변리【複邊利】[—별—] 명〖경〗복리(複利).
복변-법【複邊法】[—뻡] 명〖경〗복리법(複利法).
복병¹【伏兵】명〖군〗적(敵)을 불시에 내치기 위하여 요긴한 목에 군사를 숨겨 둠. 또, 그 군사. 비유적으로도 말함. 복세(伏勢). ¶ 적의 ~을 만나다. ——-하다 자여불
복병²【腹柄】명〖생〗①막시류(膜翅類)에 속하는 곤충의 가슴과 배의 사이를 연결시키는 가는 부분. 이것으로 인하여 배의 운동이 자유롭게 됨. 침을 가지고 쏘는 벌과 같은 종류에 발달됨. ②일반 포유류(哺乳類)의 발생 도상에서 양막낭(羊膜囊)과 영양막(營養膜) 내면이 연결되는 배체미(胚體尾) 부근의 중배엽 세포괴(中胚葉細胞塊). ③탯줄의 근본이 되는 제병(臍柄) 부분.
복보【福報】명 복의 응보. 행복.
복-보수【復報讎】명 앙갚음. ——-하다 자여불
복복¹【馥馥】명 복욱(馥郁). ——-하다 형여불
복-복² 부 ①보드랍고 무른 물건의 두드러진 면을 잇따라 자꾸 세게 갈거나 긁는 소리. ②무르고 도톰한 물건을 연하여 찢는 소리. 1)·2): <북북. *박박¹.
복-복선【複複線】명 ①두 개의 복선(複線)을 몰아서 하나로 한 선로(線路). ②두 개의 복선 궤도(軌道)를 하나로 하여 부설(敷設)한 궤도.
복복 장:자【福福長者】명 행복한 부자(富者).
복본【複本】명 ①원본(原本)을 그대로 베낀 서류. 부본(副本). ②〖경〗환어음에 대하여 권리를 나타내기 위하여 발행된 수통(數通)의 어음 증권. ③〖경〗하나의 어음 관계에 대하여 작성된 여러 통의 어음을 일컬음. 분실에 대비하거나 또는 한 통은 인수(引受)를 위하여 보낸 경우, 배서(背書)의 편의를 위하여 만듦.
복-본위【複本位】명〖경〗복본위제(複本位制). ↔단본위(單本位).
복본위-제【複本位制】명〖경〗두 가지 이상의 화폐를 본위로 하여 둘 사이에 법정 비율(法定比率)을 정하고 자유 주조(鑄造)를 허락하여 무제한 법화(法貨)로서 유통하게 하는 화폐 제도. 흔히 금(金)과 은(銀)을 본위 화폐로 하는 제도를 가리킴. 복본위제. 양본위제(兩本位制). ↔단본위제(單本位制).
복-본적【複本籍】명 한 사람이 어떤 사정에 의하여 동시에 두 곳 이상의 호적에 본적인(本籍人)으로 등기된 경우, 그 잘못된 본적.
복부¹【腹部】명 ①배의 부분. 흉부(胸部)와 골반부(骨盤部)와의 중간. 배. ↔배부(背部). ②물건의 두부(頭部)와 미부(尾部) 사이의 중앙 부분. 중부(中部).
복부²【僕夫】명 종으로 부리는 남자. 복종(僕從).
복부³【覆瓿】명 ≪한서 양웅전(漢書揚雄傳)≫의 고사(故事)에서, 책으로 작은 항아리 뚜껑을 하는 일. 저서(著書)·문장 등이 세상에 알려지지 아니하는 일의 비유. 또, 자기 시문(詩文)·저술을 낮추어 일컫는 말.
복부-국【複部國】명〖정〗두 개 이상으로 분리(分離)된 지역으로 이루어진 나라. 방글라데시 독립 이전의 파키스탄은 그 예임.
복:-부르다【復—】타르불 초혼(招魂)하다. *고복(皐復).
복부 외:과【腹部外科】[—꽈] 명〖의〗임상(臨床) 의학의 한 분과로서, 복부 내장을 대상으로 하는 외과.
복-부인【福夫人】명〈유행〉많은 돈을 가지고 부동산 투기(投機)에 반(半)직업적으로 종사하는 가정 부인의 일컬음.
복부점 음표【複附點音標】[—쩜—] 명〖악〗'겹점음표'의 한자 이름.
복-부호【複符號】명〖수〗플러스와 마이너스 부호를 함께 적은 것. 곧, '±'. 복호(複號).
복분【福分】명 운수가 좋은 천분. 복력(福力)의 분수.
복-분수【複分數】[—쑤] 명〖수〗번분수(繁分數).
복-분열【複分裂】명〖생〗다수(多數) 분열.
복분-자【覆盆子】명 ①〖식〗복분자딸기. ②〖한의〗복분자딸기의 열매. 음위(陰萎) 및 소변 불금(小便不禁)에 씀.
복분자-딸기【覆盆子—】명〖식〗[*Rubus coreanus*] 장미과에 속하는 낙엽 활엽 관목. 가시가 있고, 잎은 우상 복생(羽狀複生)하며 달걀꼴 또는 타원형임. 5-6월에 분홍에 감람색을 띤 장미색 꽃이 산방(繖房) 또는 복산방(複繖房) 화서로 정생(頂生)하여 피고, 반구형의 과실군(群)은 7-8월에 흑홍색으로 익음. 산록의 양지에 남. 한국 중부 이남·일본·중국에 분포함. 과실은 '복분자'라 하여 약용 및 식용함. 고무딸기. 복분자. 나무딸기.
〈복분자딸기〉
복-분해【複分解】명〔double decomposition〕〖화〗화학 반응(化學反應)의 한 형식. 화합물이 반응할 때 구성하는 원자 또는 원자단(原子團)을 서로 교환하여 새로운 두 가지 화합물이 되는 반응. 질산은(窒酸銀)과 염화(塩化) 나트륨이 반응하여 염화은과 질산 나트륨이 되는 반응 등. 겹분해.
복-불복【福不福】명 유복(有福)과 무복(無福). 사람의 운수를 이름. 【복불복(福不福)이라】각 사람의 운수를 일컫는 말. 똑 같은 경우와 똑 같은 환경에서 여러 사람의 운이 각각 차이가 났을 때에 쓰는 말.
복-불습길【卜不襲吉】명 시초에 길조(吉兆)를 얻으면 다시 더 점(占)을 칠 필요가 없음.
복-불재강【服不再降】명 양자나 출가한 여자가 본생가(本生家)나 친정의 부재 모상(父在母喪)에 있어서 상복(喪服)을 한 등 떨어뜨리지 아니하는 일.
복비¹【腹誹】명 입을 다물고 그저 마음 속으로 비방함. ——-하다 타여불
복비²【複比】명〖수〗①〔double ratio〕일직선상의 네 점 A·B·C·D에 대한 비(比), (AC:CB):(AD:DB)의 칭(稱). 비가 복합(複合)되어 있어, 붙여진 명칭. 비조화비(非調和比). ②〔compound ratio〕두 개 이상의 비(比)에 있어서 전항(前項)의 곱을 전항으로 하고, 후항(後項)의 곱을 후항으로 한 비. a:b와 c:d에 대한 ac:bd 따위. 상승비(相乘比). ↔단비(單比).
복-비³【僕婢】명 남자 종과 여자 종. 비복(婢僕).
복-비례【複比例】명〔compound proportion〕〖수〗복비와 복비가 같거나 단비(單比)와 복비가 같은 관계에 있는 비례식. 합률 비례(合率比例). ↔단비례(單比例).
복빙【復氷】명〔regelation〕〖물〗얼음을 압축(壓縮)하면 압축면의 융해점(融解點)이 내려가 쉽게 녹으나 압력을 없애면 다시 얼음으로 돌아가는 현상. 두 개의 얼음을 서로 세게 밀면 붙는 것은 이 때문임.
복사¹ 명 ↗복숭아.
복사²【卜師】명 점(占)을 쳐서 길흉 화복(吉凶禍福)을 판단하는 사람. 점쟁이.
복사³【卜辭】명〖역〗↗은허 복사(殷墟卜辭).
복사⁴【伏射】명〖군〗소총 사격법의 한 가지. 땅에 엎드려서 사격(射擊)하는 일. ——-하다 타여불
복사⁵【服事】명 좇아서 섬김. ——-하다 타여불
복사⁶【服事】명〖천주교〗①미사를 지낼 때 사제(司祭)를 도와 시종하는 사람. ②교회의 사무원.
복사⁷【袱紗】명 비단으로 만든 조그만 보자기.
복사⁸【複絲】명 겹실.
복사⁹【複寫】명 ①한번 베낀 것을 다시 베낌. ②두 장 이상을 포개어서 한꺼번에 씀. ③같은 것을 두 장 이상 베껴 만듦. ④그림이나 사진 같은 것을 복제(複製)함. 카피(copy). ——-하다 타여불
복사¹⁰【蝮蛇】명〖동〗살무사.
복사¹¹【輻射】명 ①수레바퀴의 바퀴살처럼, 중심으로부터 주위에 내쏘아 뻗히는 일. ②〔radiation〕〖물〗열이나 전자기파(電磁氣波)가 물체로부터 사방으로 방사(放射)하는 현상. 또, 전자기파의 형식을 취해 전달되는 에너지. 폭사(輻射). 방사(放射). ——-하다 자타여불
복사¹²【覆沙】명 ①모래가 물에 밀려 논밭에 덮여서 쌓임. 또, 그 모래. ②〖광〗복대기❶.
복-사건【複事件】[—껀] 명〖수〗확률론(確率論)에서 몇 개의 사건(事件)이 모여서 그것들이 동시에 또는 서로 연달아서 일어나는 일을 하나의 사건으로 간주할 때, 이것을 원래의 사건에 대하여 일컫는 말. 구용어:복사상(複事象).
복사-계【輻射計】명〔radiometer〕〖물〗방사선의 세기를 측정하는 기계. 진공의 유리구(琉璃球) 안에 넉 장의 운모로 된 얇은 날개를 회전축(回轉軸)에 달아 놓되, 날개의 한쪽 면은 하얗게 닦고 반대쪽 면은 그을음으로 까맣게 하여, 빛을 비추면 검은 쪽 면의 온도가 올라 공기가 팽창하므로써 날개가 회전하게 되는데, 이 때의 회전수(回轉數)를 재어서 방사선의 세기를 구하는 열효과(熱効果)를 이용한 것과 광전관(光電管)이나 반도체 소자(半導體素子)와 같이 방사(放射)에 의한 광전(光電)효과를 이용한 것이 있음. 라디오미터. 방사계(放射計).

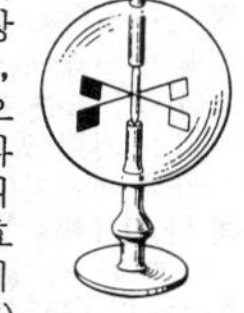

〈복사계〉

복사 고온계【輻射高溫計】명〔radiation pyrometer〕〖물〗물체로부터 열복사(熱輻射)되는 에너지를 모아서 검은 물체에 흡수시키고, 그 온도 상승을 열전(熱電) 온도계나 저항 온도계로 측정하여 온도를 재는 장치. 방사 고온계(放射高溫計).
복사-기【複寫器·複寫機】명 문서(文書)·계산서·자료 등을 복사하는 데 쓰이는 기기(機器). *제록스.
복사-꽃 명 ↗복숭아꽃.
복사-나무 명〖식〗↗복숭아나무.
복사 난:방【輻射煖房】명 벽·천장·바닥 등에 매설한 관 속에 온수·온

풍(溫風)·증기를 통하거나 또는 전열선(電熱線)을 매설하여 그 표면 온도를 높여 그 복사열로 난방 효과를 주는 방법. 한국의 온돌이나 북 유럽의 페치카 등이 그 예임. 패널 히팅(panel heating). ＊증기 난방·온풍 난방.

복사 냉:각【輻射冷却】명〖기상〗 지구가 열을 복사하여 지표의 온도가 저하하는 현상. 그 복사 열량은 지구가 태양으로부터 흡수하는 열량과 같음. 방사 냉각(放射冷却).

복사-능【輻射能】명〖물〗 방사도(放射度).

복사-담【蝮蛇膽】명〖한의〗 살무사의 쓸개. 구충제(驅蟲劑)로 씀.

복사 대:비【覆紗對比】명 일정한 색종이의 가운데에 잿빛 종이를 놓고 그 위에 사(紗)와 같은 반투명물(半透明物)을 덮으면 잿빛이 뚜렷이 대비색(對比色)을 띠게 되는 현상. ＊변연(邊緣) 대비.

복사 등:급【輻射等級】명〔bolometric magnitude〕〖천〗 항성(恒星)이 방사하는 복사 에너지의 다소(多少)를 정하는 척도(尺度).

복-사마귀【福一】명〖민〗 복을 낳게 한다는 사마귀.

복사-무【輻射霧】명〖기상〗 복사(輻射) 안개.

복사-뻬 명〈방〉 복사뼈(경기·충남).

복사-뼈 명〖생〗 발 회목 위의 안팎으로 둥글게 나온 뼈. 거골(距骨). 과골(踝骨).

복-사상[1]【複事象】명〖수〗 '복사건'의 구용어.

복사-상[2]【輻射狀】명 방사상(放射狀).

복사 상칭【輻射相稱】명 방사 상칭(相稱).

복사-선【輻射線】명〖물〗 물체에서 방출되는 전자기파(電磁氣波). 가시 광선(可視光線)·자외선(紫外線)·엑스 광선(X光線)·베타선(β線) 등의 총칭. 방사선(放射線).

복사-속【輻射束】명〔radiant flux〕〖물〗 복사의 형태로 단위 시간에 임의의 면적을 통하여 발산·전달 또는 받아들여지는 에너지. 단위는 와트(W). 방사속(放射束).

복사-씨 명〈방〉〖생〗 복사뼈(충남).

복사 안개【輻射一】명〔radiation fog〕〖기상〗 야간의 복사 냉각에 의하여 발생하는 안개. 주로 고기압권 내에 있으면서 구름이 적은 밤에, 10μ쯤의 장파장(長波長) 복사에 의하여 지면이 냉각하면 지면에 접한 기층(氣層)의 온도가 이슬점(點) 온도 가까이까지 내려가 새벽녘에 안개가 발생하였다가 해가 뜨면 소멸함. 복사무(輻射霧). 방사무(放射霧).

복사-압【輻射壓】명〖물〗 전자기파(電磁氣波) 또는 입자가 물체에 부딪쳐 반사 또는 흡수될 때 물체면에 미치는 압력. 맥스웰(Maxwell, J.C.)이 예언한 것을 1903년 레베데프(Lebedev)가 실험으로 확인함. 방사압(放射壓). ＊광압(光壓).

복사-앵두 명〖식〗〔*Prunus choreiana*〕 장미과에 속하는 낙엽 활엽 관목(落葉闊葉灌木). 잎은 타원형이고, 4월에 담홍색 꽃이 단립(單立) 또는 쌍생(雙生)하며, 둥근 핵과(核果)는 9월에 빨갛게 익음. 석회암 지대의 골짜기에 나는데, 평남의 맹산(孟山), 함남의 장령(長嶺) 등지에 분포하는 특산종임. 관상용임.

복사 에너지【輻射一】명〔radiant energy〕〖물〗 전자기파(電磁氣波)가 운반하는 에너지. 고온(高溫) 물체가 발(發)하는 열(熱)복사에너지 따위. 방사(放射) 에너지.

복사-열【輻射熱】명〔radiant heat〕〖물〗 열복사(熱輻射)로서 방출된 전자기파(電磁氣波)가 물체에 흡수되어 그 물체를 덥게 하는 경우의 그 에너지. 특히 적외선(赤外線)에서 현저함. 태양에서 지구에 오는 열 따위. 방사열(放射熱).

복사 온도계【輻射溫度計】명 물체의 열복사를 관측하여 물체의 겉보기의 온도를 측정하는 온도계. 보통 200-2,000°C 까지의 온도를 잴 수 있음.

복사 잉크【複寫一】〔ink〕명 서장(書狀) 그 외의 문서의 복사에 쓰이는 잉크. 진한 잉크에 글리세린·알코올 또는 아세트산(酸)의 용제(溶劑)를 가한 것.

복사 작용【輻射作用】명〖물〗 복사를 하는 작용.

복사 장아찌 명 다 익어서 무르기 전의 복숭아를 껍질을 벗기고 썰어서 진간장에 넣고 고춧가루를 쳐서 만든 장아찌.

복사 전:류【輻射電流】명 송신 안테나에서 흐르는 전류.

복사 전:송【複寫電送】명 모사(模寫) 전송.

복사 전:신기【複寫電信機】명〖기〗 모사 전신기(模寫電信機).

복사 전열【輻射傳熱】명〖물〗 복사에 의한 열의 이동. 방사 전열.

복사-점【輻射點】〔一쩜〕명〔radiant point〕〖천〗 유성군(流星群)이 사방으로 사출(射出)되는 것처럼 보이는 천구(天球)상의 한 점. 평행으로 날아오는 많은 유성의 투시점(投視點). 방사점(放射點).

복사 정:과【一正果】명 복숭아 정과.

복사-지【複寫紙】명 복사를 뜨는 데 쓰이는 종이. 한쪽 또는 양쪽 면에 묻기 쉬운 칠을 한 얇은 종이로 그 위에나 밑에 종이를 겹쳐 대고 골필(骨筆) 또는 철필(鐵筆)로 눌러 쓰는 것과, 복사기에 넣기만 하면 복사되는 것이 있음. ＊묵지(墨紙)·탄산지(炭酸紙)·먹종이·탄소지(炭素紙)·카본 페이퍼(carbon paper).

복사체【輻射體】명〔radiator〕〖물〗 빛·열·전파 등의 전자기파(電磁氣波)를 복사하는 물체. 방사체(放射體).

복사-판【複寫版】명 ①간편한 복사기(複寫器). ②복사해 낸 서책 등.

복사-펜【複寫一】〔pen〕명 복사필.

복사 평형【輻射平衡】명〖물〗 물체 또는 공간이 외부와의 사이에 복사 에너지의 교환을 하여, 그 유입량(流入量)과 유출량이 같은 상태. 방사 평형(放射平衡).

복사-필【複寫筆】명 복사하는 데 쓰이는 쇠나 뼈로 만든 붓. 복사펜.

복사-화【輻射花】명〖식〗 방사 상칭화(放射相稱花).

복사 화채【一花菜】명 ↗복숭아 화채.

복산형-화【複繖形花】명〖식〗 겹산형꽃.

복산형 화서【複繖形花序】명〖식〗 겹산형꽃차례.

복산 화서【複繖花序】명〖식〗 겹산형꽃차례.

복상[1] 명〈방〉 복숭아(전북·경상·충청·강원·함남).

복상[2]【卜相】명 새로 정승을 가려 뽑음. 가복(加卜). ——하다 자여불

복상[3]【服喪】명 거상을 입음. ——하다 자여불

복상[4]【袱商】명 보상(褓商).

복상[5]【福相】명 복스럽게 생긴 상(相). ↔빈상(貧相)❶.

복상[6]【福祥】명 행복하고 상서로움. 복(福). 행복.

복상[7]【複相】명〔diplophase〕〖생〗 핵상(核相)의 하나. 수정(受精)에서부터 감수 분열을 일으키기 전까지의, 정상적인 염색체수(染色體數)를 가진 핵(核)의 상태를 말함. 보통 '2n'으로 표시함. ↔단상(單相).

복상[8]【複像】명 거울의 몇 차례의 반사 때문에 생기는 상(像). 예를 들면, 평면경(平面鏡) 두 개를, 면이 직각으로 상대하도록 직립(直立)시켜, 그 사이에 물체를 놓을 때 세 개의 상이 생기는 예 같은 것.

복상 문:제【服喪問題】명〖역〗 조선 현종(顯宗) 때에, 자의 대비(慈懿大妃)의 복제(服制)를 둘러싸고, 서인(西人)과 남인(南人) 사이에 일어난 두 차례의 예송(禮訟). 1659년 효종(孝宗)이 세상을 떠나자, 그 계모(繼母)인 자의 대비가 복(服)해야 할 복제(服制)에 대해, 송시열(宋時烈) 등 서인이 주장한 기년설(朞年說)을 남인 윤선도(尹善道) 등이 반대하다가 유배되었고, 현종 15년(1674)에 효종비 인선 왕후(仁宣王后)가 돌아가매, 자의 대비의 복제에 관한 문제가 재연(再燃)되어, 이번에는 기년을 주장한 남인이 대공(大功)을 주장한 서인을 물리치고 정권을 잡았음.

복상-빼 명〈방〉 복사뼈(경기·강원·충북·전북·경북).

복상-뻬 명〈방〉 복사뼈(충청·전라·경기·경북).

복상-뼈 명〈방〉 복사뼈(경기·충남·강원·전북·경상).

복상-삐 명〈방〉 복사뼈(경북).

복상-사【腹上死】명 동맥 경화나 심장 질환 등이 원인으로, 잠자리하다가 남자가 갑자기 여자의 배 위에서 돈사(頓死)하는 일. ——하다 자여불

복상 상칭화【輻狀相稱花】명〖식〗 방사 상칭화(放射相稱花).

복상-시【腹上屍】명 잠자리하다가 남자가 갑자기 여자의 배 위에서 죽은 시체.

복상-씨 명〈방〉 ①복숭아씨. ②〖생〗 복사뼈(전북·경북·충청·강원).

복-상어【福一】명〖어〗〔*Cephaloscyllium umbratile*〕 두톱상어과에 속하는 바닷물고기. 수염상어와 비슷하나 몸길이 90cm 가량이고 두부의 폭이 넓고 세로 편평함. 30m 이상의 심해에 사는 난생(卵生) 어종으로 한국 남부·남일본·오스트레일리아에서 산출됨.

복상지-음【濮上之音】명 음란(淫亂)한 음악.

복상 화관【輻狀花冠】명〖식〗 합판(合瓣) 화관의 하나. 수레 모양으로 된 꽃부리. 감자꽃 등에서 볼 수 있음.

복새 명〈방〉 명 ①복사(覆沙). ②〖광〗 복대기. ③〖식〗 복숭아(함북·평안).

복새-통【一桶】명〖광〗 복대기탕.

복색[1]【服色】명 ①신분·직업 등에 맞추어 차려 입은 옷의 꾸밈새. ②의복의 빛깔. ③↗상두 복색.

복색[2]【複色】명 둘 이상의 색이 합쳐서 이루어진 색. ＊간색(間色).

복색-광【複色光】명〔compound light〕〖물〗 단색광(單色光)이 모여서 이루어진 빛. 프리즘(prism)을 통하여 분산시키면 다시 단색광이 됨. 일광(日光)·열광(熱光) 같은 것. 복광(複光).

복색 조칠【複色彫漆】명〖미술〗 조칠(彫漆)의 한 가지. 두 가지 이상의 옻칠을 겹쳐서 칠하는 방법. ＊계장(桂漿).

복생 명〈방〉 복숭아(함남).

복생대-류【複生代類】명〖동〗 이생류(二生類).

복-생선【一生鮮】명〖어〗 ☞ 복[1].

복생이 명〈방〉 복숭아(강원·황해).

복생-천【福生天】명〖불교〗 색계(色界)에 있는 십팔천(十八天)의 하나. 사선천(四禪天)에 속하며 이 곳에 사는 사람은 복을 누린다 함.

복서[1]【卜筮】명〔복(卜)은 거북의 등딱지로 보는 점, 서(筮)는 점대로 치는 점〕 길흉(吉凶)을 점침. 점서(占筮).

복서[2]【伏暑】명 ①복일(伏日)의 더위. 음력 6월의 더위. ②음서(飮暑).

복서[3]【復書】명 회답의 편지. ——하다 자여불

복서[4]〔boxer〕명 ①권투 선수. ②특히, 아웃 복싱을 하는 타입의 권투 선수.

복서[5]〔boxer〕명〖동〗 중간 크기의 독일 원산의 개의 한 품종(品種). 불도그종과 그레이트데인을 교배시켜, 약 100년 전부터 만들어진 개. 강한 몸과 특이한 낯을 가지나, 성질은 순함. 집 지키는 개로 적당함.

복서-증【伏暑症】〔一쯩〕명〖한의〗 더위를 먹어서 신열이 나고 복통(腹痛)·토사(吐瀉)·하혈(下血) 등의 증세가 생기는 병증.

복선[1]【伏線】명 ①뒷일의 준비로서 미리 암암리(暗暗裡)에 베풀어 두는 것. ¶ ~을 치다/이 사건 뒤에는 반드시 무슨 ~이 있다. ②〖문〗 소설이나 희곡 등에서 앞으로 일어날 사건의 예비(豫備)로 미리 독자에게 넌지시 암시하여 두는 작법(作法) 형식. 기교(技巧)의 한 요소로서 특히 추리 소설(推理小說)이나 심리 묘사(心理描寫)의 소설에 많이 인용함. ¶ ~이 많이 깔린 추리 소설.

복선[2]【復膳】명〖역〗 무슨 까닭이 있어 임금이 감선(減膳)하였던 밥상의 음식 가짓수를 평소와 같이 도로 회복함. ——하다 자여불

복선[3]【複線】명 ①겹으로 된 줄. 겹줄. ②둘 이상을 나란히 부설한 선. 또, 그렇게 부설한 궤조(軌條). ③〖토〗 ↗복선 궤도. 1)-3):↔단선(單線).

복선[4]【覆船】명 배가 엎어짐. ——하다 자여불

복-선거【複選擧】명〖법〗 간접 선거(間接選擧).

복선 궤:도【複線軌道】명〖토〗 왕복의 선로가 따로따로 나란히 부설되어 있는 궤도. 복선 철도. 준복선(複線)·복궤(複軌). ↔단선 궤도.

복선-기【復線器】명 철도에서 탈선된 차량을 선로 위에 복구(復舊)시키

이름. 결핵병(結核病)에 대한 1920년 베를린(Berlin)에서 개 …에서 제정됨. ¶ ~ 실(seal).

복십자

복-십자【複十字】명 붉은 빛깔의 '‡' 투쟁(鬪爭)의 국제적 상징(國際的象徵) … 회의(… 자여불

복싱〔boxing〕명 권투(拳鬪). —場).

복싱 링〔boxing ring〕명 권투 … ①정월 … 먹는 김쌈. ②복날에 들깻잎으로 … 풍습임. 박섬(縛苫). 복과(福裹). 복

복-쌈【福—】명〔민〕… 개성(開城)에서 나오는 둘 이상의 싹. 싸서 먹는 쌈.

포(福包).

복아【複芽】명〔식〕… 손(損傷)이 심한 시체의 신원을 알아내는

복악【復萼】명 … 점토(粘土)로 살을 붙이고, 생전의 얼굴로

복안【復顔】명 … 방법으로, 두개 … 밝히다.

… 간직하여 아직 발표하지 아니한 고안(考案)

복원(復元)시. ↔단안(單眼).

복안²【腹案】… 잘 조사(調査)함. ——하다 타여불

복고(腹…)… 삼가 엎드리어 빔 ——하다 타여불

복안³ … 강내(腹腔內) 압력. 출산 때 자궁의 수축과 협 … 내는 힘이 되 외에, 배변(排便)·배뇨(排尿)에도 … 고 있음. 복근(腹筋) 및 횡격막(橫隔膜)의 수축에 의

… 당(唐)·송(宋)의 재상(宰相)의 명칭.

… ——하다 자여불

… 약을 단골로 많이 지어 가는 자리.

… 을 우리 음으로 읽은 이름.

… 명 … 가 쓰는 의복이나 거마의 총칭.

… 명 … ①한어(漢語)에서 같은 문자를 겹쳐 쓰는 말. 곧, … 따위. ②복합어.

…〔어〕〔Tetraodontida〕어류에 속하는 한 목. 가시 … 거북복과·불뚝복과·은비늘칫과·쥐치복과·참복과

…毒】명 복을 먹음으로써 일어나는 중독. 복의 내장(內 … 로 … 도톡신(tetrodotoxin)이라는 유독 물질을 함유하기 때 … 끝·입술이 마비하기 시작하여 온 몸의 수의근(隨意筋) … 호흡 곤란으로 죽게 됨. 복중독. 하돈(河豚) 중독.

… 문에〔역〕고려 시대 과거의 잡과(雜科)의 하나. 사천대(司天 … 이 채우기 위한 선발 시험.

… 명 업무에 종사함. ——하다 자여불

… 명 일단 업무를 그만둔 사람이 다시 업무에 종사하게 되는 … 하다 자여불

… 명〔역〕백성에게 부담시키던 요역(徭役)이나 병역(兵役).

… 명 ①공역(公役)·병역(兵役)에 종사함. ②징역(懲役)을 살 … ¶ 3 년간의 ~을 마치다. ——하다 자여불

…役】명 노복(奴僕)의 일.

…【服役囚】명 복역중인 죄수. 징역꾼.

…【服役婚】명 색시의 부모를 위하여 일을 해 주고 그 대상(代償) … 그 색시와 결혼하는 일. 「——하다 자여불

…【復緣】명 이연(離緣)해 있던 것이 다시 원래의 관계로 돌아가는 일.

…【伏熱】명 삼복(三伏)의 더위. 경열(庚熱).

…¹【伏炎】명 삼복(三伏)의 더위. 경염(庚炎).

…염²【複塩】명〔double salt〕〔화〕두 가지 이상의 염류(塩類)가 부가적(附加的)으로 결합(結合)하여 형성된 하나의 고차 화합물(高次化合物). 물에 녹이면 그 성분염(成分塩)으로 분해(分解)됨. 명반(明礬)은 황산 칼륨과 황산 알루미늄과의 복염임.

복염색-법【複染色法】명〔생〕세포·조직학의 연구의 한 방법. 이종(二種) 이상의 색소를 사용하여 세포·조직을 다른 색소로 염색하여 연 「구하는 방법.

복-염색체【複染色體】명〔생〕이가(二價) 염색체.

복엽【複葉】명〔식〕겹잎. ↔단엽.

복엽-기【複葉機】명 ↗복엽 비행기. ↔단엽기(單葉機).

복엽 비행기【複葉飛行機】명 앞 주익(主翼)이 아래위로 두 개 있는 비행기. ㊟복엽기. ↔단엽 비행기(單葉飛行機).

〈복엽 비행기〉

복옹【腹癰】명〔한의〕복벽(腹壁)에 생기는 부스럼.

복와 구조【覆瓦構造】명〔imbricate structure〕〔지〕수많은 평행(平行)한 역단층(逆斷層)이 같은 방향으로 치켜올려져 기왓장같이 포개진 구조.

복와-상【覆瓦狀】명〔식〕화판(花瓣)·악편(萼片) 등의 가장자리가 기왓장처럼 교차(交差)하여 겹쳐진 상태.

복왕【福王】명〔사람〕중국 명나라가 멸망한 후, 화중(華中)·화남(華南) 지방의 정권으로서 존속한 남명(南明) 제1대의 황제. 여러 신하들의 추대에 의하여 난징(南京)에서 즉위하였으나 국력 회복의 대업을 이루지 못하였음. 홍광제(弘光帝). [? -1646] 「요리(河豚料理).

복-요리【—料理】[—뇨—] 명 복을 요리하여 만든 음식의 총칭. 하돈

복용¹【服用】명 ①약을 먹음. ¶ 장기 ~. ②옷을 입음. ——하다 타여불

복용²【復用】명 두 번 씀. 거듭 사용함. ——하다 타여불

복우 산맥【伏牛山脈】명〔지〕푸뉴 산맥.

복우-화【伏牛花】명〔식〕호자나무.

복욱【馥郁】명 그윽한 향기가 풍김. 복복(馥馥). ——하다 형여불

복운¹【復運】명 회복되는 시운(時運).

복-운²【福運】명 행복과 호운(好運).

복원¹【伏願】명 웃어른에게 엎드려 공손히 원함. ——하다 타여불

복원²【復元·復原】명 원래대로 회복함. ¶ ~ 공사(工事). ——하다 자타여불

복원³【復員】명〔군〕전시(戰時)의 체제(體制)에 있는 군대를 평상시의 체제로 돌아가게 하여 병원(兵員)의 소집(召集)을 해제함. ↔동원(動員) ❶. ——하다 자타여불

복원⁴【復圓】명〔천〕일식(日蝕)이나 월식(月蝕)이 끝나고 태양 또는 달의 면(面)이 본디의 둥근 모양으로 돌아감. 제사 접촉(第四接觸).

복원⁵【幅員·幅圓】명 →폭원(幅員·幅圓).

복원-력【復原力】[—녁] 명〔물〕평형(平衡)을 유지하던 비행기·선박 등이 외력(外力)을 받아 기울었을 때, 중력(重力)과 부력(浮力) 등의 외력이 우력(偶力)으로 작용하여 원래의 위치에 복원하려고 하는 힘.

복원-령【復員令】[—녕] 명〔군〕전시 편제(戰時編制)의 군대를 평시 편제로 돌리어 소집(召集)을 해제(解除)하는 명령. ↔동원령(動員令).

복원-성【復原性】[—썽] 명〔물〕기울었던 배나 비행기가 복원력에 의하여 평형 상태(平衡狀態)로 복원하려는 성능.

복원 추출【復元抽出】명 통계에서의 표본 추출법의 하나. 한 번 추출한 것을 제자리에 되돌리고나서 다음 것을 추출하는 일.

복원 측각기【複圓測角器】명〔광〕일반적으로 쓰이는 극히 정밀한 반사 측각기의 하나. 결정을 서로 직교(直交)하는 두 축(軸)에 의하여 회전시키고, 면(面)으로부터 반사상(反射像)을 고정(固定)한 망원경으로 포착(捕捉)한 후, 그 두 축의 회전각을 회전 원판(圓板) 위에서 구(球)의 위도와 같은 관계로 읽음. *단원(單圓) 측각기·삼원(三圓) 측각기.

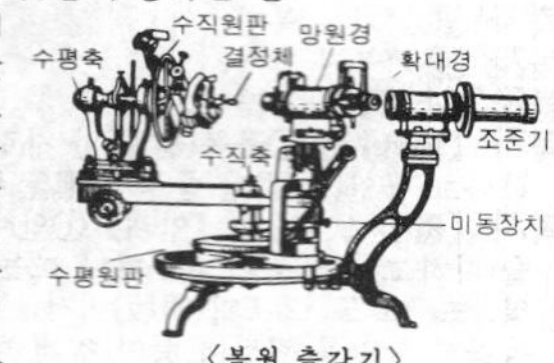

〈복원 측각기〉

복위¹【伏爲】명〔불교〕혼령(魂靈)을 천도(薦度)할 적에 그의 유가족들이 부르는 소리. 「름. ——하다 자여불

복위²【復位】명 폐위되었던 제왕이나 후비(后妃)가 다시 그 자리에 오

복-위임【復委任】명 위임을 받은 자가, 그 위임 사무의 처리를 다시 다른 사람에게 위임하는 일. ——하다 타여불

복유【伏惟】부 삼가 생각하건대.

복육【覆育】명 천지(天地)가 만물을 덮어 기름. ——하다 타여불

복은【伏隱】명 납작 엎드리어 몸을 숨김. ——하다 자여불

복음¹【伏飮】명〔한의〕횡격막(橫隔膜) 위에 물이 괴어 열이 나고 오한이 들며 온갖 잡병이 따르는 병.

복음²【福音】명 ①기쁜 소식. ②〔그 euaggelion〕〔기독교〕그리스도에 의한 인간을 구제하기 위한 길. 또는 그리스도의 가르침. 곧, 복된 말씀으로 성서(聖書)에 기록된 말. 고스펠(Gospels). ③〔기독교〕복음서.

복음³【複音】명 ①〔polyphone〕〔악〕두 개 이상의 서로 다른 높이의 소리가 동시에 남으로써 이루는 중음(重音). ②〔언〕둘 이상으로 분리할 수 있는 모음과 자음. 야(이+아)·요(이+오)·유(이+우)·외(오+이) 따위의 모음과 ㅋ(ㄱ+ㅎ)·ㅌ(ㄷ+ㅎ) 따위의 자음. 겹소리. 거듭소리. 복합음. ↔단음(單音).

복음 교:회【福音敎會】명〔기독교〕①복음주의(福音主義)에 입각한 교회의 총칭. 특히, 독일의 루터파(Luther派) 교회. 루터 교회. ②〔The Evangelical Association〕프로테스탄트 교회(Protestant 敎會)의 한 파. 미국인 올브라이트(Albright; 1759-1808)가 1807년에 펜실베이니아주(Pennsylvania 州)에서 일으킨 교파(敎派). 교의(敎義)나 제도(制度)는 메서디스트 교회(Methodist 敎會)와 비슷함.

복음 사:가【福音史家】명〔기독교〕복음서를 기록한 네 사람. 곧, '마태'·'마가'·'누가'·'요한'.

복음 삼덕【福音三德】명〔천주교〕예수가 복음으로 지키기를 권고하여 가르친 세 가지 덕행. 곧, 자원(自願)에 의한 청빈(淸貧)과 평생(平生) 정결(貞潔) 및 온전한 순명(順命).

복음-서【福音書】명〔기독교〕①〔Gospels〕신약 성서 중, 예수의 생애와 교훈을 기록한 책. 마태 복음·마가 복음·누가 복음·요한 복음의 총칭. ②하느님의 축복을 받을 수 있다는 뜻에서 '성서'를 일컫는 말. 고스펠. 복음.

복음 성:경【福音聖經】명〔기독교〕하느님의 복음을 전해 주는 성스러운 책이란 뜻으로 4복음서를 일컫는 말.

복-음정【複音程】명〔악〕'겹음정'의 한자 이름.

복음-주의【福音主義】[—/—이] 명〔evangelicalism〕〔기독교〕신약 성서(新約聖書), 특히 복음서(福音書)의 교의 정신(敎義精神)을 받들어 실천함을 주지(主旨)로 하는 주의.

복음 합창【複音合唱】명〔악〕①복음 또는 중음(重音)으로 부르는 합창. ②칸초나(canzona). 「위하여 모이는 모임.

복음-회【福音會】명〔기독교〕교회에서 복음을 연구하거나 전도하기

복응【服膺】명 마음에 간직하여 잊지 아니함. 가슴 속에 늘 품어 둠. ¶ 권권(拳拳) ~. ——하다 타여불

복응-재【服膺齋】명〔역〕고려 예종(睿宗) 4년(1109)에 국학(國學)에 베푼 칠재(七齋)의 하나. 대례(戴禮)를 전공하던 곳임.

복의¹【復衣】[—/—이] 명 초혼(招魂)할 때에 쓰는 죽은 사람의 옷.

복의²【腹議】[—/—이] 명 마음 속으로 미워함. ——하다 타여불

복의-배 [—/—에—] 명 부자(富者)를 놀리는 말. 복의 배같이 배가 잔뜩 부르다는 뜻. 「인의 하인.

복이-나인【僕伊—】명〔역〕조선 시대에, 복이처(僕伊處)에 딸린 나

복이차 방정식 【複二次方程式】 명 〖수〗 4차 방정식 중, 적당한 치환(置換)에 의하여 2차 방정식으로 변형(變形)할 수 있는 것.
복이-처 【僕伊處】 명 〖역〗 조선 시대에, 내전(內殿) 침실의 등불 켜기, 온돌에 불때기, 담뱃대·재떨이의 청소 등 잡역(雜役)을 맡은 곳.
복익[1] 【伏翼】 명 〖동〗 박쥐❶.
복익[2] 【覆翼】 명 〔날개로 덮어 따뜻하게 한다는 뜻〕 감쌈. 감싸 도움.
복익-우 【伏翼羽】 명 박쥐의 날개. └──-하다 타여불
복인[1] 【卜人】 명 점을 치는 사람. 복자(卜者). 점쟁이.
복인[2] 【服人】 명 기년(朞年) 이하의 상복(喪服)을 입은 사람.
복인[3] 【福人】 명 복이 많은 사람. 운이 좋은 사람. 복수(福手). 복자(福者).
복인[4] 【福因】 명 행복을 가져오는 원인(原因).
복인 복과 【福因福果】 명 〖불교〗 복인(福因)이 있으면 복덕의 과보(果報)를 얻음. 선인 선과(善因善果).
복일[1] 【卜日】 명 점(占)으로 좋은 날을 가림. ──-하다 타여불
복일[2] 【伏日】 명 복날. 「날.
복일[3] 【復日】 명 〖민〗 음양가(陰陽家)에서, 며느리를 맞기를 기(忌)하는
복임 【復任】 명 이전의 관직으로 다시 돌아옴. ──-하다 자여불
복임-권 【復任權】 [―꿘] 명 〖법〗 대리인이 복대리인(復代理人)을 선임(選任)하는 권리. 법정(法定) 대리인은 항상 이 권리를 가짐.
복-입다 【服―】 [―닙―] 자 기년(朞年) 이하의 복제(服制)를 입다.
복자[1] 명 ↗기름 복자.
복자[2] 명 ↗복자 망건.
복자[3] 【卜者】 명 점쟁이.
복자[4] 【福者】 명 ①유복(有福)한 사람. 복인(福人). ②〖천주교〗 공경할 만하다고 공인(公認)된 준성인(準聖人).
복자[5] 【覆字·伏字】 명 〖인쇄〗 ①인쇄물(印刷物)에서, 명기(明記)하는 것을 피하고자 일부러 비우거나 또는 그 자리에 '○·×' 등의 표를 찍는 일. 또, 그 표. ②조판(組版)에서, 소용되는 활자(活字)가 없을 경우에 적당한 활자를 뒤집어 꽂아 검게 박은 표. '〓' 등.
복-자리 【服―】 명 〈속〉 복인(服人).
복자 망건 【―網巾】 명 망건의 한 가지. 편자는 길고 당의 둘레는 짧아서 위가 오그라지게 되었음. 이마가 뒤로 젖혀진 사람이 씀. 준복자.
복-자방 【複子房】 명 〖식〗 겹씨방.
복-자엽 【複子葉】 명 〖식〗 두 장 이상으로 된 자엽. 쌍떡잎. ↔단자엽(單子葉). 「떡잎씨.
복자엽 종자 【複子葉種子】 명 〖식〗 자엽이 두 장 이상 있는 종자. 여러
복-자예 【複雌蕊】 명 〖식〗 겹암꽃술. 겹암술.
복-자음 【複子音】 명 〖언〗 둘 이상으로 되어서 그 소리 나는 동안의 앞뒤를 따라 다름이 생기는 닿소리. ㅊ·ㅋ·ㅌ·ㅍ·ㄺ·ㄻ 같은 것. 겹닿소리. 거듭 닿소리. 중자음(重子音). ↔단자음.
복자-품 【福者品】 명 〖천주교〗 신앙 때문에 순교(殉敎)하였거나, 성인으로 인정하기 전에 공식으로 공경할 수 있다고 교회가 인정하는 지위. *성인품(聖人品).
복작-거리다 자 연해 복작이다. <북적거리다. **복작-복작** 부. ¶ 그 집에서 삼년 동안 아이들과 ~ 고생하다가… 《崔貞熙 : 천맥》 ──-하다 └자여불
복작-대다 자 복작거리다.
복작-식 【複作式】 명 〖농〗 같은 시기에 한 토지에 두 가지 이상의 곡식이나 채소를 심는 농작법(農作法). 간작식(間作式)의 더 발달된 방법.
복작-이다 자 ①여럿이 좁은 곳에서 우글거려 수선스럽게 뒤끓다. ¶ 시장에서 사람들이 ~. ②술·식혜 등이 괴어 끓어오르다. 1)·2) : <북적이다.
복잡 【複雜】 명 일이나 물건의 갈피가 뒤섞여 어수선함. ¶ ~한 사건. ↔간단(簡單). ──-하다 형여불
복잡 골절 【複雜骨折】 [―쩔] 명 〖의〗 골절의 하나. 골절에 수반하여 피부·연부(軟部)도 함께 파괴되어 골절단(骨折端)이 외피부(外皮部)에 나타난 것. 골절이 되어도 피부가 찢어지지 않은 것을 단순 골절이라 함.
복잡 괴:기 【複雜怪奇】 명 복잡하고 괴상하며 이상함. 복잡 기괴. ──-하다 형여불
복잡 기괴 【複雜奇怪】 명 복잡 괴기. ──-하다 형여불
복잡 다기 【複雜多岐】 명 복잡 다단. ──-하다 형여불
복잡 다단 【複雜多端】 명 일이 두루 뒤섞여 갈피를 잡기 어려움. 복잡다기. ──-하다 형여불
복잡 반:응 【複雜反應】 명 〔compound reaction〕 〖심〗 자극(刺戟)과 반응 사이에 여러 가지 고등(高等)한 정신 작용이 끼는 반응. 식별(識別) 반응·선택 반응·연상(聯想) 반응 등의 구별이 있음. 복합(複合) 반응. 「부
복잡-성 【複雜性】 명 복잡한 성질. 복잡한 것.
복잡-스럽다 【複雜―】 형ㅂ불 복잡한 내용이 있다. **복잡-스레** 【複雜―】
복잡-화 【複雜化】 명 복잡하여짐. 복잡하게 만듦. ──-하다 자타여불
복장[1] 명 ①가슴의 한복판. 흉당(胸膛). ¶ ~을 찧을 노릇이다. ②속에 품고 있는 마음씨·생각. ¶ ~이 검다. 주의 '腹臟'으로 씀은 취음.
[복장이 따뜻하니깐 생시가 꿈인 줄 안다] *무사 태평하여 눈앞에 닥치는 걱정을 모르고 지내는 사람을 핀잔 주는 말.*
복장(이) 타다 구 가슴이 타다. 애간장이 타다.
복장[2] 【卜―】 명 〖역〗 ←복정(卜定).
복장(을) 안기다 구 ←복정(을) 안기다.
복장[3] 【伏藏】 명 ①엎드려 숨음. ②깊이 감추어 둠. ③〖불교〗 불상(佛像)을 만들 때, 그 가슴 속에 금·은·칠보(七寶) 같은 것을 넣는 일. ──-하다 자타여불 「차림. ¶ ~ 단정(端正).
복장[4] 【服裝】 명 ①신분·직업에 좇아서 차려 입는 일정한 옷차림. ②옷
복장[5] 【福將】 명 지혜와 꾀는 적어도 싸움에는 늘 이기는 복 있는 장수.
복장[6] 【復葬】 명 장사를 지내고 일정 기간 후에 다시 뼈를 처리하는 장법(葬法)의 하나. 미개(未開)
복장-거리 명 가슴을 치며
귀쌈을 날려야 순서이겠으
들면 그 또한 위중한 터라…
복장-나무 명 〖식〗 [*Acer m*
활엽 교목. 잎은 삼출 복생(三
에 녹황색 꽃이 자웅 이가(雌
시과(翅果)는 털이 없고 9월에
국 및 만주 등지에 분포함. 재
복장 다라니 【伏藏陀羅尼】 명 〖불
에 금·은·칠보(七寶)등을 넣을 적
복장 주머니 【伏藏―】 명 〖불교〗
넣어서 다는 주머니.
복재[1] 【卜―】 명 〔←복자(卜者)
놓아주고 푸닥거리도 맡아 하는 중
복재[2] 【伏在】 명 몰래 숨겨져 있음.
복-재기 【服―】 명 〈속〉 복인(服人).
복재 탄:전 【伏在炭田】 명 〖광〗
(試掘)에 의하여 탄층의 확인을
복-쟁이 명 〖어〗 흰점복.
[복쟁이 헛배 부르듯 한다] 실속
복-저냐 명 복으로 부친 저냐.
복적 【復籍】 명 〖법〗 혼인(婚姻) 또는
에 입적(入籍)하였던 사람이 이혼(離婚
도로 이전의 호적에 돌아감. 귀적(歸籍
복-전 【福田】 명 〖불교〗 〔복을 낳게 하는
양하고 부모의 은혜에 보답하며 가난한
行)을 베푼 결과로 복덕(福德)이 생긴다
모·빈자(貧者) 등을 일컬음.
복-전타음 【複前打音】 명 〖악〗 '겹앞꾸밈
복절[1] 【伏節】 명 삼복(三伏)이 든 철.
복절[2] 【伏節】 명 굽히지 아니하고 절개를 지
복절[3] 【腹節】 명 〖충〗 복부(腹部)의 환절(環
복점[1] 【卜占】 명 〖민〗 점복(占卜).
복점[2] 【複占】 명 〖경〗 시장(市場)에 동일 상품
없고, 서로 경쟁하고 있는 상태. *독점(獨
복정[1] 【卜正】 명 〖역〗 고려 때 사천대(司天臺
복정[2] 【卜定】 명 ①〖역〗 조선 시대에, 조정(朝
도에서는 각 군(郡)에 시켜서 그 지방의 산물
②지정한 사물을 꼭 실행하도록 강요하는 일
복정(을) 씌우다 구 복정(을) 안기다.
복정(을) 안기다 구 남에게 억지로 부담을 지누
복장(을) 안기다.
복정(을) 안:다 [―따] 구 싫지만 억지로 부담하다.
복정[3] 【卜定】 명 길흉(吉凶)을 점(占)쳐서 정하는 일.
복제[1] 【服制】 명 ①오복(五服)의 제도. 준복(服). ②복
제(衣制).
복제[2] 【復除】 명 〖역〗 노인(老人)·병자·군인·학자 등
役)이나 조세(租稅) 등을 면제함. 복(復). ──-하다 타
복제[3] 【複製】 명 ①본디의 것과 똑같은 것을 만듦. 또,
~된 그림. ②〖법〗 원저작물을 재생(再生)·표현하는
권의 침해가 됨. ¶ 불허 ~. ──-하다 타여불
복제 동:물 【複製動物】 명 〖생〗 클론 동물(clone動物).
복제-모 【複製毛】 명 반모(反毛).
복제-물 【複製物】 명 본디의 것과 똑같게 만든 물건.
복제 인간 【複製人間】 명 〖生〗 클론 인간(clone人間).
복제-주의 【複製主義】 [―/―이] 명 〖법〗 상인(商人)의
産節次)와 비상인(非商人)의 파산 절차 사이에 서로 다른
하는 입법주의(立法主義). 상인과 비상인을 막론하고 파산
점으로는 일반 파산주의와 같고, 양자의 파산 절차가 상이한
상인 파산주의에 가까우므로 이것을 절충주의라고도 함.
복제-판 【複製版】 명 〖미술〗 걸작 미술품을 널리 대중에게 소개하
하여 원화(原畫)가 가지는 감각을 재현한 인쇄물. 일반적으로 미술
제라고 하며, 넓은 뜻으로는 조각·공예 등을 복제의 대상으로도 함.
복조[1] 【復調】 명 ①상태가 제자리로 돌아옴. 본래의 좋은 상태가 됨. ②〔demodulate〕 〖물·전〗 변조파(變調波)로부터 신호를 가려냄. 변조되어 있는 반송파(搬送波) 가운데서 본디 신호를 추출(抽出)해냄. 또, 그런 조작(操作). 검파(檢波)❷. ③〔bitonality〕 〖악〗 다조(多調) 중, 둘 만의 조(調)의 공존(共存). ──-하다 타여불
복조[2] 【福祚】 명 복(福)❶.
복조-기 【復調器】 명 복조에 사용되는 장치.
복-조리 【福笊籬】 명 〖민〗 한 해의 복을 받을 수 있다는 뜻에서, 정월 초하룻날 새벽에 파는 조리.
복조-선 【複造船】 명 〖역〗 조선 시대에, 외판(外板)을 이중으로 하고, 쇠못을 사용하는 중국 남방의 조선법. 또, 그 방법으로 건조한 배. ↔단조선(單造船). 「國).
복족-국 【複族國】 명 둘 이상의 민족으로 구성된 국가. ↔단족국(單族
복족-류 【腹足類】 [―뉴] 명 〖동〗 [Gastropoda] 연체 동물에 속하는 한 강(綱). 대개 나선상의 패각(貝殼)이 있으나 퇴화된 것도 있음. 일반적으로 두부에는 신축 자재(伸縮自在)한 촉각이 있고, 그 끝이나 기부(基部)에 한두 쌍의 눈이 있음. 동부(胴部)의 복면(腹面)에 편평한 육질(肉

質)의 발이 있어서 이것으로 다른 물건에 달라붙거나 운동을 함. 육지·민물·바닷물에 서식함. 고둥·달팽이·소라·전복·우렁이 등이 이에 속하는데, 전새류(前鰓類)·유폐류(有肺類)·후새류(後鰓類) 등으로 분류함. 유두류(有頭類). *두족류(頭足類).

복-족제비【福一】 명 복을 갖다 준다는 족제비.

복종¹【服從】 명 남의 명령 또는 의사(意思)에 좇음. ¶ 절대 ~. ——하다 자여불

복종²【僕從】 명 복부(僕夫).

복-종선【複縱線】 명 〖악〗 '겹세로줄'의 한자 이름. ↔단종선(單縱線).

복좌¹【復座】 명 제자리로 돌아감. 또, 돌아가게 함. ¶ 주퇴(駐退) ~기(機). ——하다 자타여불

복좌²【複座】 명 ①항공기 따위에서, 두 개 있는 좌석. ②이인승(二人乘). 또, 이인승의 항공기. ¶ ~ 전투기. 1)·2):↔단좌(單座).

복좌-기【複座機】 명 이인승(二人乘) 경비행기.

복좌 용수철【復座龍鬚鐵】 명 기계 따위의 활동 부분을 원위치로 복귀시키는 용수철.

복죄【服罪·伏罪】 명 죄에 대한 형벌을 복종하여 받음. ——하다 자여불

복주¹【伏奏】 명 엎드리어 사뢰. ——하다 타여불

복주²【伏誅】 명 형벌에 복종하여 죽음을 받음. 복법(伏法). ——하다 자여불

복주³【福州】 명 〖지〗 '푸저우(福州)'를 우리 음으로 읽은 이름.

복주⁴【福酒】 명 〖역〗 제사를 끝내고 제관(祭官)들이 음복(飮福)하는 제주(祭酒).

복주⁵【輻湊·輻輳】 명 →폭주(輻湊·輻輳).

복주-감투 명 중이나 늙은이들이 추위를 막기 위하여 쓰는 모자의 한 가지. 담(毯)으로 둥글게 만들되 양옆을 접어 올렸다가 펴서 내리면 뺨까지 가게 된 것으로, 중국으로부터 전래(傳來)함. 준감투.

복주깨 명 〈방〉 주발 뚜껑(평안).

복주-문【伏奏文】 명 복주하는 글.

복주 병:진【輻輳并臻·輻湊并臻】 명 →폭주 병진(輻湊并臻·輻輳并臻).

복주-산【福柱山】 명 〖지〗 강원도 화천군(華川郡) 상서면(上西面)과 철원군(鐵原郡) 근남면(近南面) 사이에 있는 산. [1,057 m]

복중¹【卜重】 명 약간 무거움. 좀 묵직함. ——하다 형여불

복중²【伏中】 명 초복(初伏)에서 말복(末伏)까지의 사이. 삼복의 때. 복허리.

복중³【服中】 명 기년복(朞年服) 이하의 복(服)을 입는 동안.

복중⁴【腹中】 명 뱃속.

복-중독【一中毒】 명 〖의〗 복어 중독.

복쥐 명 〈방〉 〖동〗 박쥐(전라·황해).

복지¹ 명 〈방〉 기름 복자.

복지²【卜地】 명 복거(卜居). ——하다 자여불

복지³【伏地】 명 땅 위에 엎드림. ——하다 자여불

복지⁴【服地】 명 ↗양복지(洋服地). ¶ 순모(純毛) ~.

복지⁵【腹肢】 명 〖동〗 절지(節肢) 동물 갑각류(甲殼類)의 복부에 있는 부속지(附屬肢). 일반적으로 유영용(遊泳用)이 됨. 기절(基節)에서 외지(外肢)·내지(內肢)로 나뉨. 복각(腹脚).

복지⁶【匐枝】 명 〖식〗 줄기 변형(變形)의 하나. 지상에 나온 줄기가 땅으로 벋어가며 생장(生長), 지면에 접한 데서 부정근(不定根)을 내는 것.

복지⁷【袱紙】 명 ↗약복지(藥袱紙).

복지⁸【福地】 명 ①선인(仙人)이 사는 곳. ②복을 누리어 잘 살 만한 땅. ¶ 가나안의 ~. ③〖민〗 지덕(地德)이 좋은 땅. ④〖천주교〗 지당(地堂).

복지⁹【福池】 명 복상(福祥)이 깃들인 못.

복지¹⁰【福祉】 명 ①행복(幸福)과 이익(利益). 복리(福利). 상지(祥祉). ¶ 사회 ~/~ 시설. ②〖종〗 소극적으로는 생명의 위급(危急)에서부터의 구제, 적극적으로는 생명의 무한한 번영(繁榮)을 뜻함.

복지¹¹【福智】 명 〖불교〗 복덕(福德)과 지혜(智慧).

복-지겸【卜智謙】 명 〖사람〗 고려의 개국 공신(開國功臣). 초명은 사귀(沙貴). 궁예(弓裔)의 횡포가 심하자 배현경(裵玄慶) 등과 궁예를 몰아내고 태조 왕건(王建)을 추대하였음. 생몰 연대 미상.

복지 공학【福祉工學】 명 과학 기술이 인간의 복지를 위하여 공헌할 길을 추구하는 학문.

복지 국가【福祉國家】 명 〖정〗 국민의 생존권을 적극적으로 보장하고, 그 복지의 증진을 도모하는 국가. 영국을 위시하여 서유럽 제국이 제2차 세계 대전 후에 내건 국가의 이상상(理想像)으로, 자본주의의 장점을 유지하면서 빈부의 차와 생활 불안 등의 단점을 시정하려고 함.

복지 국가론【福祉國家論】 명 국가가 국민의 빈곤과 곤궁(困窮)에 대한 책임을 지고 사회 보장과 국민의 최저 생활을 보장하여야 한다는 사상. 독일의 라살(Lassalle, Ferdinand)과 영국의 차티스트 운동(Chartist 運動) 가운데에도 포함되어 있으나, 이것을 정면으로부터 전개시킨 것은 페이비언주의(Fabian 主義)에 입각한 영국 노동당의 현실 정책임.

복지-부【福祉部】 명 ↗ 보건 복지부.

복지 사:업【福祉事業】 명 〖사〗 복지 국가의 실현을 목표로 추진하는 모든 사업. 복리 사업.

복지 사회【福祉社會】 명 모든 사회 구성원들의 복지가 증진되고 보장된 사회.

복지-상【服地商】 명 양복지를 파는 가게. 또, 그 장수.

복지 시:설【福祉施設】 명 양로원·모자원(母子院)·보육원·아동 상담소·점자(點字) 도서관 등, 사회 복지 시설을 이름. 복리 시설.

복지 연금【福祉年金】 명 국민이 노경(老境)에 처했거나 폐질(廢疾)·사망 등 불행한 일이 생겨서 당사자나 그 가족의 생활이 어렵게 되었을 때 지급되는 연금.

복지 유체【伏地流涕】 명 땅에 엎드리어 눈물을 흘림. ——하다 자여불

복지-장【福智藏】 명 〖불교〗 나무 아미타불(南無阿彌陀佛)의 명호(名號)의 하나.

복직【復職】 명 물러났던 관직이나 직업에 다시 오름. ——하다 자여불

복직-근【腹直筋】 명 〖생〗 전복벽(前腹壁) 중앙에 좌우 나란히 아래위로 있는 근육. 흉곽의 검상 돌기(劍狀突起) 및 그 양측의 늑연골(肋軟骨)로부터 시작하여 골반(骨盤)의 치골(恥骨)에 이르는 긴 근육으로 그 밑의 늑간(肋間) 신경의 지배를 받아 척추를 앞으로 굽히거나 복압(腹壓)을 가할 때 작용함.

복-진자【複振子】 명 〔compound pendulum〕 〖물〗 어떤 강체(剛體)를 마찰 없는 수평(水平)한 고정축(固定軸)에 매달아 중력(重力)의 작용으로 그 주위를 진동하게 만든 장치. 중력 가속도의 측정에 쓰임. 강체 진자(剛體振子). 실체 진자(實體振子). 물리 진자(物理振子). 합성 진자(合成振子).

복질【腹疾】 명 〖한의〗 복부(腹部)의 병. 배앓이·설사병 따위.

복찌깨 명 〈방〉 주발 뚜껑.

복-찜 명 복을 큼직하게 조각을 낸 뒤에 온갖 고명을 치고 주물러 증편틀에 쪄낸 음식. 하돈증(河豚蒸).

복차¹【卜一】 명 ←복채(卜債).

복차²【伏一】 명 〖역〗 ←복처(伏處).

복차지-계【覆車之戒】 명 앞의 수레가 넘어져 엎어지는 것을 보고, 뒤의 수레는 미리 경계하여 엎어지지 아니하도록 한다는 뜻으로, 앞 사람을 거울 삼아 뒷사람은 실패하지 말라는 뜻. *복철(覆轍).

복착【服着】 명 옷을 입음. 또, 입은 옷. 의착(衣着). ——하다 타여불

복찰【卜察】 명 점을 쳐서 살핌. ——하다 타여불

복찻-다리 명 큰길을 가로지른 작은 개천에 놓은 다리.

복창¹【伏悵】 명 마음에 섭섭하고 궁금하게 여긴다는 뜻으로, 한문 편지에서 윗사람에 대하여 쓰는 말.

복창²【復唱】 명 남의 말을 그대로 받아서 다시 욈. ¶ 명령을 ~하다. *복명(復命). ——하다 타여불

복창³【複窓】 명 겹창.

복창-법【腹窓法】 [一뻡] 명 〖생〗 소화관(消化管)의 운동을 직접 관찰하는 방법. 포유류의 소화관의 운동을 외부에서 직접 관찰하기 위하여 복벽(腹壁)의 일부에 창을 만들고, 무균(無菌)의 셀룰로이드(celluloid) 판 혹은 유리판을 복근(腹筋)에 접착하여 외면에서 내부의 소화관의 운동을 직접 관찰할 수 있도록 한 것.

복창-증【腹脹症】 [一쯩] 명 〖한의〗 배가 듬뿌룩하여지는 병.

복채¹【卜債】 명 점을 쳐 준 값으로 내주는 돈. →복차¹.

복채²【福債】 명 복권(福券).

복처【伏處】 명 〖역〗 요소(要所)에 있던 경수소(警守所). →복차².

복-처리【福一】 명 복을 타고 나지 못한 사람. 복이 없어 만사(萬事)에 실패하는 사람.

복천【福川】 명 〖사람〗 서희(徐熙)의 호(號).

복천-암【福泉庵】 명 〖불교〗 충청 북도 보은군 법주사에서 동쪽으로 약 4 km되는 곳에 있는 절. 부근에 복천(福泉)이라는 샘물이 있음. 조선 시대 세조가 이 곳에서 3일간 법회를 열었다 함. 성종 11년(1480)에 세운 신미탑(信眉塔)과 중종 9년(1514)에 세운 학조탑(學祖塔)이 있음.

복-철¹【伏一】 명 삼복(三伏)이 든 시기.

복철²【覆轍】 명 ①엎어진 수레바퀴. ②앞 사람이 실패한 자취. 실패의 전례(前例). 전철(前轍). *복차지계(覆車之戒).

【복철을 밟지 말라】 앞 사람의 실패를 거울 삼아 뒷사람은 조심하여 실패가 없도록 하라는 말.

복첨【福籤】 명 금품(金品)이 붙은 제비.

복첩¹【卜妾】 명 복성(卜姓)을 하여 첩을 얻어 들임. ——하다 타여불

복첩²【僕妾】 명 노복(奴僕)과 비첩(婢妾)의 총칭.

복초【伏醋】 명 복날에 술을 뜨뜻한 곳에 두어 삭혀서 맛이 나게 만든 초(醋).

복-초리 명 〈방〉 복처리.

복총상 화서【複總狀花序】 명 〖식〗 겹총상 꽃차례.

복축¹【卜築】 명 살 만한 땅을 가려서 그 곳에 집을 지음. ——하다 자여불

복축²【伏祝】 명 삼가 축원(祝願)함. ——하다 타여불

복취해 무량【福聚海無量】 명 〖불교〗 복덕(福德)의 모임이 바다와 같이 광대하다는 말. 원래 관음(觀音)의 복덕을 비유한 말.

복-치마【服一】 명 거상(居喪)하는 여자가 복으로 입는 치마.

복칭【複稱】 명 ①복잡한 명칭. ②〖언〗 둘 이상의 사물(事物)을 나타내는 명칭. ↔단칭(單稱).

복-타다【福一】 자 복을 타고 나다. 날 때부터 복을 누리다.

복타-밀다【伏馱密多】 [一따] 명 〖사람〗 서천(西天) 28 조(祖) 중의 제 9 대 조사(祖師). 불타난제(佛陀難提)에게서 법을 이어받음. 인도(印度)의 데카 나라 사람. 협존자(脇尊者)에게 전법(傳法)하였음.

복태【卜馱】 명 말에 실은 짐바리.

복택【福澤】 명 복리(福利)와 혜택(惠澤).

복토【覆土】 명 〖농〗 씨를 뿌리고 흙을 덮음. 또, 그 흙. 피토(被土).

복토-법【覆土法】 [一뻡] 명 〖광〗 광석이나 암석의 표면에 화약을 올려놓고 그 위에 진흙을 씌워서 발파(發破)하는 방법. 바위를 잘게 파쇄하는 데 쓰임.

복토-훔치기【福土一】 명 〖민〗 복 많은 남의 집 흙을 훔쳐 오는 풍속. 음력 정월 열나흗날에 함.

복통【腹痛】 명 ①〖의〗 복부(腹部) 통증(痛症)의 총칭. 보통 복부 내장의 병으로 인하여 일어남. ②몹시 절통(切痛)할 때 쓰는 말. ¶ ~할 노릇이다. ——하다 자여불

복판¹ 명 ①어떤 사물(事物)의 한가운데. 중심. ¶ 한~. ↔가. ②소의 갈비·대접 또는 도가니의 중간에 붙은 고기. 구이에 쓰임.

복판²【腹板】 명 ①가야금·거문고 따위의 소리가 울리는 부분. ②〖동〗

흉판(胸板). 1)·2):↔배판(背板).
복판³【複瓣】명〖식〗중판(重瓣).
복패【服佩】명 ①몸에 붙임. ②명심(銘心)하여 잊지 아니함. ——-하다 타여불
복-포¹【一脯】명 복의 살로 만든 포. 하돈포(河豚脯).
복포²【福包】명〖민〗복쌈.
복표【福票】명 복권(福券).
복-프리즘【複一】명〔biprism〕〖물〗빛의 간섭(干涉)을 실험하는 데 쓰는 장치. 단면(斷面)이 180°에 아주 가까운 꼭지각을 갖는 이등변 삼각형(二等邊三角形)으로 된 유리의 프리즘. 프랑스 물리학자 프레넬(Fresnel, Augustin Jean)이 고안한 것임.
복피 반:사【腹皮反射】명〖의〗복벽 반사(腹壁反射).
복-하다【卜一】자타여불 ①점을 하다. ②점쳐서 가려 정하다.
복학¹ 명〈방〉학질(강원).
복학²【卜學】명 복술(卜術)에 관한 학문.
복학³【復學】명 정학(停學) 또는 휴학(休學)하고 있던 학생이 다시 학교에 복귀함. 복교(復校). ——-하다 자여불
복학⁴【腹瘧】명〖한의〗비장(脾臟)이 부어 뱃속에 자라 모양 같은 것이 생기면서 한열(寒熱)이 심한 어린 아이의 병. 자라배. 별복. 별학(鼈瘧). 복학(을) 잡다 구 복학을 앓는 아이의 병을 완전히 고치다.
복합¹【伏閤】명〖역〗큰일이 있을 적에 조신(朝臣) 또는 유생(儒生)이 대궐 문에 이르러 엎디어 상소(上疏)함. ——-하다 자여불
복합²【複合】명 두 가지 이상을 하나로 합함. ——-하다 자타여불
복합 가:설【複合假說】명〖심〗귀무(歸無) 가설.
복합 가족【複合家族】명 ①기본 가족인 핵가족 이외에 잡다한 구성원을 포함하는 가족. ②부모와 자식의 가족이 늘 접촉할 수 있는 상태에서 따로 살고 있는 가족 형태.
복합 개:념【複合概念】명〖논〗복합적 개념. ↔단순 개념.
복합 건:물【複合建物】명 몇 가지 기능(機能)을 겸하는 건물. 사무실과 주거(住居)를 겸한 것 따위.
복합 경:기【複合競技】명〔nordic combind〕스키(ski) 경기의 한 가지. 15km 경주와 70미터급(級) 점프의 합계 성적으로 순위(順位)를 정하는 경기. 첫날엔 점프, 다음날에는 15km 경주가 2일간에 걸쳐 행하여짐. 콤바인드 레이스.
복합 경제【複合經濟】명〖경〗아시아·아프리카 등 미개발 지역에서 볼 수 있는, 토착적(土着的)·식민지적 경제와 외래(外來)의 자본주의적 경제가 공존(共存)하는 복합 사회의 경제.
복합-관【複合管】명〖전〗하나의 진공 용기 안에 두 쌍(雙) 이상의 전극(電極)을 봉입(封入)하여 복수의 기능을 갖게 한 진공관. 쌍이극(雙二極) 진공관 따위.
복합 관세【複合關稅】명〖경〗혼합 관세. 선택 관세.
복합-국【複合國】명〖정〗복합 국가(複合國家).
복합 국가【複合國家】명〔compound state〕〖정〗둘 이상의 나라가 결합하여서 이루어진 나라. 보호 관계·종주국(宗主國)·부용국(附庸國)·동군(同君) 관계·국가 연합·연방 등이 있음. 복합국(複合國). ↔단일 국가(單一國家).
복합 기업【複合企業】명〖경〗자기 본래의 업종과는 관련이 없는 업종의 기업을 차례로 매수 합병하여 급속히 거대화(巨大化)해 가는 특이한 형태의 기업. 아이 티 티(I.T.T.)가 그 좋은 예. 콩글로머리트(conglomerate).
복합 단백질【複合蛋白質】명〔conjugated protein〕〖화〗알파(α) 아미노산 이외에 딴 유기물(有機物)과 결합되어 있는 단백질의 총칭. 핵(核)단백질·당(糖)단백질·색소(色素)단백질·인(燐)단백질·효소(酵素)단백질 등이 있는데 생리적으로 중요한 것이 많음. 카세인·헤모글로빈 등. ↔단순 단백질.
복합 대:명사【複合代名詞】명〖언〗합성(合成) 대명사.
복합 동:사【複合動詞】명〖언〗합성(合成) 동사.
복합-란【複合卵】[一난] 명〖동〗많은 편형 동물에서 볼 수 있는 특수한 형식의 알. 난황막(卵黃膜)으로 형성된 다수의 난황 세포가 난세포 주위를 둘러싸고 있고 그것을 다시 난각(卵殼)이 싸고 있음. 외황란(外黃卵). ↔단일란(單一卵).
복합 명사【複合名詞】명〖언〗합성(合成) 명사.
복합 박자【複合拍子】명〔compound time〕〖악〗'겹박자'의 한자 이름. *혼합 박자.
복합 반:응【複合反應】명〖심〗복잡 반응(複雜反應).
복합 부:사【複合副詞】명〖언〗합성(合成) 부사.
복합-비【複合費】명〖경〗특정 기능 때문에 생기는 몇 개의 원가(原價) 요소를 복합하여 얻어지는 특수한 경비 항목. 동력비(動力費)·용수비(用水費)·운반비·재료 보관비·수선비·모집비(募集費)·시험 연구비 등.
복합 비:료【複合肥料】명〔balanced fertilizer〕질소·인산·칼륨의 세 요소 가운데, 두 가지 이상을 포함하는 비료. 비료 성분을 그냥 혼합시킨 배합(配合) 비료와 이것을 화학적으로 처리한 화성(化成) 비료가 있음.
복합 비타민제【複合一劑】〔vitamine〕명〖약〗수용성(水溶性) 비타민 또는 지용성(脂溶性) 비타민의 한쪽만의 여러 비타민을 조합(調合)한 약. *종합(綜合) 비타민제.
복합 사회【複合社會】명〖사〗여러 단순 사회(單純社會)가 모여서 이루어진 사회. ↔단순 사회.
복합 산:형 화서【複合繖形花序】명〖식〗겹산형 꽃차례.
복합 삼각주【複合三角洲】명〖지〗둘 이상의 하천(河川)이 하구(河口)를 한가지로 하고 함께 바다로 들어갈 때, 그 하구에 서로 경계가 분명하지 아니한 둘 이상의 삼각주가 모여서 하나로 크게 이루어진 삼각주.
복합 삼부 형식【複合三部形式】명〖악〗'겹세도막 형식'의 한자 이름.
복합 상품【複合商品】명 라디오·텔레비전·테이프 리코더 등 기존(既存)의 단일 상품의 기능(機能)을 여러 개 합쳐서 만든 상품. 라디오가 붙은 카세트 테이프 리코더 따위.
복합-선【複合腺】명〔compound gland〕〖생〗외분비선(外分泌腺)의 일종. 두 개 이상의 단일 분비선이 집합하여 된 선. 복세포선(複細胞腺).
복합-설【複合說】명〔도 Komplextheorie〕〖심〗정신 현상은 심적 요소(要素)가 결합되어서 이루어진 것이지만, 그 결합되어서 이루어진 것은 요소만의 총화(總和)가 아니고 따로 새로운 성질을 띤다고 생각하는 설. 독일 심리학자 뮐러(Müller; 1850-1944)의 설.
복합 섬유【複合纖維】명 두 가지 이상의 다른 섬유를 혼합한 섬유.
복합-세【複合稅】명〖법〗동일한 화물에 대하여 종가세(從價稅)·종량세(從量稅) 등 다른 과세 표준(課稅標準)에 의하여 이중(二重)으로 부과시키는 과세.
복합-어【複合語】명〖언〗두 개 이상의 단어가 모여서 따로 한 단어를 이룬 말. '맨손'과 같이 실질 형태소 '손'에 형식 형태소 '맨'이 붙은 파생어와 '집안'과 같이 두 개의 실질 형태소로 이루어진 합성어가 있음. 거듭씨. 겹씨. ↔단일어(單一語). *숙어·복어(複語)·합성어.
복합 염:색체【複合染色體】명〖생〗둘 이상의 염색체가 연결 또는 접착하여 하나의 염색체같이 보이는 경우를 이름.
복합 영농【複合營農】명 두가지 이상의 유형을 복합시킨 농업 경영. 논농사에 낙농을 조합시키거나, 과수를 주로 하고 야채 재배를 조합하는 따위.
복합 오:염【複合汚染】명 두 종류 이상의 독성 물질에 의하여 오염되는 일.
복합 용:구【複合用具】명〖고고학〗모듬 연장.
복합-음【複合音】명〖악〗①진동수가 다른 둘 이상의 순음의 결합으로 구성되어 있는 음. 복음(複音). ↔순음(純音). ②〔complex tone〕〖물〗주파수가 다른 정현파(正弦波) 성분의 결합으로 생기는 음파(音波).
복합 재료【複合材料】명 금속·세라믹스(ceramics)·고분자(高分子) 재료 등을 복합(複合)하여 만들어 낸 재료. 강도(強度)·내열성(耐熱性) 등의 물성(物性)의 향상을 목표로 한 것으로서, 유리 섬유로 강화한 플라스틱 따위는 널리 사용되고 있음.
복합적 개:념【複合的概念】명〖논〗많은 속성(屬性)·내용(內容)을 포함하고 그 내포(內包)가 다시 개괄(概括)될 여지가 있는 개념. '사람'·'동물'·'새'·'꽃' 등의 개념. 복합 개념. ↔단순 개념(單純概念).
복합적 관념【複合的觀念】명〔complex idea〕〖철〗감각 또는 반성(反省)으로부터 생기는 둘 이상의 단순 관념이 결합되어 이루어지는 관념. 로크(Locke, J.)의 말.
복합적 삼단 논법【複合的三段論法】[一뻡] 명〔combined syllogism, compound syllogism〕〖논〗두 개 이상의 삼단 논법 사이에서, 하나의 삼단 논법의 결론이 다른 삼단 논법의 전제(前提)가 되는 복잡한 삼단 논법. 연결 추리(連結推理).
복합-제【複合劑】명 몇 종류의 약제를 섞은 약제.
복합 제:약설【複合制約說】명〖철〗모든 사물은 한 가지 원인만으로 이루어지지 아니하고, 많은 제약이 복합되어서 이루어진다는 학설.
복합 조:사【複合助詞】명〖언〗두 개 이상의 말이 모여서 하나로 된 조사. '보다는'·'까지를'·'에서도' 등.
복합 조직【複合組織】명 식물의 조직의 일종. 이종(二種) 이상의 조직으로 이루어진 것을 말함. 목부(木部)·체관부(管部) 등.
복합 지질【複合脂質】명〖화〗알코올과 지방산의 에스테르 속에 인산·질소 화합물·당(糖)·황산(黃酸) 등을 포함하는 것. 인(燐)지질·당(糖)지질 등이 있음. 특히, 뇌(腦)조직에 많이 포함되어 있는데 뇌의 기능에 중요함. 유지질(類脂質).
복합 첨단 산:업【複合尖端產業】명〖경〗여러 가지 첨단적인 기술(技術)·서비스·상품 등을 결합시킨 복합 산업(複合產業). 동식물 유전자 조작(遺傳子操作), 공업용 로봇 등의 산업 같은 것.
복합-체【複合體】명 두 가지 이상의 물건이 모여서 하나로 된 물체.
복합 해:안선【複合海岸線】명〖지〗지반(地盤)의 침강(沈降)·융기(隆起) 등 둘 이상의 원인이 조성(組成)되어 된, 해면(海面)과 육지와의 교선(交線). 합성 해안선.
복합-핵【複合核】명〔compound nucleus〕〖물〗핵반응에 있어서의 중간 상태. 입사(入射) 입자가 표적핵(標的核)과 결합하고 입사 입자가 가지고 있던 에너지를 계(系)의 핵자(核子) 전부에 나누어줌. 에너지를 다수(多數)의 핵자에 분배(分配)하는 방법은 많이 있기 때문에 복합핵 상태의 수(數)는 1입자 준위(準位)의 수에 비하면 대단히 많음.
복합 현:미경【複合顯微鏡】명 두 개의 렌즈나 두 쌍의 렌즈계(系)를 사용한 현미경. 최초의 렌즈로 물체를 확대하고 두 번째 렌즈로 이를 더욱 확대함.
복합-형【複合形】명 ①본래 독립된 둘 이상의 것이 모여서 하나의 기능을 발휘할 때의 형식. ②〖언〗하나의 언어 요소가 다른 언어 요소와 연접(連接)하여 복합어를 이루었을 때의 어형(語形).
복합형 계:산기【複合型計算機】명 하이브리드 컴퓨터(hybrid computer).
복합 형용사【複合形容詞】명〖언〗합성(合成) 형용사.
복합 화:산【複合火山】명〔compound volcano〕〖지〗여러 개의 화산체(火山體)가 겹쳐져서 이루어진, 구조가 복잡한 화산. 복식(複式) 화산 따위는 이것의 하나임. 복성(複成) 화산. 준복화산(複火山).

구화산
화구원호
중앙화구구
화구뢰
화구원
외륜산

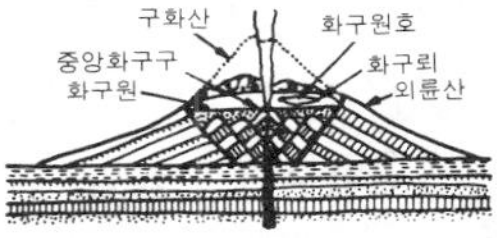

〈복합 화산〉

복합 화학 반:응【複合化學反應】명〔complex chemical reaction〕〖화〗다수(多數)의 화학 반응이 동시에 일어나는 화학계(化學系). 가역(可逆) 반응·축차(逐次) 반응·유발(誘發)

반응·부(副)반응을 포함함.

복합 화학 조미료【複合化學調味料】 명 글루탐산(酸) 나트륨과 핵산계 조미료를 적당한 비율로 배합한 화학 조미료. 복잡하고 풍성한 맛을 주는 것이 특징이며, 글루탐산 나트륨의 결정(結晶)의 표면에 핵산계 조미료를 코팅한 것과, 각 성분을 잘게 빻아 혼합해서 과립(顆粒)으로 만든 것이 있음.

복합 효소【複合酵素】 명 〖화〗 개개(個個)의 효소가 각각 독립하여 세포 안에 있는 것이 아니고, 어떤 일련(一連)의 대사(代謝)를 관장하는 둘 이상의 효소가 특정한 결합(結合) 고리에 의하여 결합되어 대사 회로(代謝回路)를 촉매하는 효소군(群).

복항【復航】 명 선박(船舶)이 목적지에서 돌아올 때의 항해. ↔왕항(往航). ——하다 자여불

복핵 착염【複核錯塩】 명 〔polynuclear complex salt〕〖화〗 속에 두 개 이상의 중심 금속 원자(中心金屬原子)를 가지고 있는 금속 착염. 대개 물에 녹으며, 불안정(不安定)함.

복행[1]【伏幸】 명 자기의 다행함을 겸사하여 쓰는 편지투. ¶ ~이옵니다.

복행[2]【服行】 명 복종하여 실행함. ——하다 타여불

복-허리【伏一】 명 복중(伏中).

복-허수【複虛數】 명 〖수〗 복소수(複素數).

복-혜【福慧】 명 〖불교〗 복덕(福德)과 지혜(智慧).

복-혜(:)숙【卜惠淑】 명 〖사람〗 배우. 본명은 박마리(朴馬利). 충남 보령(保寧) 출신. 이화 학당을 졸업하고 일본 요코하마(橫浜) 여자 기예 학교 수료. 1922 년 극단 토월회(土月會) 단원으로서 극무대의 길을 걸어, 연극 ≪오! 천명(天命)≫·≪춘향전≫, 영화 ≪농중조(籠中鳥)≫·≪아리랑≫·≪수업료(授業料)≫ 등에 출연하여 각광을 받음. 만년에는 텔레비전에도 출연하는 등 선구자적인 여배우로서 연기 생활에 충실했음. [1904-82]

복호[1]【卜好】 명 〖사람〗 신라 내물왕(奈勿王)의 아들. 실성왕(實聖王) 12년(412)에 고구려에 볼모로 갔다가 눌지왕(訥祗王) 2년(418)에 박제상(朴堤上)의 교섭으로 귀국하였음. 생몰년 미상. 보해(寶海).

복호[2]【伏虎】 명 엎드리고 있는 범.

복호[3]【復戶】 명 〖역〗 조선 시대에, 충신·효자·절부(節婦)가 난 집에, 요역(徭役)과 전세(田稅) 이외의 잡부금을 면제하여 주던 일. *면호(免戶). ——하다 타여불

복호[4]【複號】 명 〖수〗 복부호(複符號).

복호-결【復戶結】 명 〖역〗 복호로 말미암아 생긴 세금의 부족을 보충하기 위하여, 일반 세금 중에서 따로 모아 두어 예비(豫備)하던 일.

복호 동순【複號同順】 명 〖수〗 둘 이상의 복호(複號)를 사용하여 식(式)을 쓰는 방법의 하나. 위의 부호(符號)만을 또는 밑의 부호만을 따서 읽게 하려는 것. $a^3 \pm b^3 = (a \pm b)(a^2 \mp ab + b^2)$와 같은 것.

복-호흡【腹呼吸】 명 복식 호흡(腹式呼吸).

복혼【複婚】 명 배우자가 동시에 두 명 이상인 혼인 형태. 일부 다처·일처 다부·집단혼(集團婚) 등임. ↔단혼(單婚).

복화【複花】 명 〖식〗 꽃이나 화서(花序)의 수(數)가 변태적으로 증가된 기형적(畸形的)인 꽃. 연꽃·민들레 등에서 볼 수 있음.

복화-과【複花果】 명 〖식〗 여러 개의 꽃이 화서(花序)를 이룬 채 성숙하여 하나의 열매와 같게 생긴 과실. 오디·파인애플(pineapple)·무화과(無花果) 등의 상과(桑果)가 이에 속함. 다화과(多花果). 복과(複果).

복-화반【覆花盤】 명 〖건〗 화반의 한 가지.

복-화산【複火山】 명 〖지〗 ↗복합 화산(複合火山).

복화-술【腹話術】 명 입을 움직이지 아니하는 것처럼 하여 말하는 기술. 특히, 인형을 가지고 연극을 하면서 그 인형이 말하는 것처럼 느끼게 하는 기술.

복화 시계【複化時計】 명 〖심〗 복화 실험에 쓰는 시계 장치의 기계.

복화 실험【複化實驗】 명 〖심〗 동시에 들어오는 둘 이상의 감각 자극에 대한 동시적 인식의 실험.

복-화합물【複化合物】 명 〖화〗 화합물과 화합물이 결합하여 생긴 화합물. 페로시안화 칼륨 같은 것.

복-활차【複滑車】 명 겹도르래.

복황【複黃】 명 〖악〗 겹혀.

복-황란【複黃卵】 [—난] 명 쌍알.

복회계 제:도【複會計制度】 명 〖경〗 영국에 발달된 회계 제도. 모든 수입·지출을 자본적(資本的)인 수지와 수익적(收益的)인 수지로 이분(二分)하고 전자를 고정 자본, 후자를 운전 자본의 증감으로서 분별 경리하는 회계 제도.

복후【服後】 명 복용(服用)한 뒤. *예후(豫後). 「m].

복후-산【伏厚山】 명 〖지〗 평안 북도 자성군(慈城郡)에 있는 산. [1,188

복-흡반【腹吸盤】 명 〖동〗 편형(扁形) 동물·흡충류(吸蟲類)의 복면(腹面)에 있는 흡반. 구흡반(口吸盤)의 후방, 복면 정중선(腹面正中線) 위에 있는데, 이것으로 숙주(宿主)에게 흡착(吸着)함. 흡충류에서는 복흡반이 없는 것도 있음.

복희【伏羲】 [—히] 명 복희씨.

복희-병【福喜餠】 [—히—] 명 소를 넣고 고물을 묻힌 둥근 인절미.

복희-씨【伏羲氏·伏犧氏】 [—히—] 명 〖사람〗 중국 고대 전설상의 제왕. 그의 성덕(聖德)이 일월(日月)과 같아서 태호(太昊)라고도 함. 팔괘를 처음으로 만들고 서계(書契)를 지음. 백성에게 전어 목축(佃漁牧畜)을 가르치고 희생(犧牲)을 길러서 포주(庖廚)에 소용토록 하여 포희(庖犧)라고도 함. 재위(在位) 150년. 복희. *삼황(三皇)·수인씨(燧人氏).

볶다 타 〔중세 : 봊다〕 ①마른 물건을 그릇에 담아 불에 익히다. ¶ 콩을 ~. ②음식에 물을 약간 붓고 불에 끓이다. ¶ 볶은 밥. ③사람을 못 살게 굴다. ¶ 계모가 전실 자식을 ~. ④〈방〉 굽다[1]

[볶은 콩도 골라 먹는다] 볶은 콩을 먹을 때에 처음에는 골라 먹다가 나중에는 잘고 나쁜 것까지 다 먹는다는 뜻으로, 여러 물건을 다 쓸 바에는 골라가며 쓸 필요가 없건만 그래도 골라가며 쓰는, 사람의 본성을 가리키는 말. [볶은 콩 먹기] 그만 먹겠다고 하면서도 결국은 다 먹어 버림을 일컬음. [볶은 콩에 싹이 날까; 볶은 콩이 꽃이 피랴] 아주 희망이 없음을 뜻하는 말.

볶아-대다 타 사람을 몹시 볶아서 못 살게 굴다. ¶ 아이가 엄마를 ~.

볶아-치다 자 몹시 급하게 서두르다. 복잡한 일을 급히 몰아치다. ¶ 일을 제시간에 끝내려고 ~.

볶은 고추장【—醬】 명 고추장에 참기름과 설탕을 치고 잘게 썬 쇠고기와 온갖 양념을 섞어서 볶은 반찬. 고추장 볶이. ㊕볶은 장.

볶은-밥 명 ☞볶음밥.

볶은-장【—醬】 명 ①쇠고기를 말려서 만든 가루와 깨·생강·파·후춧가루 같은 것을 원료로 하고, 간장·기름·설탕을 쳐서 주무른 뒤에 지직하게 볶은 음식. 초장(炒醬). ②↗볶은 고추장.

볶음 명 어떤 재료에 양념을 하여 볶은 음식. 초(炒). ¶ ~밥.

볶음-밥 명 쌀밥에 당근·쇠고기·감자 등을 잘게 썰어 넣고 기름에 볶아 만든 음식.

볶음 수란【—水卵】 명 볶아 만든 수란. 뜨겁게 달군 번철(燔鐵)에 기름을 바르고 달걀을 깨어 넣고 뚜껑을 덮어 익혀 만듦.

볶이 명 어떤 재료에 양념을 더하여 익힌 음식. ¶ 떡~. 「을 겪다.

볶이다 피동 ①볶음을 당하여 익다. ②남에게 들볶음을 당하여 괴로움

본[1]【本】 명 ①본보기가 될 만한 바른 방법. ②↗본보기. ¶ ~을 보이다. ③관향(貫鄕). ¶ ~이 어디십니까. ④↗본전(本錢). ⑤본보기를 오려 만든 종이. 형지(型紙). ¶ 버선~/~을 뜨다.

본[2]〔Bonn〕 명 〖지〗 라인 강 좌안(左岸)에 위치하고 있는 통일 전 서독의 수도. 본 대학·베토벤의 생가(生家) 등이 있음. 최근에는 금속 기구·사무 용품·가구·담배 등의 공업도 성함. [279,000 명(1988)]

본[3]【本】 의명 ①영화 필름의 한 편(篇)을 세는 단위. ②초목 따위를 세는 단위. 「입학 원서. *당(當).

본[4]【本】 관 '지금 말하고 있는 이'의 뜻으로 쓰는 말. ¶ ~ 대학 소정의

본-【本】 두 ①'근본이 되는'의 뜻으로 쓰는 말. ¶ ~집. ②'본디의'의 뜻으로 쓰는 말. ¶ ~남편/~고장. 「타념. ¶ 개정~.

-본【本】 미 일부 명사 뒤에 붙어, 그 명사가 뜻하는 내용의 '책'임을 나

본가[1]【本家】 명 ①본집. 정적(正嫡). ②친정(親庭). ③〖건〗 원채❶.

본가[2]【本價】 [—까] 명 본값.

본가-댁【本家宅】 [—땍] 명 친정댁(親庭宅).

본-가야【本伽倻】 명 〖역〗 금관 가야.

본각【本覺】 명 〖불교〗 삼각(三覺)의 하나. 본래부터 가지고 있는 맑고 깨끗한 각성(覺性). 곧, 진여(眞如)의 이체(理體). *시각(始覺).

본간【本幹】 명 근본이 되는 줄기. 본줄기. 원줄기.

본-값【本—】 [—갑] 명 본래 살 때에 든 값. 밑천으로 든 값. 본가(本價). 본전(本錢). ¶ ~에 팔다.

본갱【本坑】 명 광산의 중심이 되는 주된 갱도.

본거【本據】 명 ①근거(根據). ¶ 생활의 ~. ②근본이 되는 증거.

본거-지【本據地】 명 근거지(根據地). ¶ 그 곳을 ~로 삼다. 「서.

본건【本件】 [—껀] 명 이 사건(事件). 이 건(件). 이 일. ¶ ~ 심의에 앞

본격【本格】 [—껵] 명 ①근본 격식. 올바른 법식. 본식(本式). ¶ ~적. ②제대로의 격식을 갖춤. 본식(本式).

본격 문학【本格文學】 [—껵—] 명 〖문〗 순문학❷.

본격 소:설【本格小說】 [—껵—] 명 〖문〗 제재(題材)를 광범위한 사회적 현실 속에서 구하고, 작자는 항상 작품의 뒤에 숨어 사건의 진전(進展)이나 인물의 심리적 움직임 등을 객관적으로 다루어 예술적·창작적으로 구성한 소설. ↔심경(心境) 소설. 「일을 ~으로 시작하다.

본격-적【本格的】 [—껵—] 명관 제대로의 격식을 온전히 갖춘 모양. ¶

본격-화【本格化】 [—껵—] 명 본격적으로 함. 또, 본격적이 됨. ¶ 전쟁이 ~하다. ——하다 자타여불

본견【本絹】 명 딴 실을 섞지 아니하고 명주실로만 짠 비단을 인조견(人造絹)이나 교직(交織)에 대하여 일컫는 말. 순견(純絹). ↔인견(人絹).

본-곁【本—】 명 〖역〗 비(妃) 또는 빈(嬪)의 친정.

본곁 나:인【本—】 명 〖역〗 본곁에서 들어온 나인.

본계【本溪】 명 〖지〗 '번시'를 우리 음으로 읽은 이름.

본-계약【本契約】 명 ①〖법〗 예약(豫約)에 기인(基因)하여 뒷날에 체결하는 정식 계약. 예약은 흔히 채권(債權) 계약만 의미하지만 이것은 질권(質權)·저당권(抵當權)의 설정과 같은 물권(物權) 계약 외에 혼인(婚姻) 기타의 친족법상의 계약이 될 수도 있음. ②이 계약.

본-계집【本—】 명 〈속〉 본처(本妻).

본계-호【本溪湖】 명 〖지〗 '번시후'를 우리 음으로 읽은 이름.

본-고사【本考査】 명 예비 고사에 대하여 본시험의 일컬음.

본-고장【本—】 명 ①자기가 나서 자란 본고향. 제고장. ②본바닥. 본처(本處). ¶ 파리는 유행의 ~. ㊕본곳.

본-고향【本故鄕】 명 나서 자라난 본디의 고향.

본-곳【本—】 명 ☞본곳.

본-곳【本—】 명 ↗본고장.

본-과【本科】 [—꽈] 명 〖교〗 예과(豫科)·별과(別科)·선과(選科)·강습과(講習科) 등에 대하여 그 학교의 본체(本體)를 이루는 과정.

본과-생【本科生】 [—꽈—] 명 본과의 학생.

본관[1]【本官】 ㊀명 ①〖역〗 제 고을의 수령(守令)을 일컫는 말. 본수(本倅). ¶ ~ 사또. ②〖역〗 감사(監司)나 병사(兵使)가 있는 곳의 목사(牧使)·판관(判官)·부윤(府尹)을 일컫는 말. 본수(本倅). ③견습·고원(雇員) 및 촉탁 등이 아닌 보통의 관직(官職). ④겸관(兼官)에 대하여 그의 주된

본래의 관직. ② 인대 관리가 스스로 자기를 일컫는 말. *본직(本職).

본관²【本貫】명 관향(貫鄕). ㈜관(貫).

본관³【本管】명 지관(支管)에 대하여 본줄기의 관(管)을 일컫는 말.

본관⁴【本館】명 ①별관(別館)이나 분관(分館)에 대하여 그 주장이 되는 건물. ②이 관(館).

본-관록【本館錄】[—괄—] 명〖역〗 관록(館錄).

본교【本校】명 ①분교(分校)에 대하여 근간(根幹)이 되는 학교. ②타교(他校)에 대한 자기 학교. 당교(當校). ¶ ~생(生).

본교-생【本校生】명 본교의 학생. ↔타교생(他校生). 「타여불

본구【本具】명 ①본디부터 갖추고 있음. ②근본으로 갖춤. ——하다

본국¹【本局】명 ①분국(分局)이나 지국(支局)에 대하여 주장이 되는 국. ↔분국(分局). ②한 지역의 중심부에 있는 전화국(電話局). ③이 국.

본국²【本國】명 ①타국에 대하여 제 나라. 곧, 자기의 국적(國籍)이 있는 나라. 고국(故國). 본방(本邦). ¶ ~에 송환되다. ②식민지나 피보호국에 대하여 그 보호국을 일컫는 말.

본국-검【本國劍】명〖역〗 십팔기(十八技) 또는 이십 사반 무예(二十四般武藝)의 하나. 요도(腰刀)로 하는 검술(劍術)의 한 가지. 신라 때 황창랑(黃昌郞)이 전한 법이라고 하며 여러 가지 자세가 있음. 중국에까지 널리 퍼지었음. 신검(新劍). 신라검(新羅劍).

〈본국검〉

본국-법【本國法】명〖법〗 국민으로서의 국적(國籍)을 갖고 있는 국가의 법률. 인사(人事)·친족(親族)·상속(相續) 등 법률 관계의 준거법(準據法)이 됨.

본국법-주의【本國法主義】[—/—이] 명〖법〗 국제 사법상(私法上) 본국법을 적용하는 주의. 「國語).

본국-어【本國語】명 ①제 나라의 말. 본국의 고유한 언어. ②모국어(母

본-군【本郡】명 ①자기가 살고 있는 고을. 본읍. ②지금 이야기하고 있는 이 군.

본궁【本宮】명〖역〗 ①이 태조(李太祖) 위로 오대조(五代祖)의 신위(神位)를 제사하는 함흥(咸興) 본궁. ②환조(桓祖)·태조(太祖)의 신위 및 이 태조의 화상(畫像)을 모시던 영흥(永興) 본궁.

본권【本權】[—꿘] 명〖법〗 사실상의 관계로서의 점유(占有)를 법률상 정당하게 하는 권리. 소유권(所有權)·임차권(賃借權)·지상권(地上權) 같은 것.

본권의 소【本權—訴】[—꿘—/—꿘에—] 명〖법〗 점유(占有)의 소(訴)에 대하여, 소유권·질권(質權) 등의 실질적 권리에 의한 소(訴).

본-궤도【本軌道】명 ①근간(根幹)이 되는 중요한 궤도. ②일이 본격적으로 되어 나가는 형편이나 순서. ¶ 작업이 ~에 오르다.

본-그늘【本—】명 본그림자.

본-그림【本—】명 원도(原圖). 원그림.

본-그림자【本—】명 〔umbra〕 ①〖물〗 암체(暗體)에 가로막혀서 광원(光源)으로부터 전혀 빛을 받지 못하여 어둡게 된 곳. 월식(月蝕)은 달이 지구의 본그림자 내에 들어감으로 말미암아 생김. 본영(本影). ②〖천〗 태양의 흑점의 한가운데에 있는 검은 부분. 암부(暗部). 본영(本影). 1)·2) : ↔반그림자.

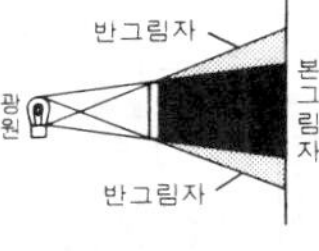

〈본그림자〉

본근【本根】명 본원(本源).

본-금¹【本—】명 ↗본금새. ¶ ~에 팔다.

본금²【本金】명 ①원금(元金). 본전(本錢). ②순금(純金).

본-금새【本—】명 본값의 높고 낮은 정도. ㈜본금. 「(本俸).

본급【本給】명 특별한 수당(手當) 등을 가하지 않은 급여(給與). 본봉

본기【本紀】명〖역〗 제왕(帝王)의 사적(事跡)을 기록한 기전체(紀傳體)의 역사.

본-기도【本祈禱】명 〔라 collecta〕〖천주교〗 그 날 미사의 정신을 나타낸 기도문. 여럿이 모였을 때, 주교 또는 사제(司祭)가 모든 사람의 소원을 모아서 드리는 기도문이라는 뜻. 콜렉타.

본-길【本—】명 ①본디의 길. ②바른 길.

본-꼴 명 ①원형(原形)❶. ②〖지〗 원지형(原地形).

본-남편【本男便】명 본디의 정당한 남편. 개가(改嫁)하기 전의 남편. 본부(本夫).

본네 명〈방〉 보늬. 「부(本夫).

본년【本年】명 올해. 이 해. ¶ ~도 예산.

본-노루 명 오래 묵어서 늙고 큰 노루.

본능【本能】명 ①〖생〗 생물이 선천적(先天的)으로 가지고 있는 동작이나 운동. 달걀을 부화시키면 자연적으로 병아리가 그 껍질을 깨뜨리고 나오는 일 같은 것. ②〖심〗 동물이 난 후에 경험이나 교육에 의하지 않고 외부의 변화에 따라서 나타나는 통일적인 심신(心身)의 반응 형식이나 행동 경향의 특성. 일반적으로 자기 보존 본능(自己保存本能)·종족 보존 본능(種族保存本能)·단체 본능(團體本能) 및 적응 본능(適應本能) 등으로 구분함. 「양식으로부터 설명하는 설(說).

본능-설【本能說】명〖심〗 인간 및 동물의 행동을 그 선천적인 행동

본능-적【本能的】명관 본능이 명(命)하는 대로 움직이려고 하는 모양. ¶ ~ 충동(衝動).

본능적 생활【本能的生活】명 충동(衝動) 생활.

본능-주의【本能主義】[—/—이] 명〖윤〗 본능을 만족시키는 것을 인생의 최고 목적이라고 하는 주의.

본답【本畓】명 볏모를 옮겨 심을 논.

본당¹【本堂】명 ①〖불교〗 사원(寺院)에서 본존(本尊)을 모시어 두는 전당(殿堂). ②〖천주교〗 주임 신부가 상주(常住)하는 교회당.

본당²【本黨】명 ①분당(分黨)이나 지당(支黨)이 갈라져 나온 본디의 당. ②자기가 소속하고 있는 정당(政黨).

본당 신부【本堂神父】명〖천주교〗 본당에 있어서 영적(靈的) 사목을 맡은 사제.

본당 회:장【本堂會長】명〖천주교〗 본당 교우들의 지도자로서 본당 신부(神父)를 보좌하고, 신부 유고시(有故時) 신부를 대리하는 사람.

본대¹【本—】명부〈방〉 본디(경상). 「자기가 소속된 대(隊).

본대²【本隊】명〖군〗 ①주장되는 본부(本部)의 군대. ↔분대(分隊)❷. ②

본 대학【—大學】〔Bonn〕명 독일 본에 있는 국립 종합 대학. 1818년 베를린 대학을 본떠 서(西)프로이센의 학술 진흥의 중심으로서, 프로이센 국왕 프리드리히 빌헬름 3세에 의하여 세워짐. 현재 복음 신학·가톨릭 신학·법학·경제학·의학·철학·수학·자연 과학·농학의 각 학부가 있음.

본-댁【本—】명 ①(←본택(本宅)) '본집'의 존칭. ②〈속〉 ↗본댁네.

본-댁네【本—】명〈속〉 정실(正室). ㈜본댁.

본-데 명 보아서 배운 범절이나 솜씨 또는 지식. ¶ ~가 없는 사람.

본데-없다 [—업—] 형 보아서 배운 것이 없다. 예의 범절에 어긋나다. ¶ 본데없는 호래 자식.

본데-없이 [—업씨] 부 본데없게. ¶ ~ 자란 놈.

본도¹【本島】명 군도·열도 중의 주된 섬.

본-도²【本道】명 ①올바른 길. ¶ 인간의 ~를 지키다. ②으뜸이 되는 큰 도로. ③자기가 살고 있는 도. 또, 지금 이야기하고 있는 이 도(道).

본도기 명〈옛〉 번데기. ¶ 본도기 용(蛹)《字會 上 22》/본도기(蠶蛹子)《譯語 下 2》.

본 도법【—圖法】〔Bonne〕[—뻡] 명〖지〗 지도 투영법(投影法)의 한 가지. 원추 도법(圓錐圖法)을 개량한 것으로 각 위선(緯線)과 중앙 경선(經線)을 바른 길이로 하여 각 부의 면적을 바르게 나타냄. 여러 가지 지도에 가장 널리 쓰임.

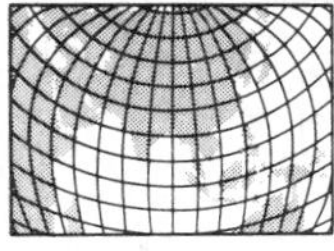
〈본 도법〉

본도지 명〈방〉 번데기(강원).

본-돈【本—】명〖역〗 조선 시대에, 실지로 통화(通貨)로서 유통(流通)되던 상평 통보(常平通寶)를, 별전(別錢)에 상대하여 일컫던 통칭(通稱).

본-동¹【本洞】명 ①자기가 살고 있는 동네. ②이 동네. 「稱).

본-동²【本棟】명 ①별동(別棟)에 대하여 주장이 되는 집채. ↔별동(別棟). ②이 동. 「씨. ↔보조 동사(補助動詞).

본-동사【本動詞】명〖언〗 보조 동사의 도움을 받는 동사. 으뜸 움직

본드〔bond〕명 접착제(接着劑).

본-듯이 부 본 것처럼. 본 것같이. ¶ 자기가 ~ 말한다.

본-등기【本登記】명〖법〗 가등기(假登記)에 대하여 부르는 명칭으로서 확정된 등기를 말함. 곧, 등기의 본래의 효력인 대항력을 발생시키는 등기.

본디¹ 명〈방〉〖식〗 광저기(경남). 「등기.

본디²【本—】①명 사물이 전하여 내려온 그 처음. 본래(本來). 원시(元是). ¶~의 마음. ②부 처음부터. 애초에. 본래(本來). 원시(元是). 본시(本是). ¶ ~ 알던 사이.

본디드 패브릭〔bonded fabric〕명 특수한 접착제로 붙여서 만든 천. 직물(織物)에 부직포(不織布)나 우레탄 폼(urethane foam)·펄프 등을 붙여서 만들어 심(芯)이나 안감이 필요 없는 천임.

본디-면【—面】명〖고고학〗 구석기 시대 뗀석기의 석재(石材)가 되는 암석이나 자갈돌의 바깥면. 자연면(自然面).

본딧-말【本—】명 ①본말. ②원말. 「Ⅹ:10》.

본ᄃᆡ 부〈옛〉 본디. ¶ 귀미틧 터리ᄂᆞᆫ 본ᄃᆡ 절로 셰오(鬢毛元自白)《杜諺

본ᄃᆡ로 부〈옛〉 본디. ¶ 내 얼구른 본ᄃᆡ로 ᄒᆞᆰ과 나모 ᄀᆞ토니(形骸元土木)《杜諺 Ⅱ:15》. 「下蜀)《杜諺 Ⅺ:1》.

본ᄃᆡ록 부〈옛〉 본디부터. ¶ 西江은 본ᄃᆡ록 蜀으로 나려 가ᄂᆞ니(西江元

본-따다【本—】타 남의 것을 배워서 그대로 따라 하다. 「사물.

본때【本—】명 모든 사물의 본보기가 될 만한 됨됨이. 본보기가 될 만한

본때(를) 보이다 귀 시범으로 해 보이다. 본보기로 혼을 내 주다.

본때(가) 있다 귀 ㉠본보기로 할 만한 데가 있다. ¶ 본때 있는 사람. ㉡멋이 있다. ¶ 일을 본때 있게 해치우다.

본-뜨다【本—】타 ①이미 하여 놓은 사물을 모범 삼아서 그대로 좇아 행하다. ¶ 본떠서 만들다. ②모범으로 삼아 그대로 좇아 하다. ¶ 훌륭한 언행을 ~.

본뜬-거울 명〖고고학〗 한(漢)나라 등의 중국 거울을 본떠 우리 나라에서 만든 거울. 방제경(倣製鏡).

본-뜻【本—】명 ①본래의 뜻. ¶ 나의 ~이 아니다. ②근본이 되는 뜻. 본의(本意). ¶ 나의 ~은 그것이 아니다.

본-란【本欄】[—난] 명 이 난(欄).

본래【本來】[볼—] 명부 본디. ¶ ~의 사명/~ 말이 없는 사람.

본래-공【本來空】[볼—] 명〖불교〗 만물(萬物)은 실유(實有)가 아니고 인연(因緣)이 화합하여서 생긴 것이므로 본래는 임시(臨時)의 것으로, 집착(執着)할 만한 아무 것도 없는 빈 것이라는 뜻.

본래 면:목【本來面目】[볼—] 명 ①자기의 본분. ②〖불교〗 중생(衆生)이 본래 가지고 있는, 인위(人爲)가 조금도 섞임이 없는 심성(心性). 선(禪)의 극치(極致)라고 함.

본래 무일물【本來無一物】[볼—] 명〖불교〗 본래공(本來空)이므로 아무 것도 집착할 것이 없어 모든 것으로부터 자유 자재가 된 심경(心境).

본래 법이【本來法爾】[볼—] 명〖불교〗 본래부터 자연스러움.

본래 성불【本來成佛】[볼—] 명〖불교〗 만물이 다 같다는 견지에서 보면, 중생(衆生)도 본래는 부처라고 하는 말.

본래-유【本來有】[볼—] 명〖불교〗 본유(本有)❷.

본래 자성 청정 열반【本來自性淸淨涅槃】[볼—] 명〖불교〗 대승 불교의 용어. 모든 것이 본래의 상(相)에서 진여(眞如)하고 달관(達觀)하고 안심할 수 있는 정신적 안심의 열반. ↔무주처(無住處) 열반.

본련【本練】[볼―] [명] 생명주(生明紬)를 정련(精練)할 때 불순물을 완전히 제거하는 일. ↔반련(半練).

본령¹【本令】[볼―] [명] 이 명령. 이 시행령.

본령²【本領】[볼―] [명] ①본래의 영지(領地). 대대로 내려오는 영지. ②근본이 되는 강령(綱領). ③가장 본질적이고 근본적인 면. ④본성(本性).

본론【本論】[볼―] [명] ①언론(言論)·저서(著書)의 주장되는 부분. ¶ ~으로 들어가다. *서론(序論·緖論)·결론. ②지금 논술하고 있는 이 이론.

본루【本壘】[볼―] [명] ①근본이 되는 보루(堡壘). ②〔home base〕 야구에서, 타자가 투수(投手)가 던진 공을 받아 치며, 또 주자가 각 누(壘)를 돌아 이곳에 돌아오면 득점이 인정되는 누. 흔히 흰 빛으로 된 오각형(五角形)의 판을 놓아 둠. 홈 베이스.

본루-타【本壘打】[볼―] [명] 야구에서, 타자가 일거(一擧)에 본루까지 돌아올 수 있도록 친 안타. 타구(打球)가 본루에서 일정한 거리를 두고 외야에 둘러친 담장을 넘는 안타. 홈런(home-run). 홈런 히트(hit).

본류【本流】[볼―] [명] ①강이나 내의 흐르는 원 줄기. 간류(幹流). ↔지류(支流). ②주된 계통. ¶ 정통 문학의 ~.

본리【本利】[볼―] [명] 본전과 이자. 본변(本邊). 원리금(元利金).

본:리스 햄〔boneless ham〕 [명] 뼈를 발라낸 돼지의 대퇴부(大腿部)로 만든 햄.

본-마누라【本―】 [명] 먼저 정식으로 장가든 마누라. *큰마누라.

본-마음【本―】 [명] ①본디부터 변함 없이 그대로 가지고 있는 마음. ¶ ~은 착하다. ②실의(實意). 진심(眞心). 본심(本心). [준]본맘.

본-말¹【本―】 [명] 줄지 않은 본디의 말. 본딧말. *원말. 「단예(端倪).

본말²【本末】 [명] ①물건의 밑과 끝. 양단(兩端). ②일의 근본과 여줄가리.

본말사-회【本末寺會】[―싸―] [명]〖불교〗 각 본사와 그에 딸린 말사의 주지(住持) 및 본사의 총무·재무·교무의 세 국장으로 구성하는 각 본사의 의결 기관. 「잡힘. ――하다 [자][여불]

본말 전도【本末顚倒】 [명] 일의 원줄기를 잊고 사소한 부분에만 사로

본말 제:도【本末制度】 [명]〖불교〗 불교 사원(寺院)의 사격(寺格) 제도. 본사(本寺) 또는 본산(本山)이라는 큰 절이 말사(末寺)·말산(末山)이라고 부르는 작은 절을 통제·지배하는 조직.

본-맘【本―】 [명] ↗본마음.

본-맛【本―】 [명] 본래의 맛.

본망【本望】 [명] 본래의 소망. 본디부터의 지망(志望). 「(支脈).

본-맥【本脈】 [명] 혈맥(血脈)·산맥(山脈)·광맥(鑛脈) 등의 원줄기. ↔지맥

본-머리【本―】 [명] 제 머리에서 자라나 있는 머리털을 다리·가발 등 '딴머리'에 상대하여 일컫는 말.

본-면【本面】 [명] ①자기가 살고 있는 면. ②지금 말하는 이 면(面).

본명¹【本名】 [명] ①고치기 이전의 본이름. ↔별명(別名). ②거짓이 아닌 진짜 이름. 실명(實名). 본이름. ¶ ~을 밝히다. ↔가명(假名). ③〖천주교〗 영세(領洗) 때에 성인(聖人)의 이름을 따서 지은 이름.

본명²【本命】 [명] ①출생한 해의 간지(干支). ②자기의 타고난 명.

본명-성【本命星】 [명] ①각 사람의 난 해에 해당되는 별. ②북두 칠성에 다 금륜성(金輪星)과 묘견성(妙見星)을 합하여 일컫는 말.

본명-일【本命日】 [명]〖민〗 음양가(陰陽家)에서 말하는 병난(病難)을 조심해야 하는 날. 곧, 자년(子年)에 난 사람은 유일(酉日), 축년(丑年)에 난 사람은 오일(午日), 인년(寅年)에 난 사람은 미일(未日), 묘년(卯年)에 난 사람은 신일(申日), 진년(辰年)에 난 사람은 해일(亥日), 사년(巳年)에 난 사람은 술일(戌日), 오년(午年)에 난 사람은 축일(丑日), 미년(未年)에 난 사람은 자일(子日), 신년(申年)에 난 사람은 묘일(卯日), 유년(酉年)에 난 사람은 인일(寅日), 술년(戌年)에 난 사람은 사일(巳日), 해년(亥年)에 난 사람은 진일(辰日).

본명 축일【本名祝日】 [명]〖천주교〗 '영명(靈名) 축일'의 구용어.

본모【本貌】 [명] 본래의 모습.

본목【本木】 [명] 진짜 무명.

본무【本務】 [명] ①근본이 되는 직무. ②자기가 맡아서 할 사무. 본분으로 하는 일. ③〔duty〕〖윤〗 도덕상 해야 될 일과 해서는 안될 일을 요구·구속하는 의식(意識). 법률상의 의무와는 구별하여서 이름.

본-무대【本舞臺】 [명] 옆에다 덧대거나 따로 장치한 임시 무대에 대하여 원무대를 일컫는 말.

본무 영사【本務領事】 [명]〖법〗 직무 영사(職務領事).

본문¹【本文】 [명] ①문서(文書) 중의 주장되는 글. ②주석(註釋)·강의(講義) 등의 원문장. 원문(原文). ③본디 그대로의 문장. 번역 또는 가감하지 아니한 원문(原文). ¶ ~ 대조. ④〖언〗 ↗반절 본문(反切本文).

본문²【本門】 [명] ①정문(正門). ②〖불교〗 본유(本有)의 묘리(妙理)를 해득하는 법문(法門). ③〖불교〗 적문(迹門)에 대해 법화경(法華經)의 후반(後半)의 십사품(十四品)을 일컫는 말. ↔적문(迹門).

본문 비:평【本文批評】 [명]〔textual criticism〕 고전(古典)·문헌(文獻) 등에 서로 틀리는 여러 가지 책이 있는 경우에, 그 이동(異同)을 비판 연구하여 올바른 본문을 정하는 일.

본-문제【本問題】 [명] ①본래의 문제. ②지금 이야기하고 있는 이 문제.

본물【本物】 [명] 변하지 아니한 본디 그대로의 물건.

본미 [명]〈방〉 좁쌀(평안).

본-미사【本彌撒】 [명]〖천주교〗 미사의 중심 부분. 변화지례와 영성체(領聖體) 부분임. 초대(初代) 교회에서 이 부분은 신자들만이 참여할 수 있었기 때문에 신자들의 미사라고도 함. ↔예비 미사.

본-밑【本―】 [명] ↗본밑천.

본-밑천【本―】 [명] 자본으로서 실제로 들여놓은 본디의 밑천. [준]본밑.

본-바닥【本―】 [명] ①본디부터 살고 있는 곳. ¶ ~ 사람. ②어떤 물건을 산출(産出)하는 본디의 곳. ¶ ~ 물건/인삼의 ~.

본-바탕【本―】 [명] 사물(事物)의 근본이 되는 본디의 바탕. 본질(本質). 본체(本體). 본판(本板). 지질(地質). ¶ ~이 드러나다.

본-반【本半】 [명]〖악〗 삼분 손익법(三分損益法)에 의해서 얻어진 두 종류의 반음(半音) 가운데 좁은 반음.

본-받다【本―】 [타] 남의 것을 본보기로 하여 그대로 따라 하다. ¶ 본받을 만한 행위.

본방¹【本方】 [명]〖한의〗 의서(醫書)에 있는 그대로의 방문.

본방²【本邦】 [명] 본국(本國)❶.

본방³【本房】 [명]〖역〗 임금의 장인댁(丈人宅)을 일컫는 말.

본방 나:인【本房―】 [명]〖역〗 조선 시대에, 왕비가 가례(嘉禮) 때 친정에서 데리고 들어온 교전비(轎前婢) 출신의 나인.

본범¹【本犯】 [명]〖법〗 재물(財物)에 장물성(贓物性)을 부여(附與)하는 기본적인 재산 범죄. 또, 그 범죄를 범한 자.

본범²【本帆】 [명] 큰 배의 중앙 돛대에 다는 돛. 「컫는 말. 이 법률.

본-법【本法】[―뻡] [명] 법문(法文)에 있어서 그 법률 자신을 스스로 일

본-변【本邊】 [명]〖경〗 본전(本錢)과 변리(邊利). 본리(本利). 원리(元利).

본병¹【本兵】 [명]〖역〗 병조 판서(兵曹判書). 「(本症). 본질(本疾).

본-병²【本病】 [명] 완치(完治)되지 못하고 때때로 도지는 본디의 병. 본증

본-보【本報】 [명] 신문 보도(新聞報道)에서, 그 신문 자신을 스스로 일컫는 말. ¶ 어제 날짜의 ~ 기사 중. 「를 일컫는 말.

본보²【本譜】 [명]〖악〗 약보(略譜)에 대하여 오선식(五線式)의 악보(樂譜)

본-보기【本―】 [명] ①전체의 형상(形狀)이나 속성(屬性)을 구체적으로 알리는 방법으로 보이는 그 한 부분 또는 물건. ②사물의 처리 방법을 실지로 들어 보이는 일. 모본(模本). ¶ ~로 엄벌에 처하다. ③모범(模範). 경감(鏡鑑). ¶ 다른 학생의 ~가 되어라. [준]보기·본.

본보기 내:다 [구] ㉠본보기 될 물건을 만들다. ㉡여러 사람을 경계하기 위하여 잘못한 사람을 징계하여 본보기가 되게 하다.

본-보다【本―】 [타] 무엇을 모범으로 삼아 행하다. ¶ 아이들은 어른을 본보게 마련이다.

본봉【本俸】 [명] 가봉(加俸)이나 수당(手當) 같은 것이 아닌 본디의 봉급.

본부¹【本夫】 [명] ①본남편. ②본사내. ⌊기본급(給). 본급(本給).

본부²【本府】 [명] 지방관(地方官)이 자기가 있는 관부(官府)를 스스로 일컫는 말.

본부³【本部】 [명] 어떤 기관(機關)이나 단체의 중심이 되는 조직 또는 그 조직이 있는 장소. ¶ 중대 ~/ 수사 ~. ↔지부(支部).

본부 대:대【本部大隊】 [명]〖군〗 육군 본부 등 대부대의 본부 사령 소속하에 있는 대대. 부대 본부의 경비 및 기타 행정에 관한 사항을 장리함.

본부 사령【本部司令】 [명]〖군〗 본부 사령실의 장(長). 장관급(將官級) 또는 영관급(領官級) 장교로써 보(補)함.

본부 사령실【本部司令室】 [명]〖군〗 사령부급 이상의 군기관 본부의 경비·시설 관리 기타 행정에 관한 사항을 분장하는 한 실(室).

본부-석【本部席】 [명] 운동 대회 등을 지휘·관전(觀戰)하기 위하여 지휘 본부에 마련한 임원(任員)·귀빈의 자리.

본부 중대【本部中隊】 [명]〖군〗 대대급(大隊級) 이상의 각급 부대의 본부 내의 경비 기타 행정 사항을 장리하기 위하여 두는 중대.

본분【本分】 [명] ①사람이 저마다 갖는 본디의 신분. 명분(名分). ②마땅히 지켜 행하여야 할 직분. ¶ ~을 다하다.

본불【本佛】 [명]〖불교〗 ①본문(本門)의 부처. 또, 근본이 되는 부처. ②자기 마음 속에 있는 불성(佛性).

본-비아물【本非我物】 [명] 뜻밖에 얻은 물건은 잃어버려도 과히 섭섭할 것이 없다는 말. 본비아토(本非我土).

본-비아토【本非我土】 [명] 본비아물(本非我物).

본사¹【本寺】 [명]〖불교〗 ①자기가 처음으로 출가(出家)하여 중이 된 절. ②본산(本山)❶. ③↗교구 본사(敎區本寺). ④이 절. 자기가 있는 절.

본사²【本社】 [명] ①지사(支社)에 대하여 주가 되는 회사. ↔지사(支社). ②이 회사. 당사(當社).

본사³【本事】 [명] ①근본이 되는 일. ②그 일. 이 일. 「를 일컫는 말.

본사⁴【本師】 [명]〖불교〗 근본이 되는 교사(敎師)라는 뜻으로, 석가 여래

본-사내【本―】 [명] ①〈속〉 본남편. ②샛서방이 있는 계집의 본디의 남편. 본부(本夫). 본서방(本書房).

본사-찬【本師讚】 [명]〖악〗 석가 세존(世尊)을 높이 예찬한 창사(唱詞). 처용무(處容舞) 둘째 회(回)에 미타찬(彌陀讚) 다음에 부름.

본산【本山】 [명]〖불교〗 ①일종(一宗) 또는 일파(一派)의 본종(本宗)이 되는 절. 각 말사(末寺)를 통할함. 해방 전에 우리 나라에는 31 본산이 있었음. 본사(本寺). *교구 본사(敎區本寺). ②자기가 있는 절. 이 절.

본-살【本―】 [명] 노름판 등에서 밑천으로 가졌던 본디의 돈. 흔히, 잃음을 셈할 때 쓰는 말. ――하다 [자][여불]

본상【本像】 [명] 본색(本色).

본상(을) 내:다 [구] 본색(本色)을 드러내다.

본새【本―】 [명] ①어떤 물건의 본디의 생김새. ¶ ~는 곱다. ②어떠한 짓이나 버릇의 됨됨이. ¶ 노밤이는 각골하인 ~로 네 소리를 길게 하고 밖으로 나갔다《洪命熹 : 林巨正》.

본색【本色】 [명] ①본디의 면목(面目). 또는 명색(名色). ¶ ~을 드러내다. ②본디의 형태나 형체(形體). 본상(本像).

본생【本生】 [명] ①↗본생가(本生家). ②〖불교〗↗본생경.

본생-가【本生家】 [명] 양자(養子)의 생가(生家). 소생가(所生家). [준]본생(本生)·생가(生家). ↔양가(養家).

본생-경【本生經】 [명]〔범 Jātaka〕〖불교〗 십이분경(十二分經)의 하나. 불타의 전생(前生)에 있어서의 보살(菩薩)로서의 행업(行業)을 서술한 불교 설화집(說話集). 여기에 나오는 설화(說話)는 문학·회화·조각 등의 제재(題材)가 됨. 사다가(闍多迦). [준]본생.

본생-담【本生譚】명〖민〗본풀이.

본생-도【本生圖】명〖불교〗명 부처가 과거 영겁(永劫)에 여러 가지 생을 얻어 보살도(菩薩道)를 행하였다는 본생경(本生經)을 제재(題材)로 한 그림. 중국·인도·서역의 유적에 많음.

본생 부모【本生父母】명 양자(養子) 간 사람의 생가의 부모. 본생친. ㊟생부모.

본생-친【本生親】명 본생 부모(本生父母).

본서¹【本書】명 ①주가 되는 문서(文書). ②정식(正式)의 문서. ③이 책. 또, 이 문서.

본서²【本署】명 ①지서(支署)·분서(分署) 또는 파출소에 대하여 주가 되는 관서(官署). 경찰서·소방서 같은 곳에서 일컬음. ↔분서·지서. ②이 서(署).

본서³【本誓】명〔범 samaya〕〖불교〗본원(本願).

본-서방【本書房】명 샛서방이 있는 계집의 본남편. 본사내.

본선¹【本船】명 ①주장이 되는 배. ②이 배.

본선²【本線】명 ①지선(支線)에 대하여 본 줄기가 되는 주된 선의 일컬음. 간선(幹線). ↔지선(支線)·분선(分線). ②직통 열차(直通列車)가 지나는 철도 선로. ¶ 경부 ~.

본선³【本選】명 예선(豫選)에 대하여 우승자를 결정하기 위한 최종 선발. ¶ ~에 진출하다.

본선 수령증【本船受領證】[—쯩] 명 본선 화물 수취증.

본선 수취증【本船受取證】[—쯩] 명〖해〗↗본선 화물 수취증.

본선 인도【本船引渡】명 에프 오 비(F.O.B.).

본선 인도 가격【本船引渡價格】[—까—] 명〖경〗에프 오 비(F.O.B.) 가격.

본선 화:물 수취증【本船貨物受取證】[—쯩] 명〔mate's receipt; M/R〕〖해〗화물의 선적(船積)이 끝난 직후 본선측(本船側)이 화물의 인수를 확인해 주기 위해 발행하는 증서. 엠 아르(M/R). ㊟본선 수취증.

본설【本說】명 ①근본이 되는 설(說). 근거가 되는 설. ②이 설(說).

본성¹【本姓】명 성(姓)을 고치기 이전에 본디 가졌던 성.

본성²【本性】명 본디부터 가진 성질. 본령(本領). 본질(本質). 성진(性眞). 실성(實性). 천성(天性). ¶ ~이 드러나다.

본성³【本城】명 ①중심이 되는 성(城). ② 이 성(城).

본세【本稅】명〖법〗부가세(附加稅)에 대하여 그 기본이 되는 세. 주세(主稅).

본소¹【本所】명 ①지소(支所)에 대하여 으뜸이 되는 사무소. ↔지소(支所)·분소(分所)·출장소(出張所). ②이 사무소.

본소²【本訴】명〖법〗①소송 참가(參加)의 신청·주참가(主參加)·반소(反訴) 또는 중간 확인의 소(訴)가 제기되었을 경우에 그 기인(基因)이 된 소송. ②지금 취급하고 있는 이 소송.

본수【本倅】명〖역〗본관(本官)❶❷.

본숭-만숭 부 건성으로 보는 체만하고 관심하여 보지 아니하는 모양. ¶ 사람을 보고도 ~한다. ——-하다 타여불

본쉬【本倅】명 본관¹❶❷.

본습【本習】명〖불교〗여태까지 익혀 배운 것. 습관적으로 몸에 밴 것.

본시【本是】㊀명 본디. 본래. ¶ ~가 그렇다면/~로 말하면. ㊁부 본디부터 이러하게. 원시(元是). ¶ ~ 곱던 얼굴. *본디.

본-시험【本試驗】명 ①예비 시험(豫備試驗)·임시(臨時) 시험·모의(模擬) 시험 등에 대(對)하여 주(主)되는 시험. 또, 실제의 시험. ②이 시험.

본식【本式】명 참된 법식. 정당한 방식. 본격(本格). 정식(正式).

본신【本身】명 ①본디의 신체(身體). 본디의 모습. ②그 신체. 자기 자신의 몸.

본실【本室】명 정실(正室)❶.

본심【本心】명 본마음. 마음. 저의(底意).

본안【本案】명 ①근본이 되는 안건(案件). 원안(原案). ②이 안건. ③〖법〗민사 소송법상 부수적(附隨的) 또는 파생적(派生的)인 사항에 대하여 주요하거나 중심이 되는 사항을 일컫는 말.

본안 판결【本案判決】명〖법〗민사 소송에서, 소(訴)에 의한 청구 또는 상소(上訴)에 의한 불복 주장의 당부(當否)를 판단하는 판결. 실질 판결. ↔소송(訴訟) 판결.

본안 판결 청구권설【本案判決請求權說】[—꿘—] 명〖법〗공법적 소권설(公法的訴權說)의 하나. 소권은 본안 판결을 요구하는 권리라고 인정하는 설.

본액【本額】명 본디의 돈 액수.

본업【本業】명 그 사람의 주되는 직업. 본직(本職). 주업(主業). ¶ 그는 의사가 ~이다. ↔부업(副業).

본연【本然】명 ①본디 그대로의 자연(自然). 인공(人工)을 가하지 아니한 자연. ②타고난 상태. 본디 생긴 그대로의 상태. ¶ ~의 자세.

본연지-성【本然之性】명 송유(宋儒)의 학설로서, 모든 사람이 본래부터 가지고 있는 착하고 평등한 천성(天性). ↔기품지성(氣稟之性).

본연-히【本然一】부 본디의 자연 그대로. 타고난 그대로.

본염【本塩】명 원염(原塩).

본엽【本葉】명〖식〗떡잎 뒤에 나오는 잎의 총칭. 또, 특수한 잎 밖의 보통의 잎. 그 매수(枚數)는 각기 일정한 생육 단계(生育段階)를 가리킴. 본잎.

본영¹【本影】명〖물·천〗본(本)그림자.

본영²【本營】명 총지휘자가 있는 군영(軍營). 본진(本陣).

본영-지【本營地】명 본영이 있는 곳.

본-예산【本豫算】[—녜—] 명 추가 경정 예산(追加更正豫算)에 대하여 처음 성립(成立)된 예산.

본원¹【本院】명 ①공보원·병원·학원 등의 분원(分院)에 대하여 으뜸이 되는 곳. ↔분원(分院). ② 자기가 관계하고 있는 원(院). 이 원(院).

본원²【本源】명 주장되는 근원. 본근(本根). 연원(淵源).

본원³【本願】명 ①본래의 소원. ②〖불교〗불(佛)·보살(菩薩)이 중생(衆生)을 교화하려고 과거세(過去世)에 발기(發起)한 서원(誓願). 본서(本誓).

본원 왕:생【本願往生】명〖불교〗부처의 서원(誓願)으로 구제를 받아, 극락에 왕생(往生)하는 일.

본원-적【本源的】명관 본원이 되는 모양.

본원적 소:득【本源的所得】명〖경〗임금·지대(地代)·이자·이윤 등과 같이 생산 활동에 종사함으로써 받게 되는 생산적인 소득.

본원적 축적【本源的蓄積】명〖경〗원시적 축적.

본원 통화【本源通貨】명〖경〗통화량(通貨量)의 증감(增減)의 원천이 되는 돈. 어느 시점(時點)의 화폐 발행고(貨幣發行高)와 지급 준비 예치금(支給準備預置金)의 합계로 표시됨. 고성능 통화(高性能通貨).

본월【本月】명 이 달.

본위【本位】명 ①본래의 자리. 근본의 위치. ②기본을 삼는 표준. 으뜸으로 삼는 것. ¶ 신용 ~/기술 ~. ③〖법〗한 나라의 화폐 제도(貨幣制度)의 기준. ¶ 금~/~ 화폐.

본위 기호【本位記號】명〔natural〕〖악〗'제자리표'의 한자 이름.

본위 상속【本位相續】명〖법〗상속인과 피상속인 사이에 아무런 개재자(介在者)를 두지 않고 자기의 본래의 순위로써 하는 상속. ↔대습(代襲) 상속·재전(再轉) 상속.

본위-음【本位音】명〖악〗'제자리음'의 한자 이름.

본위 제:도【本位制度】명〔standard system〕〖경〗한 나라의 통화의 본위(本位)에 관한 질서(秩序) 또는 체계(體系). 은본위 제도·금본위 제도·금은 복본위 제도의 세 가지로 대별됨.

본위-주의【本位主義】[—/—이] 명〖경〗화폐 제도에서, 어떤 금속을 화폐 가치의 표준으로 삼는 주의.

본위-화【本位貨】명〖경〗↗본위 화폐(本位貨幣).

본위 화:폐【本位貨幣】명〔standard money〕〖경〗한 나라의 화폐 제도의 기초를 이루는 화폐. 법률에 의하여 강제로 통용되는 힘이 부여되어 무제한으로 지불 능력을 가지며 명목 가격(名目價格)과 지금(地金)의 가격과를 일치시키어 각 화폐의 기준으로 하는 화폐. 원위화(原位貨). ㊟본위화. ↔보조(補助) 화폐.

본유【本有】명 ①본래부터 있음. 타고나면서부터 가지고 있음. ②〖불교〗사유(四有)의 하나. 나면서부터 죽을 때까지의 몸. 본래유(本來有). *사유(死有). ——-하다 형여불

본유 관념【本有觀念】명〔innate ideas〕〖철〗경험에 의하여 얻어지는 것이 아니고 나면서부터 가지고 있는 선천적(先天的)인 관념. 데카르트(Descartes)·라이프니츠(Leibniz)는 이러한 관념의 존재를 역설하였으나 로크(Locke)는 이것을 반대하였음. 생득 관념(生得觀念). ↔습득 관념(習得觀念)·외래 관념(外來觀念).

본유-적【本有的】명관〖철〗나면서부터 가지고 있는 모양. 생득적.

본-읍【本邑】명 ①본군(本郡)❶. ②이 고을의 읍.

본의¹【本衣】[—/—이] 명 보늬.

본의²【本意】[—/—이] 명 ①본래의 마음. 본래의 의사. 본회(本懷). ②진정한 마음. 근본의 뜻. 진정한 소망. 본정(本情). 본뜻. 저의(底意). ¶ ~는 아니나 이렇게 할 수밖에 없다/내 ~는 그게 아니었다.

본의³【本義】[—/—이] 명 ①진정한 뜻. 진짜 의미. ②근본의 뜻. 본지(本旨). 원의(原義). 근본의(根本義).

본-이름【本—】[—니—] 명 가명이나 변명(變名)에 대한 본디 이름. 본명(本名).

본인【本人】명 ①이야기하는 사람이 자기 스스로를 가리키는 말. ②당사자(當事者). 장본인(張本人). ¶ ~의 자백.

본인 소송【本人訴訟】명〖법〗민사 소송에 있어서 당사자가 변호사를 소송 대리인으로 의뢰하지 아니하고 자기가 직접 소송 행위를 하는 일. ↔변호사 소송.

본일【本日】명 오늘. 이날. 금일(今日).

본-임자【本—】[—님—] 명 본디부터의 임자. 본주(本主).

본-잎【本—】[—닙] 명〖식〗본엽(本葉).

본자【本字】명 약자(略字)·속자(俗字)·고자(古字) 등에 대하여 해서체에서 기본으로 삼는 한자.

본적¹【本迹】명〖불교〗①본지(本地)와 수적(垂迹). ②법화경(法華經)의 본문(本門)과 적문(迹門).

본적²【本籍】명〖법〗①↗본적지(本籍地). ②그 사람의 호적이 있는 처소(處所). 원적(原籍). 정적(正籍).

본적 이:문【本迹二門】명〖불교〗법화경(法華經)을 해설함에 있어서 그 28품(品)의 전반(前半)을 적문(迹門), 후반(後半)을 본문(本門)이라 하여 이것을 총괄(總括)해서 본적 이문이라 함.

본적-지【本籍地】명〖법〗본적이 있는 곳. 관적(貫籍). 원적지(原籍地). ㊟본적(本籍). ↔현주소(現住所).

본전¹【本殿】명 신령(神靈)을 봉안(奉安)하는 전당(殿堂).

본전²【本傳】명 ①그 사람의 전기(傳記). ②기본이 되는 전기(傳記).

본전³【本錢】명 ①이자를 붙이지 아니한 본래의 액수. 밑천. 본금(本金). 원금(元金). ②본밑천의 돈. 자본금. 모재(母財). ¶ ~치기/밑져야 ~. ③본값. ¶ ~에 팔다. 1)-3):㊟본(本).

본전도 못: 찾다 구 일한 결과가 아무런 보람도 없을 뿐더러 도리어 하지 아니한 것만 못하다는 말.

본점【本店】명 ①영업의 본거지가 되는 점포. ¶ ~ 근무. ↔지점·분점(分店)·출장소. ②자기가 관계하고 있는 점포. 또, 이 상점. 본포(本鋪). 당점(當店). ↔타점(他店).

본정【本情】명 본래의 참된 심정. 본마음. 본의(本意).

본-정신【本精神】명 본래 가지고 있는 건전한 정신. 제정신. ¶~으로 돌아오다.

본제¹【本第】명 고향에 있는 본집. ¶ ~ 입납(入納).

본제²【本題】명 ①근간(根幹)이 되는 제목(題目)·과제. ②본래의 제목. ↔개제(改題). ③이 제목.

본제 입납【本第入納】명 자기 집에 편지할 때에 겉봉 표면에 자기 이름을 쓰고 그 밑에 쓰는 말.

본조【本朝】명 ①현존하는 왕조(王朝). ②자기의 나라. 자기 나라의 조정(朝廷). 아조(我朝). 국조(國朝). 본방(本邦).

본존【本尊】명〖불교〗①주세불(主世佛). ②석가 모니불을 주불로 이르는 말. 석가 모니불.

본존-상【本尊像】명 법당에 모신 부처 중 가장 으뜸되는 부처의 상. 본전 불상.

본종¹【本宗】명 동성(同姓) 동본(同本)의 일가붙이.

본종[2] 【本種】 명 본디부터 그 땅에서 생긴 종자. 재래종(在來種).

본죄 【本罪】 명 ①『법』 법에 규정된 죄명. ②『천주교』 각 개인이 지은 죄. *원죄(原罪). ③『기독교』 사람이기에 날 때부터 타고난 모든 죄. 원죄(原罪). ④이 죄.

본주 【本主】 명 소유자(所有者). 본임자.

본-줄기 【本一】 명 근본이 되는 줄기. 본간(本幹).

본증[1] 【本症】 명 본병(本病).

본증[2] 【本證】 명 『법』 주장 책임(主張責任)을 지는 당사자가 그의 주장 사실을 입증하기 위하여 제출하는 증거. ↔반증(反證)❷❸.

본-증거금 【本證據金】 명 『경』 매매 증거금의 하나. 증권 회사가 거래소에 납부하는 기본 증거금.

본증 명 〈옛〉 증명. 증거. ¶能히 비취요미 ᄃᆞ외며 본증이ᄃᆞ외오(能爲鑑爲證)《楞嚴 Ⅷ:109》.

본증ᄒᆞ다 타 〈옛〉 증거대다. 증거잡다. ¶어루 본증ᄒᆞᆫ 後에ᅀᅡ 니ᄅᆞ며(可驗而後言)《內訓 Ⅰ:86》.

본지[1] 【本旨】 명 ①근본이 되는 취지. 본의(本義). ②본래의 취지. ③『불교』 진종(眞宗).

본지[2] 【本地】 명 ①자기가 사는 그 땅. 이 땅. 당지(當地). ②『불교』 불보살(佛菩薩)이 중생 제도(衆生濟度)를 위해 임시로 나타난 수적신(垂迹身)에 대해, 그 진실신(眞實身)인 불보살을 이름.

본지[3] 【本紙】 명 ①신문지·문서 등의 주되는 부분의 지면(紙面). ↔부록(附錄). ②자기가 관계하고 있는 신문. 이 신문. ¶~의 애독자.

본지[4] 【本誌】 명 ①자기가 관계하고 있는 잡지. 이 잡지. ②별책·부록 등의 상대되는 말로 잡지의 중심이 되는 책. ↔부록.

본지-문 【本地門】 명 『불교』 과거·현재·미래에 걸쳐 상주하는 법신(法身)으로서 이지(理智)의 법성을 구비하고, 일체의 인과 만덕(因果萬德)을 두루 갖춘 방면(方面). 대일 여래(大日如來)의 자성 법신(自性法身)을 말함. *가지문(加持門).

본-지사 【本支社】 명 ①본사와 지사. ②이 지사(支社).

본직 【本職】 ㊀명 ①겸직(兼職)이 아닌 실직(實職). ②주되는 직업. 본업(本業). ¶그의 ~은 목수이다. ③이 직업. ㊁인대 관리의 자칭(自稱). *본관(本官).

본진[1] 【本陣】 명 『군』 본영(本營).

본진[2] 【本震】 명 어느 지역에서 속발(續發)하는 지진 경과(地震經過) 가운데, 가장 규모가 큰 지진을 이름. 전진(前震)과 여진(餘震)에 상대되는 말임.

본질[1] 【本疾】 명 본병(本病).

본질[2] 【本質】 명 ①본바탕. ②본래부터 갖고 있는 사물 독자(獨自)의 성질. 어떤 사물의 개념에 있어서 필연적이고 불가결한 속성(屬性). 본성(本性). ③『철』 변화 무쌍한 현상적 존재에 대하여, 이와 같은 현상으로서 스스로 나타나면서 그 자신은 항상 현상의 배후(背後)나 내부에 잠재(潛在)하는 항상적(恒常的) 존재. 본체(本體). 존재. ↔현상·실존. ④『철』 어떤 사물이 현재 존재하고 있다는 사실에 대하여 그것이 '무엇'이냐고 하는 규정(規定).

본질-적 【本質的】 [—쩍] 명관 본질에 관한 모양. 본질 그대로인 모양. ¶~으로 틀리다.

본질적 속성 【本質的屬性】 [—쩍—] 명 『철』 일정한 사물이나 또는 그 개념에 있어서, 없어서는 아니 될 징표(徵表)의 총체(總體). ↔우유적(偶有的) 속성.

본질 직관 【本質直觀】 명 〔도 Wesenserschauung〕 『철』 독일의 철학자 후설(Husserl)의 현상학(現象學) 용어. 어떤 사물을 비교 상기(想起)하여 인식하는 것이 아니고, 감성(感性)으로 현상을 직관하여 사물의 본질을 인식하는 일. 이데아화(Idea化). 범주적 직관(範疇的直觀).

본질-학 【本質學】 명 〔도 Wesenswissenschaft〕 『철』 사실을 취급하지 아니하고 본질을 취급하는 학문. 대상의 본질을 취급하는 것을 존재학(存在學), 의식의 본질을 취급하는 것을 현상학(現象學)이라 함. 형상학(形相學).

본-집 【本一】 명 자기 집. 본가(本家).

본찰 【本刹】 명 『불교』 한 종(宗), 한 파(派)의 말사(末寺)를 통할하는 절. ¶신라 선종(禪宗)의 ~.

본처[1] 【本妻】 명 정실(正室)❶. ¶~ 소생(所生).

본처[2] 【本處】 명 본고장❷.

본처 목사 【本處牧師】 명 『기독교』 감리교회(監理敎會)에서, 휴직(休職) 중에 있는 목사.

본척-만척 부 본체만체. ——-하다 타여불

본청 【本廳】 명 ①지청(支廳)에 대하여 근본이 되는 기관. ②자기가 소속해 있는 청. 또, 이 청. 당청(當廳).

본청 군관 【本廳軍官】 명 『역』 조선 시대 총융청(摠戎廳)의 장교(將校)의 하나.

본체 【本體】 명 ①사물의 정체(正體). 정체. ②본바탕. ③〔noumenon〕 『철』 현상적 사물(現象的事物)의 근저(根底)에 있는 초감성적 실재(超感性的實在). 감성적(感性的)으로 지각(知覺)하지 못하고 오직 이성적 사유(理性的思惟)에 의해서만 파악할 수 있는 존재. 순수 사유(純粹思惟) 또는 지적 직관(知的直觀)의 대상임. 본질(本質). 존재. 이체(理體). 누메논. ↔현상. ④『불교』 실상(實相).

본체-계 【本體界】 명 본체의 세계. 현상 세계의 근본이 되는 세계임. ↔현상계(現象界).

본체-론 【本體論】 명 『철』 존재론(存在論). ↔현상론(現象論).

본체론적 증명 【本體論的證明】 명 『철』 존재론적 증명(存在論的證明).

본체-만체 부 보고도 아니 본 체. 본척만척. ¶사람을 보고도 ~한다. ——-하다 타여불

본초[1] 【本初】 명 시초(始初). 근본.

본초[2] 【本哨】 명 『군』 여러 초소(哨所)를 통할(統轄)하는 주장되는 초소.

본초[3] 【本草】 명 ①나무와 풀. ②『한의』 〔중국에서 신농씨(神農氏) 이래, 약은 풀로써 근본을 삼았던 데서 나온 말로〕 한방(韓方)에서 약재(藥材)나 약학(藥學)을 일컫는 말.

본초-가 【本草家】 명 『한의』 본초의 약성(藥性)을 연구하는 사람. 곧, 한약학(韓藥學)을 연구하는 사람. 또, 그 지식이 많은 사람.

본초 강목 【本草綱目】 명 『책』 본초학(本草學)의 연구서(硏究書). 흙·옥(玉)·돌·초목(草木)·금수(禽獸)·충어(蟲魚) 등 1892 종을 7항목에 걸쳐 해설하였음. 명(明)나라의 이시진(李時珍)이 지음. 52권, 1590년에 냄.

본초류-함 【本草類函】 명 『책』 각 병증(病症)에 대하여 유효한 약성(藥性)을 각 부문별로 나누어 저술한 책. 조선 정조(正祖) 때의 안정복(安鼎福)의 저서. 모두 22권 14책. 장서각(藏書閣)에 자필(自筆)로 된 것이 보존되어 있음.

본초-불 【本初佛】 명 〔범 ādi-buddha〕 『불교』 인도의 후기(後期) 불교에서 사상·신앙의 중심이 된 만물의 근원으로서의 부처. 추상적인 신격(神格)으로 명확한 속성(屬性)이 없고 문수(文殊) 보살·보현(普賢) 보살 등의 형태를 빌어서 나타나는 수가 많음.

본초 자오선 【本初子午線】 명 〔prime meridian〕 『지』 지구상의 경도(經度) 측정의 기준으로 삼는 자오선. 영국의 그리니치 천문대(Greenwich天文臺)를 통과하는 자오선을 0°로 함.

본초-학 【本草學】 명 중국 고래(古來)의 식물학·약물학(藥物學).

본촌 【本村】 명 ①갈라져 나간 마을에 대하여 주가 되는 마을. ②자기가 사는 촌. 이 마을.

본-치 명 남의 눈에 띄는 태도.

본칙 【本則】 명 ①원칙(原則). ②『법』 법령(法令)의 본체(本體)가 되는 부분. ↔부칙(附則).

본태 【本態】 명 본래의 모습. 진실한 형태. 실태(實態). ¶~성 고혈압.

본태-성 【本態性】 [—썽] 명 『의』 원인 불명의 증상 또는 질환에 대하여 일컫는 말. 본태성 고혈압증·본태성 저단백혈증(低蛋白血症) 따위.

본태성 고혈압증 【本態性高血壓症】 [—썽—] 명 〔essential hypertension〕 『의』 원인이 되는 기초 질환이 명확하지 않은 고혈압증. 고혈압 환자의 70-80%를 차지함. 유전 경향이 강하며, 식염 섭취량이 많은 지역은 환자 발생의 빈도가 높음.

본택 【本宅】 명 →본댁❶.

본토 【本土】 명 ①자기가 사는 그 고장. ¶~박이. ②섬이나 속국에 대하여 주되는 국토(國土). ¶~ 수복 운동.

본토-박이 【本土一】 명 대대로 그 땅에 나서 붙박이로 사는 사람. ㊥토박이. *토착민.

본토-불 【本土弗】 명 미국 정부에 의해서 발행되는 미국의 정화(正貨). *군표(軍票).

본토-인 【本土人】 명 ↗본토지인.

본토-종 【本土種】 명 토종(土種).

본토지-민 【本土之民】 명 본토지인(本土之人).

본토지-인 【本土之人】 명 대대로 그 고장에서 붙박이로 사는 사람. 본토인. 본토지민.

본통-령 【本通嶺】 [—녕] 명 『지』 경상 남도 함양군(咸陽郡)과 산청군(山淸郡) 사이에 있는 재. [171m]

본판 【本板】 명 본바탕.

본포[1] 【本圃】 명 묘종·묘목을 옮겨 심을 밭.

본포[2] 【本鋪】 명 ①어떤 특정한 상품의 제조 판매(製造販賣)를 주관하는 점포. ②본점(本店). ③자기의 점포. 이 점포.

본-풀이 【本一】 명 『민』 〔'본(本)을 푼다'는 뜻〕 신(神)의 내력담. 곧, 신의 일대기(一代記)를 말하는 것으로서, 제의(祭儀)를 받는 대상신(對象神)의 해설이며, 동시에 신의 강림을 비는 청배가(請拜歌)이기도 함. 본생담(本生譚).

본피 목숙전 【本彼苜蓿典】 명 『역』 신라 시대 목숙전의 하나. 왕경 육부(王京六部)의 하나인 본피부(本彼部)에 있었음.

본피-부 【本彼部】 명 『역』 신라 시대 경주 육부(六部) 중의 하나. 석씨(昔氏) 출신이 중심이 된 조직체였을 것으로 생각됨.

본행 【本行】 명 ①자기가 관계하는 은행(銀行). 이 은행. ②『불교』 성불(成佛)의 인(因)이 되는 근본의 행법(行法). 제불(諸佛)의 성불 이전의 수행(修行).

본행 집경 【本行集經】 명 『책』 불본행 집경.

본향 【本鄕】 명 본디의 고향. 관향(貫鄕).

본향-다리 【本鄕一】 명 『민』 제주도에서 부락 수호신인 본향신(本鄕神)을 위하는 제차(祭次). 큰굿 때 문전 본풀이 다음의 제차로, 본향당(本鄕堂) 신을 청하여 대접하고 소원 성취를 빌어 보냄.

본향-당 【本鄕堂】 명 『민』 제주도에서, 부락의 수호신을 모신 신당(神堂).

본향 안치 【本鄕安置】 명 『역』 조선 시대에, 죄인을 그의 고향에다 거주 제한하던 유형(流刑).

본-허울 【本一】 명 사물의 근본이 되는 꼴. 기본 형태.

본:-헤드 〔미 bonehead〕 명 야구 등에서 멍청하고 서투른 경기.

본형[1] 【本刑】 명 『법』 판결(判決)로써 선고(宣告)된 주형(主刑).

본형[2] 【本形】 명 본디의 모양. 밑꼴. 원형(原形).

본회[1] 【本會】 명 자기가 속하는 회. 이 회.

본회[2] 【本懷】 명 속마음. 본마음. 본의(本意).

본-회의 【本會議】 [—/—이] 명 ①전원이 참가하는 본식(本式)의 회의. 위원회의 회의에 상대하여 일컫는 말. ¶제90차 ~. ②이 회의.

본회의 중심주의 【本會議中心主義】 [—/—이—이] 명 『정』 모든 안건의 심의를 본회의가 중심이 되어 심의·표결하는 주의. 여론(輿論)이 정확히 반영되는 반면에 시간의 낭비, 전문적 지식의 결여로 인한 심의의 불완전 등의 해점(害點)이 없지 않음. 영국의 의회 제도는 이에 따르고 있음. ↔위원회 중심주의.

볼[1] 명 〔근대 : 볼〕 ①뺨의 한 복판. ¶~을 붉히다. ②좁고 기름한 물건의 너비. ¶발의 ~이 넓다. ③버선 밑바닥의 앞뒤에 대는 헝겊 조각. ¶버선~. ④연장의 날을 벼릴 적에 덧대는 쇳조각.

볼[2] 명 〈방〉 벌(경남·전남).

볼:[3] 〔ball〕 명 ①공. 구(球). ②야구에서, 스트라이크가 아닌 투구(投球).

볼:[4] 〔ball〕 명 무도회(舞蹈會).

볼:[5] 〔Ball, John〕 명 『사람』 영국의 성직자. '최고의 권위는 성경(聖經)에 있다'고 하는 위클리프(Wycliffe)의 설(說)을 주장함. 워트 타일러(Wat Tyler)의 난(亂)을 선동하여 처형됨. '아담이 밭갈이하고 이브가 베 짰을 때 누가 지주(地主)였던가'라는 그의 말은 유명함. [?-1381]

볼:[6] 〔bowl〕 명 ①서양 요리 등에서 사용하는, 안이 깊은 식기(食器). 특히, 조리(調理)할 때 재료를 섞거나 개는 데 쓰임. ②볼링에 쓰는 공.

직경 21.5 cm, 무게 3.6-7.3 kg. 에보나이트 합성 수지로 만듦.
볼가 강【一江】〔Volga〕[명]〖지〗러시아 연방의 서부를 흐르는 유럽 제일의 강. 발다이 구릉(Valdai 丘陵)에서 발원하여 카스피 해로 들어감. 유역(流域)에는 고리키 호(Gor'ki 湖) 등 많은 인공호(人工湖)가 있으며 수력 발전이 성함. 또, 볼가 발트 해 운하와 볼가 돈 운하가 통해 러시아에서의 하천(河川) 교통의 대동맥을 이룸. 하구(河口)에는 광대한 삼각주가 발달되었음. [3,895 km]
볼가 강의 뱃노래【一江一】〔Volga〕[—/—에—] [명]〖악〗러시아의 민요(民謠). 작곡자 미상. 볼가 강을 거슬러 올라가는 배를 강안(江岸)에서 줄로 끄는 인부들의 노래.
볼가 돈 운하【一運河】[명]〔Volgo-Donskoi Kanal〕〖지〗볼가 강(Volga 江)과 돈 강(Don 江)을 연결하는 운하. 1952년에 개통하였음. 댐이 셋, 갑문(閘門)이 열 셋임. [101 km]
볼-가심 [명]〔볼의 안쪽 곧 입 속을 겨우 가시는 정도라는 뜻〕아주 적은 음식으로 시장기를 면하는 일. ——-하다 [자][여불]
볼가 우랄 유전【一油田】〔Volga-Ural〕[—류—] [명] 러시아 연방 볼가 강(江) 중류와 우랄 산맥 사이에 있는 대유전. 현재의 러시아 연방 총 산유량(總產油量)의 반 이상을 차지하며, 볼가 강의 수운(水運)과 송유관을 통해서 각지로 보내지고 있음.
볼가지 [명]〈방〉벌레(전남).
볼가-지다 [자] ①요리조리 밀리어 톡톡 비어지다. ②위로 둥글게 솟아오르다. ③숨겨졌던 물건이 불쑥 튀어 나오다. 1)-3):＜불거지다.
볼각-거리다 [타] ①질긴 물건을 입에 가득 물고서 연해 씹다. ②빨래 같은 것을 힘주어 자꾸 주물러서 빨다. ＜불걱거리다. **볼각-볼각** [부]. ——-하다 [자][여불]
볼각-대다 [타] 볼각거리다.
볼강-거리다 [자] 물건이 단단하거나 질겨 잘 씹히지 아니하고 요리조리 볼가지다. ＜불겅거리다. **볼강-볼강** [부]. ——-하다 [자][여불]
볼강-대다 [자] 볼강거리다.
볼강-스럽다 [형][ㅂ불] 어른 앞에서 버릇없고 불경(不敬)한 태도가 있다. ＜불경스럽다. **볼강-스레** [부]
볼개 [명]〈방〉콩팥❷(함남).
볼-거리 [명]〖한의〗풍열(風熱)로 말미암아 볼 아래에 생기는 종기. 자시(痄腮). 탑시종(搭顋腫).
볼견-부【一見部】[—껸—] [명] 한자 부수(部首)의 하나. '規'나 '覺' 등의 '見'의 이름.
볼고그라드〔Volgograd〕[명]〖지〗러시아 연방의 중공업 도시. 볼가 강 하류에 면하고 볼가-돈 운하(Volga-Donskoi 運河)의 기점에 있는 하항(河港)임. 트랙터·야금·정유·조선 등의 공업이 성함. 1961년까지 스탈린그라드(Stalingrad)로 불리었음. 2차 대전 때의 격전지. [988,000 명 (1987)]
볼고-짝 [명]〈방〉볼기짝(강원).
볼그대대-하다 [형][여불] 좀 야하게 볼그스름하다. ＜불그데데하다.
볼그댕댕-하다 [형][여불] 볼품없게 볼그스름하다. ＜불그뎅뎅하다.
볼그레-하다 [형][여불] 곱다랗게 볼그스름하다. ＜불그레하다.
볼그름-하다 [형][여불] ↗볼그스름하다. ㅆ뽈그름하다. ＜불그름하다. **볼그름-히** [부]
볼그무레-하다 [형][여불] 아주 얕게 볼그스름하다. ＜불그무레하다.
볼그속속-하다 [형][여불] 수수하게 볼그스름하다. ＜불그숙숙하다.
볼그-스레 [부] 볼그스름하게. ㅆ뽈그스레. ＜불그스레. ——-하다 [형][여불]
볼그스름-하다 [형][여불] 오붓한 태깔로 좀 붉다. [준]볼그름하다. ㅆ뽈그스름하다. ＜불그스름하다. **볼그스름-히** [부]
볼그족족-하다 [형][여불] 고르지 못하고 좀 칙칙하게 볼그스름하다. ㅆ뽈그족족하다. ＜불그죽죽하다.
볼근-거리다 [자][타] 좀 질기고 단단한 물건이 입안에서 지그시 자꾸 씹히다. 또, 좀 질기고 단단한 물건을 입안에 넣고 지그시 자꾸 씹다. ＜불근거리다. **볼근-볼근** [부]. ——-하다 [자][타][여불]
볼근-대다 [자] 볼근거리다.
볼긋-볼긋 [부] 여기저기 점점이 붉은 모양. ㅆ뽈긋뽈긋. ＜불긋불긋. ——-하다 [형][여불]
볼긋-하다 [형][여불] 약간 붉은 듯하다. ＜불긋하다.
볼:기 [명]〔근대 : 볼기〕①〖생〗뒤쪽 허리 아래 허벅다리 위 좌우 쪽으로 살이 두둑한 부분. 둔부(臀部). ②〈속〉태형(笞刑).
볼:기(를) 때리다 [구] ☞볼기치다.
볼:기(를) 맞다 [구] 볼기를 두들겨 맞다. 형벌로 볼기침을 당하다.
볼:기(를) 치다 [구] 볼기를 때리다. 형벌로 볼기를 때리다.
볼:기-긴살 [명] 소의 볼깃살에 붙은 길쭉한 고깃덩이. 구이나 산적 등에 씀. [준]긴살.
볼:기-지느러미 [명]〖어〗뒷지느러미.
볼:기-짝 [명] 볼기의 좌우 두 짝.
볼:기짝 얼레 [명] ①기둥 두 개만으로 된, 네모지지 아니하고 납작한 얼레. 어린 아이들이 연 날릴 때 흔히 씀. ②〈속〉견지.
볼:기-채 [명] 볼기칠 때 쓰는 채찍.
볼:기-치기 [명]〖역〗태형(笞刑)·장형(杖刑) 등과 같이 범법자에게 교정(矯正)을 목적으로 볼기에 매질이 가해지는 행위. 볼기 때리기.
볼-꼴 [명] 남의 눈에 비치는 겉 모양.
볼꼴(이) 사:납다 [구] ㉠남이 보기에 그 꼴이 언짢다. ㉡모양이 없고 흉하다. ㉢행동이 망측하고 밉살스럽다.
볼꼴 좋:다 [구] 볼꼴 사나운 것을 야유해서 이르는 말.
볼끈 [부] ①불쑥 떠오르는 모양. ②오뚝 솟아 내미는 모양. ③주먹에 힘을 주어 꼭 쥐는 모양. ④성을 왈칵 내는 모양. 1)-4):＜불끈.
볼끈-거리다 [자] 소견이 좁아 걸핏하면 성을 잘 내다. ＜불끈거리다. **볼끈-볼끈** [부]. ——-하다 [자][여불]
볼끈-대다 [자] 볼끈거리다.
볼끼 [명] 겨울에 쓰는 방한구(防寒具)의 하나. 가죽이나 헝겊 조각에 솜을 두어 기름하게 접어 만들어서 두 뺨을 얼러 싸매게 됨.

〈볼끼〉

볼낯 없:다 [—란업—] [구] 얼굴을 대할 면목이 없다. ¶그 형님을 볼낯이 없는 고로 심히 애울하게 지내는 터인데 《崔瓚植:金剛門》.
볼다지 [명]〈방〉뾰루지.
볼-달다 [타] 닳아서 무디어진 연장에 쇳조각을 덧붙이어 벼리다.
볼-도가지 [명]〈방〉볼때기(함남).
볼-되다 [형] ①힘에 벅차서 어렵다. ②죄어치는 힘이 억세다.
볼-두가지 [명]〈방〉볼때기(함남).
볼:드〔bold〕[명]〖인쇄〗↗볼드페이스(boldface).
볼:드윈¹〔Baldwin, James〕[명]〖사람〗미국의 흑인 작가. 뉴욕 태생. 17세 때 문학에 뜻을 두고 할렘을 탈출하여, 유럽에서 자전적 장편 《산(山)에 올라 고백하라》를 씀. 소설 《조반니의 방》·《또 하나의 나라》, 평론집 《다음은 불이다》, 희곡 《백인(白人)에의 블루스》등 흑인인 자신을 바탕으로 현대 세계의 심부(深部)에 파고드는 다채로운 활동으로 젊은이들의 지지를 받음. [1924-87]
볼:드윈²〔Baldwin, James Mark〕[명]〖사람〗미국의 사회 심리학자(社會心理學者). 진화론적(進化論的)인 입장에서 아동 심리의 연구로부터 출발하여 발달 심리학·사회 심리학·교육 심리학을 개척하고, 듀이(Dewey) 등에 큰 영향을 주어 미국 사회 심리학의 기초를 세움. 저서는 《아동과 민족의 정신적 발전》 등. [1861-1934]
볼:드윈³〔Baldwin, Stanley〕[명]〖사람〗영국의 정치가. 보수당 출신 수상(首相). 1921년 처음 입각(入閣), 1923년 이래 두 번 수상이 되어 산업 진흥·노동 조합법 개정·실업 구제 등에 힘을 기울임. [1867-1947]
볼:드-페이스〔boldface〕[명]〖인쇄〗영문자(英文字)에 있어서 보통의 활자체보다 선이 굵은 체. 곧, 고딕으로 된 영문 활자체. [준]볼드.
볼:딩〔Boulding, Kenneth Ewart〕[명]〖사람〗미국의 경제학자. 영국 리버풀 출생으로, 옥스퍼드 대학 졸업. 1967 년 콜로라도 대학 교수가 됨. 1941 년에 간행한 《경제 분석》은 새뮤얼슨의 《경제학》과 함께 큰 영향력을 가진 교과서임. 학제적(學際的) 관심이 강하여 사회 과학의 여러 학문을 종합하는 일반 이론을 제창했으며, 주저로 《토털 시스템》·《경제 정책의 원리》·《경제학을 초월하여》 등이 있음. [1910-93]
볼-따구 [명]〈방〉볼때기(경기·황해·평안).
볼-따구니 [명]〈속〉볼때기.
볼-따구지 [명]〈방〉볼때기.
볼-따기 [명]〈방〉볼때기.
볼-딱찌 [명]〈방〉볼때기(전남).
볼-때기 [명]〈속〉볼¹❶.
볼-또가지 [명]〈방〉볼때기(함경).
볼똥-거리다 [자] 걸핏하면 핏대를 올려 얼굴이 볼록해지면서 성을 내다. ＜불뚱거리다. **볼똥-볼똥** [부]. ——-하다 [자][여불]
볼똥-대다 [자] 볼똥거리다.
볼-뚜가지 [명]〈방〉볼때기(함경).
볼락 [명]〖어〗〔*Sebastes inermis*〕양볼락과에 속하는 바닷물고기. 몸은 길이 20-30 cm, 모양은 방추형이고, 원추형 주둥이는 끝이 뾰족하며 눈이 아주 큼. 몸빛은 생활 장소와 물 깊이에 따라 변화가 심한데, 회갈색이 가장 많고, 회적색 등도 있으며, 체측에 대여섯 줄의 불분명한 검은 가로띠가 있음. 온해성 근해(近海) 어종으로 태생하는데, 한국 및 일본에 분포함. 맛이 좋음. 천징어. 두부어(杜父魚). 황요어(黃鰤魚).

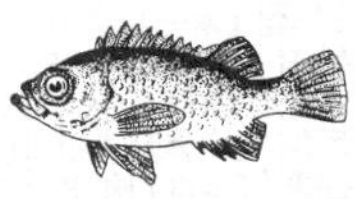
〈볼락〉

볼란테〔이 volante〕[명]〖악〗'나는 듯이 가볍게'·'경쾌하게'의 뜻.
볼:러〔bowler〕[명] 직업으로서 볼링을 하는 사람. ¶여성 ~.
볼런티어〔volunteer〕[명] ①자원자(自願者). ②지원병. 의용병. ③〖사〗사회를 보다 낫게 하기 위하여, 자기의 기능(技能)과 시간을, 스스로 무보수로 제공하는 사람.
볼런티어 운:동【一運動】〔volunteer〕[명]〖사〗사람이나 재정상(財政上) 곤란을 받고 있는 사회 사업 단체에서, 지원(志願) 또는 자진하여서 노력(勞力)이나 재화를 원조해 줄 사람을 널리 구하는 운동.
볼레〔프 volée〕[명] 발리(volley)❶.
볼레-괴불나무 [—라—] [명]〖식〗〔*Lonicera monantha*〕인동과의 낙엽 활엽 관목. 수(髓)는 백색이고, 잎은 넓은 달걀꼴 또는 타원형이며 뒷면에 털이 있음. 여름에 꽃이 액생(腋生)하여 꽃꼭지 위에 하나씩 달리며, 타원형의 장과(漿果)가 8월에 빨갛게 익음. 깊은 산의 숲속에 나는데, 평북·함남·함북의 장백산(長白山)에 분포하는 특산종임. 과실은 먹기도 함.
볼레-나무 [명]〖식〗〔*Elaeagnus pungens*〕보리수나뭇과에 속하는 상록 활엽 관목. 높이 2 m 가량이고 줄기에 가시가 있으며 긴 타원형의 잎은 두껍고, 가장자리는 파상(波狀)을 이루는데, 표면은 녹색에 광택이 나며, 뒷면에는 은색(銀色)의 인편(鱗片)이 밀생함. 11월에 두세 개의 흰 꽃이 액생(腋生)하여 피고, 타원형의 장과(漿果)는 다음해 4-5월에 홍색으로 익음. 해안의 난지(暖地)에 나는데, 전남 및 일본 중부 이남·대만·중국 남부에 분포함. 과실은 식용함. 보리장나무. ＊보리수나무.

〈볼레나무〉

〈볼레로❷〉

볼레로 〔스 bolero〕 명 ①〖악〗 스페인의 민속(民俗) 무용. 또, 그 무곡(舞曲). 18세기에 일어난 것인데, 3/4 박자의 쾌활한 곡으로, 흔히 캐스터네츠(castanets)로써 특징이 있는 리듬을 반주함. ②여성들이 입는 짧은 재킷. 앞에 단추를 달지 아니하는 스페인 고유(固有)의 옷임.

볼로냐 〔Bologna〕 명 〖지〗 이탈리아 북부, 롬바르디아(Lombardia) 평원 남쪽 끝에 있는 상공업 도시. 금속·기계·화학·식품 가공 등의 공업과 인쇄·출판업이 성함. 11세기에 창립된 볼로냐 대학, 13세기의 궁전이 있음. 중세에는 유럽에 있어서의 학문의 중심지(中心地)였음. [442,307 명 (1984 추계)]

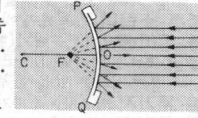

볼로냐 대학 【一大學】 〔Bologna〕 명 이탈리아의 볼로냐에 있는 국립 대학. 11세기에 법학을 강의하는 일반 연구소로 개설되었으며, 12세기에 대학으로 공인됨. 살레르노(Salerno) 대학·파리 대학과 함께 대표적인 중세 대학으로 유럽 최고(最古)임. 현재 법학·정치학·경제학·문학·교육학·의학·수학·물리학·화학·공학·약학·농학·수의학(獸醫學) 등의 각 학부(學部)가 있음.

볼로미:터 〔bolometer〕 명 〖물〗 복사(輻射) 에너지의 측정에 사용하는 일종의 저항 온도계. 얇은 백금박(白金箔)에 복사 에너지를 받아 온도 상승(上昇)에 의한 전기 저항의 증가를 휘트스톤 브리지로 측정함.

볼록 부 통통하게 겉으로 쏙 내밀어 있는 모양. <불룩.

볼록-거리다 자타 튀길 힘이 있는 물건이 켕기면서 연해 내밀었다 들어갔다 하다. 또, 그렇게 되게 하다. <불룩거리다. 볼록-볼록 부. ——하다 자타여불

볼록 거울 명 ①돋보기의 알. ②〖물〗 반사면이 볼록한 구면경(球面鏡). 비친 물체와 반대 쪽에 작고 정립(正立)된 허상(虛像)이 생김. 자동차의 백미러 등에 이용됨. 볼록 면경. 볼록 반사경. 철면경. ↔오목 거울.

F. 허초점 C. 구심
PQ. 볼록거울 CO. 거울축
〈볼록 거울❷〉

볼록-날 명 〖고고학〗 날을 이루는 선이 볼록하게 두드러진 돌연장 따위의 날.

볼록 다각형 【一多角形】 명 〖수〗 어느 내각(內角)이나 다 180° 보다 작은 각으로 되어 있는 다각형. 철다각형(凸多角形). ↔오목 다각형.

볼록 다면체 【一多面體】 명 〖수〗 다면체의 하나. 어떤 면을 연장해도 그 내부를 통하지 않는 다면체. 철(凸)다면체.

볼록 단일 폐:곡선 【一單一閉曲線】 명 〖수〗 단일 폐곡선의 내부의 어떤 두 점을 이은 선분도 이 폐곡선과 만나지 않는 곡선.

볼록-대다 자타 볼록거리다.

볼록 렌즈 〔lens〕 명 〖물〗 가운데가 볼록하게 도드라진 렌즈. 현미경·사진기·망원경 등을 만드는 데에 쓰임. 광속(光束)을 수렴(收斂)함. 철렌즈(凸lens). ↔오목 렌즈. *돋보기.

볼록면-경 【一面鏡】 명 볼록 거울. 철면경(凸面鏡).

볼록 반:사경 【一反射鏡】 명 〖물〗 볼록 거울❷. ↔오목 반사경.

볼록-이 부 볼록하게. <불룩이.

볼록 집합 【一集合】 명 〖수〗 철집합 (凸集合).

볼록-판 【一版】 명 〖인쇄〗 볼록 내민 부분에 잉크가 묻어서 인쇄되는 인쇄판의 총칭. 목판(木版)·활판(活版) 같은 것. 철판(凸版). ↔오목판.

볼록판 인쇄 【一版印刷】 명 철판(凸版) 인쇄.

볼록-하다 형여불 통통하게 겉으로 쏙 내밀어 있다. <불룩하다.

볼록 함:수 【一函數】 【一쑤】 명 철함수(凸函數).

볼:-룸 〔ballroom〕 명 무도실(舞蹈室). 무도장(舞蹈場).

볼륨 〔volume〕 명 ①양(量). 분량(分量). ②〖수〗 부피. 용적(容積). ③〖악〗 음량(音量). ¶ ~이 풍부한 음성. ④〖미술〗 미술품의 평면적이 아닌 입체적 효과에서 오는 중량(重量)의 느낌. 양감(量感).

볼르다 타 〈방〉 바르다[1](전라).

볼리바르 〔Bolívar, Simón〕 명 〖사람〗 남미의 혁명가. 베네수엘라 태생으로 혁명 운동에 참가, 1817년 혁명군 사령관이 되어 스페인군을 격파하고 1819년 대(大)콜롬비아 공화국을 건설, 초대 대통령이 됨. 또, 페루·볼리비아의 독립을 완성시킴. 남미 제국(諸國)의 해방자로 불림. [1783-1830]

볼리비아 〔Bolivia〕 명 〖지〗 남아메리카 중부의 공화국. 1825년 스페인으로부터 독립함. 산지에는 각종 광산이 많고 특히 주석(朱錫)은 세계적으로 유명함. 가톨릭교를 국교로 하며, 주민은 인디오(Indio)와 스페인계의 백인 및 양자의 혼혈종으로 이루어지며, 스페인어를 사용함. 법적인 수도는 수크레(Sucre)인데 정부 소재지는 라파스(La Paz)임. 정식 명칭은 볼리비아 공화국(Republic of Bolivia). [1,098,581 km²: 7,610,000 명 (1991 추계)]

볼리아이 〔Bolyai〕 명 〖사람〗 '보여이'를 독일어 음으로 읽은 이름.

볼:링 〔bowling〕 명 실내 경기의 하나. 경기자는 한 손에 에보나이트(ebonite) 따위로 만든 지름 약 20 cm의 공을 가지고, 약 18 m 앞에 삼각형으로 줄지어 세운 높이 38 cm의 나무 핀(pin) 10개를 겨누어 레인(lane) 위로 굴려서 많이 쓰러뜨리는 쪽이 이김. 목구(木毬) 경기. 십주희(十柱戲).

볼리 명 〈옛〉 본래(本來). ¶ 볼리고(固) 《類合 下 59》.

볼만-장만 부 보기만 하고 참견하지 아니하는 모양. ——하다 자여불

볼만-하다[1] 자여불 보기만 하고 시비를 가려 참견하지 아니하다.

볼만-하다[2] 형여불 보아서 이로운 점이 있을 듯하다. 보암직하다.

볼-망데기 명 〈방〉 볼때기(제주).

볼-맞다 자 ①서로 손이 맞다. ②낫고 못함이 없이 비슷하여 서로 걸맞다.

볼-맞추다 타 서로 꼭 맞게 하다. 걸맞게 하다.

볼-메다 형 성낸 태도가 있다.

볼멘-소리 명 성이 나서 퉁명스럽게 하는 말투.

볼모 명 〔중세 : 볼모〕 ①약속을 이행하겠다는 담보로 물건을 전당 잡혀 두는 일. ②한 나라가 다른 나라에 대하여 침략하지 아니할 약속의 담보로 왕자를 그 나라에 맡겨 두던 일. 유질(留質). 인질.

[볼모로 앉았다] 볼모로 간 사람처럼 일은 아니하고 가만히 앉아 있기만 한다.

볼모(를) 잡다 구 볼모로 잡다.

볼모 잡히다 구 ㉠볼모로 잡히다. ㉡볼모를 잡게 하다.

볼모 드리다 〈옛〉 구 ①볼모 잡히다. ②전당(典當)잡히다. ¶ 朝會ᄒᆞ고 도라와 나날 보빗 오솔 볼모 드리고 (朝回日日典春衣) 《杜諺 XI : 19》.

볼-모양 【一貌樣】 명 외관상의 형태.

볼: 밀 〔ball mill〕 명 〖기〗 대체로 수평인 원통 안에 원료와 수많은 철제(鐵製)·플린트제(flint 製) 등의 분쇄 매체(粉碎媒體)를 넣어 적당한 속도로 회전시키면서 충격·마찰 등에 의하여 분쇄하는 장치. 분쇄 용기가 크고, 작업이 간단하며 분쇄 능률도 크기 때문에 가장 보편적으로 사용되고 있는 공업용 미분쇄기(微粉碎機)임. 건식(乾式)과 습식(濕式)이 있음. 넓은 뜻으로는 텀블링 밀(tumbling mill)이라고 부름. *로드 밀(rod mill).

〈볼 밀〉

볼-받다 타 해진 버선의 앞뒤 바닥에 헝겊을 덧대고 깁다.

볼-받이 [一바지] 명 해진 곳에 볼받은 버선.

볼: 밸브 〔ball valve〕 명 〖기〗 모양이 둥근 판(瓣). 물통 따위의 아가리를 막아 물의 유출(流出)을 조절함.

볼: 베어링 〔ball bearing〕 명 점접촉(點接觸)을 이용하여 마찰을 감소시키는 축받이의 하나. 굴대와 축받이 사이에 몇 개의 강구(鋼球)를 넣어 회전축을 받침. 고속도 회전에 적당함. ↔롤러 베어링(roller bearing).

볼보 〔Volvo〕 명 스웨덴의 볼보 회사가 제작한 승용차의 상표명. 빙설지(氷雪地)의 주행에 적합한 안전성과 튼튼한 차체로 알려짐.

볼복스 〔volvox〕 명 ①〖동·식〗 볼복스류(volvox 類)에 속하는 생물의 총칭. ②〖동〗 ↗볼복스 글로바토르.

볼복스-과 【一科】 〔volvox〕 [一꽈] 명 〖동〗 [Volvocidae] 볼복스류에 속하는 원생(原生) 동물의 한 과.

볼복스 글로바토르 명 〖동〗 [*Volvox globator*] 볼복스과(volvox 科)에 속하는 원생(原生) 동물의 하나. 단세포로 된 2,000-20,000개 가량의 개체(個體)가 속이 빈 구형(球形)의 한천질(寒天質) 피막(皮膜) 표면에 규칙적으로 나열되어, 군체(群體)를 형성한 것으로, 그 직경은 400-800μ 내외임. 각 개체는 달걀꼴인데 두꺼운 점질초(粘質鞘)로 싸이고 길이가 같은 두 개의 편모(鞭毛), 한 개의 컵 모양의 엽록체, 한 개의 안점(眼點), 둘 또는 수 개의 공포(空胞)가 있음. 주로 무성 생식, 드물게 단위 생식(單爲生殖)으로 낭군체(娘群體)를 형성하여 모군체(母群體)에서 분리함. 봄·여름에 번식하고 물 속에서 동면(冬眠)함. 연못·논 등에 서식함. 준볼복스.

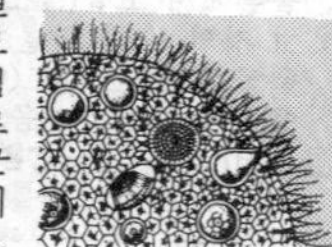

〈볼복스 글로바토르〉

볼복스-류 【一類】 〔volvox〕 명 [Volvocina] ①〖동〗 편모충류(鞭毛蟲類)에 속하는 원생(原生) 동물의 한 목(目). 볼복스과(科)가 이에 속함. ②〖식〗 녹조류(綠藻類)에 속하는 식물의 한 목(目). 원생 동물의 볼복스와 공통성이 많아 편모가 있고, 단세포로서 동물과 식물의 중간 형태를 나타냄. 원조류(圓藻類).

볼-붙임 [一부침] 명 〈방〉 볼받이.

볼-비빔 명 사랑스러워 볼을 대고 비비는 짓.

볼-뻬 명 〈방〉 광대뼈(함경).

볼세나 호 【一湖】 〔Bolsena〕 명 〖지〗 이탈리아 북부, 로마 서북 약 80 km 지점에 있는 화산호(火山湖). 호분(湖盆)은 거의 원형에 가까움. 지름이 11-13 km, 면적 114.5 km², 평균 수심(水深) 78 m, 최대 수심 146 m. 어류(魚類)가 풍부하며 호안(湖岸)에서 포도·올리브가 재배됨.

볼셰비즘 〔러 Bolshevism〕 명 ①볼셰비키의 주의. 곧, 레닌에 의하여 발전된 제국주의와 프롤레타리아 혁명 시대에 있어서의 마르크스주의. ②과격한 혁명 운동 또는 과격주의. ↔멘셰비즘.

볼셰비키 〔러 Bolsheviki〕 명 〔다수파(多數派)의 뜻〕 ①〖사〗 러시아 사회 민주 노동당 정통파(正統派)의 별칭. 1903년에 열린 동당(同黨)의 제 2 차 대회에서 당원의 자격 문제로 레닌의 혁명적 의견과, 플레하노프(Plekhanov)의 온건적인 의견이 서로 대립되었을 때, 레닌파가 다수이었으므로 볼셰비키라 하였음. 볼셰비키는 드디어 1912년에 조직적으로 독립한 정당이 되고, 1917년에는 2월 및 10월 혁명을 주동(主動)하여 정권을 잡고, 1918년 3월 당대회에서 당명을 정식으로 러시아 공산당으로 고치었음. ②과격한 혁명주의자 또는 과격파. ↔멘셰비키(Mensheviki).

볼소 부 〈방〉 벌써(전라·경상·함경).

볼쇼이 극장 【一劇場】 명 〔러 Bol'shoi Teatr〕 러시아 모스크바에 있는 극장. 오페라·발레 극장으로 유명하며, 전속 가수·오케스트라·발레단(團)이 있음.

볼시로 부 〈방〉 벌써(경남).

볼쌔 부 〈방〉 벌써(경남).

볼써 부 〈방〉 벌써(전남·경남).

볼-썽 명 남에게 보이는 체면 또는 예모(禮貌). ¶ 이번 주일의 첫 장이다. 그러므로 웬만하면 입회가 다소간 긴장이 되겠지만 절기가 절기라 놔서 ~없이 쓸쓸하다 《蔡萬植 : 濁流》.

볼썽(이) 사:납다 구 ㉠체면 또는 예모가 없어서 보기에 언짢다. ㉡볼품이 없어 흉하다.

볼쏙 부 ①갑자기 쏙 내미는 모양. ②앞뒤 생각 없이 함부로 말을 하는 모양. 1)·2): <불쑥.

볼쏙-거리다 자 ①평평한 바닥의 군데군데가 톡톡 비어져 나오다. ②연

해 볼쏙 말하다. 1)·2):<불쑥거리다. 볼쏙-볼쏙 부. ——-하다 자여불

볼쏙-대다 자 볼쏙거리다.

볼쏙-이 부 볼쏙하게. <불쑥이.

볼쏙-하다 형여불 평평한 바닥이 톡 비어져 있다. <불쑥하다.

볼씨[1] 명 디딜방아나 물방아의 쌀개를 받치는 나무나 돌.

볼씨[2] 부 〈방〉 벌써(전라).

볼: 엄파이어 〔ball umpire〕 명 야구에서, 구심(球審). 주심(主審).

볼-연지 【一臙脂】 명 화장(化粧)할 때 볼에 바르는 연지.

볼-우물 명 보조개❶.

볼음-도 【乶音島】 명 『지』 경기도의 서해상(西海上), 강화군(江華郡) 서도면(西島面) 볼음도리(乶音島里)에 위치한 섬. 주문도(注文島)의 서북쪽 2km 해상에 있음. [5.99 km² : 622 명(1984)]

볼:-일 [—릴] 명 해야 할 일. 보아야 할 일. 소간(所幹). 소간사(所幹事). ¶ 무슨 ~이오.

볼-작시면 [—짝—] 부 본다고 할 것 같으면.

볼장 다: 보다 [—짱—] 구 ①일이 뜻대로 되지 않다. 틀어지다. ②끝나다.

볼-제비 명 〈방〉 『동』 다람쥐.

볼-조개 명 〈방〉 보조개❶.

볼-좁이 명 〈심마니〉 『동』 다람쥐.

볼 쥐어지르다 구 볼을 냅다 주먹으로 내지르다.

볼째기 명 〈방〉 뺨(함경).

볼찌 명 〈방〉 볼끼.

볼찐 부 〈방〉 볼끈.

볼차노[1] 〔Bolzano〕 명 『지』 이탈리아 북부의 도시. 아디제 강(Adige江)과 이사르코 강(Isarco江)의 합류점 근방에 있어 교통의 요지이며 돌로미티 알프스(Dolomiti Alps)의 등산 기지(登山基地). 중세에는 시장 거리로 번창하였으며 근세에는 알프스 횡단로상(橫斷路上)의 군사적 요지였음. [101,151 명(1987)]

볼차노[2] 〔Bolzano, Bernhard〕 명 『사람』 오스트리아의 철학자·수학자. 논리(論理)를 심리(心理)와 준별(峻別)하여 오늘날의 순(純)논리주의를 창시함. 브렌타노와 함께 독일·오스트리아 학파의 시조로 불림. 주저는 《지식학(知識學)》. [1781-1848]

볼츠만 〔Boltzmann, Ludwig〕 명 『사람』 오스트리아의 물리학자. 그라츠(Graz)·빈·뮌헨 각 대학의 교수를 역임. 기체 분자 운동론(氣體分子運動論)·통계 역학(統計力學)의 대성자(大成者)임. 기체 분자의 에너지 등배분(等配分) 법칙을 정립, 맥스웰(Maxwell)의 속도 분포 법칙을 확률론에서 도출(導出)함. 엔트로피(entropy)를 열역학적 확률의 함수라고 정의, 슈테판-볼츠만(Stefan-Boltzmann)의 법칙을 열역학적으로 도출함. 오스트발트(Ostwald) 등의 에너지론(論)에 대립하여 원자론의 입장을 주장하였음. [1844-1906]

볼츠만 상수 【一常數】 명 〔Boltzmann's constant〕 『물』 볼츠만이 엔트로피(entropy) S를 열역학적 확률 W로부터 정의한 관계식 $S=k\log_e W$에 나타나는 보편 상수(普遍常數) k를 이름. 기체 상수를 아보가드로 수(Avogadro數)로 나눈 것과 같음. $k=1.38054\times10^{-16}\,\mathrm{erg\cdot deg^{-1}}$. 통계 역학에서 극히 중요함.

볼치[1] 명 〈방〉 본치.

볼치[2] 명 〈방〉 볼때기(제주).

볼:치[3] 〔Balch, Emily〕 명 『사람』 미국의 여류(女流) 경제학자·사회학자. 웰즐리(Wellesley) 대학 교수를 거쳐 국제 여성 평화 동맹의 국제 관계 사무를 관장, 1936년 그 명예 회장에 취임. 1946년 모트(Mott, J.R.)와 함께 노벨 평화상을 수상함. [1867-1961]

볼: 카운트 〔ball count〕 명 야구에서, 한 타자(打者)에 대하여, 투수가 던진 공의 스트라이크와 볼(ball)의 수(數).

볼칵-거리다 타 진흙이나 반죽 같은 지직한 물건을 자꾸 밟거나 주무르다. <불컥거리다. 볼칵-볼칵 부. ——-하다 타여불

볼칵-대다 타 볼칵거리다.

볼케이노 〔volcano〕 명 화산(火山). 활화산(活火山).

볼타 〔Volta, Alessandro〕 명 『사람』 이탈리아의 물리학자. 처음 기체의 성질을 연구, 전기 쟁반과 검전기(檢電器)를 발명하였고, 1800년경 볼타 전지(volta電池)를 발명하여 처음으로 정상적(定常的)인 전류를 얻음. [1745-1827]

볼-타구니 명 〈방〉 볼때기(경기·제주).

볼타-미:터 〔voltameter〕 명 『물』 전량계(電量計).

볼타의 법칙 【一法則】 [— / —에—] 명 〔Volta's law〕 『물』 동일 온도 아래 두 가지 이상의 금속을 직렬(直列)로 연결하였을 때, 그 양단(兩端)에 생기는 접촉 전위차(電位差)는 양단에 쓴 금속을 직접 접촉시켰을 때에 생기는 접촉 전위차와 같다는 법칙. 볼타(Volta, A.)가 발견함.

볼타의 열 【一列】 [— / —에—] 명 〔Volta series〕 두 가지 금속을 서로 접촉시키면 이들 사이에 접촉 전위차(接觸電位差)가 생기는데, 여러 종류의 금속에 대하여 이것을 되풀이하면 +로 더 많이 대전(帶電)하는 금속으로부터 −로 더 많이 대전하는 금속의 순서가 정하여지며, 이 순서에 따라 세운 금속의 열을 일컬음. Zn·Cd·Sn·Pb·W·Fe·Bi·Sb·Cu·Ag·Au·Tl·Pt·Pd의 차례.

볼타 전:지 【一電池】 명 〔Voltaic cell〕 『물』 ①묽은 황산(黃酸)을 전해액(電解液)으로 하여 그 속에 구리판(板)과 아연판(亞鉛板)을 양극(兩極)으로 세워서 만든 전지. 구리가 양극(陽極)이 되고, 아연이 음극(陰極)이 되는데, 기전력(起電力)은 약 1볼트 정도임. 1800년 볼타가 최초로 발명하였음. ②일반적으로, 화학 전지(化學電池)의 일컬음.

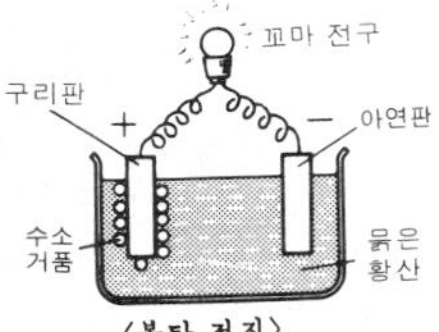

〈볼타 전지〉

볼-탁서니 명 〈방〉 볼때기(제주).

볼-탁찌 명 〈방〉 볼때기(강원).

볼-태가지 명 〈방〉 볼때기(함남).

볼-태기 명 〈방〉 볼때기(경기·강원·충청·전라·경상·제주).

볼-탱이 명 〈방〉 볼때기(경기·경상).

볼턴 〔Bolton〕 명 『지』 잉글랜드 북서부의 도시. 면(綿)·양모(羊毛)·인견(人絹) 공업의 중심지. 제강(製鋼)·기계 공업도 행하여짐. 맨체스터까지 운하가 통함. [261,000 명(1981)]

볼-테기 명 〈방〉 볼때기(전라·경상).

볼테:르 〔Voltaire〕 명 『사람』 프랑스 계몽기(啓蒙期)의 대표적인 문학자·사상가. 본명은 François Marie Arouet. 영국·독일 등지를 왕래, 시·극시(劇詩)·풍자적인 우의 소설(寓意小說), 철학적인 수필과 풍자 논문, 역사 저술 등의 다방면에 걸친 활동으로 그의 명성은 전유럽에 퍼지고, 각국에서 당대 최고의 예지(叡智)로서 추앙되었음. 시종 전제 정치를 공격, 백과 전서(百科全書) 사업을 적극 원조하였으며, 특히 신교(信敎)의 자유를 위해 헌신적 노력을 함. 소설 《캉디드(Candide)》는 대표작이며 논문집 《철학 사전》 등의 저서가 있음. [1694-1778]

볼-텡이 명 〈방〉 볼때기(충청).

볼-토가지 명 〈방〉 볼때기(함경).

볼-통 명 〈방〉 뺨(함경).

볼통-거리다 자 자주 성을 내며 퉁명스러운 말을 하다. <불퉁거리다.

볼통-대다 자 볼통거리다.

볼통-볼통 부 ①군데군데 둥근 것이 험상궂게 톡톡 비어진 모양. ②걸핏하면 보로통하여 퉁명스러운 말을 함부로 하는 모양. 1)·2):<불퉁불퉁. ——-하다 형여불

볼통-스럽다 형ㅂ불 말에 볼통볼통한 태도가 있다. <불퉁스럽다. 볼통-스레 부

볼-통이 명 〈방〉 볼때기(함남).

볼통-하다 형여불 ①둥근 것이 톡 비어져 있다. ②걸핏하면 보로통하여 퉁명스러운 말을 함부로 하다. 1)·2):<불퉁하다. 볼통-히 부

볼-투가지 명 〈방〉 볼때기(함경).

볼-퉁이 명 볼때기.

볼트[1] 〔bolt〕 명 『공』 두 물체를 죄거나 접합(接合)하는 데 쓰이는 공구(工具)의 하나. 금속으로 만든 둥근 막대기의 한 끝에 사각이나 육각의 머리가 있고, 다른 끝에는 수나사가 달려 있음. 보통은 너트(nut)와 함께 쓰이는데, 나사 구멍에 틀어넣기도 함.

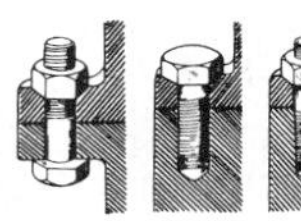
〈볼트1〉

볼트[2] 〔vault〕 명 둥근 천장. 고대 로마에서 완성되어 널리 퍼짐. 특히 중세 고딕 건축에서는 역학적(力學的)으로나 미적 관점에서나 중요한 몫을 차지함. 궁륭(穹窿).

볼트[3] 〔volt〕 의명 『물』 〔이탈리아의 물리학자 볼타의 이름에서 딴 말〕 전위차(電位差)·전압 및 기전력(起電力)의 실용 단위(單位). 1볼트는 1옴의 전기 저항을 가지는 도체(導體) 중에 1암페어의 전류를 통하였을 때 그 도체의 양쪽 끝에 생기는 전위차. 약호는 V.

볼트-미터 〔voltmeter〕 명 『물』 전압계(電壓計).

볼트-암미터 〔voltammeter〕 명 『물』 전압 전류계(電壓電流計).

볼트-암페어 〔voltampere〕 의명 『물』 피상 전력(皮相電力)을 측정하는 실용 단위. 1볼트의 전압으로 1암페어의 전류가 흐름을 1볼트암페어라 함. 직류(直流) 전류에서는 언제나 와트와 같음. 기호는 VA.

볼:티모어[1] 〔Baltimore〕 명 『지』 미국 동부 메릴랜드 주 중앙부의 대공업 도시. 제철·조선(造船)·화학·정유(精油) 등의 중공업이 성하며 대서양안(大西洋岸) 4대 무역항의 하나임. 1729년에 창건된 유명한 존스 홉킨스(Johns Hopkins) 대학이 있음. 시명(市名)은 메릴랜드 주 창설자의 이름을 기념한 것임. [736,014 명(1990)]

볼:티모어[2] 〔Baltimore, David〕 명 『사람』 미국의 의학자. 매사추세츠 공과 대학 암(癌)연구소 미생물학 교수. 암 바이러스와 세포의 유전 물질과의 상호 작용에 관한 연구로 1975년 둘베코(Dulbecco, R.), 테민(Temin, H.M)과 함께 노벨 생리 의학상(生理醫學賞) 수상. [1938-]

볼: 펜 〔ball pen〕 명 필기구의 일종. 펜대 끝에 작은 강철 알을 끼워 운필(運筆)에 따라 회전하게 하여, 축내(軸內)의 원통 세관(細管)으로부터 풀 모양의 오일 잉크(oil ink)를 내어 쓰는 펜. 작은 알에는 텅스텐강(鋼)·크롬강 등이 쓰이며, 1888년 미국에서 발명된 것을 개량하였음. 볼포인트 펜(ball-point pen).

볼펜 명 〈방〉 볼[1].

볼:포인트 펜 〔ball-point pen〕 명 볼 펜(ball pen).

볼: 폭탄 【一爆彈】 〔ball〕 명 『군』 미군이 월남전용(越南戰用)으로 개발했던 산탄형(散彈形)의 폭탄. 한 개의 폭탄 속에 수많은 강구(鋼球)가 들어 있어 살상(殺傷) 효과가 큼.

볼-품 명 겉으로 드러나는 볼 만한 모습.

볼품-없다 [—업—] 형 겉으로 보기에 초라하다.

볼품-없이 [—업씨] 부 겉으로 보기에 초라하게.

볼프[1] 〔Wolf, Hugo〕 명 『사람』 오스트리아의 작곡가. 슈베르트(Schubert)·슈만(Schumann)을 이은 최대의 가곡 작곡가의 한 사람으로, 특히 피아노의 선율 구사에 뛰어났으며, 《뫼리케(Mörike) 가곡집》 등 많은 가곡을 지었음. [1860-1903]

볼프[2] 〔Wolf, Max Franz Joseph Cornelius〕 명 『사람』 독일의 천문학자. 소행성(小行星)의 탐구에 사진을 응용하여 많은 소행성을 발견, 그 밖에 신성(新星)·암흑 성운(暗黑星雲) 등을 발견하고 은하의 본질을 해명함. [1863-1932]

볼프[3] 〔Wolf, Rudolf〕 명 『사람』 스위스의 천문학자. 1864년 취리히 천문대장. 1849년 태양 흑점의 양을 나타내는 '볼프 흑점수(黑點數)'를

고안, 1852년 흑점과 지구 자기(地球磁氣)의 관련을 발견함. [1816-93]

볼프[4] [Wolff, Christian von] 명 『사람』 독일 계몽기(啓蒙期)의 대표적 철학자·수학자. 철학적인 독창보다는 이의 논리화(論理化)와 체계화(體系化)에 공헌하였으며, 당시의 대학 용어인 라틴어(Latin語)를 배척하고 독일어를 사용한 점 등 국민적 각성을 촉구, 칸트 이전의 독일 학계를 지배하였음. 저서 《논리학》·《존재론》 등이 있음. [1679-1754]

볼프[5] [Wolff, Kaspar Friedrich] 명 『사람』 독일의 해부학자·생리학자. 발생학(發生學)에 큰 공적을 남김. *볼프관·볼프체. [1733-94]

볼프-관【一管】 [Wolff] 명 『생』 볼프체로부터 나와서 배설구(排泄口)에 열리는 관. 척추 동물에 있어서 발생 초기에 요(尿)의 도관(導管)으로서 형성된, 중신 수관(中腎輸管)의 일부 또는 전부가 발달해서 된 수컷의 부속 생식 기관의 원기(原器). 수컷에 있어서는 이것이 더 분화(分化)해서 수정관(輸精管)이나 저정 낭(貯精囊)이 됨.

볼프람 [도 Wolfram] 명 『화』 텅스텐(tungsten).

볼프람-강【一鋼】 [도 Wolfram] 명 텅스텐(tungsten)을 섞은 강철. 굳기가 크므로 다른 철물의 절단(切斷) 등에 사용함. 텅스텐강.

볼프람 철광【一鐵鑛】 [도 Wolfram] 명 텅스텐의 주요한 광석. 철·망간·텅스텐·산소 등으로 이루어짐. 단사정계(單斜晶系)로 판상(板狀)·주상(柱狀)·엽상(葉狀)·괴상(塊狀) 등을 나타냄. 암갈색 또는 흑색으로 금속 광택이 있음. 안료 제조에 씀. 철망간 중석(鐵 mangan 重石).

볼프람 폰 에셴바흐 [Wolfram von Eschenbach] 명 『사람』 독일의 중세 궁정 시인. 천진 난만한 자연아(自然兒)가 기사(騎士)의 이상상(理想像)으로 성장하는 고난의 길을 노래한 2만 5천행(行)의 서사시 《파르치발(Parzivai)》은 독일 최초의 교양 소설이기도 함. [1170?-1220?]

볼프스부르크 [Wolfsburg] 명 『지』 독일 니더작센 주(Niedersachsen 州)의 도시. 미텔란트(Mittelland) 운하에 따라 발달한 도시. 소형 자동차로 유명한 폴크스바겐(Volkswagen) 공장이 있음. [121,951명(1987)]

볼프-체【一體】 [Wolff] 명 『생』 원시적인 신장(腎臟). 하등 척추 동물은 평생토록 기능이 지속되나, 파충류(爬蟲類)·조류(鳥類)·포유류(哺乳類)에서는 퇴화하여 후신(後腎)이 대리함. 원신(原腎). 중신(中腎).

볼프-페라리 [Wolf-Ferrari, Ermanno] 명 『사람』 이탈리아의 작곡가. 《신데렐라》를 위시해서 많은 오페라를 만듦. 희극이 많고, 유명한 《마돈나의 보석》 만이 비극임. [1876-1948]

볼프 흑점수【一黑點數】 [Wolf] 명 『천』 태양 흑점의 출현도(出現度)를 나타내는 수. 흑점군(群)의 수의 10배와 각 흑점의 수와의 합(合)에 비례함. 스위스의 천문학자 볼프가 고안하였음.

볼:플로:트 액면계【一液面計】 명 [ball-float liquid-level meter] 액면(液面)과 더불어 위아래로 오르내리는 부구(浮具)가 지침(指針)을 움직여서 탱크나 그 밖의 용기(容器) 속의 액량(液量)을 재게 된 계기.

볼-호령【一號令】 명 볼멘 소리로 거만하게 하는 꾸지람. *불호령.

봄 명 [중세 : 봄] 1년 네 철의 첫째 철. 대략 입춘부터 입하 전까지의 동안을 일컬음. 음력으로는 정월·2월·3월, 기상학(氣象學)적으로는 양력 3월·4월·5월을 북반구(北半球)의 봄으로 치고, 천문학에서는 춘분(春分)부터 하지(夏至)까지를 이름. *겨울·여름.

[봄 꽃도 한때] 부귀 영화(富貴榮華)도 한때뿐이라는 말. [봄 꿩이 제 바람에 놀란다] 자기가 한 일에 자기가 놀람을 이르는 말. [봄 꿩이 제 울음에 죽는다] 제 허물을 제가 드러냄으로써 남이 알아본다는 말. [봄 닭띠는 자식이 흥왕한다] 닭띠로서 봄에 나면, 자식이 많다 하여 이르는 말. [봄돈 칠 푼은 하늘이 안다] 농촌에서는, 봄에는 돈이 매우 귀하다는 말. [봄 떡은 들어앉은 샌님도 먹는다] 봄에는 누구나 군것질이 반갑다는 말. [봄 방 추우면 맏사위 달아난다] 봄철에 방 추운 것이 견디기 힘들다는 말. [봄 보지가 쇠저를 녹이고, 가을 좆이 쇠판을 뚫는다] 봄에는 여자가, 가을에는 남자가 춘정(春情)이 높아진다는 말. [봄 불은 여우 불이라] 봄에는 무엇이나 잘 탄다 하여 이르는 말. [봄 사돈은 꿈에도 보기 무섭다] 접대(接待)에 있어서 사돈간이 가장 어려운 터이므로 춘궁시(春窮時)인 봄에 사돈을 만남을 꺼려함을 이르는 말. [봄 조개 가을 낙지] 봄에는 조개, 가을에는 낙지가 제철이라는 뜻. 전하여, 제때를 만나야 제구실을 한다는 뜻. [봄 첫 갑자일(甲子日)에 비가 오면 백리중(百里中)이 가문다] 봄 들어 첫 번째 갑자날에 비가 오면 오래도록 가물 징조라는 말.

봄 백양(白羊) 가을 내:장(內藏) 구 봄에는 백양산 비자나무 숲의 신록(新綠)이, 가을에는 내장산의 단풍이 절경이라는 말.

봄을 타다 구 봄철에 입맛이 없어 잘 먹지 못하고 몸이 쇠약해지다.

봄-가물 [一까一] 명 봄철에 드는 가뭄. 춘한(春旱).

봄-가을 명 봄과 가을. 춘추(春秋).

봄-갈이[1] 명 『농』 봄철에 논밭을 가는 일. 춘경(春耕). ↔가을갈이. ——하다 타여불

봄-갈이[2] 명 ↗봄갈이팥.

봄갈이-팥 명 껍질은 희고 속이 붉은 팥의 한 가지. 준봄갈이.

봄-고치 명 봄누에가 만든 고치.

봄-굼벵이벌 명 『충』 [*Tiphia vernalis*] 굼벵이벌과에 속하는 곤충. 몸길이 8.5-11mm이며 몸은 흑색이고 날개는 암색 반투명임. 풍뎅이의 유충에 기생하는데, 한국·일본·중국에 분포함. 검금치레벌.

봄-나들이 명 봄철에 가까운 곳에 잠시 외출함. 또, 그 외출. ——하다 자여불

봄-날 명 봄철의 날. 봄철의 날씨. 춘일(春日).

봄-낳이 [一나一] 명 봄에 짠 무명.

봄-내 부 한 봄철 동안 내내.

봄-노래 명 봄을 주제로 한 노래.

봄놀다 자 〈옛〉 뛰놀다. =봄뇌다. ¶ 봄놀 샹(翔), 봄놀 고(翺) 《字會 下 6》/ 믌겨리 드위부치니 거믄 龍ㅣ 봄놀오(濤翻黑蛟躍) 《杜諺 I :49》.

봄-놀이 명 봄철의 놀이. 춘유(春遊). ——하다 자여불

봄놀이다 타 〈옛〉 뛰놀리다. 뛰놀게 하다. ¶ 似量이 나비 므스물 봄놀이 고(似量騰於猿心) 《圓覺 序 64》.

봄뇌다 자 〈옛〉 뛰놀다. =봄놀다. ¶ 봄뇌야 닫고질ᄒᆞ야 묻는양 ᄒᆞ신대(踊躍築埋) 《內訓 Ⅲ:12》. 「躍無量」《佛頂 下 10》.

봄뇌욤 자 〈옛〉 뛰놂. '봄뇌다'의 명사형. ¶ 깃거 봄뇌요미 그지업서(踊

봄-누에 명 봄에 치는 누에. 춘잠(春蠶). ↔가을누에.

봄-눈 명 봄에 오는 눈. 춘설(春雪).

봄눈 녹듯 한다 구 '봄눈 슬듯 한다'와 같은 뜻.

봄눈 슬듯 한다 구 ㉠오래 가지 아니하고 이내 슬어 없어진다는 말. ㉡먹은 것이 금방 소화되어 내린다는 말.

봄-동 명 봄에 나오는 어린 배추.

봄-맞이[1] 명 봄을 맞아서 베푸는 놀이. 또, 봄을 맞는 일. ——하다 자여불

〈봄맞이〉

봄-맞이[2] 명 『식』 [*Androsace saxifragaefolia*] 앵초과에 속하는 일년초. 높이 10cm 내외, 모용(毛茸)이 있으며, 꽃줄기는 족생(簇生)하여 곧게 뻗음. 심장형의 근생엽(根生葉)은 족생하고, 장병(長柄)인데, 가에는 무딘 톱니가 있음. 4-5월에 흰 오판화(五瓣花)가 산형(繖形) 화서로 3-10개 피고, 둥근 삭과(蒴果)에는 잔 씨가 들어 있음. 들에 나는데, 한국·일본 등지에 분포함. 봄맞이꽃.

봄-물 명 봄이 되어 얼음이나 눈이 녹아서 흐르는 물. 춘수(春水).

봄바:든 [bombardon] 명 『악』 봉바르동.

봄-바람 [一빠一] 명 봄철에 부는 바람. 봄철에 불어 오는 따뜻한 바람. 춘풍(春風). 온풍(溫風).

[봄바람엔 말썹도 터진다] 봄바람을 쐬면 살이 잘 튼다는 말.

봄바람에 죽은 노:인 구 매우 추위를 타는 이에게 이르는 말.

봄-배추 [一빼一] 명 봄철에 심어서 먹는 배추.

봄베 [도 Bombe] 명 『물』 고압(高壓)의 기체를 저장하는 데 쓰이는 두꺼운 강철로 만든 용기(容器). 흔히 압력계가 장치되어 있어 내부의 압력을 가리킴. 대개는 머리가 뭉뚝한 원주형으로 생겼는데 액체를 저장하기도 함.

봄-베기 명 봄에 벤 나무.

봄베 열량계【一熱量計】 명 [bomb calorimeter] 『물』 물질의 연소열(熱)을 측정하는 열량계(熱量計)의 일종. 높은 압력에도 견디게 만들어진 봄베 속에, 일정량의 물질과 고압의 산소를 넣고 용기의 아가리를 닫은 다음, 이것을 열량계의 수중(水中)에 넣고 전기 불꽃 등으로 물질에 점화시켜 태워서, 수온(水溫)이 상승함에 따라 발생하는 열량을 측정함.

봄-베이[1] 명 〈방〉 봄베기.

봄베이[2] [Bombay] 명 『지』 인도 북서부에 있는 무역항. 인도 최대의 대도시로서 대학·박물관·사원(寺院) 등이 있으며, 외국 무역의 거의 절반을 담당하는 대무역항으로 면(綿)·기계·제유(製油)·조선(造船)·자동차·화학·금속·식품 가공 등 각종 공업이 발달함. 관공서·상사·은행 등 영국식의 근대 건축이 많음. 말라바르(Malabar) 언덕에는 배화교도(拜火敎徒)의 침묵(沈默)의 탑(塔)이 있음. [8,243,400명(1981)]

봄-별 [一뼐] 명 봄에 비치는 따뜻한 햇볕. 춘양(春陽).

[봄볕에 그을리면 보던 님도 몰라본다] 봄볕을 쬐면 살갗이 까맣게 그을린다는 말.

봄-보리 명 『식』 이른 봄에 씨를 뿌리어 첫여름에 거두어 들이는 보리. 가시랭이가 길고 누르스름한데 가을 보리만 못함. 춘맥(春麥). 춘모(春麰). *가을 보리.

봄-보리수나무 명 『식』 보리밥나무.

봄부라지 명 〈방〉 뾰루지.

봄-부채 명 아이들이 봄에 가지고 노는 장난감의 한 가지. 얇은 종이로 둥근 부채처럼 만들고 그림을 그렸음.

봄-비 [一삐] 명 봄에 오는 비. 특히 조용히 내리는 가는 비. 춘우(春雨).

[봄비가 잦으면 마을집 지어미 손이 크다] 아무 소용없고 도리어 해롭기만 함을 비유하는 말.

봄-빛 [一삗] 명 봄의 경치. 봄의 기운. 춘색(春色).

봄-새[1] 명 봄철의 동안. 날씨가 많이 풀어진 봄철.

봄-새[2] 명 〈방〉 봄풀.

봄-어리표범나비【一豹一】 명 『충』 [*Melitaea latefascia*] 네발나빗과에 속하는 곤충. 편 날개의 길이 40mm 내외, 뒷날개의 뒷면 중앙에는 폭이 넓은 띠무늬가 있고, 그 안쪽은 적갈색이며, 네 개의 검은 무늬가 있는 것도 있으나, 개체에 따라 무늬의 변이(變異)가 심함. 한국·만주 등지에 분포함.

봄-여름 [一녀一] 명 봄과 여름. 춘하(春夏).

봄-장마 [一짱一] 명 봄철에 여러 날 계속해서 오는 비. 춘림(春霖).

봄-장작【一長斫】 [一짱一] 명 봄철에 벤 장작. 나무에 진이 오르기 전에 베었으므로 불땀이 좋지 못함.

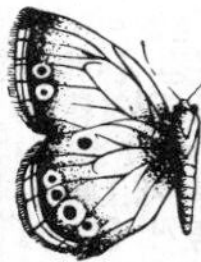
〈봄처녀나비〉

봄-처녀나비【一處女一】 명 『충』 [*Coenonympha oedippus annulifer*] 뱀눈나빗과의 곤충. 편 날개의 길이 35mm 내외이고, 몸빛은 암적갈색이며 앞날개에는 무늬가 없고 뒷날개의 가장자리에 무늬가 있는데, 중심(中心)은 백색에 가는 황색인 것과 흑색의 둥근 무늬가 두 개 있음. 앞·뒷날개의 뒷면에는 각각 다섯 개의 눈 모양의 무늬가 있음. 한국·일본 등지에 분포함. 봄처녀. *도시처녀나비.

봄-철 명 봄의 절기. 춘절(春節). 방절(芳節). 방세(芳歲).

봄-추위 명 이른 봄의 추위. 춘한(春寒). *꽃샘.

봄 판공【一判功】 명 천주 교회에서, 신부가 봄에 공소를 방문하는 일. 이 때에 판공이 이루어짐.

봄-풀 명 춘초(春草)❶.

봄풀 자라듯 구 봄풀이 우쩍우쩍 자라듯, 걱정이나 공상 같은 것이 끄

리를 물고 자꾸 일어나는 모양.

봅-슬레이 〔bobsleigh〕 명 스위스의 알프스(Alps) 지방에서 발달한 겨울 운동의 하나. 눈을 굳혀서 얼린 급커브(急curve)가 있는 코스를 강하하는 썰매에 의한 활강(滑降) 경기인데, 4인승(乘)과 2인승이 있음. 동계 올림픽 경기 종목의 하나.

봇1 명 〈방〉 벚.

봇2 명 〈옛〉 벚나무. ¶ 봇 화(樺)≪字會 上 10≫/네 이 흔 댱 누론 봇 닙힌 활 가져다가 시욹 연즈라(你將這一張黃樺弓上弦著)≪老乞 下 27≫.

봇3 조 〈옛〉 곧. 만. =곳8·붓. ¶ 흐다가 므슴맷 번 봇 아니면(若非志朋)≪永嘉 下 128≫.

봇가 타 〈옛〉 볶아. '봇다'의 활용형. ¶ 봇가 가져오라(炒將來着)≪老乞 上 19≫.

봇기 타 〈옛〉 볶기. '봇다'의 명사형. ¶ 다 고기 봇기 아디 몯흐노라(都不會炒肉)≪老乞 上 19≫.

봇기다 피동 〈옛〉 볶이다. ¶ 여듧 受苦에 봇겨(焦煎八苦)≪月序 4≫.

봇-노루 명 〈방〉 본노루.

봇-논 【洑一】 명 봇물을 대는 논. 보답(洑畓).

봇다 타 〈옛〉 볶다. =복다. ¶ 즈슨 아사 봇고 (去核炒)≪救方 上 57≫.

봇-다리 명 ☞ 보따리.

봇달타 타 〈옛〉 볶고 달이다. 번민케 하다. ¶ 므슶 바르롤 어즈러이 봇달터니(煩煎心海)≪金三 V:45≫.

봇달히다 타 〈옛〉 볶고 달이다. 볶아 달이다. ¶ 泥犁과 鑊湯 가온디 봇달히다가(泥犁鑊湯中 煮煠)≪龜鑑 下 60≫.

봇-도랑 【洑一】 명 봇물을 대거나 빼게 만든 도랑. 준봇돌.

봇-돌1 명 ①〖건〗 아궁이 양쪽에 세우는 돌. ②지붕 위를 덮은 널빤지를 눌러 놓는 돌.

봇-돌2 명 〈방〉 봉돌.

봇-돌3 【洑一】 명 ↗봇도랑.

봇-둑 【洑一】 명 보를 둘러 쌓은 둑. 보동(洑垌).

봇-물 【洑一】 명 보에 괸 물. 또, 거기서 흘러 내리는 물. 준보(洑).

봇물 전:쟁 【洑一戰爭】 명 날이 가물어 봇물을 둘러싸고 벌어지는 싸움.

봇-일 【洑一】 [一닐] 명 보에 관계되는 일.

봇-줄 명 마소에 써레·쟁기 같은 것을 매는 줄.

봇-짐 【褓一】 명 물건을 보자기에 싸서 꾸린 짐.

[봇짐 내어 주며 앉아라 한다; 봇짐 내어 주며 하룻밤 더 묵으라 한다] 갈 것을 은근히 바라면서도 표면으로는 가는 것을 말리는 체함을 이르는 말.

봇짐 싸가지고 말리다 구 일부러 멀리 찾아가서까지 못 하게 극력 말리다. ¶ 내 아는 사람 중에 남의 첩 되고자 하는 년이 있으면 봇짐 싸가지고 말리겠다고 하데≪朴頤陽:明月亭≫.

봇짐 장사 【褓一】 명 봇짐을 메고 다니면서 하는 장사.

봇짐 장수 【褓一】 명 물건을 보자기에 싸서 메고 다니며 파는 사람. 보상(褓商).

봈다 타 〈옛〉 볶다. =봇다. ¶ 봇글 람(爁), 봇글 오(熬), 봇글 쵸(炒)≪字會 下 13≫/焦煎은 봇골 씨라≪月序 4≫.

봉1 명 ☞ 난봉.

봉2 명 ↗봉돌.

봉3 명 그릇의 뚫어진 구멍을 메우는 딴 조각. ¶ 솥~/절굿~/~을 박다.

봉4 명 〈방〉 팽이(함남).

봉5 【奉】 명 성(姓)의 하나. 문헌상에는 10여 본관이 있으나, 현재 우리 나라에는 본관이 하음(河陰) 하나뿐임.

봉6 【封】 명 ①종이로 싼 물건의 덩이. ②물건 속에 따로 싸서 넣은 물건. ③신랑 집에서 선채(先綵) 외로 따로 신부 집에 주는 돈.

봉7 【峯·峰】 명 ↗산봉우리.

봉:8 【鳳】 명 ①↗봉황(鳳凰). ②봉황의 수컷. ③빨아먹기 좋은 사람. 빼앗아 먹기 만만한 사람. ¶ ~을 잡았으니 술값일랑 걱정 말게.

[봉 가는 데 황 간다] 둘이 밀접한 관계가 있어, 떨어지지 않고 반드시 같이 있음을 이르는 말. *실 가는 데 바늘 간다. [봉 아니면 꿩이다] '꿩 대신 닭'과 같은 뜻. [봉의 알] 얻기 어려운 진귀하고 소중한 물건. [봉이 나매 황이 난다] 가장 좋은 짝이 생겨났다는 말.

봉:9 【鳳】 명 성(姓)의 하나. 현재 우리 나라에는 본관(本貫)이 경주(慶州) 하나뿐인데, 하음(河陰) 봉씨(奉氏)의 분파임.

봉10 부 ①방귀를 뀌는 소리. 쓰뽕. 씨퐁. ②자동차 같은 것이 한 번 울리는 경적 소리. 쓰뽕. ③벌 같은 것이 날아가며 날개를 떠는 소리. 1)-3):<붕2.

봉:가 【鳳駕】 명 임금이 타는 수레. 봉련(鳳輦). 봉차(鳳車).

봉가지-마 【泛駕之馬】 명 〔수레를 전복시키는 사나운 말의 뜻〕 상도(常道)를 좇지 아니하는 영웅.

봉:감 모전 오:층 석탑 【鳳甘模塼五層石塔】 명 〖불교〗 경상 북도 영양군(英陽郡) 입암면(立巖面) 산해동(山海洞) 폐사지(廢寺址)에 있는 통일 신라 시대의 석탑. 단층 기단(基壇)에 화강암 석재(石材)를 전석(塼石)처럼 다듬어 오층으로 쌓은 탑인데, 각 층의 체감(遞減)이 많아서 균형이 잘 잡혀 있음. 높이 8 m. 국보 제187호.

봉강1 【封疆】 명 ①제후(諸侯)를 봉하여 내준 땅. 봉토(封土). ②봉경(封境). 봉략.

봉:강2 【棒鋼】 명 〖공〗 강괴(鋼塊)나 강편(鋼片)을 재료로 하여 압연(壓延)한 봉상(棒狀)의 긴 제품(製品).

봉:개 【鳳蓋】 명 ①천자가 타는 수레의 덮개. ②전하여, 천자의 승여(乘輿).

봉거1 【峯岠】 명 ①산봉우리가 험하여 가까이 갈 수 없음. ②사람이 규각(圭角)이 많아서 친근해질 수 없음. ——-하다 형여불

봉:거2 【鳳擧】 명 ①사신(使臣)이 사명을 띠고 봉새처럼 멀리 감. ②높이 솟아올라 멀리 감. ③몸을 깨끗이 하고 은퇴함. ④위세(威勢)가 사방에 떨침. ⑤승진(昇進)함. ——-하다 자여불

봉:거-서 【奉車署】 명 〖역〗 고려 충선왕(忠宣王) 2년(1310)에 상승국(尙乘局)을 고친 이름. 어마(御馬)의 일을 맡아 보던 관아.

봉건 【封建】 명 ①〔봉토(封土)를 나누어 제후(諸侯)를 세운다는 뜻〕 천자(天子)가 그의 공령(公領) 이외의 토지를 제후에게 나누어 영유(領有)시키는 일. ②↗봉건 제도(封建制度).

봉건 국가 【封建國家】 명 〖정〗 봉건 제도를 기초로 하여 성립한 국가. 특히 11-13세기 때의 유럽의 프랑스·신성 로마 제국(帝國)·영국 등이 이 국가체였음.

봉건-법 【封建法】 [一뻡] 명 〖법〗 서양의 봉건 군주(君主)와 봉건 가신(家臣)과의 인간 관계 및 양자(兩者) 사이에 수수(授受)되는 봉토에 관한 문제를 규율하는 법체계(法體系).

봉건 사:상 【封建思想】 명 봉건적인 경향이 있는 사상. 개방적·개인 중심적인 신사조(新思潮)를 배척하고 옛날의 폐쇄적·가족적·인습적인 사상을 고집하는 사상. 나쁜 뜻으로 많이 쓰임. 봉건적 사상.

봉건 사회 【封建社會】 명 〖사〗 봉건적 생산 양식을 바탕으로 한 중세의 사회. 노예제 사회에 이어 일어나, 자본주의 사회에 선행하는 사회 발전사상의 한 단계.

봉건-성 【封建性】 [一썽] 명 봉건주의나 그 시대의 정치·사회·문화 등에 나타나는 여러 가지 성질.

봉건 습관 【封建習慣】 명 봉건 시대의 습관. 낡은 습관.

봉건 시대 【封建時代】 명 ①봉건 제도가 국가 및 사회 생활의 기준(基準)이었던 시대. 6세기경부터 15세기 말까지. ②막연하게 중세 전체(中世全體)를 가리키는 말.

봉건 유제 【封建遺制】 [一뉴一] 명 근대 사회에 아직 남아 있는 봉건 사회의 특질. 봉건적 신분(身分) 의식이나 가족주의 따위.

봉건-적 【封建的】 명관 봉건 제도에 특유한 성격을 가지고 있는 모양. 전제적(專制的)이고 계급적이고 인습적(因襲的)인 모양.

봉건적 사:상 【封建的思想】 명 봉건 사상(封建思想).

봉건적 생산 양식 【封建的生産樣式】 [一냥一] 명 〖경〗 봉건 제도 밑에서 행하여지는 농노적(農奴的) 생산 방법. 농노는 생산 수단을 가지고 영주(領主)의 땅을 빌려 생산에 종사하고, 영주는 지대(地代)를 받을 뿐만 아니라, 경제 외적(經濟外的)인 정치적 압력으로 모든 잉여(剩餘) 생산물을 착취함. 도시를 중심한 상품 경제의 발달로 이 생산 양식은 붕괴하고, 자본주의로 이행함.

봉건-제 【封建制】 명 봉건 제도❷.

봉건 제:도 【封建制度】 명 〖정〗 ①임금의 밑에서 여러 제후(諸侯)가 땅을 영유(領有)하면서 각자의 영내(領內)의 정치에 전권(全權)을 갖는 국가 조직. 중국의 주(周)나라 국가 체제에서 비롯함. ↔군현 제도(郡縣制度). ②〔feudalism〕 봉건 사회의 통치 형태. 왕과 귀족 및 신하의 사이가 봉토(封土)의 급여(給與)와 군무(軍務)의 봉사를 통하여 사적(私的)·인격적·계층적으로 결합된 제도. 중세(中世)의 유럽 각국에서 이와 같은 은시 제도(恩施制度)와 종사 제도(從士制度)가 널리 일반화하였음. 봉건제. 준봉건(封建). ↔군현(郡縣) 제도.

봉건-주의 【封建主義】 [一/一이] 명 〖정〗 한나라의 정치적 사회적 제도로서 봉건 제도를 높이 평가하고 그 실시(實施)를 주장하는 주의. 퓨덜리즘(feudalism).

봉건 지대 【封建地代】 명 〖경〗 봉건 제도의 생산 양식 밑에서의 지대. 잉여(剩餘) 가치의 유일한 통례적인 형태이었음. 노동 지대·생산물 지대·화폐 지대의 세 형태가 있음.

봉:게 【奉揭】 명 받들어 올림. ——-하다 타여불

봉:격지-희 【奉檄之喜】 [一히] 명 부모가 살아 있는 사람이 고을의 원이 되는 기쁨.

봉:견 【奉見】 명 받들어 봄. ——-하다 타여불

봉경1 【封境】 명 ①흙을 쌓아서 표시한 국경. ②영지(領地)의 안. 봉강(封疆).

봉경2 【烽警】 명 봉화(烽火)로 알리는 경보(警報).

봉:-경풍도 【奉慶豐圖】 명 〖악〗 경풍도(慶豐圖) 춤에, 경풍도를 바치는 무동(舞童).

봉계 【封界】 명 국경(國境).

봉:계 일고 【鳳溪逸稿】 명 〖책〗 조선 선조(宣祖) 때의 문인 홍세공(洪世恭)의 시문집. 봉계는 그 호(號). 후손 홍학종(洪學鍾)이 편집해서 광무 4년(1900)에 간행한 것임. 시(詩)·계(啓)·장(狀)·서(書)·잡저(雜著)·부록(附錄) 등이 실려 있음. 2권 1책.

봉:고1 【奉告】 명 받들어 고함. 삽가 아룀. ——-하다 타여불

봉고2 【封庫】 명 〖역〗 ↗봉고 파출(封庫罷黜). ——-하다 타여불

봉고3 〔bongo〕 명 〖악〗 라틴 아메리카 음악에 사용되는 타악기(打樂器)의 일종. 보통 두 개 1조(組)로 쓰임. 크기가 서로 다른 밑이 없는 작은북의 표면에 겉 가죽을 씌우고 허리에 걸어서, 넓적다리 사이에 끼고 양손가락으로 침.

〈봉고3〉

봉:-고도 【棒高跳】 명 장대높이뛰기. 폴 점프.

봉고-족 【一族】 〔Bongo〕 명 〖인류〗 이집트(Egypt) 나일 강(Nile江) 상류에 사는 흑인종의 한 파. 짚이나 진흙으로 벽을 쌓고 원추형(圓錐形)의 지붕을 가진 주택에 삶. 적청색(赤青色)을 좋아하여 여러 가지 장식품에 이용하고 있음. 또, 다른 만족(蠻族)과 구별하기 위하여 얼굴이나 등에 '十'자 모양의 칼자국을 만들어 거기에 각종의 무늬를 물들임.

봉고 파:직 【封庫罷職】 명 〖역〗 봉고 파출(封庫罷黜). ——-하다 타여불

봉고 파:출 【封庫罷黜】 명 〖역〗 어사(御史)나 감사(監司)가 못된 원을 파면시키고 관가의 창고를 봉해 잠그는 일. 봉고 파직. 준봉고(封庫). ——-하다 타여불

봉곳-봉곳 부 봉곳한 모양. ¶ 밥을 ~하게 퍼라. <붕긋붕긋. ——-하다 형여불

봉곳-이 부 봉곳하게. <붕긋이.

봉곳-하다 형여불 ①언덕이나 산봉우리 따위가 조금 높직하게 솟아 있다. ②많이 먹어서 배가 볼록이 솟아 있다. ¶ 배가 봉곳하도록 먹다. ③배접(褙接)한 물건이 조금 들떠 있다. ¶ 벽지(壁紙)가 ~. ④그릇에 담은 물건이 그 그릇의 전보다 조금 높이 올라 와 있다. ¶ 주발에 담긴 밥이 ~. 1)-4):<붕긋하다.

봉:공1 【奉公】 명 ①나라나 사회를 위하여 힘써 일함. ②봉직(奉職). ——-하다 자여불

봉공2 【縫工】 명 〖역〗 군대에서 바느질을 맡아 하던 군사.

봉:상[5]【捧上】명 봉납(捧納). ――-하다 타여불
봉:상[6]【棒狀】명 가늘고 긴 막대기 비슷한 형상. 막대기 모양.
봉:상[7]【鳳翔】명〖지〗'평상(鳳翔)'을 우리 음으로 읽은 이름.
봉:상 그래프【棒狀―】〔graph〕명 막대 그래프.
봉:상 대:부【奉常大夫】명〖역〗고려 때 문관(文官)의 정사품의 품계. 충렬왕(忠烈王) 34년(1308)에 정하고, 공민왕(恭愍王) 5년(1356)에 폐하였다가 11년에 회복하고 18년(1369)에 또 폐함.
봉:상 도표【棒狀圖表】명 '막대 그래프'의 구용어.
봉:상-사【奉常司】명〖역〗조선 고종(高宗) 32년(1895)에 봉상시(奉常寺)를 고친 이름. 융희(隆熙) 원년(1907)에 없앰.
봉:상 생강【鳳翔生薑】명〖식〗전라 북도 완주군(完州郡)의 봉상에서 나는질이 썩 좋은 생강.
봉 상스〔프 bon sens〕명 양식(良識).
봉:상-시【奉常寺】명〖역〗조선 시대에, 제향과 시호(諡號)에 관한 일을 맡아보던 관아. 태조(太祖) 원년(1392)에 베풀어 고종(高宗) 32년(1895)에 봉상사(奉常司)로 고침. 태상(太常).
봉상-왕【烽上王】명〖사람〗고구려 제14대 왕. 휘는 상부(相夫). 서천왕(西川王)의 아들. 2년(293)과 5년에 선비족(鮮卑族) 모용외(慕容廆)의 내침을 받았는데, 고노자(高奴子)로 하여금 정토(征討)하게 하였음. [재위 292-300]
봉새[1] 명〈방〉봉숭아(강원).
봉새[2] 명〈방〉소경[1](경북).
봉:-새[3]【鳳―】명 봉황(鳳凰).
봉새[4]【封璽】명 봉인(封印)❶. ――-하다 자여불
봉:생【鳳笙】명〖악〗'생(笙)'의 미칭(美稱).
봉서【封書】명 ①겉봉을 봉한 편지. 봉장(封狀). 함서(緘書). 함찰(緘札). ②〖역〗임금이 종친(宗親)이나 근신(近臣)에게 내리던 사서(私書). ③〖역〗왕비가 친정에 내리던 사서.
봉서 무:감【封書武監】명〖역〗봉서를 전달하던 무예 별감(武藝別監). 봉서 별감.
봉서 별감【封書別監】명〖역〗봉서 무감(封書武監).
봉서-함【封書函】명〖역〗봉서를 넣어 전달하는 붉은 옻칠을 한 함.
봉:석주 모란 사:건【奉石柱謀亂事件】[―껀] 명〖역〗조선 세조(世祖) 11년(1466)에 일어난 모역(謀逆) 사건. 수양 대군(首陽大君)의 장사(壯士)로, 계유 정란(癸酉靖亂) 때에 공을 세워 병조 판서가 된 봉석주가 모역을 하였다는 죄로 피살되었음.
봉:선[1]【奉先】명 선조(先祖)의 덕업(德業)을 이어받아 지킴. ――-하다 자여불
봉선[2]【封禪】명 흙을 쌓아 단(壇)을 만들어 하늘에 제사 지내고, 땅을 정(淨)하게 하여 산천(山川)에 제사 지내는 일. 옛날 중국의 천자(天子)가 지냈음. ――-하다 자여불
봉:선[3]【鳳扇】명〖역〗긴 자루 끝에 부채 모양을 만들고 봉황을 수놓거나 그려 넣은 의장(儀仗)의 하나.

〈봉선[3]〉

봉:선-고【奉先庫】명〖역〗고려 때 선왕(先王)과 선후(先后)의 제사에 사용하기 위하여 미곡의 저축에 관한 사무를 관장하던 관청. 선종(宣宗) 10년(1093)에 설치함.
봉:선 대:부【奉善大夫】명〖역〗고려 충렬왕(忠烈王) 때 정한 종사품(從四品) 문관의 품계. 공민왕(恭愍王) 5년(1356)에 폐하였다가 11년에 회복하고 18년(1369)에 또 폐함.
봉:-선도반【奉仙桃盤】명〖악〗헌선도(獻仙桃) 춤에 남악(男樂)의 선도반(仙桃盤)을 드리던 무동(舞童). 준봉반(奉盤).
봉:선-사【奉先寺】명〖불교〗경기도 남양주시(南楊州市) 진접읍(榛接邑) 부평리(富坪里) 운악산(雲岳山)에 있는 25 교구 본사(教區本寺)의 하나. 조선 세조(世祖) 7년(1462)에 건립되었음. 6·25 전쟁 때 전소되었는데 중건(重建)됨. 종전에 31 본산(本山)의 하나였음.
봉:선-자【鳳仙子】명〖한의〗봉숭아의 씨. 난산(難産)·징가(癥瘕) 등에 약으로 쓰는데 독이 좀 있고 목구멍에 해로움.
봉:선 홍경사 갈【奉先弘慶寺碣】명 고려 현종(顯宗) 17년(1026), 현재의 충청 남도 천안시 성환읍 대홍리(大弘里)에 소재했던 봉선 홍경사에 세운 사적비(事蹟碑). 화강암으로 되었으며, 비문(碑文)은 당시 석유(碩儒)였던 최충(崔冲)이 찬(撰)하였음. 총높이 2.8 m. 국보 제7호.
봉:선-화【鳳仙花】명〖식〗[*Impatiens balsamina*] 봉선화과에 속하는 일년초. 줄기는 가지 없이 곧고 높이 60 cm 가량이며, 부정근(不定根)이 나오기도 함. 잎은 호생하고 유병(有柄)에 피침형을 이루며 가는 톱니가 있음. 7-10월에 엽액(葉腋)에서 나온 2-3개의 꽃꼭지 끝에 적색·백색·황색·분홍색 등의 꽃이 아래로 드리워져 피고, 방추형의 삭과(蒴果)를 맺는데 잔털이 있으며, 익으면 다섯 조각으로 갈라져 황갈색의 종자가 잘 튀어나옴. 인도·말레이·중국 남부의 원산(原産)으로, 세계 각지에서 화원(花園)·정원(庭園)에 관상용으로 심음. 꽃잎으로는 백반·소금 등을 섞어서 어린아이들이 손톱에 붉은 물을 들임. 금봉화(金鳳花). 봉숭아. 지갑화(指甲花).

〈봉선화〉

봉:선화-가【鳳仙花歌】명〖악〗조선 시대의 가사(歌辭)의 하나. 작자와 연대는 미상. 일설에는 허난설헌(許蘭雪軒)이 지었다 함.
봉:선화-과【鳳仙花科】[―꽈] 명〖식〗[Balsaminaceae] 쌍자엽 식물 이판화류(離瓣花類)에 속하는 한 과. 전세계에 400여 종, 한국에는 봉선화·물봉선·노랑물봉선 등의 6종이 분포함.
봉:선화 물들이기【鳳仙花―】명 오월경에 아녀자들이 봉선화꽃과 잎을 짓찧어 백반이나 소금을 섞어 손톱에 물들이는 일. 빨간색은 잡귀(雜鬼)를 물리친다는 데서 유래함.
봉:선화-자【鳳仙花子】명 봉선화의 씨.
봉:선화자-유【鳳仙花子油】명 봉선화씨로 짠 기름. 봉숭아씨 기름.
봉:성[1]【鳳城】명 ①〔한(漢)나라의 궁궐(宮闕)의 문을 동제(銅製)의 봉황(鳳凰)으로 장식한 사실에서〕궁궐을 일컫는 말. ②서울. 도성(都城).
봉:성[2]【鳳聲】명 '전언(傳言)' 또는 '음신(音信)'의 경칭. 학성(鶴聲).
봉:성 대:부【奉成大夫】명〖역〗조선 시대에, 종친(宗親)의 종사품(從四品)의 품계.
봉:-성체【奉聖體】명〖천주교〗병자인 교우(教友)나 또는 일반 사람에게 성체(聖體)를 모셔 줌.
봉세【峰勢】명 산봉우리의 형세.
봉:-세포【棒細胞】명〖생〗원주 세포.
봉소[1] 명〈방〉소경[1](경남).
봉소[2]【烽所】명〖역〗봉홧둑.
봉소[3]【蜂巢】명 벌집❶.
봉:소[4]【鳳簫】명〖악〗소(簫).
봉소-위【蜂巢胃】명〖생〗벌집위(胃).
봉:속【俸粟】명 봉록(俸祿)으로 받는 쌀.
봉:솔【奉率】명 ↗상봉 하솔(上奉下率). ――-하다 자여불
봉송[1] 명〈방〉복숭아(전라).
봉:송[2]【奉送】명 ①귀인(貴人) 또는 윗사람을 전송(餞送)함. ②영령(英靈)·유골(遺骨) 등을 정중히 보냄. ――-하다 타여불
봉송[3]【封送】명 물건을 싸서 선물로 보냄. ――-하다 타여불
봉송[4]【髼鬆】명 머리털이 흩어져 부수수함. ――-하다 형여불. →봉숭하다.
봉송아 명〈방〉〖식〗봉선화.
봉쇄【封鎖】명 ①굳게 잠가서 드나들지 못하게 함. ②〖법〗해군력으로써 적의 항만(港灣)이나 해안의 교통을 차단하는 행위. 봉쇄 행위를 하는 해군 관헌(官憲)의 고지(告知)에 의하여 효력이 발생함. 전시(戰時) 봉쇄와 평시(平時) 봉쇄가 있음. ¶ 해상(海上) ～/～범(犯). *장거리 봉쇄. ――-하다 타여불
봉쇄 경제【封鎖經濟】명〖경〗수출입 등의 국제 경제 거래의 자유가 제한된 국민 경제.
봉쇄 공장【封鎖工場】명〖사〗클로즈드 숍(closed shop).
봉쇄 모형【封鎖模型】명〖경〗산업 연관 분석에서, 산업을 생산 부문과 비(非)생산 부문으로 나누지 않고 하나의 생산 부문으로 종합하여 세운 경제 모형. ↔개방 모형.
봉쇄-범【封鎖犯】명〖법〗봉쇄를 어기고 봉쇄 지역내를 출입하였거나 또는 출입하려고 기도(企圖)함으로써 이루어지는 범죄. 봉쇄하는 나라에 의하여 처벌당함.
봉쇄 수도원【封鎖修道院】명〖천주교〗원외(院外)의 세상과 교제하거나 국가 행사 이외의 외출(外出)을 일체 금하는 수도원. 대개 월 1회의 외인(外人)과의 면회만이 허락됨.
봉쇄적 계급【封鎖的階級】명〖사〗카스트(caste)나 중세기의 신분(身分)처럼 각 계급이 사회적·문화적인 격차로 말미암아 인격적으로 차별된 층을 이루고 있고, 직업의 변환·교제·통혼(通婚) 등의 상호간의 이동이 원칙적으로 존재할 수 없는 계급 관계. ↔개방적 계급.
봉쇄-제【封鎖劑】명 현미경 관찰에 쓰는 절편(切片)을 슬라이드(slide) 글라스 위에 놓고, 커버 글라스로 봉할 때 쓰는 물질. 캐나다 발삼(Canada balsam)·실리콘 오일(silicone oil) 등.
봉쇄 체계【封鎖體系】명〖경〗한 나라의 국민 경제를 수출입 등의 경제적 유통을 고려에 넣지 아니하고 분석하는 체계. ↔개방 체계.
봉쇄 체제【封鎖體制】명〖경〗경제 분석의 대상으로서 이론적 모델을 설계할 경우, 외국과의 경제적 교섭을 고려하지 않는 시스템을 상정(想定)했을 때의 체제. ↔개방(開放) 체제.
봉쇄 침파【封鎖侵破】명 선박(船舶)이 봉쇄선을 침입하여 봉쇄 수역(水域)에 출입하는 일. 선박이 출입하는 그 자체는 국제법상 금지되지 아니하나, 봉쇄 함대는 그 선박을 나포할 수 있고, 선박 소속국은 이를 묵인하여야 함.
봉쇄 탄:전【封鎖炭田】명 광리 보호(鑛利保護)를 위하여 법률로써 일반의 채굴을 금지하고 있는 탄전. ↔가행(稼行) 탄전.
봉쇄 함:대【封鎖艦隊】명〖군〗봉쇄 수역의 부근을 정박(碇泊) 또는 순찰(巡察)하면서 그 경비의 임무를 수행하는 함대.
봉쇄 화:폐【封鎖貨幣】명〖법〗타국(他國)에 대한 채무(債務)를 외화(外貨)로 지급하는 것을 금지하고 있는 일. 금융 공황(金融恐慌)이나 국제 수지(國際收支)의 위기에 취하는 화폐 정책의 한 가지.
봉쌩이 명〈방〉〖식〗봉선화(함경).
봉:수[1]【奉受】명 삼가 받음. ――-하다 타여불
봉수[2]【封手】명 바둑·장기의 대국(對局)이 그 날만으로 끝나지 않을 경우, 종이에 써서 봉해 놓는, 그 날의 마지막 수(手). 또, 그 절차를 밟는 일. 이튿날 그것을 개봉(開封)하여, 다음 경기를 진행함. ――-하다 자여불
봉수[3]【封守】명 봉역(封域)을 지킴. ――-하다 자여불
봉수[4]【捧受】명 거두어서 받음. ――-하다 타여불
봉수[5]【逢受】명 남의 재물을 맡음. ――-하다 타여불
봉수[6]【逢授】명 남에게 재물을 맡김. ――-하다 타여불
봉수[7]【烽燧】명 봉화(烽火)❶.
봉수[8]【蓬首】명 쑥대강이.
봉:수 공후【鳳首箜篌】명〖악〗틀 위에 봉황의 대가리를 새긴 와(臥)공후.
봉수 구면【蓬首垢面】명 흐트러진 머리와 때묻은 얼굴. 빗지 아니한 머리와 씻지 아니한 얼굴. *봉두 구면.
봉수-군【烽燧軍】명〖역〗봉화를 올리는 일을 맡아 보던 군사. 봉졸. 준봉군(烽軍).
봉수-대【烽燧臺】명 ①〖지〗함경 남도 갑산군(甲山郡) 회린면(會麟面)에 있는 산. 개마 대지(蓋馬臺地) 위에 솟아 있으며, 옛날에 봉화대가 있었음. [1,544 m] ②봉홧둑.

봉수덕-산【烽燧德山】명〖지〗함경 남도 갑산군(甲山郡)에 있는 산. [1,183 m]

봉수-봉【烽燧峰】명〖지〗①함경 남도 갑산군(甲山郡)에 있는 산.[1,160 m] ②함경 남도 풍산군(豐山郡) 풍산면에 있는 산. [1,401 m] ③함경 남도 풍산군에 있는 산. [1,636 m] ④함경 남도 삼수군(三水郡)에 있는 산. [1,246 m] ⑤함경 남도 풍산군(豐山郡) 천남면(天南面)과 북청군(北青郡) 성대면(星岱面) 사이에 있는 산. [1,376 m]

봉 수아르〔프 Bon soir!〕명감 '안녕하십니까'의 뜻으로 저녁에 만났을 때 하는 인사말.

봉수-제【烽燧制】명 봉화를 올려서 급한 소식을 서로 알리던 제도. 법으로 정하여 국가 제도로 실시한 것은 고려 시대에 비롯됨.

봉수-지기【烽燧一】명 봉화지기.

봉수-표【逢受票】명 남의 재물을 맡은 표.

봉수-현【烽燧峴】명〖지〗함경 남도 학성군(鶴城郡) 학서면(鶴西面)에 있는 산. [1,289 m]

봉:순 대:부【奉順大夫】명〖역〗①고려 때 문과의 품계. 정삼품의 아래. 충렬왕 34년(1308)에 정하고 공민왕 5년(1356)에 폐하였다가 11년에 회복하고 18년(1369)에 또 폐함. ②조선 시대 정삼품 의빈(儀賓)으로서 당상관(堂上官)의 품계.

봉-술 명 술의 하나. 머리 부분에 종이나 실·헝겊·칫조각 등으로 원기둥꼴로 동인 술.

봉숭 명〈방〉복숭아(경 남).

봉:숭아 명〖식〗봉선화(鳳仙花).

봉:숭아씨 기름 명 봉선화자유(鳳仙花子油).

봉:숭화 명 ☞봉선화.

봉:승【奉承】명 웃어른의 뜻을 이어받음. ¶ 성지(聖旨)를 ~하다. ——-하다 타 여불

봉:시[1]【奉侍】명 ①〖역〗내시(內侍)의 한 벼슬. ②시봉(侍奉). ——-하다 타 여불

봉시[2]【封豕】명 큰 돼지.

봉시[3]【逢時】명 때를 만남. ——-하다 자 여불

봉시[4]【蓬矢】명 쑥대로 만든 화살. 사기(邪氣)를 물리친다고 함.

봉시 불행【逢時不幸】명 공교롭게 불행한 때를 만남.——-하다 자 여불

봉시 장사【封豕長蛇】명 큰 돼지나 긴 뱀처럼 먹기를 탐낸다는 뜻으로, 욕심꾸러기의 비유.

봉식[1]【封植】명 ①영지(領地)를 주고 제후(諸侯)로 봉함. ②흙을 북돋아 심음. ——-하다 타 여불

봉식[2]【封殖】명 ①초목을 북돋우어 길러 증식(增殖)함. ②국력을 양성함. ——-하다 타 여불

봉신[1]【封臣】명 봉건 시대에, 봉토(封土)를 받은 신하.

봉신[2]【封神】명 흙을 모아 단(壇)을 쌓고 신(神)을 모심. ——-하다 자 여불

봉신-대【封神臺】명 죽은 사람의 혼백이 돌아가 쉬지한다는 곳.

봉실【蓬室】명 ①쑥으로 지붕을 인 집. ②가난한 집. ③'자기 집'의 겸칭. 봉려(蓬廬). 봉우(蓬宇). ——-하다 타 여불

봉:심[1]【奉審】명〖역〗왕명을 받들어 능(陵)이나 묘(廟)를 보살피는 일.

봉심[2]【蓬心】명 소심한 마음. 잘고 좀스러운 마음.

봉:아【鳳兒】명 새끼 봉황. 전(轉)하여, 장차 큰 인물이 되리라고 생각되는 소년.

봉아리 명〈방〉봉오리[1](경상·전라).

봉-아술【蓬莪茂】명〖식〗[*Curcuma zedoaria*] 생강과에 속하는 다년초. 잎은 긴 타원형이며 엽병(葉柄)이 길며 기부(基部)가 가늘고 뒷면에는 자줏빛 점이 있으며, 길이 30-60 cm임. 여름에 넓은 타원형의 꽃이 수상(穗狀) 화서로 핌. 말린 근경(根莖)을 '봉출(蓬朮)'이라 하여 한방(漢方)에서 방향성(芳香性) 건위제(健胃劑)로 씀. 히말라야 지방의 원산(原産)인데, 열대 지방에서 많이 재배함. 광술(廣茂).

봉:안[1]【奉安】명 신주(神主)나 화상(畫像)을 모심. ——-하다 타 여불

봉:안[2]【鳳眼】명 ①봉의 눈. ②봉의 눈같이 가늘고 길며, 눈초리가 길고 붉은 기운이 있는 눈. 중국 사람들이 귀상(貴相)으로 여김.

봉:안-죽【鳳眼竹】명 중국에서 나는 대의 한 가지. 줄기에 봉의 눈과 같은 점이 있는데, 흔히 담뱃대로 씀.

봉:암-사【鳳巖寺】명〖불교〗경상 북도 문경시(聞慶市) 가은읍(加恩邑) 원북리(院北里) 희양산(曦陽山)에 있는 직지사(直指寺)의 말사(末寺). 신라 선종 구산(禪宗九山)의 하나로, 신라 헌강왕(憲康王) 때에 지증(智證) 대사가 개산(開山)하였음. 보물 169호인 삼층 석탑(三層石塔), 보물 137호 지증 대사 적조탑(智證大師寂照塔), 보물 138호 지증 대사 적조탑비(碑), 보물 171호 정진 대사 원오탑(靜眞大師圓悟塔) 및 보물 172호인 정진 대사 원오탑비(靜眞大師圓悟塔碑)가 있음.

봉애[1] 명〈방〉팽이(함남).

봉애[2]【蜂崖】명 산의 험악하게 된 언덕.

봉애[3]【蓬艾】명〖식〗다북쑥.

봉액[1]【封液】명〖화〗분석용(分析用)의 가스를 포집(捕集)할 때, 시료(試料)를 넣는 용기(容器) 안에 넣어, 시료의 기체(氣體)를 대기에서 차단하는 데 쓰이는 액체. 수은·글리세롤(glycerol)·염류 수용액(塩類水溶液) 등이 쓰임.

봉액[2]【縫掖】명 ↗봉액지의(縫掖之衣).

봉액지-의【縫掖之衣】[ㅡ/ㅡ이] 명 선비가 입는, 옆이 넓게 터진 도포(道袍)의 하나. ㊥봉액(縫掖).

봉앤 명〈방〉팽이(함남).

봉:양[1]【奉養】명 부모나 조부모를 받들어 모심. ——-하다 타 여불

봉:양[2]【鳳陽】명〖지〗'평양(鳳陽)'을 우리 음으로 읽은 이름.

봉:어【奉御】명〖역〗고려 때 상승국(尙乘局)·상식국(尙食局)·상약국(尙藥局)·상의국(尙衣局)·중상국(中尙局) 등에 두었던 정육품 벼슬.

봉여[1]【封餘】명〖역〗임금께 물건을 바칠 때에, 신하들이 나누어 가지는 나머지 물건.

봉:여[2]【俸餘】명 봉급의 나머지.

봉:여[3]【鳳輿】명〖역〗임금이 타던 가마. 꼭대기에 황금으로 만든 봉황으로 꾸몄음. 봉련(鳳輦).

봉역【封域】명 ①흙을 쌓아서 만든 경계. ②봉토의 경계(境界).

봉연【烽煙】명 봉화(烽火)의 연기.

봉:영[1]【奉迎】명 귀인(貴人)이나 덕망(德望)이 높은 사람을 받들어 맞이함. ——-하다 타 여불

봉영[2]【逢迎】명 남의 뜻을 맞추어 줌. *영합. ——-하다 타 여불

봉:영-문【奉迎門】명 귀인을 맞이하기 위하여 세운 문.

봉:영-사【奉永寺】명〖불교〗경기도 남양주시(南楊州市) 진접읍(榛接邑) 내각리(內閣里)에 있는 조계종 총무원(總務院) 직할의 말사(末寺). 신라 진평왕(眞平王) 22년(600)에 개산(開山)하였음. 당시 봉인암(奉仁庵)이었던 것을 조선 영조(英祖) 때부터 봉영사라 하였음.

봉예【鋒銳】명 성질이 날카롭고 민첩함. ——-하다 형 여불

봉:오동 전:투【鳳梧洞戰鬪】명〖역〗1919년 6월에, 홍범도(洪範圖)가 거느리는 대한 독립군(大韓獨立軍)이 그 본부가 있는 만주 쑹장 성(松江省) 왕칭 현(汪清縣) 봉오동으로 공격해 온 일본군 제19사단을 맞아서 벌인 전투. 사흘 동안의 혈전 끝에 120여 명을 사살하고 적을 격퇴함.

봉오라지 명〈방〉①봉오리[1]. ②봉우리[1](경기·강원).

봉오리[1] 명〔중세: 봉오리〕↗꽃봉오리.

봉오리[2] 명〈방〉봉우리[1](경기·강원·충청·전북·경상).

봉오지 명〈방〉산봉우리(제주).

봉오 진:일십【逢五進一十】[一씹] 명〖수〗구귀가(九歸歌)의 하나. 5를 5로 나눌 때에는 그 피제수(被除數)인 5를 떼고, 몫 1을 그 윗자리에 놓으라는 뜻.

봉와【蜂窩】명 봉방(蜂房)❶.

봉와 주:택【蜂窩住宅】명 '아파트'를 벌집에 비유하여 일컫는 말.

봉와직-염【蜂窩織炎】[ㅡ념] 명〔phlegmon〕〖의〗〔염증이 퍼지는 것이 마치 벌집과 같으므로 이 이름이 있음〕피하(皮下)나 몸 속의 매우 거친 결체 조직(結縮組織) 가운데에 일어나는 염증. 포도상 구균(葡萄狀球菌)·연쇄 구균 등의 화농균(化膿菌)이 외상(外傷)이나 작은 궤양(潰瘍) 등으로부터 침입하여 일어남.

봉왕【蜂王】명 ①벌의 여왕(女王). 여왕벌. ②장수벌.

봉:요[1]【奉邀】명 웃어른을 청함. ——-하다 타 여불

봉요[2]【蜂腰】명 ①벌의 허리처럼 가늘게 생긴 허리. ②〖문〗한시(漢詩)에 평성(平聲)과 측성(仄聲)을 배치하는 방법의 하나. 칠언(七言)에서 바깥 짝의 다섯째 자가 평성으로 되고, 오언(五言)에서 바깥 짝의 셋째 자가 평성으로 된 것.

봉요-병【蜂腰病】[一뼝] 명 중국의 양(梁)나라 사람 심약(沈約)의 시격 팔병(詩格八病)의 하나. 일구(一句) 가운데에서 제이자(第二字)와 제사자(第四字) 또는 제이자(第二字)와 제오자(第五字)가 상(上)·거(去)·입(入)을 같게 하는 일.

봉욕【逢辱】명 욕된 일을 당함. 견욕(見辱). ——-하다 자 여불

봉우[1]【逢遇】명 만남. 마주침. *조우(遭遇). ——-하다 자 여불

봉:우[2]【鳳友】명 '공작(孔雀)'의 이칭(異稱).

봉우[3]【蓬宇】명 봉실(蓬室).

봉우라지 명〈방〉①봉오리[1]. ②봉우리[1].

봉우리[1] 명〔중세: 봉오리〕↗산봉우리. ¶ 금강산 ~.

봉우리[2] 명〈방〉봉오리[1].

봉운【峰雲】명 산봉우리에 끼어 있는 구름.

봉:운-산【奉云山】명〖지〗평안 북도 후창군(厚昌郡) 동흥면(東興面)에 있는 산. [1,474 m]

봉:원【鳳苑】명 대궐 안에 있는 동산. 비원(秘苑). 금원(禁苑).

봉:원-사【奉元寺】명〖불교〗서울 특별시 서대문구(西大門區) 봉원동(奉元洞)에 있는 태고종 총무원이 있는 절. 조선 정조(正祖) 때에 전국 승려의 풍기를 단속 지도하여 승풍(僧風)을 앙양하고자, 5규정소(糾正所)를 설치하면서 그 보필로 봉원사와 흥국사(興國寺)를 지정하여 7규정소를 만들었음. 현재의 건물은 화재당한 것을 새로 지은 것임. 속칭 '새절'.

봉으리 명〈옛〉봉우리[1]. ¶ 묏 봉으리 봉(峰)《字會 上 3》.

봉:은【俸銀】명 관원에게 봉급으로 주던 돈. 봉전(俸錢).

봉:은-사【奉恩寺】명〖불교〗①서울 특별시 강남구(江南區) 삼성동(三成洞) 수도산(修道山)에 있는 조계종 총무원 직할의 절. 신라 눌지왕(訥祗王) 때 아도 화상(阿度和尙)이 세웠으며, 종전에 31본산(本山)의 하나였음. ②고려 광종(光宗) 때 개성(開城)에 지은 절. 태조의 진영(眞影)을 모신, 고려 때의 가장 중요한 절로 연등회(燃燈會) 때에는 왕이 이 절에 행차하였음.

봉읍【封邑】명 제후(諸侯)로 봉하여 준 땅. 봉토(封土).

봉:의【奉醫】[ㅡ/ㅡ이] 명 조선 시대 '내의원(內醫院)'의 별칭.

봉의 군신【蜂蟻君臣】[ㅡ/ㅡ이ㅡ] 명 하찮은 개미나 벌에게도 군신(君臣)의 구별이 엄연히 있다는 말.

봉:의-꼬리【鳳一】[ㅡ/ㅡ에ㅡ] 명〖식〗[*Pteris multifida*] 참고사릿과에 속하는 다년생 상록 양치류의 하나. 엽병(葉柄) 높이 40-50 cm 가량이고, 근경(根莖)은 짧고 잔 털이 밀생(密生)함. 잎은 총생(叢生)하며 나엽(裸葉)과 실엽(實葉)이 있음. 나엽은 엽병(葉柄)이 가늘고 우상(羽狀)으로 갈라지는데, 실엽은 높게 위로 솟으며 조붓한 여러 개의 우편(羽片)으로 되고, 가장자리에 자낭군(子囊群)이 붙어 있음. 낭퇴(囊堆)는 갈색(褐色)에 막질(膜質)이며 포막(苞膜)을 가짐. 돌담·산기슭의 바위 틈에 나는데, 한국 남부·일본 중부 이남에 분포함. 봉미초(鳳尾草). 백두초(白頭草).

〈봉의꼬리〉

봉:의-랑【奉議郎】[ㅡ/ㅡ이ㅡ] 명〖역〗①고려 때, 문관(文官)의 품계의 하나. 종육품의 상(上). 문종(文宗)이 정하고 충렬왕(忠烈王) 원년(1275)에 폐함. *승봉랑(承奉郎). ②조선 시대 토관(土官)의

동반(東班) 종오품의 품계. 선직랑(宣職郞)의 위, 통의랑(通議郞)의 아래.

봉:의-서【奉醫署】[—/—이—] 명〔역〕 고려 충선왕 때 장의서(掌醫署)를 고친 이름. 궁중의 약(藥)을 조제하는 일을 맡고 있던 관아. 상약국(尙藥局)이라 하다가, 충선왕 2년(1309)에 장의서로 고쳤다가 곧 봉의서로 하고, 공민왕(恭愍王) 5년(1356)에 상의국(尙醫局)으로, 11년에 봉의서로, 18년(1369)에 다시 상의국으로, 21년(1372)에는 봉의서로 고치는 등 여러번 개변을 거듭하다가, 공양왕 3년(1391)에 전의시(典醫寺)에 합침.

봉이 명 〈방〉 봉오리[1].

봉이 진:일십【逢二進一十】[—씹] 명〔수〕 구귀가(九歸歌)의 하나. 2로 2를 나눌 때에는 그 피제수(被除數)인 2를 떼고, 몫 1을 그 윗자리에 놓으라는 뜻.

봉:의 대:부【奉翊大夫】 명〔역〕 고려 때 문관(文官)의 품계. 종이품의 하(下). 충선왕 2년(1310)에 정하고 공민왕 5년(1356)에 폐하였다가 11년에 다시 회복하여 종이품으로 하고 18년(1369)에 또 폐함.

봉:인[1]【奉引】 명 손윗사람을 인도함. ——하다 타여불 「아치.

봉인[2]【封人】 명〔역〕 봉역(封域)을 맡은 벼슬아치. 국경을 지키는 벼슬

봉인[3]【封印】 명 ①밀봉(密封)한 자리에 도장을 찍음. 또, 그 인(印). 봉금(封禁). 봉새(封璽). ¶ ~을 뜯다. ②〔법〕 유체 동산(有體動産)에 대하여 그 형상의 변경을 금지하는 처분으로서 날인(捺印)하는 일. 또, 그 도장. 인봉(印封). ——하다 자여불

봉인[4]【鋒刃】 명 창·칼 같은 무기의 날카로운 날.

봉인-목【封印木】 명〔식〕[Sigillaria] 고생대(古生代)의 석탄기(石炭紀)에 번식하였던 양치 식물(羊齒植物)의 하나. 아주 큰 나무로 줄기는 높이 30m 이상으로 곧게 뻗고 원통상인데, 그 표면에 마치 봉인(封印) 같은 무늬가 있으며 잎은 침형(針形)으로 밀생함. 종류가 매우 많아 현재까지 100여 종의 화석(化石)이 발견되었음. 땅 속에서 탄화(炭化)하여 석탄을 이룸.

〈봉인목〉

봉인 손:괴죄【封印損壞罪】[—쬐] 명〔법〕 봉인 파훼죄.

봉:인-암【奉仁庵】 명〔불교〕 '봉영사(奉永寺)'의 구칭.

봉인 조단【封印操短】 명 기계에다 봉인을 하고 조업(操業)을 단축함.

봉인 즉설【逢人卽說】 명 봉인 첩설(逢人輒說). ——하다 자여불

봉인 첩설【逢人輒說】 명 만나는 사람마다 붙들고 지껄여 소문을 널리 퍼뜨림. 봉인 즉설(逢人卽說). ——하다 자여불

봉인 파:훼죄【封印破毁罪】[—쬐] 명〔법〕 공무원이 그 직무에 관하여 실시한 봉인 또는 압류 기타 강제 처분의 표시를 손상 또는 은닉하거나 기타 효용을 해함으로써 성립하는 죄. 봉인 손괴죄.

봉일 진:일십【逢一進一十】[—씹] 명〔수〕 구귀가(九歸歌)의 하나. 1로 1을 나눌 때에는 그 피제수(被除數)인 1을 떼고 몫 1을 그 윗자리에 놓으라는 뜻. 「정육품의 품계. *수임(修任) 교위.

봉:임 교:위【奉任校尉】 명〔역〕 조선 시대에, 잡직(雜職)인 서반(西班)

봉입[1]【封入】 명 물건을 속에 넣고 봉함. ——하다 타여불

봉:입[2]【捧入】 명 봉납(捧納). ——하다 타여불

봉입-체【封入體】 명〔생〕 숙주(宿主) 세포 속에 존재하는 바이러스의 총칭. 감염(感染) 세포의 염색 표본 속에, 세포 안에서 증식한 바이러스 입자(粒子)의 집합체로서, 과립상(顆粒狀)으로 관찰됨.

봉자[1]【烽子】 명〔역〕 봉화대를 지키는 군사. 또, 척후병(斥候兵).

봉:자[2]【鳳姿】 명〔봉황의 모습이라는 뜻〕 거룩한 풍채.

봉:-자석【棒磁石】 명〔물〕 막대 자석. *마제 자석.

봉자-채【蓬子菜】 명〔식〕[*Galium verum* var. *lacteum*] 꼭두서닛과에 속하는 다년초. 솔나물과 비슷한데, 줄기는 곧고 높이 60cm 가량이며, 잎은 좀 단단하며 선형(線形)으로 끝이 날카롭고 보통 여덟 개가 윤생(輪生)함. 여름에 가지 위에 흰 빛의 작은 사판화(四瓣花)가 원추(圓錐) 화서로 군출(群出)하여 피고, 과실은 작은 쌍두상(雙頭狀)이고, 잔털이 있음. 양지바른 들에 나는데, 한국·일본에 분포함. *솔나물.

봉작【封爵】 명 ①제후(諸侯)로 봉(封)하고 관작을 줌. ②〔역〕 의빈(儀賓)·내명부(內命婦)·외명부(外命婦)들을 봉하던 일. ——하다 타여불

봉:잠【鳳簪】 명 봉황(鳳凰)의 무늬를 대가리에 새긴 큼직한 비녀. 봉채(鳳釵).

봉장[1]【封狀】[—짱] 명 봉서(封書)❶.

봉장[2]【封章】 명 상소(上疏). ——하다 자타여불

봉장[3]【蜂嶂】 명 봉만(蜂巒).

봉:장[4]【鳳欌】 명 표면에 봉황새 무늬를 새겨 꾸민 옷장.

봉장-근【縫匠筋】 명〔생〕 봉공근(縫工筋).

봉:장-류【棒腸類】[—뉴] 명〔동〕 단장류(單腸類).

봉:장-취【鳳一吹】 명〔악〕 호남·경기 등 남부 지방에 전승되던 민속 기악곡의 하나. 독주(獨奏)일 때는 퉁소나 젓대, 합주일 때는 퉁소와 해금 또는 젓대·피리·해금·가야금 등으로 쌍고(雙鼓)의 장단을 맞춰 연주함. 중간에 새 소리를 흉내내므로 붙여진 이름임. 봉장추(鳳將雛). 봉작취(鳳雀吹). 봉황곡(鳳凰曲). 「지음.

봉장 풍월【逢場風月】 명 아무 때나 그 자리에서 즉흥적으로 시(詩)를

봉재【封齋】 명〔천주교〕 사순절(四旬節)'의 구칭.

봉재 수일【封齋首日】 명〔천주교〕 '재의 수요일'의 구칭.

봉적[1]【逢賊】 명 도둑을 만남. ——하다 자여불

봉:적[2]【鳳炙】 명 '닭적'을 익살맞게 일컫는 말.

봉적[3]【鋒鏑】 명 창 끝과 살촉.

봉전[1]【封傳】 명 관문 통행(關門通行)의 부신(符信).

봉:전[2]【俸錢】 명 봉은(俸銀).

봉전[3]【葑田】 명 줄의 뿌리가 여러 해 동안 묵어서 흙탕이 되어 그 위에 씨를 뿌릴 수 있게 된 논밭.

봉전[4]【蓬轉】 명〔쑥이 뿌리에서 뽑혀 나가 바람에 굴러다닌다는 뜻〕 정처없이 떠돌아다님. ——하다 자여불

봉전-산【蓬田山】 명〔지〕 평안 북도 위원군(渭原郡) 숭정면(崇正面)과 강계군(江界郡) 화경면(化京面) 사이에 있는 산. [1,286m]

봉:절【奉節】 명〔지〕 '펑제'를 우리 음으로 읽은 이름.

봉접[1]【蜂蝶】 명 벌과 나비.

봉:접[2]【鳳蝶】 명 호랑나비.

봉:정[1]【奉呈·捧呈】 명 삼가 받들어 올림. ——하다 타여불

봉정[2]【峰頂】 명 산봉우리의 맨 꼭대기.

봉정[3]【蓬征】 명 정처없이 떠돌아다님. ——하다 자여불

봉:정 대:부【奉正大夫】 명〔역〕 조선 시대에, 문관·종친(宗親)의 정사품의 품계. 봉렬(奉列) 대부.

봉:정-사【鳳停寺】 명〔불교〕 경상 북도 안동시(安東市) 서후면(西後面) 태장리(台庄里)에 있는 절. 신라 문무왕(文武王) 12년(672)에 의상 국사(義湘國師)에 의하여 창건(創建)되었다고 전하며, 경내(境內)에는 고려 시대에 건립된 삼층 석탑(三層石塔)과 고려말 조선초의 대웅전(大雄殿)과 조선 초기에 만든 화엄 강당(華嚴講堂) 등이 유명함. 고운사(孤雲寺)의 말사(末寺).

봉:정사 극락전【鳳停寺極樂殿】[—낙—] 명 경상 북도 안동시(安東市) 봉정사에 있는, 고려 중기에 건축된 것으로 추정되는 목조 불교 전각. 단층 맞배지붕의 주심포(柱心包) 집임. 국보 제15호.

봉정-상【蜂叮傷】 명 벌에게 쏘인 상처(傷處).

봉:정-식【奉呈式】 명 봉정하는 의식(儀式).

봉:정-암【鳳頂庵】 명〔불교〕 강원도 인제군(麟蹄郡) 북면(北面) 용대리(龍垈里) 설악산(雪嶽山) 소청봉(小靑峰) 서북쪽에 있는 사찰. 오대 적멸 보궁(五大寂滅寶宮)의 하나. 신라 선덕 여왕(善德女王) 12년(643)에 자장율사(慈藏律師)가 당(唐)나라에서 부처의 진신사리(眞身舍利)를 가지고 귀국, 이곳에 사리를 봉안하고 창건함.

봉제[1]【封題】 명 편지를 봉하고 겉봉을 씀. ——하다 자여불

봉제[2]【縫製】 명 재봉틀 따위로 박아서 만듦. ¶ ~품. ——하다 타여불

봉제-공【縫製工】 명 봉제의 일을 전문으로 하는 사람.

봉제 공장【縫製工場】 명 봉제에 필요한 시설을 갖추어 놓고 봉제품을 전문으로 만드는 공장.

봉:-제사【奉祭祀】 명 제사를 받듦. 봉사(奉祀). ——하다 자여불

봉제 완:구【縫製玩具】 명 천을 봉제하여 만든 장난감. 동물 모양의 것이 많음. 「완구 따위.

봉제-품【縫製品】 명 재봉틀이나 손으로 바느질하여 만든 제품. 의류·

봉제품 공업【縫製品工業】 명 직물(織物)·메리야스 따위를 내의(內衣)·기성복·침구 등의 최종 의류(衣類)로 가공하는 공업.

봉:조[1]【棒組】 명〔인쇄〕 이어짜기.

봉:조[2]【鳳鳥】 명 봉황(鳳凰).

봉:조[3]【鳳詔】 명 조서(詔書).

봉:조[4]【鳳藻】 명 훌륭한 글. 아름다운 글.

봉:조-청【奉朝請】 명〔역〕 정삼품(正三品)의 벼슬아치가 치사(致仕)한 뒤에 임명되던 벼슬. 의식에만 출사하며 종신토록 녹봉을 받음.

봉:조-판【奉朝判】 명〔역〕 고려초에 태봉(泰封)의 제도를 따서 베푼 관등의 일곱째 관계(官階). 광록승(光祿丞)의 다음.

봉:조-하【奉朝賀】 명〔역〕 종이품(從二品)의 벼슬아치가 치사(致仕)한 뒤에 임명되던 벼슬. 의식(儀式)에만 출사(出仕)하며 종신(終身)토록 녹봉(祿俸)을 받음. 삼자함(三字銜).

봉:족[1]【奉足】 명 ①☞ 봉죽. ②〔역〕〔보조자의 뜻〕 평민이나 천민(賤民)이 출역(出役)하였을 경우, 출역하지 아니한 여정(餘丁)을 한두 사람 정정(正丁)에게 지급하여 집안 일을 도와 주게 하던 일. 뒤에는 여정에게 재물만을 내게 하여 정정을 보조하였음. 여정(餘丁). *정정(正丁). ——하다 타여불

봉:족[2]【俸足】 명〔역〕 급여(給與)를 주어 부리는 노비(奴婢).

봉:족-꾼【奉足—】 명 ☞ 봉죽꾼. 「나 여기(女妓).

봉:-족자【奉簇子】 명〔악〕 정재(呈才) 때, 족자를 받들던 무동(舞童)이

봉졸【烽卒】 명〔역〕 봉수군(烽燧軍). 「27≫.

봉족 명〈옛〉 봉족(奉足). 봉족드는 사람. ¶ 軍士 봉족(餘丁) ≪譯語 上

봉주【封奏】 명 상주문(上奏文)을 봉하여 바침. 또, 그 상주문. 봉사(封事). ——하다 자여불

봉주:르〔프 bonjour〕 명감 '안녕하십니까'의 뜻으로 아침이나 낮에 만났을 때 하는 인사말. 「——하다 타여불

봉:죽 명〔←봉족(奉足)〕 일을 주장(主掌)하는 사람을 곁에서 도와 줌. 봉:죽(을) 들다 구 남의 일을 거들어서 도와 주다.

봉:-죽간자【奉竹竿子】 명〔악〕 정재(呈才) 때 죽간자를 받들던 무동(舞童)이나 여기(女妓). 준죽간자(竹竿子).

봉:죽-꾼 명 봉죽 드는 사람.

봉:죽-놀이【奉竹—】 명 어촌에서 고기잡이배를 맞이하면서 춤추고 노래하며 노는 놀이. 「등이 쓰임.

봉:죽-대【奉竹—】 명 봉죽놀이에 쓰는 도구. 흔히, 배의 돛을 매다는 기

봉지[1] 명〈궁중〉 바지[1].

봉:지[2]【奉旨】 명 임금의 뜻을 받듦. ——하다 자여불 「(禁軍).

봉:지[3]【奉持】 명〔역〕 거둥 때 말을 타고 용대기(龍大旗)를 받들던 금군

봉지[4]【封地】 명 제후(諸侯)의 영토. 봉강(封疆). 봉토(封土).

봉지[5]【封紙】 一명 종이로 붙여서 만든 주머니. 지금은, 비닐 따위로 만든 것도 이름. 지대(紙袋). 二의명 물건의 양을 그것이 담긴 봉지의 수로 헤아리는 말. ¶ 과자 한 ~. *봉다리.

봉:지[6]【鳳池】 명 ①재상(宰相). ②〔악〕 거문고 밑에 있는 두 개의 구멍 중 아랫구멍을 일컫는 말. ③〔역〕 중국 당(唐)나라 중서성(中書省)을 일컫던 말. 「일.

봉:-지만【捧遲晩】 명〔역〕 죄인(罪人)에게 복죄(服罪)의 다짐을 받던

봉:직【奉職】명 공직에 종사함. 봉공(奉公). ——-하다 자여불
봉:직-랑[1]【奉直郎】[—낭] 명〖역〗조선 시대에, 문관(文官)·종친(宗親)의 종오품의 품계. 처음에는 문관의 품계로만 사용하다가 뒤에 종친에도 통용함. 통선랑(通善郎)의 아래.
봉:직-랑[2]【奉職郎】[—낭] 명〖역〗조선 시대에, 토관(土官)의 동반(東班) 종육품의 품계. 희공랑(熙功郎)의 위, 선직랑(宣職郎)의 아래.
봉:직 전:쟁【奉直戰爭】명〖역〗펑즈 전쟁.
봉:진【奉進】명 받들어 바침. ——-하다 타여불
봉:진-위【奉進位】명〖역〗고려초에 태봉(泰封)의 제도를 따서 베푼 관등의 여덟째 관계(官階). 봉조판(奉朝判)의 다음.
봉:질【俸秩】명 관원에게 주는 급료. 관록(官祿). 녹봉(祿俸).
봉-짜 명〈속〉난봉쟁이.
봉-찌 명 던질 때 무게를 주기 위하여 밑에 납덩이를 박은 낚시찌.
봉:차【鳳車】명 ①봉가(鳳駕). ②선인(仙人)이 탄다는 수레. 오룡차(五風車).
봉착【逢着】명 서로 닥뜨려 만남. ¶위기에 ～하다. ——-하다 자여불 「타여불
봉창[1] 명〈방〉호주머니(전북·충청).
봉:창[2]【奉唱】명 엄숙한 마음으로 노래를 부름. ¶애국가 ～. ——-하다
봉창[3]【封倉】명〖역〗조선 시대에, 관원(官員)의 녹봉(祿俸)을 내준 다음, 창고를 봉하던 일. ——-하다 자여불
봉창[4]【封窓】명 ①창문을 봉함. 또, 봉한 창문. ②〖건〗창틀·창짝이 없이 벽을 뚫어서 구멍만 내고 안으로 종이를 발라서 봉한 창. ③〈방〉미닫이(경남). ——-하다 자여불
봉창[5]【篷窓】명 배의 창문.
봉창-고지 명〖농〗삯만 받고 먹기는 제 것으로 먹고 일하는 고지.
봉창-질 명 물건을 남몰래 모아서 감추어 두는 짓. ——-하다 타여불
봉창-하다 타여불 ①물건을 남몰래 모아서 감추어 두다. ②손해본 것을 벌충하다. ¶봉창하고도 남는다.
봉채[1]【封采】명 →봉치.
【봉채에 포도 군사(捕盜軍士)】납채 길사(納采吉事)에 포도 군사가 나타남은 당치도 않다는 말로, 연회(宴會)나 기타의 장소에 전연 관계없는 자가 뛰어들었을 때에 혐오하는 마음으로 비유해서 일컫는 말.
봉:채[2]【鳳釵】명 봉잠(鳳簪).
봉:채-단【鳳彩緞】명 봉황 형상의 무늬를 놓은 중국 비단.
봉채-함【封采函】명 →봉치함.
봉책【封册】명 왕후(王侯)에 봉하는 뜻을 쓴 천자의 조서(詔書).
봉:천【奉天】명〖지〗'심양(瀋陽)'의 만주국 때의 이름.
봉:천-답【奉天畓】명〖농〗천둥지기. 준봉답(奉畓).
【봉천답이 소나기를 싫어 하랴】늘 물이 부족한 천둥지기 논이 소나기를 싫어할 리가 없듯이, 틀림없이 좋아할 것이라는 말.
봉:천-대【奉天臺】명〖지〗평안 북도 후창군(厚昌郡) 칠평면(七坪面)에 있는 산. [1,277m]
봉:천-봉【鳳泉峰】명〖지〗평안 북도 강계군(江界郡)에 있는 산. [1,249 m]
봉:천 사:건【奉天事件】[—껀] 명〖역〗펑톈 사건.
봉:천-산【奉天山】명〖지〗함경 남도 장진군(長津郡)에 있는 산. [1,759 m]
봉:천-장【奉天章】[—짱] 명 용비 어천가의 제9장의 이름.
봉:천-지기【奉天—】명〈방〉〖농〗천둥지기.
봉:천-파【奉天派】명〖역〗펑톈파.
봉:-천화병【奉天花瓶】명〖악〗헌천화(獻天花) 춤에 꽃병을 드리는 무동(舞童).
봉철【縫綴】명 선장(線裝).
봉:-첩지【鳳—】명〖역〗왕비나 세자비(世子妃)가 꽂는 첩지. 날개를 벌린 봉황새 모양을 본뜨고, 뒤끝이 휘어져 올라갔음. 금(金)으로 도금(鍍金)함.
봉:-체조【棒體操】명 여러 사람이 세로로 늘어서서 받쳐든 굵고 긴 통나무를 구령에 따라 일제히 한 쪽 어깨에서 다른 쪽 어깨로 옮겨 메는 극기 훈련.
봉:초【捧招】명〖역〗죄인이 공초(供招)를 받음. ——-하다 타여불
봉총-찜 명 꿩고기와 쇠고기를 섞어 칼로 이긴 뒤에, 간장·기름·파·생강·후춧가루 등을 쳐서 주무르고, 무·숙주·미나리·도라지 따위를 양념하여 볶아서 넣고, 묽은 밀가루 반죽을 씌워서 쪄 낸 음식.
봉추[1]【蜂箒】명 분봉(分蜂)할 때 그릇이나 자루 등에 벌을 천천히 쓸어 넣는 비. 벌비.
봉:추[2]【鳳雛】명 ①봉황의 새끼. ②뛰어난 소년을 비유하는 말. ③아직 세상에 드러나지 아니한 영웅을 비유하는 말. *복룡(伏龍).
봉:축[1]【奉祝】명 공경하는 마음으로 축하함. ——-하다 타여불
봉축[2]【封築】명 무덤을 만들려고 흙을 쌓아올림. ——-하다 타여불
봉출【蓬朮】명〖한의〗봉아술(蓬莪茂)의 근경(根莖). 파혈(破血)·행기(行氣)·식적(食積)·기취(氣聚)·어혈(瘀血)·징가(癥瘕) 등에 약재로 씀.
봉:-충【鳳—】명 봉황을 그린 운두가 높은 충항아리.
봉충-다리 명 사람이나 물건의 한쪽이 짧은 다리.
【봉충다리의 울력 걸음】다리 하나가 짧은 사람도 울력으로 걷는 데는 따라 갈 수 있다는 뜻이니, 곧 좀 모자라는 사람도 여럿이 어울려서 하는 일에는 한몫 낄 수 있다는 말.
봉취【蜂聚】명 봉둔(蜂屯). ——-하다 자여불
봉:취-도【鳳嘴刀】명 봉황의 부리 모양으로 만든 칼.
봉치[1]【封—】명〔←봉채(封采)〕혼인식을 하기 전에 신랑 집에서 신부 집으로 채단(采緞)과 예장(禮狀)을 보내는 일. 또, 그 물건.
봉치[2]【封置】명 봉하여 둠. ——-하다 타여불
봉치-떡【封—】명 봉치를 보내는 집과 받는 집에서 제각기 축하하느라고 쪄 놓은 떡. *봉칫시루.
봉치-함【封一函】명〔←봉채함(封采函)〕예장함(禮狀函).

봉:칙【奉勅】명 칙령(勅令)을 받듦. ——-하다 자여불
봉:친【奉親】명 어버이를 받들어 모심. ——-하다 자여불
봉:친-가【奉親歌】명〖문〗사친가(思親歌).
봉칠 진:일십【逢七進一十】[—썹] 명〖수〗구귀가(九歸歌)의 하나. 7을 7로 나눌 때에는 그 피제수(被除數)인 7을 떼고 몫 1을 그 윗자리에 놓으라는 뜻.
봉침[1]【蜂針】명 침 모양의 벌의 산란관.
봉:침[2]【鳳枕】명 봉황의 형상을 수놓은 베개.
봉침[3]【縫針】명 바늘❶.
봉칫-날【封—】명 봉치를 보내거나 받는 날.
봉칫-시루【封—】명〖민〗봉치를 보내는 집과 받는 집에서 제각기 축하하느라고 쪄서 놓는 떡시루.
봉:탕【鳳湯】명 '닭국'을 익살맞게 일컫는 말.
봉태기 명〈방〉소쿠리(경남).
봉토【封土】명 ①흙을 높이 쌓아올림. ②봉강(封疆). 영지(領地). ③〖고고학〗무덤 위를 둥글게 쌓아올린 흙. ——-하다 자여불
봉투【封套】명 편지나 서류 같은 것을 넣는, 종이로 만든 주머니. 서통(書筒). 걸봉.
봉:파【捧疤】명 용모 파기(容貌疤記)를 만듦. ——-하다 자여불
봉팔 진:일십【逢八進一十】[—썹] 명〖수〗구귀가(九歸歌)의 하나. 8을 8로 나눌 때에는 그 피제수(被除數)인 8을 떼고 몫 1을 그 윗자리에 놓으라는 뜻.
봉패【逢敗】명 실패를 당함. ¶막봉이는 박선달이 도처에 ～하는 것을 웃었건만…《洪命憙 : 林巨正》. ——-하다 자여불
봉폐【封閉】명 ①굳게 문호(門戶)를 닫아, 사람의 출입을 금함. ②가둠. 감금함. ——-하다 타여불
봉표【封標】명 ①능(陵) 터를 미리 정하여 흙을 모아 봉분(封墳)을 하고 세우는 표. ②봉산(封山)의 정계표(定界表).
봉풍【逢豐】명 봉년(逢年). ——-하다 자여불
봉피【封皮】명 물건을 싼 종이. 「람.
봉:필[1]【奉筆】명〖역〗보상무(寶相舞)와 포구락(拋毬樂)에 붓을 잡는 사
봉필[2]【蓬蓽】명〔쑥이나 가시 덤불로 지붕을 이었다는 뜻〕가난한 사람의 집을 일컫는 말.
봉필 생휘【蓬蓽生輝】명 가난한 사람의 집에 고귀한 사람이 찾아옴을 영광으로 생각한다는 말.
봉-하다【封—】타여불 ①문이나 봉투의 부리, 그릇의 아가리 등을 붙이다. ¶출입구를 ～. ②입을 다물다. ③무덤 위에 흙을 쌓다. ④〖역〗왕이 영지(領地)를 내리고 제후(諸侯)로 삼다. ⑤〖역〗왕이 작위(爵位)나 작품(爵品)을 내리어 주다.
봉함[1]【封函】명 봉함(封緘)한 편지.
봉함[2]【封緘】명 편지를 봉투에 넣고 부리를 붙임. ——-하다 타여불
봉함 엽서【封緘葉書】[—넙—] 명 사연을 써서 겹쳐 접으면 크기가 보통 엽서와 같게 되는 우편 엽서의 한 가지.
봉합[1]【封合】명 봉하여 붙임. ——-하다 타여불
봉합[2]【縫合】명 ①〖의〗수술(手術)한 자리나 외상(外傷)으로 갈라진 자리를 꿰매어 붙임. ②[suture]〖생〗서로 결합되는 부분이 톱니 모양으로 된 두 개의 뼈가 마주 물려서 마치 실로 꿰맨 것처럼 되어 있는 뼈의 결합 모양의 하나. 또, 그 부분. 두개골(頭蓋骨)의 편평골(扁平骨)에서 볼 수 있음. ——-하다 타여불
봉합-법【縫合法】명〖의〗갈라졌거나 벗어진 부분을 봉합침과 봉합사(縫合絲)를 사용하여 꿰매어 붙이는 수술 방법. 봉합사 처리에 있어서 봉합의 하나하나를 맺는 것을 '결절(結節) 봉합', 계속하여 봉합한 후에 맺는 것을 '연속 봉합', 꿰맨 실이 피부면에 나오지 아니하게 하는 것을 '매몰(埋沒) 봉합'이라고 함.
봉합-사【縫合絲】명〖의〗봉합 수술(手術)에 쓰이는 실. 양·돼지·말 같은 짐승의 장(腸)으로 만들거나 견사(絹絲)·나일론 섬유·동물의 심줄·말총 또는 금속성으로 만듦.

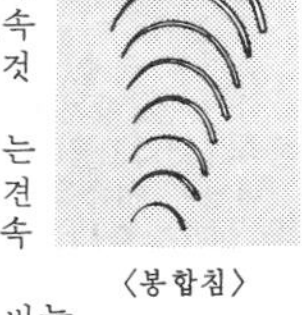
〈봉합침〉

봉합-침【縫合針】명〖의〗봉합 수술에 쓰이는 굽은 바늘.
봉항【封港】명 적의 항구를 봉쇄함. ——-하다 자타여불 「타여불
봉:행【奉行】명 웃어른이 시키는 대로 좇아서 일을 행함. ——-하다
봉:헌【奉獻】명 웃어른께 물건을 바침. ——-하다 타여불
봉:헌-경【奉獻經】명〖천주교〗'봉헌의 기도'의 구칭.
봉:헌 기도【奉獻祈禱】명〖천주교〗미사 중, '말씀의 전례'가 끝난 다음 사제가 낮은 목소리로 외우는 기도문. '성찬의 전례'에 바치는 제물을 기꺼이 받아 봉헌하는 이들에게 은총을 베풀어 달라고 기구함. '묵념 축문'의 고친 이름. 「품계.
봉:헌 대:부【奉憲大夫】명〖역〗조선 시대에, 의빈(儀賓)의 정이품의
봉:헌-송【奉獻誦】명〖천주교〗미사 중 '성찬의 전례'에서 사제(司祭)가 면병(麪餠)과 포도주를 제단에 바칠 때 외우는 기도문. '제헌경(祭獻經)'의 고친 이름.
봉:헌의 기도【奉獻—祈禱】[—/—에—] 명〖천주교〗주요 기도문의 하나. 주(主)께서 받은 몸과 마음을 찬미와 봉사의 제물(祭物)로 드린다는 요지(要旨)의 기도문. '봉헌경'의 고친 이름.
봉혁【封洫】명 전답(田畓)의 경계.
봉혈[1]【封穴】명 개미 구멍. 「을 일컫는 말.
봉:혈[2]【鳳穴】명 문채(文采)가 모이는 곳. 곧, 훌륭한 사람이 모이는 곳
봉호[1] 명〈옛〉봉화(烽火). ¶봉호 봉(烽), 봉호 수(燧)《字會 中 9》.
봉호[2]【封號】명 왕이 봉하여 내려 준 호(號). 「말.
봉호[3]【蓬戶】명〔쑥으로 짜서 만든 문이라는 뜻〕빈가(貧家)를 일컫는

봉호[4] 【蓬壺】 명 봉래산[1](蓬萊山).
봉호[5] 【蓬蒿】 명 〔식〕 다북쑥.
봉호-전 【蓬蒿煎】 명 쑥전.
봉:화[1] 【奉化】 명 〔지〕 경상 북도 봉화군의 군청 소재지로 읍(邑). 군의 남서쪽에 위치함. 유곡동(酉谷洞)에 조선 중종(中宗) 때의 학자 권발(權撥)·권동보(權東輔) 부자(父子)가 세운 청암정(靑岩亭)·석천정(石泉亭)이 있음. [13,070 명(1996)]
봉:화[2] 【奉花】 명 궁중 무용의 포구락(抛毬樂)·보상무(寶相舞)에서 꽃을 달아 주는 사람. 두 편으로 나누어 승부를 가릴 때에 이긴 편에게 상으로 꽃을 달아 주는 역할을 함.
봉화[3] 【烽火】 명 ①〔역〕 난리를 알리는 불. 신라 때부터 있었으며 조선 시대에는 봉홧둑을 전국에 육백 군데나 두었음. 어느 방면에서 불을 올리면 연해 전하여 서울까지 오게 되는데, 평상시(平常時)에는 매일 초저녁에 불을 올림. 만약 올릴 때에 아니 올리거나 아니 올릴 때에 올리면, 그 방면에 변이 있는 줄 짐작하게 됨. 올리는 도수(度數)는 평상시에는 한 번, 적이 나타나면 두 번, 적이 국경(國境)에 접근하면 세 번, 국경을 침범하면 네 번, 접전(接戰)하면 다섯 번임. 불빛을 이용할 수 없는 낮에는 토끼 똥을 태워서 곧게 올라가는 연기를 이용하며, 날씨가 흐리거나 비가 와서 연기를 이용할 수 없을 때에는 특사(特使)가 달림. 봉수(烽燧). 관화(爟火). ②산봉(山峰)에 어떤 경축이나 신호로 놓는 불. 연화(煙火). ③어린아이를 달래거나 재롱을 보는 짓의 하나. 성냥 개비에 불을 댕겨 들고 흔들면서 '봉화봉화'하고 연해 불러서 아이의 눈망울을 이리저리 굴리게 하는 짓.
봉화(를) 들다 구 봉홧불을 켜서 높이 올리다. 봉화(를) 올리다.
봉화(를) 들리다 구 봉홧불을 들게 하다.
봉화(를) 올리다 구 봉화(를) 들다.
봉화[4] 【逢禍】 명 재화(災禍)를 만남. ——하다 자여불
봉화-간 【烽火干】 명 〔역〕 조선 시대에, 봉수군(烽燧軍)으로 종사하던 사람. 신량 역천(身良役賤)에 속함.
봉:화-군 【奉化郡】 명 〔지〕 경상 북도의 한 군. 관내 1읍 9면. 북은 강원도 영월군(寧越郡)과 삼척군(三陟郡), 동은 영양군(英陽郡)과 울진군(蔚珍郡), 남은 안동군(安東郡), 서는 영풍군(榮豐郡)에 접함. 주요 산물은 고추·잎담배·인삼·대추·작약·당귀·황귀 등 농산과, 임산·축산·공산·광산물 등임. 명승 고적으로는 청량산(淸凉山)·각화사(覺華寺)·청암정(靑岩亭)·석천정(石泉亭)·오전 약수탕(梧田藥水湯) 등이 있음. 군청 소재지는 봉화(奉化). [1,201.00 km^2 : 49,965 명(1996)]
봉화-대 【烽火臺】 명 봉홧둑.
봉화-산 【烽火山】 명 〔지〕 ①평안 북도 후창군(厚昌郡)에 있는 산. [1,087 m] ②함경 남도 풍산군(豐山郡) 천남면(天南面)에 있는 산. [1,331 m]
봉화-재 【烽火一】 명 봉홧둑이 있는 산.
봉화-지기 【烽火一】 명 봉홧둑을 지키는 사람. 봉수지기.
봉화-치 【烽火峙】 명 〔지〕 충청 북도 제천시(堤川市)에 있는 고개. [1,337 m]
봉:환[1] 【奉還】 명 웃어른에게 도로 돌려 드림. ——하다 타여불
봉환[2] 【封還】 명 사표(辭表) 같은 것을 받지 아니하고 봉한 채 그대로 돌려 보냄. 환봉(還封). ——하다 타여불
봉홧-대 【烽火一】 명 진달래 가지 끝에 기름을 발라 불을 붙여 가지고 다니는 제구.
봉홧-둑 【烽火一】 명 봉화를 올릴 수 있게 만들어 놓은 곳. 봉대(烽臺). 봉수대(烽燧臺). 봉화대(烽火臺). 연대(煙臺).
봉홧-불 【烽火一】 명 봉화로 드는 횃불.
[봉홧불 받듯] 조금도 지체없이 서로 말을 주고받는다는 말. [봉홧불에 산적 굽기] 봉홧불에 산적을 구운들 잘 구워지지 아니할 것이므로, 너무 서둘러 일을 이루지 못함의 비유.
봉:황 【鳳凰】 명 상상(想像)의 상서로운 새. 몸은 닭의 머리와 뱀의 목, 제비의 턱, 거북의 등, 물고기의 꼬리 등 모양을 하고, 키는 6척 가량이며, 몸과 날개는 오색(五色) 빛이 찬란하고, 오음(五音)의 소리를 낸다 함. 오동나무에 깃들이고 대의 열매를 먹으며 예천(醴泉)을 마심. 성천자(聖天子)가 나타나면 이 새가 나타나는데, 뭇 짐승들이 따라 모인다고 함. 수컷을 '봉', 암컷을 '황'이라 함. 용·거북·기린과 함께 사령(四靈)을 이루는데, 중국 고대의 전설에 많이 나옴. 봉황새. 봉새. 봉조(鳳鳥). 단조(丹鳥). 준봉(鳳).

〈봉황〉

[봉황에 닭을 비교한다] 잘난 사람에다 못난 사람을 비교한다.
봉:-황개 【奉黃盖】 명 〔악〕 정재(呈才) 때 황개(黃盖)를 받드는 무동(舞童)이나 여기(女妓).
봉:황-곡 【鳳凰曲】 명 〔악〕 조선 시대의 가사(歌辭)의 하나. 작자와 연대(年代)는 미상.
봉:황 내:의 【鳳凰來儀】 [—/—이] 명 봉황이 와서 춤을 춘다는 뜻으로, 태평의 길조(吉兆).
봉:황-대[1] 【鳳凰臺】 명 〔지〕 경주시(慶州市)에 있는 신라 때의 무덤. 바닥의 지름이 82 m, 높이가 22 m 가량 되는데, 이 무덤에 올라가 보면 경주성(慶州城)의 모양이 봉황새와 같다 하여, 봉황새를 내려다보는 대(臺)라는 뜻에서 이름지었다 함.
봉:황-대[2] 【鳳凰臺】 명 〔책〕 이대봉전(李大鳳傳).
봉:황-루 【鳳凰樓】 [—누] 명 임이나 임금이 계신 곳을 아름답게 일컫는 말.
봉:황-무 【鳳凰舞】 명 〔불교〕 영산 회상곡(靈山會上曲)에 맞추어 추는 춤.
봉:황-문 【鳳凰紋】 명 봉황을 새긴 무늬. 서상(瑞相)으로서 옛적부터 장식·회화 등에 흔히 쓰임.
봉:황-보 【鳳凰補】 명 〔역〕 왕비의 예복에, 양쪽 어깨·가슴 등에 다는 보(補). 여의주(如意珠)를 가운데 두고 아래 위로 날아오는 두 마리의 봉황을 수놓음.
봉:황-산 【鳳凰山】 명 〔지〕 강원도 이천군(伊川郡) 웅탄면(熊灘面)과 함남 덕원군(德源郡) 풍하면(豐下面) 사이에 있는 산. [1,259 m]
봉:황산 한:묘 【鳳凰山漢墓】 명 〔고고학〕 평황 산 한묘.
봉:황-새 【鳳凰一】 명 봉황(鳳凰).
봉:황새-자리 【鳳凰一】 명 〔라 Phoenix〕 〔천〕 남천(南天)의 별자리. 11월 하순경 초저녁에 남중(南中)하여 남쪽 하늘의 낮은 곳에서 볼 수 있음. 육안(肉眼)으로 보이는 별만 60여 개임. 약자 Phe.
봉:황-음 【鳳凰吟】 명 〔악〕 조선 세종 때의 학자 윤회(尹淮)가 지은 악장(樂章). 조선 시대 문물 제도를 찬미하고 왕가의 태평을 기원한 송축가(頌祝歌). 궁중 잔치 때 연화대(蓮花臺) 학춤에 부름.
봉:황-의 【鳳凰衣】 [—/—이] 명 새끼를 깐 새알의 껍데기 속의 얇은 속껍질.
봉후[1] 【封侯】 명 〔역〕 제후로 봉함. 또, 그 제후(諸侯). ——하다 타여불
봉후[2] 【烽堠】 명 봉화를 올리는 데 쌓은 보루(堡壘). 봉보(烽堡).
봉:훈-랑 【奉訓郞】 [—낭] 명 〔역〕 조선 시대에, 문관·종친(宗親)의 종오품의 품계. 처음에는 문관의 품계로만 쓰였음. 승의랑(承議郞)의 위.
봉:희 【捧戲·搒戲】 [—히] 명 〔역〕 옛날 병사들의 놀이의 한 가지. 장난삼아 나무때기를 가지고서 무기(武技)를 다투어 겨룸.
봉오리 명 〈옛〉 산 봉우리. ¶묏 봉오리 봉(峯)《字會 上 3》.
봉호조ᅀᅵ 명 〈옛〉 쑥[1]. ¶봉호조ᅀᅵ(艾毬)《字會 上 9》.
볿다 자 〈방〉 발다.
봐 一 준 '보다'의 활용형(活用形)인 '보아'의 준말. 二 보형 용언의 어미 '-ㄴ가'·'-나'·'-는가'·'-ㄹ까'·'-을까' 등의 아래에 쓰이어, 짐작으로 추측이나 막연한 자기 의향을 나타내는 말. ¶큰가 ~/비가 오나 ~/그만둘까 ~/지각할까 ~ 달려갔다.
봐:란-듯이 부 ↗보아란듯이. ¶우리도 ~ 살 때가 있다.
봐:-주다 타 ↗보아주다.
봐:-하니 부 ↗보아하니. ¶~ 신사인데.
-봤:자 구 ↗-보았자.
뵈[1] 명 〈옛〉 베[1]. ¶靑州ㅅ 뵈젹삼이로다(靑州布衫)《金三 Ⅱ:61》.
뵈[2] 명 〈방〉 삼베(황해·함경).
뵈[3] 명 〈방〉 벼[1](황해).
뵈[4] 一 보형 보조 형용사 '보다'의 활용형 '보이'의 준말. ¶재미 좋은가 ~. 二 동 '보다'의 활용형 '보이어'의 준말. ¶잘 ~.
뵈놀다 자 〈옛〉 베를 날다. ¶뵈놀 심(紝)《字會 下 19》.
뵈:다[1] 一 타 웃어른을 대하여 보다. ¶선생님을 ~. 二 자 조사 '에게'·'께' 다음에 쓰이어, 웃어른을 대하여 보다. ¶할아버지께 ~.
뵈:다[2] 一 피동 ↗보이다. ¶산이 ~. 二 사동 ↗보이다. ¶시험을 ~. 三 타 ① ↗보이다. ¶의욕을 ~.
뵈다[3] 형 〈옛〉 배다[5]. 꽉 차다. ¶셔ᄫᅳᆳ 뷘 길헤 軍馬ㅣ 뵈니이다(城中街陌若塡騎士)《龍歌 98章》.
뵈르네 〔Börne, Ludwig〕 명 〔사람〕 유태 출신의 청년 독일파(派)의 작가. 프랑스의 자유주의 사상에 공명(共鳴)하였으며, 그의 개혁 사상에 대한 독일 관헌의 압박을 피해 파리에서 살았음. '파리 통신(Briefe aus Paris:1831-34)'에서 활발한 정치적 문학 활동을 함. 본명은 Löb Baruch. [1786-1837]
뵈:메 〔Böhme, Jakob〕 명 〔사람〕 독일의 신(新)플라톤주의적 신비(神秘) 사상가. 그리스도교(敎)를 빛과 어둠, 사랑과 노여움의 끊임없는 투쟁에 의해 해석하고 일종의 범신론(汎神論)을 제창하였음. 저서에 《여명(黎明)》이 있음. [1575-1624]
뵈믜 명 〈옛〉 보늬. 속껍질. =보ᄆᆡ. ¶보믜(殼裏皮)《同文 下 5》.
뵈ᄶᅡᆼ이 명 〈옛〉 베짱이. ¶뵈ᄶᅡᆼ이 甚히 죠고마ᄒᆞᆫ 거시로ᄃᆡ(促織甚微細)《初杜諺 XVII: 37》.
뵈ᄧᅡᆼ이 명 〈옛〉 질경이. ¶뵈ᄧᅡᆼ이 부(芣), 뵈ᄧᅡᆼ이 이(苢)《字會 上 15》.
뵈ᄧᆞ다 자 〈옛〉 베짜다. ¶뵈ᄧᆞᆯ 직(織)《類合 下 7》.
뵈-시위 【一侍衛】 감 〔역〕 조심하여 잘 모시라는 뜻으로 봉도(奉導)에 부르던 소리.
뵈ᅀᆞᄫᆞ니 자 〈옛〉 뵈오니. 보이오니. '뵈ᅀᆞᆸ다'의 활용형. ¶帝祜ᄅᆞᆯ 뵈ᅀᆞᄫᆞ니(爰示帝祜)《龍歌 7章》.
뵈ᅀᆞ오니라 타 〈옛〉 뵈오니라. '뵈ᅀᆞᆸ다'의 활용형. ¶蕭關城에 가 님그믈 뵈ᅀᆞ오니라(謁帝蕭關城)《杜諺 XXIV:19》.
뵈ᅀᆞ올 타 〈옛〉 뵈올. '뵈ᅀᆞᆸ다'의 활용형. ¶ᄒᆞᆫᄢᅴ 뵈ᅀᆞ올 저기어시든(若並時進見)《內訓 Ⅱ:65》.
뵈ᅀᆞᆸ다 타 〈옛〉 뵈옵다. =뵈ᅌᆞᆸ다. ¶아바님 뵈ᅀᆞᄫᆞᇙ제(來見父王)《龍歌 91章》.
뵈아다 타 〈옛〉 재촉하다. =뵈야다. ¶가ᄂᆞᆫ ᄇᆡ를 뵈아고져 ᄒᆞ노라(欲去鷁催)《杜諺 XXI:7》.
뵈앗ᄇᆞ다 형 〈옛〉 바쁘다. =뵈왓ᄇᆞ다·뵈왓브다. ¶뵈앗ᄇᆞᆫ 거르미 업스며(無窘步)《飜小 X:23》.
뵈야다 타 〈옛〉 재촉하다. =뵈아다. ¶늘근 나해 기장ᄋᆞ로 술 비주믈 뵈야고(衰年催釀黍)《重杜諺 Ⅲ:25》.
뵈야신다 타 〈옛〉 죄어 신다. =ᄇᆡ야신다. ¶芒鞋를 뵈야신고 竹杖을 흣더디니《松江 星山別曲》.
뵈야호로 부 〈옛〉 바야흐로. =뵈야ᄒᆞ로. ¶혹 뵈야호로 이를 ᄒᆞ고져 ᄒᆞ야(或方幹事而)《呂約 Ⅶ:21》.
뵈야ᄒᆞ로 부 〈옛〉 바야흐로. =뵈야호로. ¶修羅ᄂᆞᆫ 뵈야ᄒᆞ로 瞋心ᄒᆞ고(修羅方瞋)《圓覺 序 13》.
뵈오 부 〈옛〉 뵈게. =뵈요. ¶ᄒᆞ다가 가ᄉᆞᆷ애 뵈오 돋거든 ᄲᆞᆯ리 쇼독음에 산사 술무틴 황금조초 삭술 가ᄒᆞ야 머기라(如胸前稠密急服消毒飮加山査子酒黃芩紫草茸)《痘要 上 41》.
뵈오리 명 〈옛〉 베올. =뵛오리. ¶造物이 多情하야 봄바람 가알달 뵈오리예 북 더나듯《巫玉》.
뵈옵다 타 '뵈다'의 높임말. 준뵙다.
뵈옷 명 〈옛〉 베옷. ¶三多에 뵈옷 닙고 岩穴의 눈비 마자《古時調 曺植》.

뵈왓봄 혐 〈옛〉 바쁨. '뵈왓ㅂ다'의 명사형. ¶ 나날 죽사리 뵈왓보몰 아노라(日覺死生忙)《杜諺 Ⅱ:42》. 「《內訓 Ⅰ:17》.

뵈왓브다 혐 〈옛〉 바쁘다. =뵈앗ㅂ다·뵈왓ㅂ다. ¶ 倉卒은 뵈왓블 시라

뵈왓비 뮈 〈옛〉 바삐. ¶ 뵈왓비 亂훈 兵馬롤 避ᄒᆞ야 가셔(蒼惶避亂兵)《初杜諺 Ⅵ:44》. 「도(終日忙忙)《金三 Ⅱ:37》.

뵈왓ㅂ다 혐 〈옛〉 바쁘다. =뵈앗ㅂ다·뵈왓브다. ¶ 나리 ᄆᆞᄃᆞ록 뵈왓바

뵈요 뮈 〈옛〉 뵈게. =뵈오. ¶ 듕ᄒᆞ니ᄂᆞᆫ 뵈요 돋고(重者稠密)《痘要 上 51》. 「졔 네 어믜 간 짜홀 뵈요리라《月釋 XXI:21》.

뵈요리라 타 〈옛〉 보여 주리라. ¶ 닐오ᄃᆡ 우ᄂᆞᆫ 聖女ㅣ여 슬허 말라 내 이 「Ⅸ:59》.

뵈우다 사동 〈방〉 보이다[2](함경).

뵈우틔 명 〈옛〉 베치마. ¶ ᄃᆞ른 뵈우틔를 ᄆᆞ라닙고(更著短布裳)《飜小

뵈이다 ㊀ 피동 〈방〉 보이다[1]. ㊁ 사동 〈방〉 보이다[2].

뵈읍다 타 〈옛〉 뵈옵다. =뵈숩다. ¶ 부희여 볼기예 뵈ᄋᆞ와(昧爽而朝)《小諺 Ⅱ:4》.

뵈젹삼 명 〈옛〉 베적삼. ¶ 아직 뵈젹삼쟈락의 안아 가라(且着布衫襟兒抱些草去)《老乞 上 29》.

뵈클린 〔Böcklin, Arnold〕 명 〖사람〗 스위스의 화가. 각지를 편력하였으며, 고대 신화에서 취재하여 신비적·상징적 분위기가 감도는 독특한 작풍을 수립, 낭만주의·고전주의에 새로운 생명을 불어넣었음. 작품은 《바닷가의 성》·《죽음의 섬》 등. [1827-1901]

뵐 〔Böll, Heinrich〕 명 〖사람〗 독일의 소설가. 제2차 대전에 참전, 전후에 대학을 나와 작가 활동을 시작함. 그의 작품은 간결한 문체로 일상 시정 생활에서 볼 수 있는 현대 사회의 위기적인 병증을 적확하게 지적한 것이 특징임. 《아담이여, 너는 어디에 있었나》·《그리고 아무 말도 하지 않았다》·《어릿광대의 의견》 등의 장편 외에 단편과 라디오 드라마에도 재능을 발휘함. 1972년 노벨 문학상 수상. [1917-85]

뵐:러 〔Wöhler, Friedrich〕 명 〖사람〗 독일의 화학자. 무기물에서 최초로 요소(尿素)를 합성하여, 종래의 물질의 유기체설(有機體說)을 타파하고 유기 화학의 기초를 세웠음. [1800-82]

뵐플린 〔Wölfflin, Heinrich von〕 명 〖사람〗 스위스의 미술사가(美術史家). 부르크하르트의 문화사적(文化史的) 기술(記述)의 입장을 극복하고 양식사(樣式史)로서의 미술사를 제창하고, 근대 문화의 다섯 대개념(對槪念)에 의한 문화 양식의 법칙 발견으로 미술사학에 철학적 기초를 주었음. 주저(主著)는 《미술사의 기초 개념》. [1864-1945]

뵘[1] 명 〈방〉 빔[1].

뵘:[2] 명 틈이 난 곳을 메우거나 받치는 일.

뵘:[3] 〔Böhm, Karl〕 명 〖사람〗 오스트리아의 지휘자. 1917년 그라츠 시립 교향악단 지휘자, 21년 뮌헨 오페라 지휘자, 27년 다름슈타트 시립 교향악단의 지휘자를 거쳐, 33년 빈 필하모니 지휘자, 43-45년과 54-56년에 빈 국립 가극장의 감독이 됨. [1894-1981]

뵘:-바베르크 〔Böhm-Bawerk, Eugen von〕 명 〖사람〗 오스트리아의 경제학자. 빈 대학 교수·재무상(財務相)을 지냄. 오스트리아 학파(學派)의 중진(重鎭). 저서 《자본과 자본 이자》에서 현재재(現在財)는 장래재(將來財)보다 효용이 크기 때문에 시차분(時差分)만큼의 이자를 낳으며, 자본의 차주(借主)는 우회(迂廻) 생산에 의해 이자를 지급할 수 있다는 자본 이론을 제창. 또 《마르크스 학설 체계의 종언(終焉)》을 통해 마르크스주의를 비판함. [1851-1914]

뵙:다 준 뵈옵다. ¶ 만나 ~/찾아 ~.

뵙장이 명 〈옛〉 베짱이. ¶ 뵙장이(促織蟲)《同文 上 42》.

뵛오리 명 〈옛〉 베올. =뵈오리. ¶ 뵛오리 루(縷), 뵛오리 로(纑)《字會 中 24》.

부[1] 【父】 명 아버지.

부[2] 【夫】 명 혼인 관계에 있는 남자. 곧, 아내의 배우자. 남편.

부[3] 【夫】 명 성(姓)의 하나. 현재 우리 나라에는 본관이 제주(濟州) 하나뿐임.

부[4] 【缶】 명 〖악〗 아악기(雅樂器) 토부(土部)에 속하는 타악기의 하나. 질로 구워 화로같이 만든 것인데, 아홉 조각으로 쪼개진 대나무 채로, 그 변죽을 쳐서 박절(拍節)을 짚음. 조선 세종(世宗) 때에는 헌가악(軒架樂)에 소리 높이가 각각 다른 열 개의 부(缶)를 썼으나, 지금은 음정(音程) 없는 부 하나만을 씀. 속칭 질장구.

〈부[4]〉

부:[5] 【否】 명 ①아니라는 뜻을 나타내는 말. ②의안 표결(議案表決)에서의 불찬성. 1)·2):↔가(可). ——-하다 혐여불 가(可)하지 아니하다.

부[6] 【斧】 명 〖역〗 의장의 하나. 한 개의 도끼 모양을 이룸. *월(鉞).

부[7] 【斧】 명 성(姓)의 하나. 우리 나라엔 현존치 않음.

부:[8] 【附】 명 성(姓)의 하나. 우리 나라에는 현존하지 아니함.

부[9] 【府】 명 ①〖역〗 대도호부사(大都護府使) 또는 도호부사(都護府使)가 있던 지방 관아의 하나. ②〖일제〗 행정 구역의 하나. 지금의 시(市)에 해당함. ¶ 경성~/부산~.

〈부[6]〉

부:[10] 【負】 ㊀ 명 〖수〗 음수(陰數)를 나타내는 '음(陰)'의 구용어. ↔정[6](正)❻. ㊁ 의명 〖역〗 짐[7].

부[11] 【部】 ㊀ 명 ①우리 나라 중앙 행정 기관의 이름. ¶ 내무~ / 외무~. ②관청이나 회사 등의 업무 조직의 한 구분. ¶ 편집~. ③사단급(師團級) 이상의 부대에 있어서의 일반 참모와 특별 참모의 관할 구분의 속칭. ¶ 병참~. ④학교 등에서, 운동·학예(學藝) 따위의 특별 과외 활동 단체를 구분한 것. ¶ 학예~. ⑤〖법〗 대법원의 대법관 3인 이상으로써 구성된 재판 기관으로서의 합의체(合議體). ㊁ 의명 ①사물을 여러 갈래로 나누었을 때의 하나. ¶ 행사의 제 1 ~ 순서 / 남동~. ②책이나 신문 따위를 세는 데 쓰는 말. ¶ 5,000 ~ 한정판.

부[12] 【部】 명 성(姓)의 하나. 우리 나라에는 현존(現存)하지 아니함.

부[13] 【婦】 명 처(妻).

부:[14] 【富】 명 ①〖경〗 쌓은 재화(財貨). ②〖경〗 특정한 경제 주체에 속하는 재(財)의 총계(總計). 경제재(經濟財)로, 화폐 가치로써 표시함. ③재산이 많음. 오복(五福)의 하나.

부[15] 【傅】 명 〖역〗 ①고려 때 세자 첨사부(世子詹事府)의 으뜸 벼슬. 곧, 세자부(世子傅)의 일컬음. ②조선 시대에, 세자 시강원(世子侍講院)의 정일품 벼슬. 곧, 세자부(世子傅)의 일컬음. 의정(議政)으로 시킴. ③조선 시대에, 세손 시강원(世孫侍講院)의 종일품 벼슬. 곧, 세손부(世孫傅)의 일컬음.

부[16] 【傅】 성(姓)의 하나. 우리 나라에는 현존(現存)하지 아니함.

부:[17] 【賦】 명 〖문〗 ①감상을 느낀 그대로 적는 한시체(漢詩體)의 한 가지. ②한문체(漢文體)의 한 가지로 글귀 끝에 운을 달고 대(對)를 맞추어 짓는 글. ③과문(科文)의 한 가지로 여섯 글자로써 한 글귀를 만들어 짓는 글.

부[18] 【分】 의명 '분(分)·푼(分)'을 잘못 일컫는 말. ¶ 1할 5 ~ 이자.

부:[19] 뮈 공장이나 기선(汽船) 같은 데에서 내는 음정(音程)이 굵고 낮은 기적 소리. ——-하다 자여불

부-[1] 【不】 투 'ㄷ·ㅈ'으로 시작되는 말 앞에 붙어서 '아님·아니함·어긋남'의 뜻을 나타내는 말. ¶ ~정확/~도덕. *불-(不).

부:-[2] 【副】 투 한자에 붙어 버금의 뜻을 나타내는 말. ¶ ~사장/~산물.

-부[1] 【夫】 미 일부 한자말 뒤에 붙어, 그러한 일을 하는 남자임을 뜻함. ¶ 잡역~ / 청소~. ↔-부(婦).

-부[2] 【附】 미 ①날짜 밑에 붙여서 문서나 편지를 작성한 날짜나 발송한 날짜를 나타내는 말. ¶ 9월 15일~로 발령받다. ②소속이나 부속을 뜻하는 말. ¶ 대사관~ 무관(武官).

-부[3] 【婦】 미 일부 한자말 뒤에 붙어, 그러한 일을 하는 여자임을 뜻함. ¶ 가정~ / 파출~. ↔-부(夫).

부:가[1] 【附加】 명 ①덧붙임. 첨가(添加). ②〖화〗 부가 반응. ——-하다 타여불

부가[2] 【婦家】 명 아내의 생가(生家). 처가(妻家).

부:가[3] 【富家】 명 부잣집.

부:가 가치 【附加價値】 명 〖경〗 개개의 기업에 의하여 새로이 생산된 가치. 곧, 새로이 생산된 국민 소득 부분. 기업의 1년간의 총수입에서 자본 설비·상품·재료·소모품 등의 구입 대금, 동력비(動力費)·보험료 등 딴 기업에의 지출 금액을 공제하거나, 기업의 1년간의 지급 노임액(勞賃額)·이자·지대·가임(家賃) 등에 이윤을 가산하여 산정됨.

부:가 가치 생산성 【附加價値生産性】 [―썽] 명 〖경〗 노동자 한 사람이 일정 기간에 생산해 낸 부가 가치의 액수.

부:가 가치세 【附加價値稅】 명 〖법〗 거래 단계별로 상품이나 용역(用役)에 새로 부가되는 가치, 즉 마진(margin)에만 부과하는 세금. 우리 나라에서는 1977년부터 실시됨.

부:가 가치 통신망 【附加價値通信網】 명 공중(公衆) 전기 통신 회선망(回線網)에 컴퓨터 등을 접속하여, 정보의 축적 및 처리에 의해서 부가 가치를 붙여서 고도의 통신 서비스를 제공하는 업무. 밴(VAN).

부:가-골 【附加骨】 명 〔membrane bone〕 〖생〗 결합 조직성 골화(骨化)에 의해서 만들어진 뼈. 피복골(被覆骨). ↔치환골(置換骨).

부:가 급부 【附加給付】 명 〔fringe benefit〕 〖경〗 개개의 기업이 종업원을 위하여 부담하는, 화폐 임금 이외의 복리 후생 급부 또는 복리 후생 시설비.

부:가 기간 【附加期間】 명 〖법〗 민사 소송에 있어서, 법원이 먼 거리에 사는 당사자를 위하여 불변 기간(不變期間)에 부가하는 기간.

부:가-물 【附加物】 명 〖법〗 사회 관념상, 독립성을 상실하고 다른 물건과 일체(一體)를 이루는 물(物). 지상(地上)의 수목(樹木), 가옥의 내부 장치와 같은 것. 부합물(附合物).

부:가 반:응 【附加反應】 명 〖화〗 첨가(添加) 반응.

부가 범:택 【浮家泛宅】 명 물에 떠다니면서 살림을 하고 사는 배.

부:가-세 【附加稅】 명 〖법〗 구(舊)세법상의 지방세 구분의 하나. 국세(國稅)나, 도(道)가 부과하는 지방세(地方稅)를 본세(本稅)로 하여, 이에 일정한 한도를 덧붙여서 부과(賦課)함. 국세 부가세는 1967년 폐지되었고 도세(道稅) 부가세는 1976년에 폐지되었음. ↔독립세.

부:가-옹 【富家翁】 명 부잣집의 늙은 주인.

부:가 원가 【附加原價】 [―까] 명 〖경〗 원가 계산상으로는 원가(原價)이나, 손익(損益) 계산상으로는 비용을 구성하지 아니하는 원가. 기업가 임금·자기 자본 이자 같은 것.

부:가 자제 【富家子弟】 명 부잣집 자손으로 자라난 자제.

부:가 중합 【附加重合】 명 〖화〗 첨가 중합.

부:가 표제 【附加表題】 명 부제(副題).

부:가-형 【附加刑】 명 〖법〗 주형(主刑)에 덧붙여 주는 형벌. 구형법(舊刑法)에서는 공권 박탈(公權剝奪)·공권 정지(停止)·감시(監視)·벌금(罰金)·몰수(沒收)의 다섯 가지였으나, 현행 형법은 몰수만을 부가형으로 함.

부:가 화합물 【附加化合物】 명 〖화〗 첨가(添加) 화합물.

부:가 효소 【附加酵素】 명 〖화〗 리아제(lyase).

부각[1] 명 다시마 조각의 앞뒤에 찹쌀 풀을 발라 말렸다가 기름에 튀긴 반찬. 해대 자반(海帶佐飯).

부:각[2] 【負角】 명 〖수〗 '음각(陰角)'의 구용어. ↔정각(正角).

부:각[3] 【俯角】 명 〖수〗 '내려본각'의 구용어. ↔앙각(仰角).

부각[4] 【浮刻】 명 ①부조(浮彫). 양각(陽刻). ↔음각(陰刻). ②사물의 특징을 두드러지게 나타냄. ¶ 현대 문명의 위기를 ~시킨 노작(勞作). ——-하다 타여불

부:각[5] 【腐刻】 명 약물(藥物)을 사용해 유리나 금속 같은 것에 조각(彫刻)함. 식각(蝕刻). ——-하다 타여불

부:각-법【腐刻法】명 〖인쇄〗 에칭(etching).
부:감[1]【副監】명 감(監)·총감(總監)을 보좌하는 직위.
부:감[2]【俯瞰】명 높은 곳에서 아래를 내려다봄. 부관(俯觀). 부시(俯視). 감시(瞰視). ¶ ~ 촬영. ——-하다 타여불
부:-감각【副感覺】명 공감각(共感覺).
부:감-도【俯瞰圖】명 높은 곳에서 낮은 곳을 내려다보고 그린 그림이나 지도. 조감도(鳥瞰圖).
부:-감목【副監牧】명 〖천주교〗 '부주교(副主教)'의 구칭.
부:-감사관【副監査官】명 〖법〗 행정직 국가 공무원 직급 명칭의 하나. 감사 직렬(職列)에 속하며, 감사 주사(監査主事)의 위, 감사관의 아래로 5급 공무원임.
부:-갑상선【副甲狀腺】명 〔parathyroid〕 〖생〗 갑상선(甲狀腺)의 뒤에 있는 몇 개의 작은 입상(粒狀)의 선(腺). 혈액 속의 칼슘 이온의 양을 조절하는 역할을 함. 상피 소체(上皮小體). 결목밀샘.
부:갑상선 기능 감:퇴증【副甲狀腺機能減退症】[—쯩] 명 〖의〗 부갑상선의 기능이 감퇴하는 질환. 테타니(tetany).
부:갑상선 기능 항:진증【副甲狀腺機能亢進症】[—쯩] 명 〖의〗 부갑상선의 기능이 항진하는 질환.
부:갑상선 호르몬【副甲狀腺—】〔hormone〕 명 〖의〗 부갑상선에서 분비되는 호르몬. 혈액 속의 칼슘의 양을 증가시킴. 또, 뼈의 칼슘 대사(代謝), 신장(腎臟)의 신소관(腎小管)에 작용하여 인산(燐酸) 이온의 배출에 관계함. 상피 소체(上皮小體) 호르몬.

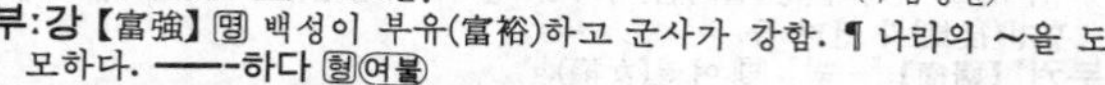

〈부갑상선〉

부:강【富強】명 백성이 부유(富裕)하고 군사가 강함. ¶ 나라의 ~을 도모하다. ——-하다 형여불
부:강지-국【富強之國】명 부강(富強)한 나라.
부:개【腐芥】명 썩은 쓰레기.
부개기 명 제주도 농가에서 쓰는 씨앗 저장용의 자그마한 짚주머니. 아궁이 위의 벽이나 천장에 매달아 둠.
부:개-봉【覆蓋峰】명 〖지〗 ①함경 남도 단천군(端川郡) 남두일면(南斗日面)과 수하면(水下面) 사이에 있는 산봉우리. [1,565 m] ②함경 남도 갑산군(甲山郡) 동인면(同仁面)에 있는 산봉우리. [1,575 m]
부개비-잡히다 자 하도 조르기 때문에 자기의 본의(本意) 아닌 일을 마지못하여 하게 되다.
부:개-산【覆蓋山】명 〖지〗 함경 남도 갑산군(甲山郡)에 있는 산. [1,375 m]
부:객[1]【賦客】명 〖문〗 부(賦)를 짓는 것을 전문으로 하던 사람. 대개 과거를 보기 위해서 하였음.
부객[2]【浮客】명 부랑(浮浪)하는 손. 정처없이 방랑하는 나그네.
부갱빌 〔Bougainville, Louis Antoine de〕 명 〖사람〗 프랑스의 항해가·군인. 1766-69년 프랑스 최초의 세계 일주를 지휘함. 부건빌 섬, 식물(植物) 부겐빌레아(Bougainvillaea) 등은 그의 발견에 따라 명명된 것임. 미국 독립 전쟁 때 프랑스 함대를 이끌고 식민지측을 원조함. [1729-1811]
부갸근-나무 명 〖식〗 〈방〉 부게꽃나무.
부:거[1]【赴擧】명 〖역〗 과거(科擧)를 보러 감. ——-하다 자여불
부:거[2]【副車】명 제왕(帝王)의 거가(車駕)에 여벌로 따라가는 수레. 옛날 우리 나라 부련(副輦)과 같은 것. 이거(貳車).
부거미 명 〈방〉 부검지.
부:거-안【赴擧案】명 〖역〗 조선 시대에, 과거 응시자(應試者)의 녹명(錄名)을 받던 책.
부걱 부 술 같은 것이 괼 때에 거품이 생기면서 나는 소리. >보각[5].
부걱-거리다 자 부걱 소리가 잇따라 나다. >보각거리다. 부걱-부걱 부. ——-하다 자여불
부걱-대다 자 부걱거리다.
부:건【副件】[—껀] 명 여벌❷.
부건빌 섬 〔Bougainville〕 명 〖지〗 솔로몬(Solomon) 제도의 가장 북쪽에 있는 섬. 습곡 산맥에 많은 화산이 포함되어 있음. 일부에서 코프라가 채취되는 외에는 미개이고 삼림이 발달함. 1768년 프랑스인 부갱빌에 의하여 발견됨.
부:걸루 〔boogaloo, bogaloo〕 명 〖악〗 1967년에 들어와서 갑자기 유행한 록계(rock 系)의 음악과 춤. 원래 리듬 앤드 블루스(rhythm and blues)와 라틴 비트(Latin beat)를 결합시킨 것임.
부:검[1]【負劍】명 검을 짐. 검을 빼기 쉽게 등에 짐. ——-하다 자여불
부:검[2]【剖檢】명 ①해부(解剖)하여 검사함. ②사망 원인 등을 조사하기 위하여 사후 검진(死後檢診)을 하는 일. ——-하다 타여불
부검이 명 〈방〉 부검지.
부검지 명 짚의 잔 부스러기.
부게 명 〈방〉 북어(北魚).
부게꽃-나무 명 〖식〗 [*Acer ukurunduense*] 단풍나뭇과에 속하는 낙엽 활엽의 작은 교목. 높이 1-2 m 이고, 잎은 원형에 5-7 갈래로 얇게 째지며 열편(裂片)은 달걀꼴임. 잎 뒷면에는 털이 빽빽이 나 있음. 6-7월에 황록색 꽃이 총상(總狀) 화서로 정생하고, 시과(翅果)는 8-9월에 익음. 깊은 산허리나 골짜기에 나는데, 경상·강원·평북·함경 및 일본·사할린·만주·중국·시베리아에 분포함. 정원수로 심고 신탄재로 이용함.

〈부게꽃나무〉

부겐빌레아 〔bougainvillaea〕 명 〖식〗 [*Bougainvillaea spectabis*] 분꽃과에 속하는 관상용의 열대 식물. 높이 1.5-1.8 m이며 엽액(葉腋)에 가시가 있음. 잎은 호생하고, 엽신(葉身)은 달걀꼴로 끝이 뾰족함. 잎의 길이는 6 cm 쯤이고 털이 있음. 여름철에 회색 꽃이 원추(圓錐) 화서로 아름답게 핌. 짙은 분홍색의 석 장의 포엽(包葉)이 관상의 대상이 되며, 이 포엽은 백색·담황색인 것도 있음. 꽃받침의 잎 끝은 다섯으로 갈라졌음. 브라질 원산인데 각국에서 재배함.
부-견[1]【苻堅】명 〖사람〗 중국 전진(前秦)의 제3대 황제. 자는 영고(永固), 이름은 문옥(文玉). 전연(前燕)과 전량(前涼)을 항복시킨 후 탁발부(拓跋部)를 합쳐 화북을 통일, 이어 동진(東晉)을 멸하고 천하를 통일하고자 장안(長安)을 출발하였으나, 페이수이(淝水) 강의 싸움에서 대패하여 나라는 분열되고, 자신은 잡혀 자살함. 372년에 중 순도(順道)를 시켜 고구려에 불경과 불상을 보내어, 우리 나라에 처음으로 불교를 전하였음. [338-385; 재위 357-385]
부견[2]【膚見】명 천박한 견해. 피상적(皮相的) 관찰.
부:결[1]【否決】명 회의에 제출된 의안(議案)을 옳지 아니하다고 하여 성립시키지 아니하는 의결(議決). ↔가결(可決). ——-하다 타여불
부:결[2]【剖決】명 판결(判決)❶. ——-하다 타여불
부경[1]【桴京】명 〖역〗 고구려 때 집집마다 가지고 있던 자그만 창고(倉庫).
부경[2]【浮輕】명 ①하는 짓이나 태도가 들뜨고 경솔(輕率)함. ②부피에 비하여 무게가 가벼움. ——-하다 형여불
부:경[3]【副卿】명 〖역〗 대한 제국 때 내장원(內藏院)·시종원(侍從院)·장례원(掌禮院)·태의원(太醫院)의 종이품 벼슬.
부:경-사【赴京使】명 〖역〗 조선 시대에 명(明)나라·청(清)나라에 보내던 사신(使臣). 정삼품 당상관(堂上官) 이상이 맡았음.
부계[1] 명 〈방〉 ①멱서리. ②채롱.
부계[2]【父系】명 〖사〗 아버지 쪽의 혈연(血緣) 관계를 기준(基準)으로 하여 전하여 내려오는 계통. ↔모계(母系).
부계[3]【伏鷄】명 알을 품은 닭.
부계[4]【府啓】명 〖역〗 사헌부(司憲府)에서 임금께 말씀을 올림. 또, 그 말씀.
부계 가족【父系家族】명 〖사〗 아버지 쪽의 계통을 주로 하여 결합하고 있는 가족. 남계(男系) 가족. ↔모계(母系) 가족. *쌍계(雙系) 가족.
부:-계열【副系列】명 〔collateral series〕 〖물〗 변환(變換)에 의하여 시작되는 방사성 붕괴 계열의 하나. 결과적으로는 천연(天然) 방사능 속에서 조우(遭遇)하는 네 개의 방사성 붕괴 계열의 하나가 됨.
부계-제【父系制】명 〖사〗 ↗부계 제도(父系制度). ↔모계제(母系制).
부계 제:도【父系制度】명 〖사〗 가계(家系)가 아버지 쪽의 계통에 의하여 상속(相續)되는 제도. ㊎부계제(父系制). ↔모계 제도(母系制度).
부계-친【父系親】명 〖사〗 아버지 쪽의 혈족(血族). 부계 혈족. ↔모계친(母系親).
부계 친족 제:도【父系親族制度】명 〖사〗 부계의 친족만을 친족으로 하는 제도.
부계 혈족【父系血族】[—쪽] 명 부계친(父系親). ↔모계(母系) 혈족.
부고[1]【缶鼓】명 〖민〗 무당이 축원(祝願)할 때, 바가지를 물 위에 엎어 놓고 북처럼 두드리는 일.
부:고[2]【附高】명 〖교〗 ↗부속 고등 학교(附屬高等學校).
부:고[3]【府庫】명 곳집❶.
부:고[4]【訃告】명 사람의 죽음을 알리는 통고(通告). 고부(告訃). 부보(訃報). 애계(哀啓). 부신(訃信). 부음(訃音). 통부(通訃). 흉보(凶報). 흉음(凶音). 부문(訃聞). ¶ ~에 접(接)하다. ——-하다 자여불
부:고[5]【富賈】명 부자인 상인. 넉넉한 상인. 부상(富商). 호상(豪商).
부:고-달아매기【訃告—】명 〖민〗 부고가 오면 불길한 통지라 하여, 대문 안에 들이기를 꺼려, 대문 들어서서 오른쪽에다 새끼에 꿰어 달아매어 두는 일.
부:-고환【副睾丸】명 〔epididymis〕 〖생〗 웅성(雄性) 생식기의 한 부분. 사람에 있어서는 불알의 뒤에 붙어서 불알에서 제조되는 정액(精液)을 일시 저장하였다가 이를 성숙시켜 수정관(輸精管)을 통하여 정낭(精囊)으로 보내는 작용을 함. 고상체(睾上體). *고환(睾丸).
부:고환-염【副睾丸炎】[—념] 명 〖의〗 부고환의 염증. 임질·매독 또는 결핵균에 의하여 일어나며 아프고 열이 나며 종기(腫氣)가 남.
부곡【部曲】명 〖역〗 ①중국 후한말(後漢末)에, 국내 치안의 문란에 대비하여 장군이나 지방의 호족들이 사사로이 둔 사병(私兵). 원래는 군대라는 뜻이었으나 남북조(南北朝)에서는 노예를 사병으로 한 결과 부곡은 신분이 저하되어 천민(賤民)의 뜻으로 일컫게 되었음. ②신라 때부터 조선 초기에 걸쳐, 농업 생산에 종사하던 천민 집단(賤民集團)의 특수한 하급(下級) 지방 행정 구획(區劃)의 하나.
부곡 온천【釜谷溫泉】명 〖지〗 경상 남도 창녕군(昌寧郡) 부곡면(釜谷面) 거문리(巨文里)에 있는 유황 온천(硫黃溫泉). 수온은 73°C. 피부병 치료에 좋다고 함.
부:골[1]【附骨】명 〖의〗 ↗부골저(附骨疽).
부:골[2]【富骨】명 부자답게 생긴 골격(骨格). ↔천골(賤骨).
부:골[3]【跗骨】명 〖생〗 족근부(足根部)에 있는 뼈. 복사뼈, 근골(跟骨), 주상골(舟狀骨), 제일(第一)·제이·제삼 설상골(楔狀骨), 투자골(骰子骨)의 일곱 가지로 되어 있음. 족근골(足根骨).
부:골[4]【腐骨】명 〖생〗 골수염(骨髓炎)·골막염(骨膜炎)에 걸린 경우에 골질(骨質)이 부패(腐敗)하는 일. 또, 그 뼈.
부:골-저【附骨疽】[—쩌] 명 〖한의〗 무[2]. ㊎부골(附骨).
부공[1]【婦公】명 아내의 아버지. 장인(丈人). 빙부(聘父).
부공[2]【婦功·婦工·婦紅】명 사덕(四德)의 하나. 부녀가 하는 길쌈·바느질 등. 여공(女工).
부:공[3]【賦貢】명 공물(貢物)을 매김. ——-하다 타여불
부:공-랑【赴功郎】[—낭] 명 〖역〗 조선 잡직(雜職)의 동반(東班) 종팔품의 품계. 복근랑(服勤郎)의 위, 면공랑(勉功郎)의 아래. 공조(工造)·사준(司准)·조부(調夫)·이기(理驥)·부전음(副典音)·상도(尚道)·부신금

(副愼禽)·부사포(副司鋪)·화사(畫史) 등의 기술직에 임용될 자격을 가졌으나, 일반 관직에 임용될 경우에는 한 품계가 낮은 종구품이 되었음.

부:과¹【付科】명〖역〗초시(初試)에 급제한 사람이 응시하는 과거.
【부과 삼 년에 말라 죽는다】어떤 일에 겁을 내어 근심하다가 그것이 병이 되어 죽는다는 뜻.

부:과²【附過】명 ①잘못된 허물을 적어 둠. ②〖역〗관리나 군병의 공무상 과실이 있을 때에 곧 처벌하지 아니하고 관원 명부에 적어 두는 일. 6월과 12월의 고적시(考績時)에 이것을 참고하였음. ——-하다 자 여불

부과³【浮誇】명 실없이 들뜨고 과장된 일. ——-하다 타 여불

부:과⁴【副果】명〖식〗헛열매.

부:과⁵【賦課·附課】명〖법〗세금 기타 공법상의 부담 의무(負擔義務)를 구체적으로 결정하여 부담 의무를 지우는 행정(行政) 행위. ——-하다 타 여불

부:과 과세【賦課課稅】명〖경〗납세자의 세액이 세무 행정 관서의 처분에 의하여 확정되는 과세 방식. ↔신고 납세(申告納稅).

부:과-금【賦課金】명 부과된 금액. 부금(賦金).

부:과식 보:험【賦課式保險】명〖경〗가입자(加入者)가 보험료를 전납(前納)하지 아니하고 다만 보험 금액만 정해 두었다가, 손해가 발생되었을 때 전체 가입자에게 각자의 보험 금액에 비례하여 손해액을 부과(賦課) 징수하여 피해자에게 지급하는 가장 원시적인 보험 형태.

부:과-액【賦課額】명 부과금(賦課金)의 액수.

부:관¹【附款】명〖법〗법률 행위(法律行爲)의 당사자(當事者)가 그 행위에서 생기는 법률 효과(法律效果)에 일정한 제한을 가(加)하기 위하여 나타낸 사항(事項). 조건·기한 등.

부:관²【俯觀】명 부감(俯瞰). ——-하다 타 여불

부-관³【釜關】명 부산과 일본의 시모노세키(下関)를 함께 이르는 말. ¶ ~ 페리.

부:관⁴【副官】명〖군〗①전투 명령을 제외한 모든 공문(公文) 및 각종 명령의 배포와 인사 행정을 비롯한 각종 행정 업무에 관하여 책임을 지는 참모(參謀) 장교. ¶ 대대(大隊) ~. ②↗전속 부관(專屬副官).

부:관⁵【副管】명〖역〗관리서(管理署)의 버금 벼슬.

부:관-감【副官監】명〖군〗부관감실의 장(長). *고급 부관(高級副官).

부:관감-실【副官監室】명〖군〗육군 본부 참모 부서의 하나. 인사 행정·관인 관수(官印管守)·문서 및 기타 서무에 관한 사항을 분장함.

부:-관리【副管理】[—괄—] 명〖역〗군기시(軍器寺)의 한 벼슬.

부:관-부【副官部】명〖군〗↗부관 참모부(副官參謀部).

부관 연락선【釜關連絡船】[—열—] 명 한국의 부산과 일본의 시모노세키(下関) 사이를 운항하는 연락선. 광복 이전에는 관부(關釜) 연락선이라 했음.

부:관 참모【副官參謀】명〖군〗특별 참모의 한 사람으로서, 부관 참모부의 장(長).

부:관 참모부【副官參謀部】명〖군〗육군의 각급 사령부에 두는 특별 참모 부서의 하나. 인사 행정·관인 관수(官印管守)·문서 및 기타 서무에 관한 사항을 분장함. 준 부관부.

부:관 참:시【剖棺斬屍】명〖역〗큰 죄를 저지르고 죽은 사람을 뒤에 극형(極刑)을 추시(追施)하던 일. 관(棺)을 쪼개고 송장의 목을 벰. 준 참시(斬屍). ——-하다 타 여불

부:관 학교【副官學校】명 ↗육군 부관 학교.

부광¹【浮鑛】명〖광〗중액(重液) 선광에서 중액의 표면에 뜬 광석.

부:광²【富鑛】명〖광〗품질(品質)이 좋고 채굴(採掘)하여 수지(收支)가 맞는 광석(鑛石). ↔빈광(貧鑛).

부:광-대【富鑛帶】명〖광〗광맥(鑛脈)이 풍부한 지대(地帶).

부:-광물【副鑛物】명 [auxiliary mineral] 화성암(火成岩) 속에 있는, 담색(淡色)이며 소량(少量)의 별로 중요하지 않은 광물. 인회석(燐灰石)·백운모(白雲母)·형석(螢石)·황옥(黃玉) 따위.

부:광-체【富鑛體】명〖광〗광상(鑛床) 가운데 특히 유용(有用)한 광석이 많은 부분.

부교¹【父交】명 부집(父執).

부교²【父敎】명 ①아버지의 교훈(敎訓). ②부명(父命).

부교³【浮橋】명 ①배나 뗏목을 여러 개 잇대어 매고 그 위에 널판을 깔아 만든 다리. 부량(浮梁). ②배다리❷.

부:교⁴【副校】명 ①〖역〗갑오 경장(甲午更張) 뒤에 정한 무관 계급(武官階級)의 하나. 정교(正校)의 다음이고 참교(參校)의 위임. ②〖기독교〗구세군(救世軍)에서 하사관(下士官) 계급의 하나. 정교(正校)의 아래로서 사관(士官)을 보좌함.

부:교⁵【富驕】명 재산(財産)이 있다고 부리는 교만(驕慢).

부:교감 신경【副交感神經】명 [parasympathetic nerve]〖생〗교감 신경과 함께 자율 신경(自律神經)을 구성하는 원심성(遠心性) 신경. 호흡(呼吸)·소화(消化)·순환(循環) 등을 지배하여 교감 신경(交感神經)과 길항(拮抗)하는 기능을 가졌으며, 흥분(興奮)하면 말단(末端)에서 아세틸콜린(acetylcholine)을 분비함. 심장(心臟)에 대하여 제지적(制止的) 작용을 하며 위장(胃腸) 운동에 대하여는 촉진적 작용을 함. ↔교감(交感) 신경.

부:교감 신경계【副交感神經系】명〖의〗자율 신경계(自律神經系)의 하나. 형태학상 뇌척추 신경계의 일부임.

부:-교리【副校理】명〖역〗①조선 태종(太宗) 원년(1401)에 교서관(校書館)에 둔 종육품 벼슬. 뒤에 파함. ②조선 시대 홍문관(弘文館)의 종오품 벼슬. 수찬(修撰)의 위, 교리의 아래.

부:-교수【副教授】명〖교〗대학 교원의 직위의 하나. 교수의 아래이며 조교수의 위임.

부:-교재【副教材】명 교과서에 첨가하여 보조적으로 쓰이는 교재(教材).

부구¹ 명 차꼬막이 위에 이중(二重)으로 얹는 기와 같은 것.

부:구²【附句】명 전구(前句)에 붙이는 구(句).

부구³【浮具】명 헤엄칠 때 인체의 부력(浮力)을 돕는 도구. 부대(浮袋).

부구⁴【浮漚】명 ①〖악〗자바라(啫哱囉). ②거품. 덧없는 것의 비유. 부말(浮沫).

부구지 명〈심마니〉불.

부국¹【部局】명 관공서(官公署) 등에서, 사무를 분담하여 다루는 곳. 국(局)·부(部)·과(課) 등의 총칭.

부:국²【富局】명 ①부자(富者)답게 보이는 상. ②〖민〗풍수 지리에서 산수(山水)가 둘러싸고 있어서 좋은 판국.

부:국³【富國】명 ①부유한 나라. ↔빈국(貧國). ②나라를 부요(富饒)하게 만듦.

부:국 강병【富國強兵】명 ①나라를 부요(富饒)하게 하고 군대를 강하게 함. ②부유한 나라와 강한 군대.

부:국-론【富國論】[—논] 명〖책〗국부론(國富論).

부군¹【父君】명 '아버지'의 높임말.

부군²【夫君】명 '남편'의 높임말.

부:군³【府君】명 ①망부(亡父)나 바깥 조상에 대한 존칭. ¶ 현고(顯考) 학생(學生) ~. ②〖역〗부군당(府君堂)에 모신 신령.

부:군⁴【副軍】명〖군〗예비군(豫備軍)❷.

부:군-굿【府君—】명〖민〗서울 일원에서 부군당(堂) 굿을 할 때에 부군신(府君神)을 모시는 제차.

부:군-당【府君堂】명〖역〗각 관아(官衙)에서 신령(神靈)을 모시던 집. 신당(神堂).

부:군 대:감【府君大監】명〖민〗무당이 위하는 귀신의 하나.

부권¹【父權】[—꿘] 명〖법〗①아버지가 갖는 친권(親權). ↔모권(母權). ②남자가 가족의 통제를 위하여 가지는 가장권(家長權). 가부권(家父權).

부권²【夫權】[—꿘] 명〖법〗남녀 평등이 헌법에 규정되기 전에, 남편이 아내에 대하여 가지고 있던 권리. 곧, 처(妻)의 법률 행위에 대한 동의권, 처를 자기와 동거(同居)시키는 권리, 미성년(未成年)의 처에 대한 후견(後見)의 권리 등.

부권³【婦權】[—꿘] 명 여권(女權).

부권-제【父權制】[—꿘—] 명〖사〗남자가 가족 또는 씨족의 장(長)이 되어 정치·사회·경제 각 방면의 지배권을 갖는 제도. ↔모권제(母權制).

부귀¹【浮鬼】명〖민〗뜬귀신.

부:귀²【富貴】명 재산(財産)이 많고 지위가 높음. ↔빈천(貧賤). ——-하다 형 여불

부:귀 공명【富貴功名】명 부귀와 공명.

부:귀 다남【富貴多男】명 부귀하고 아들이 많음.

부:귀 빈천【富貴貧賤】명 부귀와 빈천.
【부귀 빈천이 물레바퀴 돌 듯한다】사람의 신세가 자주 뒤바뀜을 이르는 말.

부:귀 영화【富貴榮華】명 부귀와 영화.

부:귀 재:천【富貴在天】명 부귀는 하늘에 매어 있어 인력(人力)으로는 어찌할 수 없다는 뜻.

부:귀-화【富貴花】명 부귀의 기상(氣像)이 있다는 뜻으로 '모란꽃'을 가리키는 말.

부그르르 부 ①많은 물이 좁은 면적에서 끓어오르는 모양. 또, 그 소리. ②큰 거품이 좁은 범위에서 일어나는 모양이나 소리. 1)·2):ㅆ뿌그르르. >보그르르. *버그르르. ——-하다 자 여불

부그리 명〈방〉진딧물(제주).

부:극¹【負極】명 [negative pole]〖물〗전기(電氣)의 음극(陰極), 자석(磁石)의 남극(南極). ↔정극(正極).

부극²【掊克】명 ①권세를 믿고 함부로 금품을 징수함. ②조세(租稅)를 함부로 받아서 백성을 못살게 굶. ——-하다 타 여불

부근¹【斧斤】명 큰 도끼와 작은 도끼.

부:근²【附近】명 가까운 언저리. 근순(近巡). ¶ 서울역 ~.

부근³【浮根】명 ①[floating root]〖식〗물에 뜬 풀의 뿌리. 수초(水草)의 뿌리. ②바다 가운데에 나타나 있는 바위의 뿌리.

부:근⁴【副根】명 측근(側根).

부:근-동【附近洞】명 가까이 있는 동네.

부:근-신【附根神】명〖민〗옛날에 각 관아(官衙)의 뜰 밖의 한 구석에 작은 사당을 지어 놓고 하례(下隸) 같은 사람들이 제사 지내던 신(神). 처음에는 성기(性器) 숭배였으나, 뒤에는 여러 가지 잡신(雜神)으로 변하였음.

부:근-지【附近地】명 부근처(附近處).

부:근-처【附近處】명 가까운 곳. 부근지(附近地).

부글-거리다 자 ①많은 물이 좁은 면적에서 야단스럽게 자꾸 끓어오르다. ②큰 거품이 자꾸 일어나다. 1)·2):ㅆ뿌글거리다. >보글거리다. *버글거리다. **부글-부글** 부. ¶ 국이 ~ 끓다. ——-하다 자 여불

부글-대다 자 부글거리다.

부:금¹【負金】명〖조〗황새.

부:금²【賦金】명 ①부과금(賦課金). ②일정 기간마다 주고받는 돈. 기간에 따라 연부(年賦) 또는 월부(月賦)·일부(日賦)가 있음.

부:급【負笈】명 타향(他鄕)으로 공부하러 감. ——-하다 자 여불

부:급 종사【負笈從師】명 먼 곳의 스승을 좇아 배움. ——-하다 자 여불

부기¹ 명 세상일에 어둡고 사람의 마음을 알아차리지 못하는 어리석은 사람. 북숭이.

부기² 명〈방〉거짓말(함남).

부기³【缶器】명〖공〗오지나 질로 된 그릇의 한 가지. 배가 넓고 아가리는 좁게 된 그릇.

부:기⁴【附記】명 원문에 덧붙이어 적음. 또, 그 기록. ——-하다 타 여불

부기⁵【浮氣】명 ①〖한의〗부증(浮症)으로 말미암아 부은 상태. ¶ 얼굴에 ~가 있다/~가 가라앉다. ②아지랑이.

부기⁶【浮寄】명 의지할 만한 곳이 없음. 인생의 덧없음의 비유.

부기⁷【簿記】명 ①장부에 기록함. 또, 그 기록한 것. ②경제 활동을 경영하는 경제 주체가, 그 자산·자본·부채의 수지·증감 등을, 일정한 형식에 의한 장부에 기록·계산·정리하여 그 결과를 명료하게 하는 기장법(記帳法). 단식(單式) 부기와 복식(複式) 부기로 나뉘며, 다시 상업 부

기·은행 부기·관청 부기·공업 부기·농업 부기·가계(家計) 부기 등이 있음.

부:기⁸ 〔boogie〕 [명]〖악〗부기우기(boogie-woogie).

부:-기감【副技監】[명] 전의, 기술계 공무원 직급 명칭의 하나. 지금은 '부(副)이사관'으로 바뀌었음.

부:기 등기【附記登記】[명]〖법〗독립한 등기란(登記欄)을 설정하지 아니하고 이미 설정한 주등기(主登記)에 부기하여 그 일부를 변경하고 새로운 등기로써 주등기를 유지(維持)하는 등기.

부기 방망이【簿記—】[명] 장부에 선을 긋는 데 쓰는 둥근 방망이. 부기봉.

부기-법【簿記法】[—뻡] [명] 부기학을 응용하는 법식.

부기-봉【簿記棒】[명] 부기 방망이.

부:기-우:기 〔boogie-woogie〕 [명]〖악〗재즈(jazz) 음악의 하나. 블루스를 타악기풍(打樂器風)으로 연주하여 원시적인 색채를 내도록 편곡한 피아노곡. 끊임 없이 저음(低音)의 리듬이 계속되며 간단한 멜로디가 몇 번이고 화려하게 변주(變奏)됨. 부기.

부기-장【簿記帳】[—짱] [명] 부기에 쓰이는 장부.

부기-족【—族】〔Bugi〕 [명] 술라웨시(Sulawesi) 서남 반도를 본거지로 보르네오(Borneo)·자바(Java)·말레이(Malay) 각지에 분포하는 종족. 17세기에 불교에서 이슬람교로 개종하였으며 농업을 주업으로 하고 말·물소를 사육하며, 또 상업도 발달함.

부:-기체【副基體】[명]〖생〗편모충류(鞭毛蟲類)의 편모의 기부(基部)에 있는 긴 봉상체(棒狀體). 기립(基粒)과 함께 동원핵(同原核)이라 함. 트리코모나스(Trichomonas) 등에서 볼 수 있음.

부기-학【簿記學】[명] 부기의 원리와 방법을 연구하는 학문.

부께미 [명]〈방〉부꾸미.

부꾸 [명]〈방〉북¹(함경).

부꾸미 [명] 찹쌀가루·밀가루·수숫가루 같은 것을 반죽하여 둥글고 넓게 하여 번철에 지진 떡. 팥소를 넣기도 함. 전병(煎餠).

부끄러우- [간] '부끄럽다'의 불규칙 어간(不規則語幹). ¶ ~니/~ㄴ.

부끄러움 [명] 부끄러워하는 느낌. [준]부끄럼. >바끄러움.

부끄러워-하다 [자타][여불] 부끄러운 태도를 나타내다. ¶ 무식을 ~.

부끄러-이 [부] 부끄럽게. ¶ ~ 생각 말고. >바끄러이.

부끄럼 [명] ↗부끄러움. >바끄럼.

부끄럼(을) 타다 [구] 부끄러움을 남달리 쉽게 느끼다. >바끄럼(을) 타다.

부끄럼-성【—性】[—썽] [명] 부끄러워하는 성질. >바끄럼성.

부끄럼성-스럽다【—性—】[—썽—] [형][ㅂ불] 부끄럼을 타는 성질이 있는 듯하다. >바끄럼성스럽다. **부끄럼성-스레**【—性—】[부]

부끄럽다 [형][ㅂ불] 〔중세 : 븟그럽다〕 ①양심에 거리낌이 있어 남을 대할 면목이 없다. ②스스러움을 느껴서 수줍다. ¶ 그를 대하기가 ~. 1)·2):>바끄럽다.

부끄리다 [자타] ☞부끄러워하다. ¶ 꽃을 부끄리는 처녀.

부끼 [명]〈방〉거짓말(함경).

부끼-틀이 [명]〈방〉거짓말쟁이(함경).

부나 〔도 Buna〕 [명]〖화〗독일에서 발명된 합성 고무의 상품명. 아세틸렌(acetylene)을 원료로 하여 부타디엔(butadiene)을 만들어, 중합(重合)시켜 만듦. 내유성(耐油性)·내열성(耐熱性)·내노화성(耐老化性)은 천연(天然) 고무를 능가함.

부-나무 [명]〈방〉땔나무.

부-나비 [명]〖충〗〔←불나비〕 불나방.

부나야사【富那夜奢】[명] 〔범 Punyayasas〕〖사람〗석가의 제11대 제자인 조사(祖師). 성은 구담(瞿曇). 제10대 제자인 협존자(脇尊者)에게 법을 이어받고 마명(馬鳴)을 제도(濟度)하여 전법(傳法)함. 전등(傳燈)의 조사에 참렬(參列)함.

부나:-하다 [형]〈방〉①분주하다. ②떠들썩하다. 시끄럽다(함경).

부난 [명]〈방〉분한(分限).

부:-난소【副卵巢】[명]〖생〗척추 동물 양막류(羊膜類)의 암컷에서 볼 수 있는 중신수관(中腎輸管)·중신(中腎)의 퇴화한 흔적 기관(痕迹器官). 대체로 삼각형의 윤곽(輪廓)을 이루며 난소 간막(卵巢間膜) 속에 있음. 난소 상체(上體).

부남【扶南】[명]〖역〗중국 육조 시대(六朝時代)에 크메르족(Khmer族)이 타이·캄보디아 지방에 세웠던 최초의 나라. 삼국 시대 중국과 밀접한 통상 관계를 맺고, 남해 무역(南海貿易)의 기항지(寄航地) 혹은 시장의 역할을 하였음.

부남 군도【扶南群島】[명]〖지〗전라 남도 신안군(新安郡) 임자면(荏子面) 재원리(在遠里)에 속한 섬들. 부남도를 비롯하여 입모도(笠帽島)·굴도(屈島)·갈도(葛島) 등의 유인도와 대사삼도(大私三島)·소사삼도(小私三島)·동현서(東玄嶼)·서현서(西玄嶼) 등의 무인도로 구성됨.

부남-도【扶南島】[명]〖지〗전라 남도의 서해상(西海上), 신안군(新安郡) 임자면(荏子面) 재원리(在遠里)에 위치한 섬. [0.48 km²]

부납¹ [명]〈방〉분합(分閤).

부:납²【賦納】[명] 부과금을 납부함. ——하다 [자][여불]

부낭【浮囊】[명] ①헤엄칠 때 인체(人體)의 부력(浮力)을 돕기 위하여 쓰이는 것. 방수포나 고무로 만들어 공기를 넣어서 씀. 부대(浮袋). 부대(浮帶). 부포(浮包). 부환(浮環). ②선박에 비치하는 구명구(救命具). 구명대(救命帶)·구명 동의(胴衣)·등에 지는 구명대(救命袋)·둥근 구명 부환(浮環) 등이 있음. ③〖어〗부레❶. ④〖생〗갈조류(褐藻類)의 모자반 등의 식물에 볼 수 있는, 지엽(枝葉)의 일부에 달려 있는 기포(氣胞). 속에 공기가 들어 있어 몸을 뜨게 함.

부:내¹【府內】[명] 부의 구역 안. *시내(市內).

부내²【部內】[명] ①소속의 범위 안. ②부(部)가 붙은 기구·기관의 안. ↔부외(部外).

부내:-피우다 [자]〈방〉떠들다(함경).

부-넘기 [명]〖건〗솥을 건 아궁이의 뒷벽. 구들 고래 어귀에 조금 높게 쌓아서 불길이 방고래로 넘어가게 한 부분.

부녀¹【父女】[명] 아버지와 딸. *모자(母子).

부녀²【婦女】[명] ↗부녀자(婦女子).

부녀 복지관【婦女福祉館】[명] 모자(母子) 가정 복지를 제공하기 위하여, 각종 상담과 생활 지도, 생업 지도, 탁아(託兒) 및 직업 보도(輔導) 등을 하는 시설.

부녀 상:사【婦女上寺】[명]〖역〗부녀자가 불공하기 위해 절에 유숙(留宿)하던 일.

부녀-자【婦女子】[명] ①부인(婦人). ②부인과 여자. [준]부녀(婦女).

부녀필지【婦女必知】[—찌] [명]〖책〗조선 고종(高宗) 28년(1891)에 발간된, 임신·출산·육아 등에 관한 책. 한글판으로 1책. 저자 미상.

부:농【富農】[명] ①부유한 농민. ②많은 경작지(耕作地)를 가진 농업 경영자. 대개 많은 토지를 임금(賃金) 노동자를 고용하여 경영하며 농민의 상부 계급을 형성함. 1)·2):↔빈농(貧農).

부:농-가【富農家】[명] 부농을 이룬 집안이나 집.

부눈-족【—族】〔Bunun〕 [명] 대만(臺灣)의 중부 산지에 사는 고사족(高砂族)에 속하는 한 부족. 부눈은 '인간(人間)'을 뜻하며, 약 18,000명. 부계(父系) 사회를 이루고 있음. 언어는 인도네시아어(語)에 속함.

부:니【腐泥】[명] 조류(藻類) 기타의 하등 수생 동식물(下等水生動植物)의 유해(遺骸)가 물 밑바닥에 가라앉아 썩어서 생긴 진흙.

부:니-암【腐泥岩】[명]〖광〗부니(腐泥)가 굳어서 된 바위.

부:닌 〔Bunin, Ivan Alekseevich〕 [명]〖사람〗러시아의 작가. 상징주의(象徵主義) 전성기에 푸슈킨(Pushkin)의 전통을 고수한 유일한 시인으로 출발, 시집 《낙엽》과 소설 《마을》로 일류 작가의 지위를 차지하였음. 냉철한 숙명 사상과 신비적 색조(色調)로 노래한 데에 그의 예술적 특색이 보임. 혁명 후 파리에 망명, 1933년에 노벨 문학상을 수상함. [1870-1953]

부닐다 [자] 붙임성이 있게 굴다. 남을 도와서 고분고분하게 굴다. ¶ 버드나무 회초리 같은 계집들이 착착 부닐면서 아양을 떠는 것도 한 구경거리다《沈熏 : 常綠樹》.

부:다 [타]〈방〉부수다.

부다-가야 〔Buddha Gaya〕 [명]〖지〗인도 북부의 비하르 주(Bihar州)에 있는 도시. 가야(Gaya)의 남쪽, 갠지스 강의 지류(支流)의 상류에 있는 석가(釋迦) 성도(成道)의 성지(聖地). 석가가 고행(苦行) 6년 만에 보리수 아래서 정각(正覺)을 얻어 불타가 되었기 때문에 보리 도량(菩提道場)이라고 함.

부다듯-하다 [형][여불] 몸에 열(熱)이 있어 불이 달듯 몹시 덥다. 신열(身熱)이 높다.

부다일-내【不多日內】[—래] [명] 여러 날이 걸리지 아니하고 며칠 이내(以內).

부다페스트 〔Budapest〕 [명]〖지〗헝가리의 수도. 다뉴브 강에 연하여 우안(右岸)의 부다(Buda)와 좌안(左岸)의 페스트(Pest)로 이루어짐. 정치·경제의 중심으로 야금·철강·기계·섬유·식품 가공 등의 공업이 발달함. 13세기 이래의 성당을 비롯하여 구왕궁 및 여러 대학이 있음. 부다와 페스트는 1872년에 합병하여 한 도시가 됨. [2,156,000명(1995)]

부닥-뜨리다 [자] 닥쳐오는 일에 부딪힐 정도로 닥뜨리다.

부닥치다 [자] 몸에 부딪힐 정도에 닥치다. ¶ 난관에 ~.

부닥-트리다 [자] 부닥뜨리다.

부단【不斷】[명] 꾸준하게 잇대어 끊임이 없음. ¶ ~한 노력. ——하다 [형][여불]. ——히 [부]

부단-경【不斷經】[명]〖불교〗매일 읽는 경(經). 또, 명복 추선(冥福追善) 등을 위하여 17일, 27일 또는 37일간, 간단(間斷)없이 독송(讀誦)하는 경(經).

부단-륜【不斷輪】[—달—] [명]〖불교〗기청제(祈晴祭)·기우제 등을 지낼 때, 중이 한 사람씩 차례로 간단(間斷)없이 주문을 외우며 기도하는 일.

부단 염:불【不斷念佛】[—념—] [명]〖불교〗주야로 간단(間斷)없이 염불하는 일. 상염불(常念佛).

부단-초【不斷草】[명]〖식〗근대¹.

부달 시변【不達時變】[명] 부달 시의(不達時宜).

부달 시의【不達時宜】[—/—이] [명] 아주 완고하여 시대를 따르는 변통성이 없음. 부달 시변(不達時變).

부:담¹【負擔】[명] ①어떠한 일을 맡아서 의무나 책임을 짐. ②↗부담롱(負擔籠). ——하다 [타][여불] 의무나 책임을 지다. ¶ 경비를 ~.

부:담²【腐談】[명] 케케묵은 말. 쓸모없는 이야기.

부:담-금【負擔金】[명]〖법〗①부담하는 돈. *분담금. ②특정의 공익 사업에 요하는 경비의 전부나 일부를 특별한 이해 관계를 가진 사람에게 부담시키기 위하여 과하는 공법상의 금전 급부. 도시 계획 부담금·도로(道路) 부담금 같은 것. 부담금 의무자에 따라 수익자(受益者) 부담금·원인자(原因者) 부담금·손상자(損傷者) 부담금의 구별이 있음. ③국가와 지방 자치 단체 상호간에 사업비의 일부를 부담하는 금액.

부담기 [명]〈옛〉불가래. ¶ 부담기(梳楂子)《才物譜 卷一 地譜》.

부:담-롱【負擔籠】[—농] [명] 옷이나 책 같은 것들을 담아 말 등에 싣는 농짝. [준]부담(負擔).

부:담-마【負擔馬】[명] 부담롱(負擔籠)을 싣고 그 위에 사람이 타게 꾸민 말.

부:담 부분【負擔部分】[명]〖법〗여러 사람이 같은 급부(給付) 의무를 지는 경우, 그 내부에 있어서의 채무 분담의 비율.

부:담부 유증【負擔附遺贈】[명]〖법〗수유자(受遺者)에게 일정한 급여를 하여야 할 의무를 부과한 유증. 예컨대, 산림(山林)을 유증할 때, 그 수익(收益)의 일부를 지정한 자선 사업에 사용하게 하고 유증하는 일 따위.

부:담부 증여【負擔附贈與】[명]〖법〗증여를 받는 사람으로 하여금 증여자 또는 제삼자에 대하여 일정한 급부(給付)를 하는 채무(債務)를 부담시키는 증여.

부:담-스럽다【負擔—】[형][ㅂ불] 부담이 되는 듯한 느낌이 있다. **부:담-스레**【負擔—】[부]

부:담-액【負擔額】[명] 책임지고 내야 할 돈 액수.

부:담-자【負擔者】[명] 의무나 책임을 진 사람.

부:담-틀【負擔―】명 부담롱(負擔籠)을 싣고 사람이 타기 위하여 말 잔등에 잡아매는 틀.
부답 복철【不踏覆轍】명 선인(先人)의 실패를 되풀이하지 아니함. *복철.
부당[1]【不當】명 이치(理致)에 맞지 아니함. 마땅하지 못함. 실당(失當). ¶ ~한 요구. ↔정당(正當). ――-하다 형여불. ――-히 부
부당[2]【夫黨】명 남편 쪽의 본종(本宗).
부당[3]【婦黨】명 아내 쪽의 본종(本宗).
부당 가:정의 허위【不當假定―虛僞】[―/―에―] 명〔그 hysteron proteron〕〖논〗결론에 의하여 결정될 것을 미리 가정하는 허위. 예를 들면, '영혼(靈魂)은 멸(滅)하지 아니한다. 그것은 분해되지 아니하는 까닭에' 같은 것임. 부당 선결(先決)의 허위.
부당 긍:정의 허위【不當肯定―虛僞】[―/―에―] 명〖논〗정언적(定言的) 삼단 논법에 있어서의 형식적 허위의 한 가지. 전제 중의 하나가 부정 판단인데도 불구하고, 결론을 긍정적 판단으로 하기 때문에 생기는 허위.
부당 노동 행위【不當勞動行爲】명〖사〗자본가측(資本家側)이 노동자의 단결권(團結權)·단체 교섭권·쟁의권(爭議權) 또는 조합(組合)의 자주성(自主性) 등을 침해하는 일정한 행위.
부-당당【不當當】명 아주 이치에 맞지 아니함. ――-하다 형여불
부당 선결의 허위【不當先決―虛僞】[―/―에―] 명〖논〗부당 가정의 허위.
부당-성【不當性】[―썽] 명 부당한 성질. ¶ 그 ~을 지적하다.
부당 염매 방지 관세【不當廉賣防止關稅】[―념―] 명〖법〗부당 염매된 물품의 수입으로 인하여 동종의 국내 산업이 저해되거나 저해될 우려가 있을 때 국내 산업을 보호할 목적으로 부과하는 관세.
부당 이:득【不當利得】[―니―] 명〖법〗정당하지 못한 방법에 의하여 취득한 이득. 법률상의 원인 없이 타인의 손실하(損失下)에 타인의 재산이나 노무(勞務)에 의하여 받은 이익. 이익을 취한 사람은 그 이익을 반환할 의무를 짐.
부당 이:득세【不當利得稅】[―니―] 명〖법〗부당한 이득을 얻은 사람에게 부과하는 세금. 물가 안정에 관한 법률이나 기타 법률에 의하여 정부가 결정·지정(指定)·승인·인가 또는 허가하는 물품의 가격, 부동산이나 기타 물건의 임대료(賃貸料) 또는 요금의 최고액을 기준으로, 거래 단계별(段階別)·지역별 기타의 구분에 따라 국세청장이 따로 정하는 가액(價額)을 초과하여 거래를 함으로써 부과하게 됨. 국세(國稅)이며 직접세임.
부당 이:유의 허위【不當理由―虛僞】[―니―/―니―에―] 명〖논〗아리스토텔레스의 언어외(言語外) 허위의 한 가지. 어떤 결론의 이유로 내건 것이 잘못되었을 때의 허위.
부당 전칭의 허위【不當全稱―虛僞】[―/―에―] 명〖논〗정언적(定言的) 삼단 논법에 관한 형식적 허위의 한 가지. 전칭적 판단을 결론으로 하기 때문에 생기는 허위.
부당 주연의 허위【不當周延―虛僞】[―/―에―] 명〖논〗정언적(定言的) 삼단 논법의 전제로서 주연(周延)되어 있지 아니한 개념을 결론에서 주연시키는 허위. 예컨대, '모든 새는 날개가 있다. 어떤 동물은 새이다. 그러므로 모든 동물은 날개가 있다'하는 따위. 부당 확충의 허위.
부당지-사【不當之事】명 정당하지 아니한 일.
부당지-설【不當之說】명 이치에 맞지 아니한 말.
부당 처:분【不當處分】명 정당하지 아니한 처분. 공익에 적합하지 아니한 행정 처분.
부당 판결【不當判決】명〖법〗내용이 부당한 판결. 잘못된 사실 인정(事實認定)에 기인한 판결, 적용할 법령을 그르친 판결 등. 상소에 의하여 취소되지 아니하는 한 무효는 아님.
부당 표시【不當表示】명 광고나 상품 설명에 사실과는 다른 과장된 표현을 하는 일.
부당 확충의 허위【不當擴充―虛僞】[―/―에―] 명〖논〗부당 주연(周延)의 허위.
부대[1] 명〈방〉①↗부대기[1]. ②개간지(開墾地).
부:대[2]【附帶】명 곁달아서 덧붙임. 덧붙여서 한데 따르게 함. ――-하다 타여불
부:대[3]【負袋】명 종이·피륙·가죽 같은 것으로 만든 큰 자루. 포대(包袋).
부:대[4]【負戴】명 짐을 지고 임. ――-하다 타여불
부대[5]【浮袋】명 부낭(浮囊)❶.
부대[6]【浮帶】명 부낭(浮囊)❶.
부대[7]【浮貸】명〖경〗금융 기관이나 회사 등의 회계(會計)에 종사하는 사람이 자기 직무를 이용하여 부정 대출을 하는 일. ――-하다 타여불
부대[8]【部隊】명 ①일부의 군대. ②한 단위(單位)의 군대. 대개, 연대(聯隊) 정도의 병력으로 편성됨. ¶ 백마(白馬) ~. ③공통의 목적을 가진 집단. ¶ 박수(拍手) ~.
부:대[9]【富大】명 살이 쪄서 몸이 뚱뚱하고 큼. 비대(肥大). ――-하다 형여불
부대[10] 부〈방〉부디.
부:대 결의【附帶決議】[―/―이] 명 제출된 안건(案件)을 가결(可決)할 적에, 희망 의견으로서 덧붙이는 결의.
부:대 공:소【附帶控訴】명〖법〗'부대 항소(附帶抗訴)'의 구용어.
부대-기[1] 명〈방〉화전(火田). 준부대.
부대-기[2]【部隊旗】명 부대를 표상하는 기.
부대끼다 자 무엇에 시달려서 괴로움을 당하다. ¶ 빚쟁이에게 ~/생활에 ~. >보대끼다.
부:대 면:적【附帶面積】명 건물에서 보조적인 구실을 하는 공간이나 방의 면적.
부:대-범【附帶犯】명〖법〗기소(起訴)된 범죄에 부대된 범죄.
부:-대부인【府大夫人】명〖역〗대원군(大院君)의 아내의 작호.
부대 불소【不大不小】[―쏘] 명 크지도 작지도 아니하고 알맞음. ――-하다 형여불
부:대-비【附帶費】명 기본 비용에 덧붙여 드는 비용.
부:대 사:건【附帶事件】[―껀] 명 어떠한 사건에 덧붙어서 생기는 사건.
부:대 사소【附帶私訴】명〖법〗당해 범죄로 인한 신체·자유·명예 또는 재산상 손해를 이유로 공소(公訴)에 부대해서 행하는 민사상의 손해 배상 청구 소송. 1960년의 민사 소송법 개정으로 폐지됨.
부:대 사:업【附帶事業】명 주장되는 사업에 덧붙여서 하는 사업.
부:대 상:고【附帶上告】명〖법〗민사 소송법상, 피고인이 제일심이나 제이심(第二審)의 판결 중 자기에게 불리한 부분의 변경을 요구하는 신청.
부:대 상:소【附帶上訴】명〖법〗민사 소송법상, 판결에 대하여 불복(不服)이 있을 때에 피상소인이 상대자의 상소(上訴)에 부대(附帶)하여, 같은 법원에 하는 불복의 신청. 그 중에 제일심(第一審)의 판결에 대하여 하는 것을 부대 항소(附帶抗訴), 제이심의 판결에 대하여 하는 것을 부대 상고(附帶上告)라 함.
부:대 설비【附帶設備】명 설비❷.
부:대-세【附帶稅】명〖법〗납부 불이행 가산세·보고 불이행 가산세·신고 불이행 가산세 등의 총칭.
부-대시【不待時】명 ①때를 기다리지 아니함. ②〖역〗십악 대죄(十惡大罪) 등을 범한 중죄인(重罪人)에게 봄·여름의 처형을 하지 아니하는 계절에도 사형을 집행하던 일. 1)·2):↔대시(待時). ――-하다 자여불
부대-알 명〈방〉화전(火田).
부:-대언【副代言】명〖역〗①좌(左)·우(右) 부대언의 통칭으로 고려 충선왕(忠宣王) 2년(1310)에 부승지(副承旨)를 고친 이름. 품질(品秩)은 정삼품. ②조선 태종(太宗) 원년(1401)에 부승지를 고친 이름. 뒤에 다시 부승지로 고침. *대언(代言)·승지(承旨).
부-대우【不待遇】명 푸대접. ――-하다 타여불
부:대 음악【附帶音樂】명〖악〗부수 음악.
부대-장【部隊長】명 부대의 우두머리.
부대 장비【部隊裝備】명 부대의 공통 임무 수행에 쓰이는 장비.
부-대접【不待接】명 푸대접. ――-하다 타여불
부:대 조건【附帶條件】[―껀] 명 어떠한 조건에 덧붙은 조건.
부:대 증서【附帶證書】명 어떤 주되는 증서에 덧붙어 있는 증서.
부:대 청구【附帶請求】명〖법〗민사 소송에서 주되는 청구에 부대하여 청구되는 과실·손해 배상·위약금(違約金)·권리 행사의 비용(費用) 등의 청구.
부대체-물【不代替物】명〖법〗일반 거래(去來)에 있어서, 개성(個性)에 착안하여 거래되기 때문에 다른 동종(同種)의 물건과 바꿀 수 없는 목적물. 토지(土地)·예술품 같은 것. ↔대체물.
부:대 항:고【附帶抗告】명〖법〗항고 절차(節次)에서 명백히 항고인과 이해가 상반(相反)되는 상대방이 있는 경우에, 그 상대방이 동일한 절차내에 있어서 항고에 의하여 불복(不服)을 받은 재판 중 자기에게 불리한 부분의 변경을 요구하는 신청.
부:대 항:소【附帶抗訴】명〖법〗①민사 소송법에 있어서 피항소인(被抗訴人)이 항소에 부대하여 원재판에 대한 불복(不服)을 주장하고 자기에게 불리한 부분의 변경을 요구하는 신청. *부대 상소(上訴). ②구형사 소송법(舊刑事訴訟法)에 있어서 피고인을 위하여 항소가 있을 때에 항소심(抗訴審)의 검사가 변론 종결(辯論終結)에 이르기까지 이에 부대하여 행하는 항소. 현행법은 인정하지 아니함.
부덕[1]【不德】명 덕(德)이 없음. ¶ ~한 소치. ――-하다 형여불
부덕[2]【婦德】명 부녀(婦女)가 지켜야 할 덕의(德義). 부인의 아름다운 덕행. ¶ ~을 쌓다.
부덕-부덕 부〈방〉부득부득.
부-덕의【不德義】[―/―이] 명 부도덕(不道德).
부던지 명〈방〉진드기(경북).
부데기 명〈방〉부디기.
부도[1]【仆倒】명 넘어짐. 부복(仆伏). ――-하다 자여불
부도[2]【不渡】명〖경〗수표나 어음을 가진 사람이 기한이 되어도 지급인한테서 그 수표·어음에 대한 지급을 받을 수가 없는 일. 형식의 결함, 자금의 부족, 사취(詐取), 분실 등이 원인이 됨. ¶ ~를 내다.
부도(가) 나다 구 수표나 어음의 지급을 거절당하다.
부도[3]【不道】명 도리(道理)에 어긋남. 도리가 아님. 무도(無道). 비도(非道).
부도[4]【父道】명 ①아버지가 행한 도(道). ②아버지로서 지켜야 할 도리.
부:도[5]【附圖】명 어떤 책에 부속된 지도나 도표 혹은 도면(圖面). ¶ 지리 ~/역사(歷史) ~.
부도[6]【浮屠·浮圖】명〖불교〗①〔범 buddha〕불타(佛陀). 부처. ②〔범 stūpa〕이름난 중이 죽은 뒤에 그 유골을 안치(安置)하여 세운 둥근 돌탑. 솔탑파(率塔婆). ③중[1].

〈부도[6]❷〉

부-도[7]【釜島】명〖지〗①전남 완도군(莞島郡) 금일면(金日面) 사동리(沙洞里) 소재의 섬. [$0.30 km^2$: 41 명(1984)] ②전남 여천군(麗川郡) 남면(南面) 안도리(安島里) 소재의 섬. [$0.16 km^2$: 101 명(1984)]
부도[8]【婦道】명 여자가 마땅히 지켜야 할 도리(道理). 곤도(坤道). ¶ ~를 닦다.
부도기 명〈방〉부디기.
부-도덕【不道德】명 도덕에 어긋남. 덕에 어그러짐. 부덕의(不德義). ――-하다 형여불
부도-법【浮屠法】명〖불교〗부도를 이루거나 이룩한 이후의 부도에 관계되는 갖가지 법식(法式).
부도 수표【不渡手票】명〔dishonored check〕〖경〗수표의 액면(額面) 금액이 수표 발행인의 예금(預金) 또는 차월 계약고(借越契約高)를 초

믿게 하는 하느님의 부름.

부르제 〔Bourget, Paul Charles Joseph〕 명 〖사람〗 프랑스의 소설가·비평가. ≪현대 심리론(現代心理論)≫으로 비평가의 지위를 확립. 특히, 스탕달(Stendhal)을 재발견(再發見)한 공은 높이 평가됨. 소설가로서는 반실증주의(反實證主義)적이고 도덕적인 면을 주장하는 작품을 썼음. 작품은 ≪제자(弟子)≫·≪대낮의 악마≫ 등. [1852-1935]

부르주 성:당 【—聖堂】 〔Bourges〕 명 프랑스 중부, 부르주에 있는 프랑스의 대표적 고딕 건축. 12세기말에 착공, 14세기 전반에 완성. 북(北)프랑스의 고딕 양식과 로마네스크적(Romanesque的) 형태감(形態感)을 융화하여 파리의 노트르담(Notre Dame) 성당을 본떠 넓은 공간 구성에 중점을 두고 있음.

부르주아[1] 〔프 bourgeois〕 명 〖사〗 ①중세의 유럽 도시에 있어서 성직자와 귀족에 대하여 제3 계급을 형성한 상공업을 주로 하는 중산 계급(中産階級)의 시민. 성직자·귀족과 하층의 인민 사이에 위치하며 여기에서 근대 사회의 자본가가 생겨났음. ②근대 사회에 있어서의 자본가 계급에 속하는 사람. ↔프롤레타리아. ③통속적으로는 부자(富者)를 말함. ㊅부르.

부르주아[2] 〔Bourgeois, Léon Victor Auguste〕 명 〖사람〗 프랑스의 개량주의(改良主義) 정치가·사회 철학자. 정계의 요직을 역임하였으며 국제 연맹(國際聯盟) 초대 의장을 지냈음. 일종의 사회 연대(社會連帶)에 의한 사관(史觀)을 주장하여 프랑스 연대주의(連帶主義)에 큰 영향을 주었음. [1851-1925]

부르주아 계급 【—階級】 〔프 bourgeois〕 명 〖사〗 부르주아지(bourgeoisie).

부르주아 국가 【—國家】 〔프 bourgeois〕 명 〖사〗 부르주아가 지배권(支配權)을 가진 국가. ↔프롤레타리아 국가.

부르주아 문학 【—文學】 〔프 bourgeois〕 명 〖문〗 자본주의 사회와 자본 계급을 시인(是認)하고 옹호(擁護)하는 문학. 시민 문학. ㊅부르 문학.

부르주아 민주주의 혁명 【—民主主義革命】 〔프 bourgeois〕 [—/—이—] 명 〖사〗 부르주아 혁명. *시민 혁명.

부르주아 법학 【—法學】 〔프 bourgeois〕 명 〖법〗 관념론 법학(觀念論法學)과 같은 내용을 가지며 의식적(意識的)·무의식적(無意識的)으로 법이 가지는 부르주아적인 계급성을 은폐·봉사하는 역할을 하는 법학.

부르주아 사회 【—社會】 〔프 bourgeois〕 명 〖사〗 ①시민 사회(市民社會). ②자본가의 사회.

부르주아 저:널리즘 〔프 bourgeois+journalism〕 명 〖사〗 자본주의화한 저널리즘.

부르주아지 〔프 bourgeoisie〕 명 〖사〗 ①중세 유럽의 중산 계급. ②자본가 계급. 시민 계급. 부르주아 계급. ㊅부르. ↔프롤레타리아트.

부르주아 혁명 【—革命】 〔프 bourgeois〕 명 부르주아지가 지도(指導)하는 사회 혁명. 봉건적인 모든 관계를 타파하여 자본주의적 여러 관계를 확립하려는 혁명. 프랑스 혁명·러시아의 이월(二月) 혁명은 그 전형(典型)임.

부르-쥐다 타 힘을 들여 주먹을 쥐다. ¶…두 주먹을 부르쥐구 쫓아오지 않았어? ≪朴花城 : 벼랑에 피는 꽃≫.

부르-짖다 자 〔중세 : 브르지지다〕 ①소리를 높여 주장하거나 하소연하다. ②원통한 사정을 말하며 크게 울다.

부르크 극장 【—劇場】 명 〔Burgtheater〕 1741년 마리아 테레사(Maria Theresa)가 세운, 빈(Wien)에 있는 극장. 19세기 독일 극단(劇壇)의 정점을 이루고 오늘날도 세련된 취미와 예술성을 과시함.

부르크하르트 〔Burckhardt, Jacob〕 명 〖사람〗 스위스의 역사가·미술사가(美術史家). 미적(美的) 입장에서 이탈리아의 르네상스 문화를 연구하여 르네상스의 본질을 '인간과 세계의 발견'이라고 요약하고 르네상스의 근대적 개념을 확립함. 저서는 ≪그리스 문화사≫·≪이탈리아 르네상스(Renaissance)의 문화≫·≪세계사적 고찰(世界史的考察)≫ 등. [1818-97]

부르키나-파소 〔Burkina Faso〕 명 〖지〗 〔모시(Mossi)어로 '청렴 결백한 사람의 나라'의 뜻〕 서아프리카 볼타 강 상류 유역의 공화국. 동쪽은 니제르(Niger), 북·서쪽은 말리(Mali), 남쪽은 가나(Ghana)에 접하는 내륙국(內陸國)으로 대부분이 사바나 고원(savanna 高原)이며 주민의 약 반수는 모시족(Mossi族)임. 공용어는 프랑스어(語). 농업·목축이 주요 산업이며 금·망간도 산출됨. 1896년 프랑스의 보호령이 된 후 1960년 독립국이 됨. 수도는 와가두구(Ouagadougou). 구칭은 오트볼타. [274,180 km² : 9,000,000 명(1990 추계)]

부르키다 자 〈방〉 부르트다.

부르터-나다 자 묻혀 있던 일이 드러나다.

부르터난-길 명 일이 들추어 나기 시작할 때.

부르트다 자 ①살가죽이 들뜨고 그 속에 물이 생기다. ②물것에 물려 살이 도톨도톨하게 부어오르다. ㊅부릍다.

부:르하:페 〔Boerhaave, Hermann〕 명 〖사람〗 네덜란드의 의학자. 병의 증상·병인(病因)·치료법 등을 계통적으로 정리한 ≪의학론≫을 저술함. 인체의 생리 기능에 관해서도 기계론적 설명을 하여 당시의 의학계에 큰 영향을 끼침. [1668-1738]

부륵 【部勒】 명 부대로 나누어 인원수를 갖춤. ——하다 타여불

부름[1] 명 〈방〉 부럼❶.

부름[2] 명 어떤 일을 이루기 위하여 불러들임.

부름-말 명 〖언〗 '호어(呼語)'의 풀어쓴 말.

부름-자리 [—짜—] 명 〖언〗 '호격(呼格)'의 풀어쓴 말.

부름자리-토씨 [—짜—] 명 〖언〗 '호격 조사(呼格助詞)'의 풀어 쓴 말.

부름-켜 명 〖식〗 '형성층(形成層)'의 구용어.

부릅-뜨다 타 〔중세 : 브르뜨다〕 보기 사납게 눈을 크게 뜨다. ¶두 눈을 부릅뜨고 호통을 치다.

부릉 명 〈방〉 불능(不能).

부릍다 자 ↗부르트다.

부리[1] 명 〔중세 : 부리〕 ①새나 짐승의 주둥이. ②물건의 끝이 뾰족한 부분. ③병과 같이 속이 비고 한 끝은 터진 부분의 일컬음. ④〖고고학〗 액체를 따를 수 있도록 그릇 몸통의 한 곳에 구멍을 뚫고 단 대롱 모양의 주둥이. 주구(注口).
부리(를) 헐다 구 일이나 말을 시작하다 ¶조성준이 먼저 혼잣소리로 부리를 헐었다≪金周榮 : 客主≫.

부리[2] 명 〈방〉 상추[1](경북).

부:리[3] 명 〖민〗 한 집안의 조상의 혼령이나 그 집에서 선대로부터 위해 오는 귀신을 무당이 일컫는 말.

부:리[4] 명 〈방〉 벌[4](충남·황해).

부:리[5] 【附利】 명 이자가 붙음.

부리[6] 【膚理】 명 살결.

부리거머리-목 【—目】 명 〖동〗 〔Rhynchobdellae〕 환형(環形) 동물 거머리강(綱)에 속하는 한 목(目). 입에서 밖으로 내밀 수 있는 긴 주둥이가 있으며, 일반적으로 기생성 내지는 반기생성임.

부리기 명 〈방〉 둘치.

부:리 기간 【附利期間】 명 〖경〗 예금(預金)에 소정(所定)의 이자(利子)가 붙는 기간. 정기(定期) 예금의 경우는 흔히 3개월·6개월·1년 등으로 나뉨.

부리-나케 부 〔←불이 나게〕 아주 급하게. 몹시 빨리.

부리놋다 자 〈옛〉 불리는구나. 날리는구나. ¶길 녀는 사ᄅᆞ미 오시 브르배 부리놋다(征衣颯飄颻)≪杜諺 I:34≫.

부리다[1] 타 〔중세 : ᄇᆞ리다〕 ①마소나 다른 사람을 시켜 일을 하게 하다. ¶하인을 ~/소를 ~. ②조종하다. ¶차를 ~. ③행사하다. ¶권력을 ~/고집을 ~. ④재주나 꾀를 피우다. ¶묘기를 ~.

부리다[2] 타 〔중세 : ᄇᆞ리다〕 ①실었던 짐을 풀어 내려놓다. ¶짐을 ~. ②활시위를 벗기다. ¶활을 ~.

부:리 단위 【附利單位】 명 〖경〗 예금(預金)에서 이자(利子)가 붙는 최소(最少)의 단위. 정기 예금의 경우 100원까지 이자(利子)가 붙게 됨.

부리 대:리 【部理代理】 명 〖법〗 구용어로, 사건의 일부의 대리. 곧 부리 대리인이 갖는 대리권(代理權). 또, 그의 대리.

부리 대:리인 【部理代理人】 명 〖법〗 구용어로, 임의(任意) 대리인 중에서 그 권한이 특정한 위임 사항에만 한정되어 있는 대리인. 부리 대인(代人). ↔총리 대리인.

부리 대:인 【部理代人】 명 〖법〗 부리 대리인.

부리똥 명 〈방〉 아그배(경남).

부리-망 【—網】 명 가는 새끼로 그물같이 얽어서 소의 주둥이에 씌우는 물건. 밭을 갈 때 곡식을 못 뜯어 먹게 하기 위하여 씌움.

부리-모양 명 〖고고학〗 돌연장의 끝 부분이 새의 입부리 모양으로 만들어진 것. 후기 구석기 시대에 유행한 새기개가 이런 모양임. 부리형.

부리부리-하다 형여불 눈방울이 크고 열기가 있다. ¶부리부리한 눈.

부:리-세다 형 〖민〗 그 집의 귀신이 드세다.

부리시리 명 〈심마니〉 산삼(山蔘).

부리우다 타 ☞부리다[2]. ¶무거운 짐을 부리우고 난 듯하여, 몸이 가벼움을 느끼며…≪鄭飛石 : 靑春의 倫理≫.

부리이다 피동 남의 부림을 받다. ¶10년 동안을 부리이다가 맨손으로 쫓겨 나다.

부:리-잡히다 자 종기(腫氣)의 한가운데가 뾰족하여지다.

부리-토기 【—土器】 명 〖고고학〗 부리가 달린 토기. 삼국 시대에 나타남. 주구 토기(注口土器).

부리-형 【—形】 명 〖고고학〗 부리모양.

부린-활 명 활시위를 벗긴 활. ↔얹은활.

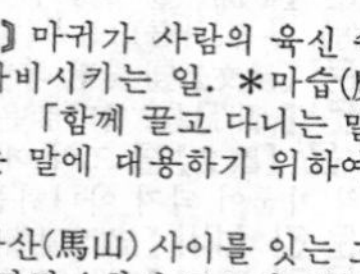

부림 명 마소나 다른 사람을 시켜서 일을 하게 하는 일.

궁대

〈부린활〉

부림-꾼 명 남에게 부림을 받는 사람.

부림-말 명 〖언〗 '목적어(目的語)'의 풀어 쓴 말.

부림-소 명 농우(農牛)나 일소.

부림-자리 [—짜—] 명 〖언〗 '목적격(目的格)'의 풀어 쓴 말.

부림자리 토씨 [—짜—] 명 〖언〗 '목적격 조사(目的格助詞)'의 풀어 쓴 말.

부릅ᄡᅳ다 타 〈옛〉 부릅뜨다. ¶셔기 눈을 부릅ᄡᅳ고 우지져 골오ᄃᆡ(徐顒目大罵曰)≪五倫 Ⅲ:36≫.

부마[1] 【夫馬】 명 마부(馬夫)와 말.

부:마[2] 【付魔】 명 ①귀신들리는 일. ②〖천주교〗 마귀가 사람의 육신 속에 들어가서 그 사람의 여러 기능(機能)을 마비시키는 일. *마습(魔襲). ——하다 자여불

부:마[3] 【副馬】 명 필요에 따라서 주로 사용하는 말에 대용하기 위하여, 함께 끌고 다니는 말.

부:마[4] 【駙馬】 명 〖역〗 ↗부마 도위(駙馬都尉).

부마 고속 도:로 【釜馬高速道路】 명 부산과 마산(馬山) 사이를 잇는 고속 도로. 노폭(路幅) 23.4 m의 콘크리트로 포장된 4차선 도로임. 1981년 9월 개통. [43.5 km]

부:마-국 【駙馬國】 명 〖역〗 '사위의 나라'의 뜻으로 중기의 고려를 일컫는 말. 고려가 원(元)나라의 강요로 충렬왕(忠烈王) 이후 원나라의 공주(公主)를 정비(正妃)로 맞아, 그 사이에서 난 아들만이 왕위에 오를 수 있게 된 데서 연유함.

부:마 도위 【駙馬都尉】 명 〖역〗 임금의 사위. 의빈(儀賓). ㊅도위(都尉)·부마(駙馬).

부:마-부 【駙馬府】 명 〖역〗 의빈부(儀賓府).

부마 사:태 【釜馬事態】 명 〖역〗 1979년 10월 16일부터 20일까지 부산(釜山)과 마산(馬山) 지역에서 일어난 유신(維新) 정권에 대한 반정부 항쟁 사건. 이 사태에 이어 10월 26일에 대통령 박정희(朴正熙)가 김재규(金載圭)의 총에 사살되면서 제4 공화국은 붕괴됨.

부:마-자 【付魔者】 명 육신에 부마(付魔)함을 당한 사람.

부막 명 〈방〉 부뚜막(함경·평안).

부말 【浮沫】 명 물거품. 덧없는 것의 비유. 부구(浮漚).

부:망【副望】명〖역〗삼망(三望) 중에서 둘째 가는 사람.

부맥¹【浮麥】명 밀의 쭉정이.

부맥²【浮脈】명〖한의〗피부(皮膚)에 손끝을 대기만 하여도 맥이 뛰는 것을 알 수 있는 맥(脈). *침맥(沈脈).

부메디엔〔Boumedienne, Houari〕명〖사람〗알제리(Algerie)의 군인·정치가. 반불(反佛) 독립 전쟁에 참가, 알제리 민족 해방 전선의 참모장을 거쳐, 독립 후 부수상·국방상을 역임함. 1965년 쿠데타로 벤 벨라(Ben Bella, Mohammed) 대통령을 추방하고 정권을 장악, 대통령·수상 겸 혁명 평의회 의장이 되어 13년간 알제리를 통치함. [1925-78]

부:메랑〔boomerang〕명 오스트레일리아 서부 및 중앙부의 원주민이 사용하는 무기의 한 가지. 'ㄱ'자로 구부러진 70-80 cm의 나무 막대기인데 목표물을 향해 던지어 맞지 아니할 경우는 되돌아옴. 도착 거리는 100-150 m.

부:메랑 효:과【一效果】〔boomerang〕명 선진국이 발전 도상국을 대상으로 경제 원조나 자본 투자를 한 결과, 현지에서의 생산이 수요(需要)를 상회(上廻)함으로써 다시 선진국으로 역(逆)수출되어 선진국의 해당 산업과 경합(競合)을 하는 일.

부면¹【部面】명 몇 개로 나눈 한 면. ¶ 생물학적인 ~.

부:면²【覆面】명 →복면(覆面).

부:-면장【副面長】명 면장 다음가는 면의 행정 기관. 또, 그 직위에 있는 사람.

부명¹【父名】명 아버지의 이름.

부명²【父命】명 아버지의 명령. 부교(父敎).

부명³【浮名】명 허명(虛名).

부:명⁴【富名】명 부자로 이름난 소문.

부모¹【父母】명 아버지와 어머니. 어버이. 양친(兩親).
[부모가 반(半)팔자] 어떤 부모에게서 태어났는가 하는 것이 중요하다는 말. [부모가 온 효자 되어야 자식이 반 효자] 자식은 부모를 본뜬다는 말. [부모가 자식을 겉 낳았지 속 낳았나] 제가 낳은 자식의 속을 알 수 없다는 말. [부모가 착해야 효자(孝子)가 난다] 부모의 좋은 감화(感化)를 받아야 자식도 선량(善良)한 사람이 된다는 말. [부모는 자식이 한 자만 하면 두 자로 보이고 두 자만 하면 석 자로 보인다] 부모된 사람은 제자식이 좋게만 보인다는 말. [부모 말을 들으면 자다가도 떡이 생긴다] 부모 말을 잘 들으면 좋은 일이 있다는 말. [부모 속에는 부처가 들어 있고 자식 속에는 앙칼이 들어 있다] 부모는 자식을 무한히 사랑하나, 자식은 부모에게 불효할 따름이라는 말.

부:모²【傅母】명 유모(乳母). 보모(保姆).

부모 구몰【父母俱沒】명 부모가 다 돌아가심. ——-하다 자여불

부모 구존【父母俱存】명 부모가 다 살아 계심. ——-하다 자여불

부모-국【父母國】명 조국(祖國)❶.

부모-궁【父母宮】명〖민〗십이궁(十二宮)의 하나. 부모에 대한 운수를 점치는 기본 자리.

부모-덕【父母德】명 부모의 은덕(恩德). 부모의 덕택.

부모-상【父母喪】명 아버지와 어머니의 상사(喪事). 친상(親喪).

부모은중-경【父母恩重經】명〖책〗수말(隋末)·당초(唐初)에 중국에서 나온 대승 불경(大乘佛經)의 경전. 부모의 은혜가 지극히 큼을 이르고 보은(報恩)을 권장했음. 1권.

부모은중경 언:해【父母恩重經諺解】명〖책〗은중경 언해(恩重經諺解).

부모지-방【父母之邦】명 조국(祖國)❶.

부모 처자【父母妻子】명 부모와 처자.

부:목¹【負木】명〖불교〗절에서 땔나무를 하는 사람. *불목하니.

부목²【浮木】명 물 위에 떠 있는 나무. ¶ 맹귀(盲龜) ~.

부:목³【副木】명〖의〗골절(骨折)한 손발 등을 고정(固定)하기 위하여 일시적으로 상처 부위에 대는 기구. 재료로는 나무·플라스틱·쇠붙이 등이 쓰임. ¶ ~을 대다.

부:목⁴【腐木】명 썩은 나무.

부-무사【缶武砂】명〖건〗장구 무사.

부:문¹【赴門】명 과장(科場)에 들어감. ——-하다 자여불

부문²【訃聞】명 사람이 죽었다는 소식. 흉문(凶聞). 고부(告訃). 부고(訃告). 부음(訃音). 통부(通訃).

부문³【浮文】명 헛된 외면(外面)치레만의 경박(輕薄)한 문장.

부문⁴【部門】명 갈라놓은 부류(部類).

부:문⁵【副文】명 조약·계약 등의 문서에서, 정문(正文)에 첨가된, 해석의 기준이 되지 아니하는 문장.

부문 간:접비【部門間接費】명〖경〗부문 공통비.

부문 개:별비【部門個別費】명〖경〗특정 부문에서 개별적으로 발생하고 당해 부문에 직접 부과되는 비용. 부문 직접비. ↔부문 공통비.

부문 공:통비【部門共通費】명〖경〗전체 또는 복수의 부문에서 공통적으로 발생하는 비용으로, 관계 여러 부문에 적당한 배부(配賦) 기준에 의하여 배부하는 비용. 부문 간접비(間接費). ↔부문 개별비.

부문별 관리【部門別管理】[—괄—] 명〖경〗기업의 경영 관리에 따르는 형태의 하나. 조직면에서 본 부문별 관리는 직계(直系) 부문 조직·기능(機能) 부문 조직·직계 기능 부문 조직으로 구분되는 집권적(集權的) 부문 관리와 사업부(事業部)를 두는 등의 분권적(分權的) 부문 관리로 대별할 수 있음.

부문별 원가 계:산【部門別原價計算】[—까—] 명〖경〗사업 경영에 있어, 일정 기간에 발생하는 원가를 작업장·기계 단위 또는 경영 활동 단위로 집계하기 위해 계산의 구분을 설정하여 하는 계산. 비목별(費目別)로 파악된 원가 요소를 그 발생 부문별로 분류 집계하는 것으로, 총원가 산정에 있어 중간에서 보조적(補助的) 계산의 역할을 담당하는 것임. 부문비(部門費).

부문-비【部門費】명〖경〗부문별 원가 계산.

부문 직접비【部門直接費】명〖경〗부문 개별비(個別費).

부:문 진:무정【敷文振武旌】명〖역〗의장기(儀仗旗)의 한 가지.

〈부문 진무정〉

부물【浮物】명 물 위에 떠 있는 물건.

부미¹【符尾】명〖악〗음표의, '꼬리'의 한자 이름. ↔부두(符頭).

부미²【浮靡】명 경박하고 사치스러움. 사치스럽고 진실됨이 없음. ——-하다 형여불

부:민¹【府民】명 부의 구역 안에 사는 사람.

부민²【浮民】명 이리저리 떠돌아다니는 백성.

부:민³【富民】명 살림이 넉넉한 백성.

부민 고:소 금:지법【部民告訴禁止法】[—뻡] 명〖역〗조선 시대에 중앙 관사(官司)의 서리(胥吏)·고직(庫直)·사령(使令) 등 하례(下隷)와 지방 관사의 아전·장교(將校) 등이 상급자인 관원을 고소하거나 지방의 향직자(鄕職者)·아전·백성이 관찰사나 수령을 고소하는 것을 금지한 법제.

부:민-관【府民館】명〖역〗일제 강점기 때에 경성 부민(京城府民)의 공회당으로 쓰이던 건물. 지금의 서울 특별시 시의회 의사당.

부:바 감 ↗어부바.

부박【浮薄】명 천박하고 경솔함. ¶ 경조(輕佻) ~. ——-하다 형여불

부:반송파 방식【副搬送波方式】명〖전〗음성·화상(畫像) 또는 부호 등의 신호 전류(信號電流)를 전송로(傳送路)에 보내는 반송파를 변조(變調)하기 전에 딴 반송파를 사용하여 변조하는 통신 방식.

부방¹【阜傍】명 한자 부수(部首)의 이름. 우부방(右阜傍)의 일컬음. *부방변(阜傍邊).

부:방²【赴防】명〖역〗조선 시대에 다른 도(道)의 군대가 서북 변경(西北邊境)을 방비하기 위하여 수자리 사는 일. 성종(成宗) 때부터 실시하여 무과(武科) 출신은 모두 서북 변경에 한 번씩 부방하는 것을 원칙으로 했음. ——-하다 자여불

부방³【趺方】명 신주(神主) 밑에 까는 네모진 받침.

부방-변【阜傍邊】명 한자의 부수(部首)의 명칭. 좌부방의 일컬음. *부방(阜傍).

부:-방어【副防禦】명〖군〗적의 습격을 방해하기 위하여 만든 장애물. 「철조망(鐵條網) 등.

부방-제【部坊制】명〖역〗고려·조선 시대의 수도의 행정 구역 제도. 고려 때는 현종(顯宗) 15년(1024)에 송도(松都)를 5부 35방(坊)으로 구획하였고, 조선 시대에는 태조(太祖) 5년(1396)에 구도(舊都)인 송도의 부방제를 모방하여 5부 52방으로 구획하였는데 후에 49방으로 줄임.

부-방파제【浮防波堤】명 파도를 막기 위하여 항만(港灣)의 일정한 장소에 잇대어 놓은 방주(方舟)나 뗏목 같은 것.

부:-배합【富配合】명〖토〗콘크리트를 만들 때 지정된 분량보다 시멘트를 많이 넣고 하는 배합. ↔빈배합. ——-하다 타여불

부:버〔Buber, Martin〕명〖사람〗유태인 출신의 철학자. 프랑크푸르트 암 마인(Frankfurt am Main) 대학 교수로 있었으나 나치스의 박해로 망명, 여러 나라를 전전하다가 1938-51년 예루살렘(Jerusalem) 대학에서 사회 철학의 교수를 지냄. 유태적(的) 신비 사상의 소유자이며 키에르케고르(Kierkegaard)·니체(Nietzshe)적인 고립적 인간상(人間像)에 반대하고 '영원한 너(신)'에 통하는 근원적(根源的)인 '나와 너' 관계의 회복을 주장했음. 저서 ≪유토피아(Utopia)에의 길≫·≪기도≫·≪하시디즘(Hasidism)≫ 등. [1878-1965]

부버리 명〈방〉부리¹(함남).

부:번【負蠜】명〖충〗벼메뚜기.

부벌【簿閥】명 부서(簿書)에 적힌 공로. 곧, 선대(先代)의 관적(官籍).

부범【浮泛】명 ①물 위에 뜸. ②뱃놀이를 함. ——-하다 자여불

부:벽¹【付壁】명 벽에 붙이는 글씨와 그림.

부벽²【扶壁】명〖건〗버트레스(buttress).

부벽-루【浮碧樓】[—누] 명〖지〗평양 모란봉(牡丹峰) 밑 절벽 위에 있는 누각. 고려 초기 영명사(永明寺)의 남헌홍 화상(南軒興和尙)이 건립한 것으로 예종(睿宗)이 군신과 더불어 회유(會遊)할 때 이안(李顔)에게 명하여 이름지었다 함. 대동강(大同江)에 면해 있어 마치 물 위에 떠있는 듯한 느낌을 주는 명소임.

부:벽-서【付壁書】명 벽에 붙이는 글씨.

부벽식 언:제【扶壁式堰堤】명〖토〗벽 뒤에 군데군데 버팀벽을 세우고, 물을 막는 벽은 좀 얇게 만들어 세운 언제(堰堤).

부벽식 옹:벽【扶壁式擁壁】명〖토〗끊은 면(面)은 'ㅗ'자 모양으로 되고 흙을 받는 쪽에 삼각형 버팀벽을 일정한 간격으로 만든 철근(鐵筋) 콘크리트 옹벽(擁壁).

부별¹【部別】명 종류나 부문별로 나눔. ——-하다 타여불

부:별²【賦別】명 나누어 배당(配當)함. 구별하여 나눔. ——-하다 타여불

부:병¹【付丙】명 불에 살라 버림. ——-하다 타여불

부:병²【富兵】명 강병(强兵).

부:-병정【副兵正】명〖역〗고려 시대의 향리직. 병부(兵部)의 연상(筵上)을 성종 2년(1124)에 고친 것으로, 사병(司兵)에 속하여, 병정(兵正)의 아래, 병사(兵史)의 위임.

부:병-제【府兵制】명〖역〗중국의 서위(西魏)에서 시작하여 수(隋)·당(唐)에 이르러 정비(整備)된 병제(兵制). 병농 일치(兵農一致)를 이상(理想)으로 한 것으로 균전(均田) 농민에서 군인을 뽑아 부병(府兵)으로 하고 농한기(農閑期)에 훈련을 실시, 경비를 맡기고 조세(租稅)를 면하였음.

부:보¹【付保】명 보험에 듦. ——-하다 자여불

부보²【訃報】명 부고(訃告).

부보[3]【部譜】 명 〖악〗 합주(合奏)할 때의 각 음부(各音部)의 악보.
부보-랑【符寶郞】 명 〖역〗 고려 의종(毅宗) 때의 인부랑(印符郞)의 이름.
부:보-상【負褓商】 명 보부상(褓負商).
부:복[1]【仆伏】 명 넘어져 엎드림. 부도(仆倒). ——-하다 자여불
부:복[2]【俯伏】 명 고개를 숙이고 엎드림. ——-하다 자여불
부:본【副本】 명 〖법〗 정본(正本)과 동일한 사항을 기재한 문서. 정본의 예비나 사무 정리를 위하여 만듦. 복본(複本). 부서(副書). ↔정본(正本). *원본(原本).
부:-봉사【副奉事】 명 〖역〗 조선 시대에 있었던 정구품의 한 벼슬. 내의원(內醫院)·군기시(軍器寺)·관상감(觀象監)·사역원(司譯院)·선공감(繕工監)·종묘서(宗廟署)·전생서(典牲署) 등 여러 관아에 두었음. *봉사(奉事)·참봉(參奉).
부:-봉익【附鳳翼】 명 봉황(鳳凰)의 날개에 달라붙듯이 영웅(英雄)을 따라서 공을 세움을 이름. ——-하다 자여불
부부[1]【夫婦】 명 ①남편과 아내. 항배(伉配). 내외(內外). 부처(夫妻). ¶ ~간/원앙 ~. ②〖법〗 적법(適法)의 혼인을 한 남녀의 신분(身分).
[부부 싸움은 개도 안 말린다] 부부 싸움에는 섣불리 제삼자가 개입할 일이 아니라는 말. [부부 싸움은 칼로 물베기] 내외 간의 싸움은 칼로 물을 베어도 흔적이 없듯이 쉬 화합한다는 말.
부부[2]【浮浮】 명 ①눈·비가 한창 쏟아지는 모양. ②많고 굳센 모양. ③가는 모양. ④기(氣)가 무럭무럭 오르는 모양. ——-하다 형여불
부:-부[3] 부 기선(汽船) 같은 데서 연해 나는 기적 소리.
부부-간【夫婦間】 명 부부 사이. 부부지간(夫婦之間). 내외지간.
부부 공:동 입양【夫婦共同入養】 명 〖법〗 부부가 함께 양자 관계를 맺는 일. 처(妻)가 있는 자는 공동 입양(入養)의 형식을 취하지 아니하고는 양자로 삼을 수 없고, 또 양자가 되지 못함.
부부 교환【夫婦交換】 명 〔swapping〕 두 쌍 또는 여러 쌍의 부부가 아내와 남편을 일시적으로 서로 교환하여 성교 또는 동거하는 일.
부부 기대 여명【夫婦期待餘命】 명 어떤 연령의 부부가 앞으로 함께 해로(偕老)할 수 있는, 일종의 평균 여명(平均餘命).
부부리 명 〈방〉 부리[1](강원·함경).
부부-성【夫婦星】 명 견우성(牽牛星)과 직녀성(織女星).
부:-부신【副副腎】 명 〖동〗 포유류의 부신 이외의 장소에 존재하는 직경 1-2mm의 부신 조직의 총칭. 신장 병부(腎臟柄部) 부근 및 하대정맥(下大靜脈)을 따라 산재(散在)하는 세포 덩어리로서, 평상시(平常時)에는 거의 구실을 하지 아니하나, 부신(副腎)을 제거하면 대상적(代償的)으로 기능을 발휘하게 된다고 함.
부부-애【夫婦愛】 명 부부의 사랑.
부:-부-원-청【府部院廳】 명 서울 각 관아(官衙)의 통칭.
부부 유:별【夫婦有別】 명 오륜(五倫)의 하나. 부부 사이에는 서로 침범하지 못할 인륜(人倫)의 구별이 있음. *남녀 유별. ——-하다 형여불
부:-부인【府夫人】 명 〖역〗 조선 시대 대군(大君)의 아내 또는 왕비의 어머니의 작호(爵號). 정일품(正一品).
부부 재산 계:약【夫婦財産契約】 명 〖법〗 부부의 재산의 귀속(歸屬), 그 관리 방법, 부부 공동 생활의 비용 부담 등 혼인 계속 중에 있어서의 부부의 재산 관계를 정하는 부부 간의 계약. 이 계약은 혼인 신고 전에 체결되어야 하며 일단 성립된 계약은 특별한 사유가 없는 한 변경할 수 없음. *부부 재산제.
부부 재산제【夫婦財産制】 명 〖법〗 부부 공동 생활의 비용의 부담, 재산의 귀속, 관리·수익(收益)의 권능 등 혼인으로 인하여 생기는 부부의 특수한 재산 관계를 규정하는 제도. 부부로 하여금 자유롭게 혼인 전에 임의로 재산 관계를 약정토록 하는 계약(契約) 재산제와 법률의 규정에 따르는 법정(法定) 재산제가 있는데, 후자는 전자의 계약이 없는 경우에 적용됨. *부부 재산 계약.
부부-저【浮浮菹】 명 둥둥이 김치.
부부지-간【夫婦之間】 명 부부의 사이. 부부간(夫婦間).
부부지-약【夫婦之約】 명 혼약(婚約).
부부지-정【夫婦之情】 명 부부간의 애정.
부분[1]【部分】 명 전체를 몇 개로 나눈 것의 하나.
부분[2]【傅粉】 명 분을 바름. 단장함. ——-하다 자여불
부분 감정【部分鑑定】 명 〖법〗 일체(一體)로 이용되고 있는 물건의 일부만을 감정하는 일. 이 경우의 감정액은 일체로 이용되고 있는 물건 전체를 기준으로 감정해야 하며 그 내용을 명시해야 함.
부분 건:망【部分健忘】 명 〖의〗 어느 기간, 어떤 부분의 기억이 끝내 되살아나지 아니하는 상태. 의식 장애(意識障碍)를 수반하는 뇌의 질환이나 두부(頭部)의 외상(外傷) 등이 원인이 됨.
부분-군【部分群】 명 〖수〗 대수학(代數學)에서의 기초 개념의 하나. 군(群)의 부분 집합(部分集合)에서, 원래의 군(群)의 연산(演算)에 관하여 그 자체가 군(群)이 되어 있는 것.
부분 균형 이:론【部分均衡理論】 명 〖경〗 균형 이론의 하나. 경제 체계 중의 특정한 요소에 관하여, 다른 사정이 변화하지 아니한다는 가정 아래에서 부분적인 균형을 문제로 삼는 것.
부분 그늘【部分—】 명 〔penumbra〕 ①〖천〗 반그림자. 외허(外虛). ②〖물〗 광원(光源)의 일부분으로부터만 조명을 받은 그늘진 부분.
부분-도【部分圖】 명 어느 일부분만 표시한 도면. *부분 조립도.
부분-림【部分林】 [—님] 명 〖법〗 주민이 국유지를 빌려서 조림(造林)하고 그 수익(收益)을 일정한 비율에 따라서 분배하는 삼림.
부분 미분 계:수【部分微分係數】 명 〖수〗 편미분(偏微分) 계수.
부분 분수【部分分數】 [—쑤] 명 〖수〗 하나의 분수식(分數式)을 그 이상 간단히 할 수 없는 분수식의 합(合)으로 표시할 때, 우변(右邊)에 나타나는 하나하나의 분수를 이름.
부분 분수 분해【部分分數分解】 [—쑤—] 명 〖수〗 분수식(分數式)을 부분 분수의 합(合)으로 표시하는 일.
부분 사회【部分社會】 명 〖사〗 사회 구성 요소가 되는 일정한 조직적 집단. 생성 사회(生成社會)와 조직 사회의 구별이 있는데 전자는 미발달 계급에 있어서 그 자체가 한 개의 전체 사회를 형성하고, 후자는 사회 기능의 분화에 의하여 조직됨. ↔전체 사회.
부분 색맹【部分色盲】 명 〖생〗 일부분의 색에 대해서만 나타나는 색맹. 적색과 녹색의 변별(辨別)을 잘 못하는 경우 등. 부분색 소경. *색맹.
부분색 소:경【部分色—】 명 부분 색맹(部分色盲). ↔전색(全色) 소경.
부분 수정【部分受精】 명 〖생〗 ①난자(卵子)를 모세관(毛細管)에 넣어 가늘게 만든 후, 난자의 한쪽에만 정자(精子)를 접촉시키면, 침입(侵入)시킨 쪽에만 수정막(受精膜)이 생기고 다른 쪽은 미수정(未受精)인 채로 남아 있는 현상. ②난자에 정자를 접촉시킨 후, 정자를 난자로부터 분리하여도 수정(受精) 때 볼 수 있는 변화가 일어나는 현상. ③수정 후 정자가 난핵(卵核)에 접착하기 전에 난핵이 분열하며 그 결과, 한쪽의 할구(割球)의 핵(核)하고만 정핵(精核)이 합일(合一)하는 일.
부분 스트라이크【部分—】 〔strike〕 명 〖사〗 부분 파업.
부분-식【部分蝕】 명 〖천〗 일식·월식에 있어서 해나 달의 일부분만이 가리워지는 현상. 준분식(分蝕). ↔개기식(皆旣蝕).
부분 압력【部分壓力】 [—녁] 명 〔partial pressure〕 〖물·화〗 몇 가지의 기체가 혼합되어 있을 때, 같은 온도 조건 하에서 그 성분 기체(成分氣體)가 각각 독립적으로 혼합 기체와 같은 체적을 차지할 때에 나타나는 압력. 준분압. *돌턴(Dalton)의 법칙.
부분 월식【部分月蝕】 [—씩] 명 〖천〗 달의 일부분만이 가리워지는 월식. ↔개기 월식.
부분-음【部分音】 명 〖악〗 몇 개의 음이 모여서 된 복합음(複合音)인 악음(樂音)의 부분을 구성하는 성분(成分)의 음. 그 중 진동수가 가장 적은 것을 바탕음(音), 그 밖의 것을 상음(上音)이라 함. *상음(上音).
부분 응축【部分凝縮】 명 〔partial condensation〕 〖화〗 포화 증기(飽和蒸氣)의 일부가 액(液)으로서 응축할 때까지 냉각(冷却)하거나 가압(加壓)하는 일.
부분 일식【部分日蝕】 [—씩] 명 〖천〗 태양의 일부분만이 달에 가리워지는 일식. ↔개기 일식.
부분-적【部分的】 명관 전체가 아닌 일부분에만 한정되는 모양. ↔전체적.
부분 적분【部分積分】 명 〖수〗 부분 적분법.
부분 적분법【部分積分法】 [—뻡] 명 〖수〗 함수(函數)의 곱을 적분하는 방법의 하나. 공식 (1)을 사용하여 부정(不定) 적분을 구하는 법과 공식 (2)를 사용하여 정적분(定積分)을 구하는 것이 있음. 부분 적분.

공식 (1) $\int f(x)g'(x)dx = f(x)g(x) - \int f'(x)g(x)dx + C$

공식 (2) $\int_a^b f(x)g'(x)dx = \Big[f(x)g(x)\Big]_a^b - \int_a^b f'(x)g(x)dx$

부분적 핵실험 금:지 조약【部分的核實驗禁止條約】 명 〔The Limited Test-ban Treaty〕 정식 명칭은 대기권내, 우주 공간 및 수중(水中)에 있어서 핵무기 실험을 금지하는 조약. 1963년 모스크바에서 미국·영국·소련의 세 나라가 조인한 조약으로 지하 실험을 제외한 모든 핵실험을 금지하기로 결정한 것인데, 유효 기간은 무기한. 1990년 9월 현재 114 개국이 가입함.
부분 조립도【部分組立圖】 명 특히 복잡한 구조를 가지는 부분의 조립을 표시하는 도면의 하나. *부분도(部分圖).
부분 조사【部分調査】 명 일부 조사.
부분 집합【部分集合】 명 〖수〗 집합 A에 속하고, 집합 B에 속하지 아니하는 것이 하나도 존재하지 아니할 때 A의 B에 대한 일컬음. *진부분(眞部分) 집합.
부분-체【部分體】 명 〖수〗 대수학(代數學)에 있어서의 기초 개념의 하나. 체(體)의 부분 집합으로서 본래의 체의 연산(演算)에 관하여 그 자체가 체인 것.
부분 파:업【部分罷業】 명 작업상 극히 중요한 일부 직장 또는 부서만이 파업에 들어가, 그로 인하여 전체의 작업에 중대한 영향을 미치게 하는 쟁의(爭議) 전술의 하나. 부분 스트라이크.
부분 편광【部分偏光】 명 〖물〗 자연광과 편광이 혼합되어 있는 광속(光束).
부분-품【部分品】 명 기계의 어떤 부분에 쓰이는 물품. 부품(部品).
부분-할【部分割】 명 〖생〗 반할(盤割)이나 표할(表割)처럼 알의 일부에서만 난할(卵割)이 일어나는 현상. 불완전 난할. ↔전할(全割). *표면난할.
부분-환【部分環】 명 〖수〗 대수학에서의 기초 개념의 하나. 환(環)의 부분 집합에서, 원래의 환의 연산(演算)에 관하여 그것 자체가 환인 것.
부:불【賦拂】 명 여러 번으로 나누어 지불(支拂)함. 할부(割賦). ——-하다 타여불
부:불 신:용【賦拂信用】 명 〔installment credit〕 〖경〗 상품(商品)은 현재 급부(給付)하고 그 대금은 장래의 일정한 기간에 여러 차례로 나누어 급부하는 거래.
부불훼 호:난제【膚不毁虎難制】 명 범을 잡자면 자기의 피부쯤은 상하지 아니할 수 없다는 뜻에서, 성공을 하려면 수고해야 된다는 말.
부븨다 타 〈옛〉 비비다. ¶ 藥을 부븨유니 ᄂᆞ라가ᄂᆞᆫ 곳고리 우ᄂᆞ다(丸藥流鶯囀)《杜諺 XV:3》.
부븨이다 사동 〈옛〉 비비게 하다. ¶ 겨집죵을 ᄒᆞ야 藥을 부븨이더니(使婢丸藥)《內訓 I:61》.
부비[1]【浮費】 명 재물을 함부로 씀. 헛되이 씀. 낭비(浪費). ¶ 너희들은 공연히 ~ 내며 지체말고 오늘로 되짚어 곧 떠나렷다《李海朝 : 昭陽亭》. ——-하다 타여불

부:비[2]【腐脾】 명 〖한의〗 소두화(小豆花).

부:비[3] 〔booby〕 명 골프·볼링 등에서, 최하위에서 두 번째의 순위.

부:-비강【副鼻腔】 명 〖생〗 비강에 이어져 주위의 여러 뼈의 내부에 뻗쳐 있는 곳으로 상악동(上顎洞)·전두동(前頭洞)·사골동(篩骨洞) 등의 총칭. 얇은 점막(粘膜)으로 싸였으며 공기로 차 있음.

부:비강-염【副鼻腔炎】 [—념] 명 〖의〗 축농증(蓄膿症).

부비다 타 〈방〉 비비다.

부비-대다 타 〈방〉 비비대다. ¶ 땅바닥에 이마를 ~.

부비-새 명 〈방〉 〖조〗 뱁새.

부비-송곳 명 〈방〉 비비송곳.

부비적-거리다 자 〈방〉 비비적거리다. **부비적-부비적** 부

부비-질 명 〈방〉 비게질. ——-하다 자

부비탱이 명 〈방〉 부지깽이(강원).

부:비 트랩 〔booby trap〕 명 ①위장 폭탄. ②문 위에 물건을 얹어 놓고 문을 열면 머리에 떨어지게 하는 장난. ③모략. 함정.

부:빈: 싸움 〔Bouvines〕 명 〖역〗 1214년 프랑스 북동부 부빈에서 프랑스 국왕 필리프(Philippe) 2세가 영국왕 존(John) 및 신성 로마 황제 오토(Otto) 4세 등의 연합군을 격퇴한 싸움. 영국에서는 이 싸움의 패전이 마그나 카르타(Magna Charta)를 발포(發布)하는 계기가 됨.

부빔-밥 [—빱] 명 〈방〉 비빔밥.

부빙【浮氷】 명 ①물 위에 떠 있는 얼음덩이. ②강에서 얼음덩이를 떠냄. ——-하다 자 여불

부사[1]【父師】 명 ①아버지와 스승. ②아버지 겸 스승.

부:사[2]【府使】 명 〖역〗 고려 및 조선 시대의 지방 관직. 대도호부사(大都護府使)와 도호부사(都護府使)의 총칭.

부:사[3]【赴使】 명 사신(使臣)이 임지(任地)로 감.

부사[4]【浮莎】 명 흙이 붙은 채 떼를 떠냄. ——-하다 자 여불

부:사[5]【副使】 명 〖역〗 ①신라의 봉성사 성전(奉聖寺成典)·감은사 성전(感恩寺成典)·봉덕사 성전(奉德寺成典)·봉은사 성전(奉恩寺成典)의 상당(上堂)의 딴이름. ②고려 때 중추원(中樞院)의 정삼품과 삼사(三司)의 종사품 벼슬. 사(使)의 다음. ③고려의 대상부(大常府)·영조국(營造局)·잡작국(雜作局)·자운방(紫雲坊)·직염국(織染局)·풍저창(豐儲倉)·광흥창(廣興倉)·요물고(料物庫)·유비창(有備倉)·제용사(濟用司)·오부(五部)·연경궁(延慶宮) 등에 속한 한 벼슬. 사(使)의 버금 자리임. 질(秩)은 오품으로부터 육품까지. ④정사(正使)를 돕는 버금 사신(使臣). 외관(外官)으로 가령 삼품이 나가야 될 것이 이보다 품질(品秩)이 낮은 사람으로 임명하였을 때, 으뜸 자리라도 부사의 이름을 띠게 됨.

부:사[6]【副詞】 명 〔adverb〕 〖언〗 품사의 하나. 주로, 용언 또는 다른 부사의 앞에 놓이어 그 뜻을 한정하며, 활용하지 아니함. '잘·매우·겨우' 등과 같이 한 문장의 특정한 성분을 꾸며 주는 성분 부사와 '과연·설마·제발' 등과 같이 문장 전체를 꾸며 주는 문장 부사로 크게 나뉨. 어찌씨.

부:사[7]【腐史】 명 '사기(史記)'의 이칭(異稱). 사기(史記)의 저자인 사마천(司馬遷)이 부형(腐刑)을 당한 데서 이름.

부:사-격【副詞格】 [—껵] 명 〖언〗 체언이 갖는 격의 하나. 기구·자료·향방·변성·원인·자격 등을 나타냄. 조격(造格).

부:사격 조:사【副詞格助詞】 [—껵—] 명 〖언〗 체언 아래에 붙어서 그와 함께 마치 부사 모양으로 용언(用言)을 꾸미는 조사.

부사 공신【扶社功臣】 명 〖역〗 조선 경종(景宗)초에 신임 옥사(辛壬獄事)를 일으켜 노론(老論)을 제거한 공으로 경종 3년(1723)에 이삼(李森)·목호룡(睦虎龍) 등 3인에게 내린 훈호(勳號). 뒤에 1724년 영조(英祖) 즉위로 훈적(勳籍)이 삭제됨.

부:-사과【副司果】 명 〖역〗 조선 시대 오위(五衛)의 종육품(從六品)의 군직(軍職). 부장(部將)의 다음. 녹봉(祿俸)을 주기 위해 만들어 놓은 벼슬로 친공신(親功臣)·승습군(承襲君)·공신 적장(功臣嫡長)·금군(禁軍) 등 현직에 있지 아니한 문관(文官)·무관(武官)·음관(蔭官) 기타 잡직(雜職)에 있는 사람으로 시킴.

부:-사관【副士官】 명 〖군〗 원사, 상사, 중사, 하사를 통틀어 이르는 말.

부:사-구【副詞句】 명 〖언〗 문장에서 부사처럼 용언을 꾸미는 구. '제비는 아주 빨리 난다'에서 '아주 빨리' 따위.

부사까래 명 〈방〉 부삽(경북).

부사-도【浮沙島】 명 〖지〗 전라 남도의 서해상(西海上), 신안군(新安郡) 지도읍(智島邑) 태천리(台川里)에 위치한 섬. [1.0 km^2]

부사리 명 대가리로 잘 받는 버릇이 있는 황소.

부:-사맹【副司猛】 명 〖역〗 조선 시대 오위(五衛)의 종팔품의 군직(軍職). 사맹(司猛)의 다음. 녹봉(祿俸)을 주기 위해 만든 것으로 현직에 있지 아니한 문관(文官)·무관(武官)·음관(蔭官) 기타 잡직(雜職)에 있는 사람으로 시킴.

부사-산【富士山】 명 〖지〗 일본의 '후지 산(富士山)'을 우리 음으로 읽은 이름.

부:-사소【副司掃】 명 〖역〗 조선 시대 액정서(掖庭署)의 종구품 잡직(雜職)의 하나. 궁중의 청소를 담당하였음.

부:-사수【副射手】 명 〖군〗 사수(射手)를 도와 주며 사수의 유고시(有故時)에 대신 사수 노릇을 하는 사람.

부:-사안【副司案】 명 〖역〗 조선 시대 액정서(掖庭署)의 종칠품(從七品) 잡직(雜職)의 하나. 궁궐 안의 필연(筆硯)을 맡아 보았음.

부:-사약【副司鑰】 명 〖역〗 조선 시대 액정서(掖庭署)의 종육품(從六品) 잡직(雜職)의 하나. 궁궐의 열쇠를 맡아 보았음.

부:사-어【副詞語】 명 〖언〗 부사(副詞)의 구실을 하게 된 단어나 관용어(慣用語). 백방으로·열성껏·아름답게 같은 것. 어찌말.

부:-사옥정【副司獄正】 명 〖역〗 고려 때 지방 각 고을의 이직(吏職)의 하나. 사옥정(司獄正)의 버금 자리. 구등 이직(九等吏職)의 일곱째 등급인 주부군현사(州府郡縣史)에 해당함.

부:-사용【副司勇】 명 〖역〗 조선 시대 오위(五衛)의 종구품의 군직(軍職). 사용(司勇)의 다음으로 가장 끝의 벼슬임. 현직에 있지 아니한 문관·무관·음관(蔭官) 기타 잡직(雜職)의 사람으로 시킴.

부:-사장【副社長】 명 회사에서 사장 다음가는 지위.

부:사-절【副詞節】 명 〖언〗 부사(副詞)와 같은 구실을 하는 절. 어찌마디.

부:-사정【副司正】 명 〖역〗 조선 시대 오위(五衛)의 종칠품의 군직. 사정(司正)의 다음. 현직에 있지 아니한 문관·무관·음관(蔭官) 기타 잡직(雜職)에 있는 사람으로 시킴. 실무는 보지 아니하고 봉급만 받았음.

부사-지【父事之】 명 나이 많은 어른을 아버지처럼 대접함. ——-하다 타 여불

부:-사직【副司直】 명 〖역〗 조선 시대 오위(五衛)의 종오품의 군직. 사직(司直)의 다음. 현직에 있지 아니한 문관·무관·음관(蔭官) 기타 잡직(雜職)의 사람으로 시킴.

부사케 명 〈방〉 부엌(전남).

부:-사포【副司鋪】 명 〖역〗 조선 시대 액정서(掖庭署)의 종팔품 잡직(雜職)의 하나. 의식 때 궁중의 설비 관계를 맡아 보았음.

부:사-형【副詞形】 명 〖언〗 동사 혹은 형용사 등 용언이 활용할 때 어미 '-어'·'-게'·'-지'·'-고' 등이 붙어 부사 같은 구실을 하는 어형. 어찌꼴.

부삭[1] 명 〈방〉 부엌(전남).

부:삭[2]【腐索】 명 썩은 새끼.

부산[1]【釜山】 명 〖지〗 한반도의 동남단에 위치한 광역시. 우리 나라 제 1의 무역항이며 제 2의 도시. 동쪽은 대한 해협을 사이에 두고 일본과 마주하면서 한반도의 문호적 역할을 담당하고, 서쪽은 낙동강을 경계로 김해시와 접하고, 남쪽은 다대만·부산만·수영만을 끼고 남해에 면하고 있으며, 북쪽은 양산시와 접하고 있음. 상공업 등을 기반으로 하는 대도시로서 울산과 마산을 잇는 남동해안 공업지의 중추적인 역할을 수행하며 상공업 외에 연근해 어업 활동의 중심 항구임. 15 구(區) 187 개 동(洞) 1 군(郡)으로 되어 있음. 명승 고적으로는 범어사(梵魚寺)·석불사(石佛寺)·금정 산성(金井山城)·자성대(子城臺)·동래(東萊) 조개더미·충렬사(忠烈寺)·태종대(太宗臺)·송도(松島) 해수욕장·해운대(海雲臺) 해수욕장·다대포(多大浦) 해수욕장 등이 있음. [748.92 km^2 : 3,881,601 명(1996)]

[부산 가시나 같다] 억세고 체격이 딱 벌어진 여자를 이르는 말.

부-산[2]【傅山】 명 〖사람〗 중국 청(淸)나라 초기의 문인. 자는 청주(靑主), 호는 진산(眞山). 산시 타이위안(山西太原) 사람. 널리 경사(經史)에 통달하고 굴 속에서 살며 의술로써 직업을 삼았음. 시·서화에 능하고, 서풍은 왕탁(王鐸)과 쌍벽(雙璧)임. 시집 ≪상홍감집(霜紅龕集)≫ 등이 있음. [1607-84]

부산 대학교【釜山大學校】 명 국립 종합 대학의 하나. 1946년 국립 부산 대학으로 발족하여 1953년 종합 대학교로 승격. 현재는 8개 단과 대학·대학원·경영 대학원·부설 간호 학교 등을 둠. 소재지는 부산 광역시 동래구.

부산-떨다 자 행동을 부산하게 하다. ¶ 공연히 부산떨지 마라.

부:-산물【副產物】 명 ①주산물(主產物)을 만드는 데에 따라 생기는 물건. 석탄 가스(石炭 gas)를 만들 때 산출(產出)되는 콜타르와 코크스 같은 것. 부제품(副製品). ↔주산물(主產物). ②어떤 사물을 다루어 행할 때 그에 따라서 일어나는 일들. ¶ 연구의 ~.

부산 수산 센터【釜山水產—】 〔center〕 명 부산 광역시 충무동에 있는 어시장(魚市場). 동양 최대의 규모로 각종 수산물의 위탁 판매와 처리 등을 하며, 수산물을 벨트 콘베이어로 양륙, 연간 약 30만 톤의 생선을 증기 소독(蒸氣消毒)으로 위생 처리(衛生處理)함. 1972년 12월 개장(開場)함.

부산-스럽다 형 ㅂ불 보기에 매우 부산하다. **부산-스레** 부

부산 영:도교【釜山影島橋】 명 〖지〗 부산 시가와 영도를 연결하는 교량. 1934년에 개통되었음. 교량은 고정교(固定橋)의 중간을 도개교(跳開橋)로 하여 1,000 t급의 선박이 통항(通航)하고, 다리 위에는 전차(電車)가 통하였으나 1966년 9월 이 다리를 고착(固着)시켜, 대형 선박은 영도를 우회(迂廻)하고 있음. [214.63 m]

부산 왜성【釜山倭城】 명 〖지〗 임진(壬辰)·정유(丁酉)의 왜란을 통하여 왜군 침략의 근거지가 된 두 개의 왜성. 하나는 부산시 좌천동(佐川洞)과 범일동(凡一洞) 후면의 산상에 있던 것으로 아직 그 흔적이 남아 있으며, 다른 하나는 부산진(釜山鎭) 자성대(子城臺)로서 전자(前者)의 지성(支城)으로 축조되었던 것임. 전자는 선조(宣祖) 26년(1593)에 왜장(倭將) 모리 데루모토(毛利輝元)가 축성하였으며, 후자도 역시 왜장 모리 부자(父子)에 의하여 축조되었음. 왜군이 물러간 후에 자성대는 일부 증축되어 부산 첨사영(僉使營)으로 사용되었음. 사적 35호. 부산 일본성(釜山日本城).

부산 일본성【釜山日本城】 명 〖지〗 부산 왜성.

부산-죽【釜山竹】 명 부산에서 만들어 내는 담뱃대. ㊥부죽(釜竹).

부산진-성【釜山鎭城】 명 〖지〗 근세 조선 전기에 동래 부산포(釜山浦)에 있었던 진성(鎭城). 경상 좌도(慶尙左道) 수군 절도사영(水軍節度使營)도 한때 이곳에 있었으나 울산 개운포(開雲浦)로 옮긴 후로는 첨절제사(僉節制使)가 있었음.

부산-처【不山處】 명 숲이나 산이 없는 곳.

부산-포[1]【釜山浦】 명 〖역〗 부산포(富山浦).

부:산-포[2]【富山浦】 명 〖역〗 조선 시대 삼포(三浦)의 하나. 지금의 부산 광역시 부산진(釜山鎭).

부산포 해:전【釜山浦海戰】 명 〖역〗 임진 왜란 때의 부산포 싸움. 선조(宣祖) 25년(1592), 이순신이 거북선을 이끌고 부산 앞바다에 정박중인 왜선을 발견, 이를 공격하여 100여 척을 대파함.

부산-피우다 자 부러 행동을 부산하게 하다.

부산-하다 형 여불 ①어수선하고 바쁘다. ¶ 부산한 움직임. ②시끄럽고 떠들썩하다. **부산-히** 부

부:수 비:용【附隨費用】명 어떤 근본되는 비용에 부수하여 발생하는 비용. 곧, 화물(貨物)의 운임에 부수하여 발생하는 수수료 등.

부:-수상【副首相】명〖정〗내각 책임제에 있어서 수상을 보좌(補佐)하며 유고시(有故時)에 그 직무를 대행하는 기관. 수상에 버금가는 각료(閣僚).

부:수 서류【附隨書類】명 본서류(本書類)에 부수하는 서류.

부:수 소:송【附隨訴訟】명〖법〗어떤 소송이나 강제 집행에 부수하여 발생하는, 그 판결이나 집행의 적부(適否)의 심판을 목적으로 하는 소송.

부수수 부〈방〉부스스(충남).

부수수-하다 형여불 ↗에부수수하다.

부수숭-하다 형여불 ☞부석부석하다². ¶잠을 설치고 부수숭한 얼굴로 하품을 깨물며 물을 버리러…≪張德祚 : 狂風≫.

부수 식물【浮水植物】명〖식〗수생(水生) 식물의 하나. 물 위에 몸의 일부 또는 전부를 띄우고 생활하는 식물. 개구리밥·마름 등. 부표(浮漂) 식물.

부:수 음악【附隨音樂】명〖악〗연극에 붙여진 음악. 보통 기악(器樂)이지만, 성악(聲樂)이 부수될 때도 있음. 비제의 ≪아를의 여인≫, 베토벤의 ≪에그몬트≫ 같은 것. 부대(附帶) 음악.

부:-수입【副收入】명 ①본업(本業) 이외에서 가외로 생기는 수입. ¶~을 올리다. ②〈속〉음성 수입(陰性收入). ¶~이 많은 자리.

부:수-적【附隨的】명관 종속적으로 덧붙거나 한데 따르는 이차적(二次的)인 모양. ¶~인 문제.

부수-지르다 타르불 닥치는 대로 여지없이 마구 부수다. >바수지르다.

부수지-소【膚受之愬】명 말하는 사람이 몸소 당하는 것같이 간절하게 하는 하소연.

부:수-차【附隨車】명 트레일러(trailer).

부:-수찬【副修撰】명〖역〗조선 시대 홍문관(弘文館)의 종육품(從六品) 벼슬. 내외(內外)의 경적(經籍)과 문한(文翰)에 관한 일을 맡아 보았음. 수찬의 아래.

부:수 청:령【俯首聽令】[―녕] 명 윗사람의 위엄에 눌려 다소곳하게 명령에 복종함. ――-하다 자여불

부:수-체【附隨體】명〔satellite〕〖생〗염색체의 선단(先端)에 가느다란 연결사(連結絲)로 연결되어 있는 소(小)염색체. 핵형 분석(核型分析)에 있어서의 염색체 식별의 중요한 기준이 됨. 보통, 식물의 염색체에 많이 보임.

부수-트리다 타 부수뜨리다.

부:수 현:상설【附隨現象說】명〖철〗의식(意識) 현상은 뇌수(腦髓)의 생리적 활동에 부수(附隨)하여 일어나는 현상(現象)이라고 보는 학설.

부숙 명〈방〉부엌(경남).

부숙-부숙 부〈방〉부석부석. ――-하다 형

부술 명〈방〉부삽(경상·제주).

부숫개 명〈방〉부엌(함경).

부숫그리다 자〈옛〉한숨 쉬다. 탄식하다. ¶오직 부숫그려 하놀로 올여 보내요몰 기들오노라(唯待吹嘘送上天)≪初杜諺 XXI:11≫.

부숭 명〈방〉부뚜막(전남).

부숭-부숭 부 ①잘 말라서 물기가 아주 없는 모양. ¶빨래가 ~하다. ②얼굴이나 행동이 깨끗하여 아름답고 부드러운 모양. ¶~하고 예쁘다. 1)·2): >보송보송. ――-하다 형여불

부숵 명〈방〉아궁이(경상).

부슈[1] 〔Busch〕명〖사람〗①〔Adolf, B.〕독일의 바이올린 연주가·작곡가. ❷의 아우. 부슈 실내 악단 및 현악 사중주단을 창설하고 수석(首席)으로 활약. 1933년 도미하였음. [1891-1952] ②〔Fritz, B.〕독일의 음악 지휘자. 드레스덴(Dresden) 가극장(歌劇場)의 지휘자로 독일 제일이라는 명성을 획득함. 1932년 해외로 망명, 활동함. [1890-1951]

부슈[2] 〔Busch, Wilhelm〕명〖사람〗독일의 화가·시인. 유화(油畫)도 있으나, 자작의 시나 글에 붙인 만화와 그림 이야기로 알려짐. 그 유머는 사회 풍자적 요소와 염세적(厭世的) 기분이 강함. [1832-1908]

부:스[1] 〔booth〕명 ①매점. ②어학 연습 교실의 칸막이 방. ③고속 유료 도로의 요금 징수소. ④가설 투표소. ⑤전화 박스. ⑥오두막.

부:스[2] 〔Booth, William〕명〖사람〗영국의 감리교(監理教) 목사. 그 직을 물러나서 런던의 빈민굴에서 전도를 시작하여 1874년 구세군(救世軍)을 창설, 이의 초대 총사령관(總司令官)이 됨. 저서 ≪암흑의 영국에서≫. [1829-1912]

부스-대다 자 가만히 있지 못하고 자꾸 군짓을 하다. >바스대다.

부스래미 명〈방〉부스럼(경기·강원·충북).

부스러기 명〔중세 : ᄇᆞ스락, ᄇᆞ스라기〕잘게 부스러진 찌끼. >바스라기.

부스러-뜨리다 타 부수어서 깨뜨리다. ¶산산이 ~. ㊈부서뜨리다. >바스러뜨리다.

부스러-지다 자 ①덩이가 헐어져 잘게 되다. ¶돌이 ~. ②깨어져 여러 조각이 나다. ㊈부서지다. 1)·2): >바스러지다.

부스러-트리다 타 부스러뜨리다.

부스럭 부 마른 검불 같은 것을 밟거나 뒤적일 때 나는 소리. ¶~ 소리가 나다. >보스락. *버스럭. ――-하다 자타여불

부스럭-거리다 자타 마른 검불 같은 것을 밟거나 뒤적여 자꾸 부스럭 소리가 나다. 또, 그런 소리를 내다. ¶부스럭거리며 휴지통을 뒤지다. >보스락거리다. *버스럭거리다. **부스럭-부스럭** 부. ――-하다 자타여불

부스럭-대다 자타 부스럭거리다.

부스럭지 명 ☞부스러기.

부스럼 명〔중세 : 브스름, 브스럼〕피부에 나는 종기의 통칭. 살가죽의 모낭공(毛囊孔)으로 화농성균(化膿性菌)이 들어가서 생기는 염증임. 살이 붓고 끝이 곪기며 속까지 곪기도 함. 절양(癤瘍). ¶~이 나다.
[부스럼이 살 될까] 이미 다 그릇된 것이 좋아질 수는 없다는 말.

부스럼-떡 명〖민〗부스럼에 붙이는 떡. 스물 한 집의 쌀을 얻어다가 떡을 만들어서 붙임.

부스레기 명 ☞부스러기.

부스레미 명〈방〉부스럼(경기·강원·충북).

부스름 명〈방〉부스럼(경기·강원·충청·경상).

부스스 부 ①누워 자다가 조용히 일어나는 모양. ¶잠자리에서 ~ 일어나다. ②머리털 같은 것이 난잡하게 일어서거나 흩어진 모양. ¶~한 머리털. ③부스러기가 헤지는 모양. ④물건의 사개가 물러나는 모양. 1)-4): >바스스. ――-하다 형여불

부스캐 명〈방〉①부엌. ②아궁이.

부스타만테 법전【―法典】〔Bustamante〕명〖법〗라틴 아메리카 여러 나라의 조약에 따라 채택된 국제 민법·국제 상법·국제 형법 및 국제 소송법에 관한 통일 법전(法典). 1928년 아바나(Havana)에서 개최된 제6회 범미(汎美) 회의에서 가결됨. 쿠바의 국제법 학자인 부스타만테(Bustamante y Sirven, Antonio Sanchez de; 1865-1951)가 기초(起草)한 것으로, 전문(全文) 437 개조의 극히 상세한 법전임.

부:스터〔booster〕명 ①다단식 로켓 등의 발진(發進)에, 적당한 초속도(初速度)를 주는 보조 추진 장치. 사용 후 떨어져 나가게 하여 윗단의 위성·우주선의 부분을 궤도 상에 올려 놓는 구실을 함. ②〖전〗전압의 승압기(昇壓機). ③액압(液壓)의 가압(加壓) 장치. 고압 펌프의 전단(前段)의 가압 펌프 따위. ④먼저 투여(投與)한 면역성 물질의 효과를 높이기 위하여 거듭 같은 물질을 투여하는 일.

부:스터-국【―局】명〔booster station〕방송의 수신(受信)이 곤란한 지역에 설치된 중계용의 텔레비전 방송국. 텔레비전 중계 방송국.

부:스트 압력【―壓力】〔Boost〕[―녁] 명〖물〗내연 기관(內燃機關)의 흡입관 안의 압력.

부슥부슥-하다 형여불 ☞부석부석하다². ¶향자라는 여자는 부슥부슥하고 누런 얼굴에 목덜미가 때가 낀 듯이 시커먼…≪金承鈺 : 환상수첩≫.

부슬먹 명〈방〉부스럼(전북·충남).

부슬멕 명〈방〉부스럼(전북).

부슬묵 명〈방〉부스럼(충남·전북).

부슬-부슬[1] 부 눈이나 비가 가늘고 성기게 내리는 모양. ¶봄비가 ~ 내리다. >보슬보슬¹.

부슬-부슬[2] 부 덩이를 이룬 가루 같은 것이 물기가 적어서 잘 엉기지 못하는 모양. ¶떡이 ~하다. ㉥푸슬푸슬. >보슬보슬². *버슬버슬. ――-하다 형여불

부슬-비 명 부슬부슬 내리는 비. ¶~가 소리없이 내리다. >보슬비.

부습-법【部習法】명〔part method〕〖교〗기명(記銘) 학습(學習)의 한 방법. 기명할 재료를 몇으로 구분하여 각 구분(區分)마다 외어 나가는 방법. ↔전습법(全習法).

부:-승지【副承旨】명〖역〗①고려 때 밀직사(密直司)의 정삼품 벼슬. 충렬왕(忠烈王) 24년(1298)에 밀직사를 광정원(光政院)으로 고치고 종육품으로 내렸다가 곧 다시 밀직사로 회복하고, 정삼품으로 또 올림. 충선왕(忠宣王) 2년(1310)에 부대언(副代言)으로 고침. 광정원 때를 제외하고는 좌우(左右) 부승지 각 1 명씩이었음. ②조선 시대 승정원(承政院)의 정삼품 벼슬. 태종(太宗) 원년(1401)에 부대언(副代言)으로 고쳤다가 뒤에 다시 본이름으로 함. 당상관임. *대언(代言).

부시[1] 명〔근대 : 부쇠. ←블+쇠〕①부싯돌을 쳐서 불이 일어나게 하는 쇳조각. 모양이 주머니칼을 접은 것 같음. 수금(燧金). 화도(火刀). ②〈방〉거짓말(함남).

부:시[2]【府寺】명 관아(官衙). 부서(府署).

부:시[3]【負恃】명 의지하고 믿음. ――-하다 타여불

부시[4]【罘罳】명 참새·비둘기·까치 같은 새가 앉지 못하게 하느라고 전각(殿閣)의 처마에 둘러치는 철망(鐵網).

부:시[5]【俯視】명 부감(俯瞰). ――-하다 타여불

부시[6]【婦寺】명〖역〗궁중에서 일을 보던 여자와 환관(宦官)의 병칭.

부:시[7]【副試】명〖역〗고려와 조선 시대에, 상시(上試) 다음가는 과거(科擧)의 시험관(試驗官).

부시[8]【麩豉】명 밀기울 된장.

부시[9]【髴髿】명 털보.

부시[10] 〔bush〕명 수풀이나 작은 나무가 나 있는 곳.

부시[11] 〔Bush〕명〖사람〗①〔George Herbert Walker B.〕미국의 정치가. 공화당원. 태평양 전쟁때는 전투기 조종사로 종군하였고, 1966 년 텍사스 주에서 하원 의원으로 당선된 후 주(駐)UN 대사, 국무성 주중(駐中) 연락 사무소 소장, CIA 국장 등을 역임함. 1980 년-88 년 두 차례 레이건(Reagan, R. W.) 대통령 밑에서 부통령을 지낸 다음 1989 년 제 41 대 대통령이 됨. [1924-] ②〔George Walker B.〕❶의 아들. 하버드 대학을 졸업한 후 석유 관계 사업을 경영하여 성공하였고, 1993 년 · 1998 년 두 차례 텍사스 주 지사를 지낸 다음 2000 년 대통령 선거에서 43 대 대통령이 됨. [1946-]

부시[12] 〔Bush, Vannevar〕명〖사람〗미국의 과학자. 엠 아이 티(M.I.T.) 부학장 및 카네기(Carnegie) 공과 대학 학장을 역임함. 미분 계산기(微分計算機)를 고안함. [1890-1974]

부:-시강【副侍講】명〖역〗조선 시대 경연원(經筵院)의 한 벼슬.

부시다[1] 타〔근대 : 부쉬다, 보쇠다〕그릇 같은 것을 깨끗이 씻다. 가시다. ¶그릇을 ~.

부시다[2] 타 ☞부수다.

부시다[3] 형〔중세 : ᄇᆞ싀다, ᄇᆞᅀᆞ다〕강렬한 광선이나 색채가 마주 쏘아 눈이 어리어리하다. ¶눈이 부시게 빛나다.

부시-대다 자〈방〉부스대다(평안).

부시럭 부 ☞부스럭. ――-하다 자여불

부시럼 명〈방〉부스럼(충청·전라·경상·제주).

부시르〔Bushire〕명〖지〗이란 서남부, 페르시아 만(灣) 북안(北岸)의 항구 도시. 기후가 덥고 습도가 높음. 시라즈(Shiraz)의 외항(外港) 구실을 함. [58,000 명(1976)]

부시름 명〈방〉부스럼(전남·경상).

부시리 명〖어〗[*Seriola aureovittata*] 전갱잇과에 속하는 바닷물고기.

몸길이 74 cm 내외로 방어와 비슷하나, 가슴지느러미가 배지느러미보다 짧고, 몸이 가늘며 체측에 황색 세로띠가 분명함. 온해성 어종으로, 한국 전(全)연해 및 일본에 분포함. 여름철에 맛이 좋고 횟감으로 많이 씀.

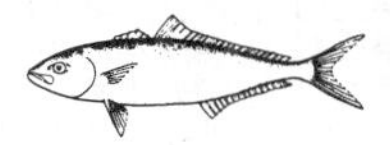
〈부시리〉

부시먼-어【一語】〔Bushman〕 명 앙골라·나미비아·남아 공화국에서 쓰이는 언어. 흡착음(吸着音)이 많이 나타나는 특색을 지니며 인접하여 분포하는 호텐토트 제어(Hottentot 諸語)와 더불어 코인 어군(Khoin 語群)이라고 일컬어짐.

부시먼-족【一族】〔Bushman〕 명 한때 남아프리카에 널리 분포해 있었으나 오늘날에는 칼라하리 사막(Kalahari 沙漠)에만 사는 종족. 평균 약 150 cm의 작은 키에 황갈색의 피부와 큼직한 엉덩이가 특징. 1960년대 초에 약 5만 명이 있었는데, 남자는 사냥, 여자는 채집의 이동 생활을 함. 남아프리카 각지의 암벽화(岩壁畫)의 창작자라 일컬어짐. *니그로이드족(Negroid 族).

부시-부시 부 〈방〉 부석부석. ——-하다 형

부시시: 부 〈방〉 부스스(평안).

부시 쌈지 명 부시·부싯깃·부싯돌 등을 넣어서 주머니 속에 지니는 작은 쌈지. 모양은 쥘쌈지 같고 보통 두 칸임.

부:시아 반:도【一半島】〔Boothia〕 명 〖지〗 캐나다의 북쪽 끝에 위치한 반도. 불모(不毛)의 툰드라 지역인데 1829-33년 로스(Ross J.C.)의 탐험으로 북자기극(北磁氣極)이 발견된 후부터 널리 알려짐. 선단(先端)은 북위 72°에 이르러 북아메리카 대륙의 최북점(最北點)임.「의 사람.

부:-시장【副市長】 명 시장 다음가는 시 행정 관청의 기관. 또, 그 직위

부시-치다 자 부싯돌에 부싯깃을 놓고 부시로 쳐서 불을 일으키다.

부시탱이 명 〈방〉 부지깽이(전북).

부시-통【一桶】 명 부시치는 제구를 넣어 두는 작은 통.
【부시통에 연풍대(燕風臺) 하겠다】 좁은 그릇 속에서 광활(廣闊)한 춤을 춘다는 말로, 언행이 세쇄(細瑣)함을 조롱하는 말.

부식[1] 명 〈방〉 부엌(경북).

부식[2]【扶植】 명 ①뿌리를 박아 심음. ¶ 세력을 ～하다. ②도와서 서게 함. ——-하다 타여불

부:식[3]【副食】 명 ↗부식물(副食物). ↔주식(主食).

부:식[4]【富殖】 명 불려 넉넉하게 함. 또, 그 재산. ——-하다 타여불

부:식[5]【腐食】 명 〖생〗 생물의 시체, 그 분해 생성물(生成物)·배설물 등을 먹음. ——-하다 타여불

부:식[6]【腐植】 명 〔라 humus〕〖농〗 흙 속에서 식물(植物)이 불완전하게 분해하여 여러 가지 분해 단계에 있는 유기물의 혼합물을 생성(生成)하는 일. 또, 그 혼합물.

부:식[7]【腐蝕】 명 ①썩어서 벌레가 먹음. ②썩어서 형체가 문드러짐. ③〖의〗 알칼리류·산류(酸類)·금속 염류(金屬塩類) 같은 것의 부식독(腐蝕毒)에 의한 신체의 손상(損傷)·조직(組織)의 응고(凝固)·붕괴(崩壞)·괴저(壞疽) 등이 일어남. ④〖화〗 금속·목재·유리 등의 소요(所要)의 부분을 적당한 약품을 작용시켜 썩어서 개먹어 들어가게 함. ——-하다 자타여불

부식 강상【扶植綱常】 명 인륜(人倫)의 길을 바로 세움. ——-하다 자여불

부:식-니【腐植泥】 명 〖지〗 주로 부식질로 된 호수 바닥의 퇴적물. 호수 밖이나 연안(沿岸)에서 흘러 들어온 식물의 유체(遺體)가 퇴적해서 생김.

부:식 동:판【腐蝕銅版】 명 〖인쇄〗 에칭(etching).

부:-식록정【副食祿正】[一녹一] 명 〖역〗 고려 때 지방 각 고을의 이직(吏職)의 하나. 식록정(食祿正)의 다음. 구등 이직(九等吏職)의 여섯째 등급인 부병창정(副兵倉正)에 해당함.

부:-식물【副食物】 명 주식(主食)에 곁들여 먹는 음식. 곧, 밥에 딸린 반찬 같은 것. 준부식(副食). ↔주식물(主食物).

부:식 바탕【腐植一】 명 〖생〗 부식질(腐植質).

부:식-비【副食費】 명 부식에 드는 비용. 반찬값. ↔주식비.

부:식-성[1]【腐食性】 명 〖동〗 썩은 고기나 죽은 동물의 고기를 먹는 동물의 식성.

부:식-성[2]【腐蝕性】 명 〔corrosiveness〕 화학적인 작용에 의하여 금속이 그 표면에서부터 변질(變質)하여 가는 성질.

부:식성 동:물【腐食性動物】 명 식성이 부식성인 동물. 파리의 유충이나 독수리 같은 것.

부:식 양토【腐植壤土】 명 〖지〗 부식토.

부:식 영양호【腐植營養湖】 명 부식질을 많이 함유하여 갈색이나 황갈색으로 보이는 호소(湖沼). 이온을 흡착(吸着)하기 때문에 생물에 도움을 주는 물질이 적음. 고위도(高緯度)의 땅이나 고산(高山) 등 한랭한 땅에 분포하고 특히 이탄지(泥炭地)에 많음.

부:식-제【腐蝕劑】 명 〖화〗 조직(組織)에 작용해서 이것을 파괴 또는 사멸(死滅)시키는 약품. 알칼리류·산류(酸類)·염소·중금속염류(重金屬塩類)의 총칭.

부:식-질【腐植質】 명 〖화〗 식물질(植物質)의 부패에 의해서 생기는 갈색 또는 암흑색(暗黑色)의 물질. 곧, 낙엽(落葉)·썩은 나무 같은 것이 흙 속에서 분해(分解)하여 생긴 것. 부식 바탕.

부:식질-토【腐植質土】 명 부식토(腐植土).

부:식-층【腐植層】 명 부식질이 많이 있는 토층.

부:식-토【腐植土】 명 〖지·농〗 20% 이상의 부식질(腐植質)이 섞인 흙. 비옥(肥沃)하고 보수성(保水性)·통기성(通氣性)이 모두 뛰어나 식물의 생육(生育)에 썩 좋음. 노토(壚土). 부식 양토(壤土). 부식질토(腐植質土). 썩은 흙. 부토. *부엽토(腐葉土).

부:식-화【腐植化】 명 토양 세균 때문에 토양 중의 유기물이 분해하여 부식질(質)이 되는 일. ——-하다 자여불

부신[1]【阜新】 명 〖지〗 '푸신(阜新)'을 우리 음으로 읽은 이름.

부:신[2]【訃信】 명 부고(訃告).

부:신[3]【負薪】 명 ①땔나무를 등에 짊. 힘드는 일을 함. ②비천(卑賤)한 태생. 부신지자(負薪之資). ③부신지우. ——-하다 자여불

부신[4]【符信】 명 〖역〗 나뭇조각이나 두꺼운 종잇조각에 글자를 쓰고 증인(證印)을 찍은 뒤에 두 조각으로 쪼개어, 한 조각은 상대자에게 주고 다른 한 조각은 자기가 보관하였다가 뒷날에 서로 맞추어서 증거로 삼는 물건.

부:신[5]【副腎】 명 〔adrenal glands〕〖생〗 좌우 신장(腎臟)의 상부에 접하는 반월상(半月狀)(왼쪽), 삼각상(오른쪽)의 내분비(內分泌) 기관. 피질(皮質)과 수질(髓質)로 되어 있는데, 피질은 생명 유지(生命維持)에 없어서는 안 될 코르틴질(cortin 質)을, 수질은 아드레날린(adrenalin)을 분비(分泌)함. 결콩팥.

부:-신경【副神經】 명 〔accessory nerve〕〖생〗 열 한째의 뇌신경. 파충류(爬蟲類) 이상의 척추 동물에 있는데, 특히 포유(哺乳) 동물 양막류(羊膜類)에서는 독립해서 존재하는 순운동성 신경이며, 다른 동물에서는 미주(迷走) 신경의 일부로서 존재함. 내측지(內側枝)와 외측지(外側枝)로 갈라져, 앞의 것은 미주(迷走) 신경과 합치고, 뒤의 것은 승모근(僧帽筋)에 분포하여 그 운동을 지배함.

부:신경 마비【副神經麻痺】 명 〖의〗 부신경이 마비되어 목이 기울어서 비뚤어지는 뇌신경 마비의 하나. *설하(舌下) 신경 마비·미주 신경 마비(迷走神經麻痺).

부:신-관【副腎管】 명 〖동〗 환형(環形) 동물 빈모류(貧毛類)의 배출(排出) 기관의 하나. 체벽 내면(體壁內面)에 퍼지는 망목상 세관(網目狀細管)으로 되어 있으며, 각 체절(體節)마다 많은 소공(小孔)을 갖고 외계(外界)로 열려 있음.

부:-신금【副愼禽】 명 〖역〗 조선 시대 장원서(掌苑署)의 종팔품(從八品) 잡직(雜職)의 하나. 대궐의 정원을 맡아보았음.

부:신성 웅성화【副腎性雄性化】 [一신썽一] 명 〖생〗 부신 피질(皮質)의 망상층(網狀層)에서 분비되는 웅성(雄性) 호르몬으로 인하여 암컷이 웅성화하는 현상.

부:-신수【副愼獸】 명 〖역〗 조선 시대 장원서(掌苑署)의 종구품(從九品) 잡직(雜職)의 하나. 궁중의 어원(御苑)·정원(庭園)을 관리했음.

부:신 수질【副腎髓質】 명 〔adrenal medulla〕〖생〗 부신의 중앙부를 형성하는 내분비 조직. 교감(交感) 신경의 자극에 응하여 아드레날린(Adrenalin)을 분비함.

부:신 수질 호르몬【副腎髓質一】〔hormone〕 명 부신 수질에서 분비되는 호르몬. 아드레날린(Adrenalin)을 이름.

부:신 자:극 호르몬【副腎刺戟一】〔hormone〕 명 〖생〗 부신 피질 자극 호르몬.

부신-장【俯身葬】 명 〖고고학〗 엎어묻기.

부:신-종【副腎腫】 명 〖의〗 부신 피질(皮質) 세포에 유래하는 악성 종양.

부:신지-우【負薪之憂】 명 채신지우(採薪之憂).

부:신지-자【負薪之資】 명 땔나무를 질 용렬한 자질(資質). 비천(卑賤)한 태생. 부신(負薪).

부:신 피질【副腎皮質】 명 〔adrenal cortex〕〖생〗 부신의 외층(外層)을 둘러싸는 내분비 조직. 스테로이드계(steroid 系)의 호르몬을 분비함. 발생적(發生的)으로 중배엽성(中胚葉性)의 체강 상피(體腔上皮)로부터 유래(由來)하며, 외층에서 내층으로 과립층(顆粒層)·삭상층(索狀層)·망상층(網狀層)의 세 층으로 구별됨. 기능은 뇌하수체 전엽 호르몬에 의하여 조절됨.

부:신 피질 자:극 호르몬【副腎皮質刺戟一】 명 〔adrenocorticotropic hormone〕〖생〗 뇌하수체 전엽(前葉)에서 분비되는 단백성(蛋白性) 호르몬의 한 가지. 부신 피질에 작용하여 그 형태를 유지하고 부신 피질 호르몬의 분비를 조절함. 백색 분말로 추출(抽出)되어 관절염·류머티즘열(熱) 따위의 치료제로 쓰임. 부신 자극 호르몬. 에이 시 티 에이치(A.C. T.H.).

부:신 피질 호르몬【副腎皮質一】 명 〔adrenal cortex hormone〕〖생〗 부신 피질에서 만들어져 부신 정맥 속으로 내분비되는 호르몬의 총칭. 동물의 생명 유지에 필요 불가결한 것으로, 현재 하이드로코티손(hydrocortison)·코티손·코르티코스테론(corticosteron) 등이 순수하게 분리되고 있음. 당대사(糖代謝)를 조절하여 단백질로부터의 포도당 신생 기능을 높이며, 항염증(抗炎症)·항(抗)류머티즘 등의 효과가 있고, 애디슨병(Addison 病)에 대한 효과가 있음.

부실[1]【不實】 명 ①몸이 튼튼하지 못함. ②셈속이 넉넉지 못함. ③믿음성이 적음. ④일에 성실하지 못함. *불실(不實). ——-하다 형여불

부:실[2]【副室】 명 소실(小室). ¶ ～로 들어앉히다.

부실 기업【不實企業】 명 경영이 부실하고 재정 상태가 불안정한 기업.

부실먹 명 〈방〉 부스럼(전라·충남).

부실묵 명 〈방〉 부스럼(전북).

부실-부실 부 ☞부슬부슬[1].

부심[1]【浮心】 명 〖물〗 부력(浮力) 중심.

부:심[2]【副審】 명 운동 경기에서, 주심(主審)을 보좌하는 심판원. ↔주심(主審).

부:심[3]【腐心】 명 근심·걱정이 있거나 무엇을 생각하느라고 마음을 썩 ¶ 사업에 ～하다. ——-하다 자여불

부싯-깃 명 부시를 치는 데 불똥이 박여서 불이 붙는 물건. 수리취·쑥잎 등을 불에 볶아 비벼서 만든 것도 있고, 백지 종이에 잿물을 여러 번 묻혀서 만든 것도 있음. 화용(火茸). 화융(火絨). 준깃.

〈부싯깃고사리〉

부싯깃-고사리 명 〖식〗 [*Cheilanthes argentea*] 꼬리고사릿과에 속하는 다년생 양치류(羊齒類). 근경(根莖)은 짧고 땅 속에 가로 뻗음. 잎은 총생(叢生)하고 길이 20cm 가량에 잎꼭지는 가늘며 10cm 내외이고 밤색으로 매끈함. 모양은 피침형으로 길이 25cm 내외이고 혁질(革質)이며, 2-3회 우상 심렬(羽狀深裂)하고, 약간의 톱니가 있음. 잎의 뒷면은 흰 털이 돋고, 자낭군(子囊群)은 소엽(小葉)의 가에 있음. 산기슭의 바위·성벽·돌담 틈에 나는데, 경상·경기·황해·함경 등지에 분포함.

부싯-돌 명 석영(石英)의 한 가지. 몸이 아주 단단하고 여러 가지 빛깔의 것이 있는데, 강철(鋼鐵)로 치면 섬화(閃火)가 잘 일어나므로 그 위에 부싯깃을 놓고, 부시로 쳐서 불을 일으키는 데 사용함. 수석(燧石). 화석(火石).

부싯-쇠 명 〈속〉 부시¹❶.

부ᄉᆞᇹ다 자 〈옛〉 헛말하다. 실없는 말을 하다. ¶ 부ᄉᆞᇹ야 놀오, 일아니ᄒᆞ거든(以談戲廢事)《飜小 X:9》.

부썩 부 ①외곬으로 우기는 모양. ¶ 가겠다고 ~ 우기다. ②사물이 갑자기 많이 늘거나 주는 모양. ¶ 강물이 ~ 늘다. 1)·2): >바싹. *부쩍·우썩.

부썩-부썩 부 ①갑자기 외곬으로 자꾸 우기는 모양. ②갑자기 외곬으로 자꾸 나아가거나 또는 늘거나 자라거나 줄어지는 모양. 1)·2): >바싹바싹. *부쩍부쩍·우썩우썩.

부씨깽이 명 〈방〉 부지깽이(경남).

부신 명 〈옛〉 부인. ¶ 부신 곳 프른 거슬 닙ᄂᆞ니라(婦人則有靑碧)《飜小 X:28》.

부아¹ 명 [중세 : 부화] ①〖생〗 허파. 폐장. ②분한 마음.
 부아(가) 나다 구 분한 마음이 일어나다. ¶ 부아나는 소리만 한다.
 부아(를) 내:다 구 분한 마음을 일으키다.
 부아(가) 돋다 구 부아(가) 나다.
 [부아 돋는 날 의붓아버지 온다] 화가 나서 참지 못하고 있는 데 가뜩이나 미운 사람이 찾아와 더욱 화를 돋운다는 말.
 부아(를) 돋우다 구 부아가 나게 건드리다.
 부아(가) 치밀다 구 분한 마음이 울컥 솟아 일어나다. ¶ ~가 치밀어 오르다 / 자기 딸년 때문에 일을 잡쳤다는 생각이 들수록 ~가 치밀어 견딜 수가 없는 것이었다《黃順元 : 카인의 후예》.

부:아² 【副芽】 명 [accessory bud] 〖식〗 액아(腋芽)의 하나. 종자 식물에서 하나의 엽액(葉腋)에 두 개 이상의 액아(腋芽)가 생기는 경우, 가장 크고 정상적인 것 이외의 액아. 이것은 한 개가 보통이나 때로는 여러 개가 생기는 수도 있음. 한 쪽의 액아가 손상될 경우 가지로 발달함.

부:아³ 【副衙】 명 〖역〗 이아(貳衙).

부아엘디외 [Boieldieu, François Adrien] 명 〖사람〗 프랑스의 작곡가. 파리를 중심으로 많은 희가극(喜歌劇)을 써서 인기를 얻음. 1803-10년에는 러시아 황실 작곡가로서 페테르부르크에서 활약함. 1817-27년에는 파리 음악원의 작곡과 교수가 됨. 작품에 《백의(白衣)의 여인》·《바그다드의 칼리프》·《파리의 장(Jean)》 등이 있음. [1775-1834]

부아예 [Boyer, Charles] 명 〖사람〗 프랑스의 영화 배우. 무대 배우 출신. 우수(憂愁)와 퇴폐적인 병적 매력(病的魅力)으로 인기를 얻음. [1899-1978]

부아-초 【一炒】 명 소의 부아에 쇠고기와 파를 섞고 기름·깨소금·후춧가루 등의 양념을 쳐서 끓인 음식.

부아케 [Bouaké] 명 〖지〗 코트디부아르(Côte d'Ivoire) 중앙부의 도시. 남남동 약 300km의 아비장(Abidjan)과 철도로 연결되며 도로망의 중심지. 커피·카카오·담배·면화 등의 거래·가공이 행해짐. 임업 학교가 있으며 부근에서 금·망간광(鑛)을 산출함. [220,000명(1984)]

부아-통 명 '부아¹❷'의 힘줌말.
 부아통(이) 터:지다 구 몹시 부아가 나다.

부:악 【副萼】 명 〖식〗 꽃받침의 바깥 쪽에 접하여 난 포엽(苞葉). 분꽃·장미 등의 잎에 있음.

부안 【扶安】 명 〖지〗 전라 북도 부안군의 군청 소재지로 읍(邑). 호남 평야 서남부에 있는 농산물의 집산지이고, 부근 해안 지방에서는 간척 사업이 행하여짐. [22,611명(1996)]

부안-군 【扶安郡】 명 〖지〗 전라 북도의 한 군. 관내 1읍 12면. 서와 북은 바다, 동은 김제시(金堤市)와 정읍시(井邑市), 남은 정읍시와 바다와 고창군(高敞郡)에 닿았음. 주요 산물은 농산·임산·수산 등이 있고, 계화 간척 사업(界火干拓事業)으로 3천여 정보의 농지가 조성됨. 명승 고적으로는 변산 해수욕장(邊山海水浴場)·내소사(來蘇寺)·개암사(開岩寺)·월명암(月明庵)·직소 폭포(直沼瀑布)·적벽강(赤壁江)·채석강(彩石江)·유천 도요지(柳川陶窯址)·고대 남방식 지석묘군(古代南方式支石墓群) 등이 있음. 군청 소재지는 부안읍(邑). [492.79km² : 84,317명(1996)]

부알로 [Boileau-Despréaux, Nicolas] 명 〖사람〗 프랑스의 시인·비평가. 고전주의(古典主義) 최성기의 모랄리스트(moralist)로, 프랑스 고전주의의 이상을 전개하고 신구 논쟁(新舊論爭)에서는 고대파(古代派)의 주역(主役)을 담당함. 저작에 로마의 호라티우스(Horatius)를 본뜬 《시학(詩學)》 외에, 《풍자시(諷刺詩)》·《서간시(書簡詩)》 등이 있음. [1636-1711]

부:압 【負壓】 명 〖물〗 대기압(大氣壓)보다 낮은 압력.

부앗-김 명 분한 마음이 일어난 김. ¶ ~에 살림을 부수다.
 [부앗김에 서방질한다] '홧김에 서방질한다'와 같은 뜻.

부:앙¹ 【附一】 명 ←부항(附缸).

부:앙² 【俯仰】 명 아래를 내려다봄과 위를 쳐다봄. 면앙(俛仰). ——-하다 타 여불

부:앙 기중기 【俯仰起重機】 명 〖기〗 데릭(derrick) 기중기. 데릭 크레인.

부:앙 무괴 【俯仰無愧】 명 하늘을 우러러보나 세상을 굽어보나 양심에 부끄러움이 없음. ——-하다 형 여불

부:앙 천지 【俯仰天地】 명 앙천 부지(仰天俯地). ——-하다 자 여불

부애¹ 명 〈방〉 부아¹.

부애² 명 〈방〉 허파(강원·경북·제주).

부액 【扶腋】 명 곁부축. ——-하다 타 여불

부야 왕조 【一王朝】 [Buya] 명 〖역〗 '부와이 왕조(朝)'의 딴이름.

부:약 【負約】 명 약속을 어김. 위약(違約). ——-하다 자 여불

부:-약점정 【副藥店正】 명 〖역〗 고려 때, 지방의 각 고을 이직(吏職)의 하나. 약점정(藥店正)의 다음. 구등 이직(九等吏職)의 일곱째 등급인 주부군현사(州府郡縣史)에 해당함.

부:-약정 【副約正】 명 〖역〗 조선 시대에, 향약(鄕約)의 일을 맡아보던 직책의 하나. 도약정(都約正)의 다음.

부양¹ 【扶養】 명 나이가 어리거나 늙어서 혼자 살아갈 능력이 없는 사람의 생활을 돌봄. ——-하다 타 여불

부양² 【浮揚】 명 가라앉은 것 등을 떠올림. 또, 가라앉은 것이 떠오름. ¶ ~ 작업 / 경기(景氣) ~책. ——-하다 자타 여불

부양 가:능 상태 【扶養可能狀態】 명 〖법〗 부양 의무자가 존재하고 또한 그 자에게 부양 능력이 있는 경우를 이름. 「모 형제.

부양 가족 【扶養家族】 명 자기가 부양하고 있는 가족. 처자(妻子)나 부

부양 가족 공:제 【扶養家族控除】 명 소득세의 부과에 있어서, 납세자에게 부양 가족이 있을 때, 납세자의 총소득 금액으로부터 부양 가족 1인당 일정액을 공제하고 과세 표준을 계산하는 제도.

부양 권리자 【扶養權利者】 [—궐—] 명 〖법〗 자기의 자산(資産) 및 노무(勞務)에 의하여 생활할 수 없거나 교육을 받을 수 없는 경우에 부양을 받을 권리를 가진 사람.

부양-력¹ 【扶養力】 [—녁] 명 부양(扶養)할 수 있는 능력.

부양-력² 【浮揚力】 [—녁] 명 떠워 올리거나 떠오르는 힘.

부양-료 【扶養料】 [—뇨] 명 부양하는 데 드는 돈. 부양비.

부양-비 【扶養費】 명 부양료.

부양식 독 【浮揚式—】 명 [floating dock, floating dry dock] 선박 수선용 독의 한 가지. 선체(船體)를 올려 놓고 물 위에 떠서 작업할 수 있게 된, 부침(浮沈)을 자유롭게 조절할 수 있는 궤 모양의 독. 부선거(浮船渠).

부양 의:무 【扶養義務】 명 〖법〗 법률상 일정한 친족 간에 인정되는 생활 보장의 의무. 서로 부양의 의무를 지는 친족은 직계 혈족(血族) 및 그 배우자, 호주와 그 가족, 생계(生計)를 같이하는 그밖의 친족끼리임.

부양 청:구권 【扶養請求權】 [—꿘] 명 〖법〗 부양을 받을 권리. 부양 능력이 있는 자가 존재하고 자기의 자력(資力)·노력(勞力)으로서는 생활할 수 없는 자가 병존(倂存)하면 당연히 발생함.

부양 필요 상태 【扶養必要狀態】 명 〖법〗 자기의 자력(資力)이나 노력(勞力)으로써는 생활할 수 없는 사람의 상태.

부:애-지다 자 ☞ 부예지다.

부어¹ 【浮魚】 명 바닷물의 윗부분에서 사는 물고기. ↔저어(底魚).

부:어² 【鮒魚】 명 〖어〗 붕어.

부어께 명 〈방〉 아궁이(함경).

부어리 명 〈방〉 벌⁴(황해).

부어-지다 자 〈방〉 버지다.

부:어-회 【鮒魚膾】 명 붕어회.

부억 명 ☞ 부엌.

부억개 명 ☞ 부엌.

부얶 명 ☞ 부엌.

부:언¹ 【附言】 명 덧붙이어 말함. 또, 그 말. ¶ 한마디 ~하건대. ——「하다 타 여불

부언² 【浮言】 명 부설(浮說).

부언³ 【浮堰】 명 상류의 수위를 높여, 물을 빼기 편리하도록 필요에 따라 부동(浮動)할 수 있게 된 방축. 「(四行)의 하나.

부언⁴ 【婦言】 명 부녀(婦女)의 말씨. 주례(周禮)에서 말하는 여자의 사행

부언 낭:설 【浮言浪說】 명 유언 비어(流言蜚語).

부언 유설 【浮言流說】 [—뉴—] 명 유언 비어(流言蜚語).

부얼 명 〈방〉 벌⁴(경기). 「——-하다 형 여불

부얼-부얼 부 ①살이 쪄서 탐스럽고 복스러운 모양. ②☞ 북슬북슬.

부업¹ 【父業】 명 ①아버지의 직업. ②대대로 내려오며 영위하는 직업. ¶ ~을 이어받다.

부:업² 【副業】 명 본업(本業) 외에 갖는 직업(職業). 여업(餘業). 사이드 워크(side work). ¶ 농가 ~ / 가내(家內) ~. ↔본업.

부업³ 【婦業】 명 여자가 하는 일. 여자의 직업.

부엇개 명 〈방〉 부엌(함남).

부엉-떡새 명 〈방〉 부엉이.

부엉-부엉 부 부엉이의 우는 소리.

부엉-새 명 '부엉이'를 분명히 일컫는 말.

부엉-이 명 〖조〗 올빼밋과에 속하는 새의 총칭. 솔부엉이·수리부엉이·칡부엉이 등이 있는데 깊은 숲 속에 살며, 날개 길이는 30cm 가량이며 회색 바탕에 갈색·담황색의 가는 가로무늬가 있음. 머리 위에 귀 모양의 깃털이 나 있고 짧은 부리는 끝이 꼬부라졌음. 성질이 사나워서 가축을 해치며, 해질녘에 '부엉부엉'하고 욺. 목토(木兔). 부엉새. 치효(鴟鴞). 휴류(鵂鶹).
 [부엉이 곳간(庫間)] 없는 것이 없이 여러 가지 저장된 창고 등을 가리키는 말. [부엉이 방기(放氣) 같다] 자기가 뀐 방귀에도 놀란다는 뜻으

로, 사소한 일에 놀라는 사람을 가리키는 말. 【부엉이 셈치기】 계산(計算)에 분명치 못한 사람이 셈을 함을 비유하는 말. 【부엉이 소리도 제가 듣기에는 좋다고】 자기의 단점(短點)은 모르고 제가 하는 일은 다 좋다고 함을 가리키는 말. 【부엉이 집을 얻었다】 닥치는 대로 물어다 저축하는 부엉이를 비유하여 횡재(橫財)함을 이르는 말.
부엉이 살림 ㉠ 자기도 모르는 사이에 부쩍부쩍 느는 살림.

부엉이 성운【一星雲】 명 〔Owl Nebula〕 〖천〗 큰곰자리 베타성(β星) 부근에 있는 행성상 성운(行星狀星雲). 부엉이 모양과 비슷하며 거리는 1,800 광년, 중심성(中心星)은 14등.

부엉이-셈 명 〔잡아다 놓은 먹이를 미처 다 찾아 먹지 못한다는 부엉이의 습성에서 온 말〕 어리석어 이해 타산이 분명하지 못한 셈.

부엌 명 〔중세 : 브섭, 브석('붑'의 파생어)〕 집안의, 밥을 짓거나 음식을 만드는 곳. 취사장(炊事場). ㊀벜. *정주간(鼎廚間).
【부엌에 가면 더 먹을까 방에 가면 더 먹을까】 어느 쪽이 더 나을까 하여 망설인다는 말. 【부엌에서 숟가락을 얻었다】 대단치 않은 일을 해 놓고 성공이나 한 듯이 자랑함을 비유하는 말.

부엌-간【一間】 명 부엌으로 쓰는 칸.

부엌-그림 명 〖고고학〗 고구려 벽그림무덤에서 나타나는, 부엌을 소재로 한 그림. 주방도(廚房圖).

부엌-데기 명 〈속〉 부엌일을 맡아 하는 여자. 식모(食母).

부엌-문【一門】 명 부엌으로 출입하는 문.

부엌 바닥 명 부엌 안의 땅바닥.

부엌-방석【一方席】 명 부엌 바닥에 깔고 앉게, 새끼나 짚으로 똬리처럼 둥글게 결어 만든 깔개.
부엌방석 같다 ㉠ 머리털이 에부수수하게 헝클어져 있다.

부엌-비 명 부엌에서 쓰는 비.

부엌 살림 명 부엌에서 쓰이는 온갖 세간.

부엌 심:부름 명 부엌에서 그릇을 닦거나 불을 때 주거나 하는 잔심부름.

부엌-아감지 명 〈방〉 아궁이(충청).

부엌-아구리 명 〈방〉 아궁이(평안).

부엌-아궁지 명 〈방〉 아궁이(충청).

부엌-일 〔一닐〕 명 부엌에서 하는 일. 밥을 짓거나 조리(調理)·설거지 등의 일.

부엌-칼 명 부엌에서 쓰는 칼, 곧 식칼.

부에[1] 명 〈방〉 삼베(함북).

부에[2] 〔Vouet, Simon〕 명 〖사람〗 프랑스의 화가. 한때 이탈리아에 머물면서 바티칸 궁전에 벽화를 그림. 그 후 루이 13세의 궁정 화가로 활약하면서 화려한 장식화를 많이 그렸음. 대표작에 《성고(聖告)》 등이 있음. [1590-1649]

부에나벤투라 〔Buenaventura〕 명 〖지〗 콜롬비아의 서부 태평양 연안에 있는 항구 도시. 콜롬비아 서부의 문호이며, 부근에서는 금·백금을 산출하여, 금속 가공·타닌(tannin) 제조·수산 가공 등의 공업이 행하여짐. 금·냉동 새우·커피·설탕·백금 등을 수출함. [160,342 명(1985)]

부에노스-아이레스 〔Buenos Aires〕 명 〖지〗 아르헨티나 공화국의 수도. 남아메리카 최대의 도시. 라플라타 강(La Plata江) 하구에 면한 세계적 무역항. 정치·경제·문화·교통의 중심지이며 농축산물의 거래 중심지이기도 함. 식료품·금속·자동차·제지·제유·섬유 공업 등이 성함. [2,950,000 명(1995 추계)]

부엥이 명 〈방〉 부엉이(충북).

부여[1] 【夫餘·扶餘】 명 〖역〗 ①만주(滿洲) 고대 민족의 명칭. 퉁구스(Tungus)의 한 종족으로 중국의 전국(戰國) 시대부터 남만주(南滿洲)에 살아오다가, 부여국(扶餘國)을 세움. 철기(鐵器)를 사용했고 흰 옷을 숭상, 영고(迎鼓)의 제천(祭天) 의식을 지냈으며 순장(殉葬)과 일부다처(一夫多妻) 제도가 있었음. ②↗부여국.

부여[2] 【扶餘】 명 〖지〗 충청 남도 부여군에 있는 읍(邑). 북동에는 금강(錦江)의 하류인 백마강(白馬江)이 서쪽으로 둘러 흐르고, 동쪽 반면(半面)은 성벽이 둘러 있어 '반월성(半月城)'이라고도 함. 백제 성왕(聖王) 이후 의자왕(義慈王)까지의 도읍지로, 백마강·낙화암(落花岩)·부소산(扶蘇山)·조룡대(釣龍臺)·백제 왕릉(百濟王陵)·무량사(無量寺)·대재각(大哉閣)·자온대(自溫臺)·수북정(水北亭)·청마산성지(青馬山城址)·구룡포(九龍浦)·반월성지(半月城址)·무성 서원(武成書院) 등의 명승 고적이 있음. [30,294 명(1996)]

부여[3] 【夫餘】 명 성(姓)의 하나. 우리 나라에는 현존(現存)하지 않음.

부:여[4] 【附與】 명 주는 일. ¶ 권리를 ~하다. ——-하다 타여불

부:여[5] 【賦與】 명 나눠 줌. 별러 줌. ——-하다 타여불

부:여- ㉠ '부옇다'의 불규칙 어간. ¶ ~ㄴ 먼지.

부:-여과【副勵果】 명 〖역〗 조선 시대 토관(土官)의 서반(西班) 종육품 벼슬. 부여정(副勵正)의 위, 부여직(副勵直)의 아래.

부여-국【夫餘國·扶餘國】 명 〖역〗 기원전 1 세기부터 약 300 년 가량 존속하였던 나라. 부여족(扶餘族)이 만주에 세운 것으로, 지금의 창춘(長春)의 북방인 농안 현(農安縣)의 부근을 중심으로 하였는데, 북부여(北夫餘)라고도 함. 국력이 차차 강하게 되어 중부 만주의 평지를 영유(領有), 농경 생활을 하였으며, 중국으로부터 철기(鐵器) 문명을 수입하고 은력(殷曆)을 사용하는 한편, 궁궐·성책·창고·감옥 등 진보된 제도·조직을 가져, 당시의 동이(東夷)라고 부르던 나라 중에서 가장 진보된 나라이었음. 뒤에 동부여(東扶餘)가 갈려 나감. 346년 연왕(燕王) 모용황(慕容皝)에게 멸망당해, 국토는 고구려의 판도가 됨. ㊀부여(夫餘).

부여-군【扶餘郡】 명 〖지〗 충청 남도의 한 군. 관내 1읍 15면. 북은 청양군(青陽郡), 동은 공주시(公州市)와 논산시(論山市), 남은 전라 북도 익산시(益山市), 서는 충남 보령시(保寧市)와 서천군(舒川郡)에 접함. 중요 산물은 농산과 임산·공산·축산·수산 등이며, 특히 인삼이 유명하고, 백제 시대의 고적이 많음. 군청 소재지는 부여(扶餘). [624.97 km²: 103,371 명(1996)]

부여 나성【扶餘羅城】 명 〖지〗 고적의 하나. 사비성(泗沘城)의 외곽을 이루는 토성(土城). 부여읍으로부터 동쪽 약 3km 떨어진 지점을 남북으로 횡단하여 그 양단은 강변에 달하여 있음.

부:-여맹【副勵猛】 명 〖역〗 조선 시대 토관의 서반 종팔품의 벼슬. 부여용(副勵勇)의 위, 부여정(副勵正)의 아래.

부여 박물관【扶餘博物館】 명 국립 중앙 박물관 소속 하에 둔 지방 박물관의 하나. 1932년 부여 진열관으로 설립, 1939년 총독부 박물관 부여 분관으로, 1945년 국립 박물관 부여 분관으로, 1975년 부여 박물관으로 명칭이 바뀌었음. 소장 유물은 총 5,002 점으로, 백제 말기 부여 시대의 백제 유물이 중심이며, 고려·조선 시대의 유물도 약간 있음.

부여-신【扶餘神】 명 〖민〗 고구려 때에 제사하여 모시던 여신(女神)의 목상(木像).

부여-안다 〔一따〕 타 두 팔로 부둥켜안다.

부여 오:층탑【扶餘五層塔】 명 〖지〗 부여 정림사지 오층 석탑.

부:-여용【副勵勇】 명 〖역〗 조선 시대 토관의 서반 종구품의 벼슬. 부여맹(副勵猛)의 아래.

부여-잡다 타 붙들어 잡다.

부:-여정【副勵正】 명 〖역〗 조선 시대 토관의 서반 종칠품의 벼슬. 부여맹(副勵猛)의 위, 부여과(副勵果)의 아래.

부여 정:림사지 오:층 석탑【扶餘定林寺址五層石塔】 〔一님一〕 명 〖지〗 충청 남도 부여군 부여읍 동남리 소재의 5층 석탑. 백제(百濟) 말기의 건립으로 짐작되며 높이 8.33m. 중국 당(唐)나라 소정방(蘇定方)의 백제 평정 기공문(紀功文)이 기록되었다 하여 당의 현경(顯慶) 5년(660)에 건립되었다 함은 잘못이며, 그 이전에 건립된 것을 다시 각자(刻字)했을 뿐임. 목조탑의 방식을 번안적(飜案的)으로 채택하고 있지만 그 정돈·세련되고 창의적인 기풍은 후세 석탑의 모범이 됨. 국보 제9호. 백제 오층 석탑. 부여 오층탑. *평제탑(平濟塔).

부:-여직【副勵直】 명 〖역〗 조선 시대 토관의 서반 종오품의 벼슬. 부여과(副勵果)의 위.

부여 청산성【扶餘青山城】 명 〖지〗 고적의 하나. 부소산(扶蘇山) 동북방 600m 되는 곳에 높이 49m의 독립 구릉(丘陵)을 이루는 성. 정상(頂上)은 한층 낮은 지세를 이용하여 타원형의 토단(土段)을 둘러 쌓았음.

부여-현【扶輿峴】 명 〖지〗 경상 북도 봉화군(奉化郡)에 있는 고개. [228m]

부역[1] 【夫役】 명 부역(賦役).

부:역[2] 【附逆】 명 국가에 반역하는 일에 가담(加擔)함. ——-하다 자여불

부:역[3] 【負役】 명 국민이 부담(負擔)하는 공역(公役).

부:역[4] 【赴役】 명 ①부역(賦役)을 치르러 나감. ②사사로이 서로 일을 도와 줌. ——-하다 자여불

부:역[5] 【賦役】 명 국가나 공공 단체가 국민에게 의무적으로 책임지우는 노역. 도역(徒役).

부:역-꾼【賦役一】 명 부역에 동원된 일꾼.

부역-성【部域性】 명 〖생〗 일반적으로 하나의 발생계(發生系)가 각 부분에서 각기 특수한 형성 과정 또는 조직 분화를 일으키는 성질. 형성체(形成體)의 작용에 의하여 특수한 원기군(原基群)이 형성되는 성질.

부역-승【赴役僧】 명 〖역〗 조선 시대에 국가에 필요한 노동력이 부족할 때에 동원되던 승려.

부:역-자【附逆者】 명 부역한 사람.

부:역 행위【附逆行爲】 명 부역에 속하는 행위.

부:역 황책【賦役黃册】 명 〖역〗 중국 명대(明代)에 전국에 걸쳐 작성된 황색 표지로 된 호적부(戶籍簿)로, 조세(租稅)를 과하기 위한 대장도 겸하였음. 이(里)를 단위로 10 년에 한 번씩 작성되었음. ㊀황책(黃册). *이갑제(里甲制).

부:연[1] 【附椽】 명 〖건〗 장연(長椽) 끝에 덧얹는 네모지고 짧은 서까래. 처마를 위로 들리게 하여 모양이 나게 함. 며느리서까래. 사연(師椽).

부연[2] 【浮煙】 명 ①연기를 띄움. 또, 하늘에 떠 있는 연기. ②안개가 뽀얗게 낌. ——-하다 자타여불

부연[3] 【婦椽】 명 〖건〗 부연(附椽).

부:연[4] 【富衍】 명 재산이 넉넉하고 안락함. ——-하다 형여불

부연[5] 【敷衍】 명 ①덧붙여 알기 쉽게 자세히 설명을 늘어놓음. 또, 그 설명. 부연(敷演). ¶ ~ 설명. ②늘려서 널리 퍼지게 함. ——-하다 타여불

부연[6] 【敷演】 명 부연(敷衍)❶. ——-하다 타여불

부:연 간:판【附椽間板】 명 〖건〗 부연 사이를 막아서 끼는 널조각.

부:연 개:판【附椽蓋板】 명 〖건〗 부연 위에 덮어서 까는 널조각.

부:연 느리개【附椽一】 명 〖건〗 부연의 뒷목을 눌러 박은 느리개.

부:연 뱃바닥【附椽一】 명 〖건〗 부연의 뱃바닥에 그린 단청(丹青).

부:연-사【赴燕使】 명 〖역〗 중국 연경(燕京), 곧 지금의 베이징으로 파견되던 조선 시대의 외교 사절.

부:연 사:신【赴燕使臣】 명 〖역〗 중국 베이징(北京)으로 가던 사신.

부:연 사:행【赴燕使行】 명 〖역〗 부연 사신(使臣)의 행차(行次).

부:연-초【附椽草】 명 〖건〗 부연에 그린 단청(丹青).

부:연 초장【附椽一】 명 〖건〗 붙임혀.

부:연 추녀【附椽一】 명 〖건〗 부연을 달기 위하여 이어 낸 추녀.

부-열【傅說】 명 〖사람〗 중국 은(殷)나라 고종(高宗) 때의 재상. 토목 공사의 일꾼이었는데, 당시의 재상으로 등용되어 중흥(中興)의 대업을 이루었음.

부염【浮艶】 명 실속없이 겉만 아름다움. ——-하다 형여불

부:염 기:한【附炎棄寒】 명 〔권세가 떨칠 때에는 붙좇다가 권세가 쇠하

면 버리고 떠난다는 뜻) 인정의 경박함을 비유하는 말.

부:염 석어【剖塩石魚】명 가조기.

부엽【浮葉】명 물 위에 떠 있는 잎. 뜬잎.

부엽 식물【浮葉植物】명〖식〗잎이 수면에 떠 있는 수생(水生) 식물. 마름·수련(水蓮) 같은 것. *부표(浮漂) 식물·추수(抽水) 식물.

부:엽-토【腐葉土】명〖농〗낙엽 같은 것이 썩어서 이루어진 흙. 원예(園藝)에 널리 사용됨. *부식토(腐植土).

부영[1]【浮榮】명 덧없는 세상의 헛된 영화(榮華).

부:영[2]【賦詠】명 시가(詩歌)를 지어 읊음. 또, 그 시가. ——하다 타 여불

부:-영사【副領事】명〖법〗영사의 다음 자리에 있는 외교관. 총영사관(總領事館)이나 영사관에서 영사를 보좌함.

부영-새: 명〈방〉〖조〗부엉새(함경).

부:영양-호【富營養湖】명〖지〗생물의 생산에 필요한 영양 염류(塩類)를 다량으로 포함하고 있는 호소(湖沼). 영양 물질이 풍부하고 식물이 많으며, 생물 생산이 큰 호수로 여름에는 플랑크톤의 번식이 두드러지고 산소(酸素)는 층을 이룸. 일반적으로 수심(水深)이 얕고 물빛이 녹색 내지 황색임. 대개 평지의 얕은 호소가 이에 속함. 논의 관개(灌漑)·어업(漁業) 등에 이용됨. ↔빈영양호(貧營養湖).

부:영양-화【富營養化】명〔eutropication〕물의 출입이 적은 폐쇄성(閉鎖性) 수역(水域)에서, 하수(下水)나 공장 배수(排水), 시비(施肥)로 인해 물 속에 질소(窒素)와 인(燐) 등 영양염(營養塩)이 축적(蓄積)되는 현상.

부:-영위【副領位】명〖역〗조선 시대 육의전(六矣廛)의 도중(都中)의 임원(任員)의 하나. 대행수(大行首)의 아래, 차지 영위(次知領位)의 위. 도원(都員)의 선거에 의해서 선출됨. *수영위(首領位)·차지 영위.

부:영이 명 ①선명(鮮明)하지 아니한 부연 빛. 곧, 투명(透明)하거나 산뜻하지 아니하고 약간 흰 빛. ②털빛이 부연 짐승.

부:옇다〔—여타〕형 ㅎ불 선명(鮮明)하지 않게 희읍스름하다. 연기나 안개가 낀 것 같다. ¶ 부옇게 보이다. ㅆ뿌옇다. >보얗다.

부예[1]【浮瞖】명〖한의〗눈의 내자부(內眥部)로부터 흰 점이 생겨 각막(角膜) 위를 범하여 눈동자를 싸는 병. 몹시 가렵고 아프며 염증(炎症)을 일으킴.

부:예[2] 준 '부옇어'의 줄어 변한 말. ¶ ~ 가지고/~지다. ㅆ뿌예. >보얘.

부:-예산【副豫算】명 일반 회계 예산 이외에 부수적으로 설정(設定)하는 예산. 재료 구매 예산·노무 조달 예산 같은 것.

부:예-지다 자 부옇게 되다. ¶ 신발이 먼지로 ~. ㅆ뿌예지다. >보얘지다.

부오【部伍】명 군중(軍中)의 대오(隊伍).

부:옥[1]【府獄】명〖역〗조선 시대에 지방 관아에 있던 감옥. 직수사(直囚司)와 같이 설치했던 것으로 제도적인 근거는 없으나 일종의 공인(公認)을 얻은 것임.

부옥[2]【蔀屋】명 풀로 지붕을 인 오막살이집.

부:옹[1]【富翁】명 돈 많은 늙은이.

부옹[2]【婦翁】인대 사위에 대한 장인(丈人)의 자칭.

부와[1]【夫瓦】명 수키와.

부와[2]【浮訛】명 근거 없는 거짓말.

부와이 왕조【—王朝】〔Buwaih〕명〖역〗시아파(Shiah派)의 이슬람 왕조. 이란과 이라크의 각지를 지배함. 부야 왕조(Buya王朝). [932-1055]

부왕[1]【父王】명 아버지인 임금.

부:왕[2]【副王】명〖역〗발해에서 왕의 맏아들의 일컬음.

부:외[1]【府外】명〖일제〗부(府)의 구역(區域) 밖.

부외[2]【部外】명 관련하여 부속(附屬)된 범위 이외의 것. 그 기관·조직에 속하지 않은 외부. ¶ ~자(者). ↔부내(部內).

부외 부:채【簿外負債】명〖경〗부외 채무.

부외-비【部外祕】명 관계자 이외에는 비밀임.

부외 자산【簿外資産】명〖경〗정상적인 회계 처리에 수반하여 생긴 회계 장부 외의 실재(實在) 자산. 장부상 재료비로서 처리된 소모품으로 미사용인 채 저장되어 있는 것 따위.

부외 채:무【簿外債務】명〖경〗재산 목록·대차 대조표·손익 계산서 등 영업 보고서에 기재하지 아니하고 숨겨진 채무. 부외 부채.

부요[1]【扶搖】명 ①선풍(旋風). 폭풍. ②부상(扶桑). ③힘차게 움직이어 일어남. ——하다 자 여불

부요[2]【婦謠】명 부인들이 부르는 민요(民謠).

부:요[3]【富饒】명 부유(富裕). ——하다 형 여불

부욤 형〈옛〉빔. =부욤. ¶ 蘊이 부요믈 ㅎ마 證ㅎ야(蘊空已證)≪南明上 53≫.

부:용[1]【附庸】명 ①작은 나라가 대국(大國)에 부속(附屬)함. ②남에 의지하여 따로 독립하지 못함.

부용[2]【芙蓉】명 ①〖식〗[*Hibiscus mutabilis*] 아욱과에 속하는 낙엽 관목. 높이 1-2 m이고 잚은 털이 있으며, 잎은 둥글면서 3-5 갈래로 째지었음. 초가을에 엽액(葉腋)에서 꽃꼭지가 나와서 흰 빛 혹은 담홍색의 꽃이 핌. 열매는 구형(球形)의 삭과(蒴果)이고 씨에는 모용(毛茸)이 있음. 동부 아시아의 원산인데 일본 남부·대만(臺灣)에 자생(自生)하며 한국에서 관상용으로 재배함. 거상(拒霜). 목부용(木芙蓉). ②〖식〗연꽃 ③↗부용장(芙蓉帳).

〈부용[2]❶〉

부용[3]【婦容】명 여자의 몸맵시.

부용[4]〔프 bouillon〕명 새·짐승·물고기의 고기나 뼈를 끓이어 만든 즙. 주로 수프의 밑국물로 쓰임. 브로스(broth).

부용-검【芙蓉劍】명〖역〗의장(儀仗)에 쓰는 은 빛·금 빛의 보검(寶劍)의 별칭.

부용-관【芙蓉冠】명 정재(呈才) 때 무동(舞童)이 머리에 쓰던 관.

부:용-국【附庸國】명 종주국(宗主國)에 속하여 명령에 좇는 약소국가.

부용-당【芙蓉堂】명 황해도 해주(海州)에 있는 누각. 건물의 구조가 웅장(雄壯)하고 아름다우며, 임진 왜란 때 인조 대왕(仁祖大王)이 이 곳에서 탄생하였음.

부용-봉【芙蓉峰】명〖지〗평안 북도 희천군(熙川郡)에 있는 산봉우리. 기암·절벽·폭포가 있고 많은 사찰이 있음. [1,432 m]

부용 상사곡【芙蓉相思曲】명〖문〗조선 시대의 고전 소설. 작자·창작 연대 미상. 국문본. 평양 기생 부용과 서울의 김유성(金有聲)과의 파란 많은 사랑의 역정을 그린 작품.

부용-자【芙蓉姿】명 아름다운 여자의 용모와 자태.

부용-장【芙蓉帳】명 부용을 그린 방장(房帳). 준부용(芙蓉).

부:용-창【副用倉】명〖역〗고려 시대에 세곡(歲穀)을 보관하던 창고의 하나. 충청도에 있었음.

부용-채【芙蓉菜】명 부용화의 꽃지를 자르고 슬쩍 데쳐 썰어서 간장·기름·두부·후춧가루 등을 넣고 버무린 나물.

부용-향【芙蓉香】명 혼인 예식(禮式) 때 피우는 향의 한 가지. 굵기는 손가락만하고 길이는 대여섯 치쯤 되는 것인데, 향꽂이에 꽂아서 족두리하님이 신부 앞에 가지고 섬.

부용-화【芙蓉花】명〖식〗부용(芙蓉)❶의 꽃.

부우[1]【孚佑】명 믿고 도와 줌. ——하다 타 여불

부:우[2]【祔右】명 합장(合葬)할 때에 아내를 남편의 오른편에 묻는 일. *부좌. ——하다 타 여불

부운【浮雲】명 ①뜬구름. 전(轉)하여, 덧없는 인생·세상의 비유. ¶ ~과 같은 인생. ②소인(小人)의 비유.

부운 부:귀【浮雲富貴】명 뜬구름같이 덧없는 불의(不義)의 부귀.

부운 예백일【浮雲翳白日】명 뜬구름이 해를 가린다는 뜻으로, 소인이 군주(君主)의 총명(聰明)을 가리거나 군자의 덕을 가림을 비유하는 말.

부운 조로【浮雲朝露】명 뜬구름과 아침 이슬. 덧없는 인생·세상 일의 비유.

부운지-지【浮雲之志】명 뜬구름과 같은 일시적인 불의(不義)의 부귀(富貴)를 바라는 마음.

부원[1]【部員】명 부(部)를 구성하는 사람. 부에 속하는 사람. ¶ 편집~.

부:원[2]【富源】명 많은 재물(財物)이 생기는 근원.

부:원-군【府院君】명〖역〗왕비의 친아버지나 정일품 공신(功臣)의 작호(爵號). *국구(國舅).

부:-원기【副原器】명 국가가 도량형(度量衡)의 원기에 따라 제작하여, 그 원기의 대용(代用)으로 삼는 것.

부:원 대:군【府院大君】명〖역〗조선 시대 초기에, 고려 종실(宗室)의 공작(公爵)에게 준 작호(爵號).

부:-원수【副元帥】명〖역〗①전시(戰時)에 임명하는 임시 벼슬. 도원수(都元帥)나 상원수(上元帥) 또는 원수(元帥)의 다음가는 군(軍)의 통솔자. ②대한 제국(大韓帝國) 때 원수부(元帥府)의 한 벼슬. 광무 8년(1904)에 두고 육해군 대장으로 친명(親命)하였음.

부:-원자가【副原子價】〔—까〕명〖화〗원소(元素)가 주원자가(主原子價)로서 생성(生成)하는 일차 화합물(一次化合物)에서 고차(高次) 화합물을 생성하는 원자가. *주원자가(主原子價).

부:-원장【副院長】명 원장 다음가는 사람. 또, 그 자리.

부월【斧鉞】명〖역〗①작은 도끼와 큰 도끼. 옛날 출정(出征)하는 대장(大將)에게, 또는 중요한 군직(軍職)을 띠고 지방에 나가는 사람에게 임금이 손수 주던 것임. ②정벌(征伐)·형륙(刑戮)·중형(重刑)의 뜻으로 쓰는 말. ③의장(儀仗)의 한 가지. 나무로 만든 도끼인데 긴 자루가 있고 은빛 또는 금빛을 칠한 것도 있었음.

부월 당전【斧鉞當前】명 중형(重刑)으로 죽음이 앞에 닥침을 가정(假定)하는 말.

부월지-하【斧鉞之下】〔—찌—〕명 임금의 위엄을 가리키는 말.

부위[1]【扶危】명 위급한 사태(事態)를 구(救)함. ——하다 타 여불

부위[2]【剖葦】명〖조〗개개비.

부위[3]【部位】명 전체에 대한 부분의 위치.

부:위[4]【副尉】명〖역〗①조선 시대 의빈부(儀賓府) 정삼품의 한 벼슬. 군주(郡主)에게 장가든 사람에게 주었음. ②갑오 경장 뒤에 정한 무관 계급의 하나. 정위(正尉)의 아래, 참위(參尉)의 위. 오늘날의 중위(中尉)에 해당함. ③〔↗부교위(副校尉)〕벼슬의 품계(品階)에 붙이는 칭호. 중국 당(唐)나라 때부터 육품(六品) 이하의 최하급(最下級)에 붙였음. 조선 시대에는, 무관(武官)의 칠품(七品) 이하에 붙임. ¶ 등용(騰勇) ~/근력(勤力) ~. *도위(徒尉)·교위(校尉).

부위-각【部位覺】명〖생〗시각(視覺)에 의하지 아니하고, 신체 각부에서 일어난 감각을 인지(認知)할 수 있는 지각(知覺). 신체 각부의 압점(壓點)·냉점(冷點)·온점(溫點)·망막(網膜) 등에는, 국소 표징(局所標徵)이라는 자극을 받은 장소를 특징짓는 성질이 있으며, 이것이 대뇌 피질의 감각령(感覺領)내의 부위와 1대 1로 대응하여 부위각이 됨.

부:-위원장【副委員長】명 위원장 다음 가는 사람. 또, 그 직위.

부유[1]【浮遊·浮游】명 ①공중(空中)이나 수면(水面)에 떠다님. ¶ ~물. ②행선지(行先地)를 정하지 아니하고 이리저리 돌아다님. ——하다 자 여불

부유[2]【婦幼】명 부인과 유아.

부:유[3]【富有】명 재물을 풍부하게 가짐. ——하다 형 여불

부:유[4]【富裕】명 재물이 넉넉함. 부요(富饒). ¶ ~한 가정. ——하다 형 여불

부:유[5]【副乳】명 인간의 남녀와는 상관없이, 한 쌍의 유방 외에 약간 작은 유방이 있을 경우에 이 유방을 이름. 본래 태아기(胎兒期)에 퇴화하여야 할 유선(乳腺)이 발달하여 된 것으로 추측되고 있음.

부유[6]【蜉蝣】명〖충〗하루살이.

부:유[7]【腐儒】명 아주 완고하여 쓸모 없는 선비.

부:유-가【富裕街】명 부유층이 많이 사는 거리.

부유 기관【浮遊器官】명〖생〗운동 기관의 하나. 수중(水中) 동물에 있어서 부침(浮沈)의 기능을 맡고 있는 기관.
부유 기뢰【浮游機雷】명 물 속 또는 물 위에 부유시켜 두는 기뢰. 부류(浮流) 기뢰. ↔계류 기뢰. 「의 주임(奏任) 벼슬.
부:-유덕【副諭德】명〖역〗대한 제국 때 황태손 강서원(皇太孫講書院)
부유 동:물【浮游動物】명 뜬살이 동물.
부유 동:물상【浮游動物相】[—쌍] 명〖동〗생태학 상의 한 단위. 일정 지역 내에 서식(棲息)하는 동물 플랑크톤(plankton)의 종류 조성(種類
부유-류【蜉蝣類】명〖충〗하루살이목(目). ⌊組成)을 이름.
부유 매진【浮遊煤塵】명 입자 지름이 10 미크론 이하의 대기 중에 떠 있는 물질. 디젤차(車) 배기 가스, 공장 매연, 황사(黃砂), 도로 분진(道路粉塵) 등이 원인이며, 인체의 기도나 폐포에 붙어 호흡기 질환을 일으킴. 부유 분진. 부유 입자상 물질.
부유-물【浮游物】명 떠있는 물질.
부유 분진【浮遊粉塵】명 부유 매진.
부:-유사【副有司】명 유사(有司)의 버금.
부유 생물【浮游生物】명〖생〗플랑크톤(plankton). 「부선광.
부유 선:광【浮游選鑛】명〖광〗부유 선광법에 의한 선광. ㊟부선(浮選)·
부유 선:광기【浮游選鑛機】명〖광〗유용한 광물을 골라 내는 데 쓰는 부유 선광 시설의 기계. ㊟부선기(浮選機).
부유 선:광법【浮游選鑛法】[—뻡] 명〖광〗유용 광석(有用鑛石)과 협잡물(挾雜物)의 물에 젖는 정도의 차(差)를 이용하여 유용 광물을 분리하는 방법.
부:유-세【富裕稅】명 부유한 자의 순자산(純資産)에 과세하는 세. 부(富)의 편재(偏在)를 시정하고 투기적 보유를 억제하려는 세제로서, 서독·북(北)유럽 제국 등에서 채택되고 있음.
부유스레 부 부유스름하게. ㅆ뿌유스레. >보유스레. ——-하다 형여불
부유스름-하다 형여불 빛이 진하지 아니하고 조금 부옇다. ¶산 기슭에 부유스름하게 깃들인 달 그림자. ㅆ뿌유스름하다. >보유스름하다. 부유스름-히 부
부유 식물【浮游植物】명〖식〗수면(水面)이나 수중(水中)에 부유하여 생활하는 식물의 총칭. 규조류(硅藻類)·편모조류(鞭毛藻類)·남조류(藍藻類)·녹조류(綠藻類) 등이 이에 속함.
부유 용융로【浮遊溶融爐】[—노] 명 금속을 공중에 띄워 가열 용융시켜서 합금 등을 만드는 노. 재료가 용기에 닿지 않으므로 불순물이 섞이지 않음. 전자 기기, 항공기, 원자력 분야에서 고순도의 재료 제조 장치로서 각국에서 개발이 진행 중임.
부유 인생【蜉蝣人生】명 하루살이 같은 인생. 곧, 덧없고 허무한 인생.
부유 입자상 물질【浮遊粒子狀物質】[—찔] 명 부유 매진(煤塵).
부:유 정치【富裕政治】명 금권 정치(金權政治).
부:유 천하【富有天下】명 천자(天子)의 부력(富力).
부:유-층【富裕層】명 부유하게 사는 계층의 사람들.
부유 표지【浮遊標識】명 항해를 돕는 부표(浮標). 해도상(海圖上)에 표시된 위치에 계류됨.
부육¹【扶育】명 도와서 양육(養育)함. ——-하다 타여불 「여불
부육²【傅育】명 애지중지하게 기름. ¶왕세자 ~의 소임. ——-하다 타
부:육³【腐肉】명 짐승의 썩은 고기.
부육-료【扶育料】[—뇨] 명 자녀(子女)를 남에게 길러 달라고 부탁하고 그 대가로 지불하는 비용.
부:윤¹【府尹】명 ①〖역〗조선 시대 종이품의 외관직(外官職). 뒤에 함흥(咸興)으로 옮긴 영흥부(永興府)와 평양부(平壤府)·전주부(全州府)·경주부(慶州府)·의주부(義州府)·광주부(廣州府)에 두었음. ②〖일제〗부(府)의 행정 사무를 관장하던 우두머리. ¶경성(京城) ~.
부:윤²【富潤】명 재물이 넉넉하고 윤택함. ——-하다 형여불
부:-윤옥【富潤屋】명 재물이 넉넉하면 겉으로 보기에도 집이 윤택하여 보임을 이름.
부윰 형〈옛〉빔. =부욤. ¶헐며 부유미 잇고 ≪南明 上 20≫.
부으리 명〈옛〉부리¹. 주둥이. ¶부으리와 바톱괘 도로 돗글 더레이리라(嘴距還汚席)≪杜諺 XVII:13≫.
부-을나【夫乙那】[—라] 명〖사람〗탐라국(耽羅國)을 개창(開創)한 세
부음¹【父音】명〖언〗자음(子音). ⌊사람 가운데 한 사람. *양을나.
부:음²【訃音】명 사람이 죽었다는 기별. 휘음(諱音). 고부(告訃). 부고(訃告). 통부(通訃). 흉보(凶報). ¶뜻밖의 ~에 접하다. *부문(訃聞).
부음³【浮淫】명 일은 하지 아니하고 떠돌아 다님. 떠돌아 다니며 음란한 짓을 함. 또, 그 사람. ——-하다 자여불
부:-읍장【副邑長】명〖법〗한 읍(邑)에 있어서 읍장의 다음가는 공직(公職). 또, 그 사람. 「사(人事)가 일치함.
부응¹【符應】명 ①믿음이 깊어 부처나 신령에 통함. ②천명(天命)과 인
부:응²【副應】명 무엇에 좇아서 응함. ¶기대에 ~토록 노력하다. ——-하다 자여불 「벼슬.
부:-응교【副應敎】명〖역〗조선 시대에 홍문관(弘文館)에 둔 종사품
부:의¹【附議】[—/—이] 명 토의(討議)에 부침. ¶~ 안건(案件). ——-하다 타여불
부:의²【負扆】[—/—이] 명 천자(天子)가 도끼 모양의 수를 놓은 병풍을 뒤로 하고 신하를 대함. 천자(天子)의 지위에 오름. ——-하다 자여불
부의³【浮蟻】[—/—이] 명 전국 위에 뜬 기름. 전(轉)하여, '술¹'의 이칭(異稱). 「이름.
부의⁴【溥儀】[—/—이] 명〖사람〗'푸이(溥儀)'를 우리 음으로 읽은
부:의⁵【賻儀】[—/—이] 명 초상난 집에 부조(扶助)로 보내는 돈이나 물건. 또, 그것을 보내는 일. 향전(香奠). 전의(奠儀). ¶~금. ——-하다 자여불 「錢).
부:의-금【賻儀金】[—/—이—] 명 부의(賻儀)로 주는 돈. 부의전(賻儀
부:의-록【賻儀錄】[—/—이—] 명 문상객(問喪客)의 이름과 주소, 및 부의(賻儀)의 내용을 적은 기록. 조의록(弔儀錄). 애감록(哀感錄).
부:-의식【副意識】명〖심〗잠재 정신(潛在精神). 잠재 의식.
부:-의장【副議長】명 의장을 보좌하며, 의장이 유고시(有故時)에는 그 직무를 대리하는 사람. 또, 그 직위.
부:의-전【賻儀錢】[—/—이—] 명 부의금.
부이¹【芣苡·芣苢】명〖식〗질경이. 「여불
부:이²【附耳】명 ①귀에 대고 속삭임. ②귓엣말. 부이어. ——-하다 자
부이³〔buoy〕명 ①낚시찌. ②부대(浮帶). 부낭(浮囊). ③계선 부표(繫船浮標). ④부표(浮標).
부:-이사관【副理事官】명〖법〗행정직 국가 공무원 직급 명칭의 하나. 행정 직렬(職列)에 속하며, 서기관·감사관·사서 서기관의 위, 이
부이스름:-하다 형〈방〉부유스름하다. ⌊사관의 아래로 3급 공무원임.
부:이-어【附耳語】명 귓엣말. 부이(附耳).
부이탕 명〈방〉부지깽이(전남).
부익¹【扶翼】명 보호하고 도움. ——-하다 타여불
부:익²【附益】명 ①더함. 보탬. ②봉토(封土)의 정한(定限)을 넘음. ——-하다 타여불
부:익-부【富益富】명 부자일수록 더욱 부자가 됨. ¶~ 빈익빈(貧益貧). ↔빈익빈(貧益貧). ——-하다 자여불
부인¹【夫人】명 남의 아내의 높임말. 내상(內相). ¶~ 동반.
부:인²【否認】명 인정하지 아니함. ¶범행 사실을 ~하다. ↔시인(是認). ——-하다 타여불 「女子).
부인³【婦人】명 선비의 아내. 전하여, 기혼 여자. 부녀(婦女). 부녀자(婦
부:인⁴【副因】명 주원인(主原因)이 아닌 원인. 부차적인 원인.
부인-과【婦人科】[—꽈] 명〖의〗부인병을 진찰·치료하는 의학의 부문. *산부인과.
부:인-권【否認權】[—꿘] 명〖법〗파산자의 재산에 관하여 파산 선고 전에 한 파산 채권자를 해치는 행위의 효력을 잃게 하고, 그 행위에 의하여 일출(逸出)된 재산을 파산 재단(財團)을 위하여 회복함을 목적으로 하는 파산법 상의 권리.
부인-날【婦人—】명〖민〗음력 정월 열나흗날에 부녀자가 남의 집을 방문하면 그 해에 조가 풍년이 든다고 믿어 여인의 출입을 허락하던 평남 용강(龍岡) 지방의 세시 풍속(歲時風俗).
부인-론【婦人論】명 [—논] 〔도 Die Frau und der Sozialismus〕〖책〗독일의 사회주의자 베벨(Bebel)의 저작. 1879년 간행. 정확하게는 ≪여성과 사회주의≫. 시민 사회에서의 여성의 해방과 지위 향상을 주장함.
부인-모【婦人帽】명 양장(洋裝)할 때 쓰는 여성용의 모자.
부인 문:제【婦人問題】명〖사〗여성의 지위·권리·교육의 향상 및 직업 등에 관한 사회 문제. 여성 문제.
부인-병【婦人病】[—뼝] 명〖의〗여성 생식기의 질환 및 여성 호르몬에 의한 신체 이상의 총칭. 생식기의 결여·발육 부전(不全)·중복 자궁(重複子宮)·중복질(重複膣)·반음양(半陰陽) 등 선천적인 것과 자궁 위치의 이상(異常)·자궁 내막염·자궁의 종양(腫瘍) 및 나팔관·난소(卵巢) 질환 등 후천적인 것이 있음.
부인 병:원【婦人病院】[—뼝—] 명 부인병을 전문으로 진찰·치료하는
부인-복【婦人服】명 여성들의 옷. ⌊병원.
부인-사【符仁寺·夫人寺】명〖불교〗대구 직할시 동구(東區) 신무동(新武洞) 팔공산(八公山) 남쪽 중턱에 있는 동화사(桐華寺)의 말사(末寺). 고려 때에는 의천(義天)의 속장경(續藏經)과 현종(顯宗)·문종(文宗)이 판 대장경(大藏經)의 경판(經板)을 모셨던 곳이었으나 고종(高宗) 때에 몽고의 침입으로 말미암아 경판과 함께 건물이 다 타버렸음. 현재의 건물은 그 후에 지은 건물임. 「리.
부인-석【婦人席】명 어떠한 집회장(集會場)에서 여자가 앉게 설치한 자
부인-용【婦人用】[—뇽] 명 여자가 씀. 「의사.
부인-의【婦人醫】[—/—이] 명 부인병을 전문적으로 진찰·치료하는
부인지-성【婦人之性】명 남자로서 여자처럼 편벽(偏僻)되고 좁은 성
부인지-인【婦人之仁】명 하찮은 인정. 소인(小仁). ⌊질.
부인 필지【婦人必知】[—찌] 명〖책〗조선 시대 융희 2년(1908) 무렵의 필사본으로, 여성들이 알아두어야 할 사항을 순 한글로 기록한 책. 2권 1책. 「으로 조직한 단체.
부인-회【婦人會】명 부인들이 수양·연구·오락·사회 봉사 등을 목적
부일【夫日】명 부모의 제삿날. 「하다 자여불
부:임【赴任】명 임명을 받아 임지(任地)로 감. ¶임지로 ~하다. ——-
부:임-지【赴任地】명 임지(任地).
부잇:-하다 형〈방〉부유스름하다.
부자¹【父子】명 아버지와 아들. ¶~간(間). ↔모녀(母女).
부자²【夫子】명 ①덕행(德行)이 높아 모든 사람의 스승이 될 만한 사람에 대한 경칭. ②공자에 대한 경칭.
부:자³【附子】명〖한의〗바곳의 구근(球根). 성질은 열(熱)하고 양기(陽氣)를 돕는 힘이 많음. 체온(體溫)이 부족한 데 원인된 모든 병에 유효하나 맹렬한 극약(劇藥)이므로, 맞지 아니하면 해가 됨.
부자⁴【浮子】명 ①낚시찌. ②유체(流體)의 속도·방향·깊이 따위를 헤아리기 위하여 유체면(流體面)에 띄우는 기구. 수세식 변소 저수조(貯水槽)나 액량계(液量計) 따위에 장치하는 공 같은 것.
부:자⁵【副子】명 사지(四肢)의 골절이나 관절염 등의 고정대(固定帶)로 쓰이는 장구(裝具). 전에는 나무로 만드는 일이 많아 부목(副木)이라고 일컬어졌지만, 두꺼운 종이·금속·석고 등도 재료로 쓰임. 손발의 모양에 맞춰서 만들어진 제품도 있음.

부:자[6]【富者】명 살림이 넉넉한 사람. 재산가. 구마(裘馬). ↔빈자.
[부자가 더 무섭다] 부자가 더 인색하게 군다는 말. [부자는 많은 사람의 밥상] 부자는 여러 사람에게 많건 적건 덕을 끼치게 된다는 말. [부자는 망해도 삼 년 먹을 것이 있다] 본래 부자이던 사람은 다 망했다 하더라도 얼마 동안은 그럭저럭 살아나갈 수가 있다는 말. 큰집이 기울어져도 삼 년 간다. [부자도 한이 있다] 부자라고 해서 늘 재산이 늘어만 가는 것은 아니라는 말. [부자 몸조심] 유리한 처지에서는 모험을 피하고 되도록 안전을 꾀한다는 뜻. [부자 하나면 세 동네가 망한다] 큰 일에 많은 희생을 보게 된다는 뜻.
부자[7]【傅子】명〖책〗중국 진(晉)나라 부현(傅玄)의 저서(著書). 원래 140권이었으나, 현존하는 것은 한 권뿐임. 유도(儒道)를 존숭(尊崇)하고 치도(治道)를 논한 책.
부자-간【父子間】명 아버지와 아들의 사이.
부자 감별 시험【父子鑑別試驗】명 아버지인지 아닌지를 판정하기 위하여 어머니와 그 아들, 그리고 추정 상(推定上)의 아버지의 혈액을 동정(同定)하는 일. 실제로는 아버지가 아니라는 것만이 증명됨.
부자-내【部字內】명〖역〗행정 구역으로, 서울을 다섯으로 나누었던 각 부(部)의 구역 안.
부-자량【不自量】명 자기를 자기가 스스로 헤아리지 못함.
부자-묘【夫子廟】명 공부자(孔夫子)를 모신 묘. 곧, '문묘(文廟)'의 딴 이름.
부자 상전【父子相傳】명 부전 자전(父傳子傳). ――-하다 타여불
부-자연【不自然】명 자연스럽지 못함. ¶ ~한 태도. ――-하다 형여불
부자연-스럽다【不自然―】형ㅂ불 부자연한 태도가 있다. ¶ 부자연스런 표현. **부자연-스레**【不自然―】부
부-자유【不自由】명 자유스럽지 못함. 구속이 되어 마음대로 아니됨. ¶ ~한 생활. ――-하다 형여불
부자유 노동【不自由勞動】명 고대 사회의 노예 노동이나 징역형에서 가하는 노동.
부자유-스럽다【不自由―】형ㅂ불 부자유한 데가 있다. **부자유-스레**【不自由―】부
부자 유:친【父子有親】명 오륜(五倫)의 하나. 아버지와 아들 사이의 도(道)는 친애(親愛)에 있음. 또, 그 도리. ――-하다 형여불
부:-자재【副資材】명 기계유(機械油)·연료(燃料) 등과 같이 제품하는 데 있어서 보조적(補助的)으로 소비되는 자재. ↔주(主)자재.
부-자지 명 불알과 자지.
부자 형제【父子兄弟】명 부자(父子)와 형제.
부ᄌᆞ 명〈옛〉부자(父子). ¶ 찬미홀이부ᄌᆞ성령《찬양가 : 9》.
부:작【符作】명 ←부적(符籍).
부:-작용【副作用】명 ①〖의〗그 본래의 작용에 부수하여 일어나는 약의 다른 작용. 진통제로서 모르핀제(morphine劑)를 주사한 결과 토기(吐氣)를 일으키는 따위. 보통 유해(有害)한 것을 이름. ¶ 이 약은 ~이 없다. ②어떤 일에 덧붙어 일어나는 바람직하지 못한 일. ¶ 급격한 개발에 따르는 ~.
부-작위【不作爲】명〖법〗법률에서 문제가 되는 행위(行爲)의 한 가지. 규범적(規範的)으로 기대된 일정한 행위를 하지 아니함을 이름. 소극 행위. ↔작위(作爲). *무작위(無作爲).
부작위-범【不作爲犯】명〖법〗부작위(不作爲)를 구성 요건(構成要件)으로 하는 범죄. 불해산죄(不解散罪)나 젖을 먹이지 아니하여 유아(乳兒)를 굶어 죽게 하는 죄 등. ↔작위범(作爲犯).
부작위 의:무【不作爲義務】명〖법〗소극(消極) 의무.
부작위 채:무【不作爲債務】명〖법〗채무자가 일정한 행위를 하지 아니할 것을 내용으로 하는 채무. 곧, 부작위 급부(給付)를 내용으로 하는 채무로서 상업 상의 경쟁을 하지 아니하는 채무라든가, 조망(眺望)을 방해하는 건축물을 짓지 아니하기로 하는 채무 따위. ↔작위 채무.
부작위 추출법【不作爲抽出法】[―뻡] 명 임의(任意) 추출법.
부-작의【傅作義】[―/―이] 명〖사람〗'푸 쭤이'를 우리 음으로 읽은 이름.
부-잔교【浮棧橋】명 해안(海岸)에 방주(方舟)를 띄워, 물의 증감(增減)에 따라 위아래로 자유 자재로 움직이게 된 잔교.
부잔자리 명〈방〉북바늘.
부:잠【副蠶】명 고치에서 실을 뽑을 때 생사(生絲)가 되지 못한 것의 총칭. 견사 방적용(絹絲紡績用) 원료가 됨.
부잡【浮雜】명 사람이 경솔하고 추잡스러움. ――-하다 형여불
부:잣-집【富者―】명 재산이 많아 살림이 넉넉한 사람의 집. 부가(富家). 부호(富戶).
[부잣집 가운뎃 자식] 부잣집 둘째 아들은 흔히 무위 도식(無爲徒食)하며 방탕한다는 뜻에서, 일은 하지 아니하고 놀고 먹는 사람을 비유한 말. [부잣집 맏며느리] 얼굴이 복스럽고 후하게 생긴 처녀를 이르는 말. [부잣집 업 나가듯 한다] 부잣집에서 업구렁이가 나가듯, 까닭없이 시나브로 몰락해 가다. [부잣집 외상보다 비렁뱅이 맞돈이 좋다] 장사에는 아무리 튼튼한 자리라도 외상보다는 맞돈이 더 좋다는 뜻. [부잣집이 망해도 삼 년을 간다] '부자는 망해도 삼 년 먹을 것이 있다'와 같은 뜻. [부잣집 자식 공물방(貢物房) 출입하듯 한다] 직임(職任)을 맡은 사람이 근실히 일하지 아니하고 성의가 없어 하는 둥 마는 둥 함을 이르는 말.
부:장[1]【附葬】명 합장(合葬). ――-하다 타여불
부장[2]【部長】명 한 부(部)의 장(長). ¶ ~ 판사.
부:장[3]【副長】명 ①장(長)을 보좌하는 지위. 또, 그 사람. ¶ 참모(參謀) ~. ②군함에서 항무(航務) 전반에 관하여 함장(艦長)을 보좌하는 직(職). 또, 그 사람.
부장[4]【部將】명〖역〗①조선 시대 때 오위(五衛)의 종육품(從六品) 벼슬. 오위를 폐한 뒤에 내삼청(內三廳)에 붙이었음. ②포도청(捕盜廳) 군관(軍官). 원 수효 여덟 사람 외에 무료(無料) 부장 26명, 가설(加設) 부장 12명이 있었음.
부:장[5]【副將】명 ①주장(主將)의 다음 가는 지위로 주장을 보좌하는 장수. 부수(副帥). ②〖역〗대장(大將)의 다음 가는 무관 계급의 하나. 조선 시대 말엽의 문무 관제(文武官制) 변경 때 만든 것으로 고종(高宗) 31년(1894)에 두었고 이전의 정이품에 해당한 것임. 현재의 중장(中將). ③〖기독교〗구세군(救世軍)의 계급의 하나. 참장(參將)과 대장(大將) 사이에 둠.
부:장[6]【副章】명 정장(正章)에 덧붙여 주는 기장(記章). 무궁화 대훈장의 부장 같은 것.
부:장[7]【副葬】명 옛날 임금이나 귀족(貴族)이 죽었을 때 그 사람이 죽기 전에 쓰던 패물·집기 따위를 무덤에 같이 묻는 일. ――-하다 타여불
부장[8]【腑臟】명〖한의〗장부(臟腑).
부:장[9]【腐腸】명〖약〗숙금(宿芩).
부장[10]【麩醬】명 밀기울 장.
부장 검:사【部長檢事】명〖법〗검사의 직명(職名)의 하나. 지방 검찰청(地方檢察廳) 및 지청(支廳)의 각부(各部)에 두어 소속장의 명을 받아 그 부(部)의 사무를 처리하는 검사.
부장-기【不杖朞】명 오복(五服)의 하나. 자최(齊衰)만 입고 상장(喪杖)을 짚지 아니하는, 한 돌 동안만 입는 복(服).
부:장-물【副葬物】명 부장품(副葬品).
부:장-전【副長田】명〖역〗조선 시대에, 역(驛)의 부장(副長)에게 급료(給料) 대신으로 주던 논밭.
부:장지-약【腐腸之藥】명 창자를 썩히는 약이란 뜻으로, 좋은 음식(飮食)과 술을 일컬음.
부장 판사【部長判事】명〖법〗법관(法官)의 직명(職名)의 하나. 고등 법원의 민사부·형사부·특별부, 지방 법원의 민사부·형사부, 민사·형사 지방 법원의 각부의 우두머리 판사. 법원장의 지휘에 의하여 부(部)의 사무를 감독함.
부:장-품【副葬品】명〖역〗장사지낼 때에 살아 생전에 소유했던 것을 시체와 함께 묻는 물건의 총칭. 의복·장신구·무구(武具)·용기(容器) 따위. 배장품(陪葬品). 부장물(副葬物).
부재[1] 명〈방〉보자기[1](경상).
부재[2]【不才】명 재주가 없음.
부재[3]【不在】명 그 곳에 있지 아니함. ――-하다 자여불
부재[4]【部材】명〖토〗뼈대의 중요한 요소가 되는 재료. 구조물(構造物)에 소요되는 재료.
부:재[5]【覆載】명 ①하늘이 만물을 덮고 땅이 만물을 싣고 있음. ②천지(天地)❶.
부재-각【部材角】명 부재에 힘이 가하여져서 이동·변형하였을 경우, 힘이 가해지기 전의 방향에 비하여 기운 양.
부재-기【不在旗】명〖군〗함장·승함 제독(乘艦提督)·참모의 부재를 표시하기 위하여 함선에 게양하는 삼각기.
부재까락 명〈방〉부젓가락(경남).
부재 다언【不在多言】명 여러 말 할 것 없이 마음대로 바로 결정함. ――-하다 자여불
부재 모:상【父在母喪】명 아버지는 살아 있고 어머니가 먼저 죽은 상사(喪事).
부재 선고【不在宣告】명〖법〗1953년 7월 28일 현재 미수복 지구(未收復地區)에서 그 이남(以南)의 지역으로 옮겨 새로이 취적(就籍)한 자(者) 중, 호적에 미수복지 거주로 표시된 자를, 호주(戶主) 또는 가족이나 검사(檢事)의 청구에 의하여 잔류자(殘留者)임을 확인하는 가정 법원의 선고. 이 선고를 받은 자는 실종 선고를 받은 것과 같은 효과를 가지며, 호적에서 제적(除籍)됨.
부재-자【不在者】명 ①그 자리에 없는 자. ②〖법〗종래의 주소나 거소(居所)를 떠나, 쉽게 귀래(歸來)할 가망이 없어 그 곳에 있는 자기의 재산을 관리할 수 없는 상태에 빠진 사람.
부재자 투표【不在者投票】명〖법〗부재(不在) 또는 기타의 사유로 선거 당일 자신이 투표소에 나갈 수 없는 사람이 미리 우편으로 행하는 투표. 부재 투표. 우편 투표.
부재 주주【不在株主】명〖경〗회사의 경영면이나 지배면에 대하여 전혀 무관심한 주주. 주로 대기업(大企業) 회사의 군소(群少) 주주가 이에 해당되며 그들의 유일한 관심은 자기 주에 대한 배당(配當)의 다소와 시장 가격의 등락(騰落)뿐임.
부재-중【不在中】명 자기 집이나 직장에 있지 아니하는 동안.
부재 증명【不在證明】명〖법〗어떤 형사 사건이 있었던 당시 그 현장(現場)에 있지 아니하였다는 증명. 알리바이(alibi).
부재 지주【不在地主】명〖사〗지주가 그 소유 농지(所有農地)의 소재지에 거주하지 아니하고 다른 곳에 살면서 그 소득(所得)을 차지하는 지주. ↔재촌 지주(在村地主). *불경작 지주.
부재 차한【不在此限】명 어떤 규정이나 한계에 얽매이지 아니함. 곧, 법률 용어에서 '차한에 부재함'이라는 뜻.
부재 투표【不在投票】명〖법〗부재자 투표.
부재-험【不在險】명 전쟁의 승패는 자연의 요새(要塞)에만 있지 아니하고 사람의 힘에 있다는 뜻.
부저【―箸】명 ↗부젓가락.
부:-저기압【副低氣壓】명〖기상〗태풍이나 저기압이 통과할 때, 지형 또는 그 밖의 복잡한 영향으로 말미암아 그 근처에 따로 발생하는 저기압. 흔히 돌풍(突風)이나 뇌우(雷雨)를 수반함. ↔주저기압(主低氣壓).
부저까락 명〈방〉부젓가락(경기·강원·충청·전라·경상).
부저까치 명〈방〉부젓가락(경상).
부저깔 명〈방〉부젓가락(강원·경기·충북·경북).
부저니 부〈방〉빨리(충남).
부-저루【浮疽瘻】명〖한의〗감루의 한 가지. 부스럼 구멍의 언저리가 부어서 허는 병.

부:저-병【腐蛆病】명 [—뼝] 꿀벌의 유충이나 번데기가 벌집에서 세균에 감염되어 썩는 병.
부저 소:정저【釜底笑鼎底】구 '가마 밑이 노구솥 밑을 검다고 한다'와 같은 뜻. *가마[1].
부적[1] 명 〈방〉 아궁이(경상).
부적[2]【不適】명 ↗부적당. ——-하다 형 여불
부:적[3]【附籍】명 ①남의 호적(戶籍)에 얹혀 있는 호적. ②호적부에 없는 호적을 새로 호적에 실림. ——-하다 타 여불
부:적[4]【符籍】명 〖민〗 불교나 도교(道敎)를 믿는 집에서 악귀나 잡신(雜神)을 쫓고 재액(災厄)을 물리치기 위하여 집·의복·신체 등에 붙이거나 지니고 다니는 종이나 물건. 신부(神符). 음부(陰符). →부작(符作).
부적[5]【簿籍】명 부첩(簿牒).
부적-내:다 자 〈방〉 찜부럭내다.
부-적당【不適當】명 적당하지 아니함. 준부적(不適). ——-하다 형 여불
부적-대:다 자 〈방〉 찜부럭부리다.
부적-부적 부 〈방〉 버적버적.
부-적응【不適應】명 ①적응하지 아니함. ②〖교〗 사회 생활을 함에 있어 타인(他人)과의 관계나 사회의 질서·규범에 조화되지 못하고 사회의 장애가 될 뿐 아니라 그 개인 자신의 발전에도 바람직하지 못한 상태. ——-하다 형 여불
부적응-아【不適應兒】명 〖심〗 환경에 적응하지 못하는 아이. 원인이 주로 아동 자신의 심신(心身) 상태에 있는 경우와 환경 그 자체가 문제인 경우가 있음.
부적응 진:단【不適應診斷】명 〖교〗 사회의 규범·질서를 문란시키거나 그에 배반되는 인간의 태도·행동의 발생 원인을 탐구하여 적당한 치료 및 교정 지도를 하기까지의 절차.
부적 인격【不適人格】[—껵] 명 〔inadequate personality〕〖심〗 사회에 대한 비적합성으로 특징지워지는 행동 형태를 나타내는 인격. 정신적 및 신체 상으로 명백한 결함은 없지만 지적(知的)·정동적(情動的) 및 생리적 요구에 대한 반응이 부적절·불충분한 사람을 말함.
부-적임【不適任】명 적임이 아님. 그 임무에 마땅하지 아니함. 또, 그 모양. ¶ ~자(者). ——-하다 형 여불
부-적절【不適切】명 알맞지 않음. 적절하지 않음. ¶ ~한 답변. ——-하다 형 여불. ——-히 부
부-적합【不適合】명 적합하지 아니함. ——-하다 형 여불
부적합 자:극【不適合刺戟】명 〔inadequate stimulus〕 어떤 감각 세포나 감각 기관이 부자연스럽게 흥분되어지는 자극과 같은 것. 눈에 대한 기계적 자극·자외선(紫外線)에 의한 자극 같은 것. *적합 자극.
부:전[1] 명 계집아이들의 노리개의 한 가지. 색헝겊을 둥글거나 병모양같이 만들어서 두 쪽을 맞대고 수(繡)를 놓기도 하고 다른 빛의 헝겊으로 알록달록하게 바르기도 하여 끈을 매어 차고 다님.
부전[2]【不全】명 ①불완전함. ¶ 발육 ~. ②전부가 아니고 일부분임. ¶ ~골절(骨折). ——-하다 형 여불
부전[3]【不戰】명 ①다투지 아니함. 기량(技倆)을 겨루지 아니함. ¶ ~승(勝). ②전쟁을 하지 아니함. ¶ ~ 조약.
부전[4]【仆顚】명 엎드러져 넘어짐. ——-하다 자 여불
부:전[5]【附箋】명 서류에 간단한 의견을 써서 덧붙이는 쪽지. 부전지(附箋紙). 부지.
부:전[6]【副殿】명 〖불교〗 불당(佛堂)을 맡아서 받드는 사람. 부처 앞에 놓는 향화(香火) 등을 보살핌. 간성(看星). 부존(副尊·扶尊).
부:전-강【赴戰江】명 〖지〗 함경 남도 서부를 분류하는 장진강(長津江)의 지류. 부전호(赴戰湖)에서 발원하여 장진군에서 북동으로 흘러 강구포(江口浦)에서 장진강에 합류됨. 급류를 이용, 수력 발전소가 있음.
부:전 고원【赴戰高原】명 〖지〗 함경 남도 개마(蓋馬) 고원의 남쪽 장진군(長津郡)에 있는 명승지. 그 아래에 발전소가 있음. 한국 팔경의 하나로 고원 상에 우거진 원시림과 다종 다양한 고산 식물의 자연미는 웅대하고도 수려한 경관을 이루고, 여름에도 더위를 모르는 이상적인 피서지인 동시에 유람지임.
부전-골【跗前骨】명 〖생〗 척골(蹠骨).
부:-전기【負電氣】명 〖물〗 '음전기(陰電氣)'의 종전 용어.
부:전-나비 명 〖충〗 ①부전나빗과에 속하는 곤충의 총칭. ②[*Plebejus argus*] 부전나빗과에 속하는 곤충. 편 날개의 길이 24-36 mm, 수컷의 날개 뒷면은 청자색이며, 앞날개의 전연(前緣)은 희고 인모(鱗毛)로 덮이고, 후연(後緣) 및 뒷날개 전연의 외연(外緣)은 검으며, 암컷의 날개 표면은 암갈색에 뒷면은 짙은 갈색임. 6-7월의 산간(山間) 풀밭에 날아 들며, 유충은 국화과 식물의 잎을 갉아 먹음. 한 해 한번 발생하는데, 한국·중국·일본·시베리아 등지에 분포함.

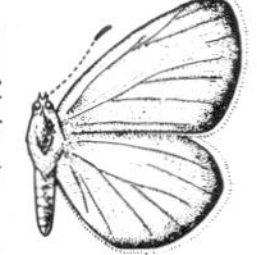
〈부전나비❷〉

부:전나빗-과【—科】명 〖충〗 [Lycaenidae] 나비목(目)에 속하는 한 과. 몸은 미소(微小) 또는 소형(小形)이며 날개의 표면은 보통 금속성(金屬性)의 남색·청색·동색(銅色) 등을 보이는데, 선명(鮮明)하고 뒷면은 색이 어두움. 흔히, 암수의 몸빛이 다른데 뒷날개에 꼬리 모양의 돌기(突起)를 가진 종류가 많음. 전세계에 3,000여 종, 한국에는 부전나비·고운점박이푸른부전나비·담흑부전나비·뾰족부전나비 등이 있음.
부:전-령【赴戰嶺】[—절—] 명 〖지〗 함경 남도 함흥(咸興)에서 북쪽 부전호(赴戰湖)에 이르는 도중에 솟아 있는 큰 재. [1,445 m]
부:전령 산맥【赴戰嶺山脈】[—절—] 명 〖지〗 함경 산맥에 이어 함경 남도를 동북에서 남서쪽으로 뻗은 산맥. 두류산(頭流山)에서 서남쪽으로 뻗친 단층애(斷層崖) 산맥으로, 황초령(黃草嶺)·부전령 등이 솟아 있음.
부:-전류【副電流】[—절—] 명 〖물〗 이차 전류(電流).
부전 마비【不全痲痺】명 〔paresis〕〖의〗 불완전한 마비. 기관의 기능이 상실되지는 아니하고 약화된 상태의 마비.
부:전-바디【赴戰—】명 〖식〗 [*Homopteryx nakaiana*] 미나릿과에 속하는 다년초. 줄기는 곧고 높이 30 cm 내외, 잎은 엽병(葉柄)이 긴데, 밑이 칼집처럼 되어 줄기를 싸고 있음. 8월에 홍백색 꽃이 복산형(複繖形) 화서로 줄기 끝이나 가지 끝에 정생함. 높은 산에 나는데, 부전 고원에 분포함.
부전부전-하다 형 여불 남의 바쁜 것은 생각지 아니하고 제가 하고자 하는 일만 하려고 서두르다.
부전-선【釜田線】명 〖지〗 부산 직할시의 부전(釜田)과 가야(伽倻) 사이의 철도. 1944년 6월 10일 개통. [2.2 km]
부:-전성【副典聲】명 〖역〗 조선 시대 때, 장악원(掌樂院)의 종구품(從九品) 잡직(雜職)의 하나.
부:-전수【副典需】명 〖역〗 조선 시대 때, 내수사(內需司)에 둔 종육품 벼슬. 궁중의 쌀·포목(布木)·잡화(雜貨)·노비(奴婢) 등을 관리하였음.
부전-승【不戰勝】명 승패를 가리는 운동 경기 등에서, 추첨(抽籤)이나 상대편의 기권(棄權)으로 경기를 하지 아니하고 이김. ——-하다 자 여불
부:-전악【副典樂】명 〖역〗 조선 시대 때, 장악원(掌樂院)의 종육품 잡직의 하나. 음악에 관한 일을 맡아 보았음.
부:-전율【副典律】명 〖역〗 조선 시대 때, 장악원(掌樂院)의 종칠품 잡직(雜職)의 하나.
부:-전음【副典音】명 〖역〗 조선 시대 때, 장악원(掌樂院)의 종팔품(從八品) 잡직(雜職)의 하나. 음악에 관한 일을 맡아 보았음.
부전 자승【父傳子承】명 부전 자전(父傳子傳). ——-하다 타 여불
부:전-자작이【赴戰—】명 〖식〗 [*Betula fusenensis*] 자작나뭇과에 속하는 낙엽 활엽 관목. 잎은 넓은 타원형 또는 원형에 가깝고 양끝이 무디며 잎 뒤의 엽맥 위에 잔털이 났음. 자웅 동가(雌雄同家)로, 여름에 꽃이 피는데, 수꽃이삭은 늘어지고 암꽃이삭은 곧으며, 작은 달걀꼴 견과(堅果)를 맺는데 날개가 있고 9월에 익음. 산허리 및 산등성이에 나는데, 함남의 부전 고원, 함북의 대택(大澤)에 분포함. 한국 특산임. 신탄재로 씀.
부전 자전【父傳子傳】명 대대로 아버지가 아들에게 전함. 부자 상전. 부전 자승(父傳子承). ——-하다 타 여불
부전 절골【不全折骨】명 〔greenstick fracture〕〖의〗 어떤 뼈의 한 부분만이 부러진 절골.
부:전 조개 명 계집아이의 노리개의 한 가지. 모시조개나 제비조개의 껍데기를 두 쪽으로 맞대고 온갖 빛깔의 헝겊으로 바르고 끈을 달아 허리띠 같은 데에 참. ¶ 창문마다 종이를 많이많이 뜯어내어 … 계집아이 ~ 바르듯이 통으로 두둑하게 발라놓고…≪作者未詳 : 貨水盆≫.
[부전조개 이 맞듯] 사물(事物)이 빈틈없이 서로 꼭 맞는 것을 가리키는 말.
부전 조약【不戰條約】명 〖정〗 1928년 8월에 파리에서 체결한 전쟁 포기(戰爭拋棄)에 관한 조약. 당초에 15개국이 조인하였는데 후에 60여 개국이 가입하였음. 국제 분쟁(國際紛爭)의 해결은 전쟁에 의하지 아니하고 평화적 수단에 의할 것을 규정함. 켈로그 브리앙 조약.
부:전-지【附箋紙】명 부전(附箋). 준부지(附紙).
부:전-호【赴戰湖】명 〖지〗 함경 남도 신흥군(新興郡)에 있는 호수. 부전강을 막은 인공호(人工湖)로, 부근에는 수력 발전소가 있음. [22 km^2]
부절[1] 명 〈방〉 부젓가락(강원·함남·충북·경북).
부절[2]【不絕】명 끊이지 아니함. ¶ 연락 ~. ——-하다 자 여불
부절[3]【不節】명 〖역〗 고구려 후기 직제의 구품(九品)쯤 되는 벼슬.
부:절[4]【剖折】명 쪼개서 나눔. ——-하다 타 여불
부절[5]【符節】명 돌이나 대나무로 만든 부신(符信). 옛날에 사신(使臣)이 가지고 다니던 물건으로, 둘로 갈라 하나는 조정(朝廷)에 보관하고 하나는 본인이 가짐.
[부절을 맞춘 듯하다] 꼭 들어맞는다는 뜻.
부절[6]【跗節】명 〖충〗 곤충 다리의 발목에서 발톱까지의 발등 부분의 마디. 발목마디. *퇴절(腿節).
부절가락 [—까—] 명 〈방〉 부젓가락(강원·경기·경북).
부절까치 명 〈방〉 부젓가락(강원·경북).
부절깔 명 〈방〉 부젓가락(충청·강원).
부-절따말 명 갈기가 검은 절따말.
부절-없:다 형 〈방〉 부질없다.
부절 여루【不絕如縷】명 실같이 가늘면서 끊어지지 아니함. ——-하다 자 여불
부-절제【不節制】[—쩨] 명 의욕(意慾)을 억눌러 절도 있는 생활을 하지 아니함. ¶ ~로 건강을 해치다. ——-하다 자 여불
부:점【附點】[—쩜] 명 〖악〗 ①점(點)⓫. ②음표점(音標點). 스타카토(staccato).
부-점결탄【不粘結炭】명 〔noncaking coal〕 연소 또는 건류(乾溜)할 때 입자(粒子)가 서로 점결(粘結)하지 않는 석탄. 발열량(發熱量)이 점결탄만 못함. 갈탄이나 무연탄 따위. 비점결탄. ↔점결탄.
부:점 음표【附點音標】[—쩜—] 명 〖악〗 점음표.
부:점 휴지부【附點休止符】[—쩜—] 명 〖악〗 점쉼표.
부접 명 ①남이 따를 수 있는 성질이나 태도. ②남에게 의지함. ¶ 외롭게 떠도시던 불쌍하신 혼령이 안녕히 ~해 계시게시리…≪朴鍾和 : 錦衫의 피≫. ——-하다 자 여불
부접(을) 못:하다 구 ㉠가까이 사귀거나 접촉하지 못하다. ¶ 그에게 아예 부접 못 하게 하다. ㉡한 곳에 붙어 배기지 못하다. 견디어 내지 못하다. ¶ 그 집에는 식모가 부접 못 한다. ㅆ부쩝 못 하다.
부-젓가락 명 화로에 꽂아 두고 쓰는 쇠젓가락. 화저(火箸). 준부저.
부정[1]【不正】명 바르지 못함. 옳지 못함. ¶ ~ 축재. ——-하다 형 여불
부정[2]【不定】명 ①일정하지 아니함. 정해지지 아니함. ¶ 주소 ~. ②〖수〗 방정식(方程式)이나 작도(作圖) 문제에 있어서 그 답이 유한개(有限個)로 되지 아니하는 일. 이를테면 일차 방정식 $ax=b$에서 $a=0$, $b=0$일 때 이 방정식은 부정임. ——-하다 형 여불
부정[3]【不貞】명 부부가 서로의 정조를 지키지 아니하는 일. 특히, 아내가 남편에 대하여 정절을 지키지 아니하는 일. ¶ ~한 여자. ——-하다 형 여불

부정[4]【不庭】명 내조(來朝)하지 아니하는 일. 조공(朝貢)하지 아니하는 일. 또, 그 사람.
부정[5]【不逞】명 '불령(不逞)'의 잘못 일컫는 말.
부정[6]【不淨】명 ①깨끗하지 못함. ②기휘(忌諱)할 때에 아이를 낳거나 사람이 죽는 일이 생김. ¶ ~ 타다. ③〖민〗무당의 굿의 첫거리. ——-하다 형여불. ——-히 부
부정(이) 나다 구 부정한 일이 생기다.
부정(이) 들다 구 부정(이) 나다.
부정(을) 보다 구 기휘(忌諱)하는 몸으로 부정한 일을 하다.
부정(을) 치다 구〖민〗무당이 굿을 할 때 첫거리로 부정한 일을 없애다.
부정(을) 타다 구 부정한 일로 해를 입다.
부정[7]【不精】명 조촐하거나 깨끗하지 못하고 거칠거나 지저분함. ——-하다 형여불
부정[8]【父情】명 자식에 대한 아버지의 정.
부:정[9]【否定】명 ①그렇지 아니하다고 단정함. ②〖논〗주빈(主賓)의 양 개념이 일치하지 아니함을 말함. 곧, 사물의 일정한 관계가 없음을 인정함. 1)·2):↔긍정(肯定). ——-하다 타여불
부:정[10]【負定】명〖역〗공역(公役)이나 공물(貢物)을 국민에게 부담시킴. ——-하다 타여불
부:-정[11]【副正】명〖역〗①고려 때 내알사(內謁司)·사복시(司僕寺)·사의서(司醫署)·서운관(書雲觀)·전농시(典農寺)의 한 벼슬. 정(正)의 다음이고 관질(官秩)은 사품(四品)임. 그 부서의 부책임자였음. ②조선 시대 때, 종친부(宗親府)·돈령부(敦寧府)·봉상시(奉常寺)·사복시(司僕寺)·군기시(軍器寺)와 그 밖의 여러 관아에 둔 종삼품(從三品)의 벼슬. 태종(太宗) 14년(1414)에 그 전의 소감(少監)을 고쳐서 이 이름으로 함. 정(正)의 다음. *첨정(僉正)·수(守).
부:정[12]【腐井】명 물이 썩은 우물.
부정[13]【簿正】명 장부에 적힌 수효대로 갖춤. ——-하다 타여불
부:정 개:념【否定槪念】명〖논〗부정적 개념.
부정 개표【不正開票】명 부정한 방법과 수단으로 개표하는 일. ¶ ~로 당선시키다.
부정-거리【不淨一】명〖민〗굿할 때 제청(祭廳)이 더럽고 부정한 것을 가셔내기 위해 하는 굿의 첫머리. 부정풀이.
부정 경:쟁【不正競爭】명〖경〗부정한 수단을 써서 동업자의 이익을 해치는 영업 상의 경쟁 행위. 부정 경업.
부정 경:쟁 방지법【不正競爭防止法】[一뻡] 명〖법〗부정한 수단에 의한 상업 상의 경쟁을 방지하여 건전한 상거래의 질서를 유지함을 목적으로 제정한 법.
부:-정과【剖正果】명 쪽정과.
부정 관사【不定冠詞】명〖언〗관사(冠詞)의 하나. 구미어(歐美語)에 있어서 보통 명사나 집합 명사의 단수형(單數形)의 앞에 붙어서 '하나'·'어느' 등의 뜻을 표시함. ↔정관사(定冠詞).
부정 교합【不正咬合】명〔malocclusion〕〖의〗아래위의 이의 맞물림새가 정상적이 아닌 상태의 총칭.
부정-굿【不淨一】명〖민〗부정거리의 굿.
부정-근【不定根】명〔adventitious root〕〖식〗막뿌리.
부정 금강【不淨金剛】명〖불교〗오추 사마 명왕(烏芻沙摩明王).
부-정기[1]【不定期】명 시기나 기한이 일정하지 아니함. ¶ ~선(船). ↔정기(定期).
부정-기[2]【釜鼎器】명 부엌에서 늘 쓰는 그릇.
부정기-간【不定期刊】명 정기적으로 내지 않는 간행(刊行). 또, 그런 출판물.
부정기-선【不定期船】명〖해〗일정한 취항 항로(就航航路)가 없이, 부정기적으로 요구에 따라서 운항하는 배. ↔정기선.
부정기-편【不定期便】명 운행의 기일·시간·행선지 따위가 일정하지 않은 연락이나 수송. 또, 그 교통 기관. ↔정기편.
부정기 항:로【不定期航路】[一노] 명 항공 기일(航空期日)·기항지(寄航地) 등이 일정하지 아니한 항로. ↔정기 항로.
부정기-형【不定期刑】명〖법〗형사 재판에서, 자유형(自由刑)의 형기(刑期)를 확정하지 아니한 채 유죄 판결을 내리고, 후일(後日) 형의 집행 단계에서, 복역(服役) 성적을 보아 석방의 시기를 결정하는 형(刑). 우리 나라에서는 소년법(少年法)에서 장기(長期)와 단기(短期)를 정하여 선고하는 것을 인정하고 있음. ↔정기형(定期刑).
부정 난:시【不正亂視】명〔라 astigmatismus irregularis〕〖의〗각막염(角膜炎) 등으로 각막의 표면에 요철(凹凸)이 생겨서 시력 장애가 일어난 난시. 보통 렌즈로 교정(矯正)할 수 없음. ↔정난시.
부-정당【不正當】명 정당하지 아니함. ↔정당(正當). ——-하다 형여불
부정 대:명사【不定代名詞】명〖언〗부정칭 대명사.
부정-류【不定流】[一뉴] 명 방향이 일정하지 아니한 해류(海流).
부정-맥【不整脈】명〔arrhythmia〕〖생〗심박(心搏)의 리듬이 불규칙적인 상태. 심장의 이상으로 일어나는 것과 호흡에 의한 영향으로 생리적으로 일어나는 것이 있음. ↔정맥.
부:정 명:제【否定命題】명〖논〗전통적 형식 논리학에서, 주사(主辭)의 외연(外延)이 빈사(賓辭)의 외연에 포함되어 있지 아니함을 나타내는 명제. 부정 판단(否定判斷)을 표시하는 명제. 소극 명제(消極命題). ↔긍정 명제(肯定命題).
부정 모:혈【父精母血】명 아버지의 정수(精髓)와 어머니의 피. 곧, 자식(子息)은 부모의 뼈와 피를 물려 받음을 가리킴.
부:정-문【否定文】명 부정을 나타내는 부사 '아니〔안〕'·'못' 또는 부정의 뜻을 나타내는 용언 '아니다'·'아니하다〔않다〕'·'못하다'·'말다' 따위를 사용한 문장. ↔긍정문.
부정 방정식【不定方程式】명〖수〗정계수(整係數)의 방정식에서, 유리수(有理數) 또는 정수(整數)의 해답(解答)을 구하는 방정식.
부정-법[1]【不正法】[一뻡] 명〖법〗법(法)의 이념(理念)에 적합하지 아니한 법. 정의(正義)에 어긋나는 법.
부정-법[2]【不定法】[一뻡] 명〔infinitive mood〕〖언〗영어·독일어·프랑스어 등에서 동사가 취하는 명사적(名詞的) 형태의 하나로, 동사가 나타내는 관념을 단적(端的)으로 표시한 것. 곧, 영어의 to have, 독일어의 lieben, 프랑스어의 aimer 같은 것.
부정-부리다 자〈방〉찜부럭부리다.
부:정 부:사【否定副詞】명〖언〗용언의 의미를 부정하여 한정하는 부사. '안'·'못' 따위.
부정-사【不定詞】명〔infinitive〕〖언〗서유럽어(語)의 문법상, 인칭(人稱)·수(數) 등의 제한을 받음이 없이 명사적 형태를 나타내는 동사.
부정 선:거【不正選擧】명 부정한 수단과 방법에 의한 선거. 특정인을 당선시킬 목적으로 선거 사무를 담당·관리하는 사람들이 선거 운동을 하거나 투표·개표(開票) 또는 계표(計票)에서 정당하지 못한 수단이나 방법을 쓰는 일.
부정 설법【不淨說法】[一뻡] 명〖불교〗부처의 가르침이 아닌 사법(邪法)을 설(說)한다든가 또는 명리(名利)를 위하여 하는 설법.
부:정 소구【否定訴求】명〔negative appeal〕〖광고〗광고 상품의 특징·편익점(便益點)을 부정적(否定的)인 면이나 상황과 연관(聯關)시켜 소구(訴求)하는 일. ↔긍정(肯定) 소구.
부정 소:지【不淨燒紙】명〖민〗몸소지(燒紙)를 사르기 전에 부정(不淨)한 것을 가시기 위하여 살라 올리는 소지.
부:-정수【負整數】[一쑤] 명〖수〗'음정수(陰整數)'의 종전 용어.
부정 수단【不正手段】명 정당하지 못한 수단.
부정 수소【不定愁訴】명〖의〗특정한 장기(臟器) 또는 질환에 관계없는 막연한 병적(病的)인 호소(呼訴). 두통·견통(肩痛)·심계 항진(心悸亢進)·식욕 감퇴(食慾減退) 등이 여러 가지로 겹쳐서 나타나며, 때로는 다른 것과 겹치는 변화도 나타남.
부정 수표【不正手票】명〖법〗부정하게 발행한 수표. 가설인(假設人)의 명의로 발행하거나 금융 기관과의 수표 계약 없이 발행한 수표 또는 금융 기관으로부터 거래 정지 처분을 받은 후에 발행하거나 금융 기관에 등록된 것과 다른 서명·기명 날인(記名捺印)으로 발행한 수표.
부:정-식【否定式】명〖논〗소전제(小前提)에 있어서 대전제의 후건(後件)을 부정하는 반가언적(半假言的) 삼단 논법. ↔긍정식.
부:정 신학【否定神學】명〔도 Negative Theologie〕〖철〗신(神)의 긍정적 인식(肯定的認識)을 모두 부정하고 부정적 무지(無知)에 의하여서만 신에 접근할 수 있다는 신학. ↔긍정 신학(肯定神學).
부정-아【不定芽】명〖식〗엇눈. ↔정아(定芽).
부정액 보:험【不定額保險】명〖경〗보험 사고 발생에 의한 손해의 실액(實額)을 표준으로 하여 보전액(補塡額)이 결정되는 보험. ↔정액 보험.
부:정-어【否定語】명 부정(否定)하는 뜻을 가진 말. 곧, '아니'·'아니다'와 같은 말.
부정 외:래품【不正外來品】명 밀수입 등 비합법적 수단으로 들어온 외국 상품. ¶ ~ 단속/~을 적발하다.
부정 요법【不正療法】[一뇨뻡] 명〔malpractice〕〖의〗부주의(不注意), 무지(無知) 또는 의도적인, 부적당하고 해로운 내과적(內科的)·외과적(外科的)인 치료.
부:정의 부:정【否定一否定】[一/一에一] 명〖논〗절대 부정(絶對否定).
부정-일【不淨日】명〖민〗불성취일(不成就日).
부:-정자【副正字】명〖역〗조선 시대 교서관(校書館)·승문원(承文院)의 정자(正字)의 다음 자리인 종구품의 벼슬.
부:정-적【否定的】명관 부정의 내용을 갖는 모양. 부정하는 투의 상태.
부:정적 개:념【否定的槪念】명〖논〗어떤 성질의 비존재(非存在)를 나타내는 개념. 불행(不幸)·무지(無知)·비인간(非人間)·불성공(不成功) 같은 것. 부정 개념. 소극 개념. 소극적 개념. ↔긍정적 개념.
부:정적 긍:정식【否定的肯定式】명〖논〗소전제(小前提)에서 대전제(大前提)의 선언지(選言肢)를 부정하고 이것을 결론에 있어서 긍정하는 선언적 추리(推理)의 한 가지. ↔긍정적 부정식(肯定的否定式).
부:정적 명사【否定的名辭】명〖논〗소극 명사.
부정 적분【不定積分】명〔indefinite integral〕〖수〗적분 가능(積分可能)한 연속 함수(連續函數)의 적분값. 곧, 적분 기호(積分記號) '∫'의 상하단(上下端)에 아무 구간(區間)도 설정하지 아니한 적분으로, 반드시 적분 상수(積分常數)의 일반값이 붙음. ↔정적분.
부:정 전제의 허위【否定前提一虛僞】[一/一에一] 명〖논〗정언적(定言的) 삼단 논법에서, 두 개의 전제가 같이 부정 명제(命題)라면 결론은 나오지 아니한다는 규칙에 반(反)하여 결론을 내리는 허위.
부정제-화【不整齊花】명〖식〗화피(花被)나 화판(花瓣)의 모양과 크기가 동일하지 아니하고 또한 배열이 고르지 못한 꽃. 접형화(蝶形花)·순형화(脣形花) 등. ↔정제화.
부정제 화관【不整齊花冠】명〖식〗안갖춘 꽃부리. ↔정제 화관.
부정 중심주【不整中心柱】명〔atactostele〕〖식〗부제(不齊) 중심주.
부정-지【不定枝】명〖식〗일정하지 못한 가지. 자리·형태·크기 등이 정상적이 아닌 가지.
부정지-속【釜鼎之屬】명 솥·가마·냄비·번철 등 부엌 그릇의 총칭.
부-정직【不正直】명 정직하지 아니함. ↔정직. ——-하다 형여불
부정 처:분【不正處分】명 정당하지 못한 방법으로 물건을 처분함. ——-하다 타여불
부정 축재【不正蓄財】명 부정한 수단과 방법으로 재물을 모음.
부정-칭【不定稱】명〖언〗↗부정칭 대명사.
부정칭 대:명사【不定稱代名詞】명〖언〗대명사의 하나. 정해지지 않은 사람이나 물건, 방향이나 장소 등을 가리키는 말. '아무'·'아무것'·'아무데' 등. 부정 대명사. 어림대이름씨. ㊟부정칭.
부정 탄:소【不整炭素】명〔asymmetric carbon atom〕〖화〗유기 화합물의 분자를 구성하고 있는 탄소 원자 가운데, 네 종류의 다른 원자 또는 원자단(團)과 결합하고 있는 탄소 원자(炭素原子). n개의 부정 탄소를

갖는 화합물은 일반적으로 2^n개의 이성체(異性體)가 존재함. 부제(不齊) 탄소 원자.
부정 투표【不正投票】명 부정한 수단과 방법에 의한 투표. 유령 인구를 조작하여 무더기표를 넣거나 기권자의 투표권을 대리 행사하는 일 따위. ——-하다 자여불
부:정 판단【否定判斷】명〖논〗주개념(主槪念)과 빈개념(賓槪念)의 불일치(不一致)를 나타내는 판단. '갑(甲)은 을(乙)이 아니다'·'사람은 짐승이 아니다' 등. 무한적 판단. 부정적 판단. 소극적 판단. ↔긍정 판단(肯定判斷).
부정-풀이【不淨―】명〖민〗①사람이 죽은 집에서 부정함을 없애기 위하여 무당이나 판수를 시켜 그 악귀(惡鬼)를 물리치는 일. ②부정거리. ——-하다 자여불
부정-품【不正品】명 부당한 방법으로 만들었거나 부정한 수단으로 취득한 물건.
부정-풍【不定風】명 계절·방향·강약 등이 일정하지 아니한 바람. 회오리바람 따위.
부정-피우다 자〈방〉 젬부럭부리다.
부-정합【不整合】명 ①〔unconformity〕〖지〗상하로 겹치어진 두 지층(地層)의 형성 시기(形成時期) 사이에 시간적인 큰 간격이 있고 그 사이에 융기(隆起)·침강(沈降) 등의 지각 변동이 있었을 때 두 지층간의 관계를 이름. 보통 그 두 지층의 층면(層面)은 서로 평행이 아님. ↔정합(整合). ②〖논〗어느 명제(命題)의 긍정(肯定)과 부정(否定)을 동시에 연립시킨 것을 포함한 복합 명제의 상태.
부정합-면【不整合面】명〖지〗부정합을 이룬 두 층의 경계면.
부정 행위【不正行爲】명 정당하지 못한 행위. ¶ ~로 실격되다.
부정-형【不定形】명 ①일정하지 못한 양식이나 형상(形狀). ②〔indeterminate forms〕〖수〗분모·분자가 똑같이 영(零)인 분수. 분모·분자가 다 같이 무한대인 분수. 영과 무한대와의 상승적(相乘積) 및 영의 무한대멱(無限大羃). ③결정(結晶)이 아니된 고체.
부정형 성운【不定形星雲】명〖천〗산광(散光) 성운.
부정형-시【不定形詩】명 일정한 형(型)에 맞지 아니하는 시. 산문시(散文詩) 같은 것. ↔정형시(定形詩).
부정형-주의【不定形主義】[―/―이] 명 현대 미술에서의 추상 회화의 형식의 하나. 제작에 임하여 이지적(理智的)인 사고 방식을 피하고, 우연의 효과를 바탕으로 하여 작품을 만드는 방식.
부-정확【不正確】명 정확하지 아니함. ↔정확. ——-하다 형여불
부정 회귀【不正回歸】명〔프 fausse régression〕〖언〗옳지 아니하다고 생각되는 어형(語形)을 올바르다고 생각되고 있는 것으로 되돌리기 위하여, 오히려 바른 어형까지 잘못 고쳐 버리는 일. 주로 말을 고상하게 하려는 의도나 방언적·비속어(卑俗語)적인 경향이 있는 말을 구축(驅逐)하려는 데서 일어나는 변화임. 가령 '점심'을 '겸심'·'짐생(짐승)'을 '김생'으로 바꿔 부르는 따위.
부:정 회로【否定回路】명 컴퓨터의 계산(計算) 회로를 구성하는 논리 연산 소자(論理演算素子)의 하나. 입력 단자(入力端子)와 출력(出力) 단자가 하나씩 있으며 입력에 1의 신호가 들어가면 출력에 0의 신호가 나오고 입력에 0이 들어가면 출력에 1이 나오는 회로. 노트(NOT) 회로. *논리 회로(論理回路).
부제[1]【父帝】명 아버지인 제왕(帝王).
부제[2]【不悌·不弟】명 웃어른에게 공손하지 못함. 형에 대하여 아우로서의 도리를 지키지 아니함. ——-하다 형여불
부제[3]【不齊】명 가지런히 정돈되지 못함. ——-하다 형여불
부:제[4]【府制】명〖정〗행정 구역의 부(府)를 두는 제도.
부:제[5]【祔祭】명 삼년상(三年喪)을 마친 뒤에 그 신주(神主)를 그의 조상(祖上)의 신주 곁에 모실 때 지내는 제사.
부제[6]【部制】명 부(部)를 두는 제도.
부제[7]【婦弟】명 처남(妻男)이 매부(妹夫)에게 자기를 일컫는 말.
부:제[8]【副祭】명〔라 Diaconus〕〖종〗천주교와 성공회(聖公會)에서, 부제품을 받은 성직자. 사제를 도와 설교·성체 분배·성대한 세례 예식의 집행을 위임받게 됨.
부:제[9]【副題】명 서적이나 논문·문예 작품 등의 주장되는 제목(題目)에 덧붙이는 제목. 서브타이틀(subtitle). 부가 표제(附加表題). 부제목(副題目). 부표제. ↔주제(主題).
부:제[10]【賦題】명〖역〗과문(科文)의 부(賦)를 지을 때 내던 글 제목.
부:-제거【副提擧】명〖역〗고려 때, 연경궁 제거사(延慶宮提擧司)의 정칠품 벼슬. 제거(提擧)의 다음. 충선왕(忠宣王) 5년(1313)에 둠.
부제까락 명〈방〉 부젓가락(경남).
부제르-쓰다 타〈방〉 훼방하다(함경).
부:-제목【副題目】명 부제(副題).
부:제 서:품【副祭敍品】명〖천주교〗부제품을 수여하는 일.
부:-제조【副提調】명〖역〗정삼품의 당상(堂上)의 제조의 일컬음.
부:제조 상궁【副提調尙宮】명〖역〗제조(提調) 상궁의 버금. 내전 별고(內殿別庫)를 관리하여, 옷감·기명(器皿) 등 내전 안곳간에서 출납을 맡음. 아리고 상궁. *대령(待令) 상궁·제조 상궁.
부제 중심주【不齊中心柱】명〔atactostele〕〖식〗외떡잎 식물의 줄기에서 볼 수 있는 횡단면(橫斷面)에, 많은 관다발이 불규칙하게 흩어져 있는 구조. 부정(不整) 중심주. ↔진정(眞正) 중심주. *중심주.
부제 탄:소 원자【不齊炭素原子】명〖화〗부정 탄소(不整炭素).
부:제-품[1]【副祭品】명〖천주교〗신품 성사(神品聖事)의 첫 단계품.
부:-제품[2]【副製品】명 주제품(主製品)의 생산 과정에서 필연적으로 파생하는 제2차적 생산물. 곧, 제분업(製粉業)에 있어서의 밀기울, 양조업(釀造業)에 있어서의 지게미 같은 것. 부산물.
부:-제학【副提學】명〖역〗조선 시대 때, 홍문관(弘文館)에 둔 정삼품(正三品) 당상관(堂上官)의 벼슬. 준부학(副學).
부제 합성【不齊合成】명〖화〗비대칭(非對稱) 합성.
부젙없다 형〈옛〉 등한(等閑)하다. 부질없다. ¶ 부젙업다(等閑)《字會 下 8 閑字註》.
부젙업시 부〈옛〉 부질없이. ¶ 부젙업시 돈니다(白走)《同文 上 26》.
부조[1]【父祖】명 아버지와 할아버지.
부조[2]【不調】명 날씨나 건강이 고르지 못함. ——-하다 형여불
부조[3]【扶助】명 ①잔칫집이나 상가(喪家)에 돈이나 물건을 보냄. ②남을 붙들어 도와 줌. ¶ 생계 ~. ——-하다 타여불
【부조는 않더라도 제상(祭床)이나 치지 마라; 부조도 말고 제상 다리도 치지 마라】도와 주지도 말고 낭패를 끼치지도 말라는 말. 【부조 안한 나그네 제상 친다】'부조는 않더라도 제상이나 치지 마라'.
부조[4]【浮彫】명 ①〖미술〗형상·무늬 따위를 도드라지게 새기는 일. 또는 그러한 조각(彫刻). 돋을새김. 양각(陽刻). 릴리프(rilief). ②특징이 두드러지게 나타나도록 함.
부조[5]【浮躁】명 성질이 부박(浮薄)하고 경조(輕躁)함. ——-하다 형여불
부조[6]【浮藻】명 물에 떠 있는 마름.
부조[7]【鳧藻】명〔물오리는 조류(藻類)를 보면 기뻐하는 데서 나온 말〕기뻐함.
부조-금【扶助金】명 부조로 주는 돈. 부좃돈.
부조니〔Busoni, Ferruccio Benvenuto〕명〖사람〗이탈리아의 작곡가·피아니스트·지휘자. 근대 음악의 이론가로, 피아노 기교에 있어 리스트 이후의 최대의 대가로 알려짐. 유럽 각지에서 활동하였고 가극·관현악·가곡·피아노곡 등의 작품이 있음. 신고전주의에 의한 《음악의 통일성(統一性)에 관하여》 등의 저서를 썼음. [1866-1924]
부-조리【不條理】명 ①도리에 어긋남. 불합리함. 배리(背理). ¶ 사회의 ~. ②〔프 absurde〕〖철〗실존주의적 용어로서, 인생에서 의의(意義)를 발견할 가망이 없음을 이르며, 한계 상황적(限界狀況的)·절망적인 상황을 가리키는 데 쓰임. 특히, 프랑스의 작가 카뮈의 '부조리의 철학'에 의하여 널리 알려짐. ——-하다 형여불
부조리-극【不條理劇】명〖문〗1950 년대 유럽·미국에서 활동하던 일단(一團)의 극작가의 작품에 붙인 이름. 카뮈(Camus, A.)의《시지프의 신화》의 영향이 큼. 대표적인 작품에 베케트(Beckett, S.)의《고도를 기다리며》, 이오네스코(Ionesco, E.)의《코뿔소》따위가 있음. 상황의 연극.
부조-묘【不祧廟】명〖민〗불천위(不遷位) 제사의 대상이 되는 신주를 둔 사당(祠堂).
부조 전래【父祖傳來】[―절―] 명 선조(先祖) 때부터 전하여 옴. ——-하다 자여불
부:-조종사【副操縱士】명 정(正)조종사를 대신하거나 또는 이를 도와서 조종하는 사람.
부:-조정실【副調整室】명 연출자나 기술 담당자가 인접하는 스튜디오에서의 음성·영상·조명 등을 통괄하고, 지시를 내려 프로 진행의 중추 구실을 하는 방송국 내의 부서의 하나. *주(主)조정실.
부조-증【不調症】[―쯩] 명〖의〗월경 불순(月經不順).
부조지-전【不祧之典】명 나라에 큰 공훈(功勳)이 있는 사람의 신주(神主)를 영구히 사당에 제사 지내게 하던 특전(特典).
부조 책임 보:험【扶助責任保險】명 노동자의 재해(災害)에 대하여 사업주(事業主)가 부담하는 부조의 책임을 대상으로 하는 보험. 노동자의 부조를 확실하게 하는 효과가 있는 동시에 사업주의 부담을 경감(輕減)하고 합리화(合理化)함.
부조-초【不凋草】명〖식〗산지(山地)에 나는 상록초의 하나. 잎은 맥문동(麥門冬)과 같은데, 두껍고 크며 겨울에도 마르지 아니함. 열매는 가을에 익고, 뿌리는 염주(念珠)와 비슷하며 속이 비었는데, '파극천(巴戟天)'이라 하여 강장제(強壯劑)로 씀. 중국 쓰촨 성(四川省)의 특산임. 삼만초(三蔓草).
부-조화【不調和】명 서로 잘 조화(調和)되지 아니함. 실조(失調). ——-하다 자여불
부족[1]【不足】명 모자람. 넉넉지 못함. ¶ 수면 ~/실력 ~. ——-하다 형여불
부:족[2]【附族】명 붙이기 일가.
부족[3]【部族】명 같은 조상(祖上)이라는 관념에 의하여 결합되어 공통된 언어와 종교 등을 갖는 지역적인 공동체(共同體)로서, 원시적 민족의 단위를 형성하는 것.
부족 가:론【不足可論】명 같이 이야기할 거리가 되지 못함. 준부족론(不足論).
부족-감【不足感】명 부족하다고 느끼는 생각.
부족-강【斧足綱】명〖동〗[Pelecypoda] 연체 동물문(軟體動物門)에 속하는 한 강(綱). 대부분 쌍패류(雙貝類)의 조개가 이에 속하는데 몸이 편평하고, 양쪽에 두 개의 외투막(外套膜)을 갖추며, 두 조각의 껍데기로 덮임. 몸과 외투막 사이에 판상(瓣狀)의 아가미가 있고, 전단(前端) 아래쪽에서 도끼 모양의 근육질(筋肉質)의 발이 나와 몸을 이동함. 원새류(原鰓類)·사새류(絲鰓類)·의(擬)판새류·진정(眞正) 판새류·격새류(隔鰓類)의 5목(目)으로 분류함. 부족류(斧足類). 이매패류(二枚貝類). 판새류(瓣鰓類).
부족 괘치【不足掛齒】명 더불어 말할 가치가 없음.
부족 국가【部族國家】명 원시 사회에 있어서 부족에 의하여 형성된 국가. 고대 통일 국가가 성립하기까지의 과도적 국가 형태임.
부족 근:사치【不足近似値】명〖수〗구하는 원 값과 비슷하나 그 보다 좀 작은 값.
부족-론【不足論】[―논] 명 ↗부족 가론(不足可論).
부족-류【斧足類】[―뉴] 명〖동〗'부족강(斧足綱)'의 관용어.
부족 법전【部族法典】명〖역〗5-9세기에 성문화된 게르만 여러 부족의 법. 비속(卑俗)한 라틴어로 쓰여 있고 속죄(贖罪)·소송 등에 관한 규정과 절차를 주요 내용으로 하고 있음. 인민법(人民法)·속인법(屬人法)의 성질을 갖는 것으로, 서양 법제사상 '프랑크' 시대의 중요한 성문 법전(成文法典)이 되었음.
부족 보:험【不足保險】명〖경〗일부 보험(一部保險).
부족-분【不足分】명 모자라는 몫·분량·부분 등. ¶ ~을 채우다.

부족 사회【部族社會】명〖사〗원시 시대에 한 부족이 공동체를 이루어 생활하던 사회. *씨족 사회(氏族社會).
부족-수【不足數】명〔deficient number〕〖수〗불완전수(不完全數)의 한 가지. 어떤 수의 양(陽)의 약수(約數)의 총합(總合)이 그 수의 배수(倍數)보다 작은 수. 가령 8은 그 약수 1·2·4·8의 총합이 배수인 16보다 작은 15이기 때문에 부족수가 됨. 불충수(不充數). ↔과잉수(過剩數). *완전수.
부족-액【不足額】명 부족한 금액(金額).
부족-조【不足條】명 돈이나 곡식의 모자라는 수효.
부족-주의【部族主義】[─/─이] 명〔tribalism〕부족 의식을 높이고, 자치 및 결합을 강화하려는 운동이나 감정.
부족-증【不足症】명〖한의〗음허 화동(陰虛火動)·노채(癆瘵) 같은 병으로 원기가 쇠(衰)하고 몸이 약하여지는 증세. 선천적인 것과 후천적인 것이 있음. 노점(癆漸).
부족지-탄【不足之歎】명 넉넉지 못한 데에 대한 한탄.
부족-책【不足責】명 책(責)할 만한 가치가 없는 사람.
부:존¹【副尊·扶尊】명〖불교〗부전(副殿).
부:존²【賦存】명 천부적으로 존재하는 일. ¶~ 자원. ──-하다 자여불
부좃-돈【扶助─】명 부조로 내는 돈. 부조금.
부좃-술【扶助─】명 부조로 보내는 술.
부종¹【不從】명 따르지 아니함. ──-하다 타여불
부:종²【付種】명 파종(播種). ──-하다 타여불
부:종³【阜螽·蟲螽】명〖충〗메뚜기¹❶.
부종⁴【浮腫】명〖한의〗부증(浮症).
부종⁵【鳧鐘】명〔중국 주대(周代)에, 종을 부씨(鳧氏)가 만들었다는 데서〕종(鐘)의 이칭(異稱).
부:종 계:약【附從契約】명〖경〗계약 당사자의 일방이 결정한 데 대하여 상대방(相對方)이 사실상 복종하지 아니할 수 없는 계약. 일반인이 대기업과 체결하는 운송, 보험, 전기·가스·수도의 공급, 근로자 고용 등의 계약은 대부분 이에 속함. 부합 계약(附合契約).
부:종-성【附從性】[─썽] 명〖법〗어떤 권리가 주되는 권리의 경제적 기능이나 목적을 발휘하고 달성하는 수단인 경우에, 법률적으로 그 권리의 성립·존속·양태(樣態)·소멸(消滅) 등에 있어서 주되는 권리와 운명을 같이하는 성질. 피담보(被擔保) 채권에 대한 저당권(抵當權)의 성질 같은 것. 「*부우. ──-하다 타여불
부:좌¹【祔左】명 부부를 합장(合葬)하는 데 아내를 남편의 왼편에 묻음.
부좌²【趺坐】명 ↗결가부좌(結跏趺坐).
부좌³【附座】명 그릇을 올려 놓는 받침. 「다. *내림¹.
부주¹ 명 자손에게 유전(遺傳)하는 소질. ¶주벽(酒癖)은 그 집안의 ~이
부주² 명 ☞부조.
부주³【父主】명 한문투의 편지 따위에서 '아버님'의 뜻. ¶~전 상서.
부:주⁴【附奏】명〖역〗의정(議政)의, 임금의 유지(諭旨)에 대한 봉답(奉
부주⁵【浮舟】명 범주(泛舟). ──-하다 자여불 └答).
부주⁶【涪州】명〖지〗'푸저우'를 우리 음으로 읽은 이름.
부주⁷【敷奏】명 아룀. ──-하다 타여불
부주⁸【輻輳·輻湊】명 ↗부주 병진(輻輳幷臻). ──-하다 타여불
부:-주교【副主敎】명〖천주교〗주교(主敎)의 다음 자리. 주교가 없을 때에 그 직무를 대리함. 부감목(副監牧).
부주깽이 명〈방〉부지깽이(경기·강원). 「輳). ──-하다 자여불
부주 병:진【輻輳幷臻·輻湊幷臻】명 →폭주 병진(輻輳幷臻). ㉠부주(輻
부-주연【不周延】명〖논〗형식 논리학에서, 어떤 판단이, 그 주어 또는 술어(述語)의 개념의 외연(外延) 전체에 걸쳐 주장하고 있지 아니할 경우, 그 주어 또는 술어의 개념의 상태를 이르는 말. '어떤 사람은 황색이다'에서, '사람'과 '황색'의 외연의 일부에 대해서밖에는 주장되어 있지 아니한 따위. ↔주연(周延). 「──-하다 자여불
부-주의【不注意】[─/─이] 명 주의를 아니함. ¶~에서 생긴 사고.
부주-전【父主前】[─쩐] 명 '아버님께'라는 뜻으로, 편지에 쓰는 말.
부:-주제【副主題】명〔subsidiary theme〕〖악〗주제가 둘 이상 있을 때에 주요 주제를 도와주는 부차적(副次的)인 기능을 갖는 주제. 제이 주제(第二主題). 「지 아니하는 일.
부-주초육【不酒草肉】명〖불교〗승니(僧尼)가 술·담배·고기를 입에 대
부주-풍【不周風】명 서북풍(西北風).
부죽【釜竹】명 ↗부산죽(釜山竹).
부준【鳧罇】명 물오리 모양으로 만든 질로 된 술잔.
부:-준위【副準位】명〔sublevel〕〖물〗같은 각(殼) 안에 있는 원자(原子)의 전자(電子)로서 같은 방위의 양자수(量子數)를 가진 집단. 또, 그것이 차지하는 에너지 준위(準位).
부줌부라〔Bujumbura〕명〖지〗아프리카 중앙부, 부룬디(Burundi)의 수도. 표고 730m 지점에 있는 항도(港都). 제1차 대전 후 벨기에의 위임 통치령이 되어 그 총독부가 있었음. 1962년 독립과 동시에 수도가 됨. [270,000명(1990)]
부줏-돈 명 ☞부좃돈.
부줏-술 명 ☞부좃술.
부중¹【府中】명 ①'부(府)'의 이름이 붙었던 예전 행정 구역의 안. ②〖역〗중국에서 재상(宰相)이 집무하던 관아(官衙). 또, 단순히 관아.
부:중²【附中】명〖교〗↗부속 중학교.
부중 생어【釜中生魚】명 오래 밥을 하지 못하여 솥 안에 고기가 생겨났다는 뜻으로, 매우 가난함의 비유.
부중-어【釜中魚】명 가마 속의 고기란 뜻으로, 생명이 위험함을 가리
부즈런 명〈방〉부지런. ──-하다 형 └키는 말.
부즈럽다 형〈방〉부질없다.

부:-즉다사【富則多事】명 돈이나 재물이 많으면 일도 많음. ──-하다 자여불
부즉 불리【不卽不離】명 붙지도 아니하고 떨어지지도 아니함. 찬성도 하지 않고 그렇다고 반대도 하지 않음. 불리 부즉(不離不卽). ¶~의 관계. ──-하다 자여불
부증【浮症】명〖한의〗심장병(心臟病) 또는 신장병(腎臟病)에 걸리거나, 어느 국부(局部)의 혈액 순환에 탈이 나서 몸이 퉁퉁하게 부어 오르는 병. 부종(浮腫).
부증 불감【不增不減】명〖불교〗모든 사물(事物)에는 고정된 실체(實體)가 없으므로, 그것이 증가(增加) 또는 감소(減少)하는 현상(現象)은
부지¹ 명〈방〉보지¹. └있을 수 없다는 일. ──-하다 자여불
부지²【不知】명 알지 못함. ──-하다 타여불
부지³【不持】명 가지고 있지 아니함. ──-하다 타여불
부:지⁴【付紙】명 얇은 종이를 겹으로 붙인 종이.
부지⁵【扶支·扶持】명 고생을 참고 어려운 일을 버티어 나감. 지탱(支撐). 지지(支持). ¶목숨을 ~하기 어렵다. ──-하다 타여불
부:지⁶【附紙】명 ↗부전지(附箋紙).
부지⁷【浮紙】명 종이를 떠서 만듦. ──-하다 타여불
부지⁸【敷地】명 건축물이나 도로에 쓰이는 땅. ¶공장 ~.
부지⁹〔bougie〕명 ①〖의〗식도(食道)와 요도 협착(尿道狹窄) 등을 넓히는 데 쓰이는 의료 기구. 소식자. 존데. ②〖약〗좌약(坐藥).
부지거-지다 자〈방〉부러지다(함경).
부지 거:처【不知去處】명 간 곳을 모름. 없어져서 어디로 갔는지 알지 못함. 「위는 ~다.
부지 기수【不知其數】명 너무 많아서 그 수효를 알 수가 없음. ¶그 따
부지까락 명〈방〉부젓가락(경기·경상).
부지깨 명〈방〉부젓가락(경상). 「화장(火杖).
부지깽이 명〔근대：부짓대〕아궁이의 불을 헤치는 막대기. 화곤(火棍).
부지깽이-나물 명〖식〗[*Erysimum aurantiacum*] 겨잣과에 속하는 월년초. 줄기 높이 60cm 가량이고, 잎은 대생하며 엽병(葉柄)이 없고 선형(線形)또는 선상(線狀) 피침형임. 6-8월에 황색꽃이 총상(總狀) 화서로 정생(頂生)하여 피고, 과실은 장각(長角)임. 산이나 들에 나는데, 함북의 무산(茂山)에 야생하고 지리적으로 몽골·만주·중국에 분포함.
부지-꾼¹ 명 심술궂고 실없는 짓을 잘 하는 사람.
부:지-꾼²【負持─】명 ☞짐꾼.
부지대 명〈옛·방〉부지깽이. ¶부지대(竈杖)《才物譜 卷之一 地譜》.
부지때기 명〈방〉부지깽이.
부지땡이 명〈방〉부지깽이.
부지러-지다 자〈방〉부러지다.
부지런 명〔중세：브즈런ᄒᆞ다〕놀지 아니하고 하는 일에 꾸준함. ¶~을 떨다. >바지런. ──-하다 형여불. ──-히 부. ¶~ 일하다. [부지런한 물방아는 얼 새도 없다] 부지런히 하여야 탈이 없고 순조롭게 이루어진다는 말. [부지런한 벌은 슬퍼하지 않는다] 일에 충실한 사람은 비관하거나 불평 불만이 없다는 말. [부지런한 부자는 하늘도 못 막는다] 부지런하면 반드시 부자가 된다는 말. [부지런한 이는 앓을 틈도 없다] 일에 열중하면 좀처럼 시간의 여유가 없다는 말.
부지런-스럽다 형(ㅂ)ㅂ불 부지런한 태도가 있다. >바지런스럽다. 부지런-
부지럽다 형ㅂ불 ☞부질없다. └스레 부
부지르다 타〈방〉부러뜨리다.
부:-지밀직사사【副知密直司事】[─찍─] 명〖역〗고려 때 밀직사(密直司)의 한 벼슬. 종이품임.
부:지 방:말【付之榜末】명〖역〗과거(科擧)에 급제한 사람의 성명을 방(榜)에 내걸 때에, 임금의 특지(特旨)로 초시(初試)에만 합격한 사람을 그 방의 끝에 붙여서 급제시키던 일.
부지 불각【不知不覺】명부 미처 깨닫지 못하는 결.
부지불식-간【不知不識間】[─씩─] 명 생각지도 알지도 못하는 사이. 부지불식중. ¶~에 저지른 일.
부지불식-중【不知不識中】[─씩─] 명 부지불식간(不知不識間).
부:-지사【副知事】명 지사(知事)를 보좌하여 지방 행정을 처리하는 국가 공무원.
부지 세:상【不知世上】명 세상 일을 알지 못함. ──-하다 자여불
부지 세:월【不知歲月】명 세월의 돌아가는 형편을 모름. ──-하다 자여불 「여불
부지 소:운【不知所云】명 무어라고 말해야 좋을지 모름. ──-하다 자
부지 소:향【不知所向】명 갈 곳을 알지 못함. ──-하다 자여불
부지-수【不知數】명 알지 못하는 수효.
부:-지어서원사【副知御書院事】명〖역〗고려 때, 어서원(御書院)의 버금 벼슬. ㉠부지원사(副知院事).
부:-지원사【副知院事】명〖역〗↗부지어서원사(副知御書院事).
부지-중【不知中】명 알지 못하는 동안. 모르는 사이. ¶~의 일.
부지지 부 ①뜨거운 쇠붙이 등이 물에 깊이 닿을 때 나는 소리. ②젖은 나무가 탈 때에 나는 소리. 1)·2): ㅆ뿌지지. >바지지. ──-하다 자여불
부지직 부 ①'부지지' 소리가 급하게 그치는 모양. ②무른 똥을 눌 때 웅숭깊게 나는 소리. 1)·2): ㅆ뿌지직. >바지직. ──-하다 자여불
부지직-거리다 자 '부지직' 소리가 자꾸 나다. ㅆ뿌지직거리다. >바지직거리다. 부지직-부지직 부. ──-하다 자여불
부지직-대다 자 부지직거리다.
부지 체면【不知體面】명 불고 체면(不顧體面). ──-하다 (자)여불
부-지팽이 명 ☞부지깽이.
부지 하경【不知何境】명 어느 경우에 이를지 알지 못함.

부지 하:락【不知下落】 명 어디로 가서 어떻게 되었는지를 알지 못함. 간 곳이 분명하지 아니함. 「함. ¶ 그 일은 ~이다.
부지 하세월【不知何歲月】 명 무슨 일이 언제 될지 그 기한을 알지 못
부지 하허인【不知何許人】 명 이름을 알지 못할 사람.
부직[1] 명 〈방〉 ①아궁이(경상). ②부엌(경북).
부직[2]【不職】 명 직무를 감당하지 못함. ——하다 자여불
부:직[3]【付職】 명 ①벼슬을 하게 하여 줌. ②직업(職業)을 갖게 되는 일. ——하다 타여불
부직[4]【浮織】 명 무늬를 떠 보이게 짠 직물.
부:직[5]【副職】 명 부차적으로 겸임하고 있는 직책.
부:-직장【副直長】 명 〖역〗 ①고려 때, 사선서(司膳署)·사설서(司設署)·사온서(司醞署)·전악서(典樂署) 등의 한 벼슬. 관질(官秩)은 팔품(八品)에서 구품(九品)까지 있으며 직장(直長)의 다음임. ②조선 시대 때 상서원(尙瑞院)의 정팔품의 한 벼슬. 새보(璽寶)·부패(符牌) 등의 일을 맡아 보았음.
부직-포【不織布】 명 〔nonwoven fabric〕 베틀에 짜지 않고, 섬유를 적당히 배열(配列)하여 접착제 혹은 섬유 자체의 융착력(融着力)을 이용하여 섬유를 서로 접합시킨 시트 모양의 천. 일반적으로 방축성(防縮性)·방추성(防皺性)·내수성(耐水性)이 우수하고, 또 가볍고 통기성(通氣性)이 좋음. 양복의 심(芯)이나 시트·커튼·기저귀 등으로 쓰임.
부진[1]【不振】 명 기세(氣勢)·성적·업적 따위가 활발하지 못함. 떨치지 못함. ¶ 사업이 ~하다. ——하다 형여불
부진[2]【不進】 명 앞으로 나아가지 못함. 진보(進步)가 없음. ¶ 공사(工事)가 지지(遲遲) ~하다. ——하다 자여불
부진[3]【不盡】 명 다하지 아니함. 없어지지 아니함. 끝이 없음. ——하다 형여불 「하는 근(根).
부진-근【不盡根】 명 〖수〗 개법(開法)으로 계산하여 똑 떨어지지 아니
부진 근수【不盡根數】〔—쑤〕 명 〔surd〕 〖수〗 개법(開法)에 의하여 계산할 때 완전히 떨어지지 아니하는 답의 근수. 곧, $\sqrt{2}=1.414213\cdots$ 따위처럼 양의 정수(整數)의 제곱근·세제곱근으로서의 부진수.
부진 상태【不振狀態】 명 세력이 떨치지 못하는 상태.
부진-성【不振性】〔—썽〕 명 활발하게 움직이지 못하는 성질.
부진 소:수【不盡小數】 명 〖수〗 부진수(不盡數).
부진-수【不盡數】〔—쑤〕 명 〖수〗 나누어 똑 떨어지지 아니하는 수. 부진 소수. 무한 소수(無限小數). *무리수(無理數).
부진-자【浮塵子】 명 〖충〗 ①눈에놀이. ②'멸구'의 잘못 일컫는 말. ③'머루'의 잘못 일컫는 말.
부질[1]【婦姪】 명 인질(姻姪).
부질[2]【鈇鑕】 명 작두.
부질[3]【麩質】 명 〖화〗 곡식알 속에 있는 단백질(蛋白質).
부:질[4]【賦質】 명 천부(天賦)의 성질. 타고난 성질.
부질-간【一間】〔—깐〕 명 놋그릇을 만드는 공장의 풀뭇간. 「걱정.
부질-없다〔—업—〕 형 대수롭지 아니하거나 쓸모가 없다. ¶ 부질없는
부질-없이〔—업씨〕 부 부질없게. ¶ ~ 시간만 보내다.
부집[1] 명 사정없이 마구 말을 퍼부어 싸움. 약을 올려서 말다툼을 함. ——하다 자여불
부집[2]【父執】 명 ↗부집 존장(父執尊長).
부집갱이 명 〈방〉 부지깽이. 「집게.
부집게 명 숯불 등을 집거나 등잔·촛불의 불똥을 따는 데 쓰이는 집게. 불
부집이 명 〈방〉 ①부지깽이. ②부집게. 「른. 준부집(父執).
부집 존장【父執尊長】 명 아버지의 친구로 아버지와 나이가 비슷한 어
부짓대 명 〈옛〉 부지깽이. ¶ 부짓대(撥火棍)《譯語 補 43》.
부쩌지 못하다 자 〈방〉 부쩝 못 하다❷.
부쩍 부 ①외곬으로 빽빽하게 우기는 모양. ¶ ~ 우겨대는 바람에 지고 말았다. ②사물이 거침새 없이 늘거나 줄거나 또는 줄기차게 나아가는 모양. ¶ 강물이 ~ 불었다. 1)·2): >바짝. *버쩍·부썩·우쩍.
부쩍-부쩍 부 ①외곬으로 빽빽하게 자꾸 우기는 모양. ②사물이 거침새 없이 자꾸 늘거나 줄거나 또는 줄기차게 자꾸 나아가는 모양. 1)·2): >바짝바짝. *버쩍버쩍·부썩부썩·우쩍우쩍.
부쩝 못: 하다 구 ①가까이 부접을 할 수 없다. ②한 곳에 오래 배겨 있을 수 없다. 1)·2): ∸부접 못 하다.
부찌르다 타 〈방〉 부러뜨리다(함경).
부차[1]【夫差】 명 〖사람〗 중국 춘추 시대의 오(吳)나라의 왕. 오패(五覇)의 한 사람. 월왕(越王) 구천(句踐)을 회계(會稽)에서 항복시키고 기원전 482년에 황지(黃池)에서 제후들과 회맹(會盟)하였음. 나중에 월나라에 패하여 자살함. [?-473 B.C.; 재위 496-473 B.C.]
부:차[2]【副次】 명 이차(二次)❷.
부:차 삼화음【副次三和音】 명 〖악〗 버금 삼화음(三和音)'의 구용어.
부:차-시【副次視】 명 부차적인 것으로 보거나 다룸. ——하다 타여불
부:차 악절【副次樂節】 명 〖악〗 악곡 구조(樂曲構造)의 기초가 되는 악절 중, 부주제(副主題)가 제시되는 악절. ↔주요 악절.
부:차-적【副次的】 명관 이차적(二次的).
부:차 추출법【副次抽出法】〔—뻡〕 명 이단 추출법.
부:착【附着·付着】 명 ①들러붙어 떨어지지 아니함. ②〖물〗 분자(分子) 사이의 힘에 의하여 종류가 다른 두 물질이 서로 들러붙는 성질. ——하다 자타여불
부:착-근【附着根】 명 〖식〗 기근(氣根)의 한 가지. 겨우살이 등의 기생(寄生) 식물의 다른 물체에 들러붙는 뿌리. 붙임뿌리.
부:착-기【附着器】 명 〔appressorium〕 〖생〗 기생성 사상균(寄生性絲狀菌)의 균사(菌絲) 끝에 있는 흡반상(吸盤狀) 기관. 사상균의 포자(胞子)가 숙주(宿主) 식물의 표피 위에 발아(發芽)하면 균사 또는 발아관(管)의 끝이 크게 부풀어 흡반상이 되면서 숙주의 체내에 침입하여 균사를 냄.
부:착-력【附着力】〔—녁〕 명 〔force of adhesion〕 〖물〗 서로 다른 물질(物質)의 분자(分子) 사이의 인력(引力). 곧, 이종(異種)의 분자와 분자가 서로 당기는 힘. 풀이 다른 물건에 들러붙는 힘 같은 것. *응집력(凝集力).
부:착-수【附着水】 명 〖지〗 흡습수(吸濕水).
부:착-어【附着語】 명 〖언〗 교착어(膠着語).
부:착-체【附着體】 명 〖의〗 합텐.
부착-흔【斧鑿痕】 명 도끼로 찍은 흔적.
부:찰【俯察】 명 아랫 사람의 형편을 두루 굽어 살핌. ——하다 타여불
부참【符讖】 명 뒷날에 나타날 일을 미리 알아서 비밀로 적어 놓은 글.
부-창방【浮—】 명 〖건〗 뜬창방. 「부록(符籙). 부서(符書).
부창 부수【夫唱婦隨】 명 남편 주장에 아내가 이에 따르는 것이 부부 화합(和合)의 도(道)라는 뜻. 준창수(唱隨).
부:-창정【副倉正】 명 〖역〗 고려 때, 지방 각 고을의 이직(吏職)의 하나. 성종 2년(983)에 둠. 구등(九等) 이직의 여섯째.
부:창-현【富昌峴】 명 〖지〗 강원도 춘성군(春城郡)에 있는 고개. [205 m]
부채[1] 명 〔중세 : 부채, 부채〕 손으로 흔들어 바람을 일으키는 제구(諸具). 가는 대오리를 살로 하고 종이나 헝겊을 발라서 자루를 붙이어 만듦. 여러 가지 있으나 대개 둥근 모양임. 태극선·까치선 등이 있음. 선자(扇子). *쥘부채.
부채[2] 명 〈방〉 부처[1]❷(전라·경상).
부:채[3] 명 〈방〉 〖식〗 부추.
부:채[4]【負債】 명 ①남에게 빚을 짐. 또, 그 진 빚. 빚. ②〖경〗 제삼자에 대해 지고 있는 금전 상의 의무. 회계 상으로는 대차 대조표의 대변(貸邊)에 계상(計上)되고, 기업이 장차 지불해야 할 의무(義務)의 크기를 나타냄. 지불 기한이 1년 이내인 유동(流動) 부채와 1년을 넘는 고정(固定) 부채로 나뉨. ——하다 자여불
부:채[5]【賦彩·傅彩】 명 〖미술〗 설채(設彩). ——하다 자여불
부채-게 명 〖동〗 [*Xantho exaratus*] 갑각류(甲殼類) 부채겟과에 속하는 게의 하나. 배갑(背甲)의 길이 17 mm, 폭 26 mm 내외의 소형의 부채 모양으로 두흉갑(頭胸甲)과 다리는 전부 매끈하고 보각(步脚)의 장절(掌節) 배면(背面)에는 긴 털이 있음. 몸빛의 변화가 풍부한 아름다운 종류임. 해안 암초·자갈밭·진흙 등의 간조선에 서식하는데, 한국·미얀마·일본·태평양에 분포함.

〈부채게〉

부채겟-과【—科】 명 〖동〗 [Xanthidae] 절지 동물 갑각류 십각목(十脚目)에 속하는 한 과.
부:채 계:정【負債計定】 명 〖경〗 부기에서 빚·채무 등 각종 부채의 증감 변화를 기록·계산하는 여러 계정의 총칭. ↔자산 계정.
부채-고리 명 쥘부채의 오른쪽 사북에 꿰어 놓은 고리.
부채괴불-이끼 명 〖식〗 [*Gonocormus minutus*] 처녀이낏과에 속하는 다년생 상록초. 근경(根莖)은 옆으로 뻗고 사상(絲狀)이며 흑갈색의 잔 털이 있음. 잎은 막질(膜質)의 부채꼴인데 깊게 째지고 그 갈라진 작은 조각은 선형(線形)을 이루며 가에 톱니가 없고 끝이 무딤. 엽병(葉柄)은 길이 1 cm 가량이고, 자낭군(子囊群)은 작은 잎의 끝에 붙었음. 산지의 큰 나무나 바위 곁에 나는데, 제주도·진도(珍島)·금강산 및 일본 중부 이남에 분포함.

〈부채괴불이끼〉

「힌 대가리 부분.
부채 꼭지 명 쥘부채의 사북이 박
부채-꼴 명 ①부채와 같이 생긴 모양. 또, 부챗살처럼 방사상(放射狀)으로 벋어나는 모양. 선상(扇狀). ②〖식〗 엽편(葉片)의 형상의 한 가지. 쥘부채와 같은 모양임. 은행나무 잎 등. ③〖수〗 한 개의 원호(圓弧)와 그 호(弧)의 두 끝을 통과하는 반지름으로 둘러싸인 도형(圖形). 선형(扇形).

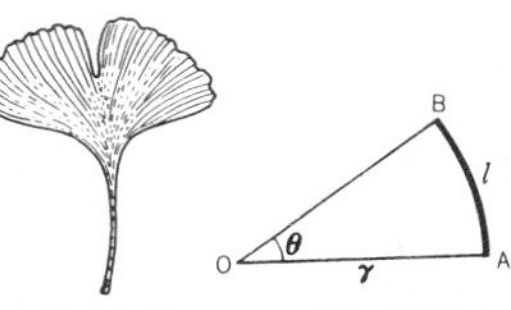

〈부채꼴❷〉 〈부채꼴❸〉

부채-도끼 명 〖고고학〗 청동기 시대에 사용된 청동 도끼의 한 형식. 허리가 안으로 굽어지다 다시 넓어져 부채 모양의 날을 이룸.
부채-돌조개 명 〖조개〗 곤줄말조개.
부채-마 명 〖식〗 [*Dioscorea nipponica*] 맛과에 속하는 다년생 만초. 줄기는 가늘고 길며 잔 털이 있고, 잎은 호생하며 넓은 달걀꼴임. 6-7월에 황록색 꽃이 수상(穗狀) 화서로 액생(腋生)함. 삭과(蒴果)는 난상(卵狀) 타원형. 산과 들에 나는데, 거의 한국 각지 및 일본·중국에 분포함.
부채-붓꽃 명 〖식〗 [*Iris setosa*] 붓꽃과에 속하는 다년초. 지하경은 두툼하며 낡은 잎의 잔해(殘骸)로 덮여 있고, 잎은 근생(根生)하는데 길이 30-50 cm, 폭 1-2 cm의 긴 칼 모양에 하부는 자색을 띰. 6-7월에 자색꽃이 가지마다 두 개씩 난초꽃과 비슷하게 피며, 삭과(蒴果)는 긴 타원형으로 길이 3 cm이고, 씨는 담갈색임. 흔히 정원에 관상용으로 심음. 산의 습지에 나는데, 강원, 함남의 원산(元山), 함북의 백두산, 일본·만주·동시베리아 등지에 분포함.
부:채 비:율【負債比率】 명 〖경〗 회사의 부채 총액을 자기 자본(自己資本)으로 나눈 백분율. 기업(企業) 자본의 구성의 안전도, 특히 타인(他人) 자본 의존도(依存度)를 나타내는 자료가 됨.
부채-새우 명 〖동〗 [*Ibacus ciliatus*] 매미새웃과에 속하는 새우. 몸길

이 약 14cm. 몸이 부채꼴이며 넓적함. 두흉갑(頭胸甲)은 판상(板狀)으로 퍼지고 가장자리는 톱니 모양을 이룸. 제2 촉각도 판상으로 퍼짐. 몸빛은 흑색을 띤 적갈색으로 맛이 좋음. 낮에는 연안의 암초 사이나 진흙질 바다 밑에 묻혀 있다가 밤에 주로 활동함. 한국·일본 등지의 연안 및 필리핀·오스트레일리아까지 분포함.

부:채 여산【負債如山】명 남에게 진 빚이 굉장히 많음. ——-하다 형여불

부:채-자【負債者】명 남에게 빚을 진 사람. 채무자.

부:채자 국가【負債者國家】명 국가 재정을 공채(公債) 등의 부채에 의존하는 국가. *조세(租稅) 국가.

부채-잡이 명〔소경이 오른손에는 막대를 쥐고 왼손에는 부채를 쥐고 있음에서 이르는 말〕소경에게 '왼쪽'을 가리키는 말. *막대잡이.

부채-장수잠자리【—將帥—】명〖충〗①부채장수잠자릿과에 속하는 곤충의 총칭. ②방울잠자리.

부채장수잠자릿-과【—將帥—科】명〖충〗[Gomphidae] 잠자리목(目)에 속하는 한 과. 보통 대형으로 몸빛은 흑색에 대록색(帶綠色) 또는 대황색의 선문(線紋)이 있음. 흐르는 물가에 많으며, 물 속에 솟아오른 바위나 땅 위에 수평(水平)으로 정지(靜止)하는 습관이 있음. 전세계에 350여 종이 분포하는데, 쇠측범잠자리·푸른측범잠자리·어리측범잠자리·고려측범잠자리·꼬마측범잠자리 등이 이에 속함.

부:채-주【負債主】명 채무자(債務者).

부채-질 명 ①부채를 흔들어 바람을 일으키는 짓. ②흥분된 감정·싸움 따위를 더욱 북돋아 주는 짓. ¶ 남의 싸움에 ~하다. ——-하다 자여불

부채-춤 명 부채를 들고 추는 춤.

부책[1]【簿冊】명 문부(文簿). 장부(帳簿).

부책[2]【簿責】명 문서에 기재한 것을 보이며 문책함. ——-하다 자타여불

부챗-살 명 부채의 뼈를 이루고 있는 여러 개의 대오리. 선골(扇骨).

부챗살-빛[—삗] 명〔crepuscular rays〕〖천〗구름사이 또는 지평선 가까이의 불규칙한 형상의 틈을 통하여 일몰 직전·직후에 보이는 부챗살 모양의 햇빛.

부처[1] 명〔중세 : 부텨←불타(佛陀)〕〖불교〗①불교의 교조(敎祖)인 석가모니. 석가 모니불(釋迦牟尼佛). ②대도(大道)를 깨달은 성인(聖人). 공덕주(功德主). ③불상(佛像). ④마음이 사기(邪氣)가 없고 유순하며 자비심이 두터운 사람의 비유. ¶ ~ 같은 사람.

【부처를 건드리면 삼거웃이 드러난다; 부처 밑을 기울이면 삼거웃이 드러난다】㉠점잖은 사람도 내면을 들추면 추저분한 점이 있다는 뜻. ㉡외양은 훌륭하나 그 이면을 들추면 지저분하고 더럽지 않은 것이 없다는 말. 【부처 위해 불공하나, 제 몸 위해 불공하지】'부처님 위하여 불공하나'와 같은 뜻.

부처[2]【夫妻】명 부부(夫婦).

부:처[3]【付處】명〖역〗↗중도(中途) 부처. ——-하다 타여불

부:-처[4]【部處】명 정부 조직체로서의 부와 처의 총칭. ¶ 정부 각 ~간의 긴밀한 협조.

부처-꽃 명〖식〗[*Lythrum anceps*] 부처꽃과에 속하는 다년초. 줄기는 곧고 4각형이며 높이 80-100cm임. 잎은 대생, 밑의 잎은 호생하며 잎꼭지는 거의 없고 피침형을 이룸. 5-8월에 홍자색 육판화(六瓣花)가 윤산상 수상(輪繖狀穗狀) 화서로 정생(頂生)하고, 삭과(蒴果)를 맺음. 밭둑이나 습지에 나는데, 제주·충북·강원·경기·함남북 및 일본에 분포함. 관상용이고, 한방(漢方)에서는 말린 것을 '천굴채(千屈菜)'라 하여 지사제(止瀉劑)로 씀.

〈부처꽃〉

부처꽃-과【—科】명〖식〗[Lythraceae] 쌍자엽 식물 이판화류(離瓣花類)에 속하는 한 과. 전세계에 450여 종, 한국에는 부처꽃·좀부처꽃·털부처꽃 등의 10여 종이 분포함.

부처-나비 명〖충〗[*Mycalesis gotama*] 뱀눈나빗과에 속하는 곤충. 편날개의 길이 53mm 내외, 날개는 폭이 넓고 암갈색이며 그 외반(外斑)은 담색(淡色)인데 가장자리는 황색, 중간은 흑색, 중심은 백색인 둥근 무늬가 두 개씩 있는데, 뒷면은 회색을 이룸. 뒷날개에는 5-6개의 뱀눈 모양의 무늬가 있고 외연(外緣)에는 두 줄의 암흑색 줄을 가짐. 한국의 남부 및 중국·일본 등지에 분포함.

부처-님 명 '부처'의 높임말.

【부처님 가운데 토막】사람됨이 어질고 대단히 온순하며 조용함을 비유한 말. 【부처님 공양(供養) 말고 배고픈 사람 밥을 먹여라】부처 앞에서의 공양은 아첨하여 복을 얻으려 하는 데 불과하거니와, 남에게 어진 일을 하여 덕을 쌓으면 복이 저절로 온다는 뜻. 【부처님 궐(闕)이 나면 대(代)를 서겠네】겉으로는 자선(慈善)을 한다고 하나 속마음은 음흉함을 이르는 반어(反語). 【부처님더러 생선 방어(生鮮魴魚) 토막을 도둑질하여 먹었다 한다】자기의 죄없음을 발명(發明)할 때 쓰는 말. 【부처님 살찌고 파리하기는 석수(石手)에게 달렸다】일의 성과는 당사자의 의지 여하에 달려 있음을 말함. 【부처님 위하여 불공하나】남에게 뇌물을 줌은 그 사람을 위함이 아니요 자기를 위함이란 말. 【부처님한테 설법】다 잘 알고 있는 이에게 주제넘게 가르치려 드는 어리석음을 이름.

부처님 오신 날 명 석가 모니(釋迦牟尼)가 이 세상에 태어난 날. 음력 4월 8일. 이날 관불(灌佛)을 행함. 석가 탄신일.

부처뮈다 자〈옛〉부채질하듯이 부치어 움직이다. ¶ ᄇᆞᄅᆞ미어느 方올브터 부처뮈여(風自誰方鼓動)《楞嚴 Ⅲ:85》.

부처-손 명〖식〗[*Selaginella pouzolziana*] 부처손과의 다년생의 상록 양치 식물(羊齒植物). 근경(根莖)은 총생(叢生)하며 가늘고 긴데 가로 뻗으며, 수근(鬚根)이 많고, 길이 30cm 가량임. 잎은 인편상(鱗片狀)에 폭 2mm 내외이고, 표면은 녹색 또는 적록색이며 하면은 백록색임. 작은 줄기의 끝에 네모진 포자수(胞子穗)가 나와 포자낭(胞子囊)을 형성함. 건조하면 우므러드는 성질이 있음. 한방(漢方)에서는 '권백(卷柏)'이라 하여 약재로 쓰며, 관상용으로 심기도 함. 산지의 바위 위나 나무 위에 나는데, 제주도·평북 및 일본 중부 이남에 분포함. 만년송(萬年松). 장생초(長生草).

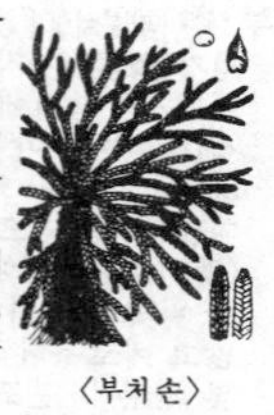

〈부처손〉

부처손-과【—科】[—꽈] 명〖식〗[Selaginellaceae] 양치류(羊齒類)에 속하는 한 과. 전세계에 700여 종, 한국에는 바위손·부처손·실사리·구실사리 등의 6종이 분포함.

부처 쟁병 설화【夫妻爭餠說話】명〖설화〗고려의 설화. 늙은 부부가 송편 한 개를 놓고 먼저 입을 떼지 아니하는 사람이 먹기로 약속하였는데, 밤중에 도둑이 들어 물건을 훔쳐 가지고 도망치자, 할멈이 '이 꼴을 보고도 가만히 있단 말이요'하니까 영감이, '할멈, 이 떡은 내 것이요' 하였다는 이야기. 《백유경(百喩經)》 4권에 전함.

부처-혼【父處婚】명〖사〗신부가 신랑이 속하는 집단(集團) 쪽으로 거처를 옮기는 혼인. 부계(父系) 사회에 많음. ↔모처혼(母處婚).

부척[1]【浮尺】명 무덤 자리의 거리를 잴 때 땅바닥의 높낮이를 따라 줄을 땅바닥에 붙이지 아니하고 켕겨서 잣수를 헤아리는 일. ↔답척(踏尺). ——-하다 자여불

부:척[2]【副尺】명〖수〗'아들자'의 구용어.

부척[3]【跗蹠】명 새의 다리 가운데 경골(脛骨)과 발가락 사이의 부분.

부천[1]【部薦】명 ①〖역〗새로이 무과(武科)에 급제한 사람 중에서 부장(部將)이 될 만한 사람을 천거하는 일. 서족(庶族)이나 신분이 낮은 사람으로 채움. ②'서족(庶族)'의 딴이름.

부:천[2]【富川】명〖지〗경기도의 한 시(市). 3구(區) 24동(洞). 1973년의 행정 구역 개편에 따라 옛 부천군(富川郡) 소사읍(素砂邑)이 부천시로 승격한 것으로 꽃재배·과수 등 근교 농업과 주철·화학 등 경공업이 행하여짐. [52.18km² : 757,381명(1996)]

부천[3]【膚淺】명 말이 천박(淺薄)함. ——-하다 형여불

부:첨【附添】명 첨부(添附). ——-하다 타여불

부:-첨례【副瞻禮】[—녜] 명〖천주교〗'부축일(副祝日)'의 구용어.

부:-첨사【副詹事】명〖역〗조선 말기 및 대한 제국 때 왕태자궁(王太子宮)·왕태자궁 시강원(侍講院)·황태자궁 시강원의 주임(奏任)의 한 벼슬.

부:첩[1]【府貼】명 관청에서 보내는 간단한 편지.

부첩[2]【浮貼】명 병풍이나 창문 등을 바를 때, 그 살에만 풀을 칠하고 가운데는 뜨게 하여 바르는 일. ——-하다 자여불

부첩[3]【簿牒】명 관아의 장부(帳簿)와 문서. 부서(簿書). 부적(簿籍).

부:청[1]【府廳】명〖인제〗부(府)의 행정 사무를 취급하던 관청. ¶ 경성(京城)~.

부:청[2]【赴請】명〖불교〗시주(施主)의 의뢰를 받고 승려가 불사(佛事)를 치르러 가는 일.

부:청[3]【俯聽】명 주의 깊게 들음. 공손한 태도로 들음. ——-하다 타여불

부청 멸양【扶淸滅洋】명 청나라를 돕고 서양(西洋)을 물리침.

부체[1] 명〈옛〉부채[1]. =부치[1]. ¶ 부체 션(扇)《字會 中 15》/노푼 ᄆᆞᅀᆞᆯ히 그룬 부체ᄅᆞᆯ ᄀᆞ초고(高秋收畫扇)《杜諺 Ⅹ:36》.

부체[2] 명〈옛〉문짝. ¶ ᄒᆞᆫ 부체ᄅᆞᆯ 다ᄃᆞ니 ᄒᆞᆫ 부체 열이곰ᄒᆞᆯᄊᆡ《月釋 Ⅶ:9》.

부체[3]【浮體】명〔floating body〕〖물〗부력(浮力)을 받아 액체 가운데나 표면에 떠 있는 물체.

부:체[4]【賦體】명 부(賦)의 문체(文體).

부체 공항【浮體空港】명 부체 구조(浮體構造) 방식으로 만드는 공항. 바다 위에 수많은 드럼통을 띄우고 그 위에 트러스 구조(truss構造)의 활주로를 깖.

부처-살다 자 남에게 의지하여 살다. 얹혀 살다. ¶ 처가(妻家)에 부처사는 신세.

부처-지내다 자 밥 등을 부쳐 먹고 살다.

부체 명〈옛〉부채[1]. =부치[1]. ¶ 부체 션(扇)《石千 35》.

부초[1] 명〈방〉〖식〗부추.

부초 같은 양:반 구 연약한 양반.

부초[2]【浮礁】명 ①목재(木材) 등으로, 수중에 만들어 놓은 물고기의 서식처(棲息處). ②'왕고래'의 이칭(異稱). 마치 바다에 뜬 암초(暗礁)처럼 보이는 데서 이름.

부초[3]【麩炒】명〖한의〗약재(藥材)에 밀가루를 묻혀서 볶음. ——-하다 타여불

부:촉【咐囑】명 부탁하여 위촉함. ——-하다 타여불

부:-촉매【負觸媒】명〖화〗역(逆)촉매.

부:촌【富村】명 부자가 많이 사는 마을. ↔빈촌(貧村).

부:-총관【副摠管】명〖역〗①조선 시대 때 오위 도총부(五衛都摠府)의 종이품(從二品) 벼슬. ②대한 제국 때, 승녕부(承寧府)의 칙임(勅任)의 한 벼슬.

부:-총리【副總理】[—니] 명 국무 총리가 특별히 위임하는 사무를 처리하고, 국무 총리 유고시 그 직무를 대리하는 직위. 또, 그 사람. 재정 경제부 장관·교육 인적 자원부 장관이 겸임함.

부:-총장【副總長】명 총장을 보좌하며 총장이 유고시(有故時)에 그를 대리하는 직위. 또, 그 사람.

부:-총재【副總裁】명 총재를 보좌하며 총재의 유고시(有故時)에 그를 대리하는 직위. 또, 그 사람.

부:-총제사【副摠制使】명〖역〗고려 때의 삼군도총제부(三軍都摠制府)의 한 벼슬. 총제사의 다음으로, 통헌(通憲) 이상의 사람으로 보하였음.

부:추 명 〖식〗 [*Allium tuberosum*] 달래과에 속하는 다년초. 인경(鱗莖)은 작고 담갈색의 섬유로 싸였으며 밑에 근경이 붙음. 봄철에 선상(線狀) 육질(肉質)의 잎이 인경에서 속생(束生)함. 여름철에 백색의 작은 육판화(六瓣花)가 길이 30 cm 가량의 화경(花莖) 끝에 산형(繖形) 화서로 피고, 삭과(蒴果)는 익으면 저절로 터져서 까만 씨가 나오는데, 한방(漢方)에서 '구자(韭子)'라 하여 비뇨(泌尿)의 약재로 씀. 마늘 비슷한 특이한 냄새가 나며 염분(塩分)·칼슘의 함유량이 많고 예로부터 재배되었음. 중국·인도 원산으로 한국 각지 및 일본에 분포함. 잎과 꽃을 식용함. 구채(韭菜). 난총(蘭葱).

〈부추〉

부추구-부 【一韭部】 명 한자 부수(部首)의 하나. '韰'나 '韱' 등의 '韭'의 이름.

부:추기다 타 〔근대 : 부쵸기다, 부츄기다〕 남을 이리저리 들쑤셔서 그 일을 하게 만들다. 추기다. 꼬드기다. ¶ 개를 부추겨서 물게 하다.

부:추-떡 명 반쯤 구운 돼지고기와, 잘게 썬 부추에 간장과 후춧가루를 쳐서 함께 반죽하여 놓고, 밀가루를 반죽하여 얇게 조각을 지어 겉에 싸서 구운 떡. 구채병(韭菜餠).

부:추 잡채 【一雜菜】 명 가늘게 썬 돼지고기와 부추를 기름에 볶은, 중국식의 잡채.

부:추 장아찌 명 부추를 간장에 넣고 고명하여 만든 장아찌.

부:추-죽 【一粥】 명 부추를 썰어 넣고 만든 장국죽.

부:축[1] 명 ↗곁부축❶. ——-하다 타여불. ¶ ~해서 일으키다.

부:축[2] 【副軸】 명 〖수〗 쌍곡선(雙曲線)의 두 개의 대칭축(對稱軸) 중, 곡선과 교차하지 아니하는 쪽의 것. 공액축(共軛軸). 켤레축.

부:축-빼기 명 〈속〉 취한 사람을 부축해 주는 체하면서 주머니를 털어 가는 소매치기 수법(手法).

부:-축일 【副祝日】 명 〖천주교〗 대(大)축일이 지난 뒤의 하루에서 여드레까지의 날.

부:춘 【富春】 명 〖사람〗 민태원(閔泰瑗)의 호(號).

부춛-돌 명 뒷간 바닥에 부출 대신 좌우에 한 개씩 놓아서 발로 디디게 된 돌.

부출 명 ①〖건〗 양복장 같은 것의 네 귀에 세운 나무 기둥. ②디디고 뒤를 보는 뒷간 바닥의 널빤지.

부:췌 【附贅】 명 혹. 무용지물(無用之物).

부취 【浮取】 명 붙여 두었던 것을 떼워 버림. ——-하다 타여불

부:츠 〔boots〕 명 장화(長靴).

부츠다 타 〈옛〉 부치다[2]. ¶ 煩惱濁올 부츠씨(皷煩惱濁) ≪楞嚴 V:57≫.

부측 【父側】 명 아버지의 곁. 아버지의 편. ↔모측(母側).

부치[1] 명 〈방〉 부채[1](경상).

부치[2] 부 〈옛〉 나부끼게. 부치이게. ¶ 松間細路에 杜鵑花를 부치 들고 峯頭에 급피 올나 구름 소긔 안자 보니 ≪不憂軒集 賞春曲≫.

부치개 명 〈방〉 부침개.

부치개-질 명 ☞ 지짐질. ——-하다 자타여불

부치다[1] 자 힘이 모자라다. ¶ 힘에 부치는 일.

부치다[2] 타 〔중세 : 붗다. 근대 : 부치다〕 부채나 풍석(風席) 같은 것을 흔들어서 바람을 일으키다.

부치다[3] 타 〔중세 : 브티다〕 ①남을 시켜서 편지나 물건을 보내다. ¶ 편지를 ~. ②다른 곳·기회에, 넘기어 맡기다. 회부(回附)하다. ¶ 공판(公判)에 ~/인쇄에 ~. ③어떠한 대우를 하기로 하다. ¶ 불문(不問)에 ~. ④심정을 의탁하다. ¶ 화조 월석(花朝月夕)에 부쳐 읊은 시조. ⑤몸이나 식사를 어떤 곳에 의지하다. ¶ 몸 부칠 곳이 없다.

부치다[4] 타 논밭을 다루어서 농사를 짓다. ¶ 밭을 ~.

부치다[5] 타 번철(燔鐵)에 기름을 바르고 빈대떡 같은 것을 익혀서 만들다.

부치다[6] 피동 〈옛〉 부치이다. ¶ 버텅에 서리딘 버드른 브루매 부치놋다(飄颻委墀柳) ≪杜諺 IX:21≫.

부치이다 피동 바람에 부치어지다.

부치-풍뎅이 명 〖충〗 [*Onthophagus atripennis*] 풍뎅잇과에 속하는 곤충. 몸길이 6-10 mm, 몸빛은 광택 있는 흑색 내지 흑갈색임. 수컷의 두부(頭部) 상연(上緣)은 두 각상(角狀)을 이루고 촉각은 적갈색임. 짐승의 똥이나 썩은 동물질에 모이는데, 한국·일본·중국·만주 등지에 분포함. *렌츠부치풍뎅이.

부:칙 【附則】 명 ①어떠한 규칙을 보충하기 위하여 부가(附加)한 규칙. ②〖법〗 법률이나 명령의 말미(末尾)에 부가해서 경과 규정(經過規定)·시행 기일·세목(細目)을 정하는 방법 등을 규정한 것. ↔본칙(本則).

부친 【父親】 명 아버지❶. ↔모친(母親).

부친-상 【父親喪】 명 아버지의 상사. 준부상(父喪). ↔모친상.

부침 【浮沈】 명 ①물 위에 떠오름과 물 속에 잠김. 골몰(汨沒). ②성쇠(盛衰)의 무상(無常)함이나 또는 시세(時勢)의 변천(變遷)을 가리키는 말. ¶ ~이 많은 인생. ——-하다 자여불

부침-개 명 빈대떡·저냐·누름적 같은 것의 총칭.

부침개-질 명 지짐질. 부침질. ——-하다 자타여불

부침-새 명 〖악〗 판소리나 산조(散調)·농악 같은 리듬 변화가 다양한 음악에 쓰이는 리듬 변주 기교(變奏技巧)의 통칭. 변주 형태에 따라 엇붙침·잉어걸이·완자걸이·교대죽 등이 있음.

부침 선:광 【浮沈選鑛】 명 〖광〗 중액(重液) 선광.

부침 시험 【浮沈試驗】 명 〖화〗 광석·석탄 등의 고체 원료를 그 입자(粒子)의 비중에 의해서 둘 이상의 그룹(group)으로 나눠, 그 비중 구성을 조사하거나 특정한 성분 입자를 분리하기 위하여 하는 시험 방법. 염화 아연·브롬화 아연·사염화 탄소 등의 특수한 시약(試藥)이나 그 용액으로 만든 일정한 비중의 중액(重液) 속에 고체 입자를 담가서 부침 분리함.

부침-이 명 〈방〉 부침개.

부침-자 【浮沈子】 명 〖물〗 물이 들어 있는 유리병 속에, 아래는 비어 있고 위쪽에만 공기를 넣어 평균 비중이 물보다 작게 한 인형을 넣고, 유리병을 고무막으로 봉한 다음, 이 고무막을 누르면 물의 압력이 높아지고 인형 속의 공기가 압축되기 때문에, 부력(浮力)이 감소되어, 인형이 가라앉게 한 장치. 파스칼(Pascal)의 원리나 아르키메데스(Archimedes)의 원리를 실증하는 데 쓰이며, 완구로도 쓰임.

부-침-지-삭 【浮沈遲數】 명 〖한의〗 부맥(浮脈)·침맥(沈脈)·지맥(遲脈)·삭맥(數脈)의 일컬음.

부침-질 명 지짐질. 부침개질. ——-하다 자타여불

부침-하다 자여불 논밭을 다루어서 농사짓는 일을 하다.

부칭 【浮秤】 명 〖물〗 액체 비중계. 하이드로미터. 뜬저울.

부치[1] 명 〈옛〉 부채[1]. =부체[1]·부채. ¶ 韭扇同訓皆云부치 ≪雅言 卷 1≫.

부치[2] 명 〈옛〉 부추. ¶ 부치 해(薤) ≪字會 上 13≫.

부카라망가 〔Bucaramanga〕 명 〖지〗 콜롬비아 북부의 상공업 도시. 해발 1,000 m의 고원에 있으며, 커피·담배 등의 거래(去來) 중심지임. [341,513 명(1985)]

부카레스트 〔Bucharest〕 명 〖지〗 '부쿠레슈티'의 영어 이름.

부카레스트 평화 조약 【一平和條約】 〔Bucharest〕 명 〖역〗 ①1913년 제2차 발칸 전쟁을 종결시킨 강화 조약. 루마니아·그리스·세르비아·몬테네그로와 불가리아 사이에 체결되었고 패전국 불가리아가 영토를 할양(割讓)하였음. ②1918년 제1차 세계 대전 말기, 연합국측의 루마니아가 패하여, 독일·오스트리아와 맺었던 강화 조약. 독일의 패전 후 폐기되었음.

부:케 〔프 bouquet〕 명 꽃다발.

부커-잡다 타 〈방〉 부둥키다.

부코비나 〔Bukovina〕 명 〖지〗 동유럽, 카르파티아(Carpathia) 산맥과 드네스트르 강(Dnestr江) 사이에 있는, 루마니아 북동부와 우크라이나 남서부에 걸친 지방의 역사적 지명. 프루트 강(Prut江)·시레트 강(Siret江)의 유역이며 삼림과 비옥한 농업 지대로 이루어짐. 1918년 루마니아령(領)이 되었다가, 1940년 북반(北半)은 소련령(領)이 됨.

부쿠레슈티 〔București〕 명 〖지〗 루마니아의 수도. 정치·상공업·교통의 중심지로 다뉴브 강(江)의 지류에 연하여 있으며, 왈라키아 평원(Walachia平原)의 곡물 집산지이기도 함. 제2차 대전 후, 기계·화학·차량·전기 기구 공업이 일어남. 부근에 보양지가 많아 '동방의 파리'라고 불리어짐. 부카레스트. [606 km²: 1,990,000 명(1990)]

부크 〔Bukh, Niels〕 명 〖사람〗 덴마크의 체육 지도자. 덴마크 체조의 창안자. 1912년 스톡홀름 올림픽 대회에서 덴마크의 집단 체조를 지휘, 뒤에 이를 개량하여 덴마크 체조라 이름지었음. [1880-1950]

부클릿 〔booklet〕 명 소책자(小冊子). 팸플릿(pamphlet).

부킹 〔booking〕 명 ①(장부의) 치부. 기장(記帳). ②항공권, 호텔 방 등의 예약. ③영화관과 영화 배급 회사 사이의 흥행 계약.

부타디엔 〔butadiene〕 명 〖화〗 이중 결합(二重結合) 두 개를 가진 탄소 원자 4개의 사슬 모양 탄화 수소(炭化水素). 두 종류의 이성질체(異性質體)가 있으나, 단순히 부타디엔이라 하면 3부타디엔을 가리킴. 합성 고무 원료로 쓰임. [C_4H_6]

부타디엔 수지 【一樹脂】 명 〔butadiene resins〕 〖화〗 부타디엔의 중합체(重合體)를 원료로 하는 수지. 플라스틱과 고무의 중간적 성질을 갖고 있으며, 염화 비닐(塩化 vinyl)과 달리 가소제(可塑劑)를 필요로 하지 않음.

부:탁 【付託】 명 남에게 의뢰함. 남에게 당부하여 맡김. ——-하다 타여불

부탄[1] 【浮誕】 명 말이나 하는 짓이 들뜨고 추잡하여 허황함. ——-하다 형여불

부탄[2] 〔Bhutan〕 명 〖지〗 인도 북동의 히말라야 산록에 있는 왕국. 17세기경 티베트로부터 침입해 온 종족과 토착 민족으로 구성됨. 19세기 이후 영국의 보호령이었으나 1947년 그 지배에서 벗어났으며, 1949년 인도로부터 보조금을 받는다는 조건으로 외교권을 인도에 이양함. 배외적(排外的) 기풍이 강하며, 라마교와 불교를 신봉하고 티베트어를 사용함. 쌀·밀·잡곡을 생산하고 소·돼지 등의 축산도 행하여짐. 수도는 팀부(Thimbu). [47,000 km²: 1,520,000 명(1990)]

부탄[3] 〔butane〕 명 〖화〗 천연 가스·석유 분해 가스에 함유되어 있는 알칸. 상온(常溫)에서 무색의 기체임. 연료나 석유 화학 원료 등으로 쓰임. n-부탄과 iso-부탄의 두 이성질체(異性質體)가 있으나 일반적으로 n-부탄을 가리키며, 화학식은 '$CH_3(CH_2)_2CH_3$'이고, iso-부탄의 화학식은 '$(CH_3)_3CH$'임.

부탄 가스 〔butane gas〕 명 〖화〗 부탄·부틸렌(butylene)의 혼합 가스. 압축하면 쉽게 액화(液化)하므로 가스 라이터 등에 쓰임. 또, 프로판가스에도 20-30% 들어 있음.

부탄올 〔butanol〕 명 〖화〗 탄소 수 4인 지방족의 1가 알코올. 네 가지 이성질체(異性質體)가 있음. 용제(溶劑)로 쓰임. 1-부탄올 $CH_3CH_2CH_2CH_2OH$는 끓는점 117.3℃, 이소부탄올 $(CH_3)_2CHCH_2OH$는 끓는점 108℃, 2-부탄올 $CH_3CH_2CH(OH)CH_3$은 끓는점 98.5℃, 3-부탄올 $(CH_3)_3COH$는 끓는점 25.6℃임. [C_4H_9OH]

부:탕 【府帑】 명 나라의 금고. 국고(國庫). 또, 그 돈.

부태 명 〈방〉 부티[1].

부:태기 명 〈방〉 ①뒤턱❶. ②부탁(付託).

부:-태묘 【祔太廟】 명 〖역〗 제왕(帝王)의 삼년상(三年喪)을 마친 뒤에 그 신주(神主)를 태묘(太廟)에 모시던 일. ——-하다 타여불

부터 조 〔중세 : 브터〕 체언(體言) 아래에 쓰이어 '시작'의 뜻을 나타내는 보조사. ¶ 너~ 먼저 읽어라/처음~ 끝까지.

부터-허리 명 〈방〉 부티[1].

부텀 조 〈방〉 부터.

부테 명 〈방〉 부티[1].

부테난트 〔Butenandt, Adolf Friedrich Johann〕 명 〖사람〗 독일의 생

화학자(生化學者). 성호르몬(性 hormone)을 단리(單離)하여 화학 구조를 결정(決定)하고, 스테로이드(steroid)에 관한 연구로, 1939년 노벨 화학상이 수여됐으나, 나치스의 압박으로 사퇴함. 곤충의 성유인 물질(性誘引物質)의 연구도 있음. [1903-95]

부텨 명 〈옛〉 부처[1]❶. ¶ 佛은 부테시니라《釋譜 序 5》/부텨와 祖師왜(佛祖)《蒙法 44》/부텨 불(佛)《字會 中 2, 類合 下 24》.

부텻긔 〈옛〉 부처에게. '부텨'의 여격형(與格形). ¶ 須達이 이 말 듣고 부텻긔 發心올 니르와다《釋譜 Ⅵ:19》.

부톄 〈옛〉 ①부처가. '부텨'의 주격형. ¶ 네 오는 뉘예 반드기 부톄 드외야(汝於來世當得作佛)《月釋 Ⅰ:51》. ②부처이-. '부텨'의 서술격형. ¶ 佛은 부텨시니라《釋譜 序 Ⅰ》.

부:토[1] 【腐土】 명 부식토(腐植土).

부토[2] 【敷土】 명 흙이나 모래를 펴서 까는 일. 또, 그 흙. ——-하다 자타여불

부:-통령 【副統領】 [-녕] 명 〖정〗 대통령중심제 국가의 부원수(副元首).

부투 【餢飳】 명 밀가루로 만든 증편.

부틀레로프 〔Butlerov, Aleksandr Mikhailovich〕 명 〖사람〗 러시아의 화학자. 페테르부르크 대학 등의 교수를 거쳐 과학 아카데미 교수. 케쿨레(Kekule)와는 별도로 화학 구조론을 확립함. 호변이성(互變異性)에 관한 선구적 연구를 하였고 유기 합성 화학에도 많은 연구 업적을 남김. [1828-86]

부티[1] 명 피륙을 짤 때, 베틀의 말코 두 끝에 끈을 매어 허리에 두르는 넓은 띠. 나무나 가죽 또는 베붙이 등으로 만듦. ＊베틀.

〈부티[1]〉

부:-티[2] 【富-】 명 부유하게 보이는 모양이나 태도. ¶ ~ 나는 옷차림.

부:티[3] 〔bootee〕 명 여성·어린이용의 가벼운 목달이 구두 또는 반(半) 장화.

부티-끈 명 베틀의 말코 두 끝과 부티 사이에 맨 끈.

부티르-산 【-酸】 명 〔butyric acid〕 〖화〗 질이 낮은 지방산(脂肪酸)의 한 가지. 버터·치즈 등의 유지(油脂)나 땀·육즙(肉汁)이 썩을 때 생기며, 자극성이 있는 불쾌한 냄새가 나는 무색·유상(油狀)의 액체임. 발효(醱酵)하며 물·알코올·에테르 등에 잘 녹음. 가죽을 다루는 데 쓰이며, 세균학·생리학의 시험 약품 또는 합성 향료(香料)의 원료로도 사용됨. 구칭 : 낙산(酪酸). [$CH_3CH_2CH_2COOH$]

부티르산-균 【-酸菌】 명 탄수화물(炭水化物)을 발효(醱酵)시켜 많은 부티르산을 생성하는 균. 혐기성(嫌氣性)인 대형 간균(桿菌)인데, 포자(胞子)를 만들면 방추형(紡錘形)이 됨. 토양·물·곡류·우유 등에 존재함. 구칭 : 낙산균(酪酸菌).

부티크 〔프 boutique〕 명 〔작은 가게의 뜻〕 고급 기성복·장신구(裝身具)·양장 소품 따위를 다루는 가게.

부틸-기 【-基】 〔butyl〕 명 〖화〗 탄소의 수가 4개인 알킬기의 하나. 4종류의 이종(異種)이 있음. [C_4H_9-]

부틸렌 〔butylene〕 명 〖화〗 분자 중에 1개의 이중 결합을 가진 사슬 모양의 불포화 탄화 수소인 알켄의 하나. α-부틸렌·β-부틸렌·이소부틸렌의 세 가지 이성질체(異性質體)가 있음. α·β부틸렌은 탈수소시켜 부타디엔으로 하여 합성 화학 공업에 이용됨. [$CH_3-CH_2-CH=CH_2$]

부틸 알코올 〔butyl alcohol〕 명 〖화〗 부탄올.

부팃-줄 명 〈방〉 부티끈.

부:팅 〔booting〕 명 〖컴퓨터〗 컴퓨터를 사용할 수 있도록 보조 기억 장치에 있는 운영 체제를 주기억 장치로 복사하는 과정. ——-하다 타여불

부파[1] 명 〈방〉 〖악〗 북[2](함경).

부:파[2] 【剖破】 명 쪼개어 깨뜨림. 또, 쪼개지어 부수어짐. ——-하다 자

부파 불교 【部派佛敎】 명 〖불교〗 석가 입멸(入滅) 후 100년 경에 원시불교가 분열을 거듭하여 20여 개의 교단(敎團)으로 갈라진 시대의 불교의 총칭. 이 파들은 아비달마(阿毘達磨)라는 독자적인 불교 신학을 전개하여 후에 유식(唯識) 사상의 성립에 중요한 역할을 하였으며, 한편 출가(出家) 본위로 소승(小乘)의 입장에 떨어졌음.

부:판[1] 【附板】 명 두 조각을 가로 붙여서 만든 널.

부:판[2] 【附版】 명 최복(衰服) 등 뒤에 늘어뜨리는 베 조각. 비애(悲哀)를 표시함.

부:판[3] 【負板】 명 비통한 모양. ——-하다 형여불

부:판[4] 【負販】 명 물품을 등에 지고 다니며 팖. ——-하다 타여불

부:판[5] 【剖判】 명 둘로 갈라 나눔. ——-하다 타여불

부:-판사 【副判事】 명 〖역〗 대한 제국 때 한성(漢城) 재판소의 한 벼슬.

부:패[1] 【一牌】 명 〖광〗 광업(鑛業)을 함께 경영하는 사람.

부패[2] 【符牌】 명 〖역〗 병부(兵符)·순패(巡牌)·마패(馬牌) 등의 총칭.

부:패[3] 【腐敗】 명 ①썩고 결딴나서 쓸모가 없게 됨. ②법규(法規)나 제도 등이 문란(紊亂)하여 바르지 못함. ¶ ~한 정치. ③정신이 타락함. ¶ 청년들의 기질이 ~한 나라는 번영할 수 없다. ④〖화〗 단백질 기타 유기물(有機物)이 부패균(腐敗菌)에 의하여 분해되어 유독(有毒)한 물질과 악취(惡臭)를 발생하게 되는 변화. ——-하다 자여불

부:패-균 【腐敗菌】 명 〖식〗 물질을 부패시키는 세균. 단백질과 그 밖의 질소(窒素)를 함유(含有)한 유기 물질을 부패시켜 간단한 질소 화합물 등으로 분해함. 발광균(發光菌)·유산균(乳酸菌)·고초균(枯草菌) 등이 있음. 부패 세균. 부패 박테리아.

부:패-물 【腐敗物】 명 부패한 물건.

부:패-병 【腐敗病】 [-뼝] 명 〖식〗 식물의 부드럽고 즙(汁)이 많은 조직이나 줄기 뿌리가 말라 죽게 되는 병. 감자·고구마 등의 식물에 많이 발생하는데, 연부병(軟腐病)과 건부병(乾腐病)으로 구분됨.

부:패-상 【腐敗相】 명 부패한 양상(樣相). ¶ 사회의 ~을 반영한 사건.

부:패 선:거구 【腐敗選擧區】 명 〔rotten borough〕 〖정〗 영국에서 산업혁명 후 인구 분포의 현저한 변화로 인구가 적어 하원 의원(下院議員) 선거의 자격이 없게 된 불합리한 선거구. 1832년의 선거법 개정에 의해 없어짐.

부:패-성 【腐敗性】 [-썽] 명 부패하는 성질.

부:패 세:균 【腐敗細菌】 명 〖식〗 부패균(腐敗菌).

부:패-열 【腐敗熱】 명 부패할 때에 발생하는 열.

부퍼탈 〔Wuppertal〕 명 〖지〗 독일의 서부인 노르트라인베스트팔렌(Nordrhein-Westfalen) 주의 상공업 도시. 루르(Ruhr) 공업 지대 남부, 부퍼(Wupper) 강에 연하여 있으며, 섬유 관계 외에 금속·화학 공업이 행하여짐. 1929년에 엘버펠트(Elberfeld)·바르멘(Barmen)·론스도르프(Ronsdorf) 등이 합병하여 성립되었음. [376,217 명(1987)]

부페 〔buffet〕 명 '뷔페[1]'의 영어명.

부:편 【否便】 명 토의(討議)에 있어서 옳지 아니하다고 주장하는 편. 반대하는 편. ↔가편(可便).

부:-편수관 【副編修官】 명 국가 공무원의 한 직급 명칭. 5급 공무원으로, 교과용 도서의 편수와 검정에 관한 사항을 담당함.

부:폄 【祔窆】 명 합장(合葬). ——-하다 타여불

부평[1] 【浮萍】 명 〖식〗 ↗부평초(浮萍草).

부평[2] 【浮評】 명 근거없는 뜬소문.

부:평[3] 【富平】 명 〖지〗 인천 광역시의 한 구(區). 부평 향교(鄕校)·부평 도호부 청사(都護府廳舍) 등이 있음. [32.03km^2 : 496,483명]

부평-초 【浮萍草】 명 〖식〗 개구리밥. 준부평.

부포[1] 명 〖민〗 농악놀이에서, 농악대원들이 쓰는 흑전립(黑戰笠) 꼭대기에 말린, 백로털로 만든 뭉치. ＊상모[2]❷.

부포[2] 【浮包】 명 부대(浮袋).

부:포[3] 【副砲】 명 〖군〗 군함(軍艦)의 주포에 버금가는 작은 구경(口徑)의 속사포(速射砲). 구축함·잠수함·어뢰정(魚雷艇) 등의 기습을 방어하기 위한 것임. ↔주포(主砲).

부-포대 【浮砲臺】 명 〖군〗 항만(港灣)의 방어를 위하여 해상에 설치한 포대.

부:표[1] 【付票】 명 쪽지를 붙임. ——-하다 자여불

부:표[2] 【否票】 명 회의에서 가부를 표결할 때 불찬성(不贊成)의 뜻을 나타내는 표. ¶ ~를 던지다. ↔가표(可票).

부:표[3] 【附表】 명 부록으로 덧붙인 도표.

부:표[4] 【附票】 명 찌지.

부표[5] 【浮漂】 명 물 위에 떠서 이리저리 떠돌아다님. ——-하다 자여불

부표[6] 【浮標】 명 ①물 위에 띄워 어떤 표적을 삼는 물건. ②항로 표지(航路標識)의 하나. 물 위에 띄워 암초(暗礁)나 기타의 소재 및 항로(航路) 등을 가리켜 보이는 제구. 둥글고 속이 빈 쇠공을 붉은 칠을 하여 끈으로 해저(海底)에 고착시켜 띄움. 부이(buoy).

부표 생물 【浮漂生物】 명 〖생〗 수표면(水表面) 가까이에 떠서 군집(群集)을 이루는 미생물군(群). 주로 호소학(湖沼學)에서 쓰이는 말로, 부영양화(富營養化)한 지소(池沼)에서 많이 볼 수 있는 녹조류(綠藻類) 등이 그 주된 것이며 그 때문에 녹색을 나타냄.

부표 수뢰 【浮漂水雷】 명 〖군〗 수중(水中)의 임의(任意)의 위치에 부표시키는 수뢰.

부표 식물 【浮漂植物】 명 〖식〗 잎은 수면(水面)에 뜨고 뿌리는 물 속에서 영양을 취하는 식물. 부평초 같은 것. 부수(浮水) 식물. ＊부엽(浮葉) 식물.

부:-표제 【副標題】 명 부제(副題).

부푸다 형 〈방〉 부프다.

부푸러기 명 부풀의 낱개. >보푸라기.

부풀 명 종이나 피륙의 거죽에서 일어나는 가는 털. ¶ ~이 일다. >보풀[1].

부풀다 자 〔중세 : 브플다〕 ①종이나 피륙 등의 거죽에 잔털이 일어나다. > 보풀다. ②살가죽이 붓거나 부르터 오르다. ③희망·기대 따위로 마음이 가득하게 되다. ¶ 희망에 부푼 가슴. ④물체가 늘어나면서 부피가 커지다. ¶ 빵 반죽이 잘 부풀었다/햇볕에 널었더니 이불솜이 폭신하게 부풀었다.

부풀리다 ⊟자 부풀어지다. >보풀리다. ⊟타 부풀게 하다. ¶ 빵을 ~. >보풀리다.

부풀-부풀 부 부푸러기가 일어난 모양. >보풀보풀. ——-하다 형여불

부풀어-오르다 자르불 ①물건의 부피가 점점 커지다. ②부르트다.

부풀음 명 〈방〉 부풀.

부품 【部品】 명 부분품. ¶ 자동차 ~ 공장. ＊부속품(附屬品).

부품-도 【部品圖】 명 부품의 상세한 내용을 표시한 도면의 하나. 이에 의하여 제작이 행하여지므로 현척(現尺)으로 나타냄. ＊상세도(詳細圖).

부풍 【扶風】 명 폭풍(暴風).

부풍 모:습 【父風母習】 명 아버지와 어머니를 고루 닮음. ——-하다 자여불

부프다 형 ①물건의 부피는 크나 무게는 가볍다. ②성질이 부드럽지 못하고 급하다. ¶ "…제가 목 벨 다짐을 하겠습니다."하고 부프게 말하는 것을…《洪命憙 : 林巨正》.

부픈-살 명 굵은 화살. ↔몸빠진살.

부픈-짐 명 무게는 나가지 아니하고 부피만 큰 짐. ↔몽근짐.

부풋-부풋 부 모두 부풋한 모양. ——-하다 형여불

부풋-이 부 부풋하게.

부풋-하다 형여불 ①물건이 부프고도 두껍다. ②말이 사실보다 과장되다.

부피 명 ①물건이 차지하고 있는 공간(空間) 부분의 크기. 곧, 물건의 겉으로 드러난 넓이의 크기. ¶ ~가 큰 짐. ②〖수〗 체적(體積). ③〈방〉 〖악〗 북[2].

부피 밀도 【-密度】 [-또] 명 〖물〗 어떤 양이 공간 안에 분포하고 있을 때 그 미소(微小)한 부피에 대한 비. 공간(空間) 밀도라고도 하며 면(面) 밀도·선(線)밀도에 대립하는 개념(槪念)임.

부피 분석 【-分析】 명 〔volumetric analysis〕 〖화〗 정량 분석(定量分

析)의 한 가지. 농도(濃度)가 일정한 시약(試藥)의 용액(溶液) 곧, 표준 용액(標準溶液)을 시료(試料)의 용액에 가하여 일정한 화학 반응(化學反應)을 일으킬 때, 그 반응을 완료하기까지에 요하는 시약의 분량으로 시료의 정량(定量)을 측정(測定)하는 분석법. ↔무게 분석. *적정(滴定).

부피 유량계【一流量計】명〔volumetric flow meter〕관(管) 또는 도랑을 통하여 단위 시간에 흐르는 유체(流體)의 부피를 재는 유량계. ↔질량 유량계.

부피 탄:성【一彈性】명〔volume elasticity〕〖물〗물체의 부피를 변화시켰을 때 그 본디 부피로 돌아가려고 하는 탄성. 실린더 안에 밀폐된 기체가 보이는 탄성 따위. 체적 탄성.

부피 탄:성 계:수【一彈性係數】명〔bulk modulus〕〖물〗탄성체(彈性體)에 고르게 압력을 가하여 압축하는 경우에, 가한 힘을 부피 변화의 비율로 나눈 수치. 체적 탄성률. 용적 탄성률.

부피 팽창【一膨脹】명〔cubical expansion〕〖물〗물체의 부피가 온도에 따라 느는 일. 체적 팽창. 체(體)팽창.

부피 팽창 계:수【一膨脹係數】명〔coefficient of cubical expansion〕〖물〗온도 1℃를 높이는 데 따라 생기는 물체의 팽창량과 그 물체의 0℃에서의 부피와의 비(比). 체적 팽창 계수. 몸팽창 계수. 체팽창 계수.

부하[1] 명〈방〉〖생〗부아[1]❶.

부:하[2]【府下】명 어떤 부의 구역내(區域內).

부:하[3]【負荷】명 ①짐을 짐. 또, 그 짐. ②일을 맡김. ¶ ~된 사명(使命). ③〖물〗원동기(原動機)에 가하여지는 작업량(作業量). ④〖전〗진공관 회로(回路)에 있어서, 출력(出力)을 내기 위한 변성기(變成器). ——-하다 타여불

부하[4]【部下】명 남의 밑에 딸리어 그의 명령에 따라 움직이는 사람. 우하(宇下). 예속(隷屬). ↔상관(上官).

부:-하다[1]【附一】타여불 ①종이나 헝겊 같은 것을 덧붙이다. ②나뭇조각을 맞대거나 가로 대어 붙이다.

부:-하다[2]【富一】형여불 ①살림이 넉넉하다. 재산이 많다. ¶ 부하고 귀하다. ②살이 쪄서 몸이 뚱뚱하다. ¶ 몸이 부한 사람.

부하라〔Bukhara〕명〖지〗우즈베키스탄 공화국의 도시. 제라프샨 강(Zeravshan江) 하류부의 오아시스에 위치함. 중앙 아시아의 고도(古都)로 중세의 교역(交易)·과학·예술의 한 중심지였음. 양피(羊皮)·면화·견직물·금실 자수·동제(銅製)의 각종 용기 등을 산출하며 옛날부터 실크 로드 상(上)의 요충으로 알려짐. [92,000명(1981)]

부하라 한국【一汗國】〔Bukhara〕명 서투르키스탄(西Turkistan)의 부하라를 도읍으로 우즈베크족(族)이 세운 나라. 티무르(Timur) 제국의 쇠퇴에 편승, 1505년 우즈베크족(族)의 샤이바니(Shaybāni)가 왕조를 세웠으나 아바스(Abbās) 왕조의 압박으로 붕괴함. 다른 계통인 아스트라한 왕조는 17세기 후반에 들어 융성하였으나 1785년 페르시아에 망함. 이를 대신하여 망기트(Manghit) 왕조가 들어섰으나 러시아에 눌려 1868년 그 보호국이 되었다가 1924년 '우즈베키스탄 공화국'이 됨.

부하린〔Bukharin, Nikolai Ivanovich〕명〖사람〗소련의 정치가·작가. 공산당 중앙 위원. 프라우다지(Pravda紙) 주필(主筆)을 역임. 1929년 농업 집단화 강행(强行)에 반대하다 실각(失脚)하고 1937년 트로츠키파(Trotskii派)로 지목되어 이듬해 총살됨. 저서는 《사적(史的) 유물론》·《공산주의의 ABC》·《제국주의와 자본 축적》 등. [1888-1938]

부:하 시:험【負荷試驗】명〔도 Belastungsprobe〕〖의〗일정한 약제나 운동을 부하하여 장기(臟器)의 기능을 검사하는 방법. 주로 신장(腎臟)·간(肝)·심장의 기능 검사에 응용되며 특히 신장에 대한 것이 많음.

부:하-율【負荷率】명〖전〗어떤 기간 중의 평균 전력 소비량의 최대 소비량에 대한 비율.

부:하 저:항【負荷抵抗】명〖물〗전기 회로(電氣回路)에서, 부하가 되는 저항.

부:학【副學】명〖역〗↗부제학(副提學).

부:-학사【副學士】명〖역〗홍문관(弘文館)의 한 벼슬.

부:-학장【副學長】명 학장을 보좌하여 학장이 유고시(有故時)에 그를 대리하는 직위. 또, 그 사람.

부:합[1]【附合】명 ①서로 맞대어 붙임. ②〖법〗각기 다른 소유자(所有者)에 속하는 두 개 이상의 물건이 맞붙어서 물리적·사회 경제적으로 보아 뗄 수 없게 되었거나 떼기가 심히 곤란한 상태가 되는 일. 원칙으로 하나의 물건으로 취급되며 동산이 부동산에 부합하였을 때는 부동산의 소유자가, 동산과 동산이 부합하였을 때는 주된 동산의 소유자가 소유권을 취득함. ——-하다 자타여불

부합[2]【符合】명 부신(符信)이 서로 꼭 맞듯이 두 가지 사물이 서로 꼭 들어맞음. 계합(契合). ——-하다 자여불

부:합 계:약【附合契約】명〖경〗보통 독점적 기업체인 거래 주체(去來主體)가 미리 일방적으로 정한 정형적(定型的) 조항을 내용으로 하는 계약. 취업 규칙·보험 계약 같은 것. 부종(附從) 계약. *보통 계약 약관.

부:합-물【附合物】명〖법〗부가물(附加物).

부:항[1]【附缸】명 부스럼의 고름이나 독혈(毒血)을 빨아내기 위하여 창구(瘡口)에 뜸단지를 붙이는 일. →부앙[1].

부:항(을) 붙이다 [一부치一] 구 부스럼의 창구(瘡口)에 부항을 대다.

부:항[2]【負項】명〖수〗'음(陰)의 항(項)'의 구용어.

부:항[3]【俯項】명 고개를 숙임. ——-하다 자여불

부:항[4]【副港】명 주항(主港)에 대하여 종속적 위치에 있는 항구. 주항의 항만적 기능(港灣的機能)을 보조하는 항구.

부:항 단지【附缸一】[一딴一] 명 병을 치료하는 기구의 한 가지. 부스럼에 피고름을 빨아 내려고 부항(附缸)을 붙이는 데 쓰는 자그마한 항아리. 사기로 만든 석유 등잔으로 대용하기도 함.

부:항 항아리【附缸一】명 ☞ 부항 단지.

부행-신【浮行神】명〖민〗뜬것❶.

부허【浮虛】명 마음이 들떠서 허황함. ——-하다 형여불

부허지-설【浮虛之說】명 떠돌아다니는 허황한 말.

부험【符驗】명〖역〗①조선 시대 때 밤에 성문(城門)을 통과할 적에 갖고 다니는 표신(標信). ②중국에 가는 사신(使臣)들이 사행(使行)의 표로 갖고 다니는 물건. 비단으로 짠 횡축(橫軸)에 말의 모양을 수놓았음.

부헙코 형〈옛〉부허(浮虛)하고. 허황하고. ¶ 부헙코 섭써울손 아마도 西楚霸王《古時調》.

부헝이 명〈방〉〖조〗부엉이(강원·충북·경북).

부헝 명〈옛〉〖조〗부엉이. =부훵이. ¶ 부헝 爲鵂鶹《訓例》.

부휑이 명〈방〉부엉이(충북).

부형[1]【父兄】명 ①아버지와 형. *모자(母姉)·자모(姉母). ②집안 어른.

부형[2]【父型】명〖인쇄〗활자 모형(母型) 제작용의 웅형(雄型)을 이름. 활자와 똑같은 철형(凸型)을 연강(軟鋼)에 조각하여 담금질로 경화(硬化)한 뒤, 모형재(母型材)를 박아서 모형(母型)을 만듦.

부:형[3]【負荊】명〔가시나무를 등에 지고 매질해 주기를 바란다는 뜻〕깊은 사죄(謝罪)의 뜻을 나타내는 말. ——-하다 타여불

부:형[4]【腐刑】명〖역〗궁형(宮刑).

부:형-약【賦形藥】[一냑] 명〖약〗약제를 복용하기 쉽게 하기 위하여, 또는 어떤 형체를 만들기 위하여 가하는 물질. 물약에 있어서의 증류수(蒸溜水), 가루약에 있어서의 녹말이나 젖당 등. 성형약(成形藥).

부형 자매【父兄姉妹】명 부형과 자매.

부형 자제【父兄子弟】명 부형의 가르침을 받고 자라난 자제.

부형 조각기【父型彫刻機】명〖인쇄〗활자의 모형(母型)을 만들기 위하여 부형을 조각하는 기계.

부형-회【父兄會】명〖교〗학교와 가정과의 연락을 꾀하고 교육을 효과 있게 하기 위하여 부형과 교사로서 모이는 회. 학부모회. *사친회·육성회.

부호[1]【扶護】명 도와서 보호함. ——-하다 타여불

부:호[2]【負號】명〖수〗음호(陰號).

부호[3]【符號】명 ①어떤 뜻을 나타내는 기호. ¶ 보조 ~. ②〖수〗음수(陰數) 또는 양수(陽數)임을 나타내는 기호. 곧 '+'·'-'.

부:호[4]【富戶】명 부잣집.

부:호[5]【富豪】명 재산이 넉넉하고 세력이 있는 사람.

부:-호군【副護軍】명〖역〗조선 시대 때, 오위 도총부(五衛都摠府)에 속한 종사품 벼슬. 현직에 있지 아니한 문관과 무관·음관으로 시킴.

부:-호르몬【副一】〔hormone〕명 파라호르몬(parahormone).

부-호수【釜戶首】명 도자기 굽는 가마에 불때는 사람의 우두머리.

부:-호장【副戶長】명〖역〗고려 때 향리(鄕吏)의 호장(戶長) 다음가는 직위. '대등(大等)'이라고 하던 것을 성종(成宗) 2년(983)에 고쳤음.

부:-호정【副戶正】명〖역〗고려 향리직(鄕吏職)의 하나. 성종 2년(983)에 원외랑(員外郞)을 고친 이름.

부화[1] 명〈옛·방〉〖생〗부아. 허파. ¶ 부화 폐(肺)《字會 上 27》.

부:화[2]【附和】명 자기의 주견이 없이 경솔하게 남의 의견에 찬성함. ¶ ~ 뇌동(雷同). ——-하다 자여불

부화[3]【浮華】명 실속은 없이 겉만 화려함. ¶ ~ 경조(輕佻). ——-하다 형여불

부:화[4]【富化】명 속에 함유되어 있는 정도가 높아짐. 또 함유 정도를 높임. ¶ 산소를 50%로 ~하다. ——-하다 자타여불

부:화[5]【富華】명 부유(富裕)하고 호화로움. ——-하다 형여불

부화[6]【孵化】명 새알 속에서 자란 배자(胚子)가 껍질을 깨뜨리고 밖으로 나옴. 동물의 알이 까짐. 또, 까지게 함. 알까기. ——-하다 자타여불

부화 계란 배:양법【孵化鷄卵培養法】[一뻡] 명〔chick-embryo technics〕〖생〗발육 계란을 이용하여 바이러스(virus)·리케차(rickettsia)를 수정(受精) 계란의 특정 부위에 접종(接種)시켜 배양하는 방법. 백신 제조에 널리 쓰임.

부화-기【孵化器】명 부란기(孵卵器).

부:화 뇌동【附和雷同】명 일정한 견식(見識)이 없이 남의 말에 이유없이 찬성하여 같이 행동함. 뇌동 부화. ¶ ~하는 무리. 준부동(附同). ——-하다 자여불

부:화 수행【附和隨行】명 자기에게 일정한 주의(主義)·주장(主張)이 없이 다만, 다른 사람의 설(說)에 부화(附和)하여, 그가 하는 것을 따라 행동함. ——-하다 자여불

부화-율【孵化率】명 수정란(受精卵)이 부화되는 비율.

부화-장【孵化場】명 알을 깨는 곳.

부화-지【孵化池】명 물고기의 알을 부화시키기 위하여 만든 못.

부화 효소【孵化酵素】명〔hatching enzyme〕〖생〗수산(水産) 동물과 곤충의 수정란(受精卵)이 부화할 때에 작용하는 효소. 배자(胚子)의 특정 세포로부터 분비되어 난막(卵膜)을 용해(溶解)함.

부환[1]【浮幻】명 떠 있는 환영(幻影). 떠도는 환상(幻像)처럼 종잡을 수 없는 일.

부환[2]【浮環】명 부대(浮袋).

부:활[1]【復活】명 ①죽었다가 다시 되살아남. 소생(蘇生). ②일단 폐지하였던 것을 다시 씀. ③쇠퇴(衰退)하였던 것이 다시 일어나 흥하게 됨. 부흥(復興). ④〖기독교〗사람이 죽은 뒤에 다시 생명을 회복하여 영원한 생명을 얻음. 특히 예수 그리스도의 부활을 가리킴. ——-하다 자여불

부:활[2]【復活】명〖책〗톨스토이작의 소설. 기독교적·도덕적인 작자(作者)의 사상이 잘 표현된 작품으로, 공작(公爵) 네플류도프'가 자기 때문에 타락하여 창부(娼婦)로 전락, 법정(法廷)에까지 서게 된 하녀(下女) '카튜샤'를 갱생시키고 자신도 종교적인 사랑에 의하여 부활한다는 줄거리를 통하여 당시의 러시아 사회의 부정·허위(虛僞)를 철저하게 파헤친 걸작으로 '예술 상의 성서(聖書)'로 일컬어짐. 1899년에 발표.

부:활³【賦活】명 ①활력을 줌. 기능을 활발히 함. ¶ ~제(劑). ②〔activation〕〖생〗생활체가 어떤 계기에 의해 행위로 옮길 준비가 되어 있는 상태. 중추 신경계(中樞神經系)의 흥분 증대, 주의 수준(注意水準)의 상승 따위가 이에 포함되며, 행위를 하는 데는 가장 알맞은 부활 수준이 존재한다고 함. ——-하다 타여불

부:활 삼종 기도【復活三鐘祈禱】명〖천주교〗부활 시계(時季)에 외는 삼종 기도. '희락 삼종'의 고친 이름.

부:활 수면【賦活睡眠】명〖의〗수면의 한 양식. 깊은 수면 상태에 있으면서 뇌파(腦波)는 각성파(覺醒波)를 나타내고 있는 시기. 꿈을 꾸고 있을 때가 많으며, 안구(眼球) 운동이나 자율 신경 운동을 볼 수 있음.

부:활 전야【復活前夜】명〖기독교〗부활 주일의 전날 밤.

부:활 전주일【復活前主日】명〖천주교〗성지 주일(聖枝主日).

부:활-절【復活節】[—쩔] 명〖기독교〗예수의 부활을 기념하는 날. 춘분(春分) 뒤의 첫 만월(滿月) 직후의 일요일. 부활 주일(復活主日).

부:활-제【賦活劑】[—쩨] 명〖화〗활성화제(活性化劑).

부:활 주일【復活主日】[—쭈—] 명〖기독교〗부활절.

부:활-체【賦活體】명〔activators〕〖화〗화학 반응을 일으키는 물질. 또, 그 촉매(觸媒) 작용을 하는 물질의 구실을 증대시켜 반응을 일으키기 쉽게 하는 물질.

부:활-초【復活—】명〖천주교〗예수 부활 전야(前夜) 예식 때, 축성(祝聖)하여 예수 승천(昇天) 축일까지 켜는 특별한 초. 부활한 그리스도를 상징함. 성랍(聖蠟).

부:황¹【付黃】명〖역〗①임금의 재가를 받은 문서의 고칠 데나 무엇을 표할 곳에 누른 종이 쪽지를 붙임. ②조선 시대 때, 유생(儒生)이 조관(朝官)을 탄핵(彈劾)할 적에, 그 조관의 이름을 누런 종이 쪽지에 써 큰 북에 붙이고, 북을 치면서 시가를 돌아다녀 여러 사람에게 알리던 일. ——-하다 자여불

부황²【浮黃】명〖한의〗오래 굶어 살가죽이 들떠서 붓고 누렇게 되는 병. 부황(이) 나다 구 오래 굶주려서 살가죽이 들떠서 붓고 누래지다.

부회¹【府會】명〖일제〗부회 의원으로 구성된 부의 의결 기관. 곧, 부의 의회. 「②부(部) 단위의 모임.

부회²【部會】명 ①큰 모임 가운데, 각 부문별로 나누어서 하는 모임.

부:회³【復回】명 다시 회복함. ——-하다 자여불

부회⁴【傅會·附會】명 억지로 끌어대어 이치에 맞게 하는 일. 말이나 이론을 억지로 끌어다 붙임. ¶ 견강(牽強) ~. ——-하다 타여불

부회 의원【府會議員】명〖일제〗부회를 구성하는 의원. ＊시의원(市議員).

부:-회장【副會長】명 회장의 다음가는 직위. 또, 그 사람.

부획【浮獲】명 부로(浮虜).

부훤¹【浮喧】명 시끄러움. 소란함. ——-하다 형여불

부:훤²【負暄】명 양지쪽의 일광욕. 빈자(貧者)의 즐거움. 또, 부귀를 부러워하지 아니하는 경지(境地)의 비유.

부훵바회 명〈옛〉바위 이름. ¶ 至交河縣西爲洛河渡過鳳凰岩 부훵바회 至鳥島城與漢水會≪龍歌 V:27≫. 「上 15≫.

부훵이 명〈옛〉부엉이. =부헝. ¶ 부훵이 휴(鵂), 부훵이 류(鶹) ≪字會

부휴-자【浮休子】명〖사람〗성현(成俔)의 호(號).

부흐〔Buch, Christian Leopold von〕명〖사람〗독일의 지질학자. ≪독일의 암석 지질학 대계(岩石地質學大系)≫를 출판하였고, 화산학(火山學)·구조 지질학·층위학(層位學) 및 고생물학(古生物學)에 관한 여러 중요 업적으로, 근대 지질학의 개척자로 간주됨. [1774-1853]

부흐너〔Buchner, Eduard〕명〖사람〗독일의 생화학자(生化學者). 알코올 발효에서 효소 치마아제(酵素 Zymase)의 분리에 성공하여 당(糖)의 분해(分解)가 효모균(酵母菌)이 갖는 효소에 의한 것임을 증명함. '부흐너 깔때기'의 발명자. 1907년 노벨 화학상을 받음. [1860-1917]

부흐너 깔때기 명〔Buchner's funnel〕〖물〗작은 구멍이 많이 있는 여과면(濾過面)이 가운데에 붙어 있는 자기제(磁器製)의 깔때기. 이 면 위에 거름종이를 놓고 깔때기의 끝쪽에서 흡인(吸引)함.

부흐너 플라스크〔Buchner's flask〕명〖물〗'부흐너 깔때기'등과 조립(組立)하여 흡인(吸引)하면서 여과(濾過)할 때에 쓰이는 두꺼운 유리제(製)의 가지가 달린 플라스크. 여과 플라스크.

부:-흡착【負吸着】명〔negative adsorption〕〖화〗흡착에 있어 액체(液體) 또는 기체(氣體)가 어떤 물체의 표면으로부터 쫓겨나는 현상. ↔정흡착.

부:흥【復興】명 한동안 쇠잔하던 것이 전의 번영 상태로 되일어남. 또, 일어나게 함. 부활(復活). 흥복(興復). ¶ 문예 ~. ——-하다 자타여불

부:흥 강:사【復興講師】명〖기독교〗부흥회에 초빙받은 강사. 목사나 장로(長老)로서 주로 설교를 맡음.

부:흥 금융 회:사【復興金融會社】[—/—늉—] 명〔Reconstruction Finance Corporation〕1932년 불황(不況)이 한창이던 때 미국에서 대통령 후버(Hoover)의 제창으로 설립된 특수 금융 회사. 은행·신탁 등 여러 사업에 융자하여 공황(恐慌)을 극복하기 위한 것이었음.

부:흥 목사【復興牧師】명〖기독교〗초빙받아, 부흥회를 주장(主掌)하여 설교·사경(査經)·구도(求道)·안수(按手) 등을 맡는 목사.

부:흥-부【復興部】명〖법〗행정 각부의 하나. 산업 경제의 부흥에 관한 종합적 계획과 그 실시의 관리·조정(調整)에 관한 사무를 장리함. 1961년에 건설부(建設部)로 개편(改編)됨.

부:흥-상【復興相】명 부흥한 양상(樣相). ¶ 전후(戰後)의 ~이 놀랍다.

부흥이 명〈방〉〖조〗부엉이.

부:흥-회【復興會】명〖기독교〗교인(教人)들의 믿음을 보다 깊고 굳게 하며 회개하게 하고, 전도(傳道)하여 새로운 구도자(求道者)를 인도하고 사경(査經)을 하기 위하여 모이는 기도회.

부희다 형〈옛〉부영다. ¶ 힌 믌겨리 부흰 ᄇᆞᄅᆞ매 블이고(白波吹粉壁) ≪初杜諺 XVI:42≫.

부희여 불기 명〈옛〉부유스름하게 밝을 무렵. ¶ 부희여 볼기예 뵈ᄋᆞ와(昧爽而朝)≪小諺 Ⅱ:4≫.

북¹ 명〔중세：북〕①베틀에 딸린 기구의 하나. 씨의 꾸리를 넣고 북바늘로 고정시켜 날의 틈으로 왔다갔다하게 하여 씨를 풀어 주어 피륙이 짜지게 하는 배같이 생긴 나무통. 방추(紡錘). ②저축(杼柚). ③재봉틀의 부속품. 밑실을 감은 실패를 넣어 두는 틀. 보빈.

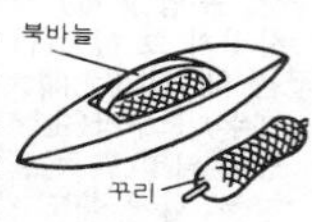

〈북¹❶〉

북² 명〔중세：붚〕〖악〗악기의 한 가지. 둥근 나무나 쇠붙이 통의 양쪽 아가리에 가죽을 팽팽하게 매고, 북방망이로 쳐서 울리게 되었음. 농악에 쓰이는 것과 관현악에서 쓰는 작은북·큰북 및 고전 무용에 쓰는 무고(舞鼓) 등이 있음. 태고(太鼓). 고(鼓). 드럼. 탕부르(tambour). [북과 아이는 칠수록 소리가 커진다] 우는 아이를 때리면 더 크게 울 뿐이니, 잘 달래야 된다는 말. [북은 칠수록 맛이 난다] 무슨 일이나 하면 할수록 신이 나고 잘 된다는 말. [북은 칠수록 소리가 난다] ㉠못된 일은 건드릴수록 더 악화(惡化)된다는 뜻. ㉡못된 상대자하고는 다투면 다툴수록 손해만 커진다는 말.

북³ 명〔중세：붓〕초목의 뿌리를 싸고 있는 흙. ¶ ~을 주다.

북⁴ 명〈방〉〖어〗복¹.

북⁵ 명〈방〉북어(北魚).

북⁶ 명〈방〉돈대(墩臺).

북⁷【北】명 북쪽.

북⁸【北】명 성(姓)의 하나. 우리 나라에는 현존하지 아니함.

북⁹〔book〕명 ①책. 서적(書籍). ②장부(帳簿).

북:¹⁰ 부 ①부드럽고 무른 물건을 세게 갈거나 긁는 소리. ②두툼하고 무른 물건을 대번에 찢는 소리. 1)·2):>복¹³.

북가【北家】명 마작(麻雀)할 때에, 북쪽에 있어서 남가(南家)와 대면하는 사람. ↔남가(南家).

북가시-나무 명〖식〗붉가시나무.

북간【北間】명 ①〈방〉뒷간. ②〖역〗의금부(義禁府)의 북쪽 감방.

북-간도【北間島】명〖지〗만주 지린 성(吉林省) 남동쪽의 왕칭(汪淸)·옌지(延吉)·허룽(和龍)·훈춘(琿春)의 4 현(縣) 일대. 남으로 두만강을 사이에 두고 북한(北韓)과 대하고 동으로 연해주(沿海州)와 인접함. 남서로 장백(長白)산맥이 뻗쳐 있는데 전형적인 대륙성 기후로 경지는 적고 임업이 성하며 광물 자원이 많음. 조선 시대부터 우리 민족이 이주하여 개척한 곳으로 주민의 대부분을 차지함. 현재 이 일대는 옌지(延吉)를 중심으로 한 조선족 자치주(自治州)로 됨. ㊟간도.

북감【北—】명〈방〉↗북감자.

북-감사【北監司】명〖역〗안무사(按撫使)❶.

북-감자【北甘—】명〈방〉감자¹(전남). ㊟북감.

북-감재 명〈방〉〖식〗감자¹(전남).

북-감저【北甘藷】명 감자¹.

북-강¹【北江】명〖지〗'베이장'을 우리 음으로 읽은 이름.

북강²【北疆】명 북방(北方)의 국경(國境).

북-강정 명 강정의 한 가지. 꿀을 끓이다가 계피 가루와 건강(乾薑) 가루를 쳐서 강정 속에 바른 다음에 콩가루를 많이 묻힘.

북게르만-법【北—法】〔German〕[—뻡] 명〖법〗게르만법.

북경¹【北京】명〖지〗'베이징'을 우리 음으로 읽은 이름.

북경²【北境】명 북쪽의 변경(邊境). 북쪽 경계(境界).

북경 관성【北境關城】명〖역〗고장성(古長城).

북경 관화【北京官話】명 베이징과 중국의 북방에 있는 여러 성(省)에서 통용(通用)하는 공용(公用) 표준어.

북경 대학【北京大學】명 베이징 대학.

북경 방:송【北京放送】명 베이징 방송.

북경 요리【北京料理】[—뇨—] 명 베이징 요리.

북경 원인【北京原人】명〖인류〗베이징 원인.

북경 의정서【北京議定書】명〖역〗베이징 의정서.

북경-인【北京人】명〖인류〗베이징인.

북경 인류【北京人類】[—일—] 명〖인류〗베이징 인류.

북경 조약【北京條約】명〖역〗베이징 조약.

북계¹【北界】명 ①〖역〗고조선(古朝鮮)의 평양(平壤) 이서(以西)의 땅. 삼국 시대에 고구려의 소유이었으며, 고려(高麗) 성종(成宗) 13년(994)에 패서도(浿西道)라 하였고, 그 뒤에 북계(北界)라 하였으며, 15대 숙종(肅宗) 7년(1102)에는 서북면(西北面)이라 고쳐 불렀음. ②〖동〗동물 지리학상의 한 구역. 남계(南界)와 신계(新界) 이외의 전부, 곧 오스트레일리아·남미주 이외의 전 구역. ＊남계·신계.

북계²【北髻】명 쪽¹. 「'鼓'의 이름.

북고-부【—鼓部】명 한자 부수(部首)의 하나. '鼙'이나 '鼕' 등에서

북고-산【北固山】명〖지〗베이구 산.

북-고슴도치【北—】명〖동〗[*Erinaceus orientalis*] 고슴도칫과에 속하는 짐승의 하나. 한국 중부 이북(以北) 및 만주·우수리 등지에 분포함.

북고지-봉【北高支峰】명〖지〗함경 북도 무산군(茂山郡) 서하면(西下面)에 있는 산봉우리. [1,222 m]

북곡【北曲】명〖연〗중국 원대(元代)의 잡극(雜劇). 금(金)나라의 원본(院本)이 진화된 것으로 중국 문학사상(文學史上) 한 시기(時期)를 이루었으나, 명대(明代) 남곡(南曲)이 일어남과 함께 쇠퇴하였음.

북관【北關】명 함경 남북도 지방의 별칭. 북도(北道).

북관 개시【北關開市】명〖역〗조선 인조(仁祖) 15년(1638) 만주(滿洲)의 여진족과 1년에 2회 무역을 하던 일. 처음에는 회령(會寧)에서 시작, 뒤에 경원(慶源)에서 실시하고 함경도 평사(評事)가 감독하였음.

북도 개시. *경원(慶源) 개시.

북관-곡【北關曲】명〖문〗조선 시대의 가사(歌詞). 작자·제작 연대 미상. 우암(尤菴) 송시열(宋時烈)이 덕원(德源)으로 유배당할 때의 전후 사실과 그 행색(行色)·노정(路程)을 읊음.

북관 대:첩【北關大捷】명〖역〗임진 왜란 때 북평사(北評事) 정문부(鄭文孚)가 주장(主將)이 되어, 경성(鏡城)의 선비 이붕수(李鵬壽) 등 수백 명이 의병(義兵)을 일으키어, 선조 25년(1592) 12월에서 이듬해 정월에 걸쳐, 함경 북도 길주군(吉州郡)의 쌍포(雙浦)와 함경 남도의 단천(端川)·백탑(白塔) 등지에서 가토 기요마사(加藤清正)의 군대를 격파하여, 왜군이 함경도 지방에서 발을 못 붙이게 만든 승전(勝戰).

북관 대:첩비【北關大捷碑】명〖역〗함경 북도 길주군(吉州郡) 임명(臨溟)에 있던 비석. 높이 190 cm, 폭 66 cm, 두께 13 cm. 조선 숙종(肅宗) 때, 북평사(北評事) 최창대(崔昌大)가 고장 노인들과 함께 세운 것으로, 임진 왜란 때 큰 공을 세운 정문부(鄭文孚)·이붕수(李鵬壽) 등 함경도 의병(義兵)의 쾌거(快擧)를 기린 내용. 러일 전쟁 때 일본 군인에 의해 일본에 반출된 것을 1978년에 찾아내, 그 후손들이 반환 운동을 벌이고 있음.

북-관왕묘【北關王廟】명 북묘(北廟). *동관왕묘.

북관-정【北寬亭】명 철원 북쪽에 있던 정자.

북관-지【北關誌】명〖책〗함경도 북부 각군의 읍지(邑誌)를 개괄 편집한 책. 조선 광해군(光海君) 때의 함경도 평사(評事) 이식(李植)이 착수하고 그의 아들 단하(端夏)가 뜻을 이어 완성한 것을 숙종(肅宗) 19년(1693)에 신여철(申汝哲)이 증수(增修) 간행함. 그 후 다시 신여철의 후손 대겸(大謙)이 중간(重刊)하였는데 이 중간본이 현재 서울 대학교 도서관에 소장되어 있음. 2권 2책. 사본.

북광【北光】명〖지〗극광(極光).

북괴【北傀】명 북한 괴뢰 정권. ¶ ~의 만행.

북교【北郊】명 ①북쪽 교외(郊外). ②서울 창의문(彰義門) 밖의 근교(近郊).

북구【北歐】명〖지〗↗북구라파(北歐羅巴). ↔남구(南歐).

북-구라파【北歐羅巴】명 북유럽(北 Europe). ㊟북구(北歐).

북구로-주【北俱盧洲】명〖불교〗수미 세계 사주(須彌世界四洲) 가운데 북쪽에 있는 가장 큰 주(洲)의 하나. 여기에 사는 사람은 천 년의 수명(壽命)을 가진다고 함. ㊟북주.

북국【北國】명 북쪽 나라. ↔남국(南國).

북군【北軍】명 ①북쪽의 군대. ②〖역〗미국 남북 전쟁 당시의 북부 여러 주(州)의 군대. 1)·2):↔남군(南軍).

북궐【北闕】명〖역〗'경복궁(景福宮)'을 창덕궁(昌德宮)과 경희궁(慶熙宮)에 상대하여 이르는 말.

북궐-도【北闕圖】명〖책〗경복궁(景福宮)의 전각(殿閣) 등을 그린 책. 1책. 사본.

북귀【北歸】명 북쪽으로 돌아감. 또, 북쪽으로 돌아옴. ——-하다 자 여불

북극[1]【北極】명 ①북쪽 끝. 북쪽 끝의 지방. ②〖지〗북극권(北極圈). ③〖지〗지축의 북쪽 끝의 연장선이 천구(天球)와 교차되는 점. 곧, 천구의 극(極)의 하나를 가리킴. ④〖물〗자석(磁石)이 북쪽을 가리키는 끝. 지북극(指北極). 엔극(N極). ⑤지자기(地磁氣)의 북쪽극. 북자극(北磁極). ⑥〖천〗↗북극성(北極星). ⑦〖지〗북극점(北極點). 1)-7):↔남극(南極).

북극[2]【北劇】명〖연〗원곡(元曲)❷.

북극 거:리【北極距離】명〖천〗천구(天球)의 북극에서 어떠한 천체까지의 각거리(角距離). 적위(赤緯)의 여각(餘角)에 해당함. ↔남극 거리.

북극-계【北極界】명〖생〗생물 지리학상의 한 구역. 북극을 중심으로 한 스칸디나비아 반도 북부·시베리아·캄차카 반도 북부·북알래스카·캐나다 북부·그린란드를 포함하는 구역. 북극에 가까운 지방은 1년중 빙설에 묻혀 생물이 없으나, 그 남부에는 짧은 여름철에 선태류(鮮苔類)·초본(草本)·지표(地表) 식물이 자라 툰드라를 이룸. 동물로는 순록(馴鹿)·사향소·북극 토끼·북극 여우·흰곰 등이 있음. 바다 속에는 규조(珪藻)·동물 플랑크톤 및 강치·바다표범 등의 해수(海獸)가 삶. ↔남극계.

북극-곰【北極―】명〖동〗흰곰.

북극-광【北極光】명〔aurora borealis〕〖지〗북극에 나타나는 극광(極光). ↔남극광.

북극-권【北極圈】명〖지〗북위(北緯) 66° 33′의 지점을 연결하는 선. 또, 그 선 이북의 지방의 명칭. 동지(冬至) 때에 태양 광선이 도달하는 경계선에 해당하며, 이것으로부터 북쪽은 위도상(緯度上) 북한대(北寒帶)가 됨. 북극. ↔남극권(南極圈).

북극 기단【北極氣團】명〔arctic air mass〕〖기상〗북극권에서 형성되는 한랭한 기단. 북반구의 중위도(中緯度)에 한파(寒波)를 몰고 오며 극지방(極地方)의 상공 5,000 m에서 영하 45°C가 보통임. 북극 한기단(寒氣團).

북극 기류【北極氣流】명〖기상〗북극 지방의 한랭한 공기가 중위도(中緯度) 지방으로 흘러 나온 것을 이름. 한파(寒波)·호설(豪雪) 등을 동반함. 북극 한파(寒波).

북극 레밍【北極―】〔lemming〕명〖동〗〔*Dicrostonyx hudsoius*〕설치류(齧齒類)에 속하는 동물. 몸길이 13 cm 내외. 귀는 두꺼우며, 온 몸이 털로 덮임. 앞발톱이 길고 꼬리가 짧음. 무리를 지어 이동하며 사는데, 북극권내(北極圈內)나 그 주변에 서식함. 3 주마다 5 마리씩의 새끼를 낳으며, 새끼는 5 주 만에 번식이 가능함.

북극-밤나방【北極―】명〖충〗〔*Dexiadena arcta*〕밤나방과의 곤충. 편 날개의 길이 28-32 mm이고 몸빛은 암회색에, 앞날개의 기부(基部)의 후연(後緣)을 제외하고는 거의 중앙까지 암갈색임. 환상문(環狀紋)의 둥근 무늬는 회색이고, 암갈색의 외횡선(外橫線)은 가늘고 톱날 모양이며 뒷날개는 담암갈색임. 한국에도 분포함.

북극-성【北極星】명〔라 Polaris〕〖천〗작은곰자리의 주성(主星). 천구(天球)의 북극에서 불과 1° 3′되는 곳에 있으면서 위치가 변하지 않기 때문에, 야간에 북극의 대용으로서 방위의 지침이 됨. 겉보기 등급 2.0, 거리는 400 광년(光年)임. 북신(北辰). 극성(極星). 천극(天極). 폴라리스. ㊟북극(北極).

북극-양【北極洋】명〖지〗북극해(北極海).

북극-여우【北極―】[―녀―]명〖동〗흰여우.

북극 전선【北極前線】명〔arctic front〕〖기상〗한대 기단(寒帶氣團)과 북극 기단과의 경계(境界)에 있는 전선. 정상적인 고압부(高壓部)를 이루는 북극해의 주변부에 있으며 연중(年中) 강풍(強風)이 붊.

북극-점【北極點】명〖지〗지축(地軸)이 북쪽에서 지구 표면과 교차하는 지점. 북위(北緯) 90도 지점임. 북극.

북극 지방【北極地方】명〖지〗북극권내(北極圈內)의 지역. 대부분 얼음으로 덮여 있으며, 아시아와 북미(北美) 대륙의 북단(北端)은 동토대(凍土帶)임. 기온은 10°C 내지 영하 40°C로 고기압권내에 있어 강우량(降雨量)이 비교적 적으며, 식물은 동토대에 소태류(蘇苔類)·지의류(地衣類) 등이 생육하고, 동물은 북극곰·고래·순록(馴鹿)·바다표범 등이 서식(棲息)하며 주민은 에스키모(Eskimo)·유카기르(Yukaghir)·사모예드(Samoyede) 족속(族屬)들이 유목(遊牧)에 가까운 생활을 하고 있음. 이 지방의 상공(上空)은 근래 항공기의 발달에 따라 대권(大圈) 항공로로서 주목되고 군사적으로도 중요시되고 있음. 극북 지방. ↔남극 지방. [18,550,000 km^2]

북극 탐험【北極探險】명 북극의 탐험. 북극 지역의 주변에서는 기원 전부터 인류의 활동이 행하여졌는데 19세기의 끝 무렵 북서 항로(北西航路)·북동 항로(北東航路)가 발견됨에 따라 극지(極地) 탐험의 기운(機運)이 열리어, 1895년에 노르웨이의 난센(Nansen, F.)이 북위(北緯) 86° 4′까지 탐험하였고, 미국인인 피어리(Peary, R.E.)가 1909년 육로(陸路)로 북극에 도달하여, 그 부근이 견빙(堅氷)으로 덮여 있는 심해(深海)임을 확인하였음. 그 후 1926년에 이탈리아 사람 노빌레(Nobile, U.), 노르웨이 사람인 아문센(Amundsen, R.)이 비행기로 극지를 지나 알래스카에 도달하였음.

북극 한기단【北極寒氣團】명〖기상〗북극 기단.

북극 한파【北極寒波】명〖기상〗북극 기류(氣流).

북극 항:공로【北極航空路】[―노]명 북극권을 지나 지구의 정부(頂部)를 대권(大圈) 코스로 연결하는 항공로. 이 항공로의 개설로 북반구에 발달하여 있는 각국 도시 사이의 거리가 극히 단축됨. 근래에는 교통면에서뿐만이 아니라 군사면에서도 중요시되고 있음.

북극-해【北極海】명〔Arctic Ocean〕〖지〗북극권내(北極圈內)에 들어 있는 해양(海洋). 곧, 아시아·유럽·북아메리카 대륙에 둘러싸인 바다. 가장 깊은 곳은 5,449 m에 달함. 종전의 이름은 북빙양(北氷洋)·북빙해. 북극양(洋). [14,090,000 km^2]

북극해 유전【北極海油田】명〖지〗북극해 해저(海底)에 있는 유전. 캐나다·영국·러시아·미국 등 여러 나라가 탐사를 진행하고 있음.

북극해 제도【北極海諸島】명〖지〗북아메리카 캐나다 북부의 제도. 북서 지방 프랭클린 구(Franklin 區)에 속함. 배핀랜드(Baffin Land)·빅토리아랜드(Victoria Land)·엘즈미어(Ellesmere)·뱅크스(Banks) 제도 등을 포함함. 남부만이 에스키모의 거주지로, 모피(毛皮) 산지임. 북방(北方)에는 사람이 살지 않음. [1,370,000 km^2]

북기 명〈방〉거짓말(함북).

북-기련【北祁連】명〖지〗치롄 산맥(祁連山脈)❷.

북기-정【北畿停】명〖역〗우곡정(雨谷停).

북-길 명 베틀의 북이 드나드는 공간. 날실을 끌어 올리기 위하여 매어진 잉아에 의하여 위아래로 벌려져 있음.

북-꾸리 명 북 안에 들어 있는 실.

북-꿩【北―】명〖조〗〔*Phasianus colchicus pallasi*〕꿩과에 속하는 새. 한국 특산종의 꿩과 비슷한데, 몸빛이 엷고 광택이 적으며 아름답지 못함. 울음 소리도 곱지 못함. 만주의 특산으로, 우수리·아무르·한국 북부에 분포함. 만주꿩.

〈북꿩〉

북-너구리【北―】명〖동〗북방의 아무르·우수리 지방에서 나는 너구리.

북-녘【北―】명 북쪽 방면. 북쪽. 북방(北方). ↔남녘.

북단[1]【北端】명 북쪽 끝. ¶ 유럽의 최~. ↔남단(南端).

북단[2]【北壇】명〖역〗↗북방 토룡단(北方土龍壇).

【북단 거둥에 보군진(步軍陣) 올리듯 한다】〔옛적 임금이 북단 거둥할 때에, 지형(地形)이 협소(狹少)하여 보군(步軍)이 급주(急走)한다는 데서 나온 말〕모든 일에 분망 질급(奔忙疾急)함을 일컫는 말.

북단-부【北端部】명 북쪽 끝 부분. ↔남단부.

북-닫개 명〈방〉북바늘.

북당【北堂】명 ①옛 중국에서, 몸채의 북쪽에 베푼 당집. 집안의 주부(主婦)가 거처하는 방. ②자당(慈堂).

북당 서초【北堂書鈔】명〖책〗〔북당(北堂)은 수(隋)나라 비서성(秘書省)의 후당(後堂) 이름〕현존하는 중국 최초의 유서(類書). 당(唐)나라의 우세남(虞世南) 편. 수나라 비서랑(秘書郞)이었을 때에 지은 것인데 여러 책의 구절을 적록(摘錄)하여 801류(類)로 나눔. 오늘날 전하지 않는 고서(古書)도 인용되어 있고, 중국 고대사 연구의 자료가 됨. 모두 160권임.

북대【北帶】명〖식〗지구상의 식물 구계 분포(區系分布)를 나타내는 큰 구분. 북반구의 열대권(熱帶圈) 이북의 광대한 지역. 버들·자작나무·너도밤나무·장미·앵초(櫻草)·미나리·미나리아재비·국화·겨자·명아주·범의귀 등 각 과에 속하는 식물이 많은 것이 특징이며, 기후의 차에 따라 한대(寒帶) 식물 구계·구아(歐亞) 식물 구계·중앙 아시아 식물 구

계·지중해(地中海) 연안 식물 구계·동아(東亞) 식물 구계·북아메리카 서안(西岸) 식물 구계·북아메리카 동안(東岸) 식물 구계의 일곱 구계(區系)로 나누어짐. *구열대구(舊熱帶區)·신열대구(新熱帶區)·남대(南帶).

북대기 명 〈방〉 검불(강원·경북).

북대-봉【北大峰】명〖지〗평안 남도 양덕군(陽德郡) 오강면(吳江面)과 쌍룡면(雙龍面) 사이에 있는 산봉우리. [1,327m]

북대봉 산맥【北大峰山脈】명〖지〗평안 남도와 황해도 지방의 동부에 위치하며 낭림 산맥(狼林山脈) 중의 백산(白山)에서 갈라져 남북으로 뻗은 산맥. 낭림 산맥과 더불어 고지를 형성함.

북-대서양【北大西洋】명〖지〗대서양의 적도(赤道) 이북. 베링 해협에 이르는 해역. 북쪽은 아이슬란드와 그린란드를 거쳐 북미와 북(北)유럽을 연결하며, 해저 융기(海底隆起)에 의하여 북극해와 나뉘짐.

북대서양 조약【北大西洋條約】명〔North Atlantic Treaty〕 서(西) 유럽 세력이 동유럽 공산권(共産圈) 세력에 대항하기 위하여 1949년 4월에 워싱턴에서 조인(調印)한 상호 방위 조약. 가맹국 중 어느 한 나라에 대한 무력 공격은 전가맹국에 대한 공격으로 간주하여 집단 자위권(自衛權)을 행사할 것을 규정함. 최초의 가맹국은 영국·프랑스·벨기에·네덜란드·룩셈부르크·미국·캐나다·아이슬란드·노르웨이·덴마크·포르투갈·이탈리아이고, 그 뒤에 그리스·터키·서독·스페인이 가맹하였음.

북대서양 조약 기구【北大西洋條約機構】명 나토(NATO).

북대서양 조약 이:사회【北大西洋條約理事會】명 나토(NATO)의 최고 결정 기관. 가맹국의 외상이나 각료급 의원으로 구성되며 그 밑에 방위 계획 위원회·핵방위 문제 위원회·핵 기획단 등의 전문 기관을 두었음. 의장은 매년 바뀌고 정기 회의는 1년에 두 번 열리나 필요에 따라 특별 회의도 개최함. 나토(NATO) 이사회.

북대서양 해:류【北大西洋海流】명 멕시코 만류의 북부, 영국 근해에서 노르웨이 해역을 지나 북극해에 이르는 해류. 그 속에는 수 개의 반류(反流)와 소용돌이가 있으며 흐름이 복잡함. 북태평양 해류와 흡사한 성질을 가지며 저기압과 편서풍(偏西風)의 영향을 받음.

북대-천【北大川】명〖지〗함경 남도 단천군(端川郡) 북두일면(北斗日面)을 흘러 동해에 들어가는 큰 내. [117.6km]

북더기 명 ☞북데기.

북덕-명주【—明紬】명 품질이 나쁜 고치에서 뽑은 실로 짠 명주.

북덕-무명 명 품질이 나쁜 목화나 누더기솜 따위를 자아서 짠 무명.

북덕-물 명 〈방〉 붉덩물.

북덕-지【—紙】명 몹시 구기고 부푸러기가 일어난 종이.

북데기 명 짚이나 풀 또는 헌 잡물(雜物)들의 얼크러진 뭉텅이.

북도【北道】명 ①북쪽에 있는 도. ¶경상 ~/함경 ~. ②경기도 북쪽에 있는 도. 곧 황해도·평안 남북도·함경 남북도. ¶~ 사람. ③북관(北關). ④〖대종교〗백두산 북쪽의 지방을 가리키는 말. 1)-4):↔남도(南道).

북도 개시【北道開市】명〖역〗북관 개시(北關開市).

북도-과【北道科】명〖역〗조선 시대의 과거 시험의 하나. 식년시(式年試) 외에 함경도에서 실시되었던 외방 별시(外方別試)의 하나.

북도-사슬뱀【北道—】명〖동〗북살무사.

북도-송장개구리【北道—】명〖동〗북방산개구리.

북독【北瀆】명〖역〗함경 남도에 있는 용흥강(龍興江)을 사독(四瀆)의 하나로 일컫는 말. *남독(南瀆).

북독일 연방【北獨逸聯邦】[—련—] 명〖역〗프로이센 오스트리아 전쟁(戰爭)의 결과 독일 연방 해체 후, 1867년 프로이센을 맹주(盟主)로 하여 마인(Main) 이북의 독일 제국(諸國)이 결성한 연방. 군사·외교의 전권(全權)은 연방 의장인 프로이센 국왕이 갖고 입법권·행정권을 갖는 연방 참의원에서는 프로이센이 총투표수의 3분의 1 이상을 독점하는 등 뒷날의 독일 제국(帝國) 성립의 기반(基盤)이 되었음.

북-돋다 타 ↗북돋우다.

북-돋우다 타 ①식물의 뿌리를 흙으로 덮어 주다. ②사람을 가르쳐 기르다. ③기운·정신을 더욱 높여 주다. ¶용기를 ~. ㊀북돋다.

북-돋움 명 북돋우어 주는 일.

북동【北東】명 북(北)과 동(東)의 중간 방위(方位). 동북. ↔남서(南西).

북동 뉴:기니【北東—】〔New Guinea〕명〖지〗'파푸아뉴기니(Papua New Guinea)'의 옛 이름.

북동 대:서양 해:분【北東大西洋海盆】명〖지〗동쪽은 영국으로부터 서남 유럽을 거쳐 서북 아프리카, 서쪽은 북대서양 해령(海嶺)에 이르는 수역. 6,000m 이상의 깊이를 가지며, 가장 깊은 곳은 7,002m에 달함.

북-동박새【北—】명〖조〗조선동박새.

북동-쪽【北東—】명 북쪽과 동쪽 사이의 방위.

북동-풍【北東風】명 동북쪽으로부터 불어오는 바람. 동북풍(東北風). 염풍(炎風). 조풍(條風). 융풍(融風). 신풍(信風). *된새바람.

북동 항:로【北東航路】[—노] 명 유럽에서 북동으로 항해하여 북유럽을 지나 태평양·아시아에 이르는 항로. 16세기 이후 영국·네덜란드·러시아의 탐험가들이 항로 개척에 노력, 1879년에 전항로가 뚫림. 20세기에 들어 소련은 이 항로의 조사 개발에 힘을 기울였음.

북두¹ 명 ①마소의 등에 짐을 싣고 그 짐과 배를 얼러서 매는 줄. 북두끈. ②☞부뚜.

북두²【北斗】명〖천〗↗북두 칠성(北斗七星).

북두-갈고리 명 ①북두 끝에 달린 갈고리. 북두로 짐을 얼러 맬 적에 다른 한 끝을 얽어서 매게 된 것인데, 나뭇가지나 쇠뿔로 만들기도 하고 혹은 쇠고리를 쓰기도 함. ②상일을 많이 하여 험상궂게 된 손가락. ¶손이 ~ 같다.

북두기 명 〈방〉 검불(충북).

북두-끈 명 북두❶.

북두-성【北斗星】명〖천〗↗북두 칠성.

북두 숭배【北斗崇拜】명〖불교〗북두 칠성을 향해 예배하는 불교 수행법의 하나. 복덕(福德)과 수명이 증장(增長)되고 선원(善願)을 성취하게 된다고 함. 「여 신격화시킨 신앙의 대상.

북두 신군【北斗神群】명〖민〗북두 칠성을 도교적(道教的)으로 해석하

북두-주【北斗呪】명〖불교〗북두 칠성(北斗七星)의 주문(呪文).

북두-질 명 ☞부뚜질. ——하다 타

북두 칠성【北斗七星】[—썽] 명 ①〖천〗큰곰자리에서 가장 뚜렷하게 보이는 국자 모양으로 생긴 일곱 개의 별. 중국에서는 천추(天樞)·선(璇)·기(璣)·권(權)·옥형(玉衡)·개양(開陽)·요광(搖光)이라 이름하여 앞의 네 별을 괴(魁)라 이르고 뒤의 세 별을 표(杓), 합하여 두(斗)라고 함. 위치는 하늘 북극에서 약 30도 떨어져 있는데 괴의 두 별을 연장한 곳에 북극성(北極星)이 있으며, 요광이 하루에 12방(方)을 가리키는 고로, 옛날에는 시각(時刻)을 추정(推定)하는 데 도움이 되었음. 북두성(北斗星). 칠성(七星). 칠정(七政). 천관(天關). ㊀북두(北斗). ②〖불교〗칠원성군(七元星君).

[북두 칠성이 앵돌아졌다] 일이 낭패가 되었을 때이르는 말.

북-등【—燈】명 촛불을 켜들고 다니는 등의 한 가지. 가는 대오리로 테를 하여 북과 비슷이 조그맣게 만들고 백지로 바름.

〈북등〉

북디기 명 〈방〉 검불(충남).

북-딱지 명 〈방〉 북바늘.

북-때까치【北—】명〖조〗넓은이마홈때까치.

북-떡 명〖민〗돌림병이 유행할 적에, 미신(迷信)으로 집안 식구의 수효대로 베틀의 북으로 쌀을 떠서 만든 흰무리. 그 떡을 먹으면 병에 걸리지 아니한다 함. 사병(梭餠).

북량【北涼】[—냥] 명〖역〗옛 중국의 한 국명(國名). 오호 십육국(五胡十六國)의 하나로 흉노(匈奴)의 저거몽손(沮渠蒙遜)이 간쑤 북부(甘肅北部)에 세운 나라. 삼세(三世)를 지나 북위(北魏)에게 망함. [397-439]

북로¹【北路】[—노] 명 ①서울서 함경도로 통하는 길. ②북쪽에 있는 길.

북로²【北虜】[—노] 명 북쪽에 있는 오랑캐.

북로 고공【北路雇工】[—노—] 명〖역〗조선 시대 때 함경도 지방에 많았던 세전(世傳)의 고공(雇工).

북로 군정서【北路軍政署】[—노—] 명〖역〗1919년에 만주 지린 성(吉林省)에서 조직된 무장 독립 운동 단체. 왕칭 현(汪淸縣)에 본부를 두고, 총재에 서일(徐一), 총사령관에 김좌진(金佐鎭), 참모장에 이장령(李章寧), 연성 대장(鍊成隊長)에 이범석(李範奭)을 임명, 1920년 10월 청산리(靑山里) 전투에서 일본군을 대파함.

북로 남왜【北虜南倭】[—노—] 명〖역〗북쪽 오랑캐와 남쪽의 왜놈. 중국 명(明)나라에 있어서의 남북의 외환(外患)을 일컫던 말.

북록【北麓】[—녹] 명 산의 북쪽 기슭.

북류【北流】[—뉴] 명 북쪽으로 흐름. ——하다 자여불

북 리뷰〔book review〕명 ①신간(新刊) 소개. ②서평(書評).

북마【北馬】명 함경 북도에서 나는 말. 북토산(北土産).

북-마구리【北—】명〖광〗남북맥(南北脈) 구덩이의 북쪽 마구리. ↔남마구리.

북마 남선【北馬南船】명 남선 북마(南船北馬).

북만【北滿】명〖지〗↗북만주(北滿洲). ↔남만(南滿).

북-만주【北滿洲】명〖지〗중국 만주의 북부. 대체로 궁주링(公主嶺)에서 북쪽의 땅. 쑹화(松花)·헤이룽(黑龍) 두 강이 흐름. ㊀북만(北滿). ↔남만주.

북망【北邙】명〖지〗북망산(北邙山).

북망-산【北邙山】명 ①〖지〗베이망 산. ②무덤이 많은 곳. 또, 사람이 죽어서 가는 곳을 일컬음. 북망 산천.

북망 산천【北邙山川】명 묘지가 있는 곳. 사람이 죽어서 가는 곳을 일컫는 말. ¶어르신네는 북망 산천에 도라가시고≪春香傳≫.

북-메다 자 ↗북메우다.

북-메우기 명 북을 만드는 공예 기술. 북통에 가죽을 씌우는 작업이 북 제작 공정에서 가장 중요하므로 기술 전체를 이렇게 부름. 중요 무형 문화재 제 63호.

북-메우다 자 북통을 가죽에 대고 켕기어 메우다. ㊀북메다.

북-메이커〔bookmaker〕명 책을 남작(濫作)하는 사람. 돈을 벌기 위하여 마구 저술(著述)하는 사람.

북-멧새【北—】명〖조〗점박이멧새.

북면【北面】명 ①북쪽에 있는 면. ②앞을 북쪽으로 둠. ③〖역〗임금은 남면(南面)하여 앉으므로 신하로서 임금을 섬김을 이름. ——하다 자여불

북명【北溟】명 북쪽의 큰 바다. 북양(北洋).

북-모빌〔bookmobile〕명 순회 도서관. 이동 도서관.

북묘【北廟】명 서울 동소문(東小門) 안에 있었던 관왕묘(關王廟). 북관왕묘(北關王廟).

북문【北門】명 북쪽으로 낸 큰 문.

북문지-탄【北門之嘆】명 벼슬 자리에 나가기는 하였으나 뜻대로 성공하지 못하여 그 곤궁함을 한탄한다는 뜻.

북문지-화【北門之禍】명〖역〗〔남곤(南袞)이 절차를 밟지 아니하고 밤중에 비밀히 경복궁(景福宮)의 북문인 신무문(神武門)을 열게 하고 들어가서 화를 일으킨 데서 온 말〕기묘 사화(己卯士禍)를 그 경로(經路)로 보아 일컫는 말.

북미【北美】명〖지〗'북아메리카'의 음역.

북-미주【北美洲】명〖지〗'북아메리카주(洲)'의 음역.

북미 합중국【北美合衆國】명〖지〗미국(美國).

북-바늘 명 베틀의 북 속에 실꾸리를 넣은 뒤에 그것이 솟아 나오지 못하도록 북 안 시울에 끼워서 누르는 대오리.

북-박쥐【北—】명〖동〗북방애기박쥐.

북반【北半】명 북쪽의 반(半). ↔남반(南半).

북-반구【北半球】명〖지〗지구를 적도(赤道)에서 남북으로 나눈 북쪽 부분. ↔남반구(南半球).

북반-부【北半部】명 어떤 지역을 남북으로 나누었을 때 북쪽 절반 부분. ↔남반부.

북-받자 명 곡식 동을 말로 수북이 되어 받아들이는 일.
북-받치다 자 ①속에서 들고 오르다. 밑에서 솟아 오르다. ②무슨 생각이 치밀어 오르다. ¶ 북받쳐 오르는 울분. 1)·2):>복받치다.
북발[1] 명〈방〉놀[3](경북·제주).
북발[2]【北撥】명〖역〗조선 시대 때, 서울서 양주(楊州)·철원(鐵原)을 거쳐 경원 아오지(慶源阿吾地)까지, 강원도·함경도 지방에 이르는 파발(擺撥)의 통신망(通信網). 보발(步撥)이 이용됨. *남발(南撥)·서발.
북방【北方】명 ①북쪽. ②북녘. ③북쪽 지방. 삭방(朔方). 삭북(朔北). 1)-3):↔남방(南方).
북방-긴꼬리딱새【北方一】명〖조〗별삼광조(三光鳥).
북방-긴발톱할미새【北方一】명〖조〗[*Motacilla flava macronyx*] 할미샛과에 속하는 새. 흰눈썹긴발톱할미새와 비슷하나 머리가 회색이고 미반(眉斑)이 없으며, 귀의 털도 적미백색(赤微白色)이 아님. 만주와 한국 북부에 분포함. 만주긴발톱할미새.
북-방망이 명〈방〉북채.
북방 불교【北方佛敎】명〖불교〗불교의 이대(二大) 계통(系統)의 하나. 인도 아소카왕(Asoka王) 이후에 인도의 북방에서 발달하여 티베트·중국·우리 나라 및 일본 등지에 전파된 불교. 대승(大乘) 불교가 중심임. ↔남방(南方) 불교.

〈북방뿔박쥐〉

북방-뿔박쥐【北方一】명〖동〗[*Murina leucogaster ognevi*] 애기박쥣과에 속하는 짐승. 입은 좁고 길며, 관상(管狀)으로 된 코가 쑥 나온 것이 특징이며 산에서 삶. 철을 따라 한국·만주·우수리·일본 등지를 왕래하기도 함. 코큰박쥐.

〈북방산개구리〉

북방-산개구리【北方山一】명〖동〗[*Rana temporaria dybowskii*] 개구릿과에 속하는 개구리. 송장개구리와 비슷한데, 몸길이 6 cm 가량이고, 두부(頭部)의 폭이 넓어 길이와 거의 같으며, 주둥이는 뾰족하지 않고 둥글며 앞발이 짧고, 생식기(生殖期)가 되면 수컷의 앞발 여섯째 발가락에 두 개의 혹이 생김. 몸빛은 등은 암갈색 또는 흑갈색이고 검은 점 무늬가 있으며, 네 발에는 굵고 검은 띠 모양의 얼룩 무늬가 있음. 풀밭·삼림에 서식하는데, 한국·일본에 분포함. 북도송장개구리. 얼룩송장개구리.
북방-쇠박새【北方一】명〖조〗[*Parus atricapillus sachalinensis*] 박샛과에 속하는 새. 사할린·쿠릴 열도 등지에 분포함. 한국에는 간혹 날아옴. 화태쇠깨새.
북방-쇠종다리【北方一】명〖조〗[*Calandrella cinerea longipennis*] 종다리과에 속하는 익조(益鳥). 사할린 원산인데 한국에도 건너 옴.
북방-실베짱이【北方一】명〖충〗[*Kuwayamaea sapporensis*] 여칫과에 속하는 곤충. 몸은 짧고 굵으며 몸길이는 날개 끝까지 31-33 mm이고, 몸빛은 회록색에 전흉배(前胸背)에는 두정(頭頂)까지 연장되는 한 개의 가는 등색(橙色) 종선(縱線)이 있음. 앞날개는 비교적 넓고, 수컷의 후연(後緣)은 갈색임. 한국·일본 등지에 분포함. 북실베짱이. *실베짱이.
북방-애기박쥐【北方一】명〖동〗[*Vespertilio murinus murinus*] 애기박쥣과에 속하는 박쥐의 한 가지. 모양과 습성은 박쥐와 같은데 큰 종류임. 만주와 한국 북쪽에서 남. 북박쥐.
북방 유라시아 문화【北方一文化】〔Eurasia〕명 발트 해(Balt海)로부터 오호츠크 해(Okhotsk海)에 이르는 광대한 툰드라(tundra) 지대·아한대성(亞寒帶性) 침엽 수림(針葉樹林) 지대·삼림 초원 혼생(森林草原混生) 지대에 발달한 선사(先史) 문화의 총칭. 골각기(骨角器)를 많이 쓴 것이 전반적인 특징임. 비교적 정주성(定住性)이 강한 수렵 어로민(狩獵漁撈民)의 후기 구석기(舊石器) 시대의 문화에서 비롯하여, 신석기(新石器) 시대에는 남쪽에서 농경 목축(農耕牧畜)이 전래, 빗살무늬 토기(土器)를 특징으로 하는 문화가 성립. 주조(鑄造)의 기술도 전하여져 반농 반목(半農半牧)의 동기(銅器)·청동기(靑銅器) 문화도 발생하였음.
북방 전:쟁【北方戰爭】명〖역〗발트 해 연안 지방의 패권을 다투어 1700-21년 사이에 러시아의 표트르 대제(Pyotr大帝)가 덴마크·폴란드·프로이센 및 하노버(Hanover)와 결탁하여 스웨덴의 카를(Karl) 12세와 싸운 전쟁. 러시아가 승리하여 발트 해 동남안(東南岸)을 영유하고 서방 진출의 근거를 삼았음.
북방 정책【北方政策】명 중국·러시아를 비롯한 옛사회주의권 각국과의 관계 개선을 도모하는 한국의 외교 정책.
북방-중종다리【北方中一】명〖조〗[*Alauda arvensis lönnbergi*] 종다릿과에 속하는 익조(益鳥). 사할린 원산인데 한국에도 건너 옴.
북방 토룡단【北方土龍壇】명〖역〗오방 토룡제(五方土龍祭)를 지내는 제단(祭壇)의 하나. 서울 창의문(彰義門) 밖 여제단(厲祭壇)의 옆에 있었음. ㊀북단(北壇).
북방 토룡제【北方土龍祭】명〖역〗오방 토룡제(五方土龍祭)의 하나. 북방 토룡단(北方土龍壇)에서 중앙·동방·서방·남방과 동시에 지내던 제사.
북백【北伯】명〖역〗'함경 북도 관찰사'의 별칭.
북 밴드〔book band〕명 주로, 학생들이 교과서나 공책 따위를 가방에 넣거나 보자기에 싸지 않고, 묶어서 가지고 다니기 위한, 헝겊·가죽·고무줄 등의 밴드.
북벌【北伐】명 ①북쪽을 토벌하는 일. 북정(北征). ↔남벌(南伐)·남정(南征). ②〖역〗중국, 국민 혁명군(革命軍)이 베이징(北京)의 군벌(軍閥) 정권 타도를 목표로 실시한 출병(出兵). 쑨 원(孫文)의 유지를 받들어 1926년 7월 장 제스(蔣介石)를 총사령으로 개시, 국공(國共) 분리 등으로 한때 중단되었으나 1928년 6월 베이징을 점령함으로써 끝남. ——-하다 자여불
북벌 계:획【北伐計劃】명〖역〗병자 호란(丙子胡亂) 때의 수모(受侮)의 부끄러움을 씻고자 효종(孝宗)이 중심이 되어 이완(李浣)·송시열(宋時烈) 등과 함께 청국(淸國)을 치려던 계획.
북범【北犯】명〖역〗양안(量案)에서 논밭이 그 앞에 있는 번호(番號)의 논밭의 북쪽에 있음을 가리키는 이름.
북변【北邊】명 ①북쪽 부근. ②북비(北鄙)❶. 1)·2):↔남변(南邊).
북병【北甁】명〖불교〗↗북수병(北水甁).
북-병사【北兵使】명〖역〗북병영(北兵營)에 주재(駐在)한 병마 절도사(兵馬節度使). ↔남병사.
북-병영【北兵營】명〖역〗함경도 경성(鏡城)에 있던 북병사(北兵使)의 주영(駐營). ↔남병영.
북부【北部】명 ①북쪽의 부분. ¶ ~ 지방. ②〖역〗고려 개경(開京)과 조선 시대 때 한성(漢城) 안에 설치했던 오부(五部)의 하나. ③〖역〗고구려 때 절노부(絕奴部)의 딴이름. 후부(後部). 1)-3):↔남부(南部). *오부(五部).
북부기 명〈방〉부아[1]❶(제주).
북부 지방【北部地方】명 북쪽 부분에 속하는 지방.
북:-북 부 ①부드럽고 무른 물건의 두드러진 면을 연해 세게 갈거나 긁는 소리. ②무르고 두툼한 물건을 연해 찢는 소리. 1)·2):ㅆ뿍뿍. >복복. *벅벅.
북-북동【北北東】명 북쪽과 북동쪽의 중간 되는 방위(方位).
북-북동풍【北北東風】명〖지〗북북동(北北東)쪽에서 불어오는 바람.
북-북서【北北西】명 북(北)과 북서(北西)의 중간 방위(方位).
북-북서풍【北北西風】명〖지〗북북서쪽에서 불어오는 바람.
북비【北鄙】명 ①함경 북도의 가장자리 땅. 북변(北邊). ②북쪽 끝의 시골. 북쪽의 변비(邊鄙).
북비지-음【北鄙之音】명 북쪽 오랑캐의 속되고 살벌한 음악.
북빙-양【北氷洋】명〖지〗북극해(北極海)의 전의 이름.
북빙-해【北氷海】명〖지〗북극해(北極海)의 전의 이름.
북-사【北史】명〖책〗이십 오사(二十五史)의 하나. 중국 당(唐)나라 이연수(李延壽)가 지은 책으로 북조(北朝)의 위(魏)에서 수(隋)에 이르는 북조(北朝) 242 년 동안의 역사책. 100권. *남사(南史).
북사량-도【北蛇梁島】명〖지〗상도(上島).
북-사슴【北一】명〖동〗[*Cervus dybowskii*] 사슴과에 속하는 사슴의 하나. 우수리·연해주(沿海州)·한국 북부에 분포함.
북-사태 명〈방〉아롱사태.
북산[1]【北山】명 북쪽에 있는 산.
북-산[2]【北山】명〖지〗함경 남도 장진군(長津郡) 중남면(中南面)과 신남면(新南面) 사이에 있는 산. [2,070 m]
북살 명〈방〉놀[3](경남).

〈북살무사〉

북-살무사【北一】명〖동〗[*Vipera berus sachalinensis*] 살무삿과에 속하는 뱀의 하나. 몸길이 60 cm 내외이며, 몸의 배면(背面)은 올리브(olive)색에 황록색 또는 갈색을 띠고, 사슬 모양의 고리 무늬 또는 암흑색의 'Z'자(字)의 대상(帶狀) 반문(斑紋)이 있음. 복면(腹面)은 회갈색 또는 담흑색을 띠고 두부에는 흑색의 간상(桿狀) 무늬가 있음. 밤에 활동하여 쥐·도마뱀 등을 포식함. 신경성(神經性)·출혈성(出血性)의 독(毒)이 있음. 한국 북부·시베리아·사할린 등지에 분포함. 북도사슬뱀.
북삼【北蔘】명 ①함경도에서 나는 산삼(山蔘). ②간도(間島)에서 나는 인삼.
북상【北上】명 북쪽을 향하여 올라감. ¶ ~하는 강우 전선. ↔남하(南下). ——-하다 자여불
북-상투 명 아무렇게나 막 끌어올려 짠 상투. 또, 함부로 끌어올려 뭉쳐 놓은 여자의 머리.
북새[1] 명 ①여러 사람이 한 곳에 모여서 부산하게 움직이는 법석. ②남의 일을 방해 놓는 일.
북새(를) 놓다 구 ㉠여러 사람이 부산하게 법석을 하다. ㉡남의 일을 방해하다.
북새(를) 떨:다 구 여러 사람이 한곳에 모여서 부산하게 법석을 떨다.
북새(를) 치르다 구 여러 사람이 부산하게 북새판을 벌이다.
북새[2] 명〈방〉북풍(北風)(경기·강원·전라·경상).
북새[3] 명〈방〉놀[3](경기·충남·전라·경상).
북새 기략【北塞記略】명〖책〗조선 영조(英祖)·정조(正祖) 때의 문신(文臣) 홍양호(洪良浩)가 지은 체험기. 작자가 경흥부사(慶興府使) 등을 지낸 체험을 토대로 한 기록임.
북-새우젓 명 여러 종류의 새우를 섞어 담근 새우젓. 질이 좀 떨어짐.
북새-질 명 북새를 놓는 일. 야단스레 법석이는 짓. ¶ 이 치들과 한판 밀리고 던지고 후퇴하는 ~을 벌일지도 모르는 판에…≪崔仁浩: 무서운 複數≫. ——-하다 자여불
북새질-치다 구 심하게 북새놓다.
북새-통 명 여러 사람이 한 곳에서 부산하게 법석하는 바람. ¶ 애들의 ~에 잠을 잘 수가 없다.
북새-판 명 여러 사람이 한 곳에서 부산하게 북새를 놓는 판.
북새-풍【北塞風】명 북쪽의 추운 변경에서 불어오는 찬 바람.
북서[1]【北西】명 북쪽과 서쪽의 중간 되는 방위(方位).
북-서[2]【北署】명〖역〗서울 안 오부(五部)의 하나인 북부(北部)를 관할하는 경무 관서(警務官署). 조선 고종(高宗) 32년(1895)에 두었다가 융희(隆熙) 4년(1910)에 폐함. ↔남서(南署).
북서-쪽【北西一】명 북쪽과 서쪽 사이의 방위.
북서-풍【北西風】명 북서쪽에서 불어오는 바람. 건풍(乾風).

북서 항:로【北西航路】[—노] 명 유럽에서 북서로 항해하여 아메리카 대륙의 북을 지나 태평양·아시아에 이르는 항로. 이른바 지리상의 발견 시대 이래, 16세기 후반부터 이 항로를 개발하기 위해 많은 탐험가들이 고생하였음.

북-석【—石】명 무덤 앞의 상석(床石)을 괴는 북 모양으로 생긴 둥근 돌. 고석(鼓石). *상석(床石).

〈북석〉

북선【北鮮】명〖지〗↗북조선(北朝鮮). ↔남선(南鮮).

북선암-산【北仙岩山】명〖지〗평안 북도 초산군(楚山郡) 판면(板面)과 송면(松面) 사이에 있는 산. [1,185 m]

북선-점나도나물【北鮮點—】명〖식〗[*Cerastium koreanum*] 너도개미자릿과에 속하는 월년초. 줄기 높이 30-50 cm에 털이 있고 뿌리는 총생(叢生)하며, 잎은 대생하고 무병(無柄)에 달걀꼴의 피침형임. 7-8월에 백색 꽃이 취산(聚繖) 화서로 정생(頂生)하여 성기게 피며, 과실은 원통형의 삭과(蒴果)임. 산지에 나는데, 함남의 부전(赴戰) 고원에 분포함.

북선 항:로【北線航路】[—노] 명〖역〗고려 때 중국에 내왕하던 항로의 하나. 예성강에서 서해를 건너 산둥(山東) 반도의 등주(登州) 또는 밀주(密州)에 이름. 등주 항로. 동로(東路). *남선(南線) 항로.

북세미 명〈방〉검불(충남).

북-소리 명 북을 칠 때 나는 소리. 고성(鼓聲).

북-소문【北小門】명〖지〗창의문.

북송[1]【北宋】명〖역〗중국의 국명(國名). 송(宋)나라의 태조(太祖)부터 흠종(欽宗)까지, 곧 서울을 강남(江南)에 옮기기까지의 이름. 문치주의(文治主義)에 의한 관료 정치(官僚政治)를 수립하였으나, 밖으로 거란(契丹)에게 괴로움을 당하고 세공(歲貢)을 바쳤음. 신종(神宗) 때, 왕안석(王安石)의 신법(新法) 등의 개혁이 있었으나, 금(金)의 압박(壓迫)에 못이겨 구대(九代) 만에 남천(南遷)하였음. [960-1126] *남송(南宋).

북송[2]【北送】명 북으로 보냄. ——-하다 타여불

북수[1]【北水】명〖불교〗절에서 '뒷물'을 일컫는 말.

북수[2]【北首】명 ①기와의 한 종류. ②머리를 북으로 하고 자는 일.

북수[3]【北垂】명 북쪽 끝의 궁벽한 곳.

북수-간【北水間】[—깐] 명〖불교〗북수대를 마련해 놓아 뒷물을 할 수 있게 한 시설. 흔히 뒷간의 일부를 이용함.

북수백-산【北水白山】명〖지〗함경 남도 풍산군(豐山郡) 웅이면(熊耳面)에 있는 산. [2,522 m]

북수-병【北水瓶】[—뼝] 명〖불교〗북수를 담아 들고 다니는 병. 준 북병(北甁).

북수-산【北水山】명〖지〗함경 남도 풍산군(豐山郡) 웅이면(熊耳面)과 신흥군(新興郡) 동상면(東上面) 사이에 위치하는 산. [2,347 m]

북술-개 명〈방〉북슬개.

북숫-대【北水—】명〖불교〗북수를 부어 가면서 똥구멍을 씻는, 홈이 파진 나무 토막. 흔히 뒷간에 걸어 두고 씀.

북숭이 명 ①부기[1]. ②↗털북숭이.

북스테후데〔Buxtehude, Dietrich〕명〖사람〗스웨덴 태생의 독일 작곡가·오르간 주자(奏者). 성악곡의 작품이 많으며, 환상적·신비적이면서도 부드럽고 달콤한 느낌의 곡을 썼음. 바흐(Bach J.S.)가 그의 연주를 듣기 위하여 9백리 길을 걸어왔다는 일화는 유명함. 작품은 칸타타 등의 종교 음악과 오르간곡(曲)이 있음. [1637-1707]

북슬-개 명 털이 북슬북슬하고 몸집이 큰 개.

북슬-북슬 부 짐승이 살이 찌고 털이 많이 난 모양. >복슬복슬. ——-하다 형여불

북시미 명〈방〉검불(전북).

북신【北辰】명〖천〗북극성(北極星).

북신 보살【北辰—】명〖불교〗묘견 보살(妙見菩薩).

북-실베짱이 명〖충〗북방실베짱이.

북실-봉【北實峰】명〖지〗함경 북도 경성군(鏡城郡) 용성면(龍城面)과 경성면(鏡城面) 사이에 있는 산봉우리. [1,368 m]

북-십자성【北十字星】명〖천〗'백조자리'의 네개의 빛나는 별을 남십자성(南十字星)에 대하여 일컫는 말. *남십자성.

북-씨【北—】명〖지〗'북위(北緯)'의 풀어쓴 말. ↔남씨.

북씨-금【北—】명〖지〗'북위선(北緯線)'의 풀어쓴 말. ↔남씨금.

북아【北阿】명〖지〗↗북아프리카.

북-아메리카【北—】〔America〕명 아메리카의 북부. 북미(北美). *남아메리카.

북아메리카 동안 식물구계【北—東岸植物區系】〔America〕명〖식〗북대(北帶)에 속하는 식물구계의 하나. 북미 대륙의 로키 산맥 이동(以東)의 지역으로 스트로부스(strobus)소나무·낙엽송(落葉松)·느릅나무 등이 유명함. *한대(寒帶) 식물구계.

북아메리카 서안 식물구계【北—西岸植物區系】〔America〕명〖식〗북대(北帶)에 속하는 식물구계의 하나. 북미 대륙의 로키 산맥 이서(以西)의 지역. 미송(美松)·사보텐 등이 유명함. *동아(東亞) 식물구계.

북아메리카 자유 무:역 협정【北—自由貿易協定】명〔North American Free Trade Agreement ; NAFTA〕 미국과 멕시코, 캐나다의 3개국이 15년 이내에 관세나 수입 제한을 철폐하고 무역 및 투자를 대폭 자유화할 목적으로 합의한 자유 무역 시장의 구상. 1992년 10월에 가조인됨.

북-아메리카주【北—洲】〔America〕명〖지〗서반구(西半球)의 북반부(北半部), 아메리카 대륙의 파나마 이북 및 그린란드 등의 섬 등을 점하는 육대주(六大洲)의 하나. 또, 멕시코에서 파나마에 이르는 지역 및 서(西)인도 제도를 중앙 아메리카라 이르는 경우에는, 아메리카 합중국의 본토 이북을 이름. 이 밖에 덴마크 땅인 그린란드를 유럽에 포함시켜 이르는 경우도 있는데, 동은 대서양, 서는 태평양, 북은 북극해로 접해 있음. 중요한 나라로는 아메리카 합중국·캐나다·멕시코 등이 있음. 북미주(北美洲). [21,515,000 km²]

북-아미리가주【北亞美利加洲】명〖지〗'북아메리카주'의 한자 이름.

북-아프리카【北—】〔Africa〕명〖지〗아프리카의 북부. 준 북아(北阿).

북악【北岳】명〖지〗↗북악산.

북악-산【北岳山】명〖지〗서울 북방에 위치하는 산. 준평원(準平原)상에 솟아 있는 잔구(殘丘)로 화강암으로 구성되었음. 인왕산(仁王山)·북한산(北漢山)·낙산(駱山)·남산(南山) 등과 함께 서울 분지를 둘러싸고 있는 자연 방벽으로 옛 서울 북방의 성벽은 이 산을 중심으로 축조되었음. 백악산(白岳山). 준 북악(北岳). [348 m]

북악 스카이웨이【北岳—】〔skyway〕명〖지〗서울 시내 환상 도로(環狀道路)의 하나. 북악산 능선에 따라 마련된 것으로 1968년 12월에 개통. 길이 약 9 km. 관광 및 방위 도로의 구실을 함.

북악 터널【北岳—】〔tunnel〕명〖지〗서울 특별시 성북구 정릉동(貞陵洞)과 종로구 평창동(平倉洞)을 연결하는 쌍굴 터널. 1차에 2차선 터널이 1971년 8월 31일에 개통, 2차에 우측 2차선 터널이 1992년 1월에 개통됨. [810 m]

북안[1]【北安】명〖지〗'베이안'을 우리 음으로 읽은 이름.

북안[2]【北岸】명 북쪽 해안이나 강안(江岸).

북양【北洋】명 ①북쪽의 바다. 북해(北海). 북명(北溟). ②〖역〗'베이양'을 우리 음으로 읽은 이름.

북양 군벌【北洋軍閥】명〖역〗베이양 군벌.

북양 어업【北洋漁業】명 북양을 어장(漁場)으로 하여 행하는 어업. 북위 45° 이북의 북태평양·오호츠크 해·베링 해 등에서 연어·게·송어 따위를 대상으로 행하여짐.

북어【北魚】명 마른 명태. 건태(乾太). 건명태(乾明太). *명태.

[북어 뜯고 손가락 빤다] 허위·과장을 나타낸다는 말.

북어 껍질 오그라들듯 구 ㉠점점 오그라드는 모양. ㉡재산 같은 것이 점점 줄어드는 모양.

북어-구【北魚灸】명 북어 구이.

북어 구이【北魚—】명 북어를 토막쳐서 양념하여 구운 반찬. 북어구(北魚炙).

북어 냉:국【北魚冷—】[—꾹] 명 북어를 잘게 뜯어 넣고 만든 찬 국. 북어 냉탕(北魚冷湯).

북어 냉:탕【北魚冷湯】명 북어 냉국.

북어 무치【北魚—】명〈방〉북어 무침.

북어 무침【北魚—】명 북어를 부풀려서 잘게 뜯고 양념을 하여 무친 반찬.

북어 보푸라기【北魚—】명 북어를 뜯어 믹서(mixer)에 곱게 간 것.

북어 보풀음【北魚—】명 더덕북어를 두드리어 잘게 뜯은 북어의 살.

북어 장아찌【北魚—】명 북어를 잘게 토막치고 쇠고기와 섞어서 고명과 양념을 하여 조린 반찬.

북어 저:냐【北魚—】명 북어의 배를 째고 토막쳐서 만든 저냐.

북어-적【北魚炙】명 북어 대가리와 꽁지를 잘라 버리고 배를 째어 넓게 편 뒤에 양념과 고명을 하여 만든 적.

북어 조림【北魚—】명 ①토막친 북어와 파를 섞어서 진간장에 조린 반찬. ②〈방〉북어 장아찌.

북어-죽【北魚粥】명 북어 살을 바싹 말려 가루를 만들고 멥쌀과 함께 쑨 죽.

북어-증【北魚蒸】명 북어찜.

북어 찌개【北魚—】명 토막친 북어와 쇠고기 및 두부를 섞어서 간장이나 젓국 또는 고추장 푼 물에 넣어 국물이 바특하게 끓인 반찬.

북어-찜【北魚—】명 북어의 꽁지와 대가리를 잘라 버리고 배를 째서 증편 틀에 쪄낸 반찬. 북어증(北魚蒸).

북어-쾌【北魚—】명 북어 스무 마리를 한 줄에 꿴 것.

북어-탕【北魚湯】명 북엇국.

북어-포【北魚脯】명 북어로 만든 포(脯).

북엇-국【北魚—】명 북어 토막과 파를 섞어 넣고 달걀을 풀어 끓인 장국. 북어탕(北魚湯).

북-엔드〔bookend〕명 책이 넘어지지 않게 놓는 책꽂이의 일종.

북-연【北燕】명〖역〗옛날 중국의 오호 십육국(五胡十六國)의 하나. 한인(漢人) 풍발(馮跋)이 용성(龍城), 오늘의 랴오닝 성(遼寧省) 차오양(朝陽)에 도읍(都邑)하여 세운 나라. 북위(北魏)의 태무제(太武帝)에게 망하였음. [409-436]

북영【北營】명〖역〗①친군영(親軍營)의 하나. 조선 고종(高宗) 14년(1877)에 함경도 경성(鏡城)에 베풀었다가 31년(1894)에 폐하였음. ②창덕궁(昌德宮) 북쪽에 있던 훈련 도감(訓鍊都監)의 분영(分營). ③함경도의 감영(監營). 함영(咸營).

북-예멘【北—】〔Yemen〕명〖지〗전의 '예멘 아랍 공화국'의 통칭(通稱). 1990년 남예멘과 통합되어 예멘 공화국을 이룩함. *남예멘.

북-오색딱따구리【北五色—】명〖조〗되오색딱따구리.

북-옥【—玉】명〖고고학〗원사(原史) 시대 유물의 하나로, 위아래를 편평하게 깎아 내어 북 모양으로 만든 옥. 장신구(裝身具)이며, 보통 활석(滑石)으로 만듦.

북-옥저【北沃沮】명〖역〗옥저(沃沮)의 한 갈래. 지금의 함경 북도 방면에 있었음.

북-온대【北溫帶】명〔North Temperate Zone〕〖지〗지구의 북반구에 위치한 온대. 북회귀선(北回歸線)과 북극권(北極圈) 사이의 따뜻한 지역을 이름. ↔남(南)온대.

북용【北茸】명 북관(北關)에서 나는 녹용(鹿茸).

북원【北元】명〖역〗중국 명대(明代)에 몽골을 가리켜 일컫던 말.

북원-경【北原京】명〖역〗신라 문무왕(文武王) 때 강원도 원주(原州)에 둔 북원 소경(北原小京)을 경덕왕(景德王) 때 고친 이름. *북원 소경.

북원 소:경【北原小京】명〖역〗신라 문무왕(文武王) 18년(678)에 지금의 강원도 원주(原州)에 베푼 소경(小京). *북원경(北原京).

북위[1]【北緯】명〖지〗적도(赤道)에서 북쪽으로 잰 위도. 북씨. ↔남위.

북위[2]【北魏】[명]〖역〗중국, 남북조(南北朝) 시대의 북조(北朝)의 최초의 나라. 선비족(鮮卑族)의 탁발규(拓跋珪)가 전진(前秦)이 와해(瓦解)한 틈을 타서 강북(江北)에 세운 나라로, 훗날 동(東)위와 서(西)위로 갈렸음. 후위(後魏). [386-534]

북위 삼십 팔도선【北緯三十八度線】[一또一] [명]〖지〗특히 우리 나라의 중앙부를 횡단하고 있는 38도선을 이름. 제2차 세계 대전 중에 열린 얄타 회담의 결정에 의하여 이 38도선의 이남은 미군이, 이북은 소련군이 분할 진주하게 된 것이 원인이 되어, 이래 국경 아닌 국경을 이루어 오다가, 6·25 동란의 비극을 자아내고 휴전(休戰) 이후 중립 지대의 중심이 되었음. 삼십 팔도선.

북위-서【北魏書】[명]〖책〗위서(魏書).

북위-선【北緯線】[명]〖지〗적도 이북의 위선. 북씨금. ↔남위선.

북-유럽【北一】〔Europe〕[명]〖지〗유럽의 북쪽에 있는 아이슬란드·덴마크·노르웨이·스웨덴·핀란드의 다섯 나라. 북구라파.

북유럽 문학【北一文學】〔Europe〕[명]〖문〗북유럽 지방의 문학의 총칭. 침울하고 심각성이 있으며 비판적인 것이 그 특색임. ↔남유럽 문학.

북유럽 신화【北一神話】〔Europe〕[명]〖신화〗덴마크·스웨덴·노르웨이·핀란드·아이슬란드에 전해지는 신화. 게르만 신화의 일부로, 그리스 신화에 필적(匹敵)하는 것임.

북유럽 학파【北一學派】〔Europe〕[명]〖경〗현대 경제학의 한 학파. 오스트리아 학파의 거장(巨匠) 뵘 바베르크(Bawerk, B.)의 영향을 받은 스웨덴의 빅셀(Wicksell)·크누드(Knud) 등을 중심으로 형성되었으며, 사전(事前)에 기대되는 것과 사후(事後)의 결과 간의 관계를 다룸으로써 경제의 변동 과정을 분석하려고 함. 오스트리아 학파의 자본 이론을 발전시켜 근대 동태(動態) 이론의 기초를 이룸. 스톡홀름 학파. 스웨덴 학파. 스칸디나비아 학파.

북-이영【北二營】[명]〖역〗경희궁의 북쪽에 있던 어영청(御營廳)의 분영(分營).

북인【北人】[명]〖역〗사색 당파(四色黨派)의 하나. 유성룡(柳成龍)을 중심으로 한 남인(南人)에 대하여 이산해(李山海)를 중심으로 한 당파. 동인(東人)이 갈라진 것임. *당론(黨論).

북-일영【北一營】[명]〖역〗경희궁(慶熙宮)의 북쪽에 있던 훈련 도감(訓鍊都監)의 분영(分營).

북자기 [명]〖식〗나도박달.

북-자기극【北磁氣極】[명]〖물〗북반구에서 지자기(地磁氣)의 복각(伏角)이 90도인 지점. 북자극은 매년 약간 이동하지만 대개 캐나다 북부(北部)의 프린스오브웨일스 섬, 곧 북위 73도, 서경 100도의 지점이 이에 해당함. 자기북극(磁氣北極). 북극.

북-잡이 [명]〖민〗걸립패에서 북을 잡는 사람.

북장[1]【北牆】[명] 북쪽에 있는 담.

북-장[2]【北醬】[명] 함경도에서 만드는 된장.

북-장구 [명]〖악〗북과 장구.

북-장지【一障一】[명]〖건〗앞뒤를 모두 종이로 바른 장지문.

북저【北渚】[명]〖사람〗김류(金瑬)의 호(號).

북적【北狄】[명] 북방의 만족(蠻族). 중국 사람이 중국 밖의 북방의 족속을 이르던 말. 적(狄). 적인(狄人). ↔남만(南蠻). *동이(東夷).

북적-거리다 [자] 연해 북적이다 >복작거리다. 북적-북적 [부]. ¶아무 일두 없는 걸 가지고 괜히 속을 ~ 썩혔구나≪崔貞熙 : 녹색의 문≫ ──하다 [자][여불]

북적 남만【北狄南蠻】[명] 북쪽과 남쪽의 오랑캐.

북적-대다 [자] 북적거리다.

북적도 해:류【北赤道海流】[명]〖지〗적도(赤道) 부근의 열대 해역을 동에서 서쪽으로 흐르는 적도 해류 중 적도 이북의 것. 북동 무역풍에 의해 형성되고 대양 대순환(大循環)의 주요(主要)한 요소(要素)임. 태평양의 북적도 해류는 아시아의 동안(東岸)을 따라 북쪽으로 흘러 일본 해류가 되고, 대서양의 것은 멕시코 만류(灣流)로 되어 유럽의 연안에 도달하고, 다시 북대서양 해류가 되어 북으로 흐름. ↔남적도 해류.

북적-이다 [자] ①많은 사람들이 좁은 곳에 모여서 수선스럽게 뒤끓다. ¶인파(人波)가 ~. ②술·식혜 등이 괴어 끓어오르다. >복작이다.

북전 [명] ①활의 줌 잡는 데. 곧, 엄지손가락이 닿는 곳. ②줌 잡는 엄지손가락의 첫째 마디와 둘째 마디.

북전-가【北殿歌】[명]〖악〗조선 왕조 창업(創業)을 찬양한 노래. 성종(成宗) 때에 불리던 것이나, 그 훨씬 전부터 있었던 듯함.

북점【北點】[명] 방위 기점(基點)의 하나. 천체의 자오선(子午線)이 천체의 북극에 가까운 방향에서 지평선과 교차하는 점. ↔남점.

북정[1]【北征】[명] 북벌(北伐)❶. ──하다 [자][여불]

북정[2]【北庭】[명] ①집 안의 북쪽에 있는 뜰. ②〖역〗성균관(成均館) 안에 있는 명륜당(明倫堂)의 북쪽 마당. 승학시(陞學試)를 보는 유생(儒生)이 앉던 곳.

북정-가【北征歌】[명]〖문〗이용(李溶)의 가사. 제작 연대 미상. 회양(淮陽)·설운령(雪雲嶺)·성진(城津)·경성(鏡城) 등지의 아름다운 경치와 유적들을 두루 살피며 그 심회를 읊음.

북정-록【北征錄】[一녹] [명]〖책〗육진(六鎭)의 오랑캐 정벌 기록. 조선 세조(世祖) 6년(1460) 북쪽 모련위(毛憐衛)에 있는 여진족의 변경 침범이 종종 있어, 왕명에 의해 신숙주(申叔舟)가 여러 장수를 거느리고 정벌한 사실을 기록한 책. 세조 14년(1468) 조석문(曺錫文)·노사신(盧思愼)이 편찬 기록함.

북정-문【北靖門】[명]〖역〗숙정문(肅靖門).

북정-사【北庭砂】[명]〖한의〗노사(硇砂).

북정 일기【北征日記】[명]〖책〗1658년의 흑룡강(黑龍江) 출병 때의 지휘자 신류(申瀏)의 친필 전투 일기. 1977년 발견됨.

북제【北齊】[명]〖역〗중국 남북조(南北朝) 시대 북조의 한 나라. 고양(高洋)이 동위(東魏)의 효정제(孝靜帝)를 물러나게 하고, 스스로 제위(帝位)에 올라 세운 나라. 6대 28년 만에 북주(北周)의 무제(武帝)에게 망하였음. [550-577]

북제-서【北齊書】[명]〖책〗당(唐)나라 이백약(李百藥)이 지은 북제(北齊)의 역사 책. 모두 50권임.

북제주-군【北濟州郡】[명]〖지〗제주도의 한 군. 관내 4 읍 3 면. 섬의 북부 사면(斜面)을 차지하고 목축과 어업이 주이며, 감귤·콩·유채·고구마·잎담배 등 농산과 돔·조기·삼치·새우·미역 등 해산이 있음. 명승 고적으로는 비양도(飛揚島)·만장굴(萬藏窟)·명월성지(明月城址)·함덕(咸德) 해수욕장·광령 계곡·협재굴 등이 있음. 군청 소재지는 제주시. [704.91 km^2 : 108,805 명(1990)]

북조【北朝】[명] ①한 나라가 남북으로 갈라섰을 때에 북쪽 나라의 조정(朝廷). ②〖역〗남조(南朝)에 대(對)한 말로서, 중국 남북조 시대에 화베이(華北)를 본거지로 했던 여러 왕조. 오호 십육국(五胡十六國)의 분란 후, 선비계(鮮卑系) 탁발(拓跋)씨를 비롯한 비한민족(非漢民族)을 주체(主體)로 약 2백 년간에 북위(北魏)·서위(西魏)·동위(東魏)·북제(北齊)·북주(北周)의 오조(五朝)(386-577)가 일어났는데, 북주를 계승한 수(隋)가 남조(南朝)의 진(陳)을 멸하여 남북을 통일했음. 1)·2):↔남조(南朝).

북-조롱이【北一】[명]〈방〉북마(北馬).

북-조선【北朝鮮】[명] 북한(北韓). [준]북선(北鮮). ↔남조선(南朝鮮).

북종[1]【北宗】[명] ①〖불교〗중국에서 신수(神秀)를 종조(宗祖)로 한 선종(禪宗)의 한 파(派). 북종선(北宗禪). ②〖미술〗북종화(北宗畫).

북종[2]【北種】[명] 북쪽 토산(土產)의 종자. *북치[2].

북종-선【北宗禪】[명]〖불교〗북종(北宗)❶.

북종-화【北宗畫】[명]〖미술〗중국 회화사상(繪畫史上)의 이대 유파(二大流派)의 하나. 당(唐)나라 이사훈(李思訓)·이소도(李昭道) 부자(父子)를 비조(鼻祖)로 하여 송대(宋代)에 와서 전성기(全盛期)를 이루었음. 풍취(風趣)를 중히 여기는 남종화에 대해 물체의 표현과 색채의 선명(鮮明)을 주로 하여 누대(樓臺)와 금벽(金碧)을 세밀하게 나타내는 것이 특색임. 원대(元代)에 이르러서 남종화(南宗畫)에 압도(壓倒)되었음. 북종(北宗). [준]북화(北畫). ↔남종화.

북주[1]【北洲】[명]〖불교〗↗북구로주(北俱盧洲).

북주[2]【北周】[명]〖역〗중국의 북조(北朝)의 하나. 북위(北魏)가 동서로 분열한 뒤, 서위(西魏)의 우문각(宇文覺)이 공제(恭帝)의 선양(禪讓)을 받아 세운 나라. 서울은 장안(長安). 북제(北齊)를 멸망시키고 화북지방을 통일. 5 대 26 년 만에 수(隋)에 망함. 후주(後周). [556-581]

북주 감투 [명]〈방〉복두(幞頭).

북-주다 [자] 흙을 긁어 올리어 식물의 뿌리를 덮어 주다.

북주-서【北周書】[명]〖책〗주서(周書).

북중 청자【北中青瓷】[명] 중국 푸저우(福州)에서 나는 청자(青瓷).

북지[1]【北支】[명]〖지〗화북(華北).

북지[2]【北至】[명]〖천〗하지(夏至)에 해가 북회귀선(北回歸線)까지 이름을 일컫는 말로서 '하지'의 별칭. ↔남지(南至).

북지[3]【北地】[명] 북쪽의 지방(地方).

북진[1]【北進】[명] 북쪽으로 진출함. 또, 진격함. ¶ ~ 정책. ↔남진(南進). ──하다 [자][여불]

북진[2]【北鎭】[명]〖역〗①함경 북도 육진(六鎭) 지방. ②신라 시대에 북방민을 막기 위해 북쪽 변경에 마련했던 군사 행정 구역. 태종 무열왕 때에는 실직(悉直), 지금의 삼척(三陟), 헌강왕(憲康王) 때에는 삭정군(朔庭郡), 지금의 안변(安邊)에 설치했음.

북진 정책【北進政策】[명] 북방으로 나라의 세력을 뻗쳐 나가려는 정책.

북-집 [명] 자봉틀의 북을 넣는 집.

북-쪽【北一】[명] 북극(北極)을 가리키는 쪽. 북녘. 북방(北方). [준]북(北). ↔남쪽.

북쪽-도롱뇽【北一】[명]〖동〗네발가락도롱뇽.

북쪽왕관-자리【北一王冠一】[명]〔라 Corona Borealis〕〖천〗헤르쿨레스(Hercules)자리와 목자(牧者)자리 사이에 있는 별자리. 일곱 개의 별이 반원형으로 배치되어 아름다운 관과 같은 모양을 이룸. 7월 중순경 초저녁에 천정(天頂) 가까이에 옴. 수성(首星)은 광도(光度) 2.2, 거리 80 광년(光年). 관좌(冠座).

북창【北窓】[명] 북쪽으로 낸 창. ↔남창(南窓).

북창 삼우【北窓三友】[명] 거문고와 술과 시(詩)의 일컬음.

북-채[1] [명] 북을 쳐서 울리는 자그마한 방망이. 고봉(鼓棒).

북채[2]【北菜】[명] 베이징 요리.

북채 손가락【一까一】[명]〖의〗고부지(鼓桴指).

북천【北天】[명] ①북쪽 하늘. ②〖천〗수대(獸帶) 북쪽의 하늘. 1)·2): ↔남천(南天).

북천-가【北遷歌】[명]〖문〗조선 철종(哲宗) 때 김진형(金鎭衡)이 지은 가사체(體)의 노래. 철종 4년(1853) 명천(明川)에 귀양가서 다시 서울로 돌아올 때까지의 고통·즐거움·인정 등 체험한 생활을 내용으로 하고 있음. 1,040여 구의 장편으로 기행 가사 문학으로 높이 평가됨.

북청【北青】[명]〖지〗함경 남도 북동부에 있는 북청군의 군청 소재지. 남대천(南大川) 유역에 있어서 쌀·콩·보리 등 농산물의 집산지. 목재 가공업·성냥 공장·과수원 등이 있음.

북청-군【北青郡】[명]〖지〗함경 남도의 한 군. 북은 풍산군(豐山郡), 동은 이원군(利原郡)과 단천군(端川郡), 남은 바다와 홍원군(洪原郡), 서는 신흥군(新興郡)에 닿음. 주요 산물은 농산물과 수산·임산·축산·공산 등이며, 명승 고적으로 동정 약수(東井藥水)·북청성지(北青城址)·숙신 고도(肅愼古都)·여진비(女眞碑)·한무탑(漢武塔) 등이 있음. 군청 소재지는 북청읍. [2,385 km^2]

북청-문【一門】[명]〖지〗'숙정문(肅靖門)'의 속칭.

북청 사:변【北清事變】[명]〖역〗'의화단 사건(義和團事件)'을 따로 이르는 말.

북청 사자놀음【北青獅子一】[명]〖민〗함경 남도 북청군 일대에서 정월 보름경에 사자를 꾸미어 집집마다 다니며 춤을 추어서 잡귀(雜鬼)를 쫓는 의식적인 놀이. 무형 문화재 15 호.

북청-선【北青線】[명]〖지〗함경선(咸鏡線) 신북청(新北青)역에서 북청

남대천 유역을 올라가 북청에 이르는 철도선. 1929년 9월 20일에 개통. [9.4 km]

북청 평야【北青平野】 명 〖지〗 함경 남도 북부 북대천(北大川)과 남대천(南大川) 유역에 전개된 평야. 농산물 외에 양잠·축우(畜牛)가 성하고 사과의 재배도 행함.

북촌【北村】 명 ①북쪽에 있는 마을. ②서울 안에서 북쪽으로 치우쳐 있는 동네들의 통칭. 1)·2) : ↔남촌(南村).

북-춤 명 〖역〗 무고(舞鼓)❷.

북-측【北側】 명 북쪽. 북편. ↔남측.

북치[1] 명 그루갈이로 열린 작은 오이.

북-치[2]【北一】 명 북쪽 지방의 산물(産物) 또는 생물(生物). ↔남(南)치. ∟*북종(北種).

북-치다 자 남의 말에 맞장구치다.

북-치롄【北一】〔祁連〕 명 〖지〗 치롄 산맥❷.

북칠【北漆】 명 돌에 글자를 새길 때 글씨를 쓴 얇은 종이에 밀을 칠하여 그 뒤쪽에 비치는 글자 테두리를 그려서 돌에 붙이고 문질러서 글자를 ∟내려 앉히는 일.

북 커버〔book cover〕 명 책가위.

북-케이스〔bookcase〕 명 책장[2].

북 클럽〔book club〕 명 클럽에서 선정(選定)한 책을, 정가보다 싼값으로 특별 제본하여, 회원에게 우송(郵送) 배포하는 그룹. 1926년 미국에서 처음 설립되었고, 세계 각국에 파급되고 있음.

북-키:핑〔bookkeeping〕 명 부기(簿記).

북태평양 고기압【北太平洋高氣壓】 명 〖천〗 북태평양상의 중위도(中緯度) 부근에 존재하는 아열대 고기압. 겨울에는 남하하여 약해지나 여름에는 북상하여 세력이 강해짐. 우리 나라와 일본의 여름철 날씨에 큰 영향을 주며 이것이 덮이면 덥고 때로는 한발이 되기도 함.

북태평양 해:류【北太平洋海流】 명 〖지〗 북태평양의 북위 30°-40°에서 쿠로시오(黑潮) 속류(續流)에 이어지는 해류의 총칭. 몇 갈래로 갈라져서 동쪽으로 흐르고 크고 작은 소용돌이와 남서로 흐르는 분류도 있음. 유속(流速)은 낮음. 중위도대(中緯度帶)의 편서풍(偏西風)에 의해 ∟일어남.

북-터 명 〈방〉 북정(北庭)❶.

북-토산【北土産】 명 북마(北馬).

북-통【一筒】 명 북의 몸이 되는 둥근 나무 통.

북통(을) 지다 구 경을 읽는 동안에 병자가 죽었을 때, 경쟁이가 북을 지고 쫓기어 가다.

북통(을) 지우다 구 경을 읽는 동안에 병자(病者)가 죽었을 때, 경쟁이에게 북을 지워 쫓다.

북통 같다【一筒一】 형 배가 몹시 불러서 둥그렇다.

북-틀 명 북을 올려놓는 틀.

북-편[1]【一便】 명 〖악〗 장구의 손으로 치는 편. 고면(鼓面). ↔채편.

북-편[2]【北便】 명 북쪽을 향한 편. ↔남편(南便). 「동작.

북편-치기【一便一】 명 〖악〗 장구 춤에서, 장구채로 북편을 넘겨치는

북평[1]【北平】 명 〖지〗 '베이핑'을 우리 음으로 읽은 이름.

북평[2]【北坪】 명 〖지〗 ①강원도 삼척시(三陟市)의 동북쪽에 있던 읍(邑). 1980년 4월에 이웃의 묵호읍(墨湖邑)과 통합하여 동해시(東海市)가 됨. ②강원도 동해시에 조성된 인공 항구. 주로, 인근에서 나는 수산물과 석탄·시멘트 따위를 반출(搬出)함.

북평-관【北平館】 명 〖역〗 조선 시대 초엽에 여진인(女眞人)을 대우하여 숙박(宿泊)시키던 서울의 관소(館所). 곧 없어졌음.

북-평사【北評事】 명 〖역〗 조선 시대 때 북병영(北兵營)에 속한 정육품 무관의 한 벼슬. *병마(兵馬) 평사.

북평-선【北坪線】 명 〖지〗 영동선(嶺東線)의 북평역(北坪驛)에서 삼화(三和)에 이르는 철도선. 1967년 12월 개통. [7 km]

북포【北布】 명 함경 북도에서 나는 베.

북포 남목【北布南木】 명 조선 시대에, 북쪽에서는 좋은 삼베가 나고, 삼남 지방에서는 무명이 많이 생산된다 하여 이르던 말. 「가지.

북포 동완사【北暴東頑詞】 명 〖악〗 대궐 안에서 부르던 창사(唱詞)의 한

북포태-산【北胞胎山】 명 〖지〗 함경 북도 무산군(茂山郡) 삼장면(三長面)과 함경 남도 혜산군(惠山郡) 보천면(普天面) 사이에 있는 산. [2,289 m] *남(南)포태산.

북표【北標】 명 〖지〗 지도(地圖)에서 북쪽을 가리키는 표.

북풍【北風】 명 북쪽에서 불어 오는 바람. 광막풍(廣漠風). 광한풍(廣寒風). 된바람. 음풍(陰風). ↔남풍. *된바람.

북풍-받이【北風一】〔一바지〕 명 북풍을 마주 받는 곳.

북풍 한설【北風寒雪】 명 북쪽에서 불어오는 된바람과 차가운 눈.

북학【北學】 명 중국 남북조 시대에 북조(北朝)에서 행하여진 학풍(學風). 후한(後漢)의 고문학적(古文學的) 경학(經學)을 묵수(墨守)하고 번잡한 실증(實證)을 존중하였는데, 새로운 발전적인 해석을 전혀 볼 수 없음. ↔남학(南學)❷.

북학-론【北學論】〔一논〕 명 조선 영조(英祖)와 정조(正祖) 때에 일어난 실학자(實學者)들의 주장. 박지원(朴趾源)·홍대용(洪大容)·이덕무(李德懋) 등이 주장한 것으로, 나라를 우선 경제적으로 구하자는 주지(主旨)에서, 청(淸)나라에 배우자고 외친 학설.

북학-의【北學議】〔一/一이〕 명 〖책〗 조선 정조(正祖) 2년(1778) 박제가(朴齊家)가 청(淸)의 풍속과 제도를 시찰하고 자기의 의견을 붙여 쓴 기행문. 실학(實學) 사상을 연구하는 데 좋은 자료가 됨. 2권 1책.

북학-파【北學派】 명 북학론을 주장한 실학의 한 파.

북한[1]【北限】 명 북쪽 한계. 특히 생물 분포(分布)의 한계. 생물에 따라 다르며 기상(氣象)·환경 등에 의하여 좌우됨.

북-한[2]【北漢】 명 〖역〗 중국 오대(五代) 십국(十國)의 하나. 유숭(劉崇)이 진양(晉陽)에 도읍(都邑)하여 산시(山西)에 세운 나라. 4대 29년 만에 송(宋)에게 항복하였음. [951-979]

북한[3]【北韓】 명 ①한강 이북의 한국. ②중부 이북의 한국. 북조선(北朝鮮). ③해방 후 삼팔선 이북의 한국. 이북(以北). ④6·25 전쟁 후 휴전선(休戰線) 이북의 한국. 이북(以北). 1)-4):↔남한(南韓).

북-한강【北漢江】 명 〖지〗 강원도 회양군(淮陽郡) 사동면(泗東面)에서 발원(發源)하여 회양(淮陽)·김화(金化)·화천(華川)·춘천(春川)·양구(楊口)와 경기도의 가평(加平)·양평(楊平)·남양주(南楊州) 등지를 지나서 한강(漢江)으로 들어가는 강. *남한강. [371 km]

북한 관성장【北漢管城將】 명 〖역〗 조선 숙종 37년(1711) 북한 산성을 쌓은 다음 경리청(經理廳)을 설치하고 임명한 무관 관직. 곡물(穀物)의 출납을 관리함. 처음에는 병사(兵使)나 수사(水使)의 경력을 가진 사람으로 임명했으나, 뒤에는 중군(中軍)이 겸임(兼任)함.

북-한대【北寒帶】 명 〖지〗 북극권(北極圈)에 속하여 있는 지역. 이 지역에서는 반 년은 내리 밤이고, 반년은 내리 낮이 됨. ↔남한대(南寒帶).

북한-도마뱀【北漢一】 명 〖동〗 장지뱀.

북한-산【北漢山】 명 〖지〗 서울 북쪽에 있는 진산(鎭山). 백운대(白雲臺)·인수봉(仁壽峰)·만경대(萬景臺)의 세 봉이 있어 삼각산(三角山)이라고도 함. 중흥사(重興寺)·동장대(東將臺) 등의 유지(遺址)가 있고, 도선사(道詵寺) 등 30여 개의 사찰 및 비봉(碑峰)의 순수비(巡狩碑), 산 위의 북한산성(北漢山城) 등이 있음. 제일 높은 봉우리는 백운대(白雲臺)임. 한산(漢山). 화산(華山). [837 m]

북한산 국립 공원【北漢山國立公園】〔一님一〕 명 〖지〗 서울 특별시의 도봉구·강북구·성북구·종로구·은평구와 경기도의 의정부시·고양시·양주군에 걸쳐 있는 북한산을 중심으로 한 일대의 국립 공원. 1983년 지정됨. 북한산, 백운대(白雲臺), 인수봉(仁壽峰), 노적봉(露積峰), 도봉산(道峰山) 등과 도봉 계곡, 우이(牛耳) 계곡, 정릉(貞陵) 계곡 등이 있음. [78.45 km²]

북한산-성【北漢山城】 명 〖지〗 삼각산(三角山)에 축조된 산성. 유사시에 대비하기 위하여 조선 숙종(肅宗) 37년(1711)에 축조하였음. 서쪽에 위치한 대서문(大西門)을 입구로 하고, 다시 중성문(中城門)으로써 성내는 두 부분으로 구분되어 있음. 주위 약 8 km.

북한산 신라 진흥왕 순수비【北漢山新羅眞興王巡狩碑】〔一실一〕 명 신라 진흥왕의 북한산 순행을 기념하여 비봉(碑峰)에 세운 비. 비신(碑身)의 높이 154 cm, 너비 69 cm, 두께 17 cm 가량. 정면에 12행으로 새겨진 비문(碑文)은 거의 마멸되고 자획이 명료하지 않은 곳이 많으나, 1816년 완당(阮堂) 김정희(金正喜)가 실사(實査)하고 비문의 일부를 판독(判讀)한 후 널리 알려짐. 1972년 경복궁 안 국립 중앙 박물관으로 옮김. 국보 제3호. *진흥왕 순수비.

북한 치영【北漢緇營】 명 〖역〗 조선 후기에 북한산에 있어 성을 수비하던 의승군(義僧軍)의 병영. *남한(南漢) 치영.

북한 해:류【北韓海流】 명 〖지〗 리만 해류(Liman 海流).

북해[1]【北海】 명 ①북쪽의 바다. 북양. ②〖지〗 함경 북도의 동쪽 바다. ③〔North Sea〕〖지〗 영국의 동(東)해안과 유럽 대륙과의 사이에 있는 바다. 대서양의 지해(支海)임. [575,000 km²]

북해[2]【北海】 명 '베이하이'를 우리 음으로 읽은 이름. 「름.

북해-도【北海道】 명 〖지〗 일본의 '홋카이도'를 우리 음으로 읽은 이

북해 유전【北海油田】 명 노르웨이에서 스코틀랜드·잉글랜드·에이레 앞바다에 이르는 해저(海底) 유전 지대. 200억-300억 배럴의 석유 매장량이 있는 것으로 추정되고 있음.

북행【北行】 명 북쪽을 향하여 감. ——-하다 자 여불

북-향[1]【一香】 명 몸에 차는 향(香)의 하나. 옥으로 북 비슷하게 만들고 앞뒤로 잘게 새긴 다음 향료(香料)를 넣어서 참.

북향[2]【北向】 명 북쪽을 향함. ¶ ~ 재배(再拜). ——-하다 자 여불

북향-집【北向一】〔一찝〕 명 대청이 북쪽을 향하고 있는 집. ↔남향집.

북향-판【北向一】 명 어떤 터가 북쪽을 향하고 있는 판.

북-현무【北玄武】 명 〖민〗 '현무'를 분명히 이르는 말. ↔남주작(南朱∟雀).

북호【北胡】 명 북쪽에 있는 오랑캐의 나라.

북홍【北紅】 명 매우 짙게 붉은 물감의 하나.

북화【北畫】 명 ↗북종화(北宗畫).

북-회귀선【北回歸線】 명 〖지〗 북위 23° 27′의 위도(緯度)를 연결한 선. 춘분(春分)에 적도에 있던 해가 점점 북으로 올라가 하지(夏至)에 이 선을 통과하고, 다시 남으로 내려감. 하지선(夏至線). ↔남회귀선.

분[1]【分】 명 〖역〗 ↗분세(分稅).

분:[2]【分】 명 ↗분수[5](分數). ¶ ~에 넘치는 영광.

분[3]【扮】 명 ↗분장(扮裝). ¶ 복남이 ~에 똘똘이. ——-하다 자 여불

분[4]【芬】 명 〖지〗 ↗분란(芬蘭).

분:[5]【忿】 명 ↗분심(忿心).

분[6]【盆】 명 화초나 나무를 심는 그릇. *화분(花盆).

【분에 심어 놓으면 못된 풀도 화초라 한다】 사물은 그 환경에 따라 귀하고 천해진다는 말. 곧 못난 사람도 좋은 지위에 앉으면 잘난 듯이 보인다는 말.

분[7]【粉】 명 ①↗백분(白粉)❷. ②〖미술〗 흰 빛을 내는 채색. 진채(眞彩)를 내는 데에 씀. ③가루. 분말.

분[8]【畚】 명 〖역〗 대오리로 만들고 푸른 칠을 한 삼태기. 임금이 친경(親∟耕)할 때에 씀.

분:[9]【憤】 명 ↗분기(憤氣).

분[10]【糞】 명 똥❶.

분:[11]〔Boone, Daniel〕 명 〖사람〗 미국의 개척자. 젊어서부터 사냥에 종사하며 많은 개척지를 창건, 켄터키 주(州)의 기반을 닦음. 서부 진출의 선구자로 불림. [1734-1820]

분[12] 의명 사람을 가리킬 때에 공경하는 뜻으로 쓰는 말. ¶ 이 ~.

분[13]【分】 ⊟ 수 〖수〗 십진급수(十進級數)의 단위의 하나. 곧 하나를 열에 나눈 것의 하나. ⊟ 의명 ①시간(時間)의 단위. 한 시간을 예순으로

나눈 하나. ¶ 50 ～ 수업(授業)/45 ～ 경기. ②각도(角度)·경위도(經緯度) 등의 1도를 예순으로 나눈 하나. ¶ 북위 38도 2 ～. ③1할을 열로 나눈 하나. 하나를 열로 나눈 하나. ¶ 칠(七)～도(搗).

분[14]【分】[조]〈이두〉뿐.

-분【分】[미] ①전체를 몇으로 나눈 부분. ¶ 3～의 2. ②몫이 되는 분량. ¶ 50명～/3일～의 양식. ③물질의 성분(成分). ¶ 알코올～/ 지방～.

분가【分家】[명] 가족의 한 부분이 딴집에 나가 딴 살림을 차림. 분호(分戶). 서류(庶流). ¶ ～하여 독립하다. ——-하다 [자][여불] 세간나다.

분-가루【粉—】[—까—] [명]〈속〉분(粉).

분-가시【粉—】[—까—] [명]〖한의〗분의 중독(中毒)으로 여자의 얼굴에 생기는 여드름과 같은 것. 곡취창(穀嘴瘡). 분자(粉刺).

분간[1] [명]〈십마니〉뒷간.

분간[2]【分揀】[명] ①사물의 선악(善惡)·대소(大小)·경중(輕重)·시비(是非) 등을 가려서 앎. ¶ 옳고 그름을 ～ 못 하다. ②죄상(罪狀)을 보아 용서하여 처결(處決)함. ——-하다 [타][여불]

분감【分監】[명] ①원 감옥(監獄)에서 갈라서 따로 세운 감옥. ②〖역〗조선 시대 초 군자감(軍資監)을 갈라서 따로 둔 관아. 영조(英祖) 20년(1744) 이후는 본감이 없어지고 분감만 남음.

분-갑【粉匣】[—깝] [명] 분을 담는 갑. *콤팩트(compact).

분개[1]【分介】[명]〖경〗부기 용어(簿記用語)의 하나. 부기상의 거래를 차변(借邊)과 대변(貸邊)으로 구분하여 각각의 적당한 계정 과목(計定科目)에 기입하는 일. ——-하다 [자][타][여불]

분개[2]【分槪】[명] 대강만을 헤아림. ——-하다 [타][여불]

분:개[3]【憤慨】[명] 격분(激憤)하여 개탄(慨嘆)함. 몹시 분하게 여김. 분완(憤惋). 분탄(憤歎). ——-하다 [자][타][여불]

분개-없다【分槪—】[—업—] [형] 사리(事理)를 분간하여 헤아림이 없다. 분수없다.

분개-없이【分槪—】[—업씨] [부] 분개 없게.

분개-장【分介帳】[—짱] [명]〖경〗회계 장부의 하나. 일기장(日記帳)에 기입한 거래를 원장(元帳)에 바르게 기록할 준비로서 우선 대차(貸借)로 분개하여 그 발생 순서에 따라 상세히 기입하는 장부. *매입장(買入帳).

분거【分居】[명] 여기저기에 나뉘어서 삶. ——-하다 [자][여불]

분:격[1]【憤激】[명] 매우 분하여 격동(激動)함. 매우 분하여 몹시 성을 냄. ——-하다 [자][여불]

분:격[2]【奮激】[명] 급격하게 마음을 떨쳐 일으킴. ——-하다 [자][여불]

분:격[3]【奮擊】[명] 분발(奮發)하여 공격(攻擊)함. 기운을 내어 후려침. ——-하다 [타][여불]

분견【分遣】[명] 원 몸에서 갈라서 따로 내보냄. ——-하다 [타][여불]

분견-대【分遣隊】[명] 본대(本隊)에서 분견되어 나온 대(隊).

분견-소【分遣所】[명] 분견대가 머물러 있는 곳.

분견 함:대【分遣艦隊】[명] 원소속(原所屬) 함대에서 분견되어 나온 함대.

분결[1]【分結】[명]〔segregation〕〖지〗미소 성분(微小成分)의 화학적 재배열을 위해서, 퇴적 후에 퇴적물 안에 2차적 특징이 형성되는 일.

분결[2]【紛結】[명] 마음이 산란하고 울적함. ——-하다 [형][여불]

분:-결[3]【憤—】[—껼] [명] 분김. ¶ ～에 달려들다.

분결-같다【粉—】[—껻—] [형] 살결이 희고 곱다.

분결-같이【粉—】[—껻가치] [부] 분결 같게.

분경[1]【分境】[명] 분계(分界).

분경[2]【奔競】[명]〔↗분추 경리(奔趨競利)〕①몹시 다툼. 또, 그 다툼질. ②〖역〗벼슬을 얻기 위하여 집정자(執政者)의 집에 분주하게 드나들며 엽관 운동을 하는 일. ——-하다 [자][타][여불]

분경[3]【盆景】[명] ①분(盆)에 화초나 조화(造花) 등을 심어 자연의 경치처럼 꾸민 것. ②분 위에 돌이나 모래를 가지고 산수(山水) 등의 풍경을 나타낸 것. ③조그마한 정원.

분경[4]【紛更】[명] 어수선하게 고침. ——-하다 [자][여불]

분경[5]【紛競】[명] 분쟁(紛爭). ——-하다 [자][여불]

분경 금:지법【奔競禁止法】[—뻡] [명]〖역〗조선 시대에 관료들의 엽관 운동을 막기 위해 제정한 법제. 《경국 대전(經國大典)》·《속대전(續大典)》에 규정됨.

분계【分界】[명] 서로 나누인 두 땅의 경계. 분경(分境).

분계-선【分界線】[명] ①서로 나누인 두 땅의 경계선. ②〖생〗골반에 있어서, 갑각(岬角)으로부터 관골(髖骨)의 내면을 통하여 치골 결합(恥骨結合)의 상연(上緣)에 이르는 활 모양의 선.

분고【奔告】[명] 달려가서 알려 줌. 빨리 알림. ——-하다 [타][여불]

분곡【分穀】[명] 추수한 곡식을 몫몫이 나눔. ——-하다 [자][여불]

분골【粉骨】[명] ↗분골 쇄신(粉骨碎身)❶❷. ——-하다 [자][여불]

분골 쇄:신【粉骨碎身】[명] ①뼈가 가루가 되고 몸이 깨어지도록 노력함. 곧 희생적 노력을 이름. 분신 쇄골. ②목숨을 내놓고 있는 힘을 다하여 싸움. 쇄골 분신(碎骨粉身). 분신 쇄골. [준]분골(粉骨)·쇄신(碎身). ③참혹하게 죽음. 또, 참혹하게 죽임. ——-하다 [자][타][여불]

분공【分功】[명] 분업(分業)❷. ——-하다 [타][여불]

분-공장【分工場】[명] 원 공장에서 갈라져 나온 공장.

분과[1]【分果】[명]〖식〗골돌과(蓇葖果).

분과[2]【分科】[—꽈] [명] ①각 과목 별로 나눔. 또, 그 과목. ②전문 분야 별로 나눔. ¶ ～ 위원회를 조직하다. ——-하다 [타][여불]

분과[3]【分課】[—꽈] [명] 업무(業務)를 분담(分擔)하기 위하여 몇 개의 과(課)로 나눔. 또, 그 과. ——-하다 [타][여불]

분과 위원【分科委員】[—꽈—] [명] 분과 위원회의 위원. [준]분위원.

분과 위원회【分科委員會】[—꽈—] [명] 분과별로 조직한 위원회. [준]분위(分委).

분과-회【分科會】[—꽈—] [명] 대규모의 회의 등의 경우, 그 회의에서 의제로 채택된 문제의 종류에 따라, 각각 전문적으로 논의·검토할 필요가 있을 때 설치되는 위원회 비슷한 것.

분-곽【粉—】[—꽉] [명]〈방〉분갑(粉匣).

분관[1]【分官】[명] 관계(官階)를 나누어 줌. ——-하다 [자][여불]

분관[2]【分管】[명] 나누어서 관할(管轄)함. 분할(分轄). ——-하다 [타][여불]

분관[3]【分館】[명] ①본관(本館)에서 나누어 따로 세운 관. ②〖역〗조선 시대 때 새로 문과(文科)에 급제한 사람을 승문원(承文院)·성균관(成均館)·교서관(校書館)의 삼관(三館)에 분속(分屬)시켜 권지(權知)라는 이름으로 실무(實務)를 익히게 하던 일. 분관을 하는 데는 급제한 사람의 이름을 일렬(一列)로 적어 가지고, 박사(博士) 세 사람으로 하여금 채점하게 하여 석 점은 괴원(槐院) 곧 승문원, 두 점은 국자(國子) 곧 성균관, 한 점은 운각(芸閣) 곧 교서관에 보내는데, 다시 이를 승문원의 도제조(都提調)와 검토를 해서 수정할 것이 있으면 수정해 가지고, 이조(吏曹)에서 계품(啓稟)하여 삼관에 입속(入屬)시켰음. 그리고 점수를 얻지 못한 사람은 후방(後榜)을 기다리는데, 이를 미분관인(未分館人)이라고 함. *괴원(槐院) 분관.

분광[1]【分光】[명]〖물〗빛이 파장(波長)의 상위(相違)에 의하여 여러 가지 색대(色帶)로 나누어지는 일. ——-하다 [자][여불]

분광[2]【分鑛】[명]〖광〗덕대(德大)로부터 광구(鑛區)의 일부를 쪼개 받아 일정한 요금을 내고 일정한 기한내 채굴하는 광업(鑛業). ——-하다 [자][여불]

분광[3]【粉鑛】[명]〖광〗가루로 부서진 광석(鑛石).

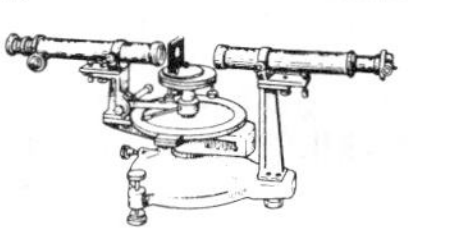
〈분광계〉

분광-계【分光計】[명]〔spectrometer〕〖물〗파장(波長) 눈금 또는 각도(角度) 눈금이 있는 분광기. 망원경과 콜리메이터(collimator)를 고정시킨 채, 프리즘대(臺)만 회전시켜서 임의(任意)의 스펙트럼선을 십자선(十字線)에 맞추어서 직접 파장을 읽을 수 있음. 파장(波長) 분광계.

분광 광도계【分光光度計】[명]〔spectrophotometer〕빛의 세기를 파장별로 측정하는 장치. 단색광(單色光)으로 분해하는 장치와 그 단색광을 정량적(定量的)으로 측정하는 장치로 구성됨. 주로 반사율·투과율(透過率)의 측정에 사용됨. 분광 측광기(測光器). *광전 분광 광도계(光電分光光度計).

분광-기【分光器】[명]〔spectroscope〕〖물〗빛을 단광(單光) 스펙트럼으로 분산(分散)시켜서 그 강도(强度)와 파장(波長)을 검사하는 장치. 프리즘 분광기·격자(格子) 분광기·간섭 분광기 등의 광학 기계.

분광 분석【分光分析】[명]〔spectroscopic analysis〕〖물〗원자(原子) 스펙트럼이 각 원소에 고유(固有)한 것임을 이용하여 여러 가지 물질의 스펙트럼을 검사, 그 속에 함유되어 있는 원소의 정성(定性)·정량(定量) 분석을 행하는 일.

분광 사진【分光寫眞】[명]〔spectrogram〕〖물〗분광, 곧 스펙트럼의 사진. 특별한 구조를 가진 분광 사진기로써 찍는데, 증감제(增減劑)의 연구, 희소 원소(稀少元素)의 연구, 천체의 연구 등에 널리 응용됨.

분광 사진기【分光寫眞機】[명]〔spectrograph〕〖물〗분광기에 사진 장치를 달아서 스펙트럼 사진을 찍을 수 있게 만든 장치.

분광 시:차【分光視差】[명]〔spectroscopic parallax〕〖물〗항성(恒星)의 스펙트럼과 광도(光度)의 관계를 이용하여 추산(推算)한 항성의 거리.

분광 쌍성【分光雙星】[명]〔spectroscopic binary star〕〖천〗실시(實視)로는 분리(分離)할 수 없으나, 스펙트럼선(spectrum線)에 나타나는 시선 속도(視線速度)의 주기적(周期的) 변화에 의하여 검출(檢出)할 수 있는 쌍성. 분광 연성. ↔실시 쌍성(實視雙星).

분광 연성【分光連星】[—년—] [명]〖천〗분광 쌍성.

분광 측광【分光測光】[명]〖천〗천체 스펙트럼의 관측에 의하여 천체의 광도를 결정하는 일. *실시(實視) 측광·사진(寫眞) 측광·열량(熱量) 측광·광전(光電) 측광.

분광 측광기【分光測光器】[명] 분광 광도계(光度計).

분광 태양 사진【分光太陽寫眞】[명] 스펙트로헬리오그래프(spectroheliograph)를 사용하여 단색광(單色光)으로 촬영한 태양의 사진.

분광-학【分光學】[명]〔spectroscopy〕〖물〗광학(光學)의 한 분과(分科). 빛을 여러 가지의 단색광(單色光)이나 세선(細線)·암선(暗線)·광대(光帶) 등으로 나누어 빛의 스펙트럼(spectrum)을 연구하는 학문. 원자(原子)·분자(分子)의 구조를 조사하는 데 중요한 단서(端緖)를 주며, 그 응용 범위가 넓음.

분광 화학【分光化學】[명]〔spectrochemistry〕〖화〗스펙트럼(spectrum) 분석(分析)에 의하여 분자(分子) 구조를 구명(究明)하려는 화학의 한 부문.

분:괴【憤愧】[명] ①분하고 부끄러움. ②마음에 뉘우침. ——-하다 [자][여불]

분괴 압연기【分塊壓延機】[명]〖공〗강괴(鋼塊)를 압연하여 반제품(半製品)의 강편(鋼片)을 만드는 압연기.

분교【分校】[명]〖교〗본교(本校) 소재지 이외의 지역에 따로 분설(分設)한 학교. ↔본교.

분-교장【分敎場】[명]〖교〗본교장 소재지 이외의 지역에 따로 분설(分設)한 교장.

분구[1]【分區】[명] ①지역을 일정하게 나눈 구역. ②구(區)를 몇 개로 나눈 구역. ——-하다 [타][여불]

분구[2]【分球】[명]〖식〗비대(肥大)하여 자근(子根)이나 생장점(生長點)이 많이 붙은 구근(球根)을, 각각의 자구(子球)로 또는 각각 생장점이 붙은 부분으로 절단하여 나누는 일. ——-하다 [자][여불]

분국[1]【分局】[명] 본국(本局)에서 갈라서 따로 분설한 국. ↔본국.

분국[2]【芬國】[명]〖지〗'핀란드(Finland)'의 취음.

분국[3]【粉麴·粉麯】[명] 누룩의 한 가지. 밀기울을 쳐내고 가루로만 디디

어 띄움. 주로 약주용으로 쓰임. 면국(麪麴).

분권【分權】[—꿘] 명 권력(權力)을 분산(分散)함. ¶ 지방 ~. ↔집권(集權). ——하다 자여불

분권적 관:리【分權的管理】[—꿘—꽐—] 명 일정한 권한과 책임을 몇 사람에게 분산 위임하는, 사업의 경영 관리. ↔집권적 관리.

분권적 사:회주의【分權的社會主義】[—꿘—/—꿘—이] 명〖사〗스탈린주의에서 볼 수 있는, 관료 통제적·중앙 집권적 사회주의의 폐해를 제거하고, 현대의 관리 사회 제도(管理社會制度)에 적응해 나가려는 사회주의 사상. 각 경제 단위체 및 지방 자치 단체에 보다 많은 권한을 주고, 개인의 자유와 근로자의 참여에 기초를 둘 것을 주안(主眼)으로 함.

분권적 조직【分權的組織】[—꿘—] 명 경영 조직의 각 부문에 권한이 대폭 위양(委讓)되어 있는 조직 형태. 기업 활동의 기동성(機動性)을 높이기 위한 것으로, 각 부문은 독립 채산제를 취하는 경향이 있음.

분권-주의【分權主義】[—꿘—/—꿘—이] 명〖정〗↗지방 분권주의. ↔중앙 집권 주의.

분궤[1]【粉潰】명 잘게 부서져서 흩어짐. ——하다 자여불

분궤[2]【奔潰】명 궤주(潰走). ——하다 자여불 「~.

분규【紛糾】명 뒤얽혀서 말썽이 많고 시끄러움. ¶ 재산 상속을 둘러싼

분극【分極】명〔polarization〕〖물〗①유전체(誘電體)를 전기장(電氣場)에 놓으면 그 양단에 음양(陰陽)의 전기가 나타나는 현상. ②전기 분해 또는 전지(電池)를 사용할 경우에, 전극(電極)과 전해질(電解質)의 사이에 전류가 통하는 결과로, 원전류(原電流)와 반대 방향의 동전력(動電力)이나 전류를 내는 현상. 편극(偏極).

분극 전:류【分極電流】[—절—] 명〔polarization current〕〖물〗물질의 분극에 유래하는 전류. ＊변위(變位) 전류.

분극 전:하【分極電荷】명〔polarized charge〕〖물〗물질의 원자 또는 분자 속에 속박되어 있는 전자가 전기력을 받아, 원자 또는 분자 속에서 이동하여 분극할 때에 나타나는 물질. 전하(電荷)의 한 형태. ↔진전하(眞電荷). ＊자유(自由) 전하.

분극화 현:상【分極化現象】명〖사〗사회적 여러 세력이 서로 대립하는 두 개의 극으로 분화(分化) 또는 집중하는 현상.

분근【分根】명〖식〗하나의 뿌리를 쪼개어서 여럿으로 나눔. 또, 그 뿌리. ——하다 자여불 「——하다 타여불

분금【分金】명 관(棺)을 묻을 적에 그 관의 위치를 똑바로 정하는 일.

분급[1]【分級】명〔sorting〕〖지〗물 또는 공기 등의 유체(流體) 속에서의 고체 입자(固體粒子)의 침강(沈降) 속도가, 그 입자의 크기에 따라 다름을 이용하여 그들을 둘 이상의 입자군(群)으로 나누는 조작(操作). 자연계에서는 여러 쇄설물(碎屑物)이 바람이나 유수(流水)의 작용으로 분급 작용을 입고 있음. 분급 작용. ——하다 타여불

분급[2]【分給】명 나누어서 줌. 분여(分與). ——하다 타여불

분급-기【分級機】명 분급을 연속적으로 하는 데 쓰는 장치.

분급 문기【分給文記】명〖역〗재주(財主)가 살아 있을 때에 토지와 노비 등 재산을 자녀들에게 논아 주는 문서. ＊화회 문기(和會文記)·분깃 문기(分衿文記)·깃기(衿記).

분기[1]【分岐·分歧】명 나뉘어서 갈라짐. 또, 그 갈래. ——하다 자여불

분기[2]【分期】명 1년을 3개월씩 넷으로 구분한 기간. ¶ 일사(一四) ~.

분기[3]【氛氣】명 해미[3].

분기[4]【紛起】명 말썽이 어지럽게 생김. ——하다 자여불

분:기[5]【噴氣】명 수증기나 가스를 뿜어냄. 또, 그것. ——하다 자여불

분:기[6]【憤氣·忿氣】명 원통하여 일어나는 분한 기운. 성낸 기운. ㊟분(憤).

분:기[7]【奮起】명 분발하여 일어남. ＊감기(感起). ——하다 자여불

분:기-공【噴氣孔】명〖지〗화산(火山) 작용으로 땅 속에서 수증기(水蒸氣)나 가스 같은 것을 뿜어내는 구멍. 수증기공(孔)·황기공(黃氣孔)·탄산기공(炭酸氣孔)의 세 가지가 있음.

분기-선【分岐線】명 몇 갈래로 갈라진 선로(線路). 기선(岐線).

분기-점【分岐點】[—쩜] 명 ①몇 갈래로 갈라지기 시작한 곳. 갈라져 나간 어름. ¶ 호남선의 ~/인생의 ~. ②〖물〗분로(分路)❷. ③〖수〗특이점(特異點).

분:기 충천【憤氣沖天·忿氣沖天】명 분한 기운이 하늘에 솟구치듯 대단함. 몹시 분함. 분기 탱천. ——하다 자여불

분:기 탱천【憤氣撐天·忿氣撐天】명 분기 충천. ¶ ~하여 이를 갈다. ——하다 자여불

분:-김【忿—·憤—】[—낌] 명 성이 왈칵 난 바람. 분결. 분두(忿頭). 분쟁지두(忿爭之頭). 분정지두(忿情之頭).

분깃【分衿】명〈이두〉유산(遺産)을 나누어 받는 몫. 「記).

분깃 문기【分衿文記】명〈이두〉화회 문기(和會文

분-꽃【粉—】명〖식〗[*Mirabilis jalapa*] 분꽃과에 속하는 일년초 또는 다년초. 뿌리는 흑색 괴근상(塊根狀)이고, 줄기는 녹색인데 마디가 있으며, 높이 60~100cm로 다수 분지(分枝)함. 잎은 대생하고 달걀꼴에 끝이 뾰족함. 여름에서 가을에 백색·적색·황색 꽃이 나팔꽃 모양으로 해질 무렵부터 아침까지 핌. 과실은 둥글고 흑색으로 익는데 속에 흰 가루가 있음. 중간 잡종(雜種)은 유전(遺傳) 실험 재료로 씀. 남미 원산으로 정원에 관상용으로 심음. 종자의 배유(胚乳)를 아이들이 좋아하여 가지고 놂. 분화(粉花).

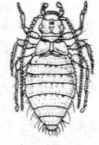

〈분꽃〉

분꽃-과【粉—科】명〖식〗[Nyctaginaceae] 쌍자엽(雙子葉) 식물 이판화류(離瓣花類)에 속하는 한 과. 전세계에 160여 종, 한국에서는 분꽃 한 가지만 재배되고 있음.

분꽃-나무【粉—】명〖식〗[*Solenalantana carlesii*] 인동과에 속하는 낙엽 활엽 관목. 잎은 넓은 달걀꼴 또는 원형인데, 가에는 무딘 톱니가 있고 잔털이 있음. 5월에 엷은 분홍색 꽃이 산형상(繖形狀)의 취산(聚繖) 화서로 묵은 가지 끝에 정생하고, 핵과(核果)는 타원형인데 10월에 흑색으로 익음. 언덕이나 산기슭에 나는데, 거의 한국 각지 및 일본에 분포함. 꽃은 향기가 나며 관상용으로 심음.

분나【紛拏】명 분란(紛亂). ——하다 형여불

분:-나다【忿—·憤—】자 분한 기운이 일어나다. 분한 마음이 치밀다.

분-나비【粉—】명〖충〗눈나비.

분납【分納】명 몇 차례로 나누어서 바침. ¶ 등록금 ~. ——하다 타여불

분:내[1]【分內】명 신분에 상당한 분수의 안.

분-내[2]【粉—】명 분의 냄새. ¶ 향긋한 ~.

분:-내다【忿—·憤—】자 분한 기운을 일으키다.

분:내-사【分內事】명 분수에 맞는 일.

분네 의명 ①'분'을 범연하게 일컫는 말. ¶ 이제 오신 ~가 김씨요. ②분들. ¶ 저 ~는 우리 회사 직원들이오.

분:노【忿怒·憤怒】명 ①분하여 성냄. 분에(忿恚). ②〖천주교〗칠죄종(七罪宗)의 하나. ——하다 자여불 「攣).

분:노 경련【憤怒痙攣】[—년] 명〖의〗호흡성 격정 경련(呼吸性激情痙

분:노의 포도【憤怒—葡萄】[—/—에—] 명〔The Grapes of Wrath〕〖문〗미국 작가 스타인벡의 장편 소설. 캘리포니아를 무대로 이주(移住)하는 농민군(農民群)의 생활상을 그린 사회적 리얼리즘의 작품으로, 내용과 구성에 있어서 스타인벡의 최대 걸작으로 일컬어짐. 1939년 간(刊).

분:노-함【憤怒喊】명 분노하여 지르는 고함. 성낸 고함 소리.

분뇨[1]【紛鬧】명 ①번거롭고 바쁨. ②번화하고 사람이 복작복작하여 시끄러움. ——하다 형여불

분뇨[2]【糞尿】명 똥과 오줌. 똥오줌. ¶ ~ 탱크/~ 처리장.

분뇨-차【糞尿車】명 똥차❶.

분다듬이-벌레【粉—】명〖충〗[*Trogium vulsatorium*] 분다듬이벌렛과에 속하는 곤충. 몸의 길이는 2mm 가량이고, 몸빛은 담황백색이며, 온 몸에 털이 있으며, 시흔(翅痕)은 작고 타원형임. 복부(腹部) 제4절(節)에서 말단까지의 각 절(節)의 양측에 강극(剛棘)이 있음. 도서관·박물관·벽집·동식물의 건조 표본 등의 해충이며 세계 공통종(共通種)임.

〈분다듬이벌레〉

분다듬이벌렛-과【粉—科】명〖충〗[Atropidae] 다듬이벌레목(目)에 속하는 한 과(科). 대개 날개가 완전히 없거나 앞날개가 있어도 인편상(鱗片狀)이고, 부절(跗節)은 3절임. 전흉(前胸)은 크며 세 부분으로 되고, 중흉(中胸)과 후흉(後胸)도 분리되었음. 전세계적으로 분포함.

분단[1]【分段】명 ①사물(事物)을 몇 단계(段階)로 나눔. 또, 그 단계. 사물의 구분. ¶ 일을 ~적(的)으로 처리하다. ②문장을 뜻에 따라 몇 단락(段落)으로 나눔. 또, 그 단락. ③〖불교〗↗분단신(分段身). ——하다 타여불

분단[2]【分團】명 ①단체의 본부로부터 분설(分設)된 조직. ¶ 우리 청년단은 세 ~으로 조직되었소. ②한 학급(學級)을 몇으로 나눔. 또, 그 나눈 한 덩어리. ¶ ~장(長)/우리 학급은 다섯 ~으로 갈랐소. ——하다 자타여불

분단[3]【分斷】명 여러 개로 나누어 끊음. 나누어 짜름. ¶ 국토 ~의 설움. ——하다 타여불

분단 국가【分斷國家】명 본래는 하나의 국가이었으나 전쟁 또는 외국의 지배 등으로 인하여 둘 이상으로 갈라진 국가.

분단-나무 명〖식〗[*Viburnum furcatum*] 인동과에 속하는 낙엽 활엽 관목. 높이 3m 가량이고, 잎은 대생하며 넓은 달걀꼴 또는 원형인데, 가에는 톱니가 있음. 4~5월에 백색 꽃이 산형(繖形) 취산(聚繖) 화서로 풋가지 끝에 정생(頂生)하여 피고, 핵과(核果)는 가을에 홍색으로 익음. 산허리의 숲 밑에 나는데, 제주도·울릉도 및 일본·사할린에 분포함. 관상용으로 심음.

〈분단나무〉

분단 동거【分段同居】명〖불교〗범부(凡夫)와 성자(聖者)가 함께 거주(居住)한다는 뜻으로, 사바 세계(娑婆世界)를 가리키는 말.

분단 무상【分段無常】명〖불교〗분단 생사(分段生死)의 몸이 무상한 일. ——하다 형여불

분단 변:역【分段變易】명〖불교〗분단 생사(分段生死)와 변역 생사(變易生死). 「(三道).

분단 삼도【分段三道】명〖불교〗분단 생사의 세계인 미계(迷界)의 삼도

분단 생사【分段生死】명〖불교〗육도(六道)에 윤회(輪廻)하는 범부(凡夫)의 생사. 육도에 윤회하는 자는 수명에도 과보(果報)에도 장단(長短)의 구별이 있기 때문에 '분단'이라 함. ↔변역 생사.

분단-신【分段身】명〖불교〗분단 생사를 받는 신체(身體). 곧, 범부(凡夫)의 몸. ㊟분단(分段).

분단 윤회【分段輪廻】명〖불교〗분단 생사의 윤회. 곧 나서 죽고 죽어 다시 태어난다는 생애(生涯)를 되풀이하는 일.

분-단장【粉丹粧】명 분을 바르며 하는 단장. ——하다 자여불

분단 학습【分團學習】명〖교〗학습 방법의 하나. 일제(一齊) 교육의 폐단을 제거하고, 피교육자의 자유 활동·협조심·경쟁심을 유발(誘發), 자주성(自主性)을 높이기 위하여 한 학급을 여러 분단으로 나누어 교육 효과를 올리는 학습 형태. 그룹 학습. ＊클럽 활동(club活動).

분단-화【粉團花】명〖식〗수국(水菊)❷.

분담【分擔】명 일을 나누어서 맡음. ¶책임을 ~하다. ——-하다 타여불

분담-금【分擔金】명 각각 나누어 맡아서 내는 돈. 분담한다는 뜻. *부담금(負擔金).

분담 사:무【分擔事務】명 분담한 사무.

분답【紛沓】명 잡답(雜沓). ¶안의 방 하나 치워 주오. 여기가 과히 ~지나 아니하오?《作者未詳: 雨中奇緣》. ——-하다 형여불

분당¹【分黨】명 ①당파(黨派)를 가름. 또, 가른 그 당파. ②당파가 갈라짐. 또, 갈라진 그 당파. ↔본당(本黨). ——-하다 자타여불

분당²【粉糖】명 가루 사탕. ↔각사탕(角砂糖).

분-당지【粉唐紙】명 중국에서 나는 종이의 한 가지. 빛이 희고 썩 얇음.

분대¹ 명 ↗분대질. ——-하다 자여불

분대²【分帶】명 ↗분합대(分合帶).

분대³【分隊】명 ①〖군〗군대의 편성 단위의 하나. 소대(小隊) 다음의 최하 단위로서 9명의 사병으로 이루어짐. ¶~장(長). ②〖군〗본부에서 나뉘어 나온 군대. ↔본대(本隊). ③대를 나눔. ——-하다 자여불

분대⁴【分臺】명〖역〗조선 시대 때 대관(臺官)을 중앙의 각 관아(官衙)에 분견(分遣)하여 검찰(檢察)하는 일. 또, 그 대관(臺官). *행대(行臺).

분:대⁵【忿懟】명 성을 내어서 원망함. ——-하다 타여불

분대⁶【盆臺】명 분받침.

분대⁷【粉黛】명 ①분과 눈썹먹. ②화장(化粧). ③화장한 미인.

분대-꾼 명 남에게 분대질을 하는 사람.

분대-놓다 자〈방〉분대질치다.

분대-올리다 자〈방〉분대질치다.

분대-장【分隊長】명〖군〗분대의 우두머리인 하사관.

분대-질 명 남을 괴롭게 하여 분란(紛亂)을 일으키는 짓. 말썽부리는 짓. ㊀분대. ——-하다 자여불

분대질(을) 치다 구 남을 괴롭게 하여 분요(紛擾)를 일으키다. 말썽부리다.

분:도【分度】명 분한(分限)❶.

분-도관【分都官】명〖역〗조선 시대 초기에, 형조 도관(刑曹都官)을 한 때 고친 이름.

분도-기【分度器】명〖수〗'각도기'의 구용어.

분-독¹【粉毒】[—똑] 명 분바른 피부에 나는 연독(鉛毒).

분:-독²【憤毒】[—똑] 명 분(憤)을 내며 원망함.

분돈-적【奔豚積】명〖한의〗장관(腸管)의 경련성(痙攣性)으로 아랫배가 아프다가 심하면 위로 뻗치는 병.

분:-돋움【忿—·憤—】명 남의 분한 마음을 돋우어 주는 일. ——-하다 타여불

분동¹【分洞】명 한 동네를 둘 이상으로 나눔. 또, 그 나뉜 동네. ——-하다 자여불

분동²【分棟】명 ①여러 집채로 가름. ②원병동(病棟) 소재지 이외의 지역에 병동을 분설함. 또, 그 분설(分設)한 병동. ——-하다 자여불

분동³【分銅】명 천평칭(天平秤)으로 물건의 중량을 측정할 때, 한쪽 저울판에 올려놓는, 표준되는 금속제의 추(錘). 원기둥형·사각형·육각형 등으로 올려놓기 편리하게 되었음.

분동-법【分銅法】[—뻡] 명 금은(金銀) 등을 함유하는 조동(粗銅)으로부터 금은을 추출(抽出)하고 동시에 순동(純銅)을 얻는 방법. 흔히, 전기 분해법을 씀.

분:두【忿頭】명 분김.

분등¹【分等】명 등급(等級)을 나눔. ——-하다 타여불

분등²【奔騰】명 물가(物價)가 갑자기 뛰어오름. ↔분락(奔落). ——-하다 자여불

분:등³【噴騰】명 내뿜어서 위로 뻗침. ——-하다 타여불

분:등-천【噴騰泉】명〖지〗100°C 이상의 열탕(熱湯)이 수증기나 그 밖의 가스와 함께 하늘 높이 뿜어 오르는 온천.

분디 명 좀산초. 곧 분디나무의 열매. 애초(崖椒). 진초(秦椒). 화초(花椒).

분디기 명〈방〉번데기(경북).

분디-나무 명〖식〗좀산초.

분디-섬게 명〖동〗분디성게.

분디-성게 명〖동〗[*Temnopleurus toreumaticus*] 극피 동물(棘皮動物) 분디성겟과(科)에 속하는 섬게의 하나. 몸의 직경 4cm 내외, 껍질은 두껍고 단단하며 원뿔형임. 간보대(幹步帶)는 4-6개이고 대극(帶棘)은 편평하고, 담홍색이며, 껍질은 황갈색임. 산란기(產卵期)는 6월 하순에서 7월임. 얕은 모래땅에 서식하는데, 한국 남부·일본·태평양 연안에 분포함. 식용함. 분디섬게.

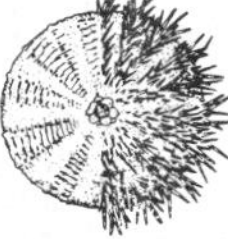

〈분디성게〉

분락【奔落】[불—] 명 물가(物價)가 갑자기 냅다 내림. ↔분등(奔騰). ——-하다 자여불

분란¹【芬蘭】[불—] 명〖지〗'핀란드(Finland)'의 음역. ㊀분(芬)

분란²【紛亂】[불—] 명 분잡하고 떠들썩함. 분나(紛拏). 분요(紛擾). ¶~을 일으키다. ——-하다 형여불

분략【焚掠】[불—] 명 집을 불태우고 재산을 빼앗음. ——-하다 타여불

분:량【分量】[불—] 명 부피·수효·무게 등의 많고 적음과 크고 작은 정도. ㊀양(量).

분:려【奮勵】[불—] 명 기운을 내어 힘씀. ——-하다 자여불

분력¹【分力】[불—] 명〖물〗성분력(成分力).↔합력(合力).

분:력²【奮力】[불—] 명 힘을 뽐내어 일으킴. ——-하다 자여불

분렬¹【分列】[불—] 명 →분열(分列).

분렬²【分裂】[불—] 명 →분열(分裂).

분로【分路】[불—] 명 ①함께 가던 사람이 중간에서 길이 갈림. ②〖물〗션트(shunt)❶. ↔주로(主路). ——-하다 자여불

분룡-우【分龍雨】[불—] 명 5월에 오는 비.

분루【糞瘻】[불—] 명〖의〗장관(腸管)의 손상으로 복벽(腹壁)과 장관벽이 유착(癒着)하고 천공(穿孔)되어, 장(腸)의 내용이 체표면(體表面)에 나오는 상태. 광의(廣義)로는 수술적(手術的)으로 장내용(腸內容)을 체표면에 이끌어 낸 인공 항문(肛門)도 아울러 일컬음.

분류¹【分流】[불—] 명 ①본류에서 갈라져 흐름. 또, 그 물줄기. ¶큰 강에서 ~ 된 강. ②〖물〗션트(shunt)❷. ——-하다 자여불

분류²【分溜】[불—] 명〖화〗↗분별 증류. ——-하다 타여불

분류³【分類】[불—] 명 ①종류를 따라서 분리함. 유별(類別). 범주(範疇). ②구분을 완전하고 철저하게 행하여 사물(事物) 또는 그 인식을 정돈하여 체계를 세움. ——-하다 타여불

분류⁴【奔流】[불—] 명 내달리듯이 빨리 흐름. 또, 그 흐름. ——-하다 자여불

분류⁵【粉瘤】[불—] 명〖의〗피하(皮下)에 생기는 구형(球形)의 낭종(囊腫). 내용은 좀 단단하여진 상피(上皮) 세포와 지방으로 되어 있음.

분:류⁶【噴流】[불—] 명〖기상〗제트 스트림(jet stream).

분류-감【分類監】[불—] 명 공안직(公安職) 국가 공무원 직급 명칭의 하나. 교정 직렬(職列)의 분류 직류(職類)에 속하며, 교정 부이사관의 아래, 분류관의 위로 4급 공무원임.

분류-관¹【分溜管】[불—] 명〖화〗분별 증류(分別蒸溜)할 때 증류된 가스나 증기(蒸氣)를 통과시키는 관.

분류-관²【分類官】[불—] 명 공안직(公安職) 국가 공무원 직급 명칭의 하나. 교정 직렬(職列)의 분류 직류(職類)에 속하며, 분류감의 아래, 분류사의 위로 5급 공무원임.

분류-기【分流器】[불—] 명〖물〗션트(shunt)❸.

〈분류관〉

분류 두공부시 언:해【分類杜工部詩諺解】[불—] 명〖책〗조선 성종(成宗) 때 유윤겸(柳允謙) 등이 명을 받들어, 두보(杜甫)의 시를 우리 말로 번역한 책. 성종 12년(1481)에 초간(初刊)되었으며, 인조(仁祖) 10년(1632)에 중간(重刊)된 일이 있음. 25권 17책. ㊀두시 언해(杜詩諺解).

분류-사【分類士】[불—] 명 공안직(公安職) 국가 공무원 직급 명칭의 하나. 교정 직렬(職列)의 분류 직류(職類)에 속하며, 분류관의 아래, 분류사보의 위로 6급 공무원임.

분류사-보【分類士補】[불—] 명 공안직(公安職) 국가 공무원 직급 명칭의 하나. 교정 직렬(職列)의 분류 직류(職類)에 속하며, 분류사의 아래, 분류원의 위로 7급 공무원임.

분류 소:득세【分類所得稅】[불—] 명〖법〗개개의 소득에 대해 따로따로 과세하는 소득세. 부동산 소득세·배당(配當) 소득세·이자 소득세·사업(事業) 소득세·근로(勤勞) 소득세·퇴직(退職) 소득세·양도(讓渡) 소득세·산림(山林) 소득세·기타 소득세 등이 있음. ↔종합 소득세.

분류식 하:수도【分流式下水道】[불—] 명〖토〗분류 하수관.

분류-원【分類員】[불—] 명 공안직(公安職) 국가 공무원 직급 명칭의 하나. 교정 직렬(職列)의 분류 직류(職類)에 속하며, 분류사보의 아래, 분류원보의 위로 8급 공무원임.

분류원-보【分類員補】[불—] 명 공안직(公安職) 국가 공무원 직급 명칭의 하나. 교정 직렬(職列)의 분류 직류(職類)에 속하며, 분류원의 아래로 9급 공무원임.

분류-탑【分溜塔】[불—] 명〖화〗여러 성분이 들어 있는 액체를 증류(蒸溜)하여 연속적으로 분리(分離)하는 장치. 증류탑(蒸溜塔).

분류 하:수관【分類下水管】[불—] 명 하천으로 흘러 드는 물 가운데, 오수(汚水)·하수만을 따로 분류하여 흐르게 하는 하수관.

분류-학【分類學】[불—] 명 [taxology]〖생〗동식물의 모든 종류를 일정 규준으로 계통적으로 배열 기술하는 학문. 즉 현존 생물의 형태·발생과 비교하여, 고생물(古生物)의 진화·변천을 연구하며, 특히 근래에 와서는 단백질의 혈청 반응(血清反應)을 응용하여, 각 생물의 유연(類緣) 관계를 연구함. 보통 문(門)·강(綱)·목(目)·과(科)·속(屬)·종(種)의 단계로 나눔.

분리¹【分利】[불—] 명 ①이득을 나눔. ②〖의〗급성 질환(急性疾患)에서 열이 갑자기 내려 회복기(回復期)에 들어섬. ——-하다 자여불

분:리²【分厘】[불—] 명 돈·저울·자의 단위인 분(分)과 이(厘). →푼리.

분리³【分離】[불—] 명 ①서로 나뉘어 떨어짐. 또, 그리 되게 함. ②[separation]〖화〗결정(結晶)·승화(昇華)·증류(蒸溜) 등에 의하여 물질을 나누어 떼어냄. ③[isolation] 미생물(微生物)이 자연의 혼합 집단에서 개체(個體) 또는 균주(菌株)를 나누는 일. ——-하다 자타여불

분리 공리【分離公理】[불—니] 명〖수〗점과 점이 어떻게 떨어져 있는가를 규정하는 명제(命題)의 총칭.

분리 공판【分離公判】[불—] 명〖법〗동일 사건에 복수(複數)의 피고인이 있는 경우, 법정을 분리하여 별개의 재판관이 심리하는 일.

분리-과【分離果】[불—] 명〖식〗건과(乾果)의 일종. 다심피(多心皮)의 자방(子房)이 완숙한 후, 중축(中軸)을 남기고 분리한 각 실(室)이 각각 소과실(小果實)이 되는 과실. 미나릿과·아욱과 등에서 볼 수 있음.

분리 과세【分離課稅】[불—] 명 소득세의 종합 과세에서 분리하여, 단독으로 과세함.

분리-기¹【分離器】[불—] 명 혼합물 가운데에서 형상(形狀)·성질이 다른 물질을 분리하는 기계. 원심력(遠心力)을 이용한 원심 분리기, 증기(蒸氣)의 물방울을 제거하는 기수(汽水) 분리기, 석탄에서 철편(鐵片)을 제거하는 자기(磁氣) 분리기 등이 있음.

분리-기²【分離機】[불—] 명〖광〗선광기(選鑛機).

분리-대【分離帶】[불—] 명 차도(車道)를 왕복의 방향별로 분리하거나, 완속(緩速) 차도와 기타의 차도의 부분과를 분리하기 위하여, 그 경계선에 설치한 띠 모양의 부분. *중앙 분리대.

분리-도【分離島】[불—] 명〖지〗대륙도(大陸島).

분리-량【分離量】[불—] 명 불연속량.

분리 배:양법【分離培養法】[불—뻡] 명〖생〗병원균(病原菌)을 확정하

없이 암맥(岩脈)으로 혹은 지하의 얕은 곳에 굳어진 안산암질(安山岩質)의 반상암(斑狀岩). 사장석(斜長石)·각섬석(角閃石)·휘석(輝石)으로 되어 있음.

분압【分壓】명〔partial pressure〕〖물〗↗부분 압력.

분액 깔때기【分液一】명 물과 기름 등 상하(上下) 두 개의 액상(液相)으로 나누어진 액체를 각각으로 분리하는 깔때기. 분액 누두(分液漏斗).

분액 누:두【分液漏斗】명 분액 깔때기.

〈분액 깔때기〉

분액-불【分額拂】명 몇 번으로 별러서 치르는 지불.

분야【分野】명 ①옛날 중국 사람이 전토(全土)를 하늘의 이십팔수(二十八宿)에 별러서 나눈 것을 일컬음. ②어디에 속한 범위나 또는 그 환경을 가리키는 말. 몇으로 나누인 각각의 범위. 경지(境地). ¶ 전문 ~/자연 과학 ~/~별로 가르다.

분약【粉藥】명 가루약.

분양¹【分讓】명 큰 덩이를 갈라서 여럿에 별러 넘겨 줌. ¶ 대지(垈地) ~/주택 ~. ——-하다 타여불

분양²【汾陽】명〖지〗'펀양'을 우리 음으로 읽은 이름.

분양³【糞壤】명 ①더러운 땅. 썩은 흙. ②땅에 거름을 주는 일.

분양 주:택【分讓住宅】명 분양지에 지어 판매하는 주택. 또, 공동 주택을 호별(戶別)로 파는 주택.

분양-지【分讓地】명 전체를 몇으로 구분하여 파는 토지.

분어【鱝魚】명〖어〗가오리.

분어-채【鱝魚菜】명 가오리 어채.

분얼【分蘖】명 식물의 땅 속에 있는 마디에서 가지가 나오는 일. 벼·보리가 그 대표적인 예임. ——-하다 자여불

분업【分業】명〖경〗①손을 나누어서 일함. ②일정한 작업의 전공정(全工程)을 한 사람이 완성하지 아니하고, 동시에 여러 전문적 부문으로 나누어 여러 사람에게 분담시켜 전공정을 완성시키는 효과적인 노동 조직의 형태. 분공(分功). ¶ ~으로 능률을 올리다. ＊협업(協業). ——-하다 타여불

분업-주의【分業主義】[一/一이] 명〖경〗은행·증권 회사 등 금융 기관들이 서로 상대방의 업무 영역을 침범하지 않고 고유 업무에만 전념토록 업무 영역에 제한을 둔 제도. ＊겸업주의.

분업-화【分業化】명 분업 형태로 되어감. ——-하다 자여불

분:에【忿恚·憤恚】명〔←분혜(忿恚)〕분노❶. ——-하다 자여불

분여¹【分與】명 분급(分給). ——-하다 타여불

분여²【紛如】부 분연(紛然). ——-하다 형여불

분여-세【分與稅】[一쎄] 명〖법〗지방 자치 단체가 부과 징수할 것을 국가가 대신 부과 징수하여, 그 세수입(稅收入)을 일정한 표준에 의하여 지방 자치 단체에 분여(分與) 교부(交付)하는 조세.

분여-지【分與地】명 갈라서 나누어 준 땅.

분연¹【扮演】명 배우가 극중의 어느 인물로 분장(扮裝)하여 출연함. ——-하다 자여불

분:연²【忿然·憤然】부 벌컥 성을 내는 모양. ¶ ~히 자리를 뜨다/~히 결을 내어 목청을 가다듬다. ——-하다 형여불. ——-히 부

분연³【墳衍】명 물가와 평지(平地).

분연⁴【紛然】부 어지럽게 뒤섞인 모양. 분여(紛如). ——-하다 형여불

분:연⁵【奮然】부 힘을 내어 일하는 모양. 분발하는 모양. ¶ ~히 싸우다. ——-하다 형여불. ——-히 부

분열¹【分列】명〔←분렬〕①각각 나눠서 벌려 놓음. ②갈라져 늘어섬. 피션(fission). ¶ ~ 행진. ＊사열. ——-하다 자타여불

분열²【分裂】명〔←분렬〕①찢어져 갈라짐. 피션(fission). ②어떤 단체나 집단이 여러 파로 갈라짐. ¶ 당이 ~하다. ③〖물〗원자핵이 다량의 방사능과 열을 방출하면서 쪼개짐. ¶ 핵~. ④〔fission, division〕〖생〗생물의 개체가 무성적(無性的)으로 나뉘어 번식함. 세포 분열 같은 것. ⑤〔fragmentation〕〖심〗생각이 불쾌한 내용에 미치지 않도록, 그 감정 부분을 잊고자 하는 정신 과정 및 그로 인하여 생기는 행동 장애. ——-하다 자여불

분열 간:기【分裂間期】명〔interphase〕〖생〗①계속 일어나는 유사(有絲) 분열의 중간기. ②첫번째의 분열 끝에 핵의 재구성이 행해지는 생물의, 첫번째와 두 번째 유사 분열의 중간기.

분열-강【分裂腔】명〖생〗포배(胞胚) 속의 빈 부분.

분열균-류【分裂菌類】[一귤一] 명〔Fission fungi〕〖생〗막(膜)으로 둘러싸인 핵(核)이 없고 분열법으로 번식하는 원생 생물(原生生物)의 총칭. 독일의 식물학자 엥글러(Engler, A.)에 의해 쓰인 분류 명칭. 현재의 원핵(原核) 생물에 해당함. 열균류(裂菌類). ＊분열 식물.

분열 기질【分裂氣質】명〖심〗분열성 기질. ↔순환 기질.

분열-법【分裂法】[一뻡] 명〖식〗무성 생식법의 한 가지. 세균류의 규조류(珪藻類)와 같이 한 몸이 찢기어 나가서 번식되는 상태.

분열병-질【分裂病質】[一뼝一] 명〖의〗열성 기질의 정도가 정상인(正常人)의 정도를 넘어 이상 성격(異常性格)에까지 이른 기질.

분열-성【分裂性】[一썽] 명 분열하는 성질.

분열성 기질【分裂性氣質】[一썽一] 명〖심〗크레치머(Kretschmer)에 의한 성격 유형(類型)의 하나. 뚱뚱하지 아니한 사람에게 많이 볼 수 있는 성격으로, 비사교적이고 냉담하며 내향적(內向的)인 동시에 사색적(思索的)인 것이 특색임. 감정은 극단적으로 섬세하며 비교적 말이 없음. 감수성의 면에서는 과민형(過敏型)과 둔감형(鈍感型)이 있음. 정신 분열병 환자의 병전(病前)에 흔히 볼 수 있음. 분열 기질. ㊌분열질. ↔순환성 기질.

분열성 사고【分裂性思考】[一썽一] 명〖의〗정신 분열병에서의 특징적인 사고 현상. 문법적(文法的) 형식은 다소 보존되어 있으나, 전혀 또는 일부밖에 관계 없는 사고가 차례차례로 일어나서 탈선해 가며, 원인과 결과, 이유와 귀결이 혼동되고 개개의 개념도 기이하게 변형되는 것이 특징임. ＊산란성 사고(散亂性思考).

분열성-핵【分裂性核】[一썽一] 명〖물〗속도의 완속(緩速)을 불문하고 중성자(中性子)의 영향을 받아서 분열 작용을 일으키는 핵.

분열-식【分列式】명〖군〗의례적 행진(儀禮的行進)의 하나. 각 부대가 소정(所定)의 대형(隊形)으로 행진하면서 수례자(受禮者)에게 경례하는 군대 의례. ＊열병식(閱兵式)·사열식(査閱式).

분열 식물【分裂植物】명〔Schizophyta〕〖식〗독일의 식물학자 엥글러(Engler, A.)의 분류 명칭으로, 원생 생물(原生生物) 중 세포벽은 있으나 핵(核)을 갖지 않고 유성 생식(有性生殖)을 하지 않는 식물의 총칭. 엽록소(葉綠素)가 있는 것은 분열 조류(分裂藻類), 없는 것은 분열 균류(分裂菌類)라 하였는데 전자는 남조(藍藻) 식물, 후자는 세균(細菌) 식물에 해당함.

분열적 인격【分裂的人格】[一쩍一껵] 명〔split personality〕〖심〗정상적인 인격 단위의 각종 요소가 분리되어 있어, 각각의 요소의 기능이, 하나의 독립된 존재로 되어 있는 인간형(型).

분열-조【分裂藻】[一조] 명〖생〗남조류(藍藻類).

분열 조류【分裂藻類】명〖생〗남조류(藍藻類)가 분열에 의해서만 증식(增殖)되는 것에 주목한 분류상의 한 명칭. ＊분열 식물.

분열 조직【分裂組織】명〔meristem〕〖생〗오직 세포 분열을 행하는 세포로 되어 있는 조직. 줄기나 뿌리의 생장점(生長點) 부근에 있음. ↔영구 조직.

분열 주기【分裂週期】명〖생〗세포(細胞) 주기.

분열-질【分裂質】[一찔] 명〖심〗↗분열성 기질.

분열-핵【分裂核】〔fragmentation nucleus〕명〖기상〗큰 빙정(氷晶)에서 갈라져 나온 소빙립(小氷粒). 빙정핵(氷晶核) 곧, 새로운 빙정의 중심이 됨.

분영【分營】명〖군〗한 병영(兵營)에서 갈라져 나가 있는 병영(兵營).

분영【墳塋】명 무덤.

분-예빈시【分禮賓寺】명〖역〗예빈시(禮賓寺)의 일을 나누어 맡아보던 분사(分司). 빈객(賓客)의 연향(宴享)에 필요한 닭·돼지 등의 가축을 길렀음.

분:오【僨誤】명 일을 잡쳐서 그릇됨. ——-하다 자여불

분:완【憤惋】명 분개(憤慨). ——-하다 자타여불

분:외【分外】명 제 분수의 바깥. 분수에 넘치는 일. ¶ ~의 영광.

분요¹【紛繞】명 서로 어지럽게 얽힘. ——-하다 자여불

분요²【紛擾】명 분란(紛亂). ——-하다 형여불

분:용 도위【奮勇徒尉】명〖역〗조선 시대 때, 토관(土官)의 서반(西班) 정팔품(正八品)의 품계(品階). 효용(効勇) 도위의 위, 수의(守義) 도위의 아래.

분우【分憂】명 지방관(地方官)을 이름. 지방관은 천자(天子)와 근심을 나눈다는 뜻임.

분운¹【分韻】명 운자(韻字)를 정하고 각 사람이 나누어 집어서 그 잡힌 운자로 한시(漢詩)를 지음. ——-하다 자여불

분운²【紛紜】명 ①여러 사람의 의논이 일치(一致)하지 아니하고 이러니저러니하여 부산함. ②세상이 떠들썩하여 어지러움. ——-하다 형여불

분:울【憤鬱】명 분하여서 가슴이 답답함. 분만(憤懣). ——-하다 형여불

분:웅-장【奮雄章】[一짱] 명〖악〗악장의 이름. 정대업(定大業) 춤에 열한 번째 박(拍)을 응(應)하여, 염수 족도(斂手足蹈)하는 무기(舞妓)가 순응장(順應章)을 아뢰기까지 춤.

분원¹【分院】명 본원(本院)에서 따로 분설(分設)한 병원이나 학원 같은 것. 지원(支院). ↔본원❶.

분원²【分院】명〖역〗조선 시대 때 사옹원(司饔院)에서 쓰는 사기를 만들던 직소(職所). 경기도 광주군(廣州郡)에 설치하였음. 뒤에 분주원(分廚院)이라고 고쳐 일컬었음.

분:원³【忿怨】명 몹시 분하여 일어나는 원망. ——-하다 타여불

분원 사기【分院沙器】명 경기도 광주군(廣州郡) 분원(分院)에서 만든 사기.

분위¹【分委】명 ↗분과 위원회(分科委員會).

분위²【奔慰】명 달려 가서 위문(慰問)함. ——-하다 타여불

분위-기【雰圍氣】명 ①지구를 둘러싸고 있는 기체. 대기(大氣). 공기. ②어떤 장면(場面)이나 회합에서의 일반적인 기분. ¶ 직장의 ~. ③개인의 주위의 상황(狀況). 환경(環境). ¶ ~가 마음에 들지 않다.

분위기 묘:사 음악【雰圍氣描寫音樂】명〖악〗영화(映畫)의 주요 인물의 심리 상태를 묘사한 음악.

분위-원【分委員】명 ↗분과 위원(分科委員).

분유¹【分有】명 나누어 가짐. ——-하다 타여불

분유²【枌楡】명 ①느릅나무. ②〔한 고조(漢高祖)가 고향인 풍(豐)에서 느릅나무 두 그루를 심어 토지의 신으로 삼은 고사(故事)에서 유래〕고향의 뜻.

분유³【粉乳】명 가루 우유. ¶ 탈지 ~.

분유⁴【紛揉】명 혼잡하게 뒤섞임. ——-하다 자여불

분:유⁵【噴油】명 ①간헐적(間歇的)으로 분출하는 석유. ②디젤 기관에서, 연료유(燃料油)를 노즐(nozzle)로부터 연소실(燃燒室)에 안개 모양으로 분출하는 일. 압축 공기를 사용하는 공기 분유식(空氣噴油式)과 공기를 사용하지 아니하는 무기(無氣) 분유식이 있음. 분사(噴射). 인젝션(injection).

분:-유리【一琉璃】[一뉴一] 명〔blown glass〕녹은 유리 방울에다가 바람을 불어 넣어 소정의 모양을 만들어 낸 유리 제품의 총칭.

분:유-정【噴油井】명〖지〗자분정(自噴井).

분육【分肉】명 짐승의 고기를 나눔. ——-하다 자여불

분:음【分陰】명 촌음(寸陰)보다도 짧은 시간.

분응【分凝】명〖심〗전체 가운데에서 한 부분이 다른 부분으로부터 떨어져 독자적(獨自的)인 한 덩이를 이루게 되는 현상.

분:의¹【分義】[一/一이] 명 정당한 도리(道理). 자기 분수에 알맞은 의리(義理).

분의²【分誼】[一/一이] 명 정의(情誼)를 나눔. ——-하다 자여불

분의³【紛議】[一/一이] 명 분분(紛紛)한 의론(議論). ¶ ~가 끊이지 않다.

-분의【分—】[—/—에] 명 무엇을 몇으로 나눈 얼마라고 할 때 몇이라는 수사(數詞) 밑에 붙는 말. ¶백～칠.

분이¹【分異】명 ①따로따로 갈라짐. ②따로따로 갈라섬. ③별거(別居)함. ——-하다 자타여불

분이²【粉餌】명 가루로 된 모이. 즉 닭의 모이 같은 것.

분익【分益】명 이익을 나눔. ——-하다 자여불

분익-농【分益農】명〖농〗소작의 한 형태. 지주(地主)와 소작인이 총수확(總收穫)을 일정한 비율로 나누어 갖는 농사.

분익 농민【分益農民】명〖농〗분익 소작(分益小作)으로 생활하는 농민.

분익 소:작【分益小作】명〖농〗분익농(分益農)으로 농사를 짓는 소작.

분일¹【奔逸】명 ①뛰어서 도망감. ②빨리 달림. ——-하다 자여불

분:일²【噴溢】명 위로 뿜어 넘쳐 흐름. ——-하다 자여불

분일-제【分日制】[—쩨] 명〖교〗일년 동안의 최저 출석 일수를 정하고 또 학과별로 종료제(終了制)를 채택하는 교육 제도.

분임【分任】명 임무(任務)를 나누어 담당함. ——-하다 자여불

분임 출납 공무원【分任出納公務員】[—랍—] 명 출납 공무원의 사무의 일부를 분장하는 공무원.

분자¹【分子】명 ①〖수〗분수(分數)의 가로줄 위에 기록되어 있는 수나 식. ↔분모(分母). ②〔molecule〕〖물·화〗몇 개의 원자(原子)가 모여 독립성을 가진 화학 물질의 최소 입자(粒子). ③한 단체를 이루는 하나하나의 구성원. ¶반동 ～.

분자²【粉刺】명〖한의〗분가시.

분자³【粉瓷】명 인절미.

분자간-력【分子間力】[—녁] 명〖물〗분자간 힘.

분자간 전:이【分子間轉移】명 어떤 작용에 의하여 분자 속의 원자 또는 원자단이 딴 분자로 이동하는 일. ↔분자내 전이.

분자간 호흡【分子間呼吸】명〖생〗무기 호흡(無氣呼吸).

분자간 화합물【分子間化合物】명〖화〗종류가 다른 분자 사이에 있는 결합력이 작용하여, 성분(成分) 분자와 다른 성질을 나타내고, 전형적인 원자 결합도(結合圖)로 나타낼 수 없는 화합물의 총칭.

분자간 힘【分子間—】명〔intermolecular force〕〖물〗분자 사이에 작용한다고 생각되는 인력(引力)과 반발력(反撥力). 아주 가까이에서는 서로 배척하나, 그 이외에서는 인력(引力)이 작용함. 분자간력(分子間力). *분자 인력(分子引力).

분자 강:하【分子降下】명〔molecular depression〕〖화〗용액 1,000 g 중에 용질(溶質) 1몰(mol)을 포함하는 용액의 빙점 강하(氷點降下)의 값. 이 값으로 그 용질의 분자량을 측정할 수 있음. 몰 응고점 강하.

분자 광학【分子光學】명〔molecular optics〕〖물〗기체·액체·고체 중의 분자의 집합체를 통과하는 빛의 운반이나 이에 관련된 현상, 곧 굴절이나 흡수·산란 따위의 연구.

분자 구조【分子構造】명〔molecular structure〕〖물·화〗분자 중에 있는 원자 상호간의 결합 상태. 즉 원자간의 거리, 상호의 위치, 결합의 강약 등.

분자 구조론【分子構造論】명〖화〗분자의 구조에 관하여 실험적으로 측정한 결과를 정리하고, 또 얻어진 분자 구조를 양자(量子) 역학을 이용하여 설명하는 이론 체계의 총칭.

분자 궤:도 함:수【分子軌道函數】[—쑤] 명〔molecular orbital〕〖물·화〗분자 속의 전자(電子)의 운동 상태를 나타내는 궤도 또는 궤도를 기술(記述)하는 파동 함수(波動函數).

분자내 전:이【分子內轉移】명 시약(試藥)이나 광선 등의 어떤 작용에 의하여 분자 속의 원자 또는 원자단(團)이 그 분자로부터 완전히 떨어져 나가는 것이 아니라, 종래 결합하고 있던 장소로부터 같은 분자 안의 딴 장소로 이동하는 일. ↔분자간 전이.

분자내 착염【分子內錯鹽】명〔inner complex salt〕〖화〗금속염(金屬鹽)에서 금속 원자가 분자내(分子內)의 NH_2·OH 등과 같은 원자단(原子團) 중의 N원자나 O원자 등과 결합하여, 염류(鹽類)로서의 보통의 성질을 잃고 화학적·물리적으로 이상성(異常性)을 보이는 염(鹽).

분자내 축합【分子內縮合】명〔internal condensation〕〖화〗하나의 분자 안에 있는 두 개의 기(基) 사이에 일어나는 축합.

분자내 호흡【分子內呼吸】명〖생〗무기 호흡(無氣呼吸).

분자 농도【分子濃度】명〖화〗몰농도(mol 濃度).

분자-량【分子量】명〔molecular weight〕〖화〗산소 분자의 질량(質量)을 32로 정하였을 때의 각종 분자의 상대적인 질량(質量).

분자-력【分子力】명 분자간 힘.

분자-론【分子論】명〖물〗물질은 분자를 그 기본 단위로 하여 구성되어 있다는 입장에서 물질의 구조, 열적(熱的) 성질 등에 관하여 논한 학문.

분자 물리학【分子物理學】명〖물〗분자의 물리학적인 특성을 연구하는 학문.

분-자반【粉佐飯】명 가루 자반.

분자-병【分子病】[—뼝] 명 헤모글로빈·효소 등의 생체 단백질 분자의 이상으로 인한 선천성 질환.

분자 부제【分子不齊】명〔molecular asymmetry〕〖화〗용액(溶液)에 있어서 나타나는 선광(旋光)에는 분자내에 부제 원자(不齊原子)가 존재하는 것과 존재하지 아니하는 것이 있는데, 부제 원자를 갖지 아니한 분자도 그 속에 구조상(構造上) 어떤 부제(不齊) 곧 비대칭성(非對稱性)이 있다고 생각한 경우의 현상.

분자 부피【分子—】명〔molecular volume〕〖물〗물질 1몰(mol)이 차지하는 체적. 분자량을 밀도(密度)로 나눈 값과 같음.

분자-살【分子—】명〔molecular beam〕〖화〗일정한 방향으로 달리는 분자의 흐름. 분자선.

분자 상:승【分子上昇】명〔molecular elevation〕〖화〗용매(溶媒) 1000 g 중에 용질(溶質) 1몰(mol)을 함유한 용액의 끓는점 상승(上昇)의 값. 이 값으로 용질의 분자량을 산출할 수 있음. 몰(mol) 상승.

분자 생물학【分子生物學】명〔molecular biology〕〖생〗생명 현상을 분자의 레벨에서 해명하려는 학문.

분자-선【分子線】명 분자살.

분자-설【分子說】명〖화〗기체의 최소 단위로서 이전에 생각했던 원자 대신 몇 개의 원자의 집단인 분자를 생각하는 설. 예컨대 수소나 산소는 각각 H나 O가 아니고, H_2나 O_2로서 존재한다는 것으로서, 이 생각에서 뒤에 '아보가드로의 법칙'이 도출됨.

분자성 기체【分子性氣體】[—썽—] 명〔molecular gas〕〖화〗단일 분자로 이루어지는 기체(氣體). 예컨대, 산소·염소(塩素)·네온 따위.

분자 스펙트럼【分子—】명〔molecular spectrum〕〖물〗기체 분자에 의하여 방출되는 빛의 스펙트럼. *전자(電子) 스펙트럼.

분자 시계【分子時計】명 전파(電波)를 발생시켜 증폭(增幅)하는, 새로운 분자 원리(分子原理)를 이용하여 만든 정확한 시계. 오차는 백 년 동안에 1초 이내. 1959년 4월 소련의 물리학자가 발명함.

분자-식【分子式】명〔molecular formula〕〖화〗어떤 물질의 분자의 조성(組成)을 나타내는 식. 성분 원소의 기호에 일 분자 중에 포함되어 있는 원자의 수를 부기(附記)하여 나타냄. 곧, H_2O, CO_2 같은 것. *실험식(實驗式).

분자-열【分子熱】명〔molecular heat〕〖물〗물질 1몰(mol)의 온도를 1°C 상승(上昇)시키는 데 필요한 열량(熱量). 곧, 물질의 분자량과 비열(比熱)과의 곱. 몰비열(mol 比熱).

분자-용【分子容】명 분자 부피.

분자-운【分子雲】명〖천〗질량이 무겁기 때문에 −250°C까지 온도가 내려가 산소·수소·탄소·질소 등의 원자가 결합하여, 복잡한 분자를 이루고 있는 암흑 성운(暗黑星雲).

분자 운:동【分子運動】명〔molecular motion〕〖물〗물체(物體)를 구성하는 분자 또는 원자가 그 물체의 온도에 고유한 운동 에너지를 갖고 행하는 운동. *브라운 운동(Brown 運動).

분자 유전학【分子遺傳學】명〔molecular genetics〕〖생〗생물의 세포의 구조나 기능을 전자(電子) 현미경으로 추구(追求)하여 분자 레벨에서 연구하는 학문.

분자-율【分子率】명〖화〗물질 중의 어떤 화학 성분의 몰수(mol 數)와 전화학 성분(全化學成分)의 몰수의 총화(總和)와의 비(比).

분자 인력【分子引力】[—일—] 명〔molecular attraction〕〖물〗분자가 서로 끌어 당기는 힘.

분자 자석【分子磁石】명〔molecular magnet〕〖물〗자성체(磁性體)는 분자 자신이 처음부터 자석이 되어 있으나, 단지 그 방향이 일정하지 아니하여 전체로서 자화(磁化)되지 아니한 것같이 보이나, 자계(磁界)를 작용시킴으로써 일정하게 나열되어 비로소, 그 전체가 자화된다고 생각하였던 그 자성체의 분자.

분자 전도율【分子傳導率】명〔molecular conductivity〕〖화〗용질(溶質) 1몰(mol)을 포함하는 용액의 체적. 곧, 희석도(稀釋度)에 용액의 전기 전도율(電氣傳導率)을 곱한 값.

분자 전:류【分子電流】[—절—] 명〔molecular current〕〖물〗프랑스의 물리학자 앙페르(Ampère)가 생각한 자기(磁氣) 모멘트의 원인으로서의 분자내 폐전류(分子內閉電流). 원자의 궤도 전자에 의한 전류가 그것임.

분자 증류【分子蒸溜】[—뉴] 명〔molecular distillation〕〖화〗극도의 감압하(減壓下)에서 증발면과 응축면과를 접근시켜 행하는 저온(低溫) 증류법. 유지(油脂)의 정제(精製), 비타민의 분리(分離)에 이용됨. *진공 증류.

분자 증류기【分子蒸溜器】[—뉴—] 명〔molecular still〕〖물·화〗진공(眞空) 증류기의 일종. 진공도를 높여 증발면(蒸發面)과 응축면(凝縮面)과의 거리를 짧게 하여, 증발면에서 튀어나오는 분자가 다른 분자와 충돌하지 아니하고, 응축면에 도달할 수 있도록 만든 장치.

분자 증폭기【分子增幅器】명 메이저¹.

분자 콜로이드【分子—】〔colloid〕명〖화〗단일 분자가 매질 중에 분산된 콜로이드. 분자가 크고, 그 자체가 콜로이드 입자로서의 크기를 갖는 경우인데, 단백질·녹말·한천(寒天)·고무 등의 천연 물질을 비롯하여 합성 섬유와 합성 고분자 화합물 등이 모두 여기 속함.

분자 통:계학【分子統計學】명 구조 화학(構造化學)에 의해서 얻어진 지식을 기초로 하여, 물질의 여러 가지 현상을 통계 역학을 써서 설명하는 물리 화학의 한 분야. *현상론적 물리 화학·구조 화학.

분자 펌프【分子—】명〔molecular pump〕〖물〗1913년에 독일의 게데(Gaede)가 고안한 회전식 진공 펌프(眞空 pump). 기체 분자(氣體分子)의 내부 마찰(內部摩擦)을 이용하고 있기 때문에 생긴 이름임.

분자 화합물【分子化合物】명〖화〗두 종류 이상의 안정(安定)된 분자끼리 직접 결합하여 된 화합물로, 비교적 쉽게 본디 성분(成分)으로 분해할 수 있는 것. 첨가(添加) 화합물의 일종, 전하 이동 착체(電荷移動錯體), 수소(水素) 결합에 의한 이량체(二量體), 염류(塩類)의 수화물(水化物) 따위. *착화합물(錯化合物)·첨가(添加) 화합물.

분자 회:합【分子會合】명〔molecular association〕〖화〗같은 물질의 분자 여러 개가 서로 결합하여 한 분자처럼 행동하는 현상.

분작【分作】명 한 조각의 논밭을 나누어 농사를 지음. ——-하다 타여불

분잡【紛雜】명 많은 사람이 북적거려 어수선함. *잡답(雜沓). ——-하다 형여불. ——-히 부

분장¹【分掌】명 사무를 분담하여 처리함. ——-하다 타여불

분장²【分贓】명 장물(贓物)을 나눔. ——-하다 자여불

분장³【扮裝】명〔←반장(扮裝)〕①몸을 매만져 꾸밈. ②〖연〗무대에 출연하는 배우가 그 이야기의 어느 인물로 꾸미어 나옴. 즉 어느 인물의 역(役)을 함. ¶햄릿으로 ～하다. 준분(扮). ——-하다 자여불

분장⁴【粉粧】명〖공〗성형(成形)된 그릇의 표면에 백토 또는 색토(色土)

를 발라 피막(被膜)을 형성하는 일. 태토(胎土)의 색깔과 질감(質感)을 변화시키기 위한 장식 기법임.

분장고 방:획토【奔獐顧放獲兎】구 어떠면 이익을 구하려고 분주히 서두르다가 도리어 실패함을 말함. 「하는 사람.

분장-사【扮裝師】명 영화나 연극에서 배우들의 분장을 전문으로 맡아

분장 사:무【分掌事務】명 나누어 맡은 사무.

분장 청회 사기【粉粧靑灰沙器】명 '분청 사기(粉靑沙器)'의 정식 명칭.

분장-토【粉粧土】명〖공〗도자기의 분장(粉粧)을 위해 바탕에 입히는 백색·청색·흑색 등 여러 색상 점토 광물의 혼합물. 특히 분청 사기(粉靑沙器)에 쓰이는 백색 화장토. 흑색·청색 등의 화장토를 일컫기도 함. 화장토(化粧土).

분재[1]【分財】명 재산을 자식이나 가족에게 나누어 줌. ――-하다 자여불

분재[2]【盆栽】명 화초(花草)나 나무 같은 것을 화분에 심어 가꾸는 일. ――-하다 타여불

분재-기【分財記】명 자손이나 가족에게 나누어 줄 재산을 기록한 문서.

분잿-깃【分財―】명 나누어 받은 재산의 몫.

분쟁[1]【分爭】명 패로 갈라져 다툼. ――-하다 자여불

분:쟁[2]【忿爭】명 성이 나서 다툼. ――-하다 자여불

분쟁[3]【紛爭】명 말썽을 일으키어 시끄럽게 다툼. 분경(紛競). ¶국제 ～. ――-하다 자여불

분쟁 가족【紛爭家族】명〔complicative family〕〖사〗병리(病理) 가족의 하나. 경제적·심리적 장애로 인하여 가족 사이에 긴장(緊張)·갈등(葛藤) 등 분쟁이 있는 가족.

분:쟁지-두【忿爭之頭】명 분김. 「린 무늬.

분저 쌍어【盆底雙魚】명〖미술〗청자기(靑瓷器)에 물고기를 쌍으로 그

분전[1]【分傳】명 물건을 여러 곳에 나누어 돌려 전함. ¶신문 ～인의 방울 소리가 고요한 밤에 심히 처량하게 들린다《趙重桓：菊의 香》.

분:전[2]【分錢】명 ☞ 푼돈. 「――-하다 타여불

분:전[3]【粉廛】명 분가루를 파는 가게. 「여불

분:전[4]【奮戰】명 분발하여 싸움. 힘껏 싸움. 분투(奮鬪). ――-하다 자

분:전 역투【奮戰力鬪】[―녁―] 명 있는 힘을 다하여 맹렬히 싸움. ――-하다 자여불

분:전 입미【分錢粒米】[―닙―] 명 아주 적은 돈과 곡식. →푼전 입미.

분전 조직【焚田組織】명〔도 Brandwirtschaft〕〖농〗원야(原野) 등을 태워, 그 재를 비료로 하여 따로 그 자리를 개간하지 아니하고 바로 작물을 심고, 수확이 끝나면 다시 황무지로 버려 두는 농업 조직.

분절【分節】명 ①〔articulation〕〖언〗발음(發音)할 때에, 발성 기관(器官)을 구사(驅使)하여 호흡을 조절하며, 소요(所要)의 음(音)을 내게 하는 운동의 총칭. ②〖심〗사고·행동 속에서 전체와의 관련을 지니면서도, 일단 별도로 고찰의 대상으로 삼을 수 있는 구성 부분을 일컬음.

분절 언어【分節言語】명〖의〗한 마디 한 마디가 따로따로 떨어지고 또 느리게만 말을 할 수 있는 언어 장애의 하나. 소뇌(小腦) 질환의 경우에 나타남.

분절 운:동【分節運動】명〔segmentation〕〖생〗사람을 비롯한 포유 동물의 소장(小腸)에 나타나는 소화 운동의 하나. 다수의 수축부(收縮部)와 이완부(弛緩部)가 교대로 나타났다가, 몇 분 후에는 이때까지의 수축부가 이완하고, 이완부가 수축하여 새로운 분절(分節)을 형성하는데, 이렇게 율동적으로 분절의 교대 형식을 되풀이함으로써 내용물의 소화액과의 혼합이 잘 진행됨.

분절-음【分節音】명〖언〗음절(音節)을 분리할 수 있는 음. 곧, 자음이나 모음으로 분리할 수 있는 음. '닭'은 ㄷ·ㅏ·ㄹ·ㄱ으로 나눌 수 있음.

분점[1]【分店】명 본점(本店)이나 지점에서 다시 갈라서 세운 점포(店鋪). ¶～을 내다. *지점·본점.

분점[2]【分點】[―쩜] 명〔equinox, equinoctial point〕〖천〗황도(黃道)와 천구(天球)의 적도(赤道)와의 교차점(交叉點). 곧, 춘분점(春分點)과 추분점(秋分點)의 병칭(倂稱)임. 이분(二分).

분점-년【分點年】[―쩜―] 명〖천〗태양이 춘분점(春分點)을 출발하여 다시 춘분점에 돌아올 때까지의 시간. 365일 5시간 48분 46초.

분점-도【分點島】명〖지〗충청 남도의 서해안(西海岸), 서산군(瑞山郡) 지곡면(地谷面)에 위치한 섬. [0.02 km²：37명(1984)]

분점-월【分點月】[―쩜―] 명〖천〗교점월(交點月).

분접【粉蝶】명 흰나비❶.

분-접시【粉―】명 분을 개는 데 쓰는 작은 접시.

분정【粉定】명〖공〗백정(白定).

분:정지-두【忿情之頭】명 분김.

분:제[1]【分際】명 분한(分限)❶.

분제[2]【粉劑】명〖약〗가루로 된 약제(藥劑). *정제(錠劑)·액제(液劑).

분젠〔Bunsen, Robert Wilhelm〕명〖사람〗독일의 화학자. 스펙트럼 분석 연구에 의해 루비듐(rubidium)·세슘(cesium)을 발견하고 그 밖에 분젠 등(燈)·분젠 전지(電池) 등을 발명하였음. [1811-99]

분젠 광도계【―光度計】〔Bunsen〕명〖물〗광도계의 한 가지. 광택(光澤)이 없는 흰 종이를 틀에 바르고, 가운데 부분에만 초를 배게 한 것으로, 이것을 비교하려는 두 광원의 사이에 넣어서 양쪽에서 수직(垂直)으로 비추면, 얼룩을 식별(識別)할 수 없는 곳이 생기는데, 그 곳이 양 광원(兩光源)으로부터의 조도(照度)가 같은 곳이며, 이 때의 거리의 비(比)로써 광도의 비도 알 수 있게 되었음. 분젠이 발명하였음.

분젠-등【―燈】〔Bunsen〕명〖화〗분젠 버너(Bunsen burner).

분젠 버:너〔Bunsen burner〕명〖화〗분젠이 고안한 간단한 가열(加熱) 장치. 석탄 가스에 공기를 혼입(混入)시켜 온도를 자유로 조절할 수 있는 것이 특색임. 분젠등(燈).

〈분젠 버너〉

분젠의 얼음 열량계【―熱量計】[―/―에―] 명〔Bunsen's ice-calorimeter〕〖물〗분젠이 고안한 얼음 열량계. 얼음이 녹을 때 열을 흡수함과 동시에 체적이 감소하는 이치를 이용하여 열량을 재게 됨.

분젠 전:지【―電池】〔Bunsen cell〕명〖화〗분젠이 발명한 전지. 묽은 황산(黃酸) 속에 아연(亞鉛)의 원통을 세우고, 다시 그 속에 탄소봉(炭素棒)과 진한 질산(窒酸)을 장치한 소소통(素燒筒)을 넣은 것.

분젠 키르히호프의 법칙【―法則】[―/―에―]〔Bunsen-Kirchhoff〕명〖물〗모든 원소는 특유의 휘선 발광(輝線發光) 스펙트럼과 암선 흡수(暗線吸收) 스펙트럼을 갖고 있다는 법칙.

〈분젠 전지〉

분조【分朝】명〖역〗조선 선조 때, 임진왜란으로 인하여 임시로 두었던 조정. 선조가 의주(義州) 방면으로 갈 때 왕자 광해군을 세자로 정하여 함경도로 가게 하였는데, 이 때 조정을 갈라 의주의 행재소(行在所)를 원조정이라 하고 세자가 있는 곳을 분조라 하였음.

분족【分族】명〔subgroup〕〖화〗원소 주기율표(週期律表)의 제 4 주기 이후에서 8족(族)과 0족(族)을 제외한 1족(族)부터 7족까지의 각 족(族)을 각각 A, B로 나눈 한 쪽의 일컬음. 같은 분족에 속하는 원소들은 비슷한 성질을 가지고 있음. 아족(亞族).

분종【盆種】명 화초를 분(盆)에 심음. 또, 그 화초. ――-하다 타여불

분좌【分座】명 ①자리를 가름. ②〖불교〗선림(禪林)에서, 수좌(首座)가 주지를 대신하여 포교 설법하는 일. ――-하다 자여불

분주[1]【分周】명 전파의 주파수를 1/n로 하는 일. n은 정수(整數)이며 이를 분주비(分周比)라고 함. 주파수 체강(周波數遞降).

분주[2]【分奏】명〔이 divisi〕〖악〗관현악 등에서 많은 현악기의 주자(奏者)로 한 성부(聲部)를 합주하는 경우, 두 개 이상의 성부로 나누어서 연주하는 일. ――-하다 타여불

분주[3]【分株】명 포기나누기. ――-하다 타여불

분주[4]【分註】명 본문(本文)의 사이에 두 줄로 나누어, 작은 글자로 쓰는 주(註). ――-하다 자여불

분주[5]【汾酒】명 중국의 증류주(蒸溜酒). 수수·쌀 기타의 곡류(穀類)를 원료로 하여, 이것에 백국(白麯)을 넣어 당화(糖化)·발효(醱酵)시킨 술.

분주[6]【奔走】명 몹시 바쁨. ――-하다 형여불. ――-히 부

분주[7]【奔注】명 기운차게 흘러들어감. ――-하다 자여불

분주[8]【盆紬】명 평안 남북도와 황해도에서 나는 명주.

분주-기【分周器】명〔frequency divider〕〖공·물〗주파수 f의 입력 신호에 동기(同期)한 주파수 f/n(n은 2 이상의 정수)의 출력 신호를 만드는 장치.

분주 다사【奔走多事】명 일이 많아서 바쁨. ――-하다 형여불

분주 불가【奔走不暇】명 몹시 바빠서 겨를이 없음. ――-하다 형여불

분주살-스럽다【奔走―】형ㅂ불 매우 분주하다. 썩 바쁘다. ¶골목 속에서는 앞쪽처럼 사람의 말소리가 분주살스럽게 들려 오지 않았다《黃順元：별과 같이 살다》. **분주살-스레**【奔走―】부

분주-스럽다【奔走―】형ㅂ불 분주한 듯하다. **분주-스레**【奔走―】부

분주-원【分廚院】명〖역〗분원(分院)의 고쳐 일컬은 직소(職所).

분-주지【粉周紙】명 무리풀을 먹이고 다듬어서 만든 빛이 썩 희고 단단한 두루마리. 전라도에서 남.

분죽【粉竹】명〖식〗솜대[1]. 「한 두루마리. 전라도에서 남.

분즙【糞汁】명 물기가 많은 똥.

분증-초【盆甑草】명〖식〗나팔꽃.

분지[1] 명 똥과 오줌을 통틀어 일컫는 말.

분지[2] 명〈방〉분디.

분지[3]【分地】명 토지를 나누어 줌. 또, 그 나눈 토지. ――-하다 자여불

분지[4]【分枝】명 원 줄기에서 갈라져 나간 가지.

분지[5]【盆地】명〖지〗산지(山地)나 대지(臺地)로 둘러싸인 평평한 지역. 보통의 평야보다 해발(海拔)이 높은 것이 보통임. 그 성인(成因)에 따라 산간(山間) 분지·단층(斷層) 분지·침식(浸蝕) 분지로 나누며, 생성후(生成後)의 변화에 따라 호소(湖沼) 분지·퇴적(堆積) 분지로 나눔. 함지(陷地).

분지[6]【粉脂】명 분과 연지(臙脂).

분지[7]【粉紙】명 분주지(粉周紙).

분지[8]【糞池】명 똥오줌을 누어서 담는 그릇.

-분지【分之】미 -분의. ¶3～2.

분지-계【分枝系】명 클론(clone).

분지-나무 명〈방〉〖식〗분디나무.

분지르다 타르불 다리 따위를 강한 힘을 가하여 단숨에 부러뜨리다.

분지-무【盆地霧】명 맑게 갠 밤중, 방사 냉각(放射冷却)으로 인해서 생긴 저온(低溫) 습윤(濕潤)한 공기가 2-3m의 약한 바람에 의해 분지에 찼을 때 생기는 안개. 방사무(放射霧)의 한 가지. 이런 안개의 두께는 지면에서 20-30m 쯤임.

분지-성게 명〖동〗☞분디성게.

분지-표【分枝表】명〔tree diagram〕〖언〗변형 생성 문법(變形生成文法) 이론에서 한 문장의 구절 구조(句節構造)를 규칙에 의한 생성·유도 과정으로 설명·도해(圖解)한 것을 가리킴.

분지-호【盆地湖】명〖지〗분지의 밑바닥에 괴어 있는 호수.

분진[1]【粉塵】명 ①티끌. ②전하여, 아주 작은 것.

분:진[2]【奮進】명 분발(奮發)하여 앞으로 나아감. ――-하다 자여불

분진 폭발【粉塵爆發】명 분체(粉體) 폭발.

분:-짐[―찜] 명〈방〉분김(경상).

분:집【坌集】명 답치기로 모여듦. 분잡하게 모임. ――-하다 자여불

분징【分徵】명 ①여러 사람에게 나누어서 징수함. ②여러 번으로 나누

어서 징수함. ——-하다 타 여불

분착【紛錯】명 뒤섞이어 혼란함. ——-하다 형 여불

분찬【奔竄】명 뛰어 도망침. 달아나 숨음. 주찬(走竄). ——-하다 자 여불

분채【粉彩】명 〖미술〗 연채(軟彩).

분책【分冊】명 한 가지 서적을 여러 권으로 나누어서 제본(製本)함. 또, 그렇게 만든 책. ——-하다 타 여불

분:천【噴泉】명 ①힘 있게 솟아오르는 샘. ②지하수(地下水)나 광천(鑛泉)이 특별한 지질(地質) 구조에 의하여 힘차게 솟는 것. 비천(飛泉).

분:천-탑【噴泉塔】명 온천의 분출구에 생긴 원추상의 침전물. 온천 속에 녹아 있던 규산이나 석회 성분이 침전하여 퇴적한 것임.

분철[1]【分綴】명 ①한 가지 문서나 신문 따위를 여러 부분으로 나누어 철함. ②인도 유럽어 등에서, 단어(單語)의 철자(綴字)를 음절(音節)별로 가르는 일. ——-하다 타 여불

분철[2]【分鐵】명 〖광〗 ①분광(分鑛)업자가 그 소출의 얼마를 광주(鑛主)에게 나누어 주는 광석 또는 돈. 오분철(五分鐵)이라 하면 광석의 오분의 일을 광주에게 들이어 놓음. ②칫돌을 찧어 금돌을 갈라내는 일. ——-하다 자 여불

분철 금점【分鐵金店】명 〖광〗 분철 방식으로 하는 금광. 곧, 덕대가 광부에 대하여 월급제(月給制)로 하지 아니하고, 산출액의 얼마를 나누어 주는 방식으로 하는 금광. 무회계 금점(無會計金店).

분첩[1]【分貼】명 약재(藥材)를 나누어서 첩약(貼藥)을 만듦. 또, 그렇게 만든 첩약. ——-하다 타 여불

분첩[2]【粉堞】명 석회(石灰)를 바른 성가퀴.

분첩[3]【粉貼】명 ①분을 바를 때 쓰이는 제구. 솜으로 둥글게 뭉치어 만듦. 퍼프(puff). ②두꺼운 종이를 병풍(屛風) 모양으로 접고 분을 기름에 개어서 발라 결은 물건. 아이들이 글씨를 연습하는 데 씀.

분청【糞淸】명 금즙(金汁).

분청 사기【粉靑沙器】명 고려 청자기의 뒤를 이은 조선 시대의 자기. 청자에 백토(白土)로 분을 바른 다음 다시 구워낸 것으로, 회청색 내지 회황색을 띠는데 조선 시대 초기부터 발달하여 세종(世宗) 때 기술이 완성됨. 온화한 기품을 보이는 고려 청자를 귀족적·여성적인 것이라 하면, 분청 사기는 남성적이라 할 수 있음. 정식 이름은 분장 청회 사기(粉粧靑灰沙器).

분청 사기 인화문 태호【粉靑沙器印花文胎壺】명 태(胎)를 넣어 묻는 데 쓰는 사기 항아리. 내외(內外) 한 쌍으로 됨. 내외호(內外壺) 모두 뚜껑이 있는데, 외호의 뚜껑 꼭지에는 구멍이 뚫려 있음. 1970년, 서울 특별시 성북구(城北區) 안암동(安岩洞) 고려 대학교 경내(境內)에서 발견됨. 외호 높이 42.8 cm, 내호 높이 26.5 cm. 국보 제177호.

분청 사기 조화 어문 편병【粉靑沙器彫花魚文扁甁】명 16세기 조선 시대에 제작된 사기 병. 몸체가 둥글고 양면만 편편하며 입이 작고 물고기·모란잎·파초(芭蕉) 무늬 등을 새김. 높이 22.6cm. 국보 제178호.

분청-음【分淸飮】명 〖한의〗 오줌이 잘 나오게 하는 약. 임질(淋疾)·황달(黃疸)·습열(濕熱) 등의 병에 쓰이며, 대분청음(大分淸飮)과 소분청음(小分淸飮)의 두 가지가 있음.

분체[1]【分體】명 〖생〗 모체(母體)가 분열하여 거의 같은 크기의 두 개체(個體)로 나뉘는 일. 단세포(單細胞)의 것에 관하여는 분열(分裂)이라고 이르를 때가 많음.

분체[2]【粉體】명 고체 입자(固體粒子)가 다수 모이어 있는 상태의 물체의 총칭. 형성 입자의 크기에 따라 0.1 μ 이하를 콜로이드, 0.1-1 μ을 미분(微粉), 1-100 μ을 보통 분체, 0.1-1 mm를 조분(粗粉), 1 mm 이상을 입체(粒體)라고 부름.

분체 도료【粉體塗料】명 〔powder coating〕 도료는 보통, 안료와 그것을 분산시키는 비이클로 되어 있는데, 이 비이클 중의, 용제(溶劑)를 갖지 않고 고체상의 도막 요소(塗膜要素)와 안료만으로 되어 있는 분체상(粉體狀)의 도료. 용제를 휘발시켜 건조할 뿐 아니라, 수지(樹脂)의 도막 요소의 융해에 의해서 도막(塗膜)을 형성함.

분체 도장【粉體塗裝】명 합성 수지를 분체(粉體)로 만들어 금속 표면에 칠하고, 고온(高溫)으로 용융(溶融)하여 마무리하는 방법.

분체 생식【分體生殖】명 〖생〗 분체에 의한 생식. 박테리아·섬모충(纖毛蟲) 등에서 볼 수 있음. ↔접합 생식.

분체 수송기【粉體輸送機】명 분말이나 입체(粒體)를 수송하는 장치.

분체 폭발【粉體爆發】명 〔dust explosion〕 공기 속에 가연성(可燃性) 물질의 가루가 떠 있을 때에, 그것이 어느 온도 이상으로 열하여지거나 또는 근처에 작은 불똥이나 전기(電氣) 불꽃이 있으면 폭발을 일으키는 현상. 설탕·녹말·밀가루 그 밖의 곡식 가루·석탄(石炭) 가루 등에 잘 일어남. 분진(粉塵) 폭발.

분-초【分秒】명 시계의 분과 초. 곧, 매우 짧은 시간.

분초를 다투다 구 매우 짧은 시간을 아끼어 급하게 서두르다.

분촌【分寸】명 〔일분(一分) 일촌(一寸)의 뜻〕 근소(僅少). 약간(若干).

분총【分葱】명 〖식〗 골파❷.

분추【奔趨】명 급히 달아남. ——-하다 자 여불

분추 경:리【奔趨競利】〔—니〕 명 〖역〗 분경(奔競). ——-하다 자타 여불

분축-기【分縮器】명 냉각기(冷却器)를 적당히 조절하여 혼합 증기를 일부만 응축시켜서 끓는점이 다른 성분으로 나누는 장치. *전축기(全縮器).

분출[1]【分出】명 나뉘어 나옴. 또, 나뉘어서 나오게 함. ——-하다 자타 여불

분출[2]【奔出】명 세차게 쏟아져 나옴. ——-하다 자 여불

분:출[3]【噴出】명 뿜어 나옴. 내뿜음. ¶ 석유가 ～하다. ——-하다 자타 여불

분:출-구【噴出口】명 분출하는 구멍.

분:출-물【噴出物】명 내뿜은 물질.

분:출상 프로미넌스【噴出狀—】〔prominence〕 명 분출상 홍염.

분:출상 홍염【噴出狀紅焰】명 〔eruptive prominence〕 〖천〗 폭발(爆發) 홍염. *정태(靜態) 홍염.

분출-설【分出說】명 〖철〗 플로티노스(Plotinos)·그노시스파(Gnosis派)가 제창한, 빛이 광원(光源)에서 유출하듯이 일체 만물(萬物)이 그 근원(根元)인 어떤 한 몸에서 단계적으로 전개하여, 차츰 가장 낮은 것, 불완전한 것에 이른다는 학설. 유출설(流出說).

분:출-암【噴出岩】명 〔eruptive rock, extrusive rock〕 〖지〗 화성암(火成岩)의 한 가지. 지하의 마그마(magma)가 지표(地表)에 분출하여, 갑자기 식어서 굳어진 암석. 화산암(火山岩)·안산암(安山岩)·현무암(玄武岩) 같은 것. 병출암(迸出岩).

분충【糞蟲】명 〖충〗 꽁지벌레❶.

분-취[1]【粉—】명 〖식〗 [*Saussurea seoulensis*] 국화과에 속하는 다년초. 줄기는 곧고 솜털이 있으며, 높이 25-80 cm, 근엽(根葉)은 잎꼭지가 길고, 초엽(梢葉)에는 잎꼭지를 갖지 않는 긴 달걀꼴 또는 피침형을 이루는데, 끝이 뾰족하고 가에 톱니가 있음. 7-9월에 자색의 관상화(管狀花)로 된 두상화(頭狀花)가 가지 끝에 피고, 수과(瘦果)는 흰 관모(冠毛)가 있음. 산지에 나는데, 북한산(北漢山)과 가평(加平)에 분포함. 어린 잎은 식용함.

분취[2]【分取】명 나누어 가짐. ——-하다 타 여불

분층 군락【分層群落】〔—굴—〕 명 〖식〗 식물 군락의 기본 단위. 예를 들면, 삼림(森林) 군락은 교목층(喬木層)·관목층(灌木層)·초목층(草木層) 등의 분층 군락으로 이루어짐.

분치[1]【分置】명 나누어서 둠. 여러 군데에 벌리어서 베풂. ——-하다 타 여불

분치[2]【奔馳】명 빨리 달림. ——-하다 자 여불

분침[1]【分針】명 시계의 분을 가리키는 긴 바늘. 각침(刻針). 장침(長針). *시침(時針)·초침(秒針).

분침[2]【氛祲】명 ①요악스러운 기운. ②해미.

분칭【分秤】명 한 푼쭝으로부터 스무 냥쭝까지 다는 저울. 약이나 금은(金銀) 같은 것을 닮. 약저울. 약칭(藥秤). 약형(藥衡). →푼칭.

분탄[1]【粉炭】명 잘게 부스러져 가루가 된 목탄이나 또는 석탄. ↔괴탄(塊炭).

분:탄[2]【憤嘆】명 분개(憤慨). ——-하다 자타 여불

분탕[1]【粉湯】명 ①밀가루를 풀어서 끓인 맑은 장국. *밀푸러기. ②여러 가지 고명을 넣고 만든 평안도식 도미 국수. ③당면(唐麪).

분탕[2]【焚蕩】명 집안의 재산을 죄다 없애 버림. ——-하다 타 여불

분탕-질【焚蕩—】명 재물을 죄다 없애 버리는 짓. ——-하다 자 여불

분토[1]【粉土】명 쌀을 쓿을 때에 섞는 흰 가루의 고운 흙. 토분(土粉).

분토[2]【墳土】명 무덤의 흙.

분:토[3]【奮討】명 힘을 다하여 토벌(討伐)함. ——-하다 타 여불

분토[4]【糞土】명 썩은 흙.

분토-언【糞土言】명 더러운 말. 가치 없는 말.

분통[1]【粉桶】명 ① 분을 담는 통. ②국수 분통.

분:통[2]【憤痛】명 몹시 분개하여 마음이 쓰리고 아픔. ——-하다 형 여불

분:통(이) 터:지다 구 분하고 절통한 마음이 폭발하다.

분통-같다【粉桶—】형 도배를 새로 하여 깨끗하다.

분:투【奮鬪】명 있는 힘을 다하여 싸움. 분전(奮戰). ¶ 고군(孤軍) ～. ——-하다 자 여불

분:투 노력【奮鬪努力】명 힘을 다하여 노력함. ——-하다 자 여불

분:투 쟁선【奮鬪爭先】명 있는 힘을 다하여 서로 앞서기를 다툼. ——-하다 자 여불

분투-혜【分套鞋】명 〖옛〗 방한·방습용 가죽 덧신의 하나.

분트〔Wundt〕명 〖사람〗 ①〔Max W.〕 독일의 철학자. ❷의 아들. 칸트의 비판 철학은 형이상학을 파괴하는 것이 아니라 도리어 그 바탕을 제공하는 것이라고 하여 독일 관념론을 옹호함. 저서 《그리스 윤리학사(倫理學史)》·《형이상학자로서의 칸트》 등. [1879-1963] ②〔Wilhelm W.〕 독일의 심리학자·철학자. 철학적으로는 비판적 실재론(批判的實在論)으로서 의지를 주체로 하는 윤리설을 주장함. 또한 《생리학적 심리학 강요(綱要)》를 통하여 실험 심리학을 확립하고, 구성(構成) 심리학의 입장에서 민족 심리학을 개척하였음. 논리학·윤리학 등의 저서도 많음. [1832-1920]

분-틀【粉—】명 〈방〉 국수틀.

분파[1]【分派】명 하나가 여러 갈래로 나뉘어 갈라짐. 또, 그 갈래. 지류(支流). ¶ ～ 행동. ——-하다 자타 여불

분파[2]【分破】명 쪼개서 나눔. 나누어서 쪼갬. ——-하다 타 여불

분-파리매【粉—】명 〖충〗 [*Eutolmus brevistylus*] 파리매과에 속하는 곤충. 몸길이 20-22 mm이고, 몸빛은 암갈색에 흉부(胸部)의 띠무늬와 어깨의 후반부는 황회색을 이루며, 날개의 기부(基部)는 황색인데, 복부(腹部)는 황회색의 가루와 누런 털로 덮이었음. 한국·일본에 분포함.

〈분파리매〉

분파-주의【分派主義】〔—/—이〕 명 섹셔널리즘(sectionalism).

분파 활동【分派活動】〔—똥〕 명 어떤 그룹이나 단체 내에 있으면서, 출신·이익 등의 이해 관계에 따라 독자적(獨自的)인 배타적 집단을 만들고, 그 집단의 주도권을 탈취하려는 활동. 또, 그것을 비난할 때에 쓰임.

분판[1]【分判】명 ①나눔. 또, 나누임. ②판단함. ——-하다 자타 여불

분판[2]【粉板】명 분을 기름에 개어서 널조각에 발라 결은 물건. 아이들이 글씨 연습하는 데에 씀.

분패[1]【粉牌】명 〖역〗 당하관의 패(牌). 분을 발라 만든 나뭇 조각.

분:패[2]【僨敗】명 일을 잡쳐서 낭패함. 실패함. ——-하다 타 여불

분:패[3]【憤敗】명 이길 수 있는 것을 분하게 짐. ——-하다 자 여불

분포[1]【分布】명 ①나누어져 여러 곳에 널리 퍼지어 있음. ¶ 식물의 ～ 상태. ②나누어서 퍼뜨림. ③〖생〗 생물(生物)이 어떠한 지역(地域)에 어

떻게 생활하고 있는가의 상태. ④〖지〗 인구(人口)·취락(聚落)·산업·문화 등 지리적 요소의 지표면(地表面)에 있어서의 상태. 절대 분포와 상대 분포가 있는데, 전자는 요소가 지표면(地表面)에 놓여진 그대로의 상태, 즉 인구 분포도(人口分布圖)와 같은 것이며, 후자는 하나의 요소와 다른 요소와의 관계에 있어서의 분포, 즉 경지(耕地)에 대한 인구의 분포 같은 것임. ——-하다 자타여불

분포²【分包】명 약을 한 봉지씩 나누어 쌈. ——-하다 타여불

분:포³【噴泡】명 게거품을 내뿜음. ——-하다 자여불

분포 곡선【分布曲線】명 〔distribution curve〕〖수〗 분포 함수(函數)의 그래프. 또, 그 도함수(導函數)의 그래프.

분포-구【分布區】명 분포된 구역.

분포-권【分布圈】〔-꿘〕명 나누어져 여러 곳에 널리어 있는 범위.

분포-도【分布圖】명 분포 상태를 나타내는 도표.

분포 상수 회로【分布常數回路】명 〖물〗 평행 도선(平行導線)이나 동축(同軸) 케이블처럼 R, L, C 등의 수동 소자(受動素子)가 선로에 따라 분포하고 있다고 생각되는 회로.

분포-율【分布率】명 분포된 비율.

분포-학【分布學】명 〖생〗 생물의 분포 상태를 연구하는 학문. 분포 상태를 과학적으로 연구함으로써 주로 생물의 진화·계통을 밝힘.

분포 함:수【分布函數】〔-쑤〕명 〔distribution function〕〖수〗 확률(確率) 분포를 나타내는 함수의 하나. 확률 변수 X의 값이 수(數) x 이하인 확률을 $f(x)$로 하고, 이를 x의 함수로 보고, X의 분포 함수라 함.

분표【分俵】명 〖역〗 흉년의 재해를 입은 논밭의 구실을 덜어 주는 일. ——-하다 타여불

분:-풀이【憤-】명 분하고 원통한 마음을 풀어버리는 일. 설분(雪憤). 해원(解寃). ——-하다 자여불

분피【紛披】명 ①꽃이 많이 핀 모양. ②어지럽게 흩어지는 모양. 산란(散亂)한 모양. ——-하다 자형여불

분필¹【分疋】명 긴 피륙을 한 필씩으로 나눔. ——-하다 자여불

분필²【分筆】명 〖법〗 등기부(登記簿)에 한 필로 되어 있는 토지를 여러 필로 분할함. ¶ ~ 등기(登記). ↔합필(合筆). ——-하다 자여불

분필³【粉筆】명 칠판(漆板)에 글씨를 쓰는 물건. 탄산 석회(炭酸石灰)나 구운 석고(石膏)의 가루를 물에 개어 손가락만큼씩하게 굳혀서 만듦. 백묵(白墨). 토필(土筆). 초크(chalk).

분필 가루【粉筆-】〔-까-〕명 칠판에 분필로 글씨를 쓰거나 지울 때 나는 가루 먼지.

분필 가루(를) 먹다 구 교사 노릇을 하다.

분하【分下】명 〖역〗 관아(官衙)의 벼슬아치에게 연례(年例)에 따라 물품을 나누어 주던 일. 분아(分兒). ——-하다 타여불

분-하다¹【分-】타여불 나누다. 가르다.

분-하다²【扮-】자여불 ↗분장(扮裝)하다.

분:-하다³【憤-·忿-】형여불 ①억울한 일을 당하거나 하여 원통하다. ¶ 모욕을 당하다니, ~. ②될 듯한 일이 되지 아니하여 섭섭하고 아깝다. ¶ 잡았다가 놓치다니, 정말 ~. **분:-히**【憤-·忿-】부

분하-전【分下錢】명 분핫돈.

분:한¹【分限】명 ①실용 가치가 있는 일정한 한도. 분도(分度). 분제(分際). ②상하(上下) 존비(尊卑)의 다른 한계. ③법률의 규정에 의하여 향유(享有)하는 특별한 지위의 한계.

분:한²【忿恨·憤恨】명 분하고 한되는 일. 매우 분한 원한(怨恨).

분:한-없다【分限-】〔-업-〕형 ①많은 물건도 헤피 쓰면 다 없어지기 쉽다. ②보기에는 많은 듯해도 쓰는 데는 아주 하잘것이 없다.

분:한-있다【分限-】형 ①한도(限度)가 있다. 많은 것 같아도 실상은 그리 많지 못하다. ②얼마 못 되는 듯하여도 여러 번 또는 여러 군데로 별러 쓸 수가 있다.

분할¹【分割】명 나누어 쪼갬. 얼마를 베냄. ¶ ~ 상환(償還). ——-하다 타여불

분할²【分轄】명 나누어서 관할함. 분관(分管). ——-하다 타여불

분할-급【分割給】명 〖경〗 몇 번으로 나누어서 지급(支給)함. ↔일시급. ——-하다 타여불

분할급 어음【分割給-】명 〖경〗 어음 금액을 수개(數個)로 분할하여 각개에 대하여 각각 다른 만기(滿期)가 정하여진 어음. 현행법상 인정되지 아니하고 있음.

분할-기【分割器】명 디바이더.

분할 상속【分割相續】명 〖법〗 한 재산을 두 사람 이상의 상속인이 나누어서 상속함. ——-하다 타여불

분할 상:환【分割償還】명 몇 번으로 나누어서 상환함. ——-하다 타여불

분할 소:유권【分割所有權】〔-꿘〕명 〖법〗 본래 하나이어야 할 소유권이 분할되어 있는 일. 지대(地代) 등을 징수하는 영주(領主)나 지주(地主)의 권리 같은 상급 소유권과 토지 이용권자(利用權者)의 상속적(相續的) 권리 같은 하급(下級) 소유권의 성립을 인정하는 제도로, 중세(中世) 독일에 그 전형적인 예가 있었음.

분할 인도【分割引渡】명 돈이나 화물(貨物) 같은 것을 몇 차례로 나누어서 넘겨줌. ——-하다 타여불

분할 주법【分割奏法】〔-뻡〕명 〖악〗 '스타카토(staccato)'의 역어.

분할지 농민【分割地農民】명 자기 자족(自己自足)의 노동력과 소자본을 가지고 자기가 소유하는 경영 경지(經營耕地)로 생산하는 농민층.

분할 지도【分割地圖】명 〖지〗 어떠한 지역을 몇 군데로 분할하여 세밀하게 그린 지도.

분할지 소:유【分割地所有】명 분할지 농민에 의한 토지의 소유.

분할 통:치【分割統治】명 피지배자 사이에 분열 상태를 일으켜 단결을 못하게 해 놓고 안정된 지배의 계속을 도모하는 통치의 한 방법.

분합¹【分合】명 나누었다 모았다 함. 나뉘었다 모였다 함. ¶ 집산(集散) ~을 거듭하다. ——-하다 자타여불

분합²【分閤】명 〖건〗 대청 앞에 드리는 네 쪽으로 된 긴 창살문. 겉창과 같이 되고 아래쪽에 통널 조각을 댐. 분합문.

분합³【粉盒】명 분을 담는 작은 사합(沙盒).

분합 걸:쇠【分閤-】〔-쐬〕명 〖건〗 분합 들쇠.

분합-대【分合帶】명 넓고 납작하게 만들어서 웃옷에 눌러 띠는 실띠. 준분대(分帶).

분합 들쇠【分閤-】〔-쐬〕명 〖건〗 도리에 쌍으로 박아서 분합을 두 짝씩 올려 다는 들쇠. 분합 걸쇠.

분합-문【分閤門】명 〖건〗 분합(分閤).

분합 열:쇠【分閤-】〔-쐬〕명 분합을 여는 열쇠.

분합 장영창【分閤長映窓】명 〖건〗 분합의 안쪽에 드리는 미닫이.

분핫-돈【分下-】명 분하(分下)하여 주는 돈. 분하전(分下錢).

분-항아리【粉缸-】명 분을 담아 두는 작은 사기 항아리.

분해【分解】명 ①한 덩이의 사물을 따로따로 나누어 헤침. 또, 나뉘어 헤어짐. ¶ 시계를 ~하다. ②〔decomposition〕〖화〗 한 화합물이 두 가지 이상의 물질로 나뉨. 또, 그렇게 나눔. ↔화합(化合). ③〔decomposition〕〖물〗 한 합성물(合成物)이 그 구성 요소(要素)로 나뉨. 또, 그렇게 나눔. ¶ 힘의 합성과 ~. ④〖논〗 한 개념을 분석하여 그 속성(屬性)을 가름. ——-하다 자타여불

분해 가솔린【分解-】명 〔cracked gasoline〕〖공〗 중유(重油)에 압력을 가하고 가열(加熱) 분해(分解)하여 만든 가솔린.

분해 가스【分解-】〔gas〕명 〖화〗 석유 유분(留分)을 열분해(熱分解)나 접촉(接觸) 분해할 때 생기는 가스 유분(留分). 수소를 비롯, 탄소수(數) 1-5 정도의 탄화 수소의 화합물. 처음에는 연료용으로만 쓰였지만 정제(精製) 기술의 진보에 따라 연료용 이외에도 많은 화학 공업적 이용법이 개발됨. 크래킹 가스.

분해 검:사【分解檢査】명 오버홀(overhaul).

분해-기【分解器】명 나사를 뽑고 박고 하는 연장.

분해 네거티브【分解-】명 〔separation negative〕 다색(多色) 인쇄나 컬러 사진을 만들 때, 분해 필터(filter)를 통하여 팬크로(panchro) 필름에 감광(感光)시켜서 된 2-4매의 네거티브 필름.

분해-능【分解能】명 〔resolving power〕〖물〗 ①분광기(分光器)가 서로 접근하여 있는 두 개의 스펙트럼선(spectrum線)을 분리할 수 있는 정도. ②망원경·현미경·전자(電子) 현미경·눈 등으로 보아서 분간할 수 있는 두 점 사이의 극한(極限)의 거리 또는 시각(視角). *개구수(開口數).

분해-력【分解力】명 분해하는 세력. 분해하는 힘.

분해 반:응【分解反應】명 〖화〗 화합물이 보다 간단한 화합물이 되는 반응. 합성(合成) 또는 화합(化合)의 역(逆)반응. 열분해(熱分解)·전기 분해 등이 있음.

분해 연소【分解燃燒】명 〖물〗 가열에 의하여 석탄이나 나무 같은 물체가 분해하여 그 결과 발생한 가연성(可燃性)의 기체 또는 증기(蒸氣)가 타는 연소의 한 형태. 이 때 불길이 일어남. *표면(表面) 연소·증발(蒸發) 연소.

분해-열【分解熱】명 〔heat of decomposition〕〖물·화〗 1몰의 화합물이 정압(定壓)에서 각 원소로 분해할 때의 엔트로피(entropy) 변화.

분해의 허위【分解-虛僞】〔-/-에-〕명 〔fallacy of division〕〖논〗 전체(全體)의 진리(眞理)가 부분(部分)의 진리이기도 하다고 논하는 허위. 또는, 집합(集合)의 진리가 성원(成員)의 진리이기도 하다고 논하는 허위. *합성(合成)의 허위.

분해 이:색판【分解二色版】명 〖인쇄〗 이색쇄(二色刷)의 사진 동판 원판(原版)을 사진 제판(寫眞製版)상 두 개로 분해하여 두 가지 색의 색쇄(色刷)로 한 것.

분해-자【分解者】명 〖생〗 생태계(生態系)에서, 동식물의 사체(死體)나 동물의 배설물을 분해하며 생활하는 미생물. 세균이나 곰팡이 따위.

분해 전:압【分解電壓】명 〔decomposition voltage〕〖화〗 전해질(電解質) 용액을 계속적으로 전기 분해시킬 수 있는 최소의 전압.

분해 증류【分解蒸溜】〔-뉴〕명 〖화〗 크래킹(cracking).

분해 필터【分解-】〔filter〕명 가시광(可視光)을 이색(二色) 또는 삼색(三色)으로 나누어서 투과시키는 필터의 총칭.

분해 호흡【分解呼吸】명 〖생〗 무기 호흡(無氣呼吸).

분해 효소【分解酵素】명 〖화〗 리아제(lyase).

분향【焚香】명 향(香)을 불에 피움. 소향(燒香). 행향(行香). ¶ 불전에 ~하다. ——-하다 자여불

분향-교【焚香敎】명 〖종〗 백련교(白蓮敎).

분향-만【汾鄕灣】명 〖지〗 경기도 서남해상에 위치하는 좁고 긴 굴곡이 심한 만. 남양만(南陽灣)·아산만(牙山灣) 등과 함께 경기만에 속함.

분향 재:배【焚香再拜】명 ①향을 피우고 두 번 절을 함. ②제사를 지냄. ——-하다 자여불

분형【焚刑】명 불살라 죽이는 형벌. 화형(火刑).

분:혜【忿恚】명 →분에(忿恚). ——-하다 자여불

분호¹【分戶】명 분가(分家). ——-하다 자여불

분호²【分毫】명 썩 적은 것의 비유.

분호³【粉毫】명 화필(畫筆).

분-호조【分戶曹】명 〖역〗 중대한 일이 생겼을 때, 호조의 일을 분담하여 맡아보던 임시의 관아.

분:홍【粉紅】명 ↗분홍색.

분:홍-거위벌레【粉紅-】명 〖충〗 〔*Apoderus rubidus*〕 바구밋과에 속하는 곤충. 몸길이 4.5-6 mm이고, 몸빛은 광택 있는 적갈색이며, 두부 하면(下面)과 전배판(前背板)의 측연, 후흉(後胸)과 전(前)·중(中)의 양퇴절(兩腿節)의 기부(基部), 후퇴절(後腿節)의 말단 등은 흑색임. 한국·일본·사할린·중국·시베리아·우수리 지방 등에 분포함. 분홍바구미.

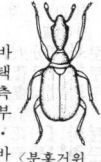

〈분홍거위벌레〉

분:홍-꽃가리비【粉紅—】[명]〖조개〗[*Spondylus cruentus*] 가리빗과에 속하는 연체(軟體) 동물. 패각(貝殼)의 길이 35mm, 높이 54mm, 폭 27mm 내외임. 껍질 표면은 선홍색이며, 두 개의 껍질은 같지 아니하고, 오른쪽 껍질을 암초에 고착함. 왼쪽 것의 표면은 요철(凹凸)이 많고, 각정(殼頂)에서 방사맥(放射脈)이 뻗어 있으며, 그 맥상(脈上)에는 작은 돌기가 밀생(密生)하였음. 깊이 40m 가량의 바다밑 모래땅에 서식하며 2-4월에 산란하는데, 한국·일본 등지에 분포함. 살은 식용, 패각은 가공용임.

〈분홍꽃가리비〉

분:홍-노루발【粉紅—】[명]〖식〗[*Pyrola incarnata*] 노루발과에 속하는 상록 다년초. 꽃줄기의 높이 20cm 내외이고 잎은 총생(叢生)하며, 각엽(脚葉)은 2-5 조각의 넓은 타원형 또는 원형임. 잎꼭지는 길. 6-7월에 홍색꽃이 총상(總狀) 화서로 피고, 삭과(蒴果)는 익으면 다섯 갈래로 쪼개짐. 높은 산의 숲 속에 나는데, 한국 중부 이북에 분포함. 약재로 씀.

분:홍-노린재【粉紅—】[명]〖충〗중노린재.

분:홍다리-풀노린재【粉紅—】[—로—][명]〖충〗[*Pentatoma japonicum*] 노린잿과에 속하는 곤충. 몸길이 20mm 내외, 몸빛은 일률적으로 아름다운 금속 광택(金屬光澤)이 나는 녹색인데, 촉각은 적갈색, 다리와 몸의 아래쪽은 적갈색을 이룸. 부추·참산부추 등에 모이며 산에 사는데, 한국·일본 등지에 분포함.

분:홍-말미잘【粉紅—】[명]〖동〗[*Actinia equina*] 분홍말미잘과에 속하는 강장(腔腸) 동물. 몸길이 2-3cm, 구반(口盤)의 직경과 촉수(觸手)는 각각 2-4cm임. 몸빛은 짙은 분홍색에 아래쪽은 다소 장미빛을 띠고, 구반 끝에 있는 혹은 청색임. 구변공(口邊孔)만 있고 연변공(緣邊孔)은 없으며, 촉수(觸手)의 배열식(配列式)은 6·12·24·48·96임. 보통 간만선간(干滿線間)의 상부(上部)의 암석(岩石)에 서식하는데, 한국 남해·일본 중부 이남에 분포함.

〈분홍말미잘〉

분:홍-머리동이【粉紅—】[명] 분홍빛으로 된 머리동이의 연.

분:홍-바구미【粉紅—】[명]〖충〗분홍거위벌레.

분:홍-바늘꽃【粉紅—】[명]〖식〗[*Epilobium angustifolium*] 바늘꽃과에 속하는 다년초. 줄기는 곧고 높이 1.7m 내외임. 온 몸에 잔털이 나고 무병(無柄)의 잎은 호생하며 피침형을 이룸. 6-8월에 홍자색의 사판화(四瓣花)가 총상(總狀) 화서로 줄기 끝이나 가지 끝에 정생(頂生)하여 피고, 삭과(蒴果)는 가느다란 긴 타원형인데, 익으면 네 쪽으로 갈라져서 종자가 잘 튀어 나옴. 산이나 들에 나는데, 한국 중부 이북·일본 중부 이북 및 북반구(北半球)의 온대·한대에 분포함.

〈분홍바늘꽃〉

분:홍-방【粉紅榜】[명] 〔고려 우왕(禑王) 11년(1385) 감시(監試)에 시원(試員) 윤취(尹就)가 뽑은 99인 가운데에 세가(勢家)의 젖내나고 붉은 옷을 입은 아이들이 많았다는 데서 생긴 말〕나이가 어린 권문(權門)의 자제가 과거에 급제한 것을 비웃는 말. 홍분방(紅粉榜).

분:홍-빛【粉紅—】[—삗][명] 분홍색(粉紅色).

분:홍-색【粉紅色】[명] 엷게 붉은 고운 빛깔. 분홍빛. [준]분홍.

분:홍-장구채【粉紅—】[명]〖식〗[*Melandrium capitatum*] 너도개미자릿과에 속하는 다년초. 줄기는 여러 개로 갈라지며 높이 30cm 가량, 잎은 대생하며 잎꼭지가 있는데 달걀꼴을 이룸. 8월에 홍색 두상화(頭狀花)가 줄기 끝이나 가지 끝에 집합하여 취산상(聚繖狀)으로 배열하여 피고, 삭과(蒴果)를 맺음. 산지에 나는데, 한국 중부 이북에 분포함.

분:홍-쥐손이【粉紅—】[명]〖식〗[*Geranium maximowiczii*] 쥐손이풀과에 속하는 다년초. 줄기는 곧고 높이 1m 이상인데, 근엽(根葉)은 잎꼭지가 길고, 경엽(莖葉)은 잎꼭지가 짧거나 또는 거의 없음. 7-8월에 줄기 끝이나 잎 사이에서 나온 긴 꽃줄기에 분홍색 오판화(五瓣花)가 두 송이씩 달리며, 가느다란 삭과(蒴果)를 맺음. 높은 산의 산허리에 나는데, 함남·함북에 분포함.

분:홍 치마【粉紅—】[명] ①분홍빛의 치마. ②위쪽은 희고 아래쪽은 분홍빛으로 된 연.

분:홍-할미꽃【粉紅—】[명]〖식〗[*Pulsatilla davurica*] 미나리아재빗과에 속하는 다년초. 줄기 높이 20cm 내외이고, 긴 견모(絹毛)가 밀포하며 뿌리는 두툼함. 잎은 뿌리에서 총생(叢生)하며 엽병(葉柄)이 길고, 포엽(苞葉)은 줄기 끝에 두세 조각이 달림. 5월에 포엽의 중심에서 나온 긴 화경(花梗) 끝에 엷은 홍색 꽃이 하나씩 피고, 수과(瘦果)는 긴 달걀꼴로 둥글게 모여 있음. 산이나 들의 양지에 나는데, 평북·함남북에 분포함.

분화¹【分化】[명] ①균질(均質)의 것에 차가 생기는 일. ②〖생〗생물의 조직·기관·기능이 특수화하고 발달하는 일. ¶수정란(受精卵)의 ~ 과정. ③사회적 사실이 단순·동질적(同質的)인 것으로부터 복잡·이질적(異質的)인 것으로 분기(分岐)·발전하는 일. ¶사회 계급의 ~. ——-하다 [자][여불]

분화²【分火】[명]〖군〗전투 사격(射擊) 때, 목표를 소대(小隊)·중대별로 「나누어 사격하는 일.

분화³【盆花】[명] 분에 심어 놓은 꽃.

분화⁴【盆畫】[명] 여러 가지 색채로 물들인 토사(土砂)를 써서 동이의 표면에 산수(山水)나 화조(花鳥) 따위를 그리는 일. 또, 그 그림.

분화⁵【粉花】[명]〖식〗분꽃.

분화⁶【紛華】[명] 번화하고 화려함. ——-하다 [형][여불]

분화⁷【焚火】[명] 불을 사름. 또는 타는 불. ——-하다 [타][여불]

분:화⁸【噴火】[명] ①불을 내뿜음. ②〖지〗지하의 마그마(magma)나 그 생성물(生成物)이 용암(熔岩)·화산탄(火山彈)·화산회(火山灰)·수증기로 되어 지표(地表)로 분출하는 현상. ——-하다 [자][여불]

분:화-구【噴火口】[명]〖지〗화산의 불을 내뿜는 구멍. 화구(火口). 화산구.

분화 맥암【分化脈岩】[명]〖광〗모암체(母岩體)와 현저하게 성분이 다른 「맥암(脈岩). ↔비분화 맥암.

분화-문【盆花文】[명] 심거나 꽂은 꽃을 나타낸 장식 무늬. 연꽃·모란 등의 꽃과 연잎·당초 등의 절지(折枝)를 화분·항아리·병에 담은 것.

분:화-산【噴火山】[명]〖지〗화산(火山).

분-화석【糞化石】[명] [guano]〖광〗인광(燐鑛)의 하나. 경화(硬化)된 해조(海鳥)의 똥. 대개 다공질(多孔質) 또는 입상(粒狀)이며 엷은 회색 또는 회갈색(灰褐色)을 띠고 다량(多量)의 인산 석회·질소·칼륨 등을 함유함. 석분(石糞). 조분석(鳥糞石). 구아노.

분화석질 인회토【糞化石質燐灰土】[명] 새의 똥이 퇴적(堆積)·응고(凝固)한 것. 인분(燐分)을 많이 함유한 것은 비료로 쓰임. 남양 제도에서 남.

분화 차비관【分花差備官】[명]〖역〗진연(進宴) 때, 꽃가지를 나누는 임 「시 벼슬.

분황【焚黃】[명]〖역〗조선 시대에 증직(贈職)이 된 때에 관고(官誥)의 부본(副本)을 쓴 누른 종이를 피추증자(被追贈者)의 무덤 앞에서 불사르는 일. ——-하다 [타][여불]

분황-문【焚黃文】[명] 분황(焚黃)할 때에 읽는 제문(祭文).

분:황-사【芬皇寺】[명]〖지〗경상 북도 경주시에 있는 절. 신라 선덕 여왕 3년(634)에 창건되어 원효 대사(元曉大師)가 살고 있었던 명찰(名刹)임. 원래 큰 절이었으나, 지금은 사우(寺宇) 일동(一棟)과 불상 및 수축된 분황사 석탑(芬皇寺石塔)만이 남아 있음.

분:황사 석탑【芬皇寺石塔】[명]〖지〗분황사에 있는 우리 나라 최고(最古)의 석탑(石塔). 신라 선덕 여왕(善德女王) 3년(634)에 건립된 것으로 본디는 9층이었으나 현재는 3층만이 남아 있음. 회흑색(灰黑色)의 안산암(安山岩)을 벽돌 모양으로 절단하여 쌓아 올린 전탑(塼塔)이 네모난 단상(壇上)에 서 있고, 초층(初層)의 4면에 인왕상(仁王像)이 새겨져 있으며 기단(基壇)의 네 귀퉁이에는 사자상(獅子像)이 배치(配置)되어 있음. 국보(國寶) 제30호.

분황-제【焚黃祭】[명]〖역〗죽은 자에 대한 임금의 고명문(誥命文)의 부본(副本)을 그 영전(靈前)에서 불살라 고(告)하는 제사.

분:황-종【芬皇宗】[명]〖불교〗'법성종(法性宗)'의 속칭. 원효 대사(元曉大師)가 법성종을 개종(開宗)할 때에 분황사(芬皇寺)를 근본 도량(道場)으로 삼았으므로 분황종이라 일컬음.

분회¹【分會】[명] 어떤 회의 관리하(管理下)에 분설(分設)한 하부 조직체. 「*지부(支部).

분회²【粉灰】[명] 수산화 칼슘.

분획【分畫·分劃】[명] 여러 구획(區劃)으로 나눔. ——-하다 [타][여불]

분획-의【分劃儀】[—/—이][명]〖군〗요새(要塞)나 포대(砲臺)에서 목표의 위치 및 거리의 관측에 쓰이는 기계.

분효¹【分曉】[명] 뚜렷하게 밝음. 환하게 밝음. ——-하다 [형][여불]

분효²【紛淆】[명] 뒤섞임. ——-하다 [자][여불]

분효³【紛囂】[명] 혼란하고 시끄러움. ——-하다 [형][여불]

분후【粉侯】[명] 중국 송(宋)나라의 부마 도위(駙馬都尉)의 칭(稱).

분훤【紛喧】[명] 매우 시끄러움. 또, 소란하게 떠드는 모양. ——-하다 [형][여불]

분훼【焚毁】[명] 태워서 부숨. 또, 타서 부서짐. ——-하다 [자][타][여불]

분휘【奮揮】[명] 분발하여 떨침. ——-하다 [타][여불]

붇 [명]〈옛〉붓. ¶부들 놀이니 鸞이 구즈기 셋는 둧고(筆飛鸞聳立)《杜諺 Ⅷ:8》/붇 필(筆)《字會 上 34》.

붇:다 [자][ㄷ불] ①물에 젖어서 부피가 커지다. ¶콩이 ~. ②수효가 많아지다. 늘다. ¶재산이 ~.

붇주릇대 [명]〈옛〉붓자루. 붓대. ¶붇주릇대(筆管)《救簡 I:76》.

불¹ [명] [중세 : 블] ①물질이 산소와 화합해 열과 빛을 내며 연소하는 현상. ¶빨갛게 ~이 붙다. ②난로나 아궁이에 연료를 태워서 열이 나게 하는 일. ¶~을 때다/솥~을 피워라. ③뜨겁게 달거나 타서 빨갛게 된 물체. ¶~ 덩어리. ④화재(火災). ¶~이 나다. ⑤등에 켜서 어두운 곳을 밝게 하는 것. 등불. ¶전깃~/~이 나가다. ⑥쇠와 돌이 몹시 부딪치거나 나무끼리 서로 마찰하거나 하여 일어나는 열(熱)과 빛. ¶성냥~. ⑦불같이 빛나는 물체. ¶반딧~/도깨비~. ⑧불길¹. ¶~이 훨훨 타오르다. ⑨정열이나 탐욕(貪慾)이 타다시피 열렬히 치미는 현상. ¶~과 같이 타오르는 정열. ⑩물체를 뜨겁게 만들거나 태우는 것. ¶~고기.
[불 가져 오라는데 물 가져 온다] 시키는 일과는 딴 짓을 한다는 말. [불 안 땐 굴뚝에 연기 날까] 아무 까닭도 없이 그런 결과가 있을 리 없다는 말. [불 없는 화로 딸 없는 사위] 쓸데없는 물건과 같다는 뜻이니, 다감 다정(多感多情)한 맛이 없다는 뜻. [불에 놀란 놈이 부지깽이만 보아도 놀란다] 어떤 일에 몹시 혼이 난 사람은 그에 관계된 것만 보아도 놀랜다는 뜻. [불 탄 개가죽 같다; 불탄 조기 껍질 같다] 매사(每事)에 발전이 없고, 점점 오그라들기만 하는 일을 비유하는 말.

불² [명] ①불알을 싸고 있는 살로 된 주머니. 음낭(陰囊). ②↗불알.
[불 챈 중놈 달아나듯] 불알을 채면 어디가 아픈지도 모르게 몹시 고통스러우니 아픈 곳도 모르고 덮어놓고 날뛰는 사람을 가리키는 말.

불³ [명]〖농〗걸채나 옹구에 있어서 아래로 늘어져 물건을 싣게 된 부분.

불:⁴ [명]〈방〉〖충〗벌⁴(경기·충남).

불⁵ [명][의명]〈방〉벌³(충북·전남·경상·제주).

불⁶【不】[명] ①〖역〗강서 시험(講書試驗)의 성적을 표시하는 등급의 하나. 통(通)·약(略)·조(粗)·불(不)의 네 가지 등급 가운데 최하등(最下等)으로 낙제(落第)에 속하였음. ②궁도(弓道)에서 활을 쏠 때 살 다섯 대에서 한 대도 맞히지 못한 성적.

불⁷【佛】[명]〖불교〗↗불타(佛陀).

불⁸【佛】 명 ↗불란서(佛蘭西). ¶ ~문학(文學).

불:⁹〔Boole, George〕 명〖사람〗영국의 수학자·논리학자. 논리학에 기호와 연산(演算)을 도입, 이른바 불 대수(Boole代數)를 창시하여 근대 기호 논리학의 선구자의 한 사람이 됨. 불변수(不變數)·공변수(共變數)를 연구함. [1815-64]

불¹⁰【弗】 의명 '달러(dollar)'의 한자식 이름. ¶ 십만 ~.

불-【不】 뮈 어떤 한자(漢字)로 된 말 위에 붙어 그 말을 부정(否定)하는 뜻을 나타내는 말. ¶ ~가시(可視) 광선/~기소. *부-(不).

불가¹【不可】 명 ①옳지 않음. ¶ 가(可)도 없고 ~도 없다. ②〖교〗시험 성적의 등급을 나타내는 것으로 최하의 등급, 곧, 40점 이하의 점수. ¶ ~투성이 성적표. ——-하다 형여불

불가²【佛家】 명〖불교〗①불교(佛敎)를 믿는 사람. 또, 그들의 사회(社會). 불문(佛門). 불법계(佛法界). 상문(桑門). 선문(禪門). 승문(僧門). 석문(釋門). 안문(雁門). 석가(釋家). ②절.

불가³【佛歌】 명 부처를 찬송해 부르는 노래. 「——-하다 형여불

불가-결【不可缺】 명 없어서는 아니됨. 불가무(不可無). ¶ 필요 ~의 일.

불가결 아미노산【不可缺一酸】〔amino〕 명〖화〗필수 아미노산.

불가결 조건【不可缺條件】[—껀] 명 〔라 Conditio sine qua non〕 어떤 사물(事物)이 그것 없이는 이룩되지 못하는 조건. 어떤 일의 성립에 꼭 필요한 조건. 필수적 제약(必須的制約).

불가결 지방산【不可缺脂肪酸】 명〖화〗필수 지방산.

불가결 회분 요소【不可缺灰分要素】[—뇨—] 명〖생〗식물의 생활에 없어서는 아니될 원소(元素) 중에서 회분 속에 함유된 성분. 황(黃)·인(燐)·칼륨·칼슘·마그네슘·철의 여섯 가지 원소.

불가결 휴면【不可缺休眠】 명 휴면의 하나. 발생(發生)의 일정 시기(一定時期)에 불가피하게 일어나는 내인적(內因的)인 휴면. 식물의 휴면아(休眠芽)·휴면 구근(休眠球根) 등. 또, 협의(狹義)의 휴면을 가리킴.

불가-근【不可近】 명 가까이 할 것이 못됨. ——-하다 형여불

불가근 불가원【不可近不可遠】 명 가까이 할 수도 멀리 할 수도 없음.

불-가능【不可能】 명 ①할 수 없음. 될 수 없음. ②인간의 힘으로는 도저히 미치지 못함. 1)·2):㉤불능(不能). ↔가능. ——-하다 형여불

불가닌〔Bulganin, Nikolai Aleksandrovich〕 명〖사람〗소련의 군인·정치가. 모스크바 시(市) 소비에트 의장(議長)을 거쳐, 1938년에 국립 은행 총재가 됨. 제2차 대전 중에는 군(軍)에 들어가 모스크바 방위 군사회 의원·국방 회의 의원 등을 지냄. 전후 국방상·부수상 등을 역임하고 1955년 수상이 되었으나 1958년 반당(反黨) 그룹으로 몰려 실각 ㄴ함. [1895-1975]

불가-당【不可當】 명 당해 낼 수 없음.

불가-득【不可得】 명〖불교〗모든 법은 인연에 의하여 성립된 것으로 항상 존재하는 실체(實體)가 없으므로 인간의 사려(思慮) 밖에 있다는 말.

불-가래 [—까—] 명 ①부삽의 한 가지. 통나무 토막을 반으로 쪼개어 속을 한쪽 끝까지 파내고, 한쪽은 자루를 만듦. ②〈방〉 부삽³(강원·전라·경상·제주).

불가리아〔Bulgaria〕 명〖지〗 발칸 반도의 남동부에 있는 공화국. 발칸 산맥이 동에서 서로 뻗치고, 슬라브 계통의 불가리아인이 전체 인구의 80% 이상을 차지함. 보리·밀·옥수수·포도·포도주 등이 산출됨. 주민의 대부분은 그리스 정교도(正敎徒)이며, 언어는 불가리어를 사용함. 수도는 소피아(Sophia). 정식 명칭은 '불가리아 인민 공화국(Republic of Bulgaria)'. [110,912 km²: 9,000,000명(1991 추계)]

불가리아-어【—語】〔Bulgaria〕 명〖언〗인도 유럽 어족(語族) 슬라브(Slav) 어파(語派) 남(南)슬라브 어군(語群)의 하나. 불가리아 외에 루마니아의 일부에서 쓰임.

불-가마 명 불을 때서 벌겋게 단 가마. 「사물(事物).

불가-무【不可無】 명 ①없어서는 아니 됨. 불가결(不可缺). ②없지 못할

불-가물 명 아주 심한 가물음. 「형여불

불가 부득【不可不得】 뮈 부득이(不得已). ¶ ~ 가야만 했다. ——-하다

불가-분【不可分】 명 나누려야 나눌 수가 없음. ¶ ~의 관계가 있다.

불가분-권【不可分權】[—꿘] 명 불가분 급부(給付)를 목적으로 하는 권리.

불가분 급부【不可分給付】 명〖법〗그 성질이나 가치를 훼손하지 아니하고서는 분할할 수 없는 급부. ↔가분 급부. 「없는 성질.

불가분리-성【不可分離性】[—불—썽] 명 분리하려 하여도 분리할 수

불가분-물【不可分物】 명〖법〗그 물건의 성질이나 가치를 훼손하지 않고는 분할할 수 없는 물건. 한 대의 자동차, 한 채의 집 등. ↔가분물.

불가분-성【不可分性】[—썽] 명〖법〗담보 물권(擔保物權)의 경우, 담보 물권자는 피(被)담보 물권의 전부의 변제(辨濟)를 받을 때까지 목적물(目的物)의 전부의 위에 그 권리를 행사할 수 있다는 것. ↔가분성.

불가분 채:권【不可分債權】[—꿘] 명〖법〗불가분 급부(給付)를 목적으로 하는 다수 당사자(多數當事者)의 채권 관계에 있어서 채권자가 여럿 있는 경우의 채권. ↔불가분 채무.

불가분 채:무【不可分債務】 명〖법〗불가분 급부를 목적으로 하는 다수 당사자(多數當事者)의 채무 관계에 있어서 채무자가 여럿 있는 경우의 채무. ↔불가분 채권.

불가-불【不可不】 뮈 아니하여서는 안 되겠으므로 마땅히. ¶ ~ 안할 수가 없다. *부득불.

불가 불념【不可不念】[—렴] 명 꼭 마음에 두지 않으면 안 될 생각.

불가사리¹ 명 상상적 짐승의 이름. 모양이 곰 같고, 코끼리의 코, 무소의 눈, 소의 꼬리, 범의 다리와 비슷한 다리를 가졌는데, 쇠를 능히 먹으며, 악몽(惡夢)을 물리치며, 사기(邪氣)를 쫓는다 함. 설철(齧鐵). 주의 '不可殺伊'로 쓰은 취음(取音).

불가사리² 명〖동〗①불가사리강에 속하는 극피(棘皮) 동물의 총칭. 바다 속에서 완만(緩慢)한 생활을 하는데, 몸은 중앙반(中央盤)과 팔모양의 복(輻) 부분으로 형성됨. 모양은 다섯 개의 복이 있어서 별과 같은 오각형인데, 생식기와 소화기(消化器)는 방사상(放射狀)으로 배열되었고 입은 복면(腹面) 중앙부에, 항문(肛門)은 보통 배측(背側)에 있으며, 배면상(背面上)의 피새(皮鰓)로 호흡함. 관족(管足)은 작은 주머니를 부착하고 2-4열(列)로 되어 보대(步帶)의 복측(腹側), 보대구(步帶溝)의 속에 배열되어 있음. 온 몸에 극모(棘毛)가 덮여 있고, 어족(魚族)을 식해(食害)하는 괴상한 동물임. 갓거리·별불가사리 등이 있음. 오귀발. 해성(海星). ②[*Asterias amurensis*] 불가사릿과(科)에 속하는 불가사리의 하나. 직경 30cm 내외이고, 다섯 복(輻)이 대형(大形) 성상(星狀)를 이루며, 한두 개의 극모(棘毛)가 보대구(步帶溝)에 따라 있음. 몸빛은 대체로 담자색 또는 백색이나, 개체에 따라 변화가 많음. 원래 한해(寒海)에 나는데, 사할린의 동해안, 홋카이도, 일본의 얕은 해안에 서식하며, 어류·패류(貝類) 등의 유용 수족(有用水族)을 식해(食害)함. 말려서 비료로 이용함.

〈불가사리²❷〉

불가사리-강【—綱】 명〖동〗[Asteroidea] 극피(棘皮) 동물에 속하는 한 강(綱). 몸은 일반적으로 편평하고 사람의 손을 뻗친 것 같은 방사상(放射狀)의 보대(步帶)인 복(輻)이 다섯 개임. 구부(口部)는 복부(腹部)의 중앙에, 항문은 배부(背部)의 중앙에 있음. 불가사리·갓걸이·별불가사리 등이 이에 속함. 해성류. *거미불가사리강·사손류(沙噀類).

불가사릿-과【—科】 명〖동〗[Asteriidae] 불가사리강(綱) 차극목(叉棘目)에 속하는 한 과. 불가사리·아무르불가사리·팔손이불가사리 등이 이 과에 속함. 오귀발과.

불가-사의【不可思議】[— / —이] ㊀ 명 사람의 생각으로는 미루어 헤아릴 수 없이 이상하고 야릇함. ¶ ~한 우주의 신비. ㊁ 수 ①나유타(那由陀)의 억 배(億倍), 무량수(無量數)의 억분(億分)의 일의 수. 곧, 10^{120} 또는 10^{80}. ②나유타의 만 배(萬倍), 무량수의 만분(萬分)의 일의 수. 곧, 10^{64}. —— 하다 형여불

불가사의-론【不可思議論】[— / —이—] 명〖철〗불가지론(不可知論).

불가사의론-자【不可思議論者】[— / —이—] 명 불가지론자(不可知論者).

불가산 명사【不可算名詞】 명 단수·복수의 형태를 취하지 않는 명사. '사랑'·'음악'과 같이 일정한 형상이나 한정을 갖지 않는 것이 해당됨.

불가살이【不可殺伊】 명 '불가사리'의 취음. ㄴ↔가산 명사.

불가상-성【不可想性】[—썽] 명 불가해(不可解).

불가-서【佛家書】 명〖불교〗불교에 관한 서적. ㉤불서(佛書).

불-가설【不可說】 명 ①〖불교〗참된 이치는 증과(證果)에 의하여 체득할 것이지 말로는 설명할 수 없음. ②말로는 설명할 수 없음.

불가-승수【不可勝數】[—쑤] 명 하도 많아서 이루 셀 수가 없음.

불가시 광선【不可視光線】 명〖물〗눈에 보이지 않는 복사선(輻射線). 자외선(紫外線)·적외선(赤外線) 같은 것. 불가시선. ↔가시 광선.

불가시-선【不可視線】 명〖물〗불가시 광선.

불-가신【不可信】 명 믿음직하지 못함. 믿을 수 없음.

불-가역【不可逆】 명 비(非)가역.

불가역 반:응【不可逆反應】 명〖화〗비가역 반응.

불가역 변:화【不可逆變化】 명〖물〗비가역(非可逆) 변화.

불가역-성【不可逆性】 명〖물〗비가역성.

불가역-적【不可逆的】 명관 비가역적.

불가역 전:지【不可逆電池】 명〖화〗비가역 전지.

불가입-성【不可入性】 명〖물〗두 개의 물체가 동시에 동일한 공간(空間)을 차지하지 못한다는 성질. 빈 병을 물속에 거꾸로 넣으면, 공기 때문에 물이 병 안으로 들어가지 못하는 성질 같은 것. 거성(拒性). 애찬 ㄴ성(礙竄性).

불-가지【不可知】 명 알 수가 없음. ↔가지(可知).

불가지-론【不可知論】 명〔agnosticism〕〖철〗사물의 본질·실재(實在) 그 자체는 인간의 인식(認識)을 초월한 것이므로, 우리는 그러한 형이상학적 존재(形而上學的存在)를 문제삼지 아니하고 경험적·실증적(實證的)인 것의 연구에 그쳐야 한다고 주장하는 입장(立場). 대표자는 헉슬리(Huxley)·스펜서(Spencer) 등임. 불가사의론(不可思議論). 아그노스티시즘. 「사의론자(不可思議論者). 불가해론자.

불가지론-자【不可知論者】 명〖철〗불가지론의 입장에 선 사람. 불가

불가지론적 실재론【不可知論的實在論】[—쩨—] 명〖철〗불가지적인 근본 실재(實在) 곧 물(物) 그 자체를 인정하면서, 우리가 인식하는 것은 실재의 현상(現象)이라고 하는 설. 스펜서가 주장하였음.

불가촉 천:민【不可觸賤民】 명〔인 Achūt〕인도 카스트(caste)제의 사성(四姓)에 속하지 않는 가장 낮은 층의 천민. 간디(Gandhi)는 이의 차별 철폐 운동을 벌여, 1950년의 인도 헌법에서 이 제도는 폐지되었음.

불-가측【不可測】 명 ①잴 수 없음. ②헤아릴 수 없음. 예측할 수 없음.

불-가침【不可侵】 명 침범해서는 안 됨.

불가침-권【不可侵權】[—꿘] 명〖법〗국제법상의 권리의 하나. 외국 원수(元首)·외교 사절이 누리는 권리로서, 그 신체·명예에 관한 불가침권, 관사(館舍)·문서(文書)에 관한 불가침권 등이 있음. 군함·군용기도 조약의 범위 안에서 불가침권을 가지는데, 이것은 함장이나 기장(機長)의 동의 없이는 함(艦)이나 기내(機內)에 들어갈 수 없는 정도임.

불가침 조약【不可侵條約】 명〖정〗나라와 나라 사이에 서로 상대국을 침략하지 아니할 것을 언약하는 조약. 제3국이 당사국 중 어느 일국(一國)을 공격하는 경우, 그 제3국을 원조하지 않을 것을 부가하는 경우가 많음. 불침략 조약.

불-가폐【不可廢】 명 폐하여 버릴 수가 없음. ——-하다 형여불

불-가피【不可避】 명 피할 수가 없음. ——-하다 형여불

불가항-력【不可抗力】[—녁] 명 ①천재 지변과 같이 사람의 힘으로는 어찌 할 수 없는 힘. ②〖법〗외부(外部)에서 생긴 사고(事故)가 사회 관념상 필요하다고 인정되는 주의(注意)나 예방(豫防)의 방법으로

서는 손해를 방지할 수 없는 일.

불-가해【不可解】명 이해할 수가 없음. 불가상성(不可想性).

불가해론-자【不可解論者】명 불가지론자(不可知論者).

불가 형언【不可形言】명 말로는 형용할 수가 없음.

불각¹【不覺】명 ①깨닫지 못함. 눈이 뜨이지 않음. ②〖불교〗 진여(眞如)의 진리에 대하여 본디부터 사람의 마음 속에 있는 미망(迷妄).

불각²【佛閣】명〖불교〗불당(佛堂).

불각-시【不覺時】명 불시(不時)❷. ¶…순간 경온은 ~에 눈물이 맥없이 흘러내렸다≪鄭飛石 : 薔薇의 季節≫.

불간【不干】명 ①간예(干預)하지 아니함. ②↗불간섭(不干涉). ——-하다 자여불

불-간섭【不干涉】명 일에 간섭하지 아니함. ㉾불간(不干). ——-하다 자여불

불간섭 의:무【不干涉義務】명〖법〗국제법(國際法)상, 어떤 국가가 다른 국가의 국내 사정에 대하여 간섭하지 아니할 의무.

불간섭-주의【不干涉主義】[—/—이] 명 ①어떤 사건에 간섭하지 아니하는 방침을 취하는 주의. ②〖법〗 소송 자료(訴訟資料)에 관하여 법원이 간섭하거나 협력하지 아니하는 주의.

불간지-서【不刊之書】명 영구히 전하여 없어지지 않을 양서(良書).

불갈-음【不竭音】명〖불교〗팔음(八音)의 하나. 말소리가 힘차게 거침없이 나와 그치지 않으며 듣는 사람들로 하여금 무진 상주(無盡常住)의 과(果)를 이루게 한다는 부처님의 소리.

불감¹【不敢】명 감히 하지 못함. ——-하다 형여불

불감²【不堪】명 ①견디어 내지 못함. ②↗불감당(不堪當). ——-하다 타여불

불감³【不感】명 느끼지 못함. ——-하다 타여불

불감⁴【佛龕】명〖불교〗부처·보살 등을 안치하는 감실(龕室). 불단(佛壇).

불감-당¹【不敢當】명 감히 대적하여 내기가 어려움. ——-하다 형여불

불-감당²【不堪當】명 감당할 수 없음. ㉾불감(不堪). ——-하다 형여불

불감 생심【不敢生心】명 불감 생의. ——-하다 타여불

불감 생의【不敢生意】[—/—이] 명 힘에 부쳐서 감히 할 생각도 내지 못함. 불감 생심. ——-하다 타여불

불감쇠 전도설【不減衰傳導說】명〖생〗신경이나 골격근(骨格筋)의 한쪽 끝에 자극을 가하면 슬무율(悉無律)에 의하여 다른쪽 끝까지 같은 정도의 흥분이 도중에서 감쇠되지 않고, 전달된다는 설. *감쇠(減衰)전도설.

불감수 분열【不減數分裂】명〖생〗비(非)감수 분열.

불감 앙:시【不敢仰視】명 두려워서 감히 치어다보지도 못함. ——-하다 타여불

불감-증【不感症】[—쯩] 명 ①〖의〗여자가 성교할 때에 쾌감을 느끼지 못하는 증세. 성병 등 일반적 질병과 악취·죄악감·임신 공포 등 정신적 원인에 의하는 경우가 많음. *냉감증(冷感症). ②감각이 둔한 성질. 사물에 대한 느낌이 적은 성향(性向).

불감 증산【不感蒸散】명〖생〗자각(自覺)함이 없이 피부 및 폐로부터 수증기·탄산 가스 등의 기체로서 체외로 증산되는 기체. 그 양은 사람의 경우 매시(每時) 30g 정도임.

불감 찬:일사【不敢讚一辭】[—싸] 명 너무 훌륭하여 감히 칭찬의 말을 한 마디도 못 함. ——-하다 자여불

불감-청【不敢請】명 속으로는 간절하나 감히 청할 수 없음.

불감청이언정 고소원(固所願)이라 구 감히 청하지는 못하였으나 본디 바라던 바였다는 뜻.

불감 출두【不敢出頭】[—뚜] 명 두려워서 감히 머리를 들지 못함. ——-하다 자여불

불감 출성【不敢出聲】[—썽] 명 두려워서 감히 소리를 내지 못함. ——-하다 자여불

불-갑사【—甲紗】명 빛깔이 몹시 붉은 갑사.

불갑-초【佛甲草】명〖식〗돌나물.

불-강아지 명 몸이 바싹 여윈 강아지.

불-개 명 일식(日蝕)이나 월식(月蝕) 때에 달이나 해를 먹는다고 하는 상상의 짐승.

불-개미 명〖충〗[*Formica sanguinea fusciceps*] 개밋과에 속하는 곤충. 일개미는 몸길이 5-8 mm이고, 몸빛은 암적황색에 촉각과 복부는 갈색이며, 온 몸에 황색 연모(軟毛)가 밀생(密生)했음. 암컷은 몸길이 9-11 mm이고, 두부와 흉부는 적황색, 두정(頭頂)과 중흉 배판(中胸背板) 위의 세 개의 종대는 흑갈색임. 낙엽송의 잎으로 높은 집을 짓고, 그 밑의 땅 속에 서식하는데, 한국·일본 등에 분포함. 화의(火蟻).

〈불개미〉

불개미-거미 명〖동〗[*Myrmarachne japonica*] 깡충거밋과에 속하는 절지(節肢) 동물. 몸의 길이는 6 mm 내외의 거미의 하나로 몸빛은 흑갈색 내지 흑색이고, 수컷의 위턱은 크고 나뭇잎 사이로 활발히 돌아다니며, 작은 동물을 포식하는데, 모양과 색채가 불개미와 비슷하여 의태(擬態)의 좋은 예(例)가 됨. 겨울에는 나무 껍질이나 잎 뒤에 타원형의 집을 짓고 월동하는데, 한국·일본에 분포함. *승호(蠅虎).

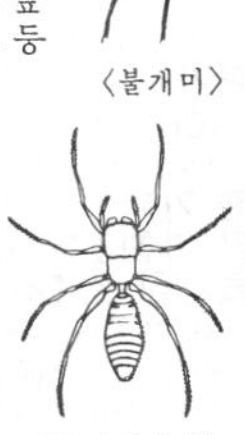

〈불개미거미〉

불-개입【不介入】명 어떤 일에 개입하지 않음. ——-하다 자여불

불개입 방침【不介入方針】명 어떤 사건에 개입하지 않기로 하는 방침.

불개-항【不開港】명〖경〗외국 통상이 허용되지 않는 항구. 외국 선박은 특별한 경우가 아니면 입항(入港)할 수 없음. ↔개항(開港).

불거【拂去】명 ①떨어서 버림. ②뿌리치고 감. ——-하다 타여불

불-거웃【—꺼—】명 불두덩에 난 털. ㉾불것.

불거지¹ 명〈방〉놀³(황해).

불거지² 명〈심마니〉불.

불거-지다 자 ①둥글고 반드러운 물건이 사방으로 밀리어 툭툭 비어지다. ②둥글게 솟아오르다. 또, 둥글고 크게 툭 비어져 나오다. ¶힘줄이 불거진 손/툭 불거진 이마. ③숨겨졌던 물건이 튀어나오다. 1)-3):>불가지다.

불거-티다 타〈방〉부러뜨리다(평안).

불걱-거리다 자 ①질긴 물건을 입에 많이 물고 연해 씹다. ②빨래를 연해 주물러 빨다. 1)·2):>불각거리다. **불걱-불걱** 부. ——-하다 자여불

불걱-대다 자 불걱거리다.

불건【不虔】명 경건(敬虔)하지 않음. ——-하다 형여불

불건성-유【不乾性油】[—뉴] 명 〔nondrying oil〕〖화〗공기 중에 놓아두어도 산화(酸化)하거나 마르거나 또는 얇은 막을 형성하지 않는 기름. 요오드가(價)가 심히 적어 주로 식용·윤활제(潤滑劑)로 씀. 올리브유·동백 기름·낙화생 기름 같은 것. 비건성유. ㉾불건유. ↔건성유.

불건-유【不乾油】명〖화〗↗불건성유(不乾性油).

불-건전【不健全】명 건전하지 못함. ¶~한 오락. ——-하다 형여불

불건전 재정【不健全財政】명〖경〗세출이 세입보다 많은 재정. 세입의 부족은 공채(公債) 발행 등의 방법으로 메움.

불겁다 형〈방〉부럽다(충남·전라).

불겁되 명〈심마니〉의복.

불겁피 명〈심마니〉의복.

불-것【—껏】명 ↗불거웃.

불겅-거리다 자 단단하고 질긴 물건을 먹을 때에 잘 씹히지 아니하고 이리저리 불거지다. >불강거리다. **불겅-불겅** 부. ——-하다 자여불

불겅-대다 자 불겅거리다.

불겅이 명 붉은 색의 살담배. 홍초(紅草).

불게【佛偈】명〖불교〗부처를 찬미한 시가(詩歌). 대개 사구(四句)로 되었으므로 사구게(四句偈)라 함.

불견 시:도【不見是圖】명 보지 아니하여도 알 수가 있는 일.

불견 정식【不見淨食】명 음식 만드는 것을 보지 않으면 그 음식은 깨끗하다는 뜻.

불결【不潔】명 깨끗하지 못하고 더러움. ¶~한 주위 환경. ——-하다 형여불. ——-히 부

불결 공:포【不潔恐怖】명〖의〗아무리 씻어도 더러운 것 같은 불안을 느끼어 손 또는 몸 전체의 피부가 벗겨질 정도로 자꾸 씻는 공포증의 하나. *폐소(閉所) 공포·고소(高所) 공포.

불-결실【不結實】[—씰] 명 결실(結實)하지 못함. ——-하다 자여불

불경¹【不敬】명 경의(敬意)를 표하지 않음. 존엄하여야 할 자리에 무례함. ——-하다 형여불

불경²【不經】명 ①국법(國法)에 따르지 않음. ②상도(常道)에서 벗어남. ——-하다 형여불

불경³【佛經】명 불교의 경전. 불전(佛典). 내전(內典). 석전(釋典). ㉾경(經).

불-경기【不景氣】명 ①경기(景氣)가 좋지 못함. ②〖경〗공황기(恐慌期)에 있어서의 산업계(産業界)의 부진(不振) 상태. 물가·노임의 하락(下落), 생산의 전반적 위축(全般的萎縮), 실업(失業)의 증대(增大) 등을 수반함. 불황(不況). ¶~로 파산하다. ↔호경기(好景氣).

불경사 소:년【不經事少年】명 사물에 대하여 경험이 없는 젊은 사람.

불경-스럽다【不敬—】형ㅂ불 존엄(尊嚴)하여야 할 자리에 경건(敬虔)하지 못한 태도가 있다. >불강스럽다. **불경-스레**【不敬—】부

불경 언:해【佛經諺解】명 한문의 불경을 한글로 풀이하는 일. 또, 그 책. 조선 세조(世祖) 때에 성하여, 간경 도감(刊經都監)을 두어 많은 불경 언해를 간행하였음.

불경작 지주【不耕作地主】명〖사〗농촌에 있으면서도 자기가 경작하지 아니하고 남에게 경작시켜 소작료를 받는 지주. *부재 지주.

불-경제【不經濟】명 경제적이지 않음. 쓸데없는 비용이 많이 남.

불경-죄【不敬罪】[—죄] 명 ①〖일제〗1947년 전의 일본에서, 황실(皇室)·신궁(神宮)·황릉(皇陵)에 대한 불경 행위로써 성립하던 죄. ②〖법〗군인이 국가 원수 또는 상관에 대하여 모욕적(侮辱的) 또는 불경(不敬)한 언사를 사용함으로써 성립하는 죄.

불경지-설【不經之說】명 허망(虛妄)하고 간사한 말.

불계¹【不計】명 ①시비(是非)나 이해(利害)를 생각하지 아니함. ②사정 같은 것을 헤아리지 아니함. ③바둑 둘 때에 승부가 뚜렷해서 집 수를 계산하지 아니함. ¶~로 이기다. ——-하다 타여불

불계²【佛戒】명〖불교〗부처가 지시한 계율(戒律). 오계(五戒)·십계(十戒) 같은 것. 정계(淨戒).

불계³【佛界】명〖불교〗①제불(諸佛)이 사는 세계. 정토(淨土). ②십계(十界)의 하나. 제불의 경계(境界).

불계⁴【祓禊】명 신(神)에게 빌어 재액(災厄)을 떨어 버림. 또, 그 제사.

불계-승【不計勝】명 바둑에서, 불계로 이김. ——-하다 자여불

불계지-주【不繫之舟】명〔매어 놓지 않은 배란 뜻〕속세를 초월한 허심탄회한 마음. 또, 정처없이 방랑하는 몸을 비유하는 말.

불계-패【不計敗】명 바둑에서, 불계로 짐. ——-하다 자여불

불고¹【不告】명 고하지 아니함. 알리지 아니함. ——-하다 타여불

불고²【不辜】명 애매한 죄. 아무 허물될 것이 아닌 일.

불고³【不顧】명 돌아보지 아니함. 돌보지 아니함. ——-하다 타여불

불고 가사【不顧家事】명 집안 일을 돌보지 아니함. ——-하다 자여불

불-고기 명 살코기를 얇게 저미서 양념을 하여 재었다가 불에 구운 쇠고기 등의 짐승의 고기. 너비아니.

불고불락-수【不苦不樂受】명〖불교〗삼수(三受)의 하나. 고(苦)도 아니고 열락(悅樂)도 아닌 경지(境地)에 대한 감각. 사수(捨受).

불고 불리【不告不理】명〖법〗형사 소송법상 공소(公訴)의 제기가 없는 한(限) 심리(審理)를 할 수 없다는 원칙.

불고 염치【不顧廉恥】명 염치를 돌아보지 아니함. ——-하다 자여불

불고-이거¹【不告而去】명 가겠다는 말도 아니하고 감. 말없이 사라짐.

——-하다 자여불

불고-이거²【不顧而去】명 뒤도돌아다보지 아니하고 그대로 감. ——「하다 자여불

불고-이주【不告而走】명 가겠다는 말도 없이 달려감. ——-하다 자여불

불고 이:해【不顧利害】명 이해(利害)를 돌아보지 아니함. ——-하다 자여불

불고 전후【不顧前後】명 일의 앞뒤를 돌아보지 아니함. ——-하다 자「여불

불고지-죄【不告知罪】[—쬐] 명 〖법〗 국가 보안법의 죄를 범(犯)한 자(者)를 인지(認知)하고도 이를 수사·정보 기관에 고지하지 않음으로써 성립하는 죄.

불고 체면【不顧體面】명 체면을 돌아보지 아니함. 부지 체면. ——-하다 자여불

불곡【佛曲】명 불교 음악.

불골【佛骨】명 부처의 유골(遺骨). 불사리(佛舍利).

불-곰 명 〖동〗 [*Ursus arctos lasiotus*] 곰과에 속하는 짐승. 몸빛은 순갈색인데 주둥이 부분과 머리는 암갈색임. 몸길이는 약 2m로서 지구상의 곰 중 최대종(最大種)임. 곰과 같이 잡식성이며 썩은 고기를 즐겨 먹음. 12-1월에 2-3 마리의 새끼를 낳음. 우리 나라 북부·만주 지린 성·우수리 지방에 분포함. 갈색곰.

불공¹【不攻】명 공격하지 아니함. 치지 아니함. ——-하다 타여불

불공²【不恭】명 공손하지 아니함. ——-하다 형여불

불공³【不恐】명 두려워하지 아니함. ——-하다 타여불

불공⁴【佛工】명 불구(佛具)·불상(佛像) 등을 만드는 사람. 불사(佛師).

불공⁵【佛供】명 〖불교〗 부처 앞에 공양(供養)하는 일. 불향(佛享). 법공(法供). ——-하다 자여불

불공(을) 드리다 구 공양 드리다.

〈불공 견삭 관음〉

불공 견삭 관음【不空羂索觀音】명 〖범 Amoghapāśa〗〖불교〗 육관음(六觀音) 또는 칠관음(七觀音)의 하나. 대자 대비(大慈大悲)의 견삭(羂索)을 가지고 생사의 고해(苦海)에 부침(浮沈)하는 중생(衆生)을 제도(濟度)·섭취(攝取)하여, 보리 열반(菩提涅槃)의 피안(彼岸)에 이르게 하는 관음. 형상은 일면 이비(一面二臂)·일면 팔비(一面八臂)·삼면 이비(三面二臂)·삼면 사비(三面四臂)·삼면 팔비(三面八臂) 등의 것이 있으며 대개 손에 보병(寶甁)·연화(蓮華)·견삭(羂索)·염주 등을 가짐.

불-공대:천【不共戴天】명 하늘을 같이 이지 못한다는 뜻으로 이 세상에서는 같이 살 수 없을 만한 큰 원한(怨恨)을 비유하여 일컫는 말. 불구대천(不俱戴天). ——-하다 자여불

불공대:천지-수【不共戴天之讎】명 불공대천지원수.

불공대:천지-원수【不共戴天之怨讎】명 이 세상에서는 함께 살 수 없는 원수. 아주 큰 원수. 불구대천지수(不俱戴天之讎). 준 대천지원수(戴天之怨讎).

불공-밥【佛供—】[—빱] 명 〖불교〗 퇴식밥.

불공 불손【不恭不遜】[—쏜] 명 공손하지 않음. ——-하다 형여불

불공 설화【不恭說話】명 공손하지 아니하게 하는 말. 불공지설(不恭之說).

불공-스럽다【不恭—】형ㅂ불 불공한 태도가 있다. 불공-스레【不恭—】「부

불공-쌀【佛供—】명 〖불교〗 불공에 쓰는 쌀.

불공 자파【不攻自破】명 치지 아니하여도 제 스스로 깨어짐. ——-하다「자여불

불-공정【不公正】명 공정하지 아니함. ¶ ~한 처사. ——-하다 형여불

불공지-설【不恭之說】명 불공 설화(不恭說話).

불-공평【不公平】명 공평하지 아니함. ——-하다 형여불

불공 함:락【不攻陷落】[—낙] 명 공격(攻擊)을 받지 아니하고 함락(陷落)함. ——-하다 자여불

불과¹【佛果】명 〖불교〗 불도 수행(佛道修行)으로 얻은 과보(果報). 성불(成佛)의 증과(證果). 과(果).

불과²【不過】부 어떠한 수량(數量)을 표하는 말 위에 붙어서, 그 수량에 지나지 못함을 가리키는 말. ¶ ~ 한 사람/~ 3일간. ——-하다 형여불 지나지 못하다. ¶ 일시적 현상에 ~.

불과시【不過是】부 기껏해서. 겨우.

불과절【不過節】명 〖역〗 오졸(烏拙).

불관【不關】명 관계하지 아니함. ——-하다 자타여불

불관지-사【不關之事】명 관계가 없는 일.

불괴 옥루【不愧屋漏】[—누] 명 사람이 보지 아니하는 곳에 있어도 행동을 신중히 하고 경계하므로 귀신에게도 부끄럽지 아니함을 일컫는 말.

불교【佛教】명 〖종교〗 기원전 5세기 초, 인도의 석가모니(釋迦牟尼)가 베푼 종교. 전미 개오(轉迷開悟)·성불 득탈(成佛得脫)을 종지(宗旨)로 하며, 동부 아시아를 중심으로 포교(布教)되어 동양의 문화에 절대적인 영향을 끼침. 불법(佛法). 상교(象教). 석교(釋教). 성교(聖教).

불교-가【佛教家】명 ①불교도. ②불교를 연구하는 사람.

불교 가사【佛教歌辭】명 〖불교〗 불교의 포교 및 불교인이 신앙심 고취로 부처에 대한 찬양을 위해 작사한 가사.

불교-도【佛教徒】명 불교 신도(信徒). 불교가. 준 불도(佛徒).

불교 문학【佛教文學】명 ①불교에 관한 문학. 곧, 불교에 관한 사상(事象)을 그 소재(素材)로 하고, 불교 사상을 바탕으로 하는 문학. ≪심청전(沈淸傳)≫·≪원효 대사(元曉大師)≫ 등은 우리 나라 불교 소설의 대표작임. ②불교의 경전 일반. 불경 그 자체가 심오한 교리를 설명함에 있어서 인생의 사랑·증오·질투·정의·모략 등 제반사를 재미있게 엮은 문학이라는 뜻에서 이르는 말.

불교 문화【佛教文化】명 ①불교에서 발달된 문화. ②불교가 끼쳐 준 문「명.

불교 미술【佛教美術】명 불교에 관계되는 미술. 곧, 사원(寺院) 건축·불상(佛像)·불화(佛畫)·불구(佛具) 같은 것. 우리 나라의 석굴암·다보탑·석가탑 등은 세계적인 불교 미술 작품임.

불교 방:송【佛教放送】명 불교 포교(布教)와 불교의 대중화를 위하여 1990년 5월에 개국한 민간 방송. 호출 부호는 HLSG-FM. 통상 명칭은 비 비 에스(BBS).

불교 예:술【佛教藝術】명 불교 문학·불교 미술·불교 음악의 총칭.

불교 음악【佛教音樂】명 불교의 의식(儀式) 및 신앙 생활에 쓰이는 음악. 불곡(佛曲).

불교 의식【佛教儀式】명 〖불교〗 불교의 교리에 입각하여 집행되는 불교 교단(教壇)의 의례의 총칭.

불교 청년회【佛教靑年會】명 불교의 주의를 중심으로 하여 모인 청년「단체.

불교-학【佛教學】명 불교의 역사·조직·사상·의식 등을 연구하는 학문.

불교학-과【佛教學科】명 〖교〗 대학에서, 불교에 관한 학문을 전공하는 학과. *기독교학과.

불교 회:화【佛教繪畫】명 불교에 관계 있는 그림.

불구¹【不久】명 앞으로 오래지 아니함. ——-하다 형여불

불구²【不具】명 ①몸의 어느 부분에 결함이 있음. ¶ ~자. ②편지 끝에 '불비(不備)'의 뜻보다 조금 낮게 쓰는 말.

불구³【不拘】명 얽매이어서 거리끼지 아니함. 구애되지 아니함. 물구(勿拘). ¶ 우천(雨天) ~. ——-하다 자여불. 참고 '불구하고'로만 사용됨. ¶ 우천(雨天)에도 ~하고.

불구⁴【佛具】명 〖불교〗 불교의 의식 및 생활에 쓰이는 도구. 법구(法具). 법기(法器).

불구 공졸【不拘工拙】명 '기교(技巧)의 있고 없음에 구애되지 않음', '교묘함과 서투름에 관계 없음'의 뜻.

불구녕-지르다[—꾸—] 타르불 숨은 일을 들추어 내다. 일을 크게 버르집다. 비밀을 누설하다.

불-구대:천【不俱戴天】명 불공대천(不共戴天). ¶ ~의 원수.

불구대:천지-수【不俱戴天之讎】명 불공대천지수(不共戴天之讎).

불구 동:사【不具動詞】명 〖언〗 불완전 동사(不完全動詞)❶. ↔완전 동「사.

불-구멍[—꾸—] 명 ☞ 불집.

불구 문달【不求聞達】명 이름이 나서 세상에 들날리기를 구하지 아니함. 명예를 구하지 않음. ——-하다 자여불

불구 소:절【不拘小節】명 사소한 절의(節義)에 거리끼지 아니함. ——「하다 자여불

불-구속【不拘束】명 구속하지 아니함. ¶ ~ 송청. ——-하다 타여불

불-구슬 명 불빛과 같이 붉은 구슬.

불구 심해【不求甚解】명 뜻이 잘 통하기 어렵고 의문이 많은 곳을 무리하게 그 뜻을 밝히려 들지 않음.

불구-아【不具兒】명 병신인 아이.

불구-자【不具者】명 병신. 기인(畸人).

불구 자동사【不具自動詞】명 〖언〗 불완전 자동사❶.

불구 타동사【不具他動詞】명 〖언〗 불완전 타동사❶.

불구-하고【不拘—】구 '—에도·-ㄴ데도·-는데도·-은데도' 다음에 붙어서 앞의 말뜻을 반전(反轉)하여 뒷말에 접속시키는 말. ¶ 우천에도 ~ 외출하다/돈이 많은데도 ~ 인색하다.

불구-화【不具化】명 불구가 되거나 또는 되게 함. ——-하다 자타여불

불국¹【佛國】명 〖지〗 '프랑스'의 음역.

불국²【佛國】명 〖불교〗 부처가 있는 국토(國土). 곧, 극락 정토(極樂淨土)「를 일컬음.

불국-기【佛國記】명 〖책〗 5세기 초, 동진(東晉)의 중 법현(法顯)이 서역(西域)·인도 제국(諸國)을 역유(歷遊)한 사적(事跡)을 기록한 책. 일 권(一卷). 인도 고대(古代)의 지리와 역사를 연구하는 데에 중요한 자료(資料)가 됨. 법현전(法顯傳).

불국-사【佛國寺】명 〖불교〗 경상 북도 경주시(慶州市) 진현동(進峴洞)의 토함산(吐含山) 밑에 있는 25 교구 본사(教區本寺)의 하나. 신라 경덕왕(景德王) 10년(751)에 대상(大相) 김대성(金大成)이 세우고 신림(神琳)·표훈(表訓) 등 의상(義湘)의 제자들을 머무르게 했다고 함. 석굴암(石窟庵)과 함께 신라 불교 예술의 귀중한 유적임.

불국사 금동 비로사나불 좌:상【佛國寺金銅毘盧舍那佛坐像】명 불국사 비로전에 안치되어 있는 좌불(坐佛). 8세기 중엽인 통일 신라 시대 작품으로 추측됨. 수법이 세련되어 조형미(造形美)의 극치를 이룸. 불상의 높이 1.77m. 국보 제26호.

불국사 금동 아미타 여래 좌:상【佛國寺金銅阿彌陀如來坐像】명 불국사 극락전에 안치되어 있는 좌상. 극락전의 본존불(本尊佛). 8세기 중엽인 통일 신라 시대의 작품인 듯함. 불상의 높이 1.77m. 국보 제27호.

불국사 다보탑【佛國寺多寶塔】명 다보탑.

불국사 백운교【佛國寺白雲橋】명 불국사 대웅전 전방 자하문 앞에 놓인, 이단(二段)으로 된, 석제(石梯) 중의 윗 부분. 통일 신라 시대에 만들어짐. 청운교(靑雲橋)와 함께 국보 제23호.

불국사 삼층 석탑【佛國寺三層石塔】명 불국사의 대웅전 서쪽에 있는 통일 신라 시대의 화강암으로 된 삼층 석탑. 조형(造形)이 소박 장중(素朴莊重)하여 신라 석탑 중 하나의 전형(典型)임. 높이 10.4m로 두 층의 기단(基壇)을 가지고 있으며 사각형임. 국보 제21호. 1966년 10월 동석탑 제2층 탑신의 사리공(舍利孔) 안에서 발견된 일식(一式)의 사리 장치(舍利裝置) 유물은 국보 제126호로 지정됨. 무영탑(無影塔). *석가탑.

불국사 연화교【佛國寺蓮華橋】명 불국사 극락전의 정면 청운교·백운교 서쪽 안양문(安養門)으로 올라가는 석제(石梯) 중의 아랫 부분. 통일 신라 시대에 건립. 칠보교(七寶橋)와 함께 국보 제 22호. 연화교.

불국사 청운교【佛國寺靑雲橋】명 불국사 대웅전 전방 자하문 앞에 있

는 석제(石梯) 중의 아랫 부분. 통일 신라 시대에 건립. 백운교와 함께 국보 제23호.

불국사 칠보교【佛國寺七寶橋】명 불국사 극락전의 정문 안양문으로 올라가는 석제(石梯) 중의 윗부분. 통일 신라 시대에 만들어짐. 연화교(蓮華橋)와 함께 국보 제22호. 칠보교.

불국토 사:상【佛國土思想】명〖불교〗이 땅이 바로 불국토라 믿고 강조한 신라 특유의 불교관(佛敎觀).

불군【不群】명 한 무리에 들지 않게 뛰어남. ——-하다 형여불

불굴【不屈】명 뻗대고 굽히지 아니함. ¶ 불요(不撓) ~의 투지(鬪志)/백절(百折) ~의 정신. ——-하다 자여불

불궁-사【佛宮寺】명 중국 산시 성(山西省) 잉 현(應縣)에 있는 불교 사원. 요대(遼代) 1056년에 건립된 것이라 전해지며, 중앙부에 있는 고대(高大)한 팔각 오층탑(八角五層塔)은 높이 70m, 중국 현존 최고의 목조탑(木造塔)으로 알려짐.

불궤【不軌】명 ①법을 지키지 아니함. 법규에 따르지 아니함. ②모반을 꾀함.

불궤지-심【不軌之心】명 모반(謀反)을 꾀하는 마음.

불-귀[1] [-뀌] 명 화승총의 총열에 불을 대는 구멍. 준귀.

불귀[2]【不歸】명 한 번 가고는 다시 돌아오지 아니함. 곧, 죽음을 일컬음. ¶ ~의 객이 되다. ——-하다 자여불

불귀-객【不歸客】명 딴 세상으로 가서 돌아오지 못하는 사람. 곧, 죽은 사람.

불-귀신【-鬼神】[-뀌-] 명 불을 맡아 다스리거나 불을 낸다고 하는 귀신.

불-규율【不規律】명 규율이 서지 아니함.

불-규칙【不規則】명 규칙이 서지 아니함. 문란(紊亂)하여 규칙이 없음. 고르지 아니함. 일정하지 아니함. ——-하다 형여불

불규칙 기탁【不規則寄託】명 '소비 임치'의 구용어.

불규칙 동:사【不規則動詞】명〖언〗어미가 불규칙하게 활용되는 동사. 변격 동사(變格動詞). 변칙 동사. 벗어난 움직씨. ↔규칙 동사(規則動詞).

불규칙 변:광성【不規則變光星】명 〔irregular variable star〕〖천〗일정한 주기(周期)를 가지지 않은 변광성. 광도(光度)의 변함에 일정한 규칙을 찾아낼 수 없는 변광성.

불규칙 성운【不規則星雲】명〖천〗은하계외(銀河系外)의 성운(星雲) 가운데서 형상이 불규칙한 것. 마젤란운(Magellan雲) 등.

불규칙 소:득【不規則所得】명〖경〗변동 소득(變動所得).

불규칙 용:언【不規則用言】[-뇽-] 명〖언〗불규칙하게 활용(活用)되는 용언. 벗어난 풀이씨. 변칙 용언(變則用言). ↔ 규칙 용언.

불규칙 은하【不規則銀河】명 〔irregular galaxy〕〖천〗은하를 분류한 한 형(型). 나선(螺旋) 은하·타원(楕圓) 은하와 달리 모양이 불규칙적이며 일정한 모양을 갖추지 않음. 일반적으로 소형(小型)이며 그 수도 적음. 작은 마젤란 은하가 대표적임. 기호는 Ir 또는 Irr. *타원 은하.

불규칙 임:치【不規則任置】명〖법〗소비 임치.

불규칙-적【不規則的】명관 불규칙한 모양.

불규칙 형용사【不規則形容詞】명〖언〗어미가 불규칙하게 활용되는 형용사. 변격 형용사. 변칙 형용사. 벗어난 그림씨. ↔규칙 형용사.

불규칙 활용【不規則活用】명〖언〗용언(用言)이 불규칙적으로 활용되는 일. 변칙 활용. 벗어난끝바꿈.

불-균등【不均等】명 균등하지 아니함. ——-하다 형여불

불균분 상속【不均分相續】명 공동 분할 상속의 경우에, 어느 누군가가 특별히 많은 상속분(分)을 받는 상속 형태. ↔균분 상속.

불균일-계【不均一系】명〖화〗어떤 물질이 단일한 모양을 하지 아니하고 변형(變形)되는 물질계(物質系). 곧, 액체에서 고체, 고체에서 액체 또는 액체에서 기체 등으로 원형(原形)이 변형된 물질계. ↔균일계.

불균일 화학 반:응【不均一化學反應】명 〔heterogeneous chemical reaction〕〖화〗이상(異相) 반응물에 의한 화학 반응. 예컨대, 액체와 기체, 고체와 액체, 액체 또는 기체 반응물과 고체 매체(媒體).

불-균질로【不均質爐】명〖물〗↗불균질형 원자로.

불균질형 원자로【不均質型原子爐】명〖물〗핵 연료와 감속재(減速材)를 불균일적(不均一的)으로 혼합시킨 형식의 원자로. ↔균질로(均質爐). 준불균질로.

불-균형【不均衡】명 어느 편으로 치우쳐서 고르지 못함. 균형이 잡히지 못함. ——-하다 형여불

불그뎅뎅:-하다 형〈방〉불그뎅뎅하다.

불그데데-하다 형여불 좀 야하게 불그스름하다. >볼그대대하다.

불그뎅뎅-하다 형여불 격에 어울리지 아니하게 불그스름하다. >볼그댕댕하다.

불그러-지다 자〈방〉불거지다.

불그레-하다 형여불 약간 곱게 불그스름하다. >볼그레하다.

불그름-하다 형여불 ↗불그스름하다. ㅆ뿔그름하다. >볼그름하다. 불그름-히 부

불그무레-하다 형여불 테가 안 나게 옅게 불그스름하다. >볼그무레하다.

불그숙숙-하다 형여불 수수하게 불그스름하다. >볼그속속하다.

불그스레 부 불그스름하게. ㅆ뿔그스레. >볼그스레. ——-하다 형여불 불그스름하다.

불그스름-하다 형여불 조금 붉다. 준불그름하다. ㅆ뿔그스름하다. >볼그스름하다. 불그스름-히 부

불그죽죽-하다 형여불 고르지 못하고 칙칙하게 불그스름하다. ㅆ뿔그죽죽하다. >볼그족족하다.

불그칙칙-하다 형여불 ☞불그죽죽하다. ¶ 그렇다고 소설책도 아닌 불그칙칙한 껍질의 두터운 책들이다《李孝石 : 粉女》.

불근[1]【不近】명 가깝지 아니함. ——-하다 형여불

불근[2]【不勤】명 근실하지 못함. ——-하다 형여불

불근-거리다 자 질기고 단단한 물건을 입 속에 넣고 연해 씹다. >볼근거리다. 불근-불근 부. ——-하다 자여불

불근-대다 자 불근거리다.

불근살 명〈방〉놀[3](전북).

불-근신【不謹愼】명 근신하지 아니함. ——-하다 자여불

불근-알 명〈방〉노른자위(제주).

불근 인정【不近人情】명 인정에 어그러짐. 준불인정(不人情). ——-하다 형여불

불글래기 명〈방〉거품(제주).

불금【不禁】명 금하여 말리지 아니함. ¶ 동정을 ~하다. ——-하다 자타

불금-이자금【不禁而自禁】명 금(禁)하지 아니하여도 자기 스스로 그만둠. ——-하다 타여불

불금-장【不禁章】[-짱] 명 용비어천가 제68 장의 이름.

불급[1]【不及】명 미치지 못함. ——-하다 자여불

불급[2]【不急】명 빠르지 아니함. 긴급(緊急)하지 아니함. ¶ 불요(不要) ~. ——-하다 형여불

불급지-찰【不急之察】명 필요하지도 급하지도 않은 일을 살펴봄. 필요 없는 성찰(省察). ——-하다 자여불

불긋-불긋 부 전체가 붉지 않고 군데군데 붉은 모양. ㅆ뿔긋뿔긋. >볼긋볼긋. ——-하다 형여불

불긋-하다 형여불 조금 붉은 듯하다. >볼긋하다.

불긍【不肯】명 즐기어 하고자 아니함. ——-하다 타여불

불긍 저:의【不肯底意】[-/-이] 명 마음에 즐기지 아니함. ——-하다 타여불

불기[1] 명〈방〉〖식〗상추(강원).

불기[2] 명〈방〉〖식〗부추.

불:기[3] 명〈방〉볼기(충남).

불-기[4]【-氣】[-끼] 명 불기운. ¶ ~ 없는 싸늘한 방.

불기[5]【不起】명 병들어 자리에 누운 채 다시 일어나지 못하고 세상을 버림. ——-하다 자여불

불기[6]【不羈】명 구속(拘束)을 받지 아니함. 남에게 매이지 아니함. ——-하다 자여불

불기[7]【佛紀】명〖불교〗불가(佛家)에서 쓰는 연기(年紀). 기원전 544년부터 시작하며 서기 1998년은 불기 2542년이 됨.

불기[8]【佛記】명〖불교〗부처가 제자에게 준 과보(果報)의 예언기(豫言記). 또, 부처의 예언기.

불기[9]【佛器】명〖불교〗부처의 공양미를 담는 그릇. 모양이 불발(佛鉢)과 같으나 불발은 사시(巳時)에만 쓰고 불기는 아무 때나 씀.

불-기둥 [-끼-] 명 기둥 모양으로 높이 솟아오르는 불길. ¶ ~이 솟다.

불-기소【不起訴】명〖법〗범죄의 수사(搜査) 결과, 죄가 되지 않을 때, 범죄의 증명이 없을 때 또는 공소(公訴)의 요건을 결하였을 때 등에 검사가 피의자를 기소하지 아니하는 일. 정상(情狀)에 따라 기소를 보류하는 기소 유예도 포함함. ¶ ~ 처분. *기소 유예.

불-기운 [-끼-] 명 불의 뜨거운 기운. 불기. 화기(火氣).

불기-이회【不期而會】명 뜻하지 않은 기회에 우연히 서로 만남. ——-하다 자여불

불긴【不緊】명 요긴(要緊)하지 아니함. ——-하다 형여불 긴찮다.

불긴지-사【不緊之事】명 요긴하지 아니한 일.

불-길[1] [-낄] 명 세차게 타오르는 불꽃. 불. ¶ ~이 세다.

불길[2]【不吉】명 길하지 못함. 좋지 아니함. ¶ ~한 꿈. ——-하다 형여불

불길지-사【不吉之事】[-찌-] 명 길하지 못한 일. 좋지 않은 일.

불길지-언【不吉之言】[-찌-] 명 길하지 못한 말. 좋지 않은 말.

불길지-조【不吉之兆】[-찌-] 명 흉한 일이 있을 징조. 불상지조(不祥之兆).

불-김 [-낌] 명 불의 뜨거운 기운.

불-깃 [-낃] 명 산불이 더 번져 나가지 않도록 막기 위해 불이 타고 있는 산림으로부터 조금 떨어진 주위를 미리 불을 놓아 사르는 일. *맞불.

불-까다 타 동물의 불알을 발라 내다.

불까락 명〈방〉부젓가락(경남).

불-깍쟁이 명 지독한 깍쟁이.

불깨 명〈방〉불[2].

불-꺼름 명 ①〈방〉불두덩. ②오줌통 위가 되는 국부(局部)를 이르는 말.

불껌 명〈방〉재[1].

불-꼬마리 명〈방〉철매.

불-꼿 명〈방〉불거웃.

불-꽃 명 ①〔flame〕타는 불에서 일어나는 붉은 빛을 띤 기운. 가연(可燃) 가스가 연소할 때, 열과 빛을 내는 것임. 화염(火焰). 화화(花火). ②금속이나 돌 같은 것이 서로 부딪칠 때 일어나는 불빛. ③〔spark〕방전(放電)할 때 일어나는 불빛. 스파크.

불꽃(이) 튀다 구 ㉠불꽃이 사방으로 흩어지다. ㉡다투거나 경쟁하는 모양이 치열하다. ¶ 불꽃 튀는 판매전(販賣戰).

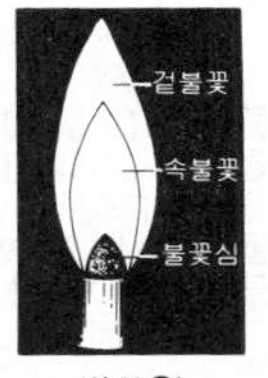

〈불꽃❶〉

불꽃-같다 형 사물의 일어나는 형세가 대단하다.

불꽃 경화【-硬化】명 강철의 표면을 국부적으로 담금질하는 방법. 필요한 부분에다 일정한 빠르기로 산소 아세틸렌 등의 불꽃을 댐.

불꽃 광도계【-光度計】명 〔flame photometer〕〖물〗불꽃 광도법(光度法)에 쓰이는 기계(器械)의 하나. 증기(蒸氣) 속을 통해 나온 빛의 스펙트럼선(線)을 모노크로미터에 넣어 측정함.

불꽃 광도법【-光度法】[-뻡] 명 〔flame photometry〕〖물〗시료(試料)의 용액을 불꽃 속에 넣어 발광 스펙트럼의 강도(強度)를 재는 분광 분석법(分光分析法)의 한 가지.

불꽃-놀이 명 경축이나 기념 행사에서 화포(花砲)를 쏘아 공중에서 불꽃이 일어나게 하는 일.

불꽃 반:응【-反應】명 〔flame reaction〕〖화〗알칼리 금속이나 알칼리 토금속의 염류(塩類)를 무색의 불꽃 속에 넣을 때, 불꽃이 그 금속에 특

유한 빛깔을 나타내는 일. 염색 반응(焰色反應).

불꽃 방:전【一放電】 명 〔spark discharge〕『물』 수천 내지 수만 볼트의 전압(電壓)을 기체(氣體) 중에서 대립(對立)시킬 때, 불꽃과 소리를 내면서 방전하는 현상. 섬화(閃火) 방전. 화화(火花) 방전.

불꽃 세:포【一細胞】 명 〔flame-cell〕『생』 편형(扁形) 동물·유형(紐形) 동물·윤형(輪形) 동물 등의 배설(排泄) 기관인 원신관(原腎管)에 있는 말단 기관. 몸 속의 노폐물이나 물 등을 섬모(纖毛)로써 배출시킴. 염(焰)세포.

불꽃 스펙트럼 명 ①〔spark spectrum〕『물』 공기 중에서 고압(高壓)의 불꽃 방전(放電)을 할 때에 나타나는 스펙트럼. ②〔flame spectrum〕『물』 발광(發光)하지 않는 불꽃 속에서 물질을 증발시킬 때 얻어지는 발광 스펙트럼.

불꽃 신:호【一信號】 명 『군』 짧은 시간 동안 타는 밝은 불빛을 발하는 신호탄에 의한 신호.

불꽃-심【一心】 명 『화』 불꽃의 중심부의 광휘(光輝)가 약한 부분. 가연성(可燃性) 가스가 몰려 있음. 염심(焰心). *불꽃.

불꽃 절단【一切斷】[一딴] 명 아세틸렌 불꽃·수소 불꽃·석탄 가스 불꽃을 사용하여 두꺼운 금속판을 절단하는 일.

불꽃 점화 기관【一點火機關】 명 기통(氣筒) 속에 빨아들인 연료와 공기의 혼합기(混合氣)에 전기 불꽃으로 불을 붙이어 연소(燃燒)시키는 기관. 가솔린 기관 같은 것. ↔압축 점화 기관.

불꽃 청소【一淸掃】 명 불꽃을 사용하여 금속 표면의 스케일(scale)·녹·더럼을 제거하는 일.

불-꾸러미 명 불을 옮기려고 불씨를 잎나무 등에 옮기어 당긴 불.

불-꾸럼지 명 〈방〉 불꾸러미.

불-끄다 자 불을 끄다. ↔불켜다❷.

불-끄러미 명 〈방〉 불꾸러미.

불끈 부 ①갑자기 떠오르는 모양. ¶ 아침해가 바다 위로 ~ 솟아오르다. ②우뚝 솟아 있는 모양. ③주먹을 갑자기 단단히 쥐는 모양. ¶ ~ 주먹을 쥐다. ④성을 왈칵 내는 모양. ¶ 울화가 ~ 치밀다. 1)-4):>불끈.

불끈-거리다 자 사소한 일에 걸핏하면 성을 잘 내다. >불끈거리다. 불끈-불끈 부. ——-하다 자여불

불끈-대다 자 불끈거리다.

불나【弗那】[一라] 명 『역』 고구려 오부(五部)의 하나인 '관노부(灌奴部)'의 이칭(異稱).

불-나다 [一라一] 자 화재(火災)가 일어나다.
[불난 강변에 덴 소 날뛰듯 한다] 위험한 일에 침착하지 못하고 황망히 구는 모양. [불난 끝은 있어도 물난 끝은 없다] 불이 나면 타다 남은 자리에 하다 못해 못 토막이라도 남으나, 수재를 당하여 한번 물에 씻겨 내려가 버리면 아무 것도 남지 않는다는 말. [불난 데 풀무질한다;불난 집에 키 들고 간다;불난 집에 부채질한다] 남의 불행을 돕기는커녕 점점 더 불행하게 하는 언동 또는 노한 사람을 더 노하게 만들 때 이르는 말. [불난 집에서 불이야 한다] ㉠자기의 나쁜 일을 자기가 발표한다는 말. ㉡제 밑이 구린 사람이 남이 할 말을 제가 한다는 뜻.

불-나방 [一라一] 명 『충』 ①불나방과에 속하는 곤충의 총칭. ②[*Arctia cajaphaeosoma*] 불나방과에 속하는 곤충의 하나. 몸길이 30 mm, 편 날개의 길이 70-85 mm이고, 온 몸에 암갈색 털이 밀생하였으며, 복부는 적색, 앞날개는 흑갈색에 황백색의 불규칙한 조문(條紋)이 있고, 뒷날개는 적색에 네 개의 흑문(黑紋)이 있음. 유충(幼蟲)은 '웅모충(熊毛蟲)'·'풀쐐기'라고 하는데, 흑색에 적갈색의 긴 털이 밀생하고 큰 것은 60 mm 가량 됨. 성충(成蟲)은 8-9 월경에 나와서 등불에 모여 듦. 콩·머위·뽕나무 등의 잎을 갉아 먹는 해충으로, 한국·일본·중국·시베리아·유럽 등에 분포함. 화아(火蛾). 부나비. 등아(燈蛾).

〈불나방❷〉

불나방-과【一科】[一라一꽈] 명 『충』 [Arctiidae] 나비목(目)에 속하는 한 과. 빛은 대체로 백색·회색·갈색·녹색·황색·등황색 또는 적색에 흑색의 반문이나 줄이 있고, 촉각은 실 모양 또는 빗살 모양임. 흔히 등불에 모여 듦. 전세계에 70여 종, 한국에는 붉은줄불나방·넉점박이나방·불나방·민들레불나방·검무늬불나방 등이 분포함.

불-나비 [一라一] 명 『충』 →부나비.

불-난리【一亂離】[一랄一] 명 불이 나서 수라장(修羅場)을 이룬 난리.

불납【不納】[一랍] 명 세금이나 공납금을 납부하지 않음. ——-하다 타여불

불납 결손액【不納缺損額】[一랍一쏜一] 명 불납(不納)으로 인하여 결손이 된 조세(租稅)의 액.

불-내 명 〈방〉 솟내.

불녀-음【不女音】[一려一] 명 『불교』 팔음(八音)의 하나. 천마(天魔)·외도(外道)를 굴복하게 하며 듣는 이로 하여금 두려운 마음으로 공경하게 하는 부처님의 목소리.

불녁 명 〈방〉 갯가.

불녕【不佞】[一령] 인대 재주가 없는 사람이라는 뜻으로, 자기를 겸손히 칭하는 말.

불노【不怒】[一로] 명 성내지 아니함.

불-노이 [一로一] 명 ☞불놓이. ——-하다 자여불

불-놀이 [一롤一] 명 『민』 ①등불·화포(花砲) 등으로 흥취 있게 노는 놀이. 화희(火戲). ¶ 경축 ~. ②〈방〉 불장난. ——-하다 자여불

불농 불상【不農不商】[一롱一쌍] 명 농사(農事)도 장사도 하지 아니하고 놀기만 하고 지냄. ——-하다 자여불

불-놓다 [一로타] 자 ①물건이나 건물에 불을 대어 타게 하다. ②『광』 광산에서 폭약(爆藥)을 터뜨리기 위하여 도화선(導火線)에 불을 붙이다.

불-놓이 [一로一] 명 총을 가지고 사냥하는 일. ——-하다 자여불

불능【不能】[一릉] 명 ①능력이 없음. 능란하지 못함. ②↗불가능. ¶ 재기 ~. ——-하다 형여불

불능 문:제【不能問題】[一릉一] 명 『수』 자와 컴퍼스만을 가지고는 작도(作圖) 불가능한 초등 기하학의 작도 문제. 각의 삼등분 문제·입방 배적(立方倍積) 문제·원적(圓積) 문제의 세 가지가 특히 유명함.

불능-범【不能犯】[一릉一] 명 『법』 행위의 성질상, 범죄의 결과를 발생시킬 가능성이 없기 때문에 처벌 가치가 없다고 인정되는 행위. 즉, 무당에게 굿을 하여 사람을 죽게 하려는 일 등.

불능 조건【不能條件】[一릉一껀] 명 『법』 실현할 수 없음이 확정되어 있는 사실을 내용으로 하는 조건.

불능-증【不能症】[一릉쯩] 명 『의』 ↗성교 불능증.

불:다[1] 자 바람이 일어나다. ¶ 바람이 ~.

불다[2] [一따] 자 〈방〉 붇다(함경).

불:다[3] 타 ①입술을 오므리고 입 속으로부터 입김을 내어 보내다. ¶ 뜨거운 국물을 후후 ~. ②관악기(管樂器)를 연주하다. ¶ 피리를 ~. ③죄상(罪狀)을 사실대로 말하다. ¶ 자기 죄를 모두 ~.
[불고 쓴 듯하다] 청빈(淸貧)함을 이르는 말. [불면 꺼질까 쥐면 터질까; 불면 날까 쥐면 꺼질까] 어린 자녀를 아주 곱게 다뤄 가며 기른다는 말. ¶ 불면 날까 쥐면 꺼질까 하는 무남 독녀를≪金敎濟:牧丹花≫.

불다[4] 형 〈방〉 부럽다. ¶ 남 불지 아니하게 지내던 터가 아니오 / 생기기는 남의 자식 불지 아니하게 생겼지마는…≪李海朝:牧丹屛≫.

불단【佛壇】[一딴] 명 『불교』 부처를 모셔 놓은 단. 불감(佛龕). 불사(佛舍).

불단 안:상연【佛壇眼象緣】[一딴一] 명 『건』 불단에 칸막이를 한 안상연.

불당【佛堂】[一땅] 명 『불교』 부처를 모신 대청. 불각(佛閣). 불우(佛宇). 불전(佛殿). 범전(梵殿).

불-당그래 [一땅一] 명 ①아궁이의 불을 밀어 넣거나 그러내는 데 쓰는 작은 고무래. ②〈방〉 부삽(전북·경북).

불: 대:수【一代數】[Boole] 명 『수』 논리를 기호화(記號化)하여 얻어진 대수. 19세기, 영국의 수학자 불(Boole, G.)이 창시함. 논리 수학.

불-더위 명 몹시 심한 더위.

불-덩어리 [一떵一] 명 타고 있는 숯이나 석탄 등의 덩어리. ¶ 몸이 ~ 같이 뜨겁다.

불-덩이 [一떵一] 명 타고 있는 숯이나 나무의 덩이.

불덩이 유성【一流星】[一떵一] 명 〔bolide〕『천』 밝고 큰 유성. 특히, 폭발하는 것을 이름.

불도[1]【佛徒】[一또] 명 ↗불교도.

불-도[2]【佛島】[一또] 명 『지』 전라 남도의 서남 해상, 진도군(珍島郡) 지산면(智山面)에 위치한 섬. [$0.077\,km^2$: 18 명 (1984)]

불도[3]【佛道】[一또] 명 ①부처가 말씀한 교도(敎道). 법도(法道). 일도(一道). ¶ ~에 귀의하다. ②불과(佛果)에 이르는 길. 도문(道門). 보리문. 해탈도(解脫道).

불도그 〔bulldog〕 명 ①『동』 영국 원산인 개의 한 품종. 머리가 크고 네모지고, 입은 폭이 넓고 위로 향하였으며, 코는 짧고 넓적함. 키는 작으나 네 다리는 근골(筋骨)이 늠름한데 성질이 용감하며, 사나움. 투견용(鬪犬用)·호신용(護身用)으로 적합함. ②불도그처럼 사납고 끈질긴 사람의 별명.

〈불도그❶〉

불-도두개 명 심돋우개.

불-도량【佛道場】 명 불도를 닦는 신성한 곳.

불도-맞이【佛道一】[一또一] 명 『민』 제주 무당굿의 하나로, 산신(產神)인 삼승할망을 맞아들여 자식의 출생과 양육(養育)을 비는 굿.

불도 수행【佛道修行】[一또一] 명 불도를 닦음. 도업(道業).

불도 일월 본풀이【佛道日月本一】[一또一] 명 『민』 제주도 무속에 전승(傳承)되는 조상(祖上) 본풀이의 하나. 아이의 해산(解產)을 돕고, 무병 장수를 비는 무녀(巫女)인 삼승할망으로 살던 조상의 내력담임.

불-도장【一圖章】 명 낙인(烙印)❶.

불도저 〔bulldozer〕 명 『기』 흙을 밀어 내어 땅을 고르는 데 쓰는 트랙터. 무한 궤도(無限軌道)가 달려 있으며 앞머리에 네모난 배토판(排土板)이 달려 있음.

〈불도저〉

불도-제【佛道祭】[一또一] 명 『민』 아기의 무탈 성장과 자손 번영을 기원하는 제주도 무당굿의 하나. 불도는 제주도의 산신(產神)인 '삼승할망'의 별칭 '불도할망'의 준말.

불-돋우개 명 ☞ 심돋우개.

불-돌 [一똘] 명 화로의 불이 쉬 삭지 않게 눌러 놓는 돌이나 기왓장 조각.

불-되다 형 누르거나 죄어치는 힘이 아주 세다.

불두【佛頭】[一뚜] 명 부처의 머리.

불-두덩 [一뚜一] 명 『생』 자지나 보지 언저리의 두두룩한 곳. 음부(陰阜). 신안(腎岸).

불두덩-뼈 [一뚜一] 명 치골(恥骨).

불두-잠【佛頭簪】[一뚜一] 명 머리가 부처의 머리 모양으로 반타원형(半楕圓形)인 가랑비녀.

불두 착분【佛頭着糞】[一뚜一] 명 썩 깨끗한 물건을 더럽히는 것을 가리키는 말로 좋은 저서(著書)에 변변치 않은 서문(序文)이나 평어(評語)를 쓰는 것을 비유하여 이름.

불두-화【佛頭花】[—뚜—] 명 불두화나무의 꽃. 승두화(僧頭花). 설토화(雪吐花).

〈불두화나무❶〉

불두화-나무【佛頭花—】[—뚜—] 명〖식〗①[*Viburnum sargentii for. sterile*] 인동과에 속하는 낙엽 활엽 관목. 높이 3 m 가량이고 잎은 대생하며 달걀꼴의 긴 타원형임. 여름에 순백색의 무성화(無性花)가 어우러져 큰 구형(球形)으로 피는데, 과실은 아직 발견하지 못함. 유성화(有性花)·중성화(中性花)를 갖는 것은 백당나무라 함. 산에 나는데, 한국 중부 이남에 분포함. 사원(寺院) 주변에 관상용으로 심음. ②백당나무.
불등【佛燈】[—뜽] 명〖불교〗①부처 앞에 바치는 등불. ②부처의 교법(敎法)·무지(無智)의 암흑을 비추는 등불에 비유한 말.
불-등걸 [—뜽—] 명 불이 이글이글 핀 숯등걸.
불따¹ 형〈방〉붉다(경북).
불:따² 형〈방〉부럽다(경남).
불-땀 명 화력(火力)의 세고 약한 정도. ¶ 참나무 장작은 ~이 세다.
불땀-머리 명 나무가 자랄 때에 남쪽으로 면하였던 부분. 곧, 연륜(年輪)의 간격이 넓은 부분으로 불땀이 좋음.
불-때다 자 아궁이에 나무를 넣어 불을 붙이어 타게 하다.
불땔-감 [—깜] 명 ①불을 땔 만한 감. ②아무 데에도 소용이 없어 세상에서 버림받은 사람을 흉보는 말.
불땔-꾼 명 심사가 바르지 못하여 하는 짓이 험상하고 남의 일에 방해만 놓는 사람.
불-똥 명 ①심지의 끝이 다 타서 이루어진 숯불이나 또는 그 숯. ②불에 타들어가는 물건에서 튀어 헤지는 썩 작은 불덩이. 염진(炎塵).
 불똥(이) 앉다 구 등화(가) 앉다.
 불똥(이) 튀다 구 불똥이 사방으로 흩어져 떨어지다. ¶ 발등에 불똥이 튈까 보아 적지 아니 겁이 났다.
불똥주-부【—丶部】명 한자 부수(部首)의 하나. '丹'·'丸' 등에서 '丶'의 이름.
불똥-집게 명〈방〉불집게.
불뚝 부 뚝뚝한 성미로 갑자기 성을 내는 모양.
불뚝-거리다 자 불뚝한 성미로 연해 성을 내다. 불뚝-불뚝 부. ——-하다 자여불
불뚝-대다 자 불뚝거리다.
불뚝-성 명 갑자기 불끈 내는 성.
 [불뚝성이 살인 낸다] 갑자기 불뚝하게 성을 내면 좋지 않은 사고를 일으키게 된다는 말.
불뚝-심지 명 불끈 솟은 심지.
불뚝-하다 형여불 갑자기 솟아 불룩하다.
불뚱-거리다 자 성을 내어 얼굴을 불룩하게 하고 말을 불쑥불쑥하다. >볼똥거리다. 불뚱-불뚱 부. ——-하다 자여불
불뚱-대다 자 불뚱거리다.
불뚱-밸 명〈방〉불뚱이.
불뚱-이 명 걸핏하면 불끈 성을 잘 내는 성질. 또, 그러한 사람.
 불뚱이 나다 구 불뚱거리는 성질이 일어나다.
 불뚱이 내:다 구 불뚱거리는 성질을 나타내다.
불-뜨개 명〈방〉부등가리.
불-뜨갱이 명〈방〉부등가리.
불라와요〔Bulawayo〕명〖지〗아프리카 남부 짐바브웨의 남서부의 도시. 표고(標高) 1,350 m의 고원(高原)에 위치함. 주변의 탄전(炭田)을 배경으로 공업화가 진전되어 타이어·건축 자재·직물·차량·식품 가공 등의 공업이 성함. 공원·박물관·최고 재판소 등의 시설이 있음. [373,000 명(1980 추계)]
불란【不亂】명 어지럽지 아니함. ¶ 일사(一絲) ~. ——-하다 형여불
불란-사【—紗】명 서양 직물의 한 가지. 여름 옷감으로 씀.
불란서【佛蘭西】명〖지〗'프랑스'의 음역(音譯). 준불(佛).
불란서 공:동체【佛蘭西共同體】명〖정〗프랑스 공동체.
불란서령 서아프리카【佛蘭西領西—】〔Africa〕명〖지〗프랑스령 서아프리카
불란서령 인도【佛蘭西領印度】명〖지〗프랑스령 인도.
불란서령 인도지나【佛蘭西領印度支那】명〖지〗프랑스령 인도차이나.
불란서령 적도 아프리카【佛蘭西領赤道—】〔Africa〕명〖지〗프랑스령 적도 아프리카.
불란서-병【佛蘭西病】[—뼝] 명 매독(梅毒)을 독일인이 이르는 말.
불란서-어【佛蘭西語】명 프랑스어.
불란서 요리【佛蘭西料理】명 프랑스 요리.
불란서 은행【佛蘭西銀行】명 프랑스 은행.
불란서 자:수【佛蘭西刺繡】명 ①흰 헝겊에 흰 실로 수를 놓아, 보기에 레이스와 비슷한 수예(手藝). ②구미(歐美) 여러 나라에서 하고 있는 여러 가지 양풍 자수(洋風刺繡)의 통속적인 일컬음. 프랑스 자수.
불란서 혁명【佛蘭西革命】명〖역〗프랑스 혁명.
불란-하다 형〈방〉불안(不安)하다(함경).
불랑-감【佛郞嵌】명 경태람(景泰藍)의 한 가지.
불랑-기【佛狼機·佛郞機】명〖역〗①서력 5-6세기경에 강성(強盛)했던 프랑크족(Frank族)의 음역. 널리 유럽 사람, 특히 포르투갈 사람·스페인 사람을 중국에서 일컫던 이름. ②중국 명(明)나라 때에, 포르투갈 사람이 전래(傳來)한 대포의 일컬음.
〈불랑기❷〉
불랑제 사:건【—事件】〔Boulanger〕[—껀] 명 19세기말, 프랑스 제3공화정을 위기로몰았던 음모 사건. 1887년 육상(陸相)에서 해임된 불랑제가 우익 세력에 접근하여 대독(對獨) 보복·반(反)의회주의·헌법 개정을 부르짖고 불평 분자를 규합, 1889년 쿠데타 결행 직전에까지 이르렀다가 계획을 실천하지 못하고 벨기에로 피신, 자살한 일.
불량¹【不良】명 ①행실이 나쁨. ↔선량. ②성적이 좋지 못함. ——-하다 형여불
불량²【佛糧】명〖불교〗불공(佛供)에 쓸 곡식.
불량-답【佛糧畓】명〖불교〗→불양답.
불량 도:체【不良導體】명〔insulator〕〖물〗전기(電氣)와 열(熱)을 잘 전도하지 아니하는 물체. 나무·숯·종이·유리·석면·운모 같은 것. 부도체(不導體).
불량 문화재【不良文化財】명 사회적으로 해로운 문화재. 색정적·엽기적인 출판물 및 저속한 영화·가요 따위.
불량-배【不良輩】명 성행(性行)이 불량한 무리. ¶ ~ 단속(團束).
불량 분자【不良分子】명 ①성행(性行)이 나쁜 사람. ②어떤 조직체(組織體) 안에 있는 좋지 못한 소수의 사람.
불량 소:녀【不良少女】명 성행(性行)이 불량한 소녀.
불량 소:년【不良少年】명 ①성질이나 품행이 좋지 못한 소년. ②못된 짓을 일삼아 하는 소년. 악(惡)소년.
불량-아【不良兒】명 성질이나 품행이 불량한 어린이.
불량-자【不良者】명 ①성질·품행 등이 못돼먹은 사람. ②깡패.
불량-증【不良症】[—쯩] 명〖의〗정상적(正常的)이 아닌 나쁜 증세. 나쁜 병증(病症). ¶ 소화 ~.
불량-품【不良品】명 품질이 나쁜 물건이나 못 쓰게 만들어진 물품.
불러-내다 타 불러서 나오게 하다.
불러-들이다 타 ①불러서 안으로 들어오게 하다. ②관청에서 소환(召喚)하다.
불러-먹기 명 재물을 어디로 가져오라고 협박장(脅迫狀)을 내거나 또는 밤중에 남을 밖으로 불러내어 재물을 강탈(強奪)하는 짓. ——-하다 자여불
불러-오다 타너라불 ①불러서 오게 하다. ¶ 의사를 ~. ②불러서 가져오게 하다.
불러-일으키다 타 ①불러서 눈을 뜨게 하다. ②숨어 있는 것을 드러나게 하다. ¶ 사기(士氣)를 ~/믿음을 ~.
불러-지다 자〈방〉부러지다(함경).
불러-찌그다 타〈방〉부러뜨리다(함경).
불레즈〔Boulez, Pierre〕명〖사람〗프랑스의 작곡가·지휘자. 1948년부터 장 루이 발로 극단의 음악 감독을 시작으로 클리블랜드 교향악단·BBC 교향악단 등을 지휘하고 뉴욕 필의 음악 감독도 역임함. 작곡으로는 《플루트와 피아노를 위한 소나티네》 등이 유명함. [1925-]
불려-가다 자거라불 부름을 받고 가다. ¶ 아버지께 불려 가서 야단 맞다/경찰서에 ~.
불려-오다 자 부름을 받고 오다. ¶ 교장 선생님에게 ~.
불력【佛力】명〖불교〗부처의 신기한 위력(威力)이나 공력(功力). 부처의 힘.
불렴【不廉】명 값이 싸지 아니함. ——-하다 형여불
불령¹【不逞】명 불만이나 불평을 품고 구속에서 벗어나 제 마음대로 행동함.
불-령²【佛領】명 프랑스의 영토(領土). 법령(法領).
불령 분자【不逞分子】명 불령지도(不逞之徒).
불령 인도 지나【佛領印度支那】명〖지〗프랑스령 인도차이나.
불령지-도【不逞之徒】명 나라에 대해 불평·불만을 품고 제 멋대로 행동하는 무리. 불령 분자.
불로¹【不老】명 늙지 아니함. ¶ 신로(身老), 심(心)~. ——-하다 자여불
불로²【不勞】명 근로(勤勞)하지 아니함. ¶ ~ 소득. ——-하다 자여불
불로³【佛老】명 석가(釋迦)와 노자(老子).
불로뉴〔Boulogne〕명〖지〗도버(Dover) 해협에 임한 프랑스의 항구 도시. 보양지(保養地)이며 어업의 중심지임. 수산 가공·조선·시멘트 공업 등이 성하고, 노트르담 성당·박물관 등이 있음. 1544년 이래 영국령이었다가 1550년 프랑스에 반환됨. [48,000 명(1982)]
불로뉴-비양쿠르〔Boulogne-Billancourt〕명〖지〗프랑스 북부, 파리의 남서(南西) 교외에 있는 도시. 불로뉴의 숲 남쪽에 있으며 주택지가 많음. 센 강(江) 연안에는 자동차 공장·항공기(航空機) 제작소 등이 있음. [103,000 명(1982)]
불로-문【不老門】명 중국 뤄양 성문(洛陽城門)의 하나.
불로-봉【不老峰】명〖지〗평안 북도 자성군(慈城郡)에 있는 산봉우리. [1,130 m]
불로 불사【不老不死】[—싸] 명 언제까지나 늙지도 않고 죽지도 않음. ¶ ~의 선약(仙藥). ——-하다 자여불
불로 불사약【不老不死藥】[—싸—] 명 늙지도 죽지도 않는다는 약.
불로 불소【不老不少】[—쏘] 명 늙지도 젊지도 아니함. ——-하다 형여불
불로상-채【不老裳菜】명 '부룻동 나물'의 취음(取音).
불로 소:득【不勞所得】명 근로(勤勞)하지 아니하고 얻는 소득. 배당금·이자(利子)·지대(地代) 같은 것. ↔근로 소득(勤勞所得).
불로 소:득세【不勞所得稅】명 불로 소득에 과하는 세금. 상속세(相續稅)·증여세(贈與稅) 등을 이름.
불로-이득【不勞而得】명 힘 안 들이고 거저 얻음.
불로 장생【不老長生】명 늙지 않고 오래 삶. 구시(久視). ——-하다 자여불
불로-초【不老草】명 먹으면 늙지 않는다는 풀. 선경(仙境)에 있다 함.
불록【不祿】명 ①〔녹을 다 타지 않고 죽는다는 뜻으로〕선비의 죽음. ②대부(大夫)의 요사(夭死). ③제후(諸侯)의 죽음을 타국에 고할 때의 겸칭.
불룩 부 켕기면서 겉으로 쑥 내밀어 있는 모양. >볼록.
불룩-거리다 자타 탄력(彈力) 있는 물건이 켕기면서 내밀었다 들어갔다 하다. 또, 그리 되게 하다. ¶ 빰을 불룩거리며 사탕을 먹다. >볼록거리다. 불룩-불룩 부. ——-하다 자타여불
불룩-대다 자타 불룩거리다.
불룩-이 부 불룩하게. >볼록이.
불룩-하다 형여불 켕기면서 겉으로 쑥 내밀어 있다. >볼록하다.

불륜【不倫】명 인륜(人倫)에 어긋남. 도덕에 벗어남. 패륜(悖倫). ¶ ~의 씨. ——-하다 형여불
불리¹【不利】명 이롭지 못함. 해로움. ¶ ~한 싸움. ↔유리. ——-하다 형여불
불리²〔bully〕명 하키에서, 양(兩)팀의 경기자 한 사람씩이 사이드 라인(side line)을 정면으로 향하고 각각 자기 진(陣)의 골(goal)라인을 오른쪽으로 되게 서서 스틱을 세 번 맞부딛친 다음 공을 서로 뺏는 일. 경기 개시 때, 골이 선언된 뒤, 페널티 불리의 경우, 동시에 양팀이 서로 반칙을 한 경우 등에 행함.
불리다¹ 타 배를 부르게 하다. ¶ 배를 ~.
불리다² 타〔근대 : 불리다〕①쇠를 불 속에 넣어서 단련(鍛鍊)하다. ②곡식을 부쳐서 잡것을 날리어 버리다.
불리다³ 타〖역〗과거에 급제한 사람을 창방(唱榜)하기 전에 지구(知舊) 중의 선진(先進)이 찾아와서 치하(致賀)한 뒤에 시달리게 하기 위하여 신은(新恩)의 얼굴에 관주(貫珠)를 그리어 흉악하게 만들고, '이리위 저리위'라 부르며 삼진(三進), 삼퇴(三退)를 시키어 피롭히다.
불리다⁴ 타 ①물건을 액체 속에 추겨서 붇게 하다. ¶ 콩을 ~. ②재물(財物)을 붇게 하다. ¶ 천 원을 만 원으로 ~.
불리다⁵ 피동 바람을 받아서 날리어지다.
불리다⁶ 피동 남에게 부름을 받다. ¶ 경찰서에 불리어 갔다.
불리다⁷ 一사동 ①악기(樂器)를 불게 하다. ¶ 나팔을 ~. ②사실대로 불게 하다. 자백시키다. 二피동 악기가 불음을 당하다. ¶ 나팔이 잘 ~.
불리 부즉【不離不卽】명 부즉 불리.
불린-장【不吝章】[—짱] 명 용비어천가 제81장의 이름.
불림¹ 명 쇠를 불 속에 넣어 불리는 일.
불림² 명 ①공범자(共犯者)를 자백(自白)하는 짓. ②투전판 같은 데서 무엇이라고 불러서 남에게 알리는 짓. ——-하다 타여불
불림³ 명 탈춤에서, 춤에 필요한 장단을 청하는 말. 또, 그때의 춤사위.
불림⁴【拂林】명〖역〗중국 남북조(南北朝) 이후 송·원(元)대에 걸쳐 중국인이 동로마 제국의 동방 영토를 부르던 명칭.
불립 문자【不立文字】[—짜] 명〖불교〗문자에 의하여 교(敎)를 세우는 것이 아니라는 뜻으로, '이심 전심(以心傳心)'과 함께 선종(禪宗)의 입장을 나타내는 표어. 오도(悟道)는 문자나 말로써 전할 수 있는 것이 아니라 마음에서 마음으로 전하여진다는 뜻.
불마【不磨】명 부서져서 없어지지 아니함. 마멸(磨滅)하지 아니함. 불후(不朽). ¶ ~의 대전(大典). ——-하다 자여불
불만【不滿】명 ↗불만족(不滿足). ¶ ~의 뜻을 표하다. ——-하다 형여불. ——-히 부
불만-감【不滿感】명 불만스러운 느낌.
불만-스럽다【不滿—】형ㅂ불 ↗불만족스럽다. 불만-스레【不滿—】부
불만 저:의【不滿底意】[—/—이] 명 마음에 차지 아니함. ——-하다 형여불
불-만족【不滿足】명 만족하지 아니함. 준불만. ——-하다 형여불
불만족-스럽다【不滿足—】형ㅂ불 만족하지 아니한 듯하다. 준불만스럽다. 불만족-스레【不滿足—】부
불망【不忘】명 잊지 아니함. ¶ 오매(寤寐) ~. ——-하다 타여불
불망-기【不忘記】명 잊지 아니하기 위하여 적어 놓는 글발. 또, 그 문서. 비망기(備忘記). 메모.
불망 기본【不忘其本】명 어떠한 것의 근본(根本)을 잊지 아니함.
불망-비【不忘碑】명 후세에 잊지 않고 전하기 위하여 세우는 비석. ¶ 영세(永世) ~.
불망지-은【不忘之恩】명 잊을 수 없는 은혜.
불매¹ 명〈방〉풀무(경상).
불매²【不買】명 사지 아니함. ¶ ~ 운동. ——-하다 타여불
불매³【不賣】명 팔지 아니함. *매석(賣惜). ——-하다 타여불
불매-깐 명〈방〉대장간(경북).
불매 동맹【不買同盟】명〖사〗어떤 압박 세력(壓迫勢力)에 대한 대항 수단으로서 조직적·집단적 행동으로 그 세력하(勢力下)의 상품을 사지 않고 거래를 단절하는 일. 비매 동맹(非買同盟). 보이콧.
불-매매【不賣買】명 매매하지 아니함. ——-하다 타여불
불매-증【不寐症】[—쯩] 명〖의〗불면증(不眠症).
불면¹【不免】명 면할 수 없음. ——-하다 형여불
불면²【不眠】명 ①잠을 자지 아니함. ¶ ~ 불휴(不休). ②잠을 못잠. ¶ ~증.
불-면목【不面目】명 면목이 없음.
불면-병【不眠病】[—뼝] 명 불면증(不眠症).
불면-불휴【不眠不休】명부 자지 아니하고 쉬지도 아니함. 쉴새없이 힘써 일하는 모양. 불철주야(不撤晝夜). ¶ ~ 국토 방위에 여념이 없는 국군 장병. ——-하다 자여불
불면-증【不眠症】[—쯩] 명〖의〗잠이 잘 오지 아니하는 병증(病症). 정신 흥분·신경 쇠약·심신 과로 등이 원인이 되어 일어남. 불매증(不寐症). 불면병. 실면증(失眠症).
불멸¹【不滅】명 멸망(滅亡)하지 아니함. 없어지지 아니함. ¶ 천고(千古) ~의 업적. ——-하다 자여불
불멸²【佛滅】명〖불교〗불타(佛陀)가 죽은 일. 부처의 입멸(入滅).
불멸-일【佛滅日】명〖민〗음양도(陰陽道)에서, 만사가 흉하다는 흉일(凶日). 음력 1·7월의 4·10·16·22·28일, 2·8월의 3·9·15·21·27일, 3·9월의 2·8·14·20·26일, 4·10월의 1·7·13·19·25일, 5·11월의 6·12·18·24·30일, 6·12월의 5·11·17·23·29일.
불명¹【不明】명 ①↗불분명. ¶ 원인 ~/행방 ~. ②사리에 어두움. ——-하다 형여불
불명²【佛名】명〖불교〗①부처의 이름. 불호(佛號). ②불법(佛法)에 귀의(歸依)한 신남녀(信男女)에 붙이는 이름.
불명-경【佛名經】명〖책〗①부처·보살의 명호(名號)를 적어서 그 공덕을 설명한 경(經). 모두 12권. ②부처와 보살의 명호, 여러 경(經)의 제목, 참회문(懺悔文)을 실은 경. 30권.
불명경-보【佛名經寶】명〖역〗고려 시대에, 불명경(佛名經)의 유포를 위하여 조직한 보(寶)의 하나. 준경보(經寶).
불-명료【不明瞭】[—뇨] 명 불분명(不分明). ——-하다 형여불
불명-수【不名數】[—쑤] 명〖수〗단위의 이름을 붙이지 않은 보통수(普通數). 곧, 하나·둘·셋 등. 무명수(無名數). ↔명수(名數).
불-명예【不名譽】명 명예스럽지 못함. ¶ ~ 제대. ——-하다 형여불
불명예-스럽다【不名譽—】형ㅂ불 명예를 손상(損傷)한 느낌이 들다. 불명예-스레【不名譽—】부
불명예 제대【不名譽除隊】명〖군〗군무(軍務)로부터의 불명예스러운 제대. 군사 법원에 의한 유죄 판결로써 행함. ↔명예 제대.
불명-패【佛名牌】명〖불교〗부처의 명호(名號)를 적은 직사각형의 나무패. 보통 길이 50 cm 정도로, 법당(法堂)안의 불상 좌우 측면에 나란히 봉안함.
불-명확【不明確】명 명확하지 아니함. ¶ ~한 답변. ——-하다 형여불
불명-회【佛名會】명〖불교〗삼세 제불(三世諸佛)에 대하여 설(說)한 불명경(佛名經)을 읽고 모든 악(惡)을 막거나 없애 줄 것을 비는 법회(法會). 음력 12월 19일부터 3일간 행함. 삼세불회(三世佛會).
불모¹ 명〈방〉풀무(전남).
불모²【不毛】명 ①땅이 메말라서 곡물(穀物)이나 다른 농작물이 나지 아니함. ¶ ~의 땅. ②↗불모지지(不毛之地).
불모³【佛母】명〖불교〗①불타(佛陀)의 어머니. 마야 부인(摩耶夫人). ②불상(佛像)을 그리는 사람. ③각모(覺母)❷.
불모-도【拂母島】명〖지〗충청 남도의 서해상(西海上), 보령군(保寧郡) 오천면(鰲川面) 삽시도리(揷矢島里)에 위치한 섬. [0.2km²]
불모-이동【不謀而同】명 의논함이 없이도 의견이 서로 같음. ——-하다 형여불
불모-증【不毛症】[—쯩] 명〖의〗무모증(無毛症).
불모-지【不毛地】명 불모지지.
불모 지대【不毛地帶】명 풀이나 나무가 나지 않는 황무지 지역.
불모지-지【不毛之地】명 초목(草木)이 나지 않는 거친 땅. 불모지. 준불모(不毛).
불-목¹ 명 구들방의 아랫목의 가장 더운 자리. ¶ ~이 눋다.
불목²【不睦】명 일가 사이에 화목하지 아니함. ¶ ~하고 지내다. ——-하다 형여불
불목-하니 명〖불교〗절에서 밥짓고 물긷는 일을 하는 사람.
불:무¹ 명〈옛·방〉풀무. =韛. ¶ 불무로 한像을 노기며(以之爐陶群像)《圓覺上 一之一 17》/불무 야(冶)《字會 下 16, 類合 下 41》.
불무²【不無】명 없지 아니함. ——-하다 형여불
불무-노래 명〖민〗불무소리.
불무-소리 명〖민〗대장간에서 풀무질을 하면서 부르는 노동요(勞動謠). 남제주군(南濟州郡) 안덕면(安德面) 덕수리(德修里) 부락의 것이 유명함. 일반 가정에서도 아낙네들이 불을 때느라고 부채질이나 풍구질을 하면서도 불렀음. 불무노래.
불무 쟁이 명〈방〉대장장이(경북).
불무-질 명〈방〉부라질(충청). ——-하다 자
불무-청【—廳】명〈방〉대장간(전남).
불문¹【不文】명 ①글을 잘 하지 못함. ②↗불성문(不成文). ——-하다 형여불
불문²【不問】명 ①캐묻지 아니함. 밝히지 아니하고 그대로 덮어 둠. ¶ 전비(前非)를 ~에 부치다. ②가리지 않음. ¶ 노소 ~하고. ——-하다 타여불
불문³【佛文】명 ①불어로 된 문장. ②↗불문학(佛文學). ¶ ~과.
불문⁴【佛門】명〖불교〗불가(佛家)❶. ¶ ~에 귀의하다.
불문 가:지【不問可知】명 묻지 아니하여도 알 수 있음. ¶ ~의 일.
불문-곡절【不問曲折】명 곡절을 묻지 아니함. ¶ ~하고 때리다. ——-하다 타여불
불문 곡직【不問曲直】명 옳고 그른 것을 묻지 아니함. 곡직 불문. ¶ ~하고 연행해 가다. ——-하다 타여불
불문-법【不文法】[—뻡] 명 불문율. ↔성문법. *관습법.
불문-율【不文律】[—뉼] 명〖법〗문서(文書)의 형식을 갖추지 아니하였으나 관례상(慣例上)으로 인정된 법률. 곧, 관습법(慣習法)·판례법(判例法) 같은 것. 불문법. 불성문율(不成文律). ↔성문율(成文律).
불-문학【佛文學】명 불어로 된 모든 문예 작품. 준불문(佛文).
불문 헌:법【不文憲法】[—뻡] 명〖법〗문서의 형식을 갖추지 아니한 헌법. 현재로서는 영국에만 있음. ↔성문 헌법(成文憲法).
불뭇골 명〈옛〉골풀무. ¶ 불뭇골 패(鞴)《字會 下 16》.
불미¹ 명〈방〉풀무(경상·제주).
불미²【不美】명 아름답지 못하고 추잡함. ——-하다 형여불
불미³【佛米】명〖불교〗부처 앞에 밥을 지어 올리는 쌀.
불미-깐 명〈방〉대장간(경상·제주).
불미-스럽다【不美—】형ㅂ불 불미한 태도가 있다. ¶ 불미스러운 소문. 불미-스레【不美—】부
불미-왕 명〈방〉대장간(제주).
불미-쟁이 명〈방〉대장장이(경상·제주).
불미지-설【不美之說】명 자기에게 누(累)가 미칠 아름답지 못한 말.
불민¹【不敏】명 ①어리석고 둔하여 민첩하지 못함. ¶ 모든 잘못은 저의 ~한 탓입니다. ②재능이 모자람. 부재(不才). ——-하다 형여불
불민²【不憫·不愍】명 딱하고 가엾음. ——-하다 형여불
불밀【不密】명 찬찬하거나 세밀하지 못함. ¶ 대체 무슨 일이고 작사 ~하면 도리어 해를 입는단 말이거든《玄鎭健 : 無影塔》. ——-하다 형
불-바다 명 넓은 지역에 걸쳐서 사나운 기세로 타오르는 큰 불을 이르는 말. 화해(火海).
불바:르〔프 boulevard〕명 가로수(街路樹)가 있는 넓은 길. 큰 길.
불바:르-극【—劇】〔프 boulevard〕명〖연〗원래 상업 극장이 즐비한

파리의 번화가 그랑 불바르(grand boulevard)의 극장에서 상연되는 연극·희곡을 국립 극장의 그것과 구별하여 부르는 호칭. 전하여, 통속적(通俗的)인 연극 또는 희곡(戲曲).

불-바르다 타 〈방〉 불까다.

불반【佛盤】명 〖불교〗 불발우(佛鉢宇).

불-받다 자 남에게서 큰 곤욕이나 재해(災害)를 받다. ↔불주다.

불발[1]【不拔】명 아주 든든하여 빠지지 아니함. 의지가 견고하여 동요하지 않음. ¶ 견인(堅忍) ~의 정신. ——-하다 자타여불

불발[2]【不發】명 ①떠나지 아니함. 발생하지 않음. ②탄환(彈丸)의 결함으로 인하여 발사되지 않거나, 발사된 폭탄(爆彈)이나 포탄(砲彈)이 터지지 아니함. ¶ ~탄. ——-하다 자여불

불발[3]【佛鉢】명 〖불교〗 부처 앞에 올리는 밥을 담는 그릇. 모양이 연엽주발(蓮葉周鉢) 같은데, 뚜껑이 있고 높은 굽이 달렸음. 날마다 사시(巳時) 불공(佛供)에 씀.

불-발기 명 〖건〗 세 쪽이나 또는 네 쪽 장지의 한가운데를 교창(交窓)이나 완자창 모양으로 짠 식(式). 위아래 부분은 종이로 안팎을 싸서 바르게 됨. 「불반(佛盤).

불발-우【佛鉢宇】명 〖불교〗 불발(佛鉢)을 받쳐 가지고 다니는 큰 쟁반.

불발-탄【不發彈】명 ①발사되지 않는 총탄. ②발사 후에도 폭발하지 않은 탄환.

불-밤송이 명 잘 익지 못하고 말라 떨어진 밤송이.

불-방울 [—빵—] 명 〈방〉 불티.

불벌【佛罰】명 부처가 내리는 벌.

불-범[1] 명 〈방〉 표범(평안).

불범[2]【不凡】명 평범(平凡)하지 아니함. 비범(非凡). ——-하다 형여불

불범[3]【不犯】명 ①남의 물건을 침범하지 아니함. ②〖불교〗 남녀가 서로 사통(私通)하지 아니함. ——-하다 타여불

불법[1]【不法】명 법에 어그러짐. 법이 아님. 비법(非法). ¶ ~이 자행되다. ↔합법(合法). ——-하다 형여불

불법[2]【佛法】명 〖불교〗 ①불교(佛敎). ②부처의 교법(敎法). 도법(道法). 「↔세법(世法).

불법 감금【不法監禁】명 〖법〗 정당한 권리 없이 남을 감금하여 그 자유를 구속함. ——-하다 타여불

불법 감금죄【不法監禁罪】[—쬐] 명 〖법〗 불법으로 남을 감금하여 그 자유를 구속함으로써 성립되는 죄.

불법-계【佛法界】명 〖불교〗 불가(佛家)❶.

불법다 형 〈방〉 부럽다(전라).

불-법-승【佛法僧】명 〖불교〗 삼보(三寶)가 되는 여래(如來)와 교법(敎法)과 비구(比丘).

불법 신:자【佛法信者】명 불교의 신자(信者).

불법 영득【不法領得】명 〖법〗 부당하게 권리자(權利者)를 배척하고 타인의 물(物)을 자기의 소유물과 같이 그 경제적 용법(經濟的用法)에 따라서 이용하고 처분하는 행위. ——-하다 타여불

불법 원인 급부【不法原因給付】명 〖법〗 급부의 원인이 불법이기 때문에 원칙적으로 급부한 것의 반환 청구를 할 수 없는 급부. 도박에 진 자가 이긴 자에게 도박금을 지불하는 것과 같은 것.

불법 이:득죄【不法利得罪】명 〖법〗 타인의 재산상의 이익을 취득하거나 제삼자로 하여금 이를 취득하게 하여 본인에게 손해를 가함으로써 성립하는 죄.

불법-적【不法的】명관 법에 어그러지는 모양.

불법 점:거【不法占據】명 〖법〗 공유(公有)·사유(私有)를 불문하고, 남의 부동산에 아무런 권한도 없이 침입하여 점거하는 일. ——-하다 타여불

불법 점:유【不法占有】명 〖법〗 점유할 권리가 없음에도 불구하고 점유하는 일. ——-하다 타여불

불법 조건【不法條件】[—껀] 명 〖법〗 그 조건을 부가(附加)함으로 인하여 그 법률 행위가 위법성 또는 반공서 양속성(反公序良俗性)을 띠게 되는 조건. 즉, '위증(僞證)을 하면' 또는 '이혼하면' 만 원을 증여한다고 함과 같음. 이러한 법률 행위는 무효임.

불법 체포【不法逮捕】명 〖법〗 불법하게 본인의 의사에 반하여 그의 신체에 실력(實力)을 가하여 그의 유형(有形)의 자유를 뺏음. ——-하다 타여불

불법 행위【不法行爲】명 〖법〗 고의(故意) 또는 과실로 인하여 다른 사람의 이익을 침해하여 그 사람에게 손해를 주는 행위.

불법 행위 능력【不法行爲能力】[—녁] 명 〖법〗 불법 행위로 인한 손해 배상 책임을 지는 능력. 곧, 책임 능력(責任能力)을 말함.

불법 행위지법【不法行爲地法】[—뻡] 명 〖법〗 국제 사법(國際私法)상 불법 행위가 행하여진 국가의 법률.

불법-화【不法化】명 국책(國策)에 어긋나는 정당이나 사회 단체를 불법적인 것으로 인정함. ——-하다 타여불

불-벼락 명 불같이 사나운 위령(威令)의 비유. ¶ ~이 내리다.

불-벼룩[1] 명 굶어서 몹시 무는 벼룩.

불-벼룩[2] 명 〈방〉 불똥❷.

불벽【佛壁】명 〖건〗 화반(花盤)과 화반 사이의 빈 데를 메우는 토벽(土壁). 법당(法堂) 같은 데에는 흔히 불상(佛像)을 그리는 까닭으로 불벽(佛壁)이라 함.

불-벽돌【—甓—】명 내화(耐火) 벽돌.

불변[1]【不辨】명 분변하지 못함. ¶ 동서(東西) ~. ——-하다 타여불

불변[2]【不變】명 ①고쳐지지 아니함. 변하지 아니함. ¶ 영구 ~. ②고치지 아니함. 변경하지 않음. ↔가변(可變). ——-하다 자타여불

불변 가격【不變價格】[—까—] 명 〖경〗 각종 경제 통계에서, 어떤 해를 기준으로 하여 물가(物價)의 상승(上昇)을 감안하여 정한 가격. *경상(經常) 가격.

불-변경【不變更】명 변경하지 아니함.

불변경-주의【不變更主義】[—/—이] 명 〖법〗 형사 소송법상의 직권주의의 하나. 일단 소송이 계속된 이상 사건에 관한 당사자의 처분을 허용하지 않고 법원의 재판에 의하여서만 사건을 종결시키는 주의. ↔처분권(處分權)주의.

불변 기간【不變期間】명 〖법〗 소송 행위에 있어서 법률이 특히 변경하지 못하도록 정한 기간. 즉, 법원이 재량(裁量)에 의하여 신축(伸縮)할 수 없는 기간.

불변 비:용【不變費用】명 〖경〗 생산량의 증감에 따라 변화하지 않는 비용. 곧, 조업도(操業度)에 관계 없이 지출되는 비용으로, 간접비의 고정비(固定費) 및 지대(地代) 등. ↔가변(可變) 비용.

불변-색【不變色】명 ①오래도록 변하지 아니하는 빛깔. ②화포(畫布) 위에 칠하여 보통의 상태하에서는 영구히 변색하지 않는 채료(彩料).

불변색 사진【不變色寫眞】명 오래도록 빛깔이 날지 아니하고 그대로 있는 사진.

불변색 잉크【不變色—】명 〔permanent ink〕 말랐을 때 빛깔이 바래거나 세탁으로 지워지지 않는, 1% 이하의 철(鐵)을 함유하는 잉크.

불변색 조면 사진【不變色粗面寫眞】명 브로마이드(bromide)❶.

불변-성【不變性】[—썽] 명 ①변하지 않는 성질. ②〔invariance〕〖물〗 공간 좌표(空間座標)의 반전(反轉)·시간 반전·회전(回轉)·로렌츠(Lorentz) 변환 등 특정한 변환이나 연산(演算)으로도 변화하지 않는다고 하는, 물리량이나 물리 법칙이 갖는 성질.

불변성 원리【不變性原理】[—썽월—] 명 〔invariance principle〕〖물〗 ①물리량이나 물리 법칙은 어떤 변환(變換)에 대하여 불변성을 가지고 있다는 원리. ②일반 상대성 이론에서, 운동 법칙이 어떠한 좌표계(座標系)에 있어서도, 그것이 가속(加速)되어 있거나 그렇지 않거나 같다고 하는 원리.

불변 요소【不變要素】명 〖경〗 고정(固定) 요소.

불변 자본【不變資本】명 〖경〗 생산 수단의 구입에 지출되는 자본. 생산 과정에 있어서 자기의 가치를 생산물로 전환시키는 것만으로, 새로운 가치의 증식(增殖)을 하지 않음. ↔가변 자본.

불변 진여【不變眞如】명 〖불교〗 일체 평등·불생 불멸하여 변화가 없는 상(相). 곧, 진여(眞如)의 실상(實相). ↔수연 진여(隨緣眞如).

불변-태【不變態】명 〖생〗 곤충의 변태의 한 형식. 부화(孵化)에서 성충(成蟲)까지의 변화 과정에 있어서 외부 생식 기관 이외에는 거의 외부 형태의 변화를 수반하지 않는 현상. 무시 아강(無翅亞綱)의 곤충에서 볼 수 있음.

불변화-사【不變化詞】명 〖언〗 소사(小辭).

불-병풍【—屛風】명 바람받이에 있는 화로에 바람을 막기 위하여 치는 병풍. 흔히, 조그마하게 세 쪽으로 만듦.

불-볕 명 몹시 뜨겁게 내려쬐는 볕. 염양(炎陽). 폭양(暴陽). ¶ 오뉴월 불볕(이) 나다 구 불볕이 내려쬐다. ~ 아래.

불볕-더위 명 뜨겁게 불볕이 내리쬐는 심한 더위. ¶ 오뉴월 ~.

불보【佛寶】명 〖불교〗 ①'석가모니불(釋迦牟尼佛)' 또는 모든 '부처'의 존칭. ②묘지(妙智)를 이루어 그 도(道)가 원각(圓覺)에 오름을 가리키는 말.

불보 사찰【佛寶寺刹】명 〖불교〗 삼보(三寶) 사찰의 하나. 불사리(佛舍利)를 모신 통도사(通度寺)의 일컬음.

불-보살【佛菩薩】명 〖불교〗 부처와 보살.

불복【不服】명 ①복종(服從)하지 아니함. 불평을 품음. 불복종. ¶ 명령에 ~하다/~ 상소(上訴). ②복죄(服罪)하지 아니함. ——-하다 자타여불

불복 상:고【不服上告】명 〖법〗 상고(上告)❷. ——-하다 자여불

불복 신청【不服申請】명 〖법〗 ①행정 처분을 위법 또는 부당하다고 인정하는 경우에 그 취소나 변경을 관계 행정 기관에 청구하는 일. ②소송법상 원판결(原判決)에 대한 불복을 주장하여 동일(同一) 또는 상급 법원에 그 취소 변경의 재판을 요구하는 신청 및 원재판의 효력을 상실시키는 신청. 항소(抗訴)·상고(上告)·항고(抗告)·비상 상고(非常上告)·준항고(準抗告)·이의(異議) 신청·재심 청구 등이 있음.

불-복일【不卜日】명 혼인이나 장사(葬事) 같은 것을 급히 지내느라고 날을 가리지 않고 함. ¶ 황씨가의 사정이 급함을 인하여… 이 달 안으로 ~ 성례를 시킨 후…《李海朝：琵琶聲》. ——-하다 타여불

불-복종【不服從】명 복종하지 않음. 불복(不服). ——-하다 자여불

불복종 운:동【不服從運動】명 간디가 제창한 인도의 반영(反英) 비폭력(非暴力) 저항 운동의 최고 형태. 간디는 관직의 포기, 지대(地代)·소작료(小作料)의 납부 거부 등으로 대영(對英) 비협력을 권하여, 인도 독립과 반제(反帝)·반(反)봉건 투쟁의 기초로 삼았음.

불복지-심【不服之心】명 복종하지 않는 마음.

불-본의【不本意】[—/—이] 명 본의가 아님. 바라는 바가 아님.

불본행 집경【佛本行集經】명 〖책〗 석가의 전기(傳記)를 기록한 책. 도나굴다(闍那崛多)가 번역한 것으로 한역경(漢譯經) 중에서 석가전을 기록한 것으로는 가장 자세한 것임. 모두 60권으로 되어 있는데, 이 경을 생략한 것에 ≪불본행 약전(佛本行略傳)≫ 8권이 있음. 본행 집경(本行集經).

불부【佛部】명 〖불교〗 금강계 만다라(金剛界曼荼羅)의 5부의 하나. 5불(佛) 중의 중앙에 있는 대일 여래(大日如來)에 해당. 이치(理致)와 지혜를 갖추고 수도(修道)를 완성하여 덕이 원만(圓滿)한 부문.

불부다 형 〈방〉 부럽다(전남·경북·강원·함경).

불-부채 명 불을 부치는 데 쓰는 부채. 화선(火扇).

불부치 명 〈방〉 풍구(전남).

불분 동서【不分東西】명 어리석어서 동쪽·서쪽의 방향을 가리지 못함. ——-하다 자여불

불분리 현:상【不分離現象】[—불—] 명 〖생〗 감수 분열에서, 대합(對合)한 상동(相同) 염색체가 양극(兩極)으로 분리하지 않고 한쪽 극에 따라 이동하는 현상.

불-분명【不分明】명 분명하지 못함. 불명료. ㊣불명(不明). ——-하다 형여불

불분 상:하【不分上下】명 상하를 분간하지 못함. ——-하다 자여불

불분 승부【不分勝負】명 승부(勝負)의 분간이 나지 아니함. ——-하다

자여불 「여불

불분 주야【不分晝夜】명 밤낮을 가리지 않고 힘써 함. ——-하다 자

불-분할【不分割】명 분할하지 않음. ——-하다 자타여불

불불-이 부 〈속〉 부랴부랴. ¶ ~ 떠나가다.

불-붙다 자 ①물체(物體)에 불이 붙어 타기 시작하다. ②전(轉)하여, 어떤 일이 치열하게 벌어지다. ¶ 논쟁이 다시 ~.

[불붙는 데 키질도 하겠다] 심지(心志)가 대단히 나쁜 사람을 두고 이르는 말. [불붙는 데 키질하기] 나쁜 방향으로 흐르는 일을 더 악화시킨다는 말.

불-붙이다 [—부치—] 자 불을 대어서 붙게 하다.

불비【不備】명 다 갖추어지지 아니함. 흔히 한문 편지의 끝에 씀. ¶ ~상서(上書)/~례(禮)/여(餘)~. ——-하다 형여불

불-비례【不比例】명 비례하지 않음. ——-하다 형여불

불-비례설【不比例說】명〖경〗경기 변동(景氣變動)은 어떤 생산 부문(生産部門)이 다른 생산 부문의 확장(擴張) 또는 수축(收縮)에 비례하지 않아서 생긴다는 설.

불비지-혜【不費之惠】명 자기에게는 해(害)가 될 것이 없고 남에게는 이익이 될 만하게 베풀어 주는 은혜.

불빈【不貧】명 가난하지 아니함. ——-하다 형여불

불-빛 [—삗] 명 ①타는 불의 빛. 화광(火光). ¶ 활활 타오르는 ~. ②화광(火光)의 빛처럼 붉고도 밝은 빛깔. 불색.

불빛-부전나비 [—삗—] 명〖충〗귤빛부전나비.

불사[1]【不仕】[—싸] 명 벼슬을 시켜도 하지 아니함. ——-하다 자여불

불사[2]【不死】[—싸] 명 ①죽지 아니함. ②속인(俗人)으로서 염불(念佛)을 공부하다가 죽은 사람의 혼령을 무당이 일컫는 말. ③〖종〗육체는 비록 죽은 후라도 혼(魂)은 살아 있다는 사상. ——-하다 자여불 죽지 아니하다.

불사(가) 세:다 [—싸—] 구〖민〗조상(祖上) 중에 불사(不死)된 이가 있어서 자손을 기르기 어렵다.

불사[3]【不似】[—싸] 명 같지 아니함. 닮지 아니함. ——-하다 형여불

불사[4]【不俟·不竢】[—싸] 명 기다리지 아니함. ——-하다 타여불

불사[5]【不辭】[—싸] 명 사양하지 아니함. ¶ 일전(一戰) ~/탈퇴도 ~하다. ——-하다 타여불

불사[6]【佛寺】[—싸] 명 절[1].

불사[7]【佛舍】[—싸] 명 불당(佛堂). 감우(紺宇).

불사[8]【佛事】[—싸] 명 불가(佛家)에서 행하는 모든 일. 법사(法事). 법업(法業).

불사[9]【佛師】[—싸] 명 불상(佛像)을 만드는 사람. 불공(佛工).

불사-굿【佛師—】[—싸—] 명〖민〗불사신(佛師神)을 섬기는 굿거리. 제석 거리와 흡사하여, 백설기를 놓은 제상(祭床)을 마당에 차리고 흰 장삼, 흰 고깔에 흰 부채를 들고 염주를 목에 건 무녀(巫女)가 물동이를 타고 춤을 추면서 벌임. 천궁(天宮)맞이. 불사거리.

불-사르다 타르불 불에 사르다. ¶ 옛 편지를 ~/청춘을 ~.

불-사리【佛舍利】명〖불교〗석가(釋迦)의 유골(遺骨). 불골(佛骨). 사리(舍利).

불사리-회【佛舍利會】명〖불교〗불사리를 공양하는 법회(法會).

불사 불멸【不死不滅】[—싸—] 명〖천주교〗신(神)의 특성(特性)의 한 가지. 죽지도 아니하고 없어지지도 않는 일. ——-하다 자여불

불사-상【佛事床】[—싸—] 명〖민〗무당이 굿할 때에 차려 놓은 제물상(祭物床)의 하나. 제석(帝釋)에게 올림.

불사-신[1]【不死身】[—싸—] 명 ①맞아도 아프지 아니하고, 상처를 입어도 견디는 이상하게 강한 신체. ②어떠한 곤란을 당하여도 기력(氣力)을 잃지 아니하는 사람. 피닉스(phoenix). ¶ 그는 ~이다.

불사-신[2]【佛師神】[—싸—] 명〖민〗불사굿에서 무당이 섬기는 신(神)의 하나.

불사-약【不死藥】[—싸—] 명 먹으면 죽지 않는다고 하는 선약(仙藥). 선경(仙境)에 있다 함.

불사 영:생【不死永生】[—싸—] 명 죽지 아니하고 영원토록 삶. ——-하다 자여불

불사 이:군【不事二君】[—싸—] 명 한 사람이 두 임금을 섬기지 아니함.

불사-이:자사【不思而自思】[불싸—] 명 생각하지 않으려 해도 저절로 생각이 남. *욕망이난망(慾忘而難忘).

불사-조【不死鳥】[—싸—] 명〖신〗피닉스[1](phoenix)❶.

불사-초【不死草】[—싸—] 명〖식〗맥문동(麥門冬)❶.

불산【佛山】[—싼] 명〖지〗'포산'을 우리 음으로 읽은 이름.

불-살[1] [—쌀] 명 화전(火箭).

불살[2] 명〈방〉놀[3](경남).

불살[3]【不殺】[—쌀] 명 죽이지 않음. ——-하다 타여불

불-살개 명〈방〉불쏘시개(경상).

불-살생【不殺生】[—쌩] 명 살생을 하지 않음. ——-하다 타여불

불-삽[1]【—鍤】[—쌉] 명〈방〉부삽(경기·강원·충청·전라).

불삽[2]【黻翣】[—쌉] 명 발인(發靷) 때 상여(喪輿)의 앞뒤에 세우고 가는 제구. '亞'자 형상을 그린 널판에 자루를 대었음.

〈불삽[2]〉

불상[1]【不祥】[—쌍] 명 상서롭지 못함. 불길함. ——-하다 형여불

불상[2]【不詳】[—쌍] 명 자세하지 아니함. 미상(未詳). ¶ 성명(姓名) ~하다. ——-하다 형여불

불-상[3]【佛相】[—쌍] 명 부처의 얼굴 모습.

불상[4]【佛像】[—쌍] 명 부처의 상. 나무·돌·쇠·흙 등으로 된 소상(塑像)·화상(畫像)·수상(繡像) 등. 부처. 불체(佛體).

불-상견【不相見】명 의사가 서로 맞지 않아 만나지 아니함. ——-하다 자여불

불-상놈【—常—】명 아주 천한 상놈.

불-상능【不相能】명 두 사람 사이가 서로 좋지 못함. ——-하다 형여불

불-상당【不相當】명 상당하지 아니함. ——-하다 형여불

불-상동【不相同】명 서로 같지 않음. ——-하다 형여불

불-상득【不相得】명 두 사람이 서로 마음이 맞지 아니함. ——-하다 형여불

불상-사【不祥事】[—쌍—] 명 상서롭지 못한 일. ¶ 근래에 보기 드문 ~.

불-상용【不相容】명 서로 용납하지 못함. ——-하다 형여불

불-상응【不相應】명 상응하지 아니함. 어울리지 않음. ——-하다 자여불

불-상정【不上程】명 의안(議案)을 회의에 내놓지 않음. ——-하다 타여불

불상지-언【不祥之言】[—쌍—] 명 상서롭지 않은 말. 길하지 못한 말.

불상지-조【不祥之兆】[—쌍—] 명 불길지조(不吉之兆).

불-상추 명〈방〉〖식〗상추[1](경남).

불상칭-형【不相稱形】명 생물체가 하나의 면(面)에 대하여 서로 대칭(對稱)이 아닌 형상.

불-상투 명〈방〉북상투.

불-상합【不相合】명 서로 부합하지 않음. ——-하다 자여불

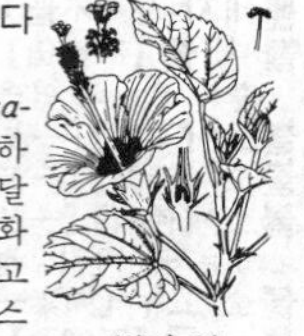

〈불상화〉

불상-화【佛桑花】[—쌍—] 명〖식〗[*Hibiscus rosa-sinensis*] 아욱과에 속하는 상록 관목. 잎은 호생하고 표면은 짙은 녹색에 광택이 나고 장병(長柄)에 달걀꼴이며 가에 톱니가 있음. 겨울부터 초봄에 무궁화와 닮은 붉은 오판화가 액생하여 핌. 중국 원산이라고 하는데, 온실에서 재배하여 원예 품종이 많음. 히비스커스.

불-새[1] 명 [프 L'Oiseau de Feu] 스트라빈스키(Stravinski) 작품으로 발레 무용을 위한 교향시(交響詩). 또, 그것을 기초로 포킨(Fokine)이 안무(按舞)한 1막 2장의 동화(童話) 발레.

불새[2] 명〈방〉놀[3](경남).

불-색【—色】[—쌕] 명 불빛❷.

불생[1]【不生】[—쌩] 명〖불교〗상주(常住)하여 불생 불멸(不生不滅)한다는 뜻으로, '여래(如來)'의 이명.

불생[2]【佛生】[—쌩] 명〖불교〗①석가의 탄생. ②↗불생일(佛生日).

불생-국【佛生國】[—쌩—] 명〖불교〗석가(釋迦)가 탄생한 나라. 인도.

불생 불멸【不生不滅】[—쌩—] 명 ①〖불교〗생겨나지도 않고 또한 없어지지도 않고 상주(常住)인 것. 곧, 진여 실상(眞如實相)의 존재. 열반(涅槃)의 경계. ②불생 불사. ——-하다 자여불

불생 불사【不生不死】[—쌩—싸] 명 죽지도 않고, 살지도 아니하고 겨우 목숨만 붙어 있음. 불생 불멸. ——-하다 자여불

불생-일【佛生日】[—쌩—] 명〖불교〗석가모니불의 탄생일. 곧, 사월 초파일. 불탄일. 준불생(佛生).

불생-회【佛生會】[—쌩—] 명 관불회(灌佛會).

불서[1]【佛書】[—써] 명〖불교〗↗불가서(佛家書).

불서[2]【拂曙】[—써] 명 불효(拂曉).

불석【不惜】[—썩] 명 아끼지 아니함. ——-하다 타여불

불석 신명【不惜身命】[—썩—] 명〖불교〗불도 수행(佛道修行)·교화(敎化)·보시(布施) 등을 위해서는 몸이나 생명을 아끼지 않고 바침. ——-하다 자여불

불석 천금【不惜千金】[—썩—] 명 많은 돈을 아끼지 않음. ——-하다 자여불

불선[1]【不宣】[—썬] 명 한문 편지 끝에, 다하지 못하였다는 뜻으로 쓰는 말. 존대하는 자리에는 쓰지 않음.

불선[2]【不善】[—썬] 명 ①착하지 못함. ②좋지 못함. ③잘하지 못함. ——-하다 형여불

불선[3]【不尠】[—썬] 명 불소(不少). ——-하다 형여불

불-선감【不善感】[—썬—] 명〖의〗우두(牛痘)의 결과가 음성(陰性)으로 나타남. ↔선감(善感). ——-하다 자여불

불선 거:행【不善擧行】[—썬—] 명 자기가 맡은 일을 잘 이행하지 못함. ——-하다 자여불

불-선명【不鮮明】[—썬—] 명 선명하지 않음. ¶ ~한 인쇄. ——-하다 형여불

불선-불후【不先不後】[—썬—] 명 공교롭게도 꼭 좋지 않은 때를 당함. ¶ ~에 본도 감사를 전동 조판서가 해서 왔다오《李海朝: 鴛鴦圖》. ——-하다 타여불

불설[1]【不屑】[—썰] 명 우습게 여겨 마음에 두지 아니함. ——-하다 타여불

불설[2]【佛說】[—썰] 명 부처가 가르친 말. 불교의 소설(所說).

불설 광:본 대:세경【佛說廣本大歲經】[—썰—] 명〖책〗《불설 지심다라니경(佛說地心陀羅尼經)》·《불설 천지 팔양 신주경(佛說天地八陽神呪經)》 등을 한문과 한글의 음역을 대조하여 실은 책. 조선 효종(孝宗) 8년(1657)에 간행. 1권.

불섬【不贍】[—썸] 명 살림이 넉넉하지 못함. ——-하다 형여불

불-섭생【不攝生】[—쌩] 명 섭생을 잘 하지 아니함. ——-하다 자여불

불성[1]【不成】[—썽] 명 ①사물이 다 이루어지지 못함. ②일을 하다가 그만두는 일. ¶ 반자(半字) ~. ——-하다 자여불

불성[2]【不誠】[—썽] 명 ↗불성실. ——-하다 형여불

불성[3]【佛性】[—썽] 명〖불교〗①중생(衆生)이 부처로 될 성질. 불종(佛種). ②부처의 법성(法性). 진리를 깨달은 본성(本性). 자비(慈悲)스러운 천성. ③진여 실상(眞如實相).

불성[4]【佛聖】[—썽] 명 부처를 거룩하게 일컫는 말.

불-성공【不成功】[—썽—] 명 일을 하다가 공을 들인 보람을 내지 못

함. 성공을 못 함. ——-하다 타여불

불-성도일【佛成道日】 명 〖불교〗 석가가 성도한 날. 2월 8일, 3월 16일 등 여러 설이 있음. 「여불

불-성립【不成立】[—썽—] 명 일이 성립(成立)되지 못함. ——-하다 자

불성-모양【不成貌樣】[—썽—] 명 ①형체가 이루어지지 못함. ②몹시 가난하여 복색이 흉악함. 「文). ↔성문(成文).

불-성문【不成文】[—썽—] 명 글자로 써서 나타내지 아니함. 준불문(不

불성문-율【不成文律】[—썽—늘] 명 〖법〗 불문율(不文律).

불-성설【不成說】[—썽—] 명 ↗어불성설(語不成說). 「형여불

불-성실【不誠實】[—썽—] 명 성실하지 못함. 준불성(不誠). ——-하다

불성 인사【不省人事】[—썽—] 명 병이나 중상으로 의식(意識)을 잃음. 인사 불성(人事不省). ——-하다 자여불

불성취-일【不成就日】[—썽—] 명 〖민〗 음양가(陰陽家)에서, 일체의 일이 성취되지 않는다고 하여 기(忌)하는 날. 부정일(不淨日).

불-세례【一洗禮】 명 〖기독교〗 성령이 충만하여 마음의 죄악(罪惡)과 부정(不淨)을 불살라 깨끗하고 성결하게 됨을 일컫는 말. ↔물세례.

불-세존【佛世尊】 명 〖불교〗 여래 십호(如來十號)의 하나. 세상에서 가장 존귀한 어른이란 뜻으로, 불타(佛陀)를 일컫는 말. *여래(如來).

불세지-공【不世之功】[—쎄—] 명 세상에서 보기 드문 큰 공로.

불세지-재【不世之才】[—쎄—] 명 세상에서 보기 드문 큰 재주.

불-세출【不世出】 명 좀처럼 세상에 나타나지 아니할 만큼 뛰어남. 불출세. ¶ ~의 영웅. ——-하다 형여불

불소[1]【不少】[—쏘] 명 적지 아니함. 불선(不尠). ——-하다 형여불

불소[2]【弗素】[—쏘] 명 〖화〗 '플루오르(Fluor)'의 한자 말.

불소[3]【佛所】[—쏘] 명 〖불교〗 ①불상(佛像)을 안치하는 곳. ②부처가 있는 곳. 극락. 정토(淨土).

불소 고무【弗素—】[◁ gom][—쏘—] 명 〖화〗 플루오르 고무.

불-소급【不遡及】[—쏘—] 명 ①과거에 거슬러 올라가 미치지 아니함. 소급하지 아니함. ②〖법〗 법은 그 실시 이후(實施以後)의 사항에 적용되는 것이며, 실시 이전의 사항에 소급하여 적용되지 아니하는 일. ¶ ~의 원칙. ——-하다 자여불

불소급의 원칙【不遡及—原則】[—쏘— / —쏘—에—] 명 〖법〗 새로운 법령이 제정되었을 때, 제정 전의 사실에까지 소급하여 적용되는 일이 없다는 원칙.

불소 수지【弗素樹脂】[—쏘—] 명 〖화〗 플루오르 수지(Fluor樹脂).

불소 치약【弗素齒藥】[—쏘—] 명 적량(適量)의 플루오르화 알칼리를 섞어서 만든 치약. 플루오르화 알칼리는 치아에 유해한 여러 가지 효소(酵素)를 제거하는 효과가 있음.

불-소화[1]【不消化】 명 소화되지 않음. 잘 삭지 않음.

불소-화[2]【弗素化】[—쏘—] 명 플루오르화(Fluor化).

불-속 [—쏙] 명 ①매우 고통스러운 지경. 화중(火中). ¶ ~에 뛰어들다. ②총포탄이 터지고 날아드는 속.

불-손[1] [—쏜] 명 〈방〉 부손. 부삽(충남·경남). 「형여불 ——-히 부

불손[2]【不遜】[—쏜] 명 겸손하지 못함. ¶ ~한 태도/오만 ~. ——-하다

불수[1]【不隨】[—쑤] 명 마음대로 되지 않음. 불수의. ¶ 반신 ~.

불수[2]【佛手】[—쑤] 명 ↗불수감(佛手柑).

불수[3]【佛樹】[—쑤] 명 〖불교〗 보리수[2](菩提樹)❶.

불수-감【佛手柑】[—쑤—] 명 불수감나무의 열매. 준불수(佛手).

불수감-나무【佛手柑—】[—쑤—] 명 〖식〗 [*Citrus medica* var. *sarcodactylus*] 운향과에 속하는 상록 관목. 높이 2-3m이고 잎은 호생하며 긴 타원형에 가는 톱니가 있고, 엽액(葉腋)에 굵은 가시가 났음. 여름철에 담자색 오판화(五瓣花)가 피고, 누른 과실은 긴 타원형으로 겨울에 익는데, 10여 개로 갈라지고 과육(果肉)은 거의 없으나 유자(柚子)보다 훨씬 크고 향내가 매우 좋음. 난지(暖地)에 나는데, 서리가 없는 지방에서 재배함. 화분에 심음.

〈불수감나무〉

불-수강【不銹鋼】[—쑤—] 명 〖화〗 '스테인리스 스틸'의 역어. *크롬강(鋼).

불-수근【不隨筋】[—쑤—] 명 〖생〗 ↗불수의근(不隨意筋).

불-수년【不數年】[—쑤—] 명 두세 해가 다 걸리지 아니함.

불수 노리개【佛手—】[—쑤—] 명 부처손같이 만든 패물을 단 노리개. *밀화 불수(蜜花佛手).

불수 다언【不須多言】[—쑤—] 명 여러 말을 할 필요가 없음.

불-수리【不受理】 명 수리(受理)하지 아니함. ——-하다 타여불

불수반 열반 약설 교:계경【佛垂般涅槃略說敎誡經】 명 〖책〗 유교경(遺敎經).

불수-산【佛手散】[—쑤—] 명 〖한의〗 해산(解産) 전후에 흔히 쓰는 탕약(湯藥). 궁귀탕(芎歸湯).

불-수의【不隨意】[—쑤— / —쑤이] 명 마음대로 되지 아니함. 불수(不隨).

불수의-근【不隨意筋】[—쑤— / —쑤이—] 명 〖생〗 의지(意志)와는 관계 없이 운동하는 척추 동물의 근육. 이 근육은 자동적으로 운동은 하나 자율 신경의 불수의적(不隨意的) 지배에 의하여 그 활동이 제어(制御)되며, 평활근(平滑筋)과 심장근이 이에 속함. 제대로근. 준불수근. ↔수의근(隨意筋). *평활근.

불수의 운:동【不隨意運動】[—쑤— / —쑤이—] 명 ①〖생〗 운동 신경의 자극(刺戟)으로 인하여 불수의로 일어나는 운동. 경련(痙攣)·전율(戰慄)·하품·재채기 같은 것. 제대로 운동. ②〖심〗 자유 의지의 의식(意識)을 수반하지 않는 동작.

불-수일【不數日】 명 이삼 일이 다 걸리지 않음.

불수일-간【不數日間】 명 두세 날이 다 가지 아니할 그 동안.

불숙【不熟】[—쑥] 명 ①작물(作物)·과실(果實) 등이 익지 아니함. ②서툴러서 익숙하지 못함. 미숙(未熟). ——-하다 자형여불

불숙련 노동【不熟練勞動】[—년—] 명 특별한 양성·훈련을 거치지 않고도 습득할 수 있는 노동. 운반 작업 같은 것. ↔숙련 노동.

불순[1]【不純】[—쑨] 명 순진·순수하지 못함. ¶ ~ 분자/~물/~한 동기. ——-하다 형여불. ——-히 부

불순[2]【不順】[—쑨] 명 ①온순하지 못함. ¶ ~한 태도. ②정도(正道)·도리에 따르지 않음. ③순조롭지 못함. 일기나 기후가 순당(順當)치 못함. ¶ 월경 ~/일기 ~. ——-하다 형여불. ——-히 부

불순-물【不純物】[—쑨—] 명 순수(純粹)하지 못한 물건.

불순정 편:무 계:약【不純正片務契約】 명 〖법〗 불완전 쌍무 계약.

불-순종【不順從】 명 순종하지 아니함. ——-하다 자여불

불승【佛乘】[—쑹] 명 [범 buddhayāna] 〖불교〗 중생(衆生)을 실어서 깨달음의 세계로 이끄는 교법(敎法).

불승 분:노【不勝忿怒】[—쑹—] 명 분노를 참지 못함. ——-하다 자여불

불승 영:모【不勝永慕】[—쑹—] 명 깊이 사모하는 마음이 북받쳐 참지 못함. 흔히 돌아가신 부모를 생각할 때나 제사 때에 축문(祝文) 같은 데에 씀.

불-승인【不承認】 명 승인하지 아니함. ——-하다 타여불

불시【不時】[—씨] 명 ①제철이 아님. ②뜻하지 아니한 때. 불각시(不覺時). ¶ ~의 객(客).

불-시계【—時計】 명 선향(線香)이나 화승(火繩)에 불을 붙여서 시간을 재는 시계의 하나. *물시계·해시계.

불시-로【不時—】[—씨—] 부 뜻하지 아니하게. 갑자기.

불시-에【不時—】[—씨—] 부 뜻하지 아니한 때에. 별안간에. ¶ ~ 당하는 재난.

불시-이사【不是異事】[—씨—] 명 이상할 것이 없는 일.

불시 재배【不時栽培】[—씨—] 명 〖농〗 촉성 재배·억제(抑制) 재배 등의 방법을 써서 채소를 보통 생육 시기 외에 재배하는 일.

불시지-수【不時之需】[—씨—] 명 때아닌 때 먹게 된 음식.

불시-착【不時着】[—씨—] 명 ↗불시 착륙. ——-하다 자여불

불시 착륙【不時着陸】[—씨—늑] 명 〖항공〗 비행기가 비행 도중 고장이나 기상 관계·연료 부족 등으로, 목적지에 이르기 전에 예정되지 않은 지점에 착륙하는 일. 준불시착(不時着). ——-하다 자여불

불시 출수【不時出穗】[—씨—쑤] 명 〖농〗 벼의 재배에 있어서, 모판에 오래 두었을 때, 모가 이상(異常) 발육하여 모내기한 후 얼마 있다가 주간(主稈)에만 이삭이 나는 현상. 이런 벼포기는 일반적으로 출수가 늦고 수확량도 적음.

불식[1]【不食】[—씩] 명 먹지 아니함. ——-하다 타여불

불식[2]【不息】[—씩] 명 쉬지 아니함. ¶ 강류(江流) ~. ——-하다 자형여불

불식[3]【佛式】[—씩] 명 ①〖불교〗 불교의 의식(儀式). 불의(佛儀). ②불교의 방식. ¶ 장례는 ~으로 거행하다.

불식[4]【拂拭】[—씩] 명 털고 훔친 것처럼 아주 치워 없앰. ¶ 불만을 ~하다/구폐를 ~하다. ——-하다 타여불

불식 매독【不識梅毒】[—씩—] 명 〖의〗 경성 하감(硬性下疳)이나 매독진(疹) 등의 자각 증상(自覺症狀)이 없이, 우연히 행하여진 혈청 검사 등으로 발견되는 매독. 잠복(潛伏) 매독.

불식 자포【不食自逋】[—씩—] 명 횡령하지 아니하였는데도, 공금(公金)이 저절로 축남.

불식-장【不識章】[—씩—] 명 〖문〗 용비 어천가 제19장의 이름.

불식지-공【不息之工】[—씩—] 명 쉬지 않고 천천히 꾸준하게 하는 일.

불식지-보【不食之報】[—씩—] 명 부조(父祖)의 음덕(蔭德)으로 자손이 잘 되는 보응(報應).

불신[1]【不臣】[—씬] 명 신하(臣下)로서의 도리를 지키지 않음. 또, 그러한 신하.

불신[2]【不信】[—씬] 명 믿지 아니함. ¶ ~ 시대/~감. ——-하다 타여불

불신[3]【佛身】[—씬] 명 〖불교〗 부처의 신체. 보통 법신(法身)·보신(報身)·응신(應身)의 삼신(三身)이 있다고 함. 불체(佛體). 여래신.

불신[4]【佛神】[—씬] 명 부처와 신(神).

불신-감【不信感】[—씬—] 명 미덥잖은 마음. 믿어지지 않은 느낌.

불신-론【佛身論】[—씬논] 명 〖불교〗 석가불의 몸에 관한 논(論). 이에 대하여는 여러 가지로 고찰되어 왔는데, 법신(法身)·보신(報身)·응신(應身)의 삼신설(三身說)도 그 하나임.

불-신실【不信實】[—씬—] 명 신실하지 아니함. ——-하다 형여불

불-신용【不信用】[—씬—] 명 신용하지 아니함. ——-하다 타여불

불-신용장【弗信用狀】[—짱] 명 〖경〗 달러에 의한 어음 발행(發行)을 요건으로 하는 신용장.

불-신임【不信任】[—씬—] 명 신임하지 아니함. ——-하다 타여불

불신임 결의【不信任決議】[—씬— / —씬—이] 명 신임하지 아니한다는 취지의 합의체(合議體)의 의사 표시. 보통, 의원 내각제에서, 의회가 내각 또는 개개 국무 위원에게 대하여 행하는 것을 가리킴. ——-하다 타여불

불신임-안【不信任案】[—씬—] 명 불신임 결의에 관한 안건(案件).

불신-자【不信者】[—씬—] 명 믿지 아니하는 사람.

불신지-심[1]【不臣之心】[—씬—] 명 신하 노릇을 아니하려는 마음.

불신지-심[2]【不信之心】[—씬—] 명 믿지 아니하는 마음.

불신 행위【不信行爲】[—씬—] 명 믿을 수 없는 행위. *배신 행위.

불실[1]【不失】[—씰] 명 잃지 아니함. ——-하다 타여불 「여불

불실[2]【不實】[—씰] 명 실(實)답지 아니함. *부실(不實). ——-하다 형

불실-과【不實果】[—씰—] 명 〖식〗 수정(受精) 작용을 받지 않았기 때문에, 개화 후(開花後), 결실(結實)하지 않는 씨방.

불실 기본【不失其本】[—씰—] 명 본분을 잃지 아니함. ——-하다 자타 여불

불실 본색【不失本色】[—씰—] 명 본색을 잃지 아니함. ——-하다 자 「타여불

불실 척촌【不失尺寸】[—씰—] 명 규구(規矩)를 어기지 아니함. 규구에 어그러지지 아니함. ——-하다 자타여불

불심¹【不審】[—씸] 명 자세히 알지 못함. 의심스러움. 미심(未審). ¶ ~ 검문. ——-하다 형여불

불심²【佛心】[—씸] 명〖불교〗①자비스러운 부처의 마음. ②깊이 깨달아 속세(俗世)의 번뇌(煩惱)에 흐려지지 않는 마음.

불심 검:문【不審檢問】[—씸—] 명〖법〗경찰관이 수상한 거동 또는 주위 사정을 합리적으로 판단하여 범죄를 행하였거나 행하려는 것으로 의심할 만한 상당한 이유가 있는 자, 또 이에 관련한 사실을 알고 있다고 인정되는 자를 가두(街頭) 등에서 정지시켜 질문하는 일. ——-하다 타여불 「형여불

불심-상관【不甚相關】[—씸—] 명 크게 상관될 것이 아님. ——-하다

불심-상원【不甚相遠】[—씸—] 명 그다지 틀리지 아니함. 서로 비슷함. ——-하다 형여불

불심-종【佛心宗】[—씸—] 명〖불교〗'선종(禪宗)'의 이칭(異稱).

불심 천자【佛心天子】[—씸—] 명〖사람〗중국 양(梁)나라의 무제(武帝)의 딴이름.

불-십호【佛十號】명〖불교〗부처의 덕을 표현한 열 가지의 이칭. 곧, 여래(如來)·응공(應供)·정변지(正遍知)·명행족(明行足)·선서(善逝)·세간해(世間解)·무상사(無上士)·조어장부(調御丈夫)·천인사(天人師)·불세존(佛世尊). 여래 십호. *천인사(天人師).

불-싸개 명〈방〉불쏘시개(함경).

불싸다가 감〈방〉아뿔싸.

불쌉 명〈방〉부삽³(전북). 「다. 불쌍-히 부

불쌍-하다 형여불 [근대 : 블샹ᄒᆞ다] 곤경에 빠진 모양이 가엾고, 애처롭

불-쏘다 타 ①과녁을 맞히지 못하다. ②목적을 이루지 못하다.

불-쏘시개 명 장작이나 숯에 불을 옮기어 붙이느라고 먼저 쓰는 잎나무나 관솔 같은 것. 준쏘시개.

불쑥 부 ①갑자기 쑥 내미는 모양. 툭 비어져 나오는 모양. ②앞뒤 생각 없이 함부로 말을 하는 모양. ¶ 아무 말이나 ~ 꺼내곤 하다. 1)·2):> 볼쏙.

불쑥-거리다 자 ①평평한 바닥의 군데군데가 툭툭 비어져 나오다. ②연해 불쑥 말하다. 1)·2):>볼쏙거리다. 불쑥-불쑥¹ 부. ——-하다¹ 자여불

불쑥-대다 자 불쑥거리다. 「여불

불쑥-불쑥² 부 평면(平面)이 군데군데 솟아 나온 모양. ——-하다² 형

불쑥-이 부 불쑥하게. >볼쏙이.

불쑥-하다 형여불 툭 비어져 나와 있다. >볼쏙하다.

불-씨¹ 명 ①언제나 불을 붙일 수 있게 불을 늘 이어 가는 불덩이. 곧, 불의 씨. ¶ ~를 잘 간수하다. ②무슨 사건이 일어날 실마리. ¶ 싸움의 ~.

불씨²【佛氏】명〖불교〗석씨(釋氏).

불씹-장이 명〈방〉남녀추니.

불아【佛牙】명〖불교〗불사리(佛舍利)의 하나인 부처의 치아(齒牙). 부처의 이는 40개였다고 하며 특히 어금니가 신봉 대상이 됨. 주로 불탑(佛塔)에 봉안(奉安)함.

불아귀 명 ☞ 부라퀴.

불안¹【不安】명 ①마음이 편안하지 아니함. 불안심. ¶ ~한 심정. ②세상이 떠들썩하여 편안하지 아니함. ¶ ~한 세상. ③마음에 미안함. ¶ ~스러워서 부탁을 못 하겠다. ④〖철〗낱낱의 공포(恐怖)·고민(苦悶) 등과 구별되어, 인생 전체의 근본적 상황(狀況)을 가리키는 것. 본래의 자기 자신, 즉 실존(實存)을 잃느냐 그렇지 않으냐 하는 데서 생기는 '불안'을 말함. ¶ ~의 철학. ⑤〖심〗파국(破局)에 대한 막연한 예감(豫感)과 이에 수반하는 일정한 생리적 반응(生理的反應)의 총칭. ¶ ~ 신경증. ——-하다 형여불. ——-히 부

불안²【佛眼】명〖불교〗①부처의 눈. ②오안(五眼)의 하나. 모든 법(法)의 진상(眞相)을 환하게 보는 불심(佛心)의 기능. ③자비스러운 눈.

불안³【佛顔】명 ①부처의 얼굴. ②부처와 같이 유화(柔和)하고 자비심이 많게 보이는 얼굴. ③죽은 사람의 얼굴.

불안-감【不安感】명 불안한 느낌. 「기.

불안-기【不安期】명 질서(秩序)가 바로 잡히지 아니하여 불안스러운 시

불안-법【佛眼法】명〖불교〗밀교(密敎)에서, 불안존(佛眼尊)을 본존(本尊)으로 하여 식재 연명(息災延命)·복수 증장(福壽增長)을 비는 수법(修法).

불안 불모【佛眼佛母】명 불안존(佛眼尊). 「부

불안-스럽다【不安—】형ㅂ불 어쩐지 좀 불안하다. 불안-스레【不安—】

불안 신경증【不安神經症】[—쯩] 명〖심〗감정적인 초조, 불안의 예기(豫期), 불안 발작(不安發作), 심장의 고동이나 호흡이 중지될지도 모른다는 등과 같은 비합리적인 강한 예감과 같은 신경증적 불안을 수반하는 신경증. 1894년 프로이트가 명명(命名)한 말임.

불-안심【不安心】명 ①불안한 마음. ②안심이 되지 아니함. 불안(不安). ——-하다 형여불

불안의 문학【不安—文學】[— / —에—] 명〖문〗현대의 사회적 불안과 현대 지식인의 정신적 위기를 중시(重視)하는 문학상의 한 경향. 현대 문학의 한 성격을 이루는데, 곧 회의(懷疑)·절망·허무·퇴폐(頹廢) 등을 반영한 현실 거부·현실 도피의 문학임.

불안의 철학【不安—哲學】[— / —에—] 명 19세기 후반 이후, 근대의 형이상학적 또는 과학적 이성(理性)의 역사적 좌절로 인하여 생긴 철학. 키르케고르·하이데거 등이 이 철학의 대표적 인물임. '불안(不安)'은 인간 존재의 근원적인 무(無)를 보여주는 근본적 기분이라 하고, 이 '불안'을 계기로 하여 근원적 존재로서의 인간 실존을 파악하려 하였으므로 실존주의의 기본 개념이 됨.

불-안전【不安全】명 안전하지 못함. ——-하다 형여불 「여불

불-안정【不安定】명 안정되지 못함. 안정되어 있지 않음. ——-하다 형

불안정-성【不安定性】[—썽] 명 안정되지 못한 성질.

불안정 입자【不安定粒子】명 [unstable particle]〖물〗①자발적으로 다른 입자에 붕괴(崩壞)되는 소립자(素粒子). ②준안정(準安定) 입자에 반(反)하여, 강력한 상호 작용을 통하여 붕괴될 수 있는 소립자. 약 10^{-23} s의 수명(壽命)을 가짐.

불안정-파【不安定波】명 [unstable wave]〖물〗주위에서 에너지를 빼앗아, 시간의 경과와 더불어 진폭(振幅)과 전(全)에너지가 증대(增大)하여 가는 파(波).

불안정 포말【不安定泡沫】명 일어난 지 30초쯤 되었을 때 꺼지는 거품. 알코올류의 수용액에 생기는 포말 같은 것. ↔안정 포말.

불안-존【佛眼尊】명〖불교〗대일 여래(大日如來) 또는 금강 살타(金剛薩埵)의 화신(化身). 두 눈에 미소를 띠고, 두 손을 배꼽에 대고 백련(白蓮) 가운데에 있으며, 신색(身色)이 달처럼 비치는 상(像)으로 나타냄. 불안 불모(佛眼佛母).

불-알 명〖생〗포유 동물의 웅성(雄性) 생식기의 한 부분. 불 곧 음낭(陰囊) 속에 싸여 있는 좌우 두 개의 타원형의 알. 고환(睾丸). 신낭(腎囊). 준불.

[불알 두 쪽만 대그락대그락한다] 가진 것이 아무 것도 없고 알몸뿐이라는 뜻.

불알 밑이 근질근질하다 구 좀이 쑤시다. 가만히 앉아 있지 못하다.

불알을 긁어 주다 구 남의 비위를 살살 맞추어 가며 아첨한다는 뜻.

불알 망태 명〈속〉불²❶.

불암-사【佛巖寺】명〖불교〗경기도 남양주시(南楊州市) 별내면(別內面)에 있는 봉선사(奉先寺)의 말사(末寺). 신라의 지증 대사(智證大師)가 헌덕왕 16년(824)에 창건하였음. 최치원(崔致遠)이 찬(撰)한 지증 국사(國師)비(碑)가 있고 또 경판(經板) 8부가 남아 있음.

불암-산【佛巖山】명〖지〗서울 특별시 노원구와 경기도 남양주시(南楊州市) 별내면(別內面)의 경계에 있는 산. [508 m]

불앗다 타〈옛〉불까다. 거세(去勢)하다. =불앗다. ¶ 불아ᄋᆞᆯ 션(騸), 불아ᄋᆞᆯ 돈(豚)≪字會 上 7≫.

불-야 감 ↗불이야.

불야-불야 감 ↗불이야 불이야.

불야-성【不夜城】명 ①[한서(漢書) 지리지(地理志)에 나오는 말] 밤에도 해가 떠 있어 밝았다고 하는 중국 동래군(東萊郡) 불야현(不夜縣)에 있었던 성(城). ②등불이 휘황하게 켜 있어 밤에도 대낮같이 밝은 번화한 곳의 일컬음. ¶ ~을 이루다.

불양【祓禳】명 귀신에게 빌어 액을 막음. ——-하다 타여불

불양-답【佛糧畓】명〖불교〗[←불량답(佛糧畓)] 절에 속해 있는 논밭. 불향답(佛享畓).

불어¹【不漁】명 고기가 잘 잡히지 않음. 흉어(凶漁). 「용어(用語).

불어²【佛語】명〖불교〗①부처의 말. 법언(法言). 법어(法語). ②불교의

불어³【佛語】명 '프랑스어'의 한자 이름. 법어(法語).

불어-나다 자 차차 늘어 커지거나 많아지다. ¶ 강물이 ~.

불어-넣다 [—너타] 타 사상·의견 따위를 가르쳐서 머리에 넣게 하다. ¶ 나쁜 사상을 ~.

불어 니르다 타〈옛〉늘여 말하다. 부연(敷衍)하여 말하다. ¶ 불어 니르샨 經典이 마리 비록 다ᄅᆞ며≪月釋 XVII:1≫.

불어 닐어든 타〈옛〉늘여 말하면. 부연(敷衍)하여 말하면. '불어니르다'의 활용형. ¶ 불어 닐어든 이 사ᄅᆞᆷ돌히 듣고 隨喜ᄒᆞ야≪月釋 XVII:68≫.

불-어리 명 바람에 화로불의 불티가 날리는 것을 막기 위하여 들씌우는 제구. 대쪽으로 길이 60 cm, 지름 45 cm쯤 되는 긴 통처럼 엮어 만들고 종이로 발랐는데 위는 꼭지 없는 깔때기를 엎어 놓은 것 같고 허리의 한쪽에 한 변의 길이가 20 cm나 되는 네모진 구멍이 있음.

불-어리하늘소 [—쏘] 명〖충〗잿빛하늘소붙이.

불어 불문학과【佛語佛文學科】명〖교〗대학에서, 프랑스어·프랑스 문학을 전공하는 학과.

불어-세우다 타 남을 따돌리어 보내다. 「바람.

불어-오다 자너라불 바람이 일어나 이쪽으로 오다. ¶ 세차게 불어오는

불어-터지다 자 국수 가닥 같은 것이 너무 불어서 못 먹을 지경이 되다.

불언¹【不言】명 말을 하지 않음. ——-하다 자여불

불언²【佛言】명〖불교〗부처가 한 말. 경전(經典)에 있는 말.

불언 가:상【不言可想】명 아무 말을 하지 않아도 가히 생각할 수가 있음.

불언 가:지【不言可知】명 아무 말을 하지 않아도 가히 알 수가 있음.

불언 불소【不言不笑】[—쏘] 명 말하지도 웃지도 않음.

불언 불어【不言不語】명 말을 아니함. ——-하다 자여불

불언 실행【不言實行】명 말없이 실행함. ——-하다 자타여불

불에된-바위 명〖광〗'화성암(火成岩)'의 풀어 쓴 말. ↔물에된바위.

불여-귀【不如歸】명〖조〗두견이.

불여-밀다【不如密多】[—따] 명〖불교〗서천(西天) 28조(祖) 중의 제 26대 조사(祖師). 바사사다(婆舍斯多)에게 법(法)을 이어받고, 반야다라(般若多羅)에게 전법(傳法)하였음.

불-여우 [—려—] 명 ①〖동〗[*Vulpes kiyomasai*] 갯과에 속하는 여우의 하나. 한국 북쪽 및 만주 동부에 분포함. ②〈속〉변덕스럽고 수다한 여자를 비유하는 말. ¶ ~같이 굴다.

불-여의【不如意】[— / —이] 명 일이 뜻과 같이 되지 아니함. ↔여의(如

意). ——-하다 형여불

불여-튼튼【不如一】명 '튼튼한 것이 제일임'의 뜻.

불역¹【不易】명 바꾸어 고칠 수 없음. 또, 그리하지 아니함. ¶ 만고(萬古) ~. ——-하다 자타여불

불역²【佛譯】명 프랑스말로 번역함. 또, 그 번역물. ¶ ~판(版). ——-하다 타여불

불역-전【不易田】명 해마다 경작할 수 있는 기름진 땅. 불역지지(不易之地). ↔역전(易田).

불역지-론【不易之論】명 고칠 수 없는 바른 말.

불역지-법【不易之法】명 쉽게 고칠 수 없는 법.

불역지-전【不易之典】명 ①변경할 수 없는 규정(規定). ②하지 않을 수 없는 일. ¶ 박절하지마는 내가 ~ 써야 하겠으니, 공연히 이리 말고 진작 다른 데로 가게《李海朝：巢鶴嶺》.

불역지-지【不易之地】명 불역전.

불연¹【不然】명 그렇지 아니함. ¶ 자유를 달라, ~이면 죽음을 달라.

불연²【不燃】명 타지 아니함. ¶ ~성(性).

불연³【佛緣】명〖불교〗부처의 인연.

불연⁴【怫然】부 갑자기 왈칵 성을 내는 모양. ¶ ~히 자리를 뜨다. ——-하다 형여불. ——-히 부

불연-듯이 부 ☞불현듯이.

불연-성【不燃性】[—썽] 명 불에 타지 않는 성질. ¶ ~ 화학 섬유.

불연성 셀룰로이드【不燃性—】〔celluloid〕[—썽—] 명 니트로셀룰로스(nitrocellulose) 대신 아세틸(acetyl)셀룰로스를 써서 만든 잘 타지 않는 셀룰로이드.

불연성 필름【不燃性—】〔film〕[—썽—] 명 불연성의 아세틸셀룰로스 등을 필름 베이스로 사용한 사진 필름.

불-연속【不連續】명 연속되어 있지 않고 도중이 끊어져 있음.

불연속-량【不連續量】[—냥] 명 단위를 정하면 그 양을 표시하는 수가 건너뛰게 되는 양. 인원수(人員數)·개수(個數) 따위. 이산량(離散量). 분리량.

불연속-면【不連續面】명〖기상〗기온·밀도·습도·풍향(風向)·풍속 등의 기상 요소가 다른 두 기층(氣層)의 경계면. 곧, 기온이 높은 기단(氣團)과 한랭(寒冷)한 기단과의 경계면. 전선면(前線面).

불연속 변:이【不連續變異】명〖생〗물고기의 지느러미에 있는 가시의 수들처럼 하나·둘·셋 등으로 셀 수 있는 변이. ↔연속 변이.

불연속-선【不連續線】명〖기상〗①불연속면이 지면과 교접한 선. 이 선을 경계로 한 양측에서는 기온·온도·습도·풍속·풍향 등이 불연속적으로 급변(急變)하며, 일기가 나쁘고 비·뇌우(雷雨)·우박 등이 생김. 이 운동에 의하여 온난(溫暖) 전선·폐색(閉塞) 전선·한랭(寒冷) 전선의 구분이 있음. ②전선(前線)❸.

불연속-점【不連續點】명〖수〗함수(函數)가 불연속인 점. 즉, 함수 (fx)가 $x=a$에서 불연속일 때 a를 $f(x)$의 불연속점이라 함.

불연 재료【不燃材料】명 콘크리트·벽돌·기와·슬레이트·철강·알루미늄·유리·모르타르 및 그 밖에 이와 유사한 불연성의 재료.

불연-즉【不然則】부 '그렇지 않으면'의 뜻의 접속 부사.

불연지-단【不然之端】명 그렇지 아니한 사단(事端).

불연-화【不燃化】명 건축물·차량 등을 건조(建造)하거나 제조할 때에 불에 잘 타지 않는 재료를 쓰는 일.

불염 민어【不塩民魚】명 소금에 절이지 않고 그대로 말린 민어.

불염 암치【不塩—】명〈방〉불염 민어(不塩民魚).

불염 어포【不塩魚脯】명 소금을 치지 않고 만든 어포.

불염-포¹【不塩脯】명 소금을 치지 않고 만든 육포(肉脯).

불염-포²【佛焰苞】명〖식〗육수(肉穗) 화서를 포함하는 대형의 총포(總苞). 토란의 포 같은 것.

〈불염포²〉

불영-사【佛影寺】명〖불교〗경상 북도 울진군(蔚珍郡) 서면(西面) 하원리(下院里)에 있는 불국사(佛國寺)의 말사(末寺). 신라 때 의상 법사(義湘法師)가 경주(慶州)에서 바다를 끼고 북으로 올라가 해운봉(海雲峰)에 이르러, 서역의 천축산(天竺山)이 바다에 비치고 오불(五佛)의 그림자가 물 위에 어리는 것을 보고 이상히 여겨 용(龍)을 위하여 설법하고 이 곳에 절을 지었다 함.

불예【不豫】명 왕의 병환(病患).

불오 자〈옛〉불고. '불다'의 활용형. ¶ ᄇᆞᄅᆞ미 슬피 불오 ᄠᅳᆫ 구루미 가ᄂᆞ니(風悲浮雲去)《杜諺 V：33》.

불오-음【不誤音】명〖불교〗팔음(八音)의 하나. 말로 논의함에 그릇됨이 없고 듣는 이로 하여금 바른 견해를 갖게 하는 부처님의 목소리.

불온¹【不溫】명 ①따뜻하지 않음. ②온순(溫順)하지 않음. ——-하다 형여불

불온²【不穩】명 ①온당(穩當)하지 않고 험악함. ¶ 태도가 ~하다. ②치안(治安)을 문란하게 할 우려가 있음. ¶ ~ 문서. ——-하다 형여불

불-온당【不穩當】명 온당하지 아니함. ——-하다 형여불

불온 문서【不穩文書】명 불온 사상(不穩思想)을 내용으로 하는 문서.

불온 삐라【不穩—】명 불온 사상(不穩思想)을 내포한 삐라.

불온 사상【不穩思想】명 ①온당하지 아니한 사상. ②국가 정책에 반하여 치안을 문란하게 할 우려가 있는 사상.

불온 서적【不穩書籍】명 불온 사상(不穩思想)을 내용으로 하는 서적.

불완-석【不完石】명 축이 나거나 또는 덜 담겨서 완전히 차지 않은 곡식 섬.

불-완전【不完全】명 완전하지 못함. ↔완전. ——-하다 형여불

불완전 강축【不完全強縮】명〖생〗근육의 강축의 한 형(型). 근육에 둘 이상의 적당 자극(適當刺戟)을 반복하여 가했을 때 일어나는 각 단수축(單收縮)이, 충분히 융합하지 않고 동요(動搖)하는 일.

불완전 경:쟁【不完全競爭】명〖경〗수요(需要)의 이질성(異質性)에서 일어나는 경쟁. 곧, 일면 독점(獨占), 일면 경쟁(競爭)의 상태. 수요자는 거리 관계상 또는 같은 상품이라도 품질에 약간의 차이가 있다든가 혹은 습관·의리 등에 의하여 특정한 공급자로부터 매입(買入)하는 경향이 있는데, 이로 말미암아 공급자는 이들 수요자에 대하여 어느 정도 독점적인 입장에 서게 되며, 다른 경쟁자가 자기의 시장을 확장하려면 많은 선전비(宣傳費)와 광고비(廣告費)를 써서 상대방이 접한 시장을 빼앗지 않으면 안 됨.

불완전 고용【不完全雇用】명〖경〗근로자가 일반 고용 근로자의 표준에 이르지 않는 노동 시간·일수(日數) 등의 조건으로 고용되는 상태. 노동력의 공급이 수요를 웃돌기 때문에 비자발적(非自發的) 실업자가 존재하는 상태. ↔완전 고용.

불완전 균류【不完全菌類】[—균—] 명〖식〗자낭 포자(子囊胞子)도 담자포자(擔子胞子)도 발견되지 않기 때문에 그 소속이 불명(不明)한 균류(菌類). 곧, 균류 중에서 유성(有性) 생식 기관이 알려져 있지 않은 것. 도열병균(稻熱病菌) 같은 것. 분생자(分生子)에 의하여 번식함. 진균류(眞菌類)의 한 강(綱)으로 분류하기도 함.

불완전 기체【不完全氣體】명〖화〗이상(理想) 기체가 아닌 기체. 실재하는 기체는 모두 이상 기체는 아니므로 불완전 기체이나, 이상 기체에 가까운 산소·일산화 탄소·메탄(Methan) 등이 아닌 염소·이산화 탄소·수증기·암모니아 등 이상 기체와 먼 것을 가리키는 일이 많음.

불완전 난:할【不完全卵割】명〖생〗부분할(部分割).

불완전 독립국【不完全獨立國】[—닙—] 명〖정〗일부 주권국(一部主權國).

불완전 동:사【不完全動詞】명〖언〗①어미 활용이 완전하지 못한 동사. 불완전 자동사와 불완전 타동사로 구분됨. 모자란 움직씨. 불구(不具) 동사. ②다른 낱말로 보충하여야 뜻이 완전해지는 동사. 불완전 자동사와 불완전 타동사로 구분됨. 안갖은 움직씨. 모자란 움직씨. 1)·2)：↔완전 동사.

불완전 명사【不完全名詞】명〖언〗의존 명사.

불완전 변:태【不完全變態】명〖충〗곤충의 변태의 한 형(型). 알로부터 발육하여 성충(成蟲)이 되기까지 번데기의 시기를 거치지 아니하고 알에서 깨어 유충이 곧 성충으로 되는 변태. 메뚜기·잠자리·매미 등은 이에 속함. 못갖춘 탈바꿈. 불완전 탈바꿈. 안갖춘 탈바꿈. ↔완전 변태.

불완전 생물【不完全生物】명 세포 구조를 갖지 않는 바이러스·박테리오파지(bacteriophage)의 유(類)를 이름. 다른 생물에 기생하여 증식하는 등의 생물적 속성(生物的屬性)을 가짐.

불완전 소:절【不完全小節】명〖악〗'못갖춘마디'의 한자 이름. ↔완전 소절.

불완전-수【不完全數】명〖수〗부족수와 과잉수의 총칭. 불충수. 부족수. ↔완전수.

불완전 쌍무 계:약【不完全雙務契約】명〖법〗계약 당사자의 쌍방이 채무를 부담(負擔)하나, 그 채무가 상호 대가적(對價的) 관계에 있지 않은 계약. 사용 대차(使用貸借)는 그 일례(一例)임. 불순정 편무 계약(不純正片務契約).

불완전 쌍방적 저:촉 규정【不完全雙方的抵觸規定】명〖법〗저촉 규정의 한 형식. 국제 사법(國際私法)상 국내법(國內法)과 외국법의 적용 관계를 규정하는데 있어서, 외국법의 적용에 관해서는 단지 내국(內國)과 어떠한 관계가 있는 경우에 한(限)하는 것으로 규정한 것.

불완전 어울림음【不完全—音】명〖악〗두 개의 음이 동시에 울렸을 때, 불충분하면서도 탁하지 아니한 어울림음. 장 3·6도와 단 3·6도. 불완전 협화음. ↔완전 어울림음.

불완전 어음【不完全—】명〖경〗①필요한 기재 사항을 기재하지 아니하였거나 기재 사항이 부적법(不適法)할 경우의 어음. ②기재 사항이 빠져 있고 보충이 예정되어 있지 않은 어음. 1)·2)：↔완전 어음.

불완전 연소【不完全燃燒】[—년—] 명〖물〗산소의 공급이 불완전한 상태에서의 연소. ↔완전 연소.

불완전-엽【不完全葉】명〖식〗안갖춘잎. ↔완전엽.

불완전 우성【不完全優性】명〔incomplete dominance〕〖생〗형질의 유전(遺傳)에 있어서 한 쪽의 형질(形質)이 다른 쪽에 대하여 완전한 우성(優性)을 나타내지 아니하는 경우. 즉, 분꽃의 붉은 꽃과 흰 꽃을 교잡(交雜)하여 분홍 빛의 꽃이 피는 것 등. ↔완전 우성.

불완전 유:가 증권【不完全有價證券】[—까—꿘] 명〖경〗권리의 발생·행사·이전(移轉)의 일부에 관하여서만 증권의 점유(占有)를 필요로 하는 유가 증권. 주권(株券)·사채권(社債券)·창고 증권(倉庫證券)·화물 상환증(貨物相換證)·선하 증권(船荷證券) 등. 상대적 유가 증권(相對的有價證券). ↔완전 유가 증권.

불완전 음정【不完全音程】명〖악〗완전 음정을 형성하고 있는 두 개의 음 중에서 그 한 쪽이 반음(半音) 올라갔거나 내려간 음정. *완전 음정.

불완전 이:행【不完全履行】명〖법〗채무자가 완전한 이행을 할 의사를 가지고 행하였는데 채무의 본지(本旨)에 적합하지 아니하기 때문에 채권자에게 손해를 주는 이행. *이행 불능.

불완전 자동사【不完全自動詞】명〖언〗①활용(活用)이 완전하지 아니한 자동사. '가로되·가라사대' 등. 불구 자동사(不具自動詞). ②다른 낱말로 보충하여야 뜻이 완전해지는 자동사. 안갖은제움직씨. 1)·2)：↔완전 자동사.

불완전 점:유【不完全占有】명〖법〗소유(所有)의 의사를 갖지 아니하고 하는 점유.

불완전 종지【不完全終止】명〖악〗'못갖춘마침'의 한자 이름. ↔완전 종지(終止).

불완전 주권국【不完全主權國】[—꿘—] 명〖정〗일부 주권국(一部主權國). ↔완전 주권국.

불완전 중립국【不完全中立國】[—닙—] 명〖법〗중립국으로서의 의무

를 완전히 이행하지 아니하는 나라. ↔완전 중립국.
불완전 증거【不完全證據】 명 〖법〗 어느 정도의 심증(心證)은 발생하나 범죄 사실의 존재를 뒷받침할 수 있을 정도의 심증을 형성할 수 없는 증거.
불완전 취:업【不完全就業】 명 노동자가 그 능력을 충분히 발휘할 수 없는 상태로 취업하고 있는 일. 잠재(潛在) 실업과 중복되는 부분도 있음. 반실업(半失業). *잠재적 실업.
불완전 타동사【不完全他動詞】 명 〖언〗 ①활용이 완전하지 아니한 타동사. '다오·더불어·더불고' 등. 불구 타동사(不具他動詞). ②다른 낱말로 보충하여야 뜻이 완전해지는 타동사. 안갖은남움직씨. 1)·2):↔완전 타동사. 「름.
불완전 탈:바꿈【不完全―】 명 〖충〗 '불완전 변태(變態)'의 풀어 쓴 이
불완전-품【不完全品】 명 흠이 있는 물품. ↔완전품.
불완전 항:원【不完全抗原】 명 〔hapten〕 항체(抗體)와 결합할 수는 있어도 그것 자체(自體)는 면역 원성(免疫原性)을 갖지 않는 물질. 합텐.
불완전 협화음【不完全協和音】 명 〖악〗 '불완전 어울림음'의 한자 이름.
불완전 형용사【不完全形容詞】 명 〖언〗 다른 낱말로 보충하여야 뜻이 완전해지는 형용사. '같다·비슷하다·아니다' 같은 말. 안갖은그림씨. ↔완전 형용사. *의존(依存) 형용사.
불완전-화【不完全花】 명 〖식〗 안갖춘꽃. ↔완전화.
불완전 화음【不完全和音】 명 〖악〗 제5음을 생략한 화음. 밑음을 생략할 때도 있음. 「한 물품.
불완-품【不完品】 명 완성(完成)되지 아니하였거나, 완전(完全)하지 못
불-왕법【不枉法】 명 뇌물은 받았으되 국법(國法)은 굽히지 아니함.
불왕법-장【不枉法贓】 명 국법(國法)은 굽히지 아니하고 뇌물(賂物)만을 받은 죄.
불요[1]【不要】 명 필요하지 아니함. ¶ ~ 불급(不急). ――-하다 형여불
불요[2]【不撓】 명 휘어지지 아니함. ¶ ~ 불굴. ――-하다 형여불
불요 방:사【不要放射】 명 〔extraneous emission〕 〖전〗 무선 송신기에서 목적하는 발사 전파 외에 곁따라서 안테나로 발사되는 전파.
불요 불굴【不撓不屈】 명 휘어지지도 아니하고 굽히지도 아니함. ¶ ~의 정신. ――-하다 형여불 「여불
불요 불급【不要不急】 명 필요하지도 급하지도 아니함. ――-하다 형
불요식 처:분【不要式處分】 명 〖법〗 법률상 일정한 형식에 종속(從屬)함을 요하지 아니하는 행정 처분.
불요식 행위【不要式行爲】 명 〖법〗 법률상 특별한 형식이나 방식(方式)을 필요로 하지 아니한 행위. ↔요식 행위.
불-요인【不要因】 명 〖법〗 원인을 필요로 하지 아니하는 일. 또, 원인이 없어도 그 효력(效力)에는 영향이 없는 일.
불요인 증권【不要因證券】 [―꿘] 명 〖법〗 증권에 기재된 권리가 그 원인 관계의 존재를 문의할 필요가 없는 증권. 곧, 불요인 채권을 표시하는 증권. 어음 같은 것은 이에 해당함. 무인(無因) 증권.
불요인 채:권【不要因債權】 [―꿘] 명 〖법〗 원인의 유효·무효에 의하여 영향을 받지 아니하는 채권.
불요인 행위【不要因行爲】 명 〖법〗 당사자가 재산권(財產權)의 득상 변경(得喪變更)을 욕망(欲望)함에 있어서 일정한 원인과는 관계가 없이 독립적으로 득상 변경을 발생시키는 법률 행위. 「法 44≫.
불욤 타 〈옛〉 불림. '불이다[1]'의 명사형. ¶ 불요믈 求ᄒᆞ야(求煆煉) ≪蒙
불용[1]【不用】 명 ①쓰지 아니함. ②소용이 없음. ¶ ~물(物)/~품(品). ――-하다 타여불
불용[2]【不容】 명 용서할 수 없음. ¶ 단(斷) ~. ――-하다 타여불
불용[3]【不溶】 명 〖화〗 액체에 녹지 아니함. ↔가용(可溶).
불용 간:위율【不容間位律】 명 〖논〗 배중률(排中律).
불용-건【不用件】 [―껀] 명 안 쓰게 되어 따로 내놓은 물건.
불용-물【不用物】 명 쓰지 아니하는 물건.
불용-성【不溶性】 [―썽] 명 〖화〗 용해(溶解)되지 아니하는 성질.
불용성 양극【不溶性陽極】 [―썽냥―] 명 〔insoluble anode〕 〖화〗 전기 분해중에 용해하지 않는 양극.
불용성 효소【不溶性酵素】 [―썽―] 명 〖화〗 물에 녹지 않는 효소. 고정화(固定化) 효소의 딴이름.
불용-품【不用品】 명 쓰지 아니하는 물품.
불우[1]【不遇】 명 ①좋은 때를 만나지 못함. ②운이 나빠서 재능을 갖고도 세상에 쓰여지지 아니함. 감가(坎坷). ¶ ~한 청년/~한 생애. ③딱하고 어려움. ¶ ~ 이웃 돕기. ――-하다 형여불
불우[2]【不虞】 명 미처 생각하지 못함. 또, 그 때 일어나는 일. ¶ ~지변.
불우[3]【佛宇】 명 〖불교〗 불당(佛堂).
불우다 타 〈옛〉 불리다[4]. ¶ 더운 므레 불워 거플 앗고(湯浸去皮) ≪救簡
불-우리 명 〈방〉 불어리. ⅠⅢ:65≫.
불우-비【不虞備】 명 뜻밖의 일에 대한 준비. 불우지비.
불-우시【不遇時】 명 좋은 때를 만나지 못함. ――-하다 자여불
불우 작가【不遇作家】 명 불우한 작가. 세상에 그 가치를 알리지 못하여 영광을 누리지 못한 작가.
불우지-변【不虞之變】 명 뜻밖에 일어나는 변고(變故).
불우지-비【不虞之備】 명 불우비(不虞備).
불우지-탄【不遇之歎】 명 불우한 데 대한 한탄.
불우지-환【不虞之患】 명 뜻밖에 생기는 근심 걱정.
불우-헌【不憂軒】 명 〖사람〗 정극인(丁克仁)의 호(號).
불우헌-가【不憂軒歌】 명 〖문〗 조선 시대 초기의 문신 불우헌 정극인(丁克仁)이 72세 때 지은 노래. 사은(謝恩)·송도(頌禱)의 내용임. 그의 문집 ≪불우헌집≫에 전함.
불우헌-곡【不憂軒曲】 명 〖문〗 불우헌 정극인(丁克仁)이 지은 경기체가(景幾體歌)형식의 장가(長歌). 6 장(章). 단종 폐위(廢位) 후 벼슬에서 물러나 향촌(鄕村) 제자를 모아 교육하기에 힘쓰던 중, 이를 가상히 여긴 성종(成宗)으로부터 삼품 교관(三品敎官)의 가자(加資)를 받고, 천은(天恩)의 망극함을 이기지 못하는 마음과 전원(田園) 생활, 육영(育英)의 즐거움, 국태 민안(國泰民安) 등을 노래한 것임. 그의 문집 ≪불우헌집≫에 실려 전함.
불우헌-집【不憂軒集】 명 〖책〗 조선 성종(成宗) 때의 불우헌 정극인(丁克仁)의 문집(文集). 그가 죽은 지 3백여 년 후, 그의 후손인 정효목(丁孝穆)이 그의 구고(舊稿)를 수집 간행한 것. 2권 1책으로 되어 있는데, 제1권에는 시, 제2권에는 문(文)·가곡(歌曲)을 수록하였으며, 행장(行狀)·가장(家狀)·묘문(墓文) 등도 권수(卷首)에 실었음.
불운【不運】 명 운수가 언짢음. 또, 그러한 운수. 불행. 비운(否運). ¶ ~한 처지. ――-하다 형여불
불운-아【不運兒】 명 불운한 사람. ↔행운아(幸運兒).
불울【佛鬱】 명 불만이나 불평이 있어 마음이 끓어 오르고 답답함. ――-하다 형여불
불원[1]【不遠】 ㊀ 명 ①거리가 멀지 아니함. ②오래지 아니함. ¶ ~한 장래. ㊁ 부 머지 않아. ¶ ~ 떠나겠소. ――-하다 형여불
불원[2]【不願】 명 원하지 아니함. ――-하다 타여불 「(誓願).
불원[3]【佛願】 명 〖불교〗 일체 중생(一切衆生)을 구하겠다는 부처의 서원
불원-간【不遠間】 ㊀ 명 앞으로 머지 아니한 동안. ¶ ~에 오겠지. ㊁ 부 오래 걸리지 아니하여. 머지 않아. ¶ ~ 물려들 테지.
불원 장래【不遠將來】 [―내] 명 머지 아니한 장래.
불원 천리【不遠千里】 [―철―] 명 천리를 멀다 여기지 아니함. ¶ ~하고 달려 오다. ――-하다 자타여불
불원천 불우인【不怨天不尤人】 구 자기의 뜻이 시대와 사회에 맞지 아니하더라도 하늘이나 다른 사람을 원망하지 아니하고, 늘 반성하여 발전과 향상을 도모한다는 뜻. 「의 알.
불월년-란【不越年卵】 [―련난] 명 그 해 안에 깨는 누에나방 따위 곤충
불웝 명 〈옛〉 불법(佛法). ¶ 불웝 니르는 양 드르라 가져(聽說佛法去來) ≪朴解 上 74≫. 「諺 Ⅰ:27≫.
불위 명 〈옛〉 뿌리. =불휘[1]. ¶ 돌 우희 긴 불위 버덧도다(石上走長根) ≪杜
불위-장【不爲章】 [―짱] 명 용비어천가 제105장의 이름.
불유 여력【不遺餘力】 명 있는 힘을 다함. ――-하다 자여불
불-유쾌【不愉快】 명 유쾌하지 아니함. 불쾌. ¶ ~한 표정/~하게 만들다. ↔유쾌. ――-하다 형여불 「고리.
불유-환【不遊環】 명 병 같은 그릇의 두 쪽 귀에 놀지 아니하고 고착된
불-육식【不肉食】 명 육식하지 아니함. 초식(草食). ――-하다 자여불
불윤【不允】 명 〖역〗 신하의 주청(奏請)을 윤허(允許)하지 아니함. ――-하다 타여불
불윤 비:답【不允批答】 명 〖역〗 의정(議政)의 사직(辭職)을 윤허(允許)하지 아니함.
불-융통【不融通】 명 융통할 수 없음. ――-하다 타여불
불융통-물【不融通物】 명 ①융통이 아니되는 물건. ②〖법〗 권리의 객체(客體)는 되나 거래(去來)의 객체로서는 될 수 없는 물건. 공용물(公用物)이나 금제물(禁制物) 같은 것. 1)·2):↔융통물(融通物).
불은【佛恩】 명 〖불교〗 부처의 은혜. 「타여불
불음【不飮】 명 마시지 아니함. ¶ ~ 불식(不食)하여 모은 돈. ――-하다
불-음주【不飮酒】 명 술을 마시지 아니함. ――-하다 자여불
불음주-계【不飮酒戒】 명 〖불교〗 오계(五戒) 또는 십계(十戒)의 하나. 술 마시는 것을 금한 계율(戒律).
불음-켜 명 〖식〗 형성층(形成層).
불응【不應】 명 응하지 아니함. ¶ ~하면 벌을 면하지 못할 것이다. ――-하다 자여불
불응-기【不應期】 명 〔refractory period〕 〖생〗 피자극성(被刺戟性) 조직에서 한 번 흥분을 일으킨 직후에, 자극을 주어도 무효로 끝나는 짧은 시기. 흥분을 위하여 방출된 에너지를 보충하는 데 필요한 시간으로 생각됨. 골격근·심근(心筋)·신경 등 실무적(悉無的) 반응을 하는 조직에만 있음. 「이 없는 죄(罪).
불응-위【不應爲】 명 범죄 사실에 대하여, 법률의 정조(正條)에 그 규정
불응위-율【不應爲律】 명 〖역〗 불응위(不應爲)의 죄를 다스리는 규정. 당률(唐律) 잡률편(雜律篇)에 있음.
불응축 가스【不凝縮―】 명 〔noncondensable gas〕 증류탑(蒸溜塔)이나 스팀 이젝터와 같은 화학 반응 장치와 석유 정제 장치로부터 나오는 가스. 냉각(冷却)으로 쉽게 응축하지 않음. 주로 질소·저급 탄화 수소류(類)·이산화탄소 또는 다른 가스상(狀)의 물질을 함유함.
불의[1]【不意】 [―/―이] 명 뜻밖에 생각지 아니하던 판. 비의(非意).
불의[2]【不義】 [―/―이] 명 ①의리(義理)에 어긋남. 의롭지 못함. ¶ ~의 돈/~에 항거하다. ②남녀간의 의리에 어긋난 관계. ¶ ~의 씨. ――-하다 형여불
불의[3]【佛意】 [―/―이] 명 불지(佛智).
불의[4]【佛儀】 [―/―이] 명 〖불교〗 불교의 의식. 불식(佛式).
불의-에【不意―】 [―/―이―] 부 뜻밖에. 생각지도 아니하던 판에. ¶ ~ 기습을 받다.
불의 영리【不義榮利】 [―니/―이―니] 명 의롭지 못하게 누리는 영화와 명리.
불의지-변【不意之變】 [―/―이―] 명 뜻밖의 사변(事變). 뜻밖의 변고(變故).
불의지-인【不義之人】 [―/―이―] 명 의리에 어긋나는 일을 하는 사람. 의롭지 못한 사람.

불의지-재¹【不意之災】[ㅡ/ㅡ이ㅡ] 명 뜻밖의 재해.

불의지-재²【不義之財】[ㅡ/ㅡ이ㅡ] 명 의롭지 못한 수단으로 얻은 재물.

불의 출행【不宜出行】[ㅡ/ㅡ이ㅡ] 명 〖민〗 그 날의 운기(運機)가 먼 길을 떠나기에 적당하지 아니함. 또, 먼 길을 꺼리는 날.

불의 행세【不義行勢】[ㅡ/ㅡ이ㅡ] 명 의롭지 못한 행세. 의리에 어긋나는 짓.

불:이 명 〖생〗 생식(生殖).

불이다¹ 타 〈옛〉 불리다². ¶鑛은 쇠 아니 불엿ᄂᆞᆫ 돌히라《圓覺 序 56》.

불이다² 피동 〈옛〉 불리다⁵. ¶ᄇᆞᄅᆞᆷ은 디나ᄂᆞᆫ 비 불이ᄂᆞᆫ ᄃᆞᆺ도다(風吹過雨)《杜諺 I:32》.

불-이득【不易得】 명 얻기가 쉽지 아니함.

불이-문【不二門】 명 〖불교〗 사찰에 들어가는 세 문 중 본전(本殿)에 이르는 마지막 문. '불이'는 진리(眞理)가 둘이 아니라는 뜻. *해탈문(解脫門).

불-이야 감 불이 났다고 외치는 소리. 준불야.

불이야 불이야 감 불이 났다고 연달아 외치는 소리. 준불야불야. *부랴부랴.

불-이익【不利益】[ㅡ리ㅡ] 명 이익이 되지 아니함. ——-하다 형여불

불이익 대:우【不利益待遇】[ㅡ리ㅡ] 명 특정 근로자가 노동 조합에 가입하였다거나 노동 조합을 결성하려 하였다는 등의 이유로 사용자가 그 근로자를 차별적으로 대우하는 일. 부당 행위로서 금지되어 있음.

불이-초【佛耳草】 명 〖식〗 떡쑥.

불이통 명 〈방〉 아그배(경남).

불-이행【不履行】[ㅡ리ㅡ] 명 이행하지 아니함. ¶계약 ~. ——-하다 타여불

불이 협상【佛伊協商】 명 〖역〗 프랑스 이탈리아 협상.

불인¹【不人】 명 사람답지 못함. 또, 그런 사람.

불인²【不仁】 명 ①어질고 착하지 아니함. ②〖한의〗 몸에 마비(痲痺)가 생기어 굴신(屈伸)하기에 거북함. ——-하다 형여불

불인³【不忍】 명 차마 하기가 어려움.

불인⁴【佛人】 명 프랑스 사람. ¶~ 신부(神父).

불-인가【不認可】 명 인가하지 아니함. ——-하다 타여불

불인-견【不忍見】 명 참혹하거나 비참하여 차마 볼 수가 없음. 목불인견(目不忍見). 불인 정시(不忍正視). ¶~의 참상.

불-인망【不人望】 명 인망이 없음.

불인-문【不忍聞】 명 참혹하거나 비참하여 차마 들을 수가 없음.

불인-언【不忍言】 명 비참하여 차마 말로 하기가 어려움.

불-인정【不人情】 명 ↗불근 인정(不近人情). ——-하다 형여불

불인 정:시【不忍正視】 명 ①너무 추악하여 바로 볼 수가 없음. ②불인견(不忍見).

불인지-심【不忍之心】 명 차마 어떠한 일을 할 수 없는 마음.

불인지-정【不忍之政】 명 참을 수 없이 아주 가혹(苛酷)한 정치.

불일¹【不一】 명 ①↗불일치(不一致). ②한결같지 아니함. 고르지 아니함. ——-하다 형여불

불일²【不日】 명부 ↗불일내(不日內).

불일³【佛日】 명 〖불교〗 모든 중생(衆生)을 구제(救濟)하는 부처의 광명(光明)을 태양에 비유하여 이르는 말.

불일-간【不日間】 명부 불일내(不日內).

불일-기단【不一其端】 명 일의 실마리가 한둘이 아님. 사단이 많음.

불일-내【不日內】[ㅡ래] ㊀ 명 며칠 안. 준불일(不日). ㊁ 부 오래지 아니하여서. 불일간. 준불일(不日).

불일 독봉【不日督捧】 명 세납(稅納) 같은 것을 독촉(督促)하여 지체(遲滯) 없이 거두어 들임. 불일 독쇄. ——-하다 타여불

불일 독쇄【不日督刷】 명 불일 독봉. ——-하다 타여불

불일-듯이 [ㅡ릳ㅡ] 부 불일듯하게.

불일-듯하다 [ㅡ릳ㅡ] 형여불 어떠한 형세(形勢)가 불이 일어나듯이 빠르고 성하다.

불일 성지【不日成之】 명 며칠 안으로 이룸. 불일내에 일을 끝냄. ——-하다 타여불

불일 송:지【不日送之】 명 며칠 안으로 보냄. 곧 보냄. ——-하다 타여불

불-일치【不一致】 명 일치하지 아니함. 준불일(不一). ——-하다 형여불

불일 하:송【不日下送】 명 며칠 안으로 하송함. 곧 보냄. ——-하다 타여불

불임¹【不姙·不妊】 명 〖생〗 임신되지 아니함. *불임(不稔). ——-하다 자여불

불임²【不稔】 명 ①〖식〗 식물(植物)이 생식(生殖)하지 못함. *불임(不姙). ②〖생〗 성숙한 암수 사이에 새끼를 낳지 못함. ——-하다 자여불

불임-률【不姙率】[ㅡ뉼] 명 새끼를 배지 못하는 비율.

불임-법【不姙法】[ㅡ뻡] 명 [sterilization] 〖의〗 수태성(受胎性)이 있는 사람에 대하여 인공적으로 불임성으로 만드는 법. *피임법.

불임-성¹【不姙性】[ㅡ썽] 명 동물이 새끼를 배지 아니하는 성질.

불임-성²【不稔性】[ㅡ썽] 명 ①〖식〗 다음 세대의 식물로서 발달할 수 있는 씨를 맺지 못하는 일. ②〖생〗 성숙한 암수 사이에 새끼를 낳지 못하는 일. ↔임성(稔性).

불임 수술【不姙手術】 명 생식선을 제거하지 아니하고 생식할 수 없게 하는 수술.

불임-증【不姙症】[ㅡ쯩] 명 [sterility] 〖의〗 임신하지 못하는 병증(病症).

불입【拂入】 명 〖법〗 '납입(納入)'의 구용어.

불입-금【拂入金】 명 '납입금'의 구용어.

불입-액【拂入額】 명 '납입 금액(納入金額)'의 구용어.

불입 잉:여금【拂入剩餘金】 명 '납입 잉여금'의 구용어.

불입 자본【拂入資本】 명 〖경〗 '납입 자본'의 구용어.

불입호혈 부득호자【不入虎穴不得虎子】 구 〔범의 굴에 들어가지 아니하고서는 범의 새끼를 얻지 못한다는 뜻〕 큰 결과를 얻기 위해서는 위험을 무릅쓰고 큰 일을 해야 한다는 말.

불-잉걸 [ㅡ링ㅡ] 명 불이 이글이글하게 핀 숯덩이. 준잉걸.

불자¹【不字】[ㅡ짜] 명 못쓰게 생긴 물건.

불자²【佛子】[ㅡ짜] 명 〖불교〗 ①부처의 제자(弟子). ②'보살(菩薩)❸'의 이칭(異稱). ③계(戒)를 받아 출가(出家)한 사람.

불자³【佛者】[ㅡ짜] 명 불제자(佛弟子).

불자⁴【拂子】[ㅡ짜] 명 ①먼지떨이. ②〖불교〗 말꼬리나 중국산 얼룩소의 꼬리털을 묶어 거기에 자루를 단 것. 원래 인도(印度)에서 중이 모기나 파리를 쫓는 데 사용한 것인데 지금은 선종(禪宗)의 중이 번뇌·장애를 물리치는 표지로서 씀.

〈불자⁴❷〉

불-자동차【一自動車】 명 〈속〉 불 끄는 제반 설비를 갖춘 자동차. 붉은 칠을 하였음. 소방 자동차. 소방차. 불차.

불자블 명 〈방〉 부젓가락(제주).

불-잡다 자 화재(火災)를 끄다. 진화(鎭火)하다.

불장¹【佛葬】[ㅡ짱] 명 불교 의식(儀式)으로 지내는 장사.

불장²【佛藏】[ㅡ짱] 명 〖불교〗 불상(佛像)을 모셔 둔 곳.

불-장난 명 ①아이들이 나무나 종이에 불을 붙여 가지고 노는 일. 농화(弄火). ¶아이들의 ~. ②위험한 일을 일컫는 말. ¶~은 그만두세. ③남녀간의 무분별한 위험한 교제. ¶한때의 ~. ——-하다 자여불
[불장난에 오줌 싼다] 불은 인정 사정이 없으니 불장난을 말라는 뜻.

불장-서【佛掌薯】[ㅡ짱ㅡ] 명 〖식〗 각시마.

불-장이【一匠一】 명 〈속〉 영화계에서 조명 기사(照明技師)를 홀하게 일컫는 말.

불저【祓除】[ㅡ쩌] 명 →불제(祓除). ——-하다 타여불

불저까락 명 〈방〉 부젓가락(충남·전라·경남).

불저븜 명 〈방〉 부젓가락(전라).

불적¹【佛跡】[ㅡ쩍] 명 ①석가의 유적. ②부처의 족적(足跡).

불적²【佛敵】 명 〖불교〗 법적(法敵).

불-적갈 명 〈방〉 부젓가락(경기).

불전¹【一錢】[ㅡ쩐] 명 노름판에서 집 주인에게 얼마를 떼어 주는 돈.

불전 떼:다 [ㅡ쩐ㅡ] 구 판돈 중에서 주인이 얼마를 떼어가지다. *판돈 떼다.

불전²【佛典】[ㅡ쩐] 명 〖불교〗 불경(佛經).

불전³【佛前】[ㅡ쩐] 명 〖불교〗 ①부처의 앞. ②부처가 세상에 나기 이전.

불전⁴【佛殿】[ㅡ쩐] 명 〖불교〗 불당(佛堂).

불전⁵【佛錢】[ㅡ쩐] 명 〖불교〗 부처 앞에 바치는 돈. *새전(賽錢).

불전 사:물【佛殿四物】[ㅡ쩐ㅡ] 명 〖불교〗 불교 의식에 쓰이는 4가지 불구(佛具)인 범종(梵鐘)·법고(法鼓)·운판(雲板)·목어(木魚)의 네 가지.

불-접끄락 명 〈방〉 부젓가락(전북).

불-젓가락 명 〈방〉 부젓가락.

불정【佛頂】[ㅡ쩡] 명 〖불교〗 ↗불정존(佛頂尊).

불정 도:량【佛頂道場】[ㅡ쩡ㅡ] 명 〖불교〗 불정을 신앙의 대상으로 삼는 불교 법회의 하나. 고려 때 자주 열렸으나, 지금은 열리지 않음. 불정은 육계(肉髻)로 부처의 몸 중 가장 귀중한 부분임.

불정심경 언:해【佛頂心經諺解】[ㅡ쩡ㅡ] 명 〖책〗 조선 성종(成宗) 16년(1485)에 인수 왕후(仁粹王后)가 책 《불정심 다라니경(佛頂心陀羅尼經)》·《불정심 요병 구산방(佛頂心療病救產方)》·《불정심 구난 신험경(佛頂心救難神驗經)》에 그림을 넣고 거기에 언해를 더하여 간행한 책. 활자본. 1책 3권. 관음경. 다라니경.

불정-존【佛頂尊】[ㅡ쩡ㅡ] 명 〖불교〗 석가의 정상(頂上)에서 화현(化現)하여 윤왕(輪王)의 모양을 하고, 불지(佛智)의 공덕을 나타내는 것. 준불정(佛頂).

불제【祓除】[ㅡ쩨] 명 〔←불저(祓除)〕 상서롭지 못한 것을 물리쳐 버림. 발제(祓除). ——-하다 타여불

불-제까락 명 〈방〉 부젓가락(전북).

불-제까치 명 〈방〉 부젓가락(경남).

불-제자【佛弟子】 명 불교(佛敎)에 귀의(歸依)한 사람의 통칭. 중. 불자(佛者). 석자(釋子). ¶머리를 깎고 ~가 되다.

불조【佛祖】[ㅡ쪼] 명 〖불교〗 ①불교의 개조(開祖). 곧, 석가 모니. ②부처와 조사(祖師).

불조-계【佛祖系】[ㅡ쪼ㅡ] 명 〖불교〗 ①불타(佛陀)의 정맥(正脈). ②석가 모니불을 교주로 하여 이어 내려온 계통.

불-조심【一操心】 명 화재가 일어나지 아니하도록 주의함. ——-하다 자여불

불조심 주간【一操心週間】 명 방화 주간.

불조 통:기【佛祖統記】[ㅡ쪼ㅡ] 명 〖책〗 석가에서 비롯하여 중국 남송(南宋)의 이종(理宗)에 이르는 고승(高僧)의 전기(傳記)를 집대성한 책. 송(宋)나라의 지반(志磐)이 지음. 54권.

불족-석【佛足石】 명 〖불교〗 석가가 입멸(入滅) 전에 남겼다고 하는 발바닥의 흔적의 모양을 새긴 돌.

〈불족석〉

불-종¹【一鐘】[ㅡ쫑] 명 불이 났을 때, 알리기 위하여 치는 종. 화종(火鐘).

불종²【佛種】 명 〖불교〗 ①불과(佛果)를 가져오는 인종(因種). ②불성(佛性)❶.

불종³【佛鐘】[ㅡ쫑] 명 〖불교〗 절에 있는 종. 절에서 치는 종.

불종지-말【佛種之末】 명 잡일을 하여 주고 절에 붙어 사는 불교 신도.

불좌【佛座】[ㅡ좌] 명 〖불교〗 부처를 모신 자리.

불좌-수【佛座鬚】[ㅡ좌ㅡ] 명 〖식〗 연예(蓮蕊).

불-주걱 명 〈방〉 부삽(전북).

불-주다 자 남에게 큰 곤욕이나 해를 입히다. ↔불받다.

불-줄 [ㅡ쭐] 명 ①〈속〉 송전선(送電線). ②↗불줄기.

불줄기

불-줄기 [—쭐—] 명 불알 밑에서부터 똥 ·멍까지 잇닿은 심줄. 준불줄.
불-쥐 명 〈방〉 〖동〗 박쥐. 만한 지혜. 불의(佛意).
불지【佛智】[—찌] 명 〖불교〗 부처 의비름.
불지-갑【佛指甲】[—찌—] 명 〖식
불-지까치 명 〈방〉 부젓가락(경 으로 불을 붙여 대다. 불놓다.
불-지르다 재르불 물건을 태움. ——-하다 타여불
불-지참【不持參】명 지참 을 때려고 나무나 종이에 불을 붙이어
불-지피다 재 아궁이나 난
을 때는 일. ②총이나 포 등을 놓는 일.
넣다. 부수고 성문에 구멍을 뚫었다《洪命憙 : 林
불-질 명 ①아궁이 같
¶무서운 ~이 성벽 성(危險性)이 있는 곳. ¶자기가 ~이 된 일이
巨正》. ——-하 하지만…《吳有權 : 방앗골 혁명》.
불-집 [—찝] 명 을 낸다] 위험을 스스로 취하다.
라 직접 가세가락(경북·제주).
[불집을 건. ②〈방〉 부젓가락(충남·전북).
불-집개 명 래를 빨 때 두 손으로 시원스럽게 비비다. 불쩍-불쩍
불-집게 같이 손을 물에 성큼 넣고 ~ 소리를 내더니…《廉
불쩍-거 청개구리》. ——-하다 자여불
부 쩍거리다.
로·난로 같은 데에 가까이 가서 더운 기운을 받다.
방〉 부젓가락(전남·경남).
] 명 〈속〉 불자동차.
【不次擢用】명 관계(官階)의 차례를 밟지 아니하고 벼슬에 올
. ——-하다 타여불 「여불
着】명 ①도착하지 아니함. ②착용하지 아니함. ——-하다 자타
不贊】명 ↗불찬성. ——-하다 타여불 「타여불
성【不贊成】명 찬성하지 아니함. 준불찬. ↔찬성[1]❷. ——-하다
[1]【不察】명 똑똑히 살피지 아니한 탓으로 생긴 잘못. ¶저의 ~입
찰[2]【佛刹】명 〖불교〗 절[1]. 니다.
불참[1]【不參】명 어떠한 자리에 참석하지 아니함. 불참석. ¶~자(者).
——-하다 자여불 「여불
불참[2]【佛參】명 절에 참예(參詣)하여 부처를 참배하는 일. ——-하다 자
불-참가【不參加】명 어떤 일에 참가하지 아니함. ——-하다 자여불
불참-국【不參國】명 참가하거나 참석하지 아니한 나라.
불-참석【不參席】명 참석하지 아니함. 불참(不參). ——-하다 자여불
불참-자【不參者】명 참석하지 아니한 사람. 오지 아니한 사람.
불-창【—窓】명 〖건〗 석등(石燈)의 화사석(火舍石)에 뚫은 창. 화창(火
불-채용【不採用】명 채용하지 아니함. ——-하다 타여불 窓).
불처분 결정【不處分決定】[—쩡] 명 〖법〗 소년 보호 사건을 심리한 결과 보호 처분의 형식을 취하지 아니하고 사건을 종결하는 일. 이 결정이 있는 때는 감호 조치(監護措置)는 취소된 것으로 간주함.
불-처사【佛處士】명 부처같이 어질고 순한 사람.
불천【佛天】명 〖불교〗 ①부처의 존칭(尊稱). ②부처와 천신(天神).
불-천노【不遷怒】명 갑(甲)에 대한 분노를 을(乙)에게 풀지 아니함. 엉뚱한 사람에게 화풀이하지 아니함.
불-천위【不遷位】명 불천지위.
불천지-위【不遷之位】명 큰 공훈이 있어 영원히 사당(祠堂)에 모시기를 나라에서 허락한 신위(神位). 불천위. 「여불
불-철저【不徹底】[—쩌] 명 철저하지 못함. ¶~한 수사. ——-하다 형
불철-주야【不撤晝夜】명부 밤낮을 가리지 아니함. 조금도 쉴 사이 없이 일에 힘쓰는 모양. 주이계야(晝而繼夜). 불면불휴. ¶~ 공부하다.
불청【不聽】명 ①듣지 아니함. ②청한 것을 들어 주지 아니함. ——-하다 타여불
불청-객【不請客】명 청하지 아니하였는데도 온 손. 「다 자여불
불청객 자래【不請客自來】명 청하지 아니한 손이 스스로 옴. ——-하
불청 불탁【不清不濁】명 〖언〗 고대 음운론에서 음의 청탁을 가릴 때에 'ㆁ·ㄴ·ㅁ·ㄹ·ㅇ·ㅿ' 등으로 표기되는 음을 이르는 말.
불청-장【弗聽章】[—짱] 명 용비어천가(龍飛御天歌) 제98장의 이름.
불체[1] 명 〈방〉 재(제주).
불체[2]【不逮】명 미치지 못함. ——-하다 자여불
불체[3]【佛體】명 〖불교〗 ①불신(佛身). ②불상(佛像).
불체포 특권【不逮捕特權】명 〖법〗 면책(免責) 특권과 더불어 헌법에서 보장된 국회 의원의 2대 특권의 하나. 현행범이 아닌 이상, 국회 회기 중 국회의 동의(同意) 없이는 체포하지 못함. *면책 특권.
불초【不肖】㊀명 부조(父祖)의 덕망이나 유업(遺業)을 대받지 못함. 또, 그러한 사람. ㊁인대 ①↗불초남(不肖男). ②자기를 겸사하여 일컫는 말. ¶~ 자식/~ 소생은. ——-하다 형여불 부조(父祖)만 못하다.
불초-고【不肖孤】인대 불초한 고자(孤子)나 고애자(孤哀子). 부모가 죽은 뒤 졸곡(卒哭)까지 상제가 자기를 일컫는 말. 「초.
불초-남【不肖男】인대 부모에 대하여 자기를 일컫는 말. 불초자. 준불
불초-손【不肖孫】인대 조부모(祖父母)에 대하여 자기를 일컫는 말.
불초-자【不肖子】인대 불초남(不肖男).
불초 자제【不肖子弟】명 부조(父祖)의 덕망(德望)이나 유업(遺業)을 대받지 못하는 자손. 그 조상(祖上)만 못한 자손.
불초초-하다【不草草—】형여불 사람의 됨됨이가 초초하지 아니하다.
불촉【不觸】명 건드리지 아니함. 손을 대지 아니함. ——-하다 타여불
불-총명【不聰明】명 총명하지 아니함. ——-하다 형여불
불출[1]【不出】명 ①어리석고 못난 사람을 조롱하는 말. ¶팔(八)~. ②밖에 나가지 아니함. ¶두문 ~. ——하다 자여불

불출[2]【拂出】명 금전이나 물품을 지급(支給)하여 줌. ——-하다 타여불
불-출마【不出馬】명 출마하지 아니함. ——-하다 자여불
불출 범안【不出凡眼】명 [범인(凡人)의 눈으로도 알 수 있다는 뜻] 선악(善惡)이 환함을 가리키는 말.
불-출세【不出世】[—쎄] 명 불세출(不世出). ——-하다 형여불
불출 소:료【不出所料】명 예상한 바와 틀리지 아니함.
불출-증【拂出證】[—쯩] 명 불출할 때 떼는 증서.
불충【不忠】명 충성을 다하지 아니함. ——-하다 형여불
불-충분【不充分】명 충분하지 아니함. ——-하다 형여불 「여불
불충 불효【不忠不孝】명 충성과 효도를 다하지 아니함. ——-하다 자
불충-수【不充數】명 〖수〗 불완전수(不完全數).
불-충실[1]【不充實】명 충실하지 아니함. ——-하다 형여불
불-충실[2]【不忠實】명 충실하지 아니함. ¶가정에 ~한 남편. ——-하다
불취[1]【不取】명 취하지 아니함. ——-하다 타여불 「형여불
불취[2]【不就】명 어떠한 일에 대하여 나서지 아니함. ——-하다 자여불
불-취동성【不娶同姓】명 같은 성끼리는 혼인을 아니함. ——-하다 자여불
불-취정각【不取正覺】명 〖불교〗 정각(正覺)을 취하지 아니함. 성불(成佛)하지 아니함. 아미타(阿彌陀)가 중생(衆生)을 구하지 아니하면 정각을 취하지 아니하겠다고 맹세한 말. 「변.
불측지-변【不測之變】명 예측(豫測)하지 못하였던 변사(變事). 뜻밖의
불측지-연【不測之淵】명 깊이를 헤아릴 수 없는 연못이란 뜻으로, 위험한 곳이나 불안(不安)한 것을 비유한 말.
불측-하다【不測—】형여불 ①미루어 생각하기 어렵다. ②마음이 음흉하다. ¶불측한 놈.
불-치[1] 명 총으로 잡은 짐승이나 새. ↔매치.
불치[2] 명 〈방〉 불티.
불치[3] 명 〈방〉 재(제주).
불치[4]【不治】명 ①병이 낫지 아니함. 고칠 수 없음. ¶~의 병. ②정치가 올바르게 되지 아니함. 잘 다스려지지 아니함. ——-하다 자여불
불치[5]【不齒】명 ↗불치 인류(不齒人類).
불치-다 타 〈방〉 불까다. 「고질(痼疾).
불치-병【不治病】[—뼝] 명 고치지 못하는 병. 고칠 수 없게 된 병.
불치 불검【不侈不儉】명 의식주에 있어서 사치(奢侈)하지도 검소(儉素)하지도 아니함. 곧, 모든 면에 수수함. ——-하다 형여불
불치 인류【不齒人類】[—일—] 명 사람 축에 들지 못함. 준불치(不齒).
불치 하:문【不恥下問】명 자기보다 못한 사람에게 묻는 것을 부끄러워하지 아니함. ——-하다 자여불
불친-소 명 잡아먹을 감으로 불알을 까서 기른 소. 악대소.
불-친절【不親切】명 친절하지 아니함. ↔친절. ——-하다 형여불
불-친화【不親和】명 친화하지 아니함. ——-하다 자여불
불친화-성【不親和性】[—썽] 명 딴 종류의 물질과 화합하지 아니하는 성질. *친화성.
불-침[1]【—鍼】명 흔히 장난으로 성냥개비 태운 숯 같은 것을 자는 사람의 살에 꽂고 불을 붙여 뜨거워 놀라서 깨게 하는 물건.
불침(을) 놓다 구 성냥개비 같은 것을 자는 사람의 살에 대어 불을 붙이다.
불침[2]【不侵】명 침략하지 아니함. ——-하다 자여불
불침략 조약【不侵略條約】[—냑—] 명 불가침 조약.
불침-번【不寢番】명 밤에 잠을 자지 아니하고, 번(番)을 서는 일. 또, 그 사람. ¶~ 근무/~을 서다.
불침-질【—鍼—】명 쇠꼬챙이를 불에 달구어 살을 지지는 일.
불카노 섬〔Vulcano〕명 〖지〗 이탈리아 남부, 리파리(Lipari) 제도 최남단의 활화산도(活火山島). 유사(有史) 이래 폭발성 분화를 계속하고 있으며, 1888-89년에 대분화(大噴火)가 있었고, 1968년에도 폭발하였음. [20 km²]
불카노식 분:화【—式噴火】명〔Vulcanian eruption〕〖지〗 화산 분화 형식의 하나. 안산암질(安山岩質) 등 점성(粘性)이 풍부한 마그마가 화구(火口)의 밑바닥을 채우고 고결(固結)하거나 반쯤 고결한 상태에서 일어나는 폭발성 분화. 화산회(灰)·화산사(砂) 등을 방출하고 흑색의 분연(噴煙)이 일어오르나, 적열(赤熱) 물질의 방출은 없음. 불카노 섬 북단에 있는 불카노 화산이 대표적임.
불카누스〔라 Vulcanus〕명 〖신〗 로마 신화에 나오는 화신(火神). 그리스 신화의 헤파이스토스(Hephaistos)에 해당함. 벌컨(Vulcan).
불칼 명 〈방〉 벼락(충남).
불칼(과) 같다 구 성질이 대단히 급하고 까다롭다. ¶불칼 같은 성질.
불컥-거리다 타 지직한 반죽이나 진흙 등을 자꾸 주무르거나 밟다. >불칵거리다. 불컥-불컥 부. ——-하다 타여불
불컥-대다 타 불컥거리다.
불-켜다 자 ①등불이나 촛불 등의 심지 또는 성냥개비에 불을 붙이다. ②전등 따위의 스위치를 돌려서 불이 들어오게 하다. ↔불끄다.
불-콩 명 〖식〗 ①콩과에 속하는 곡식의 한 가지. 꼬투리는 희고 열매는 붉고 껍질이 얇음. 편두(扁豆). 화태(火太). ②〈속〉 총알.
불콰-하다 형여불 술기운이나 혈기가 좋아 얼굴이 불그레하다. ¶술청에 불콰해서 앉았던 도포짜리들이 드디어 목청을 가다듬고…《金周榮 : 客主》.
불쾌【不快】명 ①마음이 상쾌하지 못함. 불유쾌. ¶~한 일. ②몸이 조금 찌뿌드드하여 기분이 좋지 못함. ——-하다 형여불. ——-히 부
불쾌-감【不快感】명 불쾌한 감정. 불쾌한 느낌. ¶~을 주다.
불쾌 지수【不快指數】명〔temperature-humidity index; THI〕온도·습도 등의 관계로 인체에 느껴지는 쾌·불쾌의 정도를 나타내는 지수. 0.72×(건구(乾球) 온도+습구(濕球) 온도)+40.6으로 계산하며, 70 이

상이면 약간 불쾌, 75 이상이면 반수(半數) 이상이 불쾌, 80 이상이면 모든 사람이 불쾌함을 느낀다고 함. 온습(溫濕) 지수.

불키다 자 〈방〉 부르트다(경상).

불타【佛陀】명〔범 buddha〕『불교』부처¹. ㊥불(佛).

불타난제【佛陀難提】명『불교』서천(西天) 28조(祖) 중의 제 8 대 조사(祖師). 바수밀다(婆須密多)의 전발(傳鉢)을 받았고 복타밀다(伏駄密多)에게 법을 전함.

불-타다 자 ①불이 붙어서 타다. ¶불탄 자리. ②의욕(意慾)이나 정열이 북바치어 솟아 나다. ¶애국심에 ~/불타는 사랑.
[불탄 강아지 앓는 소리] 기운이 지쳐서 홍얼거리는 소리를 일컫는 말. [불탄 개 가죽 갈다] 재산이 점점 줄어든다는 뜻. [불탄 쇠가죽 오그라들듯] ㉠모르는 사이에 재산이 줄어가는 것을 뜻함. ㉡점점 줄어 들어 다시 펴나지 못함을 이름.

불타-산【佛陀山】명『지』황해도 장연군(長淵郡) 후남면(候南面)에 있는 산. [608 m]

불탁【佛卓】명『불교』불상(佛像)을 봉안한 상(床).

불탄-도【佛炭島】명『지』경기도의 서해상, 옹진군 대부면 선감리(甕津郡 大阜面 仙甘里)에 있는 섬. 원래는 불도(佛島)와 탄도로 구분되었으나 1968년 두 섬이 연결되어 불탄도로 개칭되었음 [0.40km²]

불-탄일【佛誕日】명 석가 모니의 탄생일. 음력 4월 8일. 이날 관불(灌佛)을 행함. 불생일(佛生日).

불탈 주인석【不奪主人席】명 주인의 자리에는 예의상 손님이 앉지 아니함.

〈불테리어〉

불탑【佛塔】명『불교』절에 세운 탑.

불태【不殆】명 위태롭지 아니함. ——-하다 형 여불

불-테리어〔bullterrier〕명『동』불도그(bulldog)와 테리어(terrier)와의 교배 잡종견(雜種犬). 털이 짧으며 성질은 용맹함.

불토【佛土】명『불교』부처가 사는 국토(國土). 또, 부처가 교화(敎化)한 국토.

불통¹ 명 〈방〉『식』풀가사리.

불-통²【一桶】명 〈속〉 기관차(機關車).

불통³【不通】명 ①통하지 못함. 교통·통신이 막히어 끊어짐. ¶철도가 ~이 되다. ②교제가 되지 아니함. ¶고집 ~. ③세상 일에 어둡거나 눈치를 알아채지 못함. ¶소식 ~이다. ④익숙하지 아니함. ——-하다 자타 여불

불-통과【不通過】명 검열·검사·시험 등에 통과하지 못함. ——-하다 자 여불

불통상 해:안【不通商海岸】명 통상을 하지 아니하는 항구. 또, 그 해안.

불-통일【不統一】명 통일이 되지 아니함. ——-하다 자 여불

불퇴【不退】명 ①퇴거하지 아니함. ②퇴하지 아니함. ¶일수(一手) ~. ③『불교』불퇴전(不退轉). ——-하다 자 여불

불퇴거-죄【不退去罪】[—쬐] 명『법』퇴거 불응죄(退去不應罪).

불-퇴전【不退轉】명『불교』①신심(信心)이 두터워서 흔들리지 아니함. ②보살(菩薩)이 수행에 의하여 일정한 지위(地位)에 달하여 다시 범부(凡夫)로 돌아가지 아니하는 일. ↔퇴전❶. ③굳게 믿어서 움직이지 아니함. 불퇴(不退). ¶~의 결의. ——-하다 자 여불

불퇴-지【不退地】명『불교』①불퇴(不退)의 지위. 곧, 보살 초지(菩薩初地)의 자리. ②진종(眞宗)에서는 신심(信心)을 얻으면 반드시 성불(成佛)할 자리에 정해짐을 말함.

불-투도【不偸盜】명 몰래 훔치거나 가져가지 아니함. ——-하다 타 여불

불-투명【不透明】명 ①분명하지 아니함. ¶~한 태도. ②『물』〔opaque〕투명도(度)를 표시하는 말. 빛을 전연 통과시키지 못함. ¶~ 렌즈/~색. *반투명. ③『경』시세(時勢)의 전망(展望)이 확실하지 아니함. ——-하다 형 여불

불투명-도【不透明度】명〔opacity〕『물』입사광(入射光)의 광량(光量)을 매질(媒質)을 투과한 광량(光量)으로 나눈 것.

불투명-색【不透明色】명 투명하지 못한 빛깔.

불투명-체【不透明體】명 투명하지 못한 물체. 나무·쇠붙이·인체 등.

불투수-층【不透水層】명『지』수성암(水成岩)이나 토양(土壤) 등 때문에 물이 잘 스며들지 아니하는 지층(地層). 점토(粘土)·화성암(火成岩)의 층 따위.

불툭:-하다 형 〈방〉 부루퉁하다(경상).

불퉁-가지 명 〈방〉 순하지 않고 퉁명스러운 성질(함남).

불퉁-거리다 자 자주 성을 내며 퉁명스러운 말을 하다. >볼통거리다.

불퉁그러-지다 자 물건의 마디가 불퉁불퉁하게 내밀어 있다.

불퉁-대다 자 불퉁거리다.

불퉁-불퉁 부 ①군데군데 둥근 것이 험상궂게 내민 모양. ¶바위가 ~하다. ②속이 좁아 툭하면 성을 내고 퉁명스러운 말을 함부로 하는 모양. 1)·2): > 볼통볼통. ——-하다 형 여불

불퉁-스럽다 형 ㅂ불 말이 순하지 아니하고 불퉁불퉁한 태도가 있다. > 볼통스럽다. 불퉁-스레 부

불퉁-하다 형 여불 ①물건의 거죽에 둥근 것이 험상궂게 내밀고 있다. ②걸핏하면 부루퉁하여 퉁명스러운 말을 함부로 하다. 1)·2): >볼통하다. 불퉁-히 부

불트만〔Bultmann, Rudolf〕명『사람』독일의 루터파(派) 신학자. 현대 유럽 신학계를 바르트(Barth, K.)와 양분할 만큼 영향력을 가짐. 하이데거(Heidegger)의 영향을 받아 디벨리우스(Dibelius)와 함께 신약 성서의 연구에 양식사적(樣式史的) 방법을 도입함. 신약 성서의 '비신화화(非神話化)'를 제창하고 실존주의적 해석을 꾀함. 저서에 《공관 복음서 전승사(共觀福音書傳承史)》·《역사와 종말론》·《예수》 등이 있음. [1884-1976]

불-특정【不特定】명 특별히 정하지 아니함. ¶~ 다수(多數).

불-특정물【不特定物】명『법』구체적으로 특별히 지정하지 아니하고 다만 종류·품종·수량만으로써 지시된 물건. 곧, 쌀 열 가마, 소 두 마리 등. ↔특정물(特定物).

불-티 명 타는 불에서 튀어 오는 아주 작은 불똥. 불이 타고 날아와 여기저기 앉은 재. 성화(星火).

불티-같다 형 나누어 주거나 물건이, 내놓기가 무섭게 없어지다.

불티-같이 [—가치] 부 내놓기 섭게 당장 팔리어 없어지는 모양.

불티-나게 부 물건이 불티같이 는 모양. ¶~ 다 팔리다.

불티다 자 〈옛〉 불까다. ¶올쁨의 불틴 マ장 져믄 몰이라(今春新騸了的十分壯的馬)《老乞 下 7》.

불파【沸波】명『조』물수리.

불파천 불외지【不怕天不畏地】명 무서워하거나 두려워하지 아니함. ¶이 난폭한 악인이 아무 것도 지라도 어미 말을 어찌할 수 없어 ~ 각놈은 아무리 ~하는 놈일 ...으로 나가고…《崔瓚植: 春夢》. ——-하다 자 여불

불-판【一板】명 ①난로나 아궁이에서, ...을 떠받치는 쇠살판. ②불 위에 올려 놓고 음식을 굽는 쇠판.

불판-령【一令】[—녕] 명 긴급(緊急)한 ...

불패¹【不敗】명 지지 아니함. 결딴나지 아니... ——-하다 자 여불

불패²【不牌】명 골패·마작 등의 패를 짓는 데 맞지 아니함.

불-펍〔bullpup〕명 미국 해·공군의 전투기에 ... 있는 공대지(空對地) 미사일. 액체 연료를 사용하며, 함정·... 작은 목표를 공격하는 데 쓰임.

불 펜〔bull pen〕명 ①야구에서, 구원 투수(救... 기 중에 준비 연습하는 장소. ②가(假)수용소. 유치장. ③... 에 모이는 곳.

불편¹【不便】명 ①편리(便利)하지 못하고 거북스러... 편(非便). ¶~없이 살다/교통이 ~하다. ②병으로 몸... 불평(不平). 비편(非便). ¶몸이 ~하다. ——-하다 형 ...

불편²【不偏】명 어느 한쪽에만 치우치지 아니함. ——...

불-편리【不便利】[—펼—] 명 불편(不便)❶. ——-하다 ...

불편 부당【不偏不黨】명 어느 편으로나 치우치지 아니하... 이나 주의(主義)에 기울지 아니하고 중정(中正)의 입장... 무당(無偏無黨). ——-하다 자 여불

불편-스럽다【不便—】형 ㅂ불 불편한 듯하다. 불편-스레【...

불평【不平】명 ①마음에 들지 아니하여 불만스럽게 생각함. ... 음. ¶~ 불만. ②불편(不便)❷. ——-하다 타 형 여불

불평-가【不平家】명 어느 일에나 불평을 잘 품는 사람. 늘 두... 사람. 불평객.

불평-객【不平客】명 불평가(不平家).

불-평균【不平均】명 평균하지 아니함. ——-하다 형 여불

불평균 등:급【不平均等級】명 고르지 못한 등급.

불평-꾼【不平—】명 툭하면 두덜두덜 불평을 늘어놓는 사람. 불평가.

불평-당【不平黨】명 불평가(不平家).

불-평등【不平等】명 평등하지 아니함. ——-하다 형 여불

불평등 선:거제【不平等選擧制】명『법』각 선거인의 선거권의 가치가 평등하지 아니한 선거 제도. 등급 선거제(等級選擧制)·복수 투표제(複數投票制) 등이 있음. ↔평등 선거제.

불평등 조약【不平等條約】명 조약을 맺은 당사국 상호의 역관계(力關係)가 대등하지 아니하기 때문에, 그 한쪽이 불리한 조건을 걸머지게 되어 있는 조약.

불평 만만【不平滿滿】명 불평스러운 마음이 가득 차 있음. ——-하다 형 여불

불평 분자【不平分子】명 어떤 조직체의 시책에 불만을 품고 두덜거리는 사람.

불평 불만【不平不滿】명 불평과 불만.

불평행 사:변형【不平行四邊形】명『수』변이 서로 평행하지 아니한 사각형.

불폐 풍우【不蔽風雨】명 집이 허술하여 바람과 비를 가리지 못함. ——-하다 자 여불. *불피(不避) 풍우.

불-포화【不飽和】명 ①포화 상태에 이르지 아니함. ②〔unsaturation〕『화』유기(有機) 화합물의 고리나 사슬의 원자간 결합이 완전히 충족되어 있지 않는 상태. 흔히, 탄소(炭素)에 적용되지만, 다른 원자도 포함됨. 불포화의 결과, 이중 결합(二重結合)·삼중(三重) 결합이 일어남. ↔포화(飽和). ——-하다 자 여불

불포화 결합【不飽和結合】명〔unsaturated bond〕『화』사슬 모양 탄소 화합물의 탄소 원자 사이에 있는 이중 결합 또는 삼중(三重) 결합. 화합물의 분자가 분해함이 없이, 다시 다른 원자 또는 분자가 결합할 수 있음. ↔포화 용액.

불포화 용액【不飽和溶液】명〔unsaturated solution〕『화』용질(溶質)의 농도가 포화에 이르지 아니한 용액. 따라서, 용질을 더 용해할 수 있음.

불포화 증기【不飽和蒸氣】명『물』압력(壓力)이 최대 한도에 이르지 못한 증기. ↔포화 증기.

불포화 지방산【不飽和脂肪酸】명〔unsaturated fatty acid〕『화』사슬 모양으로 결합된 탄소(炭素)의 일부가 이중 결합되어 있는 지방산.

불포화 탄:화 수소【不飽和炭化水素】명〔unsaturated hydrocarbon〕『화』탄화 수소 중, 탄소 원자끼리 이중 결합 또는 삼중 결합으로 사슬 모양·고리 모양으로 연결되어 있는 것의 총칭. 전자에는 알켄(alkene)과 알킨(alkyne), 후자에는 방향족(芳香族) 탄화 수소가 있음.

불포화 폴리에스테르 수지【不飽和—樹脂】명〔unsaturated polyester resin〕불포화 이염기산(二塩基酸)과 글리콜과의 에스테르화(化) 반응에 의해 선상(線狀)의 폴리에스테르를 얻어, 여기에 비닐계(系) 단량체(單量體)를 반응시켜서 3차원 구조로 한 불용(不溶)·불융(不融)의 열경화성(熱硬化性) 수지. 성형품(成形品)·도료 등에 이용됨.

불포화 화합물【不飽和化合物】명〔unsaturated compound〕『화』①분해하지 아니하고 다른 원자 또는 분자와 결합할 수 있는 화합물. ②고리 모양 화합물 중에서 탄소 원자의 사이에 이중(二重) 또는 삼

하고 있는 유기 화합물의 총칭. 사슬 모양으로 결합된 알켄(alkene)·알킨(alkyne)과 고리 모양으로 결합된 방향족(芳香族) 화합물 등이 있음. 1)·2):↔포화 화합물.

불-품행【不品行】명 품행이 좋지 못함. 또, 좋지 못한 품행.

불풍-나게 부 바쁘게 들락날락하는 모양. 드나들기를 잦고 바쁘게.

불-프로그 [bullfrog] 명 『동』 식용개구리.

불-피우다 자 나무나 숯에 불을 붙이어 일어나게 하다.

불피 풍우【不避風雨】명 바람과 비를 무릅쓰고 일을 함. *불폐(不蔽)풍우. ——-하다 자여불

불필【不必】명 필요가 없음. ——-하다 자여불

불필 다언【不必多言】명 여러 말을 할 필요가 없음. ——-하다 자여불

불-필요【不必要】명 필요하지 아니함. ——-하다 형여불

불필 장황【不必張皇】명 말을 지루하고 번거롭게 늘어 놓을 필요가 없음. 「여불

불필 재:언【不必再言】명 두 번 다시 말할 필요가 없음. ——-하다 자

불필 타구【不必他求】명 남에게 더 구할 필요가 없음. 곧, 자기 것으로 넉넉함. ¶ 당신이 기왕 기생을 구하러 오셨다 하니 ~로 나를 데려가시오《李海朝 : 花의 血》. ——-하다 자여불

불하[1]【不下】명 ①무엇보다 못 하지 아니함. ②어떤 수효에 내리지 아니함. ③항복하지 아니함. ——-하다 자여불

불하[2]【拂下】명 국가나 공공 단체의 재산을 민간(民間)에 매도함. ↔매상(買上). ——-하다 타여불 「자백함. ——-하다 타여불

불하 일장【不下一杖】[—짱] 명 죄인이 채 매 한 대도 맞기 전에 미리 불하 일장에 구 죄인이 매 한 대도 맞기 전에.

불하-품【拂下品】명 불하한 물품. 「다 형여불

불학[1]【不學】명 배우지 아니함. 학문(學問)이 없음. 무학(無學). ——-하

불학[2]【佛學】명 ①프랑스의 학문. 프랑스어의 학문. ②『불교』 불교에 관한 학문. 범학(梵學). 「형여불

불학 무식【不學無識】명 배우지 못하여 아는 것이 없음. ——-하다 형

불학-이문장【不學而文章】명 배우지도 아니하고 문장가(文章家)인 사람. 타고난 문장가.

불-한【佛韓】명 ①프랑스와 한국. ②프랑스 말과 한국 말. ¶ ~ 사전.

불한-당【不汗黨】명 ①떼를 지어 돌아다니는 강도. 명화적(明火賊). 화적(火賊). ②떼를 지어 다니며 행패(行悖)를 부리는 사람. 준한당(汗黨).

불한듸 명 〈방〉 반디(제주).

불한 불열【不寒不熱】명 기후가 지나치게 덥지도 춥지도 아니하여 견디기에 알맞음. ——-하다 형여불

불한 사전【佛韓辭典】명 프랑스 말을 한국 말로 주석을 단 사전.

불한지 명 〈방〉 『충』 개똥벌레(제주).

불할양 조약【不割讓條約】명 『정』 어느 나라가 그 영토의 일부에 관하여, 다른 나라와의 사이에 당해 지역(當該地域)을 제삼국(第三國)에 할양하지 아니할 것을 확약하는 조약.

불함 문화【不咸文化·弗咸文化】명 『역』 백두산(白頭山)을 중심으로 한 민족(韓民族)을 근간(根幹)으로 하여 이룬 고대 문화. 이 문화권에 속하는 민족에는 한족(漢族)·만주족(滿州族)·일본 민족 등이 있음.

불함-산【不咸山】명 『지』 '백두산(白頭山)'의 이칭(異稱).

불합【不合】명 ①물건이나 일이 뜻에 맞지 아니함. 불협(不愜). ②정의(情誼)가 서로 맞지 아니함. 화합(和合)하지 아니함. ——-하다 형여불

불-합격【不合格】명 ①어떤 조건이나 격식(格式)에 맞지 아니함. ②시험에 들지 못하고 떨어짐. 1)·2):↔합격(合格). ——-하다 자여불

불합격-자【不合格者】명 불합격한 사람.

불합격-품【不合格品】명 불합격된 물품.

불-합당【不合當】명 합당하지 못함. ——-하다 형여불

불-합리【不合理】[—니] 명 도리(道理)에 맞지 아니함. 모순(矛盾)되어 있음. 이치에 어그러짐. ¶~한 제도. *배리(背理). ——-하다 형여불 「성.

불합리-성【不合理性】[—니썽] 명 불합리한 성질 또는 요소. ↔합리

불-합의【不合意】[—/—이] 명 ①의사(意思)가 일치하지 아니함. ②뜻에 어그러짐. ——-하다 자여불

불항-비【不恒費】명 임시비(臨時費).

불해【佛海】명 『불』 불교의 세계를 바다에 비유하여 일컫는 말.

불해산-죄【不解散罪】[—쬐] 명 『법』 폭행·협박 또는 손괴(損壞)를 하기 위하여 모인 다중(多衆)이 단속할 권한이 있는 공무원으로부터 세 번 이상의 해산 명령이 내려도 불응함으로써 성립하는 죄.

불행【不幸】명 ①행복(幸福)하지 못함. 운수가 언짢음. 불운(不運). 박행(薄幸). 박록(薄祿). ②언짢은 일을 당함. ——-하다 형여불. ——-히 부

불행-범【不行犯】명 『법』 부작위범(不作爲犯). 「지 아니함.

불-행위【不行爲】명 『법』 고의(故意) 또는 과실(過失)로 어떤 행위를 하

불행위 기간【不行爲期間】명 『법』 일정한 소송 행위(訴訟行爲)를 할 수 없는 기간. 「은 살았으니 ~이다.

불행중 다행【不幸中多幸】명 불행한 가운데에도 요행히 잘 됨. ¶ 사람

불향【佛享】명 『불교』 불공(佛供). ——-하다 자여불

불향-답【佛享畓】명 『불교』 불양답(佛糧畓).

불허【不許】명 허락하지 아니함. ¶ 낙관을 ~하다. ——-하다 타여불

불-허가【不許可】명 허가(許可)하지 아니함. ——-하다 타여불

불허 복제【不許複製】명 저자(著者)나 판권(版權) 소유자의 허가 없이 복제할 수 없음.

불허 훈:주 입산문【不許葷酒入山門】구 『불교』 훈채(葷菜)와 술을 불가(佛家)에서 금한다는 뜻. 흔히 산문(山門) 곁에 새겨져 있음.

불현-듯 부 ↗불현듯이.

불현-듯이 부 갑자기 생각이 치밀어서 걷잡을 수 없게. 불을 켜서 일어나는 것과 같다는 뜻. ¶ ~ 집에 가고 싶은 생각이 나다. 준불현듯.

불현성 감:염【不顯性感染】[—썽—] 명 [symptomless infection] 『의』 잠복(潛伏) 감염.

불현성 유행【不顯性流行】[—썽뉴—] 명 『의』 불현성 감염 상태로서의 병의 유행. 일본 뇌염·유행성 뇌척수막염 등의 신경계 전염병은 이 불현성 유행의 상태(常態)이며 환자 발생은 예외적인 일임.

불협【不愜】명 불합(不合)❶. ——-하다 형여불

불-협화【不協和】명 어울리지 아니하여 조화·융합되지 아니함.

불-협화음【不協和音】명 『악』 '안어울림음'의 한자 이름. 디서넌스(dissonance). ↔협화음(協和音).

불협화 음정【不協和音程】명 『악』 '안어울림 음정'의 한자 이름.

불협화-현【不協和絃】명 『악』 불협화음(不協和音)의 느낌을 주는 화현(和絃).

불호[1]【不好】명 ①좋아하지 아니함. 싫어함. ②미워함. ——-하다 타여불

불호[2]【佛號】명 『불교』 ①불명(佛名)❶. ②불교에 귀의(歸依)한 사람의 호(號). ③중의 호(號).

불호-간【不好間】명 서로 뜻이 맞지 아니하여 좋아하지 아니하는 사이.

불호 광경【不好光景】명 보기에 사나운 광경. 곧, 서로 좋지 못하여 다투는 광경. 「~. *불호령.

불-호령【—號令】명 갑작스럽게 내리는 무섭고 급한 호령. ¶ 아버지의

불-호박【—琥珀】명 빛깔이 매우 붉은 호박(琥珀).

불호사 방차사【不好事紡車似】구 [악(惡)의 보복의 순환은 물레바퀴와 같음] 나쁜 일은 오래지 아니하여 그 보복을 받게 된다는 뜻.

불혹【不惑】명 [공자가 40세에 이르러 세상 일에 미혹(迷惑)하지 아니하게 되었다는 데서 나온 말] 나이 마흔 살의 일컬음. *이순(耳順).

불혹지-년【不惑之年】명 불혹(不惑)의 나이. 곧, 마흔 살. 불혹지세.

불혹지-세【不惑之歲】명 불혹지년(不惑之年).

불화[1]【不和】명 사이가 서로 화합(和合)하지 못함. ——-하다 형여불

불화[2]【弗化】명 『화』 플루오르화(Fluor化).

불화[3]【弗貨】명 달러(dollar)를 본위로 하는 화폐. 곧, 미화(美貨).

불화[4]【佛畫】명 부처·보살의 그림. 또, 불교에 관계되는 회화.

불화-물【弗化物】명 [fluoride] 『화』 플루오르화물(Fluor化物).

불화-변【—火邊】명 한자 부수(部首)의 하나. '炳'·'煉' 등의 '火'의 이름.

불화 산소【弗化酸素】명 『화』 플루오르화 산소.

불화 석회【弗化石灰】명 『화』 플루오르화 칼슘.

불화 수소【弗化水素】명 『화』 플루오르화 수소.

불화 수소산【弗化水素酸】명 『화』 플루오르화 수소산.

불화 수은【弗化水銀】명 『화』 플루오르화 수은.

불화-은【弗化銀】명 『화』 플루오르화은(銀).

불화 초본【佛畫草本】명 ['초(草)'는 '초(初)'의 뜻] 『불교』 탱화(幀畫)의 바탕그림. 밑그림과는 달리 하나의 완성된 그림임.

불화 칼슘【弗化—】[calcium] 명 『화』 플루오르화 칼슘.

불화 탄:화 수소【弗化炭化水素】명 『화』 플루오르화 탄화 수소.

불-확고【不確固】명 확고하지 못함. ——-하다 형여불

불-확대【不擴大】명 확대하지 아니함.

불-확실【不確實】명 확실하지 아니함. ——-하다 형여불

불확실성의 시대【不確實性—時代】[—썽—/—썽에—] 명 [갤브레이스(Galbraith, J.K.)의 저서명(著書名)에서] 변화(變化)가 극심하여 미래를 점칠 수 없다 하여 현대(現代)를 이르는 말.

불확인 신:용【不確認信用】명 『경』 수출 화물(輸出貨物)에 대한 신용의 설정(設定)이 은행의 확인을 얻지 못한 것.

불확인 신:용장【不確認信用狀】[—짱] 명 [unconfirmed L/C] 『경』 상업 신용장 분류의 한 가지. 신용장 개설 은행의 신용도가 의심스러울 때, 신용이 두터운 제3의 은행에서 이를 확인·보증하는 확인 신용장에 대하여, 그러한 중복된 보증이 필요 없는 보통 신용장. ↔확인 신용장. 「다 타여불

불-확정【不確定】명 확실히 결정(決定)하지 못함. ¶ ~ 요소. ——-하

불확정 기한【不確定期限】명 『법』 올 것은 확실하지만, 언제 올지 불확실한 기한. '사망시(死亡時)'는 그 예임. ↔확정 기한.

불확정 기한불 어음【不確定期限拂—】명 『경』 불확정 기한을 만기(滿期)로 하는 어음. 현행법상, 인정되지 아니하고 있음.

불확정성 원리【不確定性原理】[—썽월—] 명 [uncertainty principle] 『물』 양자 역학(量子力學)에 특징적인 기초 원리. 위치와 운동량, 시간과 에너지와 같이 서로 관계가 있는 한 쌍의 물리량(物理量)을 동시에 정확하게 결정하는 것은 불가능하다는 것임. 1927년 독일의 물리학자 하이젠베르크(Heisenberg, W.K.)가 제창함.

불확정 수익 증권【不確定收益證券】[—꿘] 명 『경』 지불 이자의 액수가 불확정한 유가 증권. 주권(株券)이나 투자 신탁·대부 신탁 등의 수익(收益) 증권 같은 것. ↔확정 이부 증권(確定利附證券).

불확정 채:무【不確定債務】명 『법』 채권(債權)의 목적인 이행(履行)이 확실하지 아니한 채무.

불환【不換】명 교환이나 태환(兌換)을 하지 아니함. ——-하다 타여불

불환금 정:기산【不換金正氣散】명 『한의』 정기산(正氣散)의 한 가지. 위장(胃臟)을 범한 감기에 쓰는 탕약.

불환듸 명 〈방〉 반디(제주).

불환성-치【不換性齒】[—썽—] 명 『생』 처음에 난 이가 평생 동안 빠지지 아니하는 이. 악어·돌고래 등에서 볼 수 있음.

불환 지폐【不換紙幣】명 『경』 정화(正貨)와 바꿀 수 없는 지폐. 곧, 발행자인 정부나 은행이 정화와 태환(兌換)해 주겠다는 보증을 두지 아니하고 발행하는 지폐. ↔태환 지폐.

불환희-일【佛歡喜日】[—히—] 명 『불』 안거(安居)의 만료(滿了)를 부

처님이 기뻐하시는 음력 7월 15일의 일컬음. 후세(後世)에는 모든 15일을 일컫게 되었음.

불활동-대【不活動帶】[—똥—] 명 『생』 보통 0°-50°C의 범위 밖에서, 생물의 활동이 중지되고 죽지는 아니하는 온도의 범위. ↔활동대·치사대(致死帶).

불활동 전선【不活動前線】[—똥—] 명 [inactive front] 『기상』 거의 구름이나 강우(降雨)를 동반하지 않는 전선.

불-활발【不活潑】 명 활발하지 아니함. ——-하다 형여불

불활성 기체【不活性氣體】[—썽—] 명 『화』 비활성(非活性) 기체.

불활성 염:색체【不活性染色體】[—썽념—] 명 [inert chromosome] 생리적인 작용이 있는 유전자(遺傳子)를 전혀 갖지 아니하거나 또는 아주 조금밖에 갖고 있지 아니하는 것으로 생각되는 염색체. 과잉 염색체 따위.

불활-화【不活化】 명 [inactivation] 『생』 본래 가지고 있는 기능(機能)을 없애는 작용. 바이러스가 감염력(感染力)을 잃어버리는 일, 효소가 효소 작용을 잃는 일, 독성(毒性)이 있는 것이 독성을 잃는 일 따위.

불황[1]【不況】 명 『경』 경기(景氣)가 좋지 못한 일. 불경기(不景氣). ↔호황(好況).

불황[2]【不遑】 명 겨를이 없음. 틈이 없음.

불황 계:처【不遑啓處】 명 집안에서 편히 쉴 겨를이 없음.

불황 카르텔【不況—】[도 Kartell] 명 『경』 불황에 대처하기 위한 카르텔. 곧, 어떤 상품의 가격이 평균 생산비를 밑돌아서 기업 합리화만으로는 사태를 극복할 수 없을 경우에 이를 타개하기 위해 형성됨.

불회 명 〈옛〉 뿌리. ≒불휘[1]. ¶이런 아ᄅᆞᆷ 불회 업슨 남기며(如此之民如無根之木)≪正俗 21≫.

불회-목【不灰木】 명 나무와 돌의 두 가지가 있는데 나무에 속한 것은 잎이 부들 비슷하며 홰를 만들어 쓰면 하룻밤 동안에 한두 치밖에 타지 아니하고, 돌에 속한 것은 형상이 나무와 같으며 불에 타지 아니한다고 함.

불효[1]【不孝】 명 ①효도(孝道)를 하지 아니함. ¶불충(不忠) ~. ②『역』 고려 때의 죄의 하나. 부모를 꾸짖음으로써 성립되는 죄. ——-하다 형자여불

불효[2]【拂曉】 명 막 밝을 무렵. 불서(拂曙).

불효-부【不孝婦】 명 시부모를 잘 섬기지 아니하는 며느리.

불효 부제【不孝不悌】 명 불효와 부제(不悌). ——-하다 자여불

불효-자【不孝子】 명 ①불효하는 자식. ②부모에게 자기를 가리켜 편지에서 쓰는 말.

불효-전【拂曉戰】 명 새벽에 하는 전투.

불후【不朽】 명 썩어 없어지지 아니함. 언제까지나 길이 전하여 없어지지 아니함. 불마(不磨). ¶~의 명작(名作). ——-하다 자여불

불후 공적【不朽功績】 명 오래도록 전해질 불멸(不滅)의 공적.

불-후리 명 ☞불어리.

불후지-공【不朽之功】 명 오래도록 빛날 불멸(不滅)의 공로.

불휘[1] 명 〈옛·방〉 뿌리. ≒불위·블휘·불히. ¶불휘 기픈 남ᄀᆞᆫ(根深之木)≪龍歌 2章≫.

불휘[2]【不諱】 명 ①죽음. ②꺼리지 아니하고 간함. ——-하다 타여불

불휘발성-유【不揮發性油】[—썽뉴] 명 식물(植物)로부터 만드는 불휘발성의 지방유(脂肪油).

불휫들궐 명 〈옛〉 뿌리등걸. ¶불휫들궐 골(榾), 불휫들궐 돌(柮)≪字會 下 6≫.

불휴【不休】 명 쉬지 아니함. 조금도 쉬지 아니하고 계속함. ¶불면(不眠) ~. ——-하다 자여불

붉가시-나무 [북—] 명 『식』 [*Cyclobalanopsis acuta*] 참나뭇과(科)의 상록 활엽 교목. 높이 10 m 가량, 껍질은 검푸르고 잎은 달걀꼴 또는 타원형이며 가의 톱니가 없고, 혁질(革質)을 이룸. 5월에 자웅 이주(雌雄異株)의 갈색 단성화(單性花)가 유제(柔荑) 화서로 피고, 견과(堅果)는 타원형인데 10월에 익음. 산골짜기의 양지에 나는데, 전남 및 일본·대만·중국 등지에 분포함. 줄기는 질기고 단단하여 선박·차량·보습·팽이 자루 등의 재료로 쓰임. 북가시나무.

붉-감펭 [북—] 명 『어』 [*Sebastiscus albofasciatus*] 양볼락과에 속하는 바닷물고기. 몸길이 약 35 cm로 쏨뱅이와 비슷하나 눈의 뒤쪽에 가시가 있고 몸빛은 적색 바탕에 황색을 띰. 심해성 어종으로 30-100 m 깊이에서 많이 사는데, 한국 중부 이남·남일본에 분포함. 맛이 쏨뱅이보다 조금 못함.

붉-나무 [북—] 명 『식』 [*Rhus chinensis*] 옻나뭇과에 속하는 작은 낙엽 활엽 교목. 잎은 호생하며 7-13개의 복엽(複葉)임. 소엽(小葉)은 달걀꼴이고 가에 톱니가 있고 뒷면에 잔털이 있으며 회색을 띠나 가을에는 홍색으로 변함. 8-9월에 흰 오판화(五瓣花)가 원추(圓錐) 화서로 가지 끝에 밀생(密生)하며, 자웅 이주(雌雄異株)임. 둥근 핵과(核果)는 폭 4 mm 가량이고 백분(白粉)으로 싸였으며 맛이 짬. 나뭇잎에 진딧물·나무진딧물 등의 곤충이 기생하여 혹같이 돋은 것을 '오배자(五倍子)'라고 하여 약용·물감·잉크 원료로 씀. 산과 들에 나는데, 한국·일본·중국 등지에 분포함. 가지를 불에 때면 폭음(爆音)이 남. 재목은 세공용(細工用)으로 씀. 천금목(千金木). 오배자나무.

〈붉나무〉

붉다 [북—] 형자 빛이 핏빛과 같다. 또, 그와 같이 되다. ㅆ붉다.

[붉고 쓴 장] 장빛이 붉어 맛이 좋을 듯하나 쓰다는 뜻으로, 겉은 화려하나 속은 흉악함을 이르는 말.

붉덩-물 [북—] 명 붉은 황토(黃土)가 섞이어 탁하게 흐르는 큰 물. 붉덩물 지다 구 붉덩물이 되어 흐르다.

붉-돔 [북—] 명 『어』 [*Evynnis japonica*] 감성돔과에 속하는 바닷물고기. 몸길이 약 40 cm로 참돔과 비슷하나 좀 작고 머리 위쪽이 급히 솟아 있음. 몸빛은 붉고 배쪽은 담색이며 청록색의 작은 반점이 산재함. 한국 중남부·일본·동중국해·대만·필리핀 연해에 분포함. 맛이 참돔보다 좀 떨어짐. 꽃도미.

〈붉돔〉

붉디-붉다 [북—북—] 형 아주 진하게 붉다.

붉-바리 [북—] 명 『어』 [*Epinephelus akaara*] 농어과에 속하는 바닷물고기. 몸빛은 붉은 빛을 띤 바탕에 양턱·아감딱지·체측·지느러미 등에 주홍색의 잔 점이 산재하여 보기에 고움. 한국 남방 특히 제주도 근해에 많고 일본 중부 이남에도 분포함. 맛이 좋음.

붉뿔돔-과【—科】[북—꽈] 명 『어』 [Priacanthidae] 농어목에 속하는 어류의 한 과. 둥글돔·뿔돔·홍치·홍옥치 따위가 이에 속함.

붉어-지다 [불거—] 자 빛이 점점 붉게 되어 가다. ¶얼굴이 ~. ㅆ붉어지다.

붉으락-푸르락 [불그—] 부 성이 나거나 흥분하여 안색이 붉었다 푸르렀다 하는 모양. ——-하다 자여불

붉은가슴-개미 [불근—] 명 『충』 [*Camponotus herculeanus obscuripes*] 개밋과의 곤충. 일개미의 몸길이 8-12 mm 이고, 몸빛은 흑색에 흉부(胸部)·복면(腹面)과 복부 제1절 전연(前緣)의 대부분은 암적색이며 복부 각 절(節) 후연(後緣)은 갈색임. 수컷은 흉부(胸部) 및 복부 기부(基部)가 암적색을 띠고, 암컷은 온몸이 흑색임. 주로 건축물의 목재 속에 영소(營巢)하는데, 한국·일본에 분포함. 홍가슴개미.

붉은가슴-밭종다리 [불근—종—] 명 『조』 [*Anthus cervinus*] 할미새과에 속하는 새. 밭종다리와 비슷하나 가슴의 털빛이 붉은 것이 특색임. 붉은가슴논종다리.

붉은가슴-울새 [불근—쌔] 명 『조』 [*Erithacus akahige*] 지빠귀과의 새. 참새만한 크기의 아름다운 새로, 날개 길이 7-8 cm, 부리는 뾰족하고 다리는 비교적 긴 편으로 부리의 약 배임. 털빛은 자웅(雌雄)이 각기 다르며 수컷은 등 쪽이 붉은 올리브색, 배 쪽은 희고 안면·목 및 꽁지는 적갈색(赤褐色), 가슴은 검은 회색을 이룸. 암컷은 전체적으로 털이 붉고, 앞면과 목은 황갈색임. 삼림(森林)에 살며 6-7월에 녹청색 무반(綠靑色無斑)의 알을 3-5개 낳고 벼랑이나 나무 뿌리 등에 낙엽으로 둥우리를 지음.

〈붉은가슴울새〉

붉은-가시딸기 [불근—] 명 『식』 곰딸기.

붉은-간토기【—土器】[불근—] 명 『고고학』 토기의 겉면에 붉은 안료(顔料)를 바르고 반들거리게 문지른 토기. 바탕흙은 대부분 정선된 흙을 사용하였고, 토기의 두께는 매우 얇고 정교하게 만듦.

붉은-거북 [불근—] 명 『동』 [*Caretta caretta*] 바다거북과에 속하는 거북. 바다거북과 비슷하나 배갑(背甲)의 길이 1 m 내외이고 몸빛은 붉은 갈색에 배갑(背甲)은 갈색, 하면(下面)은 황색을 띰. 배갑의 측판(側板)은 대여섯 쌍이고 사지(四肢)는 지느러미 모양으로 넓적하며, 발톱은 대개 두 개인데 자라면 한 개가 되는 것이 보통임. 먹이는 바다거북과 전연 달라 낙지·조개 같은 것을 먹음. 살은 먹을 수 없으나 지방(脂肪)은 비누의 원료로 쓰고 등딱지는 안경테 등속을 만듦. 6-7월에 바닷가 모래밭에 올라 10-170 개의 알을 낳음. 대서양·태평양·인도양·지중해 등에 널리 분포함. *바다거북.

〈붉은거북〉

붉은 광:장【—廣場】[불근—] 명 『지』 모스크바의 크렘린 궁전 동쪽에 있는 광장. 레닌 묘소(墓所)가 있음.

붉은-깔깔매미 [불근—] 명 『충』 산깽깽매미.

붉은-닥세리 [불근—] 명 〈방〉 ①백사지(白沙地). ②불모지(不毛地).

붉은-대동여뀌【—大同—】[불근—] 명 『식』 [*Persicaria trigonocarpa*] 마디풀과에 속하는 일년초. 줄기 높이 20-30 cm. 잎은 호생하는데 장병(長柄)이며 삼각형에 끝이 뾰족하고, 초엽(鞘葉)은 원통형(圓筒形)임. 7-8월에 붉은 빛을 띤 흰 꽃이 줄기 끝과 가지 끝에 2-5개가 피고, 수과(瘦果)를 맺음. 산지에 나는데, 제주도·경북 등지에 분포함. 세뿔산여뀌.

붉은뒷날개-밤나방 [불근—] 명 『충』 회색붉은뒷날개나방.

붉은-말 [불근—] 명 『식』 바닷말의 한 가지. 엽록소(葉綠素) 외에 붉은 색소(色素)를 가지고 있어 붉은 빛 또는 붉은 자주빛을 띰. 홍조(紅藻).

붉은머리-오목눈이 [불근—] 명 『조』 [*Suthora webbiana fulvicauda*] 박샛과에 속하는 새. 굴뚝새와 비슷하나, 등은 율적색(栗赤色), 배는 담황갈색(淡黃褐色), 다리는 회적색(灰赤色)으로 꽁지가 길며, 매우 민첩함. 여름·가을에 떼를 지어서 대발 같은 데서 벌레를 잡아먹는 익조(益鳥)로 집에서 농조(籠鳥)로도 기름. 한국에만 분포함. 교부조(巧婦鳥). 도충(桃蟲). 뱁새. 초료(鷦鷯).

〈붉은머리오목눈이〉

붉은-메기 [불근—] 명 『어』 [*Hoplobrotula armata*] 양메깃과의 바닷물고기. 몸길이 약 40 cm로 측편하고 주둥이는 몹시 무디며, 촉수(觸鬚)가 없음. 몸빛은 적갈색에 체측 및 배 쪽에는 흰 광택이 강함. 등지느러미와 뒷지느러미는 꼬리지느러미에 유합되어 있음. 약간 심해성인 어종으로, 한국 동남부와 제주도 연해 및 남일본에 분포함. 식용함.

〈붉은 메기〉

붉은-박쥐 [불근—] 명〖동〗 조복성박쥐.

붉은-발 [불근—] 명 부스럼의 언저리에 나타나는 충혈된 핏줄. 홍사(紅絲). *핏발.

붉은발(이) 서다 구 붉은발이 나타나다.

붉은발-도요 [불근—] 명〖조〗[*Tringa totanus eurhinus*] 도욧과의 새. 날개 길이 160 mm 가량, 배면(背面)은 갈색에 검은 반문이 있으며 허리는 백색. 발은 붉은 기를 띤 황색, 몸 아래쪽과 날개 끝은 희나 겨울에는 등 쪽이 회갈색으로 변함. 시베리아·중부 아시아에서 번식하고, 중국 남부·인도·일본·필리핀 등지에서 월동함. 다리붉은도요.

〈붉은발도요〉

붉은발-말똥게 [불근—] 명〖동〗[*Sesarma intermedia*] 바위겟과에 속하는 절지(節肢) 동물. 배갑(背甲)은 길이 28 mm, 폭 32 mm 내외이고, 갑각(甲殼)은 모말 비슷한 사각형에 갑각(甲脚)과 겸각(鉗脚)은 등적색(橙赤色)임. 이마의 중앙은 넓게 패고, 좌우 눈을 연결하는 선상에 네 개의 능선(稜線)이 옆으로 나란히 있으며, 아가미로 호흡하고, 알은 암컷의 복부(腹部)에 부착하여 해수(海水)에 들어가 변태(變態)함. 해안 또는 연못·냇가·습지(濕地)에 서식하는데, 한국의 황해(黃海) 연안·대만·일본·중국·미얀마·인도 등에 분포(分布)함. 보통, 식용으로 하지 않음. 모말게.

〈붉은발말똥게〉

붉은배-동고비 [불근—] 명〖조〗[*Sitta europaea bedfordi*] 동고빗과의 새. 아무르동고비와 비슷하나, 몸집이 훨씬 작고 눈에 흰 줄이 없으며 온몸은 암색(暗色)에 배는 붉은 빛을 띠었음. 익조(益鳥)로서 제주도(濟州島)에서 번식함.

붉은배-멋쟁이새 [불근—] 명〖조〗[*Pyrrhula pyrrhula kamtschatica*] 참샛과에 속하는 새. 멋쟁이새와 비슷하나 대형(大形)이며 배면(背面)은 담색(淡色)이고 목에서 복부(腹部)까지 선홍색을 띰. 침엽수에 집을 짓고 4-5개의 알을 낳음. 다른 새의 흉내를 잘 내며 피리 소리같이 욺. 한국의 북부 지방에 많음.

붉은배-오색딱따구리 【—五色—】[불근—] 명〖조〗[*Dendrocopos hyperythus subrufinus*] 딱따구릿과의 새. 날개 길이 125-135 mm, 몸빛은 머리에서 목까지와 하복부·하미통(下尾筒)은 선홍색(鮮紅色)인데 암컷의 정수리는 검으며 백색 무늬가 있음. 부리 끝은 암갈색이고 아랫부리의 기부(基部)는 녹황색을 이룸. 삼림 지대에 서식하는데, 한국·중국·만주 등지에 분포함.

붉은배-제비 [불근—] 명〖조〗[*Hirundo rustica mandschurica*] 제빗과의 새. 제비와 비슷하나 윗가슴에 있는 검정색 띠가 넓고 윗부분은 자감색(紫紺色)이며, 복부(腹部)는 다적색(茶赤色)으로 검은 띠가 있음. 동북 시베리아와 캄차카에서 번식하고 중국 남부에서 월동하는데, 한국에도 드물게 날아옴.

붉은배-지빠귀 [불근—] 명〖조〗[*Turdus chrysolaus*] 지빠귓과의 새. 흰배지빠귀와 비슷하나 날개 길이 120 mm 내외이고 정수리에서 등 아래쪽 부분은 일률적으로 다갈색(茶褐色)인데 가슴과 배의 양측은 등적색(橙赤色), 중앙은 백색임. 수컷의 얼굴과 목은 흑갈색이고, 암컷엔 백갈색의 무늬가 있음. 5-8월에 청록색의 알을 서너 개 낙엽과 진흙으로 지은 둥지에 낳음. 수컷은 번식기에 아름답게 욺. 사할린·북부 일본·한국에서 번식하고 대만 남부·중국 등지에서 월동함. 붉은배티티.

〈붉은배지빠귀〉

붉은배-티티 [불근—] 명〖조〗 붉은배지빠귀.

붉은별무늬-병 【—病】[불근—니뼝] 명〖식〗 적성병(赤星病).

붉은-병꽃나무 【—瓶—】[불근—] 명〖식〗[*Weigela florida* var. *glabra*] 인동과의 낙엽 활엽 관목. 잎은 타원형 또는 거꿀달걀꼴. 가에 톱니가 있고 뒷면에 털이 있음. 5-6월에 담홍색 꽃이 취산상(聚繖狀) 화서로 액생(腋生) 또는 정생하고, 단단한 삭과(蒴果)는 9월에 익음. 산기슭 양지 및 암석 지대에 나는데, 한국 각지 및 만주·중국에 분포함. 관상용. 잔가지는 고리짝을 만드는 데 씀.

붉은부리-갈매기 [불근—] 명〖조〗[*Larus ridibundus sibiricus*] 갈매깃과의 새. 갈매기와 비슷한데 날개 길이 28-33 cm, 꽁지 11-13 cm이고, 몸빛은 겨울에는 배면(背面)과 날개가 담회청색이고 여름에는 머리 전체가 흑갈색이며 부리와 다리는 붉음. 해안·항구·연못 등에 떼지어 날아 다니며 고기·새우·조개·곤충 등을 잡아먹음. 유럽·아시아 북부에서 번식하고 한국·중국·일본·아프리카·인도 등지에서 월동함.

〈붉은부리갈매기〉

붉은 빛 [불근—] 명 핏 빛과 같은 색. 적색(赤色).

붉은뺨-멧새 [불근—] 명〖조〗[*Emberiza fucata fucata*] 참샛과의 새. 날개 길이 6.5-8 cm, 꽁지 6-7 cm인데, 머리와 목은 회색이고 배면(背面)은 갈색에 검은 종반(縱斑)이 있으며 허리는 검음. 배는 희고 목 옆에서 윗가슴까지 검은 얼룩 무늬가 있음. 5-7월에 3-6개의 알을 낳음. 얕은 산이나 풀밭에 서식하는데, 동부 시베리아·홋카이도·중국 북부·만주에서 번식하고 한국·일본·중국 남부에서 월동함.

〈붉은뺨멧새〉

붉은선두리-푸른자나방 [불근—] 명〖충〗[*Hemithea aestivaria*] 자벌레나방과에 속하는 곤충. 편 날개의 길이 28 mm 내외이고, 몸빛은 녹색에 얼굴은 적갈색이며, 날개의 횡선(橫線)은 백색이고 적갈색과 백색의 연모(緣毛)가 났음. 유충(幼蟲)은 장미·벚나무·복숭아·버드나무·귤 등의 해충으로, 한국에도 분포함. 장미푸른자벌레나방.

붉은-싸리버섯 [불근—] 명〖식〗 광대버섯.

붉은-양지니 [불근—] 명〖조〗[*Carpodacus erytirinus*] 참샛과의 새. 날개 길이 8-9 cm, 꽁지 5.8-7 cm이고, 부리는 양지니보다 더 고부라짐. 수컷은 아름다운 홍색에 볼과 목은 광택 있는 은백색이고 날개는 감람적색에 칙칙한 얼룩 무늬가 있는데, 암컷은 빛이 연함. 유럽·아시아의 북부·사할린 등지에 분포함. *양지니.

붉은어깨-도요 [불근—] 명〖조〗[*Calidris tenuirostris*] 도욧과의 새. 날개 길이는 180 mm 가량, 등쪽은 흑색, 머리와 목은 금빛에 검은 반점(斑點)이 있고, 가슴은 금적색(金赤色)에 검은 반점이 있으나 여름에는 전부 흑색으로 변함. 동부 시베리아에서 번식하고, 한국·일본·중국·인도 등지를 거쳐 오스트레일리아에서 월동함.

붉은 여단 【—旅團】[불근녀—] 명 [이 Brigate rosse]〖정〗 이탈리아의 극좌(極左) 과격 테러 집단(集團). 1970년경 결성됨.

붉은-여우 [불근녀—] 명〖동〗[*Vulpes fulva*] 갯과의 여우의 하나. 북미 남부·아이슬란드·히말라야 산맥을 포함한 유라시아 북부, 사하라 사막의 북아프리카 지역에서 많이 발견됨. 색은 밝은 적색에서 오렌지 황색, 혹은 갈색 등 여러 가지이며 귀 뒷 부분과 사지(四肢) 밑은 빛이 어둡고 꼬리 끝은 희거나 검음. 크기에 있어서도 차이가 심하여 어떤 것은 아주 작은 종(種)의 2배나 됨. 굴을 파고 살며 많은 종류의 동물을 잡아먹음.

붉은-엿 [불근녇] 명 덜 고아서 빛깔이 붉은 엿.

붉은-옷 명〖불교〗〈방〉 적의(赤衣)❷.

붉은-인가목 [불근—] 명〖식〗[*Rosa marretii*] 장미과의 낙엽 활엽 관목. 가시가 있고, 잎은 두세 개씩 복생(複生)함. 5-6월에 장미빛 꽃이 가지 끝에 한 개씩 피고, 과실의 악통(萼筒)은 둥글고 10월에 익음. 산기슭에 나는데, 강원·평북·함남북 및 일본·사할린에 분포. 관상용임.

붉은 저고리 [불근—] 명〖책〗 육당(六堂) 최남선(崔南善)이 '소년(少年)'지의 뒤를 이어 한일 합방 직후 발간한 초기 어린이 잡지. 1913 년 1 월에 창간하여 타블로이드판 8면 정도로 매월 2회 간행. 1913 년 6 월까지 통권 12 권을 냄.

붉은점-모시나비 【—點—】[불근—] 명〖충〗[*Parnassius bremeri*] 호랑나빗과의 곤충. 편 날개의 길이 56-70 mm이고, 몸빛은 외연(外緣)은 흑색이며, 날개 무늬는 개체(個體)에 따라 변화가 많은데, 붉은 무늬는 암컷이 수컷의 것보다 발달되었고 수컷에는 없는 것도 있음. 한국에도 분포함.

붉은-제충국 【—除蟲菊】[불근—] 명〖식〗[*Chrysanthemum coccineum*] 국화과의 다년초. 높이 60 cm 가량. 잎은 호생하며, 우상(羽狀)으로 깊이 째짐. 꽃은 줄기 끝에 두상(頭狀) 화서로 피는데, 가장자리는 붉은 설상화(舌狀花)이고, 가운데는 누른 통상화임. 페르시아 원산으로 각 지방에서 재배함. 꽃을 말린 가루로는 구충제(驅蟲劑)를 만듦. 적색(赤色)제충국. 제충국(除蟲菊).

〈붉은제충국〉

붉은줄뒨-꼬마불나방 [불근—라—] 명〖충〗 붉은줄불나방.

붉은줄-불나방 [불근—라—] 명〖충〗[*Chionaema hamata*] 불나방과에 속하는 곤충. 편 날개의 길이 32-38 mm이고, 몸빛은 순백색에 촉각은 담갈색, 앞날개의 아기선(亞基線)·내횡선(內橫線)·외횡선(外橫線)의 각 선(線)과 외연부(外緣部)는 붉은 빛이며 중앙실의 말단에 수컷은 두 개, 암컷은 한 개의 검은 점문(點紋)을 가짐. 유충은 선태류(鮮苔類)의 해충임. 한국에도 분포함. 붉은줄뒨꼬마불나방.

붉은진꽃-하늘소 [불근—쏘] 명〖충〗[*Leptura succedanea*] 하늘솟과의 곤충. 몸은 길이 14-22 mm인데, 흑색에 황회색의 털이 있고, 전배판(前背板)·시초·전중각(前中脚)의 경절(脛節)은 적갈색을 이루며, 몸의 아랫 부분에는 황회색 털이 밀생함. 보통의 꽃에 모이는데, 한국에도 분포함.

붉은-차돌 [불근—] 명〖광〗 빛이 붉은 차돌. 홍석영(紅石英).

붉은-참반디 [불근—] 명〖식〗[*Sanicula rubriflora*] 미나릿과의 다년초. 줄기 높이 1 m 가량, 근엽(根葉)은 잎꼭지가 매우 길며, 경엽(莖葉)은 잎꼭지가 없고 세 갈래로 째짐. 6월에 자홍색 꽃이 복산형(複繖形) 화서로 피고, 달걀꼴의 과실을 맺음. 산지에 나는데, 경북·강원·평남·평북 등지에 분포함.

붉은터리-풀 [불근—] 명〖식〗[*Filipendula koreana*] 장미과에 속하는 다년초. 줄기 높이 80 cm 가량, 잎은 호생하며 잎꼭지가 길고 근생엽(根生葉)은 5-6 쌍, 경엽(莖葉)은 한두 쌍의 소형의 잎이 배열되었음. 6-8월에 홍색 꽃이 취산상 산방(聚繖狀繖房) 화서로 줄기 끝이나 가지 끝에 정생(頂生)하여 피고, 수과(瘦果)를 맺음. 산지에 나는데, 평북·함남북 등지에 분포함.

붉은 토기 【—土器】[불근—] 명〖고고학〗 원사(原史) 시대 또는 삼국 시대의 토기 가운데에서, 공기가 충분히 주어진 상태에서 산화염(酸化焰)으로 구워져 붉은 빛을 띠는 토기.

붉은-토끼풀 [불근—] 명〖식〗[*Trifolium pratense*] 콩과의 다년초. 높이는 30-40 cm 이고, 장병(長柄)의 잎은 호생하며 세 갈래로 째진 복엽(複葉)인데, 소엽은 심장형을 이룸. 긴 잎꼭지가 있고, 여름에 담홍색 또는 홍자색(紅紫色)의 작은 나비 모양의 꽃이 두상(頭狀) 화서로 핌. 아시아 서남부의 원산으로, 유럽·북미 등지에서 널리 재배함. 목초(牧草) 또는 녹비(綠肥)로 씀.

〈붉은토끼풀〉

붉은파리-버섯 [불근—] 명〖식〗 광대버섯.

붉은-팥 [불근—] 명 껍질 색이 검붉은 팥. 한방(漢方)에서 부증(浮症)과

갈증(渴症)을 다스리는 데 쓰고 외과(外科)에도 쓰임. 적두(赤豆). 적소두(赤小豆). 홍두(紅豆).

붉은-피톨 [불근-] 명〖생〗'적혈구(赤血球)'의 풀어 쓴 말. ↔흰피톨.

붉은허리-개개비 [불근-] 명〖조〗[*Locustella fasciolata*] 휘파람샛과의 새. 날개 길이 85 mm 가량이고, 배면(背面)은 대적갈색, 아랫부분은 회백색, 겨드랑이는 황갈색이고 부리는 암갈색을 이루는데 회백색의 미반(尾斑)이 뚜렷하지 않음. 얕은 산에 서식하는데, 동북 아시아에서 번식하고, 한국 등을 거치어 필리핀 지방에서 월동함.

붉을적-부【-赤部】[불글-] 명 한자 부수(部首)의 하나. '赦'나 '赫'등의 '赤'의 이름.

붉-홍【-紅】명〈방〉북홍(北紅).

붉히다 [불키-] 타 성이 나거나, 부끄러워 얼굴을 붉게 하다. ¶낯을 ~.

붊글〈옛〉풀무를. '불무¹'의 목적격형. ¶큰 붊글 여희니라(辭大鑪)《杜諺 Ⅱ:47》.

붊긔〈옛〉풀무에. '불무¹'의 처소격형. ¶비록 붊긔 소라 노교물 브트니(雖假鑪冶鎖鎔)《圓覺 上 二之三 33》.

붊기라〈옛〉풀무이라. '불무¹'의 서술격형. ¶鑪눈 붊기라《金三 Ⅱ:28》.

붊 명〈옛〉풀무¹. =불무¹. ¶鑪눈 붊기라《金三 Ⅱ:28》.

붊다 형〈방〉부럽다(함경·경상).

붐: [boom] 명 ①갑자기 수요(需要)가 증가하여 가격이 급등(急騰)하는 일. 장사의 벼락 경기(景氣). 열광적 경기. ②어떤 사물이 갑자기 번성하는 일. ¶부동산 투기 ~.

붐비다 형 ①많은 사람·차량 등이 혼잡하게 들끓다. ¶버스 안이 ~/길거리에는 차들이 붐비고 있다. ②사물이 한데 엉클어져 복잡한 상태를 이루다. ¶일이 붐빈다.

붐: 타운 [boom town] 명 신흥(新興) 도시.

붐:-하다 형여불 ↗희붐하다. 붐:-히 부

붑 명〈옛〉북². =붚. ¶蜀人 將軍이 旗와 붑과를 논호고(蜀將分旗鼓)《杜諺 Ⅴ:10》/붑텨 니로모로브터(自轉鼓起來)《法語 8》.

붑괴다 자〈옛〉끓어 뒤섞이다. ¶涇水눈 두 マ૪ 소이에 붑괴놋다(涇水中蕩潏)《杜諺 Ⅰ:3》.

붑:따 형〈방〉부럽다(전라·경남).

붑마치 명〈옛〉북채. ¶붑마치 부(桴)《字會 中 12》.

붑메우다 자〈옛〉북메우다. ¶붑메울 만(鞔)《字會 下 20》.

붑티다 자〈옛〉북치다. ¶붑티다(擂鼓)《字會 下 12》.

붓¹ [고대 중국어 筆 piwət] 명 ①가는 대 끝에 털을 꽂아서 먹이나 채색을 찍어서 글씨를 쓰거나 그림을 그리는 물건. 털붓. 관성자(管城子). ②털붓·연필·펜·만년필 등의 총칭.

붓² 명〈방〉돈대(墩臺).

붓³ 명〈옛〉북³. 초목의 뿌리를 싸고 있는 흙. ¶붓도돌 빅(培). 붓도돌 옹(壅)《字會 下 5》.

붓⁴ 명〈옛〉뜸. =봊². ¶비보글 셜흔 붓글 쓰라(臍中三十壯乙綱 忠臣灸乙爲乎矣)《牛方 8》.

붓그러봄 명〈옛〉부끄러움. ¶붓그러봄 시수믈 제 所任사마 훌씨《三綱 22》.

붓그레 부〈옛〉부끄러이. 부끄럽게. ¶머글것 빠다가 어버시 머기믈 붓그레 너기니(應齎餵物 供養尊親 每詐羞慚)《恩重諺 16》.

붓그룸 타〈옛〉부끄러움. '붓그리다'의 명사형. ¶過惡 짓고 제 붓그류미 일후미 慚이오《圓覺 上 一之一 30》.

붓그리 부〈옛〉부끄럽게. 부끄러이. ¶시절 슬후믈 孔父를 붓그리홀고(傷時愧孔父)《杜諺 Ⅰ:43》.

붓그리다 자타〈옛〉부끄러워하다. ¶雙南金에 가줄보믈 붓그리노라(愧比雙南金)《杜諺 Ⅵ:14》.

붓그업다 형〈옛〉부끄럽다. ¶붓그업게 말라(休教羞了)《老乞 下 42》.

붓글〈옛〉뜸을. 방울. '붓⁴'의 목적격형. ¶뿍 붓글(艾炷)《牛方 8》.

붓-꺾다 자 쓰기를 그만두다. 문필 생활을 그만두다. 붓놓다. 붓던지다.

붓-꽃 명〖식〗[*Iris nertschinskia*] 붓꽃과에 속하는 다년초. 높이 60-90 cm이고, 근경(根莖)은 땅 위로 뻗으며 가는 뿌리가 많고, 줄기는 원기둥꼴인데 총생하고 곧음. 잎은 선형(線形)이고, 녹백색의 엽맥(葉脈)이 뚜렷함. 5-6월에 청자색 꽃이 잎 사이에서 꽃꼭지가 나와서 안쪽에서 백색·황색·갈색·자색이 차례로 무늬를 이루어 피고 삼릉주형(三稜柱形)의 삭과(蒴果)를 맺음. 산이나 들에 나는데, 한국·동시베리아·일본 등지에 분포함. 관상용으로 널리 재배함. 계손(溪蓀). 수창포(水菖蒲).

〈붓꽃〉

붓꽃-과【-科】명〖식〗[Iridaceae] 단자엽 식물의 한 과. 전세계에 1,000여 종이 있는데, 한국에는 꽃창포·범부채·붓꽃·사프란 등의 15종이 분포함.

붓-끝 명 ①붓의 뾰족한 끝. 필단(筆端). ②붓의 놀림새. 문장(文章)의 날카로움. 필봉(筆鋒). 호단(毫端). 필단(筆端). ¶~이 날카롭다/~가는 대로 쓰다.

붓-날다 자 말이나 짓이 경솔하고 들뜨다.

붓-날리다 타 말이나 짓을 경솔하고 들뜨게 하다. 붓날게 하다.

붓-놓다 [-노타] 자 ①글을 다 쓰다. ②붓꺾다.

붓:다¹ 자ㅅ불 [중세: 붓다] ①부기(浮氣)로 말미암아 살 가죽이 부풀어 오르다. ¶울어서 눈이 ~. ②〈속〉성이 나다. ¶왜 그리 잔뜩 부어 있니.

붓:다² 타ㅅ불 [중세: 븟다] ①그릇에 든 액체나 자질구레한 물건들을 다른 곳에 쏟거나 담다. ¶독에 물을 ~. ②씨앗을 배게 뿌리다. ¶배추씨를 ~. ③곗돈 또는 어떠한 불입금(拂入金)을 일정한 기한마다 치르다. ¶다달이 곗돈을 ~/부어나가는 돈.

붓:다³ 타 ↗부수다. >밧다³.

붓다⁴ 타〈옛〉부치다. 부채질하다. ¶녀르미면 벼개와 돗과를 부체 붓고《三綱 孝子 9》/벼개 돗골 붓고《三綱 孝子 19》.

붓-대 명 붓을 쥐게 된 자루. 필관(筆管). 필축(筆軸).

붓-대다 자 글이나 글씨를 쓰다.

붓-던지다 자 쓰기를 중도에서 그만두다. 붓꺾다.

붓도도다 타〈옛〉북돋우다. =붓도도다. ¶붓도돌 빅(培)《字會 下 5》.

붓도딜ᄒᆞ다 자〈옛〉까라기 날리다. 풍구질하다. ¶붓도딜ᄒᆞ다(颺颺)《同文 下 2》.

붓돌질ᄒᆞ다 자〈옛〉까라기 날리다. 풍구질하다. ¶붓돌질ᄒᆞ다(颺場)《漢淸 Ⅹ:6》.

붓동히다 타〈옛〉단단히 동이다. ¶시름을 쓰드러 너여 얽어미야 붓동혀셔《古時調 金壽長》.

붓-두겁 명 ☞붓두껍.

붓-두껍 명 붓의 촉을 끼워 두는 물건. 대나 얇은 쇠붙이로 붓대보다 조금 굵게 만듦. 두겁.

붓두껍-무늬 [-니] 명〖고고학〗새의 뼈나 대나무관으로 찍어 낸 무늬.

붓-뚜껑 명 ☞붓두껍.

붓-발 명 붓놀림에서 붓끝이 나아가는 기세(氣勢).

붓-방아 명 글을 쓸 적에 생각이 미처 나지 아니하여 붓대만 놀리고 있는 짓. 붓방아 찧:다 구 붓방아질을 연해 하다.

붓방아-질 명 붓방아를 찧는 짓. ——-하다 자여불

붓-셈 명 '필산(筆算)'의 풀어 쓴 말. ——-하다 타여불

붓순 명〖식〗↗붓순나무.

붓순-나무 명〖식〗[*Illicium anisatum*] 붓순나뭇과에 속하는 상록 활엽의 작은 교목. 높이 4-5 m, 잎은 호생하며 긴 타원형에 가에는 톱니가 없고 특이한 향기가 남. 3-4월에 엷은 황백색 꽃이 엽액(葉腋)에서 피며, 골돌과(蓇葖果)는 8-12 개가 환생(環生)하여 9월에 익는데, 맹독(猛毒)이 있음. 산기슭 숲 속의 습한 곳에 나는데, 제주도·완도(莞島)·진도(珍島) 및 일본·대만에 분포함. 줄기는 양산 자루·염주 재료가 되며, 수피 및 과실은 향료용이고, 사찰·묘지(墓地) 등에 심음. 망초(莽草). 진과(蓁瓜). 팔각회향. 팔각(八角). 준붓순.

〈붓순나무〉

붓순나뭇-과【-科】명〖식〗[Winteraceae] 쌍자엽 식물에 속하는 한 과. 당매자나무·매자나무·붓순나무 등이 이에 속함.

붓-자루 명 ☞붓대.

붓-장난 명 ①붓으로 글을 쓰거나 그림을 그리는 일을 얕잡아 이르는 말. ②글씨나 그림을 아무렇게나 내갈기는 짓. ——-하다 자여불

붓좃다 타〈옛〉추종하다. 붙좇다. ¶붓좃다(附他)《同文 上 46》/붓좃게 ᄒᆞ다(招撫)《同文 上 46》.

붓-주머니 명 붓을 넣어 허리에 차는 주머니. 보통, 직사각형의 색 비단 주머니인데, 위쪽 뚜껑에 끈이 꿰어져 있음. 필낭(筆囊).

붓-질 명 붓을 놀려서 그림을 그리는 짓. ——-하다 자여불

붓츠다 피동〈옛〉부치이다. ¶예셔 날애를 드러 두세번만 붓츠면은《古時調》《松江 思美人曲》.

붓티다 타〈옛〉부치다. 보내다. ¶淸光을 퍼여내여 鳳凰樓의 붓티고져

봊¹ 명〈옛〉씨¹❶. ¶釋種은 어딘 붓기라 ᄒᆞ논 마리라《月釋 Ⅱ:7》.

봊² 명〈옛〉뜸. =붓⁴. ¶뿍 붓글(艾炷)《牛方 8》/비보글 셜흔 붓글 쓰라(臍中三十壯乙灸乙爲乎矣)《牛方 8》.

붕¹【崩】명 ↗붕어(崩御). ——-하다 자여불

붕² 부 ①방귀를 뀌는 소리. 쓰뿡. 쁘뿡. ②비행기나 벌 같은 것이 날 때 나는 소리. ③자동차 같은 것에서 한 번 울리는 경적 소리. 1)-3):>봉¹⁰. ④어떠한 것을 허망하게 잃거나 날린 모양. ¶생때 같은 돈 천만 원이 ~ 떴다.

붕각【崩角】명 머리를 땅에 댐. ——-하다 자여불

붕괴【崩壞】명 ①허물어져 무너짐. 붕퇴(崩頹). 붕궤(崩潰). ②[degradation]〖물〗에너지가 일로 변환되는 것이 점차 곤란해지는 상태로 떨어지는 일. 그 결과 엔트로피는 일반적으로 증가함. ——-하다 자여불

붕괴 감마선【崩壞 γ線】명 [decay gammas]〖물〗대부분의 방사선 동위 원소가 붕괴할 때에 방출하는 특유(特有)한 γ선.

붕괴 곡선【崩壞曲線】명 [decay curve]〖물〗방사선 물질 표면의 방사능이 시간과 더불어 어떻게 변화하는가를 나타낸 그래프. 이 그래프를 보면 어떤 시각에 남아 있는 방사성 물질의 양(量)을 알 수 있음.

붕괴 상수【崩壞常數】명 [disintegration constant]〖물〗방사성 원소 또는 소립자(素粒子)가 단위 시간(單位時間)에 괴변(壞變)하는 속도를 나타내는 양으로, 그 원소 또는 소립자에 고유한 상수(常數)임.

붕괴 에너지【崩壞-】명 [disintegration energy]〖물〗방사성 붕괴 때 방출되는 에너지. Q로 표시함.

붕괴-열【崩壞熱】명 [decay heat]〖물〗방사성 핵종(核種)이 붕괴할 때 생기는 열.

붕괴 칼데라【崩壞-】명 [collapse caldera]〖지〗마그마의 기반이 없어져 함몰(陷沒)하여 생긴 칼데라.

붕궤【崩潰】명 붕괴. ——-하다 자여불

붕긋 부 붕긋한 모양. ¶~ 솟아난 물방울은 순간의 광휘를 위해 마음껏 팽창한다《洪性裕 : 사랑과 죽음의 세월》.

붕긋-붕긋 부 ①언덕이나 산봉우리 따위가 여기저기 조금씩 솟은 모양. ②배접한 물건이 군데군데 들뜬 모양. 1)·2):>봉긋봉긋. ——-하다 형여불

붕긋-이 부 붕긋하게. >봉긋이.

붕긋-하다 형여불 ①언덕이나 산봉우리 따위가 조금 높직하게 솟아 있다. ②많이 먹어서 배가 불끈 솟아 있다. ¶배가 붕긋하도록 먹다. ③배접한 물건이 조금 들떠 있다. ¶벽지(壁紙)가 ~. ④그릇에 담은 물건이 그 그릇의 전보다 조금 높이 올라와 있다. 1)-4):>봉긋하다.

붕넙칫-과【-科】명〖어〗[Pleuronectidae] 가자미목(目)에 속하는 어류(魚類)의 한 과. 종류가 아주 많은데, 가시가자미·각시가자미·감성가자미·강도다리·눈가자미·돌가자미·도다리·문치가자미·물가자미·범가자미·용가자미·점가자미·줄가자미·참가자미·홍가자미 등이 이 과에 속함. 배지느러미에 가시가 없고 두 눈은 몸의 오른쪽에 있는 것이 특징임.

붕당【朋黨】[명] ①이해(利害)나 주의(主義) 등이 같은 사람끼리 모인 단체. 끼리끼리 모인 패. 당(黨). ②〖역〗 중국의 후한(後漢)·당(唐)·송(宋) 시대에 발생한 정치적 도당(徒黨).
붕당 정치【朋黨政治】[명]〖역〗조선 중기·후기의 정치 운영 형태. 16 세기 선조(宣祖) 시대 이후 중앙 정계에 붕당(朋黨)이 형성되어 공존(共存)하는 속에서 정치를 담당하다가 17 세기 후반에는 일당 전제(一黨專制)의 성향을 띠게 되고 이윽고 척신(戚臣)들에 의한 벌열(閥閱) 정치로 이행됨. *당쟁(黨爭).
붕대【繃帶】[명] 종기나 상처에 감는 소독된 면포(綿布)·가제·플란넬(flannel) 등의 총칭. 세균 침입의 방지·보온(保溫)·방압(防壓)·배농(排膿) 등의 역할을 함.
붕대-물치 [명]〖어〗[*Macrorhamphosus japonicus*] 대주둥치과에 속하는 바닷물고기. 몸은 측편(側扁)하고, 주둥이는 앞으로 돌출하여 있는데, 양턱은 작고 이빨이 없음. 몸길이 약 8 cm이고, 몸빛은 회백색을 띤 적갈색(赤褐色)인데 아래쪽은 담색(淡色), 조잡하고 작은 비늘이 온몸에 덮여 있으며, 복면(腹面)에는 골질편(骨質片)이 열생(列生)함. 우리 나라 동해 중부 연해(沿海)·일본 중부 이남의 깊은 곳에 분포함.
붕대-술【繃帶術】[명]〖의〗환부(患部)에 붕대를 감아 매는 기술.
붕대-액【繃帶液】[명] 붕대 대신으로 바르는 액체.
붕대-지【繃帶地】[명] 붕대로 사용하는 천. 가제(Gaze).
붕도[1]【朋徒】[명] 한 동아리. 한패.
붕도[2]【鵬圖】[명] 원대한 계획. 또, 크게 품은 뜻의 비유. *웅도(雄圖).
붕락【崩落】[—낙] [명] ①무너져서 떨어짐. 붕추(崩墜). ②물건 값이 갑자기 뚝 떨어짐. 폭락(暴落). ③〔spilling〕〖해〗큰 물결이 해안에 다가옴에 따라 무너져 가는 과정. 하얀 물마루가 나타나고, 그 물마루는 허물어지지 않은 채 휩쓸려 듦. ——-하다 [자][여불]
붕락-물【崩落物】[—낙—] [명]〔fall〕〖광〗지하의 작업소 또는 갱내에서 천반이나 측벽에서 떨어진 암석, 석탄, 광석의 큰 덩어리.
붕락 지반【崩落地盤】[—낙—] [명]〔caving ground〕〖광〗시멘테이션, 케이빙, 동바리 등의 버팀이 없이는 지하의 공동벽(空洞壁)을 버텨낼 수 없는 암반(岩盤).
붕박【崩剝】[명] 무너져서 어지럽게 됨. ——-하다 [자][여불]
붕발【澎渤】[부] 물결이 서로 부딪치는 소리. 붕획(澎濊).
붕배【朋輩】[명] 지위(地位)와 나이가 비슷한 벗. 같은 또래의 벗. 붕조(朋曹).
붕배-간【朋輩間】[명] 지위와 연배가 서로 비슷한 벗 사이.
붕-붕 [부] ①방귀를 자꾸 뀌는 소리. ≒풍풍. ②비행기나 큰 곤충 같은 것이 연해 날 때 나는 소리. ③자동차 같은 것에서 연해 울리는 경적 소리. >봉봉². 1)-3): ≒빵빵.
붕붕-거리다 [자][타] 붕붕 소리를 자꾸 내다. ¶ 벌이 머리 위에서 ～. ≒빵빵거리다.
붕붕-대다 [자][타] 붕붕거리다.
붕비[1]【朋比】[명] 붕당(朋黨)을 지어 자기 편을 두둔함. ——-하다 [자][타][여불]
붕비[2]【鵬飛】[명] 붕새처럼 높이 남. ——-하다 [자][여불]
붕사【硼砂】[명]〔borax〕〖화〗붕소(硼素)의 화합물. 백색 경고(硬固)한 단사정계 결정(單斜晶系結晶). 성분은 붕산 소다로서, 천연(天然)으로는 고체로서 생산되며 인공적으로는 붕산(硼酸)에 탄산(炭酸) 소다를 가하여 중화시켜 만듦. 융제(融劑)·에나멜과 유리의 원료로 쓰이며 소독용·방부제·화학 실험에서 붕사 구슬 반응(反應)의 시약(試藥)으로도 씀. 특히 한방(漢方)에서는 담(痰)을 다스리며 후증(喉症)·적취(積聚)에도 씀. 분사(盆砂). 붕산 나트륨. [$Na_2B_4O_7 \cdot 10H_2O$]
붕사구 반:응【硼砂球反應】[명]〖화〗붕사 구슬 반응.
붕사 구슬 반:응【硼砂—反應】[명]〔borax bead reaction〕〖화〗건식 분석법(乾式分析法)의 하나. 백금선(白金線)의 끝을 고리 모양으로 하여 거기에 붕사 가루를 묻혀 열(熱)할 때에 생기는 유리 모양의 구슬에 다른 금속의 산화물(酸化物)을 조금씩 묻혀 다시 열할 적에 나타나는 합금속 고유색(合金屬固有色)의 반응. 붕사구 반응. 붕사구 시험.
붕사구 시험【硼砂球試驗】[명]〖화〗붕사 구슬 반응.
붕사-땜【硼砂—】[명] 쇠붙이에 붕사를 써서 하는 땜질. 땜할 자리를 달군 뒤에 붕사 가루나 그 용액을 바르고 때움.
붕산【硼酸】[명]〔boric acid〕〖약〗무색·무취(無臭)의 진주 광택(眞珠光澤)이 있는 인편상(鱗片狀)의 결정. 붕사(硼砂)에 황산(黃酸)을 작용시켜 만든 것으로 더운 물에 잘 녹으며 약산성(弱酸性)을 띰. 함수(含漱)·화장용·방부용(防腐用)·소독용·세안용(洗眼用)으로 씀. 천연적(天然的)으로는 화산으로부터 분출(噴出)하는 수증기 안에 있음. [H_3BO_3]
붕산 고약【硼酸膏藥】[명]〖약〗붕산 연고.
붕산 나트륨【硼酸—】〔도 Natrium〕[명]〔sodium borate, sodium pyroborate〕〖화〗수용성(水溶性) 무취(無臭)의 하얀 분말. 많은 종류가 있는데 붕사(硼砂)도 그 하나임. 녹는점 75°C. 200°C 에서 결정수(結晶水)를 잃음. 도자기·유리·용접제·세제(洗劑)·사진 약으로 쓰임.
붕산-면【硼酸綿】[명]〖약〗붕산 12 g을 증류수(蒸溜水) 200 cc에 녹이고 탈지면을 담가서 2-3시간 두었다가 물을 짜 버리고 볕에 말린 솜. 붕산의 방부성을 이용, 상처 같은 곳을 싸매는 데 씀.
붕산 무수물【硼酸無水物】[명]〖화〗삼산화(三酸化) 이붕소(二硼素)의 통칭. 무수 붕산.
붕산 소:다【硼酸—】〔soda〕[명] 붕산의 나트륨염(塩). 여러 가지가 있음.
붕산-수【硼酸水】[명]〖약〗붕산을 적당한 농도(濃度)로 녹인 물. 방부제(防腐劑)·소독제·살균제 또는 화장용·함수제(含漱劑)로 씀.
붕산 암모늄【硼酸—】[명]〔ammonium borate〕〖화〗백색 결정성(結晶性)의 수용성염(水溶性塩). 분해점 198°C. 섬유의 내연제(耐燃劑)로 쓰임. [NH_4BO_3]
붕산 에스테르【硼酸—】[명]〔boric acid ester〕〖화〗가수 분해하면 즉각 붕산과 알코올을 생성하는 화합물의 총칭.
붕산 연:고【硼酸軟膏】[—년—] [명]〖약〗단연고(單軟膏)·밀랍(蜜蠟)·참기름 등에 붕산 가루·글리세린을 혼합하여 만든 담황색의 연고. 살균·소독 작용을 하며 화상(火傷)·피부병 등에 씀. 붕산 고약.
붕산-염【硼酸塩】[—념] [명]〖화〗붕산의 수소가 어느 금속 원소로 치환(置換)된 염류(塩類).
붕-새【鵬—】[명] 상상의 큰 새. 장자(莊子)의 소요유(逍遙遊)편에 나오는, 곤(鯤)이 변해서 된 새로서 날개의 길이가 삼천 리나 되며 한번에 9만 리를 날아간다고 함. 대붕(大鵬). 붕조(鵬鳥).
붕성지-통【崩城之痛】[명] 남편의 죽음을 슬퍼하여 우는 아내의 울음. ↔고분지통(叩盆之痛).
붕소【硼素】[명] 비금속(非金屬) 원소의 하나. 흑갈색인 무정형(無定形)의 고체로서 천연으로는 붕사(硼砂) 또는 붕산과 같은 화합물로서 생산됨. 강하게 열하면 산화하여 붕산(硼酸) 무수물이 되고 황산과 함께 가열하면 산화하여 붕산이 됨. [5번:B:10.811]
붕소 중성자 포:착 요법【硼素中性子捕捉療法】[—뇨뻡] [명]〖의〗암의 방사선 치료 방법의 하나. 종양(腫瘍) 부분으로만 모이는 성질이 있는 특수한 붕소 화합물을 주사해 두고, 반일(半日) 또는 하루 뒤에 속력이 느린 열중성자(熱中性子)를 쐬면 붕소 화합물 중의 동위 원소(同位原素)가 열중성자를 만나 알파선(α 線)을 방출하여 종양 세포를 죽임.
붕숭-하다 [형][여불] ←봉송(鬔鬆)하다.
붕:아 [명]〈방〉붕어(경기·황해).
붕앙 [명]〈방〉불알.
붕애 [명]〈방〉붕어(강원·전남·경남).
붕:어[1] [명]〖어〗[*Carassius auratus*] 잉어과에 속하는 민물고기. 몸길이는 보통 10-15 cm이고 드물게 45 cm에 달하는데, 몸은 폭이 넓고 머리는 무디게 뾰족하고 주둥이 끝은 둥글며 수염이 없음. 몸빛은 등 쪽이 푸른 갈색이고 배쪽은 은백색에 황갈색을 띠는데 등지느러미와 꼬리지느러미는 푸른 갈색이고 다른 지느러미는 담색이나 서식하는 수계(水系)에 따라 몸빛이 다소 달라짐. 일반적으로 유수(流水)에 사는 것은 푸른 색이고, 탁수(濁水)에 사는 것은 황색을 띰. 이 물고기의 사양(飼養) 변종이 금붕어임. 각지의 개울이나 못에 분포함. 부어(鮒魚). 즉어(鯽魚).

〈붕어¹〉

[붕어 밥알 받아 먹듯] 돈이 들어오는 즉시 먹어 없애 버려 도무지 재산이라고 모아지지 않는 모양.
붕어[2]【崩御】[명] 천자(天子)가 세상을 떠남. 선어(仙馭). 안가(晏駕). 빈천(賓天). [준]붕(崩). ——-하다 [자][여불]
붕:어-구이 [명] 붕어를 양념하여 구운 반찬.
붕:어 낚시 [명] 붕어를 잡는 낚시질.
붕:어-마름 [명]〖식〗①[*Ceratophyllum demersum*] 붕어마름과에 속하는 다년생의 수초(水草). 줄기는 가늘고 길이 40 cm 내외임. 길이 2 cm 내외의 잎은 윤생(輪生)하고, 잎꼭지가 없으며, 2-3회 차상 분열(叉狀分裂)함. 7-8월에 붉은 꽃이 자웅 동가(雌雄同家)로 액생(腋生)하며 꽃꼭지는 달리지 않음. 얕은 물 속에 나는데, 제주도·경기도에 분포함. 흔히 어항에 넣어 둠. 금어조. 솔잎말. ②이삭물수세미.

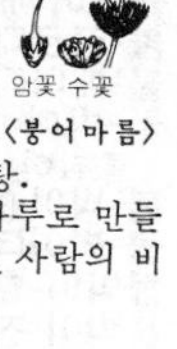

〈붕어마름〉

붕:어마름-과【—科】[—꽈] [명]〖식〗[Ceratophyllaceae] 쌍자엽 식물 이판화류에 속하는 한 과. 모두 물에서 나며, 4 종이 있는데 한국에는 붕어마름이 분포함.
붕:어빵 〔포 pão〕[명] 붕어 모양을 본떠 만든 빵. *붕어 사탕.
붕:어 사탕【—砂糖】[명] ①붕어 모양으로 만든 과자. 찹쌀 가루로 만들며 속은 비었음. *붕어 과자. ②실속이 하나도 없는 텅 빈 사람의 비유.
붕:어 연적【—硯滴】[명] 붕어 모양으로 만든 연적.
붕:어 자물쇠 [—쐬] [명] 자물쇠통이 붕어 모양으로 된 ㄷ자형 자물쇠.
붕:어 저:냐 [명] 붕어로 만든 저냐.
붕:어-조림 [명] 붕어에 양념을 하여 조린 반찬.
붕:어-죽【—粥】[명] 붕어를 흠씬 고아서 체에 거른 뒤에 그 즙(汁)에 쌀을 넣고 후춧가루 등을 쳐서 쑨 죽.
붕어지 [명]〖어〗≒붕장어.
붕:어-찜 [명] 붕어를 쪼개서 내장과 뼈를 발라 내고, 잘게 난도질한 쇠고기나 돼지고기를 양념해서 붕어 뱃속에 넣고 봉하여 간장과 밀가루를 풀어 넣고 흠씬 끓여 익힌 음식.
붕:어-톱 [명] 붕어 등과 비슷하게 등이 둥근 톱.
붕:어-회【—膾】[명] 붕어의 살로 만든 회. 부어회(鮒魚膾).
붕에 [명]〈방〉붕어(강원·경북).
붕우【朋友】[명] 벗².
붕우 유:신【朋友有信】[명] 오륜(五倫)의 하나. 붕우의 도리(道理)는 믿음에 있음. ——-하다 [형][여불]
붕우 이별가【朋友離別歌】[명]〖문〗작자·제작 연대 미상의 규방(閨房) 가사의 하나. 출가하는 딸이 친정 식구들과의 이별을 서러워한 노래.
붕우 책선【朋友責善】[명] 벗끼리 서로 좋은 일을 권함. ——-하다 [자][여불]
붕우 춘회곡【朋友春懷曲】[명]〖문〗작가·제작 연대 미상의 규방(閨房) 가사의 하나. 붕우 유신(朋友有信)을 주제로 즐거운 봄을 맞아 옛 친구를 애절하게 그리워하는 심정을 읊음.
붕이【崩弛】[명] ①허물어져 깨짐. ②허물어서 버림. ——-하다 [자][타][여불]
붕익【鵬翼】[명] ①붕새의 날개. ②위대한 계획. ③넓은 구름. 또 먼 바다. ④비행기를 웅장하게 일컫는 말.
붕:-장어【—長魚】[명]〖어〗[*Astroconger myriaster*] 먹붕장어과에 속하는 바닷물고기. 뱀장어와 비슷하나 몸길이 60 cm 이상으로 넓적하고

주둥이가 크며 이는 날카로움. 몸빛은 등쪽이 회갈색인데 옆 줄의 작은 구멍이 흰점 모양으로 나 있으며 체측에서 등 쪽에도 흰 점이 한 줄 있음. 한국·일본에 분포함. 중요 어종의 하나로 맛이 좋음. 해만(海鰻). 해장풍어(海長風魚).

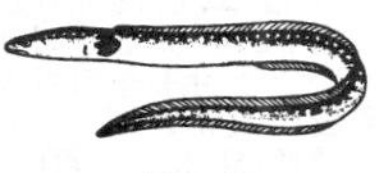
〈붕장어〉

붕적-토【崩積土】명【지】암석의 풍화물이 주로 중력(重力)에 의하여 경사면을 미끄러져 내려오거나 무너져 떨어져서 퇴적된 흙.
붕정【鵬程】명 멀고도 큰 앞길.
붕정 만:리【鵬程萬里】[―말―] 명 앞길이 매우 멀고도 큼을 일컫는 말.
붕젱이 명〈방〉뱀장어(제주). ㄴ산천 만리(山川萬里).
붕조[1]【朋曹】명 붕배(朋輩).
붕조[2]【鵬鳥】명 붕새.
붕지【朋知】명 벗[2].
붕집【朋執】명 벗[2].
붕추【崩墜】명 허물어져 떨어짐. 붕락(崩落). ――하다 자 여불
붕탑【崩塌】명 무너져서 두려 빠짐. ――하다 자 여불
붕퇴【崩頹】명 붕괴(崩壞). ――하다 자 여불
붕퉁-뱅어 명【어】[*Protosalanx chinensis*] 뱅어과에 속하는 물고기. 대형의 뱅어로 한국 서해에 흐르는 주요 하천(河川) 및 남만주 하천의 하구와 근해에 분포함.
붕-하다【崩―】자 붕어(崩御)하다.
붕호【朋好】명 벗 사이의 정의(情誼).
붕화 수소【硼化水素】명【화】보란(borane).
붕획【湖湱】부 붕발(淜渤).
붗돗 명 →부뚜.
붙는-줄기 명【식】'반연경(攀緣莖)'의 풀어 쓴 말.
붙-닐:다 자〈방〉부닐다.
붙다[1] 자 [중세 : 븥다] ①떨어지지 않는 상태가 되다. ¶ 머리에 검불이 ~. ②서로 마주 닿다. ¶ 벽에 붙어 있는 침대. ③남에게 의지하다. ¶ 매형한테 붙어 산다. ④좇아서 따르다. ¶ 반대파에 ~/환자 한 사람 앞에 간호사가 한 사람씩 붙어 있다. ⑤아주 밀접하게 교제하다. ⑥불이 옮아서 당기다. ¶ 옆집에 불이 붙었다. ⑦시험 따위에 뽑히다. ¶ 시험에 ~. ⑧더 늘다. 또, 덧붙다. ¶ 가봉(加俸)이 ~/영어 실력이 ~/경품이 ~/세금이~/조건이~. ⑨새로운 상태나 현상이 생기다. ¶ 살이 ~/이자가 ~. ⑩설비되어 있다. ¶ 전화가 붙어 있는 응접실/침대차가 붙어 있는 열차. ⑪딸리다. ¶ 경호원이 ~.
붙다[2] 자타 암컷과 수컷이 서로 교미하다.
붙-당기다 타 붙잡아서 당기다.
붙-동이다 타 붙들어서 동이다.
붙-들다 타 [중세 : 븓들다, 븥들다] ①꽉 쥐고 놓지 아니하다. ¶ 손목을 ~. ②달아나는 것을 잡다. 붙잡다. ¶ 도둑을 ~. ③가지 못하게 만류하다. ¶ 가겠다는 사람을 자꾸 ~. ④붙잡아 주어 돕다. ¶ 사직을 붙들어 반석 위에 앉히다.
붙들-리다 자 ①붙듦을 당하다. ¶ 경찰에 ~/장모한테 붙들려서 하루 더 묵다.
붙들어 매다 타 붙들어서 동여 매다.
붙-따르다 타 아주 바짝 가까이 따르다.
붙-매이다 자 사람이나 일에 붙어 매이다. ¶ 집 수리에 붙매이어서 짬이 없다.
붙-박다 타 한 곳에 고정시켜 움직이지 않게 하다.
붙박아 놓다 구 한 곳에 꽉 고정해 놓다.
붙-박이 명 한 곳에 고정되어 있어 이동이 없게 된 사물(事物). ¶ ~ 책상.
붙-박이다 자 한 곳에 꽉 박혀 있어 움직이지 아니하다.
붙박이-별 명【천】'항성(恒星)'의 풀어 쓴 말. ↔떠돌이별.
붙박이-장【―欌】명 벽 속이나 벽에 붙여 만들어 이동시킬 수 없게 된 장. 제물장.
붙박이-창【―窓】명【건】광선(光線)만을 받게 되어 있어 여닫지는 못하게 된 창. 고정창(固定窓). ↔열창(窓).
붙-안다 [붇―따] 타 두 팔로 부둥켜 안다.
붙어-먹다 타〈비〉간통하다.
붙어-살다 자 ☞부쳐살다.
붙여-들다 [부처―] 타〈방〉붙들다.
붙여-잡다 [부처―] 타 ☞붙잡다.
붙여-지내다 [부처―] 자 ☞ 부쳐지내다.
붙여-짜기 [부처―] 명【인쇄】베다 조판.
붙-움키다 [붇―] 타 →부둥키다.
붙은-돈 명 어떤 액수가 한 장 또는 한 푼으로 되어 그 액수에서 얼마를 뗄 수 없게 된 돈. ¶ ~밖에 없으니 잔돈 생기면 갚겠소.
붙은 문자【―文字】[―짜] 명 어떤 사물의 설명에 꼭 들어맞는 숙어(熟語).
붙음-도르래 명【물】'정활차(定滑車)'의 풀어 쓴 말. ↔움직 도르래.
붙음살이-벌 명【충】'기생봉(寄生蜂)'의 풀어 쓴 말.
-붙이 [부치] 미 ①가까운 사람의 겨레. ¶ 일가~. ②어떤 물건에 속하는 같은 종류. ¶ 쇠~. *어리-.
붙이기 일가【――家】[부치―] 명 혈연(血緣) 관계가 없거나 명확하지 않으면서도 일가처럼 가까이 지내는 관계. 부족(附族).
붙이다 [부치―] 타 [중세 : 브티다] ①서로 맞닿아서 떨어지지 아니하게 하다. ¶ 우표를 ~. ②닿게 하다. ¶ 책상을 벽에 ~. ③사이에 들어서 밀접하게 교제를 맺게 하거나 주선하다. ¶ 흥정을 ~/두 남녀를 붙여 주다. ④암컷과 수컷을 교합(交合)시키다. ¶ 개를 ~. ⑤불을 다른 곳으로 옮겨 붙게 하다. ¶ 연탄불을 ~/담뱃불을 ~. ⑥딸리게 하다. ¶ 감시원을 ~. ⑦노름·싸움 등을 어울리게 하다. ¶ 싸움을 ~. ⑧내기를 하는 데 돈을 내어 놓다. ¶ 내기에 100 원을 ~. ⑨윷놀이에 말을 밭에 달다. ⑩어떤 일에 자기의 의견(意見)을 더 넣다. ¶ 조건을 ~. ⑪마음에 당기게 하다. ¶ 취미를 ~. ⑫이름을 지어 달다. ¶ 인숙이라고 이름을 ~. ⑬남의 뺨이나 볼기를 손바닥으로 때리다. ¶ 한 대 올려 ~.
붙임-성【―性】[부침썽] 명 남에게 붙따라 잘 사귀는 성질과 수단. ¶ ~이 있다.
붙임-노 [부침―] 명〈방〉쌈노.
붙임-대 [부침때] 명 탕개붙임을 하는 데에 가로 죽 붙인 널빤지가 서로 어긋나지 못하게 하려고 위아래쪽으로 대는 오리나무.
붙임-붙임 [부침부침] 부 남에게 붙임성 있게 잘 사귀는 모양.
붙임 뿌리 [부침―] 명【식】'부착근(附着根)'의 풀어 쓴 이름.
붙임-성【―性】[부침썽] 명 남이 잘 붙따를 수 있게 된 성질. *너울가지.
붙임-일가【――家】[부침―] 명〈방〉붙이기 일가.
붙임-줄 [부침쭐] 명【악】'타이(tie)❸'의 순 우리말.
붙임-표【―標】[부침―] 명【언】'접합부(接合符)'의 풀어쓴 이름.
붙임-풀 [부침―] 명 바느질할 때 쓰는 좀 되게 쑨 풀.
붙임-혀 [부침―] 명【건】추녀의 양쪽 옆에 붙이는 반쪽의 서까래. 부연 초장.
붙-잡다 타 ①붙들어서 쥐다. 단단히 잡다. ¶ 소매를 ~. ②달아나지 못하게 잡다. ¶ 꼭 붙잡고 놓아주지 않다. ③체포하다. ¶ 범인을 ~. ④가지 못하게 말리다. 붙들다. ¶ 자네를 오래 붙잡지는 않겠네. ⑤직업(職業)을 얻다. ⑥상품을 자기 것으로 만들다. 1)-6):준잡다.
붙잡아-매다 타 ①붙잡아서 동여 매다. ②움직이거나 가지 못하게 하다.
붙잡아-주다 타 ①넘어지지 아니하게 옆에서 부축하다. ②도와서 보호하다.
붙-잡히다 피동 붙들려서 잡히다. 붙잡음을 당하다. 준잡히다. ¶ 도둑질을 하다가 주인에게 ~.
붙-장【―欌】명【건】부엌의 바깥쪽이나, 안쪽에 붙여서 만든 장.
붙-좇다 타 공경하는 마음으로 섬기며 따르다. ¶ 세력에 붙좇아 끈을 잡아 보려는 무리가 팔도에 늘어 깔렸으니 …《張德祚 : 狂風》.
붚 명〈옛〉북[2]. =붑. ¶ 虛空中에 하ᄂᆞᆯ 부피 절로 우니《月釋 XVII:129》.
붚-달다 자 언행(言行)이 부풀고 괄하다.
붚-대다 타 붚달게 굴다.
뷕선 명〈방〉버선(경남).
뷜: 명〈방〉벌[4](충남·황해).
뷜: 명 ↗부엌.
뷔 명〈옛〉비[2]. ¶ 뷔 슈(箒), 뷔 추(箒)《字會 中 18》.
뷔겔〔도 Bügel〕명 전차(電車)의 집전(集電) 장치의 한 가지. 강관(鋼管)으로 만들어진 두 개의 틀이 상부(上部)에서 굽어져, 그 사이에 회전봉식(回轉棒式) 또는 활주식(滑走式)의 마찰판이 부착되어 있음. 주로 노면(路面) 전차 등에 쓰임.

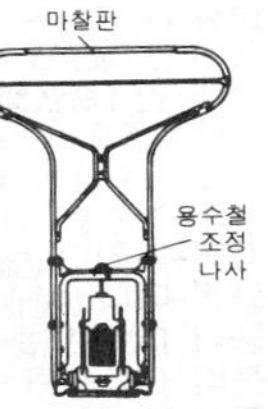

〈뷔겔〉

뷔:넨-드라마〔도 Bühnendrama〕명【연】무대 상연(上演)에 적합한 드라마. ↔레제드라마(Lesedrama).
뷔다[1] 타〈옛〉베다[3]. =버히다. ¶ 오히려 벼 뷔는 功夫ㅣ 기텃도다(猶殘穫稻功)《杜諺 VII:18》/ 뷜 애(刈), 뷜 확(穫)《字會 下 5》.
뷔다[2] 타〈옛〉비비다. ¶ 뷜 차(搓)《字會 下 23》.
뷔다[3] 타〈옛〉쪼개다. ¶ 正性을 뷔우려 ᄒᆞ씨(欲剸正性)《楞嚴 VIII:7》.
뷔다[4] 형〈옛〉(속이) 비다. ¶ 뷜 공(空)《類合 下 49》.
뷔듣녀 자〈옛〉비척거려. '뷔듣니다'의 활용형. ¶ 뷔듣녀 辛苦 쉬나ᄆᆞᆫ 히러니(竛竮 辛苦 五十餘年)《妙蓮 II:222》.
뷔르츠부르크〔Würzburg〕명【지】독일의 남부 마인 강(Main江) 중류에 연한 공업 도시. 기계·섬유·포도주 양조 등의 공업이 성함. 대학·옛 성·뷔르츠부르크 궁전 등이 있음. [127,000 명(1987 추계)]
뷔르츠부르크 궁전【―宮殿】〔Würzburg〕명 독일 남부의 뷔르츠부르크에 있는 독일 바로크의 대표적 건축물. 이탈리아 후기 바로크의 영향이 짙음.
뷔르템베르크〔Württemberg〕명【지】독일 남서부의 지방. 산지(山地)와 구릉(丘陵)이 많고 포도 재배와 함께 철강·금속·전기 기구 등의 공업이 성함. 슈투트가르트(Stuttgart)가 그 중심지임. 현재 바덴 뷔르템베르크 주의 일부. [19,508 km²]
뷔름 빙기【―氷期】〔도 Würm〕명【지】지질 시대(地質時代)의 제4기 빙하 시대에 있었던 최후의 빙하기. 5만 3천 년 전에서 1만 년 전을 이름. 제4 빙기(第四氷期).
뷔:송〔Buisson, Ferdinand Edouard〕명【사람】프랑스의 교육가(教育家)·정치가. 소르본(Sorbonne) 대학 교수와 하원 의원을 지냄. 자선 사업과 평화 사업에 관계하여 1927년 크비데(Quidde)와 함께 노벨 평화상(平和賞)을 받음. 교육 행정의 개혁에도 공헌함. 《교육학 사전》을 편찬함. [1841-1932]
뷔우다 타〈옛〉비우다. ¶ 孫宰 안잣던 堂올 뷔워(遂空所坐堂)《杜諺 I:13》.
뷔-윰 형〈옛〉텅비어 아무것도 없음. '뷔다[4]'의 명사형. ¶ 色과 뷔윰과 ᄉᆞᆯ히 너겨《月釋 I:35》.
뷔토르〔Butor, Michel〕명【사람】프랑스의 작가. 처음에는 시를 썼으나 뒤에 소설로 유명해짐. 정교하고 치밀한 부분 묘사의 되풀이, 시간과 인칭(人稱)의 처리 등 작품 하나하나에 참신한 수법을 구사하여 앙티로망(antiroman)의 대표적 작가로 불림. 소설 《시간표》·《변심》·《단계》, 수필 《망의 정령(精靈)》 등이 있음. [1926-]
뷔트다 타〈옛〉비틀다. '뷔틀다'의 불규칙 활용형. ¶ 고히 ᄀᆞ코 엷디 아니 ᄒᆞ며 또 고ᄫᆞ며 뷔트디 아니 ᄒᆞ며《月釋 XVII:53》.
뷔틀다 타〈옛〉비틀다. =뷔트다. ¶ 뷔틀 뉴(扭)《字會 下 23》.
뷔페[1]〔프 buffet〕명 여러 가지 음식을 큰 식탁에 차려 놓고 손님이 원하는 음식을 마음대로 덜어 먹는 식사 형식. 또, 그러한 식당. 부페.
뷔페[2]〔Buffet, Bernart〕명【사람】프랑스의 화가. 1945 년 파리에서 데

대상을 수상, 화단의 주목을 받음. 사실화(寫實 구상파의 챔피언으로 일컬어짐. 우중충한 배경에 터치로 그리는 것이 특징. 사르트르의 실존주의를 평을 들음. 판화 작품도 많음. [1928-]

fet+party〕 명 음식을 큰 식탁에 차려 놓고 손님이 유로이 덜어 가도록 하여 즐기는 파티. 정확한 손님 곤란할 때 많이 이용되는 형식임.

eorges Louis Leclerc de〕 명 〖사람〗 프랑스의 철학자· 아카데미 회원·왕립 식물원장·왕립 박물관장을 역임 상(進化論史上) 선구자의 한 사람. 44권에 달하는 저서 物誌)≫는 문학적으로도 높이 평가됨. [1707-88]

r, Karl〕 명 〖사람〗 독일의 경제학자. 라이프치히(Leipzig) 신역사 학파(學派)의 대표자로, 유럽 경제의 발전 단계설 說)을 내세워 유명함. [1847-1930]

타 〈옛〉 부여잡다. 붙들어잡다. ¶ 옷자락 뷔혀잡고 가지마소 無端이 뻘치고≪古時調≫.

말 명 〈옛〉 잠꼬대. ¶ 니기 자며 뷘입십는 마래(熟寐寢言)≪楞 :84≫.

다 자 〈옛〉 잠꼬대하다. ¶ 자리를 어르 더듬고 뷘입십고(摸床譫 ≪痘要 下 70≫.

[1] 〔Bülow, Bernhard von〕 명 〖사람〗 독일의 정치가. 1897년에 독 제국(帝國)의 외상, 1900년에 재상(宰相)이 됨. 자오저우 만(膠州 灣)의 조차(租借), 바그다드 철도 건설 등 해외 진출 정책을 추진하는 한편 대영(對英) 관계의 개선에도 진력(盡力)함. [1849-1929]

뷜로[2] 〔Bülow, Hans von〕 명 〖사람〗 독일의 피아니스트·지휘자. 바그너에 공명(共鳴)하여 ≪트리스탄과 이졸데≫ 등의 초연(初演)을 맡기도 했으나, 부인이 바그너와 관계를 갖게 되면서부터는 브람스의 소개에 진력(盡力)함. 베를린 필하모닉 오케스트라의 지휘에서는 근대 지휘법(指揮法)의 전형(典型)을 보임. [1830-94]

뷰글 〔bugle〕 명 〖악〗 색스혼류(類)의 악기의 하나. 코넷·트럼펫과 동음률(同音律)이며 고음부(高音部)를 맡음. 뷰글과 소(小) 뷰글의 두 종류가 있음.

뷰:던트 〔view+dent〕 명 교육 텔레비전 방송의 시청자. 스튜던트(student)를 본뜬 조어(造語).

뷰렛 〔burette〕 명 〖화〗 적정(滴定) 등에 있어서 액체의 부피를 〈뷰렛〉 측정하는 데 사용하는, 눈금이 그려진 유리관으로 만든 장치.

뷰렛 반:응 【一反應】 명 〔biuret reaction〕 〖화〗 단백질의 정색(呈色) 반응의 하나. 시료(試料)에 수산화 나트륨 수용액(水溶液)과 황산 구리 용액(溶液)을 가(加)하면 적자색(赤紫色)으로 변함. 아미노산 3개 이상의 펩티드(peptide) 검출(檢出)에 쓰임.

뷰로 〔bureau〕 명 ①관청(官廳)의 국(局), 부(部), 과(課). ②사무국(事務局). 사무소. 편집국(編輯局).

뷰로크라시 〔bureaucracy〕 명 〖정〗 관료주의(官僚主義). 관료 정치.

뷰:어 〔viewer〕 명 슬라이드를 보기 위한 장치로 확대 렌즈·광원(光源)·채광창(採光窓)을 갖춤. 입체 슬라이드를 두 눈으로 보는 장치는 특히 스테레오 뷰어라고 함.

뷰캐넌 〔Buchanan, James〕 명 〖사람〗 미국의 정치가. 민주당 출신으로 상원 의원·국무 장관 등을 역임한 후 제15대 대통령을 지냄. 노예 제도 폐지론자이면서도 남북 대립이 격화한 상황에서 충분한 지도력을 발휘하지 못함. [1791-1868]

뷰:트[1] 〔Butte〕 명 〖지〗 미국 몬태나 주(州) 남서부에 있는 광산 도시. 로키 산맥의 표고 1,750m의 고원(高原)에 위치하여 미국 최대의 동광 산지(銅鑛産地)임. 망간도 산출함. [37,000명(1980)]

뷰:트[2] 〔butte〕 명 〖지〗 메사(mesa)가 주변으로부터 침식되어 더욱 작아져 고립된 언덕.

뷰:티 〔beauty〕 명 ①아름다움. 미려(美麗). ②미인(美人). ③미점(美點).

뷰:티 사이클 〔beauty cycle〕 명 미용 운동용의 바퀴가 없는 자전거. 가슴을 펴고 페달을 밟음으로써 여자다운 상반신의 곡선과 바른 자세, 쭉 곧게 뻗은 각선미 등에 효과를 얻음.

뷰:티 살롱 〔beauty salon〕 명 미용원(美容院).

뷰:티 스폿 〔beauty spot〕 명 용모를 돋보이기 위해서 여성들의 얼굴에 찍는 작은 점.

뷰:티 콘테스트 〔beauty contest〕 명 미인 선발 대회.

뷰:티 팔:러 〔beauty parlor〕 명 미용원(美容院). 뷰티 살롱.

브 나로:드 운:동 【一運動】 〔러 V narod〕 명 〖사〗 〔민중 속으로의 뜻〕 1870년 러시아에서 청년 귀족과 학생들이 주동이 되어 농민(農民)을 주체로 한 사회 개혁을 이루고자 일으킨 계몽 선전 운동. *나로드니키.

브닐 명 〈방〉 비늘(경상).

브다 타 〈옛〉 부러워하다. '블다'[1]의 불규칙 활용형. ¶ 楊雄이 오래 사로 몰브디 아니ᄒᆞ며 孔聖이 나죄 주구믈 돌히 너기니≪月釋 XVIII:32≫.

브델륨 〔라 bdellium〕 명 발삼(balsam) 나무에서 얻는 방향 수지(樹脂).

브드렛다 자 〈옛〉 섞여 있다. 깔려 있다. 섞였다. 깔렸다. ¶ 길헤 브드렛ᄂᆞᆫ 버듨 고준 힌 시우기 펫ᄂᆞᆫ ᄃᆞᆺᄒᆞ고(糝逕楊花鋪白氈)≪初杜諺 X:8≫.

브듸 부 〈옛〉 부디. ¶ 剛을 브듸 ᄒᆞ고져 ᄒᆞᄂᆞ다(要得剛)≪語錄 34≫.

브라:마[1] 〔brahma〕 명 〖조〗 닭의 한 품종. 동인도 원산의 육용종(肉用種)임. 몸집이 크고 살찌지며 노란 다리는 털에 덮여 있는데, 깃털이 흰 것과 검은 것의 두 종류가 있음. 체질이 강해 기르기 쉽고 고기 맛이 좋음.

브라:마[2] 〔범 Brāhma〕 명 〖종〗 바라문교의 창조신(創造神). 범(梵)이라 옮겨 씀.

브라마굽타 〔Brahmagupta〕 명 〖사람〗 인도의 수학자·천문학자. 원에 내접(內接)하는 사변형(四邊形)의 사변에서 그 넓이를 구하는 공식을 발견, 음수(陰數)를 써서 2차 방정식을 일반적인 형으로 나타냈음. [598-660?]

브라:마나 〔범 Brāhmana〕 명 〖종〗 ①바라문(婆羅門). ②〖책〗 고대 인도의 종교적 문헌. 바라문교의 근본 성전(聖典)인 사베다본집(四Veda本集)에 부수하여 제식(祭式)을 신학적으로 설명한 보조 문헌임.

브라:마 사마지 〔범 Brāhma Samāj〕 명 브라마 협회. 1828년에 창설된 힌두교(敎)의 혁신·순화를 목적으로 하는 단체임. 고전적 국수주의(國粹主義)를 고취하여 카스트제(Caste制)와 미신 타파를 주장함. 그리스도교(敎)와 서(西)유럽 합리주의의 영향을 받아 인도의 근대 사조(思潮)와 민족 운동의 발전을 촉진했음.

브라마푸트라 강 【一江】 〔Brahmaputra〕 명 〖지〗 인도 동부에 있는 큰 강. 중동부 티베트에서 발원(發源)하여 히말라야 산계(山系)의 동쪽을 통하고 갠지스(Ganges) 강에 합류(合流)하여 벵골 만으로 흘러 들어 ㄴ감. [2,900km]

브라:만 〔Brahman〕 명 바라문(婆羅門).

브라:만-교 【一敎】 〔Brahmanism〕 명 〖종〗 바라문교(婆羅門敎).

브라만테 〔Bramante, Donato d'Agnolo〕 명 〖사람〗 중세 이탈리아의 건축가. 주로 밀라노와 로마에서 활동하였으며 르네상스 건축의 고전적 양식을 대성함. [1444-1514]

브라:미 문자 【一文字】 〔범 Brāhmī〕 〔一짜〕 명 고대 인도에서 쓰여진 문자의 하나로 현재 인도에서 사용하는 여러 자체(字體)의 시조임. 기원(起源)에 관해서는 인도 고유의 것으로 보는 설도 있으나 최근에는 셈계설(Sem系說)이 유력함. 아소카왕(王) 석주(石柱)의 비문(碑文)이 가장 중요한 자료임. 범자(梵字). 실담(悉曇).

브라반트 〔Brabant〕 명 〖지〗 벨기에의 중부에 있는 주(州). 중심 도시는 브뤼셀. 비옥(肥沃)한 농업 지대로 옛날부터 직물업(織物業)이 성함. [3,372km²: 2,222,000명(1980)]

브라보 〔이 bravo〕 감 잘한다. 좋다. 신난다. 상찬(賞讚)·쾌재(快哉)·환호(歡呼) 등의 뜻으로 지르는 소리.

브라쇼브 〔Braşov〕 명 〖지〗 루마니아 중앙부의 도시. 트란실바니아알프스의 북동록(北東麓)에 있으며 야금(冶金)·기계·모직물 공업이 알려지고, 기타 무기·항공기·트랙터·각종 공작 기계·금속 재료를 생산하고 있음. [351,493명(1986)]

브라스 〔brass〕 명 ①놋쇠. ②〖악〗 금관 악기(金管樂器).

브라스 밴드 〔brass band〕 명 〖악〗 금속제(金屬製)의 관악기(管樂器)를 주체(主體)로 하여 편성(編成)된 악대. 관악대(管樂隊). 취주 악대.

브라우니-판 【一判】 〔Brownie〕 명 사진 필름 사이즈의 하나. 나비 6cm, 길이 9cm. 미국의 이스트먼 코닥사(Eastman Kodak社) 제품인 브라우니 카메라의 치수에서 나온 말.

브라우닝[1] 〔Browning〕 명 〖사람〗 ①〔Elizabeth Barrett B.〕 영국 여류 시인. ❷의 처(妻). ≪포르투갈 시인으로부터의 소네트(sonnet)≫ 등의 감상적인 작품이 있음. [1806-61] ②〔Robert B.〕 영국 빅토리아조(Victoria朝)의 대표적 시인으로 테니슨(Tennyson)과 더불어 쌍벽을 이룸. 인간의 성격 해부에 능하고 사상적·객관적인 묘사를 즐겼음. ≪남자와 여자≫·≪반지와 책≫ 등이 있음. [1812-89]

브라우닝[2] 〔Browning, John Moses〕 명 〖사람〗 미국의 총포(銃砲) 기술자. 자동 소총·연발 권총·중(重)기관총 등의 브라우닝총을 발명하였음. [1855-1926]

브라우닝식 자동 소:총 【一式自動小銃】 명 〔Browning automatic rifle〕 〖군〗 미국의 브라우닝이 발명한 자동 소총. 가스 작용식·공랭식(空冷式)으로 탄환이 자동적으로 탄창(彈倉)으로부터 장전(裝塡)되며 1분간에 200-300발을 발사할 수 있음. 다리가 붙어 있고, 견착 사격식(肩着射擊式)임. 자동 소총(自動小銃). 약칭: 비 에이 아르(BAR).

브라우저 〔browser〕 명 〖컴퓨터〗 인터넷을 검색할 때, 문서·영상·음성 따위 정보를 얻기 위해 사용하는 프로그램.

브라운[1] 〔Braun, Karl Ferdinand〕 명 〖사람〗 독일의 물리학자. 1887년 열역학(熱力學) 연구에서 '르 샤틀리에 브라운(Le Châtelier-Braun) 법칙'을 확립하였으며, 1897년에는 브라운관(Braun管)을 발명함. 기타 무선 전신 발전에도 기여하여 1909년 마르코니(Marconi)와 함께 노벨 물리학상을 받았음. [1850-1918]

브라운[2] 〔Braun, Wernher von〕 명 〖사람〗 독일 출생의 미국의 로켓(rocket) 연구가. 일찍부터 독일 우주 여행 협회(宇宙旅行協會)의 회원으로서 로켓 연구에 정진하여 1936년부터 장거리 로켓 A-4(후에 V-2로 됨)의 개발에 착수하여 1942년 이를 완성함. 독일 패전 후 미국에 이주하여 1955년 귀화하였으며, 1960년 이래 나사(NASA)에서 대형 로켓 및 유도탄(誘導彈) 개발을 지도함. 폰 브라운. [1912-77]

브라운[3] 〔brown〕 명 갈색(褐色).

브라운[4] 〔Brown, Charles Brockden〕 명 〖사람〗 미국의 소설가. 미국 최초의 직업적 문필가라 일컬어짐. 고드윈(Godwin)의 영향을 받음. 대표작(作)에 ≪아서 머빈(Arthur Mervyn)≫·≪에드거 헌틀리(Edgar Huntly)≫ 등이 있음. [1771-1810]

브라운[5] 〔Brown, Ernest William〕 명 〖사람〗 영국 태생의 미국 천문학자. 달의 운동 이론을 연구하여 이를 완성하고, 또 달의 위치 계산을 위한 태음표(太陰表)를 간행하였음. 기타 행성(行星)의 운동 및 목성(木星)의 제8 위성의 운동에 관해서도 연구함. [1866-1938]

브라운[6] 〔Brown, Ford Madox〕 명 〖사람〗 프랑스 태생의 영국의 화가. 역사와 종교에서 취재하여 사실적(寫實的) 수법으로 그림을 그려 라파엘 전파(前派)에 큰 영향을 줌. 대표작 ≪영국(英國)의 최후(最後)≫. [1821-93]

브라운[7] 〔Brown, Herbert Charles〕 명 〖사람〗 미국의 화학자. 1936년 시

카고 대학을 졸업하고, 1959년 이래 퍼듀 대학 교수로 있음. 유기 합성(有機合成)에 있어서 중요한 시약(試藥)으로 쓰일 붕소 화합물(硼素化合物)의 연구로 1979년 노벨 화학상을 수상함. [1912-]

브라운⁸ 〔Brown, Robert〕 명 《사람》 영국의 식물학자. 식물 세포(植物細胞)의 핵(核)을 발견하였고, 화분(花粉) 관찰 중 '브라운 운동'을 발견함. [1773-1858]

브라운⁹ 〔Browne, Thomas〕 명 《사람》 영국의 의사·수필가. 17세기 산문(散文)의 대표적 작가로 알려짐. 대표작 《의사의 종교》·《미신론》·《호장론(壺葬論)》 등. [1605-82]

브라운-관 【一管】 명 〔Braun tube〕 《물》 브라운(Braun, K.F.)에 의해 1897년 발명된 장치. 진공관의 앞 면에 형광 물질을 칠하여 전자선을 충격시켜 전기 신호를 광학상(光學像)으로 변환하는 전자관. 음극선(陰極線)을 전기장(電氣場)·자기장(磁氣場)의 강도 변화에 따라 방향을 바꿀 수 있도록 되어 있음. 음극선이 반대의 벽면에 닿는 위치를 조절하거나 변화시킬 수 있기 때문에, 텔레비전·오실로스코프(oscilloscope)·레이더 등에 이용됨. 음극선관(陰極線管).

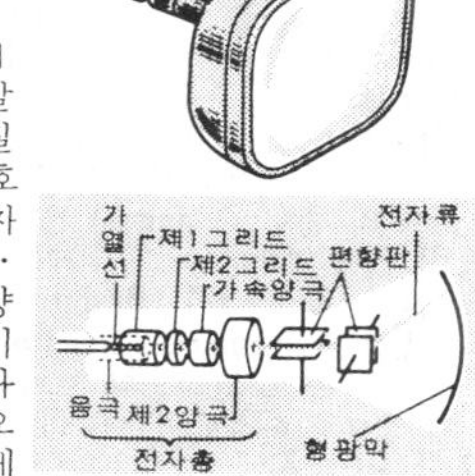

〈브라운관〉

브라운 세카르 증후군 【一症候群】 〔Brown-Séquard〕 명 《의》 척수(脊髓)의 좌반부(左半部) 또는 우(右)반부가 잘렸을 때 일어나는 증상. 수의 운동(隨意運動)이 마비되고, 압각(壓覺)·통각(痛覺)·냉각(冷覺) 따위의 지각(知覺)이 둔해짐. 프랑스의 신경 생리학자 브라운 세카르(Brown-Séquard, C. E.; 1817-94)의 이름에서 유래함.

브라운 소:스 〔brown sauce〕 명 밀가루를 노랗게 볶아서 버터·소금·고기 국물을 넣어서 만든, 고기 요리에 많이 쓰이는 조미료.

브라운슈바이크 〔Braunschweig〕 명 《지》 독일 중북부의 니더작센주(Niedersachsen 州)의 상공업 도시. 미텔란트(Mittelland) 운하와 오커(Oker) 강의 교차점 근처에 있으며 교통의 요지(要地)임. 금속·화학·식품 공업이 행하여짐. [248,000명(1987 추계)]

브라운 운:동 【一運動】 명 〔Brownian motion〕 《물》 액체(液體) 중에 부유(浮遊)하는 고체 미립자(微粒子)가 행하는 복잡하고 불규칙한 운동. 1827년 영국의 식물학자 브라운(Brown, R.)이 수중(水中)의 화분(花粉)을 현미경으로 연구하던 중 발견함. 그 후에 무생물의 유리·광물의 분말에서도 확인되었음. 용매(溶媒)의 분자가 하는 열운동과 미립자에 대한 분자의 각 방향으로부터의 충돌에 의하여 일어남. *분자 운동.

브라유 〔Braille, Louis〕 명 《사람》 프랑스의 맹아(盲兒) 교육가. 세 살 때 자신이 소경이 되어 이를 경험으로 점자법(點字法)을 발명하였음. [1809-52]

브라이어 〔briar, brier〕 명 《식》 [*Erica arborea*] 석남과에 속하는 상록 관목. 그 뿌리는 담배 파이프를 만드는 데 가장 적당하다고 함. 남유럽 원산임.

브라이언 〔Bryan, William〕 명 《사람》 미국의 정치가. 은(銀)의 자유 주조(自由鑄造), 서부와 남부 농민층의 이익 증진 등을 주장하여 세 차례나 민주당 후보로 대통령 선거에 출마했으나 낙선함. 1913년 윌슨 대통령 밑에서 국무 장관이 되었으나, 제1차 세계 대전 참전에 반대하여 1915년 사직함. 진화론 신봉자로 알려짐. [1860-1925]

브라이언트 〔Bryant, William Cullen〕 명 《사람》 미국의 시인·저널리스트. 퓨리터니즘(Puritanism)에 입각한 자연 시인으로 많은 수작(秀作)을 냈으며, 이브닝 포스트지(Evening Post紙)를 편집하여 노예 해방을 주장하였음. 저작 《통속 미국사》·《수풀 찬미》 등. [1794-1878]

브라이턴 〔Brighton〕 명 《지》 영국 잉글랜드 남부의 도시. 영국 해협에 임한 유명한 보양지(保養地)임. 1750년까지는 어촌이었음. [137,985명(1981)]

브라이트 〔Bright, John〕 명 《사람》 영국의 정치가. 1837년 코브던(Cobden) 등과 함께 반곡물법(反穀物法) 동맹을 결성하고 1846년 곡물법을 폐지시키는 데 성공하였음. 그 후 영국의 전면적인 자유 무역 달성에 힘썼고, 재정 개혁·선거법 개정·종교의 자유 등을 위하여 노력함. [1811-89]

브라이트-병 【一病】 [一뼝] 명 〔Bright's disease〕 《의》 단백뇨(蛋白尿)와 부종(浮腫)이 따르는 신장 질환. 이것을 연구 발표한 영국의 의사 브라이트(Bright, Richard; 1818-83)의 이름을 붙인 것임.

브라이트 스톡 〔bright stock〕 명 고점도(高粘度)의, 탈랍(脫蠟)한 정제(精製) 윤활유. 모터 오일의 배합에 쓰임.

브라이트 인견사 【一人絹絲】 〔bright〕 명 본래의 광택을 그대로 보유하는 인조 견사. ↔덜(dull) 인견사.

브라인 〔brine〕 명 간접식 냉동법에 있어서, 냉동기와 피냉각물(被冷却物) 사이를 순환하며 열의 흡수를 매개(媒介)하는 동결점(凍結點)이 낮은 용액(溶液). 보통 식염수·염화 칼슘 수용액 등을 씀.

브라일로프스키 〔Brailowsky, Alexander〕 명 《사람》 러시아 출생의 미국 피아니스트. 레세티츠키(Leschetizky, Theodor; 1830-1915)와 부조니(Busoni, F.B.)에게 사사(師事), 1919년 파리에서 쇼팽(Chopin) 독주회를 열어 세계적 명성을 얻었음. 특히, 쇼팽의 작품에 능함. 1924년 이후 미국에서 삶. [1896-1976]

브라자 〔Brazza, Pierre Savorgnan de〕 명 《사람》 프랑스의 아프리카 탐험가. 오고우에 강(Ogoué 江) 유역과 콩고 강 유역 및 가봉 등을 탐험 조사, 프랑스령(領) 콩고의 장관이 됨. [1852-1905]

브라자빌 〔Brazzaville〕 명 《지》 콩고의 수도. 콩고 강(江) 우안(右岸)에 있어 정치·경제의 중심지이며 공업이 성하 행하여짐. 중부 아프리카 내륙 지방의 교통

브라질 〔Brazil〕 명 《지》 남아메리카의 동부 메리카 최대의 나라로 남아메리카 총면적 음. 주민은 백인·흑인·황인종 등이 살고 있 쓰고 주민의 대부분이 가톨릭교를 신봉함. 의 생산은 세계의 반(半) 이상을 차지하며 수·쌀·옥수수·카카오·담배의 산출이 많음. 축산도 많고, 철(鐵)·납·석탄·망간·크롬·운 물 자원도 풍부함. 제당(製糖)·제강(製鋼)·기 전이 눈부심. 포르투갈 영토였으나, 1822년에 국이 됨. 수도는 브라질리아(Brasilia). 파서국 150,370,000명(1990)]

브라질 고지 【一高地】 〔Brazil〕 명 《지》 브라질 역을 차지하는 준평원화(準平原化)한 고원(高 m. 비옥(肥沃)한 테라 로사(terra rossa) 지역 (陸稻)·사탕수수의 재배가 성함.

브라질 너트 〔Brazil nut〕 명 《식》 [*Bertholletia* 상록 교목. 잎은 긴 타원형이고 혁질(革質)임. 序)를 이루고 과실은 둥근데 지름이 10-15 cm임. 단단한 목질(木質)이며 속에 길이 5 cm 정도의 쯤 가지며 이것을 식용함. 지방질이 풍부하여 과자

브라질리아 〔Brasília〕 명 《지》 브라질의 수도. 이루의 북서쪽 1,000 km, 브라질 고원에 있는 신 都) 건설 계획에 의하여 건설된 현대적인 계획 도시 로를 기준으로 대통령 관저·의사당·관청·대학·공항 기(Z 機) 모양으로 배치됨. 1956년부터 건설에 착수 196 가 됨. [5,814 km²: 1,570,000명(1990)]

브라질-어 【一語】 〔Brazil〕 명 브라질에서 쓰이는 포르투갈어 기 포르투갈인(人)이 브라질에 건너온 후, 브라질 토착민(土着 휘(語彙)와 이탈리아·독일·일본 등 나라에서 들어온 이민(移民) 향을 받아, 포르투갈 본토에서 쓰는 포르투갈어에 비해 발음 등이 략화(簡略化)되었고, 1931년의 정자법 협정(正字法協定)이 정해지기 전까지는 철자(綴字)도 달랐음.

브라질-우드 〔brazilwood〕 명 《화》 식물 염료(植物染料)의 하나. 브라질에서 생산되는 쾌명과(快明科)에 속하는 브라질(brazil)이란 나무에서 얻는 것으로, 브라질린(brazilin)을 함유하고 있어 이것이 공기 중에서 브라질레인(brazilein)이란 적색 색소(色素)로 변함. 금속 매염제(金屬媒染劑)로 쓺.

「한 것이 특징임. *마일드 커피.

브라질 커:피 〔Brazil coffee〕 명 브라질에서 산출되는 커피. 신 맛이 강

브라츠크 〔Bratsk〕 명 《지》 러시아 연방 시베리아의 앙가라 강(Angara 江)가에 있는 신흥 도시. 브라츠크 수력 발전소의 건설에 따라 발전하여 가구(家具)의 제조, 알루미늄 등의 공업이 행하여짐. [255,000명(1989 추계)]

브라크 〔Braque, Georges〕 명 《사람》 프랑스의 화가. 처음에는 야수파에 속하였으나 피카소의 감화를 받아 입체파로 정진(精進)함. 그 후에는 추상(抽象)을 버리고 구상성(具象性)이 강한 독자적인 화풍을 이룸. 조각·판화로도 알려짐. [1882-1963]

브라티슬라바 〔Bratislava〕 명 《지》 슬로바키아 공화국의 수도. 다뉴브 강 북안에 위치한 하항(河港) 도시로 철도의 요지이며, 금속·기계·방적·담배·화학 공업 등이 행해짐. 1536-1683년에는 헝가리의 수도. 1992년 말까지는 체코슬로바키아 공화국 서(西)슬로바키아의 주도였음. 1805년 나폴레옹의 브라티슬라바 조약 체결지로서 유명함. [430,000명(1989 추계)]

브라:헤 〔Brahe, Tycho〕 명 《사람》 덴마크의 천문학자. 관측에 입각하지 아니하는 우주 구조 이론을 배척하고 오직 관측에 의해서만 천체를 밝히려고 했음. 1572년 '우라니보르크'라고 명명한 신성(新星)을 발견한 후 1576년 벤(Hven) 섬에 관측소를 세우고 20년간 행성의 위치 관측에 몰두하여 혜성이 지구 대기내의 현상이 아님을 증명함. 그의 관측은 망원경 발명 이전의 관측으로는 경탄(驚嘆)할 정밀성을 가진 것으로 이 자료는 그의 사후, 제자인 케플러(Kepler)에게 이어져 훗날 천문학상 획기적인 '케플러의 법칙'을 끌어내는 자료가 되었음. [1546-1601]

브란겔 〔Vrangel', Ferdinand Petrovich〕 명 《사람》 러시아의 항해가(航海家)·제독(提督). 1820-24년 시베리아 동북부의 북극 해안을 조사, 브란겔 섬의 위치를 추정(推定)함. 1825-27년 크로토키호(號)로 세계 주항(周航)을 지휘하였으며, 1829-35년 알래스카 러시아 식민지의 장관을 지냈으며, 알래스카의 대미국(對美國) 매도(賣渡)를 극력 반대했음. [1794-1870]

브란겔 섬 〔Vrangel'〕 명 《지》 러시아 연방의 동북부 북극해(北極海)상의 섬. 대부분이 지의류(地衣類)에 뒤덮인 툰드라임. 섬 이름은 그것을 찾으려다 성공은 못 했으나 그 위치를 추정(推定)했던 브란겔의 이름을 따서 지은 것임. [7,300 km²]

브란데스¹ 〔Brandes, Georg Morris Cohen〕 명 《사람》 덴마크의 문학사가·평론가. 처음 헤겔 철학을 배우고 각국을 여행 후 걸작 평론을 발표, 유럽 문단의 유력한 지도자로 등장하였으며, 대저 《19세기 문학주조(主潮)》는 특히 유명함. [1842-1927]

브란데스² 〔Brandes, Heinrich Wilhelm〕 명 《사람》 독일의 수학자·기상학자. 일기도(日氣圖)를 처음으로 만든 사람으로 알려짐. 저서 《기상학 연구》. [1777-1834]

브란덴부르크 〔Brandenburg〕 명 《지》 독일 동북부의 지방. 오데르·엘

으로 하는 중요 지방으로, 제2차 대전 란드령(領)이 되었음. 대부분이 저지로, 귀리 등의 농업이 행하여짐.

t Scipio von〕 명 『사람』 독일의 외교관. 조 駐淸) 공사로 있을 때, 청(淸)나라 베이양 衙門署理直隷總督) 장수성(張樹聲)의 소개 고 인천 월미도(月尾島)에 와서, 마건충(馬建 濟物浦)에서 조독 수호 통상 조규(朝獨修好通 아감. [1835- ?]

〕 명 『사람』 서독의 정치가. 일찍부터 반(反)나 며 2차 대전 후 사회 민주당에 속하여 1957년 서 64년 당수, 1969년 연립 내각 수상이 되어, 동독과 . 동서 관계 정상화에 기여한 공로로 1970년 노벨 [1913-92]

—委員會】〔Brandt〕 명 남북 문제(南北問題)의 해결)하여 1979년 여름까지 유엔에 보고하게 하기 위하여 은행(世界銀行) 밑에 조직한 '국제 개발(開發) 문제에 의 속칭. 본부 사무국은 스위스 제네바에 둠. 세계의 저명 제학자로 구성되었으며, 전(前) 서독 수상 브란트를 위원 전 영국 수상, 멘데스 전 프랑스 수상, 팔메 전 스웨덴 수 전 미국 재무 장관 등 17 명이 참여함.

anting, Karl Hjalmar〕 명 『사람』 스웨덴의 정치가. 1889년 회 민주당을 창당, 1907년 당수가 됨. 1896년 이후 국회 의원 노동자의 지위 향상에 진력하였으며, 1차 대전 때에는 중립을 고 전쟁의 조기 종결에 노력함. 전후 세 차례 조각(組閣)했고, 노벨 평화상을 받음. [1860-1925]

〔Brahm, Otto〕 명 『사람』 독일의 연출가·극평가(劇評家)·철학 889년 '자유 무대'를 창설하고 독일에서의 자연주의 연극 운동을 함. 1894년부터는 독일 극장·레싱(Lessing) 극장의 감독을 지냄. 연주의의 쇠퇴로 불우한 만년을 보냈음. [1856-1912]

람:스〔Brahms, Johannes〕 명 『사람』 독일의 작곡가. 어려서 바이올린과 첼로를 배워 악재(樂才)를 발휘하였으며 후에 작곡법을 배움. 1868년 《독일 위령곡(慰靈曲)》을 발표한 후 계속 교향곡·바이올린 협주곡·첼로 소나타 등을 작곡하였음. 주로 서정적(抒情的)인 실내악(室內樂)이 특색임. 바흐·베토벤과 함께 독일 음악의 삼대(三大) B로 불림. [1833-97]

브랑르〔프 branle〕 명 『악』 2 박자 계통의 프랑스의 고전 무곡(舞曲). 「가보트와 비슷함.

브래그〔Bragg〕 명 『사람』 ①〔William Henry B.〕영국의 물리학자. 아들과 함께 엑스선(X線)을 사용하여 결정(結晶) 구조를 연구. 엑스선 간섭(X線干涉)에 관한 '브래그의 조건'을 도출하고, 다시 엑스선 분광기(X線分光器)를 고안하여, 1915년 노벨 물리학상을 받음. [1862-1942] ②〔William Lawrence B.〕❶의 아들. 캐번디시(Cavendish) 연구소장을 지냈으며, 아버지와의 X선 연구로 함께 1915년 노벨 물리학상을 수상함. [1890-1971]

브래드퍼드[1]〔Bradford〕 명 『지』 영국 잉글랜드 북부에있는 공업 도시. 리즈(Leeds)와 더불어 모직물·모사(毛絲) 공업의 중심지이며, 방직 기계·화학·전기(電機) 등의 공업도 성함. [458,900 명(1981 추계)]

브래드퍼드[2]〔Bradford, William〕 명 『사람』 필그림 파더스(Pilgrim Fathers)의 지도자. 플리머스(Plymouth) 식민지 건설과 경영에 노력함. 자신의 체험을 기록한 《플리머스 식민지사(史)》가 있음. [1590-1657]

브래들리[1]〔Bradley〕 명 『사람』 ①〔Andrew Cecil B.〕 영국의 학자·비평가. ❷의 아우. 옥스퍼드 대학 시학(詩學) 교수를 역임하였으며 당시 강의한 《셰익스피어 비극론(悲劇論)》은 논리와 상상력의 완전한 조화를 이루어 낭만적인 비평의 극치로서 획기적인 업적임. [1851-1935] ②〔Francis Herbert B.〕 영국의 철학자. 영국의 헤겔주의의 제일인자. 독일 관념론과 헤겔에 영향되어 쾌락주의 및 공리주의 윤리설을 배격하고 비판적 객관적 관념론을 발전시켰음. [1846-1924]

브래들리[2]〔Bradley, Henry〕 명 『사람』 영국의 언어학자·사서 편찬가. 《옥스퍼드 영어 사전(O.E.D.)》 편찬자의 한 사람. [1845-1923]

브래들리[3]〔Bradley, James〕 명 『사람』 영국의 천문학자. 제3대 그리니치 천문대장을 지냄. 1727년 항성(恒星)의 연주 시차(年周時差) 측정을 위한 관측을 하던 중 광행차(光行差)를 발견했으며, 1747년에는 지축(地軸)의 장동(章動)을 발견함. 오랫동안 정밀한 관측을 계속, 6만개에 달하는 항성의 위치를 측정함으로써, 위치 천문학(位置天文學)의 기초를 만듦. [1692-1762]

브래들리[4]〔Bradley, Omar Nelson〕 명 『사람』 미국의 군인. 육군 원수(元帥). 2차 대전 때 노르망디(Normandy) 상륙 작전에 참가하였으며, 1947년 육군 참모총장, 1949년 통합 참모 본부(統合參謀本部) 의장 등을 역임하고, 1953년 퇴임하였음. [1895-1981]

브래지어〔brassiere〕 명 여자들이 젖을 가리거나 앞가슴을 예쁘게 하기 위하여 옷 속으로 젖을 싸누르게 된 내의.

〈브래지어〉

브래키에이션〔brachiation〕 명 양손으로 나뭇가지에 매달리어 몸을 앞뒤로 흔들어 그 반동으로 나무에서 나무로 이동해 가는 운동 양식.

브래킷〔bracket〕 명 ①『인쇄』 문자나 장구(章句)를 다른 그것들과 구별하기 위하여 쓰이는 묶음표. [ ]〔 〕【 】등. ②『건』 까치발. ③ 벽에 붙여 다는 전기 기구(器具). 백열등과 형광등의 두 종류가 있음.

브래튼〔Brattain, Walter Houser〕 명 『사람』 미국의 물리학자. 반도체(半導體)에 관한 연구로 트랜지스터(transistor)의 발명에 공헌하여 1956년 바딘(Bardeen, J.), 쇼클리(Shockly, W.B.)와 함께 노벨 물리학상을 받았음. [1902-87]

브랜도〔Brando, Marlon〕 명 『사람』 미국의 영화 배우. 남성적 연기를 인정 받음. 《워터프런트》·《대부(代父)》 등에 출연, 아카데미상(賞)을 수상함. [1924-]

브랜드〔brand〕 명 상표. ¶ 유명 ∼.

브랜드스텐-판【—板】〔brandsten〕 명 수영의 뜀판. 다이빙 경기의 뜀판.

브랜드 전:략【—戰略】〔brand〕〔—절—〕 명 『경』 브랜드 곧 상표로써 자기의 제품을 타사(他社)의 제품과 구별하게 하여 경쟁상 유리한 위치에 서려는 마케팅 전략.

브랜디〔brandy〕 명 과실을 증류(蒸溜)하여 만든 술의 총칭. 보통 포도로 만든 것을 가리키기도 함. 알코올을 40-50 % 함유(含有)하고 있음.

브러나다 자 〈옛〉 불거지다. ¶ 가온대 두두룩이 밧글 향ᄒᆞ야 브러나게 ᄒᆞ고(中心突向外)《武藝 16》.

브러더〔brother〕 명 형제(兄弟).

브러시〔brush〕 명 ①솔[2]. ②『물』 발전기(發電機) 또는 전동기(電動機)의 정류자(整流子)에 닿아서 여기로부터 외부로 전류를 끌어 내거나 또는 외부로부터 전류를 공급하는 장치.

브러일라〔Brăila〕 명 『지』 루마니아 동부의 도시. 다뉴브 강(江) 우안(右岸)의 하항(河港)으로 조선(造船)·목재 가공·섬유 공업 등이 행해짐. 고대 그리스 이래의 도시이며 한때는 터키령(領)이었음. [236,000 명(1986 추계)]

브러지다 자 〈옛〉 부러지다. ¶ 브러져 들히나다(齊杈折)《漢淸 XI:55》.

브러ᄒᆞ다 타 〈옛〉 부러워하다. =블다[1]. ¶ 브러ᄒᆞ며 할아미 울티 아니 ᄒᆞ니라(不可歎羨詆毁)《飜小 VIII:23》.

브런디지〔Brundage, Avery〕 명 『사람』 미국의 체육가. 1912년 제5회 스톡홀름 올림픽 대회에서 오종 경기(五種競技)에 제5위로 입상한 바 있으며, 1936년 아이 오 시(IOC) 위원이 되어 아마추어리즘 옹호에 노력했고, 1952-72년 IOC 제5대 회장직을 지냄. 토목 건축가로 성공한 부호(富豪)이며, 동양 미술의 수집가로서도 유명함. [1887-1975]

브레멘〔Bremen〕 명 『지』 독일 북부에 있는 항도(港都). 함부르크(Hamburg) 다음가는 무역항으로 기계·자동차·제유·화학·담배·식품 가공 등의 공업이 행해짐. 제2차 세계 대전 중 U보트의 기지(基地)였음. [554,000 명(1981)]

브레몽〔Bremond, Henri〕 명 『사람』 프랑스의 평론가. 미완성의 대작 《프랑스 종교 감정(感情)의 문학적 역사》 외에 주지(主知)주의·신(新)고전주의에 반대하는 입장을 취한 문예 평론 《낭만주의를 위하여》·《순수시(純粹詩)》 등으로 명성을 얻음. [1865-1933]

브레송〔Bresson, Robert〕 명 『사람』 프랑스의 영화 감독. 처녀작 《죄의 천사》 이후, 《저항》·《소매치기》 등, 허식 없는 순수 시각의 영화미(美)를 탐구한 작품으로 누벨 바그의 선구가 됨. [1907-]

브레스트[1]〔breast〕 명 ①가슴. 흉부(胸部). ②↗브레스트스트로크.

브레스트[2]〔Brest〕 명 『지』 프랑스 브르타뉴(Bretagne) 반도 끝에 있는 항도(港都). 루이 13세 때부터의 요새(要塞)로 프랑스 최대의 해군 기지임. 해군 사관 학교·해군 공창(工廠)·조선소 등이 있으며, 무역항으로서도 중요함. [156,000 명(1982)]

브레스트[3]〔Brest〕 명 『지』 벨로루시 공화국 서부의 도시. 폴란드와의 국경에 가깝고, 식품 가공·직물 등의 공업이 행해짐. 제1차 대전 중, 1918년에 이 곳에서 레닌 등의 러시아 혁명 정권이 맺은 러·독(獨) 단독 강화 조약에 의하여 폴란드령이 되었으나, 제2차 세계 대전에 의하여 다시 러시아령이 되었음. 구명(舊名): 브레스트리토프스크(Brest Litovsk). [238,000 명(1987)]

브레스트리토프스크 조약【—條約】 명〔Treaty of Brest Litovsk〕『역』 제1차 세계 대전 말기인 1918년 브레스트리토프스크, 현재의 브레스트에서 혁명 후의 러시아와 독일 사이에 체결된 단독 강화 조약. 러시아는 폴란드·에스토니아 등의 주권을 포기하고, 핀란드 등에서 철군(撤軍), 다액의 배상금 지불을 약속함. 그러나 독일 혁명이 일어나자 소비에트 정권은 이 조약을 파기함.

브레스트스트로:크〔breaststroke〕 명 평영(平泳). 개구리 헤엄. ㊀브레스트[1].

브레슬라우〔Breslau〕 명 『지』 '브로츠와프(Wrocław)'의 독일명.

브레시아〔Brescia〕 명 『지』 이탈리아 북부의 도시. 알프스 산(山) 기슭에 있으며 교통의 요지. 철강·알루미늄·병기(兵器)·섬유·식품 공업이 행해짐. 고대 로마 신전(神殿)의 유적과 11세기의 성당(聖堂) 등이 있음. [199,000 명(1988 추계)]

브레이드〔braid〕 명 ①끈 줄. ②땋은 머리.

브레이스〔brace〕 명 『인쇄』 중괄호(中括弧) { }의 일컬음.

브레이슬릿〔bracelet〕 명 팔찌.

브레이커〔breaker〕 명 가정용의 전력 제한기(電力制限器). 전력이 계약량을 넘어서 사용되거나 단락(短絡)에 의한 이상(異常) 전류가 흐르거나 하면 자동적으로 회로가 끊어지게 된 장치. 전류 차단기(電流遮斷器).

브레이크[1]〔brake〕 명 ①기차·전차·자동차 등의 차량(車輛) 또는 여러 기계 장치의 운전을 조절·제어(制御)하기 위한 장치. 제동기(制動機). 제동 장치(制動裝置). 완급기. ¶ ∼를 걸다. ②전(轉)하여, 어떤 행동에 제동을 거는 일.

브레이크[2]〔break〕 명 ①야구에서, 투수(投手)의 투구(投球)가 굴절하는 일. ②권투에서, 서로 껴안고 있는 선수에게 떨어질 것을 명령하는 말. ——하다 자여불 「브레이크.

브레이크 고무〔brake+프 gomme〕 명 자전거 바퀴에 달린 고무로 된

브레이크-슈:〔brakeshoe〕 명 『기』 제동자(制動子).

브레이크-액【一液】 명 〔brake fluid〕 자동차의 브레이크 실린더에 들어 있는 액체. 이것의 작동으로 브레이크편(片)이 브레이크 드럼을 누르게 됨.

브레인 〔brain〕 명 ①두뇌(頭腦). ②브레인 트러스트❷.

브레인-스토:밍 〔brainstorming〕 명 기업에 있어서의 아이디어 개발 방식의 하나. 일단(一團)의 사람들을 모아 편의상의 사회자 밑에서 자유로이 자기의 생각을 발표하게 함으로써 창조적 아이디어를 개발하려는 방식. 미국인 오즈본(Osborne, A.F.)의 조어(造語)임.

브레인 트러스트 〔brain trust〕 명 ①미국의 제32대 대통령 루스벨트(Roosevelt, F.D.)가 뉴딜 정책을 행하였을 때의 정치·경제 관계에 관한 고문(顧問)으로 위촉(委囑)한 학자단(學者團). 두뇌 위원회(頭腦委員會). ②일반적으로 전문 위원회. 브레인.

브레인 풀:제【一制】 〔brain pool〕 명 해외에 나가 있는 학자들을 계약제로 초빙하여 정부 투자 연구소의 연구원이나 대학의 교수 자원으로 활용하는 제도.

브레즈네프 〔Brezhnev, Leonid Il'ich〕 명 《사람》 소련의 정치가. 제2차 세계 대전중에는 우크라이나 전선에서 정치 공작을 지도함. 1960-64년 소련 최고 회의 간부 회의 의장을 지냈고, 1964년 흐루쇼프에 이어 당 제1 서기, 1966년 이후 당 중앙 위원회 서기장을 지냄. 〔1906-82〕

브레즈네프 독트린 〔Brezhnev Doctrine〕 명 《정》 1968년 7월 브레즈네프 소련 공산당 서기장이 소련의 체코 무력 침공을 정당화하기 위한 정책. 동(東)유럽 공산권의 이익을 보장하기 위해서는 한 나라의 주권이 제한받을 수 있다는 주권 제한론.

브레즈네프 헌:법【一憲法】〔一뻡〕〔Brezhnev〕 명 1977년 10월 7일에 채택·시행된, 브레즈네프 체제 하의 소련의 새 헌법의 속칭. 1936년에 제정된 스탈린 헌법 시행 후의 소련 사회의 변화를 감안하여 전면적으로 개정(改定)한 것으로, 소련의 그 당시를 발달한 사회주의 사회로 포착하고, 시민·근로 집단·주민(住民) 집단의 권리 및 자유를 체계적으로 내세운 것이 특징임.

브레진스키 〔Brezzinski, Zbigniew〕 명 《사람》 미국의 정치가. 1953년 하버드 대학 대학원 졸업, 1962년 컬럼비아 대학 교수 겸 공산 문제 연구소장을 역임하고, 1977년 카터 미국 대통령의 안보(安保) 담당 특별 보좌관이 됨. 〔1928- 〕

브레턴 우즈 협정【一協定】 〔Bretton Woods〕 명 《경》 1944년 7월 미국 뉴햄프셔 주(New Hampshire州)의 브레턴우즈에서, 45 개국이 참가하여 맺은 국제 금융 기구(國際金融機構)에 관한 협정. 전후(戰後)의 통화 안정·무역 진흥·후진국 개발 등을 토의하고, 국제 통화 기금·국제 부흥 개발 은행·국제 무역 기구의 설립을 결정함.

브레히트 〔Brecht, Bert〕 명 《사람》 독일의 극작가. 처음 ≪밤의 북≫ 등 허무주의적 작품으로 출발하였으나 차츰 사회주의적 경향을 띰. 2차 대전 때에는 국외에 망명하였으며 대전 후 극단 '베를리너 앙상블(Berliner Ensemble)'을 조직 지도하고, 서정시와 소설도 씀. 작품 ≪삼류 오페라≫·≪제3제국의 공포와 빈곤≫ 등. 〔1898-1956〕

브렉퍼스트 〔breakfast〕 명 아침 식사.

브렌델 〔Brendel, Alfred〕 명 《사람》 오스트리아의 피아니스트. E. 피셔에게 사사하고, 1949년 부조니 국제 콩쿠르에 입상하여 빈을 무대로 연주 활동을 시작함. 모차르트·베토벤·슈베르트의 해석에 일가견을 가지며, 중후하고 격조 높은 지성파 연주자로서 클라우디오 아라우와 함께 20세기 후반의 쌍벽을 이룸. 〔1931- 〕

브렌타노 〔Brentano〕 명 《사람》 ①〔Clemens B.〕 독일 후기(後期)의 낭만파 시인. 장편 소설 등에서는 실패하였으나, 종교적 서사시 ≪염주의 로만첸≫은 걸작임. 아르님(Arnim, L. von)과의 공편(共編)인 민요집 ≪소년 요술 피리≫는 후세 시인에게 영향 끼친 바 큼. 〔1778-1842〕 ②〔Franz B.〕 독일의 철학자. ❶의 조카. 아리스토텔레스에 의거하여 칸트 및 독일 관념론에 반대하여 실재론(實在論)을 주창하고, 기초학(基礎學)으로서 기술적 심리학(記述的心理學)의 입장을 창시하여, 독오 학파(獨墺學派)의 시조가 됨. 저서 ≪경험적 입장에서의 심리학≫·≪도덕적 인식의 원천≫ 등. 〔1838-1917〕 ③〔Lujo, B.〕 독일의 경제학자. ❷의 아우. 뮌헨 대학 등의 교수를 역임. 신역사학파에 속하며 사회 정책 학회 설립에 있어서는 좌파를 대표하여 노동자 보호를 주장, 만년에는 경제사를 연구함. 〔1844-1931〕

브렌타노 학파【一學派】 〔Brentano〕 명 《철》 '독오 학파(獨墺學派)'를 따로 일컫는 말.

브렐 〔Brel, Jacques〕 명 《사람》 브뤼셀 출생의 프랑스 샹송 가수·시인. 1950년대 후반부터 스스로 작사·작곡한 노래로 명성을 얻어, 20세기가 낳은 가장 탁월한 샹송 가수로 꼽힘. 대표곡(曲)은 ≪가진 것은 사랑뿐≫·≪나를 떠나지 마오≫ 등. 〔1929-78〕

브려다 타 〈옛〉 부리다¹. =브리다¹. ¶罪를 니저 다시 브려시니(忘咎復任使)≪龍歌 121章≫.

브로니 타 〈옛〉 부르니. '브르다¹'의 활용형. ¶훤히 노래 브로니 ᄌ모 시름ᄃ외도다(放歌頗愁絕)≪重杜諺 Ⅱ:34≫.

브로다 타 〈옛〉 부러워하다. ¶아으 滿春돌 욋고지여 ᄂᆞᄆᆡ 브롤 즈을 디녀 나샷다 ≪樂範 動動≫.

브로:드 〔broad〕 명 ①폭(幅). 넓이. ②↗브로드클로스.

브로:드 게이지 〔broad gauge〕 명 광궤 철도(廣軌鐵道).

브로:드웨이 〔Broadway〕 명 《지》 뉴욕 시(市) 맨해튼 구(Manhattan區)의 중앙부를 남북으로 뻗은 큰 거리. 극장가(劇場街)로 유명함.

브로:드 점프 〔*broad jump*〕 명 주폭도(走幅跳).

브로:드캐스팅 스테이션 〔broadcasting station〕 명 방송국.

브로:드-클로:스 〔broadcloth〕 명 ①모직물의 일종. 상질(上質)의 방모사(紡毛絲)를 써서 평직(平織) 또는 능직(綾織)으로 짠 얄찍한 옷감. 털에 광택이 있음. 준브로드. ②같은 굵기의 씨와 날을 써서 날이 좀 더 촘촘하게 짠 부드럽고 광택 있… 감으로 쓰임. 준브로드.

브로:드피:크 산【一山】 〔Broad…〕 …부, 카라코람 산맥(Karakoram…) (Baltoro氷河) 안의 K_2 봉(峰) … 반대가 처음 오름. 〔8,051 m〕

브로마이드 〔bromide〕 명 ①감… 을 사용하여 만든 인화지. 또, … 불변색 조면(粗面) 사진. 브로마… 초상(肖像) 사진. 브로마이드 …

브로마이드 사진【一寫眞】 〔br…〕 …를 사용하여 만든 사진. ②브로…

브로마이드 인화지【一印畫紙】 …

브로마이드-지【一紙】 〔bromide…〕

브로모 산【一山】 〔Bromo〕 명 《… 있는 화산(火山). 화산 활동이 … 상이 되어 왔음. 〔2,581 km〕

브로모-크립틴 〔bromocriptine〕 … 체(誘導體). 유즙(乳汁) 분비를 … 이나 무월경(無月經) 증후군(症…

브로모-포름 〔bromoform〕 명 《… 분석용의 비중액(比重液)·흡입 …

브로무랄 〔도 Bromural〕 명 《약… leryl尿素)의 상표명〕 브롬(Bro… 기 화합물. 백색·무미(無味)의 …

브로스 〔broth〕 명 살코기·뼈 또… 부용(bouillon).

브로우워¹ 〔Brouwer, Adriaen〕 명 … 의 대표적 풍속화가. 길가에서 또는 술… 차고 명쾌한 터치로 그림. 〔1606?-38〕

브로우워² 〔Brouwer, Luitzen Egbert Jan…〕 … 학자. 1913년 암스테르담 대학 교수. 위상 기하… 초론을 연구, 힐버트(Hilbert) 등의 형식주의에 … 觀主義)를 제창함. 〔1881-1966〕

브로이어 〔Breuer, Marcel〕 명 《사람》 헝가리 태생의 … 틸 파이프(steel pipe)의 가구 설계로써 유명함. 1937년 … 여 하버드 대학 교수가 됨. 파리 유네스코 본부(UNESCO… 하였음. 〔1902-81〕

브로일러 〔broiler〕 ①고기를 굽는 데 쓰는 요리 기구. ②식육용 … 7-8주간 사육된, 무게 1.8kg 전후의 것임. 통거리로 구워서 판매… 서 붙린 이름.

브로츠와프 〔Wrocław〕 명 《지》 폴란드 남서부의 상공업 도시. 오데르강(Oder江)에 면한 하항(河港)으로 기계·섬유·피혁·시멘트 등의 공업이 행하여짐. 1811년 창립된 유명한 대학이 있음. 독일의 지배 아래 있다가 1945년 폴란드령이 됨. 독일명은 브레슬라우(Breslau). 〔640,000명(1989 추계)〕

브로츠키 〔Brodsky, Joseph Aleksandrovich〕 명 《사람》 러시아 출신의 미국 시인. 1964년 '사회에 기생하는 자'라는 이름 아래 탄압을 받고 지하 출판으로 계속 시집을 간행, 유럽에도 알려짐. 1972년 국외 추방의 형식으로 미국에 망명, 미시간 대학 등에서 문학을 강의함. 1987년 노벨 문학상 수상. 대표작으로 ≪크리스마스 발라드≫·≪존 던에게 바치는 비가(悲歌)≫·≪이삭과 아브라함≫ 등이 있음. 〔1940- 〕

브로:치¹ 〔broach〕 명 《공》 원형 이외의 구멍·홈·면(面)을 깎는 데 사용하는 공구(工具). 앞뒤로 겹친 날이 차츰 크게 되었음. 고속도강(高速度鋼) 등으로 만듦. 브로치반(broach盤)에 붙여서 사용함.

브로:치² 〔brooch〕 명 양복의 깃이나 앞가슴에 다는 장신구의 한 가지.

브로:치-반【一盤】 〔broach〕 명 《기》 브로치를 사용하여 원형(圓形) 이외의 구멍·홈·면(面) 따위를 가공하는 공작 기계. 작업이 매우 능률적이고 정밀도가 높으며 대량 생산에 적합함. 횡형(橫型)과 수형(竪型)이 있음. 브로칭 머신(broaching machine).

〈브로치반〉

브로:칭 머신 〔broaching machine〕 명 브로치반.

브로카 〔Broca, Paul〕 명 《사람》 프랑스의 외과의(外科醫)·인류학자. 1861년 대뇌의 운동성 언어 중추(言語中樞)를 발견하여 대뇌 기능의 국재(局在)를 처음으로 증명하였음. 또, 인류학 부문에서도 두개 계측법(頭蓋計測法)의 고안, 인류학 협회의 설립 등으로 프랑스 자연 인류학의 기초를 다짐. 〔1824-80〕

브로카 실어증【一失語症】 〔Broca〕〔一쯩〕 명 운동성 언어 중추(運動性言語中樞)의 장애로 일어나는 실어증. 곧, 운동 실어증.

브로:커 〔broker〕 명 ①상행위(商行爲)의 매개(媒介)를 업으로 하는 사람. 중개 상인. 중개인. 중매상. ②〈속〉 사기적(詐欺的)인 거간꾼.

브로:컨-힐 〔Broken Hill〕 명 《지》 오스트레일리아 남동부의 광산 도시. 은·아연·납의 생산은 세계적이며 금속 제련도 행해짐. 1876년 은이 발견되면서 촌락이 형성됨. 〔28,000명(1981)〕

브로케이드 〔brocade〕 명 견직물의 일종. 색실이나 금·은실로 꽃 등의 무늬를 도드라지게 놓아 짜거나 또는 수를 놓은 호화 찬란한 피륙. 기원지는 중국임. 이브닝 드레스·칵테일 드레스·블라우스(blouse)·실내 장식·무대 의상의 재료 등으로 쓰임. 문직(紋織).

브로켄 산【—山】〔Brocken〕명〖지〗독일 중앙부, 하르츠(Harz) 산맥 중의 최고봉. 기상 관측소가 있는 산정까지 등산 철도가 있음. 민둥산(山)인데 괴기한 화강암이 있음. 브로켄 현상(現象)으로 유명함. [1,142 m]

브로켄의 요괴【—妖怪】〔Brocken〕[—/—에—] 명 등산가가 흔히 경험하는 기상 광학(氣象) 현상의 하나. 산꼭대기에서 앞에는 안개가 끼어 있고 뒤로부터 해가 비칠 때, 등산자의 모양이 크게 확대되어 비치고 목 둘레에 무지개의 테가 몇 겹씩으로 보이는 현상임. 대기중(大氣中)의 물방울 때문에 태양 광선이 회절(回折)하여 생기며 브로켄 산에서 자주 볼 수 있다 해서 이 이름이 붙음. 브로켄 현상(現象). 괴광(怪光).

브로켄 현:상【—現象】〔Brocken〕명 브로켄의 요괴(妖怪).

브로콜리〔broccoli〕명〖식〗[*Brassica oleracea* var. *botoytis*] 명 양배추의 한 변종(變種). 꽃봉오리가 초록색이며 곁가지에도 생기는 것이 있는데 이것을 식용으로 함. 샐러드에 많이 쓰임.

브로크하우스 백과 사:전【—百科事典】〔Brockhaus〕명 독일 브로크하우스 출판사의 백과 사전. 초판은 전 6권으로 1808년 간행됨. 철저한 소항목(小項目) 주의로 유명하며, 1966년 이래 다시 20권으로 간행함. 중사전은 1958-60년 간행한 6권본, 소사전은 1965년 간행의 3권본이 있음.

브로:큰 잉글리시〔broken English〕명 엉터리 영어.

브로:큰 하:트〔broken heart〕명 상처 받아 슬픈 마음. 실연(失戀). 실의(失意).

브로트〔Brod, Max〕명〖사람〗유태계(系) 독일 작가·시인. 역사 소설 《티코 브라헤(Tycho Brahe)의 신(神)에 이르는 길》은 걸작이며 이외 《여인의 길》 등의 시도 있음. 친구 카프카(Kafka)의 유고(遺稿) 편집자로서도 유명함. [1884-1968]

브로흐〔Broch, Hermann〕명〖사람〗오스트리아의 유태계(系) 작가. 1938년 나치에 체포되었다가 미국에 망명. 옥중에서의 체험을 바탕으로 쓴 철학시적(哲學詩的)인 장편 《베르길리우스(Vergilius)의 죽음》을 완성, 세계적 명성을 얻음. 이 밖에 단편 《죄없는 사람들》 등이 있음. [1886-1951]

브론즈〔bronze〕명 ①청동(靑銅). 청동 제품(製品). ②동상(銅像).

브론테〔Brontë〕명〖사람〗영국의 여류 소설가인 세 자매. 시골에서 가난한 목사의 딸로 성장, 모두 낭만주의적 작가가 됨. ①〔Anne B.〕브론테 자매의 셋째. 필력으로는 언니들에 미치지 못함. 필명은 Acton Bell. 작품은 《아그네스 그레이(Agnes Grey)》 등. [1820-49] ②〔Charlotte B.〕브론테 자매의 맏언니. 필명은 Currer Bell. 작품은 《제인 에어(Jane Eyre)》 등. [1816-55] ③〔Emily Jane B.〕브론테 자매의 둘째. 필명은 Elliss Bell. 작품은 《폭풍의 언덕(Wuthering Heights)》 등. [1818-48]

브론토사우루스〔라 Brontosaurus〕명〖동〗중생대(中生代)의 쥐라기(Jura紀)에 번성하였던 거대한 파충류로 초식(草食) 공룡(恐龍)의 일종. 몸길이 20-25 m에 달하고, 무게 32.5톤으로 추정됨. 머리는 매우 작고 목과 꼬리가 길며, 몸통이 짧음. 수륙 양서(水陸兩棲)임. 뇌룡(雷龍).

〈브론토사우루스〉

브론토테륨〔라 Brontotherium〕명〖동〗중생대(中生代) 제3기(紀) 올리고세(Oligo世)의 화석 포유류(哺乳類). 기제류(奇蹄類)에 속하며 몸길이 2.5 m, 무게 5톤으로 추정됨. 초식성(草食性)이며 코 위에 두 개의 뿔이 있음. 화석은 미국의 네브라스카와 다코타에서 발견됨.

브롬[1]〔도 Brom〕명〖화〗할로겐족 원소(Halogen族元素)의 하나. 상온(常溫)에서 액체로 있는 유일한 비금속 원소로 불쾌한 자극성 냄새가 있으며 적갈색으로 무거움. 염소(塩素)와 비슷한 성질을 가지나 조금 약함. 보통 칼륨·마그네슘과 화합하여 존재하며 금과는 작용하나 백금과는 작용하지 아니함. 유독성을 이용한 살균제·산화제·의약품·사진 재료, 기타 각종 브롬화제(Brom化劑) 등으로 널리 쓰임. 취소(臭素). [35번 : Br : 79.904]

브롬[2] 타〈옛〉부름. '브르다[1]'의 명사형. ¶ 놀애 브로미 隱淪도 아니로다(行謌非隱淪)《重杜諺 XIX:2》.

브롬라이트〔bromlite〕명〖광〗사방정계(斜方晶系)의 광물. 탄산 칼슘·바륨으로 이루어짐. [$BaCa(CO_3)_2$]

브롬베르크〔Bromberg〕명〖지〗'비드고슈치(Bydgoszcz)'의 독일명.

브롬-산【—酸】명〔bromic acid〕〖화〗수용액으로만 존재하며 산성(酸性)은 약하나 산화력은 강한 무색(無色)의 물질. 성질이 염소산염(塩素酸塩)과 비슷한데 금속의 산화물에 작용하여 염을 만듦. 취소산(臭素酸). [$HBrO_3$]

브롬산-염【—酸塩】[—념] 명〔bromate〕〖화〗브롬산의 수소 원자가 금속 따위에 치환(置換)되어서 생기는 염. 일반적으로 무색 결정으로 강력한 산화제(酸化劑)임. 취소산염(臭素酸塩). [M^IBrO_3]

브롬-수【—水】명〔bromine water〕〖화〗브롬의 포화 수용액(飽和水溶液). 약 3%의 브롬을 함유하며 황색 또는 갈색을 띰. 브롬 대신으로 쓰이는 화학의 시약(試藥)임. 취소수(臭素水).

브롬이소발레릴 요소【—尿素】명〔bromisovaleryl carbamide〕〖화〗수면(睡眠)·진정제. 무색 결정 또는 백색 결정성 분말(粉末)인데 냄새는 없으나 좀 씀. 상표명은 브로무랄(Bromural)·칼모틴(Calmotin) 등.

브롬-제【—劑】명〔도 Bromittel〕〖약〗약품으로서의 브롬 화합물. 중추(中樞) 신경계의 감수성(感受性)을 억제하는 구실을 하므로 진정(鎭靜)·진경(鎭痙)·진통제로 쓰임.

브롬-지【—紙】〔도 Brom〕명 브롬화은(Brom化銀)의 유제(乳劑)를 종이에 발라서 만든 인화지(印畫紙)의 한 가지. 감광도(感光度)가 빨라 사진 확대용으로 쓰임. 브로마이드지(bromide紙). 취소지(臭素紙).

브롬-진【—疹】〔도 Brom〕명〖의〗브롬 또는 그 염류(塩類)의 복용에 의하여 머리·얼굴·코·어깨·팔다리 등의 피부에 생기는 암갈색의 발진. 취소진(臭素疹).

브롬-칼리〔도 Bromkali〕명〖화〗브롬화 칼륨.

브롬-화【—化】〔도 Brom〕명〖화〗할로겐화(Halogen化)의 하나. 어떤 물질이 브롬과 화합함. 부가(附加) 또는 치환(置換)에 의함. 취화(臭化). ——하다 자여불

브롬화 가리【—化加里】〔도 Brom〕명〖화〗브롬화 칼륨.

브롬화 나트륨【—化—】명〔도 Natrium bromid〕〖화〗무색·무취의 입방 정계(立方晶系)의 결정(結晶). 녹는점 747℃, 끓는점 1390℃. 짜거나 쓴 맛이 있으며 공기 중에서는 흡습성(吸濕性)이 있음. 이뇨제(利尿劑) 및 사진 재료(寫眞材料)에 쓰임. 취화(臭化) 나트륨. [NaBr]

브롬화 메틸【—化—】명〔methyl bromide〕〖화〗휘발성(性)의 무색의 액체. 물에 녹지 아니함. 유기 합성에 쓰임. 취화 메틸. [CH_3Br]

브롬화-물【—化物】명〔bromides〕〖화〗브롬과 다른 원소 또는 원자단(原子團)과의 화합물. 브롬화 수소 같은 것. 취화물(臭化物).

브롬화 수소【—化水素】명〔hydrogen bromide〕〖화〗브롬과 수소와의 화합물로서 무색의 자극성 냄새가 있는 기체. 공기 중에서 발연(發煙)하고 물·알코올 등에 녹는데, 화학적 성질은 거의 염화 수소(塩化水素)와 같음. 취화 수소(臭化水素). [HBr]

브롬화 수소산【—化水素酸】명〔hydrobromic acid〕〖화〗브롬화 수소의 수용액(液). 무색이며 산성(酸性)임. 분석 화학(分析化學) 및 의료용(醫療用)에 쓰임. 취화 수소산(臭化水素酸). *브롬화 수소.

브롬화 알루미늄【—化—】명〔aluminium bromide〕〖화〗조해성(潮解性)이 강한 무색의 육방 정계(六方晶系) 소엽상 결정(小葉狀結晶). 알루미늄을 조금씩 브롬 중에 가하면 극히 맹렬한 반응을 보이며 생성(生成)됨. 물·알코올·브롬 등에 녹음. 취화(臭化) 알루미늄. [Al_2Br_6]

브롬화 암모늄【—化—】명〔ammonium bromide〕〖화〗무색의 결정성 고체(固體). 물·알코올에 녹으며 가열하면 승화함. 브롬화은의 제조 원료·진통제·분석 시약(試藥) 등에 쓰임. 브롬화 암몬. 취화 암모늄. [NH_4Br]

브롬화 암몬【—化—】명〖화〗브롬화 암모늄.

브롬화 에틸【—化—】명〔ethyl bromide〕〖화〗휘발성이 있는 무색 액체. 황산 에틸에 브롬화 칼륨을 작용시켜 얻음. 마취제로 쓰임. 취화(臭化) 에틸. [C_2H_5Br]

브롬화-은【—化銀】명〔silver bromide〕〖화〗브롬과 은의 화합물로서 담황색(淡黃色)의 가루. 물에 약간 녹으며 빛에 의하여 분해되어 흑색(黑色)으로 변함. 감광성(感光性)이 강하여 사진 건판에 쓰임. 취화은(臭化銀). [AgBr]

브롬화-인【—化燐】명〔phosphorus bromide〕〖화〗적린(赤燐)과 브롬을 작용시켜 얻는 무색 투명한 액체인 삼브롬화인(三Brom化燐)과, 여기에 또 브롬을 작용시켜 얻는 적황색의 결정인 오(五)브롬화인의 통칭. 취화인(臭化燐).

브롬화-제【—化劑】명〔brominating agent〕〖화〗분자(分子)에 브롬을 도입(導入)하는 시제(試劑). 염화(塩化) 브롬·삼브롬화인(三Brom化燐)·삼브롬화 알루미늄 따위.

브롬화 칼륨【—化—】명〔도 Kaliumbromid〕〖화〗브롬과 칼륨과의 화합물로서 광택이 있는 입방 정계의 흰 결정(結晶). 물에 잘 녹음. 사진용·의약용·화학 시약으로 쓰임. 취박(臭剝). 브롬화 가리. 브롬 칼리. 브롬화 포타슘. 취화 가리. 취화 칼륨. 취소(臭素) 칼륨. [KBr]

브롬화 포타슘【—化—】명〔potassium bromide〕〖화〗브롬화 칼륨.

브루게〔Brugge〕명〖지〗벨기에의 서북부에 있는 고상도(古商都). 한자 동맹(Hansa 同盟) 도시로 모직물 공업이 유명하며, 레이스·양조·인쇄 공업 등이 행해짐. 제1차 세계 대전 때의 전적(戰跡)이 있음. 프랑스식 이름은 브뤼주. [118,000명(1988)]

브루나이〔Brunei〕명〖지〗①보르네오 서북부에 위치한 이슬람교국(敎國). 1888년 영국의 보호령, 1959년 자치령, 1984년 입헌 군주국으로 완전 독립함. 고무·사고야자(sago 椰子) 외에 임산(林産)도 많으나, 주 산업은 석유와 천연 가스. 수도는 반다르스리브가완. [5,765 km^2 ; 270,000명(1990)]. ②브루나이의 수도 반다르스리브가완의 구칭.

브루너〔Brunner, Emil〕명〖사람〗스위스의 신학자. 취리히 대학 교수. 바르트(Barth)와 함께 변증법 신학(辨證法神學)의 대표. 계시(啓示)와 이성(理性)의 관계에서 새로운 종교 철학을 수립하고, 그리스도교 인간학(人間學), 특히 윤리학에 주력하였음. 이후 이마고 데이(Imago Dei)의 문제로 바르트와 결별하였음. 저서에는 《복음적 신학의 종교 철학》·《명령과 질서》 등. [1889-1966]

브루:넷〔brunette〕명 백인으로서 살갗이 거무스름하고 머리털과 눈이 고동색인 여자.

브루노〔Bruno, Giordano〕명〖사람〗이탈리아의 철학자. 도미니쿠스회(Dominicus會)의 수사(修士). 코페르니쿠스의 지동설(地動說)에 감명을 받아 수도 생활을 버리고 각지를 방랑하면서 우주의 무한과 지동설을 주장하고 반교회적(反敎會的)인 범신론(汎神論)을 논하다가 이단(異端)으로 몰리어 분형(焚刑)당함. 주저에는 《원인, 원리 및 유일자(唯一者)에 대하여》·《무한 우주와 제세계(諸世界)에 대하여》 등이 있음. [1548?-1600]

브루셀라-병【—病】〔Brucella〕[—뼝] 명〖의〗브루셀라균(*Brucella melitensis*)의 감염으로 생기는 병. 본디, 소·염소·돼지 따위의 법정 가축 전염병(法定家畜傳染病). 사람에 감염하면 높은 열이 올랐다 내렸다 하기 때문에 파상열(波狀熱)이라고도 함. 예방으로 백신·항생 물질이 유효함.

브루:스〔Bruce, James〕명〖사람〗영국의 정치가. 외교관. 1858년 애로호(Arrow號) 사건의 전권 대사로서 텐진 조약(天津條約)을 체결하고, 1860년에는 베이징 조약(北京條約)을 체결함. 초대(初代) 인도 총독을 지냄. [1811-63]

브루:스터〔Brewster, David〕명〖사람〗영국의 물리학자. 광학(光學)

에 많은 연구가 있음. '브루스터의 법칙'과 쌍축 결정(雙軸結晶)을 발견하고 만화경(萬華鏡)을 발명함. [1781-1868]

브루:스터의 법칙【一法則】〔一/一에一〕 명〔Brewster's law〕〖물〗 '굴절률(屈折率)이 n인 물질의 표면에, $\tan\theta=n$이 되도록 입사각(入射角) θ로 입사하는 빛의 반사광(反射光)은 완전히 편광(偏光)으로 되어 있으며, 그 진동(振動) 방향은 입사면(入射面)에 수직(垂直)이다'라는 법칙. 이 θ를 편광각(偏光角)이라 함.

브루신〔brucine〕 명〖약〗 마전(馬錢)의 씨에서 빼내는 맹독(猛毒)의 알칼로이드. 맹렬한 경련독(痙攣毒)으로 그 미량(微量)은 신경의 흥분제로서 쓰임.

브루크너[1]〔Bruckner, Ferdinand〕 명〖사람〗 오스트리아의 극작가. 철학·음악·의학·법률학을 배우고. 표현주의적 색채가 짙은 음악 평론·시·소설을 발표하였으나 후에 프로이트에 심취하여 즉물적 경향(卽物的傾向)이 강해짐. 대표작 《청년의 병(病)》·《범죄자》 등을 발표함. [1891-1958]

브루크너[2]〔Bruckner, Josef Anton〕 명〖사람〗 오스트리아의 작곡가·오르간 연주자. 궁정·교회의 오르간 연주자이면서 작곡에 뜻을 두었음. 경건한 가톨릭 신자로서 근대 가톨릭 교회 음악의 최고봉의 한 사람임. 많은 교향곡·미사곡 등은 규모가 장대(壯大)하고 신비로움. [1824-96]

브루크만〔Brugmann, Karl〕 명〖사람〗 독일의 언어학자. 프라이부르크(Freiburg) 및 라이프치히 대학의 산스크리트(Sanskrit) 및 비교 언어학 교수. 델브뤼크(Delbrück, Berthold; 1842-1922)와 함께 《인도 유럽어 비교 문법》 5권(卷)을 저술하였으며, 《인도 유럽어 소(小)비교 문법》·《그리스어 문법》 등의 저서가 있음. [1849-1919]

브루클린〔Brooklyn〕 명〖지〗 미국 뉴욕의 한 구(區). 롱아일랜드(Long Island) 서단부를 점하며 이스트 강(East江)을 사이에 두고 맨해튼과 마주 대하고 있음. 시내 최대의 주택지로 상업·해운(海運)의 중심지. [183 km²: 2,301,000 명(1980)]

브루클린 브리지〔Brooklyn Bridge〕 명〖지〗 뉴욕 시 이스트 강에 걸린 세계 굴지(屈指)의 다리. 맨해튼과 브루클린의 양구(兩區)를 연결함. 1869년 착공, 1883년 개통함. 길이 1,734 m.

브루투스〔Brutus, Marcus Junius〕 명〖사람〗 로마의 정치가. 카이사르(Caesar) 암살의 주모자. 처음 그의 총애를 받았으나 차츰 독재에 분개하여 카시우스(Cassius) 등과 원로원(元老院)에서 암살함. 뒤에 동방으로 도망하였으나 안토니우스·옥타비아누스의 연합군에 패하여 자살함. 변론가로서도 명성이 있고 정치·철학상의 저술도 있었으나 키케로와의 왕복 서간(書簡)의 일부만이 현존함. [85 ?-42 B. C.]

브루흐〔Bruch, Max〕 명〖사람〗 독일의 작곡가. 바이올린 협주곡·첼로곡 등 낭만파의 우미한 작풍으로 유명함. 여러 곡이 나치에 의하여 금지되어 바이올린 협주곡 3곡 등 몇 곡만이 알려짐. [1838-1920]

브룩[1]〔Brook, Peter Stephen Paul〕 명〖사람〗 영국의 연출가·영화 감독. 1962년부터 로열 셰익스피어 극단에서 활약하고 1970년 파리에 연극 연구소를 세움. 《어둠은 밝다》·《리어왕》·《안토니우스와 클레오파트라》 등을 연출. 오페라 연출과 영화 감독 작품도 있음. [1925-]

브룩[2]〔Brooke, James〕 명〖사람〗 영국의 탐험가. 1838년 브루나이에 가서 반란을 진압하고 1842년 사라와크(Sarawak)의 수장(首長)에 임명되어 민정(民政) 개혁에 힘씀. [1803-68]

브룩[3]〔Brooke, Rupert〕 명〖사람〗 영국의 시인. 제1차 세계 대전에 출정(出征)하여 그리스에서 병사함. 시집(詩集) 《1914년》이 대표작. [1887-1951]

브룩[4]〔Brooke, Stopford Augustus〕 명〖사람〗 영국의 목사(牧師)·문필가(文筆家). 《영국 문학사》 및 밀턴·테니슨·브라우닝·셰익스피어(Shakespeare)에 관한 연구 논문이 있음. [1832-1916]

브룩 본드 회:사【一會社】 명〔Brooke Bond & Co., Ltd.〕 홍차의 제조 판매로 세계 제1의 영국 회사. 1845년 홍차 소매점으로부터 출발하여 실론·인도 등지에 다원(茶園)을 두고 재배(栽培)에서 판매까지를 일관, 세계 홍차 시장의 약 4분의 1을 점유함.

브룸:〔Broome〕 명〖지〗 오스트레일리아, 웨스턴오스트레일리아 주(州)의 북서부 인도양 연안의 항구. 진주조개 채취의 중심지이며 국제 항공로의 중계 기지. [4,900 명(1981)]

브뤼기에르〔Bruguière, Barthélemy〕 명〖사람〗 프랑스의 가톨릭 전도자. 파리 외방 전도회(Paris外邦傳道會) 소속으로, 자원하여 한국 교구(敎區) 초대 대리 사제(代理司祭)가 되었으나, 언어 풍습(言語風習)의 미숙과 중국인 신부의 방해로 입국하지 못하고 만몽(滿蒙) 국경에서 죽음. [1792-1835]

브뤼닝〔Brüning, Heinrich〕 명〖사람〗 독일의 정치가·경제학 박사. 독일 노동 조합 동맹 사무장을 거쳐 국회 의원이 되고, 1930년 보수파(保守派)와 군부의 지지로 수상이 되었으나 경제 공황(恐慌)의 타개에 실패, 나치의 대두(擡頭)를 초래하여 1932년 사직하고 1933년에 망명. 영국·미국의 여러 대학에서 정치학을 강의하다가 제2차 세계 대전 후 귀국하여 쾰른 대학 교수를 지냄. [1885-1970]

브뤼메:르 십팔일【一十八日】〔프 Brumaire〕 명〖역〗〔브뤼메르는 프랑스 혁명력(革命曆)의 제2월로 무월(霧月)의 뜻〕 1799년 11월 9일, 나폴레옹이 총재 정부(總裁政府)를 넘어뜨리고, 통령(統領) 정부를 세운 군사 쿠데타가 있던 날.

브뤼셀〔Brussel〕 명〖지〗 벨기에의 수도. 이 나라 중앙부에 위치하며 운하와 철도가 집중되어 있음. 왕궁(王宮)·교회 등이 있고, 오래된 전통을 갖는 나사 직물(羅紗織物)·모전(毛氈)·레이스(lace)를 산출하며 인쇄·주물(鑄物)·양조업(釀造業)이 행하여짐. 시가지가 아름다워 '소파리(小Paris)'로 불림. 19세기 후반에서 20세기 초에 걸쳐 주요한 국제 회의 개최지이며 EC 본부·NATO 본부 등의 소재지(所在地)임. [980,000 명(1990)]

브뤼셀 관세 품목 분류표【一關稅品目分類表】〔Brussel〕〔一불一〕 명 '비 티 엔(BTN)'의 역어(譯語).

브뤼셀 조약【一條約】〔Brussel〕 명〖정〗 1948년 3월에 영국·프랑스·벨기에·룩셈부르크·네덜란드의 5개국 사이에 체결된 집단 방위 조약. 후의 북대서양 조약의 전신(前身). 1954년에 폐지. 서구 오국 조약(西歐五國條約). *서구 연합(西歐聯合).

브뤼주〔Bruges〕 명〖지〗 '브루게(Brugge)'의 프랑스식 이름.

브뤼케〔Brücke, Die〕 명〖미술〗〔다리의 뜻〕 독일 표현주의(表現主義)의 선구가 된 예술 단체. 1905년 드레스덴의 고등 공예 학교 학생 키르히너(Kirchner, E.L.) 등이 결성한 단체로, 흑인 조각과 목판화(木版畫)의 기법에서 배운 단순하고 힘찬 선(線)과 형(型), 강렬한 빛깔로 근대인의 사회적·정신적 불안과 고뇌를 표현, 근대 독일 예술의 막을 엶.

브뤼크너〔Brückner, Eduard〕 명〖사람〗 독일의 기상학자·지리학자. 브뤼크너의 주기설(週期說)의 제창으로 유명함. 알프스 지방의 빙하 시대(氷河時代)의 빙하 작용을 연구하여 네 개의 빙하 시대가 있었음을 밝힘. [1862-1927]

브뤼크너 주기【一週期】〔Brückner〕 명〖기상〗 기후 변화에서 볼 수 있는 약 35년 정도의 주기. 브뤼크너가 카스피 해(海)의 수위(水位)의 변화 등을 해석(解析)하다가 발견, 그 후 세계 각지의 강수량·기온 등의 변화에서도 같은 주기의 존재가 인정됨.

브륀티에르〔Brunetière, Ferdinand〕 명〖사람〗 프랑스의 문학사가(文學史家)·문예 비평가(文藝批評家). 텐(Taine)의 뒤를 이어 진화론적(進化論的)인 견지를 문학사의 연구에 도입하고, 작품의 도덕성(道德性)을 강조하였음. 저서 《프랑스 문학사 서설(序說)》·《프랑스 고전주의 문학사》 등. [1849-1906]

브률로프〔Bryullov, Karl Pavlovich〕 명〖사람〗 러시아의 화가. 아카데믹한 수법으로 종교화·역사화·초상화를 그림. 작품 《폼페이 최후의 날》 등. [1799-1852]

브르 부〈옛〉 부르게. 배불리. ¶ 鳳翔앳 千官ㅣ 밥은 아야라 비브르 먹거니와(鳳翔千官且飽飯)《杜諺 I:10》.

브르노〔Brno〕 명〖지〗 체코 중부의 도시. 모라비아 주(Moravia 州)의 주도. 직물(織物)·기계·자동차·화학 공업 등이 성하고 교통의 요지임. 동쪽에 아우스터리츠(Austerlitz)의 고전장(古戰場)이 있음. [388,000 명(1988 추계)]

「《龍歌 13章》.

브르다[1] 타〈옛〉 부르다[1]. =브려다. ¶ 놀애롤 브르리 하더(謳歌雖衆)

브르다[2] 형〈옛〉 부르다[3]. ¶ 브르게 머근 애눈(飽腸)《杜諺 XVII:7》.

브르다[3] 타〈방〉 바르다[1](경남).

브르돋다 자〈옛〉 부르돋다. 돋아나다. ¶ 양지 여위여 시들오 뼤 브르도다 사르미 도라보디 아니ᄒᆞᄂᆞ니(貌領骨剛)《南明 上 30》.

브르디외:〔Bourdieu, Pierre〕 명〖사람〗 프랑스 사회학자. 사회 과학 고등 연구소 등 교수. 주저로 《교육·사회·문화의 재창조》·《언어와 상징적 권력》 등이 있음. [1930-]

브르쁘다 타〈옛〉 부릅뜨다. =브릅뜨다. ¶ 나귀 눈 브르쁘ᄃᆞᆺ ᄒᆞ고(睜着驢眼)《朴解 中 43》.

브르왇다 자〈옛〉 돋다. '-왇다'는 힘줌을 나타내는 동사의 접미사. ¶ 싱강엄 브르와다 남 ᄀᆞᆮ톤니라(似薑芽萌生而發也)《馬經 下 9》.

브르쥐다 타 부르쥐다. ¶ 소놀 브르쥐며 모미 쌀활 두위트러 가ᄃᆞᆺ ᄒᆞ거든(搐搦角弓反張)《救簡 VI:83》.

브르지르다 타〈옛〉 부러뜨리다. ¶ 브르지르다(撅折)《漢淸 XI:55》.

브르지지다 자〈옛〉 부르짖다. ¶ 흔 소ᄂᆞ로 호미 자바 버믈 티며 ᄆᆞ장 브르지지고(一手執鋤 摸虎大呼)《續三綱 孝子圖》.

브르타뉴〔Bretagne〕 명〖지〗 프랑스 서안에 돌출한 반도부(半島部)를 중심으로 한 지방. 옛 주명(州名)이기도 함. 주로 편마암(片麻岩)·화강암으로 된 아르모리캥(armoricain) 산지가 대부분을 차지하며 굴곡이 풍부한 해안에서는 어업이 성하고 사과의 산출이 유명함. 옛날 켈트계(Kelt系)의 브르통인(Breton人)이 공국(公國)을 세웠음. 반도의 선단(先端)에 군항 브레스트(Brest)가 있음. 주도(主都)는 렌(Rennes). 브리타니(Brittany).

브르통[1]〔프 breton〕 명 여성용 모자의 하나. 앞 브림(brim)이 뒤보다 폭이 넓고 또 앞 브림만 위로 젖혀진 것.

브르통[2]〔Breton, André〕 명〖사람〗 프랑스의 시인. 처음 의학을 배워 군의관으로 제1차 세계 대전에 종군하여 정신 분석의 방법을 적용하는 기회를 얻음. 초현실파(超現實派)의 거두로, 처음 다다이슴에서 출발하여 이 파로 옮겨 《초현실주의 선언(宣言)》·《초현실주의와 회화(繪畫)》 등을 써서 이 운동을 지도하였음. 잠재 의식(潛在意識)만이 위대한 창조의 근원이라 하여, 자기 체험을 토대로 《광기(狂氣)의 사랑》·《나디아(Nadia)》 등을 발표하였음. [1896-1966]

브른쿠:시〔Brâncuşi, Constantin〕 명〖사람〗 루마니아의 조각가. 1904년 이래 파리에 거주하며 입체파·추상파의 조각가로서 로댕 이후의 가장 진보된 경향을 보인 근대 조각가의 한 사람으로 꼽힘. [1876-1957]

브리그스〔Briggs, Henry〕 명〖사람〗 영국의 수학자. 1619년 옥스퍼드 대학 교수. 1624년에 3만의 자연수에 대한 열네 자리의 상용 로그표(常用 log 表)를 공간(公刊)함. 삼각 함수의 로그표는 1633년에 간행됨. [1556 ?-1631]

브리넬 경도【一硬度】〔Brinell〕 명〖물〗 브리넬 굳기.

브리넬 굳기〔Brinell〕 명〖물〗〔스웨덴의 기술자 브리넬(Brinell, Johann August ; 1849-1925)의 이름에서 유래〕 시료(試料)의 시험면에 강구(鋼球)를 놓고 소정의 하중(荷重)을 가하였을 때에 생긴 팬 자국의 표면적으로 가한 하중을 나눈 몫으로 표시되는 굳기. 전용(專用)의 시험기가 있으며 강재료(鋼材料)에서는 지름 5 mm-10 mm의 강구와 500

kg-3,000 kg의 하중을 써서 시험함. 단위는 kg / mm². 브리넬 경도.

브리다¹ 㕥〈옛〉 부리다¹❶. ¶그 王이 사름 브려 쏘아 주기ᄉᆞᄫᆞ니라 ≪月釋 Ⅰ:7≫/브릴 역(役)≪字會 中 2≫.

브리다² 㕥〈옛〉 부리다²❶. 놓다¹. ¶도로혀 념녀 브리옵디 못ᄒᆞ와 ᄒᆞ옵 「ᄂᆞ이다≪諺簡 51≫.

브리:더 〔breeder〕 명〖물〗 천연 우라늄을 보급(補給)하여 분열성 플루토늄(plutonium)이 증식(增殖)하게 하여, 원자로 속의 반응이 영속되게 만든 원자로. 증식 원자로(增殖原子爐). 증식로(增殖爐).

브리스틀 〔Bristol〕 명〖지〗 ①잉글랜드 남서부의 브리스틀 만(灣)의 에이번 강(Avon江) 하구(河口)에서 11km 떨어진 지점에 있는 무역항. 상공업의 중심지로, 화학 제품·제당·조선·담배·자동차 공업 등이 행해짐. [420,000 명(1981 추계)] ②미국 코네티컷 주(Connecticut州)의 공업 도시. 18세기 말부터 시계 제조로 유명하며, 기계류·스포츠 용구 제조가 성함. [60,640 명(1990)]

브리스틀 만 【一灣】 〔Bristol〕 명〖지〗 ①알래스카 서해안과 베링 해(海)에 면한 만(灣). 연어·송어·게 등이 풍부하며 특히 연어의 생산량이 매우 많음. ②영국의 잉글랜드 남서부, 대서양으로부터 크게 만입(彎入)한 바다. 조류가 빨라 시속 약 20km에 달하며 간만의 차도 심하여 최대 약 16m에 달함.

브리앙 〔Briand, Aristide〕 명〖사람〗 프랑스의 정치가. 처음에는 사회주의자로서 활약하였으나, 후에 전향하였으며 수상(首相)과 외상(外相)을 십수회(十數回) 역임하였음. 제1차 세계 대전 후의 외교 문제에 지도적 지위를 차지하였으며, 1926년 노벨 평화상을 받았음. 1931년 만주(滿洲) 문제 당시의 국제 연맹(國際聯盟) 이사회의 의장이었음. [1862-1932] 「(別處不下)≪老乞 上 10≫.

브리오다 㕥〈옛〉 부리다²❶.=브리우다¹. ¶다른 ᄃᆡ 브리오디 아니ᄒᆞ고

브리오슈 〔프 brioche〕 명 달걀·버터·우유를 듬뿍 넣어 만든, 프랑스의 아침 식사용 소형의 빵.

브리우다¹ 㕥〈옛〉 부리다²❶.=브리오다. ¶어듸 브리워아 됴ᄒᆞ고(那裏安下好)≪老乞 上 10≫. 「會 下 10≫.

브리우다² 㕥〈옛〉 부리다²❷. ¶활브리울 툐(弨), 활브리울 이(弛)≪字

브리이다 ㊀ 피동〈옛〉 부리어지다. ¶ㅅ가비 브리잃 報를 니르고 ≪月釋 XXI:67≫. ㊁ 사동〈옛〉 부리게 하다. ¶小人이 뎌 동녁 져제 모욕탕ᄌᆞ 잇ᄂᆞᆫ 집 ᄇᆞ롬ᄉᆞ신 지븨 와 브리여 잇노이다(小人在那東角頭堂子間壁下着裏)≪朴解 上 58≫.

브리즈번 〔Brisbane〕 명〖지〗 오스트레일리아 동안(東岸)의 퀸즐랜드 주 남동단에 있는 주도(州都)로, 무역항. 기후가 양호하고 제당업(製糖業)·철강·조선(造船)·자동차·포도주 양조 등의 공업이 행하여지며, 양모(羊毛)·금·설탕을 수출함. 퀸즐랜드 대학·박물관·미술관 등이 있음. 영령(英領) 태평양 제도(諸島)에 대한 해저 전선(海底電線) 기지임. [1,215,000 명(1987)]

브리지 〔bridge〕 명 ①다리. 교량(橋梁). ②육교(陸橋). ③선장이나 함장(艦長)이 지휘하는 곳. 선교(船橋). 함교(艦橋). ④열차(列車)의 차체(車體)와 차체와를 연결하는 다리. ⑤선로(線路) 위로 건너 지른 다리. 그 위에 신호기(信號機)가 세워져 있음. ⑥가공 의치(架工義齒). ⑦코 위에 걸리는, 안경 알을 연결시키는 안경 테의 부분. ⑧〖악〗 현악기(絃樂器)의 기러기발. ⑨〖물〗 각(各) 변(邊)이 회로 소자(回路素子)로 된 사각형의 전기 회로. 평형 상태(平衡狀態)에 있어서의 성질을 이용하여 전기 저항(電氣抵抗) 및 자기(磁氣) 측정, 발진기(發振器)의 안정화(安定化), 여파기(濾波器) 등에 응용함. *휘트스톤 브리지(Wheatstone bridge). ⑩당구의 큐(cue)를 걸어놓는 대가(臺架)인 'V'자 모양의 나무. ⑪당구(撞球)에서, 공을 칠 때 큐를 받쳐 놓기 위하여 고리처럼 만든 경우의 손가락. ⑫휘스트(whist)에서 나온 트럼프 노는 법의 한 가지. 1886년경부터 유행되기 시작하였다고 하며 옥션 브리지(auction bridge)·콘트랙트 브리지(contract bridge)·듀플리킷 브리지(duplicate bridge) 등의 종류가 있음. ⑬방송에서, 두 장면의 교량 구실을 하는 음악이나 음향. ⑭레슬링에서, 폴(fall)을 당하지 아니하기 위하여 몸을 뉘고 머리는 젖히고 다리는 구부리어 다리 모양으로 만드는 일.

브리지 로: 〔bridge law〕 명 두 개의 법률 사이에 모순이 없도록 조정적 역할을 하는 법률.

브리지먼 〔Bridgman, Percy Williams〕 명〖사람〗 미국의 물리학자. 초고압(超高壓) 압축 장치(壓縮裝置)의 개발과 그를 이용한 고압하(高壓下)의 물성(物性) 연구로 고압 물리학(高壓物理學)의 기초를 세움. 1946년 노벨 물리학상을 받음. [1882-1961]

브리지스¹ 〔Bridges, Calvin Blackman〕 명〖사람〗 미국의 유전학자(遺傳學者). 성염색체(性染色體)의 불분리(不分離) 현상을 발견하고 염색체 도표(圖表) 등을 그렸음. [1889-1938]

브리지스² 〔Bridges, Robert Seymour〕 명〖사람〗 영국의 계관 시인(桂冠詩人)·비평가. 섬세한 운율(韻律)로 자연과 인생을 노래하였으며 바르고 아름다운 영어의 보유(保有)·보급에 힘씀. 대표작 ≪단시집(短詩集)≫·≪미(美)의 유언≫ 등. [1844-1930]

브리지 크레인 〔bridge crane〕 명 교형(橋形) 크레인.

브리지타운 〔Bridgetown〕 명〖지〗 바베이도스(Barbados)의 수도. 서(西)인도 제도 남동단(南東端), 바베이도스 섬 남서안(南西岸)의 항도. 제당·럼주(rum酒) 양조 등의 공장이 있으며 서(西)인도 대학의 분교가 있음. [102,000 명(1988)]

브리지포:트 〔Bridgeport〕 명〖지〗 미국 코네티컷 주(州) 남서부(南西部)에 있는 공업 도시. 기계류·전기 기기·병기·섬유 등의 공업이 성함. [141,686 명(1990)]

브리타니 〔Brittany〕 명〖지〗 '브르타뉴'의 영어식 이름. 「칭.

브리타니아 〔Britannia〕 명〖지〗 '브리튼¹(Britain)'의 로마 시대의 호

브리타니아 합금 【一合金】 명〔Britannia metal〕〖화〗 주석 140, 구리 3, 안티몬 9의 비율로 섞은 것에 적당한 소량(少量)의 아연(亞鉛)을 섞어서 만든 합금.

브리태니카 백과 사:전 【一百科事典】 명〔Encyclopaedia Britannica〕〖책〗 세계적으로 유명한 영국의 백과 사전. 대항목(大項目)으로 편집되어 있음. 1768-71년 스코틀랜드 신사 협회(紳士協會)의 이름으로 창간(創刊). 당시에는 3권이었는데 제이판(第二版) 이후, 판(版)을 거듭함에 따라 권수가 늘어, 1929년의 제14판 이후, 전(全) 23권과 색인 지도(索引地圖) 1권으로 권수(卷數)가 고정되었음. 이후에는 매년 부분적인 개정(改訂)만 행하여졌으며, 현재는 시카고 대학이 중심이 되어 영국의 케임브리지·옥스퍼드·런던의 3개 대학과 캐나다의 토론토 대학 위원회의 감수에 의하여 브리태니카사(社)가 발행하고 있음.

브리태닉-어 【一語】 〔Britannic〕 명 인도 유럽어족(語族)의 켈트어파(Kelt語派)에 속하는 웨일스어(Wales語)·콘월어(Cornwall語)·브르통어(Breton語)의 총칭. 이 중 콘월어는 13세기경부터의 문헌에 있지만 18세기에 사멸(死滅)되었음.

브리턴 〔Briton〕 명 ①로마인의 침입 당시 영국의 남부에 살고 있던 켈트인(Kelt人). ②영국인(英國人).

브리튼¹ 〔Britain〕 명 잉글랜드·웨일스·스코틀랜드의 총칭.

브리튼² 〔Britten, Benjamin〕 명〖사람〗 현대 영국의 대표적 작곡가. 가극 ≪피터 그라임스(Peter Grimes)≫를 런던에서 초연하여 큰 성공을 거두고, 이래 ≪글로리아나(Gloriana)≫ 등 현대 제일류의 오페라 작가로 꼽힘. [1913-76]

브리티시 레일랜드 자동차 회:사 【一自動車會社】 명〔British Leyland Motor Co.; 약칭 BLMC〕 영국 최대의 자동차 회사. 미국 자본에 대항하기 위하여 1952년 오스틴과 모리스가 합병하고, 1968년 레일랜드가 이를 다시 합병하여 설립한 회사. 승용차·버스·트럭 등 전(全)차종을 제조.

브리티시 석유 회:사 【一會社】 명〔British Petroleum Co., Ltd.; 약칭 BP〕 1901년 영국의 다시(D'Arcy, W.K.)가 얻은 이란의 석유 이권(利權)을 경영하기 위하여 1909년 세운 영국의 국제적 석유 회사. 처음 이름은 앵글로 퍼션 석유 회사, 1935년에는 앵글로 이레이니언 석유 회사로 개칭. 1954년 현재의 이름으로 고침. 이란에서의 이권은 국유화 분쟁 때문에 100%에서 40%로 감소되었으나, 기타 이라크·쿠웨이트·나이지리아 등지에 유전이 있고, 또 영국 본토 및 여러 나라에 대정유소(大精油所)를 보유하고 있음.

브리티시 아메리칸 담:배 회:사 【一會社】 명〔British-American Tobacco Co., Ltd.; 약칭 BAT〕 1902년 미국 기업의 진출에 대항하기 위하여 영국의 유력한 담배 회사들이 합병하여 세운 세계 최대의 담배 회사.

브리티시 제너럴 일렉트릭 회:사 【一會社】 명〔British General Electric Co.〕 1889년에 세워진 영국 최대의 종합 전기(電機) 회사. 1967년 이후 미국 자본에 대항하기 위하여 산업 재편성 공사(産業再編成公社)의 원조를 얻어 유력 동업 기업을 합병, 중전기(重電機)·가정 전기(家庭電器)·통신기·컴퓨터·원자로에 이르는 거대 조직을 형성, 전기(電機) 기업으로는 유럽 최대임.

브리티시 컬럼비아 주 【一州】 〔British Columbia〕 명〖지〗 캐나다 태평양 연안의 주(州). 대부분이 산지이며 양항(良港)이 많아 무역이 성하고 금·구리를 산출함. 1871년 캐나다 연방에 가입했음. 주도는 빅토리아(Victoria). [947,800 km²: 3,185,900 명(1991)]

브리티시 포:크 〔British folk〕 명〖악〗 영국의 젊은이들에 의하여 개척된 새로운 포크 뮤직. 또, 이것을 연주하는 그룹.

브리티시-혼듀러스 〔British Honduras〕 명〖지〗 중앙 아메리카 유카탄(Yucatan) 반도 동남부에 있는 영국 식민지였던 벨리즈(Belize)의 1973년까지의 호칭.

브리:프 〔briefs〕 명 몸에 꼭 끼거나 가랑이가 짧은 팬츠. 면(綿)·합성 섬유 등의 메리야스 천으로 만듦.

브리:프-케이스 〔briefcase〕 명 서류를 넣는 둘로 접는 가방.

브리:핑 〔briefing〕 명 ①요점을 간추린 간단한 보고서. 또, 그런 보고. ②비행(飛行) 직전에 비행사에게 내리는 간단한 명령. 상황 설명.

브리:핑 룸: 〔briefing room〕 명 상황실(狀況室).

브릭 〔네 brik〕 명 19세기, 구미(歐美)에서 사용된 중형 범선(中型帆船)의 일종. 돛대 두 개를 가지며 각각 석 장 정도의 가로돛을 펴도록 된 것이 특징임.

브릴란테 〔이 brillante〕 명〖악〗 '화려하게'의 뜻.

브릴리언트 〔brilliant〕 명 ①찬란함. 눈부심. ②훌륭함. 재기(才氣)에 넘침. ③다각(多角)으로 깍은 다이아몬드. ④〖인쇄〗 약 3포인트 반 크기의 활자.

브릴리언트 컷 〔brilliant cut〕 명 다이아몬드 연마 방식(研磨方式)의 하나. 다각(多角)으로 완성하는 방법으로서 58면체(面體)임.

브릴리언틴 〔brilliantine〕 명 ①윤을 내는 머리 기름의 일종. ②광택이 좋은 모직물(毛織物)의 일종. 「함.

브림¹ 〔brim〕 명 모자의 차양. 브림이 없는 것을 캡, 있는 것을 해트라고

브림² 〔Bream, Julian〕 명〖사람〗 영국의 기타 연주가. 런던 태생. 18세 때 런던필과 협연(協演)하여 데뷔, '마법의 손가락'이란 명성을 얻음. 모차르트의 ≪요술 피리≫ 등 수많은 클래식 음악을 기타용으로 편곡하였으며, 바로크와 현대 음악에서 탁월한 해석을 보여 줌. 류트 연주에도 정진(精進)함. [1933-]

브ᄅᆞ다 㕥〈옛〉 부르다¹. =브르다¹. ¶이제 親生ᄒᆞᆫ 아희 小名을 神奴ㅣ라 브ᄅᆞ고(今將親生孩兒小名喚神奴)≪朴解 中 9≫.

브ᄅᆞ지지다 㕨〈옛〉 부르짖다. 울부짖다. =브르지지다. ¶ᄒᆞᆫ시만 업서

도 섭섭ᄒᆞ야 브ᄅᆞ지지다가 《諺簡 61》.「三綱 孝子圖》.
브ᄅᆞ짖다 자 〈옛〉 부르짖다. ¶ 주그매 미처 브ᄅᆞ지져 울고(及歿號)《東
브릅ᄠᅳ다 타 〈옛〉 부릅뜨다. =브르ᄠᅳ다. ¶ 大仙이 두 눈을 브릅ᄠᅳ고 닐오ᄃᆡ(大仙睜開雙眼道)《朴解 下 19》.
브ᄉᆞ럼 명 〈옛〉 부스럼. ¶ 百千 브ᄉᆞ름에 一片 열운 가치로다(百千瘡疽一片薄皮)《龜鑑 下 55》.
브서 타 〈옛〉 부어. '붓다²'의 활용형. ¶ 朝廷이 偏히 ᄠᅳ들 네게 브서(朝廷偏注意)《初杜諺 XXIII:13》.
브석 명 〈옛〉 부엌. =브섭. ¶ 브석 포(庖), 브석 듀(廚)《字會 中 9》.
브섭 명 〈옛〉 부엌. =브석·브억·브업. ¶ 곳다온 브섭과 소나못 길흔 서늘호미 ᄒᆞᆫ가지로다(香廚松道淸凉俱)《初杜諺 IX:30》.
브솜 타 〈옛〉 부음. '붓다²'의 명사형. ¶ 수를 자바셔 기피 보소미 맛당ᄒᆞ고(把酒宜深酌)《初杜諺 XXI:6》.
브수려 타 〈옛〉 부으려. '붓다²'의 활용형. ¶ 金罍ㄹ 브수려 ᄒᆞ시니(金罍欲酌)《龍歌 109章》.「《圓覺 下 三之二 34》.
브숨 타 〈옛〉 부음. '붓다²'의 명사형. ¶ 흘러 브수미 寂滅ᄒᆞ야(流注寂滅)
브ᅀᅳ롤다 타 〈옛〉 부서지게 갈다. ¶ 거플 벗긴 닥나모 새 됴ᄒᆞ니를 브ᅀᅳ마라 소오매ᄡᅡ 머구므라(楮骨新好者硏碎縣裹含)《救簡 VI:4》.
브ᅀᅳ디타 타 〈옛〉 부서지게 찧다. ¶ 브ᅀᅳ디허 브티면 즉 재됴ᄒᆞ리라(擣碎傅之卽愈)《救簡 VI:62》.
브ᅀᅳ름 명 〈옛〉 부스럼. =브ᅀᅳ름·브으름. ¶ ᄭᅮ메 모맷 브ᅀᅳ르믈 보아(夢見身瘡)《圓覺 上 二之一 51》.「釋 XXI:44》.
브ᅀᅥ며 타 〈옛〉 부으며. '붓다²'의 활용형. ¶ 구리 노겨 이베 브ᅀᅥ며《月
브ᅀᅩ와ᄆᆡ다 형 〈옛〉 부시다. =브ᅀᅩ와ᄆᆡ다. ¶ 고해 품기며 누네 브ᅀᅩ와ᄆᆡ니ᄂᆞ니는(噴鼻眼花的)《朴解 上 70》.
브ᅀᅩ왜다 형 〈옛〉 어지럽다. 북새놓다. ¶ 平日에 사던 터를 브ᅀᅩ왠 後에(平居喪亂後)《初杜諺 VII:19》.「《恩重諺 21》.
브ᅀᅳ티다 타 〈옛〉 부서뜨리다. ¶ 제 ᄲᅧ를 브ᅀᅳ텨 골슈 내며(打骨出髓)
브ᅀᅴ다 타 〈옛〉 흘보다. ¶ 뎌 눈 브ᅀᅴᆫ 활와치(那斜眼的弓匠)《朴解 上 59》.「艱方自效)《重杜諺 I:16》.
브야ᄒᆞ로 부 〈옛〉 바야흐로. ¶ 길희 어려오미 브야ᄒᆞ로 예 브테로다(險
브어 타 〈옛〉 부어. '붓다²'의 변칙 활용. ¶ 鸚鵡盞 琥珀盃예 ᄀᆞ득 브어《樂詞, 翰林別曲》.
브어디다 자 〈옛〉 부서지다. ¶ 虛空애 ᄀᆞ독ᄒᆞ얏ᄂᆞᆫ 星湖ㅅ 비치 브어디엿거놀(滿空星河光破碎)《重杜諺 XV:44》.
브억 명 〈옛〉 부엌. =브섭. ¶ 안ᄒᆞ로 붓그료미 브억굼기 업디 몯ᄒᆞᆫ(內愧突不黔)《重杜諺 XXII:50》.
브업 명 〈옛〉 부엌. =브섭. ¶ 브어븨 사ᄅᆞᆷ 바미 다ᄋᆞ도록 말ᄒᆞᄂᆞ다(廚人語夜闌)《重杜諺 II:12》.
브엘세바 〔Beersheba〕 명 《성》 베르셰바.
브으니 타 〈옛〉 부으니. '붓다²'의 변칙 활용. ¶ 내 부러 술을 다가 뎌의게 브으니 爛醉ᄒᆞ여(我特故裏把酒灌的他爛醉了)《朴解 中 47》.
브으름 명 〈옛〉 부스럼. =브ᅀᅳ름. ¶ 곤이 등의 브으름이 ᄀᆞᆺ 됴호ᄃᆡ 헌ᄃᆡᄂᆞᆫ 암그디 몯 ᄒᆞ얏더니(壺癰新愈 瘡猶未合)《重三綱 卞門》.
브으완 형 〈옛〉 어지러운. ¶ 늘근 브으완 히믈 스스로 놀라노니(自驚衰謝力)《重杜諺 II:24》.
브으왜다 형 〈옛〉 어지럽다. 북새놓다. =브ᅀᅩ왜다. ¶ 流落ᄒᆞ야 브으왠 ᄯᅡ홀 조차 ᄃᆞᆫ니ᄂᆞ니라(流落隨丘墟)《重杜諺 I:31》.
브으왜욤 형 〈옛〉 어지러움. '브으왜다'의 활용형. ¶ 時節ㅅ 危亂애 브으왜요믈 아노니(時危覺凋喪)《重杜諺 XII:29》.
브이 【V, v】 명 ①《언》 영어의 스물 두째 자모. ②로마 숫자의 5를 나타내는 부호. ③《화》 바나듐(vanadium)의 원소 기호. ④《전》 전압의 단위 볼트(volt)의 기호. ⑤〔victory 의 머리글자〕 승리. ¶ ~데이(V Day).
브이 넥 〔V neck〕 명 삼각 목둘레.
브이 데이【V-Day】명〔Victory Day 의 준말〕제2차 세계 대전의 전승 기념일(戰勝記念日). 대독(對獨)은 1945년 5월 8일, 대일(對日)은 1945년 9월 2일 또는 8월 15일.
브이 디: 피:【VDP】명 비디오 디스크 플레이어의 약칭.
브이 벨트 〔V belt〕 명 단면이 V자 또는 사다리꼴의 벨트. 천을 심으로 하여 고무로 싸서 만듦. V홈이 파진 벨트차(車)에 감아 전동(傳動)에 쓰는데, 마찰력이 크고 큰 동력의 전달이 가능함.
브이 병기 【V兵器】 명 《군》 제 2 차 세계 대전 중 독일이 사용한 로켓. V 2가 특히 유명함.
브이 블록 〔V block〕 명 《기》 주철로 만든 V자 모양의 틀. 각 면은 서로 수직이며 매끄럽게 가공되어 있고 V 각은 좌우로 45°씩 열려 있는 90°의 것이 많고 120°의 것도 있음. 둥근 모양의 재료에 금을 그을 때, 공작물을 지탱하는 것으로 보통, 정반(定盤) 위에 올려 놓고 씀.
브이 사인 〔V sign〕 명 손가락으로 표시하는 승리의 표. 중지(中指)와 인지(人指)를 V자형으로 펴서 세움.
브이 스톨【V/STOL】명〔vertical short take-off and landing의 약칭〕 필요에 따라 수직(垂直) 이착륙도 할 수 있는 단거리 이착륙 항공기. 비톨기(VTOL 機) 보다 실용 가치가 높다고 함. 에스톨.
브이 시: 아:르 【VCR】 명 〔video cassette recorder의 약칭〕 비디오 카세트 녹화 재생 장치.
브이-식스 〔V 6〕 명 브이형(V型) 6 기통(氣筒)엔진. 3 기통(氣筒)씩 2 줄로 배열된 형식의 자동차 엔진.「물. 요인. 비프.
브이 아이 피: 【V.I.P.】 명 〔very important person의 약칭〕 중요한 인
브이 에이치 에프 【V.H.F.】 명 〔very high frequency의 약칭〕 '초단파'의 정식 주파수 구분상의 호칭. 30-300 메가헤르츠의 주파수의 전파. 텔레비전·에프엠(FM) 방송에 이용됨.
브이 에이치 에프 방:송【VHF 放送】명 VHF 주파수대(周波數帶)를 이용한 방송. FM 방송과 텔레비전 방송이 있음. 초단파 방송.
브이 엘 비: 아이 【VLBI】 명 〔very long baseline interferometer의 약칭〕 수십억 광년 저쪽의 전파 별에서 오는 우주 전파를 두 개의 파라볼라 안테나로 동시에 수신하여 그 전파 도달의 극소한 시간차로 안테나 사이의 거리를 구하는 기술. 지구적인 스케일의 위치 측정이며 지각 변동의 정밀 측정, 플레이트 운동의 실측(實測), 지진 예지(豫知)의 응용 등에 기여할 것임.「의 약칭.
브이 엘 에프【VLF】명〔very-long-frequency의 약자〕 초장파(超長波)
브이 엠 레코:드【V.M. record】명 〔variable micrograde record 의 약칭〕 1952년 독일의 그라모폰이 창안한, 회전수 78, 한쪽 면의 연주 시간이 8분간인 레코드.
브이 오: 디: 【VOD】 명 〔video on demand 의 약칭〕《컴퓨터》 초고속 통신망에서 제공되는 서비스의 하나. 영상·음성·정보 등을 시청자가 원하는 시간에 원하는 프로그램을 전송·재생해 주는 시스템. 주문형 비디오.
브이 오:아:르【V.O.R.】명〔very high frequency omnidirectional radio range의 약칭〕 초고주파 전방향식(超高周波全方向式) 레인지 비컨(range beacon). 항법(航法) 무선 시설의 한 가지로 미국에서 발달하여 국제적으로 인정된 항행 원조(航行援助)의 방식임. 108-118 메가헤르츠의 브이 에이치 에프대(VHF帶) 전파를 비컨국(局)에서 방사상으로 방사하면, 항공기가 이를 수신하여 그 국의 명칭과 자기 방위(磁氣方位)를 알게 됨으로써 항로를 쉽게 정할 수 있음. *전방향 무전 표지.
브이 오: 에이 【V.O.A.】 명 〔Voice of America의 약칭〕 미국의 해외(海外) 방송. 제2차 대전중 선전 기관으로 창설되어, 국무성(國務省)에 속하는 합중국 정보 본부에 의하여 운영되고 있음. 미국의 소리.
브이 원 로켓탄 【V-1-彈】〔rocket〕 명 브이 일호(V 1號).
브이 유: 미:터 〔VU meter〕 명 〔volume unit meter〕 음성(音聲) 따위의 신호의 레벨을 지시하는 전압계. 눈금은 인간의 청각상의 음량과 대응하는 데시벨(decibel)로 나타냄. 방송이나 녹음할 때, 레벨 감시에 이용함.「學).
브이 이: 【VE】 명 《경》 〔value engineering의 약칭〕 가치 공학(價值工
브이 이:호 【V 2號】 명 《군》 브이 병기(V兵器)의 한 가지. 로켓 분사식(噴射式) 무선 유도탄. 브이 1호의 개량형(改良型)으로, 레이더로 조종됨. 제2차 세계 대전 말기 독일군이 런던 공격에 사용하였음. 초속(秒速) 1,500 m, 사정 300 km, 발사 중량 13 t, 추력 26 t, 화약 2 t.
브이 일호 【V 1號】 명 《군》 브이 병기(V兵器)의 하나. 펄스 제트(pulse jet)식 무인 비행탄(無人飛行彈). 2차 대전 때 독일군이 런던 공격에 사용하였는데 고장·격추가 반 이상이었음. 시속 580 km, 사정(射程) 약 300 km, 화약 1 t, 중량 약 2 t.
브이 입자 【V粒子】 명 《물》 소립자(素粒子)의 하나. 우주선 관측 중에 발견한 것으로 V_1입자와 V_2입자의 두 종류가 있음.
브이자-곡 【V字谷】 〔—짜—〕 명 《지》 냇물의 침식(浸蝕)으로 인하여 'V'자 모양으로 된 골짜기.

〈브이자곡〉

브이 지: 레코:드 〔V.G. record〕 명 〔variable grade record 의 약칭〕 음량이나 음의 강약에 따라 홈의 폭을 변경시키어 연주 시간을 거의 2 배로 한 78회전(回轉)의 레코드. *엘피판(板).
브이-톨 【VTOL】 명 〔vertical take-off and landing aircraft의 약칭〕 수직 이착륙기(垂直離着陸機).
브이 투: 로켓탄 【V-2—彈】〔rocket〕 명 브이 이호(V 2號).
브이 티: 신:관 【VT 信管】 명 〔variable time fuse 의 약칭〕《군》 근접 신관.
브이 티: 아:르 【VTR】 명 ↗비디오 테이프 리코더.
브이형 경기 【V 型景氣】 명 《경》 경기의 급속한 후퇴와 불황(不況)으로부터의 빠른 회복 상태. 미국의 1957-58년을 가리키는 말.
브장송 〔Besançon〕 명 《지》 프랑스 동부의 도시. 시계 공업(時計工業)의 중심지. 로마 시대의 유적, 대학이 있음. 위고(Hugo, V.)의 출생지. [113,220 명(1982)]
브절업시 부 〈옛〉 부질없이. ¶ 브졀업시 쓰다(閑寫)《語錄 29》.
브즈러니 부 〈옛〉 부지런히. ¶ 한 부텨를 브즈러니 섬기ᅀᆞ오니(勤奉多佛)《金剛 上 73》.
브즈런ᄒᆞ다 형 〈옛〉 부지런하다. ¶ 두어번 頂ᄆᆞ니샤ᄆᆞᆫ 브즈런호ᄆᆞᆯ 뵈시니라《月釋 XVIII:16》.
브즐우즐ᄒᆞ다 형 〈옛〉 간절하다. ¶ 規規ᄂᆞᆫ 브즐우즐ᄒᆞᆫ 양이니 ᄇᆞᅀᆞᆺ츠며 브즐우즐ᄒᆞ야 名相애 ᄃᆞᆫ니며 《南明 上 19》.
브치 명 〈옛〉 부채. ¶ 브치 보낸 ᄠᅳᆮ을 나도 暫間 싱각ᄒᆞ니 《古時調》.
브터[1] 자 〈옛〉 의지하여. 의거(依據)하여. '븥다'의 활용형. ¶ ᄆᆞᅀᆞᄆᆞᆯ 브터(由心)《楞嚴 IV:27》.
브터[2] 조 〈옛〉 부터. =우터. ¶ 처엄브터 다시 始作 홀씨《月釋 II:62》.
브터ᄃᆞᆫ니다 자 〈옛〉 붙어 다니다. 의지하여 다니다. '븥다'의 활용형. ¶ 브터 ᄃᆞᆫ뇨미(倚著)《杜諺 III:12》.
브텟다 자 〈옛〉 붙어 있다. 의지하여 있다. '븥다'의 활용형. ¶ 미 밧긔 지비 댓 수흘 브텟고(野外堂依竹)《杜諺 X:2》.
브텨쓰다 타 〈옛〉 붙여 쓰다. ¶ ·와 ㅡ와 ㅗ와 ㅜ와 ㅛ와 ㅠ와란 첫소리 아래 브텨쓰고 ㅣ와 ㅏ와 ㅓ와 ㅑ와 ㅕ와란 올ᄒᆞᆫ녀긔 브텨 쓰라《訓諺》.
브툐리라 자 〈옛〉 붙이리라. '븥다'의 활용형. ¶ 새지브란 뎌른 셔를 브툐리라(茅茨寄短椽)《杜諺 II:14》.
브톰 타 〈옛〉 붙음. 의지함. '븥다'의 명사형. ¶ 이에 얼구를 逃亡ᄒᆞ야 뎌에 生을 브투믈 가줄비시니(逃形於此托生於彼)《楞嚴 II:121》.
브티다[1] 타 〈옛〉 붙이다. 불을 붙이다. ¶ 宮殿을 브티니 브리 새도록 ᄉ

무쟷도다(焚宮火徹明)《初杜諺 XXIII:2》.
브티다² 타〈옛〉붙이다. 부치다³. ¶글워를 브텨 六親을 주노라(附書與六親)《杜諺 V:27》.
브티들다 타〈옛〉붙들다. 붙잡다. ¶옷 브티들며 발구르고 길헤 마ᄀᆞ셔 우ᄂᆞ니(牽衣頓足攔道哭)《杜諺 IV:1》.
브티ᄃᆞ기다 자 붙다. =븓ᄃᆞ기이다. ¶着은 브티 ᄃᆞ길 씨라《釋譜 XIII:23》.
브티안다 타〈옛〉붙안다. =븓안다. ¶믄득 울오 브티안더니(輒涕泣抱持)《飜小 IX:70》.
브플다 자〈옛〉부풀다. ¶ᄡᅡ히 브프러 오ᄅᆞ고《內訓 序 5》.
브효 명〈옛〉불효. ¶그 어미를 브효ᄒᆞᄂᆞ다오(不孝其母也)《正俗 11》.
븍 명〈옛〉북(北). 북쪽. ¶뒤 북(北)《字會 中 4》.
븍녁 명〈옛〉북녘. ¶북녁 되 뎍(狄)《類合 下 22》.
븓긧고 부〈옛〉붙도록. 의지하게 되라고. 귀의(歸依)하라고. ¶사ᄅᆞᆷ마다 수비 아라 三寶애 나ᅀᅡ가 븓긧고 ᄇᆞ라노라(庶幾人人易曉而歸依三寶焉)《釋譜 序 6》.
븓다¹ 자타〈옛〉의지하다. 붙다¹. ¶法을 븓고 사ᄅᆞᆷ 븓디 아니ᄒᆞ며(依法不依人)《圓覺 序 11》.
븓다² 타〈옛〉붓다. =븟다·붓다². ¶다리 ᄉᆞᆯ홀 베혀 피ᄂᆞᆯ 입의 븓고(割股肉泣血于口)《東國新續三綱 孝子圖 V:34》.
븓들다¹ 타〈옛〉도와주다. ¶반ᄃᆞ시 삼가 븓드와 衛호ᄒᆞ며《家禮 II:7》.
븓들다² 타〈옛〉붙들다. ¶븓들 부(扶)《類合 下 11》.
븓들이다 피동〈옛〉붙들리다. ¶이 覺이 凡 여희오 聖에 븓들이디 아니ᄒᆞ며(此覺非離凡局聖)《圓覺 上 一之二 15》.
븓돋다 자〈옛〉붙어 달리다. ¶산 긔운을 구러 더운 긔우니 비예 드러 병ᄒᆞᆫ 사ᄅᆞᄆᆡ 긔운과 서로 븓돋게 ᄒᆞ요ᄆᆞᆯ 반날만ᄒᆞ야(呵吐生氣令煖氣入腹中與病人元氣交接半日久)《救簡 I:66》.
븓ᄃᆞ기이다 자〈옛〉어디에 매달리다. =브티ᄃᆞ기다. ¶世間ㅅ 法에 븓ᄃᆞ기이디 아니ᄒᆞ야《月印 II:37》.
븓안다 타〈옛〉붙안다. =브티안다. ¶박시 아비ᄅᆞᆯ 븓안고(朴氏抱父)《東國新續三綱 孝子圖 VI:56》.
븓좇다 타〈옛〉따르다. 좇다. ¶엇디 히여곰 븓조차 아당ᄒᆞ며 ᄠᅳ들 바다(寧令從諛承意)《小諺 VI:36》.
븓질긔다 형〈옛〉인색(吝嗇)하다. ¶븓질길 근(靳), 븓질길 식(嗇)《字會 下 30》.
븓컨댄 부〈옛〉의거(依據)하건대. ¶ᄒᆞ다가 智論을 븓컨댄(若據智論)《圓覺 上 一之二 102》.
블¹ 명〈옛〉불². ¶음유혈은 블 뒤 가온ᄃᆡ 솔 우히 이시니(陰臁穴在外腎後中心縫上)《馬經 上 71》.
블² 명〈옛〉불. ¶城 밧긔 브리 비취여(火照城外)《龍歌 69章》.
블³ 명〈옛〉풀¹. =플². ¶膠ᄂᆞᆫ 갓 브리라《月釋 XXI:85》.
블⁴ 명의명〈방〉벌³(경북).
블곧 명〈옛〉불꽃. =블곳. ¶바로 모딘 블곧 가온대 드러가(直入烈焰中)《東國新續三綱 IV:88》.
블곳 명〈옛〉불꽃. =블곧. 붓곳. ¶블곳 염(焰)《類合 下 54》.
블그트렁이 명〈옛〉불똥. 불끄트러기. ¶블그트렁이 신(燼)《類合 下 54》.
블기다 타〈옛〉붉히다. ¶ᄂᆞᆺ 블겨 뉘읏고 붓그려(赧然悔恥)《飜小 VIII:27》.
블나모 명〈옛〉땔나무. ¶柴曰孛南木《鷄類》.
블노타 타〈옛〉총놓다. ¶블노타(放砲)《譯語 上 20》.
블님글 명〈옛〉불똥. 불잉걸. ¶블님글 신(燼)《字會 下 35》.
블다¹ 자〈옛〉붇다¹. ¶블여 ᄃᆞᆫ뇨매 도로혀 栢葉酒를 먹노니(飄零還栢酒)《杜諺 XI:3》.
블다² 타〈옛〉부러워하다. =브러ᄒᆞ다. ¶프른 구루메 새 ᄂᆞ뇨ᄆᆞᆯ 브노라(青雲羨鳥飛)《杜諺 XXI:14》.
블디ᄅᆞ다 자〈옛〉불을 지르다. ¶블디ᄅᆞᆯ 분(焚)《類合 下 41》.
블딘는구들 명〈옛〉불때는 구들. ¶블 딘ᄂᆞᆫ 구들(火炕)《字會 中 9》.
블딛다 자〈옛〉불때다. ¶블디들 찬(爨)《字會 下 12》.
블라고베셴스크 〔Blagoveshchensk〕 명 『지』 러시아 동부 시베리아의 헤이룽 강(黑龍江) 중류 동안(東岸)에 있는 하항(河港). 조선(造船)·금정련(金精鍊)·피혁(皮革)·성냥·식품(食品) 등의 공업이 행하여짐. [206,000명(1989 추계)]
블라디미르 〔Vladimir〕 명 『지』 러시아 연방의 도시(都市). 모스크바 동쪽 약 180 km, 클랴지마 강(Klyaz'ma江)에 면(面)하는 12세기 이래의 고도(古都). 트랙터·전기 기계 따위의 공장이 있음. [350,000명(1989 추계)]
블라디미르 일세 【一一世】〔Vladimir Ⅰ〕〔一一쎄〕 명 『사람』 러시아의 키예프 대공((Kiev 大公). 주변의 동(東)슬라브 여러 종족을 쳐서 영토를 확대하고 비잔틴(Byzantine) 황제 바실리우스(Basilius)의 누이 동생 안나와 결혼, 그리스 정교를 국교로 정하였음. 이후 러시아는 비잔틴 제국의 정치적·문화적 영향하에 들어갔음. [956?-1015; 재위 980-1015]
블라디보스토크 〔Vladivostok〕 명 『지』 러시아 연방 시베리아 남동부의 도시. 1860년 중국으로부터 취득한 양항(良港)이며 시베리아 철도의 종점(終點)으로 해군·어업의 기지임. 근래에는 기계·차량·조선(造船)·제재(製材)·제유(製油) 등의 공업도 성함. 겨울에도 쇄빙선(碎氷船)으로 항구 사용이 가능함. 포항(浦港). [648,000명(1989 추계)]
블라맹크 〔Vlaminck, Maurice〕 명 『사람』 프랑스의 화가. 운전사·악사(樂士) 등으로 전전(轉轉)하다가 드랭(Derain)과 사귀어 입체파 운동에 참가하여 강렬한 원색(原色)과 대담하고 격렬한 터치로 풍경화를 많이 그렸음. [1876-1958]
블라슈 〔Blache, Paul Vidal de la〕 명 『사람』 프랑스의 지리학자. 소르본 대학 교수. 인문 지리에 있어서 인간의 능동성을 강조하는 등의 많은 논문과 지지(地誌) 연구를 남김. 유고 《인문 지리학 원리》. [1845-1918]
블라스코-이바녜스 〔Blasco-Ibáñez, Vicente〕 명 『사람』 스페인의 작가. 왕제(王制) 반대 운동에 투신, 의원(議員)을 지내기도 하고 여러 차례 투옥되기도 함. 작품은 고향 발렌시아(Valencia) 지방을 그린 《오두막집》·《갈대와 진창》, 사회적 소설 《피와 모래》·《대성당(大聖堂)》, 남아메리카와 유럽을 무대로 한 《묵시록의 네 기사(騎士)》·《아르고선(Argo船)의 일행》 등이 있음. [1867-1928]
블라스티시딘 에스 〔Blasticidin S〕 명 『약』 농업용 살균제의 한 가지. 방선균(放線菌)의 생성물에서 분리된 항생 물질로 벼의 도열병에 특효가 있음.
블라우스 〔blouse〕 명 ①여자나 아이들이 입는 셔츠 모양의 낙낙한 웃옷. ②서양의 농부나 화공(畫工)들이 일할 때 입는 통이 넓은 웃옷.
〈블라우스❶〉
블라인드 〔blind〕 명 ①소경. 장님. ②눈을 가리는 물건. ③창에 달아 볕을 가리는 물건.
블랑¹ 〔Blanc, Jean Joseph Charles Louis〕 명 『사람』 프랑스의 사회 사상가(社會思想家)·역사가. 1848년 2월 혁명 후 일시 정부 각료로 사회주의 정책을 추진하다가 실패하고 영국에 망명하였음. 《프랑스 혁명사》·《이월(二月) 혁명사》 등의 저서가 있음. [1811-82]
블랑² 〔Blanc, Marie-Jean-Gustave〕 명 『사람』 프랑스의 파리 외방 전교회(外邦傳敎會) 신부. 병인 박해(丙寅迫害)에 순교한 프랑스 신부들의 후임으로 1876년 조선에 와 벽지에서 전도하다가, 민씨(閔氏)의 개국책(開國策) 실시로 서울에 나왔으나 체포되어 국외로 추방됨. 1884년 조선 교구장으로 임명되어 다시 조선에 들어와, 21명의 조선 학생을 말레이시아의 페낭 섬 신학교(神學校)에 보내고, 1890년 서울에 성당을 지음. 《불한 사전》 편찬에 착수했으나 완성을 보지 못하고 서울에서 병사함. 한국명은 백규삼(白圭三). [1844-90]
블랑샤르 〔Blanchard, François〕 명 『사람』 프랑스의 항공가(航空家). 낙하산(落下傘)을 발명하였으며 1785년 기구(氣球)를 타고 최초로 영국 해협(英國海峽)을 건넜음. [1753-1809]
블랑쇼 〔Blanchot, Maurice〕 명 『사람』 프랑스의 작가. 저널리스트에서 작가가 되어 처녀작 《수수께끼의 사나이 토마(Thomas)》와 《아미나다브(Aminadab)》 등의 독특한 관념 소설로 주목을 끎. 또, 새로운 비평 형식을 탐구, 평론집 《화염(火炎)의 문학》·《문학 공간》 등으로 문학의 근원을 캠. 그 밖에 소설 《죽음의 선고》·《마지막 사람》 등이 있음. [1907-]
블랑키 〔Blanqui, Louis Auguste〕 명 『사람』 프랑스의 혁명가. 1830년대에 비밀 결사를 조직하여 혁명 지도 조직 실현과 권력 탈취를 꾀함. 이후 프랑스에서 일어난 거의 모든 폭동에 참가, 약 30년간을 옥중에서 보냄. 2월 혁명, 파리 코뮌(Paris Commune) 전야에도 민중 운동의 지도자로서 활약함. 그 운동 이념은 블랑키슴으로 불림. [1805-81]
블랑키슴 〔프 Blanquisme〕 명 대중(大衆)의 힘을 조직하지 아니하고 몇 사람의 직접행동에 의하여 정권을 타도(打倒)하려고 하는 무정부주의적(無政府主義的)인 사상. 프랑스 혁명 때, 블랑키가 주창하였음.
블래키스턴-선 【一線】〔Blakiston〕 명 생물 지리학의 용어. 영국의 조류(鳥類) 연구가 블래키스턴(Blakiston, W.; 1832-91)이 제창한 동물 분포의 한계선. 조류(鳥類)와 포유류(哺乳類)의 분포로 보아 일본 홋카이도(北海道)와 혼슈(本州) 사이에 있는 쓰가루 해협선(津輕海峽線)을 가리킴.
블래킷 〔Blackett, Patrick Maynard Stuart〕 명 『사람』 영국의 원자 물리학자·맨체스터(Manchester) 대학 교수. 1965년 왕립 협회장. 윌슨(Wilson)의 안개함(函)에 의한 우주선(宇宙線)의 샤워(shower)를 연구하고, 1948년 원자핵(原子核) 및 우주선에 관한 연구로 노벨 물리학상을 받음. 사회적 관심도 깊어 《원자력의 군사적·정치적 영향》·《전쟁의 연구》 등의 저서가 있음. [1897-1974]
블랙¹ 〔black〕 명 검은 것. 어두운 것. 흑색(黑色).
블랙² 〔Black, Joseph〕 명 『사람』 영국의 화학자·물리학자. 에든버러 대학 교수. 1754년 처음으로 이산화 탄소와 공기를 구별하여, 이산화 탄소가 석회석·탄산 마그네슘에서 생기는 것을 발견하였으며, 열과 온도를 구별하고 잠열(潛熱)을 발견, 열용량(熱容量)의 개념을 확립하는 등 열의 정량적(定量的) 연구의 기초를 닦음. [1728-99]
블랙 게토 〔미 black ghetto〕 명 『사』 (미국에서) 흑인의 슬럼가(街).
블랙 내셔널리즘 〔black nationalism〕 명 흑인 민족주의. 흑인 국가 건설과 흑백 분리를 주장함.
블랙 다이아몬드 〔black diamond〕 명 흑(黑)다이아몬드. 석탄.
블랙 라켓 〔black racket〕 명 탁구용(卓球用) 라켓의 하나. 종래의 나무로 만든 라켓의 양면(兩面)에 탄소 섬유(炭素纖維)의 천을 바르고 그 위에 다시 얇은 나무를 댐.
블랙-레그 〔blackleg〕 명 스캐브(scab).
블랙-리스트 〔blacklist〕 명 주의(注意) 인물을 기재한 명부. 흑표(黑表).
블랙 마:켓 〔black market〕 명 『경』 시장의 일종. 통제 경제하에서 시장 가격의 법칙에 따라 통제 가격보다 비싼 암(闇)가격이 통제 거래의 이면에서 성립하여 통제 외의 거래가 행하여지는 것을 말함. 암시장(闇市場). 그레이 마켓.
블랙 먼데이 〔Black Monday〕 명 1929년 이래 최악의 상태로 뉴욕의 증권 시장을 강타한 주가 대폭락이 있었던 1987년 10월 19일 월요일의 일컬음. 마(魔)의 월요일.
블랙먼 반:응 【一反應】 명 〔Blackman's reaction〕 『화』 암반응(暗反應).
블랙 모슬렘 〔Black Moslem〕 명 『종』 미국의 극단적인 반백인(反白人)·반(反)그리스도교·반인종 통합(反人種統合)을 주장하는 비밀 결사적인 종교 단체. 알라신(Allah神)만을 유일신(唯一神)으로 신앙하고,

흑인이 최초의 인류이며 백인이 멸망하고 흑인이 지배하는 시대가 온다고 하면서 백인과의 타협을 반대하고 인종 차별을 강력히 주장함.
블랙 박스 〔black box〕 명 ①『물』 어둠 상자. ②전산학에서, 검정 상자. ③지하 핵실험 탐지용 봉인(封印) 자동 지진계. ④비행 기록 장치. 조종실 음성 기록 장치와 디지털 비행 데이터 기록 장치로 이루어짐. 사고가 났을 때 그 원인을 밝히는 데 중요한 구실을 함.
블랙 백 〔Black Bag〕 명 미국 대통령이 출장을 갈 때, 군사 보좌관이 들고 항상 가까이 따라다니는 핵전쟁용 암호 가방.
블랙번: 〔Blackburn〕 명 『지』 영국 잉글랜드 북서부에 있는 공업 도시. 하그리브스(Hargreaves, J.)가 제니 방적기(jenney 紡績機)를 발명한 곳으로 면방직 공업의 중심지이며, 방적 기계·전기(電機)·피혁 등의 공업도 행하여짐. [142,000 명(1981 추계)]
블랙-보:드 〔blackboard〕 명 흑판. 칠판
블랙 샤프트 〔black shaft〕 명 골프에서, 탄소 섬유를 감아 봉상(棒狀)으로 만든 클럽의 샤프트. 아주 가벼워 나는 거리(距離)가 늚.
블랙스톤 〔Blackstone, William〕 명 『사람』 영국의 판사(判事)·법률학자. 그의 저서 《영법 적요(英法摘要)》는 오랫동안 영법상(英法上)의 최고 권위서로 되어 있었음. [1723-80]
블랙-시: 〔Black Sea〕 명 『지』 흑해(黑海).
블랙 시어터 〔Black theater〕 명 『연』 1960년대의 미국에 현저하게 대두한 흑인의 연극 운동. 이 운동의 선구는 제2차 세계 대전 전인 1930년대에 있었고, 대전 후에도 다소간의 노력은 있었으나 성공하지 못하였음. 60년대에 이르러 성공한 것은 흑인의 의식 변화에서 온 결과임.
블랙-아웃 〔blackout〕 명 ①(무대의) 암전(暗轉). ②텔레비전의 브라운관의 밝기가 갑자기 그침. 또, 전파가 갑자기 끊겨 화면이 꺼지는 일. ③본격적인 미사일 공격에 앞서, 먼저 한두 발의 핵공격으로 적의 미사일 방어 체계를 무력화(無力化)시키는 일.
블랙 유:머 〔black humor〕 명 기분 나쁜 유머를 이름. 불길하고 우울하며, 잠시 웃기기는 하나 뒤에 오싹하는 유머. *블랙 코미디.
블랙-잭 〔blackjack〕 명 카드놀이의 한 가지. 가지고 있는 카드의 합친 숫자가 21에 가까울수록 이기는 게임.
블랙 체임버 〔black chamber〕 명 ①외교·군사(軍事)의 비밀 정보부(祕密情報部). ②비밀실(祕密室). 기밀실(機密室).
블랙 카:드 〔black card〕 명 검은 산타 클로스나 검은 천사 따위가 그려진 크리스마스 카드. 1972년에 유행함.
블랙 커피 〔black coffee〕 명 설탕이나 크림을 넣지 아니한 진한 커피.
블랙 컨트리 〔Black Country〕 명 영국, 잉글랜드 중앙부의 버밍엄을 중심으로 하는 공업 지대를 이름. 중공업의 중심으로 제철소·제강소 등에서 나오는 연기가 하늘을 덮는다고 해서 이런 이름이 생김.
블랙 코미디 〔black comedy〕 명 어두운 느낌을 주는, 잔혹·괴기하고 통렬한 풍자를 내용으로 하는 희극(喜劇)을 이름. 근래에 특히 체제(體制)에 대한 비판을 이와 같은 굴절(屈折)된 형식으로 표현하는 경향이 성함. *블랙 유머.
블랙 파워 〔Black Power〕 명 『사』 흑인 사회의 지배권을 흑인의 손에 되찾고자 하는 슬로건. 특히, 백인과 대등한 입장에 서기 위하여 흑인 자체의 권력 기구를 수립하여야 한다는 주장이 미국 흑인 운동의 새로운 지도 이념으로 퍼졌었음.
블랙 페이스 〔black face〕 명 텔레비전의 브라운관의 표면에 얇고 검은 막을 씌워 밖으로부터의 빛을 흡수하게 하여 전등의 반사 등을 없애 눈의 피로를 덜게 하는 표면 처리 방법.
블랙 프린스 〔Black Prince〕 명 『사람』 흑태자(黑太子).
블랙 함부르크 〔Black Hamburg〕 명 『식』 포도 품종의 한 가지. 송이가 크고 알도 많이 달리나 병에 약함. 과실은 둥글고 흑자색.
블랙 핸드 〔Black Hand〕 명 ①19세기 스페인의 무정부주의 결사(結社). ②이탈리아인의 비밀 범죄 결사(犯罪結社). ③비밀 결사(祕密結社).
블랙 홀: 〔black hole〕 명 『천』 고밀도(高密度)에 의하여 생기는 중력장(重力場)의 구멍. 중심부의 수소(水素)가 핵융합 반응(核融合反應)으로 소진(燒盡)된 별에서는, 물질은 별의 중심을 향하여 급격히 수축(收縮)하며 이 때문에 해방된 중력(重力) 에너지는 급격하게 빛나는 초신성(超新星)이 됨. 그러나 수축한 물질은 그 밀도(密度)가 물의 1천조(兆) 배 정도가 되면 안정한 중성자성(中性子星)이 되고 다시 이 정도를 넘으면 강한 중력장에 의해 공간이 생기며, 물질과 빛을 빨아들이는 구멍이 됨. 황소자리 게성운(星雲)인 펄서(pulsar), 백조(白鳥)자리 엑스선(X線) 천체는 이 블랙 홀을 반성(伴星)으로 가진 근접 속성(近接速星)으로 생각되고 있음.
블랙-힐스 〔Black Hills〕 명 『지』 미국 사우스다코타 주(州)와 와이오밍 주(州)의 경계에 위치하는 산지(山地). 1874년 금광이 발견되어 현재도 세계 유수의 금산지(金産地)임. 은·텅스텐·주석·석탄·석유도 개발되고 있으며, 국립 공원 등이 있어 관광지로서도 유명함.
블랜타이어 〔Blantyre〕 명 『지』 말라위 남부, 구도(舊都) 좀바(Zomba)의 남서 약 60km 지점에 있는 상업·교통의 중심지. 말라위에서 가장 오래된 도시의 하나로 리빙스턴의 고향 블랜타이어를 따서 이름지어짐. 1956년 림베(Limbe)와 합병 블랜타이어림베라 호칭하다가 1966년 다시 본이름으로 고침. [378,100 명(1986)]
블랭크 〔blank〕 명 ①공백(空白). 여백(餘白). ②백지(白紙).
블랭크 버:스 〔blank verse〕 명 『문』 무운시(無韻詩).
블랭크 테스트 〔blank test〕 명 『화』 공시험(空試驗).
블랭킷 〔blanket〕 명 모포(毛布).
블랭킷 스티치 〔blanket stitch〕 명 프랑스 자수에서, 버튼홀(buttonhole) 스티치와 같이 뜨는데 매듭이 지지 아니하게 놓는 수.
블랭킷 에어리어 〔blanket area〕 명 라디오나 텔레비전 송신소 주변 지역으로, 그 국(局)의 전파가 강하여 다른 방송국의 전파 수신(受信)이 방해를 받는 지역.
블랭킷 클리어런스 〔blanket clearance〕 명 『경』 외국 선박이 자국(自國)의 항만(港灣)을 출입하는 것을 포괄적으로 허가하는 것. 이 허가를 받으면 항내에서의 연료·식수 보급과 하역(荷役) 시설 등의 이용도 허용됨.
블러 🄴 〈옛〉 불러. '브르다[1]'의 활용형. ¶ 王이 大王道를 블러 니르샤더 《釋譜 Ⅵ:6》.
블러드 뱅크 〔blood bank〕 명 혈액 은행(血液銀行).
블러드-스톤: 〔bloodstone〕 명 『광』 혈석(血石)❶.
블런든 〔Blunden, Edmund Charles〕 명 『사람』 영국의 시인·평론가. 옥스퍼드·머턴(Merton) 대학 교수. 자작 시집(詩集) 및 램(Lamb)·키츠(Keats)·하디(Hardy) 등의 연구가 있음. [1896-1974]
블레셋 〔Philistia〕 명 『성』 고대 팔레스타인(Palestine)의 민족. 기원전 13세기 말에게 해(Aegea 海)에서 팔레스타인의 서쪽 해안으로 침입하여 정착한 비셈계(非 Sem 系) 민족. 포도·올리브를 재배하고 철기(鐵器)를 사용하였으며, 이스라엘인을 압박하였음.
블레오-마이신 〔bleomycin〕 명 『약』 항암성(抗癌性) 항생 물질. 주로 정맥 주사로 쓰임. 피부암·두경부암(頭頸部癌)·음경 음낭암(陰莖陰囊癌)·자궁 경관암(子宮頸管癌)·육종(肉腫) 등에 유효하나 상당한 부작용이 있음.
블레이드 〔blade〕 명 ①칼날. ②추진기(推進機) 같은 것의 날개.
블레이저 〔blazer〕 명 블레이저 코트(blazer coat).
블레이저 코:트 〔blazer coat〕 명 운동 선수들이 입는 밝고 화려한 빛깔의 플란넬로 만든 웃옷.

〈블레이저 코트〉

블레이크 〔Blake, William〕 명 『사람』 영국의 화가·시인. 신비적(神祕的) 향취 높은 삽화·판화 및 여러 시작(詩作)으로 영국 낭만주의의 선구를 이룸. 다소 몽환적(夢幻的)이고 난삽(難澁)하나 시구절의 아름다움과 정열로 유명함. 작품으로는 시집 《결백(潔白)의 노래》·《천국과 지옥의 결혼》 등이 있음. [1757-1827]
블로: 〔blow〕 명 ①강타(強打). ②타격.
블로:-램프 〔blowlamp〕 명 연공(鉛工)·가스용 기구 판매인(gas 用器具 販賣人)·전기 기사(電氣技師) 등이 금속을 접합(接合)하거나, 낡은 페인트를 벗길 때에 쓰는 가열용 램프(加熱用 lamp).
블로러 〔Vlorë〕 명 『지』 알바니아 서부, 아드리아 해안의 항구 도시. 알바니아 제1의 양항(良港)이며 부근의 유전(油田)으로부터 송유관이 통함. 1912년 알바니아 독립 선언의 땅. [58,000 명(1978)]
블로: 몰딩 〔blow molding〕 명 블로 성형.
블로: 성형 【一成型】 〔blow〕 명 플라스틱 성형법(成型法)의 하나. 병 같은 중공 용기(中空容器)를 만드는 데 적합함. 미리 압출 성형(押出成型)으로 만들어진 통상(筒狀)의 열가소성(熱可塑性) 수지를 연하게 하여 놓고, 금형(金型) 속에서 압축 공기로 팽창시켜 성형품(成型品)을 만듦. 취입 성형(吹入成型).
블로크[1] 〔Bloch, Ernest〕 명 『사람』 스위스 태생의 미국의 유태계 작곡가. 유태 민족의 정신적 특질을 독자적인 수법으로 표현함. 귀화하여 미국의 현대 음악에도 영향을 미침. 대표작 첼로와 관현악을 위한 헤브라이 광시곡(狂詩曲) 《셸로모》·《이스라엘 교향곡》 등. [1880-1959]
블로크[2] 〔Bloch, Felix〕 명 『사람』 스위스 출신의 미국 물리학자. 1934년 미국에 이주 후 자기 공명 흡수(磁氣共鳴吸收)를 이용하여 원자핵의 자기 모멘트(磁氣 moment)를 측정하는 핵자기 유도(核磁氣誘導)의 방법을 고안하여 1952년에 노벨 물리학상을 받음. [1905-83]
블로크[3] 〔Bloch, Marc〕 명 『사람』 프랑스의 중세사가(中世史家). 스트라스부르·소르본·몽펠리에 등의 대학 교수를 역임. 비교사적(比較史的) 방법에 의해 중세 영주제(領主制)의 해명(解明)에 주력함. 대독(對獨) 저항 운동에 참가하였다가 잡혀 총살됨. 주저(主著) 《프랑스 농촌사(農村史)의 기본적 성격》·《봉건 사회》. [1886-1944]
블로킹 〔blocking〕 명 ①권투에서, 상대편의 타격을 팔이나 손·어깨 등으로 방어하는 일. ②농구에서, 공을 가지고 있지 아니한 상대편 선수에, 접촉·방해하는 일. ③배구에서, 전위(前衛) 선수가 상대편의 스파이크를 막는 일. ④『기상』 중위도(中緯度)의 대류권(對流圈)에 우세한 고기압이 장기간 정체하여, 동진(東進)하는 저기압의 진행이 저지되거나 혹은 역행되는 현상. 블로킹 현상. 블로킹 고기압. ⑤블록[2]❹. ——하다 자여불
블로킹 고기압 【一高氣壓】 〔blocking〕 명 『기상』 블로킹❹.
블로킹 사인 〔blocking sign〕 명 야구에서, 감독 또는 투수와 포수간의 사인. 상대방에게 알리지 아니하게 하기 위하여 여러 가지 동작(動作)을 섞어서 복잡하게 함. 블록 사인(block sign).
블로킹 현:상 【一現象】 〔blocking〕 명 『기상』 블로킹❹.
블로터 〔blotter〕 명 압지(壓紙).
블로팅 패드 〔blotting pad〕 명 압지(壓紙)틀.
블로팅 페이퍼 〔blotting paper〕 명 압지(壓紙).
블로:-홀: 〔blowhole〕 명 용해(熔解)된 금속이 형틀 안에서 응고(凝固)할 때 그 안에 생기는 기포(氣泡). 금속의 기계적 성질을 저하시킴.
블로흐[1] 〔Bloch, Ernst〕 명 『사람』 독일의 철학자. 《유토피아의 정신》·《혁명의 신학자 토마스 뮌처》 등으로 유토피아의 사회적 의의를 추구함. 주저(主著) 《원리(原理)로서의 희망》. [1885-1977]
블로흐[2] 〔Bloch, Konrad〕 명 『사람』 독일 태생의 미국 생화학자(生化學者). 뮌헨 공과 대학 졸업 후 나치에 쫓겨 도미(渡美). 하버드 대학 교수. 중수소(重水素)로 표지(標識)한 아세트산(酸)을 써서 콜레스테롤(cholesterol)이 아세트산에서 생성됨을 증명함. 1964년 노벨 생리

의학상을 수상함. [1912-]

블록[1] [bloc] 명 정치·경제상의 특수 이익을 조장할 목적으로 제휴한 국가나 단체 등의 집단. 연합(聯合). 권(圈). 동맹(同盟). ¶ 스털링(sterling) ~.

블록[2] [block] 명 ①콘크리트 블록. ②〖인쇄〗 판목(版木). 인재(印材). ③시가(市街)의 한 구획(區劃). ④열차(列車)를 안전하게 운전하기 위하여, 어떤 구간(區間)에 한 열차 또는 차량(車輛)이 들어가 있는 동안에는 다른 열차나 차량이 들어가지 못하도록 하는 일. 또, 그 구간(區間). ⑤운동 경기에서, 상대방의 행동을 방해하는 일. ⑥〖컴퓨터〗 한 단위로서 다룰 수 있는 관련된 문자(文字)의 집합. 자기(磁氣) 테이프에 데이터를 기억시키는 경우, 몇 개의 레코드를 한데 모아 블록 단위로 입력시킬 때가 많음. ⑦신경 흥분(神經興奮)의 전도·전달이 도중에서 차단되는 일. 마취제·한랭(寒冷) 따위로 일어남.

블록 건:조법 【一建造法】 [block] [一법] 명 〖조선〗 선체(船體)를 적당한 크기로 나눈 블록을, 미리 공장 안이나 지상(地上)에서 만들어 선대(船臺) 위로 날라서 조립하는 조선법(造船法). 현재는 주로 이 방법이 채택되고 있음.

블록 건:축 【一建築】 [block] 명 〖건〗 ①콘크리트 블록을 철근과 콘크리트로 보강하고 모르타르(mortar)로 접합시켜서 쌓아 올려 만드는 적층식(積重式) 건축. 내화(耐火)·내구적(耐久的)이고 단열(斷熱)·방음 효과도 좋으며 공사비도 비교적 적게 듦. ②가건물(假建物) 등에서 콘크리트 블록만으로 쌓아 올려 만드는 건축. 판잣집에서도 많이 씀.

블록 게이지 [block gauge] 명 〖공〗 길이의 기준으로 공장 등에서 널리 사용되고 있는 기본 게이지. 정밀 기계의 공작상 치수의 표준이 되며, 여러 가지 치수의 것을 몇 개 짝지어 서로 밀착(密着)시킴으로써 각 게이지의 치수의 합과 같은 임의의 치수를 얻을 수 있는 점이 특징임. 1897년 스웨덴의 요한손(Johansson, C.E.)이 발명하였음. 기범(基範).

블록 경제 【一經濟】 [bloc] 명 〖경〗 본국(本國)과 식민지 또는 정치상의 동맹국(同盟國) 등이 일체가 되어 중요한 상품의 자급 자족을 도모하여, 상호 관세 등의 특혜(特惠)를 주어, 타지역으로부터의 경제적 침입을 막고 내부의 공통 이익을 지키고자 하는 경제 체제. 광역 경제(廣域經濟).

블록 날염 【一捺染】 명 [block printing] 무늬를 양각(陽刻)한 판목(版木)에 빛깔을 칠하여 천에 날염하는 간단한 염색법.

블록 다이어그램 [block diagram] 명 〖지〗 블록 선도.

블록 볼: [block ball] 명 야구·소프트 볼 등에서, 투구(投球)나 타구(打球)가 경기자가 아닌 사람에게 맞아 경기가 중단되었을 경우의 이름.

블록 브레이크 [block brake] 명 회전체(回轉體)에 원주상(圓柱狀)의 물건을 밀어 붙여 그 마찰력에 의하여 제동(制動)하는 장치.

블록 사인 [block sign] 명 블로킹 사인.

블록 선도 【一線圖】 [block] 명 단순한 조감도와 달라서 정확한 투영에 의하여 입체식(立體式)으로 지형·문화 경관(文化景觀)을 나타낸 도형(圖形). 미국의 지리학자인 데이비스 교수(Davis 敎授)에 의하여 지형 발달을 나타내는 데 잘 쓰여졌음. 블록 다이어그램.

블록 시스템 [block system] 명 ①수요량이 일정한 양을 넘으면 요금이 체감(遞減)되는 제도. ②충돌을 막기 위하여 한 구간에 한 열차만을 운전하는 방식. 폐색식(閉塞式).

블록 체인 [block chain] 명 전동용(傳動用) 체인의 하나. 링크(link)라 부르는 강편(鋼片)을 핀(pin)으로 접속한 것으로 저속 전동(低速傳動)에 쓰임. 「무늬.

블록 체크 [block check] 명 가로와 세로의 줄무늬가 같은 격자(格子)

블록 카피 [block copy] 명 〖인쇄〗 제판용(製版用)의 원고. 특히, 선화 철판(線畫凸版)·평판·조각 요판(彫刻凹版) 등으로 제판하기 위하여 정서(淨書)한 그림·문자 등이 이에 속함.

블록-플뢰테 [도 Blockflöte] 명 〖악〗 ①취구(吹口)에 마개가 있는 16 세기경의 세로 부는 목관 악기의 일종. 바로크(baroque) 음악에서는 실내악에도 쓰였으나 플루트의 등장으로 후퇴하였다가 20 세기에 학교용 교육 악기로서 부활함. ②피콜로(piccolo) 같은 소리를 내는 오르간의 음전(音栓).

블론드 [blond] 명 금발(金髮). 또, 그런 머리털의 여자.

블론스키 [Blonskij, Pavel Petrovich] 명 〖사람〗 소련의 교육학자·심리학자. 1913년 모스크바 대학 교수. 1924년 이후 볼셰비키파(派)로서 교육계에서 활약. 학교를 사회·경제 조직이라고 하는 입장에서 노동 교육을 제창하였음. 아동학에도 공헌하였음. 주저(主著) 《노동 학교》. [1884-1941]

블론: 아스팔트 [blown asphalt] 명 스트레이트 아스팔트와 함께 석유 아스팔트의 두 구분 중 하나. 스트레이트 아스팔트를 건류(乾溜)하고 윤활유를 뽑아낸 잔류물(殘留物). 온도에 대한 감수성이 적고 연화점(軟化點)이 높아 옥상 방수(屋上防水)에 쓰임. ＊스트레이트 아스팔트.

블롬 回 〈옛〉 부름. '브르다[1]'의 명사형. ¶ 昭州ㅅ 글워릐 내 넉 블로믈 與許호라(昭州詞翰與招魂) 《杜諺 XI:7》.

블롱델[1] [Blondel, Charles Aimé Alfred] 명 〖사람〗 프랑스의 심리학자·정신 의학자. 소르본 대학 교수. 정신 병리학에 집단적·사회적 인자(因子)를 도입, 정신 이상을 사회적 환경에 대한 부적응(不適應)이라고 규정함. 저서에 《병태(病態) 의식》·《집단 심리학 입문》 등이 있음. [1876-1939]

블롱델[2] [Blondel, François] 명 〖사람〗 프랑스의 건축가. 수학자·기사(技師)였으나 건축으로 전향, 루이 14세 시절의 프랑스 고전주의 건축의 일익을 담당하는 존재가 됨. 대표작으로 파리의 '생드니(Saint-Denis)의 문(門)'이 있으며 이론가로서도 활약함. 저서에 《건축 강의》가 있음. [1617-86]

블롱델[3] [Blondel, Maurice] 명 〖사람〗 프랑스의 철학자. 행위의 철학을 논하고 행위로부터 발생하는 신앙을 사실의 인식 위에 놓음. 주저(主著) 《행위·생활의 비판 및 실천의 철학 시론(試論)》. [1861-1949]

블룀버:겐 [Bloembergen, Nicolaas] 명 〖사람〗 네덜란드 출신의 미국 물리학자. 라이덴 대학을 나와 1958년 미국에 이주, 하버드 대학 교수를 지냄. 레이저 광선을 이용한 원자 세계의 연구로 숄로(Schawlow, A.L.)와 함께 1981년 노벨 물리학상을 수상함. [1920-]

블룸 回 〈옛〉 불림. '브르다[1]'의 명사형. ¶ 님그미 더주숨뼈 블룸믈 뵈실 쉬(主上頃見徵) 《初杜諺 XIX:2》.

블루: [blue] 명 청색(靑色).

블루:-그래스 [bluegrass] 명 〖악〗 [목초(牧草)의 뜻] 미국 켄터키 주의 산악 지대의 민요(民謠)에서 파생한 컨트리 뮤직. 밴조(banjo)·만돌린·기타로 연주함. 블루그래스 뮤직.

블루:-데님 [blue-denim] 명 진(jean).

블루: 라인 [blue line] 명 존 라인(zone line).

블루: 리본 [blue ribbon] 명 [청색 리본의 뜻] ①일반적으로 최고의 영예를 획득한 사람에게 수여하는 남색(藍色)의 리본. ②영국의 가터 훈장(Garter 勳章)에 다는 푸른 리본. ③영국에서 대서양 항로(大西洋航路)를 가장 빠른 평균 속도(平均速度)로 횡단한 배에 수여하는 속력상(速力賞).

블루:머 [bloomer] 명 ①1850년경 뉴욕의 블루머 부인(Bloomer 夫人)이 고안한, 스커트가 달리고 발목을 매게 되어 있는, 한복 바지와 비슷하게 생긴 바지. ②체조·경마·수영 등을 할 때 여성들이 입는 팬츠의 일종. 무릎 위 또는 밑에 고무줄을 넣어 잡아 매게 되어 있음.

〈블루머❶〉 〈블루머❷〉

블루멘바흐 [Blumenbach, Johann Friedrich] 명 〖사람〗 독일의 해부학자·인류학자. 괴팅겐 대학 교수. 학위 논문 《인류의 자연 변종(自然變種)에 관하여》로 인류학의 체계를 세워 인류학의 시조(始祖)로 불리며, 비교 해부학의 부문에서도 공헌이 큼. 주저(主著) 《박물학》·《비교 해부학》. [1752-1840]

블루 무:비 [blue movie] 명 ①음란한 영화. 포르노 영화. ②준(準)포르노성(性)의 에로물 영화.

블루:-버:드 [bluebird] 명 〖조〗 파랑새.

블루:-베리 [blueberry] 명 〖식〗 진달랫과 *Vaccinium*속(屬)에 속하는 관목(灌木) 약 20종의 총칭. 특히, 과수(果樹)로서 재배하는 수종(數種)과 그 열매를 일컬음. 익으면 감색에서 흑색으로 변하는 작은 열매가 송이져서 열리는데, 신 맛이 강하여 생식(生食)하거나 잼·주스 등을 만듦. 북미 원산으로 우리 나라에 자라는 월귤나무·정금나무 등도 이에 속함. 「錄).

블루: 북 [blue book] 명 ①청서(靑書). ②직원록(職員錄). 신사록(紳士

블루:-블랙 [blue-black] 명 짙은 남색.

블루:스 [blues] 명 19 세기 말, 미국 남부의 흑인 사이에서 일어난 두 박자 또는 네 박자의 우울한 무용 가곡의 일종. 흔히, 개인의 고뇌와 절망감을 즉흥적으로 노래하였음. 후에 댄스 뮤직으로 되었음. 또, 그러한 춤을 말하기도 함.

블루:-스타킹 [bluestocking] 명 청탑파(靑鞜派).

블루: 진: [blue jeans] 명 청색 데님(denim)으로 만든 통이 좁은 바지. 청바지. 「나. 독특한 냄새와 자극성을 지님.

블루: 치:즈 [blue cheese] 명 푸른곰팡이균(菌)이 든 내추럴 치즈의 하

블루: 칩 [blue chip] 명 〖경〗 우량주(優良株). 명망(名望) 있는 회사.

블루: 칼라 [blue collar] 명 [청색 작업복을 입는 데서] 육체 노동자. 현장에서 일하는 근로자. ↔화이트 칼라.

블루:펜 글라스 [Blue-pen glass] 명 흡열(吸熱) 유리의 상표명.

블루:-프린트 [blue-print] 명 청사진(靑寫眞). 설계도.

블루: 필름 [blue film] 명 비밀히 제작되어 상영되는 외설(猥褻)한 영화.

블룬칠리 [Bluntschli, Johann] 명 〖사람〗 독일의 공법(公法)학자. 스위스 출신. 하이델베르크 대학 교수. 국가 유기체설(有機體說)을 제창하였음. 주저(主著)에 《일반국법학(一般國法學)》·《근대 국가론》 등이 있음. [1808-81]

블룸 [Blum, Léon] 명 〖사람〗 프랑스의 정치가. 1899년 통일 사회당(統一社會黨)에 입당, 드레퓌스 사건(Dreyfus事件) 때 무죄를 주장하여 투쟁하고 1924년 당수(黨首)가 되어 세 번 수상(首相)에 취임함. 제 2 차 세계 대전 중에는 체포되어 독일에 억류되었으나, 미군에게 구출됨. 문예 비평가(文藝批評家)로서도 유명함. [1872-1950]

블룸즈버리 그룹 [Bloomsbury Group] 명 [블룸즈버리는 런던의 한 지구 이름] 20 세기 초에 활약한 케임브리지 대학 출신의 지식인 그룹. 주지적(主知的)·예술 지상주의적 경향을 띠었으며 소설가 포스터(Forster, E.M.)·울프(Woolf, V.), 전기(傳記) 작가 스트레이치(Strachy, L.), 경제학자 케인스(Keynes, J.M.) 등이 참가함.

블룸:폰테인 [Bloemfontein] 명 〖지〗 남아프리카 공화국 오렌지 자유주(Orange 自由州)의 주도. 표고 1,400 m의 고지에 있으며 상공업 도시. 최고 재판소·대학·고문서관(古文書館) 등이 있음. [231,000 명 (1980 추계)]

블룸:필:드 [Bloomfield, Leonard] 명 〖사람〗 미국의 언어학자. 시카고·예일 대학 교수. 저서 《언어 연구 입문》을 낸 이후 1933년에 《언어》를 내어 당시까지의 체계화를 목표로 한 대저 《언어》를 내어 당시까지의 정통파 언어학의 성과를 객관적 기술(記述)에 의하여 집대성하였음. [1887-1949] 「4》.

블리 〈옛〉 불이. '블[1]'의 주격형(主格形). ¶ 블리 져고(外腎小) 《馬經 上

블리다[1] 〔Blida〕 명 〖지〗 알제리 북부의 도시. 교통의 요지이며 포도·오렌지·올리브·소맥의 거래, 제분·올리브유(油) 제조 등이 행하여짐. 1825년, 1867년 두 차례 큰 지진이 있었음. [161,000 명(1977 추계)]

블리다[2] 타 〈옛〉 불리다. ¶ 쇠 블리ᄂᆞᆫ 플무(放砂爐)≪譯語 上 19≫.

블리다[3] 사동 〈옛〉 부르게 하다. ¶ 王이 뉘으처 블리신대 디마니 호이다ᄒᆞ고 아니 오니라≪月釋 Ⅱ:7≫.

블리자:드 〔blizzard〕 명 〖기상〗 미국에서 눈보라를 동반한 추운 강풍. 전하여, 세설(細雪)이나 얼음 알갱이가 섞인, 극지방(極地方)에 특유한 한랭한 강풍(強風)을 말함.

블리:처스 〔bleachers〕 명 옥외 관람석(席). 외야석.

블리:치 〔bleach〕 명 '표백(漂白)'의 뜻으로, 옥시돌을 주제(主劑)로 하여 모발이나 군털의 탈색을 하는 일.

블리:치 마스크 〔bleach mask〕 명 얼굴을 희게 하는 표백 미안술(美顔術). 옥시돌(oxydol)·과붕산(過硼酸) 나트륨 등을 이용함.

블리:치 아웃 진: 〔bleach out jeans〕 명 블루 진을 표백하여 탈색한 엷은 색깔의 진. 블리치트 진이라고도 함.

블릭센 〔Blixen, Karen〕 명 〖사람〗 덴마크의 여류 작가. 미모의 남작 부인으로 한 때 아프리카에서 커피 농장을 경영하다 실패하자 작가로 나섬. ≪일곱 개의 고딕 소설≫·≪겨울 이야기≫·≪아프리카의 농장≫ 등의 작품이 있으며 20 세기의 가장 섬세·정교한 예술파 작가로 명성을 얻었음. [1885-1963]

블묻다 자 〈옛〉 불씨를 묻다. ¶ 네 블 무드라(你種着火)≪老乞 上 23≫.

블쬐다 자 〈옛〉 불쬐다. ¶ 블쬘 고(爊), 블쬘 핍(煏), 불쬘 비(焙), 불쬘 홍(烘)≪字會 下 13≫/블쬐일 쟈(炙)≪字會 下 31≫.

블븥다 자 〈옛〉 불붙다. ¶ 블브틀 훼(燬), 블브틀 료(燎)≪字會 31≫.

블빗 명 〈옛〉 불빛. ¶ 블빗 황(煌)≪類合 下 54≫.

블쐳다 자 〈옛〉 불때다. =블쬣다. ¶ 네 블써더 가매 쓸커든(你燒的鍋滾時)≪老乞 上 18≫.

블쬣다 자 〈옛〉 불때다. =블쐳다. ¶ 블쬣디 말고(休燒火) ≪老乞 上 18≫.

블샹ᄒᆞ다 형 〈옛〉 불쌍하다. ¶ 어버이 녕녀를 블샹이 너겨(父寧憐)≪五倫 Ⅲ:21≫.

블애닉다 자 〈옛〉 불에 익다. ¶ 블애니글 란(爛)≪類合 下 52≫.

블어 타 〈옛〉 불러. '브르다[1]'의 활용형. ¶ 世尊하 내 이제 未來衆生 爲ᄒᆞ야 利益홀 이롤 블어 生死中에 큰 利益을 得게 호리니 ≪月釋 XXI:130≫.

블어나다 형 〈옛〉 불쑥하다. ¶ 左ᄂᆞᆫ 오목ᄒᆞ고 右ᄂᆞᆫ 블어나몰(左凹右凸)≪南明 下 21≫.

블여ᄋᆞ 명 〈옛〉 불여우. ¶ 블여ᄋᆞ(沙狐狸)≪同文 下 39≫.

블옴 형 〈옛〉 부름. '브르다[2]'의 명사형. ¶ 굴므며 ᄇᆡ 블오믈 엇디 可히 逃亡ᄒᆞ리오(飢飽豈可逃)≪杜諺 Ⅰ:30≫.

블이다[1] 타 〈옛〉 불리다. ¶ 臼季 블이어 冀로 디나갈ᄉᆡ(臼季使過冀)≪小諺 Ⅳ:34≫.

블이다[2] 피동 〈옛〉 불리다. =불이다[2]. ¶ 블여 ᄃᆞᆫ뇨매 도ᄅᆞ혀 栢葉酒를 먹노니(飄零還栢酒)≪杜諺 XI:3≫.

블족 명 〈옛〉 부족(不足). ¶ 不블足족 ≪小諺 Ⅴ:29≫.

블키다 타 〈옛〉 붉히다. ¶ ᄂᆞᆾ 블키디 아니ᄒᆞ엿더니(不曾面赤)≪老乞 下 65≫.

블희 명 〈옛〉 뿌리. =불휘. ¶ 남긔 비컨대 블희 ᄒᆞᆫ가지오 가지 다ᄅᆞᆷ이며(比如木 同根而異枝)≪警民編 12≫.

블ᄒᆡ 명 〈옛〉 뿌리. =불휘. ¶ 블ᄒᆡ 믌미틔 싯기여 그처디니(根斷泉源)≪重杜諺 Ⅵ:41≫.

븕나모 명 〈옛〉 붉나무. =븕나무. ¶ 븕나모 겁질을 달혀(千金木皮羮…)≪救荒 2≫.

븕나무 명 〈옛〉 붉나무.=븕나모.¶ 븕나무여름(五倍子)≪嘗百譜 木部≫.

븕다 형 〈옛〉 붉다. ¶ 블근 새 그를 므러(赤爵銜書)≪龍歌 7章≫.

븗다 형 〈옛〉 부럽다. ¶ 블울 션(羨)≪類合 下 26≫.

븘곶 명 〈옛〉 불꽃. ¶ 바미 오라니 븘고지 기우도다(夜久燭花偏) ≪杜諺 XXIII:54≫.

븘나올 명 〈옛〉 불꽃. =붓나올. ¶ 金剛 븘나오리니(金剛燄)≪南明 下 3≫.

븘벼록 명 〈옛〉 불꽃. ¶ 뫼햇 돌히 티면 븘벼로기 일오(山石擊則成燄)≪楞嚴 Ⅳ:18≫/븘벼록과 노금과ᄂᆞᆫ(焰融)≪楞嚴 Ⅳ:23≫.

븜다 자타 〈옛〉 상관하다. ¶ 스승닚 어미 業力이 넘고 커 스승님ᄭᅴ 븜디 아니ᄒᆞ니 ≪月釋 XXIII:88≫.

븟 명 〈옛〉 뜸. =붓. 븞. ¶ 세 븟기어나 다ᄉᆞᆺ 븟기어나 ᄠᅳ면 즉재 살리라(各灸三五壯卽活)≪救簡 Ⅰ:42≫.

븟곳 명 〈옛〉 불꽃. =블곳. ¶ 븟곳 염(燄)≪字會 下 35≫.

븟그리다 자 〈옛〉 부끄러워하다. ¶ 이젠 후의야 거의 븟그러오미 업도다 ᄒᆞ엿더라(今而後庶幾無愧)≪五倫 Ⅱ:58≫.

븟그리봄 명 〈옛〉 부끄럼.¶ 엇데 븟그리보믈 ᄎᆞ마 거슬쁜 臣下와 相通ᄒᆞ리오 ᄒᆞ니라(焉能忍恥與逆臣通問 如其不濟 此則命也)≪三綱. 忠臣≫.

븟나올 명 〈옛〉 심지[2]❶. =븘나올.¶ 븟나올 주(炷)≪字會 下 35≫.

븟다[1] 자 〈옛〉 붓다[1]. =븟다[1]. ¶ 과ᄀᆞ리 ᄇᆞ룸 마자 머리와 ᄂᆞᆾ과 븟거든(卒中風頭面腫)≪救簡 Ⅰ:30≫.

븟다[2] 타 〈옛〉 붓다[2]. ¶ 친히 수울 자바 븟고(親執酒酙之)≪呂約 25≫.

븟도도다 타 〈옛〉 북돋우다. =붓도도다. ¶ 뻐 그 불휘를 븟도도며(以培其根)≪小解題辭 3≫.

븟벼록 명 〈옛〉 불똥. ¶ 븟벼록 자(炸)≪字會 下 35≫.

븟안다 자 〈옛〉 붙어 안다. 부둥켜 안다. ¶ 서ᄅᆞ 븟안아 눕고 니디 아니ᄒᆞ니 도적이 다 주기다(相抱臥不起賊幷殺之) ≪東國新續三綱 烈女圖 Ⅷ:78≫.

븟어디다 자 〈옛〉 부서지다. =붕어디다. ¶ 또 븟어딘 뼤를 아소ᄃᆡ(仍…除碎骨)≪救方 下 1≫.

븟좇다 타 〈옛〉 붙어 좇다. 따르다. ¶ 慈母롤 親히 븟조차 화동홈이 ᄒᆞᆫ골ᄀᆞᆮ거늘(親附慈母雍雍若一)≪內訓 Ⅲ:21≫.

븞 명 〈옛〉 뜸. =븟. ¶ 세 븟기어나 다ᄉᆞᆺ 븟기어나 ᄠᅳ면 즉재 살리라(各灸三五壯卽活)≪救簡 Ⅰ:42≫.

븡다[1] 자 〈옛〉 붓다[1]. =븟다[1]. ¶ 브슬 종(腫)≪字會 中 35≫.

븡다[2] 타 〈옛〉 붓다[2]. =븐다[2]. ¶ ᄒᆞᆫ번 브어 머구메 즈믄시르미 흗ᄂᆞ다(一酌散千憂)≪杜諺 X:17≫.

븡어듐 자 〈옛〉 부서짐. '븡어지다'의 명사형. ¶ 갯므렛 골며기 머리 븡어듀믈 막전마ᄅᆞᆫ(浦鷗防碎首)≪杜諺 XX:19≫.

븡어디다 자 〈옛〉 부서지다. =븟어디다. ¶ 뫼해 돌히 븡어디도다(山石碎)≪杜諺 XXV:7≫.

븡에 명 〈방〉 붕어(경북).

븥다[1] 자 〈옛〉 붙다[1]. ¶ 브틀 분(焚)≪字會 下 35≫.

븥다[2] 타 〈옛〉 ①붙다. ¶ 附ᄂᆞᆫ 브틀씨라 ≪訓例≫/제여곰 ᄯᅡ해 브터셔(各地著)≪杜諺≫. ②의지하다. ¶ 어버ᅀᅵ 여희오 ᄂᆞᄆᆡ그에 브터 사로ᄃᆡ ≪釋譜 序 Ⅵ:5≫.

-븨 미 〈옛〉 들. 무리. 따위. ¶ 벋븨 ᄉᆞ이예(於朋友之間)≪小諺 Ⅴ:77≫.

븨다 형 〈옛〉 비다[1]. ¶ 뷘 곳에 大吉利라 쓰거나(空處寫大吉利)≪朴解 上 55≫.

븩븩ᄒᆞ다 형 〈옛〉 빽빽하다. ¶ 븩븩홀 밀(密)≪石千 24≫.

비[1] 명 〔중세 : 비〕 대기 중의 수증기가 높은 곳에서 찬 기운을 만나 엉기어 맺혀서 땅 위로 떨어지는 물방울. ¶ ~가 개다 / ~가 내리다.
[비 맞은 용대기(龍大旗) 같다] ㉠호기(豪氣) 있고 쾌활하던 사람이 갑자기 시무룩해짐을 이름. ㉡추레한 모양을 일컫는 말. [비 맞은 중 담모퉁이 돌아가는 소리] 남이 알아듣지 못할 정도의 낮은 소리로 불평 섞인 말을 중얼거림을 이르는 말. [비 오거든 산소(山所) 모종을 내어라] 조상의 산소를 비오는 날 모종을 내듯, 좋은 곳에 잘 옮기어 너의 자손은 너와 같이 못 되지 말고 번영하게 하라는 뜻. [비오는 날 나막신 찾듯 한다] 몹시 아쉬워서 찾는 모양. [비 오는 날 머리를 감으면 대사(大事) 때 비가 온다] 비 올 때 머리를 감지 말라는 말. [비 오는 날 쇠꼬리처럼] ㉠반갑지도 않은 것이 치근치근 귀찮게 군다는 말. ㉡비에 젖은 쇠꼬리가 어느 한쪽으로 착 붙어 있듯이 유리한 편에 붙는다는 말. [비 오는 날 장독 덮었다] 당연히 할 일을 하고 유세하는 자를 비웃는 말. [비 오는 날 장독 열기] 당치 않은 짓을 함을 이르는 말. [비 온 뒤에 땅이 굳어진다] 풍파가 있은 후에 일이 더 단단해진다는 뜻. [비 틈으로 빠져 나간다] 행동이 몹시 민첩함을 이르는 말.
비 오듯 하다 구 ㉠총탄 · 화살 따위가 많이 날아오다. ㉡눈물 등이 줄줄 계속 쏟아지다.

비[2] 명 〔중세 : 뷔〕 먼지나 쓰레기를 쓸어 내는 제구. 마당비·마루비·방비 등이 있고 짚·띠·싸리·소나무뿌리 털 등으로 만듦.
[비를 드니까 마당을 쓸라 한다] 모처럼 궁리하여 어떤 일을 막 시작하려니까 마침 남이 그 일을 시킨다는 뜻.

비[3] 명 〈방〉 벼(경상).

비[4] 명 〈방〉 삼베(경상).

비:[5] 【比】 명 ①〖문〗 한시(漢詩)에서, 육의(六義)의 하나. 비유하는 문체. ②〖수〗 같은 종류의 두 개의 수(數) 또는 양(量) A·B가 있는 경우에, A는 B의 몇 갑절에 해당하는가의 관계를 A의 B에 대한 비(比)라 함. a:b로 표시함. ③〖민〗 ↗비괘(比卦). ④↗비례(比例). ⑤〖지〗 ↗비율빈(比律賓).

비:[6] 【妃】 명 ①왕의 아내. ②황태자(皇太子)의 아내.

비:[7] 【否】 명 〖민〗 ↗비괘(否卦).

비:[8] 【批】 명 ↗비답(批答).

비[9] 【妣】 명 돌아가신 어머니의 일컬음. ¶ 선~(先妣). *고(考).

비[10] 【非】 명 잘못. 그름. 부정(不正). ¶ 시(是)는 시(是)고 ~는 ~라. ↔시(是).

비:[11] 【卑】 명 성(姓)의 하나. 우리 나라에는 현존하지 아니함.

비[12] 【剕】 명 〖역〗 발뒤꿈치를 베는 육형(肉刑)의 하나.

비:[13] 【祕】 명 남이 알아서는 안 될 일. 공표(公表)할 수 없는 일. 비밀(祕密).

비:[14] 【賁】 명 〖민〗 ↗비괘(賁卦).

비:[15] 【脾】 명 〖생〗 ↗비장(脾臟).

비[16] 【碑】 명 사적(事蹟)을 기념하기 위하여, 돌·쇠붙이·나무 같은 것에 글을 새기어 세워 놓은 물건.

비:[17] 【鼻】 명 코[1]❶.

비[18] 【轡】 명 고삐.

비:[19] 【B, b】 명 ①영어의 둘째 자모(字母). ②학업 성적에 있어서 A 다음 가는 성적. 80-89점을 말함. ③〔black의 머리글자〕 B로 나타내어, 연필심(芯)의 검은 정도를 나타내는 부호. B·2B·3B로 수가 많을수록 연하고, 검게 쓰여짐. ④〖수〗 a 다음에 오는 제 2 기지수(旣知數). ⑤〖화〗 붕소(硼素)의 원소 기호. ⑥〖생〗 비타민 B_1 이하의 복합체. ⑦ ABO 식 혈액형의 하나. B형. ⑧종이 규격의 하나. B판(判). ⑨〖악〗 나음(音)·나장조(長調)의 기호. ⑩〔bust의 머리글자〕 B로 써서, 가슴 둘레를 나타내는 부호. ⑪기관차(機關車)의 기호에서, 동륜축(動輪軸)의 수가 두 개인 기관차. ⑫〔bomber의 머리글자〕 B로 나타내어, 폭격기.

비- 【非】 두 어떤 말의 머리에 붙어서 부정(否定)의 뜻을 나타내는 말. ¶ ~과학적/~도덕적/~능률적.

-비 【費】 미 명사의 끝에 붙어서 그 명사가 가지는 뜻의 비용(費用)을 나타내는 말. ¶ 교제(交際)~/하숙~.

비:가[1] 【比價】 [一까] 명 다른 물건과 비교한 값.

비가[2] 【飛舸】 명 빠른 배.

비가[3] 【悲歌】 명 슬프고 애절한 노래. 엘레지(élégie).

비가[4] 【悲歌】 명 〖문〗 조선 시대 때의 문인 이정환(李廷煥)이 지은 연시조(聯時調). 10수. 병자 호란 때에 당한 국치(國恥)에 대한 비분의 감정을 노래함. 작자의 문집 ≪송암 유고(松巖遺稿)≫에 전함.

비가격 경:쟁 【非價格競爭】 명 〔non-price competition〕 〖경〗 독과점(獨寡占) 기업이 상품의 선전 · 품질 개선 · 판매 방법 개선 등 가격 외의 조건으로 경쟁하는 일. ↔가격 경쟁.

비가리 명 〈방〉 병아리(경상).

비가비 명 〖악〗 조선 시대 말기에, 학식 있는 상민(常民)으로서 판소리

를 배우던 사람. *모가비. 취음:비갑(非甲).

비-가역【非可逆】명〖물〗어떤 물질을 다른 물질로 변화시킨 후 다시 본디의 상태로 되돌릴 수 없는 일. 불가역(不可逆). ↔가역.

비가역 반:응【非可逆反應】명〔irreversible reaction〕〖화〗화학 반응에서, 역반응의 반응 속도가 정반응(正反應)의 경우보다 현저히 적어서 무시할 수 있을 정도의 반응. 불가역 반응. ↔가역 반응.

비가역 변:화【非可逆變化】명〔irreversible change〕〖물〗가역 변화(可逆變化)가 아닌 변화. 곧, 열의 전도(傳導)·마찰(摩擦)·확산(擴散) 등. 불가역 변화. ↔가역 변화.

비가역-성【非可逆性】명〖물〗일반적으로 어떤 조건의 변화하는 방향을 거꾸로 하여도 현상의 변화가 원상태로 돌아오지 않는 성질을 말함. 가령, 열은 고온(高溫)에서 저온 방향으로 흐르는데, 그 역(逆)의 현상은 외부에서 새로운 에너지를 가하지 않는 한 일어나지 않음. 불가역성.

비가역-적【非可逆的】명관 제자리·본디 상태로 되돌아오지 않는 모양.

비가역 전:지【非可逆電池】명〔irreversible cell〕〖화〗가역 전지가 아닌 전지. 가령, 황산(黃酸)에 아연판(亞鉛板)과 구리판(板)을 담근 볼타 전지(volta 電池)에서는 전류(電流)를 흐르게 하지 아니하여도 아연과 황산이 반응해 버림. 불가역 전지. ↔가역 전지.

비각¹ 명 서로 상극(相剋)이 되는 일. 물과 불 등. ¶아니오, 그 두령은 우는 어린애하구 ~이라, 말하자면 어린애 피접 가 있는 셈입니다≪洪命憙:林巨正≫.

비각²【飛閣】명 ①높은 누각. 비루(飛樓). ②2층으로 된 잔교(棧橋).

비:각³【祕閣】명 중요한 문서(文書) 등을 비장(祕藏)하여 두는 궁정(宮廷)의 창고. 비부(祕府).

비각⁴【碑閣】명 안에 비를 세워 놓은 집.

비:간【比干】명〖사람〗중국 은(殷)나라의 주왕(紂王)의 숙부. 주왕의 악정(惡政)을 간(諫)하다가 심장을 찢겨 죽음. 기자(箕子)·미자(微子)와 더불어 은의 삼인(三仁)이라 일컬어짐. 생몰년 미상.

비간섭성 빛【非干涉性一】명〔incoherent light〕〖물〗전혀 위상(位相)이 맞지 않는 빛.

비간섭성 산:란【非干涉性散亂】[一살一] 명〔incoherent scattering〕〖물〗입사파(入射波)의 위상(位相)과 산란파(散亂波)의 위상에 아무런 관계가 없고 따라서 간섭성이 없는 산란.

비간섭성 파동【非干涉性波動】명〔incoherent waves〕〖물〗일정한 위상 관계(位相關係)가 없는 파동.

비갈【碑碣】명 비(碑)와 갈(碣).

비:감¹【肥甘】명 살지고 맛이 좋음. 또, 그 고기.

비:감²【祕甘】명〖역〗슬며시 보내는 감결(甘結).

비감³【悲感】명 슬픈 감회(感懷). 슬프게 느낌. ——하다 형여불

비:감⁴【痺疳·脾疳】명〖한의〗어린 아이의 만성 소화기병(慢性消化器病)을 한방(韓方)에서 일컫는 말. 음식을 먹지 아니하여도 배가 부르고 몸은 바싹 마르며, 얼굴빛이 누르게 됨. 흙 먹기를 좋아하며 시큼한 냄새가 나는 묽은 똥을 누는데, 뱃가죽 안으로 정맥(靜脈)이 뚜렷이 나타나 보임. 식감(食疳).

비:-감모【鼻感冒】명〖한의〗코감기. 상풍증(傷風症).

비-감쇠파【非減衰波】명〔undamped wave〕〖물〗일정한 진폭(振幅)을 가진 진동으로 생기는 연속적인 파동.

비감수 분열【非減數分裂】명〔ameiosis〕〖생〗감수 분열의 이형(異型) 분열이 동형 분열에 의해서 치환(置換)되는 이상 현상. 따라서 염색체 수의 반감(半減)이 일어나지 않으므로, 전수성(全數性)의 생식 세포가 생김. 꽃눈이 이상 온도에 노출되었을 때 따위에 발생함. 불감수 분열. *쇄편 분리(碎片分離).

비갑¹【非甲】명 '비가비'의 취음(取音).

비갑²【緋甲】명 붉은 갑옷.

비:강¹【肥強】명 비경(肥勁). ——하다 형여불

비:강²【粃糠】명 ①쭉정이와 겨. ②하찮은 물건.

비:강³【鼻腔】명〖생〗코의 안쪽에 있는 빈 곳. 기도(氣道)의 입구에 위치하여 폐로 들이마시는 공기를 따뜻하게 하고, 적당한 습기를 부여하며 냄새를 맡거나 음성을 공명(共鳴)하는 구실을 함. 콧속.

비:강-진【粃糠疹】명〖의〗피부의 거죽에 생기는 쌀겨와 비슷한 비늘. 특히, 머리의 비듬을 이름.

비:개¹ 명〈방〉베개(강원·충청·전라·경상).

비개²【悲慨】명 슬퍼하고 개탄함. ——하다 자여불

비개미 명〈방〉부티.

비-개석【碑蓋石】명〖건〗비신(碑身) 위에 덮은 뚜껑돌.

비개이 명〈방〉병아리(경상).

비거¹【非據】명 재능이 없이 높은 지위에 있음. 마땅히 있을 곳이 아닌 곳에 있음. ——하다 자여불

비거²【飛去】명 날아가 버림. ↔비래(飛來). ——하다 자여불

비거³【飛車】명 공중을 날아다니는 수레. 임진 왜란(壬辰倭亂) 때 정평구(鄭平九)가 발명하였다 함.

비:거⁴【備擧】명 빠짐없이 갖춤. ——하다 타여불

비거⁵【鵯鶋】명〖조〗갈가마귀.

비거⁶〔vigour〕명 설탕이나 엿에 우유·향료를 넣고 끓여서 굳힌 과자「의 한 가지.

비:-거도선【鼻居刀船·鼻艍舠船】명〖역〗거도선(居刀船).

비-거리【飛距離】명 ①야구·골프에서, 친 볼이 날아 간 거리. ②스키 점프 경기에서, 점프대를 떠나 착지(着地)한 곳까지의 거리. 「자여불

비-거스렁이 명 비가 갠 뒤에 바람이 불고 시원해지는 일. ——하다

비-거주자【非居住者】명〖법〗①국내에 주소 또는 거소(居所)를 두지 아니한 자연인 및 주사무소(主事務所)를 두지 아니한 법인(法人)을 말함. ②거주자가 아닌 자로서 국내 원천 소득이 있는 개인.

비거주 지역【非居住地域】명〔도 Anökumene〕〖지〗지구 위에서 인간이 영속적으로 거주할 수 없는 곳. 현재 해양·극지(極地) 부근·고산(高山)·건조 사막 지대 등이 잔존(殘存)함. ↔거주 지역.

비걱 부 단단한 물건끼리 서로 닿아서 갈리어 나는 소리. 씨삐걱·삐꺽. >배각. ——하다 자타여불

비걱-거리다 자타 자꾸 비걱 소리를 내다. 또, 그 소리가 나다. 씨삐걱거리다·삐꺽거리다. >배각거리다. 비걱-비걱 부. ——하다 자타여불

비걱-대다 자타 비걱거리다.

비걱-배각 부 비걱 소리와 배각 소리가 한데 어울려서 나는 소리. 씨삐걱빼각·삐꺽빼깍. ——하다 자타여불

비-건성유【非乾性油】[一뉴] 명〖화〗불건성유(不乾性油).

비:겁【卑怯】명 ①인격이 낮고 겁이 많음. ②하는 짓이 정정 당당하지 못하고 야비함. ——하다 형여불

비게 명〈방〉①비계¹·². ②베개(전라·경상·강원).

비게미 명〈방〉비경이.

비게-질 명 말이나 소가 가려운 곳을 긁느라고 다른 물건에 몸을 대고 비비는 짓. ——하다 자여불

비:겐리:트〔도 Wiegenlied〕명 자장가.

비겔란〔Vigeland, Adolf Gustav〕명〖사람〗노르웨이의 조각가. 로댕의 영향을 받아 청동(靑銅)의 부조(浮彫) 등을 제작하다가 상징적 자연주의의 대표자가 되었음. 부게(Bugge)·비외른손(Björnson)·입센(Ibsen) 등의 흉상을 만들었음. [1869-1943]

비겨미 명〖농〗봇줄이 소의 뒷다리에 안 걸리게, 쟁기 같은 것에 두 끝을 턱이 지게 하여 봇줄에 꿰는 막대. 「檄).

비격【飛檄】명 격문(檄文)을 급히 돌림. 또, 급히 돌리는 격문. 이격(移

비격 진:천뢰【飛擊震天雷】[一철一] 명 조선 선조(宣祖) 때 화포공(火砲工) 이장손(李長孫)이 발명한 폭탄. 화약·철편(鐵片)·뇌관(雷管)을 속에 넣고 겉은 쇠로써 박처럼 둥글게 싼 것으로, 대완구(大腕口)로 쏘아서 목적지에 투사하였음. 특히, 임진 왜란 당시인 1592년 경주(慶州) 탈환 작전에 이 무기가 사용되어 많은 성과를 올렸음. 진천뢰.

비:견¹【比肩】명 어깨를 나란히 함. 곧, 우열(優劣)이 없이 동등(同等)하게 함. 병견(並肩). ¶~할 만하다. ——하다 자여불

비:견²【鄙見】명 자기의 의견을 겸손하게 일컫는 말. 누견(陋見).

비견-도【飛見島】명〖지〗전라 남도의 남해상(南海上), 완도군(莞島郡) 금일면(金日面) 비견리(飛見里)에 위치한 섬. [1.32km²: 220명(1984)]

비:결¹【肥潔】명 살지고 깨끗함. ——하다 형여불

비:결²【祕訣】명 숨겨 두고 혼자만이 쓰는 썩 좋은 방법. 비약(祕鑰). 비요(祕要). ¶성공의 ~.

비:결³【祕結】명〖의〗변비(便祕).

비결정 광:물【非結晶鑛物】[一쩡一] 명 뚜렷한 결정 구조(結晶構造)를 가지지 아니하는 광물.

비결정-론【非決定論】[一쩡논] 명〔indeterminism〕〖철〗인간의 의지는 어떠한 다른 원인에 의해서도 결정되지 아니하고 오직 자기 자신이 독립으로 결정한다고 하는 설. 자유 의지론(意志論). ↔결정론.

비결정 상태【非結晶狀態】[一쩡一] 명〔amorphous state〕〖물〗결정(結晶)되어 있지 않은 고체 물질(固體物質)의 상태. 곧, 원자나 분자가 규칙적으로 나란히 집합되어 있지 않은 고체 물질의 상태. 진흙·고무 등의 상태. 무정형(無定形) 상태.

비-결정성【非結晶性】[一쩡썽] 명〔amorphous〕〖물〗결정성이 아님. 물질을 구성하는 원자 배열(原子配列)이 규칙적이 아님. 무정형(無晶型). 비정질(非晶質).

비결정성 금속【非結晶性金屬】[一쩡썽一] 명〔amorphous metal〕〖화〗비결정 상태(非結晶狀態)의 금속. 금속 원소를 주성분(主成分)으로 하고 결정성을 갖지 않은 고체 물질(固體物質)로, 흔히 액체 급랭법(液體急冷法)으로 만듦. 대개 2개 이상의 원소를 함유하므로 비결정성 합금(合金)이라고도 하며, 종래의 금속보다 강인성(强靭性)·내식성(耐蝕性)이 강하고 뛰어난 자기 특성(磁氣特性)을 지님.

비결정성 물질【非結晶性物質】[一쩡썽一찔] 명 비결정질(非結晶質).

비결정성 반도체【非結晶性半導體】[一쩡썽一] 명〔amorphous semiconductor〕〖물〗원자(原子)가 규칙적으로 배열(配列)되어 있지 않은 고체인 반도체. 전자 복사용 감광(感光) 재료로 이용되며, 비결정질 규소 등은 태양 전지 재료로 쓰임.

비결정성 탄:소【非結晶性炭素】[一쩡썽一] 명〔amorphous carbon〕〖화〗결정상(結晶狀)을 이루지 아니한 탄소. 곧, 석탄·목탄·유연(油煙) 등으로, 대부분은 다소의 불순물을 함유하고 있으며, 검은 빛을 띠고 불투명하며, 기체·액체 또는 염류(塩類) 등을 흡착(吸着)하기를 잘함. 특히 목탄·혈탄(血炭) 등은 독(毒)가스의 방호용이나 의약(醫藥)으로 쓰임. 무정형(無定形) 탄소.

비결정성 태양 전:지【非結晶性太陽電池】[一쩡썽一] 명〔amorphous solar cell〕규소(硅素)를 주성분(主成分)으로 한 비결정성 반도체를 pn 접합(接合) 반도체 재료로 사용한 태양 전지. 효율이 좀 낮지만 값이 싸서 넓은 면적의 것을 만들 수 있음.

비결정성-황【非結晶性黃】[一쩡썽一] 명〔amorphous sulfur〕황의 동소체(同素體) 중 무정형의 것. 콜로이드상 황·고무상 황 따위를 일컬음.

비결정-질【非結晶質】[一쩡一] 명〖물〗원자(原子) 또는 분자(分子)가 규칙적인 배열이 되어 있지 아니한 고체(固體). 곧, 결정(結晶)되어 있지 아니한 고체로서, 액체로부터 엉기어 굳을 적에 그 응고점(凝固點)이 분명하지 아니한 유리·고무·수지(樹脂) 등의 물질. 무정형질

(無定形質). 무정형 물질(無定形物質). 비정질(非晶質). ↔결정질.
비결정-체【非結晶體】[—쩡—] 명 비결정질의 물체. 비정체(非晶體).
비경[1]【非輕】명 가볍지 아니하고 중대함. ——하다 형여불
비:경[2]【肥勁】명 살지고 굳셈. 비강(肥強). ——하다 형여불
비:경[3]【祕經】명〖불교〗진언(眞言) 비밀의 법(法)을 적은 경전. 금강정경(金剛頂經)·대일경(大日經)·소실지경(蘇悉地經)·유기경(瑜祇經)·요략 염송경(要略念誦經) 등.
비:경[4]【祕境】명 ①신비스러운 경지. ②남이 모르는 장소. ¶ ~을 탐색하다.
비경[5]【悲境】명 슬픈 지경. 또, 그러한 경우.
비:경[6]【鼻鏡】명〖의〗비강(鼻腔)의 속을 진찰하는 데 쓰는 긴 자루 끝에 작은 반사경(反射鏡)을 붙인 기구.

〈비경[6]〉

비:경 검:사【鼻鏡檢査】명〖의〗비경을 사용하여 비강(鼻腔) 안의 각 부분을 검사하는 일.
비-경구적【非經口的】명관〖의〗소화관(消化管)을 경유(經由)하지 않는 일.
비경이 명 베틀에 딸린 제구의 하나로, 잉아의 뒤와 사침대 앞 사이에 날실을 걸치도록 가는 나무 세 개를 얼레 비슷하게 벌여 만든 것. 삼각(三脚).
비경제 활동 인구【非經濟活動人口】[—똥—] 명 14세 이상의 소비 인구. 학생·노령자·가사 종사자·신체 장애자 등이 여기에 속함.
비계[1] 명 짐승, 특히 돼지의 가죽 안쪽에 붙은 허연 기름 조각.

〈비경이〉

비계[2] 명 고층(高層) 건물을 지을 때에 디디고 서기 위하여 장나무와 널을 걸쳐 놓은 시설(施設).
비:계[3]【祕計】명 남 모르게 꾸민 꾀. 비밀한 계략. 비모(祕謀). ¶ ~를 꾸미다.
비:계[4]【祕啓】명 밀계(密啓).
비:계[5]【鄙計】명 고식적(姑息的)인 계략. 또, 자기의 계략을 낮추어 이르는 말.
비계 다리 명 높은 집을 지을 때 비계로 다리처럼 만들어 놓은 것.
비계-목【—木】명 비계를 매는 가늘고 긴 통나무.
비계-산【飛鷄山】명〖지〗경상 남도 거창군(居昌郡) 가조면(加祚面)과 합천군(陜川郡) 가야면(伽倻面) 사이에 있는 산. [1,100 m]
비곗-덩어리 명 ①덩어리진 돼지의 비계. ②추잡하거나 무위 무능한 육체. 또, 그러한 사람을 경멸하여 이르는 말.
비:고[1]【比高】명 어떤 범위내의 지표(地表)의 최고점과 최저점과의 높이의 차.
비:고[2]【卑高】명 높은 것과 낮은 것. 하늘과 땅. 높은 땅과 낮은 땅. 또, 신분의 높음과 낮음.
비:고[3]【卑稿】명 자기 원고의 낮춤말.
비:고[4]【祕庫】명 비부(祕府)❶.
비:고[5]【備考】명 ①참고하기 위하여 준비해 놓음. 또, 그것. ¶ ~란. ②덧붙이어 본문(本文)의 부족을 보충함. 또, 그 기사(記事).
비고[6]【鼙鼓·鞞鼓】명 기병(騎兵)이 마상(馬上)에서 치는 북.
비고[7]〔Vigo〕명〖지〗스페인 북서부, 대서양안(大西洋岸)의 항구 도시. 어업 근거지로 수산물 가공·조선(造船)·석유 공업이 성함. 관광·휴양지이기도 함. 1702년 이 앞바다에서 프랑스·스페인 함대가 영국·네덜란드 함대에 패함. [259,000 명(1986 추계)]
비:고-란【備考欄】명 비고(備考)로 마련하여 둔 난(欄).
비고로사멘테〔이 vigorosamente〕명〖악〗'힘차게·씩씩하게'의 뜻.
비:곡[1]【祕曲】명 비밀히 전수(傳授)하여 오는 악곡(樂曲).
비곡[2]【悲曲】명 슬픈 음곡(音曲). 애절한 곡조. 비조(悲調). ↔희곡(喜曲).
비:곤【憊困】명 가쁘고 고달픔. ——하다 형여불
비:골[1]【腓骨】명〖생〗종아리의 바깥쪽에 경골(脛骨)과 나란히 있는 하퇴골(下腿骨)의 하나. 종아리뼈.
비:골[2]【鼻骨】명〖생〗코를 이룬 뼈. 위로 전두골(前頭骨), 아래로 상악골(上顎骨)과 접함. 코뼈.
비:골[3]【髀骨】명〖생〗넓적다리뼈.
비:골 신경【腓骨神經】명〖생〗좌골(坐骨) 신경이 넓적다리 뒤쪽에서 갈려 하퇴부의 근육과 피부에 분포하는 신경. *경골(脛骨) 신경.
비:골 신경 마비【腓骨神經麻痺】명〖의〗비골 신경이 마비되어 발끝이 아래로 처지고 발등 쪽으로 발을 굴곡시킬 수 없게 되는 척추 신경 마비의 하나. 각기(脚氣) 환자에 많음. *요골(橈骨) 신경 마비.

〈비골[1]〉

비:공【鼻孔】명〖생〗콧구멍.
비-공개【非公開】명 공개(公開)하지 아니함. ¶ ~ 재판/~ 회의.
비공개 법인【非公開法人】명〖법〗법인세법상 공개 법인의 요건을 갖추지 못한 법인. ↔공개 법인.
비공개 회:의【非公開會議】[—/—이] 명 ①공개하지 아니하고 비밀히 하는 회의. ②국회에서, 방청을 금하고 공개하지 아니하는 회의. 국가의 안보(安保)를 위하여 필요하다고 인정할 때 의장의 제의나 의원 10인 이상의 동의에 따라 의결로 행함.
비공모 발행【非公募發行】명〔private placement〕〖경〗특정인(特定人), 즉 기존(既存)의 주주(株主)나 연고자(緣故者), 혹은 제삼자에게 주식(株式)을 할당하는 일. 사모(私募). ↔공모 발행.
비-공식【非公式】명 공식(公式)이 아니고 사사로움. ¶ ~ 회견(會見).
비공식-적【非公式的】명관 공식이 아니고 사사로운 모양.
비공인 스트라이크【非公認—】명〔unofficial strike〕〖사〗노동 조합이나 본부 기관의 결의·지령 없이 일부 지부나 일부 조합원이 행하는 파업. 와일드캣 스트라이크.
비-과세【非課稅】명 세금을 과하지 않음. ¶ ~ 증명.
비과세 소:득【非課稅所得】명 사회적 고려(考慮)나 과세 기술상의 요청에 따라 과세하지 않는 소득. 예를 들면 종군(從軍) 중의 군인의 봉급, 어린이 저금의 이자, 사망자의 유가족이 받는 위자료, 국가 유공자가 받는 연금·수당과 보상금 등. ↔과세 소득. *감면(減免) 소득.
비-과학적【非科學的】명관 과학적이 아님. 과학적인 근거가 없음. ¶ ~인 사고 방식.
비:관[1]【卑官】명 계급이 낮은 관직. 또, 관리가 자기를 낮추어 하는 말.
비관[2]【飛貫】명〖건〗뜬창방.
비:관[3]【祕關】명〖역〗남 모르게 보내는 관문(關文).
비관[4]【悲觀】명 ①사물(事物)을 슬프게만 생각하여 실망함. 낙담함. ¶ 세상을 ~하다. ②우주와 인생은 괴로움과 악(惡)뿐이라고 생각하여 아무런 희망도 갖지 않는 염세관(厭世觀). 1)·2):↔낙관(樂觀). ——하다 타여불
비관다발 식물【非管—植物】[—따—] 명〖식〗관다발을 갖지 않은 식물의 총칭. 양치(羊齒) 식물과 종자(種子) 식물을 제외한 균류(菌類)·조류(藻類)·선태(蘚苔) 식물 등을 아울러 말할 때 씀. 비관속(非管束) 식물. ↔관다발 식물.
비관-론【悲觀論】[—논] 명 모든 사물의 어두운 면만을 보아, 인생과 우주는 괴로움과 악(惡)뿐이라고 생각하고, 아무런 일에도 희망을 가지지 않는 염세적(厭世的)인 이론. 비관설. ↔낙관론(樂觀論).
비관론-자【悲觀論者】[—논—] 명 모든 일에 대하여 비관론을 내세우는 사람. ↔낙관론자(樂觀論者).
비관-설【悲觀說】명 비관론.
비관세 장벽【非關稅障壁】명 관세 이외의 방법으로 정부가 외래품을 차별하는 여러 가지 규제. 구미(歐美)의 국경 조정세나 수입 과징금(輸入課徵金) 제도, 미국의 수입 수량 제한·자국선(自國船) 우선 선적(船積) 제도 등.
비관속 식물【非管束植物】명〖식〗비관다발 식물.
비관-적【悲觀的】명관 비관하는 모양. 비관해야 할 일임. ¶ ~인 사태. ↔낙관적(樂觀的).
비관혈적 수술【非觀血的手術】[—쩍—] 명〖의〗무혈적 수술(無血的手術).
비:-괘[1]【比卦】명〖민〗육십사 괘의 하나. 감괘(坎卦)와 곤괘(坤卦)가 거듭된 것으로, 땅 위에 물이 있음을 상징함. 준비(比).
비:-괘[2]【否卦】명〖민〗육십사 괘의 하나. 건괘(乾卦)와 곤괘(坤卦)가 거듭된 것으로, 하늘과 땅의 상극을 상징함. 준비(否).
비:-괘[3]【賁卦】명〖민〗육십사 괘의 하나. 간괘(艮卦)와 이괘(離卦)가 거듭된 것으로, 산 아래에 불이 있음을 상징함. 준비(賁).
비괴【匪魁】명 비적(匪賊)의 괴수.
비:괴-증【痞塊症】[—쯩] 명〖한의〗징가(癥瘕).
비:교[1]【比較】명 ①두 개 또는 두 개 이상의 사물을 견주어 서로간의 유사점(類似點)·차이점·일반 법칙 따위를 고찰(考察)하는 일. ¶ 두 개의 안을 ~해 보다. ②〖교〗헤르바르트파(Herbart派)의 교수 단계(教授段階)의 하나. 종합하여 이루어진 새로운 교재(教材)를 이미 알려진 사항과 비교하여 그 사이에서 공통점을 추상하여 개념(概念)을 구성하는 단계. ——하다 타여불 준비하다.
비:교도 되지 않다 구 견줄 만한 가치도 없다. 즉, 한쪽이 월등하게 뛰어나다.
비:교[2]【祕教】명 ①밀교(密教)❷. ②비밀의 의식(儀式)을 행하는 종교. ③철학에서 피타고라스·플라톤·아리스토텔레스 등이, 수사법(修辭法)과 같은 상식적 교양적 지식을 가르치는 분야를 공교적(公教的)이라 부른 데 대하여, 철학·자연학·변론술(辯論術) 등의 어려운 전문적인 분야를 일컫는 말.
비교[3]【飛橋】명 대단히 높은 다리.
비:교격 조:사【比較格助詞】[—껵—] 명〖언〗주어 아래에 붙어서 그것과 다른 것이 서로 견줌을 나타내는 격조사. '과'·'와'·'하고'·'처럼'·'같이'·'만큼'·'만'·'보다'·'에서' 등이 있음. 견줌자리토씨.
비:교 광:고【比較廣告】명 특정 광고 상품의 특징을 타사(他社) 상품 또는 자사(自社)의 이제까지의 상품과 비교하는 형식의 광고.
비:교 교:육학【比較教育學】명〖교〗현대와 과거, 자기 나라와 외국(外國)의 교육을 비교 연구하여, 각 시대, 각 나라에 특유(特有)한 교육의 본질(本質)·법칙(法則)·유형(類型)·제도(制度) 등을 밝혀서 자기 나라의 교육에 이바지하려는 교육학.
비:교-급【比較級】명〔comparative degree〕〖언〗서(西)유럽 어의 부사·형용사에서, 상대의 정도를 다른 것과 비교하여 나타내는 형식. *최상급(最上級).
비:교 다수【比較多數】명 과반수까지는 가지 않으나, 전체 중에서 비교적 수(數)가 많음. 절대 다수에 대응하여 쓰임.
비:교 대:조 현:미경【比較對照顯微鏡】명 두 대의 대물 렌즈(對物lens)로 확대된 두 개의 대상물을 한 개의 접안(接眼) 렌즈를 통하여 비교·대조하는 현미경. 과학 수사에 사용됨.
비:교 대:차 대:조표【比較貸借對照表】명〖경〗여러 기간의 대차 대조표를 한데 어울러서 비교하여 해마다의 변동(變動)과 경영 성과(經營成果)를 한눈에 보아 알 수 있게 작성한 표. *대차 대조표.
비:교 문법【比較文法】[—뻡] 명〖언〗두 개 이상의 언어(言語)를 비교하여 그 문법의 계통적 친연(親緣) 관계를 연구하는 학문. 비교 문전.
비:교 문전【比較文典】명〖언〗비교 문법.
비:교 문학【比較文學】명〔comparative literature〕〖문〗두 나라 이상의 문학을 비교하여 서로의 영향(影響)·사상(思想)·특징·조류(潮流)·

관련을 과학적·실증적(實證的)으로 연구하여 전체적인 문학의 특질(特質)을 밝히는 학문.

비:교 문학사【比較文學史】명〖문〗국제적인 관련성을 가지고 역사적으로 연구하는 문학.

비:교 발생학【比較發生學】[―쌩―] 명〖생〗동물이나 식물이 발생하여서 성체(成體)가 되기까지의 과정을 서로 다른 동식물과 비교 연구하는 학문.

비:교 법제사【比較法制史】명〖법〗두 나라 이상의 법제(法制)를 역사적으로 비교 연구하는 학문.

비:교 법학【比較法學】명〖법〗두 개 이상의 사회·국가에 있어서의 법률 제도를 서로 비교·연구하는 법학의 한 부문. 원시 사회와 문명 사회에 관하여 비교 연구하는 비교 법제사(法制史)·인종 법학(人種法學), 각개(各個)의 문명 사회에 관하여 비교 연구하여 입법 정책(立法政策)을 제공하는 비교 입법학(立法學), 해석 또는 입법을 위하여 제법제(諸法制)를 비교 연구하는 협의(狹義)의 비교 법학 등이 있음.

비:교 병:리학【比較病理學】[―니―] 명〔comparative pathology〕자연 현상으로서의 병(病)을 해명하기 위하여, 사람을 포함한 각종 동물이 앓는 병의 유사점이나 상이점(相異點)을 비교 연구하는 학문.

비:교 분석법【比較分析法】명〖경〗두 가지의 재무 제표(財務諸表)를 비교 분석하는 방법. 시점(時點) 또는 기간을 달리하여 비교하는 경우와 기업을 달리하여 비교하는 경우가 있음.

비:교 생리학【比較生理學】[―니―] 명〖생〗생리학의 한 분과(分科). 여러 가지 동물의 생리 현상을 비교 연구하여, 그들 사이의 일반적 법칙·진화 과정(進化過程) 등을 밝히는 학문.

비:교 생물학【比較生物學】명〖생〗비교적 방법을 사용하여 생물의 계통을 논하는 생물학의 총칭. 비교 형태학·비교 해부학·비교 생화학·비교 발생학·비교 생리학 등이 있음.

비:교 생산비설【比較生産費說】명〖경〗국제 무역(國際貿易)이 행하여지는 원리를 설명하기 위하여 경제학자 리카도(Ricardo)가 전개한 이론. 각국(各國)이 생산비의 비교적 유리한 상품을 집중적으로 생산하는 데 국제 분업(國際分業)의 근거를 구(求)하고, 여기에 바탕을 둔 국제 무역으로 서로 이익을 얻을 수 있다고 함.

비:교 생화학【比較生化學】명〖생〗생화학의 관점(觀點)에서 이종(異種) 생물을 비교 연구하여 계통성(系統性)을 논하는 학문. 특히 생체(生體)에 함유된 물질의 계통성 또는 진화를 생화학적으로 연구함.

비:교 손:익 계:산서【比較損益計算書】명〖경〗동일 기업의 연속(連續)한 2기(期) 또는 그 이상의 기(期)의 손익 계산서를 비교하기 쉬운 형식으로 만든 표(表). 경영 활동의 추이(推移)를 파악하는 것을 목적으로 함.

비:교 스펙트럼【比較―】명〔comparison spectrum〕〖물〗파장(波長)이 정확하게 알려져 있는 선(線)스펙트럼. 다른 스펙트럼의 파장 결정에 사용됨.

비:교 신화학【比較神話學】명 여러 민족의 신화를 비교 연구하는 학문. 근본적으로는 민족학(民族學) 및 비교 종교학에 속함.

비:교 심리학【比較心理學】[―니―] 명〖심〗①서로 다른 인간, 또 그룹 등의 심리를 비교 연구하는 학문. 정상적인 성인(成人)과 이상자(異常者)·범죄자·아동·청년·노인, 또 인종간·남녀간·계급간·개인간의 심리 등을 비교 연구하는 학문. ②주로 인간과 각종 동물의 행동을 비교하는 심리학의 한 부문. 동물 심리학(動物心理學)과 거의 같음.

비:교 언어학【比較言語學】명〖언〗언어학의 한 분과. 두 개 이상의 언어를 비교하여 서로의 계통적 관계와 계보(系譜)를 연구하는 학문.

비교역적 품목【非交易的品目】〔non-trade concern; NTC〕명 우루과이 라운드 협상 의제 중의 하나로, 그 나라의 역사·전통·문화·관습 및 식생활 등을 고려하여 시장 개방에서 제외시킬 수 있는 품목.

비:교 연:구【比較研究】명 여러 가지 사물을 비교하여 유사(類似)·관련 또는 그 계통을 찾는 연구. ――하다 타여불

비:교 연:산자【比較演算子】명 컴퓨터에서, 두 데이터의 값 간에 대소(大小) 등의 비교를 하는 연산자.

비:교 음악학【比較音樂學】명〖악〗세계 여러 민족이 가지고 있는 고유한 음악의 특징 등을 비교 연구하는 음악학의 한 분과(分科). 1950년대부터 민족 음악학(民族音樂學)이라고 고쳐 부름.

비-교인【非教人】명 교인이 아닌 사람.

비:교 입법학【比較立法學】명〖법〗비교 법학(比較法學)의 한 분과(分科). 서로 다른 법계(法系)나 국가의 법제(法制)를 비교 연구하여, 주로 입법(立法)에 이바지하려고 하는 학문.

비:교-적【比較的】명관 이것과 저것을 견주어 판단하는 모양. 주의 부사적으로 많이 쓰임. ¶ ~ 춥다/~ 잘 되었다.

비:교적 불응기【比較的不應期】명〖심〗불응기의 한 시기. 역치(閾值) 이상의 유효 자극에 대하여 반응할 수 있는 시기. 절대 불응기에 이어지는 시기로서, 이완기(弛緩期)에 접어들어 정지기(靜止期)까지의 시기에 주어진 자극에 대하여 반응함.

비-교전국【非交戰國】명 전쟁 관계에 있지 않는 나라.

비교전 상태【非交戰狀態】명 타국간의 전쟁에 직접 참가하지 아니한 상태. 제2차 대전부터는 전쟁에는 직접 참가하지 아니하나 공평한 지위에 서지 아니하고 교전국의 일방에 원조를 주는 지위를 가리키게 되었음. ＊중립.

비-교전자【非交戰者】명 전지(戰地)에 있지만, 전투에 직접 참가하지 아니하는 사람. 신문 기자·포교자(布教者) 등. 비전투원.

비:교 종교사【比較宗教史】명〖종〗여러 종교의 비교를 방법적 특색으로 하는 종교사. 기독교를 유일한 종교로 보는 가치관(價值觀)의 반성(反省)으로서 19세기부터 유럽에서 연구하기 시작하였음. ＊특수(特殊) 종교사.

비:교 종교학【比較宗教學】명 종교학의 한 분과. 여러 가지 역사적·심리적인 면을 비교 고찰하여, 각 종교의 특성·의의·본질(本質)을 연구하는 학문.

비:교 철학【比較哲學】명 동서양의 여러 철학 체계를 비교 고찰하여 철학적 진리를 구명하려는 학문.

비:교 측정기【比較測定器】명 콤퍼레이터(comparator).

비:교 특화 계:수【比較特化系數】명〔specialization coefficient〕〖경〗특화의 정도를 나타내는 계수. ＊특화.

비:교-표【比較表】명 어떤 일의 성과(成果)를 비교하여 나타낸 표.

비:교 해:부학【比較解剖學】명 형태학(形態學)의 한 분과. 여러 가지 동물의 모든 기관의 형태나 생리를 비교하여, 그 분화(分化)·변이(變異)·진화를 연구하는 학문.

비:교 행동학【比較行動學】명 생물 행동학(生物行動學).

비구[1] 명〈방〉제비[1].

비:구[2]【比丘】명〔범 bhikṣu·bhikkhu〕〖불교〗불교에 귀의(歸依)하여 구족계(具足戒)를 받은 만 20세 이상의 남승(男僧). 비구승(比丘僧). 걸사(乞士). ↔비구니(比丘尼).

비:구[3]【比究】명 ①비교하여 연구함. ②어슷비슷한 것끼리 다시 힘을 겨뤄 봄. ――하다 자타여불

비:구[4]【比舊】명 옛날과 비교함. ¶ ~ 배악(倍惡)이다. ――하다 자여불

비:구[5]【丕構】명 홍업(洪業).

비구[6]【飛球】명 야구에서, 공중으로 높이 쳐 올린 공. 플라이(fly).

비구[7]【扉屨】명 짚신.

비:구[8]【鼻口】명 ①코와 입. ②콧구멍의 입구.

비:구[9]【鼻鼽】명〖한의〗코가 막히고 맑은 콧물이 자꾸 흐르는 콧병.

비:구[10]【髀臼】명〖생〗치골(恥骨)의 바깥쪽으로 우묵하게 들어간 부분. 대퇴골(大腿骨)의 대가리가 닿아서 비구 관절을 이룸. 관골구(髖骨臼).

비:구 관절【髀臼關節】명〖생〗비구(髀臼)와 대퇴골(大腿骨)을 접합(接合)하는 관절. 고관절(股關節·胯關節).

관골구
대퇴골두
관절낭
대퇴골두인대
윤대(輪帶)

〈비구 관절〉

비:구-니【比丘尼·比丘尼】명〔범 bhikuṣuṇī·bhikkunī〕〖불교〗출가(出家)하여 머리를 깎고 구족계(具足戒)를 받은 여승(女僧). 신중. 이승(尼僧). ↔비구(比丘).

비구니-계【比丘尼戒】명〖불교〗비구니가 지켜야 할 계율. 준이계(尼戒).

비-구름 명 ①비와 구름. ②비를 몰아 오는 구름. 난층운(亂層雲).

비구-뽑다 자〈방〉제비뽑다.

비-구상【非具象】명〖예〗'농피귀라티프(non-figuratif)'의 역어.

비-구:소:선【非口所宣】명〖불교〗입으로 설명할 수 없는 일.

비구소:선 비심소:측【非口所宣非心所測】명〖불교〗말과 생각을 넘은 경지(境地). 득도(得道)한 경지를 이름.

비:구-승【比丘僧】명〖불교〗비구(比丘). ↔대처승.

비:구 육물【比丘六物】명〖불교〗비구가 가지고 있어야 할 여섯 가지 물건. 곧, 승가리(僧伽梨)·울다라승(鬱多羅僧)·안타회(安陀會)의 삼의(三衣)와 바리때·녹수낭(漉水囊)·이사단(尼師壇).

비:국【備局】명〖역〗비변사(備邊司).

비-국교도【非國教徒】명〔Nonconformists〕영국의 국민으로서 국교를 믿지 않는 사람.

비:국 등록【備局謄錄】[―녹] 명〖책〗비변사(備邊司) 등록.

비-국민【非國民】명 국민의 본분(本分)에 벗어난 사람. 국민으로서의 의무를 지키지 않는 사람. ¶ ~적 행위.

비-국사범【非國事犯】명〖법〗국사범이 아닌 범죄의 총칭.

비국소 장의 이:론【非局所場―理論】[―/―에―] 명〖물〗1949년 일본의 유카와(湯川)가 제창한 장(場)의 이론의 한 형식. 종래(從來)의 장의 양자론(量子論)에서는 시공내(時空內)의 일점(一點)에서 정하여지는 양(量)을 쓴 데 대하여, 일점만으로는 정하여지지 않는 양으로 기술(記述)되는 장을 생각하려는 이론.

비-군사적【非軍事的】명관 군사적이 아님. ¶ ~ 목적.

비:굴【卑屈】명 용기가 없고 마음이 비겁함. 기력(氣力)이 없고 품성이 천함. ¶ ~한 태도. ――하다 형여불. ――히 부

비:굴-스럽다【卑屈―】형ㅂ불 보기에 비굴하다. 비:굴-스레【卑屈―】부

비:궁[1]【祕宮】명 ①비밀의 궁전. 신비한 궁전. ②공개되지 아니하고 깊숙한 곳에 있는 궁전.

비궁[2]【匪躬】명 내 몸을 돌보지 않고 임금이나 국가에 충성을 다함.

비궁[3]【悲宮】명 무슨 불행한 일이 있어 슬픔에 잠긴 궁전(宮殿).

비궁지-절【匪躬之節】명 제 몸을 돌보지 아니하고 임금에게 충성을 다하는 신하의 도리.

비권력 사:업【非權力事業】[―궐―] 명〖법〗공기업(公企業).

비권력적 행정【非權力的行政】[―궐―] 명〖법〗명령·강제를 내용으로 하는 행정이 아닌, 사업의 관리·경영(經營)에 관한 행정 활동 등을 이름. 곧, 도로·하천(河川)의 관리, 학교의 경영 등. ↔권력적 행정.

비균질-권【非均質圈】[―꿘] 명〔heterosphere〕〖기상〗대기 조성(大氣組成)의 일반적인 균질도(均質度)에 따라, 대기를 상하(上下)로 나누었을 때의 윗부분. 조성(組成)과 조성 기체의 평균 분자량이 변화하는 것이 특징이며, 지상(地上) 80-100km의 높이에서부터 시작됨. 그 위는 전리권(電離圈)·열권(熱圈)과 접함. ↔균질권(均質圈).

비그만〔Wigman, Mary〕명〖사람〗독일의 무용가. 독일의 신무용 운동의 기수로, 무음악 무용을 제창하여 실천함. 미국에 있어서 신무용 운동은 그녀의 영향을 많이 받고 있음. [1886-1973]

비극【悲劇】명 ①〖연〗인생의 불행과 비참한 일을 제재(題材)로 하여 파멸(破滅)·고뇌(苦惱)·죽음으로 끝맺는 극. ¶～영화/～배우. ②인생에 일어나는 불행하고 비참한 사건. 트래지디(tragedy). ¶인생의 일대 ～. 1)·2):↔희극(喜劇).

비-극영화【非劇映畫】[―녕―] 명 기록 영화·학술 영화·교육 영화 등 극영화 이외의 영화.

비극의 탄:생【悲劇―誕生】[―/―에―] 명〔도 Die Geburt der Tragödie〕〖책〗문헌학적 입장에서 그리스 비극의 성립과 추이(推移)를 논한 니체의 저서(著書). 주지주의적(主知主義的) 현대에 디오니소스적(dionysos的) 정신의 부활을 구하여 바그너(Wagner)의 악극(樂劇)을 찬양함. 저자의 처녀작임. 1872년 간행.

비극-적【悲劇的】명관 비극의 양상(樣相)을 나타내는 모양. 비극의 성질을 지닌 모양. ¶～광경/～으로 끝나다.

비:근【卑近】명 고상(高尙)하거나 웅숭깊지 아니하고 우리 주위에 흔하게 있고 가까움. ¶～한 예를 들면. ↔심원(深遠). ――-하다 형여불

비근-거리다 자 물건의 사개가 느즈러져 이리저리 흔들리다. 비근-비근 부. ――-하다 자여불

비근-대다 자 비근거리다.

비:글〔beagle〕명〖동〗개의 한 품종. 영국 원산으로, 체고(體高) 약 35cm, 다리는 짧고 귀가 축 늘어진 작은 개. 토끼 사냥에 씀.

비:글-호【―號】〔Beagle〕명 영국 군함의 이름. 1831년 12월 17일부터 1836년 11월 2일까지 남(南)아메리카 남단(南端)을 측량, 오스트레일리아·남양 제도를 주항(周航)했음. 생물학자 다윈(Darwin)이 편승하여 그 때의 경험에 의거, ≪비글호 항해기≫를 저술함.

비:글호 항:해기【―號航海記】〔Beagle〕명〖책〗다윈의 저서. 다윈이 1831～36년, 영국 군함 비글호에 편승(便乘)하여 남미(南美) 대륙·남(南)태평양·인도양의 여러 섬을 두루 돌면서 자연 관찰과 채집을 하던 때의 기록. 생물, 각지의 자연, 여러 민족의 습속 등을 적었는데, 훗날 그의 진화론(進化論)의 기초가 된 사실도 많음. 1845년에 간행됨.

비금【飛禽】명 날아다니는 새. 날짐승.

비금-감【緋衿監】명〖역〗신라 때의 무직(武職)의 벼슬.

비금 당주【緋衿幢主】명〖역〗신라 때의 무직(武職). 사찬(沙飡)으로부터 사지(舍知)까지의 위계(位階)를 가진 사람으로 시킴.

비금-도【飛禽島】명〖지〗전라 남도의 서해상(西海上), 신안군(新安郡) 비금면(飛禽面)에 있는 섬. 서쪽 해안의 모래톱에는 규사(珪砂) 자원이 풍부하게 매장되어 있음. 남쪽 해안의 넓은 개펄은 염전(塩田)으로 많이 간척(干拓)되었음. [$44.64\,km^2$: 9,553명(1984)]

비금비금-하다 형여불 견주어 보아 서로 비슷하다.

비금 서:당【緋衿誓幢】명〖역〗신라 구서당(九誓幢)의 하나. 문무왕 12년(672)에 베푼 장창당(長槍幢)을 효소왕(孝昭王) 2년(693)에 고친 것. 신라 백성으로 구성됨. 금색(衿色)은 비색(緋色)인 듯.

비-금속[1]【非金屬】명〔nonmetal〕〖화〗①금속의 성질을 갖지 않은 물질. 그것을 만드는 원소를 비금속 원소라 함. 일반적으로 열의 전도성(傳導性)이 나쁘고 금속 광택이 없음. ②비금속 원소(非金屬元素).

비:-금속[2]【卑金屬】명〖화〗공기 중에서 쉽게 산화(酸化)되는 금속. 그 산화물은 아무리 열을 주어도 산소를 방출(放出)하지 아니하며, 그 수산화물(水酸化物)은 물에 녹음. 알칼리 금속(alkali金屬)·알칼리 토금속(土金屬)·알루미늄·아연(亞鉛)·납 등이 이것임. ↔귀금속(貴金屬).

비금속 광:상【非金屬鑛床】명〖광〗황(黃)·석회석·인회석(燐灰石)·암염(岩塩) 등의 비금속 광물의 광상.

비금속 광택【非金屬光澤】명 금속 광택이 아닌 광택의 총칭. 유리·수지(樹脂)·지방(脂肪)·진주(眞珠)·견사(絹絲) 등의 광택.

비금속 원소【非金屬元素】명〖화〗금속의 성질이 없는 원소의 총칭. 주기율표상(週期律表上) 붕소(硼素)에서 아스타틴(astatine)을 연결하는 선(線) 우측의 원소 곧, 산소·질소·염소(塩素)·브롬(Brom)·탄소·인(燐)·황(黃)·네온(Neon) 등과 수소(水素) 등이 이에 속함. 보통 전기적(電氣的)으로는 음성(陰性)이고 그 산화물은 산성(酸性)을 나타냄. 비금속. ↔금속 원소. ＊준금속(準金屬) 원소.

비금 주:수【飛禽走獸】명 나는 새와 기는 짐승. 준비주(飛走).

비:급[1]【祕笈】명 가장 소중히 보존되는 책. 보서(寶書).

비:급[2]【備急】명 급한 경우를 위한 준비. ――-하다 자여불

비-긋다 자 비를 잠시 피하여 그치기를 기다리다.

비:기[1]【丕基】명 제왕(帝王)의 기업(基業). 큰 제업(帝業)의 기본.

비:기[2]【肥己】명 ↗비기 윤신(肥己潤身). ――-하다 자여불

비기[3]【飛騎】명 썩 날랜 기병(騎兵).

비:기[4]【祕記】명 ①비밀의 기록. ②길흉(吉凶)·화복(禍福)의 예언을 적은 기록.

비:기[5]【祕機】명 ①비밀의 기계(機械). ②웅숭깊어 쉽게 알 수 없는 중요한 일.

비:기[6]【祕器】명 ①상례(喪禮)에 쓰는 제구(祭具). ②비밀의 무기. 비장(祕藏)의 도구(道具).

비:-기[7]【B機】명〔bomber〕〖군〗미군(美軍)의 군용기(軍用機)의 기종(機種)의 하나. 폭격기(爆擊機).

비-기관선【非機關船】명 기관을 설치하지 않은 선박.

비기너〔beginner〕명 스포츠나 골프·볼링 따위에서, 초심자(初心者)를 가리키는 말.

비기너스 럭〔beginner's luck〕명 도박 따위에서, 처음 하는 사람이 때때로 잡는 행운.

비기다[1] 자 무엇에 의지하여 기대다. ¶난간에 비겨 서다.

비기다[2] 자타 ①서로 실력이 어슷비슷하여 결판이 나지 않거나, 승부를 가리지 못하다. ¶일승 일패로 ～/첫판을 ～. ②셈할 것을 서로 에끼다. 상쇄(相殺)하다. ¶주고받을 것을 비깁시다. 준빅다.

비기다[3] 타 ①서로 견주어 보다. ¶비길 데 없이 아름다운 경치. ②빗대어 말하다. ¶인생을 나그넷길에 ～.

비기다[4] 타 뚫어진 구멍에 다른 조각을 붙이어 메우다.

비기다[5] 타〈옛〉의지하다. 빙자하다. ¶ᄆᆞᅀᆞ미 비균 배 업서(心無所倚)≪金三 Ⅱ:64≫/틔 밧고 비겨시니 鸞衾도 ᄎᆞ도찰샤≪松江 思美人曲≫/비길 쟈(藉)≪類合 下 40≫/비길 의(倚)≪類合 下 44≫.

비:기 윤:신【肥己潤身】명 제 몸만 이롭게 함. 준비기(肥己). ――-하다 자여불

비:기지-욕【肥己之慾】명 제 몸만 이롭게 하려는 욕심.

비긴〔beguine〕명〖악〗서인도 제도의 마르티니크(Martinique) 섬 원주민의 볼레로조(調)의 민속 무곡(舞曲) 리듬. 4분의 2 박자의 슬로 템포로서, 남녀가 서로 마주 보고 춤. 포터(Porter, Cole)가 ≪비긴 더 비긴≫을 작곡하여 세계적으로 알려짐.

비김-수【―手】[―쑤] 명 장기나 바둑 등에서, 서로 비기게 되는 수. 준빅수.

비김-하다 타〈방〉비기다[3].

비껴-가기 명〔oblique motion〕〖악〗한 성부가 같은 음을 지니고 있을 때, 다른 성부가 위 또는 아래로 움직이는 일. 구용어: 사진행(斜進行).

비껴서-뛰기 명 높이뛰기에서, 비껴서 뛰어와 바(bar)에서 조금 멀리 굴러 안쪽 다리를 올려 넘긴 다음 또 한 다리도 따라 넘기는 뛰기.

비:-꼬다 타 ①노끈 같은 것을 비틀어 꼬다. ②몸을 바로 가지지 못하고 비틀다. ¶자리가 거북하였던지 몸을 비꼬고 앉아 있다. ③반어(反語)를 써서 남의 마음을 거슬리게 하다. ¶비꼬는 말투. 준꼬다.

비:-꼬이다 ㊀피동 비꼼을 당하다. ㊁자 ①마음이 곧지 못하고 뒤틀려 그릇된 방향으로 되다. ¶비꼬인 성격. ②일이 뒤틀려 순조롭게 되어 가지 않다. ¶하는 일마다 왜 이렇게 비꼬이기만 할까. 준비꾀다.

비:-꾀다 자 ↗비꼬이다.

비꾸러-지다 자 ①몹시 비뚤어지다. ②딴 길로 벗어져 나가다. ¶[illegible]들의 이야기가 제사로 비꾸러지기 시작하더니 귀신으로 도깨비[illegible]이 다른 데로 흘러나가고…≪洪命憙:林巨正≫. ③일이 낭[illegible]. ¶돈없이 시작했으니 그 일은 벌써 비꾸러졌다. 1)·3): 쓰삐꾸러[illegible]다.

비꾸럽다 형〈방〉부끄럽다.

비꾸로 부〈방〉비뚜로.

비끄러-매다 타 서로 떨어지지 못하게 붙잡아 매다.

비끗 부 ①맞추어 끼일 물건이 어긋나서 맞지 아니하는 모양. ②잘못하여 일이 어긋나는 모양. 1)·2):쓰삐끗. ＞배끗. ――-하다 자여불

비끗-거리다 자 ①맞추어 끼일 물건이 자꾸 어긋나서 맞지 아니하다. ②일이 될듯될듯하면서도 잘 안 되다. 1)·2):쓰삐끗거리다. ＞배끗거리다. 비끗-비끗 부. ――-하다 자여불

비끗-대다 자 비끗거리다.

비끝 부〈방〉빗밑.

비끼다[1] ㊀자〔중세: 빗기다〕①옆으로 비뚤어지게 비치다. ¶서산에는 저녁 노을이 비끼고. ②비스듬히 놓이거나 늘어지다. ㊁타 비스듬히 놓거나 차거나 하다. ¶칼을 비껴 차다.

비끼다[2] 자타〈방〉비키다(경상).

비끼러-매다 타〈방〉비끄러매다.

비나[1] 명〈방〉비녀(경기·강원·전북·충청·황해).

〈비나²〉

비나[2]〔vīnā〕명〖악〗인도의 악기로 동양 최고(最古)의 현악기의 하나. 외형이 금(琴)·쟁(箏)과는 다르고, 소리가 비파와 비슷함. 굵고 긴 자루에 5～12 줄의 현(弦)을 매었으며, 인도 고유의 반음계(半音階)를 구성함.

비나리 명〖민〗비나리패의 한 사람.

비나리(를) 치다 구 아첨을 해 가며 환심을 사다.

비나리-패【―牌】명〖민〗직업적인 걸립패(乞粒牌).

비나-장 명〈방〉비녀장(충청·황해).

비난【非難】명 남의 잘못이나 결점을 책잡음. ¶～을 퍼붓다. ――-하다 타여불

비난 공:격【非難攻擊】명 남을 비난하여 공격함. ――-하다 타여불

비난-수 명 귀신에게 비는 소리. ¶북두칠성님이 이 몸의 ～을 들으시와서 우리 서방님을 도우셨구나≪李光洙:異次頓의 死≫.

비난-조【非難調】[―쪼] 명 남을 비난하는 투.

비난지-사【非難之事】명 어렵지 아니한 일.

비납【緋衲】명 붉은 승의(僧衣).

비낭 명〈방〉벼랑(강원).

비내 명〈방〉비녀[1](경상·전라·충청·평안·함경·강원·황해).

비내구 생산재【非耐久生産財】명〖경〗장기(長期) 사용에 견디지 못하는 생산재. 각종 원료 따위. ↔내구 생산재.

비내구 소비재【非耐久消費材】명〖경〗장기(長期) 사용에 견디지 못하는 소비재. 식량·의복 따위. ↔내구 소비재.

비-내구재【非耐久財】명〖경〗장기(長期) 사용에 견디지 못하는 재화(財貨). ↔내구재.

비냉 명〈방〉벼랑(함북).

비냐-델-마르〔Viña del Mar〕명〖지〗칠레 중부의 관광 휴양 도시. 해변 휴양 시설을 비롯하여 경마장·도박장(賭博場) 등 오락 시설이 많음. [297,294명(1987)]

비냥 명〈방〉①비탈(경기). ②벼랑(경기).

비:너스〔Venus〕명 ①〖신〗로마 신화에서, 미(美)와 사랑의 여신. 그리스 신화의 '아프로디테(Aphrodite)'에 해당함. 베누스(Venus). 미신(美神). ②〖천〗금성(金星).

비:너스-명주달팽이【―明紬―】〔Venus〕명〖동〗참비단달팽이.

비널 명〈방〉비누(경북).

비네[1] 명〈방〉비녀[1](전라·경상·평안·강원·충청).

비네[2]〔Binet, Alfred〕명〖사람〗프랑스의 심리학자. 시몽(Simon)과 함께 '비네 시몽 검사법(檢査法)'을 창안하였음. 저서는 ≪지능(知能)의

실험적 연구》·《현대 아동관(兒童觀)》 등. [1857-1911]

비네그레트 소:스 〔vinaigrette sauce〕 명 초·기름·소금·후추 등을 섞어 만든 소스. 샐러드·매리네이드(marinade) 등에 씀. 프렌치 드레싱(french dressing). *비니거.

비네-법 【一法】 [一뻡] 명 〔Binet test: 프랑스의 심리학자 비네의 이름에서 유래〕 〖심〗 비네와 그의 조력자(助力者) 시몽(Simon, T.)에 의하여 고안된 개별적 지능(知能) 검사법. 1905년에 발표하여, 1908년과 1911년에 개정(改訂)하였음. 현재 가장 널리 행하여지며 또 신뢰할 수 있는 지능 테스트 방법임. 비네 시몽 검사법.

비네 시몽 검:사법 【一檢査法】 [一뻡] 명 〔Binet-Simon test〕 〖심〗 비네법.

비녀[1] 명 〔중세 : 빈혀〕 여성의 쪽진 머리가 풀어지지 않도록 꽂는 제구. 소두(搔頭). 잠(簪).

비녀[2] 【婢女】 명 계집으로 남의 종이 된 사람. 계집종.

비녀-골 명 〖식〗 비녀골풀.

비녀-골풀 명 〖식〗 [*Juncus krameri*] 골풀과에 속하는 다년초. 줄기는 총생하고 원주형이며 높이 50cm 가량임. 잎은 호생하고 가늘며 다소 원주형에 마디가 있음. 7월에 녹색 꽃이 오목한 취산(聚繖) 화서로 정생하고 두상 화수(頭狀花穗)는 5-7 개가 모여 피며, 과실은 삭과(蒴果)를 맺음. 들의 습지에 나는데, 제주·강원·경기·평북·함남북 및 일본에 분포함. 비녀골.

비녀-목 【一木】 명 줄다리기 줄의 암줄과 수줄을 이을 때 벗겨지지 않도록 고리에 끼우는 나무.

비녀-못 명 〖건〗 문고리를 걸고 배목의 구멍에 꽂는 비녀 모양의 못.

비녀-장 명 ①바퀴가 벗어나지 못하게 굴대머리 구멍에 끼는 큰 못. ②〖건〗 인방 같은 것이 물러나지 못하게 기둥과 인방 대가리를 얼러서 구멍을 내어 꽂는 굵은 나무 못. 잠(簪).

비녀장 구멍 명 〖건〗 비녀장이 꽂히는 구멍.

비:년 【比年】 명 ①그 동안의 근년(近年). 비세(比歲). ②매년(每年).

비념[1] 명 〈방〉 축원(祝願)(제주).

비념[2] 【緋鯰】 명 〖어〗 퉁가리.

비노그라도프[1] 〔Vinogradoff, Paul Gavrilovich〕 명 〖사람〗 러시아 태생인 영국의 중세 사가(史家). 모스크바 대학·옥스퍼드 대학 교수. 일반 자유인(一般自由人) 학설에 따라 영국 봉건 사회의 성립에 관한 정설을 확립함. 주저(主著) 《영국 예농제(隷農制)》·《장원(莊園)의 발전》·《11세기 영국 사회》. [1854-1925]

비노그라도프[2] 〔Vinogradov, Ivan Matreevich〕 명 〖사람〗 소련의 수학자. 가법적 정수론(加法的整數論)의 연구자로, 1937년에 골드바흐(Goldbach, C.)의 문제를 풀어 충분히 큰 홀수는 3개의 소수(素數)의 합(合)으로 나타낼 수 있음을 증명하여 스탈린 상(賞)을 받았으며, 1947년에는 충분히 큰 자연수(自然數)는 $3_n(\log_n+11)$ 개의 자연수의 거듭제곱의 합(合)으로 나타낼 수 있음을 밝혔음. [1891-1983]

비노동력 인구 【非勞動力人口】 [一녁一] 명 〖사〗 생산 연령 인구 가운데 통학·가사(家事)·질병 등으로 말미암아 실제로는 노동 시장에 나타나지 않는 인구. ¶ 후진국일수록 ~가 많다. ↔노동 인구.

〈비노리〉

비노리 명 〖식〗 [*Eragrostis niwahokori*] 볏과(科)에 속하는 일년초. 줄기는 총생하고 높이 25cm 가량인데, 잎은 호생하며 선형(線形)으로 긴 피침형임. 7-8월에 긴 타원형의 작은 녹색 또는 자색 꽃이 원추(圓錐) 화서로 피고, 영과(穎果)는 타원형임. 길가에 나는데, 우리 나라 북부와 제주도에 분포함.

비노이만형 컴퓨:터 【非一型一】 명 〔Non-Von Neumann computer〕 노이만형 컴퓨터의 최대 특징인 집중형(集中形) 축차 제어 방식을 부정한 새로운 컴퓨터. 연산 동작(演算動作)과 데이터 수용부(收容部)를 하나의 프로그램 엘리먼트로 하여, 데이터 처리 시간을 단축시킨 컴퓨터. *노이만형 컴퓨터.

비녹 명 〈방〉 비누.

비-논리적 【非論理的】 [一놀一] 명관 논리적이 아님. 조리가 닿지 않음. ¶ ~인 사고 방식.

비-농가 【非農家】 명 농촌(農村)에 살되 농사를 짓지 아니하는 집.

비:뇨-기 【泌尿器】 명 〖생〗 오줌의 분비와 배설을 맡은 기관. 신장(腎臟)·수뇨관(輸尿管)·방광(膀胱)·요도(尿道)로 이루어졌음. 발생학(發生學)상 생식기(生殖器)와 밀접(密接)한 관계를 가지고 있음. *비뇨 생식기.

비:뇨기 결핵 【泌尿器結核】 명 〖의〗 비뇨기에 결핵상 염증(炎症)을 일으키는 병.

비:뇨기-과 【泌尿器科】 [一꽈] 명 〖의〗 비뇨기에 관한 모든 질환(疾患)을 연구하고 치료하는 의학의 한 부문. 일반적으로 남성 생식기의 질환도 함께 취급하여, 비뇨 생식기과라고도 함.

비:뇨 생식기 【泌尿生殖器】 명 비뇨기와 생식기를 합하여 이르는 말. *비뇨기(泌尿器).

비누 명 〔근대 : 비노, 비누. 중 肥腻〕 ①때를 씻어 내는 데 쓰는, 팥을 타고 난 찌끼로 갈아서 만든 가루. ②〖화〗 지방산의 알칼리 금속염(金屬塩)을 주제(主劑)로 한 세척제. 넓은 뜻으로는 고급 지방산·수지산(樹脂酸)·나프텐산(酸)의 금속염을 가리킴. 물을 묻히어 몸이나 옷 같은 곳에 발라 문지르면 거품이 일면서 때가 벗겨지는데, 화장 비누·세탁 비누·공업 비누 등 여러 가지 종류가 있음. 왜비누. 석감(石鹼).

비:-누관 【鼻淚管】 명 〖생〗 누낭(淚囊)의 아래 끝에서 하비도(下鼻道)로 통하는 누관. 누비관(淚鼻管).

비누-방울 명 가는 대롱의 한쪽 끝에 비눗물을 찍어, 그 반대 쪽에 입을 대고 불어서 생기게 하는 기포(氣泡). 햇빛에 비치면 아름다운 빛깔을 나타냄.

비누 부선 【一浮選】 명 〔soap flotation〕 〖광〗 부유 선광법의 하나. 지방산(脂肪酸)이나 비누를 포수제(捕收劑)로 사용하는 방법. 비황화(非黃化) 광물 특히 회중석(灰重石)·능망간광(菱 mangan鑛)·적철광(赤鐵鑛) 같은 금속 광물이나 형석(螢石)·방해석(方解石)·석고(石膏) 등의 부선에 이용됨.

비누적적 우선주 【非累積的優先株】 명 〖경〗 이익 배당에 관한 우선주의 한 가지. 한 영업 연도의 이익이 약정된 일정률의 배당에 부족할 경우, 그 부족액을 다음 영업 연도 이후에 충당하지 않고, 그 한 영업 연도의 이익만을 표준으로 하여 배당하는 주. 비추징권부(非追徵權附) 우선주. ↔누적적 우선주.

비누-질 명 때를 씻기 위하여 비누를 몸 또는 빨래 같은 것에 문지르는 짓. ¶ 끝고루 ~을 하다. ――하다 자 여불

비누-통 【一桶】 명 가루 비누를 담는 나무나 쇠로 만든 통.

비누-합 【一盒】 명 가루 비누를 담아 두는 작은 사기합(沙器盒).

〈비누합〉

비누-화 【一化】 명 〔saponification〕 〖화〗 ①에스테르를 알칼리(alkali)의 작용으로 알코올과 산(酸) 또는 그 염(塩)으로 가수 분해시키는 반응. ②특히, 유지(油脂)를 가수 분해하여 글리세롤과 비누를 만드는 화학 변화. 감화(鹼化). ――하다 자타 여불

비누화-값 【一化一】 [一깝] 명 〔saponification value〕 〖화〗 유지(油脂) 1g을 비누화하는 데 필요한 수산화(水酸化) 칼륨의 mg수(數). 지방산의 성질과 협잡물(挾雜物)의 양(量)을 추정하는 데 필요한 수치임.

비누화 당량 【一化當量】 [一냥] 명 〔saponification equivalent〕 〖화〗 알칼리의 1g당량, 곧 수산화(水酸化) 칼륨 56.11g에 의하여 비누화할 수 있는 양(量).

비누화 아세테이트 인견사 【一化一人絹絲】 명 〔saponified acetate rayon yarn〕 아세테이트를 방사(紡絲)한 후, 비누화에 의해 아세트산기(酸基)를 제거한 재생(再生) 섬유. 나일론에 비길 만큼 질기고 물에 젖어도 약해지지 아니하며, 햇빛이나 곰팡이에도 강함. 양복 안감·양산지(洋傘地)·커튼감 등으로 쓰임.

비눌[1] 명 〈방〉 비늘.

비눌[2] 명 〈방〉 비누(경북·강원·함경).

비눗-갑 【一匣】 명 비누를 담아 두고 쓰는 갑.

비눗-곽 명 〈방〉 비눗갑(경상·전라·충청).

비눗-기 명 비눗물의 기운. ¶ ~가 있으니 더 헹궈라.

비눗-물 명 비누를 푼 물.

비뉘ᄒᆞ다 형 〈옛〉 비리다. ¶ 어제 바미 東녃 ᄇᆞᄅᆞ미 피를 부러 비뉘ᄒᆞ니(昨夜東風吹血腥) 《杜諺 Ⅷ:2》/주거미 답사효매 플와 나모왜 비뉘ᄒᆞ고(積屍草木腥) 《杜諺 Ⅳ:10》.

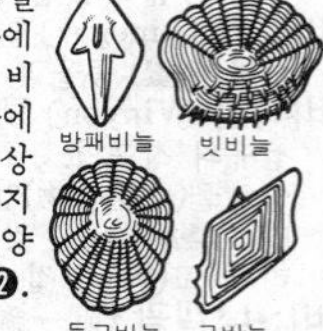

〈비늘[1]❶〉

비늘[1] 명 〔중세 : 비늘〕 ①어류나 파충류 등의 고등 동물의 몸 표면을 덮고 있는 단단하고 작은 조각. 어류에서는 진피(眞皮)로 형성되었으며 그 종류는 방패 비늘·굳비늘·둥근비늘·빗비늘 등이 있음. 파충류 등에서는 진피 위에 각질이 된 표피가 덮여 있음. 형태상으로 방패 비늘·빗비늘·둥근 비늘·굳비늘의 네 가지로 분류함. *둥근 비늘·빗비늘. ②물고기 비늘 모양을 한 물건의 총칭. *각린(角鱗). ③〖고고학〗 비늘❷.

비늘[2] 명 〈방〉 비누(경북·함북).

비늘[3] 명 〈방〉 비듬[1](충남).

비늘[4] 명 〈방〉 낟가리(전남).

비늘-가리 명 〈방〉 낟가리(경남).

비늘-갑옷 【一甲一】 명 〖고고학〗 미늘갑옷.

비늘-고사리 명 〖식〗 [*Dryopteris lacera*] 꼬리고사릿과에 속하는 다년생 상록 양치류(羊齒類). 근경(根莖)은 두툼하게 덩어리졌으며 수근(鬚根)이 있음. 잎은 총생하며 높이 50cm 가량임. 잎은 2회 우상 복엽(羽狀複葉)으로 다갈색 또는 적황갈색(赤黃褐色)의 인편(鱗片)이 배게 남. 우편(羽片)은 긴 타원형으로 깊이 째지고 끝이 뾰족함. 낭퇴(囊堆)는 둥근 막에 싸여 여물면 갈색을 띠고 자낭군(子囊群)이 잎의 위쪽에만 있는 것이 특징임. 산의 나무 밑에 나는데, 한국 중부 이남 및 일본에 분포함.

비늘-구름 명 〖기상〗 권적운(卷積雲)의 한 가지. 물고기의 비늘 모양으로 하늘에 널리 퍼지고 흔히 열(列)을 짓고 있는 흰 구름. 얼음 알 또는 물방울로 되어 있음.

비늘-긁기 [一극一] 명 생선을 다룰 때 비늘을 긁어 내는 데 쓰는 쇠로 만든 제구.

비늘 김치 명 무를 통째로 저미어 떨어지지 않게 하고 그 틈에 소를 넣어서 통김치와 함께 담근 김치.

비늘끌-줄기 명 〖식〗 비늘줄기.

비늘-눈 [一룬] 명 〖식〗 여름·가을에 생겨서 겨울을 넘기고 이듬해 봄에 자라는 겨울눈 중 인편(鱗片)에 싸인 싹. 인아(鱗芽). *겨울눈·여름눈.

비늘-달다 타 〈방〉 미늘달다.

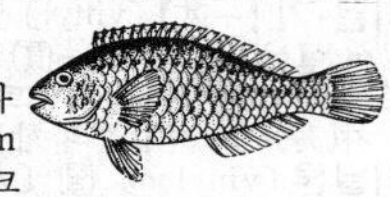
〈비늘돔〉

비늘-돔 명 〖어〗 [*Leptoscarus japonicus*] 파랑비늘돔과의 바닷물고기. 몸은 길이 60cm 가량인데 타원형으로 측편하고, 비늘이 크며 등지느러미 기저(基底)에는 한 줄의 폭이 좁은 인초(鱗鞘)가 있으며 볼의 비늘은 넉 줄임. 몸빛은 개체 변화가

심한데 일반적으로 등 쪽은 청갈색, 배 쪽은 적록색, 주둥이와 꼬리지느러미는 주홍색이며, 수컷은 청색이 강하고 암컷은 적색이 강함. 한국 남부해 및 일본에 분포함.

비늘 모양【一模樣】 명 인상(鱗狀).

비늘-무늬 [—니] 명 무늬의 하나. 이등변 삼각형을 두 개 나란히 하고 그 위에 다시 한 개를 포갠 것을 기본(基本)으로 상하 좌우로 늘어놓음. 삼각형으로서 가장 자연스럽게 구성한 것임.

〈비늘무늬〉

비늘-사초【一沙草】 명 〖식〗 [*Carex cincta*] 방동사닛과에 속하는 다년초. 근경(根莖)은 족출(簇出)하고 줄기는 가늘고 길며 삼릉주(三稜柱)로 곧게 서는데 높이 60cm 가량이고 잎은 선형임. 작은 이삭은 서너 개가 다소 족생하고 수이삭은 정생(頂生)하며 선형인데 암이삭은 옆에서 나오며 원주형임. 암꽃의 영(穎)은 달걀꼴인데 5-6월에 피며 과낭(果囊)은 도란상 타원형임. 들에 나는데 제주도에 분포함.

비늘-석송【一石松】 명 〖식〗 [*Lycopodium complanatum*] 석송과에 속하는 다년생의 상록초. 근경(根莖)은 가느다란 선상(線狀)으로 적갈색, 땅 위로 뻗고 다수 분지(分枝)하는데 길이는 약 1 m에 달함. 비늘 모양의 잎은 끝이 뾰족하며 배게 났음. 이삭 모양의 포자낭(胞子囊)은 작은 가지 끝에 원주형으로 가을에 나며 황갈색임. 깊은 산에 나는데, 강원·평북·함경 등 추운 지방에 분포함.

〈비늘석송〉

비늘-양태 [—량—] 명 〖어〗 [*Wakiyus spinosus*] 양탯과에 속하는 바닷물고기. 몸길이 14cm 내외이며 몸은 측편(側扁)하고 복면(腹面)은 편평함. 몸빛은 농갈색인데, 머리는 암갈색이고 복부는 백색, 체측(體側)에는 3-4줄의 흑색 가로띠가 있음. 근해성(近海性) 물고기로, 우리 나라의 중남해·일본 중부 이남·남중국해 등에 분포함. 식용함.

비늘-잎 [—립] 명 〖식〗 ①비늘 모양의 잎사귀. 인편엽(鱗片葉). ②식물의 잎이 변태(變態)된 것으로 동아(冬芽)를 싸서 보호함. 양파·나리 등의 지하경(地下莖) 등.

비늘 조각 [—쪼—] 명 비늘의 조각. 인편(鱗片).

비늘-줄기 명 〖식〗 줄기가 변태(變態)된 땅속줄기의 하나. 줄기가 짧아져 그 주위에 양분을 저장하여 두껍게 된 잎이 많이 겹쳐 구형·타원형 또는 달걀꼴을 이룸. 파·마늘·나리 등의 뿌리 같은 것. 비늘꼴줄기. 인경(鱗莖).

인엽
줄기
뿌리
〈비늘줄기〉

비늠 명 〈방〉 비름(제주).

비-능률적【非能率的】 [—눌쩍] 명관 능률적이 아님. ¶ ~ 작업 방식.

비니 〔Vigny, Alfred Victor de〕 명 〖사람〗 프랑스의 시인·소설가·극작가. 초기 낭만파의 주도자로 《고금 시편(古今詩篇)》·《숙명(宿命)》 등의 시집이 있음. [1797-1863]

비니거 〔vinegar〕 명 식용 양초(洋酢). 과실의 즙으로 만들거나, 맥주·당밀(糖蜜) 등을 발효시켜 만듦. 향기가 높음. *비네그레트 소스.

비니온 〔Vinyon〕 명 미국의 비스코스사(社)에서 만든 염화 비닐계 합성 섬유의 상표명. 구조(構造)는 염화 비닐과 아세트산(酸) 비닐과의 공중합물(共重合物)임. 내습(耐濕)·내약품성(耐藥品性)이 크나 연화점(軟化點)이 낮은 것이 결점임. 옷감으로는 별로 쓰이지 아니하나 돗자리·범포(帆布)·절연재(絕緣材)·불연성재(不燃性材) 등 용도가 많음.

비:-니켈광【砒一鑛】 〔nickel〕 명 〖광〗 석백색(錫白色)의 광물. 니켈과 비소의 화합물로, 보통 괴상(塊狀)임. 유색(黝色)을 띠며 금속 광택(金屬光澤)이 있고 불투명함.

비니-타일 〔viny-tile〕 명 건축 자재의 하나. 벽·마룻바닥용의 비닐 제품.

비니트론 〔Vinitron〕 명 비닐 알코올계(系) 합성 섬유의 상표명. 내마찰성(耐摩擦性)이 강하여 양복·담요·양말·레인코트·천막·어망용으로 쓰임.

비니히 〔Binnig, Gerd〕 명 〖사람〗 스위스의 물리학자. 독일의 프랑크푸르트 출생. 취리히에 있는 IBM 실험 연구소에서 연구함. 양자(量子) 터널 효과를 응용해 반도체와 금속 표면의 미세한 구조를 관찰, 주사형(走査型) 터널 전자 현미경 개발에 공헌한 업적으로 로러(Rohrer, H.)와 함께 1986년 노벨 물리학상을 수상함. [1947-]

비:닉[1]【庇匿】 명 덮어서 감춤. ——하다 타여불

비:닉[2]【祕匿】 명 비밀히 감춤. ——하다 타여불

비닐 〔vinyl〕 명 비닐 수지·비닐 섬유 또는 그의 내수성(耐水性)·기밀성(氣密性)·가소성(可塑性)을 이용하여 유리·천·가죽 등의 대용으로 쓰는 제품의 총칭. ¶ ~ 하우스.

비닐 강판【一鋼板】 〔vinyl〕 명 필름(film) 같은 얇은 염화 비닐 수지를 붙이거나 또는 졸상(sol狀)의 염화 비닐 수지를 바른 엷은 강판. 철(鐵)의 결점인 내식성(耐蝕性)이 강화되고 채색 따위를 자유로이 할 수 있기 때문에 장식적 효과가 큼. 건축·가구·차량 등에 사용됨.

비닐 공해【一公害】 명 쓰고 버린 비닐 제품에 의한 공해. 하천(河川) 등에 뜬 비닐 봉지 따위의 해.

비닐-기【一基】 〔vinyl〕 명 〖화〗 에틸렌에서 수소 원자 한 개를 제거하여 얻어지는 일가(一價)의 불포화 원자단. 비닐기를 가진 화합물에는 염화(塩化) 비닐·아세트산 비닐·스티렌·아크릴산(acryl酸) 등 고분자(高分子) 화합물의 합성 원료로서 중요한 것이 많음. [$CH_2=CH-$]

비닐론 〔vinylon〕 명 〔vinyl과 nylon의 합성어〕 폴리비닐 알코올계(系)의 합성 섬유. 아세트산 비닐을 중합(重合)·비누화(化)한 폴리비닐 알코올을 뜨거운 물에 녹여서 망초(芒硝) 용액 속에 방사(紡絲)하여 포르말린 처리함. 흡습성(吸濕性)·보온성(保溫性)이 뛰어나고 합성 섬유 중 가장 무명에 가까운 성질 및 감촉을 가짐. 나일론보다 다소 떨어지나 내약품성(耐藥品性)·내마찰성(耐摩擦性)이 커서 혼방(混紡)에 적당하며 직물(織物)과 어망용(漁網用)·공업용으로 널리 쓰임.

비닐리덴 〔vinylidene〕 명 〖공〗 석회석과 염산으로 만든 염화 비닐 15%와, 염화 비닐을 염소화(塩素化)한 염화 비닐리덴 85%를 중합(重合)시켜 만든 합성 섬유. 습기를 흡수하는 성질이 없고 비중이 크므로 옷감으로는 적당하지 아니하나 자동차의 시트·방충(防蟲) 스크린·어망(漁網) 등으로 쓰임.

비닐-선【一線】 〔vinyl〕 명 염화 비닐을 피복(被覆)한 절연 전선의 총칭. 피 브이 시선(PVC 線).

비닐 섬유【一纖維】 〔vinyl〕 명 비닐 수지의 하나인 비닐 알코올 수지(樹脂) 용액으로 만든 섬유. 비스코스(viscose)와 섞어서 만든 것도 있음. 내수성(耐水性)이 강하며, 나일론보다 염색성(染色性)이 좋음.

비닐 수지【一樹脂】 〔vinyl〕 명 〖화〗 아세틸렌을 주원료(主原料)로 하는 합성 수지. 보통 투명(透明)한데 착색(着色)도 자유롭고 썩 고움. 성질은 천연 고무와 비슷한 특질을 갖고, 내로화(耐老化)·내일광(耐日光)·내마모(耐磨耗) 및 난연성(難燃性)·점착성(粘着性) 등이 있음. 접착제·유리 도료(塗料)·고무 대용품·합성 섬유의 원료 등 용도가 매우 넓음.

비닐-아세틸렌 〔vinylacetylene〕 명 〖화〗 아세틸렌(acetylene)의 이량체(二量體). 무색의 기체. 합성 고무의 원료임. [C_4H_4]

비닐 알코올 〔vinyl alcohol〕 명 〖화〗 알코올의 일종. 구조가 극히 불안정하여 곧 아세트알데히드가 되어 버리기 때문에 유리(遊離)의 형태로는 추출(抽出)할 수 없음. 에스테르·중합물(重合物) 등의 유도체가 중요함. [CH_2CHOH]

비닐 우:산【一雨傘】 〔vinyl〕 명 대나무 오리로 된 살에 비닐을 씌운, 간편한 우산.

비닐 인쇄【一印刷】 〔vinyl〕 명 〖인쇄〗 플라스틱 인쇄의 한 가지. 특수한 잉크를 사용하여 비닐 시트나 비닐 필름에 하는 인쇄.

비닐 재:배【一栽培】 〔vinyl〕 명 채소 등을 빨리 키우기 위해 밭이랑마다 비닐로 터널 모양으로 가리고, 추위나 서리를 막는 재배 방법.

비닐-판【一板】 〔vinyl〕 명 비닐 계통의 수지(樹脂)를 재료로 하여 만든 레코드판. 음구(音溝)의 간격이 좁아 수록(收錄) 시간이 길고, 재생 주파수가 높아 음량(音量)의 범위가 넓음. 열에 약하나, 잡음이 없고 깨지지 않는 것이 장점임.

비닐 페인트 〔vinyl paint〕 명 비닐계(系)의 도료. 내(耐)알칼리성이 있으며 종류가 풍부함.

비닐 하우스 〔vinyl house〕 명 채소류의 촉성 재배(促成栽培) 또는 열대 식물 재배를 위하여 비닐로 만든 온상(溫床).

비닐-화【一化】 명 〔vinylation〕 〖화〗 유기 화합물과 아세틸렌이 작용하여 비닐 유도체(誘導體)가 생기는 반응. 1928년 독일의 레페(Reppe)가 처음으로 시도한 것임.

비닐 화:합물【一化合物】 〔vinyl〕 명 〖화〗 비닐기(基)를 가지는 화합물. 염화 비닐·아세트산 비닐·스틸렌 등. 모두 중합(重合)하기 쉬우며, 비닐 수지의 원료의 단위체(單位體)가 됨.

비놀 명 〈옛〉 비늘. ¶ 비놀 린(鱗)《石千 4》.

비:다[1] 타 ↗비우다.

비:다[2] 타 〈방〉 ①베다[2]. ②베다[3](경상).

비:다[3] 타 〈방〉 마르다[2](강원·전북·경상).

비:다[4] 형 〔중세 : 뷔다〕 ①속이 휑하니 아무 것도 없다. ¶ 방이 ~/빈 병. ②글 같은 것의 내용이 헛되다. ③아는 것이 없다. ¶ 머리가 텅 ~. ④자리가 나다. ¶ 과장 자리가 ~. ⑤손에 들거나 몸에 지닌 것이 없다. ¶ 빈 손으로 오다.

[빈 수레가 더 요란하다] ㉠잘 알지도 못하는 자가 더 아는 체하고 떠든다. ㉡가난한 자가 있는 체하고 유세 부릴 때 빈정대는 말. [빈 외양간에 소 들어간다] 비었던 자리가 아주 꼭 짜이고 어울린다는 말.

빈 절에 구렁이 모이듯 구 여기저기서 소리 없이 어슬렁어슬렁 모여듦을 이름. ¶ 행랑채 것들이 빈 절에 구렁이 모이듯 느릿느릿 안사랑 지대 아래로 모여들었다《金周榮 : 客主》.

비:-다듬다 [—따] 타 모양을 내려고 곱게 다듬다.

비단[1]【飛湍】 명 물살이 센 여울. 급류(急流).

비:단[2]【鼻端】 명 코끝.

비:단[3]【緋緞】 명 〔근세 : 중국어 匹段〕 명주실로 광택이 나게 짠 피륙의 총칭. 견(絹). ㊟단(緞).

[비단에 수결(手決)이라] 광채도 있고 모양도 좋음을 이르는 말. [비단올이 춤을 추니 베 올도 춤을 춘다] 남이 무엇을 한다고 멋도 모르고 덩달아 날뛴다는 말. [비단이 한 끼라] 호화롭게 살다가도 구차하게 되어 배가 고프면 아무리 귀중한 것도 밥 한 끼니와 바꾸게 됨을 이르는 말. [비단 한 필을 하루에 짜려 말고 한 식구를 줄여라] 많이 벌어서 살림을 하려고 무리하게 허덕이지 말고 한 사람이라도 군 식구를 덜고 식구 수를 줄이는 것이 낫다는 말.

비단[4]【非但】 부 '다만'의 뜻으로 부정의 경우에 쓰는 말. 비독(非獨). ¶ ~ 사람뿐 아니라 짐승도.

비:단-개구리【緋緞—】 명 〖동〗 무당개구리.

비:단-게 【緋緞—】 명 〖동〗 비단부채게.

비:단-결【緋緞—】 [—꼘] 명 비단의 거죽에 나타난 올의 짜임새.

비:단결 같다 구 마음이나 물건의 거죽이 매우 곱고 부드러운 상태를 이르는 말.

비:단-고둥【緋緞—】 명 〖조개〗 [*Umbonium costatum*] 밤고둥과에 속하는 지름 2cm 정도의 주판알 모양의 고둥. 간만의 차가 큰 해안의

모래땅 속에 많으며, 간조시에는 모래 속에 숨고 만조 때에는 사지(砂地)에 나와 활발히 운동을 함. 각표(殼表)는 나상(螺狀)이며, 몸빛은 희고 다리는 넓으며 좌우에 네 개의 수염이 달려 있음. 촉각 앞에 눈이 있으며 입수관(入水管)의 입구(入口)에 물을 거르는 작용을 하는 수염이 있음. 한국 및 일본의 홋카이도로부터 대만까지 널리 분포함. 살은 식용하며 각(殼)은 패각 세공(貝殼細工)이나 어린이의 장난감으로 쓰임.

〈비단고둥〉

비:단-길【緋緞―】[―낄] 명 〖지〗〔고대 중국의 특산물인 명주를 서방의 여러 나라에 가져 간 통상로(通商路)로, 독일의 지리 학자 리히트호펜(Richthofen, F.)이 이름지은 것〕 내륙 아시아를 횡단하여 중국과 서(西)아시아·지중해 연안 지방을 연결했던 고대(古代)의 통상로. 중국의 장안(長安)·뤄양(洛陽)에서 시작하여 타림 분지(Tarim 盆地)를 지나 서(西)아시아 지중해 연안에 이름. 기원전 2세기 말부터 열려서, 동서 문화의 교류에 중요한 역할을 하여 왔으나, 해상 교통의 발달에 따라서 쇠(衰)하여졌음. 실크 로드(silk road).

비:단-길앞잡이【緋緞―】 명 〖충〗 길앞잡이.

비:단-노린재【緋緞―】 명 〖충〗 [*Eurydema rugosa*] 노린잿과에 속하는 곤충. 몸길이 8-9mm 이고, 몸빛은 남색을 띤 흑색이며, 두부의 전연(前緣)·전흉배(前胸背)의 가장자리 및 중앙의 세로줄과 소순판(小楯板)상의 'Y'자형 반문(斑紋) 그리고 혁질부(革質部)의 전연의 기반(基半) 등은 등색(橙色)임. 겨자과 식물의 해충으로, 한국·일본에 분포함.

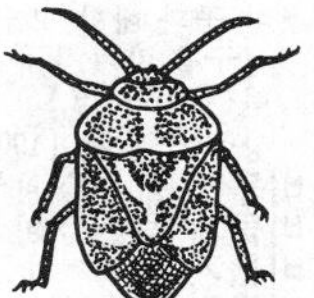

〈비단노린재〉

비:단-놀래기【緋緞―】 명 〖어〗 [*Thalassoma umbrostigma*] 양놀래깃과에 속하는 바닷물고기. 몸길이 약 18cm로, 몸은 놀래기와 비슷하나 색채가 아름답고, 미연(尾緣)은 절단한 것같이 짧음. 우리 나라의 남부해(南部海)·일본 중부 이남·인도·아프리카 동부·오스트레일리아 등에 분포함. 「석. 장식품으로 쓰임.

비-단백석【非蛋白石】 명 〖광〗 진홍(眞紅)의 반사광을 내 비추는 단백

비-단백질【非蛋白質】 명 단백질이 아닌 물질.

비단백 질소【非蛋白窒素】 [―쏘] 명 〔nonprotein nitrogen〕 〖화〗 체조직(體組織)이나 배설물(排泄物)·분비물(分泌物) 속의 단백질 침전제로도 침전하지 않는 질소분(窒素分).

비:단-벌레【緋緞―】 명 〖충〗 ①[*Chrysochroa fulgidissima*] 비단벌렛과에 속하는 곤충. 몸길이 30-40mm이고, 몸빛은 금록색에 전배판(前背板)의 두 개의 조선(條線)과 각 시초(翅鞘)는 등자색, 복부(腹部) 끝은 거의 삼각형이고 복부(腹部)와 흉부 중앙은 금적색으로 매우 아름다움. 유충은 벚나무·감나무 등의 줄기를 파먹는 해충으로, 한국·일본에 분포함. 시초가 단단하고 아름다워 공예품에 이용됨. ②비단벌렛과에 속하는 곤충의 총칭.

비:단벌렛-과【緋緞―科】 명 〖충〗 [Buprestidae] 딱정벌레목(目)에 속하는 한 과. 몸은 소형(小形)으로 촉각은 톱 모양에 11절, 부절(跗節)·복판(腹板)은 각각 다섯 개임. 유충·성충이 모두 삼림의 해충으로, 주로 열대에 8,000여 종이 분포함.

〈비단벌레❶〉

비:단-보【緋緞褓】 [―뽀] 명 비단으로 만든 보자기.

[비단보에 똥 싼다] 겉모양은 훌륭하나 그 속에 흉한 것이 담겼다는 말.

비:단-부채게【緋緞―】 명 〖동〗 [*Sphaerozius nitidus*] 부채겟과에 속하는 게의 하나. 등딱지의 길이 17mm, 폭 21mm 내외임. 등딱지 다리의 표면은 매끈하고 홈이 없으며 등딱지와의 중앙부가 높이 두드러져 안장(鞍裝) 모양임. 왼편 집게발보다 오른편 집게발이 항상 큼. 장부(掌部)에는 작은 과립(顆粒)이 있음. 암초 틈에 서식하는데, 한국·중국·일본에 분포함. 비단게.

〈비단부채게〉

비:단-분취【緋緞粉―】 명 〖식〗 [*Saussurea saxatilis*] 국화과에 속하는 다년초. 줄기는 곧고 높이 70cm 가량이며 잔 털이 났음. 잎은 호생하고, 밑의 잎은 장병(長柄)이며 꼭대기 잎은 무병(無柄)에 뒤쪽에 흰 털이 밀생(密生)하고 긴 타원형 혹은 피침형임. 7-8월에 자색의 관상화(管狀花)로 된 두화(頭花)가 가지 끝에 피고, 수과(瘦果)는 백색의 관모(冠毛)가 있음. 깊은 산에 나는데, 함남의 부전 고원·혜산진, 함북의 백두산에 분포함.

비:단-뽕나무【緋緞―】 명 〈방〉 〖식〗 꾸지뽕나무.

비:단-사슴벌레【緋緞―】 명 〖충〗 [*Platycerus delicatulus*] 사슴벌렛과에 속하는 곤충. 몸길이 10-13mm이고, 수컷의 배면(背面)은 남흑색, 복면(腹面)은 흑색, 다리는 대체로 황갈색임. 암컷은 놋쇠빛에 짙은 동적색(銅赤色)·녹황색·남흑색 등의 여러 가지이며 다리는 전부 적색 또는 흑색인 것도 있음. 비교적 높은 삼림(森林)에 서식하는데, 한국·일본 등에 분포함.

비:단-술【緋緞―】 명 비단실로 드린 술.

비:단-신【緋緞―】 명 양쪽 옆의 거죽을 비단으로 댄 신.

비:단-실【緋緞―】 명 명주실. 견사(絹絲).

〈비단사슴벌레〉

비:단-쑥【緋緞―】 명 〖식〗 [*Artemisia triroba*] 엉거싯과에 속하는 낙엽 활엽의 작은 관목. 잎은 선형(線形)이고 상부가 두세 갈래로 째지고 뒷면에 흰 털이 밀포함. 여름에 화관(花冠)이 긴 종(鐘) 모양으로 생긴 꽃이 두상(頭狀) 화서로 액생(腋生)하며, 수과(瘦果)는 가을에 익음. 깊은 산의 중턱에 나는데, 함북의 장백 산맥 및 캄차카 동부·시베리아·우수리·헤이룽 강 유역에 분포함. 관상용임.

비:단-애거미불가사리【緋緞―】 명 〖동〗 [*Ophiothela danae*] 오피오트릭스과에 속하는 불가사리의 하나. 몸빛은 녹색·청색·자색·갈색이고 복(輻)은 5-6개임. 중앙반(中央盤)의 직경은 2.5mm, 복의 길이는 지름의 2.5배 가량됨. 배원반(背圓盤)과 복원반(腹圓盤)은 피부에 싸여 있으며, 육각형으로 뻗은 복의 가시는 다섯 개임. 한국·대만의 연해(沿海)에 분포함.

비:단-옷【緋緞―】 명 비단으로 지은 옷의 총칭. 금의(錦衣). 깁옷. 주의 [비단옷 입고 밤길 걷기] 보람이 없는 일이라는 말. 「(紬衣).

비:단-잉어【緋緞―】 명 〖어〗 관상용·애완용 잉어의 한 품종. 빨강·노랑·검정·하양 및 이들 빛깔의 반문(斑紋)이 어울린 아름다운 잉어의 총칭.

비:단-장【緋緞欌】 [―짱] 명 비단으로 발라 만든 장. *지장(紙欌).

비:단-타:령【緋緞打令】 명 〖악〗 중국과 우리 나라의 옛 비단 이름을 들어 엮어 부르는 서울 지방의 휘모리 잡가의 하나. 보통 휘모리 잡가와는 달리 송경식(誦經式) 장단에 송경조로 부름.

비:단-털쥐【緋緞―】 명 〖동〗 명주쥐.

비:단-팥【緋緞―】 명 〖식〗 팥의 한 가지. 빛이 검붉은데 검은 점이 어룽어룽하고 껍질이 조금 두꺼움. 관두(官豆). 금두(錦豆).

비:단-풀【緋緞―】 명 〖식〗 [*Ceramium rubrum*] 비단풀과에 속하는 홍조류(紅藻類)의 하나. 줄기는 사상(絲狀)으로 직립(直立)하며 길이 10cm 가량이고, 수지상(樹枝狀)으로 다수 갈라짐. 상부의 가지의 마디에는 사분(四分) 포자낭(胞子囊)이 윤생(輪生)하고 잔가지의 측면에 과낭(果囊)을 맺음. 빛은 홍색 내지 암자색인데 종이에 잘 부착함. 외양(外洋)의 간조선(干潮線) 아래의 바다 속에 남. 식용(食用) 또는 풀을 쑤는 재료로 씀. 금초.

비달 [Widal, Georges Fernand Isidore] 명 〖사람〗 프랑스의 세균학자. 1896년 장티푸스의 진단법으로 비달 반응 「을 발견함. [1862-1929]

〈비단풀〉

비달-먹다 자 〈방〉 비루먹다.

비달 반:응【―反應】 명 〔도 Widalsche Reaktion〕 〖의〗 티푸스성(typhus 性) 질환의 혈청(血淸) 진단법. 티푸스 환자의 혈청에는 티푸스균을 응집(凝集)하여 균괴(菌塊)로 만드는 면역(免疫) 반응이 나타나는데, 이 응집 반응의 유무를 티푸스의 증세가 있는 환자의 혈청에 대하여 검사 「하여 진단에 도움이 되게 함.

비닭이 명 〈방〉 〖조〗 비둘기.

비:답【批答】 명 상소(上疏)에 대한 임금의 하답(下答). 준비(批). ――하다 자여불

비:당¹【比黨】 명 도당(徒黨)을 어울러서 맺음. 또, 그 당파. ――하다 「자여불

비:당²【備堂】 명 〖역〗 조선 시대 비변사(備邊司)의 통정 대부(通政大夫) 이상의 관원을 일컫는 말. 주당(籌堂).

비당-나무 명 〈방〉 〖식〗 예덕나무.

비:대¹【肥大】 명 ①살이 쪄서 몸집이 크고 뚱뚱함. ¶ ~한 노신사(老紳士). ②기관(器官)이나 신체의 한 부분이 커짐. ¶ 심장 ~. ③권력·권한 따위가 강대해짐. ¶ 조직이 ~해지다. ――하다 형자여불

비대²【碑臺】 명 비대석(碑臺石).

비:-대다 타 남의 이름을 빌려서 대다.

비:대-발괄 명 하소연을 하면서 간절히 청하여 빎. ¶ 안 준다는 것을 ~하여 겨우 얻어 왔다 / 천둥이란 놈이 ~로 간구하였으나 천소례는 들은 체도 하지 않았다《金周榮 : 客主》. ――하다 자여불

비:대 생장【肥大生長】 명 〖식〗 식물 세포의 증식(增殖) 및 신장(伸長)에 의한 생장.

비-대석【碑臺石】 명 〖건〗 비신(碑身) 밑에 받친 대석(臺石). 비대(碑臺).

비:대-증【肥大症】 [―쯩] 명 〖의〗 몸이 비대해지는 병적 증세.

비-대칭【非對稱】 명 ①대칭이 아님. ②〖화〗 분자 내에서의 원자의 입체적인 배열이 대칭성이 아님. 유기 화합물의 분자가 비대칭성이 되는 것은 주로 비대칭 탄소 원자에 의함.

비대칭 배:사【非對稱背斜】 명 〖지〗 양측의 지층(地層)이 반대 방향으로 경사(傾斜)지고 있되, 서로 대응(對應)하는 경사의 정도가 다른 배사 구조의 하나. 경립(傾立) 배사. ↔대칭 배사·횡와(橫臥) 배사.

비대칭 분포【非對稱分布】 명 〖수〗 히스토그램(histogram)에서, 좌우 대칭(左右對稱)이 되지 아니하는 자료(資料)의 분포.

비대칭 탄소 원자【非對稱炭素原子】 명 〔asymmetric carbon atom〕 〖화〗 네 개의 서로 다른 원자 또는 원자단과 결합하고 있는 탄소 원자.

비대칭 합성【非對稱合成】 명 〔asymmetric synthesis〕 〖화〗 비대칭 탄소 원자를 갖는 유기 화합물을 광학적 활성체(活性體)의 영향 밑에서 합성할 때, 활성체가 분자(分子) 속에 들어가서 그 영향을 받아 우선성(右旋性)이나 좌선성(左旋性)의 어느 한쪽이 많은 혼합물을 생성(生成)하는 합성. 부제 합성(不齊合成).

비:대-한【肥大漢】 명 비대한 사나이.

비댕이 명 〈방〉 부삽(충청).

비더 〔Vidor, King Wallis〕 명 〖사람〗 미국의 영화 감독. 휴머니스틱한 정서적 작품이 특색이며 대표작 《전쟁과 평화》·《백주(白晝)의 결투》 등이 있음. [1894-1982]

비:더마이어 〔도 Biedermeier〕 명 〔가공 인물 Biedermann과 Bummelmaier의 이름에서 유래하여 속물(俗物)의 뜻〕 〖역〗 독일·오스트리아에서, 독일 연방의 결성에서부터 3월 혁명까지의 시대와 문화.

비:더마이어 양식【―樣式】 명 〔도 Biedermeierstil〕 19세기 전반의 독일의 가구 및 장식의 양식의 명칭. 단순화와 실용성을 지향함.

비: 더블유 브이 【BWV】 명 〖악〗 〔도 Bach-Werke-Vergleichnis의 약칭〕 바흐 연구자 슈미더(Schmieder, W.)에 의해서 1950년에 작성된 J.S.바흐 전(全)작품의 총목록 번호. 또, 거기에 붙이는 약호.

비덕【菲德】 명 덕이 박함. 또, 그러한 사람. 과덕(寡德). ――하다 형

[여불]
비덕-나무 [명] 〖식〗〈방〉 예덕나무.
비-덕치주의【非德治主義】[—/—이] [명] 예(禮)를 배척하고 인간의 도덕성 내지 인위(人爲)를 배제(排除)함을 전제로 하는 고대 중국의 정치 사상. 노자(老子)와 한비(韓非) 등의 주장. ↔덕치(德治)주의.
비던지 [명] 〈방〉 진드기(경북).
비덜기 [명] 〈방〉 비둘기(경북).
비데 〔프 bidet〕 [명] 여성용 성기 세척기(性器洗滌器).
비:데만 〔Wiedemann, Gustav Heinrich〕 [명] 〖사람〗 독일의 물리학자. 전자기(電磁氣) 현상을 연구, 1853년 프란츠(Franz)와 함께 '금속의 열전도율과 전기 전도율의 비는, 동일 온도에서는 모든 금속에 대하여 같은 값을 갖는다'는 비데만 프란츠의 법칙을 발견함. [1826-99]
비:-도[1]【比島】[명] 〖지〗 '비율빈 군도'의 뜻.
비:도[2]【丕圖】[명] 웅대한 계획(計劃). 홍도(鴻圖).
비도[3]【非道】[명] 도리(道理)가 아님. 도리에 어긋남. 부도(不道). ——-하다 [형][여불]
비도[4]【匪徒】[명] 비적(匪賊)의 무리. 비류(匪類).
비도[5]【悲悼】[명] 사람의 죽음을 몹시 슬퍼함. ——-하다 [자][타][여불]
비-도덕적【非道德的】[명][관] 도덕적인 규범에 어긋남. ¶ ~인 처사.
비도라치 [명] 〈방〉〖어〗 괴도라치.
비도리 [명] 〈옛〉 비둘기. =비두리. ¶ 빙소 겨틔 막 짓고 밤나죠 우니 비도리 모다 오더라(廬於殯所晝夜哭泣鳩鴿羣至)≪三綱 王崇≫.
비도 산고【悲悼酸苦】[명] 손아랫 사람의 죽음을 당하여 몹시 슬퍼하여 코허리가 시고 속이 쓰라림. [준]비산(悲酸). ——-하다 [형][여불]
비:도지【祕圖赤】[명] 〖역〗 필도지(必闍赤).
비독[1]【飛讀】[명] 띄엄띄엄 읽음. 여기저기 빼놓고 넘어가면서 읽음. ——-하다 [타][여불]
비독[2]【非獨】[부] 비단(非但).
비:-독사【砒毒沙】[명] 〖광〗 철과 비소(砒素)로 된 사방 정계(斜方晶系) 광물. 보통, 괴상(塊狀)이며 금속 광택이 있는 철유색(鐵黝色)임. 조흔(條痕)은 검은 빛임.
비동[1]【飛動】[명] ①나는 듯 움직임. ②매우 생생함. ——-하다 [자][여불]
비동[2]【飛棟】[명] 〖건〗 높은 지붕 마루의 보.
비-동맹국【非同盟國】[명] 비동맹 정책을 따르는 나라. 제2차 세계 대전 이후 동서 양진영 어느 편과도 동맹을 맺지 아니하는 나라.
비동맹국 회:의【非同盟國會議】[—/—이] [명] ↗비동맹 제국 수뇌 회의.
비동맹 제국 뉴:스 연합【非同盟諸國—聯合】〔news〕 [명] 비동맹 제국의 통신사가 정보(情報)의 식민지화 타파를 내걸고 조직한 연합체.
비동맹 제국 수뇌 회:의【非同盟諸國首腦會議】[—/—이] [명] 〔Conference of Heads of States and Chiefministers of Nonaligned Nations〕 비동맹주의를 외교의 기조(基調)로 하는 나라들의 원수(元首) 및 정부 수뇌들의 회의. 1961년 티토·나세르·수카르노·네루 등의 제의로 유고슬라비아의 베오그라드에서 25 개국이 참가하여 제1차 회의를 개최하여 국제 긴장 완화, 민족 해방 투쟁 지지, 식민지주의 타파를 제창함. 동서 양진영에 대한 제3 세력 형성을 기도하고 있으나 내부 대립 등 여러 가지 이해 관계로 성격이 변형되어 가고 있음. [준]비동맹국 회의.
비동맹-주의【非同盟主義】[—/—이] [명] 〔nonalignment〕 제2차 세계 대전 이후 동서(東西) 양대 세력(兩大勢力)의 어느 세력과도 동맹을 맺지 아니하고 중립국의 단결로 평화를 유지하려는 입장·주의. 네루·티토·나세르 등의 외교 정책이 기조(基調)가 되었음.
비두[1]【飛頭】[명] 일의 처음. 첫머리. ¶ 문초만 받고 보면 전후 심부름을 다 내가 했는데 내말이 ~에 오를걸≪李海朝 : 鬢上雪≫.
비:두[2]【鼻頭】[명] 비단(鼻端).
비두로기 [명] 〖문〗 유구곡(維鳩曲).
비두리 [명] 〈옛〉 비둘기. 비도리. ¶ 비두리는 罘罳예셔 누리놋다(紫鴿下罘罳)≪杜諺 IX:23≫.
비:두-발괄 [명] 〈방〉 비대발괄. ——-하다 [자]
비둑-거리다 [자] ①한 쪽이 기울어서 흔들리다. ②흔들거리며 걷다. 비둑-비둑 [부]. ——-하다 [자][여불]
비둑-대다 [자] 비둑거리다.
비:둔-하다【肥鈍—】[형][여불] ①몸이 뚱뚱하여 동작이 둔하다. ②옷을 두껍게 입어서 몸 놀리기가 자유롭지 못하다.
비둘기 [명] 〔중세 : 비두기. 근대 : 비둘기. 고려 가요 : 비두로기〕 ①〖조〗 비둘기목(目)에 속하는 새의 총칭. 산비둘기·참비둘기·호도애·흥비둘기·흑비둘기 등이 있는데, 야생종(野生種)과 사육(飼育)하는 집비들기로 크게 나눔. 특히 식도(食道)의 큰 소낭(嗉囊)에 먹이를 저장하며 그 벽(壁)에서 유미(乳糜)를 분비(分泌)하여 새끼에게 먹임. 그 귀소성(歸巢性)을 이용하여 통신(通信)에 사용하는데 최대 1,000 km까지 왕래하며 시속은 60km 가량이고, 야간에도 이용됨. 고래로 길조(吉兆)·평화를 상징하는 새의 하나임. *참비둘기. ②〈속〉 죄수(罪囚)의 은어(隱語)로, 편지·서신 연락을 일컫는 말.
[비둘기는 몸은 밖에 있어도 마음은 콩밭에 가 있다; 비둘기는 콩밭에만 마음이 있다] 먹을 것에만 정신이 팔리어, 온전히 다른 볼일을 못한다는 말.
비둘기-구이 [명] 비둘기의 고기를 저며서 구운 음식. 산합구(山鴿炙).
비둘기-목【—目】[명] 〖조〗 〔Columbae〕 조류(鳥類)에 속하는 한 목(目). 멸종(滅種)하여 화석(化石)으로 발견되는 것도 있음. 비둘깃과(科)·사막꿩과가 이에 속함.
비둘기-자리 [명] 〔라 Columba〕 〖천〗 남천(南天)에 있는 작은 별자리. 2월 상순 저녁에 남중(南中)함. 약자 Col.
비둘기-장【—欌】[명] 비둘기를 기르는 새장.
비둘기-파【—派】[명] 자기의 이념·주장을 강력히 관철하는 것보다 상대편과 타협하고, 온건하게 사태에 대처하려는 입장에 선 사람들. ↔매파.
비둘깃-과【—科】[명] 〖조〗 〔Columbidae〕 비둘기목(目)에 속하는 한 과(科). 주로 삼림에 서식하며, 나뭇가지·해안의 바위 틈 등에 둥지를 짓고 한두 개의 흰 알을 낳음. 날개가 발달하여 비행력(飛行力)이 강하며 성질이 온순하여 집에서 기르고, 훈련을 시키기가 쉬움. 콩·옥수수·삼씨·쌀 등을 먹음. 전세계에 550여 종이 분포함.
비둘키 [명] 〈방〉 비둘기(충북·경남).
비:드 〔Bede〕 [명] 〖사람〗 베다(Beda).
비드고슈치 〔Bydgoszcz〕 [명] 〖지〗 폴란드 중부, 비스와 강(Wisła江)의 지류(支流) 브르다 강(Brda江)에 면한 도시. 비스와 강과 연결하는 운하의 주요 항구. 농산물의 집산지로 기계·피혁·차량·목재 등 공업이 성함. 14세기 이후에 발전함. 독일명(名)은 브롬베르크(Bromberg). [372,000 명(1988 추계)]
비드로 〔포 vidro〕 [명] 유리.
비드미 [명] 〈방〉 비름(황해).
비득-비득 [부] 〈방〉 부둑부둑.
비든지 [명] 〈방〉 진드기(경북).
비들[1] [명] 〈방〉 비름(경북).
비:들[2] 〔Beadle, George Wells〕 [명] 〖사람〗 미국의 유전학자. 캘리포니아 공과 대학 교수. 영양 요구성(營養要求性)의 유전에 관한 생화학적 연구를 하여 1유전자(遺傳子) 1효소설(酵素說)을 제창. 1958년 테이텀(Tatum, E.L.) 및 레더버그(Lederberg, J.)와 함께 노벨 생리 의학상을 수상함. [1903-89]
비들개 [명] 〈방〉 비둘기(경북).
비들게 [명] 〈방〉 비둘기(경북).
비들기 [명] ☞비둘기.
비들키 [명] 〈방〉 비둘기(충북).
비듬[1] [명] 〖생〗 머리의 살가죽에서 생기는 흰 비늘. 두부 피지선(頭部皮脂腺)의 분비물(分泌物)이 말라붙어서 생긴 것임. 두구(頭垢). 두설(頭屑). 풍설(風屑). 운지(雲脂).
비듬[2] [명] 〈방〉 버짐(경기·충남).
비듬[3] [명] 〈방〉 비름(전라·충청·강원·함경·경기·황해).
비듬-나무 [명] 〖식〗〈방〉 느릅나무.
비듬-하다 [형][여불] ↗비스듬하다. >배듬하다. 비듬-히 [부]
비듭[1] [명] 〈방〉 비름(황해).
비듭[2] [명] 〈방〉 비듬[1](경기).
비:등[1]【比等】[명] 비교하여 보건대 서로 어슷비슷함. ¶ 두 사람의 성격은 ~하다. ——-하다 [형][여불]
비:등[2]【沸騰】[명] ①〖물〗 액체가 끓어오름. 액체에 열을 가할 적에, 증발(蒸發)과는 달리 액체 속에서 일어나는 기화(氣化)의 현상. ②물 끓듯 떠들썩하여짐. 일어남. ¶ 여론이 ~하다. ——-하다 [자][여불]
비등[3]【飛騰】[명] 공중으로 높이 떠 오름. 비양(飛揚). ——-하다 [자][여불]
비-등기선【非登記船】[명] 〖법〗 선박 등기부에 등기를 하지 아니한 총톤수 20톤 미만의 선박.
비-등방성【非等方性】[—썽] [명] 〔anisotropy〕 〖물〗 굴절률(屈折率) 등의 물리적 성질이 측정되는 방향에 따라 달라지는 일. ↔등방성.
비등:방성 물체【非等方性物體】[—썽—] [명] 〔anisotropic body〕 〖물〗 비등방성을 가지고 있는 물체. ↔등방체.
비:등비등-하다【比等比等—】 [형][여불] 여럿이 모두 비등하다.
비:등-산【沸騰散】[명] 탄산 수소 나트륨(炭酸水素Natrium)과 타르타르산을 물에 녹인 것. 물에 타서 그대로 먹음. 청량제·완하제(緩下劑)임.
비:등수형 원자로【沸騰水型原子爐】[명] 〔boiling water reactor; BWR〕 〖물〗 경수로(輕水爐)의 하나. 냉각재(冷却材)의 물을 노심(爐心)에서 비등(沸騰)시켜, 이를 직접 터빈에 끌어 발전기(發電機)를 돌리는 방식의 원자로. 발전로(發電爐) 전용으로 미국의 제너럴 일렉트릭 회사에서 개발(開發)한 것임. *가압수형(加壓水型) 원자로.
비:등-점【沸騰點】[—쩜] [명] 〖물·화〗 끓는점. [준]비점(沸點). ↔빙점(氷點).
비:등점 상:승【沸騰點上昇】[—쩜—] [명] 〖물〗 끓는점 오름.
비디 [명] 〈옛〉 빚. ¶ 녯 業과 무근 비디와(舊業陳債)≪楞嚴 Ⅶ:60≫.
비디아 〔도 Widia〕 [명] 〖공〗 〔Wie Diamant에 유래된 말로서 독일 크룹사(Krupp社)의 상표명. 다이아몬드와 같다는 뜻〕. 탄화 텅스텐 85-95%와 코발트 5-15%의 합금(合金). 경도(硬度)가 매우 커서, 강옥(鋼玉)보다 굳으며, 다이아몬드 다음감. 절삭 공구(切削工具)의 재료로 씀.
비디오 〔video〕 [명] ①시각(視覺)에 관계가 있는 것. 특히, 텔레비전에서 음성에 대(對)하여 화면(畫面)의 부분을 말함. ↔오디오(audio). ②텔레비전. ③↗비디오 테이프 리코더·비디오 테이프.
비디오 가:게 〔video〕 [명] 많은 비디오 테이프를 갖춰 놓고 손님에게 돈을 받고 빌려 주는 가게.
비디오 가라오케 〔video+일 から(空)+orchestra〕 [명] 비디오 장치가 되어 있는 가라오케란 뜻으로 노래방을 일컫는 딴이름.
비디오 게임 〔video game〕 [명] 전자 회로의 응용으로 텔레비전 화면을 써서 하는 게임. 전자 오락(電子娛樂). 텔레비전 게임.
비디오 기기【—機器】[명] 텔레비전이나 비디오 테이프 리코더처럼, 귀로 들으면서 눈으로 볼 수 있는 가전(家電) 제품. ↔오디오 기기.
비디오 디스크 〔video disc〕 [명] 텔레비전의 화면을 재생(再生)하는 비디오 카세트(video cassette)의 하나. 독일의 텔레풍켄 회사와 영국의 데카 레코드 회사가 개발한 새로운 방식으로, 종래의 자기(磁氣) 테이프나 필름 방식이 아닌 비닐제(製)의 레코드판으로 만든 것.
비디오 디스크 플레이어 〔video disc player〕 [명] 레이저 광선을 이용해 특수 제조된 디스크에 레이저 광선을 쬐어 영상(映像)과 음향을 텔레비전 화면에 재생시키는 장치. *비디오 테이프 리코더. 약칭 : VDP.
비디오-무:비 〔Videomovie〕 [명] 비디오 카메라와 비디오 카세트 리코더를 합친 비디오 기기(機器)의 상표명. 영상(映像)과 소리를 동시에 녹화(錄畫)하여 즉시 텔레비전에 재생(再生)할 수 있음.

비디오-미터 〔videometer〕 명 텔레비전의 시청률(視聽率)을 자동적으로 조사하는 장치. 조사 대상의 텔레비전 세트에 장치하면 시청 시간과 시청 방송국을 자동적으로 장치 속의 테이프에 기록하게 되어 있음. 테이프는 1주일마다 회수되어 자동 집계 장치와 컴퓨터에 의하여 시청률이 계산됨.

비디오 아:트 〔viedo art〕 명 비디오라는 매체를 이용한 영상 예술(映像藝術) 표현의 한 양식.

비디오 전:화 【一電話】 명 〔video phone〕 텔레비전 전화.

비디오 카메라 〔video camera〕 명 영상(映像)을 전기 신호로 변환시키는 카메라. 텔레비전 스튜디오용의 대형의 것에서부터 가정용의 소형 휴대용까지 여러 가지가 있음.

비디오 카세트 〔viedo cassette〕 명 비디오 테이프 또는 특수 필름을 카세트에 장치(裝置)하여 두었다가 필요할 때에 플레이어(player)에 걸어서 영상(映像)을 텔레비전 수상기에 나타내는 영상 재생(映像再生) 장치.

비디오 카세트 테이프 〔video cassette tape〕 명 플라스틱 케이스에 수납되어 있는 비디오 테이프.

비디오 카:트리지 리코:더 〔video cartridge recorder〕 명 카세트 테이프를 사용하는, 간단한 비디오 테이프 리코더. 통칭은 비디오 카세트 또는 카세트 VTR. 약칭: VCR.

비디오-컴프 〔videocomp〕 명 아르 시 에이(RCA)의 그래픽(graphic) 부문이 개발한 편집 자동화 시스템. 활자 매체(活字媒體)의 편집 영역(領域)의 자동화에 쓰이며, 1초에 200자(字), 즉 B5판(判)의 주간지 1페이지를 10초의 속도로 자체(字體)·자간(字間)·행간(行間)·자수(字數) 등의 조판(組版) 지시에 따라 조판 견본을 제작할 수 있음.

비디-오케 명 ↗비디오 가라오케.

비디오 테이프 〔video tape〕 명 ①텔레비전 방송용의 녹화(錄畫) 테이프. ②↗비디오 테이프 리코더(video tape recorder). 준비디오.

비디오 테이프 리코:더 〔video tape recorder〕 명 전자기식(電磁氣式) 녹음 원리에 의거하여 텔레비전의 영상 신호를 소리의 신호와 함께 테이프에 기록 재생하는 장치. 준브이 티 아르(VTR)·비디오 테이프·비디오.

비디오-텍스 〔videotex〕 명 〖전자〗 생활 영상 정보(生活映像情報) 시스템의 하나. 전화로 정보(情報) 센터를 호출(呼出)하면, 일기 예보·스포츠·교육·학습·경제·뉴스 등 필요한 생활 정보를 가정용 텔레비전의 브라운관(管)에 문자나 도형으로 비쳐 주는 방식.

비디콘 〔vidicon〕 명 텔레비전 촬상관(撮像管)의 한 가지. 미국의 아르 시 에이(RCA) 회사의 상표명. 광도전 효과(光導電効果)를 응용한 것으로 구조가 간단하고 감도(感度)가 좋아 공업용 텔레비전 등의 카메라관으로서 많이 이용됨. *촬상관.

비:-디프테리아 【鼻一】 〔diphtheria〕 명 〖의〗 디프테리아균이 비점막(鼻粘膜)에 감염(感染)하여 일어나는 병. 인두(咽頭) 디프테리아에 속발(續發)하는 때도 있고, 비강(鼻腔)에서, 단독적으로 발생하는 때도 있음. 아동(兒童)에게 많으며 처음에는 맑은 콧물이 나오다가 코피 또는 고름이 섞인 코피가 나오게 됨.

비딤 명 〖식〗 〈방〉 비름(함경).

비딩이지심 명 〈방〉 비름(전북).

비둘기 명 〈옛〉 비둘기. ¶ 비둘기 알 술몬 이와(熕泣子彈) ≪朴解 上 5≫.

비딱 명 〈방〉 벼랑(전북).

비딱-가르마 명 좌우 어느 한쪽으로 치우치게 탄 여자 머리의 가르마.

비딱-거리다 자 이쪽저쪽으로 자꾸 기울어지다. ㅆ삐딱거리다. >배딱거리다. 비딱-비딱 부. ——-하다 자형여불

비딱-대다 자 비딱거리다.

비딱-이 부 비딱하게. ㅆ삐딱이. >배딱이.

비딱-하다 형여불 한쪽으로 기울어져 있다. ㅆ삐딱하다. >배딱하다.

비때-서다 자 〈방〉 비켜 서다.

비때죽 명 〖식〗 〈방〉 수수.

비떠러-지다 자 〈방〉 비뚤어지다(경상).

비떠-서다 자 〈방〉 빗더서다.

비뚜로 부 비뚤어지게. ㅆ삐뚜로. >배뚜로.

비뚜름-하다 형여불 한쪽으로 조금 비뚤어져 있다. ㅆ삐뚜름하다. >배뚜름하다. 비뚜름-히 부

비뚝-거리다 자 ①한쪽이 기울어서 흔들거리다. ②기우뚱기우뚱하며 걷다. 1)·2): ㅆ삐뚝거리다. >배뚝거리다. 비뚝-비뚝 부. ——-하다 자여불

비뚝-대다 자 비뚝거리다.

비뚝발-이 명 〈방〉 절뚝발이.

비뚤-거리다 자 ①이리저리 자꾸 기울며 흔들거리다. ②곧지 못하고 이리저리 구부러지다. 1)·2): ㅆ삐뚤거리다. >배뚤거리다. 비뚤-비뚤 부. ——-하다 자형여불

비뚤다 형 바르지 아니하고 한쪽으로 기울어져 있다. ㅆ삐뚤다. >배뚤다.

비뚤-대다 자 비뚤거리다.

비뚤어-지다 자 ①반듯하지 아니하고 한쪽으로 기울어지다. ¶ 문패가 ~. ②마음이나 성격 따위가 바르지 아니하다. ¶ 비뚤어진 성격. ③성이 나서 뒤틀어지다. 1)·3): ㅆ삐뚤어지다. >배뚤어지다.

비뚤-이 명 ①몸의 어느 부분이 병적으로 비뚤어진 사람. ②마음이 비뚤어진 사람. ③경사진 땅. 1)-3): ㅆ삐뚤이.

비라 【始叱】 부 〈이두〉 비로소. 처음으로.

비:라리-치다 자 구구하게 사정하며 남에게 무엇을 청구하다.

비라알 못질이다 【始叱知不得是如】 〈이두〉 시작부터 알지 못한다.

비라코차 〔Viracocha〕 명 〖신〗 잉카 신화에 나오는 세계 창조자. 인류도 만들었다고 함. 특히, 태양신 또는 뇌성·번개의 신으로 숭앙받음.

비락 명 〈방〉 벼락(전남·경상·강원).

비락때 명 〈방〉 벼랑(함남).

비란 명 〈방〉 비난(非難). ——-하다 타

비란-수 【毘蘭樹】 명 〖식〗 〔*Prunus zippeliana*〕 장미과의 상록 교목. 높이 20 m에 달하는 것도 있으며 나무 껍질은 회갈색인데 인편상(鱗片狀)으로 되어 벗기어지고 난 다음에는 줄기가 홍황색이 됨. 잎은 크고 호생하며, 길이 10-20 cm, 긴 타원형에 잎가에 날카로운 톱니가 있음. 혁질로 무모(無毛)이며 표면은 짙은 녹색, 이면은 담색으로 엽맥이 융기(隆起)함. 9월경 엽액(葉腋)에서 잎보다 짧은 수상(穗狀)의 자잔한 흰 5판화가 총상 화서로 밀집하여 핌. 과실은 처음에는 달걀꼴, 이듬해 여름에 자흑색으로 익음. 일본·대만 등지에 분포함.

비람 【毘藍】 명 〖불교〗 ↗비람파(毘藍婆).

비람-파 【毘藍婆】 명 〔범 Vairambhaka〕 〖불교〗 대폭풍(大暴風). 맹풍(猛風). 준비람(毘藍).

비람형 미풍계 【一型微風計】 〔Biram〕 명 풍차(風車)의 회전을 이용한 미풍계. 편평한 여덟 개의 바람받이가 있고 회전수는 톱니바퀴의 부속 장치로 계산함. 보통 풍속계로 재기 어려운 미풍 측정에 사용함.

〈비람형 미풍계〉

비랏 【始只】 부 〈이두〉 비로소.

비랑[1] 명 〈방〉 벼랑(강원·충북·경북·함남).

비:랑[2] 【備郞】 명 〖역〗 ↗비변랑(備邊郞).

비랑떠 명 〈방〉 낭떠러지(함경).

비랑-빡 명 〈방〉 바람벽(전라).

비랑탁 명 〈방〉 낭떠러지(함경).

비:래[1] 【比來】 명 요사이. 근래(近來).

비래[2] 【飛來】 명 날아 옴. ↔비거(飛去). ——-하다 자여불

비:래[3] 【貴來】 명 남의 내방(來訪)의 존칭.

비래기 명 〖충〗 〈방〉 벼룩(경북).

비래-봉 【飛來峰】 명 〖지〗 평안 북도 창성군(昌城郡) 창성면(昌城面)과 벽동군(碧潼郡) 성남면(城南面) 사이에 있는 산봉우리. [1,479 m]

비래-산 【飛來山】 명 외따로 서 있는 산.

비랭 명 〈방〉 벼랑(경북).

비랭이 명 〈방〉 낭떠러지(함경).

비량[1] 명 〈방〉 벼랑(함북).

비:량[2] 【比量】 명 ①비교(比較). ②〖철〗 인명(因明)에서 쓰는 말인데, 인(因)에서 과(果), 과에서 인으로 추론(推論)하는 일. 곧, 연기가 오르는 것을 보고 불이 있음을 아는 것과 같은 형식의 추론법. ——-하다 타여불

비:량[3] 【鼻梁】 명 콧마루.

비:량-적 【比量的】 명관 〖철〗 개념적 사유(概念的思惟)에 의하여 판단을 거듭하여 대상(對象)을 이해하는 모양. 개념적(概念的). 추론적(推論的). 논증적(論證的).

비:량적 오:성 【比量的悟性】 명 〔도 Diskursiver Verstand〕 〖철〗 분별지(分別知)의 능력. 칸트 철학의 용어(用語). ↔직관적 오성(直觀的悟性).

비러 명 〈옛〉 벼랑. ¶ 비러옛 뿌른 소나못 고지 닉고(崖蜜松花老) ≪初杜諺 XXI:34≫.

비러먹다 타 〈옛〉 빌어먹다. ¶ 밥 비러 먹노이다 ≪月印 上 44≫.

비럭 명 〈방〉 ①벼룩(전라·경상). ②벼랑(경남).

비럭질 명 남에게 구걸(求乞)하는 짓. ——-하다 타여불

비럼 명 〈방〉 비름(경상).

비렁 명 〈방〉 낭떠러지(함경).

비렁배 명 〈방〉 비렁뱅이(함경).

비렁-뱅이 명 〈속〉 〔근대: 비렁이〕 거지. 개걸(丐乞). >배랑뱅이. [비렁뱅이가 하늘을 불쌍히 여긴다] 주제넘게 엉뚱한 일을 걱정함을 이름. [비렁뱅이 비단 얻은 것] 분에 넘치는 물건을 얻어 어쩔 줄 모름을 이름.

비렁-빽 명 〈방〉 바람벽(경북).

비렁이 명 〈방〉 ①비렁뱅이. ②벼랑(함북).

비레 명 〈옛〉 벼랑. ¶ 납과 새와 잇는 즈믄 비레 조부니(猿鳥千崖窄) ≪杜諺 XXI:19≫.

비:려 【比閭】 명 동네. 마을.

비:력 【臂力】 명 팔의 힘.

비련 【悲戀】 명 슬픈 연애. 비극적(悲劇的)으로 끝나는 사랑. ¶ ~에 울다.

비:렬[1] 【卑劣】 명 →비열(卑劣).

비:렬[2] 【鄙劣】 명 →비열(鄙劣).

비:렬[3] 【備列】 명 →비열(備列).

비:렬홀-정 【比列忽停】 명 →비열홀정.

비렴[1] 【飛廉·蜚廉】 명 ①중국에서의 상상(想像)의 새. 머리는 참새와 같고 뿔이 있으며, 몸은 사슴과 같으나 표범과 같은 얼룩 무늬가 있고, 꼬리는 뱀과 같이 생기었다 함. ②중국에서 바람을 맡았다고 하는 신(神). 풍백(風伯). 풍신(風神). ③음양가(陰陽家)에서, 그 쪽을 향하여 토공(土工)·건축(建築)·전거(轉居)·가취(嫁娶) 등을 할 적에는 질병(疾病)이나 우환(憂患)이 있다고 하는 방향.

비렴[2] 【蜚蠊】 명 〖충〗 바퀴[2]❶.

비:령-자 【丕寧子】 명 〖사람〗 ≪삼국 사기≫ 열전(列傳)에 나오는 신라의 무인(武人). 김유신(金庾信)의 휘하로, 백제와 싸울 때 아들 거진(擧眞)·종 합절(合節)과 함께 전사함으로써 신라군의 용기를 북돋아 대승하게 함. [?-647]

비레[1] 명 〈옛〉 벼랑. ¶ 머리 도르혀 두 비레를 브라노라(回首望兩崖) ≪杜諺 VI:46≫.

비:례[2] 【比例】 명 ①예를 들어 비교함. ②〖수〗 두 수 또는 두 양(量)의 비(比)가 다른 두 수 또는 두 양의 비와 같은 일. 또, 그 관계의 양을 취급하는 산법(算法). 3의 5에 대한 비는 6의 10에 대한 비와 같은 유(類). ¶ 정(正)~/반(反)~. ③표현된 물상(物象)의 각 부분 상호간 또는 전

체와 부분간의 양적(量的) 관계. 1)·3):(준)비(比). ——-하다 자타여불
비례[3]【非禮】명 예의가 아님. 예의에 어긋남.
비례[4]【菲禮】명 변변하지 못한 예물(禮物).
비:례[5]【備禮】명 예의를 갖춤. ——-하다 자여불
비:례 계:수【比例係數】명〖수〗비례 상수(常數).
비:례 계:수관【比例計數管】명 구조·배선(配線) 모두가 가이거 계수관과 거의 같고, 금속 원통(金屬圓筒)과 중심 도선(中心導線) 사이의 전압을 그것보다 낮게 한 것. 전리(電離) 작용의 강약에 따라 입자의 종류를 구별할 수 있고 또 전리 작용이 약한 β선·γ선이 존재할 때도 전리 작용이 강한 양자(陽子)·α선만 골라 내어 계수할 수 있음.
비:례 관계【比例關係】명〖수〗두 수(數) 또는 두 양(量)의 관계의 하나. 두 수 또는 두 양의 비(比)가 항상 일정할 때의 그 사이의 관계.
비:례 대:표제【比例代表制】명〖정〗한 사람의 후보자에게 집중된 득표수(得票數)를 동일 정당에 속하는 다른 후보자에게 이양(移讓)함으로써, 정당의 총득표수에 비례하여 의석(議席)을 부여하는 선거 제도. 단기 이양식(單記移讓式)과 명부식(名簿式)의 두 가지가 있음. 비례 선거 제도. ↔균등 대표제.
비:례-량【比例量】명〖수〗비례 관계를 이루는 몇 개의 정량(定量) 또는 서로 비례 관계를 이루면서 변화하는 두 개의 양. 또, 역비례(逆比例)·복비례(複比例) 등의 서로 다른 종류의 비례 관계를 이루면서 변화하는 몇 개의 양.
비:례-론【比例論】명 비례설.
비례 물시【非禮勿視】[—씨] 명 예의에 어긋나는 일은 보지 말라는 뜻. 시잠(視箴).
비:례 배:분【比例配分】명〖수〗일정한 수와 양을 일정한 비나 연비(連比)에 비례하게 나누는 셈법. 안분 비례(按分比例).
비:례-법【比例法】[—뻡] 명 [ratio method]〖경〗감가 상각법(減價償却法)의 하나. 내용 연수(耐用年數)에 관계 없이 매기(每期)의 상각액을 그 자산의 이용 정도에 비례시키는 상각법. 운전 시간(運轉時間) 비례법 등이 있음. 생산액 비례법.
비:례 부분【比例部分】명〖수〗비례 부분의 법칙을 사용하여 수표(數表)의 이웃하는 두 수의 사이에 있는 독립 변수(獨立變數)의 값에 대응하는 함수(函數)값의 근사(近似)값을 구할 경우, 두 수에 대응하는 함수값에 가감(加減)되는 미소(微少)한 수값.
비:례 부분의 법칙【比例部分一法則】[—/—에—] 명〖수〗독립 변수(獨立變數)의 변화가 작을 때 함수(函數)의 변화는 독립 변수의 변화에 거의 비례한다는 법칙. 이것을 공식(公式)의 형태로 한 것을 일차 보간법(一次補間法)이라 함.
비:례-비【比例費】명〖경〗원가와 조업도(操業度)와의 관계에서, 총액이 조업도의 변동에 대체로 비례하고 거의 동일한 비율로 증감하는 원가 요소(原價要素).
비:례 상수【比例常數】명 [proportional constant]〖수〗변화하는 두 수 또는 양이 비례할 때의 그 비(比)의 값. 또, 반비례할 때의 그 곱의 값. $y=cx$일 때 c의 일컬음. 비례 계수.
비:례 선:거【比例選擧】명〖정〗비례 대표제(比例代表制)에 의한 선거.
비:례-설【比例說】명 주로 건축·회화·조각 등 조형적(造形的)인 예술에서, 작품이 일정한 미적 수준(美的水準)을 충족시키기 위하여서는 그 부분 상호(相互)간 또는 부분과 전체가 특정한 수적(數的) 비례 관계에 의거(依據)한 것이어야 한다는 설(說). 시대에 따라, 사람에 따라서 정하는 비례는 다름. 비례론.
비:례-세【比例稅】명 과세 표준(課稅標準)에 대하여 동일한 세율(稅率)로 부과하는 과세. ↔누진세(累進稅).
비:례-식【比例式】명 [proportional expression]〖수〗비례를 나타내는 식. 즉 $a:b=c:d$와 같은 식.
비:례-자【比例一】명〖수〗어떤 선분(線分)을 어떤 비(比)로 증대(增大) 또는 감소(減少)시키는 데 쓰이는 자. 구용어:비례 정규(定規).
비:례 전:보【比例塡補】명〖경〗보험 금액의 보험 가액(保險價額)에 대한 비율에 따라서 손해를 보상하는 방식. ↔실손(實損) 전보.
비:례 정:규【比例定規】명〖수〗'비례자'의 구용어.
비:례제 선:거 제:도【比例制選擧制度】명 비례 대표제.
비:례-주【比例株】명〖경〗무액면주(無額面株).
비:례 준:비법【比例準備法】[—뻡] 명〖경〗비례 준비 제도.
비:례 준:비 제:도【比例準備制度】명〖경〗은행권(銀行券) 발행 제도의 일종. 태환권(兌換券) 발행에 있어서 발행액의 일정한 비율의 정화(正貨) 또는 지금은(地金銀)을 준비하여야만 하는 제도. 미국 및 프랑스가 이 제도를 취하고 있는데, 준비의 비율은 30-40 %임. 비례 준비법. *발행액 제한 제도.
비:례 중수【比例中數】명〖수〗비례 중항.
비:례 중항【比例中項】명 [mean proportional]〖수〗두 내항(內項)이 같은 비례식의 그 내항. a,b,c가 $a:b=b:c$로 되는 비례(比例)의 관계를 이룰 때, b를 a,c의 비례 중항이라 함. 이 때 b는 a와 c와의 상승 평균(相乘平均)과 같음. 비례 중수. 중수(中數).
비:례-척【比例尺】명 비례자.
비:례 추출법【比例抽出法】[—뻡] 명 표본 추출법의 하나. 모집단(母集團)을 몇 개의 그룹으로 나눈 다음, 각 그룹에서 그룹을 구성하는 개체의 수에 비례하는 수의 표본을 무작위(無作爲)로 추출하는 방법.
비:례 층화 추출법【比例層化抽出法】[—뻡] 명 층화 추출법 가운데, 각 층(層)에 대한 표본의 할당수(割當數)가 각 층의 크기에 비례하여 정해지는 방법. *층화 임의 추출법.
비:례 컴퍼스【比例—】[compass] 명 두 개의 다리를 고정시키는 나사의 위치에 따라서 다리의 두 끝이 벌리는 정도가 일정한 비율을 이루며, 길이의 비(比)가 일정한 값을 취하도록 된 두 선분(線分)을 가진 컴퍼스.

〈비례컴퍼스〉

비:례 한:계【比例限界】명 [limit of proportionality] 재료(材料)에 외력(外力)이 가해지는 경우, 어느 점까지는 내력(內力)과 변형(變形)은 비례하나, 외력이 그 이상으로 가해지면 재료는 몹시 모양을 변하여 비례가 깨어지는데, 이 경계(境界)가 되는 점을 비례 한계라 함. 비례 한도. *탄성(彈性).
비:례 한:도【比例限度】명 비례 한계.
비:례-항【比例項】명〖수〗비례를 이루고 있는 각 항.
비로[1] 명〈방〉벼루[1](경북).
비로[2] 명〈옛〉비루[1]. ¶져기 비로 잇고(有些槽疥)《朴解 上 63》.
비:로[3]【秘露】명〖지〗'페루(Peru)'의 음역(音譯).
비:로-관【毗盧冠】명〖불교〗계사(戒師)·대교사(大敎師)·선사(禪師)들이 쓰는 관(冠)의 한 가지.
비로:드 [포 veludo] 명 우단(羽緞). 벨벳(velvet).
비:로-봉[1]【毗盧峰】명〖지〗①금강산 중의 최고봉으로 내금강(內金剛)에 속함. 영랑봉(永郞峰)과 마주 대하고 있으며 장엄한 위관(偉觀)을 이루고 있음. 지리적으로는 강원도 고성군(高城郡) 장전읍(長箭邑)과 회양군(淮陽郡) 내금강면(內金剛面)의 경계에 있음. [1,638 m] ②평안 북도 희천군(熙川郡) 남면(南面)과 영변군(寧邊郡) 북신현면(北薪峴面) 사이에 있는 산. 묘향산(妙香山) 중에 솟아 있음. [1,909 m] ③속리산(俗離山)의 한 봉우리. 경상 북도 상주군(尙州郡) 화북면(化北面)과 충청 북도 보은군(報恩郡) 내속리면(內俗離面) 경계에 있음. [1,057 m]
비로-봉[2]【飛盧峰】명〖지〗치악산(雉岳山)의 최고봉. [1,288 m]
비로비잔 [Birobidzhan] 명〖지〗러시아 연방의 극동 지역 하바로프스크 지방의 유태인 자치주의 주도. 하바로프스크 서쪽 175 km 지점, 아무르 강(Amur江)의 연변에 있으며 간척(干拓)이 진전된 결과 곡물과 과실의 집산지가 되었음. 또, 여러 가지 경공업(輕工業)이 성함. [80,000명(1986)]
비로소 부 처음으로. ¶~ 알았다.
비로솜 자타〈옛〉비롯함. '비롯다'의 명사형. ¶婚姻의 비로솜을 重케 ᄒᆞ신 배니라(重婚姻之始也)《小諺 Ⅱ:61》.
비:로-용담【毗盧龍膽】명〖식〗[*Gentiana jamesii*] 용담과에 속하는 다년초. 줄기는 곧게 서며 분지(分枝)하는데 높이는 4-12 cm 가량임. 잎은 대생하며, 각엽(脚葉)은 밀착하고, 경엽(莖葉)은 성기게 착생하는데 달걀꼴의 긴 타원형 또는 피침형이고, 엽병(葉柄)이 없음. 7-9월에 자색 꽃이 줄기 끝이나 가지 끝에 정생하는데, 화관(花冠)은 좁은 종(鐘) 모양이고 끝이 다섯 갈래로 갈라짐. 삭과(蒴果)는 방추형(紡錘形)이고 두 개의 각편(殼片)으로 벌어짐. 높은 산의 산복에 나는데, 강원·평북·함남북에 분포함.
비로자나【毘盧遮那】명〖불교〗↗비로자나불.
비로자나-불【毘盧遮那佛】명 [범 Vairocana]〖불교〗연화장 세계(蓮華藏世界)에 살며, 그 몸은 법계(法界)에 두루 차서 큰 광명을 내비춘다는 부처. 천태종(天台宗)에서는 법신불(法身佛), 화엄종(華嚴宗)에서는 보신불(報身佛), 밀교(密敎)에서는 대일 여래(大日如來). 법신불(法身佛). 편조자나불. (준)비로자나(毘盧遮那).

〈비로자나불〉

비로-전【毘盧殿】명〖불교〗비로자나불(毘盧遮那佛)을 모신 법당(法堂). 곧, 대적광전(大寂光殿)의 딴이름.
비록[1] 명〈방〉〖충〗①벼룩(경상). ②벼랑(경남).
비:록[2]【秘錄】명 비밀의 기록.
비록[3] 부 [중세:비록] -ㄹ지라도·-지마는 등의 어미가 붙는 용언을 동반하여 아무리 그러하다 하더라도의 뜻을 나타내는 말. ¶~ 나이는 젊지만.
비록[4]【必于】부〈이두〉비록.
비록소비아【費祿蘇非亞】명 '철학(哲學)'이라는 말이 들어오기 전에 '필로소피(philosophy)'의 취음.
비록-일【飛鹿日】명 음양가(陰陽家)에서, 집 짓는 데에 크게 흉하다고 하는 날. 곧 정월의 진(辰), 2월의 사(巳), 3월의 오(午), 4월의 미(未), 5월의 신(申), 6월의 유(酉), 7월의 술(戌), 8월의 해(亥), 9월의 자(子), 10월의 축(丑), 11월의 인(寅), 12월의 묘(卯)의 날을 일컬음.
비:론【比論】명 서로 비교하여 논함. 유사점(類似點)을 들어 연구함. 유추(類推). ——-하다 타여불
비롬 타〈옛〉빎. '빌다[2]'의 명사형. ¶비롬 ᄆᆞᄎᆞ샤ᄆᆞᆫ(乞已者)《金剛 上5》.
비롯다 자타〈옛〉비롯하다. ¶효도ᄂᆞᆫ 어버이 섬김애 비롯고(夫孝始於事親)《小諺 Ⅱ:31》.
비롯-하다 자타여불 [중세:비릇다] 사물이 처음으로 시작되다. 또, 시작하다.
비:료【肥料】명〖농〗토지의 생산력(生産力)을 유지(維持) 또는 증진하고 식물을 잘 생장시키기 위하여 경작지에 뿌려 주는 영양 물질(營養物質). 질소(窒素)·인산(燐酸)·칼륨(kalum)을 비료의 삼요소로 하며, 유기 비료(有機肥料)와 무기 비료(無機肥料)로 크게 나눔. 거름. ¶화학 ~/~를 주다.
비:료-분[1]【肥料分】명 비료의 성분. 거름기.
비:료-분[2]【肥料糞】명 거름으로 쓰이는 사람이나 동물의 똥.
비:료 작물【肥料作物】명〖농〗풋거름 작물.
비:료-학【肥料學】명〖농〗농학(農學)의 한 분과. 비료의 성질·성분·제조·시비법(施肥法)·저장법 및 비료와 작물 영양(作物營養)과의 관계, 토질과 비료와의 관계 등을 연구하는 학문.
비:료-환【肥料環】명〖농〗도시(都市)를 중심으로 한 농촌에서는 도시의 인분(人糞)을 많이 가져다 쓰는 대신에 많은 채소를 도시에 공급(供給)하는 관계. 대개 동양(東洋)에서 행하여짐.
비룡【飛龍】명 ①하늘을 나는 용. ②↗비룡 재천.
비룡-산【飛龍山】명〖지〗경상 북도 봉화군(奉化郡) 소천면(小川面)에 있는 산. [1,135 m]

비룡-성【飛龍省】명〖역〗태봉(泰封)의 한 관아(官衙). 고려의 대복시(大僕寺)와 같음.

비룡 재:천【飛龍在天】명 성인(聖人)·영웅이 천자(天子)의 지위에 있음을 비유하는 말. ㊟비룡.

비루[1] 명〔중세 : 비ᄅᆞ〕개·나귀·말 등의 피부에 생기는 병. 온몸에 점점 번지며 털이 빠짐.
[비루 오른 강아지 범 복장거리시킨다] 못난 자가 때로는 유능한 자에게 타격을 줌을 이르는 말.

비루[2] 명〈방〉벼루[1](경상·전라).

비루[3]【飛樓】명 매우 높은 곳에 세운 누각(樓閣). 비각(飛閣).

비루[4]【悲淚】명 슬퍼서 흘리는 눈물. 슬픔의 눈물. 「다 형여불

비:루[5]【鄙陋】명 마음이 고상하지 못하고 더러움. ¶~한 생각. ——-하

비루니〔Biruni, al-〕명〖사람〗페르시아의 철학자·과학자. 아라비아어로 저작(著作)함. 의학·천문·수학·물리·지리·역사 등 다방면에 걸쳐 연구함. 고대 제민족의 역법·연대를 다룬 저서가 있음. 지구의 자전(自轉)을 주장하였고, 보석·금속의 비중을 측정함. [973-1048] 「다.

비루-먹다 자 개·나귀·말 등이 비루에 걸리다. ¶비루먹은 강아지 갈
[비루먹은 강아지 대호(大虎)를 건드린다] 대적(對敵)할 수 없는 이에게 철없이 함부로 덤빈다는 뜻. 하룻강아지 범 무서운 줄 모른다.

비루수 부〈옛〉비로소. =비르소. ¶치위예 비루수 샐리ᄂᆞᆫ ᄃᆞᆺᄒᆞ며(寒始急)《杜諺 XXI:14》.

비루스〔도 Virus〕명〖의〗'바이러스'의 독일어명.

비룩 명〈방〉①〖충〗벼룩(전라·경북). ②벼랑(전남).

비:류[1]【比類】명 ①비슷한 종류. ②서로 비교할 만한 물건.

비류[2]【非類】명 ①같지 아니한 종류. ②사람 같지 아니한 사람을 비유

비류[3]【飛流】명 세차게 흘러 내려감. 또, 그 흐름. ㄴ하는 말.

비류[4]【匪類】명 비도(匪徒).

비:류-강【沸流江】명〖지〗평안 남도 양덕군(陽德郡)에서 발원하여 양덕(陽德)·성천(成川) 등지의 산간 지대를 흘러 대동강(大同江) 중류에서 합치는 강. 특히 성천 부근의 급류는 그 곳에 기암 절벽의 절경(絶景)을 전개하고 있음. [151km]

비류-국【沸流國】명〖역〗기원전 1세기경에 압록강 지류인 동가강(佟佳江) 유역에 있었던 작은 나라. 주몽(朱蒙)에게 항복하였다 함.

비:류-왕【比流王】명〖사람〗백제의 제11대 왕. 구수왕(仇首王)의 둘째 아들로, 오랫 동안 민간(民間)에서 살았으므로 민간의 사정을 잘 알고 있었다 함. [재위: 304-343]

비류 직하【飛流直下】명〔이백(李白)의 《여산 폭포(廬山瀑布)》란 시의 '飛流直下三千尺, 疑是銀河落九天'에서 온 말〕곧바로 아래로 흘러 떨어짐.

비:륜[1]【比倫】명 비교하여 같은 종류가 될 만함. ——-하다 형여불

비륜[2]【飛輪】명 '태양'의 이칭(異稱).

비:륭【比隆】명 융성(隆盛)을 겨룸. ——-하다 자여불

비:르[1]〔네 bier〕명 맥주(麥酒). 비어.

비르[2]〔birr〕의명 에티오피아의 통화 단위. 1비르는 100 센트(cent).

비르서 부〈옛〉비로소. ¶비르서 이제 마ᄌᆞ리라(方契此矣)《金剛 上 18》.

비르서시놀 자타〈옛〉비롯하시거늘. '비롯다[1]'의 활용형. ¶이ᄀᆞ티 세 번 請ᄒᆞ샤 ᄆᆞᆺ고 다시 비르서시ᄂᆞᆯ(如是三請ᄒᆞ샤終而復始ᄒᆞ야시ᄂᆞᆯ)《圓覺 下 三之二 5》. 「올ᄒᆞ리라(依本分如法始得)《蒙法 33》.

비르소 부〈옛〉비로소. =비루수. ¶本分ᄋᆞᆯ 브터 法다비 ᄒᆞ야ᅀᅡ 비르소

비르솜 자타〈옛〉비롯함. '비릇다[1]'의 명사형. =비르숌·비르숨. ¶비르솜 업슨 大廣ᄒᆞᆫ 劫으로 오매(無始廣大劫來)《牧訣 24》.

비르수 부〈옛〉비로소. ¶旄頭ㅣ 처엄 비르수 어즈러우니(旄頭初俶擾)《杜諺 Ⅱ:10》.

비르숨 자타〈옛〉비롯함. '비릇다[1]'의 명사형. =비르솜. ¶클셔 萬法이 브터 비르수미여(大矣哉萬法資始也)《圓覺 序 31》.

비르숌 자타〈옛〉비롯함. '비릇다[1]'의 명사형. =비르솜. 비르숨. ¶敢히 헐워샹히오디 아니홈이 효도의 비르숍이오(不敢毁傷孝之始也)《初杜諺 Ⅷ:23》.

비르켈란〔Birkeland, Christian〕명〖사람〗노르웨이의 물리학자·화학자. 처음으로 공중 질소(空中窒素)의 고정에 성공하였고, 이 외에 전자 이론(電磁理論)·전기 진동 등에 관한 업적이 있음. [1867-1917]

비르타넨〔Virtanen, Artturi Ilmari〕명〖사람〗핀란드의 생화학자. 뿌리혹 박테리아의 질소 고정(窒素固定)의 화학적 기구를 밝히었음. 식량 보존에 관한 연구로 1945년 노벨 화학상을 받음. [1895-1973]

비르투오소〔이 virtuoso〕명〖악〗연주하는 데에 있어서 기교(技巧) 방

비륵 명〈방〉〖충〗벼룩(경상). ㄴ면에 능한 사람.

비릇다 자타〈옛〉비롯하다. ¶君子의 道ᄂᆞᆫ ᄭᅳᆺ치 夫와 婦에 비릇ᄂᆞ니라 ᄒᆞ시니(君子之道造端乎夫婦)《小諺 序 3》.

비름[1] 명〖식〗①비름과에 속하는 개비름·비름·색비름·털비름 등의 총칭. ②[*Amaranthus mangostanus*] 비름과에 속하는 일년초. 줄기는 털이 없고, 곧게 서며 높이 1m 가량임. 잎은 호생하고 마름모꼴의 달걀꼴이고 엽병(葉柄)이 길며, 표면은 녹색·홍색·자색·암자색에 자색 무늬가 있는 것도 있음. 여름에서 가을에 백록색의 잔 꽃이 수상(穗狀) 화서로 정생 또는 액출하며 다수 총생(叢生)하여 피고, 개과(蓋果)는 타원형에 막질(膜質)임. 밭이나 길가에 나는데, 인도 원산(原產)으로 한국·중국·대만·일본·말레이 지방에 분포함. 재배도 하며, 어린 잎은 식용함. 한채(莧菜).

〈비름[1]❷〉

비름[2] 명〈방〉비듬[1](강원·충북).

비름-과【一科】[一꽈] 명〖식〗[Amarantaceae] 쌍자엽 식물 이판화류에 속하는 한 과. 전세계에 500여 종, 한국에는 개비름·맨드라미·비름·색비름 등의 10여 종이 분포함.

비름 나물 명 어린 비름의 잎이나 줄기를 데쳐서 고추장·기름 등에 무친 나물. 「《杜諺 XXII:27》.

비릇 부〈옛〉비로소. ¶여희엿던 ᄂᆞᄎᆞᆯ 비릇 ᄒᆞᆫ번 펴니다(別顏始一伸)

비릇다 자타〈옛〉비롯하다. ¶元은 비르슬시오(元始也)《圓覺 序 18》.

비릊다 타 산점(產漸)이 있어서 아이를 낳으려는 동작을 일으키다. ¶오주의 안해는 아이를 비릊기만 하고 낳지 못하여…《洪命憙 : 林巨正》.

비리[1] 명〈방〉비루[1].

비리[2] 명〈방〉벼루[1](전라·경상·강원).

비리[3] 명〈방〉〖식〗상치[1](경북).

비리[4] 명〈방〉진딧물(경남).

비:리[5]【仳離】명 이산(離散)❷. ——-하다 자여불

비리[6]【非理】명 ①도리(道理)가 아님. 이치에 어그러짐. ¶~인 줄 알면서. ②비도(非道)와 정리(正理).

비리[7]【飛履】명〖악〗춘앵전(春鶯囀)에서 오른발, 왼발의 순으로 한 발씩 장단에 맞추어 앞으로 내미는 춤사위.

비:리[8]【鄙俚】명 풍속·언어 등이 촌스럽고 속됨. ——-하다 형여불

비리기 명〈방〉〖충〗벼룩(강원·경북). 「《楞嚴 Ⅰ:42》.

비리누리다 형〈옛〉비리고 누리다. ¶비리 누류미 섯모ᄃᆞ며(腥臊交)

비리다 형〔중세 : 비리다〕①물고기·날콩·동물의 피에서 나는 냄새나 맛과 같다. ②너무 적어서 마음에 차지 아니하다. ③하는 일이 아니꼽다.

비리-먹다 자〈방〉비루먹다. ㄴ1)-3):>배리다.

비리미 명〈방〉〖식〗비름[1](황해).

비리-비리 부 비틀어지게 여윈 모양. >배리배리. ——-하다 형여불

비리우다 타〈옛〉비리게 하다. ¶되돌히 四海ᄅᆞᆯ 비리우니(羯胡腥四海)《杜諺 XXIII:55》.

비리척지근-하다 형여불 비린 맛이나 냄새가 조금 나는 듯하다. ㊟비리치근하다·비척지근하다·비치근하다. >배리착지근하다.

비리치근-하다 형여불 ↗비리척지근하다.

비리 호:송【非理好訟】명 이치에 닿지 아니하는 송사를 잘 일으킴.

비릭 명〈방〉벼룩(경북).

비:린[1]【比隣】명 바로 이웃.

비:린[2]【鄙吝】명 다랍게 인색함. ——-하다 형여불

비린-내 명 비린 냄새. 성취(腥臭).
비린내(가) 나다 구 ㉠비린 냄새가 나다. ㉡↗젖비린내 나다.

비린-잎 명〈방〉〖식〗비름[1](전라).

비림[1] 명〈방〉〖식〗비름[1](전남).

비:림[2]【賁臨】명 광림(光臨). ——-하다 자여불

비림[3]【碑林】명 중국 산시성(陝西省) 시안(西岸)의 공자묘(孔子廟)에 보존되어 있는 많은 비(碑). 그 비문(碑文)의 탁본(拓本)을 비림본(碑林本)이라고 함.

비:림 비:공【批林批孔】명〖정〗중국에서, 1973년말부터 전 국방상·당 부주석이었던 린 뱌오(林彪)와 그가 즐겨 인용한 공자(孔子)를 아울러서 비판·비난한 운동. 노예주 귀족(奴隷主貴族)을 편든 공자의 사상을 당 노선(路線)에 끌어들여 자본주의 부활을 꾀했다는 내용임.

비:-림프구【B—球】〔lymph〕명〔B lymphocyte〕〖생〗비세포(B細胞).

비:립-종【脾粒腫】명〖의〗속립종(粟粒腫).

비릿-비릿 부 ①남이 주는 물건이 인색하게 적고 낮은 모양. ②남에게 무엇을 청구할 때 스스로 느껴지는 더러움과 아니꼬움. >배릿배릿[1]. ——-하다 형여불

비릿-하다 형여불 조금 비린 듯하다. >배릿하다.

비ᄅᆞ 명〈옛〉비루[1]. ¶외히려 비ᄅᆞ머근 여ᅀᅵ 몸도 얻디 몯ᄒᆞ리온(尙不得疥癩野干之身)《龜鑑 下 36》.

비ᄅᆞ먹다 자〈옛〉비루 먹다. ¶비ᄅᆞ 먹고(疥)《老乞 下 9》. 「34》.

비ᄅᆞᆷ 명〈옛〉비름[1]. ¶비ᄅᆞᆷ을 다가 ᄉᆞᆲ마 먹쟈(把莅荇來煮喫)《朴解 中

비ᄅᆞᆺ다 자타〈옛〉비롯하다. =비롯다. ¶이 虛妄ᄋᆞᆯ 因ᄒᆞ야 ᄆᆞᆺ고 ᄯᅩ 비ᄅᆞᆺᄂᆞ니라(因此虛妄終而復始)《楞嚴 Ⅳ:32》.

비:마[1]【肥馬】명 살찐 말.

비마[2]【飛馬】명 ①나는 듯이 빨리 닫는 말. 준마(駿馬). ②바둑에서, 가의 둘째 줄에 있는 말에서 상대방 집 쪽으로 눈목(目)자로 갓줄에 놓는 점. 주로 끝내기 단계에서 함.

비마[3]【萆麻·茈麻·蓖麻】명〖식〗피마자.

비마[4]【騑馬】명 곁마(馬).

비:마 경구【肥馬輕裘】명〔살찐 말과 가벼운 옷이라는 뜻〕부귀한 사람의 외출할 때의 차림새를 일컫는 말.

비마:나〔범 vimāna〕명 인도에서의 사원(寺院)의 본전(本殿) 뒤에 솟아 있는 고탑 건축(高塔建築).

비마라-힐【毘摩羅詰】명〖불교〗유마(維摩).

비마-자【萆麻子·蓖麻子】명 피마자❶.

비마자-유【萆麻子油】명 피마자유(油).

비마ᄌᆞ 명〈옛〉피마자. =피마ᄌᆞ. ¶비마ᄌᆞ(萆麻子)《救簡 Ⅰ:20》.

비막【飛膜】명〖생〗조류(鳥類)가 아닌 박쥐·날도마뱀·날다람쥐 따위의 육서(陸棲) 척추 동물의 활공(滑空) 내지 비행에 쓰이는 특수화(特殊化)한 피부. 주로, 전지(前肢)·체측(體側)·후지(後肢)에 걸쳐 막상(膜狀)으로 되어 있음.

비:만[1]【肥滿】명 몸에 기름기가 많아 뚱뚱함. ¶~형. ——-하다 형여불

비:만[2]【痞滿】명〖한의〗가슴과 배가 부르고 속이 답답하며 몹시 가쁜 병.

비:만 세:포【肥滿細胞】명〔mast cell, mastocyte〕〖생〗척추 동물의 결합 조직(結合組織) 중에 널리 분포하는 세포. 특히, 모세 혈관에 따라 많이 분포하는 달걀꼴·원형의 세포로 히스타민(histamine)·세로토닌(serotonin)·헤파린(heparin)을 함유함. 세포 붕괴로 과립 및 과립 속의 물질이 방출되면 알레르기 반응을 일으킴.
비:만-아【肥滿兒】명 일반적으로 체중이 신장(身長)상에서 본 연령, 곧 신장 연령에 있어서의 평균치보다 20% 이상 많은 어린이. 또, 로러(Rohrer) 지수(指數)가 160 이상 되는 어린이. 몸이 고르게 비만하며, 지능은 일반적으로 나쁘지 않지만 동작이 느리고 사물에 쉽게 싫증을 내는 경향이 있음. *로러 지수(Rohrer 指數).
비:만 요법【肥滿療法】[―뇨뻡] 명〖의〗병후 또는 몹시 여윈 건강한 사람의 신체를 뚱뚱하게 만드는 요법. 영양(營養) 요법의 기초가 됨.
비:만-증¹【肥滿症】[―쯩] 명〖의〗지방질이 너무 많아져서 몸이 뚱뚱해지고 동작이 둔해지는 병. 비반증(肥胖症). 지방 과다증.
비:만-증²【痞滿症】[―쯩] 명〖한의〗비만(痞滿)의 증세.
비:만-형【肥滿型】명 독일의 정신 의학자 크레치머(Kretschmer, Ernst; 1884-1964)에 의한 정상 체질 분류의 한 형. 얼굴은 넓고, 목은 굵으며, 가슴·배는 넓고 크며, 키는 중(中) 정도.
비말【飛沫】명 날아 흩어지는 물방울. 안개같이 튀어 오르는 물방울.
비말 감:염【飛沫感染】명〖의〗비말 전염(飛沫傳染). 「비말 감염.
비말 전염【飛沫傳染】명〖의〗타액(唾液)의 비말 등에 의한 병의 전염.
비말 흡입 감:염【飛沫吸入感染】명〖의〗기도(氣道) 감염.
비망¹【非望】명 ①분에 넘치는 희망. ②도저히 이루어질 수 없는 희망. 불가능한 희망. 「비에 대비(對備)함.
비:망²【備忘】명 잊어버리지 아니하기 위한 준비. 잊어버릴 경우의 준
비:망³【備望】명〖역〗↗비삼망(備三望).
비망⁴【蜚䗁】명〖충〗등에. 「지(承旨)에게 전하는 문서.
비:망-기【備忘記】명 ①불망기. ②〖역〗임금의 명령(命令)을 적어서 승
비:망-록【備忘錄】[―녹] 명 잊어버리지 아니하려고 적어 두는 책자.
비매 동맹【非買同盟】명〖사〗불매 동맹. ㄴ총명기(聰明記).
비매-품【非賣品】명 팔지 아니하는 물품. ↔매품(賣品).
비멘델 유전【非―遺傳】명〔non Mendelian inheritance〕〖생〗'멘델의 법칙'으로는 설명할 수 없는 유전. 유전 인자(因子)가 염색체에 있지 아니하고 세포질 속에 있다고 설명하는 유전. 염색체 연구가 진보함에 따라 모든 유전은 멘델의 법칙으로 설명할 수 있게 되었으며 현재는 '세포질 유전'만이 이 이름으로 불리고 있음.
비면【碑面】명 비(碑)의 면(面). 빗돌의 거죽.
비명¹【非命】명 천명(天命)이 아님. 뜻밖의 재난(災難)으로 죽음. 비업(非業). ¶ ~에 가다.
비명²【悲鳴】명 ①슬피 욺. 또, 그 소리. ②위험·공포 등을 느낄 때에 갑자기 외마디 소리를 지름. 또, 그 소리. ――하다 자여불 「다.
비명을 올리다 구 어찌할 수 없는 곤경에 처하였을 때에 우는 소리를 하
비명³【碑銘】명 비(碑)에 새긴 글.
비명 횡사【非命橫死】명 제 목숨대로 살지 못하고 뜻밖의 재앙을 만나
비모¹【非謀】명 옳지 못한 꾀. ㄴ죽음. ――하다 자여불
비:모²【秘謀】명 비계(秘計).
비:모³【費耗】명 ①써서 없앰. 또, 그 비용. ②〖역〗환모(還耗). ――하
비:모⁴【鼻毛】명 콧구멍 속에 난 털. 코털. ㄴ다 타여불
비:-모음【鼻母音】명〖어〗구강(口腔)에서의 조음(調音)과 동시에 호기(呼氣)가 비강(鼻腔)에도 빠져, 비강의 공명(共鳴)을 수반하는 모음. 국제 음성 기호에서는 보통의 모음 기호의 위에 '~'을 붙여서 표시함. [ã] 등. 「집을 피(避)하는 재정 방침.
비-모채주의【非募債主義】[―/―이] 명〖정〗정책상, 공채(公債) 모
비목¹【飛木】명 재목을 다듬느라고 대자귀질을 할 때 자귀에 찍혀 나오는 나뭇 조각. 자귓밥.
비:목²【費目】명 지출하는 비용의 명목(名目).
비목³【碑木】명 목비(木碑). ¶ 산골짝 ~/외로이 서 있는 ~.
비:목-곡【比目曲】명〖악〗신라 시대 거문고의 명인 옥보고(玉寶高)가 지은 30곡 중의 하나.
비목-나무 명〖식〗[*Benzoin erythrocarpum*] 녹나뭇과에 속하는 낙엽 활엽의 작은 교목. 높이 6m 가량이고, 잎은 도피침형이며 가에 톱니가 없음. 4-5월에 황색 꽃이 자웅 이가(雌雄二家)의 산형(繖形) 화서로 엽액(葉腋)에서 피고, 둥근 장과(漿果)는 10월에 적색으로 익음. 산기슭의 골짜기에 나는데, 한국 중부 이남과 일본에 분포함. 기구(器具) 재
비:목-어【比目魚】명〖어〗넙치. ㄴ료로 쓰임. 보얀목.
비:목 유용【費目流用】[―뉴―] 명 국가 예산의 동일한 항(項)에 속하는 각목간(各目間)에서 경비를 유용하는 일. 예산 유용.
비몽-간【非夢間】명 비몽 사몽간(非夢似夢間). 「(似夢非夢).
비몽 사:몽【非夢似夢】명 꿈인지 생시인지 어렴풋한 상태. 사몽 비몽
비몽 사:몽간【非夢似夢間】명 깊이 잠들지도, 깨지도 아니한 어렴풋한 동안. 사몽 비몽간(似夢非夢間). 비몽간.
비몽-포【飛礞砲】명 손으로 불씨를 점화하여 인마(人馬) 살상용 독화약이 든 자포(子砲)를 발사하는 조선 시대의 화포.
비-무장【非武裝】명 군대나 경찰이 갖추어야 할 무기 등의 장비를 갖추지 아니함. 무장하지 아니함. ¶ ~ 지대. *무장 해제(武裝解除).
비무장 도시【非武裝都市】명 전쟁할 때에 아무런 무장도 하지 아니한 도시. 무방비(無防備) 도시. 「고, 중립을 지키는 정책.
비무장 중립【非武裝中立】[―닙] 명 일체의 무력 수단을 배제(排除)하
비무장 지대【非武裝地帶】명 ①무장을 하지 아니한 지대. ②조약 등에 의해서 무장이 금지된 지역. 단순히 군사 공작물의 구축만을 금지하는 경우와 병력 배치 일체를 금지하는 경우가 있음. 중립 지대의 한 가지. 완충 지대. 약칭: 디 엠 지(DMZ).
비문¹【非文】명 문법적으로 맞지 않은 문장. 어법이나 내용의 논리가 맞지 않은 문장.
비:문²【卑門】명 자기 가문을 낮추어 이르는 말.
비:문³【秘文】명 ①비밀의 주문(呪文). ②↗비밀 문서(秘密文書).
비문⁴【碑文】명 비(碑)에 새긴 글. 비지(碑誌). 비판(碑版).
비:문⁵【鼻門】명 콧구멍.
비:문⁶【鼻紋】명 소의 코 근처에 있는 무늬. 사람의 지문(指紋)과 같이 하나 하나가 서로 다르므로 이것으로 도망친 소를 식별함.
비문-증【飛蚊症】[―쯩] 명〖의〗안구(眼球)의 유리체(琉璃體)가 혼탁(混濁)할 때, 그 혼탁이 망막(網膜)에 나타나, 환자가 그의 눈앞에 모기 모양의 작은 흑점(黑點)이 떠돌아 다니는 듯이 보이는 병증.
비-문화적【非文化的】명관 문화적이 아닌 모양.
비:뮤:스【BMEWS】명〔ballistic missile early warning system〕〖군〗탄도 미사일 조기 경계 조직. 「解 上 9≫.
비므슬 명〈옛〉빗물. ¶ 올히 비므슬히 마장 하니(今年雨水十分大)≪朴
비:미¹【肥美】명 땅이 기름져서 좋음. ――하다 형여불
비:미²【卑微】명 비천(卑賤). ――하다 형여불
비미³【霏微】부 비비(霏霏). ――하다 형여불
비:민【痞悶】명〖한의〗가슴과 배가 몹시 답답한 병. 비울(痞鬱).
비-민주적【非民主的】관명 민주적이 아닌 (것). ¶ ~ 제도.
비:밀【秘密】명 ①〖불교〗비오 심밀(秘奧深密)하여 쉽사리 사람에게 알려질 수 없는 교의(敎義)라는 뜻으로, 진언종(眞言宗)에서 자가(自家)의 교의를 일컫는 말. ②숨기어 남에게 공개하지 아니하는 일. 또, 밝혀지지 않거나 알려지지 않은 속내. 시크릿(secret). ¶ ~을 밝히다/성공의 ~/우주의 ~. ③그 내용이 누설되는 경우 국가 안전 보장(國家安全保障)에 유해로운 결과를 초래할 우려가 있는 국가 기밀. 1급·2급·3급 비밀 및 대외비(對外秘)로 분류됨. 2)·3): 준비(秘). ――하다 형여불. ――히 부
비:밀 결사【秘密結社】[―싸] 명〖사〗법률에 정하여진 신고(申告)를 하지 아니하고 그 목적(目的)·조직(組織)·행동(行動)·소재(所在) 등을 비밀로 하는 결사. 종교적·정치적·범죄적인 목적의 것 등이 있음. 비밀 단체(秘密團體).
비:밀 경:찰【秘密警察】명 비밀로 조직하여 비밀리(裡)에 활동하는 정치 경찰. 주로 전체주의 국가나 후진 국가에서 볼 수 있음. 소련의 케이 지 비(K.G.B.)나 나치스 독일의 게슈타포(Gestapo) 같은 것.
비:밀 공작【秘密工作】명 정부의 관계 부처나 기관에서 수행하거나 후원하여 행하는 정보·방첩 등의 비밀스러운 공작. 「정(灌頂).
비:밀 관:정【秘密灌頂】명〖불교〗진언 밀교(眞言密敎)에서 행하는 관
비:밀-교¹【秘密敎】명 진언종(眞言宗)처럼, 행법(行法)·교의(敎義) 등을 비밀로 하고, 특수한 수업(修業)을 하는 종교. 밀교(密敎).
비:밀-교²【秘密敎】명〖책〗일종의 진언집(眞言集)으로, 설악(雪嶽)·연파(戀波)·몽은(夢隱) 삼대사(三大師)가 편찬한 책. 조선 왕조 정조(正祖) 8년(1784)에 간행. 1권.
비:밀 누:설죄【秘密漏泄罪】[―루―쬐] 명〖법〗①의사·약사·약종상(藥種商)·조산원(助産員)·변호사·공증인(公證人) 또는 그러한 직(職)에 있는 사람이 업무상 알게 된 남의 비밀을 누설함으로써 이루어지는 죄. ②공무원 또는 공무원이었던 자가 법령에 의한 직무상 비밀을 누설함으로써 이루어지는 죄.
비:밀 단체【秘密團體】명〖사〗①비밀 결사(秘密結社). ②미개 사회(未開社會)에서 주술(呪術)·제의(祭儀) 또는 이니시에이션(initiation)을 집행하는 의식 단체(儀式團體).
비:밀 동맹【秘密同盟】명〖정〗비밀히 맺는 두 나라 사이의 동맹.
비:밀-리【秘密裡】명 비밀한 가운데. ¶ ~에 회의를 열다/~에 만나다.
비:밀 문서【秘密文書】명 남에게 알려서 아니 될 문서. 비밀로 취급되는 문서. 준비문(秘文). 「숫자. 암증 번호(暗證番號).
비:밀 번호【秘密番號】명 본인임을 증명하는, 미리 등록해 놓은 비밀한
비:밀 불교【秘密佛敎】명〖불교〗밀교(密敎)❷.
비:밀 선:거【秘密選擧】명〖정〗무기명 투표로 하는 선거. 비밀 투표로 하는 선거. ↔공개 선거.
비:밀-스럽다【秘密―】형ㅂ불 보기에 비밀하다. ¶ 비밀스러운 내용.
비:밀-스레【秘密―】부 비밀스럽게.
비:밀 심리주의【秘密審理主義】[―니―/―니―이] 명〖법〗소송의 심리를 일반에게 공개하지 않는 주의. 법관의 다수결로써 공서 양속(公序良俗)을 해칠 위험이 있는 경우에 한함. 특히 소년 보호 사건(保護事件)은 공개하지 아니함. ↔공개(公開) 심리주의.
비:밀 외:교【秘密外交】명〖정〗국민에게 알리지 아니하고 정부 당국자에 의하여 비밀리(秘密裡)에 행하여지는 외교. ↔공개 외교.
비밀 위성【秘密衛星】명〔classified satellites〕쏘아 올린 그 자체 또는 여러 데이터에 관한 내용을 발표하지 아니하는 인공 위성. 대개 군사(軍事) 위성임. 「재판.
비:밀 재판【秘密裁判】명〖법〗비공개로 진행되는 재판. ↔공개(公開)
비:밀 적립금【秘密積立金】[―닙―] 명〖경〗대차 대조표에 명기되어 있지 아니하고 실질적으로 적립되어 있는 것과 같은 효과를 가지는 금액. 감가 상각(減價償却)의 과대 평가나 자산(資産)의 과소 평가의 경우 따위.
비:밀 조사【秘密調査】명 본인과 남에게 알리지 아니하고 넌지시 하는 조사. 「끼리 비밀리에 맺는 조약.
비:밀 조약【秘密條約】명〖정〗다른 나라에 알리지 아니하고 당사국
비:밀-주【秘密呪】명〖불교〗진언(眞言) 비밀의 주문(呪文). 곧, 진언 다라니(眞言陀羅尼).

비:밀-주의【秘密主義】[－/－이] 명 무엇이든 비밀로 해 두려는 생각이나 주장.

비:밀 준:비금【秘密準備金】명〖경〗대차 대조표에 준비금의 명목으로 계상되어 있는 것은 아니나, 자산의 과소 평가 또는 부채의 과대 평가 등의 방법에 의하여 실질상 만들어진 준비금.

비:밀 준수의 의:무【秘密遵守一義務】[－/－에－] 명〖법〗묵비의 무.

비:밀 증서【秘密證書】명〖법〗유언(遺言) 증서 작성 방식의 하나. 민법에 정하여진 일정한 방식에 의하여 작성한 유언서를 밀봉하여 공증인에게 제출하여 확인을 받아 두는 것.

비:밀 첩보【秘密諜報】명 국방상 공개를 제한할 필요가 있는 첩보.

비:밀 출판【秘密出版】명 비합법적인 출판물을 몰래 간행(刊行)하는 일. 또, 그 출판물.

비:밀 침해죄【秘密侵害罪】[－쬐] 명〖법〗①봉함(封緘) 등 비밀 장치한 타인의 신서(信書)·문서(文書)·도화(圖畫)를 개피(開披)함으로써 성립하는 죄. 구용어: 신서 개피죄(信書開披罪). ②넓은 뜻으로, ❶의 죄(罪)와 비밀 누설죄(秘密漏泄罪)의 총칭.

비:밀 통신【秘密通信】명 아무도 모르게 왕래하는 통신.

비:밀 투표【秘密投票】명 선거에서 투표의 한 가지. 유권자(有權者)가 어떤 후보자에게 투표하였는지를 비밀히 하는 투표 방법. 무기명(無記名) 투표. ↔공개 투표.

비:밀 투표제【秘密投票制】명〖정〗투표가 어느 선거인으로부터 나왔느냐를 비밀로 하는 제도. 무기명 투표제.

비:밀 특허【秘密特許】명〖법〗군사상(軍事上) 비밀을 필요로 하는 특허. 출원(出願)이 있으면 출원 서류(出願書類)와 부속(附屬) 물건은 비밀리에 취급되고, 사정(査定)과 출원 공고(出願公告)의 결정을 하지 아니하고 내주게 됨.

비:밀-회【秘密會】명 ①비밀히 하는 집회(集會). ②비밀 회의.

비:밀 회:의【秘密會議】[－/－이] 명 공개하지 아니하고 비밀히 하는 회의. 비밀회(秘密會). ↔공개 회의.

비-바람 명 ①비와 바람. ②비를 휘몰아치는 바람.

비바리 명 ①〈방〉처녀(處女)(제주). ②바다에서 고기 잡는 일로 업을 삼는 처녀. ㊈비발.

【비바리는 말똥만 보아도 웃는다】시집 안 간 처녀는 우습지 아니한 일에도 곧잘 웃음을 이름.

비바체〔이 vivace〕명〖악〗'빠르게·생기 있게'의 뜻.

비바치시모〔이 vivacissimo〕명〖악〗'아주 생기 있고 빠르게'의 뜻.

비바크〔도 Biwak〕명 등산에서, 야영(野營). 비부아크(bivouac).

비박[1]【菲薄】명 얼마 안 되어 변변하지 못함. ——하다 형여불

비:박[2]【卑薄】명 열등함. 적음. 또, 그런 모양. ——하다 형여불

비:박[3]【鄙薄】명 야비하고 천박함. ——하다 형여불

비:박[4]【臂膊】명 팔과 어깨.

비:반【肥胖】명 살이 뚱뚱하게 찜. ——하다 형여불

비:반-증【肥胖症】[－쯩] 명〖의〗비만증(肥滿症).

비발[1] 명 비용(費用). ¶ ～이 나다.

비발[2] 명 ↗비바리.

비발디〔Vivaldi, Antonio〕명〖사람〗이탈리아의 작곡가·바이올린 연주가. 베네치아에서 신부가 되고, 1703-40년 여자 음악 학교에서 교편을 잡으면서 모텟·칸타타·콘체르토·미사 등의 많은 곡을 썼으며, 오페라는 40곡이나 됨. 그러나 작품의 중심이 되는 것은 450곡 이상의 콘체르토로, 바이올린과 오케스트라를 위한 《화성과 창의(創意)의 시도》의 처음 네 곡은 《사계(四季)》로서 특히 유명함. [1675?-1741]

비:밥〔be'bop〕명〖악〗1940년 초기에 창시된 음악 형식. 모던 재즈의 시초로, 리듬의 악센트의 위치를 바꾸거나 리듬을 복잡화하고 불협화음(不協和音)을 강조한 새로운 하모니를 씀. 지금은 별로 쓰지 않음. 리밥. 리밥(rebop).

비:방[1]【比方】명 서로 견주어 봄.

비:방[2]【比倣】명 견주어 보아 비슷함. ——하다 형여불

비:방[3]【秘方】명 ①비밀한 방법. 비법(秘法). ¶ ～을 쓰다. ②비밀로 되어 있는 약의 처방(處方). ¶ ～약.

비방[4]【誹謗】명 비웃어 말함. 남을 헐어서 말함. 기방(譏謗). 비산(誹訕). 참방(譖謗). ——하다 타여불

비:-방사능【比放射能】명〔specific activity〕〖물〗①시료(試料) 속에 존재하는 어떤 방사성 동위 원소의 단위 중량당(單位重量當) 그 원소의 방사능. ②순수 방사성 핵종(核種)의 단위 질량당 방사능. ③방사성 물질 시료의 단위 중량당 방사능.

비-방수호【非放水湖】명〖지〗물이 흘러들기만 하고 흘러나가지 아니하는 호수.

비방-주【枇房主】명〖역〗조선 시대 사헌부(司憲府)의 감찰(監察)가운데 방주(房主)와 상하(上下) 유사(有司)의 다음인 네째 감찰.

비방-질【誹謗－】명 비방하는 짓. ——하다 타여불

비:방-청【裨房廳】명〖역〗동몽청(童蒙廳).

비밭다 타〈방〉뱉다(함경·충남).

비:배[1]【肥培】명 식물에 거름을 주고 가꿈. ——하다 자여불

비배[2]【碑背】명 비음(碑陰)❶.

비:배 관:리【肥培管理】[－괄－] 명 토지를 걸우어서 식물을 가꿈. ——하다 타여불

비-배우자체【非配偶子體】명〔agamete〕〖생〗원생(原生) 동물의, 배우자(配偶子)가 아닌 개체(個體). 무성적(無性的)으로 분열함.

비-배출형【非排出型】명〖생〗침·위액(胃液)·오줌·젖·정액(精液) 같은 것의 속에 그 사람의 혈액형을 나타내는 물질이 배출되지 아니하는 사람의 형. ↔배출형.

비백【飛白】명 비백서(飛白書).

비백 불난【非帛不煖】[－란] 명 비단 옷이 아니면 뜨뜻하지 아니하다는 뜻으로 노인의 쇠약(衰弱)해진 때를 이름. ——하다 자여불

비백 비연【非白非煙】명 자수정(紫水晶)의 빛깔이 엷어서 백경(白鏡)도, 연경(煙鏡)도 아님.

비백-서【飛白書】명 한자(漢字)의 한 체(體). 팔분(八分)과 비슷한 서체인데, 후한(後漢)의 채옹(蔡邕)이 만들었다 함. 한위 시대(漢魏時代)의 궁전(宮殿)의 제서(題署)에 이 서체가 쓰이었음. 비백(飛白).

〈비백서〉

비:버〔beaver〕명〖동〗[*Castor firbe*] 쥐목(目) 비버과(科)의 수변(水邊) 동물. 몸길이는 80 cm, 꼬리는 37 cm, 몸무게는 18 kg 정도 되는, 쥐목 중 가장 큰 짐승임. 몸은 굵고, 꼬리는 넓고 편평한데 비늘로 덮였음. 이개(耳介)는 몹시 작고 뒷발의 물갈퀴로 헤엄도 치며, 날카로운 앞니로는 나무 등을 갉아서 넘어뜨리고 돌을 굴리어 물 속에 집을 짓기도 하는데, 수피(樹皮)를 주로 먹음. 북유럽·북아메리카·캐나다·시베리아 등에 분포함. 모피(毛皮)는 귀중하고 수컷의 항문선(肛門腺)은 '해리향(海狸香)'이라 하여 약용(藥用)·향료(香料)로 사용함. 해리(海狸). 바다삵.

〈비버〉

비:버 클로:스〔beaver cloth〕명 방모 직물(紡毛織物)의 하나. 날실과 씨실을 모두 방모사를 써서, 수자(繻子) 또는 사문(斜紋) 조직으로 짠 것. 비버의 모피(毛皮)와 비슷하게 짠 것으로, 주로 외투용으로 쓰임.

비번【非番】명 당번이 아님. ¶ 오늘은 ～이다. ↔당번(當番).

비:벌【剕罰】명 발굼치를 베는 형벌. 비벽(剕辟).

비-벌레 명〖동〗[*Phoronis australis*] 추충류(箒蟲類)에 속하는 전항(前肛) 동물의 하나. 몸길이 90 cm 가량이고, 몸은 원통형으로 가늘고 전단(前端)에 말굽 모양으로 말린 흑자색 촉수(觸手) 뭉치가 있어서 비처럼 보임. 특히 항문(肛門)이 구부(口部)의 배측(背側)에 열려 있고, 소화관은 V자형으로 되고, 심장(心臟)이 없음. 알은 보통 체내(體內)에서 수정(受精)하여 발육하는데, '악티노트로카(actinotrocha)'의 유생(幼生)을 거침. 바다에 서식함. ＊악티노트로카.

〈비벌레〉

비벌레-류【－類】명〖생〗추충류(箒蟲類).

비:벌수【比伐首】명〖역〗신라의 대일임전(大日任典)의 가장 아랫 벼슬.

비범【非凡】명 평범(平凡)하지 아니함. 보통이 아니고 매우 뛰어남. 또, 그 사람. 불범(不凡). 이륜(異倫). ¶ ～한 재주가 있다. ↔평범. ——하다 형여불

비범-인【非凡人】명 비범한 사람.

비법[1]【非法】명 불법(不法). ——하다 형여불

비:법[2]【秘法】[－뻡] 명 ①비방(秘方)❶. ②〖불교〗진언종(眞言宗)에서, 비밀의 기도(祈禱).

비베스〔Vives, Juan Luis〕명〖사람〗스페인의 인문주의자·철학자·교육자. '근대 실험 심리학의 시조'라고 불리며 영혼의 본질이 아닌 기능을 연구하여야 한다고 주장하는 등, 경험적 관찰·실험을 중시하고 스콜라 철학과 아리스토텔레스주의에 반대함. [1492-1540]

비베카:난다〔Vivekānanda〕명〖사람〗인도의 종교 철학자. 1881년 라마크리슈나(Ramakrishna)를 만나 그의 제자가 됨. 스승이 죽은 후, 라마크리슈나 교단(敎團)을 세우고 '모든 종교의 진리는 동일하다'는 불이 일원론(不二一元論)의 사상을 폄. [1862?-1902]

비:벽[1]【剕辟】명 비벌(剕罰).

비:벽[2]【鄙僻】명 성질이 비루하고 편벽됨. ——하다 형여불

비:변[1]【丕變】명 종래의 누습(陋習)을 타파함. ——하다 타여불

비:변[2]【鄙邊】명 비지(鄙地).

비:변-랑【備邊郞】[－별－] 명〖역〗조선 시대 때, 비변사(備邊司)의 낭관(郞官). 종육품(從六品)으로 정원 12 명임. ㊈비랑(備郞).

비:변-사【備邊司】명〖역〗조선 시대 때, 군국(軍國)의 사무를 맡아서 처리하던 관아. 처음 중종(中宗) 때 삼포 왜란(三浦倭亂)의 대책으로 베풀었으며, 변방에 일이 일어날 때마다 임시로 설치하다가, 을묘 왜변(乙卯倭變)을 계기로 하여 명종(明宗) 10년(1555)에 상치 아문(常置衙門)이 됨. 임진 왜란 때부터는 정치의 중추 기관(中樞機關)으로 변모(變貌)하여 의정부(議政府)를 대신해서 명실(名實) 공히 최고 아문이 되었다가 정조(正祖) 때에는 도로 규장각(奎章閣)에 그 기능을 빼앗기고 고종(高宗) 2년(1865)에 이르러 의정부에 합치었음. 비국(備局). 주사(籌司). ＊지변사 재상(知邊司宰相).

비:변사 등:록【備邊司謄錄】[－녹] 명〖책〗조선 시대 때, 비변사에서 논의된 중요 사항을 날마다 기록한 책. 광해군(光海君) 9년(1617)에서 고종(高宗) 29년(1892)까지 276년 동안의 기록이 남아 있음. 273책. 필사본. 국보 제 125호. 비국(備局) 등록.

비변증법적 유물론【非辨證法的唯物論】[－뻡－] 명〖철〗형이상학적 유물론.

비:변-책【備邊策】명〖역〗고려말에서 조선 시대 초기에 거족적(擧族的)으로 논의되던 오랑캐와 왜구(倭寇)를 막고자 한 방책. 이로써 비변사가 설치되었음.

비:병【痺病】명〖한의〗배꼽 언저리가 띵띵하고 누르면 아픈 병. 뼈마디가 쑤시고 팔다리가 느른하며 잠을 자꾸 자고, 신경 과민(神經過敏)·소화 불량(消化不良) 등 여러 가지 증세가 일어남.

비보[1]【飛報】명 급히 기별함. 급보(急報). ——하다 타여불

비:보[2]【秘報】명 비밀히 보고(報告)함. 또, 그 보고. ——하다 타여불

비:보[3]【祕寶】명 비밀히 간직한 보배.
비:보[4]【悲報】명 슬픈 기별. ¶ ~에 접하다. ↔낭보(朗報)·희보(喜報).
비:보[5]【裨補】명 도와서 보충함. ——-하다 타여불
비보[6]〔이 vivo〕명〖악〗'활발하고 빠르게'의 뜻.
비:보 사찰【裨補寺刹】명〖불교〗명처 명산(名處名山)에 절을 세우면 국운(國運)을 돕는다는 도선(道詵)의 비보 사탑설(裨補寺塔說)에 따라 세워진 절. 고려 때에 전국에 약 3,800개의 비보 사찰이 있었다 함.
비복【婢僕】명 계집종과 사내종.
비복-근【腓腹筋】명〖생〗하퇴부 뒤쪽의 피하에 있는 큰 근육. 위는 대퇴골의 하단(下端)에, 아래는 아킬레스 건(腱)이 되어 뒤꿈치 뼈에 붙음. 경골(脛骨) 신경의 지배를 받으며, 발뒤꿈치를 드는 데 중요한 역할을 함.
비복근 경련【腓腹筋痙攣】[—년] 명〖의〗비복근의 경련으로 진통을 동반하는 발작. 혈류 장애(血流障碍)·과로·탈수 증상(脫水症狀) 등에 의하여 일어남. 특히 고령자에서 볼 수 있는 것은 동맥 경화(動脈硬化)에 의한 것이 많음.

〈비복근〉

비:본【祕本】명 소중히 간직해 둔 책. 비서(祕書).
비-본적인【非本籍人】명〖법〗현재 살고 있는 시·읍·면의 관할(管轄) 안에 본적을 갖지 아니한 사람.
비봉[1]【飛蓬】명 흔들려서 안정하지 못함의 비유.
비:봉[2]【祕封】명 남에게 보이지 아니하려고 엄중히 봉함. 또, 그렇게 봉한 것. ——-하다 타여불
비봉[3]【碑峰】명 그 꼭대기에 비석(碑石)이 세워져 있는 봉우리.
비봉-산【飛鳳山】명〖지〗①경상 북도 의성군(義城郡) 다인면(多仁面)에 있는 산. [579 m] ②경상 북도 청송군(靑松郡) 진보면(眞寶面)과 파천면(巴川面) 경계에 있는 산. [671 m]
비:부[1]【比附】명〖역〗범죄를 단정(斷定)하는 데 정조(正條)가 없을 때 비슷한 조문(條文)이나 전례(前例)에 따라 의율(擬律)함.
비:부[2]【否婦】명 무지한 여인이나 부인.
비:부[3]【祕府】명 ①남이 알아서는 아니 될 귀중한 물건을 두는 곳집. 비고(祕庫). ②비각(祕閣).
비부[4]【蚍蜉】명〖충〗왕개미❷.
비부[5]【婢夫】명 계집종의 지아비.
비:부[6]【費府】명〖지〗'필라델피아(Philadelphia)'의 한자 이름.
비:부[7]【鄙夫】명 마음씨가 더러운 사내. 비루한 남자.
비:부[8]【鼻部】명〈궁중〉코.
비부 감:대수【蚍蜉撼大樹】명 개미가 큰 나무를 흔든다는 뜻으로, 견식이 좁은 사람이 망녕되게 큰 인물을 비평함을 비유한 말.
비부-루【蚍蜉瘻】명〖한의〗감루(疳瘻)의 한 가지. 누공(瘻孔)이 왕개미의 집과 비슷함.
비부아크〔프 bivouac〕명 등산에서, 야영(野營). 비바크(Biwak).
비:부 원:인【比附援引】명〖역〗다른 율(律)을 원인(援引)하여 비부(比附)하는 일. 비부 인율(引律).
비:부 인:율【比附引律】명〖역〗비부 원인(援引).
비부-쟁이【婢夫—】명〈속〉비부(婢夫).
비-부지【非不知】관 다른 말의 위에 붙어 '알지 못함이 아닌'의 뜻을 나타내는 관형사.
비:-부피【比—】명〔specific-volume〕〖물〗단위 질량(單位質量)의 물체가 갖는 부피. 밀도(密度)의 역수(逆數)와 같음. 비체적(比體積).
비:부피 편차【比—偏差】명〔specific-volume anomaly〕〖해양〗같은 압력 아래, 표준 해양(標準海洋)에서 비(比)부피보다 큰 부분. 비체적(比體積) 편차.
비분[1]【非分】명 ①제 분수가 아님. 제 신분에 지나침. 과분(過分). ②도리(道理)에 맞지 아니함.
비분[2]【悲憤】명 슬프고 분함. ——-하다 형여불
비분 강:개【悲憤慷慨】명 슬프고 분하여 마음이 북받침. ——-하다 자여불
비분 총:탁【非分寵擢】명 제 분수에 넘친 사랑을 받고 벼슬에 등용됨.
비분할 음소【非分割音素】명〖언〗운소(韻素).
비분화 맥암【非分化脈岩】명〖광〗그 모암체(母岩體)와 대체로 같은 성분을 가지는 맥암(脈岩). ↔분화 맥암(分化脈岩).
비:불【祕佛】명〖불교〗불감(佛龕) 속에 비장(祕藏)하여 남에게 보이지 아니하는 불상(佛像).
비-불능【非不能】[—릉] 명 할 수 있는 일을 일부러 하지 아니함.
비:-불발설【祕不發說】[—썰] 명 비밀에 붙여 두고 일체 말을 내지 아니함. ——-하다 타여불
비불-이라【非不—】부 '아닌게 아니라'의 뜻의 접속 부사.
비브라토〔이 vibrato〕명〖악〗음악 연주상(演奏上)의 기교의 한 가지. 목소리 또는 현악기의 음을 약간 떨려 울리게 함. 진동음.
비브라폰〔vibraphone〕명〖악〗타악기(打樂器)의 하나. 음률을 가진 쇳조각 아래에 전기 장치가 있는 공명체(共鳴體)를 붙인 철금(鐵琴). 독특한 긴 여운을 지님. 주로 경음악·재즈 등에 쓰임. 철금(鐵琴).

〈비브라폰〉

비브란테〔이 vibrante〕명〖악〗'비브라토를 붙여서'의 뜻.
비브리오〔vibrio〕명〖의〗곧은 또는 구부러진 그람 음성 간균(Gram 陰性桿菌). 한 가닥의 편모(鞭毛)로써 활발히 운동함. 콜레라균·장염(腸炎) 비브리오 따위.
비브리오 패:혈증【—敗血症】〔vibrio〕[—쯩] 명〖의〗연안의 해수·개펄 중에 분포하는 해수 세균인 비브리오 불니피쿠스(*Vibrio vulnificus*)균에 감염되어 오한·발열·복통·의식 혼탁·피부 괴사 등을 일으키며 때로는 치사에까지 이르게 하는 병. 어패류를 끓여 먹거나 민물에 씻어 먹는 것이 예방의 첩경임.
비블리오그래피〔bibliography〕명 ①서적(書籍)에 관한 학문. 서지학(書誌學). ②특정의 주제에 대한 참고 문헌의 목록.
비블리오마니아〔bibliomania〕명 장서광(藏書狂). 애서가(愛書家).
비븨다 타〈옛〉비비다. 뚫다. =싀븨다. ¶ 거부블 비븨며 디새롤 티노다(鑽龜打瓦)《金三 Ⅱ:3》.
비:비[1]【狒狒】명〖동〗①원숭잇과 파피오속(Papio屬)·코모피테쿠스속(Comopithecus 屬)·만드릴루스속(Mandrillus 屬)·테로피테쿠스속(Theropithecus屬)에 속하는 짐승의 총칭. 모두 8 종이 있는데, 아프리카·아라비아에만 분포함. ②망토비비.
비비[2]【悱悱】명 말을 하려고 하면서 아직 못함.
비비[3]【斐斐】명 꾸밈새가 있어 아름다운 모양. ——-하다 형여불
비:비[4]〔Beebe, Charles William〕명〖사람〗미국의 생물학자·탐험가. 꿩에 관한 연구로 유명하며 세계의 열대 지역에 과학적 탐험을 하고 버튼(Burton, O.)과 함께 잠수종(潛水鐘)에 의한 심해 잠수를 꾀하여 1934년에는 923 m의 심도(深度) 기록을 세움. [1877-1962]
비비[5]〔프 bibi〕명 소형(小型)의 여성용 모자. 토크(toque)·벨레·보닛·캡 따위의 총칭.
비:비[6] 부 여러 번 꼬이거나 뒤틀린 모양. >배배.
비:비[7]【比比】부 ①이것저것이 다. 낱낱이. ②흔히.
비비[8]【霏霏】부 ①비나 눈이 세차게 오는 모양. ②죽 잇대어 그치지 아니하는 모양. 비미(霏微). ——-하다 형여불
비:비-갈갈 명〈방〉비대발괄(전북). ——-하다 형「다 형여불
비:비 개연【比比皆然】명 흔히 다 그러함. 낱낱이 다 그러함. ——-하
비:비 꼬:다 타 ①여러 번 비틀어서 꼬다. ¶ 종이를 비비 꼬아 지노를 만들다. ②빈정거리다. 1)·2): >배배 꼬다.
비:비 꼬이다 자 ①여러 번 비틀려 꼬이다. ②일이 잘 되지 아니하고 어그러지다. 준비비 꾀다. 1)·2): >배배 꼬이다.
비:비 꾀:다 자 ↗비비 꼬이다.
비비다 타〔중세: 비븨다, 비비다〕①두 개의 물건을 서로 문지르다. ¶ 두 손을 ~ / 비벼 빨다. ②송곳 같은 것으로 구멍을 뚫으려고 이리저리 돌리다. ③뭉쳐지도록 사이에 넣고 문질러 돌리다. ¶ 밀가루를 손으로 비비어 덩이를 만들다. ④어떤 재료에 다른 재료를 넣고 섞이도록 버무르다. ¶ 온갖 나물을 넣고 밥을 ~. 1)·4): >뱌비다.
비비대기-치다 자 ①좁은 곳에서 여러 사람이 서로 몸을 대고 움직이다. ¶ 버스 속에서 ~. ②매우 부산하게 동작하다.
비비-대다 타 자꾸 대고 비비다. >뱌비대다.
비비-배배 부 종달새 따위가 우는 소리.
비: 비: 비:【BBB】명〔Better Business Bureau의 약칭〕미국 등에서, 부정(不正)한 영업 활동을 규제(規制)하기 위하여 업자들이 만든 자주적(自主的) 단체. 1922년 뉴욕에서 결성된 데 비롯하여, 지구(地區)·업계별(業界別)로 설립하여 광고(廣告)의 적정화(適正化)와 소매자의 진정 처리를 함.
비비-상【非非想】명〖불교〗↗비상 비비상천(非想非非想天).
비비-새 명〈방〉〖조〗뱁새(전북).
비비-송곳 명 자루를 두 손바닥으로 비벼서 구멍을 뚫는 송곳. 보통, 자루가 길고 촉은 네모지고 짧음.
비: 비: 시:【B.B.C.】명〔British Broadcasting Corporation의 약칭〕영국 방송 협회(英國放送協會). 1926년에 설립된 전형적인 공공 기업체의 하나.
비비아니〔Viviani, Vincenzo〕명〖사람〗이탈리아의 물리학자. 갈릴레이(Galilei)에게 배우고 그가 죽자 토리첼리(Torricelli)의 제자가 됨. 토리첼리와 협력하여 1643년 '토리첼리의 진공(眞空)'을 발견함. 또, 교회가 추궁(追窮)하던, 갈릴레이의 유고(遺稿)를 숨기었다가 후세에 전함. [1622-1703]
비: 비: 에스【BBS】명〔Buddhist Broadcasting System의 약칭〕불교방송.
비: 비: 에스 운:동【BBS運動】명〔Big Brothers and Sisters Movement의 약칭〕〖사〗불량아(不良兒)의 형제 자매가 되어 그들을 선도(善導)하고자 하는 청년 운동. 20세기 초에 미국에서 시작하여 제2차 대전 후에도 활발히 행해졌음.
비: 비: 유분【BB溜分】명〖화〗〔BB는 butan과 butylene의 머리 글자〕액화 석유 가스 중의 부탄과 부틸렌 유분. 혼합물 그대로 공업용 연료·가스 라이터 등에 쓰이나, 더욱 정제하면 부타디엔(butadiene)·이소옥탄(isooctane) 등의 제조 원료가 됨.
비:비 유:지【比比有之】명 흔히 있음. ——-하다 형여불
비비적-거리다 타 비비는 동작을 자꾸하다. 준비빗거리다. >뱌비작거리다. 비비적-비비적 부. ——-하다 타여불
비비적-대다 타 비비적거리다.
비비-질 명〈방〉비게질. ——-하다 자
비비추 명〖식〗[*Hosta longipes*] 백합과에 속하는 다년초. 근경(根莖)은 짧고, 화경(花莖)은 곧게 서며, 높이 40 cm 가량임. 잎은 근생(根生)하며, 엽병(葉柄)이 길고, 하부는 암자색 잔 반점이 밀생하고 끝이 뾰족한 둥근 달걀꼴 또는 난상(卵狀)의 넓은 타원형임. 7-8월에 통상(筒狀)의 담홍자색 꽃이 총상(總狀) 화서로 정생(頂生)하여 피고, 삭과(蒴果)는 긴 타원형이며 세 조각으로 째져서 종자를 흩뿌림. 산 속의 개울가에 나는데, 한국 중부 이남에 분포함. 어린 잎은 식용함. ＊산옥잠화.
비:비:-탄【BB彈】명 BB건(gun)이라는 구경 0.18 인치의 공기총에 사용하는 탄환.
비:비 틀다 타 여러 번 비틀다. >배배 틀다.

비:비 틀리다 피동 여러 번 비틀리다. ＞배배 틀리다.
비:빈【妃嬪】명〖역〗비(妃)와 빈(嬪).
비빔 명 밥이나 국수 같은 것에 고기·나물 등을 섞고 양념을 하여서 비빈 음식.
「국수.
비빔 국수 명 국물은 없이 고기나 나물 같은 것을 넣고 양념하여 비빈
비빔 냉:면【一冷麵】명 육수는 없이 고기·홍어회·나물 같은 것을 넣고 양념하여 비빈 냉면. *물냉면·함흥 냉면.
비빔-밥 [一빱] 명 고기·나물 같은 것을 넣고 양념하여서 비빈 밥. 골동반(骨董飯).
「갈을 묻혀서 만든 저냐.
비빔밥 저:냐 [一빱一] 명 비빔밥을 숟가락으로 뚝뚝 떠서 밀가루와 달
비:빙【妃一】명 〈궁중〉 비빈(妃嬪).
비빚-거리다 타 ↗비비적거리다. ＞뱌빚거리다. 비빚-비빚 부. ――-하
비빚-대다 타 비빚거리다.
└다 타여불
비빧다 타 〈옛〉 뱉다. ¶곧 혀를 비바ᄐᆞ니(便吐舌)《蒙法 31》.
비:사[1]【比辭】명 비유로 쓰는 말.
비사[2]【非事】명 일이 아님.
비:사[3]【卑辭】명 자기의 말을 낮추어 하는 말.
비:사[4]【肥辭】명 ①풍성한 말. ②꾸며서 하는 말.
비사[5]【飛沙】명 해안 등지에서, 바람에 날려 올라가는 모래.
비:사[6]【秘史】명 ①비밀히 감추어 둔 역사. ②세상에 알려지지 아니한 이면사(裏面史). ¶궁정(宮廷) ～/외교 ～.
비:사[7]【秘事】명 비밀한 일.
비:사[8]【鄙舍】명 자기 집을 낮추어 일컫는 말.
비:사[9]【鄙事】명 천한 일. 비속(卑俗)한 일.
비:사[10]【鄙詞】명 천한 말. 또, 자기의 말을 낮추어 하는 말. 비언(鄙言).
비-사량【非思量】명〖불교〗사량에 집착(執着)하지 아니하고, 사념(邪念)을 없애는 일. 교리(教理)를 이해하는 데 있어서의 무분별(無分別)한 태도에 상당하며 선가(禪家)의 좌선(坐禪)의 요술(要術)임.
비사리 명 싸리의 껍질. 노를 꼬는 데에나 미투리 바닥을 삼는 데에 쓰
비사-문【毘沙門】명〖불교〗↗비사문천왕(毘沙門天王).
└임.
비사문-천【毘沙門天】명〖불교〗↗비사문천왕(毘沙門天王).
비사문천-왕【毘沙門天王】명 〔범 Vaiśravana〕〖불교〗'다문천왕(多聞天王)'의 별칭. ㊟비사문·비사문천(毘沙門天).
비사야 제도【一諸島】〔Visaya, Bisaya〕명〖지〗필리핀 군도의 중앙부, 루손 섬과 민다나오 섬 사이에 흩어져 있는 섬들의 총칭. 민도로(Mindoro) 섬·네그로스(Negros) 섬·사마르(Samar) 섬·레이테(Leyte) 섬 등이 주된 섬들임. 역사적으로 필리핀에서 가장 일찍 깬 지역으로 인구도 많음.
비사야-족【一族】〔Visaya〕명 비사야 제도 특히 민도로 섬·민다나오 섬에 분포하는 종족. 그리스도 교도(教徒)로, 필리핀 제1의 인구를 점함. 스페인, 기타 외래 문화의 영향을 받아 정치 의식도 높음. 비사야어(語)는 말라요 폴리네시아 어족(Malayo-Polynesian 語族)에 속함.
비사우 〔Bissau〕명 아프리카 기니비사우 공화국의 수도(首都). 대서양안(大西洋岸)의 항구로 낙화생·목재·야자유·쌀 등을 산출함. 17-18세기에 걸쳐 노예 무역의 기지였음. [110,000 명(1980 추계)]
비사 주:석【飛沙走石】명 양사 주석(揚沙走石). ――-하다 자여불
비:사-증【鼻齄症】[一쯩] 명〖한의〗얼굴 특히 코의 맥관(脈管)이 확장되어 미만성(瀰漫性)의 붉은 점이 생겨서 차츰 두툴두툴하여 혹같이 되는 병. 심하면 곪음. 비홍증(鼻紅症). 폐풍창(肺風瘡).
비사-차기 명☞ 비사치기.
비사-치기 명〖민〗아이들 놀이의 하나. 손바닥만한 납작하고 네모진 돌을 땅바닥에 세우고, 얼마쯤 떨어진 곳에서 돌을 던져서 넘어뜨리거나, 발로 돌을 차서 맞혀 넘어뜨림.
비사-치다 타 똑바로 말하지 아니하고, 돌려 말하여 은근히 깨우치다.
비-사회성【非社會性】[一썽] 명 집단을 이루어 생활하려는 인간의 근본 성질에 반(反)하는 성질. 또, 다른 사람과의 관계나 공동 생활을 파괴하려는 성질·경향.
비산[1]【飛散】명 날아 흩어짐. ――-하다 자여불
비:산[2]【砒酸】명 〔arsenic acid〕〖화〗비소(砒素) 화합물의 하나. 비소 또는 삼산화 이비소(三酸化二砒素)를 질산(窒酸)으로 산화(酸化)한 다음 농축(濃縮)하면 석출(析出)되는 무색의 결정(結晶). 독성이 있으며 물에 잘 녹음. 물감·비소제(砒素劑)의 원료로 쓰임. [$As_2O_5 \cdot {}_nH_2O$]
비산[3]【悲酸】명 ↗비도 산고(悲悼酸苦). ――-하다 형여불
비산[4] 〔碧山〕명〖지〗타이완(臺灣)에 있는 산. 적설(積雪)이 위산(玉山) 산보다 많다는 점에서 쉐산(雪山) 산·쉐윙 산(雪翁山)이라고도 함. 비산 산맥(碧山山脈)의 주봉(主峰)임. 벽산. [3,931 m]
비산[5]【誹訕】명 비방(誹謗). ――-하다 타여불
비:산-납【砒酸一】명 〔lead arsenate〕〖화〗비산 수소납의 통칭. 단사정계(單斜晶系)의 판상 결정(板狀結晶). 물에 잘 녹지 않으며 농업용 살충제(殺蟲劑)로 쓰였으나 잔류성(殘留性)이 높아 현재는 사용이 금지됨. 공업적으로는 비산과 산화(酸化)납을 반응시켜 만듦. 비산연(砒酸鉛). [$PbHAsO_4$]
비산-도【飛山島】명〖지〗경상 남도의 남해상(南海上), 통영군(統營郡) 한산면(閑山面) 염호리(濂湖里)에 위치한 섬[0.20 km²: 85 명(1984)]
비:산 무수물【砒酸無水物】명 오산화 이비소(五酸化二砒素)의 통칭.
비산 비야【非山非野】명 산(山)도 평야(平野)도 아닌 땅.
비:산 석회【砒酸石灰】명 비소(砒素) 살충제로 쓰이는 농약(農藥). 석회유(石灰乳)와 비산(砒酸)으로 만들어진 흰 가루인데, 시판품(市販品)은 빨갛게 착색(着色)되어 있음. 산성 소화액(消化液)을 갖는 갑충류(甲蟲類)에 특효(特効)가 있음.
비:산-연【砒酸鉛】명 비산납.
비-산유국【非産油國】명 원유(原油)를 산출하지 않는 나라. ↔산유국.
비:산-철【砒酸鐵】명〖화〗비산연(砒酸鉛)의 연독(鉛毒)을 피하기 위하여, 담배벌레의 구제용(驅除用)으로서 쓰이는 살충제.
비:-삼망【備三望】명〖역〗한 사람의 벼슬아치를 뽑을 때에 망(望)으로 세 사람의 성명을 갖추어서 천거하던 일. ㊟비망(備望).
비삼-봉【非三峰】명〖지〗평안 북도의 강계군(江界郡) 전천면(前川面)과 성간면(城干面) 사이에 있는 산. [1,833m]
「다 형여불
비:삽【秘澀】명〖한의〗뒤가 몹시 말라서 아주 막히다시피 됨. ――-하
비상[1]【非常】명 ①심상(尋常)하지 아니함. 예상사가 아님. ↔심상(尋常). ②천재 지변(天災地變)·정변(政變) 등 불의의 변사(變事). 뜻밖의 긴급 사태. 또, 이러한 사태에 대응하기 위하여 긴급 명령이 선포되거나 군경이 긴급히 소집되는 일. ¶～시(時)/～ 사태를 선포하다. ③평범(平凡)하지 아니함. 비범(非凡). ¶그는 ～한 머리를 가지고 있다/그의 관찰력은 ～하다. ④〖불교〗모든 법(法)은 상주(常住)함이 없이 인연(因緣)에 따라 변천하는 일. 무상(無常). ――-하다 형여불. ――-히 부
비상[2]【非想】명〖불교〗↗비상천(非想天).
비상[3]【飛上】명 날아 오름. ――-하다 자여불
비상[4]【飛翔】명 하늘을 날아 다님. ――-하다 자여불
비상[5]【飛霜】명 하늘에서 내리는 서리.
비:상[6]【砒霜】명〖약〗비석(砒石)을 태워 승화(昇華)시켜서 만든 결정체(結晶體)의 독약(毒藥). 극히 적은 분량으로 적취(積聚)와 담증(痰症)의 치료에 쓰임. 신석(信石).
[비상국으로 안다] 한사코 기피(忌避) 함을 이르는 말. ¶낫살개나 먹은 이 말이라면 왜 그렇게 비상국으로만 아너《金字鎭:산돼지》.
비상[7]【悲傷】명 슬프고 마음이 쓰림. 슬프고 애처로움. ――-하다 형여불
비상[8]【碑像】명〖불교〗비석 모양의 불상. 비신(碑身) 부분에 불상과 명문(銘文)이 새겨져 있음. 불비(佛碑). 불감비(佛龕碑). 상비(像碑).
비:상 간고【備嘗艱苦】명 온갖 고생을 고루 맛봄. ――-하다 자여불
비상 경:계【非常警戒】명 중대한 범죄 또는 비상 사태가 발생하였을 때, 혹은 그러한 사태가 예기(豫期)될 때, 범인의 체포 또는 경비를 위하여 특정한 지역을 경계하는 일.
비상 경:보【非常警報】명 비상 사태가 발생하였을 때, 사이렌이나 기타 신호(信號)로써 그 위급(危急)함을 알리는 일.
비상 경:찰【非常警察】명 계엄령(戒嚴令)이 선포된 지역에서 치안 유지를 하는 경찰.
비상 계단【非常階段】명 아파트나 고층 빌딩에서 화재 등으로 위급할 때 또는 고장 등으로 엘리베이터·에스컬레이터 등을 사용할 수 없을 때를 위하여 만들어 놓은 계단.
비상 계:엄【非常戒嚴】명〖법〗전쟁 또는 전쟁에 준(準)할 사변(事變)에 있어서 적의 포위 공격(包圍攻擊)으로 말미암아 사회 질서가 극도로 교란(攪亂)된 지역에 선포하는 계엄. *경비(警備) 계엄·계엄법.
비상 광선【非常光線】명〖물〗이상(異常) 광선.
비상-구【非常口】명 평상시는 닫아 두었다가 위급한 일이 생겼을 때에만 열어 급히 피할 수 있게 마련한 출입구.
비상 구:제 절차【非常救濟節次】명〖법〗확정 판결(確定判決)된 뒤에 법률상 또는 사실상의 현저한 하자(瑕疵)가 있을 때에 인정되는 구제 절차. 재심(再審)·비상 상고(非常上告) 등.
비-상근【非常勤】명〖법〗일반 공무원과 달리 급여(給與)·임용(任用)·근무 시간·정치 활동·정원(定員) 등에 있어서 특별 취급을 받고 상근(常勤)을 필요로 하지 아니하는 근무. 고문(顧問)·위원(委員)·강사(講師)·의원(醫員)·인부(人夫) 등.
비상 근무【非常勤務】명 천재 지변·전쟁·화재 기타 긴급을 요하는 비상 사태가 발생했을 때, 이에 대처하기 위해 군경(軍警)이나 공무원이 긴급 소집되는 일. 또, 그 근무. *비상 소집.
「金).
비상-금【非常金】명 비상용으로 쓰기 위하여 마련한 돈. 상비금(常備
비상 기적【非常汽笛】명 위급(危急)한 때 또는 비상시 등에 짧게 여러 번 울리는 기적.
비상 기획 위원회【非常企劃委員會】명 비상 대비 자원 관리법에 의거 설치된 국무 총리 보좌 기관. 비상 대비 계획, 비상 대비 교육 및 훈련, 비상 대비 업무의 조사·연구, 전시 전쟁 수행의 지원 등의 일을 다룸. 위원장 1명·부위원장 1명과 상근(常勤) 위원 3명 및 비상근 위원으로 구성되며, 위원장은 국가 안전 보장 회의의 상근 위원이 됨. *비상 대비 자원 관리법.
비상 대:권【非常大權】[一꿘] 명 천재 지변 또는 중대한 재정·경제상의 위기에 처하거나, 국가의 안전 보장 또는 공공(公共)의 안녕 질서가 중대한 위협을 받거나 받을 우려가 있을 때, 국민의 자유와 권리를 잠정적으로 정지하는 비상 조치를 할 수 있는 대통령의 권한의 일반적인 이름.
비상 대:기【非常待機】명 비상 사태에 대처하기 위한 준비 태세를 갖추고 대기하는 일. ¶～ 부대.
비상대론적 역학【非相對論的力學】명 〔nonrelativistic mechanics〕〖물〗모든 속도가 빛의 속도와 비교하여 작은 경우의 계(系)의 역학.
비상대론적 입자【非相對論的粒子】명 〔nonrelativistic particle〕〖물〗속도가 광속(光速)에 비해 작은 입자.
비상 대:비 자원 관리법【非常對備資源管理法】[一괄一뻡] 명〖법〗전시·사변 또는 이에 준하는 비상시에 있어서 국가의 인력·물자 등 자원을 효율적으로 활용할 수 있도록 이에 대비한 계획의 수립·자원 조사 및 훈련 등에 관하여 규정한 법.
비상-도【飛翔島】명〖지〗경상 남도의 남해상(南海上), 통영군(統營郡) 욕지면(欲知面) 노대리(老大里)에 위치한 무인도. [0.04 km²]

비상-력【飛翔力】[—녁] 명 하늘을 날아 다니는 힘.
비상-망【非常網】명 군사 및 치안 유지상 중대 사건이 일어났을 때 평소보다 더 강화하여 편 경계. 또, 그 범위.
비상-문【非常門】명 비상구(非常口)에 붙어 있는 문.
비상-벨【非常—】[bell] 명 ①화재 기타 비상 사태를 알리기 위하여 울리는 벨. ②화재 발생이나 도둑의 침입을 자동적으로 탐지하여 알리는 장치의 벨.
비상-비【非常費】명 비상한 일이 일어날 때에 쓸 비용.
비상 비비상【非想非非想】명〖불교〗↗비상 비비상천(非想非非想天).
비상 비비상천【非想非非想天】명〖불교〗무색계(無色界)의 네째 하늘로 삼계 제천(三界諸天)의 절정(絕頂)에 있는 하늘. 극히 적은 마음의 상념(想念)이 있을 뿐 거의 무상(無想)에 가까운 선정(禪定)의 경지에 있는 세계. 유정천(有頂天). ㊛비상 비비상(非想非非想)·비비상(非非想)·비상천(非想天).
비상 사:건【非常事件】[—껀] 명 심상하지 아니한 큰 사건.
비상 사:태【非常事態】명 ①심상하지 아니한 사태. ②〖법〗국가 비상 사태.
비상 사:태 선언【非常事態宣言】명 국가 비상 사태의 포고(布告).
비상 상:고【非常上告】명〖법〗형사 소송에서 판결이 확정된 후, 법령 위반이 발견되었을 경우에만 인정되는 불복 신청의 제도. 검찰 총장이 대법원에 신청하는 것인데, 대법원이 비상 상고의 신청의 이유가 있다고 인정하면, 판결 또는 소송 절차의 법령 위반의 부분을 파기함.
비:상-석【砒霜石】명〖광〗①은(銀)이나 동(銅) 같은 광석을 녹여 그 함유물(含有物)을 분석할 적에 생기는 비소(砒素)의 화합물(化合物). ②'비석(砒石)❶'의 이칭.
비상-선【非常線】명 ①중대한 범죄나 또는 비상한 사건이 일어났을 때, 경찰권(警察權)으로써 경계하는 특정 구역의 노선(路線). ¶서울 전역에 ~을 펴다. ②특별한 경우에 쓰도록 따로 마련된 전화선.
비상 세:례【非常洗禮】명〖기〗대세(代洗).
비상 소집【非常召集】명 ①비상 사태가 갑자기 발생하였을 때 이에 대처하기 위한 일을 맡아 할 직무에 있는 사람들을 불시에 불러 모으는 일. ②사변(事變) 및 전쟁이 일어났을 때에 예비군을 소집하는 일.
비상 수단【非常手段】명 비상한 때에 하는 임기(臨機)의 조치.
비상-시【非常時】명 ①비상한 때. ②국가적 또는 국제적으로 중대한 위기(危機)에 처하였을 때. ③전쟁·사변(事變) 등이 일어난 때. 1)-3): ↔평상시(平常時).
비상 시국【非常時局】명 사변(事變)·전쟁 등이 일어난 국가 비상의 시국.
비상시-불【非常時拂】명〖법〗↗비상시 지불(非常時支拂).
비상시 지불【非常時支拂】명〖법〗근로 기준법상, 근로자가 출산(出産)·질병(疾病)·재해(災害)나 그 밖의 비상시의 비용에 충당하기 위하여 청구하는 경우에는, 지급 기일(支給期日) 전이라도 기왕의 근로에 대한 임금을 사용자(使用者)가 지급하는 일. ㊛비상시불.
비상-식[1]【非常食】명 ↗비상 식량.
비-상식[2]【非常識】명 몰상식(沒常識).
비상 식량【非常食糧】[—냥] 명 재해 따위 비상시를 위해 준비해 두는 식량. ㊛비상식.
비-상식적【非常識的】명관 상식적으로 생각해서 어긋나는 모양. ¶~인 짓을 하다.
비상-용【非常用】[—뇽] 명 비상시에 씀. 또, 그 물건. ¶~ 구급약.
비상용 수신기【非常用受信機】[—뇽—] 명 [emergency receiver]〖기〗국내(局內)에 설치되어, 비상 통신을 위해 즉각 사용할 수 있고 내장 전원(內藏電源) 또는 비상용 전원에 의해서 작동하는 수신기.
비상임 이:사국【非常任理事國】명 국제 연합 안전 보장 이사회를 구성하는 15개국 가운데서 5개 상임 이사국을 제외한 나머지 이사국. 임기는 2년이고 거부권(拒否權)을 갖지 아니하며, 세 나라씩 매년 개선(改選)되는데, 계속해서 재선(再選)은 허용되지 아니함. ↔상임 이사국.
비-상장주【非上場株】명〖경〗미상장주(未上場株). 장외주(場外株).
비상 조치【非常措置】명〖법〗전에, 천재·지변(地變) 또는 중대한 재정·경제상의 위기에 처하거나 국가의 안전을 위협하는 교전(交戰) 상태나, 그에 준하는 중대한 비상 사태에 처하여, 국가를 보위(保衛)하기 위하여 국정 전반에 걸쳐 대통령이 내리던 조치. 필요한 경우에는 국민의 자유와 권리를 잠정적으로 정지할 수 있고, 정부나 법원의 권한(權限)에 관해 특별한 조치를 취할 수 있었음. 이 경우, 대통령은 지체 없이 국회에 통고하여 승인을 얻어야 하며, 승인을 얻지 못하면 그 조치는 효력을 상실함.
비상-종【非常鐘】명 특별한 일이 있을 때 알리기 위하여 울리는 종.
비상 준:비금【非常準備金】명 예비비(豫備費) 밖에 비상한 중대사(重大事)가 있을 때에 쓰기 위하여 마련하여 둔 준비금(準備金).
비상 징용권【非常徵用權】[—꿘] 명〖법〗교전국(交戰國)이 전쟁의 필요상 어쩔 수 없는 경우에, 자기 나라의 영역(領域)에 일시적으로 있는 중립국(中立國)의 재산을 징수(徵收)하는 권리. 전쟁이 끝나면 상당한 보상(補償)을 하여야 함.
비상 착륙【非常着陸】[—뉵] 명 항공기가 기체(機體) 내의 이상이나 돌발적인 사태 하에서 하는 불시의 착륙. ——하다 자여불
비상-천[1]【非想天】명〖불교〗↗비상 비비상천(非想非非想天). ㊛비상(非想).
비-상천[2]【飛上天】명 하늘로 날아 올라감. ——하다 자여불
비:색[1]【比色】명〖화〗색의 농도(濃度)를 비교하는 일.
비:색[2]【否塞】명 운수가 꽉 막힘. ¶~한 운수. ——하다 자여불
비:색[3]【妃色】명 ①여색(女色)❶. ②엷은 홍색. 담홍색.
비:색[4]【祕色】명 ①옛날 중국 월(越)나라에서 나던 청자(靑瓷). 당(唐)나라 때 천자(天子)에게 바치던 것으로, 일반 백성은 쓰지 못하였으므로 이렇게 일컬음. ②신하와 서민에게는 사용함을 허가하지 아니한 궁정 기물(宮廷器物)의 채색(彩色). *금색(禁色).
비색[5]【鼻塞】명〖고고학〗코마개.
비:색[6]【翡色】명 고려 시대의 청자기(靑瓷器)의 빛깔.
비색[7]【緋色】명 짙은 분홍색.
비:색[8]【憊色】명 피곤한 얼굴빛.
비:색-계【比色計】명 [colorimeter, chromometer]〖화〗착색 용액(着色溶液)의 착색도(着色度)를 투과광(透過光)으로 비교하여 비색 분석을 하는 장치.
비:색-법【比色法】명 [colorimetry]〖광학〗미지(未知)의 색(色)을 표준색에 의거 평가하는 방법. 광전법(光電法)·분광 광도법(分光光度法) 등에 의해서 행하여짐.
비:색 분석【比色分析】명 [colorimetric analysis]〖화〗용액(溶液)의 빛의 농도·색조(色調) 따위를 표준 용액과 비교하여 정량하는 분석법. 미량 분석법·신속 분석법으로서 뛰어나고 응용면도 넓음.
비:색-증【鼻塞症】명〖한의〗콧 속이 막히어 숨을 쉬기가 힘들고 냄새를 못 맡게 되는 병.
비-생산적【非生産的】명관 생산과 직접 관계가 없는 모양. ¶~인 사업. ↔생산적.
비샤 [Bichat, Marie François Xavier] 명〖사람〗프랑스의 해부학자·생리학자. 조직학(組織學)의 창시자. 조직이라는 뜻으로 'tissu'라는 말을 처음 써서 신체를 스물 하나의 조직으로 나눔. 현미경의 사용을 인정하지 아니하고 생기론의 입장을 취함. 주저 ≪일반 해부학≫[1771-1802]
비샤카파트남 [Vishakhapatnam] 명〖지〗인도 남동부, 벵골 만(灣) 서부의 항구 도시. 망간광(鑛)·철광석·사탕 따위의 수출항이며, 직물(織物)·상아·은세공(銀細工) 등 수공예품의 생산으로 유명함. 비자가퍼탐. [594,000명(1981 추계)]
비샹 명 〈옛〉비상(砒霜). ¶비샹(信砒)≪救簡 Ⅲ:49≫.
비서[1]【飛書】명 ①편지를 서둘러 보냄. 또, 그 편지. 비찰(飛札). ②어디인가에서 온 서면(書面). 익명의 투서(投書). ——하다 자여불
비서[2]【飛絮】명 바람에 날리는 버들개지.
비서[3]【飛鼠】명〖동〗박쥐❶.
비:서[4]【祕書】명 ①비밀히 간직해 둔 서적(書籍). 비본(祕本). ②비밀한 문서(文書). 또, 그것을 취급하는 사람. ③천자(天子)의 장서(藏書). ④장관(長官)·국회 의원·사장(社長) 기타 요직에 있는 사람에 직속하여 기밀의 문서나 용무를 맡아 보는 직무(職務). 또, 그 직무를 맡아 보는 사람. ⑤비밀히 씀. ——하다 타여불
비:서[5]【祕瑞】명 흔하게 나타나지 아니하는 서조(瑞兆).
비:서-각【祕書閣】명〖역〗고려·조선 시대를 통하여 궁중의 여러 가지 서적을 소장(所藏)해 두던 곳.
비:서-감【祕書監】명〖역〗①고려 비서성(祕書省)과 비서감(祕書監)의 종삼품의 벼슬. ②고려 충렬왕 24년(1298)에 비서성(祕書省)의 고친 이름. 그 뒤에 전교서(典校署) 또는 전교시(典校寺)로 고쳤다가 공민왕 5년(1356)·18년(1369)에 다시 고친 이름. ③조선 고종(高宗) 32년(1895)에 승선원(承宣院)을 고쳐 부른 관아. 그 해에 비서원(祕書院)으로 고치고, 광무(光武) 9년(1905)에 다시 비서감(祕書監)으로 했다가 융희(隆熙) 원년(1907)에 폐하였음.
비:서감 일기【祕書監日記】명〖책〗조선 시대말에, 비서감에서 쓴 일지(日誌). 비서원(祕書院)을 비서감으로 고친 광무(光武) 9년(1905) 4월 5일부터 융희(隆熙) 원년(1907) 11월 30일까지의 기록이 적힘.
비:서-관【祕書官】명〖법〗관청의 장(長)에 직속되어, 기밀 사무를 맡아보는 관직.
비:서-랑【祕書郎】명〖역〗①고려 비서성(祕書省)의 종육품(從六品)의 벼슬. ②구한국 때, 비서감(祕書監)·비서원(祕書院)의 한 벼슬.
비:서-성【祕書省】명〖역〗고려 때 경적(經籍)과 축문(祝文)을 맡은 관아. 성종(成宗) 14년(995)에 내서성(內書省)을 고친 이름. 충렬왕 24년(1298)에 비서감(祕書監)으로, 34년(1308)에 전교서(典校署)로 낮추어 예문관(藝文館)의 관할로 되었다가, 다시 전교시(典校寺)로 오르고, 공민왕 5년(1356)에 다시 비서감으로, 11년(1362)에 전교시로, 18년(1369)에 또 비서감으로, 21년(1372)에 도로 전교시로 고쳤음.
비:서-승【祕書丞】명〖역〗①고려 비서성(祕書省)의 종오품의 벼슬. ②구한국 때 비서감(祕書監)·비서원(祕書院)의 한 벼슬. *부속실.
비:서-실【祕書室】명 비서관이나 비서가 사무를 보는 기관. 또, 그 방.
비:서-원【祕書院】명〖역〗조선 고종 32년(1895)에 비서감(祕書監)을 고친 이름. 광무 9년(1905)에 다시 비서감(祕書監)으로 고쳤음.
비:석[1]【沸石】명〖광〗'제올라이트(zeolite)'의 한자말. 가열하면 끓어 거품이 일어나기 때문에 이 이름이 있음.
비:석[2]【砒石】명 ①〖광〗비소(砒素)·황·철(鐵)로 된 광물. 흙덩이와 비슷하나 조금 부슬부슬하며 흑색 또는 회색을 띠고 맹독(猛毒)이 있음. 은광(銀鑛) 또는 연광(鉛鑛)과 같이 남. 비상석(砒霜石). 여석(礜石). ②〖화〗삼산화 이비소(三酸化二砒素).
비석[3]【飛錫】명〖불교〗중이나 도사(道士)의 순유(巡遊)를 이름.
비석[4]【匪石】명 심지가 굳고 동요하지 아니하는 일.
비:석[5]【脾析】명 소의 처녑. 전(轉)하여, 모든 짐승의 위장(胃臟).
비석[6]【碑石】명 ①빗돌. ②석조(石造)로 된 비. 대개 편편한 사각주(四角柱)에 비문(碑文)을 새기어, 위는 가첨석(加檐石)을 얹고, 밑에는 농대석(籠臺石)으로 받침. 석비(石碑).

〈비석[6]❷〉

비석-거리【碑石—】명 비(碑)를 세워 놓은 큰 길.
비:석-광【砒石鑛】명〖광〗비석(砒石)을 함유한 광물.
비석지-심【匪石之心】명 돌과 같이 무게 있고 든든한 마음.

비석-차기【碑石―】명 ☞비사치기.
비:선¹【肥鮮】명 살찌고 신선한 고기.
비선²【飛仙】명 날아 다니는 신선(神仙).
비선³【飛船】명 나는 듯이 빠르게 가는 배.
비-선형【非線形】명〔nonlinear〕〖물〗어떤 변수(變數)에 대하여 비례(比例) 또는 반비례(反比例) 이외의 관계를 가지는 일.
비선형 검:파【非線形檢波】명〔nonlinear detection〕〖전〗진공관 특성 곡선상의 굽은 부분의 특성을 이용하는 검파. 이러한 예로서 제곱 검파를 들 수 있음.
비선형 결정【非線形結晶】[―쩡] 명〔nonlinear crystal〕〖물〗응력(應力)·전장(電場)·자장(磁場) 등의 외력(外力)에 대하여 거기에 비례하지 않는 변형·전기 분극(分極)·자화(磁化) 등의 응답을 나타내는 결정.
비선형-계【非線形系】명〔nonlinear system〕〖수〗포함되어 있는 양(量) 사이의 관계를 보이는 방정식 중 몇 개가 선형이 아닌 계(系).
비선형 계:획법【非線形計劃法】명〔nonlinear programming〕〖수〗주어진 조건 아래에서 최적(最適)한 것을 구하기 위한 수학적 수법의 하나. 조건을 나타내는 식(式) 중에 일차식(一次式)이 아닌 것이 포함되어 있을 경우에 쓰임.
비선형 광학【非線形光學】명〔nonlinear optics〕〖광학〗물질의 반응을 나타내는 어떤 변수가, 방사장(放射場)을 나타내는 변수에 비례하지 않는 물질과 방사와의 상호 작용의 연구.
비선형 물질【非線形物質】[―찔] 명〔nonlinear material〕〖물〗응력·전장(電場)·자장(磁場) 따위 어떤 작용이 그것에 비례하지 않는 크기의 응답, 곧 변형·전기 분극(電氣分極)·자화(磁化)를 가져오는 물질.
비선형의 문:제【非線形―問題】[―/―에―] 명〔nonlinear problem〕〖수〗자연 현상 가운데에서, 선형(線形) 방정식으로 표현할 수 없는 문제를 선형(線形)이 아닌 미분 방정식으로 표현한 문제.
비설¹【飛雪】명 ①바람에 흩날리며 내리는 눈. ②〖기상〗센바람이 휘몰아쳐서 쌓인 눈.
비:설²【秘說】명 숨겨서 남에게 알리지 아니하는 설(說).
비:설³【脾泄】명〖한의〗위(胃)의 고장으로 소화가 안 되고 설사가 나는 병.
비설⁴〔Wiesel, Torsten〕명〖사람〗스웨덴의 의학자. 스웨덴의 카롤린스카 의학 연구소를 졸업한 뒤, 1960년부터 미국 하버드 대학 의과 대학 교수로 있으면서, 허블과 공동으로 눈의 망막(網膜)으로부터 정보(情報)가 뇌에 전달되는 기구(機構)를 연구하여, 허블과 공동으로 1981년 노벨 생리 의학상을 수상함. [1924-　]
비-설거지 명 비가 오려 할 때에 비를 맞혀서는 안 될 물건을 미리 덮거나 치우는 일. ㊣설겆이. ――하다 자여불
비-설겆이 명 ☞비설거지.
비성¹【飛星】명〖천〗운성(隕星).
비:성²【鼻聲】명 콧소리❶.
비성병적 매독【非性病的梅毒】[―뼝―] 명 성교(性交) 이외의 원인으로 일어나는 매독.
비:성 여뢰【鼻聲如雷】명 코고는 소리가 매우 큼. ――하다 형여불
비성즉-황【非成則璜】명〔중국 전국 시대에 위(魏)나라의 재상을 위성(魏成)·적황(翟璜) 두 사람 중에서 등용한 고사(故事)에서 온 말〕두 가지 중에서 어느 한 가지.
비:세¹【比歲】명 비년(比年).
비세²【非勢】명 바둑·장기 등의 승부에서 형세(形勢)가 이롭지 못함.
비:-세포【B細胞】명〖생〗〔B cell; B는 bursa-equivalent의 머리 글자〕흉선 비의존성(胸腺非依存性)의 세포. 골수(骨髓)에서 만들어지며 림프 조직에 분포함. 항원(抗原)을 만나면 표면의 글로불린(globulin)이 형질(形質) 세포로 분화(分化)하여 그 세포질(細胞質)로 면역(免疫) 글로불린 곧 항체(抗體)를 만듦. 비림프구(B lymph球). *티세포(T細胞).
비센샤프트〔도 Wissenschaft〕명 학문(學問). 과학(科學).
비셰원ᄒᆞ다 자〈옛〉비손하다. ¶ 셰쇽개 스승이 간대로 비셰원ᄒᆞ미(世俗巫禱)《正俗 20》.
비소¹【非笑】명 비난하여 웃음. ――하다 타여불
비:소²【卑小】명 보잘것 없이 작음. ――하다 형여불
비:소³【砒素】명〖화〗질소족(窒素族) 원소의 하나. 비소·황색 비소·흑색 비소의 세 가지 동소체(同素體)가 있음. 단체(單體)나 화합물 모두 독성(毒性)이 강하며 GaAs·InAs 따위 반도체의 성분, 납·구리의 합금(合金) 성분으로 쓰임. [33번 : As : 74.92]
비:소⁴【費消】명〖법〗금전·물품을 써 없앰. 소비(消費). ――하다 타여불
비:소⁵【鼻笑】명 코웃음. ――하다 타여불
비소⁶【誹笑】명 비웃음. 비웃는 웃음. ――하다 타여불
비-소가론【非所可論】명 들어서 말할 것이 못 됨.
비소리 명〈방〉비사리.
비소망-어평일【非所望於平日】명 평소에 바라던 바가 아님.
비소비 지출【非消費支出】명〖경〗수입(收入) 중에서, 세금이나 의료 보험 같은 사회 보장(保障)의 분담금(分擔金) 등으로 납입(納入)에 충당되는 금액.
비-소설【非小說】명 소설 이외의 서적. 논픽션.
비-소수【非素數】[―쑤] 명〖수〗1 이외의 소수(素數)가 아닌 자연수(自然數). 합성수(合成數).
비:소 요법【砒素療法】[―뻡] 명〔arsenotherapy〕〖의〗비소 화합물을 사용하여 질병을 치료하는 법. 매독·만성 피부병·천식 등에 이용됨.
비:소-제【砒素劑】명〖약〗비소가 섞인 약제.
비:소 중독【砒素中毒】명〔poisoning by arsenic〕〖의〗비소 화합물을 먹거나 비화 수소(砒化水素) 가스를 흡입하였을 때 일어나는 중독. 급성(急性)에서는 구토와 설사, 두통과 말초부(末梢部)의 동통(疼痛), 장기의 위장염(胃腸炎) 등이 일어나고, 마침내 죽게 되는 수가 많음. 만성에서는 피부에 발진이 생기고, 근위축(筋萎縮)을 수반하는 다발성(多發性) 신경염·지각(知覺) 장애 등을 초래함.
비:소-진【砒素疹】명〔arsenical eruptions〕〖의〗비소(砒素)가 섞인 약을 먹거나 바르거나 한 뒤에 그 중독으로 생긴 발진(發疹).
비:소화 갈륨【砒素化―】〔gallium〕명〖화〗갈륨과 비소의 화합물. 금속 광택이 나는 직접 천이형(遷移型) 반도체로, 그 성질은 비소량(量)이나 불순물에 따라 변화함. 고주파 발진 소자(素子)·반도체 레이저 소자·발광(發光) 다이오드로, 단결정(單結晶)은 초고속 집적 회로 등의 기판(基板)으로 쓰임. 갈륨 비소. [GaAs]
비:속¹【卑俗】명 낮고 속됨. 또, 비천한 풍속. ――하다 형여불
비:속²【卑屬】명〖법〗친족 관계(親族關係)에 있어서 자기보다 손아래가 되는 자손. 또, 그와 같은 항렬에 있는 친족. 직계 비속(直系卑屬)과 방계 비속(傍系卑屬)이 있음. 비속친(卑屬親). ↔존속(尊屬).
비:속-친【卑屬親】명 비속(卑屬). ↔존속친(尊屬親).
비:손 명〖민〗신(神)에게 손을 비비면서 소원(所願)을 비는 일. 비숙원. ――하다 자여불
비솟-거리【誹笑―】명 남에게 비소를 받을 만한 사람이나 사물.
비송 대:리인【非訟代理人】명〖법〗비송 사건(非訟事件)의 당사자에 대신하여 비송 행위(非訟行爲)를 할 수 있는 사람.
비송 사:건【非訟事件】[―껀] 명 법원이 사인간(私人間)의 생활 관계에 관여(關與)하는 사건 중, 소송 사건 이외의 사건. 법인(法人)에 관한 사건이나 신탁(信託)에 관한 사건 등의 민사(民事) 비송 사건과, 회사와 경매(競賣)에 관한 사건이나 회사의 청산(淸算)에 관한 사건 등의 상사(商事) 비송 사건으로 나누이고, 그 자세한 것은 비송 사건 절차법에 규정되어 있음. 행정 작용(行政作用)의 성질을 갖는 점에서 소송 사건과 구별됨. *상사 비송 사건·민사 비송 사건.
비송 행위【非訟行爲】명〖법〗비송 사건(非訟事件)을 다루는 데 일정한 법률 효력을 가지는 행위. 곧 당사자가 하는 신청·진술, 법원이 하는 재판·검인(檢認) 등인데, 비송 행위의 능력은 소송 능력과 동일함.
비:쇠【憊衰】명 몹시 고달파서 쇠약해짐. ――하다 자여불
비숍〔bishop〕명 ①신교(新敎)의 감독(監督). 가톨릭교의 주교(主敎). ②체스(chess)의 말의 하나. 주교의 모자를 본떴으며, 비스듬히 사방(四方)으로 움직일 수 있음.
비숍 고리 명〔Bishop's ring〕〖기상〗물방울 이외의 화산회(火山灰) 등 미소 부유물(微小浮遊物)에 의하여 태양 주위에 생기는 광관(光冠) 비슷한 현상.
비:수¹【匕首】명 날이 날카로운 단도(短刀).
비수²【毘首】명〖불교〗↗비수 갈마(毘首羯摩).
비:수³【秘邃】명 비밀하고 깊숙함. 유수(幽邃). ――하다 형여불
비수⁴【淝水】명〖지〗'페이수이'를 우리 음으로 읽은 이름.
비수⁵【悲愁】명 ①슬픔과 근심. ②슬퍼하고 근심함.
비:수⁶【備數】명 일정한 수효를 채움. ――하다 타여불
비:수⁷【脾髓】명〖생〗비장(脾臟)을 구성한 붉고 부드러운 물질.
비:수⁸【鼻水】명 콧물.
비수⁹【誹―】명〈방〉비소(誹笑). ――하다 타여불
비수 갈마【毘首羯摩】명〔범 Visvakarman〕〖불교〗제석천(帝釋天)의 신(臣)으로 여러 가지의 세공물(細工物)을 만들고, 건축을 맡아보는 천신(天神). 비수 갈마천(毘首羯摩天). ㊣비수(毘首).
비수 갈마천【毘首羯摩天】명〖불교〗비수 갈마(毘首羯摩).
비수-기【非需期】명 수요가 많지 않은 시기. ↔성수기(盛需期). *비철.
비수리¹ 명〖식〗[*Lespedeza cuneata*] 콩과에 속하는 다년초. 반관목(半灌木) 모양으로 줄기는 곧으며 보드라운 털로 덮이고 위쪽은 많은 가지로 갈라짐. 높이는 1m 내외, 잎은 호생(互生)하고 잎꼭지는 짧으며 배게 나는데, 세 개의 선상 설형(線狀楔形)의 잔 잎을 이룸. 7-8월에 황백색의 꽃이 총상(總狀) 화서로 액출(腋出)하여 피고, 협과(莢果)를 맺는데 조금 둥긂. 들에 나는데, 한국 전역에 분포함. 줄기는 광주리 만드는 데 쓰임.
비수리² 명〈방〉비사리.
비:수비-부【匕首匕部】명 한자 부수(部首)의 하나. '化'나 '北' 등의 '匕'의 이름.

〈비수리¹〉

비수 싸움【淝水―】명〖역〗페이수이 싸움.
비숙련-공【非熟練工】[―년―] 명 숙련공이 아닌 공원(工員)이나 노동자. ↔숙련공.
비:-숙원 명 비손. ――하다 자여불
비:순【比順】명 온화하고 유순함. ――하다 형여불
비:-순위【備巡衛】명〖역〗고려의 금오위(金吾衛)의 고친 이름.
비순환 자원【非循環資源】명 한 번 태우면 재생할 수 없는 화석 연료나 우라늄 연료 등의 에너지 자원. ↔순환 자원.
비:술【秘術】명 비밀의 술법(術法). 남이 모르는 술법.
비술-나무 [―라―] 명〖식〗[*Ulmus mandshurica*] 느릅나뭇과에 속하는 낙엽 활엽 교목. 높이 20m 가량, 잎은 호생하며 피침형 또는 타원형에 잔 톱니가 있음. 4월에 꽃이 취산(聚繖) 화서로 한데 모여 액출(腋出)하여 피고, 6월에 둥근 시과(翅果)를 맺음. 개울가나, 들의 토양 깊은 곳에 나는데, 한국 중부 이북 및 중국·만주·시베리아에 분포함. 재목은 기구·차량·신탄재(薪炭材), 과실은 돼지의 먹이로 쓰임.
비숫-거리 명〈방〉비솟거리.
비슈누〔범 Viṣṇu〕명〖신〗힌두교의 세 주신(主神)의 하나. 네 팔을 가지고 용(龍)의 위에서 명상하는 자세로, 세계 질서를 유지한다 함.
비슈누-교【―敎】〔Viṣṇu〕명〖종〗비슈누를 최고신(最高神)으로 섬기는 한 종파(宗派). 바가바드기타(Bhagavad-gita)를 기본적인 경전(經典)으로 삼고, 비슈누에 대한 권화(權化)·신애(信愛) 등의 특수한 사상이 베풀어짐. 인도

〈비슈누〉

교의 유력한 한 파를 이루나, 근세에 이르러 여러 파로 갈렸음.

비슈발리크 〔Bishbalik〕 명 〖지〗 〔터키어로 다섯 성(城)이란 뜻〕 중국 신장 웨이우얼 자치구(新疆維吾爾自治區), 톈산(天山)산맥 동북쪽 기슭의 오아시스에 있었던 도시. 702년 당대(唐代)에 북정 도호부(北庭都護府)가 설치된 이래, 1882년 청대(淸代)에 우루무치(烏魯木齊)가 신장성의 성도(省都)가 되기까지 텐산 북로(天山北路)의 중심 도시로 번창하였음. 짐사(Jimsa)의 북쪽에 유적이 있음.

비슈케크 〔Bishkek〕 명 〖지〗 독립 국가 연합의 키르기스(Kirghiz) 공화국 수도. 키르기스 산맥의 북쪽 기슭에 있으며, 중앙 아시아 철도의 지선(支線)과 각 방면으로 자동차 도로가 통하는 교통의 요지임. 각종 기계·건설 자재·식품 가공(食品加工) 등의 공업이 행하여짐. 대학·공항이 있음. 구칭은 프룬제(Frunze). 〔640,000명(1991)〕

비스 〔프 vis〕 명 나사(螺絲).

비스듬-하다 형여불 수평이나 수직으로 되지 아니하고 한쪽으로 기울어져 있다. ㊀비듬하다. >배스듬하다. **비스듬-히** 부

비스러-지다 자 둥글거나, 네모 반듯하지 못하고 비뚤어지다. ㊀빗다.

비스름-하다 형여불 좀 비슷한 듯하다. **비스름-히** 부

비스마르크 〔Bismarck, Otto Eduard Leopold von〕 명 〖사람〗 독일의 근세 정치가. 군비 확장으로 보오(普墺) 전쟁·보불(普佛) 전쟁에 대승하여, 1871년 독일 통일을 완성, 유럽 외교의 주도권을 쥐고, 식민지 획득, 삼국 동맹 등의 결성에 힘을 기울임. 내정(內政)으로는 사회주의 운동을 탄압하였으며, 1888년 빌헬름 2세가 즉위하매 의견의 충돌을 보게 되어 1890년 사임함. 철혈 재상(鐵血宰相). 〔1815-98〕

비스마르크 제도 【一諸島】 〔Bismarck〕 명 〖지〗 뉴기니(New Guinea) 섬의 동북쪽에 있는 파푸아뉴기니에 속한 여러 섬. 뉴아일랜드(New Ireland) 섬·뉴브리튼(New Britain) 섬 등 약 200개의 섬으로 됨. 주도(主島)는 뉴브리튼 섬임. 카카오·진주(眞珠) 등을 산출하며 주도(主都)는 라에(Lae). 〔49,600 km²: 176,000 명(1981 추계)〕

비스-모:터 〔bismotor〕 명 뒷바퀴의 옆에 바이크 모터(bike motor)를 단 자동 자전거의 일종.

비스무트 〔bismuth〕 명 〖화〗 금속 원소의 한 가지. 약간 붉은 빛을 띠고 있는데, 자석(磁石)을 반발하는 힘이 있으며, 결정질(結晶質)은 극히 무르고, 때때로 유리함. 납·주석·카드뮴(cadmium)과 합금을 만들며, 약용·안료 등으로 씀. 창연(蒼鉛). 〔83번: Bi: 209.00〕

비:스바덴 〔Wiesbaden〕 명 〖지〗 독일 헤센 주(Hessen 州)의 주도(主都). 타우누스(Taunus) 산지(山地) 남쪽 기슭과 라인 강의 사이에 있고, 고대 로마 시대부터 온천으로 알려진 휴양지(休養地)임. 교통의 요지로, 화학·제약·기계·섬유 공업이 행하여지고, 포도주를 산출함. 〔266,000명(1987 추계)〕

비스와 강 【一江】 〔Wisła〕 명 〖지〗 카르파티아 산맥 북쪽 기슭에서 발원(發源), 폴란드의 중앙부를 거의 남북으로 관류(貫流)하여 그다니스크 동쪽에서 발트 해(海)로 흘러들어가는, 폴란드 제 1 의 강. 비슬라 강. 〔1,086 km〕

비스케이 만 【一灣】 〔Biscay〕 명 〖지〗 프랑스 서쪽 브르타뉴와 이베리아 반도에 싸인 대서양 최대의 만. 조수 간만의 차가 크고 해안은 멀리까지 물이 얕으며 조개를 양식함. 가스코뉴 만(Gascogne 灣).

비스코:스 〔viscose〕 명 〖화〗 펄프 따위 셀룰로오스를 수산화(水酸化) 나트륨으로 처리하고, 이것을 이황화 탄소(二黃化炭素)와 반응시켜 만든 점성(粘性)이 높은 수용액(水溶液). 셀룰로오스크산토겐산(cellulose-xanthogen酸) 나트륨을 함유함. 인조 견사·셀로판 등의 원료 및 접합제(接合劑)로도 쓰임.

비스코:스 레이온 〔viscose rayon〕 명 비스코스 인조 견사.

비스코:스 스펀지 〔viscose sponge〕 명 비스코스를 해면(海綿) 모양으로 응고(凝固)시킨 것. 천연 해면과 달라 골격(骨格)이 없어 연한 물건을 씻는 데 알맞음.

비스코:스 인조 견사 【一人造絹絲】 〔viscose〕 명 〖화〗 비스코스를 원료로 하여 만든 인조 견사. 비스코스 액을 금 또는 백금의 방사(紡絲)하는 가는 구멍에서 황산(黃酸) 및 황산염(黃酸塩)의 수용액(水溶液) 속에 사출(射出)시키어 응고(凝固)시켜 만듦. 비스코스 레이온.

비스콘티 〔Visconti, Luchino〕 명 〖사람〗 이탈리아의 영화 감독·무대 연출가. 처녀작 《망집(妄執)》은 네오레알리즘의 선구이며 《대지는 흔들린다》는 기록 영화적 작품임. 그 후 무대적 연출을 살린 사극(史劇) 《여름의 폭풍》, 사실주의적 작품인 《젊은이의 모든 것》·《삵쾡이》 등을 발표함. 〔1906-76〕

비스콘티-가 【一家】 〔Visconti〕 명 〖역〗 13-15세기 이탈리아의 밀라노를 중심으로 하여, 북이탈리아 일대를 지배한 귀족의 명가(名家).

비스킷 〔biscuit〕 명 밀가루에 설탕·버터·우유를 섞어 구운 마른 과자.

비스타 돔: 〔vista dome〕 명 미국의 대륙 횡단(橫斷) 열차의 전망실.

비스타 비전 〔Vista Vision〕 명 〖영화〗 와이드 스크린 방식에 의한 영화. 미국의 파라마운트 영화 회사가 창안한 것으로, 1954년 완성되었음. 이 방식은 네가(nega)의 화상(畫像)의 면적을 종래의 그것보다 두배 이상으로 함.

비스탈린-화 【非一化】 〔Stalin〕 명 〔destalinization〕 소련에서 스탈린이 죽은 뒤 나타난 사상적 변화. 스탈린의 정책·사상을 부정·수정하려는 과정이며, 개인 숭배의 부정과 집단 지도의 확립 및 정치·경제의 자유 확대와 서구(西歐) 진영과의 공존(共存) 등이 특징임.

비스터 〔bister〕 명 검댕으로 만든 갈색의 안료(顔料). 물에 녹여 씀.

비스토 〔이 visto〕 명 〖악〗 '쾌속(快速)히'의 뜻.

비스페놀-에이 〔bisphenol A〕 명 〖화〗 환경 호르몬의 하나. 아세톤과 페놀을 축합(縮合)해서 얻는 무색(無色)의 침상(針狀) 결정. 식기(食器)를 만드는 폴리카보네이트(polycarbonate)·에폭시 수지(epoxy 樹脂) 등 플라스틱 제품의 원료 물질로 쓰임. 플라스틱제 식기가 널리 보급되고 있어 많은 불안을 낳게 하고 있는 공해 물질임.

비슥-거리다 자 ①일을 힘들여 하지 아니하다. ②앞으로 가까이 아니하다. ¶…표현도 행동도 하지 못하고 남의 눈치만 슬슬 보며 비슥거리는 자신은 얼마나 못나고 뒤떨어진 인간인지 모를 것이다《朴花城 : 고개를 넘으면》. **비슥-비슥** 부. ——하다 자여불

비슥-대다 자 비슥거리다.

비슥-이 부 ①비슥하게. >배슥이. ②〈방〉 비슷이².

비슥-하다 형여불 ①한쪽으로 비스듬하다. >배슥하다. ②〈방〉 비슷하다².

비슬¹ 명 〈방〉 벼슬¹(전남·경북).

비슬² 명 〈방〉 볏¹(경북·전남).

비슬-거리다¹ 자 힘없이 비쓱거리다. >배슬거리다². **비슬-비슬¹** 부. ¶ ~ 일어나다. ——-하다¹ 자여불

비슬-거리다² 자 〈방〉 베슬거리다. **비슬-비슬²** 부. ¶ 칼 찬 사람이 저만큼 오면 이만큼서 벌써 ~ 피하지요《李光洙 : 異次頓의 死》. ——하다² 자

비슬-대다 자 비슬거리다.

비슬라 강 【一江】 〔러 Visla〕 명 〖지〗 '비스와 강'의 러시아 이름.

비슬리체누스 〔Wislicenus, Johannes Adolf〕 명 〖사람〗 독일의 유기 화학자. 1873년 젖산(酸)의 기하 이성(幾何異性)을 발견하여 판트 호프(van't Hoff, J.H.)의 사면체설(四面體說)의 계기를 만듦. 아세토 아세트산(酸) 에스테르 외에 합성 화학과 그 응용에 기여함. 〔1835-1902〕

비슬-산 【琵瑟山】 〔一싼〕 명 〖지〗 경상 북도 달성군(達城郡) 옥포면(玉浦面)과 청도군(淸道郡) 각북면(角北面) 사이에 있는 산. 〔1,084 m〕

비슴 명 〈방〉 비음¹.

비:습¹ 【比濕】 명 〔specific humidity〕 〖기상〗 공기 속에 포함된 수증기의 양을 표시하는 수치. 단위 체적의 공기 속에 포함된 수증기의 질량(質量)을 그 공기의 질량으로 나눈 수치. 보통, 1kg의 공기 속에 포함된 수증기의 그램 수(數)로 나타냄.

비:습² 【肥濕】 명 몸에 살이 쪄서 습기가 많음. ——-하다 형여불

비:습³ 【卑濕】 명 땅이 낮고 습기가 많음. ——-하다 형여불

비슷비슷-하다 형여불 여럿이 모두 비슷하다. ¶ 비슷비슷한 물건.

비슷-이¹ 부 조금 비스듬하게. ¶ ~ 누워서. >배슷이.

비슷-이² 부 거의 같은 듯하게. ¶ ~ 맞히다.

비슷-하다¹ 형여불 한쪽으로 조금 비스듬하다. ¶ 비슷하게 세워둔 지게. >배슷하다.

비슷-하다² 형여불 〔근대 : 비슥ᄒᆞ다〕 거의 같다. ¶ 비슷한 생김새.

비승 【飛昇】 명 뛰어 오름. ——-하다 자여불

비승 비속 【非僧非俗】 명 〔중도 아니요 속인(俗人)도 아니라는 뜻〕 이것도 저것도 아니고 어중간함을 이르는 말. *반승 반속(半僧半俗).

비시¹ 【非時】 명 제때가 아님.

비시² 【飛矢】 명 유시(流矢).

비: 시:³ 【B.C.】 명 〖역〗 〔Before Christ의 약칭〕 서력 기원 전(西曆紀元前). ↔에이 디(A.D.).

비: 시:⁴ 【B.C.】 명 〖사회〗 〔birth control의 약칭〕 산아 제한(產兒制限).

비: 시:⁵ 【B.C.】 명 ↗베이스캠프(basecamp).

비시⁶ 〔Vichy〕 명 〖지〗 프랑스 중앙부 오베르뉴 고원(Auvergne 高原) 위의 광천(鑛泉) 도시. 여기서 나는 탄산 소다수(炭酸soda水)는 로마 시대부터 유명하며 비시수(Vichy水)라 하여 수출함. 1940-44년 사이에 비시 정부가 있었던 곳이기도 함. *비시 정부. 〔31,000명(1982)〕

비:-시감도 【比視感度】 명 〖물〗 최대 시감도(最大視感度)에 대한 다른 파장(波長)의 시감도(視感度)의 비.

비: 시: 무:기 【B.C. 武器】 명 〔biological and chemical weapon〕 〖군〗 생물 화학 무기.

비: 시: 에스 이:론 【BCS 理論】 명 〖물〗 초전도(超傳導) 현상을 양자(量子) 역학적으로 설명하기 위하여 바딘(Bardeen)·쿠퍼(Cooper) 및 슈리퍼(Schrieffer)에 의해서 제시된 기초 이론. 전자의 운동량이 반대 방향을 향하고 있는 동시에 스핀(spin)도 반대를 향하고 있는 두 개의 전자(電子)가 격자(格子) 운동을 통해서 한 쌍의 복합입자(複合粒子)를 만듦으로써 에너지가 내려가고 초전도 현상이 생길 수 있다는 이론.

비: 시: 엘 【BCL】 명 〔Broadcasting Listener의 약어〕 해외 방송 청취자(海外放送聽取者).

비시 정부 【一政府】 〔Vichy〕 명 〖역〗 1940년 6월 프랑스가 독일에 항복한 후에 비시에 세운 친독 정권(親獨政權). 페탱(Pétain)을 수반(首班)으로 하는 반동적(反動的)인 파시스트 독재 정부로 독일에의 예종(隷從) 밑에서 프랑스 비점령 지대를 통치하였으나, 나치스 독일의 패망과 더불어 붕괴하였음. *비시⁶.

비: 시: 지: 【BCG】 명 〖의〗 〔Bacille de Calmette et Guérin의 약칭〕 프랑스의 칼메트(Calmette)와 게랭(Guérin)이 처음으로 만든 결핵 예방 백신. 소의 결핵균을 무독화(無毒化)한 것으로 미(未)감염자의 몸에 접종하면 면역을 얻음.

비: 시: 지: 양전 【BCG 陽轉】 명 〖의〗 무독화한 결핵균, 즉 비 시 지를 접종함으로 인하여 결핵균에 대한 면역성을 얻어 투베르쿨린 반응이 양성(陽性)으로 되는 일.

비: 시: 지: 접종 【BCG 接種】 명 〖의〗 비 시 지를 인체에 접종하는 일.

비식¹ 【非食】 명 변변하지 못한 음식.

비:식² 【賁飾】 명 곱게 꾸밈. ——-하다 타여불

비:식³ 【鼻息】 명 콧숨.

비:식⁴ 【鼻識】 명 〖불교〗 육식(六識) 또는 팔식(八識)의 하나. 코로 사물의 냄새를 식별하는 작용을 갖는 것.

비:식 지능 테스트 【B式知能一】 〔test〕 명 도형·회화(繪畫)·기호 등의 비언어적인 재료를 사용하여 행하는 집단 지능 테스트. 언어적인 에이식(A式) 지능 테스트에서는 불리한 피험자(被驗者)를 위하여 고안되었음.

비신¹ 【悲辛】 명 견디기 어려운 슬픔.

비신² 【碑身】 명 비문(碑文)을 새긴 비석의 주장되는 돌. *비표(碑表)·

비음(碑陰)·가첨석(加檐石).
비-신사적【非紳士的】명관 신사답지 아니한 모양.
비신스키〔Vyshinski, Andrei〕명 『사람』 소련의 정치가·법률가. 1920년 공산당에 입당한 이래, 모스크바 대학 총장·검찰 총장(檢察總長)을 지낸 다음 1940년대에 외교계에 투신하여 1947-54년에 외상(外相)·유엔(UN) 대표 등을 역임하였음. [1883-1954]
비신화-화【非神話化】명 ①옛 문서 따위의 신화적 형식을 없애고, 거기에 숨어 있는 뜻을 밝히는 것. ②그리스도교(敎)의 신학 용어. 성서의 진리를 신화적 표상(神話的表象)의 형식에서 해방시킴으로써 현대인의 입장에서 올바르게 이해하고 설명하려고 하는 시도. 볼트만(Bultmann)이 처음 시작함.
비실[1] 명 〈방〉 벼슬[1](전라·경상).
비실[2] 명 〈방〉 볏[1](경상).
비:실[3]【卑室】명 낮고 작은 집. 질박한 궁실(宮室).
비:실[4]【備悉】명 어떤 일을 두루 잘 앎. ——-하다 타여불
비실-비실 부 힘이 없어 흐느적흐느적 비틀거리는 모양. ¶ ~ 일어서다/쓰레기통을 뒤지다 들킨 아이처럼 ~ 별스러운 몸짓으로 물러나려 했다《崔仁浩 : 술꾼》. ——-하다 자여불
비-실용적【非實用的】명관 실용적(實用的)이 아닌 모양. ↔실용적.
비심[1] 명 〈방〉 비음.
비심[2]【悲心】명 슬픈 마음.
비:심[3]【費心】명 마음을 씀. ——-하다 자여불
비싸다 형 〔중세 : 빋ᄊᆞ다〕 ①상품(商品)의 값이 정도에 지나치게 많다. ↔싸다. ②〈속〉 분수없이 거만하다.
[비싼 놈의 떡은 안 사먹으면 그만이다] 제가 싫으면, 하지 않으면 그만이라는 말. [비싼 밥 먹고 헐한 걱정한다] 쓸데 없는 걱정을 하지 말라는 말.
비싸게 굴:다 구 짐짓 큰 체하여 도도하게 굴거나 유세부리는 태도를 나타내다.
비-싸리 명 〈방〉 『식』 댑싸리.
비싸리 구시 명 전라 남도 순천시(順天市) 송광사(松廣寺)의 명물로, 대싸리 나무로 만든 큰 구유. 길이 16자, 높이 3자 5치, 폭 4자 5치.
비싼-흥정 명 ①물건을 비싸게 산 흥정. ②조건이 과중한 흥정. 1)·2): ↔싼흥정. ——-하다 자여불
비:쌔다 자 ①마음은 있으면서 겉으로 안 그런 체하다. ②무슨 일에나 어울리기를 싫어하다. 돌아내리다.
비-쑥 명 『식』 [*Artemisia scoparia*] 엉거싯과에 속하는 다년초. 높이 60-90 cm 내외, 줄기는 회백색의 잔 털이 있고 경엽(莖葉)은 적갈색을 띠며, 긴 잎꼭지의 마름모꼴 근엽(根葉)은 2회 우상 전열(羽狀全裂)함. 경엽(莖葉)은 호생하며, 단우상 분열(單羽狀分裂)하는데, 열편(裂片)은 선형을 이룸. 8-9월에 황갈색 두상화(頭狀花)가 원추(圓錐) 화서로 핌. 바닷가의 모래 땅에 나는데, 제주·경기·강원에 분포함.
비쓰러-지다 자 ☞ 비스러지다.
비쓱-거리다 자 이쪽저쪽으로 쓰러질 듯이 몸을 자꾸 흔들다. >배쓱거리다. 비쓱-비쓱 부. ——-하다 자여불
비쓱-대다 자 비쓱거리다.
비쓸-거리다 자 힘없이 비틀거리다. 비쓸-비쓸 부. ——-하다 자여불
비:씨【妃氏】명 『역』 왕비(王妃)로 간택(揀擇)된 아가씨의 존칭.
비씰-거리다 자타 ☞ 비칠거리다. ¶ 삼문의 어깨를 쥐어질러 비씰거리게 하고는 그의 두 팔을 뒤로 젖혀 모아쥐고…《張德祚 : 狂風》.
비씰-비씰 부 ☞ 비쓸비쓸. ¶ …몸을 더 버티고 설 기력도 없는 듯 한 옆으로 ~ 걸어가더니 마루 끝을 잡고 한 손으로 눈을 비비었다《張德祚 : 狂風》.
비ᄡᅳᄫᅧ 타 〈옛〉 뿌리오며. '비타'의 활용형. ¶ 虛空中에 曼陁羅華 摩訶曼陁羅華를 비허 無量百千萬億寶樹아래 師子座 우흿 諸佛의 비ᄡᅳᄫᅧ 며《月釋 XVII:29》.
비ᅀᅥ 타 〈옛〉 빛내어. '빗다[3]'의 활용형. ¶ 夫人이 새와 네 아ᄃᆞᆯ 업게 호리라 ᄆᆞ장 비ᅀᅥ 됴ᄒᆞᆫ 양ᄒᆞ고 조심ᄒᆞ야 ᄃᆞᆫ녀《月釋 Ⅱ:5》.
비스다 타 〈옛〉 꾸미다. =빗다[3]. ¶ 비스다(打扮)《四聲 上 77》.
비아[1]【非我】명 〔라 non-ego〕 『철』 나 밖의 일체(一切). 곧, 자아의 작용의 대상(對象)으로서 존립하는 세계·자연. 남. ↔자아(自我)❷.
비아[2]【飛蛾】명 날아 다니는 나방. 밤나방·독나방 등.
비아그라 〔viagra〕 명 『약』 '시트르산 실데나필(sildenafil citrate)'의 상품명. 미국 파이자 회사가 개발한 남성용 발기 불능 치료약. 바이아그라.
비아냥-거리다 자 얄밉게 빈정거리다. ¶ 김 사무관의 얼굴에 비아냥거리는 듯한 미소가 살짝 어리었다《李浩哲 : 深淺圖》.
비아냥-대다 자 비아냥거리다.
비아냥-스럽다 형ㅂ불 비아냥거리는 태도가 있다. 비아냥-스레 부
비아리[1] 명 〈방〉 비사리.
비아리[2] 명 〈방〉 병아리(경상·강원·평안).
비아리츠 〔Biarritz〕 명 『지』 프랑스 남서부의 피레네 산록(山麓), 비스케이 만(Biscay 灣) 연안의 작은 도시. 해수욕장·온천이 있으며 기후가 온화한 휴양지로서 알려짐. [27,000 명(1982 추계)]
비아리츠 밀약【一密約】〔Biarritz〕 명 『역』 프로이센 오스트리아 전쟁 직전인 1865년 10월 비아리츠에서 비스마르크와 나폴레옹 3세 사이에 맺어진 밀약. 비스마르크는 라인 강(江) 좌안(左岸) 지방의 할양(割讓)을 비치면서 프랑스로 하여금 호의적 중립을 약속하게 하였으나 할양을 실행하지 아니하였기 때문에 프랑스의 감정이 악화되어 프로이센 프랑스 전쟁의 한 원인이 되었음.
비-아물림 명 『건』 빗물이 건물 안으로 스며 들어가지 않게 하는 구조.
비-아세틸 〔biacetyl〕 명 『화』 초록빛이 도는 황색(黃色)의 액체. 끓는점 88°-91°C, 녹는점 −4°C. 물·알코올·에테르에 녹음. 향료(香料)로서 식품(食品)에 쓰임. 디아세틸. [$CH_3COCOCH_3$]
비-아소관【非我所關】명 내가 관계할 바가 아님. 내 소관이 아님.
비아위스토크 〔폴 Białystok〕 명 『지』 폴란드의 동북부, 벨로루시와의 국경에 가까운 도시. 교통의 요지이며 섬유 공업·피혁 공업·목재 가공 등이 성함. 유태인이 많음. [274,100 명(1993)]
비: 아이 에스【BIS】명 〔Bank for International Settlements의 약칭〕 국제 결제 은행(國際決濟銀行).
비: 아이 에스 규제【BIS規制】〔Bank for International Settlement〕 명 『경』 국제 결제 은행이 각국의 국제 금융 업무를 담당하는 은행에 대하여 과(課)하는 자기 자본 비율의 규제. 금융 기관의 건전성과 국제적인 경쟁 조건의 평등성 확보를 목적으로 1988년에 BIS 은행 규제 감독 위원회에서 합의하였는데, 우리 나라 금융 기관은 93년 3월 말까지 자기 자본 비율을 8.0%로 달성하도록 되어 있음.
비:아-탕【肥兒湯】명 『한의』 어린아이의 감질(疳疾)에 쓰는 탕약.
비아프라 〔Biafra〕 명 『지』 나이지리아의 구동부 주(舊東部州)의 이보족(Ibo族)이 1967년 5월 30일 하우사족(Hausa族)이 다수를 점하는 연방 정부에 반대하여 세운 공화국. 독립을 승인하지 아니한 연방 정부의 무력 공격에 항전하다가 1970년 1월 붕괴함.
비아프라 전:쟁【一戰爭】〔Biafra〕 명 『역』 1967-70년 사이에 분리 독립을 선언한 비아프라 공화국과 나이지리아 연방 사이에 벌어진 전쟁. 연방측을 영국·소련이, 비아프라측을 프랑스가 지원하여 대규모 전쟁으로 발전하였으나, 71년 1월에 비아프라의 수도 에누구(Enugu)가 함락되어 전쟁은 끝나고, 비아프라는 나이지리아 연방으로 복귀하였음.
비악 부 병아리 우는 소리. ㊀뱍. ㅆ삐악.
비악-비악 부 병아리가 계속하여 우는 소리. ㊀뱍뱍. ㅆ삐악삐악.
비악 섬 〔Biak〕 명 『지』 인도네시아 서이리안(西Irian) 북서부의 섬. 산호초의 섬으로 길이 약 80 km, 폭 40 km. 제2차 대전 중의 격전지이며 공항이 있음.
비-악음【非樂音】명 『물』 발음체(發音體)의 진동(振動)이 불규칙하거나, 변화가 매우 빠르거나, 진동 시간이 매우 짧아서 일정한 높이를 정할 수 없는 소리. 조음(噪音). ↔악음(樂音).
비안【飛雁】명 하늘을 날아다니는 기러기.
비-안개 명 비가 쏟아질 때 안개가 낀 것처럼 흐려 부옇게 보이는 현상.
비안-도【飛雁島】명 『지』 전라 북도 서해상, 군산시(群山市) 옥도면(沃島面) 비안도리(飛雁島里)에 위치하는 섬. 근해(近海) 수산업의 중심지임. [1.51km²]
비알[1] 명 〈방〉 ①비탈(충청). ②벼랑(경기·강원·충북·경상). ③산기슭(경상).
비알[2]【非訐】명 남의 잘못을 비방하고 들추어 냄. ——-하다 타여불
비알지 명 〈방〉 『어』 뱀장어(황해).
비암 명 〈방〉 『동』 뱀(전라).
비암-장애 명 〈방〉 『어』 뱀장어(전남).
비암-장어 명 〈방〉 『어』 뱀장어(전라).
비-압축성【非壓縮性】명 〔incompressibility〕 『물』 압력을 가하여도 그 부피가 변하지 않는 성질. 대체로 물 같은 액체는 이러한 성질임.
비압축성 유체【非壓縮性流體】〔—뉴—〕 명 〔incompressible fluid〕 『물』 압력(壓力)이나 온도가 변하여도 그 밀도가 변하지 아니하는 유체(流體). 액체는 대체로 이에 속함.
비압축성 흐름【非壓縮性—】명 〔incompressible flow〕 『물』 밀도의 변화가 없는 유체(流體)의 운동.
비앙 명 〈방〉 벼랑(강원).
비얄다 타 〈방〉 뱉다(평안).
비애【悲哀】명 슬픔과 설움. ¶ ~감(感)/인생의 ~.
비애 소:설【悲哀小說】명 〔tragedy〕 인생의 불행·비참을 제재(題材)로 하여 독자에게 비애감을 맛보게 하려는 소설.
비:액[1]【費額】명 소비한 금액. 쓴 돈의 액수. 소비액.
비:액[2]【鼻液】명 콧물.
비:야[1]【鄙野】명 ①무무한 시골 구석. ②야비(野鄙). ——-하다 형여불
비야[2] 〔Villa, Francisco〕 명 『사람』 멕시코의 혁명가. 통칭 판초 비야(Pancho Villa). 1910년 멕시코 혁명에서 마데로(Madero, F.)를 도와 그의 정권 장악에 공헌하였고, 마데로가 웨르타(Huerta, A.)에게 제거당하자 카란사(Carranza, V.)와 함께 웨르타를 타도함. 군사적 재능이 있어 영웅시되었으나 카란사와의 불화로 암살됨. 빌랴. [1877-1923]
비야기 명 〈방〉 병아리(제주).
비야사【飛也似】명 나는 것같이 매우 빠름을 일컫는 말.
비-약[1]【一約】명 화투놀이에서, 비 넉 장을 갖추어 이루는 약(約). *초약·풍약.
비약[2]【飛躍】명 ①높이 뛰어오름. ②힘차게 활동함. ③지위가 갑자기 높아짐. ④순서를 밟지 아니하고 나아감. ¶ 논리의 ~/~ 상고. ——-하다 자여불
비:약[3]【祕藥】명 ①비방(祕方)으로 된 약. 비전(祕傳)의 약. ②묘약(妙藥). 특효약(特效藥).
비:약[4]【祕鑰】명 비밀의 열쇠. 비결(祕訣).
비:약[5]【鼻藥】명 콧병에 쓰이는 약. 코약.
비약-법【飛躍法】명 『문』 수사법에서 변화법의 일종. 평탄하게 서술해 오던 글의 흐름이 갑자기 변하여 시간이나 공간을 무시하고 뛰어넘는 수법.
비약 상:고【飛躍上告】명 『법』 제1심의 판결에 대하여 항소심을 생략하고 행하는 상고. 형사 소송에서는 원심 판결이 사실에 대하여 법령을 적용하지 아니하였거나 법령의 적용에 착오가 있을 때, 원심 판결이 있은 후 형의 폐지나 변경 또는 사면(赦免)이 있을 때, 그리고 민사 소송에서는 당사자 쌍방이 합의(合意)한 때에 인정됨.
비약-적【飛躍的】명관 사물(事物)의 상태가 갑자기 향상하는 모양. ¶ ~으로 발전하다.

비약적 소구【飛躍的遡求】 명 〖법〗 선택적 소구.
비:약-증【脾約症】 명 〖한의〗 열병(熱病)으로 인하여 오줌·땀이 많이 나서 변비(便祕)가 생기는 병.
비얄 명 〈방〉 귀얄(제주).
비얌¹ 명 〈방〉 〖동〗 뱀(충남·전라).
비얌² 명 〈방〉 뺨❶(제주).
비얌-장어 명 〈방〉 〖어〗 뱀장어(전북).
비양¹ 명 〈방〉 벼랑(함북).
비:양²【肥壤】 명 비옥한 토지. 걸 땅.
비양³【飛揚】 명 ①잘난 체하여 까붊. ②비등(飛騰). ③높은 지위에 오름. ——-하다 자 여불
비양-거리다 자 〈방〉 비아냥거리다.
비양-도【飛揚島】 명 〖지〗 제주도의 서북쪽 북제주군(北濟州郡) 한림읍(翰林邑) 비양리(飛揚里)에 위치한 섬. [0.38 km² : 323 명(1984)]
비양-스럽다 형 〈방〉 비아냥스럽다.
비-양심적【非良心的】 명 관 양심적이 아닌 모양. ¶ ~인 처사.
비양-하다 자 여불 남을 약오르게 조롱하다.
비:어¹【卑語·鄙語】 명 ①점잖지 못하고 천한 말. 비언(鄙言). ②사물(事物)을 낮추어 부르는 말. '입'을 '주둥아리', '뱃사람'을 '뱃놈'이라고 하는 따위. 구리지언(丘里之言). 1)·2):↔존대어.
비어²【飛魚】 명 〖어〗 날치³.
비:어³【祕語】 명 비밀의 말. 범죄자나 비밀 결사원(祕密結社員) 사이에 쓰이는 특수한 곁말.
비:어⁴【備禦】 명 미리 준비하여 막음. ——-하다 타 여불
비어⁵【蜚語·飛語】 명 이리저리 퍼뜨려 세상을 현혹하게 만들거나 아무 근거없이 떠도는 말. 비언(飛言). ¶ 유언 ~.
비어⁶【鯡魚】 명 〖어〗 청어(靑魚).
비어⁷ [beer] 명 맥주. 비르(bier).
비어-구【飛魚灸】 명 날치 구이.
비어드 [Beard, Charles Austin] 명 〖사람〗 미국의 정치학자·역사가. 컬럼비아 대학 교수·미국 역사학회 회장·정치학회 회장을 역임하였으며, 실용주의에 입각한 신사학(新史學)을 제창하고 역사 요인(歷史要因)을 중시(重視)하였음. 그의 아내 메리(Mary R. 1876-1958)도 역사가임. [1874-1948]
비어말 어:미【非語末語尾】 명 [nonfinal ending] 〖언〗 선어말(先語末)어미.
비어미 명 〈방〉 〖동〗 뱀.
비어스 [Bierce, Ambrose Guinnett] 명 〖사람〗 미국의 작가. 남북 전쟁에 종군 후 샌프란시스코에서 저널리즘(journalism)에 종사. 단편집 《인생의 중도에서》, 경구집(警句集) 《악마의 사전(辭典)》 등으로 포(Poe, E.A.)에 비견되는 명성을 얻음. 1913년 문명 사회에 환멸을 느끼고 혁명하의 멕시코로 떠난 후 소식 불명. [1842-1914?]
비어 스탠드 [beer stand] 명 맥주를 서서 마시게 되어 있는 술집.
비어즐리 [Beardsley, Aubrey Vincent] 명 〖사람〗 영국의 삽화가(挿畫家). 기괴한 흑백(黑白)의 가는 선 및 양(量)과 여백(餘白)의 대비로 환상과 현실과의 이상한 교착을 그린 장식화를 제작하였으며, 특히 와일드(Wilde, O.)의 《살로메》 삽화로 유명함. [1872-98]
비어-지다 자 ①가려지거나 속에 있던 것이 밖으로 내밀다. ¶ 돌아오지 않는 아들을 기다리다 지쳐 눈이 더 비어졌을 게란 이 눈딱부리란 노인의 노래는…가락이 한결 구슬프게 들렸다《金廷漢 : 뒷기미나루》. ②숨었던 일이 터져서 드러나다.
비어 홀: [미 beer hall] 명 맥주를 전문으로 팔며 곁들여서 간단한 요리도 제공하는 음식점.
비억 명 〈방〉 부엌(평북).
비언¹【飛言】 명 비어(蜚語·飛語).
비:언²【鄙言】 명 비어(卑語·鄙語)❶.
비:언³【鄙諺】 명 품위(品位)가 낮은 속담.
비언⁴ [Behan, Brendan] 명 〖사람〗 아일랜드의 극작가. 16세에 공화군(共和軍)에 참가하였다가 체포되어 소년원 생활을 함. 대표작 《아침의 사나이》·《인질(人質)》은 이때의 체험을 희비극적(喜悲劇的)으로 묘사함. 이 밖에 자전적(自傳的) 소설 《소년원의 소년》 등도 있음. [1923-64]
비언어 전달【非言語傳達】 명 언어 이외의, 얼굴 표정의 변화, 몸짓, 손짓 등에 의한 표현의 전달.
비:업¹【丕業】 명 큰 사업. 홍업(洪業).
비업²【非業】 명 〖불교〗 전세(前世)의 업인(業因)에 의하지 아니하는 일. 현재의 재난(災難)에 의하여 죽는 일 등을 말함. 비명(非命). ¶ ~의 죽음.
비엌 명 〈방〉 부엌(경기·황해·평안).
비에 명 〈방〉 비녀¹(경북).
비-에너지【非—】 명 [specific energy] 〖물〗 어떤 물질에 있어서 단위 중량당 내부(內部) 에너지.
비에르크네스 [Bjerknes] 명 〖사람〗 ①[Jakob Aall Bonnevie B.] 노르웨이 출신의 미국 기상학자. ❷의 아들. 21세에 《이동하는 저기압의 구조》라는 논문을 써서 전선(前線)의 개념을 확립함. 1940년 이후 캘리포니아 대학 교수. [1897-1974] ②[Vilhelm B.] 노르웨이의 기상학자·해양학자. 유체 역학에서 유명한 순환 정리(循環定理)를 발견함. 대기(大氣)와 해양의 역학적 운동의 연구에 전념하여 극전선대(極前線帶)의 파동에 의한 저기압의 발생을 설명하는 등 전선(前線) 기상학에 있어서 노르웨이 학파의 지도적 입장에 있었음. [1862-1951]
비: 에스선 번호【BS線番號】 명 [BS는 brown and shape의 약칭] 철사 굵기의 미국식 게이지 번호. 번호가 클수록 가늘어짐.
비: 에스 시: 【BSC】 명 [British Steel Corp의 약칭] 영국의 철강 공사. 1967년 철강업 국유화법에 의해 국내 주요 14개 철강 회사를 국유화하여 설립함.
비: 에스 아이 【BSI】 명 [business survey index의 약칭] 〖경〗 국내 경기·국민 총생산·설비 투자·개인 소비·매상고 등 경기(景氣) 전망에 대한 여러 기업 경영자의 관측을 일괄하여 종합한 지표(指標).
비: 에이 【B.A.】 명 〖교〗 '배철러 오브 아츠(Bachelor of Arts)'의 약칭.
비: 에이 시: 【BAC】 명 [British Aircraft Corp의 약칭] 1960년 브리스톨(Bristol)·비커즈(Vickers) 등 세 개의 항공기 회사가 합동 설립한 영국 최대의 항공기 회사. BAC-111 등의 제트 여객기와 각종 군용기 외에 프랑스의 쉬드(Sud)와 공동으로 초음속기 콩코드를 제작함. 미사일 기타 우주 관계에도 진출하고 있음.
비: 에이 아:르 【B.A.R.】 명 〖군〗 [Browning automatic rifle의 약칭] 브라우닝식 자동 소총.
비: 에이치 시: 【B.H.C.】 명 〖약〗 [benzene hexa-chloride의 약칭] 유기 염소계(有機鹽素系) 농업용 살충제(殺蟲劑). $\alpha \cdot \beta \cdot \gamma \cdot \delta \cdot \varepsilon$ 등 여덟 가지의 입체 이성체(立體異性體)가 있는데, γ 성분이 있는 것이 가장 효력이 큼. γ-BHC 의 함량(含量) 99% 이상으로 정제(精製)한 것을 린덴이라고 함. 잔류성(殘留性)이 높고, 인축(人畜)에 대한 독성(毒性)이 있어 사용이 금지됨. [$C_6H_6Cl_6$]
비: 에이치 시: 허용량【BHC許容量】 [—냥] 명 식품 속에 함유된 BHC를 규제한 수치(數値). 1968 년 세계 보건 기구(WHO)와 유엔 식량 농업 기구(FAO)에서 0.008 ppm으로 규제하였음. 그러나 BHC의 잔류 기간이 길어서 인체에 만성 중독을 일으킬 위험이 있으므로, 우리나라에서는 1979 년부터 이의 사용을 금지시키고 있음.
비에트 [Viète, François] 명 〖사람〗 프랑스의 수학자. 앙리 4세를 섬기면서 스페인의 암호를 해독(解讀)하였으며 문자 기호를 조직적으로 사용하여 대수학(代數學)에 새로운 길을 개척하여 대수학의 아버지로 불림. 또, 원(圓)에 내접(內接)하는 정다각형(正多角形)으로부터 원주율(圓周率)을 구하여 무한적(無限積)의 꼴로 표현, 소수점 이하 10자리까지 산출하였음. [1540-1603]
비엔나 [Vienna] 명 〖지〗 '빈(Wien)'의 이탈리아어 및 영어 명칭.
비엔나 소시지 [Vienna sausage] 명 손가락같이 가느다란 소시지.
비엔나 숲속의 이야기 [— / —에—] 명 [Geschichte aus dem Wiener Wald] 〖악〗 요한 슈트라우스 작곡의 왈츠곡. 뮐러의 시(詩)를 바탕으로 비엔나 숲의 아름다움을 묘사한 전원풍(田園風)의 연주회용 왈츠임.
비엔나 왈츠 [Vienna waltz] 명 〖악〗 비엔나의 경음악 작곡가들이 작곡한 왈츠 및 그 양식을 따른 원무곡의 총칭. 1분간 60소절(小節) 전후의 속도. 특히, 요한 슈트라우스 부자(父子)의 왈츠곡은 세계적으로 유명함. 비엔나 원무곡.
비엔나 원무곡【—圓舞曲】 [Vienna] 명 〖악〗 비엔나 왈츠.
비엔나 커:피 [Vienna+coffee] 명 우유를 섞은 커피를 다방(茶房)에서 일컫는 말.
비엔날레 [이 biennale] 명 〖미술〗 [2년마다의 뜻] 2년마다 열리는 미술 전람회. 역사가 가장 긴 베니스 비엔날레를 비롯하여 사웅파울로(São Paulo)·파리·도쿄 등지에서 열리는 것이 유명함.
비엔티안 [Vientiane] 명 〖지〗 라오스의 수도. 이 나라의 서부 타이 국경에 가까운 메콩 강 좌안(左岸)의 하항(河港). 목재·고무·견직물·피혁(皮革) 등의 거래가 성하며 은세공(銀細工)이 행하여짐. 구왕궁(舊王宮)·고고(考古) 박물관·의대(醫大)가 있음. 화교(華僑)가 전인구의 약 20 %를 차지함. [380,000 명(1990)]
비:엘 【B/L】 명 [bill of lading 의 약칭] 선하 증권(船荷證券).
비엘라 혜:성【—彗星】 [Biela] 명 〖천〗 1826년 오스트리아의 천문학자 비엘라(Biela, Wilhelm von; 1782-1856)가 발견한 주기(週期) 혜성. 1846년 두부(頭部)가 두 개로 분열되어 출현하고, 1852년에는 240만 km 간격으로 떨어진 두 개의 혜성으로 출현, 1872년 출현 예정인 11월에는 혜성이 붕괴되어 궤도상에 유성군(流星群)으로 나타났음.
비: 엠 디: 【BMD】 명 [Ballistic Missile Defense] 〖군〗 미국의 탄도 미사일 요격 시스템.
비여 명 〈방〉 비녀¹(경북).
비역¹ 명 사내끼리, 성교하듯이 하는 짓. 계간(鷄姦). 남색(男色). ¶ ~질. ㊥벽. ↔밴대질. ——-하다 자 여불
비역² 명 〈방〉 부엌(경기·황해).
비역-살 명 궁둥이 쪽의 살.
비역-함【非役艦】 명 〖군〗 예비함(豫備艦).
비연¹【飛鳶】 명 연을 날림. 연날리기. ¶ ~ 대회.
비연²【飛燕】 명 〖사람〗 중국 전한(前漢)의 성제(成帝)의 황후 조비연(趙飛燕)을 말함. 날렵하게 춤을 잘 추었으므로 이렇게 불려짐.
비:연³【賁然】 명 빛나는 모양. ——-하다 형 여불 ——-히 부
비:연⁴【鼻煙·鼻烟】 명 〖한의〗 기관(氣管)이 막혔을 때 재채기를 하기 위하여 콧구멍에 넣거나, 냄새를 맡는 가루약.
비:연⁵【鼻淵】 명 〖한의〗 된 콧물이 나오고 때때로 피고름이 나기도 하는 콧병. 비(鼻)카타르.
비연약수-세【飛燕掠水勢】 [—냑—] 명 〖악〗 거문고 연주에서, 나는 제비 물차듯 한 기세로 하라는 말.
비연우회지-세【飛鳶迂廻之勢】 명 〖악〗 거문고 연주에서, 나는 솔개가 빙빙 도는 형세로 거드럭거리며 굴곡 있게 표현하라는 말.
비:연-통【鼻煙筒】 명 비연(鼻煙)을 담는 작은 병. 마개를 뽑고 코로 냄새를 맡게 되어 있음.
비:열¹【比熱】 명 [specific heat] 〖물〗 물질 1g의 온도를 1°C 올리는 데 드는 열량(熱量)과 물 1g의 온도를 1°C 올리는 데 드는 열량과의 비. 물의 비열은 1로서 제일 큼.
비:열²【卑劣·鄙劣】 명 [←비렬] 성품과 행실이 천하고 용렬함. ——-하다 형 여불
비:열³【脾熱】 명 〖한의〗 비장(脾臟)에서 열기(熱氣)가 생기는 병.
비:열⁴【備列】 명 [←비렬] 죽 늘어섬. ——-하다 자 여불
비-열복사【非熱輻射】 명 [nonthermal radiation] 〖물〗 열평형(熱平衡) 상태에 있지 않는 속도 분포(速度分布)를 가진, 하전 입자(荷電粒子)에 의하여 방출되는 전자 복사(電子輻射). 극광(極光)·형광등의 빛 따위.

비:열-한【卑劣漢】명 비열한 사람.
비:열흘-정【比列忽停】[-쩡] 명〖역〗〔←비렬홀정〕신라 육정(六停)의 하나. 진흥왕 17년(556)에 지금의 함경 남도 안변(安邊)에 두었다가 문무왕(文武王) 13년(673)에 지금의 춘천(春川)에 옮겨 우수정(牛首停)│이라 고침.
비:염[1]【脾炎】명〖의〗비장(脾臟)에서 생기는 염증.
비:염[2]【鼻炎】명〔rhinitis〕〖의〗비강(鼻腔) 점막의 염증. 급성과 만성이 있는데, 급성은 기후의 변화나 감기에 의하여 나타나며, 비점막이 발갛게 부풀어오르고 장액성(漿液性)의 분비가 있으며, 코가 막히고 재채기와 함께 콧물이 자주 흐름. 만성은 비후성의 것과 위축성의 것이 있음. 비카타르(鼻catarrh). 코카타르.
비-염색질【非染色質】명〔achronatin〕〖생〗핵질(核質) 가운데, 염기성 색소(塩基性色素)로 염색되지 아니하는 물질. 핵사(核絲) 따위. 산성(酸性) 색소로 염색됨.
비영리 단체【非營利團體】[―니―] 명 학교·종교·자선 단체 등 공공의 이익을 목적으로 하는 단체. 공익(公益) 단체.
비영리 단체 광:고【非營利團體廣告】[―니―] 명〖사〗학교·종교 단체 등 비영리 단체가 행하는 사회 광고(社會廣告)의 하나.
비영리 법인【非營利法人】[―니―] 명〖법〗공익(公益) 법인.
비영리 사:업【非營利事業】[―니―] 명 공익(公益) 사업.
비영-비영 부 병으로 파리하고 기운이 없는 모양. ¶아파서 ∼하다.――하다 형여불
비영업 신:탁【非營業信託】명〖법〗인수(引受)가 비영업적으로 행하여지는 신탁. 주로 친척·친구들 사이에서 수탁자(受託者)를 구하는 경우, 수탁자의 보수(報酬)나 신탁의 감독에 관하여 영업 신탁과는 다른 취│급을 받음.
비예[1]【誹譽】명 비방하는 일과 칭찬하는 일.
비:예[2]【睥睨】명 눈을 흘겨 봄. ――하다 자타여불
비:오[1]【卑汚】명 ①천하게 여겨 오욕(汚辱)함. ②지위가 낮아 얕잡아 봄. ――하다 타여불
비:오[2]【祕奧】명 비밀(祕密)하고 심오(深奧)함. ――하다 형여불
비오[3]〔Biot, Jean Baptiste〕명〖사람〗프랑스의 물리학자·천문학자·수학자. 콜레주 드 프랑스(Collége de France) 교수. 기구(氣球)를 타고 상공(上空)의 자기(磁氣)를 측정하였으며 원편광(圓偏光)·쌍축 결정(雙軸結晶)과 '비오 사바르(Biot-Savart)의 법칙'을 발견함. [1774-1862]
비오:[4] 감 솔개의 우는 소리.
비오다 타〈옛〉꾸미다. 빛내다. ¶진실로 비온 거시 風流로와 보기 됴터라(眞是打扮的 風流好看)《朴新解 Ⅰ:31》.
비: 오: 디:【BOD】명〖생〗〔biochemical oxygen demand의 약칭〕수중에 함유된 유기물을 미생물이 산소를 사용하여 분해할 때 필요로 하는 산소량. ppm으로 나타냄. 유기물이 증가하면 수중에 녹은 산소량이 줄지만, 그 유기물의 양을 간접적으로 나타내고 있는 것이 됨. 수질 오염의 지표가 됨. 생물학적(生物學的) 산소 요구량(要求量).
비-오리 명〖조〗[*Mergus merganser*] 오릿과에 속하는 물새. 쇠오리와 비슷한데 좀 크고, 날개는 자주빛이 많아 오색이 찬란함. 암수가 항상 함께 놀며 항만(港灣)·연못 등에서 물고기·갑각류(甲殼類)·개구리·곤충 등을 잡아먹음. 계압(溪鴨). 계칙(鸂鶒). 수계(水鷄). 자원앙(紫鴛鴦). *바다비오리·톱니오리.

〈비오리〉

비오리 사탕【―砂糖】명 비오리 모양으로 만든 사탕.
비오메하니카〔러 biomekhanika〕명〖연〗1920년 초기, 소련의 연출가 메이에르홀리드(Meierkhol'd)가 심리적인 연출법에 반대하여 창시(創始)한 배우 이론(俳優理論). 연극의 기본을 배우의 체력을 최대한으로 구사하는, 육체적 훈련에 두고자 하는 일. 배우 기계학. 생체 동력화론│(生體動力化論).
비오:-비오 감 솔개가 계속하여 우는 소리.
비오 사바르의 법칙【―法則】[―/―에―] 명〔Biot-Savart's law〕〖물〗정상 전류(定常電流)의 둘레에 발생하는 자기장(磁氣場)을 미분(微分) 방정식으로 나타낸 법칙. 적분(積分)한 것은 앙페르(Ampère)의 법칙과 같음. 1820년, 프랑스의 물리학자 비오와 사바르가 발견함.
비오-새 명〈방〉〖조〗비오리.
비오스〔bios〕명〖생〗효모(酵母)의 증식(增殖)에 필요한 미량 물질군(微量物質群). 이노시톨(inositol)·베타 알라닌(β-alanine)·비오틴(biotin)·판테토산(酸) 따위가 그 유효 성분임.
비오 십세【―十世】〔이 Pio Ⅹ〕명〖사람〗로마 교황. 성서 연구소를 창설함. 사상상의 근대주의를 배격하여 프랑스·스페인 등과 불화하였음. 1954년 시성(諡聖)됨. 피우스(Pius) 십세. [1835-1914; 재위 1903-14]
비오 십이세【―十二世】〔이 Pio Ⅻ〕명〖사람〗로마 교황. 정치적 수완이 뛰어나고 웅변가이며, 국제 관계의 조정에 관심을 기울여 평화의 교황으로 알려짐. 피우스(Pius) 십이세. [1876-1958; 재위 1939-58]
비: 오:십이 폭격기【B52 爆擊機】명〖군〗미국 전략(戰略) 공군의 중핵(中核)을 이루던 장거리 폭격기. 1955년부터 배치되었으나 1970년대 초에 B1 폭격기로 대체됨. 최대 속도 마하 0.95, 항속 거리 20,300 km. *비원(B1) 폭격기.
비오 십일세【―十一世】〔이 Pio Ⅺ〕[―쎄] 명〖사람〗로마 교황. 공산주의를 배격함. 1929년 무솔리니와 라테란(Lateran) 조약을 맺어 바티칸 시(市)의 독립과 교황권을 회복함. 피우스(Pius) 십일세. [1857-1939; 재위 1922-39]
비오토누스〔라 biotonus〕명〖심〗생물이 가지는 에너지의 강도(強度). 모든 기관의 활동을 결정하고, 심리적으로는 생활 감정을 지배함. 체질이나 기질과 밀접한 관계를 가진다고 봄.
비오티〔Viotti, Giovanni〕명〖사람〗이탈리아의 작곡가·바이올리니스트(violinist). 1782년 파리에서 바이올리니스트로 데뷔한 이래, 프랑스·영국에서 활약함. 작품은 29곡의 바이올린 협주곡을 비롯한 현악 4중주곡 등 다수 있음. [1755-1824]
비오틴〔biotin〕명〖화〗비타민 B복합체의 일종. 장내(腸內)의 박테리아에 의해 합성되며 이것이 결핍되면 탈모(脫毛)·피부염 등을 일으킴. 유용 미생물(有用微生物)의 발육에 필요한 물질. 비타민 에이치(H).
비:오-판【B5判】명〖인쇄〗종이의 치수의 이름. 182 mm × 257 mm로, 사륙 배판과 거의 같음. 대형(大型)의 서적·잡지는 대개 이 판임.
비오페르민〔Biofermin〕명〖약〗유산균 제제(乳酸菌製劑)의 상품명. 장(腸) 내용(內容)을 산성(酸性)으로 하고, 단백질을 분해하는 세균의 번식을 억제하며, 장내(腸內)의 이상 발효(異常醱酵)와 이상 부패(異常腐敗)를 방지하는 작용을 함. 위장 질환·습관성 변비·만성 영양 장애증 등에 효과가 있음.
비오포어〔biophore〕명〖생〗생명의 단위로서 상정(想定)된 유전자적(遺傳子的) 입자(粒子). 1892년 독일의 바이스만(Weismann, A.)이 상정한 것으로, 동화(同化)·대사(代謝)·생장(生長)·분열(分裂)·증식(增殖)을 영위함. 이것이 집합체를 이루어 생명의 기초를 낳는다고 함.
비:옥[1]【肥沃】명 땅이 걸고 기름짐. 비요(肥饒). 비유(肥腴). 풍옥(豐沃).
비:옥[2]【翡玉】명 붉은 점이 있는 비취옥(翡翠玉). │――하다 형여불
비옥[3]【緋玉】명〖역〗당상관(堂上官)의 관복(官服)의 별칭. 비단옷과 옥관자(玉貫子)란 뜻. 「표창할 만하였다는 일.
비:옥 가:봉【比屋可封】명 요·순(堯舜) 때 사람이 다 착하여 집집마다
비:옥-지【肥沃地】명 비옥(肥沃)한 땅. 「합한 토양(土壤).
비:옥-토【肥沃土】명〖농〗땅이 걸고 기름져서 작물(作物)의 생육에 적
비온〔Bion〕명〖사람〗기원전 2세기의 소(小)아시아 태생 그리스의 목가(牧歌) 시인. 만년(晩年)은 시칠리아에서 삶. 단순하면서 우아한 시를 씀. 《아도니스 애가(Adonis 哀歌)》는 가장 유명함.
비올[1] 명〈옛〉비오리. ¶올하 올하 아련 비올하《樂詞 滿殿春別詞》.
비올[2]〔viol〕명〖악〗15-18세기에 유럽에 보급되었던 찰현 악기(擦絃樂器)의 일종. 바이올린속(屬)의 전신(前身)으로, 5-7현(絃)인데, 소프라노·알토·베이스·콘트라베이스 등의 각종이 있음. 보디(body)는 겉판만이 공명(共鳴)하고 속판은 평면으로 공명력이 없음.
비올라〔이 viola〕명〖악〗바이올린속(屬)의 4현(絃)의 찰현 악기. 바이올린과 첼로의 중간 악기로, 바이올린보다 5도(度) 낮게 조현(調絃)되었음. 알토 음역(音域)으로, 소리가 어둡고 둔하여 우울한 애감(哀感)을 자아냄. 실내악·관현악의 중음부(中音部)를 담당함.
비올라 다 감바〔이 viola da gamba〕명〖악〗18세기경까지 쓰이었던 비올속(屬)에 속하는 저음부(低音部)의 옛 현악기. 첼로와 비슷함. 바스 비올(bass viol).

〈비올라〉

〈비올라 다 감바〉

비올라 다모레〔이 viola d'amore〕명〖악〗〔'사랑의 비올라'라는 뜻〕옛 현악기의 하나. 비올라보다 크고 3도(度)에 조현(調絃)된 일곱 줄의 현과 지판(指板) 밑에 7본위(本位)의 공명하는 금속현(金屬絃)이 달려 있음. 소리가 매우 부드럽고 우아함.
비올레-르-뒤크〔Viollet-le-Duc, Eugène〕명〖사람〗프랑스 건축가. 이탈리아와 남(南)프랑스에서 중세 건축을 연구. 노트르담 드 파리(Notre-Dame de Paris)·베즐레(Vézelay) 수도원·아미앵(Amiens) 성당 등의 개수(改修)에 참여하였으며 교육 활동에도 종사하였음. [1814-79]

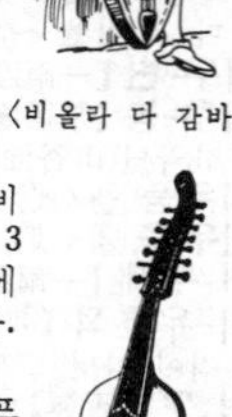

〈비올라 다모레〉

비올렌토〔이 violento〕명〖악〗'급격하게'의 뜻.
비올론-첼로〔이 violoncello〕명〖악〗첼로(cello).
비올롱〔프 violon〕명〖악〗바이올린(violin).
비올리노〔이 violino〕명〖악〗바이올린(violin).
비-옷 명 비가 옷에 배어 들지 못하도록 옷 위에 덧입는 옷. 도롱이·유삼(油衫) 등. 우의(雨衣). 우비(雨備). 레인코트(raincoat).
비:옹【臂癰】명 팔 웃 마디에 나는 큰 종기.
비:와【憊臥】명 피곤하여 누움. ――하다 자여불
비와톰 타〈옛〉'비왇다'의 명사형. 뱉음. ¶머구므며 비와토므로(食吐)《楞嚴 Ⅲ:63》.
비와투니 타〈옛〉뱉으니. '비왇다'의 활용형. ¶四更에 뫼히 돌을 비와투니(四更山吐月)《重杜諺 Ⅻ:3》.
비와 호【―湖】〔琵琶:びわ〕명〖지〗일본 시가 현(滋賀縣)의 중앙에 있는 일본에서 가장 큰 호수. 경치가 썩 아름다움. 물은 공업 용수(工業用水)·관개 용수(灌漑用水)·교통·발전(發電)·상수도(上水道) 등에 이용되고 있으며 어류·조개류 등이 많이 서식하고 진주 양식도 하고 있음. 호수 가운데에 여러 섬이 있음. [676 km²]
비:완【祕玩】명 비장(祕藏)하여 애완(愛玩)하는 물건.
비왇다 타〈옛〉뱉다. ¶藥 먹다가 비왇고 衣巾을 자바 니러셔라(吐藥攬衣巾)《初杜諺 ⅩⅨ:32》.
비왓다 타〈옛〉뱉다. ¶밥이 입에 잇거시든 비왓고 드룸으로 가고 즈조 거룸만 아녀롤떠니라(食在口則吐之走而不趨)《小諺 Ⅱ:17》.
비왕ᄒᆞ다 타〈옛〉비방하다. ¶또 비왕ᄒᆞ야(亦乃謗讟)《牧牛訣 42》.
비왙다 타〈옛〉뱉다. ¶머구므며 비와토므로(食吐)《楞嚴 Ⅲ:63》.
비외른손〔Björnson, Björnstjerne〕명〖사람〗노르웨이의 시인·소설가·극작가. 희곡 《싸움의 여가》, 소설 《양지 바른 언덕의 소녀》로 작가적 지위를 굳힘. 베르겐(Bergen) 극장의 지배인과 기자 생활도 함.

그의 시 ≪우리들은 이 나라를 사랑한다≫는 노르웨이 국가가 됨. 1903년 노벨 문학상을 받음. 희곡 ≪파산자≫·≪인력 이상(人力以上)≫, 소설 ≪거리에 항구에 깃발은 나부끼다≫ 등은 명작으로 꼽힘. [1832-1910]

비:요¹【肥饒】[명] 비옥(肥沃). ——-하다 [형][여불]

비:요²【秘要】[명] 비결(祕訣).

비요³【匪擾】[명] 비도(匪徒)의 소요(騷擾).

비:용¹【費用】[명] ①물건을 사거나, 어떤 일을 하는 데에 드는 돈. ¶ 입원 ~/~이 많이 들다. ②〖경〗기업(企業) 생산상의 목적으로 소비되는 재물의 가치나, 빌린 자본의 이자 등의 총칭. 비발. 용비(用費). [준]용¹(用).

비용²〔Villon, François〕[명]〖사람〗프랑스의 시인. 미천한 출신으로 살인·절도·도주·방랑·투옥의 일생을 보냈음. 1463년 살상(殺傷) 사건으로 사형 선고를 받고 후에 감면되어 파리에서 추방, 행방 불명이 됨. 초기의 작품 ≪소유언서(小遺言書)≫는 풍자와 냉소의 극치를 보인 걸작이며, ≪대(大)유언서≫ 등의 애절한 시풍은 프랑스 서정시의 길을 마련한 작품으로 이 시들은 후에 드뷔시(Debusy) 등에 의하여 가곡으로 작곡됨. [1431-?]

비용³〔Villon, Jacques〕[명]〖사람〗프랑스의 화가. 본명은 Gaston Duchamp. 1911년 큐비즘에 참가, 1913년에 섹숑 도르(section d'or)를 결성함. 인상주의적 감흥과 큐비즘의 구성력을 종합한 시적인 풍경화를 그림. [1875-1963]

비:용 가격【費用價格】[—까—] [명]〖경〗상품 가치에서 이윤을 공제한 가치 부분. 즉, 생산을 위하여 지출된 자본 가치를 회수하는 부분임. 판매 가격의 최저치(最低値)로서의 의미를 가짐.

비용-극【非溶極】[명]〔nonconsumable electrode〕탄소나 텅스텐과 같은 재료로 만든 전극(電極). 용접이나 용융(溶融) 조작으로 소모(消耗)되지 않은 것을 이름.

비:용 변:상【費用辨償】[명]〖법〗실비(實費) 변상❷.

비:용-사【備用司】[명]〖역〗고려 '요물고(料物庫)'의 고치기 전의 이름.

비:용 상환 청구권【費用償還請求權】[—꿘] [명]〖법〗남을 대신하여 비용을 지출한 사람이, 본래 물어야 할 사람에게 가지는 상환 청구권. 보통, 필요비(必要費)·유익비(有益費)에 대하여 인정됨.

비:-용종【鼻茸腫】[명]〔nasal polypus〕〖의〗만성 비염이나 부비강염(副鼻腔炎) 등에 의한 분비물에 자극되어 비강이나 부비강 점막(粘膜)이 비후(肥厚) 융기(隆起)하여 생기는 종양.

비우¹ [명]〈방〉비위(脾胃)(함경).

비:우²【妃耦】[명] 배우자. 배필.

비:우³【庇佑】[명] 보호함. 비호(庇護). ——-하다 [타][여불]

비우⁴【飛宇】[명] 비첨(飛檐).

비우다 [타]〔중세 : 뷔우다〕①안의 것을 치우거나 쏟거나 먹어치우다. ¶ 병을 ~/밥그릇을 ~. ②밖으로 나가서 집이나 방에 아무도 없게 하다. ¶ 집을 ~. [준]비다.

비우-변【一雨邊】[명] 한자 부수(部首)의 하나. '雪'이나 '雹' 등의 '雨'의 이름.

비우-봉【飛雨峰】[명]〖지〗함경 남도 고원군(高原郡) 수동면(水洞面)과 산곡면(山谷面) 사이에 있는 산 봉우리. [1,140 m]

비우숨 [명]〈옛〉비웃음. ¶ 비우수믈 免티 몯ᄒᆞ리니≪月釋 XXI:15≫.

비우움 [명]〈옛〉비웃음. ¶ 비록 령슈ᄒᆞ야도 비우움을 면티 몯ᄒᆞ리니≪地藏解 上 6≫.

비-우제【一雨祭】[명]〈방〉기우제(祈雨祭).

비-우호적【非友好的】[명][관] 사이 좋게 지내려는 것이 아닌 모양. 우호적이 아닌 모양. ¶ ~인 태도.

비:운¹【否運】[명] ①막힌 운수. 언짢은 운수. ②불행한 운명. 불운(不運).

비운²【非運】[명] 불행. 역운(逆運).

비운³【飛雲】[명] ①바람에 불리어 날아가는 구름. ②〖건〗운문(雲紋)의 한 가지.

비운⁴【悲運】[명] ①슬픈 운수. ②슬픈 운명.

비운동성 포자【非運動性胞子】[—썽—] [명]〔aplanospore〕〖생〗수생 균류나 조류(藻類)의 포자(胞子) 중, 편모(鞭毛)나 섬모(纖毛)가 없어서 운동성이 없는 포자. 일반적으로 비운동성 포자낭(胞子囊) 속에 포자가 다수 형성되어 포자낭의 막(膜)에서 떨어져 포자의 막을 형성하는 경우를 이름. 구용어: 부동 포자. ↔ 유주자(遊走子).

비운-문【飛雲紋】[명] 구름문.

비욷 [명]〈옛〉비웃. 청어(靑魚). ¶ 비욷 쳥(鯖)≪字會 上 20≫.

비:울【痞鬱】[명]〖한의〗비민(痞悶).

비웃 [명]〔가난한 선비를 살찌우는 고기의 뜻인 '비유어(肥儒魚)'에서 유래〕〖어〗청어(靑魚)를 식품(食品)으로서 일컫는 말. *관목(貫目).

비웃-구이 [명] 비웃을 양념하여 구운 반찬. 청어구(靑魚炙).

비웃다 [타]〔중세 : 비욷다〕빈정거리는 뜻으로 웃다. 업신여기는 태도로 웃다. 조소하다.

비웃 두름 [명] 비웃을 엮은 두름. ¶ 한때는 내아에 들어가서 부인을 끌어내어 한 끈에다가 ~ 엮듯이 동여 앉히고…≪崔瓚植 : 秋月色≫.

비웃 백숙【一白熟】[명] 비웃을 통으로 맹물에 삶거나 쪄낸 안주. 청어백숙(靑魚白熟).

비웃-알 [—우달] [명] 청어(靑魚)의 알.

비웃음 [명] 비웃는 일. 또, 그 웃음. 조소(嘲笑). ¶ ~을 사다.

비웃 저:냐 [명] 비웃으로 만든 저냐. 청어 전유화(靑魚煎油花).

비웃적-거리다 [타] 남을 비웃으며 빈정거리다.

비웃적-대다 [타] 비웃적거리다.

비웃-젓 [명] 비웃으로 담근 젓. 청어해(靑魚醢). 청어젓.

비웃 조림 [명] 비웃을 토막쳐서 간장이나 고추장물에 조린 음식.

비웃-죽【一粥】[명] 비웃을 살로만 끓여 체에 걸러서 멥쌀을 넣고 쑨 죽. 청어죽(靑魚粥).

비웃 지짐이 [명] 고추장물에 비웃을 토막쳐 넣고 쇠고기·콩나물·파를 섞어 끓인 음식. 청어전(靑魚臇).

비웃-찜 [명] 비웃을 밀가루·달걀에 씌워 지져서 국물이 바특한 맑은 장국에 끓인 음식. 청어증(靑魚蒸).

비웃다 [타]〈옛〉비웃다. ¶ ᄒᆞ다가 모딘 이브로 구지드며 비우스면≪月釋 XVII:78≫.

비:원¹【祕苑】[명] ①금원(禁苑). ②〖지〗서울 창덕궁(昌德宮) 안에 있는 궁원(宮苑).

비:원²【備員】[명] 정한 인원수(人員數)가 다 갖추어짐.

비원³【悲願】[명] ①비장(悲壯)한 소원. 꼭 달성시키려고 하는 소원. ¶ 국토 통일은 민족의 ~이다. ②〖불교〗불(佛)·보살(菩薩)의 대자 대비(大慈大悲)한 마음으로부터 일으키는 중생 구제(衆生救濟)의 서원(誓願). 아미타불(阿彌陀佛)의 48원(願)과 약사 여래(藥師如來)의 12원 등.

비:원⁴【鄙願】[명] 자기 소원(所願)의 겸칭(謙稱).

비원-사【—寺】〔碧雲〕[명]〖불교〗중국 허베이 성(河北省) 베이징(北京) 교외에 위치한 절. 1748년 티베트의 중이 만들었다는 모형(模型)을 본뜬 대리석조(大理石造)의 금강 보좌(金剛寶座)가 있음. 벽운사.

비:원 폭격기【B1 爆擊機】[명]〖군〗미국의 노스 웨스턴 회사에서 개발한, 미국 공군의 전략 폭격기. B52의 후계기(後繼機)로, B52보다 기체(機體)는 작으나, 가변익(可變翼)이라 저공(低空)에서도 음속 가까운 고속(高速)으로 날 수 있음. 비 원 비(B 1 B) 폭격기는 최대 속도 마하 1.25, 항속 거리 12,000 km. 단거리 공격 미사일 24발, 공중 발사 순항 미사일 최대 20발을 탑재할 수 있음. *비 투(B 2) 폭격기.

비월【飛越】[명] ①위를 날아서 넘는 일. ②정신이 아뜩하도록 낢. ——-하다 [자][타][여불]

비:위¹【妣位】[명] 돌아가신 어머니로부터 그 이상의 대대(代代)의 할머니의 위(位). ↔고위(考位).

비위²【非違】[명] 법에 어긋남. 또, 그 일. 규칙에 벗어남. 또, 그 일. ¶ ~ 사실.

비:위³【備位】[명] ①관위(官位)를 갖추고 있음. 벼슬에 있음. ②관위를 갖추고 있을 뿐이라는 뜻으로 관리가 자기를 낮추어 일컫는 말.

비:위⁴【脾胃】[명] ①〖생〗비장(脾臟)과 위경(胃經). ②음식의 맛이나 사물에 대하여 좋고 나쁨을 분간하는 기분. ¶ 음식이 ~에 안 맞는다/말이 ~에 거슬린다. ③아니꼽고 싫은 일을 잘 견디는 힘. ¶ 창피한 줄도 모르고 ~ 좋게 앉아 있다.

[비위가 노래기 회해 먹겠다] 매우 파렴치(破廉恥)한 사람을 비유하는 말. [비위가 떡판에 가 넘어지겠다; 비위가 떡함지에 넘어지겠다] 떡판에 넘어진 것 같이 꾸며서 떡을 먹으려 한다는 말로, 교활하고 염치좋은 사람을 이름.

비:위(에) 거슬리다 [구] 마음에 언짢다. 마음에 맞지 않다.

비:위(를) 건드리다 [구] 남의 마음을 상하게 하다.

비:위(를) 긁다 [구] 남의 마음을 건드리어 비위가 상하게 만들다.

비:위(에) 당기다 [구] 마음이 끌리다. 마음에 맞다.

비:위(가) 동(動):하다 [구] 먹고 싶은 마음, 갖고 싶은 마음이 일어나다. ¶ 주마 하는 말에 비위가 동하여 하는 말이≪春香傳≫.

비:위(를) 맞추다 [구] 남의 마음에 맞도록 하여 주다.

비:위(가) 사:납다 [구] 마음에 들지 아니하여 기분이 아니꼽다.

비:위(가) 상하다 [구] ㉠비위가 뒤집혀 금시 게울 듯하여지다. ㉡마음에 맞지 아니하여 아니꼽고 속이 상하다.

비:위(에) 안 맞다 [구] 마음에 맞지 아니하다.

비:위(가) 좋다 [구] ㉠비리거나, 입에 맞지 아니하는 음식을 잘 먹어 내는 힘이 있다. ㉡아니꼽고 싫은 일을 잘 견디는 힘이 있다.

비:위(가) 틀리다 [구] 마음에 맞지 아니하며 기분이 틀어지다.

비:위 난정【脾胃難定】[명] ①비위가 뒤집혀 갈앉지 아니함. ②밉살스런 꼴을 보고 마음이 아니꼬움을 이르는 말.

비위 사:실【非違事實】[명] 법규에 어긋난 사실.

비-위생적【非衛生的】[명][관] 위생 관념에 알맞지 아니하는 모양.

비:유¹【比喩·譬喩】[명] 사물의 설명에 있어서 그와 비슷한 다른 사물을 빌려 표현(表現)하는 일. '인생은 가시밭 길'·'독안에 든 쥐'·'우물 안의 개구리' 등. 유(喩). ¶ ~적/~를 들다. ——-하다 [타][여불]

비유²【非有】[명]〖철〗유(有)가 아닌 것. 유에 대립하는 것. 메온(mēon).

비:유³【肥腴】[명] 비옥(肥沃). ——-하다 [형][여불]

비:유⁴【卑幼】[명] 항렬(行列)이 낮은 사람과 나이가 어린 사람.

비:유⁵【泌乳】[명] 유선(乳腺)에서 젖이 분비하는 일. 젖의 분비는 발정(發情) 호르몬·황체(黃體) 호르몬에 의해 유선이 발달하고, 뇌하수체 전엽(腦下垂體前葉)에서 젖분비(分泌) 자극 호르몬인 황체 자극 호르몬이 유선에 작용하여 일어남. *젖분비 자극 호르몬(刺戟 hormone).

비:유⁶【鄙儒】[명] 견식(見識)이 좁고 비속한 유생(儒生). 또, 유생이 자기를 낮추어 일컫는 말. 속유(俗儒).

비:유-담【比喩譚】[명] 도덕적 교훈을 설명하는 짧은 이야기. 우화와 함께 풍유담(風喩譚)의 일종임. 신약 성서 누가 복음의 탕자(蕩子)의 비유, 열매 맺지 못하는 무화과나무의 비유 같은 것이 그 예임.

비:유 문학【比喩文學】[명] 비유법을 많이 이용하여 이루어진 문학. 특히 성서(聖書)를 비롯하여 풍자적(諷刺的)인 작품을 일컬음.

비:유-법【譬喩法·比喩法】[—뻡] [명]〖문〗수사법(修辭法)의 하나. 이해(理解)를 빨리 하게 하고 표현에 멋을 내기 위하여 비유를 쓰는 법으로, 직유(直喩)·은유(隱喩) 등이 있음.

비유 비공【非有非空】[명]〖불교〗비유 비무(非有非無).

비유 비무【非有非無】[명]〖불교〗모든 법(法)의 실상(實相)은 있지도 없지도 아니함. 유(有)와 무(無)의 중도(中道)임. 비유 비공.

비:유 신판【沸油神判】[명] 끓는 기름 속의 화폐를 꺼내게 하여 화상(火傷)을 입는지의 여부로 곡직(曲直)을 가리던 고대 중국·인도의 신판(神判)의 한 방법. *철화(鐵火) 신판·작미 신판(嚼米神判).

비유-왕【毗有王】[명]〖사람〗백제 제20대 왕. 구이신왕(久爾辛王)의 장자. 남조(南朝)의 송(宋)나라와 왕래하였고, 7년(433)에는 신라와 화친하였음. [재위 427-454]

비:유 자:극 호르몬【泌乳刺戟—】[명] 젖분비 자극 호르몬.

비:유-적【比喩的】[명][관] 어떤 현상이나 사물을 빗대어 나타내는 모양.

비유전적 변:이【非遺傳的變異】[명]〖생〗유전자(遺傳子)와 관계없

이 전혀 동일한 유전적 조성(組成)을 가지고 있는 것으로 생각되는 개체 사이에 일어나는 변이. 그 개체가 놓인 환경의 극히 작은 차이로 말미암아 일어난다고 생각되며, 일대에 그치고 유전하지 아니함. 방황 변이(彷徨變異)나 획득 형질(獲得形質) 등과 같이 유전하지 아니하는 변이. 환경변이. ↔유전적 변이·영속(永續) 변이. ＊방황(彷徨) 변이.

비유:클리드 공간【非—空間】〔Euclid〕명『수』비유클리드 기하학이 성립하는 공간. 유클리드 공간과는 성질을 달리하며 예를 들면, 삼각형의 내각(內角)의 합(合)은 이직각(二直角)이 되지 아니함.

비유:클리드 기하학【非—幾何學】〔Euclid〕명『수』유클리드 기하학에 있어서의 평행선의 공리(公理)를 부정, 다른 공리로 대치(代置)하여 성립시킨 기하학. 대치시키는 공리에 따라서 볼리아이 로바체프스키(Bolyai-Lobachevski) 기하학과 리만(Riemann) 기하학의 두 종류가 성립함.

비육[1] 명〈옛〉병아리. ¶ 비육 爲鷄雛 ≪訓例 25≫.

비:육[2]【肥肉】명 살찐 고기.

비:육[3]【肥育】명〔fattening〕『농』가축(家畜)을 살이 찌게 기르는 일. 축사(畜舍)를 어둡고 온도가 높게 하며, 운동을 시키지 아니하고, 탄수화물(炭水化物)·단백질·전분(澱粉) 등이 많이 들어 있는 사료를 먹임. 흔히 고기를 쓸 목적으로 기르는 가축에 대하여 잡아먹기 전의 일정한 기간에 행하는 사육법(飼育法)임. ——-하다 타여불

비육 불포【非肉不飽】명 고기를 먹지 아니하면 배가 부르지 아니함. 노인의 쇠약해진 때를 이름. ——-하다 형여불

「도록 기른 소.

비:육-우【肥肉牛】명 질 좋은 고기를 많이 얻기 위하여 특별히 살이 찌

비:육지-탄【髀肉之嘆】명 영웅이 전쟁에 나가지 못하여 넓적다리만 살찜을 한탄한다는 뜻으로, 성공하지 못하고 한갓 세월만 보내는 일을 탄식함을 이름.

비:육-판【B 6 判】명『인쇄』종이의 치수의 이름. 128 mm×182 mm로서, 사륙판(四六判)과 거의 같음. 보통, 서적 또는 잡지에 쓰임.

비:윤【肥潤】명 땅이 비옥하며, 수리(水利)도 좋음. 또, 그 모양. ——-하다 형여불

「율(率). ¶ 합격자의 ～.

비:율【比率】명『수』어떤 수(數)나 양(量)의 다른 수나 양에 대한 비(比).

비:율-법【比率法】〔—뻡〕명『경』어떤 두 항목의 비율을 백분율로 산출하여 특정한 해석을 내리는 경영 분석 방법의 하나. 보통, 유동 비율·재무 비율·영업 비율·회전율(回轉率)에 관하여 사용됨.

비:율빈【比律賓】명『지』'필리핀(Philippine)'의 취음(取音). ㊟비(比).

비:율빈 군도【比律賓群島】명『지』'필리핀 군도'의 취음(取音). ㊟비도(比島).

「보던 관아(官衙). 연산군 때에 베풀었음.

비:융-사【備戎司】명『역』조선 시대에, 갑옷·투구를 만드는 일을 맡아

비은 사진【非銀寫眞】명 은염(銀塩)을 이용하지 아니하는 새로운 사진법. 할로겐화은(Halogen化銀)을 감광체(感光體)로 하는 일반 사진법에 대한 말. 전자 사진 따위.

비음[1] 명 ☞ 빔[2].

비:음[2]【庇蔭】명 ①차양(遮陽)의 그늘. ②옹호하여 도움. ——-하다 타

비음[3]【琵音】명『악』'아르페지오(arpeggio)'의 역어(譯語). ㄴ여불

비음[4]【悲吟】명 슬픈 목소리로 시가(詩歌)를 읊음. ——-하다 타여불

비음[5]【碑陰】명 ①비신(碑身)의 뒷면. 비배(碑背). ↔비표(碑表). ＊비신(碑身). ②비석의 뒷면에 새기는 문장. 또, 그 문체(文體).

비:음[6]【鼻音】명『언』비강(鼻腔)의 공명(共鳴)을 수반하는 성음(聲音). 곧, 입안의 어떤 부분을 막았다가 코안으로 내는 소리 'ㅁ·ㄴ·ㅇ'의 유성 자음(有聲子音)이 이에 속함. 콧소리. 통비음(通鼻音). ↔구음(口

비:음[7]【鼻飮】명 코로 물 따위를 마심. ——-하다 자여불 ㄴ音).

비:음-화【鼻音化】명 보통, 비강(鼻腔)으로 이어지는 호기(呼氣)의 통로를 폐쇄하여 발음되어야 할 자음·모음이, 비강이 완전히 폐쇄되지 아니한 까닭으로 비강의 공명(共鳴)을 동반하게 되는 일.

비읍[1] 명『언』한글의 자음(子音) 'ㅂ'의 이름.

비읍[2]【悲泣】명 슬피 욺. ——-하다 자여불

비응-도【飛鷹島】명『지』전라 북도의 서해상(西海上), 군산시(群山市) 미성동(米星洞)에 위치한 섬. 전에 옥구군(沃溝郡)에 속했던 곳으로 섬 동쪽에 해수욕장이 있음. [0.55 km²: 242 명(1984)]

비:의[1]【比擬】〔—/—이〕명 견줌. 겨눔. 비김. ——-하다 타여불

비의[2]【非意】〔—/—이〕명 뜻하지 아니한 판. 뜻밖임. 불의(不意).

비의[3]【非義】〔—/—이〕명 의리(義理)에 어긋남. 도리에 맞지 아니함.

비의[4]【非議】〔—/—이〕명 남을 비방하여 논함. ——-하다 자여불

비의[5]【悲意】〔—/—이〕명 슬픈 뜻. 슬퍼하는 뜻.

비:의[6]【備擬】〔—/—이〕명『역』관원(官員)을 임명할 때 이조(吏曹)·병조(兵曹)에서 세 사람의 후보자(候補者)를 추천하던 일. 의망(擬望).

비의[7]【緋衣】〔—/—이〕명 주홍색(朱紅色)의 의복. 붉은 옷. 주의(朱衣).

비:의 선인【卑衣先人】〔—/—이—〕명『역』조의 선인(皁衣先人).

비:이【比耳】명 귀견줌.

비이다 타〈방〉비우다.

비-이성【非理性】명『철』비합리(非合理).

비-이성적【非理性的】명관 비합리적(非合理的)인 모양. 「義).

비이성-주의【非理性主義】〔—/—이〕명『철』비합리주의(非合理主

비-이슬 명 ①비와 이슬. 우로(雨露). ②비가 내린 뒤에 잎 따위에 맺힌 물방울.

비이온 계:면 활성제【非—界面活性劑】〔ion〕〔—쩽—〕명〔nonionic surfactant〕물에 용해해도 이온으로 해리(解離)하는 일이 없는 계면 활성제.

비이온 세:제【非—洗劑】명〔nonionic detergent〕세제의 하나. 수용액(水溶液) 속에 이온화(ion 化)하지 않은 분자(分子)를 함유하며, 글리콜류(類)와 옥틸 또는 노닐 페놀(nonyl phenol)과의 축합 생성물(縮合生成物)로 만든 세제 따위.

비이클〔vehicle〕명『인쇄』인쇄 잉크 또는 도료(塗料)에서 안료(顏料)를 분산시켜 이것에 유전성(流展性)을 갖게 하여 도피면(塗被面)이나 인쇄면에 안료를 고착시키게 하는 액체 성분.

비:익[1]【比翼】명 ①두 마리의 새가 서로 날개를 가지런히 함. ②비익조(比翼鳥). ③부부(夫婦)의 비유.

비:익[2]【裨益·毗益·毘翼】명 보익(補益). ——-하다 타여불

비:익[3]【鼻翼】명 코끝의 좌우 양단(兩端)의 부분.

비:익 연리【比翼連理】〔—녈—〕명 ①비익조(比翼鳥)와 연리지(連理枝). ②부부의 깊은 정의 비유.

비:익-조【比翼鳥】명 ①암컷 수컷이 눈과 날개가 하나씩이라서 짝을 짓지 않으면 날지 못한다는 전설상의 새. 또, 날개를 가지런히 맞대고 날아다니는 새. ②남녀의 지극한 정을 비유하는 말. 비익(比翼).

〈비익조❶〉

비:익 호흡【鼻翼呼吸】명『의』호흡 장애가 있는 환자가 숨을 들이쉴 때는 콧구멍을 넓히고, 내쉴 때는 오무리면서 하는 호흡.

비인[1]【非人】명『불교』①사람답지 아니한 사람. 곧, 천룡 팔부중(天龍八部衆) 및 야차(夜叉)·악귀(惡鬼) 등. ②세상을 피한 중의 자칭(自稱).

비인[2]【非認】명 승인하지 아니함. ——-하다 타여불

비인[3]【飛人】명『건』법당(法堂)의 천장이나 벽에, 나는 사람의 모양을 그린 그림.

비:인[4]【鄙人·卑人】명 ①촌사람. ②천한 사람. ③자기의 겸칭(謙稱).

비-인간【非人間】명 사람답지 못함. 또, 그 사람.

비-인간적【非人間的】명관 ①사람으로서 갖는 이성(理性)·감정·감각 등과 무관계(無關係)한 모양. ②정상적인 인간으로서 당연히 해야 할 행위·감정 등에 위배되는 모양. ¶ ～인 행위.

비-인도적【非人道的】명관 인도에 어긋나는 모양. ¶ ～인 처사.

비:인-만【庇仁灣】명『지』충청 남도 서천(舒川) 서안에 위치하는 좁고 긴 작은 만.

비인적 계:정【非人的計定】〔—쩍—〕명『경』기업과 사람과의 출자(出資)·대차(貸借) 관계를 표시하는 것 이외의 계정. 곧, 현금·상품·건물 및 손익에 관한 여러 계정. ↔인적(人的) 계정.

비인적 영:향【非人的影響】〔—쩍—〕명『광고』임퍼스널 인플루언스(impersonal influence).

비-인정【非人情】명 사람이 지녀야 할 따뜻한 정(情)이 아님.

비인칭적 판단【非人稱的判斷】명『논』판단의 주사(主辭)가 없거나 또는 부정 대명사(不定代名詞)로써 이것을 대신하여, 다만 빈사(賓辭)만 가지고 현재의 의식 내용을 나타내는 판단. 예를 들면 '춥다'라든가 'It rains.(비가 온다)'라고 하는 등의 판단. 조정(措定) 판단. 무주(無主) 판단. 무주적 명제(無主的命題). 비인칭 명제.

비일 비재【非一非再】명 ①한두 번이 아님. ②하나 둘이 아님. 수두룩함. ——-하다 형여불

비임개-질 명〈방〉낫질. ——-하다 자

비임균성 요도염【非淋菌性尿道炎】〔—썽뇨—〕명〔nongonococcal urethritis; NGU〕『의』성교에 의해 전염되는 요도염(尿道炎)의 하나. 임균(淋菌)이 아닌 클라미디아균(chlamydia菌) 등에 의하여 발병하는데, 잠복기는 1-3 주간이고, 요도에 불쾌감·가려움·배뇨 장애 등의 증상이 있음.

비읏다 형〈옛〉성기다. ¶ 親ᄒᆞ며 비읏며 멀며 갓가온 ᄆᆞ디를 짓디 아니ᄒᆞᄂᆞ니(不故作親疎遠近節級)≪圓覺 上 一之一 113≫.

비:자[1]【丕子】명 천자(天子)의 적자(嫡子). 태자(太子). 원자(元子).

비자[2]【非訾】명 헐뜯음. 비방함. ——-하다 타여불

비:자[3]【疿子】명『의』피부에 땀띠 같은 것이 생기는 부스럼.

비자[4]【婢子】명 ①계집종. ②『역』조선 시대 때, 별궁(別宮)·본결·종친(宗親) 사이의 문안 편지를 전달하는 여자 종. ＊무수리. ③여자 자신의 겸칭(謙稱). 「자여불

비:자[5]【備資】명 자본이나 자원(資源)·물자를 비축(備蓄)함. ——-하다

비:자[6]【榧子】명『한의』비자나무의 열매. 구충제(驅蟲劑)로 쓰이는데,

비자[7]〔visa〕명 사증(査證). 입국 사증. ㄴ특히 촌충(寸蟲)에 유효함.

비:자 강정【榧子—】명 비자를 겉껍질을 벗겨서 기름에 볶은 뒤에 속껍질을 마저 벗기고 꿀이나 엿을 발라 콩가루를 묻힌 과자.

비:-자금【祕資金】명『경』거래에서 관례적으로 발생하는 리베이트(rebate)와 커미션 및 회계 조작에 의한 부정한 돈을 세금 추적이 불가능하게 보관해 둔 자금.

비:자-나무【榧子—】명『식』〔*Torreya nucifera*〕비자나뭇과에 속하는 상록 침엽 교목(喬木). 높이 20 m 가량이고, 수피(樹皮)는 회백색임. 잎은 호생하며 선형(線形)으로 끝이 뾰족하고 뒤쪽의 양쪽 가에 황백색의 기공선(氣孔線)이 있고, 불쾌한 냄새가 남. 4월에 자웅 이주(雌雄異株)의 꽃이 피는데, 수꽃은 액출(腋出) 단생(單生)하고, 암꽃은 잔 가지 위에 모여 쌍생(雙生)함. 핵과(核果)는 이듬해 10월에 적자색으로 익으며 지방분(脂肪分)이 많고 과육(果肉)이 있음. 이 나무에 손을 대면 운동을 일으키는 특징이 있음. 산에 나는데, 우리 나라 남부 및 일본과 중국에 분포함. 과실은 '비자'라 하여 맛이 몹시 떫은데 약용 또는 기름을 짜서 식용·등유(燈油)·도료(塗料)로 하고, 목재는 건축재·조선(造船)·바둑판 등에 쓰임.

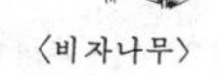

〈비자나무〉

비:자나뭇-과【榧子—科】명『식』〔Torreyaceae〕나자 식물에 속하는

한 과. 관목 또는 교목으로 북반구(北半球)에 수십 종이 분포하며 한국에는 비자나무 등의 3-4 종이 있음.

비-자동【非自動】명 자동이 아님.

비자모 기호【非字母記號】명〖언〗음성 기호의 하나. 발음에 참가하는 각 음성 기관의 움직임 및 상태를 정밀히 분석·표기하기 위하여 고안된 기호.

비:자-반【榧子盤】명 윗면을 비자나무 판자로 대어 만든 바둑판.

비자발적 실업【非自發的失業】[一쩍一] 명〖사〗당시의 화폐 임금률(賃金率)로 일할 의사와 능력이 있어도 생산물에 대한 충분한 유효 수요(有效需要)가 없기 때문에 직업을 얻지 못하고 있는 상태.

비-자성강【非磁性鋼】명〔nonmagnetic steel〕약 12%의 망간과 때로는 약간의 니켈을 함유(含有)하는 강철. 상온(常溫)에서는 실제로 비자성(非磁性)이 아님.

비자야나가르 왕조【一王朝】〔Vijayanagar〕명〖역〗〔비자야나가르는 '승리(勝利)의 마을'이란 뜻〕14세기초부터 17세기 초엽까지 남인도를 지배하던 힌두 왕국. 북방의 이교도(異敎徒)의 침략으로부터 힌두의 종교·문화를 지키기 위하여 하리하라(Harihara) 이하의 다섯 형제가 크리슈나(Krishna) 강 남쪽에 건국함. 일시 세력을 떨쳐 남인도 일대를 통치했으나, 뒤에 비자프르 및 골콘다에 병합되어 멸망하였음.

비자-와【貔子窩】명〖지〗'피쯔워'를 우리 음으로 읽은 이름.

비자치 지역【非自治地域】명 주민(住民)이 완전한 자치를 갖지 못하고 본국에 종속되어 있는 지역. 식민지가 거의 이에 해당함.

비:자-판【榧子板】명 비자나무로 제재(製材)한 널빤지.

비잔티움〔Byzantium〕명〖지〗'이스탄불(Istanbul)'의 구명. 동(東)로마 제국의 수도였음. ＊콘스탄티노플.

비잔틴 건:축【一建築】〔Byzantine〕명 비잔틴식(式).

비잔틴 교:회【一敎會】〔Byzantine〕명〖종〗그리스 교회. 동방(東方) 교회. 정교회(正敎會).

비잔틴 문화【一文化】〔Byzantine〕명〖역〗비잔틴 제국(帝國)의 문화. 그리스 문화의 전통과 동방(東方) 문화를 융합(融合)한 것으로 모자이크(mosaic)·돔(dome)을 쓴 건축 등에 그 특징이 보임.

비잔틴 미술【一美術】〔Byzantine〕명 동로마 제국(東Roma帝國)을 중심으로 한 미술. 중심지는 비잔티움. 건축 외에 모자이크·미니아튀르(miniature)·아이콘(ikon)·상아 부조(象牙浮彫)에 빼어남. 그 특질은 궁정적(宮廷的)·동방적(東方的)인 호화성(豪華性), 종교적인 초월성(超越性) 등에서 볼 수 있음.

비잔틴-식【一式】〔Byzantine〕명 비잔티움(Byzantium)을 중심으로 4세기경 새로이 일어난 건축 양식. 큰 돔(dome)을 구성하고 내부는 대리석이나 모자이크(mosaic)로 장식, 화미(華美)를 극(極)한 것으로 유럽 여러 나라에 보급되었으며, 현재도 그리스 교회당의 근본 양식이 되어 있음. 비잔틴 건축.

비잔틴 제:국【一帝國】〔Byzantine〕명〖역〗'동로마 제국(東Roma帝國)'의 딴이름.

비잠 주:복【飛潛走伏】명 새·물고기·짐승·벌레들의 통칭.

비잡이 명〖농〗쟁기의 성에와 물추리 막대를 연결하는 끈.

비:장¹【肥壯】명 몸집이 크고 기운이 셈. ——-하다 형여불

비장²【飛將】명 비장군(飛將軍).

비:장³【祕藏】명 비밀히 감추어서 소중히 간직함. ¶~품. ——-하다 타여불

비장⁴【悲壯】명 슬프고도 장함. 비참(悲慘)하면서도 장대(壯大)함. 장비(壯悲). ¶~한 각오/~한 최후. ——-하다 형여불

비장⁵【脾腸】명 장딴지.

비:장⁶【備藏】명 두루 갖추어서 간직함. ——-하다 타여불

비:장⁷【脾臟】명〖생〗①내장(內臟)의 하나. 위(胃)의 뒤쪽에 있는데, 암적색(暗赤色)으로 구형(球形)이며 내부는 해면상(海綿狀)이고 림프선(腺)과 비슷한 구조를 가졌음. 주로 백혈구의 생성과 노폐(老廢)한 적혈구를 파괴하는 기능 등을 가짐. 지라. ②만화¹. 1)·2): 준비(脾).

비장⁸【裨將】명〖역〗감사(監司)·유수(留守)·병사(兵使)·수사(水使)·견외 사신(遣外使臣) 들에게 따라 다니는 관원(官員)의 하나. 막객(幕客). 막료(幕僚). 막비(幕裨). 막빈(幕賓). 막중(幕中). 좌막(佐幕).

비:장⁹【鄙庄】명 자기 전장(田庄)의 겸사말.

비:장¹⁰【臂章】명 위팔에 붙이는 휘장(徽章).

비장 경련【腓腸痙攣】[一년] 명〖의〗비장근 경련(腓腸筋痙攣).

비-장군【飛將軍】명 행동이 날랜 장군. 비장(飛將).

비장-근【腓腸筋】명〖생〗장딴지의 근육(筋肉). 다리를 펴는 구실을 하는데, 대퇴골(大腿骨)의 아래 끝으로부터 아킬레스건(achilles腱)에 연락됨.

비장근 경련【腓腸筋痙攣】[一년] 명〔도 Wadenkrämpfe〕〖의〗장딴지에 일어나는 경련. 곧, 다리에 쥐가 오르는 증세. 비장 경련(腓腸痙攣).

비장-미【悲壯美】명〖철〗미적 범주(美的範疇)의 하나. 슬픔과 함께 숭고함이 더불어 있는 아름다움. 어떤 대상의 가치감(價値感) 및 그에 대한 기대감(期待感)이 부정되며, 한편으로는 오히려 그것으로 인하여 가치감이 높아지는 것과 같은 미적주의(美的主義).

비재¹【菲才·非才】명 ①변변하지 못한 재주. ②자기 재능(才能)의 겸칭(謙稱). ¶천학 ~를 무릅쓰고.

비:재²【費財】명 비전(費錢). ——-하다 자여불

비재산적 손:해【非財産的損害】명〖법〗재산 이외의 법익(法益), 곧 생명·신체·자유·명예 등의 침해로 발생하는 손해. 정신적 손해.

비재산적 청구권【非財産的請求權】[一꿘] 명〖법〗금전적 가치가 없는 행위를 목적으로 하는 청구권. 곧, 유골 인도(遺骨引渡) 청구권과 같은 것.

비재식-시【非齋食時】명〖불교〗불가(佛家)에서, 정오 이후에 먹지 아니할 때. ↔재식시(齋食時).

비저¹【飛杼】명 직물(織物) 기계의 날실을 넣는 장치. 1733년, 영국의 케이(Kay, J.)가 발명. 양손으로 일일이 조작하던 것을 한 손으로 핸들을 조작하여 북의 좌우 운동을 반복시키도록 만듦.

비:저²【鼻疽】명〖의〗마비저(馬鼻疽).

비:저³〔Wieser, Friedrich von〕명〖사람〗오스트리아의 경제학자. 빈 대학 교수. 제1차 세계 대전중 한때 상무상(商務相)을 지냄. 멩거(Menger)의 '주관 가치설'을 계승, 뵘바베르크(Böhm-Bawerk)와 함께 '한계 효용학설'의 보급 발전에 힘을 기울임. 오스트리아 학파에 속함. 주저(主著)에 《경제 가치의 기원과 주요 법칙》·《자연 가치론》 등이 있음. [1851-1926]

비:저-병【鼻疽病】[一뼝] 명〖의〗탄저병(炭疽病)❶.

비:-저항【比抵抗】명〔specific resistance〕〖물〗단면적이 같은 등질(等質)의 전기 도체(導體)가 갖는 전기 저항의 비율. 물질에 따라 일정한 상수(常數)임. 저항률(抵抗率).

비:적¹【丕績】명 큰 공적(功績). 대공(大功).

비적²【飛跡】명〔track〕〖물〗윌슨 안개함(函) 속을 대전 입자(帶電粒子)가 통과할 때, 그 통로의 분자(分子)가 이온화(ion化)되어, 그것이 핵(核)으로 되어서 물방울이 생기어 보이는 선상(線狀)의 궤도(軌道). 또, 사진 건판(寫眞乾板)에 대전 입자가 통과했을 적에 관측되는 궤도. 여러 가지 소립자(素粒子) 또는 방사선(放射線)의 관측에 이용됨.

비적³【匪賊】명 떼를 지어 돌아다니며, 살인(殺人)·약탈(掠奪)을 일삼는 도둑의 무리.

비:적⁴【祕籍】명 용이하게 입수할 수 없는 책. 진본(珍本).

비적-단【匪賊團】명 비적의 무리.

비적-비적 부 싸놓은 물건이 군데군데 비어져 나오는 모양.

비-적성【非敵性】명 서로 적대되지 아니하는 성질. 적성이 아님. ¶~ 공산 국가. ↔적성(敵性).

비-적출자【非嫡出子】[一짜] 명 법률상의 혼인 관계에 있지 아니하는 남녀 사이에서 태어난 아이. ↔적출자.

비전¹【飛傳】명 급용(急用)으로 달리는 파발.

비전²【飛電】명 ①썩 빠른 번개. ②지급(至急)의 전보(電報).

비전³【飛箭】명 ①날아 오는 화살. ②매우 빠른 화살.

비전⁴【飛錢】명〖역〗중국 당(唐)나라 때 차(茶)·소금·견직물 등의 원거리간 거래가 번창함에 따라 발행되었던 일종의 환어음.

비:전⁵【祕典】명 비밀의 전적(典籍). 뜻이 깊은 내용의 서적·경전(經典).

비:전⁶【祕傳】명 비밀히 전하여 내려 옴. 또, 비밀의 전수(傳授). ¶~의 묘약. ——-하다 타여불

비전⁷【悲田】명〖불교〗복전(福田)의 하나. 고난(苦難)·빈궁(貧窮)의 경계. 이것을 불쌍히 여겨 은혜를 베풀면 복과(福果)를 얻는다고 하여 이렇게 불리워짐.

비:전⁸【費錢】명 돈을 허비하여 씀. 비재(費財). ——-하다 자여불

비전⁹〔vision〕명 ①시각(視覺). 환영(幻影). ②이상상(理想像). 미래상(未來像).

비:전-고【祕傳膏】명 비밀히 전하여 내려온 방문(方文)으로 만든 고약(膏藥).

비:전-국【祕傳麴】명 밀가루·멥쌀 가루·녹두 가루를 섞어 만든 누룩. 녹두 껍질을 담근 물에 세 가지 가루를 한데 섞어 반죽하여 만들어 볕에 말린 지 두 달 만에 씀.

비:-전기량【比電氣量】명〖물〗비전하(比電荷).

비전-론【非戰論】[一논] 명 반전론(反戰論). ¶~자(者).

비:-전류【比電流】[一절一] 명〖물〗전기 기계의 코일(coil)의 한 둘레를 형성하는 도선(導線) 안을 흐르는 전류.

비-전문가【非專門家】명 전문가가 아닌 사람.

비-전문적【非專門的】명관 전문적이 아닌 모양. 어떠한 분야를 전공한 것이 아닌 모양.

비:-전압【比電壓】명〖물〗전기 기계 부분 속에 말려 있는 코일(coil)의 한 둘레에 끌리어 일어나는 전압.

비:-전원【B電源】명〖전〗전자관(電子管)의 음·양 양극간에 가하는 직류 전압을 얻기 위한 전원.

비전지-죄【非戰之罪】[一쬐] 명〔항우가 해하(垓下)의 싸움에 패하고 탄식한 말〕힘은 다했으나 운수가 글러서 성공 못함을 탄식한 말.

비-전투원【非戰鬪員】명〖군〗①교전국의 병력에 속하나 직접 전투에는 참가하지 아니하고 경리·위생·법무·종교 등의 업무에 종사하는 사람. ↔전투원(戰鬪員). ②병력에 속하지 아니하고 전투에 참가하지 아니하는 일반 시민 또는 평화적 주민. 비교전자. ↔교전자(交戰者)·전투원(戰鬪員).

비:-전하¹【比電荷】명〔specific charge〕〖물〗입자(粒子)가 가지는 전하(電荷)와 질량의 비(比). 자장(磁場)과 전장(電場)에서는, 비전하가 같은 입자는 동일 활동을 함. 비전기량(比電氣量).

비:-전하²【妃殿下】명 황족(皇族)의 비(妃)의 존칭.

비-전해질【非電解質】명〔nonelectrolyte〕〖화〗수용액(水溶液)으로서 전해(電解)가 되지 아니하는 물질. 알코올·사탕 등. ↔전해질(電解質).

비전형 계:약【非典型契約】명〖법〗무명 계약(無名契約).

비:점¹【批點】명 ①시가(詩歌)·문장 등을 비평 또는 정정(訂正)하여 매기는 평점(評點). ②문장 가운데에 문자의 요처(要處)나 묘처(妙處)의 오른편 또는 위에 찍는 점. ③정정 또는 비평할 점. 비평의 대상이 되는 결점.

비:점²【沸點】[一쩜] 명〖물〗↗비등점(沸騰點).

비-점결탄【非粘結炭】명 부점결탄(不粘結炭).

비:점-법【沸點法】[一쩜뻡] 명 비점 상승법(沸點上昇法).

비:점 상:승【沸點上昇】[一쩜 一] 명〖물〗비등점(沸騰點) 상승.

비:점 상:승법【沸點上昇法】[一쩜一뻡] 명〖물〗끓는점 오름법.

비점 수차【非點收差】명〔astigmatism〕〖물〗광의(廣義)의 구면(球面) 수차의 하나. 구면(球面) 렌즈·구면경(球面鏡) 등의 광학계(光學系)에서는, 한 점(點)에서 나온 광선이 굴절 또는 반사된 후, 그 광학계의 근

축(近軸) 광선 이외는 한 점에 결상(結像)하지 아니하고, 그 광축(光軸)에 수직이면서, 서로 수직인 두 개의 선상에 따로따로 상(像)을 맺는 일을 이름.

비접¹ 명 살에 박힌 가시. ¶손에 박힌 ~.

비:접² 명 〔근대: 비졉〕 〔←피접(避接)〕 병중(病中)에 자리를 옮겨서 요양함. 전지 요양. *피병(避病).

비:접(을) 나가다 구 병중(病中)에 요양하기 위하여 자리를 옮기다.

비접촉 충격파【非接觸衝擊波】명 〔detached shock wave〕〖물〗충격파를 발생하고 있는 물체에 접촉하고 있지 않는 충격파.

비접합 포자【非接合胞子】명 〔azygospore〕〖생〗단위 생식(單爲生殖)이면서, 접합 포자와 같은 형태를 나타내는 포자.

비접합 홀씨【非接合—】명〖생〗비접합 포자.

비젓:-이 부 〈방〉 비슷이²(함경).

비젓:-하다 형 〈방〉 비슷하다²(함경).

비:정¹【比定】명 비교하여 정함. ——-하다 타여불

비:정²【批正】명 비평하여 정정(訂正)함. 점정(點定). ——-하다 타여불

비정³【非情】명 ①희로 애락(喜怒哀樂)의 정(情)이 없음. 또, 그 물건. 즉, 목석(木石) 등. ②인정이 없음. ¶~한 사람. 1)·2):↔유정(有情). ——-하다 형여불

비:정⁴【秕政·粃政】명 나쁜 정치. 몹시 어지러운 정치(政治). 악정(惡政). 예정(穢政).

비-정규【非正規】명 정규가 아님.

비-정규군【非正規軍】명 한 나라의 정식 군편제(軍編制)에 들어 있지 아니한 군대.

비-정규병【非正規兵】명 〖군〗정규로 편성되지 않았으나 교전(交戰) 자격이 인정되는 병력. 민병(民兵)·의용군 및 해상에서 적의 무력에 저항하는 선박(船舶) 등이 이에 속함.

비정부간 국제 기구【非政府間國際機構】명 〔International Non-Governmental Organization〕〖정〗정부간의 협정에 의하지 않고 설립된, 민간 국제 기구의 총칭. 본디, 유네스코의 공식 협의 대상으로 인정된 단체를 가리켰으나 지금은 유니세프·유니세프 따위를 비롯하여 앰네스티와 같은 볼런티어 단체와, 다국적 기업 따위의 영리 단체까지 총칭함. *엔지오(NGO).

비-정상【非正常】명 정상이 아님. 이상(異常).

비정상 은하【非正常銀河】명〖천〗나선(螺旋) 은하·타원(楕圓) 은하·불규칙(不規則) 은하 등과는 모양을 달리하며 강한 전파를 방출하는 은하. 우리 은하보다 수백 내지 수백만 배 이상의 전파를 방출하므로 전파 은하라고도 함. *전파 은하.

비-정상적【非正常的】명관 정상적이 아닌 모양.

비정상 흐름【非定常—】명 〔unsteady-state flow〕〖물〗시간과 더불어 변화하는 흐름. 흐름의 방향에 따라 액체와 기체 또는 액체와 액체 등 2상(相) 이상의 체적비(體積比)가 변화하는 흐름의 상태. 온도·압력·성분(成分)의 변화에 기인(起因)함.

비정지-책【非情之責】명 무정지책(無情之責).

비정-질【非晶質】명〖광〗비결정성(非結晶性).

비정-체【非晶體】명 비결정체.

비정치 단체【非政治團體】명 학술·종교·구호 단체와 같이 정치성을 띠지 아니하는 단체.

비정치 사상【非政治思想】명 정치와 지배를 배격하고 백성의 성(性)이 지배의 테두리 밖에서 온전한 자유를 누려, 보성 전진(保性全眞)할 수 있도록 함을 이상으로 하는 장자(莊子) 등의 정치 사상.

비-정합【非整合】명〖지〗평행 부정합(平行不整合).

비-정형파【非定形派】명〖미〗앵포르멜.

비정형 폐:렴【非定型肺炎】명〖의〗이형(異形) 폐렴.

비제¹【悲啼】명 슬퍼서 우는 일. 슬피 욺. ——-하다 자여불

비:제²【鄙第】명 자기 집의 겸칭. 폐려(弊廬). 폐사(弊舍).

비제³ 〔Bizet, Georges〕명〖사람〗프랑스의 오페라 작곡가. 관현악을 색채적(色彩的)으로 구사하고, 남(南)유럽 스페인의 지방색을 가미한 극적 효과에 뛰어남. 가극 '카르멘'으로 크게 성공함. [1838-75]

비:제⁴ 〔Wiese und Kaiserswaldau, Leopold von〕명〖사람〗독일의 사회학자. 짐멜(Simmel, G.)의 형식 사회학을 전개하여 관계 사회학(關係社會學)을 제창하였음. 나치스의 압박을 피하여 미국으로 망명, 귀국 후 독일 사회학회 회장직을 맡아하고 독일 사회학 재건에 노력함. [1876-1969]

비제르테 〔Bizerte〕명〖지〗튀니지 북안의 항구 도시. 기원전 4세기말 페니키아인이 건설하였으며, 연광(鉛鑛)·인광(燐鑛)·철 등의 적출항(積出港)임. [63,000명(1975 추계)]

비:젤 〔Wiesel, Elie〕명〖사람〗루마니아 태생의 미국 작가. 제 2 차 대전 중에 유태계라고 하여 아우슈비츠 강제 수용소에 수용되어, 부모와 누이를 잃음. 파리 대학 졸업 후 1956년 미국으로 이민함. 1960년대부터 수용소 생활을 바탕으로 한 소설을 발표함. 1986년 노벨 평화상을 수상함. 대표작으로 《밤》·《새벽》 등이 있음. [1928-]

비조¹【飛鳥】명 날아다니는 새.

비:조²【裨助】명 도와 줌. ——-하다 타여불

비조³【悲調】명 슬픈 음조(音調). 비곡(悲曲).

비:조⁴【鼻祖】명 〔태생 동물(胎生動物)은 코가 제일 먼저 형상을 이룬다는 데서〕시조(始祖). 원조(元祖).

비:조⁵【翡鳥】명〖조〗자주호반새.

비조 불입【飛鳥不入】명 성(城) 또는 진지(陣地)의 방비가 튼튼하여 나는 새도 들어갈 수 없다는 뜻.

비조 시대【飛鳥時代】명〖역〗일본(日本)의 '아스카 시대(飛鳥時代)'를 우리 음으로 읽은 말.

비조-즉석【非朝則夕】명 〔아침이 아니면 저녁이라는 뜻〕시기(時期)가 임박하였음을 이르는 말.

비-조직적【非組織的】명관 조직적이 아닌 모양.

비-조화비【非調和比】명〖수〗복비(複比)❶.

비:족【鄙族】명 자기 겨레붙이의 겸칭(謙稱).

비-존재【非存在】명〖철〗메온(mēon).

비:-좁다 형 자리가 몹시 좁다. >배좁다.

비:종¹【祕宗】명〖불교〗'진언종(眞言宗)'의 이칭.

비:종²【備種】명 여러 가지 물건의 종류를 두루 갖춤. ——-하다 타여불

비:종³【脾腫】명 〔splenomegaly〕〖의〗백혈병·말라리아·용혈성 황달(溶血性黃疸) 등의 병에서 비장이 약 두 배로 부어서 왼쪽 끝의 갈비뼈 밑으로 만져지게 된 상태.

비좌【碑座】명 비신(碑身)과 비대석(碑臺石)과의 연결 부분.

비:-좌고【比坐高】명 신체의 형태를 나타내는 지수(指數). 좌고(坐高)를 신장(身長)으로 나눈 값에 100을 곱하여 나타냄.

비:주¹【比周】명 ①사심(私心) 있는 교제와 참된 교우(交友). ②도당(徒黨)을 이룸. 불순한 일로 한패가 됨.

비주²【飛走】명 ↗비금 주수(飛禽走獸).

비주기 혜:성【非週期彗星】명〖천〗포물선(拋物線) 또는 쌍곡선(雙曲線) 궤도를 운행하는 혜성.

비주룩-비주룩 부 여러 개의 끝이 다 비주룩이 내민 모양. 준비죽비죽. 쓰삐주룩삐주룩. >배주룩배주룩. ——-하다 형여불

비주룩-이 부 비주룩하게. ¶주머니의 칼이 ~ 나오다. 준비죽이. 쓰삐주룩이. >배주룩이.

비주룩-하다 형여불 밖으로 솟아나온 물건의 끝이 조금 내밀려 있다. 준비죽하다. 쓰삐주룩하다. >배주룩하다.

비주얼 디자인 〔visual design〕명 시각 전달(視覺傳達)을 위한 디자인.

비주얼라이제이션 〔visualization〕명 마음속에 떠오른 이미지를 구체적인 디자인으로써 표현하는 일. 시각화(視覺化).

비주얼 랭귀지 〔visual language〕명 커뮤니케이션의 수단으로서 쓰이는 문자 이외의 시각 표현. 점·선·면·색채가 지닌 일반적인 시각 작용을 의사 소통을 위한 언어로서 받아들인 것으로, 비주얼 커뮤니케이션의 기초가 됨. 시각 언어(視覺言語).

비주얼 쇼: 〔visual show〕명 공개 방송 및 공개 녹음 프로. 방송 내지 녹음을 하면서 일반에게도 관람시키는 라디오 프로. 방송의 주체가 있는 점에서 무대 중계와 다름.

비주얼 커뮤니케이션 〔visual communication〕명 시각(視覺)을 통한 전달, 특히 텔레비전·사진·그래픽 디자인 등 문자에 의하지 아니하고, 시각적 수단에 의한 것. 시각 전달(視覺傳達).

비:죽【比竹】명 대나무로 만든 악기류. 생황·퉁소 등.

비죽-거리다 자타 ①울려고 입을 실룩거리다. ②불평이 있거나 속으로 비웃으면서 입을 실룩거리다. 1)·2): 쓰삐죽거리다. >배죽거리다. 비죽-비죽¹ 부. ——-하다¹ 자타여불

비죽-대다 자타 비죽거리다.

비죽-비죽² 부 ↗비주룩비주룩. 쓰삐죽삐죽². >배죽배죽². ——-하다² 형여불

비죽-새: 명 〈방〉 ①박새. ②종달새(제주).

비죽-이 부 ↗비주룩이. 쓰삐죽이. >배죽이.

비죽-하다 형여불 ↗비주룩하다. 쓰삐죽하다¹. >배죽하다.

비:준¹【比準】명 대조(對照). ——-하다 타여불

비:준²【批准】명 〔ratification〕〖법〗조약의 체결에 대한 당사국의 최종적 확인·동의의 절차. 비준서의 교환 또는 기탁에 의하여 조약의 효력이 발생함. 우리나라에서는 대통령이 국회의 동의를 얻어 이를 행함. ——-하다 타여불

비:준 교환【批准交換】명〖법〗조약 체결의 당사국이 조약의 비준서를 상호 교환하는 일. 특히, 2개국간의 조약에 있어 행하여지며 일반 조약에 있어서는 비준 기탁이 행하여짐. ——-하다 타여불

비:준 기탁【批准寄託】명〖법〗조약의 비준서를 일정한 곳에 맡기는 일. 보통, 조약 서명이 행하여진 나라의 외무부에 하며 국제 연합 주최의 조약은 UN 사무국에 기탁됨.

비:준-서【批准書】명〖법〗조약에 대한 국가의 확인·동의를 나타내는 문서. 원수(元首) 및 외무부 장관이 서명함. 조약의 전문(全文)을 게시하는 경우와 조약의 명칭·날짜·전권 위원의 성명만을 기재하는 경우가 있음.

비:준 유보【批准留保】〔—뉴—〕명〖법〗뒷날에 비준을 거칠 것을 조건(條件)으로 하여 조약에 조인(調印)하는 일.

비:중【比重】명 ①〔specific gravity〕〖물〗어떤 물질의 질량(質量)과 그와 같은 부피의 표준 물질의 질량과의 비(比). 보통 표준 물질로는 4°C의 물을 씀. ②그 집단이나 사물에서 차지하는 중요로운 정도.

비: 중간자【B 中間子】명 〔B meson〕〖물〗보텀(b) 쿼크와 업(u) 또는 다운(d) 쿼크로 구성된, 강한 상호 작용을 하는 소립자(素粒子). B^+·B^-·B^0·B^0의 네 종류가 있는데 바리온수(數)는 모두 0, 질량은 B^+·B^-가 5277.6 MeV, B^0·B^0는 5279.4 MeV임.

비:중-계【比重計】명 〔specific gravity balance〕〖물〗액체 및 고체의 비중을 재는 기계의 총칭. 물질의 종류에 따라 수칭(水秤)·비중병·비중천칭·부칭(浮秤) 등 여러 가지가 있음.

비:중계 분석【比重計分析】명〖물〗밀도(密度)를 알고 있는 부표(浮標)를 액체 속의 부력(浮力)과 균형을 잡아 액체의 밀도를 재는 방법.

비:중-량【比重量】〔—냥〕명 〔specific weight〕〖물〗물질의 단위 부피당 중량.

비:중-병【比重瓶】명 〔pycnometer〕〖물〗액체의 비중을 재는, 유리로 만든 병. 길고 가는 목이 있는 병인데, 일정한 곳까지 액체를 채워 무게를 재고, 다시 물을 그 곳까지 채워 재서 비중을 얻음.

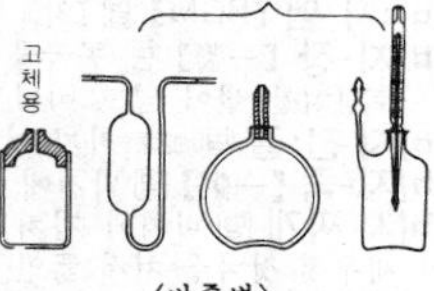

〈비중병〉

비:중복 순:열【比重複順列】 명 〖수〗 같은 갈래의 물건의 중복을 허락지 아니하는 순열. ↔중복 순열.

비:중 선:광【比重選鑛】 명 〔gravity classification〕 〖광〗 비중의 차이를 이용하여 필요한 광석과 무용한 맥석(脈石)을 분리하는 일. 중력(重力) 선광.

비-중심력【非中心力】〔—녁〕 명 〔noncentral force〕 〖물〗 두 입자를 맺는 선(線)에 따라 작용하는 인력(引力)이나 척력(斥力)과는 별도의 힘. 예컨대, 두 개의 격자(格子) 사이에 작용하는 텐서력(tensor 力) 따위.

〈비중 천칭〉

비:중 천칭【比重天秤】 명 비중계의 하나. 아르키메데스의 원리를 이용하여 공기나 액체 중의 부력(浮力)의 차를 측정하여, 고체·액체의 비중을 알아내기 위한 천칭. 천칭의 접시에 물건을 걸기 위한 갈고리가 달렸음.

비:중-표【比重表】 명 액체 및 고체의 비중의 값을 나타낸 표.

비:즈〔beads〕 명 실내 장식(室內裝飾)·여성복의 장식·수예품(手藝品) 등에 쓰이는, 실을 꿰는 장식용 구슬. 대개 유리로 만듦.

비즈니스〔business〕 명 ①직업. 실업(實業). ②사무. 업무. ③영업. ④상사(商社). ⑤용무(用務). 용건(用件).

비즈니스 걸:〔business+girl〕 명 주로 사무 계통의 일을 맡고 있는 회사 근무의 여성. 오 엘(OL). 약칭: 비 지(BG).

비즈니스 게임〔business game〕 명 〖경〗 기업 경영에서의 결정 사항의 주요(主要) 부분을, 간단한 형태로 재현(再現)해 봄으로써 경영 관리의 훈련에 사용하는 방법.

비즈니스 닥터〔business doctor〕 명 〔기업 진단원이라고 번역함〕 기업 경영을 검토하여 불건전한 점을 발견, 시정책을 세우고 그 실시를 지도·조언하는 사외(社外)의 사람. 또, 그 기관(機關).

비즈니스-라이크〔businesslike〕 명 ①사물(事物)을 사무적으로 처리함. 직업적임. ②실용적임.

비즈니스-맨〔businessman〕 명 ①실업가(實業家). 사업가. ②사무원. 회사원.

비즈니스 센터〔business center〕 명 그 도시의 사업·상업의 중심이 되는 지구(地區).

비즈니스 코스트〔business cost〕 명 〖경〗 주로 외국에 필요한 생활 필수품과 서비스 요금 및 현지인(現地人) 채용의 인건비 등을 대상으로 하여 조사·산출한 물가 지수(物價指數).

비즈락 명 〈방〉 비²(전북).

비지¹ 명 〔중세 : 비지〕 두부(豆腐)가 될 물을 짜내고 남은 찌끼.
【비지 먹은 배는 연약과(軟藥果)도 싫다 한다】 하찮은 음식을 먹었더라도 배만 부르면 아무리 좋은 것도 더 당기지 아니함을 이름.

비지² 명 〖광〗 광맥과 모암(母岩)이 단층(斷層)으로 인하여 서로 마찰되어 그 사이에 광석 및 모암의 가루가 섞이어서 된 물건.

비:지³【批旨】 명 비답(批答)의 말씀.

비지⁴【飛地】 명 〖법〗 한 나라의 영토의 일부로서 다른 한 나라의 영토 안에 있는 위요지(圍繞地).

비지⁵【扉紙】 명 책 겉장의 다음 페이지. 흔히 내제(內題)를 붙임. 안겉장.

비지⁶【悲智】 명 〖불교〗 보살(菩薩)의, 중생을 구제하는 자비(慈悲)와 도(道)를 깨닫고자 하는 지혜.

비지⁷【碑誌】 명 비문(碑文).

비:지⁸【鄙地】 명 자기가 사는 곳의 겸칭(謙稱). 비변(鄙邊). 비처(鄙處).

비:지⁹【鼻紙】 명 콧종이.

비:지¹⁰【髀胝】 명 단단한 넓적다리의 살.

비: 지:¹¹【BG】 명 〔business+girl의 약자〕 비즈니스 걸. 오 엘(O.L.).

비지개 명 〈방〉 성냥(함남).

비지깡이 명 〈방〉 부지깽이(강원).

비지깨〔러 sspeechca〕 명 〈방〉 성냥(함경).

비지-껍질 명 〖생〗 살가죽의 표피(表皮).

비지-땀 명 〔두부를 만들 때 베의 겉으로 두부물이 나오듯 한다는 뜻에서〕 힘드는 일을 할 때에 몹시 쏟아지는 땀.

비지-떡 명 비지에 쌀가루나 밀가루를 넣고 빈대떡처럼 부친 떡. ¶ 싼 게 ~.

비:지-발괄 명 〈방〉 비대발괄. ──-하다 타

비지-밥 명 황해도의 향토 음식으로 콩비지에 쌀을 씻어 넣고 지은 밥. 양념 간장으로 비벼 먹음.

비:-지수【鼻指數】 명 〔nasal index〕 코의 높이에 대한 코의 넓이의 백분율로, 코의 모양을 나타내는 수치. 54.9까지를 과협비형(過狹鼻型), 55.0-69.9를 협비형(狹鼻型), 70.0-84.9를 중비형(中鼻型), 85.0-99.9를 광비형(廣鼻型), 100 이상을 과광비형(過廣鼻型)이라고 하는데, 세계 현대 인종 중북쪽에 사는 사람은 협비형, 남양 및 아프리카 원주민들은 광비형에 가까움. 한국 사람은 중비형임.

비지시적 요법【非指示的療法】〔—뻡〕 명 〔nondirective method〕 〖심〗 심리 요법(心理療法)에 있어서, 환자를 치료하는 사람이 능동적인 태도로 환자에게 지시하지 아니하고, 환자 스스로가 올바른 생활 태도를 발견하도록 하는 치료법. 조언을 받는 환자의 내심(內心)의 감정을 될 수 있는 대로 자유롭게 표현시키는 면과, 그 해방적인 표현에 의하여 자기 자신의 감정적 태도를 환자에게 통찰(洞察)시키는 면이 있음. 피조언자 중심 요법(被助言者中心療法). 환자 중심 요법.

비:지:엠【BGM】 명 〖악〗 백그라운드 뮤직(background music)의 약자.

비지-장【一醬】 명 콩국물을 짜낸 콩비지를 띄워서 담근 장. 뚝배기에 배추김치를 썰어 넣고 비지장을 섞어 끓여 먹음.

비지 전:골 명 ☞비지 찌개.

비지-죽【一粥】 명 비지에 쌀을 섞어서 쑨 죽.

비지 찌개 명 비지에 김치 우거지를 섞고, 쇠고기나 돼지고기를 넣어, 새우젓 젓국을 쳐서 끓인 반찬.

비지터〔visitor〕 명 ①방문자. 외래자(外來者). ②골프 등에서, 정(正)회원이 아니면서 그 클럽의 코스에서 플레이가 허용된 사람. ③야구에서, 홈팀과 경기를 하기 위하여 원정온 외래의 팀.

비지팅 팀:〔visiting team〕 명 운동 경기에서, 원정(遠征) 팀. 외래(外來) 팀.

비직관적 사고【非直觀的思考】 명 〖심〗 언어(言語)나 개념(槪念)을 보조로 하여 구성되는 추상적 사태(抽象的事態)에 있어서의 사고. 가령, '이것을 이렇게 한다'·'이렇게 움직이면 안 된다'·'이렇게 하면 이렇게 된다'하는 형식의 동작적 경험이 언어화(言語化)된 단계의 사고. ↔직관적 사고.

비직-장【匪直章】 명 용비어천가 제 80장의 이름.

비:진【備盡】 명 마음과 힘을 다함. ──-하다 자 여불

비진 감:염【飛塵感染】 명 〖의〗 진애(塵埃) 감염.

비:진-도【比珍島】 명 〖지〗 경상 남도 통영군(統營郡) 한산면(閑山面) 비진리(比珍里)에 위치한 섬. [4.10 km² : 709 명(1984)]

비:진 사:정【備盡事情】 명 매우 간절히 사정함. ¶ 당장에 생활할 도리가 없어 그 중 부자 청인에게 ~을 하니 …≪崔瓚植 : 능라도≫. ──-하다 자타 여불

비-질 명 비로 쓰는 일. ¶ 마루를 ~하다. ──-하다 자타 여불

비짐¹ 명 〈방〉 비름(함남).

비짐² 명 〈방〉 버짐(경북).

비:집다 타 ①붙은 곳을 벌리어 틈이 나게 하다. ¶ 문을 비집어 열다. ②자리를 뚫어내다. ¶ 군중 속을 비집고 들어가다. ③눈을 비벼서 뜨다.

비짓개 명 〈방〉 성냥(함경).

비짓-국 명 비지로 끓인 국.
【비짓국 먹고 용트림한다】 실상은 없으면서 거드름만 부림을 비유하는 말.

비-징계주의【非懲戒主義】〔—/—이〕 명 〖법〗 파산 절차는 재산상의 관계에 지나지 아니하므로, 파산 선고(破産宣告)에 의하여 채무자의 신상에 제재(制裁)를 가하여 징계할 것이 못 된다고 하는 주의.

비조 명 〈옛〉 비자(榧子). ¶ 비조 榧≪四聲 上 17≫.

비짜락 명 〈방〉 비²(강원·경기·충청·전남·경남).

비짜루¹ 명 〖식〗 [*Asparagus schoberioides*] 백합과에 속하는 다년초. 줄기 높이 1 m 가량이고 가지가 많음. 잎은 뾰족하며 약간 굽은 여러 개가 촘촘하게 호생하여 윤생엽(輪生葉) 같음. 5-6월에 종형(鐘形)의 단성화(單性花)가 황백색으로 피며, 자웅 이주(雌雄異株)이고 과실은 구형(球形)의 장과(漿果)로 처음에는 파랗다가 가을에 붉게 익음. 한국 각지의 산지에 분포함. 어린 줄기는 식용함. 닭의비짜루.

비짜루² 명 〈방〉 비²(경상·충청·경기·강원·평안).

비짜리 명 〈방〉 비²(전라·경상·함경).

비쩌웁다 형 〈방〉 빛접다.

비쩝다 형 〈방〉 빛접다.

비쭈기-나무 명 〖식〗 [*Sakakia ochnacea*] 후피향나뭇과에 속하는 상록 활엽의 작은 교목. 잎은 호생하며 길이 7-10 cm의 긴 타원상의 거꿀달걀꼴인데, 양쪽 끝이 비쭉하고 광택 있는 혁질(革質)이며 가에 톱니가 없음. 5-6월에 백색 오판화(五瓣花)가 자웅 동가(雌雄同家)로 하나 또는 두세 개씩 모여 액생하고, 장과(漿果)는 둥근데 10월에 익음. 산지의 숲 밑에 나는데, 제주도·일본·대만에 분포함. 재목은 세공재. 관상용임.

〈비쭈기나무〉

비쭉 부 ①비웃거나, 성내거나, 불평을 나타낼 때 아랫 입술을 쑥 내미는 모양. ¶ 조금만 언짢은 말을 들어도 이내 ~한다. ②잠깐 나타났다 없어지는 모양. ¶ 얼굴만 ~ 내밀고 갔다. ③물건의 끝이 갑자기 내미는 모양. 또, 물건의 끝이 날카롭게 내밀어져 있는 모양. ¶ 품속에서 칼끝이 ~ 나오다. 1)-3) ㅆ삐쭉. >배쭉. ──-하다¹ 자타 여불

비쭉-거리다 자타 ①성내거나, 불평을 나타내어 입술을 자꾸 내밀다. ②비웃는 태도로 입술을 씰룩거리다. ③서러워서 울려고 입술을 쫑긋거리다. 1)-3): ㅆ삐쭉거리다. >배쭉거리다. 비쭉-비쭉 부. ¶ ~ 울음을 삼키다. ──-하다 자타 여불

비쭉-대다 자타 비쭉거리다.

비쭉-배쭉 부 비쭉거리며 배쭉거리는 모양. ㅆ삐쭉빼쭉. *삐죽삐죽. ──-하다 자타 여불

비쭉-새 명 〖조〗 ↗후루룩비쭉새.

비쭉-이 부 비쭉하게. ㅆ삐쭉이. >배쭉이.

비쭉-하다² 형 여불 내민 물체의 끝이 날카롭다. ㅆ삐쭉하다². >배쭉하다².

비찌락 명 〈방〉 비²(강원).

비차【非次】 명 차례에 따르지 아니함. 순서에 맞지 아니함. ──-하다 자 여불

비차락 명 〈방〉 비²(제주).

비차 막가【非此莫可】 명 없으면 아니 될 것. 꼭 그것이라야 될 것.

비:-차손【費差損】 명 〖경〗 생명 보험 경영에 있어서, 보험료 중의 경비 충당 부분이 실제로 지출한 경비보다 부족할 때의 차손. ↔비차익.

비:-차익【費差益】 명 〖경〗 생명 보험 경영에 있어서의 이익 요소의 하나. 수입 보험료 중의 경비 충당 부분과 실제로 지출한 경비와의 차익. 기간이 경과할수록 점증(漸增)하는 경향이 있음. ↔비차손(費差損). *이원식 배당(利源式配當).

비찰【飛札】 명 ①급한 편지. ②급한 편지를 보냄. 비서(飛書).

비참【悲慘】 명 차마 눈으로 볼 수 없이 슬프고 끔찍함. 슬프고 처참함. ¶ ~한 모습. ──-하다 형 여불. ──-히 부

비참가적 우선주【非參加的優先株】 명 〖경〗 증권 용어. 우선적 배당만을 받고, 잔금(殘金)의 미처분 이윤과 분배에 참가할 수 없는 우선주. ↔참가적 우선주.

비창¹ 명 제주도에서, 해녀가 돌에 붙은 전복 따위를 따는 데 쓰는 기구.

비창²【悲愴】 명 ①슬프고 마음 아픔. 상창(傷愴). ¶ ~한 울음 소리. ②〖악〗 ↗비창 교향곡(悲愴交響曲). ──-하다 형 여불

비:창³【鼻瘡】명〖한의〗콧구멍 속에 나는 부스럼.
비창 교향곡【悲愴交響曲】명〖악〗차이콥스키(Tchaikovsky, P.I.)가 작곡한 교향곡 제육번(第六番)의 이름. 1893년에 작곡된 그의 최종(最終) 작품으로서, 세계적 명곡의 하나임. 곡 전체에 그의 만년(晩年)의 인생관인 비관·절망이 강하게 나타나 있고, 무겁고 어두운 악장(樂章)인 것이 그 특색임. ㊣비창(悲愴).
비창 소나타【悲愴―】〔sonata〕명〖악〗베토벤의 피아노 소나타의 하나. 젊은 시절의 비탄·애수·우울한 감정을 표현한 초기의 대표적인 작품으로 제3악장은 론도(rondo) 형식임.
비채 변:제【非債辨濟】명〖법〗채무가 사실상 존재하지 아니하는데, 채무의 변제로써 급부가 행하여지는 일.
비:책【秘策】명 비밀한 계책(計策). ¶ ～을 쓰다.
비:처【鄙處】명 비지(鄙地).
비:척¹【肥瘠】명 ①몸의 살찜과 야윔. ②토리(土理)의 기름짐과 메마름.
비척²【悲戚】명 슬퍼하고 근심함. ――-하다 형여불
비:척³【鼻脊】명 콧등.
비척-거리다 자타 ↗비치적거리다. 비척-비척 부. ¶ 징검다리를 ～ 건너다. ――-하다 자타여불
비척-걸음 명 비치적거리면서 걷는 걸음.
비척-대다 자타 비척거리다.
비척지근-하다 형여불 ↗비리척지근하다.
비천¹【飛天】명〖불교〗①하늘, 곧 상계(上界)에 살며 하늘을 날아다닌다는 상상(想像)의 선인(仙人). 여자로서 화만(華鬘)을 쓰고 우의(羽衣)를 입고, 음악을 좋아하며 하계(下界) 사람과 왕래한다 함. 천녀(天女). 천인(天人). ②가릉빈가(迦陵頻伽).
비천²【飛泉】명 ①분천(噴泉). ②폭포수(瀑布水).　「다 형여불
비:천³【卑賤】명 지위·신분이 낮고 천함. 비미(卑微). ↔존귀. ――-하
비:천⁴【備薦】명〖역〗의정 대신(議政大臣)이 천거하여 벼슬을 시키던 일. ――-하다 타여불
비:천⁵【鄙淺】명 야비하고 천박함. ――-하다 형여불
비천-상【飛天像】명 비천을 그린 형상.
비-철¹ 명 비가 많이 오는 철. 강우기(降雨期).　「님.
비-철²【非―】명 옷·음식·상품 같은 것이 철에 맞지 아니함. 제철이 아
비철 금속【非鐵金屬】명〔nonferrous metal〕〖광〗철 이외의 금속의 총칭. 일반적으로 금·은·전기동(電氣銅)·납·아연(亞鉛)·주석(朱錫)·수은·니켈(nickel)·텅스텐(tungsten) 등을 이름.
비첨¹【飛檐】명〖건〗잘 지은 집의 번쩍 들린 높은 처마. 비우(飛宇).
비:첨²〔Beecham, Thomas〕명〖사람〗영국의 음악 지휘자. 스스로 런던 필하모니·로열 필하모니 오케스트라를 조직하여 오페라를 공연하였으며, 단정한 표현과 특히 고전 음악의 정확한 재현(再現)으로 명성을
비첩¹【婢妾】명 종으로 첩이 된 계집.　└얻음. [1879-1961]
비첩²【碑帖】명 비석에 새긴 글자를 그대로 종이에 박아낸 것. 또, 그것을 첩(帖)으로 만든 것. 탑본(搨本).
비:체【鼻涕】명 콧물.　「같이 된 무늬.
비:체-문【鼻涕紋】명〖미술〗도자기(陶瓷器)의 잿물이 콧물 흐르는 것
비:-체적【比體積】명〖물〗비부피.
비:체적 편차【比體積偏差】명〖해양〗비부피 편차.
비:-체중【比體重】명 체중의 신장(身長)에 대한 백분율.
비:총-법【比總法】명〖역〗조선 숙종 때부터 갑오경장(1894년) 때까지 시행된 부세 부과 방식. 세수 총액을 미리 정해 놓고 각 지방에 할당함. 전결세(田結稅)를 비롯하여 노비의 신공(身貢)·어세(漁稅)·선세(船稅) 등의 징세에 널리 이용됨.
비최다 ㊀ 자 ☞비치다. ㊁ 타 ☞비추다.
비:추¹【屄㞗】명 보지. 음문(陰門).
비:추²【秘樞】명 비밀하며 중요함. 또, 그 사물(事物).　「하다 자여불
비추³【悲秋】명 ①쓸쓸한 가을. 구슬픈 가을. ②가을철을 슬퍼함.――-
비추다 타〔중세: 비취다〕①빛을 보내어 밝게 하다. ¶ 전지로 얼굴을 ～. ②다른 물건에 그림자를 나타내다. ¶ 거울에 몸을 비추어 보다. ③견주어 보다. ¶ 양심에 비추어 보아라. ④넌지시 깨우쳐 주다. 암시(暗示)하다. ¶ 사의(辭意)를 ～/입후보할 의향을 ～.
비:-추력【比推力】명〔specific impulse〕로켓 추진제(推進劑)의 성능을 나타내는 수치. 1kg의 추진제를 1초간에 연소시켰을 때의 전추진력을 말하며, 단위는 초(秒). 예컨대, 비추력 200초는 추진제 1kg을 1초에 연소시켰을 때 얻어지는 추력이 200kg 임. 기호는 Isp.
비추이다 피동 비춤을 받다. ㊣비취다².
비추징권부 우선주【非追徵權附優先株】[―꿘―] 명〖경〗비누적적 우선주(非累積的優先株).
비:축【備蓄】명 만약의 경우를 위하여 저축하여 둠. ¶ ～ 기지(基地)/～미(米). ――-하다 타여불　「의 방출.
비:축-미【備蓄米】명 만일의 경우를 위하여 준비하여 둔 쌀. ¶ 정부 ～
비:축 수입【備蓄輸入】명〖경〗국제 물가가 상승하여 수급(需給)이 불원활하게 될 것을 예상하여 물자, 특히 원자재(原資材)를 확보할 목적으로 하는 수입.
비:축 자:산【備蓄資産】명〔secret reserve fund〕〖경〗기업 자산의 실제 가액이 장부상보다 많은 경우의 차액. 회계학상으로는 비밀 적립금이라 하나, 형식적으로는 적립금으로 표시되어 있지 아니하지만 실질적으로는 적립금과 다름없는 실체로서 존재함.
비:-축척【比縮尺】명 지도 등에서, 표준 길이와 실지 길이와의 비를 숫자로 나타낸 축척.
비:-출력【比出力】명〔specific power〕〖물〗원자로(原子爐)에서, 핵연료(核燃料)의 단위 질량당 산출되는 열출력(熱出力).

비충【飛蟲】명 날벌레.
비:취【翡翠】명 ①〖조〗물총새. ②〖조〗'자주호반새'와 '물총새'의 병칭(並稱). ③〖광〗옥(玉)의 일종에 속하는 보석. 짙은 초록색을 띤 경옥(硬玉)으로서 배우 치밀(緻密)하고 광택(光澤)이 있음. 붉은 점이 있는 것을 비옥이라 이르고, 푸르기만 한 것을 취옥이라 함. 버마·티베트·멕시코 등지에서 나는데, 장신구·장식품으로 소중히 쓰임. 비취옥.
비:취 가락지【翡翠―】명 비취로 만든 가락지. *비취 반지.
비:취-금【翡翠衾】명〔비취색의 비단 이불이란 뜻〕젊은 부부가 덮는 화려한 이불이라는 말.
비취다¹ 자타〈옛〉비치다. 비추다. ¶ 됴흔 고지 해대예 비취엿고(美花多　└映竹)≪杜諺 XV:6≫.
비취다² 피동 ↗비추이다.
비:취 반지【翡翠斑指】명 비취로 만든 반지. *비취 가락지.
비:취-색【翡翠色】명 비취의 빛. 곧, 짙은 초록색.
비-취약성【非脆弱性】명〔invulnerability〕〖군〗보복 공격을 유효하게 하기 위하여, 적의 제일격을 받아도 충분히 보존되도록 무기·군사기지 등을 분산(分散) 혹은 견고화(堅固化) 방식으로 한 상태. ↔취약　└성.
비:취-옥【翡翠玉】명〖광〗비취(翡翠)❸.
비취욤 자타〈옛〉비침. '뷔치다'의 명사형. ¶ 現量은 分別 업슨 비취요미라(現量者無分別之照也)≪圓覺下 二之一 51≫.
비:취-유【翡翠釉】명〖공〗감벽색(紺碧色) 도자기의 잿물. 공작유(孔雀
비:취-잠【翡翠簪】명 비취로 만든 비녀.　└釉).
비:취 장도【翡翠粧刀】명 칼자루와 칼집을 비취옥으로 꾸민 장도.
비:취 향집【翡翠香―】[―찝] 명 비취로 만든 향집.
비:췻-빛【翡翠―】[―취삗] 명 비취색.
비츠〔Witz, Konrad〕명〖사람〗독일의 화가. 투시 도법(透視圖法)과 교묘한 명암법(明暗法)에 의하여 물체·인체의 삼차원성(三次元性)을 강하게 표현하였음. 대표작 ≪베드로의 고기잡이(Petri Fischzug)≫의 배경의 실경(實景) 묘사는 풍경화의 독립을 꾀한 최초의 것으로서 역사적으로 중요함. [1400 ? -45]
비-층구름【―層―】명〖기상〗난층운(亂層雲).　「는 고개. [121m]
비-치¹【飛峙】명〖지〗충남 예산군(禮山郡)과 홍성군(洪城郡) 사이에 있
비:치²【備置】명 갖추어 둠. 준비해 놓음. ――-하다 타여불
비:치³【鼻痔】명〖한의〗콧구멍 속에서 군살이 생겨 나오는 병.
비:치⁴〔beach〕명 해변(海邊). 물가.
비:치 가운〔beach gown〕명 해수욕복 위에 입는 가운.
비치개-질 명〈방〉훼방(毁謗). ――-하다 타
비치근-하다 형여불 ↗비리척지근하다.
비치다 자 ①빛이 이르러 환하게 되다. ¶ 달빛이 환하게 ～. ②빛을 받아 다른 물건에 그 그림자가 나타나다. ¶ 거울에 비친 얼굴. ③가리운 물건을 통하여 속의 물건의 빛이 드러나다. ¶ 살이 환히 비치는 옷.
비-치락 명〈방〉비²(제주·충남·전남).
비치적-거리다 자타 한쪽으로 조금 비트적거리다. ㊣비척거리다. >배치작거리다. 비치적-비치적 부. ――-하다 자타여불
비치적-대다 자타 비치적거리다.
비:치 파라솔〔beach parasol〕명 해수욕장에서 휴식할 때, 햇볕을 가리기 위하여 사용하는 큰 양산.
비:치 하우스〔beach house〕명 ①해안에 있는, 세를 받고 빌려 주는 별장(別莊). ②해수욕장의 휴게소(休憩所).
비칠-거리다 자타 조금 비치적거리다. >배칠거리다. 비칠-비칠 부. ¶ 나는 이불을 홱 젖혀버리고 일어나서 장지를 열고 아내 방으로 ～ 달려갔던 것이다≪李箱: 날개≫. ――-하다 자타여불
비칠-대다 자타 비칠거리다.
비:침 명〈방〉삐침.
비침-도【―度】명〖물〗조명도(照明度).
비:칭【卑稱】명 낮추어 일컫는 이름. 낮춤말. ↔존칭(尊稱).
비카네르〔Bikaner〕명〖지〗인도 북서부 라자스탄 주(Rajasthan 州)의 산업·상업 도시. 타르 사막(Thar 沙漠) 중 가장 큰 오아시스 도시임. 대상로(隊商路)가 집중되어 있고, 성벽(城壁)과 토후궁(土侯宮)이 있음. 양탄자·담요 등 공예 직물을 산출함. [280,000명(1981 추계)]
비:-카타르【鼻―】〔catarrh〕명〖의〗비염(鼻炎).
비:커〔beaker〕명 ①입이 넓고 다리가 달려 있는 컵. ②〖화〗화학 실험용의 귀때 달린 원통형 유리 그릇. ③선박용 용기. 보통, 맑은 물을 저장하는 데 쓰임.

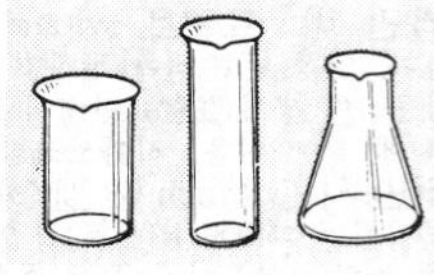
〈비커❷〉

비커:스 경도【―硬度】〔Vickers〕명〖물〗비교적 단단한 재료를 대상으로 한 경도 표시법의 한 가지. 연마(硏磨)한 시료(試料) 위에 꼭지각(角) 136도의 사각뿔 형상의 다이아몬드를 놓고, 여기에 소정의 하중(荷重)을 가하여 시료면에 우묵하게 들어간 자국에서 경도수(硬度數)를 산출함.
비커:스 암:스트롱 회:사【―會社】명〔Vickers Armstrong Ltd.〕영국의 병기(兵器) 회사. 1927년 비커스 회사와 암스트롱 회사가 합병하여 성립된 것으로, 현재는 임페리얼 케미컬과 더불어 영국 원자력 공업을 독점하고 있음.
비:컨〔beacon〕명 ①수로(水路)·항공(航空)·교통의 표지(標識) 및 신호(信號). ②등대. 신호소. ③〖물〗↗라디오 비컨(radio beacon).
비:-컨대【比―】부 ①비교하여 보건대. 비교하면. ②비유하자면.
비:켜-나다 자 몸을 옮겨 물러나다.
비:켜-덩이 명〖농〗김맬 때 흙덩이를 옆으로 빼내는 일. 또, 그 흙덩이.
비:켜-서다 자 몸을 옮겨 물러서다.

비코[1] 〔Vico, Giovanni Battista〕 명 〖사람〗 이탈리아의 철학자·법학자. 역사 철학 및 민족 심리학을 개척하였음. 저서에 ≪신과학의 원리≫가 있음. [1668-1744]

비코[2] 자타 〈옛〉 뿌리고. '비타'의 활용형. ¶그 우희 供養ㅎ야 비코 비코(供散其上散已)≪妙蓮 Ⅵ:182≫.

비큐나 〔vicuna〕 명 ①〖동〗 〔*Lama vicugna*〕 페루·볼리비아·에콰도르 지방산(產)의 야생 야마(llama). ②비큐나의 털로 짠 나사(羅紗).

비: 클래스 〔B class〕 명 B급(級). A급의 다음 가는 제이위(第二位)의 등급.

비키니 〔bikini〕 명 가슴과 허리를 약간씩 가린 투피스 모양의 여자용 수영복이나 속옷. ¶~ 스타일.

비키니-장 【一欌】〔Bikini〕 명 강철이나 PVC 파이프 따위로 네 기둥과 아래위의 뼈대를 이루고, 그 위에 천이나 비닐로 커버를 씌운 간단한 장. 지퍼로 여닫게 되어 있음.

비키니 환초 【一環礁】〔Bikini〕 명 〖지〗 남태평양 마샬(Marshall) 제도의 북부에 있는 작은 무인도. 저평(低平)한 환초로 이루어져 있음. 1946년 이후 미국의 원자탄과 수소탄의 실험지로서 유명함.

비:키다 ㊀ 자 있던 곳에서 물러나다. ¶한쪽으로 ~. ㊁ 타 물건을 놓였던 곳에서 옮기다. ¶장애물을 비켜 놓다.

비타 자타 〈옛〉 뿌리다. ¶부텨를 맛ᄌᆞᄫᅡ 저ᅀᆞᆸ고 일훔난 고ᄌᆞᆯ 비터라≪月釋 Ⅰ:13≫.

비타민 〔vitamin〕 명 〖화〗 〔생명(vita)에 필요한 아민(amine)이란 뜻〕 동물체의 주영양소 외에, 동물의 영양을 돕고 성장 및 건강 유지에 필요 불가결한 미량(微量)의 유기물(有機物)의 총칭. 동물이 자기 몸 속에서 생합성(生合成)할 수 없기 때문에, 식물이나 세균이 합성한 것을 직접 또는 간접으로 섭취하여야 함. 종류가 극히 많으나 보통 수용성(水溶性) 비타민과 지용성(脂溶性) 비타민의 둘로 크게 나뉘는데, 20종 이상이 알려짐. 생활소(生活素).

비타민 결핍증 【一缺乏症】 명 〔vitaminosis〕 〖의〗 비타민의 부족(不足)·결핍에 의하여 일어나는 질병의 총칭. 야맹증(夜盲症)·각기(脚氣)·괴혈병(壞血病)·구루병(佝僂病) 등. 또, 특정의 비타민 결핍으로 생기는 경우 그 비타민의 이름을 붙여, '비타민 A 결핍증' 등으로 부름.

비타민 과:잉증 【一過剩症】[一쯩] 명 〔hypervitaminosis〕〖의〗 비타민제(劑)의 과잉 투여(投與)로 지용성(脂溶性) 비타민이 몸 속에 축적되어 생기는 질환. 유유아(乳幼兒)에 생기기 쉬움. 구토·식욕 부진·복통·다뇨(多尿)·황달 증상 등을 나타냄.

비타민 디: 〔vitamin D〕 명 〖화〗 지용성(脂溶性) 비타민의 하나. 혈액 속의 칼슘량의 조절에 관여하므로 이것이 결핍하면 구루병(佝僂病)이 됨. D_2·D_3·D_4·D_5·D_6·D_7 등이 알리어져 있으나 실제 유용(有用)한 것은 D_2·D_3로, D_2는 에르고칼시페롤(ergocalciferol), D_3는 콜레칼시페롤(cholecalciferol)이라고도 함. 간유(肝油)·버터 등에 들어 있음.

비타민 비: 복합체 【一B 複合體】〔vitamin〕 명 〖화〗 비타민 B는 당초 단일체(單一體)로 생각되었으나, B_1·B_2·B_6·B_{12}·B_{13}·니코틴산·판토텐산(酸)·비타민 H·콜린(choline)·파라아미노벤조산(酸)·풀산(酸) 등이 분리되었으므로, 현재는 이런 것들의 혼합물을 이름. 또, B_1을 제외한 것은 '비타민 B_2복합체'라고도 함.

비타민 비: 서:틴 〔vitamin B_{13}〕 명 〖화〗 수용성(水溶性) 비타민의 하나. 쥐의 생장 촉진 인자의 하나.

비타민 비: 식스 〔vitamin B_6〕 명 〖화〗 수용성(水溶性) 비타민의 하나. 동물에 있어서 항피부염성 인자(抗皮膚炎性因子) 및 미생물류의 성장 인자(成長因子)이며, 쌀겨·소의 간장(肝臟)·효모(酵母)에 들어 있음. 피리독신(pyridoxine). 아데르민(adermin).

비타민 비: 원 〔vitamin B_1〕 명 〖화〗 수용성(水溶性) 비타민의 하나. 당질(糖質) 대사(代謝)에 관여하는 효소의 조효소(助酵素)로 작용함. 이것이 결핍되면 식욕 감퇴·소화기 쇠약·각기·신경 증상을 일으킴. 쌀겨·효모(酵母)·난황(卵黃)·두류(豆類)·소의 간장(肝臟) 등에 들어 있음. 인공적으로도 합성됨. 티아민(thiamin). 아노이린(Aneurin).

비타민 비: 투: 〔vitamin B_2〕 명 〖화〗 수용성(水溶性) 비타민의 하나. 이것이 결핍되면 구각염(口角炎)·구순염(口脣炎)·설염(舌炎) 등을 일으킴. 동물의 성장을 촉진하는 인자(因子)로 효모(酵母)·배아(胚芽)·간장(肝臟) 등에 함유되어 있는 황색 물질이며, 열에 안정함. 우유·달걀·간장 등에 들어 있음. 리보플라빈(riboflavin). 락토플라빈(lactoflavin). 비타민 지(vitamin G).

비타민 비: 트웰브 〔vitamin B_{12}〕 명 〖화〗 수용성(水溶性) 비타민의 하나. 악성 빈혈 작용(惡性貧血作用)에 저항하는 인자(因子). 코발트를 함유하며 생체(生體) 안에서 조효소(助酵素)로서 작용함. 소의 간장(肝臟)에 들어 있음. 시아노코발라민(cyanocobalamin).

비타민 시: 〔vitamin C〕 명 〖화〗 수용성(水溶性) 비타민의 하나. 이것이 결핍하면 괴혈병(壞血病)이 일어남. 열에 대단히 약함. 신선한 과실·귤·녹차(綠茶)·야채 등에 풍부하게 들어 있음. 어른의 하루 필요량은 약 65 mg. 아스코르브산(酸).

비타민 에이 〔vitamin A〕 명 〖화〗 지용성(脂溶性) 비타민의 하나. 황색의 침상 결정(針狀結晶)으로 A_1과 A_2가 있음. 보통 비타민 A라고 불리는 것은 화학명 레티놀(retinol)이라는 A_1을 말하는 것임. 이것이 결핍하면 발육 불량, 세균에 대한 저항력의 감퇴, 야맹증(夜盲症)·각질 경화(角質硬化) 등을 일으킴. 간유·버터·달걀 노른자 등에 들어 있음. 또한 식물에 함유된 황적색(黃赤色)의 색소 카로틴(carotene)은 동물 체내에서 비타민 A로 바뀜. 악세로프톨(axerophtol).

비타민 에이치 〔vitamin H〕 명 〖화〗 수용성(水溶性) 비타민의 하나. 효모(酵母)·세균의 성장 촉진 작용을 하는 인자(因子). 난황·소의 간장(肝臟)이나 신장(腎臟)·인삼 등에 들어 있으며, 화학적으로도 합성(合成)됨. 비오틴(biotin).

비타민 에프 〔vitamin F〕 명 〖화〗 지용성(脂溶性) 비타민의 하나. 쥐의 성장촉진 인자(因子)로 발견되었으며, 리놀레산(酸)과 리놀렌산(酸) 등 불포화 지방산(不飽和脂肪酸)이 그 본체임. 비타민의 분류에서 제외하는 경우가 많음. 콩기름 같은 식물유(植物油)에 포함되어 있음.

비타민 엘 〔vitamin L〕 명 〖화〗 수용성(水溶性) 비타민의 하나. 쥐의 젖의 분비 작용에 불가결한 인자(因子). 후에 화학 구조가 다른 L_1·L_2가 발견됨. 소의 간장·효모 등에 들어 있음.

비타민 엠 〔vitamin M〕 명 〖화〗 수용성(水溶性) 비타민의 하나. 유산균(乳酸菌)의 증식(增殖) 또는 조혈(造血) 작용을 촉진하는 인자(因子). 시금치·소·돼지의 간장에 들어 있는데, 영양 장애로 일어나는 악성 빈혈(惡性貧血)의 예방 및 치료에 효험이 있음. 폴산(酸). 엽산(葉酸).

비타민 유: 〔vitamin U〕 명 〖화〗 지용성(脂溶性) 비타민의 하나. 캐비지 등 채소에 많이 포함되어 있음. 병아리·마멋 등의 소화기(消化器)의 궤양을 방지하는 효과가 있음.

비타민 이: 〔vitamin E〕 명 〖화〗 지용성(脂溶性) 비타민의 하나. 이것이 결핍하면 불임증(不姙症)·유산(流產)·정충 형성(精蟲形成) 기능 퇴화·근육 영양 장애·중추 신경 장애가 일어남. 곡물의 배자(胚子)나 녹엽(綠葉)에 들어 있음. 화학적으로는 토코페롤(tocopherol)이며 α·β·γ·δ의 4종이 있음.

비타민-제 【一劑】〔vitamin〕 명 〖약〗 비타민 결핍을 보충하기 위하여 비타민을 순수하게 추출(抽出) 또는 합성(合成) 제조한 약제(藥劑). 신체의 기능에 자극을 주어 활발하게 하는 작용이 있음.

비타민 지: 〔vitamin G〕 명 〖화〗 '비타민 B_2'의 별칭.

비타민 케이 〔vitamin K〕 명 〖화〗 지용성(脂溶性) 비타민의 하나. 혈액 응고에 필요한 인자(因子)로 출혈 작용(出血作用)을 저지(沮止)함. K_1·K_2·K_3·K_4가 있음. 시금치·캐비지·간장(肝臟)·간유 등에 들어 있음.

비타민 피: 〔vitamin P〕 명 〖화〗 모세 혈관의 침투성의 증대(增大)를 억제하는 유효 성분. 처음 자반병(紫斑病)에 효과가 있어 비타민 P로 명명하였으나 뒤에 헤스페리딘(hesperidin)과 루틴(rutin)의 혼합물로 밝혀져, 지금은 독립된 비타민으로 생각하지 않음. 레몬 즙(汁) 속에 많이 들어 있음.

비타민-학 【一學】〔vitamin〕 명 〔vitaminology〕〖약〗 비타민을 연구 대상(對象)으로 하는 학문.

비타-캠퍼 〔vitacamphor〕 명 〖의〗 장뇌(樟腦)를 먹인 개의 오줌으로 만든 강심제. 장뇌는 부작용이 있으므로 한번 생물체내에서 산화(酸化)된 옥시캠퍼(oxycamphor)가 무독성인 것을 이용한 것임.

비-타협적 【非妥協的】 명 관 타협적이 아닌 모양. ¶~ 태도.

비:탁-계 【比濁計】 명 ①〖화〗 시료(試料) 용액 속에 미량(微量)으로 존재하는 은(銀) 이온이나 할로겐(halogen) 이온 등의 비탁 정량(比濁定量)에 쓰이는 기구. 혼탁계(混濁計). ②〔nephelometer〕〖물〗 매질(媒質) 중에 현탁(懸濁)해 있는 입자의 산란 함수(散亂函數)를 하나 이상의 각(角)에서 재는 기구.

비:탁-법 【比濁法】 명 ①〔turbidimetry〕〖화〗 불투명하거나 흐린 용액(溶液) 속에 있는 입자(粒子)의 중량 농도(重量濃度)를 재기 위하여 산란광(散亂光)을 이용하는 방법. 용액을 통과한 광선의 강도(強度)가 감소한 것을 측정할 수 있는 장치를 이용함. ②〔nephelometry〕〖물〗 빛의 산란법(散亂法)에 의한 콜로이드상(狀) 현탁액(懸濁液)의 연구.

비:탁 분석법 【比濁分析法】 명 〔turbidimetric analysis〕〖화〗 액체 속에 섞여 있는 적은 물질의 흐린 정도를 측정하여, 이미 농도(濃度)가 알려진 흐린 액체와 비교하여 그 양을 정하는 분석법.

비:탁 정:량 【比濁定量】[一냥] 명 〖화〗 시료(試料) 용액과 정량(定量)하려는 성분의 기지량(既知量)을 포함한 표준 용액에 관하여 유광(乳光)의 센 정도를 비교하여 시료 용액의 농도를 정량하는 일.

비탄[1] 【飛彈】 명 날아오는 탄알. 비환(飛丸).

비탄[2] 【悲嘆】 명 슬프게 탄식함. ¶~에 잠기다. ──-하다 자타 여불

비-탄성 【非彈性】 명 〔inelasticity〕〖물〗 응력(應力)과 변형(變形)이 비례하지 않는 일.

비탄성 산:란 【非彈性散亂】[一살一] 명 〔inelastic scattering〕〖물〗 비탄성 충돌(衝突)에 기인하는 산란.

비-탄성체 【非彈性體】 명 〖물〗 어떤 외력(外力)을 받았을 때, 원상대로 되려고 하는 힘이 없는 물체. 탄성이 없는 물체. 진흙·밀가루 반죽 따위.

비탄성 충돌 【非彈性衝突】 명 〔inelastic collision〕〖물〗 반발 계수(反撥係數)가 1보다 작은 충돌. 운동 에너지는 충돌에 의하여 일부 상실됨. 반발 계수가 0이 될 때를 완전 비탄성 충돌이라 하며, 충돌한 뒤에 두 물체가 같이 움직이는 경우와 같음.

비탈 명 〔근대 : 비탈〕 ①산이나 언덕의 비스듬하게 기울어진 곳. ②〈방〉 산기슭(강원·전남·경상). ③〈방〉 벼랑(전북·경상).

비탈-길 [一낄] 명 비탈진 언덕의 길. 사경(斜徑). 사로(斜路). ¶~을 뛰어내리다.

비탈륨 〔Vitallium〕 명 코발트를 주성분으로 하고, 크롬·몰리브덴 등을 함유하는 합금의 상품명(商品名). 내열(耐熱)·내산성(耐酸性)이 우수하여 의치(義齒)나 인조골(人造骨)의 재료로 쓰임. 비탈륨 합금.

비탈륨 합금 【一合金】〔Vitallium〕 명 비탈륨.

비탈리슴 〔프 vitalisme〕 명 〖예〗 제2차 대전이 일어난 1939년경, 프랑스에서 당시의 문단 및 화단에 만연된 병적(病的)인 요소를 일소하고 생명력이 있는 예술의 재건을 도모하려던 운동.

비:-탈저 【脾脫疽】[一쩌] 명 〖의〗 탄저병(炭疽病).

비:탈저-균 【脾脫疽菌】[一쩌一] 명 〖식〗 탄저균(炭疽菌).

비탈-지다 형 땅이 매우 가파르게 기울어져 있다. ¶비탈진 언덕길.

비탕[1] 【一鐋】 명 〖건〗〈방〉 변탕(邊鐋).

비:탕[2] 【沸湯】 명 끓는 물.

비탕[3] 명 〈옛〉 대패. ¶비탕 탕(鐋)≪字會 中 16≫.

비:태【否泰】명 막힌 운수(運數)와 터진 운수.

비:터〔beater〕명 제지용(製紙用) 장치의 하나. 펄프를 휘저어 섞는 데 씀.

비터니 타〈옛〉 뿌리더니. '비타'의 활용형. ¶하놀해셔 寶華를 비터니 一切人天이 네 업던 이롤 得과라 ㅎ더라≪月釋 XVIII:44≫.

비터라 타〈옛〉 뿌리더라. '비타'의 활용형. ¶부텨를 맛즈바 저숩고 일훔난 고줄 비터라≪月釋 I:13≫.

비:턴〔Beaton, Cecil Walter Hardy〕명〖사람〗영국의 사진 작가(寫眞作家). 사진 외에 화가·무대 미술가·디자이너·극작가·저술가이며 배우로서도 활약하여 다채로운 재능을 발휘하였음. 제2차 대전 전에는 미국에서 패션 사진 작가로서, 전후에는 영국에서 기록·보도 사진 작가로서 활동함. [1904-]

비텐베르게〔Wittenberge〕명〖지〗독일의 할레 주(Halle州) 동북부의 고도(古都). 엘베 강(Elbe江) 연안의 항구 도시이며, 루터의 종교 개혁으로 유명함. 그의 묘와 종교 개혁사 박물관(宗敎改革史博物館)이 있음. [54,000명(1981 추계)]

비텝스크〔Vitebsk〕명〖지〗벨로루시 공화국 북부의 항도로 기계 공업이 성하며 양말·융단 등을 생산함. [361,500명(1991 추계)]

비:토¹【肥土】명 점토(粘土)에 사토(沙土)가 섞여서 비옥한 땅. 걸어서 농사 짓기에 좋은 토지. 거름흙. 옥토(沃土).

비:토²〔veto〕명 거부(拒否). 거부권(拒否權). ——하다 타여불

비토-도【飛兎島】명〖지〗경상 남도 서남 해상 사천시(泗川市) 서포면(西浦面) 비토리(飛兎里)에 위치한 섬. [3.19 km²: 618명(1984)]

비토리오 에마누엘레 삼세【—三世】〔Vittorio Emanuele Ⅲ〕명〖사람〗이탈리아 최후의 국왕. 제1차 대전 후의 사회 위기 속에 무솔리니 정권의 출현을 허용하여 실권을 잃음. 제2차 대전 후에 국민의 비판을 받아 퇴위함. [1869-1947; 재위 1900-46]

비토리오 에마누엘레 이:세【—二世】〔Vittorio Emanuele Ⅱ〕명〖사람〗이탈리아 국왕. 1849년 사르디니아(Sardinia) 국왕에 즉위. 부왕(父王)이 도입한 입헌 군주제를 유지하며 카보우르(Cavour)를 중용(重用)하여 프랑스·러시아와 연합, 오스트리아를 축출하고 사르디니아 왕국을 이탈리아 통일 운동의 중심으로 함. 1861년 이탈리아 왕국의 성립과 동시에 국왕이 됨. 빅토르 엠마누엘 이세(Victor Emmanuel 二世). [1820-78; 재위 1861-78]

비톰〔Bytom〕명〖지〗폴란드 남부의 광공업 도시. 석탄·아연을 산출하고 철강·기계·화학 공업이 성함. 광산 야금 대학·실레지아 박물관이 있음. [229,200명(1993 추계)]

비:통¹ 명 품질이 아주 낮은 백통.

비:통²【悲痛】명 몹시 슬퍼서 마음이 아픔. ¶~한 표정/~한 소리. ——하다 형여불. ——히 부

비:통³【悲慟】명 슬퍼하여 울부짖음. ——하다 자여불

비:통⁴【鼻痛】명〖한의〗감기에 걸려서 코가 막히고 아픈 병.

비:통⁵【臂痛】명〖한의〗팔의 윗마디가 저리고 아픈 증. 상박 신경통.

비: 투: 폭격기【B 2 爆擊機】명〖군〗1989년 개발된 미국 공군의 최신 전략 폭격기. 레이더나 적외선 센서(赤外線 sensor)에 잡히지 않는 스텔스(stealth) 기술을 최대한 활용한 것으로, 레이더 반사율은 B 52 폭격기의 1000분의 1 정도임. 단거리 공격 미사일 16발을 탑재할 수 있으며, 전익형(全翼型)이라는 특이한 형상을 함. 스텔스성(性)을 제일로 하였기 때문에 속도는 음속 이하이며, 승무원은 2명. *비 원(B 1) 폭격기.

비:트¹ 명〔←비밀(祕密) 아지트〕간첩 또는 무장한 공비(共匪) 따위가 은신처로 쓰거나 연락 장소로 쓰는 곳. 보통 깊은 산의 바위 밑·굴·땅굴 따위가 이용됨.

비트²〔bit〕㊀명 ①착암기 따위의 끝에 붙이는 날의 총칭. ②〖수〗이진법(二進法)에서 쓰는 숫자. 즉, 0과 1. ③컴퓨터에서, 정보 처리 장치의 구성 부분이 저장할 수 있는 이진수(二進數)의 자릿수. ㊁의명 컴퓨터에서 정보량(情報量), 즉 정보원(情報源)에서 보내 오는 정보를 예측하는 일의 곤란도(困難度)를 측정하는 단위의 하나.

비:트³〔beat〕명 ①〖물〗맥놀이. ②〖악〗박자. 일박(一拍). ③수영에서, 물장구. ④↗비트족(族).

비:트⁴〔beet〕명〖식〗사탕무.

비트겐슈타인〔Wittgenstein, Ludwig〕명〖사람〗오스트리아의 철학자. 영국에 정주(定住). 1929년 이후 케임브리지 대학의 교단에 섬. 논리적 실증주의의 입장을 취하고, 생전 유일의 저작 ≪논리 철학적 논문≫(1922)에 의하여, 빈 학단(Wien學團)에 큰 영향을 줌. [1889-1951]

비:트니크〔beatnik〕명〖사〗〔비트 제너레이션과 스푸트니크의 합성어〕비트족(族).

비트루비우스 폴리오〔Vitruvius Pollio, Marcus〕명〖사람〗기원전 1세기 경의 로마의 건축가. 아우구스투스(Augustus)에게 바친 ≪건축십서(十書)≫로 유명함. 이 책은 당시의 건축에 관한 종합적인 저작으로서 중요하며, 1486년 이후 복각(覆刻), 번역되어 르네상스의 건축가들에게 큰 영향을 줌.

비트 맵〔bit map〕명〖컴퓨터〗기억 장치에 저장되어 있는 영상이나 주사선(走査線) 영상 표시를 발생시키기 위하여 사용되는 비트들의 격자 모양의 양식.

비트 맵 표시 장치【—表示裝置】명〔bit map display〕〖컴퓨터〗화면 표시를 도트 단위로 다룰 수 있는 표시 장치. 복잡한 도형 등의 표시에 적합함.

비트적-거리다 자 몸을 가누지 못하고 조금 비틀거리며 걷다. 쓰삐트적거리다. >배트작거리다. **비트적-비트적** 부. ——하다 자여불

비트적-대다 자 비트적거리다.

비:트 제너레이션〔Beat Generation〕명 ①〖문〗미국 문학사상 로스트 제너레이션의 뒤를 이은 세대의 일컬음. 모든 기성 세대의 질서와 도덕 및 문학에서 탈피하고, 인간 고유의 성격의 밑바탕에서 몸부림을 치는 것이 특징임. 메일러(Maylor, N.), 긴즈버그(Ginsburg, A.), 케루액(Kerouac, J.) 등이 이 대표적 문학가임. 패배(敗北)의 세대. ②비트족(族).

비:트-족【—族】〔beat〕명 제2차 대전 후 미국의 20대를 중심으로 한 젊은 세대의 일컬음. 기성 도덕의 거부, 광란적인 재즈 음악의 기호(嗜好), 초조(焦燥)한 반항 등이 특색임. 비트 제너레이션. 준비트.

비트포:겔〔Wittfogel, Karl August〕명〖사람〗독일 태생의 미국 사회학자·동양학자. 1934년 미국으로 망명. 중국 사회의 해명을 꾀하고, 독자적인 동양적 사회론(社會論)과 정복 왕조론(征服王朝論)을 내세움. 주저(主著) ≪동양적 전제(專制)주의≫. [1896-1990]

비틀 부 힘이 없거나, 어지러워 이리저리 쓰러질 듯한 모양. ¶이리 ~ 저리 ~. >배틀. ——하다 자여불

비틀-거리다 자 이리저리 쓰러질 듯이 걷다. ¶발걸음이 ~. 쓰삐틀거리다. >배틀거리다. **비틀-비틀** 부. ¶술에 취해 ~ 걷다. ——하다 자여불

비틀-걸음 명 비틀거리면서 걷는 걸음. >배틀걸음.

비:틀다 타 힘있게 꼬면서 바싹 틀다. ¶철사를 비틀어 끊다. >배틀다.

비틀-대다 자 비틀거리다.

비:틀리다 피동 비틀음을 당하다. >배틀리다.

비틀림-저울 명〖물〗비틀림을 이용하여 미소(微少)한 짝힘의 모멘트를 재는 장치. 만유 인력·전기력(電氣力)·자기력(磁氣力) 등을 재는 데 쓰임. 토션 밸런스(torsion balance).

비:틀스〔Beatles〕명 영국 태생의 사인조(四人組) 록 그룹의 이름. 1962년에 결성하여 ≪예스터데이≫·≪시 러브즈 유≫ 등으로 크게 히트. 멤버는 스타(Starr, Ringo), 레논(Lennon, John), 매카트니(McCartney, Paul), 해리슨(Harrison, George) 등. 특히, 레논과 매카트니의 공동 작품은 음악적으로도 뛰어나, 모두 베스트 셀러의 레코드로서 세계 각지의 젊은이들의 압도적인 인기를 차지하였음. 1970년에 해산, 독자적인 활약들을 계속함.

비:틀어-지다 자 ①물건이 어느 한쪽으로만 틀어져서 꼬이다. ②친하던 사이가 나빠지다. ¶그 일로 비틀어져서 찾아오지도 아니한다. 1)·2): 쓰삐틀어지다. >배틀어지다.

비틀-하다 형여불 조금 비릿하고 감칠맛이 있다. >배틀하다.

비틈-하다 형여불 말뜻이 바로 드러나지 아니하고 짐작하여 알 만큼 그럴 듯하다. **비틈-히** 부. 말을 알아듣을 만큼 비스듬히 하는 모양. ¶귀띔으로 비틈히 말해 주다.

비티다 타〈옛〉삐치다³. ¶훈굿 밧그로 비티고 훈굿 안흐로 비틴 거시 곳이라(一丿一乀便是)≪朴解 中 42≫.

비티레부 섬〔Viti Levu〕명〖지〗남태평양 피지 제도(諸島) 중의 가장 큰 섬. 산이 많으며 사탕수수·바나나·코코야자 등이 재배됨. 주도(主都)는 수바(Suva). [10,429 km²: 약 350,000명]

비티아즈 해:연【—海淵】〔Vityaz〕명〖지〗세계에서 가장 깊은 곳. 메리애나 해구(海溝) 중에 있으며 깊이 11,034 m. 1957년 8월 18일 소련 관측선 비티아즈 호(號)가 발견함.

비: 티: 엔【BTN】명〔Brussel's Tariff Nomenclature의 약칭〕〖경〗벨기에의 수도 브뤼셀에 본부를 둔 세계 관세 협력 이사회(世界關稅協力理事會)가 작성 발표한 관세 품목 분류표. 국제간에 교역(交易)되는 상품(商品)을 총망라하여 과학적으로 분류한 것이 특징임. 우리 나라의 현행 관세율표(關稅率表)는 이 분류 방식에 따르고 있음. 브뤼셀 관세 품목 분류표. *에스 아이 티 시(SITC).

비: 티: 유【BTU】명〔British thermal unit의 약칭〕영국의 열량 단위. 0.252 kcal에 상당함.

비파¹【枇杷】명 비파나무의 열매.

비파²【琵琶】명〖악〗현악기의 한 가지. 몸은 길이 60-90 cm 가량의 둥글고 긴 타원형이고, 자루는 곧은데 4현(絃) 때로는 5현도 사용함. 인도(印度)·중국을 거쳐 한국에 들어 왔는데, 당비파와 향비파가 있음. 비파금. 호금(胡琴).
[비파 소리 나도록 갈팡질팡한다] '궁둥이에서 비파 소리가 난다'와 같은 뜻.

비:파괴 검:사【非破壞檢査】명 비파괴 시험.

비:파괴 시험【非破壞試驗】명 피(被)시험물을 파괴하지 아니하고, 그 내부의 양부(良否) 및 결함의 유무(有無)를 판정하는 시험. 대상이 되는 물체의 재질(材質)·형상(形狀)에 의하여 X선·감마선(γ線)·중성자선(中性子線) 등의 방사선을 투과(透過)하거나 초음파를 써서 행하는 외에, 자기(磁氣)·전자 유도(電磁誘導)·침투성이 강한 염료 용액을 쓰는 방법이 있음. 비파괴 검사(非破壞檢査).

비파-금【琵琶琴】명〖악〗'비파(琵琶)'의 이칭.

비파-기【琵琶記】명〖책〗중국 명(明)나라 초기의 사람 고명(高明)이 1341-60년경에 지은 42착(齣)에 걸친 장편(長篇) 희곡. ≪서상기(西廂記)≫와 함께 중국 희곡의 쌍벽(雙璧)을 이룸.

비파-나무【枇杷—】명〖식〗[*Eriobotrya japonica*] 장미과에 속하는 상록 교목. 높이 5-10 m 가량이고, 어린 줄기는 갈색의 털이 있으며 잎은 넓은 도피침형에 가에 톱니가 있음. 늦가을에 흰 오판화(五瓣花)가 복총상(複總狀) 화서로 가지 끝에 다수 피고, 장과(漿果)는 이듬해 첫여름에 서양(西洋)배 또는 악기의 비파(琵琶) 모양으로 노랗게 익음. 동남 아시아의 온대(溫帶)·아열대 지방의 원산(原産)으로, 중국·일본 등에서 과수(果樹) 또는 정원수로 재배함. 과실은 식용 또는 술 빚는 데 쓰임.

〈비파나무〉

비파-도【琵琶島】명 함경 북도 동북 해상에 있는 섬. [0.28 km²]

비파-엽【枇杷葉】명〖한의〗비파나무의 잎. 학질(瘧疾)·구토(嘔吐)·각기(脚氣)·갈증(渴症)·해수(咳嗽)·주독(酒毒)·암종(癌腫)의 약재로 쓰임.

비파-주【枇杷酒】명 익은 비파나무의 열매를 발효시켜 만든 술.

비파-행【琵琶行】명【문】당(唐)나라의 백낙천(白樂天)이 지은 가행체(歌行體)의 시(詩). 칠언 고시(七言古詩)로서 88구(句)로 이루어져 있으며, 백낙천이 사마(司馬)에 좌천(左遷)된 다음 해의 가을에 지었음. 인생의 영고(榮枯)가 무상함을 읊은 노래로서 장한가(長恨歌)와 병칭(並稱)됨.

비파형 동검【琵琶形銅劍】명〖고고학〗칼몸의 형태가 비파와 비슷하게 생긴 청동기 시대의 구리칼. 중국 랴오허(遼河) 강을 중심으로 분포.

비:판¹【批判】명 ①비평하여 판단함. ¶ ~적인 태도/엄정한 ~. ②인물(人物)·행위·판단·학설·작품 등의 가치·능력·정당성·타당성 등을 검토·평가함. 특히, 부정적 의미를 포함하여 쓰이는 경우가 많음. ③【철】사물을 분석하여 그 각기의 의미·가치를 인정하여, 전체의 의미와의 관계를 분명히 하고, 그 존재하는 소이(所以)의 논리적 기초를 밝히는 일. ——-하다 타여불

비판²【碑版】명 비문(碑文).

비:판³【稗販】명 소상인(小商人).

비:-판⁴【B 判】명〖인쇄〗인쇄 용지 또는 인쇄 용지의 가공(加工) 재단 치수를 정한 표준 규격(標準規格)의 한 계열(系列). 재단 치수의 경우는 1000×1414 mm를 전판(全判)으로 하고, 매반절(每半截)마다 B2, B3, B4…… 식으로 숫자를 붙여 감. 원지(原紙) 치수일 때는 743×1050 mm를 전판으로 하여, 역시 매반절마다 B2, B3, B4… 등으로 숫자를 붙임. *에이(A)판.

비-판결【非判決】명【법】겉으로는 판결의 모양을 갖추고 있으나, 작성자 또는 내용으로 보아 판결이라고 인정하기 어려운 판결. 서기(書記)가 행한 판결이나 판결의 초안(草案)과 같은 것.

비:판-력【批判力】[—녁] 명 비판하는 능력. ¶ ~을 기르다.

비:판-적【批判的】명관 비판하는 태도·입장에 있는 모양.

비:판적 관념론【批判的觀念論】[—논] 명【철】칸트 및 칸트파(派)·신(新)칸트파의 관념적 철학. 선험적(先驗的) 관념론과 내용적으로 같음. 선험적 관념론.

비:판적 교:육학【批判的敎育學】명【교】광의(廣義)로는, 경험계(經驗界)와 초험적 세계(超驗的世界)와를 엄격히 구별하는 두 세계관(世界觀)에 서서, 주의적 경향(主意的傾向)을 가지며, 정신의 자연으로부터의 독립, 자유 의지(自由意志)의 우월(優越)을 주장하는 교육학. 협의(狹義)로는, 칸트 비판의 입장에 선 신(新)칸트파의 교육설(敎育說).

비:판적 리얼리즘【批判的—】[realism] 명【문】19-20세기 문학이 봉건주의와 싸우고 부르주아적 현실에 무척 비판적이기는 하나, 그를 극복하지 못하는 극히 주관주의(主觀主義)의 비평 조류(潮流)를 가리키는 말.

비:판적 방법【批判的方法】명【철】칸트 및 칸트파(派)의 철학의 방법. 선험적 방법(先驗的方法). ↔발생적 방법.

비:판적 실재론【批判的實在論】[—째—] 명【철】지각 내용(知覺內容)의 관념성(觀念性)을 인정하나, 어떤 의미에서 주관(主觀)으로부터 독립한 대상을 인정하려고 하는 인식론(認識論) 상의 입장.

비:판-주의【批判主義】[—/—이] 명【철】①비판의 정신을 가지고 있는 사상 태도. 비평주의(批評主義). ②비판 철학(哲學). ↔독단주의.

비:판 철학【批判哲學】명【철】인간의 인식(認識)의 가능 조건·인식 능력의 기능 등의 선험적 음미(先驗的吟味), 곧 인식 비판을 과제로 하는 철학. 실제상 칸트 철학을 모범으로 하는 칸트주의의 철학을 말함. 선험 철학. 초절(超絶) 철학. 비판주의. 비평 철학. ↔독단론(獨斷論)❷. *선험주의.

비:패【鄙悖】명 성행(性行)이 비열하고 패려(悖戾)함. ——-하다 형여불

비-팽창주의【非膨脹主義】[—/—이] 명【법】고정주의(固定主義).

비페닐[biphenyl] 명【화】백색 또는 미황색(微黃色)의 결정(結晶). 벤젠(benzen) 핵이 두 개가 연결된 구조를 가짐. 전열 매체(傳熱媒體)로서 우수함. [$C_6H_5 \cdot C_6H_5$]

비편¹ 명〈옛〉적(敵)의 편. 상대(相對)편. ¶ 되는 엇데 센 비편이리오(胡羯豈強敵)《初杜諺 Ⅶ:25》.

비편²【非便】명 ①불편(不便). ②거북함을 느낌. ——-하다 형여불

비:편³【備篇】명【역】조선 시대 때, 생원(生員) 진사시(進士試)의 한 방법. 초시(初試)와 복시(覆試)에서, 시권(詩券)의 뒤에는 초서(草書)로 부(賦)를 쓰게 하고, 부권(賦券)의 뒤에는 초서로 시(詩)를 쓰게 하는 일. 시부(詩賦)와 해서(楷書) 및 초서(草書)를 겸하여 시험하려는 목적임.

비:평【批評】명 ①사물의 선악·시비(是非)·미추(美醜)를 평가하여 논하는 일. ¶ 예리한 ~을 가하다. ②〈속〉남의 결점을 드러내어 퍼뜨림. 평(評). ——-하다 타여불. 준평하다.

비:평-가【批評家】명 인물·행위 특히, 학설·작품 등의 가치·능력·정당성·타당성 등을 전문으로 평가·검토하는 사람. 평론가. ¶ 문예 ~.

비:평 각도【批評角度】명 예술 작품을 비평할 때의 특정한 방향. 비평하는 각도.

비:평-문【批評文】명 비평하는 글.

비:평-사【批評史】명【문】문예 작품(文藝作品)에 대한 비평의 발달 과정을 역사적으로 기술한 기록.

비:평-안【批評眼】명 비평하는 눈. 사물을 비평할 만한 안식(眼識). ¶ ~이 높다.

비:평 예:술【批評藝術】[—네—] 명【문】그 자체가 하나의 예술적 가치를 가지고 있는, 예술 작품에 대한 비평.

비:평-주의【批評主義】[—/—이] 명 비판주의(批判主義)❶.

비:평 철학【批評哲學】명【철】비판 철학.

비:평 태:도【批評態度】명【문】비평가가 문예 작품을 비평할 적에 취하는 태도.

비:-폐색【鼻閉塞】명【의】비구(鼻口)·비강(鼻腔)의 피부나 점막(粘膜)이 유착(癒着) 또는 협착(狹窄)하여서 생기는 질환. 비호흡(鼻呼吸)이 어렵게 되는데, 일측성(一側性)과 양측성(兩側性)의 두 가지가 있음.

비폭【飛瀑】명 매우 높은 곳에서 세차게 떨어지는 폭포(瀑布).

비폭력-주의【非暴力主義】[—녁—/—녁—이] 명【정】합법성의 유무에 관계없이 일체의 폭력을 반대하는 간디의 주장.

비폭 징류【飛瀑澄流】[—뉴] 명 높은 곳에서 떨어지는 폭포(瀑布)와 맑은 물의 흐름.

비:표¹【秘標】명 비밀한 표지(標識).

비표²【碑表】명 비신(碑身)의 겉면. ↔비음(碑陰). *비신(碑身).

비-표준어【非標準語】명 표준어가 아닌 말.

비:품¹【秘稟】명 임금에게 비밀히 아룀. ——-하다 타여불

비:품²【備品】명 갖추어 두는 물품. 가구(家具)·장치구 및 소모되지 아니하는 일용품 등. ¶ ~ 대장(臺帳). ↔소모품(消耗品).

비풍【悲風】명 ①애절한 느낌을 주는 바람. ②쓸쓸한 늦가을의 바람.

비풍-증【非風症】[—쯩] 명【한의】동맥 경화(動脈硬化) 등 병자 자신의 체질에서 오는 중풍증(中風症).

비풍 참우【悲風慘雨】명 인생·생활이 비참함을 일컫는 말.

비프`[VIP] 명 중요 인물. 요인(要人). 브이 아이 피.

비:프-스테이크[beefsteak] 명 쇠고기를 알맞은 두께로 썰어 후춧가루를 뿌리고 밤색이 되도록 익힌 음식. 준스테이크.

비:프 커틀릿[beef cutlet] 명 서양 요리의 한 가지. 크고 두껍게 썬 쇠고기를 소금·후춧가루 등으로 양념하여, 밀가루를 묻혀 달걀 푼 물에 담갔다가, 빵가루를 묻혀 기름에 튀긴 것.

비:피【砒鈹】명 비소를 함유하는 광석을 제련(製鍊)할 때 생기는 금속과 비소의 화합물. 철의 비소화물(砒素化物)이 많으나, 구리·니켈·코발트·안티몬·금·은이 함유되는 일이 많고, 니켈·코발트 등의 원료로 쓰이기도 함.

비피나리아[bipinnaria] 명【동】극피 동물(棘皮動物) 아스테로이데아과(Asteroidea科)에 속하는 불가사리·갯걸이류의 유생(幼生). 몸길이 0.5-0.7 mm이고 색소(色素)를 가지고 있는 것과 가지지 아니한 것이 있음. 플루테우스(pluteus)와 비슷한 것도 있으나 돌출물(突出物)은 현저하지 아니함. 변태하여 성장함. 해수 중에서 플랑크톤(plankton)으로서 발견됨.

〈비피나리아〉

비피두스-균【—菌】[라 bifidus] 명【의】장내(腸內)에 생리적으로 번식하고 있는 유산균(乳酸菌)의 일종. 인공 영양아의 경우에는, 이 균의 번식이 불충분함으로, 설사 등의 장질환이 일어나기 쉽다 함.

비: 피: 에스【BPS, bps】의명 [bits per second의 약칭]〖컴퓨터〗데이터 전송 속도를 표시하는 단위. 1초에 몇 비트를 전송할 수 있는지를 나타냄.

비필【飛筆】명 글씨를 썩 빨리 씀. 또, 그 글씨. ——-하다 타여불

비:하¹【批下】명【역】조선 시대에, 국왕이 전조(銓曹)에서 올린 삼망(三望) 가운데서 한 사람에게 점을 찍어 결재(決裁)를 내림. *낙점(落點). ——-하다 자여불

비:하²【卑下】명 ①땅이 낮음. ②지위(地位)가 낮음. 천함. 저하(低下). ③스스로를 겸손하게 낮춤. ④업신여겨 낮춤. ——-하다 자타여불

비:-하다【比—】타여불 ①비교하다. 견주다. ¶ 비할 데 없는 재능/부모의 은혜를 무엇에 비하랴. ②대비(對比)하다. ¶ 나이에 비해 몸집이 크다/매상고에 비하면 경비가 많이 든다. ③비유하다. ¶ 비하건대 고양이 앞의 쥐다.

비하라[vihara] 명 인도의 승방(僧房).

비하르[Bihar] 명【지】①인도 동북부의 주(州). 쌀을 비롯하여 옥수수·면실(棉實)·보리를 산출하며, 철·구리·크롬·망간 등 광산물과 석탄 자원이 풍부함. 남부의 다모다르 강(Domadar 江) 하곡(河谷)은 인도 최대의 중화학 공업의 중심지로 되어 가고 있음. [173,876 km²: 69,823,000명(1981)] ②비하르 주(州)의 도시. 농산지의 중심으로 견포(絹布)와 모슬린(mousseline)을 산출함. [200,976명(1991)]

비하르-인【—人】[Bihar] 명 일반적으로 인도 비하르 주(州)에 사는 힌두교도를 가리킴. 인도 이란어파(語派)의 비하리어(Bihari語)를 사용함. 벵골인(人)을 닮은 단두(短頭)에서 동북방의 장두형(長頭型)까지 있어 그 이행 지대(移行地帶)를 보임.

비하리-어【—語】[Bihari] 명【언】인도어파(印度語派)에 속하는 언어. 인도 비하르 지방의 주민 약 3,600만 명이 사용함.

비:하 정사【鼻下政事】명 겨우 먹고 살아가는 일. 비하 공사(鼻下公事).

비학¹【非學】명 학문을 하지 아니함. 학문이 없음. 무학(無學).

비:학²【秘學】명 신비한 학문. 천문(天文)·산수(算數)·역(曆)·음양(陰陽)·점후(占候) 등의 학문.

비학³【碑學】명【역】중국에서 비각(碑刻), 특히 북조(北朝)의 비에 의해서 서도(書道)를 배우는 사람들의 파. 청대(淸代)에 금석학(金石學)이 일어남에 따라 형성되어 첩학(帖學)을 압도하여 금일에 이름. ↔첩학.

비-학자【非學者】명 ①학자가 아닌 사람. ②【불교】대승(大乘)·소승(小乘)의 학문을 수행(修行)하지 아니하는 사람.

비:한¹【肥漢】명 뚱뚱한 남자를 낮추어 일컫는 말.

비한²【悲恨】명 슬픈 원한.

비-합리【非合理】[—니] 명【철】지성·오성(悟性) 또는 이성으로는 포착할 수 없는 일. 논리의 법칙에 맞지 아니하는 것이나 지식 이전의 잡다(雜多)한 현상·감각·체험 등을 일컬음. 비이성(非理性). 비합리성.

비-합리성【非合理性】[—니썽] 명【철】비합리(非合理).

비-합리적【非合理的】[—니—] 명관 이치에 맞지 아니하는 모양. 논리적 필연성(必然性)으로 해명될 수 없는 모양. 비이성적. 이래셔널(irrational). ↔합리적(合理的).

비합리-주의【非合理主義】[—니—/—니—이] 명 [irrationalism]【철】이성(理性)·오성(悟性)으로는 파악할 수 없는 것이나, 논리적으로는 규정할 수 없는 것을 궁극(窮極)의 것으로 보는 입장. 비이성주의(非理性主義). ↔합리주의(合理主義).

비-합법【非合法】명 법률이 정한 바에 위반되는 일. ¶ ~ 활동. ↔합법(合法).

비합법 운:동【非合法運動】명【사】비합법적으로 행하는 사회 운동

(社會運動)이나 혁명 운동. 「(合法的).
비-합법적【非合法的】명관 법률이 정한 바에 위반되는 모양. ↔합법적
비합법 정당【非合法政黨】명 합법적이 아닌 정당. 그 존재 자체가 법률이 허용하는 범위를 넘은 정치 단체.
비합법-주의【非合法主義】[ㅡ/ㅡ이] 명《사》 법률의 범위를 넘어서 비밀·잠행적(潛行的)으로 사회 운동·혁명 운동을 행하는 주의.
비-합헌성【非合憲性】[ㅡ썽] 명 위헌성(違憲性). ↔합헌성(合憲性).
비:항【卑行】명 집안에서의 자기의 손아랫 사람. 낮은 항렬.
비-항구적【非恒久的】명관 항구적이 아닌 모양.
비해【萆薢】명《한의》 마래의 뿌리. 요통(腰痛)·지절통(肢節痛)·풍습(風濕)에 약재로 씀. 냉반단(冷飯團). 선유량(仙遺粮). 토복령(土茯苓).
비-핵【非核】명 핵무기의 제조·저장·실험 등을 하지 아니함. 흔히 '비핵 지대' 등과 같이, 숙어(熟語)로 쓰임.
비-핵무장【非核武裝】명 핵무기에 의한 무장을 하지 아니하는 일.
비핵무장 지대【非核武裝地帶】명《정》 핵무기의 제조·저장·실험·배치 및 행사 등을 금하는 특정 지역. 비핵(非核) 지대.
비핵 지대【非核地帶】명《정》 비핵무장 지대.
비행[1]【非行】명 그릇된 행위. 나쁜 짓. ¶ ~이 드러나다.
비행[2]【飛行】명 공중으로 날아감. ——하다 자여불
비행-가【飛行家】명 비행술(飛行術)이 능란한 사람. 조인(鳥人).
비행-각【飛行角】명 비행기가 정상적인 수평(水平) 비행을 할 때 전후축(前後軸)과 수평축(水平軸) 사이의 각. 또, 정상적인 수평 비행 때의 날개의 앙각(仰角). 「착에 쓰임.
비행 갑판【飛行甲板】명 항공 모함의 맨 위에 있는 갑판. 비행기의 발
비행 경로【飛行經路】[ㅡ노] 명 ①비행기·로켓 따위가 대기권 및 우주 공간을 통과하는 경로. ②조류(鳥類)의 지리적 이동 경로. 번식지(繁殖地)와 월동지(越冬地)를 맺는 경로.
비행 계:기【飛行計器】명 비행기의 비행 방향·고도(高度)·자세·속도 등을 조정하는 데 쓰는 계기. 인공 수평의(人工水平儀)·대기(對氣) 속도계·고도계·컴퍼스·승강계(昇降計)·가속도계·선회계(旋回計) 따위.
비행-기【飛行機】명《항공》 항공기(航空機)의 한 가지. 동력(動力)으로 프로펠러를 돌리거나 또는 연소(燃燒) 가스의 분사(噴射)로 앞으로 나아가게 하여 거기에서 생기는 양력(揚力)을 이용하여 하늘을 나는 기계. 기체(機體)는 경금속(輕金屬) 또는 스텔스 기술(stealth 技術)을 도입한 복합 재료 등으로 됨. 1903년에 미국의 라이트 형제가 육상 비행을 한 것이 동력 비행의 맨 처음임. 고정익(固定翼)을 갖는 보통 비행기와 헬리콥터·브이톨기(VTOL機) 등의 회전익(回轉翼)의 것이 있으며, 날개의 층수(層數)에 따라 단엽(單葉)과 복엽(複葉)으로, 날개·동체(胴體)의 유무에 따라 동체가 없는 전익기(全翼機)와 날개가 없는 양력(揚力) 동체기로, 강착 장치(降着裝置)에 따라 수상기(水上機)·육상기·수륙양용기(兩用機)로, 추진기(推進機)에 따라 프로펠러식·분사식 곧, 제트식·로켓식으로, 용도에 따라 여객기·수송기·군용기로 나뉨. 날틀. 에어플레인.
비행기(를) 태우다 구 남을 높이 추어 올리다.
비행기-가지나방【飛行機一】명《충》 [*Cystidia stratonice*] 잠자리가지나방.
비행 기관【飛行器官】명《생》 운동 기관의 하나. 조류(鳥類)나 곤충(昆蟲) 등에 있어서 공중을 나는 데 사용되는 기관.
비행기 구름【飛行機一】명 비행기가 지나간 뒤에 꼬리 모양으로 길다랗게 생기는 구름. 저온(低溫)의 과포화(過飽和)된 공기 속을 지나갈 때 많이 생김. 원인은 프로펠러나 날개 뒤에 생기는 소용돌이에 의한 단열 냉각(斷熱冷却), 연료 폭발로 인한 수증기 발생, 배기(排氣) 가스가 승화핵(昇華核)이 되어 주위의 과냉각 수증기가 얼어서 되는 등 여러 가지임. 비행운(飛行雲). 항적운(航跡雲). 비행기운(飛行機雲).
비행기 대:패【飛行機一】명《공》 재목의 둥근 곳을 깎는 대패의 한 가지. 뒤대패에 손잡이가 있어서 비행기 모양과 비슷함.
비행기-밤나방【飛行機一】명《충》 [*Eutelia geyeri*] 밤나방과에 속하는 곤충. 편 날개의 길이 32-39mm이고, 몸빛은 흑갈색인데, 앞날개는 갈색, 중앙은 다소 백색을 띠고 시정(翅頂)은 회백색 암갈색의 불규칙한 가로줄이 많으며, 뒷날개 기반(基半)은 백색이고, 넓은 외연(外緣)은 흑색이며, 두 줄의 백색 가로줄이 있음. 산지에서 밤에 활동하는데, 한국·일본 등지에 분포함.
비행기 사출기【飛行機射出機】명 캐터펄트(catapult).
비행기 역학【飛行機力學】명 비행기의 성능·안정(安定)·조종 등의 문제를 역학적으로 연구하는 분야.
비행기-연【飛行機鳶】명 비행기 모양으로 만든 종이연.
비행기-운【飛行機雲】명 비행기 구름.
비행 기지【飛行基地】명 항공대의 근거지.
비행-단【飛行團】명《군》 공군 부대 편성의 한 단위. 한두 개의 전투 전대(戰鬪戰隊)와 두세 개의 기지 전대(基地戰隊)로 구성됨. 전대의 위, 비행 사단의 아래임. 「격·수송 등을 행하는 부대.
비행-대【飛行隊】명《군》 여러 대의 비행기로 편성되어 정찰·전투·폭
비행-로【飛行路】[ㅡ노] 명 비행기가 다니는 길.
비행-모【飛行帽】명 항공기 승무원이 비행 중에 쓰는 모자.
비행-복【飛行服】명 항공기 승무원이 비행 중에 입는 옷. 흔히, 전열 코드(電熱 cord)를 짜 넣어 보온 장치를 함.
비행-빙【飛行氷】명 비행 중의 항공기의 날개 앞 부분 등에 과냉각(過冷却)된 수분(水分)이 부딪쳐 얼어 붙은 얼음.
비행-사【飛行士】명 ①비행기의 승무원(乘務員). ②일정한 자격이 있고, 면허(免許)를 받아서 항공기의 조종에 종사하는 사람.
비행 사단【飛行師團】명《군》 공군 부대 편성의 한 단위. 너덧 개의 비행단으로 구성됨.
비행-선[1]【飛行船】명 유선형(流線型)의 기낭(氣囊) 속에 수소·헬륨(helium) 등의 부양(浮揚) 가스를 넣어서 추진기(推進機)로 조종하는 항공기. 구조에 따라 경식(硬式)·연식(軟式)·반경식(半硬式)과 특수한 구조로 된 금속 피복(金屬被覆) 비행선 등이 있음. 비행기보다는 먼저 발달되었으나, 속도가 늦고 기낭이 커서 많은 면적을 차지하는 등 결점이 있으므로, 스포츠용 이외는 거의 사용하지 아니하게 되었음. 항공선(航空船). 에어십.

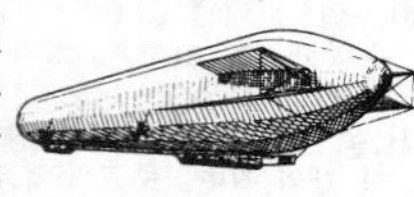
〈비행선[1]〉

비행-선[2]【飛行線】명 [line of flight]《물》 운동에 의하여 그려지는 선. 비행기나 유도(誘導) 미사일이 날게 된 예정선. 또, 공기 중의 탄도선(彈道線).
비행 소:년【非行少年】명 범죄 소년·우범 소년 등의 총칭. 비행 소년에 대해서는 가정 법원 소년부나 지방 법원 소년부의 심판에 의한 보호 처분 또는 아동 복지법에 의한 보호 등이 행하여짐.
비행-술【飛行術】명 비행기를 조종하는 기술.
비행 시간【飛行時間】명 ①비행기가 이륙(離陸)하기 위하여 동작을 개시한 순간부터 종착지(終着地)에서 정지하는 순간까지의 시간. ②발사체(發射體)나 미사일이 포(砲)나 발사대(發射臺)를 떠나서부터 그것이 명중하여 폭발하기까지의 경과 시간.
비행 안전 구역【飛行安全區域】명 항공기의 이착륙(離着陸)에 있어서의 안전 비행을 위한 구역.
비행 안전성【飛行安定性】[ㅡ썽] 명 비행기 또는 미사일이 그 자세를 유지하고 또는 변위(變位)에 저항(抵抗)하며, 변위한 때에는 본디 자세로 되돌아오려고 하는 성질. 「보.
비행 예:보【飛行豫報】[ㅡ네ㅡ] 명 특정한 비행을 위한 항공 기상 예
비행 우편【飛行郵便】명 항공 우편(航空郵便).
비행-운【飛行雲】명 비행기(飛行機) 구름. 「의 위치 및 방향.
비행 자:세【飛行姿勢】명 비행기나 우주선 등의, 운동 중 또는 정지 중
비행-장【飛行場】명 비행기가 발착(發着)할 수 있는 설비(設備)를 갖춘 육지나 수면(水面)의 구역. 용도와 목적에 따라 군용·공공용·사용(私用)·불시 착륙용(不時着陸用) 등이 있음. 에어필드. 항공항(港).
비행장 등화【飛行場燈火】명 항공 등화의 하나. 야간 또는 계기 기상(計器氣象) 상태하에서, 항공기의 이착륙(離着陸)을 돕는 비행장 안의 등불 시설. 활주로등(燈)·이륙 목표등 따위.
비행 접시【飛行一】명 1947년 이래 미국을 비롯한 세계 각지에서 보였다고 하는 정체 불명의 비행 물체. 미확인 비행 물체(未確認飛行物體). 유 에프 오(U.F.O.).
비행-정【飛行艇】명 수상 비행기의 하나. 기체(機體)가 내파상(耐波狀)의 큰 부선(浮船)으로 되어 물위에 뜸. 수상 항공기. 십플레인.
비행 정보 구역【飛行情報區域】명 [flight information region] 비행 중인 항공기의 안전과 효율적인 운항에 필요한 각종 정보를 제공하고, 사고가 발생했을 때는 수색 및 구조 업무를 책임지고 수행케 할 목적으로 국제 민간 항공 기구(ICAO)에서 가맹국(加盟國)에 할당 설정한 공역(空域). 우리 나라는 북위 38° 이남의 전지역과 동중국해 일부 지역을 책임지고 있으며 센터는 대구에 있음. 약칭 : 에프 아이 아르(FIR).
비행 진:로 유도【飛行進路誘導】[ㅡ질ㅡ] 명 비행 중인 비행기의 방향을 지시(指示) 관제(管制)하는 일. 지상(地上)에서 방위각(方位角)과 고도(高度)를 지시함.
비행 폭탄【飛行爆彈】명 일반적으로 유익(有翼) 로봇 폭탄·유도탄·로켓 폭탄 따위의 일컬음. 특히, 제2차 대전 중에 독일이 사용한 V-1호 폭탄을 가리키는 수도 있음.
비:허【脾虛】명《한의》 소화 불량으로 몸이 쇠약하여지고, 식욕이 없어
비헌【飛軒】명 높은 처마. ㄴ지는 병.
비:헤르트[1] [Wiechert, Emil] 명《사람》 독일의 지진학자(地震學者). 지진계(計)의 이론을 발전시켜 '비헤르트 지진계'를 발명하고 지진파(波)의 주시 곡선(走時曲線)으로 지구 내부 지진파의 속도를 알아내는 방법을 고안함으로써 지구 내부 구조 연구의 개척자가 되었음. [1861-1928]
비:헤르트[2] [Wiechert, Ernst] 명《사람》 독일의 소설가. 출신지인 동프로이센(東 Preussen)의 자연에 대한 외경(畏敬)이 작품의 기조를 이루고 있음. 2개월 간의 강제 수용소 생활의 기록인 《사자(死者)의 숲》·《단순한 생활》 등의 장편 외에 동화와 수필을 남김. [1887-1950]
비헤이비어리즘 [behaviorism] 명《심》 행동주의(行動主義).
비:현[1]【丕顯】명 크게 밝음. 크게 나타남. 훌륭함. 또, 그런 모양. ——
비현[2]【悲絃】명 구슬프게 들려 오는 거문고 소리. ㄴ하다 형여불
비:현[3]【憊眩】명 정신이 피곤하여 어지러움. ——하다 형여불
비-현실적【非現實的】[ㅡ쩍] 명관 현실적이 아닌 모양. 현실과는 동떨어진 모양. ¶ ~인 생각.
비-현업【非現業】명 ①현장에서의 노동 업무에 대하여, 일반적인 관리 사무 부문(部門). ②국가나 지방 자치 단체의 업무 가운데, 현업(現業) 사업 이외의 업무를 수행하는 부분. 비교적 권력적(權力的) 성격을 띠고 있음. ↔현업(現業).
비-현정질【非顯晶質】명 [aphanite]《광》 치밀(緻密)하고 균질(均質)인 암석(岩石)에 쓰는 용어. 그 성분이 너무 적어 맨눈으로는 식별(識別)할 수 없는 일. ↔현정질.
비현정질-암【非顯晶質岩】명《광》 비현정질 조직을 가진 암석.
비-현행범【非現行犯】명《법》 현행범이 아닌 범죄. 지난 뒤에 드러난
비:협【批頰】명 별협(批頰). ——하다 타여불 ㄴ범죄.
비-협조적【非協調的】명관 협조적이 아닌 모양. ¶ ~인 태도.
비형[1]【飛型】명 스키의 점프 경기에서, 공중에서의 폼(form)을 이름.

심판원에 의하여 비약 거리(飛躍距離)와 동등하게 평가됨.

비형[2]【篦形】명 ①빗치개나 주걱같이 생긴 모양. ②〖식〗한쪽은 둥글고 납작하며 한쪽에는 가늘고 긴 자루가 있어 주걱이나 빗치개 모양의 잎. 과꽃·등대풀·매발톱나무 등의 잎 같은 것.

비:-형[3]【B型】명〖의〗ABO식 혈액형의 하나. B형과 AB형인 사람에게 수혈할 수 있고, B형과 O형인 사람에게서 수혈받을 수 있음. *오형(O型).

비:형 간:염【B型肝炎】명〔hapatitis B〕〖의〗B형 간염 바이러스에 의한 간의 질환. 주로 B형 간염 바이러스를 가진 혈액의 수혈로 감염되지만 주사 바늘의 공동 사용, 경구적 경로(經口的經路), 성적 접촉(性的接觸)으로도 감염됨. 급성과 만성이 있으며 심하면 황달(黃疸)이 나타남. 대개 3-4 개월이면 치유되나 일부는 만성 보균자(保菌者)로 남게 됨. 수혈성 황달. 혈청(血淸) 간염.

비:호[1]【庇護】명 뒤덮어서 보호함. 비우(庇佑). ¶ ~ 세력 / 특정인을 ~하다. ——-하다 타여불

비호[2]【飛虎】명 ①나는 듯이 닫는 범. ②동작이 매우 날래고 용맹스러「움의 비유. ¶ ~처럼 달려들다.

비호[3]【悲號】명 슬퍼하며 울부짖음. ——-하다 자여불

비호-같다【飛虎—】형 동작이 매우 용맹스럽고 날래다.

비호-같이【飛虎—】[—가치] 부 비호같게.

비:호-권【庇護權】[—꿘] 명〖법〗외국의 정치범이나 피란자 등 보호를 요청하여 온 외국인을 보호하는 국가의 권리.

비:호-죄【庇護罪】[—쬐] 명〖법〗범인(犯人)의 발견·체포·처벌을 면하게 할 목적으로 행하는 '범인 은닉죄(犯人隱匿罪)'·'증거 인멸죄(證據湮滅罪)' 등의 별칭.

비혼것 구〈옛〉뿌린 것. ¶ 여러가짓 모매 莊嚴홈 것 珍寶妙物로 다 娑婆世界예 머리셔 비호니 비혼것 돌히 十方으로셔 오니 구룸 지픠ᄃᆞᆺᄒᆞ야「《月釋 XVIII:9》.

비:홍-증【鼻紅症】[—쯩] 명〖한의〗비사증(鼻齄症).

비홍-치【飛鴻峙】명〖지〗전라 북도 남원군(南原郡) 대산면(大山面)에 있는 고개. [256 m]

비화[1] 명〈옛〉비파(琵琶). ¶ 비홧 비(琵), 비홧 파(琶), 비화 슬(瑟)《字會「中 32》.

비화[2]【飛火】명 ①튀어 박이는 불똥. ¶ ~ 난무(亂舞). ②떨어져 있는 장소나 사람에게까지 관계를 미침. ¶ 사건은 의외의 방향으로 ~했다. *후림불. ——-하다 자여불

비화[3]【飛花】명 바람에 흩날리는 꽃잎. ¶ ~ 난만(爛漫).

비화[4]【飛禍】명 남의 일로 인하여 당하는 화.

비:화[5]【砒華】명〖화〗비소(砒素)의 산화 광물(酸化鑛物). 유리 광택 또는 견사(絹絲) 광택을 띤 백색인 것이 많음. [As_2O_3]

비:화[6]【秘話】명 숨은 이야기. 세상에 드러나지 아니한 이야기. ¶ 외교「~.

비화[7]【悲話】명 슬픈 이야기. 애화(哀話). ¶ 애정 ~.

비화 가야【非火伽倻】명〖역〗육가야(六伽倻)의 하나. 지금의 창녕(昌「寧)땅에 있었음.

비:화-록【秘話錄】명 세상에 드러나지 아니한 어떤 일의 내막을 기록「한 책.

비-화성음【非和聲音】명〖악〗'화음 밖의 음'의 한자 이름.

비:화 수소【砒化水素】명〖화〗수소화 비소.

비-화합물【非化合物】명〖화〗화합물이 아닌 물질의 총칭.

비환[1]【飛丸】명 비탄(飛彈).

비환[2]【悲歡】명 슬픔과 기쁨.

비환[3]【扉鐶】명 문고리[1].

비:환[4]【臂環】명 팔가락지. 팔찌.

비활성 기체【非活性氣體】[—썽—] 명〔inert gas〕〖화〗①주기율표(週期律表)의 0족(族) 원소인 아르곤(argon)·헬륨(helium)·네온(neon)·크립톤(krypton)·크세논(Xenon)·라돈(radon)의 여섯 기체 원소(氣體元素)의 총칭. 모두 무색·무취(無臭)·무미(無味)함. 이들 기체 원소는 화학적으로 활발하지 않으며 다른 원소와도 화합하지 아니함. 지표(地表) 부근에 존재량이 매우 적으므로 희유 기체(稀有氣體)·희가스 등으로 부름. 희유 기체 원소. 희가스류 원소. ②주기율표의 0족 원소를 포함하여 반응성이 적은 기체. 예컨대 질소(窒素) 따위의 일컬음. 「불활성(不活性) 기체.

비황[1]【飛蝗】명〖충〗누리[1].

비:황[2]【砒黃】명 품질이 낮은 비석(砒石).

비:황[3]【備荒】명 미리 흉황(凶荒)이나 재액(災厄)에 대한 준비를 하여 두는 일. ¶ ~ 저축. ——-하다 자여불

비:황 식물【備荒植物】명 산이나 들에 저절로 나는 것으로, 흉년에 먹는 데에 이바지가 되는 식물. 구황(救荒) 식물.

비:황 작물【備荒作物】명〖농〗구황 작물(救荒作物).

비:황 저:곡【備荒貯穀】명 흉년의 경우에 대비하여 미리 곡식을 저장하여 두는 일. 또, 그 곡식. ——-하다 자여불

비:황 저:축【備荒貯蓄】명 흉년에 대비하여 미리 저축함. 또, 그 저축.

비회[1]【悲懷】명 슬픈 회포(懷抱). 「——-하다 타여불

비:회[2]【鄙懷】명 자기 소회(所懷)의 겸칭(謙稱).

비:효【肥效】명 비료가 작물에 주는 효과.

비:효-율【肥效率】명〖농〗비료의 증수율(增收率). 여러 가지의 비료를 사용하여 작물을 재배한 후, 그 수확량을 비교하여, 비료의 효과를 판정하는 수치(數値).

비:후[1]【肥厚】명 살이 쪄서 두툼함. ¶ ~성 비염(鼻炎). ——-하다 형

비후[2]【悲吼】명 크고 사나운 짐승의 슬픈 울음. ¶ 새끼를 잃은 사자의 ~. ——-하다 자여불

비:후성 비:염【肥厚性鼻炎】[—썽—] 명〖의〗만성 비염(慢性鼻炎)의 하나. 비점막(鼻粘膜)이 부어, 코가 항상 막히고 점액성(粘液性) 또는 농성(膿性)의 분비물이 나오는 병.

비:훈[1]【丕訓】명 큰 교훈(敎訓).

비:훈[2]【秘訓】명 비밀의 훈령(訓令). 「타여불

비:훈[3]【鼻燻】명 훈약(燻藥)의 기운을 콧구멍에 대고 쏘임. ——-하다

비훼【誹毁】명〖법〗사실이건 아니건 남의 나쁜 일·추행(醜行) 등을 드러내어 명예를 상하게 함. ——-하다 타여불 「죄.

비훼-죄【誹毁罪】[—쬐] 명〖법〗남의 명예를 훼손함으로써 성립되는

비:-휘발도【比揮發度】[—또] 명 한 성분의 휘발도를 딴 성분의 휘발도로 나눈 수치.

비휘발성 기억 장치【非揮發性記憶裝置】명〔nonvolatile storage〕〖컴퓨터〗자기성(磁氣性) 테이프·자기성 코어 등과 같이 전원(電源)이 끊어져도 축적(蓄積)된 정보(情報)를 보존할 수 있는 컴퓨터의 기억 장치. 「비휴를 그린 기(旗).

비휴【貔貅】명 ①맹수의 이름. 비는 수컷, 휴는 암컷. ②용맹한 군대. ③

비:-흉위【比胸圍】명 흉위의 신장(身長)에 대한 백분율.

비흐다 타〈옛〉뿌리다. 비 오게 하다. ¶ 한 일홈 난 곳 비흐며(散衆名華)《妙蓮 II:194》/後에 두 줄기를 비흐니《月釋 I:14》/善慧 다ᄉᆞᆺ 고줄 비흐시니《月釋 I:13》.

비-흑체【非黑體】명〔nonblackbody〕〖물〗입사(入射)한 방사(放射)의 일정 비율을 반사(反射)하는 물체. 물체는 모두 이 성질을 가짐.

비-흘림 명〖건〗빗물이 건물 안으로 스며 들어가지 못하게 널이나 합석을 경사지게 대는 구조.

비흝저긔 구〈옛〉뿌릴 적에. ¶ 그저긔 ᄒᆞᆫ 받 님자히 씨 비흝저긔《月釋 II:12》. 「——-하다 자여불

비:흥【比興】명 ①재미가 있음. 흥이 남. ②비유하여 재미 있게 말함.

비:희[1]【秘戲】[—히] 명 남녀의 교환(交歡). 곧, 성교(性交).

비희[2]【悲喜】[—히] 명 슬픔과 기쁨. 희비(喜悲).

비:희[3]【贔屓】[—히] 명 힘을 버쩍 씀. ——-하다 자여불

비희 교집【悲喜交集】[—히—] 명 슬픔과 기쁨이 한데 엇걸림. ——-하다 자여불

비희-극【悲喜劇】[—히—] 명 ①비극과 희극. ②비극과 희극이 교차하여 눈물과 웃음이 뒤섞인 극. 또, 비극의 결말이 희극적으로 해결되는 극. ③슬픈 일과 기쁜 일이 동시에 일어남을 비유하는 말. 희비극.

비:희-도【秘戲圖】[—히—] 명 남녀의 음란한 장면을 그린 그림. 춘화(春畫).

비ᄒᆞ니 타〈옛〉뿌리니. '비흐다'의 활용형. ¶ 몸에 블 나고 무뤼를 비ᄒᆞ니《月釋 VII:22》. 「釋 I:13》.

비ᄒᆞ며 타〈옛〉뿌리며. '비흐다'의 활용형. ¶ 여러 가지 香 비ᄒᆞ며《月

빅[1] 명 ①바둑에서, 두 집을 가지지 못해, 독립해서 살 수 없지만, 적의 돌과의 관계로 잡히지 아니하는 형세. ②바둑에서, 쌍방의 집의 수효「가 같아 비김. 무승부가 된 바둑.

빅[2] 명〈방〉바람벽(경상).

빅[3]〔big〕명 큰 것. 대규모(大規模). ¶ ~ 뉴스(news).

빅 게임〔big game〕명 큰 경기. 대규모의 경기.

빅 뉴:스〔big news〕명 큰 뉴스. 놀라운 뉴스.

빅다 자타 ↗비기다[1].

빅 딜:〔big deal〕명〖경〗재벌 기업간의 대규모 사업 교환. 어떤 재벌 기업의 비주력(非主力) 사업을, 주력 사업으로 하고 있는 다른 재벌 기업에 양도하고 그 재벌의 비주력 사업을 인수하는 등의 사업 교환. 사업의 중복, 시설의 과잉 투자 등을 정리하여 국제 경쟁력을 높이기 위한 방책의 하나로 채택하고 있음.

빅 밴드〔big band〕명 비교적 대편성(大編成)의 재즈 악단. 인원수(人員數) 등에 명확한 정의(定義)는 없으나, 10인 이내의 캄보(combo)에 상대하여 이름. 재즈 오케스트라.

빅 뱅〔big bang〕명〖천〗우주 생성의 초기, 약 백 수십억 년 전에 일어난 대폭발. 또 이러한 관점에 입각한 우주론. 1948년 미국의 이론 물리학자 가모프(Gamov, G.)에 의해 제창되었으며, 우주는 이 때부터 팽창을 계속하여 현재에 이르렀다고 함. 팽창 우주, 우주 흑체 복사(黑體輻射), 원소의 존재비(存在比) 등을 이 설(說)의 증거로 삼고 있음. 빅뱅설(說). 대폭발설(大爆發說).

빅 벤〔Big Ben〕명 영국 런던에 있는 국회 의사당 하원 시계탑의 대형 시계의 애칭. 1861년 설치. 벤(Ben)은 건설을 담당한 홀경(Hall 卿)의 이름에서 땀.

빅 비즈니스〔big business〕명 대기업(大企業). 초대회사(超大會社). 보통 과점적(寡占的)인 대기업을 가리키나, 피상적(皮相的)으로 융통성이 없는 노화(老化)한 초대형 기업이나 거대 조직을 말할 때도 있음.

빅 사이언스〔big science〕명 원자력 개발·우주 개발 등 국가적 규모의 연구비를 필요로 하는 과학. 거대 과학.

빅셀〔Wicksell, Knut〕명〖사람〗스웨덴의 경제학자. 자본의 수익력을 나타내는 자연 이자와 현실의 금리가 일치하지 아니하는 비정상 상태가 가격의 변동을 초래한다는 경제의 동태 과정의 분석으로 유명해짐. 주저(主著)《이자와 물가》·《국민 경제학 강의》. [1851-1926]

빅-수【—手】명 ↗비김수.

빅-장[1] 명〈방〉벽장(전남·경상). 「기게 되는 장군.

빅-장[2]【—將】명 장기에서, 대궁이 된 때나, 비김수로 장군을 불러서 비

빅장(을) **부르다** 구 장기를 비기도록 계속해서 장군을 부르다.

빅장-질【—將—】명 장기를 비기기 위하여 계속해서 장군을 부르는 일.

빅터〔victor〕명 승리자. 정복자. 「——-하다 자여불

빅터 마이어 법【—法】[—뻡] 명〔Victor Meyer's method〕〖물〗기체로 되기 쉬운 액체를 미리 칭량(秤量)하여 두고, 이것을 일정 온도의 용기(容器) 내에서 기화(氣化)시키어 증기 밀도(蒸氣密度)를 알아서, 분자량을 측정하는 방법. 1878-80년에 독일인 마이어가 발명함.

빅토륨〔victorium〕명〖화〗1899년 그룩스(Grookes; 1832-1919)가 희토류(稀土類) 원소의 하나로서 발견·명명(命名)한 원소의 이름. 뒤에, 사실은 이트륨(yttrium)과 가돌리늄(gadolinium)의 혼합물인 것을 알게 되어 이 말은 쓰이지 아니하게 됨.

빅토르 엠마누엘 이:세【一二世】〔Victor Emmanuel Ⅱ〕 명 『사람』 비토리오 에마누엘레 이세.

빅토리〔victory〕 명 승리(勝利).

빅토리아[1]〔Victoria〕 명 『지』 캐나다 브리티시컬럼비아 주(British Columbia州)의 주도(州都). 밴쿠버(Vancouver) 섬의 동남단에 위치함. 옛 영국풍의 풍격을 지닌 관광 도시로, 1958년 골드 러시(gold rush)로 발전함. [64,000 명(1981 추계)]

빅토리아[2]〔Victoria〕 명 『지』 세이셸(Seychelles) 공화국의 수도. 인도양(印度洋) 서부, 세이셸 제도(諸島)의 남서부에 있는 마헤(Mahé) 섬에 위치함. 항구 도시로 어업 기지임. [23,012 명(1977)]

빅토리아[3]〔Victoria〕 명 『신화』 로마 신화에서, 승리의 여신.

빅토리아니즘〔Victorianism〕 명 『문』 영국 빅토리아 여왕 시대의 찬란한 문화를 지배한 사상. 사상적으로는 개인주의·자유주의를 말하나, 문학 상으로는 전통과 기독교 정신의 튼튼한 바탕 위에 선 도덕적 이상주의(理想主義)를 이름. 이 주의는 세기 말(世紀末)의 데카당적 반항 정신을 가져왔으나, 다시 20세기 문학에의 새로운 개척 정신의 밑받침이 되었음.

빅토리아-랜드〔Victoria Land〕 명 『지』 남극 대륙 로스 해(Ross 海) 서안(西岸)의 얼음으로 덮인 대지. 1841년 영국의 남극 탐험대가 발견하여 당시의 영국 여왕의 이름을 따서 명명함.

빅토리아 론:〔Victoria lawn〕 명 한랭사(寒冷紗).

빅토리아 섬〔Victoria〕 명 『지』 북극 제도(北極諸島) 중의 제3위의 큰 섬. 한랭(寒冷)하여 해안에 소수의 에스키모가 살고 있음. 캐나다의 노스웨스트 주(Northwest 州)에 속함. [약 210,000 km²]

빅토리아 십자 훈장【一十字勳章】〔Victoria〕 명 빅토리아 훈장.

빅토리아 여왕【一女王】〔Victoria〕 명 『사람』 영국의 여왕. 영제국(英帝國) 번영기의 입헌 군주(立憲君主)로서 국민의 존경과 사랑을 받음. 64년 간의 통치는 역대 영국왕 중 최장(最長)이며, 대내적으로는 자유주의적 여러 개혁을 단행하고 산업을 발달시키었으며, 대외적으로는 제국주의 정책에 바탕을 둔 시장(市場) 획득으로 영국의 최전성기를 이룩하였음. [1819-1901; 재위 1837-1901]

빅토리아 주【一州】〔Victoria〕 명 『지』 오스트레일리아 동남단의 주. 서부는 사막과 저지(低地)이고, 온대 농업(溫帶農業)과 광업이 성(盛)하며, 양모·밀·낙농 제품(酪農製品)·수육(獸肉)·가죽·금·석탄을 수출함. 주도는 멜버른(Melbourne). [227,620 km²: 3,994,000 명(1982 추계)]

빅토리아 폭포【一瀑布】〔Victoria〕 명 『지』 남아프리카 잠베지 강(Zambezi江) 중류, 잠비아와 짐바브웨의 경계에 있는 폭포. 폭 1,700 m, 낙차(落差) 최대 118 m에 이름. 폭포에 근접하여 잠베지 강을 건너는 철도·도로교가 있음. 1855년 리빙스턴이 발견함.

빅토리아 호【一湖】〔Victoria〕 명 『지』 아프리카 동부의 케냐·우간다·탄자니아의 국경, 적도선 상에 있는 아프리카 최대의 담수호(淡水湖). 나일 강(Nile江)의 수원(水源)이며 수운(水運)이 편리함. 호면 표고 1,134 m, 수심은 평균 40-80 m. [69,480 km²]

빅토리아 훈장【一勳章】〔Victoria〕 명 영국의 무공 훈장(武功勳章). 1850년 빅토리아 여왕에 의해 제정된 것으로, 군인으로서 무훈이 있는 자에게 수여됨. 농홍색(濃紅色)의 수(綬)가 달린 십자형(十字型)의 브론즈장(章)으로 되었음. 빅토리아 십자 훈장.

〈빅토리아 훈장〉

빅팀〔victim〕 명 희생. 희생자. 제물(祭物).

빅-휠〔big wheel〕 명 손으로 큰바퀴 모양의 기구를 돌려 가죽 막대기에 걸려 멈추는 번호에 돈을 건 사람이 당첨금을 따는 노름.

빈[1] 명 ☞ 핀(pin).

빈[2]【彬】 명 성(姓)의 하나. 현재 우리 나라에는 대구(大邱)·담양(潭陽) 등 두 개의 본관(本貫)이 있음.

빈[3]【賓】 명 『역』 관례(冠禮) 때에, 그 절차(節次)를 잘 알아서 모든 일을 알선하는 손님의 한 사람.

빈[4]【賓】 명 성(姓)의 하나. 현재 우리 나라에는 달성(達城)·영광(靈光) 등 두 개의 본관(本貫)이 있음.

빈[5]【嬪】 명 『역』 조선 시대 때 정일품의 내명부(內命婦)의 품계(品階).

빈:[6]〔Wien〕 명 『지』 오스트리아의 수도. 다뉴브 강 연안에 있으며 중(中)유럽의 경제·교통·문화의 중심지임. 13세기 이래 합스부르크가(Habsburg家)의 지배 아래 광대한 영역의 수도로서 번영하였음. 옛 왕궁, 교회 등 장려한 역사적 건축물이 많으며, 음악의 도시로서 수많은 음악가를 배출하였고 현재도 국립 가극장·필하모니·소년 합창단 등이 세계적으로 유명함. 비엔나(Vienna). [415km²: 1,530,000명(1992)]

빈:[7]〔Wien, Wilhelm〕 명 『사람』 독일의 물리학자. 열(熱)에 관한 변위 법칙(變位法則)을 발견하고, 그 밖에 복사열(輻射熱)의 연구로 1911년 노벨 물리학상을 받았음. 주저(主著) ≪수력학 제요(水力學提要)≫·≪자연계(自然界)로부터≫. [1864-1928]

빈가[1]【貧家】 명 가난한 집. ↔부가(富家).

빈가[2]【頻迦】 명 『불교』 ↗가릉빈가(迦陵頻迦).

빈가-조【頻迦鳥】 명 『불교』 가릉빈가(迦陵頻迦).

빈각【擯却】 명 빈척(擯斥). ――하다 타여불

빈:-간【一間】 명 ☞ 빈칸.

빈개【擯介】 명 주객(主客)의 사이에 서서 주선하여 주는 사람.

빈-개:념【賓概念】 명 『논』 빈사(賓辭). ↔주개념(主概念).

빈객【賓客】 명 ①점잖은 손님. ②『역』 고려 공양왕(恭讓王) 때 둔 동궁(東宮)의 한 벼슬. 동지 서연(同知書筵)을 고친 이름인데 좌빈객(左賓客)·우빈객(右賓客)이 있었음. ③『역』 조선 시대 때, 세자 시강원(世子侍講院)의 정이품 벼슬. 좌빈객·우빈객·좌부빈객(左副賓客)·우부빈객(右副賓客)이 있었음.

빈격【賓格】〔—껵〕 명 『언』 목적격(目的格).

빈계[1]【牝鷄】 명 암탉.

빈계[2]【賓啓】 명 『역』 의정(議政)들이 빈청(賓廳)에서 의논하여 임금께 「아뢰는 것.

빈계 사신【牝鷄司晨】 명 〔암탉이 운다는 뜻〕 여자가 남편을 업신여기어 집안 일을 자기 마음대로 처리함을 가리키는 말. 빈계지신.

빈계지-신【牝鷄之晨】 명 빈계 사신(牝鷄司晨).

빈고【貧苦】 명 가난한 고생.

빈: 고:전파【一古典派】〔Wien〕 명 18세기 후반부터 19세기 초기에 걸쳐 빈을 중심으로 고전파 음악을 이룩한 작곡가들. 하이든·모차르트·베토벤 등이 그 대표임. *빈 악파(Wien 樂派).

빈곤【貧困】 명 ①가난하여 살림이 군색함. 가난. 간곤(艱困). 간구(艱苟). 빈궁(貧窮). ¶ ~한 가정(家庭). ②필요한 것이 없거나 부족함. ¶ 사상의 ~. ③『사』 인간 생활에 필요한 생활 필수품의 부족으로, 보통 인간이 갖고 있는 육체적·정신적 능력 발휘가 방해되고 있는 상태. ――하다 형여불. ――히 부

빈곤 가족【貧困家族】 명 〔poor-family〕 『사』 병리(病理) 가족의 하나. 벌이를 하지 못하는 노인들의 가족이나, 식구가 많아 생활이 어려운 경우, 가족 중에 중환자(重患者)나 심신 장애자(心身障礙者)가 있어 경제 능력(經濟能力)을 저해(阻害)당하고 있는 가족 따위.

빈곤-감【貧困感】 명 객관적인 가난한 생활 상태와는 관계없이, 그 사람이 주관적으로 느끼고 있는 가난하다는 의식.

빈곤 망:상【貧困妄想】 명 미소(微小) 망상의 하나. 자기가 가난하다고 생각하는 일. *심기(心氣) 망상·죄업 망상.

빈곤-선【貧困線】 명 〔poverty line〕 『경』 최저 한도의 가난한 생활을 유지하는 데 필요한 수입 수준. 영국의 사회 사업가 라운트리(Rowntree; 1871-1954)가 제기한 개념. 이 수준에 미달하는 층을 제1차 빈곤층(貧困層), 겨우 이 수준에 이르는 층을 제2차 빈곤층으로 구분함.

빈곤의 악순환【貧困―惡循環】〔―/―에―〕 명 『경』 후진국은 가난하기 때문에 저축이나 투자가 적고, 투자가 적기 때문에 생산력을 높일 수 없어 이로 말미암아 소득의 감소를 가져오므로, 가난에서 헤어나지 못한다는 가난의 악순환. 미국의 경제학자 너크시(Nurkse, Ragnar; 1907-59)의 소론(所論).

빈공[1]【貧攻】 명 야구 등에서, 공격하는 꼴이 빈약함.

빈공[2]【賓貢】 명 『역』 고려 때 과거(科擧)의 삼공(三貢)의 하나. 외국인, 주로 중국 송(宋)나라 사람으로 제1차 시험에 합격한 사람.

빈공[3]【擯公】 명 『역』 각 도(道)에서 과거(科擧)를 행할 때에 타도(他道)의 과객(科客)으로 과장(科場)에 들어온 사람을 쫓아 내는 일.

빈공-과【賓貢科】 명 『역』 중국 당(唐)나라에서, 외국인에게 보이던 과거(科擧). 신라 때 최치원(崔致遠) 등이 급제하였음. 우리 나라에서도, 고려 때 주로 송(宋)나라 사람의 공사(貢士)에게 과거를 보였음.

빈과-록【蘋科綠】 명 『공』 도자기에 입히는 잿물의 한 가지. 동홍유(銅紅釉)가 산화(酸化)하여 푸르게 된 것.

빈광【貧鑛】 명 『광』 품위가 낮은 광석(鑛石). 또, 채산상(採算上) 이익이 적은 광석. ↔부광(富鑛).

빈광-대【貧鑛帶】 명 『광』 광맥(鑛脈) 속에 광물이 적은 곳.

빈광 처:리【貧鑛處理】 명 『광』 빈광을 기술의 개량·부산물(副産物)의 이용 등으로 유효(有效)하게 처리하는 일.

빈교【貧交】 명 ①가난한 친구. ②가난한 가운데의 교정(交情).

빈구【貧窶】 명 가난하여 초췌함.

빈:-구슬 명 『고고학』 금이나 은으로 만든, 속이 비어 있는 구슬. 공옥(空玉).

빈국[1]【貧局】 명 ①빈곤한 사회. ②메말라서 농사가 잘 아니 되는 땅. ③『민』 빈상(貧相).

빈국[2]【貧國】 명 가난한 나라. ↔부국(富國)❶.

빈: 국립 가극장【一國立歌劇場】〔Wien〕〔—닙—〕 명 빈에 있는 세계 굴지의 유명한 가극장. 1869년 5월에 궁정(宮廷) 가극장으로 출발하여 1869년부터 오늘날의 이름으로 불림. 관현악단은 빈 필하모니가 겸하고 있음.

빈: 국립 미술사 박물관【一國立美術史博物館】〔Wien〕〔—닙—싸—〕 명 빈에 있는 미술관. 건물은 19세기의 것이지만 수집은 16세기의 막시밀리안(Maximilian) 황제 시대에 시작, 독일·스페인 관계의 다수의 명작품을 수장하고 있음. 특히 브뤼겔(Bruegel)의 수집은 세계 제1이란 정평이 있으며 19세기 후반, 루돌프(Rudolf) 2세 때에 비약적으로 그 소장품이 충실해졌음.

빈궁[1]【貧窮】 명 가난하고 군색함. 빈곤(貧困). ――하다 형여불. ――히 부

빈궁[2]【嬪宮】 명 『역』 왕세자(王世子)의 아내.

빈궁[3]【殯宮】 명 『역』 발인할 때까지 왕세자 또는 빈궁(嬪宮)의 관(棺)을 「모시는 곳.

빈기【擯棄】 명 빈척(擯斥). ――하다 타여불

빈:-깍지 명 〈방〉 빈털터리.

빈네 명 〈방〉 비녀[1](제주).

빈년【頻年】 명부 매년(每年).

빈농【貧農】 명 ①가난한 농민. ②『사』 자기의 농업 경영만으로는 생활할 수 없어, 다른 임금 노동에 의지하는 농민. ¶ ~가/~민. ↔부농❶❷.

빈뇨-증【頻尿症】〔—쯩〕 명 『의』 오줌을 조금씩 자주 누게 되는 병증(病症). 방광(膀胱)이나 후부 요도(後部尿道)의 염증 또는 당뇨병(糖尿病)·위축신(萎縮腎) 등에 의하여 일어남. *삭뇨증(數尿症).

빈다우스〔Windaus, Adolf〕 명 『사람』 독일의 유기 화학자. 스테롤류(sterol類)를 연구, 에르고스테롤(ergosterol)에 자외선을 작용시키면 비타민 D가 됨을 발견함. 심장독(心臟毒)에 관한 연구로도 유명함.

1928년 노벨 화학상을 받음. [1876-1959]

빈닥 명 〈방〉 산기슭(전북).

빈달 명 〈방〉 비탈(경상).

빈:-담 명 빈 터에 남아 있는 담.

빈대[1] 명 〖충〗 [*Cimex lectularius*] 빈댓과에 속하는 흡혈(吸血) 곤충. 몸길이 5mm 내외, 몹시 납작한 원반상(圓盤狀)이며, 몸빛은 갈색임. 반시초(半翅鞘)는 짧은 반달 모양을 이루며, 뒷 날개는 퇴화하고 다리는 세 쌍, 온 몸이 짧은 털로 덮임. 불완전 변태(變態)이며, 유충은 5회 탈피(脫皮)하여 성충이 됨. 암컷은 하루 다섯 개 가량의 알을 낳는데, 1주일 후에는 흡혈(吸血)할 수 있으며, 4 주일 후면 성충이 됨. 몹시 고약한 냄새를 풍기며, 집안에서 밤에 활동하여 사람의 피를 빠는 큰 해충임. 상슬(床蝨). 노비(蠦蜰). 취슬(臭蝨). 취충(臭蟲).

〈빈대〉

[빈대도 콧등이 있다] 너무도 염치없는 사람을 핀잔 주는 말. [빈대 미워 집에 불놓는다] 큰 손해 볼 것을 생각지 않고, 제게 마땅치 않은 것을 없애기 위해 외곬으로 덤빈다는 말.

빈대 붙다 구 빈대처럼 붙어서, 불로 소득으로 단물을 빨아 먹다. 공으로 한몫 끼다.

빈대[2]【賓對】명 〖역〗 차대(次對).

빈대-고둥 명 〖조개〗 참배고둥.

빈대-떡 명 〔근대 중국어 餠餚〕 물에 불린 녹두를 맷돌에 갈아서 온갖 나물이나 쇠고기·돼지고기 같은 것을 섞어서 번철에 전병처럼 부쳐 만든 음식. 녹두 전병.

빈대-밤 명 알이 작고 납작하게 생긴 밤.

빈대-붙이 [—부치] 명 〖충〗 [*Dybowskyia reticulata*] 노린잿과에 속하는 곤충. 빈대와 비슷한데, 몸길이 5-6mm이고, 몸빛은 일률적으로 암갈색이며, 몸의 표면은 불규칙한 과립상(顆粒狀)을 이루고 전흉배(前胸背)의 전연(前緣)에 낮은 융기가 세 개 있으나, 분명하지 아니함. 미나리과 식물의 해충으로, 한국·일본 등지에 분포함.

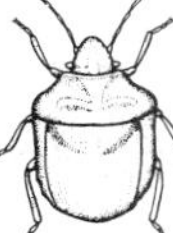

〈빈대붙이〉

빈대-코 명 〈방〉 납작코.

빈: 대학【一大學】〔Wien〕 명 〖교〗 빈에 있는 오스트리아 최고(最古)의 국립 대학. 1365년 루돌프(Rudolf) 4세에 의하여 창설되었으며, 현재 철학·신학·법학·정치학·자연 과학·의학의 각 학부가 있음.

빈댓-과【一科】명 〖충〗 [Cimicidae] 매미목(目)에 속하는 한 과. 몸은 보통 넓적한 원형이고, 몸빛은 적갈색, 촉각은 네 마디이며 복안(複眼)은 발달하였으나 단안(單眼)은 없음. 날개는 퇴화하여 편상(片狀)의 반시초(半翅鞘)를 이룸. 사람·조류(鳥類)와 같은 온혈(溫血) 동물에 일시적으로 외기생(外寄生)하여 흡혈(吸血)을 하는 해충임.

빈델반트 〔Windelband, Wilhelm〕 명 〖사람〗 독일의 철학자. 칸트의 비판주의에서 출발하여, 신칸트파의 일파인 서남 학파(西南學派)를 창시하였음. 법칙 정립(定立)의 자연 과학과 개성 기술(記述)의 역사학과를 구별하였으며, 철학을 문화 가치를 논하는 규범학(規範學)이라 하였음. 《근세 철학사》·《철학 개론》 등의 저서가 있음. [1848-1915]

빈도[1]【頻度】명 ①똑 같은 것이 반복되는 도수. 잦기. ②빈삭(頻數).

빈도[2]【貧道】인대 중이나 도사(道士)가 자기를 낮추어 일컫는 말. 소승.

빈두로【賓頭盧】〔범 Pindola〕 명 〖불교〗 〔부동(不動)의 뜻〕 십육 나한(十六羅漢)의 하나. 흰 머리·긴 눈썹을 가진 상(相)을 하고 있으며, 불칙(佛勅)을 받들어 열반(涅槃)에 들어가지 아니하고, 천축 마리지산(天竺摩利支山)에 살고 있다 함. 말세(末世)의 공양(供養)에 응하여 대복전(大福田)이 된다 함.

빈두리 명 〈방〉 산기슭(충남).

빈둥-거리다 자 아무 것도 하는 일이 없이 보기 싫게 게으름만 부리다. ¶ 일꾼이 빈둥거리며 게으름만 피우다. 쓰삔둥거리다. 쓰핀둥거리다. >밴둥거리다. 빈둥-빈둥 부. ¶ ~ 놀고만 있다/~ 날을 보내다. ——하다 자여불

빈둥-대다 자 빈둥거리다.

빈들-거리다 자 부끄러운 줄도 모르고 하는 일 없이 놀기만 하다. 쓰삔들거리다. 쓰핀들거리다. >밴들거리다. 빈들-빈들 부. ——하다 자여불

빈들-대다 자 빈들거리다.

빈디기 명 〈방〉 번데기(전남·경북).

빈딩 〔Binding, Karl〕 명 〖사람〗 독일의 법률학자. 형법(刑法) 고전파(古典派)의 대두로 형벌(刑罰) 법규와 규범(規範)과를 준별하는 규범설(規範說)을 주장하여 근대파의 리스트(Lizst)와 대립되는 응보주의적(應報主義的) 이론 체계를 수립하였음. 주저(主著) 《규범과 그 위반》. [1841-1920]

빈:-딱지 명 〈방〉 빈털터리.

빈:-땅 명 비어 있는 땅. 공지. 빈터.

빈락【貧樂】[빌—] 명 가난하면서 즐김. 또, 가난을 즐김. ——하다 자여불

빈랑【檳榔】[빌—] 명 ①〖식〗 빈랑나무. ②〖한의〗 빈랑나무의 열매. 성질은 온(溫)하며, 심복통(心腹痛)·각기 충심(脚氣衝心)·적취(積聚) 같은 데에 쓰며 구충제(驅蟲劑)로도 씀. 빈랑자.

빈랑-나무【檳榔—】[빌—] 명 〖식〗 [*Areca catechu*] 야자과의 상록 교목. 높이 10-25m에 달하며 줄기는 원기둥꼴로 곧음. 잎은 우상 복엽(羽狀複葉)으로 1-2m에 달하는데 소엽(小葉)의 끝에는 톱니가 있음. 단성화(單性花)가 잎 사이에서 육수(肉穗) 화서로 핌. 과실은 길이 6-8cm의 달걀꼴 또는 둥근 달걀꼴이고 황적색으로 익는데, 한 이삭에 200-300개나 열리며 맛은 떫고도 약간 닮. 인도·말레이시아·아시아의 열대 지방에 분포함. 과수(果樹)로 재배하며, 과실은 '빈랑'이라 하여 식용 또는 한약재로 쓰임. 빈랑.

〈빈랑나무〉

빈랑-자【檳榔子】[빌—] 명 〖한의〗 빈랑❷.

빈려【賓旅】[빌—] 명 다른 나라에서 온 여객(旅客).

빈례[1]【賓禮】[빌—] 명 예의를 갖추어 손님으로 대접함. ——하다 타여불

빈례[2]【殯禮】[빌—] 명 장사지내는 예식(禮式). 장례(葬禮).

빈록【牝鹿】[빌—] 명 암사슴.

빈마【牝馬】명 암말. 피마.

빈:-말 명 실속이 없는 말. 그저 공으로 하는 말. ¶ ~로 약속하다. ——하다 자여불

빈모[1]【牝牡】명 암컷과 수컷. 짐승의 자웅(雌雄). 암수.

빈모[2]【鬢毛】명 〖생〗 살쩍.

빈모-류【貧毛類】명 〖동〗 지렁이강(綱). *다모류(多毛類).

빈미【顰眉】명 얼굴을 찡그림. 빈축(顰蹙). ——하다 자여불

빈미주룩 부 물건의 끝이 비어져 나오려고 조금 내민 모양. >반미주룩.

빈미주룩-이 부 빈미주룩하게. >반미주룩이. ——하다 형여불

빈민【貧民】명 가난한 백성. 세민(細民). ↔부민(富民).

빈민-가【貧民街】명 가난하고 천한 사람들이 사는 거리. 세민가(細民街).

빈민-굴[1]【貧民窟】명 빈민들이 모여 사는 곳. 세민굴(細民窟).

빈민-굴[2]【貧民窟】명 〔러 Na Dne〕 〖책〗 고르키(Gorki)의 희곡. 사막(四幕)으로 되었으며 1902년에 출판됨. 사회의 하층에 사는 사람들의 모습을 그린 사실극(寫實劇)임.

빈민-층【貧民層】명 빈민들이 속하는 사회층. 세민층(細民層).

빈발[1]【頻發】명 일이 자주 생겨 남. 잦음. ¶ 교통 사고가 ~하다. ——하다 자여불

빈발[2]【鬢髮】명 살쩍과 머리털.

빈발 지진【頻發地震】명 특정한 지역에 많이 일어나는 비교적 작은 지진. 군발(群發) 지진.

빈:-방【一房】명 아무도 거처하지 아니하고 비어 둔 방. 공방(空房).

빈-배합【貧配合】명 〖토〗 콘크리트나 회삼물(灰三物)에 있어서, 양회(洋灰)나 석회(石灰)를 지정된 분량보다 적게 쓰는 배합. ↔부배합.

빈번[1]【頻繁·頻煩】명 도수(度數)가 잦아 복잡함. ¶ 왕래가 ~하다. ——하다 형여불. ——히 부

빈번[2]【蘋蘩】명 개구리밥과 산흰쑥. 전하여 변변하지 못한 제수(祭需).

빈병【貧病】명 가난과 병. 가난한 사람과 병든 사람.

빈복【賓服】명 외국에서 와서 좇음. 복종함. ——하다 자여불

빈: 볼〔bean ball〕 명 야구에서, 투수가 타자의 기를 꺾기 위하여 일부러 타자의 머리 부근을 겨누어 던지는 공.

빈뵈다 자 〈옛〉 뽐내다. ¶ 빈뵐 현(衒)《類合 下 39》.

빈부【貧富】명 빈궁(貧窮)과 부유(富裕). 가난한 사람과 부자(富者). ¶ ~의 차(差).

빈부 귀:천【貧富貴賤】명 가난함과 부유함이나 귀함과 천함. ¶ ~을 가리지 아니하다.

빈분【繽紛】명 많아서 풍성함. 꽃 같은 것이 뒤범벅되어 풍성하게 떨어지는 모양. ¶ 낙화 ~. ——하다 형여불

빈-불여언【擯不與言】명 아주 배척해 버리고 아는 체도 아니함. ——하다 타여불

빈붕【賓朋】명 손님으로 대접하는 친구.

빈빈-하다[1]【彬彬—】형여불 문물(文物)이 성하여 빛나다.

빈빈-하다[2]【頻頻—】형여불 잇따라 잦다. 빈빈-히【頻頻—】부

빈사[1]【賓師】명 제후(諸侯)로부터 빈객(賓客)의 대우를 받는 학자.

빈사[2]【賓辭】명 〖논〗 명제(命題)에 있어서 주사(主辭)에 결합되어 그것을 규정(規定)하는 개념. 예컨대, '소는 동물이다'에서 '동물' 같은 것. 빈개념(賓槪念). 빈위(賓位). 객어(客語). ↔주사(主辭).

빈사[3]【瀕死】명 거의 죽게 된 지경에 이름. ¶ ~ 상태.

빈-사과【一菓】명 유밀과(油蜜菓)의 하나. 강정을 만들고 남은 부스러기를 기름에 지져 조청을 바르고 여섯 모가 지게 뭉쳐 굳힌 뒤에 여러 가지 빛깔로 물들인 과자. 취음:빙사과(氷砂菓).

빈사 상태【瀕死狀態】명 거의 죽게 된 상태.

빈-사자【牝獅子】명 사자의 암컷. 암사자.

빈삭【頻數】명 ①매우 잦음. ②어떤 그룹에 대하여 일정한 검사를 하였을 적에 몇 점짜리는 몇 사람, 몇 점짜리는 몇 사람이라고 하는 것과 같이 각각의 득점 또는 측정치(測定値)에 응하는 출현수(出現數). 빈도. ——하다 형여불. ——히 부

빈삭 분배표【頻數分配表】명 빈도수를 표(表)로 나타낸 것. 분배(分配)의 상태를 파악(把握)하는 데 씀.

빈삭의 법칙【頻數—法則】[—/—에—] 명 〖심〗 주어진 조건이 일정하면 어떤 상황하에서 몇 번 겹쳐서 출현한 반응은 그 상황이 재현했을 때 다시 출현하기 쉽다는 법칙. 왓슨(Watson)이 근시성(近時性)의 법칙과 더불어 학습(學習)의 근본 원리로 삼은 것인데, 나중에 손다이크(Thorndike)에 의하여 확장되어 연습(練習)의 법칙이라 불리어짐.

빈: 삼각【一三角】명 바둑에서, 한 눈을 만드는 넉 점 가운데, 석 점을 한 쪽 돌이 차지하고, 나머지 한 점에 돌이 없는 모양. 흔히, 능률이 좋지 않은 것으로 침.

빈상[1]【貧相】명 ①가난한 운명을 나타내는 인상(人相). ↔복상(福相). ②궁상맞은 모습. 가난한 양상(樣相). 궁상(窮相). 빈국(貧局).

빈상[2]【鬢霜】명 서리같이 흰 머리털.

빈상-설【鬢上雪】명 〖책〗 이해조(李海朝)의 신소설. 융희 2년(1908)에 출판. 축첩(蓄妾)으로 인한 패가 망신의 폐단을 그려 낸 작품임.

빈소[1] 명 〈방〉 변소(便所)(전남·경북).

빈소[2]【貧素】명 가난하여 아무 것도 없음. 극빈(極貧). ——하다 형여불

빈소[3]【殯所】명 발인(發靷) 때까지 관(棺)을 안치해 두는 방.

빈소[4]【嚬笑】명 얼굴을 찡그림과 웃음. 기쁨과 슬픔.

빈: 소:년 합창단【一少年合唱團】〔Wien〕 명 〔Die Wiener Sanger Knaben〕 변성기(變聲期) 전의 소년들로 편성된 오스트리아의 합창단. 1498년 오스트리아 황제의 칙령(勅令)으로 조직된 궁정 예배당 부속의 소년 성가대의 후신임.

빈-소리 명 〈방〉 거짓말(함남).

빈:-속 [명] 먹은 지가 오래되어 시장한 배 속. 공복(空腹). ¶ ~에 술은 금물이다.
빈:-손 [명] ①아무것도 가진 것이 없는 손. 공수(空手). ¶ ~으로 찾아 뵐 수는 없다/~으로 돌아오다. ②아무것도 가진 것이 없는 상태. *맨손·빈주먹.
빈:손 털:다 [구] ㉠헛일이 되어 아무 소득이 없다. ㉡가지고 있던 것을 몽땅 털다.
빈스방거 〔Binswanger, Ludwig〕 [명] 〖사람〗 스위스의 정신 분석학자. 프로이트의 제자이자 친구. 하이데거의 사상과 현상학(現象學)의 영향을 받아 현존재(現存在) 분석에 의한 정신병 환자의 치료를 제창함. 주저(主著) 《인간 존재의 기초 및 인식》. [1881-1966]
빈슨 산괴【—山塊】[명] 〔Vinson Massif〕 〖지〗 남극 대륙, 엘즈워스랜드 남부에 있는 산괴. 남극 대륙의 최고점임. [5,140m]
빈승【貧僧】[一] [명] 도학(道學)이 깊지 못한 중. [二] [인대] 빈도(貧道).
빈신【嚬呻】[명] 얼굴을 찡그리고 끙끙거림. ——하다 [자][여불]
빈실【賓室】[명] 손님을 응접하는 방. 객실(客室).
빈씨【嬪氏】[명] 〖역〗 세자빈(世子嬪)으로 간택되어 가례(嘉禮)를 행하기 전까지의 아가씨.
빈아【貧兒】[명] 가난한 집의 어린애.
빈: 악파【—樂派】〔Wien〕 [명] 빈을 중심으로 작곡 활동을 벌인 음악가의 총칭. 협의로는 빈 고전파를 가리키며, 광의로는 19세기 후반의 브루크너·말러·쇤베르크 등의 음악가들을 포함함. *빈 고전파.
빈안【賓雁】[명] 기러기. 해마다 가을에 왔다 봄에 떠나므로 이렇게 이름.
빈암【玢岩】[명] 〖광〗 →분암(玢岩).
빈약【貧弱】[명] ①가난하고 약함. ②모양이나 내용이 충실하지 못하여 보잘 것 없음. ¶ ~한 지식/~한 체격. ——하다 [형][여불]
빈양【牝羊】[명] 양의 암컷.
빈어【嬪御】[명] 천자의 첩. 빈첩(嬪妾).
빈: 어필: 〔Wien appeal〕 [명] 1955년 1월 빈에서 열린 세계 평화 평의회에서 발표된 호소(呼訴). 곧, 원자 전쟁의 준비에 반대하는 서명(署名)운동. *베를린 어필.
빈연【賓筵】[명] 손님을 대접하는 자리.
빈영양-호【貧營養湖】[명] 〖지〗 영양 염류가 결핍되고 식물도 적으며 생산력이 적은 호소(湖沼). 보통 수심이 깊고 물이 맑으며 물빛이 남빛이나 녹색임. 주로 수력 발전소용의 저수지 또는 관광지로 이용됨. ↔부영양호(富營養湖).
빈와【牝瓦】[명] 암키와. ↔모와(牡瓦).
빈-용매【貧溶媒】[명] 〖화〗 고분자(高分子)가 녹을 때에 흡열(吸熱)하는 용매. ↔양용매(良溶媒).
빈우¹【牝牛】[명] 암소. ↔모우(牡牛).
빈우²【賓友】[명] 빈객과 붕우. 손과 벗.
빈울【彬蔚】[명] 문채(文彩)가 찬란함. ——하다 [형][여불]
빈위【賓位】[명] 〖논〗 빈사(賓辭).
빈: 음악제【—音樂祭】〔Wien〕 [명] 빈에서 해마다 열리는 세계 음악제의 하나. 독일·오스트리아의 고전(古典)과 로망파(派)의 음악을 중심으로 세계의 명(名)연주가들이 많이 출연함.
빈읍【貧邑】[명] 가난한 고을.
빈:의 변:위 법칙【—變位法則】[—/—에—] [명] 〔Wien's displacement law〕 〖물〗 흑체(黑體)에서 방사되는 여러 가지 파장의 전자파(電子波) 가운데 가장 에너지 밀도가 강한 것의 파장은 흑체의 절대(絶對) 온도에 반비례한다는 법칙. 고온도(高溫度)의 측정에 이용됨.
빈:의 삼대 음악가【—三大音樂家】〔Wien〕 [—/—에—] [명] 고전파 오대가(五大家) 가운데 빈을 중심으로 음악 활동을 한 하이든·모차르트·베토벤의 세 사람을 이름.
빈:-이름 [—니—] [명] ①실속없이 형식뿐인 이름. ②소문만 난 명성(名聲). 1)·2):공명(空名).
빈-익빈【貧益貧】[명] 가난한 자일수록 더욱 가난하게 됨. ——하다 [자][여불] ↔부익부(富益富).
빈자【貧者】[명] 가난한 사람. ↔부자(富者).
빈자-떡 [명] ☞빈대떡.
빈:-자리 [명] ①비어 있는 자리. 사람이 없는 좌석. 공석(空席). ②결원(缺員)이 되어 비어 있는 직위.
빈자-병【貧者餠】[명] 빈대떡.
빈자 소:인【貧者小人】[명] 사람이 가난하면 남에게 굽죄는 일이 많아서 기를 펴지 못하여 낮고 천한 사람처럼 된다는 말.
빈자 일등【貧者一燈】[—뜽] [명] (가난한 난타(難陀)가 바친 정성어린 하나의 등이 국왕의 많은 값진 등보다 공덕이 크다는 현우경(賢愚經)의 이야기에서 유래된 말) 물질의 많고 적음보다 정성이 소중함을 일컫는 말.
빈작【賓雀】[명] 〖조〗 참새.
빈잠 [명] 상투 머리에 망건을 쓰고 귀 근처의 머리를 쓰다듬어 올리는 연장. 흔히 대나무나 뿔로 만드는데, 길이는 세 치, 넓이는 서너 푼 가량됨.
빈장 [명] 〈방〉 벼랑(충북).
빈쟁이 [명] 〈방〉 〖어〗 매가리.
빈전【殯殿】[명] 〖역〗 발인(發靷) 때까지 왕이나 왕비의 관(棺)을 모시는 전각(殿閣).
빈전 도감【殯殿都監】[명] 〖역〗 국상(國喪) 때 빈전의 일을 맡아 보던 임시 기관.
빈정-빈정 [부]. ——하다 [타][여불]
빈정-거리다 [자][타] 반어(反語)를 써 가며 남을 놀리다. ¶ 빈정거리지 마라.
빈정-대다 [자][타] 빈정거리다.
빈정이 [명] 〈방〉 〖어〗 밴댕이.
빈조¹【牝鳥】[명] 새의 암컷.
빈조²【蘋藻】[명] 물 위로 떠오르는 풀과, 물 속에 잠겨 있는 풀.
빈: 조약【—條約】〔Wien〕 [명] 〖정〗 ①1815년 6월 빈 회의의 결과로 관계 각국 사이에 체결된 조약. *빈 회의. ②외교 관계 조약.
빈종¹【嬪從】[명] '궁녀(宮女)'의 중국식 호칭.
빈종²【鬢腫】[명] 살쩍 언저리에 나는 부스럼. 빈창(鬢瘡).
빈주¹【貧廚】[명] 가난한 집의 부엌.
빈주²【賓主】[명] 손과 주인.
빈주³【蠙珠】[명] 진주(眞珠).
빈:-주먹 [명] 마땅히 가져야 할 물건을 갖지 못한 주먹. 공권(空拳). *맨주먹·빈손.
빈주지-간【賓主之間】[명] 주인과 손과의 사이.
빈주지-례【賓主之禮】[명] 손과 주인 사이에 지켜야 할 예의.
빈-즉다사【貧則多事】[명] 가난한 집안에 번거로운 일이 많음.
빈지 [명] 〖건〗 ↗널빈지.
빈지메 [명] 〈방〉 〖어〗 밴댕이(황해).
빈지-문【—門】[명] 〖건〗 빈지로 된 문.
빈:-집 [명] ①아무도 살지 아니하는 집. 공가(空家). 극우(隙宇). ②식구들이 모두 밖에 나가고 없는 집. ¶ ~에 도둑이 들다/~만 전문으로 털다. [빈집에 소 매었다] 없는 살림에 큰 횡재를 하였다는 말.
빈징-어 [명] 〈방〉 〖어〗 ①밴댕이. ②매가리.
빈차【賓次】[명] 손님을 초대하는 곳.
빈창【鬢瘡】[명] 빈종(鬢腫).
빈:-창자 [명] 비어 있는 창자.
빈처【貧妻】[명] 가난에 쪼들려 고생하는 아내.
빈척【擯斥】[명] 아주 물리쳐 버림. 빈각(擯却). 빈기(擯棄). ——하다 [타][여불]
빈천¹【貧賤】[명] 가난하고 천함. 천빈. ↔부귀(富貴). ——하다 [형][여불]. ——히 [부]
빈천²【賓天】[명] 천자(天子)가 세상을 떠남. 붕어(崩御). ——하다 [자][여불]
빈천 불능이【貧賤不能移】[—릉—] [명] 바른 길을 걷는 사람은 아무리 빈천하여도 결코 그 지조를 바꾸지 아니함.
빈천지-교【貧賤之交】[명] 빈천할 때에 사귄 벗.
빈첩【嬪妾】[명] 임금의 첩. 빈어(嬪御).
빈청【賓廳】[명] 〖역〗 궁중(宮中)에 있는 대신(大臣)이나 비국(備局)의 당상(堂上)들이 모여서 회의하던 곳.
빈: 체제【—體制】〔Wien〕 [명] 〖정〗 1814-15년의 빈 회의 후 메테르니히(Metternich)의 주도하에 신성(神聖) 동맹과 사국(四國) 동맹을 지주(支柱)로 자유주의·민족주의 운동을 탄압하면서 유럽의 현상 유지를 꾀한 국제적 보수(保守) 반동 체제. 몇 번 수정되기는 하였으나 대체로 제1차 세계 대전 때까지 유지되었음.
빈촌【貧村】[명] 가난한 사람들이 사는 마을. ↔부촌(富村).
빈:-총【—銃】[명] 실탄(實彈)을 재지 아니한 총.
빈추-나무 [명] 〖식〗 [*Plagiospermum sinense*] 장미과에 속하는 낙엽 활엽 관목. 높이 2m가량, 가시가 돋고, 잎은 피침형 또는 넓은 피침형을 이루며, 끝이 뾰족함. 4월에 황색 오판화(五瓣花)가 1-4개씩 모여서 피며 향기가 있고, 핵과(核果)는 가을에 익음. 산록에 나는데, 충북·경기·평남·함북 및 만주에 분포함. 과실은 식용함.

〈빈추나무〉

빈축¹【牝畜】[명] 가축의 암컷. ↔모축(牡畜).
빈축²【嚬蹙·顰蹙】[명] 얼굴을 찡그림. 빈미. ¶ 남의 ~을 사다. ——하다 [자][여불]
빈출【頻出】[명] 자주 나오거나 나타남. ——하다 [자][여불]
빈치 〔Vinci, Leonardo da〕 [명] 〖사람〗 레오나르도 다 빈치(Leonardo da Vinci).
빈치다 [자] 〈방〉 비치다(경상·강원).
빈치-류【貧齒類】[명] 〖동〗 '빈치목(目)'의 관용어.
빈치-목【貧齒目】[명] 〖동〗 〔Edentata〕 포유 동물에 속하는 한 목. 몸은 비늘로 덮였으며 이는 퇴화(退化)하거나 불완전함. 발달한 발톱으로 땅을 파 헤치거나 나무에 오르기에 편리하며, 날카로운 혀로 개미·벌레 등을 잡아 먹음. 개미핥기·천산갑·나무늘보·능리(鯪鯉) 등이 이에 속함. 아열대·열대 지방에 분포함. 이절류(異節類).
빈침¹ [명] 〈방〉 살쩍밀이.
빈-침²【—針】[명] 〈방〉 핀(pin).
빈:-칸 [명] (←빈간) 비어 있는 칸. ¶ ~에 답을 써 넣으시오.
빈크리스틴 〔vincristine〕 [명] 빈카라는 식물에 함유된 알칼로이드. 제암제(制癌劑)로서 소아암(小兒癌)에 귀한 치료제임.
빈클러 〔Winkler, Clemens〕 [명] 〖사람〗 독일의 무기(無機)화학자. 가스 분석법을 개척함. 1886년 게르마늄(Germanium)을 발견, 그 밖에 인듐(indium)·니켈·코발트 따위 금속 및 접촉법에 의한 황산 제조에 관한 연구가 있음. [1838-1904]
빈타【貧打】[명] 야구에서, 빈약한 타격. ¶ ~전(戰). ——하다 [자][여불]
빈탄 섬: 〔Bintan〕 [명] 〖지〗 인도네시아의 북부, 남중국해 상(南中國海上)의 리아우(Riau) 제도 중의 주도(主島). 싱가포르 바로 남쪽에 위치하며 구릉성(丘陵性)의 섬으로 보크사이트광(鑛)의 매장이 풍부함. [1,075km²]
빈탈 [명] 〈방〉 비탈(충청).
빈:-탈타리 [명] 있던 재산을 다 없애고 가난뱅이가 된 사람. [준]탈타리. <빈털터리.
빈:-탕 [명] ①잣·호두·땅콩 같은 단단한 껍데기의 과실 속에 알이 들지 아니한 것. ②실속이 없는 사물의 비유.
빈:-터 [명] 비어 있는 터. 공지. 공터. 빈땅.
빈터투:르 〔Winterthur〕 [명] 〖지〗 스위스 취리히 주(Zürich 州)의 도시. 철도의 요지이며 차량·기계 공업의 중심지임. [107,000명(1982 추계)]
빈:-털터리 [명] 있던 재산을 다 없애고 가난뱅이가 된 사람. ¶ 화재로 ~가 되다. [준]털터리. >빈탈타리.
빈툐 [명] 〈옛〉 옷고름. 옷끈. ¶ 빈툐(襻襻)《四聲 下 16》.
빈트샤이트 〔Windscheid, Bernhard〕 [명] 〖사람〗 독일의 법학자. 판데크텐(Pandekten) 법학 즉, 로마법계의 사법학(私法學)을 이론적·체계적으로 구성하였음. 독일 민법전에 큰 영향을 줌. 주저(主著) 《판데크텐 교과서》. [1817-92]
빈트야케 〔도 Windjacke〕 [명] '윈드 점퍼(wind jumper)'의 독일어.
빈트후크 〔Windhoek〕 [명] 〖지〗 아프리카 나미비아(Namibia)의 수도(首

都). 나미비아의 거의 중앙, 표고 1,655m의 고지에 있고 철도·상업의 중심지로 식품 가공업이 성함. 주민의 과반이 백인이고 교회·병원·도서관·미술관 등이 정비되어 있음. [85,000명(1980 추계)]

빈:-틈 명 ①비어 있는 사이. ¶ ~으로 바람이 들어오다/감시의 ~을 타서 달아나다. ②사람의 됨됨이·성질·주의력·하는 짓 같은 것이 딱 죄이지 못하고 부족한 점. 다른 것이 개입할 만한 여지. ¶~이 많은 사람. [빈틈에 바람이 난다] 사이가 뜨면 그만큼 정의가 멀어진다는 말.

빈:틈-없다 [—업—] 형 ①비어 있는 사이가 없다. ②사람의 됨됨이·성질·주의력·하는 짓 같은 것이 야무지고 딱 죄이어 다른 것이 개입할 만한 여지가 없다. ¶ 빈틈없는 사람.

빈:틈-없이 [—업씨] 부 빈틈없게.

빈파【頻婆】명 사과(沙果).

빈파사라-왕【頻婆娑羅王】명 〔범 Bimbisāra〕〖불교〗 고대 인도의 마갈타국(摩竭陀國)의 왕. 아사세왕(阿闍世王)의 부친. 석가의 출가(出家)를 간지(諫止)하였으나 성도(成道) 후에는 자기도 이에 귀의(歸依)하여 죽림 정사(竹林精舍)를 세웠음. 빔비사라.

빈: 필하:모니 관:현악단【—管絃樂團】〔Wien Philharmonie〕명〖악〗 전통 있는 세계 최고의 관현악단의 하나. 1842년에 창설되었음. 전통을 지키는 보수적인 성격이 특징임.

빈핍【貧乏】명 가난하여 아무 것도 없음. ——-하다 형여불

빈: 학단【—學團】〔Wien〕명 1929-38년, 빈 대학(大學) 안에서 슐리크(Schlick)·카르나프(Carnap) 등이 중심이 되어 논리 실증주의에 의거한 통일 과학을 제창한 학자군(學者群). 개인적 철학이 아니고 협동 작업으로서의 과학적 철학의 건설을 목표로 하였음. 세계 시민주의적 성격 때문에 나치스의 탄압을 받아 주요한 학자는 미국으로 망명함.

빈: 학파【—學派】〔Wien〕명〖경〗 경제학설사상(經濟學說史上)의 한 학파. 제1차 세계 대전 후, 오스트리아 학파의 새로운 형태로서 형성되었음. 1910년 전후를 전기(轉機)로 하여, 로잔(Lausanne) 학파의 영향을 받아 그의 일반 균형 이론을 의식적으로 섭취하고, 종래의 소비자 중심의 심리주의의 체계를 확대하려는 점과, 종래의 정학적(靜學的)인 이론의 비현실성에 만족하지 아니하고, 현실의 경기 순환을 설명할 수 있도록 경제 이론의 동학화(動學化)를 꾀하는 점 등이 이 학파의 특징임. 슘페터(Schumpeter)·마이어(Mayer) 등이 이에 속함. 신(新)오스트리아 학파.

「여불. ——-히 부

빈한【貧寒】명 아주 가난하여 쓸쓸함. ¶ ~한 살림살이. ——-하다 형

빈한 도:골【貧寒到骨】명 빈한함이 뼈에까지 스며든다는 뜻으로, 몹시 가난함을 일컫는 말. ——-하다 자여불

빈한 막심【貧寒莫甚】명 아주 형편없이 빈한함. ——-하다 형여불

빈한 소:치【貧寒所致】명 가난한 탓으로 그러함. 빈한하기 때문임.

빈함-옥【殯含玉】명 물리개.

빈항【貧巷】명 가난한 사람들이 사는 거리. 빈민가.

「다 형여불

빈해【瀕海】명 바다에 접근해 있음. 바다에 가까움. 또, 그 땅. ——-하

빈헤 명〈방〉 비녀[1](제주).

「瞖刮眼膜)≪杜諺 Ⅸ:19≫.

빈혀 명〈옛〉 비녀[1]. ¶금 빈혀로 눈ᄌᆞᅀᆞ애 마리ᄢᅵᆫ 거슬 거더ᄇᆞ리면(金

빈혈【貧血】명〔Anemia〕〖의〗 ①혈액 중의 적혈구(赤血球)의 수, 혈색소(血色素)의 농도, 헤마토크리트(hematocrit) 값이 정상보다 감소한 상태의 총칭. 적혈구 생성 저하·파괴 또는 출혈 등이 원인이며, 철분(鐵分)·비타민 결핍, 조혈기(造血器)의 장애, 중독, 감염증(感染症), 악성 종양 등으로 생김. 안색의 창백(蒼白)·현기증·심계 항진(心悸亢進)·권태 등의 증상을 나타냄. ②어떤 장기(臟器) 또는 그 일부에 혈류(血流)가 적어진 상태. 뇌빈혈 따위. 1)·2):↔다혈(多血).

빈혈-기【貧血氣】[—끼] 명 빈혈의 증세가 있는 기색(氣色).

빈혈-성【貧血性】[—썽] 명 ①빈혈의 성질. ②빈혈의 체질(體質).

빈혈-증【貧血症】[—쯩] 명〖의〗 빈혈의 증세.

빈호【貧戶】명 가난한 백성의 집.

빈: 회:의【—會議】〔Wien〕[—/—이] 명〖역〗 1814년 9월부터 이듬해 6월에 걸쳐, 나폴레옹 몰락 후의 선후책을 강구하기 위하여 빈에서 열린 국제 회의. 영국·러시아·프로이센·오스트리아 등이 주도권을 쥐고, 정통주의(正統主義)·복고주의(復古主義)의 입장에서 빈 조약을 맺어 혁명 전의 구(舊) 질서의 회복, 강대국의 소국 병합 및 영토 확대를 꾀하였음.

빋 명〈옛〉 ①빚. ¶ 녯 業과 무근 비디(舊業陳債)≪楞嚴 Ⅶ:60≫. ②값. ¶ 겨집 죵ᄋᆡ 비디 언메잇가 ≪月釋 Ⅷ:81≫.

「≪朴解 單字解≫.

빋ᄉᆞ다 형〈옛〉 비싸다. 값이 나가다. =빋ᄊᆞ다. ¶ 直錢 빋ᄉᆞ다(通作値)

빋ᄊᆞ다 형〈옛〉 비싸다. =빋ᄉᆞ다. ¶빋낸 사ᄅᆞ미 지븨 믈읫 잇ᄂᆞᆫ 빋ᄊᆞᆫ거시라도(將借錢人在家應有直錢物件)≪朴解 上 61≫.

빌:[1] 명〈방〉 별(전라·경상·충청·강원·제주).

빌:[2] 〔Biel〕명〖지〗 스위스 서부의 도시. 시계(時計) 공업의 중심지이며 자동차·악기·식품 등의 공업도 성함. 공과 대학·고고학(考古學) 박물관이 있음. [84,000명(1982 추계)]

빌[3] 〔bill〕명 ①어음. 증권(證券). ②계산서(計算書). 명세서(明細書).

빌[4] 〔Bill, Max〕명〖사람〗 스위스의 건축가·조각가·디자이너. 취리히(Zürich)의 미술 공예 학교와 데사우(Dessau)의 바우하우스(Bauhaus)에서 수학함. 특히 추상 조각에 훌륭한 작품을 남기고 칸딘스키(Kandinski, V.)와 몬드리안(Mondrian, P.)에 관한 평론도 씀. [1908-]

빌:[5] 〔veal〕명 송아지의 고기.

빌가리 명〈방〉 병아리(경남).

빌갱이 명〈방〉 병아리(경북).

빌기-먹다 자〈방〉 비루먹다.

빌뉴스 〔Vilnius〕 명〖지〗 리투아니아(Lithuania) 공화국의 수도(首都). 네만 강(Neman江)의 지류 빌리야 강(Viliya江)에 면하여 공작 기계·전기 기계·계산기 등의 공업이 성함. 14-18세기의 고(古)건축물이 남아 있으며 대학·과학 아카데미가 있음. [503,000명(1981 추계)]

빌:다[1] 타〔중세 : 빌다〕 ①남의 물건을 공으로 달라고 하다. ¶ 양식을 ~. ②자기 소원대로 되기를 바라며 기도하다. ¶ 성공을 비네. ③잘못을 용서하여 달라고 호소하다. ¶ 잘못이 있으면 빌어야 한다. [비는 놈한텐 져야 한다] 제 잘못을 뉘우치고 사과하는 사람은 용서해야 된다는 말. [비는 데는 무쇠도 녹는다] 자기의 잘못을 잘 변명하고 사과하면 아무리 완고한 사람도 용서한다는 뜻. [비는 장수 목 벨 수 없다] 잘못을 뉘우쳐 사과하면 용서하게 되는 것이 인정이라는 말.

빌:다[2] 타〔중세 : 빌다〕 ☞빌리다.

빌더 카:드 〔builder card〕명〖미술〗 판자·카드로 삼각형·사각형·원 등을 오리거나 직육면체·원뿔·원기둥 등을 만들어 이것에 갈림새를 낸 다음 여러 가지 모양으로 끼우거나 맞추는 입체 구성. 끼우는 방법에 따라서 여러 가지 형체가 생김.

빌드라크 〔Vildrac, Charles〕명〖사람〗 프랑스의 시인·극작가. 시인으로 출발했으나 연극에서 그 진가(眞價)를 발휘함. 일상의 생활 속에서 단순·소박한 진리를 찾아내고 청순한 시정(詩情)을 담은 점에 작품의 특색이 있음. ≪상선(商船) 테나시티≫·≪베리아르 부인≫·≪순례(巡禮)≫ 등이 있음. [1882-1971]

빌딩 〔building〕명 ①고층 건축물(高層建築物). ②많은 임대 사무실(賃貸事務室)을 갖고 있는 큰 건축물.

빌딩 증후군【—症候群】〔building〕명 냉난방의 에너지 효율을 높이기 위하여 건물 안팎을 완전 차단시킨 현대 건물 등에서 생활하는 이들에게 흔히 나타나는 증상. 바깥 공기가 차단된 데다 실내의 담배 연기, 건축 자재·카펫 등에서 생기는 오염 물질이 실내 공기를 오염시켜 두통·눈 자극·피부 발진·호흡기 질환·현기증·메스꺼움 등을 일으키며, 심하면 유행성 감기·알레르기·폐결핵·암 등으로 악화될 수 있음. 빌딩 신드롬.

빌라[1] 〔Vila〕명〖지〗 바누아투(Vanuatu) 공화국의 수도(首都). 남서 태평양, 멜라네시아의 에파테(Efate) 섬의 남서안(南西岸)에 있음. 코프라·커피·카카오를 수출하는 항구 도시로, 시가지는 프랑스풍(風)이며, 영국·프랑스인이 많이 삶. [15,100명(1987)]

빌라[2] 〔villa〕명 별장(別莊). 서머 하우스(summer house).

빌라-노바-데-가이아 〔Vila Nova de Gaia〕명〖지〗 포르투갈 북서부, 도우루 강(Douro江) 어귀 좌안(左岸)의 도시. 포도주 양조의 중심지로 포도주 저장소가 즐비함. 섬유·피혁(皮革)·코르크·도기(陶器) 등의 공업도 성함. [50,000명(1981 추계)]

빌라니 〔Villani, Giovanni〕명〖사람〗 이탈리아의 연대기(年代記) 작가. 단테와 같은 시대의 피렌체(Firenze) 상인(商人)으로 세 차례나 시정(市政)의 요직을 맡았음. 이탈리아어(語)로 쓴 ≪피렌체 연대기≫는 14세기의 귀중한 사료(史料)임. [1276?-1348]

빌라 데스테 〔Villa d'Este〕명 르네상스기(期)의 대표적 빌라의 하나. 로마 교외의 티볼리(Tivoli)에 있음. 정원은 유럽 유수(有數)의 명원(名園)으로 꼽히며 화제(畫題)에도 오름.

빌라도 〔Pilatus, Pontius〕명〖성〗 26-36년에 유대를 통치한 제5대 로마 총독(總督). 성질이 잔인하였으며, 예수의 재판관으로서, 예수의 무죄를 알면서도 유대인의 압력에 의하여 십자가형(刑)을 내리었다 함.

빌라-로보스 〔Villa-Lobos, Heitor〕명〖사람〗 브라질의 작곡가. 민속적 작풍이 특색. 1923년 파리 유학에서 돌아온 후, 리우데자네이루를 중심으로 각지의 오케스트라·합창단을 지도함. 교향곡 11곡을 포함하여 많은 작품이 있음. 피아노 연주가·기타 연주가로도 알려짐. [1887-1959]

빌라르 〔Vilar, Jean〕명〖사람〗 프랑스의 배우·연출가. 자신이 '7인극단'을 조직하고 스트린드베리(Strindberg)의 작품을 상연, 명성을 얻은 후, 극평가(劇評家)들의 칭찬과 더불어 독특한 연출 수법으로 전후 연극 추진의 제일인자가 되었음. [1912-]

빌라프란카의 화약【—和約】〔Villafranca〕[—/—에—] 명 〔빌라프란카는 북(北)이탈리아의 작은 도시 빌라프란카디베로나(Villafranca di Verona)의 약칭〕 1859년 빌라프란카에서 프랑스와 오스트리아 사이에 맺어진 화약. 프랑스는 사르디니아(Sardinia)와 조약을 맺고, 북이탈리아를 지배하던 오스트리아군을 격파하였으나 사르디니아가 강대(強大)해지는 것을 두려워하여 사르디니아와의 동맹 관계를 파기하고 오스트리아와 화약을 맺었음. 이러한 프랑스의 배신은 사르디니아의 이탈리아 통일 운동을 더욱 자극하게 되었음.

빌란트[1] 〔Wieland, Christoph Martin〕명〖사람〗 계몽주의 시대를 대표하는 독일의 소설가. '독일의 볼테르'로 불리는데, 그 평명(平明)하고 우아한 문체를 독일 문학에 도입한 공적이 매우 큼. [1733-1813]

빌란트[2] 〔Wieland, Heinrich〕명〖사람〗 독일의 유기 화학자. 뮌헨 공과 대학·뮌헨 대학 교수를 지냄. 빌산(酸) 등 스테롤류(sterol類)의 연구로 1927년 노벨 화학상을 받음. [1877-1957]

빌랴 〔Villa, Francisco〕명〖사람〗 ☞비야[2].

빌레몬 〔Philemon〕명〖성〗 골로새(Colossae) 교회의 부유(富裕)한 회원. 바울에 의해 신도가 되었음. *빌레몬서(書).

빌레몬-서【—書】〔Philemon〕명〖성〗 신약(新約)의 한 편. 바울이 빌레몬에게 쓴 편지로, 노예 오네시모(Onesimos)를 '종으로 대하지 말고 사랑받는 형제로 두라'고 권하여 따뜻한 심정을 표하였음. 필레몬에게 보낸 편지.

빌레못 동:굴【—洞窟】명〖지〗 1973년 제주도 북제주군 애월읍(涯月邑) 어음리(於音里)에서 발견된 구석기(舊石器) 시대의 동굴. 굴 안에서 순록(馴鹿)과 곰 등 빙하기(氷河期)의 동물의 화석(化石)과 당시 원시인들

의 간단한 구석기가 발견됨.

빌레이 〔belay〕 명 〔←belaying pin〕 ①〖해〗 밧줄 매는 막대기. 길이 30 cm가량의 나무·금속으로 되었으며, 이것에 밧줄을 S자·8자 모양으로 감음. 빌레잉 핀. ②등산에서, 바위를 타고 오를 때 밧줄을 안정시키는 일. 또, 그 밧줄을 바위 등반자의 어깨 등에 매는 자리. *지허(Sicher).

빌레잉 핀 〔belaying pin〕 명 빌레이(belay).

빌:레펠트 〔Bielefeld〕 명 〖지〗 독일의 북서부의 도시. 린네르 공업의 중심지이며 자동차·제지(製紙)·유리 공업도 성함. 13세기 한자 동맹(Hansa 同盟)의 도시이었음. [312,000 명(1981 추계)]

빌렘슈타트 〔Willemstad〕 명 〖지〗 남미(南美) 네덜란드령 앤틸리스(Antilles)의 주도(主都). 쿠라사오(Curaçao) 섬의 남안(南岸)에 있는데, 17세기 이래의 건조물이 많음. 서인도 제도에서 가장 잘 정비된 자유 중계항(中繼港)의 하나임. 셸 석유 회사의 대제유소(大製油所)가 있음. [50,000 명(1980 추계)]

빌렘 일세¹ 【一一世】〔Willem Ⅰ〕 〔一쎄〕 명 〖사람〗 네덜란드 독립의 지도자. 네덜란드 제일의 명문 오렌지(Orange)·나사우(Nassau)가(家) 출신. 1579년 위트레흐트(Utrecht) 동맹을 결성하고, 1581년 네덜란드 연방 공화국 초대 통령(統領)이 되어 스페인군(軍) 격퇴에 고심하였으나 전쟁 도중에 암살됨. [1533-84]

빌렘 일세² 【一一世】〔一쎄〕 명 〔Willem, Frederik〕 〖사람〗 네덜란드 국왕. 네덜란드 연방 공화국 통령(統領) 빌렘 5세의 아들. 빈 회의에서 탄생한 벨기에·룩셈부르크를 포함하는 왕국의 국왕이 됨. 1830년의 혁명에 의하여 벨기에가 분리, 국민의 불안이 높아지자 1840년에 퇴위함. [1772-1843]

빌뢰르반 〔Villeurbanne〕 명 〖지〗 프랑스 남서부의 도시(都市). 리옹(Lyon)의 남서에 접하여 기계·화학·견직물(絹織物)·식품 공업이 성함. [115,000 명(1982 추계)]

빌름 〔Wilm, Alfred〕 명 〖사람〗 독일의 야금학자. 베를린의 공과 대학 졸업. 1901년 이후 포츠담(Potsdam)의 이공학 연구소에서 금속의 시효(時效)를 연구. 1906년 두랄루민(duralumin)을 발명함. [1869-1937]

빌리다 타 ①남의 물건이나 돈 따위를 뒤에 돌려주거나 대가를 갚기로 하고 갖다가 쓰다. ¶ 예복을 빌려 입다 / 은행에서 돈을 ~. ②남의 도움을 힘입다. ¶ 남의 손을 빌려 모를 내다. ③어떤 형식이나 이론 또는 남의 말이나 글 따위를 취하여 따르다. ¶ 정통한 소식통의 말을 빌려 보도하다 / 이 자리를 빌려 감사의 말씀을 드립니다.

빌리루빈 〔bilirubin〕 명 〖생〗 쓸개즙(汁) 색소의 주성분. 등황색(橙黃色) 내지 적갈색의 결정(結晶)으로, 헤모글로빈 및 미오글로빈 속에 있는 헴(haem)의 분해 산물(分解產物)이며, 피 속을 흘러 간장을 경유, 쓸개즙의 한 성분이 되어 장(腸)에 배설됨. 이것이 혈액 속에 이상 증가(異常增加)한 상태가 황달임. 담적소(膽赤素).

빌리백신 〔bilivaccine〕 명 〖약〗 내복용(內服用)의 백신 제제(製劑). 병원성(病原性)의 세균에 일정한 작용을 가하여 사멸시킴. 지금은 쓰이지 않음.

빌리베르딘 〔biliverdin〕 명 〖생〗 쓸개즙(汁) 색소의 하나. 청록색인데 헤모글로빈의 정상 대사(正常代謝)의 산물로 초식(草食) 동물의 쓸개즙에 다량 함유됨. 담록소(膽綠素).

빌리어드 〔billiard〕 명 당구(撞球).

빌리언 일렉트론 볼트 〔billion electron volt〕 의명 〖물〗 10억(億) 전자(電子) 볼트를 나타내는 기가(giga) 전자 볼트를 미국에서 부르는 이름. 베브(Bev).

빌리켄 〔Billiken〕 명 ①미국에서 말하는 복(福)의 신. 머리가 뾰족하고 눈썹 끝이 위로 치붙은 나체의 상. 이것을 가지고 있으면 복덕(福德)이 온다고 함. 1908년 미국의 여류 미술가가 꿈에 나타난 기괴한 신의 상을 모델로 만든 것으로 세계적으로 유행하였음. ②머리가 뾰족한 사람의 별명.

빌림빙 〔bilimbing〕 명 〖식〗 [*Averrhoa bilimbi*] 괭이밥과에 속하는 상록 교목. 높이 10 m 가량이며, 잎은 우상 복엽(羽狀複葉)으로 호생함. 자색의 작은 오판화(五瓣花)가 원추상(圓錐狀)으로 모여서 피고, 과실은 길이 5-10 cm의 원추형이며 녹황색으로 익는데, 강한 산미(酸味)가 있어 생식으로는 적당하지 아니하여 피클(pickle)·잼(jam)을 만들어 먹음. 몰루카(Moluccas) 제도 원산으로 아시아 열대 지방에 널리 분포함.

〈빌림빙〉

빌립 〔Philip〕 명 〖성〗 ①예수의 열두 제자 중의 한 사람. 생애는 불명함. ②전도자(傳道者) 빌립. 예루살렘 교회의 7인 집사(執事) 중의 한 사람. 초대 교회의 유력한 전도자이었음.

빌립보 〔Philippi〕 명 〖성〗 마케도니아의 수부(首府). 바울 시대는 로마의 식민지였음.

빌립보-서 【一書】〔Philippi〕 명 〖성〗 신약(新約) 성서의 한 편. 사도 바울이 로마의 감옥에서 빌립보의 교회 앞으로 보낸 편지로, 죽음을 눈앞에 두고도 기쁜 마음으로 자기의 신변(身邊) 이야기와 교회에 대한 권고의 말들을 쓰고 있음. 필립비인들에게 보낸 편지.

빌릿 〔billet〕 명 형강(形鋼)으로 압연(壓延)하기 전의 강괴(鋼塊).

빌링 〔billing〕 명 ①영화·연극에서, 포스터나 프로그램 상의 배우의 서열(序列). ②광고 대행업자가 거래선인 광고주에게 청구하는 매체 요금(媒體料金)에 매체 수수료를 더한 금액.

빌머굼 자 〈옛〉 빌어먹음. '빌먹다'의 명사형. ¶ 샹녜 빌머굼과 누비 옷 니붐과《月釋 Ⅶ:31》.

빌먹다 자 〈옛〉 빌어먹다. ¶ 나라해 빌머그라 오시니《月釋 Ⅰ:5》

빌:며-빌며 부 사정사정하면서. ¶ ~ 얻어 내다.

빌믜 명 〈옛〉 빌미. ¶ 샤긔와 빌믜와(邪祟者)《救簡 Ⅰ:110》.

빌미 명 〔중세 : 빌믜, 빌미〕 재앙이나 병 같은 불행이 생기는 원인. 탈이 생기는 까닭. ¶ 죽은 사람의 원령이 ~ 붙다 / 그것이 ~가 되어 망하다.
 빌미 잡다 구 재앙이나 병 같은 불행이 생기는 원인으로 삼다.

빌밋-하다 형여불 얼추 비슷하다. ¶ 이때 동궁의 생각을 빌밋하게라도 안 사람은 … 정귀인뿐이었다《洪命憙 : 林巨正》.

빌ᄆᆡ다 타 〈옛〉 빌미잡다.

빌ᄆᆡᄒᆞ다 자 빌미짓다. ¶ 蛟와 鼉와ᄂᆞᆫ 빌ᄆᆡ호ᄆᆞᆯ 즐겨ᄒᆞᄂᆞ니라(蛟鼉好爲祟)《杜諺 ⅩⅥ:19》.

빌ᄲᅮ다 타 〈옛〉 빌어 꾸다. ¶ 이 일후미 빌ᄲᅮᆫ 일후미며(是名爲假名)《金三 Ⅴ:37》.

빌바오 〔Bilbao〕 명 〖지〗 스페인 북부 비스케이 만(Biscay 灣)에 면한 항구 도시. 부근에서 풍부한 철광을 산출(產出)해 영국에 수출하고, 또 영국으로부터 석탄을 수입하여 제철·조선(造船) 등의 중공업이 행하여짐. [379,000 명(1986 추계)]

빌베르기아 〔Billbergia〕 명 〖식〗 [*Billbergia pyramidalis*] 아나나스과에 속하는 브라질 원산의 원예 화초. 잎은 근생(根生)하며, 넓은 혀 모양으로 끝이 급히 뾰족해지고, 가에는 짧은 톱니를 가짐. 가을에서 겨울에 걸쳐 짧은 꽃꼭지에 선홍색의 많은 꽃이 수상 화서(穗狀花序)를 이루며 핌. 온실 재배가 좋은데, 번식은 꽃이 진 다음 그루목에서 포복경(匍匐莖)이나 싹이 나므로 그것을 따서 이식(移植)함. 1958년 한국에 도입됨.

빌-보:드 〔Billboard〕 명 〖악〗 미국에서 발행되는 주간 연예지(週間演藝誌). 레코드 회사·출판사·프로덕션·탤런트의 소식이 게재되며, 특히 신작(新作) 포퓰러 송의 순위를 나타내는 '핫(Hot) 100'은 인기 가수의 바로미터로 주목됨.

빌:-붙다 자 남에게 들러붙어서 아첨하고 알랑거리다. ¶ 권문 세가에 빌붙어 지내다.

빌 브로:커 〔bill broker〕 명 어음의 중개인(仲介人). 은행·신탁 회사·보험 회사 같은 금융 기관 사이나 금융 기관·상사 회사·증권 회사·사업 회사 등의 사이에 개재하여 어음의 할인·매입·콜(call)·거래의 중개를 업으로 하는 사람.

빌빌 부 ①병이 들어 시들시들한 모양. ②기운을 차리지 못하고 맥없이 구는 모양. ——하다 자여불 ①병이 들어 시들시들한 상태에 있다. ②기운을 차리지 못하고 맥없이 굴다. ¶ 빌빌하지 말고 기운 좀 차려라.

빌빌-거리다 자 연해 빌빌하다.

빌빌-대다 자 빌빌거리다.

빌-산 【一酸】 명 〔bile acid〕 〖생〗 쓸개즙의 주요 성분의 하나. 장내(腸內)에서 음식물의 소화 및 지방(脂肪)·카로티노이드(carotinoid)·비타민 등의 흡수에 중요한 역할을 함. 주로 간장(肝臟)에서 콜레스테롤(cholesterol)로부터 만들어짐. 담즙산(膽汁酸).

빌슈테터 〔Willstätter, Richard〕 명 〖사람〗 독일의 생화학자. 꽃의 색소(色素)·엽록소(葉綠素)·효소(酵素)의 구조 및 광합성(光合成) 등의 생물 현상의 화학적 연구에 공적이 있으며, 특히 엽록소의 결정(結晶)을 얻는 데 성공하여 1915년 노벨 화학상을 받았음. [1872-1942]

빌어-먹다 자타 살 길이 없어서, 남에게 딱한 사정을 말하고 거저 얻어먹다. 구걸해 먹다. >배라먹다.
 [빌어는 먹어도 다리 아랫 소리 하기는 싫다] 아무리 궁핍하여도 비굴하게 남에게 아첨하기는 싫다는 말. [빌어먹는 놈이 이밥 조밥 가리랴; 빌어 먹는 놈이 콩밥을 마다고 할까] 자기가 아쉽거나 급히 필요한 일에는 좋고 나쁨을 가릴 겨를이 없다는 말. [빌어먹던 놈이 천지개벽을 해도 남의 집 울타리 밑을 엿본다] 오랜 습성은 갑자기 벗어나지 못한다는 말.

빌어-먹을 감관 무슨 일이 자기 뜻대로 되지 아니하거나 속이 상할 때 쓰는 말. ¶ ~ 비는 오고 사람은 안 온다 / ~ 놈. *염병할.

빌여늘 타 〈옛〉 빌리거늘. 빌려 주거늘. '빌이다'의 활용형. ¶ 그듸 가들찌비 볼써 이도다ᄒᆞ고 道眼ᄋᆞᆯ 빌여늘 須達이 보니 여슷 하ᄂᆞ래 宮殿이 싁싁ᄒᆞ더라《釋譜 Ⅵ:35》.

빌이다 타 〈옛〉 빌리다. ¶ 일흔 넉슬 너희 무를 빌여 두겨시니라(遊魂貸爾曹)《杜諺 Ⅴ:3》.

빌트-인 〔built-in〕 명 건물·기계 따위에 붙박이로 짜 넣음.

빌트인-스태빌라이저 〔built-in stabilizer〕 명 〖경〗 경기 변동의 폭을 좁히기 위하여, 불황기(不況期)에는 경기를 자극하고, 호황기(好況期)에는 경기를 억제하는 작용을 자동적으로 하게 하는 제도. 사회 보장 제도·누진 과세 제도 등 재정 제도 중의 자동 안정 장치를 가리키는 것이 일반적임.

빌헬름 〔Wilhelm〕 명 독일 황제 '빌헬름 일세'·'빌헬름 이세'의 통칭.

빌헬름 마이스터 〔도 Wilhelm Meister〕 명 〖책〗 괴테의 장편 소설. 주인공 빌헬름 마이스터와 여우(女優) 마리아네의 정사(情事)·방랑 생활 및 그의 아들 페릭스의 교육법 등을 서술한 것으로, 제1부의 수업 시대(修業時代)와 제2부의 편력 시대(遍歷時代)의 두 편으로 되어 있음. 제1부는 1796년, 제2부는 1829년에 간행됨. 독일 소설의 전통이 된 교양 소설의 전형적인 작품임.

빌헬름스하펜 〔Wilhelmshaven〕 명 〖지〗 독일의 북서부, 니더작센 주(Niedersachsen 州)의 항구 도시로 해군 기지. 기계·전기 공업이 행하여짐. 대학·해양 생물학 연구소·조류(鳥類) 연구소·항해 박물관 등이 있음. [99,000 명(1981 추계)]

빌헬름 이:세 【一二世】〔Wilhelm Ⅱ〕 명 〖사람〗 독일의 황제(皇帝). 빌헬름 일세(一世)의 손자. 비스마르크(Bismarck)를 배척하고 스스로 국책을 지도하였으며 범 게르만주의(汎German主義)를 표방하고 군비를 갖추어 1차 대전을 일으켰으나 패하여 1918년 퇴위(退位)하고 네덜란드에서 종신하였음. 카이저(Kaiser). [1859-1941; 재위 1888-1918]

빌헬름 일세 【一一世】〔Wilhelm Ⅰ〕 〔一쎄〕 명 〖사람〗 프러시아의 왕. 비스마르크를 등용하고 보오 전쟁(普墺戰爭)에 이겨 북(北)독일 연방의

맹주(盟主)가 되었고, 1871년 보불 전쟁(普佛戰爭)에 승리하여 황제(皇帝)로 즉위하고 독일 통일을 완성하였음. [1797-1888; 재위 1861-88]

빌헬름 텔 〔Wilhelm Tell〕 명 ①〖사람〗 스위스 건국의 전설적 영웅. 14세기 초 봉건 영주의 질곡(桎梏)에서 벗어나기 위하여 합스부르크가(Habsburg家)에 대항, 오스트리아의 포학한 지사(知事)의 모자(帽子)에 경례하지 않았다는 이유로 붙들려서 그의 면전에서 아들의 머리 위에 놓인 사과를 활로 떨어뜨린 이야기는 유명함. 텔(Tell). ②〖문〗 실러(Schiller)의 희곡. 빌헬름 텔의 전설을 주제로 한 것으로, 1804년에 지었음. ③〖악〗 로시니(Rossini) 작곡의 가극. 서곡(序曲)이 유명함. 1829년 초연(初演). 윌리엄 텔(William Tell).

빌헬미나 〔Wilhelmina〕 명 〖사람〗 네덜란드의 여왕. 빌렘(Willem) 3세의 딸. 50년에 걸친 치세는 국내의 계급 대립과 국제적 항쟁이 계속되는 곤란한 시대였음. 1940년 독일의 침공에 의하여 런던에 망명하고 1948년 귀국하여 부흥을 지도함. 식민지 지배의 종말과 대관(戴冠) 50년제(祭)를 기하여 퇴위함. [1880-1962; 재위 1890-1948]

빔:[1] 명 촉(鏃)이나 장부의 헐거운 구멍을 종이나 헝겊 같은 것을 감아서 끼우는 일. ——-하다 타여불

빔:[2] 명 명절이나 잔치 때에 새 옷을 갈아입는 일. 또, 그 옷. ¶ 설～. ——-하다 자여불

빔:[3] 〔beam〕 명 ①대들보. ②빛. 광선. ③〖물〗 뢴트겐선·전자(電子)·중성자 따위의 어떤 일정한 방향으로의 흐름.

빔:-관 【—管】 명 〔beam tube〕 〖물〗 전력 증폭용 진공관(電力增幅用眞空管). 전자(電子)의 흐름이 차폐 격자(遮蔽格子)·제어(制御) 격자에 충돌하지 아니하도록 전극(電極)의 배치를 설계한 진공관. 스크린 전류를 감소하고, 양극으로부터의 2차 전자의 방출을 억제하여, 성능이 증대됨. 빔 진공관.

빔: 라이더 〔beam rider〕 명 〖군〗 미사일의 유도(誘導) 방식의 하나. 발사점에서 목표를 향하여 전파를 발사하여 미사일이 그 전파를 벗어나지 않고 따라가서 목표에 도달하게 하는 유도 방식.

빔비사라 〔범 Bimbisāra〕 명 〖사람〗 '빈파사라왕'의 본이름.

빔: 안테나 〔beam antenna〕 명 〖물〗 단파(短波) 및 초(超)단파의 지향성(指向性) 안테나를 이름.

빔: 진공관 【—眞空管】 〔beam〕 명 〖물〗 빔 관(beam管).

빔: 컴퍼스 〔beam compass〕 명 보통의 컴퍼스로는 그릴 수 없는 큰 원을 그릴 때 널빤지에 부착(附着)하여 사용하는 컴퍼스.

〈빔 컴퍼스〉

빕더-서다 자 ①약속을 어기다. ②〈방〉 비켜 서다.

빕새 명 〈방〉 뱁새(충남·전라·경남).

빗[1] 명 〔중세 : 빗〕 머리털을 빗는 데 쓰는 제구. 대를 잘게 쪼개거나, 나무·뿔붙이 등을 에어내거나 혹은 셀룰로이드·금속(金屬) 등으로 만듦. 면빗·얼레빗·음양소·참빗 등 여러 가지가 있음.

빗[2] 명 〖역〗 색(色)❸. ¶ 정(政)～/마(馬)～/승전(承傳)～.

빗[3] 명 〈방〉 별(충청·전라·경남).

빗[4] 명 〈옛〉 빛. ¶ 빗 광(光)≪字會 下 1≫/세상의 빗츤 예술세≪찬양가 : 27≫.

빗[5] 부 〈옛〉 비뚜로. 가로. =빗기. ¶ 구르믈 보고 눉므를 가ᄉᆞ매 빗 흘리노라(看雲淚橫臆)≪杜諺 Ⅳ:32≫.

빗- 투 '바로 곧지 아니하게' 또는 '가로 비스듬히'의 뜻을 나타내는 말. ¶ ～맞다/～나가다.

빗-가다 자 ↗빗나가다.

빗-가락 명 〖악〗 네가락.

빗-각 【—角】 명 〖수〗 예각(銳角) 또는 둔각(鈍角)과 같이 직각(直角)이나 평각(平角)이 아닌 각. 직선(直線) 또는 평면(平面) 등이 서로 비스듬히 교차할 때의 각. 구용어:사각(斜角). *경사각(傾斜角).

빗-각기둥 【—角—】 명 〖수〗 옆모서리가 밑면에 수직이 아닌 각기둥. 구용어는 사각주(斜角柱) 또는 사각도(斜角壔). ↔직각 기둥. *정각주(正角柱).

빗-각뿔 【—角—】 명 〖수〗 꼭지점에서 밑면의 중심에 내린 수선(垂線)이 밑면에 수직이 되지 아니하는 각뿔. 구용어:사각추(斜角錐).

빗-거스러미 명 〈방〉 비거스렁이. ——-하다 자

빗걸이-이음 명 〖건〗 재목의 끝을 이단으로 비스듬하게 턱이 지게 에어 맞물린 이음.

빗굴다 형 〈옛〉 비뚤다. =빗그다. ¶ 빗굴며 길며 모디며 둥굼을 ᄌᆞ세히 알올디니(細認斜長方圓)≪無寃錄 Ⅲ:18≫.

빗굼 명 〈옛〉 비뚤어짐. 비낌. ¶ 빗구믄 十方에 다아도 ᄀᆞᆺ 업스니(橫者十方窮之無有涯畔)≪圓覺 上 一之二 14≫.

빗그다 형 〈옛〉 비뚤다. 기울어지다. ¶ 빗근 남ᄀᆞᆯ ᄂᆞ라 나마시니(于彼橫木又飛越兮)≪龍歌 86章≫. *빗다[4].

빗근길 명 〈옛〉 경사진 길. ¶ 빗근 길(斜路)≪譯語 上 6≫.

빗-금 명 ①사선(斜線). ②〖언〗 대응·대립되는 것을 함께 보이거나 분수를 나타낼 때 쓰는 문장 부호의 하나(/).

빗금-무늬 [—니] 명 〖고고학〗 짧은 금을 비스듬히 그어 만든 무늬. 신석기 시대부터 역사 시대까지 만들어진 토기에 많이 쓰임.

빗기[1] 【斜·斜只·斜是·斜出·禮斜】 명 〈이두〉 ①관아에 신고하여 지령(指令)을 받음. ②관아에서 백성에게 명령서를 하부(下附)함. ③계출한 서면(書面)에 관아의 증명을 받음.

빗기[2] 부 〈옛〉 비뚜로. 가로. =빗[5]. ¶ 杜陵ㅅ 빗기 비췬 힛 나조히(杜陵斜照晩)≪杜諺 XX:45≫.

빗기다[1] 자 〈옛〉 비끼다. =빗씨다. ¶ 빗길 샤(斜)≪類合 下 62≫/ᄂᆞ롯흐르ᄂᆞᆫ 므른 脈脈히 빗겟도다(津流脈脈斜)≪杜諺 Ⅲ:26≫/그 웃음 소리는 달 빗긴 으슥한 길 위에 구슬같이 굴며 흩어졌다≪玄鎭健 : 無影塔≫.

빗기다[2] ㊀ 사동 빗게 하다. ㊁ 타 남의 머리털을 빗어 주다.

빗기우다 피동 빗김을 당하다.

빗-길 명 비가 내리고 있어 빗물이 깔린 길.

빗-꽂이 명 〖농〗 비스듬히 꽂아 심는 꺾꽂이의 한 방식.

빗-나가다 자 비뚜로 나가다. 준빗가다·빗나다.

빗-나다[1] 자 ↗빗나가다.

빗나다[2] 자 〈옛〉 빛나다. ¶ 빗날 화(華)≪字會 下 4≫.

빗-날 명 〖고고학〗 비스듬하게 이루어진 날. 사인(斜刃).

빗-날 명 〈방〉 빗방울.

빗날 들다 구 〈방〉 빗방울 듣다.

빗내 부 〈옛〉 빛나게. ¶ 如來ㅣ 큰 道ᄅᆞᆯ 빗내 펴샤(如來光揚大道)≪永嘉序 5≫.

빗-놓다 [—노타] 타 ①엇비슷하게 놓다. ②〈방〉 벋놓다.

빗다[1] 자 ↗비스러지다.

빗다[2] 타 빗으로 엉클어진 머리털을 가지런히 고르다.

빗다[3] 타 〈옛〉 빛내다. 꾸미다. =비스다·빙다[1]. ¶ 沐浴ᄒᆞ고 香 ᄇᆞᄅᆞ고 마장 빗어≪月釋 Ⅶ:3≫.

빗다[4] 형 〈옛〉 비뚤다. 가로 되다. ¶ 빗거나 사거나 깁푼 盞에 가득 부어≪永言≫.

빗-대다 타 ①바로 대지 아니하고 엇비슷하게 말하다. ②사실과 틀리게 고백하다.

빗당 명 〈옛〉 빗장. ¶ 門 빗당(腰栓子)≪譯語 上 18≫.

빗더-서다 자 ①방향을 조금 틀어서 서다. 준빗서다. ②〈방〉 비켜 서다.

빗-돌 【碑—】 명 글자를 새겨서 세운 돌. 비석(碑石). *돌비.

빗돌 대:왕비 【—大王碑】 명 〖역〗 경기도 양주군(楊州郡)의 감악산(紺岳山) 신라 고비(新羅古碑)의 속칭.

-빗두 【有置】 어미 〈이두〉 -었다(과거형 어미).

빗-듣다 타ㄷ불 무슨 말을 잘못 듣다. 횡듣다. ¶ 듣고보니 배영도는 신거운의 아내 얘길 내 마누라 얘기로 빗듣고 있는 눈치였다≪李炳注 : 낙엽≫.

빗-등 명 ①참빗 따위의 등. ②수레바퀴의 쇠테를 둘러맞추기 위하여 대는 빗의 등 모양의 나뭇 조각.

빗-디디다 타 디딜 자리를 바로 디디지 못하고 다른 곳을 잘못 디디다. 헛디디다.

빗-뚫다 [—뚤타] 타 바로 뚫지 아니하고 어긋나게 뚫다.

빗-뛰다 자 비뚜로 뛰다. 잘못 뛰다.

빗-뜨다 타 눈을 옆으로 흘겨 뜨다. ¶ 빗뜨면 어쩔테냐.

빗-맞다 자 ①표적에 맞지 아니하고 어긋나서 다른 곳에 맞다. ②뜻한 일이 잘못 되어 달리 이루어지다.

빗-먹다 자 톱이 먹줄대로 나가지 아니하고 비뚜로 나가다.

빗-면 【—面】 명 〖물·수〗 수평면과 90° 이내의 각(角)을 이룬 평면. 구용어:사면(斜面)❷.

빗-모서리 명 〖수〗 각뿔이나 각뿔대의 두 이웃진 빗면이 만나는 모서리. 구용어:사릉(斜稜).

빗모-치기 명 〖건〗 돌모서리를 45°로 비스듬히 깎는 일.

빗-못치기 명 〖건〗 못을 재목의 옆에서 비스듬히 박는 일.

빗-물 명 비가 와서 괸 물. 우수(雨水). 천상수(天上水).

빗-물다 타 옆으로 좀 비뚤어지게 물다. ¶ 입에 담배를 빗물고.

빗믈 명 〈옛〉 빗물. ¶ 빗믈 료(潦)≪字會 上 6≫.

빗믈반ᄂᆞᆫ홈 명 〈옛〉 빗물 받는 홈. 유조(溜槽). ¶ 빗믈반ᄂᆞᆫ홈(溜槽)≪字會 中 12≫.

빗밋-이 부 ☞ 비스듬히. ¶ 예서부터가 옳게 금강이다. 향은 서서남으로 ～ 충청 전라 양도의 접경을 골타고 흐른다≪蔡萬植 : 濁流≫.

빗-밑 명 오던 비가 그치어 날이 개는 속도. ¶ ～이 재다/～이 질기다.

빗-반자 명 바닥이 한쪽으로 경사(傾斜)지게 만든 반자. *삿갓 반자.

빗-발 명 비가 내려칠 때에 줄이 진 것처럼 보이는 빗줄기. 우각(雨脚). ¶ ～이 굵어지다.

빗발-치다 자 ①빗줄기가 세게 내려치다. ②탄환(彈丸) 따위가 빗발처럼 줄기차게 쏟아지다. ③독촉·비난 같은 것이 성화 같다.

빗발 치듯 구 빗줄기가 세게 내려치듯.

빗-방울 명 비로 떨어지는 물방울. 우적(雨滴).

빗방울 듣다 구 빗방울이 방울방울 떨어지다.

빗-변 【—邊】 명 〖수〗 ①비스듬히 기울어진 변. 경사진 변. ②직각 삼각형의 직각에 대한 가장 긴 변. 곧, 현(弦). ③한 평면 다각형에 있어서, 어떠한 변을 밑변으로 보았을 때 그것과 비껴 마주치는 다른 변. 구용어:사변(斜邊).

빗-보다 타 똑바로 보지 못하고 잘못 보다. 횡보다. ¶ …필시 자기가 사람을 빗보았던 것이 분명한 모양이다≪桂鎔默 : 幻弄≫.

빗-비늘 명 〖어〗 어류의 비늘의 한 가지. 대부분의 경골(硬骨) 어류의 비늘로, 상하 2층으로 되어 있고 내층(內層)은 얇고 탄력성이 있으나 외층은 다소 석회화(石灰化)되어 있음. 비늘의 뒷끝 또는 노출면에 작은 가시들이 있음. 즐린(櫛鱗). *비늘.

빗-빠지다 자 빗디디어 빠지다.

빗씨다 자 〈옛〉 비끼다. =빗기다[1]. ¶ 빗씰 횡(橫)≪石千 25≫.

빗-살 명 빗의 잘게 갈라진 낱낱의 살. 즐치(櫛齒).

빗살무늬 토기 【—土器】 [—니—] 명 〔Kammkeramik〕 〖고고학〗 달걀을 가로 이분(二分)한 것같이 생긴 토기로, 밑이 둥근 것 또는 뾰족한 것이 표준이며, 여기에 빗살 모양의 무늬가 있음. 핀란드·중앙 러시아·시베리아·몽고·우리 나라 등에 널리 분포되어 있음. 우리 나라에는 밑이 평편한 것이 함경도에, 밑이 뾰족한 것이 경기도와 경상도의 하천 유역이나 해안의 조개무지에 분포되어 있음. 즐목문 토기(櫛目文土器). 즐문(櫛文) 토기.

빗살-문 【—門】 명 〖건〗 가는 살을 엇비슷하게 어긋매껴 촘촘하게 짜서 만든 문.

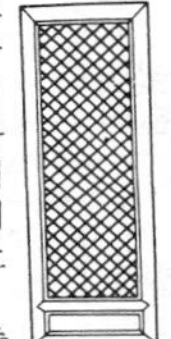

〈빗살문〉

빗살-수염벌레 【—鬚髯—】 명 〖충〗 [*Ptilineurus marmoratus*] 빗살수염벌렛과에 속하는 곤충. 몸길이 2.2-3.6mm이고, 몸빛은 흑색에 배면(背面)은 흑색과 회백 내지 회황색의 털이 반문상(斑紋狀)으로 밀생하고, 하면의 털은 회백색이며, 수컷의 촉각 제3-11절은 빗 모양 또는 톱날 모양임. 고목(枯木)의 수피(樹皮) 밑을 갉아 먹음. 한국·일본·대

만 등지에 분포함. 살짝수염벌레.
빗살수염벌렛-과【一鬚髯一科】 명 〖충〗[Anobiidae] 딱정벌레목(目)에 속하는 한 과. 몸은 원통상, 촉각은 톱·빗살 또는 곤봉 모양이고, 부절(跗節)과 복판(腹板)은 각각 5절임. 대부분의 종류가 동식물을 먹음. 전세계에 1,150여 종이 분포함.
빗살-완자창【一字窓】〔중 卍〕 명 〖건〗 살을 엇비슷한 '卍'자 모양으로 짜서 만든 창.
빗살-창【一窓】 명 〖건〗 살을 엇비슷하게 어긋매껴 촘촘하게 짜서 만든 창문.
빗살해파리-강【一綱】 명 〖동〗 유즐(有櫛) 동물을 강장(腔腸) 동물의 하나로 분류했을 때의 한 강(綱).
빗-서다 자 ↗빗더서다❶.
빗-세우다 사동 빗더서게 하다.
빗-소리 명 ①비가 내리는 소리. ②빗발이 세차게 바람에 휘몰리어 들어오는 소리. 우성(雨聲).
빗-속 명 비가 내리는 가운데. 우중(雨中). ¶ 우산도 없이 ～을 걷다.
빗-솔 명 빗살 사이에 낀 때를 빼는 솔. 소추(梳帚).
빗스다 형 〈옛〉 비싸다. ¶ 騰踊 돌니 갑 빗스다 말이라≪加髢 7≫.
빗스오니 타 〈옛〉 뿌리오니. '비타'의 활용형. ¶ 부텨 우희 빗스오니(而散佛上)≪妙蓮 Ⅲ:108≫.
빗쏘다 형 〈옛〉 비싸다. ¶ 편안홈이아 빗쓰미 하니라(安樂直錢多)≪老解下 4≫.
빗-아치 [빋一] 명 〖역〗 어떤 빗에서 사무를 맡아보는 사람.
빗올히 명 〈옛〉 비오리. ¶ 빗올히(梳鴨子)≪字會 上 16≫.
빗-원기둥【一圓一】[빋一] 명 〖수〗 밑면과 모선(母線)이 수직이 아닌 원기둥. 구용어:사원주(斜圓柱)·사원도(斜圓壔).
빗-원뿔【一圓一】[빋一] 명 〖수〗 꼭지점에서 밑면의 중심에 내린 수선이 밑면에 수직(垂直)이 되지 아니하는 원뿔. 구용어:사원추(斜圓錐).
빗이다 타 〈옛〉 빛나게 하다. ¶ 위두흔 옷소로 빗이시고≪釋譜 XI:28≫.
빗-자루 명 ①비². ¶ ～와 쓰레받기 / ～로 쓸다 / 사람이 게을러서 ～ 한번 드는 일이 없다. ②비의 자루.
빗자루-병【一病】[一뼝] 명 〖식〗 벚나무 등의 나무의 병. 줄기나 가지에 침입한 균류(菌類)에 의해서 일어남. 한 군데에 잔 가지가 빗자루 모양으로 밀생(密生)하거나, 혹이 생기거나 함.
빗-잛 명 〈방〉 비²(함경).
빗장 명 〔근대 : 빗댱〕 ↗문빗장. ¶ 대문에 ～을 지르다.
빗장-거리 명 남녀가 '+'자 모양으로 눕거나, 기대어 서서 하는 성교. ——-하다 자 여불
빗장-걸이 명 씨름에서, 상대방이 안다리걸기를 걸어왔을 때 상대의 다리를 사타구니로 죄어붙이고 발목으로 상대의 왼다리 오금을 걸어 왼쪽으로 젖히는 혼합 기술의 하나.
빗장 고름 명 고의 대가리가 안쪽으로 숙고, 구김살이 없이 반반하고 맵시있게 맨 옷고름.
빗장 나:인 명 〖역〗 '색장(色掌) 나인'의 순 우리말 이름.
빗장-둔테 명 〖건〗 빗장을 끼도록 구멍을 뚫은 기름한 나무 토막.
빗장-뼈 명 〖생〗 쇄골(鎖骨).
빗점-무늬【一點一】[一니] 명 〖고고학〗 점선을 비스듬히 나타낸 무늬. 빗살무늬 토기의 아가리에 새겨진 무늬의 한 가지임.
빗-접 명 빗·빗솔·빗치개 같은 것을 넣어 두는 제구. 흔히 창호지 같은 것을 여러 겹 붙여 기름에 결어서 만듦.
빗접-고비 명 빗접을 꽂아 걸어 두는 물건. 가는 나무 오리를 직사각형으로 짜서 앞뒤에 종이를 바르되 앞쪽에 다시 두꺼운 종이로 틈이 뜨게 붙였는데, 그 틈에 빗접을 꽂게 되었음.

〈빗접고비〉

빗-좌표【一座標】 명 〖수〗 좌표축(座標軸)이 서로 수직으로 만나지 아니하는 좌표. 구용어:사좌표(斜座標).
빗-줄기 명 ①줄이 진 것처럼 보이고 굵고 세차게 내리치는 빗발. ②소나기의 한 바탕.
빗-질 명 빗으로 머리를 가지런히 하는 짓. ——-하다 자 여불
빗-차지【↑必闍赤】 명 〖역〗 필도지(必闍赤).
빗-창 명 〈방〉 제주도 해녀들이 전복 따는 칼.
빗-천장【一天一】 명 ①〖건〗 삿갓 모양으로 경사(傾斜)가 진 천장. ②〖고고학〗 양쪽 옆벽 위에서 안쪽으로 비스듬히 올려 꼭대기에서 맞붙인 천장. 백제 시대의 무덤에서 보이는 천장 구조의 하나임. 사천(斜天)장.
빗치 명 〈심마니〉 태양. 해.
빗-치개 명 빗살 틈에 낀 때를 빼고 또는 가르마를 타는 데 쓰는 물건. 뿔이나 뼈 또는 쇠붙이 등으로 만드는데, 한쪽은 얇고 둥글며, 한쪽은 가늘고 뾰족함.
빗턱-끼움 명 〖건〗 목재(木材)의 옆면을 비스듬하게 따낸 턱에 타재(他材)의 목두(木頭)를 끼는 것.

〈빗턱끼움〉

빗-투영【一投影】 명 사투영(斜投影).
빗다¹ 타 〈옛〉 단장하다. 꾸미다. =빗다³. ¶ 마장 빙어 됴흔 양하고 ≪月釋Ⅱ:5≫.
빗다² 형 〈옛〉 무성하다. 번영하다. ¶ 비ᄉᆞᆯ 영(榮 茂盛也)≪字會 下 4≫.
빗움 타 〈옛〉 꾸밈. 차림. 빛나게 꾸밈. '빗다¹'의 명사형. ¶ 빗난 빗우믈 願티 아니ᄒᆞ고(不願榮飾)≪永嘉 上 137≫.
빙¹ 명 〖악〗 당비파(唐琵琶)의 괘(棵). 네 개는 목 부분에, 여덟 개는 몸통에 붙어 있음.
빙² 명 〈방〉 병(甁)(전남·경상).
빙³ 명 〈방〉 병(病)(충북·전라·경상·제주).
빙⁴【冰】 명 성(姓)의 하나. 현재 우리 나라에는 본관(本貫)이 경주(慶州) 하나뿐임.
빙⁵ 부 ①한 바퀴 도는 모양. ¶ 한 바퀴 ～ 돌다. ㅆ핑. ②둘레를 둘러싼 모양. ¶ ～ 둘러 앉다. ③정신이 어찔해지는 모양. ¶ 한 대 맞았더니 정신이 ～ 돌더군. ㅆ핑. ④갑자기 눈물이 글썽해지는 모양. ¶ 눈물이 ～ 돈다. ㅆ핑. 1)-4):ㅆ삥. >뱅.
빙가【聘家】 명 처가(妻家).
빙간-기【氷間期】 명 〖지〗 간빙기(間氷期).
빙거【憑據】 명 어떤 사실을 입증(立證)할 만한 근거로 삼음. 또, 그 증거. ¶ 서기관과 바리새인들이 예수를 송사할 ～를 찾으려 하여…≪누가복음 6 : 7≫. ——-하다 타 여불
빙결¹【氷結】 명 얼음이 얼어 붙음. 동결(凍結). ——-하다 자 여불
빙결²【氷潔】 명 얼음처럼 맑고 깨끗함. ——-하다 형 여불
빙경【氷鏡】 명 차게 보이는 달. 빙륜(氷輪).
빙고¹【氷庫】 명 ①얼음을 넣어 두는 창고(倉庫). 능실(凌室). 빙실(氷室). ②〖역〗 장빙(藏氷)에 관한 사무를 맡아보던 예조(禮曹)에 딸린 관아. 조선 시대 초에 설치되어 고종(高宗) 3년(1866)까지 있었는데, 거기에 별좌(別座)·별제(別提)·별검(別檢)을 두었었음. *석빙고(石氷庫)·동빙고(東氷庫)·서빙고(西氷庫).
빙고²【憑考】 명 여러 가지를 비추어 상고(詳考)함. ——-하다 타 여불
빙고³ 〔bingo〕 명 실내 오락 경기의 하나. 가로 세로 각각 다섯 칸에 1로부터 75까지의 숫자가 각각 다르게 적혀 있는 카드를 가지고 게임의 주도자가 부르는 숫자로 빈 칸을 가로 세로 또는 빗금이 되게 메워 가면서 노는 복권식 놀이. ¶ ～ 게임.
빙고-전【氷庫典】 명 〖역〗 신라 때에, 얼음에 관한 사무를 맡아 보던 관아.
빙공 영사【憑公營私】[一녕一] 명 공사(公事)를 빙자(憑藉)하여 사리(私利)를 도모함. ——-하다 자 여불
빙과【氷菓】 명 ①'아이스 크림'의 역어(譯語). ②'아이스 케이크'의 역어. 냉과(冷菓). 얼음 과자(菓子). ¶ ～류(類).
빙과-점【氷菓店】 명 아이스 크림이나 아이스 케이크 같은 것을 파는 가게. 냉과점(冷菓店).
빙관【氷冠】 명 ①산정부(山頂部)를 돔 모양으로 뒤덮고 있는 영구 빙설(永久氷雪). ②북극 지방의 섬과 같은 평탄한 땅을 뒤덮고 있는 영구 빙설. 빙모(氷帽).
빙괴【氷塊】 명 얼음의 덩이.
빙구【氷球】 명 '아이스 하키(ice hockey)'의 역어.
빙그레 부 입을 약간 벌리고 소리 없이 부드럽게 웃는 모양. ¶ ～ 웃다. ㅆ삥그레. >뱅그레. ——-하다 자 여불
빙그르르 부 미끄럽게 한 바퀴 도는 모양. ㅆ삥그르르. ㅆ핑그르르. >뱅그르르.
빙글-거리다 자 입을 약간 벌리고 소리 없이 부드럽게 자꾸 웃다. ㅆ삥글거리다. >뱅글거리다. 빙글-빙글¹ 부. ——-하다 자 여불
빙글-대다 자 빙글거리다.
빙글-빙글² 부 연달아 미끄럽게 도는 모양. ¶ ～ 잘도 돈다. ㅆ삥글삥글². ㅆ핑글핑글. >뱅글뱅글.
빙금【聘金】 명 〖역〗 중국 고대의 결혼 제도에서, 신랑이 신부의 친정에 증여하는 돈. *빙재(聘財).
빙긋 부 입을 슬쩍 벌리고 소리 없이 자연스럽게 웃는 모양. ¶ 혼자서 ～ 웃다. ㅆ삥긋. >뱅긋. ——-하다 자 여불
빙긋-거리다 자 자꾸 빙긋이 웃다. ㅆ삥긋거리다. >뱅긋거리다. 빙긋-빙긋 부. ——-하다 자 여불
빙긋-대다 자 빙긋거리다.
빙긋-이 부 입을 슬쩍 벌리고 소리 없이 슬며시 웃는 모양. 빙긋하게. ㅆ삥긋이. >뱅긋이.
빙기¹【氷肌】 명 ①얼음처럼 맑고 깨끗한 살결. 빙부(氷膚). *설부(雪膚). ②매화(梅花)의 깨끗함을 형용하는 말. 빙자(氷姿).
빙기²【氷技】 명 '스케이팅(skating)'의 역어.
빙기³【氷期】 명 〖지〗 빙하 시대(氷河時代) 가운데서 특히, 기후가 한랭하여 온대 지방에까지 빙하가 덮였던 시기. 최근의 빙하 시대인 신생대(新生代) 제 4 기(紀)에는 귄츠(Günz)·민델(Mindel)·리스(Riss)·뷔름(Würm)의 네 차례 빙기가 있었음. 빙하기(氷河期). *빙하 시대·간빙기(間氷期).
빙기 옥골【氷肌玉骨】 명 ①매화(梅花)의 깨끗함을 형용한 말. ②살결이 맑고 깨끗한 미인(美人)의 형용.
빙기-장【氷技場】 명 '스케이트장'의 한자 이름.
빙낭【氷囊】 명 얼음 주머니.
빙뇌【氷腦】 명 〖한의〗 용뇌향(龍腦香).
빙당【氷糖】 명 얼음 사탕.
빙대¹【氷袋】 명 얼음 주머니.
빙대²【氷臺】 명 〖식〗 사재발쑥.
빙도【氷島】 명 〖지〗 충청 남도의 서해안(西海岸), 보령군(保寧郡) 천북면(川北面) 낙동리(洛東里)에 위치한 섬. [0.75 km²: 192명(1984)]
빙-떡 명 메밀가루에 무·표고·당근 등을 채쳐서 썰어 넣고 반죽하여 번철에 부친 음식. 말아서 썰어 먹음.
빙렬【氷裂】[一녈] 명 갈라진 얼음의 표면 모양의 무늬.
빙렴【氷廉】[一념] 명 뫼 속의 송장이 추위로 인하여 얼어 붙는 불상사.
빙례【聘禮】[一녜] 명 혼례(婚禮)❷.
빙륜【氷輪】[一뉸] 명 차게 보이는 달. 빙경(氷鏡).
빙릉【憑陵】[一능] 명 세력을 믿고 침범함. ——-하다 타 여불
빙모¹【氷帽】 명 빙관(氷冠).
빙모²【聘母】 명 장모(丈母). *외고(外姑).
빙무【氷霧】 명 아주 추운 땅에서, 공중에 뜨는 미세(微細)한 얼음의 결정(結晶)으로 인하여 생기는 안개.
빙문¹【聘問】 명 예(禮)를 갖추어서 방문(訪問)함. ——-하다 타 여불
빙문²【憑文】 명 〖역〗 여행 허가증(許可證). 빙표(憑票).
빙문³【憑聞】 명 남을 통하여 간접적으로 들음. ——-하다 타 여불
빙물【聘物】 명 남을 방문할 적에 가지고 가는 예물(禮物).

빙박【氷泊】명 배가 항행(航行)하여 가는 중에 물이 얼어서 배가 붙음. ──-하다 자여불

빙반【氷盤】명 얼음판.

빙벽【氷壁】명 ①빙산(氷山)의 벽. ②얼음이나 눈에 덮인 낭떠러지. 얼음벽.

빙부¹【氷夫】명 채빙(採氷)에 종사하는 사람.

빙부²【氷膚】명 얼음처럼 맑고 깨끗한 피부. 빙기(氷肌).

빙부³【聘父】명 장인(丈人). 악부(岳父). 부공(婦公).

빙부-전【氷夫田】명〖역〗조선 시대에, 빙부(氷夫)의 급료(給料)를 주는 데 쓰는 논밭.

빙-빙 부 ①물건이 자꾸 슬슬 도는 모양. 또, 돌리는 모양. ㅆ뻥뻥. ㅆ핑핑. >뱅뱅. ②사람이 하는 일 없이 이리저리 슬슬 돌아다니는 모양.

빙빙-과거【氷氷過去】명 '세상을 어름어름 지냄'의 뜻의 신소리. ──-하다 자여불

빙사【氷紗】명 순린(純鱗).

빙-사과【氷砂菓】명 '빈사과'의 취음(取音).

빙-사탕【氷砂糖】명 얼음 사탕.

빙산【氷山】명 ①〖지〗극지(極地)의 빙하의 얼음이 밀려 와서 바다에 산처럼 떠 있는 얼음 덩어리. 물위에 뜨는 부분이 전체의 7분의 1 내지 12분의 1 가량인데, 높이 100m나 되는 거대한 것도 있음. 얼음산. 아이스버그(iceberg). ②불을 안 때어 몹시 찬 방을 가리키는 말.

빙산의 일각(一角) 구 〔빙산이 해면 위에 나타나 있는 부분은 극히 일부분에 지나지 않은 데서〕 어쩌다 표면에 드러난, 큰 사물의 아주 작은 일부분.

빙상【氷上】명 ①얼음의 위. ②↗빙상 경기. ¶ ~ 대회(大會).

빙상 경:기【氷上競技】명 얼음 위에서 하는 여러 가지 경기. 스케이팅·아이스 하키 같은 것. ㊈빙상. *육상 경기·수상 경기.

빙석¹【氷石】명 '수정(水晶)'의 이명(異名).

빙석²【氷釋】명 얼음 녹듯이 의혹이 풀림. 빙해(氷解). ──-하다 자여불

빙설【氷雪】명 ①얼음과 눈. 설빙(雪氷). ¶~에 갇히다. *만년설(萬年雪). ②심성(心性)의 결백함을 일컫는 말.

빙설 기후【氷雪氣候】명〖기상〗한대 기후의 하나. 강수(降水)가 눈의 형태를 취하고, 융해·증발 등에 의한 적설(積雪)의 감량(減量)보다 새로 와서 쌓이는 눈의 양이 더 많은 기후. 그린란드 및 남극의 내륙이 이에 해당함. 기호는 EF. *건조 기후·습윤 기후·툰드라 기후.

빙설 식물상【氷雪植物相】[─쌍] 명〖식〗고산(高山)·극지(極地) 등의 눈이나 얼음의 표면의 녹은 부분에서 생육(生育)하는 식물상. 조류(藻類)나 세균류로서 소위 '눈꽃'을 만듦.

빙설 플랑크톤【氷雪─】명 〔cryoplankton〕〖생〗눈이나 얼음 표면의 녹은 부분에 사는 조류(藻類). 산악이나 극지(極地) 등 눈이 많은 지방에서 이른 봄에 볼 수 있음. 광합성(光合成)으로 독립 영양적 생활을 하며, 많이 번식하면 적색·황색·녹색 등으로 보임.

빙성 평야【氷成平野】명〖지〗빙하가 운반하는 물질이, 대륙 빙하에 의하여 침식된 지형의 요철부(凹凸部)를 메워서 이루어진 평야. *용암(熔岩) 평야·충적(沖積) 평야.

빙수【氷水】명 ①얼음 냉수. ②덩이 얼음을 깎아서 눈과 같이 만들고 거기에 당밀즙(糖蜜汁)과 물을 넣은 청량 음료(淸涼飮料).

빙시【憑恃】명 남에게 기대어 의뢰(依賴)함. ──-하다 타여불

빙시레 부 소리 없이 입을 조금 벌리며 부드럽게 웃는 모양. ㅆ뻥시레. >뱅시레.

빙식【氷蝕】명 〔glacial erosion〕〖지〗빙하에 의한 침식(浸蝕). 빙하가 이동할 때 암석을 깎아 내는 작용과 주야(晝夜)의 기온의 차이로 빙하의 일부가 얼었다 녹았다 함으로써 암석을 깨뜨리는 작용이 있으며, 이로 인하여 빙식 지형이 생김. 빙식 작용.

빙식-곡【氷蝕谷】명〖지〗곡빙하(谷氷河)의 침식으로 그 단면(斷面)이 U자형으로 된 계곡(溪谷). 유자곡(U字谷). *수식곡(水蝕谷).

빙식 단구【氷蝕段丘】명〖지〗거듭되는 빙식 작용으로 생긴 단구.

빙식 윤회【氷蝕輪廻】명〖지〗유년기(幼年期)·장년기(壯年期)·만장년기(晩壯年期)·노년기(老年期)의 순서로 지형(地形)이 변하는, 빙하(氷河)에 의한 침식 작용의 윤회.

빙식 지형【氷蝕地形】명〖지〗빙식으로 된 지형. 빙식호(湖)·카르(Kar)·유자곡(U字谷)·피오르드(fjord) 등. 빙하 지형(氷河地形).

빙식 평야【氷蝕平野】명〖지〗대륙 빙하의 작용을 받아, 거칠고 메마른 모래와 자갈로 된, 토양과 습기가 많은 평야. 독일 북부 평원이 대표적인 예임.

빙식-호【氷蝕湖】명〖지〗빙하호(氷河湖). 협호(峽湖).

빙신【憑信】명 남을 믿고 의지함. ──-하다 타여불

빙실【氷室】명 얼음을 저장(貯藏)해 두는 간. 빙고(氷庫). 능실(凌室). 능음(凌陰).

빙실-거리다 자 소리 없이 입을 연해 벌릴 듯 벌릴 듯 하면서 부드럽게 웃다. ㅆ뻥실거리다. >뱅실거리다. 빙실-빙실 부. ──-하다 자여불

빙실-대다 자 빙실거리다.

빙심【氷心】명 깨끗하고 맑은 마음. 아름다운 마음.

빙심 옥호【氷心玉壺】명 깨끗한 마음을 가리키는 말.

빙싯 부 입을 살며시 벌릴 듯하면서 소리 없이 화기롭고도 가볍게 한 번 웃는 모양. ㅆ뻥싯. >뱅싯. ──-하다 자여불

빙싯-거리다 자 소리 없이 입을 벌릴 듯하면서 화기롭고 가볍게 연해 웃다. ㅆ뻥싯거리다. >뱅싯거리다. 빙싯-빙싯 부. ──-하다 자여불

빙싯-대다 자 빙싯거리다.

빙싯-이 부 빙싯하게. ㅆ뻥싯이. >뱅싯이.

빙아리 명〈방〉병아리(충남·전북·경상·강원·평북).

빙압【氷壓】명 ①얼음이 얼 때 부피가 팽창하기 때문에 생기는 압력. ②〔nipping〕〖해〗얼음이 배의 주위를 강력히 폐쇄(閉鎖)하여 선체(船體)를 죄는 일.

빙애기 명〈방〉병아리(제주).

빙애리 명〈방〉병아리(평북).

빙야【氷野】명 빙원(氷原).

빙어 명〖어〗[*Hypomesus olidus*] 바다빙어과에 속하는 물고기. 몸은 길이 15cm 가량으로 가늘고 길며 조금 측편함. 아래턱이 나오고, 등지느러미 뒤쪽에 기름지느러미가 있음. 몸빛은 담회색 바탕에 황색을 띠고 체측에 넓은 담흑색의 세로띠가 있음. 보통, 하천의 하류나 하구 부근의 바다에 사는데, 한국 북부 및 일본 중부 이북에 분포함. 이른 봄에 산란기가 되면 하천으로 올라감. 맛이 좋음. 주의 '氷魚'로 씀은 취음(取音). *별빙어.

〈빙어〉

빙엄 〔Bingham〕명〖지〗미국 유타 주(州) 북부에 있는 광산촌(鑛山村). 세계 최대의 규모를 갖는 구리 광상(鑛床) 외에 금·은도 산출함. 1848년 모르몬교도(敎徒)가 정주하여, 구리의 노천 채굴을 하면서 광산촌으로 발전함.

빙에 명〈옛〉벼랑. =빙애. ¶忽然히 어드운 빙에 업더디는가 너교라(忽謂陰崖踣)≪重杜諺 XIII:7≫.

빙염 물감【氷染─】[─깜] 명〖화〗냉염(冷染) 물감.

빙예【氷瞖】명〖한의〗내장(內障)에 속하는 눈병의 한 가지. 눈 속에 아무 이상(異狀)이 없는 것 같으면서도 잘 보이지 아니하는 병증.

빙옥【氷玉】명 ①얼음과 옥. ②맑고 깨끗하여 아무 티가 없음을 가리키는 말.

빙용【聘用】명 예(禮)를 갖추어 사람을 맞아서 씀. ──-하다 타여불

빙원【氷原】명〖지〗지표(地表)의 전면(全面)이 두꺼운 얼음으로 뒤덮인 극지방(極地方)의 벌판. 빙야(氷野). 빙전(氷田). ¶ 남극의 ~.

빙의【憑依】[─/─이] 명 ①의지(依支)함. ②영혼이 옮겨 붙음. ──-하다 자여불

빙의 망:상【憑依妄想】[─/─이─] 명 망상의 하나. 신불(神佛)이나 여우 같은 것이 자기 몸에 접했다고 믿는 것. 흔히, 내장(內臟) 감각의 환각(幻覺)을 수반함. *화신(化身) 망상.

빙이【氷夷】명 풍이(馮夷).

빙인【氷人】명〔중국 진(晉)나라의 삭담(索紞)이 빙상(氷上)에서 빙하(氷下)에 있는 사람과 이야기했다는 영호책(令狐策)의 꿈을 해몽해 주었다는 고사(故事)에서〕 중매인(仲媒人). 월하 빙인(月下氷人).

빙자¹【氷姿】명 빙기(氷肌)❷.

빙자²【憑藉】명 ①남의 힘을 빌어서 의지함. ②말막음으로 내세워 핑계함. ¶ 병을 ~하여 불참하다. ──-하다 자타여불

빙자 옥질【氷姿玉質】명 ①얼음같이 맑고 깨끗한 살결과 구슬같이 아름다운 자질. ②'매화(梅花)'의 이칭(異稱).

빙잠【氷蠶】명 중국의 전설 중에 나오는 누에. 이 누에고치에서 나온 실로 짠 베는 물에 젖지 아니하고, 불에 타지도 아니한다고 함.

빙장¹【氷藏】명 얼음을 저장(貯藏)함. ──-하다 자여불

빙장²【聘丈】명 악장(岳丈).

빙장-석【氷長石】명〖광〗정장석(正長石)의 일종. 다소 투명하며, 보통 무색 또는 회색(灰色)인데, 간혹 푸른 색을 띤 것도 있음. 광맥(鑛脈) 중에서 산출됨.

빙재【聘財】명〖역〗중국 고대의 결혼 제도에서, 신랑이 신부의 친정에 증여하는 재화(財貨). 보통, 견직물·수피(獸皮)·팔찌·목걸이·현금 등이 사용되었음. *빙금(聘金).

빙전【氷田】명 ①얼어 붙은 논밭. ②빙원(氷原).

빙점【氷點】[─쩜] 명〖물〗①어는점. ②일반적으로, 물질의 응고점. 1)·2):↔비등점(沸騰點).

빙점 강:하법【氷點降下法】[─쩜─뻡] 명〖물〗어는점 내림법.

빙점-법【氷點法】[─쩜뻡] 명〖물〗어는점 내림법.

빙점-하【氷點下】[─쩜─] 명 물의 빙점(氷點) 이하의 온도. 곧 섭씨 0° 이하. 영하(零下).

빙정¹【氷程】명 얼음이 언 길.

빙정²【氷晶】명 ①〔ice crystal〕〖기상〗상층운(上層雲)을 형성하는 얼음의 결정(結晶). 육각(六角)기둥·육각(六角)뿔·육각판(六角板)·삼각판(三角板)·12각판의 다섯 가지 결정형(結晶形)이 있음. ②〖물〗〔cryohydrate〕 함빙정(含氷晶).

빙정-석【氷晶石】명〖광〗나트륨·알루미늄·플루오르(Fluor)의 화합물. 사정계(斜晶系)이고 괴상(塊狀)이며, 무색 또는 백색으로 유리 같은 광택이 있는 투명 또는 반투명한 광물인데, 알루미늄을 만드는 데 중요하며, 젖빛 유리를 만드는 데도 쓰임.

빙정 옥결【氷貞玉潔】명 절개가 깨끗하고 조금도 흠이 없음의 비유.

빙정-운【氷晶雲】명〖기상〗빙정(氷晶)으로 된 상층운(上層雲). 보통, 권운(卷雲)·권적운(卷積雲)·권층운(卷層雲)에 있음.

빙정-점【氷晶點】[─쩜] 명 〔cryohydrate point〕〖물〗빙정(氷晶)이 생기기 시작하거나 녹기 시작하는 온도. 곧, 얼음과 소금의 공융점(共融點)임. *함빙점(含氷點).

빙주¹【氷柱】명 ①고드름. ②더운 여름에 실내(室內)를 시원하게 하기 위하여 세워 놓는 각기둥 모양의 얼음.

빙-주²【氷洲】명〖지〗'아이슬란드(Iceland)'의 의역(意譯).

빙주³【氷酒】명 과실즙(果實汁)에 시럽(syrup)과 주류(酒類)를 섞어 살짝 얼려서 먹는 음료(飮料). 폰스(pons)·소르베(sorbet) 등.

빙주-석¹【氷洲石】명〖광〗무색 투명한 방해석(方解石)의 하나. 복굴절(復屈折)이 대단히 강하여서 니콜 프리즘(Nicol prism)을 만듦. 빙주(氷洲) 곧, 아이슬란드에서 많이 산출되므로 이와 같이 부름.

빙주-석²【氷柱石】명〖광〗돌고드름.

빙준【憑準】명 ①어떤 근거에 의하여 표준을 삼음. ②어떠한 근거에 준하여 해 나감. ──-하다 타여불

빙증【憑證】[명] 증거가 되는 것.

빙질【氷質】[명] 물건을 냉각시키거나, 스케이트를 타기 위한 얼음의 질.

빙차【氷茶】[명] 얼음차.

빙처【聘妻】[명] 약혼만 하고 아직 결혼하지 않은, 아내가 될 여자.

빙청 옥결【氷清玉潔】[명] 빙옥(氷玉)같이 맑고 깨끗한 심성(心性).

빙초【聘招】[명] 초빙(招聘). ——-하다 [타][여불]

빙-초산【氷醋酸】[명]〖화〗수분(水分)이 5% 이하이며 16°C 이하의 온도에서 빙결(氷結)하는 순수한 아세트산. *아세트산(酸).

빙:충-맞다 [형] 똘똘하지 못하고 어리석으며 수줍기만 하다. >뱅충맞다.

빙:충-맞이 [명] ☞빙충이.

빙:충-바리 [명]〈방〉빙충맞이.

빙:충-이 [명] 빙충맞은 사람. >뱅충이.

빙층【氷層】[명] 얼음의 층. 해마다 얼음이 겹쳐 쌓이어서 된 층.

빙침[1]【氷枕】[명] 얼음 베개.

빙침[2]【氷針】[명] 높은 산이나 한랭 지대에 내리는, 침상(針狀)으로 결정(結晶)한 얼음.

빙켈만〔Winckelmann, Johann Joachim〕[명]〖사람〗독일의 미술사가(美術史家). 과학적 방법으로 고대의 유물을 연구하였으며, 미술사학(美術史學)의 방법론을 확립하였음. 주저(主著)에《고대 미술사》등이 있음. [1717-68]

빙탁【氷卓】[명]〖지〗↗빙하탁(氷河卓).

빙탄【氷炭】[명] ①얼음과 숯. ②서로 정반대가 되어 조화(調和)되지 못함의 비유. ¶ ~ 불상용.

빙탄-간【氷炭間】[명] 서로 조화(調和)될 수 없는 사이.

빙탄 불상용【氷炭不相容】[—쌍—] [명] 얼음과 숯은 성질이 정반대가 되어 서로 용납하지 못함. 곧, 사물이 서로 화합(和合)하기 어려움을 일컫는 말.

빙택【聘宅】[명] 남의 처가(妻家)에 대한 경칭(敬稱).

빙퇴-구【氷堆丘】[명]〖지〗드럼린(drumlin).

빙퇴-석【氷堆石】[명] 빙하(氷河)에 의하여 운반되어 하류(下流)에 퇴적(堆積)된 암석. 모래·점토(粘土) 따위. 퇴석(堆石).

빙퉁그러-지다 [자] ①하는 짓이 꼭 비뚜로만 나가다. ¶동으로 가라면 서로만 달아나는 빙퉁그러진 놈뿐이외다《廉想涉：標本室의 청개구리》. ②성질이 싹싹하지 못하고 뒤틀어지다. ¶빙퉁그러진 녀석.

빙판【氷板】[명] 얼음이 깔린 길바닥. ¶~에 자빠지다.

빙패【氷牌】[명]〖역〗여름에 얼음을 나누어 줄 때에 쓰던 패.

빙편【氷片】[명]〖한의〗용뇌향(龍腦香).

빙폐【聘幣】[명] 경의(敬意)를 표하여 드리는 예물.

빙표【憑票·憑標】[명]〖역〗여행 허가증(許可證). 빙문(憑文).

빙하【氷河】[명] ①얼어붙은 큰 강. ②〖지〗높은 산이나 고위도(高緯度) 지방의 설선(雪線) 이상의 저온 지대에서 응고한 만년설(萬年雪)이 상층(上層)의 적설(積雪)의 압력에 따라 빙괴(氷塊)로 되어 서서히 저지(低地)로 흘러 내리는 것. 유속(流速)은 하루 보통 20-50 cm로, 빨라도 10 m이내임. 대륙 빙하·곡빙하(谷氷河)로 나뉨. *만년빙.

빙하 계류【氷河溪流】[명]〖지〗빙하 때문에 생긴 계류.

빙하-곡【氷河谷】[명] 빙하 때문에 생긴 계곡(溪谷).

빙하-기【氷河期】[명]〔ice age〕〖지〗①빙기(氷期). ②빙하 시대.

빙하-년【氷河年】[명] 빙하나 빙설(氷雪) 지역의 만년설(萬年雪)이 축적을 개시한 때부터 시작하여, 계속해서 여름의 융해기(融解期)를 거치는 1년.

빙:-하다 [형][여불] 술이 많이 취하여 정신이 흐리멍멍하다.

빙하 성층【氷河成層】[명]〖지〗붕괴(崩壞)한 암석(岩石)이 빙하에 의하여 흘러 내려 퇴적(堆積)해서 이루어진 지층.

빙하성 해:면 변:화【氷河性海面變化】[—썽—] [명] 빙기(氷期)에 있어서의 육상 빙하의 확대 및 간빙기(間氷期)에 있어서의 빙하의 융해(融解)가 가져오는 해수면의 승강(昇降).

빙하 시대【氷河時代】[명]〔Glacial Age〕〖지〗지구상의 기후가 몹시 한랭(寒冷)하여 북반구(北半球)의 대부분이 대규모의 빙하로 덮여 있던 빙기(氷期)와, 현재와 같은 온난(溫暖)한 간빙기(間氷期)가 몇만 년 간에 걸쳐 되풀이되는 시대. 선(先)캄브리아 시대로부터 현재까지 적어도 3번 있었으며, 일반적으로는 신생대(新生代) 제 4기(紀)의 플라이스토세(世)를 가리킴. *빙기(氷期)·간빙기(間氷期)·빙하기.

빙하 얼음【氷河—】[명] 현재 빙하의 일부분이거나 이전에 빙하의 일부분이었던 얼음. 묵은 눈이 녹았다가 거듭 얼어붙어 정수압(靜水壓)을 받아 응결(凝結)한 것으로, 빙산이 이에 속함.

빙하 원공【氷河圓孔】[명]〖지〗빙하의 녹은 물에 흘러 내려온 조약돌 때문에 암석면(岩石面)에 패어진 둥근 구멍.

빙하 유적【氷河遺跡】[명]〖지〗빙하 시대의 빙하가 소멸한 뒤에 남은 여러 가지 빙하 지형 및 빙하가 운반한 토사(土砂) 등. 그 시대의 기후사·지사(地史)·생물사 연구에 중요함.

빙하 작용【氷河作用】[명] 빙하(氷河)의 통과, 특히 빙식(氷蝕) 또는 빙하 퇴적(堆積)으로 지구 표면의 어떤 부분이 변화하는 일.

빙하 주변학【氷河周邊學】[명]〔periglacioloy〕〖지〗빙하 주변 지역의 지형 영력(地形營力)의 기구(機構)를 구명(究明)하는 학문.

빙하 지형【氷河地形】[명]〖지〗빙식(氷蝕) 지형.

빙하 찰흔【氷河擦痕】[명]〖지〗빙하 흔적(氷河痕迹).

빙하-탁【氷河卓】[명]〖지〗테이블 모양의 넓은 빙원(氷原). 빙하면(氷河面)이 햇볕에 녹을 때에 퇴석(堆石)의 아랫 부분이 열을 받지 못하여 녹지 아니하고 남아서 된 것. [준]빙탁(氷卓).

빙하-토【氷河土】[명] 빙하의 작용으로 운반되어 퇴적(堆積)한 흙.

빙하 퇴:적물【氷河堆積物】[명]〔glacial deposits〕빙하(氷河)에 의하여 운반되어 퇴적한 것.

빙하 파흔【氷河爬痕】[명]〖지〗빙하 흔적(氷河痕跡).

빙하-풍【氷河風】[명] 빙하 상공에 발생하는 사면 하강풍(斜面下降風). 빙하에 접한 대기(大氣)와 같은 높이에 있는 자유(自由) 대기와의 온도차(溫度差)로 생기는데, 특히 여름철의 주간(晝間)에 발달함.

빙하-호【氷河湖】[명]〖지〗빙하가 통과할 때의 침식 작용(浸蝕作用)이나 언색(堰塞) 작용에 의하여 만들어진 호수. 빙식호(氷蝕湖).

빙하 흔적【氷河痕迹】[명]〖지〗빙하가 이동할 때에 암면(岩面)에 손톱으로 긁은 것처럼 낸 흔적. 빙하 찰흔(擦痕). 빙하 파흔(氷河爬痕).

빙해[1]【氷海】[명] 얼어 붙은 바다. 얼음으로 뒤덮인 바다.

빙해[2]【氷解】[명] 빙석(氷釋). ——-하다 [자][여불]

빙허【憑虛】[명]〖사람〗현진건(玄鎭健)의 호(號).

빙호[1]【氷壺】[명]〔얼음을 넣은 항아리라는 뜻에서〕마음이 결백(潔白)함을 말함.

빙호[2]【氷縞】[명]〖지〗빙하의 녹은 물로 운반된 쇄설물(碎屑物)이, 빙하 주변(周邊)의 호저(湖底) 바닥에 퇴적하여 생긴 얼룩 무늬 모양의 층.

빙호 점토【氷縞粘土】[명]〔varved clay〕〖지〗빙호가 있는 점토. 한 층이 1년을 나타냄. 호상(縞狀) 점토.

빙혼【氷魂】[명] '매화(梅花)'의 딴이름.

빙화[1]【氷花】[명] 식물 등에 수분이 빙결(氷結)하여, 흰 꽃처럼 되는 현상.

빙화[2]【氷靴】[명] '스케이트'의 역어.

빙환【氷紈】[명] 얼음같이 희고 빛이 고운 명주.

빙활【氷滑】[명] 얼음 위를 지치는 운동. 활빙(滑氷). 얼음지치기. 스케이팅. ——-하다 [자][여불]

빙활-장【氷滑場】[—짱] [명] 스케이트장. 활빙장(滑氷場).

빙애 [명]〈옛〉벼랑. =빙에. ¶그츤 빙애ᄂᆞᆫ 白塩을 當ᄒᆞ얫도다(斷崖當白塩)《杜諺 Ⅶ:11》.

빚 [명]〔중세 : 빋〕남에게 갚아야 할 돈. 꾸어 쓴 돈이나 외상값 같은 것. 부채(負債).

〔빚 물어 달라는 자식 낳지도 말랬다〕자식을 낳아서 기르는 것만도 큰 일인데 그 위에 빚까지 물어달라는 것은 큰 불효일 뿐 아니라 사람 노릇을 제대로 하지도 못할 자라는 말. 〔빚 보인(保人)하는 자식은 낳지 말라〕남의 빚에 보증(保證)을 선다는 것은 지극히 위험한 일이니 각별히 주의하라는 말. 〔빚 얻어 굿하니 맏며느리 춤춘다〕답답한 사정을 뼈아프게 느끼고 일이 잘 되도록 힘써야 할 사람이 도리어 반대 방향으로 나감을 이르는 말. 〔빚준 상전이요 빚쓴 종이라〕빚진 사람은 빚준 사람에게 굽죄여 지내게 된다는 말.

빚-거간【—居間】[명] ①빚을 내고 주는 데에 중간에서 소개하는 것을 업으로 삼는 일. ②☞빚지시. ——-하다 [자][여불]

빚-꾸러기 [명] 빚을 많이 진 사람.

빚-내다 [자] 빚을 얻다.

빚-놀이 [명] ☞돈놀이. ——-하다 [자][여불]

빚-놓다 [—노타] [자] 변리를 쳐서 받는다는 약속하에 여러 사람에게 빚을 주다.

빚-놓이 [—노이] [명] ☞돈놀이. ——-하다 [자][여불]

빚다 [타] ①지에밥과 누룩을 버무리어 술을 담그다. ¶술을 ~. ②가루를 반죽하여 경단·만두·송편·주악 같은 것을 만들다. ¶만두를 ~. ③조성(造成)해 내다. 만들어 내다. ¶가난이 빚은 비극/물의(物議)를 ~/무지가 빚어낸 사건.

빚-단련【—鍛鍊】[—달—] [명] 빚장이의 심한 독촉으로 몹시 시달림을 당함.

빚-돈 [명] 빚으로 낸 돈. 또는 빚으로 놓은 돈.

빚-두루마기 [명] 빚에 얽매어 헤어날 수가 없게 된 사람. 곧, '빚꾸러기'의 곁말.

빚-물다 [자] 남의 빚을 대신하여 갚아 주다.

빚-물이 [명] 남의 빚을 대신하여 갚아 주는 일. ——-하다 [자][여불]

빚-받이 [—바지] [명] 남에게 빚으로 준 돈을 받아 들이는 일. ——-하다 [자][여불]

빚-잔치 [명]〈속〉빚쟁이들이 거덜난 빚진 사람에게 몰려와서 남은 물품을 저마다 빚돈 대신 뜯어가는 것. ——-하다 [자][여불]

빚-쟁이 [명]〈속〉빚을 준 사람. 채권자. ¶성화 같은 ~의 독촉.

빚-주다 [타] 변리(邊利)를 받기로 하고 돈을 남에게 꾸어 주다.

〔빚주고 뺨맞기〕남에게 후하게 하고도 도리어 해나 모욕(侮辱)을 당할 때 쓰는 말.

빚-지다 [자] ①빚돈을 꾸어 쓰다. ②〈속〉남한테 신세를 지다.

〔빚진 종이라〕빚진 사람은 빚준 사람의 종이나 다름 없이 된다는 말.

〔빚진 죄인〕빚을 진 사람이 빚쟁이 앞에서 심기(心氣)가 죽어 자연히 죄를 지은 사람과 같이 됨을 일컫는 말.

빚-지시 [명] 빚을 주고 쓰는 데 중간에서 소개를 하는 일. ——-하다 [자][여불]

빛 [명]〔중세 : 빛〕①〔light〕〖물〗시신경(視神經)을 자극하여 시각(視覺)을 일으키게 하는 것. 태양이나 고온(高溫)의 물질에서 발하는 전자파(電磁波)로 파장(波長)은 1 nm-1 mm. 광(光). 색(色). ¶~의 속도 / 햇~. ②빛깔. ¶붉은 ~을 띠다. ③안색. 얼굴빛. 기색(氣色). ¶피로한 ~을 나타내다. ④눈에 나타나는 기색. 안광(眼光). ¶눈~. ⑤희망. 광명(光明). ¶~은 동방(東方)으로부터. ⑥훌륭한 기세. 영광(榮光). ¶~나는 업적. ⑦번쩍이는 것. 광휘(光輝). ¶눈부신 황금 ~. ⑧〖기독교〗죄악의 암흑(暗黑)에 대한 진리(眞理)의 능력. ¶어두운 이 세상에 ~을 던지시다.

〔빛 좋은 개살구〕겉만 좋고 실속이 없음을 일컫는 말.

빛을 잃다 [구] 제구실을 못하게 되어 가치나 기세가 없어지다.

빛-깔 명 물체의 거죽에 나타나는 빛의 성질. 빛. 색채(色彩). 색(色). 색깔. ¶ 야한 ~.

빛-나다 자 ①빛이 환하게 비치다. ¶ 석양에 빛나는 산. ②광휘(光輝)가 번쩍이다. 윤이 나다. ¶ 번쩍번쩍 ~/샛별같이 빛나는 눈. ③광명 정대(光明正大)하여 영광스럽고 훌륭하다. ¶ 청사(靑史)에 길이 ~/영원히 빛날 작품.

빛-내다 타 ①빛나게 하다. ②명예나 위세 같은 것을 화려하게 세상에 드러내어 보이다. ¶ 국위(國威)를 ~.

빛-다발 명 〖물〗 광속(光束).

빛-발 명 빛의 줄기. 빛다발. 광속(光束).

빛-보다 자 ①남에게 알려지다. ②세상에 공개되다.

빛-살 명 〖물〗 광선(光線).

빛색-부 【一色部】 명 한자 부수(部首)의 하나. '毙'이나 '艶' 등의 '色'의 이름.

빛-없다 [빋업—] 형 면목이 없다. 볼낯이 없다.

빛-없이 [빋업씨] 부 면목 없게. 볼낯 없게.

빛의 간섭 【一干涉】 [—/—에—] 명 〔interference of light〕 〖물〗 둘 이상의 광파(光波)를 동시에 받았을 경우 빛의 진동(振動)이 개개의 광파의 진동을 합성(合成)하여 서로 세게 하거나 약하게 하는 현상.

빛의 굴절 【一屈折】 [—쩔/—에—쩔] 명 〔refraction of light〕 〖물〗 빛이 한 매질(媒質)로부터 다른 매질을 통과할 때 그 경계면에서 방향을 바꾸어 꺾이는 현상. *굴절.

빛의 댐 〔dam〕 [—/—에—] 명 태양 광선을 이용한 새로운 발전 방식의 한 가지. 스위스의 베테르 연구소(研究所)에서 개발한 것으로서, 알프스 산의 남쪽 사면(斜面)에 많은 반사경(反射鏡)을 늘어 놓고, 해바라기처럼 해를 좇게 하여 그 반사광을 탑(塔) 위의 보일러에 집중시키고, 그 열로 터빈을 돌리는 수증기를 만들어서 발전함.

빛의 반:사 【一反射】 [—/—에—] 명 〔reflection of light〕 〖물〗 빛이 두 매질(媒質)의 경계면(境界面)에 이르렀을 적에, 그 일부가 방향을 바꾸어 다시 원 매질 속으로 되돌아가는 현상.

빛의 분산 【一分散】 [—/—에—] 명 〔dispersion of light〕 〖물〗 빛이 프리즘이나 회절 격자(回折格子)를 통과할 적에 각기 파장(波長)이 다른 빛의 색대(色帶)로 갈라지는 현상. 빛이 전파(傳播)할 적에 그 속도가 빛의 파장에 따라 변화하기 때문에 일어나는 현상임. *분산.

〈빛의 분산〉

빛의 산:란 【一散亂】 [—살—/—에살—] 명 〔scattering of light〕 〖물〗 빛이 미립자(微粒子)에 닿았을 때 방향을 바꾸어 여러 방면으로 흩어지는 현상.

빛의 압력 【一壓力】 [—녁/—에—녁] 명 〔light pressure〕 〖물〗 빛이 물체에 닿아서 반사(反射)하거나 흡수될 적에 물체면에 미치는 압력. 광압(光壓). 복사압(輻射壓).

빛의 일:당량 【一當量】 [—냥/—에—냥] 명 〔mechanical equivalent of light〕 〖물〗 단위량(單位量)의 광속(光速)을 주는 방사속(放射束)의 값. 표준 관측자의 시감도(視感度)의 역수(逆數)에 해당하며, 파장(波長)에 따라 달라짐. 최소(最少)의 일당량은 파장 555 nm의 빛에 대한 것으로 1/680 W/1 m의 값을 가짐.

빛의 전:자설 【一電子說】 [—/—에—] 명 〖물〗 전자설.

빛의 투과 【一透過】 [—/—에—] 명 〔light transmission〕 〖물〗 흡수(吸收)나 산란(散亂) 없이, 빛이 매질(媒質) 속을 나아가는 일.

빛의 흡수 【一吸收】 [—/—에—] 명 〔absorption of light〕 〖물〗 물체에 입사(入射)한 빛이 그 진행에 따라서 점점 그 에너지를 감소하는 현상. 물체가 전파된 빛의 일부분을 흡수하기 때문에 일어나는 현상임.

빛저우- 간 '빛접다'의 변칙(變則) 어간. ¶ ~ㄴ/~니.

빛-접다 형 ㅂ불 광명 정대(光明正大)하고 어연번듯하여 떳떳하다.

빝 명 〈방〉 볕(경기·강원·충북·경북).

빟다 타 〈옛〉 뿌리다.¶ 그저긔 ᄒᆞᆫ 반 남자히 씨 비흙저긔 《月釋 II:12》.

ᄇᆞ드티다 타 〈옛〉 치다[3]. ¶ 가히 두 바ᄅᆞᆯ 자바 ᄇᆞ드텨 소릴 일케ᄒᆞ고(捉狗兩足撲令失聲) 《妙蓮 II:118》.

ᄇᆞ돗ᄒᆞ다 형 〈옛〉 빠듯하다. 빡빡하다. ¶ 檄木으란 二年木으로 ᄡᅳ되 퉁궁긔 ᄇᆞ돗게ᄒᆞ고(檄木則二年木務合筒穴) 《火砲解 2》.

ᄇᆞ듸 명 〈옛〉 바디. ¶ ᄇᆞ듸 구(筬), ᄇᆞ듸 셩(筬)《字會 中 18》.

ᄇᆞ듸집 명 〈옛〉 바디집. ¶ ᄇᆞ듸집(筬筐)《字會 中 18 筬字註》.

ᄇᆞ라다 타 〈옛〉 바라다[1]. 바라보다. ¶ 極樂世界ᄅᆞᆯ ᄇᆞ라ᅀᆞᆸ노이다 《月釋 VIII:4》.

ᄇᆞ라ᅀᆞᄫᆞ니 타 〈옛〉 바라오니. 바라보오니. 'ᄇᆞ라ᅀᆞᆸ다'의 활용형. ¶ 東鄙 ᄇᆞ라ᅀᆞᄫᆞ니(東鄙竚望)《龍歌 38章》.

ᄇᆞ라ᅀᆞᆸ다 타 〈옛〉 바라옵다. 바라보옵다. ¶ 길헤 ᄇᆞ라ᅀᆞᄫᆞ니(于路望來) 《龍歌 10章》.

ᄇᆞ라ᅀᆞᇦ다 타 〈옛〉 바라옵다. 바라보옵다. ¶ 처엄 ᄇᆞ라ᅀᆞᄫᅡ 涅槃ᄋᆞᆯ 듣ᄌᆞᄫᆞ시고 《月釋 XXI:2》.

ᄇᆞ라오다 형 〈옛〉 가렵다. ¶ ᄇᆞ라와 견듸디 몯ᄒᆞ얘라(痒的當不得) 《朴解 上 13》.

ᄇᆞ라온ᄃᆡᆫ 타 〈옛〉 바라본즉슨. 바라보니까. 'ᄇᆞ라다'의 활용형. ¶ 슬허 ᄇᆞ라온ᄃᆡᆫ 오직 烽火ㅅ ᄯᅳᄅᆞ미로소니(悵望但烽火)《杜諺 VI:53》.

ᄇᆞ라와도 형 〈옛〉 가려워도. 'ᄇᆞ랍다'의 활용형. ¶ ᄇᆞ라와도 조녈이 긁디 말며(癢不敢搔)《內訓 I:45》.

ᄇᆞ라ᄋᆞ다 타 〈옛〉 바라다[1]. ¶ 驪山애 行幸ᄇᆞ라ᄋᆞ오미 긋고(驪山絶望幸) 《重杜諺 V:18》. *ᄇᆞ라ᅀᆞᆸ다.

ᄇᆞ라티다 타 〈옛〉 바라다[1]. 바라보다. ¶ 님금 ᄯᅡ히 조보ᄅᆞᆯ 슬허 ᄇᆞ라티니라(悵望王土窄) 《初杜諺 XXIV:14》.

ᄇᆞ람 명 〈옛〉 바람[2]. =ᄇᆞᄅᆞᆷ[2]. ¶ 건너신 날은 마좀 사오나온 ᄇᆞ람의 《新語 II:1》.

ᄇᆞ람니다 자 〈옛〉 바람이 일다. ¶ ᄇᆞ람니다(起風) 《譯語 上 1》.

ᄇᆞ람드다 자 〈옛〉 감기 들다. ¶ ᄇᆞ람드다(感冒) 《華語 35》.

ᄇᆞ람ᄡᅩ이다 자 〈옛〉 바람쏘이다. ¶ ᄇᆞ람ᄡᅩ이다(害風) 《譯語 上 5》.

ᄇᆞ랍다 형 〈옛〉 가렵다. =ᄇᆞ렵다. ¶ 력졀 풍병이 두로 ᄃᆞᆫ녀 ᄇᆞ랍고 알ᄑᆞ거든(歷節白虎風走注癢痛) 《救簡 I:92》.

ᄇᆞ려 타 〈옛〉 버리어. 'ᄇᆞ리다[2]'의 활용형. ¶ ᄯᅡ해 ᄇᆞ려(投地) 《楞嚴 V:3》.

ᄇᆞ려니 타 〈옛〉 버리거니. 'ᄇᆞ리다'의 활용형. ¶ 하나한 외다 ᄒᆞ논 病을 다 거더ᄇᆞ려니(許多弊病을 都拈去也ᄒᆞ야니) 《蒙法 58》.

ᄇᆞ렵다 형 〈옛〉 가렵다. =ᄇᆞ랍다. ¶ 病ᄒᆞ야 머리 빗디 몯ᄒᆞ니 니 하므러 ᄇᆞ려워 셜워커늘(母病沉綿 久廢梳櫛 苦蝨繁癢悶) 《續三綱 孝子》.

ᄇᆞ룐 타 〈옛〉 버린. 'ᄇᆞ리다[2]'의 활용형. ¶ 六月ㅅ 보로매 아으 별해 ᄇᆞ룐 빗 다호라 《樂範 動動》.

ᄇᆞ룜 타 〈옛〉 버림. 'ᄇᆞ리다[2]'의 명사형. ¶ 모ᄃᆡ ᄇᆞ료미 몯ᄒᆞ리라(切不可放捨) 《蒙法 38》.

ᄇᆞ리다[1] 타 〈옛〉 바르다[2]. 베다[3]. ¶ ᄇᆞᄅᆞ며 ᄇᆞ리ᄂᆞᆫ 두 이레(塗割二事)《永嘉 下 18》.

ᄇᆞ리다[2] 타 〈옛〉 버리다[1]. ¶ 金刃을 ᄇᆞ려시니(載捨金刃)《龍歌 54章》 / 다ᄅᆞᆫ사ᄅᆞᆷ오라ᄒᆞᆯ ᄯᅢ ᄇᆞ리지말게《찬양가 : 65》.

ᄇᆞ리다[3] 타 〈옛〉 벌이다. ¶ 排ᄂᆞᆫ ᄇᆞ릴씨라 《永嘉 下 73》.

ᄇᆞ리이다 피동 〈옛〉 버림을 받다. ¶ 즁의게 ᄇᆞ리일씨라《楞嚴 VI:85》.

ᄇᆞ리티다 타 〈옛〉 베어 버리다. ¶ 아래로 ᄢᅥ러가 坤軸ᄋᆞᆯ ᄇᆞ리티ᄂᆞ니 (下衝割坤軸) 《杜諺 VI:47》.

ᄇᆞᄅᆞ다[1] 타 〈옛〉 바르다[1]❷. ¶ 香기르므로 모매 ᄇᆞᄅᆞ고(香油塗身)《月釋 XVIII:29》.

ᄇᆞᄅᆞ다[2] 형 〈옛〉 바르다[3]❶. ¶ 이비 블라 입시우리 져거 버리디 몯ᄒᆞ야 (口緊唇小不能開合) 《救簡 III:5》.

ᄇᆞᄅᆞ시 부 〈옛〉 빠듯이. 겨우. ¶ 穢氣ᄅᆞᆯ ᄇᆞᄅᆞ시 ᄡᅬ일만 ᄒᆞ야(纔觸穢氣) 《無寃錄 I:20》.

ᄇᆞᄅᆞᆫ 부 〈옛〉 별러. 분배하여.=ᄇᆞᄅᆞᆺ[2]. ¶ 華嚴에 三十九品이 이쇼ᄃᆡ 닷가 나ᅀᅡ가ᄆᆞᆯ 버리샤 等覺位終에 니르러 如來出現品이 ᄇᆞᄅᆞᆫ 三十七에 곧 囑累流通ᄒᆞ시고 《月釋 XVIII:13》.

ᄇᆞᄅᆞᆷ[1] 명 〈옛〉 바람[2].=ᄇᆞ람.¶ ᄇᆞᄅᆞ매 아니 뮐씨(風亦不扤)《龍歌 2章》.

ᄇᆞᄅᆞᆷ[2] 명 〈옛〉 바람벽. ¶ 石은 돌히오 壁은 ᄇᆞᄅᆞ미니 ᄇᆞᄅᆞᆷ 마티 션 바회ᄅᆞᆯ 石壁이라 ᄒᆞᄂᆞ니라《釋譜 IX:24》.

ᄇᆞᄅᆞᆷ가비 명 〈옛〉 바람개비. ¶ ᄇᆞᄅᆞᆷ가비 익(鷁)《字會 上 17》.

ᄇᆞᄅᆞᆷ마즌병 명 〈옛〉 중풍(中風). ¶ 과ᄀᆞ리 ᄇᆞᄅᆞᆷ 마즌 병(中風) 《救簡 目錄 1》.

ᄇᆞᄅᆞᆷ병 명 〈옛〉 풍병(風病). ¶ 지아비 여러ᄒᆡ ᄇᆞᄅᆞᆷ병ᄒᆞ거ᄂᆞᆯ(夫風疾累年) 《東國新續三綱 烈女圖 I:46》.

ᄇᆞᄅᆞᆺ[1] 명 〈옛〉 보리수나무. 보리수. 보리수나무 열매. ¶ 十月애 아으 져미연 ᄇᆞᄅᆞᆺ 다호라《樂範 動動》.

ᄇᆞᄅᆞᆺ[2] 부 〈옛〉 별러. 분배하여. =ᄇᆞᄅᆞᆫ. ¶ 모ᄃᆞᆫ 아ᄃᆞᆯ이 ᄇᆞᄅᆞᆺ 두어 縣만 먹음이 법에 아니 너무 젹으니잇가(諸子 裁食數縣 於制不已儉乎) 《內訓 II:38》.

ᄇᆞ사디다 자 〈옛〉 부서지다. 바서지다. ¶ 이제ᅀᅡ 아ᅀᆞ오니 가ᅀᆞ미 ᄇᆞ사디ᄂᆞᆫ ᄃᆞᆺᄒᆞ여이다(今悟知悲膽俱碎) 《思重諺 17》.

ᄇᆞ스ᄉᆞᄒᆞ다 형 〈옛〉 바스스하다. ¶ 터럭이 ᄇᆞ스ᄉᆞᄒᆞᆫᄃᆡ 고티ᄂᆞ니라(毛焦) 《馬經 下 8》.

ᄇᆞᅀᆞ다 타 〈옛〉 바수다. 부수다. =ᄇᆞᅀᆞ다[2]·ᄇᆞᅀᅴ다. ¶ 슬프다 몸 ᄇᆞᅀᆞ며 ᄲᅧ 두드리ᅀᆞ와도 《龜鑑 上 3》.

ᄇᆞ싀다 자 〈옛〉 눈부시게 비치다. =ᄇᆞᅀᆞ다.¶ 光風霽月이 부ᄂᆞᆫ ᄃᆞᆺ ᄇᆞ싀ᄂᆞᆫ ᄃᆞᆺ《蘆溪 獨樂堂》.

ᄇᆞᅀᆞ다[1] 자 〈옛〉 눈부시게 비치다. =ᄇᆞ싀다. ¶ 곳 가온ᄃᆡ 마다 化佛이 겨샤 威光이 ᄇᆞᅀᆞ와 ᄆᆡ에 비취샤 《月釋 XXI:5》.

ᄇᆞᅀᆞ다[2] 타 〈옛〉 바수다.=ᄇᆞᄉᆞ다. ¶ 象寶로 ᄇᆞᅀᆞ와 ᄆᆡ에 ᄭᅮ미고 《月釋 VIII:10》.

ᄇᆞᅀᆞ와ᄆᆡ다 형 〈옛〉 눈부시다. ¶ ᄇᆞᅀᆞ와ᄆᆡ샤미 微妙ᄒᆞᆫ 金臺예 한 보ᄇᆡ로 莊嚴ᄒᆞᆫ 듯ᄒᆞ샤미 《妙蓮 II:12》.

ᄇᆞᅀᆞ와ᄆᆡ에 부 〈옛〉 눈부시게. ¶ ᄇᆞᅀᆞ와ᄆᆡ에 ᄭᅮ미고 《月釋 8:10》.

ᄇᆞᅀᆞᄎᆞ다 자 〈옛〉 바스러지다. ¶ ᄒᆞ물며 凡常ᄋᆡ ᄇᆞᅀᆞᄎᆞᆯ 엇뎨 足히 ᄡᅥ 니ᄅᆞ리오(況凡常之璅璅 何足以之云云) 《永嘉 下 70》.

ᄇᆞᅀᆞ티다 타 〈옛〉 바스러뜨리다. ¶ 내 寶杵로 그 머리ᄅᆞᆯ ᄇᆞᅀᆞ툐ᄃᆡ(我以寶杵殞碎其首) 《楞嚴 VII:65》.

ᄇᆞᅀᅴ다 자 〈옛〉 눈부시게 비치다. =ᄇᆞ싀다. ¶ ᄇᆞᅀᅵᆯ 죠(照)《字會 下 1》.

ᄇᆞ아다 타 〈옛〉 부수다. ¶ 몸을 뎜이고 ᄲᅧᄅᆞᆯ ᄇᆞ아도 ᄆᆡᆼ셰ᄒᆞ여 몸을 오욕디 아니호리라(身糜骨碎誓不汚身) 《東國新續三綱 烈女圖 VI:78》.

ᄇᆞ아디다 자 〈옛〉 부서지다. =ᄇᆞ아지다. ¶ 니ᄅᆞᆯ ᄀᆞ라 다 ᄇᆞ아디더라(嚼齒皆碎)《五倫 II:30》.

ᄇᆞ아지다 자 〈옛〉 부서지다. =ᄇᆞ아디다. ¶ 呂布ㅣ 알고 안이 ᄇᆞ아지ᄂᆞᆫ ᄃᆞᆺᄒᆞ여《三譯 I:9》.

ᄇᆞ야호로 부 〈옛〉 바야흐로. ¶ ᄒᆡ개 ᄇᆞ야호로 치온제(方天寒) 《二倫 43》.

ᄇᆞ야흐로 부 〈옛〉 바야흐로. ¶ ᄇᆞ야흐로 可히 다 ᄉᆞ림을 ᄒᆞ고(方可爲治) 《常解 35》.

ᄇᆞ얌 명 〈옛〉 뱀. =ᄇᆡ얌. ¶ ᄇᆞ야미 가칠 므러(大蛇銜鵲)《龍歌 7章》.

ᄇᆞᅌᅴ다 형 〈옛〉 눈부시다. =ᄇᆞᅌᅵ다. ¶ ᄒᆡㅅ 빗 눈에 ᄇᆞᅌᅴ다(日晃眼) 《譯語補 1》.

ᄇᆞᄋᆞ디다 자 〈옛〉 부서지다. ¶ ᄇᆞᄋᆞ딘 셕고 ᄀᆞᆺᄒᆞ야(如碎石膏)《煮硝 6》.

ᄇᆞᄋᆞ쳐ᄃᆞᆫ니다 자 〈옛〉 갔다왔다 돌아다니다. ¶ ᄇᆞᄋᆞ쳐ᄃᆞᆫ닐시 베플배 업도다(棲屑無所施) 《重杜諺 Ⅱ:55》.
ᄇᆞᄋᆞ추다 자 〈옛〉 부서지다. ¶ ᄇᆞᄋᆞ촌 時俗앳 이리 조보왜도다(瑣細隘俗務) 《重杜諺 Ⅱ:56》.
ᄇᆞᄋᆞ촘 명 〈옛〉 부서짐. 'ᄇᆞᄋᆞ추다'의 명사형. ¶ 몰곤 티란 비치 ᄇᆞᄋᆞ초몰보노라(淸見光烱碎) 《重杜諺 XIII:17》.
ᄇᆞ이다 형 〈옛〉 눈부시다. ¶ ᄇᆞ일 영(暎) 《倭解 上 6》.
ᄇᆞ질ᄒᆞ다 형 〈옛〉 인색하다. ¶ ᄇᆞ질ᄒᆞ다(吝) 《漢淸 Ⅵ:30》.
ᄇᆞᄐᆞᆫ 기춤 명 〈옛〉 밭은 기침. ¶ ᄇᆞᄐᆞᆫ 기춤ᄒᆞ다(乾嗽) 《同文 上 19》.
ᄇᆞᆯ다 자 〈옛〉 굽다. 비틀리다. ¶ 손 ᄇᆞᆯ고 발 절며 눈 멀오 귀 먹고 동 구버(攣躄盲聾背傴) 《妙蓮 Ⅱ:167》.
ᄇᆞᆯ동기다 자 〈옛〉 배어 달리다. ¶ 正히 ᄇᆞᆯ동기ᄂᆞᆫ 妄情이라(正攀緣妄情也) 《楞嚴 Ⅰ:74》.
ᄇᆞᆯ[1] 명 〈옛〉 팔¹. ¶ ᄇᆞᆯ 구피락 펼 ᄉᆞ시 ᄀᆞᆮᄒᆞ야(如屈伸臂頃) 《佛頂 上 4》.
ᄇᆞᆯ[2] 〈옛〉 ㊀ 명 겹¹. ¶ ᄂᆡ와 雲霞엔 뭣부릐 몃ᄇᆞᆯ오(煙霞嶂幾重) 《杜諺 Ⅸ:25》. ㊁ 의명 번(番). ¶ 淨居天이 禮ᄅᆞᆯ 아라 세 ᄇᆞᆯ을 값도라ᄂᆞᆯ 《月印 上 55》. 「63」.
ᄇᆞᆯ[3] 의명 〈옛〉 벌³⊟. ¶ 또 칙 ᄒᆞᆫ ᄇᆞᆯ을 사되(更買些文書一部) 《老乞 下
ᄇᆞᆯ[4] 의명 〈옛〉 발⁹. ¶ 地藏菩薩이 十地果位證컨ᄃᆡ 웃譬喩에서 즈믄 ᄇᆞ리 倍히 하니 《月釋 XXI:16》.
ᄇᆞᆯ곰 형 〈옛〉 밝음. 'ᄇᆞᆰ다❶'의 명사형. =ᄇᆞᆰ음. ¶ 어드 본뒷衆生도 다 ᄇᆞᆯ고ᄆᆞᆯ 어더 《月釋 Ⅸ:15》.
ᄇᆞᆯ기 부 〈옛〉 밝게. ¶ ᄇᆞᆯ기 셩을 보리니(了然見性) 《金剛 Ⅰ:7》.
ᄇᆞᆯ기다 타 〈옛〉 밝히다. =ᄇᆞᆯ키다. ¶ 하ᄂᆞᆯ히 ᄇᆞᆯ기시니(天爲之明) 《龍歌 30章》.
ᄇᆞᆯ뎡 명 〈옛〉 팔짱. ¶ ᄇᆞᆯ뎡 곳고(拱手) 《飜小 X:13》.
ᄇᆞᆯ독 명 〈옛〉 팔뚝. =ᄇᆞᆯ톡. ¶ 肚ᄂᆞᆫ ᄇᆞᆯ독이니 《內訓 Ⅰ:15》.
ᄇᆞᆯ리 부 〈옛〉 바르게. ¶ 두 눈을 ᄇᆞᆯ리 곰고 동녁 셔녁ᄒᆞ로 어즈러이 다잇는 이는 간긔로 알푬이오 (雙睛緊閉東西亂撞者肝氣痛也) 《馬經 上 71》.
ᄇᆞᆯᄡᅳ듸다 타 〈옛〉 밟아 디디다. =ᄇᆞᆲ드듸다. ¶ 거름 거르며 ᄇᆞᆯᄡᅳ듸요ᄆᆞᆯ 모로매 ᄌᆞᄂᆞᆨᄌᆞᄂᆞ기 ᄒᆞ며(步履必安詳) 《內訓 Ⅰ:26》.
ᄇᆞᆯ바 타 〈옛〉 밟아. 'ᄇᆞᆲ다'의 활용형. ¶ 오직 알ᄑᆞᆯ ᄇᆞᆯ바 行德을 일우시고 《月釋 XVIII:13》.
ᄇᆞᆯ보ᄃᆡ 타 〈옛〉 밟되. 'ᄇᆞᆲ다'의 활용형. ¶ ᄡᅡ홀 ᄇᆞᆯ보ᄃᆡ 믈 ᄇᆞᆲ듯ᄒᆞ고 므를 ᄇᆞᆯ보ᄃᆡ ᄡᅡ ᄇᆞᆲ듯ᄒᆞ더니 《釋譜 Ⅵ:34》.
ᄇᆞᆯᄫᆞ며 타 〈옛〉 밟으며. 'ᄇᆞᆲ다'의 활용형. ¶ 즌홀 ᄇᆞᆯᄫᆞ며 므거븐 돌 지듯ᄒᆞ야 《月釋 XXI:102》.
ᄇᆞᆯ셔 부 〈옛〉 벌써. =ᄇᆞᆯ써. ¶ 公이 닐오ᄃᆡ ᄇᆞᆯ셔 주그시니라(公曰已死矣) 《圓覺 序 68》.
ᄇᆞᆯ쇠 명 〈옛〉 팔찌❶. ¶ 빈혀와 ᄇᆞᆯ쇠와ᄅᆞᆯ 프라 (賣釵釧) 《杜諺 Ⅴ:4》.
ᄇᆞᆯ써 부 〈옛〉 벌써. =ᄇᆞᆯ셔. ¶ 몬져 ᄇᆞᆯ써 ᄆᆞᆯ라 주거(先已乾死) 《楞嚴 Ⅸ:117》.
ᄇᆞᆯ오다 타 〈옛〉 밟다. =ᄇᆞᆲ다. ¶ 芳草를 ᄇᆞᆯ와 보며 芝蘭도 ᄡᅳ더보자 《古時調 尹善道》/ᄇᆞᆯ올 답(踏), ᄇᆞᆯ올 쳔(踐) 《類合 下 5》.
ᄇᆞᆯ옴[1] 의명 〈옛〉 벌씩. ¶ 各 ᄒᆞᆫᄇᆞᆯ옴 더 주시다(各賜一具) 《內訓 Ⅱ:70》.
ᄇᆞᆯ옴[2] 타 〈옛〉 밟음. 'ᄇᆞᆯ오다'의 명사형. ¶ 九層臺예 올옴 ᄀᆞᄐᆞ야 발ᄇᆞᆯ오미 漸漸노ᄑᆞ면 보논 고디 漸漸머니라(如登九層臺足履漸高所鑑漸遠) 《圓覺 上 一之一 113》.
ᄇᆞᆯ와 타 〈옛〉 밟아. 'ᄇᆞᆲ다'의 활용형. ¶ 百里ㅅ 이예 ᄇᆞᆯ와 치운 뫼히 뷔여슈믈 스쳐 보ᄂᆞ도다(百里間躡蹴踏寒山空) 《重杜諺 Ⅴ:49》.
ᄇᆞᆯ이다 피동 〈옛〉 밟히다. =ᄇᆞᆯ피다. ¶ 崐崙과 虞泉괘 ᄆᆞᆯ바래 드러 ᄇᆞᆯ이니라(崐崙虞泉入馬蹄) 《初杜諺 XVII:10》.
ᄇᆞᆯ콰 〈옛〉 팔과. 'ᄇᆞᆯ1'의 공동격형(共同格形). ¶ 허튀와 ᄇᆞᆯ콰 ᄀᆞᆮᄒᆞ니(猶股肱也) 《內訓 Ⅱ:28》.
ᄇᆞᆯ키다 타 〈옛〉 밝히다. =ᄇᆞᆯ기다. ¶ 아직 小宗앳 法으로 ᄡᅥ ᄇᆞᆯ키노니 《家禮 Ⅰ:18》.
ᄇᆞᆯ톡 명 〈옛〉 팔뚝. =ᄇᆞᆯ독. ¶ ᄇᆞᆯ톡 뒤헷 醫方으란 寂靜ᄒᆞᆫ ᄃᆡ셔 보ᄂᆞ다(肘後醫方靜處看) 《杜諺 XXII:13》.
ᄇᆞᆯ피다 피동 〈옛〉 밟히다. =ᄇᆞᆯ이다. ¶ 티리티고 ᄇᆞᆯ피리 ᄇᆞᆯ피니(打的打躧的躧) 《朴解 中 49》.
ᄇᆞᆯ히 〈옛〉 팔이. 'ᄇᆞᆯ1'의 주격형(主格形). ¶ 올ᄒᆞᆫ ᄇᆞᆯ히 偏히 이울오 왼녁 귀 머구라(右臂偏枯左耳聾) 《杜諺 XI:14》.
ᄇᆞᆯ홀 〈옛〉 팔을. 'ᄇᆞᆯ1'의 목적격형. ¶ 즉자히 入定ᄒᆞ야 펴엣던 ᄇᆞᆯ홀 구필 ᄊᆞ시예 《釋譜 Ⅵ:3》. 「45」.
ᄇᆞᆯ희 〈옛〉 팔에. 'ᄇᆞᆯ1'의 처격형(處格形). ¶ 釧은 ᄇᆞᆯ힛 골회라 《永嘉 下
ᄇᆞᆰ가숭이 명 〈옛〉 발가숭이. 잠자리. ¶ 기川으로 往來ᄒᆞ며 ᄇᆞᆰ가숭아 ᄇᆞᆰ가숭아 져리 가면 죽ᄂᆞ니라 이리 오면 ᄉᆞᄂᆞ니라 부로나니 ᄇᆞᆰ가숭이로다 《古時調》.
ᄇᆞᆰ다 형 〈옛〉 ①밝다. ¶ 太似의 ᄇᆞᆯᄀᆞ샤매(太似之明) 《內訓 序 30》. ② 붉다. ¶ ᄇᆞ스왠 저긔 ᄇᆞᆯᄀᆞᆫ ᄆᆞᅀᆞ미 허니(喪亂丹心破) 《初杜諺 VII:15》/ ᄇᆞᆰ은빗출웨아니챳나 《찬양가:27》.
ᄇᆞᆰ음 형 〈옛〉 밝음. 'ᄇᆞᆰ다❶'의 명사형. =ᄇᆞᆯ곰. ¶ 봄애 ᄇᆞᆰ음을 싱각ᄒᆞ며(視思明) 《小諺 Ⅲ:5》.
ᄇᆞᆰ쥐 명 〈옛〉 박쥐. ¶ ᄇᆞᆰ쥐 편(蝙), ᄇᆞᆰ쥐 복(蝠) 《字會 上 22》.
ᄇᆞᆰ키다 타 〈옛〉 밝히다. =ᄇᆞᆰ히다. ¶ 物理를 ᄇᆞᆰ키고(明乎物理) 《飜小 Ⅸ:13》.
ᄇᆞᆰ히다 타 〈옛〉 밝히다. =ᄇᆞᆰ키다. ¶ ᄇᆞᆰ히다(達朝) 《漢淸 Ⅰ:27》.
ᄇᆞᆲ다 자타 〈옛〉 밟다. =ᄇᆞᆯ오다·ᄇᆞᆲ다. ¶ 後ㅅ行을 ᄇᆞᆯ바 일우ᄃᆡ 몯ᄒᆞ리니 《月釋 XVIII: 16》/ 싱젼에험ᄒᆞᆫ길 고로ᄇᆞᆲ엇시니 《찬양가:33》.
ᄇᆞᆲ드듸다 타 〈옛〉 밟아 디디다. =ᄇᆞᆯᄡᅳ듸다. ¶ 미ᄉᆞ를 規矩를 조차 ᄇᆞᆲ드듸게 ᄒᆞ더라(事事循蹈規矩) 《小諺 Ⅵ:12》.
ᄇᆞᆶ다 타 〈옛〉 밟다. =ᄇᆞᆲ다. ¶ 부톄 ᄇᆞᆯ바ᄃᆞᆫ니시고 《月釋 Ⅰ:16》.
ᄇᆞᆷ다 타 〈옛〉 밟다. =밤다. ¶ ᄇᆞᆷ다(庹量) 《漢淸 XI:51》.
ᄇᆞᆺ 조 〈옛〉 곧³. 만. =곳⁸·봇³. ¶ 그윗 請ᄇᆞᆺ 아니어든(非公界請) 《法語 19》.
ᄇᆞᆺ그럽다 형 〈옛〉 부끄럽다. ¶ ᄇᆞᆺ그럽다(可醜) 《同文 上 20》.
ᄇᆞᆺ아디다 자 〈옛〉 부서지다. =ᄇᆞᇫ아디다. ¶ 드트리 ᄃᆞ외이 ᄇᆞᆺ아디거늘 《釋譜 Ⅵ:31》.
ᄇᆞᆺ아ᄇᆞ리다 타 〈옛〉 부수어 버리다. ¶ 이 사ᄅᆞ미게 無邊身을 뵈야 地獄올 ᄇᆞᆺ아ᄇᆞ려 하ᄂᆞᆯ해나. 《月釋 XXI:181》.
ᄇᆞᆺ온 타 〈옛〉 부순. 'ᄇᆞᅀᆞ다'의 활용형. ¶ 또 ᄆᆞᄂᆞ리 ᄇᆞᆺ온 旃檀沉水香 ᄃᆞᆯ ᄒᆞᆯ 비흐며 《月釋 XVII:36》.
ᄇᆞᇫ다 타 〈옛〉 부수다. 빻다. ¶ 내 모ᄆᆞᆯ 엇데 드틀 ᄀᆞ티 ᄇᆞᅀᆞ디 몯관ᄃᆡ 《月釋 XXI:219》.
ᄇᆞᇫ아디다 자 〈옛〉 부서지다. =ᄇᆞᆺ아디다. ¶ 블휘 ᄲᅡ혀 ᄣᅡ해 다 ᄇᆞᇫ아디니 《月印 上 58》.
ᄇᆡ[1] 명 〈옛〉 배¹. ¶ 腹ᄋᆞᆫ ᄇᆡ라 《楞嚴 Ⅸ:64》.
ᄇᆡ[2] 명 〈옛〉 배². ¶ ᄀᆞᄅᆞ매 ᄇᆡ 업거늘(河無舟矣) 《龍歌 20章》.
ᄇᆡ[3] 명 〈옛〉 배³. ¶ 張公의 ᄇᆡᄂᆞᆫ 밧긔가 求ᄒᆞ디 아니 ᄒᆞ리로다(張梨不外求 《杜諺 Ⅸ:13》.
ᄇᆡ[4] 의명 〈옛〉 들². 무리¹. 따위. =버². ¶ 이 글ᄒᆞ기로ᄡᅥ 벋ᄇᆡ 하니(以玆朋故多) 《重杜諺 Ⅰ:49》.
ᄇᆡ골폼 명 〈옛〉 배가 고픔. 'ᄇᆡ1'와 '골ᄑᆞ다'의 명사형이 합친 말. ¶ ᄇᆡ골폼과 목ᄆᆞᄅᆞᆷ과 《月釋 Ⅱ:42》.
ᄇᆡ다[1] 자 〈옛〉 배다. 스미다¹. ¶ 香올 무티면 香이 ᄇᆡ오(染香則襲香) 《楞嚴 Ⅴ:88》.
ᄇᆡ다[2] 타 〈옛〉 배다³❶. ¶ ᄇᆡᆯ 잉(孕), ᄇᆡᆯ 심(姙) 《字會 上 33》.
ᄇᆡ다[3] 형 〈옛〉 배다⁵. ¶ ᄇᆡᆫ촘빗(密茈子) 《老乞 下 61》.
ᄇᆡ달홀사ᄅᆞᆷ 명 〈옛〉 사공. 뱃사공. ¶ 일녀매 ᄇᆡ 달홀 사ᄅᆞ미 게으르고(早行篙師怠) 《杜諺 Ⅰ:49》.
ᄇᆡᄃᆞ리 명 〈옛〉 배다리. 뱃길. ¶ ᄇᆡᄃᆞ리 방(舫), ᄇᆡᄃᆞ리 항(航) 《字會 中 25》.
ᄇᆡ목 명 〈옛〉 배목. ¶ ᄇᆡ목(鈕鉞 鎖紐也) 《四聲 上 67》.
ᄇᆡ복 명 〈옛〉 배꼽. =ᄇᆡᆺ복·빗복. ¶ ᄇᆡ보글 셜흔 붓글 ᄯᅳ라 (臍中三十壯乙灸乙爲乎矣) 《牛方 8》.
ᄇᆡ브로 부 〈옛〉 배부르게. =ᄇᆡ브르. ¶ 날회여 ᄇᆡ브로 머그라(慢慢喫的飽着) 《老乞 上 38》.
ᄇᆡ브르 부 〈옛〉 배부르게. =ᄇᆡ브로. ¶ 주린 매 고기ᄅᆞᆯ ᄇᆡ브르 먹디 몯ᄒᆞ얀(飢鷹未飽肉) 《初杜諺 XXII:29》.
ᄇᆡ브르다 형 〈옛〉 배부르다. ¶ 몬져 됴ᄒᆞᆫ 飮食ᄋᆞ로 ᄇᆡ브르긔 ᄒᆞ고 《月釋 Ⅸ:25》/ ᄇᆡ브를 포(飽), ᄇᆡ브를 어(飫) 《字會 下 19》.
ᄇᆡ브리 부 〈옛〉 배불리. ¶ ᄒᆞᄅᆞ 세 ᄡᅵ식 뎌ᄅᆞᆯ 주어 밥을 ᄇᆡ브리 먹이고 (一日三頓家饋他飽飯喫) 《朴解 上 10》.
ᄇᆡ브티다 자 〈옛〉 배 대다. 배 매다. 정박(碇泊)하다. ¶ 來日이 또 업스랴 봄밤이 몃덧새리 ᄇᆡ 브티라 ᄇᆡ 브티라 낫대로 막대 삼고 《古時調 尹善道》.
ᄇᆡ블옴 형 〈옛〉 배가 부름. 'ᄇᆡ브르다'의 명사형. ¶ ᄇᆡ블오매 잇디 아니ᄒᆞ니라(不在飽) 《飜小 X:20》.
ᄇᆡㅅ고믈 명 〈옛〉 배의 고물. =ᄇᆡᆺ고믈. ¶ ᄇᆡㅅ고믈(船艄) 《漢淸 XII:21》.
ᄇᆡㅅ니믈 명 〈옛〉 배의 이물. =ᄇᆡᆺ니믈. ¶ ᄇᆡㅅ 니믈(船頭) 《漢淸 XII:21》.
ᄇᆡ술 명 〈옛〉 배알¹❶. ¶ 또 구리 토빈거시 ᄇᆡ술홀 ᄢᅢ혀며 《月釋 XXI:43》.
ᄇᆡ아다 타 〈옛〉 재촉하다. =뵈아다. ¶ 多情歌管이 ᄇᆡ아는이 客愁ㅣ로다 《古時調 麟平大君》.
ᄇᆡ알히 명 〈옛〉 배앓이. ¶ 또 ᄇᆡ알힐 고티ᄂᆞᆫ(又方治腹痛) 《救方 上 28》.
ᄇᆡ앗브다 형 〈옛〉 바쁘다. ¶ 九萬里 長天에 무슴 일 ᄇᆡ앗바셔 《古時調》.
ᄇᆡ야신다 타 〈옛〉 죄어 신다. =뵈야신다. ¶ 芒鞋를 ᄇᆡ야신고 竹杖을 흣더디니 《松江 星山別曲》.
ᄇᆡ얌 명 〈옛〉 뱀. ¶ 蛇ᄂᆞᆫ ᄇᆡ야미오 狗ᄂᆞᆫ 가히라 《月釋 XXI:42》.
ᄇᆡ얌당어 명 〈옛〉 뱀장어. =ᄇᆡ얌댱어. ¶ ᄇᆡ얌댱어 리(鱺) 《字會 上 20》.
ᄇᆡ얌댱어 명 〈옛〉 뱀장어. =ᄇᆡ얌당어. ¶ 鱔魚ᄂᆞᆫ ᄇᆡ얌댱에라 《佛頂 中 7》.
ᄇᆡ얌ᄲᅡᆯ기 명 〈옛〉 뱀딸기. ¶ ᄇᆡ얌ᄲᅡᆯ기(蛇苺) 《救簡 Ⅰ:108》.
ᄇᆡ양 명 〈옛〉 뺑대쑥. ¶ 다북ᄲᅮᆨ 호(蒿) 《字會 上 9, 四聲 上 56》.
ᄇᆡ어 명 〈옛〉 뱅어. ¶ ᄇᆡ어 됴(鰷) 《字會 上 20》.
ᄇᆡ촐 〈옛〉 상앗대를. 노(櫓)를. 'ᄇᆡᆾ'의 목적격형. ¶ 샤공이 어두운ᄃᆡ셔 ᄇᆡ촐 달화 놀애 브르며(篙師暗理楫謳) 《杜諺 Ⅰ:29》.
ᄇᆡ치[1] 명 〈옛〉 배추¹. ¶ ᄇᆡ치 숑(菘) 《字會 上 14》.
ᄇᆡ치[2] 〈옛〉 상앗대에. 노(櫓)에. 'ᄇᆡᆾ'의 처소격형(處所格形). ¶ ᄂᆞᄂᆞᆫ ᄇᆡ치 본ᄃᆡ 고고리 업도다(飛櫓本無蔕) 《杜諺 Ⅱ:63》.
ᄇᆡ호다 타 〈옛〉 배우다. ¶ 道士ᄂᆞᆫ 道理 ᄇᆡ호ᄂᆞᆫ 사라미니 《月釋 Ⅰ:7》/ 복음ᄯᅳᆺ슬 ᄇᆡ호세 《찬양가:12》.
ᄇᆡᄒᆞ다 타 〈옛〉 베풀다. ¶ 天地位를 ᄇᆡᄒᆞ야 道ㅣ 그 中에 녀거든(天地設位 道運乎其中) 《妙蓮 Ⅲ:155》.
ᄇᆡᄒᆞᆺ 명 〈옛〉 버릇. 습성(習性). ¶ 모ᄃᆞᆫ ᄇᆡᄒᆞ시 이실ᄊᆡ 《月釋 XXI:32》.
ᄇᆡᆨ뎡 명 〈옛〉 백정(白丁). ¶ 我國有別種人 以射獵造柳器爲業 異於編氓名曰白丁 卽前朝之揚水尺 《中宗實錄 XII:1》.
ᄇᆡᆨ번 명 〈옛〉 백반(白礬). ¶ ᄇᆡᆨ번(礬石) 《救簡 Ⅰ:44》.

빅빅이 부 〈옛〉 빽빽이. ¶ 소음과 돗츠로 빅빅이 덥고(絮薦 密盖) ≪無寃錄 I:48≫.
빅빅ᄒ다 형 〈옛〉 빽빽하다. ¶ 빅빅ᄒᆞᆫ 대수헤(密竹) ≪重杜諺 I:14≫.
빅셜아몰 명 〈옛〉 흰 말. 부루말. ¶ 빅셜아ᄆᆞᆯ(白馬) ≪譯語 下 28≫.
빅셩 명 〈옛〉 백성. ¶ 빅셩 민(民), 빅셩 밍(氓) ≪字會 中 1≫/셰상사ᄅᆞᆷ사ᄅᆞᆷ마다 여호와의빅셩일셰≪찬양가 : 6≫.
빅죵 명 〈옛〉 백중(白中). ¶ 七月ㅅ 보로매 아으 百種 排ᄒᆞ야두고 ≪樂範動動≫/빅죵(中元) ≪譯語 上 4≫.
빅회 명 〈옛〉 배코. 상투밑. ¶ 빅회(頭頂心) ≪譯語 上 32≫.
빋복 명 〈옛〉 배꼽. =빅복·빗복. ¶ 김시 칼로 ᄡᅥ 스스로 빋복 아래ᄅᆞᆯ 딜러 피ᄅᆞᆯ 아아 ᄡᅥ 머기니(金氏以刀自刺臍下取血以服之) ≪東國新續三綱 烈女圖 Ⅳ:49≫.
「나리오 ≪月釋 XVII:42≫.
빗 명 〈옛〉 뱃머리에서 젓는 노. =빛. ¶ 비 빗 업드ᄒᆞ니 乃終에 어드리 건
빗고몰 명 〈옛〉 배의 고물. 배의 뒤쪽. =비ㅅ고믈. ¶ 빗고ᄆᆞᆯ 튝(舳), 빗고ᄆᆞᆯ 쵸(艄) ≪字會 中 26≫.
빗곱 명 〈옛〉 배꼽. =비복·빗복. ¶ 빗곱(臍) ≪無寃錄 I:26≫.
「解 上 38≫.
빗곶 명 〈옛〉 배나무의 꽃. ¶ 빗곶(梨花) ≪訓例≫.
빗기슭 명 〈옛〉 뱃가죽. ¶ 빗기슭 우희 ᄒᆞᆫ침 주고 (小肚皮上使一針) ≪朴
빗니몰 명 〈옛〉 이물[1]. =비ㅅ니믈. ¶ 빗니ᄆᆞᆯ 로(艫) ≪字會 中 26≫.
빗대[1] 명 〈옛〉 돛대. ¶ 빗대 위(桅), 빗대 장(檣) ≪字會 中 25≫.
빗대[2] 명 〈옛〉 뱃대끈. =오랑. ¶ 미틔 드리온 거슨 두 머리예 프른 구슬로 미자 쎄온 약대 털로 ᄒᆞᆫ 빗대오(底下垂下着兩頭青珠兒結串的駝毛肚帶) ≪朴解 上 28≫.
빗돗 명 〈옛〉 돛. 빗돍. ¶ 빗돗 범(帆) ≪字會 中 25≫.
빗돍 명 〈옛〉 돛. =빗돗. ¶ ᄇᆞᄅᆞᆷ 부는 빗 돗기 프른 盖예 지엿ᄂᆞ니(風帆依倚翠盖) ≪杜諺 Ⅸ:4≫.
「디니 ≪月釋 I:15≫.
빗바당 명 〈옛〉 뱃바닥. ¶ 摩睺羅伽ᄂᆞᆫ 큰 빗바다ᄋᆞ로 긔여ᄒᆞᄂᆞ니ᄂᆞ다 ᄒᆞᆫ ᄠᅳ
빗보록 명 〈옛〉 배꼽. =비복. ¶ 빗보록(肚臍兒) ≪譯語 上 35≫.
빗복 명 〈옛〉 배꼽. =빗곱·빗봉. ¶ ᄀᆞᆺ난 아ᄒᆡ 빗복 ᄲᅥ러딘 거슬(小兒初生臍帶脫落後) ≪痘方 3≫/빗복 졔(臍) ≪字會 上 27≫.
빗봉 명 〈옛〉 배꼽. =빗복. ¶ 빗봉애 블브터 郿塢이 敗ᄒᆞ니(燃臍郿塢敗) ≪重杜諺 XV:47≫.
빗속 명 〈옛〉 뱃속. =빗솝. ¶ 두 어ᄢᅦ ᄉᆞ이예 빗 소기 ᄌᆞ로 움즈기면 ᄐᆡ긔 인ᄂᆞᆫ 쟈기오(數時頃覺臍腹頻動卽有胎也) ≪胎産集要 9≫.
빗솝 명 〈옛〉 뱃속. =빗속. ¶ 글워리 빗소배 ᄀᆞ독ᄒᆞ도다(經書滿腹中) ≪初杜諺 Ⅷ:52≫.
빗시울 명 〈옛〉 뱃전. ¶ 빗시울 현(舷) ≪字會 中 26≫.
빗줄 명 〈옛〉 뱃줄. ¶ 빗줄 글우믈 ᄒᆡᄅᆞᆯ 아니 몯ᄒᆞ리로다(解纜不知年) ≪杜諺 Ⅶ:17≫.
「楫) ≪杜諺 I:46≫.
빛 명 〈옛〉 뱃머리에서 젓는 노. =빗. ¶ 桂로 ᄆᆡᆼᄀᆞ론 비츨 혀ᄂᆞ니(引桂
ㅃ [쌍비읍] 〖언〗 ㅂ의 된소리. 목젖으로 콧길을 막으면서 목청을 닫고, 입술을 다물었다가 뗄 때에 나는 무성 파열음(無聲破裂音).
빠각 부 단단한 물건이나 빳빳한 물건 같은 것이 마찰되어 나는 소리. ㅅ바각. <뻐걱. *빼각·삐걱. ——-하다 자여불
빠각-거리다 자타 빠각 소리가 자꾸 나다. 또, 빠각 소리를 잇달아 자꾸 내다. ㅅ바각거리다. <뻐걱거리다. **빠각-빠각** 부. ——-하다 자타
빠각-대다 자타 빠각거리다.
ㄴ여불
빠개다[1] 타 ①단단한 물건을 두 쪽으로 갈라 잦히다. ¶ 장작을 ~. ②거의 되어 가는 일을 어긋내다. ¶ 다 된 일을 빠개 놓다. ③기뻐서 입을 벌리다. ¶ 좋다고 빠개지 마라. 1)-3): <뻐개다[2].
빠개다[2] 타 〈방〉 빠기다.
빠개-지다 자 ①단단한 물건이 두 쪽으로 갈라지다. 두 쪽으로 조각이 나다. ②거의 되어 가는 일이 어긋나다. ¶ 일이 빠개지고 말았다. ③기뻐서 입이 벌어지다. 1)-3): <뻐개지다.
빠구니 명 〈방〉 바구니(경기).
빠그라-뜨리다 타 빠그라지게 하다. <뻐그러뜨리다.
빠그라-지다 자 빠개져서 못 쓰게 되다. <뻐그러지다.
빠그라-트리다 타 빠그라뜨리다.
빠그러-지다 자 ☞빠그라지다.
빠그르르 부 적은 물이나 잔 거품 같은 것이 넓게 퍼져 세차게 끓어 오르는 모양이나 소리. ㅅ바그르르. <뻐그르르. *뽀그르르. ——-하다 자여불
빠근-하다 형여불 기운이 순하지 못하여 숨이 벅차거나 몸 놀리기가 좀 거북하다. <뻐근하다❶.
빠글-거리다 자 적은 물이나 잔 거품 같은 것이 넓게 퍼져 세차게 끓어 오르다. ㅅ바글거리다. <뻐글거리다. *뽀글거리다. **빠글-빠글** 부.
빠글-대다 자 빠글거리다.
ㄴ——-하다 자여불
빠기다 자 우쭐대며 자랑하다. 으쓱거리며 젠체하다. <뻐기다.
빠꼼-이 명 〈속〉 〔Dutch hole〕 현관문 따위에 뚫려 있어 문 밖을 내다볼 수 있는 작은 구멍.
빠:꾸 〔back〕 명 ①차량 같은 것이 뒤로 움직여 가는 일. 후진(後進). ¶ ~ 오라이. ②퇴짜를 놓음. 각하(却下). ¶ 서류를 ~시키다. ——-하다 자타여불
빠꿈-벼슬 명 〖역〗 곡물·포백·은·돈 같은 것으로 공명장(空名帳)을 사서 얻은 벼슬. *공명장.
빠끄-미 명 〈속〉 지나치게 야무지고 영악한 사람.
빠끔-거리다 자 ①담배를 연해 세게 빨아 피우다. ②금붕어 같은 물고기가 연해 입을 벌려 물을 들이마시다. 1)·2): <뻐끔거리다. **빠끔-빠끔**[1] 부. ¶ ~ 담배를 피우다. ——-하다[1] 자여불
빠끔-대다 자 빠끔거리다.
빠끔-빠끔[2] 부 여러 군데가 빠끔한 모양. <뻐끔뻐끔[2]. ——-하다[2] 형여불
빠끔-하다 형여불 틈이나 구멍 같은 것이 깊숙이 또렷하게 벌어져 있다. ¶ 빠끔한 틈새기. <뻐끔하다. **빠끔-히** 부. ¶ 상처가 ~ 벌어지다.
빠느다 타 〈방〉 빻다(제주).
빠닥 명 〈방〉 바둑(경상).
빠닥빠닥-하다[1] 형여불 물기가 모자라 미끄럽지 못하고 빡빡하다. ¶ 풀 먹인 빨래가 말라서 ~. <뻐덕뻐덕하다.
빠닥빠닥-하다[2] 형여불 새 지폐 따위가 구김살 없이 빳빳하다. ¶ 빠닥빠닥한 천 원짜리 지폐.
빠대다 자 아무 할 일 없이 이리저리 쏘다니다. 여기저기 싸대다.
빠드득 부 ①단단한 물건을 되게 맞비빌 때에 나는 소리. ¶ 이를 ~ 갈다. ②무른 똥을 힘들이어 눌 때에 되바라지게 나는 소리. ㅆ파드득. 1)·2): ㅅ바드득. <뿌드득. *뽀드득. ——-하다 자타여불
빠드득-거리다 자타 ①빠드득 소리가 자꾸 나다. 또, 빠드득 소리를 자꾸 내다. ②무른 똥을 힘들이어 눌 때에 빠드득 소리가 자꾸 나다. ㅆ파드득거리다. 1)·2): ㅅ바드득거리다. <뿌드득거리다. *뽀드득거리다. **빠드득-빠드득** 부. 준빠득빠득[2]. ——-하다 자타여불
빠드득-대다 자타 빠드득거리다.
빠드름-하다 형여불 약간 밖으로 뻗은 듯하다. 준빠듬하다. ㅅ바드름하다. <뻐드름하다. **빠드름-히** 부
빠득-빠득[1] 부 ①무리하게 고집만 자꾸 부리는 모양. ¶ ~ 우기다. ②자꾸 졸라 대는 모양. 1)·2): ㅅ바득바득[1]. <뿌득뿌득[1].
빠득-빠득[2] 부 ↗빠드득빠드득. ㅅ바득바득[2]. <뿌득뿌득[2]. *뽀득뽀득. ——-하다[1] 자타여불
빠득빠득-하다[2] 형여불 ①말이나 행동이 고분고분하지 아니하다. ②눈이 부드럽지 못하고 뻑뻑하다. ③입 안에 떫은 맛이 있다. 1)-3): <뻐득뻐득하다. ④〈방〉 빠닥빠닥하다[1].
빠듬-하다 형여불 ↗빠드름하다. ㅅ바듬하다. <뻐듬하다. **빠듬-히** 부
-빠듯 미 수량(數量)을 말할 때, 조금 모자람을 나타내는 말. ¶ 닷되~. ↔-넉넉.
「겨우. 1)·2): ㅅ바듯이.
빠듯-이 부 ①빠듯하게. ¶ ~ 시간에 대다. <뿌듯이. ②힘이 몹시 들어
빠듯-하다 형여불 ①어떤 한도에 겨우 미치다. ¶ 예산이 ~/아이들이 많아서 살기가 ~. ㅅ바듯하다. ②가득 차서 빈틈이 없거나 꼭 맞아서 헐렁거리지 않다. 빡빡하다. ¶ 책상 두 개가 빠듯하게 들어간다. ㅅ바듯하다. <뿌듯하다.
빠디딕 부 〈방〉 빠드득. ——-하다 자
빠:-뜨리다 타 ①남을 물이나 허방이나 또는 나쁜 데에 빠지게 하다. ¶ 함정에 ~. ②빼어 놓아 버리다. ¶ 한 줄을 빠뜨리고 읽다. ③부주의로 물건을 흘리어 잃어버리다. ¶ 지갑을 ~.
빠:루 명 〔claw bar〕 ☞배척.
빠르기-말 명 〖악〗 악보(樂譜)에서 그 곡(曲)의 속도를 말로 나타낸 것. 보통, 이탈리아어(語)로 나타냄. 구용어: 속도 표어(速度標語).

표 어	발 음	뜻	메트로놈의 속도 (약)
largo	라르고	아주 느리고 폭이 넓게	40-50
larghetto	라르게토	라르고보다 조금 빠르게	46-56
lento	렌토	아주 느리게	40-56
adagio	아다지오	느리고 조용하게	50-60
adagissimo	아다지시모	아주 느리게	
adagietto	아다지에토	아다지오보다 조금 빠르게	56-66
andante	안단테	느리게	60-80
andantino	안단티노	안단테보다 조금 빠르게	72-92
moderato	모데라토	보통 빠르기로	76-88
allegretto	알레그레토	조금 빠르게	80-100
allegro	알레그로	빠르게	100-132
vivace	비바체	아주 빠르게	120-150
vivo	비보	힘차고 빠르게	132-168
presto	프레스토	매우 빠르게	144-176
prestissimo	프레스티시모	가장 빠르게	180-208
accelerando	아첼레란도	점점 빠르게 강하게	
stringendo	스트린젠도	점점 서두르며	
poco a poco animato	포코 아 포코 아니마토	점점 빠르게	
allargando	알라르간도	점점 느리게 폭넓게	
largando	라르간도	점점 느리게 강하게	
rallentando	랄렌탄도	점점 느리게	
ritardando	리타르단도	점점 느리게	
slentando	슬렌탄도	점점 느리게	
calando	칼란도	점점 느리게 약하게	
morendo	모렌도	점점 느리게 사라지듯이	
smorzando	스모르찬도	차차 꺼져 가는 듯이	
a tempo primo	아 템포 프리모	처음 속도로	
tempo I	템포 프리모	처음 빠르기	
a tempo	아 템포	본래의 빠르기	

빠르기-표 【一標】 명 〖악〗 악곡(樂曲)을 연주하는 빠르기를 나타내는 기호. 대개는 빠르기말로 나타내거나, 더 정확하게는 메트로놈(me-

tronome)의 박자 수로 나타냄. ♩=72 또는 리타르단도(ritardando)를 rit.로 표시하는 따위. 구용어:속도 기호(速度記號).

빠르다 형르불 〔중세:ᄲᆞᄅᆞ다〕 ①행동이 더디지 아니하고 속도가 크다. ¶ 기차는 ~. ↔느리다. ②어떤 과정이나, 하는 동안이 짧다. ¶ 세월이 ~. ③때가 아직 오지 아니하다. 이르다. ¶ 아직 오버를 입기에는 빠르오. ④순서적으로 앞이다. 먼저이다. ¶ 그는 나보다 순서가 ~. ⑤어떤 기준보다 이르다. ¶ 시계가 5분 ~. ↔느리다. ⑥날쌔다. ¶ 눈치가 ~. ⑦첩경(捷徑)의 방법이다. 손쉬운 길이다. ¶ 출세에의 빠른 길. [빠른 바람에 굳센 풀을 안다] 굳은 심지(心志)와 절개는 시련을 겪고 나서 더 뚜렷하게 나타난다는 말.

빠르작-거리다 자타 어떠한 괴롭고 어려운 고비를 헤어나려고 팔 다리를 내저으며 몸을 자꾸 움직이다. 준빠릇거리다. ㅅ바르작거리다. <빠르적거리다. 빠르작-빠르작 부. ——-하다 자타여불

빠르작-대다 자타 빠르작거리다.

빠른 우편물 【一郵便物】 명 우편물 종류의 하나. 접수한 날의 다음날에 배달되는 우편물. 전의 속달 우편 제도가 바뀐 것임. ↔보통 우편물.

빠른 중성자 【一中性子】 명 〔fast neutron〕 〖물〗 속력이 빠른, 즉 수 MeV에 달하는 운동 에너지를 가진 중성자. 핵분열(核分裂)로 갓 생긴 중성자는 거의 빠른 중성자이며, 투과력(透過力)이 강함. 고속(高速) 중성자. ↔느린 중성자.

빠름 명 〖건〗 기둥을 아래로부터 위로 차차 가늘게 하는 양식.

빠릇-거리다 자타 ↗빠르작거리다. 빠릇-빠릇 부. ——-하다 자타여불

빠릇-대다 자타 빠릇거리다.

빠무라기 명 〈방〉 보무라지.

빠빠지 부 〈방〉 빠듯이(함경).

빠수다 타 〈방〉 빻다(충남·전라·경상).

빠이-빠이 〔bye-bye〕 명감 〈소아〉 '잘 가라'·'잘 있어'·'안녕'의 뜻으로 작별할 때 하는 인사의 말.

빠작-빠작 부 ①바싹 마른 물건을 깨물거나 빻는 소리. 또, 그 모양. ②바싹 마른 물건이 타는 소리. 또, 그 모양. ¶ ~ 소리 내며 타오르다. ③마음이 몹시 안타까워 죄이는 모양. 또, 그리 되어 입술이 마르는 모양. ¶ ~ 가슴이 타다. ④진땀이 몹시 돋는 모양. ¶ ~ 진땀이 나다. 1)-4): ㅅ바작바작. 1)-3): <빠적빠적. ——-하다 자여불

빠:장-나다 자 〈방〉 결딴나다(평안).

빠:-지다[1] 자 〔중세:ᄡᅡ디다〕 ①물이나 구덩이 같은 속으로 떨어져 들어가다. ¶ 물에 ~. ②주색이나 못된 데에 마음을 빼앗기다. ¶ 주색에 ~. ③박힌 물건이 떨어지거나 물러나다. ¶ 이가 ~. ④탈락하여 없다. ¶ 명부에서 ~. ⑤괸 물이 흘러 나가다. ¶ 물이 잘 ~. ⑥한 동아리에 들지 못하다. ¶ 명단에서 ~. ⑦기운이 없어지다. ¶ 맥이 ~. ⑧살이 여위어지다. ⑨빛깔·때·김 같은 것이 없어지다. ¶ 얼룩이 ~. ⑩관계한 자리에서 물러나다. ¶ 폭력단에서 ~. ⑪여럿 가운데 다른 것만 못하다. ¶ 인물이 그 중 빠진다. ⑫그럴 듯한 말이나 짓에 속다. ¶ 계략에 ~. ⑬제비에 뽑히다. ¶ 계알이 ~.
[빠진 괴머리] 아무 짝에도 못 쓸 사람의 비유. [빠진 도낏자루] 언행이 횡포하고 무도함을 일컫는 말.

빠:지다[2] 보동보형 다른 동사나 형용사의 '-아'·'-어'에 붙어서 아주 심하게 되거나 심함을 나타내는 말. ¶ 늙어~/ 썩어 빠진 무리들 / 약아 ~. 「<뿌지지. ——-하다 형여불

빠지지 부 뜨거운 쇠붙이에 물기가 조금 닿을 때 나는 소리. ㅅ바지지.

빠지직 부 ①'빠지지' 소리가 급하게 그치는 모양. 또, 그 소리. ②묽은 똥을 급하게 눌 때 되바라지게 나는 소리. 1)·2): ㅅ바지직. <뿌지직. ——-하다 자여불

빠지직-거리다 자 연달아 '빠지직' 소리가 나다. ㅅ바지직거리다. <뿌지직거리다. 빠지직-빠지직 부. ¶ 생나무가 ~ 타다. ——-하다 자여불

빠지직-대다 자 빠지직거리다.

빠:진-골[1] 명 〖지〗 '익곡(溺谷)'의 풀어 쓴 말.

빠:진-골[2] 명 〈방〉 뚫린 골.

빠:진 옹이 명 〖건〗 나무의 옹이가 빠진 자리.

빠:짐-없이 [-업씨] 부 빠진 것이 없이. 하나도 빼놓지 아니하고. 무루(無漏). ¶ 자료를 ~ 갖추다.

빠:짐-표 【一標】 명 글자의 빠진 자리를 보일 때 쓰는 부호. 빠진 글자 하나 대신에 '□'표 하나씩을 씀.

빠찡꼬 〔일 パチンコ〕 명 강철 알을 튀겨서 반면(盤面)에 배치된 소정의 구멍에 들어가면 상품 알이 나와 경품과 교환하게 된 사행성의 유희.

빠치다[1] 타 음식·색 같은 것들을 추잡할 정도로 즐기다. ㅅ바치다[2].

빠:치다[2] 타 ☞빠뜨리다.

빠:-트리다 타 빠뜨리다.

빡구 명 〈방〉 곰보(전라).

빡보 명 〈방〉 곰보(전남).

빡빡[1] 부 ① 얼굴이 몹시 얽은 모양. <뻑뻑[1]. ②머리를 아주 짧게 깎아 버린 모양. ¶ ~ 깎은 중머리. 1)·2):ㅅ박박[2].

빡:빡[2] 부 ①담배를 세게 빠는 모양이나 소리. <뻑뻑[2]. ②몹시 세게 긁거나 문지르는 모양이나 소리. ③얇고 질긴 물건을 잇달아 되바라지게 찢는 모양이나 소리. ④악지를 부리면서 몹시 기를 쓰거나 우기는 모양. 2)-4) : ㅅ박박[1]. <뻑뻑[2].

빡빡-이[1] 부 틀림없이 그러하리라고 짐작되는 뜻을 나타내는 말. 틀림없이. 응당. ㅅ박박이. <뻑뻑이.

빡빡-이[2] 부 빡빡하게. <뻑뻑이[2].

빡빡-하다 형여불 ①물기가 적어서 부드러운 맛이 없다. ¶ 찌개가 너무 ~. ②꼭 끼어서 헐렁하지 아니하다. 빠듯하다. ¶ 빡빡한 신. ③기계·수레바퀴 들이 잘 돌아가지 않다. ¶ 바퀴가 ~. ④이해성이 없고, 두름성이 적다. 1)-4): <뻑뻑하다.

빡작지근-하다 형여불 가슴이나 목구멍 같은 데가 뻐근하게 좀 아픈 느낌이 있다. ¶ 어깨가 ~. <뻑적지근하다. 빡작지근-히 부

빡종 명 〈방〉 곰보(경상).

빡주 명 〈방〉 〖동〗 박쥐(전북).

빡죽 명 〈방〉 밥주걱(경북).

빡:지 명 〈방〉 낚시찌.

빤둥-거리다 자 아무 일도 하지 아니하고 뻔뻔스럽게 놀기만 하다. ¶ 하는 일 없이 ~. ㅅ반둥거리다. ㅆ판둥거리다. <뻔둥거리다. 빤둥-빤둥 부. ——-하다 자여불

빤둥-대다 자 빤둥거리다.

빤드럽다 형ㅂ불 ①거칠지 아니하고 윤기가 나며 매끈매끈하다. ②사람됨이 약아서 어수룩한 맛이 없다. 1)·2):ㅅ반드럽다. <뻔드럽다.

빤드레-하다 형여불 실속 없이 외모(外貌)만 빤드르르하다. ¶ 겉만 ~. ㅅ반드레하다. <뻔드레하다.

빤드르르 부 ①윤기가 있고 매끄러운 모양. ②반지르르하게 깨끗이 잘 차린 모양. 1)·2):ㅅ반드르르. <뻔드르르. ——-하다 형여불

빤득 부 한번 빤득이는 모양. ㅅ반득. <뻔득. *반뜩. ——-하다 자타여불

빤득-거리다 자타 자꾸 빤득이다. ㅅ반득거리다. <뻔득거리다. *반뜩거리다. 빤득-빤득 부. ——-하다 자타여불

빤득-대다 자타 빤득거리다.

빤득-이다 자타 물건의 면이 갑자기 각도를 바꿈에 따라 비치거나 반사(反射)되는 광선(光線)의 비치는 상태가 갑자기 바뀌다. 또, 그렇게 되게 하다. ㅅ반득이다. <뻔득이다. *반뜩이다.

빤들-거리다[1] 자 ①거칠지 아니하고 윤이 나며 매끈매끈하게 되다. ②어수룩한 맛은 조금도 없고 약게만 굴다. ¶ 빤들거리기만 하는 사람. 1)·2):ㅅ반들거리다[1]. <뻔들거리다[1]. 빤들-빤들[1] 부. ——-하다[1] 자형여불

빤들-거리다[2] 자 이리 핑계 저리 핑계 하며 게으르게 놀기만 하다. ㅅ반들거리다[2]. ㅆ판들거리다. <뻔들거리다[2]. 빤들-빤들[2] 부. ——-하다[2] 자여불

빤들-대다[1·2] 자 빤들거리다[1·2].

빤때기 명 〈방〉 널빤지(충북).

빤빤-스럽다 형ㅂ불 빤빤한 태도가 있다. <뻔뻔스럽다. 빤빤-스레 부

빤빤-하다 형여불 ①바닥이나 거죽이 매우 반반하다. ¶ 대패로 빤빤하게 다듬다 / 수염이 조금도 없어 턱이 빤빤한 사람. ㅅ반반하다. ②부끄러워할 만한 일에도 부끄러운 줄을 모르고 예사롭다. <뻔뻔하다. 빤빤-히 부

빤작 부 빤작이는 모양. ㅅ반작[3]. ㅆ빤짝. <뻔적. *반짝. ——-하다 자타여불

빤작-거리다 자타 자꾸 빤작이다. ㅅ반작거리다. ㅆ빤짝거리다. <뻔적거리다. *반짝거리다. 빤작-빤작 부. ——-하다 자타여불

빤작-대다 자타 빤작거리다.

빤작-이다 자타 빛이 잠깐 나타났다가 사라지다. 또, 그리 되게 하다. ¶ 멀리서 불빛이 ~. ㅅ반작이다. ㅆ빤짝이다. <뻔적이다. *반짝이다.

빤주깨미 명 〈방〉 소꿉장난(경북). 「——-하다 형여불

빤지레 부 매끄럽고 윤이 나서 빤지르르한 모양. ㅅ반지레. <뻔지레.

빤지르르 부 ①기름이나 물기 같은 것이 묻어 몹시 매끄럽고 윤이 나는 모양. ②말 따위를 실속은 없이 겉만 몹시 그럴듯하게 하는 모양. ㅅ반지르르. <뻔지르르. ——-하다 형여불

빤질-거리다 자 ①기름이 흠뻑 묻어 윤이 나며 매끈거리다. ②몹시 교활(狡猾)하게 굴다. 1)·2):ㅅ반질거리다. <뻔질거리다. 빤질-빤질 부. ——-하다 자형여불

빤질-대다 자형 빤질거리다.

빤짝 부 빤짝이는 모양. ㅅ반작[3]·반짝[2]·빤작. <뻔쩍. ——-하다 자타여불

빤짝-거리다 자타 자꾸 빤짝이다. ¶ 별이 ~. ㅅ반작거리다·반짝거리다·빤작거리다. <뻔쩍거리다. 빤짝-빤짝 부. ——-하다 자타여불

빤짝-대다 자타 빤짝거리다.

빤짝-이다 자타 빛이 세게 잠깐 나타났다가 사라지다. 또, 그리 되게 하다. ¶ 반딧불이 ~. ㅅ반작이다·반짝이다·빤작이다. <뻔쩍이다.

빤:-하다 형여불 ①어두운 가운데 밝은 빛이 비치어 환하다. ②무슨 일의 내용이 환하게 들여다보이듯이 분명하다. ¶ 빤한 거짓말. ③바쁜 중에 잠깐 틈이 있다. *빤하다. ④병세(病勢)가 조금 회복되어 낫다. 1)-4):ㅅ반하다[4]. <뻔하다[1]. 빤:-히 부 「②〈방〉 뻘.

빨 의명 ①사물이 되어 가는 형편과 모양. ¶ 그 ~로는 아무 소용 없다.

빨가- 간 '빨갛다'의 불규칙 어간. ¶ ~니/~ㄴ. ㅅ발가-. <뻘거-.

빨가-벗기다 타 ①알몸뚱이가 되도록 옷을 죄다 벗기다. <뻘거벗기다. ②재산을 몽땅 없애게 하거나 빼앗아 빈털터리가 되게 하다. 1)·2): ㅅ발가벗기다.

빨가-벗다 자 ①옷을 죄다 벗다. 알몸뚱이가 되다. ¶ 빨가벗은 아이. ②산에 나무나 풀이 없어 흙이 드러나다. ¶ 빨가벗은 산. 1)·2) : ㅅ발가벗다. <뻘거벗다.

빨가-빨갛다 [-가타] 형 〈방〉 새빨갛다.

빨가-송이 명 ☞빨가숭이.

빨가-숭이 명 빨가벗은 알몸뚱이. ㅅ발가숭이. <뻘거숭이.

빨각빨각-하다 자타여불 ☞빠각빠각하다. ¶ 양숙이는 핸드백을 열고 빨각빨각하는 5 백원짜리를 몇 장 세어보지도 않고 꺼내어… ≪康信哉 : 琉璃의 덫≫.

빨각-지다 형 〈방〉 발악스럽다.

빨간 관 어떠한 명사 위에 붙어서 '온통'·'아주' 등의 뜻을 나타내는 말. ¶ ~ 상놈/~ 거짓말. ㅅ발간. <뻘건. *새빨간.

빨간-대구 【一大口】 명 〖어〗 [*Eleginus novaga*] 대구과에 속하는 바닷물고기. 몸은 대구와 비슷하나 가늘고 길며, 대구류 중에서 가장 작은 물고기임. 몸길이는 겨우 25cm 내외이고, 두부(頭部) 역시 가늘고 길며 입은 하위(下位)임. 몸 빛은 등 쪽은 황갈색(黃褐色)으로, 불분명하고 불규칙한 흑색의 그물 무늬를 이루고 있으며 배 쪽은 은백색인데,

아래턱은 위턱보다 작고 짧으며 수염이 뚜렷함. 한류성 어류로 북극으로부터 우리 나라 동해 및 일본 북해 등에 분포함. 겨울에 얼음을 깨고 낚시질로 잡히므로 '빙하어(氷下魚)'라고도 함.

빨간-딱지 명〈속〉①팔기로 약속한 표시로 물건에 붙이는 쪽지. 또, 그 물건. 적찰(赤札). ②압류한 물건에 붙이는 표시. ③징소집 영장(徵召集令狀). ④교통 순경이 교통 법규 위반자에게 떼어 주는 처벌의 서류. 스티커(sticker). 3)·4):준딱지.

빨간-씬벵이 명〖어〗[*Antennarius tridens*] 씬벵잇과에 속하는 바닷물고기. 몸의 길이 10 cm 가량으로 몽뚝하며 가슴이 불뚝하여 모양이 없음. 피부에 작은 가시가 많이 밀포하고 있음. 입은 위를 향하고 가슴지느러미와 배지느러미는 짧고 작아서 바다 밑을 기기에 적합함. 몸빛은 청담회색 바탕에 부정형의 흑색 무늬가 있고 때로는 적색 바탕에 적색의 큰 무늬를 몇 개 가진 것도 있음. 한국 서남부해 특히, 부산·제주도 근해에 흔하고, 동남지나해·일본 중부 이남의 내만 바다 밑에 서식함. 개체 변화의 연구 재료로 귀중한 물고기이나 식용은 되지 아니함.

〈빨간씬벵이〉

빨간-양태 명〖어〗[*Bembras japonicus*] 빨간양탯과에 속하는 바닷물고기. 몸은 길이 25 cm 가량으로 길쭉하고 배 쪽이 평평하며 머리는 측편함. 몸빛은 황적색 바탕에 배 쪽이 담색인데, 등 쪽과 등지느러미에 작은 흑갈색 점이 산재하며 꼬리지느러미 끝에 눈알보다 조금 큰 담흑색 무늬가 있음. 부레가 없으며 비늘이 큼직함. 제주도·일본 중부 이남과 중국 연해에 분포함. 식용함.

〈빨간양태〉

빨간양탯-과【一科】 명〖어〗[Bembridae] 둑중개목(目)에 속하는 어류의 한 과. 이 과에 속하는 것으로 빨간양태 하나가 알려져 있음.

빨간-책【一册】 명〈속〉〔흔히 빨간 종이에 인쇄되어 있으므로〕외설(猥褻) 서적.

빨간-횟대 명〖어〗[*Alcichthys alcicornis*] 둑중갯과에 속하는 바닷물고기. 몸은 가늘고 길며 약 40 cm에 적갈색(赤褐色)을 띰. 우리 나라 동해 북부와 일본 북해 연해에 분포함. 식용하나 맛이 없음.

빨강 명 빨간 빛깔이나 물감. ㅅ발강. <뻘경.

빨강-고동색【一古銅色】 명 적갈색(赤褐色).

빨강-무지기 명 끝에만 빨간 물을 들인 무지기.

빨강-부치 명〖어〗[*Halieutaea stellata*] 부칫과에 속하는 바닷물고기. 몸길이 20 cm 가량으로 원형에 가깝고, 머리는 폭이 넓고 몹시 크며 거의 원형에 가까움. 주둥이는 둥글고 꼬리는 가늘며 피부에 작은 별 모양의 가시가 돋쳤음. 몸 빛은 전체가 붉음. 심해성(深海性) 어종으로 한국 서남 연해·일본 중부 이남 및 서해에 분포함. 그다지 흔하지 아니한 어류임.

빨강-불가사리 명〖동〗[*Certonardoa semiregularis*] 빨강불가사릿과에 속하는 불가사리의 하나. 다섯 개의 복(輻)이 있으며, 복경(輻徑)은 9 cm 가량이고, 팔은 원형임. 측보대판(側步帶板)에 따라서 대여섯 개의 가시가 있고 팔 위의 판(板)은 규칙적으로 종횡으로 나열되어 있음. 몸빛은 일률적으로 등적색(橙赤色)이며, 산란기는 6월경임. 얕은 모래나 진흙 위에 군생(群生)하는데, 우리 나라와 일본 태평양 연안 등지에 분포함.

빨강불가사릿-과【一科】 명〖동〗[Linckiidae] 불가사리류에 속하는 한 과.

빨강-이 명 ①빨간 빛깔의 물건. ㅅ발강이. <뻘겅이. ②☞빨갱이❸.

빨강-자주【一紫朱】 명 빨간 색이 짙은 자줏빛.

빨갛다 [一가타] 형ㅎ불 진하고도 곱게 붉다. ㅅ발갛다. <뻘겋다.

[빨간 상놈 푸른 양반] 모든 것을 드러내 놓고 마구 사는 상놈과 서슬이 푸르게 점잔을 빼는 양반을 대비시켜 이르는 말.

빨개 준 '빨갛아'가 줄어 변하여 된 말. ¶~ 가지고/~지다. ㅅ발개. <뻘게.

빨개-지다 자 빨갛게 되다. ㅅ발개지다. <뻘게지다.

빨갱이 명 ①☞빨강이❶. ②〖어〗[*Ctenotrypauchen microcephalus*] 꽃개소경과에 속하는 바닷물고기. 몸의 길이 15 cm 가량으로 눈이 작으며 등지느러미와 뒷지느러미는 머리 근방에서 시작하여 꼬리지느러미와 서로 연락되어 있음. 흡반(吸盤)의 뒤쪽은 두 가닥으로 분리되어 있으며 몸빛은 적색을 띤 황색임. 함수 및 기수(汽水) 어종으로 한국 서남 연해 및 하구, 남일본·동인도·남아프리카 등지에 분포함. ③ 공산주의나 공산주의자를 가리키는 말. 레드(red).

빨그대대-하다 형여불 좀 야하고 천하게 빨그스름하다. ㅅ발그대대하다. <뻘그데데하다.

빨그댕댕-하다 형여불 격에 맞지 아니하게 빨그스름하다. ㅅ발그댕댕하다. <뻘그뎅뎅하다.

빨그름-하다 형여불 ↗빨그스름하다. ㅅ발그름하다. <뻘그름하다. **빨그름-히** 부

빨그-스레 부 빨그스름하게. ㅅ발그스레. <뻘그스레. ——-하다 형여불 빨그스름하다.

빨그스름-하다 형여불 표준 정도에 못 미치게 조금 붉다. 준빨그름하다. ㅅ발그스름하다. <뻘그스름하다. **빨그스름-히** 부

빨그족족-하다 형여불 빛깔이 고르지 못하고 칙칙하게 빨그스름하다. ㅅ발그족족하다. <뻘그죽죽하다.

빨긋-빨긋 부 붉은 점이 곱게 군데군데 박힌 모양. 점점이 빨간 모양. ㅅ발긋발긋. <뻘긋뻘긋. ——-하다 형여불

빨깍 부 ①기운이 갑자기 솟아오르는 모양. ¶~ 울화통이 치밀다. ②무엇이 갑자기 뒤집히는 모양. ¶집안이 ~ 뒤집히다. 1)·2):ㅅ발깍. <뻘꺽.

빨끈 부 ①걸핏하면 발칵 성을 내는 모양. ¶~ 성을 내다. ②뒤집어 엎을 듯이 시끄러운 모양. 1)·2):ㅅ발끈. <뻘끈. ——-하다 자여불

빨끈-거리다 자 걸핏하면 성을 발칵 내다. ㅅ발끈거리다. <뻘끈거리다. **빨끈-빨끈** 부. ——-하다 자여불

빨끈-대다 자 빨끈거리다.

빨-낚시 [一락一] 명 낚시질 재간의 하나. 떡밥 주위에 낚시 바늘을 늘어뜨려, 물고기가 떡밥을 먹을 때 이 바늘도 함께 빨아들여 삼키므로, 그 때 낚아채어 올림. 주로 잉어 낚시·숭어 낚시에 쓰임.

빨다[1] 타〔중세 : 쌀다〕①입술과 혀에 힘을 주어 입 속으로 당기어 들어오게 하다. ¶젖을 ~. ②기계의 힘으로 속에 있는 물 같은 것을 겉으로 뽑아내다. ③속으로 배겨나 스미어 들게 하다.

빨다[2] 타〔중세 : 쌀다〕옷이나 천 등을 물 속에 넣어 때를 빼다. ¶옷을 ~.

[빨아 다린 체 말고 진솔로 있거라] 옷을 빨아 다렸더라도 그런 내색을 하지 말고 진솔같이 그대로 있어라, 본래의 면목을 유지하여 순수성을 지니라는 말.

빨다[3] 타〈방〉훔쳐보다(평안).

빨다[4] 형 끝이 차차 가늘어서 뾰족하다. ¶이마에서 거의 삼각형을 이루며 내려간 빤 하관이 약간 움직였다《黃順元 : 카인의 후예》.

빨-대 [一때] 명 물 같은 것을 빨아먹는 가는 대. 스트로(straw). *대롱.

빨대(를) 놓다 구〈방〉빨대(를) 대다㉡.

빨대(를) 대다 구 ㉠물 같은 것을 빨아 먹기 위하여 가는 대통을 대다. ㉡〈속〉비유적으로 쓰여서, 남에게 등을 대고 빨아먹다.

빨딱 부 ①갑자기 급하게 일어나는 모양. ②갑자기 뒤로 자빠지는 모양. 1)·2):ㅅ발딱. <뻘떡.

빨딱-거리다 자 ①맥이 힘있게 뛰다. ②가슴이 세차게 두근거리다. ③물 같은 것을 힘있게 들이마시다. ④겨우 힘이날 만큼 자란 아이가 그 힘을 부리고 싶어서 못 참아하다. 1)-4):ㅅ발딱거리다. <뻘떡거리다. **빨딱-빨딱** 부. ——-하다 자여불

빨딱-대다 자 빨딱거리다.

빨똥 명〈방〉물부리(함경).

빨뛩이 명〈방〉물부리(평안).

빨뜽이 명〈방〉물부리(평북).

빨랑 부〈방〉빨리(전남).

빨랑-거리다 자 가뿐가뿐하고도 민첩하게 행동하다. ㅅ발랑거리다. <뻘렁거리다. **빨랑-빨랑** 부. ——-하다 자여불

빨랑-대다 자 빨랑거리다.

빨래 명 ①더러운 옷이나 피륙 같은 것을 물에 넣어 빨아 내는 일. 세답(洗踏). 세탁(洗濯). ②빨기 위하여 벗어 놓은 옷이나 피륙 같은 것. 빨랫감. ¶~가 밀리다. ③빨아 놓은 옷이나 피륙. ④〈방〉개짐. ——-하다 자여불

[빨래 이웃은 안 한다] 빨래할 때 가까이 있으면 구정물이나 튀지 좋은 일은 없다는 말.

빨래 곤지미 명〈방〉바지랑대(강원).

빨래-꾼 명 빨래하는 사람.

빨래-장때 명〈방〉바지랑대(강원).

빨래-장사 명〈방〉마전쟁이.

빨래-질 명 빨래하는 일. ——-하다 자여불

빨래-터 명 시내나 샘터 같은 곳의 빨래하는 장소.

빨래-판【一板】 명 빨래할 때 쓰는 판. 넓적한 나무판을 물결같이 울툭불툭하게 파 놓았음. 세탁판.

빨래-품 명 빨래를 하여 주고 삯을 받는 일.

빨랫-간【一間】 명 빨래를 하기 위하여 설비해 놓은 칸. 세탁실(洗濯室).

빨랫-감 명 빨래할 옷이나 피륙 따위. 세탁물. ¶~이 쌓이다.

빨랫-돌 명 ①빨래할 때에 빨래를 올리어 놓고 문지르기도 하고 두드리기도 하게 된 넓적한 돌. ②〈방〉다듬잇돌.

빨랫-말미 명 긴 장마 중에 날이 잠깐 들어서 옷을 빨아 말릴 만한 겨를.

빨랫-방망이 명 빨래를 두드리어서 빠는 방망이. 넓적하고 기름한 나무로 등마루가 지고 제물 자루가 달리었음.

빨랫-방추 명〈방〉빨랫방망이.

빨랫-비누 명 빨래에 쓰는 비누. 세탁비누. *세숫비누.

빨랫-솔 명 빨래할 때에 쓰는 솔.

빨랫-줄 명 빨래를 널어 말리는 줄.

빨리 부 빠르게. 냉큼. ¶~ 오너라. ↔천천히. ——-하다 타여불

[빨리 먹은 콩밥 똥 눌 때 보자 한다] ㉠일을 어떻게 하거나 반드시 그 결과로서 나타난다는 말. ㉡무슨 일이나 급히 하면 탈이 생긴다는 말.

[빨리 알기는 칠월 귀뚜라미라] 음력 칠월만 되면 울기 시작하는 가을 귀뚜라미처럼 영리하고 눈치 빠름을 이르는 말.

빨리다[1] ㊀ 피동 빨아먹음을 당하다. ¶있는 돈을 몽땅 ~. ㊁ 사동 빨아먹도록 하다. 빨게 하다. ¶아이에게 젖을 ~.

빨리다[2] ㊀ 피동 빨래가 빪을 당하다. ㊁ 사동 빨래를 빨게 하다.

빨리-빨리 부 아주 빠르게. ¶일을 ~ 하라/~ 서둘러라.

빨-병【一甁】[一뼝] 명 ①먹는 물을 담아 가지고 다니며 마시게 된, 병 같이 생긴 그릇. 끈이 달리어 있어 메고 다닐 수 있게 되었는데, 등산·소풍을 갈 때에 흔히 사용함. 수통(水筒). 물통. ②보온병(保溫甁).

빨-부리 [一뿌一] 명 물부리.

빨빨 부 ①바쁘게 쏘다니는 모양. ②땀을 급하게 많이 흘리는 모양. ¶땀을 ~ 흘리다. 1)·2):<뻘뻘.

빨빨-거리다 자 바쁘게 빨빨 쏘다니다. ¶어딜 그리 빨빨거리고 다니느냐.

빨빨-대다 자 빨빨거리다.

빨아-내다 타 속에 있는 것을 빨아서 나오게 하다. ¶고름을 ~.

빨아-당기다 타 빨아서 가까이 당기다.

빨아-들이다 타 빨아서 속으로 들어오게 하다. ¶ 해면이 물을 ~.
빨아-먹다 타 ①대롱이나 입을 대어 액체를 쭉쭉 들이마시다. ¶ 젖을 ~. ②단단한 음식물을 씹지 아니하고 입술과 혀로 녹여서 마시다. ¶ 사탕을 ~. ③남의 것을 우려내어 제 것을 만들다. ¶ 백성의 피를 ~.
빨아-올리다 타 밑에 있는 것을 빨아서 위로 올라오게 하다. ¶ 물을 ~.
빨주 [—쭈] 명 〈방〉 〖동〗 박쥐(강원·함남·경북).
빨:쥐 [—쮜] 명 〈방〉 〖동〗 박쥐(경북·황해·함경).
빨지 [—찌] 명 〈방〉 〖동〗 박쥐(경북).
빨짱-지다 형 〈방〉 발악스럽다.
빨쪽-거리다 자타 무엇이 열렸다 닫혔다 하여 그 속의 것이 보였다 안 보였다 하다. 또, 그리 되게 하다. ㅅ발쪽거리다. <뻘쭉거리다. **빨쪽-빨쪽** 부. ——-하다 자타여불
빨쪽-대다 자타 빨쪽거리다.
빨쪽-이 부 빨쪽하게. ㅅ발쪽이. <뻘쭉이.
빨쪽-하다 형여불 좁고 길게 발려져서 쳐들려 있다. ㅅ발쪽하다. <뻘쭉하다.
빨쭈리 명 〈방〉 물부리(충남·전북·황해·평남).
빨찌 명 〈방〉 발제(髮際)(강원·경북).
빨치 명 〈방〉 발제(髮際)(경북).
빨치산 명 〔러 partizan〕 주로 노동자·농민 등으로 조직된 비정규군(非正規軍). 유격전(遊擊戰)을 벌임. 특히, 우리 나라에서는 6·25 전쟁 전후에 각지에서 준동(蠢動)했던 공산 게릴라를 일컬음. 파르티잔. 유격대(遊擊隊).
빨-판 명 〖동〗 '흡반(吸盤)'의 풀어쓴 말.
빨판-상어 명 〖어〗 [*Echeneis naucrates*] 빨판상어과에 속하는 바닷물고기. 몸은 길이 30-40 cm 가량으로 가느다랗게 길고 머리 위에는 제일 등지느러미가 변형한 달걀꼴의 흡반이 형성되어 있음. 아래턱이 돌출되어 있고 꼬리자루는 가는데 몸 빛은 등 쪽이 담갈색, 배 쪽은 암색이며 체측 중앙에 폭넓은 암색 세로띠가 있고 그 양쪽은 흰 빛으로 구분되어 있음. 대양을 회유하는 다른 큰 물고기나 배의 바닥에 붙어서 독립적 생활을 영위하는데, 한국 및 전세계의 온대와 열대 연해에 널리 분포함. 식용함.

〈빨판상어〉

빨판상어-과 【—科】 [—꽈] 명 〖어〗 [Echeneidae] 빨판상어목에 속하는 어류의 한 과. 이 과에 속하는 어종으로 빨판상어·대빨판이 등이 있음.
빨판상어-목 【—目】 명 〖어〗 [Echeneida] 경골 어류에 속하는 한 목. 이 목에 속하는 것으로 빨판상어과가 있음.
빨-펌프 명 〔suction pump〕 펌프의 한 가지. 피스톤에 날름판이 있어서 밑으로 누르면 판이 열리어 물이 위로 올라오고 올리면 판이 막히면서 옆으로 흐르게 됨. *밀펌프.
빰[1] 명 〈방〉 뼘(경남).
빰:[2] 명 〈방〉 뺨❶(경기·전라·경상·함남).
빰-따구 명 〈방〉 뺨따귀(전남).
빰-때기 명 〈방〉 뺨따귀(전라·경남).
빰장어 명 〈방〉 〖어〗 뱀장어(경남).
빰짝 명 〈방〉 뺨❶(경남).
빳빳-이 부 빳빳하게. ¶ 고개를 ~ 세우다. <뻣뻣이.
 빳빳이 굶다 구 먹을 것이 없거나 먹고 싶지 아니하여 아주 굶다.
빳빳-하다 형여불 ①단단하고 꿋꿋하다. ¶ 빳빳한 종이. ②풀기가 세다. ¶ 여름엔 빳빳한 옷이 좋소. 1)·2):<뻣뻣하다.
빵[1] 〔포 pão〕 명 ①밀가루를 주원료로 하여 소금·설탕·버터·효모종(酵母種) 등을 섞어 반죽하여 발효시킨 뒤에 불에 굽거나 찐 음식. 서양 사람들의 주음식임. 면보(麪麭). ②생활에 필요한 양식(糧食). ¶ ~만으로는 살 수 없다.
빵[2] 부 ①갑자기 어떠한 것이 터지는 소리. ②공을 세차게 차는 모양. ③구멍이 뚫어진 모양. 1)-3):ㅆ팡. <뻥[2].
빵-가루 [—까—] 명 ①빵 제조의 원료가 되는 밀가루. ②빵을 잘게 부수어 가루처럼 만든 것.
빵구다 타 〈방〉 빻다(충남·전북).
빵그레 부 입만 약간 벌리고 소리 없이 예쁘게 웃는 모양. ㅅ방그레. <뻥그레.
빵글 부 소리 없이 입만 약간 벌리고 귀엽게 웃는 모양. ㅅ방글. <뻥글.
빵글-거리다 자 연달아 빵글 웃다. ㅅ방글거리다. <뻥글거리다. **빵글-빵글** 부. ——-하다 자여불
빵글-대다 자 빵글거리다.
빵긋 부 소리 없이 입만 벌리고 살짝 웃는 모양. ¶ ~ 웃는 월계꽃. ㅅ방긋. ㅆ빵끗. <뻥긋. ——-하다[1] 자여불
빵긋-거리다 자 연달아 빵긋 웃다. ㅅ방긋거리다. ㅆ빵끗거리다. <뻥긋거리다. **빵긋-빵긋**[1] 부. ——-하다[1] 자여불
빵긋-대다 자 빵긋거리다.
빵긋-빵긋[2] 부 모두 빵긋한 모양. ㅅ방긋방긋[2]. ㅆ빵끗빵끗[2]. <뻥긋뻥긋[2]. ——-하다[2] 형여불
빵긋-이 부 빵긋하게. ㅅ방긋이. ㅆ빵끗이. <뻥긋이.
빵긋-하다[2] 형여불 조금 열려 있다. 살짝 벌려 있다. ㅅ방긋하다[2]. ㅆ빵끗하다[2]. <뻥긋하다[2].
빵깐 명 〈비〉 〔'감방(監房)'의 도어(倒語)의 변한 말〕 감방(監房)의 변말.
빵깨 명 〈방〉 소꿉장난(경북).
빵깽이 명 〈방〉 소꿉장난(경북).
빵꽃 공예 【—工藝】 명 녹말성(性)의 빵가루 등을 사용하여 꽃·과일·인형 등 갖가지 물체를 빚어 굳히는 수공예(手工藝)의 하나. 액세서리·실내 장식에 응용됨.
빵꾸 명 〔puncture〕 〈속〉 ①'펑크'의 예스러운 말. ②처녀가 정조를 잃음.
 빵꾸(가) 나다 구 〈속〉 ㉠펑크(가) 나다. ¶ 간 게 다 무어요. 계가 빵꾸나서 도망질을 쳤다우《洪盛原 : 막차로 온 손님들》. ㉡처녀가 정조를 잃다. ¶ 빵꾸난 여자. ㉢양말 따위에 구멍이 나다.

빵끗 부 소리 없이 입만 예쁘게 벌리고 살짝 웃는 모양. ㅅ방긋·방끗·빵긋. <뻥끗. ——-하다[1] 자여불
빵끗-거리다 자 소리 없이 연달아 빵끗 웃다. ㅅ방긋거리다·방끗거리다·빵긋거리다. <뻥끗거리다. **빵끗-빵끗**[1] 부. ——-하다[1] 자여불
빵끗-대다 자 빵끗거리다.
빵끗-빵끗[2] 부 ①모두 빵끗한 모양. ②빵끗거리는 모양. 1)·2):ㅅ방긋방긋[2]·방끗방끗[2]·빵긋빵긋[2]. <뻥끗뻥끗[2]. ——-하다[2] 형여불
빵끗-이 부 빵끗하게. ㅅ방긋이·방끗이·빵긋이. <뻥끗이.
빵끗-하다[2] 형여불 조금 열려 있다. 살짝 벌려 있다. ㅅ방긋하다[2]·방끗하다[2]·빵긋하다[2]. <뻥끗하다[2].
빵-나무 명 〖식〗 [*Artocarpus communis*] 뽕나뭇과의 상록 과수(果樹). 가지는 굵고, 잎은 크고 두터우며 짙은 녹색의 광택이 나는 혁질(革質)로서 길이는 40-80 cm. 꽃은 작아 눈에 잘 뜨이지 아니하고 꽃이삭에 붙어 있는데, 수꽃이삭은 길이 1.5 cm, 폭 2-3 cm 정도임. 암꽃이삭이 자란 열매는 타원형으로 길이 15-20 cm 인데, 황색을 띠며 가시 모양의 돌기(突起)가 밀생함. 씨는 둥글고 2-2.5 cm 이며 그것을 싸고 있는 섬유질의 과육(果肉)과 함께 구워서 식용함. 태평양 상의 섬이 원산지인데 열대 지방에서 널리 재배됨.

〈빵나무〉

빵-따냄 명 바둑에서, 빵때림으로 상대방의 돌을 따내는 일.
 [빵따냄은 삼십 집] 빵따냄의 위력이 30 집의 실리(實利)에 상당할 정도로 크다는 바둑 속담.
빵-때림 명 바둑에서, 네 개의 돌로 상대방의 돌 한 점을 둘러싸서 때려냄. 또, 그러한 형세. ——-하다 자여불
빵-떡 명 〈속〉 빵《주로, 둥근 빵을 이름》.
빵떡-모자 【—帽子】 명 〈속〉 '베레모'의 딴이름.
빵-빵[1] 부 ①무엇이 요란하게 연달아 터지는 소리. ②공 따위를 세차게 연달아 차는 소리. ③구멍이 여러 개 뚫어진 모양. ¶ 구멍이 ~ 뚫린 연뿌리. 1)-3):ㅆ팡팡. <뻥뻥.
빵빵[2] 부 자동차 따위가 연해 경적을 울리는 소리. <뻥뻥.
빵빵-거리다 자타 자동차 따위가 연해 경적을 울리는 소리를 내다. <뻥뻥거리다. *뽕뽕거리다.
빵빵-대다 자타 빵빵거리다.
빵시레 부 소리 없이 입만 약간 벌리어 평화스럽고 예쁘게 웃는 모양. ㅅ방시레. <뻥시레.
빵실-거리다 자 소리 없이 입만 벌리어 평화스럽고 예쁘게 자꾸 웃다. ㅅ방실거리다. <뻥실거리다. **빵실-빵실** 부. ——-하다 자여불
빵실-대다 자 빵실거리다.
빵싯 부 소리 없이 입을 살며시 벌리어 만족스럽고 예쁘게 웃는 모양. ㅅ방싯. <뻥싯. ——-하다 자여불
빵싯-거리다 자 소리 없이 입만 벌리어 만족스럽고 예쁘게 자꾸 웃다. ㅅ방싯거리다. <뻥싯거리다. **빵싯-빵싯** 부. ——-하다 자여불
빵싯-대다 자 빵싯거리다.
빵싯-이 부 소리 없이 입을 예쁘게 벌리어 가볍게 웃는 모양. ㅅ방싯이. <뻥싯이.
빵이 명 〈방〉 팽이.
빵-점 【—點】 [—쩜] 명 〈속〉 영점(零點)❶. ¶ 수학 시험에서 ~을 맞다.
빵지 부 〈방〉 빨리(황해).
빵-집 [—찝] 명 빵을 만들어 파는 가게.
빵-효모 【—酵母】 명 〔baker's yeast〕 빵만드는 데 쓰이는 공업용 효모. 수종(數種)의 사카로미세스 세레비시에(*Saccharomyces cerevisiae*)의 건조 세포로 만들어지며 알코올 발효가 극히 강함.
빻:다 [빠타] 타 짓찧어서 가루로 만들다.
빼[1] 명 〈방〉 뼈(전남·경상).
빼:[2] 부 ①어린 아이의 우는 소리. ②피리 같은 것을 부는 소리. 1)·2):<삐.
빼가닥 부 ☞빼각. ——-하다 자여불
빼가닥-거리다 자타 ☞빼각거리다. **빼가닥-빼가닥** 부. ——-하다 자타여불
빼각 부 딴딴한 물건끼리 서로 되게 마찰되어 나는 소리. ㅅ배각. ㅆ빼깍. <삐걱. ——-하다 자타여불
빼각-거리다 자타 자꾸 빼각 소리를 내다. 또, 그 소리가 나다. ㅅ배각거리다. ㅆ빼깍거리다. <삐걱거리다. **빼각-빼각** 부. ——-하다 자타여불
빼각-대다 자타 빼각거리다.
빼곡-이 부 빼곡하게.
빼곡-하다 형여불 빽빽하게 차곡차곡 포개져 있다.
빼기[1] 명 〈방〉 서랍(평북).
빼:기[2] 명 〖수〗 빼는 일. 감(減). ↔더하기·보태기[1].
빼:기[3] 명 〈방〉 병아리(경북).
빼:-깃 명 매의 꽁지 위에 표하기 위하여 덧꽂는 새의 깃. 표령(飄翎).
빼까닥 부 ☞빼깍. ——-하다 자여불
빼까닥-거리다 자타 ☞빼깍거리다. **빼까닥-빼까닥** 부. ——-하다 자타여불
빼깍 부 딴딴한 물건끼리 서로 되게 마찰되어 나는 소리. ㅅ배각·빼각. <삐꺽. ——-하다 자타여불
빼깍-거리다 자타 자꾸 빼깍 소리가 나다. 또, 자꾸 그런 소리를 내다. ㅅ배각거리다·빼각거리다. <삐꺽거리다. **빼깍-빼깍** 부. ——-하다 자타여불
빼깍-대다 자타 빼깍거리다.
빼깐 명 〈방〉 서랍(전남).
빼꼼-하다 형여불 ☞빠끔하다. ¶ 얼굴 전체에 붕대를 감아서 눈만 빼꼼하니 내어놓았다《李無影 : 사랑의 화첩》.
빼꼼-히 부 ☞빠끔히. ¶ 닫혀 있던 옆방의 문이 조심조심 ~ 열렸다《金承鈺 : 내가 훔친 여름》.
빼끗 부 ①맞추어 낄 물건이 서로 맞지 아니하여 어긋나는 모양. ②일이

될 듯 될 듯하면서도 잘 되지 아니하는 모양. 또, 잘못하여 일이 어긋나서 되지 아니하는 모양. 1)·2):ㅅ배꿋. <삐꿋. ——-하다 [자][여불]

빼꿋-거리다 [자] ①맞추어 낄 물건이 서로 맞지 아니하여 자꾸 어긋나다. ②일이 될 듯 될 듯하면서도 잘 되지 아니하다. 1)·2):ㅅ배꿋거리다. <삐꿋거리다. **빼꿋-빼꿋** [부]. ——-하다 [자][여불]

빼꿋-대다 [자] 빼꿋거리다.

빼:-나다 [형] ↗빼어나다.

빼남 [명] 〈방〉 서랍.

빼:-내다 [타] 〔←빼어 내다〕 ①박힌 것을 뽑다. ¶ 가시를 ~. ②여럿 가운데에서 필요한 것 또는 불필요한 것만을 골라 내다. ¶ 더러운 것만 ~. ③남의 물건을 돌려 내다. ¶ 서랍에서 돈을 ~. ④남을 꾀어서 어떤 곳에 나오게 하다. ¶ 남의 집 가정부를 ~. ⑤얽매인 몸을 자유롭게 해 주다. ¶ 유치장에서 ~. ⑥연을 날릴 때 적의 공격을 피하려고 안전한 곳으로 끌어 내다.

빼:-놓다 [—노타] [타] 〔←빼어 놓다〕 ①한 총중에 들어야 할 사람·물건을 못 들게하다. 내놓다. ¶ 나만 빼놓고 구경가기냐. ②꽂히거나 박힌 것을 뽑아 놓다. ③여럿 가운데 어떤 것을 골라서 내어 놓다. ¶ 후일의 증거물로 빼놓은 사진.

빼:다[1] [자] ↗내빼다. ¶ 시간 중에 빼는 학생. 「쪽 ~.

빼:다[2] [자] 〈속〉 반지르르하게 차려 입다. 옷을 매끈하게 차리다. ¶ 한 벌

빼:다[3] [타] 〔중세 : 빼다〕 ①속에 들어 있는 것을 뽑아서 밖으로 나오게 하다. ¶ 바람을 ~/못을 ~/권총을 ~. ②덜어 내다. ¶ 세금을 뺀 나머지 돈. ↔더하다. ③어떤 데서 필요 없는 것을 없애다. 제거하다. 제외하다. ¶ 갑을 빼고 을을 넣다/때를 ~. ④힘·기운 따위를 써서 없애다. ¶ 힘을 ~. ⑤목·목소리 따위를 길게 뽑다. ¶ 닭이 목을 빼고 운다/목청을 길게 빼며 노래하다. 「있다.

빼:도 박도 못: 하다 [구] 이럴 수도 저럴 수도 없는 난처한 처지에 빠져

빼:다[4] [타] ①짐짓 행동이나 태도를 꾸미다. ¶ 점잔을 ~. ②책임 같은 것을 회피하여 물러나다. ¶ 발을 빼려고 애쓰다/꽁무니를 ~.

빼-다구 [명] 〈방〉 뼈다귀(전남).

빼다리 [명] 〈방〉 서랍(전북).

빼:-닫이 [—다지] [명] 〈방〉 서랍(경상·전라·충남·강원).

빼담 [명] 〈방〉 서랍(경남). 「밖으로 길게 내밀게 한 도리.

빼:-도리[1] [명] 〖건〗 풍판(風板)이 의지하도록 뱃집의 양쪽 기둥에 얹어

빼:도리[2] [명] 사물의 짜임새를 고르기 위하여 요리조리 변통하는 일.

빼도리[3] [명] 〈방〉 서랍(전북). ㄴ——-하다 [타][여불]

빼:-돌리다 [타] 사람 또는 물건을 슬쩍 빼내어 다른 곳으로 보내다. 남이 모르는 곳에 감추어 두다. ¶ 살림을 친정으로 ~/식모를 ~.

빼두리 [명] 〈방〉 서랍(전북).

빼드득 [부] ☞빠드득.

빼드득-거리다 [자][타] ☞빠드득거리다.

빼딱-거리다 [자] 물건이 배스듬하게 이리저리 자꾸 갸울어지다. ㅅ배딱거리다. <삐딱거리다. **빼딱-빼딱** [부]. ——-하다 [자][형][여불]

빼딱-대다 [자] 빼딱거리다.

빼딱-이 [부] 빼딱하게. ㅅ배딱이. <삐딱이.

빼딱-하다 [형][여불] 한쪽으로 조금 비뚤어져 있다. ㅅ배딱하다. <삐딱

빼뚜로 [부] 빼뚤어지게. ㅅ배뚜로. <삐뚜로. ㄴ하다.

빼뚜름-하다 [형][여불] 한쪽으로 조금 빼뚤어져 있다. ¶ 모자를 빼뚜름하게 쓰다. ㅅ배뚜름하다. <삐뚜름하다. **빼뚜름-히** [부]

빼뚝-거리다 [자] ①한쪽이 낮아 약간 흔들거리다. ②한 다리가 짧거나 바닥이 고르지 못하여 기우뚱거리며 걷다. 1)·2):ㅅ배뚝거리다. <삐뚝거리다. **빼뚝-빼뚝** [부]. ——-하다 [자][여불]

빼뚝-대다 [자] 빼뚝거리다.

빼뚤-거리다 [자] ①기울어서 이리저리 자꾸 흔들거리다. ②곧지 못하고 이리저리 꼬부라지다. 1)·2):ㅅ배뚤거리다. <삐뚤거리다. **빼뚤-빼뚤** [부]. ——-하다 [자][형][여불]

빼뚤다 [형] 바르지 못하고 한쪽으로 약간 치우쳐 있다. ㅅ배뚤다. <삐뚤

빼뚤-대다 [자] 빼뚤거리다. ㄴ다.

빼뚤어-지다 [자] ①중심을 잃고 한쪽으로 기울어지다. ②반듯하거나 꼿꼿하지 못하고 한쪽으로 쏠리다. ③마음이 바르지 못하고 비꼬이다. ¶ 빼뚤어진 마음을 고쳐라. ④성이 나서 뒤틀어지다. 1)-4):ㅅ배뚤어지다. <삐뚤어지다. 「뚤어진 사람. 1)·2): <삐뚤이.

빼뚤-이 [명] ①몸의 어느 부분이 기형적으로 빼뚤어진 사람. ②마음이 빼

빼:-뜨리다 [자] 〈속〉 반지르르하게 차려 입다. '빼다[2]'를 강조해서 쓰는

빼:-트리다 [자] 빼뜨리다. ㄴ말. ¶ 쪽 빼뜨린 신사.

빼:뜰다 [타] 〈방〉 빼앗다.

빼라지 [명] 〈방〉 서랍(전남).

빼:람 [명] 〈방〉 서랍(평안·황해).

빼:랍 [명] 〈방〉 서랍(황해·전북).

빼리 [명] 〈방〉 팽이(함북).

빼:-먹다 [타] 〔←빼어 먹다〕 ①꼬치에 꿴 것을 뽑아 먹다. ¶ 곶감 빼먹듯. ②말이나 글의 구절 같은 것을 빠뜨리다. ¶ 말을 ~. ③꼭 해야 할 일을 게을리하고 안 하다. ¶ 수업을 ~. ④남의 물건을 돌려 내서 가지다.

빼:-물다 [자][타] 〔←빼어 물다〕 ①거만한 태도로 또는 성난 태도로 입을 뿌루퉁하게 내밀다. ②혀를 입 밖으로 늘어뜨리다. ③〈방〉뼈물다.

빼:-박다 [타] ☞ 빼쏘다.

빼배 [명] 〈방〉 서랍(함경).

빼비 [명] 〈방〉 서랍(전라·경상·함경). 「모양. ¶ ~ 마르다. <삐삐[2].

빼빼[1] ㊀ [명] 〈속〉 말라깽이. ¶ 요 ~야. ㊁ [부] 살가죽이 배틀리도록 여윈

빼:-빼[2] [부] ①갓난아이의 찌르듯이 우는 소리. ②피리 따위를 시끄럽게 자꾸 부는 소리. 1)·2): <삐삐[3]. *삐빼.

빼뿌쟁이 [명] 〈방〉 〖식〗 질경이.

빼:-쏘다 [타] 아무의 얼굴을 꼭 닮다. ¶ 어머니를 ~.

빼-앗기다 [피동] 빼앗음을 당하다. ㊟뺏기다.

빼-앗다 [타] ①남이 가진 물건을 억지로 제것으로 만들다. ②남의 일이나 지위·시간 같은 것을 억지로 가로채서 차지하다. ③남의 마음이나 생각을 이 쪽으로 쏠리게 하여 사로잡다. ¶ 여자의 마음을 ~. ④남의 정조 같은 것을 짓밟다. ㊟뺏다·앗다.

빼어-나다 [형] 여럿 중에 뛰어나게 잘나다. ㊟빼나다.

빼이 [명] 〈방〉 팽이(경남).

빼:임-수 【—數】 [—쑤] [명] 〖수〗 피감수(被減數). ↔뺌수.

빼재기 [명] 〈방〉 보자기[1](경남). 「——-하다 [형][여불]

빼족-빼족 [부] 여러 개가 모두 빼족한 모양. ㅆ빼쪽빼쪽. <빼죽빼죽[3].

빼족-이 [부] 내민 물건의 끝이 날카롭게. ㅆ빼쪽이. <빼죽이.

빼족-하다 [형][여불] 내민 물건의 끝이 날카롭다. ㅆ빼쪽하다. <빼죽하다[2].

빼주 〔중 白酒〕 [명] ☞배갈. ㄴ*삐죽하다.

빼주룩-빼주룩 [부] 여러 개가 다 빼주룩한 모양. ㊟빼죽빼죽. ㅅ배주룩배주룩. <삐주룩삐주룩. ——-하다 [형][여불]

빼주룩-이 [부] 빼주룩하게. ㊟빼죽이. ㅅ배주룩이. <삐주룩이.

빼주룩-하다 [형][여불] 솟아 나오는 물체의 끝이 조금 내밀려 있다. ㊟빼죽하다. ㅅ배주룩하다. <삐주룩하다. 「[부]

빼주름-하다 [형][여불] 빼주룩한 느낌이 있다. <삐주름하다. **빼주름-히**

빼죽-거리다 [자][타] 어떤 일이 비위에 거슬리거나 울음이 솟구칠 때 입을 내밀고 씰룩거리다. ㅅ배죽거리다. <삐죽거리다. **빼죽-빼죽**[1] [부].

빼죽-대다 [자][타] 빼죽거리다. ㄴ——-하다[1] [자][타][여불]

빼죽-빼죽[2] [부] ↗빼주룩빼주룩. ㅅ배죽배죽[2]. <삐죽삐죽[2]. ——-하다 [형][여불] 「>빼족빼족. ——-하다[3] [형][여불]

빼죽-빼죽[3] [부] 여러 개가 모두 빼죽한 모양. ㅆ빼쭉빼쭉[2]. <삐죽삐죽[3].

빼죽-이 [부] ① ↗빼주룩이. ㅅ배죽이. <삐죽이. ②내민 물건의 끝이 날카롭게. ㅆ빼쭉이. <삐죽이.

빼죽-하다[1] [형][여불] ↗빼주룩하다. ㅅ배죽하다. <삐죽하다. 「다.

빼죽-하다[2] [형][여불] 내민 물체의 끝이 날카롭다. ㅆ빼쭉하다[2]. >빼족하

빼지 [명] 〈방〉 서랍(강원). 「——-하다[1] [형][여불]

빼쪽-빼쪽 [부] 여러 개가 모두 빼쪽한 모양. ㅅ빼족빼족. <빼쭉빼쭉[2].

빼쪽-이 [부] 내민 물건의 끝이 날카롭게. ㅅ빼족이. <빼쭉이.

빼쪽-하다 [형][여불] 끝이 날카롭다. ㅅ빼족하다. <빼쭉하다.

빼쭉 [부] ①어떤 일이 비위에 거슬릴 때나 비웃거나 성낼 때 입 끝을 한 번 쑥 내미는 모양. 또, 경솔하게 성내는 모양. ②형체를 조금만 살짝 내미는 모양. ③물건의 끝이 날카롭게 내밀어져 있는 모양. 1)-3):ㅅ배쭉. <삐쭉. ——-하다[1] [자][타][여불]

빼쭉-거리다 [자][타] 어떤 일이 비위에 거슬리거나 울음이 솟구칠 때 입을 내밀고 실룩거리다. ㅅ배쭉거리다. <삐쭉거리다. **빼쭉-빼쭉**[1] [부].——

빼쭉-대다 [자][타] 빼쭉거리다. ㄴ하다[1] [자][타][여불]

빼쭉-빼쭉[2] [부] 여러 개가 모두 빼쭉한 모양. ㅅ빼죽빼죽[3]. <삐쭉삐쭉[2]. >빼쪽빼쪽. ——-하다[2] [형][여불]

빼쭉-이 [부] 빼쭉하게. ㅅ배쭉이·빼죽이. <삐쭉이.

빼쭉-하다[2] [형][여불] 내민 물체의 끝이 빨다. ㅅ빼죽하다[2]·배쭉하다[2]. <삐쭉하다[2]. >빼쪽하다.

빼치다 [타] ①빠져 나오게 하다. ¶ 아예 일치감치 몸을 빼치는 것이 수라는 생각도 없지 않았지만…《李無影 : 三年》. ②끝이 빨게 하다.

빼트작-거리다 [자] 약간 빼틀거리며 걷다. ㅅ배트작거리다. <삐트적거리다. **빼트작-빼트작** [부]. ——-하다 [자][여불]

빼트작-대다 [자] 빼트작거리다.

빼틀-거리다 [자] 몸을 가누지 못하고 쓰러질 듯이 걷다. ㅅ배틀거리다. <삐틀거리다. **빼틀-빼틀** [부]. ——-하다 [자][여불]

빼틀다 [타] 〈방〉 빼앗다(평안).

빼틀-대다 [자] 빼틀거리다.

빽[1] 〔back〕 [명] 〈속〉 ①배경(背景). 연줄. 백그라운드. ¶ ~이 든든하다/전무 ~으로 들어오다. ②배후(背後)에서 은밀히 하는 부정한 공작. ¶ ~을 써서 입학하다. *백(back).

빽[2] 〔bag〕 [명] 핸드백의 줄어 변한 말.

빽[3] [부] 날카롭게 한 번 지르는 소리. <삑[1].

빽[4] [부] 배게 들어선 모양. <삑[2].

빽-따구 [명] 〈방〉 뼈다귀(전남).

빽-따기 [명] 〈속〉 여자의 핸드백을 전문으로 노리는 소매치기.

빽:-빽 [부] ①연달아 날카롭게 지르는 목소리. ②기적(汽笛)이나 짐승 같은 것이 연달아 날카롭게 지르는 소리. 1)·2): <삑삑.

빽:빽-거리다 [자] 자꾸 빽빽 소리를 내다. <삑삑거리다.

빽:빽-대다 [자] 빽빽거리다.

빽빽-이 [부] 빽빽하게. ¶ 집이 ~ 들어 차다. <삑삑이.

빽빽-하다 [형][여불] ①거의 붙을 정도로 사이가 촘촘하다. ¶ 상자에 빽빽하게 담다. ②구멍이 막힐 정도로 좁아서 갑갑하다. ③소견이 좁다. 1)-3): <삑삑하다.

빽-쓰다 〔back〕 [자] 〈속〉 연줄이나 뇌물 따위의 힘을 동원하다.

빽-지르다 [타][르불] 갑자기 소리를 새되게 지르다. <삑지르다.

빽-대기 [명] 〈방〉 뺨따귀(충남·경북).

빽둥-거리다 [자] 하는 일 없이 게으름만 부리고 밉살스럽게 놀다. ㅅ밴둥거리다. ㅆ팬둥거리다. <삔둥거리다. **빽둥-빽둥** [부]. ——-하다 [자]

빽둥-대다 [자] 빽둥거리다. ㄴ[여불]

빽들-거리다 [자] 하는 일 없이 밉살스럽게 놀기만 하다. ㅅ밴들거리다. ㅆ팬들거리다. <삔들거리다. **빽들-빽들** [부]. ——-하다 [자][여불]

뺀들-대다 자 뺀들거리다.
뺀지르르 부 기름 같은 것이 묻어 몹시 매끄럽고 윤이 나는 모양. <빤지르르. ——하다 형여불
뺀질-거리다 자 ①기름이 얇게 고루 묻어 윤이 나며 매끈거리다. ②몹시 교활하게 굴다. <빤질거리다. **뺀질-뺀질** 부. ——하다 자형여불
뻔질-대다 자 뺀질거리다.
뺀질-이 명 〈속〉 말이나 짓이 몹시 뺀질뺀질한 사람.
뺀-하다 형 〈방〉 빤하다.
뺄가장이 명 〈방〉 벌거숭이.
뺄깐 명 〈방〉 서랍(경남).
뺄-도리 [—또—] 명 〈방〉 〖건〗 빼도리¹.
뺄-목 명 〖건〗 도리의 끝이 기둥을 뚫고 내민 부분. 방두(枋頭).
뺄:-셈 명 어떤 수에서 어떤 수를 덜어 내는 셈. 감산(減算). ↔덧셈.
뺄:셈 부호 【—符號】 명 뺄셈표. ↔덧셈 부호.
뺄:셈-표 【—標】 명 뺄셈의 부호인 '−'의 이름. 감법 기호(減法記號). 감산 기호. 감산 부호. 뺄셈 부호. 감표(減標). 음호(陰號). ↔덧셈표.
뺄:함 명 〈방〉 서랍(황해·평안).
뺌¹ 명 〈방〉 뼘❶(강원·충북·전남·경상).
뺌² 명 〈방〉 뺨❶(경기·강원·충청·전라·경상·함남).
뺌-따귀 명 ☞뺨따귀.
뺌-때기 명 〈방〉 뺨따귀(경기·충북).
뺌:-수 【—數】 명 〖수〗 감수(減數). ↔빼임수.
뺏:기다 피동 ↗빼앗기다.
뺏:다 타 ↗빼앗다.
뺑¹ 명 〈방〉 팽이(충남).
뺑² 부 ①세게 한 바퀴 도는 모양. ㅆ팽. ②둘레를 둘러싼 모양. 1)·2): ㄴ뱅. <삥.
뺑고랭이 명 〈방〉 팽이(경남).
뺑그레 부 소리 없이 입만 살짝 벌리고 보드랍게 웃는 모양. ㄴ뱅그레. 「<삥그레.
뺑그르르 부 몹시 매끄럽게 도는 모양. ㄴ뱅그르르. ㅆ팽그르르. <삥그르르.
뺑글-거리다 자 소리 없이 입만 살짝 벌리고 보드랍게 자꾸 웃다. ㄴ뱅글거리다. <삥글거리다. **뺑글-뺑글¹** 부. ——하다 자여불
뺑글-대다 자 뺑글거리다.
뺑글-뺑글² 부 매끄럽게 자꾸 도는 모양. ㄴ뱅글뱅글². ㅆ팽글팽글. <삥글뺑글². 「글삥글².
뺑긋 부 소리 없이 입만 살짝 벌려 짧게 웃는 모양. ㄴ뱅긋. <삥긋. ——하다 자여불
뺑긋-거리다 자 소리 없이 입만 살짝 벌리고 가볍게 자꾸 웃다. ㄴ뱅긋거리다. <삥긋거리다. **뺑긋-뺑긋** 부. ——하다 자여불
뺑긋-대다 자 뺑긋거리다.
뺑긋-이 부 뺑긋하게. ㄴ뱅긋이. <삥긋이.
뺑당-그리다 자 고개를 돌리면서 싫다는 뜻을 보이다. <삥둥그리다.
뺑:-대 [—때] 명 ①뺑대쑥의 줄기. ②뱁댕이.
뺑:대-쑥 [—때—] 명 〖식〗 [*Artemisia feddei*] 국화과에 속하는 다년초. 지하경(地下莖)을 길게 벋어 번식하고, 줄기는 높이 1.5m 가량인데 두껍고 단단하며 가지가 많음. 잎은 호생하고, 깃 모양으로 깊이 째지며 뒤쪽은 회백색의 잔털이 배게 남. 8-9월에 갈색 양성화(兩性花)가 총상(總狀) 모양의 원추(圓錐) 화서로 줄기 끝에 핌. 산이나 들에 나는데 한국 각지에 분포함. ㈜뺑쑥.
[뺑대쑥 밭이 되었다] 쑥대밭이 되었다.
뺑댕이 명 〈방〉 뱁댕이.
뺑덕 어멈 명 고대 소설 심청전(沈淸傳)에 나오는 인물로, 심청의 계모.
뺑덕 어멈 같다 구 여편네가 수다스럽고 못생기다.
뺑-돌이 명 〈방〉 팽이(전라).
뺑둥-그리다 타 ☞뺑당그리다.
뺑-뺑 부 연해 빨리 도는 모양. ㄴ뱅뱅. ㅆ팽팽. <삥삥.
뺑뺑-이¹ 명 숫자(數字)가 적힌 원판이 회전하는 동안 화살로 맞혀 그 등급을 정하는 기구. 또, 그 노름.
뺑뺑-이² 명 〈방〉 매암¹(경상).
뺑소니 명 〔근대 : 뺑소니〕 몸을 빼쳐서 급히 달아나는 짓. 삼십육계. ¶ ~ 운전사.
뺑소니(를) 치다 구 몸을 빼쳐서 급히 도망치다. ¶ 남의 돈을 갖고 ~/사람을 치고 ~.
뺑소니-차 【—車】 명 교통 사고를 내고 그대로 도망치는 자동차.
뺑소이 명 〈방〉 팽이(경남).
뺑시레 부 소리 없이 입만 약간 벌리어 부드럽고 예쁘게 웃는 모양. ㄴ뱅시레. <삥시레.
뺑실-거리다 자 소리 없이 입만 약간 벌리어 부드럽고 예쁘게 자꾸 웃다. ㄴ뱅실거리다. <삥실거리다. **뺑실-뺑실** 부. ——하다 자여불
뺑실-대다 자 뺑실거리다.
뺑싯 부 소리 없이 입을 가볍게 벌릴 듯하면서 슬며시 만족스럽게 한 번 웃는 모양. ㄴ뱅싯. <삥싯. ——하다 자여불
뺑싯-거리다 자 연해 소리 없이 입을 가볍게 벌릴 듯하면서 슬며시 만족스럽게 자꾸 웃다. ㄴ뱅싯거리다. <삥싯거리다. **뺑싯-뺑싯** 부. ——하다 자여불
뺑싯-대다 자 뺑싯거리다.
뺑싯-이 부 뺑싯하게. ㄴ뱅싯이. <삥싯이.
뺑:-쑥 명 〖식〗 ↗뺑대쑥.
뺑아리 명 〈방〉 병아리(전남).
뺑애 명 〈방〉 팽이(함북).
뺑얘 명 〈방〉 팽이(함북).
뺑오리 명 〈방〉 팽이(전라).
뺑우리 명 〈방〉 팽이(전라).

뺑이¹ 명 연자매의 윗돌이 벗어나지 아니하도록 굿대와 방틀을 의지해서 윗돌 양가운데에 박은 단단한 나무.
뺑이² 명 〈방〉 팽이(경기·경상·충청·강원·전라).
뺑줄 명 ①남이 날리는 연줄을, 장대나 돌멩이를 단 줄로 걸어 당기는 짓. 또, 그 줄. ②남의 일을 가로채는 짓의 비유.
뺑줄(을) 맞다 구 남에게 뺑줄쳐 감을 당하다.
뺑줄(을) 치다 구 ㉠뺑줄을 던져 남의 연을 낚다. ㉡남의 일이나 물건을 중간에서 빼앗다.
뺘드득 부 ①단단한 물건이 빠듯한 틈에 끼어 마찰되어 나는 소리. ②장난감·피리 같은 것을 부는 소리. 1)·2): <삐드득. ——하다 자타여불
뺘드득-거리다 자타 뺘드득 소리가 연해 나다. 또, 뺘드득 소리를 연해 나게 하다. <삐드득거리다. **뺘드득-뺘드득** 부. ——하다 자타여불
뺘드득-대다 자타 뺘드득거리다.
뺙: 부 ↗삐악.
뺙:-뺙 부 ↗삐악삐악.
뺙뺙-하다 형 〈방〉 빽빽하다.
뺜둥-거리다 자 〈방〉 뺀둥거리다.
뺜죽-거리다 자 겉치레만 반반히 꾸미대고 얄밉게 굴다. ㄴ반죽거리다. **뺜죽-뺜죽** 부. ——하다 자여불
뺜죽-대다 자 뺜죽거리다.
뺜:-하다 형여불 '빤하다'를 좀 더 절실하게 이르는 말. ㄴ반하다.
뺨 명 〔중세 : 쌈〕 ①얼굴의 양쪽 관자놀이 아래의 살이 많이 붙은 부분. ②물건의 두쪽 볼의 넓이.
[뺨을 맞아도 은가락지 낀 손에 맞는 것이 좋다] 이왕 욕을 당하거나 복종을 할 바에야 지위가 높고 덕망 있는 사람에게 당하는 것이 낫다는 뜻.
[뺨 잘 때리기는 나막신 신은 깍쟁이라] 되지 못하고 비열한 자가 도리어 잘난 체하며 남을 학대하는 수가 많다 하여 이르는 말.
뺨-따구니 명 ☞뺨따귀.
뺨-따귀 명 〈속〉 뺨. ㈜따귀.
뺨-때리다 자 뺨치다❶.
뺨-맞다 자 남에게 뺨을 얻어 맞다.
[뺨맞는 데 구레나룻이 한 부조] 뺨을 맞아도 구레나룻 때문에 덜 아프다는 뜻에서, 아무 소용이 없는 듯한 것도 쓰일 때가 있다는 말. [뺨 맞을 놈이 여기 때려라 저기 때려라 한다] 벌을 받을 처지에 있으면서 도리어 큰소리 친다는 말.
뺨-뼈 명 〖생〗 협골(頰骨).
뺨-살 [—쌀] 명 ①소의 뺨에 붙은 고기. 흔히 잡차래로 씀. ②소의 뭉치의 거죽에 붙은 고기. 흔히 찌개에 씀.
뺨-치다 자타 ①남의 뺨을 때리다. 뺨때리다. ②무색(無色)하게 만들다. 다른 것에 못지 않다. ¶ 젊은 놈 뺨칠 기력/전문가 뺨칠 솜씨.
뻐개다¹ 자 ☞뻐기다¹.
뻐개다² 타 ①단단한 물건을 두 쪽으로 갈라 조각 내다. ¶ 장작을 ~. ②일을 어긋 내다. 그르치다. ③기뻐 입을 벌리다. 1)-3): >빠개다¹.
뻐개-지다 자 ①단단한 물건이 갈라져서 조각이 나다. ②거의 다 된 일이 어긋나다. ③기뻐서 입이 벌어지다. 1)-3): >빠개지다.
뻐걱 부 겉이 딱딱하고 가벼운 물건이나 질기고 빳빳한 물건 같은 것이 맞닿아서 나는 소리. ㄴ버걱. >빠각. ——하다 자타여불
뻐걱-거리다 자타 자꾸 뻐걱 소리가 나다. 또, 자꾸 뻐걱 소리를 내다. ㄴ버걱거리다. >빠각거리다. **뻐걱-뻐걱** 부. ——하다 자타여불
뻐걱-대다 자타 뻐걱거리다.
뻐게다 ㊀ 자 〈방〉 뻐기다. ㊁ 타 〈방〉 뻐개다².
뻐게-지다 자 〈방〉 뻐개지다.
뻐그러-뜨리다 타 뻐그러지게 하다. ㄴ버그러뜨리다. >빠그라뜨리다.
뻐그러-지다 자 뻐개져서 못 쓰게 되다. ㄴ버그러지다. >빠그라지다.
뻐그러-트리다 타 뻐그러뜨리다.
뻐그르르 부 ①많은 물이 야단스럽게 넓게 퍼져 끓어오르는 모양. 또, 그 소리. ②굵은 거품이 야단스럽게 넓게 퍼져 일어나는 모양. 또, 그 소리. 1)·2): ㄴ버그르르. >빠그르르. *뿌그르르. ——하다 자여불
뻐근-하다 형여불 ①기운이 순하지 못하여 숨이 벅차거나 운동이 거북하다. ¶ 어깨가 ~. >빠근하다. ②어떤 느낌으로 꽉 차서 가슴이 뻐개지는 듯하다. ¶ 기쁨으로 가슴이 ~.
뻐글-거리다 자 ①많은 물이 야단스럽게 넓게 퍼져 자꾸 끓어오르다. ②굵은 거품이 넓게 퍼져 자꾸 일어나다. 1)·2): ㄴ버글거리다. >빠글거리다. *뿌글거리다. **뻐글-뻐글** 부. ——하다 자여불
뻐글-대다 자 뻐글거리다.
뻐기다¹ 자 제가 잘난 체하고 으쓱대는 태도를 부리다. >빠기다.
뻐기다² 타 ☞뻐개다²❶.
뻐꾸기 명 〖조〗 [*Cuculus canorus telephonus*] 두견잇과에 속하는 새. 두견이와 비슷한데 날개 길이 20-22cm이고, 몸의 하면(下面)에 가는 암색 가로무늬가 있고, 배면(背面)은 연회색(鉛灰色), 홍채(虹彩)는 황색이고, 유조(幼鳥)는 배면이 적갈색에 암갈색 무늬가 있음. 번식기(繁殖期)인 8-10월에는 지빠귀·때까치·종다리 등 참새류의 둥지에 회갈색의 알을 한 개씩 낳아 포란(抱卵)하게 하는데, 그 새의 알보다 먼저 부화되어 다른 알을 전부 둥지 밖에 내버리게 됨. 5-6월에 건너와서 평지, 얕은 산, 삼림 속에 서식하는데, '뻐꾹뻐꾹'하고 구슬프게 욺. 유럽·아시아 중북부에서 번식하고, 대만·중국 남부·필리핀·말레이·오스트레일리아 등에서 월동함. 곽공(郭公). 길국(鴶鵴). 시구(鳲鳩). 포곡(布穀). 포곡조(布穀鳥). 획곡(獲穀). 뻐꾹새.

〈뻐꾸기〉

[뻐꾸기도 유월이 한철이라] 한참 활동할 수 있는 때를 놓치지 말라는 뜻. 메뚜기도 유월이 한철이라.

뻐꾸-새 명〈방〉〖조〗 뻐꾸기(함경).

뻐꾹 부 뻐꾸기의 우는 소리.

뻐꾹-나리 명〖식〗[*Tricyrtis dilatata*] 백합과에 속하는 다년초. 줄기는 높이 50cm 가량으로 직립(直立)하며 가지가 갈라짐. 잎은 호생(互生)하며, 무병(無柄)으로 넓은 타원형 또는 거꿀달걀꼴의 타원형임. 꽃은 엷은 자색으로 7월에 피는데, 취산 화서로 정생 또는 액생(腋生)하며, 삭과(蒴果)는 피침상(披針狀)의 삼릉형(三稜形)임. 산지(山地)의 숲 속에 나는데, 제주도를 비롯한 한국 중부 이남에 분포함.

〈뻐꾹나리〉

뻐꾹-뻐꾹 부 뻐꾸기가 연해 우는 소리.

뻐꾹-새 명〖조〗'뻐꾸기'를 분명히 일컫는 말.

뻐꾹-시계【一時計】명 뻐꾹종(鐘).

뻐꾹-종【一鐘】명 시계의 하나. 시간이 되면 장난감 뻐꾸기가 안에서 튀어나와 울게 만들어진 시계.

뻐꾹-채 명〖식〗[*Centaurea monanthos*] 국화과에 속하는 다년초. 줄기 높이 1.2m 가량이고, 잎은 우상 심렬(羽狀深裂)하며, 열편(裂片)은 거꿀달걀꼴의 긴 타원형 또는 도피침형임. 근생엽(根生葉)은 총생(叢生)하고 잎꼭지는 긴데, 약 50cm 가량이고, 경엽(莖葉)은 작음. 6-9월에 홍자색 두상화(頭狀花)가 줄기 끝에 하나씩 달리며, 과실은 수과(瘦果)임. 산이나 들에 나는데, 거의 한국 각지에 분포함. 어린 잎은 식용함.

뻐꿈-새 명〈방〉〖조〗 뻐꾸기(경북).

뻐꿍이 명〈방〉〖조〗 뻐꾸기(충남).

뻐끔-거리다 자 ①담배를 힘있게 빨아 피우다. ②금붕어 같은 물고기가 연해 입을 벌려 물을 들이마시다. ¶ 붕어가 입을 ~. 1)·2):>빠끔거리다. **뻐끔-뻐끔**[1] 부 ¶ 담배를 ~ 피우다. ——-하다[1] 자여불

뻐끔-대다 자 뻐끔거리다.

뻐끔-뻐끔[2] 부 여러 군데가 뻐끔한 모양. >빠끔빠끔. ——-하다[2] 형여불

뻐끔-하다 형여불 틈이나 구멍이 좁고 깊게 벌어져 있다. >빠끔하다. **뻐끔-히** 부. ¶ 상처가 ~ 벌어지다.

뻐덕뻐덕-하다 형여불 물기가 모자라 미끄럽지 못하고 뻑뻑하다. ¶ 가죽이 ~. >빠닥빠닥하다[1].

뻐덩 명〈방〉 버텅[1].

뻐덩-니 명〈방〉 ①덧니. ②뻐드렁니.

뻐드러-지다 자 ①끝이 밖으로 벌어지다. ②부드럽던 것이 굳어서 뻣뻣하게 되다. 1)·2):ㅅ버드러지다.

뻐드렁-니 명 밖으로 뻗은 앞니. 버드렁니. 벋니.

뻐드렁-이 명〈속〉 뻐드렁니가 난 사람.

뻐드름-하다 형여불 약간 밖으로 뻗은 듯하다. 준뻐듬하다. ㅅ버드름하다. >빠드름하다. **뻐드름-히** 부

뻐득뻐득-하다 형여불 ①언행(言行)이 고분고분하지 아니하다. ②눈이 부드럽지 못하다. ③입 안에 떫은 맛이 있다. 1)-3):>빠득빠득하다[2]. ④〈방〉 뻐덕뻐덕하다.

뻐들껑 부〈방〉 펄쩍.

뻐들다 자〈방〉 뻐들다.

뻐듬-하다 형여불 ↗뻐드름하다. ㅅ버듬하다. >빠듬하다. **뻐듬-히** 부

뻐떡-하면 부〈방〉 뻔쩍하면.

뻐뜩-하면 부〈방〉 뻔쩍하면.

뻐르적-거리다 자타 어려운 일이나 고통스러운 고비를 헤어나려고 팔다리를 내저으며 몸을 괴롭게 자꾸 움직이다. 준뻐릊거리다. ㅅ버르적거리다. >빠르작거리다. **뻐르적-뻐르적** 부. ——-하다 자타여불

뻐르적-대다 자타 뻐르적거리다.

뻐릊-거리다 자타 ↗뻐르적거리다. **뻐릊-뻐릊** 부. ——-하다 자타여불

뻐릊-대다 자타 뻐릊거리다.

뻐비 명〈방〉 서랍(함북·평북).

뻐세다 형 뻣뻣하고 거세다.

뻐쓰 [bus] 명 ☞버스.

뻐적-뻐적 부 ①단단하게 바싹 마른 물건을 깨물거나 빻을 때 나는 소리. 또, 그 모양. ②단단하게 바싹 마른 물건이 타들어가는 소리. 또, 그 모양. ③마음이 퍽 죄고 애타는 모양. 1)-3):ㅅ버적버적. >빠작빠작. ——-하다 자여불

뻐젓-이 부 뻐젓하게. ㅅ버젓이.

뻐젓-하다 형여불 번듯하고 떳떳하여 흠 잡히거나 굽힐 것이 없다. ㅅ버젓하다.

뻐쭈-하다 형여불 불쑥 내밀어 있다.

뻐찌 명〈방〉〖식〗 버찌(전남).

뻐치다[1] 자타 ☞뻗치다.

뻐치다[2] 타〈방〉 바치다[2].

뻑뻑[1] 부 얼굴이 몹시 얽은 모양. >빡빡[1]. ——-하다 형여불

뻑:-뻑[2] 부 ①담배를 세게 빠는 모양. 또, 그 소리. ¶ 담뱃대를 ~ 빨다. >빡빡[2]. ②몹시 세게 연해 문지르거나 긁는 소리. 또, 그 모양. ③좀 두껍고 질긴 물건을 잇달아 힘있게 찢는 모양이나 소리. 2)·3):ㅅ버벅. >빡빡[2].

뻑뻑-이[1] 부 틀림없이. 응당. ¶ 철수는 내일도 ~ 안 나올게다. ㅅ버벅이. >빡빡이.

뻑뻑-이[2] 부 뻑뻑하게. >빡빡이[2].

뻑뻑-하다 형여불 ①물기가 적어서 부드러운 맛이 없다. ②여유가 없어 빠듯하다. ¶ 반항하는 말씀을 사뢰고 싶은 생각이 뻑뻑하게 마음 속으로 뒤틀어 올랐다《朴鍾和 : 錦衫의 피》. ③마음이 옹졸하여 시원스럽지 못하다. ④간사위가 없고 두름성이 적다. 1)-4):>빡빡하다.

뻑-세다 형 뻐세다.

뻑-시다 형〈방〉 뻑세다.

뻑-쓰다 자 무엇에 맞서서 버티어 내려고 힘을 쓰다. ¶ 총각이 한동안 뻑쓰더니 그 이마에 진땀이 솟았다《洪命憙 : 林巨正》.

뻑적지근-하다 형여불 가슴이나 목구멍이 뻐근하게 아프다. >빡작지근하다. **뻑적지근-히** 부

뻔-대구리 명〈방〉 대머리.

뻔-대머리 명〈방〉 대머리(평안).

뻔데기 명〈방〉〖충〗 번데기[1](경기·강원·충북·전라·경북·제주).

뻔둥-거리다 자 아무 일도 아니하고 뻔뻔스럽게 게으름만 부리다. ㅅ번둥거리다. ㅆ펀둥거리다. >빤둥거리다. **뻔둥-뻔둥** 부. ——-하다 자여불

뻔둥-대다 자 뻔둥거리다.

뻔드기 명〈방〉〖충〗 번데기[1](경기·충북).

뻔드럽다 형ㅂ불 ①윤기가 나고 미끄럽다. ②사람의 됨됨이가 바자위고 약아서 어수룩한 맛이 없다. 1)·2):ㅅ번드럽다. >빤드럽다.

뻔드레-하다 형여불 실속 없이 외모(外貌)만 뻔드르르하다. ㅅ번드레하다. >빤드레하다.

뻔드르르 부 매우 윤기 있고 미끄러운 모양. ㅅ번드르르. >빤드르르. ——-하다 형여불

뻔득 부 한 번 뻔득이는 모양. ㅅ번득. >빤득. *번뜩[1]. ——-하다 자타여불

뻔득-거리다 자타 자꾸 잇따라 뻔득이다. ㅅ번득거리다. >빤득거리다. **뻔득-뻔득** 부. ——-하다 자타여불

뻔득-대다 자타 뻔득거리다.

뻔득-이다 자타 물건의 표면이 갑자기 뒤척거림에 따라 얼비치는 광선이 끔벅거리다. 또, 그렇게 되게 하다. ¶ 시퍼런 칼날이 ~. ㅅ번득이다. >빤득이다.

뻔들-거리다[1] 자 ①부드럽고 윤기가 날 정도로 매우 미끄럽게 되다. ②어수룩한 맛이 없이 아주 약게만 굴다. 1)·2):ㅅ번들거리다[1]. >빤들거리다[1]. **뻔들-뻔들**[1] 부. ——-하다[1] 자형여불

뻔들-거리다[2] 자 밉살맞게 놀기만 하다. ㅅ번들거리다[2]. ㅆ펀들거리다. >빤들거리다[2]. **뻔들-뻔들**[2] 부. ——-하다[2] 자여불

뻔들-대다 자 뻔들거리다[1·2].

뻔디기 명〈방〉〖충〗 번데기[1](경기·충북·전북·경상).

뻔때기 명〈방〉〖충〗 번데기[1](경남).

뻔떼기 명〈방〉〖충〗 번데기[1](전라).

뻔뻔-스럽다 형ㅂ불 아주 뻔뻔한 태도가 있다. ¶ 뻔뻔스러운 사나이. >빤빤스럽다. **뻔뻔-스레** 부

뻔뻔-하다 형여불 잘못이 있어도 부끄러운 줄을 모르다. >빤빤하다. **뻔뻔-히** 부

뻔적 부 뻔적이는 모양. ㅅ번적. ㅆ뻔쩍. >빤작. ——-하다 자타여불

뻔적-거리다 자타 자꾸 뻔적이다. ㅅ번적거리다. ㅆ뻔쩍거리다. >빤작거리다. **뻔적-뻔적** 부. ——-하다 자타여불

뻔적-대다 자타 뻔적거리다.

뻔적-이다 자타 빛이 기세 있게 잠깐 나타났다 없어지다. 또, 그리 되게 하다. ㅅ번적이다. ㅆ뻔쩍이다. >빤작이다.

뻔죽-거리다 자 뻔하게 생긴 사람이 이죽이죽하면서 느물거리다. ㅅ번죽거리다.

뻔죽-대다 자 뻔죽거리다.

뻔지레 부 미끄럽고 윤이 나서 뻔지르르한 모양. ㅅ번지레. >빤지레. ——-하다 형여불

뻔지르르 부 기름이나 물기 같은 것이 묻어 매우 미끄럽고 윤이 나는 모양. ㅅ번지르르. >빤지르르. ——-하다 형여불

뻔질-거리다 자 ①기름 따위가 묻어 윤이 나며 매끈거리다. ②아주 교활하게 뻔들거리다. 1)·2):ㅅ번질거리다. >빤질거리다. **뻔질-뻔질** 부. ——-하다 자형여불

뻔질-나게 [—라—] 부 연달아 자주 드나드는 모양. ㅆ뻔찔나게.

뻔질-대다 자 뻔질거리다.

뻔쩍 부 뻔쩍이는 모양. ㅅ번적·번쩍[2]·뻔적. >빤짝. ——-하다 자타여불

뻔쩍-거리다 자타 자꾸 번쩍이다. ㅅ번적거리다·번쩍거리다·뻔적거리다. >빤짝거리다. **뻔쩍-뻔쩍** 부. ——-하다 자타여불

뻔쩍-대다 자타 뻔쩍거리다.

뻔쩍-이다 자타 빛이 똑똑하고 기세 있게 잠깐 나타났다 없어지다. 또, 그리 되게 하다. ㅅ번적이다·번쩍이다·뻔적이다. >빤짝이다.

뻔쩍-하면 부 움직이기만 하면 곧. 툭하면. 준쩍하면.

뻔찔 부 뻔질나게. ¶ 관군의 동정을 알아들이는 여탐꾼들은 사방에 ~ 떠 있었다《洪命憙 : 林巨正》.

뻔찔-나게 [—라—] 부 연해 자주 드나드는 모양. ¶ 친정에 ~ 드나들다. ㅅ뻔질나게.

뻔:-하다[1] 형여불 ①어두운 가운데 밝은 빛이 비치어 조금 훤하다. ②무슨 일이 그렇게 될 것이 분명하다. ¶ 우리가 이길 것은 ~. ③바쁜 가운데 잠깐 틈이 생기다. ④병세가 조금 가라앉다. 1)-4):ㅅ번하다. >빤하다. **뻔:-히**[1] 부. ¶ 나쁜 일인 줄 ~ 알면서.

뻔-하다[2] 보형여불 '-ㄹ'·'-을'과 어울려 '까딱하면 그렇게 될 형편에 다달았겠으나 결국에는 그렇게 되지 않았다'는 뜻을 나타내는 말. ¶ 죽을 뻔하였다/차에 치일 ~.

뻔:-히[2] 부 사물이 끊이지 아니하고 잇대어 있는 모양.

뻔:히 떴다 구 끊이지 아니하고 잇대어 늘어서다시피 되다. ¶ 길에 나뭇바리가 ~.

뻗-가다 자 올바른 길에서 버드러져 가다. ㅅ벋가다.

뻗다 ⊟자 ①나뭇 가지·덩굴 등이 바깥쪽으로 길게 자라 나가다. ¶ 뿌리가 ~. ②길이나 긴 물체가 어떤 방향으로 길게 이어져 가다. ¶ 신작로가 동서로 뻗어나가다. ③힘이 어디까지 미치다. ¶ 멀리 외국에까지 세력이 ~. 1)·3) : ㅅ벋다[1]. ④〈속〉 죽다. ¶ 아주 뻗었군. ⊟타 ①꼬부렸던 것을 펴서 길게 내밀다. ¶ 다리를 ~/죽어 가는 병인은 뻗어뜨려 놓고 안팎에서 술타령만 하구 …응!《廉想涉 : 萬歲前》. ②어떤 것에 미치게 손 따위를 내밀다. ¶ 구원의 손길을 ~. *뻗치다.

[뻗어 가는 칡도 한이 있다] 무엇이든지 한정이 있다는 말.

뻗-대다 자 ①순종(順從)하지 아니하고 힘껏 버티다. ¶ 그래두 난 안

간다구 뻔댔더니 하루는 국회의원 조씨까지 내가 가야만…한다구 떼밀다시피하기에…≪金聲翰 : 自由人≫. ㅅ번대다. ②뻔서다.
뻔-디디다 [타] ①발에 힘을 주고 버티어 디디다. ②금 밖으로 내어 디디다. [준]뻔딛다. 1)·2): ㅅ번디디다.
뻔-딛다 [타] ↗뻔디디다. ㅅ번딛다.
뻔-서다 [자] 반항하는 언행으로 맞서 겨루다. 뻔대다. ㅅ번서다.
뻔장-다리 [명] ☞뻔정다리. ¶여전히 토 빠진 ~ 글을 읽는다≪朴鍾和 : 錦衫의 피≫.
뻔정-다리 [명] ①꾸부렸다 폈다 하지 못하고 늘 뻗치기만 하는 다리. 또, 그런 다리를 가진 사람. ②뻣뻣하여져서 마음대로 굽힐 수 없게 된 물건. 1)·2): ㅅ번정다리.
[뻔정다리 서나마나] 하나마나 마찬가지라는 뜻.
뻔정-대다 [자] 순종하지 아니하고 자꾸 버티다. ㅅ번정대다.
뻔-지르다 [타][르불] 이 끝에서 저 끝까지 뻗쳐서 내지르다.
뻔-질리다 [피동] 뻔지름을 당하다.
뻔쳐-오르다 [자][르불] 물줄기나 불길 같은 것이 뻗쳐서 위로 오르다. ㅅ번쳐오르다.
뻔치다 [一][자] ①이 끝에서 저 끝까지 닿다. 멀리 연하다. ¶찻길이 멀리 뻔쳐 있다. ②살기나 독기(毒氣) 따위 기운이 세게 나타나거나 퍼지다. ¶살기가 온몸에 ~. [二][자][타] '뻗다'의 힘줌말. ㅅ번치다.
[뻔친 쇠 발] 이미 착수해 버린 일이란 말.
뻔침-대 [—때] [명] 함(函)이나 궤(櫃)에서, 뚜껑과 몸체를 연결하고, 또 자물쇠를 걸 수 있도록 된 기름한 쇠장식. 끝이 몸체의 두 배목 사이에 꺼워짐.
뻔침-툇보 【—退—】 [명] 〖건〗 공포(貢包)집의 변두리 기둥을 보강하기 위하여 가로 건너지른 가는 퇴보.
뻔-팔이 [명] 선천적(先天的)으로나 또는 병으로 인하여 꼬부라지지 아니하는 팔. 또, 그 팔을 가진 사람.
뻘¹ [명] 〈방〉 개¹(경북).
뻘² [의명] 겨레붙이 사이의 촌수(寸數)와 항렬(行列)을 나타내는 말. ¶아저씨 ~/동생 ~.
뻘거- [간] '뻘겋다'의 불규칙 어간. ¶~ㄴ 잉크. ㅅ벌거-. >빨가-.
뻘거-벗기다 [타] 알몸이 되도록 옷을 죄다 벗기다. ㅅ벌거벗기다. >빨가벗기다.
뻘거-벗다 [자] 옷을 죄다 벗다. ㅅ벌거벗다. >빨가벗다.
뻘거-뻘겋다 [—거타] [형] 〈방〉 시뻘겋다.
뻘거-숭이 [명] 뻘거벗은 알몸뚱이. ㅅ벌거숭이. >빨가숭이.
뻘건 [관] 어떤 명사 위에 붙여서, '아주' 또는 '온통'의 뜻으로 쓰는 말. ¶~ 거짓말. ㅅ벌건. >빨간.
뻘겅 [명] 뻘건 빛깔이나 물감. ㅅ벌겅. >빨강.
뻘겅-딱지 [명] ☞빨간딱지.
뻘겅-이 [명] 뻘건 빛의 물건. ㅅ벌겅이. >빨강이.
뻘겋다 [—거타] [형][ㅎ불] 진하고도 곱게 붉다. ㅅ벌겋다. >빨갛다.
뻘게 [준] '뻘겋어'가 줄어서 변하여 된 말. ¶얼굴이 ~ 가지고. ㅅ벌게. >빨개.
뻘게-지다 [자] 뻘겋게 되다. ㅅ벌게지다. >빨개지다.
뻘그데데-하다 [형][여불] 곱지 아니하고 천하게 뻘그스름하다. ㅅ벌그데데하다. >빨그대대하다.
뻘그뎅뎅-하다 [형][여불] 어울리지 아니하게 뻘그스름하다. ㅅ벌그뎅뎅하다. >빨그댕댕하다.
뻘그름-하다 [형][여불] ↗뻘그스름하다. ㅅ벌그름하다.>빨그름하다. 뻘그름-히 [부]
뻘그-스레 [부] 뻘그스름하게.ㅅ벌그스레. >빨그스레. ——-하다 [형][여불] 뻘그스름하다.
뻘그스름-하다 [형][여불] 조금 붉다. [준]뻘그름하다. ㅅ벌그스름하다. >빨그스름하다. 뻘그스름-히 [부]
뻘그죽죽-하다 [형][여불] 빛깔이 고르지 못하고 칙칙하게 뻘그스름하다. ㅅ벌그죽죽하다. >빨그족족하다.
뻘긋-뻘긋 [부] 군데군데 뻘건 점이 박힌 모양. 점점이 뻘건 모양. ㅅ벌긋벌긋. >빨긋빨긋. ——-하다 [형][여불]
뻘꺽 [부] ①기운이 갑자기 솟아나는 모양. ②무엇이 갑자기 뒤집히는 모양. 1)-2): ㅅ벌꺽. >빨깍. *벌컥.
뻘끈 [부] ①걸핏하면 성을 울컥 내는 모양. ②뒤집어 엎을 듯이 매우 시끄러운 모양. ¶온 장안이 ~ 뒤집히다. 1)·2): ㅅ벌끈. >빨끈. ——-하다 [자][여불]
뻘끈-거리다 [자] 걸핏하면 울컥 성을 내다. ㅅ벌끈거리다. >빨끈거리다. 뻘끈-뻘끈 [부]. ——-하다 [자][여불]
뻘끈-대다 [자] 뻘끈거리다.
뻘-돌 [—똘] [명] 〖광〗 '이암(泥岩)'의 풀어 쓴 말.
뻘때니 [명] 〈방〉 뻘때추니(경상).
뻘-땅 [명] 뻘이 덮인 땅.
뻘때총-이 [명] 〈방〉 뻘때추니.
뻘때-추니 [명] 제멋대로 짤짤거리며 쏘다니는 계집아이. ¶모두 고추박이 까리들과 어울려 다니는 ~들이었다≪金廷漢 : 지옥변≫. *벌대총(伐大驄).
뻘떡 [부] ①갑자기 일어나는 모양. ②별안간 뒤로 자빠지는 모양. 1)·2): ㅅ벌떡. >빨딱.
뻘떡-거리다 [자] ①맥이 힘있게 뛰다. ②가슴이 세차게 두근거리다. ③물을 힘차게 들이마시다. ④힘이 겨우 날만큼 자란 아이가 그 힘을 부리고 싶어서 못 참아 하다. 1)-4): ㅅ벌떡거리다. >빨딱거리다. 뻘떡-뻘떡 [부]. ——-하다 [자][여불]
뻘떡-대다 [자] 뻘떡거리다.
뻘렁-거리다 [자] 몸이 거뿐거뿐하고도 들뜨게 행동하다. ㅅ벌렁거리다. >빨랑거리다. 뻘렁-뻘렁 [부]. ——-하다 [자][여불]
뻘렁-대다 [자] 뻘렁거리다.
뻘-바탕 [명] 〈방〉 개¹(전북).
뻘-배 [명] 〈속〉 갯벌배.
뻘뻘 [부] ①바쁘게 쏘대는 모양. ¶어디를 그리 ~ 쏘다니느냐. ②땀이 걷잡을 새 없이 많이 나는 모양. ¶땀을 ~ 흘리다. 1)·2): >빨빨.
뻘뻘-거리다 [자] 바쁘게 뻘뻘 쏘다니다. >빨빨거리다.
뻘뻘-대다 [자] 뻘뻘거리다.
뻘-조개 [명] 〖조개〗 펄조개.
뻘쭉-거리다 [자][타] 세게 벌려졌다 여며졌다 하다. 또, 그리 되게 하다. ㅅ벌쭉거리다. >빨쭉거리다. 뻘쭉-뻘쭉 [부]. ——-하다 [자][타][여불]
뻘쭉-대다 [자][타] 뻘쭉거리다.
뻘쭉-이 [부] 뻘쭉하게. ¶눈이… 빈대눈깔만큼 작든지 한 것이 키만 ~ 크면 뭘해요≪崔貞熙 : 녹색의 문≫. ㅅ벌쭉이. >빨쭉이.
뻘쭉-하다 [형][여불] 좁고 길게 벌어져서 쳐들려 있다. ㅅ벌쭉하다. >빨쭉하다.
뻠 [명] 〈방〉 뼘(경북).
뻣-나무 [명] 〈방〉 〖식〗 벚나무(경기·강원·충청·전라·경상).
뻣-낭구 [명] 〈방〉 〖식〗 벚나무(경기·충청·경남).
뻣-낭그 [명] 〈방〉 〖식〗 벚나무(충북·경북).
뻣뻣-이 [부] 뻣뻣하게. ¶~ 굴다/~ 굳다. >빳빳이.
뻣뻣-하다 [형][여불] ①부드럽지 아니하고 꿋꿋하다. ¶뻣뻣한 종이. ②풀기가 매우 세다. ¶여름 옷은 뻣뻣한 것이 좋다. 1)·2): >빳빳하다. ③성질이 고분고분하지 아니하다. 조금도 굽히지 아니하고 뻔대다.
뻣-세다 [형] 뻣뻣하고 억세다.
뻥¹ [명] ① ↗뻥짜. ②〈속〉 거짓. 거짓말. ¶그는 원래 ~이 센 놈이다.
뻥² [부] ①구멍이 뚫어진 모양. ②무엇이 갑자기 터지는 소리. ③공을 세차게 차는 모양. 1)-3): ㅆ펑. >빵².
뻥그레 [부] 소리 없이 입만 약간 크게 벌리고 부드럽게 웃는 모양. ㅅ벙그레. >빵그레. *뻥그레.
뻥글 [부] 소리 없이 입만 약간 벌리고 귀엽게 웃는 모양. ㅅ벙글. >빵글.
뻥글-거리다 [자] 연해 뻥글 웃다. ㅅ벙글거리다. >빵글거리다. 뻥글-뻥글 [부]. ——-하다 [자][여불]
뻥글-대다 [자] 뻥글거리다.
뻥긋 [부] 소리 없이 입만 벌리고 자연스럽게 웃는 모양. ㅅ벙긋. ㅆ뻥끗. >빵긋. ——-하다¹ [자][여불]
뻥긋-거리다 [자] 연해 뻥긋 웃다. ㅅ벙긋거리다. ㅆ뻥끗거리다. >빵긋거리다. 뻥긋-뻥긋¹ [부]. ——-하다¹ [자][여불]
뻥긋-대다 [자] 뻥긋거리다.
뻥긋-뻥긋² [부] 모두 뻥긋한 모양. ㅅ벙긋벙긋². ㅆ뻥끗뻥끗². >빵긋빵긋². ——-하다² [형][여불]
뻥긋-이 [부] 뻥긋하게. ㅅ벙긋이. ㅆ뻥끗이. >빵긋이.
뻥긋-하다² [형][여불] 조금 열려 있다. 약간 벌어져 있다. ㅅ벙긋하다². ㅆ뻥끗하다². >빵긋하다².
뻥-까다 [자] 〈속〉 거짓말하다. 허풍 떨다. ¶아무리 뻥까도 소용없다.
뻥끗 [부] 소리 없이 입만 벌리고 자연스럽게 웃는 모양. ㅅ벙긋·벙끗·뻥긋. >빵끗. ——-하다¹ [자][여불]
뻥끗-거리다 [자] 연달아 뻥끗 웃다. ㅅ벙긋거리다·벙끗거리다·뻥긋거리다. >빵끗거리다. 뻥끗-뻥끗¹ [부]. ——-하다¹ [자][여불]
뻥끗-대다 [자] 뻥끗거리다.
뻥끗-뻥끗² [부] 모두 빵끗한 모양. ㅅ벙긋벙긋²·벙끗벙끗²·뻥긋뻥긋². >빵끗빵끗². ——-하다 [형][여불]
뻥끗-이 [부] 빵끗하게. ㅅ벙긋이·벙끗이·뻥긋이. >빵끗이.
뻥끗-하다² [형][여불] 조금 열려 있다. 약간 벌어져 있다. ㅅ뻥긋하다². >빵끗하다²
뻥-나다 [자] 비밀이 드러나다. >뽕나다.
뻥-놓다 [—노타] [자] 〈속〉 거짓말하다. 허풍치다. ¶또 뻥놓고 있네. >뽕놓다.
뻥-뻥 [부] ①무엇이 갑자기 연달아 터지는 소리. ②공 따위를 세차게 연방 차는 소리. ③구멍이 여러 개 뚫어진 모양. 1)-3): ㅆ펑펑. >빵빵¹. ④연해 큰소리 치는 모양.
뻥뻥-거리다 [자] 연해 큰소리를 치다.
뻥뻥-대다 [자] 뻥뻥거리다.
뻥뻥-하다 [형][여불] ①어찌 할 줄을 몰라 가슴이 먹먹하다. 처리하기가 몹시 어렵다. ②어떠하다고 말을 딱 잘라 하기가 어렵다. [준]뻥하다. *벙벙하다. 뻥뻥-히 [부] [준]뻥히.
뻥시레 [부] 소리 없이 약간 입만 벌려 평화스럽게 웃는 모양. ㅅ벙시레. >빵시레. *빙시레.
뻥실-거리다 [자] 기분이 좋아 소리 없이 입만 약간 벌려서 평화스러운 태도로 복스럽게 자꾸 웃다. ㅅ벙실거리다. >빵실거리다. 뻥실-뻥실 [부]. ——-하다 [자][여불]
뻥실-대다 [자] 뻥실거리다.
뻥싯 [부] 소리 없이 입을 벌리고 만족스럽고 가볍게 웃는 모양. ㅅ벙싯. >빵싯. ——-하다 [자][여불]
뻥싯-거리다 [자] 연해 뻥싯 웃다. ㅅ벙싯거리다. >빵싯거리다. 뻥싯-뻥싯 [부]. ——-하다 [자][여불]
뻥싯-대다 [자] 뻥싯거리다.
뻥싯-이 [부] 소리 없이 입을 좀 크게 벌려 화기롭고 가볍게 슬쩍 웃는 모양. ㅅ벙싯이. >빵싯이.
뻥이 [부] 〈방〉 물끄러미(함경).
뻥짜 [명] 구멍이 뻥 뚫어진 것과 같다는 말로, 아주 틀려 버려 소망이 없게 된 일. [준]뻥.
뻥-튀기 [명] 〈속〉 쌀·옥수수 따위를 밀폐된 틀 안에 넣고 열을 가하여 크게 부풀리는 일. 또, 그 과자. ——-하다 [타][여불] 크게 부풀게 하다. 전하여, 말 따위를 크게 부풀려서 하다. 허풍을 치다.
뻥:-하다 [형][여불] ↗뻥뻥하다. *벙하다. 뻥:-히 [부] ↗뻥뻥히.
뻣 [명] 〈방〉 버찌(경기·강원·충청·전라·경상).
뻬 [명] 〈방〉 뼈(경기·강원·충청·전라·경상·제주).
뻬-가지 [명] 〈방〉 뼈다귀(경남).
뻬-까리 [명] 〈방〉 낟가리(경남).
뻬깐 [명] 〈방〉 서랍(전남).
뻬끼다 [자] 〈방〉 개다¹(함경).
뻬남 [명] 〈방〉 서랍(함남).

뻬납 명〈방〉서랍(함남).
뻬-다구 명〈방〉뼈다귀(경기·강원·경북·평안).
뻬-닥지 명〈방〉뼈다귀.
뻬대 명〈방〉뼈대.
뻬-대기 명〈방〉뼈다귀(충남).
뻬-들다 자타〈방〉뼈들다.
뻬-따구 명〈방〉뼈다귀(전남).
뻬람 명〈방〉서랍(함남).
뻬랍 명〈방〉서랍(함남).
뻬룩 명〈방〉벼룩(충북).
뻬비 명〈방〉서랍(함경).
뻭다구 명〈방〉뼈다귀(충북·전라·경상).
뻭대기 명〈방〉뼈다귀(경상).
뻰찌 〔일 ペンチ, pinchers〕 명〔공〕철사 세공(細工)·전선 공사(電線工事) 등에서 철사를 끊는 데 쓰는, 집게와 비슷한 연장. 펜치.

〈뻰찌〉

뻴다구 명〈방〉뼈다귀(전라).
뻼 명〈방〉뼘(강원·전남·경상).
뻼-따구 명〈방〉뼈다귀(전남).
뻿다구 명〈방〉뼈다귀(전라).
뻿닥 명〈방〉뼈다귀(전라).
뻉끼 〔일 ペンキ, 네 pek〕 명 '페인트'의 종전에 쓰던 이름.
뼈 명〔중세：뼈〕①〔생〕척추 동물의 근육을 붙이어 몸집을 구성하고 지탱하며, 내장(內臟)을 보호하고 운동의 중추(中樞) 작용을 하는 물질. 석회질과 교질(膠質)로 이루어지는데, 결합 조직(結合組織)의 일종으로, 표면은 골막(骨膜)으로 싸이고, 내부(內部)의 강(腔)은 골수(骨髓)로 채워져 있음. 인체(人體)의 뼈는 약 200 개 가량임. 골(骨). ¶ ～에 사무치다 / ～를 고향에 묻다 / 생선의 ～을 발라내다. ↔살. *골격(骨格). ②건물·기구 따위의 중심이 되어 전체를 지탱하는 재료. ¶ 불에 타 ～만 앙상하게 남은 가옥. ③중심(中心). 핵심(核心). ¶ ～만 추려서 설명한다면. ④속뜻. 저의(底意). ¶ ～ 있는 말. ⑤기개(氣槪). 기골(氣骨). ¶ ～ 있는 사람.
　뼈도 못: 추리다 구 뼈까지 녹아 없어져, 죽은 뒤에 추릴 뼈 조차 없다. ¶ 송도 명기 명월이 같은 여자를 만나면 뼈도 못 추리게 될 걸세.
　뼈에 사무치다 구 원한·고통·기쁨 따위가 뼛속까지 맺히도록 깊고 강렬하다.
뼈-갈다 자 ①뼈를 잘게 빻다. 뼛가루를 산이나 들 또는 강물 따위에 흩뿌리기 위해 화장한 유골을 빻다. ②뼈가 가루가 되도록 갖은 고생을 하다. 분골 쇄신의 노력을 하다. ¶ 뼈가는 고생 끝에 성공했다.
뼈-거름 명〔농〕'골비(骨肥)'의 풀어 쓴 말.
뼈-고도리 명 뼈로 만든 화살촉. 뼈살촉.
뼈-고둥 명〔조개〕〔*Murex triremis*〕뿔소라과에 속하는 연체 동물. 몸은 추상(錐狀)이며 길고 강한 가시가 석 줄로 나고 패각(貝殼)의 길이 15-17cm, 그 중 관상(管狀)의 수관구(水管溝)는 8-10 cm 임. 각표(殼表)는 담갈색이고 나상맥(螺狀脈)과 가시는 자갈색이며 나층(螺層)은 10층 내외인데, 입은 달걀꼴임. 열대의 해안 20m 깊이의 모래땅에 서식하며, 일본에도 분포함. 살은 식용함.

〈뼈고둥〉

뼈골-변【―骨邊】명 한자 부수(部首)의 하나. '骸'나 '體' 등의 '骨'의 이름.
뼈-그리다 자〈방〉속긋넣다.
뼈-까리 명〈방〉낟가리(경남).
뼈-깎다 자 원한·고통 따위가 뼈에 사무치다.
뼈-끝 명 ①뼈 마디의 끝. ②뼈에 붙은 고기.
뼈-낚시 명 짐승이나 물고기 뼈로 만든 낚시.
뼈-다구 명〈방〉뼈다귀(경상).
뼈-다귀 명 뼈의 낱개.
　뼈다귀(를) 녹이다 구 ㉠마음을 황홀하게 만들다. ㉡뼈 없는 사람처럼 몸이나 마음을 가눌 수 없게 만들다. ¶ 펄치고 가는 형상(形像) 사람 뼈다귀 다 녹인다≪小春香歌≫.
뼈다귓-국 명 짐승의 뼈를 푹 삶아 곤 국. ㊟뼛국.
뼈-단지 명〔고고학〕화장을 한 뒤에 뼈를 추려 담았던 그릇. 골호(骨壺).
뼈-대 명〔생〕①몸을 이룬 뼈의 크고 작은 생김새. 골격(骨格). 골간(骨幹). 골조(骨組). ¶ ～가 굵어 힘이 세겠다. ②사물의 얼개. 또, 핵심·중심. ¶ 문장의 ～.
　뼈대가 굵어지다 구 장성하여 뼈가 굵어지다.
　뼈대(가) 있다 구 ㉠문벌(門閥)이 좋다. ¶ 뼈대 있는 집안. ㉡심지(心志)가 굳고 줏대가 있다.
뼈대-근【―筋】명〔생〕골격근(骨格筋).
뼈대-살 명〔생〕골격근(骨格筋).
뼈-도가니 명 소의 무릎의 종주뼈에 붙은 질긴 고기. 흔히 곰이나 회를 만드는 데 씀.
뼈들다 자 ①힘만 들고 끝이 나지 아니하여 오래 걸리다. ②연장을 가지고 손장난을 하다. ③〈방〉뼈물다.
뼈들어-지다 자 칼이나 낫 같은 연장의 날이 무디어 들지 아니하게 되다.
뼈똥 싸다 자〈속〉몹시 힘들다.
뼈-뜯이 [―뜨지] 명 뼈에서 뜯어 낸 질긴 쇠고기.
뼈-마디 명〔생〕①뼈와 뼈가 이어진 부분. 골절(骨節). 골관절. 관절(關節). ②뼈의 낱낱의 토막.
뼈-막【―膜】명〔생〕골막(骨膜).
뼈-맞추기 명〔의〕'접골(接骨)'의 풀어 쓴 말.
뼈물다 타 ①옷치장을 하다. ②자꾸 성을 내다. ③무슨 일을 하려고 자꾸 벼르다. ¶ 감사의 부탁대로 선치 수령이 되려고 뼈물었다≪洪命憙：林巨正≫.
뼈-바늘 명 뼈로 만든 뜨개바늘.
뼈-붙이 [―부치] 명 여러 가지의 뼈.
뼈-빠지다 자 고통이 뼈에 사무치다. 뼛골빠지다. **뼈-빠지게** 부. ¶ ～ 일한 보람이 있다.
뼈-살촉 명 뼈고도리.
뼈-상모【―象毛】명〔민〕전라도 우도(右道)굿에서 쓰는, 꼭대기에 길게 늘어진 노끈에 철사를 넣어서 빳빳하게 만든 상모.
뼈-송곳 명 뼈로 만든 송곳.
뼈-아프다 형 골수에 사무치는 느낌이 있다. ¶ 살아 생전에 효도하지 못한 것을 뼈아프게 후회하다. *뼈저리다.
뼈-연장 명〔고고학〕뼈로 만든 연장. 구석기 시대부터 사용되었음. 골기(骨器).
뼈-오징어 명〔동〕갑오징어.
뼈-인두 명 재봉(裁縫)에서, 인견 따위의 옷감에 표를 할 때 쓰는 기구.
뼈-저리다 자 뼛속이 저릴 정도로 무엇이 마음속 깊이 사무치다. ¶ 뼈저리게 느끼다. *뼈아프다.
뼈-제품【―製品】명 뼈로 만든 제품. 골제품(骨製品).
뼈-지다 형 ①속이 옹골차서 살 속에 뼈가 있는 것 같다. ②하는 말이 여무져서 단단한 마디가 있다. ¶ 평소에 남에게 뼈진 말을 못하는 그녀로서는 크게 용기를 내어서 하는 말이었다≪金東里：애정의 윤리≫.
뼈-창【―槍】명 뼈로 만든 창.
뼈-추리다 자 ①화장한 뒤에 유골을 줍다. ②남의 사후의 뒤치다꺼리를 하다.
뼈-품 명 뼈가 휘어지도록 들이는 품.
뼈품-팔다 자 뼈가 휘어지도록 힘들게 일하다. ¶ 뼈품팔아 돈벌이를 해 봤자 처자식 배도 못 채운다.
뼉: 명 ☞비역.
뼉-다구 명〈방〉뼈다귀(경상·전라).
뼉-다귀 명〈방〉뼈다귀(경기·전북).
뼉다귓-국 명〈방〉뼈다귓국(전라).
뼉-대 명〈방〉뼈다귀(충남).
뼉-때기 명〈방〉뼈다귀(충남).
뼘: 명 ①엄지손가락과 다른 손가락과의 잔뜩 벌린 거리. 엄지손가락과 가운뎃손가락을 벌린 것을 장뼘, 엄지손가락과 집게손가락을 벌린 것을 집게뼘이라고 함. ②↗장뼘. ¶ ～으로 재다/한 ～이나 작다.
뼘:-내기 명 돈치기의 한 가지. 맞힐 돈과 던진 목대와의 거리가 소정(所定)의 뼘 밖에 나가게 되면 그 사람은 떨어지고 딴 사람이 갈마들게 됨. ――-하다 자여불
뼘:-내기로 부〈방〉뼘들이로.
뼘:다 [―따] 타 뼘으로 물건의 길이를 재다.
뼘:-들이로 부 동안을 별로 띄지 아니하고 연해 갈마들어서. ¶ 가만히 도망코자 하니 신씨가 ～ 드나드니, 이 방에 인적 없는 것만 보면 당장 탄로가 날지라…≪李海朝：昭陽亭≫.
뼘:-치 명 길이가 한 뼘쯤 되는 물건. 또, 그런 물고기.
뼛-가루 명 골분(骨粉).
뼛-골【―骨】명〔생〕뼈의 골수. 골.
　뼛골(이) 빠:지다 구 뼈빠지다. 뼛골이 진하여 없어지도록 고생하다. ¶ 뼛골빠지게 일만 하다가 죽다.
　뼛골(을) 빼:다 구 원기를 탈진(脫盡)하게 만들다.
　뼛골(이) 아프다 구 너무나 고통스러워서 뼛속까지 아프다.
　뼛골(에) 사무치다 구 뼈에 사무치다.
뼛-국 명 ↗뼈다귓국.
뼛-성 명 갑자기 일어나는 짜증.
　뼛성(을) 내:다 구 갑자기 발칵 짜증을 내다.
뼛-속 명〔생〕골수(骨髓).
뼛-조각 명 뼈의 부스러진 조각.
뼛-줄 명〈방〉속긋.
뼝아리 명〈방〉병아리(전라·경남).
뼝ᄒᆞ니 명〈옛〉병인(病人). 병자(病者). ¶ 늘그니 뼝病ᄒᆞ니ᄅᆞᆯ 보시고 ᄆᆞᅀᆞᄆᆞᆯ 내시니 ≪月印 上 16≫.
뼝ᄒᆞ다 자〈옛〉앓다. ¶ 내 늙고 病뼝ᄒᆞ야 머므렛노니(吾人淹老病)≪杜諺 Ⅶ：12≫.
뽀개다 타〈방〉빠개다¹.
뽀개-지다 자〈방〉빠개지다.
뽀그르르 부 적은 물이나 잔 거품 따위가 좁은 범위로 세차고 야단스럽게 끓어오르거나 일어나는 모양. 또, 그 소리. ㅗ보그르르. ＜뿌그르르. *빠그르르. ――-하다 자여불
뽀글-거리다 자 적은 물이나 잔 거품따위가 좁은 범위 안에서 세고 야단스럽게 자꾸 끓거나 일어나다. ㅗ보글거리다. ＜뿌글거리다. *빠글거리다. **뽀글-뽀글** 부. ――-하다 자여불
뽀글-대다 자 뽀글거리다.
뽀:다 타〈방〉빻다(평안·함경).
뽀도독 부 ←뽀드득. ――-하다 자타여불
뽀도독-거리다 자타 ←뽀드득거리다. **뽀도독-뽀도독** 부. ――-하다 자타여불
뽀도독-대다 자타 ←뽀드득대다.
뽀도시 부〈방〉겨우(전남·경남).
뽀독-뽀독 부 물기 있는 물건의 거죽이 몹시 뽀독한 모양. ㅗ보독보독. ＜뿌둑뿌둑. ――-하다 형여불
뽀독-하다 형여불 물기가 거의 다 말라서 굳은 듯하다. ㅗ보독하다. ＜뿌둑하다.
뽀돌-치 명〈방〉〔어〕송사리.
뽀돗-이 부〈방〉빠듯이.
뽀동-이【―童―】명〈유아〉포동포동하게 살찐 아이를 귀엽게 이르는 말.

뽀드기 명 〈방〉 보드기.

뽀드득 부 ①단단하거나 반드러운 물건을 되게 맞비빌 때에 나는 소리. ②무른 똥을 힘들이어 눌 때에 나는 소리. ㅆ포드득. 1)·2):ㅗ보드득. <뿌드득. →뽀도독. *빠드득. ——-하다 자타여불

뽀드득-거리다 자타 ①단단하거나 반드러운 물건을 되게 맞비빌 때에 자꾸 뽀드득 소리가 나다. 또, 뽀드득 소리를 자꾸 내다. ②똥을 힘주어 눌 때에 연해 뽀드득 소리가 나다. ㅆ포드득거리다. 1)·2):ㅗ보드득거리다. <뿌드득거리다. →뽀도독거리다. *빠드득거리다. **뽀드득-뽀드득** 부. 준뽀득뽀득. ——-하다 자타여불

뽀드득-대다 자타 뽀드득거리다. →뽀도독대다.

뽀드락지 명 〈방〉 뾰두라지.

뽀득-뽀득 부 ↗뽀드득뽀드득. ㅗ보득보득². <뿌득뿌득. *빠득빠득².

뽀듯이 부 〈방〉 빠듯이.

뽀듯-하다 형 〈방〉 빠듯하다.

뽀로통-하다 형여불 ①부어올라서 뾰록하다. ②불만스러워서 시무룩하여 얼굴에 성난 빛이 있다. 1)·2):ㅗ보로통하다. <뿌루퉁하다. **뽀로통-히** 부

뽀롯ᄒᆞ다 형 〈옛〉 뾰족하다. =ᄲᅩ롣ᄒᆞ다.¶뽀롯ᄒᆞᆫ 봉(尖峰)《譯語 上 6》.

뽀루퉁:-하다 형 〈방〉 뽀로통하다.

뽀리-뱅이 명 〔식〕 [*Youngia japonica*] 국화과에 속하는 이년초. 높이 20-100cm, 근엽(根葉)은 총생(叢生)하며, 잎꼭지가 있고 경엽(莖葉)에는 잎꼭지가 없는데, 불규칙하게 우상 심렬(羽狀深裂)하고 자줏빛을 띤 갈색이며, 줄기와 잎에는 잔털이 많음. 5-6월에 황갈색의 잔꽃이 두상(頭狀) 화서로 피는데, 밭두둑이나 길가의 습지에 나며, 관모(冠毛)는 흰 빛임. 어린 잎은 식용함. 한국 중부 이남 및 일본에 분포함. 박조가리나물.

뽀비 명 〈방〉 서랍(함북).

뽀뽀 명 〈소아〉 '입맞춤'을 귀엽게 일컫는 말. ——-하다 자여불

뽀뽀로시 명 〈방〉 담배(함북).

뽀뽀로시개 명 〈방〉 담배(함북).

뽀서-지다 자 〈방〉 바서지다.

뽀수구다 타 〈방〉 빻다(전남).

뽀수다 타 〈방〉 바수다(전라·경남).

뽀시다 타 〈방〉 빻다(전남).

뽀야- 간 '뽀얗다'의 불규칙 어간. ¶ ~ㄴ/~니.

뽀:얗다 [—야타] 형ㅎ불 투명하거나 선명하지 아니하고 약간 희기만 하다. 연기나 안개 빛처럼 희끄무레하다. ¶ 먼지가 뽀얗게 앉았구나. ㅗ보얗다. <뿌옇다.

뽀얘 준 '뽀얗아'가 줄어 변해서 된 말. ¶ ~ 가지고. ㅗ보얘. <뿌예.

뽀얘-지다 자 뽀얗게 되다. ㅗ보얘지다. <뿌예지다.

뽀우다 타 〈방〉 빻다(경상).

뽀유-스레 부 뽀유스름하게. ㅗ보유스레. <뿌유스레. ——-하다 형여불

뽀유스름-하다 형여불 약간 뽀얀 듯하다. 곱게 조금 뽀얗다. ㅗ보유스름하다. <뿌유스름하다. **뽀유스름-히** 부

뽀이스름-하다 형 〈방〉 뽀유스름하다.

뽀이치 명 〈방〉 〔동〕 박쥐(경남).

뽀채다 타 〈방〉 바치다².

뽀치다 타 〈방〉 바치다².

뽀태기 명 〈방〉 볼때기(전남·경상).

뽁대기 명 〈방〉 산봉우리(전북).

뽁주 명 〈방〉 〔동〕 박쥐(전라).

뽁쥐 명 〈방〉 〔동〕 박쥐(전라·함북).

뽁지 명 〈방〉 〔동〕 박쥐(경남·전남).

뽄 명 〈방〉 본보기(평안).

뽄대기 명 〈방〉 〔충〕 번데기¹(경남).

뽄데기 명 〈방〉 〔충〕 번데기¹(전남).

뽄디기 명 〈방〉 〔충〕 번데기¹(경남).

뽄때 명 〈방〉 본때(경상).

뽄새 명 ☞본새.

뽈 명 〈방〉 볼¹(전남·경상).

뽈가리 명 〈방〉 〔어〕 볼락.

뽈그름-하다 형여불 ↗뽈그스름하다. ㅗ볼그름하다. <뿔그름하다. **뽈그름-히** 부

뽈그-스레 부 뽈그스름하게. ㅗ볼그스레. <뿔그스레. ——-하다 형여불

뽈그스름-하다 형여불 오붓한 태깔로 조금 붉다. 준뽈그름하다. ㅗ볼그스름하다. <뿔그스름하다. **뽈그스름-히** 부

뽈그족족-하다 형여불 고르지 못하고 좀 칙칙하게 뽈그스름하다. ㅗ볼그족족하다. <뿔그죽죽하다. *빨그죽죽하다. **뽈그족족-히** 부

뽈긋-뽈긋 부 여기저기 점점이 붉은 모양. ㅗ볼긋볼긋. <뿔긋뿔긋. *울긋불긋. ——-하다 형여불

뽈기-짜기 명 〈방〉 볼기짝(경북).

뽈댕이 명 〈방〉 산봉우리(경남).

뽈-때기 명 〈방〉 볼때기(전남·경상).

뽈라기 명 〈방〉 〔어〕 볼락.

뽈락 명 〈방〉 〔어〕 볼락.

뽈락-어 명 〈방〉 〔어〕 볼락.

뽈리 부 〈방〉 빨리(함경).

뽈:쥐 명 〈방〉 〔동〕 박쥐(경상).

뽈:지 명 〈방〉 〔동〕 박쥐(경남).

뽈-태기 명 〈방〉 볼때기(전북).

뽈-탱이 명 〈방〉 볼때기(경남).

뽐¹ 명 〈방〉 봄.

뽐² 명 〈방〉 뼘(평안·강원·전남·경상).

뽐-내다 자 ①기를 펴고 젠 체하다. ②보라는 듯이 자랑하다. ¶ 승리를 ~/상탔다고 ~.

뽐부라치 명 〈방〉 뾰루지.

뽑다 타 〔중세 : 쌥다〕 ①속에 있는 것을 빼내다. 또 박힌 것을 잡아당겨서 빼어내다. ¶칼을 ~/못을 ~/피를 ~/뿌리를 ~. ②길게 늘이다. ¶ 목을 길게 뽑고 기다린다/쇳물로 철사를 뽑는다/목청을 ~. ③여럿 가운데에서 가려내다. ¶ 우수 선수를 ~. ④도로 거두어 들이다. ¶ 밑천을 ~. ⑤〈속〉 모집하다. ¶ 사원을 ~.

뽑이 명 〈방〉 서랍(함경).

-뽑이 미 어떤 명사 아래에 붙어, 그 물건을 뽑는 기구임을 나타내는 말. ¶ 못~/마개~.

뽑히다 ㊀ 자 ①뽑아지다. 빠지다. ¶ 못이 절로 ~. ②뽑음을 당하다. ¶ 반장으로 ~. ㊁ 사동 뽑게 하다. ¶ 동생에게 무를 ~.

뽕¹ 명 ①↗뽕잎. ②↗뽕나무.

[뽕내 맡은 누에 같다] 마음에 흡족하여 어쩔 줄 모른다는 말.

뽕도 따고 임도 보고 구 두 가지 일을 동시에 이룸을 이르는 말.

뽕² 명 ☞봉².

뽕³ 부 ①방귀를 되게 뀌는 소리. ㅗ봉. ㅆ퐁. <뿡. ②자동차 같은 것이 한번 울리는 경적 소리. ㅗ봉. <뿡.

뽕구다 타 〈방〉 빻다(전북).

뽕깡 명 〔중 椪柑〕 〔식〕 [*Citrus aurantium* var. *poonensis*] 운향과(芸香科)에 속하는 상록 관목. 밀감(蜜柑)의 일종으로, 잎은 장타원형(長楕圓形), 과실은 납작하게 둥근데, 직경이 7cm 이상임. 주름이 많고, 등황색으로 익는데 감미(甘味)가 많아 널리 애호(愛好)됨. 인도 원산(原産)으로 대만 등지에서 재배함.

뽕-나다 자 ①비밀이 드러나다. <뿅나다. *뽕놓다. ②〈방〉 뽕빠지다.

뽕-나무 명 〔식〕 ①뽕나뭇과에 속하는 돌뽕나무·꾸지뽕나무·뽕나무·산뽕나무 등의 총칭. ②[*Morus alba*] 뽕나뭇과에 속하는 낙엽 활엽 교목의 하나. 높이 2-3m가량이고, 잎은 어긋 나며 달걀꼴 또는 넓은 달걀꼴에 가에 톱니가 있고, 셋 내지 다섯 쌍의 엽맥(葉脈)이 있음. 4-5월에 길이 2cm 내외의 수상화(穗狀花)가 자웅 이주(雌雄異株)로 피는데, 화판이 없음. 핵과(核果)는 '오디'라고 하며 액과상(液果狀)이고, 흑자색으로 익음. 보통, 밭에 재배하는 품종으로, 한국·중국·일본에 분포함. 잎은 양잠용(養蠶用), 과실은 아이들이 따먹고 술도 빚으며, 재목은 경대(鏡臺)·농·악기(樂器) 등의 세공물에 쓰고, 근피(根皮)는 한방(韓方)에서 이뇨제(利尿劑)로 씀. 상목(桑木). 오디나무. 준뽕.

암꽃이삭 암꽃 수꽃이삭 수꽃

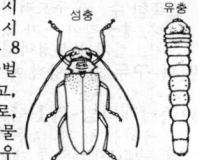

〈뽕나무❷〉

뽕나무-가지나방 명 〔충〕 [*Hemerophila atrilineata*] 자나방과(科)에 속하는 곤충. 몸길이 20mm, 편 날개의 길이 35-55mm이고, 앞 날개의 전연(前緣)은 회갈색이며, 중앙부는 암갈색의 넓은 띠와 가는 줄이 산포(散布)되어 있고, 내·외횡선(內外橫線)은 흑색이나 뒷날개에는 외횡선만 있음. 촉각은 빗 모양임. 6-9월에 걸쳐 2회 발생하는데 녹색 또는 암자색의 알을 뽕잎 뒷면이나 가지에 30-40개씩 낳음. 유충은 녹갈색이나 자라면 회갈색이 되고, 몸길이 7mm 쯤임. 뽕잎의 큰 해충임. 한국·일본·중국·대만·인도 등에 분포함. 자나방.

〈뽕나무가지나방〉

뽕나무-겨우살이 명 〔식〕 겨우살잇과에 속하는 기생목(寄生木)의 하나. 뽕나무 가지 사이의 껍질에서 줄기가 나와, 마치 다른 나뭇 가지를 꽂아 놓은 것과 같은 모양을 이룸. 줄기와 잎은 '상기생(桑寄生)'이라 하여 한방 약재(韓方藥材)로 씀. 상기생(桑寄生). 상상 기생(桑上寄生). *겨우살이.

뽕나무-굼벵이 명 〔충〕 뽕나무벌레. *나무굼벵이.

뽕나무-벌레 명 〔충〕 뽕나무하늘소의 애벌레. 나무굼벵이의 하나로, 한방에서는 경풍(驚風) 또는 여성의 하혈(下血)에 씀. 상두충(桑蠹蟲). 상충(桑蟲). 뽕나무굼벵이.

뽕나무-알락불나방 [—라—] 명 〔충〕 뽕자지불나방.

뽕나무-좀 명 〔충〕 [*Xyleborus atratus*] 나무좀과에 속하는 곤충. 몸길이 2.3-3.0mm. 몸은, 암컷은 원통형이나 수컷은 긴 달걀꼴이고, 몸빛은 암컷은 흑색이나 수컷은 황색에 긴 털이 있고, 다리·촉각은 황색임. 뽕나무·오리나무 등에 기생함.

〈뽕나무좀〉

뽕나무-하늘소 [—쏘] 명 〔충〕 [*Apriona germari japonica*] 하늘솟과에 속하는 곤충. 몸길이 32-44mm에 빛은 청색을 띤 황회색이며, 두부(頭部)는 수직인데 황회색 털이 밀생함. 각 시초(翅鞘)의 어깨에는 한 개의 돌기가 있으며, 시저(翅底)에는 많은 과립(顆粒)이 있음. 성충은 8월에 나옴. 유충을 '구절충(九節蟲)'·'뽕나무벌레'라고 하는데, 몸길이 70mm에 원통상이고, 두부(頭部)는 갈색, 동부(胴部)는 유백색으로, 나무에 구멍을 파고 들어 삶. 뽕나뭇과(科) 식물의 해충임. 한국·일본·중국 등에 분포함. 상우(桑牛). 상천우(桑天牛).

성충 유충

〈뽕나무하늘소〉

뽕나뭇-과 【—科】 명 〔식〕 [Moraceae] 쌍자엽 식물 이판화류(離瓣花類)에 속하는 한 과. 대개 목본(木本)이나 드물게 만초(蔓草)도 있으며 전세계에 950여 종이 있는데 한국에는 닥나무·모람·무화과나무·뽕나무·뽕모시풀 등의 15종이 분포함.

뽕-낫 명 날 길이가 9-10 cm로 짧은 낫.

뽕-놓다 [―노타] 자 〈속〉 '남의 비밀을 폭로하다'를 낮게 쓰는 말.

뽕-누에 명 〖충〗 고치에서 실을 뽑기 위하여 치는 누에.

뽕-돌 [―똘] 명 ☞봉돌.

뽕-따다 자 뽕잎을 따다. ¶ 뽕따러 가자.

뽕달 명 〈방〉 오디(경상).

뽕-모시풀 명 〖식〗 [*Fatoua villosa*] 뽕나뭇과에 속하는 일년초. 줄기 높이 60 cm 가량에, 잎은 호생하며 잎자루는 길고, 막질(膜質)에 달걀꼴임. 7-8월에 담녹색 꽃이 자웅 동가(雌雄同家)의 취산(聚繖) 화서로 액출(腋出)하여 피고, 과실은 수과(瘦果)임. 길가나 황폐지에 나는데, 경기·제주도에 분포함.

〈뽕모시풀〉

뽕-모판 【―板】 명 뽕나무의 묘목을 키우는 밭.

뽕-밭 명 뽕나무 밭. 상원(桑園). 상전(桑田).

뽕-빠지다 자 밑천을 온통 다 잃다. 손해를 크게 입어 아주 결딴나다. ㅗ봉빠지다.

뽕-뽕 부 ①방귀를 되게 자꾸 뀌는 소리. ㅆ퐁퐁. <뿡뿡. ②자동차 같은 것이 연하여 울리는 경적 소리. ㅗ봉봉[2]. <뿡뿡.

뽕뽕-거리다 자타 자꾸 뽕뽕 소리가 나다. 또, 자꾸 뽕뽕 소리를 내다. ㅆ퐁퐁거리다. <뿡뿡거리다. *빵빵거리다.

뽕뽕-대다 자타 뽕뽕거리다.

뽕-순 【―筍】 명 여름철에 가지와 잎꼭지 사이에 생겨서 겨울을 난 뽕나무의 눈.

뽕-여르매 명 〈방〉 오디(함경).

뽕-잎 [―닙] 명 뽕나무의 잎. 준뽕.

뽕잎-피나무 [―닙―] 명 〖식〗 뽕피나무.

뽕-자지 명 〖충〗 뽕자지불나방의 유충(幼蟲).

뽕자지-불나방 [―라―] 명 〖충〗 [*Spilosoma imparilis*] 불나방과에 속하는 곤충. 몸길이 20 mm, 편 날개의 길이 55 mm 내외임. 몸빛은 암갈색에 날개는 갈색인데, 앞날개에는 한 줄의 무늬가 있고, 뒷날개의 가에는 검은 점이, 몸통의 등쪽 각 마디에는 검은 무늬가 있음. 알은 담황색의 타원형이고, 약 3,000 개 가량이 알덩어리를 이룸. 애벌레는 '뽕자지'라고 하는데, 갈색을 띤 흑색에, 몸길이 30 mm이고, 등쪽에 황백색의 띠가 있으며, 몸통에 긴 털이 밀생하였음. 애벌레 상태로 낙엽 밑에 무리를 지어 살면서 월동(越冬)함. 뽕나무·사과나무 등의 잎을 갉아먹는 큰 해충으로, 한국·중국·일본에 분포함. 수검은줄점불나방. 뽕나무알락불나방.

〈뽕자지불나방〉

뽕-짝 명 〈속〉 트로트 풍(風)의 우리 대중 가요(大衆歌謠)의 속칭. 또, 그 리듬의 흉내말.

뽕-파리 명 〖충〗 누에기생파리.

뽕-피나무 명 〖식〗 [*Tilia taquetii*] 피나뭇과에 속하는 낙엽 활엽 교목. 잎은 달걀꼴 또는 넓은 달걀꼴에 뒷면의 엽맥 사이에 갈색의 털이 나고 뽕잎과 비슷함. 꽃은 6월에 방상(房狀) 화서로 액생(腋生)하여 피고, 과실은 긴 거꿀달걀꼴로 10월에 익음. 산허리 이상에 나는데, 전남북·경남·강원·평북에 분포함. 나무 껍질은 새끼줄의 대용으로 쓰임. 뽕잎피나무.

뾔뵈 명 〈방〉 서랍(함남).

뾔비 명 〈방〉 서랍(함남).

뾔죽 부 〈방〉 뾰족. ――-하다 형

뾤 명 〈방〉 뼘(강원).

뾰데 명 〈방〉 꽃봉오리(함경).

뾰두라지 명 뾰루지.

뾰로지 명 〈방〉 뾰루지.

뾰로통-하다 형여불 잔뜩 성이 나서 노여워하는 빛이 사뭇 엿보이다. ¶ 입을 뾰로통하게 내밀고 말대꾸를 하다. <쀼루퉁하다.

뾰롱-뾰롱 부 성질이 순하지 못하고 걸핏하면 남을 톡톡 쏘기를 잘하는 모양. ――-하다 형여불

뾰루지 명 뾰족하게 부어 오른 작은 부스럼. 뾰두라지.

뾰루지-감: 명 〈방〉 뾰주리감.

뾰조록-이 부 뾰조록하게. 준뾰족이. <쀼주룩이.

뾰조록-하다 형여불 끝이 뾰족하게 약간 내밀어 있다. <쀼주룩하다.

뾰족 부 차차 빨아져서 끝이 날카로운 모양. ¶ ~한 연필. ㅆ뾰쪽. <쀼죽. ――-하다 형여불 ①차차 빨아져서 끝이 날카롭다. ②계책이나 성능이 특이하다.

뾰족한 수 구 두드러지게 유표(有表)한 수단. 신통한 수. ¶ ~가 없다/송곳같이 ~가 있는 도적놈이라도 ≪李仁稙:銀世界≫. 주의 의심스럽거나 부정적인 뜻으로 쓰임.

뾰족-구두 명 서양식 여자 구두의 한 가지. 뒷굽이 썩 높고 앞이 뾰족함. 하이 힐.

뾰족날개나방-과 【―科】 [―꽈] 명 〖충〗 [Cymatophoridae] 나비목(目)에 속하는 한 과. 몸은 중형(中形)이고 촉각은 간단한 실 모양임. 날개의 둔맥(臀脈)은 두 개이며, 거극(距棘)은 두 쌍임. 유충은 원통형이고, 각종 식물의 해충임. 전세계에 120여 종이 분포함.

뾰족-뒤쥐 명 〖동〗 뒤쥐.

뾰족-바닥 명 〖고고학〗 토기 바닥이 뾰족한 것. 첨저(尖底).

뾰족-벌 명 〖충〗 [*Coelioxys fenestratus*] 가위벌과에 속하는 곤충. 암컷의 몸길이는 22-24 mm이고, 몸빛은 흑색에 두부의 일부와 흉부·다리 및 복부의 기부(基部) 등에는 황갈색 단모(短毛)가 있고, 복부 각절(各節)의 후연(後緣)과 배복면(背腹面)에는 모두 회백색 단모가 있음. 왕가위벌의 집에 기생(寄生)하는데, 한국·일본에 분포함.

뾰족-부전나비 명 〖충〗 [*Curetis acuta paracuta*] 부전나빗과에 속하는 곤충. 편 날개의 길이 46 mm 내외이고, 몸빛은 흑색인데 수컷은 앞날개 중앙 및 뒷날개에 등적색의 큰 무늬가 있으며 암컷의 앞날개 중앙은 청람색, 뒷날개에는 반문(斑紋)이 없고 날개 뒷면은 모두 은백색임. 한 해 2 회 발생하고 성충으로 월동하며 유충은 콩과(科) 식물에 모임. 한국·중국·대만·일본에 분포함.

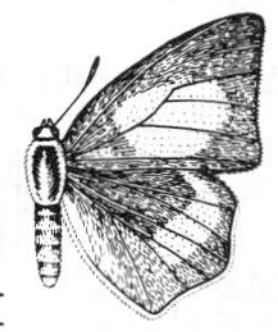
〈뾰족부전나비〉

뾰족-뾰족 부 모두가 두루 뾰족한 모양. ¶ ~ 나온 보리 이삭. ㅆ뾰쪽뾰쪽. <쀼죽쀼죽. ――-하다 형여불

뾰족-이 부 ↗뾰조록이. <쀼죽이.

뾰족-집 명 ①지붕 끝이 아주 뾰족한 양옥(洋屋). ②〈속〉 천주교당(天主教堂).

뾰주리 명 ① ↗뾰주리감. ②머리통이 뾰족하게 생긴 사람의 별명.

뾰주리-감 명 〖식〗 몸이 좀 기름하고 끝이 뾰족한 감. 장준·고추감·중준 같은 것. 준뾰주리.

뾰죽 부 ☞뾰족. ――-하다 형여불

뾰죽-당 【―堂】 명 ☞뾰족집❷. ¶ ~ 종 소리는 여전히 울리고 있었다≪李鳳九:旅愁≫.

뾰죽-뾰죽 부 ☞뾰족뾰족. ――-하다 형여불

뾰죽-이 부 ☞뾰족이.

뾰쪽 부 끝이 차차 빨아져서 날카로운 모양. ㅗ뾰족. <쀼쭉. ――-하다 형여불

뾰쪽-뾰쪽 부 모두가 두루 뾰쪽한 모양. ㅗ뾰족뾰족. <쀼쭉쀼쭉. ――-하다 형여불

뾰쪽-이 부 뾰쪽하게. ㅗ뾰족이. <쀼쭉이.

뾰쭉 부 ☞뾰쪽. ――-하다 형여불

뾰쭉-뾰쭉 부 ☞뾰쪽뾰쪽. ――-하다 형여불

뾰쭉-이 부 ☞뾰쪽이.

뾤 명 〈방〉 뼘(경기·강원·전남).

뿅 부 〈속〉 완전히 정신을 잃은 모양. ¶ ~ 가다.

뿅 가다 구 순식간에 넋을 잃어 사물을 판단하는 힘이 없어지다.

뿅-나무 명 〈방〉 〖식〗 뽕나무(황해).

뿌그르르 부 ①많은 물이 좁은 면적에서 야단스럽게 끓어 오르는 모양. 또, 그 소리. ②굵은 거품이 좁은 범위로 야단스럽게 일어나는 모양. 또, 그 소리. 1)·2): ㅗ부그르르. >뽀그르르. *빠그르르·뻐그르르. ――-하다 자여불

뿌글-거리다 자 ①썩 많은 물이 세고 야단스럽게 자꾸 끓다. ②굵은 거품이 세게 자꾸 일어나다. 1)·2):ㅗ부글거리다. >뽀글거리다. *뻐글거리다. 뿌글-뿌글 부. ――-하다 자여불

뿌글-대다 자 뿌글거리다.

뿌꾹-새 명 〈방〉 〖조〗 뻐꾸기(경북).

뿌꿈-새 명 〈방〉 〖조〗 뻐꾸기(경상).

뿌다구 명 〈방〉 새고자리(평안).

뿌다구니 명 ①물건의 삐죽하게 내민 부분 또는 쑥 내민 모퉁이. 준뿌다귀. ②〈방〉 뿔.

뿌다귀 명 ↗뿌다구니❶.

뿌다지 명 〈방〉 뿌다구니❶.

뿌덕뿌덕-하다 형여불 부드럽지 못하고 아주 뻑뻑하다.

뿌두둑 부 ←뿌드득. ――-하다 자타여불

뿌두둑-거리다 자타 ←뿌드득거리다. 뿌두둑-뿌두둑 부. ――-하다 자타여불

뿌두둑-대다 자타 ←뿌드득대다.

뿌둑-뿌둑 부 물기 있는 물건의 거죽이 거의 말라 굳은 듯한 모양. ㅗ부둑부둑. >뽀독뽀독. ――-하다 형여불

뿌둑-하다 형여불 물기가 거의 말라 굳은 듯하다. ¶ 훈은 뿌둑해져 오는 눈을 도로 감아 버리고 말았다≪黃順元: 카인의 후예≫. ㅗ부둑하다. >뽀독하다.

뿌듯:-하다 형 〈방〉 뿌듯하다.

뿌드드-하다 형여불 ①꽉 움켜쥐고 내놓지 않으려는 태도가 있다. ㅗ부드드하다. ② ↗찌뿌드드하다.

뿌드득 부 ①단단하거나 질긴 물건을 되게 맞비빌 때에 나는 소리. ¶ ~ 이를 갈다. ②무른 똥을 힘들여 눌 때에 나는 소리. ㅆ푸드득. 1)·2):ㅗ부드득. >뽀드득. →뿌두둑. *빠드득. ――-하다 자타여불

뿌드득-거리다 자타 ①단단하거나 질긴 물건을 되게 맞비빌 때에 뿌드득 소리가 자꾸 나다. 또, 그런 소리를 자꾸 내다. ②무른 똥을 힘들여 눌 때에 뿌드득 소리가 자꾸 나다. ㅆ푸드득거리다. 1)·2):ㅗ부드득거리다. >뽀드득거리다. →뿌두둑거리다. *빠드득거리다. 뿌드득-뿌드득 부. 준뿌득뿌득[2]. ――-하다 자타여불

뿌드득-대다 자타 뿌드득거리다. →뿌두둑대다.

뿌득-뿌득[1] 부 ①제 고집만 자꾸 부리는 모양. ¶ ~ 고집을 부리다. ②자꾸 졸라대는 모양. 1)·2):ㅗ부득부득[1]. >빠득빠득[1].

뿌득-뿌득[2] 부↗ 뿌드득뿌드득. ㅗ부득부득[2]. >빠득빠득[2]·뽀득뽀득.

뿌득:-하다 형 〈방〉 뿌둑하다.

뿌듯-이 부 뿌듯하게. ㅗ부듯이. >빠듯이.

뿌듯-하다 형여불 ①꼭 맞아서 헐렁거리지 아니하다. ¶ 뿌듯하게 들이끼우다. ②가득히 차서 빈틈이 없다. ¶ 배가 ~. 1)·2):ㅗ부듯하다. >빠듯하다. ③마음에 그득하여 벅차다. ¶ 가슴 뿌듯한 이야기.

뿌디딕 명 〈방〉 뿌드득❷.

뿌랑구 명 〈방〉 뿌리(전남).

뿌래기 명 〈방〉 뿌리(충청).

뿌래이 명 〈방〉 뿌리(경상).
뿌랙지 명 〈방〉 뿌리(경상).
뿌랭구 명 〈방〉 뿌리(전남).
뿌랭기 명 〈방〉 뿌리(전라).
뿌랭이 명 〈방〉 뿌리(전남).
뿌러-가다 자 〈방〉 불어나다. 늘어가다.
뿌러기 명 〈방〉 뿌리(충청).
뿌럭지 명 〈방〉 뿌리(충청·경남).
뿌렁거지 명 〈방〉 뿌리(강원).
뿌렁구 명 〈방〉 뿌리(전라·경남).
뿌렁이 명 〈방〉 뿌리(충남).
뿌렁지 명 〈방〉 뿌리(강원·충남·전남).
뿌레기 명 〈방〉 뿌리(경상·전북·충청·강원·경기).
뿌렝이 명 〈방〉 뿌리(전라·경상·충청·경기).
뿌루퉁-하다 형여불 ①부어서 뿔룩하다. ②불만스러운 빛이 얼굴에 나타나 있다. ¶화가 난 듯 얼굴이 ~. 1)·2):ㅅ부루퉁하다. >뽀로통하다. **뿌루퉁-히** 부
뿌룽구 명 〈방〉 뿌리(경상).
뿌르다 타 〈방〉 꺾다(경상).
뿌르르 부 춥거나 무서워서 몸을 움츠리면서 떠는 모양. ㅅ부르르.
뿌리 명 〔중세 : 불휘〕 ①〖식〗 보통 땅 속에 있으면서 식물체를 떠받치고 땅 속의 수분이나 양분(養分)을 빨아올리는 식물의 한 기관. 양치류(羊齒類) 이상의 고등 식물에 있는데, 주근(主根)과 측근(側根)의 구별이 있으며, 지상근(地上根)·수중근(水中根)·저장근(貯藏根)·기근(氣根)·기생근(寄生根)·호흡근(呼吸根) 등 여러 종류가 있음. 근(根). ②깊숙이 박힌 물건의 밑동. ¶이가 썩어 ~만 남았다. ③깊숙이 자리잡아 굳어진 사물이나 현상의 근본. ¶병의 ~/사건의 ~를 캐다.
[뿌리 없는 나무가 없다] 무엇이나 그 근본이 있다는 말. [뿌리 없는 나무에 잎이 필까] 원인(原因)이 없이는 결과(結果)가 있을 수 없다는 말.
뿌리(가) 깊다 구 ㉠뿌리가 깊이 박혀 있다. ¶뿌리깊은 나무. ㉡사물이 연유하는 바가 오래다. ¶뿌리깊은 원한.
[뿌리깊은 낢이 가뭄 안 탄다] 무엇이나 근원이 깊고 튼튼하면 오래 견딘다는 말.
뿌리(를) 박다 구 ㉠나무 같은 것이 뿌리를 뻗어 완생(完生)하다. ㉡토대를 잡아 고착(固着)하다. ¶동양에 뿌리박힌 유교 사상.
뿌리(가) 빠:지다 구 뿌리째 뽑혀서, 아무것도 남는 것이 없게 되다.
뿌리(를) 뽑다 구 근본을 깨끗이 제거해 버리다.
뿌리-골무 명 〔root cap〕〖식〗 뿌리의 끝에 있는 모자 모양의 조직. 뿌리의 증식 신장(增殖伸張)을 맡은 부드럽고 연한 세포를 보호하는 작용을 함. 근관(根冠).

뿌리털
뿌리털부
신장부
생장점
뿌리 골무
〈뿌리골무〉

뿌리 그루 명 〖식〗 그루터기.
뿌리기 명 〈방〉 뿌리(경기·강원).
뿌리꼴-줄기 명 〖식〗 뿌리줄기.
뿌리-꽂이 명 꺾꽂이의 하나. 사시나무·오동나무처럼 뿌리에서 새 움이 터 나오는 종류의 뿌리를 20-30cm로 잘라서 땅에 꽂아 뿌리가 내리게 하는 방법.
뿌리-나눔 명 〖식〗 '분근(分根)'의 풀어 쓴 말. ——-하다 타여불
뿌리나-하다 형 〈방〉 분하다(함경).
뿌리-눌림 명 〖식〗 '근압(根壓)'의 풀어 쓴 말.
뿌리다 ㊀ 자 〔중세 : 쓰리다〕 싸락눈이나 빗방울 등이 날려 떨어지다. ¶때때로 가랑비가 ~. ㊁ 타 ①작은 물건 또는 물 같은 것을 얇고 넓게 헤뜨리어 끼얹거나 던지다. 흩어서 던지다. ¶씨를 ~. ②돈을 여기저기 다니며 쓰다. 여기저기에 낭비하다. ¶술집에 뿌린 돈.
뿌리-돌리기 명 큰 나무를 옮겨 심기 한두 해 전에, 그 주위를 파서, 측근(側根)의 큰 것과 주근(主根)만을 남기고, 나머지 잔 뿌리는 쳐서, 수염뿌리를 나게 하여, 옮겨 심기를 쉽게 하는 일. 과수(果樹)의 열매가 많이 열리게 하기 위해서도 실시함.
뿌리 등걸 명 뿌리가 붙어 있는 나무의 등걸.
뿌리-목 명 식물의 지상부(地上部)와 지하부(地下部)의 경계가 되는 부분.
뿌리시리 명 〈심마니〉 삼.
뿌리-압 【一壓】 명 〖식〗 '근압(根壓)'의 풀어 쓴 말.
뿌리이 명 〈방〉 뿌리(경북).
뿌리입해파리-목 【一目】 명 〖동〗 〔Rhizostoma〕 해파리강(綱)에 속하는 목(目). 변연 촉수(邊緣觸手)가 없고, 입은 각 구완(口腕)의 가장자리가 맞닿아 유착(癒着)하여 완관(腕管)을 이루며, 많은 작은 입으로 외계(外界)에 통하는데, 원래의 입은 폐쇄하고 삿갓 같은 몸의 아래 중심에서부터 종폭적(從輻的)으로 8개로 분기(分岐)됨.
뿌리-접 【一椄】 명 〖식〗 접목(椄木)의 일종. 벌레의 해에 대하여 또는 생리적으로 저항성이 있는 종류의 뿌리를 이미 성장한 나무에 접목하여 나무를 젊게 하는 일. 근접(根椄).
뿌리-줄기 명 〖식〗 줄기가 변태된 지하경(地下莖)의 하나. 뿌리 비슷하게 땅 속으로 뻗어 나가며, 많은 마디가 생기고, 각 마디에 부정근(不定根)이 남. 대·연(蓮) 등의 지하경 같은 것. 근경(根莖).

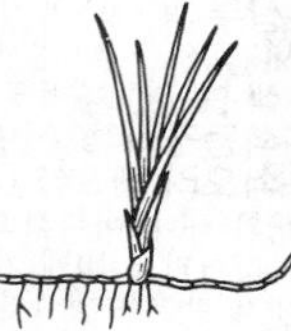
〈뿌리줄기〉

뿌리-채소 【一菜蔬】 명 뿌리를 먹는 여러 가지 채소의 종류. 무·당근·파·마늘·우엉·토란·생강 등인데, 수분·전분 등의 함유량이 많음. 근채(根菜). 근채류. *열매 채소.
뿌리-치다 타 ①붙잡은 것을 홱 채어 놓치게 하거나 붙잡지 못하게 하다. ¶손목을 ~. ②만류(挽留)하거나 권고하는 것을 물리치다. ¶유혹을 ~.
뿌리-털 명 〖식〗 뿌리의 끝에 실같이 가늘고 부드럽게 나온 털. 땅 속에서 수분과 양분을 흡수하는 작용을 함. 세근(細根). 근모(根毛).
뿌리-혹 명 〖식〗 세균 또는 균사(菌絲)가 고등 식물의 뿌리에 침입하여 그 자극에 의해서 이상(異常) 발육하여 생긴 혹 모양의 조직괴(組織塊). 특히, 콩과 식물에 현저함. 근류(根瘤).

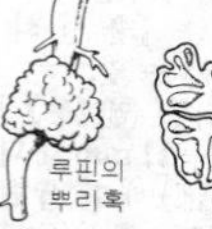

〈뿌리혹〉

뿌리혹-균 【一菌】 명 〖식〗 뿌리혹박테리아.
뿌리혹-박테리아 〔bacteria〕 명 〖식〗 박테리아의 한 가지. 주로 콩과(科) 식물의 뿌리에 기생하여 뿌리혹이 생기게 하는 과립상(顆粒狀) 또는 간상(桿狀)의 세균. 콩과 식물로부터 함수 탄소, 곧 당분을 받고, 그 반면에 공기 중의 질소를 섭취하여 질소 화합물을 만들어 이것을 콩과 식물에 주면서 공생(共生) 생활을 함. 근류(根瘤) 박테리아.
뿌리혹-뿌리 명 〖식〗 콩과 식물에서 뿌리혹 박테리아가 공생(共生)하여 질소를 고정하는 작용을 하는 뿌리. 근류근(根瘤根).
뿌링: 명 〈방〉 뿌리(경북).
뿌링구 명 〈방〉 뿌리(경남).
뿌링이 명 〈방〉 뿌리(전라·경상·충청).
뿌시구다 타 〈방〉 빻다(전남).
뿌시다 ㊀ 타 〈방〉 ①부시다[1]. ②부수다. ㊁ 형 〈방〉 부시다[3](함경).
뿌애-지다 자 〈방〉 뿌예지다.
뿌여- 간 '뿌옇다'의 불규칙 어간. ¶~ㄴ 연기.
뿌:옇다 〔-여타〕 형ㅎ불 투명하거나 선명하지 아니하고 희끄무레하다. 연기나 안개가 짙게 낀 것 같다. ¶먼지가 뿌옇게 앉다. ㅅ부옇다. >뽀얗다.
뿌예 준 '뿌옇어'가 줄어 변하여 된 말. ¶~지다. ㅅ부예[2]. >뽀얘.
뿌:예-지다 자 뿌옇게 되다. ¶김이 서려 거울이 ~. ㅅ부예지다. >뽀얘지다.
뿌유-스레 부 뿌유스름하게. ㅅ부유스레. >뽀유스레. ——-하다 형여불
뿌유스름-하다 형여불 빛이 진하지 아니하고 조금 뿌옇기만 하다. ¶뿌유스름한 빛깔. ㅅ부유스름하다. >뽀유스름하다. **뿌유스름-히** 부
뿌이스름:-하다 형 〈방〉 뿌유스름하다.
뿌장귀 명 뿔처럼 길쭉하게 내민 가장귀.
뿌지 명 〈방〉 거짓말(함남).
뿌지다 타 〈방〉 꺾다(경상).
뿌지지 부 뜨거운 쇠붙이 등을 물에 깊이 담글 때 나는 소리. ㅅ부지지. >빠지지. ——-하다 형여불
뿌지직 부 ①무른 똥을 눌 때 웅숭깊게 나는 소리. ②'뿌지지' 소리가 급하게 그치는 모양. 또, 그 소리. 1)·2):ㅅ부지직. >빠지직. ——-하다 자여불
뿌지직-거리다 자 연달아 뿌지직 소리가 나다. ㅅ부지직거리다. >빠지직거리다. **뿌지직-뿌지직** 부. ——-하다 자여불
뿌지직-대다 자 뿌지직거리다.
뿌직-뿌직 부 ↗뿌지직뿌지직. ——-하다 자여불
뿌처-지다 자 〈방〉 ①나부끼다. ②드나들다(함경).
뿍 부 방귀를 짧게 뀌는 소리. 또, 그 모양.
뿍다 형 〈방〉 붉다(경상).
뿍대기 명 〈방〉 검불(강원·경북).
뿍띠기 명 〈방〉 ①검불(경남). ②보습[1](경북).
뿍-뿍 부 ①매우 거칠게 문지르거나 긁는 소리. 또, 그 모양. ②두꺼운 천이나 가죽 따위가 찢어지는 소리. 또, 그 모양. 1)·2):ㅅ북북. *빡빡[2].
뿍세 명 〈방〉 놀[3](경북).
뿐[1] ㊀의명 용언(用言) 아래에 와서 오로지 어떠하거나, 어찌할 따름이라는 말을 나타내는 말. ¶말을 들었을 ~ 가 보지는 못했다/그저 말해 봤을 ~이다. ㊁조 그것만이고 더는 없다는 뜻을 나타내는 보조사. ¶이것~이냐/서울에서~만 아니라. *-다뿐.
뿐[2] 【分·分叱·叱分·𢀳·𢀳】 〈이두〉 뿐.
뿐더러 【分叱良除·叱分除良·𢀳除良】 〈이두〉 뿐더러.
-뿐더러 미 체언 특히 대명사 '그' 밑에 붙어, '뿐만이 아니라'의 뜻으로 쓰이는 말. ¶그~. *-ㄹ 뿐더러·-을 뿐더러.
뿐두 【分置】 〈이두〉 뿐도.
뿐디기 명 〈방〉〖충〗 번데기[1](경상).
뿐만-아니라 부 '그러할 뿐만 아니라'의 뜻으로 쓰이는 접속 부사.
뿐안인지 【分叱不喩·叱分不喩·𢀳不喩】 〈이두〉 뿐 아니라.
뿐으로 【分以·𢀳以·叱分以】 〈이두〉 뿐으로. 만으로.
뿐을 【分乙】 〈이두〉 뿐을. 만을.
뿐이고 【分是遣·叱分是遣】 〈이두〉 뿐이고. 만이고.
뿐이나 【分叱是乃·叱分是乃】 〈이두〉 뿐이나. 만이나.
뿐이숣고 【叱分是白遣】 〈이두〉 뿐이시고. 만이시고.
뿐이숣온바 【叱分是白乎所】 〈이두〉 뿐이신 바.
뿐이숣제 【叱分是白齊】 〈이두〉 ①뿐이옵나이다. 만이옵나이다. ②뿐이시다. 만이시다.
뿐이온바 【分叱是乎所·叱分是乎所】 〈이두〉 뿐인 바. 만인 바.
뿐이제 【分是齊】 〈이두〉 뿐이다. 만이다. 만일지어다.
뿐하숣잇고 【叱分爲白有遣】 〈이두〉 만 하시었고.
뿔 명 〔중세 : 쁠〕 ①〖동〗 유제류(有蹄類) 동물의 두부나 안면에 딱딱하

게 돌기(突起)된 물질. 동물이 자위(自衛)와 투쟁에 쓰는 중요한 무기인데, 골질(骨質)의 것과 각질(角質)의 것이 있음. 여러 가지 공예재(工藝材)나 약재로 쓰임. 각(角). ②물건의 머리 부분이나 표면에서 불쑥 나온 부분. ¶ 도깨비의 ~. ③〈속〉 성¹. ¶ 왜 ~이 났느냐.

[뿔 떨어지면 구워먹지] 도저히 불가능한 일을 바라고 기다림을 핀잔주는 말. [뿔 뺀 쇠 상(相)이라] 지위는 있어도 실세력(實勢力)이 없음을 일컫는 말.

뿔-가위벌 명〔충〕 [*Osmia excavata*] 가위벌과에 속하는 곤충. 암컷의 몸길이 11mm 내외이고, 몸빛은 암청색에 복부(腹部) 배판(背板) 후연(後緣)은 적갈색, 두부(頭部) 흉배(胸背) 및 제3 복절(腹節) 배판에는 흑색 털이 혼생(混生)하고, 제4·5 복절 배판의 털은 주로 흑색인데 제2-5 배판 후연에는 백색 털로 된 띠가 있음. 한국·일본·중국 등지에 분포함.

〈뿔가위벌〉

뿔각-변【一角邊】명 한자 부수(部首)의 하나. '觜'나 '解' 등에서 '角'의 이름.

뿔-개미 명〔충〕 가시개미.

뿔-거저리 명〔충〕 [*Anthracias duellicus*] 거저릿과에 속하는 곤충. 몸길이 12-15mm이고, 몸은 가늘고 원통상이며 몸빛은 흑색에 촉각 기부(基部) 및 다리는 적갈색임. 수컷의 두부는 삼각형으로 돌출하였고 복안(複眼) 내측에 접하여 한 쌍의 각상(角狀) 돌기가 특히 발달하였음. 한국·일본 등지에 분포함.

〈뿔거저리〉

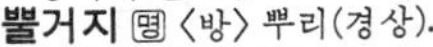

뿔거지 명〈방〉 뿌리(경상).

뿔-게 명〔동〕 [*Hyastenus diacantus*] 물맞이겟과(科)에 속하는 바닷게의 하나. 몸의 전면(前面)이 털로 덮였고 등딱지는 넓은 타원형이며 뿔의 가시는 굵고, 두흉갑의 길이의 2분의 1에 달함. 해면류(海綿類)·조류(藻類) 등으로 가장(假裝)하는 습성이 있음. 바닷 속 깊이 30-100m에 서식하는데, 한국·일본·인도양 등에 분포함.

〈뿔게〉

뿔-관자【一貫子】명 동물의 뿔로 만든 관자. 종삼품(從三品) 이하의 관원 및 일반 사대부(士大夫)가 닮. 각관자(角貫子).

뿔국-새 명〈방〉〔조〕 뻐꾸기(경남).

뿔그름-하다 형여불 ↗뿔그스름하다. ㅅ불그름하다. >뽈그름하다. **뿔그름-히** 부

뿔그-스레 부 뿔그스름하게. ㅅ불그스레. >뽈그스레. **——-하다** 형여불

뿔그스름-하다 형여불 똑똑한 태깔로 조금 붉다. 준뿔그름하다. ㅅ불그스름하다. >뽈그스름하다. **뿔그스름-히** 부

뿔그죽죽-하다 형여불 고르지 못하고 칙칙하게 뿔그스름하다. ㅅ불그죽죽하다. >뽈그족족하다. **뿔그죽죽-히** 부

뿔긋-뿔긋 부 여기저기 군데군데가 붉은 모양. ㅅ불긋불긋. >뽈긋뽈긋. **——-하다** 형여불

뿔-깽이 명〈방〉 곡괭이(전북).

뿔꺼지 명〈방〉 뿌리(경상).

뿔-꼬마돌지네 명〔동〕 [*Bothropolys asperatus*] 돌지넷과에 속하는 절지(節肢) 동물. 몸길이 20mm 내외이고, 몸빛은 자갈색이며 단안(單眼)은 머리의 양측에 20개 가량이 있음. 배판(背板)은 15개이고, 털이 없으며, 광택이 남. 한국·일본·대만 등지에 분포함.

〈뿔꼬마돌지네〉

뿔-끝 명 활의 뿔과 뽕나무 끝이 서로 닿은 곳.

뿔-나기 명〈방〉〔어〕 볼락.

뿔-나다 [—라—] 자〈속〉 화가 나다. 골이 나다. 성이 나다.

뿔-나무 명〈방〉〔식〕 개옻나무.

뿔-나비 [—라—] 명〔충〕 [*Libythea celtis celtoides*] 뿔나빗과에 속하는 곤충. 편 날개 길이 48-50mm, 날개는 흑갈색에 앞날개 외연(外緣)은 깎은 듯이 모가 났고 앞뒤 날개 중앙에는 등황색의 큰 무늬가 있음. 앞날개는 삼각형인데 네 개의 백색 무늬가 있고 날개 뒷면은 황갈색임. 아랫 입술 수염이 서로 붙어서 긴 주둥이 모양의 뿔처럼 앞으로 돌출한 것이 특징임. 유충은 팽나무 등을 해치며, 성충은 6월 경에 발생하여 얼마 후 휴면(休眠)하여 그대로 다음 봄까지 동면(冬眠)함. 한국·일본 등지에 분포함.

〈뿔나비〉

뿔나비-나방 [—라—] 명〔충〕 [*Pterodecta felderi*] 뿔나비나방과에 속하는 나방의 하나. 편 날개 길이는 31-34mm, 몸길이는 12-13mm임. 몸빛은 암갈색에 앞날개의 닻 모양의 반문(斑紋)은 적색이고 중앙실(中央室)에 회색 무늬가 두 개, 그 끝에 백색의 점문(點紋)이 있으며, 아랫 입술의 수염은 김. 유충은 몸빛이 녹색이고 양치류(羊齒類)의 해충으로, 인도·말레이 반도가 주산지(主産地)이고, 한국·일본·만주·중국·아무르·대만 등에도 분포함. 닻나비.

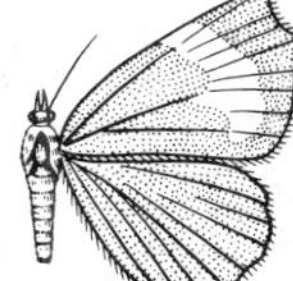

〈뿔나비나방〉

뿔나비나방-과【一科】[—라—파] 명〔충〕 [Callidulidae] 나비목(目)에 속하는 한 과. 날개는 넓고 닻 모양의 반문이 있으며 촉각은 사상(絲狀)이고, 아랫 입술은 김. 유충은 양치류의 해충으로 전세계에 50여 종이 주로 인도·말레이 지방에 분포함.

뿔나빗-과【一科】[—라—] 명〔충〕 [Libytheidae] 나비목(目)에 속하는 한 과. 아랫 입술 수염이 뿔처럼 돌출한 것이 특징이고, 수컷의 앞다리가 퇴화하였음. 거의 전세계 각지에 분포하는데, 일본 지방의 것을 켈토이데스속(Celtoides屬), 오키나와 지방의 것을 아마미아나속(Amamiana屬), 대만의 것을 포르모사나속(Formosana屬)으로 분류함.

뿔-내다 [—래—] 자〈속〉 화를 내다. 골을 내다. 성을 내다.

뿔다구 명〈방〉 뿔(함남·평북).

뿔-다귀 [—따—] 명〈속〉 뿔.

뿔다귀(가) 나다 구〈속〉 화나다. 성나다. 뿔나다.

뿔다귀(를) 내:다 구〈속〉 화내다. 성내다. 뿔내다.

뿔-닭 [—닥] 명〔조〕 [*Numida galeata*] 꿩과에 속하는 새. 날개 길이 24-27cm로 닭만한데, 몸통하고 꽁지가 짧음. 머리·목은 털이 없이 회청색(灰青色)을 띠며, 부리의 밑동과 목밑은 진홍색이고, 머리에 골질(骨質)의 뿔이 달려 있음. 목에서 가슴은 보라회색, 그 아래는 검은 잿빛 바탕에 작고 흰 반점이 빽빽함. 서(西)아프리카의 숲 가까운 들에 떼지어 살며, 씨·곤충 등을 먹음. 고기·알이 모두 맛이 있어, 예로부터 가금(家禽)으로 사육되어 왔으나, 번식률이 나빠 그다지 보급되어 있지 않음. 성질이 활발하며, 비행력(飛行力)이 강함.

〈뿔닭〉

뿔당구 명〈방〉 뿔(평북).

뿔따 형〈방〉 붉다(경남).

뿔-따귀 명 ☞뿔다귀.

뿔때기 명〈방〉 뿔(전북·경상).

뿔떡 부〈방〉 벌떡.

뿔락어 명〈방〉〔어〕 볼락.

뿔리 명〈방〉 뿌리(제주).

뿔-매 명〔조〕 [*Spizaetus japonensis*] 맷과에 속하는 새. 수리보다 작은 매의 하나로 날개 길이가 수컷은 47-52cm, 암컷은 50-54cm임. 몸의 상면은 암갈색이고 하면은 가슴까지는 백색인데, 머리·목에는 흑갈색 세로무늬, 가슴과 배에는 갈색 가로무늬가 있음. 머리·얼굴·부리는 까맣고 홍채·발가락은 노람. 발가락까지 털로 덮이고 꽁지는 둥긂. 높은 산의 숲 속에 살며, 토끼·꿩 등을 포식하고 4-5월에 두 개의 회백색 알을 낳음. 일본·한국에 분포함. 사냥매로 길들이고 깃은 화살의 깃으로 사용함. 소골(昭鶻).

〈뿔매〉

뿔-매미 명〔충〕 [*Orthobelus flavipes*] 뿔매밋과에 속하는 곤충. 몸길이는 날개 끝까지 6-7mm이고, 몸빛은 흑색인데 앞가슴에 앞뒤로 뿔처럼 돌기(突起)가 두 쌍 있으며 몸에 황색 잔털이 밀생(密生)하고, 날개는 황색으로 투명함. 잡초의 줄기 등에서 서식하는데 한국·일본 등지에 분포함.

〈뿔매미〉

뿔매밋-과【一科】명〔충〕 [Membrocidae] 매미목(目)에 속(屬)하는 한 과(科). 소형의 진귀(珍貴)한 곤충으로 머리 위에 돌출한 부분이 뒤쪽으로 복배상(腹背上)까지 연장되어 뿔·가시·갈고리·혹 같은 모양을 이룸. 관목·교목·잡초·볏과(科) 식물에 모이는데, 전세계에서 350여 속(屬)이 발견되었음.

뿔-면【一面】명〔수〕 언제나 한 정점(定點)을 통하되, 그 점을 포함하지 아니하는 평면 상의 일정 곡선의 각 점을 통과하는 직선군(直線群)으로 생기는 면(面). 추면(錐面).

뿔-박쥐 명〔동〕 [*Murina leucogaster intermedia*] 애기박쥣과에 속하는 짐승. 앞발은 4cm 이상이고, 귓바퀴는 둥근 달걀꼴로 두껍고 좁쌀 모양의 돌기가 많음. 날개는 폭이 넓으며, 몸의 털은 양털 모양임. 등쪽의 털은 회갈색, 배쪽은 회백색, 기부(基部)는 갈색을 띠고 있음. 주로 숲 속의 나무의 빈 구멍이나 동굴 속에 서식하고 있음. 우리 나라에는 금강산과 삼척의 동굴 속에서 채집되었으며, 만주의 우수리·알타이·사할린·중국 쓰촨(四川)·일본 등지에 분포함. 주둥이박쥐.

뿔-벌레 명〔충〕 [*Notoxys daimio*] 뿔벌렛과에 속하는 곤충. 몸길이 4-4.5mm이고, 몸빛은 적갈색에 시초(翅鞘)·회합선(會合線)의 전방 4분의 3과 그 뒤에 접하는 1횡대(橫帶) 및 각 시초 견부(肩部) 후방의 원형문(紋) 등은 흑색이고 전배판(前背板)에는 뿔 모양의 돌기(突起)가 있음. 한국·일본에 분포함.

뿔벌렛-과【一科】명〔충〕 [Anthicidae] 딱정벌레목(目)에 속(屬)하는 한 과. 몸은 미소(微小) 또는 소형(小形)이고, 몸빛은 흑색 내지 갈색이며, 담색(淡色)의 반문(斑紋)이 있는 종류도 있는데 촉각은 실 모양이고, 전흉배판(前胸背板)에는 뿔처럼 된 각상(角狀) 돌기가 있음. 전세계에 1,800여 종이 분포함.

뿔-불거지 명〔동〕 두드러기은행게.

뿔-빤지 명〔어〕 풀반지.

뿔뿔이 부 제각기 따로따로 흩어지는 모양. ¶ 가족이 ~ 흩어지다.

뿔-상투 명〈방〉 쌍상투.

뿔새 명〈방〉 놀³(경상).

뿔-색【一色】명 동물의 뿔의 빛깔. 각색(角色).

뿔-쇠똥구리 명〔충〕 뿔풍뎅이.

뿔-쇠오리 명〔조〕 [*Synthliboramphus wumizusume*] 오릿과에 속하는 새의 하나. 바다쇠오리와 비슷하나 조금 작고, 날개 길이 125mm 가량임. 머리에 10개 가량의 까만 깃이 관상(冠狀)을 이루고 이 깃의 양쪽에서 뒤쪽은 백색인데 겨울에는 우관(羽冠)과 백색 부분이 없어짐. 한국·일본·사할린 등지에 분포함.

뿔-싸움 명 동물이 서로 뿔을 걸거나 받으며 맞붙어 하는 싸움. 준뿔쌈. **——-하다** 자여불

뿔-쌈 명 ↗뿔싸움. ——-하다 자여불
뿔-연장 [—련—] 명 〖고고학〗 사슴이나 소 따위의 뿔로 만든 연장. 각기(角器).
뿔-잔 【—盞】 명 ①뿔로 만든 잔. ②〖고고학〗 쇠뿔처럼 생긴 토기. 실생활보다는 의식용으로 만들어진 것 같으며, 불안정한 형태이기 때문에 대부분의 경우 그릇받침과 같이 출토되거나 그 자체에 다리가 붙어 있음. 각배(角杯). 우각형배(牛角形杯).
뿔-잠자리 명〖충〗[*Hybris subjacans*] 뿔잠자릿과에 속하는 곤충. 몸길이 33 mm, 편 날개의 길이 70-80 mm임. 앉을 때는 날개를 위로 뻗쳐 세움. 두흉부(頭胸部)는 황갈색 내지 적갈색에 같은 색의 긴 털이 밀생하고 촉각은 길며 흑갈색인데, 그 끝은 흑색이며 배절(背節) 후연(後緣)은 암컷이 황색, 수컷은 적갈색임. 성충은 여름철에 나와 양지의 풀밭에 모이는데, 완전 변태(完全變態)하며 유충은 '개미귀신'과 같음. 한국·일본·중국·대만 등지에 분포함. 각청령(角蜻蛉).

〈뿔잠자리〉

뿔잠자리-목 【—目】 명〖충〗[Neuroptera] 곤충강 유시 아강(有翅亞綱)에 속하는 한 목(目). 소형·대형의 연하고 약한 몸을 가진 원시적(原始的)인 곤충으로, 앞뒤 날개가 투명하고 얇으며, 망상(網狀)의 시맥(翅脈)이 많음. 정지(靜止)할 때는 날개를 지붕 모양으로 함. 완전 변태(完全變態)를 하는데 유충은 '개미지옥' 등이 있어서 널리 알려지고, 물속에 사는 것은 아가미가 있으며 성충·유충이 모두 육식성(肉食性)임. 명주잠자리과(科)·뱀잠자리과·뿔잠자리과·풀잠자리과 등이 이에 속함. 맥시류(脈翅類).
뿔잠자릿-과 【—科】 명〖충〗[Ascalaphidae] 뿔잠자리목(目)에 속(屬)하는 한 과. 촉각은 실 모양이며 그 끝은 곤봉(棍棒) 모양이고 매우 길어서 날개보다 긴 것도 있음. 복안(複眼)이 있고, 날개는 잠자리와 같으나 삼각실(三角室)이 없고 수컷의 꼬리 끝이 가위 모양으로 생기고 완전 변태임. 유충은 개미 따위를 잡아먹음. 전세계에 50 속 210 여 종이 분포함.
뿔장구 명〈방〉뿔(평북).
뿔-종다리 명〖조〗[*Galerida cristata coreensis*] 종다릿과에 속하는 새. 종달새와 비슷하나 부리가 크고 몸빛이 회갈색이며 흉부(胸部)에 진한 반점(斑點)이 있고 두정부(頭頂部)에 검은 줄의 긴 관모(冠毛)가 있는데, 다른 종달새는 울 때에 정수리의 관모를 세우지만 이 새는 흰 털을 뿔처럼 뻗치는 것이 특색임. 한국·만주 등지에 분포함. 흔히 농조(籠鳥)로 사육함.
뿔-체 【—體】 명〖수〗하나의 뿔면과 하나의 평면으로 둘러싸인 입체. 그 평면을 밑면, 밑면과 꼭지점과의 거리를 높이, 뿔면의 부분을 옆면이라고 함. 뿔체 중 밑면이 둥근 것을 원뿔, 다각형(多角形)인 것을 각뿔이라고 함.
뿔-풍뎅이 명〖충〗[*Copris ochus*] 풍뎅잇과에 속하는 곤충. 몸길이 21-30 mm, 몸빛은 광택이 있는 흑색이며 두부(頭部)는 부채 모양인데 수컷의 두정(頭頂)에는 뿔 같은 돌기가 있고 다리에는 갈색의 긴 털이 있음. 짐승의 똥에 모여 그것을 몸에 묻혀 둥글게 뭉쳐서 그 속에다 알을 낳음. 한국·일본·중국 등지에 분포함. 뿔쇠똥구리.

〈뿔풍뎅이〉

뿔-피리 명 뿔로 만든 피리. 각적(角笛).
뿔-호반새 【—湖畔—】 명〖조〗[*Ceryle lugubris lugubris*] 물총샛과에 속하는 새. 날개 길이 190 mm 가량이고 몸빛은 머리는 흑색 바탕에 백색 반점(斑點)이 있고, 후두부(後頭部)의 깃털은 관상(冠狀)을 이룸. 배면(背面)은 흑색 바탕에 많은 백색 반점과 가로 무늬가 있고, 하면(下面)은 백색이며 가슴에 약간의 흑색 반점이 있음. 호반(湖畔)이나 개울가에서 서식하는데, 한국·일본 등지에 분포함.

〈뿔호반새〉

뿕다 [뿍—] 형 아주 붉다. ㄴ붉다.
뿕어-지다 [뿔거—] 자 점점 뿕게 되다. ㄴ붉어지다.
뿜다 [—따] 타 [중세: 뿜다] ①기체나 액체 등을 속에서 불어 내다. 내불어서 헤뜨리다. ¶ 연기를 뿜는 굴뚝/물을 뿜는 분수/ 향기를 ~. ②입 속에 액체를 머금었다가 확 불어 내어 물건을 추기다. ¶ 빨래에 물을 ~.
뿜빠-거리다 자타 나팔을 연해 요란하게 불어대는 소리가 나다. 또, 연해 그런 소리를 내다. 뿜빠-뿜빠 부 ——-하다 자타여불
뿜어-내다 타 속에 있는 것을 뿜어서 바깥으로 나오게 하다. 분출(噴出)하다. ¶ 펌프로 지하수를 ~.
뿜이-개 명 '분무기(噴霧器)'의 풀어 쓴 말.
뿡 부 방귀를 세차게 뀌는 소리. ㄴ붕². ㅆ풍⁶. >뽕².
뿡-뿡 부 ①방귀를 자꾸 되게 뀌는 소리. ㄴ붕붕. ㅆ풍풍. >뽕뽕. ②자동차 같은 것이 연해 울리는 경적 소리. ㄴ붕붕. >빵빵². 뽕뽕.
뿡뿡-거리다 자타 연해 뿡뿡 소리가 나다. 또, 뿡뿡 소리를 연달아 내다. ㄴ붕붕거리다. ㅆ풍풍거리다. >빵빵거리다·뽕뽕거리다.
뿡뿡-대다 자타 뿡뿡거리다.
쀄비 명〈방〉서랍(함북).
쀼루퉁-하다 형여불 얼굴에 성이 나거나 원망을 품은 기색이 있다. >뾰로통하다.
쀼주룩-이 부 쀼주룩하게. >뾰조록이.
쀼주룩-하다 형여불 끝이 약간 쀼죽이 내밀어 있다. >뾰조록하다.
쀼죽 부 차차 끝이 빨아져서 날카로운 모양. ㅆ쀼쭉. >뾰족. ——-하다 형여불
쀼죽-쀼죽 부 여럿이 다 쀼죽한 모양. ㅆ쀼쭉쀼쭉. >뾰족뾰족. ——-하다 형여불
쀼죽-이 부 쀼죽하게. ㅆ쀼쭉이. >뾰족이.
쀼쭉 부 끝이 차차 빨아져서 날카로운 모양. ㄴ쀼죽. >뾰쪽. ——-하다 형여불
쀼쭉-쀼쭉 부 여럿이 다 쀼쭉한 모양. ㄴ쀼죽쀼죽. >뾰쪽뾰쪽. ——-하다 형여불
쀼쭉-이 부 쀼쭉하게. ㄴ쀼죽이. >뾰쪽이.
삐¹ 명〈방〉뼈(전남·경상).
삐:² 부 ①어린 아이의 우는 소리. ②피리를 부는 소리. 1)·2):>빼.
삐가리 명〈방〉병아리(전라·경상).
삐-가지 명〈방〉뼈다귀(경상).
삐갱이 명〈방〉병아리(전남·경남).
삐거덕 부 ☞삐걱. ——-하다 자타여불
삐거덕-거리다 자타 ☞삐걱거리다. 삐거덕-삐거덕 부. ——-하다 자타여불
삐걱 부 단단한 물건끼리 서로 되게 마찰되어 나는 소리. ¶ ~하고 대문을 닫다. ㄴ비걱. ㅆ삐꺽. >빼각. ——-하다 자여불
삐걱-거리다 자타 연하여 삐걱 소리가 나다. 또, 그런 소리를 내다. ¶ 대문이 바람에 ~. ㄴ비걱거리다. ㅆ삐꺽거리다. >빼각거리다. 삐걱-삐걱 부. ——-하다 자타여불
삐걱-대다 자타 삐걱거리다.
삐걱-빼각 부 삐걱 소리와 빼각 소리가 한데 어울려서 나는 소리. ㄴ비걱배각. ㅆ삐꺽빼꺽. ——-하다 자타여불
삐굿-이 부〈방〉지긋이.
삐:기 명〈방〉삘기.
삐-까리 명〈방〉낟가리(경북).
삐꺼덕 부 ☞삐꺽. ——-하다 자여불
삐꺼덕-거리다 자타 ☞삐꺽거리다. 삐꺼덕-삐꺼덕 부. ——-하다 자타여불
삐꺽 부 단단한 물건끼리 서로 매우 되게 마찰하여 나는 소리. ㄴ비걱·삐걱. >빼깍. ——-하다 자여불
삐꺽-거리다 자타 자꾸 삐꺽 소리를 내다. 또, 그 소리가 나다. ㄴ비걱거리다. 삐걱거리다. >빼각거리다. 삐꺽-삐꺽 부. ——-하다 자타여불
삐꺽-대다 자타 삐꺽거리다.
삐꺽-빼깍 부 삐꺽 소리와 빼깍 소리가 한데 어울려서 나는 소리. ㄴ비걱배각·삐걱빼각. ——-하다 자타여불
삐꾸러-지다 자 ①몹시 삐뚤어지다. ②딴 길로 벗어져 나가다. ③일이 낭패하다. 1)-3):ㄴ비꾸러지다.
삐꾸루 부〈방〉비뚜로(평안).
삐끗 부 ①맞추어 끼일 물건이 어긋나서 맞지 아니하는 모양. ¶ 허리가 ~하다. ②잘못하여 일이 어긋나 되지 아니하는 모양. ¶ 자칫 ~하는 날이면 너는 죽는다. 1)·2):ㄴ비끗. >빼끗. ——-하다 자여불
삐끗-거리다 자 ①맞추어 끼일 물건이 자꾸 어긋나서 맞지 아니하다. ②일이 될 것 같으면서도 자꾸 어긋나기만 하고 되지 아니하다. 1)·2):ㄴ비끗거리다. >빼끗거리다. 삐끗-삐끗 부. ——-하다 자여불
삐끗-대다 자 삐끗거리다.
삐:끼다 자〈방〉삐뚤어지다.
삐:다¹ 자 괸 물이 빠져서 줄다.
삐:다² ㊀ 타 몸의 어느 부분이 접질리거나, 비틀려서 뼈마디가 어긋나다. ¶ 손목을 ~. ㊁ 자 뼈가 퉁기어지다.
삐:다³ 타〈방〉뿌리다.
삐-다구 명〈방〉뼈다귀(경북).
삐-대다 자 한군데에 오래 진대붙어 괴롭게 굴다. ¶ 한 달이나 남의 집에 삐대고 있다.
삐둘구 명〈방〉〖조〗비둘기(전남).
삐둘기 명〈방〉〖조〗비둘기(전라·경남).
삐둘키 명〈방〉〖조〗비둘기(경남).
삐드득 부 ①단단한 물건이 빠듯한 틈에 끼어 문질리어 나는 소리. ②아이들이 장난감 피리를 부는 것 같은 소리. 1)·2):>빠드득. ——-하다 자타여불
삐드득-거리다 자타 삐드득 소리가 연해 나다. 또, 그런 소리를 연하여 나게 하다. >빠드득거리다. 삐드득-삐드득 부. ——-하다 자타여불
삐드득-대다 자타 삐드득거리다.
삐들구 명〈방〉〖조〗비둘기(전남).
삐들기 명〈방〉〖조〗비둘기(전남·경상·평안).
삐들깨 명〈방〉〖조〗비둘기(경남).
삐들캐 명〈방〉〖조〗비둘기(경남).
삐들키 명〈방〉〖조〗비둘기(전남·경상).
삐딱 명〈방〉비탈.
삐딱-거리다 자 이쪽저쪽으로 자꾸 기울어지다. ㄴ비딱거리다. >빼딱거리다. 삐딱-삐딱 부. ——-하다 자형여불
삐딱-대다 자 삐딱거리다.
삐딱-이 부 삐딱하게. ¶ 모자를 ~ 쓰다. ㄴ비딱이. >빼딱이.
삐딱-하다 형여불 한쪽으로 기울어져 있다. ㄴ비딱하다. >빼딱하다.
삐뚜로 부 삐뚤어지게. ㄴ비뚜로. >빼뚜로.
삐뚜름-하다 형여변 한쪽으로 조금 비뚤어져 있다. ¶ 삐뚜름하게 맨 넥타이. ㄴ비뚜름하다. >빼뚜름하다. 삐뚜름-히 부
삐뚝-거리다 자 ①한쪽이 기울어서 흔들거리다. ②끼우뚱끼우뚱하며 걷다. ¶ 발이 아파 삐뚝거리며 걷다. 1)·2):ㄴ비뚝거리다. >빼뚝거리다. 삐뚝-삐뚝 부. ——-하다 자여불
삐뚝-대다 자 삐뚝거리다.
삐뚤-거리다 자 ①이리저리 기울어서 자꾸 흔들거리다. ②곧지 못하고 이리저리 꾸부러지다. ¶ 삐뚤거리는 고갯길. 1)·2):ㄴ비뚤거리다. >빼뚤거리다. 삐뚤-삐뚤 부. ——-하다 자형여불

삐뚤구다 [자] 〈방〉 삐뚤어지다(함경).
삐뚤다 [형] 바르지 못하고 한쪽으로 치우쳐 있다. ㄴ비뚤다. >빼뚤다.
삐뚤-대다 [자] 삐뚤거리다.
삐뚤어-지다 [자] ①중심을 잃고 한쪽으로 기울어지다. ②반듯하거나 꼿꼿하지 못하고 한쪽으로 또는 이리저리 구부러지다. ¶ 삐뚤어진 줄. ③마음이 바르지 못하고 비꼬이다. ¶ 삐뚤어진 마음. ④성이 나서 뒤틀어지다. 1)-4):ㄴ비뚤어지다. >빼뚤어지다.
삐뚤-이 [명] ①몸의 어느 부분이 기형적으로 비뚤어진 사람. ②마음이 삐뚤어진 사람. 1)·2):>빼뚤이. ③경사진 땅. 1)-3):ㄴ비뚤이.
삐라 〔bill〕 [명] ①홍행물(興行物)의 선전 광고를 위하여 사람 눈에 잘 띄는 곳에 붙이는 종이. 또, 돌라 주는 종이. 광고지. ②선동하는 글귀를 적어서 붙이거나 돌라 주는 종이. ¶ 불온 ~
삐러기 [명] 〈방〉 〖식〗 삘기.
삐리 [명] 〖민〗 광대의 행중(行中)에 끼어, 재주를 배우는 아이.
삐:-빼 [부] ①어린 아이의 높고 가느다란 울음 소리. ¶ ~ 시끄럽게 울다. ②구멍이 작은 보리 피리나 버들 피리 같은 것을 부는 소리. *삐빼[2].
삐-삐[1] [명] 〈속〉 호출 전용의 소형 휴대용 수신기인 '무선 호출기(無線呼出機)'의 속칭. 호출 신호의 소리를 딴 이름임.
삐삐[2] [명] 〈방〉 〖식〗 삘기.
삐삐[3] [부] 살가죽이 배틀리도록 바싹 여윈 모양. ¶ ~ 말랐다. >빼빼[1].
삐:-삐[4] [부] ①어린 아이의 우는 높은 소리. ②버들 피리·보리 피리 같은 것을 부는 소리. 1)·2):>빼빼[2]·*삐빼.
삐아리 [명] 〈방〉 병아리(경상).
삐악 [부] 병아리의 우는 소리. ㈜빡. ㄴ비악.
삐악-삐악 [부] 병아리가 자꾸 우는 소리. ㈜빡빡. ㄴ비악비악.
삐애기 [명] 〈방〉 병아리(경북).
삐애리 [명] 〈방〉 병아리(전라·경상).
삐엄 [명] 〈방〉 뼘(전남).
삐역 [명] 〈방〉 비역.
삐주룩-삐주룩 [부] 여러 개의 끝이 다 삐주룩한 모양. ㈜삐죽삐죽. ㄴ비주룩비주룩. >빼주룩빼주룩. ——-하다 [형][여불]
삐주룩-이 [부] 삐주룩하게. ㈜삐죽이. ㄴ비주룩이. >빼주룩이.
삐주룩-하다 [형][여불] 밖으로 솟아나는 물건의 끝이 조금 내밀려 있다. ㈜삐죽하다. ㄴ비주룩하다. >빼주룩하다. 「부
삐주름-하다 [형][여불] 삐주룩한 느낌이 있다.>빼주름하다. **삐주름-히**
삐죽-거리다 [자][타] ①비웃으며 빈정거리다. ②울려고 입을 씰룩거리다. 1)·2):ㄴ비죽거리다. >빼죽거리다. **삐죽-삐죽**[1] [부]. ——-하다[1] [자][타][여불]
삐죽-대다 [자][타] 삐죽거리다.
삐죽-빼죽 [부] 삐죽거리며 빼죽거리는 모양. ㄴ비쭉배쭉. ㅆ삐쭉빼쭉. *비쭉비쭉. ——-하다 [자][타][여불]
삐죽-삐죽[2] [부] ↗삐주룩삐주룩. ㄴ비죽비죽[2]. > 빼죽빼죽[2]. ——-하다[2] [형][여불]
삐죽-삐죽[3] [부] 여러 개가 모두 삐죽한 모양. ㅆ삐쭉삐쭉[2]. >빼죽빼죽[3]. ——-하다[3] [형][여불]
삐죽-이 [부] ①↗삐주룩이. ¶ 담너머로 고개를 ~ 내밀다. ㄴ비죽이. >빼죽이. ②내민 물건의 끝이 날카롭게. ㅆ삐쭉이.>빼죽이.
삐죽-하다[1] [형][여불] ↗삐주룩하다. ㄴ비죽하다. >빼죽하다[1].
삐죽-하다[2] [형][여불] 내민 물건의 끝이 날카롭다. >빼쭉하다. ㅆ삐쭉하다.
삐지다[1] [타] 칼 따위로 얇고 비스듬히 잘라 내다. ¶ 감자를 삐져서 국거리를 만들다. ㈜삣다.
삐:지다[2] [자] 〈방〉 비뚤어지다❸.
삐쭉 [부] ①비웃거나, 성내거나, 불평을 나타낼 때, 아랫 입술을 쑥 내미는 모양. ¶ 입을 ~ 내밀다. ②잠깐 나타났다가 없어지는 모양. ¶ 얼굴만 ~ 내놓고 갔다. ③물건의 끝이 날카롭게 내밀어져 있는 모양. 1)-3):ㄴ비쭉 >빼쭉. ——-하다[1] [자][타][여불]
삐쭉-거리다 [자][타] 비웃거나, 성내거나, 울음이 솟구치거나, 불평을 나타낼 때에 입 끝을 쫑긋거리다. ㄴ비쭉거리다. >빼쭉거리다. **삐쭉-삐쭉**[1] [부]. ——-하다[1] [자][타][여불]
삐쭉-대다 [자][타] ☞삐쭉거리다.
삐쭉-빼쭉 [부] 삐쭉거리며 빼쭉거리는 모양. ¶ 걸핏하면 ~ 한다. ㄴ비쭉배쭉·삐죽빼죽. ——-하다 [자][타][여불]
삐쭉-삐쭉[2] [부] 모두가 삐쭉한 모양. ㄴ삐죽삐죽[3]. >빼쭉빼쭉[2]. ——-하다[2] [형][여불]
삐쭉-이 [부] ①삐주룩이. ㄴ비죽이. >빼죽이. ②삐쭉하게. ㄴ삐죽이. >빼쭉이.
삐쭉-하다[2] [형][여불] 내민 끝이 매우 날카롭다. ¶ 송곳 끝이 ~. ㄴ비쭉하다[2]. >빼쭉하다[2].
삐:치다[1] [자] ①시달리어서 느른하고 기운이 없어지다. ¶ 길에 삐쳐 오신 대감을 편히 주무시지도 못하게 해서 아니되었소《李海朝: 九疑山》. ②노여움 등으로 마음이 토라지다. ¶ 동료의 놀림에 ~.
삐치다[2] [자] 〈방〉 삐뚤어지다.
삐:치다[3] [타] 글자의 삐침 획을 긋다. ¶ 획을 길게 ~.
삐:치다[4] [타] 〈방〉 참견하다(함남).
삐:친석삼-부 【一三部】 [명] 터럭삼부.
삐:침 [명] 한문 글자의 획(畫) 'ノ'의 이름.
삐트적-거리다 [자] 몸을 가누지 못하고 조금 삐틀거리며 걷다. ㄴ비트적거리다. >빼트작거리다. **삐트적-삐트적** [부]. ——-하다 [자][여불]
삐트적-대다 [자] 삐트적거리다.
삐틀-거리다 [자][타] 이리저리 쓰러질 듯이 걷다. ¶ 술에 취해 ~. ㄴ비틀거리다. >빼틀거리다. **삐틀-삐틀** [부]. ——-하다 [자][타][여불]
삐틀-대다 [자] 삐틀거리다.
삐틀어-지다 [자] ①물건이 어느 한쪽으로만 틀어져서 꼬이다. ②친하던 사이가 나빠지다. 1)·2):ㄴ비틀어지다. >빼틀어지다.
삐틀-이 [명] 〈방〉 삐뚤이.
삑[1] [부] ①기적(汽笛) 같은 것이 새되게 지르는 외마디 소리. ②크고 날카롭게 지르는 소리. >빽[3].
삑[2] [부] 여럿이 배게 들어선 모양. >빽[3].
삑다구 [명] 〈방〉 뼈다귀(전라·경상).
삑:-삑 [부] ①기적(汽笛) 같은 것이 연해 지르는 새된 소리. ②연달아 크고 날카롭게 지르는 소리. 1)·2):>빽빽.
삑:삑-거리다 [자] 자꾸 삑삑 소리를 내다. >빽빽거리다.
삑:삑-대다 [자] 삑삑거리다.
삑:삑-도요 [명] 〖조〗 〔*Tringa ocrophus*〕 도욧과에 속하는 새. 날개 길이 13-15 cm 가량이고, 몸빛은 몸의 상면(上面)은 금속 광택이 있는 흑갈색에 백색 반문(斑紋)이 있고 허리·복면(腹面)·상미통(上尾筒)은 순백색이며 겨울에는 상면의 백색 반점이 없어짐. 3-4월 또는 8-10월에 나와 곤충·물고기 등을 포식함. 무논·냇가에 서식하는데, 유럽·아시아의 북부·한국·일본·사할린 등지에서 번식하고, 아프리카·중국 남부·인도·필리핀 등지에서 월동함.

〈삑삑도요〉

삑삑-이 [부] 삑삑하게. >빽빽이.
삑삑-하다 [형][여불] ①사이가 촘촘하다. ¶ 나무가 삑삑하게 들어섰다. ②구멍 같은 것이 거의 막히어 시원하지 못하다. ③소견이 좁고 너그럽지 못하다. ¶ 자존심이 어린 가슴에 삑삑하게 틀어올라왔다《朴鍾和: 錦衫의 피》. 1)-3):>빽빽하다. ④국물이 적고 건더기가 많다.
삑-지르다 [타][르불] 갑자기 새된 소리를 크게 지르다. >빽지르다.
삔닥지 [명] 〈방〉 산기슭(전라).
삔달 [명] 〈방〉 산기슭(경북).
삔둥-거리다 [자] 아무것도 하는 일이 없이 보기 싫게 게으름만 부리다. ¶ 삔둥거리며 놀기만 한다. ㄴ빈둥거리다. ㅆ핀둥거리다. >뺀둥거리다. **삔둥-삔둥** [부]. ——-하다 [자][여불]
삔둥-대다 [자] 삔둥거리다.
삔들-거리다 [자] 부끄러운 줄도 모르고 하는 일 없이 놀기만 하다. ㄴ빈들거리다. ㅆ핀들거리다. >뺀들거리다. **삔들-삔들** [부]. ——-하다 [자][여불]
삔들-대다 [자] 삔들거리다.
삔디기 [명] 〈방〉 〖충〗 번데기[1](경북).
삘갱이 [명] 〈방〉 병아리(경남).
삘기 [명] 〖식〗 띠의 어린 새순. 아이들이 뽑아서 먹음.
삘기-살 [명] 죽바디와 쥐머리에 붙어 있는 쇠고기. 흔히 찌개에 씀.
삠[1] [명] 〈방〉 뼘(경상).
삠:[2] [명] 탈구(脫臼).
삠:-하다 [형][여불] 뜸하다. ¶ 그들이 거반 피서를 떠나 거래가 조금 삠할 때 아우에나 가게를 맡기고…《李孝石: 花粉》.
삡다 [타] 〈방〉 뿌리다.
삥: [부] ①둘레를 둘러싼 모양. ¶ 난로 가에 ~ 둘러앉다. ②한 바퀴 도는 모양. 1)-2):ㄴ빙. >뺑. ③정신이 아찔해지는 모양. ¶ 머리가 ~해진다. ④눈물이 갑자기 글썽해지는 모양. ¶ 눈물이 ~ 돌다. 2)-4):ㅆ핑.
삥고이 [명] 〈방〉 팽이(경남).
삥그레 [부] 입을 약간 벌리고 소리 없이 웃는 모양. ㄴ빙그레. >뺑그레. ——-하다 [자][여불]
삥그르르 [부] 미끄럽게 한 바퀴 도는 모양. ㄴ빙그르르. ㅆ핑그르르. >뺑그르르.
삥글-거리다 [자] 입을 약간 벌리고 소리 없이 부드럽게 연해 웃다. ㄴ빙글거리다. >뺑글거리다. **삥글-삥글**[1] [부]. ——-하다 [자][여불]
삥글-대다 [자] 삥글거리다.
삥글-삥글[2] [부] 자꾸 미끄럽게 도는 모양. ¶ ~ 잘 돈다. ㄴ빙글빙글[2]. ㅆ핑글핑글. >뺑글뺑글[2].
삥긋 [부] 입을 슬쩍 벌리고 소리 없이 짧게 웃는 모양. ㄴ빙긋. >뺑긋. ——-하다 [자][여불]
삥긋-거리다 [자] 자꾸 삥긋삥긋 웃다. ㄴ빙긋거리다. >뺑긋거리다. **삥긋-삥긋** [부]. ——-하다 [자][여불]
삥긋-대다 [자] 삥긋거리다.
삥긋-이 [부] 입을 슬쩍 벌리고 소리 없이 슬며시 웃는 모양. ㄴ빙긋이. >뺑긋이.
삥등-그리다 [자] 고개를 돌리면서 싫다는 뜻을 보이다. >뺑당그리다.
삥땅 [명] 〈속〉 중간에서 받아 가지고 다른 사람에게 넘겨 주어야 할 돈 따위의 일부분을 미리 떼어 후무리는 짓.
  삥땅(을) 치다 [구] 〈속〉 멋대로 삥땅 짓을 행하다.
삥삥 [부] 물건이 자꾸 도는 모양. ㄴ빙빙. ㅆ핑핑. >뺑뺑.
삥삥-매다 [자] 어찌할 줄을 몰라 쩔쩔매고 돌아다니다.
삥삥이 [부] 〈방〉 핑핑이.
삥삥-하다 [형] 〈방〉 빵빵하다.
삥시레 [부] 소리 없이 입을 조금 벌리며 부드럽게 빙긋이 웃는 모양. ¶ ~ 웃다. ㄴ빙시레. >뺑시레. ——-하다 [자][여불]
삥실-거리다 [자] 소리 없이 입을 연해 벌릴 듯 벌릴 듯 하면서 부드럽게 웃다. ㄴ빙실거리다. >뺑실거리다. **삥실-삥실** [부]. ——-하다 [자][여불]
삥실-대다 [자] 삥실거리다.
삥싯 [부] 소리 없이 입을 슬쩍 벌릴 듯하면서 만족스럽고도 가볍게 웃는 모양. ㄴ빙싯. >뺑싯. ——-하다 [자][여불]

뻥싯-거리다 자 입을 벌릴 듯하면서 아주 만족스럽고도 가볍게 자꾸 웃다. ㅅ빙싯거리다. >빵싯거리다. 뻥싯-뻥싯 부. ——-하다 자 여불

뻥싯-대다 자 뻥싯거리다.

뻥싯-이 부 뻥싯하게. ㅅ빙싯이. >빵싯이.

뼝아리 명 〈방〉 병아리(전라·경상).

뼞다 타 ↗삐지다.

ᄈᆞᆯ리 부 〈옛〉 빨리. =ᄲᆞᆯ리. ¶ ᄈᆞᆯ리 모라가 蘆子를 마그려뇨(疾驅塞蘆子) ≪重杜諺 Ⅳ:15≫.

ᄫ[1] [가벼운 비읍] 〈옛〉 자음의 하나. 입술을 닿을락 말락 할 정도로 하고, 공기를 마찰시켜 내는 무성음. ¶ 爲ㅂ之時 將合勿合 吹氣出聲 爲ᄫ 而曰 脣輕音≪四聲≫.

ᄫ[2] 조 〈옛〉 '의'의 뜻으로서의 사잇 소리. ¶ ᄀᆞᆯᄫᅡ쓰면 虯뀨ᇹᄫ字ᄍᆞᆼ 처ᅀᅥᆷ 펴아나ᄂᆞᆫ 소리 ᄀᆞᄐᆞ니라≪訓諺≫.

-ᄫᅡᆮ다 미 〈옛〉 힘줌을 나타내는 동사의 접미사. ¶ 올ᄒᆞᆫ 소ᄂᆞ로 버믈 믈리ᄫᅡᄃᆞ며(右手拒虎) ≪續三綱 烈女圖≫.

-ᄫᅡᆺ다 미 〈옛〉 '밧다'의 모음 아래에서 순경음화 된 것. ¶ 올ᄒᆞᆫ 엇게 메ᄫᅡᆺ고 올ᄒᆞᆫ 무룹 ᄭᅮ러 ≪釋譜 Ⅸ:29≫.

범 명 〈옛〉 범. ¶ ᄆᆞᆯ 우흿 대범을 ᄒᆞᆫ 소ᄂᆞ로 티시며(馬上大虎一手格之) ≪龍歌 87章≫.

벼ᄅᆞ 명 〈옛〉 벼랑. ¶ 쇠벼ᄅᆞ(淵遷)≪龍歌 Ⅲ:13≫.

ㅅ[1] (시옷) 〖언〗 ①한글 자모의 일곱째 글자. ②자음의 하나. 목젖으로 콧길을 막고 혀의 앞바닥을 입천장의 앞바닥에 닿을락말락할 정도로 올려서, 내쉬는 숨이 그 사이를 갈면서 나가려 할 때 나는 무성음(無聲音). 종성(終聲)으로 그칠 때는 혀의 앞바닥과 입천장의 앞바닥이 아주 맞닿아서 숨길을 막는 소리로, 'ㄷ'과 같음. ¶ ㅅ는 니쏘리니 戌ᅙᅩᆶ字ᄍᆞᆼ처ᅀᅥᆷ 펴아나ᄂᆞᆫ 소리 ᄀᆞᄐᆞ니 ᄀᆞᆯᄫᅡ쓰면 邪ᄡᅣᆼᅙ字ᄍᆞᆼ 처ᅀᅥᆷ 펴아나ᄂᆞᆫ 소리 ᄀᆞᄐᆞ니라≪訓諺≫.

ㅅ[2] 조 〈옛〉 옛글에서, 아음(牙音)·설음(舌音)·순음(脣音)·경순음(輕脣音)·후음(喉音)·반설음(半舌音)과 모음 밑에서 소유격적(所有格的)으로 쓰이는 사잇 글자. ¶ 經ㅅ소리 ≪月釋≫/千萬가짓 시름≪月釋≫.

-ㅅ 미 〈옛〉 ①부터. ¶ 二禪으롯 우흔 말ᄊᆞ미 업슬ᄊᆡ≪釋譜 XIII:6≫. ②는. ¶ 그 고ᄋᆞᆯ 知州ㅣ 事ㅣ랏 벼슬ᄒᆞ엿더니(知州事)≪飜小 IX:4≫. ③의. ¶ 廣熾ᄂᆞᆫ 너비 光明이 비취닷 ᄠᅳ디오≪月釋 II:9≫.

ㅅ그에 조 〈옛〉 에게. ¶ 부텨와 즁괏그에 布施ᄒᆞ며≪釋譜 XIII:22≫.

ㅅ긔 조 〈옛〉 께. 에게. =ᄭᅴ. ¶ 嫡子ㅅ긔 無禮ᄒᆞᆯᄊᆡ(無禮嫡子)≪龍歌 98章≫.

ㅅᄀᆞ장ᄋᆞᆫ 조 〈옛〉 까지는. ¶ 無明緣行ᄋᆞ로 老死憂悲苦惱ㅅᄀᆞ장ᄋᆞᆫ 苦集諦오 無明滅로셔 苦惱滅ㅅᄀᆞ장은 滅道諦라≪月釋 II:二十二之二≫.

-ㅅ다 어미 〈옛〉 감탄 종지의 어미. ¶ 天下ㅣ 定ᄒᆞᇙ 느지르샷다(迺是天下始定之徵)≪龍歌 100章≫.

ㅅ받침 변:칙 【一變則】 [시옫—] 명 ㅅ불규칙 활용.

ㅅ불규칙 용:언 【一不規則用言】 [시옫—뇽—] 명 〖언〗 ㅅ불규칙 활용을 하는 용언.

ㅅ불규칙 활용 【一不規則活用】 [시옫—] 명 〖언〗 용언(用言)에 있어서, 어간(語幹)의 끝 'ㅅ'이 어미(語尾)의 모음 앞에서 줄어져 변하는 형식. '짓다'·'긋다'가 '지으니'·'그어서', '낫다'가 '나아서'·'나으면'과 같이 되는 따위.

「30≫.

ᄭᅢ여디다 자 〈옛〉 깨어지다. ¶ 腎囊이 샹ᄒᆞ야 ᄭᅢ여디면≪無冤錄 I:

ᄭᅢ이다 타 〈옛〉 깨다. 깨닫다. ¶ ᄭᅢ야 아로ᄆᆞᆫ 네브터 오매 刹那에 잇ᄂᆞ니(省覺由來在刹那)≪南明 下 1≫.

ᄭᅡᆨ다 타 〈옛〉 깎다. ¶ 주근굽 ᄃᆞᆫᄃᆞᆫᄒᆞᆫ 톱을 ᄭᅡᆨ가ᄇᆞ리고(削去死蹄硬甲)≪馬解 下 69≫/두 손을 ᄭᅡᆨ가 殺ᄒᆞ고≪武藝圖譜 17≫.

ᄭᅢ 명 〈옛〉 깨. ¶ 듧ᄭᅢ 심(荏), ᄎᆞᆷᄭᅢ(白荏)≪字會 上 13≫.

ᄭᅢᄆᆞ지 부 〈옛〉 깨끗이. ¶ 입빗치 ᄭᅢᄆᆞ지 븕고(口色鮮紅)≪馬經 下 24≫.

ᄭᅥ디다 자 〈옛〉 꺼지다. 빠지다. ¶ ᄭᅥ딘 ᄆᆞᄅᆞᆯ 하ᄂᆞᆯ히 내시니(墮溺之馬天使之迸)≪龍歌 37章≫.

ᄭᅥ리다 타 〈옛〉 꺼리다. ¶ 揚子江南ᄋᆞᆯ ᄭᅥ리샤 使者ᄅᆞᆯ 보내신ᄃᆞᆯ(揚子江南忌且遣使)≪龍歌 15章≫.

「≪痘要 上 59≫.

ᄭᅥᆯᄭᅥᆯᄒᆞ다 형 〈옛〉 깔깔하다. ¶ 목이 ᄆᆞᆯ라 ᄭᅥᆯᄭᅥᆯᄒᆞ여 아ᄑᆞ고(咽乾澁痛)

ᄭᅥᆯ브리잇고 구 〈옛〉 꺼림칙할 것입니까. 어려울 것입니까. 'ᄭᅥᆲ다'의 활용형. ¶ ᄆᆞᄉᆞ기 ᄭᅥᆯ브리잇고≪月釋 VIII:93≫.

ᄭᅥᆯ븐 형 〈옛〉 꺼림칙한. 어려운. 'ᄭᅥᆲ다'의 활용형. ¶ 甚히 ᄭᅥᆯ븐 希有ᄒᆞᆫ 이ᄅᆞᆯ 잘ᄒᆞ샤(能爲甚難希有之事)≪阿彌 28≫.

ᄭᅥᆯ비 형 〈옛〉 꺼리어. 어렵게. 'ᄭᅥᆲ다'의 활용형. ¶ 天人濟渡호ᄆᆞᆯ ᄭᅥᆯ비 아니호미 당다이 나 ᄀᆞᆮᄒᆞ리라≪月釋 I:17≫.

ᄭᅥᆲ다 형 〈옛〉 꺼림칙하다. 어렵다. ¶ 釋迦牟尼佛이 甚히 ᄭᅥᆯ본 쉽디 몯ᄒᆞᆫ 이ᄅᆞᆯ 잘ᄒᆞ야≪月釋 VII:77≫.

ᄭᅰ다 타 〈옛〉 꿰다. ¶ 손죠 구글무지 낙가 움 버들레 ᄭᅰ여 ≪永言≫.

ᄭᅰ티다 자타 〈옛〉 꿰뚫다. 사무치다. 꿰다. '티'는 힘줌을 나타내는 말. ¶ ᄆᆞᅀᆞᆷ의 ᄆᆡ쳐이셔 骨髓의 ᄭᅰ텨시니 ≪松江 思美人曲≫.

ᄭᅩ다 타 〈옛〉 꼬다. ¶ 노 ᄭᅩ아 길 ᄀᆞᄉᆡ 느리고≪月釋 XIII:62≫.

ᄭᅩ리 명 〈옛〉 꼬리. ¶ ᄭᅩ리 미(尾)≪字會 下 6≫.

ᄭᅩ아리 명 〈옛〉 꽈리. ¶ ᄭᅩ아리(酸漿)≪湯液 卷三 草部≫.

ᄭᅩᆯ 명 〈옛〉 꼴[2]. ¶ ᄭᅩᆯ 추(芻)≪字會 下 4≫.

ᄭᅩᆺᄯᆞ림 명 〈옛〉 꽃달임. ¶ 趙同甲 ᄭᅩᆺᄯᆞ림ᄒᆞ시 ≪永言≫.

ᄭᅪ리나모 명 〈옛〉 꽈리. ¶ ᄭᅪ리나모(酸漿草)≪救簡 III:82≫.

ᄭᅬ 명 〈옛〉 꾀. 계책(計策). ¶ ᄭᅬ한 도ᄌᆞᄀᆞᆯ 모ᄅᆞ샤(靡知黠賊)≪龍歌 19章≫.

ᄭᅬ다 타 꾀다. ¶ 각시 ᄭᅬ노라 ᄂᆞᆾ 고ᄫᅵ 빙여드라≪月印 上 18≫.

ᄭᅬᄡᅳ다 자 〈옛〉 꾀 쓰다. 꾀하다. 꾀 내다. ¶ 謀ᄂᆞᆫ ᄭᅬᄡᅳᆯ씨니≪楞嚴 IV:28≫.

ᄭᅬ오다 타 〈옛〉 에누리하다. ¶ ᄆᆡ ᄒᆞ나히 닷돈 은을 ᄭᅬ오려니와(每一箇討五錢銀子)≪朴解 上 29≫.

ᄭᅬᄒᆞ다 타 〈옛〉 꾀하다. 계책 세우다. ¶ ᄆᆞᆯ 모라 가놀와 다ᄆᆞᆺ ᄭᅬᄒᆞ리오(載驅誰與謀)≪杜諺 V:34≫.

ᄭᅮ다[1] 타 〈옛〉 꾸다[2]. ¶ ᄭᅮᆯ 대(貸)≪類合 下 45≫.

ᄭᅮ다[2] 타 〈옛〉 꿇다. =ᄭᅮᆯ다. ¶ 세번 ᄭᅮ다(三跪)≪漢淸 III:15≫.

ᄭᅮ뮨 타 〈옛〉 꾸민. 'ᄭᅮ미다'의 활용형. ¶ 婇女는 ᄭᅮ뮨 각시라≪月釋 II:28≫.

ᄭᅮ미다 타 〈옛〉 꾸미다. ¶ 莊嚴은 ᄉᆡᄉᆡ기 ᄭᅮ밀씨라≪月釋 II:29≫.

ᄭᅮ아리 명 〈옛〉 꽈리. ¶ ᄭᅮ아리(酸漿)≪方藥 17≫.

ᄭᅮ이다 타 〈옛〉 꾸이다. ¶ ᄭᅮ일 셰(貰)≪類合 下 45≫.

ᄭᅮ죵 명 〈옛〉 꾸중. =구숑. ¶ 네 수이 날ᄅᆞᆯ 주기라ᄒᆞ고 ᄭᅮ죵ᄒᆞ기ᄅᆞᆯ 이ᄇᆡ 그치디 아니 ᄒᆞ니(汝速殺我罵不絕)≪東國新續三綱 烈女圖 III:70≫.

ᄭᅮ지나모 명 〈옛〉 꾸지뽕나무. ¶ ᄭᅮ지나모(檿)≪字會 上 10 檿字註≫.

ᄭᅮ지람 명 〈옛〉 꾸지람. ¶ ᄂᆡ일 ᄂᆞᆷ에게 ᄭᅮ지람 드ᄅᆞ리라(明日著人罵)≪老乞 上 34≫.

ᄭᅮ지좀 타 〈옛〉 꾸짖음. 'ᄭᅮ짖다'의 명사형. ¶ 怒홈ᄋᆞᆯ ᄭᅮ지좀애 니르게 아니홀디니(怒不至詈)≪小諺 II:23≫.

ᄭᅮ짖다 타 〈옛〉 꾸짖다. =구짖다. ¶ 겨틔 사ᄅᆞᆷ이 춤 밧고 ᄭᅮ지ᄌᆞ리라(傍人要唾罵)≪老乞 下 42≫.

ᄭᅮᆯ 명 〈옛〉 꿀. ¶ ᄭᅮᆯ에 조린 밤이라(蜜栗)≪老乞 下 35≫.

ᄭᅮᆯ다 타 〈옛〉 꿇다. ¶ 禮貌로 ᄭᅮ르시니(禮貌以跪)≪龍歌 82章≫.

ᄭᅮᆷ 명 〈옛〉 꿈. ¶ ᄭᅮᆷ ᄭᅮ다가 ᄭᆡ돗ᄒᆞ며 ≪月釋 IX:13≫ /ᄭᅮᆷ에도 소원이 우리쥬갓가히≪찬양가 : 81 ≫.

ᄭᅮᆷ안 명 〈옛〉 꿈 속. ¶ 摩耶ㅅ ᄭᅮᆷ안해 ≪月釋 II:17≫.

ᄭᅯᇰ 명 〈옛〉 꿩. ¶ ᄀᆞᆺ븐 ᄭᅯᇰ을 모ᄃᆡ 놀이시니(維伏之雉必令驚飛)≪龍歌 88章≫.

「乞≫.

ᄭᅰ나들다 타 〈옛〉 줄곳 드나들다. ¶ 차ᄑᆞᄂᆞᆫ 집의 ᄭᅰ나들며(穿茶房)≪老

ᄭᅱ머리 명 〈옛〉 복사뼈. =귀머리. ¶ ᄭᅱ머리(踝子)≪朴解≫.

ᄭᅱ이다 타 〈옛〉 꾸이다. ¶ ᄂᆞᆷ의 사ᄅᆞᄆᆞᆫ ᄒᆞᆫ량의 니쳔 ᄒᆞᆫ량식 바도려ᄒᆞ야 ᄭᅱ이거놀(別人便一兩要一兩利錢借饋)≪朴解 上 34≫.

ᄭᅱᆷ 타 〈옛〉 끼움. 'ᄭᅵ다'의 명사형. ¶ 琉璃로 누네 ᄭᅱ믄(琉璃籠眼)≪楞嚴 I:57≫.

ᄭᅳᅀᅳ다 타 〈옛〉 끌다. =ᄭᅳᇫ다. ¶ 큰 신 ᄭᅳᅀᅳ고(撒大鞋)≪朴解 上 40≫.

ᄭᅳᅀᅵ다 자 〈옛〉 끌리다. ¶ 뎐회 다 ᄭᅳᅀᅧ(澇了田禾)≪朴解 上 9≫.

ᄭᅳᅀᅥ다가 타 〈옛〉 끌어다가. 'ᄭᅳᅀᅳ다'의 활용형. ¶ 薜蘿ᄅᆞᆯ ᄭᅳᅀᅥ다가 새 집 헌ᄃᆡᄅᆞᆯ 깁노라(牽蘿補茅屋)≪重杜諺 VIII:66≫.

ᄭᅳᅀᅳ다 타 〈옛〉 끌다. ¶ 모ᄃᆞᆫ 사ᄅᆞᆷ이 ᄭᅳᅀᅳ고(衆人拖牽)≪朴解 下 46≫.

ᄭᅳᅀᅵ다 타 〈옛〉 끌게 하다. 끌리다. ¶ 곳 잡아 술위 ᄭᅳᅀᅵ고 톱질 시겨(便拿着曳車解鋸)≪朴解 下 18≫.

ᄭᅳᆫ치다 자타 〈옛〉 끊다. 그치다. ¶ 그저 ᄒᆞᆫ ᄲᅧᆷ 기릐ᄅᆞᆯ 견초와 ᄭᅳᆫ처(比着只一把長短鉸了)≪朴解 上 35≫ / 죄와 겁을ᄭᅳᆫ칠거시 예수셩명ᄲᅮᆫ일세≪찬양가 : 37 ≫.

「아니터라≪三譯 IV:19≫.

ᄭᅳᆯ탄ᄒᆞ다 타 〈옛〉 끌탕하다. ¶ 아릐 쟝슈들이 다 ᄒᆞᆫᄒᆞ고 ᄭᅳᆯ탄ᄒᆞ여 ᄆᆞᆺ지

ᄭᅳᆷ 명 〈옛〉 금[2]❷. 틈. =ᄠᅳᆷ. ¶ ᄭᅳᆷ 하(罅), ᄭᅳᆷ 극(隙)≪字會 下 18≫.

ᄭᅳᆺ다 자타 〈옛〉 끊다. 그치다. ¶ ᄭᅳᆺ다(截斷)≪語錄 13≫. *긋다.

ᄭᅳᇫ다 타 〈옛〉 끌다. =ᄭᅳᅀᅳ다. ¶ 掣ᄂᆞᆫ ᄭᅳᅀᅳᆯ씨라≪妙蓮 VII:91≫.

ᄭᅴ 조 〈옛〉 께. 에게. ¶ 世尊ᄭᅴ 저ᅀᆞᆸ다 ᄒᆞᆫ 말도 이시며 ≪月釋 I:36≫ / 도음이쥬ᄭᅴ잇네≪찬양가 : 41 ≫.

ᄭᅴ다 타 〈옛〉 꺼리다. 시기하다. =ᄭᅴ여ᄒᆞ다. ¶ 말만히 홈이 모ᄃᆞᆫ 사람의 ᄭᅴᄂᆞᆫ 배라(多言衆所忌)≪內訓 I:10≫.

「I:1≫.

ᄭᅴ모롬 명 끼무릇. ¶ ᄒᆡᆫ 양의 눈ᄀᆞᄐᆞᆫ ᄭᅴ모롬 불휘(白羊眼半夏) ≪救簡

ᄭᅴ셔 조 〈옛〉 께서. ¶ 南宗六祖ᄭᅴ셔 날시 ≪圓覺 序 7≫.

「17≫.

ᄭᅴ여ᄒᆞ다 타 〈옛〉 시기하다. =ᄭᅴ다. ¶ 嫉은 ᄂᆞᄆᆞᆯ ᄭᅴ여홀씨오≪月釋 IX:

ᄭᅵᆺ긋ᄒᆞ다 형 〈옛〉 깨끗하다. ¶ 고로고 ᄭᅵᆺ긋ᄒᆞ고(勻淨的)≪老乞 下 58≫.

ᄭᅵ다 ㊀ 타 〈옛〉 ①끼다. 틈에 박다. ¶ 멍에 ᄭᅵᆯ 가(駕)≪類合 下 14≫. ②가두다. 얽매다. ¶ ᄒᆞᆫ 釋迦ᄅᆞᆯ 뉘 ᄭᅵ리오(一釋迦誰籠罩)≪金三 II:60≫. ㊁ 자 연기나 수증기 같은 것이 엉기어 흩어지지 아니하다. 먼지나 때 같은 것이 덮여 붙다. ¶ 구름 ᄭᅵᆫ 뫼ᄒᆞᆫ ᄀᆞ룺 北녀긔 어위니(雲嶂寬江北) ≪杜諺 VII:12≫.

「獄中死)≪五倫 III:39≫.

ᄭᅵᆫ 명 〈옛〉 끈. ¶ 치마 ᄭᅵᆫ으로 목을 ᄆᆡ여 옥듕에셔 죽으니라(解裙帶自經

씸 명〈옛〉틈. ¶창써메 히 드리 비취어든《七大 3》.

ᄰ다 자타〈옛〉축나다. 덜다. ¶虧欠 원수에서 ᄰ다《朴解》.

ᄰ라디다 자〈옛〉까라지다. ¶먼디 보내요매 ᄆᆞᅀᆞᆷ ᄇᆞᄅᆞ미 ᄰ라뎌 ᄇᆞᄂᆞ니(送遠秋風落)《杜諺 XXIII:29》.

ᄰ장 조〈옛〉까지. ¶이 여슷 하ᄂᆞᆯ마지 欲心을 몯 여흰 ᄒᆞᆯᄀᆞᆯ비니《月釋 Ⅰ:32》. 「Ⅵ:11》.

-ᄰ장 미 -껏. ¶이제 져근 저그란 안죽 ᄆᆞᅀᆞᆷᄰ장 노다가 주라면《釋譜

ᄰ지 조〈옛〉까지. ¶우부터 아래ᄰ지(自上至下)《無寃錄 Ⅰ:66》.

ᄰ다 타〈옛〉깔다. ¶이 세낫 지즑을 녀를 주니 ᄰ라(這的三個藁薦與你鋪)《老乞 上 23》. 「譜 Ⅵ:25》.

ᄰ이다 자〈옛〉깔리다. ¶어누 藏ㅅ金이사 마치 ᄰ이려뇨 ᄒᆞ노이다《釋

ᄢᅵ다 자타〈옛〉깨다. ¶ᄭᅮᆷ ᄭᅮ다가 ᄢᅵᆫ ᄃᆞᆺ ᄒᆞ시며《月釋 Ⅸ:13》/ᄢᅵ여셔 니러나라 예수가브르신다《찬양가:43》.

ᄢᅵ드라 타〈옛〉깨달아. 'ᄢᅵ돈다'의 활용형. ¶다시 ᄢᅵ드라 世尊을 念ᄒᆞᅀᆞᄫᆞ니 누니 도로 ᄇᆞᆯᄀᆞ거늘《釋譜 Ⅵ:20》.

ᄢᅵ돈다 타〈옛〉깨닫다. ¶ᄌᆞᄌᆞᆷ 저기라도 이 부텻 일후므로 들여 ᄢᅵ돋긔 호리이다《月釋 Ⅸ:39》/工夫ㅣ 니거 ᄢᅵ드롫 時節이니《蒙法 10》.

ᄢᅵ돗다 타〈옛〉깨닫다. =ᄢᅵ돈다. ¶賊人이 이셔 本家東屋 안히 드러오믈 ᄢᅵ돗디 몯ᄒᆞ여(不覺有賊人入來本家東屋內)《朴解 下 52》.

ᄢᅵ야나다 자〈옛〉깨어나다. ¶時節이 危亂ᄒᆞ니 플와 나모ᄂᆞᆫ ᄢᅵ야 나ᄂᆞ다(時危草木蘇)《初杜諺 Ⅷ:44》.

ᄢᅵ오다 타〈옛〉깨우다. ¶츤 ᄆᆞ리 能히 ᄢᅵ오면 權教ㅣ 能히 煩惱 다ᄉᆞ료ᄆᆞᆯ 가ᄌᆞᆯ비니라《月釋 XIII:19》.

ᄢᅵ티다 타〈옛〉깨치다. ¶뎌 술이 ᄢᅵ여 니러나 ᄢᅵ티디 몯ᄒᆞ고(他酒醒了起來不覺)《朴解 中 42》. 「리《月釋》.

ᄣᆞ히 명〈옛〉사나이. ¶남지늬 소리 겨지븨 소리, ᄣᆞ히 소리 갓나히 소

ᄯᅡ 명〈옛〉①땅¹. ¶三界지비 부텻 오래 敎化ᄒᆞ시ᄂᆞᆫ ᄯᅡ힐ᄊᆡ《月釋 XVII:18》/하ᄂᆞᆯ가와ᄯᅡ극변에 복음ᄉᆞ방젼ᄒᆞ겟네《찬양가:5》. ②곳. ¶句ᄂᆞᆫ 말ᄊᆞᆷ 그츤 ᄯᅡ히라《月序 8》.

ᄯᅡ녀【耳亦】〈이두〉뿐이겠는가. 만이겠는가.

ᄯᅡ디다 자〈옛〉터지다. ¶ᄯᅡ딜 탄(綻)《字會 下 16》.

ᄯᅡ보 명〈옛〉따비. ¶ᄯᅡ보 뢰(耒)/ᄯᅡ보 ᄉᆞ(耜)《字會 中 17》.

ᄯᅡ부 명〈옛〉따비. ¶서토른 ᄯᅡ부를 눌 마조 잡으려뇨《海謠》.

ᄯᅡ코〈옛〉땅인고. ¶다시 後에 會集호몬 아노라 어느 ᄯᅡ코(更爲後會知何地)《杜諺 XXIII:23》.

ᄯᅡ콰〈옛〉땅과. 'ᄯᅡ'의 공동격형(共同格形). ¶하ᄂᆞᆯ콰 ᄯᅡ콰 ᄉᆞᄉᆞ이예 軍中엣 旗麾ㅣ ᄀᆞᄃᆞᆨᄒᆞ얏고(天地軍麾滿)《初杜諺 Ⅷ:47》.

ᄯᅡ토〈옛〉땅도. ¶오직 太子祇陁ㅣ 東山이 ᄯᅡ토 平ᄒᆞ며 나모도 盛ᄒᆞ더니《釋譜 Ⅵ:23》.

ᄯᅡ해〈옛〉땅에. 'ᄯᅡ'의 처격형(處格形). ¶기픈 ᄯᅡ해 寂靜이 이셔(靜處幽居)《永嘉 下 44》. 「下 55》.

ᄯᅡ해들다 자〈옛〉땅에 들다. 동면(冬眠)하다. ¶ᄯᅡ해들 팁(蟄)《類合

ᄯᅡ흔〈옛〉땅은. 'ᄯᅡ'의 절대격형(絶對格形). ¶閣애셔 ᄠᅳᆷ이 일빅보 ᄯᅡ흔 ᄒᆞᆫ티(離閣有一百步地)《老乞 上 43》.

ᄯᅡᄒᆞᆯ〈옛〉땅을. 'ᄯᅡ'의 목적격형. ¶ᄯᅡᄒᆞᆯ 아오매 두 모히 뷔니라(略地兩隅空)《重杜諺 Ⅴ:41》.

ᄯᅡ희〈옛〉땅에. 'ᄯᅡ'의 처격형(處格形). =ᄯᅡ해. ¶濂洛 群賢이 이 ᄯᅡ희 뫼왓ᄂᆞᆫ ᄃᆞᆺ《蘆溪 獨樂堂》.

ᄯᅡ히〈옛〉땅이. 'ᄯᅡ'의 주격형(主格形). ¶또 ᄯᅡ히 져기 平호ᄃᆡ 나사오라(且就土微平)《初杜諺 Ⅶ:11》.

ᄯᅡ히다 타〈옛〉때다³. =다히다⁴. ¶블 ᄯᅡ히다(燒火)《同文 62》.

ᄯᅡ히오〈옛〉땅이오. 'ᄯᅡ'의 서술격형. ¶ᄇᆡ롤 ᄇᆞ리고 ᄆᆞᆯ 타가며 兵事議論ᄒᆞᄂᆞᆫ ᄯᅡ히오(捨舟策馬論兵地)《初杜諺 XXIII:10》.

ᄯᅡᄒᆞ로〈옛〉땅으로. 'ᄯᅡ'의 조격형(造格形). ¶반ᄃᆞ기 ᄯᅡᄒᆞ로 圓覺을 가ᄌᆞᆯ븨니(應以地喩圓覺)《圓覺 上 二之一 49》.

ᄯᅡᄒᆞᆯ〈옛〉땅을. 'ᄯᅡ'의 목적격형. ¶하ᄂᆞᆯ 祭ᄒᆞ던 ᄯᅡᄒᆞᆯ 보고 절ᄒᆞ다가《釋譜 Ⅵ:19》.

ᄯᅡ히〈옛〉①땅의. ¶臺와 亭子왜 ᄯᅡ히 놉ᄂᆞᆺ가오ᄆᆞᆯ 조차ᄒᆞ니(臺亭隨高下)《初杜諺 Ⅵ:36》. ②땅에. =ᄯᅡ해. ¶명더닌이란 사ᄅᆞᆷ이 당사 ᄯᅡ히 이셔 결레 ᄃᆞᆯ히 강하의셔 만히 사ᄂᆞᆫ더라《太平 Ⅰ:1》.

ᄯᆞᆯ아【依良】부〈이두〉따라서. 좇아서.

ᄯᆞᆺ둘훕 명〈옛〉오갈피. ¶ᄯᆞᆺ둘훕(五加皮)《湯液 卷三 木部》.

ᄯᆞᆺ둘흡 명〈옛〉멧두릅. ¶ᄯᆞᆺ둘흡(獨活)《湯液 卷二 草部》.

ᄯᅡᆼ 명〈옛〉땅¹. ¶ᄯᅡᆼ을 ᄑᆞ고 묻고져 ᄒᆞ더니(掘地欲埋)《東國新續三綱 孝子圖 Ⅰ:1》.

ᄣᅢ 명〈옛〉때¹. ¶炎凉이 ᄣᅢ를 아라 가ᄂᆞᆫ ᄃᆞᆺ 고텨오니《松江 思美人曲》/돗ᄂᆞᆫ히가쉴ᄣᅢᄭᅡ지 변ᄒᆞᆯ수가업ᄉᆞ리라《찬양가:6》.

ᄣᅢ다 타〈옛〉때우다. ¶ᄣᅢᆯ 한(銲)《字會 下 16》.

ᄣᅢ싣다 자〈옛〉때 묻다. 허물 잡히다. ¶ᄒᆞᆫ젹곳 ᄣᅢ시른 휘면 고쳐 싯기 어려워라《永言》.

ᄠᅥ르티다 타〈옛〉떨어뜨리다. ¶그 緖를 ᄠᅥ르텨(乃墜厥緖)《常訓 18》.

ᄠᅥ쥬어리다 자〈옛〉떠죽거리다. ¶ᄠᅥ쥬어리다(抖抖擻擻)《漢淸 Ⅷ:24》. 「言》.

ᄠᅥ지다 자〈옛〉떨어지다. ¶桃花야 ᄠᅥ지지 마라, 漁子 알가 ᄒᆞ노라《永

ᄠᅥ히다 타〈옛〉떼다¹. ¶엇ᄭᅳ제 손 ᄀᆞᆺ ᄠᅥ혀 ᄣᅢ짓체 방울 돌아《海謠》.

ᄯᅥᆨ 명〈옛〉떡¹. ¶열븐 ᄯᅥᆨ ᄆᆞ톤 ᄯᅥᆺ거치 나니《月釋 Ⅰ:42》.

ᄯᅥᆨ소 명〈옛〉떡소. ¶ᄯᅥᆨ소 신(餕), ᄯᅥᆨ소 함(餡)《字會 中 20》.

ᄯᅩ 부〈옛〉또. ¶얼우시고 ᄯᅩ 노기시니(旣氷又釋)《龍歌 20章》.

ᄯᅩ애 명〈옛〉또아리. ¶ᄯᅩ애(頂圈子)《同文 下 15》.

ᄯᅩ약이 명〈옛〉두드러기. ¶紅疫 ᄯᅳ리 ᄯᅩ약이《永言》.

ᄯᅩᆼ¹ 명〈옛〉똥❶. ¶너를 ᄡᅥ ᄯᅩᆼ 츼유리니(雇汝除糞)《妙蓮 Ⅱ:206》.

ᄯᅩᆼ² 의명〈옛〉둥³. =동. ¶우리 사ᄅᆞᆷ이 오ᄂᆞᆯ 죽을ᄯᅩᆼ 너일 죽을ᄯᅩᆼ 아디 못ᄒᆞ니(咱人今日死的 明日死的 不理會得)《老乞 下 37》.

ᄯᅬ장 명〈옛〉된장. ¶고사리 ᄒᆞᆫ단 ᄯᅬ장 직어 먹고《海謠》.

ᄯᅮᆨ숨 명〈옛〉줄기가 곧지 못하고 뚝뚝 불거지는 삼. ¶건숩밧 ᄯᅮᆨ숨 되야《永言》.

ᄯᅮᆲ기 타〈옛〉뚫기. 'ᄯᅮᆲ다'의 명사형. ¶ᄇᆞ람이 ᄉᆞ뭇 ᄯᅮᆲ기를 因ᄒᆞ야 致死ᄒᆞᆫ 거시니라(因風透串致死)《無寃錄 Ⅲ:22》.

ᄯᅮᆲ다 타〈옛〉뚫다. ¶쥐 구무 ᄯᅮᆲ다(鼠鑽孔)《同文 下 39》.

ᄯᅮᆺ다 타〈옛〉뚫다. ¶동녁집 뎌편에 굼글 ᄯᅮᆺ고(於東屋那邊剜窟)《朴解 下 52》.

ᄯᅳ다¹ 타〈옛〉뜨다⁵. 그릇 따위에 담긴 물건을 덜어 내거나 또는 퍼내다. ¶믈ᄯᅳᆯ 읍(挹)《類合 下 41》.

ᄯᅳ다² 타〈옛〉뜨다³. 뜸을 뜨다. ¶ᄯᅳᆷᄯᅳᆯ 구(灸)《類合 下 12》.

ᄯᅳ다³ 형〈옛〉뜨다¹⁰. 둔하다. 느리고 더디다. ¶ᄯᅳᆫ ᄆᆞᆯ(鈍馬)《老乞 下 8》.

ᄯᅳ리 명〈옛〉종기(腫氣). =ᄠᅳ리. ¶쟈근 손님 큰 손님의 紅疫 ᄯᅳ리 ᄯᅩ약이 후더침이《古時調》.

ᄯᅳ믈 명〈옛〉뜨물¹. ¶ᄯᅳ믈 감(泔), ᄯᅳ믈 번(潘)《字會 下 11》. 「5》.

ᄯᅳ여 타〈옛〉띄어. ¶뫼ᄒᆞᆫ 烏蠻을 ᄯᅳ여 어위오(山帶烏蠻闊)《重杜諺 Ⅱ:

ᄯᅳᆫᄆᆞᆯ 명〈옛〉둔한 말. 느리고 더딘 말. ¶ᄯᅳᆫᄆᆞᆯ을 ᄐᆞ고 뫼로 기루마 ᄡᅵ고 ⌊《家禮 Ⅵ:32》.

ᄯᅳᆷ 명〈옛〉뜸². ¶ᄯᅳᆷᄯᅳᆯ 구(灸)《類合 下 12》.

ᄯᅳᆺ글 명〈옛〉티끌. ¶世上에 ᄯᅳᆺ글 ᄆᆞ음이 一毫末도 업다《古時調 權好文》.

ᄯᅳᆺᄯᅳᆺ다 자〈옛〉듣다. =ᄠᅳᆮ듣다. ¶비ᄯᅳᆺᄯᅳᆺ다(疎雨點點)《漢淸 Ⅰ:11》.

ᄯᅴ¹ 명〈옛〉띠¹. ¶안녀그로셔 ᄂᆞ화 주시ᄂᆞᆫ 금띄 븕고(內分金帶赤)《杜諺

ᄯᅴ² 명〈옛〉띠². =뛰. ¶ᄯᅴᆺ불휘(茅根)《方藥 8》. ⌊XXI:8》.

ᄯᅴ다 타〈옛〉띠다¹❶. ¶寶玉帶 ᄯᅴ샤(寶玉且橫腰)《龍歌 112章》.

ᄯᅴ돈 명〈옛〉멋돈. =ᄯᅱᆺ돈. ¶소니 마초호ᄆᆞᆯ ᄯᅴ돈 텨 밍ᄀᆞ로ᄆᆞᆯ 보리로소니(應手看棰鉤)《杜諺 XVI 2》.

ᄯᅴ와치 명〈옛〉띠바치. 띠 만드는 사람. ¶이 구란ᄋᆞᆯ ᄯᅴ와치 夏五의 메운 거시라(是拘欄衚衕裏帶匠夏五廂的)《朴解 上 18》.

ᄯᅴ차다 타〈옛〉띠다. 띠고 차다. ¶風壤은 三苗 ᄯᅡᄒᆞᆯ ᄯᅴ 찻도다(風壤帶三苗)《杜諺 Ⅱ:21》.

ᄯᅱᆺ돈 명〈옛〉멋돈. =ᄯᅴ돈. ¶소니 마초호ᄆᆞᆯ ᄯᅱᆺ돈 텨 밍ᄀᆞ로ᄆᆞᆯ 보리로소니(應手看捶鉤)《初杜諺 XVI:2》.

ᄯᅵ더 타〈옛〉불을 때어. ¶네 블ᄯᅵ더 가매 ᄭᅳᆯ커든(你燒的鍋滾時)《老乞 上 18》. *딛다. 「曲 4》.

ᄯᅵ드다 자〈옛〉찌들다. ¶ᄯᅵ드단케 ᄆᆞ다듬아 煩惱賊을 다 버히고《參禪

ᄯᅵ타 타〈옛〉찧다. ¶ᄯᅵ허 散 밍ᄀᆞ라(擣爲散)《救方 下 62》.

ᄯᅵᆺ다 자〈옛〉불때다. =딛다. ¶블 ᄯᅵᆺ디 말고(休燒火)《老乞 上 18》.

ᄯᆞ 명〈옛〉땅¹. =ᄯᅡ. ¶너의가 여긔셔 二千餘里 ᄯᆞ히나 되ᄂᆞᆫ뎌(你們離這裏有二千多里地否咧)《華音 上 1》. 「時調》.

-ᄯᆞ나 어미〈옛〉-말거나. ¶가마귀 거므나ᄯᆞ나 히오라비 희나ᄯᆞ나《古

-ᄯᆞ녀 어미〈옛〉-랴. -겠느냐. -ㄹ까보냐. =-ᄯᆞ여. ¶ᄒᆞ몰며 또 荊州ㅣ 賞玩호미 가시야 새로외 요미ᄯᆞ녀(況復荊州賞更新)《杜諺 XXI:4》.

-ᄯᆞ니잇가 어미〈옛〉-이겠나이까. ¶ᄒᆞ몰며 阿羅漢果를 得게 호미ᄯᆞ니잇가(何況令得阿羅漢果)《妙蓮 Ⅵ:9》. 「즐².

ᄯᆞ님 명〈옛〉따님. ¶仙人이 그 ᄯᆞ니ᄆᆞᆯ 어엿비 너겨《釋譜 XI:25》. *

ᄯᆞ람 명〈옛〉꽃달임. 또, 거기에서 온 말로 놀음이란 뜻. ¶쑥 ᄯᆞ람ᄒᆞ세, 꼿 ᄯᆞ람하쉬《永言》.

ᄯᆞ로 부〈옛〉따로. =ᄠᆞ로. ¶房錢은 ᄯᆞ로 잇고(房錢在外)《華音 上 17》.

ᄯᆞ로다 타〈옛〉따르다¹. ¶만일 이ᄀᆞᆺ티 아니면 후에 누읏처도 ᄯᆞ로기 어려울ᄯᅵ니《普勸 興律寺板 7》.

ᄯᆞ리다 타〈옛〉깨뜨리다. ¶솟벼 다 ᄯᆞ리고 죡박귀 다 업괴야《永言》.

ᄯᆞ롬 의명〈옛〉따름. ¶耳ᄂᆞᆫ ᄯᆞᄅᆞ미라 ᄒᆞᄂᆞᆫ ᄠᅳ디라《訓例 3》.

-ᄯᆞ여 어미〈옛〉-랴. -겠느냐. -ㄹ까보냐. =-ᄯᆞ녀. ¶ᄒᆞ몰며 人에며 ᄒᆞ몰며 鬼神에ᄯᆞ여(而況於人乎況於鬼神乎)《瘟疫 Ⅰ:17》.

ᄯᆞᆯ¹ 명〈옛〉근원(根源). ¶ᄆᆞᄉᆞᆷ 보ᄇᆡ옛 ᄃᆞ리 ᄆᆞᆯᄀᆞᆫ ᄯᆞᆯ해 ᄉᆞᄆᆞ차리니(中秋寶月湛徹澄源)《法語 13》.

ᄯᆞᆯ² 명〈옛〉딸¹. ¶孝道ᄒᆞᆯ ᄯᆞ리 그를(孝女之書)《龍歌 96章》.

ᄯᆞᆯ롤〈옛〉딸을. 'ᄯᆞᆯ²'의 목적격형(目的格形). ¶안해 세 ᄯᆞᆯ롤 거ᄂᆞ리고(妻率三娘)《東國三綱 忠臣圖 堤上忠烈》.

ᄯᆞᆯ으다 타〈옛〉따르다¹. ¶ᄯᆞᆯ을 튜(追)《類合 下 5》.

ᄯᆞᆯ해〈옛〉근원에. 'ᄯᆞᆯ¹'의 처격형(處格形). ¶반ᄃᆞ기 그 ᄯᆞᆯ해 다ᄃᆞᄅᆞ리라(必臻其奧矣)《妙蓮 Ⅰ:16》.

ᄯᆞᆯᄒᆞᆯ〈옛〉근원을. 'ᄯᆞᆯ¹'의 목적격형(目的格形). ¶기픈 ᄯᆞᆯᄒᆞᆯ 펴 뵈신대(宣示深奧)《楞嚴 Ⅰ:29》.

ᄯᆞᆷ 명〈옛〉땀¹. ¶ᄯᆞᆷ과 精과 피와(津液精血)《楞嚴 Ⅴ:72》.

ᄯᆞᆷ도야기 명〈옛〉땀띠. ¶ᄯᆞᆷ도야기(疿)《四聲 上 17》.

ᄯᆞᆷ되야기 명〈옛〉땀띠. ¶ᄯᆞᆷ되야기 불(疿)《字會 中 33》.

ᄯᆞᆷ어치 명〈옛〉언치¹. ¶ᄯᆞᆷ어치(汗替)《老乞 下 27》.

ᄯᆞᆺ둘흡 명〈옛〉①오갈피. =닷둘흡. ¶ᄯᆞᆺ둘흡(五加皮)《湯液》. ②멧두릅. =묏둘흡. ¶ᄯᆞᆺ둘흡(獨活)《湯液》.

ᄣᅵ실다 자〈옛〉때 끼다. 때가 묻다. 때가 생기다. 누명(陋名)을 얻다. ¶ᄒᆞᆫ젹곳 ᄣᅵ시른 後ㅣ면 고쳐 싯기 어려우니《稀本 永言》.

ᄲᅡ 타〈옛〉빼어. 뽑아. 'ᄲᅡ다'의 활용형. ¶온갓 글귀 ᄲᅡ 사긴 거시라(百聯抄解)《百聯 Ⅰ》.

ᄲᅡ나다 형〈옛〉빼어나다. ¶져머셔 나 아ᄅᆞ미 ᄲᅡ나샤 빈호매 ᄉᆞ랑호ᄆᆞᆯ 더으디 아니터시니(少挺生知學不加思)《永嘉 序 6》.

ᄲᅡ다 자〈옛〉빼다. ¶ᄲᅡᆯ 간(揀), ᄲᅡᆯ 선(選)《新字典》.

ᄲᅡ디다〈옛〉㊀자 빠지다. ¶ᄆᆞ레 ᄲᅡ디여 橫死ᄒᆞᆯ씨오《月釋 Ⅸ:58》. ㊁타 빠뜨리다. ¶치마엣 아기를 ᄲᅡ디오《月釋 Ⅹ:24》.

싸여나다 형〈옛〉 빼어나다. ¶ 싸여날 준(俊)《類合 下 21》.

싸이다 타〈옛〉 빼다. 빼어내다. =싸혀다·싸혀다·쌔혀다. ¶ 뎌의 져근 칼을 다가 싸이고(把他的小刀子拔了)《朴解 中 47》.

싸혀 타〈옛〉 빼어. 빼어내어. '싸히다'의 활용형. ¶ 長劍을 싸혀 들고 白頭山에 올라보니《古時調 南怡》.

싸혀나다 형〈옛〉 빼어나다. 뛰어나다. ¶ 싸혀날 슈(秀)《類合 下 55》.

싸혀다 타〈옛〉 빼다. =싸이다·싸혀다·쌔혀다. ¶ 衆生을 救ᄒᆞ야 싸혀 티(拔救衆生)《佛頂 上 1》. 「38》.

싸히다 타〈옛〉 빼다. ¶ 임의셔 굽에 피 싸히리라(就蹄子放血)《朴解 上

싸혀내다 타〈옛〉 빼어내다. ¶ 고팃 시롤 빠혀내ᄂᆞ니라《楞嚴 I:5》.

싸혀다 타〈옛〉 빼다. =싸이다·싸혀다·쌔혀다. ¶ 一切業報衆生ᄋᆞᆯ 救ᄒᆞ야 싸혀노니《月釋 XXI:48》.

쌀아보다 타〈옛〉 쏘아 보다. 주목(注目)하다. ¶ 치운 ᄀᆞᄅᆞ매 누늘 쌀아 보고 뫼지븨 비겨슈라(注目寒江倚山閣)《初杜諺 XVII:15》.

쌈 명〈옛〉 뺨. ¶ 비치 됴ᄒᆞ니 ᄇᆡ 사ᄅᆞ미 싸미라와 더으고(色好梨勝頰)《初杜諺 XX:9》.

쌔티다 타〈옛〉 빼다. ¶ 쌔틸 발(拔)《類合 下 11》. 「21》.

쌔혀다 타〈옛〉 빼다. =싸이다·싸혀다·싸혀다. ¶ 쌔혈 탁(擢)《類合 下

쌔혀다 타〈옛〉 빼다. 빼어내다. ¶ 그 나못 불휘롤 쌔혀 그우리 부러《釋譜 VI:30》. 「《牧訣 45》.

쌔즈기ᄒᆞ다 타〈옛〉 비슷이 하다. ¶ 그 能히 써즈기ᄒᆞ야려(其能髣髴)

써즉ᄒᆞ다 형〈옛〉 비슷하다. =써즛ᄒᆞ다. ¶ 오좀 똥 곳 업스면 써즉ᄒᆞᆫ 머검직ᄒᆞᆫ 거시 이술 주리 업스리라《七大 2》. 「씨라《楞嚴 I:2》.

써즛ᄒᆞ다 형〈옛〉 비슷하다. ¶ 像ᄋᆞᆫ 써즛ᄒᆞᆯ씨니 부텨 겨신 저과 써즛ᄒᆞᆯ

쎠[1] 명〈옛〉 뼈. ¶ 能히 駿馬ᄋᆡ 쎠롤 사미 이시면(有能市駿骨)《杜諺 XXI: 37》. 「乞 下 41》.

쎠[2] 의명〈옛〉 따위. ¶ 사발과 그릇 쎠를 슈습ᄒᆞ고(椀子家具收拾了)《老

쎠고도리 명〈옛〉 뼈로 만든 고두리살. ¶ 쎠고도리 박(𩨨)《字會 中 29》.

쎠타 타〈옛〉 뿌리다. ¶ 압내희 살도 ᄒᆞ며 울 밋희 외씨도 쌔코《古時調》. 「徒已斲》《初杜諺 XVI:9》.

쎠ᄒᆞ다 자〈옛〉 뻐개지다. ¶ 술윗 바회롤 ᄒᆞᆫ갓 ᄒᆞ마 쎠ᄒᆞᆯ ᄲᅮ니로다(車輪

쎳타 타〈옛〉 뿌리다. ¶ 씨 쎳타(撒種子)《同文 下 1》.

쎼 명〈옛〉 ①뼈. ¶ 平原에 사힌 쎼ᄂᆞᆫ 뫼두곤 노파 잇고《蘆溪 太平詞》. ②뼈가. '쎠'의 주격형. ¶ 賈生의 쎼 ᄒᆞ마 서그니(賈生骨已朽)《杜諺 II:22》. ③뼈이. '쎠'의 서술격형. ¶ 舍利ᄂᆞᆫ 靈ᄒᆞᆫ 쎼라 ᄒᆞᆫ 마리니《月釋 II:66》. 「竹管》《救簡 I:66》.

쏘로디 부〈옛〉 뾰족하게. ¶ 모로매 져근 대롱을 쏘로디 갓가(須尖削小

쏘롣다 형〈옛〉 날카롭다. 뾰족하다. =쏘롣ᄒᆞ다. ¶ 근쏘롣고 구드니 긔라(尖頭堅者是也)《瘟疫方 7》. 「頭將軍來何遲》《杜諺 V:35》.

쏘롣ᄒᆞ다 형〈옛〉 뾰족하다. ¶ 머리 쏘롣ᄒᆞᆫ 將軍은 오미 엇데 더듸뇨(銳

쏘롯ᄒᆞ다 형〈옛〉 날카롭다. 뾰족하다. ¶ 長陵에 머리 쏘롯ᄒᆞᆫ 男兒ㅣ(長陵銳頭兒)《杜諺 II:69》. 「《杜諺 VII:37》.

쏘쏘시 부〈옛〉 뾰족하게. 뾰족이. ¶ 쏘쏘시 銀漢애 넛도다(剡剡生銀漢)

쏨 명〈옛〉 뼘. ¶ ᄒᆞᆫ 쏨(一把)《朴解 上 35》.

쏨노솟다 자〈옛〉 솟아오르다. ¶ 믈결 가온대셔 쏨노ᄉᆞᆫᄂᆞᆫ ᄃᆞᆺ ᄒᆞ거늘 도죵이 닐오ᄃᆡ 주검 곳 잇거든 다시 쏨놀라(波中忽若溢沸者 道琮曰 若屍在可再沸)《二倫 36. 道琮 尋尸》. 「44》.

쏩다 타〈옛〉 뽑다. ¶ 곳굼긧 터리 쏩고(摘了那鼻孔的毫毛)《朴解 上

쏩듣다 자〈옛〉 빠지다. ¶ 니…이저디며 쏩듣디 아니ᄒᆞ며《釋譜 XIX:7》.

쏫쏫ᄒᆞ다 형〈옛〉 뾰족하다. ¶ 이 두어 봉이 쏫쏫ᄒᆞ며 고와(蓋慈數峰嶔岑嬋娟)《杜諺 XIII:5》.

쏭나모 명〈옛〉 뽕나무. ¶ 쏭나모 상(桑). 《字會 上 10》.

ᄲᅮ롯ᄒᆞ다 형〈옛〉 뾰족하다. ¶ ᄲᅮ롯ᄒᆞᆫ 총갓 일빅 낫(桃尖椶帽兒一百個)《老乞 下 61》. 「《金三 III:12》.

ᄲᅮ롣다 형〈옛〉 뿌루퉁하다. ¶ 盧都ᄂᆞᆫ ᄲᅮ롣다 ᄒᆞᄂᆞᆫ 마리니 말 믄ᄒᆞᆯ시라

ᄲᅮ븨다 타〈옛〉 비비다. ¶ ᄲᅮ빌 번(㨢), ᄲᅮ빌 사(挱)《字會 下 23》.

-ᄲᅮᆫ 미〈옛〉 -뿐. -만. -뿐만. ¶ 二軍鞠手ᄲᅮᆫ 깃그니이다(二軍鞠手獨自悅澤)《龍歌 44章》/이ᄲᅮᆫ 아니라《月釋 II:46》.

ᄲᅮᆷ기다 타〈옛〉 풍기다. ¶ 못에 ᄀᆞ득ᄒᆞᆫ 년곳치 향내 ᄲᅮᆷ기더라(滿池荷花香噴噴)《朴解 中 33》.

ᄲᅮᆷ다 타〈옛〉 뿜다. ¶ ᄂᆞ치 ᄲᅮ므면 즉재 됸ᄂᆞ니 大凡 ᄒᆞᆫᄃᆡ 닶가와 ᄒᆞ거든 즉자히 ᄲᅮ므라(潠面即愈凡悶即潠之)《救方 下 93》.

ᄲᅳ리다 타〈옛〉 뿌리다. ¶ 두어 줄 눈므를 ᄲᅳ려(數行淚)《杜諺 XXI:32》.

ᄲᅳᆯ 명〈옛〉 뿔. ¶거부븨 터리와 톳긔 ᄲᅳᆯ ᄀᆞᆮ거니(同於龜毛兎角)《楞嚴 I:74》. 「ᄒᆞ노라(欲濟願水縮)《杜諺 XIII:9》.

ᄢᅵ다 자〈옛〉 삐다[1]. 물이 빠지다. ¶ 건너고져 ᄒᆞ야 므리 ᄢᅴ와디여ᄒᆞ야 願

ᄢᅵ븨다 타〈옛〉 비비다. =비븨다. ¶ ᄢᅵ븨여 일운 젼ᄎᆞ니(捏所成故)《楞

ᄢᅵ유기 명〈옛〉 삘기. ¶ ᄢᅵ유기 데(荑)《字會 上 9》. 「嚴 II:72》.

ᄢᅵ타 타〈옛〉 뿌리다. ¶ ᄢᅵ ᄢᅧ타(撒種)《字會 下 5 種字註》.

ᄢᅵ홈 타〈옛〉 뿌림. 'ᄢᅵᆸ다'의 명사형. ¶ 허닌 ᄆᆞᄅᆞ닐 ᄢᅧ후미 됴ᄒᆞ니라(破者乾掺神妙)《救方 上 7》. 「上 13》.

ᄢᅵᆯ 양수〈옛〉 필(匹). ¶小紅의ᄂᆞᆫ 뵈 닷ᄢᅵᆯ에 프라(小紅的賣布五匹)《老乞

ᄢᅵᇂ다 타〈옛〉 뿌리다. ¶ 울밋 陽地 편의 외씨롤 ᄢᅧ허두고《松江 星山別曲》. 「《永言》.

ᄊᆡᆺ깃 명〈옛〉 사냥하는 매의 꽁지에 다는 깃. ¶ 단댱고 ᄊᆡ기채 방울 쇠리

ᄊᆡ다 형〈옛〉 빨다. 뾰족하다.=ᄲᆞᆯ다[1]. ¶몸골아라 우히 ᄊᆡ디 아니ᄒᆞ샤《月釋 II:41》 「正覺 還度衆生》《野雲 79》.

ᄊᆡ리 부〈옛〉 빨리. ¶ ᄊᆡ리 졍각올 일워 도로혀 즁싱을 제도호리니(速成

ᄊᆡ리다 타〈옛〉 뿌리다. =ᄲᅳ리다. ¶ 甘露를 ᄊᆡ리시니(灑甘露)《南明 下

ᄊᆡᄅᆞ다 형〈옛〉 빠르다. ¶ 促急은 ᄊᆡ롤씨라《訓諺 14》. 「6》.

ᄊᆡ이다 자〈옛〉 뽑히다. ¶ 녀ᄂᆞᆫ 샹샹에 ᄊᆡ이ᄂᆞᆫ 관원이라(你常選官)《朴解 中 46》.

ᄲᆞᆯ다[1] 타〈옛〉 빨다[1]. ¶ 현맛 벌에 비느를 ᄲᆞ라뇨《月釋 II:47》.

ᄲᆞᆯ다[2] 타〈옛〉 빨다[2]. ¶ 모물 ᄲᆞᆯ씨 셜버 受苦ᄒᆞ다니《月釋 II:51》.

ᄲᆞᆯ롬 형〈옛〉 빠름. 'ᄲᆞᄅᆞ다'의 명사형. ¶ 또 諸方ㅅ 時分의 길며 ᄲᆞᆯ로미 一定 아니ᄒᆞᆯ시(又諸方時分延促不定故)《圓覺 上 一之二 33》.

ᄲᆞᆯ리 부〈옛〉 빨리. =ᄲᆞᆯ리. ¶ 入聲은 ᄲᆞᆯ리 긋돋ᄂᆞᆫ 소리라《訓諺》.

ᄲᆞᆯ먹다 타〈옛〉 빨아먹다. ¶ 無量이 ᄲᆞᆯ먹고(無量咂食)《楞嚴 VIII:101》.

ᄲᆞᆯ옴 형〈옛〉 빠름. 'ᄲᆞᄅᆞ다'의 명사형. ¶ 破敵 혜튜믄 살 가미 ᄲᆞᆯ오미라와 더으니라(破敵過箭疾)《杜諺 I:8》. 「《內訓 I:4》.

ᄲᆞᆯ이다 자〈옛〉 빨리다. ¶ 아비 고마롤 아랫 옷 ᄲᆞᆯ이디 말며(諸母不漱裳)

ᄲᅢ양 명〈옛〉 뺑대. ¶ ᄲᅢ양 살(蓬矢)《漢淸 V:8》.

ᄲᅢ짓 명〈옛〉 매의 꼬리 위에 있는 것. ¶ ᄲᅢ짓체 방울 ᄃᆞ라 夕陽의 밧고 나니《古時調 金昌業》. 「卷七》.

쪽직쌔 명 족집게. =족집게. ¶ 鑷摘髮之具 俗名 쪽직쌔《青莊館全書

ᄧᅳᆫ더이 부〈옛〉 찐덥게. ¶ ᄧᅳᆫ더이 너기지 아니타(不嫌)《同文 上 33》.

ᄧᅳᆫ덥다 형〈옛〉 찐덥다. ¶ ᄧᅳᆫ덥지 못ᄒᆞ다(教人吊味兒)《漢淸 VII:3》.

사[1] 명 단춧구멍이나 수눅 같은 것의 가장자리를 실로 감치는 일. 「함.

사[2] 명〔악〕 우리 나라 음명(音名)의 하나. 구미(歐美)의 '지(G)'에 해당

사:[3]【士】명 ①선비[1]. ②장기에서, 궁밭 안에서 궁을 호위하는 두 개의 말. ③〔역〕 중국 주(周)나라 때 사민(四民)의 위이며 대부(大夫)의 아래에 처해 있던 신분. 「시(巳時).

사:[4]【巳】명〔민〕 ①십이지(十二支)의 여섯째. ②↗사방(巳方). ③↗사

사:[5]【史】명〔역〕 ①신라 때의 집사성(執事省)·병부(兵部)·경성 주작전(京城周作典)·봉덕사 성전(奉德寺成典)·창부(倉部)·예부(禮部)·승부(乘部)·사정부(司正部)·예작부(例作府)·선부(船府)·영객부(領客府)·위화부(位和府)·좌우 이방부(左右理方府) 등과 그 밖의 각 마을의 하급(下級)의 벼슬아치. 대사(大舍)부터 조위(造位)까지의 사람이 취임함. ②고려 때의 침원서(寢園署)·제릉서(諸陵署)·사온서(司醞署)·공조서(供造署)·경시서(京市署)·선관서(繕官署)·장야서(掌冶署)·도교서(都校署)·전악서(典樂署) 및 그 밖의 마을의 이속(吏屬). ③고려 국초의 향직(鄉職)으로 사창(司倉)의 아래 벼슬. '집사(執史)'의 고친 이름.

사:[6]【史】명 성(姓)의 하나. 우리 나라의 주요 본관은 청주(青州)·거창(居

사:[7]【死】명 죽음. ↔생(生). ——-하다 자여불 ⌊昌)의 두 본임.

사[8]【私】명 ①사사로운 일. 자기 한 몸이나 집안에 관한 일. ¶ 공(公)과 ~의 구별. ②개인적인 욕심과 이익만을 꾀하는 일. ¶ ~가 없는 사람. ③숨기어 비밀로 하는 일. 1)-3):↔공(公).

사[9]【沙】명 성(姓)의 하나. 우리 나라에는 현존하지 않음.

사[10]【邪】명 ①정대(正大)하지 못함. 부정(不正)함. ↔정(正). ②〔한의〕 사람 몸에 병이 나게 하는 풍한 서습(風寒暑濕)의 기운.

사[11]【邪】명 성(姓)의 하나. 우리 나라에는 현존하지 않음.

사[12]【社】명 ①↗회사(會社). ②고대(古代) 중국에서 토지의 수호신(守護神) 및 그 제사. 또, 그 수호신을 중심으로 한 스물 다섯 집의 부락(部落). 나중에는 촌락의 자치 단체(自治團體)가 되었음. ③예전 대만의 최하급(最下級) 행정 구역(行政區域).

사[13]【舍】명 ①집. ②옛날 중국의 군제(軍制)에서, 군대의 하루의 행정(行程). 30리. 곧, 우리 나라의 50리에 해당함.

사[14]【舍】명 성(姓)의 하나. 현재 우리 나라의 주요 본관은 부평(富平)·태안(泰安)·활천(活川)의 3 본임.

사:[15]【使】명〔역〕 ①고려 때, 삼사(三司)·밀직사(密直司)·자정원(資政院)·통례문(通禮門)·풍저창(豐儲倉)·광흥창(廣興倉)·의영고(義盈庫)·요물고(料物庫) 기타 여러 관아의 장관. ②조선 시대 초에 요물고·장흥고(長興庫)·풍저창·제용고(濟用庫)·해전고(解典庫) 등의 장관. ③고려·조선 시대 때, 목(牧)·도호부(都護府) 등 지방 관아(官衙)의 으뜸 벼슬.

사[16]【思】명 성(姓)의 하나. 우리 나라에는 현존하지 않음.

사[17]【砂】명 ①모래. ②〔민〕 풍수 지리에서 혈(穴)의 주위의 형세.

사[18]【射】명 육예(六藝)의 하나. 활을 쏘는 술(術). 궁술. 사예(射藝).

사[19]【紗】명 옷감의 한 가지. 생견(生絹)으로 발이 성기고, 얇고 가벼우므로 여름 옷감으로 쓰임.

사[20]【師】명 ①스승. ②〔민〕 ↗사괘(師卦). ③고대 중국의 군제(軍制)에서, 여(旅)의 다섯 배. 곧 2,500명을 일컫던 말. ④〔역〕 고려 때, 세자첨사부(世子詹事府)의 으뜸 벼슬. 곧, 세자사(世子師)의 일컬음. ⑤〔역〕 조선 시대 때, 세자 시강원(世子侍講院)의 정일품 벼슬. 곧, 세자사(世子師)의 일컬음. 영의정(領議政)으로 시킴. 이사(貳師)의 위. *부(傅). ⑥〔역〕 조선 시대 때, 세손 강서원(世孫講書院)의 종일품 벼슬. 곧, 세손사(世孫師)의 일컬음. *부(傅).

사:[21]【赦】명 ①죄나 허물을 용서함. ②〔법〕 사면(赦免). ③〔역〕 ↗사전(赦典). ——-하다 타여불 「서 전사(塡詞)의 특칭.

사[22]【詞】명 ①말. 특히 문어체(文語體)로 된 말. ②시문(詩文). ③한시에

사[23]【絲】명〔악〕 사부(絲部).

사[24]【嗣】명 ①집안의 대를 잇는 일. ②↗사자(嗣子).

사:[25]【謝】명 성(姓)의 하나. 현재 우리 나라의 주요 본관은 진주(晋州)와 한산(韓山)의 두 본이 있음.

사[26]【辭】명 ①사상을 말이나 글로 나타낸 것. ②한문의 한 체(體). 소(騷) 및 부(賦)와 비슷한데, 흔히 운어(韻語)를 씀. ③〔언〕 문법에서, 단독으로는 문장의 성분이 될 수 없는 말. 조사(助詞)·보조 동사(補助動詞)·부사(副詞)의 대부분을 이르는데, 형식어(形式語)·허사(虛辭)·부속사(附屬辭) 등으로 일컬어짐. 「말. ¶ 정시(定時)에 귀대(歸隊)할 ~.

사:[27]【事】의명 '-ㄹ·-을'의 뒤에 쓰이어, '일'·'것' 등의 뜻을 나타내는

사:[28]【四】수 넷.

사[29]【沙】①수 십진급수(十進級數) 단위의 하나. '섬(纖)'의 아래. 곧, '하나'의 일억 분의 일. ②소수(小數)의 단위(單位)의 하나. 섬(纖)의 십

분의 일, 진(塵)의 십배 또는 억배, 곧 10^{-8}.

사[30]【絲】㊀[수] ①십진급수(十進級數)의 단위. '모(毛)'의 아래. 곧, 분(分)의 천분의 일. 일의 만분의 일. ②소수(小數)의 단위(單位)의 하나. 호(毫) 또는 모(毛)의 십분의 일, 홀(忽)의 십배, 곧 10^{-4}. ㊁[의명] 화폐 가격의 단위. 모(毛)의 십분의 일. 전(錢)의 천분의 일.

사[31] [의명] →작(勺).

사[32] [타]〈옛〉쌓아. 'ᄊᆞ다¹'의 활용형. ¶ 城을 사 白帝예 븓고(築城依白帝)《重杜諺 Ⅵ:10》.

사[33] [조]〈옛·방〉야. 라야. =사. ¶ 내사(乃)《類合 安心寺板 7》.

사[34]【沙】[조]〈이두〉야.

사[35] [준] 사아. ¶ ~ 가다/~ 왔다.

-사[1]【士】[미] 명사 밑에 붙어, 그 일에 종사하는 사람을 존대하는 뜻으로 일컫는 접미어. ¶ 운전~/기관~/건축~/변호~.

-사[2]【史】[미] '역사(歷史)'의 뜻을 나타내는 말. ¶ 동양~/철학~/개척(開拓)~.

-사[3]【寺】[미] 절의 이름 밑에 붙이는 말. ¶ 불국~/해인~.

-사[4]【舍】[미] 명사 밑에 붙어 '집'의 뜻을 나타내는 말. ¶ 기숙~.

-사[5]【事】[미] '일'의 뜻을 나타내는 말. ¶ 중대(重大)~/가내(家內)~.

-사[6]【師】[미] 그 일에 숙달한 사람이나 모범적인 사람을 일컫는 말. ¶ 도박~/이발~/사진~/전도~.

-사[7]【詞】[미] '품사'의 뜻을 나타내는 말. ¶ 명~/동~/형용~.

-사[8]【辭】[미] '말'이나 '글'의 뜻을 나타내는 말. ¶ 개회(開會)~.

-사[9] [어미] '-시어'의 뜻으로 쓰이는 예스런 말. ¶ 하느님이 보우하~ 우리나라 만세/성품이 온순하~.

사가[1]【仕加】[명]〖역〗조선 시대 때, 벼슬아치의 일정한 임기가 차면 사만(仕滿)으로 가계(加階)하던 일. *별가(別加). ——-하다 [자][여불]

사:가[2]【史家】[명] 역사에 정통(精通)한 사람. 역사가(歷史家).

사:가[3]【四家】[명]〖역〗조선 시대 정조(正祖) 때, 실학(實學)의 대가 박지원(朴趾源)을 스승으로 모신 이덕무(李德懋)·박제가(朴齊家)·유득공(柳得恭)·이서구(李書九)의 네 사람.

사:가[4]【四街】[명] ①네거리. ②편의상 거리의 구역을 여럿으로 나누어 순차(順次)로 숫자를 붙여서 부르는, 네 번째의 거리. ¶ 종로(鐘路) ~.

사:가[5]【死街】[명] 죽은 듯이 쓸쓸한 거리. 폐허가 된 거리.

사가[6]【私家】[명] 사삿집.

사가[7]【查家】[명] 사돈집.

사가[8]【師家】[명] 스승의 집. 선생의 집.

사:가[9]【捨家】[명]〖불교〗집을 버리고 불문(佛門)에 들어감. 중이 되는 일. 출가(出家).

사가[10]【蛇瘕】[명]〖한의〗뱀 고기를 먹고 체하여, 배에 뱀과 같은 것이 생기면서 소화가 안 되는 병.

사가[11]【槎柯】[명] 죽은 나무의 등걸과 가지.

사:가[12]【賜暇】[명] 휴가를 줌. 말미를 줌. ——-하다 [자][여불]

사가[13]〔佐賀: さが〕[명]〖지〗일본 사가 현(佐賀縣) 중동부의 시로, 현청 소재지. 사가 평야(佐賀平野)의 중앙에 위치함. 면사·면포·전기 기구를 생산하며 쌀의 집산지임. [166,638 명(1992)]

사:가 기욕【捨家棄慾】[명]〖불교〗집이나 세속적인 욕망을 버리고 불문에 들어감. 출가(出家).

사:가 대:승【四家大乘】[명]〖불교〗사개 대승(四個大乘).

사가-댁【查家宅】[-땍] [명] 사돈댁❶.

사:-가리【四街里】[명] 네거리.

사:가 독서【賜暇讀書】[명]〖역〗조선 세종(世宗) 8년(1426)에 유능한 젊은 문신들을 뽑아 휴가를 주어, 독서당(讀書堂)에서 공부하게 한 일. 세조 때 이 제도를 없앴다가, 성종 24년(1493)에 다시 복구하였고, 그 후 병자 호란을 당하여 아주 없어짐.

사가 망처【徙家忘妻】[명] 이사할 때에 자기의 아내를 잊고 두고 간다는 말로, 모든 사물을 잘 잊는다는 뜻.

사:가-시【四家詩】[명] 조선 정조(正祖) 때의 문학자인 이덕무(李德懋)·박제가(朴齊家)·유득공(柳得恭)·이서구(李書九)의 네 사람의 시.

사:가시-집【四家詩集】[명]〖책〗한객 건연집(韓客巾衍集).

사:가-정【四佳亭】[명]〖사람〗서거정(徐居正)의 호(號).

사:가-집【四佳集】[명]〖책〗서거정(徐居正)의 시문집. 총 15책.

사가-판【私家版】[명]〖역〗사각본(私刻本).

사가 현【一縣】〔佐賀: さが〕[명]〖지〗일본 규슈(九州) 북서부의 현. 7시(市) 8군(郡). 미작(米作)의 모범현(模範縣)으로 알려지는 쌀 산지이며, 귤 재배 및 젖소 사육이 성하고, 아리타야키(有田燒) 등 도자기가 유명함. 현청 소재지는 사가(佐賀). [2,419 km^2: 884,452 명(1992)]

사:가-화【死街化】[명] 번화하던 거리가 죽은 듯이 쓸쓸한 거리로 변함. ——-하다 [자][여불]

사각[1] [명]〈방〉사성(莎城).

사:각[2]【四角】[명] ①네 개의 각. 네모. ②네 모퉁이에 각(角)이 있는 모양. 또, 그 네 개의 각. 네모. ③〖수〗↗사각형(四角形).

사:각[3]【史閣】[명]〖역〗사고(史庫) 안의 실록(實錄)을 넣어 두던 곳.

사:각[4]【死角】[명] ①총포의 사정(射程) 안에 있으나 지물(地物)의 장애 및 총포 자신의 구조상 도저히 사격할 수 없는 구역. ②차폐물(遮蔽物) 때문에 어떤 각도에서 볼 수 없는 지점. ③눈길이나 영향이 미치지 못하는 범위. ¶ 범죄 단속의 ~ 지대.

사:각[5]【死殼】[명] 죽은 조개류의 껍데기.

사각[6]【射角】[명] 탄알이 발사(發射)되는 순간에 총신(銃身)이나 포신이 수평면과 이루는 각. 발사각(角).

사각[7]【斜角】[명]〖수〗빗각.

사각[8]【斜脚】[명] 비스듬히 걸어가는 일. 또, 비스듬히 걷는 걸음걸이.

사:각[9]【捨覺】[명]〖불교〗바깥 세상에 대한 모든 집착심을 버리는 일.

사각[10]【絲角】[명]〖건〗실귀.

사각[11]【寫角】[명] 카메라의 앵글.

사각[12] [부] ①연한 사과나 과자 따위를 씹을 때 나는 소리. ②갈대나 풀먹인 천 따위가 마찰하는 소리. 1)·2): 쓰싸각. <서걱. ——-하다 [자][타][여불]

사각-거리다 [자][타] ①연한 사과나 과자 따위를 씹을 때와 같은 소리가 자꾸 나다. 또, 그런 소리를 자꾸 내다. ②갈대 같은 것이 마찰하는 소리가 자꾸 나다. 또, 그런 소리를 자꾸 내다. 1)·2): 쓰싸각거리다. <서걱거리다. 사각-사각 [부]. ——-하다 [자][타][여불]

사:각-건【四角巾】[명] 상제가 소렴(小斂) 때로부터 성복(成服) 때까지 머리에 쓰던 건(巾). 두건(頭巾)과 같으나 위를 막지 아니하고 네모지게 만들었음. 지금은 폐지하고 대개 두건으로 대신함.

사:각-게【四角一】[명]〖동〗[*Sesarma picta*] 바위겟과에 속하는 동물. 갑(甲)의 길이 21 mm, 폭 24 mm이며 사각형임. 갑각의 등은 약간 볼록하고 H자 모양의 홈이 뚜렷함. 이마는 갑각 폭의 반 가깝도록 넓고, 양 집게다리는 비교적 큼. 수컷의 배는 비교적 넓고 7 마디로 이루어졌음. 바위 많은 곳에 살며, 7-8 월에 알을 품음. 한국·일본·중국·타이완·셀레베스 섬 등에 서식함.

사각-근【斜角筋】[명]〖생〗목의 속 깊이 있는 근육. 전(前)·중(中)·후(後)·소(小)의 넷이 있는데, 두부(頭部)를 앞쪽·바깥 쪽으로 굽히게 하며, 제1 및 제2의 늑골(肋骨)을 들어 올리어, 흉곽(胸廓)을 넓히고 들이쉬는 숨의 운동을 도움.

사:각-기둥【四角一】[명]〖수〗측면(側面)과 밑면이 사각형으로 된 기둥. 사각주(四角柱). 네모 기둥. 사각도(四角壔).

사:각 나사【四角螺絲】[명] 나사산의 단면이 정사각형으로 되어 있으며 프레스와 같이 힘을 필요로 하는 동력 전달에 이용되는 나사.

사각-대다 [자][타] 사각거리다.

사:각-도[1]【四角壔】[명]〖수〗사각기둥.

사-각도[2]【斜角壔】[명]〖수〗사각주(斜角柱).

사:각-모【四角帽】[명] ↗사각 모자.

사:각 모자【四角帽子】[명] 윗 면이 네모진 모자. 대학생들이 쓰는 모자. 이전에는 전문 학교 학생들도 썼음. 사방(四方) 모자. [준]사각모·각모.

사:각-문【四閣門·四脚門】[명]〖건〗기둥이 네 개로 된 문.

사각-본【私刻本】[명]〖역〗①관본(官本)이 아니고, 판매의 목적이 아닌 민간의 간본(刊本). 사판(私版). 사가판(私家版). 사간본(私刊本). ②개인이 비용을 부담하여 한정된 부수를 자가(自家) 출판하고 유지(有志)들과 나누어 가지는 책.

사:각 봉투【四角封套】[명] 정사각형에 가까운 봉투. 아가리 쪽의 너비가 긺.

사:각-뿔【四角一】[명]〖수〗밑면이 사각형인 각뿔. 사각추(四角錐). 네모뿔.

사:각-뿔대【四角一】[-때] [명]〖수〗밑면과 윗면이 사각형으로 된 뿔대.

사:각 사:고【死角事故】[명] 대형 트럭 등이 우회전할 때, 우측 뒤쪽이 사각(死角)이 되어, 나란히 달리던 자전거·오토바이나 횡단 보도를 건너던 보행자를 보지 못하고 일으키는 교통 사고.

사:각-석【四角石】[명] 견치돌.

사:각 석부【四角石斧】[명]〖고고학〗네모도끼.

사:각-식【四角植】[명] 논밭에 사각형으로 곡식이나 묘목 등을 심는 일. ——-하다 [타][여불]

사:각-완【四角椀】[명]〖고고학〗네모접시.

사:각-주[1]【四角柱】[명]〖수〗'사각기둥'의 구용어.

사-각주[2]【斜角柱】[명]〖수〗'빗각기둥'의 구용어. ↔직각주(直角柱). *정각주(正角柱).

사:각 지붕【四角一】[명]〖건〗추녀 마루가 지붕 가운데로 몰리어 사각형으로 된 지붕.

사:각-추[1]【四角錐】[명]〖수〗'사각뿔'의 구용어.

사-각추[2]【斜角錐】[명]〖수〗'빗각뿔'의 구용어.

사:각 치:부【四脚置簿】[명] 사개(四介)다리 치부(置簿).

사:각 팔방【四角八方】[명] 모든 방면. 여기저기. 사방 팔방(四方八方).

사:각-형【四角形】[명]〖수〗네 개의 꼭지각을 이루고 네 개의 선분(線分)으로 에워싸인 평면형(平面形). 각과 변에 의하여 사다리꼴·평행 사변형·등변 사다리꼴·직사각형·마름모·정사각형 등으로 나뉨. 사방형(四方形). 사변형(四邊形). 네모꼴. [준]사각(四角)·각형(角形).

등변사다리꼴 직사각형
사각형 사다리꼴
정사각형
평행사변형
마름모

〈사각형〉

사각형 그래프【四角形一】[명]〔rectangle graph〕〖수〗사각형을 이용한 그래프의 하나. 한 사각형의 가로 세로를 10등분하여 100개의 작은 사각형을 만들고 한 개를 1%로 셈하여 각각의 양(量)을 표시함. 전체와 부분, 부분과 부분의 상대치(相對値)를 쉽게 알 수 있음.

사간[1]【司諫】[명]〖역〗조선 시대 때 사간원(司諫院)의 종삼품 벼슬. 헌납(獻納)의 위, 대사간(大司諫)의 아래. 세조(世祖) 12년(1466)에 지원사(知院事)를 이 이름으로 고침.

사:간[2]【死間】[명] 간첩(間諜)에게 거짓 정보(情報)를 주어 적을 혼란시키는 일.

사:간[3]【死諫】[명] 죽음으로써 간(諫)함. 죽음을 각오하고 간함. ——-하다 [타][여불]

사간[4]【射干】[명]〖한의〗범부채의 뿌리. 후증(喉症)·어혈(瘀血)·징가(癥瘕) 등에 약으로 쓰임.

사간 대:부【司諫大夫】[명]〖역〗조선 시대 태종 원년(1401), 사간원(司諫院)에 둔 좌(左)사간 대부, 우(右)사간 대부의 통칭. 세조(世祖) 12년(1466)에 대사간(大司諫)으로 고쳐짐.

사간-민【私墾民】[명] 옛날에, 나라나 감독 관청 모르게 밭을 일구어 농사짓던 백성.

사간-본【私刊本】[명]〖역〗사각본(私刻本).

사간-원【司諫院】[명]〖역〗조선 시대 때 삼사(三司)의 하나로, 임금에게 간(諫)하는 일을 맡아 보던 관아. 태종 원년(1401)에 설치하고 연산군

때에 폐지하였다가 중종(中宗) 때에 이르러 다시 복구하여 고종(高宗) 31년(1894)까지 있었음. 미원(薇院). (준)간원(諫院).

사:간-통【四間通】명〖건〗방 하나 크기만큼의 간수(間數)를 네 칸으로 만든 건축 양식.

사갈¹ 명 산에 오를 때 미끄러지지 아니하도록 밑바닥에 못을 박아 신는 나막신.

사갈²【蛇蝎】명 ①뱀과 전갈(全蠍). ②남을 해치는 사람을 비유하는 말.

사갈라 용왕【沙羯羅龍王·沙竭羅龍王】명〔범 Sāgara〕〖불교〗여덟 큰 용왕의 하나. 바다에 살며 물을 공급하는 일을 맡은 신(神). 불교에서는 호법(護法)의 선신(善神)임.

사갈-시【蛇蠍視】[―씨] 명 ①뱀이나 전갈(全蠍)을 보듯 함. ②악독한 것으로 보고 끔찍이 싫어함. ――하다 타여불

사감¹【司勘】명〖역〗조선 시대 때 교서관(校書館)의 종구품 잡직(雜職). 나중에 보자관(補字官)으로 고치었음. *부정자(副正字).

사감²【私感】명 사사로운 감정. 사적 감정(私的感情).

사감³【私憾】명 사사로운 이해 관계로 품는 유감.

사감⁴【舍監】명 ①기숙사(寄宿舍)의 감독자. ②〖역〗궁방(宮房)의 논밭을 관리하던 사람.

사갑【沙岬·砂岬】명 모래곶.

사갑지 명〈방〉사금파리(평안).

사갓-집¹【私家―】명 사삿집.

사갓-집²【査家―】명 ☞사돈집.

사강¹【司講】명 강회(講會)에서, 글방 학생 가운데서 뽑히어, 강(講)에 관한 기록·문서를 맡는 사람. *사례(司禮).

사강²〔Sagan, François〕명〖사람〗프랑스의 여류 작가. 19세 때 《슬픔이여 안녕》으로 문단에 등장하고, 그 후 《어떤 미소》 등의 이색 작품을 내고 있음. [1935-]

사:강 웅예【四強雄蕊】명〖식〗이생 웅예(離生雄蕊)의 하나. 한 송이의 꽃 속에 여섯 개의 수술이 있고 그 중 넷은 길고 둘은 짧음. 평지·냉이 등. 사장(四長)웅예.

사:개¹ 명 ①상자 같은 것의 네 모퉁이를 요철형(凹凸形)으로 만들어 끼워 맞추게 된 부분. ②〖건〗기둥 머리를 도리나 장여를 박기 위하여 네 갈래로 오리어 낸 부분.

사:개(가) 맞다 구 사리나 말의 앞뒤가 딱 들어맞다.

사:개(를) 물리다 구 사개가 들어가 빠지지 않고 붙어 있게 하다.

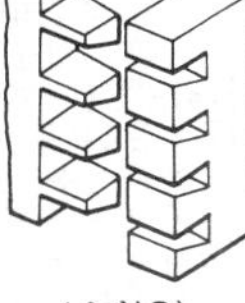
〈사개¹❶〉

사개²【砂疥】명〖의〗피부에 좁쌀 같은 것이 돋아서 가렵고 아픈 병.

사:개³【賜蓋】명〖역〗임금이 어사화(御賜花)와 함께 주는, 머리 뒤에 꽂아 장식하는 물품. 군데군데 꽃이 달리고 반 동글게 생겼음.

사:개국 조약【四個國條約】명〖역〗1921년 워싱턴 회의에서 미·영·불·일(美·英·佛·日) 4개국 사이에 맺어진 조약. 태평양에서의 각국 영토에 관한 현상 유지의 존중, 분쟁에 대한 공동 회의에서의 해결 등을 골자로 함. 이 조약의 발효로 영·일 동맹은 해체됨. 사국(四國) 조약.

사:개국 협정【四個國協定】명〖역〗1933년 7월 15일 이탈리아 수상 무솔리니의 제창으로 영·불·독·이(英·佛·獨·伊)의 4개국간에 체결된 유럽의 안정에 관한 우호(友好) 협정. 가조인(假調印)까지 하였다가 10월에 독일이 국제 연맹에서 탈퇴했기 때문에 영국과 프랑스가 비준(批准)을 하지 아니하여 실시를 보지 못하였음. 사국(四國)협정.

사:개다리 치:부【四介一置簿】명 옛날부터 개성(開城)에서 발달한 복식 부기(複式簿記)의 일종. 장부에 과목을 정하여 놓고 대차(貸借)를 구별하여 기록함. 사각(四脚) 치부. 사개 부기(四介簿記). (준)사개 치부.

사:개 대:승【四個大乘】명〖불교〗대승 불교의 사대 종파. 곧, 화엄종(華嚴宗)·천태종(天台宗)·진언종(眞言宗)·선종(禪宗). 사가 대승.

사:개-맞춤 명〖건〗기둥 머리를 도리나 장여를 박기 위하여 네 갈래로 오려 내고 맞추는 일. 또, 그 부분.

〈사개맞춤〉

사:개 명사의 허위【四個名辭―虛僞】[―/―에―] 명〖논〗중명사 양의(中名辭兩義)의 허위.

사:개 부기【四介簿記】명 사개다리 치부.

사:개 송도 치:부법【四介松都置簿法】[―뻡] 명 사개다리 치부.

사:개-연귀 명〖건〗연귀를 하되 그 안에 여러 갈래의 촉을 내어 물린 것. 깍지연귀.

사:개-촉【―鏃】명〖건〗화통가지.

사:개 치:부【四介置簿】명 ↗사개다리 치부.

사:개-통 명〖건〗기둥 머리에 사개를 맞추기 위하여 오려낸 자리. 사개.

사:객¹【使客】명〖역〗연로(沿路)의 수령(守令)이, 봉명 사신(奉命使臣)을 일컫던 말.

사객²【詞客】명 시문(詩文)을 잘 짓는 사람.

사:객³【謝客】명 찾아오는 손을 만나기를 사절함. ――하다 자여불

사객란【斯客蘭】[―난] 명〖지〗'스코틀랜드(Scotland)'의 취음(取音).

사갱【斜坑】명〖광〗갱구(坑口)에서 땅 속의 광상(鑛床)에 이르기 위해 서 판 경사진 갱도(坑道).

사:거¹【死去】명 죽어서 세상을 떠남. ――하다 자여불

사거²【絲車】명 물레를 돌리는 바퀴. 물레바퀴.

사거³【辭去】명 작별하고 떠남. 인사를 하고 떠남. ――하다 자여불

사:거⁴〔saga〕명〖문〗①고대 아이슬란드에서 성립된 일련(一連)의 특수 형태의 문학. 사전(史傳)과 소설을 겸한 것으로, 고대 북유럽의 영웅·호농(豪農)·국왕의 가계(家系)나 전설에 관하여 서술하고 있음. 아일랜드를 중심으로 9세기 이래 행하여지고, 12-14세기에 걸쳐 북유럽에 널리 성행하였음. ②무용담(武勇談). 모험담. ③계도 소설(系圖小說).

사:거두 회:담【四巨頭會談】명〖역〗제2차 세계 대전 후의 국제 긴장·냉전 완화(冷戰緩化)를 위하여, 1955년 7월, 미국·영국·프랑스·소련의 사대국 거두가 제네바에 모여서 개최한 회담. 유럽의 안전 보장·군축(軍縮)·동서 관계의 여러 문제를 토의했는데, 해빙(解氷) 분위기를 조성, 세계의 정국(政局)을 전환시켰음.

사:-거리¹【四―】명 네거리.

사-거리²【射距離】명 총구(銃口)에서 탄착점(彈着點)에 이르기까지의 거리.

사:건¹【事件】[―껀] 명 ①일거리. ②뜻밖에 일어난 일. 사고(事故). ¶살인 ~. ③↗소송 사건(訴訟事件). ④〔event〕〖수〗시행(試行)의 결과 일어나는 일. 예컨대, 주사위를 던질 때 눈금 하나가 나온다든가, 짝수가 나온다든가, 4 이상이 나온다든가 하는 사건을 생각할 수 있음. 사상(事象).

사건²【紗巾】명 사(紗)로 만든 두건(頭巾).

사:건 기자【事件記者】[―껀―] 명 경찰 관계의 사건을 담당하는 신문사 등의 기자.

사건-봉【仕建峰】명〖지〗평안 북도 후창군(厚昌郡) 칠평면(七坪面)에 있는 산. [1,499m]

사:걸【四傑】명 중국 당(唐)나라 초기의 큰 문장가 네 사람. 곧, 왕발(王勃)·양형(楊炯)·노조린(盧照鄰)·낙빈왕(駱賓王)을 이름.

사검【查檢】명 조사하여 속 내용을 살핌. 검사(檢查). ――하다 타여불

사검-관¹【司檢官】명 검사(檢查)를 맡아 하는 관리.

사검-관²【查檢官】명 사검하는 관리. 검사관.

사:-검서【四檢書】명〖역〗조선 시대 정조 때, 규장각(奎章閣)의 검서관(檢書官)으로 뽑힌 네 사람의 실학자(實學者). 곧, 이덕무(李德懋)·유득공(柳得恭)·서이수(徐理修)·박제가(朴齊家)의 일컬음.

사검-소【查檢所】명 사검을 행하는 곳. 검사소.

사:겁【四劫】명〖불교〗세계가 성립하여 파멸(破滅)에 이르기까지의 사대기(四大期). 곧, 인류가 생겨나서 번식하는 성겁(成劫), 안주(安住)하는 주겁(住劫), 온 세계가 괴멸하는 괴겁(壞劫), 공허(空虛)로 돌아가는 공겁(空劫)의 네 가지. 네 겁.

사격¹【寺格】명〖불교〗본사(本寺)·말사(末寺) 등 절의 높고 낮음의 품격.

사-격²【沙格】명 사공과 그 격군. 사공과 격군(格軍).

사격³【射擊】명 대포나 총·활 등을 쏨. ――하다 타여불

사격⁴【斜格】[―껵] 명〔oblique cases〕〖언〗인도 유럽어에서, 주격(主格)·호격(呼格) 이외의 모든 격(格)의 총칭. ↔직격(直格).

사격 경:기【射擊競技】명 사격장에서 경기 규칙에 의거, 소정의 총기(銃器)·탄약(彈藥)을 사용, 소정의 목표를 사격하게 한 후, 그 성적을 점수(點數)로 표시하여, 개인의 근력(筋力)·정신력·사격 기술의 종합 능력을 비교하는 경기.

사격 관제 장치【射擊管制裝置】명〖군〗사격 통제 장치.

사격-권【射擊圈】명 총포(銃砲)를 쏘아서 맞힐 수 있는 범위.

사격-수【射擊手】명 사격하는 사람.

사격-술【射擊術】명 대포·총·활 등을 쏘는 기술.

사격용 레이더【射擊用―】〔radar〕[―뇽―] 명〖군〗고사포(高射砲)나 그와 유사(類似)한 화기(火器)의 사격 지휘에 사용되는 레이더.

사격-장【射擊場】명 사격 연습을 하기 위하여 표적(標的) 등의 설비를 마련하여 놓은 곳.

사격-전【射擊戰】명 총격전(銃擊戰).

사격 정도【射擊精度】명〔accuracy of fire〕〖군〗목표의 중심지로부터 탄착점(彈着點)의 중심까지의 거리로 표시되는 사격의 정확도(正確度).

사격 조:준기【射擊照準器】명〖군〗비행중인 적기에 대하여 정확한 사격을 하기 위해서 장비해 놓은 조준기. 레이더 장치·증폭기(增幅器)·계산기·조준 장치 등으로 조성(組成)되어 있음.

사격 통:제 장치【射擊統制裝置】명〔fire control system〕〖군〗포격(砲擊)에 있어서, 목표의 발견 및 속도·거리의 측정과 사격 제원(諸元)의 산정(算定)을 모두 자동적으로 행하여 원격 조종(遠隔操縱)으로 조준(照準)을 정하고, 목표가 사정내(射程內)에 들어오면 수시 총포를 발사하게 하는 장치. 탐지(探知)·추미용 레이더(追尾用 radar), 컴퓨터, 서보(servo) 기구 등으로 이루어짐. 사격 관제 장치. 약칭: 에프 시 에스(F.C.S.).

사격 훈:련【射擊訓鍊】[―훌―] 명 군사 훈련의 한 가지. 사격술에 대한 훈련.

사견¹【私見】명 자기 개인의 의견. 사의(私意).

사견²【邪見】명 ①올바르지 못하고 요사스러운 의견. 부정(不正)한 견해. ②〖불교〗오견(五見), 십혹(十惑)의 하나. 인과의 도리를 무시하는 망견(妄見). ↔정견(正見).

사견³【紗絹】명 사(紗)와 깁.

사견⁴【絲繭】명 제사(製絲)용으로 쓰이는 고치. ↔종견(種繭).

사견⁵【飼犬】명 집에서 먹여 기르는 개. 또, 집에서 개를 먹여 기름. ――하다 자여불

사결【辭訣】명 작별의 인사를 하고 떠남. ――하다 자여불

사:경¹【四更】명 하룻밤을 다섯으로 나눈 넷째 시각. 대개 새벽 두시 전후. 정야(丁夜).

사:경²【四京】명〖역〗고려 때의 네 곳 서울의 총칭. 곧, 남경(南京; 서울)·동경(東京; 경주)·중경(中京; 개성)·서경(西京; 평양).

사:경³【四經】명〖책〗①시경(詩經)·서경(書經)·역경(易經)·춘추(春秋)의 네 경서(經書). ②좌씨 춘추(左氏春秋)·곡량 춘추(穀梁春秋)·고문상서(古文尙書)·모시(毛詩)의 네 경서(經書).

사:경⁴【四境】명 ①사방의 경계. 또, 지경. 사수(四垂). ②천하(天下). 세계.

사경⁵【司經】명〖역〗①고려 때 동궁(東宮)의 육품(六品) 벼슬. 공양왕(恭讓王) 2년(1390)에 두었는데, 좌우(左右) 두 사람이 있었음. ②조선 시대 때 경연청(經筵廳)의 정칠품 벼슬. 타관(他官)이 겸직하였음. 설경(說經)의 위, 검토관(檢討官)의 아래.

사:경⁶【死境】명 죽을 지경. 죽음에 임박한 경지. 필사(必死)의 경지. ¶~을 헤매다.

사경⁷【私耕】명 ①사래¹. ②농가에서 머슴에게 주는 연봉(年俸). →새경.

사경[8]【私徑】명 ①떳떳하지 못한 길. 사사로운 길. ②세력을 구하는 부정한 인연(因緣). 곡경(曲徑).

사경[9]【邪徑】명 곧지 아니한 길. 부정한 마음 또는 행위.

사경[10]【砂耕】명〖농〗모래에 농작물의 생육(生育)에 필요한 양분을 주어 작물을 재배하는 일. ——-하다 자타 여불

사경[11]【査經】명〖기독교〗교인들이 모여 성경을 공부함. ——-하다 자 여불

사경[12]【斜徑】명 비탈길.

사경[13]【斜傾】명 한쪽으로 비스듬히 기욺. ——-하다 자 여불

사경[14]【斜頸】명〖의〗목이 한쪽으로 비스듬히 구부러져서 잘 펴지지 아니하는 병증. 또, 그런 목.

사:경[15]【寫經】명〖불교〗후세에 전하기 위해서나 또는 공양(供養)이나 축복을 받기 위해서 경문(經文)을 베끼는 일. ——-하다 자 여불

사-경:견폐성【蛇驚犬吠聲】명〖민〗원진살(元嗔煞)의 하나. 궁합에 뱀띠는 개 띠를 꺼린다는 말.

사:경-굿 [—꿋] 명〖민〗주로 서울 지방에서 시월 상달에 하는 안택굿. 천궁맞이·안당맞이·산바라기의 세 부분으로 나누어 3일 동안에 걸쳐 하며 모두 서른 여섯 거리로 되어 있음.

사경-답【私耕畓】명 사래논.

사:경-량【四更量】[—냥] 명 사경(四更)이 된 즈음. 곧, 새벽 두시쯤.

사경-법【砂耕法】[—뻡] 명〖농〗영양 비료 시험(營養肥料試驗)을 행하는 방법의 한 가지. 맑고 순수한 석영사(石英砂)를 깨끗한 화분에 담아, 측정한 양분으로 식물을 배양하는 방법. 양분의 식물에 대한 효과를 시험할 수 있음. 모래가꾸기.

사경-소【寫經所】명〖불교〗사경원(院).

사:경-스럽다 형〈방〉야경스럽다.

사경-원【寫經院】명〖불교〗사경(寫經)을 위하여 설치한 곳. 신라·고려에 많았음. 사경소(寫經所).

사경-전【私耕田】명 사래밭.

사-경제【私經濟】명 [private economy]〖경〗사법 규정(私法規定)의 지배를 받는 경제. 곧, 영리(營利)를 목적으로 한 개인 또는 사법인(私法人)이 경영하는 경제 및 경제 활동. 가정 경제·기업 경제·조합 경제 같은 것. ↔공경제(公經濟).

사:-경직【死硬直】명 사후 강직(死後強直).

사:경-추【四更—】명 보통의 닭보다 일찍, 사경(四更)쯤에 우는 닭. 사경추니.

사:경-추니【四更—】명 사경추.

사경-회【査經會】명〖기독교〗일정한 기간 동안 교인들이 성경(聖經)에 대한 공부나 강의를 듣기 위하여 모이는 모임.

사:계[1]【四戒】명 ①〖불교〗해탈계(解脫戒)·정공계(定共戒)·도공계(道共戒)·단계(斷戒)의 총칭. ②네 가지 성정(性情)인 오(傲)·욕(欲)·지(志)·낙(樂)을 삼가는 계율(戒律).

사:계[2]【四季】명 ①음력으로 사시(四時)의 마지막 달인 3월·6월·9월·12월. 곧, 계춘(季春)·계하(季夏)·계추(季秋)·계동(季冬)의 총칭. 사계삭(四季朔). ②봄·여름·가을·겨울의 총칭. 사시(四時). ③〖천주교〗교회력(教會曆)의 네 계절. ¶～ 재일(齋日). ④ [이 Le quattro stagion]〖악〗비발디가 작곡한 협주곡, 작품 8. 작곡 연대 미상. 바이올린과 관현악을 위한 《화성법과 인벤션의 시도》 12곡 중의 봄·여름·가을·겨울이라는 제명을 붙인 4곡. ⑤ [도 Die Jahreszeiten]〖악〗하이든이 작곡한 오라토리오. 1801년 초연. 스코틀랜드의 시인 제임스 톰슨의 시를 독일어로 번역하여 작성한 대본에 의해 작곡한 것으로, 봄·여름·가을·겨울의 4부 39곡으로 이루어짐.

사:계[3]【四季】명〖식〗사계화(四季花).

사:계[4]【四界】명 ①천계(天界)·지계(地界)·수계(水界)·양계(陽界) 등의 총칭. ②〖불교〗지계·수계·화계(火界)·풍계(風界) 등의 총칭.

사:계[5]【四計】명 네 가지 계획. 곧, 하루의 계획은 새벽에, 한 해의 계획은 봄에, 일생의 계획은 부지런함에, 한 집안의 계획은 화목함에 있다는 말.

사계[6]【司計】명〖역〗육군 회계관(陸軍會計官)의 하나. 대한 광무(光武) 8년(1904)에 감독(監督)으로 고침.

사계[7]【私計】명 ①자기 혼자의 생각 또는 계획. ②사리(私利)를 꾀하는 계책(計策).

사계[8]【沙界】명〖불교〗①갠지스 강(Ganges 江)의 모래와 같이, 무수한 세계. ②무량(無量)·무수(無數)한 것.

사계[9]【邪計】명 바르지 못한 계책. 나쁜 계책.

사계[10]【沙溪】명〖사람〗'김장생(金長生)'의 호(號).

사:계[11]【事戒】명〖불교〗밖으로 모든 계행(戒行)을 지키는 일.

사계[12]【査啓】명 조사(調査)한 결과를 상주(上奏)함. ——-하다 타 여불

사계[13]【射界】명 사격할 수 있는 범위. 탄알이 미치는 범위.

사계[14]【射稧】명〖역〗사원(射員)들로 조직된 단체. 장신(將臣)·훈척(勳戚) 및 세신(世臣) 중에서 계장(稧長)을 뽑고, 계원은 본정(本亭) 사원 외에 사계가 없는 다른 사정(射亭)의 사원도 받아들였음.

사:계[15]【捨戒】명〖불교〗계율(戒律)을 버리고 지키지 아니함. ——-하다 자 여불

사:계[16]【梭鷄·莎鷄】명〖충〗베짱이.

사계[17]【詐計】명 간사한 꾀. 남을 속이는 꾀. 사수(詐數).

사계[18]【斯界】명 그 사회. 그 전문 방면(專門方面). ¶～의 권위자.

사계-감【司計監】명〖역〗사계(司計)의 우두머리. 대한 광무 8년(1904)에 감독장(監督長)으로 고침.

사계-국【司計局】명〖역〗조선 시대 말엽, 탁지부(度支部)의 한 국(局). 고종 32년(1895)에 베풀어서 융희 4년(1910)에 폐함.

사:계-도【四季圖】명 병풍(屛風) 같은 곳에 춘하추동의 각기 독특한 풍경을 그린 그림.

사:-계명【四誡命】명〖천도교〗네 가지 계명. 곧, 첫째 번복지심(飜覆之心)을 두지 말 일, 둘째 물욕 교폐(物慾交蔽)하지 말 일, 셋째 헛말로 혹세(惑世)하지 말 일, 넷째 기천(欺天)하지 말 일.

사:-계삭【四季朔】명 음력으로 네 철의 마지막 달. 곧, 계춘(季春)인 3월, 계하(季夏)인 6월, 계추(季秋)인 9월, 계동(季冬)인 12월의 총칭. 사계(四季).

사:계-성【四季性】[—썽] 명〖식〗해가 길고 짧음에는 관계없이, 다른 조건이 유리하게 되면 수시로 꽃이 피는 성질.

사:계 소:재【四季小齋】명〖천주교〗전에, 봄·여름·가을·겨울의 네 철에 한 번씩 있던 금육재. 한국에서는 1966년부터 지키지 아니함.

사계 유고【沙溪遺稿】명〖책〗조선 인조(仁祖) 때 사람 김장생(金長生)의 유고집. 숙종 11년(1685) 교서관(校書館)에서 왕명으로 간행함. 14권 6책.

사:계 재일【四季齋日】명〖천주교〗단식과 기도로써 천주의 은혜에 감사하고 영혼의 양식인 성총(聖寵)을 빌며 육신의 양식인 곡식의 강복(降福)을 구하는 교회력의 네 계절의 각각 사흘 동안. 사순절(四旬節)의 제일 일요일 다음, 성령 강림제의 다음, 9월 14일의 다음, 12월 13일의 다음의 각 수요일·금요일·토요일의 사흘 동안임.

사:-계절【四季節】명 사철[1].

사계 편사【射稧便射】명〖역〗사정(射亭)의 사원(射員)들이 각기 편을 갈라 활의 기예(技藝)를 겨루며 승부(勝負)를 다투는 일.

사:계-화【四季花】명〖식〗월계화(月季花). ㊟사계.

사:계-회【四季會】명 철마다 한 번씩, 곧 1년에 네 번 모이는 회합(會合).

사:고[1]【四考】명〖역〗고려 성종(成宗) 8년(989)에, 육품(六品) 이하의 경관(京官)에 대하여 1년에 네 번, 공과(功過)를 심사하던 일.

사:고[2]【四苦】명〖불교〗인생의 네 가지 고통. 곧, 생고(生苦)·노고(老苦)·병고(病苦)·사고(死苦)의 총칭. 사환(四患). *사고 팔고(四苦八苦).

사:고[3]【四庫】명〖역〗중국 당(唐)나라 현종(玄宗) 때, 장안(長安)과 뤄양(洛陽)의 두 곳에 서적을 경(經)·사(史)·자(子)·집(集)의 네 부문으로 대별하여 보존하던 곳집. 또, 그 서적의 일컬음.

사:고[4]【史庫】명〖역〗조선 시대 때, 나라 사기(史記)와 중요한 서적을 간추어 두던 정부의 곳집. 강화(江華) 마니산(摩尼山), 무주(茂朱) 적상산(赤裳山), 봉화(奉化) 태백산(太白山), 강릉(江陵) 오대산(五臺山)에 있었음.

사고[5]【司庫】명〖역〗신라 조부(調府)의 한 벼슬. 경덕왕(景德王) 때 전의 사지(舍知)를 고친 이름인데, 혜공왕(惠恭王)이 다시 사지로 고침. 위계(位階)는 대사(大舍)로부터 사지까지.

사:고[6]【四顧】명 ①사방을 둘러봄. ②부근. 주변(周邊). ——-하다 자 여불

사:고[7]【死苦】명 ①〖불교〗사고(四苦)의 하나. 사람은 반드시 한 번은 죽지 않으면 안 된다는 괴로움. ②죽을 때의 고통. 죽음의 괴로움. ③죽을 정도의 고통. 매우 심한 고통.

사고[8]【私考】명 자기 혼자의 고찰(考察). 자기 개인의 생각.

사고[9]【私庫】명 개인의 창고. ↔국고(國庫).

사고[10]【私稿】명 자기 자신의 원고. 사초(私草).

사고[11]【社告】명 회사·신문사 등에서 알리는 글.

사:고[12]【事故】명 ①평시에 있지 아니하는 뜻밖의 사건. 탈(頉). ¶～뭉치/～사(死)/교통 ～. ②어떤 일의 까닭.

사고[13]【思考】명 ①생각하고 궁리함. ②〖철〗사유(思惟). ③ [thinking]〖심〗어떠한 문제나 과제(課題)에서 출발하여 결론(結論)으로 이끄는 관념(觀念)의 과정(過程). 상징적(象徵的)인 것이 그 특징임. 또, 개념(概念)이나 말 등에 의한 문제 해결의 과정. ¶～ 능력/～력. ④ [thought]〖심〗상징적이어야 하는 관념 경험. 또, 상징적 경험의 연쇄(連鎖). ——-하다 타 여불

사고[14]【思顧】명 돌이키어 생각함. ——-하다 타 여불

사고[15]【斜高】명〖수〗직원뿔의 꼭지점(點)에서 밑면 둘레 위의 한 점에 이르는 직선의 길이. 또, 정각뿔의 꼭지점(點)에서 밑면의 일변의 중점(中點)에 이르는 직선의 길이.

사고[16]【飼藁】명 마소 등의 사료로 쓰는 짚.

사:고-결【事故缺】명 사고로 말미암은 결근·결석.

사:고 경성【事故傾性】[—썽] 명 [accident proneness] 노동 재해(災害)에 있어서, 특히 다른 사람보다 많은 재해를 입거나 사고를 일으키기 쉬운 경향을 띠고 있는 개인의 특성. 주로 1910년대에 영국의 산업 피로(疲勞) 연구소의 연구자들이 쓴 말임.

사-고기【私—】명 ①허가 없이 잡은 쇠고기. 사육(私肉). ②여러 사람의 공유물을 부당하게 사사로이 차지하는 물건의 비유.

사고 능력【思考能力】[—녁] 명 생각하고 궁리하는 능력.

사고-력【思考力】명 생각하고 궁리하는 힘.

사:고-무【四鼓舞】명〖역〗넷이서 추는 기생(妓生)춤인 연풍대(燕風態)의 하나. 무고(舞鼓) 넷을 사방에 배설(配設)하고, 네 사람의 기생이 두 손에 북채를 들고 북을 끼고 돌며 춤춤. *팔고무(八鼓舞).

사:고 무인【四顧無人】명 사방에 사람이 없어 쓸쓸함. ——-하다 형 여불

사:고 무친【四顧無親】명 친한 사람이라곤 도무지 없음. 의지할 데가 도무지 없음. ¶～한 외로운 몸. ——-하다 형 여불

사:고 무친지지【四顧無親之地】명 친근한 사람이라곤 도무지 없는 생소한 땅.

사:고 무탁【四顧無託】명 사고 무친. ——-하다 형 여불

사:고-뭉치【事故—】명〈속〉늘 사고나 말썽만 일으키는 사람.

사고 방식【思考方式】명 어떠한 문제를 생각하여 해석(解釋)·구명(究明)하는 방식. 또, 그 태도.

사고 분일【思考奔逸】명〖심〗사고 장애의 한 가지. 술에 취하였을 때와 같이 감정이 흥분된 상태에 있어서, 생각의 흐름이 빠르고 잊었던 일도 줄줄 생각나지만, 그때그때의 영향을 받기 쉽고 생각의 줄거리가 자꾸 이행(移行)하므로, 전체로서의 사고에 일관성(一貫性)이 없는 일.

↔사고 억제(抑制).

사:고-사【事故死】명 변사(變死)❶.

사:고-석 명〈속〉사괴석(四塊石).

사고 실험【思考實驗】명〔도 Gedankenexperiment〕〖물〗사고상(思考上)에서, 어떠한 실험 방식을 상정(想定)하고, 그것으로부터 어떠한 결과를 얻을 수 있는가를 음미하는 일. 하나의 이론 체계내에서의 연역추리(演繹推理)의 보조 수단으로서 쓰임. 양자 역학(量子力學)의 불확정성 원리(不確定性原理)를 전개하기 위해서 생각된 전자(電子)의 위치 측정의 실험 등.

사고 억제【思考抑制】명〖심〗사고 장애의 한 가지. 감정이 가라앉은 상태에 있어서, 생각의 진행이 더디고, 잘 알고 있는 사람의 얼굴도 머리에 잘 떠오르지 아니하며, 비관적(悲觀的)인 불쾌한 내용만이 되풀이되는 일. ↔사고 분일(奔逸).

사고의 법칙【思考一法則】[ㅡ/ㅡ에ㅡ] 명〖논〗사고의 원리(原理)❶.

사고의 원리【思考一原理】[ㅡ월ㅡ/ㅡ에월ㅡ] 명〔도 Denkgesetze〕①〖논〗논리적으로 올바른 사고의 법칙·원리. 모든 사고에 대하여 선천적으로 타당하도록 요구하는 원리. 이를테면, 동일률(律)·모순율(律)·배중률(排中律)·충족 이유율(理由律) 등. 사고의 법칙. ②〖심〗논리적으로 바르거나 아니거나에 관계없이, 현실의 사고가 지니고 있는 심리학적인 법칙이나 원리. 이를테면, 연상(聯想)의 법칙 따위.

사:고-자【事故者】명 사고를 낸 사람.

사고 장애【思考障礙】명〖심〗생각을 짜 내거나 진행하는 데 있어서의 장애 또는 생각이 뜻하는 내용에 있어서의 장애. 사고 분일(奔逸)·사고 억제(抑制)·우원(迂遠) 사고·산란성(散亂性) 사고·분열성(分裂性) 사고·강박(強迫) 사고·작위(作爲) 사고 등.

사:고 전서【四庫全書】명〖책〗중국 청(淸)나라 황제 건륭(乾隆)의 칙선(勅選)인 중국 최대의 총서(叢書). 건륭 37년(1772) 사고 전서관(四庫全書館)이 개설되어 1782년에 완성됨. 궁중에 소장(所藏)하고 있던 것 외에 널리 전국에서 민간(民間) 소장의 서적(외국 서적도 포함)을 합쳐 총 10,223부 172,626권을 골라 모아, 경·사·자·집(經史子集)의 네 부문으로 나누고 일곱 통씩을 등본(謄本)하여 내정(內廷)의 사각(四閣)이라고 하는 베이징(北京) 궁궐 안의 문연각(文淵閣), 베이징 교외 원명원(圓明園)의 문원각(文源閣), 펑톈(奉天) 행궁의 문소각(文溯閣), 러허(熱河) 이궁(離宮)의 문진각(文津閣)과 지방인 양저우(揚州)의 문회각(文匯閣), 전장(鎭江)의 문종각(文宗閣), 항저우(杭州)의 문란각(文瀾閣)에 나누어 보관하였는데, 태평 천국(太平天國)의 난(亂), 의화단(義和團) 사건 등으로 소실(燒失)된 것도 적지 아니함.

사:고 전서 간명 목록【四庫全書簡明目錄】[ㅡ녹] 명〖책〗중국 청나라 건륭제(乾隆帝) 39년(1774)에 우민중(于敏中)이 칙명을 받아, 사고 전서 중의 중요한 서적에 대하여 그 서적의 연혁(沿革)과 대의(大意)를 간명하게 기록한 목록. 총 20권.

사:고 전서 총:목 제요【四庫全書總目提要】명〖책〗중국 청나라 건륭제(乾隆帝) 47년(1782)에 기윤(紀昀)이 칙명(勅命)을 받아 사고 전서의 총목(總目)을 기록하여, 각 서적 이름 밑에 그 대요(大要)를 해제(解題)한 책. 총 200권.

사:고-주【事故株】명〖경〗분실(紛失)·도난(盜難)·유실(遺失) 등의 사고가 있는 주식.　　「항용지(恒用紙).

사:고-지【四古紙】명 습자(習字)나 기신(祈神)용으로 쓰는 소형의 백지.

사:고 참봉【史庫參奉】명〖역〗사고의 숙직 감시를 하던 잡직.

사:고 팔고【四苦八苦】명 ①온갖 고통. 매우 심한 고통. ②〖불교〗생고(生苦)·노고(老苦)·병고(病苦)·사고(死苦)의 사고(四苦)에, 애별리고(愛別離苦)·원증회고(怨憎會苦)·구불득고(求不得苦)·오온성고(五蘊盛苦)의 네 가지 고통을 더한 여덟 가지 고통.

사:고 현:장【事故現場】명 사고가 일어난 그 자리.

사고 화성【思考化聲】명 마음에 생각하는 것이 그대로 목소리가 되어 들리는 인격 분열의 한 증상.

사곡¹【私曲】명 불공평하고 바르지 아니함. ──-하다 형여불

사곡²【邪曲】명 요사스럽고 편곡함. 성행(性行)이 올바르지 못한 모양. 왕곡(枉曲). ──-하다 형여불

사곡³【私穀】명 개인의 곡식. ↔공곡(公穀).

사곡⁴【詞曲】명 가요(歌謠)❷.

사곡⁵【絲穀】명 ↗사신 곡복(絲身穀腹).

사:골¹【四骨】명 짐승, 특히 소의 네 다리의 뼈. 약으로도 쓰임.

사:골²【死骨】명 죽은 사람의 뼈.

사골³【蛇骨】명 뱀의 뼈.

사골⁴【篩骨】명〖생〗두개골의 일부. 비강(鼻腔)과 앞 두개와(頭蓋窩) 및 양안과(兩眼窠)와의 사이에 있어, 벌집 모양을 한 뼈.

사공¹【司功】명〖역〗신라 때 경성 주작전(京城周作典)의 한 벼슬. 경덕왕(景德王) 때 전의 사지(舍知)를 고친 이름인데 혜공왕(惠恭王)이 다시 사지로 고침. 위계(位階)는 대사(大舍)로부터 사지까지.

사:공²【四空】명 사방(四方)의 하늘.

사공³【司空】명〖역〗①고려 때 삼공(三公)의 하나. 정일품(正一品). ②공조 판서(工曹判書)의 딴 이름. ③중국 고대의 관명. 삼공(三公)의 하나로, 토지와 민사(民事)를 맡아 보던 관직.

사공⁴【司空】명 성(姓)의 하나. 현재 우리 나라에는 본관이 효령(孝靈) 하나뿐임.

사공⁵【沙工】명 ↗뱃사공.

【사공이 많으면 배가 산으로 간다】지시하고 간섭하는 이가 많으면, 일이 뜻밖의 방향으로 진행하는 수가 있다는 말.

사:공⁶【射工】명〖충〗물여우.

사공-도【司空圖】명〖사람〗중국 당나라 말기의 시인. 자는 표성(表聖). 산시 성 우향(虞鄕) 출생. 벼슬은 예부 낭중(禮部郎中). 저서 ≪사공 표성 문집(司空表聖文集)≫ 10권, ≪시집≫ 5권, ≪이십사시품(二十四詩品)≫ 등. [837-908]　　「무를 맡아 보았음.

사공-부【司空部】명〖역〗백제 때의 관아의 하나. 토목·건축에 관한 사

사공 중곡【射空中鵠】명 무턱대고 쏜 것이 과녁을 맞혔다는 뜻으로, 멋모르고 한 일이 우연히 들어맞아 성공하였음의 비유.

사과¹ 명〖식〗↗사과참외.

사과²【司果】명〖역〗조선 시대 오위(五衛)에 두었던 정육품의 군직(軍職). 부사과(副司果)의 위, 부사직(副司直)의 다음임. 현직(現職)에 있지 아니한 문관과 무관 및 음관(蔭官)으로 시키었음.

사:과³【四果】명〖불교〗소승 불교(小乘佛教)의 성문(聲聞)들이 탐(貪)·진(瞋)·치(癡)의 삼독(三毒)을 끊고, 샘 없는 성도(聖道)에 들어가서 부처가 되는 네 단계의 증과(證果). 곧, 욕계(慾界)의 탐·진·치를 끊어 버린 수타원과(須陀洹果), 수타원과보다는 나아갔으나 욕계의 혹(惑)이 약간 남아 있어 천상(天上)과 욕계를 한번 왕래하여야 한다는 사타함과(斯陀含果), 욕계의 혹을 끊어 버려 다시 욕계에 탄생하지 아니한다는 아나함과(阿那含果), 삼계의 욕망을 완전히 끊어 버린 아라한과(阿羅漢果)의 총칭.

사:과⁴【史科】[ㅡ꽈] 명 역사의 과목. 역사과. 사학과(史學科).

사:과⁵【四科】명 ①〖천도교〗도를 닦는 네 가지 과정. 곧, 성(誠)·경(敬)·신(信)·법(法). ②유학(儒學)의 네 가지의 학과. 곧, 덕행(德行)·언어(言語)·정사(政事)·문학(文學).

사과⁶【沙果】명 사과나무의 열매. 빈파(頻婆). 평과(苹果).

사:과⁷【赦過】명 잘못을 용서함. ──-하다 자여불

사과⁸【絲瓜】명〖식〗수세미외.　　「다 타여불

사:과⁹【謝過】명 잘못에 대하여 용서를 빎. ¶부주의를 ～하다. ──-하

사과-깍지벌레【沙果一】명〖충〗[*Lepidosaphes ulmi*] 사철나무깍지벌렛과에 속하는 곤충. 굴깍지벌레와 비슷한데, 몸길이 2.5-3mm, 몸 겉은 패각(貝殼) 모양이며 갈색 내지 암갈색임. 촉각·발·복안이 있고 암컷은 번데기를 거치지 않고 성충이 되어 수상(樹上)에서만 살며, 수컷은 뒷날개가 퇴화하고 교미(交尾) 후에 죽음. 다식성(多食性)으로 나무껍질에 기생하는데, 주로 사과나무·배나무·벚나무·복숭아나무·매화나무·장미 등의 해충임. 한국·일본·중국 등지에 분포함.

사과-나무【沙果一】명〖식〗[*Malus pumila*] 능금나뭇과에 속하는 낙엽 활엽 교목. 능금나무의 개량종(改良種)으로 잎은 타원형 또는 달걀꼴에 톱니가 있음. 4-5월에 백색 꽃이 잎과 함께 가지 끝 엽액(葉腋)에서 나와 산형(繖形) 총상 화서로 피고, 가과(假果)는 '사과'라 하여 식용함. 품종이 많은데, 홍옥(紅玉)은 빨간 빛으로 감미(甘味)·산미(酸味)가 조화되고 향기(香氣)가 좋으나 병충해에 약하고, 국광(國光)은 산미(酸味)가 적고 저장(貯藏)에 좋음. 과수(果樹)로 중요함.

〈사과나무〉

사과-독나방【沙果毒一】명〖충〗[*Dasychira pudibunda*] 독나방과에 속하는 곤충. 편 날개의 길이 수컷은 46mm, 암컷은 58mm 가량임. 수컷의 몸빛은 회백색인데 앞날개 중앙의 넓은 가로띠와 내외 횡선(內外橫線)에는 암갈색 비늘이 있으며 중앙 횡대에는 없음. 사과나무 등의 잎을 갉아먹는 해충으로 한국·일본 등지에 분포함.

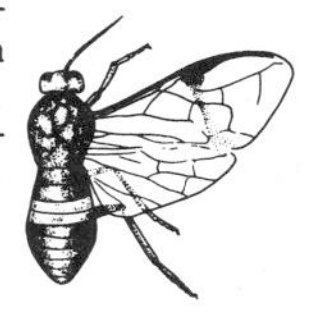

〈사과독나방〉

사과-등에잎벌【沙果一】명〖충〗[*Arge mali*] 등에잎벌과에 속하는 곤충. 암컷의 몸길이 8-10mm이고, 몸빛은 흑색에 광택이 나며, 복부 제3-4절(節)은 황색, 촉각 제3절은 갈색인데, 수컷의 복부(腹部)에는 황색부가 없음. 유충은 사과나무 잎의 해충으로 한국·일본·시베리아 등지에 분포함.

사과-산【沙果酸】명〖화〗말산.

사과-술【沙果一】명 사과주(酒).

사:과 십철【四科十哲】명 공자의 제자 가운데, 덕행(德行)·언어·정사(政事)·문학 등 네 부문에서 뛰어난 열 사람. 공문십철(孔門十哲).

〈사과등에잎벌〉

사과-저녁나방【沙果一】명〖충〗[*Acronycta incretata*] 밤나방과에 속하는 곤충. 편 날개의 길이 43-50mm이고, 몸빛은 암회색에 복부(腹部)와 뒷날개는 암갈색, 앞날개의 기부(基部)에는 현저한 흑색 검상문(劍狀紋)이 있고, 외횡선(外橫線)은 흑색으로 가는 물결 모양임. 유충은 사과나무·배나무·벚나무 등의 해충으로 한국에도 분포함.

〈사과저녁나방〉

사과-좀나방【沙果一】명〖충〗[*Argyresthia conjugella*] 사과좀나방과에 속하는 곤충. 편 날개의 길이 11-12mm이고 앞날개는 회갈색인데, 후연(後緣)을 따라 황백색의 부분이 있고 뒷날개도 회갈색임. 유충은 사과의 해충으로, 한국 및 북반구(北半球)의 각지에 분포함.

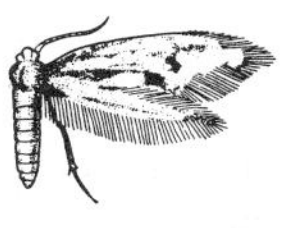

〈사과좀나방〉

사과좀나방-과【沙果一科】[ㅡ꽈] 명〖충〗[Hyponomeutidae] 나방 아목(亞目)에 속하는 한 과.

사과-주【沙果酒】명 사과즙을 발효시켜 만든 알코올성 음료. 사과술.

사과-즙【沙果汁】명 사과에서 짜 낸 신 맛이 있는 즙.

사과-참외 명〖식〗살이 아주 연하고 물이 많은 참외. 먹사과·백사과 등이 있음. 준사과¹.

사:과-탑【四果塔】명〖불교〗①수타원(須陀洹)·사타함(斯陀含)·아나함(阿那含)·아라한(阿羅漢)의 성문(聲聞)의 치아(齒牙)와 머리카락을 넣

고 쌓은 탑. ②다섯 층으로 된 탑. 「만든 곰국.
사:과-탕【四一湯】명 소의 뼈도가니·아롱사태·허파·꼬리의 네 가지로
사과 화채【沙果花菜】명 사과를 저미어 꿀에 재었다가 만든 화채.
사:과-후【事過後】명 일이 끝난 뒤.
사관[1]【一管】명〘악〙〔←향관(鄕管)〕 향피리의 딴이름.
사:관[2]【士官】명〘군〙 ①병사(兵士)를 지휘하는 무관(武官). ②장교(將校)의 총칭. 보통, 위관급(尉官級)을 일컫는데, 영관급(領官級)은 특히 고급 사관이라 함. ¶주번 ~. ③(구세군에서) 교역자를 일컫는 말. 부위(副尉), 정위(正尉), 참령(參領), 정령보(正領補), 정령(正領), 부장(副將), 대장(大將) 등의 계급이 있음. *특무(特務)·병사(兵士).
사관[3]【仕官】명 ①관리(官吏)가 되어 종사함. ②부하가 다달이 상관에게 뵈는 일. ——-하다 자여불
사:관[4]【史官】명 ①역사를 편수하는 관리. ②중국 고대에 문서의 기록을 맡아 보던 관리. 태사(太史).
사:관[5]【史官】명〘역〙 ①사초(史草)를 쓰는 관원. 곧, 예문관(藝文館)의 검열(檢閱) 또는 승정원(承政院)의 주서(注書)를 일컫는 말. ②조선 시대의 춘추관(春秋館)의 별칭.
사:관[6]【史館】명〘역〙 ①역사를 편수(編修)하는 관청. ②춘추관(春秋館)의 구칭(舊稱). 고려 국초에 베풀었다가 충렬왕(忠烈王) 34년(1308)에 예문 춘추관(藝文春秋館)으로 고침.
사:관[7]【四館】명〘역〙 조선 시대 때의 성균관(成均館)·예문관(藝文館)·승문원(承文院)·교서관(校書館)의 총칭. 모두 과거(科擧)에 관한 일을 맡아 봄.
사:관[8]【四關】명〘한의〙 곽란(霍亂)이 되었을 때에 통기(通氣)시키기 위하여 사지(四肢)의 관절에 침을 놓는 곳.
사:관(을) 트다 구〘한의〙 곽란이 일어나 사관에 침을 놓다.
사:관[9]【史觀】명〔도 Geschichtsauffassung〕 역사적 현상을 전적으로 파악하여 이것을 해석하는 입장. *유물 사관·유심 사관.
사-관[10]【寺觀】명 절과 도관(道觀).
사관[11]【私館】명 ①사관(舍館). ②정부 고관의 개인 소유의 저택. ↔공관(公館). ——-하다 자여불
사:관[12]【使館】명 공사관(公使館)·대사관(大使館)의 약칭.
사관[13]【舍館】명 객지에서 남의 집에 일시 숙식(宿食)을 붙이는 일. 또, 그 집. 사관(私館). ——-하다 자여불
사관[14]【邪觀】명〘불교〙 극락 정토(極樂淨土)의 국토 및 불보살을 관상(觀想)할 때에 행하는 불경의 정설(正說)에 의거하지 않는 관상을 이름.
사:관[15]【事觀】명〘불교〙 현상계의 구체적 사물에 대하여 관찰하는 일.
사관[16]【査官】명〘역〙 검사하는 일을 맡은 관원. ⌊↔이관(理觀).
사관[17]【蛇管】명 ①흡열(吸熱)·방열(放熱)의 면적을 크게 할 목적으로 나선형(螺旋形)으로 만든 관. ②호스(hose).
사관[18]【絲管】명〘악〙 줄을 퉁기어 소리를 내는 악기와 불어서 소리를 내는 악기. 곧, 관현(管絃) 또는 음악을 비유하는 말. 사죽(絲竹).
사관[19]【篩管】명〘식〙 체관.
사관[20]【辭官】명〘역〙 왕명을 전달하는 내시(內侍) 등의 벼슬아치.
사관-부【篩管部】명〘식〙 체관부.
사:관-생【士官生】명 ↗사관 후보생.
사:관 생도【士官生徒】명 장교로 임관하기 위하여, 각군 사관 학교에서 교육을 받고 있는 학생. 「임시의 직소(職所).
사:관-소【四館所】명〘역〙 사관(四館)의 관원이 모여서 과거를 베푸는
사관-청[1] 명〘악〙 시나위 대금에 있어서의 중심음. 여섯 구멍 가운데, 제 1·2·3·4공을 막고 제 5·6공을 열고 내는 음. 생상청.
사관-청[2]【仕官廳】명〘역〙 조선 시대에, 포교(捕校)가 포장(捕將)의 사삿집 근처에 머물며 공무(公務)를 집행하던 곳.
사관 풍류【一管風流】[一뉴] 명〘악〙 사관, 곧 향피리가 중심이 되는 풍류. 향피리·대금(大笒)·해금(奚琴)·장구로 편성됨.
사:관 학교【士官學校】명 ①군대의 정규 장교를 양성하는 교육 기관으로, 육·해·공군의 사관 학교의 통칭. 4년제로 육·해·공군에 각각 하나씩 있는데, 수업 후 소위로 임관함. ②〘기독교〙 구세군 사관 학교.
사:관 후보생【士官候補生】명 장교로 임관(任官)하기 위하여 교육 과정을 이수중인 사람. 사관 학교에 재학중인 사관 생도와는 구별됨. 간부 후보생. ㊥사관생(士官生).
사:광[1]【四光】명 화투 놀이에서, 네 개의 광(光)패를 모아서 되는 약.
사광[2]【砂鑛】명〘광〙 ①강 바닥이나 바닷가에 모래알 모양으로 침적(沈積)한 광상(鑛床). 사광상(砂鑛床). ②사금(砂金)·사철(砂鐵)·사석(砂錫) 등 금속광(金屬鑛)의 총칭.
사광[3]【射光】명 빛을 냄. 빛을 쏨. ¶~기(機). ——-하다 자여불
사광[4]【斜光】명 비스듬히 비추는 광선.
사광-기【射光機】명〘기〙 탐조등(探照燈).
사-광상【砂鑛床】명〘광〙 사광(砂鑛)❶.
사광 식물【射光植物】명〘식〙 스스로 빛을 내는 것이 아니라, 비쳐 들어 오는 광선을 반사하여 특수한 빛을 내는 식물. 반짝이끼 따위.
사광이-풀 명〈방〉 며느리배꼽.
사광지-총【師曠之聰】명〔사광은 춘추 시대 진(晉)나라의 음악가로서 소리를 들으면 잘 분별하여 길흉을 점쳤다 함〕 미묘한 소리를 잘 분별하는 슬기.
사-괘【師卦】명 육십 사 괘(卦)의 하나. 곤괘(坤卦)와 감괘(坎卦)가 거듭된 것으로 땅 속에 물이 있음을 상징(象徵)함. ㊥사(師).
사:괘-법【四棵法】[一뻡] 명〘악〙 거문고 연주 때, 왼손으로 넷째 괘를 짚고 타는 법.
사:괘 우:성【四棵羽聲】명〘악〙 옛날 거문고 사괘의 낮은 음넓이에서 연주하던 곡. 이 경우의 우성은 우조(羽調)와는 관계가 없음.
사괴다 자타〈옛〉 사귀다. ¶사괴논 쁘든 늘글ᄉ록 또 親ᄒ도다(交情老更親)《初杜諺 XXI:15》.
사:괴-석【四塊石】명〘건〙 벽이나 돌담을 쌓는 데 쓰는 돌의 한 가지. 한 사람이 네 덩이를 질 만한 돌.
사:괴-지【四塊紙】명 백지(白紙)의 한 가지. 본이 크고 좀 두꺼움.
사:교[1]【四教】명 ①〘불교〙 석가(釋迦)의 일생 동안의 설법(說法)을 넷으로 나눈 것. 곧, 장교(藏教)·통교(通教)·별교(別教)·원교(圓教)의 총칭. ②시(詩)·서(書)·예(禮)·악(樂)의 네 가지의 가르침. ③문(文)·행(行)·충(忠)·신(信)의 네 가지의 가르침. ④부덕(婦德)·부언(婦言)·부용(婦容)·부공(婦功)의 네 가지의 가르침.
사교[2]【司教】명〘대종교〙 대종교 교의회(敎議會)에서 공선하는 교직.
사:교[3]【死交】명 죽을 때까지 변하지 아니하는 교분(交分). 아주 두텁고
사교[4]【私交】명 사사로운 교제. ⌊깊은 사귐.
사교[5]【邪教】명 ①부정하고 요사스러운 종교. 사회에 해악을 끼치는 종교. ②그 나라의 도덕이나 사회 제도에 어긋나는 종교. 사도(邪道).
사교[6]【社交】명 ①여러 사람이 모여 서로 교제(交際)함. ¶~장(場). ②사회적인 교제. 사회 생활에 있어서의 사귐. ¶~를 잘 하는 사람. ——
사교[7]【師教】명 스승의 가르침. ⌊하다 자여불
사:교[8]【事教】명〘불교〙 본체(本體)인 원리(原理)와 현상(現象)인 사실(事實)과를 구별하는 교지(教旨). ↔이교(理教). 「——-하다 자여불
사교[9]【斜交】명 두 직선이나 입체 따위가, 비스듬하게 교차함. *직교
사교[10]【斜橋】명 비스듬히 놓은 다리. 곧, 교체(橋體)의 중심선이 교대(橋臺)의 면(面)과 직각(直角)을 이루지 않은 다리.
사교[11]【詐巧】명 남을 교묘하게 속임. ——-하다 타여불
사교-가【社交家】명 사회적으로 사귀기를 즐기는 사람. 또, 사교술이 능란한 사람. 사교적(社交的)인 사람.
사교-계【社交界】명 ①여러 사람이 모이어 교제하는 세계. ②문학·예술·정치 및 사회 명사(名士)들이 친교를 도모하는 범위의 사회.
사:교-과【四教科】명〘불교〙 사집과(四集科)를 마치고 경전(經典)을 연구하는 4년의 이력(履歷) 과정. 능엄경·기신론·금강 반야경·원각경을 배움. 대교과(大教科).
사교 댄스【社交—】명〔social dance〕 사교(社交)를 위하여 연회장(宴會場)이나 무도장에서 남녀가 짝을 이루어 추는 댄스. 폭스 트롯(fox trot)·왈츠(waltz)·탱고(tango)·블루스(blues) 같은 것이 있음. 사교 무도(舞蹈). 사교춤. ㊥댄스.
사교-도【邪教徒】명 사교(邪教)의 교도. 사교를 믿고 따르는 사람.
사교 무:도【社交舞蹈】명 사교(社交) 댄스.
사교-병【社交病】[一뼝] 명 화류병(花柳病).
사교-복【社交服】명 무도회(舞蹈會)나 야회(夜會)·관극(觀劇)·방문(訪問)·연회(宴會) 등에 입는 옷의 총칭.
사교 부정합【斜交不整合】명〘지〙 경사 부정합(傾斜不整合).
사교-성【社交性】[一썽] 명 ①사회(社會)를 형성하려는 인간의 특성. 사회성. ②사교를 좋아하는 성질. 사교를 잘 하는 성질.
사교-술【社交術】명 사교하는 솜씨.
사교-실【社交室】명 사교하는 데 쓰이는 방.
사교 엽층【斜交葉層】명 지학(地學)에서, 단층(單層)을 구성하는 얇은 층이 서로 사교(斜交)하고 있는 것을 이름.
사-교육【私教育】명 법인(法人) 또는 사인(私人)의 재원에 의해서 유지 운영되는 교육. 곧, 사립 학교의 교육을 말함. ↔공교육(公教育).
사:교 입선【捨教入禪】명〘불교〙 일정한 교리(教理)를 다 마치고 선종(禪宗)으로 들어감. ——-하다 자여불
사교-적【社交的】명관 사교에 관한 것. 또, 사교에 능숙한 모양. 적극적으로 다른 사람과 사귀려고 하는 모양. ¶~(인) 모임. 「간.
사교적 동:물【社交的動物】명 사회적으로 서로 교제하는 동물. 곧, 인
사교적 회:합【社交的會合】명 사교를 목적으로 가지는 모임.
사교 좌:표【斜交座標】명 데카르트 좌표. 「하는 좌표계.
사교 좌:표계【斜交座標系】명 좌표축(座標軸)이 직교(直交)하지 아니
사교-증【蛇咬症】[一쯩] 명〘의〙 독사에게 물려 일어나는 증상.
사교-축【斜交軸】명 사교 좌표계(座標系)의 좌표축.
사교-춤【社交—】명 사교 댄스.
사교 층리【斜交層理】[—니] 명 지학(地學)에서, 성층면(成層面)에 대하여 비스듬히 교차하는 작은 층리. 위층(僞層).
사교 클럽【社交—】〔club〕명 사교를 목적으로 한 단체. 또, 그 집회장.
사:교 학인【四教學人】명〘불교〙 능엄경(楞嚴經)·기신론(起信論)·반야경(般若經)·원각경(圓覺經)을 공부하는 학인.
사굠 타〈옛〉 ①새김. '사기다[2]'의 명사형. ¶그 뜨ᄃᆞᆯ 사굠이(其釋義也)《圓覺 序 9》. ②새김. '사기다[1]'의 명사형. ¶鍾鼎에 사교ᄆᆞᆯ ᄌᆞᄌᆞ 보ᄂᆞ니(數見銘鍾鼎)《杜諺 Ⅲ:10》.
사구[1] 명〈방〉 뚝배기(전남).
사구[2]【司寇】명 ①〘역〙 형조 판서(刑曹判書)의 딴 이름. ②〘역〙 고대 중국의 육경(六卿)의 하나. 형벌과 경찰을 맡아 보던 관직.
사:구[3]【四球】명 포 볼(four ball).
사:구[4]【四衢】명 사방으로 통하는 도로.
사:구[5]【死句】명 ①〘불교〙 범속(凡俗)하여 선미(禪味)가 적은 구(句). ②시(詩)에서, 말 밖에 은근한 정취가 없는 싱거운 구(句). 깊은 뜻이 없는 평범한 구. 1)·2):↔활구(活句).
사:구[6]【死球】명 데드 볼[2].
사구[7]【邪構】명 나쁜 흉계. 사람을 함정에 빠지게 하는 계략.
사구[8]【沙鷗】명 물가 모래 위에 있는 갈매기.
사구[9]【砂丘·沙丘】명〔sand-dune〕〘지〙 해안 또는 사막 지방에서 바람이 모래를 몰아쳐 올려서 풍향(風向)에 직각으로 이루어진 낮은 구릉

(丘陵). 분포하는 지방에 따라서 해안 사구와 내지 사구(內地砂丘)로 나누고, 또 형상에 따라서 횡사구(橫砂丘)·종사구(縱砂丘)·마제형(馬蹄形) 사구 등 여러 가지로 구별하며, 혹은 그 이동성의 유무에 의하여 고사구(古砂丘)·신사구(新砂丘)·고정 사구(固定砂丘)·이동 사구(移動砂丘)로 구별하는데, 높이는 수 m로부터 수백 m, 길이는 수십 m로부터 수백 m에 이름. 모래 언덕. 사산(砂山).

사구[10]【査究】명 조사하여 구명(究明)함. ——-하다 타 여불

사구[11]【射毬】명 한 사람이 말을 타고 모구(毛毬)를 끌면서 달려가면 뒤에서 여러 사람이 달려 쫓아가면서 무촉전(無鏃箭)으로 쏘아 맞히는 옛날 운동.

사구[12]【蛇口】명 물을 따르는 주전자 등의 부리 끝에 달린 쇠로 만든 기구.

사-구류【私拘留】명 권세 있는 사람이 법에 의하지 아니하고 남을 사사로이 구금함. ——-하다 타 여불

사구-부【司寇部】명〖역〗백제 사비 시대의 중앙 행정 관서로, 외관(外官) 10부의 하나. 형벌 관계의 업무를 담당함.

사:구 삼십육【四九三十六】[—뉵] 명〖수〗구구법(九九法)의 하나. 넷의 아홉 갑절 또는 아홉의 네 갑절은 서른여섯임.

사구 식물【砂丘植物】명〖식〗해안(海岸)이나 사구(砂丘)에서 생육(生育)하는 식물. 일반적으로 건조·빈영양(貧營養) 따위에 견디는 능력을 가졌고, 지하경(地下莖)이 잘 발달됨. 사생(砂生) 식물.

사:구 일생【四俱一生】[—쌩] 명 사귀 일성(四歸一成).

사:구-장【四九場】[—짱] 명 나흘과 아흐레에 정기적으로 서는 장. 4일과 9일, 14일과 19일, 24일과 29일에 섬.

사구지 농업【砂丘地農業】명 해안 지대 따위의 사구를 이용하여 야채·화초 등을 재배하는 농업. 방사림(防砂林)·방풍림(防風林)·관개용 자동 살수기(自動撒水機)와 경작 기계의 발달로 고구마·수박·멜론·화초 등을 재배하게 됨.

사:구-체[1]【四丘體】명〖생〗중뇌(中腦)의 배면(背面)에 상하 좌우(上下左右)로 나란히 둥글게 두 쌍으로 올라온 부분. 위의 한 쌍은 '상구(上丘)', 아래의 한 쌍은 '하구(下丘)'라 하는데, 상구는 시각(視覺)과, 하구는 청각(聽覺)과의 관계가 깊음. 조류(鳥類) 이하의 척추(脊椎) 동물은 상구에 해당하는 이구체(二丘體)만 있고, 하구는 표면에 나타나 있지 않다고 함. 사첩체(四疊體).

사구-체[2]【絲球體·絲毬體】명〔glomerulus〕〖생〗콩팥의 피질부(皮質部)에 있어, 모세관(毛細管)이 실로 감아서 만든 공 모양을 이룬 미소체(微小體). 보자기 모양을 한 세뇨관(細尿管)의 끝머리가 이것을 둘러싸고, 그 속에서 혈액 중의 노폐물(老廢物)을 걸러 오줌을 만듦.

사구체-낭【絲球體囊】명〖생〗보먼 주머니.

사구체 신:염【絲球體腎炎】명〖의〗신장(腎臟)의 사구체에 범발성(汎發性)으로 일어나는 염증성(炎症性)의 질환(疾患). 원인은 세균 감염(細菌感染)에 이어서 일어나는데, 그 증상으로는 안면 부종(顔面浮腫)·요량(尿量) 감소·혈뇨(血尿)·혈압 항진(血壓亢進) 등이 일어나고 중하면 전신(前身) 부종·시력 장애·혈압 항진·호흡 곤란·섬망(譫妄)·전신 경련·혼수(昏睡) 등을 일으켜 죽음.

사:구 팔가【四衢八街】명 사면 팔방으로 통하는 길.

사:국[1]【史局】명〖역〗①고려와 조선 시대에, 사관(史官)이 사초(史草)를 꾸미던 곳. ②기록을 꾸미는 실록청(實錄廳)·일기청(日記廳) 등의 범칭(汎稱).

사:국[2]【事局】명 일이 진행하는 판국.

사:국 동맹【四國同盟】명〔Quadruple Alliance〕〖역〗빈 체제(Wien 體制)의 유지를 위하여 1815년에 독일·영국·오스트리아·러시아의 네 나라 사이에 체결된 동맹.

사:국 조약【四國條約】명〔Four Power Pacific Treaty〕〖역〗사개국(四個國) 조약.

사:국 차:관【四國借款】명〖역〗네 나라의 차관단에 의한 대청(對淸) 차관. 곧, 1910년의 미·영·독·불에 의한 철도 부설에 대한 차관과, 1920년의 미·영·불·일에 의한 일반 투자를 위한 차관을 말함. 전자를 구사국(舊四國) 차관, 후자를 신사국(新四國) 차관이라 함.

사:국 협정【四國協定】명〖역〗사개국 협정.

사:군[1]【四君】명 중국 전국 시대(戰國時代)의 네 공자(公子). 곧, 제(齊)나라의 맹상군(孟嘗君), 조(趙)나라의 평원군(平原君), 초(楚)나라의 춘신군(春申君), 위(魏)나라의 신릉군(信陵君)의 일컬음.

사:-군[2]【四郡】명〖역〗①우리 나라 상고 시대에, 북쪽 지방에 한(漢)나라가 세웠던 낙랑(樂浪)·임둔(臨屯)·현도(玄菟)·진번(眞蕃)의 네 군(郡). 한사군(漢四郡). ②조선 세종(世宗) 때 압록강 방면에 출몰하는 야인(野人)을 정벌하고 이 지역에 설치한 여연(閭延)·자성(慈城)·무창(茂昌)·우예(虞芮)의 네 군.

사:군[3]【使君】명 임금의 명령을 받들고 나라 밖으로나 지방에 온 사신의 경칭.

사:군[4]【事君】명 임금을 섬김. ——-하다 자 여불

사군[5]【師君】명 '스승'의 경칭.

사군[6]【嗣君】명 사왕(嗣王).

사-군난【私窘難】명〖역〗적의를 품은 개인이나 집단에 의한 천주교도에 대한 사적(私的)인 박해.

사군-부【司軍部】명〖역〗백제 관서의 하나. 중앙 정부 관서인 외관(外官)의 한 부서로 군사를 관장하였음.

사:군 이:충【事君以忠】명 임금을 섬김에 충성으로써 함. 세속 오계(世俗五戒)의 하나.

사:-군자[1]【士君子】명 사회적 지위가 있으며, 덕행(德行)이 높고 학문에 통달한 사람.

사:-군자[2]【四君子】명〖미술〗우리 나라·중국·일본 회화(繪畫)에서, 그 소재가 되는 매화·난초·국화·대나무의 고결한 아름다움이 군자와 같다는 뜻으로 일컫는 말.

사:-군자[3]【使君子】명〖식〗[*Quisqualis indica*] 사군자과에 속하는 상록 만목(蔓木). 줄기 길이 7m 가량. 잎은 대생(對生)하고 달걀꼴 및 긴 타원형으로 길이 7-12cm임. 여름·가을에 엽액(葉腋)에서 오판화(五瓣花)가 수상(穗狀) 화서로 줄기 끝에 백색이 홍색으로 변하여 핌. 과실은 길이 3cm 가량의 원뿔꼴이며 흑색으로 익음. 동남 아시아 원산으로 순다 제도(Sunda 諸島)·인도·류큐(琉球)·대만 등에 분포함. 과실은 니코틴 중독(nicotine 中毒)의 중화제(中和劑)·회충 구제 등으로 쓰임.

사:군자-과【使君子科】[—꽈] 명〖식〗[Combretaceae] 〈사군자[3]〉 쌍자엽 식물의 이판화류(離瓣花類)에 속하는 한 과.

사:군자-탕【四君子湯】명〖한의〗인삼·백출(白朮)·백복령(白茯苓)·감초의 네 가지를 각각 한 돈중씩 조합하여 원기와 소화를 돕는 데에 쓰는 탕약.

사:군-지【四郡志】명〖책〗한사군(漢四郡)에 대한 사실(史實)들을 서술한 책. 조선 시대 때 유득공(柳得恭)이 지었고, 같은 시대의 서유구(徐有榘)가 교사(校寫)하였음. 1책.

사:군지-도【事君之道】명 임금을 섬기는 도리.

사굴[1]【私掘】명 남의 무덤을 허가 없이 사사로이 파냄. ↔관굴(官掘). ——-하다 타 여불

사굴[2]【蛇窟】명 뱀의 굴.

사궁[1] 명〈방〉사공(沙工)(강원·평안).

사:궁[2]【四宮】명 ①〖역〗조선 시대 후기에, 서울에 있던 명례궁(明禮宮)·수진궁(壽進宮)·어의궁(於義宮)·용동궁(龍洞宮)의 총칭. 궁(宮). ＊칠궁(七宮). ②바둑에서, 빈 집이 넉 집인 형세. 생긴 모양에 따라, 정사궁(正四宮)·직(直)사궁·곡(曲)사궁·귀곡사의 네 가지가 있음. ＊오궁(五宮).

사:궁[3]【四窮】명 네 가지의 외로운 처지에 있는 사람. 곧, 늙은 홀아비, 늙은 홀어미, 부모 없는 자식·자식 없는 늙은이의 총칭.

사궁방-전【司宮房田】명〖역〗조선 시대 때, 내수사(內需司)와 각 궁방(宮房)에 딸린 토지. 곧 사궁 장토(司宮庄土)의 별칭.

사궁 장토【司宮庄土】명〖역〗조선 시대 때, 내수사(內需司)와 칠궁(七宮), 그 밖에 창의궁(彰義宮)·저경궁(儲慶宮)·연희궁(延禧宮) 등 왕족(王族)·왕비족(王妃族)에 소속된 토지. 궁사전(宮司田). 사궁방전(司宮房田). 궁방전(宮房田). 궁방 둔전(宮房屯田). 궁장토(宮庄土).

사:궁지-수【四窮之首】명 사궁의 첫째. 곧, 늙은 홀아비.

사권【私權】[—꿘] 명〖법〗사법상(私法上) 인정받는 권리. 한 개인이 다른 개인 또는 법인에 대해서 가지는 권리를 일컬음. 크게는 생명·신체 등 인간과 분리할 수 없는 인격권과 부모·자식·남편·아내 등의 신분에 따르는 신분권으로 구분하는 이외에, 지배권·청구권·형성권(形成權)·절대권(絶對權)·물권(物權)·채권(債權)·무체 재산권(無體財產權) 등 여러 가지로 구분함. ↔공권(公權).

사:권-경【四卷經】명〖불교〗부처가 왕사성(王舍城)의 영취산(靈鷲山)에서 최승법(最勝法)을 설교한 네 권의 불경(佛經).

사권-화【絲圈花】명 가는 철사에 깁을 감아 가지로 하고, 비단 헝겊으로 만든 꽃을 그 철사 끝에 붙여 어울리게 만든 가화(假花).

사:-궤장【賜几杖】명〖역〗늙어서 관직을 물러나는 대신(大臣)·중신(重臣)에게 안석(案席)과 지팡이를 하사함. ——-하다 자 여불

사귀【邪鬼】명 요사스러운 귀신. 사매(邪魅).

사귀다 자타 서로 가까이하여 얼굴을 익히고 사이좋게 지내다. ¶ 친구를 ~. [사귀어야 절교하지] 서로 관계가 없다면 의를 상하지도 않는다는 말.

사:-귀:신속【事貴神速】명 일을 함에는 신속함을 중요하게 여김. ¶ 이 사람, 나를 잡지 말게, ~이야≪張德祚 : 狂風≫.

사:귀 일성【四歸一成】[—썽] 명 넷이 결과적으로 하나를 이룸. 목화 너 근이 솜 한 근으로, 수삼(水蔘) 너 근이 건삼(乾蔘) 한 근으로 되는 일 따위. 사구 일생(四俱一生).

사:귀-전【使鬼錢】명 '귀신을 부리는 돈'이란 뜻으로, 돈의 힘이 큼을 일컫는 말.

사귈효-부【一爻部】명 한자 부수(部首)의 하나. '爼'나 '爾' 등의 '爻'의 이름.

사귐 명 서로 가까이하여 얼굴을 익히고 사이좋게 지냄.

사귐-성【一性】[—썽] 명 남과 사귈 만한 성품.

사:규[1]【四規】명〖천주교〗↗성교 사규(聖敎四規).

사규[2]【寺規】명 절의 규칙.

사규[3]【伺窺】명 슬며시 살펴봄. ——-하다 타 여불

사규[4]【社規】명 회사의 규칙.

사:규-삼【四揆衫】명〖역〗관례(冠禮) 때에 입는 예복의 하나.

사:균 백신【死菌—】명〔killed vaccine〕면역을 만들기 위해 항원(抗原)으로 쓰이는, 죽은 미생물의 부유액(浮遊液).

사그라디다 자〈방〉사위다(평안).

사그라-뜨리다 타 사그라지게 하다.

사그라-지다 자 삭아서 없어지다.

사그라-트리다 타 사그라뜨리다.

사그랑-이 명 다 삭아서 못 쓰게 된 물건.

사그랑-주머니 명 다 삭은 주머니의 뜻으로, 겉모양만 있고 속은 다 삭아 버린 물건을 비유하는 말.

사-그릇【沙—】명 ↗사기 그릇. ¶ 사그르세 ᄆᆞ라 ᄡᆞᆯ로 비즌 됴ᄒᆞᆫ 초(沙盆內磨碎以釀米醋)≪救簡 Ⅲ:63≫.

사그리 부〈속〉삭 쓸어서 깡그리.

사:극[1]【四極】명 사방의 극처(極處). 사방의 끝 닿은 곳. 사지(四至).

사:극[2]【史劇】명〖연〗↗역사극(歷史劇).

사극[3]【伺隙】명 틈을 엿봄. 사흔(伺釁). ——-하다 자 여불

사극[4]【私隙】 명 개인간의 불화(不和).
사극[5]【邪劇】 명 정통(正統)이 아닌 연극. 「여불
사:극[6]【俟隙】 명 틈이 생기기를 기다림. 기회를 기다림. ──하다 자
사:극-관【四極管】 명【물】↗사극 진공관(四極眞空管).
사:극 진공관【四極眞空管】 명〔tetrode〕【물】삼극 진공관의 제어 그리드(制御 grid) 외에, 제2의 그리드, 곧 차폐(遮蔽) 그리드를 양극과 제어 그리드 사이에 둔 진공관. 보통 양(陽)의 전압을 걸어 주는데, 그 작용은 첫째로 음극 주위에 모여 있는 공간 전하(空間電荷)와 작용하여 제어 그리드의 작은 변화로 양극 전류에 큰 변화를 일으켜, 증폭 작용(增幅作用)을 삼극 진공관의 약 십 배로 증가하며, 둘째로 제어 그리드와 양극 사이에 있어 정전 용량(靜電容量)을 통하여 출력의 일부가 입력 회로에 되돌아가는 피드 백(feed back) 현상을 막아, 자기 발진 작용(自己發振作用)을 감소시켜 증폭 작용을 증가함. 따라서 이 진공관은 주로 증폭관(增幅管)으로 쓰임. ㊌사극관.
사:근[1]【四近】 명 가까운 사방.
사:근[2]【事根】 명 일의 근원. 사본(事本).
사근[3]【絲筋】 명 피륙의 실올.
사근사근-하다 형 여불 ①성질이 부드럽고 친절하여 붙임성이 있다. ¶ 사근사근한 여자. ②배나 사과를 씹는 것과 같이 연하다. 1)·2):〈서근서근하다. **사근사근-히** 부
사근-주【莎根酒】 명【한의】잔디 뿌리를 썰어서 볶아 전대에 넣어 담근 술. 심경(心經)의 객열(客熱)과 방광(膀胱)이나 갈비 아래에 기운이 답답한 증세를 없애는 약으로 쓰임. 「다 자 여불
사:근 취:원【捨近取遠】 명 가까운 것을 버리고 먼 것을 취함. ──하
사글-세 【一貰】[一쎄] 명 ①남의 집이나 방을 빌려 살면서 다달이 내는 세. ㊌월세(月貰). ②↗사글셋집. ③↗사글세방.
사글세-방【一貰房】[一쎄一] 명 사글세로 얻은 방. ㊌사글세.
사글셋-집【一貰一】[一쎗一] 명 사글세로 얻은 셋집. ㊌사글세.
사금[1]【私金】 명 사사로이 가진 돈. 사유(私有)의 금전.
사금[2]【砂金】 명 금 성분을 가진 광석이 풍화나 침식 작용으로 붕괴되어 그 속에 있는 자연금이 물 또는 해일로 인해 모래·자갈 등과 함께 강변이나 해변 또는 그 바닥에 침적되어 있는 금. 보통 작은 알갱이나 비늘 모양으로 되어 있으나 큰 덩어리를 이룬 것도 있음. 금모래.
사금[3]【絲禽】 명【조】해오라기. 백로(白鷺).
사:금[4]【賜金】 명 정부에서 군경(軍警) 유가족(遺家族) 등에게 하사(下
사:금[5]【謝金】 명 사례로 주는 돈. ∟賜)하는 금전(金錢).
사금-광【砂金鑛】 명 사금을 캐는 금광. ↔석혈(石穴).
사금 노석【砂金鹵石】 명【광】칼륨과 마그네슘의 염화물(鹽化物)로 암염(岩塩)과 같이 산출되는 광물. 사방정계(斜方晶系)에 속하며, 지방(脂肪) 광택이 나고 흰 젖빛을 띰. 광로석(光鹵石).
사:금-산【四金山】 명【지】강원도 삼척군에 있는 산. [1,080 m]
사금-석【砂金石】 명【광】석영(石英)의 일종. 적철광(赤鐵鑛)이나 운모(雲母)의 세편(細片)을 많이 포함하며, 노랑·빨강 또는 갈색인데, 점점이 빨간빛을 내므로 닦아서 장식품으로 씀.
사금석-유【砂金石釉】[一뉴] 명 다금유(茶金釉).
사-금융【私金融】[一늉/一] 명【경】제도적인 금융 기관을 통해서가 아니라 사적인 대금업자(貸金業者)를 중심으로 자금이 공급되고 회수되는 금융.
사금-장【絲金匠】 명【역】금실을 만드는 공장(工匠).
사금치 명〈방〉사금파리.
사금-파리 명 사기 그릇의 깨어진 조각.
사금-팽이 명〈방〉사금파리.
사:급【賜給】 명 하사(下賜)하여 줌. 사여(賜與). ──하다 타 여불
사:급 공무원【四級公務員】 명 ①전에, 공무원 직급의 하나. 3급 공무원의 아래, 5급 공무원의 위로, 주사(主事)급인 갑류(甲類)와 주사보(補)급인 을류(乙類)의 두 가지가 있었음. ②3급 공무원의 아래, 5급 공무원의 위. 서기관 등이 이에 해당함.
사:기[1]【士氣】 명 ①정리(正理)를 주장하는 선비의 기개. ②적을 쳐부수어야겠다는 싸움에 대한 병사의 기세. 전(轉)하여, 사람이 단결하여 무슨 일을 할 때의 기세. ¶ ～를 앙양하다.
사기[2]【仕記】 명【역】↗사진기(仕進記).
사:기[3]【四氣】 명 사시(四時)의 기운. 곧, 춘온(春溫)·하열(夏熱)·추량(秋涼)·동한(冬寒)의 총칭 또는 생(生)·장(長)·수(收)·장(藏)의 총칭.
사:기[4]【四機】 명【악】국악에서, 네 가지 형식으로 이루어진 음악. 진작(眞勺) 사기 하나가 있을 뿐임.
사:기[5]【史記】 명 역사를 기록한 책. 사서(史書). 사승(史乘). 사적(史籍). 사책(史冊). ¶ 삼국 ～.
사:기[6]【史記】 명【책】중국 한(漢)나라 사마천(司馬遷)이 황제(黃帝)로부터 한나라 무제(武帝)까지의 역대 왕조의 사적(史跡)을 기전체(紀傳體)로 적은 역사책. 130권. 재래(在來)의 전설이나 기록 외에 널리 여행하여 사료(史料)를 수집해서 만든 책으로, 사서(史書)로서뿐만 아니라 문학적으로도 높이 평가되며, 중국 정사(正史)와 기전체(紀傳體)의
사기[7]【寺基】 명 절터. ∟남상(濫觴)이라 일컬어짐.
사:기[8]【死期】 명 ①죽는 시기. 죽을 때. 임종(臨終). ②목숨을 버릴 시기.
사기[9]【私記】 명 ①개인의 기록. 사사로운 기록. ②【불교】교리의 깊은
사기[10]【沙器·砂器】 명 사기 그릇. ∟뜻을 사사로이 기록한 책.
사기[11]【些技】 명 변변치 못한 기예(技藝). 사소한 기능.
사기[12]【邪氣】 명 ①요망스럽고 간악한 기운. ②병이 나게 하는 나쁜 기.
사:기[13]【事記】 명 사건을 중심으로 쓴 것. 사건의 기록.
사:기[14]【使氣】 명 기세를 부림. ──하다 자 여불
사기[15]【社基】 명 회사의 기초.
사기[16]【社旗】 명 회사의 기. 특히, 항해(航海)에서 중요시되며, 경조(慶弔)의 예의 표시에도 씀. 회사기(會社旗).
사:기[17]【事機】 명 일이 되어 가는 가장 중요한 기틀.
사기[18]【射技】 명 활 쏘는 기예. 사예(射藝).
사기[19]【射器】 명 활과 화살. 「手).
사-기[20]【射騎】 명 ①궁술(弓術)과 마술(馬術). ②사수(射手)와 기수(騎
사기[21]【斜攲】 명 비스듬히 한 쪽으로 기울어짐. 사의(斜欹).
사기[22]【詞氣】 명 문장에 나타난 기품.
사기[23]【詐欺】 명 ①꾀로 남을 속임. 기사(欺詐). ②【법】남을 속이어 착오(錯誤)에 빠지게 하는 위법 행위. 민법상, 사기에 의한 의사표시는 취소할 수 있고, 또 사기에 의한 손해는 사기를 한 사람의 불법 행위로서 배상을 시킬 수 있음. ＊사기죄. ──하다 타 여불
사:기[24]【肆氣】 명 함부로 방자한 성미를 부림. ──하다 자 여불
사기[25]【辭氣】 명 사색(辭色). 「禮宗罵卓》.
사기[26] 부〈옛〉교대(交代)로. ¶ 매로 사기 티거늘(鞭撲交下)《三綱 烈女
사기 그릇【沙器一】 명 도토(陶土)·장석(長石)·규석(硅石)·백토(白土)를 원료로 하여 구워서 만든 그릇. 유리처럼 매끄럽고, 단단하고 흡수성(吸收性)이 없으므로, 흔히 식기로 많이 씀. 사기(沙器·砂器). 자기(瓷器). ㊌사그릇.
사기-꾼【詐欺一】 명 남을 속이어 이득을 꾀하는 사람. 상습적으로 사기를 일삼는 사람. 사기사(詐欺師). 사기한(詐欺漢).
사기다[1] 타〈옛〉새기다[1]. ¶ 사길 ᄀᆡᆨ(刻)《字會 上 2》.
사기다[2] 타〈옛〉새기다[2]. ¶ 飜譯ᄒᆞ야 사기노니(譯解)《月序 6》.
사기-담【沙器一】 명 도자기의 깨어진 조각들이 모인 곳.
사기 대야【沙器一】 명 사기로 된 대야.
사기 대:접【沙器一】 명 사기로 된 대접. ㊌사대접.
사기-말【沙器一】 명【민】가마터·산신당(山神堂)·성황당(城隍堂)·절터 등에 묻는 사기로 만든 말.
사기-병【沙器甁】 명 사기로 만든 병. 「있는 산. [1,777 m]
사기-봉【沙器峰】 명【지】함경 남도 장진군(長津郡) 군내면(郡內面)에
사기 봉:사【沙器奉司】 명【역】조선 시대에, 왕실(王室)에서 쓸 사기를 만드는 것을 감독하는 역원.
사:-기사[1]【事其事】 명 일을 일대로 정당하게 행함. ──하다 자 여불
사기-사[2]【詐欺師】 명 사기꾼.
사기 성상【沙器城上】 명【역】사옹원(司饔院)의 사기 그릇을 맡아서 간
사기-소【沙器所】 명 사기점(沙器店). ∟수하던 사람.
사기-술【詐欺術】 명 속임수. ㊌사술(詐術).
사-기업【私企業】 명【경】사적 자본(私的資本)의 갹출(醵出)만으로 형성되는 기업. 출자자(出資者)의 단독(單獨)·복수(複數)에 따라서 개인경영 단독 기업과 공동 경영 집단 기업으로 구별됨. ↔공기업(公企業)·국가 기업. 「여불
사:기 왕:성【士氣旺盛】 명 군사들의 원기가 매우 성함. ──하다 형
사기-잔【沙器盞】 명 사기로 만든 술잔. 「던 사람.
사기-장【沙器匠】 명 조선 시대에, 사기 그릇을 만드는 일을 업으로 하
사기-전【沙器廛】 명 사기 그릇을 파는 가게.
[사기전에 종짓굽 맞추듯] 들락날락함이 없이 꼭 같게 맞춤을 이르는 말. ¶ 흰떡집에 산병 맞추고 사기전에 종지굽 맞초듯 서로 맞초아《古本 春香傳》.
사기-점【沙器店】 명 사기 그릇을 구워 만드는 곳. 사기소(沙器所).
사기-죄 【詐欺罪】[一쬐] 명〔false pretence〕【법】남을 속이어 재물을 편취(騙取)하거나 재산상 불법한 이익을 취득(取得)하는 범죄 또는 동일한 수단으로 다른 사람을 시키어 이것을 취득하게 함으로써 성립하는 범죄. 미성년자의 지려(智慮)의 천박(淺薄) 또는 성년자의 심신(心神)의 장애를 이용하여 재물을 편취하거나 재산상의 이익을 취득한 경우도 사기죄에 해당함.
사:기지-은【四奇之恩】 명【천주교】부활(復活)한 뒤의 무손상(無損傷)·광명(光明)·신속(迅速)·투철(透徹)의 네 가지 기이한 은혜.
사기-질【沙器質】 명 법랑질(琺瑯質)❶.
사:기 충천【士氣衝天】 명 사기가 하늘을 찌를 듯이 높음. ──하다 형 여불
사:-기통【四氣筒】 명 실린더(cylinder) 네 개를 갖춘 엔진.
사기 파:산【詐欺破産】 명【법】채무자(債務者)가 파산 선고의 전후(前後)를 불문하고, 자기 또는 타인의 이익을 도모하거나 채권자를 해할 목적으로, 파산 재단(破産財團)에 속하는 재산을 은닉·손괴(損壞)하고 또는 채권자의 불이익으로 처분하든지 파산 재단의 부담을 허위로 증가하는 따위의 행위. 이 행위는 파산 선고가 확정함을 조건으로 범죄가 성립되는 점에 특색이 있음. 제삼자가 같은 행위를 하여 파산 재단에 속하는 재산의 감소 또는 채무의 증가를 꾀하고 또는 재산의 상황을 호도(糊塗)하였을 때에는 제삼자의 사기 파산죄가 성립됨.
사기 파:산죄 【詐欺破産罪】[一쬐] 명【법】사기 파산을 함으로써 성립하는 죄.
사기-한【詐欺漢】 명 사기꾼. ¶ 희대(稀代)의 ～.
사기 횡령【詐欺橫領】[一녕] 명 ①사기와 횡령. ②사기하여서 남의 재물을 불법하게 빼앗음. ──하다 타 여불
사기-흙【沙器一】[一흑] 명 사기 그릇을 굽는 데에 쓰이는 흙.
사김-질 명〈방〉새김질. ──하다 자 여불
사김-칼 명〈방〉새김칼.
사깃-물【沙器一】 명 사기 그릇을 구울 때 쓰는 잿물.
사까디 명〈방〉갈삿갓(평안).
사깜지 명〈방〉소꿉장난(경남).
사깡 명〈방〉소꿉장난(경남).

사깽이 명 〈방〉 삵괭이(경기).
사꾸라 〔일 桜:さくら〕 명 ① 〖식〗 '벚나무'의 일본어 이름. ② 〈속〉 야바위. 야바위꾼. 한통속.
사끼 명 〈방〉 새끼¹(제주).
사나¹ 명 〈방〉 사나이(강원·경상).
사나:² 명 〈방〉 사나이(경상).
사나³ 〔San'a〕 명 〖지〗 아라비아 반도(半島)의 서남단, 예멘 공화국의 수도. 해발 2,360m의 고원 도시로 기후가 좋음. 옛 왕궁을 중심으로 하여 행정·상업·주택 지역으로 구분되어 있고 많은 모스크가 있음. 금은 세공(金銀細工)·직물(織物) 등의 수공업(手工業)이 행해짐. [500,000 명(1990 추계)]
사나귀-나물 【舍那貴一】 명 〈방〉 씀바귀나물.
사나귀-채 【舍那貴菜】 명 씀바귀나물.
사나-끈 명 〈방〉 새끼(전라).
사나-나달 명 사날이나 나달. 3-4일이나 4-5일.
사나우- 간 '사납다'의 불규칙 어간. ¶ ～니/～면/～ㄴ 파도.
사나이 명 〔중세 : ᄉᆞ나히〕 ①남자. 남(男). ¶ ～다운 ～. ②한창 혈기가 왕성할 때의 남자. 장정. ③용감하고 호탕한 기풍이 있는 남자. ¶ 과연 ～로군. ④남자로서의 체면·면목. 준사내. ↔계집.
【사나이가 어디 가나 옹솥하고 계집은 있다】 못난 남자라도 아내와 밥벌이는 얻어걸리게 된다는 말. 【사나이가 우비하고 거짓말은 가지고 다녀야 한다】 남자가 처세하려면 거짓말도 필요하다는 말.
사나이-답다 형ㅂ불 남자가 남성의 기질(氣質)과 성품을 갖추고 있다. 생김새나 성질이 여자답지 않고 남자 같다. 남자답다. 준사내답다.
사나이 신방 【一神房】 명 〈방〉 〖민〗 박수(제주).
사나올 명 〈옛〉 사날. 삼사일. ¶ 사나ᄋᆞᆯ 머구릴 뷔여오니 《月釋 I:45》.
사나죄 명 〈방〉 사내 아이(함경).
사나토리움 〔라 sanatorium〕 명 '새너토리엄(sanatorium)❶'의 라틴어 이름.
사나포-선 【私拿捕船】 명 승무원(乘務員)은 민간인이지만, 일국의 정부로부터 나포 면허장을 부여(賦與)받아, 적국선(敵國船) 특히 적국 상선을 습격하여 이를 포획(捕獲)하는 권한을 인정받은, 무장한 사유(私有)의 선박. 16-17세기에 성행(盛行)하였는데, 1856년의 파리 회의에서 이의 금지가 결정되고, 1907년 제2차 헤이그(Hague) 평화 회의의 결과 이의 폐기에 관하여 국제간의 협약이 맺어졌음. 사략선(私掠船).
사-나흘 명 사날¹.
사:난¹ 【四難】 명 〖불교〗 인간의 네 가지 난사(難事). 곧, 제불(諸佛)에 비길 수 없는 일, 인신(人身)을 감수(感受)하여 이 세상에 태어나기 어려운 일, 좋은 일을 만나기 어려운 일, 대선(大善)의 공덕(功德)을 닦기 어려운 일의 네 가지 또는 치불난(值佛難)·설법난(說法難)·문법난(聞法難)·신수난(信受難)의 네 가지.
사:난² 【死難】 명 국가의 위난(危難)에 죽음. ——-하다 자여불
사날¹ 명 사흘이나 나흘. 삼사일. 사나흘.
사날² 명 ①거리낌 없이 제멋대로만 하는 태도. 또, 그러한 성미. ¶ ～좋게 남의 물건을 쓰다. ②뻔뻔스럽게 남의 일에 참견하는 일. ¶ 그 사람은 너무 ～이 좋아서 탈이다.
사날-없다 [一업一] 형 붙임성이 없고 무뚝뚝하다.
사남아 【沙餘音良·沙餘良】 〈이두〉 이었더라도.
사납-금 【社納金】 명 회사에 납부하는 돈.
사:납다 형ㅂ불 〔중세 : 사오납다〕 성질이나 생김새가 독하고 험악하다. ¶ 사나운 말/사나운 바다/성질이 ～/운수가 ～/인심이 ～.
【사나운 개 입 성할 날 없다;사나운 개 콧등 아물 틈이 없다】 난폭한 사람은 늘 싸움만 하여 상처가 미처 나을 사이가 없다는 말.
사낭 【砂囊】 명 ①모래를 넣는 주머니. 또, 모래를 넣은 주머니. 참호(塹壕)나 보루(堡壘)를 쌓는 데 씀. 모래주머니. 샌드 백(sand bag). ② 〖조〗 모래 주머니❷. ③빈모류(貧毛類)의 소화관의 일부. 근육(筋肉)과 각질(角質)이 발달하였으며, 내강(內腔)에 모래알이 들어있음. ④어떤 종류의 곤충의 전장(前腸)의 일부. 근벽(筋壁)과 각질(角質)의 이가 있음. ＊소낭(嗉囊).
사내¹ 명 ①↗사나이. ②〈속〉 남편. 정부(情夫). ↔계집. ③↗사내아이.
【사내가 바가지로 물을 마시면 수염이 안 난다】 부엌에 드나들면 남자로서 떳떳하지 못하다고 이르는 말. 【사내는 도둑질 빼고 다 배워라】 남자는 넓은 경험과 기술을 가져야 한다는 말. 【사내는 죽을 때 계집과 돈을 머리맡에 놓고 죽어라】 늙바탕에 가서 아내와 돈이 있어야 되겠다는 말. 【사내 등골 빼먹는다】 화류계 여성이 외입하는 남자의 재물을 훑어 먹음을 이름. 【사내 못난 건 북문(北門)에 가 호강 받는다】 조선 시대 후기에, 못난 사내라도 서울의 숙정문(肅靖門)에만 가면 많은 부녀자로부터 추파를 받고 환대를 받았다는 말. 【사내 못난 것은 대가리만 크고, 계집 못난 것은 젖통만 크다】 머리통이 큰 남자, 젖통이 큰 여자를 빈정대는 말. 【사내 상처 세 번 하면 대감 한 것만하다】 세 번이나 장가를 들게 되니 몹시 호강이라는 말.
사내² 【寺內】 명 절 안.
사내³ 【社內】 명 회사의 내부. 회사의 안. 사중(社中).
사내⁴ 【舍內】 명 기숙사(寄宿舍)나 숙사 따위 사(舍)의 안. ¶ ～ 순시(巡視).
사내 교:육 【社內教育】 명 그 회사의 사원을 위한 교육. 신입 사원 교육, 중견 사원 교육, 기타 직종(職種)에 따른 각종 훈련이 이에 포함됨. 기업내(企業內) 교육.
사내-금 【思內琴】 명 〖역〗 사내금무(思內琴舞).
사내금-무 【思內琴舞】 명 신라 애장왕(哀莊王) 때의 가무(歌舞). 붉은 옷을 입은 금척(琴尺) 한 사람, 푸른 옷을 입은 무척(舞尺) 네 사람, 채색(彩色) 옷을 입은 가척(歌尺) 다섯 사람으로 구성됨. 사내금(思內琴). ＊대금무.
사내기 명 〈방〉 노래기(전라).
사내기물-악 【思內奇物樂】 명 〖문〗 신라 시대의 가요. 가사는 전하지 않음. 원랑도(原郎徒)가 지었다고 함. 《삼국 사기》에 이름이 전함.
사내끼¹ 명 물고기를 잡을 때 물에 뜬 고기를 건져 뜨는 기구. 긴 자루 끝에 철사나 끈으로 망처럼 얽었음.

〈사내끼¹〉

사내끼² 명 〈방〉 새끼¹(전라·충청).
사내-놈 명 '사내'의 낮춤말.
사내-답다 형ㅂ불 ↗사나이답다. ¶ 사내다운 사내.
사내 대:장부 【一大丈夫】 명 대장부를 강조해서 이르는 말. 사내 장부.
사:-내리다 【赦一】 자 사령(赦令)을 내리다. 죄인을 석방하라는 명령을 내리다.
사내-무 【思內舞】 명 〖역〗 신라 시대의 가무(歌舞) 이름. 감(監) 3명, 금척(琴尺) 1명, 무척(舞尺) 2명, 가척(歌尺) 2명으로 이루어진 노래와 춤의 한 가지.
사내-바람 명 〈속〉 산후 발한(產後發寒).
사내-보 【社內報】 명 기업 구성원간의 의사 소통을 촉진, 종업원과 기업의 일체감을 높이고 모럴을 향상시키기 위하여 기업이 종업원들을 대상으로 하여 내는 문서. 잡지식·신문식이 있으며, 주간·순간(旬刊)·월간 따위로 구분됨.
사내-새끼 명 〈속〉 ①사나이. ②사내 아이.
사내 시험 【社內試驗】 명 승진·발탁 등을 위해 실시하는 회사내의 시험.
사내-아이 명 어린 남자 아이. 아남자(兒男子). 준사내. ↔계집아이.
사내-악 【思內樂】 명 〖악〗 사뇌악(詞腦樂).
사내 예:금 【社內預金】 명 일반 금융보다 높은 이자를 주고, 기업이 그 종업원으로부터 예금을 받는 제도.
사내 유보 【社內留保】 명 〖경〗 회사에 있어서 매기(每期)의 이익 처분의 결과, 사내에 유보·축적된 부분. 퇴직 급여 적립금(退職給與積立金)·감채(減債) 적립금·배당 평균 적립금 등이 이에 속함. 내부(內部) 유보.
사내 유보율 【社內留保率】 명 〖경〗 매기(每期)의 이익 처분의 대상이 되는 금액 중에서, 사내 유보액이 차지하는 비율. 산출은 세금 공제 전 이익금을 기준으로 하는 경우와, 세금 공제 후 이익금을 기준으로 하는 경우가 있음.
사내-자식 【一子息】 명 〈속〉 ①사나이. ②아들.
사내 장부 【一丈夫】 명 사내 대장부.
사내-종 명 사내 종. 남노(男奴). 노복(奴僕). ↔계집종.
사내-주 【社內株】 명 〔treasury stock〕 〖경〗 자기 주식.
사내 중:역 【社內重役】 명 매일 회사에 출근하여 사내 업무 전반을 담당하는 전반 관리자(全般管理者). 이사(理事)로서는 전무(專務) 또는 상무(常務) 이사라 불림. 상근 중역(常勤重役).
사내키 명 〈방〉 새끼¹(전라).
사냥 명 〔중세 : 산힝(山行)〕 산이나 들의 짐승·새 등을 총이나 활 또는 기타의 방법으로 잡는 일. 수렵(狩獵). 전렵(畋獵). ¶ 총～/매～. ——-하다 타여불
【사냥 가는 데 총을 안 가지고 가는 것 같다】 가장 긴요한 물건을 빠뜨리고 간다는 말.
사냥-감 [一깜] 명 사냥하여 잡고자 하는 짐승.
사냥-개 [一깨] 명 ①사냥할 때 쓰는 개. 엽견(獵犬). 수견(狩犬). ②〈속〉 염탐꾼.
【사냥개 언 똥 들어먹듯】 음식 같은 것을 남이 손댈 사이도 없이 먹어 치운다는 말.
사냥개-자리 [一깨一] 명 〔Canes Venatici〕 〖천〗 북두 칠성의 남쪽에 있는 별자리. 5월 하순(下旬)의 저녁에 천정(天頂)에 옴. M3 구상 성단(球狀星團)과 M51·M63·M94 등 은하가 있음. 엽견좌. 약자 : CVn.
사냥 그:림 명 〖고고학〗 예전에 수렵을 주로 하던 사람들이 제작한 그림. 유럽 구석기(舊石器) 시대의 동굴 벽화, 고구려 시대의 무용총(舞踊塚)의 벽화, 타실리(Tassili)의 암벽화(岩壁畫) 등.
사냥-꾼 명 사냥하는 사람. 또, 사냥을 업으로 하는 사람. 엽부(獵夫). 엽호(獵戶).
사냥-돌 [一똘] 명 팔맷돌.
사냥-새 [一쌔] 명 길들여 사냥에 쓰는 새. 매 같은 새.
사냥-질 명 사냥하는 일. ——-하다 자여불
사냥-철 명 수렵기.
사냥-총 【一銃】 명 사냥에 쓰는 총. 엽총(獵銃).
사냥-터 명 사냥을 하는 곳.
사네기 명 〈방〉 노래기(전북).
사:녀 【士女】 명 ①선비의 아내. ②선비와 부인. ③남자와 여자. ④신사와 숙녀.
사녀-도 【仕女圖】 명 〖미술〗 왕비와 궁녀·귀부인 등속을 한 사람 또는 여러 사람을 그린 그림.
사:년 【巳年】 명 〖민〗 태세(太歲)의 지지(地支)가 사(巳)로 된 해. 을사(乙巳)·정사(丁巳)·기사(己巳) 같은 해. 뱀해.
사념¹ 【邪念】 명 사특(邪慝)한 생각. 사사(邪思).
사념² 【思念】 명 사려(思慮). ——-하다 타여불
사념 전달 【思念傳達】 명 〖심〗 정신 감응(精神感應).
사:념-처 【四念處】 명 〖불교〗 삼십 칠 도품(三十七道品)의 최초의 수행법(修行法). 신(身)·수(受)·심(心)·법(法)의 넷에 대하여 깊이 생각함으로써 깨닫게 되는 것으로, 몸을 부정(不淨)한 것으로 아는 신념처(身念處), 감수(感受)하는 모든 것이 고(苦)인 것을 아는 수념처(受念處), 마음은 무상(無常)한 것임을 아는 심념처(心念處), 법(法)은 무아(無我)인 것을 아는 법념처(法念處)의 총칭.
사녕 【邪佞】 명 간사하고 남에게 아첨하는 일.
사노¹ 【寺奴】 명 고려·조선 시대에 사찰(寺刹)에 딸린 종.
사노² 【私奴】 명 〖역〗 ↗사노비(私奴婢). ↔관노(官奴).
사-노비 【私奴婢】 명 〖역〗 권문 세가(權門勢家)에서 부리는 노비(奴婢). 개인에 딸림. 준사노(私奴). ↔관노비(官奴婢).
사농 【司農】 명 〖역〗 한(漢)나라의 구경(九卿)의 하나. 농사를 맡은 벼슬.
사:-농-공-상 【士農工商】 명 선비·농부·공장(工匠)·상인 등 모든 계급의 백성. 봉건 시대의 계급 관념을 순서대로 일컫는 말.

사농-시【司農寺】 명 〖역〗 ①고려 때 제사(祭祀)에 쓰는 미곡(米穀)과 적전(籍田)의 일을 맡아 보던 관아. 충선왕(忠宣王)이 전농사(典農司)·저적창(儲積倉)으로 고쳤다가 공민왕(恭愍王) 5년(1356)에 본이름으로 하고, 동 11년에 전농시(典農寺), 동 18년에 다시 본이름으로, 동 21년에 또 전농시로 여러 번 이름을 고치었음. ②조선 시대에, 제향(祭享)에 쓸 여러 가지 물자(物資)와 적전(籍田)에 관한 일을 맡아 보던 관아. 태조(太祖) 원년에 베풀어 태종(太宗) 원년(1401)에 전농시(典農寺)로 고치었다가 뒤에 봉상시(奉常寺)라 일컬음.

사:-놓다【赦一】[一노타] 자 죄인을 용서하여 주다.

사뇌-가【詞腦歌】 명 〖악〗 ①'향가(鄕歌)'의 별칭. ②신라 가요(歌謠)의 하나. 내해왕(奈解王) 때 부르던 노래의 이름. 현재 이 이름으로 남아 전하는 유품은 없음. 「악(思內樂). 시뇌악(詩腦樂).

사뇌-악【詞腦樂】 명 〖악〗 신라 내해왕(奈解王) 때의 풍류의 이름. 사내

사뇌-조【詞腦調】[一쪼] 명 〖악〗 사뇌가(詞腦歌)의 가락.

사느라- 어 '사느랗다'의 불규칙 어간. ¶ ~니/~ㄴ.

사느랗다 [一라타] 형ㅎ불 ①물체의 온도나 기온이 찬 정도에 가깝다. ②뜻밖에 놀라서 마음속에 찬 기운이 도는 듯하다. 1)·2):ㅆ싸느랗다. <서느렇다.

사늘-하다 형여불 ①산산하고 좀 찬 기운이 있다. ¶ 불을 때지 않아 방이 ~. ②사람의 성격이나 태도 또는 시체 같은 것이 차가운 감을 주다. ¶ 사늘한 표정으로 사람을 대한다/사늘한 시체. ③뜻밖에 놀랐을 때 마음 속에 차가운 기운이 일어나는 듯한 느낌이 있다. ¶ 등골이 ~. ㄴ1)·3):ㅆ싸늘하다. <서늘하다.

사능 명 〈방〉 누치.

사니[1] 명 〔←산(山)이〕 〖민〗 ①산방(山房)의 우두머리인 산주(山主)의 딴 이름. ②광대(廣大)·재인(才人)의 총칭. 대개, 무당과 결혼함. ③무당의 가족인 남자. 굿할 때 잡이 노릇을 함.

사니[2]【沙泥·砂泥】 명 ①모래가 많이 있는 수렁. ②모래와 진흙.

사니기 명 〈방〉 노래기(경상·전북).

사니니즘 〔saninism〕 명 〖문〗 성욕의 해방을 주장하는 일종의 육욕(肉慾) 찬미주의. 러시아의 10월 혁명 전야(前夜)에 즈음하여, 정치적 탄압으로 인해 그 관심이 성(性)과 죽음의 문제에 쏠린 당시의 문단의 대표적 걸작 ≪사닌≫에서 유래된 것임.

사니다 자 〈옛〉 살아가다. ¶ 갓가수로 사니노니 비록 사르미 무레 사니고도 중싱마도 몯호이다≪釋譜 Ⅵ:5≫.

사니이 명 〈방〉 노래기(경남).

사니-질【沙泥質】 명 모래와 진흙이 섞여 있는 토질.

사니질-토【沙泥質土】 명 사니질의 흙.

사닉【舍匿】 명 숨겨 둠. ——하다 타여불

사닌 〔Sanin〕 명 〖문〗 러시아의 작가 아르치바셰프(Artzybasheff)의 소설. 1903년 작. 허무주의자 사닌을 둘러싼 연애를 그린 것으로, 그의 대담한 관능(官能) 묘사는 당시 사니니즘(saninism)이란 유행어를 만들게까지 하였음.

사놀ᄒᆞ다 형 〈옛〉 싸늘하다. ¶ ᄀᆞᄋᆞᆳ 뫼헤 누니 사놀케 ᄇᆞ라도 넉시 도라오디 아니ᄒᆞ니(秋山眼冷魂不歸)≪初杜諺 Ⅸ:5≫.

사다 명 〔중세 : 사다〕 ①남의 것을 값을 주고 제 것으로 만들다. ¶ 책을 ~. ②곡식을 팔아서 돈으로 바꾸어 가지다. ¶ 쌀을 ~. ③제 탓으로 욕이나 병 같은 것을 얻다. ¶ 고생을 사서 하다/웃음을 ~. ④삯을 주고 사람을 부리다. ¶ 품을 ~/일꾼을 ~. ⑤상대방이 자기에게 어떤 감정을 가지거나 나타내게 하다. ¶ 호감을 ~/미움을 ~. ⑥〔'일 가(買)'의 역어〕 가치를 인정하다. 존중하여 평가하다. ¶ 노력을 높이 ~. 1)·2) : ↔팔다. 「의 취음(取音).

사다가【闍多伽】 명 〔범 Jataka〕 〖불교〗 '본생경(本生經)'의 범어 이름

사-다듬이 명 ☞싸다듬이.

사:-다라니【四陀羅尼】 명 〖불교〗 불공(佛供)이나 시식(施食)할 때에 외는 네 가지 진언(眞言).

사:다라니 바라【四陀羅尼哱囉】 명 〖불교〗 바라춤의 하나.

사다리 명 ↗사닥다리.

사다리-고사리 명 〖식〗 [*Lastrea glanduligera*] 고사릿과에 속하는 다년생의 양치류(羊齒類). 근경(根莖)은 치칙한 갈색의 인모(鱗毛)로 덮이고 잎은 봄과 여름 사이에 근경에서 고사리와 비슷하게 성기게 나서 높이 60 cm 가량에 이르며, 뒷면에 갈색 자낭군(子囊群)이 군데군데 있음. 산에 나는데, 한국·일본·중국·대만·인도 북부 등지에 분포함.

〈사다리고사리〉

사다리-꼴 명 〔trapezoid〕 〖수〗 네 변에서 한 쌍의 대변(對邊)이 평행한 사변형. 제형(梯形).

〈사다리꼴〉

사다리꼴 공식【一公式】 명 〖수〗 정적분(定積分)의 근사(近似)값을 구하는 공식의 하나. 구간(區間)$[a,\ b]$를 n등분하여 그 소구간의 길이를 h, 각 분점(分點)에서의 함수(函數)값을 $y_0,\ y_1, \cdots y_n$ 이라 하면, 그 함수의 a에서 b까지의 정적분은 값 $\{(y_0+y_n)/2+y_1+y_2+\cdots y_{n-1}\}h$에 근사하다는 것임.

사다리꼴 나사【一螺絲】[一라一] 명 나삿니의 단면이 사다리꼴로 되어 있는 나사. 선반 작업에서 나사를 깎을 때 바이트를 자동적으로 움직이게 하는 어미 나사 등에 쓰임.

사다리-뽑기 명 흰 종이에 인원수만큼의 평행선과 각 평행선 사이를 잇는 직선을 여럿 그어 놓고, 각자가 짚은 평행선과 직선의 교점(交點)을 따라 더듬어 가서, 평행선 끝에 적힌 대로의 액수의 돈을 각자 부담하는 여흥 제비 뽑기.

사다리 신경계【一神經系】 명 〔ladder-like nervous system〕 환형동물(環形動物)·절지(節肢) 동물에서 볼 수 있는 중추 신경계의 한 형(型). 식도(食道)의 뒤쪽에 있는 두 개의 신경절(神經節)로 된 뇌(腦)와, 소화관(消化管)의 배 쪽에 있는 체절(體節)의 마디에 있는 한 쌍의 복신경계(腹神經系)로 되어 있음. 각 신경절(節)은 종횡(縱橫)의 연락으로 복수(腹髓)를 만들고 있음. 제형 신경계. ＊집중(集中) 신경계.

사다리-차【一車】 명 지상(地上) 높이 15-30 m, 3-5연(連)의 신축 자재(伸縮自在)한 사다리를 가장(架裝)한 펌프차. 고층 건물 화재 때 인명 구조 작업, 소방 대원의 고소 진입(高所進入), 사다리 위에서의 살수(撒水) 등에 사용됨. 고가(高架) 사다리차와 굴신(屈伸) 사다리차의 두 종류가 있음. 굴신 사다리차는 끝에 바스켓이 달려 있는 굴신 자재(屈伸自在)한 두 단(段)의 탑(塔)을 가장(架裝)한 점이 다름.

사다-새 명 〖조〗 ①사다샛과에 속하는 새의 총칭. ②[*Pelecanus crispus*] 사다샛과에 속하는 큰 물새의 하나. 날개 길이 65-80 cm, 꽁지 18-23 cm, 부리 36-45 cm이고, 몸빛은 백색에 날개는 흑갈색, 턱주머니는 황색임. 부리가 특히 길고 앞 끝이 구부러졌음. 아래 주둥이에는 큰 턱주머니가 있어서 물고기를 잡아 넣어 두면 새끼가 입으로 꺼내어 먹음. 연못·냇가에 서식하는데, 유럽 남동부·중국 북부·몽고·만주 등지에서 번식하고, 중국 남부·인도·이집트 등지에서 월동함. 가람조(伽藍鳥). 도아(淘鵝). 도하(淘河). 오택(烏澤). 제호(鵜鶘). 이호(犁鶘). 펠리컨(pelican).

〈사다새〉

사다샛-과【一科】 명 〖조〗 [Pelecanidae] 도요목(目)에 속하는 한 과. 대형의 조류(鳥類)로서 부리는 길고 편평하며 웃부리는 선단에서 날카로운 취조(嘴爪)를 이루고 아랫 부리에는 턱에 주머니 모양의 '시낭(腮囊)'이 있음. 번식기에는 섬이나 해안에 모여 둥지를 짓고 2-4개의 알을 낳음. 신구(新舊) 대륙의 열대 및 온대 지방에 12종이 분포함.

사다트 〔Sadat, Anwar el-〕 명 〖사람〗 이집트의 정치가. 2차 세계 대전 중 영국 포로가 되었으나 탈주하여 지하 운동에 참가, 1956년 이집트 혁명에 나세르 대통령의 한 팔로 활약, 1962년 국회 의장 역임, 1970년 나세르의 사망으로 대통령 권한 대행이 되고, 1976년 재선(再選)되었으나, 1981년 자국(自國)의 회교 과격파에게 피격 사망함. 1978년에는 베긴 이스라엘 수상과 함께 중동 평화 노력으로 노벨 평화상을 수상하였음. [1918-81]

사다함【斯多含】 명 〖사람〗 신라의 화랑. 진흥왕(眞興王)이 가야국을 정벌할 때 십오륙 세의 화랑으로 출전하여 대승하였음. 왕은 그 공으로 가야 인구(人口)를 주었으나 받지 않고, 같은 화랑 무관(武官)이 죽은 것을 보고 일찌기 사우(死友)로 맹세한 까닭에 17세에 자살하였음.

사다함-과【斯陀含果】 명 〖불교〗 일래과(一來果).

사닥-다리 명 높은 곳에 디디고 올라갈 수 있게 만든 제구. 굵고 긴 장나무 두 개를 세로로 하여 그 사이에 가로장을 드문드문 층층이로 질러 대었음. 제계(梯階). 준사다리.

사닥다리 분하【一分下】 명 여러 사람에게 물건을 나누어 줄 때 각각 그 분수에 따라 층등이 지게 주는 일. ——하다 타여불

사:단[1]【四端】 명 〔단(端)은 실마리의 뜻〕 사람의 본성에서 우러나는 네 가지 마음씨. 곧, 인(仁)에서 우러나는 측은지심(惻隱之心), 의(義)에서 우러나는 수오지심(羞惡之心), 예(禮)에서 우러나는 사양지심(辭讓之心), 지(智)에서 우러나는 시비지심(是非之心)의 네 가지. 자유지정(自有之情).

사단[2]【寺檀】 명 절과 시주하는 신도.

사:단[3]【事端】 명 일의 실마리. 사건의 단서(端緖). ¶ 그런 와중에 뜻밖에 ~이 터지고 있었다≪金周榮 : 客主≫.

사단[4]【社團】 명 〖법〗 ①두 사람 이상이 공동 목적으로 설립한 단체로, 그 단체 자신이 사회상 하나의 단일체(單一體)로서의 존재를 가지는 결합체. 법에 의해서 독립의 권리·의무의 주체, 곧 법인의 자격을 부여받을 수 있음. 법인이 아닌 것을 '권리·의무 없는 사단'이라 이름. ↔재단(財團). ②↗사단 법인.

사단[5]【社壇】 명 ↗사직단(社稷壇).

사단[6]【師團】 명 〖군〗 육군과 해병대의 편성 단위의 하나. 사령부를 가지며, 독립적으로 작전을 수행할 수 있는 행정 및 전술적 병단임. 육군에서는 군단의 아래, 연대의 위로, 보통 세 개의 연대와 하나의 포병단 및 여러 개의 직할 부대로 편성되며, 해병대에서는 최고 상비(常備) 병단임.

사-단[7]【紗緞】 명 사(紗)와 비단.

사-단[8]【師檀】 명 〖불교〗 사승(師僧)과 단도(檀徒).

사단[9]【詞壇】 명 문단(文壇).

사단 법인【社團法人】 명 〖법〗 법에 의하여 권리 능력의 주체, 곧 법인으로 인정을 받은 사단. 공익(公益) 법인과 영리(營利) 법인의 두 가지가 있음. 준사단(社團). ↔재단 법인.

사단 본부【師團本部】 명 〖군〗 사단 사령부.

사단 사령부【師團司令部】 명 〖군〗 사단을 지휘 통솔하는 기관. 사단본부.

사:-단음【四短音】 명 〖악〗 가야(伽倻)고의 열 한째 줄의 이름. 오단음(五短音).

사:단자-망【四端子網】 명 〖물〗 사단자 회로.

사:단자 회로【四端子回路】 명 〖물〗 입력(入力) 단자와 출력(出力) 단자 한 쌍씩을 갖는 전기 회로망. 사단자망(四端子網).

사단-장【師團長】 명 〖군〗 사단의 장. 사단 사령부의 업무를 통할하고, 관할 각 부대를 지휘 감독하는 직위. 또, 그 사람. 장관(將官)으로써 보함.

사단 주속【紗緞紬屬】 명 사라 능단(紗羅綾緞).

사-단층【斜斷層】 명 〖지〗 지층(地層)의 주향(走向)이나 암맥(岩脈)·광맥의 주향에 사교(斜交)된 주향을 가지는 단층. 사주 단층(斜走斷層).

사:단 칠정론【四端七情論】[一쩡논] 명 〖철〗 사칠론(四七論).

사달[1] 명 사고나 탈. ¶ ~이 나다/~이 생기다.

사:달²【四達】명 길이 사방으로 통함. 사통(四通). ——-하다 자여불

사:달-산【士達山】[—싼] 명 〖지〗 강원도 명주군(溟州郡)에 있는 산. [1,230 m]

사:달 오:통【四達五通】명 사통 오달(四通五達). ——-하다 자여불

사달-이이의【辭達而已矣】[—이] 명 언어나 문장의 목적은, 자기의 의사를 충분히 나타내면 그만이라는 말.

사:담¹【史談】명 역사상의 이야기. 사실(史實)에 관한 이야기.

사담²【私談】명 사사로이 하는 이야기. ¶ ~을 엿듣다. ↔공담(公談). ——-하다 자여불

사담³【卸擔】명 ①진 짐을 내림. ②책임을 벗음. 부담을 벗음. ——-하다 타여불

사담⁴【蛇膽】명 뱀의 쓸개.

사답¹【寺畓】명 절 소유의 논.

사답²【私畓】명 개인 소유의 논. ↔공답(公畓).

사당¹ 명 〈옛〉 사탕. ¶ 사당(砂糖)《老乞 下 35》.

사:당² 명 〖민〗 패를 지어 다니면서 노래와 춤을 파는 창녀(娼女). 여사당패. 사당패. ＊남(男)사당. 주의 '寺黨·社堂'으로 쓰은 취음(取音).

사:당³【四唐】명 당대(唐代)를 네 시기로 나눈 것. 곧, 건국 이래 현종(玄宗)의 개원(開元)에 이르기까지 100여 년간의 초당과, 개원 이후 대종(代宗)의 대력(大曆) 초년에 이르는 50여 년간의 성당(盛唐)과, 대력에서 문종(文宗)의 태화(太和)에 이르는 70여 년간의 중당과, 태화 이후 당말에 이르는 80여 년간의 만당(晩唐).

사당⁴【私黨】명 사사(私事)를 위하여 모인 도당(徒黨). ↔공당(公黨).

사당⁵【邪黨】명 간악(奸惡)한 무리.

사당⁶【祠堂】명 신주(神主)를 모셔 놓은 집. 가묘(家廟). 사우(祠宇). [사당 당직은 타도 빈대 당직 타서 시원하다] '초가 삼간 다 타도 빈대 죽는 것만 시원하다'와 같은 뜻.

사당가〔인 sadanga〕명 〖미술〗 고대 인도 회화에 있어서의 여섯 가지 화법(畫法). 곧, 형태의 지식, 정확한 관찰, 형태에 대한 감각, 미적 표현, 사실(寫實), 운필(運筆) 및 채색법이 그것임. 중국의 화론인 '육법(六法)'의 기원이라고 알려짐.

사당-놀래기 명 〖어〗 [*Bodianus bilunulatus*] 양놀래깃과에 속하는 바닷물고기. 몸길이 약 40 cm, 몸빛은 황색 바탕에 몸과 머리에는 각 비늘줄에 따라 다수의 적색 또는 갈색 세로줄이 있고, 등지느러미 연조부(緣條部) 아래쪽에서 꼬리지느러미에 걸쳐 아주 큰 반점이 하나 있음. 한국 남부·일본·하와이·동인도 제도 등의 연해에 분포함.

사당-다리 명 〈방〉 사닥다리(평안).

사당-도【祠堂圖】명 〖민〗 감모 여재도(感慕如在圖).

사:당-류【四糖類】[—뉴] 명 〔tetrasaccharide〕〖화〗 가수 분해하면 네 분자의 단당류(單糖類)를 생기게 하는 당류. 스타키오스(stachyose) 따위가 있음. ＊다(多)당류.

사:당-무【—舞】명 사당춤.

사당-방【祠堂房】명 신주(神主)를 모신 방. 사우방(祠宇房).

사당 양:자【祠堂養子】[—냥—] 명 신주 양자(神主養子).

사당-지기【祠堂—】명 사당을 지키는 사람.

사:당-춤 명 중들의 파계 장면을 보여 주는 봉산 탈춤의 한 장면. 사당무.

사당 치레【祠堂—】명 ①사당을 보기 좋게 꾸밈. ②겉모양만 번드르르하게 꾸밈. 외면 치레. ——-하다 자여불 [사당 치레하다가 신주 개 물려 보낸다] 겉만 지나치게 치레하다가 그만 중요한 실질을 잃어 버린다는 뜻. ¶ 사당 치레하다가 신주 개 물려 보낸다 하는 말 없나《李人稙: 貧鮮郞의 日美人》.

사:당-패【—牌】명 〖민〗 사당의 무리.

사대¹ 명 투전이나 골패에서 같은 짝을 모으는 일.

사:대²【四大】명 ①〖불교〗 일체의 물체를 구성하는 지(地)·수(水)·화(火)·풍(風)의 네 요소. 사대종(四大種). ②〖불교〗 사람의 몸. 지(地)·수(水)·화(火)·풍(風)의 네 가지로 성립(成立)되었다 하여 이름. ¶ ~ 삭신 육천 마디. ＊공대(空大)·오대(五大). ③도가(道家)에서 말하는 도(道)·천(天)·지(地)·왕(王)의 총칭.

사대³【私大】명 ↗사립 대학(私立大學).

사대⁴【私貸】명 공금(公金) 또는 남의 돈을 사사로이 빌림. ——-하다 자타여불

사:대⁵【事大】명 ①약자(弱者)가 강자(強者)를 붙좇아 섬김. ②소국(小國)이 대국(大國)을 떠받들어 섬김. ——-하다 자여불

사대⁶【查對】명 〖역〗 옛날에 중국에 보내는 표(表)와 자문(咨文)을 살피어 틀림이 없는가를 확인하던 일. ——-하다 타여불

사대⁷【師大】명 ↗사범 대학(師範大學).

사대⁸【射臺】명 양궁에서 활을 쏘는 발사 위치의 대.

사:-대가【四大家】명 ①조선 시대 선조 때 이름 난 네 사람의 한문 학자. 곧, 이정구(李廷龜)·신흠(申欽)·장유(張維)·이식(李植). ②중국 원말(元末)의 사대 화가(畫家). 곧, 황공망(黃公望)·예찬(倪瓚)·오진(吳鎭)·왕몽(王蒙). ③중국 명대(明代)의 시(詩)·서(書)·화(畫)에 걸친 네 사람의 대가. 곧, 심주(沈周)·당백호(唐伯虎)·문징명(文徵明)·동기창(董其昌).

사:대강 유역 종합 개발 위원회【四大江流域綜合開發委員會】[—뉴—] 명 〖법〗 전에 경제 기획원 장관의 자문 기관의 하나. 한강·낙동강·금강·영산강 유역의 수자원 및 토지 자원(土地資源)의 이용·보전과 종합 개발에 관한 사항을 심의함. 부총리를 위원장으로, 내무부 장관·농수산부 장관·동력 자원부 장관·건설부 장관·과학 기술처 장관·서울특별시장·부산 직할시장·관계 도지사·산업 기지 개발 공사 사장·농촌 진흥 공사 사장 등을 위원으로 하였음.

사:대 경:절【四大慶節】명 〖대종교〗 개천절(開天節), 어천절(御天節), 중광절(重光節), 가경절(嘉慶節)의 네 기념일.

사:대 계:명【四大誡命】명 〖천도교〗 '사계명(四誡命)'을 중요롭게 일컫는 말.

사:대 교린【事大交隣】명 큰 나라를 받들어 섬기고 이웃 나라와 화평하게 사귐.

사:대 교린주의【事大交隣主義】[—/—이] 명 ①큰 나라를 받들어 섬기고 이웃 나라와 화평하게 사귀는 외교상의 한 주의. ②〖역〗 조선 초기의 외교 정책상의 주의. 곧, 사대는 명(明)나라에 대한 외교책이며, 교린은 일본에 대한 외교책이었음.

사:대 국경일【四大國慶日】명 우리 나라의 네 경절(慶節). 곧, 삼일절(三一節)·제헌절(制憲節)·광복절(光復節)·개천절(開天節).

사:대 기념일【四大記念日】명 〖불교〗 불가(佛家)의 네 가지 큰 기념일. 곧, 음력 사월 초파일의 석가모니불(釋迦牟尼佛) 탄생 기념일, 이월 팔일의 출가(出家) 기념일, 이월 십오일의 열반(涅槃) 기념일, 십이월 팔일의 성도(成道) 기념일의 총칭.

사:대 기서【四大奇書】명 가장 뛰어난 네 개의 서책. ①수호지(水滸誌)·삼국지 연의(三國志演義)·서상기(西廂記)·비파기(琵琶記). 모두 원(元)나라 때 나왔으므로 원대(元代)의 사대 기서라 함. ②수호지·삼국지 연의·서유기(西遊記)·금병매(金甁梅)의 네 중국 소설(小說).

사:대-당【事大黨】명 ①사대주의를 받들고 좇는 무리. ②〖역〗 조선 시대 말기의 보수적인 당파(黨派)의 하나. 임오 군란(壬午軍亂)을 계기로 하여 민비(閔妃) 일파를 중심으로 조직되어 대국인 청(淸)나라의 힘을 빌려 정권(政權)의 유지를 꾀하던 사대주의파. 일본을 배경(背景)으로 하여 자주 독립(自主獨立)을 표방하는 독립당(獨立黨)과 대립하여 이를 억누르고 있다가, 1894년에 일어난 청일 전쟁에 청나라가 패하자 자연히 사대당도 무너지고 말았음. 사대 수구당(事大守舊黨). 수구당. ↔개화당(開化黨). ＊독립당.

사:대도-제【四大道祭】명 〖역〗 신라 시대에 신라 왕도(王都)로 통하는 동서남북 네 도로의 신들에게 지내던 나라의 제사. 사방에서 왕도로 침입해 오는 악령(惡靈)을 막기 위한 것이라 생각됨.

사:대 망:상광【事大妄想狂】명 제 분에 넘친 과대한 일을 터없이 말하고 또한 꾀하는 사람.

사:대 명필【四大名筆】명 〖역〗 조선 시대 중기(中期)를 대표하는 네 사람의 명필. 곧, 안평 대군(安平大君)·김구(金絿)·양사언(楊士彥)·한호(韓濩)를 일컬음.

사:-대문【四大門】명 〖역〗 옛적 서울에 있던 네 대문. 곧, 동쪽의 흥인지문(興仁之門), 서쪽의 돈의문(敦義門), 남쪽의 숭례문(崇禮門), 북쪽의 숙정문(肅靖門). 준사문(四門). ＊사소문(四小門).

사:대 복음서【四大福音書】명 사복음(四福音).

사:대 봉:사【四代奉祀】명 〖민〗 고조(高祖)·증조(曾祖)·조부(祖父)·아버지의 네 대(代)의 신주(神主)를 집안의 사당(祀堂)에 모시는 일. 기제사(忌祭祀)를 집에서 지냄.

사:-대부【士大夫】명 ①사(士)와 대부(大夫). 문무(文武) 양반의 일반적인 총칭. ②벼슬이나 문벌(門閥)이 높은 사람. 준사부(士夫). ＊하대부.

사:대부-가【士大夫家】명 사대부의 집안.

사:대 부조【四大不調】명 〖불교〗 만물의 구성 요소인 사대(四大)가 조화를 이루지 못하여, 모든 중생에게 병고를 가져오는 일.

사:대-사【事大司】명 〖역〗 조선 고종 17년(1880), 새로운 행정 기구로 설치한 통리 기무 아문(統理機務衙門)에 속한 12사(司) 중의 하나로 대청(對淸) 외교를 관장하던 관아. 정 2품 당상(堂上)과 낭청(郎廳)을 둠. 고종 19년(1882) 대일(對日) 외교를 관장하던 교린사(交隣司)와 합하여 동문사(同文司)로 통합됨.

사:대 사:상【事大思想】명 일정한 주견(主見)이 없이 세력이 강한 나라 또는 사람을 붙좇아 섬기면서 의지하려는 사상.

사:대사 총:섭【四大寺摠攝】명 〖역〗 조선 시대 인조(仁祖) 때 실록(實錄)을 비장(備藏)하던 4사(寺)의 실록 수호 총섭(實錄守護摠攝). 봉화(奉化)의 각화사(覺華寺), 무주(茂朱)의 적상산성(赤裳山城)의 절, 평창(平昌)의 월정사(月精寺), 강화(江華)의 전등사(傳燈寺). 총섭(摠攝)의 임명은 예조에서 하였음.

사:대 사:화【四大士禍】명 〖역〗 조선 시대 전기인 연산군 4년(1498)부터 명종(明宗) 원년(1545) 사이에 일어난 네 차례의 사화. 곧, 무오(戊午) 사화, 갑자(甲子) 사화, 기묘(己卯) 사화, 을사(乙巳) 사화를 이름.

사:대 삭신【四大—】명 온몸의 살과 뼈마디. ＊사대 육신(四大六身). ¶ ~ 육천 마디.

사:대 색신【四大色身】명 ☞사대 삭신.

사:대 서한【四大書翰】명 〖기독교〗 바울이 편지체로 직접 썼다고 하는 성서 중의 로마서·고린도 전서·고린도 후서·갈라디아서의 총칭.

사대-석【莎臺石】명 〖민〗 병풍석 대신으로 쓰는 돌.

사:대-성【事大性】[—썽] 명 ①사대(事大)로 흐르는 성향(性向). ②사대주의적인 국민성(國民性).

사:대 성:인【四大聖人】명 고금 동서(古今東西)에 으뜸가는 네 성인(聖人). 보통 예수·소크라테스·석가모니·공자를 드나, 소크라테스 대신에 마호메트를 넣는 수도 있음. 사성(四聖).

사:대 수구당【事大守舊黨】명 〖역〗 사대당(事大黨).

사:대 시가【四大詩家】명 조선 시대 정조(正祖) 때의 네 시인. 곧, 이서구(李書九)·박제가(朴齊家)·유득공(柳得恭)·이덕무(李德懋).

사:-대신【四大臣】명 〖역〗 ↗노론 사대신(老論四大臣).

사:대 육신【四大六身】명 사대(四大)로 이루어진 사람의 온 몸. 곧, 팔·다리·머리·몸뚱이의 총칭. ＊사대 삭신.

사:대 자유【四大自由】명 네 개의 자유.

사:-대장【四臺長】명 〖역〗 사헌부(司憲府)의 두 장령(掌令)과 두 지평(持平).

사-대접【沙—】명 ↗사기 대접.

사:대 제:자【四大弟子】명 〖불교〗 석가모니의 으뜸가는 네 제자. 곧,

수보리(須菩提)·가전연(迦旃延)·가섭(迦葉)·목건련(目犍連).

사:대-종【四大種】명〔불교〕지(地)·수(水)·화(火)·풍(風)의 네 원소. 사대(四大).

사:대-주【四大洲】명〔불교〕사주(四洲).

사:대-주의【事大主義】[—/—이] 명 일정한 주의(主義)가 없이 세력이 강한 나라나 사람을 붙좇아서 자기의 존립(存立)을 유지하려는 주의.

사:대주의-자【事大主義者】[—/—이—] 명 사대주의의 사고 방식을 가지고 있는 사람.

사:대 천왕【四大天王】명〔불교〕사천왕(四天王).

사:대 축일【四大祝日】명〔기독교〕예수 성탄 대축일, 예수 부활 대축일, 성신 강림 대축일, 성모 승천 대축일의 네 대축일. 구용어: 사대 첨례(四大瞻禮).

사:-대해【四大海】명〔불교〕수미산(須彌山)의 사방에 있다고 하는 바다. 사해(四海).

사댁【査宅】명 사돈댁(査頓宅)❶.

사:-더블유-디:【4 WD】명 [four wheel drive] 사륜 구동(四輪驅動).

사:덕[1]【四德】명 ①천지 자연의 네 가지 덕. 곧, 원(元)·형(亨)·이(利)·정(貞). ②여자로서의 마음씨·말씨·맵씨·솜씨의 네 가지 덕. 사행(四行). ③인륜(人倫)의 네 가지 덕. 곧, 효(孝)·제(弟)·충(忠)·신(信). ④〔불교〕열반(涅槃)의 네 가지 덕. 곧, 상(常)·낙(樂)·아(我)·정(淨). ⑤서양에서, 예지(叡智)·용기(勇氣)·절제(節制)·정의(正義)의 네 가지 덕.

사덕[2]【私德】명 행위의 결과가 개인 또는 자기 한 몸에만 관계되는 덕. ↔공덕(公德).

사덕-봉【寺德峰】명〔지〕평안 북도 후창군(厚昌郡) 남신면(南新面)에 있는 산. [1,142 m]

사덕-산【寺德山】명〔지〕①평안 북도 강계군(江界郡)과 후창군(厚昌郡) 사이에 있는 산. 강남 산맥(江南山脈)에 속함. [1,365 m] ②평안 북도 초산군(楚山郡) 도원면(桃源面)에 있는 산. [1,291 m]

사데-풀 명〔식〕[*Sonchus arvensis*] 꽃상추과에 속하는 다년초. 줄기 높이 60-90cm이고, 잎은 호생하며 넓은 피침형이고 가에 톱니가 있음. 가을철에 노란 두화(頭花)가 방상(房狀) 화서로 피고, 수과(瘦果)는 흰 관모(冠毛)가 있음. 어린 잎은 식용함. 해변에 나는데, 한국 각지 및 동부 아시아에 분포함.

〈사데풀〉

사:도[1]【士道】명 선비로서 마땅히 지켜야 할 도의(道義).

사:도[2]【四倒】명〔불교〕사전도(四顚倒).

사도[3]【司徒】명 ①〔역〕고려 때 삼공(三公)의 하나. 정일품. ②〔역〕호조 판서의 딴이름. ③〔역〕중국의 관직명. 순(舜) 임금 때에는 주로 교육만을 맡았으나, 주(周)나라 때에는 호구(戶口)·전토(田土)·재화(財貨)·교육을 맡아보았음. 전한(前漢) 때에 대사도(大司徒)로 이름을 고치어, 대사마(大司馬)·대사공(大司空)과 함께 삼공(三公)이라 칭하였음.

사도[4]【仕途】명 벼슬길.

사:도[5]【四都】명〔지〕옛날 유수(留守)를 두었던 네 곳의 도읍(都邑). 곧, 개성(開城)·광주(廣州)·수원(水原)·강화(江華)의 네 곳.

사:도[6]【四道】명 ①네 개의 길. 네 가지 방면. ②〔불교〕열반(涅槃)에 이르는 네 길. 곧, 가행도(加行道)·무간도(無間道)·해탈도(解脫道)·승진도(勝進道).

사-도[7]【沙島】명〔지〕전라 남도의 남해안(南海岸), 여천군(麗川郡) 화정면(華井面) 사도리(沙島里)에 위치한 섬. [0.0958 km^2: 147 명 (1984)]

사도[8]【私屠】명 관의 허가 없이 소나 돼지를 잡음. ——하다 타여불

사도[9]【私道】명 ①공명하지 못한 길. 사사로운 길. ②〔법〕사인(私人)이 일반 교통에 쓸 수 있도록 낸 도로. 사설의 도로. 1)·2): ↔공도.

사도[10]【邪道】명 ①사로(邪路). ↔정도(正道). ②사교(邪敎).

사:도[11]【使徒】명 ①[Apostles]〔성〕예수가 복음을 널리 전하기 위해 특별히 뽑은 열 두 제자. 곧, 베드로·안드레·야곱·요한·빌립·바돌노매·도마·마태·알패오의 아들 야곱·다대오·가나안의 시몬·유다 등임. 유다는 후에 배반하여 마띠아가 대신 뽑힘. 십이 사도(十二使徒). 열 두 제자. 종도(宗徒). ②신성한 사업을 위하여 헌신적으로 힘쓰는 사람. ¶ 평화의 ~.

사:도[12]【使道】명〔역〕→사또.

사도[13]【師徒】명 스승과 제자.

사도[14]【師道】명 남의 스승된 사람으로서의 도리.

사도[15]【斜道】명 경사가 심한 곳에서 운반을 할 때, 화물이나 또는 화물을 실은 썰매·차량 등을 철삭(鐵索)으로 매어서 끌어 올리거나 혹은 제동(制動)하면서 강하시키는 장치.

사-도[16]【蛇島】명〔지〕경기도 서해상(西海上), 옹진군(甕津郡) 북도면(北島面) 장봉리(長峰里)에 위치한 섬. 인천에서 32km 지점에 있음. [0.0870 km^2]

사도[17]【斯道】명 ①유가(儒家)에서 유교의 도덕을 일컫는 말. 곧, 인의(仁義)의 도의. 특히 공맹(孔孟)의 가르침. ②사람이 각기 전문적으로 종사하는 그 방면의 도(道)나 기예(技藝). ¶ ~의 대가(大家).

사도[18]【寫度】명 사진 렌즈의 밝기를 나타내는 말.

사도 강령【師道綱領】[—녕] 명 교원이 지켜야 할 규범. 1982년 스승의 날을 맞아 대한 교육 연합회에서 제정 공포함.

사:도-공【寫圖工】명 제도공·설계 기술자가 작성한 그림을 그대로 베끼는 일을 업으로 하는 사람.

사:도-기【寫圖器】명〔기〕팬터그래프(pantograph)를 써서 원도(原圖)로부터 등사를 하는 기계. 축도(縮圖)·확도(擴圖)에 쓰임.

사:도닉스 [sardonyx] 명 옥수(玉髓)의 하나. 카메오 세공(細工)에 쓰이는데, 보통, 핑크색과 백색이 번갈아 평행된 줄무늬 구조(構造)를 이룸. 8월의 탄생석(誕生石)임. 홍마노(紅瑪瑙).

사:-도목[1]【四都目】명〔역〕일 년에 네 번 도목 정사(都目政事)를 행하던 일. 잡직(雜職)·아전(衙前) 같은 하급 벼슬아치에게 준용함.

사-도목[2]【私都目】명〔역〕도목 정사(都目政事)를 은밀하게 피하는 일.

사도-법【私道法】[—뻡] 명〔법〕사도의 설치·관리·사용·구조에 관하여 정한 법률.

사도베아누 [Sadoveanu, Mihail] 명〔사람〕루마니아의 소설가. 사회적 억압을 벗어나 자연을 벗으로 하여 사는 주인공을 많이 그렸음. 수십 편의 단편 소설 외에 많은 역사 소설을 썼으며, 동유럽의 대표적 작가의 한 사람으로서 국제적인 명성을 얻었음. 대표작으로 자연의 미와 농민을 그린《물의 왕국》, 민화에 근거한 복수 이야기《도끼》, 역사 소설《니코아라 포트코아카》등이 있음. [1880-1961]

사도-부【司徒部】명〔역〕백제 사비 시대의 중앙 행정 관서로, 외관(外官)의 하나. 교육과 의례(儀禮) 관계 업무를 담당하였음.

사도 세:자【思悼世子】명〔사람〕장헌 세자(莊獻世子)의 본디 시호(諡號).

사도 승도【私度僧道】명〔역〕도첩(度牒)을 받지 아니하고 행세하는 승려와 도사.

사도-시【司䆃寺】명〔역〕조선 시대 때 대궐 안의 쌀·간장·겨자 등에 관한 일을 맡던 관아. 태조 원년에 베풀었다가 고종 19년(1882)에 폐합. 공정고(供正庫).

사:도 신:경【使徒信經】명 [Apostles' Creed]〔기독교〕그리스도교(敎)의 신앙 고백으로서, 그리스도교의 기본적인 교리가 요약된 것임. 창조주 되는 하느님, 동정녀(童貞女)에게서 태어난 하느님의 아들 예수, 예수의 죽음과 부활, 예수에 의한 장차의 심판, 죄 사함과 영생 등을 믿는다는 것이 그 주요한 내용들인데, 7세기경부터 현재의 형태의 것이 사용되기 시작함. 종도 신경(宗徒信經).

사:도 예:절【赦禱禮節】명〔천주교〕장례 미사 후 시신을 교회 밖으로 운구하기 전에, 시신 앞에서 망자의 죄를 사함을 구하는 예절. 고별식(告別式).

사:도 유수【四都留守】명〔역〕사도(四都), 곧 개성(開城)·광주(廣州)·수원(水原)·강화(江華)의 네 유수(留守).

사:도 전승【使徒傳承】명 [apostolic succession]〔기독교〕교회의 성직이 갖는 권위라는 것은 초대 교회의 사도들로부터 계승된 것이라고 하는 일. 사도 계승(繼承).

사:도-좌【使徒座】명〔기독교〕사도의 장(長)인 베드로가 창설한 로마 주교좌(主敎座). 성좌(聖座).

사:도 팔도【四都八道】[—또] 명 사도와 팔도(八道). 곧, 우리 나라의 모든 곳.

사:도 행록【使徒行錄】[—녹] 명〔성〕사도 행전(使徒行傳).

사:도 행전【使徒行傳】명 [The Acts of the Apostles]〔성〕신약 성서 중의 한 권. 예수가 죽은 후 사도들이 예수의 영혼의 인도로 유태로부터 이방(異邦)의 땅에까지 널리 복음(福音)을 전도한 그 행적(行跡)과, 초대 교회의 건설·발달 과정을 기록하였음. 작자는 누가 복음을 지은 '누가'이며, 모두 28장(章)으로 되었는데, 1장으로부터 12장까지는 베드로에 의한 시리아·팔레스타인 전도(傳道)의 일이고, 13장으로부터 28장까지는 바울에 의한 세계 전도의 기사임. 사도행록(使徒行錄).

사도 헌:장【師道憲章】명 스승이 나아가야 할 길을 밝힌 헌장. 1982년 스승의 날에 대한 교육 연합회에서 제정 공포함.

사:독[1]【四瀆】명〔역〕나라에서 위하던 동독(東瀆)인 낙동강, 남독(南瀆)인 한강(漢江), 서독(西瀆)인 대동강, 북독(北瀆)인 용흥강(龍興江)의 네 강.

사독[2]【邪毒】명 사기(邪氣) 있는 독. 병을 가져 오는 나쁜 기운.

사독[3]【蛇毒】명 뱀의 독.

사:독[4]【肆毒】명 독한 성미를 부림. ——하다 자여불

사:독-기【四瀆旗】명〔역〕의장기(儀仗旗)의 하나.

〈사독기〉

사돈[1]【査頓】명 ①혼인한 두 집의 부모들끼리 또는 그 두 집의 같은 항렬 되는 친족끼리 서로 부르는 말. ②혼인 관계로 척분(戚分)이 있는 사람. 인친(姻親).

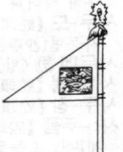

[사돈 남 나무란다] 자기도 같은 잘못을 했으면서 자기 잘못은 제쳐 두고 남의 잘못만 나무란다는 말. [사돈네 논 산다] 자기 일은 제쳐 놓고 관계도 없는 일에 나서서 참견한다는 말. [사돈네 안방 같다] 조심스럽고 자유롭지 못한 곳이라는 말. [사돈도 이럴 사돈 저럴 사돈 있다] 같은 경우라도 사람에 따라 대하는 태도가 달라야 한다는 말. [사돈 밤 바래기] 사돈은 어려운 손님이므로 밤이 늦었다 하여 바래다 주면, 저편에서도 또 이 쪽을 바래다 주고 하여 밤이 밝는다는 말. [사돈을 하려면 근본을 봐라] 사돈을 정하려거든 우선 상대방의 가문이 어떤가를 보고서 하라는 말. [사돈의 잔치에 중이 참여한다] 남의 일에 아무 상관없는 자가 끼어든다는 말. [사돈이 말하는데 싸라기 엎지른 것까지 들춘다] 남의 흉허물을 애써 찾아 내어 떠든다는 말.

사돈의 팔촌(八寸) 구 ㉠남이나 다름없는 먼 인척. ㉡별로 가깝게 지내지 아니하는 사이의 남을 비유하는 말.

사돈[2] 명〈옛〉혼인[1]. ¶ 사돈 잔치어든 사돈짓 사룸으로 위두손을 사모터(如昏禮則姻家爲上客)《呂約 24》.

사돈-댁【査頓宅】[—땍] 명 ①사돈집의 존칭. 사가댁(査家宅). 사댁(査宅). ②사돈의 아내.

사돈 도:령【査頓—】명 사돈집 총각을 대접하여 부르는 말.

사돈-집【査頓—】[—찝] 명 사돈 되는 사람의 집. 사가(査家).

[사돈집과 뒷간은 멀어야 한다] 사돈집 사이에는 말이 나돌기 쉽고 뒷간은 고약한 냄새가 나므로 멀수록 좋다는 말. [사돈집과 짐 바리는 골라야 좋다] 사돈끼리도 재산 정도나 지체가 서로 비등하여야 좋다는 말. [사돈집 외 먹기도 각각] 집마다 가풍이 다르다는 말. [사돈집 잔치에 감 놓아라 배 놓아라 한다] '남의 잔치에 감 놓아라 배 놓아라 한다'와 같은 뜻.

사돈짓 명〈옛〉사돈집. ¶ 사돈짓아비(親家公)《老乞 下 31》.

사돈짓아비 명〈옛〉밭사돈. ¶ 사돈짓아비(親家公)《老乞 下 31》.

사돈짓어믜 명 〈옛〉 안사돈. ¶ 사돈짓어믜(親家母)≪老乞 下 31≫.

사-동¹【寺洞】명【지】평양(平壤) 동부(東部)에 있는 전형적인 탄광 취락(炭鑛聚落). 무연탄의 개발이 한국에서 가장 빨랐음.

사:동²【使童】명 관청·회사·단체 같은 곳에서 잔심부름하는 소년. 사환(使喚). 보이(boy).

사:동³【使動】명〖언〗다른 사람으로 하여금 어떤 행위를 하게 하는 일. '읽히다' 따위 접미사 사동형, '운동시키다' 따위 -시키다 사동형, '오게 하다' 따위 보조 동사 사동형이 있음. ↔주동(主動). ＊피동(被動).

사동⁴【絲桐】명 '거문고'의 별칭.

사동-관【査同官】명【역】조선 시대에, 등록관(謄錄官)이 옮겨 베낀 답안에 착오(錯誤)가 없나 대조하기 위하여, 답안의 원본(原本)을 읽는 관원. 성균관 관원 중에서 임명됨. ＊지동관(枝同官).

사:동-미나리【事洞—】명〖식〗[*Cnidium davuricum*] 미나릿과에 속하는 다년초. 높이 50 cm, 경생엽 밑부분이 초상(鞘狀)으로 되고 1-3 회 우상(羽狀)으로 갈라짐. 최종 열편은 3개 또는 우상으로 갈라지며 가장자리가 밋밋함. 흰 꽃이 8월에 피고, 포엽(苞葉)은 잎과 비슷하고 꽃줄기에 능선(稜線)이 있음. 백두산 지역인 함경 북도 무산군(茂山郡) 삼장면(三長面) 농사동(農事洞)과 삼하동(三下洞) 사이에서 남.

사:동-법【使動法】[—뻡] 명〖언〗남에게 시키는 움직임을 나타내는 법. 사동사를 쓰거나 '-게 하다' 따위로 나타냄.

사:동-사【使動詞】명〖언〗사동형의 동사. 사역(使役) 동사. ↔주동사(主動詞)·피동사.

「연.

사:동-치마【四—】명 전체를 길이로 넷으로 나누어 네 가지 빛깔로 한

사:동-형【使動形】명〖언〗남에게 어떤 행동을 하게 하는 움직임을 나타내는 동사의 한 형태. 자동사·타동사·형용사의 어간 뒤에 '-이-'·'-히-'·'-리-'·'-기-'·'-우-'·'-구-'·'-추-' 따위가 들어가 타동사로 됨. '먹이다'·'앉히다'·'날리다'·'웃기다'·'깨우다'·'돋구다'·'낮추다' 등. ↔피동형.

사-되다¹【私—】[—뙤—] 형 사사(私私)로운 것으로 보이다.

사-되다²【邪—】[—뙤—] 형 사사(邪邪)스러운 것으로 보이다.

사두¹【邪蠹】명 나라를 해치는 간악한 자.

사두²【射頭】명 사정(射亭)을 관리하는 우두머리.

사두가이-파【—派】명〔Saddukaios〕【성】사두개파❶.

사두개-파【—派】명 ①〔Sadducees〕【성】기원 전 2세기경 바리새파(派)에 대항하여서 일어난 유대교도의 한 파. 제사(祭司)와 귀족들로써 조직되어 보수적·귀족적 경향을 띠었으나 한편으로는 세속적이고 배타적이 아닌 일종의 정치적 결사라고 볼 수 있는데, 부활·천사와 영혼의 존재·모세의 전습적 율법(傳習的律法)을 일절 믿지 않았음. 예루살렘의 멸망과 더불어 소멸하였음. 사두가이파. ②물질(物質)주의자의 비유.

사:두 고근【四頭股筋】명【생】넓적다리 앞쪽에 있는 네 개의 크고 단단한 근육. 대퇴 사두근(大腿四頭筋).

사:두-근【四頭筋】명【생】하나의 근육(筋肉)이 네 개의 뼈의 부분으로부터 일어나 그 머리가 넷으로 갈라진 근육. 대퇴(大腿) 사두근 따위.

사두-도【蛇頭島】명【지】경상 남도의 남해상(南海上), 거제시(巨濟市) 사등면(沙等面) 사곡리(沙谷里)에 위치한 섬. [0.020 km²]

사두메 명 〈방〉 두메.

「는 산. [1,015m]

사두-봉【蛇頭峰】명【지】전라 북도 장수군(長水郡) 장수읍 남쪽에 있

사두-창【蛇頭瘡】명【한의】대지(代指).

사:-두품【四頭品】명【역】신라 시대의 신분 제도인 두품제(頭品制)의 제3위. 오두품(五頭品)의 아래로, 귀족 계급의 최하위임. 신라의 제 17위 관등(官等)인 조위(造位)에서 제 12위 관등인 대사(大舍)까지의 벼슬

사둔 명 ☞사돈(査頓).

「을 할 수 있음.

사둘 명 손잡이가 길고 모양이 국자처럼 생긴 고기 잡는 그물.

사둘-질 명 사둘로 물고기를 잡는 짓. ——-하다 자여불

사드〔Sade, Donatien Alphonse François de〕명【사람】프랑스의 작가. 통칭은 사드 후작(侯爵). 변태적인 성행위로 인하여 여러 번 투옥되었고, 소설 ≪쥐스틴(Justine)≫·≪쥘리에트(Juliette)≫에 묘사된 성욕 도착(性慾倒錯)의 현상은 사디즘(sadism)의 용어를 낳게 하였음. 유흥(遊興)과 필화(筆禍)로 생애의 태반을 옥중에서 보냈으며, 만년에는 나폴레옹을 비난했기 때문에 정신 병원에 수용되어 고독하게 죽음.

사드래 명 〈방〉 사닥다리(전라).

「[1740-1814]

사드코〔Sadko〕명 11세기경의 러시아 해양 설화(說話) 속에 나오는 주인공의 이름. 노브고로드의 상인으로 악기와 노래의 명인인데, 무역을 위해 항해중 배가 움직이지 않게 되자, 제물로서 해신(海神)에게 끌려 나가, 해신을 노래와 현악(絃樂)으로 매혹하고, 해신의 딸과 결혼하여 고국에 돌아옴. 림스키 코르사코프의 동명의 오페라도 유명함.

사득【査得】명 조사하여서 사실을 알게 됨. ¶ 원범(原犯)을 ～하다. ——-하다 타여불

사들-사들 부 약간 시드는 모양. 또, 시든 모양. ¶ 그녀는 그 파란 정맥이 드러나 뵈는 ～한 가는 목을 이쪽으로 돌린 채 외면을 해 버렸다 ≪金東里 : 애정의 윤리≫. ——-하다 형여불

사-들이다 타 사서 들여오다.

사-등롱【紗燈籠】[—농] 명 여러 가지 빛깔의 사(紗)로 거죽을 바른 등롱. 사초롱. 준사롱(紗籠).

사:-등분【四等分】명 넷으로 똑같게 나눔. ——-하다 타여불

사등이 명 〈방〉 등성마루.

사등이-뼈 명 〈방〉 등골뼈.

「寸)의 일컬음. 사친등(四親等).

사:-등친【四等親】명【법】구민법(舊民法) 용어로서, 신민법의 사촌(四

사-등행【斜登行】명 스키에서, 등행법의 하나. 사면(斜面)을 비스듬히 올라가는 방법. 계단 등행보다 능률적이고 개각(開脚) 등행보다도 피로가 적음.

사:디〔Saadi, Muslih-ud-Din〕명 페르시아의 대표적 시인. 이슬람교의 독실한 신자였던 그는 신비주의적이며 실천 도덕(實踐道德)의 시인으로 높이 평가받아 그의 작품은 세계 각국어로 번역됨. 107세로 사망. ≪과수원(果樹園)≫·≪장미원(薔薇園)≫ 등이 유명함. [1184?-1291?]

사디스트〔sadist〕명 사디즘의 경향이 있는 사람.

사디즘〔sadism〕명【심】〔성욕 도착(性慾倒錯)의 작품을 쓴 프랑스의 귀족 작가인 사드(Sade)의 이름에서〕변태 성욕의 한 가지. 이성(異性)을 때리고 물고 하는 등 학대함으로써 자기의 성욕을 만족시키는 것을 이름. 오스트리아의 정신병 학자 크라프트 에빙이 명명(命名). 사디즘은 흔히 남자에게 있고 매저키즘은 여자에게 있음. 가학증(嗜虐症).

「학대 음란증. ↔매저키즘.

사:딘〔sardine〕명〖어〗정어리.

사ᄃᆞ리 명 〈옛〉 사닥다리. ¶ 외나모 사ᄃᆞ리(蜈蚣梯)≪漢淸 X :38≫.

사ᄃᆞ새 명 〈옛〉 사다새. ¶ 사ᄃᆞ새 톄(鵜), 사ᄃᆞ새 호(鶘)≪字會 上 16≫.

사:또 명【역】〔←사도(使道)〕①부하 장졸(將卒)이 그들의 주장(主將)을 높이어 일컫던 말. ②백성이나 하관(下官)이 고을의 원을 공대하여 일컫던 말.

[사또 걸어 등영고(登營告)] 사또를 걸어 감영에 올라가 고한다는 뜻으로, 어림 없고 승산이 전혀 없는 짓을 한다는 말. [사또님 말씀이야 다 옳습지] 제 의견만 옳다고 우기는 사람에게 귀찮아져서 한 걸음 양보하는 말. [사또 덕분에 나팔 분다] 남의 힘을 빌려 자기의 할 일을 하게 됨을 이르는 말. [사또 덕에 비장이 호강한다] 제가 잘나서가 아니라 남의 그늘에서 덕을 본다는 말. [사또 떠난 뒤에 나팔 분다] 마땅히 하여야 할 때에 아니 하다가 그 시기가 지난 뒤에 함을 조롱하는 말. 행차 뒤에 나팔. [사또 밥상에 간장 종지 같다] ㉠한가운데 중요한 자리를 잡고 있음을 이르는 말. ㉡요직(要職)에 있다는 말. [사또 방석에 기름 종지 나 앉는다] 여럿이 모인 자리에 불쑥 끼어 들어 온다는 말. [사또 상 같다] 떡 벌어지게 잘 차린 음식상을 이르는 말.

사:또-놀이 명〖민〗통영오광대가 시작되기 하루 전날, 마을에서 힘 세고 정직한 사람을 사또로 뽑아 출도하고 죄인을 다스리게 하는 놀이.

사-뜨다 자타 단춧구멍이나 수눅 등의 가장자리를 실로 감치다.

사뜻-이 부 사뜻하게.

사뜻-하다 형여불 깨끗하고 말쑥하다. ¶ 사뜻한 차림새.

사라¹【沙羅】명【역】사로국(駟盧國).

사라²【紗羅】명 깁.

사라³【斯羅】명【역】신라(新羅).

사라⁴〔Sarah〕명【성】아브라함의 아내. 하느님의 약속에 의하여 늙어서 이삭을 낳음. 신앙이 돈독한 부인의 모범으로서 존경을 받음.

사라가트〔Saragat, Giuseppe〕명【사람】이탈리아의 정치가. 사회 통일당수(社會統一黨首)로서, 민주 사회당 지도자를 거쳐 1964-71년에 대통령을 지냄. [1898-1988]

사라고사〔Zaragoza〕명【지】스페인 동북부의 아라곤(Aragon) 지방의 도시. 풍요한 농업 지대의 중심지로서 식품·기계 공업이 발달함. 고대 로마의 군사 기지였으며, 8-12세기에는 이슬람 지배하에 번영하여 15세기에는 아라곤 왕국의 수도였음. [573,711 명(1986)]

사라귀-나물 명 〈방〉 씀바귀나물.

「緞紬屬).

사라 능단【紗羅綾緞】명 사(紗)와 단(緞) 등 비단의 총칭. 사단 주속(紗

사라다 명 ☞샐러드(salad).

사라반드〔saraband〕명【악】고전 무곡의 하나. 속도가 느린 3 박자계의 장중(莊重)한 무곡. 페르시아 근방에서 비롯되어 16세기초 스페인을 거쳐, 프랑스·영국 등지에서 행하여졌음.

사라-봉【紗羅峰】명【지】제주도 한라산의 측화산. 사라악. [142 m]

사라-부루 명【식】모양이 차조기와 비슷한 쉽싸리의 한 종류. 잎과 뿌리를 무쳐 먹음. 거매(蘧蕒).

사라사〔포 saraça〕명 오채(五彩)로써 인물·조수(鳥獸)·화목(花木) 또는 기하학적 무늬를 날염(捺染)한 피륙. 또, 그러한 무늬.

사라사테〔Sarasate, Pablo de〕명【사람】스페인 태생의 프랑스 작곡가·바이올린 연주가. 일찍이 바이올린의 신동(神童)이란 이름을 들었고, 주로 파리에서 수업, 일생을 연주 여행으로 보냈는데, 아름다운 음색과 기교적 연주로 유명함. 작품에 ≪치고이너바이젠≫·≪스페인 무곡≫ 등이 있음. [1844-1908]

사라세니아〔sarracenia〕명【식】①사라세니아과에 속하는 식충 식물(食蟲植物)의 총칭. ②[*Sarracenia drammondii*] 사라세니아과에 속하는 다년초의 하나. 줄기가 없고, 잎은 뿌리에서 총생(叢生)하는데 속이 비고 곧으며, 긴 병 모양으로 위의 구부(口部)를 덮는 큰 뚜껑이 있음. 안쪽 잔털이 거꾸로 나서 액체가 담겨져 있어서 여기에 빠진 곤충은 되돌아 나올 수 없게 됨. 황색 또는 자색의 오판화가 한 개의 꽃줄기 끝에 피고, 둥근 삭과(蒴果)를 맺는데, 속에 많은 종자가 들어 있음. 북미(北美) 원산으로 캐나다에도 분포함. 각 지방에서 원예 식물로 재배함.

〈사라세니아❷〉

사라센〔Saracen〕명 유럽에서, 최초에는 시리아 부근의 아랍인을 부르던 이름이고, 중세 이후에는 이슬람교도의 총칭.

사라센 건:축【—建築】〔Saracen〕명 이슬람교도(敎徒)의 건축. 중앙에 예배소(禮拜所)를 세우고 여기에다 광탑(光塔)을 닮. 인도에서 스페인으로 전래하여 7세기 이후 현재까지 행하여짐. 벽면(壁面)에 복잡한 무늬의 장식을 달고, 돔(dome)은 끝을 뾰족한 모양으로 만듦.

사라센 문화【—文化】〔Saracen〕명 이슬람교(Islam敎)와 헬레니즘 문화(Hellenism文化)를 바탕으로 하여 지중해 연안의 문화에 인도·중국의 문화를 종합·절충하여 사라센 제국이 이룩한 아라비아 문화. 수학·화학·천문학·지리학과 함께 특히 자연 과학이 발달하였으며, 건축·미

와의 중간기(中間期)에서 큰 역할을 함. ≪아라비안 나이트≫는 문학의 대표작이며, 오늘의 아라비아 문자를 비롯하여 Algebra(代數)·Alchemy(鍊金術)·Alcohol(酒精) 등 아라비아 어원(語源)을 가지는 유럽어가 많은 것은 그 영향이 컸음을 증명하는 것임.

사라센-인 【一人】〔Saracen〕[명] 고대 그리스·로마 세계에서의 아라비아 북부의 아라비아인(Arabia人)의 호칭. 또, 십자군(十字軍) 시대에, 유럽인이 이슬람 교도를 부르던 말.

사라센 제:국 【一帝國】〔Saracen〕[명]〖역〗7세기 중엽에 마호메트(Mahomet)의 후계자(後繼者) 칼리프(Calif)가 아시아·유럽·아프리카에 걸친 대제국을 건설한 후, 8세기 중엽에 이르러 동서로 분열하여 동은 15세기 중엽까지, 서는 15세기 말엽까지 존속한 나라. 그 판도는 지금의 서인도로부터 아라비아·아프리카 동북부를 지나 스페인 반도까지 미쳐서, 중국·인도·지중해에 이르는 해륙의 통상 무역을 독점하여 매우 번영(繁榮)하였고, 문화가 발달하여 특히 자연 과학과 건축·미술·공예에는 독특한 양식을 가졌었음.

사라-수 【沙羅樹】[명] ①〖식〗[*Shorea robusta*] 용뇌향과(龍腦香科)에 속하는 상록 교목. 높이 30m 가량, 잎은 호생하며 엷은 혁질(革質)이고 길이가 15-25cm의 긴 달걀꼴 타원형으로 끝이 뾰족함. 담황색 오판화(五瓣花)가 원추(圓錐) 화서로 가지 끝이나 엽액(葉腋)에 흰 털이 덮이어 핌. 삭과(蒴果)는 길이 13mm 가량의 넓은 타원형이고, 다섯 개의 날개에 싸여 있음. 인도 원산(原産)으로, 히말라야·인도 중서부에 분포함. 목재는 담갈색인데, 굳고 단단하며 잘 썩지 아니하므로 중요한 건축재·기구재로 쓰임. 나무진은 역청(瀝靑) 대용의 약재이며, 씨에서는 기름을 짜고 과실은 식용함. ②〖불교〗사라 쌍수(沙羅雙樹).

〈사라수❶〉

사라스바티 〔Sarasvatī〕[명]〖신〗인도 신화(神話)의 하천신(河川神). ≪리그베다(Rig-veda)≫에서는 행복·음식·자손 번영을 맡는 여신(女神)이라 하고, 브라흐마(Brahmā)나 서사시(敍事詩)에서는 웅변·학문·기예를 맡는 신이라 함. 「일란 다히여라≪古時調 鄭澈≫.

사라신제 [구]〈옛〉살아 있을 때. 살아 있을 때. ¶ 어버이 사라신제 셤길

사라 쌍수 【沙羅雙樹】[명]〔범 Sāla〕〖불교〗석가(釋迦)가 인도의 구시나가라성(拘尸那揭羅城) 밖, 발제하(跋提河) 가에 있는 사라수(沙羅樹)의 수풀 속에서 열반(涅槃)할 때에 그 주위 사방에 각각 한 쌍씩 서 있던 사라수. 한 뿌리에서 두 개의 줄기가 나와 한 쌍을 이루고 있었는데, 석가가 열반하자 한쪽은 마르고, 한쪽은 무성하였으며, 때아닌 흰 꽃이 피고, 동서와 남북의 두 쌍수는 각각 한 개의 나무가 되어 숲을 덮은 후, 나무 빛이 하얗게 변하여 말라 죽었다 함. 동쪽의 한 쌍은 상(常)과 무상(無常), 서쪽의 한 쌍은 아(我)와 무아(無我), 남쪽의 한 쌍은 낙(樂)과 무락(無樂), 북쪽의 한 쌍은 정(淨)과 부정(不淨)에 비유함. 사라수. 쌍림(雙林). [준]쌍수(雙樹). *학림(鶴林).

사라-악 【紗羅岳】[명]〖지〗사라오름.

사라예보 〔Sarajevo〕[명]〖지〗발칸 반도(Balkan半島) 중서부의 고도(古都)로 보스니아 헤르체고비나(Bosnia Herzegovina) 공화국의 수도. 해발 540m의 고지에 있고, 담배·공예품(工藝品) 등을 산출함. 1914년 6월 28일 이곳에서 사라예보 사건이 일어났음. [319,000명(1981)]

사라예보 사:건 【一事件】〔Sarajevo〕〔一껀〕[명]〖역〗1914년 6월 28일 오스트리아의 황태자 페르디난트(Ferdinand) 부처가 보스니아 헤르체고비나의 수도 사라예보에서 세르비아(Serbia)의 민족주의적 비밀 결사원인 한 청년에게 암살된 사건. 대세르비아주의(大Serbia主義)의 범게르만주의(汎German主義)에 대한 반항의 표시로서, 제1차 세계 대전의 도화선(導火線)이 되었음.

사라-오름 【紗羅一】[명]〖지〗제주도 한라산의 측화산. 사라악. [1,338m]

사라왁 〔Sarawak〕[명]〖지〗말레이시아의 한 주(州). 보르네오(Borneo) 서북부에 위치함. 열대 다우지(熱帶多雨地)이며, 후추·고무·사고(sago)·파인애플 등을 산출하고, 동북 해안(東北海岸)에는 유전(油田)이 있음. 1963년까지 영국의 식민지로 있었음. 주도는 쿠칭(Kuching). [125,198km² : 1,323,000명(1981)]

사라이 〔Sarai〕[명]〖지〗〔페르시아어로 궁전(宮殿)의 뜻〕 킵차크 한국(Kipchak汗國)의 수도. 구도(舊都)는 볼가 강(Volga江)의 하류에, 신도(新都)는 그 상류에 건설되었음. 14세기경에 번영하였으나 15세기에 티무르군(Timur軍), 16세기에 러시아군의 공격을 받아 파괴되었음.

사라지 [명] ①쌈지의 담배를 마르지 아니하게 하기 위하여 그 속에 까는 유지(油紙). ②종이를 기름에 결어서 만든 담배 쌈지.

사라지다 [자]〔중세 : 스라디다〕①형적이 차차 없어지다. ¶ 모습이 ~. ②어떠한 생각이 없어지다. ¶ 희망이 ~ / 슬픔이 ~. ③비유적으로, 죽다. ¶ 형장의 이슬로 ~.

사라토프 〔Saratov〕[명]〖지〗러시아 연방(聯邦)의 볼가 강(Volga江) 하류의 서안 대지(西岸臺地) 위에 있는 항구 도시로 사라토프 주의 수도. 유럽 최대의 콤바인 공장(combine工場)이 있고 기계·제유(製油)·화학 공업이 발달하였으며 볼가 우랄(Ural) 유전(油田)의 중심지임. [918,000명(1987)]

사라:트 〔sarāt〕[명]〖종〗이슬람교의 종규(宗規)로 정해진, 하루에 다섯 번 기도하는 예배. 메카(Mecca)를 향해서 예배하는데 알라신(Allah神)을 찬미하는 기도문을 욈.

사락-장 【思樂章】[명]〖악〗어사(御射)할 때 아뢰는 악장의 이름.

사란[1] 【絲欄】[명] 정간(井間).

사란[2] 〔Saran〕[명]〖화〗폴리염화(塩化) 비닐리덴계(vinylidene系) 합성 섬유의 상품명. 폴리염화 비닐리덴 80-90%, 염화 비닐 10-20% 정도의 공중합체(共重合體)를 용융 방사(溶融紡絲)에 의하여 단섬유(單纖維)·다조 섬유(多條纖維)·스테이플 파이버(staple fiber) 등으로 만든 것. 고무와 비슷하여 탄성(彈性)이 강하고 내수성(耐水性)·내약품성(耐藥品性)이 우수함. 차량 시트·어망(漁網)·텐트 등에 사용됨.

사란스크 〔Saransk〕[명]〖지〗러시아 연방내 모르도바 자치 공화국의 수도. 모스크바와 쿠이비셰프 간의 철도상에 위치함. 전기·기계·통조림·고무 공업 등이 있음. [323,000명(1987)]

사:람 [명]〔중세 : 사룸〕①〖동〗[*Homo sapiens*] 사람과에 속하는 포유 동물. 지구상의 생물 중 가장 발달하였는데, 키는 150-180cm, 몸은 머리·목·가슴·배 및 팔·다리로 크게 구분됨. 골격(骨格)·근육으로 운동을 하며, 소화기(消化器)·호흡기(呼吸器)·비뇨기(泌尿器)·생식기(生殖器) 등의 내장(內臟)이 있음. 손을 자유로이 움직여 기구를 사용하고, 직립하여 보행하며, 사회 생활을 영위하고, 고도로 발달한 지능(知能)·이성(理性)·언어 중추(言語中樞)가 존재하는 등, 기타 여러 가지 점이 다른 동물과 크게 다름. 여러 인종이 있고, 지방 문화·문명의 정도에 따라 생활 풍습에 차이가 많음. 극지(極地) 이외의 모든 고장에 거주하고 있으며 그 수는 44억 1천 5백만(1980) 가량임. 인류. 인간. ②〖법〗권리·의무의 주체인 자연인과 법인(法人)을 포함하는 인격자. ③〖법〗출생에서 사망에 이르기까지의 자연인. 이 세상에 사는 사람. 자연인(自然人). ¶ ~으로 태어나다. ④타인. 남. ¶ 왜 ~을 치느냐. ⑤자기. 나. ¶ ~을 깔보지 말라. ⑥윤리·도덕을 지키는 선량한 사람. ¶ ~다운 사람/언제 너는 ~이 되느냐. ⑦사람의 됨됨이 또는 성질. ¶ ~이 무던하고 좋다/~이야 탓할 데 없지. ⑧자기 아내를 남에게 일컫는 말. ¶ 우리집 ~. ⑨적절한 인재나 일꾼. ¶ ~ 쓸 줄을 모른다. ⑩친근한 상대자를 부를 때 쓰는 말. ¶ 이 ~아, 그러지 말게.

【사람과 쪽박은 있는 대로 쓴다】 살림을 하노라면 쓸 데가 많아서 쪽박도 있는 대로 다 쓰듯이 사람도 다 쓸모가 있다는 말. 【사람 살 곳은 골골이 있다】 착한 사람을 도와 주는 미풍(美風)은 어디든지 있다는 말. 【사람 안 죽은 아랫목 없다】 흉가(凶家)나 궂은 자리가 따로 없다는 말. 【사람 열 번 다시 된다】 사람의 개성이나 신세란 고정돼 있는 것이 아니므로 얼마든지 고칠 수 있다는 말. 【사람 위에 사람 없고 사람 밑에 사람 없다】 사람은 본시 모두가 태어날 때부터 평등하여서 그 권리나 의무가 동일하다는 말. 【사람은 남 어울림에 산다】 사람은 사회 생활을 하며 어울려 살게 마련이라는 말. 【사람은 늙어지고 시집은 젊어진다】 나이가 들어 늙어져도 시집살이의 어려움이 더해 가는 경우가 있다는 말. 【사람은 백지 한 장의 앞을 못 본다】 종이 한 장을 바른 방문에 불과하건만, 방 안에 있는 사람은 문 밖의 일을 알지 못한다는 말. 【사람은 열 번 된다】 사람은 평생 동안에 여러 번 변화 발전한다. 【사람은 잡기(雜技)를 하여 보아야 마음을 안다】 사람의 본성(本性)이 그대로 드러나는 노름을 하여 보면 그 사람의 마음을 곧 알 수 있다는 말. 【사람은 죽으면 이름을 남기고 범은 죽으면 가죽을 남긴다】 인생의 목적은 좋은 일을 하여 이름을 후세에 남기는 데 있다는 말. 【사람은 키 큰 덕은 입어도 나무는 키 큰 덕을 못 입는다】 나무는 큰 나무가 있으면 작은 나무가 자라지 아니하나, 사람은 큰 사람이 나면 그 덕을 입는다는 말. 【사람의 마음은 하루에도 열두 번】 감정에 치우쳐서 사람의 마음은 자주 변한다는 말. 【사람의 새끼는 서울로 보내고 마소 새끼는 시골로 보내라】 사람은 서울에 있어야 입신 출세할 기회가 있다는 말. 【사람의 얼굴은 열 번 변한다】 사람의 얼굴 모양은 한 평생 사는 동안에 여러 번 변한다는 말. 【사람이 오래면 지혜요 물건이 오래면 귀신이다】 인생의 경험이 많으면 지혜롭게 된다는 뜻으로, 늙은이는 지혜롭다는 말. 【사람 죽여 놓고 초상 치러 준다】 일을 제가 그르쳐 놓고 나서 도와 준다는 말. 병주고 약주기. 【사람처럼 간사한 건 없다】 외부의 자극에 대하여 매우 그 반응이 예민하여 춥고 덥고 기쁘고 슬픔을 금방 나타낸다는 말. 【사람 칠 줄 모르는 것이 코피만 낸다】 설불리 나서서 큰코다친다는 말. 【사람 팔자 시간 문제】 사람의 팔자는 몇 시간도 안 되는 짧은 사이에 싹 달라질 수도 있다는 말. 【사람 한 평생이 물레바퀴 돌 듯 한다】 사람의 일생이란 유전 무상(流轉無常)하다는 말.

사:람 같지 않다 사람으로서 마땅히 지켜야 할 도리를 지키지 못하다.

사:람(을) 잡다 [구] ㉠사람을 죽이다. ㉡남을 극심한 곤경으로 몰아 넣다.

사:람(이) 좋:다 [구] 사람의 됨됨이나 성질이 유순하다. 또, 너그러워서 사귀기 좋다.

사:람 죽이다 [구] 어처구니없이 굴다. 기막히게 굴다.

사:람-값 〔一깝〕[명] 사람으로서 하여야 할 노릇. ¶ ~을 못 하다.

사:람-과 【一科】〔一꽈〕[명]〖동〗[Hominidae] 포유류 영장목(靈長目)에 속하는 척추(脊椎) 동물의 한 과. 다윈의 진화론(進化論) 이후, 사람의 원시적(原始的) 형태를 원숭이에 두며 화석인(化石人)은 그 골격의 구조가 원숭이와 비슷한 점이 많으나 이를 부정하는 학설도 있음. 사람 1종만이 현존함. *원숭이과.

사:람 노릇 [명] ①사람으로서 마땅히 행해야 할 도리를 지켜가는 일. ②어른으로 장성해서 사람의 구실을 제대로 하는 일. ¶ 커서 제대로 ~을 할 것 같지도 않았었다. ——하다 [자][여불]

사:람-답다 [형][ㅂ불] 됨됨이나 하는 짓이 사람으로서의 조건에 어그러짐이 없다. *인간적(人間的). 「쓴 말. 인대명사(人代名詞).

사:람 대:이름씨 【一代一】[명]〖언〗'인칭 대명사(人稱代名詞)'의 풀어

사:람-됨 [명] 사람의 됨됨이. 위인(爲人). ¶ ~이 매우 야무지다.

사:람 멀미 [명] 사람 많은 데서 느끼는 머리 아프고 어지러운 증세.

사람-문 【一門】[명]〈방〉사립문(경상).

사:람 백장 [명] 사람을 함부로 죽이는 흉악한 자를 욕하는 말.

사:람-사람 [명] ①각 사람. 각인(各人). ②많은 사람. 모든 사람.

사:람-스럽다 [형][ㅂ불] 사람됨이나 하는 짓이 사람다운 맛이 있다. 사:람-스레 [부]

사:람인-변【一人邊】명 한자의 변(邊)의 하나. '仁'·'代' 등의 '亻'의 이름. 인변(人邊).

〈사람주나무〉

사람주-나무 명〖식〗[*Triadica japonica*] 깨풀과에 속하는 낙엽 활엽 교목. 잎은 호생하고 거꿀달걀꼴 또는 타원형을 이루는데 기부(基部)에 선점(腺點)이 있음. 꽃은 자웅 동가(雌雄同家)이며 6월에 총상(總狀) 화서로 정생(頂生)하여 피고, 삭과(蒴果)는 10월에 익음. 산 중턱이나 골짜기에 나는데, 한국에 분포함. 나무는 신탄재, 과실은 식용 또는 기름을 짬.

사:람-질 명 인간질. ──-하다 자여불

사랍 명〈방〉서랍(충남).

사랑[1] 명〔중세:ᄉᆞ랑〕①애틋이 여기어 아끼고 위하는 일. 또, 그러한 마음. ¶어머니의 ～. ②남녀가 서로 정을 들이어 애틋하게 그리는 일. 또, 그 애인. 연애. 러브(love). ¶～은 맹목. ③동정하여 친절히 대하고 너그럽게 베푸는 마음. ¶～의 손길을 뻗치다. ④〖성〗육정적(肉情的)·감각적이 아닌 동정·긍휼(矜恤)·구원(救援)·행복(幸福)의 실현을 지향하는 정념(情念). 곧, 독생자 예수를 보낸 하느님의 사랑, 이웃 사람에 대한 사랑, 하느님을 사모하는 사람의 사랑으로 나눔. *박애(博愛)·자비(慈悲)·아가페(agape). ──-하다 타여불
【사랑은 내리 사랑】웃사람이 아랫사람 사랑하기는 예사이나, 아랫사람이 웃사람 사랑하기는 어렵다는 말.

사랑[2]【舍廊·斜廊】명 바깥 주인이 거처하며 손님을 접대하는 곳. 객당(客堂). 외실(外室). 외당(外堂). ¶～양반. ↔내실(內室).

사랑-가【一歌】명〖문〗①작가·제작 연대 미상의 조선 시대의 가사. 멀리 떨어져 있는 연인(戀人)을 그리워하고 기다리는 노래. ②판소리의 삽입 가요(揷入歌謠).

사랑과 교:도의 서간【一敎導一書簡】[一/一에一] 명〔프 Lettres d'Abélard et d'Héloïse〕〖책〗12세기 프랑스의 철학자 피에르 아벨라르(Pierre Abélard)가 비밀리에 결혼한 엘로이즈(Héloïse)와의 사랑에 그 여자의 숙부가 반대하자 수도원에 들어가서, 역시 수녀가 된 엘로이즈와의 사이에 주고받은 애틋한 12통의 라틴어 왕복 서간.

사:랑기〔sārangi〕명〖악〗북인도의 민족 현악기(絃樂器). 몸체에는 양의 가죽을 바름. 기러기발은 2단으로 되어 있으며, 상단에는 연주용인 굵은 현이 4 가닥, 하단에는 11-15개의 가는 철선이 있어 음률을 공명(共鳴) 확대시킴. 남자용의 악기로 주로 무용의 반주에 씀.

사랑-꾼【舍廊一】명 사랑에 놀러 온 사람들. *사랑축.

사랑-놀래기 명〖어〗[*Verreo oxyceplalus*] 양놀래깃과에 속하는 바닷물고기. 몸길이 40 cm 가량. 몸은 방추형(紡錘形)으로 측편(側扁)하고 주둥이는 길며 뾰족함. 몸빛은 등 쪽은 주홍색, 배 쪽은 담황색임. 체측에 3-4개의 백색의 반점(斑點)이 있음. 양턱니는 두 줄임. 한국 남해·일본 중부 이남·하와이·뉴기니·오스트레일리아 등에 분포함.

사랑-놀음【舍廊一】명〈방〉사랑놀이.

사랑-놀이【舍廊一】명 사랑방에서 음식과 기악(妓樂)을 갖추어 노는 일. ──-하다 자여불

사랑-니 명〖생〗〔←사랑이〕입 속의 맨 구석에 다른 어금니가 다 난 뒤, 성년기(成年期)에 새로 나는 작은 어금니. 사람에 따라 나지 않는 경우도 있음. 지치(智齒).

사랑 마루【舍廊一】명 사랑방 앞에 놓은 마루.

사랑-문【舍廊門】명 사랑방이나 사랑채로 드나드는 문.

사랑-방【舍廊房】명 사랑으로 쓰는 방.

사랑방-춤【舍廊房一】명 허튼춤 가운데, 주로 사랑방에서 추는, 동작이 섬세하고 멋을 부려 가며 추는 선비적인 춤. *마당춤.

사랑-봉【舍廊峰】명〖지〗함경 남도 장진군(長津郡) 장진면(長津面)과 평안 북도 후창군(厚昌郡) 칠평면(七坪面) 및 강계군(江界郡) 사이에 위치하는 산봉우리. 낭림(狼林) 산맥 중에 솟아 있음. [1,787 m]

사랑-사람【舍廊一】[一싸一] 명〈속〉사랑양반.

사랑-새 명〖조〗[*Melopsittacus undulatus*] 앵무샛과에 속하는 새. 몸길이 21-26 cm 가량. 머리 위는 황색, 뒷머리와 뺨에는 가늘고 검은 가로줄이 있으며, 허리·가슴·배는 진한 초록색, 꼬리는 중앙의 두 장만이 짙은 남색이고 나머지는 황색임. 한 배에 3-8 개의 알을 낳으며 포란(抱卵) 기간은 18-20일임. 남(南)오스트레일리아 원산(原産)으로 여러 가지 변종이 많으며, 농조(籠鳥)로 많이 사육됨.

〈사랑새〉

사랑-스럽다 형ㅂ불 사랑옵게 생각되다. 사랑-스레 부

사랑 싸움 명 사랑으로 일어나는 악의 없는 다툼. 특히, 부부 사이의 양심 없는 다툼. 준사랑쌈. ──-하다 자여불

사랑-쌈 명 ↗사랑 싸움.

사랑-양반【舍廊兩班】[一냥一] 명 ①남의 남편을 그의 부인 앞에서 이르는 말. ②하인(下人)에 대하여 그의 집 남자 주인을 이르는 말. *바깥 양반.

사랑-옵다 형ㅂ불〔←사랑홉다〕마음에 꼭 들도록 귀엽다.

사랑의 기술【一技術】[一/一에一] 명〖책〗아르스 아마토리아(Ars Amatoria).

사랑의 요정【一妖精】[一/一에一] 명〔프 La Petite Fadette〕〖문〗프랑스의 여류 작가 상드(Sand, G.; 1804-76)의 소설. 1849년 발표. 모든 사람에게 오해받고 있는 소녀 파데트(Fadette)와 쌍둥이 형제와의 사랑을 묘사함.

사랑의 학교【一學校】[一/一에一] 명〖문〗쿠오레(Cuore).

사랑-이[一니] 명〖생〗→사랑니.

사랑-지기【舍廊一】명 사랑채에 딸린 하인.

사랑-채【舍廊一】명 사랑으로 쓰는 집채.

사랑-축【舍廊一】명 사랑에 모이는 사람들. *사랑꾼.

사랑 편사【舍廊便射】명〖역〗각 사랑에 모이어 노는 무사들이 사랑 단위로 편을 짜서 활쏘기의 승부를 겨루는 일. ──-하다 자여불

사랑-홉다 형ㅂ불 →사랑옵다.

사래[1] 명 묘지기나 마름이 보수로 얻어서 부치어 먹는 논밭. 사경(私耕).

사래[2] 명〖건〗추녀 끝에 잇대어 낸 네모난 서까래.

사래[3] 명〈방〉사리[1].

사래[4] 명〈옛〉이랑. ¶지너머 사래 긴 바틀 언제 갈려 ᄒᆞᄂᆞ니《永言》.

사:래[5] 명〈방〉사레[1].

사래-논 명 묘지기나 마름이 보수로 얻어서 부치어 먹는 논. 사경답(私耕畓).

사래-답【一畓】명 ☞사래논.

사래-밭 명 묘지기나 마름이 보수로 얻어서 부치어 먹는 밭. 사경전(私耕田).

사래-볼철【一鐵】명〖건〗사래의 볼때기에 박는 쇠붙이.

사래 선거【絲來線去】명 일이 얼키설키 복잡함을 이름.

사래-쌀 명 묘지기나 마름에게 보수로 주는 쌀.

사래여【使亦】〈이두〉부리어. 시키어.

사래-전【一田】명 ☞사래밭.

사래-질 명 키에 곡식을 담고 흔들어서 뉘·싸라기와 크고 작은 것을 따로 고르는 일. ──-하다 타여불

사래-차다 자 이랑이 곧고 길다.

사랫다 자〈옛〉살아 있다. 살았다. '살다'의 활용형. ¶네 ᄒᆞᆫ 사랫ᄂᆞ니 목수미 머으고《月釋 XXI:150》.

사:략[1]【史略】명 간략(簡略)하게 쓴 역사.

사략[2]【些略】명 사소하고 간략(簡略)함. 간단함. ──-하다 형여불

사략-선【私掠船】명 사나포선(私拿捕船).

사:략 언:해【史略諺解】명〖책〗↗십구(十九)사략 언해.

사:량[1]【四樑】명〖건〗들보 네 개를 세로 평행하게 얹어서 한 칸 반통으로 집을 짓는 방식.

사량[2]【思量】명 생각하여 헤아림. 사료(思料). ──-하다 타여불

사량[3]【飼糧】명 말·돼지 등 가축의 먹이. 기르는 동물의 양식.

사:량-관【四粱冠】명〖역〗조선 시대에, 이품(二品) 관원이 쓰던 금양관(金粱冠). 흰 골이 넉 줄 져 있음.

사량-궁【沙梁宮】명〖역〗신라 시대 왕도 육부(王都六部)의 하나인 사량부(沙梁部)에 둔 별궁(別宮). *삼궁(三宮).

사량-부【沙梁部】명〖역〗신라 육부(六部)의 하나. 신라 초기 육촌 중의 하나인 고허촌(高墟村)을 개칭한 이름.

사:량-집【四樑一】[一찝] 명〖건〗사량으로 지은 집.

사:레[1] 명 음식을 잘못 삼키어 숨구멍으로 들어갈 때 재채기처럼 뿜어 나오는 기운.
사:레(가) 들리다 구 사레에 걸리다. ¶급히 마시다가 ～.

사:레[2] 명〈방〉사래[1].

사렛-니 명〈방〉사랑니.

사려[1] 명 윷판에서, '방'의 다음 밭.

사려[2]【思慮】명 여러 가지 일에 대한 생각과 근심. 주의 깊게 생각하고 판단함. 사념(思念). ¶～ 깊은 사람. ──-하다 타여불

사려[3]【師旅】명〔고대 중국의 군대 편성에서 500명을 여(旅), 5 려를 사(師)라 한 데서〕①군대. ②전쟁. 싸움.

사려[4]【奢麗】명 사치스럽고 화려함. ──-하다 형여불

사려-증【思慮症】[一쯩] 명〖의〗늘 병적으로 무엇을 생각하고 근심하는 증세.

사:력[1]【士力】명 ①선비의 힘. ②병사의 힘.

사력[2]【司曆】명〖역〗고려 때, 태사국(太史局)의 종구품 벼슬.

사:력[3]【死力】명 목숨을 아끼지 아니하고 쓰는 힘. 죽을힘. ¶～을 다하여 싸우다.

사력[4]【私力】명 사사로운 힘. 관력(官力)을 의지하지 아니하는 힘. ↔관력.

사력[5]【沙礫·砂礫】명 자갈[1]❷.

사:력[6]【事力】명 사세(事勢)와 재력(財力).

사:력[7]【事歷】명 사물(事物)의 내력.

사력[8]【社歷】명 ①회사의 역사. 또, 회사 창립 이래의 햇수. ②회사에 들어가고 난 후의 햇수.

사력[9]【思力】명 생각하는 힘.

사력[10]【詐力】명 ①사기(詐欺)와 폭력(暴力). ②속이는 힘.

사:력[11]【肆力】명 진력(盡力). ──-하다 자여불

사력 광:상【沙礫鑛床】명〖광〗표사 광상(漂砂鑛床).

사력 단구【沙礫段丘】명〖지〗하상(河床)에 퇴적(堆積)되었던 사력층(砂礫層)으로 이루어진 하안(河岸) 단구의 하나. 퇴적(堆積) 단구.

사력-댐【沙礫一】〔dam〕명 중심부에 점토를 넣고, 양쪽을 자갈과 모래로 다져서 돌을 쌓아 만든 댐.

사력-서【司曆署】명〖역〗조선 시대의 관상감(觀象監)을 연산군 때에 고친 이름. 중종(中宗) 때에 다시 원명으로 개칭됨.

사력-지【沙礫地】명 자갈밭.

사련[1]【邪戀】명 떳떳하지 못한 연애. 도리에 벗어난 남녀간의 사랑.

사련[2]【思戀】명 생각하여 그리워함. 생각하여 연모(戀慕)함. ──-하다 타여불

사련-보다 자〈방〉사정보다(함경).

사렴【蛇廉】명 뱀이 무덤을 황폐하게 하는 일.

사렵【射獵】명 활로 쏘아 하는 사냥. ──-하다 자타여불

사령[1]【司令】명 ①군대·함대(艦隊) 등을 지휘·감독함. 또, 그러한 직책. ¶～관. ②연대(聯隊) 및 연대급 이상의 단위 부대의 일직(日直)·주번(週番)의 책임 장교. ¶일직 ～/주번 ～. ③〖농〗농악대에서, 영기(令旗)의 기수(旗手). 기받이. ──-하다 타여불

사:령[2]【四齡】명 누에의 석 잠 잔 후로부터 넉 잠 잘 때까지의 사이.

사:령[3]【四靈】명 전설상의 신령한 네 가지 동물. 곧, 기린(麒麟)·봉황(鳳凰)·거북·용(龍). *오령(五靈).
사령[4]【寺領】명 사찰(寺刹)의 영지(領地).
사:령[5]【死靈】명 죽은 사람의 영혼. ↔생령(生靈)❶.
사령[6]【私領】명 ①개인이 소유하는 영지(領地). 사유(私有)의 영지. 장원(莊園). ②제후(諸侯)의 영지.
사:령[7]【使令】명 ①〖역〗각 관아(官衙)에서 심부름하는 하인. ②명령하여서 사역(使役)함. ——하다 자여불
사:령[8]【赦令】명 ①〖역〗사전(赦典)을 발포(發布)하는 영(令). ②사면(赦免)·특사(特赦) 또는 대사(大赦)의 명령.
사령[9]【辭令】명 ①응대(應待)하는 말. ¶외교 ~. ②관직(官職)의 임면(任免)의 공식적인 발령. ③↗사령장(辭令狀).
사령-관【司令官】명〖군〗사령부의 장. 명령·지휘·통솔권을 행사함. ¶병사구 ~.
사:령-문【四靈文】명 사령, 곧 용·기린·봉황·거북을 같이 나타낸 장식 무늬의 하나.
사:령-방【使令房】명〖역〗사령청(使令廳).
사령-부【司令部】명〖군〗사단급(師團級) 이상 또는 위수 지구(衛戍地區)의 지휘관(指揮官)이 소속 부대를 통수(統帥)하기 위하여 업무를 집행하는 군(軍) 본부. ¶사단 ~.
사:령-산【四苓散】명〖한의〗오줌을 잘 통하게 하고, 습열(濕熱)을 다스리는 데 쓰는 약제.
사령-서【辭令書】명 사령장(辭令狀).
사령-선【司令船】명 ①사령관이 타고 함대를 지휘 통솔하는 선박. 기함(旗艦). ②〔command module〕아폴로 우주선(宇宙船)의 모선(母船) 가운데, 달 왕복중 비행사가 타는 원뿔 모양의 선실(船室) 부분.
사:령 숭배【死靈崇拜】명〔manism, manes-worship〕〖종〗고대 민족이나 미개 민족의 신앙 형태의 한 가지. 죽은 사람도 생전과 같은 자격으로 생활을 한다고 생각하며, 살아 있는 사람에게 화복(禍福)을 가져 온다는 공포심 또는 애착심·숭배심에서 오는 관념 및 의례(儀禮). 넓은 뜻으로는 조상 숭배(祖上崇拜)도 여기에 포함됨. 사자 숭배(死者崇拜). 정령 숭배(精靈崇拜).
사:령-잠【四齡蠶】명 세 차례 허물을 벗은 뒤부터 네 차례 허물을 벗기까지의 누에.
사령-장【辭令狀】[-짱] 명 관직(官職)·역직(役職) 등을 임면(任免)하는 뜻을 적어 본인에게 주는 문서. 사령서(辭令書). 고명(告命). ㊈사령.
사:령-제【死靈祭】명 사자(死者)의 혼령을 위한 제의(祭儀).
사:령-청【使令廳】명〖역〗사령이 모이어 있던 곳. 사령방(使令房).
사령-탑【司令塔】명〖군〗군함(軍艦)이나 항공 기지에서 사령, 곧 함장이나 사령관이 지휘를 행하기 위하여 설비하여 놓은 탑 모양으로 된 장소. 군함에서는 두꺼운 갑철(甲鐵)로 그 둘레와 윗 부분을 막았고, 조망(眺望)에 편리하며 모든 곳에 명령을 내릴 수 있도록 장치가 되어 있음.
사례[1]【司例】명〖역〗신라 예작부(例作部)의 한 벼슬. 경덕왕(景德王) 때 전의 사지(舍知)를 고친 이름인데, 혜공왕(惠恭王)이 다시 사지로 고침. 위계(位階)는 대사(大舍)부터 사지까지임.
사례[2]【司禮】명〖역〗①강회(講會)에서, 강(講)의 진행을 맡아 보는 사람. 집례(執禮). *사강(司講). ②신라 예부(禮部)의 한 벼슬. 경덕왕(景德王) 때 전의 사지(舍知)를 고친 이름인데, 혜공왕(惠恭王)이 다시 사지로 고침. 위계(位階)는 대사(大舍)로부터 사지까지.
사:례[3]【四禮】명〖역〗관례(冠禮)·혼례(婚禮)·상례(喪禮)·제례(祭禮)의 총칭. 관혼 상제(冠婚喪祭).
사례[4]【私禮】명 비공식으로 사사로이 차리는 인사.
사:례[5]【事例】명 ①일의 전례(前例). ②일의 실례(實例). ¶성공 ~담(談).
사례[6]【射禮】명 궁술(弓術)의 예식. 활을 쏠 적에 행하는 의식.
사:례[7]【赦例】명 사면(赦免)의 전례(前例).
사:례[8]【謝禮】명 언행(言行)으로나 물품으로써 상대자에게 고마운 뜻을 나타냄. 예(禮). ¶~의 편지. ——하다 자여불
사:례-금【謝禮金】명 사례하는 뜻으로 주는 돈. 예금(禮金).
사:례-단【謝禮單】명 예단[3].
사:례 연:구【事例研究】명〔case study〕개개의 사상(事象)에 대하여 예를 들고, 이들 개개의 사례를 기초로 하여 귀납적(歸納的)으로 하나의 문제를 연구하는 일. 개별 조사(個別調査).
사:례 연:구법【事例研究法】[-뻡] 명〔case study method〕①〖심〗개인의 구체적인 치료·교정(矯正)·교육을 목적으로 어떤 사례에 관하여 그 개인이 현재에 이르기까지의 생활을 조사·기술(記述)한 것으로써 대책을 찾아 내려는 방법. ②법률·의학·상업 등의 연구에 있어서, 구체적인 사례에 관하여 분석·검토하며, 그 사례에 반영되어 있는 원리를 발견할 것을 목적으로 하는 연구·교육상의 방법. ③사회 조사의 한 유형(類型). 통계적으로 처리할 수 없는 복잡한 내면적 인자(內面的因子)의 상관(相關)을 어떤 사례를 모든 각도에서 분석함으로써 밝히는 것을 목적으로 하는 연구법. 케이스 스터디(case study).
사:례 편람【四禮便覽】[-펼-] 명〖책〗관혼 상제에 관한 제도·절차를 간단히 적은 책. 조선 시대 숙종(肅宗) 때 이재(李縡)가 편찬하고 헌종(憲宗) 10년(1844)에 간행하였으며, 광무(光武) 4년(1900)에 증보(增補)하여 중간(重刊)하였음. 8권 4책.
사:례 훈:몽【四禮訓蒙】명〖책〗《예기(禮記)》중에서 사례의 요점을 뽑아 적은 책. 조선 시대 선조(宣祖) 때, 이항복(李恒福)이 편찬하고, 광해군(光海君) 14년(1622)에 김지남(金止男)이 간행하였음. 많은 사람들이 관·혼·상·제의 근본을 모르고 공연히 형식에 대해서만 시비·변론함을 개탄하여 지었다 함. 1권 1책.
사:렛-굿【謝禮-】명 굿을 하여 소원을 이루었을 때 귀신에게 고마운 뜻을 나타내려고 하는 굿.
사로[1]【仕路】명 벼슬길. 환로(宦路). 관해(官海).
사:로[2]【死路】명 막다른 길. 죽음의 길.
사로[3]【邪路】명 그릇된 길. 옳지 못한 길. 사도(邪道).
사로[4]【沙鹵】명 소금기가 있는 모래밭.
사로[5]【砂路】명 모래가 깔린 길. 모래를 깐 길.
사로[6]【思路】명 글을 지을 때, 생각을 더듬어 가는 과정.
사로[7]【斜路】명 ①비뚠 길. ②비탈길.
사로[8]【斯盧】명〖역〗'신라(新羅)'의 고칭(古稱).
사로[9] 부〈방〉아직.
사로-국【駟盧國】명〖역〗마한(馬韓) 중의 한 나라. 지금의 충청 남도 홍성군(洪城郡) 장곡면(長谷面) 일대로 보는 설이 있음. 사라(沙羅).
사로다[1] 타〈방〉사뢰다.
사로다[2] 타〈옛〉살리다. 살게 하다. ¶아ᄇᆡ 병의 손ᄀᆞ락글 근처 구ᄒᆞ여 사로다(父病斷指救活)《東國續三綱 孝子圖 Ⅲ:67》.
사로드〔sarod〕명〖악〗발현 악기(撥絃樂器)의 한 가지. 북(北)인도의 민속 악기로서 가죽을 씌운 원형(圓形)의 동체(胴體)와 여덟 줄의 금속현(金屬絃)과 열 여섯 줄의 공명현(共鳴絃)으로 되어 있음. 소리가 강하고 빠른 멜로디와 장식음(裝飾音)을 낼 수 있으며, 합주(合奏)와 독주(獨奏)가 가능함.
사로라 자〈옛〉살았노라. ¶ᄒᆞᆫ ᄒᆡᄅᆞᆯ 梓州ㅣ 사로라(一年居梓州)《杜諺 Ⅱ:1》. *-오라.
사로스 주기【-週期】명〔Saros cycle, '사로스'는 되풀이한다는 뜻〕〖천〗같은 장소에서 같은 모양으로 일월식(日月蝕)이 일어나는 주기(週期). 18년 11.3일을 주기로 함. 기원전 600년경에 칼데아(Chaldaea)의 천문학자가 발견하였음.
사로얀〔Saroyan, William〕명〖사람〗미국의 소설가·극작가. 독학으로 단편·극작에 몰두, 《당신 생애의 해》로 인정된 후, 시적·낙천적인 유머로써 가난한 사람들을 그리면서도 어둡지 않은 것이 특색임. 작품 《내 마음 고원(高原)에》 등. [1908-81]
사로-자다 자 불안(不安)한 중에 자는 둥 마는 둥 하게 자다. ¶일찌거니 문을 닫고 잠을 사로자며 가끔 앞뒤 뜰로 돌아다니며 신칙을 단단히 하여라《李海朝: 九疑山》.
사로-잠그다 타 자물쇠나 빗장 따위를 반쯤 걸어 놓다.
사로-잡다 타〔중세: 사ᄅᆞ잡다〕①산 채로 붙잡다. 생포하다. 생금(生擒)하다. ¶범을 ~. ②매혹하여 홀리게 만들다. ¶마음을 ~.
사로-잡히다 피동 ①산 채로 잡히다. ②얽매여 꼼짝달싹 못하게 되다. ¶미모에 ~. ③갑자기 어떤 감정·생각 등에 덮침을 받다. ¶공포에 ~.
사로-채우다 타 ☞사로잠그다.
사로트〔Sarraute, Nathalie〕명〖사람〗프랑스의 여류 작가. 러시아 태생. 파리·옥스퍼드 대학에서 문학·법률을 배우고 변호사가 됨. 처녀작 《트로피슴(Tropismes)》을 발표한 후, 《이름 모를 남자의 초상》 등 소설과 소설 이론 《불신(不信)할 때》를 발표함. 인간의 심층 심리(深層心理)를 극히 섬세한 문체로 묘사하고 있음. 누보 로망의 대표적 작가임. [1902-]
사:록[1]【史錄】명 역사에 관한 기록.
사록[2]【司祿】명〖역〗조선 시대 때, 의정부(議政府)의 정팔품 벼슬.
사:록[3]【四綠】명〖민〗음양가(陰陽家)에서 이르는 구성(九星)의 하나. 목성(木星)임.
사록[4]【寫錄】명 베낌. 옮겨 씀. ——하다 타여불
사:록[5]【麝鹿】명〖동〗사향노루.
사:론[1]【士論】명 선비들의 공론(公論).
사:론[2]【史論】명 역사에 관한 평론.
사론[3]【私論】명 사사로운 의론(議論). 개인의 논설(論說).
사론[4]【邪論】명 도리에 어긋나는 의론(議論). 부정한 논설.
사론[5]〔saron〕명〖악〗인도네시아의 민속 악기로 선율 타악기(旋律打樂器)의 한 가지. 단면이 반달 모양의 두꺼운 구리 합금(合金)을 공명통(共鳴筒) 위에 붙이고 이를 나무망치로 침. 1옥타브씩 4옥타브에 걸친 네 개의 사론(saron)이 한 세트(set)로 되어 있음.
사롤일 명〈옛〉살 일. 생계(生計). ¶사롤일 다ᄉᆞ료ᄆᆞᆯ ᄯᅩ 耕鑿ᄒᆞ면(治生且耕鑿)《杜諺 Ⅲ:46》.
사롬[1] 명〈옛〉사람. =사ᄅᆞᆷ. ¶우ᄒᆡ 사롬의 머리 터럭을 뻐 덥펴(上用人髮蓋之)《馬經 下 67》.
사롬[2] 명〈옛〉삶. ¶사로미 이러커늘ᅀᅡ 아ᄃᆞᆯᄋᆞᆯ 여희리잇가《月印 上 52》.
사롬사리 명〈옛〉살림살이. ¶사롬사리아 어느 시러곰 니ᄅᆞ리오(生理焉得說)《杜諺 Ⅰ:7》.
사롱[1] 명〈방〉살강(경기·황해).
사롱[2]【紗籠】명 ①↗사등롱(紗燈籠). ②현판(懸板)에 먼지가 앉지 못하게 씌워 덮는 사포(紗布).
사롱[3]【斜籠】명〖건〗대문이나 중문 위에 만들어 낸 창살.
사롱[4]〔sarong〕명 인도네시아·말레이(Malay)·인도 등지의 회교도 남녀가 허리에 두르는 스커트 비슷한 의복. 양쪽 끝을 꿰매 맞춘 통형(筒形)으로 무명을 주로 쓰고, 그 밖에 명주·인견 등으로도 만듦.
사롱-갑【紗籠匣】명 임금이 타는 말의 안장 뒤에 걸어 매어 잡다한 물건을 넣는 긴 주머니.
사롱-니 명〈방〉사랑니.
사롱 에이프런〔sarong+apron〕명 앞 또는 앞뒤를 모두 가리는 긴 앞치마.
사뢰다 타〔근대: ᄉᆞ로다〕웃어른에게 삼가 말씀을 드리다.
사:료[1]【史料】명 역사의 재료. 문서·기록·회화(繪畫)·건축 등 역사 기술(記述)의 소재(素材)가 되는 문헌(文獻)·유물(遺物) 같은 것. 사재(史材).

〈사롱[4]〉

사료[2]【思料】명 생각하여 헤아림. 사량(思量). ¶판단에 착오가 있는 것으로 ~함. ——하다 타여불
사료[3]【飼料】명 가축(家畜)·사조(飼鳥)의 먹이. 먹이.
사료 관리법【飼料管理法】[-괄-뻡] 명〖법〗사료의 수급 조절, 가

격의 안정 및 품질 개량에 관한 사항을 규정함으로써 축산업의 발전을 도모하기 위하여 제정한 법.

사료 식물【飼料植物】명 사료로 쓰이는 식물. *사료 작물.

사료 작물【飼料作物】명 가축의 사료로 쓸 목적으로 재배하는 작물. 보리·귀리·고구마·피·조·자운영과 같은 것. 먹이 작물.

사:료-학【史料學】명 사료의 기술적(技術的) 처리를 취급하는 역사학의 한 분과.

사:룡[1]【死龍】명〔민〕풍수 지리(風水地理)에서 묏자리의 뒤에, 종산(宗山)에서 온 맥(脈)이 없거나 끊어진 내룡(來龍).

사룡[2]【蛇龍】명 이무기가 변하여 된 용(龍).

사룡[3]【蛇龍】명〔문〕고려 가요의 하나. 작자·제작 연대 미상. 원가는 전하지 아니하고 다만 그 일부의 한역시(漢譯詩)가 ≪고려사≫ 악지(樂志)에 전함. 충렬왕(忠烈王) 때의 왕과 행신(倖臣) 등을 비롯한 당대 남녀간의 문란한 애정 생활을 반영한 작품인 듯함.

사루[1]【沙漏·砂漏】명 모래 시계.

사루[2] 부〈방〉아직[2].

사루-계【沙漏計·砂漏計】명 모래 시계.

사루기 명〔어〕[*Thymallus jaluensis*] 사루깃과에 속하는 민물고기. 은어와 비슷하나 더 유선형이고, 몸길이 16-20cm. 은백색 바탕에 체측 아래쪽과 아가미와 옆줄 사이에 갈색 반점이 산재하며, 등지느러미는 부채 모양으로 널브러져 갈색 반점이 곱게 박혔음. 숲 속의 맑은 물이나 연못·하천 등에 사는데, 담수어 중 가장 고운, 세계적으로 이름난 물고기임. 한국 압록강과 아시아 대륙 및 유럽 등지에 널리 분포함.

사루깃-과【一科】명〔어〕[Thymallidae] 청어목(靑魚目)에 속하는 한 과. 사루기 하나만 알려져 있음.

사룽 명〈방〉살강(경기·황해).

사뤼소폰〔프 sarrussophone〕명〔악〕리드(reed)가 두 개 달린 금속관을 가진 관악기의 한 가지. 음색이 굵고 음량이 풍부하며 연주가 용이함. 9 종류의 악기가 있었으나, 오늘날은 세 종류만이 일반화되어 있음. 금속제이나 관악 등에서 최저음은 목관으로 사용됨.

〈사뤼소폰〉

사:류[1]【士類】명 학덕(學德)이 높은 선비의 무리.

사류[2]【絲柳】명〔식〕수양버들.

사류[3]【絲類】명 실 종류. 실붙이.

사류[4]【射流】명 쏘는 듯이 빠른 흐름.

사:륙【四六】명 ①〔문〕↗사륙문(四六文). ②〔인쇄〕↗사륙판(四六判).

사:륙-문【四六文】명〔문〕한문체(漢文體)의 한 가지. 중국의 한(漢)나라와 위(魏)나라에서 처음 비롯되어 육조(六朝)와 당(唐)나라에서 유행하던 문체(文體)인데, 네 글자와 여섯 글자를 기본으로 하여 대구법(對句法)을 쓰며, 압운(押韻)이 많은 변려문(騈儷文)임. 사륙 변려문(四六騈儷文). 사륙 변려체. 준사륙(四六).

사:륙 반:절【四六半切】명〔인쇄〕사륙판(四六判)의 절반이 되는 인쇄물의 규격(規格). 또, 그런 인쇄물. 사륙 반판.

사:륙 반:판【四六半判】명〔인쇄〕사륙 반절.

사:륙 배:판【四六倍判】명〔인쇄〕사륙판(四六判)의 갑절이 되는 인쇄물의 규격(規格). 또, 그런 인쇄물.

사:륙 변:려문【四六騈儷文】[—별—] 명〔문〕사륙문(四六文).

사:륙 변:려체【四六騈儷體】[—별—] 명〔문〕사륙문(四六文).

사:륙 사:배판【四六四倍判】명〔인쇄〕사륙판의 네 갑절이 되는 인쇄물의 규격(規格). 또, 그런 인쇄물.

사:륙 이:십사【四六二十四】명〔수〕구구법의 하나. 넷의 여섯 갑절이나 여섯의 네 갑절은 스물넷이라는 뜻.

사:륙-체【四六體】명〔문〕사륙문(四六文)으로 된 글체.

사:륙-판【四六判】명〔인쇄〕①인쇄 용지의 크기에 대한 규격의 하나. 가로 78.8cm, 세로 109.1cm의 양지(洋紙)의 판. ②책이나 잡지 같은 것의 크기에 관한 규격의 하나. 가로 13cm, 세로 19cm의 인쇄물. 준사륙. *국판.

사:륙 화음【四六和音】명〔chord of the sixth and fourth〕〔악〕자리바꿈 화음의 하나. 둘째 자리바꿈 화음으로서, 첫째 자리바꿈 화음인 육(六)의 화음의 최저음(最低音), 곧 제3음을 다시 옥타브(octave) 올려서 자리바꿈한 화음. 세 음은 제5음, 밑음, 제3음의 차례로 놓임. 기본 위치의 삼화음(三和音)에서 제5음을 옥타브 낮춘 것과 같음. 이것은 베이스(bass)에서 사도(四度)와 육도가 되므로 사륙 화음이라 함. *육화음.

사:륜[1]【四輪】명 ①네 개의 바퀴. ②〔불교〕땅 속에서 이 세계를 버티고 있다는 네 개의 큰 바퀴. 위로부터, 금륜(金輪)·수륜(水輪)·풍륜(風輪)·공륜(空輪)이 있음. ③〔불교〕전륜왕(轉輪王)의 네 윤보(輪寶). 곧, 금·은·동·철.

사륜[2]【絲綸】명 조칙(詔勅)의 글.

사:륜-거【四輪車】명 바퀴가 넷이 달린 수레. 사륜차.

사:륜 구동【四輪驅動】명 앞뒤 네 바퀴가 모두 구동륜(驅動輪)이 되는 구조의 자동차. 고르지 않은 지면을 주행하는 데 적합함. 사더블유디(4 WD).

사:륜 마:차【四輪馬車】명 바퀴가 넷이 달린 마차.

사:륜-왕【四輪王】명〔불교〕고대 인도의 이상적 국왕. 곧, 금륜왕(金輪王)·은륜왕(銀輪王)·동륜왕(銅輪王)·철륜왕(鐵輪王).

사:륜-차【四輪車】명 사륜거.

사르가소 해【一海】〔Sargasso〕명〔지〕조해(藻海).

사르곤〔Sargon〕명〔사람〕①사르곤 일세(Sargon 一世). ②사르곤 이세(Sargon 二世).

사르곤-성【一城】〔Sargon〕명〔역〕코르사바드(Khorsabad).

사르곤 이:세【一二世】〔Sargon Ⅱ〕명〔사람〕신아시리아(新 Assyria) 왕·장군. 사르곤 왕조(王朝)의 창시자. 시리아·팔레스타인·아르메니아·아라비아를 정복, 바빌로니아를 병합하여 세계 제국을 건설하였음. 사르곤. [재위 721-705 B.C.]

사르곤 일세【一一世】〔Sargon Ⅰ〕[—쎄] 명〔사람〕고대 오리엔트의 아카드(Akkad)의 왕. 기원 전 2400년경 메소포타미아에 최고(最古)의 통일 왕조인 아카드 조(Akkad 朝)를 수립하였음. 후세에 '전쟁의 왕'으로서 많은 신화·전설을 낳음. 사르곤.

사:르나:트〔Sārnāth〕명〔지〕인도(印度) 우타르 프라데시 주(Uttar Pradesh 州)에 있는 불적지(佛跡地)로 불교도의 4대 성지(聖地)의 하나. 석가가 처음으로 설법(說法)한 곳으로 불탑과 사원이 많음. 굽타 양식(Gupta 樣式)을 대표하는 불상의 태반은 여기서 만들어졌음.

사르다[1] 타㊂불〔중세 : 숟다〕①불에 태워 없애다. ¶ 묵은 서류를 불에 ~. ②아궁이나 화덕 같은 곳에 불을 붙이다. ¶ 아궁이에 불을 ~.

사르다[2] 타㊂불 키 등으로 사래질하여 못 쓸 것을 떨어 버리다.

사르데냐 섬〔Sardegna〕명〔지〕남유럽 지중해 서부 코르시카 섬(Corsica)의 남쪽에 보니파시오 해협(Bonifacio 海峽)을 사이에 두고 연속되어 있는 지중해 제2의 큰 섬. 이탈리아령(領)임. 산간 분지(山間盆地)가 많고 광물의 생산이 많음. 이탈리아 통일 국가의 모체(母體)가 됨. [23,818km²]

사르데냐 왕국【一王國】〔Sardegna〕명〔역〕사보이아·피에몬테·사르데냐 섬을 영토로 하고, 토리노(Torino)에 도읍한 북(北)이탈리아의 작은 왕국. 왕가는 사보이아가(家) 계통, 1720년에 아마데오 2세가 건국하였음. 18세기 말, 프랑스에 병합되었으나, 1814년 빈 회의의 결과로 독립을 회복하였음. 뒤에 비토리오 에마누엘레 2세(Vittorio Emanuele 二世)가 이탈리아를 거의 통일하고, 1861년에 이탈리아 왕국을 세워 왕위에 오름.

사르데스〔Sardes〕명〔지〕터키 서부, 이즈미르(Izmir)의 북동부에 있었던 고대 도시. 기원 전 6세기에 리디아(Lydia) 왕국의 수도로서 번영함. 20세기초에 아르테미스 신전(Artemis 神殿) 등의 도시 유적(都市遺跡)이 발굴됨.

사르두〔Sardou, Victorien〕명〔사람〕프랑스의 극작가. 놀라운 다재(多才)와 다작(多作)의 작가로, ≪흑진주(黑眞珠)≫ 등의 장편 소설 및 교묘한 수법으로 세태를 풍자한 작품이 많은데, 희곡 ≪조국≫·≪상제(Sans-Gêne) 부인≫ 등이 있음. [1831-1908]

사르르 부 ①맨 것이나 매어 달린 것이 저절로 힘없이 풀어지거나 떨어지는 모양. ¶ 보자기가 ~ 풀리다. ②얼음이나 눈이 저절로 녹는 모양. ③힘없이 눈을 감거나 뜨는 모양. ¶ 눈을 ~ 감다. ④살며시 순하게 움직이는 모양. ⑤마음에 맺힌 원한이나 노여움이 저절로 풀어지는 모양. 1)-5): <스르르.

사르륵-사르륵 부 ①나뭇잎 등이 바람에 흔들리며 가볍게 연달아 스치는 소리. ¶ 갓 나온 떡갈나무 잎이 바람을 맞아 ~ 소리를 내고 있었다 ≪鄭飛石 : 城隍堂≫. ②밀려오는 물결이 연하여 가볍게 부딪치는 소리.

사르마트〔Sarmat〕명〔역〕기원전 6-4세기에 걸쳐 드네프르 강(Dnepr 江)에서 아랄 해(Aral 海)에 이르는 초원(草原) 지대를 지배하고 1세기경에는 흑해(黑海) 북안(北岸)에서 활약하던 유목 기마 민족. 여자도 남자처럼 말을 타고 수렵·출진(出陣)했다고 함.

사르미엔토〔Sarmiento, Domingo Faustino〕명〔사람〕아르헨티나의 작가·정치가. 정규(正規) 교육을 못 받고 독학으로 고매한 견식과 지식에 도달함. 신문을 발간하여 스페인의 압정을 비난하고 아르헨티나의 독립 운동에 참가함. 1868년에 대통령에 취임하였으며, 퇴임 후에도 국민 교육에 힘씀. 대표작 ≪파쿤도(Facundo)≫는 라틴 아메리카 문학의 고전으로 일컬어짐. [1811-88]

사르코글리아〔sarcoglia〕명 근육(筋肉)과 신경(神經)의 접점(接點)에 있는 원형질(原形質).

사르코-마이신〔sarcomycin〕명 항생 물질의 하나. 방선균(放線菌)에 의해 만들어지며, 제암제(制癌劑)로서 이용됨.

사르코신〔sarcosine〕명〔화〕천연 단백질에는 함유되지 않은 아미노산의 하나. 육즙(肉汁)에 함유된 크레아틴(creatine)의 분해물로, 감미(甘味)가 있는 조해성(潮解性) 결정(結晶). 물에 용해되고 알코올에는 잘 용해되지 않음. [CH_3NHCH_2COOH]

사르코이도시스〔sarcoidosis〕명〔의〕육아종 형성(肉芽腫形成)을 주징(主徵)으로 하는 전신성(全身性)의 질환. 폐결핵과의 감별이 어려우며 무열(無熱) 혹은 미열(微熱)로 만성화되기 쉬움. 사르코이드증.

사르코이드-증【一症】〔sarcoid〕[—쯩] 명 사르코이도시스.

사르토〔Sarto, Andrea del〕명〔사람〕이탈리아의 성기(盛期) 르네상스(Renaissance) 시대의 화가. 피렌체(Firenze)에서 태어남. 종교적인 주제를 주로 하여 뛰어난 구도(構圖), 미묘한 색채와 색조(色調)의 감정을 화면에 살린 피렌체파의 가장 중요한 화가임. 대표작에 ≪아르피에(Harpies)의 성모(聖母)≫·≪조각가의 초상≫ 등이 있음. [1486-1531]

사르토라이트〔sartorite〕명〔광〕암회색(暗灰色)의 단사 정계(單斜晶系)의 광물. 결정(結晶) 형태로 존재함.

사르트르〔Sartre, Jean Paul〕명〔사람〕프랑스의 철학자·소설가. 2차 대전중 포로 생활을 경험, 종전 후 잡지 '현대'를 주재하면서 문단과 논단에서 활약함. 그는 대저 ≪존재와 무≫에서 신(神) 없는 세계에 있어서의 인간의 자유를 추구하였으며, 이것은 이른바 무신론적 실존주의의 기념비적인 대작임. 카뮈(Camus)와 함께 실존주의 문학자의 쌍벽으로서 ≪구토(嘔吐)≫·≪벽≫ 및 ≪실존주의는 휴머니즘이다≫ 등의 저작과 ≪악마와 신≫·≪더럽혀진 손≫ 등의 희곡을 냄. 한편 문학자의 사회 참여(社會參與)를 주장하고 공산주의에 접근했는데, 1964년에는 노벨 문학상 수상을 거부하였음. [1905-80]

사르트-족【一族】〔Sart〕명〔인〕〔사르트는 옛 터키 말로 대상(隊商)의 장(長)의 뜻〕투르키스탄에 사는 이란계의 터키족. 주로 오아시스 농업을 경영하며, 그 밖에 상업·수공업에도 뛰어남. 언어는 터키의 중앙

방언인 사르트 방언을 쓰고, 종교는 이슬람교이며, 최근에 이르러 일반적으로 근대화되고 있음.

사륵【沙肋】명『동』'양(羊)'의 딴이름.

사름¹ 명 모를 옮겨 심은 지 4-5일 후에, 뿌리가 완전히 땅에 부착되어 모가 생생한 푸른 빛을 띠게 되는 상태. ¶ ~이 잘 되었다. *활착(活着).

사름² 명〈옛〉사람. =사ᄅᆞᆷ. ¶ 사ᄅᆞᄆᆡ 힝실리 효도만 크니 업슬ᄉᆡ(人之行莫大於孝故)《正俗 1》.

사릅 명 말·소·개 들의 나이의 세 살.

사-릉¹【思陵】명『역』조선 단종비(端宗妃)의 능(陵). 지금 경기도 남양주군(南楊州郡) 진건면(眞乾面) 사릉리(思陵里)에 있음.

사-릉²【蛇陵】명『역』오릉(五陵).

사릉³【斜稜】명『수』'빗모서리'의 구용어.

사:릉 석부【四稜石斧】명『고고학』단면이 네모꼴인 돌도끼. 청동기 시대 초기의 유물임.

사리¹ 명 의명 ①국수·새끼·실 등을 사리어 감은 뭉치. 또, 그것을 세는 단위. ¶ 국수 한 ~를 삶다. ②윷놀이에서 모나 윷. ¶ 한 ~ 나다.

사리² 명 ↗한사리.

사리³ 명〈옛〉살림. 생활. ¶ 山僧의 사리ᄂᆞᆫ 茶 세 그르시라 ᄒᆞ니 達摩祖師ㅅ 사리ᄂᆞᆫ 茶 세 그르세도 몯 미츠시니《眞言勸供 供養文 12》.

사리⁴【私利】명 개인의 이익. 사사로운 이익. 사익(私益). ¶ ~ 사욕(私慾). ↔공리(公利).

사리⁵【邪理】명 그릇된 이론. 나쁜 생각.

사:리⁶【事理】명 ①일의 이치. 일의 도리. ¶ ~에 닿는 말. ②『불교』상대적이며 차별이 있는 현상(現象)과 절대적이며 평등한 법성(法性). 천차 만별의 제법(諸法)과 유일 법성(法性)의 진여(眞如). 현상과 본체.

사리⁷【舍利·奢利】명〔범 śarira〕①『불교』불타(佛陀)나 성자(聖者)의 유골. 불사리(佛舍利). ②『불교』불타의 법신(法身)의 유적(遺跡)인 경전(經典). ③송장을 화장한 뼈. 사리골(舍利骨).

사리⁸【砂利】명 자갈¹.

사리⁹【射利】명 수단 방법을 가리지 아니하고 이끗을 얻으려고 노림. ——-하다 자 여불

사:리¹⁰【捨離】명『불교』모든 것을 버리고 번뇌(煩惱)에서 떠나는 일. 모든 것을 버리고 집착하지 아니하는 일.

사리¹¹【絲履】명 명주실로 만든 신. 사혜(絲鞋).

사리¹²【瀉痢】명『의』설사(泄瀉).

사리¹³〔saree, sari〕명 인도 힌두교의 여성들이 일상복으로 입는 민족복. 재단한 의복이 아니고, 허리를 감고 머리를 덮어 씌우거나 어깨 너머로 늘어뜨리는 기다란 면포(綿布) 또는 견포(絹布). 보통 단색염(單色染)이며 고급품은 금사(金絲)를 사용함. 신분·지방에 따라 입는 식이 다름. 남방계 의복의 특징을 잘 나타내고 있음.

〈사리¹³〉

사리-강【舍利講】명『불교』사리회(舍利會).

사리-골【舍利骨】명 사리(舍利)❸.

사리-국【司理局】명『역』조선 시대 말기의 법부(法部)에 속하던 한 국(局). 광무(光武) 3년(1899)에 두었다가 동 9년에 폐함.

사리-나물 명『식』사리풀.

사:리넨〔Saarinen〕명『사람』①〔Eero S.〕현대 미국의 건축가. ❷의 아들. 조각과 건축을 연구, 제네럴모터스(General Motors) 기술 연구소의 설계 등 제일선의 건축가로 활약함. [1910-61] ②〔Eliel S.〕핀란드 출생의 미국 건축가. 고국에서 근대 건축 작품을 설계, 미국에 와서 미술 학교를 건축하여, 미국의 근대 건축 양식 성립에 큰 영향을 주었음. [1873-1950]

사리다 타 ①길고 잘 엉키는 물건을 헝클어지지 아니하도록 둥그렇게 여러 겹으로 포개어 감다. ¶ 국수를 ~. ②뱀 따위가 몸을 똬리처럼 감다. 1)·2):<서리다². ③짐승이 겁을 먹거나 놀랐을 때, 꼬리를 뒷다리 사이로 꼬부려 끼다. ④박아서 나온 못 끝을 꼬부리어 붙이다. ¶ 못을 ~. ⑤몸을 아끼어 무슨 일에 힘을 다 쓰지 아니하다. ¶ 몸을 ~. ⑥조심하다. 만일을 경계하다.

사리-물다 자 이를 악물다.

사리-법【舍利法】[—뻡] 명『불교』밀교(密敎)에서, 사리를 공양(供養)하는 수법(修法).

사리별【舍利別】명 '시럽(syrup)'의 음역.

사리불【舍利弗】명〔범 Śāriputra〕『사람』석가의 십대 제자 중, 지혜가 가장 많은 사람. 십육 나한의 하나. 바라문(婆羅門) 출신으로 제자 250명을 데리고 불제자(佛弟子)가 되었음. 석가의 아들 나후라(羅睺羅)의 수계사(授戒師)로 유명함. 추자(鶖子). [?-486 B.C.]

사리-사리¹ 부 연기가 가늘게 올라가는 모양.

사리-사리² 부 ①국수·새끼·실 등 길고 잘 엉키는 물건을 여러 겹으로 사리거나 또는 여기저기에 사리어 놓은 모양. ¶ 국수를 ~ 사리다. ②어떤 감정이 복잡하게 얽힌 모양. 1)·2):<서리서리.

사리 사복【私利私腹】명 사리 사욕(私利私慾).

사리 사욕【私利私慾】명 개인의 이익과 욕심. 사리 사복. ¶ ~을 채우다.

사리-살짝 부 남 모르는 사이에 아주 재빠르게. <스리슬쩍.

사리-소리 명『악』고기떼에 그물을 던져 그물 줄을 당기면서 부르는 소리. 좌수영(左水營) 어방(漁坊)놀이에서 나타남.

사리-심【射利心】명 이끗을 얻으려고 노리는 마음.

사리여【使易】명〈이두〉사래여(使亦).

사리-염【瀉利塩】명『화』황산 마그네슘(黃酸 magnesium).

사리 용기【舍利容器】명『불교』사리나 불제자(佛弟子)·성승(聖僧)의 유골을 넣은 용기. 불탑(佛塔)의 안에 안치 매장(安置埋葬)되었던 것이 불탑의 파괴 혹은 발굴(發掘)에 의하여 발견됨. 사리함.

사리-원【沙里院】명『지』황해도 봉산군(鳳山郡)의 북서부에 있는 도시. 경의선과 황해선의 분기점으로 쌀·콩·사과(沙果) 등이 나고, 부근에 사리원 탄전(沙里院炭田)과 봉산 탄광(鳳山炭鑛)이 있음. 고적으로는 경암정(景巖亭)·고당 성지(古唐城址)가 있음.

사리원 난봉가【沙里院一歌】명『악』황해도 사리원 지방에서 많이 불리던 난봉가의 한 갈래.

사리원 탄:전【沙里院炭田】명『지』황해도 사리원의 동쪽, 경의선(京義線) 봉산역(鳳山驛)에 접한 봉산군 문전면(文田面)과 동선면(洞仙面)에 있는 탄전으로 갈탄(褐炭)의 산출이 많은데, 매장량 213만 톤으로 추정되는 작은 탄전임. 1910년에 개발하였음.

사리 장치【舍利藏置】명『불교』석가 모니의 시신을 화장하여 나온 뼈를 무덤에 안치하여 예배 공경하기 위한 장치.

사리-적【射利的】명 관 단지 이익만을 얻으려는 모양.

사리-짝 명〈방〉사립짝.

사리짝-문【一門】명〈방〉사립문.

사리-탑【舍利塔】명『불교』불사리(佛舍利)를 안치한 탑.

사리푸트라〔범 Śāriputra〕명『사람』'사리불(舍利弗)'의 본이름.

사리-풀 명『식』[*Hyoscyamus niger*] 가짓과에 속하는 일년 또는 월년초. 높이 1m 가량, 잎은 호생하며 달걀꼴 혹은 긴 타원형을 이루는데 밑의 잎은 유병(有柄), 경엽(莖葉)은 무병(無柄)이고 가에 톱니가 있음. 6-7월에 황색 꽃이 액출(腋出)하여 피고, 2실(室)을 가진 삭과(蒴果)를 맺음. 유럽 원산으로 각지에 야생 또는 재배함. 잎과 종자는 맹독이 있어서 마취(痲醉) 약재로 쓰임. 사리나물.

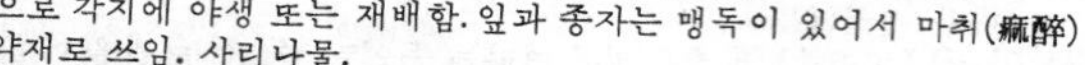

〈사리풀〉

사리-함【舍利函】명『불교』사리 용기.

사리-화【沙里花】명『문』고려 가요의 하나. 작자·제작 연대 미상. 원가(原歌)는 전하지 아니함. 중세(重稅)와 관(官)의 수탈(收奪)이 심하여 백성이 가난하여지는 것을 참새가 곡식을 쪼아 먹는 데 비유하여 읊음. 《고려사》 악지(樂志)에 그 해설과 이제현(李齊賢)의 《소악부(小樂府)》에 한역시(漢譯詩)가 전함.

사리-회【舍利會】명『불교』부처의 유골인 사리를 공양(供養)하는 법회. 사리강(舍利講).

사:린【四隣】명 ①사방의 이웃. ②사방에 이웃하여 있는 나라들. ¶ ~에 위세를 떨치다. ③전후 좌우(前後左右)의 사람들.

사:린-교【一轎】명 ←사인교(四人轎).

사:린 남여【一籃輿】명 ←사인 남여(四人籃輿).

사:린 방상【一方床】명 ←사인 방상(四人方床).

사:림¹【士林】명 유림(儒林).

사:림²【史林】명 역사에 관한 책.

사림³【沙痳】명『한의』요도(尿道)에 모래알 같은 것이 막혀서 몹시 아픈 임질의 한 가지.

사림⁴【詞林】명 ①시문(詩文)을 모아서 엮은 책. ②시인·문인들의 사회. 문단(文壇).

사림⁵【辭林】명 사전(辭典).

사림-원【詞林院】명『역』고려 충렬왕(忠烈王) 원년(1275)에 한림원(翰林院)을 고친 문한서(文翰署)를 동 24년에 다시 고쳐서 부르던 이름. 뒤에 곧 문한서로 다시 고침. *한림원(翰林院).

사:림-파【士林派】명『역』조선 세조(世祖) 무렵부터 갈리기 시작한 유림(儒林)의 네 파(派) 중의 하나. 김종직(金宗直)을 중심으로 김굉필(金宏弼)·정여창(鄭汝昌)·김일손(金馹孫) 등의 영남(嶺南) 사람으로 이루어진 파. 세조의 찬위(簒位)를 은근히 백안시(白眼視)하면서 기회 있는 대로 관계(官界)에도 진출하며 사화(詞華)에 힘쓰는 고답적(高踏的)인 경향이 있는 신진 세력이었음.

사립¹ 명 ↗사립문.

사:립²【四立】명 입춘(立春)·입하(立夏)·입추(立秋)·입동(立冬)의 총칭.

사립³【私立】명 관공(官公)의 힘을 빌리지 아니하고 사사로이 설립함. ↔공립(公立)·국립(國立)·관립(官立). *민립(民立). ——-하다 타 여불

사립⁴【沙粒·砂粒】명 모래알.

사립⁵【斜立】명 비스듬히 기울어져서 섬. ——-하다 자 여불

사립⁶【絲笠】명 명주실로 싸개를 해서 만든 갓.

사립⁷【簑笠】명 도롱이와 삿갓.

사립 대학【私立大學】명 사인(私人) 또는 사법인이 설립·경영하는 대학. 준 사대(私大). ↔국립 대학.

사립-문【一門】명 사립짝을 달아서 만든 문. 시문(柴門). 시비(柴扉). 사립짝문. 준 사립.

사립빡 명〈옛〉사립문. ¶ 사립빡(笆籬)《語錄 23》.

사립-봉【師笠峰】명『지』평안 북도 강계군(江界郡)에 있는 산. [1,248m]

사립작 명〈옛〉사립문. ¶ 東兒但知柴扉方言云沙立作《雅言 卷三》.

사립-짝 명 잡목의 가지로 엮어서 만든 문짝. 경비(扃扉). 준 삽짝.

사립짝-문【一門】명 사립문.

사립 학교【私立學校】명『교』사인(私人)·사법인(私法人) 또는 학교 법인(學校法人)이 설립한 학교. 독자적인 건학 정신(建學精神)과 교육 방침에 의하여 교육하는 데에 특색이 있음. 사학원(私學院). ↔공립(公立) 학교·국립(國立) 학교.

사립 학교 교:원 연금법【私立學校敎員年金法】[—년—뻡] 명『법』사립 학교 교직원의 퇴직·사망 및 직무상의 질병·부상·폐질(廢疾)에 대하여 적절한 급여 제도를 확립함으로써 교직원 및 그 유족의 경제적 생활 안정과 복리 향상에 기여함을 목적으로 하는 법률.

사ᄅᆞ다 타〈옛〉살리다¹. ¶ 나라 사ᄅᆞᆯ 일훔난 公이 잇ᄂᆞ니(活國名公在)《杜諺 XX:49》.

사ᄅᆞ묻다 타〈옛〉산 채로 묻다. ¶ 도ᄌᆞᆨ 罪ᄌᆞᄂᆞᆫ 法은 주겨 제 겨집조쳐 사ᄅᆞ묻더니《月釋 X:25》.

사ᄅᆞ샤 자〈옛〉사시어. '살다'의 활용형. ¶ 豳谷애 사ᄅᆞ샤(于豳斯依)《龍歌 3章》/慶興에 사ᄅᆞ샤(慶興是宅)《龍歌 3章》.

사ᄅᆞ자피다 피동〈옛〉사로잡히다. ¶ 왜적의 사ᄅᆞ자핀 배 되여 믈의 ᄡᅥ디ᄂᆞ니라(倭賊所擄投水而死)《東國新續三綱 烈女圖 Ⅳ:65》.

사ᄅᆞ잡다 타〈옛〉사로잡다. ¶ 侯景을 사ᄅᆞ잡지 몯ᄒᆞ엿도다(侯景未生擒)《重杜諺 Ⅲ:18》.

사ᄅᆞᆷ [명] 〈옛〉 사람. ¶ 네 사ᄅᆞᆷ ᄃᆞ리샤(遂率四人)≪龍歌 58章≫.

사ᄅᆞᆷ곰 [명] 〈옛〉 사람씩. ¶ ᄃᆞᆯ마다 ᄒᆞᆫ 사ᄅᆞᆷ곰 돌여(月輪一人)≪呂約 2≫.

사:마[1] 【士馬】 [명] 군사와 말.

사마[2] 【司馬】 [명] 〖역〗 ①↗사마시(司馬試). ②병조 판서(兵曹判書)의 딴 이름. ③중국 주(周)나라 때 벼슬로, 육경(六卿)의 하나. 나라의 군정(軍政)을 맡아 보았음.

사마[3] 【司馬】 [명] 성(姓)의 하나. 우리 나라에는 현존하지 아니함.

사:마[4] 【四魔】 [명] 〖불교〗 네 가지의 마(魔). 사람 몸의 요소인 오온(五蘊)이 인명을 빼앗는 인연이 되는 것을 온마(蘊魔), 번뇌가 지혜를 빼앗는 것을 번뇌마(煩惱魔), 수명을 빼앗고 오온을 멸하는 것을 사마(死魔), 정법(正法)과 선근(善根)을 방해하는 욕계 제육천(慾界第六天)의 마왕권속(魔王眷屬)을 천마(天魔)라 함.

사:마[5] 【死馬】 [명] 죽은 말.

사:마[6] 【死魔】 [명] ① 〖불교〗 사마(四魔)의 하나. 수명(壽命)을 빼앗고 오온(五蘊)을 파멸시키는 악마. ②죽음의 신. 죽음이란 마물.

사마[7] 【私馬】 [명] 사삿 사람의 말. 개인이 소유하고 있는 말.

사마[8] 【邪魔】 [명] 〖불교〗 수행(修行)의 방해가 되는 사악한 마(魔).

사마[9] 【刷馬】 [명] 〖역〗 ⇒쇄마(刷馬).

사마[10] 【娑磨】 [명] 〔범 Sāma〕 인도교의 네 베다(Veda)의 하나.

사마[11] 【絲麻】 [명] 명주실과 삼실.

사:마[12] 【駟馬】 [명] 하나의 수레를 끄는 네 필의 말. 또, 네 필의 말이 끄는 마차. 사철(駟鐵).

사:마-골 【死馬骨】 [명] 죽은 말의 뼈라는 뜻으로, 쓸모없는 것을 이름.

사마-광 【司馬光】 [명] 〖사람〗 중국 송대(宋代)의 학자·정치가. 자는 군실(君實), 호는 우부(迂夫) 또는 우수(迂叟). 통칭 사마온공(司馬溫公). 산시 성(山西省) 출생. 신종(神宗) 초년에 왕안석(王安石)의 신법(新法)에 반대하여 관을 사(辭)하고, ≪자치 통감(資治通鑑)≫의 편찬에 전념함. 저서 ≪사마문정공집(司馬文正公集)≫. 시호는 문정(文正). [1019-86]

사마괴 [명] 〈옛〉 사마귀❶. =사마괴. ¶ 사마괴 지(痣), 사마괴 염(黶)≪字會 中 34, 類合 上 22≫.

사:마구 [명] ☞사마귀❶.

사:마구이 [명] 〈방〉 사마귀[1].

사:마귀[1] [명] 〔중세 : 사마괴〕 〖의〗 피부에 점재하는 흑색 또는 암갈색의 작은 반문(斑紋)으로 모반(母斑)의 일종. 그곳에 털이 나는 경우도 있음. 흑자(黑子).

사:마귀[2] [명] 〖충〗 ①사마귓과에 속하는 넓죽사마귀·좀사마귀·왕사마귀·항라사마귀 등의 총칭. 거부(拒斧). 당랑(螳螂). 버마재비. 오줌싸개. ②〔*Paratenodera sinensis*〕 사마귓과에 속하는 곤충의 하나. 왕사마귀와 비슷한데 몸길이 70-80 mm, 전흉배(前胸背)의 후부가 전지(前肢) 기절(基節)보다 약간 길. 몸빛은 녹색 또는 황갈색이며, 뒷날개는 반투명이고 흑갈색에 불규칙한 담색 반문(斑紋)이 있음. 앞다리의 경절(脛節) 선단의 돌기가 낫처럼 되어 다른 곤충을 포식하는 데 편리함. 성충은 8-9월에 출현하여 풀밭에서 삶. 험상궂게 생기어 아이들이 싫어하며 손등에 오줌을 싸면 '사마귀'가 난다고 함. 한국·일본·중국 등지에 분포함.

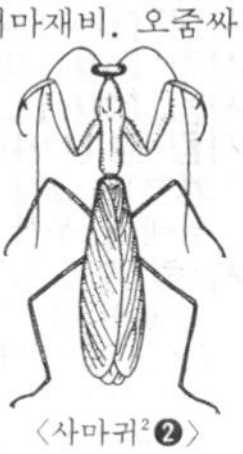

〈사마귀[2]❷〉

사:마귀-꼬리좀벌 [명] 〖충〗 〔*Podagrion chinensis*〕 꼬리좀벌과에 속하는 벌. 암컷의 몸길이 3.5 mm 내외이고, 몸빛은 대체로 흑색에 청색 광택이 나며, 다리는 황갈색, 퇴절(腿節)에는 9개 내외의 톱니가 있음. 산란관은 흑갈색이며 몸길이보다 길. 사마귀의 알에 기생(寄生)하는데, 한국·일본·중국 등지에 분포함.

〈사마귀꼬리좀벌〉

사:마귀-말조개 [명] 〖조개〗 〔*Unio douglasiae verrucifer*〕 돌조갯과에 속하는 조개의 하나. 한국의 특산종임.

사:마귀-붙이 [―부치] [명] 〖충〗 〔*Eumantispa harmandi*〕 사마귀붙잇과에 속하는 곤충. 사마귀와 비슷한데, 몸길이 14-23 mm, 편 날개의 길이 35-48 mm, 두부(頭部)는 담등황색, 촉각은 흑갈색이며, 흉부에는 황색에 심장형 적갈색 반문이 있고, 복부는 황갈색임. 복배(腹背) 중앙에는 한 줄의 흑색 세로띠가 있고, 날개는 투명함. 6-7월에 나와 나무 그늘의 풀밭에 삶. 유충은 거미의 알주머니·벌집 등에 기생한다 함. 한국·일본에 분포함.

〈사마귀붙이〉

사:마귀붙잇-과 【―科】 [―부칟―] [명] 〖충〗 〔Mantispidae〕 뿔잠자리목(目)에 속하는 한 과. 모양과 습성이 사마귀와 비슷한데, 머리는 길이보다 폭이 넓고 복안(複眼)은 크고 반구형(半球形)이며 단안(單眼)은 없음. 촉각은 짧은 극모상(棘毛狀)임. 전세계에 15속 170여 종이 분포함. 사마귀붙이·애사마귀붙이 등이 있음.

사:마귀 알집 [―찝] [명] 뽕나무에 기생(寄生)하는 사마귀의 알주머니.

사:마귀-풀 [명] 〖식〗 〔*Aneilema keisak*〕 닭의장풀과에 속하는 일년초. 줄기는 땅 위로 뻗어 나가며 각 마디에 수근(鬚根)이 났음. 잎은 호생하고 선상피침형(線狀披針形)이며, 잎꼭지는 초상(鞘狀)을 이룸. 6-8월에 백색에 담홍자색으로 된 엉긴 꽃이 액출(腋出) 혹은 정생하여 피고, 길이 6 mm의 타원형 삭과(蒴果)를 맺음. 못가·습지에 나는데, 전남·경기·평북 및 일본·중국 등지에 분포함. 애기닭의밑씻개.

〈사마귀풀〉

사:마귓-과 【―科】 [명] 〖충〗 〔Mantidae〕 곤충강(綱) 메뚜기목(目)에 속하는 한 과. 몸은 가늘고 길며, 머리는 삼각형이고, 단안(單眼)이 세 개 있음. 입은 저작형(咀嚼型)이고 앞다리는 가시가 있는 퇴절(腿節)과 경절(脛節)이 포획(捕獲)에 알맞게 발달하였음. 추운 나라를 제외한 전세계에 분포함. 농림(農林)의 해충을 잡아먹는 익충임. 버마재빗과.

사마기 [명] 〈방〉 사마귀❶(충남·전남·함북).

사마 동년 【司馬同年】 [명] 〖역〗 조선 시대 때, 사마 방목(榜目)에 동시에 같이 오른 사람.

사마라 〔Samara〕 [명] 〖지〗 '쿠이비셰프(Kuibyschev)'의 옛이름.

사마란치 〔Samaranch, Juan Antonio〕 [명] 〖사람〗 스페인의 실업가·외교관. 1977년 주소(駐蘇) 스페인 대사를 지내고, 1980년 국제 올림픽 위원회(IOC) 위원장이 됨. [1920-]

사마랑 〔Samarang, Semarang〕 [명] 〖지〗 인도네시아 자바(Java) 섬의 중앙 지협(中央地峽)의 동부 북안(北岸), 자카르타의 동북동 420 km 지점에 위치한 항시(港市). 스마랑 주의 주도로, 스마랑 강 어귀에 있어 수륙 교통의 요지임. 상업의 중심지이며 부근에서 석유(石油)·구리 등을 산출함. [1,027,000 명(1980)]

사마륨 〔samarium〕 [명] 〖화〗 희토류(稀土類) 원소의 하나. 모나자이트(Monazite)·제노타임(Xenotime) 등에 소량 함유되어 있는, 회백색의 삼방 정계(三方晶系)의 금속. 끓는점 1,790℃, 녹는점 1,080℃. 가열하면 산화물이 되고, 또 열수(熱水)와 작용하여 수소를 발생시키며 무기산(無機酸)에 잘 녹음. 산화수(酸化數) 2와 3의 화합물을 만듦. 코발트와의 금속 화합물 $SmCo_5$는 영구 자석(永久磁石)으로 중요함. [62번 : Sm : 150.4]

사마르 섬 〔Samar〕 [명] 〖지〗 필리핀 비사야 제도(Visaya 諸島) 동북에 있는 필리핀 제3의 큰 섬. 마닐라삼·야자·쌀·고추 등을 산출함. 주도(主都)는 카트발로간(Catbalogan). [13,481 km²; 1,200,592 명(1980)]

사마르칸트 〔Samarkand〕 [명] 〖지〗 중앙 아시아 우즈베키스탄(Uzbekistan) 공화국의 고도(古都). 아무다리아 강(Amu Darya江) 유역에 있으며, 해발 690 m임. 14세기말부터 15세기에 걸쳐 티무르 제국(Timur帝國)의 수도였으며, 분묘(墳墓)를 비롯하여 당시의 유적(遺跡)이 많음. 기계·화학·면화·피혁 등의 공업이 발달하고 교통의 요지이며, 면화의 집산지(集産地)로서 중요함. [515,000 명(1984)]

사마리아 〔Samaria〕 [명] 〖지〗 ①서남 아시아의 요르단 강(Jordan江) 서쪽에 있는 구릉 지대(丘陵地帶)로 팔레스타인의 중부를 이룸. 옛 이스라엘 왕국(王國)의 땅이었고 현재는 대부분 요르단에 속함. ②중부 팔레스타인의 한 도시. 고대 이스라엘의 수도. 기원전 875년경에 옴리 왕이 건설하여 일시 아시리아에 점령되었다가 후에 헤롯 대왕이 재건(再建)하여 사바스테(Sabaste)라 일컬었음. *사마리아인.

사마리아-어 【―語】 〔Samaria〕 [명] 〖언〗 셈어족(Sem語族)에 속하는 아랍어로 총칭되는 여러 언어 중의 하나. 팔레스타인 중앙부의 사마리아 지방에서 사용되고 있었음. 현재는 사어(死語)임.

사마리아-인 【―人】 〔Samaria〕 [명] 〖성〗 팔레스타인(Palestine)의 사마리아 부근에 살던 민족. 기원전 721년 아시리아에 포로가 된 바빌로니아·시리아·아라비아의 각지 사람과 이곳에 남아 있던 히브리족과의 사이에 생긴 혼혈족(混血族). 종교 관계로 유태인은 사마리아인을 이방인(異邦人)이라고 배척하였음.

사마린다 〔Samarinda〕 [명] 〖지〗 인도네시아의 보르네오 섬 동해안 마하캄 강(Mahakam江) 하류의 항만 도시. 부근의 유전(油田)은 그 산출액이 보르네오 섬에서 제일임. [265,000 명(1980)]

사마 방:목 【司馬榜目】 [명] 〖역〗 새로 합격한 진사(進士)·생원(生員)의 성명·연령·본적·주소 및 사조(四祖)를 기록한 책.

사:마-베다 〔Sāma-Veda〕 [명] 고대 인도의 바라문교(敎)의 종교 문헌으로 4 베다의 하나. 제사 지내는 차례에 따라 제관(祭官)이 부르는 노래 가사(歌詞)에 음절의 장단, 반복, 특별한 박자음 등을 달아 정리해 놓았음. 가사의 대부분은 리그베다의 시(詩)임. 사마폐타(娑摩吠陀).

사마-상여 【司馬相如】 [명] 〖사람〗 중국 전한(前漢)의 문인. 자는 장경(長卿). 쓰촨(四川) 출생. 경제(景帝) 때 벼슬에서 물러나 후량(後梁)에 가서 ≪자허지부(子虛之賦)≫를 지어 이름을 떨침. 그의 사부(辭賦)는 화려한 것으로 유명하며, 후육조(後六朝)의 문인들이 이것을 많이 모방하였음. [179-117 B.C.]

사마-소[1] 【司馬所】 [명] 〖역〗 조선 시대 때 외방의 고을마다 생원(生員)과 진사(進士)들이 모여 유학(儒學)을 가르치고 정치를 논하던 곳. 세력이 강해지자 많은 폐단을 조성하여 선조(宣祖) 6년(1573) 유성룡(柳成龍)의 계청(啓請)으로 혁파됨. 인조 실록에 그 폐를 논한 기사가 있음.

사마-소[2] 【司馬昭】 [명] 〖사람〗 중국 삼국 시대 위(魏)의 정치가. 사마의(司馬懿)의 아들. 자(子)는 자상(子上). 형이 죽은 다음 대장군(大將軍)이 되었다가 진왕(晋王)으로 책봉되어 국정을 도맡음. 서진(西晉)의 무제(武帝) 즉위 후 추존(追尊)하여 문제(文帝)라 했다가 태조 문황제(太祖文皇帝)라 칭함. [211-265]

사마-시 【司馬試】 [명] 〖역〗 조선 시대 때 과거(科擧)의 하나. 일종의 자격 시험(資格試驗)으로 생원과(生員科)와 진사과(進士科)가 있었음. 초시(初試)에서, 양과 각 700명, 뒤에는 각 540명을 전국에서 뽑고, 복시(覆試)에서 각 100명을 뽑음. 감시(監試). 소과(小科). [준]사마(司馬).

사마-염 【司馬炎】 [명] 〖사람〗 중국 서진(西晉)의 무제(武帝). 265년에 조위(曹魏) 원제(元帝)의 선위(禪位)를 받아 즉위해서 뤄양(洛陽)에 도읍을 정함. 280년에 오(吳)나라를 멸망시켜 천하를 통일하였음. [236-290; 재위 265-289]

사마-예 【司馬睿】 [명] 〖사람〗 동진(東晉)의 원제[2](元帝)의 이름.

사마 온공 【司馬溫公】 [명] 〖사람〗 사후에 추증(追贈)된 태사 온국공(太師溫國公)이라는 위호(位號)로 일컫는 사마광(司馬光)의 통칭.

사마 외:도【邪魔外道】명《불교》사마와 외도. 불교의 원수가 되는 사악(邪惡)한 마(魔)와 불교 이외의 사교(邪敎)의 도(徒).

사마-의【司馬懿】[-/-이] 명《사람》중국 삼국 시대의 위(魏)나라 권신(權臣). 자는 중달(仲達). 처음 조조(曹操)의 막하에 있어 촉한(蜀漢)의 제갈공명(諸葛孔明)의 도전에 잘 대처하고, 요동(遼東)의 공손씨(公孫氏) 토멸(討滅) 등 큰 공을 세움. 그의 손자 사마염(司馬炎)에 이르러 위(魏)나라의 뒤를 이어 진(晉)나라를 세웠음. [179-251]

사마-자【蛇麻子】명《동》표범장지뱀.

사마-천(:)【司馬遷】명《사람》중국 전한(前漢)의 역사학자. 자는 자장(子長). 기원전 108년에 태사령(太史令)이 됨. 기원전 104년에 공손경(公孫卿)과 함께 태초력(太初曆)을 제정, 후세의 역법(曆法)의 기초를 이룸. 친구 이릉(李陵)이 흉노(匈奴)에 항복한 것을 변호하여 궁형(宮刑)에 처해지매, 아버지의 뜻을 이어 ≪사기(史記)≫를 지음. ≪사기(史記)≫는 형식적으로나 내용적으로나 획기적인 역사책임. [145?-86?B.C.]

사마치 명 융복(戎服)을 입고 말을 탈 때에 두 다리를 가리던 아랫도리 옷. 고습(袴褶).

사마-폐:타【娑摩吠陀】명《종》'사마베다'의 한역어(漢譯語).

사:막[1] 명〈방〉사마귀❶(충청·제주).

사막[2]【沙漠·砂漠】명《지》아득히 넓고 큰 불모(不毛)의 모래 벌판. 극심한 건조 기후(乾燥氣候)로, 비가 아주 적어 식물(植物)이 거의 자라지 않고 모래 언덕이나 바위만이 있을 뿐이며, 간혹 오아시스(oasis)가 점재(點在)함. 열대 사막·중위도(中緯度) 사막·한랭(寒冷) 사막으로 구분되며, 사하라 사막·고비 사막·아라비아 사막 등이 가장 큼. 황사(黃砂).

사막 기후【沙漠氣候】명 [desert climate]《기상》대륙성 기후에 속하는 극단적인 기후형(氣候型)의 하나. 아열대에서 온대에 걸친 건조 지역 내에 분포함. 우량이 극히 적고 일사(日射)가 강하여 식물은 거의 자라지 못함. 낮과 밤의 기온의 차가 극심하며, 일반적으로 바람이 세어 때때로 사진(沙塵)을 일으킴. 수년 내에 드물게 한 번씩 호우(豪雨)가 내려 사막에 와디(wadi)를 형성케 함. 사막성 기후.

사막-꿩【沙漠-】명《조》[*Syrrhaptes paradoxus*] 사막꿩과에 속하는 새. 비둘기와 비슷한데 날개 길이 22-26cm이고, 몸의 배면(背面)은 담황갈색에 흑색 반점(斑點)이 있고, 머리는 금색이며 가슴을 가로질러 흑백색의 비늘 모양의 무늬가 있고, 중앙의 긴 꽁지는 흑색임. 특히 아시아 중부 사막에 서식하는데, 유럽·영국에까지 장거리(長距離)를 건너감으로써 유명하며, 다른 새와 달라 본거지로 돌아오지 않고 그곳에서 번식하려고 하다가 풍토·기후 관계로 몇 해 살다 죽어 버림. 중국 북부·한국 등지에도 분포함.

〈사막꿩〉

사막꿩-과【沙漠-科】[-꽈] 명《조》[Pteroclidae] 비둘기목(目)에 속하는 조류(鳥類)의 한 과. 주로 사막과 광야에 서식하는데 몸빛은 황갈색·회갈색, 부리는 짧고 굵으며 원추형임. 군서(群棲) 생활을 하나 번식기에는 땅을 파고 그 위에 풀을 깔고 2-3개의 알을 낳음. 알은 원통형이며 담갈색·담회색에 적갈색·자갈색의 반점(斑點)이 있음. 아프리카·아시아 중남부 등지에 20여 종이 분포함.

사막-대【沙漠帶】명 사막 지대(沙漠地帶).

사막-뢰【沙漠雷】[-뇌] 명《기상》사막 지방에서 사진(砂塵)이 강풍(強風)에 불릴 때 일어나는 뇌성(雷聲).

사막 바람【沙漠-】명 [desert wind]《기상》사막에서 부는 바람. 건조하며, 진애(塵埃)를 많이 포함하고 있음. *사막 기후.

사막-벌레 명〈방〉《충》사마귀❷(충남).

사막성 기후【沙漠性氣候】명《기상》사막 기후.

사:막-스럽다 형 ㅂ불 사막한 태도가 있다. <십악스럽다. 사:막-스레 부

사막 식물【沙漠植物】명《식》사막에서 자라는 식물의 총칭. 사막은 기후가 건조하므로 내건성(耐乾性)이 강한 초본 식물(草本植物) 또는 목본 식물(木本植物)이 단독 또는 작은 집단을 이루어 자라는데, 뿌리가 깊어 흡수력(吸水力)이 큰 것, 다육질(多肉質)로서 저수 조직(貯水組織)을 가지는 것, 지상부(地上部)로부터 이슬을 흡수할 수 있는 것, 비교적 많고 짧은 강수(降水) 기간에만 생활하고 건조기(乾燥期)에는 휴면(休眠)하는 것 등이 있음. 종자(種子)는 대개 바람에 날려서 산포(散布)됨. 선인장(仙人掌)·대극(大戟)·마황(麻黃)·명아주·겨자·엉겅퀴·콩·포아풀·야자(椰子)·위성류(渭城柳) 등의 과(科)에 속하는 식물이 많음.

사막 연:마【沙漠研磨】명 [desert polish]《지》사막 지역에서, 바람에 날린 모래나 먼지의 작용으로 암석이나 단단한 물질의 표면이 매끄럽게 갈리는 일.

사막-전【沙漠戰】명 사막에서 벌이는 싸움.

사막 지대【沙漠地帶】명 사막으로 형성되어 있는 지대. 사막대(沙漠帶).

사막-칠【沙漠漆】명 [desert varnish]《지》사막에서 노암(露岩) 표면을 특징 짓고 있는, 망간(Mangan)·철의 산화물인 갈색이나 흑색의 얼룩 또는 피막(皮膜).

사막-토【沙漠土】명 [desert soil] 사막에 발달하는 건조 토양. 온난대(溫暖帶)의 사막에 분포하는 원시적 토양은 회색토(灰色土)이고, 열대 및 아열대의 토양은 이것과 구별되는데, 기온의 일교차(日較差) 때문에 화학적 풍화(風化)를 일으키어 표층(表層)에 철과 알루미늄의 산화물이 잔류(殘留)함.

사막 평원【沙漠平原】명《지》사막에 생기는 넓고 평탄한 침식면(侵蝕面).

사:막-하다 형 여불 ①심히 악하다. ②가혹하여 조금도 용서함이 없다. 1)·2): <십악하다.

사만[1] 명《민》박수의 한 가지. 이상한 옷을 입고 북을 들었는데, 신령(神靈)과 말을 통한다고 함. 취음 : 살만(薩滿).

사:만[2]【四曼】명《불교》진언 밀교(眞言密敎)의 네 가지 만다라(曼荼羅). 곧, 여러 부처의 형상을 그린 대만다라(大曼荼羅), 여러 부처의 소지물(所持物)·인계(印契)를 그린 삼매야 만다라(三昧耶曼荼羅), 여러 부처의 진언(眞言)·주문(呪文)을 그린 법만다라(法曼荼羅), 여러 부처의 위의(威儀)·사업(事業)을 그린 갈마 만다라(羯磨曼荼羅)의 총칭. 사종 삼밀(四種三密). 사종 만다라(四種曼荼羅).

사만[3]【仕滿】명《역》조선 시대에, 벼슬아치가 그 임기(任期)를 채우는 일. *과만(瓜滿). ——-하다 자 여불

사만[4]【邪慢】명 덕이 없으면서, 덕이 있는 양 뽐냄. ——-하다 자 여불

사만[5] 부〈옛〉사뭇. ¶ 사만 이 곤ᄒᆞ도다(長如此)≪南明 上 31≫.

사만 가계법【仕滿加階法】[-뻡] 명《역》조선 시대에, 벼슬아치가 그 임기를 채우면 품계를 올려 주던 법.

사:만불리【四曼不離】명《불교》사만은 서로 상관하여 떨어지지 않는 일. 또, 모든 만물은 사만을 구비하고 우주에 편만(遍滿)하며, 부처의 사만과 중생의 사만과 상호 융통하며 떨어지지 않는 일.

사만 왕조【-王朝】[Sāmān] 명《역》9세기말 이란의 호족(豪族) 사만(Sāmān)의 증손자가 세운 독립 왕조(獨立王朝). 영토는 현재의 이란과 북쪽으로 시르 강(Syr江), 동쪽으로 인더스 강(Indus江)에까지 미치어, 일시 세력을 떨쳤으나, 10세기말에 투르크계의 카라한 왕조에 멸망하였음. 학문과 예술이 발달하여 이란인(人)의 민족적 부흥을 실현하고, 근세 페르시아 문학 발생의 모태(母胎)가 되었음. 수도(首都)는 사마르칸트. [874-999]

사:말[1]【巳末】명 사시(巳時)의 끝날 무렵. 곧, 오전 열한 시쯤.

사:말[2]【四末】명 ①두 손과 두 발의 끝. ②《천주교》사람이 면하지 못할 네 가지의 종말(終末). 곧, 죽음·심판·천당·지옥.

사말[3]【些末】명 자질구레한 것.

사망[1] 명 장사에서 이익을 많이 보는 운수.

사:망[2]【士望】명 학문과 덕망으로 얻은 선비 사회의 신망.

사:망[3]【四望】명 사방의 조망(眺望).

사:망[4]【死亡】명 ①죽는 일. 죽음. 사몰(死沒). 조사(徂謝). ↔출생(出生). ②《법》자연인(自然人)이 생명을 잃음. 법률상 자연인이 인격(人格) 곧, 일반적 권리(一般的權利) 및 능력(能力)을 상실(喪失)하는 일. ——-하다 자 여불

사망[5]【伺望】명 첩망(貼望).

사:망[6]【事望】명 사업 등의 앞길에 비치는 좋은 징조나 전망.

사망[7]【思望】명 생각하며 바람. ——-하다 타 여불

사망[8]【絲網】명 실로 뜬 그물.

사망[9]【詐妄】명 사모(詐冒). ——-하다 타 여불

사:망-계【死亡屆】명《법》'사망 신고(申告)'의 구칭.

사:망 교:연【四望皎然】명 사면(四面)을 바라보니 모두 환함. ——-하다 형 여불

사망구 명〈방〉《의》사마귀❶(경북).

사:망-률【死亡率】[-뉼] 명 ①사망자의 수와 생존자의 수와의 비율. ②1년 동안에 사망한 자의 수의 총인구에 대한 비율. 보통, 1000명에 대하여 몇 사람 또는 몇 퍼센트로 나타냄.

사:망 보:험【死亡保險】명《법·경》생명 보험(生命保險)의 한 가지. 피보험자가 보험 기간 중에 사망하였을 적에 보험 금액을 지급하는 보험. 정기(定期) 보험과 종신(終身) 보험이 있음.

사:망 생잔표【死亡生殘表】명 사망표(死亡表).

사:망 생존표【死亡生存表】명 사망표(死亡表).

사:망-세【死亡稅】명《역》유럽 중세기 봉건 사회에서 농노(農奴)가 죽었을 때 그 보유지(保有地)의 상속인(相續人)이 봉건 영주(領主)에게 바치던 상속세. 주로, 가축으로 바쳤음.

사:망 신고【死亡申告】명《법》사람이 죽었을 때에 진단서(診斷書) 등을 첨부하여 그 사실을 관청에 통고하는 절차. 구칭 : 사망계(屆). ↔출생 신고. ——-하다 자 여불

사:망 신고서【死亡申告書】명 사망 신고할 때 제출하는 서류.

사:망-인【死亡人】명 사망자.

사:망-일【死亡日】명 사망한 날.

사:망-자【死亡者】명 사망한 사람. 죽은 사람. 사망인.

사:망 증서【死亡證書】명《법》사망 진단서(死亡診斷書).

사:망-지【死亡地】명 죽은 곳. 생명을 잃은 장소. ↔출생지(出生地).

사:망지-환【死亡之患】명 사람이 죽는 재앙. 죽음의 재앙.

사:망 진단서【死亡診斷書】명《법》사람이 사망한 사실을 적은 의사의 증명서. 의사는 자기가 진료(診療)하던 환자가 죽었거나 그 밖에 직접 사망에 입회(立會)한 경우에 한하여 교부(交付)할 수 있음. 사망 증서(死亡證書).

사:망 통지【死亡通知】명 사망한 것을 알리는 일. 또, 그 알리는 서신 따위. *부고(訃告).

사:망-표【死亡表】명 국민의 생존 사망(生存死亡), 보건 위생 상태를 알기 위하여, 연차별(年次別)·연령별(年齡別)·남녀별 등으로, 생존자수(生存者數)·사망자수·생존율(生存率)·사망률(死亡率)·평균 여명(平均餘命) 등을 나타낸 통계표(統計表). 생명 보험료 산출(算出)의 기초 자료가 됨. 사망 생잔표(死亡生殘表). 사망 생존표(死亡生存表).

사매[1] 명〈방〉소매[1](경상).

사-매[2]【私-】명 권세(權勢) 있는 자가 백성을 사사로이 때리는 매. *린치·사형(私刑).

사매[3]【私賣】명 사사로이 몰래 팖. ——-하다 타 여불

사매[4]【邪魅】명 사귀(邪鬼).

사매[5]【蛇莓】명《식》뱀딸기.

사매기[1] 명〈방〉사마귀(함경).

사매기[2] 명〈방〉소매[1](경북).

사매-질【私-】명 권세 있는 자가 사사로이 사람을 때리는 짓. ¶아바

지께서 아시면 화풀이하시려고 ～할 것이오…≪朴頤陽：明月亭≫. ——-하다 타여불

사:맥[1]【死脈】명 ①〖의〗죽음에 가까운 약한 맥박. ②〖광〗광석을 채굴할 여지가 없이 된 광맥. 광물이 고갈(枯渴)한 광맥.

사:맥[2]【事脈】명 일의 내맥(來脈). 일의 갈피. ¶구소사가 젊어서 그 집에 드난살 때에 들었든지 아무렇든지 무슨 ～이 있는 일이니…≪隱菊散人：누구의 죄≫.

사맥[3]【絲脈】명 옛날 귀인(貴人), 특히 귀부인의 병을 진찰(診察)할 때 병자의 손목에 실의 한쪽 끝을 매고, 다음 방에서 그 실의 다른 한쪽 끝을 의원이 잡아, 실을 통하여 오는 맥박을 헤아려서 병을 진단하던 일.

사:맹[1]【四孟】명 맹춘(孟春)·맹하(孟夏)·맹추(孟秋)·맹동(孟冬)의 총칭. *사맹삭(四孟朔).

사맹[2]【司猛】명〖역〗조선 시대에, 오위(五衛)에 두었던 정팔품의 군직(軍職). 부사맹의 위, 부사정(副司正)의 다음. 현직에 있지 아니하는 문관과 무관 및 음관(蔭官)으로 채웠음.

사맹[3]【司盟】명〖역〗고대 중국의 주(周)나라의 관직명. 맹약(盟約)의 기재(記載)나 그 의례를 맡은 직. 또, 그 사람.

사맹[4]〔Samain, Albert〕명〖사람〗프랑스의 시인. 상징주의의 대표자 보들레르 등의 영향을 받아 영혼에의 동경(憧憬)과 우수에 젖은, 달콤한 애수를 노래한 작품을 썼음. 시집 ≪왕녀(王女)의 뜰에서≫·≪황금 마차≫ 등이 있음. [1858-1900]

사:-맹삭【四孟朔】명 봄·여름·가을·겨울의 각 첫달. 곧, 음력 정월·사월·칠월·시월. 사맹월(四孟月). *사맹(四孟).

사:맹삭 반사【四孟朔頒賜】명〖역〗조선 시대 때, 사맹삭에 나라에서 벼슬아치에게 녹봉을 주던 일.

사:맹삭 취:재【四孟朔取才】명〖역〗조선 시대 때, 사맹삭에 실시되는 취재.

사:-맹월【四孟月】명 사맹삭(四孟朔).

사:면[1]【四面】명 ①사방(四方). 모든 주위. ¶～이 바다다. ②사방의 면. 네 면. ¶～체(體). ③신문 등의 넷째 지면(紙面).

사:면[2]【四眠】명 누에가 알에서 부화하여 고치를 만들 때까지 네 번 탈피(脫皮)하는 일. 또, 그 누에. 또, 네 번째의 탈피를 위하여 움직이지 않게 된 상태. *사면잠(四眠蠶).

사:면[3]【事面】명 사체(事體)❶.

사면[4]【射面】명〖군〗사선(射線), 곧 포신축(砲身軸)의 연장선(延長線)을 포함하는 수직면. *반사면(反射面).

사:면[5]【赦免】명 ①죄나 허물을 용서하여 놓아 줌. 사(赦). ②〖법〗죄를 용서하여 형벌을 면제·감소·변경하는 일. 대통령의 권한이며, 행정권이 사법권에 관여하는 하나의 예임. 일반 사면과 특별 사면이 있는데, 일반 사면은 특정의 죄에 대하여 국회의 동의를 얻은 후, 흔히 형벌의 전부를 사면하는 것이며, 특별 사면은 이미 형의 언도를 받은 특정의 죄인에 한하여서만 형벌을 사면하는 것임. ——-하다 타여불

사면[6]【斜面】명 ①비스듬한 면. 경사진 면. ②〖물·수〗'빗면'의 구용어.

사면[7]【絲麵】명 실국수❶.

사면[8]【絲綿】명 명주[5].

사면[9]【辭免】명 맡아 보던 직임(職任)을 내어 놓고 물러남. ——-하다 타여불

사:면-각【四面角】명〖수〗입체각(立體角)의 한 가지. 네 개의 평면이 공통의 정점(頂點)에서 만나 뾰족한 모양을 이룬 것. *다면각(多面角).

사:면 공:격【四面攻擊】명 ①적을 주위에서 포위하고 공격하는 일. ②주위의 모든 사람들에게서 반대를 받는 일.

사:면 도감【四面都監】명〖역〗고려 시대에 개성을 중심으로 사면의 방위를 맡았던 특수 관청.

사:면 동광【四面銅鑛】명〖광〗유동광(黝銅鑛).

사:면 망:상【赦免妄想】명 발양(發揚) 망상의 하나. 옥에 갇힌 죄수가 석방되었다고 믿는 일. *임신 망상(妊娠妄想).

사면 묘:사【斜面描寫】명〖문〗대상(對象)을 정면으로 묘사하지 아니하고 엇비슷한 위치에서 묘사하는 일. ——-하다 타여불

사:면-발이 명 ①〖충〗[*Phthirius pubis*] 사면발잇과에 속하는 이의 하나. 몸길이 1.3-1.8mm, 폭 0.8-1.0mm. 몸은 게 모양이고 작으며 납작함. 전두부(前頭部)의 양측, 흉부의 전연(前緣) 양측에 두 개의 털이 있고 제 5-8복절(腹節) 측면의 원추형 돌기(突起)에 수 개의 털이 있음. 사람의 음부(陰部)의 거웃 속에 붙어 알을 까며 물리면 양진증(痒疹症)을 일으킴. 세계 공통종임. 모슬(毛蝨). 모두충(毛蠹蟲). 음슬(陰虱). ②여러 곳으로 다니며 아첨을 잘하는 사람을 조롱으로 일컫는 말.

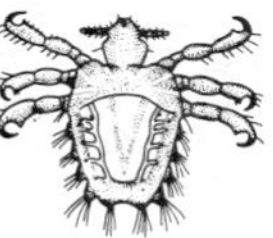

〈사면발이❶〉

사:면발잇-과【一科】명〖충〗[Phthiridae] 이목(目)에 속(屬)하는 한 과. 사면발이 1속(屬)이 전세계에 분포함. 주로, 사람에 기생(寄生)하는 곤충임.

사면 배:양【斜面培養】명〖생〗세균 따위의 순수 배양법의 하나. 한천 배양기(寒天培養基)를 시험관 속에서 비스듬히 굳혀 그 표면에 백금선(白金線)으로 세균을 문질러 발라 적당한 온도를 유지하여 배양함.

사:면-법【赦免法】[-뻡] 명〖법〗사면·감형(減刑)·복권(復權)에 관한 사항을 규정한 법.

사:면 수적【四面受敵】명 사면으로 적의 공격을 받음. ——-하다 자여불

사:면-잠【四眠蠶】명 알에서 깐 후 네 번 탈피(脫皮)한 후에 고치를 짓는 누에. 가장 널리 보급되어 있는 종류임. 사면. *오면잠·삼면잠.

사:면-장【赦免狀】[-짱] 명 죄를 사면한다는 뜻을 적은 서장(書狀). 사장(赦狀). ㊥면장(免狀).

사:면-체【四面體】명〖수〗네 개의 삼각형으로 둘러싸인 입체(立體). 삼각추(三角錐). 세모뿔.

사:면체-설【四面體說】명〖지〗1873년 그린(Green)이 제창한 해륙(海陸) 분포에 관한 가설(假說). 대륙이나 반도(半島)가 대개 삼각형인 점과, 같은 표면적의 다면체 가운데 가장 체적이 작은 것이 사면체인 점 등을 기초로 생각한 것으로, 이 설에 의하면 태평양(太平洋)·대서양(大西洋)·인도양(印度洋)·북극해(北極海)의 네 대양(大洋)이 사면체의 각 면에 해당하고, 대륙은 각 모서리에 해당함.

사:면 초가【四面楚歌】명〔중국 초(楚)나라 항우(項羽)가 한(漢)나라 군사에게 포위당하였을 때, 밤이 깊자 사면의 한나라 군사 중에서 초나라의 노래가 들려 오므로 초나라 백성이 모두 한나라에 항복한 줄 알고 놀랐다는 고사(故事)에서 유래한 말〕사면이 모두 적에게 둘러싸인 경우와 도움 없이 고립(孤立)된 경우를 이르는 말. 초가(楚歌).

사:면 춘풍【四面春風】명 두루 춘풍.

사면 파:괴【斜面破壞】명〖지〗천연의 사면이나 기타 경사진 밑의 흙덩이가 하측(下側)이나 외측(外側)으로 운동하는 일.

사:면 팔방【四面八方】명 사면과 팔방. 모든 방면.

사:멸【死滅】명 죽어 없어짐. ——-하다 자여불

사명[1]【司命】명 ①별 이름. 천제(天帝)의 거처(居處)라는 북극성 곁에 있으며 인간의 수명(壽命)을 맡는다고 함. ②생살(生殺)의 권한을 쥐는 것. 또, 가장 의지(依支)가 되는 것.

사:명[2]【四溟】명〖역〗사해[1]❺.

사명[3]【寺名】명 절 이름.

사:명[4]【死命】명 ①생사(生死)의 기로(岐路)에 선 목숨. 죽을 목숨. ②죽음과 생명. 사생(死生). ¶～을 초월(超越)하다.

사명[5]【社名】명 회사나 결사(結社)의 이름.

사명[6]【社命】명 회사의 명령.

사:명[7]【使命】명 ①사자(使者)로서 받은 명령. ②부하(負荷)된 임무.

사:명[8]【俟命】명 임금의 명령을 기다림. ——-하다 자여불

사명[9]【師命】명 스승의 명령.

사:명[10]【捨命】명 목숨을 버림. ——-하다 자여불

사명[11]【詞命·辭命】명 ①임금의 말. 또, 명령. ②사신이 명령을 받들어 외교 무대에서 응대(應對)하는 말.

사:명[12]【賜名】명 임금이 이름을 내려 줌. 또, 그 이름. ——-하다 자여불

사:명-감【使命感】명 주어진 임무를 수행(遂行)하려는 기개(氣槪)나 책임감. 특히, 그 임무에 각별한 의의와 자랑을 가지고 대하는 경우의 감정을 이름.

사명-기【司命旗】명 ①〖역〗각 영(營)의 대장(大將)·유수(留守)·순찰사(巡察使)·통제사(統制使)가 휘하(麾下)의 군대를 지휘하던 기. 길이는 석 자, 넓이는 한 자 반, 미대(尾帶)는 길이 두 자 반이고, 넓이 세 치의 옷고름 비슷한 오색 비단 다섯씩 짝을 맞춘 다섯 벌을 기의 아래 끝에 잇대어 느런히 달며, 영두(纓頭)·주락(珠絡)·장목이 있음. 기 바탕의 빛은 각 대장의 방위를 따르고 가운데에는 진영의 이름에 '군사명(軍司命)'이라 씀. 오영(五營)의 합진(合陣)을 친열(親閱)할 때, 훈련 대장(訓鍊大將)은 누른 바탕에 '運司命'이라 붉은 글씨로 쓰고 금위 대장(禁衛大將)은 남빛 바탕에 '禁衛軍司命'이라 검은 글씨로 쓰며, 어영 대장(御營大將)은 흰 바탕에 '御營軍司命'이라 누른 글씨로 씀. ②〖민〗제주도 무녀(巫女)가 쓰는, 신이 내리기를 비는 기. 길이 9.5m 가량의 막대기에 크고 흰 종이를 달고, 그 위에 흰 빛, 누른 빛, 검은 빛의 피륙의 세 줄을 금줄과 같이 하여 집안에 끌어 들이고, 막대기 끝에는 가는 대나무 가지와 참죽나무를 꽃 대신으로 붙이며, 가운데에 흰 종이와 푸른 빛, 빨간 빛의 비단을 단 대나무를 세우고, 막대기 가운데에는 실로 달아 드리운 종(鐘)과 돈과 흰 피륙에 싼 쌀과 흰 두루마기를 걸침. 크고 흰 종이는 신이 내리는 목표요, 베는 내린 신을 인도하는 다리요, 종과 돈과 쌀과 옷은 신의 수종자에게 주는 선물이라 함.

〈사명기❶〉

사:명-당【四溟堂】명〖사람〗'유정(惟政)'의 호(號).

사:명당 실기【四溟堂實記】명〖문〗사명당전.

사:명당-전【四溟堂傳】명〖문〗작자·창작 연대 미상의 고전 소설의 하나. 국문본. 사명 대사의 전기를 소재로 함. 사명당 실기.

사:명 대:사【四溟大師】명〖사람〗유정(惟政)을 호(號)로 일컫는 경칭.

사:명-마【四明馬】명 사족발이.

사:-명산[1]【四名山】명 백두산에서 내려온 네 명산. 동쪽의 금강산(金剛山), 서쪽의 구월산(九月山), 남쪽의 지리산(智異山), 북쪽의 묘향산(妙香山)의 총칭.

사:명-산[2]【四明山】명〖지〗①강원도 양구군(楊口郡) 양구읍(邑)과 화천군(華川郡) 간동면(看東面) 경계에 있는 산. [1,196m] ②중국 저장 성(浙江省) 북동부에 있는 산. 천태종 산가파(山家派)의 성지(聖地)임.

사:-명일【四名日】명 ①우리 나라의 사대(四大) 명일. 곧, 설·단오(端午)·추석(秋夕)·동지(冬至). 사명절. ②예전에 설·왕의 탄신일·단오·동지의 네 명일.

사:-명절【四名節】명 사명일❶.

사:명 천태【四明天台】명〖불교〗중국의 천태종의 일파. 사명산에 있었던 송(宋)나라의 고승(高僧) 지례(智禮)의 학계(學系). 산가파(山家派)라 칭하며, 산외파(山外派)와 대립했음. 천태종의 정통(正統)으로 침. 사명학(四明學).

사모[1]【私募】명〖경〗①새로 주식·사채 등을 발행할 때, 널리 일반으로부터 모집하지 않고, 발행 회사와 특정한 관계가 있는 곳에서 모집하는 일. 연고 모집. 비공모 발행. 사모 발행. ②금융 기관이나 거액의 투자가(投資家)가 대량의 주(株)를 처분할 때, 시세(市勢)의 급격한 변동을 막기 위해서 거래소(去來所)의 거래원이 거래소 밖에서, 이를 사들이거나 또는 매개(媒介)하는 일.

사모[2]【邪謀】명 부정한 모책(謀策). 나쁜 모의(謀議).

사모[3]【思慕】명 ①정(情)을 들이고 애틋하게 생각하며 그리워함. ¶애인

을 ~하다. ②우러러 받들고 마음으로 따름. ¶ 스승의 덕을 ~하다.

사모[4]【師母】명 스승의 부인.

사:모[5]【紗帽】명〖역〗상복(常服)을 입을 때 쓰던 사(紗)로 만든 벼슬아치의 모자. 지금은 구식 혼례 때 신랑이 씀. 오사모(烏紗帽).
[사모 바람에 거드럭거린다] 벼슬하는 유세로 못된 짓을 하면서도 오히려 큰소리 한다는 말. ¶ 도적질을 하드라도 사모 바람에 거드럭거리고 망나니 짓을 하여도 금관자 서슬에 큰기침한다《李人稙:銀世界》. [사모 쓴 도둑놈] 재물을 탐하는 관장(官長)을 욕하는 말. [사모에 갓끈이다] 유(類)가 달라서 서로 어울리지 아니함을 이르는 말.

〈사모[5]〉

사모[6]【詐冒】명 거짓으로 속임. 사망(詐妄). ——-하다 타 여불

사모[7]【詐謀】명 남을 속이려는 꾀. 사기의 모책(謀策).

사모-곡【思母曲】명〖문〗고려 가요의 하나. 작자·제작 연대 미상. 6구체 단련(單聯). 아버지보다 어머니의 사랑이 훨씬 깊고 자애롭다는 내용을 표현함. 악장 가사·시용 향악보(時用鄕樂譜)에 전함.

사:모 관대【紗帽冠帶】명 ①사모와 관대. ②사모 관대로 차림. 곧, 정식 예장(禮裝)을 이르는 말. ——-하다 자 여불

사모-님【師母—】명 ①사모의 존칭. ②〈속〉윗사람의 부인의 존칭.

사모디:-어【—語】〔Samodii〕명〖언〗사모예드어(Samoyed 語).

사모디:-족【—族】〔Samodii〕명〖인류〗사모예드족(Samoyed 族).

사모바:르〔러 samovar〕명〔스스로라는 sami와 끓는다는 variti가 합쳐 이룬 말〕러시아 전래의 특유한 주전자. 보통 구리나 은으로 둥글게 만들고 중앙에 상하로 통하는 관이 있어 그 속에 숯불을 넣어, 물을 끓이는 장치.

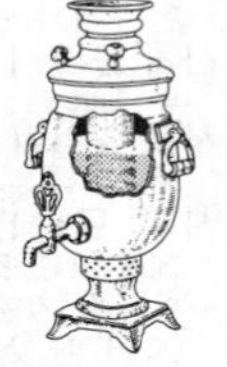

〈사모바르〉

사모 발행【私募發行】명〖경〗증권 모집 형식의 하나. 널리 일반 대중을 상대로 하지 않고, 특정 소수의 투자가나 관계 회사 등 한정된 범위 안에서 모집하는 일. 사모(私募).

사모 불망【思慕不忘】명 사모하여 잊지 아니함. ——-하다 타 여불

사:모-뿔【紗帽—】명 사모의 뒤에 좌우로 뻗어 나와 있는, 매미 날개 모양의 뿔.

사모새 명〈방〉〖동〗살모사(함경).

사모스 섬〔Samos〕명〖지〗에게 해(Aegae海) 동부의 섬으로 그리스령(領). 터키 해안에서 불과 1.5km 위치에 있음. 포도·올리브·담배를 산출함. 피타고라스의 탄생지임. [477 km^2 : 42,000 명(1971)]

사모스 위성【—衛星】〔Samos〕명 미국 공군의 지상 정찰용 인공 위성. 1호는 길이 6m, 무게 3.2톤의 원통 캡슐로서 극궤도(極軌道)를 비행하여 TV카메라로 정찰함. 1961년에 발사. 이후는 비밀 위성임.

사:모 싸개【紗帽—】명 사모를 싸 바른 사(紗).

사:모싸기 경:대【四—鏡臺】명 네 모서리를 쇠장식으로 싸서 만든 경대. *가께수리 경대.

사모아-어【—語】〔Samoa〕명〖언〗말라요폴리네시아 어족(Malayo-Polynesia 語族) 폴리네시아 어파에 속하는 언어. 사모아 제도(諸島)에서 사용됨.

사모아 제도【—諸島】〔Samoa〕명〖지〗남태평양 중앙부, 서경(西經) 168°-173°, 남위(南緯) 10°-15°에 있는 도서. 원래 왕국을 이루고 있었으나, 1722년 네덜란드인 로헤벤(Roggeveen, J.)이 발견한 이후, 1899년 서경 171°선으로 미국령인 동(東)사모아와 독일령인 서(西)사모아로 분할됨. 서사모아는 1962년 1월에 독립하였으며 수도는 아피아(Apia), 동사모아의 주도(主都)는 파고파고(Pago Pago). [3,028 km^2 : 208,000 명(1991 추계)]

사모예드-어【—語】〔Samoyed〕명〖언〗우랄 어족에 속하는 언어의 하나. 계보적(系譜的)으로는 피노우그리아 어파(Finno-ugria 語派)와 동격의 관계에 있음. 현재는 4종(種)의 사모예드어가 시베리아와 유럽·러시아의 일부에서 쓰여짐. 사모디어(Samodii 語).

사모예드-족【—族】〔Samoyed〕명〖인류〗우랄계의 사모예드어를 쓰는 여러 종족의 총칭. 현재 네네츠(Nenets)·가나산(Nganasan)·에네츠(Enets) 및 셀쿠프(Selkup)의 네 족(族)이 있는데, 1959년 현재 총인구는 약 25,000명이나 해마다 줄고 있음. 시베리아 북빙양(北氷洋) 연안 지방에 살며 수렵·어로(漁撈)·가축 사양(飼養) 및 소규모의 농업에 종사하며 종교는 샤머니즘을 신봉함. 사모디족.

사:모-잡이【四—】명〖악〗①농악에서 버꾸의 앞뒷면을 돌려 치면서 추는 너름새. ②농악 열두거리의 넷째 가락인 4분의 4박자 가락.

사:모-장【紗帽匠】명〖역〗사모를 만드는 장인(匠人).

사:모-정【四—亭】명 네모 반듯하게 지은 정자.

사모치다 자〈방〉사무치다.

사:모-턱【紗帽—】명〖건〗이을 나무의 끝에 네모지게 파낸 턱.
사:모턱(이) 지다 구 사모의 앞쪽과 같이 층이 지다.

사:모턱 열장 이음【紗帽—】[—짱—] 명〖건〗이을 나무의 하나는 모가 뾰족하고 볼록한 사모턱을 만들고, 다른 하나는 모가 뾰족하고 오목한 사모턱을 만들어 서로 맞대어서 잇는 방법.

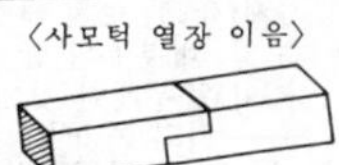

〈사모턱 열장 이음〉

사:모턱 이음【紗帽—】명〖건〗사모턱을 서로 맞대어서 잇는 일.

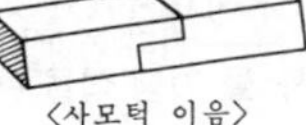

〈사모턱 이음〉

사:모턱 주먹장 이음【紗帽—】명〖건〗이을 나무의 하나는 볼록한 주먹장부촉을 가진 사모턱을 만들고, 다른 하나는 오목한 주먹장 붓구멍을 가진 사모턱을 만들어 서로 맞대어서 잇는 방법.

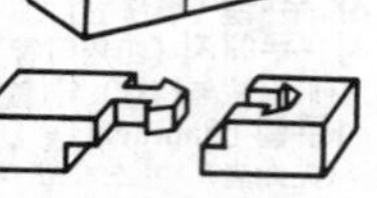

〈사모턱 주먹장 이음〉

사모트라케 섬〔Samothrace〕명〖지〗에게 해(Aegae海) 북부에 있는 그리스령(領)의 섬. 올리브·꿀·해면(海綿) 등을 산출함. 1863년에, 기원전 4세기경에 만들어진 니케상(像)이 발견됨. *니케(Nike). [184 km^2]

사:모-패【紗帽牌】명 뒤쪽에 대나무 조각을 붙여서 만든 골패짝. *민패.

사:목[1]【四目】명〖역〗금빛의 눈이 4개 있다 하여 방상시(方相氏)를 일컫던 이름.

사목[2]【司牧】명 ①백성을 어루만져 기름. 또, 그 구실을 하는 벼슬아치. ②〖역〗신라 35대 경덕왕(景德王) 때 승부(乘部)를 사어부(司馭府)로 고칠 때 사지(舍知)를 고친 이름. 다음 혜공왕(惠恭王)이 다시 사지로 고치었음. 위계(位階)는 대사(大舍)로부터 사지(舍知)까지. ③〖종교〗천주교·성공회에서, 사제(司祭)가 신도를 통솔·지도하는 일. ——-하다 자 여불

사:목[3]【事目】명〖역〗공사(公事)에 관하여 정한 규칙.

사목[4]【蛇目】명 뱀의 눈. ¶ 얼굴은 반상이구 눈은 ~.

사:목[5]【肆目】명 마음껏 멀리 바라봄. ——-하다 자 여불

사목 교:서【司牧敎書】명〖기〗주교가 교리·신앙·전례 등에 관하여 그의 교구내 신자들 또는 신부들에게 내리는 공식 문서.

사목 신학【司牧神學】명 특히 신자(信者)의 구령(救靈)을 취급하는 신학의 한 부문. 교리(敎理) 신학·윤리(倫理) 신학·교회법 등의 이수(履修)를 전제로 하며, 사제(司祭)의 교도직(敎導職)·사제직·교회 관리에 관한 일을 내용으로 하고 있음. 그리스도·사도(使徒)·교부(敎父) 등의 사목상의 실제적 교훈에 의하여 일찍부터 실천되었으나 학문적으로 체계화된 것은 종교 개혁 이후의 일임.

사:목지-신【徙木之信】명 속이지 아니한 것을 밝히는 일.

사:몰【死沒】명 사망(死亡)❶. ——-하다 자 여불

사몰-포【蛇沒浦】명〖지〗경상 남도 창녕군(昌寧郡) 유어면(遊漁面)과 대지면(大池面) 사이에 있는 못. 관개용 저수지(貯水池)로 만들어졌음. 북쪽에는 목포(木浦)·우포(牛浦)·사지포(沙旨浦)·용호(龍湖) 등의 호수가 있음. [0.76 km^2]

사못 부〈방〉사뭇.

사:못-집【四—】명 지붕이 네모난 집.

〈사못집〉

사:몽-비몽【似夢非夢】명 비몽사몽(非夢似夢).

사:몽비몽-간【似夢非夢間】명 비몽사몽간(非夢似夢間).

사:묘【四廟】명 고조(高祖)·증조(曾祖)·조부(祖父)·부(父)의 네 위(位)를 모신 묘.

사무[1]【寺務】명 절의 사무(事務).

사무[2]【私務】명 한 개인으로서의 일. 사인(私人)의 임무. ↔공무(公務).

사무[3]【私貿】명〖역〗대궐에서 쓰는 물품을 공계(貢契)에서 바치게 하지 아니하고 수시로 상인에게서 사들이는 일. *별무(別貿). ——-하다 타 여불

사무[4]【社務】명 회사의 용무. 회사의 사무(事務).

사:무[5]【事務】명 취급하는 일. 맡아 보는 일. 일자리에서 하는 일. 지금은 보통 노무(勞務)나 공무(工務)에 대하여 주로 책상 위에서 처리하는 방면의 일을 말함. ¶ ~실(室). *업무(業務).
사:무(를) 보다 구 사무를 맡아 처리하다.

사무[6]【師巫】명〖민〗무당[1].

사:무-가【事務家】명 사무를 맡아 보는 사람. 또, 사무에 능숙한 사람.

사:무-관【事務官】명 공무원 직급(職級) 명칭의 하나. 5급에 속하는 공무원으로, 중앙 행정 기관에서는 실무 담당자, 지방 행정 기관에서는 계장·과장이 됨.

사:무 관리【事務管理】[—괄—] 명 ①〖법〗법률상으로는 의무가 없는데 남을 위해 사무를 관리하는 일. 의뢰도 없는데 남의 사무를 취급하거나, 현재 있지 않은 사람의 세금을 대신 내거나, 물에 빠진 사람을 구하거나, 남의 집 불을 꺼주거나 하는 일 같은 것. 민법상, 본인의 의사에 반(反)하지 않는 한, 본인과 사무 관리자 사이에 위임(委任)에 가까운 채권 관계가 발생함. ②〔office management〕〖경〗경영 활동 전체의 합리화를 위하여 생산·판매·재무 등 각 부문의 사무를 계획·통제·조정하는 활동.

사:무-국【事務局】명 관청·단체·국제 기구 등에서, 주로 일반 행정 사무를 맡아 보는 국. ¶ UN ~.

사:무 규정【事務規程】명 사무 장정(事務章程).

사:무 기계【事務器械】명 사무용 기계(事務用器械).

사무라이〔일 さむらい〕명 일본의 봉건 시대의 무사(武士).

사:무-량【事務量】명 맡아 하는 일의 분량.

사:-무량심【四無量心】명〖불교〗무한한 자애(慈愛)인 자무량심(慈無量心), 일체의 괴로움에서 벗어나는 비무량심(悲無量心), 만인의 기쁨을 자기의 기쁨으로 하는 희무량심(喜無量心), 모든 원한(怨恨)을 버리는 사무량심(捨無量心)의 총칭.

사무럽다 형〈방〉사막스럽다(함경).

사:무 보:조원【事務補助員】명 사무 보조직 기능 공무원. 6급·7급·8급·9급·10급의 다섯 등급이 있음.

사:무-복【事務服】명 사무를 볼 때, 입고 일하기에 편리하도록 만든 간이복(簡易服).

사:무 부조리【事務不條理】명 사무 처리를 고의로 늦추거나 무성의하게 다루는 부조리 형태.

사-무사【思無邪】명 마음에 조금도 나쁜 일을 생각함이 없음. ——하다 형 여불

사:-무색정【四無色定】명〖불교〗팔정(八定) 가운데, 무색계(無色界)의 네 선정(禪定). 곧, 공무변처정(空無邊處定)·식(識)무변처정·무소유처

정(無所有處定)·비상비비상처정(非想非非想處定).

사:무-소【事務所】명 어떤 단체·회사 등의 사무를 보는 곳. 오피스.

사:-무송【使無訟】명 타협하여 시비가 없도록 함. ——하다 타여불

사:무-실【事務室】명 사무를 보는 방.

사:-무애지【四無碍智】명〖불교〗막힘이 없는 네 가지 지혜. 곧 법무애지(法無碍智)·의(義)무애지·사(辭)무애지·변(辯)무애지의 네 가지.

사무엘〔Samuel〕명〖성〗구약 성서에 나오는 이스라엘 최후의 선지자(先知者). 이스라엘 왕국의 건설과 여호와의 말씀에 순종함을 근본으로 하고 평생토록 국민의 신앙(信仰) 부흥에 힘썼음.

사무엘-서【一書】〔Samuel〕명〖책〗구약 성서(舊約聖書) 중의 한 권. 전편·후편으로 되어 있는데 이스라엘 국민의 역사를 적은 책으로서, 예언자 사무엘에 관하여 주로 적혀 있음.

사무엘손 〔Samuelsson, Bent〕명〖사람〗스웨덴의 생화학자. 스웨덴 국립 카롤린스카 의과 대학 총장을 지내었고 1982년 중요한 생리 활성 물의 일군(一群)인 프로스타글란딘(prostaglandine)의 발견 및 연구로

사무엘슨 〔Samuelson, Paul Antony〕명〖사람〗☞ 새뮤얼슨. 노벨 의학·생리학상을 수상함. [1934-]

사:-무여한【死無餘恨】명 죽어도 한됨이 없음.

사:무용 기계【事務用器械】명 사무 능률의 향상을 위하여 사용되는 기계의 총칭. 넘버링(numbering)·등사기·타이프라이터·계산기·복사기 같은 것. 사무 기계(事務器械). 「직원.

사:무-원【事務員】명 사무에 종사하는 사람. 사무를 보는 사람. 사무

사:무 위원【事務委員】명 어떤 기관에서 일정한 사무를 위임받은 위원.

사:무 인계【事務引繼】명 후임자(後任者)에게 전임자(前任者)가 보던 사무를 이어 물려 줌. 전장(傳掌). ——하다 자여불

사:무 자동화【事務自動化】명〔office automation〕사무의 생산성과 조직의 효율성을 높이기 위하여 사무실에 각종 정보 처리 기기(機器)를 도입 구사(驅使)하여, 종합적으로 정보화된 사무 시스템을 구성·운용하는 일. 오 에이(OA).

사:무 자동화 기기【事務自動化機器】명 사무 능률의 효율화와 질적 향상을 위하여 모사 전송·다기능(多機能) 전화·복사기·퍼스널 컴퓨터·워드 프로세서 등의 정보 처리 기술을 활용한 사무 기기.

사:무-장【事務長】명 ①사무원을 지휘하고 그 사무를 관리하는 우두머리. 동사무소(洞事務所)의 사무장 등. ②상선(商船)·여객기에서, 업무 서류를 취급하는 직업. 또, 그 사람. *퍼서(purser).

사:무 장정【事務章程】명 사무 취급의 수속을 정한 규정. 사무 규정.

사:무-적【事務的】명관 ①실제 사무에 관한 모양. ¶ ~ 두뇌/~ 능률. ②진심이나 성의에서 우러나온 것이 아니고 사무를 보는 것처럼 형식적이거나 상투적(常套的)인 모양. ¶ ~인 대답. 「직원(技術職員).

사:무 직원【事務職員】명 일반 사무를 맡아 보는 직원. 사무원. ↔기술

사:무 차관【事務次官】명 장관(長官)을 보좌하여 행정 각 부의 일을 정리하고, 국(局) 및 기관의 사무를 감독하기 위하여 각 부에 한 사람씩 두는 기관. 별정직(別定職) 공무원임. 우리 나라에는 제2 공화국 때 있었음. *정무 차관(政務次官). 「사무처.

사:무-처【事務處】명 ①일반 사무를 취급하는 처(處). ②↗국회(國會)

사:무 총:장【事務總長】명 ①국제 연합의 사무국을 지휘하며, 그 사무를 총괄하는 사람. 안전 보장 이사회의 권고에 따라 총회에서 임명됨. ②어떤 기관의 사무국의 장으로서 사무를 총괄하는 직위. 「여불

사:무 취:급【事務取扱】명 사무를 처리함. 사무를 다룸. ——하다 자

사무치다 자〔중세 : 스뭇치다〕속 깊이 또는 끝까지 미치어 통하다. ¶ 가슴에 ~/원한이 뼈에 ~.

사:무 한신【事無閑身】명 하는 일이 없어 한가한 사람.

사:문¹【四門】명 ①네 개의 문. 사방의 문. ②〖역〗↗사대문(四大門). ③〖불교〗천태종(天台宗)에서, 진성(眞性)·실상(實相)의 이(理)에 오입(悟入)하는 유문(有門)·공문(空門)·역유 역공문(亦有亦空門)·비유 비공문(非有非空門)의 네 문. ④〖불교〗밀교(密敎)에서, 진언 다라니(眞言陀羅尼)의 네 방위의 문으로, 동쪽의 발심문(發心門), 남쪽의 수행문(修行門), 서쪽의 보리문(菩提門), 북쪽의 열반문(涅槃門) 등의 총칭. 장지(葬地)의 사방의 문에 이 명칭을 쓰는 경우도 있음.

사:문²【死文】명 ①조문(條文)만 있을 뿐 실제로는 효력이 없는 법령(法令)이나 규칙(規則). 공문(空文). ¶ ~화(化). ②내용(內容)·정신(精神)이 없는 문장. 죽은 글.

사:문³【死門】명 ①〖민〗팔문(八門) 가운데 흉한 문의 하나. 구궁(九宮)의 이흑(二黑)이 본자리가 됨. ②〖불교〗저승에 들어가는 문. 곧, 죽음.

사문⁴【寺門】명 ①절의 문. ②절. 「는 말.

사문⁵【私門】명 조정(朝廷)에 대하여 자기의 가문(家門)을 낮추어 일컫

사문⁶【沙門】명〔범 śramaṇa〕〖불교〗선(善)을 행하고 악(惡)을 없애는 사람의 뜻으로, 머리를 깎고 불문(佛門)에 들어가서 도(道)를 닦는 사람. 곧, 출가(出家)한 중.

사문⁷【査問】명 조사하여 신문(訊問)함. ¶ ~ 위원회(委員會). ——하다

사문⁸【師門】명 ①스승의 집. ②스승의 문하(門下). ⌊타여불

사:문⁹【赦文】명〖역〗나라의 경사를 당하여 죄수를 석방할 적에 임금이 내리던 글. *사면장(赦免狀).

사문¹⁰【蛇紋】명 뱀 껍질 모양의 무늬. 「者)'의 경칭.

사문¹¹【斯文】명 ①유교에서, 유교의 문화를 이르는 말. ②'유학자(儒學

사문 결박【私門結縛】명 권세 있는 집에서 백성을 잡아다가 사사로이 결박하는 일. *사(私)매. ——하다 타여불

사:문-관【赦文官】명〖역〗사문(赦文)을 전달하는 것을 맡은 관원(官員). 사문 차사(赦文差使). 「렵히는 사람.

사문 난:적【斯文亂賊】명 교리에 어긋나는 언동으로 유교(儒敎)를 어지

사:문 박사【四門博士】명〖역〗①고려 국자감(國子監)의 정팔품 벼슬. 사문학(四門學)의 교수. ②옛 중국의 사문학의 교관. 「방위.

사:문-방【死門方】명〖민〗팔문(八門)의 하나인 불길한 사문(死門)의

사-문서【私文書】명〖법〗공무원 아닌 사람이 작성한 문서. 곧, 사인(私人)이 권리·의무 또는 사실 증명에 관하여 작성한 문서. ↔공(公)문서.

사문서 위조죄【私文書僞造罪】[—쬐] 명〖법〗행사할 목적으로 사문서를 위조함으로써 성립되는 죄. *공(公)문서 위조죄.

사문서 훼:기죄【私文書毁棄罪】[—쬐] 명〖법〗문서 훼기죄의 한 가지. 권리·의무에 관한 남의 문서를 훼기함으로써 성립되는 죄.

사문-석【蛇紋石】명〖광〗광석의 하나. 단사 정계(單斜晶系)에 속하며 주로 고토(苦土) 및 규산(珪酸)으로 이루어진 함수(含水) 광물. 보통 비늘 모양이나 덩어리 모양 또는 섬유상(纖維狀)으로 되어 반드럽고 기름 같은 느낌을 줌. 주로 녹색을 띠나 그 밖에 빨강·노랑·검정 빛 등이 섞여 있고 광택이 나면서 뱀 껍질 같은 무늬가 마면(磨面)에 있음. 내열재(耐熱材)로, 빛이 곱고 질이 좋은 것은 장식품이나 건축 재료로 씀. [$Mg_3Si_2O_5(OH)_4$]

사문-암【蛇紋岩】명〖광〗사문석을 주성분으로 하는 암석. 감람암(橄欖岩)·휘암(輝岩) 등이 변질되어서 이루어진 것으로, 크롬 철광(chrome 鐵鑛)·자철광(磁鐵鑛) 등이 포함되어 있고, 녹색 또는 검은 지방색(脂肪色)을 띠었으며, 질이 매우 약함. 단풍·귀갑(龜甲) 또는 뱀 껍질과 같은 무늬가 있어 아름다우므로 실내 장식 등의 석재(石材)로 쓰임.

사문 용:형【私門用刑】명 권세 있는 집에서 사람을 사사로이 감금하거나 형벌을 가하는 일. ——하다 타여불

사문 위원회【査問委員會】명 어떤 단체의 회원에게 부정·과오가 있을 때, 이를 조사·처분하기 위해 그 단체가 설치하는 위원회.

사:문 유관【四門遊觀】명〖불교〗석가가 아직 태자로서 가비라성(迦毗羅城)에 있을 때, 놀러 나갔다가 동문 밖에서는 노인을, 남문 밖에서는 병자를, 서문 밖에서는 죽은 사람의 장의(葬儀)를, 북문 밖에서는 위의(威儀)를 갖춘 사문(沙門)을 각각 보고 노(老)·병(病)·사(死)의 고통을 해탈(解脫)하려고 출가 수도(出家修道)할 뜻을 품었다는 고사(故事).

사:문 유:취【事文類聚】[—뉴—] 명〖책〗≪예문(藝文) 유취≫·≪초학기(初學記)≫의 체재를 따라, 고금(古今)의 군서(群書)의 요어(要語)·사실(事實)·시문(詩文)을 유취(類聚)한 책. 전집(前集) 60권·후집(後集) 50권·속집(續集) 28권·별집(別集) 32권 등은 송(宋)의 축목(祝穆)이 편찬하고, 신집(新集) 36권·외집(外集) 15권 등은 원(元)의 부대용(富大用)이 편찬하였으며, 유집(遺集) 15권은 축연(祝淵)이 편찬함. 순우(淳祐) 6년(1246) 완성. 총계 236권.

사문-장【思文章】[—짱] 명〖악〗아악(雅樂)의 한 악장(樂章) 이름.

사문-직【斜紋織】명 옷감을 짤 때에 조직점(組織點)이 비스듬히 연속되게 하여, 무늬가 사선상(斜線狀)으로 나타나는 옷감.

사:문 차사【赦文差使】명〖역〗사문관(赦文官).

사:문-학【四門學】명〖역〗①고려 때의 교육 기관의 하나. 칠품 이상의 자제(子弟)와 서민 가운데서 우수한 자를 입학시켜, 국자학(國子學)·대학(大學)과 같은 과정을 가르침. 정원 300명. ②중국 후위(後魏) 때 국자학(國子學)의 사방 문 옆에 서민(庶民)을 위하여 세웠던 학교. 교관(敎官)을 사문 박사(四門博士)라고 일컬었음. 역대(歷代)가 이를 따랐으나 원(元) 이후 폐함. 「됨. ——하다 자타여불

사:문-화【死文化】명 실제로는 쓸모가 없는 조문(條文)이나 문장으로

사:물¹【四勿】명 논어(論語)에서 금하는 네 가지 일. 예(禮)가 아니면 보지 말며, 듣지 말며, 말하지 말며, 움직이지 말 것. 사물잠(四勿箴).

사:물²【四物】명 ①〖불교〗법고(法鼓)·운판(雲板)·목어(木魚)·대종(大鐘)의 총칭. ②〖불교〗불교 의식을 거행할 때 반주로 쓰이는, 북·징·목탁·호적(胡笛)의 총칭. ③〖민〗농촌에서 마을 공동으로 쓰이는 네 가지 악기. 즉, 꽹과리·징·북·장구의 총칭.

사:물³【死物】명 ①죽은 물건. 생명이 없는 물건. 활동하지 않는 물건. ↔활물(活物)❶. ②쓰지 못할 물건. 쓸모가 없는 물건.

사물⁴【私物】명 국가·공공 단체의 관물(官物)에 대하여, 개인이 사사로 소유하는 물건. 사유물(私有物). ¶ ~함(函). ↔공물(公物)·관물(官物).

사물⁵【邪物】명 요사한 물건. 부정탄 불길(不吉)한 물건.

사:물⁶【事物】명 ①일과 물건. ②〖법〗사건(事件)과 목적물.

사물⁷【思勿】명 ①〖역〗신라 때의 한 현(縣). 지금의 경상 남도 사천군(泗川郡). ②〖악〗신라 때 우륵(于勒)이 작곡한 가야금 열두 곡(曲)의 하나. 「에게 내려 주는 물건.

사:물⁸【賜物】명 ①임금이 하사(下賜)하는 물건. ②윗사람이 아랫사람

사:물⁹【謝物】명 사례로 보내는 물건. 예물(禮物).

사:물 개:념【事物槪念】명〖철〗대상 개념(對象槪念).

사물-거리다 자 ①아리송한 것이 눈 앞에 삼삼히 떠올라 아른거리다. ②〈방〉스멀거리다. ③〈방〉자꾸 눈이 부시다(함경). 사물-사물 부. ¶ 허리를 굽혀 절을 하던 미림의 모습이 눈에 ~했다≪朴榮濬 : 颱風地帶≫. ——하다 자여불

사:물 관할【事物管轄】명〖법〗관할 구역을 공통으로 하는 이종(異種)의 제1심 법원 중 어느 법원을 관할 법원으로 할 것이냐 하는 점에서 본 관할. 우리 나라에서는 지방 법원이 원칙적으로 제1심 법원으로서 모든 소송 사건을 관할하기 때문에 이러한 의미의 사물 관할이 성립될 수 없으나, 다만 동일한 지방 법원 내에서 단독부와 합의부 중 어디서 관할하느냐 하는 점에서는 사물 관할이 성립될 수 있음.

사:물 기생【死物寄生】명〖생〗기생(寄生)의 한 가지. 다른 동식물의 사체(死體) 또는 배설물(排泄物) 등에 붙어 양분(養分)을 섭취하고 사는 일. 대부분의 균류(菌類)나 박테리아(bacteria)가 말라 죽은 초목(草木)이나 부패한 것에 기생하는 것과 같은 일. ↔활물 기생(活物寄生). ——하다 자여불 「곰팡이 같은 것.

사:물 기생 식물【死物寄生植物】명〖식〗사물 기생을 하는 식물. 버섯·

사:물 기원【事物紀原】명〖책〗중국 송(宋)나라 고승(高丞)이 편찬한 유서(類書). 천지(天地)·산천(山川)·조수(鳥獸)·초목(草木)·음양(陰陽)·예악(禮樂)·제도(制度)를 55부문으로 나누어, 그 유래를 상세히 설명한 책. 원본은 20권, 217사(事). 현행본 10권은 후세 사람이 증광(增廣)한 것으로, 1765사(事)를 집록(集錄)함.

사:물-놀이【四物─】[─롤─] 명 꽹과리·징·장구·북 등 4가지 타악기로 농악·무악 등에서 연주되는 리듬 음악을 합주하는, 새로운 민속 음악.

사물-대다 자 사물거리다.

사:물 대:명사【事物代名詞】명〖언〗지시 대명사.

사:물 안신탕【四物安神湯】명〖한의〗정충(怔忡)·번울(煩鬱)에 쓰는 탕약.

사:물-잠【四勿箴】명 사물(四勿)의 잠(箴). 사잠(四箴).

사:물-탕【四物湯】명〖한의〗보혈(補血)로 쓰이는 탕약의 한 가지. 숙지황(熟地黃)·백작약(白芍藥)·천궁(川芎)·당귀(當歸)로 조제함. 여자나 아이들에게 좋음. 「넣어 두는 상자.

사물-함【私物函】명 군대·학교 등에서, 병사나 학생들이 자기 사물을

사뭇 부 ①거리낌없이 마구. 마음대로 마냥. ¶ 홍에 겨워 ～ 시부렁거리다. ②아주 딴판으로. ¶ 예상(豫想)과는 ～ 다르다. ③줄곧.

사미[1] 명〈방〉소매[1](제주).

사:미[2]【四美】명 좋은 시절, 아름다운 경치, 경치를 관상하고 즐기는 마

사:미[3]【史美】명 ↗역사미(歷史美). ㄴ음, 유쾌한 일의 네 가지.

사미[4]【沙彌】명〔범 śrāmaṇera〕〖불교〗①오중(五衆)·칠중(七衆)의 하나. 불살생(不殺生) 등의 십계(十戒)를 받고 불도를 닦는 만 16세 이상 20세 미만의 어린 중. ②불문에 들어가 머리를 깎고 득도식(得度式)을 막 끝낸 아직 수행이 미숙한 중. 사미승(沙彌僧).

사미[5]【邪味】명 몹시 야릇한 맛. 독특한 물건의 맛.

사미[6]【蛇尾】명 ①뱀의 꼬리. ②일의 끝이 갈수록 보잘것없이 되거나 작아짐을 비유하는 말. ¶ 용두(龍頭) ～.

사미[7]【奢靡】명 사치(奢侈). ──하다 자여불 「──하다 자여불

사:미[8]【賜米】명 나라에서 노인에게 쌀을 하사(下賜)함. 또, 그 쌀.

사미 갈식【沙彌喝食】[─씩] 명〖불교〗절에서 불도(佛道)를 닦는 한편, 식사에 관한 일을 맡고 심부름하는 어린 중.

사미-계【沙彌戒】명〖불교〗사미 십계(沙彌十戒).

사미-과【沙彌科】명〖불교〗불문에 처음 든 어린 사미가 공부하는 1-2년의 과정. 반야 심경(般若心經)·초발심 자경문(初發心自警文)·치문 경훈(緇門警訓) 등을 배움. ＊사집과(四集科).

사미-니【沙彌尼】명〔범 śrāmaṇerikā〕〖불교〗불문(佛門)에 들어가 머리를 깎은 지 얼마 되지 아니한 수행이 미숙한 만 16세 이상 20세 미만

사미니-계【沙彌尼戒】명〖불교〗십계(十戒). ㄴ의 여승(女僧).

사미-류【蛇尾類】명〖동〗거미불가사리강.

사미-승【沙彌僧】명〖불교〗사미(沙彌)❷.

사미 십계【沙彌十戒】명〖불교〗십계(十戒). 사미계.

사:-미원【史彌遠】명〖사람〗중국 남송(南宋)의 정치가. 자(字)는 동숙(同叔). 시호(諡號)는 충헌(忠獻). 영종(寧宗)을 받들어 재상이 되고, 왕이 죽자 독재적 권세를 자행함. [?-1233]

사미 율의【沙彌律儀】[─/─이] 명〖불교〗불경의 한 가지. 불문(佛門)에 들어온 지 얼마 되지 아니한 중에게 가르치는 계율책.

사미인-곡【思美人曲】명〖문〗조선 선조(宣祖) 때, 송강 정철(鄭澈)이 지은 가사(歌辭). 선조 18년(1585)에 조정에서 물러나 4년 동안 전남(全南) 창평(昌平)에서 우거(寓居)할 때 지은 것으로, 임금을 그리는 정을 간곡하게 읊은 것임. ≪송강 가사(松江歌辭)≫에 실려 있음.

사:민[1]【士民】명 ①사족(士族)과 평민(平民). ②육예(六藝)를 배운 백성.

사:민[2]【四民】명 ①백성의 네 가지 계급이나 신분, 곧 사농공상(士農工商). ②온 백성. ¶ ～ 평등.

사민[3]【私民】명 옛날에 귀족에게 예속(隷屬)되어 그 통어(統御)를 받을 뿐 국가의 공사(公事)에 관여하지 아니하던 백성. ↔자유민(自由民).

사민[4]【斯民】명 이 백성. 또, 일반 백성.

사:민 공사【四民公事】명 온 백성을 위한 공적인 일.

사:민 월령【四民月令】명〖책〗중국 후한(後漢)의 최식(崔寔)이 지은 책. 사민, 곧 사농공상(士農工商)이 준거(準據)할 연중 행사를 기술한 것이라는데, 원본은 없어지고 여러 가지 책에 인용된 일문(逸文)만 남아 있음. 주로 당시의 호족(豪族)집안의 제사·교육·가계(家計)·농사 및 방위(防衛)·의약(醫藥) 제조 등의 행사를 정월로부터 12월까지 각 월에 배치하여 기술한 것임. 「취급하는 일.

사:민 평등【四民平等】명 사농공상(士農工商)의 모든 백성을 평등하게

사:민 필지【士民必知】[─찌] 명〖책〗조선 고종(高宗)32년(1895)에 미국인 선교사 헐버트(Hulbert, H.B.)가 한글로 세계 지리에 약간의 지문학(地文學)을 더하여 간행한 책. 같은 해 의정부 주사(議政府主事)들이 이것을 증보 한역(增補漢譯)한 것이 있음. 1권.

사바[1]【娑婆】명〔범 sahā〕①〖불교〗석존(釋尊)이 교화(教化)하는 경토(境土). 인간 세계. 속세계(俗世界). 사바 세계. ②〈속〉감옥 등 구속된 생활을 하고 있는 곳에서, 그 바깥의 자유로운 세계를 가리키는 말.

사바[2]〔Sabah〕명〖지〗말레이시아의 한 주(州). 보르네오 섬 북동부에 위치함. 주도(州都)는 코타키나발루(Kota Kinabalu). 쌀·고무·대마(大麻)·목재 등을 산출함. 옛 영국령 북보르네오. [1,034,000명(1981)]

사바 강【─江】〔Sava〕명〖지〗발칸 반도(Balkan半島) 북서부를 흐르는 강. 슬로베니아(Slovenia) 북서부 이탈리아 국경 지대에서 발원(發源), 크로아티아 등의 나라를 거쳐 유고슬라비아의 베오그라드(Beograd) 근방에서 다뉴브 강에 합침. [993km] 「수많은 고통.

사바-고【娑婆苦】명〖불교〗현세(現世)를 살아가는 데 있어 겪어야 할

사바나〔savanna〕명〖지〗열대에서 식물의 식생(植生)이 비교적 성긴 초원을 이름. 키가 큰 풀이나 관목(灌木)이 산재하나 그 대부분은 내건성(耐乾性)의 식물임. 처음에는 아프리카의 성긴 초원 지대를 이르는 말이었음. ＊스텝[2](steppe).

사바나 기후【─氣候】명〔savanna climate〕〖지〗열대에서 볼 수 있는 우계(雨季)와 건계(乾季)가 분명한 기후. 흔히, 열대 우림(熱帶雨林)과 초원(草原) 사이에 끼어 있음. 풀이 높게 자란 초원에 관목(灌木)이 섞이고 맹수가 활동하는 밀림이 발달함. 아프리카 기니 만(灣) 연안의 북쪽으로 연한 지대, 나일 강의 상류 수단 지방, 브라질의 대지(臺地), 오스트레일리아의 북부 등이 대표적임.

사바랭〔프 savarin〕명 프랑스 과자의 한 가지로 럼주(rum酒)를 섞어 만든 스펀지 케이크.

사바르〔Savart, Felix〕명〖사람〗프랑스의 물리학자. 고체간(固體間)의 진동 전달의 법칙, 악기의 이론. 또, 이와 관련한 청각(聽覺) 및 기구(機構)의 연구 등, 음향학(音響學)에 대한 공헌이 큼. 또한 전류의 자석에 미치는 힘에 관해 '비오 사바르(Biot-Savart)의 법칙'을 발견함.

사바 세:계【娑婆世界】명 사바. 인토(忍土). 인간계. ㄴ[1791-1841]

사바스〔Sabbath〕명 유대교 및 3세기 이후의 기독교의 안식일(安息日).

사바이 섬〔Savai'i〕명〖지〗남태평양 서(西)사모아 서쪽에 있는 섬. 몇 개의 화산들로 이루어지며 최고봉은 1,844m에 이름. 주민은 대부분 폴리네시아(Polynesia)계의 사모아인이며, 코프라·바나나·카카오를 산출함. [1,812km²: 42,000명(1976)]

사바 전:광【娑婆電光】명 덧없고 무상한 이 세상을 번개에 비유한 말로서, 인생은 눈 깜박할 사이라는 뜻.

사바토〔Sábato, Ernesto〕명〖사람〗아르헨티나의 소설가·평론가. 라플라타 대학에서 물리학 박사 학위를 취득, 퀴리 연구소에서 방사선 연구에 종사하고, 모교(母校)에서 이론 물리학을 가르치다가 창작에 전념함. ≪터널≫·≪영웅들과 무덤≫으로 국제적 명성을 얻음. [1911-]

사바티에[1]〔Sabatier, Auguste〕명〖사람〗프랑스의 종교 철학자·프로테스탄트 신학자. 소르본에 프로테스탄트 신학파를 창설하고, 슐라이어마허(Schleiermacher, F.E.D.)와 칸트의 영향을 받아 상징적 신앙주의(象徵的信仰主義)를 주창하였음. [1839-1901]

사바티에[2]〔Sabatier, Paul〕명〖사람〗프랑스의 유기 화학자. 불포화 탄화 수소(不飽和炭化水素)의 수소 첨가법을 창시하고, 이래 여러 환원(還元) 금속의 접촉 환원을 조직적으로 연구함. 1912년 노벨 화학상을 받음. [1854-1941]

사바하【娑婆訶】명〔범 Svāhā〕〖불교〗'원만(圓滿)·성취'의 뜻으로, 진언(眞言)의 끝에 붙여 성취를 구하는 말.

사박-거리다 자 ①배·사과 등을 씹는 것과 같은 소리가 자꾸 나다. 또, 그런 소리를 자꾸 내다. ②모래 위를 걸을 때 모래 밟히는 소리가 자꾸 나다. 또, 그런 소리를 자꾸 내다. 1)·2):＜서벅거리다. **사박-사박** 부.

사박-대다 자 사박거리다. ㄴ──하다 자여불

사박-스럽다 형ㅂ불 성질이 독살스럽고 당돌하여 합부로 내달아 간섭하기를 좋아하다. ¶ 사회의 공기라는 것이 깔깔하고 사박스러워서 교만한 마음에 계책만을 감추고들 있다≪李孝石: 해바라기≫. **사박-스레** 부

사:-박자【四拍子】명〖악〗박자의 하나. 악곡(樂曲)의 한 마디가 네 박자로 된 것. 강(強)·약(弱)·중강(中強)·약(弱)의 순서로 됨. 2분 음표(二分音標) 하나를 단위로 하는 4박자를 2분의 4박자, 4분 음표 하나를 단위로 하는 것을 4분의 4박자, 8분 음표 하나를 단위로 하는 것을 8분의 4박자라 함.

사:반[1]【死斑】명 시반[2](屍斑).

사반[2]【砂盤】명 사판[3].

사:반 공배【事半功倍】명 들인 힘은 적고 공은 많음. ↔사배 공소(事培

사:반-기【四半期】명 사분기(四分期). ㄴ功少).

사:-반면상【四半面像】명〔tetartohedral form〕〖물〗하나의 결정계(結晶系)에 속하는 정족(晶族) 중에서, 결정학적으로 등가(等價)인 방향의 수(數)가 완면상 정족(完面像晶族)의 그 4분의 1인 정족에 속하는 결정. 등축(等軸)·정방(正方)·육방(六方) 정계에 한하여 사반면상이 있음. ＊완면상.

사-반상【沙飯床】명 사기로 만든 반상기(飯床器).

사:반 세:기【四半世紀】명 1세기의 4분의 1. 곧, 25년.

사반-왕【沙伴王】명〖사람〗백제의 제7대 왕. 234년에 즉위하여 몇 개월 동안 재위하였음. 구수왕(仇首王)의 장자. 부왕이 사망한 후 즉위하였으나 유소(幼少)하여, 초고왕(肖古王)의 아우 고이왕(古爾王)이 대신 왕이 되었음. 「시킨 무늬.

사:반원-문【四半圓紋】명 두 끝이 뾰족한 장타원형(長楕圓形)을 연결

사발【沙鉢】명 아래는 좁고 위는 넓게 만들어 국이나 밥을 담는 데 쓰이는 사기 그릇.

【사발 안의 고기도 놔 주겠다】사발 안에 든 고기는 이미 자기 차지이나 그것도 못 먹고 놓아 준다는 뜻으로, 썩 어리석은 사람을 비유하는 말. 【사발 안의 고기나 잡겠다】무능하여 아무 일도 못 하고 밥이나 먹고 지내는 사람을 이르는 말. 【사발 이 빠진 것】아무 데도 쓸데없고 그대로 두면 오히려 해로울 물건이란 뜻.

사발-가【─歌】명〖악〗서울 지방 민요의 하나. 일본에 합방을 강요당했을 무렵의 울분을 토로한 노래.

사발-고누 명 호박고누. ＊자동차고누.

사발 고의【沙鉢袴衣】[─/─이] 명 가랑이가 무릎까지만 오는 짧은 남자용 홑바지.

사발 농사【沙鉢農事】[─롱─] 명 밥을 빌어먹는 일을 비유하여 이르는 말. ¶ 화젓가락 웃마디 꼬듯하지 말구, 어서 ～나 지러 오게 그려≪沈

熏 : 常綠樹≫. ——-하다 자여불

사발 막걸릿집【沙鉢—】 명 막걸리를 사발로 파는 목로 술집.

사발 무더기【沙鉢—】 명 사발에 가득히 담은 음식의 부피.

사발 묶음 명 길쌈할 때 실을 매는 방법의 한 가지.

사발-밥【沙鉢—】〔—빱〕 명 사발에 담은 밥. 한 사발의 밥.

사발-색【沙鉢—】 명〖광〗 사발을 써서 보는 색. 사발 시금. *색.

사발색(을) 보다 구 사발을 써서 색보다. *색보다.

사발 시계【沙鉢時計】 명 사발 모양으로 둥글게 된 탁상(卓上) 시계.

사발 시:근【沙鉢試根】 명〖광〗 사발색 볼 때에 달리는 시근.

사발 시:금【沙鉢試金】 명 사발색.

사발-옷【沙鉢—】 명 가랑이가 무릎 아래까지만 오는 짧은 여자의 옷.

사발-옹캐미【沙鉢—】 명〈방〉 뚝배기(평안).

사발 잠방이【沙鉢—】 명 가랑이가 짧은 농부(農夫)용 잠방이.

사발재-점【沙鉢—占】〔—째—〕 명〖민〗 정월 대보름날 저녁에, 사발에 재를 담고 그 위에 곡식 이삭을 얹어 지붕에 올려 놓았다가 이튿날 새벽에 내려와서 곡식 난알이 떨어진 것을 보고 그 해의 풍흉(豐凶)을 점치는 세시 풍속. 사발회점(沙鉢灰占).

사발 지석【沙鉢誌石】 명 안쪽에 먹으로 글자를 쓰고 밑을 발라 지석(誌石) 대신으로 무덤 앞에 묻는 사발.

사발 통문【沙鉢通文】 명 주모자(主謀者)를 숨기기 위하여, 관계자의 성명을 사발 모양으로 둥글게 뻥 돌려 적은 통문(通文).

〈사발 통문〉

사:발 허통【†四八虛通】 명 막을 자리를 막지 아니하여 사면 팔방이 툭 터져서 허수함. ——-하다 형여불

사:방¹【巳方】 명〖민〗 이십사 방위(二十四方位)의 하나. 남으로부터 정동쪽으로 삼십도(三十度) 되는 방위를 중심으로 한 좌우 십오 도(十五度)의 각도 안. 준사(巳).

사:방²【四方】 명 ①네 방위(方位). 즉, 동·서·남·북의 총칭. ②여러 곳. 주위. 사처(四處). ¶ ~을 살피다. ③네모.

사방³【舍房】 명 감방(監房).

사방⁴【砂防】 명〖토〗 산·바닷가·강가 등에 흙·모래가 바람과 비에 씻기어 무너져서 떠내려감을 방지하기 위해 시설하는 일. 산비탈에는 듬성듬성 층이 지게 흙을 쌓아 떼를 입히거나 나무를 심으며, 골짜기에는 돌을 쌓아 올리는 등 여러 가지의 시설을 함. 모래막이. *사방림.

사:방⁵【肆放】 명 사종⁷(肆縱). ——-하다 자여불

사방⁶〔Sabang〕 명〖지〗 인도네시아 공화국 수마트라(Sumatra)의 북부 말라카 해협(Malacca 海峽)의 북쪽에 있는 항구. 항로(航路)의 요지이며 석탄의 적출항(積出港)으로서 중요함.

사방 공사【砂防工事】 명〖토〗 사방 시설을 하는 공사. ——-하다 자여불

사방 공학【砂防工學】 명 황폐한 임지(林地)의 복구·보호 및 산림의 이수(理水) 기능을 다하기 위한 공법(工法)과 현상을 연구하는 임업학(林業學)의 한 분과. *삼림 이용학.

사:방-관【四方冠】 명 망건 위에 쓰는 네모가 번듯한 관의 하나.

사방구 명〈방〉〖동〗 새우(충청).

사방-댐【砂防—】〔dam〕 명 토사력(土砂礫)의 이동이 심한 계류(溪流) 등에서 하상(河床)의 경사를 완화시키고 사력(砂礫)의 이동을 막기 위한 댐. 경사가 심한 계류에서는 계단식으로 여러 개를 설치하여 산사태·홍수 등을 방지함.

사:-방득【謝枋得】 명〖사람〗 중국 송대(宋代) 말기의 충신(忠臣). 자는 군직(君直). 호(號)는 첩산(疊山). 장시 성(江西省) 사람. 원(元)나라 군사의 맹공(猛攻)을 받고 송(宋)나라가 쇠퇴한 후 푸젠 성(福建省)의 젠양(建陽)에 망명하여 절식(絕食)하고 사망하였음. 저서에 ≪첩산집(疊山集)≫·≪문장 궤범(文章軌範)≫ 등이 있음. [1226-89]

사:방-등【四方燈】 명 네모가 반듯한 등. 위에 들쇠가 있어서 들고 다닐 수 있게 되었음.

〈사방등〉

사:방-란【四方卵】〔—난〕 명 네모지게 삶아 굳힌 알. 무슨 알이든지 며칠 동안 독한 식초에 담가 두었다가 네모진 나무 그릇에 넣어서 삶으면 됨.

사방-림【砂防林】〔—님〕 명 산이나 바닷가에 있는 흙이나 모래가 비에 떠내려 감을 막기 위하여 조림(造林)한 숲.

사:방 모자【四方帽子】 명 사각 모자(四角帽子).

사:방-무【四方舞】 명〖민〗 궁중 무용의 하나. 춤추는 사람들이 대형을 네모로 짜서 서로 맞서고 등지며 추었음.

사:방-반【四方盤】 명 사우반(四隅盤).

사:방불 신:앙【四方佛信仰】 명〖불교〗 신라 사람이 동서남북 사방에 부처를 모시고 신봉하던 불국토 신앙.

사:방 사:불【四方四佛】 명〖불교〗 사방의 불토(佛土)에 사는 부처. 곧 동방의 묘희국(妙喜國)에 사는 아축불(阿閦佛), 남방의 환희국(歡喜國)에 사는 보생불(寶生佛), 서방의 극락국(極樂國)에 사는 아미타불(阿彌陀佛), 북방의 연화 장엄국(蓮華莊嚴國)에 사는 미묘성불(微妙聲佛)의 네 부처.

사방 십이면체【斜方十二面體】 명〖광〗 등축 정계(等軸晶系)에 딸리어, 사방형(斜方形)을 이루고 열 두 개의 면으로써 된 결정체. 석류석(石榴石) 같은 것.

사:방 연속 무늬【四方連續—】〔—년—니〕 명 어떤 모양과 색채를 가진 하나의 단위 무늬가 사방으로 반복되어 나가는 도안. *이방 연속 무늬.

사:-방영【四防營】 명〖역〗 조선 시대에, 평안도(平安道)의 창성(昌城)·강계(江界)·선천(宣川)·삼화(三和)의 네 곳에 두었던 방어영(防禦營).

사방-오리【砂防—】 명〖식〗〔*Alnus firma*〕 자작나뭇과에 속하는 낙엽 활엽 교목. 잎은 달걀꼴 또는 긴 타원꼴의 피침형이며 길이 5-12 cm, 가에 잔 톱니가 있음. 원기둥 꼴의 수화수(花穗)가 가지 끝에서 3-6 개씩 밑으로 처지고, 타원꼴의 암화수는 수화수 밑의 짧은 가지 끝에 한두 개 달림. 3월에 꽃이 피며, 10월에 열매가 익음. 사방 조림용으로 많이 심음.

사:방 요신 작법【四方搖身作法】〔—뇨—〕 명〖불교〗 나비춤의 하나.

사:-방위【四方位】 명 네 방위. 곧, 동·서·남·북.

사방 육면체【斜方六面體】〔—늉—〕 명〖수〗 각 면이 모두 평행 사변형(平行四邊形)으로 되어 있는 육면체(六面體).

사방 정계【斜方晶系】 명〔orthorhombic system〕〖광〗 결정계(結晶系)의 하나. 세 개의 결정축(結晶軸)이 서로 직각으로 마주 닿아 접촉하고 각 축의 길이가 서로 틀리며, 앞뒤의 축이 좌우의 축보다 짧은 결정계.

사:방 정:면【四方正面】 명 ①동서 남북의 사방과 자기가 향하고 있는 정면과의 뜻. ②사방의 어느 쪽으로 보아도 정면으로 보이는 일. 또, 그런 건축·조각·정원 등의 형식.

사:방 제기【四方—】 명 네 사람이 네 귀에 벌여 서서 차례차례로 제기를 발로 받아 차는 놀이. 옛날에는 서울 종로(鐘路)의 상인(商人)들이 흔히 하였음. *종로 제기.

사:방-죽【四方竹】 명〖식〗〔*Chimonobambusa quadrangularis*〕 볏과에 속하는 다년생의 상록 목본(木本). 줄기 높이 약 8 m, 무딘 사각형(四角形)인데 지름은 4 cm 가량으로 거죽은 매우 거칠며 굵은 마디가 있음. 잎은 가늘고 길어 피침형(披針形)이고 끝이 뾰족한데 작은 가지 위에 3-5개씩 잇달아서 남. 죽순(竹筍)은 가을에 남. 중국 원산으로 관상용으로 정원에 심음.

사:방지-지【四方之志】 명 천하 사방을 유력(遊歷)하며 또한 경영하려는 큰 뜻.

사:방-진【四方陣】 명〖민〗 호남 농악에서, 대포수가 네 군데에 진을 칠 때마다 상쇠가 쫓아가 포위하고 치는 진. 또, 그렇게 진을 치는 놀이. *사통백이.

사:방-치기【四方—】 명 ①돌차기. ②〖민〗 양주 별산대놀이에서, 도포나 장삼 자락을 머리 위에 펴서 두 손으로 잡고, 주춤주춤 한 방향씩 돌아가면서 재배(再拜)하는 춤사위.

사:방-침【四方枕】 명 팔꿈치를 괴고 비스듬히 기대어 앉게 된 네모진 베개. 널조각으로 길이가 한 자 가량 되게 여섯 면으로 짜고 겉에는 헝겊을 씌워서 꾸몄음.

〈사방침〉

사:방 탁자【四方卓子】 명 다과(茶菓)를 올려 놓는 네모 반듯한 탁자. 선반이 너덧 층 있음.

사:방 팔방【四方八方】 명 여기저기. 모든 방면. 여러 방면. 사각 팔방. ¶ ~에서 사람이 모여들다.

사:방 향:응【四方響應】 명 어떤 주창(主唱)에 응하여 사방에서 모두 궐기하여 행동을 같이 함. ——-하다 자여불

사:방-형¹【四方形】 명〖수〗 사각형.

사방-형²【斜方形】 명〖수〗 맞변이 서로 평행하고 각 각(角)이 직각이 아닌 사변형.

사방-황【斜方黃】 명〔rhombic sulfur〕〖화〗 황의 동소체(同素體)의 하나. 알파(α) 황이라고도 함. 사방 정계(斜方晶系)의 황색 결정, 동소체 중에서 상온(常溫)에서 가장 안정됨. 96.5°C에서 베타(β) 황으로 전이(轉移)함.

〈사방 탁자〉

사방 휘석【斜方輝石】 명〔orthopyroxene〕〖광〗 사방 정계(斜方晶系)에 딸린 것으로서 칼슘·알루미늄·망간을 포함하고 있지 않은 휘석의 총칭. 마그네슘·규소(硅素)·산소(酸素)의 세 원소를 가지고 있는데, 철이 5% 이하인 완화 휘석(頑火輝石)과 철이 5-14%인 고동 휘석(古銅輝石)과 철이 14% 이상인 자소 휘석(紫蘇輝石) 등 여러 가지가 있음.

사:배¹【四拜】 명 네 번 절함. ——-하다 자여불

사:배²【四配】 명 공자묘(孔子廟)에 함께 모신, 오른쪽의 안자(顔子)·자사(子思)와 왼쪽의 증자(曾子)·맹자(孟子)의 네 현인(賢人). 사유(四侑).

사:-배³【四倍】 명 네 갑절.

사:배⁴【賜杯】 명 ①임금이 신하에게 술잔을 내림. 또, 그 술잔. ②임금 또는 국가의 원수(元首) 등으로부터 경기의 승자(勝者)에게 내리는 우승배(優勝杯).

사:배 공소【事倍功少】 명 들인 힘은 많고 공은 적음. ↔사반 공배(事半功倍).

사-배양【砂培養】 명 ①세균의 그루를 보존하는 방법의 하나. 멸균(滅菌)한 모래를 시험관에 담고, 그 속에 배양한 세균을 넣어 둠. ②식물의 물재배의 한 방법. 청결한 모래나 자갈에 식물을 심고, 배양액(培養液)으로 기름.

사:배-체【四倍體】 명〔tetraploid〕〖식〗 기본수의 4 배의 염색체수(染色體數)를 가지는 배수체(倍數體). 4*n* 로 표시하며 이배체(二倍體) 식물보다 과실이 굵든지 몸이 강대하므로 콜히친 처리(colchicine 處理) 등을 하여 인위적으로 사배체를 만듦. 크게 열리는 호박, 섬유가 긴 목화, 비타민 C를 많이 함유하는 토마토, 꽃이 크게 피는 금잔화(金盞花) 등이 그 예임. *이배체.

사:백¹【死魄】 명 달의 검은 바닥이 줄어지기 시작한다는 뜻으로, 음력 초하룻날을 일컫는 말. 또, 그 날의 달. ↔생백(生魄).

사백²【舍伯】 명 남에게 자기의 맏형을 겸손하게 일컫는 말. 가백(家伯).

가형(家兄). 사형(舍兄).

사백³【卸白】명 ①《천주교》 예수가 부활한 후로 첫주일에, 새로 영세(領洗)한 사람에게 입혔던 흰 옷을 벗기는 일. ②편지를 쓸 때 형식을 버리고 요점만 쓰는 일. ──하다 타여불

사백⁴【詞伯】명 ①시문(詩文)에 조예가 깊은 이를 높이어 부르는 말. 시문의 대가(大家). 사종(詞宗). ②문사(文士).

사:백사-병【四百四病】명 ①오장(五臟)에 있는 각각 81 종의 병을 총합한 405 종 중에서 죽는 병을 제한 404 종의 병. ②《불교》 인간은 지수화풍(地水火風)의 사대(四大) 조화(造化)로 이루어지는데, 이 조화를 얻지 못할 때 발생하는 각각 101 종의 병. 곧, 지(地)·화(火)로 인한 열병(熱病) 202 종과, 풍(風)·수(水)로 인한 냉병(冷病) 202 종. ③많은 질병(疾病). 여러 가지 병.

사:백-어【死白魚】명 ☞방어(魴魚).

사:백여-주【四百餘州】명 중국 전토(全土)를 일컫는 말. 사백주(四百州).

사:백-주【四百州】명 사백여주(四百餘州).

사백 주일【卸白主日】명《천주교》 예수 부활 후 첫 번 주일. 이날 새로 영세(領洗)받은 자들이 그 영혼의 결백을 상징하기 위하여, 입었던 흰 옷을 벗고 성당에 들어감.

사:번【事煩】명 여러 가지 일이 번거롭고 많음. ──하다 형여불 ──히 부

사:번-스럽다【事煩─】형 ㅂ불 일이 많고 번거롭게 보이다. 보기에 사번하다. 사:번-스레【事煩─】부

사:벌〔네 sabel〕명 ①본디, 군인이나 경관이 허리에 차던 서양풍의 칼. 양검(洋劍). ②사브르(sabre).

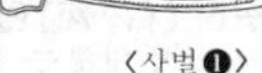

〈사벌❶〉

사벌-국【沙伐國】명《역》 삼한(三韓) 시대에 경상 북도 상주시 지역에 있었던 부족 국가. 사불국(沙弗國).

사:벌 정치【─政治】〔sabel〕명《정》 군인이 하는 무단 정치(武斷政治).

사범¹【私犯】명 채권(債權)의 발생 원인이 되는 불법 행위.

사:범²【事犯】명《법》 형벌·징벌(懲罰)에 처할 만한 행위. ¶경제 ～.

사범³【師範】명 ①모범. 본보기. ②학술 및 유도(柔道)·격검(擊劍)·바둑·권투 등의 기예(技藝)를 가르치는 사람. 사장(師匠). 선생. ¶유도 ～.

사범 교:육【師範敎育】명 초등 학교 및 중·고등 학교의 교원을 양성함을 목적으로 행하는 교육. 국민 품성과 기능을 기르고 국민 교육의 이념(理念)과 실천 방도를 체득하게 하여, 교육자로서의 확고한 신념과 사상을 가지게 함. 국립(國立) 또는 공립(公立)의 사범 학교·사범 대학 등의 교육 기관을 둠.

사범 대학【師範大學】명 단과 대학의 한 가지. 사범 교육을 실시하여 전공(專攻) 학과(學科)에 대한 교사 자격(敎師資格)을 부여함. 수업 연한은 4 년. 준사대(師大). *교육 대학.

사범 대학 부:속 고등 학교【師範大學附屬高等學校】명 사범 대학에 연구 및 교육 실습을 위하여 부설한 고등 학교.

사범 대학 부:속 중학교【師範大學附屬中學校】명 사범 대학에 부설한 중학교.

사범 대학 부:속 초등 학교【師範大學附屬初等學校】명 사범 대학이 부설한 초등 학교.

사범 병:설 중학교【師範竝設中學校】명 사범 학교에 따라 병설한 중학교.

사범-생【師範生】명 사범 학교의 학생.

사범-서¹【司範署】명《역》 신라 때의 관아 이름. 예부(禮部)에 딸려 있었음.

사범-서²【師範署】명《역》 통례원(通禮院).

사범-역【師範役】명 사범의 구실. 또, 그 구실을 하는 사람.

사범 학교【師範學校】명 ①사범 교육을 목적으로 하는 학교. ②전날에 있었던, 초등 학교의 교원(敎員)을 양성함을 목적으로 하는 고등 학교 정도의 학교. 1963년 이 학교제를 폐지하고 새로 '교육 대학'을 창설함.

사법¹【司法】명《법》 삼권(三權)의 하나. 법에 의한 민사(民事)·형사(刑事)의 재판 및 그에 관련되는 국가 작용. *입법·행정.

사:법²【四法】명 ①《문》 한시(漢詩)의 기승전결(起承轉結)의 작법(作法). ②《불교》 성도문(聖道門)의 네 가지 법. 불타(佛陀)의 언교(言敎)인 '교(敎)'와, 그 언교를 풀이한 도리인 '이(理)'와, 그 도리를 따르는 수행(修行)인 '행(行)'과, 그 수행에 의하여 얻는 '과(果)'의 넷. ③《불교》 진종(眞宗)의 네 가지 법. 불타의 언교인 '교(敎)'와, 그 언교를 풀이한 수행인 '행(行)'과, 그 수행의 공덕 이익(功德利益)을 믿는 '신(信)'과 행과 신에 의하여 얻는 증과(證果)인 '증(證)'의 넷.

사:법³【史法】명 사기(史記)를 직필(直筆)로 쓰는 원칙.

사법⁴【寺法】명 절에 관한 법규(法規).

사:법⁵【死法】명《법》 실제로 적용되지 아니하는 법률. 곧, 효력을 잃은 법령.

사법⁶【私法】[─뻡] 명《법》 사인(私人) 상호간에 있어서의 권리·의무의 관계를 규정한 법의 총칭. 공법(公法)이 권력·공익(公益)·국가 관계의 법인 데 대하여, 사법은 대등(對等)·사익(私益)·사인(私人) 관계의 법으로, 민법(民法)·상법(商法) 같은 것을 이름. ↔공법(公法).

사법⁷【邪法】명 ①그릇된 길. 올바르지 아니한 길. ②마법(魔法).

사법⁸【師法】명 스승으로 삼아 그 본을 보아서 배움. ──하다 타여불

사법⁹【射法】[─뻡] 명 활이나 총포(銃砲)를 쏘는 방법. ──하다 자여불

사법¹⁰【嗣法】명《불교》 법사(法師)에게서 심법(心法)을 이어받음. ──하다

사법 경:찰【司法警察】명《법》 사법권에 기준하여 범죄 사실의 수사, 범인의 체포, 증거의 수집(蒐集) 등을 목적으로 하는 국가의 작용. 사법 경찰도 경찰법에 있어서 경찰의 임무로 되어 있지만 행정 경찰과 달라 형사 소송법(刑事訴訟法)의 규정에 따름. 형사 경찰. *행정 경찰.

사법 경:찰관【司法警察官】명《법》 사법 경찰 기관의 관리. 영장(令狀)의 집행, 수사의 사실적 처분을 행함.

사법 경:찰 관리【司法警察官吏】[─괄─] 명《법》 사법 경찰관과 사법 경찰리의 통칭. 범죄 수사에 있어서 검사의 보조 기관이 되며, 마약·대마(大麻)·습관성 의약품 감시원 따위의 특별 사법 경찰 관리도 있음.

사법 경:찰리【司法警察吏】명《법》 사법 경찰관이 그 직무를 수행함에 있어서 그를 보조하는 공무원.

사:-법계【四法界】명《불교》 화엄종(華嚴宗)에서 말하는 우주관. 전우주를 현상(現象)과 본체(本體)의 두 가지 면에서 본 것으로, 차별적 현상계(差別的現象界), 본체적 이법계(本體的理法界), 현상과 본체, 곧 사(事)와 이(理)가 융통하는 일체 불이(一體不二)의 세계(이사 무애 법계(理事無礙法界)), 차별의 현상계 그대로가 절대의 불가사의인 것(사사 무애 법계(事事無礙法界))의 일컬음.

사법 공:조 협정【司法共助協定】명《법》 재판 절차 진행을 위한 공동 협조를 협약하는 국가간의 협정. *검찰 공조 협정.

사법-관【司法官】명《법》 법관(法官). ↔행정관.

사법관 시:보【司法官試補】명《법》 고등 고시 사법과 합격자 중에서 법무부 장관의 제청으로 대통령이 임명, 심판이나 검찰 사무를 중심으로 필요한 사무를 수득(修得)하던 자. 1962년 이후 폐지되었고 지금은 사법 시험에 합격한 사람은 사법 연수원에서 소정(所定) 과정을 마치게 되어 있음. 준시보(試補). *사법 연수생.

사법 관청【司法官廳】명《법》 사법, 곧 민사(民事)·형사(刑事)·행정의 재판 사무를 취급하는 관청. 곧, 현행 제도상의 법원(法院). 준법청(法廳). ↔행정 관청(行政官廳).

사법-국【司法國】명 행정권의 자율을 인정하지 아니하고 모든 행정권의 행사를 사법권의 심사에 복종시키고 행정 사건도 사법 재판소의 관할하에 두는 국가. 사법 국가.

사법 국가【司法國家】명 사법국(司法國). ↔행정 국가.

사법-권【司法權】명《법》 사법의 작용을 행하는 권능(權能). 곧, 민사·형사·행정의 재판을 포함하는 권능. 입법권·행정권과 더불어 삼권(三權)의 하나인데 이 권능은 법원(法院)이 행함.

사법권의 독립【司法權─獨立】[─닙/─에─닙] 명 재판관이 재판을 하는 데 있어서, 의회(議會)나 정부 등에 의하여 판결(判決)을 좌우당하지 아니하는 일.

사법 기관【司法機關】명《법》 민사(民事)·형사(刑事) 및 기타 일반적으로 재판을 행하는 국가 기관. 법원(法院)이 이것인데, 넓은 뜻으로는 검찰청·사법 경찰 기관·행형(行刑) 기관·공증인(公證人)·집달관(執達官) 등을 포함하여 일컫기도 함.

사법 대:서【司法代書】명《법》 남의 위촉을 받아, 법원(法院)·검찰청에 제출할 서류를 작성하는 일. ↔행정 대서.

사법 대:서인【司法代書人】명《법》 '법무사²'의 구칭.

사법-법【司法法】명《법》 사법 제도 및 사법권의 행사를 규율짓는 법규의 총칭. 보통 법원 조직법 및 민사·형사의 소송법을 이름. 민법·형법과 같은 실체법(實體法)도 직접 사법권에 의하여 적용되는 점으로 보아, 행정권에 의하여 집행되는 행정, 법규에 대하여 사법 법규에 속하게 하는 경우도 있음.

사법 보:호【司法保護】명《법》 '갱생(更生) 보호'의 구칭.

사법-부【司法府】명《법》 대법원(大法院) 및 그 소할(所轄)에 속하는 모든 기관의 총칭. 입법부·행정부와 더불어 삼권 분립(三權分立)을 이룸. 그 대표자는 대법원장임.

사법 부문【司法部門】명 대법원 및 그 관할에 속하는 기관의 총칭.

사법 사:무【司法事務】명《법》 사법 재판에 관한 사무 및 사법 행정에 관한 사무의 총칭.

사법 사진【司法寫眞】명《법》 재판상의 증거물 또는 참고품으로 할 목적으로 찍는 사진.

사법 서사【司法書士】명《법》 '법무사²'의 구칭.

사법 수수료【司法手數料】명 국가·공공 단체 또는 그 기관이 징수하는 수수료 가운데서, 법원이 행하는 소송 절차 또는 비송(非訟) 사건 절차에 대한 수수료.

사법 시험【司法試驗】명 판사·검사·변호사 또는 군법무관이 되려는 사람에게 필요한 학식과 능력의 유무를 검정하기 위한 시험. *고등 고시(高等考試).

사법 시험 위원회【司法試驗委員會】명 사법 시험의 실시를 위하여 총무처에 설치되는 심의 기관. 위원장과 부위원장은 총무처 장관 및 차관이 맡으며, 시험 위원은 시험이 실시될 때마다 위원장이 임명하거나 위촉하게 됨. 주로 시험 문제의 출제, 합격자 결정, 기타 총무처 장관이 부의(附議)하는 사항을 심의함.

사법 연:수생【司法硏修生】[─년─] 명《법》 사법 시험에 합격하고 사법 연수원에서 사법에 관한 이론과 실무를 연구, 습득하는 사람. 대법원장이 임명하며, 4 급 또는 5 급 상당의 별정직 공무원으로 함. 수습 기간은 2 년임.

사법 연:수원【司法硏修院】[─년─] 명《법》 법원 조직법에 의거, 설치된 교육 기관. 판사의 연수와 사법 연수생의 수습(修習) 교육에 관한 업무를 관장함.

사:-법인¹【四法印】명《불교》 삼법인(三法印)에 일체 개고(一切皆苦)를 더한 것.

사-법인²【私法人】명《법》 사법상(私法上)의 법인(法人) 단체에의 가입, 회비(會費)의 징수 등 그 내부의 법률 관계가 국가 또는 공공 단체의 강제적 권력에 제약되는 일이 없이 설립자 개인의 자유·평등의 원리에 의하여 규율되는 법인. 사단 법인(社團法人)과 재단 법인(財團法人)으로 나누어지고, 그 목적에 따라 영리 법인(營利法人)과 공익 법인(公益法人)으로 나누는데, 특히 재단 법인은 공익을 목적으로 함. ↔공법인.

사법 재판【司法裁判】명《법》 민사(民事) 및 형사(刑事) 재판의 총칭. ↔행정 재판(行政裁判).

사법 재판관【司法裁判官】명《법》 사법 재판소를 구성하고 소송의 재판을 행하는 재판관.

사법 재판소【司法裁判所】명《법》 민사(民事)·형사(刑事)의 재판권을 행사하는 국가의 기관. 곧, 사법 재판을 행하는 재판소.

사법-적【私法的】[─뻡─] 명관 사법(私法)에 관한 모양. 사법인 그것.

사법적 소권설【私法的訴權說】[—뻡—꿘—] 명 〖법〗 소권(訴權)을 사권(私權), 특히 청구권의 한 작용(作用) 또는 이에서 유출(流出)하는 권능이라 생각하는 설(說). ↔공법적 소권설.

사법 제:도【司法制度】 명 〖법〗 사법(司法)에 관한 일체의 제도.

사법 처:분【司法處分】 명 〖법〗 사법 관청(司法官廳)이 하는 처분. *행정 처분(行政處分). 「↔공법학(公法學).

사법-학【私法學】[—뻡—] 명 〖법〗 사법에 관한 법리를 연구하는 학문.

사법 해:부【司法解剖】 명 〖법의〗 범죄 사건에 관련된 것으로 보이거나 그러한 의문이 농후한 시체에 대하여 사인(死因)·창상(創傷)·병변(病變)의 유무, 흉기의 종류, 사후(死後) 경과 시간 등을 밝히기 위하여 하는 법의(法醫) 해부. ↔행정 해부. *법의(法醫) 해부.

사법 행정【司法行政】 명 〖정〗 사법권에 관련하는 행정. 곧, 사법 기관의 유지·감독·재판의 집행 등 사법 재판권의 행사에 따르는 온갖 행정 사무를 처리하는 국가의 작용. 대법원·법무부 및 검찰청이 관장(管掌)함. 법원 행정.

사베리오〔Xaverius, Franciscus〕 명 〖사람〗 '사비에르'의 라틴어 이름.

사:벽[1]【四壁】 명 사방의 벽. 방의 네 벽.

사벽[2]【邪辟】 명 마음이 비뚤어지고 편벽함. ——-하다 형 여불

사벽[3]【砂壁】 명 〖건〗 모래와 흙을 섞어서 바른 벽.

사벽-질【砂壁—】 명 〖건〗 보드라운 모래와 진흙을 섞어서 벽에 덧바르는 일. ——-하다 자 여불 「¶ ~형(形).

사:변[1]【四邊】 명 ①사방의 변두리. ②주위. 근처. ③〖수〗 네 개의 변.

사:변[2]【事變】 명 ①천재(天災)나 그 밖의 큰 변고. 사람의 힘으로는 피할 수 없는 일. ②나라의 중대한 변사. 규모로 보아 전쟁 정도는 아니지만 경찰력으로 막을 수 없어 병력(兵力)을 사용하게 되는 난리. ③한 나라가 상대국에 대하여 선전 포고(宣戰布告)를 함이 없이 무력을 쓰는 일. ¶ 만주(滿洲) ~.

사변[3]【思辨】 명 ①신중히 생각하여 분명하게 시비(是非)를 변별(辨別)함. ②〔그 theōria〕〖철〗 부분적으로 경험을 넘어서, 경험을 보족(補足)하는 이념으로서 인식과 존재를 통일적·논리적으로 연역(演繹)하여 가는 일. 직관적 인식(直觀的認識)이나 지적(知的) 직관을 이르는 경우도 있음. ——-하다 자 여불

사변[4]【斜邊】 명 〖수〗 '빗변'의 구용어.

사:변 가:주서【事變假注書】 명 〖역〗 조선 시대 승정원(承政院)의 정칠품(正七品) 벼슬. 정원(定員) 이외의 주서(注書)로 오로지 비변사(備邊司)와 국청(鞠廳)의 일을 담당함. 가관(假官). ㊂가주서(假注書).

사:변 무궁【事變無窮】 명 사건의 변동이 한없이 많음. 여러 가지 사변이 자꾸 일어나 한이 없음. ——-하다 형 여불

사변 신학【思辨神學】 명 〖천주교〗 계시(啓示) 내용에 철학적 사변을 가하여 학문적 체계화를 꾀하는 신학. ↔실증(實證) 신학.

사변-적【思辨的】[—쩍] 명 관 경험의 도움을 받지 아니하는 순(純) 이론적인 모양.

사변적 유:신론【思辨的有神論】[—쩍—논] 명 〖철〗 헤겔(Hegel) 직후에 독일에서 일어난 유신론의 입장. 형이상학(形而上學)의 기초를 경험에 두어 철학을 기독교화(基督敎化)하고 나아가서 기독교적 세계관의 위에 선 형이상학에 통일하려고 한 학설. 헤겔에 반대하여 요한·헤르만·피히테·이마누엘 등이 처음으로 주창하였음.

사변적 이:성【思辨的理性】[—쩍—] 명 〖철〗 칸트 철학에서, 실천적 관심을 떠나 오직 이론적 인식에만 관계되는 순수 이성. *실천 이성.

사:변 주서【事變注書】 명 〖역〗 사관(史官)이 기록하여 둔, 사변에 관한 공적(公的)인 기록.

사변 철학【思辨哲學】 명 〔도 Spekulative Philosophie〕〖철〗 이성(理性)을 지식의 유일한 근거로 하는 철학. 곧, 인식을 경험에서 구하지 아니하고 오로지 사변(思辨)을 인식의 근거 및 방법으로 삼아, 세계관(世界觀)의 체계를 세우는 철학. 19세기 중엽 일시 독일 철학계를 휩쓸던 피히테(Fichte)·셸링(Schelling)·헤겔(Hegel)의 철학이 이에 속함. ↔경험 철학(經驗哲學). 「형(四角形).

사:변-형[1]【四邊形】 명 〖수〗 네 개의 직선으로 둘러싸인 평면형. 사각

사변-형[2]【斜邊形】 명 〖수〗 마름모. 능형(菱形).

사:별[1]【死別】 명 여의어 이별함. 한쪽은 죽고 한쪽은 살아 남아서 서로 이 세상의 영원한 이별이 됨. ¶ 어버이를 ~하다. ↔생별(生別). ——-하다 자 타 여불

사별[2]【辭別】 명 인사를 하고 헤어짐. ——-하다 자 여불

사:병[1]【士兵】 명 〖군〗 ①장교가 아닌 모든 졸병(卒兵). ↔장교(將校). ②하사관(下士官)이 아닌 병(兵).

사:병[2]【四兵】 명 〖불교〗 전륜왕(轉輪王)이 외출할 때 호위한 4 종의 병정. 곧, 상병(象兵)·마병(馬兵)·차병(車兵)·보병(步兵)의 총칭.

사병[3]【司兵】 명 〖역〗 신라 병부(兵部)의 한 벼슬. 경덕왕(景德王) 때 노사지(弩舍知)를 고친 이름인데 혜공왕(惠恭王)이 다시 노사지로 고침. 위계(位階)는 대사(大舍)로부터 사지(舍知)까지임.

사:병[4]【死病】 명 살 가망이 없는 중한 병. 걸리면 반드시 죽는 병.

사병[5]【私兵】 명 개인이 사사로이 길러 부리는 병사(兵士). 자기의 세력을 펴기 위하여 기른 병정. ¶ 권력층의 ~이 되어 아부하다. ↔관병(官

사병[6]【梭餠】 명 북떡. ㄴ兵).

사병[7]【詐病】 명 꾀병. ——-하다 자 여불 「炙)에서 쓰는 말.

사병[8]【痧病】 명 〖한의〗 중독성의 혈액이 원인으로 생기는 병. 침구(鍼

사병[9]【瀉甁】 명 〖불교〗 스승이 제자에게 부처님의 가르침의 오의(奧義)를 빠짐없이 전수(傳授)하는 일. 또, 그 제자.

사:보[1]【四輔】 명 〖역〗 사종(四種)의 보좌관. 곧, 태사(太師)·태부(太傅)·태보(太保)·소부(少傅).

사:보[2]【四寶】 명 ①네 가지의 보배. ②붓·먹·종이·벼루의 네 가지를 소중하게 이르는 말.

사보[3]【寺寶】 명 절의 보물.

사보[4]【私報】 명 ①남 모르게 넌지시 알림. ②개인 사이의 통신. ③관보(官報)나 국보(局報) 이외의 사사로운 전보. ↔공보(公報).

사보[5]【私寶】 명 개인의 보물. 사유(私有)의 보배.

사보[6]【社報】 명 사내보(社內報).

사보[7]【思補】 명 〖역〗 고려 충렬왕 34 년(1308)에 도첨의사사(都僉議使司)에 둔 정육품 벼슬.

사보[8]【師保】 명 남의 스승이 되어 가르치며 보육(保育)하는 일. 또, 그 사람.

사보[9]【寫譜】 명 악보를 베껴 적음. ——-하다 자 여불

사보[10]【璽寶】 명 →새보(璽寶).

사보[11] 명 〖사〗 ↗사보타주(sabotage).

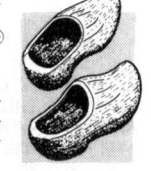

사보[12]〔프 sabot〕 명 서양에서 쓰이는 나막신의 한 가지. 물에 잘 견디고 오래 가는 굳은 나무를 파서, 속에 헝겊을 넣고 신음. 일찍이 이집트·로마에서도 찾아볼 수 있는데 오늘날까지 유럽 일부에서 쓰이며 특히 프랑스에서 많이 신음.

〈사보[12]〉

사보나롤라〔Savonarola, Girolamo〕 명 〖사람〗 이탈리아 도미니크회(Dominic 會)의 사제(司祭). 교회의 부패와 메디치가(Medici 家)의 전제에 반대하고 신권(神權) 정치를 단행하여, 교황아 이단(異端)을 선언해서 화형(火刑)에 처해졌음. [1452-98]

사-보두청【私—廳】 명 사문 용형(私門用刑)을 함부로 농간하는 사삿집을 비꼬아서 일컫는 말. 사포청(私捕廳).

사:-보란【四—】〔borane〕 명 〖화〗 테트라보란(tetraborane).

사:-보살【四菩薩】 명 〖불교〗 ①말법(末法) 탁세(濁世)에 나타나서 법화경(法華經)을 세상에 널리 베풀라는 불칙(佛勅)을 받은 네 가지 보살. 곧, 상행(上行)·무변(無邊)·정행(淨行)·안립행(安立行). ②태장계 만다라(胎藏界曼茶羅) 중에서 대일 여래(大日如來)의 사우(四隅)에 모시는 네 가지 보살. 곧, 동남의 보현(普賢), 서남의 문수(文殊), 서북의 관음(觀音), 동북의 미륵(彌勒). ③염주(念珠) 백 여덟 개 밖의 네 가지 구슬.

사보이〔Savoy〕 명 〖지〗 '사부아(Savoie)'의 영어식 이름.

사보이-가【—家】〔Savoy〕 명 〖역〗 사보이아가(家).

사보이아-가【—家】〔Savoia〕 명 〖역〗 제2차 세계 대전 직후까지 이탈리아에 군림(君臨)한 왕가. 11세기경 움베르트(Umbert) 1세를 시조(始祖)로 해서 세력을 펼치어 영토를 확장하다가, 1416년 이래 사보이공(公)으로 칭함. 1713년 위트레흐트 조약에 의하여 시칠리아 왕이 되고 1720년 사르데냐 왕이 되었다가 1861년 빅토리오-에마누엘 2세가 전(全) 이탈리아를 통일하고 이탈리아 왕국의 터를 열어 놓았음. 제2차 세계 대전에 패하자 추방됨. 사보이가(Savoy 家).

사보타:주〔프 sabotage〕 명 〖사〗 〔20세기초 프랑스의 노동자들이 쟁의(爭議)중에 사보(sabot)로 기계를 부순 데에서 나온 말〕 노동 쟁의 수단의 한 가지. 일을 아주 그만두는 것이 아니고, 작업을 정체(停滯)시키거나 능률을 저하시키어, 기업주에게 손해를 끼침으로써 분쟁의 해결을 꾀하는 일. 태업(怠業). ㊂사보(sabo). ——-하다 자 타 여불

사보텐〔포 sabão〕 명 〖식〗 선인장(仙人掌).

사-보험【私保險】 명 〖법〗 보험 관계자의 사경제상(私經濟上)의 이익

사복[1] 명 〈방〉 사북. ㄴ을 목적으로 행하여지는 보험. ↔공보험.

사복[2]【司僕】 명 〖역〗 ↗사복시(司僕寺).

【사복 물어미냐 지절거리기도 한다】 사복시의 물 긷는 어미처럼 지절거린다 함이니, 말씨가 난잡함을 이르는 말.

사복[3]【私服】 명 ①관복이나 제복(制服)이 아닌 보통 옷. ↔공복(公服)·관복(官服). ②↗사복 형사.

사복[4]【私腹】 명 사리(私利)만을 차리는 뱃속. 개인의 제 욕심. ¶ 공금(公金)을 털어 ~을 채우다. 「다 타 여불

사복[5]【思服】 명 마음 속에 간직하여 잊지 아니하고 늘 생각함. ——-하

사복[6]【蛇福】 명 〖사람〗 신라 진평왕(眞平王) 때의 이인(異人). 과부의 몸에서 태어나 12세가 되도록 일어나지도 못하고 말도 못하였는데, 어머니가 죽자 원효 앞에 가서 비로소 말을 했다는 전설이 있음.

사복-개천 명 거리낌없이 상말을 마구 하는, 입이 더러운 사람을 낮게 일컫는 말. 「양반은 상소리를 아니한다더니 근래는 양반도 개화를 해서 그러한지 ~은 조촐한 모양이야≪李海朝 : 鬢上雪≫.

사복 거덜【司僕—】 명 〖역〗 배종(陪從)의 옷차림에다 벙거지를 쓰고 벽제(辟除)를 하며 권마성(勸馬聲)을 외치던 하인. '거덜거리다'는 여기

사복대-질 명 〈방〉 상앗대질. ——-하다 자 ㄴ서 생긴 말임.

사복-마【司僕馬】 명 〖역〗 사복시(司僕寺)에서 관리하던 말.

사복-시【司僕寺】 명 〖역〗 ①고려 때 궁중의 여마(輿馬)·구목(廐牧)에 관한 일을 맡아 보던 관아. 충렬왕(忠烈王) 34년(1308)에 대복시(大僕寺)를 고친 이름. ②조선 시대 때 궁중의 여마(輿馬)·구목(廐牧)에 관한 일을 맡아 보던 관아. 태조 원년(1392)에 베풀어 고종(高宗) 2년(1865)에 폐함. 내사복(內司僕)과 외사복(外司僕)이 있었음. 태복(太僕). 사어(司馭). ㊂사복(司僕). *태복시.

사:-복음【四福音】 명 〖기독교〗 신약(新約) 성서 중에 있는 네 가지 복음서(福音書). 곧, 마태 복음·마가 복음·누가 복음·요한 복음. 사대 복음서(四大福音書). 「을 맡아 보던 관원.

사복 이마【司僕理馬】[—니—] 명 〖역〗 사복시(司僕寺)에서 말의 훈련

사복 형사【私服刑事】 명 범죄의 수사나 그 밖의 필요로 사복을 입고 근무하는 경찰관. ㊂사복.

사본[1]【私本】 명 개인의 서책(書冊).

사:본[2]【事本】 명 일의 근본. 사근(事根). 「하다 타 여불

사본[3]【寫本】 명 옮기어 베낌. 또, 베낀 책이나 서류. 전사본. ——

사:-본사【事本事】명〈속〉사본(事本).
사봉¹【璽封】명〖사람〗조선 시대 때의 중. 성은 손(孫)씨. 추붕(秋鵬) 밑에서 도를 닦고, 영조(英祖) 24년(1748) 선교 양종 도총섭 국일도 대선사(禪敎兩宗都摠攝國一都大禪師)가 되었음. 저서 ≪상월집(霜月集)≫.
사봉²〔프 savon〕명 비누. └[1686-1766]
사:부¹【士夫】명 ↗사대부(士大夫).
사:부²【四府】명 ①봄·여름·가을·겨울의 네 계절. ②역경(易經)·서경(書經)·시경(詩經)·춘추(春秋)의 사서(四書). ③〖역〗후한(後漢)의 태부(太傅)·대위(大尉)·사도(司徒)·사공(司空).
사:부³【四部】명 ①넷으로 나눈 부류(部類). ②〖불교〗사중(四衆). ③〖악〗↗사부 합창. ④〖악〗↗사중창. ⑤〖악〗↗사중주. ⑥〖악〗↗사부 합주.
사:부⁴【四部】명〖책〗중국 서적의 네 분류. 곧, 경부(經部)(경서)·사부(史部)(사서)·자부(子部)(제자 백가)·집부(集部)(시문집). 사부서. *경사자집(經史子集).
사:부⁵【史部】명〖책〗중국 서적 사부(四部)의 하나. 역사·지리·관직(官職)에 관한 서적. 을부(乙部). *집부(集部).
사:부⁶【死夫】명 죽은 남편. 망부(亡夫).
사부⁷【私夫】명 ①〖역〗부부 생활이 허락되지 아니하였던 옛날의 관기(官妓)가 남 몰래 두는 남편. ②샛서방.
사부⁸【思婦】명 멀리 떠난 남편을 그리워하는 부인. 「승. 스승의 존칭.
사부⁹【師父】명 ①스승과 아버지. ②아버지와 같이 우러러 존경하는 스
사부¹⁰【師傅】명 ①스승. ②모범(模範). ③〖역〗태사(太師)와 태부(太傅). ④중국에서 기녀(妓女)의 상대역이 되어 현악(絃樂)을 탄주(彈奏)하던 남자. 「자여불
사부¹¹【斜付】명 합당하지 않은 사람에게 의지하여 붙좇음. ——하다
사부¹²【絲部】명〖악〗국악기(國樂器) 분류에서, 공명통(共鳴筒)에다 명주실로 꼰 줄을 얹어 만든 악기의 일컬음. 금(琴)·슬(瑟)·거문고·가얏고·월금(月琴)·해금(奚琴)·당비파(唐琵琶)·향비파(鄕琵琶)·대쟁(大箏)·아쟁(牙箏) 등이 있음. 사(絲). *팔음(八音).
사부¹³【詞賦】명 운자(韻字)를 달아 지은 한문시의 총칭.
사부¹⁴【篩部】명〖식〗체관부(管部). 인피부(靭皮部).
사부¹⁵【辭賦】명〖문〗시가의 한 종류. 굴원(屈原)의 ≪이소(離騷)≫를 중심으로 하고, 그의 제자 송옥(宋玉) 이하 여러 사람들이 그를 본뜬
사:부-가【士夫家】명 사대부(士大夫)의 집안. └작품을 가리킴.
사부랑-거리다 자 주책없이 시시한 말로 방정맞게 지껄이다. 쓰싸부랑거리다. <시부렁거리다. **사부랑-사부랑¹** 부. ——하다 자여불
사부랑-대다 자 사부랑거리다. 「다 형여불
사부랑-사부랑² 부 여럿이 다 사부랑한 모양. <서부렁서부렁. ——하
사부랑-삽작 부 가볍게 선뜻 건너뛰거나 올라서는 모양. <서부렁섭적.
사부랑-하다 형여불 묶거나 쌓은 것이 다붙지 아니하고 조금 느슨하거나 버름하다. <서부렁하다.
사:부-서【四部書】명〖책〗사부⁴(四部).
사부 섬유【篩部纖維】명〖식〗체관부(管部) 섬유.
사부-시【詞賦試】명〖역〗국자감시(國子監試).
사부아〔Savoie〕명〖지〗프랑스의 남동부, 이탈리아와의 국경에 접한 알프스 산지에 속하는 지방. 몽블랑(Mont Blanc) 산 등 3,000 m 급의 고산이 군립(群立)하고 있음. 관광·휴양지가 많으며 시계·방적·제사(製絲) 등이 행하여짐. 1860년에 프랑스에 귀속되었으며, 사보이가(家)의 발상지임. 사보이.
사부 유조직【篩部柔組織】명 체관부 유조직.
사-부인【査夫人】명 '사돈댁❷'의 존칭.
사:-부자【四父子】명 아버지와 세 아들. 「기.
사부자기 부 힘들이지 아니하고 가만히. ¶일을 ~ 해치우다. <시부저
사부작-사부작 부 계속적으로 사부자기 행동하는 모양. <시부적시부적. ——하다 자여불
사:-부주 명 격식(格式)을 갖추는 각 조건. ¶~가 잘 맞는다.
사:부-중【四部衆】명〖불교〗사중(四衆).
사:부 총:간【四部叢刊】명〖책〗경(經)·사(史)·자(子)·집(集)의 사부에 걸쳐, 당시 구할 수 있는 한(限)의 선본(善本)을 구하여 사진판(寫眞版)으로 한 총서(叢書). 상해(上海)의 상무 인서관(商務印書館)에서 출판하였는데, '초편(初編)' 323 부는 1921년, '속편(續編)' 75 종(種)은 1933년, '삼편(三編)' 70 종은 1935년, 사부(史部)의 '백납본 이십사사(百衲本二十四史)'는 1929-36년에 각각 출간(出刊)하였음.
사:부 학당【四部學堂】명〖역〗조선 시대에, 서울의 동부·서부·중부·남부에 각각 설치된 사학(四學)의 딴이름.
사:부 합주【四部合奏】명〖악〗소리의 고저(高低)를 조화시키기 위하여 네 성부(聲部)의 악기로써 합주하는 일. 제1 바이올린·제2 바이올린·비올라(viola)·첼로를 사용하는 현악(絃樂) 사부 합주와 피아노·바이올린·비올라·첼로를 사용하는 피아노 사부 합주 등이 있음. 한 성부에 사용되는 악기가 두 개 이상인 점이 사중주(四重奏)와 다름. ㈜사부
사:부 합주곡【四部合奏曲】명〖악〗사부 합주를 위한 악곡. └(四部).
사:부 합창【四部合唱】명〖악〗목소리의 고저(高低)를 조화시키기 위하여 네 성부(聲部)로써 합창하는 일. 소프라노·알토의 여성(女聲)과 테너·베이스의 남성(男聲)으로 합창하는 혼성(混聲) 사부 합창, 남성으로만 하는 남성 사부 합창, 여성으로만 하는 여성 사부 합창이 있음. 한 성부에 노래부르는 사람이 둘 이상인 점이 사중창(四重唱)과 다름. ㈜
사:부-향【士夫鄕】명 사대부(士大夫)가 많이 사는 시골. └사부(四部).
사북¹ 명 ①접부채의 아랫 머리나 가위다리의 교차(交叉)된 곳에 못과 같이 박아서 돌쩌귀처럼 쓰이는 물건. ②가장 긴요한 곳.
사북²【舍北】명〖지〗강원도 정선군(旌善郡)에 있는 한 읍(邑). 대덕산(大德山)·함백산(咸白山)·백운산(白雲山)·두위봉(斗圍峰) 등 험준한 산줄기에 둘러싸인 벽지대(僻地帶)로, 사북 탄광(炭鑛)이 있음. [17,218 └명(1990)]
사북대-질 명〈방〉상앗대질. ——하다 자
사:분¹ 명〈방〉비누(경상).
사:분²【四分】명 네 부분으로 나눔. ——하다 타여불
사분³【私憤】명 자기 한 몸에 관한 사사로운 분노. 사사(私事)에 관한 분개. ↔공분(公憤)❷.
사분-거리다 자 ①슬렁슬렁 우스운 소리를 해가면서 끈기 있게 조르다. ②가만가만 지껄이다. **사분-사분** 부. ——하다¹ 자여불
사:분 공간【四分空間】명〖수〗상한(象限)❷.
사:분-기【四分期】명 한 기간, 특히 1회계 연도를 4등분한 기간. 차례에 따라 1사분기·2사분기·3사분기·4사분기로 부름. 사반기(四半期).
사분-대다 자 사분거리다.
사:분-력【四分曆】[—녁] 명 중국 후한의 장원제(章元帝)로부터 위(魏)의 명종(明宗) 때까지의 150년 동안 행하여졌던 역법(曆法). 후한(後漢)에 의하면 1년을 365 1/4일로 하고, 19년에 일곱 개의 윤달을 두었다 함. 고대 그리스의 칼리포스법(Callipos法)에 상당하는 역법임. 사분법.
사:분-면【四分面】명〖수〗①한 평면을 서로 직교(直交)하는 두 직선으로써 4부분으로 나누었을 때의 각 부분. ②원 또는 둘레를, 서로 수직으로 만나는 두 직경으로 4 등분하였을 때의 각 부분. 상한(象限).
사:분-법【四分法】[—뻡] 명 사분력(四分曆).
사분사분-하다² 형여불 마음씨가 보드랍고 상냥하다. <서분서분하다.
사:분 쉼:표【四分—標】명〖악〗쉼표의 하나. 온 쉼표의 1/4의 길이를 나타내는 쉼표. 사분 휴부(四分休符).
사:분 오:열【四分五裂】명 ①이리저리 아무렇게나 나뉘지고 찢어짐. 몇 갈래로 분열(分裂)함. ②천하가 심히 어지러움. ——하다 자여불
사:분-원【四分圓】명〖수〗한 개의 원(圓)을 서로 수직으로 만나는 두 지름으로 나눈 네 부분의 하나.
사:분위 편차【四分位偏差】명〖수〗통계학에서, 산포도(散布度)를 나타내는 용어의 하나. 어떤 분포(分布)가 그 밀도(密度) 또는 도수(度數)의 1/2을 그 구간(區間)에 가지는 범위. 곧, 변량(變量) 전체를 크기의 순서로 벌여 놓아, 갑(甲)보다 작은 변량이 전체의 1/4, 을(乙)보다 작은 변량이 전체의 1/4일 때에 갑·을의 차. ㈜사분 편차. *평균 편차(平均偏差)·표준 편차(標準偏差).
사:분-율【四分律】[—뉼] 명〖책〗불교 서적. 불멸(佛滅) 후 100 년 뒤에 담무덕 나한(曇無德羅漢)이 네 번에 걸치어 모은 율(律)에 관한 책. 60 권. 소승(小乘)의 계(戒)를 풀이함. 「(宗派). 율종(律宗).
사:분 율종【四分律宗】[—뉼쫑] 명〖불교〗사분율에 의하여 열린 종파
사:분-음【四分音】명〖악〗서양 음악에서, 보통 사용되는 음계(音階) 중의 최소 음정(最小音程)인 반음(半音)을 다시 이등분(二等分)한 음. *
사:분 음부【四分音符】명〖악〗사분 음표. └사분음 음악.
사:분음 음악【四分音音樂】명〖악〗사분음을 사용한 음악. 19세기말로부터 20세기에 걸쳐서, 종래의 전음(全音)과 반음(半音)에 의한 음악의 막다른 길을 타파(打破)하기 위하여, 새로운 음정(音程)의 세분화(細分化)에 의하여 체코슬로바키아의 하바(Hába, Alɔis)·푀르스터(Förster, Angst)가 제작한 사분음 피아노곡이나 현악곡(弦樂曲)·합창곡(合唱曲) 등. *사분음.
사:분 음표【四分音標】명〖악〗온음표의 1/4을 나타내는 음표. '♩' 또는 '𝅘𝅥'의 기호로 표시함. 사분 음부. *음부 기호.
사분-의【四分儀】[—/—이] 명〖천〗18세기에 쓰였던, 90도의 눈금이 있는 부채꼴의 천체 고도 측정기(天體高度測定器). 직각을 끼는 두 변 중에서 한 변은 물 속에 넣고 딴 한 변은 수직으로 되게 하고, 망원경과 이것을 버티고 있는 지주(支柱)는 선형의 직각정(直角頂)을 중심삼아 회전하여, 그 위치에 따라 천체(天體)의 높이를 알 수 있게 되었음. 상한의(象限儀).

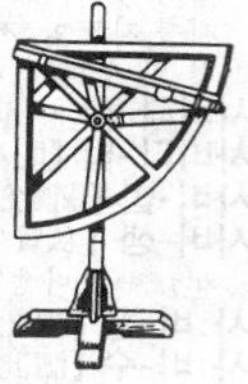
〈사분의〉

사:분의 사:박자【四分—四拍子】[—/—에—] 명〖악〗사분 음표(四分音標) 네 개로 된 박자. 가장 많이 쓰이므로 '보통의 박자'라고도 함. 악보(樂譜)에서는 4/4 대신 단지 C로도 표기함.
사:분의 이:박자【四分—二拍子】[—/—에—] 명〖악〗사분 음표(四分音標) 두 개로 이루어진 박자.
사:분 편차【四分偏差】명〖수〗↗사분위 편차(四分位偏差).
사:분 포자【四分胞子】명〖식〗갈조류(褐藻類)의 일부 및 홍(紅)조류의 무성(無性)의 번식 기관으로서, 편모(鞭毛)가 없는 부동(不動) 포자의 한 가지. 포자낭(囊) 속의 한 개의 모세포(母細胞)로부터 늘 감수 분열(減數分裂)에 의하여 네 개의 부동 포자를 만들기 때문에 사분 포자라 함. 물 속을 부동(浮動)하면서 고착물(固着物)에 부착하여 발아(發芽)하여서 배우체(配偶體)를 이룸.
사분-하다 형여불 좀 사부랑하다. <서분하다. **사분-히** 부
사:-분합【四分閤】명〖건〗문짝이 넷으로 되어 열리고 닫히는 문.
사:분 휴부【四分休符】명〖악〗사분 쉼표.
사불-국【沙弗國】명〖역〗사벌국(沙伐國).
사-불급설【駟不及舌】명 아무리 빠른 사마(駟馬)도 혀를 놀려서 하는 말을 따르지 못한다는 뜻으로, 소문이 삽시간에 퍼지는 것을 비유한 말. 또, 말을 조심하라는 뜻. 「——하다 자여불
사:-불명목【死不瞑目】명 한(恨)이 많아 죽어서도 눈을 감지 못함.
사-불범정【邪不犯正】명 바르지 못한 것이 바른 것을 감히 범하지 못함. ——하다 자여불
사:불-산【四佛山】[—싼] 명〖지〗공덕산(功德山).

사:-불상【四不像】[—쌍] 명 〖동〗 [*Elaphurus davidianus*] 사슴과(科)에 속하는 짐승. 어깨 높이 1m 가량이고 사슴 중 대형(大形)으로 머리는 말과, 발굽은 소와, 몸은 당나귀와, 뿔은 사슴과 각각 비슷하나 네 가지가 모두 같지 아니하다는 뜻에서 이 이름이 지어짐. 몸빛은 여름에 회색을 띤 적갈색이고 겨울에는 황갈색으로 됨. 목·가슴 따위에 긴 털이 나고 복부는 담색, 다리는 회황색임. 뿔은 매우 진기(珍奇)한 것으로 곧게 위로 뻗어 한두 갈래로 갈라지며 그 끝에 작은 가지가 나기도 함. 꼬리는 약 36 cm 정도이고 끝에 긴 털이 밀생(密生)함. 물을 좋아하고 헤엄도 잘 치며 연못 가까이에서 자람. 원산지는 중국이라고 하나 현재는 거의 없고 동물원에서 사육함.

〈사불상〉

사:-불여의【事不如意】[—/—이] 명 일이 뜻대로 되지 아니함. ——-하다 형여불

사붓 부 발을 가볍게 얼른 내디디는 모양이나 소리. ¶ 섬돌 아래로 ~ 내려서다. ㅆ사뿟. ㅆ사풋. <서붓.

사붓-사붓 부 소리가 나지 아니할 정도로 발걸음을 계속적으로 가볍게 옮기는 모양이나 소리. ㅆ사뿟사뿟. ㅆ사풋사풋. <서붓서붓.

사붓-이 부 발걸음을 소리 없이 가볍게. ¶ ~ 걷다.

사:붕 명 〈방〉 비누(경북).

사-붙이【紗—】[—부치] 명 발이 얇고 성긴 깁의 종류. 사속(紗屬).

사:브롬화 아세틸렌【四—化—】 명 [acetylene tetrabromide] 〖화〗 브롬 속에 아세틸렌을 작용시킬 때 생기는 무색의 액체. 사취화(四臭化) 아세틸렌. [$CHBr_2 \cdot CHBr_2$]

사:브르 [프 sabre] 명 펜싱에서, 칼의 하나. 또, 그 칼을 가지고 행하는 경기의 한 종목. 칼의 길이 100.5cm 이하, 무게 500g 이하임. 사벨(sabel).

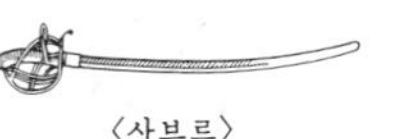
〈사브르〉

사블레 [프 sablé] 명 프랑스 과자의 한 가지. 쿠키(cookie)·비스킷 따위.

사:비[1]【四鄙】 명 사방의 변비(邊鄙). 사방의 시골.

사비[2]【私費】 명 ①개인이 부담하고 지출하는 비용. ↔관비(官費)·공비(公費). ②자기가 사사로이 들이는 비용. 자비(自費).

사비[3]【私備】 명 사비(私費)로 공용품(公用品)을 마련하고 갖춤. ——-하다 타여불

사비[4]【社費】 명 사단(社團)·회사의 비용.

사비[5]【舍費】 명 기숙사에 지불하는 비용.

사비[6]【闍毗】 명 다비(茶毗).

사비[7]【辭費】 명 쓸데없이 말이 많음. ——-하다 형여불

사비냐크 [Savignac, Raymond] 명 〖사람〗 프랑스의 상업 디자이너. 파리 태생. 1949년 유머에 가득 찬 우유 비누의 포스터로 유명해짐. 이후 동물을 의인화(擬人化)한 친근미 있는 디자이너로 인기를 얻음. [1907-]

사비누스 [Sabinus, Massurius] 명 〖사람〗 고대 로마의 법률학자. 이 학파는 그의 이름을 따서 사비누스파(派)로 불림. ≪시민법(市民法)에 관한 삼서(三書)≫를 저술하여 시민법 주해의 체계를 완성함. 생몰년 미상(生沒年未詳).

사비니 [Savigny, Friedrich Karl von] 명 〖사람〗 독일의 법학자. 역사 법학(歷史法學)의 수립자. 로마법의 역사적·체계적 연구를 통하여 민법학 및 국제 사법학에 큰 공헌을 하여, 19세기 전반(前半)의 독일 법학계를 지도함. 저서로 ≪점유권론(占有權論)≫·≪중세 로마법사≫·≪입법 및 법학에 대한 현대의 임무에 대하여≫가 있음. [1779-1861]

사비다 자타 〈방〉 끼다(함경).

사비다-법【闍鼻多法】 명 〖불교〗 다비법(茶毗法).

사비-법【闍毗法】 명 〖불교〗 다비법(茶毗法).

사비-생【私費生】 명 사비(私費)로 수학(修學)하는 학생. 자비생(自費生). ↔관비생(官費生)·급비생(給費生).

사:비-성【泗沘城】 명 〖지〗 부소산성(扶蘇山城).

사:비-수【泗沘水】 명 〖지〗 →사자수(泗泚水).

사비에르 [Xavier, Francis] 명 〖사람〗 에스파냐의 전도사로서, 예수회 창립자의 한 사람. 1542년 이후 인도의 고아, 말레이 반도, 몰루카 제도, 일본 등지에서 포교 활동을 함. 중국에 전도(傳道)하기 위해서 광둥(廣東)으로 가다가 병사함. 가톨릭 포교(布敎)의 수호 성인으로 추앙됨. [1506-52]

사비트르 [Savitr] 명 인도의 베다(Veda) 신화의 태양신. 금빛의 머리카락·팔·눈·혀를 가지고, 금빛의 쌍두 마차를 타고, 만물의 활동과 휴식을 관장함.

사:비 팔산【四飛八散】 [—싼] 명 사방으로 날리어 이리저리 흩어짐. ——-하다 자여불

사빈[1]【司賓】 명 〖역〗 '예빈시(禮賓寺)'의 딴이름.

사빈[2]【社賓】 명 회사의 손님. 회사에서 모시는 빈객(賓客).

사빈[3]【砂濱】 명 모래가 깔려 있는 바닷가의 땅.

사빈-부【司賓府】 명 〖역〗 신라 때 외교(外交)를 맡아 보던 관아. 경덕왕(景德王)이 영객전(領客典)을 고친 이름. 혜공왕(惠恭王) 때 다시 영객전으로 고쳤음.

사빈코프 [Savinkov, Boris Viktorovich] 명 〖사람〗 러시아의 혁명가·작가·사회 혁명당 간부·케렌스키 내각 육군 차관(陸軍次官). 반혁명 운동으로 체포되어 자살함. 자서전식의 소설인 ≪창백한 말≫을 지음. [1879-1925]

사:빙【使聘】 명 사자(使者)를 보내어 안부를 물음. ——-하다 자여불

사:-빙심【謝冰心】 명 〖사람〗 '셰 빙신'을 우리 음으로 읽은 이름.

사뿐 부 소리가 나지 아니할 정도로 발을 가볍고 조심스럽게 내디디는 모양. ¶ 담에서 ~ 내려서다. ㅆ사푼. <서뿐. ——-히[1] 부

사뿐-사뿐 부 소리가 나지 아니할 정도로 가볍게 발걸음을 계속적으로 옮기는 모양. ¶ ~ 걷다. ㅆ사푼사푼. <서뿐서뿐.

사뿐-하다 형여불 심신이 가뿐하고 시원하다. **사뿐-히**[2] 부

사뿟 부 발을 가볍게 빨리 내디디는 모양이나 그 소리. ㅅ사붓. ㅆ사풋. <서뿟.

사뿟-사뿟 부 소리가 나지 아니할 정도로 발걸음을 계속적으로 가볍게 옮기는 모양이나 소리. ㅅ사붓사붓. ㅆ사풋사풋. <서뿟서뿟.

사빙 명 〈옛〉 새우[1]. ¶ 사빙 爲蝦 ≪訓例 用字例≫.

사:사[1]【士師】 명 ①〖역〗 옛날 중국에서, 법령(法令)과 형벌에 관한 일을 맡아 보던 재판관. ②〖성〗 유태의 구약 시대(舊約時代), 가나안 점령부터 사울의 왕국(王國) 건설까지, 국난(國難)을 당하여 대권(大權)을 쥐고 이스라엘 백성을 다스리던 지방적 지배자들.

사:사[2]【四史】 명 ①〖책〗 ≪사기(史記)≫·≪전한서(前漢書)≫·≪후한서(後漢書)≫·≪삼국지(三國志)≫의 네 가지의 중국 역사 책. ②〖천주교〗 예수의 복음을 기록한 '마태 복음'·'마가 복음'·'누가 복음'·'요한 복음'의 네 성사(聖史).

사:사[3]【四司】 명 〖역〗 고려 충렬왕(忠烈王) 원년(1275)에 육부(六部)를 개편한 네 관아. 이부(吏部)와 예부(禮部)를 합하여 전리사(典理事)로, 호부(戶部)를 판도사(版圖司)로, 병부(兵部)를 군부사(軍簿司)로, 형부(刑部)를 전법사(典法司)로 하고, 공부(工部)를 폐지함. 충렬왕(忠烈王) 24년(1298)에 육조(六曹)로 개편됨.

사사[4]【司事】 명 여러 관청의 서기관.

사:사[5]【四事】 명 〖불교〗 부처나 법사(法師)에게 공양(供養)하는 데 쓰는 네 가지 물건. 곧, 침구·의복·음식·탕약(湯藥) 또는 방사(房舍)·의복·음식·산화 소향(散華燒香).

사:사[6]【四絲】 명 네 가닥의 실을 꼬아서 만든 끈목.

사사[7]【寺社】 명 절. 사원(寺院).

사:사[8]【死士】 명 목숨을 내어 놓은 사람. 죽기를 각오하고 나선 군사.

사:사[9]【使事】 명 시키는 일.

사사[10]【些些】 명 근소함. 하찮음. ¶ ~한 일. ——-하다 형여불

사사[11]【些事】 명 사소한 일. 하찮은 일.

사사[12]【社史】 명 회사의 역사. 또, 그 기록.

사사[13]【私事】 명 사삿(私私)일. ↔공무(公務)·공사(公事)·관사(官事).

사사[14]【邪事】 명 부정한 일.

사사[15]【邪思】 명 못된 생각. 사념(邪念).

사사[16]【邪師】 명 세상에 해독이 되는 사교(邪敎)를 설교하는 사람.

사사[17]【邪辭】 명 간사한 말.

사:사[18]【事事】 명 이 일 저 일. 모든 일. ¶ ~ 건건(件件).

사사[19]【師事】 명 스승으로 삼고 섬김. 스승으로 삼고 가르침을 받음. ——-하다 타여불

사사[20]【奢肆】 명 사치하고 방자함. 사자(奢恣). ——-하다 형여불

사사[21]【斜射】 명 햇빛·그림자 등이 비스듬히 비침. ——-하다 자여불

사사[22]【蛇師】 명 〖동〗 영원(蠑螈).

사:사[23]【賜死】 명 〖역〗 죽일 죄인을 대우하여 사약(死藥)을 내려 자결(自決)하게 함. ——-하다 자타여불

사:사[24]【謝詞】 명 사사(謝辭)❶.

사:사[25]【謝辭】 명 ①사례(謝禮)의 말. 또, 사죄(謝罪)의 말. 사사(謝詞). ②예를 갖추어 사양함. 또, 그 뜻을 나타내는 말. ——-하다 자타여불

사사[26]【辭謝】 명 사퇴(辭退). ——-하다 타여불

사:사 건건【事事件件】 [—껀껀] ㊀ 명 모든 일. 온갖 사건. 건건 사사(件件事事). ㊁ 부 일마다. 매사(每事)에. 사건마다. 건건 사사(件件事事). ¶ ~ 모두 불리한 것뿐이다.

사사-국【寺社局】 명 〖역〗 내무 아문(內務衙門)의 한 국.

사:사-기【士師記】 명 〖성〗 구약 성서의 제7편(篇). 기원전 1230년으로부터 기원전 1013년까지 약 200년간의 이스라엘(Israel)의 역사를, 그 지도자라고 볼 수 있는 사사 13인을 중심으로 썼는데, 대개 이스라엘의 배신(背信), 형벌에 의한 압박, 이스라엘의 회개(悔改), 사사에 의한 구제(救濟)를 내용으로 하고 있음. 판관기(判官記).

사사 단체【私私團體】 명 사인(私人)이 조직한 단체. ↔공공 단체(公共團體).

사사로이[1]【私丁】 부 〈이두〉 사사롭게. 은밀히.

사사로이[2]【私音丁】 부 〈이두〉 사사롭게. *사사로이(私丁).

사사로히【使丁】 부 〈이두〉 사사롭게. *사사로이(私丁).

사사-롭다【私私—】 형 ㅂ불 공적(公的)이 아니고 개인적인 관계의 성질을 띠고 있다. ¶ 남의 사사로운 일에 상관할 필요가 없다. **사사-로이**[3]【私私—】 부

사사 망:념[1]【私思妄念】 명 몰래 사사로이 하는 망령된 생각.

사사 망:념[2]【邪思妄念】 명 좋지 못한 여러 가지 망령된 생각.

사:-사명【史思明】 명 〖사람〗 중국의 당 현종(唐玄宗) 때의 역신(逆臣). 영주(營州: 遼寧省) 출신의 투르크계 무장(武將). 안녹산(安祿山)과 친하여 안녹산의 난(亂)에 관계한 후, 당에 항복하더니, 안녹산의 아들 경서(慶緖)를 죽이고 대연 황제(大燕皇帝)가 되었으나, 후사(後嗣) 문제로 그의 아들 사조의(史朝義)에게 교살(絞殺)됨. [?-761]

사:사 물물【事事物物】 명 모든 사물. 모든 현상.

사사-밑 명 한자 부수(部首)의 하나. '去'나 '參' 등의 '厶'의 이름.

사:-사반기【四四半期】 명 사사분기. *사반기(四半期).

사:-사분기【四四分期】 명 1년을 4등분한 넷째 기간. 곧, 10-12월의 3개월. 사사반기(四四半期).

사:사 불성【事事不成】 [—썽] 명 모든 일이 이루어지지 아니함. 일마다 성공하지 못함. ——-하다 자여불

사:사 석탑【四獅石塔】 명 화엄사(華嚴寺) 사사 삼층 석탑(四獅三層石塔).

사사-스럽다【邪邪—】 형 ㅂ불 떳떳하지 못하고 나쁘다. **사사-스레**【邪邪—】 부

사:사 십육【四四十六】 [—뉵] 명 〖수〗 구구법(九九法)의 하나. 곧, 넷

의 네 갑절은 열 여섯이라는 말. 「여불

사:사 언청【事事言聽】명 일마다 남의 말대로 좇아서 함. ——하다 타

사:사 여의【事事如意】[—/—이] 명 일마다 다 뜻대로 됨. ——하다 형여불

사사 여행【私事旅行】명 공무(公務)를 띠지 아니하고 사사로운 용무로 하는 여행. ——하다 자여불

사:사 오:입【四捨五入】명〖수〗'반올림'의 구용어. ——하다 타여불

사:사이클 기관【四—機關】〔cycle〕명〖물〗사행정(四行程) 기관.

사사-전【寺社田】명〖역〗조선 시대에 나라에서 절에 준 논밭. 태종 때 종래의 사원전을 고친 이름. 후에 다시 사전(寺田)으로 고침.

사-사(:)표【査士標】명〖사람〗중국의 명말(明末) 청초(淸初)의 화가. 산둥성 하이양(海陽) 사람. 벼슬도 하였으나 명나라가 망한 뒤로는 서화(書畫)에 전심하여, 기운 황한(氣韻荒寒)의 풍취가 있고, 필수(筆數)가 적은 산수화(山水畫)를 그림. [1615~98]

사사프라스〔sassafras〕명〖식〗[*Sassafras albidum*] 녹나뭇과에 속하는 낙엽 교목(喬木). 높이 9m 가량이고, 잎은 타원형으로 삼렬(三裂)하며 입자루와 엽맥(葉脈)은 적색임. 봄에 잎보다 먼저 황록색의 단생화(單生花)가 피고, 꽃이 진 뒤 흑색의 장과(漿果)가 열림. 북아메리카 동부의 원산임. 수피(樹皮)와 뿌리는 발한약(發汗藥)·이뇨제로 쓰고, 나무는 내후성(耐朽性)이 강하여 침목·선재(船材) 등으로 씀.

사사프라스-유【—油】〔sassafras〕명〖화〗사사프라스의 뿌리를 증류해서 얻는 황색 또는 황적색의 정유(精油). 비누·담배 등의 향료나 발한약(發汗藥)·이뇨약(利尿藥) 등으로 쓰임.

〈사사프라스〉

사:산¹【四山】명 ①사면에 둘려 있는 산들. ②〖역〗조선 시대에, 서울 성에 있는 사방의 산지(山地)를 부르던 말.

사:산²【四散】명 사방으로 흩어짐. ——하다 자여불

사산³【寺山】명 ①절이 있는 산. ②절 소유의 산. ③절과 산.

사:산⁴【死産】명〖의〗임신(姙娠)한 지 4개월 뒤에, 살아 있던 태아(胎兒)가 사체(死體)로 되어 분만되는 일. *유산(流産). ——하다 타여불

사산⁵【私山】명 사유(私有)의 산림(山林).

사산⁶【私産】명 사유(私有)의 재산. 사재(私財).

사산⁷【砂山】명 ①모래 산. ②〖지〗사구(砂丘).

사산⁸【嗣産】명 남의 집의 대(代)를 이어서 받는 재산.

사:산 감역관【四山監役官】명〖역〗서울 주위의 산을 분장(分掌)하여서 성첩(城堞)·송림(松林)을 지키던 직책의 벼슬. 조선 시대 초에 두었다가 영조 30년(1754)에는 사산 참군(四山參軍)으로 불렸음.

사:산 분리【四散分離】[—불—] 명 사방으로 흩어져 서로 따로따로 떨어짐. 또, 그렇게 떼어 놓음. ——하다 자타여불

사:산 분주【四散奔走】명 사방으로 뿔뿔이 흩어져 달아남. 사산 분찬(四散奔竄). ——하다 자여불

사:산 분찬【四散奔竄】명 사산 분주(四散奔走). ——하다 자여불

사:산-아【死産兒】명〖의〗거의 제 달이 차서 죽어서 나온 아이. 시체가 되어 나온 아이.

사산 왕조【—王朝】〔Sasan〕명〖역〗사산조 페르시아.

사산 왕조 미술【—王朝美術】〔Sasan〕명〖역〗3세기부터 7세기에 걸쳐 이란의 사산 왕조에서 발달한 미술. 로마와 비잔틴 문화의 영향을 받으면서 이란 민족의 아시아적 특징을 잘 나타내고 있음. 특히 조수(鳥獸)·수렵·식물 등의 화려한 무늬로 이루어진 쇠장식과 사산 비단 등의 견직물이 유명함.

사산조 페르시아【—朝—】〔Sasanian Persia〕명〖역〗파르티아(Parthia)를 뒤이어 이란을 통치한 왕조. 아르다시르(Ardashir) 1세가 건국하였는데, 여러 번 동로마 제국과 싸웠고 최성기(最盛期)에는, 서쪽은 흑해로부터 동쪽은 중앙 아시아에 이르기까지 판도를 넓힘. 조로아스터교(Zoroaster 教)를 국교로 삼았으며 그의 미술은 사산 왕조 미술로서 동서에 큰 영향을 끼쳤음. 사라센 제국에 멸망됨. 사산 왕조(Sasan 王朝). [226?~650?]

사:산 참군【四山參軍】명〖역〗사산 감역관(四山監役官)을 영조(英祖) 30년(1754)에 고치어, 훈국(訓局)·금영(禁營)·어영청(御營廳)·총융청(摠戎廳)에 분속(分屬)시켰던 군직(軍職). ㊥참군(參軍).

사:산화 삼납【四酸化三—】명〔trilead tetroxide〕〖화〗산화납❹.

사:산화 삼망간【四酸化三—】명〔trimanganese tetroxide〕〖화〗산화망간❹.

사:산화 삼철【四酸化三鐵】명〖화〗산화철❸.

사:산화 삼코발트【四酸化三—】명〔tricobalt tetroxide〕〖화〗산화코발트❷.

사:산화 안티몬【四酸化—】명〔antimony tetroxide〕〖화〗산화안티몬❷. 사산화 이안티몬.

사:산화 이:안티몬【四酸化二—】명〔diantimony tetroxide〕〖화〗산화 안티몬❷.

사:산화 이:질소【四酸化二窒素】[—쏘] 명〔dinitrogen tetroxide〕〖화〗이산화 질소❷.

사:살¹ 명 잔소리를 늘어놓는 말. ¶울음까지 섞어가며 ~을 퍼붓다. <사설(辭說). ——하다¹ 자여불

사살²【射殺】명 활이나 총포(銃砲)로 쏘아 죽임. ——하다² 타여불

사살-군웅【射殺軍雄】명〖민〗인간에게 해를 주는 살을 없애는 구실을 하는 신.

사:살-사살 부 잔소리로 말을 자꾸 늘어놓는 모양. <사설사설. ——하다 자여불 「痰劑)로 씀.

사삼¹【沙參】명 ①〖식〗더덕. ②〖한의〗더덕의 뿌리. 말려서 거담제(祛

사삼²【私蔘】명 사삿집에서 쪄서 말린 인삼. ↔관삼(官蔘).

사-삼각형【斜三角形】명〖수〗사각(斜角)을 이룬 삼각형.

사삼-버무레 명〖식〗이삭과 수염이 길고 열매가 약간 푸른 조.

사삼-봉【私蔘峰】명〖지〗강원도 양양군(襄陽郡)과 인제군(麟蹄郡) 사이에 있는 산. [1,107m]

사삼-주【沙蔘酒】명 더덕을 찹쌀과 누룩으로 발효시켜 만든 술.

사:삼 칠십이【四三七十二】[—씹—] 명〖수〗구귀가(九歸歌)의 하나. 3을 4로 제할 때에는 그 3을 몫 7로 만들고 나머지 2를 그 아랫자리에 놓으라는 뜻.

사삽【斜揷】명 비스듬히 꽂음. ——하다 타여불

사삿-되다【私私—】형〈방〉사사롭다.

사삿-사람【私私—】명 사인(私人). ↔공인(公人).

사삿-일【私私—】[—닐] 명 사사로운 일. 사사(私事).

사삿-집【私私—】명 관공서나 단체 기관이 아닌, 일반 개인의 살림집. 사가(私家). 사갓집. 가정집.

사:상¹【史上】명 역사에 나타나 있는 바. 역사상. ¶~ 보기 드문 예.

사:상²【四相】명〖불교〗①사람이 겪는 네 가지 상. 곧, 생(生)·노(老)·병(病)·사(死). 대사상(大四相). ②만물이 생멸 변화(生滅變化)하는 네 가지 상. 곧, 생상(生相)·주상(住相)·이상(異相)·멸상(滅相). ③중생(衆生)이 실재(實在)라고 믿는 네 가지 상. 곧, 아상(我相)·인상(人相)·중생상(衆生相)·수명상(壽命相). 이 네 가지 상은 허무하고 거짓된 것인데, 이에 미혹(迷惑)되면 영영 중생에 그치고, 이를 깨달으면 부처가 된다고 함.

사:상³【四象】명 ①일월 성신(日月星辰)의 총칭. ②음양의 네 가지 상징. 곧, 태양(太陽)·소양(少陽)·태음(太陰)·소음(少陰). ③땅 속의 물·불·흙·돌의 총칭.

사:상⁴【死狀】명 거의 죽게 된 상태.

사:상⁵【死相】명 ①죽을 상. 거의 죽게 된 얼굴. ②죽은 사람의 얼굴.

사:상⁶【死傷】명 사망과 부상. 또, 사망자와 부상자. ——하다 자여불

사상⁷【私商】명 개인이 경영하는 상업. 또, 그 상인.

사상⁸【私傷】명 공무중(公務中)이 아닌 때의 부상(負傷). ↔공상(公傷).

사상⁹【私償】명 은밀히 채무를 변상함. 사사로이 채무를 변상함. ——하다 타여불

사:상¹⁰【泗上】명〔공자가 화이수이(淮水) 강의 지류(支流)인 쓰수이(泗水) 강가에서 도를 가르친 데서 유래한 말〕공자(孔子)의 문(門).

사:상¹¹【事狀·事相】명 일의 상태. ¶~을 명백히 설명하다.

사:상¹²【事相】명〖불교〗계인(契印)이나 수법(修法) 등의 행위.

사:상¹³【使相】명〖역〗중국 송(宋)나라 때의 벼슬 이름. 우리 나라 절도사(節度使)나 중서령(中書令)에 해당됨.

사:상¹⁴【事象】명 ①여러 가지 사물(事物)과 현상. ②〖수〗'사건(事件)❹'의 구용어.

사상¹⁵【砂上】명 모래 위. ¶복(覆)~.

사:상¹⁶【思想】명 ①생각. 의견. ②〖철〗판단(判斷)·추리(推理)를 거쳐서 생긴 의식 내용. ③〖철〗통일된 판단 체계(判斷體系). ④〖철〗사회·인생 등에 관한 일정한 견해. ¶~가.

사:상¹⁷【捨象】명〔abstraction〕〖심〗현상의 특성·공통성 이외의 요소를 버림. 추상 작용(抽象作用)에 필연적으로 수반되는 부정적(否定的) 측면(側面). *추상(抽象). ——하다 자여불

사상¹⁸【絲狀】명 실처럼 가늘고 긴 모양.

사상¹⁹【寫像】명 ①〖물〗물체와 경상(鏡像)과의 대응(對應). ②〖물〗광학계(光學系)에 있어서의 물체와 상(像)과의 대응. ③〖수〗공간의 일점에 대하여, 다른 공간 또는 동일한 공간의 일점을 어떤 일정한 법칙에 의하여 대응시키는 일. 전자에 대하여 후자가 하나 정하여질 때, 일대일(一對一)의 사상이라 함. 변환(變換)을 기하학적으로 해석한 것임. 등각 사상(等角寫像)·벡터 공간(vector 空間)의 일차 사상(一次寫像) 등. ④〖심〗지각(知覺)이나 사고(思考)에 의하여 과거의 대상의 의식에 다시 나타나는 상태. 「자.

사:상-가【思想家】명 어떠한 사상이 풍부하고 심원(深遠)한 사람. 사상

사:상 개:조【思想改造】명 사회주의 건설을 목표로 하여, 옛 사상이나 의식을 변혁한다고 중국(中國)에서 행하여진 운동. 특히 지식인의 자기 비판이나 상호 비판에 의거함.

사:-상견례【士相見禮】[—녜] 명 선비들이 절차를 따져 공식적으로 서로 만나는 예절. 청견(請見)·전지(傳贄)·반견(反見)·전언(傳言)·궤식(饋食)·빈출(賓出)·환지(還至) 등의 절차를 밟음.

사:상 경:찰【思想警察】명 국가 체제에 반대 내지 비판적인 사상 운동의 단속을 목적으로 하는 경찰.

사:상 경향【思想傾向】명 이데올로기.

사:상-계【思想界】명 ①사상이 활동하는 세계. 곧, 학술·종교 등의 세계. ②학자·종교가 등과 같은 사상가들의 사회.

사상-균【絲狀菌】명〔mold fungi〕〖식〗사상(絲狀)의 균사(菌絲)를 가진 균류. 백색·회색·황색·녹색 등의 털과 섬유상(纖維狀)의 막상(膜狀)으로 되고 수직으로 긴 자루를 연장하여 포자(胞子)를 붙임. 대개 병원성임. 곰팡이류가 이에 속함.

사상균-증【絲狀菌症】[—쯩] 명〖의〗사상균으로 인하여 일어나는 병증(病症)의 총칭. 백선(白癬)·황선(黃癬)·전풍(癜風)·방사균증(放射菌症) 등. 진균증(眞菌症).

사:상-극【思想劇】명〖연〗관객에게 어떤 문제를 제시하거나 암시(暗示)를 주어, 관객의 이성(理性)에 호소하는 연극. 근대극(近代劇) 이후의 희곡에 있어서의 한 장르(genre)임. 레싱(Lessing)에서 시작하여 실러(Schiller)가 큰 역할을 하였으며, 뒤마(Dumas fils)·입센(Ibsen)·쇼(Shaw, G.B.) 등의 작품에서 볼 수 있음.

사상 누각【砂上樓閣】명 모래 위에 세운 다락집. 기초가 약하여 자빠질 염려가 있거나 오래 유지 못할 일. 또, 실현 불가능한 일을 비유한 말.

사상 도고【私商都賈】명〖역〗조선 시대 후기에, 개인의 경제력을 바탕으로 하여 성장한 도고. ↔관상(官商) 도고.

사상 매매【私相賣買】명 사사로이 서로 팔고 삼. ——-하다 타여불

사:상 문학【思想文學】명〖문〗사상 문제를 다룬 문학.

사:상-범【思想犯】명 현 사회의 기본 제도에 반대되는 사상을 가진 자가 이것의 개혁(改革)을 꾀하는 행위로 말미암은 범죄. 또, 그 범인.

사:상-병[1]【死傷兵】명 죽은 병사와 부상한 병사.

사상-병[2]【私傷病】[—뼝] 명〖사〗노동 위생학(勞動衛生學)의 용어(用語). 노동자의 업무상 질환(業務上疾患) 이외의 질병의 총칭.

사상-병[3]【蛇狀病】[—뼝] 명〖의〗온 몸의 살이 부어서 마치 뱀 형상과 같이 되는 병.

사:상 불온【思想不穩】명 사상이 그 나라의 국시(國是)에 비추어 온당(穩當)하지 아니함. ——-하다 형여불

사상-설【絲狀說】명〖생〗원형질(原形質)의 기본 구조에 관한 한 학설. 플레밍(Fleming) 등이 처음으로 주장한 것인데, 원형질은 실 모양의 섬유 구조를 하고 있으며, 그 짬에는 간충액(間充液)이 차 있다 함. 이 학설은 고정(固定)된 세포(細胞)에 있어서의 관찰에 기본을 둔 것이므로 인공적 산물이라 하여 반대설이 많음. 섬유상설(纖維狀說). *과립설(顆粒說)·포상설(泡狀說).

사:상-시【思想詩】명〖문〗사상 전달을 주안(主眼)으로 한 시. 고대 그리스의 헤시오도스(Hēsiodos)나 파르메니데스(Parmenides)의 시와 근대 및 현대의 실러(Schiller)·워즈워스(Wordsworth)·브라우닝(Browning, R.)·엘리엇(Eliot, T.S.) 등의 시 같은 것.

사:상 양심의 자유【思想良心—自由】[—/—에—] 명 사람이 어떠한 사상을 가지며, 선악(善惡)에 대한 어떠한 판단을 가지든 국가 권력에 의하여 방해되지 아니하는 일. 「는 각종의 활동.

사:상 운:동【思想運動】명 어떤 특정한 사상을 실현·보급시키려고 하

사상 유두【絲狀乳頭】명〖생〗혓등의 어느 곳에도 있는, 가늘고 길게 뻗어 있는 설유두(舌乳頭)의 하나. 개·고양이 등 식육류(食肉類)의 혀의 표면에 많이 돋아 있는 각화(角化)한 가시는 사람에 있어서의 사상 유두에 상당하는 것인데, 기계적인 작용을 할 뿐 미각(味覺)과는 직접 관계가 없음. *용상(茸狀) 유두.

사:상-의【四象醫】[—/—이] 명〖한의〗사람의 체질을 사상, 곧 태양(太陽)·태음(太陰)·소양(少陽)·소음(少陰)으로 나누어, 그 체질에 맞는 약을 써서 병을 고치는 의술. 또, 그 의사.

사:상 의학【四象醫學】명〖한의〗사람의 체질을 성격에 따라 태양인(太陽人)·태음인(太陰人)·소양인(少陽人)·소음인(少陰人)으로 나누어, 같은 종류의 질병이라도 체질에 따라 다른 약을 써야 한다고 하는 주장. 조선 고종(高宗) 때 의학자 이제마(李濟馬)가 내세운 한의학설(漢醫學說)임.

사:상-자[1]【死傷者】명 죽은 사람과 상한 사람. 사망자와 부상자.

사:상-자[2]【思想者】명 사상가(思想家).

사상-자[3]【蛇床子】명〖한의〗뱀도랏의 종자를 말린 것. 소변 불금(不禁)·요통(腰痛)·음위(陰痿)·음호 종통(陰戶腫痛)·낭습증(囊濕症) 등에 약제로 씀.

사:상-적【思想的】명관 사상에 관함. 사상을 나타내는 모양.

사:상-전【思想戰】명 선전 등에 의하여, 적국(敵國) 국민의 사상을 현혹(眩惑)·혼란시켜 전의(戰意)를 잃게 함을 목적으로 하는 싸움. ↔무력

사:상 제:자【泗上弟子】명 공자의 제자. *사상(泗上). └전(武力戰).

사상 지근【絲狀支根】명〖식〗실 모양으로 뻗어 있는 지근.

사:상지-도【事上之道】명 윗사람을 받들고 섬기는 도리.

사:-상(:)채【謝上蔡】명〖사람〗중국 송나라 때 철학자. 이름은 양좌(良佐). 자는 현도(顯道). 상채는 호임. 허난 성(河南省) 출생. 정이천(程伊川)에게 학문을 배웠고, 정문(程門)의 네 선생 중의 한 사람임. 저서 《논어설》·《상채 어록(上蔡語錄)》 등. [1050~1103]

사상-체【絲狀體】명 ①〖식〗선태(蘚苔) 식물의 포자(胞子)가 발아(發芽)하여서 생기는, 실 모양의 녹조(綠藻)와도 비슷한 어린 배우체(配偶體). 원사체(原絲體). 측사(側絲). ②〖생〗세포질(細胞質)에 산재(散在)하는 사상 또는 입상(粒狀)의 소체(小體). 세포의 호흡이나 단백질(蛋白質)의 합성(合成), 지방(脂肪)의 합성 등에 중요한 작용을 하는 미토콘드리아(mitochondria)도 사상체라 함.

사상-충【絲狀蟲】명〖동〗주혈 사상충(住血絲狀蟲).

사상-파【寫象派】명〖예〗마음에 반영하는 상(像)이나 인상을 베끼는 것을 주장하는 입장.

사:새-류[1]【四鰓類】명〖조개〗[Tetrabranchia] 연체 동물(軟體動物) 두족류(頭足類)에 속하는 한 아강(亞綱). 옛날에는 번성하여, 화석(化石)으로 1,000여 종이 알려져 있으며, 현재는 인도양·태만 등지에 앵무조개 1 종이 분포함. *이새류(二鰓類).

사새-류[2]【絲鰓類】명〖조개〗[Filibranchia] 연체 동물(軟體動物) 부족류(斧足類)에 속하는 한 목(目). 두 쌍의 편평한 아가미가 있고, 새사(鰓絲)는 'V' 형이며 폐각근(閉殼筋)은 대개 두 개인데, 앞 폐각근은 퇴화하여 작거나 없어진 것이 있음. 돌조갯과(科)가 이에 속함.

사:색[1]【四色】명 ①네 가지 빛깔. ②〖역〗조선 시대에, 붕당 정치(朋黨政治)를 편 네 당파. 곧 노론(老論)·소론(少論)·남인(南人)·북인(北人). *노소 남북(老少南北)·당론(黨論).

사:색[2]【四塞】명 ①사방이 막힘. 또, 사방을 막음. ②사방이 산이나 내로 둘러싸여서 외적(外敵)이 침입하기 힘든 요새(要塞). *사색지지(四塞之地). ——-하다 타여불

사:색[3]【死色】명 죽어 가는 얼굴빛. 죽은 사람과 같은 안색(顏色).

사색[4]【思索】명 ①사물의 이치를 따지어 깊이 생각함. ¶~의 계절. ②〖철〗이론적으로 사유(思惟)함. ——-하다 자여불

사색[5]【辭色】명 말과 얼굴빛. 언사와 안색. 사기(辭氣). ¶허씨 부인은 그대 ~도 보이지 아니하고 천연히 장지 안에 들어서며…《李相協: 再逢春》. 「는 사람.

사색-가【思索家】명 사색하는 사람. 사물의 이치를 따지어 깊이 생각하

사:색 문:제【四色問題】명〖지〗구면(球面) 또는 평면(平面)상의 지도에서, 국경의 전부 또는 대부분을 서로 접하는 나라만을 딴 빛깔로 하며, 뚝 떨어진 영토를 가진 나라는 없는 것으로 하면, 최소한 몇 가지의 빛깔이면 지도를 색별(色別)하는 데 충분할 것인가 하는 문제. 1879년 영국의 수학자 케일리(Cayley, A.; 1821~95)가 런던 지리학 협회에 제출한 문제임. 다섯 가지 빛깔이면 충분한 것은 이미 증명되었으며, 네 가지 빛깔이라도 충분할 것으로 생각되나, 과연 어떠한 지도에도 충분할 것인가는 아직 증명되어 있지 아니함.

사:색 벼름【四色—】명〖역〗노론(老論)·소론(少論)·남인(南人)·북인(北人)의 네 당파에서, 같은 수를 내어 벼슬을 시키던 일. 사색 분배(四色分排). ——-하다 자여불

사색-벽【思索癖】명 무슨 일이거나 이론적으로 따지고, 이치를 캐기를 즐기는 버릇. 「베나 곡식.

사:색-보【四色保】명〖역〗군역(軍役)을 면제 받기 위하여 바치던 무명

사:색 분배【四色分排】명〖역〗사색 벼름. ——-하다 자여불

사색 불변【辭色不變】명 태연 자약(泰然自若)하여 말이나 얼굴빛이 변하지 아니함. ——-하다 자여불

사:색-설【四色說】명〖심〗황색(黃色)·청색(青色)·적색(赤色)·녹색(綠色)의 네 원색의 감각으로부터 모든 색채 감각이 생긴다고 하는 색채설(色彩說). 독일의 심리학자인 헤링(Hering, K.)이 주창하였음.

사색-인【思索人】명 사색하는 사람.

사:색 잡놈【四色雜—】명 ①때와 장소, 그리고 일의 옳고 그른 것을 가리지 아니하고 함부로 노는 잡놈. ②색다른 각종의 잡놈들. *오색잡놈.

사:색지-지【四塞之地】명 사방의 지세가 험하여 쉬이 넘보지 못할 땅. 사방으로 견고한 요새지(要塞地).

사:색-판【四色版】명〖인쇄〗붉은 빛·누른 빛·푸른 빛·검은 빛의 네 가지 빛깔로 박는 원색판(原色版).

사:생[1]【巳生】명〖민〗사년(巳年)에 난 사람. 곧, 기사(己巳)·계사(癸巳)·을사(乙巳) 등의 해에 난 사람.

사:생[2]【四生】명〖불교〗생물의 네 가지 생식 상태. 곧, 사람과 같은 태생(胎生), 새와 같은 난생(卵生), 개구리와 같은 습생(濕生), 나비와 같은 화생(化生)의 총칭.

사:생[3]【死生】명 죽음과 삶. 사명(死命).

【사생이 유명(有命)이요 부귀 재천(富貴在天)이라】사생과 부귀 빈천은 모두 정해져 있어 억지로 할 수는 없다는 말.

사생[4]【私生】명 법률상 부부가 아닌 남녀 사이에서 출생함. 또, 그 남녀 사이에 아이를 낳음. ——-하다 자타여불

사생[6]【師生】명 사제(師弟)❶.

사생[7]【斜生】명 식물의 줄기나 뿌리의 옆 가지가 주축(主軸)에 대하여 비스듬히 나는 성질. 사향성(斜向性). ——-하다 자여불

사생[8]【寫生】명 실물이나 실경(實景)을 있는 그대로 묘사하는 일. 회화(繪畫)에서 나온 말인데 문장에 관하여서도 쓰임. ——-하다 타여불

사:생 가:판【死生可判】명 생사 가판(生死可判).

사:생 결단【死生決斷】[—딴] 명 죽고 삶을 결정지음. 죽고 삶을 돌보지 아니하고 끝장을 냄. ——-하다 자타여불

사:생 계:활【死生契闊】명 사생을 같이 하기로 약속하고 동고 동락함.

사생-과【社生科】[—꽈] 명〖교〗↗사회 생활과(社會生活科).

사:생-관【死生觀】명 죽음과 삶에 대한 견해.

사:생 관두【死生關頭】명 죽고 삶이 달리어 있는 위태한 고비. 생사 관두(生死關頭). 「——-하다 자여불

사:생 동고【死生同苦】명 죽고 삶을 함께 함. 사지 동고(死地同苦).

사생-문【寫生文】명〖문〗사생화(寫生畫)의 수법(手法)을 본떠서, 사물을 있는 그대로 묘사(描寫)하는 글. 스케치.

사생 식물【砂生植物】명〖식〗사구 식물(砂丘植物).

사생-아【私生兒】명 사생자(私生子). 「애(公生涯).

사-생애【私生涯】명 사사(私事)에 종사하는 개인으로서의 생애. ↔공생

사:생 유:명【死生有命】명 ①사람의 생사(生死)는 천명(天命)에 달려 있어 사람의 힘으로는 어찌할 수 없음. ¶사생이 유명이요 부귀 재천(富貴在天)이라. ②의리를 위하여 죽음을 회피하지 아니함.

사생-자【私生子】명〖법〗정당한 혼인 관계에 의하지 아니한 남녀 사이에 난 자식. 아버지의 인지(認知)를 얻으면 서자(庶子)가 됨. 혼인 외의 출생자. 사생아. 사자(私子).

사생자 준:정【私生子準正】명〖법〗사생자가 그 어머니와 혼인한 아버지의 인지(認知)에 의하여 친생자(親生子)의 신분을 얻는 일.

사:생 존망【死生存亡】명 생사 존망(生死存亡).

사:생 존몰【死生存沒】명 생사 존망.

사생-첩【寫生帖】명 사생화(寫生畫)를 그릴 수 있도록 화전지 따위를 여러 장 한데 모아 맨 책. 스케치북.

사:생 출몰【死生出沒】명 생사 존망.

사:생 취:의【捨生取義】[—/—이] 명 목숨을 버리더라도 의를 좇음. ——-하다 자여불

사생-화【寫生畫】명〖미술〗사생(寫生)하여 그린 그림. 곧, 직접 실물(實物)·실경(實景)을 보고 그대로 그린 그림. ↔상상화(想像畫).

사-생활【私生活】명 개인의 사사로운 생활.

사:서[1]【士庶】명 ①↗사서인(士庶人). ②일반 백성. 「글씨체.

사:서[2]【史書】명 ①역사에 관한 책. 사기(史記). 역사책. ②사관(史官)의

사서[3]【司書】명 ①서적(書籍)을 맡아 보는 직분. ②〖역〗조선 시대의 세자 시강원(世子侍講院)의 정육품 벼슬. 설서(說書)의 위, 문학(文學)의 아래. ③〖종〗시천교(侍天敎)의 서기의 직무.

사:서[4]【四序】명 사시(四時)❶.

사:서[5]【四書】명 중국의 고전(古典)인 칠서 중의 네 가지 책. 곧, 논어(論語)·맹자(孟子)·중용(中庸)·대학(大學). 송(宋)나라의 주자(朱子)가 하나의 학문적 체계(學問的體系) 밑에서 찬정(撰定)한 것으로, 유교의 필수서(必修書)임.

사서[6]【私書】명 ①사용(私用)의 편지. 사찰(私札). ②비밀히 하는 편지. ③〖법〗사법상(私法上)의 권리 관계를 나타내기 위하여 작성하는 문서. 어음·예증권(預證券)·화물 상환증 같은 것.

사서[7]【沙書】명 모래 바닥에 글씨를 쓰거나 손 안에 모래를 쥐고 조금씩 땅 위로 흘리면서 글씨를 쓰는 일. 또, 그 글씨. ——-하다 자여불

사서[8]【私署】명 한 사인(私人)으로서 서명함. 또, 그 서명.

사서[9]【社鼠】명 사람이 함부로 손댈 수 없는 신전(神殿)에 숨어 사는 쥐란 뜻으로, 임금의 측근(側近)에 있는 간신(奸臣)을 비유하여 일컫는 말.

사서[10]【思緖】명 서로 엉킨 여러 가지 생각.

사:서[11]【赦書】명 사면(赦免)의 서장(書狀).

사서[12]【絲絮】명 실과 솜.

사서[13]【寫書】명 서류(書類)를 베끼는 일. 또, 그 서류.

사서[14]【辭書】명 사전(辭典). 자서(字書).

사:서[15]【麝鼠】명〖동〗사향뒤쥐❶.

사서 사:무관【司書事務官】명 행정직 국가 공무원 직급 명칭의 하나. 사서 직렬(職列)에 속하며, 사서 서기관의 아래, 사서 주사의 위로 5급 공무원임.

사:서 삼경【四書三經】명 사서(四書)와 삼경(三經).
[사서 삼경을 다 읽어도 누울 와(臥)자가 제일] 게으른 자가 누워서 뒹굴 때 핑계하는 말.

사서 서기【司書書記】명 행정직 국가 공무원 직급 명칭의 하나. 사서 직렬(職列)에 속하며, 사서 서기보의 위, 사서 주사보의 아래로 8급 공무원임.

사서 서기관【司書書記官】명 행정직 국가 공무원 직급 명칭의 하나. 사서 직렬(職列)에 속하며, 부(副)이사관의 아래, 사서 사무관의 위로 4급 공무원임.

사서 서기보【司書書記補】명 행정직 국가 공무원 직급 명칭의 하나. 사서 직렬(職列)에 속하며, 사서 서기의 아래로 9급 공무원임.

사:서 오:경【四書五經】명 사서(四書)와 오경(五經).

사:서 오:경 음해【四書五經音解】명〖책〗조선 세종 때 편찬된 사서 오경의 구결(口訣)과 독음(讀音)을 보인 책. 현재 전하지 아니함.

사-서원【私誓願】명〖기〗교회에 의해서 정당한 대리자로 인정된 자에게 받아들여지지 않는 사적(私的)인 서원.

사:서 율곡 언:해【四書栗谷諺解】명〖책〗율곡 이이(李珥)가 선조(宣祖)의 명을 받들어 언해한 ≪대학 율곡 언해≫ 1권, ≪중용(中庸) 율곡 언해≫ 1권, ≪논어 율곡 언해≫ 4권, ≪맹자 율곡 언해≫ 7권의 일컬음.

사:-서인【士庶人】명 사대부(士大夫)와 서인(庶人). 준사서. ↔공경 대부(公卿大夫).

사서 주사【司書主事】명 행정직 국가 공무원 직급 명칭의 하나. 사서 직렬(職列)에 속하며, 사서 사무관의 아래, 사서 주사보의 위로 6급 공무원임.

사서 주사보【司書主事補】명 행정직 국가 공무원 직급 명칭의 하나. 사서 직렬(職列)에 속하며, 사서 주사의 아래, 사서 서기의 위로 7급 공무원임.

사서 증서【私署證書】명 사인(私人)이 작성하고 서명한 증서. 사문서(私文書). ↔공정 증서(公正證書).

사서-함【私書函】명 ↗우편 사서함(郵便私書函).

사:석[1]【死石】명 바둑에서, 상대편에게 죽은 바둑돌. 죽은 돌.

사-석[2]【沙石】명 모래와 돌.

사석[3]【私席】명 사사로 만난 자리. 사사로운 좌석. 사좌(私座). ↔공석(公席).

사석[4]【砂錫】명〖광〗①사광(砂鑛)의 한 가지. 분해된 암석(岩石)에서 떨어져 나가 강물 속에 가라앉아 모래 자갈에 섞여 있는 주석. ②모래알 같은 주석.

사석[5]【射席】명 사수(射手)의 자리.

사:석[6]【捨石】명 바둑에서, 버릴 셈치고 치중수(置重手) 등 작전상 놓은 돌. ¶ ~을 이용하다.

사:-석[7]【謝石】명〖사람〗중국 동진(東晉)의 정치가. 자(字)는 석노(石奴). 안(安)의 아우. 비서랑(秘書郞)·상서 복야(尙書僕射)를 역임함. 후일 가절 정토 대도독(假節征討大都督)이 되어 전진(前秦)의 부견(苻堅)의 군세를 파함. 시호(諡號)는 양(襄). [327-388]

사:-석고【死石膏】명 석고(石膏)를 지나치게 태울 때 완전히 탈수(脫水)하여, 물과의 반응 속도가 극히 적어져, 고화(固化)하지 아니하게 된 상태의 석고. 곧, 황산 칼슘($CaSO_4$). *소석고(燒石膏).

사:석-공【捨石工】명〖토〗잡석(雜石)을 던져 아무렇게나 쌓아 올린 공작물(工作物).

사:석 방파제【捨石防波堤】명〖토〗잡석(雜石)으로 둑같이 비스듬하게 쌓아 올린 방파제.

사석지-지【沙石之地】명 모래와 돌이 많아서 메마르고 거친 땅.

사:-석회【死石灰】명〖화〗물과 반응하지 아니하는 생(生)석회. 생석회를 가열·융해하여 고체화(固體化)했을 경우, 결정상(結晶狀)으로 되어 물과 반응하지 아니하게 된 것을 이름. 보통, 생석회는 물과 열을 발하면서 반응하여 소석회(消石灰)가 됨.

사선[1]【司膳】명〖역〗'사옹원(司饔院)'의 이칭.

사:선[2]【四仙】명 신라 때의 네 국선(國仙). 곧, 영랑(永郞)·술랑(述郞)·안상(安詳)·남석행(南石行)의 네 국선(國仙).

사:선[3]【四善】명 옛날, 중국에서 관리의 성적(成績) 고사를 매길 때의 네 가지 표준. 곧, 덕행(德行)·청신(淸愼)·공평(公平)·근면(勤勉).

사:선[4]【四線】명 바둑에서, 바둑판의 끝에서 네 번째의 선. 3선을 실리선(實利線)이라 하는 데 대하여, 세력선(勢力線)이라고도 부름. 오선을 세력선으로 하는 사람은 이를 중간선(中間線)이라 함.

사:선[5]【四禪】명〖불교〗①욕계(欲界)를 떠나 색계(色界)에서 도를 닦는 네 과정. 곧, 초선(初禪)·이선(二禪)·삼선·사선. ②사선(四禪) 중의 넷째.

사:선[6]【死船】명 수리할 수 없을 정도로 노후한 배. 사용 불가능한 배.

사:선[7]【死線】명 ①죽을 고비. 죽느냐 사느냐의 경지. ¶ 자유를 찾아 ~을 넘다. ②감옥이나 포로 수용소 같은 곳의 주위에 베풀어 이를 넘어서면 총살하도록 규정된 한계선(限界線).

사:선[8]【似先】명 성(姓)의 하나. 우리 나라에는 현존하지 않음.

사선[9]【私船】명 ①개인이 소유하는 배. ②〖법〗국제법상, 사인(私人)의 용도(用途)에 쓰이는 배. 1)·2):↔관공선(官公船).

사선[10]【私線】명 사설(私設)의 전신선 또는 철도선. ↔관선(官線).

사선[11]【私選】명 개인의 선택. 개인의 선임(選任). ↔공선(公選).

사선[12]【社船】명 회사의 배.

사선[13]【社線】명 민간의 회사에서 경영하는 철도나 버스의 선로. 회사선(會社線).

사선[14]【紗扇】명 ①사(紗)를 발라 만든 부채. ②〖역〗벼슬아치가 외출할 때에 풍진(風塵)을 막으려고 얼굴을 가리던 제구. 사(紗)로 만든 것으로, 보통 부채보다 크고 네모짐.

사선[15]【射線】명 ①쏜 탄알이나 화살이 지나가는 줄. ②발사 준비를 하였을 때의 총포신축(銃砲身軸)의 연장선(延長線). ③〖군〗사격장(射擊場)에서 표적(標的)과 일정한 간격을 두고 소총(小銃) 등을 앉거나 서서 쏘도록 시설하여 놓은 직선.

사선[16]【斜線】명 ①비스듬히 비끼어 그은 줄. 글을 지우거나 그림에서 음영(陰影)을 그릴 적에 씀. ②〖수〗하나의 평면 또는 직선에 수직이 아닌 선. 빗금.

사선[17]【蛇線】명 뱀이 기어간 모양으로 구불구불한 줄.

사선[18]【蛇鱔】명〖동〗두렁허리.

사선[19]【詐善】명 겉으로만 착한 체함. ——-하다 자여불

사선-목【思仙木】명〖식〗두충(杜冲)❶.

사:선-무【四仙舞】명 정재(呈才) 때 추던 춤의 하나. 조선 순조(純祖) 29년(1829)에 예제(睿製)한 것임. 남녀악(男女樂)과 향악(鄕樂)이 있음. 앞에 연꽃을 한 가지씩 가진 두 사람이 서고, 뒤에 네 사람이 꽃 없이 두 줄로 벌여 서서 주악에 맞춰 북향(北向)하여 춤.

사선 변:호인【私選辯護人】명〖법〗피고인 또는 그의 가족이나 법정 대리인이 선임(選任)하는 변호인. ↔국선 변호인(國選辯護人).

사:선-상【四仙床】[—쌍] 명 네 발이 달린 높은 음식상. 한쪽에 한 사람씩 돌아 앉을 만하게 되어 있음.

사선-서【司膳署】명〖역〗①고려 때 임금에게 수라 올리는 일을 맡아 보던 관아. 충렬왕 34년(1308)에 상식국(尙食局)을 고친 이름. ②조선 시대 초기에, 내선(內膳)을 올리는 일을 맡아 보던 관아.

사선 제:한【斜線制限】명 도시에 있어서, 건축물이 무제한으로 높아져서 도시 환경이 악화되는 일이 없도록, 그 높이를 한정하는 일. 좁은 가로에 접하는 고층 건물이 상층부로 가면서는 계단 모양을 이루는 것은 이 사선 제한에 의한 것임.

사선-척【斜線尺】명 제도(製圖)할 때 쓰는 자의 한 가지. 단위(單位)의 길이의 분수(分數)를 재는 것으로, 단위의 폭(幅)을 십등분(十等分)하여 평행으로 횡선(橫線)을 긋거나 또는 자의 한쪽 끝에 길이를 취하고 그것을 10등분하여 수직 평행선 및 평행 사선(平行斜線)을 긋는 자. 사척(斜尺).

사:-선천【四禪天】명〖불교〗①네 가지 선정(禪定)을 닦는 사람이 출생하는 색계(色界)의 사천(四天). 곧, 초선천(初禪天)·이선천(二禪天)·삼선천(三禪天)·사선천(四禪天)의 총칭. ②색계 사천(色界四天)의 네 번째. 무운천(無雲天)·복생천(福生天)·광과천(廣果天)·무상천(無想天)·무번천(無煩天)·무열천(無熱天)·선현천(善現天)·선견천(善見天)·색구경천(色究竟天)의 구천(九天)이 있으며, 처음의 사천(四天)은 범부(凡夫)가 있는 곳, 다섯 번째의 무번천은 외도(外道)가 있는 곳, 뒤의 사천(四天)은 아나함(阿那含)의 성자(聖者)가 있는 곳임. *색계(色界)·초선천(初禪天).

사설[1]【私設】명 사인(私人)이 설립함. 또, 그 시설. ↔공설(公設)·관설(官設). ——-하다 타여불

사설[2]【私說】명 일 개인의 의견. 자기 혼자의 학설(學說). 사학(私學).

사설[3]【邪說】명 그릇된 설. 올바르지 아니한 논설.

사설[4]【社說】명 신문·잡지 등에서 그 사(社)의 주장으로 게재하는 논설. ¶ 신문의 ~.

사설[5]【師說】명 스승의 학설. 스승의 논설.

사설[6]【絲屑】명 실보무라지.

사설[7]【辭說】명 ①노래 따위의 적어 놓은 글. ②잔소리로 늘어놓는 말. ¶ 웬 ~이 그리 많으냐. >사살. ——-하다 자여불

사설 강:습소【私設講習所】명 사인(私人)이 다수인에게 30 일 이상 계속 또는 반복하여 지식·기술·예능 또는 체육을 교습시키는 시설이나 학습 장소로 제공되는 시설.

사설 공:명가【辭說孔明歌】명〖악〗서도 잡가(西道雜歌)의 하나. 제갈 공명(諸葛孔明)이 동남풍을 비는 광경과 천지 신명에게 고사(告祀)하는 축문이 골자임.

사설 교환【私設交換】명 큰 기관이나 기업체에서 따로 가지고 있는 전화 교환 장치.

사설 기업체【私設企業體】명 개인이 설립하여 경영하는 영리를 위한 업체.

사설 난봉가【辭說—歌】[—란—] 명〖악〗서도(西道) 민요의 하나. 가락이 길게 꺾어 넘어가지 않고 말을 한꺼번에 몰아 붙이어 엮어 나가는 난

봉가. 개타령. 잦은 개타령.
사:설-당【四設幢】명 〖역〗 신라의 군호(軍號). 노당(弩幢). 운제당(雲梯幢)·충당(衝幢)·석투당(石投幢)의 넷으로 조직되었음.
사설-란【社說欄】명 신문·잡지 등에서, 사설을 싣는 난.
사설 묘:지【私設墓地】명 한 가문(家門)이나 종교 단체에서 일정한 곳을 정하여 쓰는 묘지. ↔공동 묘지.
사설-사설【辭說辭說】부 잔소리로 말을 자꾸 늘어놓는 모양. ——-하다 타여불
사설-서【司設署】명 〖역〗 고려 충렬왕 34년(1308)에 상사국(尙舍局)을 고친 이름.
사설 시:장【私設市場】명 사인(私人)이 시설한 시장. ↔공설 시장.
사설 시조【辭說時調】명 ①〖문〗 평시조(平時調)와는 달리 종장의 제1구를 제외한 어느 구절이 두 구절 이상 길어진 긴 시조. 대개, 중장(中章)이 길어지는데, 대화체(對話體)로 된 것도 많고, 하나의 이야기와 같이 된 것도 있음. 조선 시대 중엽(中葉) 이후에 발달하여 내려옴. 장형 시조(長形時調). *평시조·엇시조. ②〖악〗 시조 창법(唱法)에서, 평시조(平時調)가 아닌 긴 시조를 얹어 부르는, 사설 지름 시조·휘모리 잡가 등의 통칭.
사설 전:신【私設電信】명 사인(私人)이 시설한 전신.
사설 전:화【私設電話】명 관공서(官公署) 또는 사인(私人)이 시설하여, 일반 공중에게는 사용하게 하지 아니하는 전화. 관청·공공 단체 전용(專用)의 것, 개인 회사 등 내부 상호간에만 사용되고 일반 가입자 선에 접속되지 아니하는 것, 또 일반 가입자 선에 접속되거나 가입자 선에 증설(增設)된 형식으로 되는 것 등이 있음.
사설 지름 시조【辭說一時調】명 〖악〗 시조 창법(唱法)의 하나. 사설 시조를 다룸. 엇시조.
사설 철도【私設鐵道】[―또] 명 민간에서 부설하고 운영하는 철도. ㊕사철(私鐵). ↔관설 철도.
사설 탐정【私設探偵】명 사사로이 탐정 업무에 종사하는 사람.
사섬-고【司贍庫】명 〖역〗 사섬시(司贍寺).
사섬-서【司贍署】명 〖역〗 사섬시(司贍寺).
사섬-시【司贍寺】명 〖역〗 조선 시대에, 저화(楮貨)의 제조 및 지방 노비(奴婢)의 공포(貢布) 등에 관한 사무를 맡아 보던 관아. 태종(太宗) 원년에 두었다가 숙종 때에 폐지하였음. 사섬고(司贍庫). 사섬서(司贍署).
사성[1]【司成】명 〖역〗 ①고려 공민왕(恭愍王) 18년에 좨주(祭酒)를 고친 이름. 종삼품. ②조선 시대 때 성균관(成均館)의 종삼품 벼슬. 태종(太宗) 원년에 좨주(祭酒)를 고친 이름. 사예(司藝)의 위, 대사성(大司成)의 아래.
사:성[2]【四姓】명 〖사〗 인도에서, 고래로 내려온 극단적인 세습적 신분 제도의 네 계급. 곧, 승려(僧侶)로서의 바라문(婆羅門), 왕족이나 무인(武人)으로서의 찰제리(刹帝利), 평민으로서의 폐사(吠舍), 노예로서의 수다라(首陀羅)의 넷. 그 소속은 나면서부터 정하여지며, 한 계급에서 다른 계급으로 옮길 수 없을 뿐만 아니라, 직업·통혼(通婚)·관습 등이 엄중히 규정되어 제약을 받음. 사종성(四種姓). 카스트(caste).
사:성[3]【四星】명 〖민〗 사주 단자(四柱單子). 또, 그 봉투에 쓰는 말.
 사:성(이) 가다 구 혼담이 결정되어 사주 단자를 가지고 가다.
 사:성(을) 받다 구 혼담이 결정되어 사주 단자를 받다.
 사:성(을) 보내다 구 혼담이 결정되어 사주 단자를 적어 보내다.
 사:성(이) 오다 구 혼담이 결정되어 사주 단자를 가지고 오다.
사:성[4]【四聖】명 ①공자(孔子)·석가(釋迦)·예수(Jesus)·소크라테스(Sokrates)의 네 성인. 혹은 소크라테스 대신에 마호메트(Mahomet)를 넣기도 함. 사대 성인(四大聖人). ②중국에서, 복희씨(伏羲氏)·문왕(文王)·주공(周公)·공자(孔子)의 네 성인. ③〖불교〗 불도를 깨달은 이의 네 계단으로 불(佛)·보살(菩薩)·연각(緣覺)·성문(聲聞). ④〖불교〗 아미타불(阿彌陀佛)·관세음 보살(觀世音菩薩)·대세지 보살(大勢至菩薩)·대해중 보살(大海衆菩薩)의 네 성인. ⑤문묘(文廟)에 배사한 네 성인. 곧, 안자(顔子)·증자(曾子)·자사(子思)·맹자(孟子).
사:성[5]【四聲】명 〖언〗 ①한자(漢字) 소리의 고저(高低)와 장단(長短)과를 복합한 운(韻)의 네 가지로서, 평성(平聲)·상성(上聲)·거성(去聲)·입성(入聲)의 총칭. 평성 이외의 것을 측성(仄聲)이라 하고, 모두 합하여서 평측(平仄)이라고 함. 사운(四韻). ②중국어 관화(官話)에서의 상평성(上平聲)·하평성(下平聲)·상성(上聲)·거성(去聲)의 총칭.
사:성[6]【死聲】명 슬픈 소리.
사:성[7]【使星】명 〖역〗 임금의 명령으로 지방에 심부름 가는 관원(官員).
사성[8]【莎城】명 〖민〗 ①풍수 지리의 묏자리의 뒤꼭지에서 작은 맥이 혈(穴)의 가장자리를 에워싼 두둑. ②무덤 뒤를 반달 모양으로 두둑하게 둘러 싼 토성(土城).
사성[9]【嗄聲】명 목쉰 소리.
사성[10]【寫聲】명 ①의음(擬音). ②소리를 기록하고 재생하는 일. ——-하다 자여불
사:성[11]【賜姓】명 나라에서 성(姓)을 내려 줌. ——-하다 자여불
사:성 기연【四姓奇緣】명 〖문〗 임화정연(林花鄭延).
사:성-례【四聖禮】[―네] 명 〖불교〗 정토종(淨土宗)에서 아미타불·관세음 보살·대세지 보살(大勢至菩薩)·대해중 보살(大海衆菩薩)의 사성(四聖)에 배례(拜禮)하는 일.
사성-법【寫聲法】[―뻡] 명 〖문〗 성유법(聲喩法).
사:성-보【四星褓】[―뽀] 명 사주 단자를 싸 보내는 붉은 비단으로 만든 작은 보.
사:-성부【四聲部】명 〖악〗 소프라노, 알토, 테너, 베이스의 네 성부.
사:-성사【四聖史】명 〖천주교〗 '사복음(四福音)'을 천주교에서 일컫던 말.
사성-어【寫聲語】명 의성어(擬聲語).
사:성 장군【四星將軍】명 〖군〗 계급장의 별이 네 개 달린 장군. 곧, 대장(大將)을 일컫는 말.
사:성-점【四聲點】[―쩜] 명 한자(漢字)의 사성을 표시하기 위하여 찍는 표점. 방점(傍點).
사:-성제【四聖諦】명 〖불교〗 사제(四諦).
사:성 통고【四聲通攷】명 〖책〗 조선 시대 세종(世宗)의 명으로 신숙주(申叔舟)가 편찬한 운서(韻書). 지금은 전하지 아니함.
사:성 통해【四聲通解】명 〖책〗 조선 중종(中宗) 때 최세진(崔世珍)이 지은 책. 세종 때 신숙주(申叔舟)가 편찬한 《사성 통고(四聲通攷)》의 결점을 보충하고 한자의 새김과 음을 다 쓰고 주석까지 붙였음.
사세[1]【司稅】명 조세에 관한 사무를 주관하여 맡아 봄. ——-하다 자여불
사세[2]【社勢】명 회사의 사업이 벋어 나가는 기세. ¶ ~ 확장.
사세[3]【些細】명 사소(些少). ——-하다 형여불
사:세[4]【事勢】명 일의 형세. ¶ ~가 여의하지 아니하다.
사세[5]【邪世】명 사악한 세상.
사세[6]【斯世】명 이 세상.
사세[7]【辭世】명 ①이 세상을 하직함. 죽음. ②사세구(辭世句). ——-하다 자여불
사세[8]【辭歲】명 묵은 해를 보냄. 제석(除夕) 전야(前夜)나 제석날에 집집이 주연(酒宴)을 열어 서로 왕래 초요(往來招邀) 또는 존장(尊長)을 배알하는 일. ——-하다 자여불
사:세 고연【事勢固然】명 일의 형세가 그러함이 당연함. 사세 당연(事勢當然). ——-하다 형여불
사세-관【司稅官】명 전에 국가 공무원의 한 관명(官名). 조세(租稅)에 관한 직무를 담당했음.
사세-구【辭世句】명 죽을 때 남겨 놓는 시가(詩歌) 등의 문구. 사세(辭世).
사세-국【司稅局】명 ①〖법〗 재무부(財務部)에 속했던 한 국. 조세 행정을 주관했으며, 각 지방에 사세청(司稅廳)이 있었음. 세제국(稅制局)으로 개칭. ②〖역〗 탁지부(度支部)에 있던 한 국. 조선 고종(高宗) 31년(1894)부터 융희 4년(1910)까지 있었음.
사:세 난연【事勢難然】명 사세 난처. 「여불
사:세 난처【事勢難處】명 일의 형세가 처리하기 어려움. ——-하다 형
사:세 당연【事勢當然】명 사세 고연(事勢固然). ——-하다 형여불
사:세 부득이【事勢不得已】부 일의 형세가 그렇게 하지 아니할 수 없어. ¶ ~하여 물러나다. ㊕세부득이(勢不得已). ——-하다 형여불
사-세음【私細音】명 사셈. ——-하다 타여불
사세-청【司稅廳】명 재무부(財務部)에 소속되어 관세(關稅)를 제외한 각 지방의 조세 행정을 주관하던 기관. 1966년에, '국세청(國稅廳)'으로 개칭함.
사-셈【私―】명 공동의 재산에 대하여 혼자서 사사로이 계산하고 관계자에게 제시하지 아니함. 사세음(私細音). ——-하다 타여불
사소[1]【司掃】명 〖역〗 조선 시대 때, 액정서(掖庭署)의 정구품 잡직(雜職). 부(副)사소의 위, 부사포(副司鋪)의 아래.
사:소[2]【死所】명 죽을 곳. 죽은 장소.
사소[3]【私消】명 공공(公共)의 금품을 자기 마음대로 사사로이 소비함. ——-하다 타여불
사소[4]【私訴】명 〖법〗 범죄에 의하여 신체의 자유·명예·재산 등을 침해당한 자가, 그 손해를 원인으로 그 배상(賠償) 및 장물(贓物)의 반환을 요구하기 위하여, 공소(公訴)에 부대(附帶)하여 제기하는 민사상(民事上)의 소송. 구형사 소송법에서 인정하였던 제도 ↔공소(公訴). ——-하다 타여불
사소[5]【些少】명 매우 적음. 하찮음. 사세(些細). 소일(小一). ¶ ~한 일로 싸우다. ——-하다 형여불
사소-권【私訴權】[―꿘] 명 〖법〗 사소할 권리. ↔공소권(公訴權).
사:-소문【四小門】명 〖역〗 조선 시대 때의 서울의 사방 소문. 북동쪽의 홍화문(弘化門)인 동소문(東小門), 남동쪽의 광희문(光熙門)인 남소문(南小門), 남서쪽의 소덕문(昭德門)인 서소문(西小門), 북서쪽의 창의문(彰義門)인 북소문(北小門)을 이르던 말. 이 중, 홍화문은 중종 6년(1511) 혜화(惠化)로 개칭, 1938년에 없어지고, 소덕문은 성종 3년(1472) 소의문(昭義門)으로 개칭, 1914년에 없어졌음. *사대문(四大門).
사:-소석고【死燒石膏】명 〖화〗 사석고(死石膏) 중에서, 수화(水化)하는 성질이 없는 것.
사-소설【私小說】명 〖문〗 ①주로 작자 자신의 경험이나 심경(心境)을 피력한, 사회성이 적은 소설. 일본의 자연주의 경향의 작가에 의하여 쓰여진 것으로서, 신변 잡기(身邊雜記)의 소설에 빠지기 쉬움. 형식적으로는 일인칭(一人稱) 소설임. 자서체(自敍體) 소설. ②이히로만(Ich-Roman).
사소-죄【私消罪】[―쬐] 명 공공(公共)의 금품을 자기 마음대로 사사로이 소비한 죄.
사소지-사【些少之事】명 사소한 일. 세미지사(細微之事).
사:소 취:대【捨小取大】명 작은 것을 버리고 큰 것을 취함. ——-하다 자여불
사속[1]【紗屬】명 사종류에 속하는 피륙. 사(紗)붙이.
사속[2]【嗣續】명 대(代)를 이음. ——-하다 타여불
사:속-죽【死粟粥】명 풋좁쌀로 쑨 죽.
사속지-망【嗣續之望】명 대(代)를 이을 희망.
사손[1]【沙噀】명 〖동〗 사손류에 속하는 극피(棘皮) 동물의 총칭. 해삼(海蔘).
사:손[2]【使孫】명 〖역〗 조선 시대에, 유산(遺産)을 상속할 수 있는 일정한 범위의 친족(親族). 죽은 사람이 자녀가 없을 때에는 형제 자매에게, 형제 자매가 없으면 형제의 아들이나 딸에게, 형제의 자녀가 없을 때에는 종손(從孫)·종손녀(從孫女)에게, 이런 사람도 없을 때에는 백숙부(伯叔父)나 고모(姑母)에게 상속됨. *양자(養子).
사손[3]【祀孫】명 ↗봉사손(奉祀孫).
사손[4]【嗣孫】명 대(代)를 이을 손자.
사손[5]【獅孫】명 〔주회암(朱晦菴)이 그의 외손에게 사자의 그림을 준 고사(故事)에서 온 말〕 외손(外孫)❶.
사손-류【沙噀類】[―뉴] 명 〖동〗 해삼강(海蔘綱).
사솔버그 〔Sasolburg〕 명 〖지〗 남아프리카 공화국 오렌지 자유

주(自由州)의 신흥 공업 도시. 1954년, 남아프리카 석탄·석유·가스 회사 설립과 더불어 창건(創建). Sasol이라는 이름은 이 회사의 두문자(頭文字)에서 생긴 말. [16,000 명]

사송¹【詞訟】명〖역〗민사의 소송. 「여불

사:송²【賜送】명 임금이 신하에게 물건을 내리어 보냄. ——-하다 타

사:송-선【賜送扇】명〖역〗임금이 하사(下賜)한 부채.

사송 아:문【詞訟衙門】명〖역〗조선 시대에, 수령·관찰사·한성부(漢城府)·형조(刑曹)·사헌부(司憲府) 등 사송을 관할하던 경외(京外)의 관아.

사:송 왜인【使送倭人】명〖역〗조선 시대에, 일본서 사절(使節)로서 조선에 보내 온 일본 사람. *흥리(興利) 왜인.

사송 유취【詞訟類聚】[—뉴—] 명〖책〗결송 유취(決訟類聚).

사송 이:력【詞訟履歷】[—니—] 명〖역〗조선 시대에, 음관(蔭官)이 지방관(地方官)으로 임명되기 위하여 반드시 거쳐야 하는 이력. 호조(戶曹)·형조(刑曹)·공조(工曹)·한성부(漢城府)·평시서(平市署)·사헌부(司憲府) 및 경모궁(景慕宮)의 한 관원을 지내야만 하는 일. *변지(邊地)

사:수¹【四陲·四垂】명 사방의 변경(邊境). 사경(四境). └이력.

사:수²【四睡】명〖미술〗동양화(東洋畫)의 화제(畫題)의 하나. 풍간(豐干)·한산(寒山)·습득(拾得)의 세 선사(禪師)가 범과 함께 잠자고 있는 그림.

사:수³【四獸】명 ①범·표범·곰·큰곰의 총칭. ②〖민〗사신(四神)❶.

사:수⁴【死水】명 흐르지 아니하고 괴어 있는 물. 정체수(停滯水). ↔활

사:수⁵【死囚】명 사형수(死刑囚). └수(活水).

사:수⁶【死守】명 죽음으로써 지킴. 목숨을 걸고 지킴. ¶ 진지를 ~하다.

사수⁷【沙水】명 모래에 밭친 물. └——-하다 타여불

사수⁸【私水】명〖법〗특정한 장소에 정체(停滯)하여 다른 곳에 유출(流出)하지 아니하는 물. 곧, 지하수(地下水)·자가용(自家用)의 우물 따위. ↔공수(公水). 「는 증세.

사수⁹【邪祟】명 귀신(鬼神)이 붙어서 제정신을 잃고 미친 사람처럼 되

사수¹⁰【私讎】명 한 개인의 원수. 사사의 원수.

사:-수¹¹【泗水】명〖지〗'쓰수이'를 우리 음으로 읽은 이름.

사:수¹²【泗洙】명 수사(洙泗).

사:수¹³【使嗾】명 →사주(使嗾). ——-하다 타여불

사수¹⁴【查受·查收】명 조사하여 받음. ——-하다 타여불

사수¹⁵【師受】명 스승에게서 가르침을 받음. ——-하다 타여불

사수¹⁶【射手】명 ①대포·총·활 등을 쏘는 사람. *궁수(弓手). ②조준(照準)·발사(發射)를 담당하는 포수(砲手).

사:수¹⁷【捨受】명〖불교〗고락(苦樂)의 감각을 아울러 버린다는 뜻으로, 불고불락수(不苦不樂受)를 일컫는 말.

사수¹⁸【斜水】명 군(郡)의 경계에 걸치어 있는 하수(河水).

사수¹⁹【詐數】명 속임수. 사계(詐計).

사수²⁰【寫手】명 글씨를 베끼어 쓰는 사람.

사-수²¹【辭受】명 사양하는 일과 받는 일. 사퇴(辭退)와 수납(受納).

사:수-가【死囚枷】명〖역〗큰칼.

사수-감【司水監】명〖역〗전함사(典艦司).

사수-궁【射手宮】명〖천〗인마궁(人馬宮).

사:수-류¹【四手柳】명〖식〗채진목(菜振木).

사:수-류²【四手類】명〖동〗네 발을 손과 같이 자유로 놀리어 물건을 집었다 놓았다 하는 동물. 원숭이 같은 동물.

사수리-살 명 옛날에 쓰던 화살의 한 종류.

사:수 몽:유록【泗水夢遊錄】명〖문〗작자·제작 연대 미상의 고전 소설. 국문본. 꿈에, 공자(孔子)를 비롯한 고금 제현(古今諸賢)의 나라가, 양묵(楊墨)·노자(老子)·석가(釋迦)를 차례로 물리쳐 승리하는 내용으로, 불(佛)·선(仙)의 침염(浸染)으로 해이되고 있는 유도(儒道)를 바로잡기 위한 작품. 「있는 산. [1,146 m]

사수-봉【寺水峰】명〖지〗함경 남도 풍산군(豐山郡) 천남면(天南面)에

사:수-산【泗水山】명〖지〗함경 남도 정평군(定平郡) 고산면(高山面)과 영흥군(永興郡) 선흥면(宣興面) 및 평안 남도 영원군(寧遠郡) 신성면(新城面) 경계에 있는 산. 사수(泗水) 산맥의 주봉. [1,747 m]

사:수 산맥【泗水山脈】명〖지〗함경 남도 정평군(定平郡)과 영흥군(永興郡)과의 경계에 위치하는 낮은 산맥.

사수-시【司水寺】명〖역〗고려 때, 병선(兵船)과 수병(水兵)을 맡아 보던 관청. 현종(顯宗) 때, 여진(女眞)과 일본의 해적을 방비하기 위하여 지금의 영흥만(永興灣)인 진명(鎭溟), 지금의 정평(定平)인 원흥진(元興鎭), 김해(金海) 등 요진(要津)에 선병 도부서사(船兵都府署司)를 둔 데서 시작되어, 충선왕 때는 도부서(都府署)라 하였고, 공양왕 2년(1390)에 이를 사수서(司水署)라 했다가 곧 사수시(司水寺)로 개칭함.

사수-좌【射手座】명〖천〗궁수(弓手)자리.

사:수 현:상【死水現象】명 밀도(密度)가 낮은 해수(海水)가 보통의 해수 위를 얇게 덮고 있는 현상. 해상(海上)에서, 항행하는 선박(船舶)의 전진(前進)에 현저히 방해됨. 해빙(海氷)이 녹기 시작한 북극 수역(北極水域)이나, 우계(雨季)의 연안 해역(沿岸海域), 하구(河口)에 가까운 해역 등에서 흔히 일어남.

사숙¹【司粟】명〖역〗조선 시대에, 곡창(穀倉)의 일을 맡은 관원.

사숙²【私淑】명 직접 가르침을 받지는 아니하나 스스로 그 사람의 덕을 사모하고 본받아서 도(道)나 학문을 닦음. ——-하다 자타여불

사숙³【私塾】명 사설(私設)의 서당(書堂). 가숙(家塾). 글방. ¶ ~을 열어 인재(人材)를 길러 내다.

사숙⁴【舍叔】명 자기의 삼촌을 남에게 대하여 이르는 말.

사숙⁵【師叔】명〖불교〗스님의 형제 되는 중. 숙사(叔師).

사숙재-집【私淑齋集】명〖책〗조선 성종(成宗) 때의 강희맹(姜希孟)의

사:순¹【四旬】명 사십대(四十代)의 나이. └문집. 12권 5책.

사순²【飼馴】명 사육(飼育)하며 길들임. ——-하다 타여불

사:순-재【四旬齋】명〖천주교〗사순절(四旬節) 동안 몸과 마음을 깨끗이 하고 술과 고기를 금하는 재계(齋戒).

사:순-절【四旬節】명〖기독교〗광야에서 40일간 금식(禁食)하고 시험받은 그리스도의 수난(受難)을 추억하기 위하여, 단식(斷食)·속죄(贖罪)를 행하도록 규정한 기독교 교회력(敎會曆)의 정진(精進)의 계절. 현재는 일요일을 뺀 부활제전 40일 동안으로 함. 렌트(Lent). *카니발.

사:술¹【四術】명 시(詩)·서(書)·예(禮)·악(樂)의 네 가지 도(道).

사술²【邪術】명 요사스러운 술법.

사술³【射術】명 대포·총·활 등을 쏘는 기술.

사술⁴【師術】명 남의 스승이 될 만한 도(道).

사술⁵【詐術】명 ①남을 속여 넘기는 술책. 속임수. 위계(僞計). ②〖법〗무능력자가 자기가 능력자임을 믿게 하기 위하여 행하는 기망(欺罔) 행위. 「海謠≫.

사슈리살 명〈옛〉사수리살. ¶ 白馬탄 眞達이는 사슈리살 초고≪古時調

사스〔沙市〕명〖지〗중국 후베이 성(湖北省)의 남쪽, 양쯔 강 중류 연안에 있는 항구 도시. 항운(航運)이 발달하여 곡물(穀物)·면화(棉花)·소금 등의 집산지로 유명하며, 상업 및 방적·제분 등 공업이 성함. 사시(沙市). [246,000 명(1988)]

사스래-나무 명〖식〗[*Betula ermanii* var. *acutifolia*] 자작나뭇과에 속하는 낙엽 활엽 교목. 잎은 세모진 달걀꼴로 끝이 날카롭고, 가에는 거친 톱니가 있음. 자웅 동가(雌雄同家)로, 5-6월에 꽃이 수상(穗狀) 화서로 피고, 작고 단단한 견과(堅果)는 넓은 타원형이며, 가을에 익음. 높은 산에 나는데, 한국 및 일본에 분포함. 조림(造林)에 적당하며, 신탄재로 쓰임.

사스레-피나무 명〖식〗[*Eurya japonica*] 후피향나뭇과(科)에 속하는 상록 활엽 교목. 높이 3m 가량이고, 잎은 호생하며 거꿀달걀꼴의 긴 타원형 또는 피침형임. 3-4월에 자백색의 꽃이 두세 개가 액생(腋生)하여 자웅 이가(雌雄異家)로 피고, 장과(漿果)는 10월에 자흑색으로 익음. 해변의 산록에 나는데, 전남·경남 및 일본·대만·중국·인도 등지에 분포함. 관상용이고, 재목은 세공재(細工材)로 씀.

수꽃

〈사스레피나무〉

사스미 명〈방〉〖동〗사슴(충북).

사스트로아미조요〔Sastroamidjojo, Ali〕명〖사람〗인도네시아의 외교관·정치가. 주미 대사·유엔 총회 대표 역임. 수카르노가 창시한 국민당 총재로서 두 번 수상이 됨. 당내 좌파를 대표하였기 때문에 1966년 9월 30일 사건 때 실각함. [1902-75]

사슨-딸기 명〖식〗[*Rubus taquetii*] 장미과에 속하는 낙엽 활엽 관목. 줄기는 땅으로 뻗고 가시가 있으며, 잎은 복생(複生)함. 5월에 장미색 꽃이 산방(繖房) 화서 또는 총상(總狀) 화서로 가지 끝에 정생(頂生)하여 피고, 과실군(果實群)은 반원형이며, 7월에 홍색으로 익음. 들에 나는데, 제주도 및 일본에 분포함. 과실은 식용함.

사슬¹ 명〔중세 : 사슬〕↗쇠사슬.

사슬² 명〖역〗강경과(講經科)의 등급을 발표하던 기구(器具). 자그마하고 둥근 나뭇 조각에 통(通)·약(略)·조(粗)·불(不)의 글자를 씀.

사슬³【沙蝨】명〖충〗물여우.

사슬 고리 명 배목과 고리 사이에 사슬이 달린 고리.

사슬 누르미 명 꼬챙이에 꿰지 아니한 누르미.

사슬 누름적【—炙】명 꼬챙이에 꿰지 아니한 누름적.

사슬-돈 명 싸거나 꿰지 아니한 흩어진 쇠붙이 돈. 산전(散錢).

사슬 모양 화합물【—模樣化合物】명〔chain compound〕〖화〗분자 안의 원자가 사슬 모양으로 결합된 유기(有機) 화합물의 총칭. 단일 결합인 포화(飽和) 화합물과 이중·삼중 결합인 불포화(不飽和) 화합물의 두 가지가 있음. 전자에는 알칸(alkane), 후자에는 알켄(alkene)·알킨(alkyne)이 있음. 지방족(脂肪族) 화합물. 쇄상(鎖狀) 화합물. 쇄식(鎖式) 화합물. ↔고리 모양 화합물.

사슬 문고리【—門—】[—꼬—] 명 쇠사슬이 달린 문고리.

사슬 반:응【—反應】명〖물〗연쇄(連鎖) 반응. 「산적(散炙).

사슬 산:적【—散炙】명 꼬챙이에 꿰지 아니한 산적. 연산적(緶散炙). ㊟

사슬 시조【—時調】명 대구(對句)로 잇대어 지은 연주체(聯珠體)의 시

사슬-아【沙蝨蛾】명〖충〗날도래. └조.

사슬-적【—炙】명 생선적에 양념한 쇠고기를 한 편에 붙이고 달걀을 씌

사슬-전【—錢】명 ☞사슬돈. └워 번철에 지진 음식.

사슬-치마 명〈방〉풀치마.

사슴 명〔중세 : 사슴〕〖동〗①사슴과 짐승의 총칭. 북사슴·큰사슴·우수리 사슴 등이 있음. ②[*Cervus nippon nippon*] 사슴과에 속하는 짐승의 하나. 어깨 높이 80-90cm이고, 몸빛은 밤색에 아름다운 백색 반문이 있고, 겨울에는 털빛이 암갈색에 반문이 없으며 꼬리에는 항상 백반(白斑)이 있음. 삼림에 군생(群生)하고, 10-11월의 생식기에는 '메메' 울며 수컷 중의 승리자가 많은 암컷을 거느리게 됨. 7-8개월 만에 한 마리의 새끼를 낳으며, 소와 같이 반추하는데 성질이 온순하고, 풀·이끼·나무 싹 등을 먹음. 보통 네살 이상에 한 개의 뿔이 나고, 5-6세에 각각 한 가지씩 더 나서 3차(叉)가 되는데, 매년 봄 또는 겨울에 탈락했다가 다시 남. 수컷의 뿔은 '녹용(鹿茸)'으로서 강장제로 쓰며, 고기는 맛이 좋고, 피혁(皮革)은 부드러워 뿔과 함께 공예용으로 씀. 한국·홋카이도·일본·중국·대만 등지에 분포함. ③우수리사슴.

〈사슴❷〉

사슴-과【一科】[—꽈] 명 〖동〗[Cervidae] 소목(目)에 속하는 한 과. 일반적으로 수컷은 골성각(骨性角)이 있고, 종류에 따라 암컷도 있으며, 뿔은 매년 가을에 빠짐. 위(胃)는 소와 같아서 네 실(室)로 되고 초식성(草食性)이며, 한 배에 한 마리 또는 드물게 두 마리의 새끼를 낳으나, '고라니'는 여러 마리를 낳음. 사향 노루·사슴·노루 등의 네 아과(亞科)로 나누며, 세계적으로 57 종이 분포함.

사슴록-부【一鹿部】[—녹—] 명 한자 부수(部首)의 하나. '麒'·'麟'·'麗' 등의 '鹿'의 이름.

사슴-벌레 명 〖충〗 ①사슴벌렛과에 속하는 갑충(甲蟲)의 총칭. 집게벌레. 하늘가재. ②[*Lucanus maculifemoratus*] 사슴벌렛과에 속하는 곤충의 하나. 몸길이 30-45 mm이고, 몸빛은 흑갈색 또는 갈색이고 황색 털이 있으며 다리에는 흑갈색 무늬가 있음. 암컷은 온 몸이 광택 있는 흑색임. 수컷의 큰 턱인 대시(大顋)는 앞이 집게 모양으로 두 갈래로 갈라져 사슴 뿔 같음. 유충은 썩은 나무나 고목 속에 사는데, 풍뎅이와 비슷함. 성충은 봄·여름에 출현하여 수액(樹液)에 모여 들고 등불에도 날아옴. 아이들이 수컷을 잡아서 가지고 놂. 일본·한국·중국 등지에 분포함.

〈사슴벌레❷〉

사슴벌렛-과【一科】 명 〖충〗[Lucanidae] 딱정벌레목(目)에 속하는 한 과. 이 과에 속하는 곤충은 몸은 크고 긴 타원형 또는 폭이 넓은 타원형이며, 몸빛은 대체로 광택 있는 흑색 또는 갈색임. 촉각은 11 마디이고, 수컷의 대시(大顋)는 특히 발달하여 각상(角狀)의 집게 모양으로 돌출하였음. 고목(枯木) 같은 데에 서식함. 전세계에 900여 종이 있는데, 특히 열대 지방과 동양의 열대 다우(熱帶多雨) 지방에 분포함.

사슴-빛 [—삗] 명 사슴의 몸빛. 또, 그와 비슷한 빛깔. 곧, 엷은 밤색이나 갈색(褐色).

사슴뿔 장식【—裝飾】 명 〖고고학〗 관(冠)의 솟은 장식 가운데 맞가지 장식의 양쪽 가장자리에 세워진 사슴뿔 모양의 장식. 녹각형 입식(鹿角形立飾).

사슴-풍뎅이 명 〖충〗[*Dicranocephalus adamsi*] 풍뎅잇과에 속하는 곤충. 몸이 작고 검으며, 수컷의 정수리에는 굽은 뿔이 하나 있음. 쇠똥에 잘 모여 들며, 한국 각지에 분포함.

사:습¹【士習】 명 선비의 풍습.

사습²【私習】 명 스승 없이 자기 스스로 배워 익힘. ——-하다 타여불

사:승¹【史乘】 명 〖책〗 사기(史記).

사승²【寺僧】 명 절의 중.

사승³【私乘】 명 사인(私人)이 쓴 역사.

사승⁴【祀丞】 명 〖역〗 대한 제국 때, 경효전(景孝殿)·홍능(洪陵)·의효전(懿孝殿)의 한 벼슬.

사:승⁵【使僧】 명 사자(使者)인 중.

사승⁶【師承】 명 스승에게서 가르침을 받음. ——-하다 타여불

사승⁷【師僧】 명 〖불교〗 스님❶.

사:-승근【四乘根】 명 〖수〗 네제곱근.

사:승 습장【死僧習杖】 명 죽은 중의 볼기를 친다는 뜻으로, 저항할 힘이 없는 사람에게 폭행을 가하거나 위엄을 부리는 일의 비유.

사:승-포【四升布】 명 넉새베.

사:시¹【巳時】 명 〖민〗 ①십이시(十二時)의 여섯째 시. 곧, 오전 9-11시까지의 사이. ②이십 사 시(二十四時)의 열 한째 시. 곧, 오전 10-11시까지의 사이. ㊟사(巳).

사:시²【史詩】 명 서사시(敍事詩)의 하나. 사실(史實)을 소재(素材)로 하여 쓴 시. 시사(詩史).

사:시³【四始】 명 그 해, 그 달, 그 날, 그 때의 처음이라는 뜻으로, 정월 초하룻날의 아침. 정월 원단(正月元旦).

사:시⁴【四時】 ㊀명 ①한 해의 네 철. 곧, 춘(春)·하(夏)·추(秋)·동(冬). 사계(四季). 사서(四序). ②한 달 중의 네 때. 곧, 회(晦)·삭(朔)·현(弦)·망(望). ③하루의 네 때. 곧, 단(旦)·주(晝)·모(暮)·야(夜). ㊁부 네 철을 통하여 늘. ¶ ~ 푸르다.

사:시⁵【四詩】 명 ①《시경(詩經)》의 네 가지 시체(詩體)로, 국풍(國風)·대아(大雅)·소아(小雅)·송(頌)의 총칭. ②시경의 고전(古典)의 네 가지. 곧, 노(魯)나라 사람 신배(申培)가 전하는 노시(魯詩), 제(齊)나라 사람 원고생(轅固生)이 전하는 제시(齊詩), 연(燕)나라 사람 한영(韓嬰)이 전하는 한시(韓詩), 노나라 사람 모형(毛亨)이 전하는 모시(毛詩)의 총칭. 모시 이외의 세 가지는 산일(散佚)되어 일부분만이 전(傳)함.

사:시⁶【死屍】 명 시체(屍體). 송장.

사:시⁷【死時】 명 ①죽을 때. 목숨이 넘어가려고 할 때. ②죽어야 할 시기. 죽어 마땅한 때.

사시⁸【沙市】 명 〖지〗 '사스(沙市)'를 우리 음으로 읽은 이름.

사시⁹【沙匙】 명 ①사기로 만든 숟가락. ②양숟가락.

사시¹⁰【私諡】 명 지위가 낮아서 역명지전(易名之典)이 없는, 학덕(學德)이 높은 선비에게 일가나 고향 사람 또는 제자들이 올리던 시호.

사시¹¹【邪視】 명 ①부정 사악한 것을 눈으로 보는 일. 또, 사악한 것으로 보는 일. ②정면에서 똑바로 사물을 보지 아니하고 곁눈질로 보는 일. 사시(斜視). ——-하다 자타여불

사시¹²【社是】 명 회사나 결사(結社)의 경영상의 방침. 또, 그 주장.

사시¹³【徙市】 명 〖역〗 신라 때부터 농사철에 몹시 가물면 기우제(祈雨祭)를 지내고 시장(市場)을 옮기던 일.

사:시¹⁴【捨施】 명 〖불교〗 시주하는 일. ——-하다 자여불

사시¹⁵【斜視】 명 ①〖의〗 눈알 자체는 온전하나 동안근(動眼筋)에 이상이 생겨서 양쪽 눈의 시선(視線)이 일치하여 주시점(注視點)에 향하지 못하는 상태. 변위(變位)된 시선의 방향에 따라, 내사시(內斜視)·외사시(外斜視)·상사시(上斜視)·하사시(下斜視) 등으로 나눔. ②눈을 모로 뜨거나 곁눈질로 흘기어 봄. 사시(邪視). ——-하다 자타여불

사:시¹⁶【肆市】 명 죄인을 사형에 처하여 저자에 버림.

사:시¹⁷【賜諡】 명 〖역〗 임금이 죽은 대신이나 장수에게 시호(諡號)를 내려 줌. 역명(易名). ↔상시(上諡). ——-하다 자여불

사시¹⁸【鯊翅】 명 상어의 지느러미를 껍질을 벗기어 말린 식료품. 흰 빛 또는 누른 빛으로 모양이 이쑤시개 같은데, 중국 요리에서 매우 중히 쓰임.

사:시 가절【四時佳節】 명 사시의 명절.

사-시계【砂時計】 명 모래 시계.

사시-나무 명 〖식〗[*Populus davidiana*] 버드나뭇과에 속하는 낙엽 활엽 교목. 잎은 호생하고 큰 달걀꼴 타원형 혹은 넓은 달걀꼴임. 자웅 이가(異家)로, 4월에 잎보다 앞서 꽃이 피는데, 수꽃이삭은 원추형(圓錐形), 암꽃이삭은 좁은 원추형이며, 삭과(蒴果)는 5월에 익음. 산복(山腹) 이하의 화전(火田)터에 많이 나는데, 전남북·충북을 제외한 한국 각지 및 일본·사할린·만주·중국·아무르·우수리 등지에 분포함. 상자(箱子)·성냥 개비·제지용(製紙用)·조각(彫刻)·화약(火藥) 원료 등에 씀. 백양(白楊).

〈사시나무〉

사시나무 떨:듯 구 몸을 몹시 떠는 모양. ¶ 얼굴은 파랗게 질리고, 몸은 사시나무 떨듯하며 가도 오도 못하고 섰다 《李人稙: 鬼의 聲》.

사:시-도【四時圖】 명 사철의 풍경을 그린 그림.

사시랑이 명 가늘고 약한 사람이나 물건.

사:시 마지【巳時麻旨】 명 〖불교〗 사시(巳時)에 부처님 앞에 올리는 밥.

사시미¹ 명 〈방〉 사슴(강원·경남·평안·함경).

사시미² 명 〈심마니〉 길. 도로.

사시미³ 〔일 刺身: さしみ〕 명 '어회(魚膾)'의 일본 말.

사:시 불공【巳時佛供】 명 〖불교〗 사시(巳時)에 올리는 불공.

사시-안【斜視眼】 명 사팔눈.

사시안-인【斜視眼人】 명 사팔뜨기.

사:시-이비【似是而非】 명 겉으로는 비슷하나 속은 다름. 옳은 듯하나 그름. 사이비(似而非). ——-하다 형여불

사:시 장:철【四時長—】 명 사철의 어느 철이나 늘. ¶ ~ 푸른 나무.

사:시 장:청【四時長青】 명 소나무·대나무 등과 같이 사철 푸름. ——-하다 형여불

사:시 장:춘【四時長春】 명 ①사철의 어느 때나 늘 봄과 같음. ②늘 잘 지냄.

사:-시절【四時節】 명 봄·여름·가을·겨울의 사철.

사:시 좌:선【四時坐禪】 명 〖불교〗 황혼(黃昏)·후야(後夜)·조신(早晨)·포시(哺時)의 네 때로 나누어 좌선하는 일. ——-하다 자여불

사:시-춘【四時春】 명 ①늘 봄날 같음. ②항상 명랑함.

사:시 춘풍【四時春風】 명 누구에게나 늘 좋은 낯으로 대하며 무사 태평한 사람의 일컬음. 두루 춘풍. 사면 춘풍(四面春風).

사:시 팔경도【四時八景圖】 명 〖미술〗 춘하추동 네 계절을 다시 이른 계절과 늦은 계절로 나누어 여덟 장면을 여덟 폭 화면에 나타낸 그림. 사계 팔경도(四季八景圖).

사:시 풍경가【四時風景歌】 명 〖문〗 작자·제작 연대 미상의 가사의 하나. 네 계절의 풍경을 그 특색에 맞추어 부른 노래.

사:시 풍류【四時風流】 [—뉴] 명 ①사철의 어느 때나 늘 풍류(風流)임. ②늘 풍류로 지냄.

사식¹【私食】 명 사사로이 마련하여 먹는 음식. 곧, 교도소·유치장 같은 곳에 갇힌 사람에게 사비(私費)로 들여 주는 음식. ↔관식(官食).

사식²【寫植】 명 ↗사진 식자.

사식-기【寫植機】 명 ↗사진 식자기.

사:식-성【死食性】 명 〖동〗 다른 동물의 사체나 배설물을 영양원으로 하는 동물의 식성. 파리의 유충이나 독수리 등이 있음.

사:신¹【史臣】 명 〖역〗 사초(史草)를 쓰는 신하. 곧, 예문관(藝文館)의 검열(檢閱).

사신²【司辰】 명 〖역〗 고려 때, 태사국(太史局)의 정구품(正九品) 벼슬.

사신³【司晨】 명 날이 샘을 알리는 것을 맡아 보는 일.

사:신⁴【四神】 명 〖민〗 ①네 방위를 맡은 신. 곧, 동쪽은 청룡(青龍), 서쪽은 백호(白虎), 남쪽은 주작(朱雀), 북쪽은 현무(玄武). 사수(四獸). ②중국에서, 사철을 각각 맡은 신. 봄을 구망(句芒), 여름을 축융(祝融), 가을을 욕수(蓐收), 겨울을 현명(玄冥)이라 함.

사신⁵【邪臣】 명 사심(邪心)을 품은 신하.

사신⁶【邪神】 명 재앙을 내리는 요사스러운 귀신. 화신(禍神).

사신⁷【私臣】 명 〖역〗 신라의 관직. 진평왕(眞平王) 44 년(622) 내성(內省)의 장관으로서 설치됨. 경덕왕(景德王) 18 년(759) 내성이 전중성(殿中省)으로 고쳐질 때 전중령(殿中令)으로 개칭되었다가 혜공왕(惠恭王) 12 년(776) 다시 본이름으로 바뀜. 정원은 1 인, 금하(衿荷) 이상 태대각간(太大角干)의 관등을 가진 사람으로 임명함.

사신⁸【私信】 명 사사로 하는 편지. 개인의 편지. ¶ ~ 불가침(不可侵).

사:신⁹【使臣】 명 임금이나 국가의 명령으로 외국에 심부름 가는 신하. ¶ ~을 보내다/외국의 ~을 영접하다.

사신¹⁰【蛇身】 명 뱀의 몸과 같은 몸.

사:신¹¹【捨身】 명 〖불교〗 수행(修行)·보은(報恩)을 위하여 속계(俗界)에서의 몸을 버리고 불문(佛門)에 들어감. ——-하다 자여불

사신¹²【辭神】 명 제례(祭禮)가 끝나서, 신(神)을 작별하여 보내는 일. ——-하다 자여불

사:신-경【四神鏡】 명 중국 한(漢)나라 때 사용하던 거울의 한 가지. 주로 백동질(白銅質)로써 주조(鑄造)한 것이 많은데, 지지(地支)의 문자·방위(方位)를 나타내는 사신형·금수(禽獸) 등을 장식하였음.

사신 곡복【絲身穀腹】명 입는 것과 먹는 것, 곧, 의식(衣食). 곡복 사신(穀腹絲身). 준사곡(絲穀).
사:신 공:양【捨身供養】명〖불교〗보리(菩提)를 위하여 손·발·몸의 살 또는 전신(全身)을 불(佛)·보살(菩薩)에 공양함. ——-하다 자여불
사신-교【邪神敎】명 사신(邪神)이나 우상(偶像)을 신봉(信奉)하는 교.
사:신-군웅【使臣軍雄】명〖민〗외국에 부임하는 사신을 호위하는 신. 국사(國使)를 따르는 호위 무관(武官)의 죽은 영이라고 함.
사:신 그:림【四神—】명〖고고학〗네 방위를 맡은 신, 곧 청룡·백호·주작(朱雀)·현무의 그림. 돌방무덤의 네 벽면에 그려짐. 사신도(四神圖).
사:신-기【四神旗】명 의장기(儀仗旗)의 한 가지. 청룡(靑龍)·백호(白虎)·주작(朱雀)·현무(玄武)를 그린 기.
사:-신덕【死信德】명〖천주교〗교리(敎理)를 믿기만 하고 실행하지 아니하는 믿음.
사:신-도【四神圖】명〖고고학〗사신 그림.
사:신 상응【四神相應】명〖민〗사신(四神)에 상응하는 가장 귀한 지상(地相). 왼쪽인 동쪽에 유수(流水)가 있는 것을 청룡(靑龍), 오른쪽인 서쪽에 대도(大道)가 있는 것을 백호(白虎), 정면인 남쪽에 한지(汗地)가 있는 것을 주작(朱雀), 뒤쪽인 북쪽에 구릉(丘陵)이 있는 것을 현무(玄武)라 함. 관위(官位)·복록(福祿)·무병(無病)·장수(長壽)를 병유(倂有)하는 지상. 사지 상응(四地相應).
사:신 성도【捨身成道】명〖불교〗사신하여 성도함. 속세에서의 몸을 버리고 불문에 들어가 도(道)를 이룸. ——-하다 자여불
사:신 왕:생【捨身往生】명〖불교〗자기가 자기의 생명을 끊고 극락 정토(極樂淨土)에 다시 태어나는 일. 입수(入水)·분신(焚身)·단식(斷食) 따위의 방법이 있었음.
사신 인수【蛇身人首】명 뱀의 몸에 사람의 머리를 한 모양. 중국 상고 시대의 제왕 복희씨(伏羲氏)의 괴상한 모양을 이름.
사:-신족【四神足】명〖불교〗신통 지혜(神通智慧)의 발이 되는 네 가지. 곧, 욕(欲)·정진(精進)·심(心)·사유(思惟)의 네 가지 힘으로 얻어지는 선정(禪定).
사:신-총【四神塚】명〖역〗널방의 벽에 사신(四神) 그림을 그린 고분(古墳)의 총칭. 고구려 시대의 고분에 많은데, 강서 삼묘리(江西三墓里)의 대묘(大墓), 용강(龍岡)의 쌍영총(雙楹塚) 등이 있음.
사-신(:)행[1]【査愼行】명〖사람〗중국 청나라 초기의 시인. 저장 성(浙江省) 하이닝(海寧) 사람. 강희제(康熙帝)의 신임이 두터웠으나, 관리 생활의 번잡을 피하여 귀향해서 자유 생활을 했음. 시집 ≪경업당집(敬業堂集)≫ 50권, ≪경업당 속집(續集)≫ 6권이 있음. [1650-1728]
사:신-행[2]【捨身行】명〖불교〗목숨을 아끼지 아니하고 닦는 수행.
사:신 행차【使臣行次】명〖역〗사신이 출발하여 길을 감. 준사행(使行).
사:신 회:의【使臣會議】[—/—이] 명 외국에 주재하는 사신들을 모아 여는 회의.
사실[1] 명〈방〉사슬.
사:실[2]【史實】명 역사 상에 있는 사실.
사실[3]【私室】명 개인의 방. 사인(私人)의 방.
사:실[4]【事實】㊀명 ①실제로 있었던 일 또는 있는 일. ¶ ~ 상의 부부. ②〖법〗법률 상의 효과를 발생하는 현상. ③〖철〗생각하였거나 말한 일에 대하여 현실로 이루어졌거나 일어난 일로서, 곧 주관(主觀)에 대하여 현존(現存)하는 일. 의심할 수 없는 현실적 존재성(存在性)을 가지며 사유(思惟)에 의하여 경험 내용으로 확립되는 것임. ㊁부 '진실로, 정말로, 사실을 말해서'의 뜻의 접속 부사. ¶ ~ 그렇다.
사실[5]【査實】명 사실을 조사함. ——-하다 타여불
사실[6]【寫實】명 사물을 실제로 있는 그대로 그려 냄. ¶ ~주의/~적 묘사. ——-하다 타여불
사실-가【寫實家】명 사물을 실제로 있는 그대로 그려 내는 사람.
사:실 관계【事實關係】명 사람과 사람 또는 사람과 사물의 사실 상의 관계.
사:실 근거【事實根據】명〔도 Tatsachengrund〕〖철〗일정한 사실이 존재(存在)하기 위한 근거. 곧, 사실적 존재의 이유로서, 그 사실이 인식되는 양태(樣態)가 아님. 가령 발열(發熱)은 병의 인식 근거(認識根據)임에 반(反)하여 병은 발열의 사실 근거임. 사실 이유(事實理由). ↔인식 근거.
사:실-담【史實談】[—땀] 명 역사 이야기.
사:실 무근【事實無根】명 근거가 없음. 전연 사실과 다름. ¶ ~한 소문. ——-하다 형여불
사:실 문:제【事實問題】명 ①〖법〗법률적인 가치 판단을 수반하지 아니하고, 다만 경험적인 사실에만 관계되는 문제. 소송에 있어서는 사실심(事實審)에 의하여 해결되고 상고 이유(上告理由)로는 되지 아니하는 것이 원칙임. ↔법률 문제. ②〖철〗사물의 기원(起源)이나 발생(發生)의 사실면에 관한 문제. 가치를 따지거나 비판하지 아니하고, 다만 그 사실이 어떠한 사정·상태·관계에 있는가를 확정하려는 견지의 경우. ↔권리(權利) 문제.
사:실 상의 정부【事實上—政府】[—쌍—/—쌍에—] 명〖정〗①혁명 등에 의하여 국내법상 비합법적으로 성립된 정부로서, 국제법상의 승인이 아직 행하여지지 아니하고, 국제법상의 주체적 지위를 가지지 못하여 사실상의 존재에 머물러 있는 정부. ②사실상의 승인을 받은 정부. 법률상 정식으로 승인을 받은 정부와는 다르지만, 제한적으로 국제법상의 지위를 인정받고 있는 정부.
사:실-성【事實性】[—썽] 명 사실을 중요하게 여기는 특성.
사실 소:설【寫實小說】명〖문〗현실을 있는 그대로 그려 낸 소설. 사실주의에 입각한 소설. ↔전기(傳奇) 소설.
사:실-심【事實審】명〖법〗소송 사건에서, 법률 문제뿐만 아니라 사실 문제도 심리·인정하는 심급(審級). 일반적으로 제1심과 항소심(抗訴審)을 말함. ↔법률심.
사:실 심:리【事實審理】[—니] 명〖법〗구형사 소송법상, 판결에 있어서 법령 적용의 기초로서의 사실을 조사하고 명백히 하던 일. 제1심과 제2심이 사실 심리를 함은 물론, 상고심에서도 상고 이유가 있는가를 심사하기 위하여 사실 심리를 하는 일이 있었음. 현행 형사 소송법에서는 원칙적으로 법률심(法律審)에 그침.
사:실 오:인【事實誤認】명〖법〗형사 재판에서, 법관이 사실의 인정을 그르친 경우. 이것이 판결에 영향을 미칠 것이 분명하면 항소(抗訴)의 이유가 되고, 또 그것이 중대한 오인이면, 상고심(上告審)에서의 원판결 파기(破棄)의 이유가 됨.
사:실-은【事實—】부 '숨김없이 털어 놓고 사실대로 말하면'의 뜻의 접속 부사.
사:실의 진리【事實—眞理】[—질—/—에질—] 명〔프 vérité de fait〕〖철〗사실의 존재에 관하여 반대로 사유(思惟)할 수 있는 우연적 진리(偶然的眞理). 독일의 수학자이며 철학자인 라이프니츠(Leibniz)의 용어(用語). ↔영구 진리.
사:실 이:유【事實理由】명〖철〗사실 근거(事實根據).
사:실 인정【事實認定】명〖법〗재판의 기초가 되는 사실의 존재 여부에 관한 법원의 판단. *사실 확정.
사:실-인즉【事實—】부 '사실은, 실지로는'의 뜻의 접속 부사.
사:실-적【寫實的】[—쩍] 명관 사물을 실지로 있는 그대로 그려 내려는 경향이 있는 모양. 리얼. 리얼리스틱.
사:실적 의속【事實的依屬】[—쩍—] 명〖철〗보편과 특수, 이유와 귀결(歸結)의 관계와 같이, 어떠한 것은 다른 것에 붙음으로 시간적·공간적 관계와 요소를 요하는 일. 사실적 의존(事實的依存). ↔논리적 의속(論理的依屬).
사:실적 의존【事實的依存】[—쩍—] 명〖철〗사실적 의속(事實的依屬).
사실-주의【寫實主義】[—/—이] 명〖문·미술〗자연이나 인생 등의 소재에 대하여, 그 실제를 있는 그대로 충실히 묘사하려고 하는 예술상의 한 주의. 19세기의 후반 낭만주의에 대립하여 일어난 것으로서, 낭만주의가 정서적·공상적·주관적인 데 대하여 이지적(理智的)·현실적·객관적인 면을 가지고 있음. 플로베르(Flaubert)의 소설 ≪보바리 부인≫, 쿠르베(Courbet)의 회화는 그 대표적인 것임. 리얼리즘(realism).
사실주의-적【寫實主義的】[—/—이—] 명관 사실주의에 속하는 모양.
사실-파【寫實派】명〖예〗사실주의의 예술을 지향하는 한 파.
사실-하다 타〈방〉사살하다[1](함경).
사:실 행위【事實行爲】명〖법〗법률적 효과를 발생하기 위해서 일정한 정신 작용이 표현됨을 필요로 하지 아니하는 행위. 주소 설정(住所設定)·가공(加工)과 같은 일. 이와 같은 행위는 무능력자(無能力者)라도 할 수 있음.
사:실-혼【事實婚】명〖법〗사실상의 관계가 그대로 법률상으로도 유효(有效)라고 인정되는 혼인. 내연 관계(內緣關係)와 같은 것. ↔법률혼(法律婚).
사:실혼-주의【事實婚主義】[—/—이] 명〖법〗사회 관습상 혼인으로 인정되는 내연 관계와 같은 사실 관계를 곧 법률상의 혼인으로 보는 입법주의. ↔법률혼주의(法律婚主義)·형식혼주의(形式婚主義).
사:실 확정【事實確定】명〖법〗법원이 재판에 참작하기 위하여 일정한 사실의 존재 여부를 결정하는 일. *사실 인정.
사심[1] 명〈방〉〖동〗사슴(경기·충청·전라·경상).
사:심[2]【死心】명 죽기를 각오한 마음.
사심[3]【邪心】명 ①못된 마음. 부정(不正)한 마음. 사의(邪意). ¶ ~을 품다. ②〖천도교〗도(道)를 닦지 아니하여 천심(天心)에 어그러진 마음. ↔영부심(靈符心).
사심[4]【私心】명 ①사사로운 마음. 사욕을 채우려는 마음. 사의(私意). ¶ ~을 버리다. ↔공심(公心). ②자기 일개인으로서의 마음. 자기의 생각.
사:심[5]【事審】명〖역〗↗사심관(事審官).
사심[6]【蛇心】명 뱀같이 간악하고 질투가 심한 마음.
사:심[7]【謝心】명 고맙게 여기는 마음.
사:심-관【事審官】명〖역〗고려 때, 서울에 있으면서 고향의 일에 참섭하던 벼슬아치. 현달(顯達)하고 문벌 있는 집안 사람을 그 고을의 기인(其人)과 백성들의 추천으로, 왕이 그 고을 사람으로 임명함. 수효는 인구에 따라 둘 또는 넷이 그 고을의 백성을 대표하는데, 인물을 평론하며, 부역(賦役)을 고르게 하고, 풍속을 바로잡는 임무가 있음. 태조 18년(935)에 신라 경순왕(敬順王) 김부(金傅)가 처음으로 경주의 사심관이 되었음. 충숙왕 5년(1318)에 폐함. 준사심(事審).
사심 불구【蛇心佛口】명 뱀의 마음에 부처의 입이라는 뜻으로, 마음은 간악하되 입으로는 착한 말을 꾸미는 일. 또, 그러한 사람.
사:심 주장사【事審主掌使】명〖역〗고려 문종(文宗) 이후, 사심관(事審官)의 임면(任免)을 주관(主管)하던 벼슬.
사:심-첩【事審帖】명〖역〗형사 사건의 예심(豫審) 조서.
사:심 탑지【死心塌地】명 충심으로 기꺼이 복종함. ——-하다 자여불
사-심판【私審判】명〖천주교〗각 사람이 죽은 직후에 따로따로 받는 심판. ↔공심판(公審判).
사:십【四十】수관 마흔.
【사십에 첫 버선】나이 들어 처음으로 일을 하여 보는 것의 비유. 사십 초말(四十初襪).
사:십구공-탄【四十九孔炭】명 49개의 구멍이 있는 연탄. *연탄.
사:십구년 설법【四十九年說法】명〖불교〗석가모니가 도를 깨달은 뒤, 마흔 아홉 해 동안 설법한 일.
사:십구-일【四十九日】명〖불교〗①중음(中陰)의 사이의 날수. 금생(今生)의 죽음과 미래생(未來生)과의 중간으로서, 아직 닥쳐올 과보(果報)를 감지(感知)하지 아니하는 동안. ②사람이 죽은 지 마흔 아흐레 되

는 날. 곧, 중음이 차는 날. 그 동안 일곱 번의 생사를 거쳐 각 과보를 감지하여, 삼계(三界)·육도(六道)에 가서 태어나는 날이라 하여 사십구일재(四十九日齋)를 지냄. 칠칠일(七七日). ③↗사십구일재.

사:십구일-재【四十九日齋】명〖불교〗사람이 죽은 지 사십구 일 되는 날에 지내는 재(齋). 삼계(三界)·육도(六道)에 가서 누리는 후생 안락(後生安樂)을 위하여 독경 공양(讀經供養)으로 명복을 빎. 칠칠재(七七齋). ㊟사십구일(四十九日).

사:십 시간제【四十時間制】명 1 주일의 노동 시간을 40 시간으로 제한하는 제도. 1 주 5 일 8 시간제, 1 주 6 일 6 시간 40 분제, 토요 단축의 7 시간 등의 형이 있음. *주휴 이일제(週休二日制).

사:십-이불혹【四十而不惑】명〔공자(孔子)가 사십세가 되어 도리(道理)를 명확히 알게 되고, 어떤 일에 부닥쳐도 의혹(疑惑)하지 아니하였다는 데서〕나이 사십이면 어떠한 일에도 혹(惑)하지 아니함을 뜻하는 말. 이 말에서 유래하여 사십세를 불혹(不惑)이라 이름. *삼십이립(三十而立).

사:십이장-경【四十二章經】명〖불교〗불교 경전으로서 중국에 최초로 전하여진 경전. 후한(後漢) 때에, 불교를 처음으로 중국에 전한 중인도(中印度)의 중 가엽마등(迦葉摩騰)·축법란(竺法蘭)의 두 사람이 칙명에 의해 뤄양(洛陽) 백마사(白馬寺)에서 번역하였다고 하나, 중국에서 찬술(撰述)된 것이 아닌가 의문시되고 있음. 출가 후의 학문의 도리와 일상 생활에 관하여 교훈한 것임. 1 권 42 장(章)으로 이루어져 있음.

사:십일-주【四十日酒】명 담근 지 마흔 날 만에 익는 술.

사:십 초말【四十初襪】명 늙어서 처음으로 일을 하여 봄을 비유하는 말. 사십에 첫 버선.

사:십팔 경계【四十八輕戒】명〖불교〗범망경(梵網經)에서 내세운 대승계(大乘戒) 가운데, 십중금계(十重禁戒)에 대하여, 비교적 가벼운 죄를 경계한 마흔 여덟 조목의 계. 스승과 벗을 공경할 것, 술을 마시지 말 것, 고기를 먹지 말 것 등의 내용으로 되어 있음. 사십팔계.

사:십팔-계【四十八戒】명〖불교〗사십팔 경계(四十八輕戒).

사:십팔 대:원【四十八大願】명〖불교〗사십팔원(四十八願).

사:십팔 시간제【四十八時間制】명〖사〗1 주 6 일의 노동 시간을 48 시간으로 제한하는 제도. 팔 시간 노동제.

사:십팔-야【四十八夜】명〖불교〗아미타불의 사십팔원(願)을 마흔 여덟 밤으로 나누어 밤마다 염불(念佛)하는 일.

사:십팔-원【四十八願】명〖불교〗아미타불이 법장 비구(法藏比丘)라 불리었던 옛적에, 일체의 중생(衆生)을 구제하기 위하여 마음먹었던 마흔여덟 가지 큰 서원(誓願).

사슬 명〈옛〉화살대. ¶스승 앏픠셔 사슬 쌔혀 글 외오기 ᄒᆞ야(師傅前撤簽背念書)《老乞 上 3》.

사슴 명〈옛〉사슴. ¶鹿皮ᄂᆞᆫ 사ᄉᆞᄆᆡ 가치라《月釋 Ⅰ:16》.

사쓰마 반:도【一半島】〔薩摩:さつま〕명〖지〗일본 규슈(九州) 남단에 돌출한 오스미 반도(大隅半島)와 함께 가고시마 만(鹿児島灣)을 둘러싸고 있는 반도. 고구마·담배·차(茶)가 주산물임.

사:씨 남정기【謝氏南征記】명〖책〗조선 숙종(肅宗) 때 김만중(金萬重)이 지은 소설. 풍간(諷諫)의 뜻을 가진 목적 소설(目的小說)로서 당시 왕이 장씨(張氏)에게 미혹되어, 인현 왕후(仁顯王后)를 폐출(廢黜)한 것을 풍자하여 쓴 것이라 함. 이 작품은 양반(兩班)의 손에 의하여 처음으로 한글로 씌어진 소설로서 국문학사상 의의가 큼.

사ᄉᆞ 명〈옛〉주사위. ¶사ᄉᆞ 투(骰)《字會 中 19》.

사아[1] 명〈방〉주사위.

사:아[2]【死兒】명 죽은 아이.

사:아군〔Sahagún, Bernardino de〕명〖사람〗스페인 태생의 프란시스코 수사(修士). 1529년 멕시코에 건너가 인디오(Indio)에 관한 민족지(民族誌) 자료를 수집하여 아스테크(Aztec) 문화에 관한 최대의 원전(原典)인 《누에바 에스파냐의 사물에 관한 개사(槪史)》를 저술(著述)함. [1499?-1590]

사아대 명〈옛〉상앗대. ¶船只有篙方言沙牙大《雅言 卷二》.

사:-아함【四阿含】명〖불교〗↗사아함경(四阿含經).

사:-아함경【四阿含經】명〖불교〗네 가지 아함경. 곧, 증일 아함경(增一阿含經)·장아함경(長阿含經)·중아함경(中阿含經)·잡아함경(雜阿含經)의 총칭. 원시 불교(原始佛教)·소승 불교(小乘佛教)의 근본 경전(經典)으로서, 사제(四諦)·십이 인연(十二因緣)·팔정도(八正道) 등의 법문(法門)을 밝히었음. ㊟사아함(四阿含).

사악[1]【司樂】명〖역〗신라 음성서(音聲署)의 으뜸 벼슬. 경덕왕 때 전의 경(卿)을 고친 이름인데, 혜공왕이 다시 경으로 고침.

사:악[2]【四岳】명 ①고대의 중국에서, 동악(東岳)인 태산(泰山), 서악인 화산(華山), 남악인 형산(衡山), 북악인 항산(恆山)의 총칭. 천자(天子)가 순수(巡狩)할 때, 그 방면의 제후(諸侯)를 이곳에서 만나 보았다고 함. ②〖역〗기원전 24 세기경의 중국에서 사방의 제후를 통솔(統率)하던 벼슬.

사:악[3]【四惡】명 논어(論語)에 있는 말로, 나라를 다스리는 데 있어서의 네 가지 나쁜 일. 곧, 가르치지 아니하고 죽이는 일, 훈계함이 없이 되어 가는 꼴을 바라보는 일, 영(令)을 내리기를 게을리하다가 후에 기한이 다가오자 서두르는 일, 사람에게 주는 것을 인색하게 구는 일의 네 가지.

사악[4]【邪惡】명 간사하고 악독함. ——-하다 형여불

사악[5]【詞樂】명〖악〗중국 송나라 때 성행하던 사(詞)의 음악. 고려 문종(文宗) 이후에 우리 나라에 들어와 상당수의 사(詞)가 고려사 악지 등에 전함. 조선 선조 때부터 향악화(鄕樂化)되면서 차츰 가사는 탈락하고 기악으로만 연주됨. 산사(散詞).

사:악[6]【肆惡】명 악독한 성미(性味)를 함부로 부림. ——-하다 자여불

사:악[7]【賜樂】명 임금이 음악을 내리어 줌. 또, 그 음악. ——-하다 자여불

사:-악도【四惡道】명〖불교〗악인이 죽어서 가는 네 가지 길. 곧, 지옥(地獄)·아귀(餓鬼)·축생(畜生)·아수라(阿修羅). 사악취(四惡趣). 사취(四趣).

사악-류【絲顎類】[一뉴] 명〖동〗[Nematognathi] 조기류(條鰭類)의 한 아목(亞目). 머리는 종편(縱扁)하며 긴 수염이 있고, 몸빛은 발갛고 골편(骨片)이 있으며, 탐식(貪食)하는 성질이 있어 양어에 해가 됨. 담수어(淡水魚)로서 메기·쏠종개 등이 이에 속함.

사악-수【司樂手】명 궁중의 악사(樂士).

사:-악취【四惡趣】명〖불교〗사악도(四惡道).

사안[1]【司案】명〖역〗조선 시대에, 액정서(掖庭署) 정칠품(正七品) 잡직(雜職)의 하나. 부(副)사안의 위, 부사약(副司鑰)의 아래.

사:안[2]【死顏】명 죽은 사람의 얼굴.

사안[3]【沙岸·砂岸】명 모래 언덕.

사안[4]【邪眼】명 사악한 눈. 또, 그런 눈의 표정.

사안[5]【私案】명 일 개인의 고안. 개인적인 안(案).

사:안[6]【事案】명 법률적으로 문제가 되어 있는 일의 안건(案件). ¶범법(犯法) ~.

사안[7]【査案】명 사건을 조사하여 적은 안.

사안[8]【斜眼】명 곁눈질로 보는 눈. 흘겨보는 눈. *사시(斜視).

사:안[9]【賜顏】명 좋은 낯으로 아랫사람을 대함. ——-하다 자여불

사:-안[10]【謝安】명〖사람〗중국 동진(東晉) 중기(中期)의 명신. 자(字)는 안석(安石). 양샤(陽夏)에서 태어남. 벼슬하지 않고 동산 산(東山)에 들어가 은거하고 있다가 40세에 이르러 처음으로 관계에 나가서 정서대장군(征西大將軍) 환온(桓溫)의 사마(司馬)가 됨. 뒤에 태보(太保)에 이르러, 전진왕(前秦王) 부견(苻堅)의 군을 페이수이(淝水) 싸움에서 막음. 사후(死後)에 태부(太傅)로 추증(追贈)되었으므로 사태부(謝太傅)라 불림. 시호(諡號)는 문정(文靖). [320-385]

사알[1]【司謁】명〖역〗①고려 때 내시부(內侍府)의 정칠품(正七品) 벼슬. ②조선 시대 때 액정서(掖庭署)의 정육품 잡직(雜職)의 하나.

사알[2]【私謁】명 윗사람을 사사로이 뵘. ——-하다 타여불

사:알[3]【賜謁】명 임금이 신하를 만날 것을 허락함. ——-하다 자여불

사암[1]【寺庵】명 절과 암자.

사암[2]【思庵】명〖사람〗박순(朴淳)의 호(號).

사암[3]【砂岩】명〖광〗퇴적암(堆積岩)의 하나. 비나 바람의 힘으로 부서진 석영(石英)·장석(長石) 등의 모래 알이 물 속에 가라앉았다가 뭉쳐서 된 성층암(成層岩). 보통 사립(砂粒) 사이에는 점토(粘土)가 섞임. 건축·토목의 석재나 숫돌의 재료로 쓰임. 사암석. 샌드스톤(sandstone). 모랫돌.

사:암[4]【俟菴】명〖사람〗정약용(丁若鏞)의 호(號).

사:-암각【四暗刻】명 마작(麻雀) 놀이에서, 암각 네 짝이 갖추어져 있는 일.

사:암경-집【俟菴經集】명〖책〗상서 고훈(尙書古訓).

사암-석【沙岩石】명〖광〗사암.

사앗-대 명 ↗상앗대.

사애【私愛】명 ①공평하지 아니하고 치우친 사랑. 편애(偏愛). ②남 몰래 사랑함. ——-하다 타여불

사:액[1]【死厄】명 죽은 액운.

사:액[2]【賜額】명〖역〗임금이 사원(祠院) 등에 이름을 지어, 이를 새긴 편액(扁額)을 내림. ——-하다 자여불

사:액 서원【賜額書院】명〖역〗임금이 이름을 지어, 이를 새긴 편액(扁額)을 내린 서원. 보통 서적·토지·노비 따위도 함께 하사하였음. 조선 명종(明宗) 5년(1550)에 이황(李滉)의 요청으로, 주세붕(周世鵬)이 세운 경상 북도 풍기(豐基)의 백운동(白雲洞) 서원(書院)에 '소수 서원(紹修書院)'으로 사액한 것이 시초임.

사앵【絲櫻】명〖식〗[*Prunus itosakura*] 장미과에 속하는 낙엽 교목(落葉喬木). 가지가 가늘고 길며, 아래로 축 늘어지는 벚나무의 한 가지로서, 벚나무보다 꽃이 더 일찍 핌. 잎은 긴 타원형(楕圓形)이고, 잎이 나기 전에 흰 빛 또는 엷은 분홍의 꽃이 피는데, 꽃잎은 보통의 벚나무보다 작고 홑으로나 겹으로 되어 있음. 관상용임.

〈사앵〉

사:야【四野】명 사방의 들.

사야다【闍夜多】명〖사람〗석가(釋迦)의 20대 제자. 지혜가 깊고 제도(濟度)를 많이 하고 바수반두(婆修槃頭)에게 법의(法衣)를 전하였음.

사야도 자〈옛〉새어도. '새다[1]'의 활용형. ¶모로매 하ᄂᆞᆯ히 사야도 낟디 아니호ᄆᆞᆯ 아롤디니라. 오직 하ᄂᆞᆯ히 사야도 낟디 아니호ᄆᆞᆯ(須知天曉不露只如天曉不露)《金三 Ⅳ:52》.

사약[1]【司鑰】명〖역〗조선 시대에, 액정서(掖庭署)의 정육품 잡직(雜職). 부(副)사약의 위.

사:약[2]【四藥】명〖불교〗중에게 허용되는 사종(四種)의 음식. 음식은 기갈이나 병을 멀리하기 때문에 이것을 약이라고 함. 시약(時藥)·야분약(夜分藥)·칠일약(七日藥)·진형수약(盡形壽藥)의 네 가지. 시약은 오전 중에 먹어도 좋은 것, 야분약은 특히 갈병(渴病)·냉병(冷病) 따위를 고치기 위해서 허용되는 것, 칠일약은 칠일간만 비축(備蓄)이 허용되는 것, 진형수약은 평생 비축(備蓄)이 허용된 것임.

사:약[3]【死藥】명 먹으면 죽는 독약.

사약[4]【私約】명 개인간의 약속. 내밀한 약속. ↔공약(公約).

사:약[5]【賜藥】명〖역〗사형(死刑)의 일종으로, 왕족 또는 사대부가 죄를 범하였을 때, 임금이 내리는 독약. ——-하다 자여불

사약[6]【瀉藥】명 설사하는 약. 사하제(瀉下劑). 하제(下劑). 사제(瀉劑).

사약-채 명〖한의〗☞바디나물.

사얀 산맥【一山脈】〔Sayan〕명〖지〗러시아의 시베리아 중남부의 산맥.

대체로 T자 모양으로 교차하는 동서의 두 산맥으로 이루어짐. 서쪽의 산맥은 약 650 km, 동쪽의 산맥은 약 1,000 km의 길이임. 최고봉은 동쪽 산맥의 높이 3,491 m인 문쿠사르디크 산(Munku-Sardyk 山)임.

사양[1] 명 〈방〉 사냥(함경).

사양[2]【斜陽】명 ①저녁때 서쪽으로 기울어진 해. 또, 그 햇빛. 사조(斜照). 측일(仄日). ②전(轉)하여, 새로이 일어나는 것에 압도되어 점점 몰락해 가는 일. ¶ ~ 산업. 「여불

사양[3]【飼養】명 짐승을 먹이어 기름. 사육(飼育). ¶ ~법. ——-하다 타

사양[4]【辭讓】명 자기에게 이로운 일을 겸손히 사절하거나 남에게 양보함. ¶ 초대를 ~하다. ——-하다 타여불

사양[5] 〔Saillant, Louis〕명〖사람〗프랑스의 노동 운동 지도자. 제2차 세계 대전 당시는 프랑스의 레지스탕스 운동을 지도하고, 1945년 '세계 노동 연맹' 결성과 더불어 그 서기장이 됨. [1910-74]

사:양-도【泗洋島】명〖지〗전라 남도의 남해안(南海岸), 고흥군(高興郡) 봉래면(蓬萊面)에 위치한 섬. [0.78 km²: 802 명(1987)]

사양-료【飼養料】[—뇨] 명 동물을 사육하는 데 필요한 식료(食料). 또, 그것에 소비되는 경비(經費).

사양-머리 명 ☞새앙머리.

사양-법【飼養法】[—뻡] 명 짐승을 기르는 방법. 사육법(飼育法).

사양-병【私養兵】명 사병(私兵). 「지(私有地)인 산. ↔봉산(封山).

사양-산【私養山】명〖역〗조선 시대에, 사사로이 금양(禁養)하는 사유

사양 산:업【斜陽産業】명〖경〗기술 혁신의 진전이나 수급(需給) 구조의 변화, 신제품·새 시장의 개발 또는 국제 경쟁력의 변화 등으로 현저하게 쇠퇴하는 산업. 에너지 혁명과 원료 전환의 진전으로 인한 석탄·석탄 화학·화학 섬유 공업 등이 이에 속함.

사양-서【仕様書】명 '시방서(示方書)'의 구칭.

사양-족【斜陽族】명 시세(時勢)의 변화로 몰락한 전 상류 계급의 사람들. 귀족이나 양반 등으로 점점 몰락해 가는 사람들. 「[1,469 m]

사양지-산【蛇陽地山】명〖지〗함경 남도 장진군(長津郡)에 있는 산.

사양지-심【辭讓之心】명 사단(四端)의 하나로, 사양할 줄을 아는 마음.

사양-채 명〖식〗전호(前胡)❶.

사양-토【砂壤土】명 진흙이 비교적 적게 섞인 보드라운 양토(壤土). 사질 양토(砂質壤土). 모래참흙. *치양토(埴壤土).

사양 표준【飼養標準】명 가축(家畜)을 합리적으로 사양하기 위하여, 실험 결과에 의하여 제안된 사료의 급여 표준. 가축의 종류·사육 목적·체중·연령 등에 따른 필요 양분량의 기준을 에너지량·단백질량·비타민량·무기질량 등에 대하여 나타낸 것. 19세기 후기부터 각국에서 많은 사양 표준이 안출(案出)되었으나, 영양소 필요량의 표시 방법은 각각 다름.

사어[1]【司馭】명〖역〗'사복시(司僕寺)'의 이칭.

사:어[2]【死語】명 〔dead language〕〖언〗죽은 말. 옛날에는 썼으나 현재는 쓰이지 아니하는 말. 고대 그리스어·중세 로맨스어(中世 Romance 語)·중세 게르만어(中世 German 語) 등. 폐어(廢語). ↔산말·활어(活語).

사어[3]【沙魚·鯊魚】명〖어〗①모래무지. ②상어.

사어[4]【私語】명 ①사사로이 수군거리는 말. ②속삭이는 말. ——-하다 자여불

사어[5]【射御】명 활쏘기와 말타기.

사어[6]【梭魚】명〖어〗꼬치고기.

사어-부【司馭府】명〖역〗승부(乘部)를 신라 경덕왕(景德王)이 고치어 부르던 이름. 그 아들 혜공왕(惠恭王)이 다시 승부로 고치었음.

사어-피【鯊魚皮】명 상어의 껍질. 말려서 군도(軍刀)의 자루나 칼집 또는 안경집 등에 붙여서 썼음. 교어피(鮫魚皮). 준어피(魚皮).

사:언-교【四言教】명〖철〗네 가지의 말로써 표현된 왕양명(王陽明)의 교의(教義). 선(善) 없고 악(惡) 없음은 마음의 체(體)요, 선 있고 악 있음은 뜻의 동(動)이요, 선을 알고 악을 아는 것은 양지(良知)이고, 선을 행하고 악을 물리침은 격물(格物)이라 함.

사:언-시【四言詩】명 한 구(句)가 넉 자로 이루어진 중국의 옛 시(詩).

사업[1]【司業】명 ①〖역〗고려 때 국자감(國子監) 또는 성균관(成均館)의 종사품(從四品) 벼슬. ②〖역〗중국 국자감(國子監)의 교수. 수(隋)나라의 양제(煬帝) 때에 두었던 것으로, 지금의 대학 교수에 상당함.

사:업[2]【死業】명 ①〖불교〗전세(前世)의 업보(業報)로써 죽는 일. ②죽을 업보.

사업[3]【社業】명 회사의 사업. ¶ ~ 확장.

사업[4]【邪業】명 나쁜 행위. 올바른 길에서 벗어나는 행위.

사:업[5]【事業】명 ①일. ②일정한 목적과 계획 밑에서 경영하는 경제적 활동. ¶ ~가/~욕. ——-하다 자여불

사업[6]【徙業】명 다른 직업으로 옮김. ——-하다 자여불

사업[7]【斯業】명 이 사업. 또, 이 직업. 「숙한 사람. 사업자.

사:업-가【事業家】명 사업을 계획하고 경영하는 사람. 또, 그런 일에 능

사:업-계【事業界】명 사업가들의 사회. *업계(業界).

사:업 공채【事業公債】명〖경〗사업 자본으로서 모집하는 공채. 국가 또는 지방 자치 단체가 철도·통신 그 밖의 공익 사업(公益事業)을 창설 또는 확장함에 필요로 하는 자금을 조달하기 위하여 발행하는 공채.

사:업-단【事業團】명 특정한 공공 목적을 부여받아 특별한 법률에 의해 설립된 특수 법인의 하나. 나라의 경제 정책·사회 정책의 수행을 담당하되, 공단(公團)보다 규모가 작고 기업성(企業性)이 희박하며, 완전한 독립 채산성(獨立採算性)을 유지하기 어려운 것이 특징임. ¶방송~.

사:업별 예:산【事業別豫算】[—례—] 명〖경〗정부의 기능·활동·사업 계획에 바탕을 두고 편성되는 예산.

사:업 보:고서【事業報告書】명〖경〗회사가 결산기에 재무 상황이나 사업 내용을 기재하여 공시(公示) 자료로서 주주(株主)·증권 관리 위원회·증권 거래소 등에 제출하는 보고서.

사:업 보:험【事業保險】명〖경〗사업 경영자의 생사(生死)에 관련하여 그 사업에 발생하는 경제적 필요를 충당하는 보험. 임원(任員) 또는 간부(幹部) 직원의 사망에 의한 사업의 손실(損失)을 보상(補償)하는 목적의 생명 보험, 고용주(雇用主)가 피고용자(被雇用者) 또는 그 가족을 위하여 피고용자를 피보험자로 하는 생명 보험이나 건강 보험, 사업이 금융(金融)을 받는 경우의 담보(擔保)로 되는 임원의 생명 보험, 사업주 사망의 경우에 각종의 지출에 응하기 위한 생명 보험 등.

사:업부-제【事業部制】명 〔divisional system〕〖경〗대표적인 자유 재량을 주는, 기업의 분권적(分權的) 관리의 한 조직 형태. 기업의 조직을 제품별·지역별·시장별 사업부로서 조직 단위를 설정하고, 각 사업부에는 기업의 전체적인 견지에서 산출(算出)한 이익 목표만을 주어, 그것을 어떻게 달성하는가는 각 사업부의 자유 재량에 맡기는 제도.

사:업-세【事業稅】명 영업세(營業稅). 「업장.

사:업-소【事業所】명 어떤 사업의 활동이 이루어지는 일정한 장소. 사

사:업 소:득【事業所得】명〖법〗소득세법상의 분류로, 축산업·임업·수산업·제조업·도매업·소매업·서비스업 등 각종 사업에서 생기는 소득. 연간 총수입 금액에서 소요된 필요 경비를 공제한 금액. *근로 소득.

사:업소-세【事業所稅】명〖법〗지방세의 하나. 도시 등의 환경 개선 및 정비에 필요한 비용에 충당하기 위하여 특정 지역내에 사업소를 둔 사람에게 시·군의 목적세로 부과함. 재산할(財産割)과 종업원할(從業員割)의 두 가지가 있고, 사업소의 연면적이 330 제곱미터 이하인 경우는 재산할을, 종업원이 50 명 이하인 경우에는 종업원할을 부과하지 아니함.

사:업 연도【事業年度】[—년—] 명〖경〗회사나 그 밖의 법인(法人)이 그 사업의 성적·수지(收支)·손익(損益)의 결산(決算)의 상태를 분명히 하기 위한 일정한 기간. 법으로 정하지 아니하는 것이 원칙이지만 대개는 정관(定款)·규약(規約) 등으로 정하였으며, 반드시 한 해를 한 연도로 정하는 것을 필요로 하는 것은 아니나, 우리 나라에서는 흔히 한 해를 상반기(上半期)·하반기(下半期)의 둘로 나눔. 영업 연도.

사:업-열【事業熱】[—녈] 명 사업에 관한 열성.

사:업-욕【事業慾】[—뇩] 명 사업을 하려는 욕심. 사업에 대한 욕망.

사:업-자【事業者】명 상업·공업·금융업, 기타의 사업을 경영하는 자의 총칭. 사업가. 「사업에 투자(投資)된 자본.

사:업 자본【事業資本】명〖경〗사업의 경영에 필요로 하는 자본. 또,

사:업-장【事業場】명 사업을 하는 장소. 사업소. 「자본주를 일컬음.

사:업-주【事業主】명〖경〗어떤 경영을 하는 사람, 또는 단체. 흔히는

사:업 지주 회:사【事業持株會社】명 〔operating holding company〕타사(他社)의 주식을 보유(保有)함으로써 단순히 타사를 지배하는 데 그치고, 다른 실제적인 업무를 행하지 아니하는 순수(純粹) 지주 회사에 대하여, 지주(持株)에 의한 타사 지배와 더불어 스스로도 직접 어떤 사업을 경영하는 회사.

사:업-채【事業債】명〖경〗금융 기관 이외의 일반 사업 회사가 발행하는 사채(社債). 철강(鐵鋼)·섬유(纖維)·전력(電力)·해운(海運)·철도(鐵道) 등의 사채. ↔금융채.

사:업-체【事業體】명〖경〗사업을 경영하는 한 기관으로서의 구성.

사:업 확장 적립금【事業擴張積立金】[—닙—] 명〖경〗회계 용어로, 건물의 신축·설비의 증설(增設), 기계의 구입(購入) 기타 고정(固定) 자산의 구입·증설 등 사업의 확장에 필요한 자금을 준비하기 위하여 이익의 일부를 유보(留保)하는 돈.

사:업 회:계【事業會計】명 특별 회계의 한 가지. 관영 사업에 관한 수지의 계산을 명확히 하기 위한 것으로서 전매 사업·교통 사업·통신 사업의 회계 같은 것. 작업(作業) 회계.

사:업 회:사【事業會社】명 ①사업 경영을 행하는 회사. ②상사(商事) 회사에 대하여, 공업·광업·운수업 등 생산업을 영위하는 회사. ↔상사 회사(商事會社). 「調≫.

사엇대 명 〈옛〉 상앗대. ¶ 길나믄 사엇대를 굿굿치 두러메여 ≪古時

사:에이치 위원회【4H委員會】명 4H 클럽의 사업을 돕기 위하여 조직된 민간 후원 단체. 주로 표창 사업과 과제 물자(課題物資) 지원을 위한 부대 사업을 실시함. 1954년에 중앙 위원회가 결성되었고, 각 도(道)·군(郡)에는 각각 단위 위원회가 있음.

사:에이치 클럽 〔4H club〕명〖사〗생활의 개선이나 기술의 개량을 목적으로 하는 농촌 청소년(農村青少年)의 조직. 4H는 head(머리)·hand(손)·heart(마음)·health(건강)의 뜻으로, 곧 머리를 써서 더 좋은 생각을 하고, 손으로 큰 봉사(奉仕)를 하며, 진실하고 동정하는 마음을 가지고, 건강을 유지하여 가정과 지역 사회와 하느님께 봉사할 것을 맹세하고 있음. 1914년 미국에서 처음으로 조직된 뒤, 제2차 세계 대전 후 우리 나라에도 각처에 조직되었음.

사:에틸-납【四—】[—랍] 명 〔lead tetra-ethyl〕〖화〗에틸기(ethyl 基)와 납과의 화합물. 무색 가연성(可燃性)의 맹독성 액체로서 끓는점 198-202℃. 염화납(Ⅱ)과 삼에틸 알루미늄의 반응, 또는 납-나트륨 합금을 브롬화 에틸에 작용시켜 얻음. 자동차·항공기의 연료의 내폭제(耐爆劑)로서 사용하였으나 현재는 사용 금지되고 있음. 호흡·접촉(接觸)에 의하여 중독(中毒)을 일으키므로 취급에 주의하여야 함. 테트라에틸납. [$(C_2H_5)_4Pb$]

사:에프 시대【四F時代】명〖사〗식량(food)·병기(兵器; fire)·연료(fuel)·비료(fertilizer)가 큰 비중을 차지하는 현대 사회의 일컬음.

사:여【賜與】명 나라나 관청에서 물품을 백성에게 내림. 사급(賜給). 시여(施與). ——-하다 타여불

사여 가다 자 〈옛〉 새어 가다. ¶ 이논 늘거 셰욤도 므슷매 설이 너기디 아니ᄒᆞ야 ᄇᆞ리며 밤 사여감도 므던히 너기노라ᄒᆞ니라 ≪初杜諺 XV: 49≫. *새다[1].

사:역[1]【四域】명 사방의 지역.

사역[2]【寺役】[명] ①절에 관한 부역. ②절에서 하는 역사(役事).
사역[3]【寺域】[명] 절의 구역 내. 절의 부지(敷地) 안.
사:역[4]【死域】[명] 〔dead space〕〖군〗 ①무기의 최대 사정, 레이더 및 관측자의 최대 능력 범위 내에 있는 지역으로서, 장애물·지형 특징·탄도 특징·무기의 조준 능력의 제한 등으로 인하여 화력이나 관측으로써 망라할 수 없는 지역. ②무선 송신기의 통달 거리 내에 있는 지역으로서 신호를 받을 수 없는 지역. ③기계적 또는 전자적 제한으로 인하여 포나 유도탄을 발사할 수 없는 공역(空域).
사:역[5]【使役】[명] ①사람을 부리어 일을 시킴. 어떤 작업(作業)을 시킴을 당해서 일을 함. ②〖군〗 작업(作業). ¶ ~병(兵). ③사환(使喚). ④〖언〗 타인에게 그 동작을 시키는 것을 나타내는 어법(語法). ¶ ~형. ——-하다 [타][여불]
사역[6]【思繹】[명] 생각하고 찾아 구함. ——-하다 [타][여불]
사:역 동:사【使役動詞】[명]〖언〗 사동사(使動詞).
사:역-병【使役兵】[명]〖군〗 본무(本務) 이외에 임시로 잡무에 복무하는 병사(兵士).
사역-원【司譯院】[명]〖역〗 고려말과 조선 시대에 번역 및 통역에 관한 사무를 맡아 보던 관청. 조선 시대에는 한학(漢學)·몽학(蒙學)·왜학(倭學)·청학(淸學)을 주로 취급함. 고종 31년(1894)에 폐합. 설원(舌院). 상원(象院).
사역원-본【司譯院本】[명] 사역원에서 간행한 책.
사:역-형【使役形】[명]〖언〗 사역 동사(使役動詞)의 형태. 하임꼴.
사:연[1]【四筵】[명] 사방의 자리. 전(轉)하여 주위의 사람들. 만좌(滿座).
사:연[2]【死緣】[명]〖불교〗 사람을 죽음에 이르게 하는 현재의 보차적(補次的)인 여러 조건(條件). 과거의 업인(業因)으로서의 사인(死因)에 대한 현재의 조연(助緣)을 일컬음.
사:연[3]【使然】[명] 그렇게 하도록 시킴. ——-하다 [타][여불]
사:연[4]【事緣】[명] 사정(事情)과 연유(緣由). ¶ ~을 말하다.
사연[5]【社燕】[명]〖조〗 제비[3]❷.
사연[6]【師椽】[명]〖건〗 부연(附椽).
사연[7]【詞筵】[명] 문인(文人)들이 회합하는 좌석.
사:연[8]【賜宴】[명] 나라에서 잔치를 내림. 또, 그 잔치. ——-하다 [자][여불]
사연[9]【辭緣·詞緣】[명] 편지나 말의 내용. ¶ 편지의 ~.
사:연 설법【肆筵說法】[—뻡] [명]〖천도교〗 자리를 깔고 의식을 갖추어 도를 닦는 일.
사연 연:주회【私演演奏會】[—연년—] [명]〖악〗 음악 연구가가 제한된 청중을 모아 놓고 사사로 개최하는 연주회.
사열【查閱】[명] ①조사하기 위하여 죽 살펴봄. ¶ ~대. ②〖군〗 ↗사열식(查閱式). 열병(閱兵). ——-하다 [타][여불]
사열-단【查閱團】[—딴] [명]〖군〗 ①어떤 부대의 열병 또는 정식 검열을 받는 집단. ②부대의 숙달 정도를 판정하기 위하여 열병식을 관찰하는 지휘관 및 참모.
사열-대【查閱臺】[—때] [명]〖군〗 사열식 때 사열하는 사람이 올라서는 높은 단.
사열-식【查閱式】[명]〖군〗 군대 장병을 정렬시키거나 행진시키어 그 사기나 장비를 사열하는 의식. [준]사열. *분열식.
사염【私塩】[명] 관(官)의 허가 없이 파는 소금. ↔관염(官塩).
사:-염주【四念住】[명]〖불교〗 몸은 부정(不淨)한 것, 받는 것은 고(苦)임, 마음은 무상(無常)함, 법은 무아(無我)임을 달관(達觀)하는 일.
사:-염화【四塩化】[명]〖화〗 1 분자 안에 염소 원자 네 개를 포함함.
사:염화 규소【四塩化珪素】[명] 〔silicon tetrachloride〕〖화〗 염소(塩素)의 기류(氣流) 속에서 규소(珪素)·탄화 규소(珪素) 또는 탄소(炭素)와 규산 무수물(珪酸無水物)과의 혼합물을 가열해서 얻는, 발연성(發煙性)의 자극적 냄새가 나는 무색(無色)의 액체. 녹는점 -70℃, 끓는점 57.6℃. 암모니아와 혼합하여 연막(煙幕)을 만드는 데에 사용되며, 유기(有機) 규소 화합물·규소 수지(樹脂)의 원료로서 중요함. [$SiCl_4$]
사:염화-납【四塩化—】[명] 〔lead tetrachloride〕〖화〗 염화납❷.
사:염화 백금【四塩化白金】[명] 〔platinum tetrachloride〕〖화〗 염화 백금❹.
사:염화 아세틸렌【四塩化—】〔acethylene〕[명]〖화〗 테트라클로로에탄(tetracloroethane).
사:염화 에틸렌【四塩化—】[명] 〔ethylene tetrachloride〕〖화〗 테트라클로로에틸렌(tetrachloroethylene).
사:염화 이:붕소【四塩化二硼素】[명] 〔diboron tetrachloride〕〖화〗 염화 붕소❷.
사:염화 주석【四塩化朱錫】[명]〖화〗 염화 주석❷.
사:염화 크롬【四塩化—】[명] 〔chromium tetrachloride〕〖화〗 염화 크롬❸.
사:염화 탄:소【四塩化炭素】[명]〖화〗 에테르(ether) 냄새가 나는 무색(無色) 액체. 공업적으로는 이황화 탄소(二黃化炭素)에 염소(塩素)를 작용시켜서 제조함. 지방(脂肪)·수지(樹脂)·타르(tar) 등을 잘 녹이므로 용제(溶劑)로서 쓰이며, 또 증발하기 쉽고 그 증기가 불연성(不燃性)이면서 무거우므로, 공기를 차단하여 소화제(消火劑)로도 이용됨. 그 밖에 십이지장충(十二指腸蟲)의 구제약(驅除藥), 곡물 보존용(穀物保存用) 살충제 등으로 쓰임. 녹는점 -23°C, 끓는점 76.8°C. [CCl_4]
사:염화 탄:소 소화기【四塩化炭素消火器】[명] 사염화 탄소를 분사하는 소화기. 사염화 탄소는 불연성(不燃性)으로, 기화한 경우 무겁기 때문에 아래쪽에 괴어 공기를 차단하는 특징이 있어, 유화염(油火炎)·전기 화염에 위력을 발휘함. 그러나, 포스겐 등 유독 가스를 발생하기 때문에 사용이 금지되고 있음.
사:염화 티탄【四塩化—】[명] 〔titanium tetrachloride〕〖화〗 염화(塩化) 티탄❸.
사:염화-황【四塩化黃】[명] 〔sulfur tetrachloride〕〖화〗 염화황❸.
사영[1]【私營】[명] 개인이 사업을 경영함. 사인(私人)의 경영. ↔관영(官營)·공영(公營)·국영(國營). ——-하다 [타][여불]
사영[2]【舍營】[명]〖군〗 숙영법(宿營法)의 한 가지. 군대가 가옥내(家屋內)에서 자고 쉬는 일. *야영(野營). ——-하다 [자][여불]
사영[3]【射影】[명] ①물체가 그림자를 비치는 일. 또, 그 그림자. ②〖수〗 점·직선·평면으로 된 하나의 도형(圖形)의 모든 점 및 직선과, 도형 외의 일점과를 맺는 직선 및 평면의 집합으로 된 도형. 투영(投影).
사영[4]【射影】[명]〖충〗 물여우.
사영[5]【斜映】[명] 빛이 비스듬히 비침.
사영[6]【斜影】[명] 비스듬히 비친 그림자.
사영[7]【寫映】[명] ①빛이나 형상이 비치어 나타나는 일. ②빛이나 형상을 그대로 옮기어 비치는 일. 영사(映寫). ——-하다 [타][여불]
사영[8]【寫影】[명] 물건의 형상을 비치어 나타냄. 또, 비친 그림자. ——-하다 [타][여불]
사영 기하학【射影幾何學】[명]〖수〗 근세 기하학의 한 체계. 기하학 도형(圖形)의 크기에 관계 없이, 상호의 위치에 관한 성질을 논하며, 사영과 절단(截斷)과의 변환(變換)에 의하여 변하지 아니하는 성질을 연구하는 기하학. 곧 평면상의 두 점(點) 사이의 거리, 두 직선 사이의 각, 두 직선의 평행성 등은 사영의 조작(操作)으로 변하지만, 점·직선·일직선의 점·한 점에 모이는 직선 등의 개념은, 이 사영의 조작에도 불구하고 그대로 보유되고 있는데, 그런 성질에 관하여 연구하는 기하학임.
사영 보:험【私營保險】[명]〖법〗 사인(私人)이 경영하는 보험. 사경제적(私經濟的) 목적으로 경영되는 것이 원칙임. 그러나 그 성질은 공(公)보험과 유사하고 편의상 개인으로 하여금 경영하게 하는데, 재(再)보험 등의 방법으로 사실상 국가나 그 밖의 공법인(公法人)이 궁극의 책임을 지는 경우도 있음. ↔공영 보험.
사:-영운【謝靈運】[명]〖사람〗 중국 남송(南宋)의 시인. 진(晉)나라 왕실의 명문으로 영가군(永嘉郡) 태수 및 비서감(祕書監)이 되었는데, 거기에서 산수시(山水詩)를 씀. 그는 종래의 서정(抒情)을 주로 하는 중국 문화 사상에 산수시의 길을 열어 놓았음. 저서로 ≪산거적(山居賊)≫·≪산수시(山水詩)≫ 등이 있음. [385-433]
사:-영지【四靈地】[명]〖역〗 신라 때 대신들이 나라의 대사를 의논하던 네 장소. 경주 동쪽의 청송산(青松山), 남쪽의 오지산(亐知山), 서쪽의 피전(皮田), 북쪽의 금강산(金剛山).
사영 현:미경【射影顯微鏡】[명] 〔projection microscope〕〖물〗 상(像)을 투영(投影)함으로써 확대되는 X선 현미경.
사예[1]【司藝】[명]〖역〗 ①고려 때 국학(國學) 또는 성균관(成均館)의 종사품(從四品) 벼슬. 사업(司業)을 고친 이름. ②조선 시대 때 성균관의 정사품 벼슬. 태종(太宗) 원년(1401)에 악정(樂正)을 고친 이름. 직강(直講)의 위, 사성(司成)의 아래.
사:예[2]【四裔】[명] 나라의 사방의 끝.
사:예[3]【四藝】[명] 거문고·바둑·글씨·그림의 네 가지 기예.
사예[4]【射藝】[명] 활 쏘는 기예. 사기(射技). 사(射).
사예[5]【邪穢】[명] 사악하고 더러움. ——-하다 [형][여불]
사예[6]【詞藝】[명]〖문〗 문예(文藝).
사-예거【斜曳裾】[명]〖춤〗 춘앵전에서, 세영산(細靈山) 음악에 맞추어 몸을 옆으로 하여 왼쪽으로 두 장단 나갔다 두 장단 들어오고, 오른쪽으로 두 장단 나갔다 두 장단 들어오는 춤사위.
사오[1] [명] 〈방〉 사위[3](전남·경남).
사:오[2]【士伍】[명] 병사의 대오(隊伍).
사:-오[3]【四五】[수][관] 넷과 다섯. 또는 네댓. ¶ ~ 명.
사오[4]【奢傲】[명] 사치스럽고 오만함. ——-하다 [형][여불]
-사오- [선어미] '-사옵-'의 'ㅂ'이 모음으로 시작된 어미를 만나서 줄어진 선어말 어미. ¶ 손으로 잡~니 / 있었~니 / 책을 많이 읽~면 / 제가 입~리다 / 가운데에 앉았~이다. *-오-·-으오-·-사옵-.
사오거우 한:묘【—漢墓】[중 燒溝] [명] 중국 허난 성(河南省)의 사오거우에 있는 한대(漢代)의 묘. 전한(前漢)에서 후한(後漢)에 이르는 시대의 225 기(基)의 묘가 있음. 도질 명기(陶質明器)·무기(武器)·옥석기(玉石器) 등의 부장품(副葬品)이 출토됨. 소구 한묘.
사오관【韶關】[명]〖지〗 중국 광둥 성(廣東省) 북부에 있는 도시. 북으로 후난 성(湖南省)의 샹장(湘江) 강 유역과 대하는, 웨한(粵漢) 철도의 요역임. 부근 평야에서는 쌀을 비롯한 농산물이 많이 나며, 석탄·담배·종이·목재 등의 집산지임. 화난(華南)의 중요 공업 도시로 발전하고 있음. 사오저우(韶州). 구명(舊名)은 취장(曲江). 소관. [344,000 명(1984)]
사오기 [명] 〈방〉 벚나무(제주).
사오나ᄫᅡ [형] 〈옛〉 사나와. '사오나ᇦ다'의 활용형. ¶ ᄒᆞ다가 有情ᄃᆞᆯ히 모미 사오나ᄫᅡ 諸根이 ᄀᆞᆽ디 몯ᄒᆞ야≪月釋 Ⅸ:34≫.
사오나ᄫᆞᆷ [형] 〈옛〉 사나움. '사오나ᇦ다'의 명사형. ¶ 어딜며 사오나ᄫᆞᆷ과 ≪月釋 Ⅷ:59≫.
사오나ᄫᅵ [부] 〈옛〉 사납게. ¶ 사오나ᄫᅵ ᄃᆞ외요ᄆᆞᆯ 맛드러(甘爲下劣)≪牧訣 45≫.
사오나ᄫᆞᆫ [형] 〈옛〉 사나운. '사오나ᇦ다'의 활용형. ¶ 사오나ᄫᆞᆫ 일 지ᅀᅳ면 사오나ᄫᆞᆫ 몸 ᄃᆞ외요미 業果ㅣ라≪月釋 Ⅰ:37≫.
사오나온 [형] 〈옛〉 사나운. '사오납다'의 활용형. ¶ 사오나온 받 열다ᄉᆞᆺ 이러미(薄田十五頃)≪內訓 Ⅲ:52≫.
사오나이 [부] 〈옛〉 사납게. ¶ 漂然히 사오나이 노로매 ᄀᆞᆺ가타니(漂然薄遊倦)≪初杜諺 ⅩⅥ:4≫.
사오납다 [형] 〈옛〉 사납다. =사오나ᇦ다. ¶ 夫人 아ᄃᆞᆯ 長生이 사오납고 ≪月釋 Ⅱ:4≫.
사오나ᇦ다 [형] 〈옛〉 사납다. =사오납다. ¶ 모미 사오나ᄫᅡ 諸根이 ᄀᆞᆽ디 몯ᄒᆞ야 미혹ᄒᆞ고≪釋譜 Ⅸ:7≫.
사오락-사오락 [부] 비단 치맛자락이 서로 스치어 내는 소리. ——-하다 [자][여불]
사오리 [명] 〈옛〉 〔중세 몽골어 sa'uri(자리, 앉은 자리)〕 등상(凳床). 발돋움. ¶ 사오리 등(凳)≪字會 中 10≫.
사:-오십【四五十】[수] 마흔이나 쉰.

사오싱 〔紹興〕 명 〖지〗 중국 저장 성(浙江省)의 북동부에 있는 성시(城市). 항저우(杭州)의 동남 약 60 km 지점에 있음. 유명한 사오싱주(紹興酒)를 비롯하여 차·면화·과실·견직물·부채·종이 등을 생산하며 양잠(養蠶)도 행하여짐. 우(禹) 임금이 제후(諸侯)를 만난 곳으로 사적과 절이 많음. 소흥. [242,000 명(1984)]

사오싱-주 【一酒】〔중 紹興〕 명 중국 사오싱(紹興) 지방에서 나는 술. 중국에서 가장 오래 된 술로서 맛이 좋고 널리 알려졌는데, 찐 찹쌀과 중국 누룩·주약(酒藥)을 원료로 하여 양조함. 신맛이 나며, 붉은 색임. 소흥주.

사오양 〔邵陽〕 명 〖지〗 중국 후난 성(湖南省) 서남부의 도시. 공로(公路)가 사방으로 통하여 쯔수이(資水) 강 상류 유역의 물산을 집산함. 성(省)의 남서부 교통의 요지로서, 부근에는 철·석탄·안티몬 등의 산출이 많으며 제지(製紙)·기계·시멘트 등의 공업이 성함. 소양. 구명 : 보경(寶慶). [417,000 명(1984)]

사:오-월 【四五月】 명 사월이나 오월. 사월과 오월.

-사오이다 어미 '-으오이다'의 정중한 말. ㊟-사외다·-소이다. *-오이다·-으오이다·-으외다·-외다.

사:오 이:십 【四五二十】 명 〖수〗 구구법(九九法)의 하나. 넷의 다섯 갑절이나 다섯의 네 갑절은 스물이 된다는 말.

사:오-차 【四五次】 명 네 번이나 다섯 번. 네댓 번.

사옥[1] 명 〖식〗 [*Prunus quelpaertensis*] 장미과에 속하는 낙엽 활엽 교목. 산벚나무와 비슷한데, 잎은 넓은 타원형이고, 처음에 홍자록색을 띠며, 잔가지는 흑자색을 띠고 광택이 남. 4월에 연분홍빛의 꽃이 산방(繖房) 화서로 피고, 핵과(核果)는 6월에 자흑색으로 익음. 따뜻한 골짜기에 나는데, 제주도 및 일본에 분포함. 정원수로 심고, 과실은 식용함.

〈사옥[1]〉

사:옥[2] 【史獄】 명 역사에 관한 옥사(獄事). *사화(史禍).

사옥[3] 【社屋】 명 회사로 사용하는 집. 회사의 건물. ¶ ~을 신축하다.

사옥[4] 【舍屋】 명 옥사(屋舍).

사옥-국 【司獄局】 명 〖역〗 조선 시대에 형벌을 맡아 보던 토관직(土官職)의 한 관청. 평안도와 함경도의 각지에 있었음.

사옥-도 【沙玉島】 명 〖지〗 전라 남도 서해상(西海上), 신안군(新安郡) 지도읍(智島邑) 당촌리(堂村里)에 위치한 섬. [10.951 km² : 1,654 명(1985)]

사옥-사 【司獄史】 명 〖역〗 고려 시대에 감옥의 일을 맡아 보던 향직(鄕職).

사:온 【四溫】 명 ↗사온일.

사온-서 【司醞署】 명 〖역〗 ①고려 때 대궐 안에서 쓸 주류(酒類)에 관한 일을 맡아 보던 관아. 충렬왕(忠烈王) 34년(1308)에 양온서(良醞署)를 고친 이름. ②조선 시대에 궁중에 쓰는 술을 바치는 일을 맡아 보던 관아. 태조(太祖) 원년(1392)에 베풀었다가 중엽(中葉)에 폐하였음.

사:온-일 【四溫日】 명 삼한 사온(三寒四溫)의 기후에 있어서 비교적 따뜻한 나흘 동안. ㊟사온.

-사옵- 선어미 '-으옵-'의 뜻으로 더 공손하게 하는 선어말 어미. ¶ 글을 읽~고 / 재물이 많~더니 / 있었~는데 / 앉았~니다 / 못 믿~나이다 / 입~시면. ㊟ -삽-. *-으옵-·-사오-.

-사옵니까 어미 '-사옵-'과 '-나이까'의 준어 합한 종결 어미. *-옵니까·-으옵니까.

-사옵니다 어미 '-사옵-'과 '-나이다'의 준어 합한 종결 어미. *-옵니다·-으옵니다.

-사옵디까 어미 '-사옵-'과 '-더니이까'의 준어 합한 종결 어미. *-옵디까·-으옵디까.

-사옵디다 어미 '-사옵-'과 '-더이다'의 준어 합한 종결 어미. *-옵디다·-으옵디다.

사옹[1] 【司饔】 명 〖역〗 조선 시대에, 대궐 안에서 쓸 음식을 만들던 요리인(料理人).

사옹[2] 【沙翁】 명 〖사람〗 '셰익스피어(Shakespeare)'의 일컬음.

사옹[3] 【簑翁】 명 〖사람〗 김굉필(金宏弼)의 호(號).

사옹-극 【沙翁劇】 명 〖연〗 셰익스피어의 희곡(戲曲)을 연출한 극. 또, 그 희곡 자체를 일컫는 경우도 있음.

사옹-원 【司饔院】 명 〖역〗 조선 시대에, 어선(御膳) 및 대궐 안의 공궤(供饋)에 관한 일을 맡아 보던 관아. 태조 원년(1392)에 설치한 사옹방(司饔房)을 고친 이름으로, 고종(高宗) 32년(1895)에 전선사(典膳司)로 고치었음. 주원(廚院). 상식사(尙食司).

사와 【私瓦】 명 사요(私窯)에서 구워 만든 기와.

-사와 준 보조 어간 '-사오-'와 어미 '-아'가 합하여 된 말. ¶ 글을 읽~ / 여기 있~요. *-와·-으와.

사:-왕[1] 【四王】 명 ①〖불교〗 사천왕(四天王). ②중국 청(淸)나라 때, 왕(王) 성을 가진 네 화가(畫家). 곧 왕시민(王時敏)·왕감(王鑑)·왕휘(王翬)·왕원기(王原祁). ③네 사람의 제왕(帝王). 특히, 중국 고대의 우(禹)·탕(湯)·문(文)·무(武) 또는 순(舜)·우(禹)·탕·무의 네 성왕(聖王). 혹은 걸(桀)·주(紂)·여(厲)·유(幽)의 네 악왕(惡王).

사:왕[2] 【死王】 명 ①죽은 왕. ②〖불교〗 '염마왕(閻魔王)'의 별칭.

사왕[3] 【嗣王】 명 왕위(王位)를 이은 임금. 사군(嗣君).

사:왕 오운 【四王吳惲】 명 〖미술〗 청초(淸初) 17세기에, 명말(明末)의 화가 동기창(董其昌)의 영향을 받아, 정통(正統) 남종화의 전형을 정립(定立)한 왕시민(王時敏)·왕감(王鑑)·왕휘(王翬)·왕원기(王原祁)의 사왕(四王) 및 오역(吳歷)·운수평(惲壽平)의 여섯 사람의 대화가.

사왕의 비 【蛇王一碑】 [一/一에一] 명 파리의 루브르 미술 박물관에 있는 이집트 제1 왕조 시대의 비석. 석회암으로 만든 높이 1.45m의 직사각형의 판(板)으로서, 한 마리의 매가 앉아 있고, 한 마리의 뱀이 부조(浮彫)되어 있음. 제트(Zet) 왕의 명복(冥福)을 빌기 위하여 그의 분묘에 세워진 것으로 생각되며, 고대 이집트 예술 중 제일의 걸작으로 되어 있음.

사:왕-천 【四王天】 명 〖불교〗 욕계 육천(欲界六天)의 하나. 수미산(須彌山)의 중턱에 있는 사천왕(四天王)이 사는 곳으로, 땅에서 사만 유순(四萬由旬)이나 떨어져 있다고 함. 지국천(持國天)은 동쪽을, 증장천(增長天)은 남쪽을, 광목천(廣目天)은 서쪽을, 다문천(多聞天)은 북쪽을 각각 맡아, 위로는 제석천(帝釋天)을 섬기고 아래로는 팔부중(八部衆)을 지배하여 불법 귀의(佛法歸依)의 중생(衆生)을 보호한다고 함. 사천왕(四天王). 사천왕천(四天王天). ㊟사천(四天). 「¶ ~비(祕).

사외 【社外】 명 회사의 외부. 또, 회사의 직원이나 관계자가 아닌 사람.

사외-공 【社外工】 명 그 기업의 하청(下請) 기업에 고용된 노동자로서, 모기업(母企業)의 구내에서 건물이나 설비·기계 등을 이용하면서 작업하는 노동자의 총칭. 일반적으로 보조적 작업·위험 작업에 종사하며, 취업 상황의 불안정성은 임시공(臨時工)과 같음.

-사외다 어미 ↗-사오이다. *-소이다·-외다·-으외다.

사외 분배율 【社外分配率】 명 〖경〗 당기 이익(當期利益) 중에서 배당금·임원 상여금·세금 등 사외에 분배되는 액수가 차지하는 비율.

사외 이:사 【社外理事】 명 〖경〗 회사의 경영을 직접 맡는 이사 이외에 회사 밖의 전문가로 선임된 이사. 회사 경영진과 직접적인 관계가 없으므로 객관적인 입장에서 경영을 감독하고 조언할 수 있음.

사:요[1] 【史要】 명 역사의 개요(概要). 또, 그것을 쓴 책. ¶문학 ~.

사요[2] 【私窯】 명 사사로이 경영하는 기와가마.

사요-호 【槎窯戶】 명 〖공〗 중국 장시 성(江西省) 푸량 현(浮梁縣) 징더전(景德鎭)에서 그릇을 구워 만드는 집.

사:욕[1] 【死辱】 명 죽을 욕.

사욕[2] 【沙浴·砂浴】 명 ①닭 같은 날짐승이 그 날개에 꾀는 벌레를 방지하기 위하여 모래를 파헤치어, 몸에 끼얹는 일. *토욕. ②해수욕장 같은 데서 모래찜질 등을 하는 일. ③환자(患者)에게 뜨거운 모래로 몸에 찜질을 하여 특별히 치료하는 일. 류머티즘(rheumatism)·좌골 신경통(坐骨神經痛) 등에 효험이 있음. 모래찜. ④〖화〗 물체에 서서히 열을 주려고 할 때, 쇠로 만든 그릇에 모래를 담고 그 모래 속에 물체를 넣은 뒤, 모래를 가열(加熱)하여 간접적으로 그 물체에 열이 미치게 하는 일. ——하다 자 여불

사욕[3] 【私慾】 명 사사로운 욕심. 자기 한 몸의 이익만 꾀하는 욕심.

사욕[4] 【邪慾】 명 ①못된 욕심. 도리에 어긋난 욕망. ②육욕(肉慾). 「慾).

사욕 편정 【邪慾偏情】 명 〖천주교〗 정리(正理)에 어긋나는 온갖 정욕(情

사용[1] 【司勇】 명 〖역〗 조선 시대에, 오위(五衛)의 정구품 군직(軍職). 현직(現職)에 있지 아니한 문관과 무관·음관(蔭官)으로써 채웠음. 부사용(副司勇)의 위, 부사맹(副司猛)의 아래.

사용[2] 【私用】 명 ①공용물을 사사로이 사용함. ②사사(私事)의 소용 또는 용무. ↔공용(公用). ——하다 타 여불 「傭). ——하다 자타 여불

사용[3] 【私傭】 명 사사로이 고용함. 사인(私人)에게 고용당함. ↔공용(公

사용[4] 【社用】 명 회사의 소용 또는 용무.

사:용[5] 【使用】 명 ①물건을 씀. ②사람을 부리어 씀. ③〖경〗 물건의 용법에 따라, 물건을 훼손하거나 그 본질을 변경함이 없이 수요(需要)함. ——하다 타 여불

사:용 가치 【使用價値】 명 〖경〗 사람의 욕망을 충족시키는 재화(財貨)의 효용성(效用性). 희소성(稀少性)을 가진 경제재(經濟財)가 그것을 지배하는 개인에 대하여 직접 가지는 가치. 물건의 유용성(有用性). *교환 가치(交換價値).

사:용-권 【使用權】 [一꿘] 명 〖법〗 남의 소유하는 땅이나 물건 등을 법률에 의하여 사용할 수 있는 권리의 통칭.

사:용 내:력 【使用內力】 명 〖토〗 허용 응력(許容應力).

사:용 대:차 【使用貸借】 명 〖법〗 차주(借主)가 무상(無償)으로 사용 수익(使用收益)을 한 다음에 반환(返還)할 것을 약속하고 대주(貸主)로부터 어떤 물건을 받음으로써 성립되는 계약. 무상 편무 계약(無償片務契約)이며, 또 목적물의 인도로 효력이 생기는 요물(要物) 계약임. 무상인 점에서 임대차(賃貸借)와 다르고, 목적물 자체를 반환하는 점에서 소비 대차(消費貸借)와 다름.

사:용-량 【使用量】 [一냥] 명 사용한 분량.

사용-록 【司勇祿】 [一녹] 명 조선 시대에, 말단 무관의 녹봉.

사:용-료 【使用料】 [一뇨] 명 ①사용하는 데 대하여 내는 요금. ②〖법〗 국가나 지방 자치 단체가 그 재산이나 영조물(營造物)을 사용하게 하여 그 대가로서 이용자로부터 거두어 들이는 돈. 보통 공법상(公法上)의 사용 관계에 있어서의 사용의 대가를 말함. 도서관·미술관의 입장료(入場料), 화장장(火葬場)의 사용료 등.

사용-물 【私用物】 명 개인이 사사로이 쓰는 물건. 사사일에 쓰는 물건. ↔공공용물(公共用物)·공용물(公用物).

사:용-법 【使用法】 [一뻡] 명 사용하는 방법.

사:용 불사용설 【使用不使用說】 [一싸一] 명 용불용설(用不用說).

사:용-세 【使用稅】 명 소비세의 한 가지. 유흥 음식세·주세(酒稅)·연초세·물품세·직물세(織物稅) 따위.

사:용-수 【使用水】 명 음료(飮料)로 하는 이외의 목적에 쓰는 물.

사:용 응:력 【使用應力】 [一녁] 명 〖토〗 허용(許容) 응력.

사:용-인 【使用人】 명 ①사용자(使用者). ②남의 부림을 받는 사람.

사:용-자 【使用者】 명 ①물건을 쓰는 사람. 사용인. ②사람을 부리는 당사자(當事者). 사용인. 고용주(雇用主).

사:용자 단체 【使用者團體】 명 사용자가 사용자 상호간의 공통 이익 확보를 목적으로 결성한 단체.

사:용자 비:용 【使用者費用】 명 〔user cost〕 〖경〗 소득(所得)이란 개념을 기업자의 입장에서, 생산물의 주요 비용(主要費用) 내지 주요 원가

(主要原價)를 초과한 것으로 보고, 그 주요 비용을 생산 요인(要因)에 지불되는 요소 비용(要素費用)과 사용자 비용(使用者費用)으로 정의했는데, 말하자면 이것은 원료 구입 비용과 자본 설비(資本設備)에 생기는 감가(減價) 또는 소모액(消耗額)의 전부를 말함. 영국의 경제학자 케인스(Keynes)에 의하여 쓰이어진 개념(槪念)임. 자본 소비.

사:용자 정:의 함:수【使用者定義函數】[—쑤/—이—쑤] 명 〔user-defined function; UDF〕〖컴퓨터〗 프로그래밍 언어에서 원래 제공되는 것이 아니라 사용자가 정의하여 쓰는 함수.

사:용 절도【使用窃盜】[—또] 명 〖법〗 남의 재물을 승낙 없이, 사용한 후에 반환할 의사로 일시 사용하는 행위. 「는 사람들.

사용-족【社用族】 명 화사의 공용(公用)을 구실로 사비(社費)를 낭비하

사우[1] 명 〈방〉 사위[3](평안·경기·강원·충북·전라·경상).

사:우[2]【四友】 명 ①네 벗. ②문방 사우(文房四友). ③눈 속에서 피는 네 가지의 꽃. 곧, 동백꽃·납매(臘梅)·수선(水仙)·산다화(山茶花). 또는 매화나무·소나무·난초·대나무. 흔히, 화제(畫題)로 쓰이는 말임.

사:우[3]【四隅】 명 ①네 구석. 네 군데의 모퉁이. ②사방의 사이. 곧, 건(乾)·곤(坤)·간(艮)·손(巽). 사유(四維).

사:우[4]【死友】 명 ①죽음을 함께 할 수 있을 만큼 극친한 벗. 죽을 때까지 우정으로 맺어진 벗. ②죽은 친구.

사우[5]【社友】 명 ①한 회사 또는 결사 단체(結社團體)에서 함께 일하는 동료. ②사원(社員) 이외로 그 사에 밀접한 친분이 있어, 사원과 같은 대접을 받는 사람. 보통, 신문사·잡지사 등에서 쓰이는 말.

사우[6]【師友】 명 ①스승과 벗. ②스승으로 삼을 만한 벗. 또 스승이며 친

사우[7]【祠宇】 명 따로 세운 사당집. 사당(祠堂). ㄴ구이기도 한 일.

사우[8]【斜雨】 명 바람에 날리어 뿌리는 비.

사우[9]【絲雨】 명 실같이 가늘게 내리는 비. 실비.

사우[10]【飼牛】 명 소를 먹이어 기름. 또, 그 소. ——-하다 자 여불

사:우[11]【麝牛】 명 〖동〗 사향소.

사우나 〔sauna〕 명 핀란드의 증기 목욕. 가열한 돌에 물을 뿌려서 증기를 일으켜 몸을 찐 다음, 자작나무 가지를 두들겨 마사지(massage)를 함. 이어, 냉수 샤워나 눈으로 몸을 식혀, 온몸의 혈행(血行)을 촉진

사우나-탕【—湯】 명 사우나 시설이 되어 있는 목욕탕. ㄴ시킴.

사우디 〔Southey, Robert〕 명 〖사람〗 영국의 시인. 워즈워스(Wordsworth) 등과 함께 호반 시인(湖畔詩人)의 하나로, 1813년 계관 시인(桂冠詩人)이 됨. 작품으로 여러 서사시 외에 《넬슨전(Nelson 傳)》·《브라질사(Brazil 史)》 등이 있음. [1774-1843]

사우디-아라비아 〔Saudi Arabia〕 명 〖지〗 서아시아 아라비아 반도의 대부분을 차지하고 있는 왕국(王國). 서부는 1,200-2,000 m의 산지, 중부의 대부분은 700-800 m의 건조 고원(乾燥高原), 북은 네푸드 사막(Nefud 沙漠), 남부는 룹알할리 사막(Rub' al Khali 沙漠)이며, 와디(wadi)와 오아시스가 많음. 주민은 아라비아인(人), 공용어(公用語)는 아라비아어(語)이며, 이슬람교(Islam 敎)가 성함. 페르시아 만(灣) 연안(沿岸)의 하사(Hasa) 지방을 중심으로 한 석유 판매가 국가의 주요 재원(財源)이며, 메카 순례자로부터의 수입도 중요한 재원임. 주민의 과반(過半)은 관개 농업(灌漑農業) 및 목축업에 종사하고 있음. 이븐 사우드(Ibn Saud)가 헤자즈(Hejaz) 및 네지드(Nejd)를 합해서 1927년에 독립하고, 1932년에 현재의 국명(國名)을 취함. 왕(王)의 권한이 크고, 의회(議會)나 정당(政黨)은 없음. 확인된 석유 매장량은 약 1,500억 배럴(barrel)임. 수도(首都)는 리야드(Riyadh). 종교상(宗敎上)의 수도(首都)는 메카(Mecca). 정식 명칭은 사우디아라비아 왕국(Kingdom of Saudi Arabia). [2,149,690 km^2 : 14,870,000 명(1990 추계)]

사:우-반【四隅盤】 명 반면(盤面)이 정사각형인 소반. 궁중 의례용으로 흔히 쓰임. 사방반(四方盤).

사우-방【祠宇房】[—빵] 명 사당방(祠堂房).

사우-복【師友服】 명 〖민〗 스승과 동문(同門) 사이의 복제(服制). 스승의 상(喪)에는 심상(心喪) 3 년의 복이 있고, 동문간에는 규정된 복이 없음.

사우샘프턴 〔Southampton〕 명 〖지〗 영국 잉글랜드 남부, 영국 해협에 임한 사우샘프턴 만두(灣頭)의 항구 도시. 대서양 횡단 항로(大西洋橫斷航路)의 주요항(主要港)이며, 조선소(造船所)가 있음. 1620년 청교도(淸敎徒)가 출항한 곳임. [214,000 명(1981)]

사우스다코타 주【—州】〔South Dakota〕 명 〖지〗 미국 북서부의 주(州). 농업·목축·제분(製粉)·금·은·주석 등의 광업이 성함. 주도는 피어(Pierre). [196,715 km^2 : 696,004 명(1990)]

사우스-벤드 〔South Bend〕 명 〖지〗 미국 인디애나 주 북부의 공업 도시. 미시간 호(Michigan 湖) 남안(南岸)의 공업 지대에 속함. 자동차·농업 기계·항공기·식품 가공 등 공업이 발달함. [105,511 명(1990)]

사우스샌드위치 제도【—諸島】〔South Sandwich〕 명 〖지〗 남미 대륙 동남, 대서양상의 열도(列島). 화산성(火山性)의 무인도(無人島)로 1775년 영국 탐험가 제임스 쿡(James Cook; 1728-79)이 발견. 영령(英領) 포클랜드(Falkland) 제도에 속함. [337 km^2]

사우스셰틀랜드 제도【—諸島】〔South Shetland〕 명 〖지〗 남극 반도의 북쪽에 있는 영국령의 제도. 화산성의 섬들로 1819년 영국의 스미스(Smith, W.)가 발견, 1962년 이래 영국의 남극 식민지로 되어 있음. 영국의 남극 탐험의 중계지. [4,460 km^2]

사우스-실:즈 〔South Shields〕 명 〖지〗 영국 잉글랜드 동북부 타인 강(Tyne 江) 하구에 있는 북해(北海)에 면한 항구 도시. 유리·화학·약품·도료(塗料)의 공업이 성한 공업 도시. 산업 혁명 이후의 탄전(炭田) 개발에 따라 발전함. [87,000 명(1981)]

사우스엔드-온-시: 〔Southend-on-Sea〕 명 〖지〗 영국 잉글랜드 동남부 템스 강 하구의 도시. 해안 보양지(海岸保養地)로 유명하며, 텔레비전·라디오 등 공업이 발달함. [157,000 명(1981)]

사우스오스트레일리아 주【—州】〔South Australia〕 명 〖지〗 오스트레일리아 중남부의 주(州). 북부와 서부는 황무지이고, 남부는 낮은 산지(山地)임. 해안 지방은 비옥(肥沃)함. 주도는 애들레이드(Adelaid). [984,000 km^2 : 1,285,000 명(1981)]

사우스오:크니 제도【—諸島】〔South Orkney〕 명 〖지〗 남극 대륙 파머(Palmer) 반도의 동북방에 있는 섬들. 무인도이며 포경 기지(捕鯨基地)임. 1821년 영국의 파웰과 미국인 파머가 발견. 영국령이지만 아르헨티나도 영유권을 주장하고 있음. 관측 기지가 있음. [624 km^2]

사우스조:지아 섬 〔South Georgia〕 명 〖지〗 남대서양에 있는 영국령의 작은 섬. 극지 기후(極地氣候)로 일년 중 눈에 덮여 있음. 1775년 영국 탐험가 쿡(Cook, James)이 발견. [3,770 km^2 : 22 명(1973)]

사우스캐롤라이나 주【—州】〔South Carolina〕 명 〖지〗 아메리카 합중국 남동부의 주(州). 독립 13 주의 하나. 해안 평야와 피드몬트 대지(Piedmont 臺地)로 이루어진 다각 농업지(多角農業地)임. 면화·고추·담배·쌀을 산출함. 주도(州都)는 컬럼비아(Columbia). [78,227 km^2 : 3,486,703 명(1990)] 「투에서, 왼손잡이 선수.

사우스-포: 〔southpaw〕 명 ①야구에서, 왼손잡이 투수(投手). ②권

사우이 명 〈방〉 사위[3](경기). 「(四聲)❶.

사:운[1]【四韻】 명 ①네 개의 운각(韻脚)으로 된 율시(律詩). ②〖언〗 사성

사운[2]【邪雲】 명 ①상서롭지 못한 구름. 나쁜 징조의 구름. ②밝은 이지(理智)를 덮어 가리는 나쁜 사념(思念)을 비유하여 이르는 말.

사운[3]【社運】 명 회사의 운수. 회사의 운명. ¶ ~을 건 사업.

사운드 박스 〔sound box〕 명 ①공명 상자(共鳴箱子). ②축음기에 의하여 레코드로부터 음을 재생할 적에, 돌아가는 레코드의 음구(音溝)에 따라서 생기는 바늘의 진동을 받아 소리를 내게 하는 장치.

사운드-보:드 〔soundboard〕 명 현악기의 울림판. 향판(響板).

사운드 보디 〔sound body〕 명 현악기 따위의 속이 빈 공명동(共鳴胴).

사운드 스펙트로그래프 〔sound spectrograph〕 명 〖물〗 주파수 스펙트럼의 시간적 변화를 기록하는 장치. 음향 스펙트로그래프.

사운드 카:드 〔sound card〕 명 〖컴퓨터〗 소리를 저장하고 재생하는 기능을 수행하는 기본적인 장치의 하나. PC의 본체에 내장할 수 있도록 카드 형태로 만들어졌으며, 카드 내부에 디지털 신호 처리용 반도체 칩이 있어 생생한 효과음(效果音)과 소리를 저장하고 재생할 수 있음.

사운드 트랙 〔sound track〕 명 〖연〗 발성 영화 필름의 한 끝으로, 녹음을 넣은 부분. 광학 녹음(光學錄音)에서는 영사(映寫)할 때 여기에 광선을 대어 광전관(光電管)으로 전기 신호(電氣信號)로 바꾸며, 자기 녹음(磁氣錄音)에서는 필름에 자성체(磁性體)를 발라 테이프 레코더처럼 녹음·재생함. 음구(音溝). 「나오는 영화.

사운드-판【—版】〔sound〕 명 〖연〗 대사(臺詞)가 없이 음악이나 음향만

사운드-프루:프 〔soundproof〕 명 〖연〗 발성 영화 제작 때 외부의 음향을 차단하는 방음 장치. 「드판. ↔사일런트 픽처.

사운드 픽처 〔sound picture〕 명 〖연〗 발성 영화(發聲映畫). 특히 사운

사운드 필름 〔sound film〕 명 〖연〗 ①발성 영화(發聲映畫). 토키(talkie). ②녹음(錄音)에 쓰는 필름.

사:운지-시【四韻之詩】 명 네 군데에 운(韻)을 밟아 지은 시. 곧 율시(律

사운-희【射韻戲】[—히] 명 초중종(初中終)❷. ㄴ詩).

사울 〔Saul〕 명 〖성〗 ①기원전 1,000년경의 이스라엘(Israel)의 초대 왕(王). 선지자(先知者) 사무엘(Samuel)에 인정되어 즉위, 여러 곳의 적을 무찔렀으나 후에 다윗(David)의 성망을 시기하여 다투다가, 블레셋(Philistine)족과의 싸움에 패하여 전사하고 왕국은 다윗에게 계승됨. ②개종(改宗)하기 전의 바울(Paul)의 이름. 「을 지키는 일.

사움 〔아랍 ṣaum〕 명 〖이슬람〗 이슬람력(曆) 9월의 30일간, 단식(斷食)

사웅 〔버마 tzaung〕 명 미얀마의 발현(撥絃) 악기. 배 모양을 한 하프의 일종으로, 13-16 현(絃). 앉아서 무릎 위에 놓고 주로 오른손 손가락으로 탐.

사워 〔sour〕 명 ①젖산(酸) 따위가 포함된 약간 시큼한 음료(飮料). ¶ ~ 크림. ②칵테일의 한 가지. 위스키나 브랜디 등에 레몬이나 라임의 과즙(果汁)을 첨가한 음료. ③〖화〗 원유(原油)·나프타(naphtha)·가솔린에서, 황(黃)이나 황화합물을 많이 함유(含有)한 상태.

사워 가스 〔sour gas〕 명 황화 수소(黃化水素)나 메르캅탄(mercaptan) 등 부식성(腐蝕性)의 황 화합물을 함유한 천연(天然) 가스. 「임.

사워 밀크 〔sour milk〕 명 상해서 시어진 우유(牛乳). 요리(料理)에 쓰

사워 애플 〔sour apple〕 명 볼링에서, 핀을 쓰러뜨리지 못하는 위력(威力)이 없는 공.

사워 원유【—原油】 명 〔sour crude〕 황화합물(黃化合物)을 많이 함유하고 있는 원유. 정제(精製)할 때 부식성(腐蝕性)의 황화합물을 유리(遊離)함. ↔스위트 원유.

사워 크림: 〔sour cream〕 명 생크림(生 cream)을 유산 발효(乳酸醱酵)시킨 것. 산미(酸味)가 있음. 과자의 원료로 쓰이며, 고기 요리에 쳐서

사:원[1]【四遠】 명 사방이 멀리 떨어진 곳. ㄴ먹기도 함.

사원[2]【寺院】 명 ①〖불교〗 절이나 암자. 승려(僧廬). 정찰(淨刹). ②도교(道敎) 등 종교의 교당(敎堂). *성당(聖堂).

사원[3]【私怨】 명 사사로운 원한(怨恨). ¶ ~을 품다.

사원[4]【社員】 명 ①단체의 구성원(構成員). ②사단 법인(社團法人)의 구성원. 특히 공익 사단 법인(公益社團法人)·합명 회사(合名會社)·합자 회사(合資會社)·상호 회사(相互會社)의 구성원. ③회사의 종업원. 회사

사원[5]【砂原】 명 모래 벌판. ㄴ원.

사원[6]【射員】 명 사정(射亭)에서 활 쏘는 일에 참가하는 사람.

사원[7]【祠院】 명 사당(祠堂)과 서원(書院). 「여불

사:원[8]【赦原】 명 정상(情狀)을 참작하여 죄인을 석방함. ——-하다 타

사원[9]【詞源】명〖책〗중국 송(宋)나라 말기로부터 원(元)나라 초기에 걸친 사인(詞人) 장염(張炎)의 저서. 상하 두 권으로 되었는데, 상권은 악률(樂律)을 논술(論述)하였으며, 하권은 사(詞)의 수사(修辭)·의경(意境)을 논하고, 다른 사인의 비평도 실었음.

사원[10]【辭源】명〖책〗중국의 사전. 숙어(熟語)의 주석 외에 내외의 주요 지명·인명·연호(年號)·서명(書名)·동식물명·과학 용어 등이 수록되어 있어, 백과 사전적인 성격을 띰. 정편(正編)은 육이규(陸爾奎) 등이 편찬, 1915년 상해(上海)의 상무 인서관(商務印書館)에서 간행하였고, 속편은 방의(方毅) 등이 편찬하여 1931년에 간행하였음. 전 2권.

사원-권【社員權】[一꿘] 명〖법〗사단 법인(社團法人)의 사원이 사원의 자격으로서 법인에 대하여 가지는 권리. 법인 자체의 목적을 달성하기 위하여 법인의 운영에 참가하는 것을 내용으로 하는 공익권(公益權)과, 사원 자신의 목적을 달성하기 위하여 사원이 법인으로부터 경제적 이익을 받을 것을 내용으로 하는 자익권(自益權)의 둘로 크게 나눔.

사-원도【斜圓壔】명〖수〗사원주.

사:원-법【四元法】[一뻡] 명〔quaternions〕〖수〗고등 수학의 한 분과로 벡터(vector)에 관한 이론 및 응용을 연구하는 학문. 4원수에 관한 수학. 1844년 영국의 수학자 해밀턴(Hamilton)이 시작함. *사원수(四元數).

사원-보【寺院寶】명〔불교〕사원에서 삼보(三寶)를 위한 불사(佛事)를 위하여 설립하는 재단.

사원-본【祠院本】명〖역〗서원본(書院本).

사:원-수【四元數】명〔quaternion〕〖수〗하나의 실수 단위 외에, 세 개의 단위 i,j,k를 가지며, a,b,c,d를 실수로 해서 $a\cdot1+bi+cj+dk$ 즉 $a+bi+cj+dk$의 형식으로 나타내는 수.

사원-장【寺院長】명 사원의 우두머리.

사원-전【寺院田】명〖역〗고려 때 사원에 속한 전장(田莊) 및 토지. 왕으로부터의 기증뿐만 아니라 신도들의 시납(施納)에 의하여 형성됨. *사전(寺田).

사-원주【斜圓柱】명〖수〗'빗원기둥'의 구용어.

사원 총:회【社員總會】명〖법〗사단 법인(社團法人)의 사원 총원으로써 구성되는 회의체(體). 사단 내부에 있어서 그 의사(意思)를 결정하며, 없어서는 안 될 최고의 기관임. 주식 회사와 유한(有限) 회사에만 인정되고 있음.

사-원추【斜圓錐】명〖수〗'빗원뿔'의 구용어.

사원-판[1]【寺院版】명 사원에서 중의 손에 의하여 비영리적(非營利的)으로 출판되는 서적의 총칭.

사원-판[2]【祠院版】명〖역〗서원본(書院本).

사:원 합금【四元合金】명〖공〗네 가지의 주성분(主成分)으로 되는 합금. *합금(合金).

사:월[1]【巳月】명〖민〗월건(月建)이 사(巳)로 된 달. 곧, 음양가(陰陽家)에서 이르는 음력 사월(四月).

사:월[2]【四月】명 일 년을 열두 달로 나눈 그 네 번째의 달.

[사월 없는 곳에 가서 살면 좋겠다] 4월 춘궁기의 고달픔을 이르는 말.

사월[3]【沙月·砂月】명 모래 위를 비치는 달.

사월[4]【斜月】명 서쪽 하늘에 기울어진 달. 지는 달.

사월[5]【蜡月】명 음력 섣달의 별칭.

사:월 의거【四月義擧】명 사일구 혁명.

사:월 파:일【†四月八日】명〖불교〗석가가 탄생한 기념일인 음력 4월 8일. 초파일(初八日). 불탄일(佛誕日).

[사월 파일 등(燈)대 감듯] 무엇을 휘휘 익숙하게 감아맨다는 뜻. [사월 파일 등(燈) 올라가듯] 여럿이 조롱조롱 올라가는 모양을 이름.

사:월 혁명【四月革命】명 사일구 혁명.

사위[1] 명 미신으로 재앙이 올까 두려워 마음에 꺼림. ——-하다 타여불

사위[2] 명 ①윷놀이할 때에 목적한 끗수. ②↗큰사위[2]. ③어떤 일의 기본이 되는 긴요한 마디. ¶고빗~. ④춤사위. ¶일순 한 발을 굽혀 들어 승천하는 용처럼 허공을 긁어 용틀임한 ~를 아름답게 사귀고…≪金周榮 : 客主≫.

사위[3] 명〔중세 : 사회〕딸의 남편. 여서(女婿). ↔며느리.

[사위가 고우면 요강 분지를 쓴다] 사위는 처가에서 극진한 대접을 받으므로 이르는 말. [사위가 무던하면 개 구유를 씻는다] 가만히 앉아 있어도 아무도 탓할 사람이 있을 리 없건마는, 처가에 가서 개의 밥통을 씻을 만큼 그 사위의 사람됨이 무던하다는 말. [사위는 백년 손이요 며느리는 종신 식구라] 사위와 며느리는 남의 자식으로서 제 자식뻘이 되었으나, 사위는 끝끝내 남의 집 식구요, 며느리는 제 집 식구라는 말. [사위도 반 자식이라] 사위도 때로 자식 노릇을 할 때는 한다는 말. [사위 반찬은 장모 눈썹 밑에 있다] 장모는 사위를 대접하려고 보는 대로 찾아서 해 주려 한다는 말. [사위 사랑은 장모] 사위를 사랑하고 받드는 마음은 장인보다 장모가 더 극진하다는 뜻. [사위 집 더부살이] 장인이나 장모가 출가한 딸네 집에서 더부살이하기란 떳떳하지 못하고 어려운 노릇이란 말.

사위[4] 명〈방〉새우(제주).

사:위[5]【四圍】명 ①사방에서 둘러싸는 일. ②사방의 둘레. 사주(四周). ¶우리 학교는 ~가 숲으로 싸여 있다. ③네 사람이 껴안을 정도의 굵기.

사위[6]【舍衛】명〖불교〗중인도(中印度) 가비라위국(迦毘羅衛國)의 서북(西北)에 있어, 석가가 25년간 설법 교화(說法敎化)하였다는 땅으로서 바사익왕(波斯匿王) 및 비유리왕(毘瑠璃王)의 도성(都城). 네팔 남쪽에 가까운 랍티(Rapti) 강안(江岸)의 사헤트마헤트(Sahet-mahet)에 해당하며, 기원 정사(祇園精舍)는 그 남쪽에 있었다 함.

사위[7]【斜位】명〔도 Schieflage〕〖생〗태아(胎兒)가 모체(母體) 속에서 가로와 세로의 중간에서 비스듬히 놓인 위치. 자연적으로 분만(分娩)할 수 없으므로 회전시키어 세로의 위치로 하여 머리가 아래로 오게 함. 때로는 저절로 그렇게 되는 경우도 있음.

사위[8]【詐僞】명 거짓을 꾸미어 속임. ——-하다 자여불

사위[9]【嗣位】명 왕위(王位)를 이어받음. ——-하다 자여불

사위다 자〔중세 : 스৾다〕불이 다 타서 재가 되다. ¶숯불이 ~.

사위-돌리기 명〖춤〗탈춤 따위에서, 한삼을 오른쪽으로 돌리면서 오른쪽으로 가고, 왼쪽으로 돌리면서 왼쪽으로 가는 걸음걸이 춤사위.

사위 무실【詐僞無實】명 거짓을 꾸미어 속이어도 실속이 없음. ——-하다 형여불

사위-부【司位府】명〖역〗신라의 관아 이름. 경덕왕 때 위화부(位和府)를 고친 이름. 혜공왕(惠恭王)이 다시 예전 이름으로 회복함.

사위-스럽다 형(ㅂ불)미신적으로 마음에 꺼림칙하다. ¶한씨는 '서방 잡아 먹을 년이드라' 하는 말은 사위스러워서 삼켜 버리고 말았다≪李光洙 : 사랑≫. 사위-스레 부

사위-시【司衛寺】명〖역〗고려 광종(光宗) 뒤에 장위부(掌衛部)를 고친 이름. 성종(成宗) 14년(995) 위위시(衛尉寺)라 고침.

사위안 문화【一文化】〔沙苑〕명 중국 산시 성(陝西省) 남동부의 차오이(朝邑)·다리(大荔) 부근 사구(砂丘)에서 발견된 수렵 문화. 석핵(石核)·석인(石刃)·석촉(石鏃) 등의 세석기(細石器)와 인기(刃器)·소기(搔器)·첨두기(尖頭器)의 3형식으로 이루어진 박편 석기(剝片石器) 및 짐승의 뼈가 다수 출토되었음. 박편 석기가 구석기 시대의 원시적 형식이고, 한편 진화된 형식의 석촉도 있는 점으로 보아 중석기(中石器)에서 신석기 시대 초기의 과도적 문화라고 생각됨.

사:-위의【四威儀】[一/一이] 명〖불교〗수행자의 생활에 있어서의 네 가지의 몸가짐. 곧 행(行)·주(住)·좌(坐)·와(臥). 사의(四儀).

사위-질빵 명〖식〗[*Clematis apiifolia*] 미나리아재빗과에 속하는 낙엽 활엽 만목(蔓木). 줄기는 길게 뻗으며 가시가 나고 잎은 대생하고 유병(有柄)에 삼출 복생(三出複生)하며, 소엽은 달걀꼴이고 상부에서는 세 갈래로 째지고 톱니가 있음. 여름부터 가을에 흰 무판화(無瓣花)가 집산 원추(集繖圓錐) 화수로 액생(腋生)하여 피고, 수과(瘦果)는 길이 10-12mm로 흰 털이 배게 났으며 가을에 익음. 들이나 풀밭에 나는데, 한국·일본·중국 등지에 본포함. 어린 잎은 식용함.

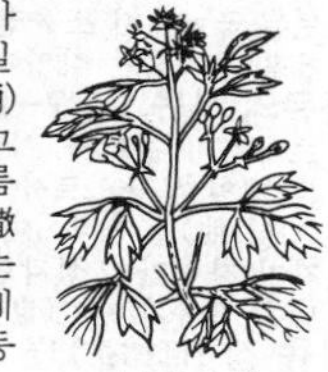

〈사위질빵〉

사위-춤 명〖춤〗탈춤에서, 발림과 한삼 휘두르기를 아울러 하는 활기찬 춤. 봉산 탈춤에서 상좌·먹중·취발이 등이 추며, 외사위·겹사위·양사위·만사위 따위가 있음.

사-위토【寺位土】명 절에 딸린 논밭. *사전(寺田).

사위-팔엎기[一언끼] 명〖춤〗탈춤에서, 한삼을 다른 팔 위에 얹고 옆으로 고개를 흔들며 가재 걸음처럼 나가는 사위.

사윗-감 명 사위로 삼을 만한 사람. 탄복지재(坦腹之材).

사:-유[1]【史儒】명〖사람〗중국 명(明)나라의 유격 장군(遊擊將軍). 선조(宣祖) 25년(1592) 임진 왜란 때 제1차로 조선을 원조하러 왔다가 평양성(平壤城)에서 전사하였음. [?-1592]

사:유[2]【四有】명〖불교〗중생(衆生)이 나서 죽고 다시 태어날 때까지의 사위(四位). 곧, 모태(母胎)에 삶을 받는 순간의 생유(生有), 그로부터 죽음의 전까지의 본유(本有), 죽음의 순간의 사유(死有), 다시 삶을 받을 때까지의 중유(中有)의 넷.

사:유[3]【四侑】명 공자 묘(廟)에 같이 모시는 네 현인(賢人). 안자(顔子)·증자(曾子)·자사(子思)·맹자(孟子)의 네 위(位). 사배(四配).

사:유[4]【四維】명 ①건(乾)·곤(坤)·간(艮)·손(巽). 곧 서북·서남·동북·동남의 네 방위. 사우(四隅). ②나라를 유지함에 최소 한도 필요한 네 가지 수칙(守則). 곧, 예(禮)·의(義)·염(廉)·치(恥).

사:유[5]【死有】명〖불교〗사유(四有)의 하나. 중생이 속세에서 살다가 수명이 다하여 막 죽으려고 하는 찰나(刹那). *생유(生有)·본유(本有)·중유(中有).

사유[6]【私有】명 사인(私人)의 소유. ↔관유(官有)·공유(公有)·국유(國有). ——-하다 타여불

사:유[7]【事由】명 일의 까닭. 연고(緣故). 연유(緣由). 정유(情由).

사유[8]【社有】명 회사의 소유.

사유[9]【思惟】명 ①생각함. ②〖철〗비직관적인 개념적 정신 과정(精神過程). 진리를 대상으로 하는 논리적 개념적 파악(把握)의 형식. 이와 같은 논리적 사유는 개념 구성·판단 및 추리(推理)의 형식을 취하여 행하여짐. 사고(思考). ↔존재(存在). ③〖불교〗대상(對象)을 분별하는 일. 또는 정토(淨土)의 장엄(莊嚴)을 관찰하는 일. 또는 선정(禪定)에 들어가기 전의 일심(一心). ——-하다 타여불

사유[10]【師儒】명 사람에게 도(道)를 가르치는 유자(儒者).

사:유[11]【赦宥】명 ①죄를 용서하여 줌. ②〖역〗조선 시대에 왕의 특권으로서 특사령을 내려 죄인을 특사하던 제도. ——-하다 타여불

사유[12]【闍維】명〖불교〗다비(茶毗).

사유 경제설【思惟經濟說】명〔도 Denkökonomie〕〖철〗사유의 경제를 도모하려는 학설. 과학적 인식은 경험적 사실의 기술(記述)이므로, 가능한 한 작고 간단한 개념(槪念)으로써 많은 과학적 사실을 완전히 기술하여 사유를 절약(節約)할 것을 그 과학적 인식의 주요한 원칙으로 생각하는 학설임. 오스트리아의 실증주의(實證主義) 철학자 마흐(Mach, Ernst)가 주장하였음.

사유 공물【私有公物】명〖법〗사인(私人)이 소유권을 갖고 있는 공물.

사유 교:회【私有敎會】명〔도 Eigenkirche〕〖종〗중세(中世) 유럽에서 국왕·장원(莊園)의 영주(領主) 등이 그 소령(所領)에 설립한 사립 교회. 설립자는 이것을 자기의 재산으로 보고 교회의 사용·수익(收益)·처분의 권리를 보유하였으며, 성직자(聖職者)의 임명권까지도 가졌음. 12세기 후반(後半)에 이 제도는 폐지됨.

사유-권【私有權】[一꿘] 명〖법〗재물을 개인 소유로 할 수 있는 권리.

사유 논리학【思惟論理學】[―놀―] [명]〖논〗일반적으로 사유 심리학에 대하여, 사유의 논리적 고찰을 일컬음. 호네커(Honecker, M.)는 대상과 사유 내용·사유 작용을 구별하고, 그것에 따라 논리학을 대상(對象) 논리학·의미(意味) 논리학·사유(思惟) 논리학으로 나누었으나, 광의(廣義)로는 뒤의 두 가지를 가리켜 일컬음.

사유-림【私有林】[명] 개인 또는 사법인(私法人)이 소유하는 산림(山林). ↔관유림(官有林)·공유림(公有林)·국유림(國有林).

사유-물【私有物】[명] 개인 또는 사법인(私法人)이 소유하는 물건. 사물(私物). ↔관유물(官有物)·공유물(公有物).

사유-법【闍維法】[―뻡] [명]〖불교〗다비법(茶毗法).

사유 법칙【思惟法則】[명]〖철〗모든 사유 작용의 근본이 되는 다섯 가지 원리. 곧, 동일·모순·배중(排中)·충족(充足)·선언(選言).

사:-유삼장【史有三長】[명] 역사를 기록하는 사람은 재(才)·학(學)·식(識)의 세 가지 장점(長點)을 갖추고 있어야 한다는 말.

사:유-서【事由書】[명] 일의 까닭을 적은 글. *전말서.

사유-수[1]【思惟手】[명]〖불교〗여의륜 관음(如意輪觀音)의, 뺨에 댄 손의 일컬음. *사유(思惟).

사유-수[2]【思惟修】[명]〖불교〗마음을 한 곳에 모아 깊이 사유하는 수행이란 뜻으로, '선정(禪定)'을 이르는 말.

사유-수[3]【思惟樹】[명]〖불교〗'보리수(菩提樹)❶'의 이칭.

사유 수습【思惟修習】[명]〖불교〗마음을 어떤 대상에 집중시키고 동요함이 없이 올바르게 사유하는 일. 선(禪).

사유 식민지【私有植民地】[명]〖법〗국가와 아무런 교섭(交涉)이 없이 또는 국가에서 소유권을 인정하지도 아니하였는데, 개인이 자유로이 사업을 경영하는 식민지.

사유의 사유【思惟―思惟】[―/―에―] [명] 〔그 noesis noeseos〕〖철〗그리스의 철학자 아리스토텔레스가 사용한 말. 최고 존재로서의 신은 제일 형상으로서 완전·원만·절대하므로, 자신은 움직이지 아니하고 타(他)를 움직이며, 타의 모든 존재는 신을 생각하여 움직이나, 신은 자기 자신만을 생각함. 곧 사유의 사유라 함. 이러한 철학 사상이 일어난 사유의 자각(自覺)을 설명하고 있는 헤겔(Hegel)에서 볼 수 있음.

사유-장【師儒長】[명]〖역〗성균관(成均館)의 장관(長官)인 '대사성(大司成)'의 딴 이름.

사유 재산【私有財產】[명]〖법〗개인 또는 사법인(私法人)이 자유 의사에 따라 관리(管理)·사용·처분할 수 있는 동산·부동산. ↔공유 재산(公有財產)·국유 재산(國有財產).

사유 재산권【私有財產權】[―꿘] [명] 재산의 사유를 인정하고 자기의 소유물을 자유로 사용·처분·수익할 수 있는 권리.

사유 재산제【私有財產制】[명]〖법〗↗사유 재산 제도.

사유 재산 제:도【私有財產制度】[명]〖법〗자본주의 사회 조직의 기초로서, 법률에 의하여 재산의 사유가 인정되고 있는 사회 제도. [준]사유 재산제.

사유-지【私有地】[명] 개인 또는 사법인(私法人)이 소유하는 토지. 사지(私地). ↔공유지(公有地)·관유지(官有地)·국유지(國有地).

사유 철도【私有鐵道】[―또] [명] 개인이나 사기업(私企業)이 소유·경영하는 철도. [준]사철(私鐵). ↔국유 철도.

사유-화【私有化】[명] 공유(公有)나 국유(國有)의 것이 사유(私有)로 됨. 또, 사유로 만듦. ↔국유화. ――하다 [자][타][여불]

사유 화:차【私有貨車】[명] 회사 또는 개인이 소유하는 화차.

사:육[1]【四肉】[명] 네 발 달린 짐승의 고기.

사육[2]【私肉】[명] 사고기❶.

사:육[3]【事育】[명] 어버이를 섬기고 자녀를 기름. ――하다 [자][여불]

사육[4]【飼育】[명] 짐승을 먹이어 기름. 사양(飼養). ¶ 가축의 ～. ――하다 [타][여불]

사육 동:물【飼育動物】[명] 사람이 사육하는 동물. ↔야생 동물(野生動物).

사육-법【飼育法】[명] 가축·가금 따위를 기르는 방법. 사양법(飼養法).

사육-병【飼育甁】[명] 곤충을 기르기 위한 기구. 대개 둥근 통 모양이며, 망사·유리 따위로 뚜껑을 함. 너무 크거나 지나치게 활발한 것 외에는 수서(水棲)·육서(陸棲)의 여러 가지 곤충을 사육할 수 있음.

사육 상자【飼育箱子】[명] 짐승을 먹여 기르기 위하여 만든 상자.

사:-육신【死六臣】[명]〖역〗조선 세조(世祖) 원년(1455)에 상왕(上王)인 단종(端宗)의 복위(復位)를 꾀하다가 잡혀 죽은 여섯 충신. 이개(李塏)·하위지(河緯地)·유성원(柳誠源)·유응부(兪應孚)·성삼문(成三問)·박팽년(朴彭年). ↔생육신(生六臣). *병자 사화.

사:육신-묘【死六臣墓】[명]〖역〗육신묘(六臣墓).

사:육신 충의가【死六臣忠義歌】[―/―이―] [명]〖문〗사육신들이 지은 시조. 육신 애상가(六臣哀傷歌).

사육-장【飼育場】[명] 사육하는 곳.

사:육-제【謝肉祭】[명] ①〖기독교〗카니발(carnival). ②일반적으로, 여러 사람이 모이어 가면을 쓰고 행렬하며 신바람이 나게 떠들고 노는 축제(祝祭).

사:육제-극【謝肉祭劇】[명]〖연〗①중세 말기(中世末期) 독일의 토민극(土民劇)에서 비롯하여 사육제 때에 하는 가장(假裝) 희극(喜劇). ②종교극(宗敎劇)에 대하여 15세기 독일에서 비롯한 서민적(庶民的)인 속극(俗劇).

사윤【嗣胤】[명] 맏아들과 맏손자.

사:율【四律】[명]〖문〗율시(律詩)의 하나. 오언(五言)이나 칠언(七言)으로 여덟 짝, 곧 네 귀로 된 시.

사:은[1]【四恩】[명]〖불교〗사람이 이 세상에서 받는 네 가지 은혜. ①천지(天地)·국왕(國王)·부모(父母)·중생(衆生)의 은혜. ②국왕·부모·삼보(三寶)·중생의 은혜. ③국왕·부모·사장(師長)·시주(施主)의 은혜. ④부(父)·모(母)·불(佛)·설법사(說法師)의 은혜.

사은[2]【私恩】[명] 사사로이 입은 은혜. 어느 개인에게 사적(私的)으로 베푸는 은혜. *이은(二恩).

사은[3]【師恩】[명] 스승의 은혜.

사:은[4]【謝恩】[명] 받은 은혜를 감사히 여겨 사례함. ――하다 [자][여불]

사:은-사【謝恩使】[명]〖역〗조선 시대에, 중국 명(明)나라에 조공(朝貢)하는 사절. 경위사(慶慰使)·주청사(奏請使)와 함께 부정기적(不定期的)으로 임명되었음.

사:은 숙배【謝恩肅拜】[명] 임금의 은혜를 감사히 여겨 경건하게 절함. ――하다 [자][여불]

사:은 숙사【謝恩肅謝】[명] 사은 숙배. ――하다 [자][여불]

사:은-전【謝恩箋】[명] 임금의 은혜를 감사히 여겨 올리는 글.

사:은-제【謝恩祭】[명]〖기독교〗수은제(酬恩祭).

사:은-회【謝恩會】[명] 감사하는 마음을 나타내기 위하여 베푸는 모임. 흔히 졸업식이 끝난 뒤에 스승의 은혜를 감사하는 뜻으로 베푸는 연회나 다과회를 이름.

사:음[1]【四音】[명]〖언〗후음(喉音)·순음(脣音)·악음(顎音)·설음(舌音)의 네 가지 음.

사음[2]【邪淫】[명] ①마음이 사특하고 음탕함. ②〖불교〗오악(五惡)의 하나. 남의 남자나 여자와 음탕한 짓을 하는 일. 욕사행(慾邪行). ――하다 [형][여불]

사음[3]【舍音】[명] 마름[3].

사음[4]【寫音】[명] 소리 나는 그대로 적음. 또, 그 소리. ――하다 [타][여불]

사음-계【邪淫戒】[명]〖불교〗오계(五戒)의 하나. 부부가 아닌 사람간의 성행위 또는 부부라도 해서는 안 되는 성행위에 대한 계율. 음계(淫戒).

사음 문자【寫音文字】[―짜] [명]〖언〗표음 문자(表音文字).

사음 보:표【―音譜表】[명]〖악〗높은음자리표를 오선보(五線譜)의 제2선에 기입한 보표. 고음부(高音部)의 곡이나 고음역(高音域)을 써 넣는 데 알맞음. 고음부 보표.

사음-소【舍音所】[명] 마름이 사무를 보는 곳.

사:음 음계【四音音階】[명]〖악〗①국악에서, 오음 음계 중 둘째 음이 빠진 음계. 사음이 중축이 되는 대표적인 곡으로 지름 시조·진도 아리랑 따위가 있음. ②테트라코드❷.

사음자리-표【―音―標】[명]〖악〗높은음자리표.

사:-음정【四淫疔】[명]〖한의〗발등이나 발바닥에 벌집 모양으로 나는 부스럼.

사읍【私邑】[명] 사인(私人)의 영지(領地).

사의[1]【司儀】[―/―이] [명]〖역〗①신라 영객부(領客府)의 한 벼슬. 경덕왕(景德王) 때 전의 사지(舍知)를 고친 이름인데, 혜공왕(惠恭王)이 다시 사지로 고침. 위계(位階)는 대사(大舍)로부터 사지까지. ②고려 때 대상시(大常寺)의 한 벼슬. 박사(博士)의 다음.

사의[2]【司議】[―/―이] [명]〖역〗조선 시대에, 장례원(掌隷院)에 속하던 정오품(正五品)의 벼슬. 노예(奴隸)의 적(籍)과 소송에 관한 일을 맡아 보았음. 사평(司評)의 위.

사:의[3]【四儀】[―/―이] [명]〖불교〗사위의(四威儀).

사:의[4]【死義】[―/―이] [명] ①죽음의 의의. ②의를 위하여 죽음. ――하다 [자][여불]

사의[5]【私意】[―/―이] [명] ①개인의 의사(意思). 사견(私見). ②사욕(私慾)을 차리는 마음. 또는 사정(私情)이 섞인 공평하지 못한 마음. 사심(私心).

사의[6]【私誼】[―/―이] [명] 개인 사이에 사귀어 온 정분.

사의[7]【私議】[―/―이] [명] ①사사로이 하는 의논. ②은밀히 비평함. 뒤에서 비방함. ③자기 개인의 의견. ④시의(諡議)의 하나로, 명신(名臣)이 시(諡)를 못 얻었을 때 그 문하생(門下生)들이 의의(擬議)를 하는 일. ―― 하다 [타][여불]

사의[8]【邪義】[―/―이] [명] 부정한 교의(敎義).

사의[9]【邪意】[―/―이] [명] 간악한 마음. 못된 마음. 사심(邪心).

사의[10]【邪議】[―/―이] [명] 부정한 계략. 간악한 의논.

사:의[11]【事宜】[―/―이] [명] 일의 적당함.

사:의[12]【事意】[―/―이] [명] ①일의 의의. ②사건의 내용.

사의[13]【思議】[―/―이] [명] 생각하여 헤아림. 생각하여 평의(評議)함. ――하다 [자][타][여불]

사:의[14]【徙倚】[―/―이] [명] 왔다갔다 함. ――하다 [一][형][여불] 규율이 없다. [二][자][여불] 왔다갔다하다.

사의[15]【斜欹】[―/―이] [명] 사기(斜敧)❶.

사의[16]【射儀】[―/―이] [명] 사술(射術)에 관한 의식.

사의[17]【蛇醫】[―/―이] [명]〖동〗영원(蠑螈).

사의[18]【寫意】[―/―이] [명] ①그리고 싶은 마음. ②회화(繪畫)에서, 사물의 형식보다도 그 내용·정신에 치중(置重)하여 그리는 일. ③의미(意味)를 옮겨 쓰는 일.

사의[19]【簑衣】[―/―이] [명] 도롱이.

사:의[20]【謝意】[―/―이] [명] ①감사하는 뜻. ②사과하는 뜻.

사:의[21]【謝儀】[―/―이] [명] 감사의 뜻을 나타내는 예의. 또, 사례의 뜻으로 보내는 물품. 사례(謝禮).

사의[22]【辭意】[―/―이] [명] ①말의 주장되는 뜻. 어의(語意). ②사직(辭職)할 뜻. 사퇴(辭退)할 의사. ¶ ～를 표명하다.

사:의 경험방【四醫經驗方】[―/―이―] [명]〖책〗조선 인조(仁祖) 말에서 효종(孝宗) 때에 걸쳐 간행된 한의서. 이석간(李碩幹)·채득기(蔡得己)·박렴(朴濂)·허임(許任) 등 네 한의(漢醫)의 경험 방문(方文)들을 모아 편찬한 책. 1 권.

사의 대:부【司議大夫】[―/―이―] [명]〖역〗고려 중서 문하성(中書門下省)의 정사품 벼슬. 예종(睿宗) 때 간의 대부(諫議大夫)를 고친 이름.

사의-랑【司議郞】[―/―이―] [명]〖역〗고려 때 동궁(東宮)의 정육품 벼슬. 현종(顯宗) 13년(1022)과 문종(文宗) 22년(1068)에 각각 두었다가 예종(睿宗) 11년(1116)에 폐지함.

사-의무【私義務】[명]〖법〗사법 관계(私法關係)에서 성립하는 의무. 보통 사인(私人)에 속하지만 국가나 기타 공공 단체에 속할 때도 있음.

↔ 공의무(公義務).

사의-서[1]【司儀署】[ㅡ/ㅡ이ㅡ] 명 〖역〗 고려 때 의례(儀禮)의 진행 절목(進行節目)을 맡아 보던 관아.

사의-서[2]【司醫署】[ㅡ/ㅡ이ㅡ] 명 〖역〗 ①고려 충렬왕(忠烈王) 34년(1308)에 태의감(太醫監)을 고친 이름. ②조선 시대 전의감(典醫監)의 별칭.

사의-시【司醫寺】[ㅡ/ㅡ이ㅡ] 명 〖역〗 전의시(典醫寺).

사의여【便亦】 부 〈이두〉 문득. 갑자기.

사의-장【蓑衣匠】[ㅡ/ㅡ이ㅡ] 명 〖역〗 도롱이를 만드는 장인(匠人).

사의 조선 책략【私擬朝鮮策略】[ㅡ냐/ㅡ이ㅡ냐] 명 〖책〗 조선 고종 17년(1880)에 청나라 시인이며 외교관인 황준헌(黃遵憲)이 주일 청국 공사관 참찬관(參贊官)으로 있을 때, 수신사(修信使)로서 일본에 가 있던 김홍집(金弘集)에게 당시 국제 정세에 대한 자신의 견해를 기술하여 건네어 준 책. 조선은 러시아의 침략을 막기 위해 청(淸)나라·일본·미국과 연합하여 자강(自強)을 도모해야 한다는 내용임. 조선 책략.

사의 표명【辭意表明】[ㅡ/ㅡ이ㅡ] 명 사임할 뜻을 명백히 나타냄. ——하다 자여불

사이[1] 명 〔중세 : ᄉᆞᅀᅵ〕 ①어떤 곳에서 다른 곳까지의 거리. 또, 그 거리 안의 어떤 곳. 공간적인 떨어짐. ②어떤 때로부터 다른 때까지의 동안. 시간적인 떨어짐. ¶눈 깜짝할 ~. ③어떤 일에 들일 시간적인 공백 또는 형편이 좋은 시간적 여유. ¶바빠서 편지 쓸 ~도 없다. ④서로 맺은 관계. ¶부부 ~. ⑤서로 어울려 사귀는 정분. ¶그와는 ~가 좋다. 준새.

사이(가) 뜨다 구 ㉠사이가 멀다. ㉡사이가 오래다. ㉢사이가 친하지 아니하다. 또, 친하던 사이가 틀어지다. 준새뜨다.

사이(가) 좋:다 구 서로 다정하다. 서로 친하다. 의가 좋다.

사이[2] 명 〈옛〉 새우. ¶사이로 누늘 삼ᄂᆞ니(以蝦爲目)《楞嚴 Ⅶ:89》.

사:이[3]【四夷】 명 ①중국에서, 자기 나라를 중국(中國) 또는 중화(中華)라 하고 그 사방에 있는 나라들을 일컫던 말. 곧, 동이(東夷)·서융(西戎)·남만(南蠻)·북적(北狄). ②사방에 있는 오랑캐. ¶~ 팔만(八蠻).

사이[4]【砂夷】 명 토사(土砂)가 다리 높이와 비등하게 쌓여 물이 잘 흐르지 않게 되는 일.

사이[5] 〔일 さい〕 의명 ①목재의 체적(體積)의 단위. 곧, 한 치 각(角)의 열두 자. ②석재(石材)의 사방 두 자.

사이-갈이 명 〖농〗 중경(中耕). ——하다 타여불

사이고: 다카모리〔西郷隆盛: さいごうたかもり〕 명 〖사람〗 일본의 정치가·군인. 메이지(明治) 유신 때의 공신(功臣). 1873년 정한론(征韓論)을 주장하였다가 관직을 버리고 고향인 가고시마(鹿児島)에 돌아가 반란을 일으켰으나 패하여 자결함. [1827-77]

사이-골 명 〖생〗 간뇌(間腦).

사이공〔Saigon〕 명 〖지〗 '호치민 시'의 전 이름.

사이공 조약【ㅡ條約】〔Saigon〕 명 〖역〗 1862년과 1874년에, 프랑스가 베트남을 식민지화할 때 구엔조(阮朝)와 맺은 조약. 각각 제2·제3 불안(佛安) 조약이라고도 함.

사이나 명 〔cyanide〕 〖화〗 시안화물(cyan化物). 곧, 청산 칼리·청화동(青化銅)·청화은(青化銀) 같은 것.

사이너스-샘〔sinus〕 명 〖생〗 시누스샘.

사이다[1]〔cider〕 명 ①청량 음료의 한 가지. 설탕물에 식염(食塩)·탄산소다·중조(重曹) 등의 무기 염류(無機塩類) 또는 산류(酸類)·과즙(果汁)·향료·색소 등을 넣고 여기에 탄산 가스를 포함시킨 것. ②사과즙을 발효시켜서 만드는 독한 술. 음료 외에 초(醋)의 원료로도 쓰임.

사이다[2]〔Saydā〕 명 〖지〗 레바논 남부의 지중해안 도시. 옛이름은 시돈(Sidon). 고대 페니키아의 항구로서 번영하여 지금은 석유 적출항(積出港)으로서 중요하며, 또 레바논 남부의 농산물 집산지임. [100,000 명(1985 추계)]

사이다[3] 자 〈옛〉 새다[1]. ¶모르매 하ᄂᆞᆯ히 사야도 낟디 아니호ᄆᆞᆯ 아ᄅᆞ리니라 오직 하ᄂᆞᆯ히 사야도 낟디 아니호ᄆᆞᆫ(須知天曉不露只如天曉不露)《金三 Ⅳ:52》.

사이다[4] 사동 물건 같은 것을 사게 하다.

-사이다[1] 어미 '하소서' 할 자리에서, 받침 없는 동사 어간에 붙어, 청유(請誘)함을 나타내는 종결 어미. ¶저 것을 보~. *-으사이다.

-사이다[2] 어미 〈옛〉 -시다. -ㅂ시다. -읍시다. =ᄉᆞ이다. ¶藥 든 가ᄉᆞ믈 맛초ᅀᆞᄫᆞ사이다《樂詞 滿殿春別詞》.

사:이-도【四耳島】 명 〖지〗 경상 남도의 남해상, 통영시(統營市) 욕지면(欲知面) 노대리(老大里)에 위치한 섬. [0.02 km^2]

사이드〔side〕 명 ①옆. 곁. 가. 쪽. ②측면(側面). ③현측(舷側). ④경기에서의 어느 한쪽 편. 또, 각각의 진지(陣地). ⑤마작(麻雀)에서, 부점(副點). ⑥당구에서, '잉글리시'의 영국식 일컬음.

사이드덤핑 카:〔side-dumping car〕 명 〖광〗 측전식 광차(側轉式鑛車).

사이드 드럼〔side drum〕 명 〖악〗 '작은북'의 영어명. ↔베이스 드럼.

사이드 라이트〔side light〕 명 ①곁에 있는 등(燈). 배 옆에 달린 등. ②사진이나 영화를 촬영할 때 옆에서 비추이는 불빛. ③우연히 또는 간접으로 하는 증명.

사이드라인〔sideline〕 명 ①측선(側線). 횡선(橫線). ②내직(內職). 부업(副業). ③테니스·축구·농구·배구 등에서, 센터 라인이나 하프 라인과 직각으로 그어, 경기장의 한계(限界)를 표시하는 세로 줄.

사이드 미러〔side mirror〕 명 자동차 등의 차체 앞쪽 측면에 다는 거울.

사이드 벤츠〔side vents〕 명 자켓·코트의 등판 자락의 양옆을 튼 데.

사이드-보:드〔sideboard〕 명 식당의 옆벽에 비치하여 식기를 올려 놓는 선반. 옆선반.

사이드 브레이크〔side brake〕 명 자동차 따위의 수동식 브레이크.

사이드 비즈니스〔side business〕 명 부업(副業). 사이드 워크.

사이드 스로:〔side+throw〕 명 야구에서, 투구법(投球法)의 하나. 공을 손에서 뗄 적에, 지면과 거의 평행되게 팔을 뻗음. 사이드암 스로.

사이드 스테핑〔side stepping〕 명 권투에서, 상대편의 타격을 받을 움직여서 옆으로 엇나가게 하는 방어.

사이드 스텝〔side step〕 명 ①댄스에서, 한 발을 옆으로 내고 다른 발을 끌어다 맞붙이는 스텝. ②운동 경기에서, 모로 뛰기. ③계단 등행(階段登行)를 하는 일.

사이드 스트라이드〔side stride〕 명 높이뛰기에서, 옆으로 도움닫기

사이드 스트로:크〔side stroke〕 명 모자비헤엄. 횡영(橫泳).

사이드-슬립〔sideslip〕 명 ①비행기가 선회할 때 선회 중심 쪽으로 미끄러짐. ②자동차 등이 옆으로 미끄러짐.

사이드 아웃〔side out〕 명 ①테니스에서, 공이 사이드 라인 밖으로 나가는 일. ②배구에서, 서브(serve)측이 실패하여 서브권을 상대편에 넘기는 일. 9인제에서는 서비스가 넘겨짐과 동시에 상대방에 득점이 주어지나, 6인제에서는 서비스권이 옮겨질 뿐 득점은 안 됨.

사이드-와인더〔Sidewinder〕 명 〖군〗 미국의 공대공(空對空) 미사일의 하나. 사정 거리 1-3 km, 속력 마하 2.5.

사이드-카:〔sidecar〕 명 ①오토바이의 일종. 사람·짐을 싣는 측차(側車)가 달린 이륜(二輪) 자동차. ②칵테일의 하나. 브랜디·백큐라소(白curaçao)·레몬즙을 각각 3분의 1씩 섞어서 흔든 것.

사이드 타이틀〔side title〕 명 영화·텔레비전 등의 옆 자막(字幕).

사이드 파샤[1]〔Said Pasha〕 명 〖사람〗 이집트 최종 왕조의 제4대 왕. 파리에서 교육을 받았으며, 상업 통제의 완화, 봉건 제도의 개혁과 수에즈 운하의 개착(開鑿) 등에 힘씀. [1822-63; 재위 1854-63]

사이드 파샤[2]〔Said Pasha〕 명 〖사람〗 터키의 정치가. 여러 번 수상직에 오름. [1835-1914]

사이드 포켓〔side pocket〕 명 허리에 다는 옆포켓.

사이드 폴:〔side pole〕 명 길가에 있는 전차 가선(電車架線)의 지주(支柱).

사이드 플레이어〔side+player〕 명 〖연〗 조연자(助演者).

사이러트론〔thyratron〕 명 〖전〗 열음극(熱陰極) 격자(格子) 제어 방전관의 통칭. 열음극·양극 및 한두 개의 격자(格子)로 이루어지고, 수은·크세논·아르곤·수소 등을 넣은 방전관임. 적당한 격자 전압을 가함으로써 방전의 기동(起動)을 제어할 목적으로 쓰이며, 레이더 등에 쓰임. 미국 제너럴일렉트릭 회사의 상품명에서 전화(轉化)한 이름임.

사이렌〔siren〕 명 ①〖신〗 그리스 신화 중의 해정(海精) 세이렌(seiren)의 영어명. ②〖동〗 [*Siren lacertina*] 사이렌과에 속하는 양서류(兩棲類)의 하나. 뱀장어와 비슷한데, 몸길이 60 cm 가량이고 몸빛은 회색을 띠었으며, 짧은 앞다리와 아가미가 있고, 뒷다리는 있는 것도 있고, 없는 것도 있으며, 도마뱀 같기도 함. 연못·도랑·개천·진흙에 서식하는데, 북미(北美) 남부 지방에 분포함. ③〖기〗 발음체(發音體)의 진동수(振動數)를 측정하는 데 쓰이는 기계. ④〖기〗 음향 장치의 하나. 많은 공기 구멍이 뚫린 원판(圓板)을 고속도(高速度)로 회전시켜, 공기 진동(振動)으로 소리가 나게 하는 장치. 1819년 프랑스의 카니야르(Cagniard)에 의하여 고안되었는데, 증기 사이렌·모터 사이렌 등이 있음. 정오를 알리는 시보(時報)·신호·경보 등에 이용함. 호적(號笛).

사이리스터〔thyristor〕 명 극히 미약한 전류로 센 전류를 제어할 수 있는 반도체 소자. 전력 제어나 교류·직류의 상호 변환에 이용함.

사이리스터 초퍼 방식【ㅡ方式】〔thyristor chopper〕 명 직류(直流) 전차의 전동기(電動機)의 열발생(熱發生)을 감소시키는 방식의 하나. 사이리스터라 일컫는 반도체(半導體)를 회로(回路)에 넣어 전류를 조절, 열의 발생을 크게 감소시키는 것으로서 지하철에 적합함.

사이 먹다 자 곁두리를 먹다.

사이먼[1]〔Simon, Herbert Alexander〕 명 〖사람〗 미국의 수리(數理) 사회 과학자. 카네기 공과 대학 교수. 관리 경영학(管理經營學)의 영역에서 출발, 행동주의적 방법으로 조직론(組織論)·오퍼레이션 리서치(operation research) 분야에서 많은 선구자적 업적을 남김. 1978년, 경제 조직내에서의 정책 결정 과정을 탐구한 공로로 노벨 경제학상을 받음. 저서로 《관리 행동론(管理行動論)》·《조직론》·《인간의 모델》 등이 있음. [1916-]

사이먼[2]〔Simon, Marvin Neil〕 명 〖사람〗 미국의 극작가. TV 프로그램을 위한 각본을 쓰다가 희곡·영화 시나리오로 활동 범위를 확대함. 현대 미국 특히 중산 계층의 생활을 그린 경묘한 희극으로 성공을 거둠. 1965년에는 최우수 극작가상을 수상함. 대표작 《맨발로 공원을》·《이상한 두 사람》·《2번가의 죄수》, 뮤지컬 《스위트 채리티》 등. [1927-]

사이멀캐스트〔simulcast〕 명 〖연〗 같은 프로그램을 라디오와 텔레비전으로 동시에 방송하는 일.

사이버〔cyber〕 명 컴퓨터 통신망. 전자 두뇌의 뜻. ¶~ 주식 거래.

사이버 공간【ㅡ空間】〔cyber〕 명 컴퓨터에서 만들어내는 가상 공간.

사이버네이션〔cybernation〕 명 〔cybernetic automation의 약칭〕 컴퓨터와 자동 제어 기기의 결합 또는 그 결합 시스템.

사이버네틱스〔cybernetics〕 명 〔선박 조종술·타수(舵手) 등의 뜻을 가진 그리스어 kybernetes에서 나온 말〕 사람 및 기계에 나타난 제어와 통신의 이론·기술을 종합한 새로운 과학. 인공 두뇌의 실현과 오토메이션의 개량을 지향하는 일.

사이버 대학【ㅡ大學】〔cyber〕 명 인터넷을 이용하여 실제 교실에서 이루어지는 것과 똑같은 강의를 컴퓨터 화상을 통하여 받을 수 있는 가상 공간에 세워지는 대학. 컴퓨터 단말기와 화상 회의(畫像會議) 시스템을 이용한 교수와 1대 1의 교육을 할 수 있는 등 시간과 공간에 제약을 받지 않는 장점이 있음.

사이버-펑크〔cyber-punk〕 명 개조 인간(改造人間) 곧 사이보그(cyborg)가 인공 두뇌학(人工頭腦學), 곧 사이버네틱스(cybernetics)에 바탕을 두고 만들어 내는 퇴폐적이고 반문화적(反文化的)인 조류(潮流).

¶ ～족(族).

사이보:그 〔cyborg〕 명 〔cybernetics orgainizism〕 기계나 인공 신장(人工腎臟)·인공 심장 및 인공의 팔 등으로 개조된 인간.

사:-이비【似而非】명 겉은 제법 비슷하나 속은 다름. 사시이비(似是而非). ¶ ～ 신사(紳士)/～ 애국자. ——-하다 형여불

사이-사이 ⊟명 사이와 사이. ¶ 나무와 나무 ～에 핀 꽃들. 준새새. ⊟부 틈이 있을 때마다. 또는 틈이 있는 데마다. 틈틈이. 준새새.

사:이사 전:법【四二四戰法】[—뻡] 명 축구에서, 문지기를 뺀 10명의 선수를, 상대편에 대하여 전방(前方)으로부터 4명, 2명, 4명으로 배치하는 진형(陣形). 공격적인 것과 수비적(守備的)인 것이 있음.

사:이 산화 질소【四二酸化窒素】[—쏘] 명〘화〙'사산화 이질소(四酸化二窒素)'의 구칭.

사이-세포【—細胞】명 간세포(間細胞).

사이시야트-족【—族】〔Saisiyat〕명 타이완(臺灣) 북서부 신주저우(新竹州) 산록(山麓) 지대에 사는 원주민. 한족화(漢族化)의 경향이 강하며, 그들의 언어는 인도네시아어(語) 방언(方言)의 하나임.

사이-시옷 명〘언〙순 우리말로 된 합성어로서 앞말이 모음으로 끝날 때 또는 순 우리말과 한자어로 된 합성어로서 앞말이 모음으로 끝날 때 및 몇 두 음절로 된 한자어에서 뒷마디의 첫소리를 된소리로 나게 하거나 'ㄴ' 소리를 첨가하기 위하여 앞말에 받치어 적는 'ㅅ' 받침.

사이아노시스 〔cyanosis〕 명〘의〙치아노제.

사이앰 〔Siam〕명〘지〙'시암'의 영어명.

사이언 〔Sion〕명〘지〙'시온(Zion)'의 영어명.

사이언스 〔science〕명 ①과학(科學). 학문. 학술. ②자연 과학. ③권투나 검술에 있어서의 기술. 또, 씨름에 있어서의 수.

사이언스 픽션 〔science fiction〕명〘문〙공상 과학(空想科學) 소설. 프랑스의 베른, 영국의 웰스 들을 시조로 함. 에스 에프(S.F.).

사이언티스트 〔scientist〕명 과학자. 자연 과학자.

사이언티픽 〔scientific〕명 과학적. 학술적. 학리적.

사이 영 상【—賞】명〔Cy Young prize〕미국 프로 야구에서, 1890년부터 22년간 활약한 투수 사이 영을 기념하여 1956년부터 시작된, 그 해의 최우수 투수를 선정하는 상.

사이-음【—音】명〘악〙원음을 반음 내리거나 올린 음. 곧, 피아노·오르간의 검은 건의 음. 파생음. ↔원음(原音).

사이잘-삼 〔sisal〕 명 〘식〙 [*Agave sisalana*] 수선화과에 속하는 다년초. 용설란(龍舌蘭)과 매우 비슷한데 줄기가 몹시 짧음. 잎은 총생(叢生)하고, 육질(肉質) 피침형인데, 길이 1-1.8 m, 폭 8-14 cm에 이르고 겉에는 가시가 있으며 빳빳하고 섬유가 풍부해서, 10-15년간 자라면 3 m 내외의 긴 꽃줄기가 나와, 대록색의 꽃이 핌. 결실(結實)은 하지 않으나 주아(珠芽)가 떨어져 번식함. 고온(高溫)·건조지에 나는데, 멕시코 원산으로 전세계의 열대 및 아열대에 분포함. 잎에서 채취한 섬유는 마닐라 삼과 비슷하여, 어업용·선박용(船舶用)·포장용 등의 밧줄로 씀. 시잘삼.

〈사이잘삼〉

사이즈[1] 〔size〕명 크기. 치수. 척도(尺度).

사이즈[2] 〔size〕명〘화〙사이징에 사용하는 콜로이드 물질. 로진(rosin) 비누와 황산 알루미늄으로 만들어지나, 요즘은 요소 수지(尿素樹脂)·멜라민 수지(melamine 樹脂)를 많이 씀.

사이즈 컨트롤 〔size control〕명 화상(畫像)의 크기를 수평(水平) 또는 수직(垂直) 방향으로 바꾸기 위해, 텔레비전 수신기(受信機)에 비치(備置)된 제어(制御) 장치.

사:-이지차【事已至此】명 일이 이미 이와 같이 되어 버림. 후회하여도 「이제는 미치지 못함. ——-하다 자여불

사이-짓기 명〘농〙주장이 되는 작물(作物)의 사이에 딴 작물을 심어 가꿈. 간작(間作).

사이징 〔sizing〕명 ①양지(洋紙)의 제조 공정(工程)에서, 펄프에 콜로이드(colloid) 물질을 가해서 종이 섬유의 표면이나 사이를 덮고 액체나 잉크가 번지지 아니하도록 하는 조작(操作). 사이즈제(劑)로서는 로진(rosin) 따위가 있음. ②섬유 공업에서, 풀을 칠하는 작업.

사이-참 【—站】명 일을 하다가 잠시 쉬는 동안. 또, 그 때에 먹는 음식. 준새참.

사:이 첨작오 【四二添作五】명〘수〙구귀가(九歸歌)의 하나. 4로 2를 나눌 때에는, 2를 상(商) 5로 만들어 놓으라는 뜻.

사이초: 〔最澄：さいちょう〕명 〘사람〙일본 천태종(天台宗)의 개조(開祖). 38세에 입당(入唐)하여 천태산(天台山)에서 불도(佛道)를 닦고 귀국, 천태종을 포교하였음. [767-822]

사이코-그래프 〔psychograph〕명〘심〙인격(人格)의 공동 특성을 몇 가지 항목으로 나누고, 어떤 개인에 관하여 각 항목마다 그 특징을 평가하여, 이것을 그래프로 인격 전체의 특성을 표시하는 것. 심지(心志) 또는 인격의 심리학적 프로필이라고도 함.

사이코-드라마 〔psychodrama〕명〘연〙심리극(心理劇).

사이코-아날리시스 〔psychoanalysis〕명〘심〙정신 분석. 또, 정신 분석학(分析學).

사이코-키네시스 〔psychokinesis〕명 물리적인 힘의 매개 없이 정신력에 의해서 물체를 움직이거나, 그 움직임에 영향을 주는 초능력. 피 케이(P.K.). ＊염력(念力)·염동(念動).

사이콘 〔psychon〕명 심령적 메시지를 갖고 있다고 여겨지는 이론상의 입자. 영국의 작가 케스틀러(Koestler, Arthur)의 조어(造語)임.

사이콘-류【—類】〔Sycon〕[—뉴] 명〘동〙이강류(異腔類).

사이콘-형 【—型】명〔Sycon type〕〘동〙석회해면류(石灰海綿類) 구계(溝系)의 한 형. 아스콘형(Ascon型)의 단순한 항아리 모양의 위강벽(胃腔壁)이 밖으로 돌출하여 위강을 싸는 소실(小室)이 되고 위강벽에 있던 동정 세포가 이 곳으로 옮겨 편모실(鞭毛室)을 형성함. 물은 편모실·위강을 통하여 큰 구멍으로 배출됨. 시콘형. ＊류콘형·아스콘형.

사이콜로지 〔psychology〕명 ①심리학(心理學). ②심리. 심리 상태.

사이콜로지스트 〔psychologist〕명 심리학자(心理學者).

사이크스 피코 협정【—協定】명〔Sykes-Picot Agreement〕〘역〙제1차 대전이 진행중인 1916년에 영국의 사이크스(Sykes, Mark)와 프랑스의 피코(Picot, Georges)가 중심이 되어, 영국·프랑스·러시아 삼국 사이에 맺은 비밀 협정(祕密協定). 터키에 대한 삼국의 세력권 설정, 아랍인의 국가와 팔레스티나를 삼국의 협의하에 관리할 것을 협정함. 1917년에 러시아 혁명 정부가 이를 폭로하여, 아랍인의 국가 독립을 약속함.

사이클[1] 〔cycle〕명 ①순환(循環). 한 바퀴. ②자전거. 삼륜차(三輪車). ③〘물〙순환 과정(循環過程). 물질의 한 체계(體系)의 상태가 어떤 변화를 한 뒤에 다시 처음과 같은 상태로 돌아가는 과정. 윤업(輪業).

사이클[2] 〔cycle〕의명〘물〙주파수(周波數)의 단위. 전기나 음(音)의 진동 현상으로 1초 동안에 같은 위상(位相)이 돌아오는 횟수를 사이클 매초(每秒)라 하며, c, c/s, cps 또는 ∞의 약호를 씀. 주파수. 현재는 헤르츠를 씀.

사이클 계:수 【—計數】〔cycle〕명 사이클 카운트.

사이클로-세린 〔cycloserine〕명〘약〙항결핵성(抗結核性) 항생 물질의 하나. 임상적으로 사용되고 합성도 가능함. 결핵약으로서 효과는 스트렙토마이신에 뒤지나, 독성이 없고 다른 항생 물질과 병용하면 효과가 배증(倍增)함.

사이클로-시티딘 〔cyclocytidin〕명〘약〙일본이 개발한 항암제(抗癌劑)의 하나. 동물 실험에서의 효과가 우수하며 부작용도 거의 없고, 백혈병을 위시한 임상 실험에서 우수함이 입증됨.

사이클로이드 〔cycloid〕명〘수〙한 개의 원이 일직선 위를 미끄러지지 않고 굴러 갈 적에, 그 원주(圓周) 상의 한 정점(定點) P가 그리는 궤적(軌跡). 파선. ＊트로코이드.

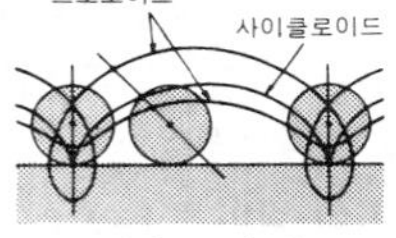

〈사이클로이드〉

사이클로이드 기어 〔cycloid gear〕명〘기〙사이클로이드를 응용하여 만든 기어. 마모가 톱니 전체에 일정하기 때문에 톱니가 변형하지 아니하는 장점이 있으나, 제작과 조립상의 난점이 있어 시계 등의 소형 기어 외에는 사용되지 아니함.

사이클로트론 〔cyclotron〕명〘물〙이온 가속 장치(ion 加速裝置)의 하나. 수소·헬륨 등의 가벼운 원소(元素)의 핵(核)을 전자기력(電磁氣力)에 의하여 고속도로 가속시키는 장치. 원자핵의 연구나 원자핵의 인공 파괴(人工破壞)에 널리 쓰임. 1930년 미국의 로렌스(Lawrence, E.O.)와 리빙스턴(Livingstons, M.S.) 등이 고안하였음. ＊싱크로트론(synchrotron)·싱크로사이클로트론.

사이클론 〔cyclone〕명 ①〘기상〙주로 인도양(洋)에 발생하는 열대 저기압(熱帶低氣壓) 중 폭풍을 동반하는 것을 말하며 한국의 태풍보다는 소규모의 것. 1년에 2-3회 발생함. 구풍(颶風). 선풍(旋風). ②〘화〙기체(氣體) 또는 액체 중의 고체 입자(固體粒子)를 분리 포착하거나, 기체 방울을 기체와 분리하는 데 쓰는 화학 기계의 하나. 일반적으로 수직의 원통 원추형(圓筒圓錐形)의 장치로, 취급하는 물질에 따라 기체 사이클론과 액체 사이클론으로 구별됨.

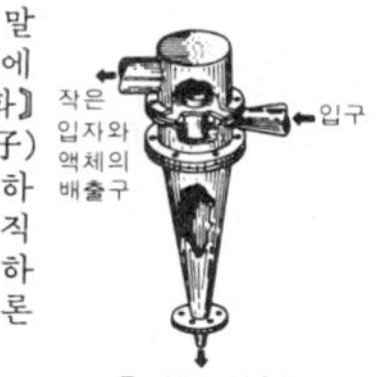

〈사이클론❷(액체)〉

사이클릭 에이 엠 피: 〔cyclic-AMP; AMP는 adenosine monophosphate의 약자〕명〘생〙맛이나 냄새의 자극을 세포내에서 전기 펄스(pules)로 바꾸는 환상(環狀) 아데노신 1인산(燐酸). 세포막에 작용하여 안쪽과 바깥쪽의 전위(電位)를 변화시켜, 이것이 전기 펄스로 되어 신경 세포에 전하여져서 뇌(腦)에 이르러서 맛을 느끼게 하는 작용을 함. 환상(環狀) 에이 엠 피.

사이클링 〔cycling〕명 ①자전거를 탐. ②자전거를 타고 가는 피크닉. ③자동 제어계(自動制御系)에서, 어떤 수치(數值)에서 다른 수치로 주기적(週期的)으로 변화하는 일. ——-하다 자여불

사이클 카운트 〔cycle count〕명 계산기 시스템이, 처리(處理) 시간 중에 발생하는 사이클 수(數)를 기록하는 조작(操作). 사이클 계수.

사이클 히트 〔cycle hits〕명 야구에서, 타자가 한 게임에서 1루타·2루타·3루타·홈런을 모두 치는 일.

사이키 〔Psyche〕명〘신〙'프시케(Psyche)'의 영어명.

사이키델릭 〔psychedelic〕명〘심〙엘 에스 디(LSD) 따위의 복용으로 환각 상태(幻覺狀態)에 있는 일. 또, 그런 환각을 주는 원색적(原色的)이고 자극이 강한 회화(繪畫)나 음향(音響). 1965년경부터 젊은이들 사이에 성행됨. ¶ ～ 아트.

사이키델릭 아:트 〔psychedelic art〕명 ①LSD·대마초 등 환각제의 복용에 의해 일어나는 환상(幻想)과 연관된 예술. ②짙은 색채나 진기한 무늬를 써서 시각적 효과를 높인 미술이나 디자인. 또, 전자 기술로 만들어 낸 소리로 창작되는 음향 효과의 일컬음.

사이타마 현 【—縣】〔埼玉：さいたま〕명〘지〙일본 간토(関東) 지방 서부의 현. 43시(市). 9군(郡). 8-9월의 태풍에 의한 수해를 많이 입으며, 겨울에는 계절풍이 심함. 쌀·밀·보리·감자 등과 분지의 양잠·차 등의 농산물과 주물(鑄物)·전기 기계·수송용 기계 등 공업이 행하여짐. 현청 소재지는 우라와 시(浦和市). [3,799 km²：6,807,233명(1996)]

사이토: 마코토 〔斎藤実：さいとうまこと〕명〘사람〙일본의 정치가. 해군 대장. 1919년 조선 총독에 임명되어 소위 '문화 정치'를 시행함.

1927년 제네바 군축 회의 전권 위원, 1929년 재차 조선 총독, 1932년 수상을 역임하고, 1936년 2·26 사건으로 암살됨. [1858-1936]

사이토: 총:독 저격 사:건 【一總督狙擊事件】〔斎藤: さいとう〕〔一꺽〕 명 『역』 1919년 9월 2일 조선 총독 사이토(斎藤実)를 죽이려다가 미수에 그친 사건. 사이토가 총독에 임명되어 이 날 서울역에 도착하여 자동차에 타고 출발하는 순간, 의사(義士) 강우규(姜宇奎)가 폭탄을 던졌음. 사이토는 무사했으나, 그의 동행자 중 30여 명이 부상하고 2명이 즉사함. 후에 강우규는 체포되어 사형됨.

사이토카이닌 〔cytokinin〕 명 『생화학』 식물 호르몬의 하나. 세포 분열·눈의 분화를 촉진하고 노화를 억제하는 작용 등을 나타냄.

사이토카인 〔cytokine〕 명 『생화학』 혈액 중에 함유되어 있는 면역 단백의 하나.

사이트 〔site〕 명 『컴퓨터』 원격 정보 서비스를 제공하는 서버가 설치되어 있는 호스트 컴퓨터 시스템. 또는 이 컴퓨터 시스템에 구축해 놓은 정보들의 집합.

사이트 빌 〔sight bill〕 명 『경』 일람 출급(一覽出給) 어음. ↔유전스 빌.

사이트 엘 시: 〔sight L/C〕 명 『경』 일람 출급(一覽出給) 어음이 발행될 수 있는 신용장(信用狀).

사이판 섬 〔Saipan〕 명 『지』 서태평양에 있는 미크로네시아(Micronesia)와 마리아나 제도(Mariana諸島) 중부의 가장 큰 섬. 전의 일본 위임 통치령. 1944년 여름의 미일(美日) 격전지(激戰地). 사탕·커피·코프라 등을 산출함. 북마리아나의 수도임. [182 km² : 15,000 명 (1980)]

사:이 팔만 【四夷八蠻】 명 사면 팔방의 오랑캐들이란 뜻으로, 자기 나라 이외의 다른 나라와 이민족들을 미개한 야만인으로 여겨 이르던 말.

사이펀 〔siphon〕 명 ①『물』 대기의 압력을 이용하여 높은 곳에 있는 액체를 낮은 곳으로 옮기는 데 쓰이는 굽은 관(管). 물을 옮길 때 그림에서 h_1이 10 m를 넘으면 사용할 수 없음. ②커피를 끓이는 기구의 하나. 윗 부분의 커피 가루를 넣는 여과기가 달린 프라스코와, 아랫 부분의 물을 넣는 프라스코로 되어 있음. 여과기 밑에 파이프 모양의 연결구(連結口)가 있고, 아랫 부분의 물을 끓이면 증기의 압력으로 위쪽 프라스코로 밀려 올라갔다가, 불을 끄면 끓여진 커피가 아래로 내려옴. ③『토』 도로나 철도 등의 구조물(構造物)을 가로지르는 용수로(用水路)의 도수관(導水管). 주로 흄관(hume管)을 사용함.

〈사이펀❶〉

사이페르트 〔Seifert, Jaroslav〕 명 『사람』 체코슬로바키아의 시인. 일간지 편집장을 거쳐 체코슬로바키아 작가 연합 의장을 지냄. 명쾌하고 리듬 넘치는 시로 알려지며, 프롤레타리아시·전위적(前衛的)인 시를 거쳐 깊은 내성(內省)의 시로 변화함. 시집 《비너스의 손》·《어머니》·《섬에서의 음악회》 등으로 각각 국가상을 받았으며, 1984년 노벨 문학상을 수상함. [1901-86]

사이프러스 〔Cyprus〕 명 『지』 '키프로스(Kypros)'의 영어 이름.

사:-이후이 【死而後已】 명 죽은 뒤에야 일을 그만둠. 곧, 살아 있는 한 끝까지 힘씀. ——하다 자타 여불

사이-흙 〔一흑〕 명 『농』 파종할 때 발아(發芽) 장애를 막기 위하여 화학 비료 위에 뿌리는 흙. 이 위에 파종하여 종자와 화학 비료와의 접촉을 막음. 간토(間土).

사익¹ 【私益】 명 개인의 이익. 자기 한 몸의 이익. 사리(私利). ↔공익(公益).

사익² 【舍匿】 명 집에 숨겨 둠. ——하다 타 여불

사익 신:탁 【私益信託】 명 위탁자 또는 제삼자의 개인적 이익을 위한 신탁. ↔공익(公益) 신탁.

사:인¹ 【士人】 명 벼슬을 하지 아니하는 선비. 사자(士子).

사:인² 【死人】 명 죽은 사람. 사자(死者).

사인³ 【寺印】 명 『불교』 절의 인장(印章).

사:인⁴ 【死因】 명 죽게 된 원인. 사망의 원인. ¶ ~ 불명.

사인⁵ 【私人】 명 ①사적(私的) 자격으로서의 개인. ②『법』 사권(私權)의 주체가 되는 것. 곧, 공공 단체·공법인에 대하여 개인·사단체·사법인 등을 일컬음. 1)·2):↔공인(公人).

사인⁶ 【私印】 명 『법』 사인(私人)의 인장. 형법상 관인(官印)과 구별하는 것은 형벌에 경중(輕重)의 차이를 두기 위해서임. ↔관인(官印)·공인(公印)·직인(職印).

사인⁷ 【邪人】 명 사심(邪心)을 품은 사람.

사인⁸ 【舍人】 명 『역』 ①신라 벼슬의 대사(大舍)와 사지(舍知)의 총칭. ②고려 때 내의 사인(內議舍人)·내사 사인(內史舍人)·중서 사인(中書舍人)·도첨의 사인(都僉議舍人)·문하 사인(門下舍人)으로 일컫은 벼슬. 문종(文宗) 때에 종사품으로 정하고, 충렬왕(忠烈王) 24년(1298)에 정사품으로 올렸다가, 공민왕(恭愍王) 5년(1356)에 다시 종사품으로 내리었음. ③조선 시대초에 문하부(門下府)의 내사 사인(內史舍人)으로 일컫은 벼슬. 정사품. ④조선 시대 때 의정부(議政府)의 정사품 벼슬. 의정부의 비서관 격(格)임. 검상(檢詳)의 위.

사인⁹ 【社印】 명 회사의 인장(印章).

사:인¹⁰ 【使人】 명 심부름꾼. 사자(使者). 사환(使喚).

사인¹¹ 【砂仁】 명 『한의』 축사밀(縮砂蔤)의 씨. 소화제(消化劑)로나 위한(胃寒)·악조(惡阻)·동태(動胎)의 약재로 씀.

사인¹² 【斜刃】 명 『고고학』 빗날.

사인¹³ 【詞人】 명 시문(詩文) 등을 짓는 사람. 문사(文士).

사인¹⁴ 〔sign〕 명 ①서명(署名). ②기호. 신호. 암호. ——하다 자 여불

사인¹⁵ 〔sine, sin〕 명 『수』 삼각 함수의 하나. 직각 삼각형의 한 예각(銳角)의 빗변과 대변과의 비를 그 각에 대해 일컫는 말. 정현(正弦).

사인-게슈탈트 〔sign-gestalt〕 명 『심』 톨만(Tolman, E.C.)의 심리학 용어. 수단과 목표와의 결합 또는 기호와 실물(實物)과의 결합 및 이들 둘을 맺는 루트(route)로서 이루어지는 전체적 구조. 기호 형태(記號形態). ＊기호 형태설.

사인 곡선 【一曲線】〔sine, sin〕 명 『수』 sin θ의 값의 변화를 표시한 그래프. 곧, 사인 함수를 그 변수(變數)에 따라서 나타낸 곡선. 단순한 물결 모양을 나타내며, 진동(振動) 현상의 요소로서 가끔 취급되고 있음. 사인 커브. 정현 곡선(正弦曲線).

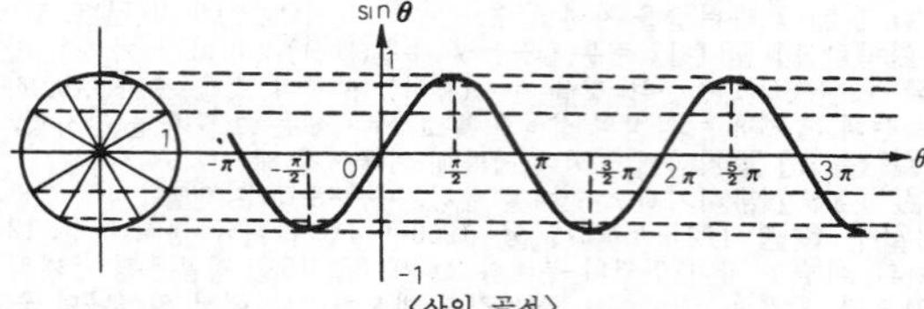

〈사인 곡선〉

사인 공:세 【一攻勢】〔sign〕 명 연예인·운동 선수 등 인기인에게 사인을 해 달라고 귀찮을 정도로 조르는 일.

사:인-교 【四人轎】 명 〔→사린교〕 앞뒤에 각각 두 사람씩 모두 네 사람이 메는 가마.

사:인-기 【四人棋】 명 넷 바둑.

사인 기관 【私人機關】 명 『법』 한 개인 또는 사법인(私法人)이 그 사무를 보기 위하여 둔 기관. 이사(理事)·감사(監事)·사용자(使用者) 등.

〈사인교〉

사:인 남여 【四人籃輿】 명 〔→사린 남여〕 네 사람이 사인교 메듯이 메는 남여.

사:인 대:참 【使人大慚】 명 하는 짓이 옆에서 보는 사람으로 하여금 부끄럽게 함. ——하다 자 여불

사인 도용 【私印盜用】 명 남의 도장을 훔치어 사용함.

사인 등 위조 사:용죄 【私印等僞造使用罪】〔一쬐〕 명 『법』 행사할 목적으로 남의 인장·서명(署名)·기명(記名)·기호 등을 위조하거나 부정 사용하는 죄. 또, 위조했거나 부정 사용한 남의 인장·서명·기명·기호 등을 행사하는 죄.

사:인-방 【四人幇】 명 『역』 중국에서 마오 쩌둥(毛澤東)의 측근(側近)으로서 정치의 핵심에 있으면서 권력을 행사한 장 칭(江靑)·왕 훙원(王洪文)·장 춘차오(張春橋)·야오 원위안(姚文元) 등 문혁파(文革派)의 네 사람. 이들은 마오 쩌둥의 사후(死後), 1976년 10월 쿠데타 혐의로 체포되어 유죄판결을 받았으며 장 칭은 자살함. 이들은 문화 혁명을 주도하여 생산 증강을 위한 움직임을 생산 제일주의라 비난(非難)하여 생산을 혼란에 빠뜨리고, 백화 제방(百花齊放)·백가 쟁명(百家爭鳴)을 방해하여 사회의 모든 분야에서 혼란과 해독을 야기하게 한 것으로 비판받음.

사:인 방상 【四人方床】 명 〔→사린 방상〕 앞뒤에 각각 두 사람씩 도합 네 사람이 메는 상여.

사인 법칙 【一法則】〔sine〕 명 『수』 삼각형에 있어서 각 *A*, *B*, *C*에 대하는 길이를 *a*, *b*, *c*로 하고 외접원(外接圓)의 반지름을 *R*로 하면 $\frac{a}{\sin A}=\frac{b}{\sin B}=\frac{c}{\sin C}=2R$의 식이 성립함. 이것을 사인 법칙이라 함. 구칭: 정현 법칙.

사인-봉 【一棒】〔sign〕 명 각(角)을 정밀히 측정하고, 또 주어진 각도에 공작물을 설정하기 위하여 쓰는 측각구(測角具).

사인-북 〔sign+book〕 명 〔signature book〕 저명 인사·인기 배우 또는 친우들의 서명(署名)을 얻어서 기념으로 엮어 두는 책. 사인첩(sign帖). 서명장(署名帳).

사인 소추 【私人訴追】 명 『법』 국가 기관이 아닌 사인(私人)이 행하는 형사 소송(刑事訴訟). 그 사인이 피해자에 한하는 경우에는 피해자 소추주의라 하고, 피해자에 한하지 아니하고 공중(公衆)의 누구라도 소추할 수 있는 경우에는 공중 소추주의라 함. 우리 나라에서는 현재 국가 소추주의를 취하고 있음.

사인 소추주의 【私人訴追主義】〔一/一이〕 명 『법』 국가 기관 즉, 검사가 아닌 사인(私人)이 형사 소송을 제기하는 주의. ↔국가 소추주의.

사인-암 【舍人巖】 명 『지』 단양 팔경(丹陽八景)의 하나. 한강 상류, 충청 북도 단양의 강가에 우뚝 서 있는 기암(奇岩).

사:인 여천 【事人如天】〔一녀一〕 명 『천도교』 한울님을 공경하듯이 사람도 그와 같이 공경하여 서로 인격과 예의를 존중하는 윤리 행위.

사:인 원류 【似人猿類】〔一월一〕 명 『동』 동반구(東半球)의 특산으로 사람을 닮은 원숭이의 한 가지.

사인 위조 【私印僞造】 명 『법』 ①행사(行使)할 목적으로 남의 도장을 위조함. ②↗사인 위조죄(私印僞造罪).

사인 위조죄 【私印僞造罪】〔一쬐〕 명 『법』 행사할 목적으로 남의 도장을 위조한 범죄. 준사인 위조(私印僞造).

사:인 증:여 【死因贈與】 명 『법』 증여자의 사망으로 인하여 그 효력을 발생하는 일종의 정지 조건부(停止條件附) 증여.

사:인 처:분 【死因處分】 명 『법』 행위자가 사망하면 효력이 발생하는 법률 행위. 유언(遺言)·사인 증여(死因贈與)와 같은 것. 사인 행위(死因行爲). 사후 처분(死後處分). ↔생전 처분(生前處分).

사인-첩 【一帖】〔sign〕 명 사인북.

사인 커:브 〔sine curve〕 명 『수』 사인 곡선(曲線).

사인-파 【一波】〔sine〕 명 『수』 파형(波形)이 삼각 함수의 사인 곡선으로 표시되는 곡선.

사인파 교류 【一波交流】〔sine〕 명 『전』 전압의 크기가 시간 변화에 대하여 사인 곡선을 이루는 교류. 정현파 교류.

사인 펜 〔sign+pen〕 명 펠트(felt)로 된 심을 통해 잉크가 나오게 만든

가는 글씨용의 필기 용구.

사인 함:수【一函數】〔sine〕〔一쑤〕[명]〖수〗사인의 예각(銳角)을 변수(變數)로 했을 때의 사인의 값을 함수로서 취급하는 것. 정현 함수.

사:인 행위【死因行爲】[명]〖법〗사인 처분(死因處分).

사:일[1]【巳日】[명]〖민〗을사(乙巳)·정사(丁巳) 등과 같이 일진(日辰)의 지지(地支)가 사(巳)로 된 날.

사일[2]【仕日】[명] 벼슬을 지낸 날수.

사일[3]【社日】[명]〖민〗춘분(春分) 및 추분(秋分)에서 가장 가까운 앞뒤의 무일(戊日). 춘분의 것을 춘사(春社), 추분의 것을 추사(秋社)라고 하는데, 춘사에는 곡식의 성육을 빌고, 추사에는 그 수확을 감사함.

사일[4]【斜日】[명] 저녁때가 되어 서쪽에 기울어진 해.

사일[5]【奢佚】[명] 사치하고 놀기를 즐김. ——-하다 [형][여불]

사:일구 혁명【四一九革命】[명] 1960년 4월의 한국 정치 혁명. 12년간의 이승만 장기 집권의 부패와 그 해 3월 15일 정부통령 선거의 부정으로 학생을 중심으로 한 반정부 데모가 각지에서 일어나던 중, 4월 19일의 서울 학생 데모가 관헌과 충돌하였으며, 26일에 드디어 이승만이 하야(下野)하여 자유당(自由黨) 정부가 무너지니, 참의원·민의원의 총선거가 실시되고, 내각 책임제에 의한 제2 공화국이 수립됨. 사월 혁명.

사:일구 혁명 기념일【四一九革命紀念日】[명] 국가 보훈처 주관으로, 4·19 혁명을 기념하는 행사를 하는 날. 4월 19일.

사일런서〔silencer〕[명] 소음기(消音器). 방음 장치(防音裝置).

사일런스〔silence〕[명] ①무언(無言). 침묵(沈默). ②정적(靜寂).

사일런트〔silent〕[명] ①무언. 침묵. ②〖언〗발음하지 아니하는 문자. 묵음(默音). ③↗사일런트 픽처(silent picture). ↔토키(talkie).

사일런트 픽처〔silent picture〕[명]〖연〗무성 영화(無聲映畫). [준]사일런트. ↔사운드 픽처.

사일로〔silo〕[명] ①〖농〗겨울철에 가축의 먹이인 풀·곡물 같은 것을 마르지 아니하게 저장하기 위하여, 돌·벽돌·콘크리트 등을 가지고 원형 탑상(圓形塔狀)으로 지은 창고. 겨울 일기가 특히 찬 유럽·뉴잉글랜드(New England) 지방에 많음. 저장탑. ②시멘트·밀가루 등을 포장하지 아니하고, 저장하여 두기 위한 탑 모양의 창고. ③〖군〗미사일을 간수하는 지하호(地下壕).

〈사일로❶〉

사:일-무【四佾舞】[명]〖춤〗종묘나 문묘 제향 때, 16명 또는 32명이 네 줄을 지어 추는 춤. ＊일무(佾舞).

사:일 성복【四日成服】[명] 사람이 죽은 지 나흘 만에 상주 이하의 복인(服人)들이 상복을 입음. ——-하다 [자][여불]

사:일-열【四日熱】〔一렬〕[명]〖의〗열대열(熱帶熱).

사:일 이:십이【四一二十二】[명]〖수〗구귀가(九歸歌)의 하나. 곧, 4로 1을 제함에는 그 1을 묶 2로 만들고, 나머지 2를 그 아랫 자리에 놓으라는 뜻.

사임[1]【寺任】[명] 절의 소임(所任).

사임[2]【辭任】[명] 맡아 보는 직책을 그만 두고 물러남. 사직(辭職). ——-하다 [타][여불]

사임-당【思任堂】[명]〖사람〗'신사임당(申師任堂)'의 호(號).

사임-사【辭任辭】[명] 사임할 때 인사로 하는 말.

사임-원【辭任願】[명] 사임의 뜻을 적은 글. 사임의 원서(願書).

사:입-원【四入圓】[명]〖건〗반원의 호(弧) 네 개가 마름모꼴로 이어진 모양. 또, 그러한 무늬.

〈사입원〉

사:-입점【四立點】[명]〖천〗입춘점(立春點)·입하점(立夏點)·입추점(立秋點)·입동점(立多點)의 총칭.

사잇-강【一江】[명] ☞샛강.

사잇-길 [명] ☞샛길.

사잇-밥 [명] ☞샛밥.

사잇-서방【一書房】[명] ☞샛서방.

사잇-소리 [명]〖언〗두 말이 어울려 한 단어가 될 때에, 그 사이에서 덧나는 소리. 예사소리가 된소리로 변하는 경우의 덧나는 소리, 앞말이 모음으로 끝나고 뒷말이 'ㅁ·ㄴ'으로 시작될 때 덧나는 'ㄴ' 소리, 뒷말이 모음 'ㅣ'나 반모음 'ㅣ'로 시작될 때 덧나는 'ㄴ' 또는 'ㄴㄴ' 따위. 간음(間音).

사잇소리 현:상【一現象】[명]〖언〗두 개의 형태소 또는 단어가 합쳐져 합성 명사를 이룰 때, 앞말의 끝소리가 울림소리이고, 뒷말의 첫소리가 안울림 예사소리이면, 뒤의 예사소리가 된소리로 변하는 일, 앞말이 모음으로 끝나 있고 뒷말이 'ㅁ·ㄴ'으로 시작될 때 'ㄴ' 소리가 덧나는 일, 뒷말이 모음 'ㅣ'나 반모음 'ㅣ'로 시작될 때 'ㄴ' 또는 'ㄴㄴ' 소리가 덧나는 일 따위. '배+사공(뱃사공)'이 '배싸공'으로, '종소리'가 '종쏘리'로, '코+날(콧날)'이 '콘날', '집일'이 '짐닐'로 되는 따위.

사올 [명]〈옛〉사흘. ¶밀므리 사ᄋᆞ리로ᄃᆡ(不潮三日)《龍歌 67章》.

-사이다 [어미]〈옛〉-읍시다. -ㅂ시다. ¶淨土애 ᄒᆞᆫᄃᆡ 가 나사이다 ᄒᆞ야시ᄂᆞᆯ《月釋 Ⅷ:100》.

사:자[1]【士子】[명] 사인(士人).

사:자[2]【死者】[명] 죽은 사람. 사인(死人).

【사자는 물촉(勿觸)】죽은 사람의 일은 들먹거리지 말라는 말.

사자[3]【私子】[명] 사생아(私生兒).

사자[4]【私資】[명] 사재(私財).

사:자[5]【刷子】[명] →쇄자.

사:자[6]【使者】[명] ①명령을 받고 심부름하는 사람. 사인(使人). ②〖법〗타인의 완성한 의사(意思)를 전달(傳達)하는 사람. 또는 타인이 결정한 의사를 상대편에 표시(表示)하는 사람. 대리인(代理人)과는 구별됨. ③〖불교〗죽은 사람의 혼을 저승으로 잡아간다는, 심부름하는 귀신. ④〖역〗부여(夫餘)의 벼슬 이름. ⑤〖역〗고구려 전기 직제(前期職制)의 벼슬 이름.

【사자가 눈깔이 멀었다】어리석고 못된 사람을 보고 저승의 사자가 왜 잡아가 죽이지 않느냐는 욕.

사자[7]【師子】[명]〖불교〗스승과 제자 중.

사자[8]【師資】[명] ①스승과 제자와의 관계. ②스승으로 삼고 의지함. ③스승에게서 학예를 받아 자뢰하여 유익하게 함. ——-하다 [자][여불]

사자[9]【奢恣】[명] 사치하고 방자함. 사사(奢肆). ——-하다 [형][여불]

사자[10]【嗣子】[명] 대(代)를 이을 아들. 맏아들. 윤자(胤子). [준]사(嗣).

사자[11]【獅子】[명]〖동〗[*Panthera leo*] 고양잇과의 동물. 고양잇과 중 최대의 맹수(猛獸)로서 범과 비슷한데, 몸길이 2m, 꼬리 90cm, 어깨 높이 1m 가량이고, 몸빛은 일률적으로 담갈색이 보통이며, 새끼는 암갈색의 반점이 있음. 머리는 크고, 몸통은 작은 편이며, 수컷에는 뒷머리와 앞가슴에 긴 갈기가 더부룩하게 남. 새끼를 밴 후 108일 만에 1-6마리를 낳음. 수명은 15-25년임. 산짐승 중의 왕으로 우렁차게 울며, 야간에 얼룩말·영양·물소·멧돼지 등을 포식하고 사람도 해침. 유사(有史) 이전에는 남부 유럽·아프리카·아시아의 서남부에 널리 분포되어 있었으나, 현재는 주로 인도 서부, 아프리카의 삼림·초원(草原) 지대에 분포함. 라이온(lion).

【사자 없는 산에 토끼가 왕 노릇한다】주장되는 사람이 없으면 하찮은 사람이 득세하여 우쭐거린다는 말.

사자[12]【寫字】[명] 글씨를 베끼어 씀. ——-하다 [자][여불]

사:자-거리【使者一】[명]〖민〗지노귀새남에 하는 굿의 한 거리. 무당이 구군복(具軍服) 차림을 함.

사자-관【寫字官】[명]〖역〗①조선 시대의 승문원(承文院)의 한 벼슬. ②조선 시대에 규장각(奎章閣)의 한 벼슬.

사자-구 [명]〖어〗[*Quinquarius japonicus*] 황줄돔과에 속하는 바닷물고기. 황줄돔 비슷하나 키가 이보다 낮고, 몸길이는 20cm 여임. 주둥이는 뾰족하고 눈은 크며, 몸빛은 엷은 자색을 띤 회흑색(灰黑色), 두부(頭部)는 조잡(粗雜)하고 배지느러미도 길고 거칢. 270m 쯤의 깊은 바다에 살며, 우리 나라 남해와 일본 남부의 심해(深海)에 분포함.

사자-국【獅子國】[명]〖지〗'스리랑카'의 고칭(古稱).

사:자-굿【使者一】[명]〖민〗저승 사자에게 죽은 사람을 잘 모셔 극락으로 보내 달라고 비는 굿.

사자-궁【獅子宮】[명]〖천〗황도(黃道) 십이궁(十二宮)의 다섯째 궁. 게자리의 서쪽에서 사자자리의 서쪽까지 깔려 있음. 태양은 7월 24일부터 8월 24일경에 이 궁에 이름.

사자 금당【師子衿幢】[명]〖역〗신라 때의 군대 이름.

사자 금당감【師子衿幢監】[명]〖역〗신라 때 무관의 이름. 사자 금당주(主)의 아래로, 관등은 나마(奈麻)로부터 당(幢)까지.

사자 금당주【師子衿幢主】[명]〖역〗신라 때 무관의 이름. 사자 금당감(監)의 위로, 관등은 일길찬(一吉飡)에서 사지(舍知)까지.

사자-기【獅子伎】[명]〖민〗①음력 정월 보름날 사자탈을 쓰고 하는 민속놀이의 하나. 두 사람이 나무로 만든 사자탈을 뒤집어 쓰고, 마을을 다니면서 곡식·금전 등을 얻어 들이는데, 이 금품은 마을을 위한 공공 사업에 씀. 사자놀음. 사자놀이. ②〖악〗신라 진흥왕 때 우륵(于勒)이 지었다고 전하는 가얏고 12곡 중의 하나.

사자 기계【寫字機械】[명] 타자기(打字機).

사자-놀음【獅子一】[명]〖민〗사자놀이.

사자-놀이【獅子一】[명]〖민〗①사자기(獅子伎)❶. ②사자춤 마당.

사자-도【獅子島】[명]〖지〗전라 남도의 서남 해상(西南海上), 진도군(珍島郡) 임준면(臨准面) 남동리(南洞里)에 위치(位置)한 섬. [0.1026 km²]

사:자-막이【使者一】[명]〖민〗병이 심할 때 저승 사자가 들러붙지 못하게 하는 굿.

사:자-말명【使者一】[명]〖민〗사람을 잡아가는 저승 사자.

사자-무【獅子舞】[명]〖악〗사자춤.

사:자-밥【使者一】〔一빱〕[명]〖민〗☞사잣밥.

사자 분:신【獅子奮迅】[명] 사자가 성낸 듯 그 기세가 거세고 날램. ¶～의 기세. ——-하다 [자][여불]

사:자 불가 복생【死者不可復生】[명] 한 번 죽은 사람은 다시 살아날 수는 없음.

사자 비:구【師子比丘】[명]〖사람〗24대 조사(祖師)의 이름. 중인도(中印度) 사람이며, 성은 바라문. 학륵나(鶴勒那)의 전법(傳法)을 받았고, 파사사다(婆舍斯多)에게 의발(衣鉢)을 전함.

사자 빈신사 석탑【獅子頻迅寺石塔】[명]〖지〗충청 북도 제천시(堤川市) 월악산(月岳山)에 있던 사자 빈신사의 석탑. 고려 현종 13년(1022) 제작으로, 원래는 9층이었으나 현재는 3층까지만 남아 있음. 상층 기단에 네 마리의 사자를 배열함. 보물 94호.

사자-산【獅子山】[명]〖지〗강원도 평창군(平昌郡) 방림면(芳林面)과 영월군(寧越郡) 수주면(水周面) 사이에 있는 산. 태백(太白) 산맥에 속함. 산기슭인 수주면 법흥리에 사적멸궁(四寂滅宮)의 하나인 법흥사(法興寺)가 있음. [1,350m]

사자산-파【獅子山派】[명]〖불교〗신라 선종 구산문(禪宗九山門)의 하나. 문성왕(文聖王) 때, 당나라에 가서 남전 보원(南泉普願)의 법을 받아온 도윤(道允)이 영월 사자산에 있는 흥녕사(興寧寺)에서 일으킨 선풍(禪風).

사:자-상【使者床】〔一쌍〕[명]〖민〗지노귀새남이나 씻김굿 같은 데서, 저승의 사자(使者)를 위하여 차려 놓는 제물상.

사자 상승【師資相承】[명] 스승으로부터 제자에게 학예를 이어 전함.

사자-생【寫字生】[명] 글씨를 베껴 써 주는 일을 업으로 삼는 사람. 필사생(筆寫生). 필사원.

사자-성【獅子星】[명]〖천〗사자자리의 별.

사:자-수【泗泚水】[명]〖지〗〔←사비수(泗沘水)〕'백마강(白馬江)'의 이칭.

사:자 숭배【死者崇拜】[명]〖종〗사령(死靈) 숭배.

사자 어금니【獅子—】명 힘을 들여서 일을 하는 데에 없지 못할 물건이나 사람을 가리키는 말.

사:자의 서【死者—書】[—/—에—] 명 〔Book of Death〕〖역〗 고대 이집트 사람들이 죽은 사람의 내세의 명복을 위하여, 기도문·찬미가·서약문·신조 또는 주문(呪文) 등을 적어 시체나 미라(mirra)와 함께 묻는 일종의 성서(聖書). 고대 이집트 사람들의 내세관(來世觀)을 연구하는 데 중요한 자료가 됨.

사자-자리【獅子—】명 〔라 Leo〕〖천〗 황도 십이 성좌(黃道十二星座)의 제 6 성좌. 처녀자리의 서쪽에 있음. 그리스 신화의 거인(巨人) 헤라클레스(Hercules)에게 잡힌 큰 사자와 같은 모양을 하고 있다고 하여 이 이름이 있음. 주성(主星)은 레굴루스(Regulus)이며, 육안으로 보이는 별은 약 160개임. 태양은 8-9월에 이 별자리를 통과하여 5월 상순에 남중(南中)함. 발광량(發光量)은 태양의 약 70배. 사자좌. 예좌(猊座). 약자(略字) : Leo.

사자자리 유성군【獅子—流星群】명 〔Leonides〕〖천〗 매년 11월 14-19일에 사자자리의 γ성 부근을 복사점(輻射點)으로 하여 나타나는 유성군. 특히 33.2년을 주기(週期)로 하여 대유성우(大流星雨)가 나타남. 이 유성군의 모체(母體)는 1866년에 나타난 템플터틀(Tempel-Tuttle) 혜성의 물질이 산일(散逸)한 것으로 추정(推定)됨.

사자-좌【獅子座】명 ①〖불교〗 부처의 자리. 고승(高僧)의 자리. 부처가 중생 속에 있음은 마치 사자가 백수(百獸) 속에 있음과 같다는 뜻으로 이르는 말. ②〖천〗 사자자리.

사:자 짚신【使者—】명〖민〗 사자밥과 함께 놓는 짚신.

사:자 채반【使者—】명〖민〗 사자밥을 담는 채반. 「아.

사자-청【寫字廳】명〖역〗 조선 시대에 사자관(寫字官)이 집무하던 관

사자-춤【獅子—】명 정재(呈才) 때에 추던 춤의 한 가지. 사자의 탈을 쓰고 춤. 사자무(獅子舞).

사자춤 마당【獅子—】명〖민〗 북청(北靑) 사자놀음·수영 야유(水營野遊)·봉산(鳳山) 탈춤·강령(康翎) 탈춤 따위에서, 사자탈을 쓰고 나와 갖가지로 벌이는 춤판. 사자놀음. 사자놀이.

사자-코【獅子—】명 사자의 코처럼 생긴 들창코, 또 그런 코의 사람.

사자-탈【獅子—】명 사자의 형상처럼 만든 탈.

사자-후【獅子吼】명 ①〖불교〗 부처님의 한 번 설법(說法)에 뭇 악마가 굴복 귀의(歸依)함의 비유. ②크게 부르짖어 열변(熱辯)을 토(吐)하는 연설(演說)의 비유. ③질투심(嫉妬心)이 강한 여자가 남편에게 암팡스럽게 발악(發惡)하여 떠듦의 비유. ——-하다 자여불

사작-바르다 형 〈방〉 사박스럽다.

사:잠¹【四箴】명 사물잠(四勿箴).

사잠²【沙蠶】명〖동〗 갯지렁이.

사:잣-밥【使者—】명〖인〗 초상난 집에서 죽은 이의 넋을 부를 때에 염라부(閻羅府)의 사자에게 먹인다는 밥. 세 그릇을 담아, 담 옆이나 지붕 모퉁이에 놓았다가 발인할 때에 치움.

사:장¹【四杖】명〖악〗 부(缶)를 치는 채. 대를 아홉 조각으로 쪼개어 만듦. 「의 우두머리.

사장²【司長】명〖역〗 궁내부(宮內府)와 각 부(各部)에 속하던 각 사(各司)

사:장³【四葬】명 고대 중국이나 인도에서 행하여지던 네 가지 장례 방식. 곧, 수장(水葬)·화장(火葬)·토장(土葬)·조장(鳥葬) 또는 수장·화장·토장·임장(林葬).

사:장⁴【四障】명〖불교〗 정도(正道) 수행의 네 가지 장애(障礙). 곧, 물질에 혹하는 혹장(惑障), 악업(惡業)으로 일어나는 악장(惡障), 악취(惡趣)의 보(報)를 받는 보장(報障), 사견(邪見)인 견장(見障).

사:장⁵【四藏】명〖불교〗 네 가지 불전(佛典). 곧, 경장(經藏)·율장(律藏)·논장(論藏)에 주장(呪藏)이나 잡장(雜藏)을 넣은 네 가지.

사:장⁶【死藏】명 유용한 것을 활용하지 아니하고 간직하여 둠. 퇴장(退藏). ¶귀한 물자를 ～하다. ——-하다 타여불 「匠).

사장⁷【私匠】명〖역〗 관부에 예속되지 아니하는 장색(匠色). ↔관장(官

사장⁸【私莊】명 ①사유의 별장(別莊). ②많은 전답(田畓)을 소작 준 곳에 지은 지주의 별택(別宅).

사장⁹【私藏】명 개인이 사사로이 감추어 두거나 간직하여 둠. 또, 그 소

사장¹⁰【沙場】명 모래톱. ㄴ장(所藏). ——-하다 타여불

사장¹¹【社長】명 ①회사의 우두머리. ②〖역〗 조선 시대에 사창(社倉)의 곡식을 나누어 주고 거두어 들이는 일을 맡아 보던 사람. ③〈속〉 치기배의 총두목(總頭目).

사장¹²【社章】명 회사나 결사(結社)의 기장(記章).

사장¹³【社葬】명 회사가 주장하여 지내는 장의(葬儀).

사:장¹⁴【事障】명〖불교〗 탐(貪)·진(瞋)·치(痴)가 열반(涅槃)을 해롭게

사장¹⁵【査丈】명 사돈집 웃어른의 존칭. ㄴ하는 일.

사장¹⁶【師丈】명 '스승'의 존칭. 「範). 선생.

사장¹⁷【師匠】명 학문·기예, 특히 유예(遊藝)를 가르치는 사람. 사범(師

사장¹⁸【師長】명 ①스승과 나이 많은 어른. ②중국 군대에 있어서, 사단

사장¹⁹【紗帳】명 사(紗)로 만든 휘장. ㄴ장(師團長).

사장²⁰【射場】명 활터.

사:장²¹【赦狀】[—짱] 명 ①형벌을 용서한다는 서장(書狀). 사면장(赦免狀). ②대사(大赦)·특사(特赦)를 명하는 서장.

사장²²【詞章·辭章】명 시가(詩歌)와 문장.

사장²³【詞場】명 문단(文壇). 「(寫眞館).

사장²⁴【寫場】명 ①사진관 안에 사진을 찍는 시설을 갖춘 곳. ②사진관

사:장²⁵【謝狀】명 사례하는 편지 또는 사과하는 편지. 사함(謝函).

사:장²⁶【謝章】명 사표(謝表).

사장²⁷【辭狀】명 사표(辭表). 「방.

사:장-간 [—깐] 명〖역〗〔←쇄장간(鎖匠間)〕 옥졸(獄卒)들이 모여 있는

사장-교【斜張橋】명〖토〗 강물의 흐름의 주선(主線)에 대하여 다리의 축선(軸線)이 비스듬한 다리. 2차 대전 후 서독에서 실용화된 다리로 교각(橋脚) 없이 교대(橋臺)만으로 세워지는데, 양 쪽 탑 사이에 케이블을 비스듬히 걸어 상판을 지탱하게 됨. 유속(流速)이 빠르거나 수심이 깊은 곳의 400-500 m의 다리에 적용되는 공법으로, 모양이 보기 좋고 경제성이 뛰어난 점이 강점임. 서울의 88 올림픽 대교가 이의 예임.

사-장구【沙—】명〖악〗 장구통이 사기(沙器)로 만들어진 장구.

사장-석【斜長石】명 〔plagioclase〕〖광〗 장석의 하나. 삼사 정계(三斜晶系)로, 나트륨 장석(長石)과 회장석(灰長石)이 여러 가지 비율로 섞이어서 된 고용체(固溶體)의 총칭. 가장 많은 광물은 나트륨·칼슘·알루미늄 등을 함유한 규산염(珪酸塩)이고 흰 빛을 띰.

사장석화 작용【斜長石化作用】명 〔anorthositization〕〖지〗 사장석이 교대 작용이나 혼성(混成) 작용에 의해서 형성되는 일.

사장-실【社長室】명 사장이 집무하는 방.

사-장암【斜長岩】명〖광〗 주로 사장석으로 이루어진 심성암(深成岩).

사:장 웅예【四長雄蕊】명〖식〗 사강 웅예(四強雄蕊).

사-장조【—長調】[—쪼] 명〖악〗 '사'음을 주음(主音)으로 구성하는 장조. '#'가 하나 붙음.

사장-파【詞章派】명〖역〗 문장과 시부(詩賦)를 중요시하던 학파. 조선 시대 초기에 도학(道學)을 위주로 하는 조광조(趙光祖) 일파에 대항하여, 한문학(漢文學)도 무시할 수 없다고 나선 일파로, 김일손(金馹孫)·남효온(南孝溫)·남곤(南袞)·조위(曺偉) 등이 대표적 인물임.

사:재¹【史才】명 사관(史官)이 될 만한 재능.

사:재²【史材】명 사료(史料). 「을 일컫는 말.

사:재³【四宰】명〖역〗 삼재(三宰)의 다음이라는 뜻으로, 우참찬(右參贊)

사재⁴【私財】명 사인(私人)이 소유하고 있는 재산. 사자(私貲). 사산(私

사재⁵【社財】명 회사의 재산. ㄴ産). 사탕(私帑).

사재⁶【思齋】명〖사람〗 김정국(金正國)의 호(號).

사재⁷【渣滓】명 찌끼.

사재⁸【瀉材】명〖약〗 사제(瀉劑).

사재-감【司宰監】명〖역〗 ①고려 공민왕(恭愍王) 18년(1369)에 사재시(司宰寺)를 고친 이름. 21년에 다시 사재시로 고침. 어산물(漁產物)의 조달(調達)과 하천(河川)의 교통을 맡아 봄. ②조선 시대에 궁중(宮中)에서 쓰는 생선·고기·소금·땔나무·숯 등의 사무를 맡아 보던 관청. 태조 원년(1392)에 설치하여, 고종(高宗) 19년(1882)에 폐함. 사진(司津). 도진(都津).

사-재기 명 품귀(品貴)나 값오르기를 예상하고 당장 필요한 이상으로 사 두는 일. *매점(買占). ——-하다 타여불

사-재다 타 품귀(品貴)나 값 오르기를 눈치채고 당장 필요한 이상으로 사서 쟁여 두다.

사:재발-쑥 명〖식〗 산쑥. 빙대(氷臺). 의초(醫草). 애호(艾蒿).

사재-시【司宰寺】명〖역〗 고려 문종(文宗) 때의 관청. 충렬왕(忠烈王) 때 사진감(司津監) 또는 도진사(都津司)라 고치었다가 다시 사재시가 됨. 공민왕 때 또 사재감(司宰監)으로 고치었다가 후에 다시 이 이름으

사:재-하다 형 〈방〉 사박스럽다. ㄴ로 고침.

사:쟁【四諍】명〖불교〗 교리(教理)에 관한 말다툼인 언쟁(言諍), 비구(比丘) 등이 범한 죄과(罪過)를 추구(追求)하여 언쟁하는 멱쟁(覓諍), 비구 등이 범한 죄과가 아직 드러나지 않을 때 그 범죄를 평의(評議)하여 언쟁하는 범쟁(犯諍), 남이 이미 일으킨 갈마(羯磨)를 비평하여 언쟁하는 사쟁(事諍)의 네 가지 쟁(諍).

사-쟁이 명〖역〗↗옥사쟁이.

사저¹【私邸】명 ①사인(私人)의 저택. 사제(私第). ②고관(高官)이 사사로이 거주하는 저택. ↔관저(官邸).

사저²【沙渚】명 모래 강변. 「남은 도자기의 밑바닥.

사저³【砂氐·沙氐】명〖공〗 잿물이 잘 묻지 아니하여 진흙바닥 그대로

사:적¹【士籍】명 사족(士族)의 족적(族籍).

사:적²【四敵】명 사방의 적.

사:적³【史的】[—쩍] 명관 역사에 관계가 있는, 또, 역사에 관련시키고 있는 모양. ¶～ 유물론/～ 고찰(考察).

사:적⁴【史蹟】명 역사상으로 남아 있는 사건의 자취. 역사상의 유적(遺蹟). 고적(古蹟). ¶～을 보전하다. *중요 기념물.

사:적⁵【史籍】명 역사에 관한 서적. 사기(史記). 사서(史書).

사적⁶【私的】[—쩍] 명관 개인에 관계가 있는 모양. 공공(公共)의 일이 아닌 모양. ↔공적(公的).

사적⁷【私敵】명 사사로운 적. 개인의 적. ↔공적(公敵).

사적⁸【私覿】명 사사로이 임금을 뵈옴. ——-하다 자여불

사:적⁹【事績】명 일의 실적. 일의 공적.

사:적¹⁰【事蹟·事跡·事迹】명 사건의 자취. 일의 형적. ¶역사상의 ～.

사적¹¹【射的】명 ①활이나 총포를 쏘는 과녁. ②목적물을 향하여 활이나 총포를 발사함. ——-하다 자여불

사적 독점【私的獨占】[—쩍—] 명 〔private monopoly〕〖경〗 사기업(私企業)에 있어서의 독점. 사업체가 딴 사업자의 사업 활동을 제한하거나 딴 사업을 지배함으로써 공공(公共)의 이익에 반하여 일정한 거래 분야(分野)에 있어서의 경쟁을 실질적으로 제한하는 일. 민영(民營)의 전기(電氣) 사업·가스(gas) 사업 등도 사적 독점이지만, 특히 카르텔과 트러스트를 가리켜 일컬음.

사:-적멸궁【四寂滅宮】명〖불교〗 불상(佛像)을 모시지 아니한 법당(法堂). 양산(梁山)의 통도사(通度寺), 오대산(五臺山)의 월정사(月精寺), 사자산(獅子山)의 법흥사(法興寺), 태백산(太白山)의 정암사(淨岩寺) 등의 각 법당.

사:적 문법【史的文法】[—쩍—뻡] 명〖언〗 역사(歷史) 문법.

사적-비【寺跡碑】명〖불교〗절의 역사를 기록한 비석.
사적-사【司績司】명〖역〗고려초에 벼슬아치의 잘하고 잘못한 일의 실상을 조사하여, 상고하는 사무를 맡아 보던 관청. 성종(成宗) 14년 (993)에 와서 상서 고공사(尙書考功司)로 고침.
사적 서:원【私的誓願】[一쩍一] 명〖천주교〗교회의 어른의 중개없이 직접적으로 천주에게 하는 서원. ↔공식 서원.
사:적 유물론【史的唯物論】[一쩍一] 명〖철〗유물 사관(唯物史觀).
사적 자치【私的自治】[一쩍一] 명〖법〗개인의 사법 관계(私法關係)를 각 개인의 의사에 따라, 그 원하는 대로 규율(規律)을 정하는 일. 근대 사법(私法)의 한 원리(原理)임.
사적 자치의 원칙【私的自治一原則】[一쩍一/一쩍一에一] 명〖법〗사법상(私法上)의 법률 관계를 사적 자치, 곧 개인의 의사에 따라 규율을 정할 것을 원칙으로 하는 근대(近代) 사상의 한 이상(理想). 계약(契約) 자유의 원칙 또는 유언(遺言)의 자유, 사단(社團) 설립의 자유 등이 이에 포함됨. 개인 의사 자치(自治)의 원칙. 법률 행위 자유의 원칙.
사적-장【射的場】명 목표물을 만들어 놓고 활이나 총포를 쏘는 연습을 하는 곳. *사격장(射擊場).
사적 제:재【私的制裁】[一쩍一] 명〖법〗사형(私刑).
사적 투자【私的投資】[一쩍一] 명〖경〗사기업(私企業)에 의한 투자. ↔공공 투자.
사적 행동【私的行動】[一쩍一] 명 개인으로서의 행동. ¶ ~은 금함.
사:적 현:재【史的現在】[一쩍一] 명 (historical present)〖언〗과거의 일이나 역사적인 사적(事蹟)을 생생하게 묘사하기 위해서 현재적으로 서술하는 일. 곧, 동사(動詞)를 현재형으로 쓰는 일.
사:전[1]【史傳】명 ①역사나 전기(傳記). ②역사상의 자료인 기록을 기초로 하여 쓴 전기.
사전[2]【寺田】명 절에 딸린 밭. 고려 때 사원(寺院)에 소속된 전장(田莊) 및 토지로, 국가의 불교 보호 정책에 따라 절의 경비에 쓰도록 분배된
사전[3]【寺典】명〖역〗대도서(大道署). └것임. 사원전(寺院田).
사:전[4]【死戰】명 죽음을 각오로 싸움. 결사적인 싸움. ——-하다 자여불
사전[5]【沙田】명 모래가 많이 섞인 밭.
사전[6]【私田】명〖역〗사인(私人)의 소유인 논밭. ↔공전(公田).
사전[7]【私電】명 사사로운 전신(電信). ↔공전(公電).
사전[8]【私錢】명 위조한 돈. 사사로이 만든 돈. ↔관전(官錢).
사전[9]【私戰】명 국가의 선전(宣戰)하는 권한에 의한 명령을 받지 아니하고, 사사로이 외국에 대하여 취한 전투 행위. 성격상 아무리 애국적인 행위일지라도 국제법상 범죄 행위로 간주됨. ↔공전(公戰).
사전[10]【祀典】명 제사(祭祀)의 예전(禮典).
사:전[11]【事典】명 여러 가지 사항을 모아 그 하나하나에 해설을 붙인 책. ¶ 백과(百科) ~. *사전(辭典).
사:전[12]【事前】명 일이 일어나기 전. 실행하기 이전. ¶ ~ 통고. ↔사후
사전[13]【師傳】명 스승으로부터의 전수(傳授). └(事後).
사전[14]【梭田】명 베틀의 북 모양으로, 길쭉하고 두 끝이 빤 밭.
사:전[15]【赦典】명 국가적인 경사가 있을 때 죄인을 석방하는 은전(恩典). 준사(赦).
사:전[16]【肆廛】명 가게❶.
사:전[17]【賜田】명〖역〗주로 외교 국방 등 국가에 공로가 있는 왕족이나 관리에게 임금이 내려 준 논밭. 사패전(賜牌田). 훈전(勳田).
사:전[18]【謝電】명 감사의 뜻을 나타내는 전신.
사전[19]【辭典】명 언어를 모아서 일정한 순서로 벌여 싣고, 낱낱이 그 발음·의의·용법·어원(語源) 등에 관하여 해설한 책. 사림(辭林). 사서(辭書). 어전(語典). 석사서(釋辭書). ¶ 국어 ~. *사전(事典).
사:전 감사【事前監査】명 거래 성립 전의 감사인(監査人)의 승낙을 이름. 특히, 내부 감사에서 금전의 지급 이전에 관계되는 송장(送狀)·청구서 등의 증거 서류를 감사하는 경우를 말함. ↔사후 감사.
사:전-기【死戰期】명 죽음의 직전의 상태. 사상(死相)을 나타내어 의식이 없어지고 호흡이나 맥박이 점차로 소실하여 감.
사전-꾼[1]【私錢一】명 가짜 돈을 몰래 만드는 자.
사전-꾼[2]【私錢一】명 (프 Les faux-monnayeurs)〖문〗앙드레 지드의 장편 소설. 제1차 세계 대전 전의 프랑스를 배경으로, 인생에서 모험과 노름밖에 모르는 사생아 베르나르를 중심으로 허무와 초조감에 시달리며 혼미(混迷)하는 청년들의 모습을 그림. 1926년에 완성됨.
사:-전도【四顚倒】명〖불교〗정리(正理)를 거꾸로 잘못 아는 네 가지의 망견(妄見). 곧, 세간(世間)의 실상(實相)에 대하여 무상(無常)을 상으로, 고(苦)를 낙으로, 무아(無我)를 아로, 부정(不淨)을 정으로 알거나, 또는 열반(涅槃)의 실상에 대하여, 상(常)을 무상으로, 낙(樂)을 무락으로, 아(我)를 무아로, 정(淨)을 부정으로 그릇 아는 일. 사도(四倒). 상락아정(常樂我淨). 「이나 희곡·연극 등.
사:전-물【史傳物】명 사실(史實)에 의거하여 만들어진 전기적인 소설
사:전 사:후 분석【事前事後分析】명〖경〗경제의 변동 과정을 분석하는 수법의 하나. 한 기간의 초기에 경제 주체가 계획하고 기대(期待)한 행위가 기말에 어떻게 실현되며, 기대와 결과의 차질이 차기의 행동을 규정하는 기대에 어떠한 영향을 미치는가, 라는 문제를 다룸.
사:전 운:동【事前運動】명 일을 일으키기 전에 준비를 위해 활동하는 일. 특히 선거에서 정해진 운동 기간 전에 하는 준비를 위한 활동.
사:전 원가 계:산【事前原價計算】[一까一] 명 특정한 제품이나 공사 작업 등의 특정한 급부(給付)에 관하여, 그 주문의 인수 또는 생산에 착수하기 전에 미리 견적(見積)으로 계산하는 방법. ↔사후 원가 계산.
사전-죄【私戰罪】[一쬐] 명 사전을 함으로써 성립되는 죄.
사전-창【蛇纏瘡】명〖한의〗부스럼의 모양이 뱀이 서리고 있는 것과 같이 되는 피부병의 한 가지.

사:전트 (Sargent, John Singer) 명〖사람〗피렌체 태생의 미국 화가. 주로 런던에서 살았으며 초상화, 특히 여인화를 우미하게 그림으로써 인기를 얻음. 보스턴의 미술관·도서관에 벽화를 그렸음. [1856-1925]
사:전 포장【事前包裝】명 (pre-package)〖경〗정육(精肉)·청과물(青果物) 또는 간단한 의류(衣類) 등을 팔기 쉽게, 미리 일정한 단위로 포장하여 가게에 진열하는 방식.
사:전-학[1]【史前學】명 선사학(先史學).
사전-학[2]【辭典學】명 사전 편찬에 관한 일을 연구하는 학문.
사:절[1]【士節】명 선비의 절개. 사대부(士大夫)로서의 절의(節義).
사:절[2]【四節】명 사철. 「짐. ——-하다 자여불
사:절[3]【死絶】명 ①숨이 끊어져 죽음. ②자손이 다 죽어 대(代)가 끊어
사:절[4]【死節】명 죽기로써 절조(節操)를 지킴. 절개를 위하여 목숨을 버림. ——-하다 자여불
사:절[5]【使節】명 ①옛날 중국에서 외국에 가는 사신(使臣)에게 지참(持參)하게 하던 부절(符節). ②군주(君主)의 사신(使臣)으로서 또는 국가·정부를 대표하여 외국에 가는 사람. 신사(信使).
사절[6]【斜截】명 비스듬히 벰. 경사지게 자름. ——-하다 타여불 「여불
사:절[7]【謝絶】명 사양하고 받지 않음. 거절함. ¶ 면회 ~. ——-하다 타
사절[8]【辭絶】명 사양하여 받아들이지 아니함. ——-하다 타여불
사:-절기【四節氣】명 24절기 중의 네 큰 절기. 곧, 춘분(春分)·하지(夏至)·추분(秋分)·동지(冬至).
사:절-단【使節團】[一딴] 명 사절로서 외국으로 가는 일단. ¶ 외교 ~
사절-면【斜截面】명 비스듬히 베어 낸 면(面). 경사지게 잘라 낸 면.
사:절-지【四折紙】[一찌] 명 전지(全紙)를 넷으로 접어 자른 크기의 종이. 보통, 신문의 반 장 정도의 크기임. 「따위를 재료로 하여 담금.
사:절-초【四節醋】명 담근 식초의 하나. 누룩가루·볶은 기장쌀·찹쌀
사:점[1]【死點】[一쩜] 명 (dead point)〖공〗왕복 기관(往復機關)에서 연결봉과 크랭크가 일직선상에 있으며, 피스톤이 충정(衝程)의 말단에 있는 경우. 그림에서 크랭크 AB와 연결봉 BC가 일직선의 경우임. 데드 포인트.

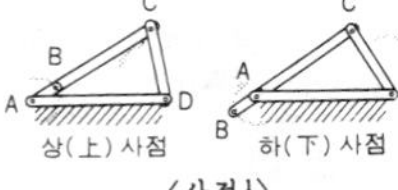

〈사점[1]〉

사점[2]【私占】명 개인이 사사로이 차지함. ——-하다 타여불
사점[3]【栖占】명 홋점.
사:점 방위법【四點方位法】[一쩜一뻡] 명 물체의 사점 방위를 측정하여 자기와 물체와의 거리를 아는 법. 항해(航海) 중의 배에서 흔히 행하는 간단한 거리 측정법(測定法)의 하나임. 즉, A에서 B 방향으로 진행 중 지물(地物) C를 사점 (45°) 방위에서 포착한 후 이것을 90° 방향으로 관측하기까지 선박이 진행한 거리를 알면 이것이 곧 BC의 거리가 됨.

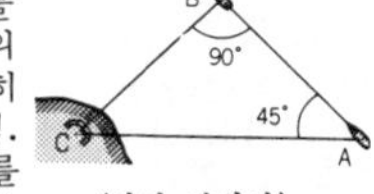

〈사점 방위법〉

사접【邪接】명 요사한 귀신이 몸에 붙음. ——-하다 자여불
사-접시【砂一·沙一】명 사기로 만든 접시.
사:정[1]【巳正】명〖민〗사시(巳時)의 중심 시각. 곧 오전 열 시.
사:정[2]【四正】명 자(子)·오(午)·묘(卯)·유(酉)의 네 방위.
사정[3]【司正】명 ①〖역〗조선 시대 때 오위(五衛)의 정칠품 군직(軍職)의 하나. 현직(現職)에 있지 아니한 문관과 무관 및 음관(蔭官)으로 채움. 부사정(副司正)의 위, 부사과(副司果)의 다음. ②그릇된 일을 다스려 바로잡음. ¶ ~ 비서관. ——-하다 타여불
사정[4]【沙汀·砂汀】명 바닷가의 모래톱.
사정[5]【邪正】명 그릇됨과 올바름. 사(邪)와 정(正).
사정[6]【私情】명 ①개인적인 정. ¶ ~에 끌리다. ②개인적인 감정. ③자기만의 편의를 얻자는 마음. 사욕을 차리는 마음.
【사정이 많으면 한 동리에 시아비가 아홉】㉠정조 관념(貞操觀念)이 희박한 여자를 비웃는 말. ㉡일정한 주견(主見)이 없이 남을 덩달아 좇는 사람을 두고 이르는 말.
사:정[7]【使丁】명 잔심부름하는 남자 하인. 사환. 소사(小使).
사정[8]【舍亭】명 정자(亭子).
사:정[9]【事情】명 ①일의 곡절(曲折). 일이 놓여 있는 형편. ¶ 이러한 ~으로. ②자기가 처하고 있는 처지. 또, 정상(情狀). ¶ 가정 ~. ③딱한 처지를 하소연하여 용서나 도움을 비는 일. ¶ 아무리 ~해도. ——-하다 자타여불
【사정이 사촌보다 낫다】사정만 잘하면 웬만한 것은 통할 수 있다는 말.
사정[10]【查正】명 조사하여 그릇된 것을 바로잡음. ——-하다 타여불
사정[11]【查定】명 ①조사하여서 결정함. ②〖법〗어떤 물건의 수량이나 금액을 조사 또는 심사하여 결정하는 일. 또, 각 부처의 요구에 의한 예산액을 경제 기획원 장관이 조정하는 일이나, 세무 관청이 소득액·세금액을 인정하는 일. ③〖법〗특허·실용 신안(實用新案)·상표(商標)·미장(美匠)의 등록 출원(出願)을 심사하고 그 특허 등의 부여(付與)를 결정하는 일. ——-하다 타여불 「정자.
사정[12]【射亭】명 활터에 세운 정자. 활량들이 모여 활쏘기를 연습하는
사정[13]【射程】명 총구(銃口)로부터 탄환이 도달할 수 있는 지점까지의 수평 거리(水平距離). 사정 거리. 탄정(彈程). ¶ 적이 ~ 안에 들어오다.
사정[14]【射精】명〖생〗성교(性交)에서, 정액(精液)을 반사적으로 사출(射出)하는 일. 척수(脊髓) 안에 있는 사정 중추(射精中樞)의 흥분으로 일어남. 파정(破精). 토정(吐精). ——-하다 자여불
사정[15]【寫情】명 보거나 느낀 실정을 그려 냄. ——-하다 자여불
사정 가격【查定價格】[一까一] 명 관청이나 어떤 기관에서, 사정하여
사:정 거:리【射程距離】명 사정(射程). └매긴 가격.
사:-정견【四正見】명〖불교〗①삼라 만상의 일체(一切)를 고(苦)·공

(空)·무상(無常)·무아(無我)의 네 가지로 보는 일. ②진리에 대한 네 가지의 바른 견해. 곧, 고(苦)·집(集)·멸(滅)·도(道)의 사제(四諦).

사정-관【射精管】명 〔ejaculatory duct〕〖생〗 남자 생식기(生殖器)의 수정관(輸精管)의 한 부분. 성교(性交) 때 정액(精液)을 내쏘는 가느다란 관(管)으로서, 요도(尿道)에서 열림.

사:-정근【四正勤】명 〖불교〗 네 가지의 올바른 노력(努力). 곧, 나지 아니한 악(惡)은 못 나게 하고, 이미 생긴 악은 끊을 것이며, 나지 아니한 선(善)을 나도록 하고, 이미 생긴 선은 더욱 자라게 하도록 애쓰는 일.

사정-기【射亭旗】명 〖민〗 사정의 표장(表章)이 되는 기.

사:정 변:경의 원칙【事情變更一原則】[一/一에一] 명 〔라 clausula rebus sic stantibus〕〖법〗 계약 체결 당시의 사정이 그 후 현저히 변경되어, 체결 당시의 효력을 유지하는 것이 신의(信義)·공평(公平)에 반하는 부당한 결과를 발생시킬 경우에, 계약의 소멸(消滅)이나 내용의 변경을 인정(認定)하려고 하는 사고 방식. *신의 성실의 원칙.

사:정 보:정【事情補定】명 〖법〗 재산의 감정(鑑定) 가격을 산정할 때 수집된 매매 사례(賣買事例)에 거래 관계자의 특수한 사정 또는 개별적 동기가 개재되었거나 시장 사정에 정통하지 못하여 그 가격이 정확하지 아니하였을 때, 그러한 사정이 없을 때의 가격 수준으로 정상화하는 작업. 임료(賃料)의 산정에서 이에 준하는 작업도 포함됨.

사정-부【司正府】명 〖역〗 신라 때 기강(紀綱)과 규탄(糾彈)의 일을 맡아 보던 관아. 경덕왕(景德王) 때 숙정대(肅正臺)라 고쳤다가 혜공왕(惠恭王) 때 다시 본이름으로 고침.

사:정-사정【事情事情】부 딱한 사정을 간곡히 하소연하거나 비는 모양. ¶ 살려 달라고 ∼하다. ——하다 자 타 여불

사정-세【查定稅】명 〖법〗 대장세(臺帳稅).

사정-안【查定案】명 ①사정할 또는 이미 사정한 안. ②원안(原案)을 사정한 뒤에 다시 작성하여 토의에 부치는 안건.

사:정-없다【事情一】[一업一] 형 ① 남의 사정을 헤아려 돌봄이 없다. ¶ 인정(人情)∼. ② 잔인하여 조금도 인정(人情)이 없다.

사:정-없이【事情一】[一업씨] 부 사정없게.

사정 위원회【司正委員會】명 〖법〗 1960년 이전에 대통령 소속하에 두었던 한 위원회. 공무원의 직무상 비위(非違)를 조사 보고하는 사항을 관장(管掌)하였음. *감찰 위원회(監察委員會).

사정 유적【沙井遺跡】[一뉴一] 명 〖역〗 중국 간쑤 성(甘肅省) 전번 현(鎭番縣)에 있는 선사 시대(先史時代)의 유적. 주거적(住居跡)과 묘장지(墓葬地)가 서로 근접해 있는데, 묘장지에서는 수십 구의 신전장(伸展葬)의 유체(遺體)와 도끼·청동제 칼·동촉(銅鏃) 등의 부장품이 많이 출토됨.

사:정-장【四征章】[一짱] 명 용비 어천가 제38장의 이름.

사정-전【思政殿】명 〖지〗 경복궁(景福宮) 안에 있는 편전(便殿).

사정 편사【射亭便射】명 〖민〗 터편사. ——하다 자 여불

사:제[1] 명 〈방〉 사자(使者).

사제[2]【司祭】명 〖종〗 ①종교적 의식(儀式)을 집행하고 인간과 신(神) 또는 부처 사이에서 매개(媒介)의 직무를 행하는 사람. 원시 종교의 종교적 의식의 집행자들을 이름. ②주교(主教)와 신부(神父)의 총칭. ③천주교·성공회의 성직(聖職). 교회의 의식과 전례(典禮)를 맡아 봄. 주교(主教)의 아래임. ④제사장(祭司長).

사:제[3]【四諦】명 〔범 catuḥ-satya〕〖불교〗 〔←사체(四諦)〕 네 가지의 영원히 변하지 아니하는 진리. 곧, 고제(苦諦)·집제(集諦)·멸제(滅諦)·도제(道諦)의 총칭. 사성제(四聖諦). 사진제(四眞諦). *고집 멸도(苦集滅度).

사제[4]【沙際·砂際】명 모래 벌판의 가.

사제[5]【私第】명 ①공무원 같은 사람의 사유의 집. ↔공관(公館)·관저(官邸). ②개인 소유의 집. 사택(私宅). 사저(私邸). 자택.

사제[6]【私製】명 사사 사람이 만듦. 사인(私人)의 제조(製造). 또, 그 물건. ¶ ∼ 담배/∼ 폭탄/∼ 엽서. ↔관제(官製). ——하다 타 여불

사제[7]【舍弟】명 ①남에게 대한 자기 아우의 겸칭(謙稱). *가제(家弟). ②편지 등에서 아우가 형에게 대하여 자기를 일컫는 말. 1)·2):↔사형(舍兄).

사제[8]【查弟】명 편지 등에서 친사돈 사이에 쓰는 자기의 겸칭(謙稱).

사제[9]【師弟】명 ①스승과 제자. 사생(師生). ¶ ∼간. ②〖불교〗 스님의 상좌(上佐)에 대하여 그보다 나이 적은 중.

사제[10]【師祭】명 무운(武運)을 비는 제사.

사:제[11]【賜祭】명 〖역〗 임금이 죽은 신하에게 제사를 내려 줌. 단문(袒免) 이상의 종친, 시마(緦麻) 이상의 이성 왕친(異姓王親), 종이품(從二品) 이상의 문무관, 공신(功臣) 및 공사(公事)로 외방(外方)에서 죽은 자와 전사자 등에게 행하였음. ——하다 자 여불

사:제[12]【賜第】명 ①임금의 명령으로 특별히 과거에 급제한 사람과 똑같은 자격을 내려 줌. ②임금의 명령으로 특별히 집을 내려 줌. ——하다 자 여불

사제[13]【瀉劑】명 〖의〗 설사시키는 약. 사재(瀉材). 사약(瀉藥). 하제(下劑).

사제-가【思弟歌】명 〖문〗 조선 시대 때의 규방 가사(閨房歌辭)의 하나. 전반(前半)은 중국의 고사(故事)를 생각하고, 후반(後半)은 20여 년간이나 함께 살던 아우와 이별하고 시집간 언니가 아우를 그리워하여 부른 노래. 영남 지방에서 많이 불렀음. 지은이와 연대는 미상. 총 558구.

사제-간【師弟間】명 스승과 제자와의 사이. 사제지간.

사제-곡【莎堤曲】명 〖문〗 조선 시대 광해군(光海君) 때, 박인로(朴仁老)가 지은 가사. 붕당 싸움에 벼슬을 그만둔 그의 벗 이덕형(李德馨)이 용진(龍津)의 사제(莎堤)에서 은거하고 있을 때, 그를 찾아가 그 곳의 아름다운 자연과 그의 생활상을 읊은 노래. ≪노계집(蘆溪集)≫에 실려 있음. 전문 181구.

사:-제공【四諸貢】명 〖건〗 사단(四段)째의 제공.

사제-관【司祭館】명 본당 건물 안의 신부들이 거주하는 집.

사제-권【司祭權】[一꿘] 명 ①제사를 거행하는 권리. ②〖천주교〗 사제(司祭)로서의 권리.

사제 담:배【私製一】명 사사로이 만든 담배. 사인(私人)이 몰래 제조한 담배. 사제 연초. ↔관제(官製) 담배.

사제 동행【師弟同行】명 ①스승과 제자가 함께 길을 감. ②스승과 제자가 한 마음으로 연구하여 나감. ——하다 자 여불

사제 삼세【師弟三世】명 스승과 제자와의 인연은 전세(前世)·현세(現世)·내세(來世)에까지 계속된다는 말로, 그 관계는 매우 깊고 밀접하다는 뜻.

사제 연초【私製煙草】명 사제(私製) 담배.

사제 엽서【私製葉書】명 사사로이 제작하여 쓰는 우편 엽서. ↔관제(官製) 엽서.

사제-장【思齊章】[一짱] 명 〖악〗 악장(樂章)의 이름.

사제지-간【師弟之間】명 사제간(師弟間).

사:제 집신 명 〈방〉 사자 짚신.

사:제 채반 명 〈방〉 사자 채반.

사:제 팔정도【四諦八正道】[一쩡一] 명 〖불교〗 사제(四諦)와 팔성도(八聖道).

사제-품【私製品】명 사사로이 만든 물품. 사인(私人)이 제조한 물품. ↔관제품(官製品).

사:젯-밥 명 〈방〉 사자밥.

사-조[1]【一調】[一쪼] 명 〖악〗 '사' 음(音)을 주음으로 하여 구성된 곡조.

사:조[2]【士操】명 선비의 절조(節操).

사:조[3]【四祖】명 부·조부·증조부·외조부의 총칭.

사조[4]【私租】명 지주에게 바치는 소작료. ↔공조(公租).

사조[5]【查照】명 조사하여 대조함. 조사하고 조회함. ——하다 타 여불

사조[6]【思潮】명 사상(思想)의 흐름. 한 시대 사람들의 사상의 일반적인 경향. ¶ 문학 ∼/세계 ∼.

사조[7]【斜照】명 사양(斜陽).

사조[8]【絲絛】명 실의 가닥. 올.

사조[9]【詞藻·辭藻】명 〖문〗 ①시가(詩歌)나 문장. ②시문(詩文)의 재주. ③시문의 문채(文彩) 또는 말의 수식(修飾).

사조[10]【飼鳥】명 집에서 기르는 새. 농조(籠鳥). ↔야조(野鳥).

사조[11]【飼槽】명 구유[1].

사조[12]【寫照】명 ①실제의 형상을 그대로 찍어 냄. ②초상화(肖像畫) 또는 사진. 화상(畫像).

사:-조[13]【謝眺】명 〖사람〗 중국 육조(六朝) 시대의 제(齊)나라 시인. 자는 현휘(玄暉). 그의 시는 영명체(永明體)라고 불리는 오언체에 능하고, 사경(寫景)에 묘하며, 그 청신(淸新)한 시풍(詩風)은 후의 이백(李白)·두보(杜甫) 등에게 영향을 끼쳤음. 작품에 ≪사선성집(謝宣城集)≫이 있음. [464-499]

사조[14]【辭朝】명 〖역〗 원이 부임(赴任)함에 앞서 임금께 하직하는 일. ——하다 자 여불

사:조-구【四爪鉤】명 〖역〗 적선(敵船)을 잡아 끄는 병기. 쇠로 만들었는데, 네 갈퀴가 달린 것을 쇠사슬이나 삼줄에 맴. 조선 시대 선조(宣祖) 때에 이순신(李舜臣)이 창안(創案)하였음.

사조노프〔Sazonov, Sergei Dmitrievich〕명 〖사람〗 러시아의 정치가. 1909년 이즈볼스키 외상(外相)의 보좌역, 다음 해 자신이 외상이 되어 대독(對獨) 관계의 조정을 맡음. 혁명 후는 파리에서 본국의 반혁명 정권을 대표하였음. [1866-1927]

사:조 단자【四祖單子】명 〖역〗 사조(四祖)의 성명·관직을 기록한 단자.

사:조룡-보【四爪龍補】명 〖역〗 왕세자(王世子)가 다는 용보(龍補). 네 개의 발톱을 가진 용을 수놓음.

사:조 보:감【四朝寶鑑】명 〖책〗 네 임금 때에 관한 책이라는 뜻으로, '국조 보감(國朝寶鑑)'을 일컫는 말.

사:조의 이별【四鳥一離別】[一/一에一] 명 〔중국의 환산(桓山)의 새가 네 마리의 새끼를 낳았는데, 이 새들이 성장하여 사해(四海)로 날아갈 때 어미새가 울며 슬퍼하였다는 고사에서〕 부모 자식간의 슬픈 이별.

사조-일【祀竈日】명 〖불교〗 부엌을 맡아 모든 길흉을 판단한다고 하는 조왕신(竈王神)을 제사 지내는 날. 곧, 음력 섣달 스무 사흗날.

사:조-장【四祖章】[一짱] 명 용비 어천가 제110장의 이름.

사:족[1]【士族】명 ①문벌이 높은 집안. 또, 그 자손. ②선비나 무인(武人)의 집안. 또, 그 자손. ③일본의 메이지(明治) 유신 후, 무사 계급이던 자에게 주어진 호칭. 화족(華族)의 아래, 평민(平民)의 위임.

사:족[2]【四足】명 ①짐승의 네 발. 또, 네 발 가진 짐승. ②〈속〉 사지(四肢).

【사족 성한 병신】 아무 일도 아니 하고 놀고 먹는 사람을 비유하는 말.

사:족(을) 못:쓰다 구 ㉠사지를 제대로 못 쓰다. ㉡무엇에 반하거나 혹하여 꼼짝 못 하다. ¶ 여자 앞에선 ∼.

사족[3]【蛇足】명 ↗화사 첨족(畫蛇添足).

사:족-발이【四足一】명 네 굽이 흰 말. 사명마(四明馬). 사족백. 은제마(銀蹄馬). 사족백이.

사:족-백【四足白】명 사족발이.

사:족-백이【四足白一】명 사족발이.

사:족 부녀【士族婦女】명 양반의 집 부녀. 사족의 집 부녀.

사:족-수【四足獸】명 네 발 가진 짐승.

사:졸【士卒】명 〖군〗 ①사병(士兵). ②군사(軍士).

사:종[1]【四從】명 십촌 뻘 되는 형제 자매.

사종[2]【邪宗】명 ①사교(邪教). ②사교(邪教)의 종지(宗旨).

사종[3]【師宗】명 스승으로 받들어 섬기는 사람.

사종[4]【詞宗】명 사백(詞伯)❶.

사종[5]【斯螽】명 〖충〗 메뚜기[2]❶.

사:종[6]【肆縱】명 마음대로 방종한 행동을 함. *방자(放恣). ¶ 서상원을 데리고 가서 마음 놓고 재미있는 ∼을 하리라 하여 이같이 열심으로… 그 모친을 조르는 터이러니…≪崔瓚植：春夢≫. ——하다 자 여불

사종[7]【辭宗】명 ①시문(詩文)의 대가(大家). ②문인·학자의 경칭(敬稱). ③문사(文辭)와 종사(宗師).

사종-도【邪宗徒】명 사종(邪宗)의 신도(信徒).

사:종 만다라【四種曼荼羅】명『불교』사만(四曼).
사:종 삼매【四種三昧】명『불교』천태종(天台宗)에서 수행하는 네 가지 삼매. 곧, 상행 삼매(常行三昧)·상좌 삼매(常坐三昧)·반행좌 삼매(半行坐三昧)·비행 비좌 삼매(非行非坐三昧)의 총칭.
사:종 삼밀【四種三密】명『불교』사만(四曼).
사:종-성【四種姓】명 사성(四姓).
사:종 염:불【四種念佛】[―념―] 명『불교』네 가지 염불. 곧 부처의 이름을 외는 칭명 염불(稱名念佛), 부처의 법신(法身)을 보고 염원(念願)하는 실상 염불(實相念佛), 부처의 공덕(功德)·정토(淨土)의 덕익(德益)을 생각하는 관상 염불(觀想念佛), 부처의 삼십 이 상(三十二相)을 보고 생각하는 관상 염불(觀像念佛)의 네 가지.
사:종-화【四種花】명『불교』사화(四華)❶.
사:좌[1]【巳坐】명『민』묏자리나 집터 등의 사방(巳方)을 등진 좌.
사좌[2]【私座】명 사석(私席). ↔공좌(公座).
사좌[3]【師佐】명『불교』스님과 상좌(上佐).
사-좌[4]【蛇座】명『천』뱀자리.
사-좌표【斜座標】명『수』'빗좌표'의 구용어.
사:좌 해:향【巳坐亥向】명『민』사방(巳方)을 등지고 해방(亥方)을 향한 좌향(坐向).
사:죄[1]【死罪】명 ①사형에 처할 범죄. ②죽을 죄. 죽어 마땅한 큰 죄. ③『천주교』살인·자살·낙태 등 영혼의 생명을 빼앗는 큰 죄.
사죄[2]【私罪】명 ①사인(私人)이 사인에게 저지른 죄. ②관리가 사인과 관련하여서 저지른 범죄. ↔공죄(公罪).
사:죄[3]【赦罪】명 ①사전(赦典)을 내리어 죄인을 석방함. ②죄를 용서함. ③『천주교』고해(告解)나 다른 성사(聖事)에 의하여 죄를 용서함. ――하다 자 여불
사:죄[4]【謝罪】명 지은 죄에 대하여 용서를 빎. ――하다 자타 여불
사:죄-경【赦罪經】명『천주교』고해 성사(告解聖事)에서 죄의 용서를 빌 때 읽는 경문. 해죄경(解罪經).
사:죄-권【赦罪權】[―꿘] 명『천주교』천주를 대신하여 교황·주교·신부 등의 성직자가 죄를 용서하여 주는 신권(神權).
사:죄-문【謝罪文】명 지은 죄의 용서를 비는 뜻을 적은 글.
사:죄-장【謝罪狀】[―짱] 명 지은 죄의 용서를 비는 뜻을 적어서 주는 서장(書狀).
사:죄지-은【赦罪之恩】명『천주교』죄를 용서하여 주는 천주의 은혜.
사:주[1]【史籒】명 주(籒). ＊사주편(史籒篇).
사주[2]【司舟】명『역』신라 선부(船府)의 한 벼슬. 경덕왕(景德王) 때 전의 사지(舍知)를 고친 이름인데, 혜공왕(惠恭王)이 다시 사지로 고침. 위계(位階)는 대사(大舍)로부터 사지까지.
사:주[3]【四周】명 사위(四圍).
사:주[4]【四柱】명 ①『민』사람이 난 연(年)·월(月)·일(日)·시(時)의 네 간지(干支). 혼인이나 운수를 점치는 자료가 됨. ＊팔자(八字). ②사주 단자(四柱單子). ③사성(四星).
[사주에 없는 관을 쓰면 이마가 벗어진다] ㉠과분한 벼슬을 하면 힘에 겨워 도리어 괴롭다는 말. ㉡분수에 넘치는 일을 억지로 이루어 놓으면 도리어 해롭다는 말.
　사:주(를) 보다 구 사람이 난 연(年)·월(月)·일(日)·시(時)의 간지(干支)에 의하여 신수를 점치다.
　사:주(가) 세:다 구 ㉠태어난 년(年)·월(月)·일(日)·시(時)의 간지(干支)가 나쁘다. ㉡일생에 풍파가 많다. ＊팔자.
사:주[5]【四洲】명『불교』수미산(須彌山)을 중심으로 사방에 있는 남섬부주(南贍部洲)·동승신주(東勝神洲)·서우타주(西牛陀洲)·북구로주(北俱盧洲)의 총칭. 사대주(四大洲). 사천하(四天下).
사주[6]【沙柱】명 사막에서 모래가 회오리바람에 말려 올라가 기둥처럼 되는 현상.
사주[7]【私鑄】명 쇠붙이의 돈을 위조함. ――하다 타 여불
사:주[8]【事主】명『천주교』천주를 섬김. ――하다 자 여불
사:주[9]【事酒】명 일이 있을 때 마시는 술.
사주[10]【社主】명 회사나 신문사 또는 결사(結社)의 주인되는 사람.
사:주[11]【使酒】명 술을 먹은 김에 기세를 부림. ――하다 자 여불
사:주[12]【使嗾】명〔←사수(使嗾)〕남을 부추기어서 시킴. 사촉(唆囑). ――하다 타 여불
사주[13]【砂洲】명〔sand bar〕『지』일정한 방향의 바람·파도·조류(潮流)로 말미암아 모래나 바위가 밀리어 쌓여서, 수면(水面)이나 연안(沿岸)에 둑 모양을 이룬 모래톱. 여러 가지 형상으로 나타나는데, 일반적으로 가늘고 긴 모양을 이루며, 높이가 10m를 넘는 것도 있음. 강어귀에 생긴 것은 삼각형을 이루었으므로 이것을 특히 삼각주라고 함. 연안에 생긴 것 중, 큰 규모의 것은 미국의 대서양 연안과 멕시코 만(Mexico 灣) 연안에 있는 것들임.
사주[14]【師主】명『불교』스님[1]❷.
사주[15]【紗幬】명 깁의 모기장.
사주[16]【蛇酒】명 뱀술.
사주[17]【飼主】명 가축 등을 먹여 기르는 그 임자.
사:주[18]【駛走】명 질주(疾走). ――하다 자 여불
사:주[19]【賜酒】명『역』임금이 술을 내림. 또, 그 술. ――하다 자 여불
사-주다 타 사서 주다.
사:주 단자【四柱單子】[―딴―] 명『민』혼인을 정하고 신랑 집에서 신부 집으로 신랑이 난 연(年)·월(月)·일(日)·시(時)의 사주를 적어서 보내는 간지(簡紙). 사주(四柱). 사성(四星). ㊟주단(柱單).
사주 단:층【斜走斷層】명『지』사단층(斜斷層).
사-주뢰【私周牢】명『역』→사주리.
사-주리 명『역』〔←사주뢰(私周牢)〕사사로이 주는 형벌로서의 주리.
사:주-보【四柱褓】[―뽀] 명 사주 단자를 싸 보내는 청·홍의 비단으로 안팎을 다르게 만든 작은 보.
사주 부정합【斜走不整合】명〔angular unconformity〕『지』두 지층의 층면(層面)이 서로 어떤 각도를 이룬 부정합. 오래된 지층이 새 지층과 다른 각도를 이루며 경사짐. ↔평행 부정합.
사-주인【私主人】명『역』①납공자(納貢者)에 대신하여 공물(貢物)을 바치고 납공자에게 배징(倍徵)하는 사람. ②벼슬아치가 객지에서 묵고 있는 사삿집. ¶아직 장가도 못 들고 집간도 장만치 못한 까닭에 아직 ~을 정하고 있답니다《李海朝 : 鳳仙花》. ――하다 자 여불 객지에서 주인을 정하고 머무르다.
사:주-쟁이【四柱―】명 남의 사주를 보아 그 신수를 점치는 일을 업으로 하는 사람.
사주-전【私鑄錢】명 사사로 쇠붙이 돈을 위조함. 또, 그 돈. ――하다 자 여불
사:주-점【四柱占】[―쩜] 명『민』사주로써 신수를 헤아려 보는 점.
사-주체【斜柱體】명『수』비스듬히 기울어진 주체(柱體).
사:주 추명학【四柱推命學】명 점법학(占法學)의 하나. 사람의 생년월일시(生年月日時)의 간지(干支)에 의해서 운명을 점치는 법. 중국 당(唐)나라 이허중(李虛中)이 창시하고, 송(宋)나라 서자평(徐子平)에 의하여 제정됨.
사:주 팔자【四柱八字】[―짜] 명『민』①사주의 간지(干支)가 되는 여덟 글자. ②타고난 신수.
사:주-편【史籒篇】명『책』중국의 자서(字書). 주(周)나라 선왕(宣王) 때의 태사(太史)인 주(籒)가 편찬하였다고 하나, 춘추 전국 시대에 성립된 것으로 여겨짐. 대전(大篆)으로 쓰어졌고 아이들에게 글을 가르치기 위해 만들어짐. 사자 일구(四字一句)로 9천 자가 있었다고 전하여지나 진대(晉代)에 산일(散逸)되어 '설문(說文)'·'옥편(玉篇)' 등에 단편(斷片)이 인용되고 있음. '옥함산방집일서(玉函山房輯佚書)'에 집본(輯本)이 있음. 사편(史篇). ＊사주(史籒).
사:죽[1] 명〈방〉사족(四足).
사죽[2]【斜竹】명 ①과실을 그릇에 필 때 무너지지 않도록 꽂는 대꼬챙이. ②구겨지거나 늘어지기 쉬운 물건을 빳빳하게 하기 위하여 틈이나 겨드랑이에 끼는 가는 대오리.
사죽[3]【絲竹】명『악』관현(管絃).
사준[1]【司准】명『역』조선 시대 때 교서관(校書館)의 종팔품(從八品)의 잡직(雜職). 나중에 창준(唱准)으로 고치었음.
사준[2]【司罇】명『역』향례(享禮) 때에 제주준(祭酒罇)을 맡던 사람.
사줄 명〈옛〉사슬. ¶쇠 사주리 노피 드려셔(鐵鏁高垂)《杜諺 XI:8》.
사:중[1]【四中】명 다섯 화살을 쏜 가운데 네 번을 맞힘. ――하다 자 여불
사:중[2]【四仲】명 중춘(仲春)·중하(仲夏)·중추(仲秋)·중동(仲冬)의 총칭.
사:중[3]【四重】명 ①네 겹. 넷의 겹침. ②『불교』살생(殺生)·투도(偸盜)·사음(邪淫)·망어(妄語)의 네 가지 금계(禁戒)를 범한 큰 죄. 사중금(四重禁). 사중죄(四重罪).
사:중[4]【四衆】명『불교』불문(佛門)의 네 가지 제자인 비구(比丘)·비구니(比丘尼)·우바새(優婆塞)·우바니(優婆尼)의 총칭. 사부(四部). 사부중(四部衆).
사중[5]【寺中】명 절의 안. 방중(房中).
사:중[6]【死中】명 죽음을 기다리는 수밖에 없는 궁한 경지.
사중[7]【沙中】명 모랫 속. 또는 사원(砂原)의 가운데.
사중[8]【祀中】명『악』신라 때 부르던 속악(俗樂). 그 중 진평왕 때 지은 북외군(北隈郡) 지방의 악곡 등은 현재 전하지 않음.
사중[9]【社中】명 사(社)의 안. 사내(社內).
사:중 구생【死中求生】명 사중 구활(死中求活). ――하다 자 여불
사:중 구활【死中求活】명 죽을 수 밖에 없는 지경에서 한 가닥 살길을 찾아 냄. 사중 구생(死中求生). ――하다 자 여불
사:중-금[1]【四重禁】명『불교』사중(四重)❷.
사중-금[2]【砂中金】명『민』육십 화갑자(六十花甲子)에서 갑오(甲午)·을미(乙未)에 붙이는 납음(納音). 갑을목(甲乙木)이 오미(午未)인 불이 왕성한 곳에서 불에 타고 뜨거운 열토가 굳어서 금이 되니, 불타는 백사장에서 금(金)이 나오는 것과 같다는 말.
사:중 나마【四重奈麻】명『역』신라의 벼슬 이름. 삼중 나마(三重奈麻)의 위.
사:중 대:나마【四重大奈麻】명『역』신라의 벼슬 이름. 삼중 대나마(三重大奈麻)의 위.
사:중-무【四重舞】명 네 사람이 한 패가 되어 추는 춤.
사:-중삭【四仲朔】명 네 철의 각각 가운데 달. 곧, 음력의 이월·오월·팔월·십일월. 사중월(四仲月).
사:중-성【四重星】명『천』네 개의 별이 우연히 같은 방향에 있어 서로 아무런 관계가 없으면서도 하나처럼 겹쳐서 보이는 별.
사:중 아찬【四重阿飡】명『역』신라의 벼슬 이름. 삼중 아찬(三重阿飡)의 위.
사중 우어【沙中偶語】명〔중국 한고조(漢高祖)의 여러 장수들의 고사(故事)에서〕신하가 몰래 모반(謀反)하려고 의논하는 일.
사:-중월【四仲月】명 사중삭(四仲朔).
사:중-점【四重點】[―쩜] 명〔quadruple point〕『화』과잉(過剩)의 용질(溶質)을 함유한 포화 용액처럼 사상(四相)이 평형(平衡) 상태에 있는 때의 온도.
사:중-죄【四重罪】명『불교』사중(四重)❷.
사:중-주【四重奏】명『악』실내악(室內樂)의 한 가지. 각각 독립한 네 개의 악기로 연주하는 합주(合奏). 제일 바이올린·제이 바이올린·비올라(viola)·첼로로 연주하는 현악(弦樂) 사중주와 피아노·바이올린·비올라·첼로로 연주하는 피아노 사중주 등. 이 때 한 성부(聲部)에 사용되는 악기는 각각 하나씩임. ¶현악 ~. ＊사부 합주(四部合奏).
사:중주-곡【四重奏曲】명〔quartet〕『악』사중주를 위한 악곡(樂曲). 보통, 소나타(sonata) 형식임.
사:-중창【四重唱】명『악』목소리의 고저(高低)를 조화시키기 위하여, 네 성부(聲部)로 된 네 사람이 합창하는 일. 소프라노·알토를 부르는 여자 둘과 테너·베이스를 부르는 남자 둘이 합창하는 혼성(混聲) 사중

창과, 남자로만 네 성부를 이루어 합창하는 남성(男聲) 사중창, 또 여자로만 네 성부를 이루어 합창하는 여성(女聲) 사중창이 있음. 이 때 한 성부는 반드시 한 사람이 부름. ＊사부 합창(四部合唱).

사중-토【沙中土】명〖민〗육십 화갑자(六十花甲子)에서, 병진(丙辰) 정사(丁巳)에 붙이는 납음(納音). 하늘에는 병정(丙丁) 곧 불이 활활 타오르고, 땅에는 용광로인 사(巳)와 바람인 진(辰)이 있어서 천하가 불길로 뒤덮이니, 급기야는 먹구름이 일고 소나기가 홍수를 이루어서 대지를 휩쓸고, 모래 사장을 만든다는 말. 「하다 자여불

사:-즉동혈【死則同穴】명 죽어서 남편과 아내가 한 무덤에 묻힘. ——-

사즐【査櫛】명 자상하게 샅샅이 조사함. ——-하다 타여불

사증¹【沙蒸】명 모래찜. 「증세.

사증²【邪症】[-쯩] 명 멀쩡한 사람으로서 때때로 미친 듯이 행동하는

사증³【査證】[-쯩] 명 ①조사하여 증명함. ②외국인의 입국 허가의 증명. 곧, 외국에 여행하려는 사람이 현재 자기 나라 또는 체재국(滯在國)에 있는 그 외국의 대공사(大公使)·영사(領事) 등으로부터 여권을 검사 받고 서명(署名)을 받는 일. 입국 사증. 비자(visa). ¶통과 ~/체류 ~/관광 ~/입국 ~. ——-하다 자타여불

사증⁴【辭證】[-쯩] 명〖법〗소송 당사자가 신청한 증거.

사-증권【私證券】[-꿘] 명〖경〗화물(貨物) 상환증·창고(倉庫) 증권 등과 같이 증권의 발행자가 사인(私人)인 유가(有價) 증권.

사지¹ 명 제사나 잔치 때에 누름적이나 산적을 꽂은 꼬챙이 끝에 감아 늘어뜨린 가늘고 긴 종이 오라기. 제사에는 흰 종이, 잔치에는 오색(五色) 종이를 씀.

사지² 명 배의 멍에 두 끝에 세우는 짤막한 나무.

사지³ 명〈방〉〖동〗사자(獅子)(평안).

사지⁴【司紙】명〖역〗조선 시대 조지서(造紙署)의 종육품 벼슬. ＊별제(別提).

사:지⁵【四至】명 소유지·경작지 등의 동서 남북의 경계. 사극(四極).

사:지⁶【四知】명〔후한(後漢)의 양진(楊震)이 형주 자사(荊州刺史)로 부임했을 때, 왕밀(王密)이 밤중에 찾아와서 당신과 나밖에는 아무도 알 사람이 없다 하며 금(金) 열 근을 바쳤을 때, 하늘이 알고 땅이 알고 내가 알고 자네가 안다 하며, 진이 받지 않았다는 고사(故事)에서〕두 사람만의 비밀이라도 어느 때고 남에게 알려진다는 말.

사:지⁷【四肢·四支】명〖생〗①고등 척추 동물의 운동 기관(器官). 곧, 두 쌍의 다리란 말로, 상지(上肢)와 하지(下肢) 또는 전지(前肢)와 후지(後肢). 네 발. ②사람의 두 팔과 두 다리. 사체(四體). ¶~가 멀쩡한 사람.

사:지⁸【四指】명〖악〗네가락.

사:지⁹【四智】명〖불교〗불과(佛果)에 이르러 모든 부처가 갖추는 네 가지 지혜. 곧, 대원경지(大圓鏡智)·평등성지(平等性智)·묘관찰지(妙觀察智)·성소작지(成所作智).

사:지¹⁰【死地】명 ①죽을 곳. 죽어야 할 장소. ¶그 곳을 ~로 정하다. ②도저히 살아 나올 수 없는 위험한 곳. ¶~로 몰아 넣다/~에 빠지다.

사지¹¹【寺址】명 절터.

사지¹²【沙地·砂地】명 모래땅.

사지¹³【私地】명 개인의 토지. 사유지(私有地)인 땅.

사지¹⁴【私智】명 ①저 혼자의 작은 지혜. ②공정하지 못한 사사로운 지혜.

사지¹⁵【邪智】명 간사한 지혜. 간특한 슬기. ¶~에 능하다.

사지¹⁶【舍知】명〖역〗①신라 십칠 관등(十七官等)의 열셋째 관등. 대사(大舍)의 아래, 길사(吉士)의 위로, 사두품(四頭品)의 관등임. 소사(小舍). ②신라 때 집사성(執事省)·조부(調府)·경성 주작전(京城周作典)·창부(倉部)·예부(禮部)와 기타 여러 관아에 두었던 벼슬 이름. 위계(位階)는 대사(大舍)로부터 사지까지.

사:지¹⁷【事知】명 일에 환하여 매우 익숙함. ——-하다 형여불

사:지¹⁸【砂紙】명 사포(砂布).

사지¹⁹【笥池】명〖지〗경상 북도 안동시(安東市) 풍산면(豐山面)에 있는 못. [0.25km²]

사지²⁰【楂枝】명 뗏목에 쓸 만한 큰 나뭇가지.

사:지²¹〔serge〕명 ☞서지⁵.

사:지-곡직【事之曲直】명 일의 옳고 그름. ¶~을 따지다.

사:지-골【四肢骨】명〖생〗팔다리의 뼈. 사지의 모든 뼈의 총칭. 네 다리뼈.

사:지 궐랭【四肢厥冷】명〖의〗팔다리가 차지는 병. 생리적으로는 직접 찬 기운을 받아서 피부의 혈관이 반사적으로 오므라질 때에 일어나고, 병적으로는 체온이 내려갈 때에 허탈 출혈(虛脫出血) 및 심장에 병이 있어서 산화 작용이 줄어들 때에 일어남.

사:지-놓이【四指-】[-노-] 명 손가락 넷을 합한 폭만한 길이의 넓이. ¶그 기둥은 한 기둥의 고(高)가 십팔 규빗이요… 그 두께는 ~며《예레미야 L Ⅱ: 21》. ＊삼지놓이.

사:지 동고【死地同苦】명 사생 동고(死生同苦). ——-하다 자여불

사:지 동:물【四肢動物】명 척추 동물 중 어류를 제외한 사지(四肢)가 있는 동물 전부의 총칭.

사:지 문:지【使之聞之】명 자기의 뜻을 제삼자를 통해서 간접적으로 전함. ——-하다 타여불

사:지 상응【四地相應】명〖민〗사신 상응(四神相應).

사:지 서리【事知書吏】명〖역〗조선 시대에, 비변사(備邊司)에만 딸려 있어 일을 많이 알고, 또 손에 오래 익어 능숙하게 처리하던 서리.

사지 식물【砂地植物】명〖식〗모래땅에 나서 자라는 건생 식물(乾生植物)의 하나. 하원 식물(河原植物)·사막 식물(沙漠植物)·해빈 식물(海濱植物)의 총칭. 패랭이꽃·개쑥·퉁퉁마디 같은 것. 모래밭 식물.

사지 어금니 명 ☞사자 어금니.

사:지-오:등【死之五等】명 신분에 따라서 다른 죽음의 다섯 가지 등급. 천자(天子)는 붕(崩), 제후(諸侯)는 훙(薨), 대부(大夫)는 졸(卒), 선비는 불록(不祿), 서인(庶人)은 사(死)라 함.

사:지-유무【事之有無】명 일의 있음과 없음. ¶~를 캐다.

사:지 절단술【四肢切斷術】[-딴-] 명〖의〗악성 종양(惡性腫瘍)·순환 장애·변형(變形)·감염(感染) 및 외상(外傷) 등의 경우에 팔이나 다리의 일부 또는 전부를 잘라 내는 수술.

사:지 축닉【四肢搐搦】명〖한〗팔다리의 힘줄이 땅기어 드는 병. 뇌척수(腦脊髓)의 병이나 어린아이의 회충(蛔蟲)·위장내의 이물(異物)·생치 곤란(生齒困難)·정신 감동에서 오는 발열(發熱) 등으로 말미암아 일어남.

사지-춤 명〖민〗☞사자춤.

사지-코 명 ☞사자코.

사지-탈 명 ☞사자탈.

사:지-통【四肢痛】명〖한의〗팔다리가 쑤시고 아픈 병.

사지-포【沙旨浦】명〖지〗경상 남도 창녕군(昌寧郡) 대합면(大合面)에 있는 못.

사직¹ 명〈방〉사방(四方)(함경).

사직²【司直】명 ①〖역〗조선 시대 때 오위(五衛)의 정오품 군직(軍職)의 하나. 부사직(副司直)의 위, 부호군(副護軍)의 다음. 현직에 있지 아니한 문관(文官)과 무관(武官) 및 음관(蔭官)으로 채움. ②법에 의하여 시비 곡직(是非曲直)을 가리는 심판관·법관·검사 등. ¶~ 당국(當局).

사직³【社稷】명 ①〖역〗옛날 중국에서 새로 건국(建國)하였을 때에 천자(天子)나 제후(諸侯)가 단(壇)을 세워 제사를 지내는 토신(土神)인 사(社)와 곡신(穀神)인 직(稷). ②〖역〗태사(太社)와 태직(太稷). 총토(冢土). ③나라 또는 조정(朝廷). ¶기울어가는 ~을 붙들어 일으키다.

사직⁴【辭職】명 맡은 바 직무(職務)를 내어 놓고 물러남. 사임(辭任). ——-하다 자여불

사직골 딱딱이패【社稷—】명〖민〗150-200 년 전에 한양(漢陽) 곧 지금의 서울 사직골에 있던 산대놀이패.

사직 권:고【辭職勸告】명 사직할 것을 권함. ——-하다 자여불

사직-단【社稷壇】명〖역〗조선 태조(太祖) 3년(1394)에 세운, 임금이 백성을 위하여 토신(土神)과 곡신(穀神)을 제사 지내던 제단. 그 유지(遺址)가 서울 사직 공원(公園)에 남아 있음. 준사단(社壇)·직단(稷壇). 「하다 자여불

사직 상:소【辭職上疏】명 사직할 뜻을 글로 써서 임금에게 올림. ——-

사직-서【社稷署】명〖역〗조선 시대에, 사직(社稷)의 제사에 관한 일을 맡아 보던 관아. 세종(世宗) 8년(1426)에 사직단(社稷壇)의 격(格)을 올려 이 이름으로 함.

사직-원【辭職願】명 ①↗사직 청원. ②↗사직 청원서.

사직 위허【社稷爲墟】명 사직이 폐허가 됨. 곧 나라가 망함을 가리키는 말.

사직-지【斜直指】명〖악〗보태평지무(保太平之舞)에서, 바로 서서 한쪽 팔은 위를, 한쪽 팔은 아래를 가리켜 비스듬히 직선을 이루는 춤사위.

사직지-신¹【社稷之臣】명 나라의 안위(安危)를 맡은 중신(重臣). 주석지신(柱石之臣).

사직지-신²【社稷之神】명 사직단에 모신 토신(土神)과 곡신(穀神).

사직 청원【辭職請願】명 사직할 것을 청원함. 준사직원. ——-하다 자여불

사직 청원서【辭職請願書】명 사직을 청원하는 서류. 준사직원.

사진¹【仕進】명 벼슬아치가 규정된 시간에 출근함. ¶아침 일찍이 재판소에 ~을 하여 정탐 가부루 돌아오기만 고대를 하고 있는데…《隱菊散人: 누구의 죄》 ——-하다 자여불

사진²【司津】명〖역〗사재감(司宰監).

사:진³【四診】명〖의〗시진(視診)·청진(聽診)·문진(問診)·촉진(觸診)의 총칭.

사진⁴【沙塵·砂塵】명 모래 섞인 먼지. ¶자욱한 ~.

사진⁵【寫眞】명 ①〖물〗사진기로 물체의 형상(形像)을 찍는 일. 곧, 렌즈나 구멍을 이용하여 물체로부터 오는 광선(光線)을 모아 물리적·화학적으로 반영구적(半永久的)인 영상(影像)을 만들어 냄. 우선 광선이 영상(影像)을 맺는 위치인 초점면(焦點面)에 건판(乾板) 또는 필름을 놓고, 이것을 짧은 시간 노출(露出)·감광(感光)시켜서 된 잠상(潛像)을 화학 약품으로 현상(現像)하여 보존성 있는 음화(陰畫)로 만듦. 이 음화의 영상은 원물체와 흑백(黑白)이 거꾸로 되어 있으므로, 다시 인화지(印畫紙)에 밀착(密着)하여 흑백이 바른 양화(陽畫)로 만듦. 조상(照像). ②사진기로 찍은 형상. 곧, 인화지 등에 밀착한 양화.

사:진⁶【寫眞】명 실물(實物)의 모양을 있는 그대로 그리어 냄. ——-하다 자여불

사진 건판【寫眞乾板】명 건판(乾板)❶.

사진 결혼【寫眞結婚】명 서로 멀리 떨어져 있는 남녀가 사진으로 선을 보고 하는 결혼. ——-하다 자여불

사진-관【寫眞館】명 사진 찍는 일을 영업으로 하는 집. 사장(寫場).

사진-기¹【仕進記】[-끼] 명〖역〗옛날 벼슬아치가 사진한 것을 기록하던 종이. 오늘의 출근부와 같음. 준사기(仕記).

사진-기²【寫眞機】명 사진을 찍는 기계. 광선이 새어 들어 오지 못하도록 만든 상자의 앞쪽에 장치한 렌즈로부터 순간적으로 광선을 들어오게 하여 그 뒤에 있는 감광판(感光板)에 영상(影像)이 비치게 함. 광선의 양을 조절하는 조리개, 일정한 시간 노출(露出)하기 위한 셔터, 유해 광선을 조정하는 필터(filter), 찍는 물체의 위치를 정하는 파인더(finder) 등의 장치가 있음. 여러 가지 종류가 있음. 사진 기계. 카메라.

사진 기계【寫眞機械】[-끼-] 명 사진기(寫眞機).

사진 기록【寫眞記錄】명〔photographic recording〕감광성의 표면이 신호로써 제어되는, 광(光)빔으로 노광(露光)하는 방식의 팩시밀리 기록.

사진 기자【寫眞記者】명 신문사·잡지사·통신사 등의 카메라맨.

사진 대지【寫眞臺紙】명 사진을 붙이는 두꺼운 종이.

사진 도:금【寫眞鍍金】명 사진에서, 흑백 인화지에 인화(印畫)된 화상을 착색하거나 내구성(耐久性)을 증진하기 위해 베푸는 약물 처리 방법의 하나.

사진 동판【寫眞銅版】 명 〖인쇄〗 사진과 같은 농담(濃淡)이 있는 원도(原圖)를 복제(複製)하는 인쇄용 철판(凸板)의 한 가지. 감광액(感光液)을 바른 동판에 미세한 그물 눈을 새긴 유리판을 통하여 촬영한 음화(陰畫)를 밀착(密着)시켜서 산(酸)으로 처리하여 만듦. 원도(原圖)의 농담은 판면(版面)의 점의 대소에 의하여 표현됨.

사진 등:급【寫眞等級】 명 〖천〗 사진에 나타난 상(像)의 농도(濃度)에 따라 정한 별의 광도(光度)의 등급. *항성(恒星) 광도.

사진 렌즈【寫眞—】〔lens〕 명 사진기에 붙어 있어 촬영하는 데 쓰이는 렌즈. 보통 여러 장을 조합(組合)하였으며, 고급품은 수차(收差)를 될 수 있는 한 적게 함. 특수한 것으로 광각(廣角) 렌즈·망원 렌즈·연초점(軟焦點) 렌즈 등이 있음.

사진-만【沙津灣】 명 〖지〗 함경 북도 동해안에 위치하는 만.

사진 망:원경【寫眞望遠鏡】 명 〖천〗 천체(天體)의 사진을 찍는 망원경. 망원경의 초점면(焦點面)에 건판(乾板)을 두며, 지도(指導) 망원경이 달려 있어서 그 위치를 일정하게 함.

사진-반【寫眞班】 명 신문사·잡지사 등에서 사진 촬영을 임무로 하는 반.

사진 복사기【寫眞複寫器】 명 정밀 도면, 중요한 서류의 원고·원본의 사본을 그대로 뜰 수 있는 복사기.

사진 복사법【寫眞複寫法】 [—뻡] 명 〔photocopying process〕 인화지·필름·금속판 따위의 기재(基材)상의 감광면에, 투영법이나 밀착 노광법(露光法) 등으로 원고를 복제하는 방법.

사진 볼록판【寫眞—版】 명 〔photoengraving〕 사진판의 하나. 아연판(亞鉛版) 위에 감광성(感光性)의 약품을 바르고, 이것에 영상(影像)을 밀착시키어 묽은 질산으로 천천히 부식(腐蝕)시켜서 만드는 볼록판(版). 선도(線圖)의 인쇄에 적당함. 아연판의 것을 사진 아연 볼록판이라하고, 동판(銅版)의 것을 사진 아연 동판이라 함. 사진 철판(凸版).

사진-부【寫眞部】 명 ①신문사나 잡지사 등에서 사진에 관한 일을 맡아보는 부. ②백화점 같은 데서 사진 기계 및 부속품의 판매·수리를 전문으로 취급하는 곳.

사진 분광기【寫眞分光器】 명 〖천〗 사진 기계를 장치한 분광기(分光器). 특히 항성(恒星)의 스펙트럼(spectrum)을 촬영하는 데 사용함.

사진-사【寫眞師】 명 사진 찍는 일을 업으로 하는 사람. 사진을 찍는 기사(技師).

사:진 사:퇴【乍進乍退】 명 금방 갔다가 금방 되돌아옴.

사진 석판【寫眞石版】 명 사진 평판(平版) 중에서, 판재(版材)로서 대리석·석회암(石灰岩) 등의 석재(石材)를 사용한 것.

사진 섬광 전:구【寫眞閃光電球】 명 실내 또는 야간 사진 촬영에 쓰이는 특수한 전구. 전구 속에 알루미늄박(箔)과 산소를 넣고 전류를 통하면 순간적으로 연소하여 소리도 연기도 없이 강렬한 빛을 발하게 됨. 플래시 벌브(flash bulb).

필라멘트
점화제
발광제

〈사진 섬광 전구〉

사진 성도【寫眞星圖】 명 〖천〗 사진을 이용하여 별의 위치 관계와 밝기를 표시한 성도.

사진 성표【寫眞星表】 명 〖천〗 적도의(赤道儀)에 의한 사진 관측의 결과를 기초로 하여 작성한 성표. 여기에는 어두운 별도 많이 기록되어 있음.

사진 수색【寫眞搜索】 명 〔photograpic reconnaissance〕 〖군〗 지도·해도(海圖)·집성 사진(集成寫眞)의 작성 및 그 밖의 목적을 위한 군사 항공 사진술. 폭격 결과를 알기 위하여 또는 적의 이동 집결 활동 및 군세(軍勢)에 대한 첩보 자료를 획득하기 위하여 실시함.

사진-술【寫眞術】 명 사진을 찍어 음화(陰畫) 또는 양화(陽畫)를 만드는 방법이나 기술.

사진 식각【寫眞蝕刻】 명 사진을 이용하여 금속의 표면을 부식(腐蝕)시키는 정밀 가공 기술의 하나. 자외선이 닿으면 내산성(耐酸性)을 얻는 특수 감광제를 발라서 인화 현상하고, 미(未)감광부의 감광제를 제거한 후, 부식제로 처리함. 사진 제판·텔레비전의 섀도 마스크(shadow mask)의 제조에 쓰이며, 특히 반도체 집적 회로의 제조에 큰 구실을 함. 포토에칭(photoetching).

사진 식자【寫眞植字】 명 〔phototype-setting〕 〖인쇄〗 활자를 가지고 조판(組版)하는 것이 아니라 사진 식자기로써, 글자를 하나 하나씩 인자(印字)하여 나가는 일. ㊍사식(寫植). ——-하다 자 여불

사진 식자기【寫眞植字機】 명 〔phototype-setter〕 〖인쇄〗 활자를 쓰지 않고, 사진으로써 문자를 한 자씩 감광지(感光紙)나 필름에 인자(印字)하는 기계. 12포인트 크기의 활자 자체(字體)가 음판(陰板)으로 되어 있는 유리 문자판에 의하여, 렌즈를 써서 한 개의 문자를 20종으로 확대·축소 또는 편평체(扁平體)·종장체(縱長體)·사체(斜體) 등 자유로 할 수 있으며, 문선(文選)이나 식자(植字)의 번거로움이 없음이 특징임. 조작하는 사람에 따라 1분간 40자의 속도까지 식자가 가능함. ㊍사식기.

사:진 신퇴【巳進申退】 명 〖역〗 벼슬아치가 사시(巳時)에 사진(仕進)하고 신시(申時)에 사퇴(仕退)함. ——-하다 자 여불

사진 아연 볼록판【寫眞亞鉛—版】 명 〖인쇄〗 사진 제판법(製版法)에 의해 만든 인쇄용 사진판의 하나. 아연판 위에 감광성(感光性)의 약품을 바르고, 이곳에 원도(原圖)를 밀착(密着)시키어 묽은 질산(窒酸)으로 천천히 부식(腐蝕)시켜 만든 볼록판(版). 재료가 동판(銅版)인 것을 사진 아연 동판이라 함. ㊍사진 아연판. *사진 철판.

사진 아연판【寫眞亞鉛版】 명 ↗사진 아연 볼록판(版).

사진-업【寫眞業】 명 사진의 촬영·현상·인화 등을 업으로 하거나, 사진기·필름 따위를 판매하는 직업.

사진-염【寫眞染】 [—념] 명 사진을 인화하는 것과 마찬가지로, 천에 감광제(感光劑)를 발라 무늬를 감광시켜 염색하는 방법.

사진 요:판【寫眞凹版】 [—뇨—] 명 〖인쇄〗 그라비어(gravure).

사진용 섬광 폭탄【寫眞用閃光爆彈】 [—뇽—] 명 〔photoflash bomb〕 비행기로부터 낙하되어 사진 촬영을 위해서 짧은 시간 동안 섬광을 발하는 미사일.

사진 유성【寫眞流星】 [—뉴—] 명 〔photographic meteor〕 〖천〗 유성의 기원(起源)·속도·기타의 특성 등을 알기 위해 사진 촬영된 것.

사진 유제【寫眞乳劑】 [—뉴—] 명 〔photographic emulsion〕 〖화〗 사진의 감광 재료(感光材料)를 만드는 데 쓰는 약품. 할로겐화은(halogen 化銀)의 미결정(微結晶)을 콜로이드 매질(colloid 媒質) 중에 다수 분산시킨 것으로, 유리·종이·필름·원지(原紙) 등의 위에 얇게 바름.

사진 의:부진【辭盡意不盡】 명 말은 다하였으되 말하고 싶은 뜻은 아직 그냥 남아 있음. ——-하다 형 여불

사:-진작【四眞勺】 명 〖악〗 진작 곧 《정과정곡(鄭瓜亭曲)》에서 가장 빠르고 가사가 없는 곡조. 또는, 일·이·삼·사진작으로 이루어지는 음악 형식. *진작[1].

사진 작가【寫眞作家】 명 예술 활동으로서의 사진 제작(製作)에 종사하는 사람.

사진 저:작권【寫眞著作權】 명 문예·학술·미술에 관한 사진에 대해서 인정되는 저작권.

사진 전:구【寫眞電球】 명 〔photoflood lamp, photographic lamp〕 사진 촬영·확대 등에 사용되는 일종의 발열(發熱) 전구. 고온(高溫)의 필라멘트가 있으며 수명은 짧지만 높은 조도(照度)와 색온도(色溫度)를 얻을 수 있음. 보통의 것과 사진 섬광 전구(寫眞閃光電球)가 있음.

사진 전:보【寫眞電報】 명 사진·그림·글 등을 사진 전송법(電送法)에 의하여 멀리 떨어진 곳에서 재현시킬 수 있는 전보. 범인 수사·원고 전달 등에 이용됨.

사진 전송[1]【寫眞傳送】 명 〔picture transmission〕 몇 가지 농담도(濃淡度)가 다른 화상(畫像)의 전기적인 전송.

사진 전:송[2]【寫眞電送】 명 〔phototelegraphy〕 〖물〗 사진이나 서화(書畫)를 전기적으로 유선 또는 무선으로 먼 곳에 보내어 재현(再現)시키는 일. 사진의 명암(明暗)에 비례하는 반사(反射) 광선의 강약(強弱)을 광전관(光電管)에 의하여 전류의 강약으로 바꾸어 먼 곳에 보내면, 수신측(受信側)에서는 보내온 전류를 다시 빛의 강약으로 바꾸어, 필름이나 인화지(印畫紙) 위에 비쳐서 원화(原畫)와 똑같은 사진을 얻음. *전송 사진. ——-하다 자타 여불

사진 정보【寫眞情報】 명 사진, 특히 항공 사진의 연구·분석 및 판독을 통하여 직접 얻어지는 군사 정보.

사:-진제【四眞諦】 명 〖불교〗 사제(四諦).

사진 제:도【寫眞製圖】 명 〔photo draft〕 사진을 사용한 복제법(複製法). 특수한 감광 유제(感光乳劑)를 칠한 금속판(板) 위에 레이 아웃이나 설계를 하는 방법인데 공구 작도(工具作圖) 분야에서 원판으로 사용됨.

사진 제:판【寫眞製版】 명 〖인쇄〗 사진술을 응용한 인쇄 제판법. 감광피막(感光被膜)의 어떤 판면에 원고의 사진 음화(陰畫)를 밀착시키어, 부식시키는 등의 처리를 거쳐 하는 여러 가지 사진판 제조의 방법.

사진 지질학【寫眞地質學】 명 〔photogeology〕 〖지〗 공중(空中) 사진을 사용하여 지형을 지질학적으로 해명하는 학문 분야.

사진 천정통【寫眞天頂筒】 명 〔photographic zenith tube〕 〖천〗 사진술을 이용하여 지구의 경도(經度)·위도(緯度)를 동시에 정밀하게 측정하도록 만든 기계.

사진 철판【寫眞凸版】 명 사진 볼록판.

사진-첩【寫眞帖】 명 사진을 붙이거나 끼워 두는 장첩(裝帖). 앨범.

사진 측광【寫眞測光】 명 〖천〗 사진 촬영을 하여 그 사진 상(像)의 농도(濃度) 또는 그 직경으로 측정하는 천체의 광도를 결정하는 일. *실시(實視) 측광·열량(熱量) 측광·분광(分光) 측광·광전(光電) 측광.

사진 측량【寫眞測量】 [—냥] 명 〔photogrammetry, photographic surveying〕 〖지〗 지형 또는 어떤 목표물을 사진으로 찍어 측량하는 일. 지형도(地形圖)·지적도(地籍圖)를 작성하는 데 이용됨. 지상 사진 측량과 공중 사진 측량이 있음.

사진-틀【寫眞—】 명 사진이나 그림을 끼워 넣어 벽에 걸거나 책상 머리에 놓고 보는 틀.

사진-판【寫眞版】 명 ①〖인쇄〗 사진 제판법에 의하여 만든 인쇄판의 총칭. 콜로타이프(collotype)·사진 동판(寫眞銅版)·사진 아연판(寫眞亞鉛版)·사진 석판(石版)·그라비어(gravure)·삼색판(三色版) 등이 있으며, 제법(製法)에 의하여 볼록판(版)·오목판(版)·평판(平版) 등이 있음. ②신문·잡지 등의 사진으로 인쇄된 면.

사진 판독【寫眞判讀】 명 군사 작전을 계획·수립하고 실시하는 데 가치가 있는 자료를 얻기 위하여 군사 사진, 특히 항공 사진을 연구·분석·비교하는 일.

사진 판정【寫眞判定】 명 스포츠·경마 따위에서 고속도 촬영 사진을 써서 승부(勝負)를 판정하는 일.

사진 평판【寫眞平版】 명 〖인쇄〗 사진판의 하나. 판의 재료로는 석판(石版)·아연·알루미늄 등을 쓰며, 판면(版面)에는 계란의 흰자·중크롬산칼륨(重 chrome 酸 kalium)의 혼합액을 칠하고, 이곳에 음판(陰板)을 밀착시키어 지방성 현상 잉크(脂肪性現像 ink)를 묻혀 영상(影像)을 만들고 오프셋(offset) 인쇄에 부침. 지도나 잡지의 색채 그림·포스터·서적 등의 복제(複製)에 쓰임.

사진 필름【寫眞—】 명 〔photographic film〕 →필름(film).

사진-학【寫眞學】 명 사진에 관한 것을 연구 대상으로 하는 학문.

사진학-과【寫眞學科】 명 대학에서, 사진학을 전공하는 학과. *연극영화과.

사-진행【斜進行】 명 〖악〗 '비껴가기'의 구용어.

사진-화【寫眞畫】 명 사진에 찍힌 형상.

사진 화학【寫眞化學】 명 〖화〗 사진의 촬영·현상 등에 관하여 연구하는 화학의 한 부문.

사질[1]【邪疾】 명 〖의〗 정신병(精神病).

사질[2]【舍姪】 명 자기의 조카를 남에게 대하여 일컫는 말.

사질[3]【砂質·沙質】 명 모래 성분으로 된 토질.

사질 양토【砂質壤土】 명 사양토(砂壤土).

사질-토【砂質土】명 모래 성분이 많은 흙의 일종.

사:집[1]【四集】명〖불교〗불교를 배우는 데 기본적인 네 가지 과목. 곧, 서장(書狀)·도서(都書)·선요(禪要)·절요(節要). *사집과.

사집[2]【私集】명 아직 출판되지 아니한 개인의 문집(文集)·시집(詩集).

사:집-과【四集科】명〖불교〗사미과(沙彌科)를 마친 사람이 사집(四集)을 배우는 2년의 과정. *사교과(四教科).

사:집 학인【四集學人】명〖불교〗불교의 첫 과정인 사집을 배우는 사람.

사짜 명 ↗사짜신.

사짜-신 명 남자가 신는 가죽신의 한 가지. 울이 얕고 코가 크며, 코와 울 사이를 직각(直角)으로 모나게 파낸 신. ㊟사짜.

사차【莎車】명〖지〗'사처'를 우리 음으로 읽은 이름.

사:차 방정식【四次方程式】명〖수〗미지수(未知數)의 최고 멱(冪)이 4차의 항(項)을 가지는 방정식.

사:-차불피【死且不避】명 죽어도 피하지 아니함. ——-하다 자여불

사:-차불후【死且不朽】명 죽더라도 썩지 아니함. 곧, 몸은 죽어 없어져도 명성만은 후세에 길이 전함. ——-하다 자여불

사:-차손【死差損】명〖경〗생명 보험 경영에서, 실제 사망률이 예정 사망률보다 클 때에 생기는 차손. ↔사차익(死差益).

사:-차원【四次元】명〖수〗차원(次元)이 네 개 있는 것. 공간의 삼차원(三次元)과 시간의 일차원(一次元)을 합하여 일컫는 말.

사:차원 공간【四次元空間】명〖물〗물리학 특히 상대성 이론에서 3차원의 공간에 제4차원으로서 시간을 보탠 4차원의 연속체. 시공 세계(時空世界).

사:차원 세:계【四次元世界】명〖물〗시공 세계(時空世界).

사:-차익【死差益】명〖경〗생명 보험 경영에서의 이익 요소의 하나. 실제의 보험 가입자의 사망이 예정된 사망률보다 적음으로써 생기는 차익. ↔사차손(死差損). *이원식 배당(利源式配當).

사찬[1]【沙飡】명〖역〗신라 때 십칠 관등(十七官等)의 여덟째 관등. 일길찬(一吉飡)의 아래, 급벌찬(級伐飡)의 위임. 육두품(六頭品)이 오름. 살찬(薩飡).

사찬[2]【私撰】명 개인이 찬집(撰集)함. 또, 그 찬문. ——-하다 자여불

사:찬[3]【賜饌】명〖역〗임금이 음식을 내리어 줌. ——-하다 자여불

사:찰[1]【四察】명 눈·귀·입·마음의 네 가지로 살피어 아는 일.

사찰[2]【寺刹】명 절.

사찰[3]【私札】명 사인(私人) 사이에 주고 받는 편지. 사함(私函). 사서(私書).

사찰[4]【伺察】명 엿보아 살핌. ——-하다 타여불

사:찰[5]【使札】명 사자(使者)에게 주어 보내는 서장(書狀).

사찰[6]【査察】명 ①조사하여 살핌. ②주로 사상적(思想的)인 동태를 조사 처리하던 경찰의 한 직분. ③[inspection] 원자력의 평화 이용을 위한 보장 조처의 하나. 핵물질의 제공국 또는 국제 기구의 사찰원(査察員)이 보장 조처에 관한 기록, 보고(報告)의 감사, 핵물질의 수량의 확인, 주요 원자력 시설의 검사 등을 행하는 일. ——-하다 타여불

사찰-계【査察係】명 주로 사상적인 동태를 조사 처리하던 경찰서의 한 부서. 1960년 이후 정보계로 개칭됨.

사찰-본【寺刹本】명〖역〗사찰에서 간행한 책. 공양(供養)·공덕(功德)·명복(冥福)을 빌기 위하여 불교 경전을 주로 간행함.

사찰-원【査察員】명 원자력의 평화 이용을 보장하기 위한 사찰(査察)에 종사하는 사람.

사참[1]【寺站】명 한 절에서 다른 절로 참을 대어 감.

사:참[2]【事懺】명〖불교〗기도하며 죄과(罪過)를 뉘우쳐 회개하는 일. ——-하다 자여불

사참[3]【奢僭】명 사치스럽고 분수에 넘쳐 방자스러움. 또, 사치(奢侈)와 참람(僭濫).

사창[1]【司倉】명〖역〗신라 창부(倉部)의 한 벼슬. 경덕왕(景德王) 때 전의 사지(舍知)를 고친 이름인데, 혜공왕(惠恭王)이 다시 사지로 고침. 위계(位階)는 대사(大舍)로부터 사지까지.

사창[2]【私娼】명 허가없이 매음하는 창녀. 밀매음녀(密賣淫女). ¶ ～가(街). ↔공창(公娼).

사창[3]【社倉】명〖역〗조선 시대에, 각 고을의 사(社)에 두어, 민간에서 자치적으로 백성에게 봄에 꾸어 주거나 가을에 받아 들이는 곡식을 쌓아 두던 곳집. 문종(文宗) 원년(1451)에 경상도 여러 곳에 본격적인 설치를 보고 점차 확대되었으나 환곡(還穀)의 문란으로 순조(純祖) 5년(1805)에 호남·호서 지방은 관찰사의 의견에 따라 존폐를 결정하도록 함.

사창[4]【紗窓】명 사(紗)붙이로 바른 창.

사창[5]【射創】명 총창(銃創).

사창-굴【私娼窟】명 사창들이 많이 있어서 밀매음하는 곳.

사창-미【社倉米】명〖역〗사창에 보관해 둔 쌀.

사창-서【司倉署】명〖역〗조선 시대에, 평안도와 함경도의 두 도에 있던 토관(土官)의 직소(職所).

사채[1]【私債】명 사인(私人) 사이에 진 빚. ↔공채(公債).

사채[2]【社債】명〖법〗주식 회사나 주식 합자 회사가 그 사업에 필요로 하는 자금을 조달하기 위하여 공중에게 모집하는 채무. 증권 발행의 형식에 의하여 일정한 기한에 원금을 상환(償還)할 뿐만 아니라, 그 상환 날짜까지 해마다 일정한 기일에 확정 이자를 지불할 것을 약속함. 현행 상법상 각 사채의 금액은 균일(均一)하여야 함. 순연한 채권이므로 자본은 변경되지 않으며, 채권자는 이익이 있고 없고간에 이자를 청구할 수 있음. 담보부 사채(擔保附社債)·무담보 사채(無擔保社債)·기명 사채(記名社債)·무기명 사채(無記名社債)로 구별함.

사채[3]【詞彩】명 말이나 글이 우아(優雅)함.

사채-권【社債券】[—꿘] 명〖법〗사채의 증권(證券). 유가 증권임.

사채권-자【社債權者】[—꿘—] 명〖법〗사채의 채권자. 채권자로서 사채의 보유(保有)에 따르는 모든 권리를 주장할 수 있는 사람.

사채권자 집회【社債權者集會】[—꿘—] 명 사채권자의 이해(利害)에 중대한 관계가 있는 사항에 관하여, 다수결로써 사채권자의 총의(總意)를 결정하기 위하여, 전체 사채권자로 구성되는 임시적인 합의체.

사채기 명〈방〉사타구니(함경·평안).

사채-놀이【私債—】명 비교적 많은 자금을 운용하여 벌이는 돈놀이.

사-채무【私債務】명 사사로운 채무. 사채에 대한 채무.

사채 발행 차금【社債發行差金】명〖경〗사채가 액면(額面) 이하 또는 액면 이상의 가액(價額)으로 발행될 때의 액면 총액과 발행가액 총액과의 차액(差額).

사채 시:장【社債市場】명〖경〗증권(證券) 시장의 하나. 주식 회사가 자금을 조달하기 위해 발행한 채권을 중매인(仲買人)이 사이에 들어서 거래하는 시장. 채권의 가격 형성, 단기 자금의 장기 채권 투자로의 전환, 혹은 투자자의 채권에 대한 부여(附與)의 장소가 됨.

사채 원부【社債原簿】명〖법〗사채 및 사채권자에 관한 사항을 기재한 회사의 원부. 법정 사항을 기재하여 본점(本店)에 비치하고 주주(株主)·채권자에게 공시(公示)하여야 함.

사채-질【社債質】명〖법〗사채를 목적으로 하는 질권(質權). 일종의 권리질임. 기명 사채(記名社債)의 입질(入質)은 채권의 교부로 그 효력이 발생하나 사채 원부에 질권의 성질을 기입하지 않는 한 회사나 제삼자에게 대항할 수 없음.

사채 청약서【社債請約書】명〖법〗사채 모집에 있어서 공중(公衆)이 청약할 때에 청약 방식으로서 요구되는 일정 사항을 기재한 증서. 청약인에게 기채(起債) 회사의 내용 및 사채 모집의 조건을 알려 집단적 계약 처리의 편의를 도모하기 위해 요구됨. 사채 발행 회사의 이사(理事)나 사채 모집의 위탁을 받은 자가 작성하며, 두 통을 요함.

사:책【史冊·史策】명 사기[4](史記).

사챙이 명〈방〉새끼[1](전라).

사처[1] 명〔←하처(下處)〕웃어른이나 점잖은 손님이 길을 가다가 유숙하는 집을 존대하여 일컫는 말.

사:처[2]【四處】명 여러 곳. 사방(四方).

사처[3]【私處】명 사사로 거처하는 곳.

사처[4]【徙處】명 거처를 옮김. ——-하다 자여불

사처[5]〔莎車〕명〖지〗중국 신장웨이우얼(新疆維吾爾) 자치구 서남부의 도시. 예로부터 톈산 남로(天山南路)의 중요한 고을의 하나로 인도·중앙 아시아에 이르는 대상(隊商)의 무역 기지임. 시가(市街)는 한족(漢族)이 사는 신청(新城)과 위구르족이 사는 후이청(回城)으로 나뉨. 사차(莎車). 야르칸드(Yarkand). 엽이강(葉爾羌). [50,000명(1971)]

사척【斜尺】명 사선척(斜線尺).

사천[1] 명〔←私錢〕①부녀자가 절약하여 사사로이 모아 둔 돈. ②개인이 사사로이 가지고 있는 돈.

사:천[2]【四天】명 ①사철의 하늘. 곧, 봄의 창천(蒼天), 여름의 호천(昊天), 가을의 민천(旻天), 겨울의 상천(上天)의 이름. ②〖불교〗↗사왕천(四王天).

사천[3]【沙川】명 모래가 많은 내.

사천[4]【私賤】명〖역〗옛날에 사인(私人)에 의하여 사역(使役)·매매되던 종. 비복(婢僕)·백정(白丁)·무격(巫覡)·배우(俳優)·창녀(娼女) 등인데, 일종의 노예로서, 조선 시대 중엽에는 장정 다섯 사람과 소 한 마리 또는 젊은 여자 한 사람에 은화(銀貨) 1만 5천 냥으로 매매되었다 함.

사:천[5]【泗川】명〖지〗경상 남도의 한 시(市). 1읍(邑) 7면(面) 10동(洞). 북쪽은 진주시(晋州市), 동쪽은 고성군(固城郡), 남쪽은 바다, 서쪽은 하동군(河東郡)과 접함. 주요 산물로는 쌀·보리·콩·삼·목화·누에고치 등의 농산물과 수산·임산·공산·축산 등이 있음. 명승 고적으로는 와룡산(臥龍山)·각산봉수(角山烽燧)·선진(船津)·성황 산성(城隍山城)·구계 서원(龜溪書院)·다솔사(多率寺)·기룡암(起龍庵) 등이 있음. 1995년 5월, 사천군과 삼천포시를 통합하여, 사천시로 개편함. [395.99 km²: 122,766명(1996)]

사:천[6]【祀天】명 하늘에 제사를 지냄. ——-하다 자여불

사천[7]【斜川】명〖지〗'셰촨'을 우리 음으로 읽은 이름.

사천-감【司天監】명〖역〗고려 예종(睿宗) 11년(1116)에 사천대(司天臺)를 고친 이름.

사:천-군【泗川郡】명〖지〗경상 남도에 속했던 군. 1995년 5월 삼천포시와 통합되어 사천시로 개편됨.

사천-대【司天臺】명〖역〗고려 때 천문(天文)에 관한 사무를 맡아 보던 관아. 현종(顯宗) 14년(1023)에 태복감(太卜監)을 고친 이름인데, 예종(睿宗) 11년(1116)에 사천감(司天監)으로, 충렬왕(忠烈王) 원년(1275)에 관후서(觀候署)로 고쳤다가, 동 34년(1308)에 태사국(太史局)을 합쳐 서운관(書雲觀)을 베풀었음.

사천 박사【司天博士】명〖역〗신라 때의 천문 박사(天文博士)의 고친 이름.

사:천 분지【四川盆地】명〖지〗쓰촨 분지.

사:천-성【四川省】명〖지〗쓰촨 성.

사:천양 해:전【泗川洋海戰】명〖역〗조선 선조(宣祖) 25년(1592) 5월에 이순신(李舜臣) 장군이, 사천 선창(船艙)에서 왜선(倭船)을 무찌른 싸움. 이 싸움에서 처음으로 거북선이 활약함.

사:-천왕【四天王】명〖불교〗사방을 진호(鎭護)하며 국가를 수호하는 네 신(神). 수미산(須彌山)의 중턱에 있는 사왕천(四王天)의 주신(主神)으로 동방의 지국천왕(持國天王), 남방의 증장천왕(增長天王), 서방의 광목천왕(廣目天王), 북방의 다문천왕(多聞天王)을 일컬음. 각각 두 장군(將軍)을 거느리며, 위로는 제석천(帝釋天)을 섬기고, 아래로 팔부중(八部衆)을 지배하면서 불법 귀의(佛法歸依)의 중생을 수호한다 함. 사대 천왕(四大天王). 사왕(四王). *사왕천(四王天).

사:천왕-문【四天王門】명〖불교〗절을 지키는 의미에서 동·서·남·북의

사천왕을 만들어 좌우에 세운 문.

사:천왕-사【四天王寺】명〖지〗경주 낭산(狼山)의 남동쪽 기슭에 있던 절. 중앙에는 불전(佛殿)의 초석(礎石)이 있고, 그 앞에는 탑지(塔址)가 남아 있음. 신라(新羅) 때 지었음.

사:천왕사 성전【四天王寺成典】명〖역〗신라 때 사천왕사의 관리를 맡아 보던 관청. 영(令)·경(卿)·감(監)·대사(大舍)·성(省) 등의 관원이 있었음.

사:천왕-천【四天王天】명〖불교〗사왕천(四王天).

사-천장【斜天一】명〖고고학〗빗천장.

사:-천하【四天下】명〖불교〗사주(四洲).

사:-철[1]【四一】㊀명 봄·여름·가을·겨울의 네 철. 사절(四節). 사시(四時). ㊁부 늘. 항상. ¶ ~ 바쁘다/~ 푸른 나무.

사철[2]【私鐵】명 ↗사설 철도(私設鐵道). ↔국철(國鐵).

사철[3]【砂鐵】명〖광〗사광상(砂鑛床)의 한 가지. 화성암(火成岩)이 풍화 작용에 의하여 파괴되어, 그 속에 들었던 자철광(磁鐵鑛)이 모래 모양이 되어 흘러서 강이나 바다의 바닥에 퇴적(堆積)된 광상이나 광물. 제철 원료로 하는 외에 티탄 원료(Titan原料) 또는 벽 위에 바르는 데에 쓰임. 철사(鐵砂).

사:철[4]【捨撤】명 희사(喜捨)❶. ——-하다 타여불

사:철[5]【駟鐵】명 한 수레를 끄는 네 필의 말. 또, 그러한 마차(馬車). 사마(駟馬).

사:철-공【絲綴工】명 '엮음공'의 한자말.

사:철-나무 [—라—] 명〖식〗[*Euonymus japonica*] 노박덩굴과의 상록 관목. 높이 2-3m 가량, 잎은 대생하며, 거꿀달걀꼴 내지 긴 타원형에 좀 단병(短柄)이며 표면은 반드럽고 녹색 광택이 남. 6-7월에 녹백색의 잔 사판화(四瓣花)가 취산(聚繖) 화서로 액생(腋生)하여 많이 피고 둥근 삭과(蒴果)가 9-11월에 익는데, 서너 갈래로 째지고 등적색의 가종피(假種皮)가 있는 종자를 드러냄. 해안(海岸)에 나는데, 한국·일본·만주·중국에 분포함. 나무껍질은 여러 가지 약으로 쓰이고, 정원수·울타리 등으로 심음. 동청(冬青).

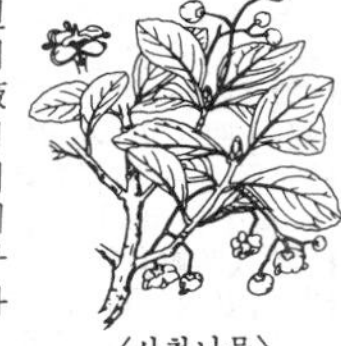
〈사철나무〉

사:철나무깍지벌렛-과【—科】[—라—] 명〖충〗[Diaspididae] 매미목(目)에 속하는 한 과. 한 개의 개각(介殼)이나 또는 아래쪽이 얇은 개각 사이에 싸임. 수컷은 날개가 없는 것도 있음. 촉각은 발달하였고 미사(尾絲)는 두 개, 생식은 유성(有性) 또는 단성(單性)으로 태생(胎生)이나 난생(卵生)이고, 알은 현미경적인 백색·황색·적색 등을 나타냄. 숙주(宿主) 식물에 군서(群棲)하는데 전세계에 분포함. 귤깍지벌레·사과깍지벌레·소나무깍지벌레·랙(lac)깍지벌레·연지벌레 등이 이에 속함. ＊깍지벌레.

사:철-베고니아【四—】〔begonia〕명〖식〗[*Begonia semperflorens*] 추해당과에 속하는 원예 화초. 높이 20-60cm 가량, 잎은 호생하며, 달걀꼴 혹은 원형임. 다육질(多肉質)인데 흔히 광택 있는 녹색이나 적색도 있음. 잎줄기와 주맥(主脈)은 담홍색(淡紅色)을 띰. 번식은 실생(實生)과 삽상(揷床)으로 하며, 4-10월 동안 백색·홍색·연분홍색의 꽃이 핌. 널리 재배되며 분이나 화단에 심어 관상함. 브라질이 원산임.

사철-선【砂鐵銑】명 사철(砂鐵)을 원료로 하여 전기로(電氣爐)로 제련한 선철. 특수강의 원료 및 고급 주철로 사용함.

사:철-쑥 명〖식〗[*Artemisia capillaris*] 국화과에 속하는 다년초. 줄기 높이 30-60cm, 근생엽(根生葉)은 유병(有柄)에 2회 우상 전열(羽狀全裂), 경엽(莖葉)은 무병(無柄)에 호생함. 8-9월에 황색의 두화(頭花)가 총상(總狀) 원추 화서로 핌. 개울가의 모래땅에 나는데, 한국 각지에 분포함. 어린 잎은 식용하며, 입추(立秋) 때 베어 말린 것을 '인진호(茵蔯蒿)'라 하여 달병(疸病)·풍습(風濕) 등에 약재로 사용함.

〈사철쑥〉

사첨[1]【司籤】명〖역〗순라군(巡邏軍)의 나무채를 맡아 가지고 있는 사람.

사첨[2]【邪諂】명 부정(不正)되게 아첨함. ——-하다 자여불

사첩【寺牒】명 절에서 관청에 내는 문서.

사:첩-체【四疊體】명〖생〗사구체(四丘體).

사첫-방【一房】명〔←하처방(下處房)〕웃어른이나 점잖은 손님이 묵고 있는 방.

사:청[1]【四淸】명〖악〗가야고의 다섯째 줄의 이름. ＊유현(遊絃).

사:청[2]【乍晴】명 지루한 비가 그치고 잠깐 갬. ——-하다 자여불

사:-청성【四淸聲】명〖악〗중간 음역(音域)의 십이 율(十二律)보다 한 옥타브 높은 네 개의 음(音). 곧, 청황종(淸黃鐘)·청대려(淸大呂)·청태주(淸大簇)·청협종(淸夾鐘).

사:체[1]【四諦】명〖불교〗→사제(四諦).

사:체[2]【四體】명 ①사지(四肢)❷. ②팔다리와 머리와 몸뚱이. 곧, 온 몸. ③서예(書藝)의 네 체. 초(草)·장초(章草)·예(隸)·산례(散隸) 또는 고문(古文)·전(篆)·예(隸)·초(草).

사:체[3]【史體】명 사기(史記)의 체제(體制). 곧, 편년체(編年體)와 기전체(紀傳體).

사:체[4]【死體】명 ①사람이나 그 밖의 생물의 죽은 몸뚱이. ¶ ~ 유기. ②시체(屍體).

사:체[5]【事體】명 ①사리(事理)와 체면. 곧, 언행이 이치에 합당하여 체면을 보존하는 일. 사면(事面). ②사태(事態). ③〖철〗현상(現象)❹.

사체[6]【蛇體】명 뱀의 몸. 뱀의 몸 모양.

사체[7]【斜體】명 ①활자 또는 사진 식자에서, 오른쪽으로 비스듬히 또는 왼쪽으로 비스듬히 기운 자체(字體). ②이탤릭(italic).

사:체[8]【寫體】명 사자관(寫字官)이 쓰던 글씨 체.

사체[9]【辭遞】명 벼슬 자리를 내놓고 물러남. ——-하다 자여불

사:체 강직【死體強直】명〖의〗사체 경직.

사:체 검:안【死體檢案】명〖법〗죽은 사람에 대하여 그 사체를 살펴서 주로 그 사인(死因)을 의학적(醫學的)으로 검증함. ——-하다 타여불

사:체 검:안서【死體檢案書】명〖법〗의사의 치료를 받지 않고 사망한 사람에 관하여 그 사망을 확인하는 의사의 증명서. 검안서.

사:체 경직【死體硬直】명〖의〗사후(死後) 경직.

사:체-실【死體室】명 시체실.

사:체 유기죄【死體遺棄罪】[—죄] 명〖법〗사체를 현재의 장소에서 다른 곳에 옮기어 매장(埋葬) 방법에 의하지 아니하고, 방기(放棄)하는 죄. 매장 의무가 있는 사람이 사체를 방치(放置)하는 부작위(不作爲)에 의하여도 성립되며, 살인자(殺人者)가 사체를 현장에 방치하는 경우에는 성립이 안 되지만, 죄적(罪跡)을 감추기 위하여 다시 은닉(隱匿)할 때에는 이 죄가 성립함.

사:체 현:상【死體現象】명〖의〗생명을 잃은 개체(個體)에 나타나는 물리·화학적 현상의 총칭. 피부의 창백, 사체온(死體溫)의 강하, 사체 표면의 건조, 시반(屍斑)의 형성, 사체 경직(硬直)의 발현과 유산(乳酸)의 증가, 부패의 진행과 이것에 수반되는 가스의 발생, 제 조직의 변성 붕괴(變性崩壞)·백골화(白骨化) 따위 일련의 현상을 가리키는 말.

사:초[1]【巳初】명〖민〗사시(巳時)의 처음. 곧, 오전 아홉 시경.

사:초[2]【史草】명〖역〗사관(史官)이 기록하여 둔 사기(史記)의 초고(草稿).

사:초[3]【死草】명 말라 죽은 풀. ＊고초(枯草).

사초[4]【私草】명 사고(私稿).

사초[5]【沙礁·砂礁】명 물 속에 쌓여 있는 모랫 더미.

사초[6]【莎草】명 ①〖식〗방동사닛과에 속하는 골사초·두메사초·산사초·낚시사초·바랑이사초 등의 총칭. ②〖식〗향부자(香附子)❶. ③〖식〗잔디. ④오래 되거나 허무러진 산소에 떼를 입히어 잘 가다듬는 일. 흔히 한식(寒食)날에 함. ——-하다 자여불

사초[7]【飼草】명 가축의 사료로 하는 풀.

사초-독나방【莎草毒一】명〖충〗[*Laelia coenosa*] 독나방과에 속하는 곤충. 편 날개의 길이 수컷은 37mm, 암컷은 50mm 가량이며, 몸빛은 대체로 담갈색에 드물게 백색이고, 앞날개에는 한 개의 흑색 점반(點斑)이 있음. 유충은 황백색임. 화본과(禾本科) 식물 및 벼의 해충임. 한국에도 분포함.

사-초롱【紗一籠】명 사(紗)를 겉에 바른 초롱. 사등롱(紗燈籠).

사촉[1]【私囑】명 사사로이 부탁함. ——-하다 타여불

사촉[2]【唆囑】명 사주(使嗾). ——-하다 타여불

사:촌【四寸】명 ①네 치. 곧, 한 자의 십분의 사. ②아버지의 친형제의 아들딸. 사촌 형제. ＊외사촌. ③〖법〗촌수의 하나. 민법의 친족 규정에서 고조(高祖)부모, 조부의 형제 자매, 형제 자매의 손자 등과 같이 4대(代)를 격(隔)한 사람과의 관계.

[사촌네 집도 부엌부터 들여다 본다] 아무리 친한 사이라도 주기만 바란다는 말. [사촌이 땅을 사면 배가 아프다] 질투심과 시기심이 많음을 이르는 말.

사:촌 매:부【四寸妹夫】명 사촌 누이의 남편.

사:촌-정【四寸釘】명 네 치 길이의 쇠못. 네치못.

사:촌-척【四寸戚】명 사촌이 되는 척분. 내외종(內外從)이나 이종(姨從)들.

사:촌 형제【四寸兄弟】명 사촌❷.

사총【絲葱】명 실파.

사추【邪推】명 나쁘게 추찰(推察)함. 못된 의심을 품고 짐작함. ——-하다 타여불

사추기 명〈방〉샅[1]❶.

사:-추덕【四樞德】명〖천주교〗윤리덕(倫理德) 중 가장 중요한 네 가지 덕. 곧, 지덕(智德)·의덕(義德)·용덕(勇德)·절덕(節德).

사추리 명〈방〉샅[1]❶(경기).

사추미 명〈방〉사침.

사축[1] 명 품삯으로 농군에게 떼어 주는 논이나 밭. 「술. 별제(別提).

사축[2]【司畜】명〖역〗조선 시대 때 사축서(司畜署)의 종육품(從六品) 벼

사:축[3]【死祝】명〖불교〗죽은 사람의 명복(冥福)을 비는 일.

사축[4]【私蓄】명 개인이 사사로 저축함. 또, 그 재물. ——-하다 타여불

사축[5]【斜軸】명 비스듬히 단 축(軸). 경사진 축.

사축[6]【飼畜】명 가축을 기름. ——-하다 자여불

사축-서【司畜署】명〖역〗조선 시대 때, 잡축(雜畜)을 기르는 일을 맡아 보던 관아. 세조(世祖) 12년(1466)에, 예빈시(禮賓寺)의 한 분장(分掌)인 분예빈시(分禮賓寺)를 독립시켜 베풀었다가 영조(英祖) 때에 호조(戶曹)에 붙임.

사:축 해:면류【四軸海綿類】[—뉴] 명〖동〗[Tetraxonida] 무석회(無石灰) 해면류에 속하는 한 목(目). 모두 규산질(珪酸質)의 골편(骨片)을 가졌고, 그 기본 형태는 사축형(四軸形) 사축체(四軸體)임. 성사축류(星四軸類)·시그마(sigma) 사축류의 두 아목(亞目)으로 분류함.

사춘-기【思春期】명 이성(異性)에 관심을 갖게 되고 춘정(春情)을 느낄 만한 나이. 청년 초기로서 15-20세를 일컬음. 청춘기. ＊춘기 발동기.

사출[1]【査出】명 조사하여 드러냄. ——-하다 타여불

사출 나다 구 조사를 당하여 드러나다. 조사를 받고 발각되다. ¶ 관가에 붙잡혔다가 박연중이란 성명이 사출나서 서울로 압송하게 되었는데 …《洪命憙：林巨正》.

사출[2]【射出】명 ①화살이나 탄알 같은 것을 쏘아 내보냄. ②물 따위를 내쏨. ③한 점에서, 방사상(放射狀)으로 뻗어 나감. ④함선(艦船) 위에서, 비행기 따위를 사출기로 발진시킴. ——-하다 자타여불

사출[3]【斜出】명〖역〗관청에서 증명서 같은 것을 발급(發給)하여 주던 일. ——-하다 타여불

사출[4]【寫出】명 글씨나 그림 따위를 그대로 베끼어 냄. ——-하다 타여불

사:출[5]【瀉出】명 내쏟음. 흘려 나옴. ――하다 자타여불 「形機).
사출-기【射出機】명 ①캐터펄트(catapult)❷. ②〖기〗 사출 성형기(成
사:출-도【四出道】명〖역〗고대 부여(夫餘) 때의 행정 구획. 치자 계급(治者階級)인 마가(馬加)·우가(牛加)·저가(猪加)·구가(狗加)의 사가(四加)가 다스렸던 영지로서, 큰 것은 수천 호, 작은 것은 수백 호였음.
사출-맥【射出脈】명〖식〗병행맥(並行脈)의 한 가지. 잎꼭지의 맨 끝에서 방산상(放散狀)으로 벋어 나간 엽맥(葉脈). 종려(棕櫚)의 잎 같은 것.
사출 목수【射出木髓】명〖식〗사출수(射出髓).
사:출-문【四出門】명 넌출문.
사출 성형기【射出成形機】명〖기〗실린더(cylinder) 속에서 가열 용융(加熱溶融)시킨 플라스틱(plastics) 재료를 노즐(nozzle)을 통하여 폐쇄된 거푸집 속으로 사출하여, 냉각 고화(冷却固化)시켜 제품을 만들어 내는 기계. 인젝션(injection) 성형기. 사출기.
사출-속【射出束】[―쏙] 명〖식〗사출수(射出髓).
사출-수【射出髓】명〔medulary ray ; pith ray〕〖식〗식물의 관(管)다발 안에 방사(放射) 방향으로 뻗은 세포군(群). 대부분은 유세포(柔細胞)가 모인 것임. 물관부(管部)와 체관부(管部)를 꿰뚫고 있으며, 물과 양분의 통로, 통기(通氣)나 저장 기관(器官)으로서의 구실을 함. 방사(放射) 조직. 사출 목수. 사출속(束)
사출 장치【射出裝置】명 캐터펄트(catapult).
사출 좌:석【射出座席】명 주로 전투기에서 사고가 났을 때, 승무원을 기외(機外)로 비상 탈출시키기 위한 비상 탈출 장치가 달린 좌석. 기외로 사출된 좌석에서 승무원은 자동적으로 분리되어 안전한 고도에서 낙하산(落下傘)이 자동적으로 펴짐.
사출-화【射出花】명〖식〗설상화(舌狀花).
사춤[1] 명〔근대 : 사춤〕①갈라진 틈. ②담이나 벽 같은 곳의 갈라진 틈을 진흙으로 메우는 일. 면토(面土).
 사춤(을) 치다 구 담이나 벽 같은 곳의 벌어진 틈을 진흙을 쳐서 메우 「다.
사춤[2] 명〈방〉사침.
사춤-대 [―때] 명〈방〉사침대.
사충【詐忠】명 거짓 꾸미는 충성. 간사한 충성.
사:취[1]【四趣】명〖불교〗사악도(四惡道).
사취[2]【砂嘴】명〖지〗바다 가운데로 길게 뻗어 나간 모래톱. 토사(土砂)가 조류에 밀리어 퇴적(堆積)된 것임. *사주(砂洲).
사취[3]【詐取】명 속여서 빼앗음. 금품을 사기하여 가짐. 편취(騙取). ¶금품을 ~하다. ――하다 타여불
사취[4]【辭趣】명 문장의 취지. 문장의 뜻.
사:취화 아세틸렌【四臭化―】명〖화〗'사브롬화 아세틸렌'의 구칭.
사-층리【斜層理】[―니] 명〔cross-bedding〕〖지〗①지층의 주요 성층면(成層面)에 대하여 사교(斜交)하는 엽리(葉理)를 갖고 있는 상태. ②지층이 흐름의 방향으로 기울어 있는 층리(層理)의 일종.
사:층-장【四層欌】[―짱] 명 사층으로 된 장(欌). *삼층장.
사치[1] 명〈방〉새끼[1](함경).
사치[2] 명〈방〉사타구니(함경).
사치[3]【邪侈】명 간사하고 사치함. ――하다 자형여불
사치[4]【奢侈】명 신분에 지나치게 치레함. 분수없이 호사함. 사미(奢靡). ――하다 자형여불 「세. *도덕 관세.
사치 관세【奢侈關稅】명〖경〗수입되는 사치품에 대하여 부과하는 관
사치-도【沙雉島】명〖지〗전라 남도의 서해상(西海上), 신안군(新安郡) 안좌면(安佐面) 한운리(閑雲里)에 위치한 섬. [1.68km: 211명(1984)]
사치-비【奢侈費】명 생활 필수품 이외의 소비재(消費財)에 드는 비용. 곧, 그 사람의 정상적인 생활 수준을 초과한 소비재에 드는 비용. ↔유익비(有益費).
사치-세【奢侈稅】명 사치품·사치 행위에 대하여 부과하는 조세. 흔히 물품세(物品稅)의 형식으로 부과됨. 향락세. 「뿐
사치-스럽다【奢侈―】형ㅂ불 사치한 데가 있다. **사치-스레**【奢侈―】
사치-품【奢侈品】명 사치스러운 물품. 생활의 필요 정도에 넘치거나 분수에 지나친 물품. 호사품. 「네 가지 계산법. *가감승제.
사:칙[1]【四則】명〖수〗가법(加法)·감법(減法)·승법(乘法)·제법(除法)의
사칙[2]【社則】명 회사나 결사·단체의 규칙.
사칙[3]【舍則】명 기숙사나 숙사 따위의 규칙.
사:칙-산【四則算】명〖수〗사칙을 이용한 운산(運算).
사:칙 잡제【四則雜題】명〖수〗가(加)·감(減)·승(乘)·제(除)를 뒤섞은 여러 가지 산수 문제. *가감승 합제.
사친[1]【私親】명 ①종실(宗室)에서 들어가 대통(大統)을 이은 임금의 생가(生家) 어버이. ②빈(嬪)으로서 임금의 생어머니. ③서자(庶子)의 생어머니. ④자기의 친족(親族).
사:친[2]【事親】명 어버이를 섬김. ――하다 자여불
사친[3]【思親】명 어버이를 생각함. ――하다 자여불
사-친[4]【師親】명 선생과 학부형.
사친-가【思親歌】명〖문〗지은이·연대 미상의 조선 시대 내방 가사(內房歌辭)의 하나. 영남 지방에서 유행한 것으로, 시집간 여자가 그 친정 부모를 그리워하여 부른 노래. 모두 331구. 봉친가(奉親歌).
사:-친등【四親等】명〖법〗사등친(四等親). 「김에 효도로써 함.
사:친 이:효【事親以孝】명 세속 오계(世俗五戒)의 한 가지. 어버이를 섬
사:친지-도【事親之道】명 어버이를 섬기는 도리.
사친-회【師親會】명〖교〗학교를 중심으로 하여 교사와 학부형들로써 조직된 모임. 1952년에 종래의 후원회가 개편되었으나, 1970년 3월 육성회(育成會) 결성으로 폐지됨. *육성회(育成會)·부형회(父兄會)·피티 에이(P.T.A.). 「두는 돈. *육성회비(育成會費).
사친회-비【師親會費】명 사친회의 운영을 위하여 학부형들로부터 거

사:칠-론【四七論】명〖철〗사단(四端)과 칠정(七情)을 연구하는 학설. 퇴계(退溪) 이황(李滉)이 처음으로 제창하였음. 사칠변(四七辯). 사단
사:칠-변【四七辯】명〖철〗사칠론(四七論). 「칠정론(四端七情論).
사:칠 이:십팔【四七二十八】명〖수〗구구법(九九法)의 하나. 넷의 일곱 갑절이나 일곱의 네 갑절은 스물여덟이라는 뜻.
사:칠-품【四七品】명〖불교〗묘법 연화경(妙法蓮華經)의 이칭. 28품으로 되었으므로 이렇게 일컬음.
사침 명 베틀에 딸리어 있는 물건의 하나. 베개미 옆에 있어서, 날의 사이를 띄어 주는 구실을 하는 두 개로 된 나무나 대.
 [사침에도 용수 있다] 아무리 바빠도 틈을 내려면 못낼 것 없다는 뜻.
사침-대 [―때] 명 사침으로 사용하는 가는 나무나 대. 교곤(攪棍).
사칭【詐稱】명 성명·직함·주소·연령 따위를 속여 일컬음. 모칭(冒稱). ¶관명(官名) ~. ――하다 타여불
사카라〔Saqqara〕명〖지〗이집트의 카이로 남쪽 25km의 나일 강 서안(西岸)에 위치한 마을. 부근에는 고대 이집트의 도시 멤피스(Memphis) 외에 마스타바 고분(Mastaba古墳) 및 계단식 피라밋이 산재함.
사카라아제〔saccharase〕명〖화〗인베르타아제(invertase).
사카로미세스〔saccharomyces〕명〖생〗효모(酵母)의 대표적인 한 속(屬). 타원체 모양의 단세포(單細胞)로 자낭균(子囊菌)이나 흔히 무성적(無性的)인 출아(出芽)로 증식함.
사카로오스〔saccharose〕명〖화〗수크로오스(sucrose).
사카리-미터〔saccharimeter〕명〖기〗액체 중의 당분(糖分)의 농도를 측정하는 장치. 검당계(檢糖計).
사카린〔saccharin〕명〖화〗인공(人工) 감미료(甘味料)의 하나. 물에 잘 녹지 않는 무색 반투명의 결정(結晶). 감미(甘味)가 강하여 수용액은 수크로오스의 500배에 달함. 콜타르의 한 성분인 톨루엔(toluene)을 원료로 하여 만듦. 보통, 나트륨염의 '용성(溶性) 사카린'이 사용됨. 당뇨병 환자에게 설탕 대용으로 쓰이는 외에, 해(害)도 없고 자양(滋養)도 없는 설탕 대용품으로 쓰임. 녹는점 229°C. 하루 3g 이상의 장기 복용은 소화 장애를 일으킴. 감정(甘精). [$C_7H_5NO_3S$]
사카이-족【―族】〔Sakai〕명 말레이 반도의 중앙 산맥 양쪽에 사는 네그리토스계(Negritos系)의 원주민. 채집·수렵 생활 외에도 간단한 원시적 농사도 함. 수수·사탕수수·바나나 등을 재배하며 활을 잘 만듦. 세노이족(Senoi族).
사캬-파【―派】〔Sakya〕명 티베트 불교의 한 파(派). 라마교의 홍모파(紅帽派) 중에서 가장 세력이 있는데, 1253년 몽고의 점령시에는 당시의 교주(敎主) 파스파(hPhagspa)가 전티베트에서의 정교(政敎) 양권을 장악하고, 원조(元朝)의 국사(國師)로서 대접 받았음. 그 후 원조의 세력 쇠퇴에 따라 이들의 세력도 퇴조함. *홍교(紅敎).
사커〔soccer〕명 축구.
사케리〔Saccheri, Geronimo〕명〖사람〗이탈리아의 수학자. 저서 《모든 결점이 제거된 유클리드(Euclid)》로 비(非)유클리드 기하학에의 길을 열었음. [1667-1733]
사케티〔Sacchetti, Franco〕명〖사람〗13세기의 이탈리아 시인·소설가. 피렌체에서 출생. 작품에는 연애시 이외에 가요·단편 소설 등이 있음. [1335?-1400]
사쿠라-지마〔桜島:さくらじま〕명〖지〗일본 가고시마 만(鹿児島灣) 중앙부에 있는 화산도(火山島). 1914년 대폭발에 의하여 동남부가 용암(熔岩)으로 오스미 반도(大隅半島)에 이어졌음. 부근은 기리시마(霧島)와 함께 유람지로 유명하며 온천도 많음. [50km²]
사타[1]【沙吒】명 성(姓)의 하나. 우리 나라에는 현존(現存)하지 않음.
사타[2]【沙陀】명〖역〗6세기말 이래 알려진 터키계(Turkey系) 유목민의 부족 이름. 텐산(天山) 산맥 방면에 자리잡고 서돌궐국(西突厥國)을 이루고 있었으나, 나라가 망한 후, 링저우(靈州)로 옮기어 당(唐)나라에 복귀하였음. 그 후예(後裔)인 이극용(李克用)은 오대(五代)의 진(晉)나라를 건설하였음.
사타[3] 타〈옛〉쌓다. ¶西天ㄷ字앳 經이 노피 사햇거든(梵軸崇積)《月序 「23》. *사햇다.
사타구 명〈방〉샅[1]❶(전남).
사타구니 명〈속〉샅[1]❶. 준사타귀.
사타구리 명〈방〉샅[1]❶(강원·경상).
사타궁이 명〈방〉샅[1]❶(강원).
사타귀 명 ↗사타구니.
사타기 명〈방〉샅[1]❶.
사타리 명〈방〉샅[1]❶(전남·경상).
사:타바:하나 왕조【―王朝】〔Sātavāhana〕명〖역〗기원전 1세기 말에서 3세기 초에 걸쳐 데칸(Decan) 지방을 지배하던 인도의 왕조. 안드라(Andhra) 왕국이라고도 하는데, 안드라는 족명(族名), 사타바하나는 가명(家名)임. *안드라 왕국.
사탁[1]【司度】명〖역〗고려 초, 민관(民官)에 속한 관아. 성종(成宗) 14년(995)에 민관을 상서 호부(尙書戶部)로 고치면서 상서 탁지(尙書度支)로 고쳤다가 뒤에 폐함.
사탁[2]【司鐸】명〖천주교〗'신부(神父)'의 옛말.
사탁[3]【私橐】명 사사로이 모아 둔 돈. 또, 그 돈주머니.
사탁[4]【思度】명 생각하고 헤아림.
사탄[1]【沙灘】명 모래가 깔린 여울.
사탄[2]【詐誕】명 언행이 간사하고 황탄(荒誕)함. ――하다 형여불
사탄[3]【射彈】명 탄환을 쏨. 또, 그 탄환. ――하다 자여불
사탄[4]〔그 Satan〕명〖성〗〔적대자(敵對者)란 뜻〕하느님과 대립 존재하는 악(惡)을 인격화(人格化)한 것. 아담·이브를 비롯하여 인간에게 범죄(犯罪)·병마(病魔) 등에 걸려 빠지게 유혹하고 지옥(地獄)으로 인도한다 함. 많은 악마를 거느린다고 함. 귀왕(鬼王). 마귀(魔鬼). 루시퍼

(Lucifer).

사탈 명〈방〉살¹❶(경북).

사탑¹【寺塔】명 절에 있는 탑.

사탑²【斜塔】명 한쪽으로 비스듬히 기울어진 탑. ¶ 피사의 ~.

사탕¹【私帑】명 사재(私財).

사탕²【沙湯·砂湯】명 해수욕장이나 모래 사장 같은 곳에서 모래찜질을 할 수 있도록 시설한 곳.

사탕³【砂糖】명 ①〖화〗맛이 아주 단 탄수화물의 하나. 탄소(炭素)·산소(酸素)·수소(水素)로 되어 있고, 물에 잘 녹는 무색(無色)의 결정(結晶)임. 순수한 것은 화학(化學)에서 수크로오스라 하며, 대개 식물체에 많이 들어 있어, 사탕무·사탕수수·사탕단풍 등을 원료로 가공하여 얼음 사탕·각(角)사탕·사탕 가루 등으로 만듦. 피로 회복에 도움이 되나, 과용하면 위를 상하게 하고 골격 성장에 장애를 줌. 중요한 감미료(甘味料)의 하나로 광범위하게 사용됨. ②설탕을 끓여서 여러 가지 모양으로 만든 비교적 간단한 과자. 눈깔 사탕·드롭스 등. ③설탕(雪糖).

사탕 가루【砂糖—】[—까—] 명 가루로 된 사탕. 설탕.

사탕-감재【砂糖—】명〈방〉고구마(함북).

사탕-계【砂糖計】명〖기〗사카리미터.

사탕구 명〈방〉살¹❶(전북).

사탕-단풍【砂糖丹楓】명〖식〗[*Acer saccharum*] 단풍나뭇과에 속하는 낙엽 활엽 교목. 높이 12 m 내외, 수피(樹皮)는 다갈색임. 잎은 대생하고 장상(掌狀)인데 3-5열(裂)하며, 뒷면에는 흰빛의 잔털이 있음. 4-5월에 새 잎과 함께 녹황색의 꽃이 밀산(密繖) 화서로 피고, 꽃이 진 뒤에 시과(翅果)를 맺음. 북미(北美) 원산으로 북미 동북부에 삼림을 이루어 분포함. 봄에 수액(樹液)을 채취하여 사탕을 만듦. 나무는 기구를 만드는 데 씀.

〈사탕단풍〉

사탕-무【砂糖—】명〖식〗[*Beta vulgaris* var. *rapa*] 명아줏과에 속하는 이년초. 줄기는 곧고 높이 1 m 가량이고, 잎은 좀 두꺼운데 긴 달걀꼴로 가장자리는 물결 모양이고, 자색(紫色)을 띰. 여름에 황록색의 작은 꽃이 수상(穗狀) 화서로 많이 피며, 과실은 코르크질의 구낭(球囊)으로 맺힘. 뿌리는 크고 살이 찐 방추형(紡錘形) 또는 원추형인데, 흰빛·노랑빛·붉은빛 등으로 많은 당분(糖分)을 함유함. 지중해 지방의 원산으로 열대(熱帶) 및 아열대에 사탕수수와 함께 많이 재배함. 뿌리로 당료 및 사탕을 만들고 잎은 사료로 씀. 감채. 첨채(甛菜).

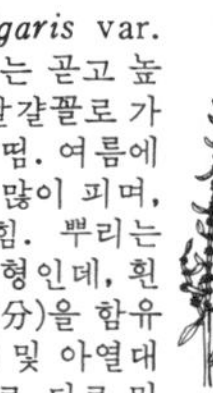

〈사탕무〉

사탕-밀【砂糖蜜】명 당밀(糖蜜).

사탕-발림【砂糖—】명 달콤한 말로 남의 비위를 맞추어 살살 달램. 또, 그 말이나 짓. ——-하다 [타][여불]

사탕-수수【砂糖—】명〖식〗[*Saccharum officinarum*] 볏과(科)에 속하는 다년초. 높이 2-4 m이고 줄기는 대개 수수와 같은데, 마디와 마디 사이가 짧고 황색·적색·녹색 및 자색 등의 여러 빛을 나타냄. 잎은 몹시 가늘고 긴 선형(線形)으로, 길이 1 m 내외임. 줄기의 꼭대기에 꽃이 원추 화서(圓錐花序)로 가을에 피는데, 까끄라기가 없음. 인도의 갠지스 강(江) 원산(原產)으로, 열대·아열대(亞熱帶) 지방의 각지에서 재배(栽培)함. 사탕의 중요 원료로, 줄기에서 즙을 짜내어 고아서 사탕을 만들며, 부산물인 당밀(糖蜜)은 알코올의 원료로 쓰임. 감자(甘蔗).

〈사탕수수〉

사탕-야자【砂糖椰子】명〖식〗[*Arenga pinnata*] 야자과에 속하는 상록 교목. 높이 7-20 m, 직경은 30 cm 가량 됨. 줄기는 단 하나로 곧게 자라며, 자웅 동주(雌雄同株)임. 잎은 크고 우상 복엽(羽狀複葉)인데 가늘고 긴 작은 잎이 많이 남. 단성(單性) 또는 자웅(雌雄)의 꽃이 동일 화서(同一花序)로 피며, 갈색을 띤 거꿀원뿔 모양의 열매를 맺음. 인도·말레이의 원산으로, 열대 지방에서 당료(糖料) 작물로 재배함. 꽃봉오리가 생겼을 때에 화서(花序)의 줄기에서 수액(樹液)을 빼내어 사탕 및 야자주(椰子酒)를 만듦. 또 잎꼭지의 섬유로는 새끼를 꼬기도 함.

사탕-옥수수【砂糖—】명〖식〗[*Sorghum vulgare*] 볏과(科)에 속하는 일년생의 재배 작물. 줄기에 당분(糖分)이 풍부히 들어 있으며, 가을에 원추상(圓錐狀) 꽃이삭이 나와, 갈색(褐色)의 열매를 맺음. 종자는 광택이 나는 흑색임. 아프리카의 원산(原產)이라고 하나 분명하지 않고, 현재는 세계 각지에 분포함. 줄기는 사탕의 원료로 채취하고, 잎은 사료(飼料)로 쓰임.

사탕-절이【砂糖—】명 과실이나 채소 등을 사탕물에 절이는 일. 또, 그 식품(食品).

사탕 조례【砂糖條例】명〖역〗영국 정부가 아메리카 식민지의 방위와 유지에 필요한 비용을 염출하기 위하여, 식민지가 수입하는 외국산 당밀(糖蜜)에 과세하기로 1764년에 제정한 법률. 아메리카 식민지의 영국 정부에 대한 반항을 초래한 최초의 것으로 다음 해에 제정된 인지 조례(印紙條例)와 더불어 식민지와 본국의 과세권(課稅權)을 둘러싼 논쟁을 불러일으켜, 미국 독립 전쟁의 일인(一因)이 되었음.

사탕-초【砂糖醋】명 설탕을 넣고 끓인 초.

사탕 명〈옛〉사탕(砂糖). ¶ 사탕을 므레 프러(沙糖調水)《救方 下 64》.

사태¹ 명 소의 다리 아랫 마디 뒤쪽에 붙은 고깃 덩이. 곰국 거리로 씀. *뭉치사태·아롱사태.

사:태²【死胎】명〖의〗뱃 속에서 이미 죽어서 나온 태아(胎兒).

사태³【沙汰】명 ①언덕이나 산비탈이 비로 말미암아 한목 무너지는 일. ¶ 산~. ②사람이나 물건이 주체할 수 없이 한꺼번에 많이 쏟아져 나오는 일의 비유. ¶ 거리에 쏟아지는 사람 ~. ③벼슬아치를 대폭 감원시켜 떨어 내는 일의 비유.

【사태 만난 공동 묘지 같다】정경(情景)이 삭막하고 황량한 모양.

사:태⁴【事態】명 일의 상태. 일이 되어 가는 형편. 장면(場面). 사체(事體). ¶ 심상치 않은 ~/긴급 ~.

사태⁵【砂胎】명〖공〗도자기의 면이 모래알같이 거칠거칠한 모양새.

사태⁶【蛇蛻】명〖한의〗사퇴(蛇退).

사태기 명〈방〉살¹❶(평안·강원·전북).

사:태 분만【死胎分娩】명 [postmortem delivery]〖의〗임부(姙婦)의 사후(死後), 자궁 근육이 수축하고 자궁·질(膣)에 부패 가스가 발생하였기 때문에 사후 수시간에서 수일 사이에 죽은 태아(胎兒)가 나오는 일. 사후(死後) 분만. 시체 분만.

사:태-산【四泰山】명〖지〗강원도의 평강군(平康郡) 유진면(楡津面)과 이천군(伊川郡) 방장면(方丈面) 사이에 있는 산. [1,150 m]

사태우 명 ←사대부(士大夫).

사태이 명〈방〉살¹❶(강원).

사태 저:냐 명 소의 사태를 삶아 얇게 썰어서 밀가루를 무치고 계란을 씌워 지진 저냐.

사태-회【—膾】명 소의 사태를 얇게 썰어서 초고추장에 찍어 먹는 회(膾).

사택¹【私宅】명 '사제(私第)'의 존칭.

사택²【舍宅】명 거주하는 '집'의 존칭.

사택³【社宅】명 회사가 소유하는 집. 주로 사원(社員)들을 위하여 마련한 주택.

사택 방:문【私宅訪問】명 사택으로 직접 가서 만나 봄. 가택 방문(家宅訪問). ——-하다 [자][여불]

사탱 [프 satin] 명 수자직(繻子織).

사탱이 명〈방〉살¹❶(강원·전라).

사텡이 명〈방〉살¹❶(충남·전북).

사:토¹【四土】명〖불교〗①일체의 미계(迷界)를 넷으로 나눈 땅. 곧, 범성 동거토(凡聖同居土)·방편 유여토(方便有餘土)·실보 무장애토(實報無障碍土)·상적광토(常寂光土). ②부처의 나라를 넷으로 나눈 땅. 곧, 화정토(化淨土)·사정토(事淨土)·실보 정토(實報淨土)·법성 정토(法性淨土) 또는 법성토(法性土)·자수 용토(自受用土)·타수 용토(他受用土)·변화토(變化土).

사:토²【死土】명〖민〗풍수 지리(風水地理)에서, 생땅이 아니고 한 번 파내었던 흙을 이르는 말.

사토³【私土】명 개인이 가지고 있는 논밭. 사유(私有)의 논밭. ↔공토(公土).

사토⁴【沙土·砂土】명 ①모래가 많이 섞인 흙이나 땅. 모래흙. ②〖지〗12.5% 이하의 점토(粘土)가 들어 있는 토양(土壤). 그 성질이 매우 거칠어서 수분(水分)·양분(養分)을 흡수하고 보전(保全)하는 힘이 적고, 모세관력(毛細管力)도 약하며 질소나 인산(燐酸)의 함량도 적어 식물(植物)은 한해(旱害)를 입기 쉬움. 모래흙.

사토⁵【瀉土】명 염기(塩氣)가 있는 흙.

사:토리 명〈방〉사투리.

사토: 에이사쿠 [佐藤栄作:さとうえいさく] 명〖사람〗일본의 정치가(政治家). 도쿄 대학(東京大學)을 졸업하고 중의원 의원(衆議院議員)에 9선(選)되었으며 운수 사무 차관(運輸事務次官)을 거쳐 우정(郵政)·건설·통산상(相) 등을 역임하고 1964-72년까지 자민당(自民黨) 총재 겸 수상직에 있었음. 태평양 지역의 평화 확립을 위해서 핵 확산 방지(核擴散防止)·핵무기 반대 등을 통해서 보여 준 국제적 화해 정책의 현저한 추진자로서, 1973년 노벨 평화상을 수상함. [1901-75]

사토-장【莎土匠】명 사토장이.

사토-장이【莎土匠—】명 구덩이를 파고 무덤을 만드는 일을 업으로 하는 사람. 사토장(莎土匠).

사토-질【沙土質·砂土質】명 모래의 성분으로 된 토질.

사:통¹【四通】명 도로·교통·통신 등이 사방으로 통함. 사달(四達). ——-하다 [자][여불]

사:통²【史通】명〖책〗중국의 사학 이론서. 유지기(劉知幾)가 당(唐)의 중종(中宗) 경룡(景龍) 4년(710)에 편찬 완성함. 역사 이론을 조직적으로 논한 최초의 저술로 내편(內篇)에는 역사 서술의 형식과 방법, 외편(外篇)에는 고사(古史)의 평론에 대해서 기술함. 20권.

사통³【私通】명 ①공사(公事)에 관하여 편지 등으로 사사로이 연락함. 또, 그 편지. ②남녀가 남 몰래 서로 정을 통함. 내통(內通). 야합(野合). ——-하다 [자][타][여불]

사통⁴【飼桶】명〖농〗먹이통.

사:통-백이【四—】명〖민〗판굿 놀음의 한 가지. 풍물잡이들이 큰 원으로 돌다가 네 패로 나뉘어 각기 작은 원을 사방에 만드는 놀이. *사방진(四方陣).

사:통 오:달【四通五達】명 길이나 교통망·통신망 등이 사방으로 막힘 없이 통함. 또, 교통이 편리한 곳. 사달 오통(四達五通). 사통 팔달(四通八達). ¶ 교통망이 ~하다. ——-하다 [자][여불]

사:통 팔달【四通八達】[—딸] 명 사통 오달(四通五達). ——-하다 [자][여불]

사퇴¹【仕退】명〖역〗벼슬아치가 정한 시각에 파하여 직소(職所)에서 물러 나옴. 퇴사(退仕). 파사(罷仕). ——-하다 [자][여불]

사퇴²【砂堆】명〖지〗소구(小丘), 구릉(丘陵)의 중복(中腹), 사주(砂洲) 또는 얕은 여울을 만들고 있는 모래의 퇴적물(堆積物).

사퇴³【蛇退】명〖한의〗뱀의 허물 벗은 껍질. 어린애 풍증(風症)과 외과(外科)에 약으로 쓰임. 사태(蛇蛻).

사퇴⁴【辭退】명 웃사람에게 작별을 고하고 물러감. ——-하다 [자][여불]

사퇴⁵【辭退】명 사절(辭絕)하여 물리침. 사사(辭謝). ¶ 입후보 권고를 ~하다. ——-하다 [타][여불]

사:투¹【死鬪】명 죽을힘을 다하여 싸움. 목숨을 내어 걸고 싸움. ¶ ~를 거듭하다. ——-하다 [자][여불]

사투²【私鬪】명 사사로운 이해 관계나 감정 문제로 싸움. ¶ ~로 공사를 망치다. ——-하다 [자][여불]

사투로이 [Saturoi] 명〖신〗사티로스.

사투르누스 [Saturnus] 명〖신〗로마 신화 중의 농경신(農耕神). 그리스 신화의 크로노스(Kronos)에 해당함.

사:투리 명〖언〗한 나라의 말 또는 한 계통의 말이, 그 쓰이는 지역이나 계층(階層)에 따라서 소리·뜻·어법 등이 표준말과는 다른 말. 방언(方

言). 토어(土語). 토화(土話). 토음(土音). 와어(訛語). 와언(訛言). 시골말. ↔표준말. 「투영.

사-투영【斜投影】명 광선이 평면에 경사지게 투사(投射)한 그림자. 빗

사특[1]【私慝】명 ①남에게 알려지지 않은 나쁜 일. ②숨겨진 악행(惡行). 숨은 비행(非行). 「——하다 형여불

사특[2]【邪慝】명 요사스럽고 간특함. 간사스럽고 못 됨. ¶ ~한 계집.

사티〔Satie, Erik Alfred Leslie〕명〖사람〗프랑스의 작곡가. 그로테스크한 표제와 지적(知的)이며 명쾌한 작풍(作風)으로 특이한 소품(小品)을 써서 프랑스 현대 음악의 탄생을 자극하였음. 교향곡적 극작품 《소크라테스》, 발레 음악 《파라드》, 피아노곡 《배의 형체의 세 소품(小品)》 등이 있음. [1866-1925]

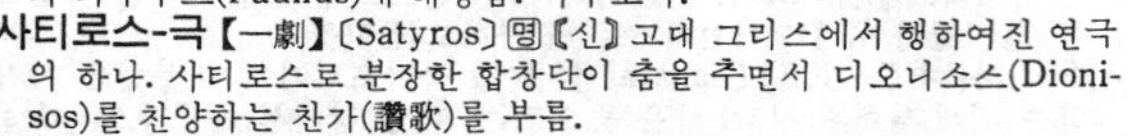

사티로스〔Satyros〕명〖신〗그리스 신화 중의 괴인(怪人). 디오니소스(Dionisos)의 종자(從者)로, 상반신은 사람이고, 아래는 양(羊)의 다리를 가졌으며, 술·여색을 즐기고 춤을 잘 춤. 로마 신화의 파우누스(Faunus)에 해당함. 사투로이.

〈사티로스〉

사티로스-극【—劇】〔Satyros〕명〖신〗고대 그리스에서 행하여진 연극의 하나. 사티로스로 분장한 합창단이 춤을 추면서 디오니소스(Dionisos)를 찬양하는 찬가(讚歌)를 부름.

사티아그라하〔인 Satyagraha〕명 인도의 간디의 조어(造語). '사티아'는 진리, '그라하'는 파악(把握)을 뜻함. 간디는 '비폭력 저항'의 뜻으로 사용함. 사티아그라하 운동은 제1차 세계 대전 후와 세계 공황 후에 그의 지도 아래 전개되었음.

사티아그라하 운:동【—運動】〔인 Satyagraha〕명〖역〗진리의 장악이란 뜻으로 1919년 간디가 제창한 항영(抗英) 투쟁 전술. 비폭력·불복종·소극적 저항 및 비협력 운동임.

사파[1]【砂波】명〔sand wave〕〖지〗퇴적층 위쪽에 생긴 파도와 같은, 큰

사파[2]【娑婆】명〖불교〗→사바(娑婆). 「지붕 모양의 모래가 쌓인 곳.

사파르 왕조【—王朝】〔Saffar〕명〖역〗중앙 아시아에 있던 이란계(Iran系)의 왕조. 개조(開祖)는 대장장이 출신의 야쿠브(Ya'qūb ibn Layth)로 부하라(Bukhara)를 도읍으로 정하고 차차 세력을 넓혔으나, 제3대에 이르러 사만 왕조(Saman 王朝)에게 멸망되었음. [867-903]

사파리〔safari〕명〔본디, 아랍 말로 여행(旅行)의 뜻〕수렵 여행. 특히 아프리카에서 맹수 사냥을 위하여 안내인이나 짐을 운반하는 사람을 데리고 오지(奧地)로 들어가는 일. 또, 사냥꾼의 일단(一團).

사파리 레이스〔safari race〕명 자동차로 험한 길을 고속으로 주파하는 경주.

사파리 룩〔safari look〕명 아프리카 맹수 사냥꾼의 복장을 모방한 의상 스타일.

사파리 파:크〔safari park〕명 동물을 우리에 가두지 않고 야생 상태로 두어 자동차를 타고 관람하게 하는 동물원.

사파비 왕조【—朝】〔Safavī〕명〖역〗이란(Iran)의 회교(回敎) 시아파(派) 계통의 이슬람 왕조. 이스마일(Ismā'īl) 1세가 1502년 왕조를 열어 '제왕(諸王)의 왕'이라 칭하고 대통일(大統一) 국가를 형성, 이란의 민족적 부흥을 실현하였고, 또한 이슬람교의 시아파를 국교로 정하였음. 일시 국세를 떨치고 이슬람 문화를 번영시켰으나, 1722년 아프간족의 침입을 받아 사실상 멸망함. 왕통(王統)은 11대(代). [1502-1736]

사파 세:계【娑婆世界】명〖불교〗사바❶. 「얹히는 자리.

사:-파수【四把守】명〖건〗기둥 한 개 위에 도리와 보 넷이 끝을 모아

사파이어〔sapphire〕명〖광〗①빨강(루비) 이외의 색조(色調)를 갖는 강옥계(鋼玉系)의 보석. 파란 색이 최고이며 여섯 줄기의 광채가 나는 스타사파이어는 귀함. 9월의 탄생석(誕生石). 청옥(靑玉). 사피르. ②청옥색. 벽색(碧色).

사파이어-혼식【—婚式】〔sapphire〕명 결혼 기념식의 하나. 결혼한 후 만 45년 되는 해에 하는 축하식.

사파타〔Zapata, Emiliano〕명〖사람〗멕시코의 혁명가. 빈농(貧農) 인디오(Indio) 출신. 1911년 인디오 농민을 인솔하고 멕시코 혁명에 참가, 철저한 토지 개혁·공유지(共有地) 부활을 요구, 멕시코 남부에서 토지 개혁을 실행했으나 자객에 의해 암살당함. [1877?-1919]

사파테아도〔스 zapateado〕명〖악〗삼박자계(三拍子系)의 스페인의 민속 무곡(民俗舞曲). 조야(粗野)하고 거친 느낌을 주는데, 이에 맞추어 발을 구르며 춤을 춤.

사판[1]【仕版】명〖역〗벼슬아치의 명부(名簿).

사판[2]【私版】명 사인(私人)의 출판. 사각본(私刻本). ↔관판(官版).

사판[3]【沙板·砂板】명 ①널조각 위에 모래를 깔고 손가락 등으로 글씨 연습을 하는 데에 쓰던 기구. ②어떤 지역(地域)의 모형(模型)을 모래·진흙·물감·가공품 등으로 나타낸 판도(板圖). 「타여불

사:판[4]【事判】명〖불교〗절의 모든 재물과 사무를 처리함. ——하다

사판[5]【查辦】명 조사(調查)함. 심사하여 처리함. ——하다 타여불

사판[6]【祠版·祠板】명 신주(神主).

사:판-중【事判—】명〖불교〗절의 임원(任員)인 중.

사판 펌프【斜板—】명〔swash-plate pump〕〖기〗회전 펌프의 하나. 구동축(驅動軸)과 플런저(plunger)가 달려 있는 동체(胴體) 사이의 각(角)이 변화할 수 있게 되어 있음.

사:판-화【四瓣花】명〖식〗꽃잎이 넉 장인 꽃. 네잎꽃.

사:팔-눈〔—룬〕명 보고 있는 것에 눈동자가 똑바로 향하지 않고 비뚤

사:팔-눈이〔—룬—〕명 ☞사팔뜨기. 「어진 눈. 사시안(斜視眼).

사:팔-뜨기 명 두 눈의 시선(視線)이 보는 물체에 바로 향하지 아니하고, 한쪽은 다른 곳에 향하는 정상적이 아닌 눈을 가진 사람. 사시안인(斜視眼人). *사시(斜視).

사:팔 삼십이【四八三十二】명〖수〗구구법(九九法)의 하나. 넷의 여덟 갑절이나, 여덟의 네 갑절은 서른둘이라는 말.

사:팔 허통【四八虛通】명 →사발 허통.

사팔혜【沙八兮】명〖악〗신라 진흥왕 때 우륵(于勒)이 지은 가얏고 12곡의 하나.

사:패【賜牌】명〖역〗①고려·조선 시대 때, 궁가(宮家)나 공신(功臣)에게 나라에서 산림·토지·노비(奴婢) 등을 내려 줌. ②고려·조선 시대 때, 공로가 있는 시골 아전(衙前)에게 나라에서 부역(賦役)을 면하여 줌. ——하다 타여불

사:패 기지【賜牌基地】명〖역〗나라에서 내려 주던 터.

사:패-땅【賜牌—】명〖역〗사패지지(賜牌之地).

사:패-전【賜牌田】명〖역〗고려·조선 시대 때, 사패(賜牌)를 증표로서 내려준다는 뜻에서 '사전(賜田)'을 일컫는 말.

사:패-지【賜牌地】명〖역〗사패지지.

사:패지-지【賜牌之地】명〖역〗나라에서 내려 준 땅. 사패땅. 사패지.

사:평[1]【史評】명 역사에 관한 평론.

사:평[2]【四平】명〖지〗'쓰핑'을 우리 음으로 읽은 이름.

사평[3]【司評】명〖역〗조선 시대 때 장례원(掌隸院)의 정육품 벼슬. 사의(司議)의 아래.

사:평-가【四平街】명〖지〗'쓰핑제'를 우리 음으로 읽은 이름.

사-평면【斜平面】명〖수〗기울어진 평면. 비스듬히 된 평면.

사평-부【司平府】명〖역〗조선 시대 초에 재정(財政)을 맡아 보던 관청인 삼사(三司)를 태종(太宗) 원년(1401)에 고친 이름. 태종 5년에 호조(戶曹)에 병합됨.

사평 순위부【司平巡衛府】명〖역〗고려 때에 포도(捕盜)와 금란(禁亂)을 맡아 보던 관청. 공민왕(恭愍王) 15년(1366) 순군 만호부(巡軍萬戶府)를 개칭한 기관이며, 우왕(禑王) 때 다시 본이름으로 환원되었음.

사:폐[1]【事弊】명 일의 폐단. 「를 드림. ——하다 자여불

사폐[2]【辭陛】명 먼 길을 떠나게 된 사신(使臣)이 임금에게 하직의 인사

사:포[1]【四包】명〖건〗공포(貢包)를 넷으로 겹친 것. 「계(別提).

사포[2]【司圃】명〖역〗조선 시대 때 사포서(司圃署)의 정육품 벼슬. *별

사포[3]【司鋪】명〖역〗조선 시대 때 액정서(掖庭署)의 정팔품 잡직(雜職). 부사포(副司鋪)의 위.

사포[4]【砂布】명 금강사(金剛砂)·유리 가루·규석(硅石) 등의 보드라운 가루를 발라 붙인 헝겊이나 종이. 금속품의 녹을 닦거나 가구 등의 거죽을 반들반들하게 문지르는 데에 쓰임. 사지(砂紙). 샌드페이퍼.

사포[5]【射布】명 솔[4].

사포[6]【蛇脯】명 말린 뱀고기. 약에 쓰임.

사포[7]〔Sappho〕명〖사람〗기원전 612년 경에 태어난 그리스 여류 시인. 레스보스(Lesvos) 섬의 방언으로 소녀나 청년에 대한 애정을 읊은 정열적인 서정시(抒情詩)를 썼음. 장편시 《아프로디테 송가(Aphrodite 頌歌)》 외에 몇몇 단편(斷片)이 남아 있음.

사포닌〔saponin〕명〖화〗식물(植物)의 성분으로서 널리 분포하며, 물에 녹으면 거품이 일어나는 물질의 총칭. 피를 용해하는 작용이 있고 강심제·거담제(祛痰劑) 등의 약제로도 흔히 쓰임.

사포딜라〔sapodilla〕명〖식〗[*Achras zapota*] 사포딜라과에 속하는 상록 교목. 높이 15-20m, 수피(樹皮)는 유액(乳液)이 많으며, 잎은 달걀꼴 타원형에 육질(肉質)이며 광택이 남. 꽃은 엽액에 단독으로 나는데 꽃부리는 백색 종형(鐘形)을 이루며 여섯 개의 수술과 한 개의 암술이 있음. 과실은 달걀꼴인데 과육(果肉)은 황갈색으로 단맛이 있어 식용함. 수피로부터 뽑은 유액은 '치클(chicle)'이라 하며, 일종의 고무질(質)이 들어 있어 추잉검의 원료가 됨. 아메리카의 열대 지방에 분포함.

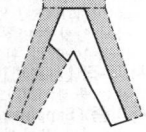

〈사포딜라〉

사포-서【司圃署】명〖역〗조선 시대에, 궁중의 원포(園圃)·채소 따위에 관한 일을 맡아 보던 관청. 세조(世祖) 12년(1466)에, 침장고(沈藏庫)를 이 이름으로 고쳤다가 고종(高宗) 19년(1882)에 폐함.

사-포주【私庖廚】명 사푸주.

사포-질【砂布—】명 속새질. ——하다 자여불

사-포청【私捕廳】명 사보두청.

사포테카〔스 Zapoteca〕명 사포텍족(Zapotec族).

사포텍 문화【—文化】〔Zapotec〕명〖역〗멕시코 오악사카 시(Oaxaca市)의 몬테알반(Monte Albán)을 중심으로 발달한 사포텍족(族)의 문화. 마야(Maya) 문명과 거의 때를 같이하며, 그 영향을 받으면서 독특한 지방색(地方色)을 발휘함. 큰 피라미드·신전(神殿)·구장(球場) 등의 유구(遺構)가 있으며, 석비(石碑)의 상형 문자, 독특한 역법(曆法), 채색(彩色) 토기, 옥제품(玉製品) 등이 주목을 끎.

사포텍-족【—族】〔Zapotec〕명 멕시코 오악사카 주(Oaxaca州)에 살던 고대 인디언의 한 종족(種族). 일찌기 인근(隣近)의 마야(Maya) 및 나후아(Nahua)의 문명을 받아들여 고유한 언어(言語)를 가지고 고도의 문화를 발전시켰으며, 특히 건축에 뛰어나 현재도 그 유적(遺跡)이 많이 남아 있음. 나무·바위·호수 등을 숭배하는 원시 종교를 믿었으며, 한 곳에 정주(定住)하여 주로 농업에 종사하였음. 인구 총수 약 25-30만임.

사폭【斜幅】명 폭이 좁은 피륙으로 짓는 남자의 바지나 고의의 마루폭에 대는 헝겊. 큰 사폭과 작은 사폭의 구별이 있음.

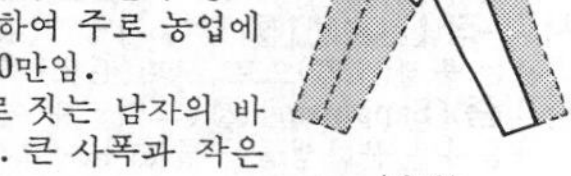

〈사폭〉

사폭 조:준 장치【射爆照準裝置】명〔gun-bomb-rocket sight〕〖군〗전

투기에서 사용되는 산정(算定) 조준기. 충격·폭격·로켓 발사의 조준에 사용됨.

사:표[1]【四表】명 나라의 사방의 바깥.

사:표[2]【四標】명 사방의 경계표.

사:표[3]【死票】명 선거 때, 낙선한 후보자에게 던져진 표.

사표[4]【射表】명〔firing table〕〖군〗표준 조건하에서 총포를 정확히 표적 위에 사격하는 데 필요한 제원(諸元). 또, 바람이나 각종 온도에 따르는 수정량을 나타낸 표나 도표.

사표[5]【師表】명 학식과 덕행이 높아 남의 모범이 될 만한 사람.

사:표[6]【謝表】명 임금의 은혜를 감사하는 뜻으로 올리는 글. 사장(謝章).

사표[7]【辭表】명 직책을 사퇴할 때 그 뜻을 적어 내는 문서. 사장(辭狀). ¶ ~를 수리하다.

사-푸주【私—】명〔←사포주(私庖廚)〕관(官)의 허가 없이 몰래 소나 돼지를 잡아서 고기를 파는 곳. ——하다 자여불 관(官)의 허락 없이 밀도살하다.

사푼 부 발소리가 크게 나지 아니하도록 발을 가볍게 내딛는 모양이나 소리. ㅆ사뿐. <서푼.

사푼대기 명〈방〉뚝배기(전남).

사푼-사푼 부 발소리가 크게 나지 않도록 연해 발을 가볍게 내딛는 모양이나 소리. ¶ ~ 걸어가다. ㅆ사뿐사뿐. <서푼서푼.

사품[1] 명 어떤 일이 벌어지는 계제나 바람. ¶ 쓰러지는 ~에 아이가 깔리다 / 그가 팔에 힘을 주는 ~에 우리의 입술은 서로 닿았던 것이다《李無影 : 사랑의 화첩》.

사:품[2]【四品】명〖역〗네째의 벼슬 품계. 정사품·종사품의 구별이 있음.

사품[3]【私品】명 개인의 사사로운 물품.

사풋 부 발을 살짝 가볍고도 급하게 내딛는 모양이나 소리. ㅅ사붓. ㅆ사뿟. <서풋.

사풋-사풋 부 발을 살짝 가볍고도 급하게 계속적으로 내딛는 모양이나 소리. ㅅ사붓사붓. ㅆ사뿟사뿟. <서풋서풋.

사:풍[1]【士風】명 선비의 기풍(氣風).

사풍[2]【邪風】명 ①경솔한 언행. 점잖지 못한 태도. ②못된 풍습. ¶ "…무슨 일이 그보다 더 좋단 말이냐? ~ 그만 부리고 이야기나 하여라《李海朝 : 鬢上雪》.

사풍[3]【社風】명 어떤 회사 특유의 기풍.

사풍[4]【砂風】명 모래와 함께 휘몰아치는 바람.

사풍[5]【射風】명 한량들 사이의 풍습.

사풍[6]【斜風】명 비껴 부는 바람.

사풍-맞다【邪風—】형 언행을 함부로 하여 경솔하다.

사풍 세:우【斜風細雨】명 비껴 불어오는 바람과 가늘게 내리는 비. 세우 사풍(細雨斜風). 세풍 사우(細風斜雨).

사풍-스럽다【邪風—】형ㅂ불 언행이 경솔하게 보이다.
사풍-스레【邪風—】부

사프라닌〔safranine〕명〖화〗붉은 색의 염기성 염료. 양모·견(絹)·현미경 표본의 염색에 쓰임.

사프란〔네 saffraan〕명〖식〗[*Crocus sativus*] 붓꽃과에 속하는 다년초. 마늘 비슷한 인경(鱗莖)이 있고 잎은 길이 35cm의 침상(針狀)으로 가늘고 길. 10월경에 담자색의 향기 높은 육판화(六瓣花)가 핌. 주두(柱頭)를 그늘에 말리어 건위제·진정제 또는 방향약(芳香藥)·음식물의 황색 착색료(着色料)로 씀. 남유럽의 원산으로 온대 각지에서 재배함. *크로커스(crocus).

〈사프란〉

사프란-색【—色】〔네 saffraan〕명 사프란의 꽃과 같은 담자색(淡紫色).

사프롤:〔safrole〕명〖화〗사사프라스유(sassafras 油)의 주성분. 유독성(有毒性)의 무색 액체이며 물에 녹지 않음. 피페로날(piperonal)이나 바닐린(Vanillin)의 합성 원료 및 비누·향료. 살충제·화학품의 중간체 등으로 쓰임. [$C_{10}H_{10}O_2$]

사피[1]【斜皮】명 ①〖악〗장고(杖鼓)의 줄을 늦추었다 졸랐다 할 때 쓰는 가죽 고리. ②돈피(獤皮)❶❷.

사피[2]【蛇皮】명 뱀 껍질. 뱀 가죽.

사피[3]【辭避】명 사양하여 거절하고 피함. ——하다 타여불

사피-록【蛇皮綠】명〖공〗선어록(鱔魚綠)과 비슷한 도자기(陶瓷器) 빛깔의 하나.

사피:르〔프 saphir〕명〖광〗'사파이어(sapphire)'의 프랑스 말.

사피-선【蛇皮線】명〖악〗일본의 샤미센(三味線)과 비슷한 현악기(絃樂器). 통에 뱀의 껍질을 붙이고 줄이 셋임. 원(元)나라 때에 발명되어 명청(明淸) 때에는 속악(俗樂)에 사용되었으며, 유구(琉球)에 건너가서는 민속 악기가 되고, 일본 샤미센의 바탕이 되었음.

사피어〔Sapir, Edward〕명〖사람〗독일 태생의 미국의 문화 인류학자·언어학자. 시카고 대학·예일 대학 교수를 역임. 음성학의 연구 수준을 높여 언어 구조의 체계적 성질을 밝혔음. 역사 언어학·비교 언어학을 미국에 도입하였으며, 또한 아메리칸 인디언의 여러 언어 연구로도 유명함. 저서에 《언어(말의 연구 서설(序說))》·《사피어 논문집》 등이 있음. [1884-1939]

사피어 워:프의 가:설【—假說】[—/—에—] 명〔Sapir Whorf hypothesis〕〖언〗언어 구조 혹은 실제의 사용 형식이 그 사용자의 사고 양식에 영향을 미친다는 설(說). 미국의 언어학자 사피어(Sapir, Edward; 1884-1939)와 워프(Whorf, Benjamin Lee ; 1897-1941)가 주장함.

사피-장【斜皮匠】명〖역〗경공장(京工匠)의 하나. 상의원(尙衣院)에 속하는 공장(工匠)으로, 모피(毛皮) 특히 초피(貂皮)를 다스리는 장인.

사피즘〔Sapphism〕명〔그리스의 여류 시인 사포(Sappho)와 그 여자의 아름다운 문하생들이 즐겼다는 고사(故事)에서 나온 말〕여자의 동성 연애(同性戀愛). 여자끼리의 성적 유희(性的遊戲).

사:필[1]【史筆】명 역사를 기록하는 사관(史官)의 필법(筆法). 곧, 사관이 곧은 말로 기재(記載)한 필법.

사:-필[2]【史弼】명〖사람〗중국 원(元)나라의 공신. 자는 군좌(君佐)·탑자혼(塔刺渾). 세조(世祖)에 출사하여 원정군에 들어가 공을 세웠음. 지원(至元) 29년(1292) 자바를 토벌하여 국왕을 항복시키고 돌아왔으며 후에 악국공(鄂國公)에 봉(封)해졌음. [? -1297]

사:-필귀정【事必歸正】명 만사(萬事)는 반드시 정리(正理)로 돌아감. ——하다 자여변

사하[1]【沙河】명〖지〗'사허'를 우리 음으로 읽은 이름.

사:하[2]【駛河】명 물이 급히 흐르는 강.

사하[3]【瀉下】명 ①쏟아져 내려감. 흘러 내려감. ②설사하게 함. ——-하다 자타여불

사:-하다[1]【死—】자여불 죽다.

사:-하다[2]【捨—】타여불 버리다.

사:-하다[3]【赦—】타여불 지은 죄를 용서하다.

사:-하다[4]【賜—】타여불 하사(下賜)하다.

사-하다[5]【瀉—】㊀ 자여불 ↗설사(泄瀉)하다. ㊁ 사동여불 설사나게 하다.

사:-하다[6]【謝—】타여불 ①감사하다. 사례하다. ¶ 꾸준한 노고를 사하는 바이다. ②사과하다. 사죄하다. ¶ 서면으로 불찰을 사하는 바입니다. ③사절하다. ¶ 모처럼의 호의를 사하고 돌아왔다.

사하라 사막【—沙漠】〔Sahara〕명〖지〗북아프리카의 대부분을 차지하는 세계 최대의 사막. 넓은 뜻으로는, 나일 강에서 아틀라스(Atlas) 산맥에 이르는 동서 약 5,000km, 남북 약 1,500km의 광대한 지역을 가리킴. 좁은 뜻으로는, 리비아 사막(동사하라)을 제외한 튀니지·알제리·모로코 등을 중심으로 한 구(舊)프랑스령 사하라 곧, 서사하라만을 가리킴. 연강우량은 0-10mm이고, 기온의 차이도 심하여 낮에는 50°C, 밤에는 0°C 이하가 됨. 풀·관목은 부분적으로 볼 수 있고 오아시스에 대추야자 등이 있음. 최근 사막의 북부에서 석유와 천연 가스가 발견되어 그 개발이 주목됨. [9,065,000km^2]

사하란푸르〔Saharanpur〕명〖지〗인도의 북부, 우타르프라데시 주(Uttar Pradesh 州) 북서부의 도시. 철도의 요지이며, 차량·가구 제조 공업이 성함. 무갈(Mughal) 제국 시대의 피서지. [295,355명(1981)]

사하로프〔Sakharov, Andrei Dimitrievich〕명〖사람〗소련의 물리 수학자. 모스크바 대학 졸업. 1950년 탐 박사와 함께 열핵반응 이론(熱核反應理論)을 발표. 1953년 과학 아카데미 회원이 되고 '수폭(水爆)의 아버지'로 불림. 1953년 정부에 지적(知的) 자유를 요구, 1970년 민주화 요구론을 연명으로 발표한 이래, 반체제(反體制) 저항 운동을 계속함. 1975년 노벨 평화상 수상. [1921-89]

사하-제【瀉下劑】명〖약〗하제(下劑).

사:-하중【死荷重】명〔dead load〕〖물〗물체의 위에 올려 놓은 추(錘)의 중력(重力) 작용과 같이, 정지(靜止)한 채 작용하여 전연 움직이지 아니하는 하중.

사:학[1]【史學】명 ↗역사학(歷史學). ¶ ~과(科).

사:학[2]【四學】명〖역〗서울의 세가 자제(勢家子弟)를 가르치기 위하여 서울의 중앙 및 동·서·남 네 곳에, 나라에서 세운 학교. 중학(中學)·동학(東學)·남학 및 서학. 조선 태종(太宗) 11년(1411)에 설립되고 고종(高宗) 31년(1894)에 폐하였는데, 각 학(各學)에 100명의 학생을 수용하다가, 영조(英祖) 때에 이르러 각 5명으로 격감되었음. 사부 학당.

사:학[3]【死學】명 소용이 없는 학문. 실용(實用)이 되지 않는 학문. 사학문(死學問). ↔관학(官學)❶.

사학[4]【私學】명 ①개인의 학설. 사설(私說). ②사설의 교육 기관. ¶ ~의 명문.

사학[5]【邪學】명 ①요사스런 학문. 못된 학설. ②천주교를 국교(國教) 이외의 종교라 하여 배척하는 뜻으로 일컫던 말.

사학[6]【社學】명〖역〗옛날, 중국에서 민간의 자제(子弟)를 교화(教化)할 목적으로 향촌(鄕村)에서 설치하였던 학교. 원(元)나라 때에 50호를 1사(社)로 하고, 1사마다 사학 하나를 설치하여 농한기(農閑期)를 이용해서 유교 도덕을 가르친 것이 그 시초가 되었는데, 명(明)나라 태조(太祖) 때에 이르러서는 전국의 각 향촌에다 설치하여 태조의 칙어(勅語)나 소학(小學)·효경(孝經)·사서(四書) 등을 가르치어 보갑(保甲)·향약(鄕約)·사창(社倉) 등과 더불어 지방 자치의 중요한 기관으로서 발전하였음. 청(淸)나라 때 이에 대신하여 의학(義學)이 일반적으로 행하여지게 됨.

사학[7]【斯學】명 이 학문. 그 학문. ¶ ~의 대가(大家).

사:학[8]【肆虐】명 사나운 짓을 마음대로 함부로 함. ——하다 자여불

사:학-가【史學家】명 사학을 연구하는 사람. 사학에 밝은 사람.

사:학 고강【四學考講】명〖역〗성균관 대사성(大司成)이 매년 서울의 중(中)·동(東)·남(南)·서(西)의 사학의 유생(儒生)에게 사서(四書)와 소학(小學)의 배강(背講)을 과(課)하여 행하던 시험. 여기에 합격하면 생원과(生員科)의 복시(覆試)에 직부(直赴)할 수 있는 자격을 주었음. 선발 인원은 8명.

사:학-과【史學科】명〖교〗역사학을 전공(專攻)하는 대학의 한 과. 사과(史科).

사:-학문【死學問】명 사학(死學).

사:학 승보생【四學陞補生】명〖역〗조선 시대 때, 사학 승보시(四學陞補試)에 합격한 유생(儒生). 성균관(成均館)의 하재생(下齋生)이 될 수 있음.

사:학 승보시【四學陞補試】명〖역〗조선 시대 때, 사학 유생(四學儒生)에게 보이던 승보시.

사:학 시:제【四學試製】명〖역〗성균관 대사성(大司成)이 매년 서울의 중(中)·동(東)·남(南)·서(西)의 사학(四學)의 유생(儒生)에게 제술(製述)로써 시험보이던 일. 여기에 합격하면 진사과(進士科)의 복시(覆試)에 직부(直赴)할 수 있는 자격을 주었음. 선발 인원은 16명.

사-학원【私學園】명 사립(私立)의 학원. 사립 학교.

사:학-전【四學田】명〖역〗조선 시대 때 서울의 사학에 준 학전(學田). 각 학(學)에 10결(結)을 주었음.

사학 죄:인【邪學罪人】 명 〖역〗 조선 시대 말기에, 박해로 체포된 천주교인을 일컫던 말.

사:학 합제【四學合製】 명 〖역〗 사학 시제(四學試製)와 사학 고강(四學考講)을 통틀어 일컫는 말. ㊂학제(學製)·합제(合製).

사:학 훈:도【四學訓導】 명 〖역〗 조선 시대 때, 사역원(司譯院)에 둔 정구품 벼슬. 한학(漢學)·몽학(蒙學)·왜학(倭學)·여진학(女眞學)의 훈도를 합해서 일컫던 이름.

사한¹【司寒】 명 빙신¹(氷神).

사한²【私恨】 명 ①사사로운 원한. ②혼자서 가슴 속에 품은 원한.

사한³【私翰】 명 개인간에 주고받는 서한. 사용(私用)의 편지. ↔공한(公翰).

사한⁴【斜漢】 명 '은하수(銀河水)'의 별칭.

사:-한국【四汗國】 명 〖역〗 칭기즈칸의 사후, 네 왕자에게 분봉(分封)된 몽고 제국의 4개의 변경(邊境) 국가. 즉, 킵차크 한국·차카타이 한국·오고타이 한국·일 한국.

사한-단【司寒壇】 명 〖역〗 사한제(司寒祭)를 지내던 단.

사한-서【司寒署】 명 조선 시대 때, 사한제(司寒祭)에 관한 일을 맡아 보던 관청.

사한-제【司寒祭】 명 〖역〗 조선 시대 때, 겨울이 너무 따뜻할 때 또는 눈이 너무 오지 않을 때 지내던 제사(祭祀). 제단(祭壇)은 서울 동대문(東大門) 밖, 빙실(氷室) 근처에 있었는데 음력 12월에 지냈음. 동빙제(凍氷祭).

사할린 섬 〔Sakhalin〕 명 〖지〗 러시아 공화국의 동부, 하바로프스크(Khabarovsk) 지방의 한 주(州)를 이루는 섬. 북위 50°이남은 러일 전쟁 후 2차 대전 종결시까지 일본령(日本領)이었음. 동부에 유전(油田)이 있고, 서부에서는 석탄(石炭)을 산출함. 주도는 유주노사할린스크(Yuzhno-Sakhalinsk). 화태(樺太). [74,000 km²:616,000 명(1970)]

사함¹【私函】 명 ①사찰(私札). ↔공함. ②사서함(私書函).

사:함²【謝函】 명 사장(謝狀).

사함-석【蛇含石】 명 〖약〗 뱀이 동면(多眠)할 때, 입에 물었다가 봄에 뱉은 흙덩이. 모양이 총알 같고 매우 단단하며, 겉은 누르고 속은 검음.

사함-초【蛇含草】 명 〖식〗 뱀혀. 한방에서, 약으로 쓰임.

사합【沙盒】 명 사기로 만든 그릇.

사:합-사【四合絲】 명 실을 네 가닥으로 꼬아 만든 실.

사:합-순【四合巡】 넷째 순(巡)에서 맞힌 화살을 모두 셈함. ——하다 자여불

사:항¹【四項】 명 ①〖수〗 비례식(比例式)·방정식(方程式) 등에 있어서의 네째 항. ②조문(條文) 등에 있어서의 네째 항.

사:항²【事項】 명 일의 조항(條項). 항(項). ¶ 준수 ~.

사항³【斜巷】 명 유곽(遊廓)이 즐비한 거리. 협사(狹斜)의 거리.

사항⁴【詐降】 명 거짓으로 항복함. ——하다 자여불

사항 곡선【斜航曲線】 명 〖해〗 항해에 있어서, 곡선으로 된 항정선(航程線).

사항-술【斜航術】 명 〖해〗 항정선(航程線)이 곡선이 되게 하는 항해술.

사:해¹【四海】 명 ①사방의 바다. ②세계. 온 천하. ③나라의 둘레. 나라의 사방의 끝. ④〖불교〗 수미산(須彌山)의 사방에 있는 큰 바다. 사대해(四大海). ⑤〖역〗 나라에서 봉(封)한 네 곳의 바다. 곧, 동해는 양양(襄陽), 남해는 나주(羅州), 서해는 풍천(豐川), 북해는 경성(鏡城)에 있음. 그 곳에 단(壇)을 모으거나 사당(祀堂)을 짓고 중춘(仲春)과 중추(仲秋)에는 제사를 지냈음.

사:해²【死海】 명 〔Dead Sea〕 〖지〗 서부 아시아, 팔레스타인(Palestine)의 동쪽에 있는 함수호(鹹水湖). 요르단(Jordan)과 이스라엘 두 나라 사이에 끼어 있으며, 지중해안으로부터는 약 100 km의 지점에 있음. 남북으로 길게 뻗쳤는데 길이는 약 82 km, 폭은 약 8 km이고, 가장 깊은 곳은 410 m이며, 평균 깊이는 146 m임. 호면(湖面)은 해면하(海面下) 392 m나 되며, 지구 위에서 가장 낮은 수면(水面)임. 북쪽에는 요르단강을 비롯하여 약간의 담수(淡水)가 흘러 들어오나 증발이 심하고 배수(排水) 하천이 없으므로 보통 23-25%의 염분(塩分)을 포함하고, 특히 브롬은 해수(海水)의 약 백 배나 더하므로 이름 그대로 어떤 생물도 생존할 수가 없음. 이 함수호 주위에는 성서(聖書)에 관한 사적(史蹟)이 많이 있음. 데드 시(Dead Sea). 염해(鹽海). [1,020 km²]

사:해³【死骸】 명 사체(死體)의 형해(形骸). 죽은 뒤의 육체.

사해⁴【詞海】 명 사조(詞藻)의 바다. 문장이나 시가(詩歌)의 풍부함을 바다의 넓고 깊음에 비유한 말.

사해⁵【詐害】 명 사기하여 남에게 손해를 입힘. ——하다 타여불

사해⁶【辭海】 명 〖책〗 중국의 사전. ≪사원(辭源)≫에 대항하여 1936-37년에 중국의 중화 서국(中華書局)이 간행함. 송(宋)·원(元)대의 희곡(戲曲)·소설에까지 거슬러 올라가 어휘를 수록하고, 그 출전을 명시했으며, 권말(卷末)에 '국음 상용자 독음표(國音常用字讀音表)'·'역명 서문 색인(譯名西文索引)' 등을 수록하였음.

사:해 동포【四海同胞】 명 사해 형제(四海兄弟).

사:해 동포주의【四海同胞主義】 [— / —이] 명 〖철·윤〗 박애주의(博愛主義).

사:해 문서【死海文書】 명 사해(死海) 북서안 근방의 쿰란(Qumran) 지구의 동굴 등에서, 1947년 이래 계속적으로 발견된, B.C. 3세기-A.D. 1세기경으로 추정되는, 히브리어로 된 구약 성서 중의 이사야서(Isaiah書) 고사본(古寫本). 이 발견으로, 원시 그리스도교 교회와 여러 가지 점에서 비슷한 유태교 에세네파(Essenes 派)의 쿰란 교단(敎團)의 존재를 확인할 수 있어, 신·구약 성서의 중간 시대의 연구에 커다란 문제를 던졌음.

사해 소:송【詐害訴訟】 명 〖법〗 결탁 소송(結託訴訟).

사:해 용왕【四海龍王】 명 동서남북 네 바다 속에 있다고 하는 용왕.

사:해-장【四海章】 [—짱] 명 용비 어천가 제 53장의 이름.

사해 행위【詐害行爲】 명 〖법〗 채무자(債務者)가 고의로 재산을 감소시키어 채권자에게 충분한 변제(辨濟)를 받지 못하도록 만드는 행위. 권리자는 이 행위를 취소할 수가 있음. ＊채권자 취소권(債權者取消權).

사해 행위 취:소권【詐害行爲取消權】 [—꿘] 명 〖법〗 채권자 취소권(債權者取消權).

사:해 형제【四海兄弟】 명 온 천하의 사람들. 모두 형제와 같다는 뜻으로 친밀히 이르는 말. 사해 동포.

사핵【査覈·査核】 명 실정을 자세히 조사함. ——하다 타여불

사햇다 자 〈옛〉 쌓였다. 쌓여 있다. '사타'의 활용형. ¶ 昊天이 이제 霜露ㅣ 사햇ᄂᆞ니(昊天積霜露)≪杜諺 I :8≫.

사:행¹【四行】 명 ①사람이 마땅히 행하여야 할 네 가지의 도리. 곧, 효(孝)·제(悌)·충(忠)·신(信). ②사덕(四德)❷. ③문장에 있어서, 그 넉 줄, 또, 네째 줄.

사행²【私行】 명 ①개인의 사생활에 있어서의 행위. 사사(私事) 행위. ②남몰래 가만히 하는 행위. ③관리가 사사일로 여행함. ——하다 자여불

사행³【邪行】 명 옳지 못한 행위. 간악한 행위.

사:행⁴【使行】 명 〖역〗 ↗사신 행차(使臣行次).

사:행⁵【事行】 명 ①〔도 Tathandlung〕 〖철〗 피히테(Fichte) 철학에 있어서 사실(事實) 그 자체는 아니고, 모든 사실에 앞서 이것을 가능하게 하는 순수 활동을 말함. 우리의 자아(自我)에 있어서, 능동자와 수동자가 곧 하나라는 것임. ②〖불교〗 차별적 또는 계급적 수행(修行).

사행⁶【射倖】 명 우연한 이익을 얻고자 요행을 노림. ——하다 자여불

사행⁷【蛇行】 명 ①뱀처럼 구불구불 휘어서 기어감. ②강물이 구불구불 흐름. 곡류(曲流). ——하다 자여불

사행⁸【斜行】 명 ① 비스듬하게 감. 비스듬하게 된 열(列). ②〖악〗 사진행(斜進行).

사행⁹【駛行】 명 말이 달리듯 빨리 감. ——하다 자여불

사행 계:약【射倖契約】 명 〖법〗 요행을 노려서 행하는 계약. 곧, 당사자의 한쪽 또는 양쪽이 해야할 급부(給付)가 계약 성립 뒤의 우연한 사정에 의하여 확정되어야 하는 계약. 보험 계약·상호 신용계(相互信用契)·경마(競馬)·복권 등은 그 유효(有効)한 계약이지만 도박 계약과 같이 공공 질서와 양속(良俗)을 문란하게 하는 내용의 계약은 무효로 하는 일이 적지 않음.

사:행-시【四行詩】 명 〖문〗 하나의 작품 또는 작품의 한 절이 네 개의 행으로 이루어진 시.

사행-심【射倖心】 명 우연한 이익을 얻고자 요행을 바라는 마음.

사:행정 기관【四行程機關】 명 〖물〗 피스톤(piston)의 두 왕복, 곧, 4행정으로서 흡입(吸入)·압축(壓縮)·폭발(爆發)·배기(排氣)의 전동작을 완료하는 내연 기관(內燃機關). 오토 사이클 기관(Otto cycle 機關). 4사이클(cycle) 기관.

사행-천【蛇行川】 명 〖지〗 뱀이 기어가듯 구불구불 흘러간다는 뜻으로 일컫는 곡류천(曲流川)의 딴이름.

사행 행위【射倖行爲】 명 종류·방법 또는 명목 여하에 관계없이 우연의 결과에 의하여 특정인에게 재산상의 이익을 제공하고 다른 참가자에게 손해를 끼치게 하는 모든 행위.

사:향¹【四向】 명 동·서·남·북의 총칭.

사향²【思鄕】 명 고향을 생각함. ——하다 자여불

사:향³【麝香】 명 사향노루·사향고양이 등의 수컷의 배꼽과 불두덩을 싸고 있는 향낭(香囊)을 쪼개서 말린 향료(香料). 검은 갈색의 가루로, 방향(芳香)이 심하게 나므로 여러 가지 향료로 쓰이고, 성질이 온(溫)하여 위장을 맑게 하고 정신을 깨끗하게 하며, 또한 살충(殺蟲)하는 힘도 있는 한편 강심제(強心劑)·각성제(覺醒劑) 등 여러 가지 약재로 쓰임. 사향노루는 티베트, 중국의 윈난 성(雲南省)·쓰촨 성(四川省) 등지에서 나는데, 사향으로서는 윈난 성산(産)을 최고품으로 침.

사향-가【思鄕歌】 명 〖문〗 조선 시대 때의 내방 가사(內房歌辭)의 하나. 먼 곳으로 시집간 딸이 친정 어버이를 그리워하여 부른 노래임. 작자와 연대는 미상.

사:향-고양이【麝香—】 명 〖동〗 [*Viverricula malaccensis pallida*] 사향고양잇과에 속하는 작은 식육류(食肉類)의 하나. 족제비나 고양이와 비슷한데 몸길이 60 cm, 꼬리 30 cm 가량이고 몸빛은 회갈색에 흑색 반점이 있고, 네 발은 짧으며, 꼬리가 길. 털은 거칠고, 대개는 목에서 등 가운데를 걸쳐 꼬리까지에 길고 검은 털이 나며, 생식기(生殖器)와 항문 사이에 깊은 주머니로 된 사향선(麝香腺)이 있어 악취를 분비함. 수컷의 것으로는 향료를 제조함. 품종이 여러 가지 있는데, 남아프리카·남아시아·중국 남부에 분포함.

〈사향고양이〉

사:향-낭【麝香囊】 명 사향노루의 수컷이나 사향고양이의 암·수컷 등의 생식선(生殖腺) 부근에 있는 분비선(分泌腺). 달걀꼴의 덩어리로 무게 20-30 g, 번식기에만 발달하는 것으로서, 사향을 분비하여 암컷을 유인(誘引)하는 구실을 함. 이것을 말려서 사향 또는 영묘향(靈猫香)을 만듦.

사:향-내【麝香—】 명 사향의 냄새.

사:향-노루【麝香—】 명 〖동〗 [*Moschus moschiferus parvipes*] 사슴과에 속하는 짐승. 몸길이 1 m, 어깨 높이 50 cm 가량이며 암·수컷 모두 뿔이 없음. 수컷은 위턱에 짧은 견치(犬齒)가 외부에 나오고 꼬리는 짧음. 복부에는 달걀만한 향낭(香囊)에 사향(麝香)이 들어 있음. 몸빛은 암갈색에 볼기·귀와 눈 사이에는 회색 반점(斑點)이 있고 꼬리는 암흑갈색이며, 하면은 백색임. 산림에 단독 또는 한 쌍이 살면서 밤에 나뭇잎·풀·이끼 등을 먹음. 한국·만주·사할린·티베트·히말라야·중국 서부·인도·시베리아·북아시아 고원(高原)에 분포함. 궁노루. 사록(麝鹿). 향장(香獐).

〈사향노루〉

사:향-뒤쥐【麝香—】 명 〖동〗 ①[*Suncus murinus*] 땃쥐과(科)에 속하는 짐승. 땃쥐와 비슷한데 훨씬 대형(大形)으로 몸길이 12.5 cm,

꼬리 7cm 가량, 부드러운 회갈색 털로 덮임. 주둥이는 길고 뾰족하며, 눈은 작고 꼬리에는 긴 털이 났음. 체측(體側)에 사향 비슷한 악취(惡臭)의 분비선(分泌腺)이 있어서 고양이·뱀이 싫어함. 밤에 인가 근처의 해로운 곤충·지렁이·개구리 등을 포식하여 사람에게 유익(有益)함. 4-10월에 2-6 마리씩의 새끼를 여러 배 낳음. 인도의 원산으로 중국 남부·일본·류큐(琉球) 등의 동양 전반에 분포함. 향서(香鼠). 사서(麝鼠). ②토머스땃쥐.

〈사향뒤쥐〉

사:향-선【麝香腺】명 사향노루·사향고양이 등의 사향낭 속에 있는, 사향을 분비하는 선.

사향-성【斜向性】[ㅡ썽] 명 사생(斜生).

사:향-소【麝香ㅡ】명〖동〗[*Ovibos moschatus*] 솟과에 속하는 짐승. 보통 소보다 조금 작으며 어깨 높이 1.5m 가량이고 몸털은 긴데 암갈색 또는 검은 빛으로 등에는 담색(淡色)의 부분이 있음. 좌우의 뿔이 서로 붙어 있는 것이 특징임. 5-6월에 새끼를 한 마리씩 낳음. 살에 사향(麝香)의 향기가 있어, 그 냄새가 멀리 풍긴다고 함. 툰드라(tundra) 지역에 20-30 마리씩 떼를 지어 사는데, 북미(北美)의 북극 지방에 분포함. 사우(麝牛).

〈사향소〉

사:향 소합원【麝香蘇合元】명〖약〗백출(白朮)·목향(木香)·침향(沈香)·사향(麝香)·정향(丁香)·안식향(安息香)·백단향(白檀香)·주사(朱砂)·서각(犀角)·맥아(麥芽)·감초의 가루를 조합하여 만든 환약. 기질이 약한 데 먹음.

사:향-수【麝香水】명 사향을 원료로 하여 만든 향수.

사:향-유【麝香油】명 사향을 넣어 만든 방향유(芳香油).

사:향-제비나비【麝香ㅡ】명〖충〗[*Menelaides alcinous*] 호랑나빗과에 속하는 곤충. 편 날개의 길이 90-110mm이고, 수컷의 몸빛은 흑색에 앞날개는 다소 짙은 색에 자색을 띠며, 암컷은 암회색에 뒷날개의 외연(外緣)이 진하고 다섯 개의 연한 등황적색의 무늬가 있음. 한국·일본·대만 등지에 분포함.

사:향제비나비-납작맵시벌【麝香ㅡ】명〖충〗[*Apechthis sapporensis*] 맵시벌과에 속하는 곤충. 암컷의 몸길이 15mm 가량, 몸빛은 대체로 검은데 촉각은 적갈색, 몸의 하면(下面)은 황적색, 후흉배상(後胸背上)의 한 개의 반문은 황백색을 이룸. 나비·나방류의 유충(幼蟲)에 기생하는데, 한국·일본에 분포함.

사허〔沙河〕명〖지〗①중국 만주 랴오닝 성(遼寧省) 선양(瀋陽)의 남쪽 15km 되는 곳에 있는 도시. 러일 전쟁 당시의 대격전지(大激戰地). ②중국 허난 성(河南省)에 있는 화이수이(淮水) 강의 지류(支流). 푸뉴(伏牛) 산맥 중의 톈시 산(天息山)에서 발원(發源), 안후이 성(安徽省)에 들어가면서 잉수이(穎水) 강이 됨. 사하.

사헌-대【司憲臺】명〖역〗고려 초에 당시의 정치에 관하여 논의하고 풍속을 바로잡으며 비행을 조사하여 그 책임을 규탄하는 일을 맡은 관청. 성종(成宗) 13년(994) 이후 고려 말년에 이르기까지 어사대(御史臺)·금오대(金吾臺)·감찰사(監察司)·사헌부(司憲府) 등으로 여러 번 이름을 바꾸었음.

사헌-부【司憲府】명〖역〗①고려의 사헌대(司憲臺)를 충렬왕 24년(1298)의 잠깐 사이와 34년부터의 잠깐 사이 및 공민왕(恭愍王) 18년(1369) 이후에 부르던 이름. 상대(霜臺). 백부(柏府). 오대(烏臺). ㊟헌부(憲府). ②조선 시대 때 삼사(三司)의 하나로, 당시의 정치에 관하여 논의하고 모든 관리의 비행을 조사하여 그 책임을 규탄하며 풍기·풍속을 바로잡고 백성이 억울하게 누명을 쓰는 일이 없나를 살피어 그것을 풀어 주는 등의 일을 맡아 보던 관청. 태조(太祖) 원년(1392)에 두었다가 고종(高宗) 31년(1894)에 폐지하였음.

사헌 시:사【司憲侍史】명〖역〗①고려 공민왕(恭愍王) 18년(1369)에, 감찰사(監察司)를 사헌부(司憲府)로 고칠 때 장령(掌令)을 고친 이름. 종사품. ㊟시사(侍史). ②조선 시대 초에, 사헌부의 시사(侍史). 태종(太宗) 원년(1401)에 장령(掌令)으로 고침. 정사품.

사헌 장:령【司憲掌令】[ㅡ녕] 명〖역〗고려 때, 사헌부의 장령(掌令). 충렬왕(忠烈王) 34년(1308)에 시어사(侍御史)를 고친 이름. 전의 종오품을 종사품으로 올림. ㊟장령(掌令).

사헌 지평【司憲持平】명〖역〗①고려 때, 사헌부의 지평(持平). 충렬왕(忠烈王) 34년(1308)에 전중 시어사(殿中侍御史)를 고친 이름. 종오품. ㊟지평(持平). ②조선 시대 때, 사헌부의 지평(持平). 태종(太宗) 원년(1401)에 잡단(雜端)을 이 이름으로 고침. 정오품.

사헌 집의【司憲執義】[ㅡ/ㅡ이] 명〖역〗①고려 때 사헌부의 집의(執義). 충렬왕 34년(1308)에 중승(中丞)을 고친 이름. 정삼품. ㊟집의. ②조선 시대 때 사헌부의 집의(執義). 태종 원년(1401)에 중승(中丞)을 이 이름으로 고침. 종삼품.

사:-혁【謝赫】명〖사람〗중국 남제(南齊) 말기의 화가. 섬세한 필치로 인물화를 그렸음. 그의 《고화 품록(古畫品錄)》은 중국 최고(最古)의 화론(畫論)으로서, 육탐미(陸探微)에서 정광(丁光)에 이르는 27인을 6품으로 나누어 각각 단평(短評)을 하였음. 생몰년 미상.

사-현[1]【沙峴】명〖지〗강원도 춘천시(春川市)에 있는 고개. [343m]

사:현[2]【賜見】명 배알(拜謁)을 허락함. ——-하다 자여불

사:-현[3]【謝玄】명〖사람〗중국 동진(東晉)의 명장(名將). 자(字)는 환도(幻度), 사안(謝安)의 조카. 무제(武帝) 때 적은 군사를 이끌고 나가서 전진(前秦) 부 견(苻堅)의 백만 대군을 페이수이 강(淝水)에서 물리친 공으로 전장군(前將軍)이 되고 강락현공(康樂縣公)에 피봉되었음. 시호는 헌무(獻武). [343-388]

사:현-금【四絃琴】명〖악〗①고려 예종 때 송나라에서 들어온, 줄 넷을 매어 만든 금(琴). ② 1910년대 '바이올린'을 일컫던 말.

사:혈[1]【四穴】명〖악〗앞쪽에 구멍 셋, 뒤쪽에 구멍 하나가 뚫린 통소. 길이는 두 치 네 푼, 지름은 닷 푼 정도임.

사:혈[2]【死血】명〖한의〗상처에 시커멓게 모인 피. 죽은피.

사혈[3]【瀉血】명〔venesection〕〖의〗치료의 목적으로 환자의 혈액을 얼마간 몸 밖으로 뽑아 냄. 흔히는 혈압이 몹시 높을 때, 심장의 기능이 불완전할 때, 혈액의 양이 너무 많을 때 또는 해독(解毒)의 목적으로 행함. 그 밖에 각기 충심(脚氣衝心)·요독증(尿毒症) 등에 행함. 방법은 50-100cc의 주사기로써 필요에 따라 100-300cc의 혈액을 정맥에서 뽑아 냄. ——-하다 자여불

사혈-법【瀉血法】[ㅡ뻡] 명〖의〗고혈압(高血壓)·뇌일혈(腦溢血)·요독증(尿毒症)·각기 충심(脚氣衝心)·심장 기능의 불완전 등을 치료하거나 또는 해독(解毒)의 목적으로 환자의 몸에서 피를 뽑아 내는 방법. 흔히는 소독한 50-100cc의 주사기로 사혈하는데 혈액이 엉기어 굳지 아니하도록 10%의 시트르산나트륨에 잠갔다가 정맥에 꽂아 100-300cc의 피를 뽑아 냄.

사혐【私嫌】명 사사의 혐의. 개인적인 혐의.

사:형[1]【死刑】명〖법〗범죄인(犯罪人)의 목숨을 끊는 형벌. 방법으로는 참수(斬首)·교수(絞首)·총살(銃殺)·화형(火刑) 및 전기나 가스(gas)를 사용하는 등의 여러 가지가 있으나, 우리 나라의 현행법은 교수형을 집행하고 있음. 집행의 장소는 교도소내 사형장이며, 법무부 장관의 명령에 의하여 명령 후 5일 이내에 집행함. 죄를 범할 때 16세 미만이었던 미성년자에게는 사형이 없음. 극형. 생명형. ——-하다 타여불

사형[2]【私刑】명〖법〗국가 또는 공공(公共)의 권력이나 법률에 의하지 아니하고 사인(私人)이나 사적 단체가 함부로 행하는 제재(制裁). 사형벌(私刑罰). 사적 제재(私的制裁). 린치(lynch).

사:형[3]【似形】명〖광〗비교적 미세한 광물이 모여 그 광물의 결정형(結晶形)과는 관계없이 산출될 경우의 결정형. *자형(自形).

사형[4]【舍兄】명 ①자기의 형을 남에게 겸손히 일컫는 말. 사백(舍伯). ②형이 아우에게 대하여 자기를 일컫는 말. 1)·2):↔사제(舍弟). *가형(家兄)·가백(家伯).

사형[5]【師兄】명 ①나이나 학덕(學德)이 자기보다 높은 사람을 존경하여 일컫는 말. ②〖불교〗한 스승 밑에서 불법(佛法)을 받은 형.

사형[6]【蛇形】명 뱀의 모양. 뱀의 형상.

사형[7]【詞兄】명 문사(文士)들끼리 서로 존경하여 부르는 말.

사-형벌【私刑罰】명〖법〗사형(私刑).

사:형-수【死刑囚】명〖법〗사형의 선고를 받은 죄수. 사수(死囚).

사:형-장【死刑場】명〖법〗사형을 집행하는 장소.

사:형 집행인【死刑執行人】명〖법〗사형을 집행하는 사람. 곧, 교도관(矯導官). 검사(檢事)·검찰청 서기관·교도소장·구치소장 및 그 대리인은 사형 집행의 참여자(參與者)가 됨.

사혜[1]【思慧】명〖불교〗삼혜(三慧)의 하나. 배우고 들은 것을 바탕으로 하여 스스로 생각하고 연구한 결과로 얻어지는 지혜. *수혜(修慧).

사혜[2]【絲鞋】명 명주실로 만든 신. 사리(絲履).

사:호[1]【四虎】명〖악〗네 마리의 호랑이 형상으로 조각한, 건고(建鼓)·삭고(朔鼓) 따위의 받침대.

사:호[2]【四皓】명 ↗상산 사호(商山四皓).

사호[3]【社號】명 회사의 칭호(稱號).

사호[4]【絲毫】명 극히 적음. 극히 적은 수량.

사:호[5]【賜號】명 임금이 호를 하사(下賜)함. 또, 그 호. ——-하다 자여불

사호다 자〈옛〉싸우다. =싸호다. ¶히ᄃᆞ리 도ᄅᆞ혀 서로 사호며(日月還相鬪)《杜諺 X:10》.

사:호 활자【四號活字】[ㅡ짜] 명〖인쇄〗호수(號數) 활자의 하나. 삼호 활자보다 작고 오호 활자보다 큼.

사혹【思惑】명 ①분별·판단을 하지 못하여 망설임. ②〖불교〗수도(修道)에서 금하는 번뇌. 욕계(慾界)의 탐(貪)·진(瞋)·치(癡)·만(慢)의 네 번뇌 등을 이름.

사혼【私混】명〖역〗면서원(面書員)이 고복채(考卜債)를 환곡(還穀)과 함께 거두어 들임. ——-하다 자여불

사혼-기[1]【砂混機】명〖기〗혼사기(混砂機).

사:혼-기[2]【賜婚記】명〖문〗동상기(東廂記).

사홈 명〈옛〉싸움. =싸홈. ¶ᄇᆞᄅᆞᆷ과 ᄃᆞ트레 사호미 하도다(風塵戰伐多)《杜諺 Ⅶ:9》.

사:-홍서원【四弘誓願】명〖불교〗모든 부처와 보살의 네 가지 큰 서원. 곧, 한없는 중생(衆生)을 다 건지는 중생 무변 서원도(衆生無邊誓願度), 끝없는 번뇌를 끊어 버리는 번뇌 무진 서원단(煩惱無盡誓願斷), 한량없는 법문을 다 배우는 법문 무량 서원학(法門無量誓願學), 없는 불도를 이루어 내는 불도 무상 서원성(佛道無上誓願成)의 네 가지.

사:화[1]【士禍】명〖역〗사림(士林)의 참화(慘禍). 정론(正論)을 주장하는 선비가 간신(奸臣)의 모함으로 입는 큰 화. 갑자 사화·기묘 사화 등.

사:화[2]【四華】명〖불교〗①석가가 법화경을 말할 때에 서조(瑞兆)로서 하늘에서 내려온 네 가지의 연화(蓮華). 백련화(白蓮華) 곧, 만다라화(曼茶羅華), 대일련화(大日蓮華) 곧, 마하 만다라화(摩訶曼陀羅華), 홍련화(紅蓮華) 곧, 만주사화(曼珠沙華), 대홍련화(大紅蓮華) 곧, 마하 만주사화(摩訶曼珠沙華)의 네 가지. 사종화(四種花). ②백색·청색·홍색·황색의 네 연화(蓮華).

사:화[3]【史畫】명 ↗역사화(歷史畫).

사:화[4]【史話】명 역사에 관한 이야기. 역사 이야기.

사:화[5]【史禍】명 ①사서(史書)에 관련된 필화(筆禍). ②사필(史筆)로 말미암은 옥사(獄事).

사:화[6]【死火】명 ①꺼진 불. ②〖불교〗죽음의 결말을 큰 화재(火災)가 꺼짐에 비유한 말.

사:화[7]【死貨】명 ①현재 쓰지 못하게 된 돈. 현재 유통(流通)되고 있지 아니하는 돈. ②사장(死藏)되고 있는 재화(財貨).

사화[8]【私和】명 ①송사(訟事)를 화해함. *시담(示談). ②원한을 풀고 서로 화평(和平)함. ——-하다 자여불

사화[9]【詞華】명〖문〗화미(華美)하게 수식된 사조(詞藻).

사화[10]【詞話】명 ①〖문〗중국 고전 운문(古典韻文)의 한 양식(樣式)인

사(詞)에 대한 일화(逸話)나 평론. 또, 그것을 모은 책. ②중국 송(宋)·원(元)·명(明)대의 강창(講唱)에 속하는 민간의 기예(伎藝).

사:화[11]【賜花】[명]〖역〗↗어사화(御賜花).

사-화봉【絲花鳳】[명] 금실로 꽃과 봉황을 수놓은 색비단.

사화ㅅ대 [명]〈옛〉상앗대. ¶ 갈고리 박은 사화ㅅ대(挽子)≪漢淸 Ⅻ:22≫.

사:-화산【死火山】[명]〖지〗화산의 한 가지. 옛날에는 분화(噴火)하였으나 유사(有史) 시대 이래 한 번도 활동 기록(記錄)이 없는 정지 상태(靜止狀態)에 있는 화산. 백두산·한라산 등. 소화산(消火山). 죽은 화산. ↔활화산(活火山). *휴화산.

사:-화음【四和音】[명]〖악〗3화음의 제5음 위의 3도 되는 곳에 또 하나의 음을 쌓아서 네 소리로 된 화음. 칠화음.

사:화-잠【四化蠶】[명]〖농〗한 해에 네 번 새끼를 치는 누에. 누에의 성 ⌊장이 빠르고 고치가 작음.

사화-집【詞話集】[명] 앤솔러지.

사:환[1]【仕宦】[명] 벼슬. 또, 벼슬을 함. ——-하다 [자][여불]

사:환[2]【四患】[명] ①정치가(政治家)에게 우환(憂患)이 되는 네 가지 일. 곧, 허위·사사(私私)로움·방심(放心)·사치(奢侈). ②인생에 있어서 네 가지 우려되는 일. 곧 생로병사(生老病死). 사고(四苦).

사:환[3]【使喚】[명] 잔심부름을 시키기 위해서 관청이나 사삿집에서 고용하여 부리는 사람. 사동. 급사. 사인(使人). 사정(使丁). 사역(使役).

사환[4]【社還】[명]〖역〗조선 고종(高宗) 32년(1895)에 '환곡(還穀)'의 고친 이름. 사환 조례(社還條例)에 의하여 민간에서 직영하게 함.

사:환-가【仕宦家】[명] 대대로 벼슬하는 집안.

사:환-꾼【使喚—】[명] 사환(使喚) 노릇을 하는 남자.

사:활【死活】[명] 죽음과 삶. 죽느냐 사느냐의 갈림. ¶ ~에 관한 문제다.

사-활강【斜滑降】[명] 스키에서, 사면(斜面)을 비스듬히 잘라 직선으로 활강(滑降)하는 기법(技法). ⌈의 ~다.

사:활 문:제【死活問題】[명] 죽느냐 사느냐의 문제. ¶ 남북 통일은 민족

사홧-술【私和—】[명] 사화(私和)하는 뜻에서 쌍방이 함께 나누는 술.

사황【蛇黃】[명]〖약〗뱀의 쓸개에서 병적으로 엉기어 생긴 물질. 한방에서 약으로 쓰이나, 워낙 구하기 어려우므로 흔히 사함석(蛇含石)으로 ⌊대용함.

사황-장【思皇章】[—짱][명]〖악〗악장(樂章)의 이름.

사:황화 삼철【四黃化三鐵】[명]〔triiron tetrasulfide〕〖화〗황화철❷.

사회[1] [명]〈옛〉사위[3]. ¶ 사회 녀긔셔 며느리 녁 지블 婚이라 니르고≪釋譜 Ⅵ:16≫/사회 셔(壻)≪字會 上 32, 類合 上 20≫.

사회[2]【司會】[명] ①회의(會議) 등의 진행을 맡아 봄. ②↗사회자(司會者). ③〖역〗고대 중국에서, 전국(全國)의 회계(會計)를 맡아 보던 관명(官名). ——-하다 [자][여불]

사회[3]【司誨】[명]〖역〗①조선 시대, 종학(宗學)의 정육품의 벼슬. 전훈(典訓)의 아래. ②구한국 때 종인 학교(宗人學校)의 한 벼슬. 세 사람이 있었는데, 두 사람은 주임(奏任), 한 사람은 판임(判任)이었음.

사:회[4]【死灰】[명] 불 꺼진 재. 식어 버린 재.

사회[5]【沙灰】[명] 굴 껍질을 불에 태워서 만든 가루.

사회[6]【社會】[명] ①〖역〗촌민(村民)이 사일(社日)에 모이던 모임. ②같은 무리끼리 모이어 이루는 집단. ¶ 상류 ~. ③세상❶. ¶ 요지경(瑤池鏡) 속의 ~. ④〖사〗서로 협력하여 공동 생활을 하는 인류의 집단 또는 온갖 형태의 인간의 집단적 생활. 자연적으로 발생된 집단과 인위적으로 특정한 이해(利害) 및 목적을 가지고 형성한 집단의 둘로 나눌 수 있음. ⑤〖지〗일정한 지역에 자리잡고 있는 집단. ¶ 지역 ~/한국 ~. ⑥〖역〗어느 특정한 발전 단계를 이룬 집단. ¶ 봉건 ~/근대 ~.

사회 간:접 자본【社會間接資本】[명]〖경〗사회 자본.

사회 감사【社會監査】[명]〔social audit〕〖경〗기업이 사회적 책임을, 어떻게 어느 정도 수행하였는가를 측정하고 평가하는 일.

사회 개:량주의【社會改良主義】[—/—이][명]〔social reformism〕〖사〗현존하는 사회 제도를 유지하면서 점차로 사회를 개량하려고 하는 주의. 곧, 자본주의적 사회를 기초로 하여 그 제도가 허락하는 범위 안에서 부분적으로 시정(是正)과 수정(修正)을 가하여 노동자 문제를 중심으로 한 사회 문제를 해결하려고 하는 주의 및 사회 사상의 총칭.

사회 개발【社會開發】[명] 도시·농촌·교통·주택·보건·공중 위생·교육 등을 사회적으로 개발하여 복지 향상을 도모하는 일.

사회 개벽【社會開闢】[명]〖천도교〗삼대 개벽(三大開闢)의 하나. 후천적인 인문(人文) 개벽으로서, 사회 일반의 제도·생활 양식·물질 등의 변혁으로 새로이 되는 일.

사회 경제【社會經濟】[명]〖경〗①사회를 중심으로 하여 성립하는 공동 경제(共同經濟). 곧, 생산 경제와 소비 경제가 분리되어 각 경제 단위(經濟單位) 사이에 사회성 및 상호 의존성(相互依存性)이 현저하게 나타나는 경제 상태. ↔고립 경제. ②국민 경제(國民經濟).

사회 경제 구성체【社會經濟構成體】[명]〖경〗역사적으로 일정한 생산 관계와 그것을 기반으로 해서 성립되는 상부 구조에 의해서 특징 지어지는 사회 발전의 각 단계의 총칭.

사회 경제 협의회【社會經濟協議會】[—/—/—이—][명]〖법〗사용자·근로자·공익 대표(公益代表)·정부 대표로 구성된 재정 경제부 장관의 자문·협의 기관. 분기(分期)마다 회의를 열어, 장단기 경제 운용과 정책 방향·노사 관계에 관한 중요 사항을 협의함. 위원장은 재정 경제부 장관.

사회 계:약【社會契約】[명]〔social contract〕〖사〗정부가 물가 억제·사회 복지 등을 위한 구체적인 시책을 베풀 것을 약속하고, 노동 조합은 임금 인상 요구를 자제(自制)할 것을 약속하는 협정.

사회 계:약론【社會契約論】[—논][명]〔프 Du contrat social, ou du principe du droit politique〕〖책〗루소(Rousseau)의 주저(主著)의 하나. 1762년 간행. 자유인의 합의에 의한 국가의 구성을 논한 사회 계약설과 일반 의지(一般意志)에 의한 국가의 운영을 논한 인민 주권론을 골자로 하여 이상 국가를 구상함. 프랑스 혁명의 사상적 근거가 되었음. 민약론.

사회 계:약설【社會契約說】[명]〔theory of social contract〕〖정〗사회 및 국가의 기원(起源)에 관한 한 학설. 본래 자연 상태(自然狀態)에 있어서는, 자유와 평등을 누리던 개인이 그 주체적 의지(主體的意志)로써 서로 계약을 맺어 사회를 형성하였으며, 따라서 각인(各人)은 전자유권(全自由權)을 국가에 위임하고 그 대신, 생명·재산의 보호를 받되, 항상 인민에게는 혁명권(革命權)이 있다고 주장하는 학설. 이 사상의 싹은 고대의 헤브라이나 그리스에서 비롯하였으나, 특히 17·8세기경에 홉스·로크·루소 등 자연법학자들에 의해 학술적으로 완성되었음. 국가 계약설(國家契約說). 민약설(民約說). [준]계약설(契約說).

사회 계층【社會階層】[명] 한 사회 안에서, 사회적 평가나 위신(威信)의 대소(大小), 특권의 유무, 혹은 직업·교육·재산·거주 지구 등을 지표(指標)로 하여 계층지어져 구별되는 인간 집단. 각층에 각기 특유한 생활 태도·의식·관습을 가짐. 정치·경제적인 계급이나 단순한 통계적 집단과는 다름.

사회 공학【社會工學】[명]〖사〗사회 문제를 해결하기 위하여 응용되는 사회적 기술의 체계. 공해·국토 개발·도시 계획과 같은 종합적 판단을 필요로 하는 사회 문제에 관해서, 예측·계획·조직·관리 등을 엄밀히 ⌊연구하는 분야.

사회-과【社會科】[—꽈][명]↗사회 생활과.

사회과 교:육【社會科教育】[—꽈—][명]〖교〗청소년에게 사회 생활의 실태를 이해시켜, 그에 적응하고 나아가서는 사회에 기여하는 행동을 취하도록 가르치는 교육. 곧, 도덕·국민 윤리·지리·역사 등의 교육.

사회 과:정【社會過程】[명]〖사〗사회력(社會力)을 원천으로 하는 인류 결합의 추이(推移). 곧, 집단 생활에 있어서의 일체의 생성·변화·발전의 과정. 문화적 과정·경제적 과정 같은 것.

사회 과학【社會科學】[명] 인간 사회의 여러 현상을 지배하는 법칙을 해명하려는 경험 과학의 총칭. 정치학·사회학·경제학·역사학 등과 그 밖에 관련 있는 여러 과학을 다루어서 사회 현상을 분석(分析) 혹은 종합(綜合)함으로써, 사회 법칙을 인식하려는 학문임. ↔자연(自然) 과학.

사회-관【社會觀】[명] 사회를 통일적인 전체로 보아 그 의의(意義)와 가치에 대하여 갖는 견해나 주장.

사회 관계【社會關係】[명] 사람과 사람 사이에 사회적 행동의 교환이 계속된 결과로 생기는 일정한 인간 관계. 사회 생활의 정적(靜的)·구조적(構造的) 측면(側面)을 표현한 개념임.

사회 관계론【社會關係論】[명]〖사〗인간의 사회 관계에 관한 이론(理論). 사회 현상, 특히 집단(集團) 인간 관계(人間關係)·문화 사상(文化事象)을 그 대상으로 하는 사회학의 중요한 한 부분임.

사회 광:고【社會廣告】[명]〔social advertising〕〖사〗관청 또는 비영리 단체가 사회적인 목표를 달성하기 위해서 하는 광고. 정치 광고·공공 광고·자선 단체 광고·행정 광고·비영리 단체 광고 등이 이에 속함.

사회 교:육【社會教育】[명]〖교〗학교 교육을 제외하고 국민의 평생 교육을 위한 모든 형태의 조직적인 교육 활동. 국민 생활에 필요한 기초 교육과 교양 교육, 직업·기술 및 전문 교육, 건강 및 보건 교육, 가족 생활 교육, 국민 독서 교육, 전통 문화 이해 교육 등등 그 영역에 포함되는 교육이 매우 광범위함.

사회 교:육과【社會教育科】[명]〖교〗대학에서, 사회 교육에 관한 학문을 전공하는 학과. *과학 교육과.

사회 교:육법【社會教育法】[명]〖법〗모든 국민에게 평생을 통한 사회 교육의 기회를 부여하여 국민의 자질을 향상하게 할 목적으로 제정된 법률. 총칙 외에 국가 및 지방 자치 단체의 임무, 사회 교육 시설 등에 관하여 규정함.

사회 교:화 사:업【社會教化事業】[명]〖사〗사회의 폐풍(弊風)을 바로잡고 미풍 양속(美風良俗)을 키우기 위하여 사회 및 사회 민중을 교육하고 지도하는 사업.

사회 구조【社會構造】[명]〖사〗계층·사회적 집단·사회 제도 등 여러 요소 위에 성립된 통합적 구조체(構造體)로서의 사회의 구조.

사회 국가【社會國家】[명] 국민 각자에 대하여 인간의 가치로서의 생존(生存) 보장을 임무로 하는 국가 또는 사회 정의(正義)의 실현을 목적으로 하는 국가. *사회권.

사회-권【社會權】[—꿘][명] 사회 국가에 있어서, 국가가 실시하는 각종 사회의 보장적 시책에 의하여 이익을 받을 국민의 권리. 국가에 대한 구체적인 청구권(請求權)은 아님. 건강한 생활에의 권리, 휴식(休息)에의 권리, 교육을 받는 권리, 근로의 권리, 근로자의 단결권 등은 이에 속함. *자유권(自由權).

사회 규범【社會規範】[명] ①〖사〗사회학에 있어서, 행위 이론의 기초적인 한 개념(概念)으로서, 인간에게 일정한 사회적 행위를 당위적(當爲的)으로 요구하는 관념. 명제(命題)로서의 언어적(言語的) 표현을 반드시 수반하는 것은 아님. 사회적 기준(基準). 사회적 규범. 사회적 규준. ↔강제 규범. ②〖심〗사회적 기준(基準)❷.

사회-극【社會劇】[명]〖문·연〗사회 문제를 제재(題材)로 한 연극이나 희곡(戲曲). 노르웨이의 입센(Ibsen)으로부터 시작되었는데, 그의 결혼 문제를 다룬 ≪인형(人形)의 집≫과 사회 대(對) 개인의 문제를 취급한 ≪민중(民衆)의 적≫, 독일의 하우프트만(Hauptmann) 작으로 신구(新舊)의 사상 문제를 다룬 ≪외로운 사람들≫과 노동 문제의 ≪직공(織工)≫ 등과, 그 밖의 실러(Schiller)의 ≪군도(群盜)≫, 카이저(Kaiser, G.)의 ≪가스≫ 등은 그 대표적 작품임.

사회 기사【社會記事】[명] 사회에 일어난 일에 관한 신문의 기사. 흔히, 정치·경제 문제를 제외한, 잡다한 기사를 가리킴. 삼면 기사(三面記事).

사회 다:위니즘【社會—】〔Darwinism〕[명] 다윈(Darwin)의 생물 진화론을 적용하여 사회 현상을 설명하려는 입장. 특히, 다윈의 적자 생존

의 원리로부터, 사회 진화에 있어서 자연 선택의 원칙을 도출(導出)하려고 함. 사회 진화론.

사회 단체【社會團體】 명 ①사회 문제의 해결을 목적하는 단체. ②사회 사업을 하는 단체.

사회-당【社會黨】 명 〖사〗 자본주의 사회를 극복하고 사회주의 사회의 실현을 목적으로 하는 정당.

사회 도:덕【社會道德】 명 개인적 내면적인 도덕에 대하여 사회적 질서의 유지에 관한 도덕.

사회 도태【社會淘汰】 명 〖사〗 사회적인 본능(本能)이나 힘의 영향 아래에서 사회 진화(進化)의 한 요인(要因)으로서 행하여지는 의식적(意識的) 도태.

사회 동:학【社會動學】 명 〔social dynamics〕 〖사〗 사회학 체계를 구성하는 한 부문. 일정한 사회 체계의 여러 부문의 공존 관계(共存關係)의 시간적·계속적 변화를 대상으로 하는 이론. 사회학의 창시자인 콩트(Comte)에 의하여 처음으로 제창되었는데, 그는 '계속의 법칙' 및 '진보의 원리'를 설정하는 부문으로 하였음. 현재는 사회 변동론이라고 부름. ↔사회 정학(靜學).

사회-력【社會力】 명 인간의 사회 행동 또는 일반적으로 사회 사상(事象)을 일으키게 하는 원동력. 미국의 사회학자 워드(Ward, L.F.), 로스(Ross, E.A.) 등이 논한 개념임.

사회-면【社會面】 명 신문에서 사회에 관한 기사(記事)를 싣는 지면(紙面). 이른바 삼면 기사(三面記事)를 싣는 지면. 삼면(三面).

사회 명목론【社會名目論】 [—논] 명 〖사〗 사회 유명론(社會唯名論).

사회 문:제【社會問題】 명 〖사〗 넓은 뜻으로는 사회 제도의 결함(缺陷)·모순(矛盾)으로 말미암아 생기는 모든 문제. 좁은 뜻으로는 경제 조직에 기인하는 민중의 생활 위기 및 그 대책에 관한 문제. 곧, 사회 정책의 대상인 노동 문제·농촌 문제·여성 문제·실업(失業) 문제·주택 문제·공해(公害) 문제 등의 총칭.

사회 물리학【社會物理學】 명 〖사〗 사회학의 별칭. 사회 현상을 물리 현상처럼 과학적으로 연구한다는 뜻으로 콩트(Comte)가 일컫은 말. 케틀레(Quetelet)도 같은 뜻에서 이 말을 썼음.

사회 민주당【社會民主黨】 명 〖사〗 ①사회 민주주의를 지향하는 정당. 제1차 세계 대전 전에는 그 속에 좌익(左翼), 곧 마르크스주의 정통파(Marx主義正統派)를 포함하고 있었으나, 전쟁 후로는 반공산주의의 정당으로서 독일·영국·프랑스·오스트리아·일본 등에 다시 나타나게 되었음. ②제2 인터내셔널(第二International)에 속한 여러 정당.

사회 민주주의【社會民主主義】 [—/—이] 명 〖사〗 폭력에 의한 혁명 및 프롤레타리아 독재를 부인하고, 의회(議會) 정치에 의한 민주주의적 방법으로써 합법적·점진적(漸進的)으로 사회주의를 실현하려고 하는 주의. *민주 사회주의.

사회 발전 단계설【社會發展段階說】 [—쩐—] 명 사회의 전과정을 몇 개의 단계로 구분하여서 각 시대의 특징을 발견하려고 하는 학설.

사회-법【社會法】 [—뻡] 명 〖법〗 시민 사회에 있어서 개인 본위의 법률 원리를 수정하여 사회의 공공적 복리의 증진을 꾀하는 법의 총칭. 노동법·사회 사업법·사회 보험법 등. ↔시민법(市民法).

사회 법칙【社會法則】 명 ①사회 질서를 유지하고 있는 법칙. ②사회의 변화, 특히 사회 진화를 지배하고 있는 법칙. ③사회에 반복하여 생기는 현상을 지배하고 있는 법칙.

사회 법학【社會法學】 명 〖법〗 ①사회주의적 관점(觀點)에 입각(立脚)한 법학. 시민법의 형식주의·개인주의를 수정하고 목적론에 의한 사고 방법을 법학에 채용하고 있음. 그 대표자는 오스트리아의 법학자 멩거(Menger, A.), 독일의 라드부르흐(Radburch), 오스트리아의 정치가 레너(Renner, K.; 1870-1950) 등임. ②사회법을 연구하는 학문.

사회 변:동【社會變動】 명 〖사〗 넓은 뜻으로는 한 사회의 현존하는 질서 및 정신적·물질적 문명의 형태가 일부 또는 전체적으로 변화하는 과정. 좁은 뜻으로는 주로 사회의 경제 체제 및 생산 관계의 변화 과정. 풍토(風土) 또는 유기적 환경의 변화, 인구의 증감 및 이주(移住), 발명이나 발견에 의한 생산력의 증진·교역(交易), 전쟁·문화의 전파(傳播) 등 자연 발생적인 것과, 인간의 분명한 의욕에 의한 개혁(改革)·혁명 등이 있음. 생산 양식에 의한 역사적 사회 변동은 원시 공동 체제·노예 제도·봉건 제도·자본주의 제도·사회주의 제도를 거치었음.

사회 변:혁【社會變革】 명 사회의 구조를 개량주의적인 방법으로 또는 혁명적인 방법에 의하여 계획적으로 바꾸는 일.

사회 병:리【社會病理】 [—니] 명 개인·집단·지역 사회·전체 사회·문화 등에 있어서의 기능 장애 및 이상 현상. 범죄·비행·자살·매음·실업·빈곤·슬럼(slum) 등.

사회 병:리학【社會病理學】 [—니—] 명 〖사〗 ①개인의 정신적 병태(病態)를 연구하는 정신 병리학에 대하여, 집단적인 행동이나 심리의 병적인 현상을 연구 대상으로 하는 학문. ②사회적으로 어울리어 맞지 아니하는, 넓은 뜻의 사회병이라고 볼 수 있는 전염병·중독자·정신 박약자·광인(狂人)·불건강 및 빈곤·실업(失業)·무지(無知)·범죄·미신·노령(老齡)·이혼·매음 등 여러 가지 문제를 대상으로 하여 그 의의(意義)·정도·원인·결과·처우(處遇) 등을 연구하는 특수 분야의 한 사회학. 이것은 1920년대로부터 주로 미국의 여러 학자에 의하여 전개되었음.

사회 보:장【社會保障】 명 〖사〗 국민 각자가 직면하고 있는 질병·상해·분만(分娩)·사망·노령(老齡)·실업(失業) 등의 위험에 대한 국가적인 부담 또는 보험 방법에 의하여 행하는 경제적 보장. 사회 보험이 한 걸음 더 나아간 사회 개량 정책임. 미국에서는 1935년, 영국에서는 1948년에 각각 이것을 법률로써 공포하여, 실업 보험·양로 보험(養老保險)·유족(遺族) 보험 및 그 밖의 여러 가지 사회 사업 시설을 국가의 재정적 원조 밑에서 실시하고 있음.

사회 보:장비【社會保障費】 명 실업자·노폐질자·아동 그 밖에 생활 능력이 없는 자에 대하여, 그 생활이나 의료를 부조(扶助)하는 데 드는 경비.

사회 보:장세【社會保障稅】 [—쎄] 명 〖사〗 사회 보장 제도 실시에 필요한 자금을 얻기 위하여 부과하는 세금.

사회 보:장 예:산【社會保障豫算】 [—네—] 명 생활 보호·아동 복지·노인 복지·신체 장애자 복지 등 사회 복지와 의료 보험·실업(失業) 보험 등 사회 보험에 쓰이는 예산. 공공 사업 예산과 더불어 국가 예산의 근간을 이룸.

사회 보:장 제:도【社會保障制度】 명 〖사〗 사회 보장에 관한 제도. * 사회 보장.

사회 보:험【社會保險】 명 〖사〗 사회 구성원의 질병·장애(障礙)·노령(老齡)·실업 등에 의한 재산상의 어려움을 구제하기 위한 보험. 고용 보험·의료 보험·연금 보험·산업 재해 보상 보험이 있고, 보험료는 사용자·피보험자가 공동 부담하고 보험 사업에 소요되는 비용은 국가가 부담함.

사회 보:호법【社會保護法】 [—뻡] 명 몇 개의 형을 받거나 죄를 범한 자, 심신 장애자, 마약류·알코올 중독자로서 재범의 위험성이 있고 특수한 교육·개선 및 치료가 필요할 때 보호 처분을 함으로써 사회 복귀를 촉진하고 사회를 보호할 것을 목적으로 하는 법률.

사회 보:호 위원회【社會保護委員會】 명 〖법〗 사회 보호법에 따라, 보호 처분의 관리와 집행에 관한 사항을 심사·결정하기 위한 법무부 소속의 위원회. 법무부 차관을 위원장으로 하고, 판검사 변호사의 자격이 있는 7인 이내의 위원으로 구성됨.

사회-복【社會服】 명 사회 생활에서 서로 친화(親和)하고 의례(儀禮)를 지키어 사교할 때에 입는 복장. 방문복(訪問服) 같은 것. 의례복(儀禮服). *활동복·휴양복·직업복·제식복(祭式服).

사회 복귀 요법【社會復歸療法】 [—뻡] 명 〖의〗 병이나 사고 때문에 반신 불수, 언어 장애 등의 후유증이 있는 사람들의 기능 회복을 도모하고 사회에 복귀시키는 요법의 총칭. 리허빌리테이션.

사회 복지【社會福祉】 명 국민의 생활 안정·의료(醫療)·교육·직업 등의 보장을 포함한 폭넓은 사회적 방책의 총칭. 사회 정책·사회 사업·사회 보장 제도 등의 밑바탕에 공통되는 정책 목표 및 그들의 제도적 개념. 협의(狹義)로는 구호 대상자나 신체 장애자·아동·노인 등을 대상으로 한 사회적 보호 방책이며 대상자가 자력으로 생활할 수 있도록 필요한 생활 지도·갱생 보도(更生補導)·원조 육성을 행함을 뜻함.

사회 복지 법인【社會福祉法人】 명 〖법〗 사회 복지 사업을 목적으로 설립된 법인. 공익(公益) 법인의 일종이나 그 사업의 경영에 충당하기 위하여 수익(收益) 사업을 행할 수 있음.

사회 복지 사:업【社會福祉事業】 명 사회적으로 원조를 필요로 하는 사람들에 대하여 그 독립심을 손상시키지 않는 방법으로 정상적인 사회인으로서 생활할 수 있도록 원조하기 위한 각종 사업. 사회 사업.

사회 복지 사:업법【社會福祉事業法】 명 사회 복지 사업에 관한 기본적 사항을 규정하고 사회 복지의 증진을 도모함을 목적으로 하는 법률.

사회 복지 시:설【社會福祉施設】 명 사회 복지 사업을 위한 시설. 생활 보호법에 의한 보호 시설. 장애인·노인·아동 복지 시설 따위.

사회 본능【社會本能】 명 고립해서 생활하기를 싫어하고 집단이나 사회를 만들려고 하는 인간의 본능. 동물의 경우도 떼를 지어 생활하는 선천적 경향이 있다고 함.

사회 본위주의【社會本位主義】 [—/—이] 명 〔societism〕 〖사〗 사회 번영의 목적을 위해서는 개인 복리의 희생도 무방하다고 주장하는 주의. 국가적 견지에서 볼 때, 국가주의는 곧 이 사회 본위주의이며 군국주의·제국주의는 그 극단적인 것이라고 볼 수 있음.

사회-봉【司會棒】 명 의사봉(議事棒).

사회 봉:사【社會奉仕】 명 사회 복지(社會福祉)의 증진(增進)을 도모하기 위하여 개인적 이해(利害)를 돌보지 않고 하는 행위.

사회-부【社會部】 명 ①우리 나라 행정부에 있었던 중앙 행정 조직의 하나. 사회 일반의 노동(勞動)·부녀(婦女)·농촌(農村)·주택(住宅)에 관한 사무를 맡아 보았음. 1955년 2월, 정부 조직법 개정에 따라 보건부와 합쳐 보건 사회부가 되었음. ②신문사(新聞社) 등에서, 사회의 여러 가지 사고·사건에 대한 기사(記事)를 맡아 보는 부서. ¶ ~ 기자.

사회 부조【社會扶助】 명 국가 부조.

사회 분화【社會分化】 명 〖사〗 사회 진화(進化)의 근본 경향으로서, 분업 발달에 의하여 사회가 단순·동질적(同質的)인 상태로부터 복잡·이질적(異質的)인 상태로 발전하여 변화하는 일.

사회 불안【社會不安】 명 사회 질서의 불안정이, 사회의 성원(成員) 전체에 파급되는 막연한 위기감(危機感).

사-회사[1]【私會社】 명 〖경〗 영국에 있어서의 주식 회사의 특별 형태. 주식의 양도가 제한되고, 주주(株主)가 50명 이하로 되어 있으며, 주식과 사채(社債)의 모집이 금지되어 있음. 우리 나라의 유한 회사(有限會社)와 비슷함. 이에 대하여 일반적인 주식 회사를 공회사(公會社)라 함.

사회-사[2]【社會史】 명 역사학의 한 사조(思潮). 주로, 프랑스의 역사학자 블로크(Bloch, M.)·페브르(Febvre, L.; 1876-1956)가 창간한 사회 경제사(經濟史) 연보(年報)에 결집된 역사 연구를 가리킴. 정치사·법제사(法制史) 따위에 대하여, 민중의 일상 생활이나 생활 관행(慣行)을 다각도로 파악하고, 특히 인간 감정을 중시하여 사회 전체의 생생한 서술을 목표로 함.

사회 사:상【社會思想】 명 〖사〗 ①세계관이나 사회관과 같은 뜻으로 인간이 사회에 대한 태도 및 사회 속에서 어떻게 살아 나갈 것인가 하는 데에 관한 사상. ②사회주의·자유주의·파시즘 등의 사상과 같이 어떠한 의미에 있어서 사회의 근본적인 모순(矛盾)을 지적하고 그 현상(現狀)을 개혁하려고 하는 사상.

사회 사:실【社會事實】 명 〖사〗 사회적 사실.

사회 사:업【社會事業】 명 〖사〗 ①사회 사람들을 위한 복지 시설의 경영. ②국가 및 공사(公私)의 단체에 의하여 사회 공중(公衆)의 생활 상태의 개선 또는 덕성(德性)의 교화를 목적으로 하는 보호 사업. 곧, 구빈(救貧)·실업 보호(失業保護)·아동 보호·사회 교화(敎化)·의료(醫療) 보호 등의 사업. 사회 복지 사업.

사회 사:업학과【社會事業學科】 명 〖교〗 대학에서, 사회 사업에 관한 학문을 전공하는 학과. *사회학과.

사회-상【社會相】 명 사회의 양상(樣相). 사회의 현상(現狀). 사회의 실태.

사회 생리학【社會生理學】 [—니—] 명 사회의 생활적 기능으로서의 종교·도덕·법률·경제 따위를 연구하는 학문. 프랑스의 사회학자 뒤르켐의 용어.

사회 생물학【社會生物學】 명 〔socio-biology〕 인간의 미덕(美德)·악덕(惡德)이 어느 정도까지 유전자(遺傳子)에 의존하며, 어느 정도까지 개인의 체험에 의존하는 것인가 등 사회학적 현상을 생물학적 지식을 이용하여 탐구하는 학문.

사회 생태학【社會生態學】 명 인간과 지역 사회의 공생(共生) 관계를 전제로 해서 인간의 집단과 그 환경과의 관계를 연구하는 사회학의 한 분야. 인간 생태학.

사회 생활【社會生活】 명 ①사회의 일원으로서의 생활. 또, 가정·촌락·국가·교회·회사·정당 등 모든 형태의 인간들이 집단적으로 모여서 질서를 유지하면서 살아 나가는 공동 생활. ②〖생〗 많은 수의 생물이 모여서 일을 맡아 하며 공동으로 영위하는 생활. 사람을 제외하고는 벌·개미·물개 등에서 볼 수 있음. ③〖교〗 ↗사회 생활과(社會生活科).

사회 생활과【社會生活科】 [—꽈] 명 초등 학교 및 중고등 학교의 교과(敎科)의 하나. 인간의 현실 생활에 대한 종합적이고 연관적(聯關的)인 이해(理解)와 지식을 비롯하여 사회적인 태도 및 기능을 부여하기 위한 교과. 정치·경제·민주 생활·역사·지리 등이 이에 포함됨. ㊥사생과(社生科)·사생(社生)·사회 생활·사회과.

사회-성【社會性】 [—썽] 명 ①어떤 사회의 고유한 성질. ②사회 생활을 하려고 하는 인간의 근본 성질. 본능적인 것이라고 주장하는 사람들이 많음. 사교성(社交性).

사회성 곤충【社會性昆蟲】 [—썽—] 명 동종(同種)의 개체(個體)가 집단을 이루고, 분업이나 개체간의 협력으로 생활하는 곤충. 꿀벌·개미·흰개미 따위.

사회성 동:물【社會性動物】 [—썽—] 명 〔social animal〕 〖동〗 동종(同種)의 개체가 분업을 가지고, 전체적인 기능을 다하는 집단을 구성하고 있는 동물.

사회 소:설【社會小說】 명 〖문〗 사회 문제나 사회 현실을 주제(主題)로 한 일종의 경향(傾向) 소설. 사회 구성(構成)의 해부를 의도(意圖)하며 은연중(隱然中) 작자의 비판을 피력(披瀝)하는 경향이 있음.

사회 신경증【社會神經症】 [—쯩] 명 〖사〗 현대의 자본주의 사회 상태에 있어서 그 밑바닥에 흐르는 불안(不安)으로 말미암아 생긴다는 신경증. 아메리카 학파(America學派)의 정신 분석 학자들이 쓴 말인데, 사회 경제 조직 그 자체가 개혁되기 전에는 이 사회 신경증은 치료할 수 없다고 주장하였음.

사회 실재론【社會實在論】 [—째—] 명 〖사〗 사회는 개인으로써 성립하는 것이나 또한 개인과는 달라서, 개인이 나고 없어짐에는 상관하지 않고 엄연히 실재한다고 하는 사회학론. 곧, 사회 자체를 단순한 개인의 총합(總合) 이상의 객관적인 실체로 보아야 한다는 주장임. ↔사회 유명론(社會唯名論).

사회-심【社會心】 명 〖사〗 인간의 본질을 심리면(心理面)에 중점을 두는 경우, 사회를 그 각 개인의 마음이 종합하여서 이루어진 하나의 심리적 유기체로 볼 때의 그 마음.

사회 심리학【社會心理學】 [—니—] 명 〔social psychology〕 〖사·심〗 사회에 나타나는 군집(群集)·유행 등의 집합 현상을 대상으로 하고, 개인의 심리도 집단의 의식 현상과 관련시켜서 연구하는 학문. 일반 심리학과 비교하면, 환경에 의한 사회적·문화적 특성이 특히 중요시되고 있는 점이고, 사회학 및 문화 인류학과는 그 분석의 관점이 원칙적으로 개인 또는 여러 개인과 그 상호 작용 및 심리학적 반응을 중요시하고 있는 점에 그 특징이 있음.

사회-아【社會我】 명 〔social ego〕 〖심〗 사회에 대하여 공통적 태도를 가지는 자아(自我). 남과의 상호 관계를 의식함으로써 일어나는 사회적 존재로서의 자아의 관념.

사회-악【社會惡】 명 사회에 내재(內在)하는 모순에서 생기는 해악(害惡). 빈곤·범죄·도박·매음(賣淫) 따위.

사회-암【蛇灰岩】 명 〔ophicalcite〕 〖광〗 백색의 방해석(方解石)과 암녹색(暗綠色)의 사문암(蛇紋岩)으로 된 암석. 암녹색의 바탕에 백색 석회질(石灰質)의 가는 맥(脈)이 그물코 모양으로 되어 있음. 닦으면 아름다워지므로 바닥에 깔거나 벽을 만드는 등 장식용의 석재(石材)로 쓰임.

사회 언어학【社會言語學】 명 언어 사회학.

사회 역학【社會力學】 명 〖사〗 사회 집단이 복잡한 상호 작용에 의해서, 유동·변화하는 현상을 연구하는 학문. 역학을 도입(導入)한 사회 심리학의 영역으로, 사회적인 사상(事象)을 집단 상호간의 힘의 관계에 의해서 분석하는 방법을 취함.

사회 연대【社會連帶】 명 〖사〗 사회의 각 성원간(成員間)의 상호 의존(相互依存) 관계, 특히 개인간의 상호 의존 관계. 솔리대리티(solidarity).

사회 연대주의【社會連帶主義】 [—/—이] 명 〖사〗 사회 연대를 인간 행위의 규범(規範)으로 하고, 도덕적 의무에 따라서 일반 정책을 이 연대에 입각(立脚)시키려고 하는 주의.

사회 왕제【社會王制】 명 국왕의 권력에 의하여, 위로부터 은혜적(恩惠的)으로 사회주의를 실현하려고 하는 이론. 또, 그 체제.

사회 운:동【社會運動】 명 〖사〗 사회 문제를 해결하기 위한 운동 또는 현존 사회 제도를 변혁(變革)하려고 하는 운동. 노동 조합 운동·농촌 운동·여성 운동·학생 운동·사회 혁명 운동 등.

사회 위생학【社會衛生學】 명 사회 민중의 건강 상태의 개선·향상을 도모(圖謀)할 목적으로 그 방책(方策)을 탐구하는 학문.

사회 위압【社會威壓】 명 〖사〗 개인에 대한 사회의 강제. 프랑스의 사회학자 뒤르켐(Durkheim)은 이것을 사회 사실의 한 특성으로 인정하고, 사회 현상과 다른 현상과의 구별을 이 위압이 있고 없는 것으로써 결정지었음. *위압.

사회 유:기체설【社會有機體說】 명 〔organic conception of society〕 〖사〗 사회의 체제를 생물의 체제와 비교하여, 사회를 자연 유기체와 유사한 존재로 보는 학설. 자연 과학, 특히 생물 진화설(進化說)의 사회학에의 영향으로, 18-19세기에 서유럽에서 발달한 이론임. 영국의 철학자 스펜서(Spencer)를 그 대표자로 함.

사회 유대【社會紐帶】 명 〖사〗 사회를 이루고 있는 조건. 혈연(血緣)·지연(地緣)·이해(利害) 같은 것. 사회적 유대.

사회 유명론【社會唯名論】 [—논] 명 〔social nominalism〕 〖사〗 사회의 본질을 하나의 실재로 보지 않고, 단지 개인의 집합체 또는 여러 개인간의 상호 작용 그 자체라고 주장하는 사회학론. 곧, 사회는 개인의 총합(總合)이며, 사회의 성질이 개인을 결정하는 것이 아니고 개인의 성질이 사회의 성질을 결정하는 것이라고 주장하는 사회학론. 사회 명목론(社會名目論). ↔사회 실재론(社會實在論).

사회 유:형【社會類型】 명 〖사〗 어떤 분류 기준(基準)에 의하여 구분된 사회 또는 집단의 유형.

사회 윤리【社會倫理】 [—율—] 명 〖윤〗 ①인간의 사회적·협동적 생활 방면에 관한 도덕적 규범의 총칭. ↔개인 윤리(個人倫理). ②도덕의 기원이나 평가를 인간의 사회적 조건으로써 설명하는 윤리. 사회적 윤리.

사회 윤리학【社會倫理學】 [—율—] 명 〖윤〗 사회 윤리에 관한 학문.

사회의 목탁【社會—木鐸】 [—/—에—] 명 사회 사람들을 각성(覺醒)시키고 유도(誘導)하는 사람이나 일. ¶ 신문은 ∼이다.

사회 의:식【社會意識】 명 〖사〗 ①집단 의식(集團意識). ②자기가 속한 집단의 다른 여러 성원(成員)에 대한 자기의 의식. 계급 의식·이데올로기 등은 그 구체적인 예임.

사회 의:지【社會意志】 명 〖사〗 통일적으로 조직된 사회 일반의 의지.

사회 의학【社會醫學】 명 〖의〗 생물로서의 인간이 아니고 사회적 존재로서의 인간을 중시하여 연구·진료하는 의학. 병에 걸리기 쉬운 사회 환경이나 생활 조건을 없애려는 데 중점을 두고 있음. 공중 위생·산업 의학·농촌 의학 등으로부터 예방 의학 및 이에 따른 사회 의료 운동 등을 가리킴. *개인 의학.

사회 이동【社會移動】 명 인간 혹은 사회적인 사물이나 가치(價值)가 일정한 사회적 위치에서 다른 사회적 위치로 이동하는 일. 이 개념을 체계화한 소로킨(Sorokin, P. A.)에 의하면, 이동의 양상은 수평 이동과 수직 이동으로 나누어진다고 하며, 전자는 동일 수준에 있는 사회적 위치간의 이동으로서, 비슷한 집안끼리의 혼인, 라디오·자동차와 같은 물질 문화나 특정 이데올로기 등 정신 문화가 같은 사회적 지위에 있는 사람들에게 보급되는 일 등을 말함. 후자는 상하 관계에 있는 사회 계층간의 이동으로서, 지위의 상승·하강이나 다른 계층으로의 문화의 전파 또는 집단의 분해 등을 이름. 사회 이동은 특히 근대 사회에서 현저함.

사회-인【社會人】 명 〖사〗 ①사회의 일원으로서의 개인. ②실사회(實社會)에서 활동하는 사람들. ③학교나 군대 등의 단체에서 그 제한된 생활을 하는 사람들이 그 범위 밖의 모든 일반 사회의 사람들을 가리켜 일컫는 말.

사회 인류학【社會人類學】 [—일—] 명 〖사〗 인류학의 한 부분. 미개인(未開人)의 사회 생활을 대상으로 연구함으로써 인간 사회 일반을 밝히는 학문. 인류학적 사회학과는 아주 다른 개념임.

사회 입법【社會立法】 명 〖법〗 사회 정책적인 입장에서 하는 법률의 제정. 또, 그 법률. 사회적 입법. 사회 정책적 입법.

사회-자【司會者】 명 집회(集會)의 진행을 맡아 보는 이. ㊥사회.

사회 자본【社會資本】 명 〖경〗 국민 경제 발전의 기반이 되는 공공 시설(公共施設)에 쓰이는 자본. 즉, 도로·철도·항만·공항 등의 운수 시설, 우편·전신·전화 등의 통신 시설, 전기·가스·수도·제방·댐 등 여러 시설에 쓰이는 것을 이름. 사기업(私企業)의 테두리를 넘는 이들 시설은 보통 정부 혹은 공공 단체(公共團體)의 손으로 정비됨. 사회적 간접 자본. 사회 간접 자본. 외부 경제(外部經濟).

사회-장【社會葬】 명 사회적으로 공로가 큰 인사의 죽음에 그 사회의 모든 단체가 연합하여서 지내는 장사.

사회-적【社會的】 명관 개인을 벗어나서 사회에 영향을 미치는, 또, 그러한 모양. ¶ 인간은 ∼ 동물이다.

사회적 간:접 자본【社會的間接資本】 명 〖경〗 사회 자본(社會資本).

사회적 감:정【社會的感情】 명 〖심〗 사회 생활에 있어서 느끼는 애정·동정·애국심·애향심(愛鄕心) 등의 감정.

사회적 개:성【社會的個性】 명 〖사〗 한 사회를 다른 사회와 대비(對比)하여 볼 때의 그 사회의 국민성·지방색·가풍 등의 독특한 성질. 그러나 이 특성은 사회 진화에 따라서 점점 찾아보기 힘들게 됨.

사회적 거:리【社會的距離】 명 〖사·심〗 개인과 개인, 개인과 집단, 집단과 집단 상호간에 있어서의 친근(親近)·소원(疎遠)의 관계와 그 정도에 기인하는 감정적 거리. 미국의 심리학적 사회학과 관계 사회학의 기본적 개념의 하나임. 파크(Park, R. E.; 1864-1944)에서 시작되어, 보가더스(Bogardus), 매카이버(MacIver, R. M.; 1882-1970) 등에 의하여 전개되었음.

사회적 교:육학【社會的敎育學】 명 〖교〗 교육의 목적 및 방법을 사회의 입장으로부터 결정하려고 하는 교육학. 교육의 사회적 조건과 사회 생활의 교육적 조건과의 연구를 그 임무로 하고, 인간은 사회에 있어서만 인간으로 될 수가 있다고 하는 것이 그 근본 신조(根本信條)로 되어 있음. 슐라이어마허(Schleiermacher)·나토르프(Natorp)는 그 대표적인 논자(論者)임.

사회적 교통【社會的交通】 명 〖사〗 사회의 성원(成員)인 개인과 개인 사이에 서로 교섭하는 관계.

사회적 교환 이:론【社會的交換理論】〔—니—〕 명 〖심〗 대인(對人) 관계의 성립, 우의(友誼)의 발생 등을 상거래에 있어서의 매매인(賣買人)의 교섭(交涉)으로 간주해서 대인 관계의 여러 가지 형태를 설명하려는 이론. 이 때에 취급되는 상품은 무형(無形)이며 인간적 속성(屬性)에 관한 것이 됨.

사회적 구속【社會的拘束】 명 〖사〗 일정한 사회 집단이 그 단체의 질서를 유지하고 옹호하기 위하여 필연적으로 그 성원(成員)의 행동을 구속하는 일. 이 사회적 구속은 전통·종교·예의·도덕·법률·관습 등의 현상에 나타나 있음. 프랑스 사회학자 뒤르켐(Durkheim)이 사용한 용어임. *위압.

사회적 규범【社會的規範】 명 ①〖사〗 사회 규범❶. ②〖심〗 사회적 기준(基準)❷.

사회적 규준【社會的規準】 명 ①〖사〗 사회 규범(規範)❶. ②〖심〗 사회적 기준(基準)❷.

사회적 기준【社會的基準】 명 ①〖사〗 사회학에 있어서 행위 이론의 기초적인 한 개념으로서, 인간에게 일정한 사회적 행위를 당위적(當爲的)으로 요구하는 관념. 명제(命題)로서의 언어적 표현을 반드시 수반하는 것은 아님. 사회 규범. ②〖심〗 집단 또는 사회에 있어서 그 집단의 표준으로 되어 있는 태도나 행동의 형(型). 이것이 곧 이 집단의 규범(規範)이 되어 어떤 사물에 대하여 성원간(成員間)에 공통적(共通的)인 판단을 하게 되는 원인이 됨. 그러므로 어떤 성원이 이 사회적 기준에 동조(同調)되는 행동을 하였을 때에는 시인·칭찬을 받으며, 벗어나는 행동을 하였을 때에는 부인·비난을 받음. 사회 규범. 사회적 규범. 사회적 규준.

사회적 기후【社會的氣候】 명 〖사〗 사회적 풍토.

사회적 긴장【社會的緊張】 명 〖사〗 국제간 또는 한 나라 안의 여러 집단·당파·계급인 등의 상호 교섭에 있어서 생기는 반감(反感)·대립·불신(不信)·경쟁·투쟁 등의 관계나 상태. 겉으로 드러난 투쟁은 아니지만 자칫하면 터질 듯한 상태에 있는 잠재적인 투쟁을 말함. 제2차 세계 대전 후 널리 쓰이게 된 말임.

사회적 문화적 생활 시간【社會的文化的生活時間】 명 생활 시간 가운데, 사회적 문화적 욕구에 충당되는 시간. *수입 생활 시간.

사회적 부적응아【社會的不適應兒】 명 그 소속된 사회의 생활 질서에 순응될 수 없는 아동. 곧, 나태아(懶怠兒)·불량아(不良兒) 등.

사회적 분업【社會的分業】 명 〖사〗 사회 내부에 있어서의 직업의 분화·전문화 또는 직능적(職能的) 분담(分擔)으로서의 분업. 인구의 증가, 교통의 발달, 기술의 진보, 생존 경쟁의 격화 등의 결과로 일어남. *기술적 분업.

사회적 분화【社會的分化】 명 〖사〗 개인·집단 및 사회가 서로 남과는 명확히 구별된 기능과 지위를 가짐으로써 이질화(異質化)를 증대시키고, 이와 병행하여 전체로서의 사회의 통합(統合)을 강화해 가는 변천 과정(變遷過程). 구조적 분화·기능적 분화·행위적 분화의 세 가지 종류로 나눌 수 있음.

사회적 비:용【社會的費用】 명 개인이나 기업의 사적인 경제 활동의 결과, 제삼자나 사회가 입게 되는 손실. 공해·실업 및 독점에 의한 폐해 따위. 소셜 코스트.

사회적 빈곤【社會的貧困】 명 〖경〗 사기업(私企業)에 의한 생산의 확대에 비하여, 주택·병원·교육·수송 등의 시설, 에너지·물의 공급 등 공공적(公共的) 서비스의 충족·향상이 훨씬 뒤떨어진 상태.

사회적 사:실【社會的事實】 명 〔프 fait social〕〖사〗 사회학 고유의 연구 영역(領域)으로 될 수 있는 사실. 곧, 개인의 밖에 있으면서 일종의 강제력을 가지며, 이에 의하여 개인의 행동을 제약(制約)하는 행위·사고(思考)와 감득(感得)의 양식(樣式). 도덕·종교·범죄·유행·의리(義理) 등. 뒤르켐(Durkheim)은 이것을 사회학 고유(固有)의 대상으로 삼았음.

사회적 성:격【社會的性格】〔—껵〕 명 〖사〗 같은 집단이나 계층(階層)에 속하는 성원(成員)의 성격에 공통되는 특성을 추출(抽出)하여 유형화(類型化)한 추상적(抽象的) 성격의 형(型). 남자다운 성격·관료적 성격·소시민적 성격·국민성 등이 그 예임.

사회적 소:득【社會的所得】 명 〖사〗 근로자가 임금(賃金) 이외에 수익(受益)하는 복리(福利) 시설·사회 보험 등의 간접적인 소득.

사회적 암:시【社會的暗示】 명 〖심〗 군중 심리(群衆心理)에 의하여 무비판적으로 받아들이는 암시 또는 개인이 소속 집단의 성원(成員)에게서 받는 암시.

사회적 압력【社會的壓力】〔—넉〕 명 〖사〗 개인이나 집단의 태도·의견·행동을 특정 방향으로 유도하고, 변화하도록 작용하는 사회적 영향.

사회적 역할【社會的役割】〔—녁—〕 명 개인의 사회적 지위(地位)에 따라 기대되는 행위의 내용.

사회적 예:후【社會的豫後】〔—네—〕 명 범죄자 또는 비행 소년을 조사하여, 그 장래의 범죄 또는 비행을 예측하는 일. 범죄 예측.

사회적 욕구【社會的欲求】〔—녹—〕 명 〖사〗 공적(公的) 욕구의 하나. 사회의 모든 사람들이 균등한 양(量)의 소비를 향수(享受)할 수 있는 서비스에 의하여 충족되고 또한 배제 원칙(排除原則)이 적용되지 아니하는 따위의 욕구. 그 예로서는, 외국으로부터 공격에 대한 방위, 국내 치안을 확보하고 질서를 유지하기 위한 경찰·사법 기구·공중 위생 및 공중 사업 등을 들 수 있음.

사회적 유대【社會的紐帶】〔—뉴—〕 명 〖사〗 사회 유대.

사회적 윤리【社會的倫理】〔—뉼—〕 명 〖윤〗 사회 윤리❷.

사회적 입법【社會的立法】 명 〖법〗 사회 입법.

사회적 적응【社會的適應】 명 〖사〗 인간의 그 사회적 환경과 조화적(調和的) 관계를 보지(保持)하고 있는 상태. 또, 그 과정. 곧, 개인이 가정의 일원(一員)·근로인(勤勞人)·시민(市民)으로서, 가정 생활·직업 생활·소비(消費) 생활·건강(健康) 생활·여가 이용(餘暇利用) 생활 등의 영역(領域)에 적응하여 활동하는 일.

사회적 정보화【社會的情報化】 명 〖사〗 사회적 분야에의 정보 시스템의 적용과 보급. 컴퓨터가 국방·우주 관계(宇宙關係) 및 정부나 기업의 경영에 이용되어 왔으나, 최근에는 의료나 교육·공해(公害)·교통 등의 사회적 분야의 정보화가 적극적으로 추진되고 있는데, 이런 현상 등을 이름.

사회적 정체【社會的停滯】 명 〖사〗 사회의 여러 가지 제도가 고정화된 결과, 그 진보·발전이 불가능하게 된 상태.

사회적 존재【社會的存在】 명 변증법적 유물론(辨證法的唯物論)에서, 사람들이 상호간에 맺는 물질적인 사회 관계의 총체. 사회적 의식(意識)이 이것으로 인하여 규정된다는 것이 변증법적 유물론의 기본적 입장임. *사회 의식.

사회적 지각【社會的知覺】 명 〖심〗 자극(刺戟)이 가지는 사회적 가치나, 자극 대상과 자극하는 사람과의 사회적 관계와 같은 사회적인 인자(因子)의 규정을 받고 있는 지각. 보통의 지각의 연구에 있어서는 외적(外的)인 자극 조건의 규정을 문제로 하지만, 사회적 지각의 연구에 있어서는 개체 내부의 조건이나 사회적 조건에까지도 문제 영역(領域)을 넓히고 있음.

사회적 지위【社會的地位】 명 〖사·심〗 사람들이 그들에게 주는 사회적 존경이나 또는 위신(威信)의 정도에 따라 하나의 전체 사회 속에서 차지하는 위치. 이 사회적 지위를 결정하는 요인(要因)은 집단에 따라 다르지만, 일반적으로는 수입(收入)·직업·출신·가문(家門)·사회적 활동·능력·성격·교육 정도·인종·성(性) 등이 문제가 됨. 넓은 뜻으로는, 전체 사회뿐만 아니라 부분 사회에 있어서도 이 지위는 구별됨.

사회적 차별【社會的差別】 명 〖사〗 개인이나 집단이 불합리한 이유로 말미암아 사회 생활상 불평등한 취급을 받는 일.

사회적 책임론【社會的責任論】〔—논〕 명 〖법〗 신파 형법학의 기초가 되는 형사 책임론. 형사 책임의 근거는 행위자의 위험성과 사회에 적응할 능력에 의하여 결정된다는 주장. 도의적 책임론이 책임의 근거라고 주장하는 자유 의사의 개념을 부정함.

사회적 촉진【社會的促進】 명 〖사〗 집단(集團) 속에서 작업함으로써 달성 효과가 증대하는 현상.

사회적 풍토【社會的風土】 명 〖사·심〗 사회나 집단의 생활을 특징(特徵) 짓고 있는 일반적인 분위기(雰圍氣). 마치 자연적 풍토가 그 지역에 사는 생물의 생태(生態)를 특징 짓는 일반적 한정(限定)으로 되어 있는 것과 같이, 사회적 풍토는 각각 그 사회나 집단의 성원(成員)인 개개인의 생각·감정·행동에 대한 일반적 한정으로서 작용함. 따라서 특정한 사회적 풍토하(下)에서 사는 개개인은 그 일반적·지속적(持續的)인 영향 아래 점차 특정한 형(型)의 행동 양식을 유도(誘導)당하게 됨. 사회적 기후(氣候).

사회적 행위【社會的行爲】 명 〖사〗 다른 개인 또는 집단에게 어떠한 영향을 미치게 되는 의식적 또는 무의식적인 행위.

사회적 환경【社會的環境】 명 〖사〗 모든 사회 현상을 규정하는 사회적 결합 사실(結合事實)인 물질과 사람 및 법률·풍속·전통·제도·예술 등의 요소(要素).

사:회전 보이【四回戰—】〔boy〕 명 〔권투에서, 메인 이벤트 전에 오픈 게임으로서 4 라운드의 경기를 하는 데서〕 최하급의 선수.

사회 정신【社會精神】 명 그 사회를 구성하는 개인에게 공통되는 의사 및 마음의 작용.

사회 정:의【社會正義】〔—/—이〕 명 〖사〗 세상 일반 통념으로 생각한 올바른 도리. 법 아래서의 평등, 동일 노동에 대한 동일 보수 따위.

사회 정책【社會政策】 명 〖사〗 주로 사회 개량주의의 입장에서 노동 문제·실업 문제(失業問題) 등의 사회 문제를 해결하기 위하여 행하는 국가나 공공 단체의 정책. 곧, 공장법·노동 보험법·최저 임금법·노동 쟁의 조정(爭議調整)·직업 소개·실업 구제 등의 정책.

사회 정책적 입법【社會政策的立法】 명 〖법〗 사회 입법.

사회 정책파【社會政策派】 명 〖경〗 1872년 브렌타노(Brentano, L.)·바그너(Wagner, A.)·슈몰러(Schmoller, G.) 등 독일의 신(新)역사학파의 경제학자를 중심으로 설립된 사회 정책 학회에 의하여, 사회 정책의 이론적 연구와 계몽 운동을 행한 파. 강단(講壇) 사회주의파. 사회 정책 학파.

사회 정책 학파【社會政策學派】 명 〖경〗 사회 정책파.

사회 정학【社會靜學】 명 〔social statics〕〖사〗 역학적(力學的) 개념에 의한 사회학 체계의 한 부문. 이 분류는 사회학의 창시자인 콩트(Comte)에 의하여 최초로 제창(提唱)되었는데, 그는 사회 체제의 여러 부문이 서로 계속적으로 행하는 작용과 반작용(反作用)과를 고찰하여 '공존(共存)의 법칙' 및 '질서(秩序)의 원리'를 설정하는 부문으로 하였음. ↔사회 동학(社會動學).

사회 제:도【社會制度】 명 〖사〗 습관이나 법에 의하여 고정화(固定化)되고, 개개의 성원(成員)의 의사로부터 독립하여 집단의 태도나 행동을 규제하는 일련의 고정적인 행동 양식. 곧, 한 사회에 의하여 지지되고 있는 정치·경제 제도. 넓게는 종교·도덕·법률·관습·신화(神話) 등 제도도 포함됨.

사회 조사【社會調査】 명 〖사〗 사회 생활의 여러 가지 조건에 관한 이모저모를 여러 가지 태도와 방법으로써 행하는 조사. 그 조사 대상의

범위는 전체 조사·표본 조사·개별 조사의 셋으로 크게 나누고, 자료 수집에는 관찰·조사표·질문지(質問紙)·면접 등의 기술적 방법을 씀.

사회 조직【社會組織】명〖사〗공통의 목적을 달성하기 위하여 일정한 규율하에 결합되어 있는 사람들의 상호 의존적인 공동 양식(樣式). 곧, 사회의 생존(生存)과 질서를 유지하고 있는 협동(協同)의 조직. 문화의 유지(維持)·발전의 주체가 됨. *사회 체제(社會體制).

사회-주의【社會主義】[ㅡ/ㅡ이] 명〔socialism〕〖사〗①생산 수단을 공유로 하는 사회 제도. 또, 그러한 사회 제도를 실현하려는 사회 사상 및 사회 운동. ②공산주의자들의 용어로는 자본주의로부터 공산주의로 발전하는 중간적인 단계로서, 각인의 노동에 따라서 생산물의 분배가 행하여지는 상태. ③넓은 뜻으로 사회주의 운동을 둘로 구분하여, 공산주의에 대립하는 사회 민주주의 및 민주적 사회주의를 이름.

사회주의 경:쟁【社會主義競爭】[ㅡ/ㅡ이ㅡ] 명〖사〗사회주의 제국에서 과학 기술의 진보와 노동 생산력의 증대를 도모하기 위하여 근로 대중이 창의를 발휘하여 동지적으로 행하는 집단 경쟁. 소련의 국가 발전의 초기에 사회주의 건설을 위한 긴급 임무의 하나로서 레닌이 제기(提起)하였음.

사회주의 경제【社會主義經濟】[ㅡ/ㅡ이ㅡ] 명〖경〗광의(廣義)의 공산주의 사회인 사회주의 사회의 경제적 기초로서의 생산 수단은 전인민의 공유로 되며, 계급 대립은 해소되고 생산력의 증진이 사회 전체의 물질적·문화적 욕망을 최대한으로 충족하도록 보장한다는 경제. 구체적으로는 사회주의 국가의 경제를 가리킴.

사회주의 경제권【社會主義經濟圈】[ㅡ꿘/ㅡ이ㅡ꿘] 명 사회주의 경제 체제를 취하던 지역. 소련·헝가리·폴란드·루마니아·동독 등의 동구(東歐) 제국이 중심이 되어 결성하고 있던 코메콘의 가맹국이 이에 속함.

사회주의 경제학【社會主義經濟學】[ㅡ/ㅡ이ㅡ] 명〖경〗생산 수단의 사회적 소유가 완전히 지배되고, 근로자가 착취에서 해방되며, 생산물의 분배가 각자의 노동에 따라서 노동자 자신의 이익을 위하여 이루어져야 한다는 사회주의 경제에 관한 이론 체계(體系).

사회주의 국가【社會主義國家】[ㅡ/ㅡ이ㅡ] 명 사회주의 경제를 기초로 하는 국가.

사회주의 노동자 인터내셔널【社會主義勞動者ㅡ】〔International〕[ㅡ/ㅡ이ㅡ] 명 제이 인터내셔널(第二International).

사회주의 리얼리즘【社會主義ㅡ】[ㅡ/ㅡ이ㅡ] 명〔러 sotsialititcheski realizm〕〖예〗스탈린의 제창과 고리키(Gorky)의 지도에 의해 1934년 소련에서 일어난 예술 및 문학의 창작 방법. 사회주의적 현실을 사실적(寫實的)으로 파악하여 낡은 사상을 비판하며 계급 대립이 없는 새로운 사회를 위한 투쟁을 포함하는 혁명적인 로맨티시즘을 내포(內包)하면서, 나아가 인민의 교육을 의도하는 작법.

사회주의 문학【社會主義文學】[ㅡ/ㅡ이ㅡ] 명〖문〗프롤레타리아 문학.

사회주의 사:상【社會主義思想】[ㅡ/ㅡ이ㅡ] 명 사회주의를 주장하는 사상. 생시몽(Saint-Simon)·푸리에(Fourier)의 공상적 사회주의 사상, 마르크스·엥겔스의 과학적 사회주의 사상 따위가 대표적임.

사회주의 사회【社會主義社會】[ㅡ/ㅡ이ㅡ] 명 마르크스주의에서, 자본주의 사회로부터 공산주의 사회로 이행(移行)하기 이전의 단계를 이르는 말.

사회주의 인터내셔널【社會主義ㅡ】〔International〕[ㅡ/ㅡ이ㅡ] 명 1951년에 결성된 민주 사회주의 제정당의 국제적 조직. 코미스코(COMISCO)를 모체(母體)로 한 것. 서구적(西歐的)인 면이 강하기 때문에 아시아 지역의 제정당은 비판적임. 본부는 런던.

사회주의-자【社會主義者】[ㅡ/ㅡ이ㅡ] 명 사회주의를 신봉하고 그 실현에 노력하는 사람.

사회주의적 생산 양식【社會主義的生産樣式】[ㅡ냥ㅡ/ㅡ이ㅡ냥ㅡ] 명〖경〗생산 수단이 사회적 소유가 되고, 계급 대립과 착취가 소멸하고, 계획 경제에 입각한 사회 발전이 행하여진다는 생산 양식. 각자 노동에 준한 분배를 받고, 생산력의 고도 발전으로, 각자 필요한 만큼의 분배를 받는 사회주의의 고차적(高次的) 단계인 공산주의로 이행한다는 주장임.

사회주의 진:압법【社會主義鎭壓法】[ㅡ/ㅡ이ㅡ] 명〖법〗1878년 독일의 비스마르크가 사회주의적 경향을 갖는 모든 결사(結社)·집회·출판 등을 엄금하여 1890년까지 존속하였던 법률.

사회주의 혁명【社會主義革命】[ㅡ/ㅡ이ㅡ] 명〖사〗〔socialist revolution〕프롤레타리아 혁명.

사회 지리학【社會地理學】명 지리학적 사회학.

사회 지표【社會指標】명〖경〗국민 총생산·물가 지수 등 경제 활동의 규모·수준을 나타내는 경제 지표에 대하여, 도시 인구 1인당의 공원 면적·1세대당 주택 면적·상수도 보급률 등 경제 이외의 사회 상태를 나타내는 통계 수치. 미래 사회의 예측·계획의 기초가 됨.

사회 지표학【社會指標學】명 인간 생활의 복지(福祉) 상황과 사회 여건(與件) 현황을 양적(量的) 질적으로 파악하여, 앞으로 일어날 사회적 문제 해결의 지표(指標)를 예측·지적하고 이에 대응하는 사회 정책 수립을 모색하는 학문 분야. 1960년대말에 미국에서 창시됨.

사회 진:화【社會進化】명〖사〗사회 유기체설(有機體說)에 입각하여 사회의 움직임을 보았을 때, 역사상 사회 조직이 계속적으로 변화·발달하는 일. 곧, 자연 과학에 있어서의 진화론을 사회적으로 응용한 개념으로서, 때때로 사회 진보와 동일시(同一視)되고 있음.

사회 진:화론【社會進化論】명〖사〗19세기말, 다윈의 진화론을 원용(援用)하여 사회의 발전·진화를 설명하려는 학설. 스펜서(Spencer, H.)가 그 대표적 사상가임. 사회 다위니즘(社會Darwinism).

사회 질서【社會秩序】[ㅡ써] 명〔프 order sociale〕〖사〗사회를 구성하는 제요소(諸要素)·제세력(諸勢力) 사이의 조화적(調和的) 관계(關係). 일반적으로 정치·법·도덕·종교 등 제분야에 있어서는 사회 질서의 존재, 혹은 그보다 나은 실현이 사회 생활의 전제(前提) 내지 목표를 이루는 가치라고 생각하며, 분쟁(紛爭)은 이를 파괴하는 이상(異常)과 정이라고 죄악시하고 있으나, 분쟁도 사회적·문화적 통합의 형성 발전을 위하여 정당하고 또한 중요한 요소가 되는 일면도 있음.

사회 집단【社會集團】명〖사〗행위자간에 존재하는 사회 관계의 집합. 객관적인 관찰이 가능한 현상으로 보는 측면과, 성원의 관점에 의하여 사회 심리적인 현상으로 보는 측면이 있음. 가족이나 이웃 사람·직장에 근무하는 사람들같이 그 집단 구성원이 직접적이고 상호간 밀접한 관계에 있는 것을 '제일차(第一次) 집단'이라 하고, 국가나 정당처럼 간접적·부분적 관계에 있는 것을 '제이차 집단'이라 함.

사회 참여【社會參與】명 학자나 예술가가 정치·사회 문제에 관심을 가지고 그 계획에 참가하여 간섭하는 일. 앙가주망(engagement).

사회 책임 지표【社會責任指標】명〖경〗기업의 사회적 책임 수행도를 수량적으로 나타내는 데 쓰이는 지표. 아직은 시론적(試論的)인 것에 불과하나 공해 방지 투자와 그 효과, 공장 부지가 차지하는 녹지(綠地)의 비율, 원자재를 절약하여 폐기물을 재이용하는 자원 이용 비율 따위가 그것임.

사회 책임 회:계【社會責任會計】명〖경〗기업이 사회적 책임을 수행하기 위한 비용과 그 흡수(吸收)를 계산하는 방식. 사회적 책임 비용은 공해 방지 설비 투자 등의 대(對)사회 비용, 임금 인상 등의 대(對)종사원 비용, 서비스 향상 등의 대(對)소비자 비용, 대(對)주주(株主) 배당 등이며, 이들 비용의 흡수책은 비용 지출의 삭감, 가격 전가(轉嫁), 합리화에 의한 흡수 등임.

사회 철학【社會哲學】명〔social philosophy〕〖철〗사회는 어떻게 존재하여야 하는가를 논하는 철학. 사회 과학과 다른 점은 사회 과학이 사회는 현실로 어떻게 존재하고 있는가 하는 현실 인식을 목적으로 하는 데 대하여, 사회 철학은 사회 성립의 철학적 근거를 캐고 현존 사회의 상태를 가치적인 입장에서 비판하며, 나아가 장래의 사회는 이렇게 존재하여야 한다고 하는 점을 논하는 성질을 가지고 있음.

사회 체육【社會體育】명 가정과 학교 이외에서 하는 체육. 공장이나 회사 같은 데서 조직화되어 이루어지는 것과, 동호자(同好者)들이 모여 단체를 이루어 하는 것이 있음. 그 내용과 범위가 넓으며, 때와 장소를 가리지 않고 일반 사람들이 하고 있는 체육을 일컬음.

사회 체제【社會體制】명〖사〗①어떤 국민이나 정당의 어느 특정의 목표나 사태에 대응하는 본연의 자세. 전시(戰時) 체제·거당(擧黨) 체제 등. ②어느 국가의 지배적인 정치 질서. 자유주의 체제·파시즘 체제 등. ③역사적 사회의 구조적인 상태. 자본주의 체제·사회주의 체제 등.

사회 측정학【社會測定學】명〖사〗소시오메트리(sociometry)❶.

사회 탐방【社會探訪】명 여러 사회를 방문하여 다니는 일. 신문이나 잡지·텔레비전·라디오 따위에서 사건·풍속·현상(現象) 따위의 진상을 알아내기 위하여 현지에 출장하여 취재하는 일. 또, 그 기사·기록.

사회 통:계【社會統計】명〖사〗사회 현상에 관한 통계. 인구의 동태(動態)에 관한 인구 통계, 생산·상업·무역·운수·통신·재정·금융·물가(物價)·노동·소비 등에 관한 경제 통계, 정치·사법·교육·종교·위생·오락 등에 관한 사회 문화 통계의 셋으로 크게 나눔.

사회 통:계학【社會統計學】명 사회 집단에 관하여 대량 관찰을 가하여 수량적으로 기술하고 분석하는 사회 과학의 한 부문으로서의 통계학. 19세기 후반부터 20세기초에 독일의 통계학계를 지배하였던 학풍을 원류(源流)로 함. ↔수리(數理) 통계학.

사회 통념【社會通念】명 사회 일반에 널리 퍼져 있는 상식 또는 판단.

사회 통신 교:육【社會通信教育】명〖교〗통신 교육의 하나. 학교 법인이나 공익 법인만이 아니고 일반인이 하는 통신 교육. *통신 교육.

사회 통:제【社會統制】명〖사〗사회 또는 사회내에 있는 어떤 하위(下位)의 집단이 그 구성 단위인 개인이나 집단의 동조(同調)와 복종을 확보하는 수단 및 과정의 총칭. 미국의 사회학자 로스(Ross, A.; 1866-1951)의 저서 ≪사회 통제(社會統制)≫에 의하여 처음으로 쓰이게 된 말인데, 그 범위와 형태는 매우 넓으나 대개 여론·법률·신앙·도덕·관습·예의·교육 등으로 분류될 수 있음.

사회 파시즘【社會ㅡ】〔Fascism〕명〖정〗〔사회주의를 표방(標榜)하면서 자본주의와 타협하여 이의 붕괴(崩壞)를 막는 일이 파시즘과 같다는 뜻에서 나온 말〕공산주의자가 제1차 세계 대전 이후에 사회 민주주의의 한 경향에 대해서 붙인 이름.

사회-학【社會學】명〔프 sociologie〕〖사〗사회 관계의 여러 현상(現象) 및 사회 조직의 원리·법칙·역사 등을 대상으로 하여 연구하는 학문. 사회 과학과의 관계는, 사회 과학이 사회 현상을 각기 경제·법률·정치·교육·종교 등 과학의 측면(側面)에서 연구하는 데 대하여, 사회학은 인간의 사회적 형성·형성된 사회적 인간의 집단 생활과 그 속에서 볼 수 있는 사회적 문화 등의 조건·형태와 같은, 공동 생활을 영위하는 인간의 사회 관계 및 집단에 중심적인 관점을 둠. 프랑스의 철학자 콩트(Comte)가 처음으로 사회학이란 말을 만들고, 이 과학을 체계화(體系化)하였음. 「사회과(社會科).

사회학-과【社會學科】명〖교〗대학에서, 사회학을 전공하는 학과. *

사회학적 윤리학【社會學的倫理學】[ㅡ뉼ㅡ] 명〖윤〗도덕 현상을 사회적 사실로 보고서, 여러 사회 현상이 도덕 현상의 발생·발달·변천에 영향을 미친 상태를 기술하려고 하는 실증 과학(實證科學).

사회학-주의【社會學主義】[ㅡ/ㅡ이] 명〖사〗프랑스의 사회학자 뒤

르켐(Durkheim, E.)에 의하여 확립된 사회학상의 한 입장. 사회 현상은 생물 현상이나 개인적·심리적 현상과는 전혀 다른 독자적 성질을 가진 '집합 표상(表象)'으로서 연구해야 한다고 주장함. 독자적인 객관적·실증적 방법을 도입하여 사회학 속에 도덕 사회학·종교 사회학·법률 사회학·경제 사회학 등의 여러 부문을 확립하고, 사회학의 종합적 체계를 수립하는 성과를 거둠. 사회주의와는 전혀 관계없음.

사회 혁명【社會革命】명〖사〗낡은 생산 관계를 고수(固守)하면서 국가 권력을 잡고 있는 계급과 교체(交替)하여 새로운 생산 관계의 확립을 목표로 하는 계급이, 권력을 탈취(奪取)하는 과정. 반란이나 주권자의 폭력적 교체를 의미하는 단순한 정치 혁명과는 달리, 생산력과 생산 관계와의 모순을 해결하려고 하고 사회 전체의 변혁(變革)을 목표로 하는데, 프랑스 혁명·러시아 혁명과 같이 외국의 간섭 전쟁을 가져오게 하여, 국내적인 면과 함께 대외적인 성격을 띰.

사회 혁명당【社會革命黨】명〖역〗제정 러시아 말기에 있었던 정당. 1901년에 창립, 나로드니키(Narodniki)의 사상을 받아, 비교적 부유한 농민을 지반으로, 11월 혁명까지 지도적 세력을 가졌으며, 케렌스키(Kerenskii, A.F.)도 이 당에 속했음. 에스 아르(SR).

사회 현:상【社會現象】명〖사〗①넓은 뜻으로 사회에 나타나는 모든 현상 곧, 경제·도덕·법률·예술·종교 등의 현상. ②좁은 뜻으로는, '사회 사실(社會事實)'과 같음.

사회-형【社會型】명〖사〗사회 관계·사회 집단의 기초적 유형(類型). 퇴니에스(Tönnies, F.)의 이익 사회·공동 사회, 스펜서(Spencer, H.)의 산업적 사회·군사적 사회, 뒤르켐(Durkheim, E.)의 환절(環節) 사회·유기(有機) 사회와 같은 것.

사회 형상【社會形象】명〖사〗다수(多數)의 사회 관계의 복합적(複合的) 통일체. 내용적으로는 넓은 뜻의 사회 집단과 거의 같음.

사회 형태【社會形態】명〖사〗사회의 형태. 곧, 원시 공산체·노예 사회·봉건 사회·자본주의 사회·사회주의 사회 및 공동 사회·이익 사회·문화 사회 등.

사회 형태학【社會形態學】명〖사〗토지의 광협(廣狹)이나 지형(地形), 인구의 배치 상태, 이주(移住)의 동향, 도시적 집합과 촌락적 집합 등, 사회를 그 외부적 형태에 있어서 연구하는 사회학의 한 부문. 경제 지리학을 포함하는 경우도 있음. 뒤르켐(Durkheim, E.) 등에 의하여 개척됨. 인문 지리학·경제 지리학·민족학·인간 생태학 등과는 밀접한 관계에 있음.

사회-화【社會化】명〖사〗①인간의 상호 작용, 상호 영향의 과정. ②개인이 집단의 성원으로서 생활할 수 있게 되는 동화(同化)의 과정. ③국가 또는 공공 기관에 의한 산업의 통제(統制)·관리·소유를 말하며 사회주의화(社會主義化)를 의미하는 경우와 그렇지 아니한 경우가 있음. ——-하다 자타여불

사회 환원 사:업【社會還元事業】명〖경〗기업(企業) 이익의 일부를 사회에 환원하기 위한 사업. 사회 복지 시설이나 학술 연구 기관 등에 대한 기부, 환경·건강 관계 등 연구소의 설립, 교양 세미나의 개최 등.

사회 회:계【社會會計】명〖경〗영국의 경제학자 힉스(Hicks, J.R.)의 용어. 사회 전체와 국민 경제 전체를 대상으로 하는 회계.

사횟대 명〈옛〉상앗대. ¶ 사횟대 고(篙)《字會 中 25》.

사:효【四爻】명〖민〗육효의 네째 효. 「來世).

사:후[1]【死後】명 ①죽은 후. 망후(亡後). 신후(身後). ②〖불교〗미래세(未

[사후 술 석 잔 말고 생전에 한 잔 술이 달다] 죽은 후에 아무리 잘 하여도 소용 없는 것이니 살아 있는 동안에 적은 대접이나마 하라는 뜻. [사후 약방문(藥方文); 사후 청심환(淸心丸)] 죽은 후에 약을 구한다는 뜻으로, 때가 지난 후에 어리석게 소용없는 애를 씀을 비유하는 말.

사후[2]【伺候】명 ①웃어른 곁에 가까이 있으면서 분부를 기다림. 대후(待候). ②웃어른을 찾아 뵙고 문안을 드림. ——-하다 자여불 「리.

사:후[3]【事後】명 일이 지난 뒤. 일을 끝낸 뒤. ↔사전. ¶ ~ 승낙/~ 처

사후[4]【射候】명 활 쏠 때 과녁으로 쓰는 베. 사방 열 자 가량임.

사:후 감사【事後監査】명 과거의 행위·사실을 대상으로 하는 통상적인 감사. ↔사전(事前) 감사.

사:후 강:도【事後強盜】명〖법〗절도(竊盜) 범인이 훔친 물건을 뺏기지 않으려고 항거하거나 또는 체포를 피하거나 죄적(罪迹)을 인멸(湮滅)할 목적으로 폭행이나 협박을 하는 일. ¶ ~죄.

사:후 강직【死後強直】명〖생〗동물체가 죽은 직후 근육·관절 등이 일단 느즈러졌다가 5-6 시간 지난 후 전신이 뻣뻣이 굳어서 오그렸다 폈다 하기 어렵게 되는 상태. 그러나, 죽은 후 24-48 시간에는 다시 느즈러지는 동시에 시체는 심한 냄새를 풍기며 썩기 시작함. 사후 경직(硬

사:후 경직【死後硬直】명〖생〗사후 강직. ㄴ直). 사경직(死硬直).

사:후 공명【死後功名】명 죽은 뒤에 내리는 벼슬이나 시호(諡號).

사:후 녹음【事後錄音】명 애프터 리코딩.

사후-도【伺候島】명〖지〗전라 남도 남해상(南海上), 완도군(莞島郡) 군외면(郡外面) 영풍리(永豐里)에 위치한 섬. [1.89 km^2: 373 명 (1984)]

사:후 명장【死後名將】명 죽은 후에 비로소 이름이 높아진 장수.

사:후법의 금:지【事後法―禁止】[―뻡―/―뻡에―] 명〖법〗실행할 때 적법(適法)이었던 행위에 대하여 후에 이르러 형사(刑事) 책임을 추궁하는 것을 원칙적으로 금지하는 일. 형벌 불소급(刑罰不遡及)의 원칙.

사:후 변:화【死後變化】명 사후에 시체에 나타나는 여러 가지 물리적·화학적 변화의 총칭. 곧, 초기에 있어서의 체온(體溫)의 강하(降下)·사후 강직(強直)·시반(屍斑)·체표(體表)의 건조(乾燥)와 후기에 있어서의 혈액의 용해(溶解) 및 혈관외 삼출(血管外滲出), 부패(腐敗)의 진행에 의한 가스(gas) 발생·조직 장기(臟器)의 변성(變性) 붕괴(崩壞)의 과정을 거쳐 최후로 골격화(骨格化)하였다가 형체마저 없어지는 변화.

사:후 분만【死後分娩】명〖의〗사태(死胎) 분만. 「(斥候)에 썼음.

사후-선【伺候船】명〖역〗수영(水營)에 딸린 전선(戰船)의 하나. 척후

사:후 설립【事後設立】명〖법〗회사 설립 후에 영업용으로 예정하여 놓은 재산을 회사가 유상(有償)으로 취득하는 일. 주주 총회 또는 사원 총회의 특별 결의를 필요로 함.

사:후 승낙【事後承諾】명 승낙을 얻은 뒤에 할 일을 승낙없이 한 경우, 관계자가 그 행위를 시인(是認)하여 주는 일. ——-하다 타여불

사:후 승인【事後承認】명〖법〗국회 폐회중, 정부가 행한 행정상의 긴급 명령·재정상의 긴급 처분 등을 국회가 사후에 시인하고 결의(決議)하여 주는 일. ——-하다 타여불

사:후-심【事後審】명〖법〗상소심(上訴審)의 한 형태. 원심(原審)의 기록을 토대로 하여 원판결(原判決)의 당부(當否)를 심판하는 심급(審級). 민사 및 형사 소송에서의 상고심(上告審) 및 형사 소송법상의 항소심(抗訴審)은 사후심 구조(構造)이지만 사실 문제의 심리도 행할 수 있는 점에서 그 심리의 범위가 비교적 넓음. *속심(續審).

사:후 원가 계:산【事後原價計算】[―까―] 명〖경〗실제(實際) 원가 계산. ↔사전(事前) 원가 계산.

사:후 종범【事後從犯】명〖법〗범행 후에, 범인을 은닉(隱匿)하거나 또는 증거를 인멸(湮滅)하거나 하여 범인의 이익을 도모하는 행위.

사:후 처:분【死後處分】명〖법〗사인 처분(死因處分).

사:후 행위【死後行爲】명〖법〗사인 행위(死因行爲).

사훈[1]【社訓】명 사원(社員)이 지켜야 할 회사의 방침.

사훈[2]【師訓】명 스승의 교훈.

사훈[3]【斜曛】명 사휘(斜暉).

사훈-각【思勳閣】명〖역〗조선 시대 때, 정도전(鄭道傳)·남곤(南袞) 등 개국 공신의 영정(影幀)을 모신 사당. 처음에는 이태조가 중국 당나라의 능연각(凌煙閣) 제도를 모방하여 장생전(長生殿)을 설치하고 태조의 상(像)까지 안치했으나, 태종 11년(1411)에 장생전을 헐고 사훈각을 지어 개국 공신의 영정만을 모시었음.

사훈-감【司勳監】명〖역〗신라 때, 상사서(賞賜署)를 경덕왕(景德王) 때 고친 이름. 혜공왕(惠恭王) 때 다시 환원됨.

사훤【詐諼】명 미덥지 못함. ——-하다 형여불

사:-휘[1]【四―】명〖건〗네 가지 빛으로 된 휘.

사휘[2]【私諱】명 가휘(家諱).

사휘[3]【斜暉】명 비스듬히 비치는 석양(夕陽)의 햇빛. 사훈(斜曛).

사휘[4]【辭彙】명 어휘(語彙)❷.

사흔【伺釁】명 사극(伺隙).

사흗-날 명 ↗초사흗날.

사흘 명 ①세 날. ②↗초사흘.

[사흘 굶어 담 아니 넘을 놈 없다; 사흘 굶어 도둑질 아니할 놈 없다] 아무리 착한 사람이라도 빈곤이 극도에 이르면 마음이 변하여 옳지 못한 짓을 하게 된다는 뜻. [사흘 굶어 아니 날 생각 없다] 사람이 극도로 곤궁하게 되면 여러 가지 나쁜 짓을 저지를 마음이 생기게 된다는 뜻. [사흘 굶으면 양식 지고 오는 놈 있다] 사람이 아무리 어렵게 지내더라도 굶어 죽는 일은 좀처럼 없다는 뜻. [사흘 굶은 범이 원님을 안다더냐] 몹시 굶주리면 아무 것도 가릴 것이 없게 된다는 뜻. [사흘길에 하루쯤 가서 열흘씩 눕는다] 성행이 몹시 게을러서 일을 도저히 성취시킬 성싶지 않음을 비유하여 일컫는 말. [사흘에 피죽 한 그릇도 못 얻어 먹은 듯하다] 얼굴빛이 좋지 않은 사람, 기운이 없는 사람을 놀리는 말. [사흘 책을 안 읽으면 머리에 곰팡이가 슨다] 책을 안 읽으면 머리가 낡아진다는 말.

사흘을 멀:다 하고; 사흘이 멀:다 하고 구 매번 사흘이 지나기도 전에 다시 되풀이하는 모양. 이삼 일 만에 버릇처럼 계속 되풀이하는 모양. ¶ 큰 금혈(金穴)이나 발견한 듯이 사흘을 멀다하고 재물을 토색하니《趙重桓: 菊의 香》.

사흘-돌이 명 사흘마다. 매삼일(每三日). ¶ 병을 ~로 앓는다.

사:흡반-류【四吸盤類】[―뉴] 명〖동〗[Taenia] 횡분체 조충류(橫分體條蟲類)의 한 목(目). 민촌충·갈고리촌충이 이에 속함. 머리는 구형(球形)이며 네 개의 흡반(吸盤)이 있음. 사람이나 개 등의 창자에 기생(寄生)하는데 중간 숙주는 소·양·돼지 등임.

사:흡엽-류【四吸葉類】[―뉴] 명〖동〗[Tetraphyllidea] 횡분체 조충류(橫分體條蟲類)의 한 목(目). 몸길이 70mm, 폭 4mm 가량, 편절(片節)은 뒤쪽으로 갈수록 넓고 뒤끝은 약간 좁음. 머리의 흡엽(吸葉)의 변연(邊緣)은 아주 오그라듦. 엽반충(葉盤蟲)이 이에 속하는데 별상어

사:흥【史興】명 역사에 대한 흥미. ㄴ의 창자에 기생함.

사-희곡【私戲曲】[―히―] 명〖연〗이히드라마(Ich-Drama).

사히다 피동〈옛〉쌓이다. ¶ 平原에 사힌 ᄲᅧᄂᆞᆫ 뫼두곤 노파 잇고《蘆溪太平詞》.

사ᄒᆞᆯ 명〈옛〉사흘. ¶ 사ᄒᆞᆯ 바ᄆᆞᆯ ᄌᆞ조 그듸ᄅᆞᆯ ᄭᅮ메 보니(三夜頻夢君)《杜諺 XI:52》.

사ᄒᆞᆯ다 타〈옛〉썰다[1]❶. ¶ ᄢᅬᆫ ᄆᆞᄂᆞ리 사ᄒᆞᆯ 씨라《月釋 XXI:76》.

삭[1] 명〈옛·방〉삯[1]. ¶ 지블 돌마다 銀현량곰 삭 물오드러 이셔 살시라《老朴·單字解 6》. 「113》.

삭[2] 명〈옛〉싹. =삯[2]. ¶ 神足은 삭 남 ᄃᆞᆺ고(神足如抽芽)《圓覺 上 二之二

삭[3]【朔】㊀명 ①↗합삭(合朔). ②↗삭일(朔日). ㊁의명 달 수를 나타내는 말. ¶ 사오 ~ 가량.

삭[4]【蒴】명〖식〗①선태류(蘚苔類)의 포자낭(胞子囊). 수정(受精)의 결과 발생하는데, 긴 꼭지가 있고 속에 많은 포자(胞子)가 있음. ②삭과(蒴果).

삭[5]【槊·矟】명 예전에, 무기로 사용하던 긴 삼지창(三枝槍)의 일종.

삭[6]【數】명〖악〗국악에 있어서 곡조나 장단 등이 매우 빠른 것을 표시

하는 이름. ¶ ~대엽(大葉).
삭⁷〔프 sac〕명 '색(sack)'의 프랑스 말.
삭⁸ 부 ①종이나 헝겊 따위를 가위로 단번에 베는 소리. 또, 그 모양. <석. ②한 번에 밀거나 쓸어 나가는 모양. ¶ 돈을 ~ 쓸어가다. <석. ③조금도 남기지 않고 죄다. ¶ 일하지 않는 자는 ~ 굶겨야 한다/얼굴에 핏기가 ~ 가시다/~ 밀어 붙이다. <석. ④책임을 회피하거나 전혀 모르는 체하는 모양. ¶ ~ 돌아앉아 모른 체하다. 1)-4): ㅆ싹.
삭가래 명〈방〉삽²(함남).
삭각【削刻】명 깎고 새김. ——-하다 타여불
삭-갈다 타〔농〕논을 미리 갈아 두지 못하고 모낼 때에야 한 번만 갈다.
삭-갈이 명〔농〕논을 삭가는 일. ——-하다 타여불
삭감【削減】명 깎아서 줄임. 감삭(減削). 산감(刪減). ¶ 예산을 ~하다. ——-하다 타여불
삭갓 명〈방〉삿갓.
삭거¹【削去】명 깎아 버림. ——-하다 타여불
삭거²【索居】명 무리와 떨어져 홀로 쓸쓸히 있음. ——-하다 자여불
삭거 독서【索居獨棲】명 세상과 떨어져서 홀로 고독한 생활을 보냄. ——-하다 자여불
삭-계【索契】명〔역〕새끼나 줄 따위를 공물(貢物)로 바치던 계.
삭계-미【索契米】명〔역〕새끼나 줄 따위의 공물(貢物) 대신 바치는 쌀.
삭고【朔鼓】명〔악〕아악기에 속하는 북의 한 가지. 응고(應鼓)와 비슷한데 약간 크고, 북통이 긴 북을 단 틀 위에 해 모양을 새기고 흰 칠을 했음. 회례연(會禮宴)의 헌가악(軒架樂)에 쓰이어, 풍악의 시작을 알릴 때 침. 삭비(朔鼙).

〈삭고〉

삭과¹【削科】명〔역〕과거의 규칙에 위반된 행위를 한 급제자(及第者)를 취소해 버림. ——-하다 타여불
삭과²【蒴果】명〔식〕열과(裂果)의 하나. 속이 여러 칸으로 나뉘고 각 칸에 많은 씨가 든 열매. 심피(心皮)의 등이나 심피 사이가 터져서 씨가 나옴. 장각과(長角果)·단각과(短角果) 및 개과(蓋果) 등이 있는데, 백합과(白合科)·봉숭아과·메꽃과 등의 열매가 이에 속함. 삭(蒴).

〈삭과²〉

삭관【削官】명 ↗삭탈 관직(削奪官職). ——-하다 자여불
삭관 원:찬【削官遠竄】명 삭탈 관직하여 먼 곳으로 귀양보냄.
삭구【索具】명 ①배에서 사용하는 로프(rope)나 쇠사슬 따위의 총칭. ②낙하산에 매어 놓은 끈.
삭금【朔禽】명〔조〕기러기.
삭기【朔氣】명〔한의〕한기(寒氣)❷.
삭뀡이 명〈방〉〔동〕살쾡이(충북).
삭뇨-증【數尿症】〔—쯩〕명〔한의〕오줌을 자주 누는 병. 대개는 방광 결석(膀胱結石)·요도 질환(尿道疾患) 등에서 생김.
삭다 자〔중세: 삭다〕①물건이 오래 되어서 본바탕이 변하여 썩은 것처럼 되다. ¶ 옷이 ~. ②툭툭하던 것이 묽어지다. ¶ 식혜가 ~. ③먹은 음식이 소화되다. ④긴장(緊張)되었거나 화가 났던 마음이 풀려 가라앉다. ¶ 성이 ~/분이 ~. ⑤젓갈·김치 같은 것이 익어 맛이 들다.
〔삭은 바자 구멍에 노란 개 주둥이〕다 썩은 바자 구멍으로 개가 주둥이를 잘 내밀 듯이, 말참견을 잘하는 사람을 이르는 말.
삭-다례【朔茶禮】명 매달 초하룻날 사당(祠堂)에서 지내는 다례. 삭단(朔單).
삭다리 명〈방〉삭정이(경상).
삭단【朔單】명 삭다례(朔茶禮).
〔삭단에 떡 맛보듯〕너무 작은 음식을 먹을 때에 비유하는 말.
삭-대엽【數大葉】명〔악〕가곡(歌曲) 곡조의 하나. 중대엽(中大葉)보다는 빠른 속도의 곡조로, 우조(羽調)·계면조(界面調)의 두 음계(音階)가 있고, 초삭대엽(初數大葉)·이(二)삭대엽. 삼(三)삭대엽·편(編)삭대엽의 네 가지 종류가 있음. 자진한잎.
삭도¹【削刀】명〔불교〕중의 머리털을 깎는 칼.
삭도²【索道】명 가공(架空) 삭도.
삭도³【索綯】명 새끼를 꼼. ——-하다 자여불
삭도-간【索道間】〔—깐〕명 가공(架空) 삭도의 중간 지점에 있어 수송의 안전 중계를 맡으며, 연락상의 주재원(駐在員)이 머물러 있는 막.
삭도 사:업【索道事業】명 가공(架空)된 삭조(索條)에 운반기(運搬機)를 달아 여객이나 화물을 운송하는 사업.
삭두-로【索頭虜】명〔역〕삭로(索虜).
삭둑 부 작고 연한 물건을 단번에 가볍게 베거나 자르는 모양. 또, 그 소리. ㅆ싹둑. <석둑.
삭둑-거리다 자타 작고 연한 물건을 자꾸 가볍게 베거나 자르다. ㅆ싹둑거리다. <석둑거리다. 삭둑-삭둑 부. ——-하다¹ 자타여불
삭둑-대다 자타 삭둑거리다.
삭둑삭둑-하다² 형여불 글의 뜻이 토막토막 끊어져서 문맥이 통하지 아니하다. ㅆ싹둑싹둑하다².
삭뚱이 명〈방〉〔동〕살쾡이(충북).
삭로【索虜】〔—노〕명〔역〕〔변발(辮髮)하고 있는 이적(夷狄)이란 뜻〕중국 남조(南朝) 사람이 북조의 위인(魏人)을 천(賤)하게 부르던 말.
삭료【朔料】〔—뇨〕명 한 달분의 급료(給料).
삭름【朔廩】〔—늠〕명〔역〕매달 나누어 주는 녹료(祿料). 곧 산료(散料).
삭립【削立】〔—닙〕명 깎아지른 듯이 서 있음. ——-하다 자여불
삭마【削磨】명 ①깎아 문지름. ¶ ~ 작용. ②〔지〕침식(浸蝕)·풍화(風化)로 암석이 닳는 일. ——-하다 자타여불
삭마 작용【削磨作用】명〔지〕삭박 작용(削剝作用).
삭마-제【削磨劑】명 표층(表層)이 제거되는 물질. 우주 비행체(宇宙飛行體)가 지구의 대기권 안으로 재돌입(再突入)할 때, 비정상적인 열(熱) 에너지를 소산(消散)시킬 목적으로 쓰일 때가 많음.
삭막¹【索莫·索寞·索漠】명 ①잠깐 잊어버려 생각이 잘 안 남. ②황폐하여 쓸쓸함. ¶ ~한 풍경. ——-하다 형여불
삭막²【朔漠】명 북쪽에 있는 사막(沙漠).
삭말【削抹】명 삭제(削除)하고 말소(抹消)함. 깎아서 지워 버림. ——-하다 타여불
삭망【朔望】명 ①음력(陰曆) 초하루와 보름날. ②↗삭망전. ③달의 궤도상(軌道上)에서 달·지구·태양이 일직선(一直線)으로 놓인 점(點).
삭망 고조【朔望高潮】명 음력 초하룻날에서 보름까지의 기간의 만조(滿潮).
삭망 분:향【朔望焚香】명〔역〕매월 초하루와 보름날의 미명(未明)에, 대사성(大司成)이나 성균관의 관관(館官)·제생(諸生)들이 문묘에 나아가 올리는 분향 의식.
삭망-월【朔望月】명〔천〕달이 삭(朔), 즉 신월(新月)부터 다음의 삭까지 또는 망(望), 즉 만월(滿月)로부터 다음의 망까지 갈 동안에 걸리는 시간(時間). 평균(平均) 29일 12시간 44분 2초 8임.
삭망-전【朔望奠】명 상중(喪中)에 있는 집에서, 매달 초하룻날과 보름날에 지내는 제사. 준삭망(朔望).
삭망-제【朔望祭】명 종묘나 문묘 따위에서 매달 초하룻날과 보름날에 간략하게 드리는 제사. ＊삭망전(朔望奠).
삭맥【數脈】명〔한의〕맥학상(脈學上)의 부침(浮沈)과 지삭(遲數)의 한 가지. 보통 사람의 맥보다 빈도(頻度)가 잦은 맥.
삭면【索麪】명 밀가루를 소금물에 반죽하여 기름을 치고 얇게 밀어서 실오리처럼 썬 것을 햇볕에 말린 국수의 한 가지. 삶아서 냉수에 담갔다 먹음.
삭-모¹ 명〔농〕삭심는 모.
삭모²【削毛】명 털을 깎음. ——-하다 자여불
삭모³【槊毛】명 기(旗)나 창(槍) 등의 머리에 이삭 모양으로 만들어 다는 붉은 빛깔의 가는 털. 상모(象毛).
삭모-계【槊毛契】명〔역〕삭모를 공물(貢物)로 바치던 계.
삭목【槊木】명 기와 굽는 가마 옆에 세우는 푯말이나 기와의 모양을 일정하게 만들기 위한 목판.
삭미【朔米】명〔역〕다달이 공물(貢物)로 바치거나 급료로 주는 쌀.
삭박【削剝】명 ①닳아서 벗어짐. ②깎아서 벗김. ③〔지〕하수(河水)·빙하(氷河)·바람 따위로 지반(地盤)이 깎여서 평평해지는 일. 또, 그 작용. ——-하다 자타여불
삭박 작용【削剝作用】명〔지〕하수·빙하·바람 같은 것이 바위를 깎아 닳게 하는 작용. 바람은 모래를 날리어 작용하고, 물은 직접으로 작용함. 삭마 작용(削磨作用).
삭받다 자〈옛〉삯을 받다. ¶ 삭바돌 용(傭), 삭바돌 고(雇)《字會 中 2》.
삭발【削髮】명 ①머리털을 깎음. ②나무나 푸성귀를 함부로 베어 버리는 것을 비유한 말. ——-하다 자타여불
삭발-날【削髮—】〔—랄〕명〔불교〕중들이 머리를 깎기 위하여 일정하게 정해 놓은 날.
삭발-례【削髮禮】명〔천주교〕신품(神品)과 수사(修士) 지원자의 머리털을 깎는 예식.
삭발 염:의【削髮染衣】〔—렴—/—렴이〕명〔불교〕불문에 들어가서 머리를 깎고 검은 옷을 입음. ——-하다 자여불
삭발 위승【削髮爲僧】명 머리를 깎고 중이 됨. 낙발 위승(落髮爲僧). ——-하다 자여불
삭방¹【朔方】명 북방(北方)❸.
삭방²【削榜】명 방목(榜目)에서 제명함. ——-하다 타여불
삭방-도【朔方道】명〔역〕고려 성종(成宗)때 제정된 행정 구역으로 10도(道)의 하나. 지금의 강원도 북부 지방.
삭벌【削伐】명 ①나무를 밑동까지 바싹 자름. ②어떤 범위 안의 나무를 남김없이 모조리 벰. ——-하다 타여불
삭-베다 타 조금도 남기지 아니하고 모조리 베다.
삭-베먹다 타 조금도 남기지 아니하고 모조리 사그라뜨리어 베어먹다.
삭벽【削壁】명 높이 솟은 벽. 또, 깎이어 우뚝 솟은 암벽.
삭변-증【數便症】〔—쯩〕명〔한의〕장(腸)의 질환(疾患)으로 대변(大便)을 자주 누는 병증.
삭북【朔北】명 북방(北方)❸.
삭비【朔鼙】명〔악〕삭고(朔鼓).
삭-삭¹ 부 ①종이나 헝겊 따위를 가위로 연해 베는 소리. 또, 그 모양. ②연하여 거침없이 밀거나 쓸어 나가는 모양. ¶ 뜰을 ~ 쓸다. ③조금도 남김없이 죄다. ¶ ~ 긁어 모으다. ㅆ싹싹. <석석.
삭-삭² 부 사과하거나 애걸할 때에 손으로 비는 모양. ¶ ~ 빌다. ㅆ싹싹.
삭삭³【數數】부 자주자주.
삭삭-거리다 자타 삭삭 소리가 자꾸 나다. 또, 그런 소리를 자꾸 내다. ㅆ싹싹거리다. <석석거리다.
삭삭기 부〈옛〉바삭바삭. ¶ 삭삭기 세몰애 별해 나는 구은 밤 닷되를 심고이다《樂詞 鄭石歌》.
삭삭-대다 자타 삭삭거리다.
삭삭 왕:래【數數往來】〔—내〕명 자주 왕래하는 일. ——-하다 자여불
삭삭ᄒᆞ다 형〈옛〉만만하다. 바삭바삭하다. ¶ 삭삭ᄒᆞᆫ 뼈ᄉ(脆骨)《老乞下 34》.
삭서【朔書】명 ①〔역〕마흔 살 이하의 당하(堂下) 문관을 승정원(承政院)이 초계(抄啓)하여 매달 초하룻날에 써서 내게 하던 해서(楷書)와 전서(篆書). 해서(楷書)는 꼭 백 자를 쓰되 진초(眞草)를 곁들이며, 전서는 대전(大篆)과 소전(小篆)을 합하여 마흔 자로 하되 대전을 위에다 씀. 그 외의 것은 금함. ②글방에서 쓰는 습자(習字).
삭서-지【朔書紙】명〔역〕삭서를 쓰는 종이.
삭선【朔膳】명〔역〕매달 초하루에 각 도(道)에서 나는 물건으로 차려서 임금께 드리던 수라상.
삭설【朔雪】명 북쪽 땅의 눈.
삭소니아〔Saxonia〕명〔지〕작센(Sachsen).
삭수【朔數】명 벼슬 자리에 있었던 달 수.
삭숭이 명〈방〉삽. ¶ 선돌이가 벌건 ~가 그대로 드러난 석가놈을 질질 끌고…《金周榮: 客主》.
삭스-핀 명〔shark's fin〕고급 중국 요리에 쓰이는 상어 지느러미. 또, 그 요리.

삭시【朔試】명〖역〗삭시사(朔試射).
삭-시사【朔試射】명〖역〗매월(每月) 초하루에 당하(堂下)의 문관과 일반 무관(武官)에게 궁술(弓術)을 시험하던 일. 삭시.
삭신 명 몸의 근육(筋肉)과 뼈마디. 온 몸. ¶ ~이 쑤시고 아프다.
삭-심다 [一따] 타〖농〗논을 삭갈아서 모를 심다.
삭아-접【削芽椄】명〖식〗접붙이기의 하나. 접본(椄本)의 측면을 접도(椄刀)로 깎아서 접붙일 눈을 붙이고 묶는 방법임.
삭여【朔餘】명 한 달이 넘음. 한 달 남짓함. ¶ ~가 되어도 안 온다.
삭역【朔易】명 해가 바뀜. 새해로 바뀜. ——-하다 자여불
삭연-하다【索然—】형여불 ①외롭고 쓸쓸하다. ②흥미(興味)가 없다.
삭연-히【索然—】부. ¶ 왕의 생각이 여기까지 미치자 신부 혜비에 대한 흥미는 ~ 사라졌다《朴鍾和 : 多情佛心》.
삭요【數搖】명〖악〗거문고 악보에서, 빠르게 농현(弄絃)하라는 말. 기보(記譜)할 때에는 '數'자를 줄여서 '婁'로 나타냄.
삭월【朔月】명〖천〗음력 초하룻날의 달. 달이 태양과 지구 사이에 있어 셋이 일직선을 이루었을 때의 달. 달이 햇빛에 비친 쪽은 지구와는 반대쪽이므로 지구에서는 달이 보이지 아니함.
삭월-세【朔月貰】[一쎄] 명 ☞ 사글세.
삭월세-방【朔月貰房】[一쎗一] 명 ☞ 사글셋방.
삭월세-집【朔月貰—】[一쎗一] 명 ☞ 사글셋집.
삭은-니 명 벌레먹은 이. 유산(乳酸)으로 인해 삭아서 구멍이 나거나 이
삭은-석회【一石灰】명〖화〗수산화 칼슘. ㄴ지러진 이. 충치(蟲齒).
삭은-코 명 코를 몹시 다쳐서 골병이 들어 코피가 자주 나는 코.
삭이다[1] 타 ①먹은 음식을 위(胃) 속에서 소화되게 하다. 소화(消化)시키다. ¶ 음식을 잘 ~. ②분한 마음을 가라앉히다. ¶ 분을 삭이지 못해서
삭이다[2] 타〈방〉새기다. ㄴ펄펄 뛴다.
삭인【索引】명 '색인(索引)'의 잘못 일컬음.
삭일【朔日】명 음력으로 매달 초하룻날. 준삭(朔).
삭임-관【一管】명〖생〗'소화관(消化管)'의 풀어 쓴 말.
삭임-기관【一器官】명〖생〗'소화기(消化器)'의 풀어 쓴 말.
삭임-물 명〖생〗'소화액(消化液)'의 풀어 쓴 말.
삭임-샘 명〖생〗'소화선(消化腺)'의 풀어 쓴 말.
삭임-질 명〈방〉새김질❷. ——-하다 자타
삭임-칼 명〈방〉새김칼.
삭임-틀 명〖생〗'소화기(消化器)'의 풀어 쓴 말
삭자【索子】명 마작(麻雀)의 대나무 무늬의 패(牌).
삭자리 명〈방〉돗자리(경북).
삭장이 명〈방〉삭정이.
삭쟁이 명〈방〉〖동〗살쾡이(충북). 「하다 타여불
삭적[1]【削籍】명 호적(戶籍)이나 학적(學籍) 등을 지워 없애 버림. ——-
삭적[2]【蒴藋】명〖식〗'삭조(蒴藋)'의 잘못된 말.
삭-전[1]【—田】명 오래 경작(耕作)하여 토박해진 밭. *묵정밭.
삭전[2]【朔奠】명 상가(喪家)에서 매월(每月) 음력 초하룻날에 지내는 제
삭전[3]【索戰】명〖민〗줄다리기. ㄴ사. ↔망전(望奠).
삭정【削正】명 산삭(刪削)하여 교정함. ——-하다 타여불
삭정-불 명 삭정이를 태우는 불.
삭정-이 명 산 나무에 붙은 채, 말라 죽은 가지.
삭제[1]【削除】명 ①깎아 없앰. ②지워 버림. ¶ 명부에서 ~하다/조문(條文)을 ~하다. ——-하다 타여불 「던 제사.
삭제[2]【朔祭】명〖역〗왕실(王室)에서 음력 초하룻날마다 조상에게 지내
삭조[1]【索條】명 삼이나 강선(鋼線)을 드린 것을 심으로 하고 거기에 몇 줄의 강철제 철사 꼰 것을 감은 밧줄.
삭조[2]【蒴藋】명〖식〗넓은잎딱총나무.
삭조-차【索條車】명 케이블 카(cable car).
삭족 적구【削足適屨】명 발을 신에 맞춘다는 뜻으로, 어리석음을 이름.
삭주【朔州】명〖지〗평안 북도 삭주군의 군청 소재지. 신의주(新義州)에서 동북 약 80km 지점에 있음. 쌀·콩·담배 등의 농산물과 축산·공산·광산물의 집산지. 삭주 온천과 금의 산출로 유명함.
삭주-군【朔州郡】명〖지〗평안 북도의 한 군. 북은 압록강과 창성군(昌城郡), 동은 창성군과 태천군(泰川郡), 남은 구성군(龜城郡), 서는 의주군(義州郡)에 접하여 있음. 각종 농산물과 축산·임산·광산이 성함. 명승 고적으로는 삭주 온천·수풍댐(水豐 dam)·보현사(普賢寺)·약사암(藥師庵)·대삭주성(大朔州城) 등이 있음. [1,153km²]
삭주 온천【朔州溫泉】명〖지〗평안 북도 삭주군에 있는 온천. 위장병·부인병에 효험이 있다고 함. 「림. ——-하다 타여불
삭-즉삭【削則削】명 서류(書類)를 모아 맬 때, 빼어 버릴 것은 빼어 버
삭지[1]【削地】명 ①땅을 깎아 냄. ②영지(領地)를 삭제(削除)함. ——-하
삭지[2]【朔地】명 북방(北方)에 있는 땅. ㄴ다 자여불
삭지[3]【朔紙】명〖역〗조선 시대 때, 후료 아문(厚料衙門)의 벼슬아치와 성균관(成均館)의 도기 유생(到記儒生)에게 다달이 주던 종이.
삭직【削職】명 ↗삭탈 관직(削奪官職). ——-하다 자여불
삭징이 명〈방〉〖동〗살쾡이(충북). 「는 일. ——-하다 자여불
삭참【朔參】명 다달이 삭일(朔日)의 아침에 사당(祠堂)에 참배(參拜)하
삭체【數遞】명 벼슬아치를 자주 갊. ——-하다 타여불
삭초【朔草】명〖역〗관가용(官家用)으로 매달 바치던 담배.
삭출【削黜】명 벼슬이나 품계(品階)를 깎아 낮춤. ——-하다 타여불
삭-측심【索測深】명 수심(水深)을 측정하는 방법의 하나. 강삭(鋼索)의 끝에 추(錘)나 채니기(採泥器)를 달아서 수심을 측정하는 방법. *음향측심(音響測深).
삭치【削治】명 깎고 다듬음. ——-하다 타여불
삭-치다【削—】타 ①뭉개어서 없애 버리다. ②셈을 맞비기다.

삭탈【削奪】명 ↗삭탈 관직. ——-하다 타여불
삭탈 관작【削奪官爵】명〖역〗삭탈 관직. ——-하다 자여불
삭탈 관직【削奪官職】명〖역〗죄 지은 자의 벼슬과 품계(品階)를 빼앗고 사판(仕版)에서 깎아 버림. 삭탈 관작. 준삭직(削職)·삭탈(削奪)·삭관(削官). ——-하다 자여불
삭택-증【索澤症】명〖한의〗빈혈이 심하여 혈색이 없어지는 병증.
삭포【朔布】명〖역〗다달이 관청에 바치는 포목. 「고.
삭풍【朔風】명 겨울철의 북풍(北風). 음풍(陰風). ¶ ~은 나무 끝에 불
삭하【朔下】명〖역〗돈이나 물건으로 주던 이례(吏隷)의 급료(給料)의
삭-하다【削—】타〈방〉삭치다. ㄴ한 가지.
삭-환입【數還入】명〖악〗웃도드리.
삭회【朔晦】명 음력 초하루와 그믐.
삭히다 사동 삭게 하다. ¶ 식혜를 ~/젓갈을 ~.
삯[1] [삭] 명〔중세 : 삯〕①일을 한 데 대한 보수로 주는 돈이나 물건. ¶ ~으로 쌀을 받다. ②어떤 물건이나 시설을 이용하고 주는 보수. ¶ 자동차 ~/뱃 ~.
【삯매 모으듯 한다】삯을 받고 남의 매를 대신 맞는 자리를 이리저리 구하듯, 내키지 않는 일을 마지못해 함을 이르는 말.
삯[2] 명〈옛〉싹. =삭[2]. ¶ 삯과 삯괘 삐룰 브터 나고(芽芽從種生)《圓覺 上
삯-꾼 [삭—] 명 삯을 받고 일하는 사람. 고군(雇軍). ㄴ一之二 14》.
삯-돈 [삭—] 명 삯으로 받는 돈. 고금(雇金). 임금(賃金). 임은(賃銀). 삯
삯-마【—馬】[삭—] 명 ☞ 삯말. ㄴ전.
삯-말 [삭—] 명 세를 주고 빌어 쓰는 말.
삯-메기 [삭—] 명 농촌에서, 끼니는 먹지 아니하고 품삯만 받고 하는 일. ——-하다 자여불
삯-바느질 [삭—] 명 삯을 받고 해 주는 바느질. ——-하다 자여불
삯-방아 [삭—] 명 삯을 받고 찧어 주는 방아.
삯-빨래 [삭—] 명 삯을 받고 해 주는 빨래. ——-하다 자여불
삯-일 [삭닐] 명 품삯을 받고 하는 일. ↔공일. ——-하다 자여불
삯-전【—錢】[삭—] 명 삯돈. 임전(賃錢).
삯-짐 [삭—] 명 삯을 받고 나르는 짐.
삯-팔이 [삭—] 명 삯을 받고 상일을 하는 벌이. ——-하다 자여불
삯팔이-꾼 [삭—] 명 삯팔이를 하여 먹고 사는 사람.
삯-품 [삭—] 명 삯을 받고 파는 품.
삯품(을) 팔다 구 품삯을 받고 일하다. 품팔다.
산[1]【山】명 ①평지보다 썩 높이 솟아 있는 땅덩이. ②↗산소(山所). ¶ ~을 돌보다.
【산 까마귀 염불한다】무식한 사람도 오래 보고 듣고 하면 자연히 알 수 있게 된다는 말. 【산 놈의 계집은 범도 안 물어간다】산 속에 사는 여자는 버릇도 없고 만만치 않다는 말. 【산 밑 집에 방앗공이 논다】나무가 많은 고장에 방앗공이가 없다는 뜻으로, 그 고장 산물이 오히려 그 곳에서는 귀하다는 말. 【산 밖에 난 범이오 물 밖에 난 고기】꼼짝도 할 수 없는 처지에 이르러 다 죽게 되었다는 말. 【산보다 골이 더 크다】사물이 상리(常理)에서 벗어나거나 거꾸로 된다는 말. 【산 속에 있는 열 놈의 도둑은 잡아도 제 마음 속에 있는 한 놈의 도둑은 못 잡는다】마음속의 좋지 못한 생각을 스스로 고치기가 매우 힘들다는 말. 【산에 가야 꿩을 잡고 바다엘 가야 고기를 잡는다】발벗고 나서서 실지로 힘들여 해야 한다는 말. 【산에 가야 범을 잡는다】㉠범이 있는 산에 가야만 범을 잡을 수 있듯이, 모든 일은 그 요소(要所)를 찔러야 한다는 말. ㉡위험을 겪은 뒤라야 일이 성취된다는 뜻. 【산에 들어가 호랑이를 기피한다】눈 앞에 닥쳐온 위험은 피하기가 매우 어렵다는 말. 【산에서 물고기 잡기】도저히 불가능한 일을 하려는 어리석음을 이름. 【산은 오를수록 높고 물은 건널수록 깊다】어려운 고비에 당하여 갈수록 더 어렵고 곤란한 일만 생긴다는 말. 【산이 깊어야 범이 있다】덕망이 있어야 남이 따른다는 말. 【산이 높아야 골이 깊다】사람이 커야 품은 포부도 크다는 말. 산이 커야 그늘이 크다. 【산이 우니 산돼지가 운다】남이 하는 행동대로 모방(模倣)한다는 뜻. 【산이 울면 들이 웃고 들이 울면 산이 웃는다】비가 오면 물이 져서 산은 사태가 나고 우나, 들은 농사가 잘 되어 웃는 것 같고, 날이 가물어 산이 헐지 아니하고 좋으면 들은 말라 붙어 우는 듯하다는 말. 【산이 커야 그늘이 크다】사람 생김새가 큼직해야 그 가지는 생각도 크고 좋다는 말. 【산 좋고 물 좋고 정자 좋은 데 없다】자연의 경개(景槪)와 인공의 운치(韻致)를 모두 갖춘 데는 없다는 말. 【산 진 거북이요 돌 진 가재라】권세(權勢)에 의뢰한다는 말.
산 넘어 산이다 구 고생이 갈수록 점점 더 심해 간다.
산[2]【疝】명〖한의〗↗산증(疝症).
산:[3]【散】명〖악〗휘파람 부는 법의 하나. 혀를 윗니 안에 산초 두 알 정도의 넓이로 대고 두 입술을 크게 벌려서 숨을 격하게 내쉬어 흩어지게 함.
산:[4]【算】명 셈. ¶ 암만 따져 보아도 ~이 맞지 않는다.
산[5]【酸】명〔acid〕〖화〗물에 용해(溶解)되면 수소 이온(水素 ion)을 내어, 산성 반응(酸性反應)을 나타내며, 그 분자(分子) 안에 금속이나 염기성기(塩基性基)와 치환(置換)할 수 있는 수소를 가지는 화합물의 총칭. 신맛이 있고, 보통, 푸른 리트머스(litmus) 시험지를 붉은 빛으로 바꿈. 한 개의 분자 속에 있는 산(酸)이 될 수 있는 수소의 수에 따라 일염기산(一塩基酸)·이염기산(二塩基酸) 등으로 구별됨. 「~새/~밤.
산-【山】두 산야(山野)에 자생(自生)하는 것을 뜻하는 접두어. ¶ ~나리/
-산【產】미 물건이 그 곳에서 산출(產出)되거나 생산(生產)되었음을 나타내는 말. ¶ 외국~의 사치품/대구~ 사과.
산가[1]【山家】명 ①산 속에 있는 집. ②〖불교〗중국 북송(北宋) 때, 천태종의 정통을 이어받았다고 하는 의적(義寂)·지례(知禮) 등의 한 파. ↔산외(山外)❷.

산:가[2]【産家】명 아이를 낳은 집. 해산(解産)한 집.

산:가[3]【産暇】명 ↗산전후 휴가.

산가[4]【酸價】[—까] 명〔acid value〕〖화〗 유지(油脂) 1g 중에 함유되어 있는 유리(遊離)된 지방산(脂肪酸)을 중화(中和)하는 데 필요한 수산화 칼리의 mg 수(數). 오래 저장했다든가 썩은 원료로부터 채취한 기름 같은 것은 산화하여 유리 지방산이 많으므로 산가가 큼. 따라서 빛깔·맛·냄새도 다름. 유지류(油脂類)의 품질 감별(鑑別)의 지침(指針)이 되는데, 식용 유지에 있어서는 산가(酸價)가 1 이하가 되어야 함. 산패도(酸敗度).

산-가막살나무【山—】[—라—] 명〖식〗[*Viburnum wrightii*] 인동과(忍冬科)의 낙엽 활엽 관목. 높이 2-3m, 잎은 대생하며 넓은 거꿀달걀꼴로 가에 톱니와 잔털이 있음. 여름에 흰 꽃이 취산 화서(聚繖花序)로 피고, 넓은 달걀꼴의 붉은 핵과(核果)를 맺음. 깊은 산에 나는데 한국·일본·사할린·중국 등지에 분포함. 관상용으로 심음.

산:-가비【算—】[—까—] 명 〈방〉 산가지.

산-가상【山—】[—까—] 명 〈방〉 산기슭(전북).

산가 야:창【山歌野唱】명 시골 노래.

산:-가지【算—】[—까—] 명 옛날에 수효를 셈치는 데 쓰던 물건. 대나 뼈 같은 것으로 젓가락처럼 만들었는데, 이것을 가로 세로로 벌여 놓아서 셈을 표함. 그 방법은 일(一)과 백(百)만은 세로 놓고, 십·천 및 지금의 10만인 억은 가로 놓으며, 각각 다섯 되는 수는 머리에다 한 개를 수직으로 놓는데, 가령 ㅣ≡ǁ은 백삼십이, ㅠㅗㅠ은 칠백육십팔이 됨. 산목(算木).

산:가지를 놓다 구 산놓다.

산:가지-놀이【算—】[—까—] 명 산가지를 가지고 여러 가지 문제를 내어 푸는 놀이.

산각[1]【山脚】명 산기슭.

산각[2]【山閣】명 산에 있는 누각.

산-각시취【山—】명〖식〗[*Saussurea umbrosa*] 국화과에 속하는 다년초. 줄기 높이 1.4m 가량이고, 잎은 호생(互生)하며 긴 타원형 또는 달걀꼴 타원형에 유병(有柄) 또는 무병(無柄)임. 8월에 홍자색의 두상화(頭狀花)가 원추(圓錐) 화서로 가지 끝에 정생(頂生)하여 피고, 수과(瘦果)를 맺음. 산지에 나는데 함남의 부전 고원(赴戰高原)·혜산진(惠山鎭)·보천보(普天堡)에 분포함.

〈산각시취〉

산간【山間】명 산과 산 사이. 골짜기가 많은 산으로 된 땅. 산골. ¶ ~ 부락.

산간 도시【山間都市】명 산간에 발달한 도시.

산간 벽지【山間僻地】명 산간의 궁벽(窮僻)한 곳.

산간 벽촌【山間僻村】명 산간의 궁벽한 마을.

산간 분지【山間盆地】명〖지〗 지반(地盤)의 곡강(曲降)에 의하여 생긴 분지. 인도의 캐시미르 분지 같은 것. 곡강(曲降) 분지.

산간 빙하【山間氷河】명〔intermonlane glacier〕〖지〗 골짜기의 빙하가 합류하는 곳에 생겨서, 산맥 사이의 움푹 들어간 곳에 있는 빙하.

산간-수【山澗水】명 산과 산 사이의 계곡을 흐르는 물.

산간 오:지【山間奧地】명 깊은 산 속의 매우 궁벽한 곳.

산-갈가마귀【山—】명〖조〗 잣까마귀.

산-갈매나무【山—】명〖식〗[*Rhamnus diamantiaca*] 갈매나뭇과에 속하는 낙엽 활엽 관목(灌木). 가시가 나고 잎은 넓은 달걀꼴이며 핵과(核果)는 거꿀달걀꼴인데, 꽃은 아직까지 발견하지 못함. '돌갈매나무'의 변종(變種)의 하나임. 강원도 금강산에 분포함.

산-갈치【山—】명〖어〗[*Regalecus russellii*] 산갈칫과에 속하는 물고기. 몸길이 460cm, 둘레 60cm인 초대형의 것도 있으며, 몸빛은 은백색, 몸 바탕에 길이 1m 가량의 붉은 줄이 아가미 근처에 다섯 개가 있고, 아가미 등 몸통 내부는 짙은 적색임. 물에서 40일, 뭍에서 40일씩을 산다는 신비의 물고기로 알려지고 있으며 경상도에서 나병(癩病)에 효험이 있다고 전함. 부산·포항 연안에서 채집됨. 산도어(山刀魚).

산갈칫-과【山—科】명〖어〗[Regalecidae] 점매가리목(目)에 속하는 어류의 한 과. 산갈치가 이에 속함.

산-갈퀴【山—】명〖식〗[*Galium pogonanthum*] 꼭두서닛과(科)에 속하는 다년초. 줄기는 족생(簇生)하며, 높이는 30cm 내외임. 잎은 줄기 위 각 마디에 네 잎이 윤생(輪生)하는데 피침형(披針形) 또는 피침상 선형(線形)임. 6-7월에 담녹색 꽃이 취산 화서(聚繖花序)로 줄기 끝에 정생하여 피고, 과실은 쌍두상(雙頭狀)임. 산지에 나는데 제주·지리산(智異山)·평북 등지에 분포함. 산갈퀴덩굴.

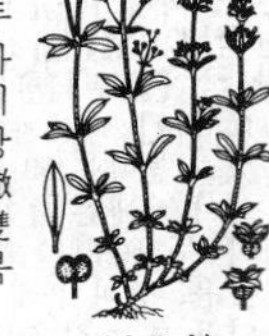

〈산갈퀴〉

산-갈퀴덩굴【山—】명〖식〗 산갈퀴.

산감[1]【山監】명 ↗산감독(山監督).

산:감[2]【刪減】명 깎아서 줄임. 삭감(削減). ——-하다 타여불

산-감독【山監督】[—깜—] 명 ①풍치림(風致林)의 나무 같은 것을 함부로 베지 못 하게 감독하는 사람. *산림계(山林係). ②광산(鑛山)에서, 일하는 상황을 감독하는 사람. ㊀산감.

산갑【山岬】명 산모퉁이.

산-값[—갑] 명 물건을 사는 데 치른 값. ↔판값.

산-갓[1]【山—】명〖식〗 산에 자생(自生)하는 갓. 산개(山芥) 산개자(山芥子).

산갓[2]【山—】[—깟] 명 〈방〉 ①멧갓. ②산림(山林)❶.

산강【山薑】명 ①〖식〗 삽주. ②〖한의〗 백출(白朮).

산강-재【山康齋】명〖사람〗 변영만(卞榮晩)의 호(號).

산-개[1]【山—】[—깨] 명 〈심마니〉 호랑이.

산개[2]【山芥】명 산갓[1].

산:개[3]【刪改】명 글구를 짓고 그 구절을 고치어 바로잡음. ——-하다 타여불

산개[4]【傘蓋】명〖불교〗 개(蓋)❺.

산:개[5]【散開】명 ①흩어져 벌림. ②〖군〗 화전(火戰) 또는 적(敵)의 총포(銃砲)로부터 아군(我軍)의 피해(被害)를 적게 하기 위하여, 부대(部隊)를 산형(傘形)으로 또는 종(縱)으로 횡(橫)으로 거리를 두고 벌림. ¶~ 대형(隊形). ——-하다 자타여불

산-개고사리【山—】명〖식〗[*Athyrium vidalii*] 고사릿과에 속하는 다년생의 양치류(羊齒類). 근경(根莖)은 비후(肥厚)하고 짧으며, 긴 잎꼭지의 밑동에는 흑갈색 피침형의 털이 남. 잎은 긴 달걀꼴로 끝이 점점 뾰족하게 되고 이회 우상 복엽(羽狀複葉)임. 작은 우편(羽片)에는 결각상(缺刻狀) 톱니가 있고 자낭군(子囊群)은 옆의 뒷면에 흩어져 있음. 산지의 그늘에 나는데, 제주·전남·경남북·황해도 등지에 분포함.

산-개구리【山—】[—깨—] 명〖동〗 ①[*Rana temporaria ornativentris*] 개구릿과에 속하는 동물. 몸길이 90mm 내외이고, 몸의 배면(背面)은 짙은 흑갈색 또는 적갈색에 흑색 점상(點狀) 반문(斑紋)이 있으며, 복면(腹面)은 엷은 회백색 또는 적등색이고, 가슴에는 흑색의 구름 무늬가 있음. 2-3월에 산란하는데 500-1,500개가 한데 뭉치고 생식기(生殖期)에는 첫발가락 바깥쪽에 살덩이 두 개가 두드러짐. 산간(山間) 지대에 서식하는데, 한국·일본에 분포함. 멧송장개구리. ②송장개구리.

산-개나리【山—】명〖식〗[*Forsythia saxatilis*] 물푸레나뭇과에 속하는 낙엽 활엽 관목(灌木). 개나리와 비슷한데 잎은 달걀꼴 또는 넓은 피침형이고, 끝이 뾰족하며 가에 잔 톱니가 있음. 3-4월에 잎에 앞서 황금색 꽃이 액생(腋生)하여 피고 편평한 달걀꼴의 삭과(蒴果)는 10월에 익음. 산기슭의 양지에 나는데, 경기도 북한산(北漢山)의 특산종임. 관상용으로 심음. 암연교(岩連翹).

산:개 대:형【散開隊形】명〖군〗 군대가 산개한 상태로 있는 전투 대형의 하나. 사격(射擊)에 유리하고 아군의 피해를 적게 할 수 있음.

산-개벚나무【山—】명〖식〗[*Prunus maximowiczii*] 장미과(薔薇科)에 속하는 낙엽 활엽 교목. 잎은 호생하고 달걀꼴 또는 타원형이며, 가에 톱니가 있고 잎꼭지에 짧은 털이 있음. 5월에 흰 꽃이 방상양 총상(房狀樣總狀) 화서로 액생(腋生)하여 피고, 둥근 핵과(核果)가 7월에 익음. 깊은 산의 상복(上腹)에 나는데 전남·강원·평남북·함남북 및 일본·사할린·만주 등지에 분포함. 목재는 도구재(道具材)로 씀.

산:-개비【算—】[—깨—] 명 ☞ 산가지.

산:개 성단【散開星團】명〖천〗 수십 내지 수백 개의 항성(恒星)의 집단. 약 1,000개 정도의 성단이 알려져 있으며 구상 성단(球狀星團)에 비하여 거리가 가까워 수천 광년(光年) 안에 있음. 은하면(銀河面) 부근에 많이 집중되어 있으며, 플레이아데스(Pleiades)·히아데스(Hyades)·코마(Coma) 성단 등이 있음.

산-개자【山芥子】명 산갓[1].

산:개-전【散開戰】명〖군〗 전투 대형을 산개 대행(散開隊形)으로 하고 싸우는 전투.

산:개-진【散開陣】명〖군〗 산개 대형(散開隊形)으로 친 진(陣).

산객【山客】명 ①산에 살고 있어 세상에 나타나지 아니하는 사람. ②등산하는 사람. 등산객. ③〖식〗 철쭉.

산거[1]【山居】명 산 속에서 삶. ——-하다 자여불

산:거[2]【刪去】명 산삭(刪削). ——-하다 타여불

산-거망옻나무【山—】명〖식〗[*Rhus sylvestris*] 옻나뭇과에 속하는 낙엽 활엽의 작은 교목(喬木). 잎은 우상 복생(羽狀複生)하고 잔 잎은 긴 타원형이며 톱니가 없고, 양면에 갈색 털이 있음. 자웅 잡가(雌雄雜家)인데 5월에 황록색 꽃이 원추(圓錐) 화서로 액생(腋生)하여 피며, 핵과(核果)는 10월에 익음. 산지에 나는데 충북·평북·함북을 제외한 한국 전역과 일본에 분포함. 목재는 기구재(器具材)임.

산거-초【酸車草】명〖식〗 괭이밥.

산-건채【山乾菜】명 말린 산나물.

산-검은범나비【山—】명〖충〗 산제비나비.

산-겨릅나무【山—】[—껴—] 명〖식〗[*Acer tegmentosum*] 단풍나뭇과에 속하는 낙엽 활엽의 작은 교목. 잎은 거꿀달걀꼴 또는 거의 원형이고, 3-5 갈래로 얕게 째지며 열편(裂片)에는 얕은 톱니가 있음. 자웅이가(雌雄異家)인데, 5월에 황록색 꽃이 총상(總狀) 화서로 정생하고, 시과(翅果)는 10월에 익음. 깊은 산의 골짜기에 나는데, 한국 각지 및 중국 만주에 분포함. 목재는 기구재(器具材), 껍질은 새끼의 대용으로 씀.

산견[1]【山繭】명 멧누에고치.

산:견[2]【散見】명 여기저기에 보임. ——-하다 자여불

산견-사【山繭絲】명 멧누에고치에서 뽑은 실. 섬유가 굵고 윤기가 있으며 항장력(抗張力)이 풍부함.

산견-아【山繭蛾】명〖충〗 참나무산누에나방.

산결 공기【酸缺空氣】명〔environmental oxygen deficiency〕 산소가 결핍된 땅 속 공기. 공사장(工事場)의 구멍이나 묵은 우물 속에 괴어, 마시면 질식사하는 공기. 지하 공사장에서 생기는 사고의 원인이 됨. 철분(鐵分)이 많은 지하 사력층(砂礫層)에서 지하수를 퍼올리면 사력층에 공기 소통이 잘 되므로 공기와 접촉하게 된 철분이 급속히 산화(酸化)되고, 그 때문에 산소를 빼앗겨서 산소 결핍이 된다고 함.

산결 주:택【酸缺住宅】명〖건〗 가스 기구(器具)의 불량, 건물의 급배기(給排氣) 시설의 불충분 등 때문에, 탄산 가스와 일산화 탄소가 실내에 충만하고 산소가 부족한 주택.

산경[1]【山徑】명 산길. 산로(山路). 산도(山道).

산경[2]【山景】명 산의 경치.

산:경[3]【算經】명〖책〗 산경 십서.

산:경 십서【算經十書】명〖책〗중국에 있어서의 고전 수학서(古典數學書)의 총칭. 주비 산경(周髀算經)·구장 산술(九章算術)·손자 산경(孫子算經)·해도 산경(海島算經)·오조 산경(五曹算經)·하후양 산경(夏侯陽算經)·장구건 산경(張邱建算經)·오경 산술(五經算術)·집고 산경(緝古算經)에 철술(綴術)을 추가한 것을 가리키는데, 당(唐) 이후에는 철술(綴術) 대신에 수술 기유(數術記遺)를 넣어 일컬음. 집고 산경(緝古算經)을 제외한 다른 것은 모두 당나라 이전의 저작이며, 이것들이 학교의 수학 교과서로 사용되었음.

산경-표【山經表】명〖책〗우리 나라 전도(全道)에 있는 대소 산맥을 백두산(白頭山)을 중심으로 하여 표시한 분포표(分布表). 1책.

산계[1]【山系】명 같은 줄기로 이루어진 산맥들. 둘 이상의 산맥이 서로 밀접한 관계를 가지고 한 계통을 이룸. ¶ 히말라야 ~/알프스 ~.

산계[2]【山薊】명 ①〖식〗삽주. ②〖한의〗백출(白朮).

산계[3]【山雞·山鷄】명 꿩❷.

산:계[4]【散階】명〖역〗이름만 있고 실지로 직무는 없는 벼슬의 품계. 숭록 대부(崇祿大夫)·절충 장군(折衝將軍)·종사랑(從仕郞) 같은 것. 산관(散官).

산계 야:목【山鷄野鶩】명〔산꿩과 들오리라는 뜻에서〕성질이 사납고 거칠어서 길들이기 어려운 사람을 가리키는 말.

산:고[1]【產苦】명 아이를 낳는 괴로움. 산로(產勞).

산:고[2]【產故】명 아이를 낳는 일. ¶ ~가 들다. 「산액(產額).

산:고[3]【產高】명 제품·농작물 등의 생산량(生產量). 산출의 양. 생산고.

산고 곡심【山高谷深】명 산이 높고 골짜기가 깊음. ——-하다 형여불

산고딕 명〈옛〉상고대[1]. ¶ 산고딕 花霜《譯語 上 2》.

산고-모【山高帽】명 중산모(中山帽).

산고 수장【山高水長】명 인자(仁者)나 군자(君子)의 덕(德)이 뛰어남을 높은 산이 솟고 큰 강이 흐르는 데 비유한 말.

산고 수청【山高水淸】명 산은 높고 물은 맑다는 뜻으로 경치가 좋다는

산곡[1]【山曲】명 산외(山隈). ㄴ말. ——-하다 형여불

산곡[2]【山谷】명 산골짜기.

산:곡[3]【產穀】명 곡식이 생산됨. 또, 생산된 곡식. ——-하다 자여불

산:곡[4]【散曲】명〖악〗중국 사(詞)의 한 가지. 곡조는 잡극(雜劇)과 같고, 소곡(小曲)·대곡(大曲)의 두 가지가 있으며, 원대(元代)에는 북곡계(北曲系), 명대(明代)에는 남곡계(南曲系)가 발생하였음.

산:곡[5]【散穀】명 흩어진 곡식 알.

산곡-간【山谷間】명 산골짜기 사이.

산곡-풍【山谷風】명 산의 사면(四面)의 모양에 따라 일어나는 바람. 사면의 온도의 변화가 원인이 되어 낮에는 골짜기에서 불어 올리는 곡풍(谷風)과, 밤에는 산꼭대기에서 불어 내리는 산풍(山風)이 맑은 날에 일어남.

산:골[1] 명〖한의〗구리가 나는 데서 나는 청황색(靑黃色)의 쇠붙이. 접골약(接骨藥)으로 복용(服用)함. 자연동(自然銅).

산-골[2]【山—】[—꼴] 명 산 속의 외딴고 으슥한 곳. 산간(山間).
【산골 중놈 같다】의뭉스러운 자를 이르는 말.

산골-고라리【山—】[—꼴—] 명 어리석고 고집 센 산골 사람. ¶ 상제가 ~라 할지라도 삼경에 만난 타관바치를 면박주어 내칠 만큼 억세지는 못했다《金周榮 : 客主》.

산골-길【山—】[—꼴낄] 명 산골에 있는 길.

산골-내기【山—】[—꼴래—] 명 '산골 사람'을 얕잡아 일컫는 말.

산-골무꽃【山—】명〖식〗[*Scutellaria transitra*] 꿀풀과에 속하는 다년초. 지하경(地下莖)은 백색, 줄기는 사각형이고 높이는 25cm 내외임. 잎은 소수(少數)이고 대생하며 장병(長柄)인데 달걀꼴 또는 삼각형의 달걀꼴을 이룸. 5-6월에 담자색 꽃이 총상(總狀) 화서로 정생(頂生)하고, 열매는 수과(瘦果)임. 산지(山地)의 숲 밑에 나는데, 제주·전남·충북·평남북·함남북에 분포함.

산골 바람 [—꼴—] 명〔canyon wind〕〖기상〗협곡(峽谷)을 불어 가는 바람. 밤에는 사면 냉각(斜面冷却)에 의해 바람이 내리붊. ②협곡을 지나온 변질된 바람. 풍속(風速)은 제트 기류처럼 증가하고, 풍향도 바뀜. 협곡풍(峽谷風).

산-골짜구니【山—】[—꼴—] 명〈방〉산골짜기(강원).

산-골짜기【山—】[—꼴—] 명 산과 산으로 이루어진 골짜기. 간곡(澗谷). 계곡(溪谷). 산곡(山谷). 준산골짝.

산-골짝【山—】[—꼴—] 명 ↗산골짜기.

산골-취【山—】[—꼴—] 명〖식〗[*Saussurea neoserrata*] 국화과에 속하는 다년초. 줄기는 높이 70cm 가량이고 잎은 호생하며 유병(有柄) 또는 무병(無柄)이고 타원형 또는 긴 타원형임. 8-9월에 자색의 꽃이 총상(總狀) 화서로 가지 끝에 정생(頂生)하고, 과실은 수과(瘦果)임. 깊은 산에 나는데, 평북·함남북에 분포함. 어린 잎은 식용함.

산공 야:정【山空野靜】명 산과 들이 텅 빈 것처럼 고요하고 괴괴함.

산과[1]【山—】명〖식〗↗산구화.

산과[2]【山果】명 산에 열리는 과실. 산에서 나는 과실. 산과실.

산:과[3]【產科】[—꽈] 명〖의〗①임신(妊娠)·분만(分娩) 등에 관한 전문 의술(醫術)의 하나. ②↗산과 병원.

산:과 겸자【產科鉗子】[—꽈—] 명〖의〗태아(胎兒)가 잘 나오지 않을 때, 머리를 잡아 끌어 분만(分娩)을 인공적(人工的)으로 용이하게 하는, 금속제의 집게 모양의 기계(器械).

〈산과 겸자〉

산:과 병:원【產科病院】[—꽈—] 명 임신(妊娠)·분만(分娩) 등에 관한 일 또는 그것으로 인하여 생긴 병을 보아 주는 병원. 준산과(產科).

산:과 수술【產科手術】[—꽈—] 명〖의〗임신중 또는 분만 때 모체(母體) 또는 태아(胎兒)에 위험이 생겼을 경우, 자연 분만에 맡기지 않고 산과 기계(產科器械)를 사용하여 행하는 인공적 조작(人工的操作).

산:과 수술학【產科手術學】[—꽈—] 명〖의〗산과학(產科學)의 한 분과. 산과 수술을 주요 연구 대상으로 하는 학문.

산-과실【山果實】명 산에서 절로 나는 과실. 산과(山果).

산과실-나무【山果實—】[—라—] 명 산과실이 열리는 나무.

산과실-주【山果實酒】[—쭈] 명 산과실로 담근 술. 들쭉술·머루술

산:과-의【產科醫】[—꽈— / —꽈이] 명〖의〗↗산과 의사. ㄴ따위.

산:과 의사【產科醫師】[—꽈—] 명〖의〗산과를 전문으로 하는 의사. 욕의(褥醫). 준산과의·산의(產醫).

산:과-학【產科學】[—꽈—] 명〔obstetrics〕〖의〗산과에 관한 학문.

산곽[1]【山郭】명 ①높이 우뚝 솟아 벽같이 된 산. ②산을 따라서 있는 마을. 산에 둘러싸인 마을. 산촌(山村). ③산중의 성곽.

산곽[2]【山廓】명〖민〗골상학(骨相學)에서, 눈동자의 위로 반쪽을 가리키

산:곽[3]【產藿】명 해산(解產) 미역. ㄴ는 말.

산관[1]【山館】명 산 속의 숙소. 산 속의 건물.

산:관[2]【散官】명〖역〗정해 놓은 일이 없는 벼슬. 산반(散班). 산직(散

산:관-할미 명〈방〉삼할미. ㄴ職). 산계(散階).

산:광【散光】명〔diffused light〕〖물·전〗물체의 거칠게 된 면(面)이나 부유(浮遊)하고 있는 미립자(微粒子) 등에 의해서 불규칙(不規則)하게 사방으로 난사(亂射)된 광선.

산:광 성운【散光星雲】명〔diffuse nebula〕〖천〗은하계(銀河系) 안에 있는 성운(星雲) 가운데에서 그 형상이 불규칙하고 윤곽이 불명료한 성운. 근처의 별이나 성단(星團)으로부터의 광선의 반사(反射) 또는 산란(散亂)으로 빛나는 반사 성운과 성운 고유의 휘선(輝線) 또는 연속 스펙트럼을 방사(放射)하는 방출(放出) 성운이 있음. 오리온(Orion) 성운·삼렬 성운(三裂星雲) 등이 그 대표적인 것임. 크기는 직경이 수광년(數光年)에서부터 수십 광년이고, 거리는 수백 광년에서부터 수천 광년에 달함. 무정형(無定形) 성운. 부정형(不定形) 성운.

산괭이 명〈방〉〖동〗살쾡이(전북).

산-괭이사초【山—莎草】명〖식〗[*Carex leiorhyncha*] 방동사닛과에 속하는 다년초. 줄기는 총생하며 편편한 사각형인데 높이는 50cm 가량, 잎은 줄기의 하부에 호생하고 선형(線形)을 이루며 줄기보다 짧거나 또는 길고 폭은 2-3mm임. 화총은 6-7월에 원주형으로 정생(頂生)하는데 소수(小穗)가 많고 양성(兩性)이며, 윗부분은 수술, 밑에 암술이 있음. 과낭(果囊)은 납작한 달걀꼴임. 밭이나 들의 습윤지에 나는데, 한국 각지에 분포함.

산괴【山塊】명〖지〗산줄기에서 따로 떨어져 있는 산의 덩어리.

산-괴불【山—】명〖식〗산괴불나무.

산-괴불나무【山—】[—라—] 명〖식〗[*Lonicera chrysantha* var. *crassipes*] 인동과에 속하는 낙엽 활엽 관목. 수(髓)는 갈색에 가운데가 비었고 잎은 달걀꼴 또는 달걀 모양의 피침형임. 여름에 백색 꽃이 액출(腋出), 쌍생(雙生)하여 나중에 황색으로 피는데, 장과(漿果)는 가을에 홍색으로 익음. 화경(花梗)의 길이는 1.5-2.0cm임. 산지의 숲 속에 나는데 거의 한국 각지 및 일본·만주·중국·아무르·몽고 등지에 분포함. 과실은 식용함. 산괴불.

산-괴불주머니【山—】[—쭈—] 명〖식〗[*Corydalis maximowiczii*] 양귀비과에 속하는 월년초(越年草). 줄기 높이는 50cm 가량이고 잎은 호생하며 유병(有柄)으로 수회 우상 분열(數回羽狀分裂)하며 달걀꼴의 열편(裂片)은 다소 분백색을 띰. 4-6월에 황색 꽃이 총상(總狀) 화서로 줄기 끝이나 가지 끝에 정생(頂生)하며, 과실은 삭과(蒴果)임. 산지의 습지(濕地)에 나는데 한국 각지에 분포함.

산구[1]【山鳩】명〖조〗염주비둘기. 「같은 것.

산:구[2]【產具】명 해산(解產)에 쓰이는 제구(諸具). 산과 겸자(產科鉗子)

산-구방도리【山—】명〈방〉산기슭(평안).

산:-구완【產救—】[—꾸—] 명 ↗해산 구완.

산-구절초【山九折草】명〖식〗[*Chrysanthemum sibiricum* var. *acutilobum*] 국화과에 속하는 다년초. 줄기는 하나로 곧고, 높이는 60cm 가량임. 잎은 호생하며 우상 심렬(羽狀深裂)하고 열편(裂片)은 피침형임. 7-9월에 담홍색 또는 백색 두상화(頭狀花)가 핌. 깊은 산의 산허리에 나는데, 전라도에 분포함. 관상용인데 잎줄기는 약용함.

산-구화【山—花】명 ←산국화(山菊花). 준산과.

산국[1]【山國】명 산이 많은 나라.

산-국[2]【山菊】명〖식〗[*Chrysanthemum lavandulaefolium*] 국화과에 속하는 다년초. 줄기에 잔 털이 있고 높이는 60-90cm이며, 잎은 호생하고, 담녹색이며 가에는 결각(缺刻)이 많음. 9-10월에 황색 꽃이 두상(頭狀) 화서로 피고 종자에는 관모(冠毛)가 없음. 산과 들에 나는데, 한국 각지에 분포함. 꽃은 약용 또는 식용함. 산국화(山菊花).

〈산국[2]〉

산-국수나무【山—】명〖식〗[*Physocarpus ribesifolia*] 조팝나뭇과에 속하는 낙엽 활엽 관목. 잎은 호생하고 장상(掌狀)에 3-5 갈래로 째지고 잎 뒤에는 잔 털이 났음. 여름에 황백색 꽃이 산방(繖房) 화서로 풋가지에 정생함. 과실은 거의 구형(球形)으로 자방(子房)은 1-5 개이고 가을에 익음. 산록에 나는데, 함남의 단천(端川), 함북의 무산(茂山) 및 만주·아무르에 분포함. 관상용으로 재배함.

산-국화【山菊花】명 산국(山菊). →산구화.

산군[1]【山君】명 ①산신령(山神靈). ②호랑이❶.

산군[2]【山軍】명〖역〗나라의 산림(山林)을 지키던 사람.

산군[3]【山郡】명 산읍(山邑). 「峯). 산계(山系).

산군[4]【山群】명 여러 봉우리가 많이 모여 있는 산(山)의 무리. 연봉(連

산:군 복합체【產軍複合體】 명 군수품을 통해서 형성되는 산업계와 군과의 긴밀한 관계.

산-군읍【山郡邑】 명 여러 산읍(山邑). 산골에 있는 여러 고을.

산-굴【山窟】[─꿀] 명 산 속에 있는 굴. 산중의 동굴.

산-굴뚝나비【山─】 명 〖충〗[*Minois autonoë sibirica*] 뱀눈나빗과에 속하는 나비. 날개는 검은 갈색이고 중앙에서 바깥쪽에 걸쳐 잿빛이 도는 흰색의 넓은 띠가 있음. 앞날개의 길이는 26mm 쯤임. 한국·시베리아 등지에 분포함.

산-굽【山─】[─꿉] 명 〈방〉 산기슭(평안).

산-굽이【山─】[─꾸─] 명 산의 굽이.

산궁【山窮】 명 산이 막힘. ──-하다 자여불

산궁 수진【山窮水盡】 명 산이 막히고 물줄기가 끊어짐. 곧, 막다른 경우. 산진 수궁(山盡水窮). ──-하다 자여불

산-귀래【山歸來】 명 〖식〗 나도물통이.

산규【山葵】 명 〖식〗 고추냉이.

산-그늘【山─】[─끄─] 명 산이 가리어서 생긴 그늘.

산근[1]【山根】 명 ①〖민〗 골상학(骨相學)에서 쓰는 말로, 콧마루와 두 눈썹 사이의 일컬음. ¶ ~이 얕고 준두(準頭)가 푹 솟은 코…≪金東里 : 사반의 십자가≫. ②산줄기가 벋어 나가기 시작한 곳.

산근[2]【酸根】 명 〖화〗 산기(酸基).

산금[1]【山金】 명 〖광〗 암석 중의 석영맥(石英脈)에서 산출되는 자연금. 다소의 은(銀)을 함유함. 모양은 8면체의 결정(結晶)이 많고 빛은 황색 또는 황백색임. 경도(硬度)는 2.5-3이고 비중은 15-19.3임. 세계 총산출량의 40%는 남아프리카의 함금 역암층(含金礫岩層) 속에서 남. ↔사금(砂金).

산금[2]【山禽】 명 산새.

산:금[3]【產金】 명 금을 생산함. ──-하다 자여불

산:금 장:려【產金奬勵】[─녀] 명 국책상(國策上) 금을 많이 생산하도록 나라에서 보조 장려함. ──-하다 자여불

산:금 지대【產金地帶】 명 금이 나는 지대. 금이 많이 생산되는 지대.

산기[1]【山祇】 명 산신(山神).

산기[2]【山氣】 명 ①산중 특유의 냉랭한 찬 공기. 산 속의 아지랭이. 연무(煙霧). ②산의 씩씩하고도 고운 기세(氣勢).

산기[3]【疝氣】 명 〖한의〗 산증(疝症).

산:기[4]【產氣】[─끼] 명 해산(解產)할 기세(氣勢). 아이 낳을 기미.

산:기[5]【產期】 명 해산(解產)할 시기(時期).

산:기[6]【散騎】 명 〖역〗 중국 진(秦)나라 때 말을 타고 천자를 경호(警護)하는 구실을 맡은 관명(官名). 진(晉)나라 이후 차차로 한직(閑職)이 되어, 당(唐)나라 때에 이르러 명목(名目)만의 벼슬이 됨. 「性).

산기[7]【酸氣】[─끼] 명 ①신맛. 신 냄새. ②화합물(化合物) 등의 산성(酸

산기[8]【酸基】 명 〖화〗 산(酸)의 분자(分子) 가운데에서 금속 원소(金屬元素)와 바꿀 수 있는 수소 원자(水素原子)를 제외한 나머지의 기(基). 염(塩)의 음성(陰性) 부분을 이룸. 황산기(黃酸基) (SO_4)·질산기(窒酸基) (NO_3)·아세트산기(酸基) (CH_3COO) 따위. 산근(酸根).

산:-기둥 명 〖건〗 벽 같은 것에 붙어 있지 아니하고 따로 서 있는 기둥. 흔히, 대청 한가운데에 서 있음.

산-기름나물【山─】 명 〖식〗 [*Peucedanum deltoideum*] 미나릿과에 속하는 삼년초. 줄기는 홍자색을 띠며, 높이 90cm 가량이고 잎은 장병(長柄)에 재우상 복엽(再羽狀複葉)임. 8월에 백색 꽃이 복산형(複繖形) 화서로 가지 끝에 정생(頂生)하여 피는데, 총산경(總繖梗)은 20 내외이고 소산경(小繖梗)은 다수이며, 과실은 타원형임. 산이나 들의 양지에 나는데, 전남·경북·경기·함남북에 분포함. 어린 잎은 식용함.

산:기 상시【散騎常侍】 명 〖역〗 ①고려 때의, 좌산기 상시(左散騎常侍)·우산기 상시(右散騎常侍)의 총칭. ②중국 위(魏)나라의 관명(官名). 천자를 측근에서 모시고 간언(諫言)하는 구실을 맡음. 준상시(常侍).

산-기슭【山─】[─끼슥] 명 산의 아랫 부분. 산각(山脚). 산록(山麓). 산족(山足). 초지(初地). 「道).

산-길[1]【山─】[─낄] 명 산에 있는 길. 산경(山徑). 산로(山路). 산도(山

산:길[2]【散─】 명 〈방〉 산질(散秩). ──-하다 자

산-길앞잡이【山─】 명 〖충〗 [*Cicindela sachalinensis*] 길앞잡잇과에 속하는 곤충. 몸길이는 16mm 내외이고, 몸빛은 대체로 암녹색 내지 갈색이며, 시초(翅鞘)와 견부(肩部) 사이에 있는 한 개의 점문(點紋)과 시저(翅底)의 달걀꼴 무늬, 중앙의 '山'자형 무늬와 시단(翅端)의 '川'자형 무늬는 황백색임. 가슴은 흑자색이고, 복부는 금록색임. 산간의 길 위에서 흔히 볼 수 있는데 한국·일본·중국에 분포함. *길앞잡이.

산-까치【山─】 명 〖조〗 때까치.

산-깽깽매미【山─】 명 〖충〗 [*Tibicen flammatus*] 매밋과에 속하는 곤충. 깽깽매미와 비슷한데 몸길이는 40-43mm이고 몸빛은 붉은 빛이 강하고 암등색(暗橙色)의 반문이 있어서 다름. 날개의 반문은 전연(前緣)에 암갈색의 반문만이 있고, 복판(複瓣)은 복부의 기부(基部)를 덮는 일이 없으며 우는 소리도 깽깽매미와 같음. 한국·일본에 분포함. 붉은깔깔매미.

산-꺼울 명 〈방〉 삼거웃.

산-꼬대【山─】 명 밤중에 산 위에 바람이 불어 몹시 추워지는 일. ──-하다 자여불

산-꼬리사초【山─莎草】 명 〖식〗 [*Carex shimidzuensis*] 방동사닛과에 속하는 다년초. 근경(根莖)은 족생(簇生)하고 삼릉주(三稜柱)로 된 줄기는 총생(叢生)하며 높이는 70cm 가량임. 잎은 넓은 선형(線形)이고 호생하며 기부(基部)는 줄기를 싸고 있음. 8-9월에 5-9cm의 꽃이삭이 줄기 끝에서 4-8개 나옴. 산지의 숲 속에 나는데, 제주·경기에 분포함.

산-꼬리풀【山─】 명 〖식〗 [*Veronica spuria*] 현삼과에 속하는 다년초. 줄기 높이는 90cm 내외이고, 잎은 대생하거나 혹은 세 잎이 윤생(輪生)하며 잎자루는 짧거나 혹은 없고 긴 달걀꼴의 타원형 또는 피침형임. 8월에 남자색의 꽃이 총상(總狀) 화서로 정생(頂生)하고 동글납작한 삭과(蒴果)를 맺음. 초원·들판에 나는데, 경남·경기·함남에 분포함. 우단꼬리풀.

산꼬마-표범나비【山─豹─】 명 〖충〗 [*Boloria thore hyperusia*] 네발나빗과에 속하는 곤충. 편 날개 길이는 50mm 내외이고 뒷날개 뒷면은 어두운 황갈색인데 후연(後緣)과 중앙의 황색 띠는 은색 무늬가 없고 외연(外緣)에만 보랏빛을 띤 가는 은색 무늬가 나란히 있음. 한국·아무르·시베리아 등지에 분포함.

산-꼭대기【山─】 명 산의 맨 위. 산두(山頭). 산전(山巓). 산정(山頂).

산꼴【山─】 명 〈방〉 골짜기❶(강원·경북).

산-파리【山─】 명 〖식〗 좀은잎배풍등.

산-꿩의다리【山─】[─/─에─] 명 〖식〗 [*Thalictrum tuberiferum*] 미나리아재빗과의 다년초. 높이는 50cm 내외로 근생엽은 장병(長柄)이고 2-3회, 경엽(莖葉)은 단병(短柄)이며 1-2회 각각 삼출(三出)하고 소엽(小葉)은 단엽(單葉)이며 잎 뒤가 분처럼 흼. 6월에 백색 꽃이 원추(圓錐) 화서로 정생(頂生)하고 수과(瘦果)는 반월형임. 산지에 나는데, 한국 각지에 분포함.

산-꿩의밥【山─】[─/─에─] 명 〖식〗 [*Luzula multiflora*] 골풀과의 다년초. 줄기 높이는 50cm 가량, 근엽(根葉)은 많고 경엽(莖葉)은 선형(線形)인데 한두 개임. 5월에 흑갈색의 꽃이 산형(繖形) 화서로 정생(頂生)하고 과실은 삭과(蒴果)임. 거제도(巨濟島)에 분포함.

산나끈 명 〈방〉 새끼[1](충남).

산-나리【山─】 명 〖식〗 [*Lilium auratum*] 백합과에 속하는 다년초. 줄기는 곧고 높이는 1-1.5m이며 인경(鱗莖)은 구형(球形)임. 잎은 호생하고 무병(無柄)에 피침형이고 다섯 개의 엽맥이 있음. 6-7월에 백색에 적갈색 반점이 있는 육판화(六瓣花)가 줄기 끝에 피고 향기가 높으며, 삭과(蒴果)는 긴 거꿀달걀꼴임. 산지에 나는데, 한국 각지 및 일본·중국에 분포함. 인경(鱗莖)은 식용하고, 관상용으로 재배함.

〈산나리〉

산나무-진딧물【山─】 명 〖충〗 [*Chaitophorus aceris*] 진딧물과의 곤충. 암컷의 몸길이는 2.1mm, 날개 길이는 8.2mm 내외이며 몸에는 회백색의 긴 털이 있음. 단풍나무의 해충(害蟲)임.

산-나물【山─】 명 산에서 나는 나물. 산채(山菜).

산나물-국【山─】[─꾹] 명 산나물을 넣고 끓인 국. 산채국.

산-난초【山蘭草】 명 〖식〗 각시붓꽃.

산남【山南】 명 산양(山陽). ↔산북(山北).

산납【山衲】 명 ①산승(山僧)의 옷. 중의 옷. ②산사(山寺)의 중. 산승(山僧).

산낭 온호【蒜囊溫壺】 명 〖공〗 중국 송(宋)나라 때에 용천요(龍泉窯)에서 만들어 내던 청자 화병(靑瓷花甁)의 한 가지.

산내【山內】 명 ①산의 속. 산간(山間). 산중. ②〖불교〗 절의 경내(境內).

산내끼 명 〈방〉 새끼[1](전라·충남).

산-내림【山─】 명 산에서 벌목한 나무를 산기슭이나 평지까지 굴려 내리는 일. 산떨음.

산내 말사【山內末寺】[─싸] 명 〖불교〗 본사(本寺)와 같은 산 안에 있는 말사. ↔산외(山外) 말사.

산-너머【山─】 명 산의 저쪽.

산-노래【山─】 명 〖악〗 경북 성주(星州)·선산(善山) 지방의 민요.

산-놀이【山─】 명 산에 가서 노는 일. ──-하다 자여불

산농【山農】 명 산지(山地)의 농사. 산전(山田)에 짓는 농사.

산:-놓다【算─】[─노타] 자타 산가지나 주판 같은 것을 놓다. 셈하다.

산-누에【山─】 명 〖충〗 산누에나방과에 속하는 나방의 유충. 가잠(家蠶)과 비슷하나 마디가 9절(節)이고 긴 털이 났으며, 몸이 더 크고 무게는 네 배 가량임. 보통 한 해에 두 번 발생하나 세 번 발생할 때도 있음. 상수리나무·떡갈나무·참나무 등의 잎을 먹고, 담갈색의 고치를 지으며, 고치에서는 광택 있는 명주 같은 실을 뽑음. 산잠(山蠶). 야잠(野蠶). 작잠(柞蠶).

산누에-고치【山─】 명 산누에가 지은 고치. 모양은 타원형인데 담갈색을 띠고 양쪽 머리가 좀 뾰족한 듯하며 층이 두꺼움.

산누에-나방【山─】 명 〖충〗 산누에나방과에 속하는 곤충의 총칭. 산잠아(山蠶蛾). 야잠아(野蠶蛾). 작잠아(柞蠶蛾). 멧누에나비.

산누에나방-과【山─科】[─꽈] 명 〖충〗 [Saturiidae] 나비목(目)에 속하는 한 과. 몸은 대형이고 촉각은 짧고 쌍빗살 모양으로 생겼으며, 대부분이 야간 활동을 함. 야서성(野棲性) 또는 반옥내성(半屋內性)으로 고치는 견사(絹絲)로 이용함. 유충은 주로 활엽수의 해충임. 전세계에 800여 종이 분포함.

〈산누에나방〉

산다【山茶】 명 〖식〗 동백나무.

산다락 고무 〔sandarac gum〕 명 황색의 무른 천연 수지(樹脂). 물에 녹지 않음. 모로코산(Morocco 產)의 산다락나무에서 채취함. 니스·래커에 사용됨.

산다리 명 〖식〗 팥의 한 가지. 열매가 잘고 흼.

산다칸 〔Sandakan〕 명 〖지〗 보르네오 섬의 북동부 해안에 위치한, 말레이시아 연방 사바 주(州)에 속하는 항도(港都). 경관(景觀)이 좋아 '작은 홍콩'이라는 별칭이 있음. 사고야자·담배·고무·목재 등을 수출함. 주민은 중국인이 많음. [42,000명(1970 추계)]

산다-화【山茶花】 명 동백나무의 꽃.

산-닥【山一】[一딱] 명 산에 자생(自生)하는 닥나무. ↔참닥.

산-닥나무【山一】[一딱一] 명 〖식〗 [*Diplomorpha trichotoma*] 회양목과에 속하는 낙엽 활엽 관목. 높이는 1-1.5m이며 잎은 대생하고 달걀 모양의 타원형으로 위 끝이 뾰족하여 전연(全緣)임. 7월에 황색 통상화(筒狀花)가 총상(總狀) 화서로 정생(頂生)하고, 과실은 긴 타원형으로 10월에 익음. 산과 들에 나는데, 전남의 진도(珍島), 경남의 남해(南海) 및 일본에 분포함. 수피(樹皮)는 제지(製紙) 원료임.

〈산닥나무〉

산단【山丹】 명 〖식〗 하늘나리.

산단풍-나무【山丹楓一】 명 〖식〗 [*Acer pseudo-sieboldianum* var. *ishidoyanum*] 단풍과에 속하는 낙엽 활엽 소교목(小喬木). 잎은 대체로 원형인데 밑은 심장형이며 9-10 갈래로 째어졌고, 열편(裂片)은 달걀꼴의 피침형(披針形)이며, 끝은 날카롭고 결각(缺刻) 모양의 날카로운 겹톱니가 있음. 꽃은 5월에 방상 화서(房狀花序)로 정생(頂生)하며, 과실은 시과(翅果)인데 예각(銳角)으로 벌어지고 10월에 익음. 산기슭에 드물게 야생하며, 경기·평북·함북 지방의 일부 지역에 분포함.

산-달[1]【山一】 명 산이 있는 곳. 산지(山地). ¶ 양지바른 ~.

산:달[2]【產一】[一딸] 명 해산(解產)달.

산달[3]【山獺】 명 〖동〗 ①담비❶. ②[*Martes melampus coreenisis*] 족제빗과에 속하는 동물의 하나. 고양이보다 작고 족제비와 비슷한데, 수컷의 몸의 길이는 45-50 cm, 암컷은 40-42 cm, 꼬리는 20 cm 가량임. 사지(四肢)가 짧고 각 발가락에 날카로운 발톱이 있으며 주둥이가 길며 귀는 짧고 넓음. 몸빛은 황갈색이고 두정(頭頂)과 꼬리 끝은 희며 네 발은 까만데 겨울에는 몸빛이 담색으로 변함. 낮에는 나무 구멍·바위 틈에서 자고 야간에 활동하여 작은 새·들쥐·개구리 또는 과실 등을 먹고 삶. 3-5월에 한두 마리의 새끼를 낳음. 모피(毛皮)가 귀중하며 고가(高價)임. 한국 중남부·대마도·일본에 분포함. 담비. 노랑담비. 황초(黃貂). ③너구리❶.

〈산달[3]❷〉

산달-나물 명 〈방〉 〖식〗 매자나무.

산달-도【山達島】[一또] 명 〖지〗 경상 남도 남해상(南海上), 거제군(巨濟郡) 거제면 법동리(法東里)에 위치한 섬. [2.79km²: 1,007 명(1984)]

산-달래【山一】 명 〖식〗 [*Allium grayi*] 달래과에 속하는 다년초. 줄기는 구형(球形)의 인경(鱗莖)에서 직립하고 높이는 60cm 내외임. 잎은 줄기 하부에 속이 빈 선형으로 두 세 개가 남. 5-6월에 백자색 꽃이 산형(繖形) 화서로 정생하는데, 자색의 작은 주아(珠芽)를 혼생(混生)함. 산과 들에 흔히 나는데 한국 중부 이남 및 일본에 분포함. 봄에 인경(鱗莖)과 잎을 찌거나 초에 무치어 식용함.

〈산달래〉

산달-피【山獺皮】 명 잘[1].

산-닭【山一】[一딱] 명 〖조〗 [*Gennaeus swinhoii*] 꿩과에 속하는 새. 날개 길이는 25cm 가량이며 꽁지가 길. 수컷은 두부(頭部)의 관모(冠毛)·등 쪽·꽁지가 순백색, 얼굴의 드러난 부분은 짙은 홍색, 기타는 주로 자흑색(紫黑色)을 띠고 있으나 날갯죽지 부분은 붉음. 암컷은 전체적으로 갈색이며 V자형(字型)의 반문(斑紋)이 있음. 대만(臺灣)의 특산종으로 1,000m 이상의 높은 산 숲 속에 삶.

산:답【散畓】 명 한 사람의 소유로 여기저기 흩어져 있는 논.

산당[1]【山堂】 명 ↗산신당(山神堂).

산당[2]【山黨】 명 〖역〗 서인(西人)의 한 분파(分派). 조선 인조(仁祖) 말년에 김상헌(金尙憲)이 주장(主掌)하던 청서(淸西)가 산당·한당(漢黨)의 두 갈래로 나뉘어 생긴 것인데, 효종(孝宗) 때 송시열(宋時烈)이 이 파(派)의 영수(領首)로서 세력을 떨친 일이 있음.

산당-화【山棠花】 명 〖식〗 [*Chaenomeles speciosa*] 능금나뭇과에 속하는 낙엽 활엽 관목. 잎은 타원형 또는 도피침형임. 자웅 잡가(雌雄雜家)로, 4월에 짙은 홍색의 꽃이 하나씩 혹은 족생(簇生)하여 피고, 이과(梨果)는 9월에 익음. 산야에 나는데 경남의 진해(鎭海)·해남(海南)·충북의 속리산(俗離山) 등지에 분포함. 관상용으로 심음.

산대[1] [一때] 명 고기 잡는 그물의 한 가지. 대나 쇠로 만든 틀에 삼각형 또는 둥근 그물을 주머니처럼 붙였음.

산-대[2] [一때] 명 〈방〉 상앗대.

산대[3]【山臺】 명 〖민〗 큰 길가나 빈 터에 높이 대(臺)를 쌓고, 그 위에서 연극을 하는 일. 또, 그 무대(舞臺). 산기슭이나 그 근처에서 할 때는 지형을 이용하여 높은 자리를 만듦. →산디.

산:대[4]【散大】 명 ①퍼져서 커다랗게 됨. ②죽을 때가 임박하여 눈동자가 열리는 일. *동공 산대(瞳孔散大). ――-하다 자여불

산:-대[5]【算一】[一때] 명 ☞ 산가지.

산대[6]【蒜薹】 명 마늘종.

산대-구【蒜薹灸】 명 마늘종 구이. 선대구(蒜薹灸).

산대-극【山臺劇】 명 〖민〗 산대놀음. ――-하다 자여불

산:대-근【散大筋】 명 〖생〗 괄약근(括約筋)에 대항하여 개장(開張)하는 기능을 갖는 근육. 동공(瞳孔) 괄약근에 대항하는 동공 산대근 따위.

산대-놀음【山臺一】 명 〖민〗 [→산디놀음] 고려 때부터 조선 시대를 통해 성행하던 우리 나라의 대표적인 가면극(假面劇). 맨 처음에는 고려 초기에 중국의 옛날 의식(儀式)이던 나례(儺禮)를 모방하여 궁중에서 행하다가, 예종(睿宗) 때부터 연극의 형식으로 바뀌어 산대 잡극(山臺雜劇)이란 이름으로 불리었으며, 조선 시대에 와서 궁중 연극으로 하게 되었는데, 특히 중국 사신을 맞이하기 위해서 도감(都監)을 두고 상연하게 되어 산대도감극(山臺都監劇)이라고 하였고, 이것이 민간에 등장, 가설 무대에서 하기 시작하여 평민극(平民劇)으로 변하였음. 내용은 종이나 나무로 만든 탈을 쓰고 소매가 긴 옷을 입은 광대들이 풍류에 맞추어 춤과 노래와 재담 등으로 꾸민 극을 하는 것인데, 양반에 대한 조롱·모욕과, 파계승(破戒僧)에 대한 조소 등의 풍자적(諷刺的) 색채가 나타나 있음. 산대극(山臺劇). 산대도감극(山臺都監劇). 산대도감놀이. 산대 잡극(山臺雜劇). 산대희(山臺戲). 산붕희(山棚戲). 산붕(山棚). 오산(鼇山. 鰲山). 나례(儺禮). 나예(儺藝). 나의(儺儀). ――-하다 자여불

산대 도감【山臺都監】 명 [→산디 도감] 〖민〗 산대놀음을 하는 사람들이 모인 도중(都中).

산대도감-극【山臺都監劇】 명 〖민〗 산대놀음.

산대도감-놀이【山臺都監一】 명 〖민〗 산대놀음. ――-하다 자여불

산대미 명 〈방〉 삼태기(강원·경남).

산-대배기 명 〈방〉 산꼭대기(경북).

산대 악인【山臺樂人】 명 〖악〗 향악(鄕樂)과 당악(唐樂) 이외의 악인. 곧, 백희 잡기(百戲雜技)를 보이는 악인.

산대 잡극【山臺雜劇】 명 〖민〗 산대놀음.

산대 잡상【山臺雜像】 명 〖민〗 일종의 인형극인 잡희(雜戲)에 나오는 고려 개국 공신 신숭겸(申崇謙)·김락(金樂) 등의 여러 잡상.

산대-주【山臺柱】 명 산대의 기둥.

산-대지【山一】[一때一] 명 〈방〉 〖동〗 멧돼지(전남·경상).

산-대추【山一】[一때一] 명 〖식〗 ☞ 멧대추.

산대추-나무【山一】[一때一] 명 〖식〗 ☞ 멧대추나무.

산대-탈【山臺一】 명 [→산디탈] 〖민〗 산대놀음할 때에 출연하는 사람이 쓰는 여러 가지 이상한 탈.

산대-판【山臺一】 명 [→산디판] 산대놀음을 하는 곳.

산대-희【山臺戲】[一히] 명 〖민〗 산대놀음.

산:댓-속【算一】[一땟一] 명 잇속을 따지는 속셈. ¶ ~이 빠르다.

산-더미【山一】[一떠一] 명 ①물건이 썩 많이 쌓여 있음을 산에 비유하여 일컫는 말. ¶ ~같이 쌓인 석탄. ②어떠한 일이 많이 있음을 가리키는 말. ¶ 할 일이 ~ 같소.

산도[1]【山桃】 명 〖식〗 소귀나무.

산도[2]【山道】 명 산길. 산로(山路). 산경(山徑).

산도[3]【山圖】 명 〖민〗 묏자리의 그림.

산도[4]【山稻】 명 〖식〗 밭벼.

산도[5]【山濤】 명 〖사람〗 중국 진(晉)나라 때의 문인·정치가. 죽림 칠현(竹林七賢)의 한 사람. [205-283]

산:도[6]【產道】 명 아이를 낳을 때, 태아(胎兒)가 통과하는 통로(通路). 곧, 산모(產母)의 생식기의 일부.

산도[7]【酸度】 명 [acidity] 〖화〗 ①산성도(酸性度). ②염기(塩基)의 한 분자(分子) 속에 있는 수산기(水酸基)의 수(數). 그 수에 따라, 일산 염기(一酸塩基)·이산 염기라고 함.

산도 검:정【酸度檢定】 명 토양(土壤)의 산성도(酸性度)를 조사하는 일.

산-도깨비【山一】[一또一] 명 목객(木客)❷.

산-도야지【山一】[一또一] 명 〈방〉 〖동〗 멧돼지(경남).

산독-증【酸毒症】 명 〖의〗 신진 대사(新陳代謝)의 장애로 말미암아 체내의 산형성(酸形成)이 이상하게 왕성하여져 혈액의 산 중화 능력(酸中和能力)이 감소된 상태. 당뇨병(糖尿病)이나 어린이의 식이 중독(食餌中毒) 등의 경우에 이런 현상이 보임. 산증(酸症). 산성 혈증(酸性血症). 아시도시스(acidosis). ↔알칼리 중독(alkali中毒).

산:-돈【算一】[一돈] 명 노름판 같은 데서 산가지 대신 쓰는 돈.

산-돌림【山一】[一똘一] 명 이리저리 돌아다니면서 오는 소나기.

산-돌배【山一】[一똘一] 명 ①〖식〗 산돌배나무. 산리(山梨). ②산돌배나무의 열매. 녹리(鹿梨).

산돌배-나무【山一】[一똘一] 명 〖식〗 [*Pyrus ussuriensis*] 능금나뭇과에 속하는 낙엽 활엽 교목. 잎은 달걀꼴이고 가에 톱니가 있음. 4-5월에 흰 꽃이 방상(房狀) 화서로 액생하여 5-10개씩 피고 이과(梨果)는 가을에 익음. 촌락 부근 및 산지에 나는데, 전북·경남·충남을 제외한 한국 각지 및 일본·만주·중국·우수리 등지에 분포함. 나무는 도구재(道具材)로, 과실은 식용으로, 나무 밑 부분은 접본(椄本)으로 씀. 산돌배.

산-돌이【山一】 명 ①다른 산에서 온 호랑이. ②산에 익숙한 사람.

산동[1]【山東】 명 〖지〗 ①'산둥'을 우리 음으로 읽은 이름. ②↗산동성.

산동[2]【山洞】 명 산촌(山村).

산동[3]【山童】 명 두메에서 자란 아이.

산:동[4]【散瞳】 명 〖생〗 교감(交感) 신경의 지배를 받는 동공 확대근(瞳孔擴大筋)의 작용에 의해 동공이 확대되는 현상. 동공 산대(瞳孔散大). ↔축동(縮瞳).

산동 반:도【山東半島】 명 〖지〗 산둥 반도.

산동-성【山東省】 명 〖지〗 산둥 성. ㊀산동.

산:동-약【散瞳藥】[一냑] 명 〖약〗 동공(瞳孔)을 크게 하는 작용이 있는 약제. 백내장(白內障)의 수술, 안저(眼底) 검사 등에 씀. 아트로핀(atropine)·스코폴라민(scopolamine) 등. 산동제(散瞳劑).

산동-우【山東牛】 명 [중국의 산동성에서 수출하였던 데서 일컬음] 중국의 허난(河南)·산둥(山東)·쓰촨(四川)·산시(山西)·간쑤(甘肅)의 여러 성(省)에서 산출되는 황우(黃牛). 대만의 황우보다 크며, 암소의 키는 약 120cm, 체중은 340kg 전후, 등은 수평이며, 엉덩이 부분의 근육의 발달이 좋고, 다리는 짧음. 주로 사역용(使役用)이나 식용도 함.

산:동-제【散瞳劑】 명 〖의〗 산동약(散瞳藥).

산동-주【山東紬】 명 중국 산동(山東) 지방에서 나는 명주. 멧누에실로

짜는데, 누르스름하고 두꺼움. 견주(繭紬).

산동-쥐똥나무【山東―】명〖식〗[*Ligustrum acutissimum*] 물푸레나뭇과에 속하는 낙엽 활엽의 작은 관목. 잎은 긴 타원형이고 가에 톱니가 없으며 뒷면에는 잔털이 있음. 5월에 백색의 꽃이 원추(圓錐) 화서로 정생(頂生)하고, 삭과(蒴果)는 10월에 흑색으로 익음. 산록에 나는데, 경남 및 중국에 분포함. 산울타리로 심음.

산:동-증【散瞳症】[―쯩] 명〖의〗동공(瞳孔)이 병적으로 크게 열리어 빛의 자극을 받아도 축소하지 않는 상태.

산동 출병【山東出兵】명〖역〗산둥 출병.

산동 출상 산서 출장【山東出相山西出將】[―쌍―짱] 명 산동(山東)에서는 재상(宰相)이 나고 산서(山西)에서는 장수(將帥)가 난다는 말로, 곳에 따라서 다른 인재(人材)가 난다는 뜻.

산-돝【山―】[―돋] 명〈방〉〖동〗산돼지(제주).

산-돼지【山―】[―돼―] 명〖동〗멧돼지.

산-되지【山―】[―뙤―] 명〈방〉〖동〗멧돼지(경기·강원·충북·전북·경상).

산두[1]【山―】명〈방〉산디.

산두[2]【山斗】명 ↗태산 북두(泰山北斗).

산두[3]【山頭】명 산꼭대기. 산정(山頂). 산전(山巓).

산두[4]【汕頭】명〖지〗'산터우'를 우리 음으로 읽은 이름.

산두곡-산【山頭谷山】명〖지〗강원도 인제군(麟蹄郡)에 있는 산. [1,019m]

산두-근【山豆根】명 ①만년(萬年)콩. ②〖한의〗금쇄시(金鎖匙).

산:-두다【算―】자타〈방〉산놓다.

산-두메【山―】명〈방〉두메.

산두-벼 명〈방〉밭벼.

산두-봉【山頭峰】명〖지〗경상 북도 의성군(義城郡)과 청송군(青松郡) 사이에 있는 산. [720m]

산두-화【山頭火】명〖민〗육십 화갑자(六十花甲子)에서 갑술(甲戌)을 해(乙亥)에 붙이는 납음(納音). 술해(戌亥)는 천문(天門)이요, 술(戌)은 화롯불인데, 갑을목(甲乙木)에 불이 붙어서 하늘 높이 불꽃이 치솟으니, 마치 산불이 난 것과 같다는 말.

산둑-사초【―莎草】명〖식〗[*Carex forsicula*] 방동사닛과에 속하는 다년초. 줄기는 총생(叢生)하고 높이 60cm 가량임. 잎은 호생, 협선형(狹線形)이며 폭이 4mm 가량 됨. 꽃은 5-6월에 피는데 소수(小穗)는 너덧 개, 웅화수(雄花穗)는 한 개가 정생(頂生)하며 흑갈색임. 자화수(雌花穗)는 서너 개가 측생(側生)하고 좁은 원주형임. 암꽃의 영(穎)은 피침형이고, 과실은 수과(瘦果)임. 산이나 들에 나는데, 전북·경남북·경기·함남 등지에 분포함.

산둥〔山東〕명〖지〗①중국 화산(華山) 산 이동(以東)의 땅. ②중국 허난 성(河南省) 서쪽의 샤오산(崤山) 산·한구관(函谷關) 이동의 땅. ③중국 타이항 산맥(太行山脈) 이동의 일컬음. ④ ↗산둥 성. 1)-4) : 산동.

산둥 반:도【―半島】〔山東〕명〖지〗중국 산둥 성(山東省) 동쪽에 있는 반도. 포하이(渤海)와 황해(黃海) 사이에 돌출(突出)하였으며, 연안은 굴곡(屈曲)·출입(出入)이 많아 옌타이(煙臺)·웨이하이(威海)·칭다오(青島) 등의 양항(良港)이 있음. 도서(島嶼)가 많으며, 어업·교역의 기지(基地)로 되어 있음. 잡곡·과실·산누에 등을 산출하며 지하 자원이 풍부함. 19 세기말 이후 열강(列強)의 이권 쟁탈로 인하여 많은 국제 분쟁을 일으켰음. 산동 반도.

산둥 성【―省】〔山東〕명〖지〗중국 동부 황해(黃海) 연안에 있는 성(省). 동부는 구릉성 반도(丘陵性半島), 중부는 타이이 산맥(泰沂山脈)과 접하고, 그 외는 광대한 평원(平原)으로 성(省) 면적의 60%가 경지(耕地)임. 기후는 온화함. 밀·땅콩·목화·담배·과실 등의 농산물과, 소금·어류 등의 수산물이 풍부하며 석탄·금·철·알루미늄 등의 광산물이 남. 방적·제사·시멘트·기계·화학·조선 등의 근대 공업이 비교적 발달하였고, 수공업으로는 직포·도자기·기와 등이 생산됨. 20 세기 초에 본성(本省)은 국제 이권(利權) 쟁탈의 대상지의 하나였음. 성도(省都)는 지난(濟南). 산동성. 노성(魯省). ㊄산둥. [153,300 km²: 80,610,000(1988)]

산둥 출병【―出兵】〔중 山東〕명〖역〗1927년부터 이듬해까지 3차에 걸쳐, 일본이 중국 혁명에 대한 간섭과 만주·화북(華北) 침략의 구실로, 거류민 보호 등을 내세워 산둥 성에 출병한 사건. 결과적으로 중국의 배일(排日) 운동을 격화시켰음. 산동 출병.

산드러-지다 형 태도가 맵시 있고 경쾌(輕快)하다. 좀 시원한 듯하고 가볍게 간드러지다. <선드러지다.

산득 부 몸에 갑자기 찬 느낌을 받거나, 마음에 갑자기 놀라는 느낌을 받는 모양. ㅆ산뜩. <선득. ――하다 형여불

산득-거리다 자 연해 산득한 느낌이 들다. ㅆ산뜩거리다. <선득거리다. 산득-산득 부. ――하다 자형여불

산득-대다 자 산득거리다.

산들-거리다 자 ①시원한 기운을 띤 바람이 연달아 가볍게 불다. ②사람의 성질이 시원하고 연해서 흐늘거리는 맛이 있다. 1)·2): <선들거리다. 산들-산들 부. ――하다 자여불

산-들깨【山―】명〖식〗[*Orthodon japonicum*] 꿀풀과에 속하는 일년초. 높이 20-40cm이고 온몸에 짧은 털이 나며 줄기는 방형(方形)에 곧음. 잎은 대생(對生)하고 긴 달걀꼴 또는 긴 타원형으로 단병(短柄)임. 7-8월에 담홍자색의 꽃이 총상(總狀) 화서로 피고 수과(瘦果)는 구형(球形)임. 산과 들에 나는데 향기(香氣)가 있으며, 잎과 줄기는 약재로 씀. 한국 중부 이남의 제주·전남·경남·경기 및 일본 홋카이도에 분포함.

〈산들깨〉

산들다 자 바라던 일이 틀리다. 소망이 끊어지다.

산들-대다 자 산들거리다.

산들-바람 명 ①시원하고 가볍게 부는 바람. 산들산들 부는 바람. <선들바람. ②〖기상〗풍력 계급의 하나. 초속 3.4-5.5 미터로 부는 바람. 연풍(軟風). *풍력 계급.

산-등【山―】[―뜽] 명 ↗산등성이.

산-등성【山―】[―뜽―] 명 ↗산등성이.

산-등성마루【山―】[―뜽―] 명 산등성이의 가장 높은 곳. 산척(山脊). ㊄산마루.

산-등성이【山―】[―뜽―] 명 산의 등줄기. 산잔등. ㊄산등·산등성·등성이.

산디 명〖민〗←산대(山臺). ――하다 자여불

산디-놀음 명〖민〗←산대(山臺)놀음. ――하다 자여불

산디 도감【―都監】명〖민〗←산대 도감(山臺都監).

산디-떡 명〈방〉찰떡(함경).

산디아 문화【―文化】〔Sandia〕명 미국 서부(西部)에서 가장 오래 된 문화의 하나. 대표적 유적이 뉴멕시코 주의 산디아 산중에 남아 있음. 유적 동굴(洞窟)의 맨 아래 층에 거친 타제(打製)의 석창(石槍)을 비롯한 많은 석기와 더불어 들소·낙타·마스토돈·매머드의 뼈가 출토되었음. 모두 약 25,000 년 이전의 것으로 추정됨.

산디-탈 명〖민〗← 산대탈.

산디-판 명〖민〗← 산대판.

산뒤 명〈옛〉산디. ¶ 鼇山 산뒤《譯語 下 23》.

산-딱다구리【山―】명 ☞〖조〗메딱따구리.

산-딸기【山―】명 산딸기나무의 열매.

산-딸기나무【山―】명〖식〗[*Rubus crataegifolius*] 장미과에 속하는 낙엽 활엽 관목. 높이는 1-2m 내외이며 온 몸에 가시가 나고 잎은 달걀꼴 또는 넓은 타원형이며 흔히 3-5 갈래로 째짐. 5월에 백색의 꽃이 산방상(繖房狀)으로 액생(腋生)하거나 작은 가지에 정생하고, 과실군(果實群)은 거의 구형(球形)이며, 7월에 홍흑색으로 익음. 산이나 들 또는 화전(火田) 지대에 흔히 나는데, 한국 각지 및 일본·만주·중국에 분포함. 과실은 약용 및 식용함.

〈산딸기나무〉

산-딸나무【山―】[―라―] 명〖식〗[*Dendrodenthamia japonica typica*] 층층나뭇과의 낙엽 활엽 교목. 높이는 6m 가량, 잎은 달걀꼴에 톱니는 없으며 잎 뒤의 엽맥(葉脈) 사이에 갈색 털이 있음. 6월에 백색의 꽃이 두상(頭狀) 화서로 정생(頂生)하고 핵과(核果)는 장질(漿質)이며 10월에 붉게 익음. 산지의 숲 속에 나는데, 한국 중부 이남 및 일본·중국에 분포함. 정원수로 심고 기구재로 씀. 과실은 식용함.

산-떨음【山―】명 산내림.

산:-똥 명 먹은 것이 다 소화되지 못하고 나오는 똥.

산뜩 부 몸에 갑자기 찬 느낌을 받거나 마음에 갑자기 놀라는 느낌을 받는 모양. ㅅ산득. <선뜩. ――하다 형여불

산뜩-거리다 자 연해 산뜩한 느낌이 들다. ㅅ산득거리다. <선뜩거리다. 산뜩-산뜩 부. ――하다 자형여불

산뜩-대다 자 산뜩거리다.

산뜻 부 시원스럽고 빠르고 가벼운 모양. <선뜻.

산뜻-이 부 산뜻하게. <선뜻이.

산뜻-하다 형여불 깨끗하고 시원하다. ¶ 산뜻한 복장. <선뜻하다.

산:락【散落】[살―] 명 여러 곳에 흩어져서 떨어짐. 산산이 흩어져 없어짐. ――하다 자여불

산란[1]【山蘭】[살―] 명〖식〗등골나물.

산:란[2]【產卵】[살―] 명 알을 낳음. ――하다 자여불

산:란[3]【散亂】[살―] 명 ①흩어져 어지러움. ②〖불교〗번뇌로 인하여 정신이 어지러움. 범인(凡人)의 마음이 육진(六塵)에 의하여 어지러져 한 곳에 안정하지 않는 일. ③〔scattering〕〖물〗파동·입자선(粒子線) 등이 매체(媒體)의 불균일성이나 이방성(異方性) 때문에, 방향을 바꾸어 불규칙하게 흩어지는 현상. ――하다 형여불. ――히 부

산:란-각【散亂角】[살―] 명〔scattering angle〕〖물〗산란 입자 운동의 최초와 최후 방향이 이루는 각.

산:란 계:수【散亂係數】[살―] 명〔scattering coefficient〕①〖물〗전자기파의 빔(beam)이나 입자선(粒子線)이, 단위의 길이를 나갈 때 강도(強度)를 어느 정도 감소시키는가를 나타내는 수치(數值). ②〖전〗도파관(導波管) 접합에 대한 S행렬의 한 요소(要素). 곧, 접합의 투과 계수 또는 반사 계수를 이르는 말.

산:란-관【產卵管】[살―] 명〖충〗곤충의 알을 낳는 기관. 복부 말단부에 침상으로 되어 다른 물체에 삽입하고 산란함. 벌·모기 등에 있음. 산란기. ㊄난기(卵期). *번식기.

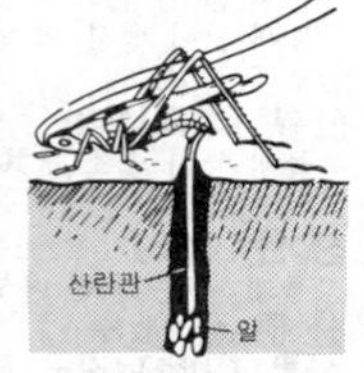

〈산란관〉

산:란-기[1]【產卵期】[살―] 명 알을 낳을 시기.

산:란-기[2]【產卵器】[살―] 명〖충〗산란관.

산:란 능력【產卵能力】[살―녁] 명 닭 따위 산란용의 가금(家禽)이 알을 낳는 능력. 보통, 일정 기간의 산란 개수로 나타내며, 능력은 초년도가 가장 크고, 해가 지나면서 감소됨.

산:란 무통【散亂無統】[살―] 명 흩어지고 어지러워 통일(統一)이 없음. ――하다 형여불

산:란-성【產卵性】[살―썽] 명 알을 슬거나 낳는 성질.

산:란성 사고【散亂性思考】[살―썽―] 명〖심〗사고 장애의 한 가지. 피로할 때나 꿈꿀 때와 같이, 전혀 줄거리가 없고, 여러 가지 단편적(斷片

的)인 일이 무질서하게 어울려서 이루어지는 사고. 지리 멸렬성(支離滅裂性) 사고. *분열성(分裂性) 사고.

산:란 음파【散亂音波】[살—] 명 〖물〗 장애물로 인하여 생긴 반사나 회절(回折)에 의한 음(音)을 합한 음파. *자유 진행파. 「에씨.

산:란 잠종【散卵蠶種】[살—] 명 종이에 붙지 아니하고 흩어져 있는 누

산:란-장【產卵場】[살—] 명 물고기·닭 같은 동물이 산란하는 곳.

산:란-지[1]【產卵池】[살—] 명 양어장 등에서 물고기들이 알을 슬도록 별도로 마련하여 놓은 못.

산:란-지[2]【產卵紙】[살—] 명 잠란지(蠶卵紙).

산:란-층【散亂層】[살—] 명 〔scattering layer〕 〖해〗 음(音)을 산란·반향(反響)시키는 해양(海洋) 생물층(生物層)의 하나.

산:란-파【散亂波】[살—] 명 〖물〗 전리층에서의 전자 밀도(電子密度)의 차이나 대류권(對流圈)에서 대기의 굴절률의 흐트러짐 때문에 산란하는 전파. ¶ ~ 통신 방식.

산:란 회유【產卵回游】[살—] 명 〖어〗 물고기 등이 알의 부화 및 치어(稚魚)의 생육에 알맞은 산란장으로 이동하는 일. 뱀장어는 담수(淡水)로부터 대양(大洋)으로 회유하고, 송어·연어 등은 강(江)으로 거슬러 올라옴. *생육(生育) 회유.

산:랑【散郞】[살—] 명 〖역〗 ①고려 충렬왕 34년(1308)에 원외랑(員外郞)을 고친 이름. 선부(選部)·총부(摠部)·민부(民部)·언부(讞部)의 벼슬. ②고려 공민왕(恭愍王) 18년(1369)에 좌랑(佐郞)을 고친 이름. 육부(六部)의 벼슬. 「타여불

산:략【刪略】[살—] 명 문구(文句) 등을 깎아서 없애 버림. ——-하다

산량[1]【山梁】[살—] 명 ①산골짜기 사이에 걸친 다리. ②'꿩'의 별칭.

산:량[2]【產量】[살—] 명 ↗생산량(生產量).

산-레모〔San Remo〕 명 〖지〗 이탈리아 북서부, 제노바 만(Genova灣)에 면한 관광 휴양 도시. 제1차 세계 대전 후의 산레모 회의, 제2차 세계 대전 후는 산레모 가요제의 개최지로 유명함. [61,000 명(1981)]

산레모 가요제【—歌謠祭】 명 〔Festival di San Remo〕 1951년 이래 이탈리아의 산레모에서 매년 봄에 열리는 음악제. 신작(新作)의 칸초네가 발표됨.

산:력【算曆·算歷】[살—] 명 산법(算法)과 역상(曆象). 곧, 계산하는 방법과 천문·역서(曆書)를 보는 법.

산령[1]【山嶺】[살—] 명 산봉(山峰).

산령[2]【山靈】[살—] 명 산신(山神).

산로[1]【山路】[살—] 명 산길. 산도(山道). 산경(山徑).

산:로[2]【產勞】[살—] 명 산고(產苦).

산:로-산【散魯山】[살—] 명 〖지〗 함경 북도 부령군(富寧郡) 연천면(連川面)과 석막면(石幕面) 사이에 있는 산. [745 m]

산록[1]【山麓】[살—] 명 산기슭. 산족(山足). 초지(初地).

산:록[2]【散錄】[살—] 명 마음에 떠오르는 것을 붓 가는 대로 기록함. 또, 그 기록. 만록(漫錄). 수필(隨筆).

산록-게거미【山麓—】[살—] 명 〖동〗 줄연두게거미.

산록-계【山麓階】[살—] 명 〖지〗 잇따라 지층이 솟아오르거나 가라앉아서 산기슭에 이루어진 계단(階段) 모양의 땅.

산록 단:척애【山麓斷脊崖】[살—] 명 〔piedmont scarp〕〖지〗 산록 사면의 충적층(沖積層) 속에 만들어진 낮고 작은 낭떠러지. 특히, 단층 운동에 의해서 지표가 전위(轉位)되어 생긴 것을 말함.

산록-대【山麓帶】[살—] 명 〖지〗 식물의 수직 분포에 있어서의 한 지대. 교목대(喬木帶)의 아래로 일반 평야의 식물과 같은 식물이 남. 산밑 식물대(植物帶). 「걸쳐 퍼져 있는 빙하.

산록 빙하【山麓氷河】[살—] 명 산악 빙하의 하나. 산허리에서 산기슭에

산뢰【山籟】[살—] 명 산바람이 나뭇 가지를 스치는 소리. 송뢰(松籟).

산:료【散料】[살—] 명 〖역〗 사맹삭(四孟朔)에 주는 녹과(祿科)를 매달에 나누어서 주던 일. 즉 월급(月給)으로 주는 일. 삭름(朔廩).

산룡-자【山龍子】[살—] 명 〖동〗 도마뱀❶.

산루이스-포토시〔San Luis Potosí〕 명 〖지〗 멕시코 중부의 도시. 해발 1,880 m의 산간 분지에 있는 철도의 요지. 부근에서 산출되는 은·납·금의 제련 외에, 비소 제조가 성함. 시가지의 지붕이 여러 빛깔의 기와로 되어 있어, 이 도시의 특징이 됨. [488,238 명(1990)]

산류[1]【山流】[살—] 명 ①산의 급한 비탈을 흐르는 내. ↔야류(野流). ②하천의 상류부나 중류부가 대개 산지(山地)를 흐르는 데서, 하천의 상류부·중류부를 일컬음.

산:류[2]【產瘤】[살—] 명 〔도 Geburtgeschwulst〕〖의〗 해산할 때에 태아(胎兒)의 신체(身體)의 일부가 주위(周圍)에 있는 조직(組織)에 심히 압박(壓迫)되어 그 부분이 부어 흑갈색으로 되는 증상(症狀). 머리·얼굴 등에 많이 생김. 머리에 생기는 두류(頭瘤)와 얼굴에 생기는 면류(面瘤)로 구분함.

산류[3]【酸類】[살—] 명 〖화〗 산성(酸性)이 있는 화합물(化合物)의 총칭. 물에 녹아 수소(水素) 이온(ion)을 발생하고 염기(塩基)와 반응(反應)하여 염(塩)을 발생하는 물질. 황산(黃酸)·질산(窒酸)·타르타르산(酸) 등.

산:륜【散輪】[살—] 명 무거운 물건을 옮길 때, 그 밑에 괴어 힘을 덜 들게 하는 둥근 나무 토막. 「——-하다 재타여불

산:륜-질【散輪—】[살—] 명 산륜을 써서 무거운 물건을 옮기는 일.

산릉[1]【山陵】[살—] 명 ①산과 언덕. ②〖역〗 국장(國葬)을 하기 전에 아직 이름을 짓지 않은 새 능. ③〖역〗 임금의 무덤. 「척릉(脊稜).

산릉[2]【山稜】[살—] 명 산정(山頂)과 산정으로 이어진 산봉의 줄기. 산의

산릉 도감【山陵都監】[살—] 명 〖역〗 임금이나 왕비의 능을 새로 만들 때 임시로 베푸는 관아(官衙).

산릉-선【山稜線】[살—] 명 여러 개의 산릉이 연속되어 형성된 선.

산리[1]【山里】[살—] 명 산 속에 있는 마을.

산리[2]【山梨】[살—] 명 ①똘배. ②산돌배❶.

산리[3]【山理】[살—] 명 〖민〗 묏자리의 내룡(來龍)·방향·위치(位置) 등에 의하여 화복(禍福)이 좌우된다는 이치.

산:리[4]【散吏】[살—] 명 〖역〗 맡은 직무(職務)가 없는 벼슬아치.

산림【山林】[살—] 명 ①산과 숲. 또, 산에 있는 수풀. ②덕과 학식이 높으나 벼슬을 하지 않고 시골에서 책만 읽는 선비. 산장(山長). ③〖불교〗 절에서 몇 달이고 달을 정해 놓고 정업(淨業)을 닦아서, 인아(人我)의 이(理)를 알고 공덕(功德)을 쌓은 혜림(慧林). 법화 산림(法華山林)·화엄 산림(華嚴山林)·정토 산림(淨土山林)·미타 산림(彌陀山林)이 있음. ④〖불교〗 안거(安居)❷.

산림 간수【山林看守】[살—] 명 산림을 지킴. 또, 그 사람.

산림 개발권【山林開發圈】[살—꿘] 명 전국의 산림을 입지적 조건을 고려해 용재림(用材林) 개발권·풍치림(風致林) 개발권·농용림(農用林) 개발권의 3종으로 구분한 것. 산림청장이 공고하며, 10년마다 종합적인 산림 개발 장기 계획을 작성 공고함.

산림 개발 기금【山林開發基金】[살—] 명 조림(造林)·육림·종묘(種苗)·임산물(林產物)의 생산·가공 등에 필요한 자금의 장기 저리 융자 재원을 확보하기 위하여 정부 예산으로 조성한 기금. 산림청장이 관리·운용함.

산림 경제【山林經濟】[살—] 명 〖책〗 조선 숙종(肅宗) 때 홍만선(洪萬選)이 지은 책. 전원(田園)에 사는 사람으로서 일상 생활에 꼭 알아야 할 중요한 사항을 적은 책으로, 복거(卜居)·섭생(攝生)·치농(治農)·치포(治圃)·종수(種樹)·양화(養花)·양잠(養蠶)·목양(牧養)·치선(治膳)·구급(救急)·구황(救荒)·벽온(辟瘟)·벽충(辟蟲)·치약(治藥)·선택(選擇)·잡방(雜方)을 내용으로 함. 4권 4책으로 필사본(筆寫本)임.

산림 경:찰【山林警察】[살—] 명 행정 경찰의 하나. 산림 행정에 부수해서 발생하는 장애를 제거하는 경찰로, 도벌(盜伐)·화재·병충해 등을 예방하여 산림 보호에 힘씀.

산림-계[1]【山林契】[살—] 명 산림 조합법에 의거, 산림 소유자와 현지 주민이 협동하여 그 구역 내의 산림을 보호·개발할 목적으로 설립된 법인체. 계원 자격이 있는 사람 30명 이상이 발기인이 되어 시장·군수의 인가를 받아야 함. 산림청장의 감독을 받음. *산림 조합.

산림-계[2]【山林係】[살—] 명 각 군(郡)에 두어 산림의 보호·감독·사방 공사의 지도를 담당하는 계. 또, 그 사람. *산감(山監).

산림-국【山林局】[살—] 명 ①〖역〗 농상 아문(農商衙門)의 한 국. ②〖역〗 농상공부(農商工部)의 한 국.

산림 녹화【山林綠化】[살—] 명 황폐한 산에 식목·산림 보호·사방 공사 등을 하여 초목(草木)이 무성하게 하는 일. 또, 그 운동.

산림-대【山林帶】[살—] 명 산림 지대(山林地帶). 「선비의 문하.

산림 문하【山林門下】[살—] 명 학덕(學德)은 높으나 벼슬을 하지 않은

산림-법【山林法】[살—뻡] 명 〖법〗 산림 자원의 증식과 임업(林業)에 관한 기본적 사항을 정하여 산림의 보호·육성, 임업 생산력의 향상 및 산림의 공익 기능의 증진을 도모하며 국토의 보전과 국민 경제의 건전한 발전에 기여하게 하려는 법률.

산림 보:전 지역【山林保全地域】[살—] 명 국토 이용 관리법에 따라, 국토 이용 계획 심의회의 심의를 거쳐 건설부 장관이 결정 고시하는 용도(用途) 지역의 하나. 목재의 생산·채종(採種) 및 재해나 환경 오염의 방지 등을 위하여 산림지로서 보전할 필요가 있는 지역. 1993년 법 개정으로 삭제됨.

산림 보:호【山林保護】[살—] 명 사방·식수 또는 벌채(伐採)의 금지나 제한 등으로 산림을 가꾸고 보호함. 「사하는 공무원.

산림 보:호 직원【山林保護職員】[살—] 명 〖법〗 산림 보호 업무에 종

산림 소:득【山林所得】[살—] 명 조림(造林)한 기간이 5년 이상인 임목(林木)의 벌채 또는 양도로 말미암아 발생하는 소득.

산림 식물학【山林植物學】[살—] 명 산림 지대의 식물을 연구 대상으로 하는 식물학의 한 분야.

산림-업【山林業】[살—] 명 임업(林業).

산림-욕【山林浴】[살—뇩] 명 숲 속에 들어가 숲의 공기와 향기를 쐬는 대기욕(大氣浴)의 하나.

산림-원【山林園】[살—] 명 〖역〗 조선 시대 때 장원서(掌苑署)의 전신(前身). 태조 3년(1394)에 동산색(東山色)을 고쳐서 일컫다가, 세조(世祖) 12년(1466)에 장원서라 고치었음. *장원서.

산림 절도죄【山林竊盜罪】[살—또쬐] 명 〖법〗 산림법에서, 산림에서의 산물을 절취함으로써 성립하는 죄.

산림 조합【山林組合】[살—] 명 산림 조합법에 의거, 그 구역 내의 10개 이상의 산림계(山林契)가 발기인이 되고 서울 특별시장·광역시장 또는 도지사의 인가를 받아 설립하는 법인체. 조합원의 업무의 원활한 운영을 도모하고 공동 이익 증진을 목적으로 함. 산림청장의 감독을 받음. *산림 조합 중앙회.

산림 조합 중앙회【山林組合中央會】[살—] 명 산림 조합법에 의거, 50개 이상의 산림 조합이 발기인이 되어 산림청장의 인가를 받아 설립하는 법인체. 조합의 중앙 조직으로, 회원의 업무를 지휘 감독하며, 그 공동 이익의 증진과 건전한 발전을 도모함을 목적으로 함. 산림청장의 감독을 받음.

산림 지대【山林地帶】[살—] 명 산림이 있는 지대. 산림대.

산림 지역【山林地域】[살—] 명 국토 이용 관리법(管理法)에 따라, 국토 건설 종합 계획 심의회(國土建設綜合計劃審議會)와 국무 회의의 심의를 거쳐, 건설부 장관이 지정한 용도(用途) 지역의 하나. 주로, 영림(營林)과 대나무 육성(育成)에 이용될 지역. 산림 보전(山林保全) 지구와 개간 촉진(開墾促進) 지구로 세분됨. *자연 및 문화재 보전 지역.

산림 처:사【山林處士】[살—] 명 관직이나 세속(世俗)을 떠나 산 속에

파묻혀 글이나 읽고 지내는 사람.
산림 천택【山林川澤】[살—] 명 산과 숲과 내와 못. 준산택(山澤).
산림-청【山林廳】[살—] 명 농림 수산부 장관 소속하의 중앙 행정 기관. 산림의 보호·육성, 산림 자원의 증식, 임산물의 이용·개발 및 산림 경영의 연구·개선에 관한 사무를 관장함.
산림청-장【山林廳長】[살—] 명〖법〗산림청의 장(長). 별정직임.
산림-학【山林學】[살—] 명 산림의 육성 및 보존 등의 기술을 연구하는 학문. 곧, 임학.
산림학-자【山林學者】[살—] 명 산림학에 관하여 연구하는 사람.
산림 학파【山林學派】[살—] 명〖역〗조선 연산주(燕山主) 때의 무오 사화(戊午士禍)를 비롯하여 갑자(甲子)·기묘(己卯)·을사(乙巳) 등의 사화(士禍)와 당쟁(黨爭)으로, 정계(政界)를 떠나 강호(江湖)에 파묻혀 글이나 읽기를 즐기던 학자들. 후에는 무시 못할 큰 세력이 되었음. 이황(李滉)·이이(李珥) 등. 강호파(江湖派).
산:립-종【霰粒腫】[살—] 명〖의〗'선립종'의 잘못.
산-마가목【山—】명〖식〗[*Sorbus sambucifolia*] 능금나뭇과에 속하는 낙엽 활엽 교목(喬木). 잎은 우상 복생(羽狀複生)하고 아린(芽鱗)은 털이 없음. 5-6월에 백색의 꽃이 복방상(複房狀) 화서로 정생(頂生)하고 이과(梨果)는 10월에 붉게 익음. 깊은 산의 산복(山腹) 숲 속에 나는데, 함경 북도 및 일본·만주·아무르·캄차카·북미(北美) 등지에 분포함. 수피(樹皮)와 과실은 약용(藥用)하고 줄기는 지팡이로 씀.

〈산마가목〉

산-마늘【山—】명〖식〗[*Allium victorialis*] 달래과에 속하는 다년초. 인경(鱗莖)은 긴 타원형이고 줄기 높이 30-60 cm이며 잎은 타원형으로 넓고 두세 개가 남. 5-7월에 백색 또는 담자색 꽃이 산형(繖形) 화서로 정생하고 삭과(蒴果)는 세모난 심장형임. 심산 숲 속에 나는데, 경북의 울릉도·평북 등지에 분포함. 인경·줄기 등을 식용함. 산총(山葱).
산-마루【山—】명 ↗산등성마루.
산-마루터기【山—】명 산마루의 두드러진 턱.
산 마르코〔San Marco〕명 이탈리아의 인공 위성. 1호는 1964년 12월 15일 미국의 왈롭스 기지(Wallops 基地)에서 발사되었는데 직경 66 cm 무게 5 kg의 구체(球體)로, 대기 밀도의 측정이 목적이었음. 2호는 1967년 4월 26일, 아프리카의 몸바사 항(Mombasa 港) 부근의 해상 발사대에서 발사되었는데 무게 175 kg의 구체로, 적도 지대 상공의 대기 밀도를 측정함.

〈산마늘〉

산 마르코 성:당【—聖堂】〔San Marco〕명〖지〗이탈리아 베네치아 중앙 광장에 있는 성당. 8세기경에 본디 성(聖)마르코의 유골의 납골당으로 세워졌다가 11세기말에 재건된, 비잔틴 건축의 대표적 건물임.
산 마르틴〔San Martín, José de〕명〖사람〗아르헨티나의 혁명가. 스페인 본국에서 군인이 되었다가, 귀국하여 독립군의 지휘관으로서 스페인의 식민지였던 아르헨티나·칠레·페루 등 남미(南美) 여러 나라의 해방 운동을 지도하였음. 독립 성취 후에는 다른 사람에게 일체를 양보하고 프랑스에 망명, 가난 속에 죽음. [1778-1850]
산-마리노〔San Marino〕명〖지〗이탈리아 반도 북부의 아드리아 해변(海邊)에 있는 세계 최소(最小)이며 유럽 최고(最古)의 독립 공화국. 304년에 건국(建國)하였음. 주민은 이탈리아인으로, 가톨릭 교도임. 포도·올리브의 재배, 소·돼지의 목축과 양잠·임업·제지가 행하여지며, 우표(郵票)로 유명함. 수도는 산마리노. [61.19 km²: 23,000 명(1990)]
산막¹ 명〈옛〉움집. ¶ 산막 와(窩)《字會中 9》.
산막²【山幕】명 산에 지어 놓은 막사(幕舍). 사냥을 하거나 약을 캐는 사람이 임시로 쓰려고 지어 놓은 집.
산:만¹【刪蔓】명 여러 가지 인사(人事)는 그만두고 바로 할 말로 들어가겠다는 뜻으로, 편지 첫머리에 쓰는 말. *제번(除煩).
산:만²【散漫】명 걷잡을 수 없이 어수선하게 흩어져 퍼져 있음. 또, 일을 하는데 정신이 집중되지 않고 흩어져 있어 야무지지 못함. ¶ 문장(文章)이 ―하다. ――하다 형여불
산:만 신경계【散漫神經系】명〖생〗신경 세포가 산재하여 망상(網狀)으로 연결되어 있는 미분화(未分化)의 신경계. 강장 동물(腔腸動物)에서 볼 수 있음. 산재(散在) 신경계. ↔집중 신경계(集中神經系).
산:-말 명 살아 있는 말. 눈으로 보는 듯 절실하고 꼭 알맞게 표현한 말. └↔사어(死語).
산-말랭이【山—】명〈방〉산마루(경상).
산-말터【山—】명〈방〉산마루터기.
산:망【散亡】명 흩어져 없어짐. 산멸(散滅). ――하다 자여불
산:망-스럽다 형ㅂ불 언행(言行)이 경망(輕妄)하고 잘다. 산:망-스레 부
산매¹【山魅】명 요사스러운 산귀신.
산매(가) 들리다 구 요사스러운 산귀신이 몸에 붙다. 「여불
산:매²【散賣】명 물건을 낱개로 파는 일. 소매. ↔도매. ――하다 타
산:매 가격【散賣價格】[—까—] 명 소매 가격. ↔도매 가격.
산-매발톱【山—】명〖식〗[*Aquilegia japonica*] 성탄꽃과에 속하는 다년초. 줄기 높이는 30 cm 가량이고 잎은 뿌리에서 여러 개가 총생(叢生)하며 장병(長柄)에 잎 뒤가 분처럼 흼. 7-8월에 유리색(琉璃色)의 꽃이 줄기 끝에서 두세 개가 피고, 과실은 골돌과(蓇葖果)임. 고산 지대의 상복(上腹)에 나는데, 평북·함남북에 분포함.
산:매-상【散賣商】명 물건을 낱개로 파는 상인(商人). 또, 그 직업. 소매상(小賣商). ↔도매상(都賣商).
산:매 시세【散賣時勢】명 소매 시세. ↔도매 시세.
산:매 시:장【散賣市場】명 소매 시장. ↔도매 시장.
산:매-업【散賣業】명 산매하는 영업. 소매업(小賣業). ↔도매업(都賣業).
산:매-인【散賣人】명 소매인(小賣人).
산-매자【山—】명 산매자나무의 열매.
산매자-나무【山—】명〖식〗[*Hugeria japonica*] 석남과(石南科)에 속하는 낙엽 활엽 관목. 높이 1 m가량이고 잎은 호생(互生)하며 달걀꼴에 가에는 잔 톱니가 있고 무병(無柄)임. 초여름에 담홍색의 사판화(四瓣花)가 단립(單立) 액생(腋生)하여 피는데 화판이 밖으로 말리고 수술이 길게 나옴. 장과(漿果)는 구형(球形)이고 가을에 붉게 익음. 산복(山腹)에 나는데, 제주도 및 일본·중국에 분포함. 과실은 식용. 관상용으로 심음.

〈산매자나무〉

산:매-점【散賣店】명 물건을 산매하는 상점. 소매점(小賣店). ↔도매점(都賣店).
산맥【山脈】명〖지〗여러 산악(山岳)이 연하여 길게 뻗치어 줄기를 이룬 지대(地帶). 한 줄 또는 여러 줄이 일정한 방향으로 뻗어 한 계통의 지형을 이룬 범위의 한 단위임. *산줄기.
산-머리【山—】명 산꼭대기.
산:-멱 명 ↗산멱통.
산:-멱통 명 살아 있는 동물의 목구멍. 준산멱·멱통.
산면【山面】명 산의 표면(表面).
산:멸【散滅】명 흩어져 없어짐. 산망(散亡). ――하다 자여불
산명¹【山名】명 산의 이름.
산명²【山鳴】명 땅 속의 변화로 산이 울리는 소리. ――하다 자여불
산:명³【算命】명 운수를 점침. 또, 그 점. ――하다 자여불
산명 곡응【山鳴谷應】명 산(山)이 울면 골짜기가 응함. 곧, 소리가 산과 골짜기에 울림.
산:명 선생【算命先生】명〖민〗명수(命數)의 길흉을 점치는 사람.
산명 수려【山明水麗】명 산수(山水)의 경치가 아름다움. ――하다 형여불 「――하다 형여불
산명 수자【山明水紫】명 산수(山水)의 경치(景致)가 울긋불긋 아름다움.
산명 수청【山明水淸】명 산수(山水)가 맑고 깨끗하여 경치(景致)가 좋음. ――하다 형여불
산명 진:동【山鳴震動】명 산이 울고 땅이 흔들림. ――하다 자여불
산:모¹【産毛】명〖생〗생후(生後) 한 번도 깎지 않은 머리털. 배냇머리.
산:모²【産母】명 아이를 낳은 지 며칠 안 되는 여자. 산부(産婦). 아이 어미. 해산 어미.
산모³【酸模】명〖식〗수영¹.
산-모래【山—】명 산에서 나는 모래. ↔강모래.
산-모랭이【山—】명〈방〉①산마루. ②산모롱이(경상·강원·충남).
산:모-량【産毛量】명 양털 따위 털의 생산량(生産量).
산-모롱이【山—】명 산기슭의 나와서 휘어져 돌아가는 곳. *산마루.
산:모 섬유【散毛纖維】명 피륙·실·종이 들의 겉에 보풀보풀하게 일어난 섬유. 괴깔.
산-모퉁이【山—】명 산기슭의 쑥 내민 귀퉁이. 산갑(山岬).
산:목【算木】명 산가지.
산-목련【山木蓮】[—년] 명〖식〗함박꽃나무.
산:-목숨 명 살아 있는 목숨. ↔죽은 목숨.
산-몬댕이【山—】명〈방〉산마루(경남).
산:-몸 명 살아 있는 몸. 생체(生體).
산무【山務】명〖불교〗절에 관한 사무(事務).
산-무수물【酸無水物】명〔acid anhydride〕〖화〗2 개의 카르복시기(carboxy 基)에서 하나의 물분자(分子)가 제거된 형태의 화합물. 아세트산(酸) 2 분자에서 물 1 분자가 제거된 것은 아세트산 무수물, 프탈산(phthal 酸)에서 물 1 분자가 제거된 것은 프탈산 무수물이라고 함. 무수산(無水酸).
산무애-뱀【山—】명〖동〗[*Elaphe quadrivirgata*] 뱀과에 속하는 무독(無毒)의 뱀. 길이 1.4 m 가량이고, 체린(體鱗)은 19-21 열(列)임. 몸빛은 갈색 바탕에 네 개의 흑색 줄무늬가 머리에서 꼬리까지 있으며 온 몸에 흑색 또는 갈색의 많은 가로무늬가 있고 사다리 모양의 반문(斑紋)이 있으나 성장함에 따라 가로무늬가 불명(不明)하게 됨. 개체(個體)에 따라 색상(色相)이 여러 가지 있는데, 온 몸이 흑색인 것을 '먹구렁이'라고도 함. 개구리·쥐·도마뱀·새 등을 포식하고, 겨울에는 10-100여 마리가 모여 동면(冬眠)함. 얕은 산·풀밭·습지·물가에 서식하는데, 한국·중국·일본 등지에 분포함. 한방(漢方)에서 '화사(花蛇)'라 하여 문둥병·풍약(風藥)·보신 강장제로 씀. 건비사(褰鼻蛇). 기사(蘄蛇). 백화사(白花蛇). 화사(花蛇).

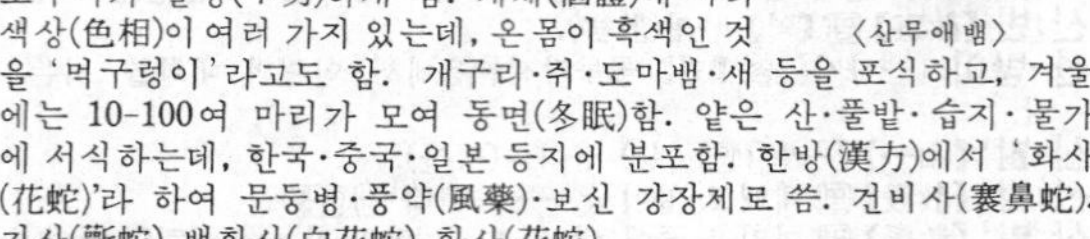

〈산무애뱀〉

산:-무유책【算無遺策】명 책략(策略)에 빈틈이 없음.
산문¹【山門】명 ①산의 어귀. ②〖불교〗절¹. ③〖불교〗절의 바깥문.
산:문²【産門】명〖생〗해산(解産)하는 여자의 음부(陰部). 포문(胞門). 해탈문(解脫門). *산도(産道).
산:문³【散文】명〔prose〕〖문〗글자의 수나 운율(韻律) 같은 것의 제한이 없이 자유롭게 기술(記述)하는 보통의 문장. 수필·기행문·소설·희곡 등. 줄글. 프로즈. ↔운문(韻文).
산:문-가【散文家】명 산문에 능숙한 사람.
산:문-극【散文劇】명〖연〗대사(臺詞)를 산문으로 쓴 극.
산:문-시【散文詩】명〔poem in prose〕〖문〗일정한 운율(韻律)을 갖지 아니하고 자유로운 형식으로 내재율(內在律)의 조화만 맞게 쓰는 산문 형식의 서정시(抒情詩). 자유시(自由詩)가 내재율을 중시하고 또 줄을 갈아서 쓰는 데 비하여, 이것은 한층 더 리듬을 무시함. 프랑스의 시인

보들레르(Baudelaire)가 처음 썼음. ↔정형시(定型詩).
산:문 작가【散文作家】[명]〖문〗산문만을 쓰는 작가.
산:문-적【散文的】[명][관] ①산문에 관한 모양. 운문(韻文)이나 시(詩)가 아닌 모양. ↔시적(詩的). ②시정(詩情)이 결핍된 모양. 산만하고 평범하여 무취미한 모양.
산:문 정신【散文精神】[명]〖문〗자유로운 문장을 표현하려는 정신. 곧, 운문(韻文)의 평명(平明)·간결(簡潔)·외형적 규범(規範) 및 낭만주의적인 시적(詩的) 감각을 배제(排除)하고 사회적 현실주의에 의하여 파악된 현실을 순전한 산문으로써 표현해야 한다고 하는 태도. 산문주의(散文主義).
산:문-주의【散文主義】[─/─이] [명] 산문 정신(散文精神).
산:문-체【散文體】[명]〖문〗운율(韻律)이나 자수의 형식에 구애됨이 없이 자유 자재로 사실을 기술하는 모양의 문장체. ↔운문체(韻文體).
산:문-학【散文學】[명]〖문〗산문으로 표현하는 일반 문학.
산-물¹【山─】[명]〈방〉홍수(洪水).
산:물²【產物】[명] ①그 지방에서 생산되는 물건. 산품(產品). 산출물(產出物). ¶그 고장의 ~. ②비유적으로, 시대나 환경을 배경으로 하여 나타난 것. 또, 어떤 결과로서 얻어지는 것. ¶시대의 ~/노력의 ~.
산-물통이【山─】[명]〖식〗[*Achudemia japonica*] 쐐기풀과에 속하는 일년초. 줄기 높이 30 cm 내외이고 갈색을 띠며, 잎은 대생(對生)하고 유병(有柄)에 잎꼭지가 있으며 능상(菱狀) 달걀꼴임. 8-9월에 자웅 잡가(雌雄雜家)의 담녹색 꽃이 취산(聚繖) 화서로 정생(頂生) 또는 액생하고, 달걀꼴의 수과(瘦果)를 맺음. 산중 음지나 골짜기에 나는데, 제주·전남북·경남·경기에 분포함.
산미¹【山味】[명] 산에서 나는 나물이나 과실 같은 것의 맛.
산미²【山彌】[명]〖건〗살미.
산:미³【產米】[명] ①농사를 지어 산출한 쌀. ②산부(產婦)가 먹을 밥을 짓는 쌀. 해산쌀.
산미⁴【酸味】[명] 신 맛.
산미겔-데-투쿠만〔San Miguel de Tucumán〕[명]〖지〗투쿠만.
산-미나리아재비【山─】[명]〖식〗[*Ranunculus acris* var. *stevenii*] 미나리아재빗과에 속하는 다년초. 줄기 높이 40 cm 내외이고 근엽(根葉)은 총생(叢生) 장병(長柄)이며 장상(掌狀)에 세 갈래로 깊게 째지고, 경엽(莖葉)은 무병(無柄) 또는 단병(短柄)임. 7월에 황색의 꽃이 취산(聚繖) 화서로 정생(頂生)하고, 수과(瘦果)를 맺음. 깊은 산에 나는데, 경기·평남북·함남북에 분포함.
산:미-량【產米量】[명] 농사를 지어 낸 쌀의 수량.
산미-료【酸味料】[명] 음식물에 산미를 더하기 위한 조미료(調味料). 또, 그 원료.
산민【山民】[명] ①산지(山地)의 주민(住民). ②은자(隱者)의 별호(別號).
산-밑【山─】[명] 산기슭의 아래. 산하(山下).
【산밑 집에 방앗공이 논다】산과 같이 나무가 많은 고장에 방앗공이가 없다는 뜻으로, 그 고장 산물이 오히려 그 곳에서는 희귀하다는 말.
산밑 식물대【山─植物帶】[명]〖지〗산록대(山麓帶).
산믿즈 [명]〈옛〉산매자. ¶산믿즈 욱(郁)《字會 上 11》.
산바꿈 [명]〈방〉소꿉장난(전남).
산-바라기【山─】[명]〖민〗사경굿에서, 마지막날 아침에 산 위에서 산신맞이로 하는 굿. 열두거리로 되어 있음.
산-바람【山─】[─빠─] [명] 산에서 부는 바람. 산풍(山風). ↔바닷바람·골바람.
산-박쥐【山─】[명]〖동〗[*Nyctalus maximus aviator*] 애기박쥣과에 속하는 박쥐의 하나. 몸길이 87 mm 가량, 몸은 비대하고 두부는 넓으며 귀는 서로 분리되었고 귓바퀴는 굴곡하였음. 몸의 털빛은 밤색이며 개체에 따라 황갈색인 것도 있음. 5월 중순경 한 마리의 새끼를 낳으며, 여름 동안 날아다니며 곤충 등을 포식함. 산 속에 서식하는데, 한국·일본·중국에 분포함. 한방에서 똥을 오령지(五靈脂)라 하여 약재(藥材)로 씀. 멧박쥐. 산편복(山蝙蝠). 한호충(寒號蟲). 할단(鶡鴠).

〈산박쥐〉

산-박하【山薄荷】[명]〖식〗[*Amethystanthus inflexus*] 꿀풀과에 속하는 다년초. 줄기는 방형(方形)으로 곧고 높이는 1 m 가량, 잎은 대생(對生)하고 장병(長柄)이며 달걀꼴이고, 가에는 톱니가 있음. 6-8월에 자색의 순형화(脣形花)가 취산(聚繖) 화서로 다수 피고, 수과(瘦果)는 네 갈래로 째짐. 산과 들에 나는데, 한국 각지에 분포함. 어린 잎은 식용함.
산:반【散班】[명]〖역〗산관(散官).
산-받이 [─바지] [명]〖민〗꼭두각시놀음에서, 인형과 대화를 하는 사람.
산-발¹【山─】[─빨] [명]〈방〉산기슭(평안).
산:발²【散發】[명] 때때로 일어남. ──-하다 [자][여불]
산:발³【散髮】[명] 머리를 풀어 헤침. 또, 그런 머리. ──-하다 [자][여불]
산:발-성【散發性】[─썽] [명]〖의〗전염병이 이웃에서 이웃으로 옮기는 것이 아니고, 여기저기서 불쑥불쑥 발생되는 성질.
산:발 유성【散發流星】[─류─] [명]〔sporadic meteor〕〖천〗규칙적인 주기(周期)를 가지고 나타나는 유성군(流星群)으로 유성우(雨)에 속하지 않는 것의 일컬음.
산:발-적【散發的】[─쩍] [명][관] 때때로 여기저기 흩어져 발생하는 모양. ¶~인 데모.
산-밤【山─】[─빰] [명] 산밤나무에 열린 밤.
산-밤나무【山─】[─빰─] [명]〖식〗①산에서 저절로 나서 자란 밤나무. ②[*Castanea crenata* var. *kusakuli*] 참나뭇과에 속하는 낙엽 활엽 교목(喬木). 잎은 긴 타원상 피침형이고 가에 잔 톱니가 있음. 5-6월에 자웅 일가(雌雄一家)의 꽃이 장수상(長穗狀) 화서로 피고 견과(堅果)는 9-10월에 익음. 산지에 나는데 한국의 중부 이남 및 일본에 분포함. 과실은 식용 및 약용, 재목은 토목재(土木材)로 씀. *밤나무.
산방¹【山房】[명] ①산 속에 있는 집. ②〖민〗조선 시대 말기에 재인(才人)들이 조직한 조합(組合). *산주(山主).
산방²【山榜】[명] 산제(山祭)를 지낼 때 만들어 쓰는 지방(紙榜).
산방³【訕謗】[명] 흉보고 헐뜯음. ──-하다 [타][여불]
산:방⁴【產房】[명] 해산하는 방. 산실(產室).
산:방⁵【散枋】[명]〖건〗집의 추녀 곁의 도리 위에 서까래를 걸기 위하여 한쪽 머리는 두껍고 한쪽 머리는 얇게 깎아서 붙이는 나뭇 조각.
산:방-꽃차례【繖房─】[명]〖식〗무한(無限)꽃차례의 하나. 총상(總狀)꽃차례와 비슷하나 꽃꼭지가 아래쪽의 꽃일수록 길고, 위쪽의 것일수록 짧아 각 꽃꼭지의 꽃이 거진 평면을 이루며 늘어져서 핌. 개망초·들골나물 등의 꽃. 밀방(密房)꽃차례·복방(複房)꽃차례 등이 있음. 방상(房狀)꽃차례. 산방 화서(花序). *꽃차례.

〈산방꽃차례〉

산방-산【山房山】[명]〖지〗제주도 남제주군(南濟州郡) 안덕면(安德面)에 있는 산. 한라산(漢拏山) 기슭의 측화산(側火山)의 하나로 종상 화산(鐘狀火山)을 이루고 있음. [395 m]
산:방 화서【繖房花序】[명]〖식〗산방꽃차례.
산-밭【山─】[명] 산에 있는 밭.
산배¹【山背】[명] 산등성이의 뒤쪽.
산:배²【散配】[명] ①흩어서 배치함. ②흩어서 귀양보냄. ──-하다 [타][여불]
산-벌¹【山─】[─뻘] [명]〖충〗산에 있는 야생(野生)의 벌.
산벌²【山伐】[명] 산에 있는 나무를 벰. ──-하다 [자][여불]
산벌³【傘伐】[명] 구림(舊林)을 점차로 벌채하여 10 년 내지 15 년을 지나서 삼림을 새롭게 하는 방법. 우선 나무 밑둥에 햇볕이 쬐도록 대충 위를 베고, 다음에 나무를 2할 정도 베어 버린 다음, 날아 흩어진 씨에서 어린 나무가 자라게 되면 옛 나무를 모두 자르고 신림(新林)을 형성함.
산-범꼬리【山─】[명]〖식〗씨범꼬리.
산:법【算法】[─뻡] [명] ①셈하는 법. 산술(算術) 또는 산술의 규칙. ②두 수(數)에 하나의 수를 대응시키는 규칙으로서의 가감 승제(加減乘除). 연산(演算).
산:법 번역【算法飜譯】[─뻡─] [명]〔algorithm translation〕컴퓨터에 의해, 하나의 프로그래밍 언어(programming 言語)에서 다른 프로그래밍 언어로 한 단계씩 번역하는 방법.
산:법 언어【算法言語】[─뻡─] [명]〔algorithmic language〕계산의 순서나 방법을 정확하게 표현할 수 있는 언어.
산:법 통:종【算法統宗】[─뻡─] [명]〖책〗중국 명(明)나라 말기의 수학책. 주판 계산법을 상세히 적었고 산법의 문제를 일종의 시형(詩形)으로 나타내었음. 1593년에 정대위(程大位)가 지음. 17권.
산-벚나무【山─】[명]〖식〗[*Prunus sachalinensis*] 장미과에 속하는 낙엽 활엽 교목(喬木). 대표적인 벚나무로 높이 25 m 가량, 수피(樹皮)는 암회갈색에 가로 째져 틈이 가고, 잎은 달걀 모양의 타원형 또는 넓은 타원형임. 4월에 담홍색 꽃이 산형(繖形) 화서로 피고 핵과(核果)는 구형(球形)이며 6월에 흑색으로 익음. 바다에 가까운 산지의 숲 속에 나는데, 전남·황해·함북 및 일본·사할린에 분포함. 정원수로 심고, 열매는 식용함. 산앵(山櫻). 벚나무.

〈산벚나무〉

산:-벼락 [명] 죽지 않을 정도로 맞은 벼락. 곧, 몹시 혼이 남을 비유하는 말.
산-벼랑【山─】[─뼈─] [명] 산에 있는 벼랑.
산별가-산【山別背山】[명]〖지〗함경 남도 풍산군(豐山郡)에 있는 산. [1,324 m]
산:별 노조【產別勞組】[─로─] [명]〖사〗↗산업별 노동 조합.
산병¹【疝病】[─뼝] [명] 산증(疝症).
산:병²【散兵】[명] ①흩어진 병졸(兵卒). 산졸(散卒). ②군대를 풀어서 병사를 흩음. 또, 그 병사. ③〖군〗적전(敵前)에서 병졸을 밀집시키지 아니하고 적당한 간격을 두고 산개(散開)시킴. 또, 그 병졸. ④일이 없는 병정. ──-하다 [자][여불] 병졸을 흩다.
산:병³【散餠】[명] 떡의 한 가지. 흰 떡을 재료로 개피떡과 비슷이 반달 모양으로 만들고 소를 넣으며 썩 잘게 만들어 각색(各色) 물감을 들여서 세 개 혹은 다섯 개씩을 붙이었음. 봄에 먹거나 웃기로 쓰는데, 소를 넣지 아니하기도 함. *꼽장떡.
산:병 교:련【散兵敎鍊】[명]〖군〗산병의 동작이 익숙하도록 시키는 교련. 각개 교련(各個教鍊).
산:병-선【散兵線】[명]〖군〗산병으로 형성된 전투선(戰鬪線).
산:병-전【散兵戰】[명]〖군〗부대가 산개(散開)한 상태로 하는 전투.
산:병-호【散兵壕】[명]〖군〗산병의 전투를 돕기 위하여 만든 호(壕). 경화기(輕火器)의 사격 설비를 주로 하고, 겸하여 사격수(射擊手)의 엄호(掩護) 및 교통을 편하게 함. 엄보(掩堡).
산:보¹【刪補】[명] 깎아 내는 일과 보충하는 일.
산:보²【散步】[─뽀] [명] 바람을 쐬기 위하여 이리저리 거닒. 산책(散策). 유보(遊步). ──-하다 [자][여불]
산:-보살【─菩薩】[명]〖불교〗①덕이 높은 승려. 산부처. ②부처와 같은 마음을 가진 사람.
산복【山腹】[명] 산의 중턱. 산허리.
산봉【山峰】[명] 산봉우리. 산령(山嶺).
산봉-산【山峰山】[명]〖지〗함경 남도 단천군(端川郡) 두일면(斗日面)과 수하면(水下面) 사이에 있는 산. [1,264 m]
산-봉우리【山─】[─뽕─] [명] 산꼭대기의 뾰족한 머리. 산봉(山峰). [준] 봉(峰)·봉우리. *멧부리.
산봉우리 구름【山─】[─뽕─] [명]〈속〉적운(積雲).
산봉형-기【山峰形器】[명]〖고고학〗주먹괭이.

산:부¹【産婦】명 해산을 한 아이 어머니. 또, 해산 직전 또는 직후의 여성. 산모(産母).

산:부²【算賦】명 중국 한(漢)나라 때의 인두세(人頭稅)와 재산세. 전자는 구산(口算), 후자는 자산(貲算)이라 일컬었음.

산-부리【山一】[—뿌—] 명 산의 어느 부분이 부리같이 쑥 내민 곳. 산의 돌출부(突出部).

산:-부인과【産婦人科】[—꽈] 명〖의〗산과(産科)와 부인과의 병칭(倂稱). 임신·해산·신생아(新生兒) 및 부인병을 취급하는 의술의 한 분과. 또 그러한 것을 진료하는 곳. *부인과.

산:부인과-의【産婦人科醫】[—꽈—/—꽈이] 명〖의〗산부인과를 전문으로 보는 의사.

산-부채【山一】명〖식〗[*Symplocarpus buchenensis*] 천남성과(天南星科)에 속하는 다년초. 근경(根莖)은 마디가 있고, 수염뿌리가 많이 났으며 줄기는 가운데가 비었고 높이 15cm 내외임. 잎은 엽초(葉鞘)의 가운데에 착생하고 엽신(葉身)은 달걀꼴 또는 심장형이며 길이와 폭이 10cm 내외임. 5-6월에 담자색의 꽃이 육수(肉穗) 화서로 액생(腋生)하고 과실은 장과(漿果)임. 고원(高原)의 습지에 나는데, 함남의 부전(赴戰) 고원에 분포함.

산:-부처 명 ①〖불교〗불도에 아주 통하여 부처처럼 된 중. 산여래(如來). 산보살. ②아주 착하고 순하고 어진 사람을 일컫는 말.

산-부추【山一】명〖식〗[*Allium japonica*] 달래과에 속하는 다년초. 부추와 비슷한데 인경(鱗莖)은 길이 2cm 가량의 좁은 달걀꼴이고 잎은 근생(根生)하며 선형(線形)에 청록색(靑綠色) 광택이 있음. 8-9월에 높이 30-60cm의 화경(花莖) 끝에 홍자색의 꽃이 산형(繖形) 화서로 핌. 산과 들에 나는데 한국 중부 이남 및 일본·중국 등지에 분포함. 마늘 냄새가 약간 나며 식용함.

산북【山北】명 산음(山陰). ↔산남(山南).

산:분¹【産糞】명 태변(胎便).

산분²【酸分】명 어느 물질에 포함되어 있는 산의 양(量). *산도(酸度).

〈산부추〉

산:분-기【散粉機】명 분말 약제를 산포(散布)하는 기계. 더스터.

산-분꽃나무【山粉一】명〖식〗[*Viburnum buerjaeticum*] 인동과에 속하는 낙엽 활엽 관목. 잎은 대생하고 달걀꼴 또는 타원형이고 가에 톱니가 있으며 뒷면 맥(脈)에 잔털이 밀포함. 5월에 백색 또는 황색의 꽃이 산방(繖房) 화서로 정생하고 핵과(核果)는 9월에 흑색으로 익음. 깊은 산의 산록에 나는데, 전남·강원·평남북·함남북 및 일본·만주·중국·우수리·시베리아에 분포함.

산-불【山一】[—뿔] 명 산에 난 불. 산화(山火).

산붕¹【山崩】명〖지〗산사태(山沙汰). 산붕괴(山崩壞). ——하다 자여불

산붕²【山棚】명〖민〗산대놀음.

산-붕괴【山崩壞】명〖지〗산붕(山崩). ——하다 자여불

산붕-희【山棚戲】[—히] 명〖연〗산대놀음.

산:비¹【散飛】명 비산(飛散). ——하다 자여불

산비²【酸鼻】명 몹시 슬프거나 참혹하거나 하여 콧마루가 시큰시큰함. ——하다 형여불

산-비둘기【山一】[—삐—] 명〖조〗염주비둘기.

산-비름 명〈방〉〖식〗도깨비바늘.

산-비알【山一】[—삐—] 명〈방〉산비탈(경상·충청).

산-비장이【山一】명〖식〗[*Serratula koreana*] 국화과에 속하는 다년초. 줄기 높이 1.0-1.5m이고 잎은 호생하며 타원형에 우상 전열(羽狀全裂)하고 열편(裂片)은 피침형임. 7-10월에 담홍자색 혹은 백색의 통상화(筒狀花)가 가지 끝에 정생 또는 액생하여 두세 개가 핌. 산지에 나는데, 거의 한국 각지에 분포함. 어린 잎은 식용함.

산-비취【山翡翠】명〖조〗자주호반새.

산-비탈【山一】[—삐—] 명 산기슭의 몹시 경사진 곳.

〈산비장이〉

산 비탈레 성:당【—聖堂】〔San Vitale〕명〖지〗이탈리아의 라벤나(Ravenna)에 있는 로마 시대의 교회당. 동로마 제국의 유스티니아누스 황제와 테오도라(Theodora)에 의하여 536-547년에 건립된 것으로 돔을 얹은 팔각당(八角堂)임. 특히, 내부의 유리 모자이크는 비잔틴 모자이크의 대표적 작품임.

산빈【山殯】명 산 속에 만들어 놓은 빈소.

산빙¹【山氷】명 산에 있는 얼음.

산:빙²【散氷】명 옛날 궁중(宮中)에서 겨울에 저장해 두었던 얼음을 여름에 관리들에게 나누어 주던 일. ——하다 자여불

산뽕¹ 명〈방〉산봉우리(강원).

산-뽕²【山一】명 ①산뽕나무. ②산뽕나무의 잎.

산-뽕나무【山一】명〖식〗[*Morus bombycis*] 뽕나뭇과에 속하는 낙엽 활엽 교목(喬木). 잎은 호생(互生)하며 달걀 모양의 원형(圓形)이고 가에 톱니가 있음. 꽃은 자웅 이가(雌雄異家)인데, 수꽃이삭은 늘어졌고 암꽃이삭은 구형 또는 타원형으로 4-5월에 핌. 과실은 장질(漿質)인데 7-8월에 자흑색으로 익음. 촌락 부근 및 밭둑에 나는데 한국 각지 및 일본·사할린·대만·중국에 분포함. 잎은 양잠 사료 및 식용, 수피(樹皮)는 약용 및 제지용, 과실은 약용·식용으로 하고, 목재는 기구·장식재로 씀. 메뽕나무. 산상(山桑). 산뽕.

산사¹【山寺】명 산 속에 있는 절. ¶ 고요한 ~.

산사²【山査】명〖식〗①산사나무. ②산사자(山査子).

산:사³【散士】명 ①산인(散人)❶. ②쓸모 없는 선비.

산:사⁴【散史】명 관직에 있지 않고 민간에 있어 문필에 종사하는 사람.

산:사⁵【散詞】명〖악〗사악(詞樂).

산:사⁶【算士】명〖역〗①고려 상서 도성(尙書都省)·호부(戶部)·형부(刑部)·삼사(三司)·선공시(繕工寺)·사재시(司宰寺) 및 기타 여러 관아의 이속(吏屬). ②조선 시대 때 호조(戶曹)에 딸린 산학청(算學廳)의 종칠품(從七品) 벼슬.

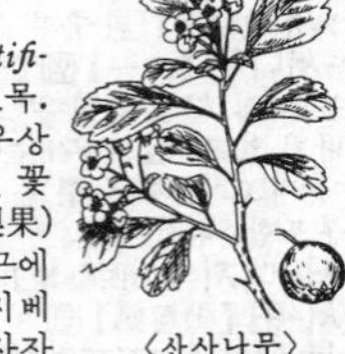

산사-나무【山査一】명〖식〗[*Crataegus pinnatifida*] 능금나뭇과에 속하는 낙엽 활엽의 작은 교목. 잎은 호생하고 달걀꼴 또는 거꿀달걀꼴인데 우상(羽狀)으로 얇게 째지고 장병(長柄)임. 5월에 흰 꽃이 방상(房狀) 화서로 정생하여 피고, 이과(梨果)는 9월에 적색으로 익음. 골짜기 및 촌락 부근에 나는데, 전북·경북·강원 이북 및 만주·중국·시베리아에 분포함. 정원수로 심음. 과실은 '산사자(山査子)'라 하는데 맛이 시며, 약용 및 식용함. 아가위나무. 산사(山査).

〈산사나무〉

산-사람【山一】[—싸—] 명 산에서 사는 사람. *심마니.

산사-병【山査餠】명 산사편.

산사-육【山査肉】명〖한의〗씨를 바른 산사나무의 열매. 건위(健胃) 소화제로서 탄산(呑酸)·두진(痘疹)·산증(疝症) 등에 씀. *산사자(山査子).

산사-자¹【山査子】명 산사나무의 열매. 당구자(棠毬子). 산사(山査). 아가위. *산사육(山査肉).

산-사자²【山獅子】명〖동〗〔mountain lion〕퓨마(puma)의 딴이름.

산사 정:과【山査正果】명 산사자로 만든 정과.

산사-주【山査酒】명 산사자를 넣고 빚은 술.

산사-죽【山査粥】명 산사육 가루와 계피 가루·찹쌀 가루를 넣고 쑤어서 꿀을 탄 죽.

산-사초【山莎草】명〖식〗[*Carex canescens*] 방동사닛과에 속하는 다년초. 줄기는 삼릉주(三稜柱)이고 높이 40cm 가량이며 잎은 호생(互生)하고 선형(線形)이며 줄기보다 다소 짧고 폭은 2-4mm임. 7월에 4-8개의 작은 화수(花穗)가 넓은 달걀꼴로 피고, 과낭(果囊)은 달걀꼴임. 산이나 들에 나는데, 함남북에 분포함.

산사-탕【山査湯】명 산사자를 걸러서 녹말을 풀어 끓이다가 설탕이나 꿀을 탄 음식.

산-사태【山沙汰】명〖지〗급사면(急斜面)을 이룬 산복(山腹)의 암석(岩石)이나 토양(土壤)이 갑자기 무너져 떨어지는 현상. 흔히 큰 비의 뒤나 지진(地震), 화산의 폭발 등으로 말미암음. 산붕(山崩). 산붕괴(山崩壞). ——하다 자여불

산사-편【山査一】명 산사자를 쪄서 체에 으깨어 거른 것에 설탕·꿀·녹말 등을 넣고 끓여서 식힌 음식. 산사병(山査餠).

산:삭¹【刪削】명 필요하지 아니한 글자나 글귀를 지워 버림. 산거(刪去). 산제(刪除). 산생(刪省). ——하다 타여불

산:삭²【産朔】명 임신한 부인이 아이를 낳을 달. 산월(産月). 해산달. *당삭(當朔)·만삭(滿朔).

산:산-이【散散一】부 여지없이 깨어지거나 흩어진 모양.

산:산-조각【散散一】명 아주 잘게 깨어진 여러 조각. 또, 그런 상태.

산산-하다 형여불 시원할 정도로 좀 추운 듯하다. <선선하다. **산산-히** 부

산-산호【山珊瑚】명〖식〗으름난초.

산-살바도르〔San Salvador〕명〖지〗중앙 아메리카 엘살바도르(El Salvador) 공화국의 수도. 640m의 고원 위에 있는 공업 도시로 식료품·직물 공업이 성함. 외항(外港)은 라유니온(La Union). [459,902 명 (1985 추계)]

산살바도르 섬〔San Salvador〕명〖지〗서인도 제도(西印度諸島)의 북부에 있는 바하마 군도(Bahama 群島)의 한 섬. 1492년 10월 12일 콜럼버스가 처음 발견하였음. 구칭 : 워틀링(Watling). [155 km² : 804 명 (1980)]

산삼【山蔘】명〖식〗깊은 산중에서 야생하는 삼. 빛이 희고 몸이 단단하며 사람의 모양과 비슷하고 맛은 닮. 소백산·태백산·백두산 등지에 나는데, 약효가 재배종(栽培種)보다 월등하다 하여 매우 귀중히 여김. 신초(神草). ↔가삼(家蔘)·포삼(圃蔘).

산삼-병【山蔘餠】명 더덕을 곱게 이겨서 찹쌀 가루와 버무려 기름에 지져 꿀을 바른 떡.

산상¹【山上】명 ①산 위. ↔산하(山下). ②뫼 쓰는 역사(役事)를 하는 곳.

산상²【山相】명 산의 형상이나 기상(氣象).

산상³【山桑】명 산뽕나무.

산:상⁴【産狀】명 산출하는 상태. ¶ 금(金)의 ~.

산상-거리【山上一】명〖민〗경기굿의 한 거리. 원래 산신(山神)을 위한 것이었으나 뒤에 장군굿의 요소가 곁들여진 듯함.

산상 보:훈【山上寶訓】명〖성〗산상 수훈(山上垂訓).

산상 설교【山上說敎】명〖성〗산상 수훈(山上垂訓).

산상 수훈【山上垂訓】명〖성〗〔산 위에서 내린 교훈이란 뜻〕신약 성서 마태 복음 5-7장에 실린 예수의 교훈. 예수가 산 위의 군중 앞에서 제자들에게 행한 설교. 진복 팔단(眞福八端)을 기본으로 하여 참된 구원(救援)과 하늘 나라를 밝히고, 사랑을 제덕(諸德)의 결론이라고 말하고, 신의 권위로써 가르침의 실행을 명하였음. 그리스도교 윤리의 대헌장(大憲章), 그리스도의 천계 진리(天啓眞理)와 교의(敎義)의 요강(要綱)이라 할 수 있음. 산상 보훈. 산상 설교.

산상-왕【山上王】명〖사람〗고구려의 제10대 왕. 휘(諱)는 연우(延優) 또는 위궁(位宮). 왕 13년(209)에 환도성(丸都城)으로 천도(遷都)하였음. [재위 197-227]

산-새【山一】[—쌔] 명 산에서 사는 조류(鳥類)의 총칭. 뻐꾸기·꾀꼬리·부엉이·딱따구리 등. 산금(山禽). 산조(山鳥). ↔바다새.

산색【山色】명 산의 빛. 산의 경치.

산:생【刪省】명 필요 없는 글자나 글귀를 지워 글을 간략하게 줄임. 깎아 줄임. 산제(刪除). 산삭(刪削). ——하다 타여불

산서¹【山西】명〖지〗'산시'를 우리 음으로 읽은 이름.

산서²【山墅】명 산장(山莊).

산:서³【刪書】명 공자(孔子)가 서경(書經)을 간추려서 120 편으로 산수(刪修)한 일.
산:서⁴【算書】명 주판 놓는 법을 적은 책.
산-서나무【山—】명〘식〙[*Carpinus turczaninovii*] 자작나뭇과에 속하는 낙엽 활엽의 작은 교목. 잎은 달걀꼴 또는 긴 타원상 달걀꼴에 톱니가 있고, 잎자루에는 잔 털이 있음. 5월에 자웅 일가(雌雄一家)의 꽃이 피고, 견과(堅果)는 10월에 익음. 낮은 산에 나는데, 한남 및 중국에 분포함. *서나무.
산서 대지【山西臺地】명〘지〙산시 대지.
산서-면【山薯麪】명 마의 가루로 만든 국수.
산서 삼채【山西三彩】명〘공〙중국 송(宋)나라 때의 도자기의 한 가지. 잿물이 초록·노랑·하양의 세 가지 빛으로 됨.
산서 상인【山西商人】명 중국의 명(明)·청(淸) 시대에 경제계에서 활약했던 산시성 출신의 상인 집단. 강남(江南)의 신안 상인(新安商人)과 대립, 동향적(同鄕的) 결속이 굳고, 소금·곡물·견사·견포·무명 등의 거래로 거리(巨利)를 차지하였으며, 독자적(獨自的)인 표호(票號) 등에 의한 금융업에도 세력을 뻗쳤음.
산서-성【山西省】명〘지〙산시 성.
산:서 해록【產書該錄】명〘책〙조선 시대 초기에 간행된 산과(產科)의 의서(醫書). 현존하지 아니함.
산석¹【山石】명〘민〙능에서 산신제(山神祭)를 지낼 때에 쓰는 돌.
산:석²【霰石】명〘광〙아라고나이트(aragonite).
산-석류【山石榴】[—뉴] 명〘식〙가을에 꽃이 피는 철쭉의 한 가지.
산-석송【山石松】명〘식〙[*Lycopodium alpinum*] 석송과에 속하는 다년초. 줄기는 15 cm 가량인데, 가늘고 땅으로 뻗으며 가지는 다소 직립(直立)함. 잎은 4 열(列)로 밀생(密生)하며 작은 인편상(鱗片狀)임. 길이 1-2 cm의 긴 타원형 포자낭(胞子囊)이 가지 끝에 정생(頂生) 직립함. 높은 산에 나는데, 백두산·관모봉(冠帽峰)에 분포함.
산선¹【山蘚】명 산의 이끼.
산선²【傘扇·繖扇】명〘역〙임금이 거둥할 적에 따르는 의장(儀仗)의 하나. 베로 우산같이 만들었는데 임금에 앞서서 감.
산설【山雪】명 산에 쌓인 눈.
산성¹【山城】명 ①산 위에 쌓은 성. ②〘역〙압록강 유역에서부터 한반도(韓半島) 남단에 쌓여진 고대의 성의 한 가지. 고구려·백제의 도읍지 등에 많이 쌓았는데, 대개 솟아오른 산봉(山峰)을 석축(石築) 등으로 둘러 감은 듯하나, 일반적으로 삼면(三面)이 험한 산벼랑으로 되고 일면만이 강(江)이나 계류(溪流)·천지(泉池)가 있는 곳을 택하였음. 고구려의 요동성(遼東城)·평양·용강(龍岡)의 성, 백제의 부여(扶餘)·공주(公州)·행주(幸州)·남한산(南漢山) 및 경주(慶州) 산성 등이 유명함.
산:성²【產聲】명 갓 낳은 아이의 첫 울음 소리. *고고지성(呱呱之聲).
산:성³【散聲】명〘악〙해금(奚琴)·거문고 따위를 탈 때 왼손으로 줄을 짚지 않고 내는 소리. 허현성(虛絃聲).
산성⁴【酸性】명〔acid〕①신맛이 있는 물질의 성질. ②〘화〙산(酸)이 그 수소 이온(水素ion)에 따라 수용액이 신 맛을 나타내고 청색 리트머스(litmus) 시험지를 붉은 색으로 변하게 하고, 염기(塩基)를 중화시켜 염(塩)을 만드는 등의 성질. ↔알칼리성(alkali 性). *산(酸).
산성-강【酸性鋼】명〔acid steel〕〘야금〙규산질(珪酸質)의 내화물(耐火物)을 사용한 용융로(熔融爐)에서 만든 강(鋼).
산성 계:수【酸性係數】명〘지〙암석(岩石) 중의 염기(塩基)의 산소 함량(含量)과 규산(珪酸) 중의 산소 함량과의 비(比).
산성 광:내수【酸性鑛內水】명〘광〙황철광(黃鐵鑛)의 산화로 인하여 황산분(黃酸分)을 함유하는 광내수.
산성 광:산 배수【酸性鑛山排水】명〘광〙산성 황화염 특히 함철 황산염(含鐵黃酸塩)을 많이 함유하고 있는 광산의 배수.
산성 내:화물【酸性耐火物】명 내화물의 하나. 주로 실리카(silica)로 이루어지는데, 고온(高溫)에서 석회·알칼리·염기성 산화물 등의 염기와 반응함.
산성-도【酸性度】명〘화〙용액(溶液)의 산성의 정도. 수소 이온(ion)의 농도(濃度) 또는 수소 이온 지수(指數) 'pH'로 표시함. 산도(酸度).
산성 매염 물감【酸性媒染—】[—깜] 명〘화〙설폰산기(sulfon 酸基)·카르복시기(carboxy 基) 같은 것을 함유하고 산성을 나타내며, 금속염(金屬塩)과 결합하여 섬유를 염색하는 물감. 매염제(劑)로는 중크롬산 칼리(重chrome 酸 kali)나 기타의 크롬염(塩)을 사용함. 동물성 섬유에 잘 물들고 식물성 섬유에는 그다지 적당하지 아니함. 종류가 300여 종이 있음.
산성-물【酸性物】명 산성의 물질.
산성 물감【酸性—】[—깜] 명〘화〙술폰산기(sulfon 酸基)·니트로기(nitro 基)·수산기(水酸基)·카르복시기(carboxy 基) 등을 함유하고 있는 물감. 황산(黃酸) 또는 아세트산(酸)의 산성 용액(溶液) 속에서 동물성 섬유를 잘 물들임. 일광(日光)에 약해서 빛이 바래기 쉬우나 값이 싸고 간단해서 좋음. 식물성 섬유는 잘 물들지 않음. 산성 염료(酸性染料). *산성 매염 물감.
산성 반:응【酸性反應】명〔acid reaction〕〘화〙푸른 리트머스 시험지를 붉게 변하게 하고, 노란 메틸 오렌지(methyl orange)를 붉게 변하게 하는 반응. 산(酸)의 간단한 검출법(檢出法)으로서 중요함. ↔염기성(塩基性) 반응.
산성 방향 정기【酸性芳香丁幾】명〘약〙적갈색을 띠고 강한 산미(酸味)가 있는 방향성(芳香性)의 액체. 묽은 알코올·황산·계피 가루·새앙 등으로 만든 것인데, 건위제(健胃劑)·감기약 등으로 씀.
산성 백토【酸性白土】명〘화〙극히 미세(微細)한 가루로 된 점토(粘土)의 한 가지. 산성이 있고 탈색력(脫色力)이 강한 특수한 흙으로 백색(白色)·황색(黃色), 드물게는 홍색(紅色) 또는 청록색(靑綠色) 등이 있으며, 불에 구우면 보통 황색이 됨. 탈색제(脫色劑)·흡착제(吸着劑)·건조제(乾燥劑)·안료 제조용(顔料製造用)·세탁용(洗濯用) 등으로 널리 쓰임. 표포토(漂布土).
산성-비【酸性—】명 수소 이온 지수(pH) 값이 5.6 이하인 비. 보통 비에 비하여 산성이 10 배 이상이나 강함. 석탄·석유의 연소에 의하여 생기는 황산화물·질소 산화물이 원인임. 육수(陸水)의 산성화, 토양의 변질, 삼림의 고사(枯死) 등을 초래하여 생태계에 영향을 줌.
산성 비:료【酸性肥料】명〘화〙①그 자체가 산성인 비료. 과인산 석회(過燐酸石灰)·황산·암모니아 같은 것. ②사용 후에 토양(土壤)이 산성으로 되는 비료. 황산암모늄·똥거름·염화암모늄 등.
산성-산【山城山】명〘지〙대구(大邱) 광역시 남구(南區)와 달성군(達城郡) 가창면(嘉昌面) 사이에 있는 산으로, 태백 산맥 중에 솟음. [653 m]
산성 산화물【酸性酸化物】명〘화〙비금속(非金屬)의 산화물로, 물과 화합하여 산(酸)을 내고, 염기(塩基)를 중화(中和)시키면 염(塩)을 만드는 산화물. 삼산화황·이산화탄소 같은 것.
산성 수지【酸性樹脂】명〘화〙양이온 교환 수지(陽ion交換樹脂).
산성 슬러지【酸性—】명〔sludge acid〕석유계(系)의 윤활유를 황산 처리할 때 생기는 찌꺼기.
산성 식물【酸性植物】명〘식〙산성 토양(酸性土壤) 또는 산성 호소(酸性湖沼)와 같은 곳에서 자라거나 잘 견디는 식물. 물이끼·갈대·쇠이끼 등. ↔알칼리 식물.
산성 식품【酸性食品】명〘화〙체내에서 연소(燃燒)한 결과 산성으로 되는 식품. 곧, 그 식품의 회분(灰分)에 의한 산량(酸量)이 알칼리량보다 많은 것. 곡류(穀類)·생선·육류(肉類)·계란 등. ↔알칼리성(alkali 性) 식품.
산성-암【酸性岩】명〘광〙규산(珪酸)이 많이 함유된(약 65% 이상) 암석. 화강암(花崗岩)·석영 조면암(石英粗面岩) 같은 것. 석영이나 장석(長石) 등의 무색 광물(無色鑛物)의 양이 많기 때문에 대체로 그 외관(外觀)이 희읍스름함. 화학에서 말하는 산성(酸性)과는 의미가 다르고 규산질(珪酸質)이란 뜻임. ↔염기성암(塩基性岩).
산성 연와【酸性煉瓦】[—년—] 명 규석 벽돌.
산성-염【酸性塩】[—념] 명〔acid salt〕〘화〙금속으로 치환(置換)할 수 있는 수소 원자를 포함하는 염(塩). 탄산 수소 나트륨·인산 수소 나트륨 등임. 수용액은 반드시 산성은 아니어서 탄산 수소 나트륨은 미(微) 알칼리성임. ↔염기성염.
산성 염:료【酸性染料】[—념뇨] 명〘화〙산성 물감.
산성 용액【酸性溶液】[—농—] 명〔acid solution〕〘화〙수산(水酸) 이온보다 수소 이온을 많이 함유한 수용액.
산성 일기【山城日記】명〘문〙병자 호란 때의 일기체로 된 소설. 한글본. 작자 미상. 남한산성에서 일어났던 여러 사건을 사실적(寫實的)으로 서술함.
산성 저:장법【酸性貯藏法】[—뻡] 명 식품을 산성 용액에 저장하는 방법. 마늘 장아찌·오이 피클·토마토 절임 등.
산성 전:로법【酸性轉爐法】[—절—뻡] 명 베서머법(Bessemer 法).
산성 점토【酸性粘土】명〔acid clay〕〘지〙점토의 하나. 물에 녹으며, 수소 이온(水素 ion)을 방출함.
산성 제:강법【酸性製鋼法】[—뻡] 명 전로(轉爐)·평로(平爐) 등에 의한 제강에서, 노재(爐材)로 산성 물질을 쓰는 방법. ↔염기성 제강법.
산성 종이【酸性—】명 산성지(酸性紙).
산성-지【酸性紙】명 잉크가 번지는 것을 막기 위하여 황산 알루미늄을 쓴 양지(洋紙). 황산 이온이 셀룰로오스를 분해하기 때문에 변색하기 쉽고 보존성이 약함. 산성 종이.
산성-천【酸性泉】명 광천(鑛泉)의 하나. 물 속에 황산 또는 염산(塩酸) 등의 유리 광산(遊離鑛酸)을 다량 함유하며, 수소 이온 농도가 3 이하인 강산성(强酸性)의 온천. 욕용(浴用)하며 변조(變調) 요법으로서 매독·만성 피부병·만성 류머티즘 등에 응용함.
산성 탄:산 나트륨【酸性炭酸—】〔natrium〕명〘화〙탄산 수소 나트륨.
산성 탄:산염【酸性炭酸塩】[—념] 명〘화〙탄산 수소염(炭酸水素塩).
산성 탄:산 칼륨【酸性炭酸—】〔kalium〕명〘화〙탄산 수소 칼륨.
산성-토【酸性土】명〘농〙산성 토양(酸性土壤).
산성토 식물【酸性土植物】명 산성 토양에서 잘 자라고 또, 그 곳에서만 볼 수 있는 식물.
산성 토양【酸性土壤】명〘농〙산성 반응(酸性反應)을 나타내는 토양. 흙 속의 알칼리분(alkali 分)이 없어지거나 광독(鑛毒) 또는 산성 비료를 연달아 쓰기 때문에 산성으로 된 토양. 비가 많이 오는 지방에 많은데, 여기에는 석회(石灰)나 퇴비(堆肥) 등을 쓰는 것이 좋음. 산성토.
산성혈-증【酸性血症】[—쯩] 명〘의〙산독증(酸毒症).
산성-화【酸性化】명 산성으로 변함. 또, 산성으로 변화시킴. ——-하다 자타여불
산세【山勢】명 산의 생긴 형세(形勢). ¶ 험준한 ~.
산-세바스티안〔San Sebastián〕명〘지〙스페인의 북단, 프랑스 국경에 가까운 항구 도시. 비스케 만(灣)에 면함. 피서지이며, 조선(造船)·금속·유리 공업도 행하여짐. [175,267 명(1986 추계)]
산세비에리아〔sansevieria〕명〘식〙①용설란과 산세비에리아속에 속하는 관엽(觀葉) 식물의 총칭. 육질(肉質)의 근경(根莖)에서 하나 또는 몇 개의 혁질의 잎이 나옴. 상록 초본(常綠草本)으로 아프리카·인도에 약 60여 종이 나며, 관상용으로 널리 가꿈. 산세비에리아·원통산세비에리아·복륜산세비에리아·보금자리산세비에리아·얼룩보금자리산세비에리아 등이 있음. 천세란(千歲蘭). ②[*Sansevieria nilotica*] 용설란과 산세비에리아속에 속하는 관엽 식물의 일종. 원산지는 나일 강(Nile 江) 연안. 줄기 높이 60-100 cm, 잎은 검상(劍狀)으로 근생하는데, 육질(肉質)이고 짙은 초록색 바탕에 회록색의 횡반(橫斑)이 있음. 봄에 끝

이 육렬(六裂)된 길이 4cm 가량의 흰 통상화(筒狀花)가 총상 화서로 핌. 1958년에 우리 나라에 들어옴. 온실에서 분에 가꿈. *복륜산세비에리아.

산-세척【酸洗滌】명 〔pickling〕〖야금〗 금속 표면의 산화물(酸化物)이나 산화철(鐵)을, 산성이나 알칼리성 용액에 담가서 제거하는 일.

산세척-산【酸洗滌酸】명 〔pickling acid〕 산세척에 쓰이는 산의 총칭(總稱). 염산(塩酸)·황산(黃酸)·질산(窒酸)·인산(燐酸)·불화 수소산(弗化水素酸) 등.

산-세척액【酸洗滌液】명 〔acid pickle〕 금속 표면의 세척에 사용된 폐액(廢液).

산-세척제【酸洗滌劑】명 〔acid wash〕 인산(燐酸) 용액의 하나. 강부품(鋼部品)이나 절삭(切削) 가공 후의 그리스(grease)를 닦아 내기 위해 사용한 용액의 중화(中和)나 제거에 쓰임.

산-세포【酸細胞】명 위벽(胃壁)의 세포. 염산(塩酸)의 분비(分泌) 기능이 있음.

산소[1]【山所】명 ①뫼의 경칭. ②뫼가 있는 곳. 산처(山處). 영역(塋域). 영역(靈域). 준산(山).

〖산소 등에 꽃이 피었다〗 선영(先塋)에 꽃이 피면 자손이 잘 된다는 말로, 부귀 공명(富貴功名)한 사람에게 축하의 뜻으로 일컫는 말.

산소[2]【訕笑】명 흉보고 비웃음. ——하다 타 여불

산소[3]【酸素】명 〔oxygen〕〖화〗 원소(元素)의 하나. 모든 원소 중에서 가장 다량으로 존재하는 원소로, 대기의 5분의 1, 물의 무게의 9분의 8, 지각(地殼)의 질량(質量)의 2분의 1을 차지하며, 그 밖에 동식물의 체내 등에 분포되어 있음. 무색(無色)·무미(無味)·무취(無臭)의 기체로 모든 물질의 분자량(分子量) 측정(測定)의 기준이 되며, 동식물의 생활에 불가결(不可缺)한 물질임. ¶ ~ 용접. [8번:O:16]

산소-계【酸素計】명 〔oximeter〕〖의〗 무처리(無處理)의 동물·인간의 특정 조직 속을 순환(循環) 중인 혈액 또는 혈관에서 채혈 중이거나 채혈 직후의 헤모글로빈의 산소 포화도(飽和度)를 측정하는 광전 광도계(光電光度計). 빛의 혈액 속을 통과 또는 반사할 때의 흡수량을 관측하는 것임.

산소 등유 버:너【酸素燈油—】명 〔oxygen-kerosine burner〕〖공〗 산소와 기화(氣化)한 등유 또는 안개 모양의 등유를 혼합시켜 사용하는 액체 연료 장치.

산소-땜【酸素—】명 산소 용접.

산:-소리 명 어려운 가운데서도 속이 살아서 남에게 굽죄이지 않으려고 하는 큰 소리. ——하다 자 여불

산소 마스크【酸素—】〔mask〕 명 고공(高空)·갱중(坑中) 등의 산소가 희박한 곳에 들어갈 적에 휴대(携帶)하는 마스크. 산소 탱크에 연결하여 호흡을 도움.

산소 봄베【酸素—】〔도 Bombe〕 명 압축한 산소를 넣어 두는 용기.

산소 부:식【酸素腐蝕】명 〔oxygen corrosion〕〖야금〗 금속 표면이 산소와 반응하여 일어나는 부식. 금속이나 합금의 산화물이 생김.

산소 부:채【酸素負債】명 〔oxygen debt〕〖생〗 근육 따위에서, 급격한 활동이 끝난 뒤에 평소보다 더 많은 산소가 소비되는 현상.

산소 부:화 송:풍 조업【酸素富化送風操業】명 고로(高爐)에 열풍(熱風)을 불어 넣을 때, 산소를 첨가, 21% 이상으로 부화(富化)하여 송풍(送風)하는 조업법(操業法). 코크스의 연소를 촉진시켜 고로의 생산성을 높임.

산소 분포【酸素分布】명 〔oxygen distribution〕 수심(水深)의 함수(函數)로 표시된 해수(海水) 중의 용존(溶存) 산소 농도. 표면에서는 해수 11 중에 산소가 5 ml가 되지만, 깊은 곳에서는 그 몇분의 1밖에 되지 않음.

산소비노 〔Sansovino, Jacopo〕 명〖사람〗 이탈리아의 르네상스 시대의 건축가·조각가. 본명은 Jacopo Tatti. 피렌체 태생. 회화적 효과(繪畫的效果)가 높은 건축·조각의 양식을 확립함. 대표적 건축은 산마르코(San Marco) 도서관이며, 대표적 조각은 산마르코 성당의 성기실(聖器室)의 청동문(靑銅門)의 부조(浮彫)임. [1486-1570]

산소-산【酸素酸】명 〔oxyacid〕〖화〗 ①산소를 함유하는 무기산(無機酸). 황산 같은 것. 옥시산. ②수산기(水酸基)를 함유하는 유기산(有機酸). *수소산(水素酸).

산소 십팔【酸素十八】명 〔oxygen 18〕〖물〗 산소의 동위 원소(同位元素). 물·공기 및 암석(岩石) 중에, 동위 원소 '산소 16'의 1만에 대하여 20의 비율로 함유되어 있음. 각종의 트레이서 실험(tracer實驗)에 쓰임. 원자량 18.

산소 아세틸렌 불꽃【酸素—】명 〔oxyacetylene flame〕〖화〗 아세틸렌과 산소의 혼합 가스에 점화할 때 3,000-4,000°C 정도의 고열을 내며 타는 화염. 특히, 산소와 아세틸렌의 비가 2:5일 때는, 폭발적으로 작용함. 철판(鐵板) 같은 것의 용접(鎔接)·절단 등에 이용됨. 산소 아세틸렌염.

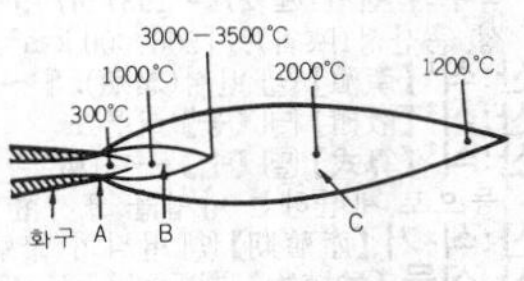

A : 불꽃심으로, 길이 3-6 mm로서 투명함.
B : 속불꽃으로, 제1단계 연소를 하고 있는 부분. 백열광으로 빛나고 최고온에 달해 있으므로 이 부분을 용접부에 대고 용접함.
C : 겉불꽃으로, 제2단계 연소를 하고 있는 부분. 보라색을 띰

〈산소 아세틸렌 불꽃〉

산소 아세틸렌염【酸素—焰】〔acetylene〕〔—념〕명 산소 아세틸렌 불꽃.

산소 아세틸렌 용접【酸素—鎔接】〔—놉—〕명 〔oxyacetylene welding〕〖야금〗 가열원으로 산소 아세틸렌 불꽃을 사용하는 용접법.

산소 아세틸렌 절단【酸素—切斷】〔—딴〕〔oxyacetylene cutting〕〖공〗 금속을 예열(豫熱)한 후 산소 아세틸렌 토치의 불꽃으로 금속을 절단하는 일.

산소 아세틸렌 취:관【酸素—吹管】〔acetylene〕명 가스 용접·가스 절단용에 사용되는, 산소와 아세틸렌 혼합 가스를 혼화(混和)하여 불꽃을 만들어 내는 기구. 혼합비(混合比)의 조절은 산소 조절용의 침형판(針形瓣)을 개폐함으로써 행하여짐.

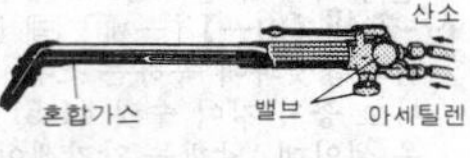

〈산소 아세틸렌 취관〉

산소 아세틸렌 토:치【酸素—】명 〔oxyacetylene torch〕〖공〗 금속 용접용 기구의 하나. 고온도의 불꽃을 만드는 절단용의 아세틸렌 가스를 혼합한 연소 장치임.

산소 어뢰【酸素魚雷】명 압축 공기를 추진제로 이용한 어뢰. 공기 어뢰에 비하여 수중에 기포(氣泡)가 생기지 않으므로 은밀성(隱密性)을 가짐.

산소 여:압복【酸素與壓服】명 고공 비행(高空飛行)에 있어, 산소 부족과 기압 저하(氣壓低下)로 인한 승무원들의 생리 장애(生理障礙)를 막기 위하여 입는 밀폐복(密閉服). 고무를 입힌 천으로 만든 굴신(屈伸)이 자유로운 옷으로, 내부는 산소 조절기에서 보내 온 산소로 차 있음. 압력·온도는 자동 조정됨.

산소 연소식 열량계【酸素燃燒式熱量計】명 〔oxygenbomb calorimeter〕〖공〗 연소열을 측정하는 장치. 시료(試料)를 밀폐 용기(密閉容器) 안에서 산소로 연소시키고 그 온도의 상승을 측정함.

산소 요구량【酸素要求量】명〖생〗 생화학적 산소 요구량.

산소 요법【酸素療法】〔—뻡〕명〖의〗 여러 가지 병으로 인하여 산소가 신체 조직내에 결핍되었을 때나, 수술(手術)에서 전신 마취(全身痲醉)를 행할 때에, 산소를 흡기(吸氣)에 적당히 섞어서 넣어 주어 병을 고치는 방법. 흔히 산소 마스크를 사용함.

산소 용접【酸素鎔接】명 산소 아세틸렌(酸素acetylene) 불꽃을 사용하여 철판·쇠붙이 등을 용접하는 일. 산소 아세틸렌의 불길 온도(溫度)는 3,000°C 가량 되므로 쇠붙이가 녹아서 붙게 됨. 산소땜.

산소-점【酸素點】〔—쩜〕명〖물〗 국제적으로 기준이 되는 온도의 정점(定點)의 한 가지. 1기압하(氣壓下)에서의 산소의 비점(沸點)으로, −182.97°C.

산소 제:강【酸素製鋼】명〖공〗 평로(平爐)·전기로(電氣爐)·엘 디 전로(LD轉爐) 등 각종 제강로(製鋼爐)에서, 산화제(酸化劑)로서 공기나 철광석(鐵鑛石) 대신에 산소 가스를 써서 용해(鎔解)와 제련(製鍊)을 촉진하는 제강법(製鋼法). 열효율(熱効率)의 상승으로 연료·전력이 절감(節減)되고 제강 시간이 단축되어 생산성을 향상시킴.

산소 제:련【酸素製鍊】명 구리의 새로운 제련법. 용광로(鎔鑛爐)나 반사로(反射爐) 등에 의한 광석의 용련 공정(鎔鍊工程)을 생략, 품위(品位) 높은 동정광(銅精鑛)을 직접 전로(轉爐)에 장입(裝入)하고 산소 부화 송풍(酸素富化送風)으로 공기를 불어 넣어 조동(粗銅)을 만듦. 연료를 쓰지 아니하고 광석 중의 철·유황분(硫黃分)의 산화열(酸化熱)을 이용하는 것이 특징임.

산소족 원소【酸素族元素】명〖화〗 주기율표(周期律表)의 제육족(第Ⅵ族)에 속하는 원소 중, 산소·황·셀렌(Selen)·텔루르(Tellur)·폴로늄(polonium)의 다섯 원소(元素)를 일컬음. 칼코겐(chalcogens).

산소 첨가유【酸素添加油】명 〔oxygenated oil〕 탄소·수소·산소로 이루어지는 정유(精油)의 하나. 계피유(桂皮油) 등.

산소 첨가 효소【酸素添加酵素】명〖생〗 공중의 산소가 호흡으로 흡수되어 체내의 아미노산(amino酸)이나 단백질 등에 직접 첨가되어 화학적 변화를 일으킬 때 작용하는 산소.

산소 텐트【酸素—】〔tent〕 명〖의〗 텐트처럼 씌워 중환자에게 산소를 보급하는 장치.

산소 플라스크법【酸素—法】〔—뻡〕 명 〔oxygen-flask method〕 가연성(可燃性) 원소의 존재를 검사하는 방법. 플라스크를 봉(封)하고 시료(試料)를 산소로 연소시킨 후, 생성물을 묽은 알칼리 용액에 흡수시켜서 분석함.

산소 해:리 곡선【酸素解離曲線】명〖의〗 헤모글로빈(haemoglobin) 등의 혈액 색소가 산소와 결합하는 비율과 산소압(酸素壓)과의 관계를 나타내는 곡선. 양자(兩者)는 거의 비례함.

산소 헤모글로빈【酸素—】〔hemoglobin〕 명〖생〗 헤모글로빈과 산소 분자의 결합물. 산소 분자의 가역적 결합으로 생기며, 헤모글로빈은 이 형태로 산소를 운반함. 옥시헤모글로빈(oxyhemoglobin).

산소 호흡【酸素呼吸】명〖생〗 산소를 호흡하는 일. 생물체내에 흡입한 산소에 의하여, 양분을 산화(酸化)해서 에너지를 얻게 됨. *분해 호흡(分解呼吸).

산소 화합물【酸素化合物】명〖화〗 산화물(酸化物).

산소 흡수제【酸素吸收劑】명 〔oxygen absorbent〕〖화〗 산소와 반응하지 않고 흡수해 버리는 물질.

산소 흡입【酸素吸入】명〖의〗 인체 조직내에 산소가 결핍하고 호흡 곤란을 일으켰을 때에 혈액의 산소량(酸素量)을 증대(增大)시키기 위하여 산소를 흡입시키는 일. 빈혈(貧血)·폐의 질환·심장 질환·천식(喘息)·연탄 가스 중독 등에 흔히 행함.

산소 흡입기【酸素吸入器】명〖의〗 산소 흡입에 쓰는 기구. 산소 봉입(封入) 장치·압력 조절기·유량(流量) 조절기·마스크·연결관(連結管) 등으로 구성되며, 의료용(醫療用)·광산용·고산 고공용(高山高空用) 등이 있음.

산-속【山—】〔—쏙〕명 산의 속. 산중(山中).

산-속단【山續斷】명〖식〗〔*Phlomis koraiensis*〕 꿀풀과에 속하는 다년초. 줄기는 방형(方形)이고 높이 60cm 가량이며, 잎은 대생하고 장병(長柄)에 심상(心狀) 달걀꼴 또는 둥근 달걀꼴임. 8-9월에 적색의 꽃이 윤산(輪繖) 화서로 줄기 상부에 액생(腋生)하여 핌. 깊은 산에 나는데,

한국 북부에 분포함. *속단(續斷).

산-솔새【山一】[一쌔] 명 〖조〗 [*Phylloscopus occipitalis coronatus*] 휘파람샛과에 속하는 조류. 날개 길이 수컷이 59-67 cm, 암컷 57-64 cm 이고 꽁지 길이 수컷 44-51 mm, 암컷 43-51 mm 이며, 몸빛은 암수 같은 색인데, 날개는 암갈색이고 깃의 가장자리는 황색임. 꼬리 깃의 가장자리는 녹색이며, 배의 중앙부는 담황색이고, 겨드랑이는 담회록색임. 뒷목과 등·어깨깃·허리 및 꽁지 덮깃은 초록색에 회색을 띠고 있고, 다리는 갈색임. 주로 딱정벌레·벌·개미·파리·나방 등의 유충을 먹고 활엽수림 등지에 살며 둥우리는 땅이나 풀 속에 지음. 5-6월에 1 회 4-6개의 알을 산란하며, 한국·만주·일본·미얀마·말레이시아 등지에 분포함.

산-솜다리【山一】 명 〖식〗 [*Leontopodium leiolepis*] 국화과에 속하는 다년초. 전체에 백색 면모(綿毛)가 밀생하고 줄기는 높이 15-25 cm 이며, 잎은 호생하고 근엽(根葉)은 장병(長柄), 경엽(莖葉)은 무병(無柄)에 도피침형임. 8월에 담황색의 두상화(頭狀花)가 줄기 끝에 밀방상 화수(密房狀花穗)로 피고, 수과(瘦果)를 맺음. 유럽 알프스의 에델바이스와 아주 근사하여 산악인들이 애호함. 우리 나라 특산(特産)으로, 높은 산에 나는데, 평북의 노봉(鷺峰), 함남의 부전(赴戰) 고원, 강원도 설악산 등지에 분포함.

산송【山訟】 명 묘지에 관한 송사.

산:-송장 명 살고 있으되 죽은 것과 다름없는 사람을 조롱하는 말.

산수[1] 명 〈방〉 산소(山所)(경기·강원·충북).

산수[2]【山水】 명 ①산과 물. 경치. 풍경. ②산에서 흐르는 물. ③〖미술〗↗산수화(山水畫).

산수[3]【山獸】 명 산짐승.

산:수[4]【刪修】 명 글의 자구(字句)를 깎고 다듬고 하여 잘 정리함. 산정(刪定). ——-하다 타 여불

산:수[5]【算數】 명 〖수〗 ①기초적인 셈법. ②산술(算術).

산:수[6]【撒水】 명 ←살수(撒水). ——-하다 자 여불

산수-가【山水歌】 명 〖문〗 규방(閨房) 가사의 하나. 작자·제작 연대 미상. 산수의 자연미를 읊음.

산수경-석【山水景石】 명 산·골짜기·폭포수 등 자연의 경치가 축소된 것 같은 모습을 갖춘 수석(壽石).

산:수 관:개【撒水灌漑】 명 〖농〗 [←살수 관개] 살포 관개(撒布灌漑).

산-수국【山水菊】 명 〖식〗 [*Hydrangea serrata*] 수국과에 속하는 낙엽 활엽 관목(灌木). 잎은 대생(對生)하고 달걀 모양의 피침형(披針形)으로 끝이 뾰족하고 가에 톱니가 있음. 초여름에 벽자색(碧紫色)의 부등화(不登花)가 취산(聚繖) 화서로 핌. 산골짝의 숲 속에 나는데, 한국 중부 이남 및 일본·대만에 분포함. 관상용으로 심음.

산:수-기【撒水器】 명 ←살수기(撒水器).

산수-도【山水圖】 명 ①산수의 지세(地勢)를 그린 약도(略圖). ②〖미술〗 산수화(畫).

산수-병【山水屛】 명 산수의 풍경을 그린 병풍.

산:수-부【撒水夫】 명 ←살수부(撒水夫).

산-수소【酸水素】 명 〖화〗 산소와 수소의 혼합물.

산수소 불꽃【酸水素一】 명 [oxyhydrogen flame] 〖화〗 이중관(二重管)으로 된 산수소 취관(吹管)에 그 외관(外管)으로부터는 수소를, 내관(內管)으로부터는 산소를 분출(噴出)시켜서 점화(點火)할 때 생기는 2,500°-3,000°C의 고온도(高溫度)의 불길. 금속의 용접(鎔接)이나 석영(石英)의 세공(細工) 등에 사용함. 산수소염.

산수소-염【酸水素焰】 명 〖화〗 산수소 불꽃.

산수소 용접【酸水素鎔接】 명 [oxyhydrogen welding] 〖야금〗 산수소 불꽃을 사용해서 하는 용접.

산수소 취:관【酸水素吹管】 명 〖화〗 산수소염을 내는 데 쓰는 이중관(二重管). 속의 관은 산소, 겉의 관은 수소를 통하게 하고 각 기체의 양(量)은 고동으로 조절하면서 관 끝에 불을 붙이게 됨.

산-수유【山茱萸】 명 〖한의〗 산수유나무의 열매. 또, 그 종자(種子)를 말린 것. 해열(解熱)·강장제(强壯劑)로, 또는 유정(遺精)·요통(腰痛)·해수(咳嗽) 등을 다스리는 데 씀. 석조(石棗).

산수유-나무【山茱萸一】 명 〖식〗 [*Cornus officinalis*] 층층나뭇과에 속하는 낙엽 활엽 교목(喬木). 높이 3 m 가량에 가지는 대생(對生)하고, 잎은 긴 달걀꼴에 끝이 뾰족함. 가지와 잎의 표면에는 굽은 잔 털이 나고 뒷면에는 황갈색 잔 털이 남. 3-4월에 황색 사판화(四瓣花)가 산형(繖形) 화서로 잎보다 먼저 피고, 핵과(核果)는 길이 1.5 cm의 긴 타원형이며 가을에 홍색으로 익고, 속에 단단한 씨가 있음. 중국 원산으로 산과 들에 나는데, 전남·충남·경기 및 일본·중국 등지에 분포함. 한방(漢方)에서 과실 또는 종자(種子)를 말린 것을 '산수유'라고 하여 약재로 씀. 석조(石棗).

〈산수유나무〉

산수유-죽【山茱萸粥】 명 산수유를 곱게 이겨 거른 것에다 꿀을 쳐서 쑨 죽.

산수 육대가【山水六大家】 명 〖미술〗 우리 나라 현대 동양 화단에서, 산수화에 뛰어난 여섯 사람의 화가. 청전 이상범(靑田 李象範), 소정 변관식(小亭 卞寬植), 이당 김은호(以堂 金殷鎬), 의재 허백련(毅齋 許百鍊), 심산 노수현(心汕 盧壽鉉), 심향 박승무(深香 朴勝武).

산수-이【山水異】 명 산붕(山崩)·산명(山鳴)·해일(海溢) 또는 강물의 빛이 변하거나 마르거나 하는 등의 산수에 생기는 이상한 일.

산수-차【撒水車】 명 ←살수차(撒水車).

산수-평【山水評】 명 산수의 아름다움을 판단하여 설명한 말.

산수-피【山獸皮】 명 산짐승의 가죽. 산피.

산수-화【山水畫】 명 〖미술〗 인물화·화조화(花鳥畫)와 더불어 동양화의 화제(畫題)의 하나로, 자연의 풍경을 제재(題材)로 하여 그린 그림. 산수도(山水圖). 준산수(山水).

산수화-가【山水畫家】 명 산수화를 전문적으로 그리는 화가(畫家).

산:숙【散宿】 명 여러 집에 나누어서 숙박함. ——-하다 자 여불

산:술[1]【刪述】 명 쓸데없는 글귀를 산수(刪修)하여 기술함. ——-하다 타 여불

산:술[2]【算術】 명 일상생활에 실지로 응용할 수 있는 수(數)와 양(量)의 간단한 성질 및 셈을 다루는 수학의 초보적 부분. 정수(整數)·분수(分數)·소수(小數)의 사칙(四則) 및 제곱근풀이·세제곱근풀이의 셈법. 산수(算數).

산:술 고른값【算術一】[一깝] 명 〖수〗 산술 평균값.

산:술 관견【算術管見】 명 〖책〗 중국 수리(數理)의 부족한 점을 보충하고 원(圓)·선(線)의 이론을 새로 보충하여 편찬한 책. 조선 철종(哲宗) 때의 학자 이상혁(李相爀)의 저서. 모두 1책. 인본(印本)임.

산:술 급수【算術級數】 명 〖수〗 등차 급수(等差級數).

산술 논리 연산 장치【算術論理演算裝置】[一놀一] 명 [Arithmetic and Logic Unit : ALU] 〖컴퓨터〗 중앙 처리 장치 내의 장치의 하나. 2 진수 데이터의 연산을 함. 즉, 마이크로프로세서 내에서 제어 장치와 더불어 중심적 역할을 하는 장치로서 산술 연산·논리 연산을 함. 연산 장치.

산:술 수:열【算術數列】 명 〖수〗 등차(等差) 수열.

산:술 연:산【算術演算】[一년一] 명 [arithmetic operation] 〖컴퓨터〗 산술의 4 칙 연산. 곧, 2 수의 덧셈·뺄셈·곱셈·나눗셈 및 단일 수치에 대한 부호 반전(反轉), 절댓값을 취하는 조작을 이름.

산:술 평균【算術平均】 명 〖수〗 [↗단순 산술 평균] 몇 가지의 수(數)의 합(合)을 그 가짓수로 나누어 얻은 수. n개의 수 $a_1, a_2\cdots, a_n$의 총화를 개수 n으로 나눈 것. 곧, $(a_1+a_2+\cdots+a_n)/n$. 상가 평균(相加平均). ↔기하(幾何) 평균.

산:술 평균값【算術平均一】[一깝] 명 〖수〗 산술 평균을 하여 구한 값. 산술 고른값.

산쉬 명 〈방〉 산소[1](山所)(강원).

산스크리트[범 Sanskrit] 명 〖언〗 [완성된 언어란 뜻으로, 속어(俗語)에 대한 아어(雅語)란 의미] 인도유럽 어족 가운데 인도이란 어파(語派)에 속하는 옛날 인도아리안 말. 기원 전 5-4세기경에 된 파니니 문전(Panini 文典) 이래 그 규격이 확립되어, 전 인도의 고급 문장어로서 오늘날까지 지속하는데 인도에서 출판된 불경(佛經)이나 고대 인도 문학은 대개 이 문자로 기록되어 있음. 범어(梵語). 천축어(天竺語).

산스테파노 조약【一條約】[San Stefano] 명 〖역〗 1878년에 터키의 콘스탄티노플 서교(西郊)의 산스테파노에서 맺어진 노토(露土) 전쟁의 강화 조약. 불가리아의 독립, 발칸 제민족의 해방 등, 러시아의 우위(優位)를 규정함.

산승[1] 명 찹쌀 가루를 반죽하여 얇게 밀어 모지게 또는 둥글게 만들어 기름에 지진 떡.

산승[2]【山僧】 명 〖불교〗 ①산중의 절에 있는 중. ②중이 자기를 낮추어 일컫는 말.

산시[1] [山西] 명 〖지〗 ①중국의 화산(華山) 산 이서(以西)의 땅. ②중국 허난 성(河南省)의 샤오산(崤山) 산 이서의 땅. 춘추 시대의 진(秦)나라 땅. ③↗산시 성(山西省). 1)-3) : 산서.

산:시[2]【刪詩】 명 시경(詩經)의 개산(改刪). 삼천여 수(三千餘首) 있던 시(詩)를 공자(孔子)가 삭제하여 삼백오 편(三百五編)으로 한 것을 이름. ——-하다 타 여불

산시 대지【一臺地】[山西] 명 〖지〗 중국 산시 성(山西省) 남부의 고원상 대지(高原狀臺地).

산시 성[1]【一省】[山西] 명 〖지〗 중국 중북부의 성. 북쪽이 높고 남쪽이 낮은 황토층(黃土層) 고원 지대로 산지·고원·분지를 형성하고 있으며 기후는 대륙성, 우량(雨量)이 적음. 수수·옥수수·밀·면화·약재(藥材) 등이 나고, 양모피(羊毛皮)는 제 1의 수출품임. 석탄·철·석고·황·소금이 나며, 공업은 제철·기계·시멘트·방직 등이 행하여짐. 성도(省都)는 타이위안(太原). 산서성. 진성(晉省). 준산시(山西). [156,000 km² : 27,550,000 명(1988)]

산시 성[2]【一省】[陝西] 명 〖지〗 중국 서북부의 성. 성도(省都)는 시안(西安). 황토 지대(黃土地帶)이며 대체로 고원과 산악임. 기온은 온화하고 우량이 적음. 쌀·밀·목화·차·콩 등의 농산물과 석유·석탄·철이 나고 제철·방적·기계·제혁(製革)·차량 등의 공업이 행하여짐. 북부의 옌안(延安)은 1937-47년 중국 공산당 본부의 소재지였음. 섬서성. 준산성(陝省). [206,000 km² : 31,350,000 명(1988)]

산:식[1]【產殖】 명 번식(繁殖). ¶ ~기(期). ——-하다 자 여불

산:식[2]【散植】 명 〖농〗 허튼모.

산:식[3]【算式】 명 〖수〗 수자(數字) 또는 수를 대신하는 글자나 부호(符號) 등으로 계산하는 방법을 표시한 식. 식(式).

산:식-기【產殖期】 명 번식기(繁殖期).

산-식물【酸植物】 명 [acid plant] 〖식〗 몸의 세포액(細胞液) 중에 말산(酸)·옥살산(酸) 등과 같은 유기산(有機酸)을 많이 함유한 식물. 세포액의 산도(酸度)가 높아 암모니아에 의한 중독(中毒)을 일으키지 않아 암모니아 식물이라고도 함. 수영·괭이밥·선인장 등은 이에 속함.

산신[1]【山神】 명 〖민·불교〗 산을 맡아 지킨다는 신(神). 산의 수호신(守護神). 묘사(墓祀)를 지낼 때는 먼저 산신제(山神祭)를 지냄. 산신령(山神靈). 산기(山祇). 산령(山靈).

【산신 제물(祭物)에 메뚜기 뛰어들듯】 당치도 아니한 일에 참례를 한다는 말.

산:신[2]【產神】 명 〖민〗 출산(出產)을 맡은 신(神). 흔히 아이를 낳는 방의 아랫목 천장에 백지를 오려 뭉쳐 매달아서 상징함. 아이를 낳으면 아기의 건강과 산모(產母)의 건강 회복을 위하여 밥과 미역국을 세 그릇씩 담아 올리고 빎. *삼신(三神).

산신[3]【酸辛】명 맵고 시다는 뜻으로, 삶의 괴로움을 비유하여 일컫는 말. 괴로움. 고림. 신산(辛酸). 고초(苦楚).

산신-가【山神歌】명〖악〗신라 때에 있었다는 노래의 하나. 가사(歌詞)는 전하지 아니함. 제49대 헌강왕(憲康王)이 금강령(金剛嶺)에 거둥하였을 때에 북악신(北嶽神)이 춤추었고, 동례전(同禮殿)에서 잔치할 때에는 지신(地神)이 춤추면서 '지리다도 파도파(知理多都波都波)'라고 하였다 하는데, 지(智)로 나라를 다스리는 사람이 많이 도망하여 도읍이 앞으로 멸망한다는 뜻을 말한 것이라 함.

산신-각【山神閣】명〖불교〗절에서 산신(山神)을 모신 집. 산왕단(山王壇).

산신 나무【山神—】명〖민〗무덤을 보호한다고 하여 무덤 부근에 심는 나무. 산신목(山神木).

산신-당【山神堂】명〖민·불교〗산신을 모신 당집. 산제당(山祭堂). 준 산당(山堂).

산신-도【山神圖】명 산신 할아버지가 호랑이를 데리고 앉아 있는 그림.

산-신령【山神靈】[—실—] 명〖민·불교〗산을 수호(守護)하는 신령. 산군(山君). 산신(山神).

산신-목【山神木】명 산신 나무.

산신-무【山神舞】명〖악〗상염무(霜髯舞).

산신-제【山神祭】명〖민〗산신에 지내는 제사. 산제사. 산천제(山天祭). 준 산제(山祭).

산신 탱화【山神幀畫】명〖불교〗산신을 그리어 거는 족자(簇子).

산:실[1]【産室】명 해산하는 방. 산방(産房).

산:실[2]【散失】명 흩어져 잃어버림. ——-하다 타 여불

산-실과【山實果】명 산에 야생하는 실과.

산:실 도감【産室都監】명〖역〗산실청(産室廳)의 도감(都監).

산:실-청【産室廳】명〖역〗궁내(宮內)의 임시 관아(臨時官衙). 비(妃)·빈(嬪)의 아기 낳는 데 관한 일을 맡아 봄.

산:심【散心】명 ①마음이 흩어짐. ②방심(放心). ——-하다 자 여불

〈산쑥〉

산-쑥【山—】명〖식〗[*Artemisia gigantea*] 국화과에 속하는 다년초. 줄기 높이 1.5-2.0m이고, 잎은 호생하며 유병(有柄)에 우상 심렬(羽狀深裂)하고, 열편(裂片)은 다시 분열하며 하면에 회백색의 솜털이 남. 8-9월에 담황색의 많은 두상화(頭狀花)가 원추(圓錐) 화서로 가지 끝에 핌. 산지(山地)에 저절로 나는데, 한국 각지에 분포함. 어린잎은 식용하고, 말린 잎은 '애엽(艾葉)'이라 하여 뜸쑥을 만듦. 빙대(氷臺). 애호(艾蒿). 의초(醫草). 사재발쑥.

산-씀바귀【山—】명〖식〗[*Lactuca raddeana*] 꽃상춧과에 속하는 월년초(越年草). 근경(根莖)은 비대(肥大)하고, 방추상(紡錘狀)이며, 줄기는 원추형이고, 높이 1-1.5m이며 암자색의 반문(斑紋)이 있음. 잎은 대개 달걀꼴 또는 달걀꼴의 타원형임. 6-10월에 선황색(鮮黃色)의 두상화(頭狀花)가 수상(穗狀)으로 핌. 산과 들에 나는데, 한국 각지에 분포함. 근경과 어린 잎은 식용함.

산:씨-반【散氏盤】명 중국 주(周)나라의 여왕(厲王) 때에 만들어졌다고 추측되는 청동제(靑銅製)의 반(盤). 편평한 면과 다리에 무늬를 장식하였고, 내부 바닥에는 19행 250자로 새겨진 글이 있는데, 그 내용은 토지 경계의 설정에 관한 계약의 기록과 경계의 실측(實測), 계표(界標)의 설치 등의 방법이 쓰여 있음.

산아[1]【山鴉】명〖조〗잣까마귀.

산:아[2]【産兒】명 아이를 낳음. 또, 그 아이. ——-하다 자 여불

산-아래【山—】명〈방〉산기슭(전북).

산-아미드【酸—】명 [acid amide]〖화〗암모니아의 수소 원자를 아실기(acyl基)로 치환(置換)한 화합물의 총칭. 대부분 무색의 결정으로 저위(低位)의 것은 물에 녹고 리트머스에 대해서는 중성임. 탈수하면 니트릴(nitryl)로 되고, 가수 분해하면 카르복시산(carboxy 酸)과 암모니아로 됨. 아질산(亞窒酸)의 작용에 의해 카르복시산과 질소가 발생함. 아미드.

산:아 제:한【産兒制限】명 [birth control] 인공적 피임 방법(人工的避妊方法)에 의하여 수태(受胎) 또는 출산(出産)의 제한 혹은 조절(調節)을 하는 일. 사회적 인구 문제(人口問題), 경제적 생활난, 어머니의 건강 보호, 우생학적(優生學的) 사회 개량을 목적으로 함. 생어(Sanger) 여사 등이 1915년에 제창(提唱)하였음. *산아 조절·수태 조절·가족 계획. 준 산제(産制).

산:아 제:한론【産兒制限論】[—논] 명〖사〗산아 제한의 운동을 주장하는 논설.

산:아 조절【産兒調節】명〖사〗산아 제한을 실현하기 위하여 인공적으로 출산·수태(受胎)를 조절하는 일.

산악[1]【山嶽·山岳】명〖지〗지구 표면(地球表面)이 현저히 융기(隆起)한 부분. 높고 험준한 산들. 산(山).

산:악[2]【散萼】명〖식〗꽃이 피자 마자 곧 떨어지는 꽃받침. 양귀비꽃 같은 것.

산:악[3]【散樂】명 중국에서 고대로부터 있어 온 민간의 무악(舞樂).

산악-국【山岳國】명 산악이 많은 나라.

산악 기상【山岳氣象】명 산악같이 씩씩하고 웅장한 기상.

산악 기후【山岳氣候】명〖기상〗해발 고도(海拔高度)와 지형을 주인자(主因子)로 하는 특수한 기후형(型). 기온이 대단히 낮으며 일기(日氣)의 변화가 심하고 바람이 몹시 셈. 기온의 변화가 저지(低地)에 비하여 작으며 먼지가 적은 점은 해양성 기후와 비슷함. *고산(高山) 기후.

산악-당【山岳黨】명〖역〗프랑스 혁명 당시의 1792-95년에 열린 국민공회(國民公會)의 좌익 세력. 회의장의 맨 윗 의석을 차지한 데서 나온 이름임. 자코뱅당(Jacobin 黨) 의원(議員)이 중핵(中核)을 이룸. 1794년 지롱드파(Gironde 派)를 추방하고 공포 정치를 행하여 혁명을 극도로 추진했으나 1794년 7월의 테르미도르(thermidor)의 반동으로 몰락함. 산악파. *테르미도르의 반동.

산악-림【山岳林】[—님] 명 산악 지대에 이루어진 삼림(森林). ↔평지림(平地林).

산악 문학【山岳文學】명〖문〗산악의 자연미(自然美)와 그 웅대·장엄한 맛을 나타냈거나 산악 지방의 주민들의 생활 감정을 내용으로 한 작품. 18세기에 유럽에서 일어났음.

산악 박물관【山岳博物館】명 산악 지대의 지질(地質)·동식물이나 풍속·습관 등을 이해시키며, 등산(登山)에 대한 바른 지식을 보급하기 위하여 산악 지대의 요지(要地)에 시설한 박물관.

산악-병【山岳病】명〖의〗높은 산에 오르거나 고공(高空)을 비행할 때 기압의 감소, 산소의 결핍으로 일어나는 병적 증상. 심계 항진(心悸亢進)·안면 홍조(紅潮)·코피·오심(惡心)·구토·이명(耳鳴)·난청(難聽) 등의 증상이 생기며 중증(重症)일 경우는 운동 실조(失調)를 일으켜 쓰러짐. 고산병(高山病). 산취(山醉).

산악-부【山岳部】명 등산에 취미를 가진 이들로 이룬 부(部). ¶ ~원.

산악 빙하【山岳氷河】명〖지〗육빙하(陸氷河)의 하나. 높은 산의 산마루나 산꼭대기 가까운 계곡에서 이루어진 빙하. 권곡(圈谷) 빙하·곡빙하(谷氷河)·산록(山麓) 빙하 등이 있음. ↔내륙(內陸) 빙하.

산악 숭배【山岳崇拜】명 산악을 신으로서 숭배하는 일. 산의 위엄(威嚴)·수려(秀麗)·운무(雲霧) 또는 인접하기 곤란한 점 등이 신령(神靈)이 사는 곳으로서 숭배의 동기가 됨. 산악 신앙(信仰). *산신(山神).

산악 신:앙【山岳信仰】명 산악 숭배(山岳崇拜).

산악-인【山岳人】명 등산을 즐기거나 등산에 능한 사람.

산악 자전거【山岳自轉車】명 마운틴 바이시클(mountain bicycle).

산악-전【山岳戰】명〖군〗산악 지대에서 싸우는 전투. 산전(山戰).

산악 전:투 부대【山岳戰鬪部隊】명〖군〗산악전을 하려고 훈련된 전투 부대. 스키·등산(登山) 등의 훈련을 받음.

산악 지대【山岳地帶】명 크고 작은 산으로 된 지대.

산악 철도【山岳鐵道】[—또] 명 아프트식(Abt 式) 철도를 장치한 산악 지대의 철도.

산악 측후소【山岳測候所】명 [high-altitude station]〖기상〗해면(海面)에 가까우면서 바다의 영향을 받지 않는 높이에 있는 기상 관측소. 약 2,000m의 높이가 고도(高度)의 하한(下限)임.

산악-파[1]【山岳派】명〖역〗산악당.

산악-파[2]【山岳波】명 [mountain-wave]〖기상〗바람이 산을 넘어서 불어올 때 바람이 불어가는 쪽에 생기는 난기류(亂氣流). 항공기의 안전 비행을 위협하는 최대의 요인의 하나임.

산악-학【山岳學】명 산학(山學).

산악-회【山岳會】명 등산(登山)에 대한 취미를 가진 사람들이나 연구를 하는 사람들로 구성된 단체. 산악에 대한 학술 연구·조사 및 전문적 지식·기술의 연마와 친목을 도모함.

산악 효:과【山岳效果】명 산악 지형(地形)이 전파(電波)를 전파(傳播)하는 데 미치는 효과. 전파 방위(電波方位) 측정에 오차(誤差)를 발생하게 하는 반사(反射)를 일으킴.

산안【山眼】명〖민〗묏자리의 좋고 나쁨을 감식(鑑識)하는 눈.

산-안개구름【山—】명 산 중턱에 안개처럼 끼는 흰 구름.

산 안드레아스 단:층【—斷層】명 [San Andreas Fault]〖지〗샌프란시스코 북쪽에서 멕시코 국경까지 해안을 따라 1,300여 킬로미터에 이르는 트랜스폼 단층. 태평양 플레이트와 북아메리카 플레이트의 경계를 이루는데, 태평양 플레이트는 북서, 북아메리카 플레이트는 남동 방향으로 조금씩 움직이고 있으며, 그 움직임으로 지층의 어긋남이 생겨 암체를 파괴하여 균열이 생김으로써 지진을 일으킴.

산-안장【山鞍裝】명 산마루나 언덕 사이의 움푹 들어가 낮게 된 곳.

산-안토니오 [San Antonio] 명〖지〗☞ 샌안토니오.

산:액【産額】명 산출하는 물자(物資)의 액(額). 생산하는 양. 산고(産高).

산앵【山櫻】명〖식〗①벚나무. ②산벚나무.

산-앵도【山櫻桃】명〖식〗→ 산앵두.

산-앵두【山—】명 [← 산앵도(山櫻桃)] ①〖식〗산앵두나무❶. ②산앵두나무의 열매. 산이스랏. 울리(鬱李). 차하리(車下梨). 작매(雀梅). 욱리(郁李).

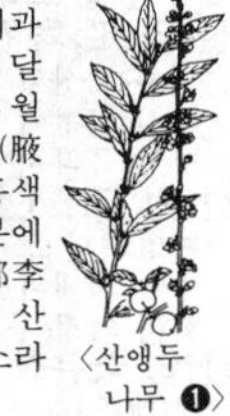
〈산앵두나무 ❶〉

산앵두-나무【山—】명〖식〗①[*Prunus japonica*] 장미과에 속하는 낙엽 활엽 관목. 높이 1.5m 가량이고, 잎은 달걀꼴로 호생하여 가에는 톱니가 있고 단병(短柄)임. 4-5월에 담홍색 또는 백색의 오판화(五瓣花)가 잎과 함께 액출(腋出)하여 피고, 핵과(核果)는 구형(球形)으로, 7월에 홍색으로 익음. 산록 숲 속에 나는데, 거의 한국 각지, 일본에 분포함. 과실은 '산앵두'라 하여 식용, 종자는 '욱리인(郁李仁)'이라 하여 약용하고, 관상용으로 정원(庭園)에 심음. 산앵두. 산이스랏나무. 당체(棠棣). 천금등(千金藤). 이스라지. ②괭나무.

산야【山野】명 ①산과 들. ②시골.

산약[1]【山藥】명〖한의〗마의 괴근(塊根). 강장제(強壯劑)로, 유정(遺精)·몽설(夢泄)·대하(帶下)·요통(腰痛)·설사(泄瀉) 등에 씀.

산:약[2]【散藥】명 가루약. ↔탕약(湯藥)·환약(丸藥).

산약 다식【山藥茶食】명 다식의 한 가지. 껍질을 벗긴 마의 뿌리를 짓이겨서 체에 걸러 말렸다가 꿀에 반죽하여 만듦.

산약 발어【山藥撥魚】명 마의 뿌리를 삶아 껍질을 벗기고 으깨어 밀가루와 콩가루를 같이 반죽해서 끓는 물에 숟가락으로 적당히 떠 넣어 익힌 다음 육즙(肉汁)에 넣은 음식.

산약 응이【山藥—】명 마의 껍질을 벗기고 백반을 탄 물에 담가 하룻밤을 재운 다음, 백반물을 씻어 버리고 그늘이나 볕에 말리어서 빻아

가루를 만들어 꿀물에 쑨 음식. 묽은 풀 같음. 산약 의이(山藥薏苡).
산약 의:이【山藥薏苡】명 산약 응이.
산약-주【山藥酒】명 마를 넣고 빚은 술.
산약-죽【山藥粥】명 마의 껍질을 벗기고 갈아 꿀과 함께 볶아서 쑨 죽.
산양[1]【山羊】명〖동〗①염소. ②[*Naemorhedus goral raddeanus*] 솟과(科)에 속하는 짐승. 몸길이 129 cm, 꼬리 길이 15 cm, 뿔은 15 cm 가량임. 겨울털은 회황색(灰黃色)인데 꼬리의 윗면은 갈색, 아랫면은 백색이고 그 끝에 흑색의 긴 털이 있음. 설악산·태백산과 같은 험한 산악 지대(山岳地帶)에 서식하며, 바위와 절벽 꼭대기 등에서 볼 수 있음. 겨울철에 폭설을 피하여 저지대(低地帶)로 내려오지만 주(主)서식지에서 멀리 떠나지 않음. 나뭇잎·열매 등을 먹으며, 4월에 두세 마리의 새끼를 낳음. 한국·만주·동부 시베리아 등지에 분포함. 1968년 천연 기념물 제217호로 지정되어 보호받고 있음.

〈산양 ❷〉

산양[2]【山陽】명 산의 햇볕 쬐는 남쪽 편. 산남(山南). ↔산음(山陰).
산양[3]【山養】명 산에 옮겨 심어 기른 인삼(人蔘).
산양-유【山羊乳】명 산양의 젖. 염소 젖.
산양-좌【山羊座】명〖천〗염소자리.
산양-털【山羊—】명 염소의 털.
산양-피【山羊皮】명 염소의 가죽.
산-어리하늘소【山—】[—쏘] 명〖충〗산하늘소붙이.
산언【潸焉】부 산연(潸然).
산-언덕【山—】명 산으로 된 언덕. 또, 평지보다 좀 높은 지대.
산-언저리【山—】명 산의 언저리. 산 둘레의 근방.
산:업【産業】명 ①생활을 위한 일. 생업(生業). ②〖경〗생산(生産)을 하는 사업. 곧, 자연물(自然物)에 사람의 힘을 가하여 그 이용 가치를 창조하고 또, 이것을 증대하기 위하여 그 형태를 변경하고 또, 이전(移轉)하는 경제적인 행위. 농업·목축업·임업(林業)·수산업·광업·공업 등 유형물(有形物)의 생산 이외에 상업·금융업·운수업(運輸業)·서비스업 등 물건의 생산 그 자체와는 직접적인 관계가 없으나 국민 경제의 구성(構成)에 불가결한 사업도 포함함. ③❷ 중, 특히 공업만을 가리킴. ④↗생산 사업(生産事業). *산업 구조(構造)·산업 분류(分類).
산:업-가【産業家】명 산업적 기업을 경영하는 사람.
산:업간 분업【産業間分業】명〖경〗수직적 국제 분업.
산:업-계【産業界】명 생산 사업에 관한 일만으로 활동하는 사회.
산:업 고고학【産業考古學】명〔industrial archeology〕근대 산업(近代産業)의 초기 기술(技術)이나 경영 조직(經營組織) 등에 관한 기록이나 설비(設備)의 유구(遺構) 등, 유적(遺跡)·유물(遺物)을 보존(保存) 연구하여 미래 산업의 지침(指針)으로 삼으려는 학문. 1950년대 중반에 영국에서 발생함.
산:업 공학【産業工學】명〔industrial engineering〕사람·자재·설비의 종합 시스템을 경제적·합리적으로 설계 구성하기 위한 과학적 기법·학문. 생산(生産) 공학. 아이 이(IE). *관리 공학
산:업 공해【産業公害】명 산업으로 인하여 일어나는 공해.
산:업 공:황【産業恐慌】명〖경〗투자 감퇴(投資減退) 등에 의한 생산재(生産財)의 과잉(過剩) 생산으로 말미암아 모든 산업에 종사하는 여러 생산 기업(企業)의 도산(倒産)이 야기되는 공황.
산:업 광:고【産業廣告】명〔industrial advertising〕산업용품(産業用品)의 구입자, 곧 생산 회사·상사(商事) 회사·정부 조달(調達) 기관, 그 밖의 업무 용품 구입자를 대상으로 하는 광고. *기업(企業) 광고.
산:업 교:육【産業教育】명〖교〗공업·농업·수산업 등의 생산적인 직업에 필요한 지식·기능·태도를 습득시키는 교육. 이전의 실업 교육·직업 교육에 대하여 기술 혁신에 의한 현대 산업과의 관련이 중시(重視)되고 있음. *직업 교육·실업(實業) 교육.
산:업 교:육 심:의회【産業教育審議會】[—/—이—] 명〖법〗①↗중앙 산업 교육 심의회. ②↗지방 산업 교육 심의회.
산:업 교:육 진:흥법【産業教育振興法】[—뻡] 명〖법〗근로 정신을 함양하고 산업 기술을 습득시켜 창조 능력을 배양함으로써 국가 경제의 자립 발전에 기여할 수 있는 유위(有爲)한 국민을 양성하기 위하여 산업 교육의 진흥을 도모함을 목적으로 하는 법.
산:업 구조【産業構造】명 한 나라의 국민 경제에 존재하는 각 산업의 짜임새와 그 관계. 산업을 제1차 산업, 제2차 산업, 제3차 산업으로 나누어 개개의 산업의 위치의 변화, 각 그룹의 인구, 소득 구성 등의 변화의 과정 등을 파악함.
산:업 국유화【産業國有化】명〖경〗자본가의 영리적인 자본 지배를 배제(排除)하고, 중요 산업을 국유로 하여 그 사회화(化)를 도모하는 일. 자본주의 초기에는 재정·군사적 이유에서 국영 사업이 있었으나, 영국·프랑스 등은 사회 경제 전체의 통제를 위하여 은행·운수·에너지 분야를 국유화하였음. 사회주의 국가에서는 모든 생산 수단이 국유화됨.
산:업 금융【産業金融】[—늉/—] 명〖경〗생산적 자본을 대상으로 하는 금융. 여러 산업에 대한 금융 및 판매의 일시적 정체를 보전(補塡)하기 위한 단기 금융 및 산업 활동의 증가에 따라 증가 운전 자금(增加運轉資金)과 설비 자금을 공급하는 장기 금융으로 나눔. ↔소비 금융.
산:업 금융 채:권【産業金融債券】[—늉—꿘/—꿘] 명〖경〗산업 진흥에 필요한 자금을 조달하기 위하여 한국 산업 은행에서 발행하는 금융 채권.
산:업 기계【産業機械】명 산업계에서 직접 간접으로 소용되는 기계의 총칭. 건설(建設) 기계·광산 기계·섬유(纖維) 기계·운반 기계·풍수력(風水力) 기계 등의 구별이 있음. *건설 기계·운반 기계·풍수력 기계.
산:업 기상학【産業氣象學】명 산업과 기상과의 관계를 취급하여 그 결과를 산업의 실제 부면에 적용시켜 산업의 진전을 도모할 목적으로 연구하는 기상학의 응용 분야의 하나. 농업·어업·전력(電力) 등과 기상과의 관계에 관해서 가장 많이 연구되고 있음.
산:업 기술 정보원【産業技術情報院】명〖법〗국내외의 산업·무역 및 산업 기술에 관한 정보를 수집·처리·보급하고 산업 간 및 지역 간의 원활한 정보 교류를 촉진하여 산업의 국제 경쟁력을 높이기 위하여 설립된 산업 자원부 산하의 특수 법인. ㊌기정원(技情院).
산:업 기지 개발 공사【産業基地開發公社】명 산업 기지 개발 사업과 수자원 개발 사업을 효율적으로 수행하기 위하여 설립된 공공 기업체. 공업 단지의 조성·관리 및 처분, 항만·공업 용수 시설·도로의 건설 및 관리, 다목적 댐·다목적 용수로 등의 건설 및 관리 사업을 함.
산:업 기지 개발 구역【産業基地開發區域】명 중화학 공업(重化學工業)을 집중적으로 추진하기 위한 필요 지역. 국무 회의의 심의를 거쳐 대통령의 승인을 얻은 뒤 건설 교통부 장관이 지정함.
산:업내 분업【産業內分業】명 수평적 국제 분업.
산:업 뉴:스【産業—】〔news〕명 산업에 관한 국내·국외의 소식.
산:업 도:로【産業道路】명 산업을 번창하게 하기 위해 낸 도로. *관광 도로.
산:업 도시【産業都市】명〖지〗경제(經濟) 도시의 한 가지. 주민이 광산업·공업 등의 산업을 주요 생업으로 삼는 도시. ↔정치 도시·종교 도시·학술 도시·군사(軍事) 도시.
산:업 동:원【産業動員】명〖법〗전쟁시(戰爭時) 국가가 필요하다고 인정할 때 군수품(軍需品)의 생산을 위하여 산업 조직을 강제로 국가 관리하에 두고, 이것을 경영·이용하는 일. 공업 동원(工業動員)도 그 한 가지임.
산:업 디자인【産業—】명〔industrial design〕대량 생산에 의한 공업 제품의 디자인. 제품의 미적(美的)·장식적 요소와 기능을 조화시키기 위하여 조형적(造形的)으로 처리하는 일. 공업 디자인.
산:업-면【産業面】명 ①산업에 관한 방면(方面). ②산업에 관한 기사(記事)만을 실은 신문이나 잡지의 면(面).
산:업 민주주의【産業民主主義】[—/—이] 명〔industrial democracy〕〖사〗자본가의 전단(專斷)이나 노동자의 독재(獨裁)나 어느 쪽이고 다 부정(否定)하여 양자의 대표(代表)에 정부 및 공중(公衆)의 대표를 가해서 산업을 민주적으로 경영하려는 주의.
산:업 박람회【産業博覽會】[—남—] 명 산업에 대한 대중의 인식을 계몽하고 아울러 개량·진보 의욕을 앙양하며, 판로(販路)의 확장을 도모하여 산업의 진흥(振興)을 기하기 위해서, 각종 산물(産物)을 수집 진열하여 공중(公衆)에게 관람시키고 구매(購買)하게 하는 박람회.
산:업-법【産業法】명〖법〗산업적인 법규(法規)의 총칭. 산업 행정에 관한 행정법, 산업에 관한 민상법(民商法)의 특별 사법(特別私法) 등을 널리 포괄(包括)하는 의미에서 쓰는 말.
산:업별 노동 조합【産業別勞動組合】명〖사〗기업(企業)이나 직종(職種)의 구별 없이 동일 산업에 종사하는 노동자 전체에 의하여 조직된 노동 조합. 근대 산업의 발전에 따라 필연적으로 발생한 것임. 이를테면 자동차 운전수·철도 종업원 등을 포괄한 교통 노동 조합이나 미국의 시 아이 오(CIO) 등. ㊌산업별 조합·산별(産別) 노조.
산:업별 단일 노동 조합【産業別單一勞動組合】명〖사〗동일 산업 내지 동일 직종의 노동자를, 각기 하나로 조직한 조합. 산업별 조합으로서는 일 산업(一産業), 일 단일 조합(一單一組合)이 이상적이나, 현상태로서는 기업마다의 단일 조합의 산업별 또는 업종별의 연합체(聯合體)로 되어 있는 사례(事例)가 많음. ㊌단산(單産)·단일 노동 조합.
산:업별 인구【産業別人口】명 산업별로 나눈 취업자 인구. 경제가 진보·발달함에 따라 제1차 산업 인구는 줄어들고, 제2차·제3차 산업 인구가 늘어나는 경향에 있음.
산:업별 조합【産業別組合】명〖사〗↗산업별 노동 조합. *직업별 조합.
산:업별 주가 지수【産業別株價指數】[—까—] 명〖경〗산업별 주가 동향을 단면적으로 파악하기 위한 지수. 현재 한국 증권 거래소가 발표하는 산업별 주가 지수는 다우식 수정 주가 평균을 지수화한 것이며, 산업 분류는 한국 표준 산업 분류의 중분류(中分類)와 소분류를 기준으로 함.
산:업 병:리학【産業病理學】[—니—] 명〖의〗직업병에 관해서, 어떤 물질이나 조건이 사람에게 유해(有害)하며, 그들이 어떠한 증상의 병을 일으키는가에 관하여 연구하는 학문.
산:업 복지 시:설【産業福祉施設】명〖사〗기업체(企業體)가 종업원의 생활에 대하여 행하는 조직적인 복지 시설. 산업 혁명기에는 노동력의 유지 확보를 위한 거주(居住) 시설·급식(給食) 시설 등 물적 급부(物的給付)를 말하였으나, 근래에는 더 나아가 근로자 교육 시설, 교양·오락·체육 시설, 공제 조합 시설까지를 포함함.
산:업 부문【産業部門】명 생산을 하는 경제적 행위의 영역.
산:업 부:흥법【産業復興法】[—뻡] 명 ↗전국 산업 부흥법.
산:업 분류【産業分類】[—불—] 명 한 나라의 산업 구조나 그 변화를 명확히 파악하고 또, 국제 비교(國際比較)를 하기 위하여 통일된 기준에 따라 각종 산업을 동질적(同質的)인 그룹으로 정리한 것. 가장 총괄적인 분류는 제1차 산업·제2차 산업·제3차 산업의 3분류가 널리 채택되고 있으며, 농업·임업(林業) 등 세분은 국제적 통일을 목적으로 한 UN 통계 위원회의 지침이 나와 있음.
산:업-비【産業費】명 산업을 보호하고 장려하기 위하여 지출되는 비용.
산:업 사회【産業社會】명 산업화와 경제 성장을 축(軸)으로 하는 현대

사회의 일컬음.

산:업 사회학【産業社會學】명〖사〗직장에서의 인간 관계, 노사(勞使) 관계, 공장과 지역 사회와의 관계 등을 연구 대상으로 하는 사회학의 한 분야. 실증적(實證的)인 조사 연구가 특징임. 제2차 대전 후, 주로 미국·독일 등지에서 발달함. ＊직업 사회학.

산:업 생산 지수【産業生産指數】명〖경〗기업(企業)의 연간 생산량·출하량(出荷量) 및 재고 변동량을 나타내는 지수. 업종별·기업별 경기(景氣)를 측정하고 예측하는 주요 경제 지표(指標)가 됨.

산:업-선【産業線】명 여객 위주가 아니라, 주로 산업용으로 이용되는 철도.

산:업 설비【産業設備】명 광업·제조업·전기 가스업·방송 통신업 등을 영위하기 위하여 설치한 기계 장치 및 설비.

산:업 스파이【産業—】〔spy〕명 기업이 경쟁 상대자의 영업상·기술상의 각종 비밀 정보를 입수하기 위하여 사용하는 사람. 또, 이런 종류의 비밀 정보를 관계 기업에 파는 것을 직업으로 하는 사람. 스파이.

산:업 신:용【産業信用】명〖경〗자본(資本) 신용.

산:업 심리학【産業心理學】[—니—] 명〔industrial psychology〕〖심〗산업 활동에 종사하는 인간의 심리를 연구 대상으로 하는 응용 심리학의 한 분과. 직업 심리학·노동 심리학·광고 심리학의 세 분야로 나뉨.

산:업 안전 보:건법【産業安全保健法】[—뻡] 명〖법〗산업 안전·보건에 관한 기준을 확립하여 산업 재해를 예방하고 쾌적한 작업 환경을 조성함으로써 근로자의 안전과 보건을 유지·증진시키기 위하여 제정된 법률.

산:업 안전 색채【産業安全色彩】명 산업 안전 표지(産業安全標識)에서 그 표시 사항(表示事項)을 나타내기 위하여 사용하는 빨강·노랑·파랑·녹색·흰색·검정색 등의 색채.

산:업 안전 표지【産業安全標識】명 사업장(事業場)의 위험 시설·위험 장소·위험 물질에 대한 경고, 비상시의 지시나 안내 사항 또는 안전 의식(安全意識)을 고취하기 위한 사항을 표상(表象)한 그림·기호·글자 등의 표지. 출입 금지·금연 등의 금지 표지, 인화성 물질·독극물(毒劇物) 경고 등의 경고 표지, 보안경(保眼鏡) 착용·안전 모자 착용 등의 지시(指示) 표지, 녹십자(綠十字) 표지·비상구 등의 안내 표지로 나뉨.

산:업 연관 분석【産業聯關分析】[—년—] 명〖경〗재화(財貨)나 또는 서비스의 동향(動向)을 수지 계산(收支計算)에 의해 정리하여, 산업 상호간의 관련을 분석하는 일. 투입 산출 분석(投入産出分析).

산:업 연관표【産業聯關表】[—년—] 명〔inter industry relations table〕〖경〗일정 기간의 최종 생산물·중간 생산물의 동향(動向)을 산업간의 관련을 중심으로 정리한 표. 산업 내지 그 경제의 기술적 성격·산업 구조, 특정한 경제 활동 파급 효과(波及效果) 등의 연구에 이용됨. 투입 산출표(投入産出表). 레온티에프표(Leontief 表).

산:업 연:구원【産業研究院】[—년—] 명〖법〗국가의 산업·통상·기술 및 국제 협력에 관련된 정책 수립에 기여토록 하기 위해 설립된 산업 자원부 산하의 특수 법인. 국내외의 산업·무역·기술과 해외 지역 및 산업·경제에 관한 국제 협력 기구의 동향 등 국제 경제 전반에 관련된 동향과 정보를 수집·조사·연구함.

산:업 예:비군【産業豫備軍】[—네—] 명〔도 industrielle Reservearmee〕〖사〗마르크스 경제학의 용어. 자본주의 사회의 고도화에 수반하여 생기는 완전 실업자·반(半)실업자·피구호자(被救護者) 등의 과잉 노동 인구를 이름. 상대적 과잉 인구.

산:업용 로봇【産業用—】〔robot〕[—뇽—] 명 프로그램이나 컴퓨터로부터의 지시에 따라 여러 가지 작업을 하는 산업용 기계. 시각(視覺) 기능을 가진 것과 이동할 수 있는 것도 있음. 물체의 이동, 공작 기계의 조작, 조립·도장(塗裝)·용접 따위에 이용함. 주로 위험한 작업이나 단순·지속적 작업에 쓰임.

산:업용 상품【産業用商品】[—뇽—] 명 생산자가 재생산(再生産)을 위하여 사용하는 원료용·재료용의 상품. ↔생활용 상품.

산:업용 텔레비전【産業用—】[—뇽—]〔industrial television; ITV〕공업상의 여러 과정(過程)을 먼 곳에서 감시하기 위해 사용되는 전용 텔레비전.

산:업 위생【産業衛生】명〖의〗공장 위생. 노동 위생.

산:업 은행【産業銀行】명 ↗한국 산업 은행. ㊟산은.

산:업-의【産業醫】[—/—이] 명 근로자의 건강 관리를 담당하는 의사.

산:업의 쌀【産業—】[—/—에—] 구 모든 산업에 두루 이용된다는 뜻에서 '집적 회로(集積回路)' 또는 '철(鐵)'을 가리키는 말.

산:업 의학【産業醫學】명〖의〗사회 의학(社會醫學)의 한 가지. 각종 공장·광산·숙사(宿舍)의 위생 상태와 근로의 내용·성격과 근로자의 체질·체력·적성(適性)·피로·직업병 등을 대상으로 근로자의 건강 증진, 작업 능률의 증대, 사회 위생의 향상 등을 도모하는 의학. 공장 위생·광산 위생·교통 위생 등으로 대별됨.

산:업 인류학【産業人類學】[—일—] 명〔industrial anthropometry〕항공기·자동차 등 인간과 관련이 있는 기기(機器)의 설계나 구성(構成)에 자연 인류학의 지식을 응용하는 일.

산:업 입지【産業立地】명〖경〗산업 활동을 하기 위한 장소 및 그 선택을 말함. 생산에 필요한 노동력·원자재(原資材)·기계 설비 등의 입수(入手), 제품의 소비지까지의 수송 따위를 고려하여 결정함. 제철(製鐵)·정유(精油) 공업이 임해지(臨海地)에 입지를 구하는 따위.

산:업 자:금【産業資金】명〖경〗산업 활동에 필요한 자금. 상품의 생산 설비의 유지 확장을 위한 시설 자금(施設資金)과 원자재(原資材)의 구입 및 노동자에 지불하기 위한 임금(賃金)을 조달(調達)하기 위한 운전 자금(運轉資金)으로 나눔.

산:업 자본【産業資本】명〖경〗산업에 투자되어 직접 산업상에 기능하고 있는 자본. 특히 공업의 생산 과정에 있어서는 화폐 자본으로 원재료·노동력 등을 구입하여 상품을 생산하여 잉여 가치를 획득하는 것. ↔상업 자본·고리 대부 자본(高利貸付資本).

산:업 자본주의【産業資本主義】[—/—이] 명〖경〗산업 혁명기로부터 1870년대까지의 근대 자본주의적 생산 관계가 산업 자본에 의해 주도되던 시기의 자본주의 형태.

산:업 자본형 콘체른【産業資本型—】〔도 Konzern〕명〖경〗생산 회사가 모회사(母會社)가 되어 관련(關聯) 산업 부문의 종단적(縱斷的)인 피라미드형(型) 지배(支配)를 전개하는 콘체른. ＊금융 자본형 콘체른.

산:업 자원부【産業資源部】명 행정 각부의 하나. 상업·무역 및 무역 진흥·공업·에너지 및 지하 자원에 관한 사무를 관장(管掌)함.

산:업 자원부 장:관【産業資源部長官】명 산업 자원부의 장(長)인 국무위원.

산:업 자원 위원회【産業資源委員會】명 국회 상임 위원회의 하나. 산업 자원부 소관 사항을 심의함.

산:업 재산권【産業財産權】[—꿘] 명〖법〗기술의 발달·장려를 위하여 공업에 관한 지능적(知能的) 작업 또는 방법에 대하여 부여하는 권리. 특허권(特許權)·의장권(意匠權)·실용 신안권(實用新案權)·상표권(商標權)의 네 가지가 있음. 무형(無形)인 사상(思想)의 산물을 배타적 지배 대상(排他的支配對象)으로 하는 점에서 소유권(所有權)과 구별됨. 공업권(工業權). 구용어 : 공업 소유권.

산:업 재산권 협약【産業財産權協約】[—꿘—] 명 산업 재산권의 국제적 보호를 위해 1883년 파리에서 체결된 협약. 협약 당사국은 동맹을 조직하고 부당(不當) 경쟁을 방지하고 있음. 1991년 3월 현재, 우리 나라를 비롯하여 101개국이 가맹하고 있음. 정식 명칭은 '산업 재산권 보호를 위한 파리 협약'임. 파리 협약.

산:업 재해【産業災害】명〖사〗생산적 노동 장소에서 발생한 사고 또는 직업병으로 말미암아 노동자가 받는 신체의 장애. 노동 재해. ㊟산재(産災). ＊직업병.

산:업 재해 보:상 보:험【産業災害補償保險】명〖사〗근로자의 업무상의 사유에 의한 질병·부상 및 사망 등 재해를 보상하기 위한 보험 제도. ㊟산재(産災) 보험.

산:업 재:활원【産業再活院】명 산업 재해 또는 직업병으로 인한 신체 장애 근로자에 대한 효율적인 재활 사업을 실시하기 위하여 노동부 소속하에 둔 기관.

산:업-적【産業的】명관 산업에 관한 모양.

산:업적 실업【産業的失業】명〔industrial unemployment〕〖경〗실업의 한 가지. 과잉 생산에 의한 실업.

산:업적 위험【産業的危險】명〖경〗사업가가 노동 조직 또는 생산 방식 등에 의해서 받는 위험. ＊동적(動的) 위험·정적(靜的) 위험·인적(人的) 위험·영업(營業) 위험.

산:업 정책【産業政策】명 산업의 자원 배분 및 특정 산업 내의 산업 조직에 영향을 미침으로써, 국민의 경제적인 후생(厚生)을 개선하려는 경제 정책.

산:업 조정【産業調整】명 국제 수지의 불균형(不均衡)이나 무역 마찰을 피하기 위해, 국제 분업 관계의 변화에 대응한 산업 구조의 변화를 촉진하고, 그에 따른 개별 산업마다 필요한 사업 전환(轉換)·구제(救濟)·억제(抑制) 정책 등을 시행(施行)하는 일.

산:업 조합【産業組合】명〖경〗조합원의 협력에 의하여 산업 경제의 발달을 도모하고 자본이 적은 중소(中小) 생산자의 구제(救濟)를 목적으로 설립하였던 사단 법인. 신용 조합(信用組合)·판매 조합·구매 조합·생산 조합 등 주로 농촌에서 발달하였으나 제2차 세계 대전 후 각종 협동 조합(協同組合)으로 이행(移行)함. ＊길드(guild) 사회주의.

산:업 조합주의【産業組合主義】[—/—이] 명〖정〗길드 소셜리즘(guild socialism).

산:업 지리학【産業地理學】명〖지〗지리학의 한 부문. 자료 물자를 직접 생산하는 농업·목축·수산업·임업·광업 등을 지리학적으로 연구함. 농업 지리학·수산 지리학·광업 지리학·공업 지리학 등으로 나눔.

산:업 지원법【産業支援法】[—뻡] 명〖법〗산업 지원 제도를 모든 업종(業種)에 차별없이 일반화하고, 기술 및 인력 개발에 대한 세제(稅制) 등 각종 지원을 강화함을 내용으로 하는 법. 1981년부터 시행됨.

산:업 채:권【産業債券】[—꿘] 명 산업 자금을 조달하기 위하여 발행하는 채권.

산:업-체【産業體】명 생산(生産)하는 업체(業體).

산:업 통:계【産業統計】명 산업 부문별(産業部門別) 특수 통계의 총칭. 각 산업 부문의 성질·구조에 따라 각기 특유한 표시 형태(表示形態)를 가짐. ＊어업(漁業) 센서스·공업 통계·농업 통계.

산:업 통신【産業通信】명 서울에 본사를 둔 일간 경제 통신사(通信社)의 하나. 1969년 11월 1일 창설되어, 1980년 문을 닫음.

산:업 통:제【産業統制】명〖경〗산업계의 과당 경쟁을 국가의 힘으로 또는 어떤 산업이 자주적으로 이를 제한하는 일.

산:업 투자【産業投資】명〖경〗경제의 재건, 산업의 개발 및 무역의 진흥을 위한 재정 투자.

산:업 폐:기물【産業廢棄物】명〔industrial waste〕산업 활동으로 생긴 폐기물 중, 타다 남은 찌끼·오니(汚泥)·폐유(廢油)·폐산(廢酸)·폐(廢)알칼리·폐(廢)플라스틱류, 기타 법령으로 정한 폐기물.

산:업 폐:수【産業廢水】명 농림·어업·광공업에서 생기는 폐수. 특히, 공업 폐수는 수질(水質) 오염·토양 오염 등 갖가지 공해를 유발하므로 법률로써 규제함.

산:업 포장【産業褒章】명 산업의 개발·발전에 기여하거나 실업(實業)에 정려(精勵)하여, 공적이 뚜렷한 사람 또는 공장·사업장·기타 직장에 근무하는 근로자로서 그 직무에 정려하여, 국가 발전에 기여한 사람에게 수여하는 포장. 수

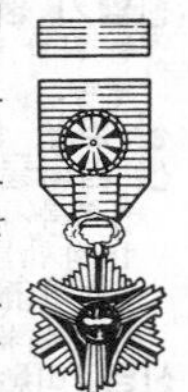
〈산업 포장〉

(綬)는 소수(小綬)이며, 하늘색 바탕 중앙에 황색 줄이 한 줄 있음.

산:업 피:해 구제【産業被害救濟】명 시장 개방에 따라 외국 상품의 수입량 급증, 덤핑 수입 등으로 입게 되는 피해를 조사, 결과에 따라 수입 물량 제한, 관세 조정 등을 통하여 국내 산업을 보호해 주는 일종의 개방 피해 구제 제도. 산업 자원부 산하 기관인 무역 위원회가 관련 업계나 기업의 산업 피해 구제 신청을 받아 조사하여 타당하면 수입 물량 제한, 관세율 조정 등의 구제 조치를 산업 자원부 장관에게 건의함.

산:업 학교【産業學校】명 〔industrial school〕 미국에서 불량 소년을 수용(收容)하여 법률상으로 보호하면서 작업을 시키어 선도(善導)하기 위한 기숙(寄宿) 학교. 미국 대부분의 주(州)에서 채택하고 있음. *직업 학교.

산:업 합리화【産業合理化】[―니―] 명 〖경〗 새로운 기계 기술·노동 조직으로 노동 생산성의 향상·생산비의 저하를 도모하는 경제 정책의 하나. 1925년 독일에서 시작된 정부(政府) 또는 기업주(企業主)측의 운동임. 래셔널리제이션(rationalization).

산:업 합리화 심의회【産業合理化審議會】[―니―/―니―이―] 명 〖법〗 국무 총리 소속 기관의 하나. 산업의 합리화 및 진흥에 관한 정책을 심의·조정함. 의장에는 재정 경제부 장관이, 위원에는 농림부 장관·산업 자원부 장관 등과 학식·경험이 풍부한 자 중에서 대통령이 위촉하는 2인이 됨.

산:업 항:공【産業航空】명 사진 측량(測量)·어군(魚群) 탐지·파종(播種)·농약 살포 또는 신문·텔레비전의 취재 등 산업에 이용하는 항공.

산:업 혁명【産業革命】명 〔industrial revolution〕 〖역〗 기계(機械)의 등장으로 인하여 산업의 기술적 기초가 일변해서 조그마한 수공업적(手工業的) 작업장이 기계 설비에 의한 자본주의적인 큰 공장으로 전환된 일대 변혁. 이것을 거쳐 비로소 자본주의 경제가 확립되었음. 영국이 제일 먼저 1760-1830년에 방직(紡織) 기계의 등장으로 가장 철저히 경험하였고, 그에 따라 각국에서 계속하여 일어났음. 19세기 후반의 전기·석유의 이용에 따른 중화학 공업의 발달을 제2차 산업 혁명, 현대의 원자력 이용에의 이행(移行)을 제3차 산업 혁명이라고도 함.

산:업형 사회【産業型社會】명 〖사〗 영국의 스펜서(Spencer)가 설정한 사회 유형(類型)의 하나. 산업이 사회의 기초가 되고, 근대 시민 사회로서의 완전한 형태를 갖추었으며 강제가 아닌 무의식적 협동의 형태를 취하는 사회. ↔군사형(軍事型) 사회.

산:업-화【産業化】명 산업으로 돌림. 산업의 형태로 나타냄. ――-하다 자타여불

산:업 훈장【産業勳章】명 국가 산업 발전에 기여한 공적이 뚜렷한 사람에게 주는 훈장. 금탑(金塔)·은탑·동탑·철탑·석탑(錫塔) 산업 훈장의 5등급이 있음.

산-여뀌【山―】명 〖식〗 〔*Persicaria nepalensis*〕 마디풀과에 속하는 일년초. 줄기는 연질(軟質)이고 높이 60cm 가량이며, 보통 홍색을 띰. 잎은 호생하고 잎자루가 있으며, 잎 뒤에 선점(腺點)이 산생(散生)하고 초상 탁엽(鞘狀托葉)은 막질(膜質)임. 6-7월에 백색에 홍색을 띤 두화(頭花)가 정생(頂生) 또는 액생(腋生)하여 피고, 과실은 수과(瘦果)임. 밭이나 골짜기의 습지에 나는데, 거의 한국 각지에 분포함.

산:-여래【一如來】[―녀―] 명 〖불교〗 산부처❶.

산역【山役】명 무덤을 만드는 역사(役事). ――-하다 자여불

산역-꾼【山役―】명 산역(山役)을 하는 일꾼.

산연[1]【傘緣】명 ①삿갓의 가장자리. ②〖동〗 강장 동물(腔腸動物)의 삿갓같이 생긴, 몸의 가장자리의 부분.

산연[2]【潸然】부 눈물을 흘리는 모양. 산언(潸焉).

산:연화-총【散蓮花塚】명 고구려 고분(古墳)의 하나. 지린 성(吉林省) 지안 현(集安縣) 유산(楡山) 산 기슭에 있는 토총(土塚). 현실(玄室) 안의 네 벽은 연화문(蓮花紋)으로 장식되어 있음.

산연-히【潸然―】부 눈물을 줄줄 흘리는 꼴. ¶연산의 눈에서 ～ 눈물이 흘렀다《朴鍾和: 錦衫의 피》.

산:열【散熱】명 열을 방산(放散)함. ――-하다 자여불

산염【山塩】명 암염(岩塩). ↔해염(海塩).

산염기 적정【酸塩基滴定】명 〔acid-base titration〕 〖화〗 농도 미지(濃度未知)의 염기의 용액을, 농도 기지(既知)의 산의 용액으로 적정하는 방법. 또, 그 반대의 방법.

산염기 지시약【酸塩基指示藥】명 〖화〗 화학 분석의 중화 적정(中和滴定) 등에 쓰이는 시약(試藥). 수소(水素) 이온의 농도에 따라 변색하며, 그 자신은 약산(弱酸) 또는 약염기(弱塩基)에 속함. 시약 분자와 이온은 각기 다른 색을 갖고 혼재(混在)하고 있음. 페놀프탈레인(phenolphthalein)·티몰 블루(Thymol blue) 등의 산성 지시약과 메틸 오렌지·메틸 레드 등의 염기성 지시약으로 나뉨. 중화(中和) 지시약. 수소 이온 농도 시약. 페하(pH) 지시약.

산염기 촉매 작용【酸塩基觸媒作用】명 〔acid-base catalysis〕 〖화〗 산과 염기가 촉매 작용을 하는 현상, 에스테르의 가수(加水) 분해나 당(糖)의 전화(轉化) 등에서 볼 수 있음.

산염기 평형【酸塩基平衡】명 〖화〗 ①산과 염기(塩基) 사이에 성립하는 화학 평형. ②생리적으로 유지(維持)된 체내(體內)의 산과 염기의 평형.

산-염불【山念佛】[―념―] 명 〖악〗 서도 민요의 한 가지. 길게 뽑는 가락이 구성짐.

산-염화물【酸塩化物】명 〔acid chloride〕 〖화〗 카르본산(carbon酸)의 카르복시기(carboxy 基)의 수산기(水酸基)를 염소(塩素)로 치환(置換)한 화합물. 산(酸)에 오염화인(五塩化燐)·삼염화인(三塩化燐) 또는 산염화인(酸塩化燐) 등을 작용시켜 만듦. 자극취(刺戟臭)가 있는 무색의 액체로 유기물의 합성에 쓰임.

산영【山影】명 산의 그림자. 산의 모습.

산영-루【山映樓】[―누] 명 〖지〗 금강산 유점사(楡岾寺) 앞의 시내를 건너질러 지은 누각.

산영-수【山榮樹】명 〖식〗 백당나무.

산:-영장【一永葬】[―녕―] 명 〖민〗 병을 낫게 하기 위하여 죽었다고 헛장사를 지내는 데 쓰는 제웅. *허장(虛葬).

산예[1]【狻猊】명 〖연〗 사자의 탈을 쓰고 춤을 추는 가면극(假面劇). 원래 인도에서 행해지던 동물 의장무(動物擬裝舞)로서, 서역(西域)과 동방 각국에 널리 유행되었고, 우리 나라에서는 ≪삼국 사기(三國史記)≫ '악지(樂誌)'에 향악(鄕樂) 5종의 하나라 하여, 다음과 같은 노래가 실려 있음. 즉 '遠涉流沙萬里來 毛衣破盡著塵埃 搖頭轉尾馴仁德 雄氣寧同百獸才'. *사자춤.

산:예[2]【剗刈】명 풀이나 나무 같은 것을 벰. ――-하다 타여불

산:-오귀【一惡鬼】명 〖민〗 산 사람을 위하여 벌이는 오귀의 굿.

산-오리나무【山―】명 〖식〗 물오리나무.

산-오이【山―】명 〖식〗 〔*Schizopepon bryoniaefolia*〕 박과(科)에 속하는 일년생의 만초(蔓草). 줄기는 가늘고 잎은 장병(長柄)에 막질(膜質)이고, 심장형 달걀꼴임. 8-9월에 미황백색(微黃白色)의 꽃이 원추(圓錐) 화서로 액생(腋生)하여 피고, 장과(漿果)는 타원형임. 산지에 나는데, 제주·강원·경기·평북 등지에 분포함. 산외.

〈산오이〉

산-오이풀【山―】명 〖식〗 〔*Sanguisorba hakusanensis*〕 장미과에 속하는 다년초. 뿌리는 비후(肥厚)하고, 줄기는 높이 1m 가량, 잎은 호생하고 장병(長柄)이며, 기수 우상 복생(奇數羽狀複生)하고, 소엽(小葉)은 3-6 쌍으로 단병(短柄)에 타원형임. 8-9월에 원주형의 홍자색 꽃이 수상(穗狀) 화서로 피며, 과실은 수과(瘦果)임. 고산의 산복에 나는데, 경남·강원·함남 및 일본 중부 등지에 분포함. 관상용으로 재배함.

〈산오이풀〉

산-옥잠화【山玉簪花】명 〖식〗 〔*Hosta lancifolia*〕 무릇난과에 속하는 다년초. 높이 60-100cm이며, 근생엽(根生葉)은 길이 17-20cm의 긴 타원형으로 끝이 뾰족하고 장병(長柄)임. 7-8월에 담자색 꽃이 총상(總狀) 화서로 길이 50cm의 화경(花莖) 끝에 피고, 화피(花被)는 아래쪽은 통상(筒狀), 위쪽은 여섯 갈래로 째짐. 삭과(蒴果)는 세 갈래로 쪼개져 흑색의 종자를 산출(散出)함. 산야의 습지에 나는데, 한국·일본에 분포함. 어린 잎은 식용함. *옥잠화·비비추.

산-올벼 명 〖식〗 올벼의 한 가지. 쌀알이 잚.

산옹【山翁】명 시골에서 사는 늙은이.

산와【山蝸】명 달팽이❶.

산왕-단【山王壇】명 〖불교〗 산신각(山神閣).

산왕 대:신【山王大神】명 〖불교〗 산을 지키는 신장(神將).

산-외[1]【山―】명 〖식〗 산오이.

산외[2]【山外】명 ①산의 바깥. ②〖불교〗 중국 송(宋)의 천태종(天台宗)의 한 파(派). 승(僧) 오은(晤恩)을 교조(敎祖)로 함. ↔산가(山家)❷.

산외[3]【山隈】명 산의 모퉁이. 산곡(山曲).

산외 말사【山外末寺】[―싸] 명 〖불교〗 본사(本寺)에서 떨어져 딴 산에 있는 말사. ↔산내(山內) 말사.

산요【山腰】명 산허리❶.

산욕[1]【山慾】명 〖민〗 좋은 묏자리를 얻고자 하는 욕심. 욕기.

산:욕[2]【産褥】명 ①아이를 낳을 적에 산부(産婦)가 까는 요. ②〖의〗 산욕기.

산:욕-기【産褥期】명 〔puerperium〕 〖의〗 아이를 낳은 후에 산부의 생식기(生殖器) 및 그 주위의 각종 변화가 정상 상태로 회복될 때까지의 기간. 보통 6-8 주간이 걸림. 산욕(産褥).

산:욕-부【産褥婦】명 산욕기에 있는 산부. 욕부(褥婦).

산:욕-열【産褥熱】[―녈] 명 〖의〗 산욕기에 일어나는 발열성(發熱性)의 질병. 분만(分娩) 또는 산욕기에 생긴 성기(性器)의 상처로부터 침입한 연쇄상 구균(連鎖狀球菌)·대장균·폐렴균 등의 병원균에 의하여 일어남.

산용[1]【山容】명 산의 모양. 산의 생김새.

산:용[2]【算用】명 계산(計算)에 사용하는 일. ¶ ～ 숫자(數字).

산용 수상【山容水相】명 산의 생김새와 물의 흐르는 모양. 산천(山川)의 형세. 산용 수태(山容水態).

산용 수태【山容水態】명 산용 수상(山容水相).

산:용 숫:자【算用數字】명 〖수〗 필산(筆算)에 사용하는 숫자. 1·2·3 같은 것. 아라비아 숫자(Arabia 數字).

산우[1]【山芋】명 〖식〗 마[4].

산우[2]【山雨】명 산에 오는 비.

산-우렁이【山―】명 〖조개〗 〔*Cyclophorus herklotsi*〕 연체(軟體) 동물 복족류(腹足類) 산우렁잇과에 속하는 우렁이의 일종. 패각(貝殼)은 원추형(圓錐形)으로 직경 22mm, 높이 21mm 내외이며 다섯 층의 나층(螺層)이 있음. 각표(殼表)는 갈색의 표피(表皮)로 덮이고 구부(口部)는 원형임. 산이나 낙엽 밑의 토양(土壤)에 붙어 사는데, 한국·일본 등지에 분포함.

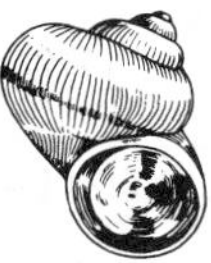

〈산우렁이〉

산우 박탁【山芋餺飥】명 마 뿌리의 가루로 만든 수제비.

산운[1]【山雲】명 산에 낀 구름.

산운[2]【山運】명 〖민〗 산소(山所)의 좋고 나쁜 데서 생긴다는 운.

산운-산 명 〈방〉 〖광〗 상원산[1].

산:-울[1] 명 ↗산울타리.

산:울[2]【散鬱】명 기분이 울울함을 떨어 버림. 기분을 바꿈. ――-하다 자여불

산-울림【山一】명 땅 속의 변화로 산이 울리는 일. 또, 그 소리. *메아리.

산:-울타리 명 산 나무를 심어서 이루어진 울타리. 탱자나무·측백나무·아카시아 등으로 함. 생울타리. ㊟산울.

산:원[1]【產院】명 임산부(妊產婦)나 초생아(初生兒)를 수용하여 돌보아 주는 시설을 한 곳.

산:원[2]【散員】명 ①직무(職務) 없는 인원. ②〖역〗고려 때, 별장(別將) 다음의 무관. 무신(武臣)의 자제(子弟)와 병위(兵衛)의 직(職)에 있다가 나간 사람들로, 정팔품이며 한 영(領)에 다섯 사람씩 둠. ③〖역〗조선 시대 초에 의흥 친군(義興親軍)의 십위(十衛)에 딸린 무관. 별장의 다음으로 품질(品秩)은 팔품.

산:원[3]【算員】명〖역〗조선 시대 때 호조(戶曹)에 속하는 경비사(經費司)의 한 벼슬. 서울의 경비 지출과 왜인(倭人)의 양식에 관한 일을 맡아보았음.

산:월【產月】명 만삭(滿朔)이 되어 아기를 낳을 달. 산삭(產朔). 해산달.

산:위【散位】명 위계(位階)만 있고 실제의 관직(官職)이 없는 직위.

산유[1]【山遊】명 산놀이. 유산(遊山).

산유[2]【山楡】명〖식〗난티나무.

산:유[3]【產油】명 원유(原油)를 생산함.

산유[4]【酸乳】명〔acid milk〕젖산 음료(飮料).

산:유-국【產油國】명 원유(原油)를 생산하는 나라. ¶ 중동(中東) ~.

산:유국 정제주의【產油國精製主義】[一/一이] 명 산유국이 될 수 있는 대로 원유를 정제해서 부가 가치를 높여 판매하려는 정책.

산유-인【山楡仁】명〖한의〗무이인(無荑仁).

산-유자【山柚子】명 산유자나무의 열매.

산유자-나무【山柚子一】명〖식〗①[*Xylosma congestum*] 산유자나뭇과에 속하는 상록 활엽의 작은 교목. 어린 가지에는 가시가 났고, 잎은 달걀꼴 또는 긴 타원형이며 혁질(革質)임. 8월에 황백색의 자웅 이가(雌雄二家)의 꽃이 총상(總狀) 화서로 액생(腋生)하여 피고, 장과(漿果)는 가을에 흑색으로 익음. 바닷가의 들에 나는데, 한국의 전남 및 일본·대만·중국·인도·필리핀 등지에 분포함. 관상용임. 산유자목. ②[*Citrus junos*] 운향과에 속하는 상록 활엽 교목. 가시가 났고, 잎은 긴 달걀꼴이며 가에는 톱니가 있음. 첫여름에 백색의 꽃이 한두 개씩 액생(腋生)하고, 장과(漿果)는 황색으로 익음. 인가 부근에 흔히 심는데, 제주도·일본 등지에 분포함. 관상용이고, 과실은 식용함. *유자나무.

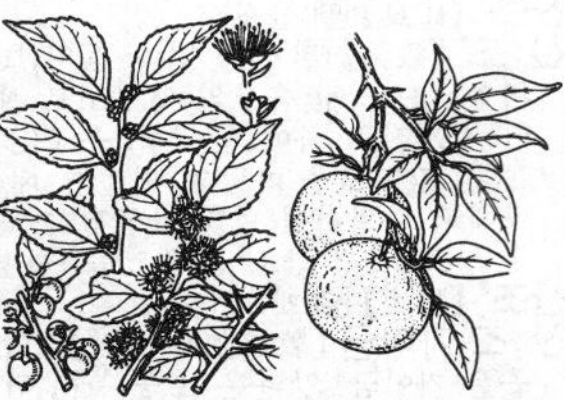
〈산유자나무❶〉 〈산유자나무❷〉

산유자나뭇-과【山柚子一科】명〖식〗[Bixaceae] 쌍자엽 식물 이판화류(離瓣花類)에 속하는 한 과. 전세계에 800여 종이 있으며, 한국에는 산유자나무·의나무 2 종이 분포함.

산유자-목【山柚子木】명〖식〗산유자나무❶.

산유-화【山有花】명 ①〖악〗메나리의 한 가지. 백제의 서울 부여(扶餘)에서 예로부터 전하는 노래라 하며, 조선 숙종(肅宗) 때에 널리 유행하였다 함. ②〖악〗메나리의 한 가지. 영남 지방에 전하는 민요. 경북 선산읍(善山邑)의 한 색시가 남편에게 소박을 당하고 낙동강물에 빠져 죽으려고 할 때에 나물 캐던 계집아이를 만나 노래를 지어 가르쳐 주고 부모에게 전해 달라 이르고 죽었다 함. ③〖문〗김소월(金素月)이 지은 서정시(抒情詩).

산유화-회【山有花會】명〖연〗시인(詩人) 홍노작(洪露雀)의 주재(主宰)로 1928년에 조직된 연극회. 홍노작 작《향토심(鄕土心)》을 상연하였으나 바로 해산하였음.

산:육【產育】명 아이를 낳아서 기름. ——-하다 타여불

산융【山戎】명〖역〗중국의 춘추 시대에 지금의 허베이성(河北省)에 있으면서, 연(燕)·제(齊) 등 여러 나라에게 화(禍)를 끼친 종족(種族).

산:-윷【算一】[一늗] 명 윷놀이의 한 방식. 주로 평안도·함경도 지방에서, 산가지를 규정대로 벌여 놓고, 윷을 던져 나온 수대로 산가지를 거두어 들여, 많이 차지한 편이 이김. 다만 나온 수에 해당하는 산가지가 이미 제 자리에 없을 경우에는, 자기가 딴 산가지를 그 수만큼 제 자리에 내놓아 메움.

산:은【產銀】명 ↗산업 은행(產業銀行).

산은 해:덕【山恩海德】명 산처럼 높고 바다처럼 깊은 은덕.

산음[1]【山陰】명 산의 그늘. 산의 북쪽편. 산북(山北). ↔산양(山陽).

산음[2]【山蔭】명〖민〗술가의 말. 좋은 자리에 쓴 산소(山所)로 인하여 그 자손이 받는다는 복. 산응(山應).

산:음[3]【散陰】명〖민〗'새남'의 취음.

산읍【山邑】명 산간 지대(山間地帶)에 있는 고을. 산군(山郡). 협읍(峽邑).

산응【山應】명〖민〗산음[2](山蔭).

산:의[1]【產衣】[一/一이] 명 초생아(初生兒)에게 처음 입히는 옷. 깃저고리.

산:의[2]【產醫】[一/一이] 명 ↗산과 의사(產科醫師).

산-이미드【酸一】명〔acid imide〕〖화〗이미노기(imino基)에 아실기(acyl基)가 하나 또는 두 개 결합한 화합물의 총칭. 숙신산 이미드(imide)·프탈산 이미드 등. 이미드.

산:-이별【一離別】[一니一] 명 ☞ 생이별(生離別).

산-이스랏【山一】[一니一] 명 산앵두나무의 열매.

산이스랏-나무【山一】[一니一] 명〖식〗산앵두나무.

산: 이의 성:사【一聖事】[一니一/一니에一] 명〖천주교〗성성 성총(成聖聖寵)으로 말미암아 이미 영적(靈的)으로 살아 있는 영혼에게 성총을 더 이루어 주는 견진(堅振)·성체(聖體)·종부(終傅)·신품(神品)·혼인(婚姻)의 다섯 성사. ↔죽은 이의 성사.

산인[1]【山人】명 ①번잡한 세상을 멀리하고 깊은 산 속에서 사는 사람. ②문인이나 묵객이 자기의 별호 밑에 덧붙여 겸손의 뜻을 나타내는 말. ③〖불교〗산 속에 사는 중이나 도사.

산:인[2]【散人】명 ①벼슬을 떠나 민간에서 한가로이 지내는 사람. 세상일을 멀리하고 한가하게 사는 사람. 흔히 아호(雅號) 밑에 붙여 씀. 산사(散士). ②무용(無用)의 인물.

산일[1]【山日】명 산 속에서 지내는 날.

산:일[2]【散佚·散軼·散逸】명 ①흩어져서 일부가 빠져 없어짐. 망일(亡逸). ¶ 문집이 ~되다. ②[dissipation]〖물〗에너지의 손실(損失). 보통 열(熱)의 형태로 손실이 되는데 정량적(定量的)으로는 손실의 속도(速度)를 이름. ——-하다 자여불

산-일엽초【山一葉草】명〖식〗[*Lepisorus ussuriensis*] 고사릿과에 속하는 다년초. 근경(根莖)은 길게 옆으로 뻗고 수근(鬚根)이 있으며, 잎은 혁질(革質)의 선상(線狀) 피침형이고 길이 10-30cm이며, 위쪽에 두 줄의 대황색 자낭군(子囊群)이 배열(排列)해 있음. 깊은 산의 바위·나무 위에 붙어 사는데, 한국 각지에 분포함.

산:입【算入】명 셈하여 넣음. 셈에 넣음. ——-하다 타여불

산자[1]【橵子】명〖건〗지붕 서까래 위나 고물 위에 흙을 받치기 위하여 엮어 까는 나뭇개비 또는 수수깡. 산자널.

산:자[2]【橵子·饊子】명 찹쌀 가루를 반죽하여 납작하게 만들어 말린 뒤에 기름에 지져 꿀을 바른 것에다 밥풀 튀긴 것을 앞뒤에 붙인 유밀과. 홍색·백색의 것이 보통임. 제물(祭物)에도 씀.

산자[3]〔sanza〕명〖악〗아프리카 흑인의 대표적인 타악기. 30cm×20cm 정도의 판(板) 또는 상자 위에 엷은 설상(舌狀)의 길고 짧은 수십 매의 금속이나 나무 조각을 붙이고, 그 위쪽 끝을 엄지손가락으로 튀기면서 소리를 냄.

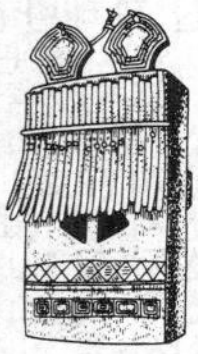

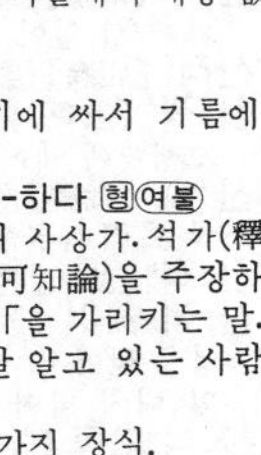
〈산자[3]〉

산-자고【山茨菰·山慈姑】명〖식〗까치무릇.

산자 관원【山字官員】[一짜一] 명 능관(陵官)을 희롱하여 일컫는 말.

산자-널【橵子一】명〖건〗지붕 서까래 위에 까는 널판. 산자판(橵子板).

산-자락【山一】명 ☞ 산기슭. ¶ 간혹 먼 ~ 아래의 마을에서 대중 없이 짖어대는 개소리가 들리고…《金周榮: 客主》.

산자-발【橵子一】명〖건〗산자(橵子).

산:자 밥풀【饊子一】명 찹쌀을 쪄서 말린 뒤에 보자기에 싸서 기름에 튀기어 낸 것. 산자나 강정들의 겉에 붙임.

산자 수명【山紫水明】명 산수의 경치가 썩 좋음. ——-하다 형여불

산자야〔Sañjaya〕명〖사람〗인도의 기원전 6-5세기의 사상가. 석가(釋迦)와 같은 시대의 사람. 회의론(懷疑論)·불가지론(不可知論)을 주장하였음.

산:-자전【一字典】명 자전같이 말을 많이 기억하여 잘 알고 있는 사람을 가리키는 말.

산자-판【橵子板】명〖건〗산자널.

산자형 입식【山字形立飾】[一짜一] 명〖고고학〗맞가지 장식.

산작[1]【山雀】명〖조〗곤줄박이.

산작[2]【山鵲】명〖조〗때까치.

산-작약【山芍藥】명 ①〖식〗[*Paeonia japonica*] 작약과에 속하는 다년초. 뿌리는 비대(肥大)하고 줄기 높이 75cm 내외이며, 잎은 호생하고 장병(長柄)에 거꿀달걀꼴임. 6월에 홍색의 꽃이 줄기 끝에 하나씩 피고, 골돌과(蓇葖果)에는 흑색의 종자가 들어 있음. 산지의 숲 속에 나는데, 한국 각지에 분포함. ②〖한의〗산작약의 뿌리. 약재로 쓰임.

〈산작약❶〉

산-잔등【山一】[一짠一] 명 ☞ 산등성이.

산-잘림【山一】명 ☞ 지레목.

산잠【山蠶】명〖충〗산누에.

산잠-아【山蠶蛾】〖충〗산누에나방.

산-잠자리【山一】명〖충〗[*Epophthalmia elegans*] 잠자릿과에 속하는 곤충. 복부(腹部)의 길이는 50-60mm, 뒷날개는 48-53mm이고, 흉부(胸部)는 금록색, 측연(側緣)과 중흉배(中胸背)에는 황색 띠가 있으며, 복부는 흑색임. 수컷의 열째 마디 배면(背面)에 황색 무늬와 원추형(圓錐形) 돌기(突起)가 있고, 연문(緣紋)은 흑갈색임. 산간(山間)에 서식하는데, 한국에도 분포함.

산:잡【散雜】명 산만(散漫)하고 난잡(亂雜)함. ——-하다 형여불

산:-장[1]【一葬】명 생장(生葬). ——-하다 타여불

산장[2]【山長】명 벼슬을 하지 아니하고 있는, 학식·도덕이 높은 숨은 선비. 산림(山林).

산장[3]【山莊】명 ①산에 있는 별장. 산서(山墅). ②등산자의 휴식·숙박을 위하여 산에 세운 집.

산장[4]【山瘴】명 산중의 독기. 산의 악한 기운.

산:장[5]【散杖】명 옛적에 죄인을 심문할 때에 위협하는 뜻으로 형장(刑杖)이나 태장(笞杖)을 죄인의 눈앞에 벌여 놓던 일. ——-하다 자여불

산장[6]【酸杖】명〖식〗호장(虎杖).

산장[7]【酸漿】명 ①〖식〗꽈리. ②〖한의〗꽈리의 뿌리. 허로(虛勞)·골증(骨蒸)·번열(煩熱)·난산(難產)·황달(黃疸)의 약에 씀.

산-장대【山長一】[一때] 명〖식〗[*Arabis halleri*] 겨잣과에 속하는 월년초(越年草). 줄기 높이 30cm 가량이고, 근엽(根葉)은 장병(長柄)이며 경엽(莖葉)은 호생하고 타원형 또는 도피침형(倒披針形)임. 6월에 백색 꽃이 총상(總狀) 화서로 정생(頂生)하고, 과실은 장각(長角)임. 깊은 산에 나는데, 제주·강원·함북 등지에 분포함.

산재[1] 명〈심마니〉젓가락.

산재²【山齋】[명] 산에 지은 서재(書齋).
산:재³【産災】[명] ↗산업 재해(産業災害).
산:재⁴【散在】[명] 여기저기 흩어져 있음. ——-하다 [자][여불]
산:재⁵【散材】[명] 쓸모 없는 재목. 또, 그러한 사람.
산:재⁶【散財】[명] 재산을 이리저리 흩어 없앰. ——-하다 [자][타][여불]
산:재⁷【散齋】[명] 제사를 지내기 전에 7일간을 목욕 재계하는 일. 여색(女色)을 가까이하지 아니하고, 조상(弔喪)하지 아니하고, 음악을 듣지 아니함. ——-하다 [자][여불]
산:재 각처【散在各處】[명] 여기저기 흩어져 있음. ——-하다 [자][여불]
산:재-권【產財權】[―꿘] [명] ↗산업 재산권.
산재까치 [명] 〈심마니〉 젓가락. ⌈는 목재.
산:-재목【一材木】[명] 아직 다듬지 아니하고 산판에서 자른 채로 있
산:재 병:원【産災病院】[명] 〖사〗 근로자의 업무상의 사유로 말미암은 부상·질병을 전문적으로 치료하는 병원.
산:재 보:험【産災保險】[명] ↗산업 재해 보상 보험.
산:재 신경계【散在神經系】[명] 〖생〗 산만 신경계(散漫神經系).
산:재 유성【散在流星】[명] 〖천〗 일정한 복사점(輻射點)을 갖는, 계통적인 유성군(群)에 속하지 아니하는 유성. 한 시간에 평균 5-20개 가량 육안으로 볼 수 있는데, 새벽에 많고 저녁에 적음. 하루 동안에 지구 위에 떨어지는 이런 유성의 총수는 백만이 넘는다고 함.
산:재 태반【散在胎盤】[명] 〖동〗 말·고래 등 포유류(哺乳類)에서 볼 수 있는, 태반의 가장 간단한 양식(樣式). 많은 입상(粒狀)의 태반이 융모(絨毛) 가죽의 표면에 산재함. ⌈척(山尺).
산-쟁이【山―】[명] 산 속에서 사냥질과 약 캐는 일로 살아가는 사람. 산
산저【山豬】[명] 〖동〗 멧돼지.
산저-담【山豬膽】[명] 〖한의〗 멧돼지의 쓸개. 진경(鎭痙)·흥분(興奮)제 ⌊로 씀.
산저-모【山豬毛】[명] 멧돼지의 털.
산저-피【山豬皮】[명] 멧돼지의 가죽. 방석이나 담요 같은 것을 만드는 ⌊데 씀.
산저-혈【山豬血】[명] 멧돼지의 피. 야저혈(野豬血).
산저-황【山豬黃】[명] 〖한의〗 멧돼지 뱃속에 생기는 누렇게 뭉킨 물건. 간질(癎疾)에나 지혈제(止血劑)로 씀. 야저황(野豬黃).
산저-회【山豬膾】[명] 멧돼지의 고기로 만든 회.
산적¹【山賊】[명] 산 속에 근거지를 두고 출몰하는 도적. ↔해적(海賊).
산적²【山積】[명] 물건이나 일이 많이 쌓임. 산더미같이 쌓임. ¶ ~한 쌀가마/할 일이 ~해 있다. ——-하다 [자][여불] [주의] 관형형이 과거형으로 ⌊만 쓰임.
산적³【疝積】[명] 〖한의〗 가슴이나 배가 쑤시고 아픈 병.
산:적⁴【散炙】[명] ①쇠고기 같은 것을 길쭉길쭉하게 썰어 양념을 하여 꼬챙이에 꿰어서 구운 적. *적(炙). ②↗사슬 산적.
산:적⁵【散積】[명] 석탄·광물·곡물 따위를 용기에 넣지 아니하고 그대로 쌓음. ¶ 화물을 ~하다. ——-하다 [타][여불]
산:적⁶【蒜炙】[명] 마늘적.
산:적-꽂이【散炙―】[명] 〖건〗 상량(上樑) 위에 얹힐 서까래 머리에 구멍을 뚫어서 흘러내리지 아니하도록 연이어 꿴 대나 싸리. 쇠못이 없던 때에 박아 쓰던 것으로 지금은 쓰지 아니함.
산:적 도둑【散炙―】[명] ①맛있는 음식만 골라서 먹는 사람을 가리키는 말. ②시집간 딸을 농으로 일컫는 말.
산-적양【山赤楊】[명] 〖식〗 물오리나무.
산-적정【酸滴定】[명] 〖화〗 중화(中和)할 때에 색소(色素)의 빛깔을 이용해서 산의 양(量)을 알칼리의 표준액(液)에 의하여 적정(滴定)하는 일. *중화(中和) 적정. ——-하다 [자][여불]
산:적 화:물【散積貨物】[명] 벌크 카고(bulk cargo).
산:적 화:물선【散積貨物船】[―썬] [명] 벌크 캐리어(bulk carrier).
산전¹【山田】[명] 산에 있는 밭.
산전²【山前】[명] 산의 앞쪽. ↔산후(山後).
산전³【山戰】[명] 산 속에서의 싸움. 산악전(山岳戰).
산전⁴【山巓】[명] 산꼭대기.
산:전⁵【産前】[명] 아이를 낳기 바로 전. ↔산후(産後).
산:전⁶【産殿】[명] 비빈(妃嬪)이 해산을 하는 궁전(宮殿).
산:전⁷【散田】[명] 여기저기 흩어져 있는 밭.
산:전⁸【散錢】[명] ①사슬돈. ②잔돈.
산:전 관호【産前管護】[명] 산모의 임신 경과가 순조롭도록 관리하고 보호하는 일.
산전-막【山田幕】[명] 산전을 부치는 사람이 임시로 거처하는 산막.
산전 수전【山戰水戰】[명] 산에서, 물에서 싸웠다는 뜻으로, 세상일에 대하여 겪은 온갖 경난(經難). ¶ ~ 다 겪고 장삼 이사(張三李四)에게로 거칠새 없이 돌아단기던 여편네의 입에서 나오는 소리오 ≪李人稙: 鬼의聲≫. ⌈지.
산-전지【酸電池】[명] 〔acid cell〕 〖물〗 산(酸)으로 만든 전해(電解) 전
산-전해질【酸電解質】[명] 〔acid electrolyte〕 〖화〗 용해(溶解)했을 때 이온으로 해리(解離)하여, 도전성(導電性)이 있는 산용액(酸溶液)을 생성하는 화합물.
산:전후 휴가【産前後休暇】[명] 임신중인 여자가 근로 기준법상 또는 공무원법상 출산 전후를 통하여 얻을 수 있는 유급(有給) 보호 휴가. 60일 이내이며, 30일 이상은 산후에 확보되도록 되어있음. [준]산가(産暇).
산:점【産漸】[명] 아이를 낳을 기미. 해산할 조짐.
산정¹【山亭】[명] 산 속에 지은 정자.
산정²【山庭】[명] 콧마루.
산정³【山頂】[명] 산꼭대기.
산정⁴【山情】[명] 산의 정경.
산정⁵【山精】[명] ①〖식〗삽주. ②〖한의〗 창출(蒼朮). ③산의 정기(精氣).
산:정⁶【刪定】[명] 산수(刪修). ——-하다 [타][여불]
산:정⁷【散政】[명] 〖역〗 도목(都目) 이외에 임시로 벼슬을 임명하고 갈고 ⌊하는 일.
산:정⁸【算定】[명] 셈하여 정함. ——-하다 [타][여불]
산:정 가격【算定價格】[―까―] [명] 셈하여 정한 가격.
산-정량【酸定量】[―냥] [명] 〔acidimetry〕 〖화〗 용기 분석법(容器分析法)에 의한 산의 정량(定量). *알칼리 정량. ⌈[형][여불]
산정 무한【山情無限】[명] 산에서 느끼는 무한한 정취(情趣). ——-하다
산:정-법【算定法】[―뻡] [명] 산정하는 방법.
산정 사:태고【山靜似太古】[명] 산 속의 고요한 것이 마치 태고(太古) ⌊시대와 같다는 뜻.
산:정-심【産政審】[명] ↗산업 정책 심의회.
산제¹ [명] 〈심마니〉 젓가락.
산제²【山祭】[명] 〖민〗 ↗산신제(山神祭).
산:제³【刪除】[명] 필요 없는 자구(字句)를 깎아 버림. 산삭(刪削). —— ⌊하다 [타][여불]
산:제⁴【産制】[명] 〖사〗 ↗산아 제한(産兒制限).
산:제⁵【散劑】[명] 가루로 된 약.
산제-단【山祭壇】[명] 〖민〗 산제를 지내기 위하여 동네 진산(鎭山)에 만 ⌊든 제단(祭壇).
산제-당【山祭堂】[명] 산신당(山神堂).
산-제비나비【山―】[―쩨―] [명] 〖충〗 [*Papilio maackii*] 호랑나빗과에 속하는 곤충. 편 날개의 길이는 80-150mm이고, 날개 표면의 중앙에는 띠 모양으로 된 청람색의 무늬가 있으며, 뒷날개 뒷면에는 황색 띠 무늬와 일곱 개의 적색 무늬가 나란히 있음. 산간에 서식하는데, 한국·만주·아무르·일본·시베리아·사할린 등지에 분포함. 구제비나비. 산검은범나비. 흑협접(黑蛺蝶).

〈산제비나비〉

산-제사【山祭祀】[―쩨―] [명] 산신제(山神祭).
산조¹【山鳥】[명] 산새.
산:조²【散調】[명] 〖악〗 민속 음악(民俗音樂)의 하나로 기악 독주 음악. 처음에는 느린 속도의 진양조로 시작하여 차차 급하게 중모리·자진모리·휘모리로 하여 끝마침. 우조(羽調)·계면조(界面調)의 2조(調)가 있는데, 감미로운 가락과 처절한 애수성(哀愁性)이 있음. 삼남(三南) 지방에서 발달하여 널리 보급됨. 거문고 산조·가야금 산조·대금 산조·해금 산조·아쟁 산조 등이 있음. ↔병창(竝唱).
산조³【酸棗】[명] 멧대추.
산:조 가야금【散調伽倻―】[명] 〖악〗 산조와 병창을 위해 만들어진 폭이 좁은 가야금. 앞판은 오동나무, 뒤판은 밤나무 등으로 상자 모양으로 짜서 만들며, 양이두(羊耳頭)가 없음. 줄과 줄 사이가 좁음. 조선 시대 후기부터 쓰이기 시작함.
산 조르조 은행【―銀行】〔San Giorgio〕 [명] 〖경〗 이탈리아의 제노바(Genova)에 설립되었던 최고(最古)라고 일컬어지는 은행. 1407년 제노바 시(市)에 의하여 설립되었으며 주요 기능은 예금자의 청구에 의하여 장부상의 채권(債權)의 대체(對替)를 행하였으며, 당시 여러 가지 화폐의 유통으로 인한 화폐 제도의 불비를 보충함. 1740년 이래, 기능이 쇠퇴하여 마침내 폐쇄함.
산조-인【酸棗仁】[명] 〖한의〗 멧대추의 씨 속에 있는 알맹이. 원기를 돕고 땀을 흘리지 아니하게 하며 잠을 잘 자게 하는 약.
산-조팝나무【山―】[명] 〖식〗 [*Spiraea obtusa*] 조팝나뭇과에 속하는 낙엽 활엽 관목. 잎은 넓은 거꿀달걀꼴이고 뒷면은 백색임. 봄에 백색의 꽃이 거의 산형(繖形) 화서로 피고, 과실은 작으나 가을에 익음. 깊은 산의 바위 틈에 나는데, 한국 각지 및 중국·몽고 등지에 분포함. 관상 ⌊용으로 심음.
산족【山足】[명] 산기슭. 산록(山麓).
산:졸【散卒】[명] ①산병(散兵)❶. ②장기 둘 때에 여기저기 흩어져 있는 졸. ——-하다 [자][여불]
산-좁쌀풀【山―】[명] 〖식〗 [*Euphrasia mucronulata*] 현삼과에 속하는 일년초. 잔 가지가 많고 잎은 대생(對生)하며, 무병(無柄)에 넓은 달걀꼴 또는 원형임. 8월에 홍자색의 꽃이 가지 위에 액생(腋生)하여 피는데, 화관(花冠)은 누두상(漏斗狀) 순형(脣形)이고 과실은 삭과(蒴果)임. 높은 산에 나는데, 함남의 부전 고원(赴戰高原)에 분포함.
산:종【散種】[명] 곧뿌림. ——-하다 [자][타][여불]
산-종덩굴【山鐘―】[명] 〖식〗 [*Clematis nobilis*] 미나리아재빗과에 속하는 낙엽 활엽의 작은 관목. 잎은 삼출(三出)하고 8월에 남자색의 꽃이 액생(腋生)하며, 수과(瘦果)는 날개가 있고 갈색으로 9월에 익음. 고산의 초본(草本) 지대에 나는데, 평북의 낭림산(狼林山), 함남의 노봉(鷺峰)에 분포함. 관상용으로 심음.
산:좌【産座】[명] 해산할 자리.
산주¹【山主】[명] ①산의 임자. ②〖민〗 재인(才人)들이 조직한 산방(山房)의 우두머리. 산대탈을 보존하는 사람. 사니. ③〖민〗 무당들이 조직한 신청(神廳) 직명(職名)의 하나.
산주²【山紬】[명] 명주(明紬)의 한 가지. ⌈데 쓰는 구슬.
산:주³【算珠】[명] ①수를 셈하는 데 쓰는 구슬. ②활의 순(巡)을 셈하는
산-주인【山主人】[―쭈―] [명] 〈심마니〉 〖동〗 범.
산죽【山竹】[명] 산에서 나는 대.
산준 수급【山峻水急】[명] 산이 험하고 물살이 빠름. ——-하다 [형][여불]
산-줄기【山―】[―쭐―] [명] 큰 산에서 뻗어 나간 산의 줄기. *산맥(山 ⌊脈).
산중¹【山中】[명] 산 속.
【산중 놈은 도끼질, 야지(野地) 놈은 괭이질】 사람은 각각 그 환경에 따라 하는 일이 다르게 마련이라는 말. 【산중 놈 풋농사】 두메 화전(火田)의 어설픈 농사. 곧, 여름철에는 잘된 듯 보이나 산짐승도 와서 뜯어먹고 하면 추수할 땐 별 수확이 없는 농사. 【산중 벌이하여 고라니 좋은 일 했다】 애써서 산 속에 밭을 갈았더니 고라니가 내려와서 다 먹더라는 뜻으로, 고생하여 이루었으나 남만 잘되게 해준 결과가 되었을 때 이르는 말. 【산중에 거문고라】 도무지 합당하지 않아서 필요 없는 물건이

라는 뜻.

산중² 〔剡中〕 명 〖지〗 중국 저장 성(浙江省) 동부를 흐르는 차오어 강(曹娥江) 상류의 산시(剡溪) 강 유역 일대의 이름. 또, 그 중심지인 산 현(剡縣) 지금의 성 현(嵊縣)의 별칭. 섬중(剡中).

산중 개야【山中開野】 명 산 속에 넓게 열린 평평한 들.

산중 귀:물【山中貴物】 명 ①산 속에서만 나는 귀한 물건. ②그 고장에서는 나지 아니하는 귀물.

산중 무력일【山中無曆日】 명 산 속에서 한가로이 자연만을 즐기어 세월이 가는 줄을 모르는 일.

산중 속신곡【山中續新曲】 명 〖문〗 조선 인조(仁祖) 때, 윤선도(尹善道)가 그의 나이 59-60세 때 고향인 전라 남도 완도군(莞島郡)의 보길도(甫吉島)에서 지은 시조. 추야조(秋夜操)·춘효음(春曉吟)의 두 수가 있음. ＊산중 신곡.

산중 신곡【山中新曲】 명 〖문〗 조선 시대 때, 윤선도(尹善道)가 그의 나이 56-59세 때 지은 시조. 만흥(漫興)·조무요(朝霧謠)·하우요(夏雨謠)·일모요(日暮謠)·야심요(夜深謠)·오우가(五友歌)·기세탄(饑歲歎) 등 모두 18수로 되어 있음. ＊산중 속신곡(山中續新曲).

산중 재:상【山中宰相】 명 산중에 은거(隱居)하면서 나라에 중대(重大)한 일이 있을 때만 나와 일을 보는 사람.

산중 총:회【山中總會】 명 〖불교〗 그 절에 딸린 승려(僧侶) 전원으로 구성하는 그 절의 의결 기관.

산-중턱【山中一】 명 산허리❶.

산중 호걸【山中豪傑】 명 산 속에 있는 호걸이라는 뜻으로, '범'을 가리키는 말. 또, 그 범의 기상(氣象).

산-쥐【山一】[一쮜] 명 산에서 사는 쥐.

산증¹【疝症】[一쯩] 명 〖한의〗 고환(睾丸)·부고환(副睾丸)·음낭(陰囊) 등의 질환으로 일어나는 신경통(神經痛)과 요통(腰痛) 및 아랫배와 불알이 붓고 아픈 병의 총칭. 산기(疝氣). 산병(疝病). 준 산(疝).

산증²【酸症】[一쯩] 명 〖의〗 산독증(酸毒症).

산-증가기【酸增加期】 명 〔acid tide〕 〖의〗 오줌과 체액(體液)의 산성도(酸性度)가 증가하는 기간.

산지¹ 명 〖건〗 재목 같은 것의 이에짬을 든든히 하기 위하여 박는 굵은 나무못. 산지못. ＊산지 구멍.

산:지² 명 〈방〉 송아지(경북).

산지³【山池】 명 산에 있는 연못. 「리가 되기에 적당한 땅.

산지⁴【山地】 명 ①산달¹. ¶ ~에서는 기온이 낮다. ↔야지(野地). ②뒷자

산지⁵【山紙】 명 산간(山間)에서 수공업적으로 만든 품질이 낮은 종이.

산:지⁶【產地】 명 ①↗산출지(產出地). ¶ 쌀의 ~. ②사람이 출생한 땅.

산지 구멍 명 〖건〗 산지못을 박는 구멍. ㄴ산토(產土).

산-지기【山一】 명 사유(私有)의 산이나 뫼의 수호(守護)를 맡아 보는 사람. 산직(山直).

[산지기가 놀고 중이 추렴을 낸다] 산지기가 산을 안 지키고 민간에 내려가서 행음(行淫)을 하고, 중이 불공은 안 드리고 술추렴을 한다는 말로, 부당하거나 엉뚱한 짓을 하는 데에 비유하는 말. [산지기 눈 봐라, 도끼 밥을 남 줄까] 몹시 인색하여 그로부터 무엇을 바라지도 말라는 뜻. [산지기 눈치 보니 도끼 빼앗기겠다] 눈치를 보아서 형편이 글렀으면 일찌감치 정신을 차려야 한다는 말.

산지-놀음 명 〈방〉 〖민〗 산디놀음.

산-지니【山一】 명 산에서 자라서 여러 해를 묵은 매나 새매. 산진(山陳). 산진매. 산진이. ↔수(手)지니.

산지-대【山地帶】 명 〖지〗 낙엽 활엽수(落葉闊葉樹)가 우거져 있는 지대의 일컬음. 곧, 밤나무·느티나무 같은 것이 우거진 지대. 우리 나라에서는 표고 약 1,000-1,500 m의 층(層)이 이에 속함.

산지-못 명 〖건〗 산지¹.

산:지-봉【產芝峰】 명 〖지〗 경상 북도 청송군(青松郡)에 있는 산봉우리. 태백 산맥(太白山脈) 남단에 솟음. [830 m] 「다 자 여불

산:지 사:방【散之四方】 명 사방(四方)으로 흩어짐. 산지 사처. ——-하

산:지 사:처【散之四處】 명 산지 사방(散之四方). ——-하다 자 여불

산-지스랭이【山一】 명 〈방〉 산기슭(함경).

산-지슬기【山一】 명 〈방〉 산기슭(함경). 「전한 지식.

산:-지식【一知識】 명 살아 있는 지식. 현실 생활에 활용할 수 있는 건

산:-지옥【一地獄】 명 생지옥(生地獄).

산-지옥나비【山地獄一】 명 〖충〗 [*Erebia neriene*] 뱀눈나빗과에 속하는 곤충. 편 날개의 길이 47 mm 내외이고, 날개는 흑갈색, 앞날개의 외연(外緣) 부근에는 등적색(橙赤色)의 큰 세로 무늬가 있으며, 그 속에 두 개의 흑갈색 무늬가 있음. 뒷날개의 외연 부근에도 분명하지 아니한 적색 무늬가 있음. 1년에 한 번 7-8월경에 고산(高山)에 출현하여 풀밭으로 떼지어 날아 다니며, 유충은 고산의 사초류(莎草類)를 먹으며, 성충이 될 때까지 2년이 걸림. 한국·만주·시베리아 등지에 분포함.

산:지 직매법【產地直賣法】 [一뻡] 명 유통 경로(流通經路)를 합리화하여 마진을 줄이고 신선한 식품을 입수하여, 물가고(物價高)의 생활 부조(不調)를 극복하기 위하여 생산자와 소비자가 직결하는 방식.

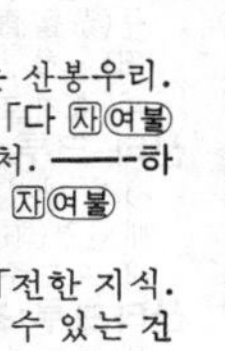

산-지치【山一】 명 〖식〗 [*Eritrichium pectinatum*] 지치과에 속하는 다년초. 줄기 높이 30 cm 내외이고, 근엽(根葉)은 족생(簇生), 경엽(莖葉)은 호생이며 잎은 무병(無柄)의 피침형임. 5월에 남자색의 꽃이 총상 화서(總狀花序)로 정생(頂生)하여 핌. 산지(山地)에 나는데, 경기·함북 등지에 분포함.

〈산지치〉

산직¹【山直】 명 산지기.

산:직²【散職】 명 〖역〗 산관(散官)❶.

산진¹【山陣】 명 산중의 진영.

산진²【山陳】 명 〖조〗 산지니.

산-진달래나무【山一】 명 〖식〗 [*Rhododendron dauricum*] 철쭉과에 속하는 상록 활엽 관목. 잎은 피침상 타원형이고 뒷면에 적갈색인 혹 모양의 인편(鱗片)이 밀포(密布)함. 봄에 담홍색의 꽃이 1-3개가 가지 끝에 정생(頂生)하여 피고, 삭과(蒴果)는 10월에 익음. 산지에 나는데, 한국 북부·제주도 및 일본·중국·만주·아무르 등지에 분포함. 관상용으

산진-매【山陳一】 명 〖조〗 산지니. ㄴ로 심음.

산진 수궁【山盡水窮】 명 ①첩첩 산중에서 더 갈 길이 없이 된 곳. ②막다른 길에 이르러 나갈 길이 궁박한 경우의 비유. 산궁 수진(山窮水盡). 산진 해갈(山盡海渴). ——-하다 형 여불

산진 수회처【山盡水回處】 명 산과 물이 서로 얽히어 싸고 돌게 된 곳.

산진-이【山陳一】 명 〖조〗 산지니.

산진 해:갈【山盡海渴】 명 산진 수궁(山盡水窮).

산진 해:미【山珍海味】 명 산과 바다에서 난 산물로 만든 맛이 좋은 음식. 산진 해착(山珍海錯). 산해 진미(山海珍味).

산진 해:착【山珍海錯】 명 산진 해미(山珍海味).

산진 해:찬【山珍海饌】 명 산해 진미(山海珍味).

산:질【散帙】 명 질로 된 책 속에서 어떤 한 부분이 딴 곳에 흩어져 있음. ¶ ~본(本). ——-하다 자 여불

산-짐승【山一】[一찜一] 명 사람이 기르지 아니하고 산 속에서 사는 짐승. 멧짐승. 산수(山獸). ＊들짐승.

산-집【山一】[一찝] 명 산가(山家)❶.

산-짚신나물【山一】 명 〖식〗 [*Agrimonia coreana*] 짚신나물과에 속하는 다년초. 줄기 높이 1 m 가량, 잎은 호생하며 기수 우상 복생(奇數羽狀複生)하는데 소엽(小葉)은 크기가 고르지 않고 큰 것은 타원형임. 7-8월에 황색의 꽃이 총상(總狀) 화서로 줄기 끝이나 가지 끝에 정생하여 피고, 수과(瘦果)를 맺음. 산이나 들에 나는데, 거의 한국 전역에 분포함. 어린 잎은 식용함.

산-쪽풀【山一】 명 〖식〗 [*Mercurialis leiocarpa*] 깨풀과에 속하는 다년초. 지하경(地下莖)은 백색인데 건조하면 자색을 띠고 줄기는 높이 30-50 cm 가량, 잎은 대생, 장병(長柄)에 긴 타원상 피침형으로 끝이 뾰족함. 5월에 잎 사이에서 긴 꽃줄기가 나와 녹색의 잔꽃이 수상(穗狀)으로 피고, 삭과(蒴果)를 맺음. 산기슭 숲에 나는데, 제주·전남·경남에 분포함. 잎은 물감으로 씀.

산-찔【山一】 명 〈방〉 산길¹(경기·강원·충청·전남·경상·제주).

산찰【山刹】 명 산사(山寺).

산창¹【山窓】 명 산가(山家)의 창.

산창²【酸愴】 명 서러움. 슬픔.

산창-령【山蒼嶺】 [一녕] 명 〖지〗 평안 남도 영원군(寧遠郡) 대흥면(大興面)과 함경 남도 함주군(咸州郡) 하기천면(下岐川面) 사이에 있는 재.

산채¹【山菜】 명 산나물. 멧나물. ㄴ[806 m]

산채²【山寨·山砦】 명 ①산에 돌·목책을 둘러친 진터. ②산적들의 소굴.

산채 진:상【山菜進上】 명 〖역〗 해마다 첫 봄에 경기(京畿)의 여러 관아에서 파싹·산개자(山芥子)·신감채(辛甘菜) 등을 궁중에 진상하던 일. ——-하다 자 여불

산:책【散策】 명 바람을 쐬기 위하여 구경도 하며 이리저리 거닒. 산보(散步). 소풍(逍風). 소요(逍遙). ¶ 거리를 ~하다. ——-하다 자 여불

산챗-국【山菜一】 명 산나물국.

산처【山處】 명 산소(山所)❷.

산척¹【山尺】 명 ①산을 재는 데 쓰는 자. ②산 속에 살면서 사냥도 하고 약도 캐는 것으로 업을 삼는 사람. 산쟁이. ＊심마니.

산척²【山脊】 명 산등성마루.

산-척촉【山躑躅】 명 〖식〗 ①산철쭉. ②진달래.

산천【山川】 명 ①산과 내. ¶ 고향 ~. ②산과 내라는 뜻으로, '자연(自然)'을 일컫는 말. 산택(山澤). 산하(山河). 「여불

산천 기도【山川祈禱】 명 산천의 신령에게 드리는 기도. ——-하다 자

산천-단【山川壇】 명 〖역〗 조선 시대에 명산(名山)과 대천(大川)에 제사를 지내던 제단.

산천 만:리【山川萬里】 [一말一] 명 산천을 넘고 넘어 아주 멂. 붕정(鵬程) 만리.

산천 비:보 도감【山川裨補都監】 명 〖역〗 고려 신종(神宗) 원년(1198)에 둔 관아. 국내(國內) 산천(山川)의 쇠한 기운을 보익(補益)하여 기업(基業)을 연장시키는 일을 맡아 보았음.

산천-어【山川魚】 명 〖어〗 [*Oncorhynchus macrostomus*] 하천 육봉형(河川陸封型)의 송어. 길이 약 40 cm, 등이 검푸르며, 측면에 검은 반점이 있음. 맛이 좋아 낚시의 대상이 됨. 강원도 이북의 동해로 흐르는 하천 및 일본에 분포함.

산천 의구【山川依舊】 명 자연의 모습이 옛 모양과 같음. ——-하다 형

산천-제¹【山川祭】 명 〖민〗 '동신제(洞神祭)'의 별칭. ㄴ여불

산-천제²【山天祭】 명 산신제(山神祭).

산천 초목【山川草木】 명 ①산천과 초목. ¶ ~이 모두 나를 반기는 듯하다. ②'자연(自然)'을 가리키는 말. ＊목석 초화(木石草花).

산-철쭉【山一】 명 〖식〗 [*Rhododendron yedoense var. poukhanense*] 철쭉과에 속하는 낙엽 활엽 관목. 잎은 거꿀달걀꼴 또는 도피침형이고, 앞뒷면에 갈색의 털이 있음. 4-5월에 두세 개의 홍자색 꽃이 가지 끝에 족생(簇生)하여 피고, 삭과(蒴果)는 10월에 익음. 산지의 습윤(濕潤)한 곳에 나는데 함남북을 제외한 한국 각지 및 일본에 분포함. 관상용으로 심음. 산척촉(山躑躅).

산청【山淸】 명 〖지〗 경상 남도 산청군의 군청 소재지로 읍(邑). 남강(南江) 상류 소백산간 분지에 위치하고 진주(晉州)·함양(咸陽)·거창(居昌)

으로 통하는 교통의 요지임. [9,216 명(1990)]

산-청개구리【山青一】[명]〖동〗[*Rhacophorus schlegelii arborea*] 개구릿과에 속하는 개구리의 한 가지. 청개구리와 비슷하나 몸길이가 수컷은 7.5cm, 암컷은 9.5 cm 가량이고 몸빛은 청록색에 갈색 반점(斑點)이 불규칙하게 산재하며 복부는 백색임. 산지의 시내·연못에 서식하는데, 5-6월경에 연못가 나뭇 가지 위에 작은 알 200-500개가 든 백색의 난괴(卵塊)를 낳음. 일본·대만 등지에 분포함.

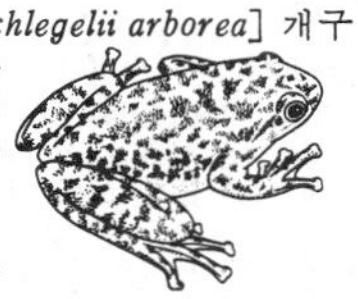
〈산청개구리〉

산청-군【山清郡】[명]〖지〗경상 남도의 한 군. 관내 1읍(邑) 10면(面). 북쪽으로는 거창군(居昌郡), 동쪽으로는 합천군(陜川郡)과 의령군(宜寧郡), 남쪽으로 진양군(晋陽郡), 서쪽으로는 하동군(河東郡)과 함양군(咸陽郡)에 접함. 주요 산물은 농산·임산(林產)·축산·광산 등임. 명승 고적으로 단속사지(斷俗寺址)·목화 시배지(木花始培地)·율곡사(栗谷寺)·법계사(法界寺)·구형왕릉(仇衡王陵)·덕천 서원(德川書院)·지리산 국립공원 등이 있음. 군청 소재지는 산청. [793.81 km^2 : 50,179명(1990)]

산청 범:학리 삼층 석탑【山清泛鶴里三層石塔】[—니—] [명]〖불교〗경상 남도 산청군(山清郡) 산청읍(山清邑) 범학리에 있었던 9세기 통일 신라 시대의 화강암(花崗岩) 석탑. 높이 4.8m. 이층 기단(二層基壇) 위에 삼층 탑신부와 상륜부(相輪部)로 이루어져 있었으나 상륜부는 전실(全失) 됨. 1947년 경복궁 안에 재건(再建)됨. 국보 제 105호.

산체¹【山體】[명] 산의 체형(體形).

산체²【傘體】[명] 파라슈트(parachute)의 우산 모양의 부분.

산초¹【山草】[명] ①산에서 나는 풀. ②산지(山地)의 밭에 심은 담배.

산초²【山椒】[명]〖식〗산초나무의 열매. 진초(秦椒).

산:초³【散草】[명] 묶지 아니한 살담배.

산초⁴【酸草】[명]〖식〗애기수영.

산초-나무【山椒一】[명]〖식〗① [*Zanthoxylum schinifolium*] 운향과에 속하는 낙엽 관목. 산야(山野)에 나는데, 높이는 약 3m, 작은 가지에 가시가 호생(互生)함. 잎은 우상 복엽(羽狀複葉)으로 호생하며, 작은 잎은 피침형 또는 타원상의 피침형임. 9월에 연한 녹색 꽃이 산방 화서(繖房花序)로 정생(頂生)함. 열매는 녹갈색으로 검은 종자가 들어 있음. 한방에서 과피(果皮)는 건위(健胃)·치통·이질 등의 치료제로 쓰며, 어린 잎은 식용하고, 열매는 향미료로 씀. ②초피나무.

산초 삼세【一三世】[Sancho Ⅲ] [명]〖사람〗스페인의 나바라국(Navarra 國)의 왕. 이슬람 교도를 격파하여 바르셀로나까지 영토를 확장, 아라곤 지방을 영유(領有)하고, 계속 카스티아를 정복하여, 스페인 북반부의 통일을 완성하였음. [970-1035; 재위 1000-35]

산초-어【山椒魚】[명]〖동〗도롱뇽❶.

산초 장아찌【山椒一】[명] 산초를 서리 맞기 전에 따서 만든 장아찌.

산초 판사 [Sancho Panza] [명]〖문〗세르반테스의 작 《돈 키호테(Don Quixote)》 속의 인물. 돈 키호테의 종자(從者)로 이상주의자의 비현실적인 결점을 보완(補完)하는 실용주의자적 존재이며, 무지하고 교활하나 주인에게는 어디까지나 충실한 전형적인 스페인의 농민으로 묘사되어 있음.

산촌¹【山村】[명] 산 속에 있는 마을. 산동(山洞). 두메. 소촌(疏村). *시골.

산:촌²【散村】[명] 인가(人家)가 밀집(密集)해 있지 아니하고 넓은 지역에 흩어져 있는 마을. 농업을 주로 하는 경우에 생김. 분산 취락(分散聚落). ↔집촌(集村).

산촌 수곽【山村水廓】[명] 산 속·산기슭의 마을과 바닷가·냇가의 마을. 시골의 여러 마을.

산총【山葱】[명]〖식〗산마늘.

산추【山陬】[명] 산모퉁이.

산:출¹【產出】[명] ①물건이 천연적으로 또는 인공적으로 생산되어 나옴. ②물건을 생산하여 냄. 생산(生產). ——하다 [자][타][여불]

산:출²【算出】[명] 계산(計算)을 해냄. ¶원가를 ~하다. ——하다 [타][여불]

산:출 가격【算出價格】[—까—] [명] 계산하여 낸 값. 셈한 값.

산:출-량【產出量】[명] 산출하거나 산출되는 양.

산:출-물【產出物】[명] 산출한 물건. [준]산물(產物).

산:출-액【產出額】[명] 산출물(產出物)의 액수(額數).

산:출적 사고【產出的思考】[—쩍—] [명]〖심〗생산적 사고(生產的思考).

산:출-지【產出地】[명] 산출한 곳. [준]산지(產地).

산:취¹ [명] 〈방〉 송아지(경남).

산취²【山醉】[명]〖의〗산악병(山岳病).

산취³【山趣】[명] 산의 정취(情趣).

산치¹ [명]〖어〗'열목이'의 큰 것. ↔팽팽이.

산치² [명]〈방〉 삼태기(함경).

산치³【山梔】[명]〖식〗산에서 나는 치자나무.

산:치⁴【散置】[명] 이리저리 분산(分散)하여 놓음. ——하다 [타][여불]

산:치⁵【剷薙】[명] 베어 버림. ——하다 [타][여불]

산:치⁶ [Sānchi] [명]〖불교〗인도의 중부에 있는 유명한 불교 유적(遺跡). 여러 시대에 걸친 많은 불탑·정사(精舍)·사원(寺院) 등의 유구(遺構)·유지(遺址)가 보존되고, 특히 이들을 장식하는 조각과 더불어 미술사상 및 고고학상 중요한 지위를 차지함.

산치기-놀이 [명]〖민〗산치기윗놀음.

산치기-윗놀음 [명]〖민〗농악에서 상모의 부포를 세우는 동작. 산치기놀이.

산-치성【山致誠】[명] 산신령(山神靈)에게 정성을 드림. ¶~드리다.

산-치자【山梔子】[명]〖한의〗산치자나무의 열매. 이뇨(利尿)·지혈(止血)·해열(解熱)하는 데 사용함.

산-치자나무【山梔子一】[명]〖식〗산에 야생하는 치자나무. 열매는 약재(藥材)로 쓰임.

산칠【山漆】[명]〖식〗산 속에서 야생하는 옻나무.

산-칡범잠자리【山一】[—칙—] [명]〖충〗실칡범잠자리.

산:코-골:다 [자] ☞헛코(를) 골다. *헛코.

산-크리스토발 [San Cristobal] [명]〖지〗베네수엘라 남서부, 콜롬비아와의 국경에 가까운 도시. 커피·카카오 등 농산물의 교역 중심지인데, 1561년 스페인인이 창건함. [242,167명(1989 추계)]

산크리스토발 섬 [San Cristobal] [명]〖지〗태평양 남서부, 솔로몬 제도 남동의 섬. 1568년 스페인인이 발견함. 1893년부터 1978년까지 영국의 보호령이었으나 솔로몬 제도의 독립으로 이에 속하게 됨. 코프라·목재가 주산물임. [3,289 km^2 : 20,100명(1986)]

산타 [포·스·이 Santa] [명] ①세인트(Saint). ②↗산타 클로스.

산-타령【山打令】[명]〖악〗선소리의 하나. 앞산 타령과 뒷산 타령의 두 가지가 있고, 경기(京畿)와 서도(西道)의 두 형식이 있음. 약동적이고 경쾌한 소리 곡조임.

산타령-패【山打令牌】[명]〖악〗전에, 서울을 중심으로 삼개 곧 지금의 마포, 왕십리, 뚝섬 등지에서 산타령을 주로 부르던 소리꾼들.

산타 루치아 [Santa Lucia] [명]〖악〗[나폴리를 수호하는 성녀(聖女) 루치아란 뜻] 이탈리아의 나폴리 민요인 소가곡(小歌曲). 작곡자는 코트라우(Cottrau, Teodoro; 1827-79).

산타-마르타 [Santa Marta] [명]〖지〗남미(南美)의 콜롬비아 북부 카리브 해안의 항구 도시. 바나나의 수출항으로서 이름이 있으며, 면화·담배 및 카카오의 거래가 활발함. 항구의 경치가 아름다우며, 남미 최고(最古)의 도시의 하나임. 1525년 창건됨. [177,922명(1985)]

산타 마리아 [Santa Maria] [명] 예수의 생모(生母)의 존칭. 성모 마리아.

산타 마리아 노벨라 성:당【一聖堂】[Santa Maria Novella] [명]〖지〗이탈리아의 피렌체에 있는 도미니코(Dominico)파의 가장 오래 된 성당. 1278년에 기공되어 1357년에 완성되었는데, 내부는 토스카나 고딕(Toscana Gothic) 양식임. 부속 건물이 많으며, 르네상스기(期)의 저명한 미술가의 걸작들이 많이 있음.

산타 마리아 델 피오레 성:당【一聖堂】[Santa Maria del Fiore] [명]〖지〗이탈리아의 피렌체(Firenze) 시에 있는 대성당. 1296년에 기공(起工)되어 1887년에 완성되었음.

산타 마리아 마조레 성:당【一聖堂】[Santa Maria Maggiore] [명]〖지〗이탈리아의 로마에 있는 성당(聖堂). 5세기경에 세워진 것으로, 장대하고도 엄숙한 바실리카(Basilica) 교회당의 전형적 건물임.

산타 마리아 호【一號】[Santa Maria] [명] 콜럼버스가 미국 대륙 발견에 사용하였던 배. 1492년 8월 3일, 그는 이 배에 편승하고 다른 두 척의 배를 이끌고 스페인의 팔로스 만(Palos灣)을 출범, 동년 10월 12일 이른 아침 서인도 제도(西印度諸島)의 육지를 발견하였음.

산타-아나¹ [Santa Ana] [명]〖지〗중미(中美)의 엘살바도르 서부에 있는 이 나라 제2의 도시. 수도 산살바도르의 북서쪽 약 50km 지점에 있음. 해발 650m. 커피·사탕수수를 산출하며, 농업의 중심지임. 세계 최대의 커피 가공 공장이 있음. 1708년 창건. [212,663명(1982)]

산타 아나² [Santa Anna, Antonio López de] [명]〖사람〗멕시코의 군인·정치가. 스페인군을 격파하여 독립을 성취시킨 공으로 1833년 대통령이 됨. 1836년의 텍사스 독립 운동 진압에 실패한 후 일시 세력이 떨어졌으나 다시 회복, 네 차례나 대통령이 되어 독재적 권력을 장악함. [1795?-1876]

산타야나 [Santayana, George] [명]〖사람〗스페인 출생의 미국 철학자·시인·평론가. 하버드 대학 교수. 논문집 《비판적 실재론(實在論)》을 발표하여, 자연주의적 입장에서 비판적 실재론을 발전시켰음. 시·평론 등에도 우수한 작품을 내었음. [1863-1952]

산타-크루스 [Santa Cruz] [명]〖지〗볼리비아 중동부의 도시. 쌀·사탕·동유(桐油) 등의 농업 지대의 중심지이며 제당(製糖)·증류주(蒸留酒) 제조·식품 가공업 등이 성함. 최근에는 부근에서 유전(油田)·철광석 등이 발견되어 공업화가 활발히 추진되고 있음. 내륙 교통의 요지로, 1560년 창건. [419,042명(1984)]

산타-크루스-데-테네리페 [Santa Cruz de Tenerife] [명]〖지〗모로코 서부 대서양상 카나리아 제도(諸島)의 테네리페 섬의 항구 도시로 스페인령(領). 온난한 기후와 경치가 좋아 관광지(觀光地)임. 바나나·담배·포도주 등을 수출함. [212,520명(1986)]

산타크루:즈 제도【一諸島】[Santa Cruz] [명]〖지〗태평양 남서부, 솔로몬 제도에 속하는 소화산도군(小火山島群). 1595년 스페인 사람이 발견하였으며, 주민은 멜라네시아계(系)로, 코프라·목재를 산출함. [938 km^2: 5,421명(1976)]

산타-클라라 [Santa Clara] [명]〖지〗중미 쿠바 중서부의 도시. 담배·사탕수수 재배 지역의 중심지. 제당(製糖)·럼주(rum酒) 제조가 성행하고, 철도·하이웨이의 요지임. [188,392명(1988 추계)]

산타 클로스 [Santa Claus] [명] [소아시아 미라(Myra)의 4세기경의 주교(主敎)인 세인트 니콜라스(Saint Nicholas)의 네덜란드어 'Sint Klaes'가 미국에서 전와(轉訛)된 말] 크리스마스 전날 밤 북국(北國)에서 썰매를 타고 와서, 굴뚝으로 집 안에 몰래 들어와 잠자는 어린이의 신이나 양말 속에 선물을 넣고 간다는 노인. 붉은 옷에 흰 수염을 하고 등에 선물 보퉁이를 메고 한 손에 지팡이를 쥐었다 함. [준]산타.

산타-페 [Santa Fe] [명]〖지〗남아메리카 아르헨티나의 중부 파라나 강(Paraná江)과 살라도 강(Salado江)의 합류점에 있는 도시. 개척(開拓) 초기부터의 중심지이며 농산물의 거래와 가공업이 성함. [2,466,000명(1980)]

산-탁목【山啄木】[명]〖조〗청딱다구리.

산-탁목조【山啄木鳥】[명]〖조〗청딱다구리.

산:탄¹【散彈】[명]〖군〗①산탄(霰彈). ②용기(容器)가 가볍고 소이 물질(燒夷物質)로 가득 찼으며 맞으면 폭파하는 작약(炸藥)이 있는 폭탄. ③

한 발씩 쏘는 탄환.

산:탄²【霰彈】[명]〖군〗폭발과 동시에 많은 자디잔 탄알이 한꺼번에 터져 나오게 된 탄환. 가까운 거리에 있는 적이나 사냥할 동물에 대하여 사용함. 산탄(散彈).

산탄데르〔Santander〕[명]〖지〗스페인의 북부, 비스케이 만(Biskay 灣)에 면한 항구 도시. 북부 일대의 철광석을 수출하며 제지·양조·제당 공업도 성함. 1940년의 대화(大火) 후 재건되어 스페인에서 가장 근대적인 도시가 됨. 부근에는 인류 최고(最古)의 회화로 유명한 알타미라(Altamira) 동굴 벽화가 있음. [186,456 명(1986 추계)] 「승 사냥용의 엽총.

산:탄-총【散彈銃】[명] 산탄을 사용하는 총. 주로 조류·소중형(小中形) 짐

산:탄 폭탄【散彈爆彈】[명]〔cluster bomb unit; CBU〕〖군〗폭탄 속에 작은 폭탄이 다수 들어 있어, 폭발과 함께 작은 폭탄들이 튀어 나가는 폭탄.

산:탄 효:과【散彈効果】[명]〔shot effect〕〖물〗진공관(眞空管)의 음극에서, 전자(電子)는 마치 액면(液面)에서 증발하는 분자처럼 불규칙하게 튀어 나오는 까닭에 전체적으로 전류(電流)에 요동(搖動)이 나타나는 현상. 이 때문에 증폭기(增幅器) 출력(出力)에 잡음이 발생하는데, 이것을 산탄 잡음(散彈雜音) 또는 쇼트 잡음(shot 雜音)이라 함. 쇼트 효

산-탈【山頉】[명]〈방〉산화(山禍). 「과(shot 効果).

산탈롤〔santalol〕[명]〖화〗단향유(檀香油)를 정제하여 얻는 기름. 담황색으로 투명 점조(粘稠)한 기름인데, 특이한 향기가 있음. 의약 및 향료로 사용함.

산탈린〔santalin〕[명]〖화〗산달우드(sandalwood)의 조직내에 포함되어 있는 수지(樹脂) 같은 적색 색소. 주로 팅크제의 염색에 사용하며, 기구의 착색 도료(着色塗料)로도 씀. 자단소(紫檀素).

산태¹ [명]〈옛〉삼태기. ¶ 산태 궤(蕢), 산태 분(畚)≪字會 中 19≫.

산태²【山汰】[명]〖지〗산에 생기는 사태(沙汰).

산태기 [명]〈방〉삼태기(경북).

산태미 [명]〈방〉삼태기(강원·충북·전남·경북).

산택【山澤】[명] ①산천(山川). ②↗산림 천택(山林川澤).

산택-사【山澤司】[명]〖역〗조선 시대 때, 공조(工曹)의 한 분장(分掌). 산택(山澤)·진량(津梁)·원유(苑囿)·종식(種植)과 나무·숯·돌·배·수레·붓·먹·무쇠·칠그릇 등의 일을 맡은 관아.

산터우〔汕頭〕[명]〖지〗중국 광둥 성(廣東省) 동부에 있는 상공업 도시. 1858년 개항(開港) 이후 항만 도시로 발전하여, 화교(華僑)의 출발항(出發港)으로 알려졌음. 쌀·야채·사탕수수 등 부근 산물의 집산지이며 전기(電機)·화학 비료·제당(製糖)·방적·제분·조선 공업 등이 성함. 수공예품으로는 비단 레이스인 주사(紬紗)가 유명함. 광둥 성 제2의 도시임. 1980년 경제 특구(經濟特區)로 지정됨. 산두. [500,154 명(1987)]

산-턱【山一】[명] 산의 경사가 져서 내려오다가 조금 두두룩한 곳.

산테미 [명]〈방〉삼태기(전남).

산텔리아〔Sant'Elia, Antonio〕[명]〖사람〗이탈리아의 건축가. 1914년에 '미래파 건축 선언(未來派建築宣言)'을 발표하여 이탈리아에 전위 건축(前衛建築) 운동을 가져왔고, 많은 대도시 계획안을 발표하여 미래 도시의 상(像)을 추구함. [1888-1916]

산토¹【山兎】[명]〖동〗산토끼.

산:토²【産土】[명] 산지(産地)❷.

산-토끼【山一】[명]〖동〗[*Lepus sinensis coreanus*] 토낏과에 속하는 짐승. 야생(野生)하는 토끼로서 두동(頭胴)의 길이 45-60 cm, 꼬리 2-7.5 cm, 귀 6.5-10 cm이고, 집토끼에 비하여 앞다리가 훨씬 길. 몸의 위쪽은 회갈색 내지 암갈색, 아래쪽은 백색 또는 담황갈색인데, 귀 끝은 항상 검으나 대개 겨울에는 온 몸이 하얗게 변함. 새끼는 한 해 한 배에 2-6 마리씩 나무 밑에 낳는데, 처음부터 털이 있고 곧 걸어 다님. 고산(高山)·낮은 산·숲 속에 서식하며 밤에 풀싹·나무 껍질 등을 갉아 먹음. 유럽·아시아 북부 및 한국·일본·중국에 분포함. 고기는 식용, 모피(毛皮)는 방한용 등으로 씀. 멧토끼. 산토(山兎). ↔집토끼.

〈산토끼〉

산토끼-꽃【山一】[명]〖식〗[*Dipsacus japonicus*] 산토끼꽃과에 속하는 월년초(越年草). 높이 1-2 m. 가지는 대생하고 잎은 이회 분열(二回分裂)의 우상 복엽으로 소엽(小葉)은 타원형 또는 달걀꼴을 이루며, 가에는 톱니가 있고 잎뒷면에는 잔털이 남. 8월에 담자색의 두상화(頭狀花)가 총상(總狀)으로 피고, 과실은 집합(集合)하여 둥긂. 괴근(塊根)은 직경 7-10 cm임. 산에 나는데, 경북·강원 및 일본·중국에 분포함.

〈산토끼꽃〉

산토끼꽃-과【山一科】[명]〖식〗[Dipsacaceae] 현화(顯花) 식물에 속하는 한 과. 유럽 남부 및 전세계에 10속 150여 종, 한국에는 산토끼꽃·체꽃 등 2속 수 종이 분포함.

산토닌〔santonin〕[명]〖약〗강력(強力)한 회충(蛔蟲) 구제약(驅除藥). 카자흐스탄 공화국의 투르케스탄(Turkestan) 지방 원산의 국화과에 속하는 시나(cina)의 꽃에서 얻는 무색 무취의 광택(光澤) 있는 판상 결정(板狀結晶) 또는 백색 결정성의 가루. 맛이 약간 쓰고 물에 녹지 아니함. 극약(劇藥)에 속하며 때때로 부작용을 일으킴. 세멘원(semen圓).

산토-도밍고〔Santo Domingo〕[명]〖지〗도미니카(Dominica) 공화국의 수도. 상항(商港)으로 설탕·카카오 등을 수출함. 1496년 콜럼버스의 아우가 건설하였으며 아메리카 대륙의 최고(最古)의 대학인 산토도밍고 대학이 있음. 신대륙에 있어서 최초의 식민지로서, 1930년 태풍으로 파괴됐으나 후에 재건함. 트루히요 대통령 독재 시대(1936-61)에는 시우다드트루히요(Ciudad Trujillo)라 불렀음. [1,410,000명(1983 추계)]

산토리오〔Santorio〕[명]〖사람〗이탈리아의 의학자. 파두아(Padua) 대학 교수. 체중 증감에 관한 실험 연구를 행하여 '불감 증산설(不感蒸散說)'을 발표함. [1561-1636]

산-톱풀【山一】[명]〖식〗[*Achillea ptarmicoides*] 국화과에 속하는 다년초. 줄기 높이 60-100 cm, 잎은 긴 타원상 선형(線形)이며 우상 심렬(羽狀深裂)하고 열편(裂片)은 선형을 이룸. 8-10월에 흰 꽃이 밀생한 방상(房狀) 화서로 줄기 끝의 엽액(葉腋)에 달리어 피고, 수과(瘦果)를 맺음. 산지에 나는데, 한국 중부 이북에 분포함. 잎과 줄기는 식용 및 약용함.

산통¹【疝痛】[명]〔colic〕〖의〗심한 발작성의 간헐적 복통(間歇的腹痛). 복부(腹部) 내장(內臟)의 여러 질환(疾患)에 따르는 증후(症候)로 대개 담석증 발작(膽石症發作)·신석 발작(腎石發作)·장폐색(腸閉塞) 등의 「경우에 나타남.

산:통²【産痛】[명]〖의〗진통(陣痛)❶.

산:통³【算筒】[명] 장님이 점칠 때 쓰는 산가지를 넣는 통. 수통(數筒).

산:통(을) 깨:다 [구] 다된 일을 이루지 못하게 뒤틀다.

산:통-계【算筒契】[一께][명]〖역〗금융(金融)을 목적으로 조직한 계의 하나. 계원이 한 달에 한 번 또는 두 번 날을 정하고 그날 일정한 계전(契錢)을 내고, 통 속에 계알을 넣고 흔들어 추첨하여 뽑힌 계원에게 다액(多額)의 할증금(割增金)을 주는 것임. 탄 사람은 다시는 계전을 내지 않고 탈퇴하는 것도 있으며, 탄 뒤에도 계가 파할 때까지 내도록 된 것도 있는데, 타 먹는 동시에 탈퇴하게 마련된 것을 특히 '자빡계'라고 함. [준]통계(筒契).

산:통-점【算筒占】[명]〖민〗육효점(六爻占)의 하나. 향목(香木)이나 금속으로 길이 10 cm 가량되게 가늘게 만든 산가지에 1부터 8까지의 숫자(數字)를 새기어 숫자가 보이지 않게 산통 속에 꽂거나 완전히 산통 속에 넣은 것을 구멍으로 집어 내서 치는 점. 점을 칠 때에는 왼손으로 산가지를 세 번 집어 내어 거기에 새겨진 숫자에 의해서 초(初)·중(中)·종(終)의 각 괘(卦)를 만들고, 역서(易書)의 괘와 맞추어 길흉 화복(吉凶禍福)의 운명을 판단함.

산투스〔Santos〕[명]〖지〗브라질 남동부, 상파울루(São Paulo)의 남동에 있는 대서양에 면한 항구 도시. 세계 최대의 커피 수출항으로 제철·정유 등 공업도 발달함. 해안은 유명한 해수욕장·휴양지로서 근대적 호텔이 많음. [411,000 명(1980)]

산투스-뒤몽〔Santos-Dumont, Alberto〕[명]〖사람〗브라질의 발명가. 가솔린 기관에 의한 비행기의 개척자. 1906년 유럽에서 최초의 공개 비행을 행함. [1873-1932]

산티아고〔Santiago〕[명]〖지〗남아메리카 칠레(Chile) 공화국의 수도. 이나라 중앙부의 안데스 산록의 해발 520 m의 고원에 있는데 경치가 좋음. 기계·섬유·제지·피혁 등의 공업이 행하여지며 전국 공업 생산의 50%를 차지함. 1541년 창건. [4,858,342 명(1987)]

산티아고-데-콤포스텔라〔Santiago de Compostela〕[명]〖지〗스페인의 북서부에 있는 종교 도시. 사도(使徒) 야곱이 순교(殉敎)한 곳이라 하며, 11-12세기에 지은 로마네스크 양식의 산티아고 성당이 있음. 서유럽 최대의 순례지(巡禮地)임. [94,000 명(1981)]

산티아고-데-쿠바〔Santiago de Cuba〕[명]〖지〗쿠바 남동안(南東岸)의 항만 도시. 이 나라 제2의 도시임. 1514년에 건설한 고도(古都)로, 미국·스페인 전쟁의 격전지임. [389,654 명(1988)]

산티아고 성:당【一聖堂】〔Santiago〕[명]〔산티아고는 사도 야곱의 스페인 이름〕〖지〗스페인의 산티아고데콤포스텔라(S. de Compostela) 시의 중심부에 있는 성당. 사도 성야곱(聖Jacob)의 납골소(納骨所)로서, 예루살렘과 로마 다음가는 중요한 순례 성지임. 이 건축의 주요부는 11-12세기의 로마네스크 양식이나 그 후에도 끊임없이 손질되어 현재는 대체로 바로크(baroque) 양식이 지배적임. 이베리아(Iberia) 반도에서 가장 오래 되고, 가장 아름다운 성당으로 알려져 있음.

산티야나〔Santillana, Marqués de〕[명]〖사람〗스페인의 시인. 후작(侯爵)이며 군인·정치가. 스페인에 이탈리아풍의 시형(詩形)을 처음으로 도입하여 페트라르카(Petrarca)나 단테(Dante)를 모방함. 문학 평론도 있는데, 그 중 ≪서문(序文)의 서간(書簡)≫이 유명함. [1398-1458]

산:파¹【産婆】[명] '조산원(助産員)'의 통칭(通稱).

산:파²【散播】[명]〖농〗씨를 흩어 뿌리는 일. 노가리. *점파(點播). ——하다 [타][여불]

산:파-법【産婆法】[一뻡][명]〔maieutics〕〖교〗그리스의 철학자 소크라테스가 사용한 문답법(問答法). 문답을 되풀이하여 상대방의 지식의 애매함과 모순을 지적, 무지(無知)의 자각(自覺)을 불러일으킴으로써 올바른 인식으로 이끎. 이 과정을 산파의 일에 비유하여 붙인 이름. 산파술. 소크라테스 방법.

산:파-술【産婆術】[명] ①〖의〗해산(解産)·임부(妊婦)·태아(胎兒) 등을 다루는 기술. 조산술(助産術). ②〖교〗산파법.

산:파-역【産婆役】[명] 모임이나 조직을 새로 결성할 때, 중심이 되어 이를 추진하는 사람을 일컬음. ¶ 창당(創黨)의 ~을 맡다.

산판¹【山坂】[명] 멧갓. ¶ ~에서 갓나온 재목.

산:판²【算板】[명] 주판. 수판(數板).

산판-걸목돌 [명]〖건〗석재(石材)를 채취(採取)할 때에 소용(所用)의 크 「기보다 크게 따낸 돌.

산:판-알【算板一】[명] 주판알.

산판-업【山坂業】[명] 옛날에, 멧갓에서 나무를 베어다 팔던 영업.

산패【酸敗】[명]〖화〗주류(酒類)·지방류(脂肪類) 같은 유기물(有機物)이 산화(酸化)하여 유리 지방산(遊離脂肪酸)을 생성하는 현상(現象). 색과 맛이 변하고 냄새를 발생함. ——하다 [자][여불]

산패-도【酸敗度】[명]〖화〗산패(酸敗)한 정도(程度). 산가(酸價).

산패-액【酸敗液】명〖생〗신물❶.
산패-유【酸敗乳】명 산패(酸敗)한 젖.
산-팽나무【山一】명〖식〗[*Celtis aurantiaca*] 느릅나뭇과에 속하는 낙엽 활엽 교목. 팽나무와 비슷하여 높이 20m 가량인데, 잎은 둥글며 날카로운 톱니가 있음. 꽃은 4-5월에 긴 꽃꼭지 끝에 단립(單立)하여 피고, 둥근 핵과(核果)를 맺으며 가을에 등황색(橙黃色)으로 익음. 산지에 나는데, 경북·황해·평남·함남 및 중국·만주에 분포함. 과실은 식용, 목재는 땔감임.
산:편【散片】명 산산이 흩어진 조각.
산-편복【山蝙蝠】명〖동〗산박쥐.
산포[1]【山砲】명 ①↗산포수(山砲手). ②〖군〗산악전에 쏠 수 있도록 분해하여 운반할 수 있게 만든 대포.
산:포[2]【散布】명 흩어져 퍼짐. 흩어 퍼뜨림. ――-하다 자타여불
산:포[3]【散脯】명 포(脯)의 한 가지. 쇠고기를 되는 대로 크고 작게 떠서 소금에 주물러 볕에 말린 포.
산:포[4]【撒布】명 ←살포(撒布). ――-하다 타여불
산:포 관:개【撒布灌漑】명 ←살포 관개(撒布灌漑).
산:포-기【撒布器·撒布機】명 ←살포기(撒布器).
산포-대[1]【山砲隊】명 산포를 장비한 부대.
산-포대[2]【山砲臺】명 산 위에 있는 포대.
산-포도[1]【山葡萄】명〖식〗①머루[1]. ②담쟁이덩굴. ③왕머루.
산:포-도[2]【散布度】명〖수〗도수 분포(度數分布)의 모양을 조사할 경우에, 변량(變量)이 분포의 중심, 즉 평균에서 얼마만한 정도로 분포되어 있는지 알 필요가 있을 때, 이 분포의 정도를 나타낸 것을 이름. 이것을 나타내는 데는 범위·사분 편차(四分偏差)·평균 편차(平均偏差)·표준 편차(標準偏差) 등이 있음. 분산도(分散度). 「㊟산포(山砲).
산-포수【山砲手】명 산 속에서 사냥질을 업으로 삼고 생활하는 사람.
산 포스파타아제【酸一】명 [acid phosphatase]〖화〗포스포모노에스테라아제.
산:포-약【撒布藥】명〖약〗←살포약(撒布藥).
산:포-제【撒布劑】명〖약〗←살포제(撒布劑).
산:표【散票】명 선거에서, 투표가 특정의 후보자·정당에 모이지 않고 흩어짐. 또, 그 표. ¶ ~가 많이 나온 점이 이번 선거의 특징이다.
산:품【産品】명 산물(產物).
산풍【山風】명 ①[mountain breeze]〖기상〗산악 지방에서 해가 진 뒤 불어 내려오는 바람. 산정(山頂)의 공기가 차게 되어 산기슭으로 향해 내려올 때에 일어남. *곡풍(谷風). ②산바람.
산플라 [sanpla] 명 ↗산플라티나.
산플라티나 [sanplatina] 명 [상품명 산플라튬(Sanplatium)에서 유래된 이름] 크롬을 함유하는 니켈의 합금으로, 치과(齒科) 재료의 한 가지. 은백색인데, 귀금속의 대용으로 치아(齒牙)에 씌워 사용함. ㊟산플라.
산피【山皮】명 산짐승의 가죽. 산수피(山獸皮).
산 피에트로 대:성전【一大聖殿】[San Pietro] 명〖지〗이탈리아 바티칸 시에 있는 로마 가톨릭교의 본산(本山). 초기 르네상스식의 대표적 건물로 세계 최대의 이 성당은 1506년에 착공, 1626년에 준공되었음. 중앙의 큰 돔(dome)은 미켈란젤로가 설계한 것임. 사도 베드로의 영묘(靈廟)가 있음. 세인트 피터 대성당. 성베드로 대성당.
산하[1]【山下】명 ①산 아래. 산밑. ↔산상(山上). ②↗선산하(先山下).
산하[2]【山河】명 산과 큰 내. 산과 강이 있는 자연(自然)의 총칭. 산천(山川). ¶ 두고 온 북녘의 ~.
산하[3]【傘下】명 보호를 받는 어떤 세력의 그늘. ¶ ~ 단체.
산하 금대【山河襟帶】명 산이 옷깃처럼 둘러 우뚝 솟아 있고, 강이 띠처럼 감돌아 흘러 자연의 요해(要害)를 이루고 있음. 또, 그 땅.
산-하늘소붙이【山一】[一쏘부치] 명〖충〗[*Ditylus laevis*] 하늘소붙잇과에 속하는 곤충. 몸길이 16-18 mm이고, 흑람색(黑藍色)에 암색(暗色)의 짧은 털이 밀생함. 시초(翅鞘)는 다소 진한 청람색을 띠나 간혹 녹색 또는 구리색(色)을 띠는 것도 있으며, 각 시초에 넉 줄의 종륭선(縱隆線)이 있음. 산간에 서식하는데, 한국에도 분포함. 산어리하늘소. *청색하늘소붙이.
산하 단체【傘下團體】명 어떤 기관의 통제하에 소속되어 있는 단체.
산하 대:지【山河大地】명 산과 강과 들판.
산-하엽【山荷葉】명〖식〗[*Diphylleia cymosa* var. *grayi*] 매자나뭇과에 속하는 다년생 초본. 근경(根莖)은 옆으로 뻗고 밑으로 수근(鬚根)이 나옴. 줄기 높이 50cm쯤, 전체적으로 잔 털이 있음. 잎은 넓은 신장형인데, 깊이 둘로 째지고 가에 톱니가 있음. 여름에 흰 꽃이 산형 화서(繖形花序)로 줄기 끝에 피고, 검푸른 액과(液果)가 둥글게 익음.

〈산하엽〉

산하이관 [山海關] 명〖지〗중국 허베이 성(河北省) 동북 경계, 만리 장성의 동단(東端)에 있는 도시. 징산(京山)·선산(瀋山) 두 철도의 교차점이며, 화북(華北)·동북 왕래의 요충지(要衝地)임. 천하 제일관(天下第一關)이라 칭하여 중시되었으나 현재는 상공업이 성하며, 중국 최고(最古)의 교량(橋梁) 공장이 있음. 산해관. [약 10,000 명(1975)]
산하-화【山下火】명〖민〗육십 화갑자(六十花甲子)에서, 병신(丙申) 정유(丁酉)에 붙이는 납음(納音). 병정(丙丁)은 화(火)요, 신유(申酉)는 서방(西方)이라, 해가 서산에 기우니, 마치 불꽃이 산 밑에 가리우는 것 같다는 말.
산학[1]【山學】명 산악에 관하여 연구하는 학문. 산악학(山岳學).
산학[2]【山壑】명 산골짜기.
산:학[3]【産學】명 산업계와 학교. ¶ ~ 일체.
산:학[4]【算學】명〖수〗셈에 관한 학문. 주학(籌學).
산:학 계:몽【算學啓蒙】명〖책〗중국 원대(元代)의 주세걸(朱世傑)이 1299년에 발간한 수학책. 초학자의 입문서가 되도록 쓰여졌으며, 특히 하권(下卷)에는 천원술(天元術)이 해설되어 있어 천원술에의 입문서로서 적합함. 우리 나라에서는 1660년에 이것을 박아 내었으며, 세종대왕은 정인지(鄭麟趾)에게서 이 책으로 산학을 배웠음. 명대(明代)에는 이 책을 볼 수 없었으나 청조(淸朝)에 우리 나라에서의 중간본(重刊本)이 중국에 널리 퍼졌고 일본에도 건너갔음. 전 3권.
산:학 교:수【算學敎授】명〖역〗조선 시대 때, 호조(戶曹)에 딸린 산학청(算學廳)의 종육품(從六品) 벼슬. *산학 훈도(訓導).
산:학 박사【算學博士】명〖역〗①신라 때에 국학(國學)에서 산학(算學)을 가르치던 벼슬. ②고려 국자감(國子監)의 종구품 벼슬.
산:학 정:의【算學正義】[一/一이] 명〖책〗조선 헌종(憲宗) 때 남상길(南相吉)이 짓고 고종 4년(1867)에 편찬 간행한 산수에 관한 여러 법을 설명한 책. 내용은 상편에 입법 비례(立法比例)의 강령(綱領), 중·하편에 명리(明理) 등을 논하고 있음. 모두 3권 3책.
산:학 조:교【算學助敎】명〖역〗통일 신라(新羅) 때 산학(算學)을 가르치던 교수. 철경(綴經)·삼개(三開)·구장(九章)·육장(六章) 등을 가르쳤음. 「주청(籌廳).
산:학-청【算學廳】명〖역〗조선 시대 때, 호조(戶曹)에 속한 직소(職所).
산:학 협동【產學協同】명 기술 교육에 있어서, 학계·교육계가 산업계와 제휴·협력하여 교실에서의 이론 학습과 공장에서의 실습을 결합시키려는 방식. 기술 혁신에 적응하는 기술자 양성이 주된 목적임.
산:학 훈:도【算學訓導】명〖역〗조선 시대 때 호조(戶曹)의 정구품(正九品) 벼슬. *산학 교수(敎授).
산-할미꽃【山一】명〖식〗[*Pulsatilla nivalis*] 미나리아재빗과에 속하는 다년초. 줄기 높이 15 cm 내외, 잎은 뿌리에서 총생하며 장병(長柄)인데, 포엽(苞葉)은 줄기 끝에 두세 조각 달렸음. 7월에 포엽(苞葉)의 중심에서 긴 꽃꼭지가 나와 그 끝에 암적자색 꽃이 한 송이 피고, 수과(瘦果)를 맺음. 고산의 양지에 나는데, 관모봉(冠帽峰)에 분포함.
산합【山蛤】명〖동〗무당개구리.
산합-구【山鴿灸】명 비둘기 구이.
산해[1]【山海】명 산과 바다.
산해[2]【山害】명〖민〗묏자리가 좋지 않으므로 인하여 입는다는 해.
산해-경【山海經】명〖책〗작자 미상인 중국 옛날의 지리책. 해내 해외의 산천(山川)·신기(神祇)·산물(產物)과 제사에 관한 것을 실었음. 한(漢)나라의 동방삭(東方朔)의 작이라고 하는 ≪신이경(神異經)≫은 이 책을 모방한 것이라 함. 모두 18권.
산해-관【山海關】명〖지〗'산하이관'을 우리 음으로 읽은 이름.
산-해박【山一】명〖식〗[*Pycnostelma paniculatum*] 박주가릿과에 속하는 다년초. 줄기 높이 60-90 cm, 잎은 대생하고 피침상 선형(披針狀線形)인데, 윗면에 짧고 단단한 잔 털이 많이 남. 6-7월에 담황록색 꽃이 다화서상 화서(多花序狀花序)로 피고, 골돌과(蓇葖果)는 8-9월에 익음. 산에 나는데, 한국 각지 및 아시아 온대(溫帶) 지방에 분포함. 뿌리는 약재로 씀. 죽엽 세신(竹葉細辛).

〈산해박〉

산해 진미【山海珍味】명 산과 바다의 산물(產物)을 다 갖추어 썩 잘 차린 진귀한 음식. 산진 해미. 산진 해착(山珍海錯). 수륙 진미(水陸珍味).
산행【山行】명 ①산길을 걸어감. ②산에 놀러 가는 일. ――-하다 자여불
산-허리【山一】명 ①산의 둘레의 중턱. 산요(山腰). 산복(山腹). ②산등성이의 잘록하게 들어간 곳.
산험【山險】명 산의 험한 곳.
산헤드린 [헤 sanhedrin] 명〖정〗고대 유대의 최고 국가 기관. 종교상·사법상의 재판권을 가지며 71명의 의원으로 구성됨.
산:현【散見】명 여기저기에 보임. ――-하다 자여불
산현-채【山莧菜】명〖식〗쇠무릎지기.
산혈[1]【山穴】명 ①산에 팬 구멍. ②〖민〗산의 정기(精氣)가 모인 묏자리.
산:혈[2]【產血】명〖생〗해산할 때 나오는 피.
산혈-증【酸血症】[一쯩] 명〖의〗산독증. ↔알칼리 혈증.
산협【山峽】명 두메. ¶ ~의 경치.
산형【山形】명 산의 형상.
산:형-과【繖形科】[一꽈] 명〖식〗미나리과(科).
산:형-꽃차례【繖形一】명〖식〗무한(無限) 꽃차례의 하나. 많은 꽃꼭지가 방사형(放射形)으로 짧은 주축(主軸)에서 나와 각 꽃꼭지에 하나씩 꽃이 피는 꽃차례. 미나리·파꽃 등. 산형 화서.
산:형-화【繖形花】명〖식〗산형(繖形) 꽃차례로 피는 꽃의 통칭.
산:형 화서【繖形花序】명〖식〗산형꽃차례.
〈산형꽃차례〉
산호[1]【山戶】명 산 속에서 화전(火田)을 갈아 먹고 사는 사람의 집.
산호[2]【山呼】명 ↗산호 만세(山呼萬歲).
산호[3]【山弧】명 산줄기의 벋어 나간 형세가 활 모양을 이룬 것.
산호[4]【珊瑚】명 ①산호충(珊瑚蟲)의 군체(群體)의 중축 골격(中軸骨格). 군체는 괴상(塊狀) 또는 수지상(樹枝狀)을 이루었으며, 바깥쪽은 무르고 속은 단단한 석회질(石灰質)로 되어 있어, 겉은 긁어 버리고 속만을 장식품으로 씀. 도색(桃色) 산호와 적색(赤色) 산호가 있음. ②〖동〗산호충(珊瑚蟲)❶.
【산호 기둥에 호박 주추다】매우 호화스럽게 꾸미고 산다는 말. 【산호 서 말 진주 서 말 싹이 나거든】도무지 기약할 수 없는 모양. ¶ 녀 어머니 뒷동산 산호 스말 진주 스말 싹이 나면 오마드라. 평풍 위에 그

린 닭이 회를 치면 오마드라≪民謠≫.

산호-강【珊瑚綱】명〖동〗[Anthozoa] 강장(腔腸) 동물 유자포류(有刺胞類)에 속하는 한 강(綱). 대개 복잡하고 고등(高等)한 종류로서 몸은 폴립형(polyp型)이고 해파리형(型)은 발달하지 아니하며 강장(腔腸)은 분화(分化)하고 구도(口道)·격막(隔膜)이 있음. 생식소(生殖巢)는 내배엽(內胚葉)의 기생(起生)으로서 격막 하방(隔膜下方)의 유리연(遊離緣)에 자리를 잡고 있음. 팔방류(八放類)·육방류(六放類) 등의 아강(亞綱)이 있는데 모두 바다에 삶. 화형충류(花形蟲類).

산호 격자【珊瑚格子】명 산호로 만든 격자.

산호-꽃【珊瑚—】명 꽃과 같이 보이는 산호.

산호-니【珊瑚泥】명〔coral mud〕산호초(珊瑚礁)가 파도의 작용으로 파괴되어 생긴 파쇄물(破碎物)이 주위의 해저(海底)에 침적(沈積)한 진흙 덩어리 모양의 물질. 석회분(石灰分)이 85% 가량 되고, 석회질 미생물의 사각(死殼)을 다량으로 포함함. 산호초가 분포하는 구역에 한하여 있고, 해저 3,000 m 이상의 깊은 곳에까지 있음.

산호-도【珊瑚島】명〖지〗산호초(珊瑚礁)가 수면(水面)에 5 m 이상 노출(露出)하여 형성된 섬.

산-호랑나비【山—】명〖충〗[*Papilio machaon*] 호랑나빗과에 속하는 곤충. 편 날개의 길이 7-12 cm, 몸의 표면에는 금록색 비늘이 산포됨. 앞날개는 흑색에 황색 문열(紋列)이 있으며, 안쪽의 회색대(帶)는 가늘고 경계가 불분명함. 뒷날개의 내반(內半)은 황색이나 시맥(翅脈)은 검고, 외반(外半)은 흑색에 남색 및 흑색 반문이, 내연각(內緣角) 부근에는 적갈색 무늬가 있음. 유충은 밀감·미나리과 식물에 해를 줌. 한 해에 2-4회 발생하여 번데기로 월동하고, 봄·여름에 출현함. 한국·일본·중국·대만 등지에 분포함.

〈산호랑나비〉

산호 만:세【山呼萬歲】명〔중국 한(漢)나라의 무제(武帝)가 친히 숭산(嵩山) 위에서 제사를 지낼 때 신민(臣民)이 만세를 삼창한 데서 나온 말〕천자(天子)에게 경축하는 뜻으로 부르는 만세. ㊕산호(山呼).

산호-말【珊瑚末】명 산호를 분말로 만든 담황색의 그림 물감. 또, 그 대용으로서, 소명반(燒明礬)의 분말에 소량의 주(朱)를 섞은 것.

산호-망【珊瑚網】명 산호를 어획(漁獲)하는 데 쓰는 어구(漁具).

산호-모래【珊瑚—】명 산호사.

산호 반지【珊瑚斑指】명 산호로 만든 반지.

산호-사【珊瑚砂】명 산호초(珊瑚礁)가 파도에 의한 침식(浸蝕)으로 인해 파괴되어 모래같이 된 것.

산호-색【珊瑚色】명 산홋빛.

산호 석회암【珊瑚石灰岩】명〖광〗석회암의 한 가지. 산호충의 유해를 다량으로 함유하는 석회암.

산호-섬【珊瑚—】명〖지〗산호도.

산호성 백혈구【酸好性白血球】[—썽—] 명〖생〗호산구(好酸球).

산-호세〔San José〕명〖지〗중앙 아메리카 코스타리카(Costa Rica)의 수도. 해발 1,180 m의 고원 위에 있음. 18세기 스페인의 식민 도시로서 건설되어 담배·커피의 집산지로서 발전하였음. 코코아·초콜릿·커피 등을 산출함. 풍광 명미(風光明媚)한 관광지이며, 횡단 철도로 태평양·대서양 해안과 연결됨. 푼타아레나스(Punta Arenas)가 외항(外港)임. [790,000 명(1990)]

산호세 선언【—宣言】〔San José〕명〖역〗①1960년 8월, 코스타리카(Costa Rica)의 수도 산호세에서 열린 미주 기주(美洲機構) 외상(外相) 회의에서 채택된 선언. 쿠바에 대한 소련·중공 등의 원조를 비난, 미주 기구에 대한 내정 간섭을 거부하고, 이 기구에 있어서의 전체주의 배제 등을 결의했음. ②1963년 산호세에서 열린 미국 및 중미(中美) 여섯 나라의 대통령 회의가 채택한 선언. 반공(反共)·반(反)쿠바 정책의 재확인과 중미 여러 나라의 경제 통합의 촉진을 내걸었음.

산호-수【珊瑚樹】명 ①나뭇가지 모양으로 생긴 산호. ②〖식〗아왜나무. ③〖식〗[*Bladhia villosa*] 자금우과(紫金牛科)에 속하는 상록 활엽의 작은 관목. 전체에 갈색 털이 나고, 잎은 타원형 또는 거꿀달걀꼴 모양의 타원형이며, 앞뒷면에 털이 남. 여름에 주홍색의 꽃이 산형(繖形) 화서로 1-3 송이씩 액생(腋生)하여 피며, 가을에 둥글고 빨간 과실을 맺음. 낮은 지대의 숲 밑에나 골짜기에 나는데, 제주도·일본에 분포함. 관상용으로 심음.

산호-영【珊瑚纓】명 산호 구슬을 꿰어 만든 갓끈.

산호-유【珊瑚釉】명〖미〗산호빛과 같은 잿물.

산호-잠【珊瑚簪】명 산호로 만든 비녀.

산호 장도【珊瑚粧刀】명 칼집과 자루를 산호로 만든 장도.

산호-주【珊瑚珠】명 산호로 만든 구슬. 붉은 빛·담홍색·흰 빛 등이 있음. 각종 장식용에 쓰임.

산호 죽절【珊瑚竹節】명 산호로 대마디처럼 모양을 내어 만든 비녀.

산호-지【珊瑚枝】명 산호의 가지. 산호 가지.

산호-초【珊瑚礁】명〔coral reef〕〖지〗몸에 석회질의 골격을 가진 산호충의 유해(遺骸)가 쌓이고 쌓여서 된 바위. 따라서 이러한 암초는 산호충이 자랄 수 있는 범위 안에만 발달함. 섬 주위에 붙은 것을 거초(裾礁), 섬을 중심으로 둘러싼 것을 보초(堡礁), 섬 없이 원을 이룬 것을 환초(環礁)라 함. 지금은 열대 지방에만 있음.

산호초-항【珊瑚礁港】명〖지〗환초(環礁)의 내부 또는 보초(堡礁)와 육지 사이의 수면(水面)을 이용한 항구. 열대 지방에만 있음.

산호-충【珊瑚蟲】명〖동〗①산호충과에 속하는 강장(腔腸) 동물의 총칭. 버섯속산호·산호충·연분홍산호·백산호 등이 있음. 산호(珊瑚). ②[*Corallium japonicum*] 산호과에 속하는 강장 동물의 하나. 높이 30 cm 가량, 군체(群體)는 수상(樹狀)이고, 골격은 한 평면내에 부채 모양으로 갈라졌음. 항상 군체(群體)를 이루어 산호의 골격을 형성함. 윗면 중앙에 입을 벌리고 그 주위에 여덟 개의 우상 촉수(羽狀觸手)가 있어 모양이 국화꽃과 같은데 딴 물건에 닿으면 곧 그것을 닫음. 빛은 암갈색, 끝은 담색(淡色)이며, 폴립(polyp)은 완전히 퇴축(退縮)되어 주로 군체의 한쪽에만 있음. 골축(骨軸)은 검붉고, 내축(內軸)은 흼. 열대·아열대 연해(沿海)에 깊이 수백 미터 되는 곳에 서식하는데, 한국 남해 및 일본 태평양 등에 분포함. 장식용·공예품에 사용됨.

〈산호충❷〉

산호충-과【珊瑚蟲科】[—꽈] 명〖동〗[Coralliidae] 산호강 팔방류(八放類)에 속하는 한 과. 대개 군체(群體)는 지상(枝狀)·괴상(塊狀)·엽상(葉狀)을 이루어 식물(植物)처럼 보이며, 개체(個體)는 꽃처럼 된 촉수(觸手)가 우모상(羽毛狀)으로 분지(分枝)되어 구부(口部)를 싸서 폴립(polyp) 형상을 이루고, 아랫 부분에는 위(胃)와 체강(體腔)이 분화하지 않은 강장(腔腸)이 있는데 다른 물건에 착생함. 어린 것을 '플라눌라(planula)'라고 하는데 일정한 기간 부유 생활을 함. 폴립·공육부(共肉部)는 적색·황색 등이 있고, 석회질·골질(骨質)의 골격은 순백색임. 사체(死體)를 산호(珊瑚)라 하여 장식품으로 사용함. 열대·아열대의 해안 100 m 깊이에 서식하며 한국 남해에도 분포함.

산호충-류【珊瑚蟲類】[—뉴] 명〖동〗'산호강'의 관용어.

산호-해【珊瑚海】명〔Coral Sea〕〖지〗오스트레일리아의 동북안(岸)과 뉴헤브리디스(New Hebrides) 제도 사이의 해역(海域). 토레스(Torres) 해협을 걸쳐 아라푸라 해(Arafura海)에 통함. 이 해역의 도서(島嶼)·연안(沿岸)에는 여러 종류의 산호초가 발달되었음. 1942년 미일(美日) 양군 사이에 큰 해공전(海空戰)이 벌어진 곳임. 주요부의 해분(海盆)은 깊이가 3,500-4,000 m인데, 특히 북(北)뉴헤브리디스 해구(海溝)는 9,165 m에 이름.

산호 향집【珊瑚香—】[—찝] 명 산호로 만든 향집.

산호혼-식【珊瑚婚式】명 결혼 기념식의 하나. 결혼 35주년이 되는 날을 축하하여, 부부가 산호 제품 선물을 주고 받아 기념함. *모직혼식.

산홋-가지【珊瑚—】명 ①산호지(珊瑚枝). ②대삼작(大三作)의 하나.

산홋-빛【珊瑚—】[—삗] 명 산홋가지의 빛과 같은 연분홍빛. 산호색.

산화[1]【山火】명 산불.

산화[2]【山花】명 산에서 피는 꽃.

산화[3]【山禍】명〖민〗묏자리가 좋지 못하여 받는다는 재앙.

산:화[4]【散花】명 ①꽃이 져서 흩어짐. 또, 그 꽃. 산화(散華). ②〖식〗꽃은 피어도 과실을 맺지 못하는 꽃. ③〖불교〗의식의 한 가지로, 재식(齋式)에서 범패(梵唄)를 부르며 꽃을 뿌리는 일. ④〖불교〗경전(經典) 가운데의 산문(散文) 부분. * 화게(花偈). ——하다 자여불

산:화[5]【散華】명 ①산화(散花)❶. ②꽃다운 목숨이 전장 등에서 죽음. ③〖불교〗부처를 공양하기 위하여 꽃을 뿌리는 일. ——하다 자여불

산화[6]【酸化】명〔oxidation〕〖화〗어떤 물질이 산소와 화합(化合)하는 일. 넓은 뜻으로는 어떤 물질에서 전자(電子)를 잃는 변화 또는 그에 수반하는 화학 반응의 일컬음. ↔환원(還元). ——하다 자여불

산:화-가【散花歌】명〖문〗월명사(月明師)가 지은 향가의 하나. ≪도솔가(兜率歌)≫와 함께 불렀다고 하는데, 내용은 전하지 아니함.

산화 각섬석【酸化角閃石】명〖화〗각섬석 중에서, 제이철 이온의 비가 높고 수산기가 부족한 것. 화산암중(火山岩中)에 한하여 산출됨.

산화 구리【酸化—】명〔copper oxide〕〖화〗구리의 산화물. ①산화 구리(Ⅰ). 산화 제일 구리. 천연적으로 적동광(赤銅鑛)으로 산출되고, 인공적으로 산화 제이 구리를 800℃로 가열하여 얻는 적색 결정성(結晶性) 분말. 공기 중에서 산화되어 산화 제이 구리가 됨. 유리·도자기의 적색 착색제(着色劑)로 쓰이고, 반도체(半導體)의 성질을 이용하여 광전지(光電池)의 재료로 쓰임. 아산화(亞酸化) 구리. [Cu_2O] ②산화 구리(Ⅱ). 산화 제이 구리. 천연적으로는 흑동광(黑銅鑛)으로 산출되고, 인공적으로는 구리 또는 탄산(炭酸) 구리를 가열하여 얻는 흑색 분말(粉末). 물에는 녹지 않고 산에 녹음. 수소나 일산화 탄소 등으로 쉽게 환원되어 구리로 됨. 유기 화합물의 원소 분석(分析)에 산화제(酸化劑)로 쓰이고, 유리·도자기의 청색 착색제(着色劑)로 쓰임. 흑색 산화 구리. 산화동(銅). [CuO]

산화 구리 광전지【酸化—光電池】명〔copper oxide photovoltaic cell〕빛이 구리층(層)과 산화 제일 구리층(層) 사이의 접촉 표면에 입사(入射)하면, 전압(電壓)을 발생하는 광전지. 「니아 용액.

산화 구리 암모니아 용액【酸化—溶液】〔ammonia〕명〖화〗구리 암모

산화 구리 정:류기【酸化—整流器】[—뉴—] 명〔copper oxide rectifier〕금속(金屬) 구리와 산화 제일 구리 사이의 접합부(接合部)가 정류 장벽(整流障壁)으로 된 금속 정류기.

산화 규소【酸化珪素】명〔silicon oxide〕〖화〗규소의 산화물. ①일산화(一酸化) 규소. ②이산화(二酸化) 규소.

산화-금【酸化金】명〔gold oxide〕〖화〗금의 산화물. 산화수(酸化數) 1, 2, 3의 화합물이 있으나 그 존재가 확실한 것은 삼산화 이금(三酸化二金)(Au_2O_3)으로 흑갈색 분말임. 양성(兩性) 산화물로서 염산(塩酸) 등에 녹음. 암모니아에 녹아 폭발성의 뇌금(雷金)이 됨.

산화 나트륨【酸化—】〔도 Natrium〕명〔sodium oxide〕〖화〗금속(金屬) 나트륨을 180℃ 이하에서 산소를 통(通)하여 얻을 수 있는 무색의 등축 정계(等軸晶系)의 결정성(結晶性) 분말. 물과 폭발적으로 반응하여 많은 열을 발생하면서 수산화(水酸化) 나트륨이 되고, 다시 이산화 탄소(二酸化炭素)를 흡수하여 탄산 나트륨이 됨. 수분(水分) 제거제(除去劑)로 씀. 화산 소듐(火山 sodium). [Na_2O] * 과산화(過酸化) 나트륨.

산화-납 【酸化一】 명 〔lead oxide〕 『화』 납의 산화물. ①일산화납. 산화납(Ⅰ)·산화납(Ⅱ)가 있음. ②산화납(Ⅳ). 이산화납. ③삼산화 이납. 일산화납을 수산화 알칼리 용액에 녹여 하이포아염소산 나트륨을 가하여 만드는 적황색 침전물. 단사 정계(單斜晶系) 결정. 370℃ 이상에서 분해되고, 물에 녹지 않음. [Pb_2O_3] ④사산화 삼납. 납 또는 일산화납을 공기 속에서 400℃ 이상으로 가열하여 만드는 붉은 빛의 정방 정계 결정(正方晶系結晶). 500℃ 이상에서 일산화납(PbO)이 됨. 물에는 녹지 않음. 붉은 안료(顔料), 납유리의 제조, 방청(防銹) 페인트 등으로 쓰임. 미늄(minium). 속칭은 연단(鉛丹)·광명단(光明丹). [Pb_3O_4]

산화 니켈 【酸化一】 명 〔nickel oxide〕 『화』 일산화 니켈(NiO), 삼산화 이니켈(Ni_2O_3), 이산화 니켈(NiO_2) 따위가 있으나 구조가 확인된 것은 일산화 니켈뿐임. NiO는 수산화 니켈·질산 니켈 등의 열 분해에 의하여 얻어지는 녹색 분말. 물에는 녹지 않으나 염산(塩酸)에는 녹음. 녹는점 1,960℃. 각종 자기성(磁氣性) 재료의 원료, 촉매, 도자기의 착색제로 쓰임.

산화-대 【酸化帶】 〔oxidized zone〕 명 『지』 광상(鑛床)이 지표(地表)에 노출(露出)한 부분. 땅 속에 있던 금속의 황화물(黃化物)이 노출하여 공기나 천수(天水)에 의해 산화(酸化)되어 산화물·수산화물(水酸化物) 등으로 변하여 갈색을 띠는 지대. 광상 발견의 중요한 원인이 됨.

산화-동 【酸化銅】 명 『화』 산화 구리.

산화 듀테륨 【酸化一】 명 〔deuterium oxide〕 『화』 대표적인 중수(重水). 밀도는 25℃에서 보통 물의 1.107배, 녹는점 3.82℃, 끓는점 101.42℃. 염류(塩類)의 용해도(溶解度)는 낮으며, 반응 속도도 느림. 트레이서 또는 중수로(重水爐)에서 중성자 감속제(中性子減速材)를 겸한 냉각재로 이용됨. 산화 중수소(酸化重水素). [D_2O]

산화 마그네슘 【酸化一】 명 〔magnesium oxide〕 『화』 마그네슘을 공기 중에서 연소시키든가 탄산염(炭酸塩)·수산화물(水酸化物)을 가열하여 만드는 백색 분말(粉末). 녹는점 2,830℃, 끓는점 3,600℃. 고체(固體) 화학의 대표적 염기(塩基)로 녹는점이 높으므로 고열로(高熱爐)에 쓰이고 약용(藥用)으로 제산제(制酸劑)·내화(耐火) 시멘트 제조 등에 쓰임. 고토(苦土). 마그네시아(magnesia). [MgO]

산화 망간 【酸化一】 명 〔manganese oxide〕 『화』 망간의 산화물. ①산화망간(Ⅱ). 일산화 망간. 천연으로 망가노사이트(manganosite)로서 산출(産出)하는 암녹색(暗綠色)의 입방 정계 결정(立方晶系結晶). 녹는점 1,840℃. 물에는 녹지 아니하고 산에는 녹음. 자기성 재료(磁氣性材料)로 쓰임. [MnO] ②산화 망간(Ⅲ). 삼산화 이망간. 이산화(二酸化) 망간을 가열하면 생기는 흑색 분말. 공기 중에서 600℃ 이상으로 가열하면 사산화 삼망간(Mn_3O_4)이 됨. α와 γ의 두 변태가 있으며, 물에는 녹지 아니하나 산에는 녹음. 흑색 산화 망간. [Mn_2O_3] ③산화 망간(Ⅳ). 이산화 망간. ④사산화 삼망간. 천연적으로 흑망간광(黑 mangane鑛)으로 산출되며, 인공적으로는 다른 산화 망간 또는 수산화(水酸化) 망간을 가열하여 만드는 황색·적색·흑색 등의 가루. 정방 정계(正方晶系)임. 산화 망간 중에서 제일 안정되며 물에는 녹지 아니하고 산(酸)에 녹음. 적색(赤色) 산화 망간. [Mn_3O_4] ⑤산화 망간(Ⅶ). 칠산화 이망간. 과(過)망간산 칼륨의 분말(粉末)에 냉각한 진한 황산(黃酸)을 가하고 다시 냉수를 가했을 때 가라앉는 갈색 기름 모양 액체. 과망간산보다는 강한 산화제(劑)로서, 가연성(可燃性) 물질에 닿으면 발화함. 통칭: 과망간산 무수물(無水物). [Mn_2O_7]

산화-물 【酸化物】 명 〔oxide〕 『화』 산소와 다른 원소의 화합물. 분자 중에 포함된 산소수(數)에 따라 일산화물(一酸化物)·이(二)산화물·삼(三)산화물 등으로 나뉘며, 염기(塩基)와 작용하여 염을 만드는 산성 산화물, 산(酸)과 작용하여 염을 만드는 염기성(塩基性)산화물, 산성·염기성과 관계가 없는 중성(中性) 산화물, 어느 쪽과도 작용하여 염을 만드는 양쪽성 산화물로 구분됨. 그 밖에 과산화물(過酸化物)·겹산화물·초(超)과산화물 등의 구분도 있음. 일반적으로 금속 원소의 산화물은 염기성 산화물이고, 비금속 원소의 산화물은 산성 산화물임. 산소 화합물.

산화물 연료 원자로 【酸化物燃料原子爐】 [一렬一] 명 〔oxide fuel reactor〕 이산화 우라늄(UO_2)·이산화 플루토늄(PuO_2) 등의 혼합물을 연료로 하는 고속 증식로(高速增殖爐).

산화물-염 【酸化物塩】 [一념] 명 〔oxide salt〕 『화』 옥시염(塩).

산화물 음극 【酸化物陰極】 명 〔oxide-coated cathode〕 『전』 열전자(熱電子)를 방사(放射)시키기 위한 음극의 일종. 수신 진공관(受信眞空管)·열음극 방전관(熱陰極放電管) 등에 널리 사용됨. 기본 금속(基本金屬)의 표면(表面)에 알칼리 토금속(alkali土金屬)의 산화물을 발라, 활성화 처리(活性化處理)를 한 것으로 순금속 음극에 비하면 훨씬 열전자 방출(放出)이 좋음.

산화물 자석 【酸化物磁石】 명 『물』 어떤 광석의 산화물을 재료(材料)로 하는 영구 자석(永久磁石).

산화물 핵연료 【酸化物核燃料】 [一녈一] 명 〔oxide nuclear fuel〕 핵분열성의 핵연료 이산화(二酸化) 우라늄(UO_2)과 이산화 플루토늄(PuO_2)의 일컬음.

산화 바나듐 【酸化一】 명 〔vanadium oxide〕 『화』 오산화 바나듐(五酸化 vanadium)·이산화 바나듐·삼산화 이바나듐·일산화 바나듐 등의 총칭.

산화 바륨 【酸化一】 명 〔barium oxide〕 『화』 질산(窒酸) 바륨을 가열하여 만들거나 공업적으로 탄산(炭酸) 바륨을 탄소와 강열(強熱)하여 만든, 비중 5.72, 녹는점 1.92℃, 끓는점 약 2,000℃의 백색 분말(粉末). 물과는 강한 열을 내며 수산화(水酸化) 바륨이 됨. 600℃ 이상으로 가열하면 과산화 바륨과의 고용체(固溶體)가 되는데 이것은 회색으로서 p형 반도체임. 진공관이나 브라운관의 음극재(陰極材)로 쓰임. 중토(重土). [BaO] *과산화 바륨.

산화 방지제 【酸化防止劑】 명 〔antioxidant〕 『화』 자동 산화 물질(自動酸化物質)에 첨가하여 산화로 인한 변질·노화(老化)·부패 따위를 방지(防止)·억제시키는 물질. 페놀류(phenol類)·아민류(amine類) 등이 산화 방지제로 사용됨.

산화 베릴륨 【酸化一】 명 〔beryllium oxide〕 『화』 천연으로 브로멜라이트(bromellite)로서 산출되는, 무색의 육방 정계(六方晶系) 결정. 녹는점 2,530℃, 끓는점 3,900℃. 원자로의 감속재(減速材), 로켓의 연소실(燃燒室), 특수 유리 원료 등으로 쓰임. [BeO]

산화 분위기 【酸化雰圍氣】 명 〔oxidizing atmosphere〕 『화』 산화 반응을 일으키는 기체(氣體) 분위기. 보통, 고체(固體) 산화에 쓰임.

산화 불꽃 【酸化一】 명 『화』 산화성(酸化性) 불꽃.

산화 붕소 【酸化硼素】 명 〔boron oxide〕 『화』 붕소의 산화물. 붕산을 공기 중에서 또는 산소 속에서 강열(強熱)하여 얻는 무색의 육방 정계(六方晶系) 물질. 유리 상태의 것이 많아 녹는점은 약 450℃, 끓는점은 약 1,500℃로 일정하지 않음. 할로겐화(Halogen化) 붕소·금속 붕소 제조의 중간체, 원자력 공업에서의 열중성자(熱中性子) 흡수재로 쓰임. 삼산화 이붕소. 통칭: 붕산 무수물(硼酸無水物). [B_2O_3]

산화 비:소 【酸化砒素】 명 〔arsenic oxide〕 『화』 비소의 산화물. ①삼산화 이비소. 황비철광(黃砒鐵鑛)을 공기 중에서 태워 만든 승화성(昇華性)의 백색 분말. 목탄(木炭)과 함께 가열하면 비소를 유리(遊離)시킴. 양쪽성 산화물로 녹는점은 275℃, 끓는점은 313℃임. 유독(有毒)한데, 이것을 먹으면 배가 아프고 구역질이 나며 심장이 마비되어 죽음. 사람의 치사량(致死量)은 0.06g임. 의약(醫藥)에 쓰이는 외에 방부제(防腐劑)·살서제(殺鼠劑)로 씀. 속칭은 아비산(亞砒酸)❷. 백비(白砒). 비석(砒石). [As_2O_3] ②오산화 이비소. 오산화 비소. 무색의 사방 정계(斜方晶系) 결정. 조해성(潮解性)이 있음. 열을 세게 가하면 삼산화 이비소(As_2O_3)가 됨. 물에 잘 녹으며, 수용액(水溶液) 중에서는 비산(砒酸)을 생성하고, 알칼리와 작용하여 비산염(砒酸塩)을 만듦. 비중 4.09. 통칭: 비산 무수물(砒酸無水物). [As_2O_5]

산화 비스무트 【酸化一】 명 〔bismuth oxide〕 『화』 비스무트의 산화물. ①산화 비스무트(Ⅲ). 삼산화 비스무트. 황색의 결정. 천연으로는 창연화(蒼鉛華)로서 산출됨. 녹는점 824℃. 710℃에서 전이(轉移)하여 δ형으로 됨. 물에는 녹지 않고, 산에는 녹으나 알칼리에는 녹지 않음. [Bi_2O_3] ②산화 비스무트(Ⅴ). 오산화 비스무트. 적갈색(赤褐色)의 분말(粉末). 가열하면 산소를 내보내고 삼산화(三酸化) 비스무트가 됨. 보통 묽은 산(酸)에는 녹지 않으며, 플루오르화 수소산(Fluor化水素酸)에 녹음. [Bi_2O_5]

산:-화산 【一火山】 명 『지』 활화산(活火山). ↔죽은 화산.

산화성 불꽃 【酸化性一】 [一썽一] 명 〔oxdizing flame〕 『화』 불꽃의 외부(外部). 산소(酸素)의 공급이 내부(內部)보다 좋아서 연소(燃燒)가 완전히 되어 빛은 약하나 온도는 매우 높음. 겉불꽃. 외염(外焰). 산화염(酸化焰). ↔ 환원성(還元性) 불꽃. *불꽃.

산화 소듐 【酸化一】 〔sodium〕 명 『화』 산화 나트륨.

산화-수 【酸化數】 명 〔oxidation number〕 『화』 원자의 산화 상태를 나타내는 숫값. 홑원소 물질 및 화합물 중의 전체 전자(電子)를 일정한 방법으로 각 원자에 할당했을 때, 그 원자가 가지는 하전(荷電)의 수. 주로 무기(無機) 화합물에서 원자의 상태를 개략적으로 구별하는 데 이용되며, 산화되면 산화수가 증가하고, 환원되면 감소함. 「的」인 명칭.

산화 수소 【酸化水素】 명 〔hydrogen oxide〕 『화』 '물[2]'의 화학적(化學

산화 수은 【酸化水銀】 명 〔mercury oxide〕 『화』 수은의 산화물. ①산화 수은(Ⅰ). 산화 제일 수은. 제일 수은염(Hg^{I}塩)에 알칼리(alkali)를 가하여 얻는 흑색 물질이라 일컬어 왔으나 실체는 수은과 산화 수은(Ⅱ)의 혼합물임. [Hg_2O] ②산화 수은(Ⅱ). 산화 제이 수은. 적색과 황색의 두 형태가 있는 결정성 분말. 적색의 것은 입자가 크고 황색의 것은 입자가 작음. 양자 모두 물에 녹기 어렵고 묽은 염산, 묽은 질산에 녹음. 유독(有毒)하며 의약품·분석 시약(分析試藥) 등으로 쓰임. 적색의 것을 적강홍(赤降汞), 황색의 것을 황(黃)강홍이라고 함. [HgO]

산화 시안 수은 【酸化一水銀】 〔cyan〕 명 『약·화』 옥시시안 수은(oxycyan水銀).

산화 아연 【酸化亞鉛】 명 〔zinc oxide〕 『화·약』 천연(天然)으로는 홍아연광(紅亞鉛鑛)의 주성분으로서 산출되고, 아연 또는 염기성 탄산 아연을 배소(焙燒)하여 만든, 비중 5.47-5.78, 녹는점 약 2,000°C의 백색 분말. 300°C로 가열하면 황색으로 변하고, 냉각하면 다시 백색이 됨. 물에는 거의 녹지 않으나 진한 알칼리나 묽은 산에는 잘 녹음. 백색안료·고무의 가황(加黃) 촉진제·유약·촉매(觸媒)·의약 등 다방면에 쓰임. 아연화(亞鉛華). 아연백(亞鉛白). [ZnO]

산화 아연 유고 【酸化亞鉛油膏】 명 『약』 아연화 연고(亞鉛華軟膏).

산화 안티몬 【酸化一】 명 〔antimony oxide〕 『화』 안티몬의 산화물. ①산화 안티몬(Ⅲ). 삼산화 이안티몬. 삼산화 안티몬. 천연적으로 세나몬타이트(senarmontite)·발렌티나이트(valentinite)로서 산출되는 무색의 결정. 승화(昇華)시킨 것은 입방 정계(立方晶系)이며 Sb_4O_6 분자로 구성되고, 570℃ 이상에서는 사방 정계(斜方晶系)가 됨. 양쪽성 산화물이나 염기성(塩基性)이 강하며, 녹는점은 656℃, 끓는점은 1,550℃임. [Sb_2O_3] ②산화 안티몬(Ⅳ). 사산화 이안티몬. 사산화 안티몬. 산화 안티몬(Ⅲ)·산화 안티몬(Ⅴ)을 공기 중에서 가열하여 얻어짐. 무색의 사방 정계 결정(斜方晶系結晶). 휘발성이 없으며 물과 산(酸)에는 녹지 아니하고 알칼리에 녹음. [Sb_2O_4] ③산화 안티몬(Ⅴ). 오산화 이안티몬. 오산화 안티몬. 안티몬 또는 다른 산화 안티몬을 진한 질산(窒酸)으로 산화하여 얻는 황백색 분말(粉末). 물에는 조금 녹고 산에는 녹지 아니함. [Sb_2O_5]

산화 알루미늄 【酸化一】 명 〔aluminium oxide〕 『화』 천연적으로는

강옥석(鋼玉石)으로 산출되며, 수산화(水酸化) 알루미늄을 태워 만드는 백색의 분말(粉末). 알루미늄 화합물의 제조 원료. 연마제(研磨劑)·흡착(吸着) 재료·내화(耐火) 재료·촉매 등으로 쓰임. 반토(礬土). 알루미나(alumina). [Al_2O_3]

산화 에르븀【酸化一】명〔erbium oxide〕〖화〗 에르븀의 산화물(酸化物). 핑크색 분말로 물에 녹지 않음. 인(燐)의 자극제, 적외선 흡수 유리 제조 등에 쓰임. [Er_2O_3]

산화 에틸렌【酸化一】명〔ethylene oxide〕〖화〗 에틸렌과 산소를 화합하여 만드는 무색의 화합물. 끓는점 약 11°C. 에틸렌 글리콜(ethylene glycol)을 비롯하여 각종 유기 화합물의 합성 원료로서 중요함. 에틸렌 옥시드. [C_2H_4O]

산화-염【酸化焰】명〖화〗 산화성(酸化性) 불꽃.

산화 염:료【酸化染料】[一뇨] 명〖화〗 섬유(纖維) 위에서 무색(無色)의 유기 화합물(有機化合物)을 산화하여 비로소 염색되는 물감. 아닐린 블랙(anilin black) 같은 것.

산화 염소【酸化塩素】명〔chlorine oxide〕〖화〗 염소와 산소의 화합물. ①일산화 이염소. 황색의 산화 수은(Ⅱ)와 염소의 반응으로 생기는 황갈색의 무거운 기체. 녹는점 −116℃, 끓는점 4℃. 가열하거나 황산(黃酸)·인(燐)·황화 수소·암모니아 등과 접촉하면 폭발적으로 산소로 분해함. 물에는 약 0℃에서 약 200 배의 부피로 녹아 하이포아염소산이 됨. [Cl_2O] ②이산화 염소. 자극성의 냄새가 있는 등황색(橙黃色)의 기체. 녹는점 −59℃, 끓는점 11℃, 비중 2.33 임. 염소산 칼륨에 진한 황산(黃酸)을 작용시켜서 얻음. 물에 쉽게 녹으며 수용액(水溶液)은 일광(日光) 중에서 분해되어 서서히 염산(塩酸)과 염소산(塩素酸)이 됨. 상자성(常磁性)·폭발성으로 강산화제(強酸化劑)임. 종이·펄프·유지류(油脂類)·녹말 등의 표백(漂白)에 널리 쓰임. [ClO_2]

산화 요오드【酸化一】명〔iodine oxide〕〖화〗 요오드와 산소가 결합한 화합물. 황색(黃色)의 결정체인 사산화(四酸化) 요오드(I_2O_4)와 일광(日光)에서 분해되는 백색 분말인 오(五)산화 요오드(I_2O_5)와, 습기가 차기 쉽고 75℃에서 요오드를 배출하는 황백색 분말인 구(九)산화 사(四)요오드(I_4O_9)의 세 가지가 있음.

산화 우라늄【酸化一】명〔uranium oxide〕〖화〗 우라늄의 산화물. ①산화 우라늄(Ⅱ). 일산화 우라늄. 우라늄 홑원소 물질 표면에 흑색 피막(被膜)으로 나타남. 암염형(岩塩型) 구조. [UO] ②산화 우라늄(Ⅳ). 이산화 우라늄. 삼산화 우라늄(UO_3) 또는 팔산화 삼우라늄(U_3O_8)을 900℃의 수소, 350℃의 일산화 탄소로 환원시켜 얻는 갈색 분말. 질산(窒酸)·진한 염산(塩酸)에 녹음. 경수로(輕水爐) 등에 널리 쓰이는 핵연료(核燃料) 물질임. 독성(毒性)이 강하며 방사능의 위험이 있음. [UO_2] ③팔산화 삼우라늄. 가장 안정된 산화 우라늄으로 갈색·흑갈새·녹흑색 등 다양한 색깔의 결정. 가열하면 분해됨. 물에는 녹지 않고 산에는 녹음. [U_3O_8] ④산화 우라늄(Ⅵ). 삼산화 우라늄. 등황색 분말. 물에는 녹지 않고 산에는 녹음. [UO_3]

산화-은【酸化銀】명〔silver oxide〕〖화〗 은과 산소의 화합물. ①산화은(Ⅰ). 암갈색의 등축정계(等軸晶系)의 분말. 열·빛에 대하여 불안정함. 이것의 암모니아 용액으로부터 폭발성 뇌은(雷銀)이 생김. 합성 유기 화학의 탈(脫)할로겐 등에 쓰임. [Ag_2O] ②산화은(Ⅱ). 회흑색의 등축 정계 분말. 강(強)산화제로서 작용하며, 분석 시약으로 쓰임. [AgO]

산화은 전:지【酸化銀電池】〔silver oxide cell〕명 감극 작용(減極作用)이 은(銀)의 산화로 이루어지는 일차(一次) 전지.

산화-인【酸化燐】명〔phosphorus oxide〕〖화〗 인의 산화물. ①삼산화인. [P_2O_3] ②오산화인. [P_2O_5]

산화-자【山花子】명〖악〗 고려 때 송나라에서 들어온 사악(詞樂)의 하나. 감은다령(感恩多令).

산:화작-무【散花作舞】명〖춤〗 조선 순조(純祖) 때 창작된 장생 보연지무(長生寶宴之舞) 네번째 변화에서 협무(挾舞)가 삼지화(三枝花)를 들고 추는 춤사위.

산:-화장【一火葬】명 산 사람을 화장 지냄.

산화적 인산화【酸化的燐酸化】명 세포내 호흡(細胞內呼吸)에서 생긴 자유 에너지를 써서 ADP에서 ATP를 생성시키는 반응. 효모(酵母) 이상의 생물에서는 미토콘드리아(mitochondria)에서 행해짐. 1몰(mol)의 포도당(葡萄糖)의 분해로 38몰의 ATP가 생김.

산-화전【山火田】명 산에 있는 나무와 풀을 불질러 버리고 일구어서 농사 짓는 밭. *화전(火田).

산화 전:위【酸化電位】명〔oxidation potential〕〖물〗 산화 환원 전극(電極)의 평형(平衡) 전극 전위로, 용액의 산화력을 나타내는 양(量).

산화-제【酸化劑】명〔oxidizing agent〕〖화〗 물질을 산화(酸化)시키는 데 쓰이는 물질. 산소·오존(ozone)·질산(窒酸)·이산화 망간 같은 것.

산화 제:이 구리【酸化第二一】명〔cupric oxide〕〖화〗 산화 구리❷.

산화 제:이 수은【酸化第二水銀】명〖화〗 산화 수은❷.

산화 제:이 주석【酸化第二朱錫】명〔stannic oxide〕〖화〗 산화 주석 ❷.

산화 제:이철【酸化第二鐵】명〖화〗 산화철 ❷.

산화 제:일 구리【酸化第一一】명〔cuprous oxide〕〖화〗 산화 구리❶.

산화 제:일 수은【酸化第一水銀】명〔mercurous oxide〕〖화〗 산화 수은❶.

산화 제:일 주석【酸化第一朱錫】명〔stannous oxide〕〖화〗 산화 주석 ❶.

산화 제:일철【酸化第一鐵】명〖화〗 산화철 ❶.

산화 주석【酸化朱錫】명〔tin oxide〕〖화〗 주석의 산화물. ①산화 주석(Ⅱ). 산화 제일 주석. 흑색의 정방 정계 결정(正方晶系結晶). 산·알칼리에 녹는 양쪽성 산화물로 공기 중에서 가열하면 제이 주석이 됨. [SnO] ②산화 주석(Ⅳ). 산화 제이 주석. 천연적으로는 주석석(朱錫石)으로서 산출되고, 인공적으로는 금속 주석을 공기 중에서 가열하여 만드는 무색의 정방 정계(正方晶系) 결정. 물에는 안 녹으며 내열성(耐熱性)·내식성(耐蝕性)이 우수하며, 전기 전도성(電氣傳導性)이 있음. 투명 전극(透明電極)·가스 센서 등에 쓰임. [SnO_2] *주석산(朱錫酸).

산화 중:주소【酸化重水素】명〖화〗 산화 듀테륨(deuterium).

산화 지르코늄【酸化一】명〔zirconium oxide〕〖화〗 지르코늄의 산화물. 대황백색(帶黃白色) 내지 갈색(褐色). 수산화 지르코늄을 가열하여 만듦. 물에 녹고 굴절률이 크며 녹는점은 높아서 2,720℃, 끓는점은 약 5,000℃이고 내식성(耐蝕性)이 강함. 특수 자기(磁器)·도가니·내화 내열 기구(耐火耐熱器具)·유리 등의 내열(耐熱) 및 단열(斷熱)·내식(耐蝕)성의 요업(窯業) 원료로 중용(重用)됨. [ZrO_2]

산화 질소【酸化窒素】[一쏘] 명〔nitrogen oxide〕〖화〗 ①일산화 질소. ②이산화 질소. ③삼산화 질소. ④오산화 질소. 오산화 이질소. 진한 질산에 오산화인(五酸化燐)을 넣고 진공 증류하여 냉각시키면 두 층(層)의 액이 되는데 그중 상층의 등색(橙色) 부분을 냉각시키어 얻는 무색(無色)의 결정. 흡습성(吸濕性)이 있으므로 물에 녹아 질산(窒酸)이 됨. 질산 무수물(無水物). [N_2O_5]

산화 창연【酸化蒼鉛】명〖화〗 '산화 비스무트(酸化 bismuth)'의 구용어.

산화-철【酸化鐵】명〔iron oxide〕〖화〗 철의 산화물. ①산화철(Ⅱ). 산화 제일철. 일산화 일철(一酸化一鐵). 공기를 차단하고 옥살산철(Ⅱ)($Fe_2C_2O_4$)를 가열하여 얻는 흑색 분말. 공기 중에 방치하면 산소를 흡수하여 산화철(Ⅲ)이 됨. 저온(低溫)에서 만든 것은 강자성(強磁性)으로 반응성(反應性)이 풍부함. [FeO] ②산화철(Ⅲ). 산화 제이철. 삼산화 이철. α형·γ형의 2 종이 있는데 α형은 적철광(赤鐵鑛)으로 산출되며 상자성(常磁性)을, γ형은 마그헤마이트(maghemite)로 산출되며 강자성(強磁性)을 나타냄. 철의 원료, 유리·금속·보석의 연마제(研磨劑) 또는 적색 안료(顏料)로 쓰임. [Fe_2O_3] ③산화철(Ⅱ, Ⅲ). 사산화 삼철. 발갛게 단 쇠에 수증기를 작용시켜서 만드는, 흑색의 입방 정계 결정(立方晶系結晶). 천연적으로는 자철광(磁鐵鑛)으로서 산출됨. 물에 녹지 아니하고 산(酸)의 침식을 받지 아니하나, 염산에는 쉽게 녹음. 강하게 가열하면 산화철(Ⅲ)이 됨. 촉매·안료 따위에 쓰임. 자성 산화철(磁性酸化鐵). [Fe_3O_4]

산화 카드뮴【酸化一】명〔cadmium oxide〕〖화〗 카드뮴의 산화물. ①산화 카드뮴(Ⅱ). 일산화 카드뮴. 적갈색의 분말. 녹는점 1,500℃ 이상, 1,560℃에서 승화(昇華)가 현저하게 됨. 물에 녹지 않으며, 산·암모늄염(塩)의 용액에 녹음. [CdO] ②산화 카드뮴(Ⅳ). 이산화 카드뮴. 황색의 결정성(結晶性) 분말. 180-200℃에서 산화 카드뮴(Ⅱ)와 산소(O_2)로 폭발적으로 분해함. 물에 녹지 않으며, 산에 녹아 분해함. [CdO_2]

산화 칼륨【酸化一】〔kalium〕명〔potassium oxide〕〖화〗 칼륨을 질산(窒酸) 칼륨과 진공(眞空) 중에서 가열하거나, 소량(少量)의 공기와 칼륨을 반응시켜 진공 중에서 칼륨을 가열, 칼륨을 제거하여 얻어지는 무색의 결정. 물과는 맹렬히 반응하여 수산화 칼륨이 됨. [K_2O]

산화 칼슘【酸化一】명〔calcium oxide〕〖화〗 탄산 칼슘·질산 칼슘 등을 강하게 가열하거나, 공업적으로는 석회석(石灰石)을 900℃-1,000℃로 가열하여 만드는 백색 무정형(無定形)의 분말. 물과 작용하여 심한 열을 발하면서 수산화 칼슘 곧 소석회(消石灰)가 됨. 대표적인 염기(塩基)로 소석회·카바이드 등의 원료, 건조제·토양 개량제(土壤改良劑) 등으로 널리 쓰임. 백회(白灰). 생석회(生石灰). 하제(煆製) 석회. 속칭 : '회'. [CaO]

산화 캐코딜【酸化一】명〔cacodyl oxide〕〖화〗 유기 비소(有機砒素) 화합물의 하나. 녹는점 영하 25°C, 끓는점 120°C. 아비산(亞砒酸)과 아세트산 나트륨을 작용시켜 만드는데, 악취가 있으며 맹독성(猛毒性)임. 이 악취를 이용하여 아비산 또는 아세트산을 감식(鑑識)함.

산화 코발트【酸化一】명〔cobalt oxide〕〖화〗 코발트이 산화물. ①산화 코발트(Ⅱ). 일산화 코발트. 금속 코발트를 적열(赤熱)한 곳에 수증기를 통하여 만드는 청록색의 분말. 각종 자성 재료(磁性材料)의 원료, 촉매, 도자기의 착색제 등에 쓰임. [CoO] ②산화 코발트(Ⅲ). 사산화 삼코발트. 흑색의 등축 정계 결정(等軸晶系結晶). 가열하면 산화 코발트(Ⅱ)가 됨. 상온(常溫)에서는 상자성(常磁性)이나 40 K 이하에서는 반강자성체(反強磁性體)가 됨. [Co_3O_4]

산화 크롬【酸化一】명〔chromium oxide〕〖화〗 크롬의 산화물. ①산화 크롬(Ⅱ). 일산화 크롬. 산화 크롬(Ⅲ)을 적열(赤熱)하여 수소 또는 에탄올 증기를 통하면 생기는 흑색 분말. [CrO] ②산화 크롬(Ⅲ). 삼산화 이크롬. 수산화 크롬을 가열하여 만든 녹색 분말. 크롬 그린이라고 하여 녹색 안료(顏料)로, 유리나 도기의 착색제, 보석이나 레이저 재료의 첨가제 등에 쓰임. [Cr_2O_3] ③산화 크롬(Ⅳ). 이산화 크롬. 흑색의 등축 정계 결정(等軸晶系結晶). 강자성체(強磁性體)로 300-400℃ 이상에서 분해하여 산화 크롬(Ⅲ)이 됨. 촉매 등으로 쓰임. [CrO_2] ④산화 크롬(Ⅴ). 오산화 이크롬. 산화 크롬(Ⅵ)을 열분해하여 얻어지는 흑색 분말. 가열하면 쉽게 산화 크롬(Ⅲ)으로 됨. [Cr_2O_5] ⑤산화 크롬(Ⅵ). 삼산화 일크롬. 삼산화 크롬. 중크롬산염(重chrome酸塩)의 냉포화(冷飽和)용액에 진한 황산(黃酸)을 가하여 만드는 암적색 침상 결정(針狀結晶). 강한 산화제로 유기 합성(有機合成)에 쓰임. 독성(毒性)이 강하여 점막(粘膜)을 해침. 크롬산 무수물(無水物). [CrO_3]

산화 탄:소【酸化炭素】명〔carbon oxide〕〖화〗 산소와 탄소의 화합물. ①일산화 탄소. [CO] ②이산화 탄소. [CO_2] ③이산화 삼탄소. 무색의 유독(有毒) 기체. 녹는점 −111.3℃, 끓는점 7℃. 공기 중에서 점화하면 청색 불꽃을 내면서 타고 이산화 탄소를 냄. 물에 녹아서 말론산을 생성함. [C_3O_2] ④이산화 오탄소. 이산화 삼탄소를 200℃의 유리관 속을 통과시키면 약 3%가 이산화 삼탄소(C_3O_2)가 됨. 녹는점 −100℃ 이하,

끓는점 105℃. [C_5O_2]

산화 티탄【酸化—】[명] 〔titanium oxide〕〖화〗 티탄의 산화물. ①산화 티탄(Ⅱ). 일산화 티탄. 이산화 티탄을 진공 중에서 가열하여 얻어지는 청동색 내지 흑색 주상(柱狀)결정. 녹는점 1,750℃. 묽은 염산(塩酸)·황산(黃酸)에는 녹으나 질산(窒酸)에는 녹지 않음. [TiO] ②산화티탄(Ⅲ). 삼산화 이티탄. 이산화 티탄과 티탄을 1,600℃로 가열하면 얻어지는 흑자색(黑紫色)의 능면체 결정(菱面體結晶). ③산화 티탄(Ⅳ). 이산화 티탄. 천연(天然)으로는 금홍석(金紅石)·판티탄석(板 titan 石)·에너테이스(anatase) 등으로 산출(產出)되는 정방 정계(正方晶系) 또는 사방 정계(斜方晶系) 결정. 녹는점 1,840℃, 녹는점 이상으로 가열(加熱)하면 굴절률(屈折率)이 높은 미황색(微黃色)의 유리가 됨. 티탄 화이트(titan white)로서 백색 안료로 대량으로 쓰이며, 자기(磁器) 원료·연마제·의약품·화장품 등 용도가 많음. 티타니아(titania) [TiO_2]

산화 표백【酸化漂白】[명] 〖화〗 산화제(酸化劑)로써 탈색(脫色)하는 표백법을 이름. 표백분(漂白粉)·과산화 수소 등을 사용하는데, 양모(羊毛)·명주·셀룰로오스 섬유 등을 표백함.

산화 프로필렌【酸化—】[명] 〔propylene oxide〕〖화〗 에테르 비슷한 냄새의 액체. 끓는점 35°C. 프로필렌을 산화하여 만듦. [C_3H_6O]

산화 환원 반:응【酸化還元反應】[명] 〔oxidation-reduction reaction〕〖화〗 두 가지 물질 사이에, 전자(電子)의 수수(授受)가 이루어지는 화학 반응의 일컬음. 한쪽이 전자를 주어 산화되면, 다른 한쪽은 전자를 받아 환원이 됨. ＊전자 이동 반응.

산화 환원 적정【酸化還元滴定】[명] 〔redox titration〕〖화〗 산화 환원 반응에 의하여 행하여지는 적정. 표준액(標準液)으로 산화제를 사용하는 적정을 산화 적정, 환원제를 사용하는 적정을 환원 적정이라 함. 적정의 판정은 전위차(電位差) 적정이 일반적임.

산화 환원 전:극【酸化還元電極】[명] 〖화〗 전자(電子)의 수수(授受)에 의하여 가역적(可逆的)으로 서로 변화할 수 있는 산화체와 환원체를 포함한 용액 중에, 백금(白金) 전극과 같은 비활성(非活性) 전극을 삽입한 계(系)를 이름.

산화 환원 전:위【酸化還元電位】[명] 〖화〗 Cu^{2+} 이온(ion)과 Cu^{+} 이온처럼 상호간에 전하(電荷)를 수수(授受)하며, 가역적(可逆的)으로 변화하는 두 가지 이온 (산화체(酸化體) 및 환원체(還元體)라 함) 용액(溶液)에 백금(白金) 등의 전극(電極)을 담갔을 때, 용액과 전극간에 나타나는 전위차(電位差).

산화 환원 전:지【酸化還元電池】[명] 〖화〗 주석(Sn)처럼 동일 물질의 양극(兩極) 사이의 산화 환원(酸化還元) 반응에 의하여 이루어지는 전지를 이름.

산화 환원 지시약【酸化還元指示藥】[명] 〖화〗 산화 환원계(系)를 포함한 시료 용액(試料溶液)의 산화 환원 전위(電位)를 추정하기 위하여 쓰이는 색소.

산화 환원 효소【酸化還元酵素】[명] 〔oxidoreductase〕〖생〗 생체 물질(生體物質)의 산화 환원 반응을 촉매(觸媒)하는 효소의 총칭. 생체는 이의 작용으로 다수의 유기물 및 무기물을 산화·환원하고, 이에 의하여 에너지를 획득하며, 생체 구성 성분의 합성이나 생명 활동에 이용함.

산화-황【酸化黃】[명] 〔sulfur oxide〕〖화〗 산소와 황의 화합물. ①이산화황. [SO_2] ②삼산화황. [SO_3]

산화 효소【酸化酵素】[명] 〔oxydase〕〖생〗 물질의 산화에 관여하는 효소. 기질(基質)을 산화할 때 산소를 전자 수용체(電子受容體)로 쓰는 효소의 총칭. 호기성(好氣性) 생물은 이 효소로 필요한 물질의 획득, 불필요한 물질의 분해를 함. ＊탈수소(脫水素) 효소.

산황-나무【山黃—】[명] 〖식〗 [*Frangula crenata*] 갈매나뭇과에 속하는 낙엽 활엽 관목. 잎은 긴 거꿀달걀꼴 또는 긴 타원형임. 6-7월에 황록색의 꽃이 자웅 일가(雌雄一家)의 취산(聚繖) 화서로 액생(腋生)하고, 과실은 장과(漿果) 모양의 구형(球形)인데 8월에 익음. 산과 들에 나며, 우리 나라의 전남 및 중국에 분포함.

산:회【散會】[명] 회를 해산함. 회를 마치고 사람들이 흩어져 감. ↔집회(集會). ＊정회(停會)·폐회(閉會)·휴회(休會). ——하다 [자][여불]

산:회-가【散會歌】[명] 〖악〗 불가(佛歌)의 하나. 작자 미상.

산효【山鴞】[명] 〖조〗 올빼미.

산후¹【山後】[명] 산의 뒤쪽. ↔산전(山前).

산:후²【產後】[명] 해산(解產)한 뒤. ↔산전(產前).

산:후 더침【產後—】[명] 아이를 낳은 뒤에 생기는 여러 가지 병증. 산후병. 산후 별증. 후탈. [준]후더침.

산:후 발한【產後發寒】[명] 〖의〗 아이를 낳은 뒤에, 한기(寒氣)가 들어 떨고 앓는 병. 산후풍(產後風). ＊산욕열(產褥熱).

산:후 별증【產後別症】[—쯩] [명] 해산한 뒤에 일어나는 여러 가지 병 ⌊증세. 산후 더침.

산:후-병【產後病】[—뼝] [명] 산후 더침.

산-후안 〔San Juan〕[명] 〖지〗 아르헨티나 중서부, 안데스 산맥 동쪽 기슭의 도시. 16세기에 건설된 식민 도시. 포도주의 산지로 유명함. [117,731명(1980)]

산:후 출혈【產後出血】[명] 〖의〗 분만(分娩)으로 태아가 모체 밖으로 나온 후의 태반 박리(胎盤剝離) 때에 또는 분만 후, 자궁의 수축이 나빠서 일어나는 이상(異常) 자궁 출혈. ⌈다시 장가드는 일.

산:-후취 【—後娶】[명] 아내가 있는데, 또 장가를 들거나 아내를 내쫓고

산:후-풍【產後風】[명] 산후 발한(產後發寒).

산:휴【產休】[명] ↗출산 휴가(出產休暇). ＊산전후(產前後) 휴가.

산:휴 강:사【產休講師】[명] 여교사(女敎師)의 출산 휴가 기간 동안, 그 여교사 대신 수업을 맡아 해 주는 대치 강사(代置講師).

산희【山戲】[—히] [명] 유득공(柳得恭)의 《경도 잡지(京都雜誌)》에서 '인형극'을 가리킨 말. ＊야희(野戲).

산-희석【酸稀釋】[—히—] [명] 유정(油井)의 산처리(酸處理)를 하기 전에 짙은 염산(塩酸)을 물로 희석하는 일.

〈산흰쑥〉

산-희작【山喜鵲】[—히—] [명] 〖조〗 메까치.

산-흰쑥【山—】[—힌—] [명] 〖식〗 [*Artemisia stelleriana*] 국화과의 다년초. 국화와 비슷한데, 줄기 높이 30-60cm이고, 전체에 흰 털이 많이 났음. 잎은 거꿀달걀꼴로 째지고 열편(裂片)은 긴 타원형임. 8-9월에 담황색 꽃이 원추상 총상 화서로 엽액(葉腋)에 빽빽이 핌. 산지에 나는데, 함남북에 분포함. 백호(白蒿).

산힝 [명] 〈옛〉 〔←산행(山行)〕 사냥. ¶ 산힝 수(蒐), 산힝 슈(狩), 산힝 면(畋) ≪字會 下 9≫.

산힝ᄒᆞ다 [타] 〈옛〉 사냥하다. ¶ 산힝홀 렵(獵) ≪字會 中 2≫.

삳 [명] 〈옛〉 삿자리. =삿. ¶ 삳 뎜(簟) ≪字會 中 11≫.

삳갇 [명] 〈옛〉 삿갓. ¶ 俗呼篛笠 삳갇 ≪字會 中 15≫.

삸 [명] 〈옛〉 삿자리. =삳. ¶ 벼개와 삸군 것으며(斂枕簟) ≪小諺 Ⅱ:5≫.

살¹ [명] [중세 : 슬ㅎ] ①동물의 뼈를 싸고 있는 물렁물렁한 물질. ¶ ~이 통통하게 찌다. ↔뼈. ＊피부(皮膚). ②조개 또는 게 따위의 껍데기나 다리 속에 든 연한 물질. ¶ 조갯~. ③과육(果肉).

살로 가다 [구] 먹은 것이 살이 되다.

살을 깎고 뼈를 갈:다 [구] 몸이 야윌 정도로 노력하여 애쓰다. 매우 고생 ⌊하다.

살을 에:고 소금 치는 소리 [구] 따끔하고 신랄한 말.

살이라도 베어 먹이다 [구] 제 몸의 살까지라도 베어서 먹일 만큼 알뜰히 보살펴 주다.

살² [명] [중세 : 살] ① 창문이나 얼레·부채 또는 자전거 바퀴·수레 바퀴 등의 뼈대가 되는 대오리. ¶ 문~ / 부챗~. ②연(鳶)의 뼈대가 되는 대오리. 달. ③빗의 낱낱으로 갈리어진 이. ¶ 빗~. ④↗어살. ¶ ~을 치다. ⑤↗화살. ¶ ~을 먹이다. ⑥벌의 꽁무니에 있는 침. 벌의 유일한 무기임. ¶ ~에 쏘이다. ⑦해·별·불 또는 흐르는 물 같은 것들의 내뻗치는 기운. ¶ 햇~ / 물~. ⑧떡살로 찍은 무늬.

【살은 쏘고 주워도 말은 하고 못 줍는다】 화살은 쏘아도 찾을 수 있으나 말은 다시 수습할 수 없다는 뜻. 곧, 말을 삼가라는 말.

살³ [명] 노름판에서, 걸어 놓은 목에 덧붙이기로 더 태워 놓는 돈. ¶ ~ 들 ⌊어간다.

살⁴ [명] 〈방〉 쌀(경상).

살⁵【煞】[명] 〖민〗 ①사람이나 물건 등을 해치는 독하고 모진 기운. 곧, 악귀(惡鬼)의 짓. ¶ 주당(周堂)~/상문(喪門)~/~내리다/네 주먹엔 ~이 있다. ②친족(親族)간에 좋지 않은 띠앗. ¶ 그의 형제는 ~이 세다.

살(이) 끼다 [구] ㉠악귀의 독하고 모진 기운이 들러붙다. ㉡띠앗머리를 사납게 하는 것이 들러붙다.

살⁶ [의명] [중세 : 설] 나이를 세는 말. ¶ 한 ~/두 ~.

살-가다【煞—】[자] 대수롭지 아니한 것을 건드려서 공교롭게 상하거나 깨졌을 때 이르는 말. ¶ 한 번 때린 것이 살가서 죽었다.

살-가죽 [—까—] [명] 동물의 몸 거죽을 싸고 있는 껍질. 피부(皮膚).

살가지 [명] 〈방〉 〖동〗 삵괭이(충남·전라).

살간 [명] 〈방〉 살강(경상).

〈살갈퀴〉

살-갈퀴 [명] 〖식〗 [*Vicia sativa*] 콩과에 속하는 월년초. 줄기는 네모지고 다소 비스듬히 벋으며 길이 90cm 가량 됨. 잎은 호생하는데 우상 복엽으로 권수(卷鬚)가 있고, 소엽(小葉)은 끝이 화살의 깃 모양임. 4-5월에 자색 꽃이 엽액(葉腋)에 피며, 협과(莢果)는 꼬투리가 길어 씨를 여러 개 가짐. 들에나 밭에 나는데, 유럽 및 아시아에 분포함. 줄기·잎은 사료(飼料), 종자는 식용함.

살갑다 [형][ㅂ불] ①겉으로 보기보다는 속이 너르다. ②마음씨가 부드럽고 다정스럽다. ¶ 그이는 원체 살갑고 인자스러워서, 온정을 주고받으며 사는…≪康信哉 : 琉璃의 덫≫. <슬겁다.

【살갑기는 평양(平壤) 나막신】 안쪽이 넓기는 평양산(產) 나막신과 같다는 뜻으로, 몸은 작은데 음식은 남보다 더 많이 먹는 사람을 가리켜 비웃는 말.

살강 [명] 식기 또는 기구를 얹어 놓기 위하여, 시골집 부엌의 벽 중턱에 드린 선반. 가는 서까래 두 개를 건너질러서 만듦.

【살강 밑에서 숟가락 얻었다】 ㉠남이 빠뜨린 물건을 얻어서 횡재했다고 좋아하나, 살강 임자의 물건이 분명한즉 헛좋았다는 말. ㉡아주 쉬운 일을 하고 자랑한다는 말.

살강-거리다 [자] 설익은 밤이나 콩 같은 것이 씹힐 때에 베어지거나 부서지는 소리가 자꾸 나다. 또, 그것을 씹을 때에 입 안에서 무르지 아니한 느낌을 연해 주다. ㅆ쌀강거리다. ㅆ쌀캉거리다·쌀캉거리다. <설겅거리다. 살강-살강 [부]. ——하다 [자][여불]

살강-니 [명] 〈방〉 사랑니.

살강-대다 [자] 살강거리다.

살갗 [—갇] [명] 살가죽의 겉면. 피부(皮膚). ¶ ~이 곱다.

살갗 감:각【—感覺】[—갇—] [명] 피부 감각(皮膚感覺).

살갗-병 【—病】[—갇—] [명] 〖의〗 피부병(皮膚病).

살갗-샘 [—갇—] [명] 〖생〗 피부선(皮膚腺).

살갗 핏줄 [—갇—] [명] 〖생〗 피부 혈관(皮膚血管).

살-같이 [—가치] [부] 쏜살같이. 화살같이. ¶ ~ 흐르는 세월.

살갱이 [명] 〈방〉 〖동〗 살쾡이(강원·충북·전남·경상).

살-거름 [명] 〖농〗 씨를 뿌릴 때에 씨와 섞어서 쓰는 거름.

살-거리 [—꺼—] [명] 몸에 붙은 살의 정도와 모양.

살-걸음 명 화살이 날아가는 속도. 「상태. ↔팔것몰림.
살것-몰림 [—껏—] 명 『경』 증권 시장에서, 매물 쇄도(買物殺到)의
살겅 명 〈방〉 살강(전남).
살겡이 명 〈방〉 『동』 살쾡이(경남).
살-결 [—껼] 명 살갗의 결. 기리(肌理). 부리(膚理).
살-결박 【—結縛】 명 죄인의 옷을 벗기고 알몸뚱이로 하여 묶음. 육박(肉縛). ——-하다 타여불
살계 백반 【殺鷄白飯】 명 〈속〉 닭 잡고 흰 밥을 곁들인 음식. 서민(庶民)
살-고기[1] 명 〈방〉 『어』 살기[2]. └의 성찬(盛饌)을 이르는 말.
살-고기[2] [—꼬—] 명 ☞ 살코기.
살곤-악 【煞袞樂】 명 '쇄곤악(煞袞樂)'을 잘못 일컫는 말.
살곰-살곰 부 〈방〉 살금살금.
살공 명 〈방〉 살강(함남).
살곶이 다리 [—꽂—] 명 전곶교(箭串橋).
살광 명 〈방〉 살강(경기·강원·경북).
살괘 명 〈방〉 『동』 살쾡이(경북).
살괘이 명 〈방〉 『동』 살쾡이(경북).
살괭 명 〈방〉 살강(강원).
살괭이 명 〈방〉 『동』 살쾡이(경기·전라).
살굉이 명 〈방〉 『동』 살쾡이(경기·강원·충북·전라·경북).
살구 명 『식』 개살구나무·살구나무 등의 열매. 육행(肉杏).
살구-기 【殺狗記】 명 『책』 중국 명나라 초기의 희곡(戲曲). 저장 성(浙江省) 춘안(淳安) 사람이 원대(元代)의 희곡 《양씨녀 살구 권부 잡극(楊氏女殺狗勸夫雜劇)》 4막을 36막으로 개편한 것.
살구-꽃 명 개살구나무·살구나무의 꽃. 행화(杏花).
살구-나무 명 『식』 [*Prunus armeniaca*] 앵두과에 속하는 낙엽 활엽 교목. 높이 5-7m이고, 잎은 호생하며, 넓은 타원형 혹은 달걀꼴인데, 가에 잔 톱니가 있음. 4월에 잎에 앞서 담홍색의 오판화(五瓣花)가 단립(單立) 또는 쌍생(雙生)하고, 핵과(核果)는 구형(球形)으로 가을에 익음. 중국 원산으로 산록에 나는데, 한국·일본·중국 및 유럽에 분포함. 과실은 생식(生食) 또는 통조림 등에 쓰이고, 한방(韓方)에서 인(仁)을 '행인(杏仁)'이라 하여 약재로, 재목은 도구재로 쓰임.

〈살구나무〉

살구다 타 〈방〉 살리다(함경).
살구-떡 명 살구편.
살구-밭 명 살구나무를 재배하는 밭. 「꿀물에 잠깐 조린 정과.
살구씨 정:과 【—正果】 명 살구씨를 끓는 물에 담가서 껍질을 벗기고
살구 정:과 【—正果】 명 푸른 살구를 껍질을 벗기고 소금에 저렸다가 물에 담가서 시고 짠맛을 뺀 뒤에, 꿀이나 설탕에 조린 정과. 행정과(杏正果). 「꿀을 쳐서 만든 떡. 행병(杏餠). 살구떡.
살구-편 명 익은 살구를 쪄서 으깨어 체에 거른 다음, 녹말을 넣고 끓인
살-군두 명 가래 날을 장부의 바닥에 얼러 매는 줄. 꺾쇠 대신으로 씀.
살궁 명 〈방〉 살강(황해).
살궝 명 〈방〉 살강(함경).
살귀[1] 명 〈방〉 살구(제주·황해·함경).
살귀[2] 명 〈방〉 『동』 살쾡이(경북).
살균 【殺菌】 명 세균 등의 미생물을 사멸(死滅)시켜, 무균(無菌) 상태로 하는 일. 멸균. *소독(消毒). ——-하다 자여불
살균-기 【殺菌器】 명 『의』 살균하는 기계.
살균 냉:각 【殺菌冷却】 명 과일이나 야채(野菜)를 냉각 또는 예비(豫備) 냉각하는 방법. 응고점(凝固點)을 저하(低下)시키기 위해서 식염(食塩) 외에 살균제(劑)를 넣은 물을 냉각 분무(噴霧)시킴.
살균-등 【殺菌燈】 명 방전(放電)에 의해 생기는 자외선을 살균에 사용하는 저압(低壓) 수은등(水銀燈). 관(管)에는 자외선 투과(透過) 유리나 석영(石英) 유리가 쓰임.
살균-력 【殺菌力】 [—녁] 명 세균(細菌)을 죽이는 힘. 살균하는 힘.
살균-법 【殺菌法】 [—뻡] 명 세균을 죽이는 방법. 고온(高溫) 살균·저온(低溫) 살균 또는 약품이나 광선에 의한 방법 등이 있음. *소독법(消毒法). 「성질. 멸균성.
살균-성 【殺菌性】 [—썽] 명 병원체(病原體)나 그 외의 미생물을 죽이는
살균-소 【殺菌素】 명 보체(補體)의 존재(存在) 아래, 세균을 죽이는 항
살균-약 【殺菌藥】 [—냑] 명 『약』 살균제. └체(抗體).
살균-유 【殺菌乳】 [—뉴] 명 살균한 우유(牛乳). 멸균유.
살균 장치 【殺菌裝置】 명 살균을 하는 여러 가지 장치.
살균-제 【殺菌劑】 명 『약』 병독(病毒)이 있는 미생물(微生物)을 죽이는 약제. 페놀(phenol)·크레졸·알코올·요오드 팅크·표백분(漂白粉)·승홍(昇汞)·포르말린·붕산(硼酸) 등. 살균약. 「1)·2): <슬그니.
살그니 부 ①마음 속으로 은근히. ②바쁘거나 활발하지 못하고 가만히.
살그머니 부 남이 모르게 넌지시. ¶ ~ 다가서는 그림자. ㊀살그미. <
살그미 부 ↗살그머니. └슬그머니.
살근-거리다 자 ①둘이 서로 마주 닿아 가볍게 비비다. ②힘들이지 않고 살그머니 가볍게 행동하다. <슬근거리다. 살근-살근 부 「수양은 ~ 부채질을 멈추지 않았다《金東仁 : 首陽大君》. ——-하다 자여불
살근-대다 자 살근거리다.
살금-살금 부 남이 모르도록 눈치를 보아 가만가만 하는 모양. ¶ ~ 곁에 다가서다. ㊀살살. <슬금슬금.
살긋-거리다 자타 한쪽으로 배뚤어지거나 기울어지게 자꾸 움직이다. 또, 그리 되게 하다. ㅆ쌀긋거리다. >샐긋거리다. <실긋거리다. 살긋-살긋 부. ——-하다 자타여불

살긋-대다 자타 살긋거리다. 「>샐긋하다·<실긋하다.
살긋-하다 형여불 바르게 된 물건이 한쪽으로 일그러지다. ㅆ쌀긋하다.
살-기[1] [—끼] 명 몸에 살이 붙은 분량. ¶ ~가 별로 없는 메마른 손.
살기[2] 명 『어』 ☞ 사르기.
살기[3] 명 〈방〉 『동』 살쾡이(강원·경북).
살기[4] 명 〈방〉 살구(경상·함경).
살기[5] 【殺氣】 명 ①무섭고 거친 기운. ②살벌한 기상(氣相). ¶ ~ 등등.
살기(가) 있다 구 무섭고 거친 기운이 있다. ¶ 살기 있는 눈. 「다.
살기(가) 차다 구 무섭고 독살스러운 기운이 꽉 차다. ¶ 살기 차게 대들
살기 담:성 【殺氣膽盛】 명 살기가 있어서 무엇이든지 무서워하지 아니함. ——-하다 형여불
살기 등등 【殺氣騰騰】 명 살기가 얼굴에 잔뜩 올라 있음. ¶ ~한 기색으로 덤비다. ——-하다 형여불
살기 충천 【殺氣衝天】 명 살기가 하늘을 찌를 듯이 가득함. ——-하다 └형여불
살-길[1] [—낄] 명 화살이 날아가는 길.
살:-길[2] [—낄] 명 살아 가기 위한 방도. ¶ ~을 찾다.
살-깃 [—낏] 명 화살의 뒤끝에 붙인 새의 깃.
살-깊다 형 몸에 살이 많이 붙은 자리가 두껍다.
살꾕이 명 〈방〉 『동』 살쾡이(경기·강원).
살-나가다 【煞—】 [—라—] 자 살내리다[2].
살:-날 [—랄] 명 ①앞으로 세상에 살아 있을 날. ¶ ~이 얼마 남지 않았다. ②잘 살게 될 날. ¶ ~이 올 것이다.
살-낭자 [—랑—] 명 '바늘'의 변말.
살-내 [—래] 명 몸에서 나는 냄새.
살-내리다[1] [—래—] 자 몸의 살이 빠지다. ↔살오르다.
살-내리다[2] 【煞—】 [—래—] 자 ①사람을 해치거나 물건을 깨치는 독살궂은 기운이나 악한 귀신의 짓이 떨어져 나가다. ②일가 친척 사이에 사나운 띠앗머리가 떨어져 나가다. 살나가다. ↔살오르다.
살년 【殺年】 [—련] 명 모질게 흉년(凶年)이 진 해.
살-눈 [—룬] 명 『식』 육아(肉芽).
살-눈섭 명 〈방〉 속눈썹(평안).
살-눈썹 명 〈방〉 속눈썹(평북). 「이슬 같은 눈물이 두어 방울 ~에 맺혔다《鄭飛石 : 青春의 倫理》. 「乞 下 10》.
살님자 명 〈옛〉 살 사람. ¶ 또 살님자도 셔디 아니ᄒᆞ며(也不向買主)《老
살:다[1] ㊀자 〔중세 : 살다〕 ①목숨을 이어 나가다. 목숨을 지니고 존재하다. ¶ 오래 ~/산 짐승. ↔죽다. ②생명이 있는 것이 생명을 이어 나가려고 자리를 잡고 온갖 짓을 하면서 지내다. ¶ 장사를 하며 살련다. ③살림을 하고 지내다. 보금자리에서 지내다. ¶ 서울에 ~. ④그림이나 글 따위가 생생한 효과를 내다. ¶ 산 글/마지막 한 마디로써 이 시(詩)는 살았다. ↔죽다. ⑤바둑에서, 상대편 돌에 둘러싸였던 돌이 죽음을 면하다. ¶ 두 집으로 ~. ↔죽다. ⑥소용·효용·쓸모 따위가 있다. ¶ 산 교훈/산 지식/그 정신은 오늘날까지 살아 있다. ↔죽다. ㊁타 ①벼슬이나 소임을 지내다. ¶ 벼슬을 ~/머슴을 ~. ②〈속〉 징역 살이를 하다. 구류형(拘留刑)을 받다. ¶ 3년을 ~.
【산 개새끼가 죽은 정승보다 낫다】 천(賤)하나마 살아 있는 것이, 귀한 자의 죽어 있는 것보다 낫다는 말. 【산 김가 셋이 죽은 최가 하나를 못 당한다】 김씨 성을 가진 사람은 흔히 미련하다 할 정도로 후하고 최씨 성을 가진 사람은 흔히 단단하고 매섭다 하여 이르는 말. 【산 닭 길들이기는 사람마다 어렵다】 제 멋대로 행동하는 사람을 다잡아서 가르치기는 어렵다는 말. 【산 닭 주고 죽은 닭 바꾸기도 어렵다】 자기가 먼저 구하게 되면 귀한 것도 천해진다는 말. 【산 사람은 아무 때나 만난다】 사람은 죽지 않고 살아 있으면, 어느 때 어디선가 만나게 되니, 다시 안 볼 것처럼 야박하게 끊지 말라고 경계하는 말. 【산 사람 입에 거미줄 치랴 : 산 사람의 목구멍에 거미줄 치지 않는다 : 산 입에 거미줄 치랴】 살기가 어렵다고 해서 쉽사리 죽기야 하겠느냐는 말. 【산 호랑이 눈썹도 그리울 게 없다】 모든 것이 구비되어 있고 풍부하여 조금도 부족함이 없다는 말. 【산 호랑이 눈썹을 찾는다】 도저히 불가능한 것을 얻으려고 한다는 말.
살:다[2] 형 크기가 기준이나 표준에 자칫 지나다.
살-다듬이 명 다듬잇살이 오르도록 짓두드려 하는 다듬이. ——-하다 타여불 「잎담배.
살-담배 명 칼로 썬 담배. 각연초(刻煙草). 절초(切草). 각초(刻草). ↔
살-닿다 [—다타] 자 이해 득실(利害得失)이 오락가락하다가 본밑천에 손해가 나다. 「을 바로잡기 위하여 버티는 나무.
살-대 [—때] 명 ①↗화살대. ②『건』 기둥이나 벽이 넘어지려 하는 것
살-덩어리 [—떵—] 명 살로 이루어진 덩어리. 육괴(肉塊). ㊀살덩이.
살-덩이 [—떵—] 명 ↗살덩어리.
살도 【殺到】 [—또] 명 '쇄도(殺到)'를 잘못 읽는 말.
살도배기 명 〈방〉 되(경남).
살-도자 【薩都刺】 명 『사람』 중국 원(元)나라의 문인. 자는 천석(天錫). 천하의 절경 유승(絕景幽勝)을 남김 없이 탐승(探勝)하여 시를 지었다고 함. 저서에 《안문집(雁門集)》 등이 있음. [1308-?]
살-돈 명 ①노름 밑천의 돈. ②무슨 일을 하여 밑졌을 때에, 본디의 그 밑천이 되었던 돈을 일컫는 말. 육전(肉錢).
살두디기 명 〈방〉 누더기. 「똥-스레 부
살:똥-스럽다 형ㅂ불 말이나 하는 짓이 독살스럽고도 당돌하다. 살:
살뜰-하다 형여불 〔근대 : ᄉᆞᆯ뜰ᄒᆞ다〕 썩 알뜰하다. 규모가 있고 착실하다. 살뜰-히 부
살-뜸 명 『한의』 살 위에 무엇을 덧놓지 아니하고 바로 뜨는 뜸. ——-하다 자여불
살라딘 〔Saladin〕 명 『사람』 이슬람 세계의 정치가·군인(軍人). 이집트

아이유브(Ayyūb) 왕조의 시조. 시리아·이집트·이라크 북부를 경략(經略), 십자군을 격파하여 1187년 예루살렘을 회복하였으며, 제3차 십자군과 화해하고 다마스커스에서 죽음. [1138-93; 재위 1169-93]

살라망카 〔Salamanca〕 명 스페인 북서부 레온(León) 지방의 도시. 농산물 시장의 중심지. 제분·양조·피혁 공업이 발달함. 12세기의 대성당(大聖堂)·대학이 있음. 고대 로마 시대에는 로마의 군사 기지였으며, 한니발(Hannibal)에게 점령된 바도 있음. [152,766명(1986 추계)]

살라미 〔salami〕 명 이탈리아식의 소시지(sausage)의 한 가지. 열을 가하지 아니한 날고기에, 소금·향료 등을 쳐서 차게 건조하여 만듦. 샐러드·샌드위치 등에 씀. 살라미 소시지.

살라미 소시지 〔salami sausage〕 명 살라미.

살라미스 〔Salamis〕 명 〖지〗 아테네(Athene) 부근의 수도(水道)·만(灣)·섬의 이름. 기원 전 480년 페르시아 전쟁(Persia戰爭) 때, 살라미스 수도에서 테미스토클레스(Themistocles)가 거느리는 해군이 페르시아·페니키아 해군을 격파하여 그리스의 위기(危機)를 구하였음.

살라미스 해:전 【—海戰】〔Salamis〕 명 〖역〗 기원 전 480년, 아테네의 장군 테미스토클레스가 이끄는 그리스 함대가, 침입하여 온 페르시아 함대를 살라미스 만(灣)에서 맞아 격파시킨 해전.

살라이고메스 섬 〔Sala-y-Gomez〕 명 〖지〗 남태평양 동부의 작은 섬. 칠레령(Chile領)의 무인도인데, 해조(海鳥)의 산란지로 유명함.

살라자:르 〔Salazar, Antonio de Oliveira〕 명 〖사람〗 포르투갈의 정치가. 1932년에 수상이 된 후 국가 통일당을 조직, 신헌법을 제정하고, 가톨릭적·파시즘적 독재 정치를 폈음. 제2차 세계 대전 이후 미국에 접근하여 국제적 지위 향상을 도모하였음. [1889-1970]

살라크루: 〔Salacrou, Armand〕 명 〖사람〗 프랑스의 극작가. 의학·철학을 전공. 초현실주의적 기법을 대담하게 구사한 작풍(作風)으로 유명함. 극작 《아틀라스 도텔(Atlas d'Hôtel)》로 출세한 이후 《아라스(Arras)의 미지의 여자》·《지구는 둥글다》 등 희극으로부터 철학적인 연극에까지 여러 장르(genre)의 희곡을 썼음. 사르트르(Sartre)와 함께 진보적 극작가로 꼽힘. [1899-1989]

살랄 〔Sallal, Abd Allah al-〕 명 〖사람〗 예멘(Yemen)의 군인·정치가. 1948년 국왕 암살 사건에 관계하여 1955년까지 투옥됨. 1962년 쿠데타로 왕정을 폐지하고 공화국을 수립, 초대 대통령이 되었으나 1967년 쿠데타로 추방되어, 바그다드로 망명함. [1917-]

살람보: 〔Salammbô〕 명 〖문〗 플로베르(Flaubert)의 역사 소설. 1862년 지음. 포에니 전쟁의 사실(史實)에서 취재한 것으로, 반란군의 맹장(猛將) 리비아인(人)의 마토(Mathos)와 총수(總帥) 하밀칼의 딸 살람보와의 비련(悲戀)을 그렸음.

살랑 부 바람이 가벼이 부는 모양. ¶ ~ 불어 오는 봄바람.

살랑-거리다 자 ①몸에 조금 추운 느낌이 생길 만큼 바람이 가볍게 자꾸 불다. ¶ 살랑거리는 봄바람. ②가볍게 팔을 저어 바람을 내면서 걷다. 1)·2): 쓰쌀랑거리다. <설렁거리다. **살랑-살랑** 부. ——-하다¹ 자여불

살랑-대다 자 살랑거리다. 「쌀랑하다². <설렁설렁하다².

살랑살랑-하다² 형여불 날씨가 바람이 살랑거리는 상태에 있다. 쓰쌀랑

살랑-하다 형여불 ①날씨가 조금 추운 듯하다. ¶ 날씨가 좀 살랑하군/방안이 ~. ②갑자기 놀라, 가슴 속에 찬바람이 도는 것 같다. ¶ 가슴이 살랑해지다. 1)·2): 쓰쌀랑하다. <설렁하다.

살래 명 〈방〉 살강(제주).

살래-살래 부 몸의 한 부분을 가볍게 가로 흔드는 모양. ¶ 고개를 ~ 흔들다. 준살살. 쓰쌀래쌀래. <설레설레. *잘래잘래.

살략 【殺掠·殺略】 명 사람을 죽이고 재물을 빼앗음. ——-하다 타여불

살량-굿 명 〖민〗 전라 남도 해남(海南) 지방에서, 정신 병마인 청계를 쫓고 병을 낫게 하기 위해 벌이는 굿. 실신(失神)굿.

살레르노 〔Salerno〕 명 〖지〗 이탈리아 남부 캄파니아(Campania) 지방의 도시. 살레르노 만(灣)을 바라보는 항구 도시. 섬유·피혁·제분·통조림 공업이 성함. 기원전 7세기에 그리스 식민지로서 창건되고 1076년 노르만군(Norman軍)이 점령함. 중세 유럽의 가장 오랜 대학인 살레르노 대학이 있음. [153,807명(1988 추계)]

살레르노 대학 【—大學】〔Salerno〕 명 이탈리아 남부의 항만 도시 살레르노에 있는 의학교(醫學校). 유럽 최고(最古)의 대학의 하나로서, 11-14세기에 걸쳐 법학의 볼로냐(Bologna) 대학, 신학의 파리 대학과 함께 전유럽에 명성(名聲)을 떨쳤는데, 1811년에 폐교되었다가 1944년에 다시 열림. 현재는 의학부가 없는 종합 대학임.

살레유 〔Saleilles, Sébastien Félix Raymond〕 명 〖사람〗 프랑스의 법학자. 제뉘(Geny)와 함께 과학 학파(科學學派)의 한 사람으로서 민법(民法) 및 비교 법학의 발전에 기여함. 주저(主著)는 《독일 제국 민법전(民法典) 제1 초안(草案)에 의한 채무(債務)의 일반 이론의 연구》. [1855-1912]

살레지오 〔Salesio, Francisco〕 명 〖사람〗 제네바(Genèva)의 주교(主敎). 가장 활동적인 반종교 개혁(反宗敎改革) 운동 지도자의 한 사람. 성모 방문 수녀회(聖母訪問修女會)를 창립함. 저서에 《신애론(神愛論)》·《신앙 생활 입문(入門)》 등이 있음. [1567-1622]

살레지오-회 【—會】〔Salesio〕 명 살레지오를 보호 성자(保護聖者)로 하여, 돈 보스코(Don Bosco)가 1859년에 이탈리아에서 창립한 수도회(修道會). 가난한 청소년을 위한 기독교적 자선 사업을 목적으로 함.

살렙 〔salep〕 명 〖식〗 〔*Orchis militaris*〕 난초과(蘭草科)에 속하는 다년초. 높이 1m 가량인데, 꽃은 붉은 빛을 띠고, 꽃받침은 자줏빛임. 그 괴경(塊莖)은 살이 많은데, 살렙근(根)이라 하여 말려서 약용(藥用)함. 유럽 원산(原産)임.

살렙-근 【—根】〔salep〕 명 〖약〗 살렙의 지하경을 끓는 물에 담갔다가 건져서 말린 약품. 질이 단단하고 모양은 둥근 공 모양 또는 달걀꼴인데, 길이 2-5cm, 굵기 3-4cm이고 빛은 갈색 또는 황색임. 주성분은 점액(粘液)으로 달여서 위장 카타르에 내복(內服)함.

살례-탑 【撒禮塔】 명 〖사람〗 '살리타'의 한자 말.

살-로그 〔Sal-log〕 명 〔본디 스웨덴의 Svenska Aktibolaget Logg 회사의 상품명〕 선박의 항주(航走)에 따라 일어나는 유압(流壓)을 선저(船底)에 달린 피토관(pito管)으로 측정하여, 속력과 항주(航走) 거리를 산출하는 측정기. 유압 측정기(流壓測定器).

살로니카 〔Salonika〕 명 〖지〗 테살로니카(Thessalonica)의 통칭(通稱).

살로메¹ 〔Salome〕 명 〖성〗 ①유대 왕 헤롯(Herod)의 질녀이며 의붓딸. 왕의 생일 잔치에 춤을 추었는데, 헤롯이 그 춤에 반하여 소원을 들어주기로 약속하자 그 어미의 사주(使嗾)로, 세례(洗禮) 요한의 목을 베어 달라 하여 요한의 목을 얻었음. ②사도 야곱과 요한의 어머니. 믿음이 깊어 예수를 좇음.

살로메² 〔프 Salomé〕 명 〖문〗 영국의 극작가 와일드(Wilde)가 1893년에 불어로 쓴 희곡. 1894년에 영역됨. 성서(聖書)에서 취재(取材)한 것으로, 기괴한 환상과 문장이 풍려함으로써 세기말 문학의 대표적 걸작이 됨. 1905년 독일의 슈트라우스(Strauss, R.)가 가극화(歌劇化)함.

살롱 〔프 salon〕 명 ①서양풍의 객실(客室)·응접실(應接室). ②상류 가정의 객실에서 열리는 사교적(社交的)인 모임. 특히, 프랑스 등에서 교양 있는 귀부인이 객실을 개방하고 각계의 명사를 초대하여, 예술·학문·정치 등을 논하는 모임. ③미술 전람회. 미술 전람실. ④〈속〉 양장점·미장원·양화점 또는 양주(洋酒) 등을 파는 술집 등의 옥호(屋號). ¶ ~ 구두.

살롱 데 레알리테 누벨 〔프 Salon des Réalités nouvelles〕 명 〖미술〗 제2차 세계 대전 후에 프랑스 파리에 설립(設立)된 신현실파(新現實派) 미술 전람회. 프랑스 사람뿐만 아니라 외국 작가도 참가하는 국제적인 추상 예술 전문의 미술 전람회임.

살롱 데 자르티스트 쟁데팡당 〔프 Salon des Artistes Indépendants〕 명 〖미술〗 프랑스의 독립 미술가 협회의 주최로 파리에서 열리는 미술 전람회. 1884년에 조직된 무심사(無審査)의 전람회.

살롱 데 튀일리 〔프 Salon des Tuileries〕 명 〖미술〗 1922년 프랑스 파리에 설립되어, 매년 가을에 열리는 권위 있는 미술 전람회. 주로, 온건한 경향을 나타내고 있음. 「板).

살롱 덱 〔salon deck〕 명 객선(客船)의 일등 선객용(船客用) 갑판(甲

살롱 도톤 〔프 Salon d'Automne〕 명 〖미술〗 〔가을의 전람회란 뜻〕 프랑스의 '살롱 도톤 협회' 주최의 미술 전람회. 1903년에 창립되어, 매년 가을 파리에서 열림. 진보적인 성격을 띰. 포비슴·퀴비슴 등 근대 회화 사상에 큰 발자취를 남겼으며, 회화 이외에도 조각·건축·무대 장식 등의 부문에까지도 미치고 있음.

살롱 드 메 〔프 Salon de Mai〕 명 〖미술〗 〔5월의 전람회란 뜻〕 1943년에 설립되어, 1946년부터 매년 5월에 파리에서 열리는 미술 전람회. 레지스탕 운동에서 발단된 것으로, 추상주의·초현실주의의 작가를 비롯한 현 프랑스 화단의 전위 작가들을 중심으로 한 초대전(招待展)임.

살롱 문학 【—文學】〔salon〕 명 〖문〗 살롱을 중심으로 하여 발달된 문학. 17세기 프랑스에 성했으며, 내용의 깊이보다는 재치나 형식의 아름다움이 그 특색임.

살롱 뮤:직 〔salon music〕 명 〖악〗 살롱 음악. 「는 비평.

살롱 비:평 【—批評】〔salon〕 명 재치와 기지(機智)로 된, 객관성이 없

살롱 연:극 【—演劇】〔salon〕 〔—년—〕 명 동호인(同好人)들끼리, 자기들의 객실이나 집회소 같은 곳을 무대·객석으로 하는 아마추어 연극.

살롱 음악 【—音樂】〔salon〕 명 〖악〗 ①살롱에서 연주되는 음악. 보통, 기악(器樂)인데, 소합주(小合奏)로 가볍고 평이한 내용을 가진 악곡을 주로 함. 또, 고전적인 명곡을 통속적으로 편곡(編曲)한 것을 말하기도 함. ②레스토랑·다방·백화점 등에서의 주악(奏樂) 또는 라디오의 휴식 시간의 프로에 소합주로 연주되는 고상한 경음악. 실내악(室內樂).

살루스티우스 〔Sallustius, Gaius Crispus〕 명 〖사람〗 로마 공화정(共和政) 말기의 역사가·호민관(護民官). 시저(Caesar)의 친구였으며, 시저 사후(死後) 역사 서술(敍述)에 전념함. 저서에 《역사》·《카틸리나 전기(傳記)》 등이 있음. [86-35. B. C]

살류트 〔러 Salyut〕 명 소련이 1970-74년에 발사한 우주 스테이션(宇宙 station). 소유스(Soyuz) 10·11·14호와 도킹(docking)하여, 최초의 유인 우주(有人宇宙) 스테이션을 실현시킴.

살륙 【殺戮】 명 →살육(殺戮).

살리게닌 〔saligenin〕 명 〖화〗 살리실 알코올(salicyl alcohol).

살리나 〔salina〕 명 ①〖지〗 암염 평지(岩塩平地)처럼 결정염(結晶塩)이 형성되거나 발견되는 지역. ②고농도(高濃度)의 염분(塩分)을 포함한 소택(沼澤)과 샘 등.

살리다¹ ㊀ 타 ①어떤 부분을 덜어 내지 않고 본바탕대로 남겨 두든지, 좀 보태든지 하다. ¶ 본맛을 살린 요리. ②활용하다. ¶ 경험을 ~. ㊁ 사동 ①목숨을 살게 하다. ¶ 살리고 죽이는 권리. ②생활 방도를 강구하여 목숨을 유지하게 하다. ¶ 식구들을 먹여 ~.

살려 내:다 구 죽게 된 것을 건지어 내다. ¶ 물에 빠진 사람을 ~.

살려 두다 구 죽이지 아니하고 살도록 하다. ¶ 살려 둘 수 없다.

살려 주다 구 ㉠죽을 생명을 살게 하여 주다. ㉡살림을 도와 주다.

살리다² 타 〈방〉 시집 보내다(평안).

살리신 〔salicin〕 명 〖화〗 무색 결정성의 글루코시드(glukosid). 물·알코올·알칼리·빙초산에 잘 녹음. 녹는점 199°C. 의료(醫療)·분석 시약(分析試藥)에 쓰임. [$C_{13}H_{18}O_7$] 「아실기(acyl基).

살리실 〔salicyl〕 명 〖화〗 살리실산으로부터 유도(誘導)되는 1가(價)의

살리실-산 【—酸】 명 〔salicylic acid〕 〖화〗 빛깔이 없는 침상(針狀)의 결정(結晶). 유리상(遊離狀) 또는 유도체로서 여러 식물 중에 존재함. 공

업적으로는 페놀(phenol)의 나트륨염(塩)에 이산화 탄소를 반응시켜 만듦. 녹는점 159°C, 끓는점 211°C. 산미(酸味)가 있고 자극성(刺戟性)을 가지며 강한 살균 작용을 함. 의약·방부제·물감 등으로 널리 쓰임. 수양산(水揚酸). [$C_7H_6O_3$]

살리실산 나트륨【一酸一】명〔sodium salicylate〕【화】백색(白色)·무취(無臭)의 인설상 결정(鱗屑狀結晶) 또는 결정성(結晶性)의 가루. 페놀 나트륨에 탄산을 포화(飽和)시키어 만듦. 해열제(解熱劑)로 쓰임. 살리실산 소다(salicyl酸soda). [$NaC_7H_5O_3$]

살리실산 메틸【一酸一】명〔methyl salicylate〕【화】강한 향기가 있는 무색(無色)의 액체. 녹는점 −0.8°C, 끓는점 223°C. 물에 약간 녹으며 살리실산과 메틸 알코올로써 합성됨. 치약·껌 등의 향료, 소염제(消炎劑), 근육통의 치료약으로 쓰임. [$C_6H_4(OH)COOH_3$]

살리실산 소:다【一酸一】명〔soda salicylate〕【화】살리실산 나트륨.

살리실산 수은【一酸水銀】명〔mercurie salicylate〕【약】흰빛이 나는 가루약. 녹아 풀리지 아니하는 수은제(劑)의 하나. 매독(梅毒)약에 씀.

살리실산 에세린【一酸一】명〔eserin salicylate〕【약】약품의 이름. 빛깔이 없거나 혹은 누른 듯한 빛깔로 된 광택(光澤)이 나는 결정(結晶). 물과 알코올에 잘 녹음. 부교감 신경(副交感神經)의 말초(末梢)를 흥분시키므로,안과(眼科)에서 그 용액을 조절기 마비(調節器痲痺)·홍채 탈리(虹彩脫離)·녹내장(綠內障)·동공 산대(瞳孔散大) 등에 쓰며, 위장병을 다스리는 데 쓰임.

살리실산 페놀【一酸一】명〔phenol salicylate〕【화】백색의 결정성(結晶性) 분말. 희미한 향기와 특이한 맛이 있음. 장내(腸內) 살균약으로 쓰임. [$C_{13}H_{10}O_3$]

살리실 알코올〔salicyl alcohol〕명【화】흰 빛깔의 판상 결정(板狀結晶). 녹는점은 89°C임. 살리신(salicin)을 가수 분해하여 얻음. 물·알코올·에테르 등에 잘 녹음. 산화(酸化)하면 살리실 알데히드를 거쳐 살리실산이 됨. 살리게닌. [$C_7H_8O_2$]

살리 지족【一支族】〔Salii〕명 게르만의 여러 부족 중, 역사상 가장 중요한 발전을 이룬 프랑크 부족의 한 지족(支族). 3세기 이래 라인 강 하류에 살았고, 5세기말 클로비스 왕(Clovis王) 밑에서 프랑크 왕국의 통일과 건국의 중심이 되었음. 그들의 법전 '살리카 법전'은 유명함.

살리카 법전【一法典】〔Salica〕명【법】중세 게르만 부족법(部族法)의 하나. 살리계(Salii系) 프랑크족(族)의 고법전(古法典)으로, 6세기초 클로비스(Clovis) 1세 말년경에 성립되었다고 추정됨. 주로, 관습법(慣習法)을 기록하고 게르만 고법(古法)의 전통을 그대로 보존(保存)하여 높이 평가되고 있음. 게르만 부족법의 대표적인 것으로 후세의 유럽의 여러 법에 큰 영향을 끼쳤음.

살리타〔Salietai〕명【사람】몽고의 장군. 고려 고종(高宗) 18년(1231)에 내침하여, 동 19년 다루가치(darughachi) 72명을 두고 돌아갔다가 재차 침입했을 때 중 김윤후(金允侯)에게 피살됨. 살리태(薩里台). 살례탑(撒禮塔).

살리태【薩里台】명【사람】'살리타'의 한자 말.

살릭〔salic〕명【지】최소한 2%의 이차염(二次塩)을 포함하고 두께가 15cm 이상 되는 토양 층위(土壤層位). ——하다 자 여불

살림¹ 명 한 집을 이루어 살아 나가는 일. 또, 그 형편. ¶ ~이 쪼들리다. 【살림에는 눈이 보배라】㉠가정 생활에는 일일이 감시(監視)함이 제일이라는 말. ㉡살림을 잘 하려면 안목(眼目)이 있어야 한다는 말. 【살림이란 게 쓸 건 없어도 남 주워 갈 건 있다】하찮은 물건이라도 도둑이 집어 갈 것은 있게 마련이라는 말.

살림(을) 나다 구 따로 살림을 차리기 위해 갈라져 나오다. 또, 나가다.

살림(을) 맡다 구 집안의 살림을 맡아서 처리하다.

살림이 꿀리다 구 살림이 쪼들리다.

살림² 명【건】원래 정한 치수보다 좀 크게 하는 일. ＊살다².

살림-꾼 명 ①살림을 맡아 일하는 사람. ②살림이 알뜰한 사람.

살림-때 명 살림에 찌드는 일. ¶ ~가 묻다.

살림-망【一網】명 낚시질에서, 잡은 물고기를 넣어 두는 그물 모양의 그릇.

살림-바닥 명【고고학】토층(土層) 가운데 생활을 영위하던 층. 생활에 쓰인 유물이 있는 상태로 출토되는 집터바닥 같은 것이 대표적임. 생활면(生活面). 주거면(住居面). ＊움집터.

살림-방【一房】[一빵] 명 살림하는 방.

살림-살이 명 ①살림을 사는 일. ②살림에 쓰이는 세간. ¶ ~가 짭짤하다. ③〈방〉소꿉장난(강원·경북). ——하다 자 여불

살림-집 [一찝] 명 살림하는 집. ↔가겟집. ＊영업집.

살림-터 명 생활하는 곳.

살-막【一幕】명 어살을 쳐놓고 물고기가 걸리기를 기다리기 위하여 지어 놓은 움막.

살-막이【煞一】명【민】☞살풀이❶.

살만【薩滿】명【민】'사만¹'의 취음.

살-맛¹ 명 ①남의 살과 서로 맞닿아서 느끼는 감각. ②〈속〉성행위(性行爲)에서, 상대편의 육체로부터 느끼는 쾌감(快感).

살:-맛² 명 세상을 살아 나가는 재미.

살:맛(이) 나다 구 사는 보람과 재미를 느끼다. ¶돈이 생겨 살맛이 난다.

살망-살망 부 살망한 다리로 걷는 모양. <설멍설멍.

살망-스럽다 형〈방〉산망스럽다.

살망-하다 형 여불 ①아랫도리가 가늘게 상큼하다. ②옷의 길이가 키보다 좀 짧다. ¶스커트가 ~. <설멍하다.

살-맞다【煞一】자 초상집이나 혼인집에 갔다가 악귀(惡鬼)의 침범을 당하여 탈이 생기다.

살며시 부 드러나지 아니하게 힘을 적게 들여서 넌지시. ¶ ~ 누르다. <슬며시.

살멸【殺滅】명 죽여 없앰. ——하다 타 여불

살몃-살몃 부 연해 살며시. <슬몃슬몃.

살모넬라-균【一菌】〔라 Salmonella〕명【의】사람·포유류(哺乳類) 및 조류(鳥類) 등의 주로 장(腸)에 기생하는 세균의 한 속(屬). 그람 음성(陰性)·포자(胞子)를 형성하지 아니하는 간균(桿菌)으로, 약간의 예외를 제외하고서는 편모(鞭毛)에 의한 고유(固有) 운동성을 가짐. 음식물이나 손에 묻어, 경구 감염(經口感染)하여, 장티푸스성 질환·위장염 및 그 밖의 식중독을 일으키는 병원균이 많음. 현재 약 300 이상의 균형(菌型)이 알려지고 있음. ＊게르트너균(Gärtner菌).

살모넬라 엔테리티디스〔Salmonella enteritidis〕명【의】장염균(腸炎菌). 살모넬라균의 하나로 급성 위장염을 일으킴. 보통 8-48 시간에 발병하며, 구토로 시작하여 복통·설사를 수반함. 열이 나기도 하며 어린이나 위수술을 한 사람 등은 탈수 증상을 일으키는 등 증상이 중하고, 때로는 사망하기도 함.

살모넬라 오라니엔부르그〔라 Salmonella oraniennburg〕명 보균자(保菌者) 및 식중독 환자의 대변에서 분리되는 살모넬라균의 일종(一種).

살모-사【殺母蛇】명【동】살무사.

살모:시 부〈방〉살며시.

살목【一木】명【건】집을 살잡이할 때에 기둥을 솟구는 지렛대.

살몬사이트〔salmonsite〕명【광】담황색(淡黃色)의 광물. 망간 및 철(鐵)의 함수 인산염(含水燐酸塩)으로 이루어지며, 벽개성(劈開性)의 덩어리로 존재함.

살못-살못 부〈방〉살몃살몃.

살-몽혼【一朦昏】명【의】수술할 적에, 아픈 줄을 모르게 하느라고 그 자리의 살의 신경을 마취(痲醉)시키는 일. ——하다 타 여불

살무겁 명〈옛〉살받이. 과녁 터. ¶살무겁 무은더(箭垜子)《譯語 上 22》.

살무사 명【동】[*Agkistrodon halys*] 살무삿과에 속하는 뱀. 몸길이 70 cm 가량이고, 몸빛은 담회색이며 몸통의 측면에 암회색 반문이 있고, 눈의 뒤쪽에서 길이로, 담색의 선문(線紋)이 복부의 배면과 하면을 경계지음. 배면(背面)은 흑회색의 윤문(輪紋)이 20쌍 가량 있으며, 복면(腹面)은 백색에 흑색 반문이 산재하여 때로는 아름다운 적갈색을 나타내기도 함. 두부는 특히 삼각형이고 두정(頭頂)에 큰 비늘이 있으며, 눈과 콧구멍 중간에 있는 뚜렷한 협와(頰窩)는 온도의 감수기(感受器)의 일을 함. 온 몸이 비늘로 싸이고 위턱 끝의 관아(管牙)에는 독액(毒液)이 있어서, 물리면 온 몸에 퍼져 생명까지 위험함. 음습한 산골짝·돌무덤 등에 살며, 쥐·개구리·작은 뱀 등을 포식함. 난태생(卵胎生)으로 여름에 5-12마리의 새끼를 낳음. 알코올·술에 담가서 '복주(蝮酒)'를 만들어, 강장제로 약용함. 중국 북부와 동북부 및 우수리·한국·일본 등지에 분포함. 까치살무사. 남도살무사. 독사(毒蛇). 독충(毒蟲). 복사(蝮蛇). 살모사(殺母蛇).

〈살무사〉

살무삿-과【一科】명【동】[Viperidae] 뱀목(目)에 속하는 한 과. 아름다운 반문(斑紋)이 있고 난태생(卵胎生)으로 한 배에 30-40마리를 낳음. 맹독(猛毒)이 있으며, 쥐·도마뱀·개구리 등을 포식하는데, 한국·대만·중국·남양 등지에 분포함. 살무사·북살무사 등이 이에 속함.

살-문¹【一門】명【건】가로와 세로 살을 넣어서 짠 문.

살문² 명〈옛〉홍살문. ¶살문 밧긔셔(於戟門外)《飜小 X:12》.

살문-향【殺蚊香】명 모기향.

살미 명【건】궁궐(宮闕)이나 성문(城門) 등의 기둥 위 도리 사이에 장식하는 촛가지를 짜서 만든 물건. 산미(山彌).

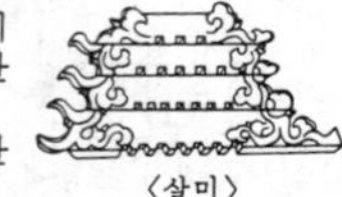

〈살미〉

살미 살창【一窓】명 촛가지를 짜서 살을 박아 만든 창문.

살믿 명〈옛〉살밑. ＝삸밑. ¶살믿 족(鏃), 살믿 뎍(鏑), 살믿 후(鍭)《字會中 29》.

살-밀이 명【건】문살의 등을 밀어 장식(裝飾)하는 일. ——하다 자타 여불

살-밀치 명 안장을 말의 꼬리에 걸어 배는 줄.

살-밑 명 화살 끝에 박은 쇠. 곧, 화살촉.

살ᄯᅡ기문 명〈옛〉사립문. ¶새집과 살ᄯᅡ기門이 별흗드시 사ᄂᆞ니(草閣柴扉星散居)《初杜諺 XXV:23》.

살ᄯᅡ깃문 명〈옛〉사립문. ¶나날 살ᄯᅡ깃門을 바라셔 놀ᄂᆞ니라오(日傍柴門遊)《初杜諺 VI:44》.

살바도르〔Salvador〕명【지】①↗엘살바도르. ②브라질 중동부의 항구 도시. 바이아주(Bahia州)의 주도. 코코아·커피를 수출하고 정당(精糖)·양조·식료품·조선(造船) 등의 공업이 성함. 1549년에 건설되어 1763년까지 포르투갈령 남아메리카의 수도였음. 구명(舊名):바이아(Bahia). [2,070,269명(1991)]

살-바람 명 ①좁은 틈에서 새어 들어오는 찬바람. ②봄철에 부는 찬바람.

살바르산〔도 Salvarsan〕명【약】매독 치료제의 상품 이름으로,합성 물질에 의한 세계 최초의 화학 요법제. 1910년 독일의 에를리히(Ehrlich, P.)·베르트하임(Bertheim, A.) 및 일본의 하타 사하치로(秦佐八郞) 등이 시약(試藥) 중, 제 606 호로서 발견, 창제하였음. 흡습성(吸濕性)의 황색 결정(結晶)의 가루인데, 페놀(phenol)과 비산(砒酸)으로부터 합성하여 만듦. 원충(原蟲) 등의 기생 생물에 작용하며, 특히 스피로헤타병(spirochaeta 病)에 유효함. 육공육호(606號).

살-바탕 [一빠一] 명〈방〉솔바탕.

살-박다 자 흰떡 같은 데에 떡살로 무늬를 박다.

살-받이 [一바지] 명 ①화살이 꽂힐 자리. ②과녁의 앞뒤 좌우에 화살이 떨어지는 자리.

살-발 명〈방〉맨발.

살-방석【一方席】명 화살을 닦는, 방석같이 만든 제구.

살뱀 명〈방〉【동】살무사(경상).

살벌【殺伐】명 ①거동이 거칠고 무시무시함. ¶ ~한 분위기. ②죽이고 들이침. ——하다 타형 여불

살벌지-성【殺伐之聲】[一찌一] 명 음악의 곡조가 거칠어 무시무시한 느낌을 주는 소리.

살-벤자리 명【어】[*Therapon jarbua*] 살벤자릿과에 속하는 바닷물고

기. 길이 20cm 가량으로, 몸 모양은 줄벤자리에 가까우나 주둥이가 짧고, 몸빛은 등 쪽이 갈색을 띤 담청색이고, 배 쪽은 은백색인데 체측(體側)에 세 줄의 회흑색 세로줄이 있고, 그 중앙에 있는 세로띠는 꼬리지느러미 중축(中軸)의 뒤끝에까지 이름. 근해성 어류로 줄벤자리와 같이 하구(河口) 부근에 사는데, 부레로 소리를 냄. 한국 중남부와 일본 중남부 및 중국해·대만 등의 온대와 열대에 걸쳐 널리 분포함. 식용함.

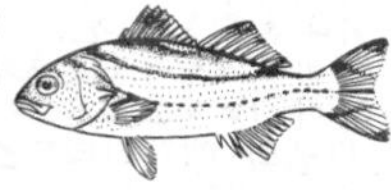
〈살벤자리〉

살벤자릿-과【一科】명〖어〗[Theraponidae] 농어목(目)에 속하는 어류의 한 과. 줄벤자리·네줄벤자리·살벤자리 등이 이에 속함.
살벨 명〈방〉 살별. 혜성(彗星)(평안).
살-별 명〖천〗혜성(彗星)❶. 꼬리별.
살보 명〈방〉 살포. 「——-하다 자여불
살-보시【一布施】명 여자가 중에게 몸을 허락함을 농으로 일컫는 말.
살부지-수【殺父之讐】명 자기 아버지를 죽인 원수.
살-붙다¹ 자 살오르다¹.
살-붙다²【煞一】자 살오르다².
살-붙이 [一부치] 명 ①혈육적(血肉的)으로 가까운 사람. *일가붙이. ②짐승 고기의 여러 가지 살.
살-붙이다 [一부치一] 자 이미 되어 있는 뼈대에다 세부적인 점을 가미하여 내용을 더 풍부히 만들다. ¶초안에다 살을 붙여서 문장을 만들다.
살비【撒肥】명 비료를 뿌림. ——-하다 자여불
살비-기【撒肥機】명 가루 모양의 화학 비료를 살포하는 기계.
살비니〔Salvini, Tommaso〕명〖사람〗이탈리아의 배우. 19세기 후반의 대비극 배우(大悲劇俳優)로서 유럽 각지를 순연(巡演)함. 성공한 역(役)은 오셀로(Othello). [1829-1915] 「의 하나.
살비-법【撒肥法】[一뻡] 명 비료를 흩뿌리어서 주는 시비법(施肥法)
살-빛 [一삗] 명 살 또는 피부의 빛깔. 피부색.
살-빠지다 자 살내리다. ↔살찌다. 「는 뜻으로 일컫는 말.
살-뻗치다【煞一】자 좋지 못한 일이 일어날 어떤 불길한 조짐이 있다
살사〔salsa〕명 1975년 후반부터 유행하기 시작한 푸에르토리코 발생의 라틴 음악. 록(rock)·솔(soul)·재즈 등의 영향을 받아 리듬이 강렬하며
살사리-꽃 명〈방〉 코스모스. ㄴ감정이 넘침.
살사미-향【一香】명〖천주교〗견진 성사(堅振聖事)에 쓰는 향유(香油).
살산【撒散】[一싼] 명 뿌려 흩음. ——-하다 타여불
살살¹ 부 ①넓은 그릇의 물이 천천히 고루 끓는 모양. ¶대야의 물이 ~ 끓는다. ②온돌방이 뭉긋하게 고루 더운 모양. ¶방바닥이 ~ 더워지다. ③짧은 다리로 연해 가볍게 기는 모양. ¶~ 기어 가다. ④↗살래살래. ⑤두렵거나 무서워하여 기세를 펴지 못 하는 모양. 1)·4):쓰쌀쌀¹. <설설. 「서 ~.
살살 기다 구 매우 두려워서 행동을 자유로 하지 못하다. ¶상관 앞에
살살² 부 ①가볍게, 소리나지 않게 가만가만히 걷거나 피해 다니는 모양. ¶~ 피해 다니다. ②눈이나 설탕 따위가 모르는 사이에 녹아 버리는 모양. ¶사탕이 입 안에서 ~ 녹는다. ③남을 살그머니 달래거나 속이는 모양. ¶~ 구슬리다. ④가볍게 문지르는 모양. ¶~ 문지르다. ⑤바람이 보드랍게 부는 모양. ¶바람이 ~ 분다. ⑥가만히 눈웃음을 치거나 눈치를 보는 모양. ¶~ 눈웃음을 치다/~ 눈치를 보다. ⑦↗살금살금. ¶~ 다가서다. 1)-7): <슬슬².
살살³ 부 배가 조금씩 아픈 모양. ¶배가 ~ 아프다. 쓰쌀쌀².
살살-거리다 자 ①짧은 다리로 계속해서 가볍게 기어 다니다. ②머리를 계속해서 재게 흔들다. ③상대편을 계속해서 꾀어 달래거나 연하여 눈웃음을 치며 알랑거리다. 1)·2):쓰쌀쌀거리다. <설설거리다.
살살-대다 자 살살거리다.
살살-이 명 살살 다니면서 간사를 부리는 사람.
살-살치 명〖어〗[*Scorpaena izensis*] 양볼락과에 속하는 바닷물고기. 몸 길이 37cm, 몸빛은 붉은 색이고 체측(體側)에 넉 줄의 일정치 않은 녹회색의 가로띠가 있으며, 머리 위 끝은 적색이나 회록색을 띠고 있음. 100-150m 깊이의 바다에 서식하는 심해성 어종(深海性魚種)으로, 한국 중남부해 및 일본 중부 이남·중국 연해에서 많이 잡힘.
살살-하다 형여불 ①교활하고 간사하다. ②가늘고 약하다. ③가냘프고 곱다. ④아슬아슬한 고비를 가까스로 면하는 상태에 있다.
살상【殺傷】[一쌍] 명 죽이고 상하게 함. ¶인마를 ~하다. ——-하다
살-색【一色】[一쌕] 명 살빛. ¶~이 곱다. ㄴ타여불
살생【殺生】[一쌩] 명 ①짐승이나 사람을 죽임. ②〖불교〗살생계(殺生戒). ——-하다 자여불 「생을 못 하게 하는 계율. 살생.
살생-계【殺生戒】[一쌩一] 명〖불교〗오계(五戒) 또는 십계의 하나. 살
살생 금:단【殺生禁斷】[一쌩一] 명〖불교〗자비(慈悲)의 정신, 특히 생물 애호(生物愛護)의 정신을 함양(涵養)하기 위하여, 새·짐승·물고기 등의 수렵(狩獵)을 금하는 일.
살생 유:택【殺生有擇】[一쌩뉴一] 명 살생을 하는 데는 가림이 있다는 뜻으로, 함부로 살생하지 않음을 이르는 말.
살생-죄【殺生罪】[一쌩쬐] 명〖불교〗생물(生物)을 죽이고 무자비(無慈悲)한 행동을 한 업보(業報)로 받는 죄.
살생지-병【殺生之柄】[一쌩一] 명 생살(生殺)의 권리. 죽이고 살리는 권리. 「여불
살서【殺鼠】[一써] 명 독약이나 쥐틀로 쥐를 잡아 죽임. ——-하다 자
살서-제【殺鼠劑】[一써一] 명〖약〗쥐를 죽이는 데 사용되는 약제. 주로 쥐가 좋아하는 먹이에 넣어서 중독사(中毒死)를 일으키게 함. 황린(黃燐)·아비산(亞砒酸)·탈륨(thalium)·바륨(barium) 등의 무기 염류
살-섞다 자 부부 생활을 하다. ㄴ(無機塩類)가 사용됨. 쥐약.

살-성¹【一性】[一썽] 명 살갗의 성질(性質). ¶~이 부드럽다. 「별.
살성²【殺星】[一썽] 명〖민〗사람의 명수(命數)를 맡았다고 하는 흉한
살-세다【煞一】형 친족 사이에 정의가 탐탁하지 아니하다.
살-세성【一細聲】명 판소리 창법의 하나. 아주 가늘게 그러나 미약하고도 분명히 나는 소리. 세성(細聲). *아귀성(餓鬼聲).
살-소 명 쇠살쭈들의 은어(隱語)로, 식용우(食用牛)를 일컫는 말.
살소구리 명〈방〉 소쿠리(경남).
살-소매 명 옷소매와 팔 사이의 빈 곳.
살-손 명 ①무슨 일을 할 때에, 다른 연장 같은 것을 쓰지 아니하고 바로 대서 만지는 손. ②무슨 일을 정성껏 하는 손.
살손(을) 붙이다 구 일을 정성을 다하여 힘껏 하다.
살솔린〔salsoline〕명 알코올 용액에서 결정화(結晶化)된 화합물. 녹는점 221°C. 열(熱)알코올·클로로포름에 녹음. 혈압 강하약(血壓降下藥)으로 의료(醫療)에 쓰임.
살수¹【殺手】[一쑤] 명〖역〗①칼과 창을 들고 백병전(白兵戰)을 하는 군졸. ②죄인을 죽이던 사람. 「여불
살수²【撒水】[一쑤] 명 물을 흩어서 뿌림. →산수(撒水). ——-하다 자
살수³【薩水】[一쑤] 명〖역〗청천강(淸川江)의 옛이름.
살-수건【一手巾】[一쑤一] 명 화살을 문질러서 닦는 수건.
살수 관:개【撒水灌漑】[一쑤一] 명 살포(撒布) 관개. →산수 관개.
살수-기【撒水器】[一쑤一] 명 물을 흩어서 뿌리는 데에 사용하는 기구. 조로(jorro) 같은 것. →산수기(撒水器).
살수 대:전【薩水大戰】[一쑤一] 명〖역〗중국 수(隋)나라의 양제(煬帝)가 고구려를 정복하려고 고구려 26대 영양왕(嬰陽王) 23년(612)에 200만의 대군을 인솔하고 쳐들어 온 싸움. 고구려군이 도처에서 승리하였는데, 특히 을지문덕(乙支文德) 장군은 살수(薩水)를 건너온 적군 30만 5천 명 중, 살아 간 자 이삼천 명만 빼고는 모두 섬멸하였음.
살수 대:첩【薩水大捷】[一쑤一] 명〖역〗살수 대전에서 고구려의 군사가 중국 수(隋)나라의 대군을 무찔러 크게 이긴 일.
살수-부【撒水夫】[一쑤一] 명 물을 뿌리는 일을 하는 사람. →산수부.
살-수세미 [一쑤一] 명 화살을 문질러서 닦는, 대로 만든 수세미.
살수-차【撒水車】[一쑤一] 명 도로나 운동장 같은 데에 먼지가 나지 아니하도록 물을 뿌리는 차. 큰 물통과 살수 장치가 있음. 물수레. 물자동차. 물차. →산수차(撒水車). 「의 이름.
살시-변【一矢邊】명 한자 부수(部首)의 하나. '知'나 '短' 등의 '矢'
살신 성인【殺身成仁】[一씬一] 명 제 몸을 희생하고 인도(人道)의 극치를 성취함. ——-하다 자여불
살-쐐기 명〖한의〗여름철에 나는 피부병의 한 가지. 가렵고 따끔거림.
살쐐기(가) 일다 구 살쐐기가 나다.
살아-가다 자거라불 ①생명을 이어 가다. ¶이 시대에 살아가기란 쉬운 일이 아니다. ②살림을 영위(營爲)해 나가다. ¶살아가는 재미.
【살아가면 고손자 한테도 배운다】배움에는 상하(上下)가 없다는 말.
【살아가면 고향】어느 곳이나 마음을 붙여 살아가노라면 정도 든다는 말. 「救活)《龍歌 123章》.
살아 구ᄒᆞ다 타〈옛〉 살려 구(救)하다. ¶功臣을 살아 救ᄒᆞ시니(功臣迺
살아-나다 자거라불 ①죽게 된 생명이 다시 피어나다. ¶죽었다 ~. ②꺼지게 된 불이 다시 일어나다. ¶연탄불이 ~. ③몹시 심한 곤경을 벗어나다. ¶자금을 얻어 업체가 ~. ④약해졌던 세력이나 기운이 다시 성해지다. ¶꺾였던 세력이 ~. ⑤패었던 자리가 도로 돋아나다.
살아내다 타〈옛〉 살려 내다. ¶白龍을 살아 내시니(白龍使活)《龍歌 22章》.
살아 생이별【一生離別】[一니一] 명 '생이별'을 다시 강조한 말.
【살아 생이별은 생초목에 불 붙는다】생이별의 정상(情狀)은 참혹하고 안타깝다는 말. 「시던 말씀/~ 고생만 할까.
살아 생전【一生前】명부 이 세상에 살아 있는 동안. ¶그 분이 ~에 하
살아-오다 자너라불 ①살림해 오다. ¶이 곳에서 살아오는 동안. ②몹시 어려운 고비를 벗어나오다. ¶적지에서 ~. ③벼슬을 지내 오다.
살아잡다 타〈옛〉 사로잡다. ¶부러 저히샤 살아자ᄇᆞ시니(故脅以生執)
살-언치 명 언치에 덧댄, 작은 짚자리나 부댓 조각. ㄴ《龍歌 115章》.
살-얼음 명 얇게 언 얼음. 박빙(薄氷). ¶~이 잡히다.
살얼음을 밟:듯이 구 극히 위험한 지경에 임하여 매우 조심함의 비유.
살얼음-판 명 ①살얼음이 언 얼음판. ②큰 변이 날 듯이 아슬아슬하여 위태로운 고비의 비유. ¶세상이 ~이다.
살업【殺業】명〖불교〗살생(殺生)의 죄업.
살없는-창【一窓】명 네 쪽에 문얼굴만 있고 살이 없이 만든 창.
살-여울 [一려一] 명 급하고 빠른 여울물.
살오ᄂᆡ 명〈옛〉 살의 오늬. =ᄉᆞᆳ오ᄂᆡ. ¶살오ᄂᆡ 괄(筈)《字會 中 29》.
살-오르다¹ 자르불 몸에 살이 찌다. 살붙다. ↔살내리다.
살-오르다²【煞一】자르불 ①사람을 해치거나 물건을 깨치는 독살궂은 기운이나 악한 귀신의 짓이 들러붙다. ②일가 친척 사이에 사나운 띠앗머리가 들러붙다. 살붙다. ↔살내리다·살나가다.
살옥【殺獄】명〖역〗사람을 죽인 큰 사건. ¶~이란 법문(法文)대루 하지 별수없는 게다《洪命憙 : 林巨正》.
살옥 발미【殺獄跋尾】명〖역〗사람을 죽인 살옥에 관하여 시체를 검사하던 관원의 검안(檢案)에 기록하는 의견.
살-올실 명 근섬유(筋纖維).
살올일 타〈옛〉 살 일. 생계. ¶살올일(營生)《譯語補 54》.
살와내다 타〈옛〉 살려 내다. ¶陰崖예 이온 플을 다 살와내여ᄉᆞ라《松江 關東別曲》. 「正道애 마ᄌᆞ니라《月釋 XVII:39》.
살욤 타 살림. '살이다'의 명사형. ¶殿堂 三十二로 四方僧을 살요ᄆᆞᆫ 八
살월【殺越】명 사람을 죽임. 살해(殺害). ——-하다 타여불

살윈 강【一江】〔Salween〕 명 〖지〗 인도차이나 반도의 큰 강. 중국의 칭하이 성(青海省) 고원지(高原地)에서 발원하여, 윈난 성(雲南省)을 통하고 미얀마의 마르타반 만(Martaban灣)에 들어감. 티크재(teak材) 운반에 이용되고 있으나, 급류가 많고 협곡을 형성하며 유역(流域)은 미개발 자원 지대임. [2,800 km]

살육【殺戮】 명 〔←살륙(殺戮)〕 사람을 마구 죽임. 본디는 '형벌(刑罰)로서 죄인을 죽임'의 뜻. ——하다 타 여불

살육지-변【殺戮之變】 명 무엇을 빙자하고 사람을 잔인하게 마구 죽이「는 변고(變故).

살육지-폐【殺戮之弊】 명 사람을 마구 죽이는 폐단(弊端).

살음 명 〈옛〉 사람. =살옴. ¶ 셕착긴 네 어딘 살음이라《正俗 8》.

살의【殺意】[—/—이] 명 사람을 죽이려는 의사. ¶ ~를 품다.

살-의걸이【一衣一】 명 앞면의 문얼굴에 아자(亞字)나 만자(卍字) 등의 모양의 살을 대고, 안쪽에 종이나 비단·유리 따위를 붙인 의걸이. *평의걸이.

-살이 미 무엇에 종사하여 살아가는 일. ¶ 머슴~/더부~/처가~.

살이다 타 〈옛〉 살리다. ¶ 城 밧긔 닐굽뎔 일어 중 살이시고 城 안해 세 뎔 일어 숭 살이시니라《月釋 Ⅱ:77》.

살이호산 싸움【薩爾滸山一】 명 〖역〗 싸얼후 산 싸움.

살인【殺人】 명 사람을 죽임. ¶ ~ 사건/~범(犯). ——하다 자 여불

살인(이) 나다 구 살인 사건이 생기다.

살인(을) 내:다 구 살인을 저지르다.

살인 강:도【殺人強盜】 명 재물을 빼앗기 위하여 사람을 죽이는 도둑.

살인-검【殺人劍】 명 사람을 죽이는 데에 사용하는 칼.

살인-광【殺人狂】 명 사람을 죽이는 데에 재미를 붙인 사람. 또, 미치광이처럼 사람을 마구 죽이는 자.

살인 광선【殺人光線】 명 〖군〗 과학 병기(科學兵器)의 한 가지. 초단파(超短波) 전류·고압(高壓) 전류 기타 화학적 방사선(放射線)을 이용하여 비행중(飛行中)인 비행기 엔진의 자석(磁石)의 운동을 막거나 이것을 폭발시키며, 먼 곳의 사람을 살상하는 광선. 「(殺人魔).

살인-귀【殺人鬼】 명 걸핏하면 사람을 함부로 죽이는 악한 놈. 살인마

살인-극【殺人劇】 명 사람을 죽이는 소동. 살인 사건. ¶ ~이 벌어지다.

살인-마【殺人魔】 명 살인귀(殺人鬼).

살인 미:수【殺人未遂】 명 〖법〗 ①살인 행위의 실행(實行)에 착수(着手)하였으나 어떤 장애(障礙)로 인하여 목적을 이루지 못함. ②모살 미수(謀殺未遂). ——하다 자 여불

살인-범【殺人犯】 명 〖법〗 살인죄(殺人罪)를 범한 사람. 또, 그 범죄.

살인 사:건【殺人事件】[—껀] 명 사람을 죽인 사건.

살인-자【殺人者】 명 살인한 사람.

살인자-사【殺人者死】 명 사람을 죽인 사람은 죽어야 함.

살인-적【殺人的】 명 관 사람의 목숨을 빼앗을 정도로 험악한 상태. 굉장한 모양. ¶ ~인 더위/물가가 ~으로 올랐다.

살인-죄【殺人罪】[—쬐] 명 〖법〗 사람을 고의(故意)로 죽인 죄. 고의가 아닌 경우에는 상해(傷害) 치사죄 또는 과실 치사죄임.

살인 차첩【殺人差帖】 명 〖역〗 살인자에 대한 구속 영장.

살인 취:담의 악풍【殺人取膽一惡風】[—/—에—] 명 〖역〗 조선 명종(明宗) 때 일어난 악풍. 당시에 풍기가 문란하여 화류병이 유행하였는데, 어떤 의사가 이 병을 고치는 데는 사람의 담(膽)이 유효하다고 하여 이것을 구하려는 무리가 늘어서 그 결과로 어린 아이를 잃어버리는 일이 무수히 나타났음.

살입믄 명 〈옛〉 사립문. ¶ 살입門(稍門)《譯語 上 18》.

살-잎[—립] 명 〖식〗 수분(水分)·양분(養分)을 저장하기 알맞게 두꺼워진 잎. 용설란(龍舌蘭)·채송화 따위의 잎.

살옴 명 〈옛〉 사람. =살음. ¶ 살옴이 쳐즈와 화동ᄒᆞ여아 어버이 즐겨ᄒᆞ리니(人能和於妻子則父母得其安樂矣)《正俗 7》.

살-잡다 타 쓰러져 가는 집 같은 것을 바로 일으켜 세우다.

살-잡이 명 살잡는 일. ——하다 타 여불

살-잡히다 자 ①구김살이 지다. ②살얼음이 얼다.

살장[1] 명 〈방〉 빗장(함경).

살-장[2][—짱] 명 〖광〗 광산의 동발과 덧장 사이에 끼워서 구덩이 천판과 좌우에서 흙과 돌이 떨어지지 못하게 하는, 동발과 덧장보다는 훨「씬 가는 나무.

살작 명 〈옛〉 살쩍❶. ¶ 살작 빈(鬢)《類合 下 21》.

살저-제【殺蛆劑】[—쩌—] 명 구더기를 죽이기 위해 쓰는 약제.

살적【殺賊】 명 사람을 죽이거나 물건을 빼앗음. ——하다 자 여불

살전【一錢】 명 ☞ 살돈.

살-점【一點】[—쩜] 명 큰 덩이에서 떼어 낸 고기 조각.

살점-제【殺粘劑】[—쩜—] 명 〖공〗 도자기를 만들 때, 흙의 끈기를 약하게 하기 위하여 쓰는 약제.

살정-제【殺精劑】[—쩡—] 명 〖약〗 정자(精子)를 죽이는 약. 곧, 피임약「(避姙藥).

살-조개 명 〖조개〗 꼬막.

살주-마【殺主馬】[—쭈—] 명 자기 주인을 해치는 말.

살줄-치다[—쭐—] 타 연을 얼리어 나가다가 섰던 자리를 바꾸거나 또는 얼레를 이리저리 넘기어서 다시 풀리게 하다. 「타 여불

살지 능지【殺之陵遲】[—찌—] 명 능지 처참(陵遲處斬). ——하다

살-지다 형 ①몸에 살이 많다. ②땅이 기름지다.

살-지르다 자 르불 ①↗간살(을) 지르다. ②노름판에서 걸어 놓은 돈에다가 덧붙이기로 돈을 더 대어 놓다. ③↗어살 지르다.

살지-무석【殺之無惜】[—찌—] 명 죽여도 아깝지 아니할 만큼 그 죄가 매우 중함. ——하다 형 여불

살-집[—찝] 명 살의 부피. ¶ ~이 좋다/~이 통통하다.

살짓 명 〈옛〉 살깃. ¶ 살짓 령(翎)《字會 中 29》.

살징이 명 〈방〉 〖동〗 고양이(경상).

살짝 부 ①남이 모르는 사이에 재빠르게. ¶ ~ 훔쳐 내다. ②힘 안 들이고 능숙하게. ¶ ~ 뛰어내리다. ③심하지 아니하게 약간. ¶ ~ 스치고 지나가다/얼굴을 ~ 붉히다. 1)-3): <슬쩍.

살짝-곰보 명 약간 얽은 곰보. 또, 그런 사람.

살짝-살짝 부 ①남에게 들키지 아니하게 재빠르게 하는 모양. ②힘 안 들이고 능숙하게 하는 모양. ③심하지 아니하게 약간씩. ¶ ~ 때려라. 1)-3): <슬쩍슬쩍.

살짝-수염벌레【一鬚髥一】 명 〖충〗 빗살수염벌레.

살쩍 명 ①뺨 위 귀 앞에 난 머리털. 빈모(鬢毛). ②↗살쩍밀이.

살쩍-밀이 명 망건을 쓸 때에 살쩍을 망건 밑으로 밀어 넣는 데 쓰는 물건. 대나 뿔로 얇고 갸름하게 만듦. 준살쩍.

살쩍밀이-질 명 망건을 쓰고 살쩍밀이로 살쩍을 밀어 올리는 일. ——「하다 자 여불

살쭈 명 ↗쇠살쭈.

살쭉-경【一鏡】 명 〈방〉 샐쭉경.

살-찌 명 쏜 화살이 날아가는 맵시. ¶ ~가 곱다.

살-찌다[1] 자 몸에 살이 많아지다. 살오르다. ↔살빠지다.

〔살찐 놈 따라 붓는다〕 살찐 사람처럼 되느라 붓는다 함이니 남의 행위를 억지로 흉내내는 어리석음을 비유하는 말.

살찌다[2] 자 〈옛〉 주름살지다. ¶ 머리 셰오 ᄂᆞ치 살찌닐 ᄂᆞ미게 뵈요터(示人髮白面皺)《妙蓮 V:120》.

살-찌우다 사동 몸에 살이 많아지게 하다. ¶ 가축을 ~.

살-찌이다 사동 〈방〉 살찌우다.

살찐 열매 명 〖식〗 다육과(多肉果).

살찐-잎[—닙] 명 〖식〗 다육엽(多肉葉).

살찡이 명 〈방〉 〖동〗 고양이(경상).

살차다[1] 타 〈방〉 죽이다(함경).

살-차다[2] 형 ①혜성(彗星)의 꼬리의 빛이 세차다. ②성질이 붙임성이 없「고 차고 매섭다.

살찬【薩湌】 명 〖역〗 사찬(沙湌).

살-창【一窓】 명 좁은 나무나 쇠오리로 살을 대어 만든 창. 전창(箭窓). 살창문.

살-창문【一窓門】 명 살창(窓).

살천-스럽다 형 ㅂ불 쌀쌀하고 매섭다. ¶ 백순 어머니는 치맛자락을 휩싸고 살천스럽게 앉아 있고…《洪命憙: 林巨正》. 살천-스레 부

〈살창〉

살청【殺青】 명 ①대나무를 불에 쬐어 대나무의 푸른 빛을 빼는 일. ②사서(史書). 기록. 또, 서적의 이칭(異稱).

살체기-문【一門】 명 〈방〉 사립문(제주).

살초【殺草】 명 풀·잡초 등을 약제 따위를 써서 죽이어 없앰. ——하다「자 여불

살초-기【撒草機】 명 햇볕에 말리기 위해 흩어 놓은 목초(牧草)를 뒤집을 때 쓰는 농기구.

살초-제【殺草劑】 명 풀·잡초 등을 죽이어 없애는 약제. 제초제.

살-촉【一鏃】 명 ↗화살촉.

살충【殺蟲】 명 벌레를 죽임. 해충을 죽임. 제충(除蟲). ——하다 자 여불

살충-등【殺蟲燈】 명 해충을 잡기 위하여 마련한 등(燈). 유아등(誘蛾「燈) 같은 것.

살충-력【殺蟲力】[—녁] 명 살충제의 해충을 죽이는 힘.

살충-약【殺蟲藥】[—냑] 명 살충제(殺蟲劑).

살충-제【殺蟲劑】 명 농작물·인축(人畜) 등에 해가 되는 벌레를 죽이거나 없애 버리는 약품의 총칭. 구충제(驅蟲劑). 살충약. 제충약(除蟲藥). 「제충제(除蟲劑).

살치[1] 명 소의 갈비의 윗머리에 붙은 고기.

살-치[2] 명 〖어〗 〔*Culticulus kneri*〕 잉어과에 속하는 민물고기. 몸은 길이 18-20 cm 내외로 측편(側扁)하며 머리는 작고 주둥이가 뾰족하며 몸빛은 등 쪽이 창갈색, 옆구리와 배 쪽은 은백색임. 한국 서해 및 남해로 흐르는 하천에 분포함. 「줄을 그어서 못쓴다는 뜻을 나타내다.

살-치다 타 잘못되었거나 못 쓰게 된 글이나 문서 같은 데에, X 형상의

살-친구【一親舊】 명 남색(男色)의 상대가 되는 친구.

살캉-거리다 자 설익은 밤·콩·감자 등이 씹힐 때에 부서지는 소리가 자꾸 나다. 또, 그것을 씹을 때 입안에서 무르지 아니한 감을 연해 주다. ㅗ살강거리다. ㅆ쌀강거리다. ㅆ쌀캉거리다. <설컹거리다. 살캉-살「캉 부. ——하다 자 형 여불

살캉-대다 자 형 살캉거리다.

살-코 명 코뚜레에 곁들여서 꿰는 노끈. 사나운 소를 다스릴 때 씀.

살-코기 명 기름기·힘줄·뼈가 없는 살로만 된 쇠고기나 돼지고기. 정육(正肉).

살-쾡이 명 〖동〗 〔*Felis bengalensis manchurica*〕 고양잇과에 속하는 짐승. 고양이와 비슷한데 두동(頭胴)은 40-50 cm, 꼬리는 18-25 cm이고 몸빛은 갈색인데 두부(頭部)에는 2-3 개의 반문이 있고, 배면(背面)에는 많은 흑색·암갈색의 반문·선문(線紋)이 얼룩얼룩하게 있음. 둥근 귀의 후면은 흑색이고 꼬리는 갈색에 암갈색의 둥근 무늬가 있음. 야생(野生)하는데 성질은 몹시 사나워서 꿩·다람쥐·물고기 등을 포식하고 촌락의 닭도 잡아감. 한국·쓰시마(對馬)·말레이·중국·대만·아무르 등지에 분포함. 야묘(野猫). 삵. *스라소니.

〈살쾡이〉

살쾡이-자리 명 〔Lynx〕 〖천〗 별자리의 하나. 북위 30°-60°, 적경(赤經) 7시 50분, 적위(赤緯) +45°에 있음. 3월 중순경 저녁 때 북쪽에 보임. 삼등성(三等星) 이하의 작은 별들을 포함함. 약자(略字): Lyn.

살퀭이 명 〈방〉 〖동〗 살쾡이(경기·전북).

살키 명 〈방〉 샅(경상).

살타【薩埵】 명 〖불교〗 〔범 Sattva〕 ①중생(衆生)❷. ②↗보리 살타(菩提「薩埵).

살타렐로 〔이 saltarello〕 명 〖악〗 이탈리아의 3 박자(三拍子) 또는 6 박자(六拍子)로 된 빠른 무곡(舞曲).

살타토〔이 saltato〕명〖악〗현악(絃樂)에서 활을 튀게 연주하는 법. 살

살탄도〔이 saltando〕명〖악〗살타토(saltato). ⌊탄도(saltando).

살-터 명 ①활터. ②물고기의 그물을 쳐 놓은 곳. *어살.

살토〔Salto〕명〖지〗남미 우루과이 북서부의 상업 도시. 우루과이 강(江)에 임한 하항(河港) 도시. 오렌지·귤의 거래와 가공(加工)으로 유명함. 우루과이 강을 따라 아름다운 산책 도로와 공원이 있음. 〔77,400명(1985)〕

살-통¹ 명〖건〗살대를 받치어 대고 그것을 옮겨 움직이는 기구.

살-통²【一筒】명 화살을 넣는 통. 전동(箭筒).

살틀-스럽다 형 ㅂ불 ☞ 살뜰하다. ¶가엾은 것들, 우리가 살틀스레 안 굴면 어떠하겠어요≪崔貞熙 : 천맥≫.

살파¹【撒播】명 씨를 뿌림. 또, 그 파종법(播種法). ——-하다 타여불

살파²〔salpa〕명〖동〗살파류에 속하는 원색(原索) 동물의 통칭.

살파-류【一類】〔salpa〕명〖동〗〔Salpida〕미색류(尾索類)에 속하는 원색 동물(原索動物)의 한 목(目). 몸은 달걀꼴 또는 통 모양으로, 아주 부드럽고 투명하며, 몸 안에 신경절(神經節)·아가미·위(胃)·장(腸)·항문·심장 등이 갖추어 있음. 몸길이는 보통 4cm인데 1-19cm의 것도 있고, 몸뚱이에 고치 모양으로 힘줄이 감겨 있어 근육의 수축 작용을 행하여 움직임. 번식의 방법에는 무성(無性)과 유성(有性)이 있어 무성 세대의 단독 개체와 유성 세대의 연쇄(連鎖) 개체로 구분함. 바닷물 위에 떠돎. 반근류(半筋類)·환근류(環筋類)로 분류함.

살팍-지다 형 근육이 살지고 단단하다.

살-판¹ 명 관사(官射) 과녁에 다섯 개씩 열 순을 쏘는 것을 한 획(畫)이라 하여 한 획에 스무 개를 맞히는 일.

살-판² 명 ↗살판뜀.

살-판³ 명 ☞ 살얼음. 「널.

살-판⁴【一板】명〖건〗집을 살잡이할 때에 기둥을 드는 데 쓰는 두꺼운

살:판-나다 자 ①돈이나 좋은 직업 같은 것이 생겨 생활이 윤택해지다. ②기를 펴고 살아갈 수 있게 되다.

살판-뜀 명 광대가 몸을 날려 넘는 땅재주. ㉾살판.

살판-쇠 명〖민〗땅재주꾼의 우두머리.

살펴-보다 타 하나하나 자세히 주의하여 보다. ¶주위를 ~.

살-평상【一平床】명 바닥에 통나무를 대지 아니하고 좁은 나무오리로 사이를 띄어서 죽 박아 만든 평상.

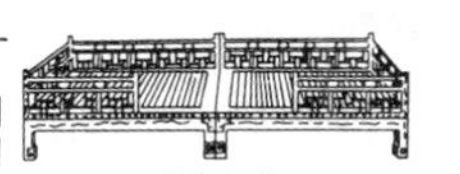

〈살평상〉

살포¹ 명〖농〗논에 물을 댈 때 쓰는 농사 기구의 하나. 폭 12cm, 길이 14cm 가량 되는 두툼한 쇳조각에 길이 2m 가량의 긴 자루를 끼었음. 흔히, 노인(老人)들이 지팡이 대신 논에 나갈 때 짚고 다님.

〈살포¹〉

「여불

살포²【撒布】명 뿌림. ¶소독제를 ~하다. →산포(撒布). ——-하다 타

살포 관:개【撒布灌漑】명〖농〗밭에 물을 대는 한 방법. 펌프나 자연 낙차(落差)에 의한 압력수(壓力水)를 파이프에 뚫은 여러 작은 구멍이나 자동 살수기(撒水機)로 인공 강우적인 관개를 하는 법. 토지의 경사(傾斜)에 구애되지 아니하고 이랑의 두둑 같은 것이 필요하지 않으므로 밭은 물론, 산허리의 과원·사구지(砂丘地)·메 등의 관개에 적합함. 살수(撒水) 관개. 산수(撒水) 관개. →산포 관개(撒布灌漑).

살포-기【撒布器·撒布機】명 분말·액체 따위를 뿌리는 기구. →산포기(撒布器). 「여 칠판을 보았다.

살포시 부 매우 보드랍고 가볍게. 살며시. ¶~ 몸을 들고 머리를 기울

살포-약【撒布藥】명〖약〗살포제(撒布劑). →산포약(撒布藥).

살포-제【撒布劑】명 ①소독·살충 등을 하기 위하여 뿌리는 약제. ②〖약〗겨드랑이나 다리·가랑이같이 습하기 쉬운 곳에 뿌리어, 습진(濕疹)의 예방이나 피부의 상처 따위의 치료에 쓰는 외용약(外用藥). 아연화(亞鉛華) 녹말이나 요오드포름 따위. 살포약. →산포제(撒布劑).

살표 명〈방〉살피¹.

살푸 명〈심마니〉숟가락.

살-풀이【煞一】명 ①〖민〗타고난 흉살(凶煞)을 예방하는 굿. ②〖악〗남도 무악(南道巫樂)의 하나. 도살풀이. ③〖민〗남도(南道)의 살풀이 굿에서 파생된 민속춤의 하나. 삼현 육각(三絃六角)의 반주가 따름. 살풀이

살풀이-춤【煞一】명〖민〗살풀이❸. ⌊춤. ——-하다 자여불

살-품 명 옷과 가슴 사이에 있는 빈 틈.

살-품이 명〈방〉〖식〗진득찰.

살풍 명〈방〉살품.

살-풍경【殺風景】명 ①자연 풍경 따위가 운치가 없고 메마름. ¶~한 경치. ②매몰차고 흥취가 없음. ③살기를 띤 광경. ¶~한 방 안의 모습. ——-하다 형여불 「翎兒)≪朴解 上 27≫.

살픠 명〈옛〉살피. ¶또 두루믜 지초로 살픠 고잣고(綴着…人是箇鵝鶻

살피¹ 명 ①두 땅의 경계선을 간단히 표시한 표. ②물건과 물건과의 사

살피² 명 '숟가락'의 변말. ⌊이를 구별지은 표.

살피³ 명〈옛〉살포¹. ¶살피 삽(鍤)≪寧邊板 類合 17≫.

살피-개 명〈심마니〉눈¹.

살피 꽃밭 명 건물·담밑·도로 등을 따라 좁고 길게 만든 꽃밭. 외관상 앞쪽에는 키가 작은 꽃, 뒤쪽에는 키가 큰 꽃을 심음.

살피다¹ 타〔중세 : 슬피다〕①자세히 알아보다. ¶눈치를 ~/안색을 ~. ②잘 미루어 헤아리거나 생각하다. ¶형세를 ~.

살피다² 형 짜거나 엮은 것이 거칠고 성기다. <설피다.

살-피죽 명〈속〉살가죽.

살핏-살핏 부 여럿이 다 살핏한 모양. <설핏설핏. ——-하다 형여불

살핏-하다 형여불 짜거나 엮은 것이 좀 얇고 성긴 듯하다. <설핏하다.

살해¹【殺害】명 남의 생명을 해침. 사람을 죽임. 살월(殺越). ——-하다 타여불 「濊)의 다음가는 군장.

살해²【殺奚】명〖역〗삼한(三韓)의 군장(君長)의 한 칭호(稱號). 번예(樊

살해-범【殺害犯】명 살인죄를 범한 사람. 또, 그 범죄(犯罪).

살해-자【殺害者】명 사람을 살해한 사람.

살-홍 명〖건〗홍살문·정문·샛문 등의 위에 있는 살창.

살-홍어【一紅魚】명〖어〗〔*Raja tengu*〕가오릿과에 속하는 바닷물고기. 몸길이 2m, 폭이 넓고 주둥이가 돌출하여 끝이 뾰며 등 쪽이 암갈색임. 한해성 어종으로 동해와 일본 북부 연해 및 황해에 분포함.

살활【殺活】명 죽임과 살림. 「권(生殺之權).

살활지-권【殺活之權】〔一꿘〕명 사람을 죽이고 살리는 권리. 생살지

살획【殺獲】명 죽이는 일과 사로잡는 일. ——-하다 타여불

삵〔삭〕명〖동〗〔↗삵괭이〕살쾡이.

삵-괭이〔삭—〕명〖동〗☞살쾡이.

삵괭이-자리〔삭—〕명〖천〗☞살쾡이자리.

삵-아지 명〈방〉〖동〗살쾡이. 「묘피(野猫皮). 이자피(貍子皮).

삵-피【一皮】〔삭—〕명 살쾡이의 가죽. 옷 같은 것을 만드는 데 쓰임. 야

삶:〔삼〕명 ①사는 일. 살아 있는 현상(現象). ¶사람다운 ~. ②생명. 목

삶기다〔삼—〕피동 '삶다'의 피동형. 삶아지다. ⌊숨. 생(生). ↔죽음.

삶:다〔삼따〕타〔중세 : 솖다〕①물에 넣고 끓이다. ¶빨래를 ~. ②남을 달래거나 으르거나 꾀거나 하여 고분고분 말을 잘 듣게 만들다. ¶아버지를 삶아서 용돈을 타내다. ③논밭의 흙을 써레로 썰고 나래로 노글노글하게 만들다.

[삶아 논 녹비끈] 아무런 저항도 없이 꼼짝 못하고 남의 뜻대로 움직임을 이름. [삶은 개고기 뜯어 먹듯] 사람을 여럿이 함부로 욕하고 모함한다는 말. [삶은 개다리 뒤틀리듯] 일이 아주 뒤틀린 모양. [삶은 개다리 버드러지듯] 어떤 것이 아주 빳빳하게 보임을 이름. [삶은 닭이 울까] 이미 다 틀어진 일에 헛 기대를 건다는 말. [삶은 소가 웃다가 꾸러미 째지겠다] 어처구니 없고 우스워 못 견디겠다는 말. [삶은 팥이 싹 나거든] 도무지 기약할 수 없는 모양.

삶은 무:에 이 안 들 소리 구 삶은 무에 이가 안 들어갈 리가 없은 즉, 사리에 어긋남을 이르는 말.

삶이〔살미〕명〖농〗①논을 삶는 일. 건삶이와 무삶이가 있음. ②못자리를 따로 하지 아니하고 처음 삶은 논에 바로 볍씨를 뿌리는 일. ——-하다 자타여불

삷 명〈옛〉삽(鍤). ¶삷 쵸(鍫), 삷 삽(鍤)≪字會 中 17≫.

삷거늘【白去乙】〈이두〉①아뢰거늘. ②-시거늘. *삷건을.

삷거든【白去等】〈이두〉①아뢰거든. ②-이시거든.

삷거오늘【白去乎乙】〈이두〉①아뢰옵거늘. ②-시거늘.

삷거온【白去乎】〈이두〉①아뢰니. ②-이시니.

삷거온들쓰아【白去乎等用良】〈이두〉①아뢰으로써. ②-심으로써.

삷건을【白去乙】〈이두〉①아뢰거늘. ②-시거늘. *삷거늘.

삷견【白在】〈이두〉①아뢴. 아뢰니. ②-신. -시니.

삷견과【白在果】〈이두〉①아뢰거니와. ②-시거니와.

삷견다해【白在如中】〈이두〉①아뢰었는데. ②-시었는데. 「는.

삷견마리여【白在而亦】〈이두〉①아뢴것이나. ②-시었으나. -시었지마

삷견여해【白在亦中】〈이두〉①아뢰었는데. ②-시었는데.

삷고【白遣】〈이두〉①아뢰고. ②-시고.

삷곤【白昆】〈이두〉-시니.

삷누온【白臥乎】〈이두〉①아뢰는. 아뢰니. ②-시는. -시니.

삷누온-일【白內臥乎事】〈이두〉①아뢰는 일. ②-시는 일.

삷다【白如】〈이두〉-시다.

삷다가【白如可】〈이두〉-시다가.

삷다온【白如乎】〈이두〉①아뢴다는. 아뢴다니. ②-시다는. -시다니.

삷다짐【白侤】명〈이두〉자기의 자백(自白)을 승인하여 조서(調書)에 날인(捺印)하는 일. 또, 자백(自白)을 승인하는 조서(調書).

삷다짐이삷누온견이여【白侤白臥乎在亦】〈이두〉자백(自白)인 것이니.

삷다해【白如中】〈이두〉-신데.

삷두【白置】〈이두〉-시다.

삷든【白等】〈이두〉①아뢰옵든. ②아뢰면. ③-시거든.

삷며【白旀】〈이두〉①아뢰며. ②-시며.

삷사남아【白沙餘良】〈이두〉-실 뿐 아니라. -시더라도.

삷샤온【白賜乎】〈이두〉-시었으니. -신. 말씀하신.

삷아【白良】〈이두〉①사뢰어. ②-시어.

삷아견늘【白良在乙】〈이두〉①말씀하시거늘. ②-시거늘. *삷아견을.

삷아견을【白良在乙】〈이두〉①말씀하시거늘. ②-시거늘. *삷아견늘.

삷아금【白良㫆】〈이두〉①사뢴다고. ②-시라고.

삷아두【白良置】〈이두〉①아뢰어도. ②-시어도.

삷아사【白良沙】〈이두〉①사뢰어야. ②-시어야.

삷아온【白良乎】〈이두〉①아뢰온. ②-신.

삷아져【白良結】〈이두〉①사뢰고저. ②-옵고저.

삷안지【白良喩】〈이두〉①사뢰었는지. ②-시었는지.

삷양으로【白良以】〈이두〉-실 양으로.

삷오나【白乎乃】〈이두〉①아뢰오나. ②-시니.

삷오되【白內乎矣·白乎矣】〈이두〉①아뢰되. ②-시되.

삷오든【白乎等】〈이두〉①아뢰옵거든. ②아뢰오니. ③-시거든.

삷오며【白乎旀】〈이두〉①아뢰며. ②-시며.

삷온【白乎隱·白乎】〈이두〉①아뢰온. ②-신.

삷온뎨여해【白乎弟亦中】〈이두〉①사뢰었을 때에. ②-시었을 때에.

삷온들로【白乎等似】〈이두〉①아뢰므로. ②-시었으므로.

삷온맛【白乎味】〈이두〉①사뢴다고. ②-시라고. ③입니다라고.

삽온바【白乎所】〈이두〉①아뢰온 바. ②-신 바.
삽온여해【白乎亦中】〈이두〉①사뢰었는데. ②-신데.
삽온일【白乎事】〈이두〉①아뢰온 일. ②-신 일.
삽온지【白乎喩】〈이두〉①아뢰었는지. ②-신지.
삽올가【白乎之去】〈이두〉①아뢰올가. ②-실가.
삽올오여견이며【白內叱乎亦在旀】〈이두〉하시온 것이며.
삽올지【白乎乙喩】〈이두〉①아뢰올지. ②-실지.
삽이【白是】〈이두〉'아뢰옵'의 뜻으로 부형에게나 썩 높은 어른에게 하는 편지의 첫머리에나 이름 밑에 쓰는 말.
삽이누온들쓰아【白有臥乎等用良】〈이두〉-시었음으로써.
삽이시되【白有矣】〈이두〉①아뢰었으되. ②-시었으되.
삽이시며【白有旀】〈이두〉①사뢰었으며. ②-시었으며.
삽이신이여【白有亦】〈이두〉①아뢰었기에. 아뢰었으니. ②-시었으니.
삽이신즉【白有則】〈이두〉①사뢰었은즉. ②-시었은즉.
삽잇거늘【白有去乙】〈이두〉①말씀하였거늘. ②-시었거늘. *삽잇거을.
삽잇거든【白有去等】〈이두〉①아뢰었거든. ②-시었거든.
삽잇거온【白有去乎】〈이두〉①아뢴것이니. -시었으니. ②아뢴. -신.
삽잇거을【白有去乙】〈이두〉①말씀하였거늘. ②-시었거늘. *삽잇거늘.
삽잇견과【白有在果】〈이두〉①아뢰었거니와. ②-시었거니와.
삽잇곤【白有昆】〈이두〉①아뢰었으니. ②-시었으니.
삽잇다가【白有如可】〈이두〉①아뢰었다가. ②-시었다가.
삽잇다온【白有如乎】〈이두〉①아뢰었다는. -시었다는. ②아뢰었다니. -시었다니.
삽잇두【白有置】〈이두〉①아뢰었다. ②-시었다.
삽잇들로【白有等以】〈이두〉①사리었음으로써. ②-시었음으로써.
삽잇제【白有齊】〈이두〉①사뢰었다. ②-시었다.
삽제【白齊】〈이두〉①사뢰다. ②-시다.
삸밀 명〈옛〉살밑. =살밑. ¶삸놀과 삸미트로 農器 디유믈 듯고져 願ᄒᆞ노니(願聞鋒鏑鑄)《杜諺 Ⅲ:10》.
삸오뇌 명〈옛〉살의 오늬. =살오늬. ¶括은 삸오뇌라《楞嚴 Ⅸ:20》.
삻쥼 형〈옛〉주름살 짐. 주름살 잡힘. '삻지다'의 명사형. ¶네 이제 머리 셰며 ᄂᆞᆾ 삻쥬믈 슬ᄂᆞ니(汝今自傷髮白面皺)《楞嚴 Ⅱ:9》.
삻지다 형〈옛〉주름살 잡히다. ¶네 ᄂᆞ치 비록 삻지나(汝面雖皺)《楞嚴 Ⅱ:10》.
삼[1] 명〔근대 : 솜〕태아(胎兒)를 싼 막(膜)과 태반(胎盤). 태보(胎褓).
삼[2] 명〘의〙눈동자에 좁쌀만하게 생기는 흰 점 또는 붉은 점. *삼눈.
삼[3] 명 뱃바닥에 댄 널. 삼판.
삼[4] 명〔중세 : 삼〕〘식〙①삼과에 속하는, 긴 섬유 재료가 되는 식물의 총칭. 마닐라삼·삼·인도삼·호주삼 등이 있음. ②[*Cannabis sativus*] 삼과에 속하는 일년초. 줄기는 곧고 높이 1.2-3 m, 잎은 7-9 갈래로 째진 장상 복엽(掌狀複葉)이고 소엽(小葉)은 피침형에 잔 톱니가 있고, 잔 털이 밀생함. 자웅 이주(雌雄異株)로, 7-8월에 수꽃은 가지 끝에 원추(圓錐) 화서로, 암꽃은 가지 끝의 엽액(葉腋)에 수상(穗狀) 화서로 피는데 화판(花瓣)이 없으며, 수과(瘦果)는 구상(球狀)이고, 회백색 또는 흑색 종자가 있음. 3-5월에 파종(播種)하여 밭에 재배하는데 중앙 아시아 원산(原產)으로 유럽 및 아시아 온대·열대에 분포함. 종자는 '삼씨'라 하여 식용·약용·제유(製油) 및 사료(飼料)·비료로 하고, 줄기의 껍질은 중요한 섬유(纖維)의 원료로서, 삼베·어망(魚網)·포대·돛·밧줄 등에 씀. 대마(大麻). 마(麻). 화마(火麻).

〈삼[4]❷〉

삼:[5] 명〈방〉우물[1](충남).
삼[6]【參】명〘천〙↗삼성(參星).
삼[7]【森】명 성(姓)의 하나. 현재 우리 나라에는 본관이 삼가(三嘉) 하나뿐임.
삼[8]【蔘】명〘식〙①인삼과 산삼(山蔘)의 총칭. ②↗인삼.
삼[9]【三】㊀ 수 셋. ㊁ 관 '세'의 뜻으로 한자어 위에 쓰는 말. ¶～ 등분(等分).
【삼 동서가 모이면 황소도 잡는다】동서가 많으면 큰 일도 거뜬히 치러 낼 수 있다는 말.
삼가[1]【三加】명〘역〙관례(冠禮) 때에 세 번 관을 갈아 씌우던 의식. 초가(初加)에는 입자(笠子)·단령(團領)·조아(絛兒), 재가(再加)에는 사모(紗帽)·단령·각대(角帶), 삼가에는 복두(幞頭)·공복(公服)을 썼음.
삼가[2]【三歌】명〘문〙신라 경문왕(景文王) 때 국선(國仙) 요원랑(邀元郞)·예흔랑(譽昕郞)·숙종랑(叔宗郞) 등이 군주(君主)가 나라를 다스리는 뜻을 본떠서 지었다는 노래 3수. 《대도곡(大道曲)》·《현금포곡(玄琴抱曲)》·《문군곡(問群曲)》을 가리킴. 가사는 전하지 아니함.
삼가[3] 부〔←삼가아〕삼가는 마음으로. ¶～ 글월을 올립니다.
삼가다 자〔중세 : 삼가다〕①조심하다. 경계하다. ¶말을 ～/여자를 ～. ②양(量)이나 횟수(回數) 따위를 지나치지 않도록 하다. ¶술을 ～/담배를 ～.
삼-가르다 자 르불 해산(解產)한 뒤에 탯줄을 끊다. 태가르다.
삼-가리【三街里】명 삼거리❶.
삼-가섭【三伽葉】명〘불교〙우루빈라 가섭(優樓頻羅伽葉)·가야 가섭(伽耶伽葉)·나제 가섭(那提伽葉)의 삼 형제. 외도(外道)의 우두머리였으나 석존(釋尊) 성도(成道) 후에 제자가 됨.
삼가 알코올【三價—】〔alcohol〕[—까—] 명〘화〙한 분자 안에 히드록시기(基) 3개를 갖는 알코올의 총칭. 대표적인 것은 글리세롤. *일가 알코올.
삼가-하다 자 여불 '삼가다'를 잘못 쓰는 말.
삼각[1]【三角】명 ①세모. ②〘수〙↗삼각형(三角形). ③〘수〙↗삼각법(三角法).
삼각[2]【三刻】명 세 시각(時刻). 또, 세째 시각.
삼각[3]【三脚】명 ①비경이. ②↗삼각의자(椅子). ③↗삼각가(三脚架).
삼각[4]【三覺】명〘불교〙①기신론(起信論)이라고 하는 본각(本覺)·시각(始覺)·구경각(究竟覺)의 총칭. ②불교에 있어서의 각(覺)의 삼상(三相). 곧, 자각(自覺)·각타(覺他)·각행 원만(覺行圓滿).

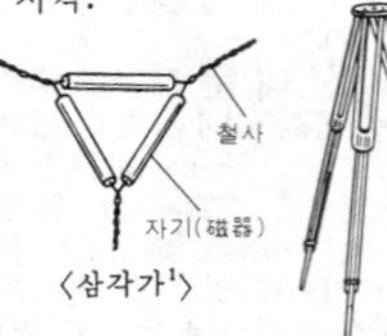

〈삼각가[1]〉

〈삼각가[2]〉

삼각-가[1]【三角架】명〘화〙도가니를 꿰어놓는 데 쓰는 정삼각형 모양의 기구.
삼각-가[2]【三脚架】명 세 발이 달린 틀. 경위의(經緯儀)·나침반·망원경·사진기·캔버스 같은 것을 올리어 놓는 데 쓰임. 삼발이. ㊌삼각(三脚).
삼각-강【三角江】명〘지〙나팔 모양으로 벌어진 강구(江口). 강구가 침식(浸蝕)되어 수심(水深)이 깊어져서 생김.
삼각-건【三角巾】명 삼각형으로 된 헝겊. 사각형의 헝겊을 대각선(對角線)으로 끊어 이등분(二等分)하여 만듦. 머리·가슴·배 따위의 부상의 응급 처치에 쓰임.
삼각 결선【三角結線】[—썬] 명 델타 결선(delta 結線).
삼각 관계【三角關係】명 ①세 사람 또는 세 단체 사이의 관계. ②특히, 세 남녀 사이의 연애(戀愛) 관계.
삼각-굴등【三角—】명〘동〙삼각따개비.
삼각-근【三角筋】명〘생〙어깨를 둥글게 하고 팔을 움직이는 근육. 쇄골(鎖骨) 및 견갑골에서 시작하여 상완골(上腕骨)에서 끝남. 삼릉근(三稜筋).

〈삼각근〉

삼각 급수【三角級數】명〘수〙삼각 함수(三角函數)를 항(項)으로 하는 급수.
삼각-기【三角旗】명 기폭이 삼각형으로 된 기(旗).
삼각 기둥【三角—】명〘수〙밑면이 삼각형으로 된 각기둥. 세모 기둥. 구용어:삼각주·삼각도(壔).
삼각 나사【三角螺絲】명 나사의 산(山)의 단면이 정삼각형처럼 생긴 나사. 가장 대표적인 나사로, 특수한 나사와 비교할 경우의 명칭임. 기계 부품, 기타 물건을 조이는 데 많이 쓰임. *미터 나사.
삼각-대【三角臺】명 기관총이나 실험 기구 따위를 얹어 놓기 위하여 만든 세 발이 달린 쇠로 된 기구.
삼각 대:문【三角帶文】명〘고고학〙세모띠무늬.
삼각-도【三角壔】명〘수〙'삼각 기둥'의 구용어. 삼각주(三角柱).
삼각 도법【三角圖法】[—뻡] 명 투영법(投影法)의 하나. 물체를 제삼상한(第三象限)에 놓고 제도(製圖)하는 방법. 삼각법.
삼각 동맹【三角同盟】명 ①서로 다른 삼자(三者) 또는 삼국(三國) 사이에 어떤 일정한 목적을 위하여 맺은 약속. ②〘역〙1668년에 형성된 영국·스웨덴·네덜란드 등 삼국의 대(對)프랑스 동맹. ③〘역〙1717년 스페인에 대립한 프랑스·영국·네덜란드의 동맹. ④〘역〙1795년 프랑스에 대립한 오스트리아·영국·러시아 삼국간에 맺어진 동맹. ⑤〘사〙영국의 탄광부(炭鑛夫) 연합회, 철도 종업원 조합 및 운수 노동자 동맹의 삼자 사이에 맺어진 산업 공수 동맹(產業攻守同盟). 1915년에 성립하여 탄갱 국유화(炭坑國有化), 노동자의 관리권 획득을 목표로 하였으나 내부 조직의 결함으로 와해됨. 삼각 연맹.
삼각-돛【三角—】명 삼각형으로 된 돛. 큰 돛의 보조 구실을 하는 뱃머리에 달린 돛.
삼각-따개비【三角—】명〘동〙[*Balanus trigonus*] 따개빗과에 속하는 절지동물. 소형의 따개비로 몸은 높이 3 cm 가량의 원추형이고 입은 삼각형이며 몸빛은 각(殼)의 표면이 담홍색 또는 자홍색에 백색의 가는 융기(隆起)가 종주(縱走)함. 여섯 쌍의 발로 플랑크톤(plankton)을 포식하고 바다 속의 패류(貝類)·암석(岩石)·선박에 착생(着生) 생활을 하는데, 한국·일본의 해안에 널리 분포함. 삼각굴등.
삼각-망【三角網】명 삼각 측량에서, 삼각점을 연결하여 이루는 삼각형의 모임.
삼각 모자【三角帽子】명〔ㅅ El sombrero de tres picos〕〘악〙스페인의 작곡가 팔랴(Falla)가 작곡한 발레 모음곡(曲). 1919년 초연. 스페인의 소설가 알라르콘(Alarcon, P.; 1833-91)의 같은 이름의 풍자 소설에 따라 작곡한 것. 모음곡(曲)은 '동네 사람들의 춤'·'빵장수의 춤'·'끝곡'으로 구성되었음.
삼각 무:역【三角貿易】명〔triple trade〕〘경〙①상대국과의 사이에 제삼국을 개입시켜 무역상의 불균형을 세 나라 사이에서 서로 상쇄(相殺)하여 거래를 확대하려는 무역. ②18세기 중상주의(重商主義) 정책하에 있어서의 영국의 식민지 무역의 방법. 우회 무역(迂廻貿易).
삼각 방정식【三角方程式】명〘수〙미지수나 미지수의 식의 삼각 함수(函數)를 포함하는 방정식.
삼각-법【三角法】명 ①〔trigonometry〕〘수〙각(角)의 측정(測定) 및 평면 삼각형이나 구면 삼각형의 변(邊), 그리고 각 사이의 양적 관계의 연구를 기초로 하여 측지(測地)·건축·천문 관측·항해(航海) 등 여러 방면에 응용되는 수학의 한 분과. 삼각술(三角術). 삼각학(三角學). 영산법(影算法). ㊌삼각(三角). ②삼각 도법.
삼각-봉【三角峰】명〘지〙평안 북도 초산군(楚山郡)에 있는 산. [1,058m]
삼각-비【三角比】명〘수〙직각 삼각형 ABC의 한 예각(銳角) A에 대하여 각 변(各邊) a, b, c의 사이의 비(比) a/b, c/b, a/c, b/c, c/a, b/a. 각(角) A 또는 그 크기만으로 결정되고, 각각 각(角) A의 사인·코사인·탄젠트·코탄젠트·시컨트·코시컨트라고 함.

삼각-뿔【三角—】명〖수〗밑변이 삼각형인 각뿔. 세모뿔. 구칭 : 삼각추(三角錐).

삼각 사선 대:문【三角斜線帶文】명〖고고학〗맞톱니무늬.

삼각-산【三角山】명〖지〗①서울의 북쪽과 경기도 고양시(高陽市)에 걸쳐 있는 산. 북한산(北漢山)의 딴 이름. 백운대(白雲臺)·만경대(萬景臺)·인수봉(仁壽峰)의 세 봉우리가 있어 이 이름이 있음. [837 m] ②평안 북도 태천군(泰川郡) 강동면(江東面)과 창성군(昌城郡) 청산면(靑山面) 사이에 있는 산. [937 m]

【삼각산 밑에서 짠물 먹는 놈】인심 사나운 서울에서 자란 사람이란 뜻으로, 앙큼스럽고 매정한 사람의 일컬음. 【삼각산 바람이 오르락내리락】바람이 자기 멋대로 오르락내리락 한다는 뜻이니, 제멋대로 논다는 말. 또, 출입(出入)이 잦다는 말.

삼각산-넘이【三角山—】명〈속〉서울 북쪽에 있는 삼각산을 넘는다는 뜻으로, 북쪽으로 도망간다는 말. ——**-하다** 자여불

삼각산 풍류【三角山風流】[—뉴]명 왕래(往來)가 잦은 것을 일컫는 말.

삼각-선【三角線】명 삼각형으로 부설된 선로. 기관차의 방향을 반대로 돌리기 위한 것임.

삼각-쇄【三角鎖】명 삼각 측량(三角測量)에 있어서 삼각을 배치할 경우, 각 세 각점에 의하여 이루어진 삼각형의 한 계열(系列)이 고리 모양을 이룬 것. 한 개의 삼각형으로 된 것, 두 개의 대각선(對角線)을 갖춘 한 개의 사변형에 의한 것, 한 개의 유심(有心) 다각형에 의한 것 등의 구분이 있음.

단(單) 삼각쇄

복(複) 삼각쇄

유심(有心) 다각쇄

〈삼각쇄〉

삼각-수【三角鬚】명 양 뺨과 턱에 삼각형을 이루어 난 수염.

삼각 수역【三角水域】명〖어업〗북위(北緯) 44° 이북 동경(東經) 170°이서(以西)와, 미국·러시아의 200 해리선(海里線)에 둘러싸인 삼각형 모양의 공해(公海).

삼각-술【三角術】명〖수〗삼각법(三角法)❶.

삼각 스케일【三角—】명〔triangular scale〕삼각형의 단면(斷面)이 있는 자. 각 면의 양 끝에 각기 다른 스케일의 눈금이 있음.

삼각 시:차【三角視差】명〔trigonometric parallax〕〖천〗삼각 측량의 방법으로, 가까운 거리에 있는 별의 오차를 측정할 때의 그 오차.

삼각 연맹【三角聯盟】명〖사〗삼각 동맹❺.

삼각 연:애【三角戀愛】명 세 사람의 남녀 사이에 서로 엇걸리는 연애. *다각(多角) 연애.

삼각 의자【三脚椅子】명 세 발 달린 의자. 준삼각(三脚).

삼각-익【三角翼】명 위에서 본 형상이 삼각형인, 초음속 항공기에 쓰이는 날개. 델타(delta) 날개.

삼각익-기【三角翼機】명〔↗삼각익 비행기〕평면형(平面形)의 이등변 삼각형인 날개를 갖춘 비행기. 날개의 저항이 적으며 마하수(Mach數) 1-2.5 정도의 고속 비행에 적합함.

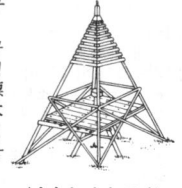

〈삼각익기〉

삼각-자【三角—】명 삼각형으로 된 자. 보통 밑각이 60°와 30°로 된 직각 삼각형과, 45°로 된 이등변 직각 삼각형의 두 개로 되어 있고 한쪽으로 눈금이 있으며 가운데에 동그란 구멍을 뚫어 놓았음. 세모자. 트라이앵글(triangle). 구용어 : 삼각 정규(三角定規).

삼각-점【三角點】명〖토〗삼각망(三角網)의 꼭지점(點)이 되며, 그 수평 위치를 정확하게 결정한 지점(地點). 또, 그 정점에 설치된 표지(標識)의 일컬음. 일시적인 사용을 위한 목탑(木塔)·철탑으로 된 일시 표지와, 영구적 기준점이 되는 석제(石製) 등의 영구 표지가 있으며, 각기 1등·2등·3등·4등의 삼각점으로 구분됨.

〈삼각점 ; 일시 표지〉

삼각 접속【三角接續】명 델타 결선(delta結線).

삼각 정규【三角定規】명〖수〗'삼각자'의 구용어.

삼각-좌【三角座】명〖천〗'삼각형자리'의 구용어.

삼각-주¹【三角柱】명 ①세모진 기둥. ②〖수〗'삼각 기둥'의 구용어. 삼각도.

삼각-주²【三角洲】명〖지〗강이 바다로 들어가는 어귀에 강물이 운반하여 온 사토(砂土)가 쌓이고 쌓여서 된 사주(砂洲). 대개 삼각형으로 되었으며, 토지가 비옥함. 델타(delta). 삼릉주(三稜洲).

삼각주 퇴:적물【三角洲堆積物】명〔deltaic deposits〕〖지〗삼각주에 쌓이는 퇴적물.

삼각주 평야【三角洲平野】명〖지〗충적 평야(沖積平野)의 한 가지. 삼각주가 발달하여 이루어진 넓은 평야. 나일 강(Nile江)·미시시피 강(Mississippi江) 또는 황하(黃河) 등에서 볼 수 있으며, 고대 문명의 발상지(發祥地) 혹은 중요한 농경지(農耕地)임.

삼각-지【三角紙】명 곤충을 채집할 때에 사용하는 종이 봉투. 파라핀지(paraffin紙)·황산지(黃酸紙)·셀로판(cellophane) 등을 직사각형으로 잘라 접어서 삼각형의 봉투로 만듦.

삼각-촉【三角鏃】명〖고고학〗세모촉.

삼각-추¹【三角錐】명〖수〗'삼각뿔'의 구용어.

삼각-추²【三角錘】명 삼각형의 낚싯봉. 가자미 등의 저어(底魚)를 낚는 데 사용함.

삼각 측량【三角測量】[—냥]명 ①삼각형의 한 변의 길이와 두 개의 협각(夾角)을 알면, 계산으로 그 삼각형의 모든 길이와 각을 알 수 있다는 원리를 이용한 지형(地形) 측량법. 측량할 지역에 적당한 크기의 여러 삼각형으로 된 삼각망(三角網)을 구성하고, 각 꼭지각의 크기를 트랜싯(transit)으로 실측(實測)한 다음 계산에 의하여 삼각형의 변의 길이와 방위각·꼭지점(點)의 좌표를 결정함. ②〖해〗두 국(局)의 간격(間隔)을 이미 알고 있는 고정 무선국(固定無線局)의 방위(方位)로, 선박(船舶)이나 항공기 등 움직이는 물체의 위치를 결정하는 일. *삼각점.

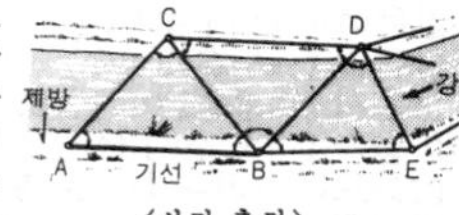

〈삼각 측량〉

삼각 측량법【三角測量法】[—냥뻡]명 삼각 측량을 써서 지형 측량(地形測量)을 하는 법.

삼각-파¹【三角波】명 ①진행 방향이 다른, 둘 이상의 물결이 겹쳐서 생기는 불규칙한 물결. 파장(波長)에 비하여 파고(波高)가 높아서 삼각형을 이루며, 폭풍이 불 때, 삼각파는 선박에 위험함. 삼각 파도. ②〔triangular wave〕〖전〗일련의 삼각 펄스(三角 pulse)로 형성되는 파동.

삼각-파²【三角派】명〖미술〗큐비즘(cubism)의 속칭(俗稱). 큐비즘에 속하는 피카소(Picasso)나 브라크(Braque)의 작품에 입체의 삼각이나 사각의 면(面)으로 구성된 것이 많았다는 데서 생긴 호칭임.

삼각 파도【三角波濤】명 삼각파.

삼각-패【三角貝】명 중생대(中生代)의 표준 화석(標準化石). 특히, 쥐라기(Jura紀)·백악기(白堊紀)에 많이 살고 있었던 쌍패류(雙貝類)로서, 모양이 조금 삼각형으로 되어 있음. 트리고니아(trigonia).

삼각 패스【三角—】〔pass〕명 축구에서, 공을 가진 경기자가 상대방을 피하여 옆으로 패스하고 전진하면 공을 받은 경기자가 다시 그에게 패스해 주는 일.

삼각 팬티【三角—】〔panties〕명 아주 짧아 거의 삼각형으로 보이는 팬티.

삼각 펄스【三角—】명〔triangular pulse〕〖전〗전압치(電壓値)가 어떤 수치(數値)까지 직선적으로 증가했다가, 다시 최초의 수치까지 직선적으로 감소하는 전기적 펄스.

삼각-표【三角表】명〖수〗↗삼각 함수표(三角函數表).

삼각 플라스크【三角—】명〔Erlenmeyer flask〕〖화〗밑이 넓고 목이 좁은 원뿔 모양의 실험용 플라스크.

삼각-학【三角學】명〖수〗삼각법(三角法).

삼각 함:수【三角函數】[—쑤]명〔trigonometrical function〕〖수〗직각 삼각형의 한 예각(銳角) A의 크기 x에 의하여 결정되는 삼각비(比)를 x의 함수로 보고 정의(定義)한 함수 및 이것과 대수 함수(代數函數) 등과의 합성(合成)에 의해서 얻어지는 여러 함수. 원함수. 사인 함수.

삼각 함:수표【三角函數表】[—쑤—]명〖수〗수표(數表)의 하나. 각도의 순서에 따라 삼각 함수의 값을 늘어놓았음. 준삼각표(三角表).

삼각-형【三角形】명〔triangle〕〖수〗서로 맞닿는 세 개의 직선(直線)으로 싸인 평면(平面)의 부분. 다각형(多角形) 중에서 가장 간단하고 기초적인 것으로 기하학적 성질(幾何學的性質)이 매우 풍부한 도형(圖形)임. 삼변형(三邊形). 세모꼴. 준삼각(三角).

삼각형의 오:심【三角形—五心】[—/—에—]명〖수〗오심(五心).

삼각형-자리【三角形—】명〔라 Triangulum〕〖천〗북쪽 하늘에 있는 별자리. 안드로메다(Andromeda)자리의 남동쪽에 있으며 12월 중순의 저녁 때에 하늘 한가운데서 볼 수 있음. 밝은 별은 없으나 국부 은하군(局部銀河群)에 속하는 M 33 은하가 있음. 거리는 약 250만 광년. 약자(略字) : Tri.

삼간¹【三奸】명〖역〗↗신묘 삼간(辛卯三奸).

삼간²【三竿】명 일고 삼장(日高三丈).

삼간³【三間】명 세 칸. ¶~ 초가.

삼간⁴【三諫】명 윗사람의 그릇됨을 고치도록 세 번에 걸쳐 간함. ——**-하다** 타여불

삼간 각도기【三桿角度器】명 세 개의 간상(桿狀)의 유표(遊標) 장치가 달린 각도기.

〈삼간 각도기〉

삼-간관【三諫官】명〖역〗조선 숙종(肅宗) 15년(1689)에 희빈 장씨(禧嬪張氏)를 중궁(中宮)으로 봉하고 민비를 폐할 때, 이를 불가하다고 상소하다가 화를 입은 박태보(朴泰輔)·오두인(吳斗寅)·이세화(李世華)의 세 사람.

삼간-도【三干島】명〖지〗전라 남도 여천시(麗川市)에 속하는 섬. 광양만(光陽灣)의 남쪽에 위치함. [0.05 km² : 370 명(1987)]

삼간-동발 명〖광〗세 개의 동바리 중에 중간에 있는 동바리를 일컫는 말.

삼간 두옥【三間斗屋】명 몇 칸 되지 않는 작은 오막살이집.

삼간 초가【三間草家】명〔세 칸밖에 안 되는 초가라는 뜻〕썩 작은 초가. 삼간 초옥(三間草屋). 초가 삼간(草家三間).

삼간 초옥【三間草屋】명 삼간 초가(三間草家).

삼-간택【三揀擇】명〖역〗임금이나 왕자(王子)·왕녀(王女)의 배우자(配偶者)가 될 사람을 세 번 고른 다음에 정하는 일.

삼간-통【三間通】명〖건〗세 칸이 전부 통(通)하게 되어 있는 집.

삼갈-탑【三葛塔】명〖불교〗신라 무열왕(武烈王) 때 의상 대사(義湘大師)가 세운 탑. 태백산(太白山) 정암사(靜巖寺)에 있는 13층 탑인데 수마노(水瑪瑙)로 세웠으며 매우 아름다움.

삼갑-실【三—】명〈방〉삼겹실.

삼강【三綱】명 ①유교(儒敎)의 도덕에 있어서 기본되는 세 가지 강(綱). 임금과 신하, 부모와 자식, 남편과 아내 사이에 마땅히 지켜야 할 도리로서 곧, 군위신강(君爲臣綱)·부위자강(父爲子綱)·부위부강(夫爲婦綱)임. ¶~ 오륜. ②〖불교〗세 가지 승직(僧職). 곧, 승정(僧正)·승도(僧都)·율사(律師), 또는 상좌(上佐)·사주(寺主)·유나(維那). 승강(僧綱).

삼-강령【三綱領】[—녕]명 대학 교육의 안목(眼目)이 되는 세 강령. 곧,

명덕(明德)을 밝히는 '명명덕(明明德)'과 백성을 새롭게 하는 '신민(新民)'과 지선(至善)에 그치게 하는 '지어 지선(止於至善)'의 세 강령.

삼강-록【三綱錄】[—녹] 명〖책〗 매식년(每式年)에 있어서 충(忠)·열(烈)·효(孝) 삼강(三綱)에 대한 증직(贈職)·급복(給復) 혹은 상전(賞典) 상황을 집록한 책. 조선 정조 원년(1777) 정유(丁酉)부터 동 7년 계묘(癸卯)까지에 한정된 것이 특색임. 모두 18책.

삼강-수【三江水】명〖지〗 중국 장쑤 성(江蘇省)의 타이후 호(太湖)에서 흘러 나가는 세 개의 강. 즉, 쑹장(松江) 강·러우장(婁江) 강·둥장(東江) 강을 말함.

삼강 오:륜【三綱五倫】명 삼강과 오륜.

삼강 오:상【三綱五常】명 삼강과 오상. 강상(綱常).

삼강 행:실도【三綱行實圖】명〖책〗 조선 세종 13년(1431)에 집현전 부제학(集賢殿副提學) 설순(偰循) 등이 어명을 받아 삼강에 모범이 될 충신(忠臣)·효자(孝子)·열녀(烈女)를 각 35명씩 뽑아 그 덕행(德行)을 찬양한 책. 3권 1책임.

삼개【三開】명〖역〗 죽을 죄에 해당하는 죄인에 대하여 신중을 기하기 위해 비록 자복(自服)하더라도 세 번 국청(鞫廳)을 열고 조사(調査) 보고하던 일. ＊삼복(三覆).

삼거【三車】명〖불교〗 양거(羊車)·녹거(鹿車)·우거(牛車)의 세 수레. 양거는 성문승(聲聞乘)에, 녹거는 연각승(緣覺乘)에, 우거는 보살승(菩薩乘)에 비유하는 말. 「오거리. ②↗갖은 삼거리.

삼-거리【三—】명 ①세 갈래로 나누인 길. 세거리. 삼가리(三街里). ＊

삼-거림【三—】명〈방〉 세거리.

삼-거웃[—꺼—] 명 삼껍질의 끝을 다듬을 때 긁히어 떨어진 검불. 소상(塑像)을 만드는 데 흙에 넣어 버무려 씀.

삼건-법【三件法】[—껀뻡] 명〔도 Methode der drei Haupt fälle〕〖심〗 항상법(恒常法)에 있어서, 피시험자(被試驗者)에게 요구되는 범주(範疇)의 수가 세 개로 되어 있는 경우. 예를 들면 '무겁다'·'가볍다'·'비슷하다'의 세 가지 판단을 주는 일 같은 것. ＊이건법.

삼걸【三傑】명 ①뛰어난 세 사람. ②한 고조(漢高祖)의 신하인 소하(蕭何)·장양(張良)·한신(韓信)의 세 사람. ③촉(蜀)나라의 제갈량(諸葛亮)·관우(關羽)·장비(張飛)의 세 사람. ④당(唐)나라의 송환(宋環)·장열(張說)·원건요(源乾曜)의 세 사람. 「그 세 번째의 검사.

삼검【三檢】명〖역〗 살인 사건에 있어서 시체를 세 번 검사하던 일. 또,

삼검-관【三檢官】명〖역〗 삼검을 맡아 보던 관리.

삼겁【三劫】명 ①군주(君主)에 대한 세 가지 위협. 곧, 명겁(明劫)·사겁(事劫)·형겁(刑劫). ②〖불교〗 진언종(眞言宗)에서 말하는 삼망집(三妄執)의 딴이름. 곧, 실아(實我)가 있으면 집착(執着)하는 망집인 추망집(麁妄執), 실법(實法)이 있으면 집착하는 망집인 세망집(細妄執), 중도(中道)의 이치에 어두운 망집인 극세망집(極細妄執). ③〖불교〗 과거의 일대겁(一大劫)인 장엄겁(莊嚴劫), 현재의 일대겁인 현겁(賢劫), 미래의 일대겁인 성숙겁(星宿劫)의 세 겁.

삼겨니다 타〈옛〉 만들어내다. ¶ 네 父母 녀 삼겨니올제 날만 피게 ㅎ도다≪古時調≫.

삼겹-살【三—】명 돼지의 갈비에 붙은 살로, 비계와 살이 세 겹으로 되어 있는 것처럼 보이는 고기. 세겹살.

삼겹-실 [三—] 명 세 올로 드린 실. 삼합사(三合絲).

삼경[1]【三更】명 오경(五更)의 하나. 곧, 하룻밤을 다섯 등분(等分)한 셋째. 밤 11시부터 오전(午前) 1시까지의 사이. 병야(丙夜).

【삼경(三更)에 만난 액이라】 깊은 밤중, 즉 하루를 무사히 지냈다고 할 수 있을 무렵에 맞이하는 액(厄)이라 함이니, 안심하고 있을 때 뜻밖에 사나운 운수가 닥쳤다는 말.

삼경[2]【三京】명〖역〗 고려 때의 삼경. ①지금의 서울인 남경(南京)을 두기 전의 삼경. 곧, 지금의 개성인 중경(中京), 지금의 평양인 서경(西京), 지금의 경주인 동경(東京). ②국왕이 순행(巡行)하던 삼경. 곧, 중경(中京)·서경(西京)·남경(南京). ③중경을 제외한 지방 행정 구획으로

삼경[3]【三庚】명 삼복(三伏). ㄴ서의 삼경. 곧, 서경·동경·남경.

삼경[4]【三徑·三逕】명〔한(漢)나라의 은사 장후(蔣詡)의 정원에 좁은 길이 셋 있던 고사(故事)에서 나온 말〕 은사(隱士)의 문정(門庭).

삼경[5]【三卿】명 ①중국 주대(周代)의 세 사람의 집정 대신(執政大臣). 사도(司徒)·사마(司馬)·사공(司空). ②상(上)·중(中)·하(下) 삼품(三品)의 경(卿).

삼경[6]【三敬】명〖천도교〗 경천(敬天)·경인(敬人)·경물(敬物)의 세 가지.

삼경[7]【三經】명 ①〖책〗 시경(詩經)·서경(書經)·주역(周易) 세 책의 통칭. ¶ 사서(四書) ~. ②유교(儒敎)에서, 대경(大經)·중경(中經)·소경(小經)의 일컬음. ③경서(經書) 중의 삼종(三種). ④〖불교〗 삼부경(三部經)의 일컬음. 특정한 입장에서 그 근본이 되는 경전을 셋 고른 것.

삼경-량【三更量】[—냥] 명 삼경쯤 되는 때.

삼경 사:서 석의【三經四書釋義】[—/—이] 명〖책〗 이퇴계(李退溪)의 문하인들이 사서 삼경(四書三經)을 한문으로 한글과 해석하여 엮은 책. 조선 광해군(光海君) 원년(1609)에 간행했음. 7권 1책.

삼계[1]【三戒】명 ①일생에 지켜야 할 세 가지 계(戒). 곧, 청년 시대에는 여색(女色)을, 장년(壯年) 시대에는 투쟁(鬪爭)을, 노년(老年) 시대에는 이욕(利慾)을 경계하라는 공자(孔子)의 교훈. ②〖불교〗 재가계(在家戒)·출가계(出家戒)·도속 공수계(道俗共守戒)의 세 가지.

삼계[2]【三界】명〖불교〗 ①천계(天界)·지계(地界)·인계(人界)의 세 가지. ②중생(衆生)이 사는 세 가지 세계. 즉, 욕계(慾界)·색계(色界)·무색계(無色界). 삼유(三有). ③시방 제불(十方諸佛)과 일체 중생(一切衆生)과 자기 일심(自己一心)의 세 가지. 곧, 불계(佛界)·중생계(衆生界)·심계(心界). ④과거·현재·미래의 세 세계. 삼세(三世).

삼계[3]【三計】명 1년, 10년, 종신(終身)의 세 가지 계획. 곧, 곡식을 심고, 나무를 심고, 현재(賢才)를 등용하는 일.

삼계[4]【參鷄】명〈속〉 계삼탕(鷄蔘湯).

삼계-교【三階敎】명〖불교〗 불교의 한 종파(宗派). 수(隋)나라의 신행(信行)이 처음으로 주창함. 불교를 삼계(三階)로 나누어 시(時)를 정(正)·상(像)·말(末), 사람을 최상 이근(最上利根)·일반 이근(一般利根)·둔근(鈍根)으로 구별하여 '지금은 시(時)가 말기이며 사람은 둔근(鈍根)이므로 보법(普法)에 의하여서만 도움을 받는다'고 주창하였음.

삼계 유심【三界唯心】명〖불교〗 삼계 유일심(三界唯一心).

삼계 유일심【三界唯一心】[—씸] 명〖불교〗 삼계(三界)의 삼라 만상이 자기의 마음에 반영된 현상(現象)이어서 자기의 마음 이외에는 삼계가 없다는 뜻. 삼계 유심(唯心). 삼계 일심(三界一心).

삼계 일심【三界一心】[—씸] 명〖불교〗 삼계 유일심(三界唯一心).

삼계 제천【三界諸天】명〖불교〗 삼계에 있는 모든 하늘. 욕계(慾界)에는 사왕천(四王天)·도리천(忉利天)·야마천(夜摩天)·도솔천(兜率天)·화락천(化樂天)·타화자재천(他化自在天)의 여섯 하늘, 색계(色界)에는 초선천(初禪天)·이선천(二禪天)·삼선천(三禪天)·사선천(四禪天)의 네 하늘, 무색계(無色界)에는 식무변처천(識無邊處天)·공무변처천(空無邊處天)·무소유처천(無所有處天)·비상비비상처천(非想非非想處天)의 네 하늘이 있음.

삼계-탕【蔘鷄湯】명 음식점에서 계삼탕(鷄蔘湯)을 일컫는 이름.

삼계 팔고【三界八苦】명〖불교〗 삼계의 중생이 받는 팔고(八苦). 곧, 생(生)·노(老)·병(病)·사(死)·애별리고(愛別離苦)·원증회고(怨憎會苦)·구부득고(求不得苦)·오음성고(五陰盛苦)의 여덟 가지. ＊사고 팔고(四苦八苦).

삼계 화:택【三界火宅】명〖불교〗 고뇌(苦惱)가 그칠 사이 없는 인간계(人間界)는 화염(火焰)이 타고 있는 집과 같다는 뜻. 「(下古).

삼고[1]【三古】명 고대(古代)를 셋으로 나눈 상고(上古)·중고(中古)·하고

삼고[2]【三考】명 ①세 번 생각함. 잘 생각함. ②벼슬아치의 정적(政績)을 3년에 한 번씩 9년 간에 세 번 조사하여 그 사람의 현부(賢否)·득실(得失)을 상고(相考)하는 일. ——하다 타여불

삼고[3]【三孤】명〖역〗〔삼공에 예속되지 아니하였으므로 고(孤)라 함〕 중국 주대(周代)의 삼공(三公)에 다음 가는 소사(少師)·소부(少傅)·소보(少保)의 세 관명(官名). 삼소(三少).

삼고[4]【三苦】명〖불교〗 고고(苦苦)·괴고(壞苦)·행고(行苦)의 세 가지 고통. 고고는 고(苦)의 인연(因緣)으로 생겨서 받는 고통, 괴고는 낙사(樂事)가 파괴(破壞)되는 고통, 행고는 무상 유전(無常流轉)의 모든 행동으로 인한 고통임.

삼고[5]【三鈷】명〖불교〗 삼고저(三鈷杵).

삼고[6]【三鼓】명 밤을 5분(分)한 제 3의 시각으로 지금의 12시경(頃). ＊병야(丙夜)·삼경(三更).

삼고[7]【三顧】명〔삼고 초려(三顧草廬)의 고사(故事)에서 유래(由來)된 말〕 윗사람이나 임금으로부터 특별한 신임이나 우대를 받는 일.

삼고-령【三鈷鈴】명〖불교〗 밀교(密敎)의 법구(法具)의 하나. 금강저(金剛杵)의 한쪽이 셋으로 나뉘어 있고 다른 한쪽에 종이 달려 있음.

〈삼고령〉

삼고 이:상【三考二上】명〖역〗 일 년에 두 번 있는 고과(考課)를 세 번 치르는 가운데 두 번 상등(上等) 평점(評點)을 받는 일. 품계(品階)가 오르게 됨. 칠품(七品) 이하에 적용됨. ＊오고 삼상(五考三上).

삼고-저【三鈷杵】명〖불교〗 밀교(密敎)에서 쓰는 금강저(金剛杵)의 하나. 양쪽이 세 갈래로 되어 있음. 삼고(三鈷).

삼고 초려【三顧草廬】명 중국 삼국 시대에, 촉한(蜀漢)의 유비(劉備)가 남양(南陽) 융중(隆中) 땅에 있는 제갈량(諸葛亮)의 초려를 세 번이나 찾아서 자기의 큰 뜻을 말하고 그를 초빙하여 군사(軍師)로 삼은 일.

〈삼고저〉

삼공[1]【三公】명〖역〗 ①옛날 중국에서, 최고 지위에 있으면서 천자(天子)를 보좌하던 세 사람의 관명(官名). 주(周)나라의 태사(太師)·태부(太傅)·태보(太保), 진(秦)·전한(前漢)의 승상(丞相)·태위(太尉)·어사 대부(御史大夫) 또는 대사마(大司馬)·대사공(大司空)·대사도(大司徒), 후한(後漢) 이후 당(唐)·송(宋)에 이르는 동안의 태위(太尉)·사공(司空)·사도(司徒), 원(元)·명(明)·청(淸)에서는 주(周)와 같은 태사·태부·태보의 일컬음. 후세에 올수록 공명화(空名化)하였음. ②고려 때, 태위(太尉)·사도(司徒)·사공(司空)의 셋을 합쳐서 일컫던 말. 위계(位階)는 정일품. 초기에 두었다가 공민왕 11년(1362)에 폐함. 삼태(三台). 태사(台司). ③삼정승(三政丞).

삼공[2]【三貢】명〖역〗 고려 때, 과거(科擧)의 제1차 시험에 합격한 상공(上貢)·향공(鄕貢)·빈공(賓貢)의 총칭. 국자감(國子監)에서 다시 간단한 시험을 치른 다음, 최종 시험인 감시(監試)를 보게 됨.

삼공 구경【三公九卿】명〖역〗 조선 시대 때의 삼정승(三政丞)과 구경(九卿). 곧, 영의정(領議政)·좌의정(左議政)·우의정(右議政), 의정부 좌우 참찬(議政府左右參贊)·육조 판서(六曹判書)·한성 판윤(漢城判尹)을 이르던 말. 괴문 극로(槐門棘路).

삼공-류【三孔類】[—뉴] 명〖동〗 [Tripylaria] 방산충류(放散蟲類)의 한 목(目). 중심낭(中心囊)에 작은 구멍이 있고, 관상 돌기(管狀突起)의 바깥 쪽에 주문(主門)이 있으며 골축(骨軸)은 얇음. 대개 규석질(硅石質)의 뼈를 가졌고 여러 갈래의 수 많은 위족(僞足)을 방산(放散)하여 바다 위를 떠다님. 갈색류(褐色類)·관공류(管孔類).

삼공 본풀이【三公本—】명〖악〗 제주도 무가(巫歌)의 하나. 거지 부부의 막내딸이 결혼하여 부자가 되어 거지들을 위하여 잔치를 베풀고 소경인 부모와 만남으로써 부모의 눈을 뜨게 했다는 줄거리임.

삼공 육경【三公六卿】 명 〖역〗 조선 시대 때의 삼정승(三政丞)과 육조 판서(六曹判書).

삼공-잡이 명 〖악〗 경기도 한강 이남 지역의 무악(巫樂)에서 사용하는 장단의 한 가지.

삼-공형【三公兄】 명 〖역〗 조선 시대 때, 각 고을의 호장(戶長)·이방(吏房)·수형리(首刑吏)의 세 관속(官屬). ㊟공형(公兄).

삼-과¹【一科】[一꽈] 명 〖식〗 [Cannabinaceae] 쌍자엽 식물 이판화류(離瓣花類)에 속하는 한 과. 삼·마닐라삼·한삼덩굴 등이 이에 속함.

삼과²【三科】 명 〖불교〗 모든 것을 마음과 연결시켜 세 가지로 나눈 것. 오온(五蘊)·십이처(十二處)·십팔계(十八界)를 이름.

삼과³【三窠】 명 〖역〗 벼슬이 삼품(三品)으로 오를 수 있는 직위.

삼과⁴【三過】 명 〖불교〗 삼업(三業), 곧 몸·입·뜻이 저지르는 잘못.

삼과⁵【三寡】 명 양생법(養生法)의 하나. 생각을 적게 하여 신(神)을 쉬게 하고, 기호(嗜好)와 욕심을 적게 하여 정(精)을 쌓으며, 말을 적게 하여 기(氣)를 기름. *삼양(三養).

삼관¹【三官】 명 삼원(三元)❷. 「통칭.

삼관²【三館】 명 〖역〗 홍문관(弘文館)·예문관(藝文館)·교서관(校書館)의

삼관³【三關】 명 〖불교〗 ①신체의 세 가지 중요한 곳. 곧, 입·귀·눈. ②불도(佛道)를 깨닫는 세 가지 관문. 「를 관찰하는 일.

삼관⁴【三觀】 명 〖불교〗 공(空)·가(假)·중(中)의 삼제(三諦)의 진리(眞理)

삼관-기【三官記】 명 〖책〗 조선 시대 숙종 때, 이재(李縡)가 지은 수록(隨錄). 궁중과 관변(官邊)의 여러 가지 견문을 기록함.

삼관-왕【三冠王】 명 〔triple crown〕 ①세 종류의 칭호나 영예 또는 상을 동시에 얻은 사람. ②야구에서, 한 시즌에서 수위 타자·타점왕·홈런왕의 세 타이틀을 혼자서 차지한 선수. ③스키 경기에서, 활강·회전·대회전의 세 종목에 모두 수위를 차지한 선수. 트리플 크라운.

삼관-청【三管一】 명 〖악〗 시나위 대금의 중심음인 대금(大笒) 여섯 구멍 가운데 1·2·3공을 막고 4·5·6공을 열고 내는 소리.

삼광【三光】 명 ①해와 달과 별. 월성일(月星日). 삼정(三精). ②화투놀이에서, 솔·공산·벚꽃의 광(光), 곧 20끗 석 장으로 된 약(約).

삼광-조【三光鳥】 명 〖조〗 [*Terpsiphone atrocaudata*] 딱샛과에 속하는 새. 날개 길이 85-95mm이고 수컷의 꽁지는 매우 길어 15-35cm임. 암컷의 배면(背面)은 갈색이나 수컷의 배면은 암자색이고, 머리·목·윗 가슴은 청흑색, 복면(腹面)은 백색임. 자웅(雌雄) 한 쌍이 삼림에 서식하며, 나비류·파리·모기·갑충(甲蟲) 등을 포식하고, 나뭇 가지에 둥지를 짓고 5-7월에 3-5개의 알을 낳음. 특히, 세 가지 음절(音節)로 욺. 한국·일본 등에서 번식하고 중국 남부·인도 지나·말레이 반도 등에서 월동함. '고지새'를 삼광조라고도 잘못 일컬음. 긴꼬리딱새. 대조(帶鳥). 연작(練鵲).

〈삼광조〉

삼괴【三槐】 명 〔조정에 세 그루의 괴나무를 심고 삼공(三公)이 이를 향하여 앉았다는 데서 온 말〕 '삼공(三公)'의 이칭(異稱).

삼교¹【三校】 명 〖인쇄〗 인쇄할 때에 재교(再校)의 다음인, 세 번째로 보는 교정. 또, 그 교정지(校正紙). 삼준(三準). 「교(仙敎).

삼교²【三敎】 명 유교(儒敎)·불교(佛敎)·도교(道敎). 또는 유교·불교·선

삼교-강【三橋江】 명 〖지〗 평안 북도 구성군(龜城郡)에서 발원하여 용천(龍川)·의주(義州) 등을 지나서 압록강으로 들어가는 강. [129km]

삼교 귀감【三敎龜鑑】 명 〖책〗 서산 대사(西山大師) 휴정(休靜)이 지은 불교·유교·도교 세 종교의 개론서. 선가(禪家) 귀감·유가(儒家) 귀감·도가(道家) 귀감의 세 권으로 이루어짐. 조선 명종(明宗) 19년(1564)에 간행됨.

삼교-도【三敎圖】 명 동양화의 화제(畫題)의 한 가지. 유교(儒敎)·불교(佛敎)·도교(道敎)의 삼교(三敎)가 근본에 있어서 일치한다는 사상을 나타내는 것으로, 삼교의 시조(始祖)인 공자·석가·노자를 한 폭(幅)에 그리는 일이 많은데, 이를 이름.

삼교 합일론【三敎合一論】 명 〖역〗 고대 중국에 있어서 유교(儒敎)·불교(佛敎)·도교(道敎)의 세 교를 조화 융합하고 절충(折衷) 통일하려던 사상적 태도. 이 논(論)이 대두(擡頭)하기는 불교가 인도에서 중국으로 건너가 그 곳에 어느 정도의 세력을 얻고, 도교가 거의 종교로서의 체제를 정돈하기 시작한 후한말(後漢末) 삼국 시대(3세기경)였음. 그 후 진(晉)·송(宋)에서 제(齊)·양(梁)의 시대에 걸쳐 논의되고 수(隋)·당(唐)

삼구¹【三九】 명 삼공(三公)과 구경(九卿). 「대에도 논의되었음.

삼구²【三仇】 명 〖천주교〗 선행(善行)을 하지 못하도록 하는 세 가지 원수. 곧, 육신(肉身)과 세속(世俗)과 마귀(魔鬼).

삼구³【三丘】 명 삼신산(三神山). 「(貪慾)과 진욕(瞋慾)과 치욕(癡慾).

삼구⁴【三垢】 명 〖불교〗 사람의 마음을 더럽히는 세 가지 욕심. 곧, 탐욕

삼구⁵【三懼】 명 임금으로서 두려워해야 할 세 가지 일. 곧, 높은 지위(地位)에서 아랫 사람의 말을 참고하지 아니하는 일, 연로(年老)하여 교만해지는 일, 듣기만 하고 행하지 아니하는 일.

삼구 부동총【三九不動塚】 명 음력 3월과 9월에 무덤을 옮기면 재앙을 받는다고 하여 무덤을 옮기지 아니함을 일컫는 말.

삼구 이:십칠【三九二十七】 명 〖수〗 구구법(九九法)의 하나. 셋의 아홉 갑절이나 또는 아홉의 세 갑절은 스물 일곱이라는 말.

삼-구족【三具足】 명 〖불교〗 향·꽃·등불을 불전에 공양하는 데 쓰는 세 가지의 도구. 곧, 향로, 꽃병, 촛대. 「담근 술.

삼구-주【三九酒】 명 삼월 삼짇에, 물 아홉 말·쌀 아홉 말·누룩 아홉 되로

삼국【三國】 명 ①세 개의 나라. ②〖역〗 우리 나라 신라(新羅)·백제(百濟)·고구려(高句麗)의 총칭. ③〖역〗 중국 후한 말엽(後漢末葉)에 일어난 위(魏)·오(吳)·촉(蜀)의 세 나라.

[삼국 시절에 났나 말은 굵게 한다] 공연히 허세를 부리고 큰소리를 친다는 말.

삼국간 무:역【三國間貿易】 명 〔intermediary trade〕 〖경〗 외국의 상품을 사서 이것을 제삼국에 파는 중개(仲介) 무역.

삼국 간섭【三國干涉】 명 〖역〗 1895년 청일(淸日) 강화 조약 체결에 이어서 독일·프랑스·러시아의 세 나라가 이에 간섭한 일. 그 결과 일본은 조약에서 얻은 랴오둥(遼東) 반도를 청(淸)나라에 도로 반환하였음.

삼국간 수송【三國間輸送】 명 외화(外貨)의 획득이나 외국에의 진출 등을 위해 자국(自國)의 선박으로 외국과 외국 간의 수송을 담당하는 일.

삼국 동맹【三國同盟】 명 ①〖정〗 세 나라가 서로 공동의 목적을 달성하기 위하여 동일한 행동을 취할 것을 약속하는 일. ②〖역〗 루이(Louis) 14세 치하(治下)의 프랑스에 대항하기 위하여 영국·네덜란드·스웨덴의 삼국 사이에 1668년에 체결된 동맹. ③〖역〗 1882년 5월 20일에 독일·오스트리아·이탈리아의 세 나라가 맺은 동맹(同盟). 즉, 프랑스를 고립화(孤立化)시키는 것이 그 목적이어서 프랑스로부터 공격을 받을 때는 3국이 함께 방어한다는 동맹. 1915년 1차 대전 중에 폐기되었음. ④〖역〗 1940년에 일본·독일·이탈리아의 3국 간에 맺어진 동맹.

삼국 사:기【三國史記】 명 〖책〗 고려 인종(仁宗)의 명을 받아 김부식(金富軾) 등이 1145년에 편찬한 역사책. 신라·백제·고구려 세 나라의 역사를, 개국한 때부터 멸망할 때까지 기전체(紀傳體)로 기록하였음. ≪삼국 유사(三國遺事)≫와 함께 우리 나라 최고(最古)의 사서(史書)임. 왕실 중심으로 써서 설화(說話)·풍습(風習) 등의 문물(文物)을 상고(相考)할 수 없음. 50권 10책.

삼국사 절요【三國史節要】 명 〖책〗 신라·백제·고구려 세 나라의 사적(史蹟)을 편년체(編年體)로 기록한 역사책. 세조(世祖) 때에 시작하였으나 완성하지 못하고 성종(成宗) 때에 노사신(盧思愼)·서거정(徐居正)·이파(李坡) 등이 완성함. 14권 7책.

삼국 시대【三國時代】 명 〖역〗 ①우리 나라 역사에서 신라·백제·고구려 세 나라가 정립(鼎立)되어 있던 시대. ②〖역〗 중국 후한말(後漢末)에 위(魏)·오(吳)·촉(蜀)의 세 나라가 정립하여, 조 조(曹操)·손 권(孫權)·유비(劉備)가 서로 항쟁하던 시대.

삼국 유사【三國遺事】[一뉴一] 명 〖책〗 고려 충렬왕 11년(1285)에 명승(名僧) 일연(一然)이 지은 책. 단군(檀君)·기자(箕子)·대방(帶方)·부여(扶餘) 등의 사적(史蹟)을 간단히 적고, 신라·고구려·백제 세 나라의 사적을 기록하였으며 특히 불교에 관한 기사가 많고, 신화(神話)·전설(傳說)·설화(說話)·시가(詩歌) 등이 풍부히 수록되어 고대의 시가 연구상 큰 자료가 됨. ≪삼국 사기(三國史記)≫와 더불어 우리 나라의 최고(最古) 사서(史書)임. 5권 3책.

삼국-인【三國人】 명 당사국(當事國) 이외의 국적(國籍)을 가진 사람.

삼국 정:립【三國鼎立】[一닙] 명 ①세 나라가 솥발과 같이 서로 대립함. 삼분(三分) 정립. ②〖역〗 중국 후한(後漢) 말기의 촉(蜀)·위(魏)·오(吳)의 삼국의 정립. ③〖역〗 우리 나라의 고구려·백제·신라가 대립하였던 일.

삼국-지【三國志】 명 〖책〗 ①중국 삼국 시대의 역사를 기록한 책. 위지(魏志)는 30권, 촉지(蜀志)는 15권, 오지(吳志)는 20권으로, 전부 65권으로 되어 있음. 진(晉)나라의 진수(陳壽)가 수집 기록함. ②〈속〉 ↗삼국지 연의(演義).

삼국지 연:의【三國志演義】[一/一이] 명 〖책〗 명초(明初)의 역사 소설. 전편 120회. 나관중(羅貫中)이 지음. 촉(蜀)의 삼걸 유비(劉備)·관우(關羽)·장비(張飛)가 도원(桃園)에서 의를 맺는 데서 시작하여 오(吳)의 손호(孫皓)가 항복함으로써 천하가 하나로 통일될 때까지의 사적을 소설체로 풀어 쓴 중국 사대 기서(四大奇書)의 하나임. ㊟삼국지.

삼국 협상【三國協商】 명 ①세 나라가 어떤 문제에 관해서 협약하는 의논. ②〖역〗 이탈리아·오스트리아·독일의 삼국 동맹의 위협에 대항하기 위해서, 1907년 프랑스·영국·러시아의 삼국 간에 맺은 협약.

삼국 협정【三國協定】 명 세 나라 사이에 맺는 협정.

삼군【三軍】 명 ①〖군〗 전체의 군대. 전군(全軍). ②육군·해군·공군의 총칭. ¶~의 총수가 되다. ③〖역〗 군대의 좌익(左翼)·중군(中軍)·우익(右翼)의 총칭. ④〖역〗 중국 주(周)나라 때의 큰 제후(諸侯)가 출병(出兵)시키는 상군(上軍)·중군(中軍)·하군(下軍). 각 군은 12,500명이었음. *육군(六軍)·이군(二軍)·일군(一軍).

삼군 도총제부【三軍都摠制府】 명 〖역〗 중외(中外)의 군사를 통할하는 기관. 고려 공양왕 3년(1391)에 둠. *의흥 삼군부(義興三軍府).

삼-군문【三軍門】 명 〖역〗 훈련 도감·금위영(禁衛營)·어영청(御營廳)의 세 군문. 삼영문(三營門). 삼영(三營).

삼군-부【三軍府】 명 〖역〗 ①중요한 군무(軍務)를 의논하는 관아(官衙). 현임 장신(現任將臣)이나 또는 증경 장신(曾經將臣)으로 겸임하게 하였음. 조선 고종 5년(1868)에 처음으로 두었다가 동 9년에 다시 폐하였음. ②↗의흥 삼군부(義興三軍府).

삼군 진:무소【三軍鎭撫所】 명 〖역〗 조선 태종 9년(1409)에 삼군도총제부를 고친 이름. 문종 원년(1451)에 군제(軍制)를 고치어 오위병제(五衛兵制)가 이룩되면서 오위 진무소(五衛鎭撫所)로 개편됨.

삼-굿【一꿋】 명 ①삼을 벗기기 위하여 찌는 구덩이. 『봉노 안은 그 동안 뿜어낸 단내로 하여 ~ 속처럼 숨이 막힐 지경이었다≪金周榮 : 客主≫. ②삼을 벗기기 위하여 찌는 직사각형 솥. *닥굿. ——-하다 자 여불 삼굿에 삼을 넣고 찌다.

삼굿-돌【一꿋一】 명 삼굿의 아궁이 위에 쌓아 놓는 돌.

삼궁¹【三宮】 명 ①바둑에서, 빈 집이 석 집인 형세. 생긴 모양에 따라, 직삼궁(直三宮)·곡(曲)삼궁의 두 가지가 있음. ②〖악〗 천궁(天宮)과 지궁(地宮)과 인궁(人宮). *사궁(四宮).

삼궁²【三宮】 명 〖역〗 신라 시대 왕도(王都)에 둔 세 궁. 곧, 왕궁(王宮)

인 대궁(大宮)과 별궁(別宮)인 사량부(沙梁部)의 사량궁, 양부(梁部)에 둔 양궁(梁宮)의 합칭(合稱).

삼권【三權】[―꿘] 명 입법권·사법권·행정권의 세 가지.

삼권 분립【三權分立】[―꿘불―] 명 권력의 남용을 막고, 국민의 정치적 자유를 보장하기 위해 국가 권력을 입법·사법·행정의 상호 독립하는 세 기관에 맡기고자 하는 원리. 근대 시민 사회의 정치적 대원칙으로 몽테스키외(Montesquieu) 등이 주장하였음. 권력 분립.

삼권 분립설【三權分立說】[―꿘불―] 명 삼권 분립주의.

삼권 분립 제:도【三權分立制度】[―꿘불―] 명 국가 권력을 입법·사법·행정의 삼권(三權)으로 분립시켜, 입법권은 국회에, 사법권은 법원에, 행정권은 정부에 속하게 하고 서로 침범하지 못하도록 견제함으로써 그 권력을 평균화하려는 제도.

삼권 분립주의【三權分立主義】[―꿘불―/―꿘불―이] 명 삼권 분립의 원칙을 주장하는 주의. 삼권 분립설.

삼귀【三歸】명〖불교〗↗삼귀의(三歸依).

삼-귀의【三歸依】[―/―이] 명〖불교〗삼보(三寶)에 돌아가 의지한다는 뜻으로, 곧, 귀의불(歸依佛)·귀의법(歸依法)·귀의승(歸依僧)의 세 가지. 귀의 삼보. 삼자귀(三自歸). (준)삼귀(三歸).

삼귀의 작법【三歸依作法】[―/―이―] 명〖불교〗나비춤의 하나.

삼극【三極】명 ①삼재(三才)❶. ②〖전〗양극(陽極)·음극(陰極)·그리드(grid)의 세 극.

삼극-관【三極管】명〖전〗↗삼극 진공관.

삼극 진공관【三極眞空管】명〔triode〕〖물·전〗이극 진공관(二極眞空管)의 양극(陽極)과 음극(陰極) 사이에 그리드(grid)라고 하는 극을 하나 더 넣은 진공관. 정류(整流)와 전류(電流)·전압(電壓)의 증폭(增幅) 및 검파(檢波) 등에 사용하고, 교류(交流)의 정조기(整調器)와 전기 진동(電氣振動)의 발진기(發振器) 같은 데에도 사용함. (준)삼극관.

양극
그리드
음극
필라멘트
그리드
음극
양극
필라멘트

〈삼극 진공관〉

삼극 트랜지스터【三極―】명〔triode transister〕〖전〗세 개의 단자(端子)가 있는 트랜지스터.

삼근【蔘根】명 인삼의 뿌리로서, 약용(藥用)이 되는 부분.

삼근-왕【三斤王】명〖사람〗백제의 제23대 왕. 문주왕(文周王)의 장자. 부왕을 죽인 좌평(佐平) 해구(解仇)가 정치를 좌우할 때 좌평 진로(眞老)를 시켜 격살하였음. [재위 477-488]

삼금【三笒】명〖악〗〔←삼함(三笒)〕대금(大笒)·중금(中笒)·소금(小笒)의 세 가지. 삼죽(三竹).

삼-금강【三金剛】명 내금강·외금강·해금강의 총칭.

삼급【三級】명 제3위의 등급.

삼급 공무원【三級公務員】명 ①전에, 봉급별로 나눈 제3급의 공무원. 행정·외무·기술 고등 고시 또는 전형(詮衡)에 합격한 자 중에서 소속 장관의 제청으로 국무 총리를 경유하여 대통령이 임명하였음. 갑류(甲類)와 을류(乙類)의 두 가지가 있었는데, 전자에는 서기관·기정(技正), 후자에는 사무관·기좌(技佐) 등의 직종이 있었음. ②공무원 직급의 하나. 2급 공무원의 아래, 4급 공무원의 위. 부이사관 등이 해당함.

삼급 비:밀【三級祕密】명 국가 기밀 분류의 하나. 누설되는 경우 국가 안전 보장에 손해를 끼칠 우려가 있는 비밀. 국가 외교에 관한 사항, 각군(各軍)의 활동·장비에 관한 사항, 국가 안전 보장에 관한 국부적인 사항, 국가 시책의 부분적인 변동 사항 등이 해당됨. *일급 비밀·이급 비밀.

삼기【三機】명〖악〗①국악 곡조의 세 가지 빠르기. 곧, 급기(急機), 중기(中機), 만기(慢機). *삼체(三體). ②봉황음(鳳凰吟)·치화평(致和平)·정과정(鄭瓜亭) 따위와 같이 세 틀 곧 세 가지 형식으로 된 음악.

삼기다 一 자〈옛〉생기다. 태어나다. ¶이 몸이 삼기실제 님을 조차 삼기시니《松江 思美人曲》. 二 타〈옛〉만들다. ¶뉘라셔 離別을 삼겨 사ᄅᆞᆷ 죽게 ᄒᆞᄂᆞᆫ고《海謠》.

삼기본 기관【三基本器官】명〖식〗경엽체(莖葉體)가 있는 식물의 영양 기관을 구성하는 잎·줄기·뿌리의 세 가지 기관. 이것에 대응(對應)하는 생식 기관(生殖器官)으로서, 꽃을 들 수 있음.

삼기 신:호【三旗信號】명 국제 신호기에 의한 근거리 신호의 한 가지. 세 개의 기를 세로로 나란히 올리어 알리는 신호.

삼기-음【三氣飮】명〖한의〗풍비증(風痺症)·역절풍(歷節風) 같은 병에 쓰는 약.

삼기장-류【三岐腸類】[―뉴] 명〖동〗[Triclada] 와충강(渦蟲綱)의 편형(扁形) 동물의 한 목(目). 몸은 가늘고 길며, 장관(腸管)은 세 가닥으로 나뉘어져서 한 가닥은 앞으로, 두 가닥은 뒤로 향했고 모두 옆가지가 났으며, 신경계가 잘 발달하고 눈과 촉각(觸角)을 구비한 것이 있음. 자웅 동체(雌雄同體)로 두 생식기는 공통의 생식문(門)에 의해서 외계에 통해 있음. *다기장류(多岐腸類).

삼기-총【三騎摠】명〖역〗말 탄 군사 한 대(隊)의 우두머리.

삼-꺼불 명〈방〉삼거웃(경상).

삼-꽃 명 ①〖식〗삼의 꽃. 한방에서 약제로 씀. 마발(麻勃). ②〖한의〗젖먹이나 어린 아이의 살거죽에 열기로 인하여 생기는 불긋불긋한 점.

삼-끈 명 삼의 줄기를 벗기어 꼰 끈.

삼난【三難】명〖불교〗불·피·칼의 삼도(三途)의 난. 또, 세계의 종말에 일어난다는 대화(大火)·대풍(大風)·대수(大水)의 재난.

삼남[1]【三男】명 ①셋째 아들. ②삼형제(三兄弟).

삼남[2]【三南】명〖지〗충청 남북도·전라 남북도·경상 남북도 지방의 총칭. 하삼도(下三道).

[삼남이 풍년이면 천하는 굶주리지 않는다] ㉠충청도, 전라도, 경상도 땅이 풍년이면 우리 나라 사람은 굶주리지 않는다는 말. ㉡충청도, 전라도, 경상도 땅에서 곡식이 많이 난다는 말.

삼남 삼도【三南三道】명〖지〗삼남 지방인 충청도·전라도·경상도의 세 도(道).

삼남이 명 하인(下人)이 쓰는, 대로 결은 모자의 하나.

삼-놓이 [―노―] 명 삼베를 놓는 일. ――하다 자여불

삼내【三內】명〖역〗'내금위 삼번(內禁衛三番)'의 준말. 금군청(禁軍廳)의 금군은 칠번(七番)으로 구성되어 있는데 이 가운데 내금위는 삼번을 차지하고 있었음. *금군 칠번(禁軍七番).

삼년【三年】명 ①세 해. ②'삼학년(三學年)'을 이르는 말. ¶고교 ~생.

[삼년 가뭄에는 살아도, 석달 장마는 못 산다] 가뭄보다 장마가 더 무섭다는 뜻. [삼년 가뭄에 하루 쓸 날 없다] 오랫동안 맑은 날씨가 계속되다가 무슨 행사가 있는 날 비가 와서 일을 그르치는 경우에 이르는 말. [삼년 구병에 불효 난다] 아무리 자식된 몸이라도 긴 병(病)으로 여러 해 누워 앓는 그 어버이의 병을 계속하여 간호하게 되면 종말에는 도리어 불효의 경(境)에까지 이르게 된다는 말로, 무슨 일이나 한두 번이지, 그 도수가 너무 여러 번이면 한결같이 대우할 수 없음을 일컫는 말. [삼년 남의 집 살고 주인 성 묻는다] 사람이 무심하고 싱겁다는 말. [삼년 먹여 기른 개가 주인 발등을 문다] 오래 보살펴 준 사람이 후에 도리에 자기를 해치고 손해를 끼친다는 말. [삼년 묵은 말가죽도 오롱조롱 소리 난다] 봄의 기운이 발동(發動)함에 만물이 다 활동을 개시한다는 말. [삼년을 결은 노망태기] 삼년을 두고 결은 망태라는 말로, 여러 해 동안 공을 쌓아서 만든 것이라는 뜻.

삼년 부조【三年不弔】명 상기(喪期) 3년 동안에 당고한 이를 찾아서 조상하지 못하거나 또는 아니함. 삼상 불문(三喪不問). ――하다 자여불

삼년 불비【三年不蜚】명 3년 간이나 한 번도 날지 아니한다는 뜻으로, 후일(後日)에 웅비(雄飛)할 기회를 기다림을 일컫는 말.

삼년산-성【三年山城】명〖역〗[삼년산은 보은(報恩)의 신라 때의 이름] 지금의 충청 북도 보은군 보은읍(報恩郡報恩邑) 어암리(漁岩里)와 성주리(城舟里)·대야리(大也里)의 경계에 있는, 돌로 쌓은 옛 산성(山城). 삼국 시대에 신라가 쌓았다고 함.

삼년-상【三年喪】명 세 해 동안의 거상(居喪). 삼년 초토(三年草土). (준)삼상(三喪).

삼년 초토【三年草土】명 삼년상(三年喪).

삼념-가【三念歌】명〖악〗당악(唐樂) 정재(呈才)인 육화대무(六花隊舞)에서 부르는 삼념시(三念詩)를 우리말로 번역한 노래.

삼념-시【三念詩】명〖악〗당악(唐樂) 정재(呈才)인 육화대무(六花隊舞)에서 세 번째 부르는 창사(唱詞). 한시(漢詩)와 번역시(飜譯詩) 삼념가(三念歌)의 두 가지가 있음.

삼-노 명 삼껍질로 꼰 노. 마승(麻繩).

삼-노끈 명 삼껍질로 꼰 노끈.

삼-노두【蔘蘆頭】명 인삼 대가리에 붙은 줄기의 밑동.

삼노 팔리【三奴八吏】명 세 사람의 종과 여덟 사람의 아전. 삼노(三奴)는 정도전(鄭道傳)·서기(徐起)·송익필(宋翼弼)이고, 팔리(八吏)는 동래 정씨(東萊鄭氏)·반남 박씨(潘南朴氏)·한산 이씨(韓山李氏)·흥양 유씨(興陽柳氏)·진보 이씨(眞寶李氏)·여흥 이씨(驪興李氏)·여산 송씨(礪山宋氏)·창녕 서씨(昌寧徐氏)인데, 이 삼노나 팔리는 처음에는 종 또는 아전이었으나 뛰어난 자손의 덕으로 양반이 된 것임.

삼농[1]【三農】명 ①봄갈이·여름갈이 및 추수(秋收)의 세 철의 농사. ②전(轉)하여, 농사의 딴이름. ③봄·여름·가을의 세 농사철. ④평지에서 짓는 농사·산에서 짓는 농사·소택지(沼澤地)에서 짓는 농사 또는 평지 농사·들농사·습지(濕地) 농사의 일컬음.

삼농[2]【蔘農】명 인삼을 재배하는 농사.

삼-눈 명〖의〗눈망울에 삼이 생기어 몹시 쑤시고 눈알이 붉어지는 병. 붉어지지 아니하고 흰 점만 생기는 일도 있음. *삼.

삼니움-인【―人】〔Samnium〕명〖인류〗삼니움 지방에 살던 고대 이탈리아 반도의 주민. 기원 전 7세기경, 사벨리인(Sabelli人)으로부터 갈라져 나와, 아우피데나 지방에 온 후, 각처로 흩어졌다가 기원 전 88년에 로마인에 멸망당함.

삼다[1]【三多】명 ①글짓는 공부를 하는 데의 세 가지 방법. 곧, 많이 읽고, 많이 짓고, 많이 생각하는 일. ②제주도(濟州島)에 있어서 바람이 많고, 여자가 많고, 돌이 많음을 이르는 말.

삼:다[2] [―따] 타 ①인연을 맺어 무엇으로 정하거나 자기의 관계자가 되게 하다. ¶며느리로 ~/벗을 ~. ②무엇으로 무엇이 되게 하다. 또, 되다시피 여기다. ¶구실로 ~/문제 ~/팔을 베개 삼아 베고/책을 벗삼아 하루를 보내다.

삼:다[3] [―따] 타 ①짚신이나 미투리 같은 것을 만들다. ②삼이나 모시풀 같은 것의 섬유를 찢어 그 끝을 비비어 꼬아 잇다. ¶삼을 ~.

삼다-도【三多島】명 여자가 많고, 돌이 많고, 바람이 많은 섬이라는 뜻에서, 제주도를 일컫는 말. *삼무도(三無島)·삼다 삼무도.

삼다 삼무도【三多三無島】명 삼다도와 삼무도가 합하여 된 말로, 제주도(濟州島)의 이칭.

삼-단[1] [―딴] 명 삼의 묶음.

[삼단 같은 머리] 숱이 많고 길이가 긴 머리라는 뜻.

삼단[2]【三段】명 ①세 가지의 구분. ②계단이나 순서의 세 개. ③태권도·유도·검도·바둑·장기·주산 등의 세째 단(段). *삼약(三約).

삼단[3]【三短】명 화투놀이에서, 홍단(紅短)·청단(靑短)·초단(草短)의 세 단(短).

삼단[4]【三端】명 붓끝·칼끝·혀끝을 일컫는 말.

삼단계의 법칙【三段階―法則】[―/―에―] 명〖사〗프랑스의 철학자·사회 학자인 콩트(Comte, A.)가 말한 사회 발전의 방식. 곧, 사회는 신학적 단계에서 형이상학적 단계를 거쳐 실증 과학의 단계에 도달한다는 법칙. 콩트의 실증(實證) 철학의 결론임.

삼단 교:수【三段敎授】명 ①교수 과정을 직관(直觀)·종괄(綜括)·응용(應用)의 삼단으로 나누어 교수하는 교수법. ②단원(單元) 전개에 있어

서 예비(豫備)·교수(敎授)·정리(整理)의 세 단계의 방법.

삼단 논법【三段論法】[─뻡] 명 〔syllogism〕〖논〗 두 개의 전제(前提)와 하나의 결론(結論)으로 되는 연역적(演繹的) 추리법(推理法). 결론의 빈사(賓辭)를 대개념으로 하고 주사(主辭)를 소개념으로 하여 이 두 개념을 매개하여 결론을 성립시키는 개념을 매개념(媒槪念)이라 하며, 대개념을 가진 전제를 대전제, 소개념을 가진 전제를 소전제라 함. '새는 동물이다. 닭은 새다. 따라서 닭은 동물이다'에서 동물은 대개념, 닭은 소개념, 새는 매개념임. 삼단 추리(三段推理). 삼단 추리법. 추론식(推論式). 추리식. *정언적(定言的) 삼단 논법.

삼단 논법 외:의 추리【三段論法外─推理】[─뻡─/─뻡─에─] 명 〔extra syllogistic reasoning〕〖논〗 삼단 논법의 형식과는 일치하지 아니하지만 정확하다고 할 수 있는 추리. '갑은 을보다도 크다', '을은 병보다도 크다', '때문에 갑은 병보다도 크다'와 같은 것. 수량에 관한 것은 이러한 추리가 가능함.

삼단 논법의 규칙【三段論法─規則】[─뻡─/─뻡에─] 명〖논〗 삼단 논법의 정당성을 결정하는 형식적인 표준. 보통, 정언적(定言的) 삼단 논법의 규칙을 말함. 첫째, 삼단 논법이 가지는 개념의 수는 대명사(大名辭)·매사(媒辭)·소명사(小名辭)의 세 개로 그 뜻은 같아야 하며, 판단의 수도 대전제(大前提)·소(小)전제·결론의 오직 세 개뿐임. 둘째, 매사는 전제에서 한 번은 반드시 주연(周延)되어야 함. 셋째, 전제에서 주연되지 아니한 개념을 결론에서 주연할 수는 없음. 넷째, 두 전제가 같이 부정일 때는 결론은 얻을 수 없고, 두 전제가 다 긍정(肯定)일 때는 결론도 긍정이며, 전제의 하나가 부정이면 결론도 부정이 됨. 다섯째, 전제의 하나가 특칭(特稱)일 때는 결론도 또한 특칭이며 두 전제가 다같이 특칭일 때나 대전제가 특칭이고 소전제가 부정일 때는 결론은 얻을 수 없음.

삼단-도【三段跳】 명 '세단뛰기'의 구용어.

삼단-뛰기【三段─】 명 세단뛰기.

삼-단음【三短音】 명〖악〗 가야금의 열째 줄의 이름. *사단음.

삼-단전【三丹田】 명 도가(道家)에서 말하는 상 중 하(上中下)의 세 단전(丹田). 뇌(腦)·심장(心臟)·배꼽 아래의 세 곳을 이름. 준 단전(丹田).

삼단 전:법【三段戰法】[─뻡] 명 배구에서, 정통적인 공격법으로 후위가 패스하고 센터가 토스하고 전위가 스파이크하는 전법. ↔페인트 전법.

삼단 추리【三段推理】 명〖논〗 삼단 논법(三段論法).

삼단 추리법【三段推理法】[─뻡] 명〖논〗 삼단 논법(三段論法).

삼단-패【三段覇】 명 바둑에서, 이단패(二段覇)보다 한 번을 더 이겨야 되는 패.

삼-달덕【三達德】[─떡] 명 어떠한 경우에도 일반적으로 통하는 세 가지의 덕(德). 곧, 지(智)·인(仁)·용(勇).

삼-달존【三達尊】[─쫀] 명 조정에서는 작위(爵位)를 숭상하고, 향리에서는 윗사람을 존경하며, 세상에 처해 백성을 평안케 하는 데에는 덕(德)을 존중해야 한다는 말.

삼당[1]【三唐】 명 ↗삼당시인(三唐詩人).

삼당[2]【三堂】 명〖역〗 ↗삼당상(三堂上).

삼당-류【三糖類】[─뉴] 명 〔trisaccharide〕〖화〗 가수 분해하면 삼분자(三分子)의 단당류(單糖類)를 생기게 하는 당류. 소당류(少糖類)에 속함. *사(四)당류.

삼-당상【三堂上】 명〖역〗 ①육조(六曹)의 판서(判書)·참판(參判)·참의(參議). ②나라에 길흉례(吉凶禮)가 있을 때에 두던 도감(都監)의 세 제조(提調). 준 삼당(三堂).

삼-당숙【三堂叔】 명 아버지의 팔촌 형제. 삼종숙. *당숙(堂叔)·재당숙(再堂叔).

삼당숙-모【三堂叔母】 명 아버지의 팔촌 형제의 아내. 삼종숙모.

삼-당시인【三唐詩人】 명 조선 중종(中宗)·선조(宣祖) 연간(年間)에 시명(詩名)을 떨친 세 사람의 시인. 곧, 백광훈(白光勳)·최경창(崔慶昌)·이달(李達)의 일컬음. 이들의 시를 삼당시라고 함. 준 삼당(三唐).

삼-대[1]【─때】 명 삼의 줄기. 마개(麻稭). 마경(麻莖).

삼대[2]【三大】 명 ①세 가지 큰 일. ②〖불교〗 본체 진여(本體眞如)의 체대(體大)와 현상의 상대(相大)와 작용(作用)의 용대(用大).

삼대[3]【三代】 명 ①아비와 아들과 손자의 세 대. 삼세(三世). ②〖역〗 중국의 하(夏)·은(殷)·주(周)의 세 왕조(王朝)를 이름.
[삼대 거지 없고 삼대 부자 없다] 재산이 삼대를 아니 간다는 말. [삼대 구년 만에] 매우 오래간만에란 뜻. [삼대 적선을 해야 동네 혼사를 한다] 한 동네 이웃끼리는 서로 집안 내용을 샅샅이 알기 때문에 혼사가 매우 어렵다는 말. [삼대 주린 걸신] 먹을 것을 보면 무엇이나 남기지 않고 먹어 치우는 것을 이르는 말.

삼대 개벽【三大開闢】 명〖천도교〗 정신(精神) 개벽·민족 개벽·사회 개벽을 이름.

삼대 독자【三代獨子】 명 삼대에 걸쳐서 형제가 없는 외아들.

삼대-령【三臺令】 명〖악〗 당악(唐樂) 정재(呈才)인 연화대(蓮花臺) 춤에 쓰인 반주 음악의 하나.

삼대 명필【三大名筆】 명〖역〗 조선 시대 때의 대표적인 세 사람의 명필. 곧, 한호(韓濩)·양사언(楊士彦)·김정희(金正喜)를 일컬음.

삼대목【三大目】 명〖책〗 신라 진성 여왕 때에 위홍(魏弘)이 중 대구(大矩)와 함께 수집한 향가집(鄕歌集). 후세에 전하지 아니함.

삼대 발명【三大發明】 명 화약·나침반·활판 인쇄술의 발명 내지는 실용화. 15-16세기 이후의 서구 사회 생활에 큰 영향을 끼쳤음.

삼대 본산【三大本山】 명〖불교〗 양산(梁山)의 통도사(通度寺), 동래(東萊)의 범어사(梵魚寺), 합천(陜川)의 해인사(海印寺).

삼대 북벽【三大北壁】 명 알프스의 세 산의 북면(北面). 곧, 아이거, 마터호른, 그랑드조라스의 세 산의 북쪽으로부터의 등정(登頂)은 극히 곤란하여 많은 희생자를 내었기 때문에 이렇게 부름.

삼대-사【三臺詞】 명〖악〗 고려 때의 당악(唐樂) 정재(呈才)인 포구락(抛毬樂)에서 절화령(折花令)에 맞추어 부르던 한문으로 된 창사(唱詞).

삼대 사:고【三大史庫】 명〖역〗 조선 시대 때, 임진 왜란 이전까지 실록을 보관하던 세 개의 사고. 곧, 충주 사고·성주 사고·전주 사고를 이름.

삼대-선【三─船】 명 돛대를 세 개 세운 배. 세대박이.

삼대-성【三大聲】 명〖악〗 국악(國樂)의 성악의 세 가지. 곧, 가곡, 범패(梵唄), 판소리.

삼대-소【三大疏】 명〖불교〗 인도의 마명(馬鳴) 대사가 지은 기신론(起信論)을 진(陳)나라 진제 삼장(眞諦三藏)이 번역한 구역(舊譯) 중, 법장(法藏)의 의기(義記) 3권과 원효(元曉)의 소(疏) 2권과 혜원(惠遠)의 소(疏) 2권을 일컫는 말. *대승 기신론(大乘起信論).

삼대 신비【三大神祕】 명 기독교에서 말하는 세 가지 신비. 곧, 삼위 일체(三位一體)와 원죄(原罪)와 상제(上帝)가 예수라는 한 인격(人格)에 현화(現化)했다고 하는 일.

삼-대양【三大洋】 명 태평양·대서양·인도양의 통칭. *오대양.

삼-대엽【三大葉】 명〖악〗 삼삭대엽(三數大葉).

삼대 영양소【三大營養素】 명〖생〗 생물체에 영양이 되는 주된 세 가지 영양소. 곧, 탄수화물·지방·단백질을 일컬음. *삼부 영양소.

삼-대월【三大月】 명 음력으로 연거푸 세 번 드는 큰 달. ↔삼소월.

삼대 일월【三代日月】 명 옛날 중국에서, 왕도(王道) 정치가 행하여졌던 하(夏)·은(殷)·주(周) 삼대의 세월.

삼대 조하【三大朝賀】 명〖역〗 임금의 생일, 정월 초하루, 동짓날에 신하들이 임금을 뵙고 하례(賀禮)하던 일.

삼대 추영【三代追榮】 명〖역〗 삼대 추증(三代追贈).

삼대 추증【三代追贈】 명〖역〗 종친(宗親)·문관(文官)·무관(武官)·음관(蔭官) 중에 종이품 이상 되는 사람의 아버지·할아버지·증조와 그들의 배위(配位)에 대하여 품계를 따라서 관직을 추증(追贈)하던 일. 삼대 추영(三代追榮).

삼대 화상【三大和尙】 명〖불교〗 지공(指空)·나옹(懶翁)·무학(無學)의 세 화상(和尙).

삼덕【三德】 명 ①정직(正直)·강(剛)·유(柔). ②지(智)·인(仁)·용(勇). ③〖기독교〗 믿음과 소망과 사랑. ④〖불교〗 법신덕(法身德)·반야덕(般若德)·해탈덕(解脫德). ⑤〖불교〗 은덕(恩德)·단덕(斷德)·지덕(智德)의 통칭.

삼덕-송【三德誦】 명〖천주교〗 주요 기도문의 하나. 믿음·소망·사랑의 세 가지를 구하는 기도문.

삼덕-치【三德峙】 명〖지〗 함경 남도 장진군(長津郡)에 있는 재. [1,449 m]

삼도[1]【三到】 명 독서 삼도(讀書三到).

삼-도[2]【三島】 명〖지〗 ①충청 남도의 서해상(西海上), 태안군(泰安郡) 남면(南面) 거아도리(居兒島里)에 위치한 섬. [0.14 km^2] ②동도(東島)·서도(西島)·고도(古島)의 세 섬으로 이루어진 거문도(巨文島)의 조선 시대 말기까지의 이름.

삼도[3]【三道】 명 ①사람으로서 행할 세 가지 일. 곧, 부모를 봉양(奉養)하고, 상사(喪事)에 근신(謹愼)하고, 제사(祭祀)를 받드는 일. 삼행(三行). ②〖불교〗 번뇌도(煩惱道)와 업도(業道)와 고도(苦道). ③〖불교〗 견도(見道)와 수도(修道)와 무학도(無學道). ④〖군〗 정병(正兵)과 기병(奇兵)과 복병(伏兵).

삼도[4]【三道·三途·三塗】 명〖불교〗 ↗삼악도(三惡道).

삼-도[5]【森島】 명〖지〗 제주도(濟州島) 남단 서귀포(西歸浦) 앞바다에 있는 섬. 무인도(無人島)인데 열대·온대·한대의 삼대(三帶) 식물이 무성하여 오래 전부터 식물 학자들의 주목을 끌어 왔음. 숲섬. [0.143 km^2]

삼도-내【三途─】 명〖불교〗 ①사람이 죽어서 저승으로 가는 길 중도에 있다고 하는 내. 이 냇가에 할아범과 할멈의 두 귀신이 있어서 지나가는 이의 옷을 벗긴다고 함. ②극선(極善)도 없고 극악(極惡)도 없는 사람이 죽어서 저승 길로 가는 중간에 있다고 하는 내. 삼도천(三途川).

삼-도둑【蔘─】 명 삼적(蔘賊).

삼도 득신【三度得伸】 명 초심(初審)·재심·삼심을 계속해서 이겼다는 뜻. *재신(再伸).

삼도-미【三道眉】 명〖조〗 멧새.

삼도-봉【三道峰】 명〖지〗 충청 북도 영동군(永同郡)·경상 북도 김천시(金泉市)·전라 북도 무주군(茂朱郡)과의 사이에 있는 산. 소백 산맥 중에 솟음. [1,180m]

삼도-부【三都賦】 명〖문〗 ①진(晋)나라 좌사(左思; ?-306경)가 위(魏)·촉한(蜀漢)·오(吳) 세 나라 도읍의 번화상을 부(賦)의 형식으로 묘사한 작품. ②고려의 문인 최자(崔滋)가 지은 부(賦).

삼도-선【三島船】 명 〔three-islander〕 화물선(貨物船)에 많은 구조(構造) 양식으로, 상갑판(上甲板)이 선수부(船首部)·선교부(船橋部)·선미부(船尾部)로 구분됨. 선체(船體)는 최대 흘수선(吃水線)까지 화물을 실어도 상관 없도록 튼튼하게 만들어졌으며, 용적(容積)에 비해 무거운 화물을 싣기에 알맞도록 되어 있음.

삼도 수군 통:제사【三道水軍統制使】 명〖역〗 임진 왜란 때 이순신(李舜臣)으로 하여금 경상·전라·충청의 세 도(道)의 주사(舟師)를 통어(統禦)시키기 위하여 특별히 마련한 군직(軍職). 선조 26년(1593)에 처음으로 둠. 준 통제사.

삼도 습의【三度習儀】[─/─이] 명〖역〗 나라에 큰 의식이 있을 때에 세 번 미리 습의(習儀)하는 일.

삼도오【三都澳】 명〖지〗 '싼두아오'를 우리 음으로 읽은 이름.

삼도 육군 통:어사【三道陸軍統禦使】 명〖역〗 조선 시대 때, 충청·전라·경상 삼도(三道)의 육군을 통솔하던 장수. 충청도의 병마(兵馬) 절도사가 겸함. 고종 25년(1888)에 두었다가 동 30년에 파함. 준 육군 통어사·통어사.

삼도지-몽【三刀之夢】 명 〔진(晋)나라 왕준(王濬)이 칼 세 자루를 들보에 걸어 놓았는데 또 한 자루를 더 걸어 놓는 꿈을 꾸었더니, 그 꿈대로 익주(益州) 자사(刺史)가 되었다는 고사(故事)에서. 주(州)의 옛글자는 '刕'〕 관리가 출세할 좋은 꿈.

삼도-천【三途川】 명〖불교〗 삼도내.

삼도 통:어사【三道統禦使】[명]〖역〗조선 시대 때, 경기·충청·황해 삼도의 수군(水軍)을 관령(管領)하던 장수. 경기의 수군 절도사가 겸함. 인조 11년(1633)에 설치하여 고종 30년(1893)에 파함. [준]통어사.

삼독¹【三毒】[명]〖불교〗사람의 착한 마음을 독해(毒害)하는 세 가지 번뇌(煩惱). 곧, 탐(貪)·진(瞋)·치(癡).

삼독²【三讀】[명] 세 번 읽음. ──하다 [타][여불]

삼-독³【蔘毒】[명] 인삼이 체질(體質)에 맞지 아니하거나 또는 지나치게 많이 먹어서 생기는 신열(身熱). 삼열(蔘熱). 삼불.

삼-독회【三讀會】[명] 제삼 독회(第三讀會).

삼-돌이【三─】[명] 감돌이·베돌이·악돌이를 통틀어 이르는 말.

삼-동¹【三─】[명]〖민〗남사당패 놀이 대접돌리기에서, 짧은 담뱃대, 긴 담뱃대, 앵두나무 막대기를 차례로 세운 뒤에 대접을 올려서 돌리는 재주. 삼동버나.

삼동²【三冬】[명] ①겨울의 석 달. ②세 해 겨울. ③〈방〉겨울¹(경남).

삼동³【三同】[명] 세 가지의 물건을 합함.

삼-동고리【三─】[명]〖민〗판굿에서, 소고잡이 위에 버꾸잡이, 그 위에 무동(舞童)이 올라서서 추는 춤. ＊동고리.

삼-동네【三洞─】[명] 이웃에 있는 가까운 동네.

삼-동리【三洞里】[─니][명] 이웃 동리.

삼동-물림【三─】[명] 담배 설대 중간에 은이나 금을 물려 빼었다 끼었다 하는 담뱃대.

삼동-버나【三─】[명]〖민〗삼동¹.

삼동-산【三同山】[명]〖지〗경상 북도 봉화군에 있는 산. [1,180 m]

삼동 설한【三冬雪寒】[명] 눈이 내리고 추운 겨울의 석 달 동안.

삼동-치마【三─】[명] 전체를 세로 셋에 나누어 세 가지 빛으로 만든 연.

삼동 편사【三同便射】[명]〖역〗두 사정(射亭)이 각각 당상(堂上) 1인, 출신(出身) 1인, 한량의 세 계급을 합쳐 편을 짜서 활쏘기를 겨루던 경기.

삼두-근【三頭筋】[명]〖생〗두부(頭部)가 삼분된 근육. 상박(上膊) 삼두근·상퇴(上腿) 삼두근 같은 것.

삼두 박근【三頭膊筋】[명]〖생〗상완 삼두근(上腕三頭筋).

삼두 육비【三頭六臂】[명]〔머리가 셋, 팔이 여섯이란 뜻으로〕힘이 매우 센 사람을 가리키는 말.

삼두-음【三豆飮】[명] 녹두·팥·검정콩을 각각 같은 분량으로 합하여 물을 붓고 감초(甘草)나 댓잎을 조금 넣어 끓여 먹는 물. 역신(疫神)하는 아이에게 약으로 쓰며 여름에 차 대신으로 먹기도 함.

삼두 정치【三頭政治】[명]〖역〗로마 공화정(共和政)으로부터 제정(帝政)으로 넘어가는 과도기(過渡期)에 나타났던 정치 형태. 두 번 있었는데 제1회 삼두 정치는 폼페이우스(Pompeius)·크라수스(Crassus)·카이사르(Caesar)의 세 사람에 의해 시행(施行)되었으며, 기원전 53년 크라수스의 전사로 해체, 카이사르의 독재가 시작됨. 제2회 삼두 정치는 옥타비아누스(Octavianus)·안토니우스(Antonius)·레피두스(Lepidus)의 세 사람이 결탁하여 조직하였으며 기원전 36년 레피두스의 탈락으로 해체, 그 후, 옥타비아누스가 안토니우스를 격파하고 원수제(元首制)를 창시함.

삼등【三等】[명] ①셋째의 등급. ②〖역〗은솔(恩率).

삼등-객【三等客】[명] 철도·선박 등에서 삼등차·삼등 선실 등의 여객.

삼등-국【三等國】[명] 국제적인 면에서, 힘이 없는 나라들의 속칭(俗稱).

삼등 기관사【三等機關士】[명] 선박 직원의 한 직명. 기관장 및 일등 기관사를 보좌함과 아울러 그 명령을 받아 기관의 운용·정비 등의 직무를 수행하는 사람.

삼등 병조【三等兵曹】[명]〖군〗전의 해군의 한 계급. 하사관의 맨 아래 계급으로 이등 병조의 아래이고, 일등 수병의 위.

삼-등분【三等分】[명] 셋으로 똑같이 나눔. ──하다 [타][여불]

삼등 서기관【三等書記官】[명] 외무 공무원의 대외 직명의 하나. 외교직·외무 행정직·외신직 모두 5급임. 대사관과 공사관에 둠.

삼등-실【三等室】[명] 열차나 선박 등에서, 3등 여객이 타는 칸.

삼등-차【三等車】[명] 철도의 객차 등급의 한 가지. 삼등급(三等級)으로 나눠진 열차의 최하등(最下等)의 차량.

삼등 항:해사【三等航海士】[명] 선박 직원의 한 직명. 1등 항해사를 보좌하고 항해 당직, 하역의 감독 등 갑판부의 직무를 수행하는 사람.

삼 디: 영화【三D映畫】[명]〔three-dimensional picture〕삼차원(三次元) 영화. 입체 영화.

삼 디: 텔레비전【三D─】[명]〔three-dimensional television〕입체 텔레비전. 입체 영화와 같은 효과를 텔레비전 수상(受像)에 시도하고자 하는 것.

삼-딸【蔘─】[명] 인삼의 열매.

삼라【森羅】[─나][명] ①숲처럼 많이 벌여 서 있음. ②우주에 있는 모든 것. 만물(萬物). ──하다 [형][여불]

삼라 만:상【森羅萬象】[─나─][명] 우주(宇宙) 사이에 벌여 있는 수많은 현상. 만휘 군상(萬彙群象).

삼락【三樂】[─낙][명] 군자의 세 가지 낙(樂). 첫째, 부모가 구존(俱存)하고 형제가 무고한 것. 둘째, 하늘과 사람에게 부끄러워할 것이 없는 것. 셋째, 천하의 영재(英才)를 얻어서 교육하는 일. 군자 삼락. 인생 삼락. ＊이락(二樂)·일락(一樂).

삼랑-성【三郞城】[─낭─][명]〖지〗인천 광역시 강화군(江華郡) 길상면(吉祥面)의 정족산(鼎足山)에 남아 있는 고성(古城). 단군이 세 아들에게 명하여 축조(築造)하게 하였다 함. 성내에는 전등사(傳燈寺)가 있으며, 이절 배후의 산허리에 역사상 유명한 정족산 사고(史庫)의 유지(遺址)가 남아 있음. 정족산성(鼎足山城).

삼랑-진【三浪津】[─낭─][명]〖지〗경상 남도 밀양시(密陽市)의 한 읍(邑). 경부선(京釜線)의 요역(要驛)으로 경전 남부선(慶全南部線)이 분기되며, 부근에는 사과·배·복숭아 등의 과수원이 많음. [11,870명(1996)]

삼략【三略】[─냑][명]〖책〗중국 한(漢)나라 사람 장량(張良)이 황석공(黃石公)에게서 받았다는 병서(兵書). 상략(上略)·중략(中略)·하략(下略)의 세 권으로 나누임. 주나라 태공망(太公望)이 지었다 함. ＊육도(六韜).

삼량【三樑】[─냥][명]〖건〗보를 세 줄로 놓아 한 간 통으로 집을 짓는 방식.

삼량-관【三梁冠】[─냥─][명]〖역〗조선 시대 때, 삼품(三品) 관원이 쓰는 금양관(金梁冠). 흰 골이 셋 져 있음.

삼량-집【三樑─】[─냥찝][명]〖건〗삼량으로 지은 집.

삼량 화:정【參良火停】[─냥─][명]〖역〗신라의 십정(十停)의 하나. 지금의 대구 광역시 달성군(達城郡)에 두었음.

삼려 대:부【三閭大夫】[─녀─][명]〖역〗중국 춘추 시대, 초(楚)나라의 벼슬 이름. 초나라의 왕가인 소(昭)·굴(屈)·경(景)의 세 집안을 다스렸음. 또, 굴원(屈原)이 이 관직에 있었으므로 굴원을 지칭함.

삼력¹【三力】[─녁][명]〖역〗역(力)의 셋째 등급(等級). 50근 무게의 물건을 두 손에 하나씩 가지고 100보(步)를 가는 일. ＊역(力).

삼력²【三曆】[─녁][명] 책력의 한 가지. 삼서(三書).

삼력-관【三曆官】[─녁─][명]〖역〗관상감(觀象監)의 한 벼슬.

삼련【三連】[─년][명] 한시(漢詩) 시구(詩句)의 아래 세 자를 평성(平聲)이나 측성(仄聲)으로 하는 일. 시를 짓는 데 꺼림.

삼련-성【三連星】[─년─][명] 바둑에서, 포석(布石)의 단계에 화점(花點) 위에 가로 또는 세로 직선적으로 석 점을 나란히 놓는 일. 보통은 두 귀와 가의 화점을 이음. 또, 그렇게 둔 돌.

삼렬【森列】[─녈][명] 촘촘하게 늘어서 있음. ──하다 [형][여불]

삼렬 성운【三裂星雲】[─녈─][명]〖천〗궁수자리에서 볼 수 있는 산광(散光) 성운. 성운의 바로 앞에 암흑 성운이 있어서 셋으로 나뉘어 보이므로 이렇게 명명(命名)됨. 전파(電波)를 내고 있다는 것이 알려졌음. 거리 5,600광년(光年).

삼령¹【三齡】[─녕][명] 두 잠 잔 누에의 세 잠 잘 때까지의 사이.

삼령²【三靈】[─녕][명] ①천(天)·지(地)·인(人). ②천지인의 신(神). ③일(日)·월(月)·성(星).

삼령 오:신【三令五申】[─녕─][명]〖역〗세 번 호령하고, 다섯 번을 거듭 말함. 곧, 군대에서 되풀이하여 자세히 명령함.

삼령-잠【三齡蠶】[─녕─][명] 두 차례 허물을 벗은 뒤부터 세 번째의 허물을 벗기까지의 누에.

삼례¹【三禮】[─녜][명] 세 번 절함.

삼례²【三禮】[─녜][명]〖책〗예기(禮記)·주례(周禮)·의례(儀禮)의 세 가지 책.

삼례³【參禮】[─녜][명]〖지〗전라 북도 완주군(完州郡)의 한 읍(邑). 전주시(全州市)의 서북쪽 익산시(益山市)와의 군계(郡界) 바로 남쪽의 곳으로, 전라선(全羅線) 철도의 요역이며, 만경천(萬頃川)의 수리(水利)를 이용한 농업이 발달함. [16,601명(1996)]

삼례-업【三禮業】[─녜─][명]〖역〗고려 때의 잡과(雜科)의 한 과목으로, 예기(禮記)·주례(周禮)·의례(儀禮)의 삼례를 가지고 시험 보이던 일.

삼로【三老】[─노][명] ①상수(上壽)·중수(中壽)·하수(下壽)의 노인을 이름. 곧, 100살·80살·60살의 노인. ②중국 한(漢)나라 때, 한 고을의 장로(長老)로서 교화(敎化)를 맡은 사람.

삼로 스위치【三路─】[─노─][명]〔three-way switch〕〖전〗서로 다른 두 곳에서 회로(回路)를 제어할 때 사용하는, 세 개의 단자(端子)가 있는 전기 스위치.

삼로-주【蔘露酒】[─노─][명] 인삼주.

삼록【三綠】[─녹][명]〖건〗백록색(白綠色)의 도료(塗料).

삼론【三論】[─논][명]〖불교〗삼론종(三論宗)의 소의(所依)가 되는 세 가지 책. 곧, 용수 보살(龍樹菩薩)이 지은 중론(中論)과 십이문론(十二門論), 그 제자(弟子)인 제바(提婆)가 지은 백론(百論)의 세 가지.

삼론 의현【三論義玄】[─논─][명]〖책〗중국 수(隋)의 길장(吉藏)이 삼론의 강요(綱要)를 기술한 불서(佛書). 불교사(史)의 중요한 자료임. ＊길장.

삼론-종【三論宗】[─논─][명]〖불교〗삼론(三論)으로 무상 개공(無相皆空)을 베푸는 것을 목적으로 하는 불교의 한 종파(宗派). 인도(印度)의 용수(龍樹)와 제바(提婆)가 그 종조(宗祖)인데, 중국에서는 진(晉)의 구마라습(鳩摩羅什)이 삼론(三論)을 번역하여 당대(唐代)에 와서 크게 성하였고, 우리 나라에서는 고구려 때에 성하였음. 고구려의 혜관 대사(慧灌大師)가 일본에 전함.

삼론 학파【三論學派】[─논─][명]〖불교〗고구려 때 불교의 한 파. 당시 중국 양(梁)나라에서 삼론(三論)이 크게 일어나 고구려에 그 영향이 미쳐, 고구려의 중 낭(朗)은 양나라에 들어가 화엄 삼론(華嚴三論)에 깊이 통달하고 혜관(慧灌)은 영류왕(榮留王) 8년(625)에 일본에 들어가 삼론을 강의하였는데, 이 고구려의 학풍의 일컬음.

삼롱【三弄】[─농][명]〖악〗거문고 연주법의 한 가지. 줄을 힘있게 누르고 계속 울려 치는 일.

삼롱센 유적【─遺跡】〔Samrong Sen〕[명]〖역〗캄보디아의 삼롱센에 있는 신석기 시대의 유적. 1876년에 발견된 조개더미로, 인도차이나 선사 시대(先史時代)의 대표적 유적임.

삼뢰¹【三雷】[─뇌][명]〖악〗삼삭대엽(三數大葉)을 뇌성(雷聲)처럼 부르는 곡이라는 뜻으로, '소용(騷聳)'을 달리 일컫는 말.

삼뢰²【三籟】[─뇌][명] 세 가지 음향. 천뢰(天籟)·지뢰(地籟)·인뢰(人籟)의 총칭.

삼룡【三龍】[─농][명]〖역〗임진 왜란 때, 용명(勇名)을 떨친 세 사람의 무장(武將). 곧, 주몽룡(朱夢龍)·정기룡(鄭起龍)·강덕룡(姜德龍)의 일컬음.

삼루¹【三漏】[─누][명]〖불교〗진리의 체득을 방해하는 세 가지. 곧, 욕루

(慾漏)·유루(有漏)·무명루(無明漏)를 이름.

삼루[2] 【三壘】[─누] 명 야구에서, 셋째 베이스. 서드 베이스(third base).

삼루[3] 【滲漏】[─누] 명 액체(液體)가 스며 나옴. 삼설(滲泄). ──-하다 자여불

삼루-수 【三壘手】[─누─] 명 야구에서, 삼루(三壘)를 지키는 선수. 서드 베이스 맨(third baseman).

삼루-타 【三壘打】[─누─] 명 야구에서, 타자(打者)가 셋째 베이스까지 바로 도달(到達)할 수 있도록 공을 치는 일. ──-하다 타여불

삼류 【三流】[─뉴] 명 사물(事物)의 부류(部類)에 있어서 가장 낮은 층(層). ¶ ~ 음악가.

삼륙 십팔 【三六十八】[─뉵─] 명 〖수〗 구구법(九九法)의 하나. 셋의 여섯 갑절이나 또는 여섯의 세 갑절은 열 여덟이라는 말.

삼륙의 화음 【三六─和音】[─뉵─/─뉵에─] 명 〖악〗 육(六)의 화음(和音).

삼륙-판 【三六判】[─뉵─] 명 〖인쇄〗 너비 세 치, 길이 여섯 치 되는 양지(洋紙)로 제본(製本)한 책의 크기의 이름. 정확히는 171 mm×91 mm의 크기임.

삼륜 【三輪】[─뉸] 명 ①세 개의 바퀴. ②〖불교〗 지하에서 대지(大地)를 받들고 있다는 금륜(金輪)·수륜(水輪)·풍륜(風輪)의 총칭. ③〖불교〗 여래(如來)가 설법(說法)하여 중생의 번뇌를 없이 하는 몸·입·의지(意志)의 세 가지 힘. ④〖불교〗 삼륜상.

삼륜-상 【三輪相】[─뉸─] 명 〖불교〗 보시하는 데 있어서, 보시하는 이, 보시 받는 이, 보시하는 물건의 일컬음. 이 세 가지를 마음에 두는 것은 참다운 보시 바라밀(波羅蜜)을 행하는 것이 아님.

삼륜-차 【三輪車】[─뉸─] 명 바퀴가 셋 있는 수레. 특히, 바퀴 셋의 화물 운반용 소형 자동차. *세발 자전거.

삼릉 【三稜】[─능] 명 ①세 모서리. 또, 그러한 물건. ②〖한의〗 매자기의 뿌리. 산후(産後)의 악혈(惡血)을 다스리고, 적취(積聚)와 징가(癥瘕)를 풀며, 지통(止痛)과 행기(行氣)를 하는 성능이 있음. 매자기.

삼릉-경 【三稜鏡】[─능─] 명 〖물〗 프리즘(prism).

삼릉-근 【三稜筋】[─능─] 명 〖생〗 삼각근(三角筋)의 구칭.

삼릉-석 【三稜石】[─능─] 명 〔도 Dreikanter〕 사막 지방이나 바닷가의 사장(砂場)에서, 일정한 방향으로 부는 바람 때문에 풍식(風蝕)된 자갈. 바람에 불린 사립(砂粒)은 풍향(風向)에 직각이 되는 능선(稜線)을 만들며 돌의 위치가 변하면 새로운 모가 생겨, 세모진 은행 모양으로 됨.

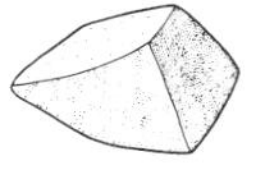

〈삼릉석〉

삼릉-장 【三稜杖】[─능─] 명 죄인을 때리는 세모진 방망이.

삼릉-주 【三稜洲】[─능─] 명 〖지〗 삼각주(三角洲).

삼릉-직 【杉綾織】[─능─] 명 파문직(波紋織)에 딸리는 직물 조직의 한 가지. 무늬가 부분적으로 반대 방향으로 달리어 산 모양을 이룸. 소매 안감·여성복·아동복의 감으로 쓰임.

삼릉-체 【三稜體】[─능─] 명 세모진 물체. *삼각도.

삼릉-초 【三稜草】[─능─] 명 〖식〗 매자기.

삼릉 초자 【三稜硝子】[─능─] 명 〖물〗 프리즘(prism).

삼릉-침 【三稜鍼】[─능─] 명 〖한의〗 침의(鍼醫)가 사용하는 세모진 침.

삼릉 파리 【三稜玻璃】[─능─] 명 〖물〗 프리즘(prism).

삼릉-형 【三稜形】[─능─] 명 삼각기둥의 모양.

삼리-혈 【三里穴】[─니─] 명 〖한의〗 무릎 아래의 바깥쪽에 있는, 침을 놓기 좋은 오목한 곳.

삼림 【森林】[─님] 명 나무가 많이 우거져 있는 곳. 천연림(天然林)·시업림(施業林)·단순림(單純林)·혼효림(混淆林) 등의 종류가 있음.

삼림 갈색토 【森林褐色土】[─님─쌕─] 명 주로 습한 지역에서 생성되는 석회질의 흙.

삼림 갱:신 【森林更新】[─님─] 명 종래 존재하고 있는 재목을 벌채·제거하거나 또는 원형(原形)을 개조해서 신림(新林)을 만드는 일.

삼림 경계 【森林境界】[─님─] 명 〖지〗 온도(溫度)의 고저(高低)와 우량(雨量)의 다소(多少)에 따라서 자연적으로 생기는 삼림의 경계.

삼림 경영학 【森林經營學】[─님─] 명 경영학의 원리를 임업에 적용하여, 경영 계획의 입안(立案) 및 경영 성적의 비판에 필요한 여러 조사 방법을 연구하는 임업학(林業學)의 한 분과.

삼림-계 【森林契】[─님─] 명 산림계(山林契).

삼림 공원 【森林公園】[─님─] 명 풍치(風致) 좋은 삼림 지대에 여러 가지 시설을 하여 놓은 자연 공원(自然公園).

삼림 구획 【森林區劃】[─님─] 명 임업 경영(林業經營)의 목적으로 삼림을 사업구(事業區)·벌채구(伐採區) 같은 것으로 나눈 구획. 천연 구획(天然區劃)과 인공 구획(人工區劃)의 두 가지가 있음.

삼림 기후 【森林氣候】[─님─] 명 숲 속의 기후. 기온이 밤에는 숲의 밖보다 높고 낮에는 보다 낮음. 습도가 높으며 바람이 약함.

삼림-대 【森林帶】[─님─] 명 〖지〗 활엽수(闊葉樹)·침엽수(針葉樹) 같은 교목이 번식하여, 큰 삼림을 이룬 지대. 수평적·수직적(垂直的) 삼림대로 구별되는데 전자는 위도(緯度)에 따른 것으로 열대림(熱帶林)·난대림(暖帶林)·온대림(溫帶林)·한대림(寒帶林)으로 나누고, 후자는 해발(海拔)의 고저에 의한 것으로 온대 지방의 고산(高山) 지대에서는 산기슭 근처에 발달함. 삼림 식물대. 수림대(樹林帶). 수풀띠.

삼림 보:호학 【森林保護學】[─님─] 명 풍설해(風雪害)·충해(蟲害)·균해(菌害)·화재 등의 재해로부터 임목과 삼림을 보호하기 위한 수단을 연구 대상으로 하는 임업학(林業學)의 한 분과. *삼림 경영학.

삼림 삭도 【森林索道】[─님─] 명 공중에 가설한 강삭(鋼索)에 의하여 목재나 임산물, 자재 등을 운반하는 가공(架空) 삭도 시설.

삼림 생태학 【森林生態學】[─님─] 명 〔forest ecology〕 수목(樹木)과 환경 또는 삼림 안에서의 다른 동식물과의 관계를 다루는 학문 분야.

삼림 식물 【森林植物】[─님─] 명 삼림을 이루고 있는 식물.

삼림 식물대 【森林植物帶】[─님─때] 명 〖식〗 삼림대(森林帶).

삼림-욕 【森林浴】[─님뇩] 명 산림욕.

삼림 이:용학 【森林利用學】[─님─] 명 임산물의 채취·수확에 관한 기술을 연구 대상으로 하는 임업학(林業學)의 한 분과. *사방 공학(砂防工學).

삼림 재해 【森林災害】[─님─] 명 삼림이 입는 재해. 병충해와 수해(獸害) 등의 생물해(生物害), 수해(水害)·풍해·건조해(乾燥害)·동상해(凍霜害)·설해 등의 기상해(氣象害)나 화재, 연해(煙害), 나아가서는 도벌과 같은 인재(人災)까지가 포함됨.

삼림-지 【森林地】[─님─] 명 나무가 많이 우거져 있는 땅.

삼림 지대 【森林地帶】[─님─] 명 나무가 많이 우거져 있는 지대.

삼림 철도 【森林鐵道】[─님─또] 명 임산물(林産物)을 반출하기 위하여 특별히 부설한 철도. 「할 목적으로 설립한 측후소.

삼림 측후소 【森林測候所】[─님─] 명 삼림 지대의 기상(氣象)을 조사

삼림 툰드라 【森林─】〔tundra〕[─님─] 명 온대나 한지(寒地)에 있는 사바나(savanna). 높은 지대에 생기는데, 드문드문 있는 수목(樹木) 또는 군생(群生)한 나무, 관목 영역(灌木領域) 등으로 형성됨. 「람.

삼림-풍 【森林風】[─님─] 명 맑게 갠 밤에, 숲에서 들로 부는 산들 바

삼림-학 【森林學】[─님─] 명 임업(林業)에 관한 이론(理論)과 운영 방법을 연구하는 학문. 준임학(林學).

삼림 한:계선 【森林限界線】[─님─] 명 삼림대(森林帶)와 고산대(高山帶)의 경계선. 산의 높이가 높아 갈수록 기후가 차서 삼림대가 없어지고 고산대가 나타남.

삼림 화:재 보:험 【森林火災保險】[─님─] 명 화재 보험의 하나. 화재로 인하여 받은 삼림의 피해를 전보(塡補)하는 보험.

삼립 【森立】[─닙] 명 빽빽하게 들어서 있음. ──-하다 자여불

삼-마누라 명 〖민〗 무당의 굿의 열두 거리 중에서 셋째 거리.

삼마르티니 〔Sammartini, Giovanni Battista〕 명 〖사람〗 이탈리아의 작곡가. 밀라노 교회의 오르간 연주자로, 교향곡·현악 사중주곡(絃樂四重奏曲)을 비롯해서 2,000 곡 이상을 작곡함. [1698-1775]

삼마-봉 【三摩峰】 명 〖지〗 강원도 고성군(高城郡)에 있는 금강산 외금강(外金剛)의 한 봉우리. [1,342 m] 「이름.

삼마-부 【一麻部】 명 한자 부수(部首)의 하나. '麾'·'麼' 등에서 '麻'의

삼마야 【三摩耶】 명 〔범 Samaya〕 〖불교〗 ①'때, 한 때'라는 뜻으로 막연히 경전(經典) 첫머리에 쓰는 말. 삼매(三昧). 삼매야(三昧耶). 가시(假時). ②밀교(密敎)에서 평등(平等) 또는 본서(本誓)라는 뜻으로 쓰는 말. 삼매(三昧). 삼매야(三昧耶).

삼마제 【三摩提】 명 〖불교〗 삼매(三昧)❶.

삼마지 【三摩地】 명 〖불교〗 삼매(三昧)❶.

삼막-사 【三幕寺】 명 〖불교〗 서울 관악산(冠岳山)에 있는 절. 봉은사(奉恩寺)의 말사(末寺). 신라 때에 원효(元曉)·의상(義湘)·윤필(尹弼)의 세 사람이 암자를 만들고 수도를 한 것이 이 절의 기원이라 하며, 그 후, 신라 말기에 도선(道詵)이 절을 크게 지었고, 조선 시대 초기에 무학 대사가 한양 천도(遷都) 때에 중수하여 한양 땅이 복되기를 빌었다 함.

삼만 승재 【三萬僧齋】 명 〖불교〗 고려 인종 때에 법왕사(法王寺)에 백좌 도량(百座道場)을 설치하고, 3일 동안에 3만 명을 모아 승재(僧齋)

삼만-초 【三蔓草】 명 〖식〗 부조초(不凋草). 「를 올리던 일.

삼망[1] 【三妄】 명 〖대종교〗 사람이 육신을 지니고 살아 가는 동안에 생기는 망령된 것. 곧, 마음, 기(氣), 신(身)의 세 가지. *삼진(三眞).

삼망[2] 【三忘】 명 병사(兵士)가 전장(戰場)에서 잊어야 될 세 가지 일. 명(命)을 받고서는 가정(家庭)을 잊고, 전투를 할 때는 부모(父母)를 잊고, 북을 쳐 병력(兵力)을 움직일 때는 자신(自身)을 잊음.

삼망[3] 【三望】 명 〖역〗 ①벼슬아치를 발탁할 때 후보자(候補者) 세 사람을 추천하는 일. *주의(注擬)·장망(長望). ②시호(諡號)를 정할 때 세 가지 다른 이름을 들어서 그 중에 하나를 택하는 일.

삼매 【三昧】 명 〔범 samadhi〕 〖불교〗 ①하나의 대상(對象)에만 마음을 집중시키는 일심 불란(一心不亂)의 경지(境地). 삼마제(三摩提). 삼마지(三摩地). 삼매경(三昧境). ②삼마야(三摩耶).

삼매-경 【三昧境】 명 〖불교〗 삼매(三昧)❶.

삼매-당 【三昧堂】 명 〖불교〗 중이 늘 있어 법화 삼매(法華三昧)·염불 삼매(念佛三昧)를 닦는 집. 삼매 도량(三昧道場).

삼매 도:량 【三昧道場】 명 〖불교〗 삼매당(三昧堂).

삼매-승 【三昧僧】 명 〖불교〗 ①법화당(法華堂)·상행당(常行堂) 등에 언제나 있으면서 법화 삼매(法華三昧)·염불 삼매(念佛三昧)를 닦는 중. ②삼매의 경지(境地)에 든 중.

삼매야 【三昧耶】 명 〖불교〗 삼마야(三摩耶).

삼매야-계 【三昧耶戒】 명 〖불교〗 밀교(密敎)에서 지키는 계(戒)의 한 가지. 일체 계행(一切戒行)을 통일 함유(統一含有)하고 제불(諸佛)과 중생(衆生)이 평등 일여(平等一如)의 경지에 들어가게 하는 진언 공력(眞言功力)의 계(戒).

삼매야 만다라 【三昧耶曼荼羅】 명 〖불교〗 불(佛)과 보살(菩薩)이 가진 기장(器杖)·탑(塔)·구슬·칼·인계(印契) 등으로 조직한 만다라(曼荼羅).

삼매야-형 【三昧耶形】 명 〖불교〗 제불 보살(諸佛菩薩)이 일체 중생(一切衆生)을 구리 이상(究理理想)의 증리(證理)에 들게 하려는 본서(本誓)를 발하고, 그 형상(形相)에 나타내어 보이는 기장(器杖)·궁전(弓箭)·인계(印戒) 같은 것. 「며 마음을 정적(靜寂)히 하는 일.

삼매 월륜상 【三昧月輪相】 명 〖불교〗 삼매의 도를 닦고 월륜의 상을 보

삼-맹호 【三猛虎】 명 〖역〗 조선 연산군 때에 지방에서 악정(惡政)을 벌이던 세 사람. 곧, 경상도 의성 현령(義城縣令) 이장길(李長吉), 상주

목사(尙州牧使) 신극성(愼克成), 선산 부사(善山府使) 남경(南憬).

삼먁 삼보리【三藐三菩提】명〔범 Samyak Sambodhi〕〖불교〗생사(生死)의 큰 꿈을 깨달아서 일체의 법을 알게 됨을 일컫는 말.

삼면【三面】명 ①세 방면(方面). ②〖수〗세 개의 평면(平面). ③신문지(新聞紙)의 셋째 지면(紙面). 곧, 사회면(社會面)을 말함.

삼면-각【三面角】명〖수〗세 개의 평면으로 이루어진 입체각.

삼면-경【三面鏡】명 거울 세 개가 나란히 붙은 경대(鏡臺). 가운데 것은 고정되어 있고 가의 두 개는 접었다 폈다 할 수 있게 되어, 자기의 뒷 모습과 옆 모습을 볼 수 있음.

〈삼면경〉

삼면 계:약【三面契約】명〖법〗각각 독자적 입장에 있는 세 사람의 당사자 사이에 성립하는 계약. 예를 들면 채권자·채무자·인수인(引受人) 사이에 행하여지는 채무 인수 계약 같은 것.

삼면 공:격【三面攻擊】명 세 방면으로부터의 공격. 세 부면에서 하는 공격.

삼면 기사【三面記事】명〔신문의 발행 면수가 4면이었던 때에 신문의 제3면에 게재된 기사란 뜻으로〕사회 기사.

삼면 기자【三面記者】명 신문의 삼면 기사를 취급하는 기자.

삼면 대:흑【三面大黑】명〖불교〗세 개의 얼굴을 가진 대흑천.

삼면 등:가의 원칙【三面等價—原則】[—까—/—까에—] 명〖경〗국민 소득을 생산·분배 및 지출의 세 측면에서 파악했을 때, 각각 같은 재화(財貨)와 용역(用役)의 경제 순환으로 보는 원칙.

삼면 소송【三面訴訟】명 당사자 세 사람 이상이 서로 대립하여 하는 소송.

삼면 육비【三面六臂】명 ①세 개의 얼굴과 여섯 개의 팔. ②한 사람이 여러 사람 몫의 일을 할 때에 이르는 말. *삼두 육비.

삼면-잠【三眠蠶】명〖충〗한 세대 동안에 잠을 세 번 자는 누에의 품종. 곧, 세 번 탈바꿈한 후에야 고치를 만드는 누에. *사면잠·오면잠.

삼명[1]【三明】명 ①〖종〗힌두교(敎)의 경전(經典) 중의 세 가지 책. 이구(梨俱)·사마(娑磨)·야유(夜柔)의 세 페타(吠陀). ②〖불교〗숙명통(宿命通)·천안통(天眼通)·누진통(漏盡通). 곧, 과거(過去)의 업상(業相)·인연(因緣)을 알아 내세(來世)의 상을 명확히 하며, 현재의 고상(苦相)을 깨달아 일체 번뇌를 끊어 버림.

삼명[2]【三命】명〖민〗수명(受命)·조명(遭命)·수명(隨命)의 세 가지.

삼-명법【三名法】[—뻡] 명〖생〗생물학에 있어서 학명(學名)을 붙일 때에, 속명(屬名)·종명(種名)·아종명(亞種名)의 세 가지 이름을 붙이는 일. 예를 들어 덤불백로의 삼명법식 학명은 *Ixobrychus*(속명), *sinensis*(종명), *sinensis*(아종명)임. *이명법(二名法).

삼-명일[1]【三名日】명〖역〗삼명절(三名節).

삼-명일[2]【三明日】명 글피.

삼-명절【三名節】명〖역〗임금의 탄신일(誕辰日)과 정월 초하루 및 동지(冬至)날의 세 명절. 삼명일(三名日).

삼모【三毛】명〖농〗↗삼모작(三毛作).

삼모-작【三毛作】명〖농〗한 해 동안에 같은 경지(耕地)에 세 가지 농작물을 순차적으로 재배하는 일. 준삼모(三毛). *이모작.

삼모-창【三矛槍】명 날이 세모로 된 창.

삼목[1]【三木】명〖역〗옛날 죄인의 목·손·발에 채우던 형구(刑具).

삼목[2]【杉木】명〖식〗[*Cryptomeria japonica*] 소나뭇과에 속하는 상록 교목. 높이는 50-70m이고 몸피는 5-10m임. 줄기는 곧고 껍질은 갈색 섬유질(纖維質)로서 세로로 틈. 잎은 아주 작은 가지에 족생(簇生)하는데 침상(針狀)이고 약간 구부함. 이른봄에 자웅 동주(雌雄同株)의 꽃이 피는데, 타원형의 수꽃은 엷은 황색이며 가지 끝에 족생(簇生)하여 누른 꽃가루를 뿌리고, 구형(球形)의 암꽃은 녹색으로 가지 끝에 핌. 도피침형의 구과(毬果)는 황갈색이고 10월에 익는데, 날개가 있는 종자(種子)가 있음. 일본의 특산종으로 중국 남부에도 분포함. 나무의 질이 썩 좋아 건축·가구재로 널리 쓰임. 삼송(杉松).

수꽃 열매 암꽃

〈삼목²〉

삼목지-형【三木之刑】명〖역〗옛날에 곤장(棍杖)으로 정강이를 치던 형벌.

삼무[1]【三務】명 봄·여름·가을의 세 계절의 농사(農事) 일.

삼무[2]【三無】명 ①무성(無聲)의 음악과 무체(無體)의 예(禮)와 무복(無服)의 상(喪)의 세 가지. ②〖불교〗무기(無記)·무리(無利)·무익(無益)의 세 가지를 이르는 말.

삼-무당【三武幢】명〖역〗신라 군대의 이름. 백금 무당(白衿武幢)·적금(赤衿) 무당·황금(黃衿) 무당의 세 군영(軍營)이 있었음.

삼무당-주【三武幢主】명〖역〗신라 때 삼무당(三武幢)을 거느리던 무관. 위계는 급찬(級飡)부터 사지(舍知)까지임.

삼무-도【三無島】명 도둑이 없고 거지가 없고 대문이 없는 섬이라는 뜻에서, 제주도(濟州島)를 일컫는 말. *삼다도(三多島).

삼무 오:다【三無五多】명 세 가지는 없고 다섯 가지는 많다는 것. 곧, 울릉도에는 도둑·거지·바퀴 달린 물건이 없는 대신, 눈·바람·오징어·향나무·미인의 다섯 가지가 많다는 말.

삼무 일종【三武一宗】[—쫑] 명 중국에서, 불교도를 박해한 네 임금. 북위(北魏)의 태무제(太武帝), 북주(北周)의 무제(武帝), 당(唐)의 무종(武宗), 후주(後周)의 세종(世宗)의 일컬음.

삼-무커리 명〈방〉삼신[1](평안).

삼묵-실【三—】명 세 올로 드린 실.

삼문【三門】명 ①대궐이나 공해(公廨)의 앞에 있는 문. 정문(正門)·동협문(東夾門)·서협문(西夾門)의 셋이 있음. ②〖불교〗법공(法空)·열반(涅槃)으로 들어가는 세 가지 해탈문(解脫門). 곧, 공문(空門)·무상문(無相門)·무작문(無作門). ③〖불교〗교(敎)와 율(律)과 선(禪). 삼문(을) 잡다 구 삼문을 열다.

〈삼문❶〉

삼문 문사【三文文士】명 서 푼짜리 문사라는 뜻으로, 제삼류(第三流) 이하의 문예가(文藝家)를 이름.

삼문 문학【三文文學】명 삼문 소설 같은 것을 취급한 저속한 문학.

삼문 소:설【三文小說】명〔도 Hintertreppenroman〕선정적이며 저속한 싸구려 소설을 가리키는 말. 미국의 10센트 소설(dime novel) 따위.

삼문 오페라【三文—】〔opera〕명〖악〗①빈약한 규모의 저급한 오페라. ②〔도 Die Dreigroschenoper〕독일의 극작가 브레흐트(Brecht)가 18세기의 영국 극작가 존 게이의 ≪거지 오페라(The Begger's Opera)≫를 번안한 대본을 바탕으로 하여 쿠르트 와일이 작곡한 3막 9장의 음악극. 1928년 베를린에서 초연(初演)함. 무대를 19세기 말의 런던으로 꾸며, 괴도(怪盜) 마크히스를 주인공으로, 당시 사회의 부패상을 그렸는데, 그 서사시적 오페라 수법은 오페라사(史)에 한 시기를 빛냄.

삼문 좌:기【三門坐起】명〖역〗삼문을 열고 여러 백성 앞에 중요한 사건을 공표하던 일.

삼문 직해【三門直解】명〖책〗조선 영조(英祖) 45년(1769)에 간행된 불서(佛書). 여러 종류의 진언(眞言)·염불문을 한글로 음역한 책.

삼문 충효록【三門忠孝錄】명〖책〗조선 시대 후기에 된 것으로 보이는 한문 소설. 작자와 연대 미상.

삼문협【三門峽】명〖지〗'싼먼샤'를 우리 음으로 읽은 이름.

삼물【三物】명 ①↗회삼물(灰三物). ②백성을 교화하는 세 가지 사항. 곧, 육덕(六德)·육행(六行)·육예(六藝)의 일컬음. ③옛날 중국에서, 산 제물의 피를 함께 마시면서 맹약을 맺을 때에 제물로 하던 세 가지 가축. 곧, 돼지·개·닭의 일컬음.

삼물-막【三物幕】명 관(棺)을 메울 때에 쓸 석회(石灰)와 세사(細沙) 및 백토(白土)를 섞기 위하여 세운 뜸집.

삼미-죽【三米粥】명 좁쌀과 멥쌀과 율무쌀에 산약(山藥)과 부추와 돼지의 콩팥과 소금을 넣고 쑨 죽.

삼민-주의【三民主義】[—/—이] 명〖정〗중국 민주주의 혁명 초기의 지도자 쑨원(孫文)이 1905년 이래 주창한 사상. 민족(民族)·민권(民權)·민생(民生)의 세 주의를 합쳐 부르는 말. 후에 중국 국민당(國民黨)의 정강(政綱)이 되었는데, 국내 제 민족(諸民族)의 평등과 외국의 압박으로부터의 독립 곧, 민족주의, 민주제(民主制)의 실현 곧, 민권주의, 평균 지권(平均地權)·자본 절제(資本節制) 곧, 민생주의를 목적으로 이들의 통일적 실현을 강조함. 손문(孫文)주의. *신삼민주의.

삼밀【三密】명〖불교〗몸·입·뜻의 세 가지 비밀. 곧, 손에 인(印)을 맺고 위의(威儀)를 힘쓰는 신밀(身密)과 진언(眞言)을 틀리지 않게 분명히 외는 구밀(口密)과 본존(本尊)의 보리심(菩提心)을 관(觀)하는 의밀(意密)의 세 가지.

삼밀 가지【三密加持】명〖불교〗밀교(密敎)에서 불타(佛陀)의 삼밀(三密)로 중생(衆生)의 삼업(三業)을 가지(加持)하는 일.

삼밀 상응【三密相應】명〖불교〗행자(行者)가 삼밀 인관(三密印觀)을 닦아 불타(佛陀)·보살(菩薩)의 삼밀(三密)과 상응 상합(相應相合)하여 서로 융통(融通)함으로써 그 몸을 그대로 성불(成佛)하게 하는 일. 삼밀 유가(三密瑜伽). 유가 삼밀.

삼밀 유가【三密瑜伽】명〖불교〗삼밀 상응(三密相應).

삼밀 인관【三密印觀】명〖불교〗삼밀(三密)의 수행(修行). 곧, 손에 인상(印相)을 맺고 입으로 진언(眞言)을 외고, 마음으로는 본존(本尊)을 생각하는 수행.

삼밀 행법【三密行法】[—뻡] 명〖불교〗삼밀(三密)의 법(法)을 닦는 일.

삼밀 호마【三密護摩】명〖불교〗삼밀(三密)의 법을 닦으며 태우는 호마(護摩).

삼밑 명〈방〉산기슭(경기·강원·충북·경상).

삼바〔samba〕명〖악〗브라질의 대표적인 무용 음악. 2/4 박자로서, 극히 빠르고 정열적임.

삼바꾸 명〈방〉소꿉놀이(전남).

삼바퀴 명〈방〉사마귀[1](함북).

삼바키 명〈방〉사마귀[1](함북).

삼박 부 잘 드는 칼에 쉽게 베어지는 모양. 또, 그 소리. ㅆ삼빡·쌈박·쌈빡. <섬벅. ——-하다 자여불

삼박-거리다 자 ①눈이나 살 속이 자꾸 찌르는 듯하다. ㅆ삼박거리다. <슴벅거리다. ②〈방〉깜박거리다. ¶ 잘게 삼박거리는 노랑 눈으로 곰녀 아버지를 쳐다보며…≪黃順元 : 별과 같이 살다≫. **삼박-삼박**[1] 부. ——-하다[1] 자여불

삼박-대다 자 삼박거리다.

삼박-삼박[2] 부 ①칼에 연해 잘 베어지는 모양. 또, 그 소리. ②조금 단단하고 물기가 많은 것이 가볍게 잘 썹히는 모양. 또, 그 소리. 1)·2): ㅆ삼빡삼빡·쌈박쌈박[2]·쌈빡쌈빡. <섬벅섬벅[2]. ——-하다[2] 자타여불

삼-박자【三拍子】명〖악〗악곡에서 한 마디가 3박이 되는 박자(拍子). 제일박(第一拍)이 강박(强拍)으로 시작하는 강(強)·약(弱)·약(弱)의 형을 가짐이 보통임. 트리니티(trinity).

삼반【三反】명 ①세 번 왕복(往復)함. ②세 차례 반역(叛逆)함. ——-하다 자여불

삼반 관속【三班官屬】명〖역〗지방 각 부군(府郡)의 이교 노령(吏校奴令).

삼-반규관【三半規管】명〖생〗반(半)고리관(管).

삼반-물【三般物】명〖불교〗그늘이 지지 아니하는 땅과 메아리가 울리

지 아니하는 산골과 뿌리가 없는 나무의 세 가지를 이름.

삼반 봉:직【三班奉職】 명 〖역〗 고려 예종(睿宗) 11년(1116)에 전전 승지(殿前承旨)를 고친 이름.

삼반-순【三斑鶉】 명 〖조〗 세가락메추라기.

삼반 예:식【三班禮式】[―네―] 명 〖책〗 조선 고종(高宗) 3년(1866)에 백관(百官)의 체례(體禮)·상견례(相見禮)·좌피의(座避儀)·하마의(下馬儀)·승마 조례(乘馬條例) 등의 예의를 지어 만든 책 이름. 2 권.

삼반 오:반 운:동【三反五反運動】 명 〖정〗 중국(中國)이 1951년부터 다음 해에 걸쳐 행한 숙청 운동. 공무원의 삼해(三害)라고 하는 오직(汚職)·낭비·관료주의와 자본가 계급의 오독(五毒)이라고 하는 증회(贈賄)·탈세(脫稅)·국가 재산의 횡령(橫領)·원료(原料)의 속임·국가 경제 정보의 누설(漏泄)에 반대하여 이를 근절시키려고 한 일.

삼반 차사【三班差使】 명 〖역〗 고려 예종(睿宗) 11년(1116)에 상승 내승지(尙乘內承旨)를 고친 이름. 「승지(殿前副承旨)를 고친 이름.

삼반 차:직【三班借職】 명 〖역〗 고려 예종(睿宗) 11년(1116)에 전전 부

삼반 차:차【三班借差】 명 〖역〗 고려 예종(睿宗) 11년(1116)에 부내승지(副內承旨)를 고친 이름.

삼-발 [―빨] 명 눈에 삼이 설 때에 생기는 핏발.

삼발-쇠 명 〈방〉 삼발이.

삼발-이 명 ①발이 셋 붙은, 쇠로 만든 기구. 불을 때거나 화로의 잿 속에 박아 놓고, 주전자·냄비·작은 솥·전철 같은 것을 올려, 음식을 끓이는 데에 씀. 동그랑쇠. ②나침반·망원경·사진기 등을 올려 놓는 데에 쓰이는 세 발 달린 틀. 삼각가.

〈삼발이❶〉

삼발-점【三一點】[―쩜] 명 귀결부(歸結符)로 쓰이는 '∴'의 이름. 귀결점.

삼방[1]【三防】 명 〖지〗 〔옛날에 남북 간의 중요한 통로를 이루어 세 군데에 통행인을 검사하는 관방(關防)이 설치되어 있었던 데서 삼방이라 칭하였다 함〕 함경 남도 안변군(安邊郡)에 있는 명승지. 약수로 이름이 높고, 여름에는 피서객(避暑客)들이 모임.

삼방[2]【三房】 명 〖역〗 ①중국에 보내는 서장관(書狀官)이 있던 곳. ②과거(科擧) 볼 때에 세 시관(試官)이 있던 곳. 「(刑房)의 총칭.

삼방 관속【三房官屬】 명 〖역〗 지방 관청의 이방(吏房)·병방(兵房)·형방

삼방 정계【三方晶系】 명 〔trigonal system〕 〖광〗 삼회 대칭축(三回對稱軸)을 가진 결정계(結晶系). 능면체 정계(菱面體晶系)라고도 불리었으며, 육방 정계 속에 포함시킨 때도 있었음. *결정(結晶).

삼방 폭포【三防瀑布】 명 〖지〗 함경 남도 안변군(安邊郡) 마상산(麻桑山) 가운데 있는 폭포. 높이 12 m 가량 됨.

삼방 협곡【三防峽谷】 명 〖지〗 함경 남도 고산(高山)과 세포(洗浦) 간에 있는 협곡. 경원선(京元線) 검불랑역 부근에서 발원하여 북동으로 흐르는 남대천 상류에 이루어진 협곡. 유명한 탄산천(炭酸泉)·고음 폭포(鼓音瀑布)·삼방 폭포가 있는 휴양 지대를 이루고 있음.

삼-밭[1] 명 삼을 재배하는 밭.

【삼밭 사자 이 빠진다】 삼을 삼으려면 이가 있어야 하는데, 시작하려고 보니 탈이 생겨 일이 틀려 버린 경우를 이르는 말. 【삼밭에 쑥대】 '마중지봉(麻中之蓬)'과 같은 뜻. 【삼밭에 한 번 똥 싼 개는 늘 싼줄 안다】 한 번 잘못하면 늘 의심을 받는다는 말.

삼-밭[2]【蔘―】 명 인삼을 재배하는 밭. 삼포(蔘圃).

삼-배[1] 명 〈방〉 삼베(전남·경남). 「――-하다 자여불

삼배[2]【三拜】 명 ①세 번 절함. ②〖불교〗 세 번 무릎을 꿇고 배례함.

삼배[3]【三盃】 명 석 잔. ¶ ~의 술이 돌다.

삼배[4]【三倍】 명 세 곱절. ――-하다 타여불

삼-배목【三一】 명 〖건〗 비녀장에 배목 셋을 꿴 장식. 분합(分閤)의 기둥에 닿은 첫째와 넷째 창짝의 머리와 문골에 갈라서 박음.

삼배엽성 동:물【三胚葉性動物】 명 〔Triploblastica〕 〖동〗 내(內)·외(外)·중(中) 세 개의 배엽으로 된 동물. 편형(扁形) 동물 이상의 모든 문(門)이 이에 속함.

삼배지-치【三北之恥】 명 세 번 싸워 세 번 당하는 패배(敗北)의 부끄럼. 곧, 번번이 싸움에 지는 수치(羞恥).

삼배-체【三倍體】 명 〔triploid〕 〖생〗 기본수의 3 배의 염색체수(染色體數)를 가지는 배수체(倍數體). 이배체(二倍體)와 사배체(四倍體)의 교잡(交雜)에 의해 생기는데 불임성(不稔性)이므로 유성 생식(有性生殖)으로는 계통을 유지하지 못함. 이를 이용하여 씨없는 수박을 만들어 내거나 기타 원예(園藝)식물·재배(栽培) 식물에서도 응용함. *사배체.

삼백【三白】 명 ①음력 정월에 사흘 동안 내린 눈을 일컫는 말. ②〈속〉 백미(白米)·백설탕·화학 조미료의 세 가지 흰 빛의 식품.

삼백사십팔-계【三百四十八戒】 명 〖불교〗 비구니(比丘尼)가 지켜야 할 구족계(具足戒). 팔파라이(八波羅夷)·십칠 승잔(十七僧殘)·삼십 사타(三十捨墮)·백칠십팔 단타(百七十八單墮)·팔제사니(八提舍尼)·백중학(百衆學)·칠멸쟁(七滅諍)의 348 가지 계법(戒法). 오백계(五百戒). *이백오십계(二百五十戒).

삼백예순-날【三百一】[―네―] 명부 〔1 년은 365 일인 데서 온 말〕 일년을 두고 날마다. ¶ ~ 임 오기만을 기다린다.

삼백-주【三白酒】 명 술의 한 가지. 백출(白朮)·백복령(白茯苓)·백하수오(白何首烏)의 세 가지를 같은 분량으로 술 그릇에 넣었다가 20 일 만에 건져내어 마심. 양기를 돕는 데에 좋다고 함.

삼백-초【三白草】 명 〖식〗 ①[*Saururus chinensis*] 삼백초과(三白草科)에 속하는 다년초. 줄기 높이는 50-100 cm, 근경(根莖)은 흼. 잎은 달걀꼴 타원형이고, 표면은 연한 녹색, 뒷면은 연한 백색이며, 윗부분의 2, 3개의 잎은 표면이 흼. 6-8 월에 흰 꽃이 수상(穗狀) 꽃차례로 핌. 습지에 나는데, 제주도·일본에 분포함. 잎·꽃·뿌리가 희어 '삼백초'라 이름. 특이한 독취(毒臭)가 있고, 한방에서 지하경과 잎을 말려 이뇨(利尿)·구충(驅蟲)의 약재로 씀. ②약모밀.

삼백초-과【三白草科】[―꽈] 명 〖식〗 [Saururaceae] 쌍자엽 식물 합판화류(合瓣花類)에 속하는 한 과. 3속 4종이 있는데, 한국에는 삼백초 등의 2 속 2 종이 분포함.

삼백칠십-회【三百七十會】 명 〖불교〗 석가(釋迦)가 성도(成道)한 때로부터 입멸(入滅)할 때까지 설경(說經)한 회(會)의 수(數).

삼번의 난:【三藩一亂】[―/―에―] 명 〖역〗 1673년에 청(淸)나라에서 일어난 큰 난. 청은 초기에 한인(漢人)으로써 한인을 억제하려는 정책을 취하여 명(明)의 항장(降將) 오삼계(吳三桂)·경계무(耿繼茂)·상가희(尙可喜) 등을 원난(雲南)·푸젠(福建)·광둥(廣東)에 봉(封)하였으나, 나중에 이들 삼번(三藩)의 세력이 커짐에 강희제(康熙帝)가 이들의 세력을 꺾으려고 하자 오삼계 등이 먼저 난을 일으켰음. 강희제는 고전(苦戰)한 결과 겨우 평정하고 청조(淸朝)의 기초는 이 때부터 섰음.

삼-벌레 명 〖충〗 삼하늘소의 유충(幼蟲). 나무굼벵이의 하나로 삼의 줄기를 파먹는 해충(害蟲)인데, 한방(韓方)에서 경풍(驚風)의 약으로 씀. 마두충(麻蠹蟲). 마충(麻蟲).

삼범-선【三帆船】 명 돛대 셋을 세운 배.

삼-법사【三法司】 명 〖역〗 조선 시대 때, 형조(刑曹)와 한성부(漢城府)와 사헌부(司憲府)의 세 곳을 통틀어 이르던 말. 준삼사(三司).

삼-법인【三法印】 명 〖불교〗 소승 불교(小乘佛敎)에 있어서 불교가 외도(外道)와 다른, 세 개의 교리(敎理). 곧, 제행 무상(諸行無常)을 설파하는 무상인(無常印)과 제법 무아(諸法無我)를 설파하는 무아인(無我印)과 열반 적정(涅槃寂靜)을 설파하는 열반인(涅槃印)의 세 가지. *일법인(一法印).

삼-베 명 삼실로 짠 피륙. 마포(麻布). 준베.

【삼베 주머니에 성냥 들었다】 허술한 겉 모양과는 어울리지 않게, 속에는 말쑥한 것이 들었다는 말. 「여불

삼베 길쌈 명 삼껍질을 찢어서 실을 만들어 베를 짜는 일. ――-하다 자

삼벽【三碧】 명 〖민〗 음양가(陰陽家)에서 목성(木星)을 가리키는 말. 구궁(九宮)에 있어서 그 근본 자리는 진방(震方) 곧, 동쪽임.

삼변【三變】 명 ①세 차례에 걸친 변화(變化). 세 가지 변화. ②크게 변함. ――-하다 자여불

삼변-법【三邊法】[―뻡] 명 〖수〗 지형 측량법의 하나. 지역을 삼각형으로 분할하여 세 변의 길이를 측정하고, 공식에 의해 넓이를 계산함. 삼각형의 길이를 각각 a, b, c, 넓이를 A라 하면 $A=\sqrt{S(s-a)(s-b)(s-c)}$ 로 구함. 단, $S=\frac{1}{2}(a+b+c)$임.

삼변 수당【三邊守幢】 명 〖역〗 신라 군대(軍隊)의 이름. 한산변(漢山邊)·우수변(牛首邊)·하서변(河西邊)의 세 대(隊)가 있음.

삼변 측량【三邊測量】[―냥] 명 〔trilateration〕 〖공〗 측량에서, 지표의 각 점의 상대 위치를 밝히기 위해 행하여지는 일련(一連)의 지점간의 거리 측정. 측정하려는 몇 개의 점을 삼각형의 정점으로 하고, 그 각도와 변의 길이를 재어서 그들 점의 상대적 위치를 결정함.

삼변-형【三邊形】 명 〖수〗 삼각형(三角形).

삼-별초【三別抄】 명 〖역〗 고려 고종 때에 최우(崔瑀)가 설치한 야별초(夜別抄)의 좌우 부대(左右部隊). 곧, 좌별초·우별초와 신의군(神義軍)을 통틀어 부르는 이름. 원종(元宗) 때 반란을 일으켜 탐라(耽羅), 곧 제주도(濟州島)로 달아난 것을 토벌함.

삼별초의 난:【三別抄一亂】[―/―에―] 명 〖역〗 고려 원종(元宗) 때 몽고 세력에 대항하여 일어난 반란. 원종이 몽고에 들어가 굴복하고 돌아온 후 원종 11년(1270)에 삼별초의 해산을 명령하였으나 듣지 않아 강화에 있는 이들의 명단을 적어 올리게 하였는데, 명단이 몽고에 들어가면 불리할 것으로 생각한 배중손(裵仲孫)과 야별초(夜別抄)인 지유(指諭)·노영희(盧永禧) 등이 동년 6월에 강화에서 반란을 일으키어 승화후(承化侯) 온(溫)을 왕으로 내세우고 버티다가 관군에 몰리어 진도(珍島)로 패주(敗走), 거기서 승화후 온(溫)은 죽고 나머지 사람들은 또한 제주도로 도망가서 반항하다가 동 14년에 망함. 후에 그 잔병(殘兵)이 해적으로 변하여 연안 일대를 약탈하였음.

삼별초의 항:쟁【三別抄一抗爭】[―/―에―] 명 〖역〗 '삼별초의 난'을 당시의 몽고 세력과 사대주의 사상에 항거한 사건으로 보아 일컫는 말.

삼병 전:술【三兵戰術】 명 〖군〗 독립하여 편성된 보병·기병(騎兵)·포병을 종합적으로 운용(運用)하는 근대적인 전술 체계(體系).

삼보[1]【三甫】 명 〖불교〗 절에서 감무(監務)·감사(監事)·법무(法務)의 심부름을 하는 중.

삼보[2]【三保】 명 세 사람의 보증인.

삼보[3]【三報】 명 〖불교〗 중생(衆生)이 지은 업(業)으로 인하여 받는 세 가지의 과보(果報). 곧, 순현보(順現報)·순생보(順生報)·순후보(順後報).

삼보[4]【三輔】 명 ①삼인(三人)의 보좌(輔佐). ②〖역〗 중국 전한(前漢)의 무제(武帝)의 태초(太初) 원년(B.C.100)에 셋으로 나눈 장안(長安) 부근 땅의 행정 구역. 곧, 장안 이동(以東)의 경조윤(京兆尹), 장릉(長陵) 이북의 좌풍익(左馮翊), 위성(渭城) 이서(以西)의 우부풍(右扶風)을 이름. 또, 그 지방 장관.

삼보[5]【三寶】 명 ①귀와 입과 눈. ②자(慈)와 검(儉)과 겸(謙). ③토지와 국민과 정치. ④〖불교〗 불(佛)과 법(法)과 승(僧).

삼보[6]〔러 sambo〕 명 러시아의 독특한 격투기(格鬪技). 제정(帝政)러시아 때부터의 토착(土着) 격투 경기에다 유도·레슬링 등의 특징을 살려서 고안한 것. 체중별로 8체급이 있으며, 10분간 단판 승부로 1대1로 행함.

삼보 가지【三寶加持】 명 〖불교〗 불(佛)·법(法)·승(僧)의 삼보(三寶)의 가호(加護). 또, 그 가호를 받기 위한 기도(祈禱).

삼-보리【三菩提】 명 〔범 sambodhi〕 〖불교〗 ①보리(菩提)❶. ②진성 보리(眞性菩提)·실지 보리(實智菩提)·방편 보리(方便菩提)의 총칭.

삼-보림【三寶林】명〖불교〗한국에 있는 보림사(寶林寺)와 인도와 중국에 있는 세 보림사를 합하여 일컫는 말.

삼보 사찰【三寶寺刹】명〖불교〗불보(佛寶) 사찰인 통도사(通度寺), 법보(法寶) 사찰인 해인사(海印寺), 승보(僧寶) 사찰인 송광사(松廣寺)의 일컬음.

삼보앙가〔Zamboanga〕명〖지〗필리핀 민다나오(Mindanao)섬의 서남, 삼보앙가 반도 돌단부(突端部)에 있는 항구 도시. 필리핀 서남부의 상업·교통의 중심지로 목재 공업이 성함. [442,000명(1990)]

삼보-인【三寶印】명〖불교〗'불(佛)'·'법(法)'·'승(僧)'·'보(寶)'의 넉 자를 새긴 인(印).

삼보-정【三步庭】명 아주 좁은 마당.

삼복[1]【三伏】명 ①하지(夏至) 뒤의 세째 경일(庚日)인 초복(初伏)과 네째 경일인 중복(中伏)과 입추(立秋) 뒤의 경일인 말복(末伏)의 총칭. 삼경(三庚). *복날. ②여름철의 가장 더운 기간. ¶～ 더위.

[삼복에 비가 오면 보은 처자(報恩處子)가 울겠다] 대추의 명산지인 보은 지방에서 대추의 수확으로 혼수(婚需)를 마련한다는 데서 연유한 말로, 삼복에 비가 오면 대추가 열리지 아니한다는 말.

삼복[2]【三復】명 세 번 되풀이함. ——-하다 자타여불

삼복[3]【三覆】명〖역〗사죄(死罪)에 해당하는 죄인의 심사(審査)에 신중을 기하기 위하여 세 차례 거듭해서 조사하던 일. 첫번을 초복(初覆), 둘째 번을 재복(再覆), 세째 번을 삼복이라 함. 고려 문종(文宗) 1년(1047)에 실시됨. 삼복제. *삼개(三開).

삼복-계【三覆啓】명〖역〗사형죄에 해당하는 죄인의 옥안(獄案)을 세 번 심사하여 임금께 아뢰던 일. 삼복주(三覆奏). *고복(考覆).

삼복 더위【三伏一】명 삼복이 든 철의 몹시 심한 더위. 삼복 증염(三伏蒸炎). 준복더위.

삼복-비【三伏一】명 복날에 오는 비.

삼복-선【三卜船】명〖역〗삼방(三房)에 딸린 벼슬아치의 짐을 나르던 배.

삼복승-식【三複勝式】명 경마에서, 착순(着順)에 관계없이 1·2·3착 말을 모두 적중시키는 방식. *승마 투표권.

삼복의 옥【三福一獄】[一/一에一]명〖역〗조선 숙종(肅宗) 6년(1680)에 남인(南人) 허적(許積)의 서자(庶子) 견(堅)이 인평 대군(麟坪大君)의 세 아들인 복창군(福昌君) 정(楨), 복선군(福善君) 염(柟), 복평군(福平君) 인(㮒) 등 삼형제와 모의하여, 복창군을 내세우려 한다고 서인(西人)들이 일으킨 사건. 이로써 허적은 사사(賜死)되고 남인(南人) 일파(一派)는 세력을 잃음.

삼복-제【三覆制】명〖역〗삼복(三覆).

삼복-주【三覆奏】명〖역〗삼복계(三覆啓).

삼복-중【三伏中】명 삼복 동안.

삼복 증염【三伏蒸炎】명 삼복 더위.

삼복지-간【三伏之間】명 삼복이 든 더운 여름 동안. 삼복지경(三伏之境).

삼복지-경【三伏之境】명 삼복지간(三伏之間).

삼본【三本】명 천지(天地)와 조상(祖上)과 군사(君師).

삼본 문:답【三本問答】명〖천주교〗교리 문답 중 가장 기본이 되는 영세 문답, 고해(告解) 문답, 성체 문답의 세 가지 문답.

삼봉[1]【三峰】명 세 개의 봉우리.

삼봉[2]【三峰】명〖사람〗정도전(鄭道傳)의 호(號).

삼-봉[3]【三峰】명〖지〗①함경 남도 풍산군(豐山郡) 안수면(安水面)과 북청군(北青郡) 이곡면(泥谷面) 사이에 있는 산봉우리. [1,987m] ②함경 북도 무산군(茂山郡)에 있는 산봉우리. [1,256m] ③강원도 원주시(原州市)에 있는 산봉우리. [1,072m]

삼봉-교【三峰橋】명〖지〗함경 북도 종성군(鍾城郡) 남산면(南山面)의 상삼봉(上三峰)과 만주(滿洲) 개산둔(開山屯)과의 국경선을 흐르는, 두만강(豆滿江)에 가설된 교량. 중앙은 철로가 있고 가장자리는 보도(步道)로 되어 있음. 1927년 개통. [321m]

삼봉 낚시【三鋒一】명 세 갈래의 갈고리로 된 낚시. 강 바닥에 가라앉히면 물고기가 지나가다 걸리게 되었음.

〈삼봉 낚시〉

삼봉-산【三峰山】명〖지〗①전라 북도 남원시(南原市) 산내면(山內面)과 경상 남도 함양군(咸陽郡) 마천면(馬川面) 경계에 있는 산. [1,187m] ②경상 남도 거창군(居昌郡) 고제면(高梯面)과 전라 북도 무주군(茂朱郡) 무풍면(茂豐面) 사이에 있는 산. [1,254m] ③평안 북도 초산군(楚山郡) 송면(松面)과 강계군(江界郡) 화경면(化京面) 경계에 있는 산. [1,585m] ④함경 남도 풍산군(豐山郡) 웅이면(熊耳面)과 풍산면(豐山面) 사이에 있는 산. [1,725m]

삼봉-집【三峰集】명〖책〗정도전(鄭道傳)의 시문집(詩文集). 그의 증손 정문형(鄭文炯)이 개간하고 정조(正祖) 때에 왕명으로 다시 간행함. 내용은 시부(詩賦) 외에 경국 문감(經國文鑑)·경국전(經國典)·불씨변(佛氏辨)·경제 문감(經濟文鑑) 등임. 14권 7책.

삼부[1]【三父】명〖역〗복제(服制)에 있어서, 최복(衰服)의 아버지 외에 따로 구별하여 일컫는 세 가지 계부(繼父). 한집안에서 함께 사는 계부와, 함께 살지 아니하는 계부와, 친모(親母)가 후살이 갈 때 따라가지 않은 계부를 이름. ¶～ 팔모(八母).

삼부[2]【三府】명 행정부·사법부·입법부의 총칭. ¶～ 요인.

삼부[3]【三部】명 ①〖불교〗밀교(密敎)의 세 부(部). 곧, 불부(佛部)·연화부(蓮華部)·금강부(金剛部). ②〖역〗고려 충렬왕 34년(1308)에 육조(六曹)를 개편한 세 관아. 곧, 선부(選部)·민부(民部)·언부(讞部). 공민왕 5년(1356)에 다시 육부(六部)로 개편됨.

삼부[4]【三賦】명〖역〗세 종류의 부세(賦稅). 곧, 조(租)·용(庸)·조(調).

삼부[5]【蔘附】명〖한의〗인삼과 부자(附子).

삼부-경【三部經】명〖불교〗불교에서 특별히 존중하는 여러 삼부(三部)의 경전(經典). 법화 삼부(法華三部)의 무량의경(無量義經)·묘법 연화경(妙法蓮華經)·관보현 보살 행법경(觀普賢菩薩行法經), 대일 삼부(大日三部)의 대일경(大日經)·금강정경(金剛頂經)·소실지경(蘇悉地經), 진호 국가 삼부(鎭護國家三部)의 인왕경(仁王經)·금광명경(金光明經)·법화경(法華經), 정토 삼부(淨土三部)의 아미타경(阿彌陀經)·관무량수경(觀無量壽經)·무량수경, 미륵 삼부(彌勒三部)의 관미륵 보살 상생 도솔천경(觀彌勒菩薩上生兜率天經)·미륵 하생경(彌勒下生經)·미륵 대성불경(彌勒大成佛經).

삼부-곡【三部曲】명〖악〗삼부작(三部作)의 악곡.

삼부리 명〖역〗포교(捕校)의 두목.

삼부-병【三付餠】명 셋붙이❶.

삼부분 형식【三部分形式】명〖악〗삼부 형식(三部形式).

삼부-악【三部樂】명〖악〗국악에서 아부악(雅部樂)·당부악(唐部樂)·향부악(鄕部樂)의 세 갈래 음악.

삼-부여【三扶餘】명〖역〗옛날에 만주(滿洲)의 대부분을 차지하고 있던 민족. 고구려의 모체(母體)가 되었던 해부루(解夫婁)의 북부여(北扶餘)와 금와(金蛙)의 동부여(東扶餘), 그리고 백제 남천(南遷) 직후의 남부여(南扶餘)를 일컬음.

삼-부영양소【三副營養素】명〖생〗삼대 영양소 다음으로 중요한 세 가지 영양소. 물·비타민·무기 염류를 일컬음. *삼대 영양소.

삼부 요인【三府要人】명 행정부·사법부·입법부의 요인(要人).

삼-부자【三父子】명 아버지와 두 아들.

삼부-작【三部作】명〔trilogy〕〖문〗세 개의 부분으로 나누어져 있으나, 서로 주제(主題)가 연락(連絡)과 통일(統一)을 가지는 하나의 작품.

삼부 팔모【三父八母】명 삼부(三父)와 팔모(八母).

삼-부패【三一】명〖광〗분광(分鑛)을 세 사람이 동업하는 조직. ↔맞부패.

삼부 합주【三部合奏】명〖악〗삼종(三種)의 악기(樂器) 여러 개를 합쳐서 연주하는 일. 실제로는 이러한 연주가 드묾. 간혹 삼중주(三重奏)를 포함하여 말하는 경우도 있음.

삼부 합주곡【三部合奏曲】명〖악〗삼부 합주를 위한 곡.

삼부 합창【三部合唱】명〖악〗세 개의 성부(聲部)로 이루어지는 합창으로서, 제일·제이 소프라노와 알토와의 합창이 그 대표임. 각 성부가 한 사람인 경우에는 삼중창(三重唱)이라 함.

삼부 형식【三部形式】명〔ternary form〕〖악〗'세도막 형식'의 한자 이름. 삼부분 형식.

삼-부회【三部會】명〔프 Etats généraux〕〖역〗중세 후기에 프랑스 국왕이 창설한 신분제 의회(身分制議會). 국왕이 소집한 성직자·귀족·제3신분의 대표로 구성됨. 1302년부터 명확한 형식을 갖추어 1614년까지 국왕은 이따금 필요에 따라서 이것을 소집하여, 정책의 가부(可否), 조세(租稅)의 징수 등에 관한 토의(討議)를 행하게 하였음. 그 후 왕권(王權)이 확장되어 거의 소집되지 아니하였으나, 1789년에 재차 소집되었을 때는 오히려 혁명의 원인을 조성하였음.

삼분【三分】명 셋으로 나눔. ——-하다 타여불

삼분모 회:록【三分耗會錄】명〖역〗조선 인조(仁祖) 15년(1637)부터, 중국 청(淸)나라 사신의 접대비를 마련하기 위하여, 지방의 모곡(耗穀)의 10분의 3을 상평청(常平廳)에 보고하게 하여, 회계 장부인 회안(會案)에 등록하던 일. *일분모(一分耗) 회록.

삼분-법【三分法】[一뻡]명〖논〗①구분되는 대상을 세 가지로 나누어 가는 구분 방법. 이분법(二分法)·사분법(四分法) 따위에 대하여 일컫는 말. 대(大)·중(中)·소(小) 또는 천(天)·지(地)·인(人) 따위. ②스토아 학파에서 인간성을 육(肉)·혼(魂)·영(靈)으로 나누는 방법을 일컬음.

삼분 손:익법【三分損益法】명〖악〗중국 음악에서, 악률(樂律)을 제정하기 위하여 생긴 계산법. 율관(律管)의 길이를 삼분 손일(三分損一)해서 12율(律)의 제8률(律)을 구하고 그 관을 또한 삼분 익일(三分益一)해서 12율의 제3률을 구하고 하여, 이 일을 반복해서 12율을 구하는 방법. 고대 중국 주(周)의 전국 시대(戰國時代)에 생겼음.

삼분 손:일【三分損一】명〖악〗삼분 손익법(三分損益法)에 있어서, 율관(律管)의 길이를 3등분하고, 그 1을 제하여 3분의 2가 되게 하는 일.

삼분 오:열【三分五裂】명 여러 갈래로 갈리어 흩어짐. ¶당(黨)이 ～하다. ——-하다 자여불

삼분 익일【三分益一】명〖악〗삼분 손익법(三分損益法)에 있어서, 율관(律管)의 길이를 3등분해서 그 1을 더하여 3분의 4가 되게 하는 일.

삼분 정:립【三分鼎立】[一닙]명 천하를 삼분하여 세 나라가 정립함. 삼국(三國) 정립. ——-하다 자여불

삼분 천하【三分天下】명 온 나라를 세 부분으로 나눔. 곧, 한 나라를 세 사람의 군주나 영걸(英傑)이 나누어 차지함. ——-하다 자여불

삼-불[1]〔一뿔〕명 해산(解産)한 뒤에 태(胎)를 사르는 불.

삼불[2]【三佛】명〖불교〗극락 세계(極樂世界)에 있는 아미타불(阿彌陀佛)과 관세음 보살(觀世音菩薩), 그리고 대세지 보살(大勢至菩薩).

삼-불[3]【蔘一】[一뿔]명 삼독(蔘毒).

삼-불거【三不去】명 칠거(七去)의 이유가 있는 아내라도 버리지 못할 세 가지 경우. 곧, 부모의 삼년상(三年喪)을 같이 치렀거나, 장가들 때에 가난하다가 뒤에 부귀하게 되었거나, 아내가 돌아가서 의지할 곳이 없는 경우.

삼불 보리【三佛菩提】명〖불교〗법(法)·보(報)·응(應) 삼신(三身)의 불과(佛果). 곧, 법신불 보리(法身佛菩提)·보신불(報身佛) 보리·응신불(應身佛) 보리의 세 가지.

삼-불복【三不伏】명〖민〗무덤을 이룰 때에, 삼살방(三煞方)에서는 절하지 아니함을 이름.

삼-불선[1]【三不善】[一썬]명〖불교〗↗삼불선근(三不善根).

삼불-선[2]【三佛扇】[一썬]명〖민〗삼불이 그려진 부채. 무당이 굿할 때 부치어 신과 복을 맞아들인다고 함.

삼-불선근【三不善根】[一썬一] 명 〖불교〗 세 가지의 번뇌. 곧, 탐(貪)·진(瞋)·치(痴)의 삼독(三毒)을 일컫는 말. 준삼불선.

삼-불신【三佛身】[一씬] 명 〖불교〗 삼신(三身).

삼-불외【三不畏】명 거상(居喪)을 입은 사람이 두려워하지 아니하는 세 가지. 곧, 비·도둑·범.

삼불 제:석【三佛帝釋】명 〖민〗 무당이 굿할 때에 가지는 부채에 그린 「그림.

삼-불토【三佛土】명 〖불교〗 삼신불(三身佛)이 사는 세 가지 불토(佛土). 곧, 법신불(法身佛)이 사는 법성토(法性土)와 보신불(報身佛)이 사는 수용토(受用土), 그리고 응신불(應身佛)이 사는 변화토(變化土).

삼-불행【三不幸】명 ①맹자(孟子)가 말한 세 가지 불행. 곧, 재산의 축적에 전념하는 일, 자기의 처자(妻子)만을 사랑하는 일, 부모의 효양(孝養)을 등한히 하는 일. ②중국 북송(北宋)의 유학자(儒學者) 정이천(程伊川)이 말한 세 가지 불행. 곧, 젊어서 높은 벼슬자리에 오르는 일, 부형의 힘으로 현관(顯官)이 되는 일, 재능이 있어 문장에 능한 일.

삼-불혹【三不惑】명 침혹(沈惑)하지 말아야 할 세 가지. 곧, 술·계집·재물.

삼-불효【三不孝】명 세 가지의 불효. 부모를 불의(不義)에 빠지게 하는 일, 부모가 늙고 집이 가난하여도 벼슬하지 아니하는 일, 자식이 없어 조상의 제사를 끊이게 하는 일.

삼-불후【三不朽】명 언제까지나 썩지 아니하는 세 가지. 곧, 덕(德)·공(功)·언어(言語).

삼브롬화-인【三一化燐】명 〔phosphorus tribromide〕〖화〗 부식성 발연성(發煙性)의 무색 액체. 자극적인 냄새를 가짐. 아세톤·알코올·이황화(二黃化) 탄소 및 황화 수소에 녹으며 물 속에서 분해함. 당(糖)과 산소의 검출용 분석 시약에 쓰임. [PBr_3]

삼-비 명 〈방〉 삼베(경상).

삼비: 정책【三B政策】명 〖역〗 독일 황제 빌헬름(Wilhelm) 2세에 의하여, 제1차 세계 대전 전에 강행(強行)되었던 제국주의적 근동 정책(近東政策). 베를린(Berlin)·비잔티움(Byzantium)·바그다드(Baghdad)의 삼비(三B)를 연결하는 철도선(鐵道線)을 확보하려는 정책으로서, 독일 자본에 의한 바그다드 철도의 부설이 근간(根幹)을 이루었음. 영국의 삼시 정책(三C政策)과 교차(交叉)하여, 1차 세계 대전의 원인의 하나가 되었음. *삼에이(三A) 정책·이비(二B) 정책.

삼-빛【三一】[一삧] 명 〖미술〗 단청(丹靑)을 칠할 때 채색(彩色)의 심도(深度)의 한 가지. '이빛'보다 더욱 진한 빛임. *이빛.

삼빡 부 물건이 잘 드는 칼에 쉽게 베어지는 모양. 또, 그 소리. ¶ ~ 자르다. ㅗ삼박. ㅆ쌈빡. 〈섬뻑. ——-하다 자여불

삼빡-삼빡 부 ①칼에 연해 잘 베어지는 모양. 또, 그 소리. ②조금 단단하고 물기가 많은 것이 가볍게 잘 씹히는 모양. 또, 그 소리. 1)·2):ㅗ삼박삼박². ㅆ쌈빡쌈빡. 〈섬뻑섬뻑. ——-하다 자형여불

삼뿌라 〔일 サンプラ〕 명 ☞ 산플라.

삼사[1]【三史】명 〖책〗 중국의 세 가지 역사 책. ①《사기(史記)》·《한서(漢書)》·《후한서(後漢書)》의 총칭. ②《요사(遼史)》·《금사(金史)》·《원사(元史)》의 총칭.

삼사[2]【三司】명 〖역〗 ①고려 때 전곡(錢穀)의 출납(出納)과 회계(會計)에 관한 사무를 맡아 보던 관아. 현종(顯宗) 5년(1014)에 도정사(都正使)로 고쳤다가 동왕 14년(1023) 본이름으로, 공민왕(恭愍王) 5년(1356)에 상서성(尙書省)으로 고쳤다가 동왕 11년(1362) 다시 본이름으로 고침. ②조선 시대 초에 재정(財政)을 맡아보던 관아의 하나. 태종 원년(1401)에 사평부(司平府)로 고치고, 동 5년에 호조(戶曹)에 합치었음. ③조선 시대 때, 사헌부(司憲府)·사간원(司諫院)의 양사(兩司)와 홍문관(弘文館)을 합쳐서 일컫던 통칭. 모두 언관(言官)의 기능을 가짐. ④↗ 삼법사(三法司). ⑤중국 송(宋)나라의 이재(理財)를 맡은 관(官). 곧, 염철(塩鐵)·호부(戶部)·탁지(度支).

삼사[3]【三司】명 〖천주교〗 영혼의 세 가지 관능(官能). 곧, 명오(明悟)·기함(記含)·애욕(愛慾).

삼사[4]【三舍】명 중국에서 군대의 3일간의 행정(行程). 1리를 360보(步)로 하여, 하루 30리를 보통 행정으로 함. 약 60km.

삼사[5]【三使】명 〖역〗 ①중국 사행(中國使行) 때의 상사(上使)·부사(副使)·서장관(書狀官)의 세 사신(使臣). ②일본 사행(日本使行) 때의 통신사(通信使)·부사·종사관(從事官)의 세 사신.

삼사[6]【三事】명 ①세 가지 일. ②삼정승(三政丞). ③임금·부친·스승. 곧, 군(君)·부(父)·사(師)를 섬기는 일. ④나라를 다스리는 데 중요한 세 가지 일. 곧, 정덕(正德)·이용(利用)·후생(厚生). ⑤벼슬아치가 지켜야 할 세 가지 중요한 일. 곧, 청렴(淸廉)·근신(謹愼)·근면(勤勉). ⑥춘·하·추 삼시(三時)의 농사. 일설(一說)에는 고원(高原)·저습(低濕)·평지(平地)의 농사라 함.

삼사[7]【三思】명 ①여러 번 생각함. ②심려(審慮)·결정(決定)·발동(發動)의 일컬음. ——-하다 타여불

삼사[8]【三師】명 ①〖역〗 태사(太師)·태부(太傅)·태보(太保)의 병칭. 품질(品秩)은 정일품. 고려 초에 두었다가 충렬왕(忠烈王) 때 폐하였고 공민왕(恭愍王) 5년(1356)에 다시 두었다가 동왕 11년(1362)에 폐함. ②〖불교〗 구족계(具足戒)를 줄 때의 세 사람의 계사(戒師). 계화상(戒和尙)·갈마사(羯磨師)·교수사(敎授師)의 세 사람. *삼사 칠증(三師七證).

삼사[9]【三徙】명 맹자(孟子)의 모친이 세 번이나 이사(移徙)를 하여 가며, 맹자가 좋은 습성을 가지도록 하였던 일. *삼천지교(三遷之敎).

삼사[10]【三赦】명 〖역〗 죄를 용서할 세 가지 사람. 곧, 일곱 살 이하의 어린이와 여든 살 이상의 늙은이와 아주 바보인 사람.

삼사[11]【三四】㊀수 서넛. ㊁관 서너.

삼사-계【三事戒】명 〖불교〗 몸·입·뜻의 세 가지를 삼가는 계율. 삼업계(三業戒).

삼사 문학【三四文學】명 〖책〗 1934년 9월에 창간된 문학 동인지의 하나. 신백수(申百秀)·이시우(李時雨)·정현웅(鄭玄雄)·조풍연(趙豐衍) 등이 그 주요 동인이었음. 6호로 폐간됨.

삼사미[1] 명 ①세 갈래로 갈라진 곳. ②활의 먼 오금과 뿔끝과의 사이. 곧, 대와 뽕나무가 서로 연결되는 곳.

삼-사미[2]【三沙彌】명 〖불교〗 나이에 따라 세 가지로 나눈 사미. 일곱 살부터 열 세 살까지의 구오 사미(驅烏沙彌), 열 네 살부터 열 아홉 살까지의 응법 사미(應法沙彌), 스무 살 이상의 명자 사미(名字沙彌).

삼-사반기【三四半期】명 삼사분기(三四分期). *이사반기.

삼사-법【三斜法】[一뻡] 명 측량에서, 다각형(多角形)의 토지 등을 여러 개의 삼각형으로 분할(分割)한 다음, 삼각형의 밑변과 높이를 측정함으로써 전체 넓이를 구하는 방법.

삼사 벤즈피렌 〔3-4 benzpyrene〕 명 방향족 탄화 수소(芳香族炭化水素)에 속하는 강력한 발암(發癌) 물질의 하나. 피부에 바르면 국소(局所)에 암을 발생시키는데, 발암 실험에 널리 쓰임. 타르로부터 분리·합성할 수 있어, 담배와 폐암의 관련에서 문제가 되고 있음.

삼사 부:사【三司副使】명 〖역〗 고려 삼사(三司)의 종사품 벼슬. 두 사람이었는데 공민왕 11년(1362)에 네 사람으로 늘리고 정사품으로 올림. 삼사사(三司使)의 다음. 동왕 18년(1369)에 소윤(少尹)으로 고침.

삼-사분기【三四分期】명 셋째 번 사분기의 석 달 동안. 삼사반기.

삼사-사【三司使】명 〖역〗 고려 삼사(三司)의 정삼품 벼슬. 판삼사사(判三司事)의 다음. 두 사람 두었는데, 충렬왕 때에 좌우사(左右使) 각 한 사람으로 나누고 공민왕 11년(1362)에 정이품으로 올림.

삼사 사:령【三司使令】명 〖역〗 삼법사(三法司)의 사령.

삼사 소:윤【三司少尹】명 〖역〗 고려 삼사(三司)의 벼슬. 공민왕(恭愍王) 11년(1362)에 부사(副使)의 고친 이름.

삼사 십이【三四十二】명 〖수〗 구구법(九九法)의 하나. 3의 네 갑절이나 또는 4의 세 갑절은 12라는 말.

삼사 오:관【三司五官】명 〖기〗 영혼의 세 가지 기능, 곧 명오(明悟)·기함(記含)·애욕과 청각·시각·미각·후각·촉각 등 오각(五覺)을 일으키는 사람의 감각 기관.

삼사 우:사【三司右使】명 〖역〗 고려 삼사(三司)의 벼슬. 충렬왕 때에 사(使)의 정원(定員) 두 사람을 좌우사(左右使) 각 한 사람으로 한 것의 하나. 공민왕 11년(1362)에 정삼품을 정이품으로 올림.

삼사 우:윤【三司右尹】명 〖역〗 삼사 우사(三司右使) 다음가는 고려 삼사(三司)의 종삼품 벼슬. 공민왕 11년(1362)에 둠.

삼사-월【三四月】명 3월과 4월경. 곧, 봄이란 뜻.

【삼사월에 낳은 아기 저녁에 인사한다】 삼사월은 하루 해가 몹시 길다는 말.

삼사월 긴:긴 해 구 3월이나 4월의 낮이 매우 긴 것을 이르는 말.

삼사-일【三四日】명 3일이나 4일 동안. 며칠 동안. 사날.

삼사 정계【三斜晶系】명 〖광〗 결정계의 하나. 결정의 세 축(軸)의 길이가 각각 틀리며, 또한 사각(斜角)을 이루어 서로 얽힌 결정계(結晶系). 물리적으로 비등방성(非等方性)이며 일반적으로 광학적 이축성(光學的二軸性)인데, 사장석(斜長石)이 그 대표적인 예임.

삼사-조【三四調】[一쪼] 명 〖문〗 시(詩)나 산문(散文)에 있어서의 음수율(音數律)의 하나. 삼음구(三音句)·사음구(四音句)의 순서로 되풀이되는 율조(律調).

삼사 좌:사【三司左使】명 〖역〗 고려 삼사(三司)의 벼슬. 충렬왕 때에 사(使)의 정원(定員) 두 사람을 좌우사(左右使) 각 한 사람으로 한 것의 하나. 공민왕 11년(1362)에 정삼품을 정이품으로 올림.

삼사 좌:윤【三司左尹】명 〖역〗 삼사 좌사(三司左使)의 다음가는, 고려 삼사(三司)의 종삼품 벼슬. 공민왕 11년(1362)에 둠.

삼사 칠증【三師七證】[一쯩] 명 〖불교〗 수계(受戒)의 의식을 행할 때 계율(戒律)을 수여하는 계화상(戒和尙), 수계자(受戒者)에게 예법(禮法)을 교수하는 교수사(敎授師), 계장(戒場)에서의 의식을 진행시키는 갈마사(羯磨師)의 삼사(三師)와 증인(證人)으로 모신 일곱 증명사(證明師)의 열 스님. 변국(邊國)에서는 삼사 이증(三師二證).

삼사-하다 형여불 어울리지 아니하다. 〈섬서하다.

삼사 합계【三司合啓】명 〖역〗 홍문관(弘文館)과 사헌부(司憲府)와 사간원(司諫院)이 합의(合議)하여 임금에게 상주하던 일.

삼사 횡입 황천기【三士橫入黃泉記】명 〖문〗 《삼설기(三說記)》에 들어 있는 소설의 하나. 낙양 농촌에 살고 있는 세 선비가 황천에 들어가서 염라 대왕 앞에 각기 소원을 말하는데, 세 번째 말한 선비가 지나치게 욕심을 부리다 꾸중을 들었다는 풍자적인 내용.

삼-삭대엽【三數大葉】명 〖악〗 가곡(歌曲)의 곡조의 하나. 우조(羽調)와 계면조(界面調)에 각각 있는데, 두거(頭擧) 다음에 부름. *삭대엽.

삼삭 시조【三數時調】명 〖악〗 경조(京調)의 시조창(唱)의 하나. 삼삭대엽(三數大葉)과 같이 처음을 높이 드러내기 때문에 이 이름이 있음.

삼산【三山】명 ①세 개의 산(山). ②↗삼신산(三神山).

삼산-도[1]【三山島】명 〖지〗 서도(西島)·고도(古島)·동도(東島)의 세 섬으로 이루어진 거문도(巨文島)의 구칭.

삼산-도[2]【三酸圖】명 화제(畫題)의 한 가지. 도교(道敎)의 황 노직(黃魯直), 유교(儒敎)의 소 동파(蘇東坡)가 금산사(金山寺)의 불인 선사(佛印禪師)를 찾아가서, 도화산(桃花酸)이라는 초를 핥고 세 사람이 모두 눈살을 찌푸렸다는 고사(故事)를 그린 그림. 삼교(三敎)의 일치를 풍자함. 노자·공자·석가로 그리는 일도 있음.

삼산 염기【三酸塩基】[一념一] 명 〔triacidic base〕〖화〗 수산화 알루미늄($Al(OH)_3$)과 같이 한 분자 안에 산과 작용하여 물을 만드는 히드록시(OH) 세 개를 가지는 염기.

삼산화-물【三酸化物】명 〔trioxide〕〖화〗 산소와 어떤 원소가 3:1의 비율로 화합해서 생긴 화합물.

삼산화 비스무트【三酸化一】명 〔bismuth trioxide〕〖화〗 산화 비스무트❶.

삼산화 안티몬【三酸化一】명〔antimony trioxide〕〖화〗산화 안티몬❶. 삼산화 이안티몬. 「❹.

삼산화 우라늄【三酸化一】명〔uranium trioxide〕〖화〗산화 우라늄

삼산화 이:납【三酸化二一】명〔dilead trioxide〕〖화〗산화납❸.

삼산화 이:망간【三酸化二一】명〔dimanganese trioxide〕〖화〗산화 망간❷.

삼산화 이:바나듐【三酸化二一】명〔vanadium trioxide〕〖화〗오산화 바나듐(五酸化 vanadium)을 고온(高溫)에서 수소(水素)·일산화 탄소(一酸化炭素)로 환원(還元)하여 만드는 흑색의 광택 있는 유독성의 삼방정계(三方晶系) 결정. 녹는점 1970°C. 촉매에 쓰임. [V_2O_3]

삼산화 이:붕소【三酸化二硼素】명〔diboron trioxide〕〖화〗산화 붕소.

삼산화 이:비소【三酸化二砒素】명〔diarsenic trioxide〕〖화〗산화 비소❶.

삼산화 이:안티몬【三酸化二一】명〔diantimony trioxide〕〖화〗산화 안티몬❶.

삼산화 이:인【三酸化二燐】명〔diphosphorus trioxide〕〖화〗삼산화 인.

삼산화 이:질소【三酸化二窒素】[一쏘] 명〔dinitrogen trioxide〕〖화〗삼산화 질소❷.

삼산화 이:철【三酸化二鐵】명〖화〗산화철❷.

삼산화 이:크롬【三酸化二一】명〔dichromium trioxide〕〖화〗산화 크롬❷.

삼산화 이:티탄【三酸化二一】명〔dititanium trioxide〕〖화〗산화 티탄❷.

삼산화-인【三酸化燐】명〔phosphorus trioxide〕〖화〗삼산화 이인. 공기 속에서 인(燐)을 태워 천천히 산화시킬 때 나는 무색의 액체. 녹는점 23.8℃, 끓는점 173℃. 210℃에서 분해되어 적린(赤燐)과 산화물로 됨. 냉수와 반응하여 포스폰산(酸)을 냄. 삼산화 이인. 육(六)산화 사(四)인. 통칭 : 아인산 무수물(亞燐酸無水物). [P_2O_3]

삼산화 일질소【三酸化一窒素】[一쏘] 명 삼산화 질소❶.

삼산화 일크롬【三酸化一一】명〔monochronium trioxide〕〖화〗산화 크롬❺.

삼산화 질소【三酸化窒素】[一쏘] 명〔nitrogen trioxide〕〖화〗①삼산화 일질소. 질소 또는 질소의 산화물과 오존(ozone) 또는 산소와의 반응에 의하여 얻어지는 기체. 100℃에서 발화(發火)하여 갈색의 불꽃을 내며 오산화 이질소(五酸化二窒素)와 산소가 됨. 물에 녹은 것이 기체보다 안정됨. [NO_3] ②삼산화 이질소. 진한 질산(窒酸)을 삼산화 비소로 환원하여 생성된 적갈색의 불안정한 기체. 냉각하면 녹색의 액체가 되고, 더 냉각하면 청색의 고체가 됨. 녹는점은 −102℃. 통칭 : 아질산(亞窒酸) 무수물. [N_2O_3]

삼산화 크롬【三酸化一】명〔chromium trioxide〕〖화〗산화 크롬❺.

삼산화-황【三酸化黃】명〔sulfur trioxide〕〖화〗이산화황을 산화 바나듐(V) 등의 촉매 하에 공기 산화(空氣酸化)하여 만들어지는 무색의 침상 결정(針狀結晶). 알파·베타·감마의 세 변태(變態)가 있으며, 모두 맹독성(猛毒性)임. 물에 녹으면 황산(黃酸)이 되어 강한 산화 작용을 함. 반응성이 커서 금속 산화물과 화합하여 황산염을 만듦. 황산 제조·합성 세제용의 알킬벤젠·양(陽)이온 교환 수지(交換樹脂) 제조 등에 쓰임. 통칭 : 황산 무수물(黃酸無水物). [SO_3]

삼살【三殺】명 삼생(三牲).

삼살-방【三煞方】명〖민〗세살(歲煞)·겁살(劫煞)·재살(災煞)에 당한 불길(不吉)한 방위(方位). *재살(災煞). 「점. *화점(花點).

삼삼[1]【三三】명 바둑판의 가로 세로 각각 제3선이 만나는 네 귀의 네

삼삼[2]【森森】명 나무 같은 것이 많이 벌여선 모양. ——-하다 형여불

삼삼-구【三三九】명〖수〗구구법의 하나. 3의 세 갑절은 9라는 말.

삼-삼매【三三昧】명〖불교〗공(空)삼매·무상(無常) 삼매·무원(無願) 삼매의 세 가지 삼매. 삼해탈문(三解脫門).

삼삼매 해:탈【三三昧解脫】명〖불교〗무상 해탈문(無相解脫門).

삼삼 영절【三三令節】명〖민〗삼짇날.

삼삼 오:오【三三五五】부 삼사인(三四人) 또는 오륙인(五六人)이 떼를 지어 다니거나 무슨 일을 하는 모양. 삼오삼오. ¶ ~ 떼를 지어 간다.

삼삼-하다 형여불 ①음식 맛이 조금 싱거운 듯하면서 맛이 있다. <심심하다. ②당구에서 공이 너무 흩어졌거나 겹쳐 있어, 칠 엄두도 못 낼 상태에 있다. ③잊혀지지 아니하고 눈에 어리다. ¶ 그때 일이 눈에 ~. 삼삼-히 부

삼-삿반【蔘一】명 인삼(人蔘)을 담아서 널어 말리는 삿반.

삼상[1]【三上】명〖역〗①시문(詩文)을 평하는 등급 중에 세째 등(等) 중의 첫째 등급(等級). *상지상(上之上). ②시문(詩文)을 생각하기 알맞은 세 곳. 곧, 마상(馬上)과 침상(枕上)과 측상(廁上).

삼상[2]【三相】명 ①〖역〗삼정승(三政丞). ②세 장관(長官). ¶ ~ 회의.

삼상[3]【三常】명 ①천(天)·지(地)·인(人)의 불변(不變)의 상법(常法). 곧, 천상(天象)·지형(地形)·인체(人體). ②나라를 다스리는 데 필요한 불변의 세 가지 법칙. 어진 임금을 받들고, 현명한 관리(官吏)를 임명하고, 훌륭한 선비를 존경하는 일.

삼상[4]【三湘】명〖지〗'싼샹'을 우리 음으로 읽은 이름. 「(大祥).

삼상[5]【三喪】명 ①↗삼년상(三年喪). ②초상(初喪)과 소상(小祥)과 대상

삼상[6]【三殤】명 미성년(未成年)으로 죽은 경우에 그 나이에 따라 구별한 세 가지. 곧, 상상(上殤)·중상(中殤)·하상(下殤).

삼상[7]【三霜】명 상제(喪制)로 있는 3년 동안.

삼상[8]【蔘商】명 인삼을 파는 장사. 또, 그 장수.

삼상-계【三相系】명〔three-phase system〕〖물〗각기 다른 세 개의 상(相)이 공존(共存)하고 있는 물리계(物理系). 액체·고체·기체 및 서로 용해하지 않은 액체 등이 있음.

삼상 교류【三相交流】명〔three-phase current〕〖전〗전압(電壓)과 주파수(周波數)가 같고 위상(位相)이 틀리는 3종의 교류의 조합(組合). 곧, 전압·주파수가 같고 위상이 120°씩 틀리는 세 개의 교류(交流)를 한 조(組)로 한 것. 이것을 송전(送電)할 때에는 도선(導線)은 여섯 줄이 아니고 석 줄로 사용할 수 있으므로 발전소에서는 거의 다 이 방법으로 송전하고 있음. 유도 전동기 등에도 사용되어 편리함. 삼상 전류.

삼상 교류 회로【三相交流回路】명〖전〗삼상 교류 전원(電源)에 접속된 회로. 대전력(大電力)을 다루는 회로에 쓰임.

삼상 불문【三喪不問】명 삼년 부조(三年不弔). ——-하다 자여불

삼상-이 명 세 갈래가 진 곳. 「기.

삼상 전:동기【三相電動機】명〖전〗삼상 교류 전력으로 작동되는 전동

삼상 전:류【三相電流】[一절一] 명〔three-phase current〕〖전〗삼상 교류(三相交流).

삼상지-탄【參商之歎】명 삼성(參星)과 상성(商星)이 멀리 떨어져 있는 것과 같이, 두 사람이 떨어져 있어 서로 만나기 어려움을 한탄하는 말.

삼-상향【三上香】명 분향(焚香)할 때에, 향을 세 번 집어서 불에 태우

삼새미 명〈방〉아지랑이(전라·경남). ㄴ는 일.

삼색【三色】명 ①세 가지 색. ②↗삼색 과실(三色果實). ③〖불교〗세 가지 색법(色法). 곧, 오근(五根)·오경(五境)·무표색(無表色).

삼색-과【三色果】명 ↗삼색 과실(三色果實).

삼색 과:실【三色果實】명 제사지낼 때에 쓰는 세 가지 과실. 삼색 실과(三色實果). 준삼색(三色)·삼색과(三色果).

삼색 군보【三色軍保】명〖역〗군보의 하나. 세 사람의 군정(軍丁) 속에서 한 사람만 군역(軍役)을 치르게 하고, 다른 두 사람은 면제(免除)하여 주고 그 대신으로 베나 무명 같은 것을 받던 일. 그 받은 것은 복무자(服務者)의 옷감으로 사용함.

삼색-기【三色旗】명 ①세 가지 빛깔로 된 기. ②프랑스의 국기. 청(靑)·백(白)·적(赤)으로 되어 있으며 자유·평등·박애를 표시함.

삼색 나졸【三色羅卒】명〖역〗조선 시대 지방 관아에 딸린 나장(羅將)·군뢰(軍牢)·사령(使令)의 세 가지 나졸.

삼색-도【三色桃】명〖식〗한 나무에서 세 가지 꽃이 피는 복숭아나무.

삼색-보【三色保】명〖역〗삼색 군보(軍保)에서 받은 베나 무명 같은 것.

삼색 분해【三色分解】명〖물〗회화(繪畫)나 천연색 필름(天然色 film) 등에서 인쇄 원고가 갖는 색(色)의 각 부분을 복제용(複製用)의 적(赤)·청(靑)·황(黃)의 삼원색으로 각각 추출(抽出) 분해하는 일.

삼색 색도계【三色色度計】명〖물〗색도계의 기본색(基本色)인 빨강·노랑·파랑의 세 빛깔을 증감(增減)시켜 혼합해서 만든, 빛깔과 피측정광(被測定光)의 빛깔을 비교하도록 되어 있는 색도계.

삼색-설【三色說】명〔trichromatic theory〕〖심〗영국의 물리학자 영(Young, T.; 1773-1829)이 제창(提唱)하고, 독일의 물리학자 헬름홀츠(Helmholtz, H.)가 보정(補正)한 색각(色覺)에 관한 학설. 적(赤)·녹(綠)·청(靑)의 삼색을 기초 감각으로 하고, 이에 상응(相應)하는 세 가지의 조성자(組成子)가 망막(網膜)에 존재한다고 가정하여, 파장(波長)에 의하여 각 조성자가 여러 가지 정도로 흥분하는 결과, 각종 색채(色彩) 감각이 생긴다고 하는 학설. 적록(赤綠) 물질과 적황(赤黃) 물질의 존재를 가설로 한 헤링(Hering, K.E.K.)의 반대색설(反對色說)과 대조가 되는 주장. 삼조성자설(三組成子說).

삼색 실과【三色實果】명 삼색 과실(三色果實).

삼색-싸리【三色一】명〖식〗[*Lespedeza maximowiczii* var. *tricolor*] 콩과에 속하는 낙엽 활엽 관목. 잎은 타원형 또는 달걀꼴이고 톱니가 없으며 미모(微毛)가 났음. 5-6월에 백색·홍색 및 자색으로 된 꽃이 총상(總狀) 화서로 피고, 협과(莢果)는 10월에 익음. 산지에 나는데, 전남에 분포함. 신탄재(薪炭材)이며, 수피(樹皮)는 섬유용임.

삼색 인쇄【三色印刷】명〖인쇄〗삼색판(三色版).

삼색-판【三色版】명〖인쇄〗적(赤)·황(黃)·청(靑)의 삼원색으로 분해한 석 장의 판(版)을 세 번 찍어서, 원그림의 빛깔대로 복제(複製)하는 제판(製版) 인쇄법. 또, 세 원색으로 박은 사진. 삼색 인쇄. 원색판.

삼색 휘장【三色揮帳】명 ①세 가지 색의 헝겊을 이어서 만든 휘장. ②적(赤)·황(黃)·청(靑) 삼색으로 만든 상여(喪輿)에 치는 휘장.

삼생[1]【三生】명〖불교〗전생(前生)과 현생(現生)과 후생(後生).

삼생[2]【三牲】명 산 제물(祭物)로서의 세 가지 짐승. 곧, 소·양·돼지. 삼살(三殺). 「곧, 약혼을 이름. *삼생 연분.

삼생 가약【三生佳約】명 삼생을 두고 끊어지지 아니할 아름다운 언약.

삼생 구사【三生九死】명 삼생에 아홉 번 죽는다는 뜻으로, 여러 번 죽음을 이름.

삼생 기연【三生奇緣】명 삼생을 두고 끊어지지 아니할 기이한 인연.

삼생-아【三生兒】명 세 쌍동이. 삼태(三胎).

삼생 연분【三生緣分】명〖불교〗삼생에 걸쳐 끊어질 수 없는 가장 깊은 연분. 곧, 부부 간의 인연. 삼생지연.

삼생 원수【三生怨讐】명〖불교〗삼생에 걸쳐 끊어질 수 없는 가장 깊

삼생지-연【三生之緣】명〖불교〗삼생 연분. ㄴ은 원수.

삼서【三書】명 삼력(三曆).

삼-서다 자 눈에 삼이 생기다.

삼석-놀음 명〖민〗하회(河回) 별신굿 둘째 마당 놀음. 무녀(巫女)가 토끼같이 귀가 달린 가면을 쓰고 춤을 추었다고 하나 지금은 전하지 않음.

삼선[1]【三善】명 ①세 가지 착한 일. 곧, 부모에 대한 효도(孝道), 임금에 대한 충의(忠義), 장유(長幼)의 예절(禮節). ②〖불교〗불법(佛法)이 언제나 훌륭함을 이르는 말. 곧, 초선(初善)·중선(中善)·후선(後善). ③〖불교〗세 가지의 선근(善根). 무량(無量)의 선법(善法)을 일으키는 행동. 곧, 무탐(無貪)·무진(無瞋)·무치(無癡).

삼선[2]【三選】[명] 세 번 당선됨. ¶ ～ 의원.
삼-선근【三善根】[명]〖불교〗좋은 과보(果報)를 받을 세 가지 행위. 곧, 시(施)와 자(慈)와 혜(慧).
삼선-기【三仙記】[명]〖문〗조선 시대의 고전(古典) 소설의 하나. 작자·창작 연대 미상. 한 전형적인 양반 도학자(道學者)가 여색(女色)에 빠져 망신당하게 된다는 이야기. 국문본.
삼선생 유서【三先生遺書】[명]〖책〗조선 숙종 11년(1685)에 간행(刊行)한, 이황(李滉)의 《성학 십도(聖學十圖)》, 성혼(成渾)의 《위학지방(爲學之方)》, 이이(李珥)의 《격몽 요결(擊蒙要訣)》의 3책을 합편한 책. 박세채(朴世采) 편, 심수량(沈壽亮) 간행. 목판본. 3권 1책.
삼선-죽【三仙粥】[명] 실백(實栢)과 복숭아씨와 욱리인(郁李仁)의 껍질을 벗겨서 함께 짓찧어, 즙을 내어서 쌀가루와 함께 쑨 죽.
삼선-천【三禪天】[명]〖불교〗색계 사천(色界四天)의 하나. 소정천(少淨天)·무량정천(無量淨天)·편정천(徧淨天)으로 나뉨. ＊사선천(四禪天).
삼설【滲泄】[명] 액체가 스며 나옴. 삼루(滲漏). ——-하다 [자][여불]
삼설-기【三說記】[명]〖책〗조선 시대 중엽의 작품으로 추측되는 소설집. 작자 미상. 3권에 7편이 실려 있는데, 《노처녀가(老處女歌)》만이 44조의 가사이고, 나머지는 담화체(談話體)로 되어 있음. 《삼사 횡입 황천기(三士橫入黃泉記)》·《오호 대장기(五虎大將記)》·《서초 패왕기(西楚霸王記)》·《지낭기(知囊記)》·《삼자 원종기(三子願從記)》·《황주 목사계(黃州牧使戒)》 등이 실려 있음. 낙양 삼사기(洛陽三士記).
삼성[1]【三性】[명]〖불교〗사람의 세 가지 성품. 곧, 선성(善性)과 악성(惡性)과 무기성(無記性).
삼성[2]【三省】[명] 매일 세 번씩 자신의 한 일을 반성함. 매일 몇 번이고 자신을 반성함. ¶ ～ 오신(吾身). ——-하다 [타][여불]
삼성[3]【三省】[명]〖지〗'싼성'을 우리 음으로 읽은 이름.
삼성[4]【三省】[명]〖역〗①중국의 당초(唐初)에 있었던 최고 정치 기관인 중서성(中書省)·문하성(門下省)·상서성(尙書省)의 일컬음. 중서성은 천자(天子)의 비서 기관(祕書機關)이고 입법 기관이며, 문하성은 심의(審議) 기관이고, 상서성은 집행(執行) 기관임. 고려에서도 이 제도를 따랐음. ②↗삼성 국문(鞫問).
삼성[5]【三聖】[명]〖역〗①우리 나라 상고 시절의 세 성인. 곧, 환인(桓因)과 환웅(桓雄)과 환검(桓儉). ②세계의 세 성인. 곧, 석가와 공자와 예수. ③고대 그리스의 세 성인. 곧, 소크라테스와 플라톤과 아리스토텔레스. ④중국의 세 성인. 곧, 노자(老子)와 공자(孔子)와 안 회(顔回). 또는 요(堯)·순(舜)·우(禹). 또는 문왕(文王)·무왕(武王)·주공(周公)의 일컬음. ⑤동양의 세 성인. 곧, 노자와 공자와 석가.
삼성[6]【參星】[명]〖천〗이십팔수(二十八宿)의 스물한째. 오리온자리에 있음. 이 중앙에 나란히 있는 세 개의 큰 별을 삼형제별이라 함. [준]삼(參).
삼성-교【三聖教】[명]〖종〗환인(桓因)·환웅(桓雄)·환검(桓儉)을 숭배하는 대종교(大倧教)의 이칭.
삼성 국문【三省鞫問】[명]〖역〗삼성 추국(推鞫). [준]삼성.
삼성 금산【三成金山】[명]〖지〗평안 북도 구성군(龜城郡) 관서면(館西面)에 있는 금광.
삼성-기【參星旗】[명]〖역〗조선 고종(高宗) 때의 의장기(儀仗旗)의 하나. 광무 원년(1897) 고종이 황제가 되어 노부(鹵簿)에 사용하던 삼각기(三角旗)로, 대가(大駕)·법가(法駕)가 나갈 때 뒤따랐음.

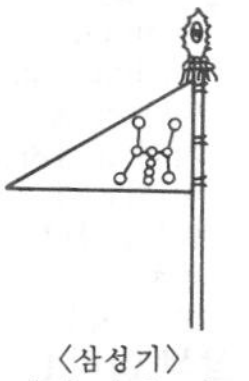
〈삼성기〉

삼성 대:왕【三城大王】[명]〖악〗조선 시대 초기 때부터 전해 내려오는 무당의 노래의 하나. 삼성 대왕이라는 서낭신(神)을 부른 노래 곡조. 음계는 평조(平調).
삼성-들리다 [자] ①음식을 욕심껏 먹다. ②〖민〗무당이 굿할 때에 음식을 욕심껏 입에 넣다.
삼성-론【三性論】[－논] [명]〖불교〗삼성에 관한 논술(論述).
삼성-사【三聖祠】[명]〖지〗①환인(桓因)·환웅(桓雄)·환검(桓儉)의 세 성인을 모신 사당. 황해도 구월산(九月山)에 있었음. 성당(聖堂). ②제주도 개국 신화(開國神話)의 고(高)·부(夫)·양(良)의 삼을나(三乙那)를 제사지내는 신사(神祠). 제주시(濟州市)에 있음. 조선 중종(中宗) 2년(1507)에 건립함.
삼성-업【三性業】[명]〖불교〗선업(善業)·악업(惡業)·무기업(無記業)의 총칭.
삼성 오:신【三省吾身】[명] 매일 세 번씩 내 몸을 반성함. ——-하다 [자][여불]
삼성 육부【三省六部】[－뉵－] [명]〖역〗고려 때의 관제로, 내사(內史)·문하(門下)·상서(尙書)의 삼성과 이(吏)·호(戶)·예(禮)·병(兵)·형(刑)·공(工)의 육부의 통칭.
삼성 장군【三星將軍】[명]〖군〗'중장(中將)'의 이칭.
삼성-점【參星占】[명]〖민〗음력 2월 6일날 황혼에 달빛이 희미할 때, 삼성(參星)과 달의 위치를 보고 그 해의 흉풍(凶豐)을 알아보는 점. 그 별과 달이 동행하면 흉풍이 상반(相半)하고, 삼성이 앞서가면 흉년, 뒤지면 풍년이라 함. ＊좀생이 보다.
삼성 추국【三省推鞫】[명]〖역〗의정부(議政府)와 사헌부(司憲府)와 의금부(義禁府)의 관원들이 모여 앉아서, 삼강 오륜(三綱五倫)을 범한 죄인을 국문(鞫問)하던 일. 삼성 국문(鞫問).
삼성-혈【三姓穴】[명]〖지〗제주(濟州)시 시내 동문(東門) 밖 송림(松林) 속에 있는 구멍. 이곳에서 고(高)·부(夫)·양(良)의 삼신(三神)이 나와 탐라(耽羅)의 개조(開祖)가 되었다는 전설이 있음.
삼세[1]【三世】[명] ①삼대(三代). ②〖불교〗과거(過去)와 현재(現在)와 미래(未來). 삼계(三界). 삼제(三際).
삼세[2]【三稅】[명]〖역〗대동(大同)과 전세(田稅)와 호포(戶布).
삼-세번【三一番】[명] 더도 덜도 아니고 꼭 세 번.
삼세불-회【三世佛會】[명]〖불교〗불명회(佛名會).
삼세 시방【†三世十方】[명]〖불교〗삼세(三世)와 시방(十方). 곧, 끝없는 시간(時間)과 끝없는 공간(空間)을 일컫는 말.
삼세 신성【三世神聖】[명]〖천도교〗천도교의 제1세 교조(教祖) 최수운(崔水雲)과 제2세 교조 최해월(崔海月)과 제3세 교조 손의암(孫義菴)의 존칭(尊稱).
삼세 요:달【三世了達】[명]〖불교〗부처의 지혜(智慧)로 삼세(三世)의 도리(道理)를 밝게 통달(通達)하는 일.
삼세 인과【三世因果】[명]〖불교〗과거와 현재와 미래를 통하여, 영원히 유전(流轉)되는 인과 관계(因果關係).
삼세 제불【三世諸佛】[명]〖불교〗과거·현재·미래의 모든 부처.
삼세 치:윤【三歲置閏】[명] 음력으로 윤달이 3년 만에 한 번 드는 것을 일컫는 말.
삼-세판【三一】[명] 더도 덜도 말고 꼭 세 판. ¶ ～에 승부를 결한다.
삼소[1]【三少】[명] ①삼고(三孤). ②연로(年老)하여 세 번이나 젊어졌다는 중국 진(陳)나라의 미인(美人) 하희(夏姬)를 가리키는 말. ③젊어서 유명해진 중국 진(晉)나라의 왕희지(王羲之)·왕승(王承)·왕열(王悅)의 왕씨(王氏)의 세 사람. ④젊어서 저명(著名)하였던 중국 당(唐)나라의 이사진(李嗣眞)·유헌신(劉獻臣)·서소(徐昭)의 세 사람.
삼소[2]【三笑】[명] 중국의 호계 삼소도(虎溪三笑圖)의 화제(畫題)로 되어 있는 고사(故事). 중국 진(晉)나라의 중 혜원(慧遠)이 여산(廬山)에 있을 때에, 찾아온 도연명(陶淵明)·육사정(陸士靜)의 두 사람을 바래다 주면서 이야기에 열중하여 호랑이가 우는 소리를 듣고, 비로소 보통 때에는 피해 다니던 호계를 지난 것을 알고 나서, 세 사람이 크게 웃었다고 함. 호계 삼소(虎溪三笑).
삼소[3]【三蘇】[명]〖역〗①고려 때 개경(開京) 주변(周邊)의 세 소지(蘇地). 백악산(白岳山; 지금의 장단 백학산(長湍白鶴山))인 좌소(左蘇)와, 백마산(白馬山; 지금의 개풍군 대성면(開豐郡大聖面))인 우소(右蘇)와, 기달산(箕達山; 지금의 신계(新溪)의 동쪽)인 북소(北蘇)의 세 곳. 19대 명종(明宗) 때 여기에다 삼소궁(三蘇宮)을 짓고 왕이 순주(巡駐)하였음. ②중국 송(宋)나라 때의 문장가인 소순(蘇洵)·소식(蘇軾)·소철(蘇轍)의 삼부자(三父子)의 일컬음.
삼소 삼목【三昭三穆】[명]〖역〗종묘(宗廟) 제도에 있어서의 신위(神位)의 차례. 곧, 소(昭)는 태조(太祖)의 사당을 중심으로 왼편의 이세(二世)·사세(四世)·육세(六世)의 사당을, 목(穆)은 바른편의 삼세(三世)·오세(五世)·칠세(七世)의 사당을 말함.
삼-소월【三小月】[명] 음력으로 세 번 연거푸 드는 작은 달. ↔삼대월(三大月).
삼소-음【蔘蘇飮】[명]〖한의〗기침·발열(發熱)·두통(頭痛)·상한(傷寒)·감기 등에 쓰는 약. 인삼과 소엽(蘇葉)이 주재(主材)임.
삼-소임【三所任】[명] ①세 가지의 소임. ②〖역〗동장(洞長)·집강(執綱)·풍헌(風憲)의 일을 번갈아 맡아 보던 세 사람.
삼속【三屬】[명] 부(父)·모(母)·처(妻)의 삼족(三族).
삼손〔Samson〕[명]〖성〗구약 사사기(士師記)에 나오는 기원전 12세기 경의 이스라엘 장사(壯士). 힘이 무척 세었는데, 애인 델릴라(Delilah)의 꾀에 넘어가 잠을 자는 사이에 괴력(怪力)의 상징인 머리를 깎이고, 블레셋 사람들에게 붙잡힌 끝에 두 눈알을 뽑혀 장님이 되었으나, 마지막으로 블레셋 사람들의 신전(神殿)으로 끌려갔을 때 그의 힘을 회복하여 신전을 무너뜨리고 그들과 함께 자멸(自滅)함.
삼손과 델릴라 [명]〔Samson et Delilah〕〖악〗프랑스의 르메르(Lemaire, F.) 작사, 생상스(Saint-Saëns) 작곡의 가극 이름. 3막. 1877년 바이마르에서 초연(初演)됨. 구약 성서의 역사(力士) 삼손과 미녀 델릴라의 이야기를 극화(劇化)한 것. 장중 우아(莊重優雅)한 음악으로서 근대 프랑스 가극의 명작으로 꼽힘.
삼-손우【三損友】[명] 사귀어 손해가 될 세 가지 벗. 곧, 착하기만 하고 줏대가 없는 벗, 말만 잘하고 성실하지 못한 벗, 성질이 편벽(便辟)한 벗. 손자 삼우(損者三友). ↔삼익우(三益友).
삼송[1]【三宋】[명]〖역〗조선 시대 후기의 뛰어난 성리학자(性理學者)인 세 사람의 송씨. 곧, 송준길(宋浚吉)·송시열(宋時烈)·송규렴(宋奎濂)의 일컬음.
삼송[2]【杉松】[명]〖식〗삼목(杉木).
삼-쇠【三一】[명]〖민〗농악(農樂)·두레패·굿중패·걸립패(乞粒牌)에서 셋째 쇠잡이. 꽹과리를 들고 상쇠·중쇠의 다음 자리에 선 사람. 종쇠.
삼쇠-놀이【三一】[명]〖민〗농악의 판굿에서, 삼쇠가 상쇠와 중쇠에 이어서 보이는 개인 놀이. 종쇠놀이.
삼수[1]【三手】[명]〖역〗임진 왜란 때, 중국 명(明)나라 척계광(戚繼光)의 《기효 신서(紀效新書)》에 의하여 조직된 군대 이름. 포수(砲手)·사수(射手)·살수(殺手)의 셋을 훈련 도감에 두어 훈련시켰음.
삼수[2]【三水】[명]〖지〗함경 남도 삼수군의 군청 소재지. 압록강 지류에 임하여 있고, 곡식·목재의 산지임. 갑산(甲山)과 같이 삼수는 교통이 불편하고 풍속 습관이 다름. 중평장(仲坪場).
삼수 갑산에 가는 한:이 있어도 [구] 무슨 일이 있어도. 제 일신 상의 최악의 경우를 각오하고 어떤 일에 임하려 할 때 이르는 말.
삼수[3]【三水】[명]〖지〗'싼수이'를 우리 음으로 읽은 이름.
삼수[4]【三受】[명]〖불교〗과보(果報)에 대하여 느끼는 세 가지 느낌. 곧, 고수(苦受)·낙수(樂受)·불고 불락수(不苦不樂受)의 일컬음.
삼수[5]【三修】[명] ①〖불교〗상수(常修)와 낙수(樂修)와 아수(我修)의 세 가지 법. 법신(法身)의 몸이 상주(常住)라고 보는 것은 상수이고, 열반(涅槃)의 낙을 보는 것은 낙수이고, 진아(眞我)의 자유(自由)를 보는 것은 아수임. ②〈속〉상급 학교 입학 시험에 두 번 실패한 자가 또다시 그 이듬해를 기약하고 공부하는 일. ——-하다 [자][여불]
삼수[6]【三壽】[명] 세 가지의 장수(長壽). 곧, 100세의 상수(上壽), 80세의 중수(中壽), 60세의 하수(下壽)의 총칭.
삼수[7]【滲水】[명] 스미어 들어간 물.
삼수-군【三水郡】[명]〖지〗함경 남도의 한 군. 북쪽은 압록강, 동쪽은

갑산군(甲山郡), 남쪽은 풍산군(豐山郡)과 장진군(長津郡), 서쪽은 평안 북도 후창군(厚昌郡)과 인접함. 보리·목재·산삼(山蔘)·사금(砂金)·모피(毛皮) 등이 생산됨. 명승 고적으로는 압록강 행성(行城)·삼수읍성(三水邑城)·신갈파진(新乫坡鎭)의 옛 목·진융루(鎭戎樓)·정수암(淨水庵) 등이 있음. 군청 소재지는 삼수(三水). [1,907 km²]

삼수 도:수【三獸渡水】명〖불교〗삼수 도하(三獸渡河).

삼수 도:하【三獸渡河】명〖불교〗삼승(三乘)의 수행(修行)이 얕고 깊음을 토끼와 말과 코끼리가 강을 건너는 데에 비유한 말. 성문(聲聞)은 토끼가 물 위에 떠서 건너는 것과 같고, 연각(緣覺)은 말이 물 밑 깊이 또는 위로 뜨기도 하면서 건너는 것과 같이 번뇌(煩惱)의 근원을 벗지 못하고, 보살(菩薩)은 코끼리의 발이 밑바닥에 닿아 물을 건너듯 번뇌의 근원을 벗어나 불(佛)이 된다는 말. 강물은 십이 인연(十二因緣)을 의미함. 삼수 도수.

삼수-량【三手糧】명〖역〗조선 시대 때 삼수(三手)를 훈련하는 비용에 쓰기 위하여 징수하던 세미(稅米). 삼수미(三手米).

삼수-령【三水嶺】명〖지〗함경 남도 신흥군(新興郡) 동상면(東上面)과 풍산군(豐山郡) 안수면(安水面) 경계에 있는 산봉우리. 부전령(赴戰嶺) ⌊산맥에 솟음. [1,901 m]

삼수-미【三手米】명〖역〗삼수량(三手糧).

삼수-변【三水邊】명 한자의 변(邊)의 하나. '液'이나 '淺' 등의 '氵'의 이름.

삼수선의 정:리【三垂線—定理】[—니 / —에—니] 명〖수〗한 평면 외의 한 점 A로부터 그 평면에 수선을 긋고, 그 점에서 그 평면 상의 한 직선 g에 수선 BC를 그으면, 이들의 수선의 끝을 맺는 AC는 g와 직교(直交)한다는 정리.

〈삼수선의 정리〉

삼숙[1]【森肅】명 엄숙(嚴肅). ——하다 형여불

삼숙[2]【蔘熟】명〖한의〗인삼과 숙지황(熟地黃).

삼순[1]【三旬】명 ①상순(上旬)과 중순(中旬)과 하순(下旬)의 총칭. 삼한(三澣). ②서른 날. ③삼십세.

삼순[2]【三巡】명 ①활을 쏘는 데, 세 번째의 순. ②초순(初巡)·재순(再巡)·삼순(三巡)의 세 순.

삼순 구식【三旬九食】명 서른 날에 아홉 끼니밖에 먹지 못한다는 뜻으로, 가세(家勢)가 지극히 가난함을 이르는 말. ¶ 우리 어머니를 다려다가 삼순 구식을 하더래도 한집에서 지내는 것이 내 도리가 아니오리까≪李人稙:鬼의 聲≫.

삼승[1]【三升】명 ①석 되. ②몽고(蒙古)에서 나는 무명의 한 가지.

삼승[2]【三乘】명 ①〖수〗'세제곱'의 구용어. ②〖불교〗중생(衆生)을 태우고 생사(生死)의 바다를 건널 때의 세 가지의 교법(敎法). 곧, 성문승(聲聞乘)과 연각승(緣覺乘)과 보살승(菩薩乘).

삼승-근【三乘根】명〖수〗'세제곱근'의 구용어. 입방근(立方根).

삼승-멱【三乘冪】명〖수〗삼승(三乘). 삼자승(三自乘).

삼승 모법【三升耗法】[—뻡] 명〖역〗조선 세종(世宗) 5년(1423) 원곡(元穀)의 자연적 소모를 보충하기 위하여 한 섬에 석 되의 취미(取米)를 부과 회수하던 법. 제정된 지 3년 만인 세종 7년에 폐지됨.

삼승-비【三乘比】명〖수〗입방비(立方比).

삼승-포【三升布】명 석새 삼베.

삼승-할망 명〈방〉삼할미(제주).

삼시[1]【三尸】명〖민〗사람의 체내에 있다는 무형(無形)의 세 마리의 벌레. 이것이 그 사람의 과실(過失)을 살피고 있다가, 경신(庚申) 날 밤에 사람이 잘 때 뱃속에서 나와 하늘로 올라가, 천제(天帝)에게 그 과실을 고한다고 함.

하시 중시 상시

〈삼시[1]〉

삼시[2]【三始】명 연(年)·월(月)·일(日)의 처음이란 뜻으로, 정월 초하루의 아침을 가리키는 말. 삼원(三元). 삼조(三朝).

삼시[3]【三施】명〖불교〗세 가지의 보시(布施). 곧, 금전·의복·음식 등의 재시(財施)와, 설교(說敎)의 법시(法施)와, 병자나 고독(孤獨)한 사람을 위로해 주는 무외시(無畏施)의 세 보시.

삼시[4]【三時】명 ①한 시부터 따져서 제 3의 시. 곧, 세 시. ②아침·점심·저녁의 세 끼니. 또, 세 때. ③과거(過去)·현재(現在)·미래(未來). ④밭갈고 씨뿌리는 봄과 풀베는 여름과 추수하는 가을. ⑤〖불교〗정법시(正法時)와 상법시(像法時)와 말법시(末法時). 삼시법(三時法).

삼시[5]【三試】명〖역〗과거(科擧)볼 때, 세 사람의 시관(試官) 가운데 끝자리인 셋째 자리에 앉는 시관.

삼시-경【三時經】명 가톨릭에서 오전 9시경에 드리는 성무 일도(聖務日禱). 전례적(典禮的)인 시간으로 제 3시에 해당.

삼-시관【三試官】명〖역〗과거볼 때, 초시(初試)에 있었던 세 사람의 시관(試官). 자리의 순서에 따라 첫 자리를 상시관(上試官), 둘째를 부시관(副試官), 셋째를 말시관(末試官)이라 일컬음.

삼시-교【三時敎】명〖불교〗법상종(法相宗)에서, 석가 일대(釋迦一代)의 설법(說法)을 삼기(三期)로 나누어 부르는 말. 곧, 제일시(第一時)에는 인아(人我)의 공무(空無)와 제법(諸法)의 실유(實有)를 설하여서 이것을 유교(有敎)라 하고, 그 때를 아함시(阿含時)라 이르며, 제이시(第二時)에는 일체 제법(一切諸法)의 개공(皆空)의 이(理)를 설하여서 이것을 공교(空敎)라 하고, 그 때를 반야시(般若時)라 이름. 또, 제삼시(第三時)에는 비공 비유(非空非有)의 중도(中道)를 설하였으므로 이것을 중도교(中道敎)라 하고, 그 때를 심밀시(深密時)라 이름.

삼시기-법【三時期法】[—뻡] 명 삼시대 구분법.

삼시대 구분법【三時代區分法】[—뻡] 명 덴마크의 선사학자(先史學者) 톰센 (Thomsen, C. J.;1788-1865)이 체계화(體系化)한 고고학(考古學) 상의 시대 구분법. 당시의 인류들이 사용한 주요 이기(利器)를 가지고 구분한 석기·청동·철의 세 시기임. 연구의 진보에 따라 지금은 단순한 색인적(索引的)인 의의(意義)밖에는 인정하지 아니함. 삼시기법.

삼시-법【三時法】명〖불교〗정법(正法)과 상법(像法)과 말법(末法). 삼⌊시(三時).

삼시-보【三時報】명〖불교〗삼시업(三時業).

삼시-선【三時禪】명〖불교〗새벽과 한낮과 저녁의 세 때에 하는 좌선(坐禪). 삼시 좌선(三時坐禪).

삼시-업【三時業】명〖불교〗선악(善惡)의 업(業)을, 그 결과(結果)를 받을 때의 지속(遲速)에 의하여 세 가지로 나눈 것. 곧, 현생(現生)에서 업(業)을 만들어 현세(現世)에서 과(果)를 받는 순현업(順現業), 현생에서 업을 만들어 차생(次生)에서 받는 순차업(順次業), 현생에서 업을 만들어 이생(二生) 후에 받는 순후법(順後法)의 세 가지. 삼시보(三時報).

삼시 염:불【三時念佛】명〖불교〗새벽·낮·저녁의 세 때에 하는 염불.

삼-시욹【三—】[—욱] 명 세 가닥으로 꼰 노끈.

삼시-전【三時殿】명〖불교〗인도(印度)에서는 1년을 삼기(三期)로 나누는데, 석가(釋迦)의 부왕(父王)이 석가를 위하여 이 세 철에 따라서 적합하게 만들어 놓은 세 가지의 궁전(宮殿).

삼시: 정책【三C政策】명〖역〗영국의 제국주의 정책의 하나. 19세기 후반, 영국은 인도의 캘커타(Calcutta), 이집트의 카이로(Cairo), 남아프리카의 케이프타운(Cape Town)을 연결하는 지대를 자기 세력 아래 두기 위하여, 1875년 수에즈 운하를 매수한 이후, 아프간 전쟁·파쇼다 사건·보어 전쟁을 일으킴. 3C란 앞에 말한 세 도시의 머리 글자임. ＊삼비(三B) 정책.

삼시 좌:선【三時坐禪】명〖불교〗삼시선(三時禪).

삼식[1]【三食】명 아침·점심·저녁의 세 끼의 식사.

삼식[2]【三識】명〖불교〗진식(眞識)과 현식(現識)과 분별사식(分別事識)의 세 가지 심식(心識). 진식은 자성 청정(自性淸淨)의 심식이고, 현식은 일체 제법(一切諸法)을 변현(變現)하는 심식이고, 분별사식은 모든 경계(境界)의 분별을 일으키는 심식임.

삼-신[1] 명 생삼으로 거칠게 삼은 신.

삼신[2]【三辰】명 해와 달과 별 특히, 북두 칠성의 셋을 일컫는 말.

삼신[3]【三身】명〖불교〗세 가지의 불신(佛身). 곧, 법신(法身)과 보신(報身)과 응신(應身). 또, 자성신(自性身)·수용신(受用身)·변화신(變化身) 또는 법신·응신·화신(化身) 등을 일컫기도 함. 삼불신(三佛身).

삼신[4]【三神】명 ①상고(上古) 시대에 우리 나라의 국토(國土)를 마련했다는 세 신. 곧, 환인(桓因)과 환웅(桓雄)과 환검(桓儉). ②〖민〗아기를 점지(點指)한다는 세 신령(神靈). 삼신령(三神靈). ＊산신(産神).

삼신-굿【三神—】명〖민〗씻김굿의 셋째 거리. 삼신상(床)을 차려 놓고 제왕(帝王)풀이를 구송(口誦)함.

삼-신령【三神靈】[—실—] 명〖민〗삼신(三神)❷.

삼신-메【三神—】명〖민〗삼신에게 기도 드릴 때에 해 놓는 밥.

삼신 바가지【三神—】명〈방〉세존 단지(경북).

삼신-불【三身佛】명〖불교〗법신불(法身佛)과 응신불(應身佛)과 보신불(報身佛)의 세 부처. ＊삼신(三身).

삼-신산【三神山】명 중국의 전설(傳說)에 나오는 봉래산(蓬萊山)·방장산(方丈山)·영주산(瀛州山)의 세 산. 동해(東海)에 있다 하며, 진시황(秦始皇)과 한무제(漢武帝)가 동남 동녀(童男童女) 수천 명을 보내어, 불로 불사약(不老不死藥)을 구하였다는 이야기가 있음. 이곳에는 황금(黃金)·백은(白銀) 등으로 지은 궁궐(宮闕)이 있다 함. 우리 나라의 금강산(金剛山)과 지리산(智異山)과 한라산(漢拏山)을 가리키는 말이라 함. 삼구(三丘). ㊥삼산(三山).

삼신산 불사약【三神山不死藥】[—싸—] 명 금강산의 녹용, 지리산의 인삼, 한라산의 지초(芝草)의 세 가지 영약(靈藥). ⌈리는 제물상.

삼신-상【三神床】명〖민〗삼신굿에서 삼신 상제(三神上帝)를 위하여 차

삼신 상:제【三神上帝】명〖민〗아이 낳는 일을 맡은 삼신(三神)을 높이어 일컫는 말. 삼신 제석(三神帝釋). 삼신 제왕(三神帝王).

삼신 제:석【三神帝釋】명〖민〗삼신 상제(三神上帝).

삼신 제:왕【三神帝王】명〖민〗삼신 상제(三神上帝).

삼신-풀이【三神—】명〖민〗삼신에게 올리는 기도. ——하다 자여불

삼신 할머니【三神—】명〖민〗〈속〉삼신(三神)❷.

삼-실[1] 명 삼 껍질에서 뽑아 낸 실.

삼실[2]【三室】명 ①삼취(三聚). ②낡은 재목으로 세 번째 고쳐 지은 집.

삼실-총【三室塚】명〖역〗만주 통거우(通溝) 평야에 있는 고구려 고분(古墳)의 하나. 석재(石材)로 된 삼실(三室)로 이루어졌으며, 벽화 장식은 현존하는 최고(最古)의 벽화임.

삼심【三心】명〖불교〗지성심(至誠心)과 심심(深心)과 회향 발원심(回向發願心). 이 세 가지를 다 갖추면 정토(淨土)에 왕생(往生)한다 함.

삼심 제:도【三審制度】명〖법〗국민의 권리 보호를 신중히 하기 위하여, 소송 당사자나 소송 관계인이 동일 사건에 대해서, 세 번의 심리 재판을 청구할 수 있는 제도.

삼십【三十】㊀ 수 서른. ㊁ 명 나이 서른 살.

삼십 넘은 계:집 구 한창때가 다 지나간 여자의 비유.

삼십 리 강짜 구 강짜가 매우 심하다는 말.

삼십-강【三十講】명〖불교〗법화경(法華經) 28권과 무량의경(無量義經) 1권과 보현관경(普賢觀經) 1권을 합친 30권을, 하루 한 권씩 30일에 강(講)하는 일. 또, 아침과 저녁에 한 권씩 강하여 15일 만에 끝내는 일.

삼십구 여갑당【三十九餘甲幢】명〖역〗신라의 군대 이름. 경여갑당(京餘甲幢)·소경 여갑당(小京餘甲幢)·외여갑당(外餘甲幢) 등 서른 아홉의 여갑당이 있었음.

삼십년 전:쟁【三十年戰爭】명〖역〗1618-48년의 30년간에 독일을 중심으로 행해진 전쟁. 합스부르크가(Habsburg家)의 구교(舊敎)에 의한 독일 통일책(統一策)에 대하여 대제후(大諸侯)들이 반란을 일으킨 것

이 시초가 되어, 덴마크군과 스웨덴군이 독일에 진주하고 나중에 프랑스군도 진주하여, 1648년 베스트팔렌 조약(Westfalen 條約)에서 프랑스의 승리로 끝남. 프랑스의 유럽 제패(制覇)와 프랑스 문화의 유럽 지배(支配)가 이때부터 시작되었고, 스위스·네덜란드의 독립 및 독일의 국내 분열이 촉구되었음.

삼십-봉【三十棒】명〖불교〗①선종(禪宗)에서, 중이 그 제자를 교도(敎導)할 때 곤봉(棍棒)으로 때리는 일. ②과오(過誤)를 알리는 일.

삼십삼상-경【三十三想經】명〖천주교〗강생(降生)·공사 생활(公私生活)·수난(受難)·부활 승천(復活昇天)의 네 부분으로 된 예수의 평생 33년 동안의 행적(行跡)을 생각하는 경문(經文).

삼십삼-신【三十三身】명〖불교〗관세음 보살이 중생을 구하기 위하여 변신(變身)해서 나타나는 서른세 가지의 다른 몸.

삼십삼-인【三十三人】명〖역〗3·1 운동 때 독립 선언서(獨立宣言書)에 서명(署名)한 서른 세 사람의 민족 대표.
손병희(孫秉熙)·최린(崔麟)·권동진(權東鎭)·오세창(吳世昌)·임예환(林禮煥)·권병덕(權秉悳)·이종일(李鍾一)·나인협(羅仁協)·홍기조(洪基兆)·나용환(羅龍煥)·이종훈(李鍾勳)·홍병기(洪秉箕)·박준승(朴準承)·김완규(金完圭)·양한묵(梁漢默)·이인환(李寅煥)·박희도(朴熙道)·최성모(崔聖模)·신홍식(申洪植)·양전백(梁甸伯)·이명룡(李明龍)·길선주(吉善宙)·이갑성(李甲成)·김창준(金昌俊)·이필주(李弼柱)·오화영(吳華英)·정춘수(鄭春洙)·신석구(申錫九)·박동완(朴東完)·김병조(金秉祚)·유여대(劉如大)·한용운(韓龍雲)·백용성(白龍城).

삼십삼-천【三十三天】명〖불교〗①욕계 육천(欲界六天)의 사천왕천(四天王天)·도리천(忉利天)·야마천(夜摩天)·도솔타천(兜率陀天)·낙변화천(樂變化天)·타화자재천(他化自在天)과, 색계 십팔천(色界十八天)의 범중천(梵衆天)·범보천(梵輔天)·대범천(大梵天)·소광천(少光天)·무량광천(無量光天)·광음천(光音天)·소정천(少淨天)·무량정천(無量淨天)·편정천(徧淨天)·복생천(福生天)·복수천(福受天)·광과천(廣果天)·무상천(無想天)·무번천(無煩天)·무열천(無熱天)·선견천(善見天)·선현천(善現天)·색구경천(色究竟天)과 무색계 사천(無色界四天)의 공무변처천(空無邊處天)·식무변처천(識無邊處天)·무유처천(無有處天)·비상비비상천(非想非非想天)의 이십팔 천(二十八天)과 사천왕천 밑의 일월성숙천(日月星宿天)·상교천(常憍天)·지만천(持鬘天)·견수천(堅首天) 및 제석천궁(帝釋天宮)의 오천(五天)을 아울러 이르는 말. ②도리천(忉利天)의 한역어(漢譯語).

삼십 성도【三十成道】명〖불교〗석가 여래(釋迦如來)가 서른살에 대도(大道)를 이룬 일.

삼십오 밀리〔35 milli〕명 폭이 35mm 크기인 필름의 총칭. 또, 그 필름으로 만든 영화.

삼십오 밀리 카메라〔35 milli camera〕명 35mm 필름을 사용하는 소형 카메라. 1914년 독일에서 만든 라이카(Leica)가 원조(元祖).

삼십오 밀리판【一判】〔35 milli〕명 사진기의 화면(畫面) 치수의 한 가지. 폭 24mm, 길이 36mm의 크기의 사진판(寫眞判). 독일의 라이쯔사(社)의 라이카(Leica) 카메라에 처음으로 채용되어, 35mm 폭의 영화용 필름을 사용한 데서 이 이름이 있음. 라이카판(Leica 判).

삼십육-계【三十六計】[一뉵一]명 ①노름의 한 가지. 물주(物主)가 맞히는 사람에게 살돈의 배를 주는 노름. ②서른 여섯 가지의 꾀. 많은 모계(謀計). ③〔《제서 왕경측전(齊書王敬則傳)》의 '王敬則曰, 檀公三十六策, 走爲上計'에서〕많은 계책(計策) 중에서도 도망 가야 할 때는 기회를 보고 도망 가서, 몸을 안전하게 하는 일이 병법상(兵法上)의 최상책(最上策)이란 뜻으로, 곤란할 때에는 주저하지 말고 도망가는 것이 가장 좋다는 말. ④ 뺑소니.
【삼십육계에 줄행랑이 제일】〔줄행랑은 주행(走行)의 음이 변한 것〕어려운 때는 도망하여 화를 피하고, 몸을 보존하는 것이 상책이라는 말.
삼십육계(를) 놓다 구 도망을 치다.
삼십육계(를) 치다 구 삼십육계(를) 놓다.

삼십육-궁【三十六宮】[一뉵一]명 중국 전한(前漢)의 궁정(宮廷)에 있었다고 하는 서른여섯의 궁전. 전(轉)하여, 제왕(帝王)의 궁전이 많음을 이르는 말.

삼십육-금【三十六禽】[一뉵一]명〖민〗술가(術家)에서, 십이 시(十二時)에 배분한 서른 여섯의 조수(鳥獸). 또, 불가(佛家)에서, 십이시에 배분한 서른 여섯의 동물. 곧, 자(子)의 제비·쥐·박쥐, 축(丑)의 소·게·자라, 인(寅)의 너구리·표범·범, 묘(卯)의 고슴도치·토끼·오소리, 진(辰)의 용(龍)·교룡(蛟龍)·물고기, 사(巳)의 두렁허리·지렁이·뱀, 오(午)의 사슴·노루·말, 미(未)의 양(羊)·매·기러기, 신(申)의 고양이·원숭이·후(猴), 유(酉)의 꿩·까마귀·닭, 술(戌)의 개·이리·승냥이, 해(亥)의 돼지·유(蜼)·멧돼지. 또는 자에 쥐·박쥐·제비, 축에 물소·황소·외뿔소, 인에 범·표범·추(貙), 묘에 토끼·여우·오소리, 진에 용·교룡·귀룡(虯龍), 사에 뱀·지렁이·괄태충, 오에 말·사슴·노루, 미에 양·들개·영양(羚羊), 신에 원숭이·후(猴)·유(狖), 유에·닭·꿩·까마귀, 술에 개·이리·승냥이, 해에 돼지·유(貐)·고저(豪豬)를 배분하기도 함.

삼십육번 도방【三十六番都房】[一뉵一]명〖역〗고려 때, 최항(崔沆)이, 종전의 내외 도방(內外都房)을 합쳐 서른여섯 개의 번(番)으로 확장 개편한 도방.

삼십육-체【三十六體】[一뉵一]명〖문〗중국 당나라의 이상은(李商隱)·온정균(溫庭筠)·단성식(段成式)의 세 사람의 문체. 이 3인의 배행(輩行)이 모두 16 인(人)인데서 이름.

삼십이 대:사상【三十二大士相】명 삼십이상.

삼십이 대:인상【三十二大人相】명 삼십이상.

삼십이 대:장부상【三十二大丈夫相】명 삼십이상.

삼십-이립【三十而立】명 삼십 세로 학문이나 견식이 일가(一家)를 이루어, 도덕상으로 흔들리지 아니함을 이르는 말. *사십이불혹(四十而不惑).

삼십이분 쉼:표【三十二分一】명〖악〗쉼표의 하나. 온쉼표의 32 분의 1의 길이를 나타내는 쉼표. '𝅀'를 이름. 구용어:삼십이분 휴부(休符).

삼십이분 음부【三十二分音符】명〖악〗삼십이분 음표.

삼십이분 음표【三十二分音標】명〖악〗십육분 음표의 반의 길이. 꼬리가 세 개 달린 것. 삼십이분 음부.

삼십이-상【三十二相】명〖불교〗응화신불(應化身佛)의 상(相) 중에 보통 사람과 다른 서른 두 가지 상호(相好). 곧, 발바닥 전체가 울퉁불퉁한 땅에서도 밀착하여 직립(直立)할 수 있는 상(相), 발바닥이나 손바닥에 천 개의 살이 있는 바퀴가 새겨져 있는 상, 손가락이나 발가락이 가늘고 긴 상, 발뒤꿈치가 넓고 평평한 상, 손가락과 발가락 사이에 물갈퀴가 있는 상, 손발이 썩 부드러운 상, 발등이 높이 솟아오른 상, 넓적다리가 사슴의 다리처럼 섬세(纖細)하고 묘하게 생긴 상, 일어서면 양손이 무릎 아래까지 내려오는 상, 생식기(生殖器)가 말의 것처럼 평시에는 속으로 들어가 있는 상, 신체의 종횡(縱橫)의 길이가 같은 상, 전신의 온갖 털이 위로 향하여 우선(右旋)한 상, 털이 한 구멍에서 반드시 한 개가 나는 상, 피부(皮膚)의 빛이 황금색(黃金色)인 상, 신체에서 한 길의 광명(光明)을 방출(放出)하는 상, 피부가 얇고 부드럽고 미끄러운 상, 양손과 양발과 양어깨와 목덜미의 일곱 군데의 살이 높이 솟아오른 상, 양겨드랑 밑이 불룩 나온 상, 상반신(上半身)은 사자(獅子)와 같이 위용(威容)이 단엄(端嚴)한 상, 몸이 지극히 단정(端正)한 상, 양어깨가 풍만(豐滿)한 상, 치아(齒牙)가 40개 있는 상, 치아가 쪽 고르게 박혀 있는 상, 네 개의 송곳니가 희고 정결(淨潔)한 상, 뺨이 사자의 뺨과 같이 넓고 축 처진 상, 최상의 미각(味覺)을 갖고 있는 상, 혀가 넓고 길고 부드럽고, 이것을 내밀면 얼굴 전체를 덮고 이마 위까지 올라가는 상, 음성이 똑똑하게 먼 곳까지 들리는 상, 눈동자가 감청색(紺靑色)인 상, 눈썹이 소의 눈썹처럼 길게 정돈(整頓)되어 있는 상, 정수리에 살이 상투처럼 불룩 나와 있는 상, 미간(眉間)에 길고 흰 털이 나서 오른쪽으로 돌아 뻗은 상의 서른두 가지 상(相). 삼십이 대인상(大人相). 삼십이 대장부상(大丈夫相). 삼십이 대사상(大士相).

삼십일 본산【三十一本山】명〖불교〗해방 전에, 우리 나라의 서른한 곳에 있던 불교 본산. 곧, 서울 특별시 강남구(江南區)의 봉은사(奉恩寺), 경기도 남양주시(南楊州市)의 봉선사(奉先寺), 화성군(華城郡)의 용주사(龍珠寺), 강화군의 전등사(傳燈寺)와 충청 북도 보은군(報恩郡)의 법주사(法住寺)와 충청 남도 공주시(公州市)의 마곡사(麻谷寺), 금산군(錦山郡)의 보석사(寶石寺)와 전라 북도 완주군(完州郡)의 위봉사(威鳳寺)와 전라 남도 장성군(長城郡)의 백양사(白羊寺), 순천시(順天市)의 송광사(松廣寺)·선암사(仙岩寺), 구례군(求禮郡)의 화엄사(華嚴寺), 해남군(海南郡)의 대흥사(大興寺)와 경상 남도 합천군(陜川郡)의 해인사(海印寺), 양산시(梁山市)의 통도사(通度寺), 부산 광역시 금정구(金井區)의 범어사(梵魚寺)와 대구 광역시의 동화사(桐華寺), 경상 북도 경주시(慶州市)의 기림사(祇林寺), 영천시(永川市)의 은해사(銀海寺), 의성군(義城郡)의 고운사(孤雲寺), 문경시(聞慶市)의 금룡사(金龍寺)와 강원도 평창군(平昌郡)의 월정사(月精寺), 고성군(高城郡)의 유점사(楡岾寺)·건봉사(乾鳳寺)와 함경 남도 안변군(安邊郡)의 석왕사(釋王寺), 함주군(咸州郡)의 귀주사(歸州寺)와 평안 북도 영변군(寧邊郡)의 보현사(普賢寺)와 평안 남도 평양(平壤)의 영명사(永明寺), 평원군(平原郡)의 법흥사(法興寺)와 황해도 황주군(黃州郡)의 성불사(成佛寺), 신천군(信川郡)의 패엽사(貝葉寺). *이십오 교구 본사(二十五敎區本寺).

삼십일-전【三十一廛】명 조선 시대 때 서울 종로(鐘路)를 중심으로 늘어섰던 31종의 상점. 곧, 포전(布廛)·연초전(煙草廛)·상전(床廛)·생선전(生鮮廛)·미전(米廛)·잡곡전(雜穀廛)·유기전(鍮器廛)·은전(銀廛)·의전(衣廛)·금자전(錦子廛)·이전(履廛)·화피전(樺皮廛)·균석전(菌席廛)·진사전(眞絲廛)·청밀전(淸蜜廛)·경염전(京塩廛)·체계전(髢髻廛)·내장목전(內長木廛)·주물전(鑄物廛)·연죽전(煙竹廛)·시저전(匙箸廛)·우전(牛廛)·마전(馬廛) 같은 것.

삼십 참:주【三十僭主】명〖역〗기원전 404-403년에 아테네(Athenae)에서 과두정치(寡頭政治)를 베푼 30인의 참주(僭主). 클리티아스(Klitias)를 수반으로 하는 그들은 정권을 잡으면서, 민주파(民主派)의 시민을 1,500명이나 죽이고 그들의 재산을 몰수하고 또 많은 사람을 추방하는 등 극단적인 공포 정치를 하였음. 나중에 민주파가 부활하여 이들을 타도하고 정권을 잡음.

삼십초 룰:【三十秒一】〔rule〕명 농구에서, 한 팀이 공을 가지고 있을 때 30초 이내에 슛을 하지 않으면 안 된다는 룰.

삼십팔도-선【三十八度線】[一또一]명〖지〗①위도(緯度)가 38 도 되는 선(線). ②북위 삼십 팔도선. 특히, 한반도의 중앙부를 횡단하는 북위 삼십 팔도선을 이름. ㊂삼팔선(三八線).

삼-쌍둥이【三雙一】명 한 태(胎)에서 잇따라 난 세 아이. 삼태(三胎). 세쌍둥이.

삼-씨 명 삼의 씨. 한방(韓方)에서 난산(難産)·공수병(恐水病)·월경 과다·변비증 등에 씀. 마인(麻仁). 마자(麻子). 마분(麻蕡).

삼씨 기름 명 대마(大麻)의 씨를 짜서 만든 기름. 마유(麻油). 마자유(麻子油).

삼아【三椏】명〖식〗인삼(人蔘)의 별칭.

삼아-나무【三椏一】명〖식〗삼지닥나무.

삼-아문【三衙門】명〖역〗관찰영(觀察營)과 중군영(中軍營)과 그 두 영이 있던 군(郡)이나 부(府).

삼악[1]【三惡】명〖불교〗↗삼악도(三惡道).

삼악[2]【三樂】명〖악〗아악(雅樂)과 향악(鄕樂)과 당악(唐樂).

삼-악도【三惡道】명〖불교〗악인이 죽어서 간다는 세 괴로운 세계. 곧, 지옥도(地獄道)와 축생도(畜生道)와 아귀도(餓鬼道)의 세 악도(惡道). 삼악추(三惡趣). ㊂삼도(三道·三途·三塗)·삼악(三惡).

삼-악성【三惡聲】명 세 가지의 듣기 싫고 흉한 소리. 곧, 초혼(招魂)하는 소리와 불이 나서 외치는 소리와 도둑을 튀기는 소리. ↔삼희성(三喜聲).

삼-악추【三惡趣】명〖불교〗삼악도(三惡道).

삼안-포【三眼砲】명 삼혈포(三穴砲).

삼암덕-산【三巖德山】명〖지〗평안 북도 위원군(渭原郡) 숭정면(崇正面)에 있는 산. [1,104m]

삼-압물【三押物】명〖역〗조선 시대 때 사역원(司譯院)의 한 벼슬.

삼약【三約】명 화투놀이에서, 초약(草約)·풍약(楓約)·비약의 세 약(約). *삼단(三短).

삼양¹【三養】명 ①세 가지 길러야 할 점. 제 분수에 만족하여 복(福)을 기르고, 음식을 절제하여 기(氣)를 기르고, 낭비(浪費)를 삼가서 재(財)를 불리는 일. ②신(神)·정(精)·기(氣)를 기르는 양생법(養生法)의 하나. *삼과(三寡).

삼양²【三讓】명 세 번 사양함. 옛날, 중국에서 제공(諸公)·재상(宰相) 등의 지위에 천거되었을 때 세 번 형식적인 사양을 함이 관례로 되어 있었음.

삼양동 금동 관음 보살 입상【三陽洞金銅觀音菩薩立像】명〖불교〗서울 특별시 도봉구 삼양동에서 발견된 금동 불상. 둥글고 풍만한 얼굴, 늘어진 목걸이, 두 줄기 옆으로 돌려진 옷자락, 그리고 휘어진 편평한 몸, 양쪽으로 벌린 두 팔 등이 모두 수(隋)나라 불상의 특징과 상통(相通)하여, 서울이 진흥왕 15년(554) 이후 신라 영토인 점에서 신라의 불상으로 추정됨. 높이 20.7cm. 국립 중앙 박물관 소장. 국보 제127호.

삼언-시【三言詩】명 일구(一句) 삼자(三字)로 된 한시(漢詩).

삼언 양:박【三言兩拍】[—냥—] 명〖책〗삼언 이박.

삼언 이:박【三言二拍】명〖책〗중국 명(明)나라 때의 대표적인 단편 소설집의 총칭. 삼언(三言)은 유세 명언(喩世明言)·경세 통언(警世通言)·성세 항언(醒世恒言)의 세 가지이고, 이박(二拍)은 박안 경기(拍案驚奇)의 제1판과 제2판을 말함. 각기 40편으로 되어 있음. 삼언 양박.

삼엄¹【三嚴】명〔세 사람의 엄한 사람이란 뜻〕왕(王)과 아버지와 선생(先生)의 일컬음.

삼엄²【三嚴】명〖역〗행군 구령(行軍口令)의 하나. 초엄(初嚴)에 대오(隊伍)를 정돈하고, 이엄(二嚴)에 무기를 갖추고, 삼엄(三嚴)에 행군을 시작했음. *단엄(單嚴)·이엄(二嚴).

삼엄³【森嚴】명 질서(秩序)가 바로 서고 무서우리만큼 매우 엄숙함. ¶경계가 ~하다. ——하다 형여불. ——히 부

삼업¹【三業】명〖불교〗신업(身業)·구업(口業)·의업(意業)의 세 가지 죄업(罪業). 곧, 몸과 입과 마음의 세 가지 욕심으로 인하여 짓는 죄업. 또는, 신체 활동·언어 표현·심적(心的) 행위를 일컬음.

삼업²【蔘業】명 인삼을 생산하는 사업.

삼업-계【三業戒】명〖불교〗삼사계(三事戒).

삼-에스【三S】명〔sex, sports, screen 혹은 speed의 세 머리 글자를 딴 말〕성(性)의 해방과 운동 및 영화·연예(演藝) 또는 속도의 세 가지를 가리키는 말.

삼에스 시대【三S時代】명〖사〗3S 곧, 스피드(speed)·스포츠(sports)·스크린(screen)의 전성(全盛) 시대.

삼에스 운:동【三S運動】명〖경〗〔specialization·standardization·simplification의 머리 글자를 딴 말〕산업의 전문화·표준화·단순화를 촉진하여 생산성 향상을 구체화하려는 운동.

삼에스 정책【三S政策】명〖사〗대중으로 하여금 3S, 곧 성(性)·운동 및 스크린을 좇도록 함으로써 우민화(愚民化)하여, 대중이 정치적 자기 소외(自己疎外)와 정치적 무관심을 빚어 내어 지배자가 자유로이 대중을 조작(操作)할 수 있게 꾀하는 정책. 식민지 정책에 있어서의 순치 정책(馴致政策)의 한 전형(典型)으로 알려짐. *우민 정책(愚民政策).

삼에이비:시: 정책【三ABC政策】명〖역〗제1차 세계 대전(第一次世界大戰) 전에 서반구(西半球)의 삼대 강국이었던 미국·독일·영국의 철도 정책(鐵道政策). 미국은 아메리카에서 알래스카(Alaska)를 거쳐 아시아(Asia)로 통하는 철도를 부설하고, 독일은 베를린(Berlin)에서 비잔티움(Byzantium)을 거쳐 바그다드(Baghdad)에 이르는 철도를 부설하고, 영국은 케이프타운(Cape Town)에서 카이로(Cairo)를 거쳐 캘커타(Calcutta)에 이르는 철도를 부설하여 세력을 발전시키려던 정책.

삼에이 정책【三A政策】명〖역〗〔3A는 아메리카·알래스카·아시아의 머리 글자〕미국으로부터 알래스카를 거쳐 베링 해협을 횡단하고 시베리아를 지나 다시 연해주를 남하하여 중국에까지 이르려던 철도 정책. *삼시(三C) 정책.

삼에이 철도【三A鐵道】[—또] 명 미국의 3A정책에 따라 부설하려던 철도.

삼에프 폭탄【三F爆彈】명 수소 폭탄의 겉을 천연 우라늄 238로 싸서, 핵분열(fission)→핵융합(fusion)→핵분열(fission)의 순서로 반응이 진행되는 우라늄 폭탄의 딴이름.

삼엠 정책【三M政策】명〖정〗사람(man)과 돈(money)과 무기(武器; munitions)의 세 가지에 관한 정책.

삼여【三餘】명 독서 삼여(讀書三餘).

삼-여물[—녀—] 명〖건〗삼으로 만든 여물.

삼역【三易】명 역(易)의 세 가지. ①연산(連山)·귀장(歸藏)·주역(周易)의 일컬음. 연산(連山)은 신농(神農)의 역(易), 혹은 복희(伏羲)의 역, 또는 하(夏)나라의 역을 이르고, 귀장(歸藏)은 황제(黃帝)의 역, 또는 은(殷)나라의 역, 주역(周易)은 주(周)나라의 역을 이름. ②복희(伏羲)·문왕(文王)·공자(孔子)의 역.

삼-역성【三易姓】명 세 번 성(姓)을 바꿈. 외손녀(外孫女)가 자식을 낳는 것을 말함. ——하다 자여불

삼역 총:해【三譯總解】명〖책〗청어(淸語) 삼국지(三國志)를 최후택(崔厚澤)이 번역한 책. 조선 숙종(肅宗) 29년(1703)에 간행. 목판본 1책. 청어(淸語) 총해.

삼연¹【三淵】명〖사람〗김창흡(金昌翕)의 호(號).

삼연²【三緣】명〖불교〗친연(親緣)·근연(近緣)·증상연(增上緣)의 총칭.

삼연³【森然】명 ①숲이 깊이 우거진 모양. ②엄숙한 모양. ——하다 형여불

삼-연성【三連星】[—년—] 명 바둑의 포석에서, 변(邊)의 세 화점 위에 일직선으로 잇대어 두는 일.

삼-연음부【三連音符】[—년—] 명〔triplet〕〖악〗'셋잇단음표'의 한자 이름. 트리플렛. *이연음부.

삼연-집【三淵集】명〖책〗조선 효종(孝宗) 때의 사람 김창흡(金昌翕)의 시문집. 서(書)·시·묘갈(墓碣)·행장(行狀)·애사(哀辭) 등 문학·세사(世事) 그 밖에 만록(漫錄) 등을 수록함. 36권 18책.

삼열¹【三熱】명〖불교〗축생도(畜生道)에서 용(龍)이나 뱀 따위가 받는 세 가지의 고뇌(苦惱). 그 첫째는 열풍(熱風)·열사(熱砂)에 골육(骨肉)을 태우는 일이고, 둘째는 거센 바람이 일어 거처(居處)와 의식(衣飾)을 잃는 일이고, 셋째는 금시조(金翅鳥)가 용의 노는 곳에 내려와 용의 자식을 잡아먹는 일임.

삼-열²【蔘熱】[—녈] 명 삼독(蔘毒).

삼염기-산【三塩基酸】[—념—] 명〔tribasic acid〕〖화〗1분자 중에 전리(電離)할 수 있는 수소 원자(原子) 세 개를 갖는 산(酸)을 이름. 인산(燐酸; H_3PO_4)·붕산(硼酸; H_3BO_3) 등. *일염기산·이염기산.

삼염화-금【三塩化金】[—념—] 명〔gold trichloride〕〖화〗염화금❸.

삼염화 망간【三塩化—】[—념—] 명〔manganese trichloride〕〖화〗염화 망간❷.

삼염화 백금【三塩化白金】[—념—] 명〔platinum trichloride〕〖화〗염화 백금❸.

삼염화 붕소【三塩化硼素】[—념—] 명〔boron trichloride〕〖화〗염화 붕소❶.

삼염화 비:소【三塩化砒素】[—념—] 명〔arsenic trichloride〕〖화〗염화 비소❶.

삼염화-인【三塩化燐】[—념—] 명〔phosphorous trichloride〕〖화〗염화인❶.

삼염화 코발트【三塩化—】[—념—] 명〔cobalt trichloride〕〖화〗염화 코발트❷.

삼염화 크롬【三塩化—】[—념—] 명〔chromium trichloride〕〖화〗염화 크롬❷.

삼염화 티탄【三塩化—】[—념—] 명〔titanium trichloride〕〖화〗염화 티탄❷.

삼염화-황【三塩化黃】[—념—] 명〔sulfur trichloride〕〖화〗염화황❸.

삼엽-기【三葉機】명 삼엽 비행기.

삼엽 비행기【三葉飛行機】명 주익(主翼)이 삼중으로 된 비행기. 제1차 세계 대전에서 단좌 전투기로서 사용됨. 삼엽기(三葉機).

삼엽-충【三葉蟲】명〖동〗삼엽충류에 속하는 화석(化石) 동물의 총칭. 몸길이 50cm 가량으로 타원형에 납작하며, 두부(頭部)에서 미부(尾部)의 끝까지 두 줄의 골이 있고, 중축(中軸)과 좌우 양쪽의 세 부분으로 나누어져 있어 '삼엽충'이라고 불림. 중축에는 심장·신경구(神經球)가 있고, 배면(背面)은 굳은 딱지의 갑(甲)으로 되었으며, 몸은 머리·가슴·꼬리의 세 부분으로 이루어졌음. 두부에는 복안(複眼)이 있고, 촉각은 후방으로 나와 있으며, 흉부(胸部)에는 2-26개, 미부에는 몇 개의 체절(體節)이 있음. 해생(海生) 동물과 비슷하여 얕은 바다·바다 밑의 진흙 등에 서식했었음. 세쪽이.

삼엽충-류【三葉蟲類】[—뉴] 명〖동〗〔Trilobita〕절지(節肢) 동물 갑각류(甲殼類)에 속하는 화석 동물의 한 목(目). 약 5억 년 전의 고생대(古生代) 캄브리아기(Cambria紀)에 발생하여 오르도비스기(Ordovice紀)에 전성(全盛)했고, 이첩기(二疊紀)에 멸종(滅種)하였음. 현재 화석으로 1,700여 종이 발견되었음.

〈삼엽충〉

삼엽 환두【三葉鐶頭】명〖고고학〗세잎고리자루.

삼영【三營】명〖역〗삼군문(三軍門).

삼-영문【三營門】명〖역〗삼군문(三軍門).

삼오-삼오【三五三五】부 삼삼오오.

삼오 십오【三五十五】명〖수〗구구법(九九法)의 하나. 셋의 다섯 갑절이나 또는 다섯의 세 갑절은 열다섯이라는 말.

삼오-야【三五夜】명 음력(陰曆) 보름날 밤. 특히 8월 보름을 일컬음. 십오야(十五夜).

삼오지-륭【三五之隆】명〖역〗①삼황(三皇) 오제(五帝) 시대의 융성(隆盛)했던 세상(世上). ②중국 한(漢)나라 3대 문제(文帝)와 5대 무제(武帝)의 융성했던 시대.

삼오칠언-시【三五七言詩】명 한시(漢詩)에 있어서 한 구(句) 중에 삼언구(三言句) 두 개, 오언구(五言句) 두 개, 칠언구(七言句) 두 개를 갖춘 시. 예를 들면 이 태백의 '秋風淸 秋月明 落葉聚還散 寒鴉棲復驚 相思相見知何日 此時此夜難爲情' 같은 것.

삼오-판【三五判】명 양지로 매는 책의 크기의 이름. 넓이는 세 치, 길이는 다섯 치.

삼-옷 명〈방〉깃저고리.

삼왕【三王】명 ①〖역〗중국 고대(古代)의 세 임금. 곧, 하(夏)의 우왕(禹王)과 은(殷)의 탕왕(湯王)과 주(周)의 문왕(文王) 또는 무왕(武王)을 이르는 말. ②〖천주교〗예수 그리스도가 탄생하였을 때 경배(敬拜)하러 온 동방(東方)의 삼 박사(三博士).

삼왕 내조【三王來朝】명〖천주교〗'주(主)의 공현 대축일(公顯大祝日)'의 구용어.

삼외【三畏】명 군자가 두려워해야 할 세 가지. 곧, 천명(天命)과 대인(大人)의 말과 성인(聖人)의 말. ≪논어(論語)≫에 있는 말.

삼요【三樂】명 ≪논어(論語)≫에 있는 말. 세 가지 좋아하는 것. 예악(禮樂)을 적당히 좋아하는 것과 사람의 착함을 좋아하는 것과 착한 벗이 많음을 좋아하는 익자 삼요(益者三樂)와, 분이 넘치게 사물을 좋아하는 것과 아무 일도 하지 않고 노는 것을 좋아하는 것과 주색(酒色)을 좋아

하는 손자 삼요(損者三樂)가 있음. 「욕(淫慾).
삼욕【三慾】명〖불교〗세 가지 욕망. 곧, 식욕(食慾)·수면욕(睡眠慾)·음
삼용【蔘茸】명〖한의〗인삼(人蔘)과 녹용(鹿茸).
삼우[1]【三友】명 ①흔히 함께 따르는 세 가지 운치. 곧, 시(詩)와 술과 거문고. ②소나무와 대와 매화. ③산수(山水)와 송죽(松竹)과 금주(琴酒). ④삼익우(三益友)와 삼손우(三損友).
삼우[2]【三虞】명 장사 지낸 뒤에 세 번째 지내는 제사. 재우(再虞) 후에 강일(剛日)을 만나면 새벽녘에 지내는데, 대개 제사를 지낸 뒤에 산소(山所)에 가서 가족들이 성묘를 함. 삼우제(三虞祭). *재우·초우.
삼우-당【三憂堂】명〖사람〗문익점(文益漸)의 호(號).
삼우-제【三虞祭】명 '삼우(三虞)'를 제사로서 똑똑히 이르는 말.
삼운 보:유【三韻補遺】명〖책〗조선 시대 때, 박두세(朴斗世)가 지은 운서(韻書) ≪삼운 통고(三韻通考)≫를 더 자세히 보충한 책. 숙종 28년(1702) 간행. 2권 1책.
삼운 성휘【三韻聲彙】명〖책〗한자(漢字)를 음운(音韻)에 따라 분류(分類)한 책. 조선 영조(英祖) 때, 홍계희(洪啓禧)가 지었음.
삼운 성휘 보:옥편【三韻聲彙補玉篇】명〖책〗조선 시대 영조(英祖) 때 홍계희(洪啓禧)가 엮은 옥편.
삼운 통고【三韻通考】명〖책〗중국의 백육운계(百六韻系) ≪예부 운략(禮部韻略)≫을 우리 나라 사람이 개편한 운서(韻書). 편자와 연대 미상. 1책.
삼원[1]【三元】명 ①천(天)과 지(地)와 인(人). 삼재(三才). ②도가(道家)에서 이르는 천(天)·지(地)·수(水). 삼관(三官). ③술가(術家)에서의, 상원(上元)·중원(中元)·하원(下元)의 총칭. ④연·월·일의 시작인 정월 초하루. 삼시(三始). ⑤천지, 곧 세상의 시작과 중간과 끝. ⑥〖역〗중국에서, 해원(解元)·회원(會元)·장원(壯元). 곧, 향시(鄕試)·회시(會試)·정시(廷試)의 우등 합격자. 또, 진사(進士) 시험의 1위·2위·3위 세 사람.
삼원[2]【三怨】명 사람에게 원망(怨望)을 듣는 세 가지 일. 곧, 벼슬이 높으면 남에게, 관직(官職)의 세력이 크면 군주(君主)로부터, 관록(官祿)이 많으면 백성으로부터 원망을 들음.
삼원[3]【三垣】명〖천〗동양 천문학상 성좌(星座)의 세 구획. 곧, 북극(北極) 부근인 자미원(紫微垣)과 사자궁(獅子宮) 부근인 태미원(太微垣)과 방수(房宿)·심수(心宿) 부근인 천시원(天市垣).
삼원[4]【三原】명〖지〗'싼위안'을 우리 음으로 읽은 이름.
삼원[5]【三遠】명〖미술〗중국 산수화(山水畫)의 용어. 고원(高遠)·평원(平遠)·심원(深遠)의 총칭. 고원은 산꼴기에서 산꼭대기를 올려다 보는 방법이고, 평원은 앞산에서 뒷산을 바라다보는 방법이고, 심원은 바로 앞에서 산의 배후를 넘어다 보는 방법임. 북송(北宋)의 화가인 곽희(郭熙)가 그의 저서 ≪임천고치집(林泉高致集)≫에서 쓴 말.
삼-원색【三原色】명 적당하게 혼합하면 임의의 색을 나타낼 수 있는, 기본이 되는 세 가지 색. 그림 물감의 삼원색은 적(赤)·청(靑)·황(黃)의 세 가지 색이며, 삼색판(三色版)의 원색(原色)으로서도 사용함. 또 빛의 삼원색은 적(赤)·녹(綠)·청(靑)의 세 가지 색으로, 이는 영국의 영 및 독일의 헬름홀츠의 삼색설(三色說)에 기인한 것임. *삼색설.
삼원지-일【三元之日】명 '정월 초하루'를 한 해의 처음, 달의 처음, 날의 처음이라 하여 일컫는 말.
삼원 측각기【三圓測角器】명〖광〗복원(複圓) 측각기의 수직 원반에 다시 직각되게 원반을 달아 결정(結晶)을 그 회전축에 고정시켜 측정하는 반사(反射) 측각기의 하나. 조정(調整)이 복잡하여 잘 쓰이지 않음. *단원(單圓) 측각기·복원 측각기.
삼원 합금【三元合金】명〔ternary alloy〕세 종류의 원소(元素)를 주성분(主成分)으로 하는 합금.
삼원 화합물【三元化合物】명〔ternary compound〕세 종류의 다른 원자(原子)로 이루어진 분자(分子). 황산(黃酸; H_2SO_4) 따위.
삼월【三月】명 한 해 가운데 세째 되는 달.
삼월 삼질【三月三一】명 삼짇날.
삼월 혁명【三月革命】명〔March Revolution〕〖역〗①1848년 프랑스의 이월 혁명(二月革命)의 영향을 받아 같은 해 3월에 독일을 위시한 유럽 제국(諸國)에 일어난 자유주의·국민주의 혁명 운동. 출판(出版)의 자유, 시제 개혁(市制改革), 의회 개편(議會改編) 등을 주장하였는데 오스트리아의 수도 빈(Wien)의 혁명으로 헝가리와 보헤미아에서 독립 운동이 일어났으나 실패로 돌아갔으며, 독일 베를린에는 독일 통일과 자유를 부르짖는 혁명이 일어나 통일 독일 헌법의 제정을 위하여 프랑크푸르트(Frankfurt) 국민 의회가 열리었으나 반동(反動)의 부활(復活)과 더불어 실패로 돌아갔음. ②1917년 3월 12일 러시아의 페트로그라드(Petrograd)에서 일어난 혁명. 제1차 세계 대전에 있어서 차르(tsar) 전제 정부(專制政府)의 내외 정책의 실패에 기인(起因)하여 진보주의자들이 주동이 된 일종의 민주주의적 혁명이었는데, 이 혁명의 결과 로마노프 왕조(Romanof王朝)는 전복되고 리보프공(L'vov公)의 임시 정부가 수립되고 같은 해 7월에 온건파 자유주의자인 케렌스키(Kerensky) 내각(內閣)이 수립되어 볼셰비키 혁명의 전주곡이 되었음. 러시아의 달력으로는 2월 12일이었으므로 '이월 혁명'이라고도 함.
삼위[1]【三位】명 ①〖기독교〗성부(聖父)와 성자(聖子)와 성신(聖神)의 일컬음. ②성적 등에서 세 번째의 지위. ¶ 전국에서 ～.
삼위[2]【三衛】명〖역〗고려의 육위(六衛) 가운데, 좌우위(左右衛)·신호위(神虎衛)·흥위위(興威衛)의 세 위(衛)의 특칭(特稱). 개경(開京)과 변방(邊方)의 수비를 아울러 가지는 경군(京軍)의 핵심 주력 부대였음.
삼위 일체【三位一體】명 ①〔trinity〕〖성〗성부(聖父)인 하느님과 성자(聖子)인 예수와, 그리고 성령(聖靈)을 동일한 신격(神格)으로 여기는 교의(敎義). 곧, 하느님 아버지인 유일신(唯一神)은 아들인 그리스도로서 이 세상에 내려와 성령(聖靈)의 형태로 인류(人類)에게 구원(救援)의 복음(福音)을 전파했다는 것. 325년 니케아(Nicaea) 공의회에서 교회의 정통 신조(正統信條)로 공언함. ②세 가지의 것이 서로 연관·통합하여 목적하는 것이 하나가 되는 일. 트라이유니티(triunity). ¶ ～ 참고서. ㊟삼일(三一).
삼위 일체 주일【三位一體主日】명〖천주교〗성부·성자·성신의 삼위 일체인 천주를 특별히 흠숭(欽崇)하는 주일. 성신 강림(聖神降臨) 다음 주일임. '성삼(聖三) 주일'의 바뀐 말.
삼위 태백【三危太伯】명〖역〗삼위산(三危山)과 태백산(太伯山). 삼위산은 중국 간쑤 성(甘肅省) 둔황 현(敦煌縣) 남쪽에 있는 산이고 태백산은 장백산(長白山)이라 함. ≪삼국 유사(三國遺事)≫에 나옴.
삼유[1]【三由】명〖역〗벼슬아치가 말미를 세 번씩 연기(延期)하기를 청함을 이름.
삼유[2]【三有】명〖불교〗①삼계(三界)❷. ②본유(本有)·당유(當有)·사유(死有)의 총칭. ③중생(衆生)이 태어날 때, 죽을 때, 다시 태어날 때의 세 가지. 곧, 생유(生有)·사유(死有)·중유(中有).
삼유[3]【三宥】명〖역〗①중국 주대(周代)에 죄를 용서하여 주던 세 가지의 조건(條件). 곧, 불식(不識)·과실(過失)·유망(遺忘). ②옛날 중국에서, 왕족(王族)이 죄를 지었을 때 왕이 세 번 용서하던 일.
삼유 생사【三有生死】명〖불교〗삼유, 곧 욕계(欲界)와 색계(色界)와 무색계(無色界)를 유전(流轉)하여 생사(生死)를 거듭하는 일. 또, 그 생사.
삼육 학원【三育學院】명 ↗국립 삼육 학원.
삼윤의 논핵【三尹一論劾】[一/一에一] 명〖역〗조선 선조 11년(1573)에 동인(東人)이 서인(西人)을 논란한 사건. 삼윤(三尹)은 서인측의 윤두수(尹斗壽)·윤근수(尹根壽)·윤현(尹晛)인데, 이들은 진도 군수(珍島郡守)로부터 뇌물을 받았다는 동인측의 무고로, 동인과 서인의 논쟁이 격렬하던 끝에 결국 파직되었음.
삼은【三隱】명〖역〗고려 말엽의 세 학자. 곧, 포은(圃隱) 정몽주(鄭夢周)·목은(牧隱) 이색(李穡)·야은(冶隱) 길재(吉再). 일설에는 야은 대신에 도은(陶隱) 이숭인(李崇仁)을 넣기도 함. 고려 삼은.
삼음【三音】명〖악〗화음(和音)에 있어서, 기초음(基礎音)에서부터 3도의 음. 「衣)·오조(五條)·칠조(七條).
삼의[1]【三衣】[一/一이] 명〖불교〗세 가지의 가사(袈裟). 곧, 대의(大
삼의[2]【三儀】[一/一이] 명 삼재(三才)❶.
삼의-사【三醫司】[一/一이一] 명〖역〗삼의원(三醫院).
삼의-원【三醫院】[一/一이一] 명〖역〗조선 시대 때, 왕실(王室)의 내의원(內醫院), 양반(兩班)의 전의원(典醫院), 평민(平民)의 의약(醫藥)을 맡는 혜민서(惠民署)를 합해서 부르던 말. 삼의사(三醫司).
삼의 일발【三衣一鉢】[一/一이一] 명〖불교〗승려의 소지품인 대의(大衣)·오조(五條)·칠조(七條)의 세 가지 가사(袈裟)와, 한 개의 바리때.
삼이【三易】명 문장(文章)을 쉽게 짓는 세 가지 조건(條件). 곧, 보기 쉽게 쓰고, 쉬운 글자를 사용하고, 읽기에 쉽게 씀.
삼-이웃【三一】[一니一] 명 이쪽저쪽의 이웃. ¶ ～이 의좋게 살다 / ～에 애꿎은 조명나면 그나마 품앗이도 못합니다≪金周榮 : 客主≫.
삼이 육십이【三二六十二】명〖수〗구귀가(九歸歌)의 하나. 셋으로 둘을 제함에는 그 둘을 상(商) 여섯으로 만들고, 잔(殘) 둘을 그 아래 자리에 놓으라는 뜻.
삼익【三益】명 ①세 가지의 이익(利益). ②↗삼익우(三益友).
삼-익우【三益友】명 자기에게 도움이 되는 세 가지 벗. 곧은 사람과 믿음직한 사람과 문견(聞見)이 많은 사람. 익자 삼우(益者三友). ㊟삼익. ↔삼손우(三損友).
삼익-주의【三益主義】[一/一이] 명〖경〗이윤(利潤)을, 자본가·경영자 및 노동자가 일정한 비율로 분배하는 주의.
삼인【三仁】명 중국 은(殷)나라 말기(末期)의 세 사람의 인자(仁者). 곧, 미자(微子)·기자(箕子)·비간(比干). 「두 칠성(北斗七星)을 새긴 검.
삼인-검【三寅劍】명 인(寅)해·인달·인날에 만든 칼. 검신(劍身)에 북
삼인-무【三人舞】명 세 사람이서 추는 춤.
삼-인산【三燐酸】명〔triphosphoric acid〕〖화〗점성(粘性)이 강한 액체. 이것을 함유하고 있는 아데노신 삼인산은 가수 분해에 의하여 많은 에너지를 발생하며, 이것이 생체(生體) 에너지의 중요한 원천이 되고 있음. [$H_5P_3O_{10}$]
삼-인산염【三燐酸塩】[一념] 명〔triphosphate〕〖화〗삼인산($H_5P_3O_{10}$)의 수소가 금속에 치환되어 생긴 염(塩). 소시지의 보수제(保水劑), 청량 음료의 산화 방지와 가스의 보유(保有), 가공 치즈·아이스크림의 유화 분산제(乳化分散劑) 따위로 쓰임.
삼인 성호【三人成虎】명 거리에 범이 나왔다고 여러 사람이 다 함께 말하면 거짓말이라도 참말로 듣는다는 말로, 근거 없는 말이라도 여러 사람이 말하면 곧이듣는다는 뜻. 「리. ¶ ～ 강도(強盜).
삼인-조【三人組】명 행동을 같이 하기 위하여 세 사람으로 조직된 무
삼인-칭【三人稱】명〖언〗대명사(代名詞)로서 대화자(對話者) 이외의 사람이나 사물을 가리키는 말. '저이'·'그이'·'그것' 등. 세째가리킴.
삼인칭 소:설【三人稱小說】명〖문〗주인공(主人公)을 '그'·'그이'·'아무'·'그것' 등과 같이 삼인칭 대명사로 쓴 소설.
삼인행 필유아:사【三人行必有我師】명 세 사람이 어떤 일을 같이 행할 때는 선악간(善惡間)에 반드시 스승으로서 배울 만한 사람이 있음.
삼일[1]【三一】명 ①천지(天地)의 신(神). 곧, 천일(天一)·지일(地一)·태일(泰一). ②도가(道家)에서 말하는 정(精)과 신(神)과 기(氣). ③↗삼위일체(三位一體).
삼일[2]【三日】명 ①사흘. ②〖기독교〗주일(主日) 후 사흘째 되는 날. 곧, 수요일을 예배하는 날로 일컫는 말. ¶ ～ 예배. ③해산한 지 사흘 되는 날. ④혼인한 지 사흘째 되는 날. ⑤삼질.
삼일-곡【三日哭】명 ①사당(祠堂)이 타 버렸을 때 3일 동안 슬피 우는

예절. ②오랫 동안 울어댐. ——-하다 자여불

삼일 기도회 【三日祈禱會】 명 〔기독교〕 주일(主日) 3 일 후, 곧 수요일 밤에 행하는 기도회. 삼일 예배.

삼일-대 【三日臺】 [—때] 명 〔지〕 함경 북도 무산군(茂山郡)에 있는 산. 「[1,694m]

삼일 삼십일 【三一三十一】 명 〔수〕 구귀가(九歸歌)의 하나. 셋으로 하나를 제함에는, 그 하나를 상(商) 셋으로 만들고, 남는 하나를 그 아랫자리에 놓으라는 뜻.

삼일 신고 【三一神誥】 명 〔대종교〕 단군이 한울·한얼·한울집·누리와, 참 이치 다섯 가지를 삼천 단부(三千團部)에게 가르친 말. 이것을 신지(神誌)가 써 둔 고문(古文)과 왕수긍(王受兢)이 번역한 은문(殷文)은 다 없어지고, 오직 고구려 때에 번역하고 발해(渤海) 때에 해석하여 놓은 한문(漢文)만이 남아 있음.

삼일 신행 【三日新行】 명 결혼한 지 사흘 만에 가는 혼행(婚行).

삼일 예:배 【三日禮拜】 [—례—] 명 〔기독교〕 삼일 기도회.

삼일-우 【三日雨】 명 3 일이나 계속해서 오는 비. 곧, 많이 오는 비.

삼일 운:동 【三一運動】 명 〔역〕 한국이 일본의 강제적 보호 정책으로부터 자주 독립할 목적으로 일으킨 민족적인 의거(義擧). 제1차 세계 대전이 끝나고 미국의 윌슨(Wilson) 대통령이 민족 자결주의(民族自決主義)를 제창한 1919년, 곧 기미년(己未年)에, 손병희(孫秉熙) 등 33 인이 그 민족 자결주의의 사조(思潮)에 따라 일본의 쇠사슬에서 벗어나고자 그해 3월 1일 서울의 탑골 공원에서 '독립 선언서'를 발표하고 시위(示威) 운동을 일으키어 온 겨레가 민족 해방을 위해서 일본 관헌(官憲)과 싸웠으나 일본 군대의 출동으로 뜻을 이루지 못하였음. 이 때 운동에 참가한 단체가 600여 단체이고, 참가 인원 200여 만 명이며, 죽은 사람 7,500여 명, 부상한 사람 약 1만 6천 명, 투옥(投獄)당한 사람이 4만 6천여 명임. 매년 3월 1일을 국경일로 정하여 길이 기념함. 기미 운동(己未運動). 기미 독립 운동.

삼일 유가 【三日遊街】 명 〔역〕 과거(科擧)에 급제한 사람이 사흘 동안 좌주(座主)와 선진자(先進者)와 친척(親戚)을 방문(訪問)하는 일.

삼일-장 【三日葬】 명 죽은 지 사흘 만에 치르는 장사. 「하다 자여불

삼일-절 【三一節】 [—쩔] 명 국경일(國慶日)의 하나. 3·1 운동을 기념하는 날. 매년 3월 1일.

삼일 점고 【三日點考】 명 〔역〕 수령(守令)이 부임한 뒤 사흘 되는 날에 관속(官屬)을 점고하는 일. ——-하다 자여불

삼일 정신 【三一精神】 명 3·1 운동을 일으킨 한국의 민족 정신. 전국민이 단결하여 조국의 독립과 자유와 평화를 쟁취하려는 고귀한 정신.

삼일-제 【三一製】 [—쩨] 명 〔역〕 오순절제(五巡節製)의 하나. 음력 삼월 초사흗날에 보이는 과거(科擧). 화제(花製).

삼일-주 【三日酒】 [—쭈] 명 담근 지 사흘 만에 먹게 되는 술.

삼일 천하 【三日天下】 명 ①짧은 동안 정권(政權)을 잡았다가 곧 실패함을 이르는 말. ¶ ~로 끝난 정변(政變). ②갑신 정변(甲申政變)이 3 일 만에 실패한 일을 이르는 말.

삼일치의 법칙 【三一致一法則】 [—/—에—] 명 〔프 règle de trois unités〕 〔연〕 17세기 프랑스의 고전 극작가들이 주창한 연극 이론의 하나. 때·장소·행동이 일치해야 한다는 법칙. 곧, 연극은 오직 하나의 사건(事件)이 하루 안에, 전막(全幕)을 통하여 같은 장소에서 전개되어야 한다고 함. 아리스토텔레스의 ≪시학(詩學)≫의 이론에서 유래하여, 그 후 유럽 연극에 큰 영향을 끼침.

삼일-포 【三日浦】 명 〔지〕 강원도 고성군(高城郡)에 있는 호수. 신라 때에 영랑(永郞)·술랑(述郞)·남석랑(南石郞)·안상랑(安祥郞)의 네 신선이 사흘 동안 이 호수 위에서 놀았다 하며, 사선정(四仙亭)·몽천암(夢天庵) 등의 고적(古蹟)이 있음. 사면에 산이 둘러 있고, 호면(湖面)이 거울과 같아서 경치가 매우 아름다움. 관동 팔경(關東八景)의 하나. [0.7km²]

삼입 【滲入】 명 물 같은 것이 스며들어감. ——-하다 자여불

삼입-원 【三入圓】 명 〔건〕 반원의 호(弧) 세 개가 세모꼴로 이어진 모양. 또, 그러한 무늬.

〈삼입원〉

삼잎-방망이 [—닙—] 명 〔식〕 [*Senecio dahuricus*] 국화과에 속하는 다년초. 줄기는 높이 1.5m 가량이고 대개 자색(紫色)을 띰. 잎은 호생하고 유병(有柄)이며 피침형임. 7-8월에 황색 꽃이 복방상 화수(複房狀花穗)를 이루는데, 변화(邊花)는 설상화(舌上花)로 4-5매이며, 심화(心花)는 관상화(管狀花)이고, 과실은 수과(瘦果)임. 산지에 나는데, 평북·함남북에 분포함.

삼자¹ 【三子】 명 ①중국에서 가장 대표적 노장(老莊) 사상가인 노자(老子)·장자(莊子)·열자(列子). ②가장 대표적 유가(儒家)인 맹자(孟子)·순자(荀子)·양자(楊子). ③〔불교〕 보살(菩薩)을 제일자(第一子), 성문(聲聞)을 제이자, 천제(闡提)를 제삼자에 비유하여 이 삼기(三機)를 가르치는 순서를 일컫는 말.

삼자² 【三者】 명 ①대화자(對話者) 이외의 사람이나 사물. 제삼자(第三者). ②어떤 사건이나 사물에 관하여 이해 관계를 가진 사람 이외의 사람. ③세 사람.

삼-자귀 【三自歸】 명 〔불교〕 삼귀의(三歸依).

삼-자극치 【三刺戟値】 명 〔tristimulus values〕 시료(試料)의 색광(色光)에 맞추기 위해서 필요한, 세 개의 표준 자극의 크기. 「측색계.

삼자극치 측색계 【三刺戟値測色計】 명 삼자극치로 색 자극을 측정하는

삼자 대:면 【三者對面】 명 삼조 대질(三造對質).

삼자 범퇴 【三者凡退】 명 야구에서, 세 사람의 타자(打者)가 계속적으로 아무 소득 없이 물러남. ——-하다 자여불

삼-자비 【三一】 명 장구·제금·피리의 총칭.

삼-자승 【三自乘】 명 〔수〕 세제곱❶.

삼자 원:종기 【三子遠從記】 명 〔문〕 ≪삼설기(三說記)≫에 들어 있는 소설의 하나. 송도(松都)의 한 도사가 세 명의 제자에게 소원을 물어 그대로 되게 하여 주었다는 이야기.

삼자-함 【三字銜】 명 〔역〕 봉조하(奉朝賀).

삼작 【三作】 명 ↗삼작(三作) 노리개.

삼작-년 【三昨年】 명 그끄러께.

삼작 노리개 【三作一】 명 부인(婦人)의 장신구(裝身具)의 하나. 밀화(蜜花)·산호(珊瑚)·옥(玉)·금·은 등으로 만든 세 개의 노리개를, 황색·적색·남색(藍色)의 세 가닥 진사(眞絲) 끈에 색을 맞추어 단 것으로, 웃고름·안고름·허리띠 등에 매닮. 조선 시대 중엽(中葉) 이후에 궁중과 지체있는 집안의 부녀자들 사이에 유행함. 크기와 화려한 정도에 따라 대삼작(大三作)·중삼작(中三作)·소삼작(小三作)으로 나뉨. ㊥삼작(三作). ＊단작(單作) 노리개.

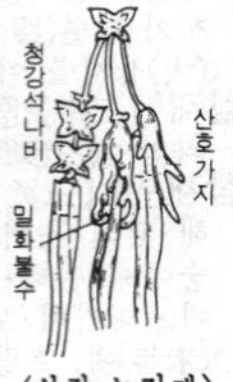

〈삼작 노리개〉

삼작-야 【三昨夜】 명 그끄저께 밤.

삼작-일 【三昨日】 명 그끄저께.

삼-잡이¹ 명 〔민〕 삼눈을 앓을 때에 미신적으로 이방하는 일.

삼-잡이² 【三一】 명 장구잡이와 피리 부는 사람과 저 부는 사람.

삼장¹ 명 ↗농삼장.

삼-장² 【三一】 명 〔건〕 추녀 쪽에서 세 번째 서까래.

삼장³ 【三長】 명 역사가가 되는 데 필요한 세 가지의 장점. 곧, 재지(才智)·학문(學問)·식견(識見).

삼장⁴ 【三章】 명 세 개의 장(章)이나 개조(個條). 간명(簡明)한 규칙. ¶공약(公約) ~/약법(約法) ~. 「3 단계의 시험.

삼장⁵ 【三場】 명 〔역〕 과거(科擧)의 초장(初場)·중장(中場)·종장(終場)의

삼장⁶ 【三障】 명 〔불교〕 불도 수행(佛道修行)과 선근(善根)에 중대(重大)한 장애가 되는 세 가지. 일상 생활에 끊임없이 일어나는 번뇌와, 오역죄(五逆罪)와 삼악도(三惡道) 및 인간계·천상계에 일어나는 악업(惡業). 곧, 번뇌장(煩惱障)·업장(業障)·이숙장(異熟障).

삼장⁷ 【三藏】 명 〔불교〕 ①교리(敎理)를 주로 하는 불타(佛陀)의 설법(說法)을 결집(結集)한 경장(經藏)과, 교단(敎團)이 지켜야 할 계율(戒律)을 결집(結集)한 율장(律藏)과, 교리의 연구 논석(硏究論釋)을 모은 논장(論藏)의 세 가지 불서(佛書). 경률론(經律論). ②불(佛)과 보살(菩薩)과 성문(聲聞). ③경(經)·율(律)·논(論)에 통달(通達)한 고승(高僧)의 경칭.

삼장⁸ 【三藏】 명 〔악〕 고려 때의 속요(俗謠). 작자와 연대 미상. ≪고려사(高麗史)≫ 71권에 한시(漢詩)로 번역한 것이 다음과 같음. '三藏寺裏點燈去 有社主兮執吾乎 倘此言兮出寺外 謂上座兮是汝語'. 그런데 이것은 ≪쌍화점(雙花店)≫의 둘째 구절에 해당함.

삼장⁹ 【三醬】 명 한국 고유의 조미료인 간장·된장·고추장의 세 가지.

삼장¹⁰ 【蔘場】 명 삼포(蔘圃).

삼장 개비 장단 명 〔악〕 전라 남도 진도(珍島) 지방 씻김굿 중 안당굿에서 치는 장단.

삼장-교 【三藏敎】 명 〔불교〕 ①경(經)과 율(律)과 논(論)의 삼장(三藏)에 설파(說破)된 석가 일대(釋迦一代)의 교법(敎法). ②천태종(天台宗)에서의 '소승교(小乘敎)'의 이칭(異稱). 장교(藏敎). ③성문(聲聞)·연각(緣覺)·보살(菩薩)의 세 교설(敎說)의 총칭.

삼장군-당 【三將軍堂】 명 〔역〕 효령(孝靈)·서악(西岳)·김유신(金庾信)의 합사 신당(合祠神堂). 경상도 군위(軍威)의 고속(古俗)으로 매년 단오일(端午日)에 현(縣)의 수석(首席) 이원(吏員)이 역마(驛馬)를 타고 읍인(邑人)을 따르게 하며 기(旗)를 세우고 북을 치면서, 이 신을 여리(閭里)에서 맞아 제례(祭禮)를 행함.

삼장 문선 【三場文選】 명 〔책〕 고려의 국립 출판 기관인 서적원(書籍院)에서 간행한 세계 최초의 금속 활자본. 1314~35 년까지에 출제된 원(元)나라 향시(鄕試)와 중서성(中書省) 회시(會試)의 대책 문제를 뽑아 고시관의 비평을 곁들인 명답 문제집(名答問題集). 출판 연대는 1341 년에서 1370 년 사이로 ≪직지심경≫보다 7 년 내지 36 년 앞섬. 원제는 ≪신간 유편 역거 삼장 대책(新刊類篇歷擧三場對策)≫.

삼장 법사 【三藏法師】 명 〔불교〕 ①경(經)·율(律)·논(論) 삼장(三藏)에 정통(精通)한 중. ②중국 당(唐)나라의 현장(玄奘)의 속칭(俗稱).

삼장-사 【三藏寺】 명 〔불교〕 강원도 삼척군 삼척읍에 있는 절. 월정사(月精寺)의 말사(末寺).

삼장-선 【三檣船】 명 돛을 세 개 단 배.

삼장-시 【三章詩】 명 초장·중장·종장의 3 장으로 되어 있다 하여 시조를 일컫는 말.

삼장-시립 【三章時立】 명 〔악〕 '지름시조'의 딴 이름.

삼장-월 【三長月】 명 〔불교〕 삼재월(三齋月).

삼장 육재일 【三長六齋日】 [—뉵—] 명 〔불교〕 음력 정월·오월·구월 석 달의 각 초하룻날과 보름날.

삼장 장:원 【三場壯元】 명 〔역〕 과거(科擧)를 볼 때에 초시(初試)·복시(覆試)·전시(殿試)에 번번이 첫째로 합격하는 일. 또, 그 사람.

삼장-재 【三長齋】 명 〔불교〕 삼재월(三齋月).

삼장 재월 【三長齋月】 명 〔불교〕 삼재월(三齋月).

삼장-제 【三長制】 명 ①어느 모임의 우두머리로 으레 세 사람씩 뽑는 제도. 그 중 하나를 정(正), 나머지 둘을 부(副)로 하는 것이 보통임. ②〔역〕 중국의 남북조(南北朝)의 북위(北魏) 시대에 시행되었던 인보(隣保) 제도. 효문제(孝文帝)가 486년에 이충(李沖)의 진언(進言)에 의하여 시행하였는데, 주례(周禮)의 제도에 따라 5가(家)를 한 인(隣)으로 하여 이에 인장(隣長)을 두고, 5인(隣)을 한 이(里)로 하여 이에 이장(里長)을 두고, 5이(里)를 한 당(黨)으로 하여 이에 당장(黨長)을 둠.

삼재¹ 【三才】 명 ①고대 중국 세계관(世界觀)의 기본이 되는 개념으로, 우주의 세 가지 중요한 존재인 천·지·인(天地人)을 말함. 삼극(三極). 삼원(三元). 삼의(三儀). ②〔민〕 관상(觀相)에서 이마와 코와 턱을 이르는

말. 안면(顏面)을 우주(宇宙)에, 이마를 천(天), 턱을 지(地), 코를 인(人)에 비유한 것임.

삼재[2]【三災】名〖민〗①불길한 운성(運星)의 하나. ②수재(水災)·화재(火災)·풍재(風災). ③병난(兵難)·질역(疾疫)·기근(飢饉). ④〖불교〗세계가 괴멸(壞滅)하는 괴겁(壞劫)에 일어난다는 소삼재(小三災)와 대(大)삼재를 아울러 이르는 말.

삼재[3]【三宰】名〖역〗재열(宰列)에 이상(貳相)의 다음이라는 뜻으로, 좌참찬(左參贊)을 일컫는 말.

삼재-년【三災年】名〖민〗사람의 일생 중에서, 삼재의 불운이 든 해. 뱀해·닭해·소해에 낳은 사람은 해년(亥年)·자년(子年)·축년(丑年)에, 원숭이해·쥐해·용해에 낳은 사람은 인년(寅年)·묘년(卯年)·진년(辰年)에, 돼지해·토끼해·양해에 낳은 사람은 사년(巳年)·오년(午年)·미년(未年)에, 호랑이해·말해·개해에 낳은 사람은 신년(申年)·유년(酉年)·술년(戌年)에 삼재가 든다고 함.

삼재 도회【三才圖會】名〖책〗중국 명(明)나라 때에 나온 일종의 백과사전. 명나라의 왕기(王圻)의 저술. 1607년의 자서(自序)가 있고, 후에 그 아들이 속간함. 여러 서적의 도보(圖譜)를 모으고, 천·지·인의 삼재에 관한 사물을 14 부분으로 나누어 그 그림에 의하여 사물을 설명했음. 모두 106권.

삼재 불입지지【三災不入之地】名〖민〗난리·병·기근이 침범 못한다는 땅.

삼-재월【三齋月】名〖불교〗일년 중에 음력 정월·오월·구월의 석 달. 이 석 달에 몸과 마음을 특별히 재계하여야 한다 함. 또 이 때에 제석천(帝釋天)이 마음의 선악(善惡)을 특별히 살핀다 함. 삼장월(三長月). 삼장재(三長齋). 삼장 재월(三長齋月).

삼재 팔난【三災八難】[—란] 名〖불교〗삼재와 팔난. 곧, 모든 재난을 말함.

삼적[1]【三炙】名 제상에 올리는 세 가지 적. 곧, 소적(素炙)·육적·어적.

삼적[2]【三適】名 세 번 개가(改嫁)한 여자. 천시(賤視)하여 일컫는 말.

삼적[3]【蔘賊】名 밭에 있는 인삼을 훔쳐 가는 도둑. 삼도둑.

삼전[1]【三傳】名〖책〗춘추(春秋)를 해의(解義)·부연(敷衍)한 삼서(三書). 곧, 좌전(左傳)과 공양전(公羊傳)과 곡량전(穀梁傳).

삼전[2]【三銓】名〖역〗[셋째 전관(銓官)의 뜻] 이조 참의(吏曹參議).

삼전-도【三田渡】名〖지〗서울 송파구(松坡區) 송파동(松坡洞) 한강 연안에 있던 나루. 조선 인조(仁祖) 15년(1637)에 이곳에 수항단(受降壇)을 쌓고 임금이 청태종(淸太宗)에게 항복한 곳임.

삼전도 청태종 공덕비【三田渡淸太宗功德碑】名〖지〗삼전도 한비.

삼전도 한비【三田渡汗碑】名〖지〗병자 호란(丙子胡亂) 때 청(淸)태종이 인조(仁祖)의 항복을 받고, 그 지점인 삼전도(三田渡)에 자기의 공덕을 자랑하기 위하여 세우게 한 비. 비문은 이경석(李景奭)이 제작하였는데 표면 좌측에는 몽고문(蒙古文), 우측에는 만주문(滿洲文), 후면에는 한문으로 되어 있음. 비면에 대청 황제 공덕비(大淸皇帝功德碑)라 새겨져 있음. 높이 395 cm, 폭 140 cm. 사적(史蹟) 제101호.

삼전 삼주【三戰三走】名 세 번 싸우고 세 번 패하여 달아남.

삼-전신【三戰神】名〖불교〗마리지천(摩利支天)·대흑천(大黑天)·비사문천(毘沙門天)의 세 전신(戰神).

삼전-업【三傳業】名〖역〗고려 때의 잡과(雜科)의 한 과목(科目)으로, 좌전(左傳)·공양전(公羊傳)·곡량전(穀梁傳)의 삼전(三傳)을 가지고 과거 보이던 일.

삼절【三絕】名 ①[공자(孔子)가 주역(周易)을 너무 여러 번 읽어서 위편(韋篇)이 세 차례나 떨어졌다는 고사에서 나온 말] 성인(聖人)이 도(道)를 닦음. 학문(學問)을 열심히 함. ②세 가지의 뛰어난 일. 또, 그런 재주. ③세 수(首)의 절구(絕句). ——-하다 自여불

삼절 죽장【三節竹杖】名 세 마디로 된 대지팡이.

삼절-채【三切菜】名 도라지·돼지 고기·배의 세 가지를 썰어 넣고 소금과 설탕과 겨자에 버무리어 만든 나물.

삼점 라인【三點—】[—쩜—] 名 (three-point line) 농구 코트의 링 바로 밑을 중심으로 하는 반경 6.25 m의 반원(半圓). 그 선 밖에서 던진 슛은 골인하면 3 점을 따게 됨. ✱삼점슛.

삼점-슛【三點—】[—쩜—] (shoot) 名 농구에서, 삼점(三點) 라인 밖에서 던진 슛. 골인하면 3 점을 따게 됨.

삼정[1]【三丁】名 농삼장.

삼정[2]【三正】名 ①천(天)·지(地)·인(人) 삼재(三才)의 바른 도리(道理). ②군신(君臣)의 의(義), 부자(父子)의 친(親), 부부(夫婦)의 별(別)의 올바른 도리. ③자(子)·축(丑)·인(寅)의 일컬음. ④옛날 중국의 달력에 있어서 세 가지의 정월(正月). 하(夏)에서는 건인(建寅)의 달(뒤의 음력 정월), 은(殷)에서는 건축(建丑)의 달(뒤의 음력 12월), 주(周)에서는 건자(建子)의 달(뒤의 음력 11월)을 정월로 하였음.

삼정[3]【三政】名〖역〗나라의 중요한 정사 중의 가장 중요한 세 가지인 전부(田賦)와 군정(軍政)과 환곡(還穀).

삼정[4]【三精】名 ①삼광(三光)❶. ②삼혼(三魂)❶.

삼정[5]【蔘精】名〖약〗인삼(人蔘)의 진액(津液).

삼-정과【蔘正果】名 수삼(水蔘)에 꿀이나 설탕을 묻힌 다음에 약간 국물이 있게 조려 만든 정과.

삼정-도【三精刀】名 육·해·공 삼군이 합심하여 호국·통일·번영의 삼대 목표를 달성하라는 뜻이 담긴 장군의 지휘도. 길이 1 m, 손잡이는 피나무에 상어 가죽을 입혔음. 보통, 준장이 되었을 때 대통령에 의하여 직접 지급됨.

삼-정승【三政丞】名〖역〗영의정(領議政)과 좌의정(左議政)과 우의정(右議政). 삼공(三公). 태정(台鼎). 삼사(三事). 삼상(三相).
【삼정승 부러워 말고 내 한 몸 튼튼히 가지라】㉠헛된 욕심을 갖지 말고 제 몸의 건강에 대해서나 주의하라는 말. ㉡윗사람에게 아첨하지 말고 원칙적 입장에서 제 할 일이나 잘 하라는 뜻. 【삼정승을 사귀지 말고 내 한 몸을 조심하여라】권세 있는 사람을 사귀어 그의 도움을 받으려 하지 말고 제 일이나 착실히 하여 별을 당하지 않도록 조심하라는 말.

삼정승 육판서【三政丞六判書】名〖역〗삼공 육경(三公六卿).

삼정의 문란【三政—紊亂】[—물—/—에물—] 名〖역〗전정(田政)·군정(軍政)·환곡(還穀)의 세 가지 행정이 조선 시대 때의 안동 김씨(安東金氏) 득세 시대에 문란해진 일. 그 중 환곡은 더욱 심하여 여러 가지 방법으로 농민을 착취하였음.

삼정 이:정청【三政釐整廳】名〖역〗조선 철종(哲宗) 13년(1862) 5월에 삼정의 문란으로 인하여 삼남(三南)에 민란(民亂)이 일어나매, 삼정의 문란을 바로잡고자 설치한 관아. 별다른 결실을 맺지 못하고 그해 윤(閏) 8월에 철폐됨.

삼정 일호【三丁一戶】名〖역〗고려 말·조선 초기, 각 역(驛)·원(院)에 속한 전운 노자(轉運奴子)·급주 노자(急走奴子)·관부(館夫) 등의 종들로 세 장정(壯丁) 한 호(戶)를 만들어서 한 호마다 구분전(口分田)·군자전(軍資田)·한전(閑田)·진전(陳田) 등의 토지를 50복(卜)씩 주던 제도.

삼제[1]【三際】名〖불교〗삼세(三世)❷.

삼제[2]【三諦】名〖불교〗名 [←삼체(三諦)] ①공제(空諦)와 가제(假諦)와 중제(中諦). ②공제(空諦)와 색제(色諦)와 심제(心諦).

삼제[3]【芟除】名 베어 버림. 무질러 없앰. ——-하다 他여불

삼-제공【三諸貢】名〖건〗이제공 위에 짜인 삼단(三段)째의 제공.

삼제 동맹【三帝同盟】名 (Alliance of Three Emperors)〖역〗1873년에 독일·오스트리아·러시아의 황제(皇帝) 혹은 수상(首相)이 베를린에 모여 체결한 협정. 프랑스를 고립시킬 것을 목적으로 하는 한편 정치적 현상 유지와 혁명 운동 방지를 그 내용으로 함. 주동자는 비스마르크(Bismark)였음. 1881년에는 제4국과의 개전(開戰)의 경우 호의적 중립을 약속하는 신삼제 동맹을 맺었으나 1887년에 붕괴됨. 삼제 협상.

삼제 협상【三帝協商】名〖역〗삼제 동맹.

삼제 회:전【三帝會戰】名〖역〗아우스터리츠(Austerlitz)의 싸움.

삼조[1]【三曹】名 ①〖역〗호조(戶曹)·형조(刑曹)·공조(工曹) 셋을 합쳐서 일컫는 말. ②시재(詩才)가 뛰어난 중국 위(魏)나라의 조조(曹操)·조비(曹丕)·조식(曹植)의 세 사람.

삼조[2]【三朝】名 ①삼시(三始). ②그 달의 제3일. ③삼대의 조정(朝廷).

삼조 대:면【三造對面】名 삼조 대질(三造對質). ——-하다 自여불

삼조 대:질【三造對質】名 원고(原告)·피고(被告)·증인(證人) 세 편이 모이어 하는 무릎맞춤. 삼조 대면(對面). 삼자 대면. ——-하다 自여불

삼조룡-보【三爪龍補】名〖역〗왕세손(王世孫)이 다는 용보(龍補). 세 개의 발톱을 가진 용을 수놓음.

삼조 보:감【三朝寶鑑】名〖책〗조선 정조(正祖)·순조(純祖)·문조(文祖)의 3대 치세(治世)에 있어서의 정령 시조(政令施措)를 편찬(編纂)한 책. 헌종(憲宗) 14년(1848)에 조인영(趙寅永)이 왕명을 받아 편찬함. 모두 4권 4책.

삼조 북맹회편【三朝北盟會編】名〖책〗중국 송(宋)나라의 서몽신(徐夢莘)이 간행한 송·금(金) 양국 간의 전쟁 및 평화 교섭의 실록 서적. 북방 민족의 침입에 대한 중국 백성의 고통·방위·왕실 남천(南遷)에 이르는 경과가 쓰여져 있음. 모두 250권.

삼조성자-설【三組成子說】名〖심〗삼색설(三色說).

삼족【三族】名 ①부모와 형제와 처자. ②부계(父系)·모계·처계(妻系)의 족속. ¶ ～을 멸하는 중벌(重罰).

삼족-반【三足盤】名 발이 셋 달린 소반.

삼족-오【三足烏】名 중국 신화에서 해 속에 살며 매일 태양을 지고 하늘을 난다고 하는 세 발 가진 까마귀. 활쏘기의 명수인 예가 태양을 쏘아 떨어뜨리자 날개가 떨어졌다고 함. 전(轉)하여, 태양의 일컬음. 준오(踆烏).

〈삼족오〉

삼족 토기【三足土器】名〖고고학〗발이 셋 달린 토기의 총칭. 소아시아·중국·중앙 아메리카 등지에서, 선사 시대의 유적으로부터 발견됨.

삼존【三尊】名 ①〖불교〗↗미타 삼존(彌陀三尊). ②〖불교〗↗석가 삼존(釋迦三尊). ③〖불교〗↗약사 삼존(藥師三尊). ④받들어 모셔야 할 세 사람. 곧, 군(君)·사(師)·부(父)의 세 사람.

삼종[1]【三宗】名〖불교〗불교의 세 종파(宗派). 곧, 화엄종(華嚴宗)·삼론종(三論宗)·법상종(法相宗). 또는 천태종(天台宗)·진언종(眞言宗)·법상종(法相宗).

삼종[2]【三從】名 ↗삼종지의(三從之義).

삼:종[3]【三從】名 ↗삼종 형제(三從兄弟).

삼종[4]【三鐘】名〖천주교〗↗삼종 기도.

삼종-경【三鐘經】名〖천주교〗'삼종 기도'의 구용어.

삼종 기도【三鐘祈禱】名〖천주교〗주요 기도문의 하나. 천주 성자의 강생(降生)과 성모 마리아를 공경하는 뜻으로, 매일 오전·정오·오후에 세 번 종을 칠 때마다 외는 기도문. '삼종경'의 바뀐 말.

삼:종-매【三從妹】名 팔촌(八寸) 누이.

삼:종 매:부【三從妹夫】名 팔촌(八寸) 누이의 남편.

삼종 복합 경:기【三種複合競技】名 스키에서, 활강(滑降)·회전(回轉)·대회전(大回轉)의 삼종목(三種目)의 알펜 경기(Alpen 競技)를 일컫는 말.

삼:종-손【三從孫】名 칠촌(七寸) 조카의 아들.

삼:종-수【三從嫂】名 팔촌(八寸) 형제(兄弟)의 아내.

삼:종-숙【三從叔】名 아버지의 팔촌(八寸) 형제. 즉 구촌(九寸) 아저씨. 삼당숙.

삼종숙-모【三從叔母】名 삼당숙모(三堂叔母).

삼:종-씨【三從氏】名 ①남의 삼종(三從) 형제를 높여 부르는 말. ②자기의 삼종형을 다른 사람에게 말할 때 쓰는 말.

삼종 의탁【三從依托】명 삼종지의(三從之義).

삼:종-제【三從弟】명 팔촌(八寸) 아우.

삼:종-조【三從祖】명 할아버지의 육촌(六寸) 형제.

삼종지-덕【三從之德】명 삼종지의(三從之義).

삼종지-도【三從之道】명 삼종지의(三從之義).

삼종지-법【三從之法】명 삼종지의(三從之義).

삼종지-예【三從之禮】명 삼종지의(三從之義).

삼종지-의【三從之義】[—/—이] 명 봉건 시대에 여자가 지켜야 할 세 가지의 예의 도덕. 어렸을 때는 어버이를 좇고, 시집 가서는 남편을 좇고, 남편이 죽은 뒤에는 아들을 좇으라는 것. 삼종지덕(三從之德). 삼종지도. 삼종지법. 삼종지예. 삼종 의탁(依托). 삼종지탁(三從之托). (준)삼종(三從).

삼종지-탁【三從之托】명 삼종지의(三從之義).

삼:종-질【三從姪】명 팔촌(八寸) 형제의 아들. 구촌(九寸) 조카.

삼:종-형【三從兄】명 팔촌(八寸) 형.　「팔촌(八寸). (준)삼종(三從).

삼:종 형제【三從兄弟】명 고조(高祖)가 같고 증조(曾祖)가 다른 형제.

삼주【三走】명〖역〗달음질 취재(取才)의 세째 등수. *주(走).

삼주-기【三周忌】명 삼회기(三回忌).

삼죽【三竹】명〖악〗①적(笛)·생(笙)·필률(觱篥)의 세 관악기(管樂器). 삼죽적(三竹笛). ②삼금(三笒). 신라 삼죽(新羅三竹).

삼죽 금보【三竹琴譜】명〖책〗조선 말의 것으로 추정되는 편자 및 연대 미상(未詳)의 옛 거문고 악보. 1책. 사본(寫本). 16 정간보(井間譜)에 육보(肉譜)로 되어 있으며, 많은 거문고 곡(曲)을 수록하고 있음. 악보 내용에 있는 '삼죽 선생 찬(三竹先生撰)'이라는 문구에서 유래되어 붙여진 이름임.

삼죽-적【三竹笛】명〖악〗삼죽(三竹)❶.

삼준【三準】명〖인쇄〗삼교(三校).

삼-줄[—쭐] 명〈방〉탯줄.

삼중[1]【三中】명 ①활을 다섯 번 쏘아 그 중 세 번을 맞히는 일. ②〖역〗시문(詩文)을 평(評)하는 등급 중에 세째 등의 둘째 급(級). *상지상(上之上).

삼중[2]【三重】명 ①세 겹. 세 번 겹침. ¶~고(苦). ②〖불교〗불교 음악의 성명(聲明)에서, 음역(音域)을 셋으로 나눌 때 가장 높은 음역. ↔이중(二重)·초중(初重).

삼중 결합【三重結合】명〖화〗두 개의 원자(原子)가 서로 세 개의 원자가(原子價)로서 화합된 결합. CH≡CH 같은 것. 이것은 대개가 불안전(不安全)하며 원자가 일가(一價)의 원자와 결합하여 이중 결합(二重結合)이 되고 나중에는 단결합(單結合)이 됨.

삼중-고【三重苦】명 고통이 세 가지로 겹치는 일. 특히, 소경·귀머거리·벙어리의 고통을 아울러 갖고 있는 것을 이름.　「重) 나마의 위.

삼중 나마【三重奈麻】명〖역〗신라 때, 나마의 다섯째 급(級). 이중(二

삼중 대:광【三重大匡】명〖역〗①고려 때, 문관의 한 품계. 충렬왕 34년(1308)에 정일품으로 정하고, 공민왕 5년(1356)에 폐했다가 동 11년에 다시 정일품의 하(下)로 정하고, 동 18년에 또 종일품의 상(上)으로 고침. ②고려 때, 구품 향직(九品鄕職)의 으뜸인 첫째 등급.

삼중 대:나마【三重大奈麻】명〖역〗신라 때 대나마의 일곱째 급(級). 이중 대나마(二重大奈麻)의 위.

삼중 대:사【三重大師】명〖역〗고려 때, 승려(僧侶)의 법계(法階)의 하나. 교선(教禪)을 막론하고 중대사(重大師)의 위로, 교종(教宗)에서는 수좌(首座)의 아래, 선종(禪宗)에서는 선사(禪師)의 아래.

삼-중대엽【三中大葉】명〖악〗옛 가곡의 곡조의 한 가지. 이중대엽(二中大葉) 다음에 부르는 곡조. 조선 시대 영조(英祖) 때 이후 불리어지지 않음. *중대엽(中大葉).

삼중 대:위법【三重對位法】[—뻡] 명〔triple counterpoint〕〖악〗삼성부(三聲部)가 각각 전회(轉回)하는 대위법.

삼중-도【三重盜】명 야구에서, 누상(壘上)의 세 사람의 주자(走者)가 일제히 다음 누(壘)에 도루(盜壘)를 기도하여 성공하는 일. 트리플 스틸(triple steal).

삼중-례【三中禮】[—녜] 명〖역〗새로 들어온 사원(射員)이 다섯 화살을 쏜 중에서 세 개 맞혔을 때에 선생과 사두(射頭)·행수(行首), 그리고 여러 사원에게 술잔치를 베풀어 사례하는 일.

삼중-별【三重—】명 삼중성(三重星).

삼중-보【三重—】명〖건〗지붕틀에서 들보 위에 삼중으로 건 보. 칠량(七樑)집에 씀.

삼중-살【三重殺】명 야구에서, 연속한 한 플레이 중, 세 사람의 주자(走者)를 계속하여 아우트시키는 일. 트리플 플레이(triple play).

삼중-석【三重席】명 세 겹으로 깔아 놓은 좌석. 예(禮)로써 대접할 때 씀.

삼중-성【三重星】명〖천〗세 개의 별이 실제로 아무 관계가 없이 우연히 같은 방향에 있는 까닭에 육안(肉眼)이나 도수(度數) 낮은 망원경(望遠鏡)으로는 겹쳐서 하나같이 보이는 별. 삼중별. *중성(重星).

삼중 수소【三重水素】명〔tritium〕〖화〗수소(水素)의 동위 원소(同位元素)의 하나로, 질량수 3의 인공 방사성 원소(人工放射性元素). 반감기(半減期)는 12.33년임. 트리튬. 초중수소(超重水素). [T·^{3}H] *중수소(重水素).

삼중심 아:치【三中心—】명〔multicenter arch〕〖건〗경간(徑間)이 홍예(虹霓) 높이보다 큰 아치. 타원형과 비슷한데, 셋 또는 그 이상의 중심이 있음.　「찬(四重阿飡)·중아찬(重阿飡).

삼중 아찬【三重阿飡】명〖역〗신라 때 아찬의 둘째 급(級). *사중 아

삼중 양성자【三重陽性子】[—냥—] 명〔triton〕〖물〗수소의 동위 원소인 삼중 수소 ^{3}H의 원자핵. 한 개의 양성자와 2개의 주성자(中性子)가 결합한 것으로 결합 에너지는 8,482 MeV. 최대 에너지 18 keV라는 적은 에너지의 β방사선을 방사하여 반감기(半減期) 12년에 붕괴하여 ^{3}He가 됨. 원자로에서 대량 생산되어 트레이서(tracer) 등 여러 가지로 실용(實用)됨. 트리톤.

삼중-자【三重子】명〖물〗삼중 양성자.

삼중-점【三重點】[—쩜] 명 ①〖수〗한 개의 곡선(曲線)이 셋으로 나뉘어 갈라져서 통과하는 동일점(同一點). ②〖물〗하나의 성분(成分)으로부터 이루어지는 계(系)에서 기상(氣相)·액상(液相)·고상(固相)의 삼상(三相)이 공존하는 상태. 곧, 상태도(狀態圖)에 있어서 세 가지의 모양인 고체·액체·기체가 평형(平衡)으로 있는 점. 예를 들면 물·얼음·수증기의 세 형태가 공존하는 삼중점은 표준 기압 101,325 파스칼에서 국제 실용 켈빈 온도로 373.15 K로 절대 온도 눈금의 정점(定點)이 되고 있음.

삼중-주[1]【三重奏】명〖악〗실내악(室內樂)의 하나. 서로 다른 세 개의 악기로 하는 연주. 피아노·바이올린·첼로로 된 것을 특히 피아노 삼중주, 바이올린·비올라(viola)·첼로로 된 것을 현악(弦樂) 삼중주라고 함. 이 밖에 클라리넷·호른·하프(harp)로 된 삼중주가 있음. 트리오(trio).

삼중-주[2]【三重酒】명 세 번을 빚어서 정하게 만든 술.

삼중주-곡【三重奏曲】명〖악〗삼중주로 된 곡. 트리오(trio).

삼중 주명곡【三重奏鳴曲】명〖악〗'트리오 소나타(trio sonata)'의 역어(譯語).　「는 중창. 테르체토. 트리오(trio).

삼중-창【三重唱】명〔terzetto〕〖악〗서로 다른 세 부분의 목소리로 하

삼중-탑【三重塔】명 삼중으로 쌓아 올린 탑.

삼중 협주곡【三重協奏曲】명〖악〗협주곡(協奏曲) 또는 합주 협주곡(合奏協奏曲)의 독주부(獨奏部)가 삼중주로 되어 있는 협주곡.

삼중 화:산【三重火山】명〖지〗복성(複成) 화산.

삼-쥐손이 명〖식〗[*Geranium soboliferum*] 쥐손이풀과에 속하는 다년초. 삼과 비슷한데, 줄기 높이 1 m 가량으로 잎은 대생하며 아랫잎은 장병(長柄)이고 위의 잎은 거의 무병(無柄)이며, 신장형(腎臟形) 또는 원형이고, 5-7 갈래로 깊게 째짐. 7-8월에 암적색 꽃이 줄기 끝이나 가지 끝의 잎 사이에서 긴 꽃줄기가 나와 그 끝에 두 송이씩 달리어 피고, 과실은 삭과(蒴果)임. 산지에 나는데, 강원·평남·함남·함북도에 분포함.

〈삼쥐손이〉

삼지[1]【三知】명 천분(天分)의 고하(高下)로 인(因)한 도(道)를 깨닫는 힘의 세 층등(層等). 곧, 나면서 아는 생지(生知)와, 배워서 아는 학지(學知)와, 애써서 아는 곤지(困知).

삼지[2]【三指】명 줌손의 아래 세 손가락.

삼지[3]【三智】명〖불교〗①진여(眞如)의 본체(本體)를 아는 진지(眞智)와, 자기(自己)의 무명(無明)을 각파(覺破)하는 내지(內智)와, 고금(古今)을 통달하고 세사(世事)에 밝은 외지(外智). ②능가경(楞伽經)에서, 범부외도(凡夫外道)의 지(智)인 세간지(世間智)와, 성문(聲聞)과 연각(緣覺)의 지(智)인 출세간지(出世間智) 및 불(佛)과 보살(菩薩)의 지(智)인 출세간 상상지(出世間上上智). ③지도론(智度論)에서, 모든 존재에 대하여 개괄적으로 아는 성문(聲聞)·연각(緣覺)의 지인 일체지(一切智)와, 보살의 지인 중생을 교화하기 위한 도(道)의 종별을 아는 도종지(道種智) 및 부처의 지인 모든 존재에 대하여 평등한 상(相)과 차별의 상을 아는 일체 종지(一切種智).

삼지구엽-초【三枝九葉草】명〖식〗[*Epimedium violaceum*] 매자나뭇과에 속하는 다년초. 높이 30 cm 가량이고, 근생엽(根生葉)은 이회 삼출 복엽(二回三出複葉)이고, 소엽(小葉)은 달걀꼴에 가는 톱니가 있고 끝은 뾰족함. 5월에 홍자색 또는 백색의 사판화가 총상(總狀) 화서로 정생하고, 과실은 삭과(蒴果)임. 산지·언덕·삼림 속에 나는데, 한국 중북부 및 일본·중국에 분포함. 관상용으로 심으며 한방(漢方)에서 잎을 말린 것을 '음양곽(淫羊藿)'이라 하여 술에 넣어 강정제(強精劑)로 씀.

〈삼지구엽초〉

삼지-끈【三指—】명 활 쏠 때 삼지에 끼는 실로 만든 가락지.

삼지-놓이【三指—】[—노—] 명 손가락 셋을 합한 폭만한 길이의 넓이. *사지놓이.

삼지니【三—】명 두 해 묵은 새매를 일컫는 말. 동작이 느리어 사냥에는 쓰지 못함. 삼진(三陳). *초지니.

삼지-닥나무【三枝—】명〖식〗[*Edgeworthia papyrifera*] 팥꽃나뭇과에 속하는 낙엽 활엽 관목. 높이 2 m 가량에 수피는 다갈색이고 잔 털이 났음. 잎은 호생하고 피침형 또는 긴 타원형에 뒷면이 회백색임. 봄에 잎이 나기 전, 황색의 두화(頭花)가 단산(團繖) 화서로 피고, 작은 견과(堅果)는 가을에 가지 끝에 한두 개씩 늘어져 익음. 중국 원산으로 난지(暖地)에 야생하는데, 제주도 및 일본·중국에 분포함. 수피(樹皮)는 지폐(紙幣), 전기(電氣)의 절연지(絕緣紙) 등의 제지(製紙) 원료로 씀. 삼아(三椏)나무.

〈삼지닥나무〉

삼지-례【三枝禮】명 비둘기는 어미가 앉은 가지에서 세째 가지 아래에 앉는다는 뜻으로, 비둘기도 예의를 지키는데 사람이 어찌 안 지킬 수 있겠느냐는 말.

삼지-말발도리【三枝—】명〖식〗[*Deutzia triradiata*] 고광나뭇과에 속하는 낙엽 활엽 관목. 잎은 타원형 또는 피침형임. 4-5월에 백색의 꽃이 묵은 가지의 화아(花芽) 속에 한두 개가 속생(束生)하여 피고, 삭과(蒴果)는 9월에 익음. 경남 지방의 산복 이하의 바위 틈에 분포함. 관

상용으로 가꿈.

삼지-봉【三池峰】명〖지〗함경 북도 부령군(富寧郡) 서상면(西上面)에 있는 산봉우리. [1,292 m]

삼지-사방【一四方】명 모든 곳. ¶ 너를 찾아 ~으로 헤맸다.

삼지-위겹 명 위지삼잡(圍之三匝).

삼지 작법【三支作法】명〖논〗고대 인도 논리학에서, 종(宗), 곧 입론(立論)하는 주장, 인(因) 곧 이유, 유(喩) 곧 잘못이 없음을 입증하는 비유의 셋을 세워서 논증(論證)하는 형식.

삼지-창【三枝槍】명 ①당파창(鐺把槍). ②〈속〉 포크(fork).

삼지-화【三枝花】명〖악〗팔고무(八鼓舞)에서, 협무(挾舞)하는 네 사람이 양손에 들고 춤을 추는 세 가닥진 조화(造花) 꽃방망이.

삼직【三職】명〖불교〗절의 주지(住持)를 돕는 감무(監務)와 감사(監事)와 법무(法務)의 세 직원(職員).

삼진¹【三晉】명〖역〗중국 춘추 시대의 말엽, 진(晉)나라의 삼경(三卿)인 문후(文侯) 위사(魏斯)와, 열후(烈侯) 조적(趙籍)과, 경후(景侯) 한건(韓虔)이 진(晉)을 분할하여 세운 위(魏)·조(趙)·한(韓)의 세 나라.

삼진²【三秦】명〖역〗중국 관중(關中)의 이칭(異稱). 진조(秦朝)가 멸망한 후 관중(關中)을 옹(雍)·새(塞)·적(翟)의 세 나라로 나누고, 진나라의 항장(降將)을 봉(封)한 데서 유래됨.

삼진³【三振】명 야구에서, 타자가 세 번 스트라이크(strike)의 공을 치지 않거나 헛치고, 아웃이 되는 일. 스트럭 아웃(struck out).

삼진⁴【三陣】명 진(陣) 치는 세 가지 법. 곧, 천진(天陣)·지진(地陣)·인진(人陣)의 총칭.

삼진⁵【三眞】명〖대종교〗사람이 날 때에 한얼에서 받은 세 가지 참된 것. 곧, 성(性)과 명(命)과 정(精).

삼진⁶【三陳】명 삼지니.

삼진 귀일【三眞歸一】명〖대종교〗한얼에서 받은 삼진을 곱게 잘 지녔다가 한얼로 다시 돌아감. ——-하다 자여불

삼진 삼퇴【三進三退】명〖역〗과거 급제(科擧及第)의 선진(先進)이 신은(新恩)을 불릴 때에, 세 번 앞으로 나오고 세 번 뒤로 물러가게 하는 일. ——-하다 자여불

삼-진작【三眞勺】명〖악〗진작 곧 정과정곡(鄭瓜亭曲) 중에서 둘째로 빠른 곡조. 또는 일·이·삼진작의 총칭. *진작¹.

삼짇-날 명〖민〗음력 삼월 초사흗날. 겨우내 갇혔다가 봄기운으로 활짝 트임을 즐기는 명절. 이 날, 동류수(東流水)에 가서 재액 막는 제를 올리고, 집에서는 시식(時食)으로 화전(花煎)과 화면(花麵)을 만들어 먹고, 조상에게 제사도 지냄. 삼삼 영절(三三令節). 상사(上巳). 중삼(重三). 삼월 삼질. 준삼질.

삼질【三一】명〖민〗↗삼짇날.

삼질산 글리세린【三窒酸一】〔glycerine〕[一싼一] 명〖화〗니트로글리세린(nitroglycerine).

삼징 칠벽【三徵七辟】명〔징(徵)은 임금의, 벽(辟)은 주군(州郡)의 부름〕「벼슬하라고 자주 불림.

삼차¹【三叉】명 세 갈래로 갈림. 또, 그 세 갈래.

삼차²【三次】명 ①세 차례. ②〖수〗멱수(冪數)가 3인 차(次).

삼차³【參茶】명 ↗인삼차.

삼차 곡선【三次曲線】명〖수〗삼차 방정식(方程式)이 나타내는 곡선.

삼차-도【參磋島】명〖지〗평안 북도 철산군(鐵山郡) 서해상에 위치하는 섬. 조기의 어획이 많은 것으로 유명함. [1.357 km²]

삼차 방정식【三次方程式】명〖수〗미지수(未知數)의 가장 높은 멱(冪)을 가진 항(項)이 삼차(三次)인 방정식. 곧, $ax^3+bx^2+cx+d=0$($a \cdot b \cdot c \cdot d$는 상수, $a \neq 0$)의 형식으로 정리할 수 있는 방정식. *사차 방정식.

삼차 산:업【三次產業】명 ↗제삼차 산업. *일차 산업·이차 산업.

삼차-색【三次色】명〖미술〗두 빛깔을 섞은 이차색(二次色)에 다른 빛을 한 가지 더 섞은 빛깔.

삼차 순환【三次循環】명〔tertiary circulation〕〖기상〗작은 지역의 국소적(局所的)인 대기의 순환. 국소 바람이나 천둥·토네이도(tornado)와 같은 현상을 동반(同伴)함.

삼차 신경【三叉神經】명〔trigeminal nerve〕〖생〗뇌신경(腦神經) 중에 가장 강대(強大)한 제5 뇌신경. 안면(顏面)의 피부·비강(鼻腔) 및 구강(口腔) 점막, 이것들에 분포한 지각성(知覺性)의 신경과 저작근(咀嚼筋) 등에 분포한 운동성(運動性)의 신경으로 이루어졌는데, 연수(延髓)에서 시작하여 안신경(眼神經)·상악 신경(上顎神經)·하악 신경(下顎神經)의 세 갈래로 나뉨.

삼차 신경 마비【三叉神經痲痺】명〖의〗삼차 신경에 어떤 장애가 있어 그 기능의 일부 또는 전부가 마비되는 병. 독립적으로 일어나는 일은 적고, 뇌질환(腦疾患)·뇌저(腦底)의 종양(腫瘍)·외상(外傷) 등에서 생김. 이 병에 걸리면 각막(角膜)·결막(結膜)·구강(口腔) 및 비강 점막(鼻腔粘膜)의 지각(知覺)을 잃게 되고, 누선 분비(淚腺分泌)가 말라 굳고 미각(味覺)이 변함. *안면(顏面) 신경 마비·외선(外旋) 신경 마비.

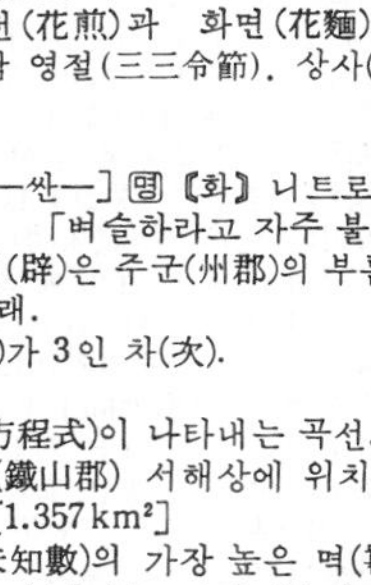

〈삼차 신경〉

삼차 신경통【三叉神經痛】명〔trigeminal neuralgia〕〖의〗삼차 신경의 지각지(知覺枝)에 이상이 생겨 안면에 심한 아픔을 느끼는 병. 속칭은 안면 신경통.

삼-차원【三次元】명 공간처럼 연속체(連續體)의 퍼짐의 차원이 셋 있는 일. 실제의 현상(現象) 공간에서는 상하(上下)·좌우(左右)·전후(前後)의 세 독립 방향으로 퍼져 있는 일을 말함. *사차원.

삼차원 레이더【三次元一】명〔volumetric radar〕〖공〗다수(多數)의 목표에 대하여 삼차원적 위치의 데이터를 주는 레이더.

삼차원 세:계【三次元世界】명〖물〗차원(次元)이 셋인 공간(空間)의 현실적 세계. *시공 세계(時空世界).

삼차원 영화【三次元映畫】[一녕一] 명〖연〗입체 영화의 하나. 두 대의 카메라로 두 필름을 동시에 촬영, 두 대의 영사기로 보통의 스크린에 영사함. 편광(偏光) 렌즈를 끼는 불편 때문에 약 1년의 과도기적 유행을 끝으로 쇠퇴함. 삼디(三D) 영화. *시네라마(cinerama).

삼차원 회로 소자【三次元回路素子】명〔3 dimensional integrated circuits〕〖전자〗초(超) LSI 소자(素子)를 입체적으로 포갠 형태로 집적도(集積度)를 높인 회로 소자(回路素子). 수(數)밀리 평방의 8층의 1칩으로 1만 6천 킬로비트의 기억 능력(記憶能力)을 갖는다고 함.

삼차원 흐름【三次元一】명〔three-dimensional flow〕〖물〗유체(流體)의 흐름을 삼차원적으로 생각하는 일.

삼차 파:쇄【三次破碎】명〔tertiary crushing〕〖광〗①조광(粗鑛)이나 원탄(原炭)을 예비적으로 파쇄하는 일. ②일차 파쇄, 이차 파쇄에 이어지는 파쇄의 제삼 단계를 이르는 말.

삼차-회【三次會】명 연회(宴會) 때에 1차회(次會)·2차회 다음으로 다시 자리를 옮겨 베푸는 연회.

삼찬【三竄】명〖역〗조선 선조(宣祖) 16년(1538)에 이이(李珥)를 논란한 송응개(宋應漑)·박근원(朴謹元)·허봉(許篈)의 세 사람을 각각 회령(會寧)·강계(江界)·갑산(甲山)으로 귀양보낸 일.

삼창¹【三昌】명〖역〗조선 광해군(光海君) 시대의 세 권신(權臣). 곧, 광창 부원군(廣昌府院君) 이이첨(李爾瞻)과 밀창 부원군(密昌府院君) 박승종(朴承宗)과 문창 부원군(文昌府院君) 유희분(柳希奮).

삼창²【三倉】명〖역〗상평창(常平倉)·사창(社倉)·의창(義倉)의 총칭.

삼창³【三倉·三蒼】명 ①중국 한(漢)나라 초기의 자서(字書). 창힐편(蒼頡篇)·원력편(爰歷篇)·박학편(博學篇)을 한데 합쳐 창힐편(蒼頡篇)이라 일컫은 것의 통칭. ②중국 위진(魏晉) 이후, 이사(李斯)의 창힐편과 양웅(揚雄)의 훈찬편(訓纂篇), 가방(賈訪)의 방희편(滂喜篇)의 세 편의 자서의 총칭.

삼창⁴【三唱】명 세 번 부르짖음. ¶ 만세 ~. ——-하다 타여불

삼채【三彩】명 녹(綠)·황(黃)·백(白)의 세 가지로 채색한 도자기(陶瓷器). 유명한 것은 당삼채(唐三彩)로, 중국 당나라 때의 고분(古墳) 속에서 흔히 발견되는데, 인물·새·짐승·거마(車馬)·농구(農具)·가구 등 온갖 유형의 현란하고 호화로운 것이 많음.

삼처 전심【三處傳心】명〖불교〗선종(禪宗)에서, 석가(釋迦)가 세 곳에서 특별히 말이 없이 이심 전심(以心傳心)으로 마하 가섭(摩訶迦葉)에게 마음을 전한 일. 첫번째는, 영취산(靈鷲山)에서 설법할 때 금빛 바라화(波羅花)를 높이 들어 청중에게 보이매 유독 가섭(迦葉)만이 그 뜻을 알고 미소를 지은 영산(靈山)의 염화 미소(拈花微笑), 둘째는 기원정사(祇園精舍)의 다자탑(多子塔) 앞에서 설법할 때 석가가 앉아 있던 자리를 반분(半分)하여 가섭을 앉힌 다자탑전(多子塔前) 반분좌(半分座), 세째는 석가의 열반(涅槃) 소식을 듣고 달려온 가섭에게 관(棺)에서 두 발을 내밀어 보인 쌍림수하(雙林樹下)의 곽시 쌍부(槨示雙趺)를 └이름.

삼척¹【三尺】명 ①석 자. ②↗삼척검(劍). ③↗삼척법(法).

삼척²【三陟】명〖지〗강원도의 한 시(市). 2읍(邑) 5면(面) 6동(洞). 북쪽은 동해시(東海市), 서쪽은 정선군(旌善郡)과 영월군, 남쪽은 경상 북도의 울진군(蔚珍郡), 남서쪽은 태백시(太白市)와 경상 북도 봉화군(奉化郡), 동쪽은 동해(東海)에 면함. 시멘트·카바이드·유지·비료 등의 화학 공업과 수산업·농업도 성함. 명승 고적은 영은사(靈隱寺)·두타산(頭陀山)·오십정(五十井)·삼척 교수당(教授堂)·석회암 동굴(石灰岩洞窟) 등이 있고, 삼척 해수욕장과 죽서루(竹西樓)가 유명함. 1995년 1월, 삼척군과 통합, 개편됨. [1,186 km² : 89,986 명 (1996)]

삼척-검【三尺劍】명 석 자 길이의 긴 칼. 준삼척(三尺).

삼척-군【三陟郡】명〖지〗강원도에 속했던 군. 1995년 1월, 삼척시에 통합됨.

삼척 동:자【三尺童子】명 ①키가 석 자 되는 아이. 곧, 어린 아이. ②무식한 사람의 비유.

삼척 발전소【三陟發電所】[一쩐一] 명〖지〗강원도 삼척시에 있는 화력 발전소. 1956년에 시설되었음. 시설 용량 27,000 kW 한 대로 발전해 오다가 1963년에 증설, 현재 최대 출력 55,000 kW 임.

삼척-법【三尺法】명〔고대 중국에서 석 자 길이의 죽간(竹簡)에 법률(法律)을 썼던 고사(故事)에서〕법률. 준삼척(三尺).

삼척-선【三陟線】명〖지〗영동선(嶺東線)의 북평역(北坪驛)에서 삼척에 이르는 철도선. 삼척 공업 지구(地區)의 중요한 선로임. [12.9 km]

삼척 장검【三尺長劍】명 길고 큰 칼.

삼척 죽서루【三陟竹西樓】명〖지〗강원도 삼척시 성내리(城內里)에 있는 누각(樓閣). 성벽이 계류(溪流)를 부감(俯瞰)하는 경치 좋은 곳에 위치함. 고려 충렬왕 6년(1280)에 이승휴(李承休)가 지었고, 조선 태종 3년(1403)에 부사(府使) 김효손(金孝孫)이 중수(重修)함. 보물 제213 호.

삼척 추수【三尺秋水】명 날이 시퍼렇게 선 긴 칼.

삼척 탄:전【三陟炭田】명〖지〗강원도 삼척시(三陟市) 도계읍(道溪邑)으로부터 정선군(旌善郡) 신동읍(新東邑) 함백(咸白)에 이르는 무연탄 탄전. 우리나라 굴지(屈指)의 탄전으로, 탄질이 우량하여 유연탄의 대용으로 사용할 수 있으며, 매장량은 4억 7천만 톤으로 추산됨.

삼천¹【三千】명〖불교〗불교의 세계관. 모든 것을 다 망라하였다는 뜻. 지옥 내지 불계(佛界)가 열이고, 그 열이 각기 열 개의 세계를 가짐으로써 백 개가 되며, 그 백 개는 또 제각기 열 가지 상(相)이 있어 천이 되고, 그 천이 또 중생(衆生)·국토·오음(五陰)의 구별이 있어 모두 삼천이 된다 함. 삼천 제법(三千諸法). 「여불

삼천²【三遷】명 ①세 번 옮김. ②↗삼천지교(三遷之教). ——-하다 자타

삼천³【三千】㊀㊟ 천의 세 갑절. ㊁㊞ 비유적(比喩的)으로, 많은 수량을 나타내는 말. ¶ ~ 궁녀.

삼천-감【三千監】㊔〖역〗 신라 때의 무관. 십당(十幢)에 두었었는데, 위계(位階)는 대나마(大奈麻)로부터 사지(舍知)까지 있음.

삼천 갑자【三千甲子】㊔ ①육십 갑자의 삼천 배. 곧, 십팔만 년. ②꼭두 각시 놀음에서 보는 검은 머리의 늙은이.
【삼천 갑자 동방삭이도 저 죽을 날 몰랐다】 사람은 누구나 언제 어디서 제가 어떻게 될 것인지 아는 이가 없다는 말.
삼천 갑자 동방삭 ㉮ 중국 전한(前漢)의 동방삭을 십팔만 살이나 살았다 하여 부르는 속칭. 장수자(長壽者)의 대명사로 쓰임.

삼천 궁녀【三千宮女】㊔〖역〗 백제 멸망시에 왕족(王族)과 함께 부여(扶餘)의 낙화암(落花岩)에서 백마강(白馬江)에 빠져 자살하였다는 많은 궁녀들.

삼천 기도【三天祈禱】㊔〖천주교〗〔삼천은 삼 일간의 뜻〕 삼 일 동안 풍년을 비는 기도.

삼천 당주【三千幢主】㊔〖역〗 신라 때의 무관. 위계(位階)는 사찬(沙飡)으로부터 사지(舍知)까지이며, 십당(十幢)에 두었음.

삼천 대:계【三千大界】㊔〖불교〗↗삼천 대천세계(三千大千世界).

삼천 대:천【三千大千】㊔〖불교〗↗삼천 대천세계(三千大千世界).

삼천 대:천세계【三千大千世界】㊔〖불교〗 대천세계(大千世界)의 삼천 배 되는 세계. 수미산(須彌山)을 중심으로 하여, 해·달·사대주(四大洲)·육욕천(六慾天)·범천(梵天)을 합하여 한 세계라 이르고, 이것을 천 배한 것을 소천세계(小千世界), 소천세계를 천 배한 것을 중천세계(中千世界), 중천세계를 천 배한 것을 대천세계(大千世界)라 하며, 이것을 다시 천 배한 것임. 이 광대 무변(廣大無邊)의 세계가 일불 교화(一佛敎化)의 범위(範圍)가 됨. 일대 삼천 대천세계. ㊌삼천 대계(三千大界)·삼천 세계(三千世界)·삼천 대천(三千大千).

삼천-리【三千里】〔一철一〕㊔ ①일리(一里)의 삼천 배가 되는 이수(里數). ②함경 북도 북쪽 끝에서 제주도의 남쪽 끝까지 3,000리(里) 가량 된다고 하여, 우리 나라 반도(半島)를 일컫는 말. ¶ ~ 금수 강산. ③〖문〗 1929-42년에 김동환(金東煥)이 발간한 대중 잡지. 야사(野史)·취미 기사 등 흥미 중심의 기사를 실음. 이 광수·김 동인이 편찬함. 통권 155호.

삼천리 강산【三千里江山】〔一철一〕㊔ 한반도의 강과 산. 곧, 우리 나라를 일컫는 말.

삼천리 강토【三千里疆土】〔一철一〕㊔ 우리 나라의 강토.

삼천-만【三千萬】㊔ 한국의 인구(人口)가 약 3,000만이었던 데서 온 말로, 우리 국민 전체를 일컫던 말. ¶ ~ 동포.

삼천-발이【三千一】㊔〖동〗[*Gorgonocephalus caryi*] 삼천발잇과(科)에 속하는 극피(棘皮) 동물의 하나. 불가사리와 비슷한데, 몸빛은 흑갈색에 복(輻)은 팔 모양으로 생기어 다섯 개가 있고, 길이 12cm 가량이며 10갈래 가량 갈라짐. 중앙판(板)은 직경 2.7cm 가량, 두꺼운 피부로 덮였는데, 표면에는 일률적으로 작은 과립(顆粒)이 부착함. 치(齒)·치극(齒棘) 및 구극(口棘)은 전부 침상(針狀)을 이루고 20개이며, 판의 배연(背緣)과 간원부(幹圓部)는 갈색임. 복(輻)은 물려서 잘라지기 쉬움. 대한 해협 등지에 분포함. 한방(漢方)에서 복의 잘라진 것을 말리어 가루로 만들어 약재로 씀.

〈삼천발이〉

삼천-불【三千佛】㊔〖불교〗 과거세(過去世)의 천불과 현재세(現在世)의 천불과 미래세(未來世)의 천불. 석가모니·가섭(迦葉)·누지불(樓至佛) 등 천불을 현재 현겁불(現在賢劫佛)이라 하고, 화광불(華光佛)·비사부불(毘舍浮佛) 등의 천불을 과거 장엄불(過去莊嚴佛)이라 하며, 월광불(月光佛)·미륵불 등의 천불을 미래 성수겁불(未來星宿劫佛)이라 함.

삼천 세:계【三千世界】㊔〖불교〗↗삼천 대천 세계(三千大千世界).

삼천 온천【三泉溫泉】㊔〖지〗 황해도 신천군(信川郡) 궁흥면(弓興面) 삼천리(三泉里)에 있는 온천. 천질(泉質)은 염류천(塩類泉)임.

삼천 제법【三千諸法】㊔〖불교〗 삼천¹(三千).

삼천-졸【三千卒】㊔〖역〗 신라 때의 무관(武官)의 하나. 위계(位階)는 대나마(大奈麻)로부터 조위(造位)까지.

삼-천지【三天地】㊔ 일제(日帝) 때 욕·울음·매의 세 가지가 많다는 뜻으로, '형무소'를 더 나쁘게 일컫던 말.

삼천지-교【三遷之敎】㊔ 맹자(孟子)의 어머니가 맹자(孟子)를 가르치기 위하여 집을 세 번 옮긴 일. 주위·환경에서 보고 듣는 언행만을 하므로, 처음 묘지(墓地) 옆에서 살다가 저자 거리로, 나중에는 학교 옆으로 옮겼음. ㊌삼천(三遷).

삼천-포【三千浦】㊔〖지〗 경상 남도에 속했던 시(市). 1995년 5월, 사천군과 통합, 사천시로 개편됨.

삼-첨판【三尖瓣】㊔〔tricuspid〕〖생〗 포유류(哺乳類)의 심장(心臟)의 우심방(右心房)과 우심실(右心室) 사이에 있어 앞·뒤·안쪽의 세 판(瓣)으로 이루어진 판막(瓣膜). 우심방의 정맥혈(靜脈血)을 우심실로 흘러 들어가게 하며 역류(逆流)함을 막음. ＊방실판(房室瓣).

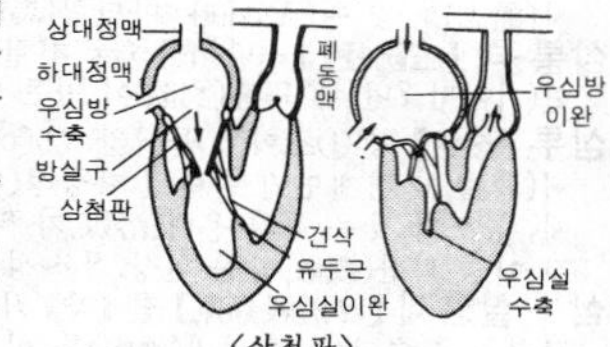

〈삼첨판〉

삼첩-계【三疊系】㊔〖지〗 '트라이아스계'의 구칭.

삼첩-기【三疊紀】㊔〖지〗 '트라이아스기'의 구칭.

삼첩-지【三疊紙·三貼紙】㊔ 백지보다 두껍고 장광(長廣)이 크며 누르께한 종이.

삼청¹【三靑】㊔〖미술〗 진채(眞彩)의 한 가지. 하늘 빛깔처럼 푸른빛.

삼청²【三淸】㊔ ①〖종〗 도교(道敎)에서 말하는 옥청(玉淸)·상청(上淸)·태청(太淸)의 일컬음. 모두 신선이 산다는 궁명(宮名). ②〖악〗 가야금의 넷째 줄의 이름. ＊사청(四淸).

삼청³【三請】㊔ 노래 같은 것을 연달아 세 번째 청함. ——-하다 ㊋㊍

삼청 냉:돌【三廳冷突】㊔ 금군(禁軍)의 삼청(三廳)은 방에 불을 때지 않아 몹시 차므로 차디찬 방을 비유하여 이르는 말.

삼-청상【三淸象】㊔〖종〗 일(日)·월(月)·성(星)을 상징(象徵)한 도교(道敎)의 세 신상(神像).

삼청-전【三淸殿】㊔〖역〗 소격전(昭格殿).

삼청-좌【三請座】㊔ 혼인 때에 신부(新婦) 집에서 신랑이 오기를 세 번 청하는 일.

삼체¹【三諦】㊔〖불교〗→삼제(三諦).

삼체²【三體】㊔ ①세 개의 형체나 물체. ②〖물〗 물질의 세 가지 상태. 곧, 고체·액체·기체. ③서도(書道)에 있어서 해서(楷書)·초서(草書)·행서(行書)의 세 서체(書體). ④〖미술〗 중국 명(明)나라 때부터 쓰인 회화 용어. 서(書)에 있어서의 해(楷)·행(行)·초(草)의 세 체(體)를 그림의 체에 적용한 말. 대상(對象)에 충실한 형체·색채·선을 운용한 것을 해체(楷體), 가장 단순화한 형상·색선을 사용한 것을 초체(草體), 그 중간의 것을 행체(行體)라 함. ⑤〖악〗 국악에서, 곡조의 느린 속도, 중간 속도, 빠른 속도를 나타내는 말. 만(慢)·중(中)·삭(數), 만조(慢調)·평조(平調)·삭조(數調), 일(一)·이(二)·삼(三) 따위로 표시함.

삼체 당시【三體唐詩】㊔〖책〗 당대(唐代)의 시인(詩人) 167인의 작품을 칠언 절구(七言絕句)·칠언율(七言律)·오언율(五言律)의 삼체(三體)로 나누어 편찬한 책. 6권으로 되었으며, 송(宋)나라의 주필(周弼)이 편찬함. ㊌삼체시(三體詩).

삼체 문:제【三體問題】㊔〔three-body problem〕〖물〗 뉴턴(Newton)의 만유 인력(萬有引力)의 법칙에 의하여 세 개의 물체 상호간에 만유 인력이 작용할 때의 개개의 운동을 연구하는 이론. 역학(力學)·천문학(天文學)에 있어서 아직 해결하지 못한 난문제(難問題)임. 이 문제의 연구는 미분 방정식(微分方程式)·변분학(變分學)·위상 기하학(位相幾何學) 등의 발전에 큰 영향을 주었음.

삼체-시【三體詩】㊔〖책〗↗삼체 당시(三體唐詩).

삼체 웅예【三體雄蕊】㊔〖식〗 수술이 세 몸으로 되어 있는 합생 웅예(合生雄蕊)의 하나. 고추나물 같은 것의 수술이 이에 속함.

삼체 충돌【三體衝突】㊔〔triple collision〕〖물〗 세 개의 입자(粒子)가 동시에 충돌하는 일.

삼초【三焦·三膲】㊔〖한의〗 육부(六腑)의 하나. 음식(飮食)의 흡수(吸收)·소화(消化)·배설(排泄)을 맡는다고 하는데, 상초(上焦)·중초(中焦)·하초(下焦)를 이름. 곧, 상초는 위(胃)의 상부(上部), 중초는 위(胃)의 속, 하초는 방광(膀胱)의 상부에 해당함.

삼초 룰:【三秒一】〔rule〕㊔ 농구에서, 공을 가지고 있는 팀의 선수가 상대편의 바스켓에 가까운 제한 구역 안에 3초 이상 머무는 것을 금지하는 규칙. 이 규칙을 위반하면 반칙(反則)이 됨.

삼초 이:목【三草二木】㊔〖불교〗 상초(上草)·중초(中草)·하초(下草)와 대수(大樹)·소수(小樹)를 일컫는 말로서, 이들이 모두 함께 자우(慈雨)를 받을 수 있는 것처럼, 근기(根機)가 다른 중생(衆生)도 다 같이 불타(佛陀)의 가르침을 받을 수 있다는 뜻.

삼촌【三寸】㊔ ①한 자의 십분의 삼. 곧, 세 치. ②아버지의 형제, 특히 작은 아버지의 일컬음. ③〖법〗 직계(直系)로는 자기나 배우자로부터 3대를 격한 존속친(尊屬親)이나 비속친(卑屬親). 곧, 어떤 사람의 증조부(曾祖父)나 증손(曾孫)과의 관계 또는 그 배우자의 증조부나 증손과의 관계를 말함. 또, 방계(傍系)로는 부모와 같은 항렬의 백숙 부모(伯叔父母). 또는 자기와 같은 항렬의 형제의 자녀 곧 조카를 말함.
【삼촌 못난이 조카 장물 짐 진다】 덩치는 크나 못난 짓을 하는 사람을 비웃는 말.

삼촌-댁【三寸宅】〔一댁〕㊔ ①〈속〉 숙모(叔母). ②삼촌의 집.

삼촌 불률【三寸不律】㊔ 길이가 짧은 붓.

삼촌-설【三寸舌】㊔ ①세 치 길이밖에 아니 되는 사람의 짧은 혀. ②사람의 말. 변설. 세치혀.

삼-총사【三銃士】㊔〔프 Les Trois Mousquetaires〕〖책〗 프랑스의 소설가 뒤마(Dumas, père)가 1884년에 쓴 장편 역사 소설. 루이 13세의 시대를 배경으로 세 사람의 용사(勇士)와 검객(劍客) 한 사람이 협력하여 당시의 재상의 음모에서 왕비를 구출해 내는 무용(武勇) 소설임.

삼최【三崔】㊔〖역〗 ①신라 말기에, 문장으로 이름을 떨친 세 사람의 최씨. 곧, 최치원(崔致遠)·최승우(崔承祐)·최언위(崔彦撝)의 일컬음. ②고려 때, 완산(完山)에 살던 세 사람의 문장가 최송년(崔松年)·최척경(崔陟卿)·최균(崔均)의 일컬음.

삼추【三秋】㊔ ①가을의 석 달. 구추(九秋). ②세 해의 가을. 곧, 삼년(三年)의 세월. ③긴 세월.

삼추-같다【三秋一】㊕ 기다리는 시간이 매우 지루하고 따분하다. ¶ 하루가 ~.

삼축 해:면류【三軸海綿類】〔一뉴〕㊔〖동〗 육방 해면류(六放海綿類).

삼축-형【三軸型】㊔〖동〗 서로 직각으로 교차된 세 개의 축(軸). 해면(海綿) 동물 몸 모양의 하나.

삼춘¹【三一】☞ 삼촌(三寸).

삼춘²【三春】㊔ ①봄의 석 달. 곧, 맹춘(孟春)과 중춘(仲春)과 계춘(季春). ②세 해의 봄.
【삼춘 고한(苦旱) 가문 날에 감우(甘雨) 오니 즐거운 일】 매우 반갑고 즐거운 일이란 뜻.

삼춘 가절【三春佳節】㊔ 봄철 석 달의 좋은 시절.

삼춘-류【三春柳】〔一눌一〕㊔ 능수버들.

삼춘-오마니【三一】㊔〈방〉 작은어머니 ❶(평안).

삼출【滲出】㊔ ①안에서 밖으로 액체(液體)가 스며서 나옴. ②〔exudation〕〖의〗 혈관·림프관 등의 맥관(脈管)의 내용물이 맥관 밖으로 스며 나오는 일. 급성 염증의 증거가 됨. ——-하다 ㊋㊍

삼출 건:비탕【蔘朮健脾湯】명〖한의〗소화 불량에 쓰는 약. 비장(脾臟)과 위(胃)의 동작을 돕고 음식물의 소화를 빠르게 하는 효력이 있음.

삼출-목【三出目】명〖건〗공포(拱包)가 삼목(三目) 괴어 나와서 도리를 받친 것.

삼출목 제공【三出目諸貢】명〖건〗귀제공에 있어서 삼목(三目)을 내어 도리를 받친 것.

삼출-물【滲出物】명 ①삼출한 물질. ②〔exudate〕〖의〗삼출하여 주위의 조직 속으로 스며 나간 혈액의 액체 성분과 세포 성분.

삼출-법【滲出法】[―뻡] 명〖화〗식물체(植物體)에 있는 성분을 물 또는 유기 용매(有機溶媒) 등으로 녹여 뽑아 내는 법.

삼출성 결핵【滲出性結核】[―썽―] 명〖의〗삼출성 염증을 주체로 하는 결핵. 활동성이 크고 발열(發熱)·객담(喀痰)이 심하며 X선 소견(所見)으로는 경계가 불선명한 균질(均質)의 음영이 나타나고, 화학 요법이 잘 듣지 않는 형임. ↔증식성(增殖性) 결핵.

삼출성 소질【滲出性素質】[―썽―] 명〔exudative diathesis〕〖의〗가벼운 자극으로 쉽사리 삼출성의 반응을 일으키는 체질. 피부에는 습진(濕疹)이나 화농성 발진(發疹) 및 지루(脂漏)가 생기고, 점막(粘膜)에는 카타르성의 염증을 초래하며, 피하 조직이 증가함. 삼출성 체질.

삼출성-염【滲出性炎】명 [―썽념] 명〔exudative inflammation〕〖의〗삼출을 주로 하는 급성인 염증의 총칭. 삼출물의 상태에 따라 장액성염(漿液性炎)·섬유소성염(纖維素性炎)·화농성염(化膿性炎)·괴저성염(壞疽性炎)·출혈성염(出血性炎)·카타르성염·괴사성염(壞死性炎)으로 나눔.

삼출성 체질【滲出性體質】[―썽―] 명〖의〗삼출성 소질.

삼출-액【滲出液】명 ①삼출법(滲出法)으로 뽑아낸 액체. ②〖의〗염증(炎症)이 있을 때에 혈관으로부터 액체가 나와 병소(病巢)에 모인 액상(液狀)의 물질.

삼출 우:상 복엽【三出羽狀複葉】명〖식〗삼회(三回) 우상 복엽.

삼취[1] 명〈방〉샘²(함경).

삼취[2]【三吹】명 군대(軍隊)가 출발할 때에 세 번 나팔을 불던 일.

삼취[3]【三娶】명 세 번째 장가감. 또, 그 아내. 삼실(三室). ――하다 자여불

삼취 정:계【三聚淨戒】명〖불교〗모든 악(惡)을 끊어 버리는 섭률의계(攝律儀戒)와 모든 선(善)을 닦는 섭선법계(攝善法戒)와 모든 사람에게 이익을 주는 섭중생계(攝衆生戒).

삼-층【三層】명 ①셋째 층. ②세 층.

삼층 다이오드【三層―】명〔three-layer diode〕〖전〗삼 층의 도전 영역(導電領域)이 있는 접합 다이오드.

삼층 대:수파련【三層大水波蓮】명 큰수팔련.

삼층-밥【三層―】[―빱] 명 삼층이 되게 지은 밥. 즉, 맨 위는 설거나 죽처럼 질게 되고, 중간은 제대로 되고, 맨 밑은 타게 된 밥을 농으로 이르는 말.

삼층-장【三層欌】[―짱] 명 삼층으로 된 의장(衣欌).

〈삼층장〉

삼치[1] 명〖어〗[*Sawara niphonia*] 동갈삼칫과에 속하는 바닷물고기. 몸길이는 1m쯤 되며 몸 높이는 길이의 약 5분의 1, 비늘은 위축(萎縮)되고 흉갑(胸甲)은 없음. 몸은 연청색(鉛靑色)인데 등 쪽에는 청갈색 반문이 산재(散在)하고, 배는 흰 빛임. 한국 서남해·일본 중부 이남·하와이·중국 북부·오스트레일리아 등 연해(沿海)에 분포함. 4-5월경에 산란하기 위하여 내만(內灣)으로 들어옴. 맛이 매우 좋음. 마교(馬鮫). 마어(麻魚). 망어(亡魚).

〈삼치¹〉

삼치[2] 명〈방〉삼태기(함경).

삼치[3] 명〈방〉샘²(함경).

삼치 구이 명 삼치를 토막쳐서 양념하거나 소금만을 발라 구운 반찬.

삼치다 타〈방〉삼키다❶❷.

삼치 저:냐 명 삼치를 저며서 소금으로 간을 맞추어 두었다가 밀가루를 묻히고 계란을 씌워서 지진 저냐.

삼치 형문【三治刑問】명〖역〗세 차례나 매질하여 신문(訊問)하는 일.

삼친【三親】명 세 가지의 가장 친한 것. 곧, 부자(父子)·부부(夫婦)·형제.

삼칠【三七】명 '스물 한 살'의 별칭.

삼칠-근【三七根】명〖식〗삼칠초(三七草)의 뿌리.

삼칠언-격【三七言格】[―껵] 명 중국 고시(古詩)의 한 체(體). 삼언(三言)의 구와 칠언(七言)의 구로 구성된 것.

삼칠 이:십일【三七二十一】명〖수〗구구법(九九法)의 하나. 셋의 일곱 갑절이나 일곱의 세 갑절은 스물 하나라는 말.

삼칠-일【三七日】명〖민〗세이레.

삼칠일 금:기(禁忌) 구 아이를 낳은 지 세이레 동안, 지키는 여러 가지 기휘(忌諱)하는 일들.

삼칠-제【三七制】[―쩨] 명 수확한 곡식의 3할은 지주(地主)에게 주고, 나머지 7할은 소작인이 가지던 제도. *사륙제(四六制).

삼칠-초【三七草】명 ①〖식〗[*Gynura japonica*] 국화과에 속하는 다년초. 줄기 높이 1m 가량인데 줄기와 잎이 부드러우며, 모두 자색(紫色)을 띰. 잎은 호생(互生), 우상 심렬(羽狀深裂)이며 가에는 톱니가 있고 탁엽(托葉)을 가짐. 가을에 적황색의 두상화(頭狀花)가 줄기 맨 위에 산방상(繖房狀)으로 피고, 과실(果實)은 흰털이 있음. 중국 원산인데 난지(暖地)의 정원에 재배함. 독충(毒蟲)에 물렸을 때 잎에서 짜 낸 물을 바르면 해독(解毒)이 됨. ②〖한의〗삼칠초의 뿌리. 지혈제(止血劑)·강장제(強壯劑)로 씀.

〈삼칠초❶〉

삼침-법【三針法】[―뻡] 명 수나사의 유효 직경(有效直徑)의 측정법. 직경이 정하여진 석 줄의 철사를 나사의 홈 부분에 접촉시켜 측정함.

삼-칼[1] 명 삼의 잎을 치는 데 쓰는 나무로 만든 칼.

삼-칼[2]【蔘―】명 수삼(水蔘)으로 백삼(白蔘)을 만들 때 꺼풀을 긁는 대나무 칼.

삼키다 타〔중세 : 숨기다, 숨끼다〕①덩어리진 물건을 씹지 않고 목구멍으로 넘기다. 비유적으로도 씀. ¶ 뱀이 개구리를 ～ / 물결이 사람을 ～. ②남이 모르게 물건을 감추어 두었다가 자기 소유로 해 버리다. 또, 위력이나 협잡으로 남의 것을 제것으로 만들다. ¶ 남의 땅을 ～. ③나오는 눈물이나 웃음 따위를 억지로 참다. ¶ 눈물을 ～.

삼:키아 요가설【―說】〔범 Sāmkhya Yoga〕명〖불교〗고대 인도에서의 삼키아와 요가의 절충 사상. 삼키아 학파(學派)의 주류(主流)가 이원론(二元論)이며 무신론(無神論)임에 대하여, 이 설은 이 두 원리 위에 다시 양자를 통일하는 최고아(最高我)를 세워, 이것을 만유(萬有)의 지배자로 삼아 인격신(人格神)이라고 보는 것임.

삼:키아 카:리카〔범 Sāmkhya kārikā〕명〖불교〗4세기경 이슈바라크리슈나(Isvarakrsna)가 지은 삼키아파의 가장 오래고 대표적인 경전(經典). 본디 69송(頌)이었다 하나, 현존의 것은 72송으로 되었음. 고전 삼키아파 학설을 기초 삼아 지은 책으로, 그 내용과 시형(詩形)이 인도 철학 문헌 중의 백미(白眉)임. 후세에 많은 주석서가 나왔음. 수론송(數論頌).

삼:키아 학파【―學派】〔범 Sāmkhya〕명〖불교〗〔삼키아(sāmkhya)는 본디 헤아린다는 뜻〕인도 6파 철학의 한 파. 개조(開祖)는 카피라이고, 4세기경에 쓰인 삼키아 카리카(sāmkhya kārikā)를 그 대표적 경전(經典)으로 삼음. 현실의 일체를 고(苦)라고 보며, 정신과 물질의 이원론적 사상을 부르짖고 또 윤회(輪廻)의 고계(苦界)로부터의 해탈은 신아(神我)의 지혜에 의한다고 주장함. 수론학파(數論學派).

삼탄[1]【三嘆·三歎】명 ①여러 번 한탄함. ②여러 번 감탄(感歎)함. ――하다 자여불

삼탄[2]【滲炭】명 탄소(炭素)나 또는 고온(高溫)에서 탄소를 발생하는 물질을 철(鐵)과 밀접시켜서 고온도로 가열(加熱)하여, 철의 녹는점 이하의 온도에서 탄소를 철 속에 삼입(滲入)시키는 방법. 철의 표면 경화(表面硬化)에 응용함. ――하다 타여불

삼탄-강【滲炭鋼】명〔blister steel〕〖공〗표면만을 삼탄(滲炭)해서 굳힌 강(鋼). 내부는 인성(靭性)이기 때문에 마찰이나 닳아 없어지는 일에 잘 견디므로, 충격(衝擊)이나 진동(振動)이 많은 부분에 쓰임.

삼탕[1]【三湯】명 제상에 올리는 세 가지 국. 곧, 소탕(素湯)·육탕·어탕.

삼태[1] 명〈옛〉삼태기. ¶ 삼태 궤(簣)《倭解 下 15》.

삼태[2]【三台】명 ①〖천〗삼태성(三台星). ②〖역〗삼공(三公)❷.

삼태[3]【三胎】명 세 아이를 잉태하는 일. 또, 그 아이들. 세쌍동이. 삼쌍동이. 삼생아(三生兒).

삼태-그물 명 삼태기같이 결어 만든 그물.

삼태기 명〔근대 : 삼태〕흙·쓰레기·거름 같은 것을 담아 나르도록, 앞은 벌어지고 뒤는 우긋하며, 삼면(三面)으로 울이 있도록 대오리·싸리·짚·새끼 등으로 엮어 만든 물건.

〈삼태기〉

삼태미 명〈방〉삼태기(강원·경기·충청·전라·경상).

삼태-봉【三太峰】명〖지〗함경 북도 무산군(茂山郡)에 있는 산봉우리. [1,127m]

삼태-불 명 채소(菜蔬)나 콩나물 같은 것의 뿌리에 잔뿌리가 많이 난 것을 이르는 말.

삼태-생【三胎生】명 한 태에 세 아이를 낳음. 또, 그 아이들. 삼태자(三胎子). 세쌍동이.

삼태-성【三台星】명〖천〗①큰곰자리 중에서 자미성(紫微星)을 지키는 별. 상태성(上台星) 두 개, 중태성(中台星) 두 개, 하태성(下台星) 두 개로 됨. 삼태(三台). ②'삼형제별'의 잘못 일컫는 말.

삼태 육경【三台六卿】명〖역〗삼정승(三政丞)과 육조 판서(六曹判書).

삼태-자【三胎子】명 삼태생(三胎生).

삼태-탕【三太湯】명 삼탯국.

삼탯-국【三太―】명 콩나물·두부·북어를 넣고 고추장을 풀어서 끓인 국. 해장할 때에 흔히 먹음. 삼태탕(三太湯).

삼테미 명〈방〉삼태기(충북).

삼토[1]【三吐】명〔주공(周公)의 일반 삼토포(一飯三吐哺)의 고사(故事)에서 유래한 말〕신분(身分)이 높은 사람이 방문객을 친절히 영접하는 일.

삼토[2]【蔘土】명 인삼을 재배(栽培)하기 위하여 거름한 땅.

삼통【三通】명〖책〗중국 역대의 사회·경제 제도·문물 등에 관한 세 책. 당(唐)나라 두우(杜佑)의《통전(通典)》, 송(宋)나라 정초(鄭樵)의《통지(通志)》 및 원(元)나라 마단림(馬端臨)의《문헌 통고(文獻通考)》.

삼통-력【三統曆】[―녁] 명 중국 전한(前漢)의 성제(成帝) 수화(綏和) 2년(기원전 7년)에 유흠(劉歆)이 만든 태음력(太陰曆).

삼투【滲透】명 ①스미어 들어감. ②〔osmosis〕〖물〗농도가 다른 두 액체(液體)가 경계면에 마련된 다공성(多孔性)의 막(膜)을 격하여 접할 때, 농도가 낮은 쪽의 용매(溶媒)가 막(膜)을 통하여 농도가 높은 쪽으로 이동 확산(擴散)하는 현상. ¶ ～성(性). ――하다 자여불

삼투 살충제【滲透殺蟲劑】명〖약〗식물의 지상부(地上部) 또는 지하부로부터 흡수되어 그 체내(體內)를 이행(移行)하여 식물체 전신에 일정 기간 동안 살충력을 갖게 하는 작용이 있는 살충제. 유기인(有機燐) 화합물·불소계(弗素系) 등 여러 가지가 있음. 전신(全身) 살충제.

삼투-압【滲透壓】명〔osmotic pressure〕〖물〗삼투(滲透) 현상이 일어날 때에 반투성(半透性)의 막(膜)이 받는 압력. 침투압(浸透壓).

삼투 작용【滲透作用】명〔물〕한 개의 막벽(膜壁)을 중간에 두고 농도가 틀리는 두 가지 용액이 있을 때, 그 두 용액의 농도가 서로 평균될 때까지 용액 속의 물질이 농후액(濃厚液)에서 희박액(稀薄液)으로 이동하는 작용.

삼투-제【滲透劑】명 침윤제.

삼투 조절【滲透調節】명〔생〕생체에 있어서, 체액(體液)이나 세포 원형질의 용액을 자동적으로 정상치(正常値)로 유지하는 작용.

삼투 탐상법【滲透探傷法】[—뻡] 명〔물〕착색한 액체 혹은 형광 물질의 용액을 피검사물에 발라, 틈새나 핀홀(pinhole) 등의 자국에 침투시키어 결함이 눈에 띄게 하여 검출하는 비(非)파괴 검사법. 자기 탐상법(磁氣探傷法)과는 달리 비자성체(非磁性體)에도 이용할 수 있지만, 결함이 표면에 나타나 있지 아니하면 적용할 수 없음.

삼티 명〈방〉삼태기(평안).

삼티기 명〈방〉삼태기(경남).

삼파두-산【三波頭山】명〔지〕함경 남도 장진군(長津郡)에 있는 산. [1,602 m]

삼파-전【三巴戰】명 셋이 어우러져 싸움.

삼-판¹【一板】명 삼³.

삼판²【三板】명 ↗삼판선(三板船).

삼판³【杉板】명 삼목(杉木)의 널빤지.

삼판-노【一櫓】명 노깃과 노손이 갖춰 있고 놋좆에 맞추어 젓게 된 노.

삼판-선【三板船】명 항구 안에서 사람이나 물건을 실어 나르는 중국식의 작은 범선(帆船). 샘팬(sampan). ㊥삼판.

〈삼판선〉

삼판 양:승【三—兩勝】[—냥—] 명 승부(勝負)를 결할 때 세 판에서 두 판을 이김. ——-하다 타여불

삼팔【三八】명 ↗삼팔주(三八紬).

삼팔 따라지【三八—】명 ①노름판에서, 세 끗과 여덟 끗을 합하여 된 한 끗을 이르는 말. ②〈속〉38선 이북(以北)의 북한(北韓)에서 월남(越南)한 사람을 일컫는 말.

삼팔-선【三八線】[—썬] 명〔지〕↗삼십팔도선(三十八度線)❷.

삼팔 이:십사【三八二十四】명〔수〕구구법(九九法)의 하나. 셋의 여덟 갑절이나 또는 여덟의 세 갑절은 스물 넷이라는 말.

삼팔-장【三八場】[—짱] 명 사흘과 여드레에 정지적으로 서는 장. 3일과 8일, 3일과 18일, 23일과 28일에 섬.

삼팔-주【三八紬】[—쭈] 명 중국에서 생산되는 명주의 한 가지. ㊥삼팔.

삼패¹【三牌】명 노는 계집의 한 종류. 이패(二牌)보다 한 층 낮음.

삼-패²【三覇】명 바둑에서, 동시에 세 군데에 난 패(覇)의 형세. 쌍방이 끝내 양보하지 않을 때에는 빅으로 침.

삼패-일【三敗日】명〔민〕매월 5일·14일·23일로서 외출(外出)·여행(旅行) 같은 것을 기(忌)하는 날. 고려(高麗) 때에 이 사흘이 임금의 소용일(所用日)이었으므로, 민간에서는 큰일을 하지 않았었는데, 이 습속이 내려오면서 변한 것임. 파일(破日).

삼편-주【三鞭酒】명 '샴페인(champagne)'의 한역(漢譯).

삼평 개흉【三平開胸】명 석공 장궁(石鞏張弓).

삼평방의 정:리【三平方一定理】[—니/—에—니] 명〔수〕'피타고라스(Pythagoras)의 정리(定理)'의 구용어.

삼포¹【三包】명〔건〕공포(拱包)가 세 겹으로 된 것.

삼포²【三浦】명〔역〕조선 세종(世宗) 때에, 왜인(倭人)들에 대한 회유책(懷柔策)으로서 개항(開港)한 웅천(熊川)의 제포(薺浦)(일명 내이포(乃而浦))와 동래(東萊)의 부산포(富山浦·釜山浦) 및 울산(蔚山)의 염포(塩浦). 이 세 곳에 왜관(倭館)을 설치하고, 왜인의 교통·거류(居留)·교역(交易)의 처소로 삼았음.

삼포³【蔘圃】명 인삼(人蔘)을 재배하는 밭. 삼밭. 삼장(蔘場).

삼포 농업【三圃農業】명〔농〕삼포식 농법(三圃式農法).

삼포-산【三浦山】명〔지〕함경 남도 혜산군(惠山郡) 보천면(普天面)에 있는 산. [1,503 m]

삼포-식【三圃式】명〔농〕↗삼포식 농법.

삼포식 농법【三圃式農法】[—뻡] 명〔농〕농지(農地)의 전부를 세 부분으로 구분해서 매년 그 삼분의 일씩을 휴경지(休耕地)로 하여 지력(地力)을 회복시키는 농사법. 중세에 유럽에서 주로 행해졌음. 삼포 농업(三圃農業). ㊥삼포식.

삼포 왜란【三浦倭亂】명〔역〕조선 중종(中宗) 5년(1510)에 삼포(三浦)에서 일어난 왜인(倭人)들의 폭동 사건. 부산 첨사(釜山僉使) 이우증(李友曾)이 부산에 거주하는 왜인의 수를 제한하고, 웅천 현감(熊川縣監)이 왜인이 식리(殖利)하는 것을 금하자, 왜인들은 대마도(對馬島)의 도주(島主) 소 요시모리(宗義盛)의 군사 300명과 합세하여 쳐들어와, 부산 첨사를 죽이고 또 웅천을 점령하는 등 소란을 일으켰으나, 곧 이들을 평정하고 삼포를 폐쇄, 왜인을 대마도로 쫓아냈음.

삼푼지 명〈방〉뚝배기.

삼품【三品】명〔역〕①벼슬의 셋째 품계(品階). 정(正)과 종(從)의 구별이 있음. ②회화(繪畫)의 세 가지 품. 신품(神品)과 묘품(妙品)과 능품(能品). ③선비의 세 가지 품위. 곧, 도덕(道德)에 뜻을 두는 선비와 공명(功名)에 뜻을 두는 선비와 부귀(富貴)에 뜻을 두는 선비의 세 품위.

삼풍 정:돈【三風整頓】명 1942-43년에 모택동(毛澤東)이 제창한 중국 공산당원의 쇄신적인 교육 운동. 삼풍이란 학풍(學風)·당풍(黨風)·문풍(文風)을 가리키며, 당내의 교조주의(敎條主義)·주관주의(主觀主義)·관료주의(官僚主義)의 잘못된 태도를 학문·당·문학 운동의 세 영역에 걸쳐 극복하려는 운동으로서, 그 후의 정풍(整風) 운동의 원형을 이룸.

삼하¹【三下】명〔역〕시문(詩文)을 끊는 12등급 중의 아홉째 급. 곧, 시문을 평(評)하는 등급(等級) 중에서 셋째 등(等)의 셋째 급.

삼하²【三夏】명 ①여름의 석 달 동안. ②세 해의 여름.

삼-하늘소[—쏘] 명〔충〕[*Thyestilla gebleri*] 하늘솟과에 속하는 벌레. 몸길이 9-16 mm, 배면(背面)은 암회색이고 촉각은 검은데, 전흉배(前胸背)·삼종조(三縱條)와 시초(翅鞘) 바깥 쪽의 봉합선(縫合線)은 회백색임. 삼밭에 서식하는데 유충(幼蟲)은 '삼벌레'라 하며 삼줄기를 파 먹는 해충(害蟲)임. 성충은 엉겅퀴 잎을 갉아먹음. 대마천우(大麻天牛). 마천우(麻天牛).

삼:-하다 형여불 어린 아이의 성질이 순하지 아니하고 사납다. ¶어미가 삼하였었다고 한다면 네 이모는 심술이 있었다《李無影 : 사랑의 화첩》.

삼학【三學】명 ①〔불교〕불교의 세 가지 학문. 곧, 오계(五戒)·팔계(八戒) 등의 계학(戒學)과 사선(四禪)·구상(九想) 등의 정학(定學)과 사제(四諦)·십이 인연(十二因緣) 등의 혜학(慧學). ②〔역〕천문(天文)·지리(地理)·명과(命課)의 세 학문.

삼-학사【三學士】명〔역〕세 사람의 학사. 곧, 홍익한(洪翼漢)·윤집(尹集)·오달제(吳達濟)로서, 인조(仁祖) 병자 호란(丙子胡亂) 때에 청국에게 항복함을 반대하다가, 척화신(斥和臣)으로 청(淸)나라에 붙잡혀 가서 끝끝내 굴하지 않고 살해당하였음.

삼학사-전【三學士傳】명〔문〕병자 호란(丙子胡亂) 때의 삼학사의 전기. 송시열(宋時烈)이 편찬. 부록으로 명나라 황제의 칙유(勅諭)·우암묘지(尤庵墓誌)·왕세손 상소(王世孫上疏) 및 정조(正祖)의 제문(祭文) 등을 수록했음.

삼학 역어【三學譯語】[—녀—] 명〔책〕조선 시대 때의 어학서(語學書). 정조(正祖) 13년(1789)에 이의봉(李義鳳)이 만주어(滿洲語) 학습을 위해 지은 것으로, 일본말과 몽고말의 해설도 함께 곁들임.

삼한¹【三澣】명 삼순(三旬)❶.

삼한²【三韓】명〔역〕상고 시대(上古時代)에 우리 나라 남쪽에 있던 세 나라. 곧, 마한(馬韓)·진한(辰韓)·변한(弁韓).

삼한 갑족【三韓甲族】명 우리 나라의 옛적부터 대대로 문벌이 높은 집안.

삼한 고:찰【三韓古刹】명〔불교〕삼한 시대에 지은 옛 절.

삼한 금석록【三韓金石錄】[—녹] 명〔책〕우리 나라의 금석문(金石文)을 수록한 책. 조선 철종(哲宗) 9년(1858)에 오경석(吳慶錫)이 지음. 연대·저자(著者) 등을 고증하였음. 모두 1책.

삼한 사:온【三寒四溫】명〔기상〕겨울철에 한국·만주·중국 등지에서 사흘 가량 추운 날씨가 계속되다가, 다음에는 나흘 가량 따뜻한 날씨가 계속하는 주기적인 기후(氣候) 현상. 시베리아에서 고기압이 발달하며 북풍(北風) 또는 북서풍이 불어 추워졌다가, 중국의 북부에서 저기압(低氣壓)이 몰려오거나 남풍(南風)이 불어 추위가 약해짐. 흔히 12월부터 시작하여 다음 해 2월까지에 나타남.

삼한 습유【三韓拾遺】명〔문〕조선 철종(哲宗) 때의 문인 김소행(金紹行)이 지은 장편 한문 소설. 숙종 때 선산(善山) 지방의 향랑 원사(香娘寃死) 사건을 삼국 시대로 끌어올려 작품화한 것임. 천상의 패향옥녀(佩香玉女)의 화신으로 태어난 향랑의 정절과, 삼국 시대 화랑들의 무용담 및 신라의 삼국 통일에서의 활약상을 보인 것이 주된 내용임.

삼한 시귀감【三韓詩龜鑑】명〔책〕고려 말엽에 조운흘(趙云仡)이 엮은 한시집(漢詩集). 신라와 고려의 시를 인별(人別)·어수별(語數別)로 분류한 것임.

〈삼한 중보〉

삼한 중:보【三韓重寶】명〔역〕고려 숙종(肅宗) 때 쓰던 엽전(葉錢)의 한 가지. 삼한 통보보다 좀 늦게 사용됨.

삼한 통보【三韓通寶】명〔역〕고려 숙종(肅宗) 때에 만들어 쓰던 엽전(葉錢). 구리로 얄팍하고 둥글게 만든 유문전(有文錢)임.

〈삼한 통보〉

삼-할미 명 산파(産婆)의 일을 하는 노파(老婆).

삼함¹【三笒】명〔악〕→삼금(三笒).

삼함²【三緘】명〔불교〕몸과 입과 뜻을 삼가라는 뜻으로, 절의 큰방 뒷벽에 써서 붙이는 글.

삼합 무지기【三合—】명 길이가 같지 아니한 세 벌의 무지기. ＊오합무지기.

삼합 미음【三合米飮】명 해삼(海蔘)과 홍합(紅蛤)과 정육(精肉)을 넣고 물을 부어 충분히 끓인 뒤에 찹쌀을 넣고 더 고아서 체에 밭친 미음. 진장을 쳐서 먹음.

삼합-사【三合絲】명 삼겹실.

삼합-순【三合巡】명 셋째 순(巡)에서 맞힌 화살을 모두 셈함. ——-하다 자여불

삼합 장:과【三合醬果】명 쇠고기와 전복·해삼·홍합과 당근·양파 등을 큼직큼직하게 썰어서 함께 넣고 진간장과 설탕을 치고 조려서 깨소금·잣가루를 뿌린 반찬.

삼합-회【三合會】명〔역〕중국 청말(淸末)의 비밀 결사. 배만 흥한(排滿興漢)을 주의로 하여, 1784년에 회주(會主) 임 상문(林爽文)이 반란을 일으켰고, 19세기초에는 푸젠(福建)·광둥(廣東)·광시(廣西)·후난(湖南) 등지에서 봉기(蜂起)하였음. 천지회(天地會).

삼-항구【三港口】명〔역〕대한 제국 때, 다른 항구보다 먼저 개항(開港)한 인천(仁川)·부산(釜山)·원산(元山)의 세 항구.

삼항 분포【三項分布】명〔trinomial distribution〕〔통계〕3개의 다른 결과가 나타나는 다항(多項) 분포.

삼항-식【三項式】명〔trinomial〕〔수〕다항식(多項式)의 하나. 항(項)이 셋인 정수식(整數式).

삼해리-설【三海里說】명 국제법상, 간조(干潮) 때의 물가에서 바다쪽으로 3해리를 그 나라의 영해(領海)로 하는 설. 근래에는 4해리·6해리 또는 12해리의 설이 있음.

삼해-주【三亥酒】명 술의 한 가지. 정월 상해일(上亥日)에 찹쌀 가루로 죽을 쑤어 식힌 다음 누룩 가루와 밀가루를 섞어서 독에 넣고, 중해일(中亥日)에 또 찹쌀 가루와 멥쌀 가루를 쪄서 식힌 다음 독에 넣고, 하해일(下亥日)에 또 흰 쌀을 쪄서 식혀서 독에 넣어 익힌 술. 춘주(春酒).

삼-해탈문【三解脫門】명〖불교〗해탈(解脫)을 얻고, 열반(涅槃)에 출입하는 세 가지의 삼매(三昧). 만유(萬有)의 공(空)을 깨닫는 공해탈(空解脫), 만유의 차별상(差別相)이 없음을 깨닫는 무상 해탈(無相解脫), 이들의 해탈에 좇아 다시 원구(願求)의 염(念)을 초월하는 무원 해탈(無願解脫)의 세 가지를 이름. 삼삼매(三三昧).

삼행【三行】명 ①삼도³(三道)❶. ②신랑이 세 번째로 처가에 가는 인사. ——-하다 자여불 셋째번으로 처가에 가다.

삼행 광:고【三行廣告】명 신문 광고의 한 가지. 일정한 난(欄)에 게재하는 구인(求人)·안내 등을 위한 삼행(三行) 전후의 소광고(小廣告).

삼행-시【三行詩】명 석 줄로 된 시. 시조 따위.

삼헌【三獻】명 제사 때에 술잔을 세 번 올리는 일. 곧, 초헌(初獻)과 아헌(亞獻)과 종헌(終獻). ——-하다 타여불

삼-헌관【三獻官】명〖역〗세 헌관. 곧, 초헌관(初獻官)과 아헌관(亞獻官)과 종헌관(終獻官).

삼혁 오:인【三革五刃】명〖군〗가죽 무장(武裝)인 갑옷·투구·방패의 세 가지와 쇠붙이 무기(武器)인 칼·큰 칼·세모창·가지 달린 창·화살의 다섯 가지.

삼현¹【三絃·三弦】명〖악〗거문고·가야금·향비파(鄕琵琶)의 세 가지 현악기. ＊육각(六角)·삼죽(三竹).

삼현²【三賢】명 ①세 사람의 현인. ②〖불교〗대승(大乘)의 십주(十住)·십행(十行)·십회향(十會向)의 세 보살(菩薩).

삼현-금【三絃琴】명〖악〗줄 셋을 매어 만든 거문고.

삼현-도드리【三絃—】명〖악〗궁중 연례악(宴禮樂)의 하나. 관악 영산 회상(管樂靈山會相)의 다섯째 악장(樂章). 무용 반주에 많이 쓰임. 삼현 환입(三絃還入). 삼현 회입(三絃回入). 아명(雅名)은 함녕지곡(咸寧之曲).

〈삼현금〉

삼현 떠돌이【三絃—】명 떠돌아다니는 풍각쟁이.

삼-현령【三懸鈴】[—혈—] 명〖역〗급한 공문(公文)을 띄울 때에 봉투에 세 개의 동그라미를 찍는 일. ——-하다 자여불

삼현 삼죽【三絃三竹】명〖악〗통일 신라 이후의 향악기(鄕樂器)의 총칭. 곧, 거문고·가야고·향비파와, 대금·중금·소금을 가리킴.

삼현 영산 회:상【三絃靈山會相】[—녕—] 명〖악〗영산 회상의 하나. 관악기를 위한 합주곡으로, 꿋꿋하고 시원한 악상(樂想)을 풍김. 상영산·중영산·가락덜이·삼현(三絃)도드리·염불(念佛)도드리·타령·군악(軍樂)의 여덟 대목으로 이루어짐. 관악 영산 회상. 표정 만방지곡(表正萬方之曲).

삼현 육각【三絃六角】[—뉵—] 명 ①삼현과 육각. ②'대풍류'를 무용의 반주로서 일컫는 이름.

[삼현 육각 잡히고 시집간 사람 잘 산 데 없다] 호화롭게 시집간 사람이 도리어 불행하게 사는 수가 있다는 말.

삼현-청【三絃廳】명 예전에, 가면극을 할 때 반주를 하던 악사실.

삼현 환입【三絃還入】명〖악〗삼현(三絃)도드리의 한자 이름.

삼현 회입【三絃回入】명〖악〗삼현 환입(還入).

삼혈-수【三穴手】명〖악〗세 구멍이 난 가(笳) 종류의 조선 시대 악기.

삼혈-포【三穴砲】명〖군〗포신(砲身)이 세 개가 겹쳐 있는 포. 삼안포(三眼砲).

삼협【三峽】명〖지〗'싼샤'를 우리 음으로 읽은 이름.

삼협 오:의【三俠五義】[—/—이] 명〖책〗중국 청(淸)나라 말기의 장편 백화(白話) 소설. 백옥곤(白玉崑)의 작임. 1879년에 북경에서 출판. 삼협(三俠)이라고 불리는 세 사람과 오서(五鼠)라고 불리는 다섯 사람의 협객(俠客)이 활동하는 이야기. 모두 120회로 되어 있는 미완성 작품임. 원명은 충렬 협의전(忠烈俠義傳).

〈삼혈포〉

삼형【三形】명〖지〗지형(地形)의 세 가지. 고지(高地)와 하지(下地)와 평지(平地).

삼형제-별【三兄弟—】명〖천〗오리온자리에 있는 삼성(參星)의 한가운데 나란히 있는 세 개의 큰 별.

삼혜【三慧】명〖불교〗세 가지의 지혜. 경전(經典)을 보고 들어서 아는 문혜(聞慧)와 진리를 생각하여 깨닫는 사혜(思慧)와 선정(禪定)을 닦아서 얻는 수혜(修慧).

삼-호【三湖】명〖지〗동정호(洞庭湖).

삼호 잡지【三號雜誌】명 창간(創刊)한 후, 제삼호(第三號)를 넘기기가 힘들어 곧 폐간(廢刊)되는 잡지. 오래 계속하여 발간되지 못하는 잡지를 비웃어 일컫는 말.

삼혹【三惑】명〖불교〗수도(修道)하는 데에 장애(障礙)가 되는 세 가지. 곧, 견사혹(見思惑)과 진사혹(塵沙惑)과 무명혹(無明惑).

삼혼【三魂】명 ①도교(道敎)에서, 사람의 몸 가운데 있는 세 가지 정혼(精魂). 곧, 태광(台光)과 상령(爽靈)과 유정(幽精). 삼정(三精). ＊칠백(七魄). ②〖불교〗업상(業相)과 전상(轉相)과 현상(現相).

삼혼 칠백【三魂七魄】명 사람의 모든 혼백을 통틀어 이르는 말.

삼화【三和】명〖불교〗근(根)과 경(境)과 식(識) 세 가지의 화합.

삼화-사【三和寺】명〖불교〗강원도 동해안의 동해시(東海市)에 있는 절. 월정사(月精寺)의 말사. 신라 선덕왕 때에 고승 자장 율사(慈藏律師)가 흑운대(黑雲臺)에 조그마한 막을 세운 것이 이 절의 시초라 함.

삼-화음【三和音】명〔triad〕〖악〗어느 음(音) 위에 3도(度)와 5도의 음정을 가진 음을 겹쳐서 만든 화음. 화성의 기초음으로서 그 최저의 음을 '밑음', 그 3도상(上)의 음을 '제3음', 5도상의 음을 '제5음'이라고 하며 장(長) 3화음·단(短) 3화음이 있음. 트라이어드.

삼화음 자리바꿈【三和音—】명〖악〗삼화음의 밑자리를 바꾸어서 제3음이나 제5음을 낮은 음으로 하여 화음(和音)의 형태를 바꾸는 일.

삼화자 향약방【三和子鄕藥方】명〖책〗고려 말기에 실용된 의학서(醫學書). 조선 태조(太祖) 7년(1398)에 《향약 제생 집성방(鄕藥濟生集成方)》이라는 의학책을 편찬할 때 이것을 원본(原本)으로 사용했고, 그 후 《향약 집성방》이 편찬될 때에도 중히 이용되었음. 삼화자가 누구인지는 현재 알려져 있지 않음.

삼화 철산【三和鐵山】[—싼] 명〖지〗강원도 송정역(松亭驛)에서 8km 지점에 있는 철산. 광석은 자철광이며, 연간 생산량은 약 7만 톤. 함철(含鐵) 품위 40% 내외. 1916년에 발견하여 1938년부터 채굴을 개시함.

삼환【三桓】명〖사람〗춘추 시대 노(魯)나라의 환공(桓公)에서 갈라져 나온 맹손(孟孫)씨·숙손(叔孫)씨·계손(季孫)씨의 세 대부(大夫).

삼-환두【三鐶頭】명〖고고학〗세고리자루.

삼환-설【三丸說】명 조선 시대의 학자 김석문(金錫文)이 주장한 학설. 곧, 태양·달·지구의 셋이 둥글다는 학설. 박지원(朴趾源)의 《열하일기(熱河日記)》 가운데의 혹정 필담(鵠汀筆談)에 적혀 있음. ＊지전설(地轉說).

삼황¹【三皇】명 중국 고대(古代) 전설(傳說)에 나오는 세 임금. 천황씨(天皇氏)·지황씨(地皇氏)·인황씨(人皇氏) 또는 수인씨(燧人氏)·복희씨(伏羲氏)·신농씨(神農氏) 또는 복희씨·신농씨·황제(黃帝)의 제설(諸說)이 있음. ＊오제(五帝).

삼황²【芟荒】명 거친 풀을 베어 버림. ——-하다 타여불

삼황 오:제【三皇五帝】명 삼황(三皇)과 오제(五帝).

삼황화 사:인【三黃化四燐】명〔tetraphosphorus trisulfide〕〖화〗황화인❶.

삼황화 안티몬【三黃化—】명〔antimony trisulfide〕〖화〗황화 안티몬❶.

삼황화 이:비소【三黃化二砒素】명〔arsenic trisulfide〕〖화〗삼산화이비소(三酸化二砒素)의 염산(塩酸) 용액에 황화 수소를 가하면 생기는 황색의 침전물. 천연으로는 석웅황(石雄黃)으로 산출됨. 단사 정계(單斜晶系). 안료(顔料)에 쓰임. ＊석웅황. [As_2S_3]

삼황화 이:철【三黃化二鐵】명〔diiron trisulfide〕〖화〗황화철❸.

삼황화-인【三黃化燐】명〔phoshorus trisulfide〕〖화〗황화인❶.

삼회【三會】명〖불교〗미륵 보살(彌勒菩薩)의 삼대 법회(三大法會).

삼회-기【三回忌】명 사람이 죽은 뒤, 만 2년 되는 때에 당하는 제삿날. 삼주기(三周忌).

삼회 대:칭축【三回對稱軸】명〖물〗선대칭(線對稱)에서 대칭의 중심이 세 번 되는 직선. 세번 맞섬대.

삼회 우:상 복엽【三回羽狀複葉】명〖식〗잎의 한 가지. 이회 우상 복엽의 잔잎의 엽병(葉柄)에서 다시 갈라져 우상 복엽으로 이루어진 것. 삼출(三出) 우상 복엽. 세번 깃꼴겹잎.

삼-회장【三回裝·三回粧】명 여자의 저고리에 갖추어진 세 가지 회장. 곧, 깃·소맷부리·겨드랑이에 대는 회장.

삼회 장:상 복엽【三回掌狀複葉】명〖식〗잎새의 하나. 이회(二回) 장상 복엽의 잔잎의 잎꼭지에서 다시 갈려서 장상 복엽을 이룬 것. 세번 손꼴겹잎.

삼회장 저고리【三回裝—】명 삼회장으로 된 저고리. 젊은 핫어미나 처녀들이 흔히 입음.

삼-회향【三回向】명〖불교〗재(齋)를 마친 뒤에 여흥으로 가장 행렬(假裝行列)을 꾸미어 가지고 흥행하는 땅설법.

삼효【三孝】명 세 가지의 효행(孝行). 제일 큰 효도는 어버이를 우러러 받드는 일이고, 그 다음 가는 효도는 어버이를 욕보이지 아니하는 일이며, 제일 아래의 효도는 어버이를 잘 봉양하는 일.

삼-훈신【三勳臣】명〖역〗연산군(燕山君)을 내치고 중종(中宗)을 추대(推戴)한 반정(反正) 원훈(元勳)인 박원종(朴元宗)·성희안(成希顔)·유순정(柳順汀)의 세 사람.

삼-휘【三—】명〖건〗세 가지 색으로 된 휘.

삼흉【三兇】명〖역〗조선 중종조(中宗朝)에 전권 횡자(專權橫恣)하다가 동왕 32년(1537)에 사사(賜死)된 김안로(金安老)·허항(許沆)·채무택(蔡無擇)의 세 사람.

삼희당-첩【三希堂帖】[—히—] 명 중국 청(淸)나라 건륭제(乾隆帝)가 1747년에 어부(御府)에 수장(收藏)되어 있는 진적(眞蹟)을 모아 신하에게 명하여 돌에 조각시킨 것을 탑본(搨本)한 서첩(書帖). 총 32첩(帖). 삼희당이란 왕희지(王羲之)의 쾌설시청첩(快雪時晴帖), 왕헌지(王獻之)의 중추첩(中秋帖), 왕순(王珣)의 백원첩(伯遠帖)의 세 가지 진귀(珍貴)한 서첩에 의하여 이름 지은 것임. 위의 3첩 외에 위(魏)나라부터 명(明)나라에 이르기까지 각 대의 명필(名筆)의 글씨가 실리어 있음.

삼-희성【三喜聲】[—히—] 명 세 가지의 기쁜 소리. 다듬이 소리와 글 읽는 소리와 갓난아이의 우는 소리. ↔삼악성(三惡聲).

삽¹ 명 땅을 파고 흙을 뜨는 데 쓰는 기구. 모양이 보습과 비슷하고 나무 자루가 달리었음.

삽² 명〈방〉늪(평안).

-삽- 선어미 ↗-사옵-. ¶크기는 같~고/산이 높~기에/앉아 있~는데/책을 읽~더니. ＊-옵-·-잡-.

삽간 몽롱 상태【霎間朦朧狀態】[—농—] 명〔도 Episodischer Dämmerzustand〕〖의〗독일의 의사 클라이스트(Kleist)가 첫보고한 의식 장애의 질환. 자발성으로 발생, 수시간 내지 수일, 드물게는 수주일의 경과가 있은 후, 곧 회복을 보이는 상태. 전구기(前驅期)에는 피로감·짜증·수면 장애·두통 그 밖의 감각 이상이 따름.

삽개-봉【揷蓋峰】명〖지〗강원도 횡성군(橫城郡) 안흥면(安興面)과 영월군(寧越郡) 수주면(水周面) 사이에 있는 산봉우리. [1,030m]

삽고【澀苦·澁苦】명 맛이 떫고 씀. ——-하다 형여불

삽관-법【揷管法】[—뻡] 명〔intubation〕〖의〗후두(喉頭)가 협착(狹窄)했을 때 비강(鼻腔) 또는 입으로 여러 가지 관(管)을 삽입하는 방법. 질식을 막고 액(液)을 빨아 내고 인공 호흡을 용이하게 하기 위해 행함.

삽-괭이 명 볼이 좁고 자루가 긴 괭이. 논에 물꼬 보는 데 흔히 씀.

삽교【揷橋】명〖지〗충청 남도 예산군(禮山郡)의 한 읍(邑). 예산읍의 서쪽에 위치하며, 장항선(長項線)의 요역(要驛)으로 삽교천의 수리(水利)

를 이용하여 쌀의 산출이 많고, 보물 제508호로 지정된 석조 보살 입상이 유명함. [19,513명(1990)]

삽교-천【揷橋川】명〖지〗충청 남도 홍성군 장곡면(洪城郡長谷面)에서 발원(發源)하여, 당진(唐津)·예산(禮山)·아산(牙山) 등지를 지나, 안성천(安城川)에 합쳐 서해에 들어가는 내. [61 km]

삽교-호【揷橋湖】명〖지〗충청 남도 삽교천(揷橋川)의 하구(河口)인, 당진군(唐津郡) 신평면 운정리(新平面雲井里)와 아산군 인주면 문방리(牙山郡仁州面文坊里)를 연결한 3,360 m의 방조제(防潮堤)에 의해서 생긴 인공 호수. 저수량 8,400만 톤. 1979년 완공됨. [20.17 km²]

삽구【揷句】명 글 가운데에 구(句)를 넣음. 또, 그 구. ——-하다 타 여불

삽금-대【鈒金帶】명〖역〗보상화문(寶相華文)·당초 무늬 등을 아로새긴 황금 띠돈을 단 허리띠. 조선 시대에, 정이품 관원(官員)이 조복(朝服)·제복(祭服)·상복(常服)에 띰. 속칭 금띠.

삽-날【鍤—】명 삽의 날. 또, 삽처럼 생긴 연모의 날.

삽뇨-증【澁尿症】[—쯩] 명〖한의〗오줌 소태.

삽도【揷圖】명〖인쇄〗삽화(揷畫).

삽됴 명〖식〗〈옛〉 삽주. =삽듀. ¶ 삽됴 爲蒼朮菜《訓例 用字例》.

삽듀 명〖식〗〈옛〉 삽주. =삽됴. ¶ 삽듀 튤(朮)《字會 上 13, 類合 上 8》.

삽말【揷抹】명 말뚝을 박음. ——-하다 자 여불

삽면【鈒面】명〖역〗자자(刺字).

삽목【揷木】명 꺾꽂이. ——-하다 타 여불

삽목-묘【揷木苗】명 꺾꽂이로 얻은 묘목. 꺾꽂이묘.

삽목-법【揷木法】명 꺾꽂이하는 방법.

삽목 조:림【揷木造林】명 꺾꽂이로 나무를 심어 숲을 이루는 일. 뽕나무·버드나무·매화나무·백양(白楊) 따위를 많이 씀.

삽미【澁味】명 떫은 맛.

삽바 명〈방〉 기저귀(경남).

삽사리 명 ① 우리 나라 재래 품종의 개. 털이 길고 북슬북슬함. 1992년 천연 기념물 제 368 호로 지정됨. 삽살개. ＊북슬개. ②〖충〗[*Chrysochraon japonicus*] 메뚜깃과에 속하는 곤충. 몸길이 20-30 mm이고 몸빛은 황색에 가까운데 겉날개는 회황색이고 복부보다 짧으며 속날개는 없음. 두정(頭頂)은 삼각형으로 앞으로 돌출하였으나 끝은 뾰족하지 않고 배면(背面)에는 한 개의 세로 융기선(隆起線)이 있음. 수컷은 앞날개가 짧고 끝이 뭉툭하나 암컷은 미단(尾端)까지 달함. 여름에 풀밭에서 욺. 한국·일본·중국 등지에 분포함. 개삽사리.

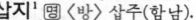

〈삽사리❷〉

삽살가히 명〈옛〉 삽살개. ¶ 삽살가히(絡絲狗)《字會 上 19》.

삽살-개 명 삽사리❶.

[삽살개 뒷다리] 모양이 앙상하고 볼꼴 사납다는 말.

삽삼 조사【卅三祖師】명〖불교〗석가모니불의 정통(正統)을 이은 33인의 조사.

삽삽【颯颯】명 쌀쌀한 바람이 쏠쏠하게 부는 소리. ——-하다¹ 형 여불 바람 부는 소리가 쏠쏠하다.

삽삽-하다² 형 여불 사근사근하다. ¶ 삽삽하게만 굴면야 이 가게라도 반 나눠 줄걸《李孝石 : 粉女》.

삽삽-하다³【澀澀—·澁澁—】형 여불 ①매끄럽지 아니하고 껄껄하다. ②맛이 매우 떫다. ③말이나 글이 분명하지 못하여 이해하기 어렵다.

삽상【颯爽】명 바람이 시원하여 마음이 아주 상쾌함. ——-하다 형 여불

삽새미 명〈방〉〖어〗가자미(경남).

삽선【翣扇】명 운불삽(雲黻翣).

삽수【揷穗】명 꺾꽂이순.

삽시¹【揷匙】명 제사 지낼 때에 숟가락을 밥그릇에 꽂는 의식. ——-하다 자 여불 숟가락을 밥그릇에 꽂다.

삽시²【澁柿】명 맛이 떫은 날감. 떫은감.

삽시³【霎時】명 ↗삽시간(霎時間).

삽시-간【霎時間】명 극히 짧은 시간. 잠깐 동안. 경각(頃刻). 편각(片刻). 일순간(一瞬間). 일각(一刻). 순식간(瞬息間). 순시(瞬時). 준 삽시(霎時). ＊잠시간.

삽시-도【揷矢島】명〖지〗충청 남도 서해상(西海上), 보령군(保寧郡) 오천면(鰲川面) 삽시도리(揷矢島里)에 위치한 섬. [3.26km² : 969명(1985)]

삽식【揷植】명 꺾꽂이.

삽앙【揷秧】명 논에 모를 꽂음. ——-하다 자 여불

삽어【澁語】명 떠듬거리는 말.

삽연【颯然】명 바람이 쇄하고 시원하게 부는 모양. 삽이(颯爾). ——-하다 형 여불. ——-히 부

삽요-사【揷腰辭】명〖언〗접요사(接腰辭).

삽요-어【揷腰語】명〖언〗접요사(接腰辭).

삽우【霎雨】명 가랑비.

삽은-대【鈒銀帶】명〖역〗조선 시대, 정삼품(正三品)의 관원이 조복(朝服)·제복(祭服)·상복(常服)에 띠는 띠. 아로새긴 은(銀) 띠돈을 닮.

삽이【颯爾】명 삽연(颯然). ——-하다 형 여불

삽입【揷入】명 ①끼워 넣음. ②〖컴퓨터〗끼워넣기. ——-하다 타 여불

삽입 가요【揷入歌謠】명〖문〗소설이나 판소리 등의 중간에 끼어 드는 시가(詩歌) 부분.

삽입-구【揷入句】명 ①〖문〗어떤 문장 속에, 그 문장의 다른 말이나 성분(成分)에 직접 관계됨이 없이 삽입된 구. ②〖악〗악곡 가운데의 주제(主題)의 사이에 삽입된 부분. 에피소드(episode). 삽화(揷話).

삽입 모:음【揷入母音】명〖언〗16세기까지의 고어(古語)에서, 어간과 어미 사이에, 주어(主語)의 의사(意思)를 표시하기 위해, 모음 조화(母音調和)에 의해 들어가는 '오' '우' 모음의 일컬음. 예컨대, '福이라 호놀'에서, '호'는 'ᄒᆞ'에 삽입 모음 '오'가 끼인 꼴임.

삽입-법【揷入法】명〖수〗보간법(補間法).

삽입-부【揷入符】명 끼움표(標).

삽입-음【揷入音】명〖언〗발음 변화(發音變化) 때에 새로이 음(音)과 음 사이에 끼어 들어오는 음. 이 현상은 영어에서 흔히 나타나는데 'elm [éləm]'에서 'ə' 같은 것 또는 우리 말의 '코구멍'이 '콧구멍'으로 될 때의 'ㅅ' 같은 것.

삽입 자음【揷入子音】명〖언〗국어에 있어 복합어(復合語)를 이루는 두 성분(成分) 사이에 삽입되는 자음.

삽입-표【揷入標】명 문장 부호의 한 가지. 이미 적은 글에 다른 말을 써넣을 때 쓰는 '∧·＜' 따위.

삽자【鈒字】명〖역〗자자(刺字).

삽자리 명〈방〉 돗자리(경남).

삽작 명〈방〉 사립문(경북).

삽작-문【—門】명〈방〉 사립문(강원·경상).

삽장 명〈방〉 사립문(경기·경북).

삽장-문【—門】명〈방〉 사립문(강원·경북).

삽제【澀劑·澁劑】명〖약〗맛이 떫은 약제(藥劑).

삽주 명〖식〗[*Atractylis lyrata*] 국화과에 속하는 다년초. 높이 50 cm 가량이고, 잎은 호생하며 달걀 모양의 타원형인데, 아랫 부분의 잎은 3-5편의 우상 복엽(羽狀複葉)이고, 윗 부분의 것은 단엽(單葉)임. 잎의 질은 단단하고 뒤쪽에는 잔 털, 가에는 잔 톱니가 있음. 가을에 담자색을 띤 백색 두화(頭花)가 총상(總狀) 화서로 핌. 흔히, 산과 들·언덕 등지에 나는데, 한국 각지·일본·중국에 분포함. 어린 잎은 식용함. 뿌리는 한방(漢方)에서 결구(結球)된 것을 '백출(白朮)', 결구되지 않은 것은 '창출(蒼朮)'이라 하여 이뇨(利尿)·건위제(健胃劑)로 씀. 걸력가(乞力伽). 마계(馬薊). 산강(山薑). 산계(山薊). 산정(山精).

〈삽주〉

삽주-벌레 명〖충〗[*Thrips oryzae*] 삽주벌렛과에 속하는 곤충. 몸길이 1.5 mm 내외, 몸빛은 농갈색, 앞뒤 날개가 모두 막대 모양을 이루며 긴 털이 밀생해 있음. 유충은 날개가 없고 담황색인데 볏과(科)의 잡초 속에서 월동함. 성충·유충이 모두 벼의 엽즙(葉汁)을 빨아먹어, 벼에 흰 점이 생기고 심하면 누렇게 변하게 하는 해충임. 일본에 분포함.

〈삽주벌레〉

삽지¹ 명〈방〉 삽주(함남).

삽지²【揷枝】명 꺾꽂이. 삽목(揷木).

삽지³【揷紙】명〖인쇄〗인쇄할 때에 기계에 종이를 먹임. ——-하다 자 여불

삽지-공【揷紙工】명〖인쇄〗인쇄할 때 기계에 종이를 먹이는 사람.

삽지-판【揷紙板】명〖인쇄〗삽지할 때에 그 종이 밑에 받치는 판.

삽-질【鍤—】명 삽을 다루어서 하는 일. ——-하다 자 여불

삽-짝¹ 명 ↗사립짝.

삽짝² 명〈방〉 사립문(충북·전북·경상).

삽짭 명〈방〉 사립문(충북).

삽체【澀滯·澁滯】명 일이 막히어 잘 나아가지 못함. ——-하다 자 여불

삽취【揷嘴】명 쓸데 없이 말참견을 함. ——-하다 자 여불

삽탄【揷彈】명 총기에 탄알을 삽입함. 장탄(裝彈). ——-하다 자 여불

삽-하다【澀—·澁—】형 여불 매끄럽지 아니하다. 깔깔하다. 거칠다.

삽혈【歃血】명 서로 맹세할 때에 그 표시로 개나 돼지나 말 등의 피를 입가에 바르던 일. ——-하다 자 여불

삽혈 동맹【歃血同盟】명〖역〗백제가 망한 뒤, 신라 문무왕(文武王)이 당나라의 사신 유인원(劉仁願), 전(前) 백제 임금의 아들 융(隆)과 함께 동왕 5년(665)에 웅진(熊津) 취리산(就利山)에서 한 회맹(會盟). 유인원이 만든 맹문(盟文)의 대의(大意)는, 전백제 왕자 융으로써 웅진군 도독을 삼고, 그 선조의 제사를 받들게 하며 봉강(封疆)을 보전하고, 신라와 상의(相依)하여 숙감(宿憾)을 풀고 서로 화친하는 것을 서약한다는 것으로, 신라의 팽창을 억제하여 자기들 지배하에 두고자 하는 당나라의 의도로 된 것임.

삽혜【靸鞋】명〖역〗조선 시대, 궁중에서 신던 뒤축 울이 없는 신. 가죽이나 풀을 엮어 만듦.

삽혜-장【靸鞋匠】명〖역〗조선 시대, 상의원(尙衣院)에 속하여, 삽혜를 만들던 장인(匠人).

삽화¹【揷花】명 꽃을 꺾어서 꽃병 같은 데에 꽂음. ——-하다 자 여불

삽화²【揷話】명 ①어떤 이야기나 문장(文章) 가운데에서 본 줄거리와는 직접 관련이 없는 이야기. 에피소드(episode). ②일화(逸話). ③〖악〗삽입구(揷入句).

삽화³【揷畫】명〖인쇄〗서적·잡지·신문 등에 삽입하여 내용·기사 등에 관계가 있게 하는 그림. 광의(廣義)로는 서적이나 잡지의 표지(表紙)·커트(cut)·광고 미술 등도 의미함. 일러스트레이션(illustration)·삽도(揷圖).

삽화-가【揷畫家】명 삽화를 그리는 것을 업으로 하는 화가.

삿¹ 명 ↗삿자리.

삿² 명 ①〈방〉 샅(충청·전라). ②〈옛〉 사이. ¶ 손ㅅ삿(手丫子)《譯語 上 34》.

삿³ 명〈옛〉 삿자리. =삳. ¶ 딥지즑과 삿글 가져다가(將藁薦席子來)《老乞 上 23》.

삿-가지 명〈방〉 삿갓(함경).

삿-갓 명 [근대 : 삿갓] ①볕이나 비를 피하기 위하여 쓰는, 대오리나 갈대로 거칠게 엮어서 만든 갓. ＊방갓. ②〖식〗버섯의 균산(菌傘).

〈삿갓❶〉

[삿갓에 쇄자(刷子)질] 사물이 격에 어울리지 않을 때에 이르는 말. 사모(紗帽)에 영자(纓子).

삿갓을 씌우다 구 '바가지를 씌우다'와 같은 뜻.

삿갓 가:마 명 초상(初喪) 중에 상제가 타는 가마. 가마의 가장자리에 흰 휘장을 두르고 위에 큰 삿갓을 덮은 것처럼 꾸밈. 초교(草轎).

〈삿갓 가마〉

삿갓-구름 명 외따로 떨어진 산봉우리의 꼭대기 부근에 걸리는 갓 모양의 구름. 기류가 산기슭을 따라서 상승하다가 단열 팽창(斷熱膨脹)해서 냉각되므로 생김.
삿갓-나물 명〖식〗우산나물.
삿갓-들이 명〖농〗들논에 아주 드물게 심은 모.
삿갓-반자 명 천장을 꾸미지 아니하고 그대로 바른 반자. ＊빗반자.
삿갓-버섯 명〖식〗학버섯.
삿갓-사초【―莎草】명〖식〗[*Carex dispalata*] 방동사닛과에 속하는 다년초. 줄기는 삼릉주(三稜柱)이고, 높이 1m 가량이며, 아래쪽 잎은 총생(叢生)하고 경엽(莖葉)은 호생하는데, 넓은 선형(線形)을 이룸. 5-6월에 꽃이 피는데, 소수(小穗)는 4-6개, 원주형의 수꽃이삭이 정생(頂生)하고 길이 5-8cm, 암꽃이삭은 3-5개가 측생(側生)하고 원주형으로 길이 3-10cm이며, 과낭(果囊)은 삼릉상(三稜狀) 달걀꼴임. 연못·물가·습지에 나는데, 한국·중국 및 동남아시아에 분포함.
〈삿갓사초〉
삿갓-연【―椽】[―년] 명〖건〗내부(內部)의 지붕 밑에 천장 없이 보이게 한 서까래.
삿갓-장이【―匠―】명 삿갓을 만드는 사람. ＊갓장이.
삿갓-쟁이 명 삿갓을 늘 쓰고 다니는 사람. ＊갓쟁이.
삿갓-조개 명〖조개〗테두리고둥.
삿갓-집 명〖건〗지붕을 삿갓 모양으로 지은 정자.
〈삿갓집〉
삿갓-풀 명〖식〗[*Paris verticillata*] 연영초과에 속하는 다년초. 산지의 나무 그늘에 나는데 키는 30cm 내외이고 잎은 버들잎 모양으로 6-8개가 줄기에 윤생하고 잎 사이에 꽃꼭지가 나며 여름에 황록색의 꽃이 핌. 경남북·강원·경기·평남북·함남북에서 나는데 다소 유독(有毒)함.
삿괭이 명〈방〉삽괭이(경상).
삿기 명〈옛〉새끼[2]. ¶ ᄀᆞᄅᆞᆷ 우흿 져비 삿기 짓즛 오ᄆᆞᆯ ᄌᆞ조 ᄒᆞᄂᆞ다(江上鷰子故來頻)≪杜諺 X:7≫/삿기 추(雛)≪字會 下 7≫.
삿기낫 명〈옛〉오정(午正)이 채 안 된 낮. ¶ 삿기낫(小晌午)≪譯語 上 4≫.
삿길〈옛〉새끼를. '삿기'의 목적격형. ¶ 삿길 나ᄒᆞ니 터리 다 븕ᄂᆞ니라(生子毛盡赤)≪杜諺 Ⅷ:19≫.
삿:대[1] 명 ↗상앗대.
삿대[2] 명〈옛〉살대. ¶ 삿대수(箭竹藪在瑞興府三十里)≪龍歌 V:26≫.
삿:대-질 명 ①↗상앗대질. ②말다툼할 때, 주먹이나 손가락 또는 막대기 같은 것으로 상대의 얼굴을 향하여 푹푹 내지르는 짓. ――-하다 자 여불
삿-무늬 [―니] 명〖고고학〗삿자리 모양의 무늬. 원삼국 시대부터의 토기 표면에 나타나는데, 두들개에 새겨진 무늬나 두들개에 감은 삿자리 따위의 자국에 의해서 생긴 것임. 승석문(繩蓆文).
삿-바늘 명 삿자리 따위를 꿰매는 데 쓰는 썩 큰 바늘.
삿-반【―盤】명 갈대로 채반같이 만든 그릇.
삿보 명〈방〉모자(충청). ＊샤포(chapeau).
삿-부채 명 갈대 따위를 쪼개어 결어 만든 부채.
삿쑤르다 형〈옛〉꾀바르다. ¶ 어허 됴괴 삿ᄲᅮ른 양ᄒᆞ야 그림의 쥐를 잡으려 좃니ᄂᆞᆫ고나≪古時調≫.
삿-자리 명 갈대를 엮어서 만든 자리. 노점(蘆簟). 의양(倚佯). 준삿.
삿자리-깔음 명〖건〗삿자리를 결어 놓은 무늬 모양으로 돌을 까는 일.
삿자리-장【―欌】명 앞면의 알갱이 등을 삿자리로 대어 만든 장.
삿-쟁이 명〈방〉새끼[1].
삿짓 명〈방〉①샅(강원). ②기저귀(강원).
삿징이-상어 명〖어〗[*Heterodontus zebra*] 괭이상어과에 속하는 바닷물고기. 몸길이는 약 1m로 괭이상어와 비슷함. 몸빛은 엷은 잿빛에 흑갈색 횡대(橫帶)가 불규칙하게 있고, 괭이상어보다 따뜻한 바다를 좋아함. 한국 남해 연안 및 동지나해·동인도 등지에 분포함.
삿층 명〖건〗〈방〉사층.
삿태미 명〈방〉삼태기(전남).
삿포로〔札幌:さっぽろ〕명〖지〗일본 홋카이도(北海道) 중서부 이시카리 평야(石狩平野)의 서남부에 있는 도시로, 도청 소재지. 홋카이도의 정치·경제·문화의 중심지이고, 맥주·유업(乳業)·제당(製糖)·제마(製麻)·인쇄 출판 등의 산업이 발달함. 근교에서 양파·무 등의 야채가 생산됨. [1,672,000명(1990)]
샀 명〈옛〉삿자리. ＝삿[1]. ¶ 삿근 업거니와(席子沒)≪老乞 上 23≫.
상[1] 명〈방〉①향(香)(전라). ②생강(충남).
상:[2]【上】명 ①위. 위쪽. 상부(上部). ¶ 도로 ~에서 주웠다. ②↗상감. ¶ ~께옵서. ③2책 또는 3책으로 된 책의 첫째 권. ¶ ~과 하(下)로 나누어진 책. ④가치·등급·순위·정도 등이 윗 길임. 뛰어남. ¶ 품질이 ~에 속한다. ⑤(접미사처럼 쓰이어) '…에 있어서', '…에 관하여', '…의 관계로' 따위의 뜻을 나타내는 말. ¶ 체면 ~/법률 ~의 과실/역사 ~의 위인. 참고 이 뜻일 경우에는 짧게 단음(短音)으로 발음됨. 1)-4): ↔하(下).
상[3]【床】명 소반·책상·평상 같은 것의 총칭. 【상 뒷술로 벗 사귄다】남의 집의 음식으로 자기의 친구를 대접한다는 말로서, 체면 없는 사람을 두고 이르는 말.
상[4]【尙】명 성(姓)의 하나. 현재 우리 나라에는 본관이 목천(木川) 하나뿐임.
상[5]【相】명 ①얼굴의 생김새. ¶ 얼굴이 부자될 ~이다. ②각 종류의 모양과 태도. ¶ 사회(社會)~. ③그때그때 나타나는 얼굴의 표정(表情). ¶ 울~. ④〖악〗옛적 중국 악기의 한 가지. 흙으로 만들었는데 모양은 작은 북과 같음. 손에 들고 장단을 맞추어 두드림. ⑤〔phase〕〖물〗물리적·화학적으로 균질(均質)한 물질의 부분. 기상(氣相)·액상(液相)·고상(固相)의 세 가지가 있음. ⑥〖동〗성육시(成育時)의 조건에 따른 동물의 형(型)의 차이를 이름. ⑦〖지〗층상(層相). ⑧〖언〗애스펙트(aspect).
상[6]【相】명 성(姓)의 하나. 우리 나라에는 현존(現存)하지 아니함.
상[7]【桑】명 성(姓)의 하나. 우리 나라에는 현존(現存)하지 아니함.
상[8]【祥】명 소상(小祥)과 대상(大祥)의 통칭.
상[9]【常】명 성(姓)의 하나. 우리 나라에는 현존(現存)하지 아니함.
상[10]【商】명 ①〖수〗'몫'의 구용어. ↔적(積). ②〖악〗동양 음악의 오음(五音)의 하나. 곧, 궁(宮)을 주음(主音)으로 하는 음계(音階)의 제이음(第二音). ③〖천〗서쪽에 위치하는 성수(星宿)의 하나. 심수(心宿). ④↗상업(商業). ¶ ~행위(行爲).
상[11]【商】명〖역〗중국 고대(古代)의 은(殷)나라의 처음 이름.
상[12]【喪】명 ①↗거상(居喪). ②부모, 승중(承重)의 조부모·증조부모와 맏아들의 상사에 대한 의례. ③친족이 죽었을 때 일정한 기간 중 피세농가(避世籠家)하는 일. 친소(親疎)에 따라 그 기간의 장단이 있음.
상[13]【象】명 ①'코끼리'의 한자 이름. ②장기짝의 하나. 앞으로 세 칸, 옆으로 두 칸 건너 있는 밭으로 다님. 그 가는 길목에 멱이 두 군데 있음.
상[14]【象】명 성(姓)의 하나. 우리 나라에는 현존(現存)하지 아니함.
상[15]【嘗】명 성(姓)의 하나. 우리 나라에는 현존(現存)하지 아니함.
상[16]【想】명 ①작품을 제작하는 작자의 생각. ¶ 좋은 ~이 떠오르다. ②〖불교〗대상(對象)을 속으로 가만히 생각하는 일.
상[17]【像】명 ①형체(形體). ②부처·사람·짐승 같은 것의 형체를 만들거나 그린 것. ③〔image〕〖물〗광원(光源)에서 비치는 광선이 거울이나 렌즈(lens)에 의하여 굴절(屈折) 또는 반사한 뒤에 재차 집합하여 생긴 원래의 발광 물체(發光物體)의 형상. 실제로 스크린(screen) 위에 비추어 낼 수 있는 실상(實像)과 눈에 보이기만 하는 허상(虛像)의 두 가지가 있음.
상[18]【賞】명 잘한 일을 칭찬하여 주는 표적. ¶ ~을 타다.
-상[1]【狀】미 어떤 말 아래에 붙어서 그 어휘(語彙)와 같은 모양·상태임을 나타내는 말. ¶ 연쇄(連鎖)~/포도(葡萄)~ 구균(球菌).
-상[2]【相】미 명사 아래에 붙어서 그 직위(職位)가 각료(閣僚)임을 나타내는 말. ¶ 외(外)~/국방(國防)~.
-상[3]【商】미 어떤 명사 아래에 붙어서 장사·장수의 뜻을 나타내는 말. ¶ 잡화~/미곡~.
상:가[1]【上價】[―까] 명 웃돈.
상가[2]【相加】명〖역〗고구려 전기 직제(前期職制)의 대관(大官). 각 부(部)의 대가(大加)에 준(準)하는 벼슬.
상가[3]【桑稼】명 누에치는 일과 농사짓는 일. 곧, 양잠(養蠶)과 경작(耕作).
상가[4]【商家】명 장사하는 집.
상가[5]【商街】명 상점이 죽 늘어서 있는 거리. 가게가 많은 거리. 시가(市街).
상가[6]【喪家】명 사람이 죽은 집. 또, 상제의 집. 초상집. 상가(喪家)집.
상:가라-도【上加羅都】명〖악〗옛 곡조의 이름. 신라 시대의 악성(樂聖)인 우륵(于勒)이 지은 가야금 12곡 중의 둘째 곡. '상가라'는 고령(高靈) 땅의 옛 이름임.
상가 아파:트【商街―】〔apartment〕명 아래층은 상점이나 사무실로, 위층은 주택으로 된 아파트.
상:가 음소【上加音素】명〖언〗운소(韻素).
상-가자【賞加資】명〖역〗상(賞)으로 받은 올려진 품계(品階). ＊첩지가자(帖紙加資)
상가지-구【喪家之狗】명 상갓집 개.
상가 평균【相加平均】명〖수〗산술(算術) 평균. ↔상승(相乘) 평균.
상-가희【尙可喜】[―히] 명〖사람〗중국 명(明)말에서 청(淸)에 걸친 무장(武將). 처음 명의 광록도(廣鹿島) 부장(副將)이 되었다가 후에 청에 귀순하여 총병관(總兵官)을 수여받고, 이자성(李自成)을 정벌하여 평남왕(平南王)에 봉(封)하여졌음. 윈난(雲南)의 오삼계(吳三桂)·푸젠(福建)의 경계무(耿繼茂)와 함께 삼번(三藩)이라 불리었음. [1604-76]
상각[1]【商榷】명 헤아리어 정(定)함. 비교하여 생각함. ――-하다 타 여불
상각[2]【償却】명 ①보상하여 갚아 줌. ②〖경〗↗감가(減價) 상각. ――-하다 자타 여불
상:간[1]【上干】명〖역〗신라 때 외위(外位)의 한 벼슬. 십등(十等) 가운데 여섯째 등급으로 경위(京位)의 대사(大舍)에 해당함.
상간[2]【相姦】명 남녀가 불의(不義)의 사통(私通)을 함. ¶ 근친 ~. ――-하다 자 여불
상간-혼【相姦婚】명 간통(姦通)으로 이혼하였거나 또는 형의 선고를 받은 자가, 그 간통의 상대자와 결혼하는 일.
상갈로〔Sangallo〕명〖사람〗①〔Giuliano da S.〕이탈리아 르네상스기(期)의 피렌체의 건축가. 브루넬레스키(Brunelleschi, F.)의 영향을 받아, 르네상스의 초기 양식(初期樣式)을 극복, 그리스식(式) 십자 플랜(十字 plan)·집중식(集中式) 플랜을 연구하여 성당(聖堂) 등을 남김. [1445-1516] ②〔Antonio da S.〕❶의 동생. 건축가. 십자 플랜의 성당·성새(聖塞) 건축을 지음. [1455-1534] ③〔Antonio Coriolani da S.〕❶·❷의 조카. 건축가. 브라만테(Bramante, D.)의 제자로 산 피에트로(San Pietro) 성당의 조영(造營)을 라파엘로(Raffaello)로부터 이어받음. 성기(盛期) 르네상스로부터 초기 바로크에의 이행(移行)을 완수(完遂)한, 상갈로 집안에서 가장 중요한 작가임. [1483?-1546]
상:감[1]【上監】명 임금을 높이어 일컫는 말. 준상(上).
【상감님 망건(網巾) 사려 가는 돈도 써야만 하겠다】나중에는 어떻게 되든지 우선 급한 일을 먼저 한다는 말.
상감[2]【象嵌】명 ①금속·도자기 등의 표면에 여러 가지 무늬를 파서 그 속에 금·은·적동(赤銅) 등을 넣어 채우는 기술. 또, 그렇게 하여서 만든 작품. ②〖인쇄〗연판(鉛版)·동판(銅版) 등에서, 수정할 곳을 도려내

고 옳은 활자를 끼워 판을 고치는 일. 상안(象眼).
상감3【賞鑑】명 감상(鑑賞). ――하다 타여불
상:감 마:마【上監媽媽】명〈궁중〉상감(上監).
상감 세:공【象嵌細工】명 상감을 하는 세공. 상안(象眼) 세공.
상감 청자【象嵌靑瓷】명〔공〕자개 장식을 파묻어 무늬를 지게 한 청자.
상-감퇴 명〈방〉두건.
상:-갑판【上甲板】명 함선의 이물로부터 고물까지 통하는 갑판 중 제일 위층에 있는 갑판. 선 덱(sun deck).
상갓-집【喪家―】명 상가(喪家).
상갓집 개:【喪家―】명 ①초상집 개. 주인 없는 개. ②여위고 기운 없이 수척한 사람을 빈정거리는 말. 상가지구(喪家之狗).
상강1 명〈방〉서리(제주).
상-강2【湘江】명〔지〕'샹장'을 우리 음으로 읽은 이름.
상강3【霜降】명 한로(寒露) 다음에 있는 이십 사 절후(二十四節候)의 열여덟째 절후. 태양(太陽)의 황경(黃經)이 210 도(度)가 된다 함. 음력 9월 중순, 양력 10월 24일경이 됨.
상강-송【霜降松】명〔식〕오엽송(五葉松)의 변종(變種). 잎에 백분(白粉)이 하얗게 있어 꼭 서리를 맞은 것 같이 보임.
상개1【床蓋】명〔농〕온상(溫床)의 온도의 냉각(冷却)이나 수분의 발산 등을 방지하기 위하여 덮는 뚜껑.
상개2【爽塏】명 위치가 높아서 앞을 내려다보기에 썩 좋은 곳.
상:객1【上客】명 ①지위가 높은 손님. 중요한 손님. 상빈(上賓). ②위요2(圍繞).
상객2【商客】명 타향으로 다니면서 장사하는 사람. 상려(商旅).
상객3【常客】명 ①늘 찾아오는 손님. ②고객(顧客).
상거1【相距】명 서로 떨어져 있는 두 곳의 거리. 떨어져 있는 사이.
상거2【常居】명 늘 거처하는 곳.
상거3【象車】명 코끼리가 끄는 수레.
상-거래【商去來】명〔경〕상업상(商業上)의 거래.
상:-거지【上―】명 아주 말할 수 없을 정도로 불쌍한 거지. ¶ 거지 중의 ~.
상:건1【上件】[―껀] 명 ①품질(品質)이 제일 좋은 물건. ②앞서 말한 사건.
상건2【床巾】[―껀] 명 ①상보(床褓)❶. ②예식이나 잔치에 쓰는, 다리가 긴 상의 아래를 가리는 헝겊. 상보(床褓).
상-건3【常建】명〔사람〕중국 당(唐)나라의 시인. 벼슬이 싫어서 관(官)에서 물러나 금주(琴酒)를 벗으로 시작(詩作)에 몰두하였음. 풍경시(風景詩)에 특히 뛰어났으며 저서에 《상건시》가 있음. 생몰 연대 미상.
상-것【常―】[―걷] 명 ①'상사람'의 낮춤말. ②사람을 상스럽다는 뜻으로 심하게 욕하는 말.
상게1 부〈방〉아직(황해).
상:게2【上揭】명 위에 게재(揭載)하거나 게시함. ¶ ~의 도표. ――하다 타여불
상:격1【上格】명 뛰어나고 높은 격(格).
상격2【相格】명 관상(觀相)에서, 사람의 얼굴의 생김새.
상격3【相隔】명 서로 떨어져 있음. ――하다 자여불
상격4【相激】명 서로 부딪침. 서로 다질림. ――하다 자여불
상격5【賞格】명 ①공로의 대소를 따라 상을 주는 격식(格式). 상전(賞典). ②〔역〕과거(科擧)에 급제한 사람을 권장하기 위하여 임금이 하사하는 책 같은 것. 상전(賞典).
상:견1【上繭】명 기계 제사(製絲)의 원료가 되는 질이 좋은 누에고치.
상견2【相見】명 서로 봄. 서로 만남. ――하다 자여불
상견3【常見】명〔불교〕세계(世界)나 모든 존재는 영겁 불변(永劫不變)의 실재(實在)이며, 우리들의 자아(自我)도 또한, 멸하는 법이 없이 영구히 존재한다는 망신(妄信). ↔단견(斷見)❶·무상관(無常觀).
상:견4【想見】명 생각하여 봄. ――하다 타여불
상견-례【相見禮】[―녜] 명 ①공식적으로 서로 만나 보는 예(禮). ②마주 서서 절을 하는 일. ¶ 신랑 신부의 ~. ③〔역〕신임(新任)한 사부(師傅)나 빈객(賓客)이 동궁(東宮)에게 뵙는 예.
상:경1【上京】명 시골에서 서울로 올라옴. 등락(登洛). 상락(上洛). 출경(出京). ↔하경(下京). ――하다 자여불
상:경2【上卿】명〔역〕정일품(正一品)과 종일품(從一品)의 판서(判書).
상:경3【上警】명〔법〕전투 경찰 순경의 아래에서 셋째 계급. 일경(一警)의 위, 수경(首警)의 아래.
상경4【尙更】명〔역〕조선 시대에, 내시부(內侍府)의 정구품(正九品) 벼슬. 상원(尙苑)의 위, 상문(尙門)의 아래.
상경5【相敬】명 ①서로 경어(敬語)를 씀. ②서로 공경(恭敬)함. ――하다 자여불
상경6【常經】명 사람이 마땅히 지키어야 할 떳떳한 도리(道理). 언제까지나 변하지 아니하는 법도(法度).
상경7【祥慶】명 기꺼운 일. 경사스러운 일.
상:경 용천부【上京龍泉府】명〔역〕발해(渤海)의 3대 문왕(文王)이 755년에 중경 현덕부(中京顯德府)로부터 옮긴 후 멸망할 때까지의 수도. 지금의 중국 헤이룽장 성(黑龍江省) 닝안 현(寧安縣) 동경성(東京城).
상:경지-례【上敬之禮】명〔천주교〕모든 성인이나 천사(天使)들의 지위보다 훨씬 높은 성모 마리아에 대한 특별한 공경. *공경지례(恭敬之禮)·흠숭지례(欽崇之禮).
상:계1【上界】명〔불교〕↗천상계(天上界). ↔하계(下界).
상:계2【上計】명 제일 좋은 계교(計巧). 상수(上數). 상책. ↔하계.
상:계3【上啓】명 조정이나 윗사람에게 아뢰는 일. ――하다 타여불
상계4【相計】명〔법〕두 사람이 서로 같은 종류의 채무를 부담하고 있는 경우에, 서로 변제하는 대신에 당사자의 일방(一方)의 의사 표시에 의하여 쌍방의 채무를 대등액(對等額)만큼 제하여 소멸시키는 일. 쌍방이 서로 부담하고 있는 채무의 성질이 상계에 적합할 것과, 상대방의 반대 의사 표시가 없음을 필요로 함. 구용어: 상쇄(相殺). ――하다 타여불
상계5【商界】명 ↗상업계(商業界).
상계6【商計】명 ①생각하여 헤아림. ②상업상의 계책. 상략(商略). ――하다 타여불
상계7【詳計】명 차근차근하게 계획한 꾀.
상-계8【喪契】명 위친계(爲親契).
상계9【霜蹊】명 서리 내린 산길.
상계 계:약【相計契約】명〔법〕두 사람 이상이 서로 채무(債務)를 부담하고 있는 경우, 상호간의 채무를 대등액(對等額)만큼 동시에 소멸(消滅)시키는 계약.
상계 관세【相計關稅】명〔경〕차별 관세의 하나. 무역 상대국(貿易相對國)이 수출 보조금이나 장려금을 교부(交付)하여 수출 가격을 부당하게 싸게 하고 있는 경우에, 수입국이 그 효과를 상계할 목적으로 정규 관세 이외에 과하는 할증(割增) 관세.
상계-권【相計權】[―꿘] 명〔법〕파산자에 대하여 채무를 부담하고 있는 파산 채권자가 파산 채권과 그 채무와를 파산 절차에 의하지 않고 상계할 수 있는 권리.
상계-물【相計物】명 상계하는 물건.
상계 신:용장【相計信用狀】[―짱] 명〔경〕수출입이 거의 동액(同額)인 바터 무역을 형식상으로만 보통 현금 결제 방식으로 처리할 목적으로 고안된 특수한 신용장. 쌍방이 동액의 신용장을 개설하되, 각각 대응하는 신용장이 개설되지 않는 한 유효하지 않을 것을 조건으로 하고, 그 수출입 신용장을 서로 상계함.
상계 적상【相計適狀】명〔법〕당사자 쌍방이 서로 대립하는 같은 종류를 목적으로 하는 채권이 이행기(履行期)가 도래(到來)하여서 상계를 할 수 있는 상태에 있는 일.
상:고1【上古】명 ①아주 오랜 옛날. 상세(上世). ②〔역〕역사상의 시대 구분의 하나. 문헌(文獻)에 의존할 수 있는 한에서의 가장 옛날. 대개, 국사(國史)에서는 삼한(三韓) 시대까지, 동양사에서는 선진(先秦) 시대까지, 서양사에서는 민족 이동(移動) 이전까지를 상고라 함.
상:고2【上考】명 관원의 고과(考課)에서 성적이 우량함.
상:고3【上告】명 ①윗사람에게 고함. ②〔법〕상소(上訴)의 하나. 항소심 법원의 판결에 불복하는 사람이 그 판결의 적부 심사를 보다 상급 법원에 청구하는 일. 불복 상고(不服上告). ――하다 타여불
상:고4【尙古】명 옛날의 문물(文物)을 숭상함. ――하다 자여불
상고5【相考】명 서로 비교하여 고찰함. ――하다 타여불
상고6【相顧】명 서로 돌아봄. ――하다 자여불
상고7【商高】명 ↗상업 고등 학교.
상고8【商賈】명 장수.
상고9【傷枯】명 다치어 시듦. ――하다 자여불
상고10【喪故】명 상사(喪事).
상고11【詳考】명 상세(詳細)히 참고(參考)함. 자세하게 검토(檢討)함. ――하다 타여불
상:고 각하【上告却下】명〔법〕상고심의 재판의 하나. 민사 소송법상, 상고가 부적법(不適法)한 경우에 하는 상고심의 종국 판결.
상고-건【詳考件】[―껀] 명 상고(詳考)할 일.
상:고 기각【上告棄却】명〔법〕상고심의 재판의 하나. 민사 소송법상으로는 기간내에 상고 이유서를 제출하지 않았거나, 적법한 상고이지만 상고 이유가 없을 때 하는 종국 판결. 형사 소송법상으로는 상고가 부적법 내지 이유 없다고 각하하는 재판.
상:고 기간【上告期間】명〔법〕상고(上告)를 제기(提起)할 수 있는 기간. 재판의 선고 또는 고지(告知)가 있은 날로부터 7일임.
상고-대1 명 나무나 풀에 내려 눈같이 된 서리. 목가(木稼). 몽송(霧淞). 무송(霧淞). 수가(樹稼). 수개(樹价). 수괘(樹掛). 수빙(樹氷).
상:고대(가) 끼:다 구 서리가 나무에 내려 눈같이 되다.
상:고-대2【上古代】명〔역〕↗상고 시대(上古時代).
상고-머리 명 뒷 머리와 옆 머리를 치올려 깎고 앞 머리는 몽실몽실하게 좀 길게 두고 정수리를 평면되게 깎은 머리.
상고-배【商賈輩】명 장사아치.
상:고 법원【上告法院】명〔법〕상고심(上告審)을 하는 법원. 곧, 대법원(大法院).
상:고-사【上古史】명〔역〕상고(上古) 시대에 관한 역사. 국사(國史)에서는 단군 시대로부터 삼한(三韓) 시대까지의 역사.
상고-선1【商賈扇】명 품질이 낮은 부채.
상고-선2【商賈船】명 상품(商品)을 싣고 다니는 작은 배. 장삿배. (준)상선(商船).
상:고 시대【上古時代】명〔역〕상고의 시대. 상대(上代). (준)상고대.
상:고-심【上告審】명〔법〕상고(上告)한 소송 사건(訴訟事件)의 심판(審判). 원심(原審)에서 확정한 사실을 기초로 해서 이에 대한 원판결의 법령 위반의 유무(有無)를 당사자의 상고(上告) 이유에 의하여 불복 신청(不服申請)의 한도 내에서 심리(審理)함.
상:고 이:유【上告理由】명〔법〕상고하는 것이 인정되는 이유. 판결에 영향을 미친 헌법·법률·명령 또는 규칙의 위반이 있을 때, 판결 후에 형이 폐지되거나 변경 또는 사면이 있을 때, 재심 청구의 사유가 있을 때, 중형(重刑)의 사건에 있어서 중대한 사실의 오인이 있어 판결에 영향을 미친 때, 형의 양정(量定)이 심히 부당하다고 인정된 때 등.
상:고 이:유서【上告理由書】명〔법〕상고 이유를 기재한 서면. 상고 법원의 심리(審理)의 자료가 되며, 심판 범위를 한정하는 기능을 갖게 됨. *상고장.
상:고-인【上告人】명〔법〕상고를 한 사람.
상:고-장【上告狀】[―짱] 명〔법〕상고의 의사(意思)를 표시한 서류. 상고장의 기재 요건(記載要件)은 공소장의 것과 같음.
상:고-주의【尙古主義】[―/―이] 명 ①옛날의 문물(文物)을 숭상하여 그것을 표준 또는 모범으로 삼는 주의. *의고주의(擬古主義). ②〔문〕고전주의(古典主義).
상고지 명〈방〉무지개(함경).
상:고 취:미【尙古趣味】명 옛날의 문물·사물을 존중하고 좋아함.
상:고 하:포【上告下布】명〔역〕나라에 중대한 일이 있을 때에 위로는

종묘(宗廟)에 고(告)하고 아래로는 백성에게 공포하는 일.

상:곡【上谷】명〖역〗①중국의 진(秦)나라 때, 내몽고(內蒙古) 자치구 연경현(延慶縣)에 두었던 군(郡). ②중국의 수(隋)나라 때, 허베이 성(河北省) 중서부 역현(易縣)에 두었던 군(郡).

상곡-집【商谷集】명〖책〗강유(姜瑜)의 시문집(詩文集). 조선 정조(正祖) 22년(1798)에 6대손 필건(弼健) 등이 수집·간행한 것으로, 시(詩)·소(疏)·명(銘)·제문(祭文) 기타 부록으로 유사(遺事)·행장(行狀) 등이 수록되었음. 모두 3권 1책.

상골【象骨】명 코끼리의 뼈.

상:공[1]【上工】명 상등의 기술자.

상:공[2]【上空】명 ①높은 하늘. ②어떤 지역에 수직되는 공중.

상:공[3]【上供】명〖역〗중국에 있어서, 지방의 양세(兩稅) 수입을 중앙 정부에 상납(上納)하던 일.

상:공[4]【上貢】명〖역〗고려 때 과거(科擧)의 삼공(三貢)의 하나. 서울 곧, 송도(松都)에서 실시한 제1차 시험에 합격한 사람. *향공(鄕貢)·빈공(賓貢).

상공[5]【尙功】명〖역〗조선 시대, 여관(女官)의 정육품(正六品) 벼슬.

상공[6]【相公】명 '재상(宰相)'의 높임말. 상군(相君).

상공[7]【商工】명 ↗상공업(商工業).

상공[8]【常貢】명〖역〗세공(歲貢)으로 바치는 상례적(常例的)인 공물. 또, 공안(貢案)에 의한 일정한 공물. ↔별공(別貢).

상공[9]【象恭】명 용모가 공손함. ——-하다 형여불

상공[10]【翔空】명 하늘을 날아다님. ——-하다 자여불

상공[11]【賞功】명 세운 공(功)을 치하함. ——-하다 타여불

상공-국【商工局】명〖역〗농상공부(農商工部)의 한 국(局). 조선 고종(高宗) 32년(1895)에 베풀었다가 광무(光武) 10년(1906)에 폐하였고, 융희(隆熙) 원년(1907)에 다시 베풀어서 동 4년까지 있었음.

상공-록【商工錄】[—녹] 명 한 지방의 상업(商業)과 공업(工業) 관계자를 중심으로 한 주민(住民)의 이름과 주소를 적어 둔 안내서(案內書).

상공-부【商工部】명 ↗상공 자원부.

상공-업【商工業】명 상업(商業)과 공업(工業). 준상공(商工).

상공업-자【商工業者】명 상공업에 종사하는 사람.

상공업-지【商工業地】명 상공업이 발달한 지역.

상공업 지대【商工業地帶】명 상공업이 발달한 지대.

상:-공원【上公員】명 조선 시대의, 육의전의 도중(都中)의 상위 임원(上位任員). 도영위(都領位)·대행수(大行首)·수영위(首領位)·부영위(副領位)·차지 영위(次知領位)·별임 영위 들로서, 도중의 일을 의결(議決)하는 구실을 맡음. ↔하공원(下公員).

상공의 날【商工—】[—/—에—] 명 산업 자원부 주관으로, 상공업의 진흥을 촉진하는 행사를 하는 날. 3월 셋째 수요일.

상공 자원부【商工資源部】명 전에, 행정 각부의 하나. 1994년 '통상 산업부'로 바뀌었다가 1998년 '산업 자원부'로 바뀜.

상공 자원 위원회【商工資源委員會】명 전에 국회 상임 위원회의 하나. 상공 자원부 소관 사항을 심의함. 준상공 위원회.

상공 장:려관【商工奬勵館】[—녀—] 명 상공 단체 등에서 설치하는 기관. 전시장(展示場)을 마련하여 많은 상품을 진열하고, 국산품의 선전을 꾀하며, 상공업 발전을 위한 여러 가지 일을 함. 지방(地方)과 중앙(中央)에 설치됨.

상:공 정맥【上空靜脈】명〖생〗상대 정맥(上大靜脈).

상공 회:의소【商工會議所】[—/—이—] 명 상공업의 개선·발전을 목적으로, 도시나 일정지역의 상공업자로 결성되는 공익 사단 법인. 상공업에 관한 통계 조사와 연구, 기술·기능의 보급과 검정(檢定), 분쟁의 조정과 중재, 관계 기관에의 건의, 기타 사회 복지 증진 등의 일을 함. 준상의(商議).

상과[1]【桑果】명〖식〗복화과(複花果)의 한 종류. 짧은 꽃대에 많은 꽃이 한 덩어리로 엉기어 피고, 거기에 그냥 열매가 다닥다닥 붙어 열어, 겉으로 보기에는 한 개와 같이 보이는 열매. 오디·파인애플 같은 것.

〈상과¹〉

상과[2]【商科】[—꽈] 명〖교〗상업에 관한 교과목(敎科目).

상과 대학【商科大學】[—꽈—] 명〖교〗전(前)에, 단과 대학(單科大學)의 하나. 상업에 관한 학문을 연구하는 대학. 준상대.

상과 원자가【相跨原子價】[—까] 명〖화〗'공유 결합(共有結合)'의 구용어.

상:관[1]【上官】명 ①자기보다 윗벼슬. 또, 자기보다 윗벼슬인 사람. 상사(上司). ↔부하·하관(下官). ②도임(到任). ——-하다 자여불

상관[2]【相關】명 ①서로 관련을 가짐. ②남의 일에 간섭함. ¶ 남의 일에 ~ 마라. ③남녀가 교합(交合)함. ¶ 유부녀(有夫女)와 ~하다. ④〔correlation〕〖물〗두 개의 양(量)이나 현상(現象)이 어느 정도 규칙적인 관계를 유지하면서 변화되어 가는 성질. 그 정도는 상관 계수(相關係數)로 표시됨. ——-하다 자타여불

상관[3]【相觀】명〖식〗식물 생태학(生態學)에 있어서 일정한 식물에 의하여 형성되는 경치(景致).

상관[4]【商館】명 상업을 경영하는 집. 특히 경영주가 외국인인 것을 일컫는 말.

상관[5]【常關】명〖역〗중국 고래(古來)의 세관으로, 내국 무역상(內國貿易上)의 관세를 징수하던 곳.

상관[6]【象管】명 ①'붓'의 딴이름. ②'피리'의 딴이름.

상관 개:념【相關槪念】명〔correlative concept〕〖논〗상대 개념(相對槪念) 중, 특히 관계가 깊으므로 서로 타방(他方)을 예상하게 되는 개념. 부(父)와 자(子), 우(右)와 좌(左) 같은 것.

상관 계:수【相關係數】명〔correlation coefficient〕〖수〗두 개의 양(量) 또는 현상(現象) 사이에 그 어떤 상관적(相關的)인 관계가 있을 것이라고 예상될 때에 그 관계의 친소(親疎)의 정도를 양적(量的)으로 표현하는 수학적 관계를 가리키는 계수(係數).

상관 관계【相關關係】명 두 가지 사물(事物) 사이에 있어서 유사(類似)한 정도의 통계적(統計的) 관계. 예컨대, 일반적으로 키가 큰 사람일수록 체중(體重)도 무거운 것과 같이 두 개의 변량(變量) 사이에 밀접한 관계가 있어서 한쪽의 증가(增加)에 수반되어 다른 쪽도 증가되는 경향이 있거나, 반대로 다른 쪽은 감소되는 경향이 있어, 두 개의 증감량(增減量)이 점차로 비례(比例)하거나 반비례하여서 생기는 두 가지 사물간의 관계. 상호 관계.

상관-도【相關圖】명〖수〗상관표(相關表)를 꺾은금 그래프로 나타낸 도표.

상관-설【相關說】명〖철〗주관과 객관은 서로 분리할 수 없는 존재라는 인식론적(認識論的)인 이론. 곧, 정신과 물질은 절대적인 대립을 가지는 것이 아니고 물건의 표리(表裏)와 같이 밀접한 상관성(相關性)을 가진 상대적(相對的)인 개념에 지나지 않는다는 학설. ↔정신 물리적 병행론(精神物理的並行論).

상관-성【相關性】[—썽] 명 두 가지 사물(事物) 사이에 서로 관계되는 성질.

상관-속【相關束】명〔fascia of correlation〕〖언〗어학에 있어서 상대되거나 비슷한 음운(音韻)이 서로 관계하여 분화(分化)하는 일.

상-관습【商慣習】명 상사(商事)에 관한 관행(慣行). 에누리·리베이트(rebate) 같은 것을 하는 관습. 법(法)의 성질을 띠지 않음.

상관습-법【商慣習法】명〖법〗상사(商事)에 관한 관행(慣行)으로, 법의 성질을 가진 것. 상법(商法)의 중요한 법원(法源)의 하나로서, 상사에 관해서는 민법에 우선(優先)하여 적용됨. *상관습(商慣習).

상관-없다【相關—】[—업—] 형 ①서로 관계가 없다. 관계없다. ②염려할 것 없다. 괜찮다.

상관-없이【相關—】[—업씨] 부 상관 없게.

상관-적【相關的】명관 서로 관련을 가지는 모양. ¶ ~ 입장(立場).

상관-주의【相關主義】[—/—이] 명〖사〗독일의 사회학자 만하임(Mannheim)의 용어. 사고(思考)나 의식(意識)을 고찰할 때, 그것이 속하고 있는 집단(集團)의 역사적·사회적 전체 구조와 상관적(相關的)으로 포착하여야 한다는 지식 사회학의 입장.

상관-체【相貫體】명 원통형·각기둥 따위 입체가 2개 이상 교차한 것. 도학(圖學)·데생의 모델로 많이 쓰임.

상관-표【相關表】명〖수〗상관 관계의 정도의 차(差)를 보이기 위하여 두 개의 변량(變量) XY를 동시에 관측하여 얻어진 자료로 만든 표.

상:광[1]【上鑛】명〖광〗무선광(無選鑛)으로 직접 제련소에 보낼 수 있는 정도로 품위(品位)가 높은 광석.

상광[2]【祥光】명 서광(瑞光).

상광[3]【常光】명〖불교〗화신불(化身佛)에서 늘 비치고 있는 광명. *현기광(現起光).

상-광선【常光線】명〖물〗단축 결정(單軸結晶)에 광선을 넣으면, 복굴절(複屈折)을 해서 두 개의 광선이 되어, 한쪽은 보통의 굴절 법칙에 따라 굴절하지만, 나머지 것은 그 법칙을 따르지 않는데, 이 때에 전자(前者)를 상광선이라 함. ↔이상 광선(異常光線).

상:-괘【上卦】[—꽤] 명〖민〗①두 괘로 된 육효(六爻)에 있어서 위의 괘. ②가장 좋은 점괘(占卦). 1)·2):↔하괘(下卦).

상괭이 명〖동〗쇠물돼지.

상:교[1]【上敎】명 ①임금의 지시. ②윗사람의 가르침.

상교[2]【尙敎】명〖대종교〗대종교(大倧敎) 총본사(總本司)에서 시선(試選)하는 교직(敎職).

상교[3]【相交】명 서로 어울림. 상호간에 교제(交際)함. ——-하다 자여불

상교[4]【庠校】명 중국 주(周)나라 시대의 학교의 일컬음.

상교[5]【象敎】명〖불교〗'불교(佛敎)'의 딴이름.

상교 쌍곡선【相交雙曲線】명〖수〗직각 쌍곡선.

상:구[1]【上九】명 ①건괘(乾卦)의 맨 위의 양효(陽爻)의 이름. ②9월 9일을 이르는 말. ③매월 29일을 이르는 말.

상:구[2]【上求】명〖불교〗↗상구 보리(上求菩提). ——-하다 자여불

상:구[3]【上矩】명 외행성(外行星)이 태양의 동쪽에 있어, 황경(黃經)의 차(差) 90도일 때를 이름. ↔하구(下矩).

상구[4]【相求】명 서로 구(求)함. ——-하다 자여불

상구[5]【相救】명 서로 구(救)해 줌. ——-하다 자여불

상구[6]【商邱】명〖지〗'상추'를 우리 음으로 읽은 이름.

상구[7]【喪具】명 장사지낼 때에 쓰는 제구(諸具).

상구[8] 부〈방〉①아직(경남). ②잠깐(황해·평안·함경).

상:구 보리【上求菩提】명〖불교〗보리(菩提)의 지혜를 구하여 닦는 일. 준상구(上求). ↔하화 중생(下化衆生). ——-하다 자여불

상:-구자도【上狗子島】명〖지〗전라 남도 서남해상(西南海上), 진도군(珍島郡) 의신면(義新面) 구자리(狗子里)에 위치한 섬. [$0.07\ km^2$]

상:국[1]【上國】명 작은 나라의 조공(朝貢)을 받는 큰 나라.

상국[2]【相國】명〖역〗영의정(領議政)·좌(左)의정·우(右)의정의 총칭. 상신(相臣).

상국[3]【喪國】명 나라를 잃어버림. ——-하다 자여불

상국[4]【賞菊】명 국화꽃을 감상함. ——-하다 자여불

상국[5]【霜菊】명 서리 올 때에 핀 국화.

상-국제법【商國際法】[—뻡] 명 상사(商事)에 관한 국제법상의 법규. '국제 해상 물품 운송법' 따위.

상군[1]【相君】명 상공[6](相公).

상군[2]【商群】명 장사치들의 떼.

상군[3]【湘君】명 상수(湘水)의 신(神). 요(堯) 임금의 딸. 아황(娥皇)과 여

영(女英)이 함께 순(舜) 임금에게 시집갔다가 순 임금이 창오(蒼梧)에서 죽자 상수에 빠져 죽어 물귀신이 되었다 함.

상군[4]【廂軍】명〖역〗거둥 때의 호위 군사.

상:궁[1]【上弓】명〖악〗'울림활'의 구용어. ↔하궁(下弓).

상궁[2]【尙宮】명〖역〗①고려 때의 여관(女官)의 하나. ②조선 시대 여관의 정오품 벼슬.

상궁지-조【傷弓之鳥】명 화살을 한번 맞아 혼이 난 새처럼 항상 공포를 느끼고 경계하고 있는 것을 비유하여 일컫는 말. 경궁지조(驚弓之鳥).

상:-권[1]【上卷】명 두 권이나 또는 세 권으로 가른 책의 첫째 권. ↔하권(下卷).

상권[2]【商圈】[一꿘] 명〖경〗어떤 상업 중심지의 물자(物資)를 직접 거래하는 지역. 곧, 상업의 세력 범위. 흔히, 도시의 상권을 말함.

상권[3]【商權】[一꿘] 명 상업상의 권리.

상:궐【上闕】명〖역〗상왕(上王)이 거처하는 대궐.

상궤【常軌】명 떳떳하고 바른 길. ¶ ~를 벗어나다.

상귀【翔貴】명 등귀(騰貴). ——-하다 자여불

상규【常規】명 ①보통의 일반적인 규정 또는 규칙. 상률(常律). 상칙(常則). ②늘 변하지 않는 규칙. 상전(常典).

상그럽다 형〈방〉향기롭다. ¶ 바람은 …사람들의 피로한 정신을 산뜻하고 상그럽게 쓰다듬어 준다.

상그레 부 소리 없이 눈만 움직여서 지긋이 귀엽게 웃는 모양. ¶ ~ 웃다. ㅆ썽그레. >생그레. ——-하다 자여불

상극【相剋】명 ①둘 사이에 마음이 서로 화합하지 못하고 항상 충돌함. ②〖민〗오행설(五行說)에 있어서 금(金)은 목(木)을, 목(木)은 토(土)를, 토(土)는 수(水)를, 수(水)는 화(火)를, 화(火)는 금(金)을 각각 이김을 이르는 말. ↔상생(相生).

상극-상【相剋相】명 서로 어긋나 충돌하는 모양.

상:-극한【上極限】명〖수〗실수(實數)의 집합 S에 대하여 일정한 실수 λ가 있어서, 임의의 양수(陽數) ε를 취하면, $\lambda+\varepsilon<x$인 S의 원소 x는 기껏해야 유한개(有限個)이며, $\lambda-\varepsilon<x$인 S의 원소 x는 무한개일 때 S에 대한 λ의 일컬음. 최대 극한(最大極限). ↔하극한(下極限).

상:근[1]【上根】명〖불교〗기근(機根)이 남보다 뛰어난 사람. 불도(佛道)를 잘 닦는 사람. 상기(上機). ↔하근(下根).

상근[2]【桑根】명 뽕나무의 뿌리.

상근[3]【常勤】명 매일, 일정한 시간 동안, 그 직무에 종사함. ↔비상근(非常勤). ——-하다 자여불

상근 백피【桑根白皮】명〖한의〗뽕나무 뿌리의 속껍질. 오줌을 순하게 하고, 담을 누르는 데 약이 됨. ㊌상백피(桑白皮).

상근 중:역【常勤重役】명 사내 중역(社內重役).

상글-거리다 자 천연한 태도로 자꾸 귀엽게 눈웃음치다. ㅆ쌍글거리다. <싱글거리다. **상글-상글** 부. ¶ ~ 자랑의 웃음을 짓다. ——-하다 자여불

상글-대다 자 상글거리다.

상글-방글 부 상글거리면서 방글방글하는 모양. ㅆ쌍글빵글. <싱글벙글. ——-하다 자여불

상:금[1]【上金】명〖광〗혼합물(混合物)이 적어 품질이 좋은 금.

상금[2]【賞金】명 상으로 주는 돈.

상금[3]【償金】명 ①갚는 돈. ②물어주는 돈. ③↗배상금(賠償金).

상:금[4]【尙今】부 지금까지. 이제까지.

상금-부【賞金附】명 상금이 붙음. 상금이 딸림.

상:급[1]【上級】명 ①윗등급(等級). 높은 계급(階級). ②윗학급. ¶ ~반(班). 1)·2):↔하급(下級).

상급[2]【賞給】명 상으로 줌. 또, 그 물건. ——-하다 타여불

상:급 관리【上級官吏】[一괄一] 명 상대적으로 높은 계급에 있는 관리. ↔하급 관리.

상:급 관청【上級官廳】명 상대적으로 상급에 있어 하급 관청을 지휘 감독하는 관청. ↔하급 관청.

상:급 기관【上級機關】명 하급 기관에 대하여 지휘·감독의 권한을 갖는 기관. ↔하급 기관.

상:급 법원【上級法院】명〖법〗하급(下級)에 있는 법원을 지휘·감독하는 법원. 지방 법원에 대해서는 고등 법원이고, 고등 법원에 대해서는 대법원임. 상급 재판소(上級裁判所). ↔하급 법원.

상:급-생【上級生】명 ↗상급 학생. ↔하급생(下級生).

상:급 소:유권【上級所有權】[一꿘] 명〖법〗분할 소유권(分割所有權)의 하나. 지대(地代) 같은 것을 징수(徵收)하는 영주(領主)나 지주(地主)의 권리.

상:급-심【上級審】명〖법〗상급 법원에서 하는 소송(訴訟)의 심리(審理). ↔하급심(下級審).

상:급-자【上級者】명 계급·등급이 위인 자.

상:급-재【上級財】명〖경〗소득이 증가함에 따라 그 수요(需要)가 증가하는 재화. ＊하급재(下級財).

상:급 재판소【上級裁判所】명 상급 법원(上級法院). ↔하급 재판소.

상:급-직【上級職】명 하급에 대하여 상급에 있는 직. ↔하급직.

상:급 학교【上級學校】명 하급 학교에 대하여 상급의 학교. 곧, 국민 학교에 대하여 중학교, 고등 학교에 대하여 대학교 등. ↔하급 학교.

상:급 학년【上級學年】명 학교의 윗학년. ↔하급 학년(下級學年).

상:급 학생【上級學生】명 윗학년의 학생. ㊌상급생. ↔하급 학생(下級學生).

상:급 활공기【上級滑空機】명 소려(soarer).

상긋 부 다정스럽게 소리 없이 얼핏 눈웃음을 짓는 모양. ㅆ상끗·쌍긋·쌍끗. <싱긋. ——-하다[1] 자여불

상긋-거리다 자 연해 다정스럽게 소리 없이 눈웃음을 치다. ㅆ상끗거리다·쌍긋거리다·쌍끗거리다. <싱긋거리다. **상긋-상긋** 부. ——-하다 자여불

상긋-대다 자 상긋거리다.

상긋-방긋 부 상긋거리면서 방긋방긋하는 모양. ㅆ상끗방끗·쌍긋빵긋·쌍끗빵끗. <싱긋벙긋. ——-하다 자여불

상긋-이 부 다정하게 지그시 눈웃음치는 모양. ㅆ쌍긋이·상끗이·쌍끗이. <싱긋이.

상긋-하다[2] 형〈방〉향긋하다(전라).

상기 부〈옛〉아직. ¶ 소치는 아희들은 상기 아니 니럿느냐≪古時調 南九萬 東窓이≫.

상:기[1]【上記】명 가로 쓴 글에서 그 위쪽에 기록된 것을 가리키는 말. ¶ ~와 같이. ↔하기(下記). ＊우기(右記). ——-하다 타여불

상:기[2]【上氣】명 ①흥분이나 수치감(羞恥感)으로 얼굴이 붉어짐. ¶ 붉게 ~된 얼굴. ②〖한의〗피가 머리로 몰리어 홍조(紅潮)·두통·이명(耳鳴) 등을 일으키는 현상. ——-하다 자여불

상:기[3]【上器】명〖불교〗최상의 기량(器量). 뛰어난 인물.

상:기[4]【上機】명〖불교〗상근(上根).

상기[5]【尙記】명〖역〗조선 시대, 여관(女官)의 종육품 벼슬.

상기[6]【相忌】명 서로 꺼림. ——-하다 자여불

상기[7]【相器】명 재상(宰相)이 될 만한 기량(器量).

상기[8]【祥氣】명 경사스러운 전조(前兆)의 기운.

상기[9]【爽氣】명 상쾌한 기분.

상기[10]【商機】명 상업상의 기회(機會) 또는 기밀(機密).

상기[11]【傷氣】명 남의 기분이나 마음을 상하게 하고 슬프게 함. ——-하다 자여불

상기[12]【喪氣】명 의기(意氣)가 저상(沮喪)됨. 기운이 꺾임. ——-하다 자여불

상기[13]【象棊】명 장기(將棊).

상기[14]【喪期】명 거상(居喪)을 입는 동안.

상기[15]【詳記】명 상세하게 기록함. 또, 그 기록. 상록(詳錄). ——-하다 타여불

상:기[16]【想起】명 ①지난 일을 도로 생각하여 냄. ¶ ~하자 6·25. ②〖심〗한번 경험하여 안 사물(事物)을 뒤에 다시 재생(再生)함. ③〖철〗아남네시스(anamnesis). ——-하다 타여불

상기[17]【霜氣】명 서리가 조금 내린 기운.

상기[18] 부〈방〉아직(함경).

상기다[1] 타〈옛〉지어 내다. 만들어 내다. ¶ 노래 상긴 사람 실름도 하도 할샤≪古時調≫. 「↔배다[5].

상기다[2] 형 공간이나 관계가 어떤 표준보다 그 사이가 뜨다. <성기다.

상:-기도【上氣道】명〖생〗숨쉬는 통로에서, 기관지·후두(喉頭)·인두(咽頭)·비강(鼻腔)이 있는 부위를 가리킴.

상:-기둥【上一】명 안방과 마루 사이에 있는 가장 중요한 기둥.

상:기-물【上奇物】명〖악〗옛 곡조(曲調)의 이름. 신라 시대의 악성(樂聖)인 우륵(于勒)이 지은 가야금 12 곡 중의 끝의 곡.

상-기생【桑寄生】명 ①〖식〗뽕나무겨우살이. ②〖한의〗↗상상 기생(桑上寄生).

상:기-설【想起說】명〖철〗플라톤(Platon)의 학설. 인간의 혼(魂)은 불사(不死)의 것으로서, 몇 번이고 다시 태어나는 중에 이 세상 일이나 저 세상 일을 모두 알고 있으므로, 알고 있다는 것은, 사실은 잊어버렸던 것을 상기하여 내는 것에 불과하다는 설.

상기에 제도【一諸島】[Sangihe] 명〖지〗인도네시아 북동부, 셀레베스 섬과 필리핀의 민다나오 섬의 중간에 있는 제도(諸島). 화산성(火山性)의 섬이며, 주민의 태반이 그리스도 교도임. 쌀·사고야자·코코야자 등을 재배함. 주도(主都)는 타후나. [$813km^2$: 194,000 명(1964)]

상기타-라트나카라[Sangita-Ratnakāra] 명〖책〗인도에서 가장 오래된 음악책. 13세기에 사릉가데바가 인도 각지의 음악 이론을 집대성(集大成)한 것.

상:-길【上一】[一낄] 명 여럿 중에 제일 나은 품질(品質). 상질(上秩). ↔핫길.

상깃-상깃 부 여럿이 모두 조금씩 상긴 듯한 모양. 여러 군데가 모두 상긴 듯한 모양. <성깃성깃. ——-하다 형여불

상깃-하다 형여불 조금 상긴 듯하다. <성깃하다.

상끗 부 다정하게 얼핏 가벼운 눈웃음을 짓는 모양. ¶ ~ 웃다. ㄴ상긋. ㅆ쌍끗. <성끗. ——-하다 자여불

상끗-거리다 자 천연한 태도로 연해 상끗 눈웃음치다. ㄴ상긋거리다. ㅆ쌍끗거리다. <싱끗거리다. **상끗-상끗** 부. ——-하다 자여불

상끗-대다 자 상끗거리다.

상끗-방끗 부 상끗거리면서 방끗방끗하는 모양. ㄴ상긋방긋. ㅆ쌍끗빵끗. <싱끗벙끗. ——-하다 자여불

상끗-이 부 다정하게 지그시 눈웃음치는 모양. ㄴ상긋이. ㅆ쌍끗이. <싱끗이.

상-나라【商一】명〖역〗중국의 '상(商)'을 나라로서 똑똑히 일컫는 말.

상나화수【商那和修】명〖불교〗불교의 삼세 조사(三世祖師)의 이름. 인도 마돌라 나라 사람인데, 태중(胎中)에 여섯 해나 있었다 함. 아난 존자(阿難尊者)에게서 법을 받아서 우파국다(優波毱多)에게 전함.

상:-낙월도【上落月島】명〖지〗전라 남도의 서해상(西海上), 영광군(靈光郡) 낙월면(落月面) 상낙월리(上落月里)에 위치한 섬. [$0.87 km^2$: 742 명(1987)]

상-날치 명〖어〗[*Exocoetus volitans*] 상날칫과(科)에 속한 바닷물고기. 날치과(科)의 한 종류인데, 우리 나라 남해안(南海岸)·일본 남부 및 중국 연해(沿海)로부터 하와이·인도양 등에 분포함.

상날칫-과【一科】명〖어〗[Exocoetidae] 동갈치목(目)에 속하는 어류의 한 과. 날치·상날치 등이 이에 속함.

상:-납[1]【上一】명 ①품질이 좋은 납. ＊유납. ②'주석'의 예스런 말.

상:납[2]【上納】명 ①정부에 조세를 바침. ②윗사람에게 금품(金品)을 바침. ——-하다 타여불

[상납 돈도 잘라 먹는다] 지나치게 뻔뻔스럽고 염치 없는 행동을 하여 제 욕심만 채우려는 사람을 보고 이르는 말.

상:납-금【上納金】명 ①상납전(上納錢). ②윗사람에게 바치는 돈.

상:납-미【上納米】명 ①조세로 바치는 쌀. ②〖역〗조선 시대, 대동법(大同法)에 따라 거두어 들인 쌀 가운데, 경창(京倉)에 수납(輸納)한 쌀. 봄에 거두어 들인 춘등 수미(春等收米)가 이에 충당됨. 종전의 각종 공물·방물(方物)·진헌(進獻) 등의 구입과 역가(役價)의 소요에 지출

(支出)됨. ＊유치미(留置米).

상:납-전【上納錢】명 조세로 바치는 돈. 상납금(上納金).

상내 명〈방〉암내[1].

상냥-스럽다 형ㅂ불 상냥한 데가 있다. 상냥-스레 부

상냥-하다 형여불 성질이 싹싹하고 부드럽다. 상냥-히 부

상:년[1]【上年】명 지난해.

상-년[2]【常一】명〈비〉①신분이 낮은 계집을 낮추어 이르는 말. ②본데가 없어 버릇없는 여자를 욕하는 말. ㅆ쌍년.

상년[3]【祥年】명 운수(運數)가 좋은 해. ＊길년(吉年).

상년[4]【桑年】명 마흔여덟 살. '桑'은 '桒'으로도 쓰이기 때문에 이르는 말. 즉, '桒'자 안에는 '十'자가 4개, '八'자가 1개 들어 있음.

상:념【想念】명 ①마음속에 품는 여러 가지 생각. ②〖심〗관념(觀念).

상노【床奴】명 밥상 나르는 일과 잔심부름을 하는 아이.

상:-노대도【上老大島】명〖지〗경상 남도의 남해상(南海上), 통영시(統營市) 욕지면(欲知面) 노대리(老大里)에 위치한 섬. [1.5km²]

상노 아이【床奴一】명 상노로 부리는 아이.

상:-노인【上老人】명 '상늙은이'의 경칭.

상-놈【常一】명〈비〉①신분이 낮은 남자를 낮추어 이르는 말. 상한(常漢). ②본데가 없어 버릇없는 남자를 욕하는 말. ㅆ쌍놈.
[상놈의 발 덕 양반의 글 덕] 양반은 학식 덕으로 살아 가고, 학식 없는 상놈은 발로 걷고 노동을 하여 살아 간다는 말. [상놈의 살림이 양반의 양식이라] 양반은 결국 상놈이 일한 것을 가지고 잘 사는 셈이라는 뜻.

상:농[1]【上農】명 규모가 크게 농사를 짓는 농부. 또, 그 농가(農家). ＊

상-농[2]【商農】명 상인과 농부. 상업과 농업. ㄴ중농(中農).

상:농-주의【尙農主義】[一/一이] 명〖경〗중농주의(重農主義).

상:농-파【尙農派】명〖경〗중농 학파(重農學派). 「상노인.

상:-늙은이【上一】[一늘근一] 명 여럿 중에 가장 나이가 많은 늙은이.

상 다【尙茶】명 조선 시대, 내시부(內侍府)의 정삼품(正三品) 벼슬. 상약(尙藥)의 위, 상온(尙醞)의 아래.

상-다리【床一】[一따一] 명 상에 붙어서 그 상을 받치는 다리.
상다리가 휘어지다 구 상에 차린 음식이 종류도 많고 양도 많다.

상:단[1]【上段】명 ①글의 첫째 단. ②위에 있는 단(段). ↔하단(下段).

상:단[2]【上端】명 위 끝. ↔하단(下端).

상:단[3]【上壇】명〖불교〗불상(佛像)을 봉안(奉安)한 곳.

상단[4]【商團】명 중국에서, 상인(商人)의 단체가 시장(市場)의 자위(自衛)를 위하여 조직·설치한 일종의 사설(私設) 군대.

상단 사:건【商團事件】[一껀] 명〖역〗1924년 중국 광저우(廣州)에서 일어난 반혁명 사건(反革命事件). 쑨원(孫文)의 혁명적 정책에 불만을 품은 상단은 8월에 정부가 무기(武器)를 압류한 것을 이유로 반정부 스트라이크를 일으켰으며, 10월 10일에는 학생·노동자·농민의 데모에 발포(發砲)하기에 이르렀으나 14일에 쑨원의 군대에 의하여 진압되었음.

상:단-산【上丹山】명〖지〗함경 북도 무산군(茂山郡) 연사면(延社面)에 있는 산. [1,390m] 「뇌(腦)를 이름.

상:-단전【上丹田】명 도가(道家)에서 말하는 삼단전(三丹田)의 하나.

상:단 축원【上壇祝願】명〖불교〗불상(佛像)을 봉안(奉安)한 상단에서 하는 축원. ——-하다 자여불

상:단 탱화【上壇幀畫】명〖불교〗대웅전(大雄殿)의 불상(佛像)을 봉안한 곳에 붙이는 탱화. 곧, 후불(後佛) 탱화의 일컬음.

상:달[1]【上一】[一딸] 명 ↗시월 상달. 「~. ↔하달.

상:달[2]【上達】명 윗사람에게 말이나 글로 여쭈어 알게 함. ¶ 하의(下意)

상달[3]【傷怛】명 ①아파하고 슬퍼함. ②슬퍼하고 놀람. ——-하다 자여불

상-닭【常一】[一닥] 명 ①종류·계통이 좋지 못하고 모양이 아름답지 못한 닭. ②당닭에 대하여 보통 닭을 일컫는 말.

상담[1]【相談】명 대책 따위를 세우기 위하여 상의(相議)함. 담합(談合). ¶ 인생 ~. ——-하다 자타여불

상담[2]【常談】명 ①보통으로 쓰는 평범한 말. ②상스러운 말.

상담[3]【商談】명 상거래에 관한 교섭이나 의논. ——-하다 자여불

상담[4]【祥禫】명 대상(大祥)과 담제(禫祭).

상담[5]【象膽】명〖한의〗코끼리의 쓸개. 안질이나 감질에 약으로 씀.

상담[6]【湘潭】명〖지〗'샹탄'을 우리 음으로 읽은 이름.

상담[7]【嘗膽】명 ↗와신 상담(臥薪嘗膽). ——-하다 자여불

상담-기【相談棋】명 대국자(對局者)의 일방 또는 쌍방이 2명 이상으로 짜여져, 착수(着手)에 관해서 같은 편끼리 의논하면서 두어 나가는 바둑. ＊연기(連棋).

상담-소【相談所】명 어떤 일정한 일에 관하여 묻고 의논(議論)할 수 있도록 설치된 사회 시설. ¶ 결혼 ~/법률 ~.

상담-역【相談役】[一녁] 명 회사(會社) 같은 데에서 중대한 일이나 분쟁(紛爭) 등이 일어났을 때에 적절한 조언(助言) 또는 조정(調停)을 하는 사람. 법정 기관(法定機關)은 아님.

상담-원【相談員】명 카운슬러. 「둔 옷감.

상답[1] 명 자녀(子女)의 혼인 때에 쓰거나 뒷날에 쓰기 위하여 준비하여

상:답[2]【上畓】명 ↗상등답(上等畓).

상:답[3]【上答】명 윗사람에게 대답함. ↔하답(下答). ——-하다 자여불

상닷-대 명〈방〉상앗대.

상:당[1]【上堂】명〖역〗①신라 때의 관직의 하나. 사천왕 성전(四天王成典)·봉성사 성전(奉聖寺成典)·감은사 성전(感恩寺成典)·봉덕사 성전(奉德寺成典)·봉사사 성전(奉思寺成典)·위화부(位和府)의 차관(次官). 위계(位階)는 아찬(阿飡)에서 나마(奈麻)까지. ②신라 때 영창궁 성전(永昌宮成典)의 장관(長官). 위계는 아찬(阿飡)에서 급찬(級飡)까지.

상:당[2]【上黨】명 중국 진(秦)나라 때, 산시 성(山西省)의 동남부에 두었던 군(郡). 전국(戰國) 시대의 한(韓)의 땅. '창즈(長治)'의 구칭.

상당[3]【相當】명 ①알맞음. ¶ 그의 죄는 죽음에 ~한다. ②서로 어금지금함. ¶ 한 달 월급에 ~하는 돈. ③대단한 정도에 가까움. ¶ ~한 사람. ——-하다 형여불. ——-히 부

상당-수【相當數】명 ①어지간히 많은 수. ②어떠한 기준량(基準量)에 상당하는 수. 「는 금액.

상당-액【相當額】명 ①어지간히 많은 금액. ②어떠한 기준량에 상당하

상당 온도【相當溫度】명 습윤(濕潤) 대기 중의 수증기가 모두 응결할 때, 그 잠열(潛熱)에 의해 상승하는 대기의 온도.

상당 인과 관계설【相當因果關係說】명〖법〗인과 관계에 관한 학설의 하나. 법률상 인과 관계가 문제될 때에 어떤 사실과 어떤 결과 사이에 자연적 인과 관계가 있는 경우에라도 사람의 경험적 지식으로 보아서 그러한 사실이 있으면, 이에 따라서 그러한 결과가 생기는 것이 일반적이라고 생각되는 범위에서만 법률이 요구하는 인과 관계를 인정한

상당-직【相當職】명〖역〗품계(品階)에 알맞은 벼슬. ㄴ다는 설.

상:대[1]【上代】명 ①윗대. ¶ 그 사람의 ~에는 그 집안도 잘 살았다. ②

상:대[2]【上隊】명 상떼. ㄴ상고 시대(上古時代).

상대[3]【相大】명〖불교〗삼대(三大)의 하나.

상대[4]【相對】명 ①서로 마주 봄. ¶ 신랑 신부가 ~하여 서다. ②서로 맞섬. 마주 겨룸. ¶ ~ 팀. ③함께 뭔가를 하는 일. 상대자로서 대해 줌. ④[the relative]〖철〗다른 사물(事物)에 대하여 존재함. 즉, 다른 사물에 의존(依存)하거나 제약을 받거나 하여 존재함. ↔절대(絶對). ⑤상대편. ⑥↗상대자. ¶ 말 ~/결혼 ~. ——-하다 자여불

상대[5]【商大】명〖교〗↗상과 대학.

상대[6]【商隊】명 대상(隊商).

상대[7]【霜臺】명〖역〗사헌부(司憲府)❶.

상대 가격【相對價格】[一까一] 명 [relative price]〖경〗일정 상품의 가격과 비교하여 표시한 다른 상품의 가격. 즉, 연필·사과·양말이 있을 때에 사과를 기준으로 한 교환 비율(交換比率) 2·1·5는 상대 가격이며 그것으로부터 구체화(具體化)되는 화폐 가격(貨幣價格) 200원·100원·500원이 절대 가격(絶對價格)임. ↔절대 가격(絶對價格).

상대 개:념【相對概念】명 [relative concept]〖논〗다른 개념(槪念)과의 관계가 비교적(比較的) 깊어서 그것과의 비교에 의하여 일층(一層) 그 의의(意義)가 명료(明瞭)하게 되는 개념. 밤과 낮, 하늘과 땅 같은 것. ↔절대 개념(絶對槪念).

상대-국【相對國】명 외교 교섭의 상대가 되는 나라.

상대 굴절률【相對屈折率】[一쩔一] 명 [relative refractive index]〖물〗두 개의 매질(媒質)의 경계면에서 빛이 굴절할 때의 입사각(入射角)과 굴절각(屈折角)의 정현비(正弦比).

상대-권【相對權】[一꿘] 명〖법〗특정인에 대해서만 주장할 수 있는 권리. 채권 같은 것. 상대 권리. 대인권(對人權). ↔절대권(絶對權).

상대 권리【相對權利】[一궐一] 명〖법〗상대권(相對權). ↔절대 권리.

상대 농지【相對農地】명〖법〗절대 농지(絶對農地)로 지정되지 않은 농지.

상대 높임법【相對一法】[一뻡] 명〖언〗높임법의 하나. 일정한 종결 어미를 선택하여 상대방을 높이는 것으로, 해라체·하게체·하오체·합쇼체 등이 있음.

상대 도:수【相對度數】[一쑤] 명 [relative frequency] 변량(變量)의 값이 주어진 범위 안에 들어 있는 비율. 곧, 변량 x가 취한 값 가운데, 주어진 범위 R 속에 들어 있는 개수를 값의 총수로 나눈 것을 x가 R의 값을 취한 상대 도수라 함. 상대 빈도(相對頻度).

상대 득표율【相對得票率】명 선거에 있어서, 투표자 총수 중에 차지하는 각 당의 득표수의 비율. ↔절대 득표율.

상:-대등【上大等】명〖역〗신라 때의 최고 벼슬 이름. 법흥왕(法興王) 18년(531)에 둠. 나라의 정권(政權)을 맡은 대신. 상신(上臣).

상대-력【相對力】명 [relative force]〖공〗표준 발사약(發射藥)의 힘에 대한 어떤 발사약의 힘의 비율.

상대-론【相對論】명〖물〗상대성 이론(相對性理論).

상대론적 역학【相對論的力學】[一녁一] 명 상대성 이론의 기본 요구(基本要求)를 충족시키는 역학. 4차원 시공간(時空間)으로 생각함.

상대론적 운:동학【相對論的運動學】명 [relativistic kinematics]〖물〗특수 상대론과 모순되지 않는, 입자(粒子) 운동의 기술법(記述法). 운동의 원인에는 언급하지 않음.

상대론적 입자【相對論的粒子】명 [relativistic particle]〖물〗광속(光速)과 비교될 만큼의 속도로 운동하고 있는 입자.

상대론적 전:기 역학【相對論的電氣力學】명 [relativistic electrodynamics]〖전자〗하전 입자(荷電粒子)의 속도가 광속(光速)과 같은 정도인 경우에, 입자와 전계(電界) 또는 입자와 자계(磁界)와의 상호 작용을 연구하는 학문.

상대론적 질량【相對論的質量】명 [relativistic mass]〖물〗광속의 10분의 1을 넘는 속도로 운동하고 있는 입자(粒子)의 질량. 정지 질량(靜止質量)보다 무시할 수 없을이만큼 큼.

상대-류【相對流】명 [relative current]〖해〗등압면(等壓面)의 역학적 고저(高低)에 의해서 일어나는 흐름. 무류면(無流面)을 가정(假定)해서 얻어짐.

상대 매매【相對賣買】명〖경〗팔 사람과 살 사람이 임의로 그 상대방을 선택하여 합의하에 매매를 약정하는 보통 거래 방식.

상대 반:응【相對反應】명〖심〗변별(辨別) 학습에 있어서 개개의 자극(刺戟)의 성질 그 자체에 대한 것이 아니고, 자극간의 관계에 직면(直面)하여서 일어나는 반응. 예를 들면, A·B·C의 순서로 진하게 칠한 회색의 색종이가 있을 때, 처음에 A·B의 둘 중에서 보다 더 진한 B를 선택하는 일을 훈련시키고, 다음에 B와 C를 제시하였을 경우, 역시

B를 집어 들면 절대 반응(絶對反應)이고, B·C 중에서 빛이 더 진한 C를 집어 들면 상대 반응이 됨. ↔절대 반응.

상:대-방¹【上帶枋】[명]〖건〗 위떠방.

상대-방²【相對方】[명] ①상대편. ②〖법〗 법률 행위(法律行爲) 또는 소송(訴訟) 등과 같이 두 사람 이상이 서로 대립하는 경우에 있어서 서로 맞은편을 지적하여 부르는 말.

상대방 대:리【相對方代理】[명]〖법〗 자기 계약(自己契約).

상대 법정형【相對法定刑】[명]〖법〗 상대적 법정형.

상대 별곡【霜臺別曲】[명]〖악〗〔상대(霜臺)는 사헌부(司憲府)의 별칭〕 조선 왕조초에 권 근(權近)이 지은 노래. 5장으로 되어 있는데, 형식은 고려의 ≪경기체가(景幾體歌)≫와 비슷함. ≪악장 가사(樂章歌詞)≫에 가사가 실려 전함.

상대 빈도【相對頻度】[명] 상대 도수(相對度數).

상:-대사【上大舍】[명]〖역〗 신라 상대사전(上大舍典)과 동궁아(東宮衙)의 벼슬.

상:대사-전【上大舍典】[명]〖역〗 신라의 관아(官衙) 이름.

상대-설【相對說】[명]〖철〗 상대주의(相對主義).

상대-성【相對性】[—썽] [명]〖철〗 모든 사물(事物)의 부분과 전체(全體) 또는 부분과 부분이 독립하지 않고 서로 의존적(依存的) 관계를 가진 성질.

상대성 원리【相對性原理】[—썽월—] [명]〖물〗 ①〔relativity〕 서로 등속 직선 운동(等速直線運動)을 하고 있는 좌표계(座標系), 곧 관성 좌표계(慣性座標系)에 있어서는 모든 물리 법칙(物理法則)은 같은 형태로 나타난다는 원리. 1905년에 미국의 물리학자 아인슈타인이 발표한 학설인데, 이러한 의미에 있어서는 고전 역학(古典力學)도 일종(一種)의 상대성의 요청(要請)을 충족(充足)하는 이론(理論)임. 상대율(相對率). ②상대성 이론(相對性理論).

상대성 이:론【相對性理論】[—썽—] [명]〔theory of relativity〕〖물〗 1905년 미국의 물리학자 아인슈타인(Einstein)이 주창한 학설. 빛의 매질(媒質)로서의 에테르의 존재(存在)를 부정(否定)하고 광속도(光速度)가 모든 관측자(觀測者)에 대하여 같은 값을 가진 것으로 보고, 또 자연 법칙은 서로 같은 양식(樣式)으로 운동하는 관측자에 대하여 같은 형식을 보존(保存)한다는 원리를 기초로 하여서 세운 특수 상대성 이론(特殊相對性理論)과, 1915년 이것을 일반화하여 모든 관측자에 대해서 법칙이 같은 형식으로 된다는 요청(要請)으로부터 중력 현상(重力現象)을 설명한 일반 상대성 이론을 말함. 이들의 이론에 의하여 시간(時間)과 공간(空間)은 서로 밀접하게 연결되어 소위 사차원(四次元)의 세계를 구성함. 상대론(相對論). 상대성 원리(相對性原理).

상대 속도【相對速度】[명]〔relative velocity〕〖물〗 운동하는 하나의 물체에서 본, 운동하는 다른 물체의 속도.

상대 습도【相對濕度】[명]〔relative humidity〕〖물〗 일정 체적(體積)의 공기 중에 실제로 함유하고 있는 수증기량과, 그 공기가 그 때의 온도에서 함유할 수 있는 최대한의 수증기량과의 비율. 관계(關係) 습도.

상대식 플랫폼:【相對式—】〔platform〕[명] 플랫폼의 그 형상(形狀)에 따른 분류의 하나. 선로(線路)를 사이에 두고 상대(相對)해서 설치한 한 쌍의 플랫폼.

상대-어【相對語】[명]〖언〗 뜻이 상대되는 말. 상대되는 뜻의 낱말. 반의어(反義語). 반대어(反對語). ↔동의어(同義語).

상대 여빈【相對如賓】[명] 손님처럼 대함. ——-하다 [자][타][여불]

상대-역【相對役】[명] 연극·영화에서 주역(主役)의 상대가 되는 역(役).

상대 연대【相對年代】[명]〖역〗 고고학적 연구에서 각 문화·유적·유물 사이의 선후 관계를 표시하는 개수적(概數的)인 연대. ↔절대(絶對) 연대.

상대 오:차【相對誤差】[명] 오차의 한계의 측정값에 대한 비율.

상대 운:동【相對運動】[명] ①한 물체의 다른 물체에 대한 상대적 운동. ②운동 좌표계(運動座標系)에 의하여 기술한 물체의 운동.

상대 운:동선【相對運動線】[명]〔relative movement line〕〖항행〗 전개 운동(展開運動) 중인 배나 항공기에 대한 상대 위치를 계속해서 연결(連結)한 선.

상대 원:시【相對遠視】[명]〖의〗 조절력(調節力)이 원시(遠視)의 도(度)보다 크고, 한쪽 눈만으로는 외계(外界)를 똑똑히 볼 수 있으나 두 눈으로 보려면, 원시의 도가 상당히 강하여 조절에 따르는 폭주(輻輳) 작용 때문에 내사시(內斜視)를 일으킬 정도의 원시. ↔절대 원시·수의(隨意) 원시.

상대-율【相對率】[명]〖물〗 상대성 원리(相對性原理)❶.

상대 음감【相對音感】[명]〖악〗 기준이 되는 음(音)이 주어졌을 때, 이에 따라 상관적(相關的)으로 딴 음을 식별하는 능력. ↔절대(絶對) 음감.

상대 의:무【相對義務】[명] 권리(權利)와 서로 대립하는 관계에 있는 의무. 채권(債權)에 대한 채무(債務) 같은 것. ↔절대 의무(絶對義務).

상대 임:금【相對賃金】[명]〖경〗 한 나라 한 산업(産業) 또는 한 회사를 단위(單位)로 하여 일정 기간을 통산한 총이윤(總利潤)과 총임금과의 비교 대조(比較對照)에 의하여 얻을 수 있는 임금의 개념. 가령, 임금은 두 배가 되어도, 이윤은 다섯 배로 되는 경우에는 실질 임금(實質賃金)은 올라도 상대 임금은 저하한 것으로 됨.

상대 임야【相對林野】[명] 절대 임야의 지정(指定)에서 제외된 임야. 경사도나 토질에 따라, 경작(耕作)·과수원·목양지(牧養地) 등으로 이용할 수 있는 임야. ↔절대 임야.

상대-자【相對者】[명] 말이나 일을 할 때에 상대가 되는 사람. 맞선편. 맞은편. [준]상대. ↔절대자.

상대-적【相對的】[관][명] 사물이 다른 것과의 비교 관계에 있어 존재하는 모양. ↔절대적(絶對的).

상대적 결정주의【相對的決定主義】[—쩡—/—쩡—이] [명]〖법〗 자유형(自由刑)을 선고(宣告)하는 경우에 일정 부동의 기간을 정함이 없이 일정한 최대한(最大限)과 최소한(最少限)과의 사이에 신축(伸縮)할 수 있게 형을 선고하여 형의 목적을 달성한 경우에 적당하게 출감(出監)시키는 주의.

상대적 과:잉 인구【相對的過剩人口】[명]〔relative surplus population〕〖경〗 자본에 의하여 흡수(吸收)되지 않은 노동자 인구. 곧, 자본의 유기적(有機的) 구성이 고도화할 때, 불변 자본 부분에 비하여 가변(可變) 자본 부분인 임금이 상대적으로 감소하여, 이에 따라 상대적으로 발생하는 대량 실업자. 생산 규모(生産規模)에 따라서 때로는 산업에서 쏟아져 나오고 때로는 대량으로 흡수되는 유동적 과잉 인구와 농촌(農村)에서 프롤레타리아트화(proletariat化)할 기회를 대기하고 있는 잠재적(潛在的) 과잉 인구, 또 현재 취업하고 있으나 그 취업이 극히 불규칙한 노동자군(勞動者群)인 정체적(停滯的) 과잉 인구의 세 가지 형태가 있음. 산업 예비군(産業豫備軍).

상대적 무인 행위【相對的無因行爲】[명]〖법〗 어떤 법률 행위에 있어서 그 행위가 무인(無因)임을 원칙으로 하나 당사자의 의사 표시에 의하여 유인(有因)이 되는 무인 행위. ↔절대적(絶對的) 무인 행위.

상대적 법정형【相對的法定刑】[명]〖법〗 형의 종류와 분량에 관하여 상대적으로 법정(法定)하고, 그 범위 안에서 법원의 재량에 따라 선고하게 하는 형. 상대 법정형.

상대적 부정기형【相對的不定期刑】[명]〖법〗 부정기형(不定期刑)의 상한(上限)과 하한(下限)을 정하여 그 기간에 있어서 수형자(受刑者)를 개선(改善)시키는 형.

상대적 상:고 이:유【相對的上告理由】[명]〖법〗 절대적 상고 이유와 같이 그 하나하나가 열거(列擧)되어 있지 않고 법령(法令)의 위반이 판례(判例)의 내용에 영향을 미치는 원인을 가지고 있는 상고 이유.

상대적 상행위【相對的商行爲】[명]〖법〗 어떤 행위를 함에 있어서 이것을 영업(營業)으로서 행하거나 또는 상인(商人)이 영업을 위하여 행하기 때문에 상행위가 되는 행위. 전자(前者)를 영업적 상행위, 후자(後者)를 부속적(附屬的) 상행위라 함. 주관적(主觀的) 상행위. ↔절대적(絶對的) 상행위.

상대적 유:가 증권【相對的有價證券】[—까—꿘] [명]〖경〗 불완전 유가 증권(不完全有價證券).

상대적 유치권【相對的留置權】[—꿘] [명]〖법〗 단지 채무자(債務者)로부터의 반환 청구(返還請求)를 거절할 수 있는 권리가 있을 때에 생기는 유치권. 본래 이것은 일종의 항변권(抗辯權)으로서 물권(物權)인 유치권은 아님.

상대적 이혼 원인【相對的離婚原因】[명]〖법〗 어떠한 사유를 들어 이혼의 소송을 제기한 경우에, 그것이 이혼의 사유가 될 것인가의 여부를 구체적 사실에 따라서 법관이 판단하여야 하는 것으로 규정하는 것.

상대적 잉:여 가치【相對的剩餘價值】[명]〖경〗 마르크스 경제학의 용어(用語). 하루의 노동 시간 중, 노동력의 가치를 재생산(再生産)하기 위하여 필요한 노동 시간을 임금(賃金)의 절하(切下), 노동력의 가치 저하(價值低下) 등의 수단으로써 단축(短縮)하여 잉여 노동 시간(剩餘勞動時間)의 상대량(相對量)을 증가하는 결과로 얻는 잉여 가치. ↔절대적(絶對的) 잉여 가치.

상대적 정:기 행위【相對的定期行爲】[명]〖법〗 정기 행위에 있어서 당사자의 의사 표시에 의하여 정기 행위로 되는 일.

상대적 증거 능력【相對的證據能力】[—녁] [명]〖법〗 증거 능력의 유무가 일정한 조건(條件)의 존부(存否)에 달려 있는 증거. ↔절대적(絶對的) 증거 능력.

상대적 친고죄【相對的親告罪】[—쬐] [명]〖법〗 범인이 일정한 신분(身分)을 가질 때에만 친고죄가 되며, 특정한 범인을 지정(指定)하여 고소(告訴)를 하지 않으면 안 되는 친고죄. 친족 상도(親族相盜) 따위. ↔절대적(絶對的) 친고죄.

상대적 확정【相對的確定】[명]〖법〗 형사 소송법상(刑事訴訟法上) 당사자(當事者)의 일방만이 상소(上訴)를 취하(取下)한 경우와 같이, 당사자의 일방 또는 그 일방을 위해서 하는 관계인(關係人)에게 대하여서만 생기는 재판의 형식적 확정력(確定力).

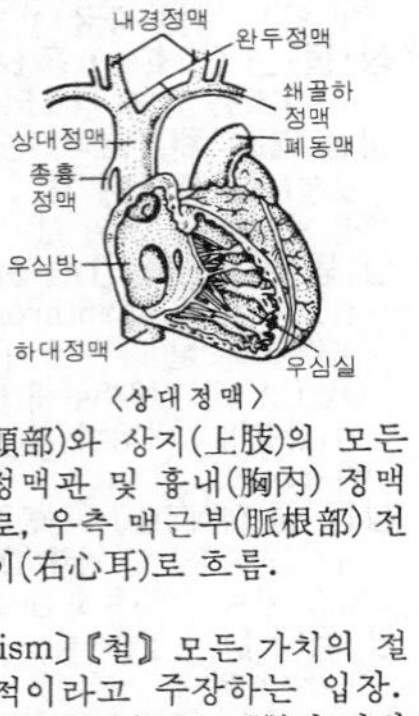

내경정맥
완두정맥
쇄골하 정맥
폐동맥
상대정맥
종흉 정맥
우심방
하대정맥
우심실

〈상대정맥〉

상:-대정맥【上大靜脈】[명]〔superior vena cava〕〖생〗 상반신의 피를 모으는 정맥계(靜脈系)의 본간(本幹)으로 좌우의 완두(腕頭) 정맥이 합류한 정맥. 그 길이는 7cm 정도임. 상공 정맥. 위큰 정맥. ↔하대정맥.

상:대정맥-관【上大靜脈管】[명]〖생〗 두부(頭部)와 상지(上肢)의 모든 정맥관이 집합한 곳. 좌우 양측 무명(無名) 정맥관 및 흉내(胸內) 정맥관의 집합인 기정맥(奇靜脈)이 합류한 곳으로, 우측 맥근부(脈根部) 전면을 대동맥의 우측을 하행(下行)하여 우심이(右心耳)로 흐름.

상대 존대【相對尊待】[명] 공손법(恭遜法).

상대-주의【相對主義】[—/—이] [명]〔relativism〕〖철〗 모든 가치의 절대적 타당성을 부인하고, 모든 것이 상대적이라고 주장하는 입장. 인식론(認識論)에 있어서는 모든 인식은 인식 주체(認識主體)와 인식 대상(認識對象)의 관계, 인식 주체가 취하는 입장과 태도, 인식 주체 그 자체가 가진 심신(心身)의 상태 및 대상의 존재 방식(存在方式) 등에 의하여 제약(制約)되므로, 단지 상대적 타당성만을 가진 것으로 생각하며, 윤리학(倫理學)에 있어서도 인륜적 가치(人倫的價值)의 시대·환경(環境)을 초월한 타당성을 부인하고 그 상대성을 주장함. 그 대표자는 그리스의 소피스트(sophist)들임. 상대설(相對說). ↔절대주의(絶對主義).

상대-편【相對便】[명] 말이나 일을 할 때에 상대가 되는 편. 상대방. 상대(相對).

상대 평:가【相對評價】[—까] [명] ①무엇인가와 비교하여 그 우열을 비

평하는 일. ②어떤 일정한 집단 안에서의 개인의 학력의 상대적 지위를 나타내는 평가 방식. ↔절대 평가.

상대 휘발률【相對揮發率】명〔relative volatility〕어떤 물질의 휘발도(揮發度)에 대한 다른 물질의 휘발도의 비(比).

상:덕[1]【上德】명 웃어른에게 받은 은덕(恩德).　「여불

상:덕[2]【尙德】명 덕(德)을 숭상(崇尙)함. 덕을 높이 여김. ——-하다 자

상덕[3]【常德】명〖지〗'창더'를 우리 음으로 읽은 이름.

상덕-장【商德章】명 용비어천가 제6장의 이름.

상:-도[1]【上島】명〖지〗경상 남도의 남해상(南海上), 통영시(統營市) 사량면(蛇梁面)에 위치한 섬. 북사량도(北蛇梁島). [11.36km²]

상:도[2]【上途】명 여행길에 오름. 등도(登途).

상:도[3]【上都】명〖역〗①고려 때, 동경(東京)과 서경(西京)을 역사적으로 일컫던 말. ②중국 원(元)나라 때의 부국도(副國都). 당시의 수도인 대도(大都)(북경)의 북방 약 300km 지점에 위치한 곳.

상-도[4]【庠島】명〖지〗전라 남도의 남해상(南海上), 여수시(麗水市) 삼산면(三山面) 초도리(草島里)에 위치한 섬. [0.01km²]

상도[5]【相到】명 서로 미침. ——-하다 자여불

상도[6]【常度】명 정상적(正常的)인 법도(法度).

상도[7]【商都】명〖지〗'상두'를 우리 음으로 읽은 이름.

상도[8]【常道】명 ①항상 변하지 아니하는 떳떳한 도리(道理). ¶ 민주 정치의 ~. ②항상 지켜야 할 도리. ¶ ~를 벗어난 행위.

상도[9]【商道】명 상업 도덕(商業道德). ¶ ~가 땅에 떨어지다.

상:도[10]【想到】명 생각이 미침. ——-하다 자여불

상도[11]【傷悼】명 마음이 아프도록 슬퍼함. 통도(痛悼). ——-하다 타여불

상도[12]【霜刀】명 서슬이 서릿발같이 번쩍번쩍하는 칼.

상도-꾼【喪徒—】명 ☞ 상여꾼.

상-도덕【商道德】명 상업 도덕(商業道德).

상-도의【商道義】[—/—이] 명 상업상 지켜야 할 도의. 상도덕.

상-도토리 명〈방〉도토리(전남).

상-돌【床—】[—똘] 명 상석².

상:동[1]【上冬】명 겨울의 처음 달. 음력 10월을 일컬음. 맹동(孟冬).

상:동[2]【上同】명 동상(同上).

상:동[3]【上東】명〖지〗강원도 영월군(寧越郡)의 한 읍. 군(郡)의 동쪽에 위치하며, 철망간 중석(鐵 mangan 重石)과 회중석(灰重石)이 나는 상동 광산(鑛山)이 있음. [2,207명(1996)]

상동[4]【相同】명 ①서로 같음. ②〔homology〕〖생〗생물의 기관(器官)이 외관상의 상위(相違)는 있으나 본래의 기관 원형(原型)은 동일한 것. 새의 날개와 짐승의 앞다리는 그 예임. *상사(相似). ——-하다 형여불

상동-곡【常動曲】명〖악〗시종(始終) 같은 속도로 진행되어 종지형(終止形)이 없는 특수한 형식으로 된 기악곡(器樂曲). 무궁동(無窮動).

상:동 광:산【上東鑛山】명〖지〗강원도 영월군(寧越郡) 상동읍(上東邑) 구래리(九來里)에 있는 한국 제일의 중석 광산(重石鑛山). 중앙선 제천역(堤川驛)에서 동쪽으로 94km 되는 지점에 있는데, 1916년에 흑색의 철망간 중석(鐵 mangan 重石)이 발견되고, 1917년에는 회중석(灰重石)이 발견되었음.

상동 기관【相同器官】명〔homologous organs〕〖생〗형태·기능은 다르나 발생·구조상으로 본래 같은 기본 형식으로부터 변화된 것으로 생각되는 기관. 식물의 잎과 꽃 또는 식도(食道)의 일부가 변화된 물고기의 부레와 사람의 폐 같은 것. *상동(相同).

상동-나무 명〖식〗[*Sageretia theezans*] 갈매나무과에 속하는 반상록 관목(半常綠灌木). 넓은 타원형의 잎은 단병(短柄)이고 가에는 잔 톱니가 있으며 질기고 윗면에 광택이 있음. 10월에 황색 꽃이 복수상(複穗狀) 화서로 액출(腋出) 또는 정생하고, 둥근 핵과(核果)를 맺는데 가을에 까맣게 익음. 해변의 산록 양지에 나는데, 제주도·흑산도(黑山島) 및 일본·대만·중국·인도·필리핀 등지에 분포함. 관상용으로 심음.

상:동-선【上東線】명〖지〗황해도 상해역(上海驛)에서 동해주(東海州)에 이르는 철도. [66.5km]

상동 염:색체【相同染色體】명〔homologous chromosome〕〖생〗감수 분열(減數分裂)의 중기에 둘씩 둘씩 붙어서 이가 염색체(二價染色體)를 만드는 두 개의 염색체.

상:동-인【上洞人】명〖인류〗중국 북부, 저우커우뎬(周口店) 부근 시난트로푸스층(Sinanthropus 層)의 남쪽 경계 바로 위에 있는 석회암(石灰岩)으로 된 작은 굴에서 발견한 말기 홍적세(洪積世) 화석 현생 인류(現生人類). 1933년에 발굴(發掘)한 것으로 인공 유물(人工遺物)도 많이 있었음. 머리가 긴 것이 특징이며 현재의 북중국인(北中國人)과는 다름.

상동-증【常同症】[—쯩] 명〔stereotypy〕〖심〗정신적·신경적(神經的) 이상(異常)의 한 징후(徵候). 무의미한 말이나 어느 일정한 자세나 동작을 반복하거나 또는 오래 지속(持續)하는 일.

상-되다【常—】[—뙤—] 형 언행이 예의가 없고 불순하여 천하게 보이다. ㅆ쌍되다.　「으로 씀.

상두[1] 명〔←桑土〕뽕나무의 뿌리의 껍데기. 이뇨(利尿)·진해(鎭咳)에 약

상두[2] 명 →상투.

상두[3]【喪—】명〈속〉상여(喪輿).

【상두 술로 벗 사귄다; 상두 술에 낯내기】남의 것으로 제 체면을 세우거나 생색내는 사람을 빈정대는 말.

상두[4]〔商都〕명〖지〗중국 내몽고 자치구(自治區)의 중동부, 허베이 성(河北省) 북서쪽 경계 가까이에 있는 상두 현(縣)의 현청 소재지. 만리 장성(萬里長城)의 외측(外側), 내몽고 고원의 초원(草原) 가운데 있어서 유목 지역을 이룸. 장자커우(張家口)에서 장베이(張北)를 거쳐 외몽고에 이르는 통로이며 서남의 지닝(集寧)에도 통함. [324,000명(1982)]

상두-꾼【喪—】명 상여꾼.

【상두꾼에도 순번이 있고 초라니 탈에도 차례가 있다】모든 일에 차례와 순위가 있다는 말. ¶ 속담에 상두꾼에도 순번이 있고 초라니 탈에도 차례가 있다 하니 《李海朝: 自由鐘》. 【상두꾼은 연포(軟泡)국에 반한다】어떠한 천한 일에도 다 거기에 알맞은 취미가 있다는 말.

상두받잇-집【喪—】[—바진—] 명〖민〗지나가는 상여가 그 집 대문을 정면으로 마주친 뒤에 돌아 나가게 자리잡은 집. 풍속으로 이런 집을 좋아하지 아니함.

상두 복색【喪—服色】명 ①상여(喪輿)를 꾸미는 오색 비단의 휘장. ㊌복색(服色). ②거죽은 뻔해도 속은 개차반인 것의 비유.

상두-쌀【喪—】명〖역〗상포계(喪布契)의 쌀.

【상두쌀에 낯내기】남의 물건으로 자기의 생색을 낸다는 말. 곗술에 낯내기.

상두-충【桑蠹蟲】명〖충〗뽕나무벌레. ㊌상충(桑蟲).

상둣-도가【喪—都家】명 상여(喪輿)를 두어 두는 집.

상드〔Sand, George〕명〖사람〗프랑스의 여류 작가. 남작 부인. 본명은 Amandine Aurore Lucie Dudevant. 남성적인 펜네임으로 처녀작 《앵디아나(Indiana)》를 발표한 이래 《마(魔)의 늪》 등 100편 이상의 소설을 내었음. 뮈세(Musset)·쇼팽(Chopin) 등과의 연애는 유명함. [1804-76]

상드라르〔Cendrars, Blaise〕명〖사람〗스위스 출신의 프랑스 시인. 모험을 즐겨 거의 전세계를 여행하고 그 경험을 새로운 시형식(詩形式) 속에 묘사함. 《뉴욕의 부활제》로 현대시의 한 시기를 이룩하고, 코즈모폴리턴(cosmopolitan)적인 시와 평론을 내었음. 그 외에 《시베리아 철도》, 소설 《벼락맞은 사나이》 등이 있음. [1887-1961]

상득【相得】명 두 사람이 서로 마음이 맞음. ——-하다 형여불

상:등[1]【上等】명 높은 등급. *하등(下等)·중등(中等).

상:등[2]【上騰】명 물가 같은 것이 오름. ↔하락(下落). ——-하다 자여불

상등[3]【相等】명 서로 비슷함. 서로 같음. ——-하다 형여불

상등[4]【常燈】명 ①신불(神佛) 앞에 언제나 켜 놓는 등불. ②가두(街頭)에 밤새껏 켜 놓는 등.

상:등-답【上等畓】명 품이 썩 좋은 논. ㊌상답(上畓).

상:등-병【上等兵】명〖군〗육·해·공군 사병(士兵)의 한 계급. 병장(兵長)의 아래, 일등병의 위임. ㊌상병(上兵).　「봉우리. [1,227m]

상:등-봉【上登峰】명〖지〗강원도 금강산, 외금강(外金剛)에 있는 한

상:등 사회【上等社會】명 상류 사회(上流社會).

상:등-석【上等席】명 상등의 자리. 좋은 자리.　「이가 없음. 똑같음.

상등-성【相等性】[—썽] 명 두 개의 사물이 분량 또는 성질에 있어 차

상:등 수병【上等水兵】명 전의 해군의 한 계급. 삼등 병조의 아래, 일등 수병의 위. 지금의 상등병에 해당함.

상:등-전【上等田】명 ①품이 썩 좋은 밭. ②썩 좋은 논밭.

상:등 통:회【上等痛悔】명〖천주교〗'완전 통회'의 구용어.

상등-표【相等標】명〖수〗등호(等號).

상:등-품【上等品】명 품질이 상등인 물건. 좋은 물건. ↔하등품.

상딩이 명〈방〉쌍둥이(경북).

상-딱새 명〖조〗딱새.　「많이 맞힌 떼. 상대(上隊). ↔하떼.

상:-떼【上—】명 연전(揀箭)떼 내기에서 화살을 먼저 던져 짜거나, 제일

상:락[1]【上洛】[—낙] 명 상경(上京). 입락(入洛). ——-하다 자여불

상락[2]【常樂】[—낙] 명〖불교〗①상주(常住)하여 안락(安樂)함. 언제나 괴롭지 않고 즐거움. ②↗상락아정(常樂我淨)❶.

상-락-아:-정【常樂我淨】[—낙—] 명〖불교〗①열반(涅槃)의 사덕(四德). 곧, 상주 불변(常住不變)인 상(常)과 괴로움을 떠나서 안락(安樂)한 것을 뜻하는 낙(樂)과 자재 무애(自在無礙)인 아(我)와 청정(淸淨)한 것을 뜻하는 정(淨)의 네 가지. ㊌상락(常樂). ②사전도(四顚倒).

상:란[1]【上欄】[—난] 명 위의 난. ↔하란(下欄).　「람이 죽는 일.

상란[2]【喪亂】[—난] 명 전쟁·전염병·천재 지변 같은 것으로 인하여 사

상란-기【翔鸞旗】[—난—] 명〖역〗의장기(儀仗旗)의 하나.

상:람[1]【上覽】[—남] 명 어람(御覽). 예람(叡覽). ——-하다 타여불

상람[2]【詳覽】[—남] 명 자세히 봄. ——-하다 타여불

상:략[1]【上略】[—냑] 명 글이나 말의 위 토막을 생략(省略)함. *중략(中略)·하략(下略). ——-하다 타여불

상략[2]【商略】[—냑] 명 상업상의 책략(策略). 장사하는 꾀. 상계(商計).

상략[3]【詳略】[—냑] 명 상세(詳細)함과 간략(簡略)함.

상:량[1]【上樑】[—냥] 명〖건〗①집을 지을 때에 기둥에 보를 얹고, 그 위에 마룻대를 올리는 일. ②마룻대. ——-하다 타여불

상량[2]【相樑】[—냥] 명〖건〗맞보.

상:량[3]【爽涼】[—냥] 명 기후가 서늘함. ——-하다 형여불

상량[4]【商量】[—냥] 명 헤아려 생각함. ——-하다 타여불

상:량-대【上樑—】[—냥때] 명 ☞ 마룻대.

상:량 도리【上樑—】[—냥또—] 명 ☞ 마룻대.

상:량-문【上樑文】[—냥—] 명 상량할 때에 축복하는 글.

상:량-보【上樑—】[—냥뽀] 명 ☞ 마룻대.

상:량-식【上樑式】[—냥—] 명 상량할 때에 베푸는 의식.

상:량-신【上樑神】[—냥—] 명〖민〗성주¹.

상:량 장려【上樑長欐】[—냥—녀] 명〖건〗마룻대를 지고 있는 장려.

상:량 쪼구미【上樑—】[—냥—] 명〖건〗마룻대를 받치고 있는 쪼구미.

상려【商旅】[—녀] 명 상객(商客).　「여불

상련[1]【相連】[—년] 명 ①서로 이어 붙음. ②서로 잇댐. ——-하다 자타

상련[2]【相憐】[—년] 명 서로 가엾게 여겨 동정함. ¶ 동병(同病) ~. ——-하다 자여불　「자여불

상련[3]【相戀】[—년] 명 서로 사랑함. 상사(相思). 상애(相愛). ——-하다

상련지-정【相憐之情】[—년—] 명 서로 가엾게 여겨서 동정하는 정.

상렴【細簾】[─념] 명 누르스름한 빛깔이 나는 발.
상령【霜翎】[─녕] 명 흰 날개.
상:례[1]【上例】[─녜] 명 위에 든 예(例).
상:례[2]【尙禮】[─녜] 명 예법을 중히 여기고 숭상함. ──-하다 자여불
상례[3]【相禮】[─녜] 명 서로 예로써 대함. ──-하다 자여불
상례[4]【相禮】[─녜] 명 〖역〗 ①조선 시대 통례원(通禮院)의 종삼품 벼슬. 봉례(奉禮)의 위, 통례(通禮)의 아래. ②구한말(舊韓末) 장례원(掌禮院)의 주임(奏任) 벼슬. ③예식원(禮式院)의 주임 벼슬.
상례[5]【常例】[─녜] 명 보통의 사례(事例). 항례(恒例). 항규(恒規). 통례(通例).
상례[6]【常禮】[─녜] 명 보통의 예법(禮法).
상례[7]【喪禮】[─녜] 명 상중(喪中)에 행하는 모든 예절. 흉례(凶禮).
상례-관【相禮官】[─녜─] 명〖역〗조선 시대 관상감(觀相監)의 한 벼슬.
상례 비:요【喪禮備要】[─녜─] 명〖책〗조선 광해군 13년(1621) 출판된 목판본. 신의경(申義慶)이 주희(朱熹)의 ≪가례(家禮)≫ 본문을 주로 하고, 고금 여러 사람의 설을 참고하여 초상(初喪)에서 장례(葬禮)에 이르는 일체의 의식을 기술한 책.
상례적 재치권【常例的裁治權】[─녜─꿘] 명 〖천주교〗 성직자가 위임(委任) 받음이 없이 그 직무에 따라서 본인 또는 그 대리인이 교회를 다스리는 권한. *수임(受任) 재치권.
상로[1]【相老】[─노] 명 장수(長壽)하여 부부가 함께 늙음. ──-하다 자여불
상로[2]【商路】[─노] 명 장삿길.
상로[3]【象輅·象路】[─노] 명 제왕이 타던 상아로 꾸민 수레.
상로[4]【霜露】[─노] 명 서리와 이슬.
상로[5]【孀老】[─노] 명 늙은 과부.
상:로-교【上路橋】[─노─] 명〖토〗주형(主桁)이나 주구(主構) 위에 통로(通路)를 만든 다리.
상로-배【商路輩】[─노─] 명 장사아치.
상로-병【霜露病】[─노뼝] 명〖의〗감기 기운으로 일어나는 병.
상:로-전【上爐殿】[─노─] 명〖불교〗대웅전(大雄殿)을 맡아 보는 임원(任員)의 처소(處所).
상록[1]【常綠】[─녹] 명 나뭇잎이 사시(四時)를 통하여 항상 푸름. ¶～교목(喬木).
상록[2]【詳錄】[─녹] 명 상세하게 기록함. 또, 그 기록. 상기(詳記). ──-하다 타여불
상록[3]【賞祿】[─녹] 명〖역〗상으로 주는 녹.
상록[4]【霜綠】[─녹] 명 동록(銅綠).
상록 관:목【常綠灌木】[─녹─] 명〖식〗'늘푸른떨기나무'의 한자 이름.
상록 교목【常綠喬木】[─녹─] 명〖식〗'늘푸른큰키나무'의 한자 이름.
상록-송【常綠松】[─녹─] 명 사시(四時)에 언제나 잎이 푸른 소나무.
상록-수[1]【常綠樹】[─녹─] 명〖식〗가을·겨울에도 떨어지지 않고 일년 내내 잎이 푸른 나무. 봄철에 새 잎이 자라고, 묵은 잎은 해마다 조금씩 떨어져 늘 푸르게 보임. 소나무·대나무·잣나무·측백나무 등. 늘푸른나무. 상반목(常磐木). 정목(貞木). ↔낙엽수(落葉樹).
상록-수[2]【常綠樹】[─녹─] 명〖책〗심훈(沈熏)의 장편 소설. 1935년 '동아 일보' 현상 응모 당선작으로 그의 대표작. 농촌 계몽 운동을 통하여 일제하의 민족 의식과 반항 사상을 잘 보여 준 작품임.
상록-엽【常綠葉】[─녹─] 명〖식〗①늘푸른잎. ②2-3년, 때로는 수년간 생존하는 잎.
상록 활엽수【常綠闊葉樹】[─녹─] 명〖식〗 잎이 사철 푸른 활엽수. 늘푸른넓은잎나무.
상록 활엽수림【常綠闊葉樹林】[─녹─] 명 조엽 수림(照葉樹林).
상:론[1]【尙論】[─논] 명 고인(古人)의 일을 평론함. ──-하다 타여불
상론[2]【相論】[─논] 명 서로 의논함. 상의(相議). ──-하다 타여불
상론[3]【常論】[─논] 명 ①보통의 토론. ②일정 불변의 논(論).
상론[4]【詳論】[─논] 명 자세히 논함. 상세한 평론. ──-하다 타여불
상롱【賞弄】[─농] 명 기리어 즐김. 찬미하여 구경함. ──-하다 타여불
상:뢰【爽籟】[─뇌] 명 청풍(淸風).
상-루이스 [São Luís] 명〖지〗브라질 북부에 있는 항구 도시. 많은 시인·문학가의 출생지로 알려짐. 17세기의 성당·수도원 등 유적이 많음. 야자유·면화·피혁(皮革) 등을 수출함. [182,466 명(1980)]
상:루 하:습【上漏下濕】[─누─] 명 위에서 비가 새고 아래에서 습기가 오른다는 뜻으로 가난한 집을 이르는 말.
상:류【上流】[─뉴] 명 ①강이나 내의 수원(水源)에 가까운 부분. 물위. ¶～로 거슬러 올라가다. ②신분·지위·생활 정도 같은 것이 높음. ¶～계급. *중류·하류(下流).
상:류 가정【上流家庭】[─뉴─] 명 상류 사람들의 집안.
상:류 계급【上流階級】[─뉴─] 명 신분·지위·생활 수준 같은 것이 높은 계층. 상층 계급. *중류 계급·하류 계급.
상:류 사회【上流社會】[─뉴─] 명 상류 계급에 속하는 사람들의 사회. 상등 사회.
상:류-선【上流船】[─뉴─] 명 물윗배.
상:류-층【上流層】[─뉴─] 명 상류의 생활을 하고 있는 사회 계층. *중류층·하류층.
상:륙[1]【上陸】[─뉵] 명 배에서 육지로 오름. 등륙(登陸). ¶적전(敵前)～. ──-하다 자여불
상륙[2]【商陸】[─뉵] 명〖한의〗자리공의 뿌리. 성질이 극렬(劇烈)함. 부종(浮腫)·적취(積聚)·후증(喉症) 및 이뇨제(利尿劑)로 씀. 장류근(章柳根). 장륙(章陸).
상륙[3]【象陸】[─뉵] 명 →쌍륙(雙六).
상:륙-군【上陸軍】[─뉵─] 명 전쟁할 때에 적지(敵地)에 상륙하는 군대.
상:륙 금:지【上陸禁止】[─뉵─] 명 ①선장이 선원에게 과하는 징벌의 하나. ②검역(檢疫)의 필요상, 선원·선객의 상륙을 금지하는 일.
상:륙 부대【上陸部隊】[─뉵─] 명 적전(敵前) 상륙에 참가하는 부대.
상:륙-세【上陸稅】[─뉵─] 명 화물을 양륙(揚陸)하는 데 과하는 세금.
상:륙용 주정【上陸用舟艇】[─뉵─] 명 [landing craft] 상륙 작전 때 병원(兵員)·보급물·장비(裝備) 등을 육지로 나르는 데에 쓰이는 주정(舟艇). 상륙정.

상:륙 작전【上陸作戰】[─뉵─] 명〖군〗바다를 격(隔)한 적지(敵地)에 상륙할 때에 해군 및 공군의 협력을 얻어 육군 또는 해병대가 행하는 작전.
상:륙-정【上陸艇】[─뉵─] 명 상륙용 주정.
상:륙-지【上陸地】[─뉵─] 명 상륙하는 곳.
상륙-채【商陸菜】[─뉵─] 명 자리공의 자줏빛 줄기나 싹을 데쳐서 소금과 기름에 무친 나물.
상륙-판【象陸板】[─뉵─] 명 →쌍륙판(雙六板).
상:륙-함【上陸艦】[─뉵─] 명 상륙 함정.
상:륙 함:정【上陸艦艇】[─뉵─] 명 장거리 항해와 신속한 양륙을 위해 설계된 강습(強襲) 함정의 한 가지. 상륙함.
상:륙 허가【上陸許可】[─뉵─] 명 출입국 관리법(管理法)에 의거하여 외국인에게 국내 상륙을 허가하는 일.

보주
용차
수연
구륜
앙화
복발
노반
〈상륜[1]❶〉

상륜[1]【相輪】[─뉸] 명〖불교〗①불탑(佛塔) 꼭대기의 수연(水煙) 바로 밑에 있는 청동(靑銅)으로 만든 아홉 층의 원륜(圓輪). 구륜(九輪). ②↗상륜탑(相輪塔). *앙화(仰花).
상륜[2]【霜輪】[─뉸] 명 [frost ring]〖식〗서리 때문에 철이 아닌데도 잎이 지고 그 결과 다시 잎이 나서 줄기에 생긴 거짓 연륜(年輪).
상륜-탑【相輪塔】[─뉸─] 명〖불교〗한 개의 기둥 위에 상륜을 올린 탑. 철·청동(靑銅) 등으로 만들고 속에 경권(經卷)을 넣어 둠. 준상륜(相輪).
상률[1]【相律】[─뉼] 명 [phase rule]〖화〗불균일계(不均一系)의 평형에 관한 법칙. 고체·액체·증기 등의 서로 다른 상태가 공존(共存)하여, 각 상(相) 가운데에 여러 가지 물질이 분포해서 전체가 평형 상태에 있을 경우에 성분(成分)의 수효나 온도·압력·상(相)의 수효 등의 관계를 나타내는 법칙. 1878년에 미국의 기브스(Gibbs, J.W.)가 발표하였음. f를 물질계(物質系)의 자유도(自由度), n을 성분수(成分數), r를 상수로 하면 $f=n+2-r$가 됨.
상률[2]【常律】[─뉼] 명 보통의 규율(規律). 보통의 법률. 상규(常規).
상:리[1]【上里】[─니] 명 윗마을. ↔하리(下里).
상리[2]【相離】[─니] 명 서로 떨어져 있음. ──-하다 자여불
상리[3]【商利】[─니] 명 장사하여 얻은 이익.
상리[4]【商理】[─니] 명 장사하는 도리. 장사하는 이치.
상리[5]【常理】[─니] 명 떳떳한 도리. 당연한 이치.
상리 공:생【相利共生】[─니─] 명 상리 작용(相利作用). ↔편리 공생(片利共生).
상리-국【商理局】[─니─] 명〖역〗조선 말기, 고종(高宗) 22년(1885)에 혜상 공국(惠商公局)을 고친 이름. 내무부(內務府)에 직속되었다가, 동 31년(1894)에 농상 아문(農商衙門) 관할로 옮겨짐.
상리 작용【相利作用】[─니─] 명 [mutualism] 생물이 공생에 의해 상호간에 이익을 얻고 있는 경우를 말함. 개미와 진딧물. 근류(根瘤) 박테리아와 콩과(科) 식물의 경우 등. 상리 공생(相利共生). 쌍리 공생(雙利共生).
상린【常鱗】[─닌] 명 [흔한 물고기란 뜻] 평범한 사람.
상린 관계【相隣關係】[─닌─] 명〖법〗서로 인접(隣接)하는 부동산(不動産)의 소유자, 혹은 이용자(利用者) 상호간(相互間)의 법적 관계.
상린-자【相隣者】[─닌─] 명 ①상린 관계(相隣關係)에 있는 사람. ②서로 경계가 접하여 있는 토지의 소유자.
상림[1]【桑林】[─님] 명〖역〗옛날, 중국의 칠년 대한(七年大旱) 때에 당시의 은(殷)나라 탕왕(湯王)이 기우(祈雨)하던 수풀. 거기서 구름을 일으키어 비를 내리게 했다고 함.
상림[2]【霜林】[─님] 명 서리가 덮인 수풀. 서리가 내린 뒤의 수풀.
상림-도【桑林禱】[─님─] 명 비오기를 비는 기도. 곧, 성인(聖人)이 백성을 근심함을 이르는 말.
상림 도사【桑林禱辭】[─님─] 명 은(殷)나라의 탕왕(湯王)이 하늘에 비 내리기를 빌던 가사(歌辭).
상:림-원【上林苑】[─님─] 명 〖지〗창덕궁(昌德宮) 요금문(耀金門) 밖에 있는 어원(御苑). 서원(西苑).
상림지-설【桑林之說】[─님─] 명 은(殷)나라의 탕왕(湯王)이 기우제를 지내고 비를 얻은 이야기.
상립【喪笠】[─닙] 명〈속〉방갓.
상마[1]【─馬】명 다 큰 수말. 복마(卜馬). ↔피마.
상:마[2]【上馬】명 ①좋은 말. 잘 뛰는 말. 준마(駿馬). ②말에 올라탐. ↔하마(下馬). ──-하다 자여불
상마[3]【相馬】명 말의 생김새를 보고서, 그 말의 좋고 나쁨을 감정(鑑定)함. ──-하다 타여불
상-마[4]【桑麻】명 뽕나무와 삼.
상:마-도【上馬島】명〖지〗전라 남도 서남 해상, 해남군(海南郡) 화산면(花山面) 삼마리(三馬里)에 위치한 섬. [0.39 km²: 178 명(1984)]
상:마-연【上馬宴】명 외국 사신이 떠날 때에 베풀던 연회. *하마연(下馬宴).
상:-마일【上馬日】명〖민〗시월의 말날 중에도 길일(吉日)로 치는 무오일(戊午日).
상마 잠적【桑麻蠶積】명 뽕을 따서 누에를 치고, 삼을 심어 실을 뽑아 길쌈하는 일.
상마지-교【桑麻之交】명 전부(佃夫)·야인(野人)의 텁텁한 사귐.
상마-학【相馬學】명 말의 나이와 생김새 등을 검사하여, 그 용도에 관한 감정법을 연구하는 학문.
상막【像膜】명〖생〗망막(網膜)❶.
상-막대【喪─】명〈방〉상장 막대.
상막-하다 형여불 기억이 분명하지 않고 아리송하다.
상만-고【常滿庫】명〖역〗고려 충선왕(忠宣王) 때, 대부시 하고(大府寺下庫)를 고친 이름.
상:-만호【上萬戶】명〖역〗고려 때, 도만호(都萬戶)의 다음가는 순군 만호부(巡軍萬戶府)의 벼슬.
상말[1] 명〈방〉상마[1].
상-말[2]【常─】명 ①품격(品格)이 낮은 상스러운 말. 시골 사람의 말. 속어(俗語). 구리지언(丘里之言). ㅆ쌍말. ②이언(俚諺). ──-하다 자여불

상망[1]【相望】명 서로 바라봄. ——-하다 자여불

상망[2]【相望】명 재상(宰相)이 될 만한 명망(名望).

상망[3]【喪亡】명 잃어버림. 상실(喪失). ——-하다 타여불

상:망[4]【想望】명 ①사모하여 우러러봄. ②상상(想像)하여 일이 되어 감을 기다림. 기대(期待). ——-하다 타여불

상망지-지【相望之地】명 서로 바라보이는 가까운 곳.

상매【霜梅】명〖한의〗백매(白梅)❷.

상-머리【床—】명 상의 옆이나 앞. ¶ ~에 앉아서 시중들다.

상:-머슴【上—】명 힘든 일 따위를 잘하는 장정 머슴. 사경을 많이 주는 머슴.

상:면[1]【上面】명 위쪽의 겉면. 윗면. ↔하면(下面).

상면[2]【相面】명 ①서로 대면함. ②처음으로 대면하여 인사를 나누고 서로 알게 됨. ——-하다 자타여불

상:-면적【上面積】명 윗넓이.

상:명[1]【上命】명 ①상부(上部)의 명령. ②임금의 명령.

상:명[2]【爽明】명 상쾌(爽快)하고 명랑(明朗)함. 시원하고 밝음. ¶ ~한 날씨. ——-하다 형여불

상명[3]【常命】명〖불교〗인간의 보통 수명(壽命). 비업(非業)이 아닌 수명.

상명[4]【喪明】명 아들의 상사(喪事)를 당함. ——-하다 자여불

상명[5]【詳明】명 상세하고 분명함. ——-하다 형여불

상명[6]【償命】명 목숨에 대하여 목숨으로 변상시킴. 곧, 살인한 자를 죽임. ——-하다 타여불

상명 산:법【詳明算法】[—뻡] 명〖책〗중국 명초(明初)의 안정제(安正齊)의 초보적 산학서(算學書). 명수(名數)·구구 합수(九九合數)·근형(斤衡)·사칙 계산(四則計算)·구귀법(九歸法) 등이 실려 있음. 우리 나라에는 고려 말기에 들어와, 산학 계몽·양휘 산법(楊輝算法)과 더불어 조선 시대의 기본 교과서 구실을 했음. 1373년 간행(刊行). 2권.

상명지-통【喪明之痛】명 아들의 죽음을 당한 마음의 아픔.

상모[1]【相貌·狀貌】명 얼굴의 생김새. 용모(容貌).

상모[2]【象毛】①삭모[3](槊毛). ②벙거지의 꼭지에 참대와 구슬로 장식하고 그 끝이 해오라기의 털이나 긴 백지 오리로 꾸민 꼬리. 털상모와 열두 발 상모가 있음. *부포[1].

상모[3]【賞募】명 현상(懸賞)으로 모집하는 일. ——-하다 타여불

상모[4]【霜毛】명 하얀 깃. 서리같이 흰 털.

상모[5]【霜矛】명 날이 시퍼래서, 희게 번뜩이는 날카로운 창.

상모-끝【象毛—】명〖동〗[*Hyalonema sieboldi*] 상모끝과(科)에 속하는 해면(海綿) 동물의 하나. 심해(深海)의 육방 해면류(六放海綿類)로서 몸은 컵(cup) 모양이고, 길이 10-15cm이며 그 하부(下部)에 여러 가닥의 순백색 섬유질(纖維質)로 된 길이 40-60cm의 긴 자루 같은 것이 아래로 처져 있음. 자루 끝 부분은 진흙 속에 파묻혀 몸을 지탱함. 깊이 300-500m 되는 바다 속에 서식하여 극히 드물게 잡힘. 자루 부분은 광택이 나고 아름다워 장식품을 만듦. 상발.

〈상모끝〉

상모-나무【象毛—】명〈방〉〖식〗자귀나무.

상모-돌리기【象毛—】명 농악(農樂)에서, 전복(戰服)을 입고 털 상모, 때로는 열 두 발 상모를 돌리면서 추는 춤. 순수한 한국 고래의 농악이 아니고 서북방 대륙에서 흘러 들어온 것임.

상:-모막이【上—】명 나무그릇의 윗 마구리에 막아 댄 조각.

상모 비범【相貌非凡·狀貌非凡】명 상모가 평범하지 아니함. 상모가 보통이 아님. ——-하다 형여불

상모-솔새【象毛—】[—쌔] 명〖조〗[*Regulus regulus japonensis*] 박샛과에 속하는 새. 비교적 작은 새로 날개 길이 50-57mm, 꽁지 36-42mm. 몸빛은 배면(背面)은 감람색, 허리는 대황색, 아랫 부분은 여린 담황색이며, 날개 기부(基部) 근처에 두 줄의 백색 띠가 있음. 우관(羽冠)은 암컷은 일률적으로 황색, 수컷은 중앙부에 등색(橙色)을 띰. 아고산대(亞高山帶)의 침엽수림(針葉樹林)에 살고 나뭇가지 끝 가까이에 이끼 종류를 거미줄로 잡아매어 둥지를 짓고, 한 배에 5-8개의 알을 낳음. 잎벌레·자벌레·진디·거미와 솔씨를 먹음. 거의 나무 위에서 살며, 가냘픈 목소리로 욺. 아시아·북아프리카·유럽·북아메리카 등지에 분포함.

〈상모솔새〉

상모적 지각【相貌的知覺】명〖심〗무생물에 있어서도 인간과 같이 표정을 나타내고, 몸짓을 하며 욕망을 가진다고 느끼는 일. 정신의 발달 정도가 낮은 아이나 원시인에게서 볼 수 있음.

상:-모전【上毛廛】명〖역〗조선 시대 서울 종로(鐘路)의 샌전(지금의 무교동(武橋洞)) 병문 근처에 있던 과실 파는 가게.

상:-목[1]【上—】명 내나 강의 상류(上流) 쪽.

상:-목[2]【上木】명 ①품질이 썩 좋은 무명. ②목질이 썩 좋은 나무. ③상재(上梓). ——-하다 타여불

상목[3]【桑木】명〖식〗뽕나무.

상목[4]【常木】명 품질이 좋지 못한 무명베.

상목[5]【橡木】명〖식〗상수리나무.

상-목재지【常目在之】명 늘 눈여겨 보게 됨. ——-하다 타여불

상:몽[1]【上夢】명 상몽(祥夢).

상몽[2]【祥夢】명 상서(祥瑞)가 있을 꿈. 길한 조짐의 꿈. 길몽(吉夢).

상묘[1]【相墓】명 지관(地官)을 데려다가 묘지를 가려 잡음. ——-하다 자여불

상묘[2]【桑苗】명 뽕나무 모종.

상:-묘일【上卯日】명〖민〗정월 들어 첫번째의 묘일(卯日). 이날 여자가 먼저 문을 열면 불길하다 하여 이를 금함. 또한, 이 날 새로 뽑은 실을 토사(兎絲)라 하며 이 실을 주머니 끝에 매달면 재앙을 물리친다고 함.

상:무[1]【尙武】명 무예(武藝)를 숭상(崇尙)함. ¶ ~의 기풍. ↔상문(尙文). ——-하다 자여불

상무[2]【常務】명 ①나날의 업무(業務). ②↗상무 위원(常務委員). ③↗상무 이사(常務理事).

상무[3]【商務】명 상업상(商業上)의 용무. 장사에 관한 일.

상무[4]【祥霧】명 상서로운 안개. 대궐 따위에 낀 안개를 이르는 말.

상무-관【商務官】명 재외 공관(在外公館)에 주재(駐在)하며, 통상(通商) 사무를 맡아 보는 공무원.

상무-국【商務局】명〖역〗농상공부(農商工部)에 있던 한 국. 광무(光武) 10년(1906)에 두었다가 융희(隆熙) 원년(1907)에 폐지함.

상:무-대【尙武臺】명〖군〗광주(光州) 직할시에 있던 여러 군사 교육 기관의 총칭.

상무-사【商務社】명〖역〗광무(光武) 3년(1899)에 황국 협회(皇國協會)의 개칭한 이름. 등짐 장수와 봇짐 장수를 거느려 다스리던 기관. 부상(負商)을 좌사(左社), 보상(褓商)을 우사(右社)로 함. 동 7년에 공제소(共濟所)로 이관됨.

상무 시보【商務時報】명 광무(光武) 3년(1899) 1월에 창간된 국한문(國漢文) 혼용체의 격일간지(隔日刊紙). 자유 민권 사조에 도전하려는 수구파(守舊派)들의 대변지. 보수계의 '시사 총보(時事叢報)'와 함께 1년 남짓한 동안 간행되었음.

상무 위원【常務委員】명 단체의 상무를 처리하는 위원. ㊟상무(常務).

상무 이:사【常務理事】명 재단·회사 등의 이사 가운데에서 특히 상무(常務)를 집행하는 기관(機關). 또, 그 사람. ㊟상무(常務).

상무 인서관【商務印書館】명 중국 최대의 출판사. 1897년에 장 위안지(張元濟)가 창립. 처음에는 일본과 합자(合資)하였으나 1916년 이후 독립함. 교과서와 자연 과학서 등의 출판으로 중국 문화의 발전에 공헌이 많고, 또한 ≪사부 총간(四部叢刊)≫·≪총서 집성(叢書集成)≫·≪만유 문고(萬有文庫)≫ 등의 중요한 고전을 계속 출판하였고, 번역물도 간행하였음. 상해(上海)의 동방 도서관을 경영하고, 분점이 각지에 있었음. 현재는 중국 본토와 대만에 각각 나뉘어서 존속함.

상:무-적【尙武的】관명 무용(武勇)을 숭상하는 모양. 상무에 관한 모양. ¶ ~ 기풍.

상:무지-풍【尙武之風】명 무예를 숭상하는 기풍.

상무 참사관【商務參事官】명 상무(商務)를 맡아보는 참사관.

상:문[1]【上文】명 위의 글. 한 편의 글에 있어서 처음 부분의 글.

상:문[2]【上聞】명 임금에게 들림. 임금이 듣게 함. 상청(上聽). ——-하다 타여불

상:문[3]【尙文】명 문예(文藝)를 숭상(崇尙)함. ↔상무(尙武). ——-하다 자여불

상문[4]【尙門】명〖역〗조선 시대 내시부(內侍府)의 종팔품(從八品) 벼슬. 궁문(宮門) 지키는 일을 맡아 봄. 상경(尙更)의 위, 상제(尙除)의 아래.

상문[5]【相門】명 재상(宰相)의 집안. 또, 재상이 태어난 집안.

상문[6]【桑門】명〖불교〗①불문(佛門). ②중.

상문[7]【喪門】명〖민〗지극히 흉한 방위(方位).

상문[8]【傷門】명〖민〗팔문(八門) 가운데 흉한 문의 하나. 구궁(九宮)의 삼벽(三碧)이 그 본자리가 됨.

상문[9]【詳問】명 상세(詳細)하게 질문함. 또, 그 질문. ——-하다 타여불

상문-방【傷門方】명〖민〗상문의 방위. 불길한 방위.

상문-사【詳文師】명〖역〗신라 때, 임금의 말과 명령을 글로 짓는 일을 맡아 보던 벼슬. 성덕왕(聖德王)이 통문 박사(通文博士)로 고치고, 경덕왕(景德王)이 한림(翰林)으로 고쳤다가 뒤에 학사(學士)로 고침.

상문-살【喪門煞】[—쌀] 명〖민〗사람이 죽은 방위(方位)로부터 퍼지는 살(煞).

상문-상【喪門床】[—쌍] 명〖민〗무당이 굿을 할 때, 뒷전에 쓰는 제물상(祭物床)의 한 가지.

상문 십대덕【湘門十大德】명〖불교〗신라 문무왕(文武王) 때의 국사(國師) 의상 조사(義湘祖師)의 삼천 제자 가운데의 십철(十哲). 곧, 오진(悟眞)·지통(智通)·표훈(表訓)·진정(眞定)·진장(眞藏)·도융(道融)·양원(良圓)·상원(相源)·능인(能仁)·의적(義寂).

상문-풀이【喪門—】명〖민〗초상집에서 그 집에 드나드는 사람이 부정 타지 아니하도록 장님집에 가서 경을 읽는 일. ——-하다 자여불

상-물림【床—】명 ↗큰상물림.

상:미[1]【上米】명 품질이 상등(上等)인 쌀. *중미(中米)·하미(下米).

상:미[2]【上味】명 음식의 좋은 맛. 맛이 좋음.

상미[3]【嘗味】명 맛을 봄. 조금 먹어 맛봄. ——-하다 타여불

상미[4]【賞味】명 상미(賞美)해 가면서 먹고 맛을 봄. ——-하다 타여불

상미[5]【賞美】명 칭찬함. 찬미함. ——-하다 타여불

상미[6]【霜眉】명 서리같이 흰 눈썹.

상:-미만【尙未晩】명 아직 늦지 않음. ——-하다 형여불

상미분 방정식【常微分方程式】명 [ordinary differential equation]〖수〗미지(未知)의 함수가 오직 하나의 변수(變數)의 함수인 것과 같은 미분 방정식.

상:-미전【上米廛】명〖역〗조선 시대 서울 종로(鐘路) 서쪽에 있던 싸전. ↔하미전(下米廛).

상민【常民】명 양반이 아닌 보통의 백성. 상사람. 상인(常人). ↔양반(兩班).

상민-단【商民團】명〖역〗보부상(褓負商)들로 조직된 단체. 이태조(李太祖)가 인허(認許)하여 이들을 국가적으로 많이 이용하였음.

상밀【詳密】명 자상하고 세밀함. 세밀. 상세. 자상. 자세. ——-하다 형여불. ——-히 부

상-바르다 보형〈방〉성싶다(전라).

상:박[1]【上拍】명〖악〗'여린박'의 한자 이름.

상:박[2]【上膊】명〖생〗상지(上肢)의 윗 부분. 어깨로부터 팔꿈치까지의 사이로서 상박근(上膊筋)과 상박골(上膊骨)로써 이루어짐. 상완(上腕).

상박[3]【相撲】명 ①서로 마주 때림. ②씨름❶. ——-하다 자여불

상박[4]【商舶】명 상선(商船)❶.

상-박[5]【霜雹】명 서리와 우박.

상:박-골【上膊骨】명〖생〗상완골(上腕骨).

상:박-근【上膊筋】명〖생〗상박의 근육.

상:박 동:맥【上膊動脈】명〖생〗상박부(上膊部)에 있는 동맥.
상:박-부【上膊部】명〖생〗상박의 부분.
상:박-위【上膊圍】명〖생〗상박의 중앙부, 곧 이두박근(二頭膊筋)의 최대 팽창부(膨脹部)의 주위(周圍). 이것을 젤 때에는 팔을 앞 쪽으로 약 30°되게 하고 재는 방법과, 팔을 역시 같은 각도로 어깨의 높이까지 수평으로 올리고 측정하는 방법의 두 가지가 있음.
상:반[1]【上半】명 아래위로 절반 나눈 그 위. ¶ ~신(身). ↔하반(下半).
상:반[2]【上磐】명〖광〗광맥의 위가 되는 편의 모암(母岩). ↔하반(下磐).
상반[3]【床飯】명 상밥.
상반[4]【相反】명 서로 어긋남. 서로 반대됨. ——-하다 자여불
상반[5]【相半】명 서로 반반임. 서로 절반씩 됨. ¶ 공과(功過)가 ~하다. ——-하다 자여불
상반[6]【相伴】명 서로 짝이 됨. 서로 함께 함. ——-하다 자여불
상반[7]【常班】명 상인(常人)과 양반.
상:-반각【上反角】명 비행기의 날개를 비행기의 앞에서 바라볼 때 수평선(水平線)보다 위쪽으로 날개가 치올라가게 보이는 그 각도(角度). 비행할 때 좌우(左右) 안정을 자동적으로 복원(復元)시키는 작용을 함. ↔하반각(下反角).
상:반-기【上半期】명 한 해 또는 어떤 일정한 기간을 둘로 나눈 그 앞의 반 동안. ↔하반기(下半期).
상반 대:극【相反對極】명 서로 반대되는 위치에서 마주 대하고 있는 극(極). 남극과 북극 등.
상반-목【常磐木】명〖식〗상록수(常綠樹).
상반 방정식【相反方程式】명〖수〗원 방정식의 근(根)의 부호(符號)를 바꾸어서 얻는 수를 근으로 하는 방정식. 예를 들면, $x^2-3x+2=0$의 근은 1과 2이므로, 이 방정식의 상반 방정식은 −1과 −2를 근으로 하는 방정식 $x^2+3x+2=0$임. 역수 방정식.
상:반-부【上半部】명 아래위로 절반 나눈 그 위의 부분. 상부(上部). ↔하반부(下半部).
상반-비【相反比】명〖수〗두 가지의 수가 서로 반대의 비로 맞아 나가는 일.
상반-수【相反數】[—쑤] 명〖수〗역수(逆數).
상:반-신【上半身】명 아래위로 절반 나눈 그 윗몸. 또, 사람 몸에 있어서 허리부터 위의 부분. 상반체. 윗몸. ↔하반신(下半身).
상반 신경 지배【相反神經支配】명〖생〗사람의 수의(隨意) 운동에 있어서 굴근(屈筋)이 수축하며 신근(伸筋)이 이완(弛緩)하는 것처럼, 한 근육을 지배하는 운동 신경이 흥분될 때에는 동시에 그 반대되는 근육을 지배하는 운동 신경의 중추가 억제되는 현상. 보행이나 수영을 할 때에 볼 수 있는 좌우 교호(交互) 운동 따위임. 교호(交互) 신경 지배.
상반-심【相反心】명 서로 반대되는 마음.
상반 정:리【相反定理】[—니] 명〖물〗(reciprocity theorem) 물리학 전반에 걸친 중요한 정리로, 이를테면 A점에서 작용, X_1을 가하여 B점에서 결과 X_2가 생길 때, 반대로 B점에서 작용 X_2를 가하면 A점에서 결과 X_1이 생기는 관계 따위. 광학의 광선 역진의 원리, 전자기학에서의 송신 안테나와 수신 안테나의 가역성 등이 포함됨. 가역(可逆)정리.
상:반-체【上半體】명 상반신(上半身).
상발[1] 명〖동〗상모끝.
상발[2]【霜髮】명 흰 머리. 백발(白髮).
상-밥【床—】[—빱] 명 음식점에서 상에 갖추어서 파는 밥. 상반(床飯).
상밥-집【床—】[—빱—] 명 상밥을 파는 음식집.
상방[1] 명〈방〉사랑(함경).
상:방[2]【上方】명 ①위쪽. 위쪽의 방향. ↔하방(下方). ②산상(山上)의 절. ③〖불교〗방장[1](方丈)❸.
상:방[3]【上房】명 ①〖역〗관아(官衙)의 우두머리가 있는 방. ②바깥주인이 거처하는 방.
상:방[4]【上房】명〖불교〗사찰(寺刹)의 서기(書記).
상:방[5]【上枋】명〖건〗↗상인방(上引枋).
상방[6]【尙方】명〖역〗상의원(尙衣院).
상방[7]【相妨】명 서로 방해(妨害)함. ——-하다 타여불
상방[8]【箱房】명 행각(行閣).
상방 무:역【尙方貿易】명〖역〗조선 시대 궁중 상의원(尙衣院)에 있는 사람이 북경 사절(北京使節)로 따라가서, 본래의 직무 외에, 영리를 목적으로 하던 무역. 왕실용 옷감·화장품 같은 것을 무역하였음.
상방-사【尙方司】명〖역〗조선 고종(高宗) 광무(光武) 9년(1905)에 상의사(尙衣司)를 고친 이름. 융희(隆熙) 원년(1907)에 폐지함.
상:방 치:환【上方置換】명 실험실에서의 기체(氣體) 포집법(捕集法)의 하나. 공기보다 가벼운 기체를 용기의 아가리를 아래로 향하게 해서 포집하는 일. 암모니아와 같은 공기보다도 가볍고, 또한 물에 용해하기 쉬운 기체에 적합함. ↔하방 치환.
상배[1]【床排】명 음식상을 차림. 상배(를) 보다 구 상(床)보다.
상배[2]【喪配】명 '상처(喪妻)'의 높임말. ——-하다 자여불
상배[3]【賞盃·賞杯】명 ①선행(善行)이나 공로(功勞)를 표창하기 위하여 주는 술잔. 금배(金盃)·은배(銀盃)·목배(木盃) 같은 것. ②입상자(入賞者)나 입상 단체에게 상으로 주는 컵(cup).
상배-무【相背舞】명 서로 등을 보이며 추는 춤.
상배-산【象背山】명〖지〗함경 남도 혜산군(惠山郡) 보천면(普天面)에 있는 산. [1,721 m]
상:백【想白】명〖사람〗이상백(李相佰)의 호(號).
상백-사【一絲】명 국산(國産) 명주실로 만든 연줄.
상:백시【上白是】명 상사리[2].
상-백피【桑白皮】명〖한의〗↗상근 백피(桑根白皮).
상:번【上番】명 ①〖역〗군인이 돌림 차례로 군영(軍營)으로 들어가는 번. ②당직자(當直者) 중에서 든번에 당한 사람. ↔하번(下番). ③〖불교〗재(齋)를 올릴 때, 범패(梵唄)의 홑소리를 부르는 중. *중번(中番)·말번(末番).
상:번-대【上番隊】명 번(番)차례에 걸린 군대.
상:번-병【上番兵】명 ①〖역〗지방에서 교대로 서울로 올라오는 번병(番兵). ②번(番)차례에 걸린 병사(兵士).
상-벌【賞罰】명 ①상과 벌. ②잘한 것에 대하여 포장(褒獎)하고 잘못한 것에 대하여 벌함. 포벌.
상법[1]【相法】[—뻡] 명 관상을 보는 방법. 상술(相術).
상법[2]【商法】[—뻡] 명 ①장사의 이치. 장사하는 방법. ②〖법〗광의(廣義)로는 영리 기업(營利企業)에 관한 법규의 총칭이고, 협의(狹義)로는 상(商)에 관한 사권(私權)의 관계를 규정한 법률. ③상법전(商法典).
상법[3]【常法】[—뻡] 명 ①정해져서 변하지 않는 법. 일정한 규칙. ②통상(通常)의 방법.
상법[4]【像法】명〖불교〗↗상법시(像法時).
상법-시【像法時】명〖불교〗석가(釋迦)가 멸(滅)한 후를 삼시기(三時期)로 나눈 삼시(三時)의 하나. 정법시(正法時)의 다음의 1,000년간을 말함. 이 시대에는 교법(敎法)은 존재하지만 사람들의 신앙(信仰)이 형식(形式)으로만 흘러서 진실한 수행(修行)이 행하여지지 않고, 증과(證果)를 얻는 자도 없다고 함. 준상법(像法).
상법-전【商法典】[—뻡—] 명 형식적 의의에 있어서의 상법(商法). 곧, 상(商)에 관한 일반 기본 법규를 편집한 체계(體系). 상법(商法).
상벽[1]【桑碧】명 ↗상전 벽해(桑田碧海).
상벽[2]【常碧】명 항상 푸름.
상변【喪變】명 상사(喪事).
상-변화【相變化】명〖물〗상전이(相轉移).
상별【相別】명 이별. ——-하다 자여불
상:병[1]【上兵】명〖군〗↗상등병(上等兵).
상병[2]【傷兵】명 부상당한 병사(兵士). 전상병(戰傷兵).
상병[3]【傷病】명 상처가 나거나 앓는 일. 부상(負傷)과 질병(疾病).
상병-병【傷病兵】명 다치고 병든 병사.
상병 수당【傷病手當】명 공무원이나 선원(船員)이 직무상 부상하거나 앓게 될 때에, 요양(療養)에 필요한 비용 외에 받는 수당.
상:-병신【上病身】명 더할 수 없이 끔찍한 병신. ¶ 병신 중에도 ~.
상병 연금【傷病年金】[—년—] 명 공무원이 공무 중에 영속성을 갖는 부상을 입거나 또는 질병에 걸려 퇴직한 경우에 지급되는 연금.
상병-자【傷病者】명 다치고 병든 사람. 병상자(病傷者).
상병 포:로【傷兵捕虜】명 부상당하고 잡힌 포로병(捕虜兵).
상-보[1]【床褓】[—뽀] 명 ①상을 덮는 보자기. 상건(床巾). ②상 아래를 가리는 예식용 헝겊. 상건(床巾).
상보[2]【尙父】명〖역〗임금이 특별한 대우로 신하에게 내리는 칭호의 한 가지. 주(周)나라 무왕(武王)이 태공망(太公望)에게 주었고, 우리 나라에서는 고려 경종(景宗)이 경순왕(敬順王)에게 주었음.
상보[3]【相補】명 서로 보충함. ¶ ~ 관계. ——-하다 자타여불
상보[4]【常步】명〖군〗기마대(騎馬隊)가 가장 느린 속도로 행진하는 보도(步度). 보통의 속보(速步)보다도 느린 보법(步法).
상보[5]【商報】명 상사(商社)나 상업 상에 관한 회보(會報).
상보[6]【象寶】명〖불교〗전륜 성왕(轉輪聖王)이 가지고 있다는 칠보(七寶)의 하나.
상보[7]【詳報】명 자세하게 보고함. 또, 그러한 보고. 세보(細報). ↔약보(略報). ——-하다 타여불
상:-보국【上輔國】명〖역〗↗상보국 숭록 대부(上輔國崇祿大夫).
상:보국 숭록 대:부【上輔國崇祿大夫】[—녹—] 명〖역〗조선 고종(高宗) 2년(1865)에 베푼 정일품의 문무관·종친·의빈(儀賓)의 품계. 준상보국(上輔國).
상-보다[1]【床—】자 음식상을 차리다. 상배(를) 보다.
상-보다[2]【相—】자타 ①사람의 얼굴·골격·체격 같은 것의 생김새를 보고 길흉(吉凶)이나 운명을 판단하다. 관상(觀相)하다. ②지세(地勢)를 살펴보고 그 길흉을 점치다.
상보-성【相補性】[—썽] 명 (complementarity)〖물〗두 개의 성질이 서로 상보적(相補的)인 관계에 있는 성질. 예를 들면, 전자(電子)나 빛은 각각 입자성(粒子性)과 파동성을 가지고 있어 그 두 성질이 상보하여 전자 또는 빛의 전체의 성질을 각각 이루는데, 이 때의 그 두 성질의 관계가 상보성임. 덴마크의 물리학자 보어(Bohr)가 도입한 말.
상-보이다【相—】자 상을 관상장이 같은 사람에게 보게 하다. 준상뵈다.
상보-적【相補的】명관 서로 보충하는 관계에 있는 모양.
상:복[1]【上服】명 임금의 복장.
상복[2]【尙服】명〖역〗조선 시대의 여관(女官)의 종오품(從五品) 벼슬.
상복[3]【常服】명 보통 때에 입는 옷. 상착(常着).
상복[4]【祥福】명 상서(祥瑞)로운 일과 복된 일.
상복[5]【喪服】명 상중(喪中)에 입는 예복. 성긴 마포(麻布)로 만드는데, 바느질을 곱게 하지 않음. 소복(素服). 효복(孝服). 복(服). 흉복(凶服).
상복[6]【殤服】명 아직 성년(成年)이 되기 전에 죽은 자녀(子女)에 대하여 입는 복제(服制). 나이에 따라 다른데, 16-19세를 장상(長殤)이라 하여 대공복(大功服)을 입고, 12-15세를 중상(中殤)이라 하여 소공복(小功服)을 입고, 8-11세를 하상(下殤)이라 하여 시마복(緦麻服)을 입었음. 7세 이하는 무복지상(無服之殤)이라 하여 안 입음. *상사(殤死).

〈상복5〉

상복[7]【償復】명 갚아 줌. 물어 줌. ——-하다 타여불
상복 대:벽【詳覆大辟】명〖역〗사형(死刑)할 만한 중한 죄를 심판함. ——-하다 자여불
상복-법【詳覆法】명〖역〗사형수(死刑囚)에게 삼심(三審)한 후, 다시 더 자세하게 심판하는 법. 조선 중종(中宗) 11년(1516)에 상복법을 처음 시작하였으나, 동 30년에 김안로(金安老)가 세력을 잡은 후 폐지되었음.
상복-사【詳覆司】명〖역〗조선 시대 대벽(大辟)에 관한 사무를 맡아 보던 형조(刑曹)의 한 분장.
상본【像本】명〖천주교〗천주(天主)·천사(天使) 또는 성인의 모상.
상:봉[1]【上峰】명 가장 높은 산봉우리.

상봉[2]【相逢】명 서로 만남. ——-하다 자타여불

상봉[3]【霜蓬】명 ①서리 맞은 쑥. 서리를 맞아 생기를 잃은 쑥. ②서리 맞은 쑥처럼 희게 흩어진 머리. 「뜻. 상호 봉시(桑弧蓬矢).

상봉지-지【桑蓬之志】명 천하를 위하여 공명(功名)을 세우고자 하는 큰

상:봉 하:솔【上奉下率】명 윗사람을 봉양(奉養)하고 아랫사람을 거느

상-뵈다【相—】자 ↗상보이다. ㄴ림. 준봉솔(奉率). ——-하다 자여불

상부[1] 명 〈방〉 상여(喪輿).

상:부[2]【上府】명 상사(上司). ↔하부(下府).

상:부[3]【上部】명 ①위쪽 부분. ②보다 위의 직위(職位)나 관청. ¶ ~의 지시. 1)·2):↔하부(下部).

상부[4]【相扶】명 서로 도움. ——-하다 자여불

상부[5]【相府】명 재상의 관사. ¶ 김좌근은 실직은 떠났으나 그냥 ~에 머물게 되고…《金東仁 : 雲峴宮의 봄》.

상부[6]【相符】명 서로 들어맞음. 서로 부합(符合)함. ¶ 명실 ~. ——-하다 자여불

상부[7]【桑婦】명 뽕잎을 따는 부녀.

상부[8]【祥符】명 길조(吉兆). 「——-하다 자여불

상부[9]【喪夫】명 남편의 상고를 당함. 남편과 사별함. ↔상처(喪妻).

상부[10]【孀婦】명 나이 젊은 과부. 청상 과부(青孀寡婦).

상:부 구조【上部構造】명 ①윗 부분의 구조. ②〖철〗사회 전체의 구조를 가옥(家屋)의 구조에 비유한 마르크스주의자(Marx 主義者)들의 용어. 사회 형성의 토대가 되는 경제적 구조 일체를 하부 구조(下部構造)라 하고, 이 토대 위에 서는 정치·법률·도덕·예술 등의 관념 및 이에 대응하는 제도·기관의 총체를 상부 구조라 함. 상부 구조는 하부 구조에 의하여 결정된다고 생각함. 상층 건축(上層建築). 상층 구조(上層構造).

상부-꾼 명 〈방〉 상여(喪輿)꾼. ㄴ1)·2):↔하부 구조(下部構造).

상부기 명 〈방〉 상복(喪服).

상-부르다 보형 〈방〉 성싶다(전라·충청).

상:부-사【上副使】명 상사(上使)와 부사(副使).

상부-살【喪夫煞】[—쌀] 명 〖민〗남편을 여읠 흉한 살(煞).

상부 상조【相扶相助】명 서로서로 도움. ——-하다 자여불

상-부인【湘夫人】명 중국 전설에서 상군(湘君)과 함께 상수(湘水)에 산다고 하는 여신. 둘 다 천제(天帝)의 딸이라고 함. 상수(湘水)의 수신(水神)임. 「토양(成熟土壤) 중의 A층과 B층으로 됨.

상:부 토층【上部土層】명 〔solum〕〖지〗토양 단면(斷面)의 상부. 성숙

상:부 혼:합층【上部混合層】명 〖지〗교란층(攪亂層).

상분[1]【傷憤】명 몹시 분개함. ——-하다 자타여불 「——-하다 자여불

상분[2]【嘗糞】명 부모의 위중한 병세를 살피기 위하여 그 대변을 맛봄.

상분지-도【嘗糞之徒】명 대변이라도 맛볼 듯이 아첨하는 사람이나 그

상-붙이다 [—부치—] 사동 〈방〉 흘레붙이다. ㄴ무리.

상비[1]【常費】명 평상시의 비용. 「여영(女英). ②상죽(湘竹).

상비[2]【湘妃】명 〖사람〗①중국 순(舜)임금의 두 비(妃). 곧, 아황(娥皇)과

상비[3]【常備】명 항상 준비하여 둠. ——-하다 타여불

상비[4]【喪費】명 초상에 쓰는 비용. 상수(喪需).

상비[5]【傷悲】명 통탄하고 슬퍼함. ——-하다 자여불 「군대.

상비-군【常備軍】명 유사시(有事時)에 출동하기 위하여 상설하고 있는

상비-금【常備金】명 유사시(有事時)에 대비(對備)하여 항상 마련하여 두는 돈. 비상금(非常金).

상비-량【常備糧】명 유사시에 대비하여 항상 갖추어 두는 식량.

상비-미【常備米】명 유사시에 대비하여 항상 준비하여 두는 쌀.

상비-병【常備兵】명 〖군〗①평시에도 보유하고 있는 군병(軍兵). ②상비 병역에 복무하는 병정. 「役)의 총칭.

상비 병역【常備兵役】명 〖군〗구병역법상, 현역(現役)과 예비역(豫備

상비-산【象鼻山】명 〖불교〗장애산(障礙山).

상비-약【常備藥】명 병원(病院)이나 가정(家庭) 등에 항상 비치(備置)해 두는 약품.

상비-충【象鼻蟲】명 〖충〗바구밋과(科)에 속하는 벌레의 총칭.

상비-함【常備艦】명 유사시(有事時)에 대비하여 항상 정원(定員)을 채워서 각각 소속 임무에 종사하고 있는 군함.

상비 함:대【常備艦隊】명 상비함으로 편성된 함대.

상:빈[1]【上賓】명 상객(上客)❶.

상빈[2]【傷貧】명 가난에 쪼들려서 마음이 상함. ——-하다 자여불

상빈[3]【霜鬢】명 허옇게 센 살쩍. 백빈(白鬢).

상빙【霜氷】명 〔서리를 보고 얼음을 안다는 뜻〕 조짐을 보고 결과를 미리 앎.

상사[1] 명 ①기둥이나 나무 그릇 같은 것의 모서리에서 조금 안쪽으로 오목한 홈을 파낸 줄. ②↗상사밀이. ③화살대 아래에 대통으로 싼 부분.
상사(를) 치다 구 집기둥의 모퉁이나 나무 그릇의 모서리를 조금 접고, 오목한 줄이 지게 파내다.

상:사[2]【上士】명 〖불교〗보살(菩薩)❶.

상:사[3]【上士】명 〖군〗군(軍)의 부사관(副士官) 계급의 하나. 중사의 위, 원사(元士)의 아래.

상:사[4]【上巳】명 〔↗상사일(上巳日)〕 삼짇날.

상:사[5]【上司】명 윗 등급의 관아(官衙)나 기관. 또, 자기보다 윗벼슬인 사람. 상부(上府). 상관(上官). ¶ ~의 명령. ↔하사(下司).

상:사[6]【上四】명 〖악〗오음 약보(五音略譜)의 중심음인 궁(宮)에서 위로 넷째 음. 황종(黃鍾)이 궁일 경우 평조(平調)의 상사는 남려(南呂)가 되고, 계면조(界面調)의 상사는 무역(無射)이 됨. ＊상삼(上三).

상:사[7]【上寺】명 부녀자들이 불공을 드리기 위하여 절에서 묵던 일. 고려와 조선 시대 때, 폐단이 많았으므로 금지된 일이 있음.

상:사[8]【上舍】명 〖역〗①생원(生員). ②진사(進士)❶.

상:사[9]【上使】명 〖역〗①정사(正使). ②상급 관청이 하급 관청에 명하여 죄인을 잡아 오게 함. 또, 그 일. ——-하다 자여불

상:사[10]【上師】명 〖천도교〗천도교의 제사세(第四世) 대도주(大道主)인 춘암(春庵) 박인호(朴寅浩). 교도들이 그를 존칭하여 상사라고 함.

상사[11]【相似】명 ①서로 모양이 비슷함. ②〔analogy〕〖생〗종류가 다른 생물의 기관에서, 발생 계통상(發生系統上) 그 기원(起原)과 구조는 다르나, 그 형상과 작용에 있어서 서로 일치하는 현상. 새의 날개와 곤충의 날개 또는 잎이 변하여 된 완두콩의 덩굴손과, 줄기가 변하여 된 포도나무의 덩굴손 등이 그 예임. ＊상동(相同). ③〖수〗'닮음'의 구용어. ——-하다 형여불 「——-하다 자여불

상사[12]【相思】명 서로 생각함. 서로 그리워함. 상련(相戀). 상애(相愛).

상사[13]【相俟】명 서로 기다림. ——-하다 타여불

상사[14]【商社】명 ①상업 상의 결사(結社). 무역상 조합(貿易商組合)·통상 회사(通商會社) 같은 것. ②↗상사 회사(商事會社).

상사[15]【商事】㊀ 명 ①상업(商業)에 관한 일. ②〖법〗상법전(商法典) 또는 특별법에 의하여, 상법전의 적용의 대상으로 되어 있는 생활 사실. 민사(民事)에 대한 개념이지만, 상사도 포함하여 민사라고 할 때도 있음. ㊁ 의명 회사 같은 데의 상호(商號) 아래에 붙이는 말. ¶ 제일 ~/태

상사[16]【常事】명 ↗예상사(例常事). ㄴ평양 ~.

상사[17]【祥事】명 대상(大祥).

상사[18]【喪事】명 초상이 난 일. 사람이 죽은 사고. 상고(喪故). 상변(喪變). ¶ "~ 말씀이야 무슨 말씀 하오리까!" 하고 조상을 하며…《崔瓚植 : 春夢》.

상:사[19]【想思】명 생각함. ——-하다 타여불

상사[20]【殤死】명 나이가 스무 살이 되기 전에 죽음. ＊요사(夭死). ——-

상사[21]【賞詞】명 칭찬하는 말. 찬사(讚辭). ㄴ하다 자여불

상사[22]【賞賜】명 상으로 하사(下賜)함. 경상(慶賞). 시상(施賞). ——-하다 타여불 「따위의 계약.

상사 계:약【商事契約】명 〖법〗상행위인 계약. 매매·운송·청부·위탁

상사-곡【相思曲】명 남녀 사이의 연정(戀情)을 주제로 한 노래.

상사-국【尚舍局】명 〖역〗고려 때에 포설(鋪設)을 맡은 관아(官衙). 충렬왕(忠烈王) 34년(1308)에 사설서(司設署)로 고침.

상-사기【常沙器】[—싸—] 명 품질이 좋지 않은 백사기(白沙器).

상사 기관【相似器官】명 〔anologous organs〕〖생〗서로 다른 종류의 생물이 발생 계통상(發生系統上) 그 기원(起原)은 다르나, 그 형상·작용이 서로 일치하는 기관(器官).

상사 기탁【商事寄託】명 상인이 영업의 범위 안에서 행하는 기탁의 담당(擔當). 창고 영업(倉庫營業)과 같이 기탁 그 자체를 영업으로 하는 것과, 여관·극장과 같이 영업에 부수된 것이 있음.

상사 노래【相思—】명 〖악〗우리 나라 구전 민요(口傳民謠)의 하나. 내용은 어떤 청년이 산천의 명승을 찾아 나그네길을 떠났는데, 도중 시냇가에서 빨래하는 어여쁜 처녀를 보고, 상사병이 생기어 집에 와서 눕게 되자 그 아버지가 처녀가 사는 의성(義城)으로 찾아가서 처녀 아버지에게 사실을 이야기하고, 처녀를 데리고 신랑집인 대구(大邱)로 간다는 이야기로 되어 있음.

상사 다각형【相似多角形】명 〖수〗서로 변수(邊數)가 같고 등각(等角)이며, 또한 대응변(對應邊)의 비(比)가 같은 두 개의 다각형. 변의 수에 따라서 상사 삼각형(三角形)·상사 사각형(四角形)·상사 오각형(五角形) 등이 있음.

상사 당상【常仕堂上】명 〖역〗사역원(司譯院)의 한 벼슬.

상사 대:리【商事代理】명 〖경〗상행위(商行爲)의 대리. 상행위의 담당을 영업으로 하는 경우에는 상행위가 됨. 이것은 민법 상의 대리와 구별되며, 대리인이 특히 본인을 위하여 할 것을 표시하지 않는 경우에도 그 행위는 본인에 대하여 그 효력을 발생함.

상사 대:패 명 상사밀이.

상사-도【相似圖】명 균등하게 축소 또는 확대한 그림.

상사동-기【相思洞記】명 〖문〗영영전(英英傳).

상사동 전:객기【相思洞錢客記】명 〖문〗영영전(英英傳). 「語).

상사뒤요 감 〖악〗농부가를 부를 때 흥을 돕기 위해 지르는 후렴어(後斂

상사디야 감 〖악〗노래의 후렴구의 한 가지. ¶ 얼럴러 ~.

상-사람【常—】[—싸—] 명 조선 시대 중엽 이후에 양반 계급(兩班階級)이 그 밖의 계급, 즉 평민을 부르던 말. 상인(常人). 상민(常民). 평민(平民). 소족(素族). 소민(小民). ↔양반(兩班).

상사-례【庠謝禮】명 자녀의 스승에게 주는 예물.

상사리[1] 명 〖어〗붉돔의 새끼.

상:-사리[2]【上—】명 사뢰어 올린다는 뜻. 웃어른에게 올리는 편지의 첫머리나 또는 끝에 씀. 상백시(上白是). ¶ 어머님전 ~.

상사-마【相思馬】명 발정(發情)을 하여 성질이 사나와진 수말.

상사-말【相思—】명 상사마(相思馬).

상사 매매【商事賣買】명 〖경〗당사자(當事者)의 쌍방 또는 한쪽에 대해서 상행위(商行爲)가 되는 매매.

상사-목 명 두드러진 턱이 있고 그 다음이 잘록하게 된 골짜기. 「꿈.

상사-몽【相思夢】명 이성간(異性間)에 서로 사랑하고 사모하여 꾸는

상사-밀이 명 문살 같은 데에 골을 치는 대패. 상사 대패. 준상사.

상-사발【常沙鉢】[—싸—] 명 품질이 낮은 사발. 「인. ↔국사범.

상사-범【常事犯】명 〖법〗국사범(國事犯)이 아닌 보통 범죄. 또, 그 범

상사-법【相似法】[—뻡] 명 〖수〗상사(相似)의 이론을 응용하는 작도법(作圖法). 「긴 채무(債務)의 법정 이율.

상사 법정 이:율【商事法定利率】명 〖경〗상행위(商行爲)에 의하여 생

상사 변:환【相似變換】명 〖수〗'닮음 변환'의 구용어.

상사 별곡【相思別曲】명 〖악〗①조선 시대 때의 가사(歌詞). 작자와 연

대 미상. 남녀 간의 그리움을 노래한 것. 1장단이 5박자로 되어 다른 가사와 달리 독특한 형을 이룸. ②경기체가(景幾體歌)의 형식으로 된 조선 시대 때의 노래. 양촌(陽村) 권근(權近)이 지은 것으로 문물 제도(文物制度)를 송영(頌詠)하여 조선 왕조 창업의 위대함을 노래한 것. ≪악장 가사(樂章歌詞)≫에 실려 전함. 모두 5장.

상사-병【相思病】[一뼝] [명] 연정(戀情)에 사로잡히어 생기는 병(病). 화풍병(花風病). 연병(戀病).

상사 보증【商事保證】[명]〖경〗상행위(商行爲)에 관한 모든 보증.

상사 봉쇄【商事封鎖】[명]〖법〗전시에 적국의 경제와 교통을 방해할 목적으로 적국의 상항(商港)이나 해안을 봉쇄하는 일. *군사 봉쇄(軍事封鎖). 「하다 [타][여불]

상사 불견【相思不見】[명] 남녀가 서로 그리워하면서도 보지 못함. ——-

상사 불망【相思不忘】[명] 서로 생각하여 잊지 못함. ——-하다 [타][여불]

상사-비【相似比】[명]〖수〗'닮음비'의 구용어.

상사 비송 사:건【商事非訟事件】[一껀] [명]〖법〗상사(商事)에 관한 비송 사건. 회사와 경매(競賣)에 관한 사건, 사채(社債)에 관한 사건, 회사의 청산(淸算)에 관한 사건, 상업 등기(商業登記) 사건 따위. *비송 [사건.

상사 사:건【商事事件】[一껀] [명] 상행위에 관한 사건.

상사-서[1]【尙舍署】[명]〖역〗고려 공민왕(恭愍王) 5년(1356)에 사설서(司設署)를 고친 이름.

상사-서[2]【賞賜署】[명]〖역〗신라 때 창부(倉部)에 속한 관아의 하나. 상(賞)주는 일을 맡았음. 경덕왕(景德王)이 사훈감(司勳監)으로 고쳤다가 혜공왕(惠恭王)이 다시 본이름으로 고쳤음.

상사-소리 [명]〖악〗〔뒷소리에 '상사로세'라는 귀절이 있음〕 못소리.

상사 시효【商事時效】[명]〖법〗상사 채권의 소멸 시효. 상행위로 인해 생긴 채권은, 이를 5년 동안 행사하지 않으면 소멸 시효가 이루어짐.

상사 실지빈【相士失之貧】[一찌一] [명] 뛰어난 선비도 너무 가난하면 세상이 알아 주지 않아서 활동할 길이 열리기 어렵다는 말.

상사 위임【商事委任】[명]〖경〗상행위(商行爲)의 위임. 민법상(民法上)의 위임과 상이(相異)한 점은 상행위의 위임에 의한 대리권이 본인의 사망에 의하여 소멸되지 아니하고, 상행위의 담당자가 위임의 본취지에 반(反)하지 아니하는 범위 안에서 위임을 받지 아니하는 행위를 할 수 있는 점에 있음.

상사 유치권【商事留置權】[一꿘] [명]〖법〗상법에 규정된 유치권(留置權)의 총칭. 민법(民法) 상의 유치권이 로마법(Roma法)에 기원(起原)을 두고, 다만 형평(衡平)의 관념에만 기인하는 데 대하여, 이것은 중세(中世) 이탈리아 상업 도시의 상관습(商慣習)에 기원을 두어, 질권 설정(質權設定)에 의한 불편을 피하고 신용 거래의 신속과 안전을 기함.

상:-사일【上巳日】[명]〖민〗첫번째의 사일(巳日). 곧, 정월 첫번째의 뱀날을 말하는데, 이 날에 머리를 빗으면 그 해 집안에 뱀이 들어온다는 미신이 있어서, 남녀 모두 머리를 빗지 않았음. *상사(上巳).

상사 일념【相思一念】[一렴] [명] 서로 그리워하는 일념.

상사-자【相思子】[명]〖식〗홍두(紅荳).

상사-조【相思鳥】[명]〖조〗[*Leiothrix luteus*] 꼬리치렛과에 속하는 작은 새. 날개 길이 7.2cm, 꽁지 길이 5.5cm, 부리는 비교적 가늘고 꽁지는 가랑이짐. 등은 어두운 올리브빛, 머리는 갈색, 꽁지는 검정, 눈언저리는 황백색, 목에서 가슴까지는 황색, 배는 황백색, 부리와 다리는 주황색이며, 암컷은 전체적으로 빛이 칙칙함. 인도에서 중국 남부에 걸쳐 분포함. 색채와 우는 소리가 아름답고, 나뭇가지에 앉아서 하는 몸짓이 활발하고 귀여워, 예로부터 널리 사육되어 왔음.

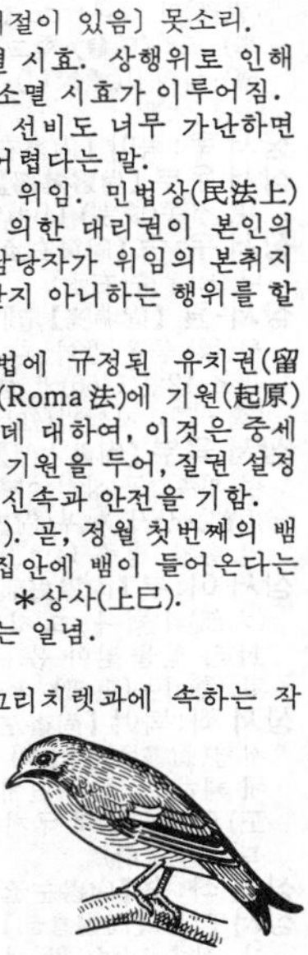
〈상사조〉

상사 조정【商事調停】[명]〖경〗상행위에 관한 분쟁을 해결할 목적으로 행하는 조정. 「의 배개(媒介)를 업으로 하는 사람.

상사 중개인【商事仲介人】[명]〖경〗타인간(他人間)의 상행위(商行爲)

상사 중재【商事仲裁】[명]〖법〗상행위(商行爲)로 말미암아 발생하는 법률 관계에 관한 중재(仲裁).

상사 진:정 몽가【相思陳情夢歌】[명]〖악〗조선 시대의 가사(歌詞). 작자와 연대 미상. 남녀 간의 그리움을 노래한 것.

상사 채:권【商事債權】[一꿘] [명]〖법〗상행위로 인하여 생긴 채권. 상법이 상거래의 안정성·확실성·간편성·신속성·영리성 등의 특수한 사정을 고려해서, 민사 채권과 다른 특칙(特則)을 두고 있음.

상사-초【相思草】[명] '담배'의 이칭(異稱).

상사 특별법【商事特別法】[一뻡] [명]〖법〗상사에 관한 특별법. 외국인의 서명 날인에 관한 법률·상표법·은행법·보험업법 및 신탁업법 등이 있음.

상-사향【常麝香】[一싸一] [명]〖약〗우리 나라에서 나는 사[향.

상사-형【相似形】[명]〖수〗'닮은꼴'의 구용어.

상사-화【相思花】[명]〖식〗[*Lycoris squamigera*] 수선화과에 속하는 다년초. 꽃줄기의 높이 50-70cm, 땅 속의 인경(鱗莖)은 둥글고, 흑갈색의 껍질은 수근(鬚根)이 있으며, 잎은 넓은 선형(線形)을 이루며 폭 18-25mm임. 8월에 잎이 시든 뒤, 열은 홍자색의 육판화가 산형(繖形) 화서로 피는데, 꽃과 잎이 등져 있어서, 서로 보지 못한다고 하여 '상사화'라 불림. 산과 들에 나는데, 한국 각지 및 일본·중국에 분포함. 관상용으로 정원에 재배함.

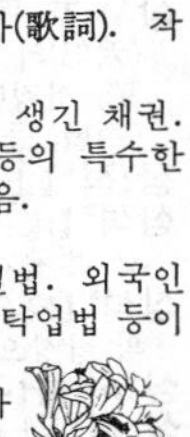
〈상사화〉

상사 회답곡【相思回答曲】[명]〖악〗조선 시대의 가사. 작자와 연대 미상. 그리움을 적은 남자의 편지에 대하여 여자의 답장 형식으로 된 노래.

상사 회:사【商事會社】[명] 상행위(商行爲)를 함을 목적으로 하고, 회사법(會社法)의 규정에 의하여 설립된 사단 법인(社團法人). 합명(合名) 회사·합자(合資) 회사·주식(株式) 회사 및 유한(有限) 회사 등 네 가지가 있음. [준]상사(商社). ↔민사 회사(民事會社).

상:산[1]【上山】[명]〖민〗무당의 열 두 거리 굿 가운데 넷째 거리. 무당이 남(藍) 철릭에 붉은 갓 차림을 함. 대개, 큰무당이 맡으며, 이 때 작두를 탐.

상산[2]【商山】[명]〖역〗중국 산시 성(陝西省) 상현(商縣)에 있는 난산(南山) 산의 일부. 사호(四皓)가 진(秦)나라 난리를 피하여 숨은 곳. *상산 사호(商山四皓).

상산[3]【常山】[명] ①〖식〗[*Orixa japonica*] 운향과에 속하는 낙엽 활엽 관목. 줄기 높이 2m 가량, 빛은 회백색임. 잎은 호생하고 긴 타원형인데 잎꼭지는 길이 10cm 가량이며, 전체에 유점(油點)이 밀포(密布)됨. 4월에 황록색 꽃이 피는데, 수꽃은 총상(總狀) 화서, 암꽃은 단립(單立)하여 피고, 골돌과(蓇葖果)는 네 개이며, 녹갈색으로 11월에 익음. 산록에 나는데, 전남북 및 일본에 분포함. 뿌리는 약용, 목재는 세공용으로 쓰임. ②〖한의〗조팝나무의 뿌리. 성질이 차고 극렬(劇烈)하여 좀 독한 성질이 있음. 학질·담(痰)에 약으로 쓰임.

〈상산[3]①〉

상산[4]【常山】[명]〖지〗항산(恒山).

상산[5]【傷產】[명] 해산할 시기에 과로(過勞) 등으로 인하여 모래집물이 일찍 터져서 해산하기 어렵게 되는 일.

상산-만【象山灣】[명]〖지〗샹산 만(灣).

상:산 별군웅【上山別軍雄】[명]〖민〗개성 덕물산(德物山) 장군당(將軍堂)에 속하는 군신(軍神). 모든 살귀(殺鬼)를 퇴치하는 특유한 술법을 지니고 있다고 하는데, 본래는 산신에 속하는 강한 군신(軍神)이었을 것으로 추측됨.

상산 사:호【商山四皓】[명]〔호(皓)는 희다는 뜻〕중국 진시황(秦始皇) 때 국란(國亂)을 피해 산시성(陝西省) 상산(商山) 산에 들어가 숨은 네 사람의 은사(隱士). 곧, 동원공(東園公)·기리계(綺里季)·하황공(夏黃公)·녹리 선생(甪里先生)을 말하는데, 모두 눈썹과 수염이 흰 노인이었으므로 이렇게 일컬음. 그림의 주제(主題)로 함. [준]사호(四皓).

상:산-상【上山床】[一쌍] [명]〖민〗무당이 굿을 할 때, 삼마누라에게 올리기 위하여 차리는 제물상.

상산 학파【象山學派】[명]〖철〗중국 송(宋)나라 때의 철학자 육구연(陸九淵)의 학설을 따르는 학파. 주자(朱子) 학파에 대립하여 인성 일원설[(人性一元說)을 주장함.

상살-고둥 [명]〈방〉〖조개〗소라[2].

상:삷이【上白是】[명]〈이두〉상사리.

상:삼【上三】[명]〖악〗오음 약보(五音略譜)의 중심음인 궁(宮)에서 위로 셋째 음. 황종(黃鐘)의 궁일 경우 평조(平調)의 상삼은 임종(林鐘)이 되고, 계면조(界面調)의 상삼도 임종이 됨. *상사(上四).

상:-삼계【上三誡】[명]〖천주교〗천주 십계(十誡) 중의 처음의 세 가지 큰 계명. 곧, 천주를 만유 위에 공경하여 높일 것과, 천주의 이름으로써 헛 맹세를 하지 말 것과, 주일을 지킬 것.

상:-삼봉【上三峰】[명]〖지〗함경 북도 종성군(鐘城郡)에 있는 읍(邑). 압록강에 임하고 함경선(咸鏡線)에 연한 교통의 요지임. 목재·석탄의 산지이고, 콩의 집산과 무역이 성함. 간도(間島)에 들어가는 문호(門戶)임.

상:-삼품【上三品】[명]〖천주교〗①구제도하의 성직 계열에서, 소품(小品) 위에 있던 차부제품(次副祭品)·부제품(副祭品)·신품(神品)의 세 대품(大品). 새 제도에서는 차부제품이 없어짐. ↔하사품(下四品). *칠품(七品). ②구품 천신(九品天神)을 상삼품(上三品)·중삼품(中三品)·하삼품(下三品)으로 구분할 때, 치천신(熾天神)·지천신(知天神)·좌천신(座天神)을 뜻함. 「는 뱀.

상삿-뱀【相思一】[명]〖민〗그리워하는 여자의 몸에 붙어 다닌다고 하

상:상[1]【上上】[명] 가장 좋음. 위에 더없이 좋음. 최상(最上).

상:상[2]【上相】[명]〖역〗영의정(領議政)을 으뜸가는 정승으로 일컫는 말.

상:상[3]【上殤】[명] 열다섯 살부터 스무 살 사이의 소년으로서 장가를 들지 아니하고 죽음. 또, 그 사람. 장상(長殤). ——-하다 [자][여불]

상상[4]【床上·牀上】[명] ①자리의 위. ②마루의 위. ③의자의 위. ④자리의 위에 일어나 앉았다는 뜻으로, 병이 회복되었음을 일컫는 말.

상상[5]【相償】[명] 서로 배상(賠償)함. ——-하다 [타][여불]

상:상[6]【想像】[명] ①마음속으로 그리며 미루어 생각함. ②〔imagination〕〖심〗현실의 지각(知覺)에 없는 사물의 심상(心像)을 마음에 생각하여 그림. 과거의 경험을 재생(再生)하는 재생 상상의 경우와, 과거의 경험으로 미루어 새로운 심상을 만드는 창작 상상(創作想像)의 경우가 있음. 이매지네이션. ③공상(空想). ——-하다 [자][타][여불]

상상[7]【常常】[부] 늘. 일상.

상:상-건【上上件】[一껀] [명] 상건(上件) 중의 상건. 곧, 좋은 것 가운데서도 썩 좋은 것.

상상 기생【桑上寄生】[명] ①〖식〗뽕나무겨우살이. ②〖한의〗뽕나무겨우살이의 줄기와 잎. 음력 삼월 삼짇에 따서 그늘진 곳에 말렸다가 부인병의 요통(腰痛)·동태(動胎)·하혈(下血) 등을 다스리는 약으로 씀. [준]상기생(桑寄生).

상:상-도【想像圖】[명] ①상상화(畫). ②제도(製圖)에서, 한 물품의 인접 부분과 가공에 의하여 깎아 버릴 부분과 운동 부분의 범위 등을 나타내기 위하여 이점 쇄선(二點鎖線)으로 덧그린 도면.

상:상-력【想像力】[一녁] [명]〖철〗상상을 하는 심적 능력(心的能力). 이 개념은 철학상으로 칸트(Kant)·피히테(Fichte) 등에 의하여 독특한 의미를 가지고 있음. 구상력(構想力). 이매지네이션(imagination).

상:상-봉【上上峰】[명] 여러 봉우리 중에서 가장 높은 봉우리.

상:상 부도처【想像不到處】[명] 상상하지 못했던 곳.

상:상-외【想像外】명 예상(豫想) 밖. ¶ ~로 관람객이 많았다.

상:상 임:신【想像姙娠】명 [imaginary pregnancy]〖의〗임신을 갈망하는 신경질적인 불임 여성(不姙女性)이, 실제 임신이 아닌데도 불구하고, 때로 그와 유사(類似)한 임신의 변화를 일으키는 상태. 진상(眞相)이 드러나면 금방 여러 증상이 감퇴(減退)함. 위임신(僞姙娠).

상:상-적【想像的】명관 사실이나 현실에 의하지 않고 상상에 의한 모양.

상:상적 경:합【想像的競合】명〖법〗한 개의 행위가 여러 개의 죄명(罪名)에 저촉(抵觸)되는 경우, 가령 한 발의 탄환으로 갑(甲)을 죽이고 을(乙)을 부상시켰다거나, 면허(免許) 없는 사람이 자동차를 운전하다가 사람을 치었다든가 하는 경우가 이것임. 상상적 경합은 여러 개의 범죄로 인정되지만, 그 중에서 제일 중한 형에 의하여 처벌됨. 관념적 경합(觀念的競合).

상:상-치【上上一】명 가장 좋은 품질의 물건.

상:상-파【尙商派】명 중상파(重商派).

상:상-품【上上品】명 상품(上品) 중의 상품. 최상품.

상:상-화【想像畫】명〖미술〗어떤 모델(model)이 없이 상상하고 창작하여 그리는 그림. ↔사생화(寫生畫).

상:색【上色】명 좋은 빛. 좋은 빛깔.

상:색 원기【上色圓器】명 중국 경덕진(景德鎭) 어요창(御窯廠)에서 만든 최상품의 둥근 도자기.

상:-색장【上色掌】명〖역〗조선 시대 성균관(成均館) 또는 향교(鄕校)에서 그 안의 선비 중에서 시키던 직임(職任).

상:색 탁기【上色琢器】명 품질이 썩 좋은 탁기.

상:생¹【上生】명 ①〖불교〗극락 왕생(極樂往生) 계급의 상품(上品)·중품(中品)·하품(下品)의 각 상위(上位). ②〖악〗십이율 산출에서, 음률(陰律)에서 양률(陽律)을 이끌어 내는 일. 이는 모두 삼분 익일(三分益一)이 됨.

상생²【相生】명〖민〗오행(五行)의 운행(運行)에 금에서는 물이, 물에서는 나무가, 나무에서는 불이, 불에서는 흙이, 흙에서는 금이 남을 이름. ↔상극(相剋). *상생 상극론. ——-하다 자여불

상생³【常生】명〖천주교〗영생(永生). ——-하다 자여불

상생-류【相生類】[—뉴] 명〖동〗근생류(根生類).

상생 상극【相生相剋】명〖민〗금(金)·수(水)·목(木)·화(火)·토(土)의 오행(五行)의 운행(運行)에 있어서 각각 서로 다른 것을 낳는 일과 다른 것을 이기는 일. 상생과 상극.

상생 상극론【相生相剋論】[—논] 명〖한의〗음양 오행설(陰陽五行說)에서 나온 한의학의 생리(生理) 및 병리관(病理觀). 심장(心臟)은 화(火), 비장(脾臟)은 토(土), 간장(肝臟)은 목(木), 신장(腎臟)은 수(水), 폐장(肺臟)은 금(金)에 결부시켜서, 그 상호 간의 관계를 조장하는 것을 상생(相生), 억제하는 것을 상극이라 함. 수생목(水生木)·목생화(木生火)·화생토(火生土)·토생금(土生金)·금생수(金生水)는 상생이고, 수극화(水剋火)·목극토(木剋土)·화극금(火剋金)·토극수(土剋水)·금극목(金剋木)은 상극임.

상생지-리【相生之理】명〖민〗금(金)·수(水)·목(木)·화(火)·토(土)의 오행(五行)이 상생하는 이치.

상:서¹【上書】명 ①관청이나 웃어른이나 귀인(貴人)에게 글을 올림. 또, 그 편지. 주장(奏章). ↔하서(下書). ②〖역〗조신(朝臣)이 동궁(東宮)에게 올리던 글. ——-하다 자여불

상서²【尙書】명 ①〖역〗진시황(秦始皇) 때에 설치하여, 천자(天子)와 조신간(朝臣間)에 왕래하는 문서에 관한 일을 맡아 보던 벼슬. 나중에는 점점 이 벼슬이 높아져서, 당(唐)나라·송(宋)나라 때에는 중앙 정부의 수위(首位)에 앉아 육부(六部)의 장관이 되었다가, 뒤에는 중앙 정부의 장관이 되었음. ②〖역〗고려 육부(六部)의 으뜸 벼슬. 성종(成宗) 14년(995)에 어사(御事)를 고쳐 부른 이름으로, 그 뒤에는 판서(判書) 또는 전서(典書)로 고쳤는데, 정삼품임.

상:서³【尙書】명〖책〗중국 한(漢)나라 때부터 송(宋)나라 때까지의 서경(書經)의 구칭.

상서⁴【庠序】명 [향교(鄕校)를 주(周)나라에서는 상(庠), 은(殷)나라에서는 서(序)라고 부른 데서] 학교(學校).

상서⁵【相書】명 ↗관상서(觀相書).

상서⁶【祥瑞】명 복되고 길한 일이 일어날 징조. 경서(慶瑞). 길상(吉祥).

상서⁷【象胥】명〖역〗역관(譯官)❷.

상서⁸【傷逝】명 죽음을 슬퍼함. ——-하다 자여불

상서 고공사【尙書考功司】명〖역〗고려 때, 상서 이부(尙書吏部)에 속한 관아. 성종(成宗) 14년(995)에 사적사(司績司)를 고친 이름. 관리(官吏)의 성적을 매겨서 포폄(褒貶)하는 일을 맡음.

상서 고부【尙書庫部】명〖역〗고려 때, 상서 병부(尙書兵部)에 속한 관아. 성종(成宗) 14년(995)에 고조(庫曹)를 고친 이름. 현종(顯宗) 2년(1011)에 폐하였음.

상:서 고:훈【尙書古訓】명〖책〗조선 시대 정약용(丁若鏞)이 ≪서전(書傳)≫에 대하여 옛 사람의 기록과 자기의 의견을 첨가해서 고증한 책. 모두 6권 2책. 사암 경집(俟菴經集).

상서 공부【尙書工部】명〖역〗고려 성종(成宗) 14년(995)에 정한 육부(六部)의 하나. 그 전의 공관(工官)을 고친 이름으로, 산택(山澤)·공장(工匠)·영조(營造)의 일을 맡음. 뒤에 충렬왕 24년(1298)에 공조(工曹)로 공민왕 5년(1356)에 공부(工部) 등으로 이름을 바꿈. 준공부(工部). *육조(六曹)·전공사(典工司).

상서 금부【尙書金部】명〖역〗고려 때 상서 호부(尙書戶部)에 속한 관아. 성종 14년(995)에 금조(金曹)를 고친 이름. 뒤에 곧 폐합.

상서 도관【尙書都官】명〖역〗고려 때, 상서 형부(尙書刑部)에 속한 관아. 성종(成宗) 14년(995)에 도관(都官)을 고친 이름. 노비(奴婢)의 부적(簿籍)과 소송(訴訟)을 맡아 보았음.

상서 도성【尙書都省】명〖역〗고려 때, 정무(政務)를 맡은 상서 육부(尙書六部)를 통할하는 관아. 성종 14년(995)에 어사 도성(御事都省)의 고친 이름.

상서-령【尙書令】명〖역〗고려 때 상서 도성(尙書都省)의 장관. 종일품 벼슬.

상서-롭다【祥瑞—】형ㅂ불 상서(祥瑞)가 있어 보이다. 상서-로이【祥瑞—】부 상서롭게.

상서리 명〈방〉낚시터.

상서 병부【尙書兵部】명〖역〗고려 성종(成宗) 14년(995)에 정한 육부(六部)의 하나. 그 전의 병관(兵官)을 고친 이름. 무선(武選)·군무(軍務)·의위(儀衛)·우역(郵驛)의 일을 맡아 봄. 후에 군부사(軍簿司)·병조(兵曹)·병부(兵部) 등으로 이름을 고침. 준병부(兵部). *육조(六曹).

상서-사【尙瑞司】명〖역〗①고려 창왕(昌王) 때에 정방(政房)의 고친 이름. 전주(銓注)를 맡아 보았음. ②조선 시대초에 부인(符印)·제배(除拜)의 일을 맡아 보던 관아. 태종(太宗) 5년(1405)에 전주(銓注)를 이조(吏曹)·병조(兵曹)에 돌림에 따라, 보새(寶璽)·부인(符印)만 맡는 관아가 되고, 세조 12년(1466)에 상서원(尙瑞院)으로 고침.

상서 사부【尙書祠部】명〖역〗고려 때, 상서 예부(尙書禮部)에 속한 관아. 성종(成宗) 14년(995)에 사조(祠曹)를 고친 이름. 현종(顯宗) 2년(1011)에 폐합.

상서-성【尙書省】명〖역〗고려 때, 백관(百官)을 총령(總領)하던 관청. 태조(太祖) 때에 광평성(廣評省)이라 하였다가 그 뒤에 어사 도성(御事都省)·상서 도성(尙書都省)·첨의부(僉議府)·삼사(三司) 등의 여러 가지 이름으로 고치었음.

상서 수부【尙書水部】명〖역〗고려 때, 상서 공부(尙書工部)에 속한 관아로 성종 14년(995)에 수조(水曹)를 고친 이름. 뒤에 곧 폐합.

상서 예부【尙書禮部】명〖역〗고려 성종(成宗) 14년(995)에 정한 육부(六部)의 하나. 그 전 예관(禮官)을 고친 이름으로 예의(禮儀)·제향(祭享)·조회(朝會)·학교(學校)·교빙(交聘)의 일을 맡아 봄. 후에 의조(儀曹)·예의사(禮儀司)·예조(禮曹) 등으로 이름을 바꿈. 준예부(禮部). *육조(六曹).

상서 우:복야【尙書右僕射】명〖역〗우복야(右僕射)❶.

상서 우부【尙書虞部】명〖역〗고려 때, 상서 공부(尙書工部)에 속한 관아. 성종(成宗) 14년(995)에 우조(虞曹)를 고친 이름으로 뒤에 곧 폐합.

상서 우:승【尙書右丞】명〖역〗고려 때 상서 도성(尙書都省)의 종삼품 벼슬. 우승(右丞).

상서-원【尙瑞院】명〖역〗조선 시대, 새보(璽寶)·부패(符牌)·절(節)·월(鉞) 등을 맡아 본 관아. 태조 원년(1392)에 상서사(尙書司)라 하다가 세조 12년(1466)에 상서원으로 고쳐 고종 31년(1894)까지 이름. 차자방(箚子房). 지인방(知印房).

상서 육부【尙書六部】명〖역〗고려 때, 주요한 국무(國務)를 행하던 여섯 관부. 곧 상서 이부(尙書吏部)·상서 병부(尙書兵部)·상서 호부(尙書戶部)·상서 형부(尙書刑部)·상서 예부(尙書禮部)·상서 공부(尙書工部)의 총칭. 성종 14년(995)에 정함. 육부(六部). *육조(六曹).

상서 이:부【尙書吏部】명〖역〗고려 성종(成宗) 14년(995)에 정한 육부(六部)의 하나. 그 전 선관(選官)을 고친 이름으로, 문선(文選)·훈봉(勳封)의 일을 맡아 봄. 후에 전리사(典理司)·이조(吏曹) 등으로 이름을 고침. 준이부(吏部). *육조(六曹).

상서 좌:복야【尙書左僕射】명〖역〗고려 때, 상서 도성(尙書都省)의 상서령(尙書令) 다음의 정이품(正二品) 벼슬. 충렬왕(忠烈王) 원년(1275)에 폐하고, 동 24년에 첨의부(僉議府)에 다시 두었다가, 공민왕(恭愍王) 5년(1356)에 구제(舊制)를 회복하였다가, 동 11년에 또 폐합. 준좌복야(左僕射).

상서 좌:승【尙書左丞】명〖역〗고려 때, 상서 도성(尙書都省)의 종삼품(從三品) 벼슬. 좌승(左丞).

상서 창부【尙書倉部】명〖역〗고려 때, 상서 호부(尙書戶部)에 속한 관아. 성종 14년(995)에 창조(倉曹)를 고친 이름. 뒤에 곧 폐합. 준창부.

상서 탁지【尙書度支】명〖역〗고려 때, 상서 호부(尙書戶部)에 속한 관아. 성종 14년(995)에 사탁(司度)을 고친 이름. 뒤에 곧 폐합.

상서 형부【尙書刑部】명〖역〗고려 성종(成宗) 14년(995)에 정한 육부(六部)의 하나. 그 전 형관(刑官)을 고친 이름으로, 법률·사송(詞訟)·상언(詳讞)의 일을 맡아 봄. 후에 전법사(典法司)·형조(刑曹) 등으로 이름을 바꿈. 준형부(刑部). *육조(六曹)·형관(刑官).

상서 호:부【尙書戶部】명〖역〗고려 성종(成宗) 14년(995)에 정한 육부(六部)의 하나. 그 전 민관(民官)의 고친 이름으로, 호구(戶口)·공부(貢賦)·전량(錢糧)의 일을 맡아 봄. 후에 판도사(版圖司)·민조(民曹)·호조(戶曹) 등으로 이름을 고침. 준호부(戶部). *육조(六曹).

상:석¹【上席】명 일터·계급 또는 모임에서의 위 되는 자리. ↔말석.

상석²【床石】명 무덤 앞에 제물(祭物)을 차려 놓는 돌상. 상돌. *향로석·북석·혼유석.

상석³【象石】명 능(陵) 또는 원(園)에 사람이나 짐승의 형상으로 만들어 세우는 석물(石物).

상석
혼유석
북석
향로석

〈상석²〉

상:석 하:대【上石下臺】명 하석 상대(下石上臺).

상:선¹【上仙】명 ①하늘에 올라 선인(仙人)이 됨. ②귀인(貴人)이 죽음. ——-하다 자여불

상:선²【上船】명 배에 오름. 배를 탐. ↔하선(下船). ——-하다 자여불

상:선³【上善】명 가장 뛰어난 선(善). *최선(最善).

상선⁴【尙膳】명〖역〗조선 시대, 내시부(內侍府)의 종이품(從二品) 벼슬. 상온(尙醞)의 위.

상선⁵【相先】명 맞바둑.

상선⁶【商船】명 ①상업상(商業上)의 목적에 쓰이는 선박(船舶). 곧, 여객선·화물선·화객선(貨客船) 같은 것. 고박(賈舶). 고선(賈船). 상박(商舶). ↔군함. ②↗상고선(商賈船).

상선⁷【喪扇】명 포선(布扇).

상선 계:약【商船契約】명 선원(船員)이 특정한 선박에 선원으로서 승선(乘船)하는 것을 약속하는 계약.

상선-기【商船旗】명 항해 중의 상선에 달아서 그 배의 국적 및 선적(船籍)을 나타내는 기.

상선 나:포【商船拿捕】[명] 상선 포획.

상선 벌악【賞善罰惡】[명]《기》천주교의 4 대 교리의 하나. 착한 이에게 상을 주고 악한 이를 벌함.

상:선 약수【上善若水】[명] 노자(老子) 사상(思想)의 표현으로, 이 세상에서 물을 제일 윗길가는 선(善)의 표본으로 여기어 이르는 말.

상선 테나시티【商船一】[명]〔프 Le Paquebot Tenacity〕《문》프랑스의 극작가 빌드락(Vildrac, Charles)의 희곡. 3 막. 르아브르 항구를 배경으로 하여 두 청년의 우정(友情)과 운명의 분리를 심리적으로 애절하게 그린 걸작. 1922년에 초연(初演).

상선 포:획【商船捕獲】[명] 전시에 교전국의 군함이 적국이나 중립국의 상선을 포획하는 일. 상선 나포(拿捕).

상선 학교【商船學校】[명] 항해(航海)·기관(機關)에 관한 학술과 기예를 가르치어 선원(船員)을 양성하는 학교.

상선 호:송【商船護送】[명] 전시(戰時)에 군함이 상선을 호송하는 일.

상선 회:사【商船會社】[명] 상선(商船)을 부려서 여객 또는 화물(貨物)을 운수(運輸)하는 영리 회사(營利會社).

상설[1]【尙設】[명]《역》조선 시대, 내시부(內侍府)의 종칠품(從七品) 벼슬. 상제(尙除)의 위, 상훤(尙烜)의 아래.

상설[2]【常設】[명] 늘 설비하여 둠. ——-하다 [타][여불]

상설[3]【常說】[명] 보통의 설(說). 일반적인 설명. 「[여불]

상설[4]【詳說】[명] 자세하게 속속들이 설명함. 또, 그 설명. ——-하다 [타]

상설[5]【霜雪】[명] 서리와 눈. 설상(雪霜). ¶ 머리에 ～을 이다.

상설-관【常設館】[명] 상시(常時) 개설(開設)되어 있는 시설. ＊상설 영화관.

상설 국제 사법 재판소【常設國際司法裁判所】[명]《법》국제 연맹 규약(規約) 제14조에 의하여 1921년에 설립된 재판소. 상설 중재(仲裁) 재판소보다 완전한 기구(機構)를 갖고, 연맹 총회(總會) 및 이사회(理事會)에서 선거된 15 명의 재판관으로 구성되며, 당사국(當事國)이 부탁하는 모든 분쟁(紛爭) 및 현행 제조약(諸條約)에 규정된 모든 사상을 취급할 뿐 아니라, 연맹 총회 또는 이사회의 자문에 응해서 권고 의견을 제출함. 국제 연합이 성립되자, 사법 기관(司法機關)으로서 국제 사법 재판소가 설립되어 이것과 대치(代置)되었으나 실질적으로 별차이가 없음. 「(上映)하는 상설관.

상설 영화관【常設映畫館】[-령-] [명]《연》영화만을 상시(常時) 상영

상설 위원【常設委員】[명] 상임 위원(常任委員).

상설 중재 재판소【常設仲裁裁判所】[명]《법》1899년의 국제 분쟁 평화적 처리 조약에 따라서 1901년에 네덜란드의 헤이그(Hague)에 설치한 재판소. 국제 분쟁의 평화적 해결을 목적으로 하는 국제 기관(機關)인데, 분쟁 당사국(當事國)의 출소(出訴)가 있을 때 분쟁 당사국에 의하여 선임(選任)된 중재 재판관이 재판을 행함.

상:성[1]【上聲】[명]《언》①사성(四聲)의 하나로 처음이 낮고 나중이 높은 소리. 글자에 표할 때에는 왼편에 점 두 개를 찍음. ②한자(漢字)의 사성의 하나. 높고 맹렬한 소리. 이에 딸린 글자들은 거성(去聲)·입성(入聲)의 글자들과 아울러 측자(仄字)라 함.

상성[2]【相性】[명] 합성(合性)❷.

상성[3]【商性】[명] 상개념(商概念)의 성격을 표시하는 특질.

상성[4]【常性】[명] 정해진 성질. 일반적인 성질.

상:성[5]【喪性】[명] ①본디의 성질을 잃어버림. ¶ 외아들을 죽이구 ～이 되었나부데≪洪命憙 : 林巨正≫. ②몹시 보챔. ——-하다 [자][여불]

상-성[6]【湘省】[명]《지》호남성(湖南省).

상:성-산【上城山】[명]《지》함경 북도 회령군(會寧郡)과 종성군(鐘城郡) 사이에 있는 산. 함경 산맥(咸鏡山脈)의 북단(北端)을 차지함. [680 m]

상:세[1]【上世】[명] ①상고(上古)❶. ②윗 대(代).

상세[2]【尙洗】[명]《역》조선 시대, 내시부(內侍府)의 정육품(正六品) 벼슬. 상탕(尙帑)의 아래, 상촉(尙燭)의 위임. 정원은 4명.

상세[3]【狀勢】[명] 어떤 일의 형상과 형세.

상세[4]【常稅】[명] 일정한 조세(租稅). 경상(經常)의 조세.

상세[5]【常勢】[명] 언제나의 모양. 정하여진 형세.

상세[6]【商稅】[명]《법》장사하는 사람에게서 받는 세금.

상세[7]【商勢】[명] 상업의 형세.

상세[8]【詳細】[명] 속속들이 자세함. 자상하고 세밀함. 위세(委細). ＊상밀(詳密)·세밀(細密)·자상(仔詳)·자세. ——-하다 [형][여불]. ——-히 [부]

상세-도【詳細圖】[명] 건축·선박 등에서 축도(縮圖)를 그렸을 때, 그 일부를 축척(縮尺)을 바꾸어 형상·치수·구조를 명시하기 위하여 사용되는 도면의 하나. ＊공정도(工程圖).

상세 사:항【詳細事項】[명] 자세한 사항.

상:소[1]【上消】[명]《한의》소갈증(消渴症)의 하나. 목이 마르고 식욕(食慾)이 감퇴되며, 소변이 잦고 조금씩 누는 증상.

상:소[2]【上疏】[명] 임금에게 글을 올림. 또, 그 올리는 글. 봉장(封章). 주서(奏書). 주소(奏疏). 진소(陳疏). 배소(配疏). ——-하다 [자][여불]

상:소[3]【上訴】[명]《법》판결 또는 결정에 의하여 불이익(不利益)을 받는 사람이 그 취소·변경을 상급 법원에 요구하는 수단. 항소(抗訴)·상고(上告)·항고(抗告)의 세 가지가 있는데, 상소를 하면 판결은 확정되지 않으며, 상소가 확정될 때까지 집행되지 아니함. ——-하다 [자][여불]

상소[4]【常素】[명]《법》보통 법률 행위의 내용으로서 존재하나, 당사자는 이것을 배제(排除)할 수 없으며, 배제하여도 그 종류의 법률 행위인 것을 방해하지 못하는 것. 예를 들면 매매(賣買)에 있어서의 담보 책임(擔保責任) 같은 것. ↔요소(要素).

상:소-권【上訴權】[-꿘] [명]《법》판결(判決)이나 결정에 대하여 불복하는 당사자(當事者)가 상급 법원에 상소(上訴)할 수 있는 권리. 상소의 종류에 의하여 항소권(抗訴權)·상고권(上告權)·항고권(抗告權)으로 분리(分離)됨.

상:소권-자【上訴權者】[-꿘-] [명]《법》상소를 제기(提起)할 수 있는 사람. 본래의 상소권자인 검사와 피고인(被告人) 및 기타 법률이 인정한 사람.

상:소권 회복【上訴權回復】[-꿘-] [명]《법》형사 소송법상, 상소권자가 자기 또는 대리인이 책임질 수 없는 사유로 인하여, 상소의 제기 기간(提起期間) 안에 상소하지 못하였을 때에, 그 청구에 의하여 원심(原審) 법원의 결정으로 상소권이 존재하는 원상태로 회복하고, 따라서 상소를 할 수 있게 하는 제도.

상:소권 회복 청구권【上訴權回復請求權】[-꿘-꿘] [명]《법》형사 소송법상(刑事訴訟法上) 상소권자가 자기 또는 대리인이 책임질 수 없는 사유로 인하여 상소의 제기 기간(提起期間) 안에 상소를 하지 못하였을 때, 원심 법원(原審法院)에 대하여 하는 상소권의 회복에 관한 청구권(請求權).

상:소 기간【上訴期間】[명]《법》상소권자가 유효하게 상소를 제기할 수 있는 기간. 민사 소송법상 항소(抗訴)·상고(上告)의 기간은 판결이 송달된 날로부터 2 주일, 즉시 항고(即時抗告)의 기간은 1 주일의 불변(不變) 기간이고, 형사 소송법상 항소·상고의 기간은 7일, 즉시 항고의 기간은 3일임. 「(疏概).

상:소 대:개【上疏大概】[명]《역》임금에게 올린 글 내용의 대개. [준]소개

상소리[1] [명]〈옛·방〉상수리[1]. ¶ 상소리(橡實)≪方藥 41≫. 「리.

상-소리[2]【常一】[-쏘-] [명] 상스러운 말. 또, 상스러운 소리. ㅆ쌍소

상:소-문【上疏文】[명] 상소하는 글.

상-소반【常小盤】[-쏘-] [명] 값싸게 만든 소반.

상:소 법원【上訴法院】[명]《법》상소 사건(上訴事件)을 심리하는 법원. 상소 방법에 따라서 상고(上告) 법원·항소(抗訴) 법원·항고(抗告) 법원으로 나누임. 상소 재판소. 「소송 절차.

상:소-심【上訴審】[명]《법》상소가 있는 경우에 개시하는 상소 법원의

상:소 재판소【上訴裁判所】[명]《법》상소 법원(上訴法院).

상속【相續】[명] ①다음 차례에 이어 줌. 또, 이어받음. ②《법》일정한 친족적 신분 관계(親族的身分關係)가 있는 사람 사이에서, 그 한쪽이 사망하거나 또는 일정한 법률 상의 원인이 발생하였을 때에, 재산적 권리 의무의 일체를 계승하는 일. ——-하다 [타][여불]

상속 결격【相續缺格】[-껵] [명]《법》상속권을 상실하는 일. 피상속인(被相續人)이나 선순위(先順位) 또는 동(同) 순위의 상속인을 죽였거나 죽이려고 하여 처형(處刑)된 자, 상속에 관한 유언(遺言)을 위조 또는 변조한 자 등이 해당됨.

상속-권【相續權】[명]《법》상속인이 상속의 효력으로서 가지는 기득권(既得權). 재산 상속의 포기(抛棄)는 자유이며, 그것의 침해에 대하여서는 상속 회복 청구권(相續回復請求權)이 인정됨.

상속 능력【相續能力】[-녁] [명]《법》상속인이 될 수 있는 자격. 권리 능력이 있는 자연인은 법률이 정한 결격 사유(缺格事由)가 없는 한 모두 이를 가지며, 태아(胎兒)도 능력자로 인정됨.

상속-법【相續法】[명]《법》실질적 의의에 있어서는 상속에 관한 법률 관계를 규율(規律)하는 법규의 전체를 말하고, 형식적 의의에서는 민법(民法)에 있는 상속편(相續編)을 말함.

상속-분【相續分】[명]《법》유산 상속인(遺産相續人)이 여러 사람 있을 때에, 그 각 사람이 상속 재산을 계승하는 비율(比率). 같은 순위(順位)의 상속인이 수인(數人)인 때에는 그 상속분은 균분(均分)으로 하고, 피상속인의 배우자는 다른 상속인 상속분의 5 할을 가산(加算)함.

상속-세【相續稅】[명]《법》상속(相續)·유증(遺贈)에 의하여 재산을 취득한 사람에게 부과하는 세금.

상속 순:위【相續順位】[명]《법》법률상 정해진 상속의 순위. 곧, 피상속인의 직계 비속과 배우자, 피상속인의 직계 존속과 배우자, 피상속인의 형제 자매, 피상속인의 4 촌 이내의 방계 혈족 등의 순위.

상속의 포:기【相續一抛棄】[-／-에-] [명]《법》상속인이 상속 재산의 승계를 포기하는 일. 또, 그 의사 표시. 상속이 개시된 것을 안 날로부터 3개월 이내에 가정 법원에 신고하여, 법원이 이를 수리하면 상속인은 처음부터 상속하지 않은 것으로 인정됨. 재산 상속은 채무(債務)의 승계를 수반하는 것이므로, 불이익(不利益)을 강제할 수 없다는 근대법의 원칙에 따른 법 제도임.

상속-인【相續人】[명]《법》상속 개시(開始)의 원인이 발생하였을 때 재산을 물려받는 사람. 상속자. ↔피상속인(被相續人).

상속-자【相續者】[명]《법》상속인(相續人).

상속 재산【相續財產】[명]《법》상속인(相續人)이 피상속인(被相續人)으로부터 상속에 의하여 계승하는 전재산.

상속 재산 관리인【相續財產管理人】[-괄-] [명]《법》상속인의 존재가 불명한 때에, 상속 재산을 청산하기 위하여 일정한 관계인의 청구에 의해서 법원이 선임(選任)하는 재산 관리인.

상속 재산 채:무【相續財產債務】[명]《법》상속 재산에서 상속인이 부담하여야 할 채무. 상속인은 '상속의 포기'를 하지 않는 한, 피상속인의 채무를 전부 승계하게 됨.

상속 재판적【相續裁判籍】[명]《법》상속에 관한 소송 사건에 관한 재판적. 상속권·유류분(遺留分)·유증(遺贈) 및 기타의 사인 행위(死因行爲)에 관한 소(訴)의 재판적과, 상속 재산(相續財產)의 부담에 관한 소의 재판적을 포함함.

상속 쟁의【相續爭議】[-／-이] [명] 피상속인(被相續人)으로부터 재산을 상속하기 위하여 싸우는 일.

상속 채:권자【相續債權者】[-꿘-] [명]《법》상속 채권(相續債權)에 속하는 채무(債務)의 채권자. 곧, 피상속인의 채권자로서, 상속에 의하여 상속인을 채무자로 하게 된 자. 예를 들면 전호주(前戶主)에게 돈을

빌려 주고 받지 못한 사람. 유산(遺産) 채권자.

상속 회복 청구권【相續回復請求權】〔―권〕 명 〖법〗 진정한 상속인이 참칭 상속인(僭稱相續人)에 대하여 자기의 상속권을 확인시켜서 상속인으로서의 지위의 회복을 청구할 수 있는 권리.

상솔 명 〈방〉 상수리[1](전남).

상송【相送】명 피차간에 서로 보냄. ――-하다 타 여불

상송 도법【―圖法】〔Sanson〕〔―뻡〕 명 〖지〗 의원통(擬圓筒) 도법의 하나. 위선(緯線)은 등간격(等間隔)의 평행 직선이고, 경선(經線)과 경선과의 간격은 각 위선 상에서 실제로 비례하는 길이로 잡으므로, 경선은 극(極) 쪽으로 오므라든 곡선(曲線)으로 됨. 면적 관계가 비교적 정확한 것이 장점(長點)인 반면, 가의 온대(溫帶) 부분이 매우 비틀리는 것이 결점임. 상송이 사용한 이 도법을 플램스티드(Flamsteed)가 천문도(天文圖)에 응용(應用)하였으므로 '상송 플램스티드 도법'이라고도 함.

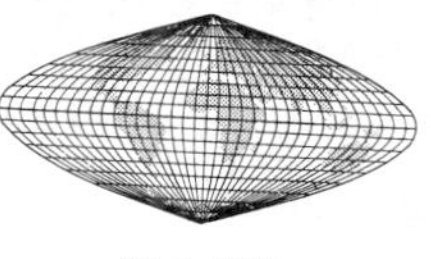

〈상송 도법〉

상송 플램스티드 도법【―圖法】〔Sanson Flamsteed〕〔―뻡〕 명 〖지〗 상송 도법(Sanson圖法). 「法上)의 용어. ――-하다 타 여불

상쇄【相殺】명 ①셈을 서로 비김. ②〖법〗 '상계(相計)'의 구민법상(舊民

상:-쇠【上―】명 〖민〗 두레패·굿중패·걸립패·농악대에 있어서 꽹과리를 가장 잘 치는 사람으로, 그 패의 앞잡이가 되어 전체를 지도하는 사람.

상:쇠-놀음【上―】명 〖민〗 농악을 연주할 때, 상쇠가 꽹과리를 치며 전립(氈笠)에 단 끈을 앞뒤 좌우로 흔들어 돌리기도 하고 재주를 부리고 춤을 추는, 흥겨운 짓거리.

상:수[1]【上手】명 학문·기능 등이 남보다 뛰어남. 또, 그 사람. 고수(高手). 웃수. 일수(一手). ↔하수(下手).

상:수[2]【上水】명 ①음료(飮料)로 쓰기 위해서 수도관(水道管)을 통하여 보내는 맑은 물. ↔하수(下水). ②↗상수도(上水道).

상:수[3]【上壽】명 ①나이가 썩 많음. 또, 썩 높은 나이. ②백 살 이상 된 노인. *중수(中壽)·하수(下壽). ③헌수(獻壽).

상:수[4]【上數】명 제일 좋은 꾀. 상계(上計). ↔하계(下計).

상수[5]【常修】명 〖불교〗 삼수(三修)의 하나. 법신(法身), 곧, 불타의 몸이 상주(常住)한다고 보는 법.

상수[6]【常數】명 ①정해진 수량. 일정한 수. ②정하여진 운명. 정수(定數). ③〔constant〕 〖수〗 어느 관계를 통해서 일정 불변의 값을 가진 수 또는 양(量). 원주율(圓周率)·탄성률(彈性率) 같은 것. 정수(定數). 항수(恒數). ↔변수(變數). ④〖물〗 물질의 물리적(物理的) 또는 화학적(化學的) 성질을 표시하는 수치(數値), 즉 일정한 상태에 있는 물질의 성질에 관한 일정량을 보이는 수. 비열(比熱)·비중(比重)·굴절률(屈折率) 같은 것.

상수[7]【常隨】명 상시(常時) 수행(隨行)함. 언제나 따라다님. ――-하다

상수[8]【湘水】명 〖지〗 상강(湘江). 〔타 여불

상수[9]【喪需】명 ①상비(喪費). ②초상 치르는 데 드는 물건.

상수[10]【霜鬚】명 흰 수염.

상:수 검:사【上水檢査】명 수도의 수질(水質)이 음료수로서 지장이 있나 없나 또는 기타 공업용·소화용(消火用)의 상수도에 있어서는, 요구되는 수질에 합치하는가의 여부를 검사하는 일.

상:수-도【上水道】명 먹는 물이나 공업·방화(防火) 등에 쓰는 물을 계통적으로 대어 주는 설비. 준수도(水道)·상수(上水). ↔하수도·중수도.

상수롭지 않다〔―안타〕 구 보통 사람답지 않다. 언행이 온당하지 않다.

상:수리[1] 명 상수리나무의 열매. 상실(橡實). 견실(樫實). *도토리.

상:수-리[2]【上守吏】명 〖역〗 신라 때의 '기인(其人)'의 일컬음.

상수리-나무 명 〖식〗 〔*Quercus acutissima*〕 참나뭇과에 속하는 다년생의 낙엽 교목(喬木). 높이 15-20 m, 수피(樹皮)는 불규칙하게 세로로 트며, 어린 가지에는 잔 털이 밀생함. 잎은 호생하고 긴 타원형을 이루며 가에는 거친 톱니가 있고, 겨울에도 마른 잎이 달려 있음. 5월에 자웅동가(雌雄同家)의 꽃이 피는데, 수꽃은 선형(線形)의 황갈색 꽃이삭으로 새 가지의 엽액(葉腋)에, 암꽃은 새 가지의 상부의 엽액에 각기 달리며, 둥근 견과(堅果)를 맺는데 이듬해 10월에 다갈색으로 익음. 산과 인가 근처에 나는데, 한국·일본·중국 등지에 분포함. 과실은 '상수리'라 하여 식용하며, 재목은 단단하여 차륜(車輪)·차축(車軸) 제작 용재(用材)나 기구재·신탄재로 많이 씀. 상목(橡木). 참나무.

〈상수리나무〉

상수리노린잿-과【―科】명 〖충〗 〔Urostylidae〕 매미목(目)에 속하는 한 과(科). 몸은 대개 작고 납작하며, 단안(單眼)은 각기 있는 종류와 퇴화(退化)한 종류가 있는데, 부절(跗節)은 세 마디이며, 복부의 제2 숨구멍은 후흉복판(後胸腹板)으로 덮이고, 수컷의 제 3·7·8 숨구멍은 자유롭게 되어 있음. 아시아·오스트레일리아에 60여 종이 분포함. 과수의 해충이 많음.

상수리-들명나방【―螟―】명 〖충〗 〔*Syllepta balteata*〕 명나방과(科)에 속하는 곤충. 편 날개의 길이 28 mm 내외, 몸빛은 황색. 날개에 암갈색의 작은 반문(斑紋)이 있음. 유충은 참나무·밤나무 등의 잎을 갉아먹는 해충(害蟲)임. 한국·일본·대만·중국·인도 등지에 분포함.

〈상수리들명나방〉

상수리-밥 명 상수리쌀에 붉은 팥 간 것을 섞어 지은 뒤, 풀 때에 꿀을 쳐서 담은 밥.

상수리-쌀 명 상수리를 껍데기째 삶아 겨울 동안에 얼리었다가, 봄에 녹은 것을 말려서 쓿은 뒤에, 알맹이를 다시 물을 쳐 가며 빻은 것. 밥·떡·묵 등을 만듦.

상수 불학가【常樹佛學歌】명 〖악〗 고려 광종(光宗) 17년(967) 때 균여대사(均如大師)가 지은 '보현 십원가(普賢十願歌)' 11수(首) 중의 하나. 이두문(吏讀文)으로 된 향가(鄕歌)임.

상수 비:례【常數比例】명 〖화〗 어떤 화합물이 조성(組成)될 때에 각 물질 사이의 일정 불변한 비례. 수소 2와 산소 1로써 화합되는 것 등. 정수 비례.

상수비-코드【常數比―】〔code〕 명 〖컴퓨터〗 정비 부호(定比符號).

상수시 궁전【―宮殿】〔Sans-souci〕 명 베를린의 남서(南西), 포츠담 시 안에 있는 궁전. 프로이센 국왕 프리드리히(Friedrich) 2세가 별궁(別宮)으로 지어, 학자·문인·음악가 등을 초대했기 때문에 18세기의 북유럽 문화의 중심지가 되었음. 1745-47년에 지은 단층의 로코코식 건축.

상:-수치도【上水雉島】명 〖지〗 전라 남도 서해상(西海上), 신안군(新安郡) 비금면(飛禽面) 수치리(水雉里)에 위치한 섬. 〔1.09km²: 62명(1984)〕 「는 하천.

상수 하천【常水河川】명 극심한 가뭄 때를 제외하고는 상시 물이 흐르

상수 함:수【常數函數】〔―쑤〕 명 〖수〗 독립 변수의 어떤 값에 대해서도 언제나 일정한 값을 취하는 함수. 정수치(定數値) 함수.

상수-항【常數項】명 〖수〗 방정식이나 다항식(多項式)을 어떤 변수에 대하여 정리 표현하였을 때 그 변수를 포함하지 않는 항(項). 정수항.

상:순[1]【上旬】명 초하루부터 초열흘까지의 사이. 상완(上浣). 상한(上澣). 초순(初旬). *중순(中旬)·하순(下旬).

상:순[2]【上脣】명 윗입술. ↔하순(下脣).

상:술[1]【上述】명 위 또는 앞 부분에서 말함. ――-하다 타 여불

상-술[2]【床―】〔―쑬〕 명 상에 안주를 차리고 여기에 곁들여서 파는 술.

상술[3]【相術】명 상(相)을 보는 방법·기술. 상법(相法).

상술[4]【商術】명 장사하는 수단이나 솜씨. 장사 수단.

상술[5]【詳述】명 자세하게 진술(陳述)함. ――-하다 타 여불

상-스럽다【常―】〔―쓰―〕 형 ㅂ불 말과 짓이 야하고 천하다. ㅆ쌍스

상습【床蝨】명 〖충〗 빈대. 〔럽다. 상-스레【常―】〔―쓰―〕 부

상습【常習】명 늘 하는 버릇. 못된 버릇을 늘 되풀이하는 일.

상습 강:도【常習強盜】명 〖법〗 상습적(常習的)인 폭행 또는 협박의 수단으로 타인의 재물을 강취(強取)하거나 재산 상의 이익을 취득하거나 제삼자로 하여금 이를 취득하게 하는 행위. 또, 그 사람.

상습 도박죄【常習賭博罪】명 〖법〗 상습적(常習的)으로 도박 행위를 함으로써 성립하는 죄. 도박죄보다 중하게 처벌됨.

상습-범【常習犯】명 〖법〗 일정한 행위를 상습적으로 함으로써 성립하는 범죄. 또, 그 범인. 도박 상습범·상습 절도 같은 것. 관행범(慣行犯). ↔기회범(機會犯).

상습성 변:비【常習性便祕】명 〖의〗 창자에 특별한 질병이 없이 항상 변비가 되는 병. 어린 아이에게 있어서는 모유(母乳) 부족·당분(糖分) 부족 등으로 생기고, 성인(成人)의 경우에는 운동 부족·대변 억제(抑制) 등으로 생기는데, 신경 과민인 사람에게 많음.

상습-자【常習者】명 어떠한 나쁜 일에 상습이 된 사람.

상습-적【常習的】명 관 좋지 않은 일을 버릇처럼 되풀이하는 모양. ¶ ~인 경향/나쁜 짓을 ~으로 한다.

상습 절도【常習竊盜】〔―또〕 명 〖법〗 상습적으로 타인의 재산을 절취하는 행위. 일정한 한도 내에서 형(刑)이 가중(加重)됨.

상습-화【常習化】명 상습으로 됨. ――-하다 자 여불

상:승[1]【上昇·上升】명 위로 올라감. ↔하강(下降). ――-하다 자 여불

상:승[2]【上乘】명 ①〖불교〗 최상(最上)의 교법(敎法). 대승(大乘). ②〖경〗 해상 운송(海上運送)을 이용하여 상품을 판매·구입하려는 상인에 대신해서 선박에 승선하여, 항해 중에 상품을 관리하고 목적지에서 이것을 매각하며 또는 귀로에 상품을 구입하는 것을 임무로 하는 사람. 13-14세기에 있었는데, 지금은 지점·대리점 등의 발달로 폐지되고, 항해 중의 상품 관리는 선장(船長)이 맡아 함.

상승[3]【相承】명 ①서로 계승(繼承)함. ②〖불교〗 스님이 제자에게 교법(敎法)의 오의(奧義)를 전수(傳授)하고, 이를 다음에서 다음으로 받아 전하는 일. ――-하다 타 여불

상승[4]【相乘】명 〖수〗 두 개 이상의 수치(數値)를 서로 곱함. 또, 그 승적

상승[5]【桑蠅】명 〖충〗 누에기생파리. 〔(乘積). ――-하다 타 여불

상승[6]【常勝】명 항상 이김. 싸울 때마다 이김. ――-하다 자 여불

상승 가도(街道)를 달리다 구 상승(常勝)하는 기세를 몰아 냅다 몰아쳐 나아가다. 「덩굴의 줄기. 완두 따위.

상:승-경【上昇莖】명 〖식〗 다른 물건에 의지하여 위로 벋어 올라가는

상승-국【尙乘局】명 〖역〗 고려 때, 내구(內廐)를 맡은 마을. 충선왕(忠宣王) 2년(1310)에 봉거서(奉車署)로 고쳤다가, 공민왕(恭愍王) 5년(1356)에 다시 본 이름으로, 동 11년에 또 봉거서로, 동 18년에 다시 본 이름으로, 동 21년에 또 봉거서로 여러 번 개변(改變)을 거듭하다가, 공양왕(恭讓王) 2년(1390)에 중방(重房)에 합치었음.

상승-군【常勝軍】명 ①싸울 때마다 늘 이기는 군대. ②〖역〗 중국 청(淸) 말기에 태평군(太平軍) 곧 장발적(長髮賊)을 토벌하기 위하여 미국인 워드(Ward)가 외인(外人)과 청병(淸兵)으로 조직한 혼성(混成) 군대. 규율 엄정(規律嚴正)·사기 정강(士氣精強)으로 유명하였으며, 태평군의 상하이(上海) 공격을 물리쳐 상승군이라는 이름을 얻었음. 워드가 전사(戰死)한 이듬해(1863)에 영국인 고든(Gordon)이 지휘하여 각지의 태평군을 격파하고 쑤저우(蘇州)의 함락에도 큰 공이 있었으나, 적의 쇠퇴에 따라 이를 해산하였음.

상:승-기【上昇期】명 어떤 현상이 상승하는 시기. ¶ 곡가(穀價) ~.

상:승 기류【上昇氣流】명〖기상〗대기(大氣) 속에서 대기가 위로 향하여 유동(流動)하고 있는 현상. 흔히는 구름을 만들고 비를 내리는 원인이 됨. ↔하강 기류.

상승 내:승지【尙乘內承旨】명〖역〗고려 때 액정국(掖庭局)의 남반(南班) 초입사로(初入仕路)의 벼슬.

상:승-도【上昇度】명 상승하는 정도.

상:승-력【上昇力】[—녁] 명 위로 올라가는 힘.

상승-비【相乘比】명〖수〗두 개의 비(比) $a : b$ 및 $c : d$로부터 만들어진 비 $ac : bd$의, 본디의 두 비에 대한 일컬음. 복비(複比).

상:승 비행【上昇飛行】명 항공기 등이 고도를 차차 더하기 위하여 위로 향하여 올라감. ↔하강 비행(下降飛行). 「여불

상승 상부【相勝相負】명 이기고 진 번수가 서로 같음. ——-하다 자

상:승-세【上昇勢】명 상승하는 기세.

상승 승지【尙乘承旨】명〖역〗고려 때 상승국(尙乘局)에 속하는 관직의 하나. 어승마(御乘馬)의 조습(調習)·사육과, 국왕의 시위(侍衛)·전령(傳令) 등을 맡음.

상:승 식물【上昇植物】명〖식〗다른 물건에 의지하여 덩굴의 줄기가 위로 벋어 올라가는 식물.

상승 작용【相乘作用】명 몇 가지 원인이 동시에 겹쳐 작용하면 하나씩 따로따로 작용할 때의 합(合)보다 많은 효력을 나타내는 작용.

상승 장군【常勝將軍】명 적과 싸워 항상 이기는 장군.

상승-적【相乘積】명〖수〗두 개 이상의 수를 상승하여 얻은 적(積).

상승 평균【相乘平均】명〖수〗기하(幾何) 평균. ↔상가(相加) 평균.

상:승 하:접【上承下接】명 윗사람을 받들고 아랫 사람을 접함.

상:승 한:도【上昇限度】명 항공기의 주익(主翼)의 부력(浮力)과 자중(自重)이 균형이 잡혀, 그 이상 상승하지 않는 고도(高度).

상:시¹【上試】명〖역〗과거(科擧) 시관(試官)의 우두머리.

상:시²【上諡】명 죽은 임금에게 묘호(廟號)를 올리던 일. ↔사시(賜諡).

상시³【常侍】명〖역〗↗산기 상시(散騎常侍). ——-하다 자여불

상시⁴【常時】명 ①임시(臨時)가 아니고, 관례(慣例)대로의 보통인 때. 항시(恒時). ②↗평상시(平常時).

【상시에 먹은 마음이 꿈에도 있다】꿈꾸는 내용은 평상시에 가진 생각이 어떠면 모양으로 나타나는 것이라 하여 이르는 말. 【상시에 먹은 마음 취중에 난다】술에 취하게 되면 평소에 마음먹었던 일이 언행(言行)에 나타난다는 말.

상시⁵【嘗試】명 시험하여 봄. ——-하다 타여불

상시⁶【霜柿】명 가지에 달린 채 서리를 맞은 감.

상:-시관【上試官】명〖역〗상시(上試).

상시-세【常時稅】명 매년 규칙적으로 계속해서 부과되는 조세. 경상세(經常稅).

상시-적【常時的】명관 일상적인 모양.

상시지-계【嘗試之計】명 남의 뜻을 떠 보는 계교.

상시-회【桑柴灰】명 뽕나무를 태워서 만든 재. 특수한 약을 달이는 데 씀.

상:식¹【上食】명 상가(喪家)에서 아침 저녁으로 영좌(靈座)에 드리는 음식.

상식²【尙食】명〖역〗①고려 때의 여관(女官)의 하나. ②조선 시대 여관의 종오품(從五品) 벼슬.

상식³【相識】명 서로 면분(面分)이 있음.

상식⁴【常式】명 ①일정한 법률. 상법(常法). ②일정한 격식.

상식⁵【常食】명 늘 먹음. 보통으로 먹음. 또, 그 음식. ——-하다 타여불

상식⁶【常識】명 보통 사람이 가지고 있거나 또는 가지고 있어야 할 표준 지력(標準知力). 전문 지식이 아닌 일반 지식과 더불어 이해력·판단력·사려(思慮)·분별(分別) 등을 포함함. 보통 지식.

상식-가【常識家】명 ①상식이 풍부한 사람. ②세상 일반의 보편적인 사고 방식이나 행동을 하는 사람.

상식-국【尙食局】명〖역〗고려 때 궁중(宮中)의 반찬감을 조달하는 일을 맡은 마을. 충렬왕 34년(1308)에 사선서(司膳署)로 고쳤다가, 공민왕 5년(1356)에 다시 본이름으로, 동 11년에 또 사선서로, 동 18년에 다시 본이름으로, 동 21년에 또 사선서로 고치었음.

상식-밖【常識—】명 상식외(常識外).

상식-사【尙食司】명〖역〗사옹원(司饔院).

상:식-상【上食床】명 혼백상(魂魄床)에 하루 세 끼의 식사를 차려 놓은 상.

상식-외【常識外】명 세상 일반의 보편적인 사고 방식이나 행동에서 벗어난 일. 또, 그러한 모양. 상식밖. ¶ ~의 짓.

상식-적【常識的】명관 상식에 관한 모양. ¶ ~ 판단.

상식-주의【常識主義】[—/—이] 명 세상 일반이 보편적으로 생각하는 것을 제일로 치는 생각.

상식 철학【常識哲學】명 [common sense philosophy]〖철〗영국의 계몽 철학의 한 형태로, 리드(Reid, Thomas)를 대표로 하는 스코틀랜드에서 발달한 철학. 보편적인 공통된 의식(意識)으로서의 상식을 구극(究極)의 원리로 하여, 이것을 학적 지식(學的知識)의 기초와 진리의 사정 규준(査定規準)으로 하는 철학.

상식 학파【常識學派】명 18세기에서 19세기에 걸쳐 나타난, 영국의 리드(Reid, Thomas)를 대표로 하는 계몽 철학(啓蒙哲學)의 한 학파. 진리의 최종 근거를 상식에 두려고 하였음.

상식-화【常識化】명 상식적으로 변함. 상식이 되어 버림. ¶ 상대성 원리도 이제는 ~되었다. ——-하다 자여불

상:신¹【上申】명 관청이나 윗사람에게 일에 대한 의견 혹은 사정 등을 말로나 글로 여쭘. 계고(啓告). ——-하다 타여불

상:신²【上臣】명〖역〗상대등(上大等).

상신³【相臣】명〖역〗상국(相國).

상신⁴【相信】명 서로 믿음. 서로 신용함. ——-하다 타여불

상신⁵【喪神】명 실신(失神)❶. ——-하다 자여불

상신⁶【傷神】명 정신을 상함. ——-하다 자여불

상신⁷【霜信】명 〔서리와 같이 오는 소식이라는 뜻에서〕'기러기'의 딴이름.

상신⁸【霜晨】명 서리가 내린 추운 아침.

상신-간【相信間】명 서로 믿는 사이. 서로 신용하고 지내는 사이.

상:신-서【上申書】명 상신하는 문서.

상-신석【常信石】명〖한의〗강원도에서 생산되는 비상(砒霜). 학질(瘧疾)·누창(漏瘡)·치루(痔漏) 등에 약으로 씀.

상:-신열무【上辛熱舞】명〖악〗신라 시대 가무(歌舞)의 하나. 가야금 한 사람, 춤 두 사람, 노래 두 사람으로 이루어짐.

상:신-자【上申者】명 상신하는 사람.

상실¹【桑實】명 뽕나무의 열매. 오디.

상:실²【爽實】명 사실과 틀림. ——-하다 형여불

상실³【喪失】명 잃어버림. 상망(喪亡). ¶ 자격 ~. ——-하다 타여불

상실⁴【詳悉】명 빠짐없이 자세히 앎. ——-하다 타여불

상실⁵【橡實】명 상수리¹.

상실-기【桑實期】명〖동〗배엽 형성 과정의 하나로 난할(卵割)이 계속되어 뽕나무 열매와 같은 모양으로 되는 시기.

상실 만두【橡實饅頭】명 도토리 만두.

상실-배【桑實胚】명〖동〗다세포(多細胞) 동물의 개체 발생에 있어서의 극히 초기(初期)의 한 시기의 배(胚). 보통 세포의 덩이로 내부에 틈이 거의 없음. 이것이 발달하여 포배(胞胚)가 됨.

상실-법【詳悉法】[—뻡] 명 수사법(修辭法)의 하나. 사물을 그대로 표현하기 위해서, 면밀하고도 상세하게 서술(敍述)하는 수사법.

상실 운두병【橡實雲頭餠】명 도토리 수제비.

상실-유【橡實乳】명 도토리묵.

상실-자【喪失者】[—짜] 명 종래(從來) 가지고 있던 권리·신분·능력·자격 등을 잃은 사람.

상실-주【桑實酒】[—쭈] 명 상심주(桑椹酒).

상:심¹【上心】명 임금의 마음.

상심²【桑椹】명 오디.

상심³【喪心】명 실심(失心). ——-하다 자여불

상심⁴【傷心】명 마음을 상함. 마음을 태움. 상혼(傷魂). ¶ 그는 너무 ~하여 미칠 지경이 되었다. ——-하다 자여불

상심⁵【詳審】명 자세히 살핌. ——-하다 타여불

상심⁶【賞心】명 경치를 즐기는 마음. 즐겁고 기쁜 마음.

상심-주【桑椹酒】명 오디를 말려 볶아서 헝겊으로 짜 낸 물과, 끓인 물 한 되에, 설탕 두 냥쭝, 계피 가루 너 냥쭝, 포도주 두 홉의 비율로 섞어 넣고, 약 일 주일 가량 두어 익힌 술. 상실주(桑實酒).

상: 싫다 구〈방〉성 싫다.

상:-씨름【上—】명 결승(決勝)을 다투는 씨름. 소겯이.

상아¹【象牙】명 코끼리의 상악(上顎)에 나서 입 밖으로 길게 튀어 나와 위로 향한 앞니. 썩 단단하고, 빛은 엷은 황백색이며, 무늬가 아름다움. 여러 가지 장식품·세공용으로 쓰임. ¶ ~ 세공(細工).

상아²【詳雅】명 상세하고 단아(端雅)함. 자세하고 깨끗함. ——-하다 형여불

상아³【嫦娥】명 ①달 속에 있다는 선녀. 항아(姮娥). ②달의 딴이름.

상아⁴【孀娥】명 ①과부. ②'달'의 딴이름.

상아-먹【象牙—】명 상아를 태워 만든 검은 물감.

상아-부【象牙符】명〖역〗조선 예종(睿宗) 때에, 일본(日本) 막부(幕府)의 국왕사(國王使)의 요청으로, 그 내왕 증명으로 삼는 상아로 만든 신표(信標). 둘레 네 치 닷 푼, 지름 한 치 닷 푼으로 한쪽에 '조선 통신(朝鮮通信)'이라 전각(篆刻)하였음. 국왕사가 오른쪽 반쪽을 가지고 오면 우리 나라에서 가지고 있는 왼쪽 반쪽과 맞추어 봄.

상아-색【象牙色】명 상아의 빛깔. 곧, 엷은 황백색(黃白色).

상아 세:공【象牙細工】명 상아를 재료로 하여 여러 가지 세공품을 만드는 일.

상아-영【象牙纓】명 상아 구슬을 꿰어 만든 갓끈.

상아 장도【象牙粧刀】명 칼집과 자루를 상아로 꾸민 장도.

상아-저【象牙箸】명 상아로 만든 젓가락.

상아제 휴대용 앙:부 일구【象牙製携帶用仰釜日晷】명〖역〗광무(光武) 5년(1901)에 제작된 휴대용 해시계. 상아(象牙)에 반구(半球)를 파서 만든 것으로, 극히 소형(小型)이며, 자침으로 방위를 바르게 정할 수 있도록 만들어진 것이 특색임.

상아-질【象牙質】명 [dentine]〖생〗척추 동물의 치아(齒牙)의 중앙부의 주성분(主成分)이 되는 물질. 황백색(黃白色)이고 단단함. *이².

상아-탑【象牙塔】명 [tower of ivory] 예술 지상주의(藝術至上主義)를 사랑하는 사람들이 속세를 떠나 오로지 정적(靜寂)한 예술만을 즐기는 경지(境地). 또, 학자들의 현실 도피적이고 관념적인 학구 생활이나 그 연구실의 비유.

상아탑 문학【象牙塔文學】명〖문〗현실 사회의 구체적인 사상을 취급하는 것이 아니고, 유현(幽玄)하고 신비(神秘)로운 것을 취급하여 현실 사회와 멀리 떨어진 서재적(書齋的)인 문학.

상아 해:안【象牙海岸】명〖지〗〔15세기 후반에 상아의 주산지였었던 데서 붙여진 이름〕코트디부아르(Côte d'Ivoire).

상아혼-식【象牙婚式】명 결혼 기념식의 하나. 결혼 30주년이 되는 날을 축하하여, 부부가 상아 제품을 선물로 주고받아 기념함. *산호혼식(珊瑚婚式).

상아-홀【象牙笏】명〖역〗일품(一品)부터 사품(四品)까지의 벼슬아치가 가지는 홀.

상:악【上顎】명 ①〖생〗↗상악부(上顎部). ②위턱❶. ③〖동〗갑각류(甲殼類)의 셋째 발. 1)-2):↔하악.

상:악-골【上顎骨】 명 〖생〗 두개골(頭蓋骨)의 한 부분으로, 입천장을 구성하고 있는 한쌍의 뼈. 중앙부를 체(體)라 하고, 체의 내부의 공동(空洞)을 상악두(上顎竇)라고 함. 체(體)에는 전두 돌기(前頭突起)·치조 돌기(齒槽突起)·관골 돌기(顴骨突起)·구개 돌기(口蓋突起) 등의 네 개의 돌기가 있음. 위턱뼈. ↔하악골. *두개골.

전두골
비골
안와(眼窩)
협골
비강(鼻腔)
상악골
하악골
〈상악골〉

상:악-동【上顎洞】 명 〖생〗 부비강(副鼻腔)의 하나. 상악 골체(上顎骨體)의 가운데에 있는 한쌍의 공동(空洞). 내면(內面)은 비강의 점막(粘膜)의 연장으로 덮여 있으며, 그 속에는 공기가 들어 있음. 축농증(蓄膿症)이 가장 잘 걸리는 곳이며, 치근(齒根)에 가깝기 때문에 이의 병으로도 염증(炎症)을 일으키는 수가 있음.

상:악동-염【上顎洞炎】[—념] 명 〖의〗 상악동에 일어나는 염증. 감기·유행성 감기·폐렴 등의 전염병 또는 비강(鼻腔) 수술 및 이의 질환이 원인이 되어 일어나며, 상악동의 통감(痛感), 치통(齒痛), 이의 부동감(浮動感), 비루(鼻漏), 농즙(膿汁)의 유출 등이 일어남.

상:악동 축농증【上顎洞蓄膿症】[—쯩] 명 〖의〗 상악동염의 결과 농즙(濃汁)이 저류(貯溜)하는 상태. 보통, 축농증이라고 하면 이것을 말함.

상:악-두【上顎竇】 명 〖생〗 상악골 중앙부에 있는 내부의 빈 자리.

상:악-부【上顎部】 명 〖생〗 상악골(上顎骨)이 있는 부분. ㊀상악(上顎). ↔하악부(下顎部).

상:악-성【上顎聲】 명 고대 운학(韻學)에서, 상악음의 일컬음.

상:악-암【上顎癌】 명 상악에서 발생하는 암종(癌腫). 처음에는 이가 아프고, 코가 메는 정도이나, 점점 악골(顎骨)을 파괴하고 피부가 진물러서 출혈하게 되며 완고한 축농증(蓄膿症) 증상을 보임.

상:악-음【上顎音】 명 전설면(前舌面) 또는 중설면(中舌面)과 경구개(硬口蓋) 사이에서 발음되는 자음. 경구개음.

상:악 치조 지수【上顎齒槽指數】 명 치열궁(齒列弓)과 구개(口蓋)의 형태를 나타내는 지수. 상악 치조의 넓이를 상악 치조의 길이로 나누고 100을 곱한 수치.

상안【象眼】 명 상감(象嵌).

상안 세:공【象眼細工】 명 상감 세공(象嵌細工).

상:알【上謁】 명 알현(謁見). ——-하다 타여불

상암-산【桑岩山】 명 〖지〗 함경 남도 북청군(北青郡) 이곡면(泥谷面)과 성대면(星岱面) 사이에 있는 산. [1,180 m]

상압【常壓】 명 특별히 감압(減壓)하거나 가합(加壓)하지 않았을 때의 압력. 보통, 대기(大氣)의 압력과 같은 압력. 약 1 기압임. *정압(定壓).

상압 증류【常壓蒸溜】[—뉴] 명 평압(平壓) 상태에서 행하는 증류 방법. *진공(眞空) 증류.

상앗-대 명 배질을 할 때에, 물 속에 질어 배를 나가게 하거나 배를 언덕에 댈 때에 쓰는 장대. ㊀사앗대·삿대.

상앗대-질 명 상앗대로 배질을 함. ㊀삿대질. ——-하다 자여불

상-앙【商鞅】 명 〖사람〗 중국 진(秦)나라의 정치가. 별명 위앙(衛鞅)·공손앙(公孫鞅). 위(衛)나라의 공족(公族) 출신으로 법학을 공부하고, 효공(孝公) 밑에서 법제(法制)·전제(田制)·세제(稅制) 등을 크게 개혁, 진나라를 융성하게 하여 효공(孝公) 22년(340 B.C.) 상(商)에 봉함을 받았음. [? -338 B.C.]

상애[1]【相哀】 명 서로 슬퍼함. ——-하다 타여불

상애[2]【相愛】 명 서로 사랑함. 상련(相戀). 상사(相思). ——-하다 타여불

상애[3] 부 상시(常時)에.

상애 상조【相愛相助】 명 서로 사랑하고 서로 도움. ——-하다 자여불

상애지-도【相愛之道】 명 서로 사랑하는 도리(道理).

상액【常額】 명 일정한 액수(額數).

상야[1]【桑野】 명 뽕나무를 심은 들.

상야[2]【霜夜】 명 서리 내리는 밤.

상야[3]【霜野】 명 서리가 내린 들판.

상야-등【常夜燈】 명 밤새도록 켜 놓는 등.

상:약[1]【上藥】 명 좋은 약.

상약[2]【尙藥】 명 〖역〗 ①조선 시대 내시부(內侍府)의 종삼품 벼슬. 상전(尙傳)의 위, 상다(尙茶)의 아래. ②내의원(內醫院).

상약[3]【相約】 명 서로 약속함. 또, 그 약속. ——-하다 타여불

상약[4]【常藥】 명 약국이나 병원에서 쓰는 학술적인 이론을 근거로 한 약이 아니고, 보통 가정이나 사사 경험에 의하여 쓰는 약. *민간약.

상약[5]【嘗藥】 명 ①남에게 약을 권하기 전에 먼저 맛을 봄. ②약을 먹거나 마심. ——-하다 자여불

상약-국【尙藥局】 명 〖역〗 고려 때 임금의 약을 짓는 일을 맡은 관아. 충선왕 2년(1310)에 장의서(掌醫署)로 고쳤다가, 뒤에 봉의서(奉醫署)로 고치고, 공민왕 5년(1356)에 다시 상의국(尙醫局)으로, 동 11년에 또 봉의서로, 동 18년에 다시 상의국으로, 동 21년 또 봉의서로 고치었음.

상양[1]【相讓】 명 서로 사양함. ——-하다 타여불

상양[2]【徜徉】 명 어슷거려 노닒. ——-하다 자여불

상양[3]【賞揚】 명 칭찬하여 높임. ——-하다 타여불

상양 고무【商羊鼓舞】 명 '상양(商羊)'이라는 새가 날아다니면 큰 비가 온다는 전설에서, 홍수·수해가 있을 것을 미리 알리는 뜻으로 쓰는 말.

상:양-궁【上陽宮】 명 중국의 당대(唐代), 뤄양(洛陽)에 있었던 궁전.

상:양-인【上陽人】 명 중국 당대(唐代), 뤄양(洛陽)의 상양궁(上陽宮)으로 옮겨져 살던 궁녀(宮女)들. 현종(玄宗) 황제의 사랑이 오로지 양귀비(楊貴妃)에게만 갔기 때문에 궁중의 많은 여성들이 불우한 일생을 보낸 데서, 불우한 관녀(官女)의 비유로 씀.

상어 명 〖어〗 교류(鮫類)에 속하는 고래상어·괭이상어·곱상어·악상어·수염상어·별상어·철갑상어 등의 총칭. 몸은 원추형, 골격은 연골(軟骨)이며, 입은 두부(頭部)의 하면에 옆으로 째지고, 꼬리지느러미는 칼 모양이고, 피부는 단단하고 거칠어 이 모양의 비늘로 덮여 있음. 대개는 태생(胎生)이고 흉포(凶暴)·민활함. 온대·열대의 바다에서 남. 살은 먹으며 지느러미도 건조하여 식용함. 껍질은 말려서 물건을 문지르는 데 쓰고, 구두·공구(工具)의 장식용으로 씀. 교어(鮫魚). 사어(沙魚).

상어 간:유【—肝油】 명 [shark liver oil] 상어류(類)의 간장(肝臟)에서 채취한, 황갈색 또는 갈색의 기름. 강한 방향(芳香)이 있으며 물에는 녹지 않으나 에테르·벤젠·이황화 탄소(二黃化炭素)에는 잘 녹음. 비타민 A의 원료가 되며, 생화학의 연구에 쓰임.

상어 무리 명 〖어〗 연골 어류(軟骨魚類).

상어 백숙【—白熟】 명 상어를 토막쳐서 만든 백숙.

상어 산:적【—散炙】 명 상어를 살로만 기름하게 썰어 쇠고기와 파·기름·깨소금·설탕·후춧가루를 치고 간장으로 간을 마친 다음 주물러 꼬챙이에 꿰어서 구운 산적.

상어-찜 명 상어 고기로 만든 찜. 상어의 내장과 뼈를 발라 내고, 쇠고기나 돼지고기와 파·생강·표고·후춧가루를 치고 난도(亂刀)하여, 상어 배에 넣고 마주 덮어서 녹말 풀로 틈을 발라 붙인 다음에, 실로 동여 매어 솥에 넣고 물을 조금 치고 장과 밀가루를 쳐서 익힌 찜.

상어-포【—脯】 명 마른 상어를 껍질을 벗기고 토막쳐서 쓰는 포.

상어-피【—皮】 명 상어의 껍질.

상:언[1]【上言】 명 〖역〗 ①신하가 국왕에게 상신(上申)함. ②백성이 국왕에게 상소(上疏)함. ——-하다 자타여불

상언[2]【尙彦】 명 〖사람〗 조선 시대의 중. 호는 설파(雪坡). 속성은 이씨(李氏). 효령 대군(孝寧大君)의 후손. 오교(五教)에 모두 통하였는데, 특히 화엄(華嚴)에 능하였음. 영조(英祖) 46년(1770) 징광사(澄光寺)에 불이 나서 화엄 80권이 타 버리자, 상언이 발원(發願)하여 다시 판각하여 영각사(靈覺寺)에 경판각(經板閣)을 세우고 봉안하였음. 저서에 ≪구현기(鉤玄記)≫가 있음. 설파 대사(雪坡大師). [1707-91]

상언[3]【詳言】 명 자세히 말함. ——-하다 자여불

상언[4]【詳讞】 명 형사 사건의 심리 판결을 세밀히 함. ——-하다 타여불

상:언 별감【上言別監】 명 〖역〗 거둥 때에 백성이 올리는 글을 받아들이던 임시관(臨時官).

상업[1]【常業】 명 일상의 업무. 일정한 업무.

상업[2]【商業】 명 상품의 매매에 의하여 생산자와 소비자간의 재화 전환(財貨轉換)의 매개(媒介)를 하고 이익을 취하는 영업. ㊀상(商). ——-하다 자여불

상업-가【商業家】 명 ①상업을 경영하는 사람. 상업자(商業者). ②상업에 능숙한 사람.

상업 경영학【商業經營學】 명 상업학(商業學)❶.

상업 경제학【商業經濟學】 명 상업학(商業學)❷.

상업-계【商業界】 명 상업의 사회. 장수들의 사회. ㊀상계(商界).

상업 계:산【商業計算】 명 상품의 매매에 따른 여러 계산의 총칭. 또, 그 과목(科目)의 이름.

상업 고등 학교【商業高等學校】 명 실업(實業) 고등 학교의 하나. 상업(商業) 및 상업 경제·상업 지리·주산(珠算)·상업 미술 등을 필수(必須) 과목으로 함. ㊀상업 학교·상고(商高).

상업 공:황【商業恐慌】 명 〖경〗 투기(投機) 공황의 하나. 상업 거래상의 투기 활동으로 말미암아 많은 상사(商社)의 파산(破産)이 야기(惹起)되는 공황.

상업 광:고【商業廣告】 명 광고(廣告)❷.

상업 교:육【商業教育】 명 상업 부문에 종사할 사람에 대하여 상업 부기(簿記)·상업 계산·상업 실무·무역 실무(貿易實務)·상업 외국어 등에 관한 기능을 훈련시키고, 상업·경제·금융·경영·상품에 관한 기초적 지식을 교수하는 직업 교육의 하나.

상업 구역【商業區域】 명 상가(商街)로 이루어진 구역.

상업-국【商業國】 명 상업으로써 발달한 나라.

상업 금융【商業金融】[—/—늉] 명 〖경〗 상업에 관한 단기(短期)의 금융. ↔공업 금융.

상업 기관【商業機關】 명 〖경〗 상거래(商去來)에 편의를 주어 상업의 발달을 돕는 기관. 은행·해운(海運)·철도(鐵道) 같은 것.

상업 능력【商業能力】[—녁] 명 상행위를 단독으로 할 수 있는 능력.

상업 도:덕【商業道德】 명 상업 활동(活動)을 할 때에 지켜야 할 도덕. 상도(商道). 상도덕(商道德).

상업 도시【商業都市】 명 상업으로 번영 발전한 도시.

상업 등기【商業登記】 명 〖법〗 상법상(商法上), 상인의 영업에 관한 일정 사항(一定事項)을 법원의 상업 등기부(登記簿)에 등기하는 일. 상호(商號)·미성년자(未成年者)·법정 대리인(法定代理人)·지배인(支配人) 또는 회사에 관한 모든 종류의 사항을 공시(公示)하고, 일반 국민에게 알려서 거래자에 대한 신용의 보증을 하기 위한 것임.

상업 등기부【商業登記簿】 명 〖법〗 상업 등기를 하는 공정서(公定書).

상업 디자인【商業—】 [design] 명 상품의 판매를 촉진하기 위한 디자인. 주로, 포스터·광고 도안(廣告圖案)·쇼윈도의 진열(陳列) 따위를 가리킴.

상업-문【商業文】 명 상업상의 내용을 적은 글.

상업 미술【商業美術】 명 응용(應用) 미술의 일 부문. 직접·간접으로 구매욕(購買慾)을 일으키게 할 목적으로, 광고 도안(圖案), 점포의 설계, 상품의 진열, 조명(照明), 상품의 체재(體裁), 포장 등에 미적(美的)인 의장(意匠)을 꾀하는 일. 광고 미술.

상업 방:송【商業放送】 명 영리를 목적으로 하여 운영되는 라디오·텔레비전 방송 사업. 광고주(廣告主)로부터의 광고 수입이 경영의 원천이 됨. ↔공공 방송·국영(國營) 방송. *민간(民間) 방송.

상업-법【商業法】 명 상업 기타 상업에 관한 법의 총칭. 상인법(商人法).

상업법-주의【商業法主義】[—/—이] 명 상인법주의(商人法主義).

상업 부기【商業簿記】 명 〖경〗 상업의 회계(會計)에 응용되는 부기. 상품의 판매에서 생기는 손익(損益)의 계산을 주목적으로 함. 단식(單式)과 복식(複式)으로 나뉘며, 그 주요부(主要簿)로 일기장(日記帳)·분개장(分介帳)·원장(元帳)이 있고 또 필요에 따라 설정되는 보조부(補助

簿)가 있음. 상용 부기(商用簿記).

상업 사:용인【商業使用人】[명]〖법〗고용 계약에 의하여 특정한 상인에게 종속(從屬)되어 상업상의 노무(勞務)에 종사하는 사람. 곧, 회사원·은행원·지배인 같은 사람.

상업 수:학【商業數學】[명]〖수〗①수학의 계산법을 상업상의 계산에 응용한 수학. ②상거래(商去來) 및 기업 재무(企業財務)에 관한 계산을 취급하는 수학.

상업 시대【商業時代】[명]〖경〗사회가 농업 시대에서 진보하여 상업이 크게 발달되어 경제 활동이 유기적(有機的)으로 된 시대.

상업 신문【商業新聞】[명] 불특정 다수의 독자를 대상으로 발행하는 신문. 특히 기관지 따위의 당파적 신문에 대하여 일컬음. 상업지(紙).

상업 신:용【商業信用】[명]〖경〗상인 사이에 있어서의 신용 거래 관계. 곧, 산업 자본가 및 상업 자본가가 상품의 거래에 있어서 상호간에 주는 신용. 외상 거래 등. *산업 신용(產業信用).

상업 신:용장【商業信用狀】[—짱][명]〖경〗국제간의 무역 거래(貿易去來)에 이용되는 신용장의 한 가지. 보통, 수입업자의 의뢰(依賴)를 받고 외국의 수출업자에 대하여 수입업자의 신용을 보증하기로 하고 수입지(輸入地)의 은행이 발행하는 서장(書狀). *신용장.

상업 어음【商業—】[명]〖경〗상인이 상거래를 하기 위하여 다른 상인이나 은행 앞으로 발행하는 어음. 상품 어음. ↔융통(融通) 어음·은행 어음.

상업 어음 재:할인율【商業—再割引率】[—뉼][명]〖경〗중앙 은행이 시중 은행에 대하여 상업 어음을 할인할 때에 적용하는 금리.

상업 연:극【商業演劇】[—년—][명] 연극을 기업화 또는 상품화해서 주로 대극장에서 많은 관객(觀客)에게 보이는 것. 대중을 상대로 오락적인 면을 강조하는 일이 많음.

상업 영어【商業英語】[—녕—][명] 상업에 관한 영어.

상업용 통신 위성【商業用通信衛星】[—뇽—][명] 상업 통신의 무선 중계(無線中繼)를 목적으로 하는 인공 위성.

상업 은행【商業銀行】[명]〖경〗①은행의 한 가지. 상업 및 그 밖의 일반 산업 금융을 행하는 은행. 은행 중 가장 일반적인 것으로, 단기 예금의 수납(收納), 단기의 자금 대부(貸付) 및 이 업무에 관련된 수표·어음의 출납(出納), 어음 교환, 환업무 등을 취급함. 예금 은행. ↔공업 은행. ②↗한국 상업 은행. [준]상은(商銀).

상업 이:윤【商業利潤】[명]〖경〗①상업상의 이윤. ②상업 자본에 분배된 잉여 가치(剩餘價值) 부분.

상업 이:해【商業利害】[명] ①상업상(商業上)의 이익과 손해. ②상거래의 결과로서 나타나는 이해.

상업-자【商業者】[명] 상업가(商業家)❶.

상업 자본【商業資本】[명]〖경〗상업에 투자(投資)하여 이윤을 얻기 위한 자본. 상업을 경영하기 위한 자본. 보통, 유통 자본이 주체가 됨. 상품 취급 자본과 화폐 취급 자본이 있음.

상업 장부【商業帳簿】[명]〖경·법〗상법상(商法上), 상인이 모든 거래(去來)를 기록·정리하여 영업 성적 및 재산의 상황을 밝히기 위해서 의무적으로 작성하는 장부. 곧, 일기장·재산 목록·대차 대조표의 총칭. 주로 복식 부기를 씀.

상업적 농업【商業的農業】[명] 상품 생산을 목적으로 영위하는 농업.

상업 정책【商業政策】[명]〖경〗국민 경제의 발전을 꾀하기 위하여 국가 또는 공공 단체가 상업에 대해서 취하는 정책.

상업 조합【商業組合】[명]〖경〗중소 상인(中小商人) 상호간의 이익을 증진시키고 과당 경쟁의 폐단을 막기 위하여 공동 시설을 베풀고 특히 중소 상업 금융을 원만히 하려는 목적으로 조직한 조합.

상업-주의【商業主義】[—/—이][명] ①무엇이나 돈벌이의 대상으로 보는 영리(營利) 본위의 사고 방식. 커머셜리즘. ②상인법주의(商人法主義).

상업 증권【商業證券】[—꿘][명]〖경〗상업 거래(商業去來)의 목적물이 될 수 있는 유가 증권(有價證券). 곧, 어음·주권(株券)·화물 상환증·선하 증권(船荷證券)·창고 증권 같은 것.

상업-지【商業紙】[명] 상업 신문.

상업 지리【商業地理】[명]〖교〗상업 학교에서 두는 교과목의 하나. 상업 지리학을 학습함.

상업 지리학【商業地理學】[명]〖지〗경제 지리학의 한 부문. 상업 상태의 구성·성립 등을 지리학적으로 연구하는 학문.

상업 지역【商業地域】[명] 도시 계획에서 지정하는 용도(用途) 지역의 하나. 주로 상업과 기타 업무의 편익(便益)을 증진하기 위하여 정하는 지역. 이 안에 화약류·비료·유리·비누·연탄 등의 공장은 건축할 수 없음.

상업 통:계【商業統計】[명]〖수〗생산자로부터 소비자로 옮겨지는 상품의 배급 행위를 장소·수량 및 가격에 관해서 관찰하는 통계. 내국(內國) 상업 통계와 외국(外國) 무역 통계로 나뉨.

상업 통신【商業通信】[명] 상업상의 통신.

상업 포스터【商業—】(poster)[명] 상품이나 영화 포스터 등 상업을 목적으로 하는 포스터.

상업-학【商業學】[명]〖경〗①상업 경영을 연구하는 학문. 상업 경영학(商業經營學). ②재화(財貨)가 생산자로부터 소비자에게 옮아가는 과정을 연구하는 학문. 상업 경제학(商業經濟學). [준]상학(商學).

상업 학교【商業學校】[명]〖교〗①상업 교육을 베풀던 구제(舊制) 실업 학교의 하나. ②↗상업 고등 학교.

상업-항【商業港】[명] 화물(貨物)을 수수(授受)할 수 있는 시설을 갖춘, 선거(船渠)가 있는 항구.

상업 혁명【商業革命】[명] 15세기 말의 콜럼버스의 미 대륙(美大陸) 발견과 바스코 다 가마의 아프리카 남단을 통한 신항로의 개척에 따라 유럽 모든 국민의 상업 활동상에 일대 변혁을 일으킨 일. 이에 의하여 유럽 자본주의의 발전을 더욱 촉진시켰음.

상업-화【商業化】[명] 상업의 형식으로 변함. 장삿속으로 되어감. 또, 그렇게 되게 함. ——하다 [자][타][여불]

상업 흥신소【商業興信所】[명]〖사〗상업상의 신용을 조사 보고하는 기관. 주로 상공업자를 위하여 거래처의 자산(資產)과 영업 상태를 내밀(內密)히 조사하여 회원 또는 의뢰자에게 보고함을 업으로 함. *신용 조사업.

상-없다【常—】[—업—][형] 상리(常理)에 벗어나다. ¶본래 가정의 학문이 상없지 않고 천성이 유순하여 범절이 덕기가 더럭더럭한 부인이라 …≪李海朝：鬢上雪≫.

상-없이【常—】[—업씨][부] 상없게.

상에[부]〈방〉상애.

〈상여¹〉

상여¹【喪輿】[명] 송장을 싣고 묘지(墓地)까지 나르는 제구(諸具). 10여 명이 메며 길이가 길고 꼭지 있는 가마와 비슷함. 영여(靈輿). 온량거(轀輬車). 행상(行喪).

[상여 나갈 때 귀청 내 달랜다] 매우 바쁘고 수선스러울 때 그와 상관도 없는 일을 해 달라고 조른다는 말. [상여 뒤에 약방문] '사후(死後) 약방문'과 같은 뜻. [상여 메고 가다가 귀청 후빈다] 무슨 일을 하는 도중에 엉뚱한 딴 짓을 함을 놀리는 말. [상여엣 장사 같다] 상여꾼처럼 풍신이 보잘것없다.

상여²【賞與】[명] ①상으로 금품 등을 줌. ②관청이나 회사 등에서, 정기 급여와는 별도로, 업적(業績)의 배분(配分)이나 공헌도(貢獻度)를 감안하여 상으로서 또는 임금의 보충으로서, 여름·연말·결산기 등에 금전을 지급하는 일. 또, 그 돈. ——하다 [타][여불]

상여-계【喪輿契】[—께][명] 상여를 마련하기 위한 계.

상여-금【賞與金】[명] 상여(賞與)로 주는 돈. 보너스(bonus).

상여-꾼【喪輿—】[명] 행상(行喪) 때에 상여를 메는 사람. 상도(喪徒)꾼. 영여(靈輿)꾼. 향도(香徒). 향도(香徒)꾼. 부부(扶夫). 이정(轜丁). *상두꾼.

상역【象譯】[명] 통역(通譯). ——하다 [타][여불]

상:연¹[명]〈방〉작년(함경).

상:연²【上椽】[명]〖건〗오량(五樑) 이상 되는 집에서, 마룻대에서 양쪽으로 급경사(急傾斜)지게 거는 서까래.

상:연³【上演】[명] 연극을 무대 위에서 실연(實演)함. ¶～ 프로. ——하다 [타][여불]

상:연⁴【爽然】[명] ①썩 상명(爽明)한 모양. ②심신(心身)이 다 상쾌한 모양. ¶가을날 소슬한 바람이 사람의 심신을 ～케 하더니…≪金宇鎭：榴花雨≫. ——하다 [형][여불]. ——히 [부]

상:연-권【上演權】[—꿘][명]〖법〗각본을 배타적으로 상연할 수 있는 권리. 각본이라는 저작물상에 존재하는 저작권에 포함되는 한 권능. 연주권·상영권과 더불어 공연권의 한 가지임. *공연권.

상:연 대본【上演臺本】[명] 연극을 실연하는 각본. 텍스트(text).

상:연-료【上演料】[—뇨][명]〖연〗어느 기간내(期間內)에 어떤 희곡(戲曲)의 흥행권(興行權)을 저작자(著作者)로부터 일시적으로 양도받은 데 대하여 치러 주는 돈.

상:연 목록【上演目錄】[—녹][명] 레퍼토리❶.

상염【霜髥】[명] 흰 수염.

상염-무【霜髥舞】[명] 신라 시대의 춤의 한 가지. 신라 49대 헌강왕(憲康王)이 포석정(鮑石亭)에 거둥하였을 때, 남산의 산신령이 나타나서 추는 춤을 보고 따라 추었다는 춤. 처음에는 산신무(山神舞) 또는 어무상심(御舞詳審)이라 하다가 산신의 터럭이 서리와 같이 희다하여 상염무라 하였음.

상-염불【常念佛】[—념—][명]〖불교〗부단 염불.

상-염색체【常染色體】[명] (autosome)〖생〗세포핵을 구성하는 염색체 중 성염색체(性染色體)를 제외한 나머지의 염색체. 성(性) 결정에 관계가 있는 성염색체에 대한 일컬음. 오토솜.

상엽¹【桑葉】[명] 뽕나무의 잎사귀.

상엽²【霜葉】[명] 서리를 맞아 단풍든 잎사귀.

상엿-소리【喪輿—】[명] 상여를 메고 가면서 상여꾼들이 가락조(調)로 구슬프게 부르는 소리.

상엿-집【喪輿—】[명] 상여 및 그에 딸린 제구(諸具)들을 넣어 두는 초막(草幕). 보통, 산 밑이나 마을 옆에 있음. 곳집.

상:영¹【上映】[명] 영화를 영사(映寫)하여 공개함. ——하다 [타][여불]

상:영²【上營】[명]〖역〗감영(監營).

상영³【觴詠】[명] 술을 마시면서 흥겹게 노래함. ——하다 [자][여불]

상:영-권【上映權】[—꿘][명]〖법〗영화를 배타적으로 상영할 수 있는 권리. 문예·학술·미술의 범위에 속하는 저작물의 저작권은 이것을 영화화할 수 있는 권능을 포함할 뿐만 아니라 그것을 상영할 수 있는 권능도 포함함. 연주권(演奏權)·상연권(上演權)과 더불어 공연권(公演權)의 한 가지임. *공연권.

상:-영산【上靈山】[명]〖악〗영산 회상(靈山會相)의 첫째 곡조. 둘째, 셋째 곡조보다 가락이 매우 느림. 4장(章)으로 되어 있음. 춤의 반주에 많이 쓰임.

상예【賞譽】[명] 칭찬함. ——하다 [타][여불]

상:오¹【上午】[명] 밤 0시부터 낮 12시까지의 동안. 또, 아침부터 점심 때까지의 사이. 오전. ↔하오.

상:오²【上五】[명]〖악〗오음 약보(五音略譜)에서, 중심음인 궁(宮)에서 위로 다섯째 음. 황종(黃鐘)이 궁일 경우 평조(平調)·계면조(界面調) 모두 청황종(淸黃鐘)이 됨. *상삼(上三).

상:오³【晌午】[명] 정오(正午).

상-오리【常—】[명]〖조〗쇠오리.

상:옥【上屋】[명]〖건〗선화(船貨)의 보호·분별(分別) 또는 선객용 등에 충당하기 위하여 부두(埠頭)에 지은 건물.

상온¹【尙醞】[명]〖역〗조선 시대 내시부(內侍府)의 정삼품 벼슬. 상다(尙茶)의 위, 상선(尙膳)의 아래.

상온²【常溫】[명] ①늘 일정한 온도. 항온(恒溫). ②일년중의 평균 온도. 평상의 온도. 평균 기온. ③가열·냉각을 하지 않은 자연 그대로의 온

도. 보통 15°C를 가리킴.

상:온³【想蘊】명〔불교〕어떤 일을 마음속에 생각하여 의식하는 여러 가지 정상(情想). *오온(五蘊).

상온 동:물【常溫動物】명〔동〕정온(定溫) 동물. 등온(等溫) 동물. 온혈 동물. ↔변온(變溫) 동물.

상온 성형【常溫成形】명 금형(金型) 속에 물질을 넣고 상온에서 가압 성형을 한 후, 가열·경화(硬化)시키는 일.

상온 시효【常溫時效】명〔화〕상온에서 일어나는 시효 현상.

상온-층【常溫層】명〔지〕땅 속에 있는 등온도(等溫度)의 층. 지표(地表)로부터 20-30 m 아래되는 곳으로, 계절과 밤낮에 관계없이 온도가 늘 일정함. 항온층(恒溫層).

상-옷【喪一】명〈방〉상복(喪服)(경상).

상:옹¹【上翁】명〔역〕신라 때, 상대사(上大舍)의 다음가는 상대사전(上大舍典)의 벼슬.

상옹²【相擁】명 ①서로 포옹함. ②서로 옹호함. ——-하다 자여불

상옹³【常鶲】명〔조〕딱새❷.

상:완¹【上浣】명 상순(上旬). *중완·하완.

상:완²【上腕】명〔생〕상박(上膊).

상완³【賞玩】명 즐기어 구경함. ——-하다 타여불

상:완-골【上腕骨】명〔생〕상완을 형성하는 뼈. 원기둥 모양으로 되었으며 상하단(上下端)에 반구상(半球狀)의 머리가 있으며 위는 견갑골(肩甲骨)과 이어져 있고, 아래는 척골(尺骨) 및 요골(橈骨)에 접해 있음. 상박골.

〈상완골〉

상:완 삼두근【上腕三頭筋】명〔생〕상완의 뒤 쪽에 있는 큰 근육. 셋으로 갈라진 두부가 합쳐서 큰 건(腱)이 되어 팔꿈치 끝에 붙음. 주로 팔꿈치를 펴는 작용을 하며 요골(橈骨) 신경의 지배를 받음. 삼두박근(三頭膊筋).

〈상완 삼두근〉

상:완 이:두근【上腕二頭筋】명〔생〕상완의 전면에 있는 큰 근육. 머리가 둘로 갈라졌으며, 합쳐서 요골(橈骨)의 위 끝에 붙음. 전완(前腕)을 굽히는 작용을 하며 근피(筋皮) 신경의 지배를 받음. 알통은 주로 이 근육이 수축한 결과 나타나는 것임. 이두 박근(二頭膊筋).

상:왕【上王】명 ↗태상왕(太上王).

상:-왕등도【上旺嶝島】명〔지〕전라 북도 서해상, 부안군 위도면(蝟島面) 상왕등리(上旺嶝里)에 위치한 섬. [0.57 km²]

상왕-산【象王山】명〔지〕강원도 평창군과 홍천군(洪川郡) 사이에 위치하는 산. 오대산(五臺山) 중에 있는 산봉우리의 하나. [1,485m]

상왜【商倭】명〔역〕조선 시대, 장사차 조선에 해마다 왕래하던 일본 사람.

〈상완 이두근〉

상외【象外】명 범속(凡俗)과 멀어진 경계(境界).

상욕【相辱】명 서로 욕함. ——-하다 자여불

상욕 상투【相辱相鬪】명 서로 욕설(辱說)을 퍼부으며 때리고 싸움. ——-하다 자여불

상용¹【相容】명 서로 용납함. ——-하다 자여불

상용²【常用】명 늘 씀. 일상적으로 사용함. ——-하다 타여불

상용³【商用】명 ①상업상의 용무(用務). ¶ ~으로 상경하다. ②장사하는 데에 씀. ——-하다 타여불

상용⁴【常傭】명 늘 고용(雇傭)하고 있음. ¶ ~의 배달꾼. ——-하다 타여불

상용⁵【湘勇】명〔역〕중국 청(淸)나라 문종(文宗) 때, 증국번(曾國藩)이 일으킨 의군(義軍). 장발적(長髮賊)의 난이 일어나자 이것을 토벌하기 위하여 예부 시랑(禮部侍郎) 증국번이 향리 후난 성(湖南省) 샹샹(湘鄕)에서 일으킨 군대임. *향용(鄕勇).

상용⁶【賞用】명 즐기어 씀. 좋아하며 씀. ——-하다 타여불

상용 대:수【常用對數】명 '상용 로그'의 구용어.

상용 로그【常用一】명〔common logarithm〕〔수〕10을 밑으로 하는 로그. 보통의 계산에 쓰이는 로그로서, 양(陽) 또는 영(零)인 소수 부분(小數部分)과 양·영(零) 또는 음(陰)인 정수 부분(整數部分)으로써 이루어지는 소수의 형식으로 나타내어 위의 두 부분을 각각 가수(假數) 및 지표(指標)라 이름. 실용상의 계산에는 밑을 생략한 $\log x$로 쓸 때가 많음. *자연 로그.

상용-문【商用文】명 상업상으로 쓰이는 글.

상용-물【喪用物】명 초상이 났을 때 쓰이는 물건.

상용 박명【常用薄明】명〔천〕박명의 한 가지. 태양이 지평선하 6°에 있을 때로, 일출 전(日出前)·일몰 후(日沒後) 약 30분임. *박명(薄明).

상용 부기【商用簿記】명〔경〕상업 부기(商業簿記).

상용 브레이크【常用一】명〔service brake〕자동차 등에서 보통 운전용으로 쓰이는 브레이크.

상용-시【常用時】명 평균 태양시(平均太陽時)에서, 자정(子正) 곧, 영시를 하루의 기점(起點)으로 하는 시법(時法). 평균 태양의 시각(時角)에 두 시를 보탠 것을 시각으로 하는 시법임. ↔천문시.

상용-어¹【常用語】명 늘 쓰는 말. 일상(日常) 생활에 흔히 쓰는 말.

상용-어²【商用語】명 상업상으로 쓰는 말.

상용-자【常用者】명 어떠한 물건을 항상 쓰는 이.

상용 주파수【商用周波數】명 일반 가정이나 공장 따위에 공급되는 교류(交流) 전기의 주파수.

상용-차【商用車】명 주로 많은 승객 또는 화물의 운송 사업에 쓰이는 자동차. 버스·트럭 등.

상용 한:자【常用漢字】[一짜] 명 일상적으로 사용하는 한자. *교육 한자.

상:우¹【上愚】명 엄청난 숙맥. 심한 바보.

상우²【尙友】명 책을 읽고 고인(古人)을 벗으로 삼는 일.

상우³【相遇】명 서로 만남. ——-하다 자여불

상우⁴【桑牛】명〔충〕뽕나무하늘소.

상우⁵【喪耦】명 상처(喪妻). ——-하다 자여불

상우⁶【賞遇】명 개전(改悛)의 정(情)이 있는 죄수에게 상으로 주는 특별 대우. 면회나 편지 발송의 횟수를 늘리고, 작업의 변경을 허용하며, 작업 상여금의 할당을 늘리거나 식사의 반찬을 늘리는 일과 같은 것. ——-하다 타여불

상우다【傷一】타 상하게 하다.

상우-례【相遇禮】명 신랑이나 신부가 처가나 시가(媤家)의 친척과 처음으로 만나 보는 예식.

상우리 명〈방〉상수리(충남).

상:우 방풍【上雨旁風】명 위로는 비가 새고, 옆으로는 바람이 들이친다는 뜻으로 비바람에 시달리는 낡은 집을 말함.

상운¹【祥雲】명 상서(祥瑞)로운 구름.

상운²【祥運】명 상서로운 운수.

상운³【商運】명 상업상의 운명·운수.

상:원¹【上元】명〔민〕명절의 하나로, 음력 정월 보름날의 별칭. 오래 살라는 뜻으로 약밥을 먹고, 귀가 밝으라고 귀밝이술을 한 잔씩 마시며, 이를 튼튼히 하고 부스럼이 나지 않도록 한다는 뜻으로 밤·호두·잣 같은 부럼을 까 먹음. 대보름날. *중원(中元)·하원(下元).

[상원 달 보아 수한(水旱)을 안다] 정월 대보름 날 달의 모양과 빛을 보고 그 해 가물 것인가 아닌가를 알 수 있다는 말. [상원의 개와 같다] 음력 정월 보름날에는 개를 굶기는 풍습이 있으므로, 배 고픈 사람을 두고 이르는 말.

상:원²【上苑】명 천자(天子)의 정원(庭園).

상:원³【上院】명 양원 제도(兩院制度)의 국회에 있어서 주로 귀족(貴族)·관선 의원(官選議員) 등으로써 조직된 의원(議院). 미합중국(美合衆國)과 같은 연방(聯邦)에서는 각 주의 대표로써 조직됨. 참의원(參議院). 상의원(上議院). ↔하원(下院).

상원⁴【尙苑】명〔역〕조선 시대 때, 내시부(內侍府)의 종구품 벼슬. 감선(監膳) 및 청소의 일을 맡아 보았음. 상경(尙更)의 아래.

상원⁵【桑園】명 뽕나무밭. 뽕밭. 상전(桑田).

상원⁶【常員】명 평상시의 인원.

상원⁷【常願】명 평소에 품고 있는 소원.

상원⁸【象院】명〔역〕사역원(司譯院).

상:원-곡【上院曲】명〔악〕신라 시대 거문고의 명인 옥보고(玉寶高)가 지은 거문고 곡 30곡 중의 하나.

상:원-무【上元舞】〔춤〕당나라 태종 때의 삼대무(三大舞)의 하나. *구공무(九功舞)·칠덕무(七德舞).

상:원-봉【上元峰】명〔지〕상원산(上元山).

상:원-사【上院寺】명〔지〕①강원도 오대산(五臺山)에 있는 월정사(月精寺)에 딸린 절. 신라 성덕왕(聖德王) 4년(705)에 지었다는 설과 그 이전에 자장(慈藏)이 지었다는 설이 있음. 신라 시대의 유물(遺物)로 동종(銅鐘)이 남아 있으며, 근처에 석가모니의 진신사리(眞身舍利)를 모신 적멸 보궁(寂滅寶宮)이 있음. ②강원도 원주시(原州市) 신림면(神林面) 성남리(城南里)에 있는, 월정사(月精寺)의 말사(末寺). ③강원도 춘천시(春川市) 서면(西面) 덕두원리(德斗院里)에 있는, 건봉사(乾鳳寺)의 말사.

상:원사 동종【上院寺銅鐘】명〔불교〕강원도 평창군(平昌郡) 진부면(珍富面) 동산리(東山里) 상원사 소장의 종. 신라 성덕왕(聖德王) 24년(725)에 제작됨. 현존(現存)하는 우리 나라 범종(梵鐘) 중 최고(最古)의 것임. 높이 167 cm, 지름 91 cm로 웅혼(雄渾)하고도 아름다운 소리로 유명함. 한식(韓式) 종의 특징의 하나인 원통형(圓筒形) 음관(音管)으로 되어 있으며 그 표면은 3절로 구획되어 있음. 본디 경북 안동(安東) 누문(樓門)에 걸려 있던 것을 1469년 왕명으로 현존의 장소로 옮겼다고 함. 국보 제36호.

상:-원산¹【上一】명〔광〕광맥(鑛脈)의 면에서 위되는 편 짝. ↔개원산.

상:원-산²【上元山】명〔지〕강원도 정선군(旌善郡) 북면(北面)에 있는 산. 상원봉(上元峰). [1,421m]

상:-원수【上元帥】명〔역〕고려 때 출정(出征)하는 군대를 통솔하던 대장 또는 한 지방의 병권(兵權)을 주장하던 장수.

상:원 하:방분【上圓下方墳】명 고분(古墳) 분류의 한 가지. 바탕은 네모지고 윗 부분은 둥근 모양으로 된 무덤.

상월¹【相月】명 '음력 7월'의 별칭(別稱).

상월²【祥月】명 대상(大祥)을 치르는 달.

상월³【霜月】명 ①서리가 내리는 달이라는 뜻으로, '음력 동짓달'의 별칭. ②서리 내리는 밤의 달. ③서리와 달.

상-월-계-택【象月谿澤】명〔역〕조선 선조(宣祖) 때의 한문 사대가(漢文四大家)인 신흠(申欽)·이정구(李廷龜)·장유(張維)·이식(李植)을 그들의 호(號)를 따서 부르는 이름.

상:위¹【上位】명 ①높은 위치. 또, 앞선 순위. ¶ ~권(圈). ②높은 지위. 1)·2):↔하위(下位)·중위(中位).

상위²【相位】명〔역〕①의정부(議政府)의 하례(下隷)가 의정(議政)을 가리켜 부르던 말. ②정승(政丞)의 지위.

상위³【相違】명 서로 틀림. 서로 어긋남. 상좌(相左). ——-하다 자여불

상위⁴【常委】명 ①↗상임 위원(常任委員). ②↗상임 위원회.

상위⁵【霜威】명 ①서리가 내려 찬기가 심함. ②엄한 위광(威光)을 비유하여 이르는 말.

상:위 개:념【上位概念】명 고급 개념(高級槪念). ↔하위(下位) 개념.

상:위-권【上位圈】[一꿘] 명 윗길에 속하는 테두리 안.

상:위 그룹【上位一】〔group〕명 상위권에 드는 집단.

상:위 사:자【上位使者】 명 ①지위가 높은 사자. ②〖역〗 고구려 후기 직제(後期職制)의 육품(六品)쯤 되는 벼슬 이름. 을기(乙耆). 계달 사후자(契達奢侯者).

상:위 씨방【上位一房】 명〖식〗 화탁(花托)의 중앙 맨 꼭대기에 있는 씨방. 꽃의 딴 기관은 모두 그보다 아래에 있음. 위씨방. 상위 자방(子方). 자방 상위. ↔하위(下位) 씨방.

상:위 자방【上位子房】 명〖식〗 상위 씨방.

상:위 자아【上位自我】 명 〔super-ego〕〖심〗 정신 분석학(精神分析學)에 있어서 인간의 정신 구조(構造)를 셋으로 대별한 것의 하나. 정신 구조(精神構造) 안에서 자아(自我)의 충동(衝動)과 사회적 이상(理想)과의 사이에 있으면서, 자아에 대하여 금지(禁止)나 억제 따위 도덕적 기능을 하는 것.

상:위 증권【上位證券】 [—꿘] 명 기업이 도산(倒產) 또는 해산하였을 때, 원금의 상환이나 배당의 지급 등에 있어 우선 순위가 높은 증권. 일반적으로 사채(社債)·우선주·보통주의 순위로 됨.

상:유[1]【上諭】 명 임금의 말씀.

상유[2]【桑楡】 명 ①뽕나무와 느릅나무. ②저녁 해가 뽕나무나 느릅나무 위에 걸려 있다는 뜻으로, 해가 질 무렵을 일컫는 말. 일모(日暮). 황혼(黃昏). ③노년(老年). 만년(晩年). ④동쪽에 대하여 서쪽의 뜻.

상:-유성【上遊星】 명〖천〗 외행성(外行星).

상:-유양심【尙有良心】 명 악한 일을 한 사람에게도 양심은 남아 있음. 바르게 인도할 여지가 있음을 뜻하는 말.

상:-유일【上酉日】 명〖민〗 음력 정월의 첫 유일(酉日). 이 날 바느질을 하거나 길쌈일을 하면, 손이 닭의 발처럼 흉하게 된다 하여, 침선(針線)을 금함.

상:육【上六】 [—뉵] 명〖악〗 오음 약보(五音略譜)에서, 중심음인 궁(宮)에서 위로 여섯째 음. 황종(黃鐘)이 궁일 경우 평조(平調)는 청태주(淸太簇)가 되고, 계면조(界面調)는 청협종(淸夾鐘)이 됨. ＊상오(上五).

상은[1]【商銀】 명 ↗상업 은행(商業銀行).

상은[2]【傷恩】 명 은정(恩情)을 상하게 함. ——-하다 자여불

상:음[1]【上音】 명 〔overtone〕〖물〗 ①어떤 악음(樂音) 가운데에서 기음(基音)을 제외한 다른 성분. 그 강도(強度)가 음색(音色)을 결정함. ＊부분음. ②넓은 뜻으로의 배음(倍音).

상:음[2]【上淫】 명 자기보다 지위가 높은 여자와 사통(私通)함. 상증(上烝). ——-하다 자여불

상음 신제【霜陰神祭】 명 매년 단오날 선위 대왕(宣威大王)과 그 왕후의 영에 올리는 제사. 그 사당은 함경 남도 안변(安邊)에 있음.

상응【相應】 명 ①서로 응함. ②서로 기맥을 통함. ③서로 맞아 어울림. ④〖불교〗 유가(瑜伽). ——-하다 자여불

상응-각【相應角】 명〖수〗 대응각(對應角).

상:응-봉【上鷹峰】 명〖지〗 함경 북도 명천군(明川郡)에 있는 산봉우리. [1,103 m]

상응 원리【相應原理】 [—월—] 명〖물〗 대응(對應) 원리.

상:의[1]【上衣】 [—/—이] 명 ①바지에 대하여 상체(上體)에 입는 옷. ②저고리. 웃옷. ↔하의(下衣).

상:의[2]【上意】 [—/—이] 명 ①임금의 마음. 상지(上旨). ②윗사람의 마음. 지배자의 생각. ¶～ 하달(下達). 1)·2):↔하정(下情)·하의(下意).

상:의[3]【上醫】 [—/—이] 명 진단(診斷)이나 치료 기술이 훌륭한 의사. 명의(名醫).

상:의[4]【上議】 [—/—이] 명 어떠한 일을 의제(議題)에 올림. ——-하다 타여불

상의[5]【尙儀】 [—/—이] 명〖역〗 조선 시대 여관(女官)의 정오품(正五品) 벼슬.

상의[6]【尙醫】 [—/—이] 명〖역〗 내의원(內醫院).

상의[7]【相議·商議】 [—/—이] 명 서로 의논함. 상론(相論). ——-하다 타여불

상의[8]【常衣】 [—/—이] 명 늘 입고 있는 옷. 보통 입는 옷. 평복.

상의[9]【商議】 [—/—이] 명 ↗상공 회의소.

상의[10]【象意】 [—/—이] 명 육서(六書)의 하나인 회의(會意)의 딴이름.

상의[11]【詳議】 [—/—이] 명 상세(詳細)한 의논(議論). ——-하다 타여불

상의-국[1]【尙衣局】 [—/—이—] 명〖역〗 고려 때에 임금의 옷을 공급하는 소임을 맡은 관아. 충선왕(忠宣王) 2년(1310)에 장복서(掌服署)로 고쳤다가 공민왕(恭愍王) 5년(1356)에 다시 본이름으로, 동 11년에 또 장복서로, 동 18년에 다시 상의국으로, 동 21년에 또 장복서로 고치었음.

상의-국[2]【尙醫局】 [—/—이—] 명〖역〗 고려 공민왕(恭愍王) 때의 봉의서(奉醫署)의 고친 이름.

상:의 물론【尙矣勿論】 [—/—이—] 명 말할 필요도 없음.

상의-사【尙衣司】 [—/—이—] 명〖역〗 조선 시대 때 임금의 의복 및 대궐 안의 재물과 보물 일체의 간수를 맡아 보던 관청. 태조(太祖) 때에 설치한 상의원(尙衣院)을 고종(高宗) 32년(1895)에 고친 이름인데, 고종(高宗) 광무(光武) 9년(1905)에 상방사(尙方司)로 다시 고침.

상의 식목 도감사【商議式目都監事】 [—/—이—] 명〖역〗 고려 때 식목 도감(式目都監)의 벼슬.

상:-의원[1]【上議院】 명 상원(上院). ↔하의원.

상의-원[2]【尙衣院】 [—/—이—] 명〖역〗 조선 시대 어의대(御衣帶)를 진공(進供)하고 대궐 안의 재물과 보물을 맡아 관리하던 관아(官衙). 태조(太祖)가 베풀어서 고종 32년(1895)에 상의사(尙衣司)로 고침. 상방(尙方).

상:의 하:달【上意下達】 [—/—이—] 명 윗사람의 뜻이나 명령을 아랫사람에게 전함. ↔하의 상달.

상:의 하:상【上衣下裳】 [—/—이—] 명 위에 입는 옷과 아래에 입는 옷. 또, 저고리와 치마.

상:이[1]【上二】 명〖악〗 오음 약보(五音略譜)에서, 중심음인 궁(宮)에서 둘째 음. 황종(黃鐘)이 궁일 경우 평조(平調)나 계면조(界面調)의 상이는 모두 중려(仲呂)가 됨. ＊상육(上六).

상이[2]【相異】 명 서로 다름. ——-하다 형여불

상이[3]【桑耳·桑栮】 명〖식〗 뽕나무에서 나는 버섯.

상이[4]【傷痍】 명 ①부상함. ¶～ 군인(軍人)/～ 기장(記章). ②상처(傷處).

상이[5]【霜異】 명 ①철 아닌 때에 내린 서리. ②상재(霜災).

상이 군경【傷痍軍警】 명 전투 또는 대공 작전(對共作戰)에서 상이를 입은 군인과 경찰관.

상이 군인【傷痍軍人】 명 전투시(戰鬪時)나 군사상 공무 집행시(公務執行時)에 상처를 입은 군인.

상이 기장【傷痍記章】 명 전투 또는 작전상 필요한 공무 수행중 부상한 자에게 수여하는 기장. 특별 상이 기장과 보통 상이 기장이 있음. ＊보통 상이 기장·특별 상이 기장.

상이-병【傷痍兵】 명 상처를 입은 병사(兵士).

상이 연금【傷痍年金】 명〖법〗 군인 연금법에 의거하여, 군인이 공무상 질병 또는 부상으로 인하여 폐질(廢疾) 상태로 되어 퇴직한 때 그때로부터 사망할 때까지 지급하는 연금. 상이의 정도에 따라 3등급으로 구분하여 연금 액수에 차등을 둠.

상이 용:사【傷痍勇士】 명 군에서 복무하다가 부상을 입고 제대한 용사.

상이-점【相異點】 [—쩜] 명 서로 다른 점.

상이-죽【桑耳粥】 명 뽕나무버섯을 즙(汁)을 내어 쌀과 함께 쑨 죽.

상:익【上翼】 명 복엽(複葉) 이상의 다엽식(多葉式) 비행기의 주익(主翼) 중에서, 맨 위쪽에 있는 날개.

상:인[1]【上人】 명〖불교〗 ①지덕(智德)을 갖춘 불제자(佛弟子). ②승려(僧侶)를 높이어 일컫는 말.

상인[2]【相引】 명 서로 끌어당김. ↔상척(相斥). ——-하다 자여불

상인[3]【相印】 명〖불교〗 대승 불교(大乘佛敎)에 있어서 일법인(一法印)을 상징하는 것. 곧, 현상(現象)은 실재(實在)라고 하는 교리(敎理).

상인[4]【常人】 명 상사람. ↔양반(兩班).

상인[5]【商人】 명 ①장사하는 사람. 장수. 고객(估客). 고인(賈人). 시인(市人). ②〖법〗 자기의 명의로 상행위(商行爲)를 업(業)으로 삼는 자.

상인[6]【喪人】 명 상제(喪制)❶.

상인[7]【霜刃】 명 서슬이 시퍼런 칼날.

상인 계급【常人階級】 명 ①특권(特權)·유산층(有產層)이 아닌 보통의 평인층(平人層). ②〖역〗 양반(兩班)이나 벼슬아치가 아닌 보통 백성층(百姓層). ＊상사람.

상인 근성【商人根性】 명 상인 특유의 손득(損得)에 민감한 성질. 타산적 상인의 기질·습관.

상인 길드【商人—】 〔guild〕 명〖역〗 길드의 한 형태. 상인들에 의하여 결성된 공동체(共同體). 11세기 중엽부터 12세기에 걸쳐 서(西)유럽에서 형성된 후, 13-14세기에 가장 활발하여 중세 도시(中世都市)를 지배하였음.

상:-인도【上引道】 명〖역〗 신라 때 인도전(引道典)의 벼슬.

상:-인방【上引枋】 명〖건〗 창이나 문짝의 상부(上部)에 가로지르는 인방. 윗중방. 준상방(上枋).

상인-법【商人法】 [—뻡] 명 상업법(商業法).

상인법-주의【商人法主義】 [—뻡—/—뻡—이] 명 미리 상인의 개념을 정하여 영업상의 그 행위를 상행위라고 하는 주의. 상업의 기본 개념으로서의 상행위를 규정하는 방법에 있어서의 주관주의를 의미함. 상업주의(商業主義). 상업법주의(商業法主義).

상:-인일【上寅日】 명〖민〗 음력 정월의 첫번째 인일(寅日). 이 날 여자가 외출하여 남의 집에서 대소변(大小便)을 보면 그 집 사람이 호랑이에게 잡혀 간다 하여 여자는 바깥 출입을 삼감. 범날.

상인 자본【商人資本】 명〖경〗 상인이 상품을 구입하여 비싸게 판매함으로써 유통 과정(流通過程)에서 이윤을 보려는 데 사용되는 자본.

상인 파:산주의【商人破產主義】 [—/—이] 명〖법〗 상인에 대하여서만 파산을 인정하고 비상인(非商人)이 채무를 완전히 갚지 못할 경우에는 신청으로써 가자 분산(家資分散)의 선고(宣告)를 하는 주의. ↔일반 파산주의(一般破產主義).

상인 해:물【傷人害物】 명 성품이 검고 흉악하여 사람과 물건을 해침. ——-하다 자여불

상인 해:물지심【傷人害物之心】 [—찌—] 명 사람과 물건을 해치려는 마음.

상-일[1] [—닐] 명 농사·채광(採鑛)·짐질 같은 것처럼 별로 기술을 요하지 않는 노동. ——-하다 자여불

상:일[2]【上一】 명〖악〗 오음 약보(五音略譜)에서, 중심음인 궁(宮)에서 위로 첫째 음. 황종(黃鐘)이 궁일 경우 평조(平調)의 상일은 태주(太簇)가 되고, 계면조(界面調)의 상일은 협종(夾鐘)이 됨. ＊상이(上二).

상:일[3]【上日】 명 초하루. 삭일(朔日).

상일[4]【常日】 명 보통의 날. 평일(平日).

상일[5]【祥日】 명 대상(大祥)을 치르는 날.

상일-꾼 [—닐—] 명 상일을 업으로 삼는 사람.

상임【常任】 명 일정한 직무(職務)를 늘 계속하여 맡음. ¶～ 위원(委員). ——-하다 타여불

상임 대:리인【常任代理人】 명〖경〗 주식 시장 개방에 따라 외국인 투자자들을 대신하여 주주권 행사, 명의 개서, 매매 주문 등을 대리 또는 대행하는 자.

상임 서기【常任書記】 명 항상 사무를 계속하여 맡아 보는 서기.

상임 위원【常任委員】 명 ①일정한 임무를 항상 담당하는 위원. ②〖법〗 국회 상임 위원회를 구성하는 위원. 준상위(常委).

상임 위원회【常任委員會】 명 ①일정한 임무를 담당하는 상설 위원회. ②〖법〗 국회에서 의원을 각 소관별(所管別)로 나누어 설치하는 상설의 위원회. 그 소관에 속하는 의안(議案)과 청원(請願) 등을 심사함. 통일 외무 위원회·국방 위원회·행정 자치 위원회·교육 위원회 등 16개의 위원회가 있음. 국회 상임 위원회. 준상위(常委). ＊특별(特別) 위원회.

상임 이:사【常任理事】 명 항상 일정한 임무를 집행하고 있는 이사.

상임 이:사국【常任理事國】 명〖정〗 ①어떤 국제적인 모임에서 이사국의 지위를 가지는 나라. ②국제 연합의 안전 보장 이사회에 항상 대표

자를 참석시키고 있는 나라. 곧, 미국·영국·러시아·프랑스·중국의 5 개국. ↔비상임 이사국. 「위원. ㈜상집(常執).
상임 집행 위원【常任執行委員】명 일정한 임무를 항상 맡아 집행하는
상:자1【上一】명〈방〉〖불교〗상좌(上佐)❷(경상).
상:자2【上梓】명 →상재(上梓).
상:자3【尙子】명 큰아들.
상자4【牀笫】명 ①평상과 돗자리. ②평상에 까는 자리.
상자5【相者】명 관상(觀相)쟁이.
상자6【桑柘】명 뽕나무와 산뽕나무.
상자7【桑梓】명〔시경(詩經)에 있는 말로, 담 밑에 뽕나무와 가래나무를 심어서 자손에게 남겨, 양잠과 기구(器具)를 만들게 하였다는 뜻에서 옴〕부모의 은혜를 공경하여, 고향 또는 향리(鄕里)의 주택의 뜻으로 쓰는 말.
상자8【商子】명〖책〗중국의 법가(法家)의 책. 전국 시대의 상앙(商鞅)이 찬(撰)하였다 함. 법률·토지 제도의 개혁, 형벌을 엄하게 하는 제도 등을 기술하였음. 원래 29편(篇)이었는데, 현존하는 것은 26편임.
상자9【箱子】명 나무·대·종이 같은 것으로 만든 손그릇. 모양은 대개 기름하고 번뜻한데 뚜껑이 있는 것과 없는 것이 있음.
상자10【橡子】명 상수리나무의 열매.
상자 다식【橡子茶食】명 상수리나 도토리를 갈아 앙금을 내어 말려서 꿀과 반죽하여 판에 박은 다식.
상자-목【桑柘木】명〖민〗육십 화갑자(六十花甲子)에서, 임자(壬子) 계축(癸丑)에 붙이는 납음(納音). 자(子)는 수(水)요, 축(丑) 곧 산 위에 임계수(壬癸水)가 지나간 뒤 기름진 땅으로 변하니, 마침내 뽕나무밭으로 개간된다는 말.
상자-병【橡子餠】명 상수리나 도토리를 삶아 껍질을 벗기고 바싹 말린 다음에 찧어서, 체에 치거나 매에 갈아 말려 작말(作末)하여 멥쌀 가루를 조금 섞어서 꿀물에 반죽하여 시루에 찐 떡.
상-자성【常磁性】명〔paramagnetism〕〖물〗자장(磁場) 안에 놓으면 자장과 같은 방향으로 자력을 띠는 물질의 성질. 곧, 자기 유도(磁氣誘導)에 의하여 외부의 자계(磁界)와 같은 쪽으로 자기 모멘트를 일으키는 것 같은 성질.
상자성 분석법【常磁性分析法】명 액체 혼합물을 자장(磁場)에 놓았을 때의 시료의 상자성 자화율(磁化率)을 측정하는 분석법.
상자성-체【常磁性體】명〔paramagnetic substance〕〖물〗자장(磁場) 안에 두었을 때, 자장과 같은 방향으로 자성을 띠는 물질. 상온(常溫)에서의 산소·망간·알루미늄·백금 같은 것.
상:-자일【上子日】명 음력 정월의 첫 자일(子日). 이 날 궁중(宮中)에서 자낭(子囊)을 재신(宰臣)과 근시(近侍)에게 나누어 주었음.
상자-장【箱子匠】명〖역〗조선 시대, 고리·대그릇 따위를 만드는 공장(工匠).
상자-주【橡子酒】명 상수리나 도토리를 넣고 담근 술.
상자-죽【橡子粥】명 상수리나 도토리의 껍질을 벗겨서 물에 며칠 동안 담가 우린 다음에 매에 타서 가라앉혀 찌끼는 버리고 분을 내어 말렸다가 체에 쳐서 멥쌀 가루를 섞어 쑨 죽. 「살아 내려오는 고향.
상자지-향【桑梓之鄕】명 여러 대의 조상의 무덤이 있는 고향. 대대로
상:작【上作】명 곡식이 썩 잘 됨. *평작(平作)·흉작(凶作).
상잔1【相殘】명 서로 싸우고 해침. ¶ 동족(同族) ~. ——-하다 자여불
상잔2【賞盞】명 상으로 주는 술잔.
상:-잠수【上潛嫂】명 숨이 길고 능숙한 해녀(海女).
상:장1 명〖광〗광산에서 광구덩이의 동바리 사이와 덧장 사이에 끼어, 천판과 좌우쪽에서 돌이나 흙 들이 떨어지지 못하게 막는 나무. 동바리와 천판보다 썩 가는 나무를 씀.
상:장2【上長】명 손윗 사람. 지위가 자기보다 위인 사람.
상:장3【上狀】명 경의(敬意)나 조의(弔意)를 표하는 편지.
상:장4【上章】명〖민〗천간(天干) '경(庚)'의 고갑자(古甲子) 이름.
상:장5【上場】명〖경〗어떤 물건이나 주식(株式)을 일정한 조건과 자격을 갖춘 매매 대상으로서 거래소(去來所)에 등록하는 일. ¶ ~ 법인. ——-하다 타여불
상장6【喪杖】명 상제가 짚는 지팡이. 부상(父喪)에는 대막대기를, 모상(母喪)에는 오동나무 막대기를 씀.
상장7【喪章】명 거상이나 조상의 뜻을 나타내는 표. 상복 대신으로 옷깃·소매·모자 같은 데에 삼베나 흑색 헝겊으로 만들어 붙임.
상장8【喪葬】명 장사지내는 일과 상중(喪中)에 하는 모든 예식.
상장9【賞狀】[—짱] 명 상 주는 뜻을 표하여 주는 증서. ¶ 우등 ~.
상:-장군【上將軍】명〖역〗①신라 때, 대장군(大將軍)의 다음이고 하장군(下將軍)의 윗 지위에 있던 무관. ②고려 때 이군(二軍)과 육위(六衛)의 으뜸 장수. 정삼품. 공민왕(恭愍王) 때에 상호군(上護軍)으로 고침. ③조선 초에 의흥 친군(義興親軍)의 십위(十衛)에 딸린 으뜸 장수. 뒤에 상호군으로 고침.
상:장 기준【上場基準】명〔initial listing requirement〕〖경〗증권 거래소가 상장 신청(申請)을 한 주식이나 채권(債券)에 대하여 상장 여부(上場與否)를 정하는 일정한 심사 기준. 「고개. [544 m]
상:장-령【上章嶺】[—녕] 명〖지〗평안 북도 후창군(厚昌郡)에 있는
상장 막대【喪杖—】명〈속〉상장(喪杖). 「[1,005 m]
상:장-봉【上將峰】명〖지〗강원도 정선군(旌善郡)에 있는 산봉우리.
상:장 종:목【上場種目】명 거래소에 상장되고 있는 증권이나 물건의 종목.
상:장-주【上場株】명〖경〗증권 거래소에서의 입회장(立會場)에서 행하여지는 매매 거래의 대상물로서 승인을 받은 주식. ↔비상장주.
상:장 증권【上場證券】[—꿘] 명 증권 시장에 상장된 유가 증권.
상장지-절【喪葬之節】명 상장의 절차(節次).
상:장 폐:지 기준【上場廢止基準】명〔continued listing requirement〕〖경〗증권 거래소가 상장 주식이나 채권에 대하여 상장을 계속하는 것이 부적당하다고 판단하였을 경우, 발행 회사의 의향과 관계없이 상장을 폐지하기 위한 판단 기준. 「키고 있는 회사.
상:장 회:사【上場會社】명 그 회사의 발행 주식을 증권 시장에 상장시
상재1【上一】명〖불교〗☞ 상좌(上佐)❷.
상:재2【上才】명 뛰어난 재주.
상:재3【上梓】명〔←상자(上梓)〕인쇄에 부침. 서적 등을 간행함. 상목(上木). *간행(刊行). ——-하다 타여불
상:재4【上裁】명 임금의 재가(裁可).
상:재5【上齋】명〖역〗성균관의 동서(東西) 양재(兩齋)의 각각 위쪽에 위치한 간. 생원·진사 들이 거처함. ↔하재(下齋).
상재6【相才】명 대신이 될 만한 재능. 재상이 될 수 있는 능력.
상재7【商才】명 장사하는 재능.
상재8【霜災】명 서리가 내려서 곡식이 해를 입는 일. 상이(霜異).
상재지-탄【傷哉之歎】명 빈곤한 한탄.
상쟁【相爭】명 서로 다툼. ——-하다 자여불
상-쟁이【相—】명 ↗관상(觀相)쟁이.
상:저1【上苧】명 썩 좋은 모시.
상저2【象箸】명 상아 젓가락.
상저-가【相杵歌】명〖악〗①이퇴계(李退溪)가 지은 가사. 고금 가곡(古今歌曲)에 수록되어 있음. ②시용 향악보(時用鄕樂譜)에 실려 전하는 옛 노래. 작자와 연대 미상. 노래 내용은 다음과 같음. '듥긔동 방해나 디히히얘, 게우즌 바비나 지서히얘, 아바님 어리님의 받즙고 히야해, 남거시든 내머고리 히야해 히야해.'
상:-저음【上低音】명〖악〗'바리톤(bariton)'의 역어(譯語).
상적1【相敵】명 양편의 겨누는 실력이 서로 비슷함. ——-하다 형여불
상적2【相適】명 서로 맞음. 걸맞음. ——-하다 형여불
상적3【商敵】명 상업상의 경쟁자.
상적4【嘗敵】명 적의 실력을 알기 위하여 적을 건드려서 조금 싸움.
상-적광토【常寂光土】명〖불교〗〔항상 변하지 않는 광명 세계라는 뜻〕부처의 거처(居處)나 빛나는 마음의 세계를 이르는 말. ㈜상적토.
상적 색채【商的色彩】[—쩍—] 명〖법〗상법상의 모든 제도(制度)가 일반 사법상(私法上)의 모든 제도에 대해서 나타나는 일종의 특색. 곧, 전문화(專門化)한 영리 활동의 전형(典型)인 투기 매매(投機賣買)로부터 연역(演繹)되는 특성으로서, 영리성(營利性)·집단성(集團性)·반복성(反覆性)·개성 상실성(個性喪失性)·정형성(定型性) 등이 그 중요한 것임. 이 설에 의하면 상법(商法)은 상적 색채를 띤 거래법(去來法)임.
상적-창【常積倉】명〖역〗고려 때 관아 이름. 충렬왕(忠烈王) 34년
상적-토【常寂土】명 ↗상적광토(常寂光土). └(1308)에 둠.
상:전1【上田】명 좋은 전지(田地). ↔하전(下田).
상:전2【上典】명 종에 대하여 그 주인(主人)을 이르는 말. ↔종1.
【상전 배 부르면 종 배고픈 줄 모른다】남의 사정은 조금도 알아 주지도 않고 저만 위할 줄 알고 제 욕심만 채우는 사람을 이르는 말. 【상전은 미고 살아도 좋은 미고 못 산다】상전은 미워하고 괄시하여도 살 수 있으나 동류(同類)의 종끼리는 서로 미워하고 괄시하여서는 못 산다는 뜻. 【상전의 빨래에 종의 발뒤축이 희다】남의 일을 하여 주면 그만한 소득이 있다는 말.
상:전3【上殿】명 궁전(宮殿)에 올라감. ——-하다 자여불
상전4【床廛】명〖역〗잡화(雜貨)를 팔던 가게.
【상전 시정(市井) 연 줄 감듯】무엇을 잘 감아 쥔다는 뜻.
상전5【尙傳】명〖역〗조선 시대, 내시부(內侍府)의 정사품의 벼슬. 전명(傳命)의 일을 맡아 함. 상책(尙冊)의 위, 상약(尙藥)의 아래.
상전6【相傳】명 대대(代代)로 이어 전함. 서로 전함. 받아 전함. ——-하다 타여불 「승부를 겨룸. ——-하다 자여불
상전7【相戰】명 ①서로 싸움. 서로 말다툼함. ②바둑·장기 같은 것으로
상전8【桑田】명 뽕나무를 심어 가꾸는 밭. 상원(桑園). 뽕밭.
상전9【常典】명 상규(常規)❷.
상전10【商廛】명 상점(商店).
상전11【商戰】명 상업상(商業上)의 경쟁.
상전12【詳傳】명 상세(詳細)하게 쓴 전기(傳記).
상전13【賞典】명 ①공로의 크고 작음에 따라 상을 주는 격식. ②상여(賞與)의 규칙. ③〖역〗과거(科擧)를 장려하기 위하여 임금이 하사(下賜)하던 책 같은 것. 상격(賞格).
상:전-댁【上典宅】[—땍] 명 상전의 집.
상전-령【相傳領】[—절—] 명 대대로 전하여 오는 영지(領地).
상전 벽해【桑田碧海】명 뽕나무 밭이 변하여 푸른 바다가 됨. 곧, 세상의 모든 일이 덧없이 변천(變遷)함이 심한 것을 비유하는 말. 창상(滄桑). 창상지변. 상전 창해. 창해 상전(滄海桑田). 벽해 상전. ㈜상해.
【상전 벽해 되어도 비켜 설 곳 있다】아무리 큰 재액 속에서도 살아날 희망은 있다는 말. *하늘이 무너져도 솟아날 구멍이 있다.
상:전 옥답【上田沃畓】명 좋은 밭과 기름진 논.
상-전이【相轉移】명 물질이 조건에 따라 한 상(相)에서 딴 상(相)으로 이행하는 현상. 융해·고화·기화(氣化)·응결(凝結) 등. 준안정 상태(準安定狀態)를 수반하는 제1종 상전이, 준안정 상태를 수반하지 않는 제2종 상전이가 있음.
상전 창해【桑田滄海】명 상전 벽해(桑田碧海). 「(商鋪). 전사(廛肆).
상점1【商店】명 여러 가지 물건을 파는 가게의 총칭. 상전(商廛). 상포
상점2【霜點】[—쩜] 명〔frost point〕〖기상〗대기 가운데의 수분이 냉각되어서, 서리가 되기 시작하는 때의 온도. 서리점.

상점-가【商店街】명 상점이 많이 늘어선 거리.

상접【相接】명 서로 한데 닿음. 서로 붙음. ——-하다 자여불

상:정[1]【上丁】명〔민〕①다달이 첫째 정(丁)의 날. 대개 이 날에 나라나 개인의 집에서 연제(練祭) 또는 담제(禫祭) 등의 제사를 지냄. *하정(下丁). ②2월의 첫째 정(丁)의 날에 공자(孔子)를 제사(祭祀)지내는 일. 석전제(釋奠祭).

상:정[2]【上程】명 의안(議案)을 회의에 내어 놓음. ——-하다 타여불

상정[3]【尙正】명〔역〕조선 시대 때, 종육품(從六品)의 여관(女官).

상정[4]【常情】명 사람에게 공통적으로 있는 보통의 인정(人情). ¶인지상정(人之常情).

상:정[5]【想定】명 생각하여 판정(判定)함. ——-하다 타여불 ㄴ(人之)~.

상정[6]【詳定】명〔역〕나라의 제도(制度) 또는 관청에서 쓰는 물건의 값·세액(稅額)·공물액(貢物額) 등을 심사 결정하여 오랫동안 변경하지 아니하던 일. ——-하다 타여불

상정[7]【傷情】명 정분(情分)을 손상(損傷)함. ——-하다 자여불

상정[8]【觴政】명 술을 마시는 일.

상:정-량【想定量】[—냥] 명 상정한 분량. 추정량(推定量).

상정-례【詳定例】[—녜] 명〔역〕상정을 한 규례(規例).

상정-미【詳定米】명〔역〕상정법(詳定法)에 의하여 징수한 쌀.

상정-법【詳定法】[—뻡] 명〔역〕대동 상정법(大同詳定法).

상정 예문【詳定禮文】[—네—] 명〔책〕↗고금 상정 예문(古今詳定禮文).

상:정-일【上丁日】명〔민〕상정(上丁)의 날.

상:정 적국【想定敵國】명 가상 적국(假想敵國).

상:제[1]【上帝】명 하느님.

상:제[2]【上第】명〔역〕과거(科擧)의 첫째 또는 첫째로 급제한 사람.

상:제[3]【上製】명 ①상등으로 만든 것. ②↗상제본(上製本).

상제[4]【尙除】명〔역〕조선 시대, 내시부(內侍府)의 정팔품의 벼슬. 주로 청소(淸掃)의 일을 맡아 보았음. 상문(尙門)의 위, 상설(尙設)의 아래.

상제[5]【相制】명 서로 견제(牽制)함. ——-하다 타여불

상제[6]【相濟】명 서로 도움.

상제[7]【常制】명 항상 정해 있는 제도(制度).

상제[8]【喪制】명 ①부모 또는 승중(承重) 조부모의 거상중(居喪中)에 있는 사람. 극인(棘人). 상인(喪人). ②상중(喪中)의 복제.
[상제가 울어도 젯상에 가자미 물어 가는 것 안다] 자기의 손해에 대해서는 민감함을 이르는 말. [상제보다 복재기가 더 설워한다] 어떠한 사고가 있을 때 당사자보다 제삼자가 더 염려함을 비유하는 말. [상제와 젯날 다툼] 제게는 당치도 않은 일을 가지고 억지를 부리며 떠든다는 뜻.

상제[9]【喪祭】명 초상과 제사.

상제[10]【霜蹄】명 굽에 흰 털이 난 좋은 말.

상제-각다귀【喪制—】명〔충〕[*Conosia irrorata*] 애각다귓과에 속하는 곤충. 몸길이 10-16 mm, 날개 길이 8-10 mm이고 몸빛은 일률적으로 암갈색이며, 두부(頭部)는 암회갈색임. 날개는 반투명인데, 전연(前緣)에는 크고 작은 암갈색 반문(斑紋)이 배열되었음. 논 부근에 많이 서식하는데, 한국·일본·대만 등에 분포함.

〈상제각다귀〉

상:제-교【上帝敎】명〔종〕수운(水雲) 최제우(崔濟愚)를 교조(敎祖)로 하는 동학(東學) 계통의 교의 하나. 계룡산(鷄龍山)에 그 본부가 있고 검은 통으로 된 모자를 씀.

상제-나비【喪制—】명〔충〕[*Aporia crataegi*] 흰나빗과에 속하는 곤충. 편 날개의 길이 66-75 mm이고, 몸빛은 백색에 투명하며, 암컷의 앞날개 시맥(翅脈)은 황색, 뒷날개 시맥은 흑색이며 수컷은 앞뒤 모두 흑색임. 유충은 사과나무·벚나무 등의 잎을 해침. 한국·만주·아무르·중국·시베리아·유럽 등지에 분포함.

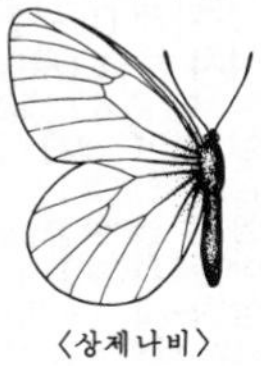

〈상제나비〉

상제-명충나방【喪制螟蟲—】명〔충〕흰날개꼬리벼명나방.

상제-법【商除法】[—뻡] 명〔수〕구구법(九九法)을 써서 하는 수판의 나눗셈법. 필산(筆算)과 형식이 비슷함.

상:-제본【上製本】명 제본 양식의 하나. 실로 꿰맨 후, 가장자리를 자르고 다듬은 후에 표지를 붙이는 방법. ㊥상제(上製).

상제-설【相制說】명〔철〕몸과 정신과의 관계에 대한 학설의 하나. 몸과 정신 사이에 서로 제약(制約)하는 인과 관계를 인정하는 학설. 정신 물리적 상제설. 인과설. ↔병행론(並行論).

상제-연【喪制鳶】명 색종이를 붙이거나 칠을 하지 않은 흰 연.

상:제-회【上帝會】명〔역〕중국 청말(淸末)의 종교적 비밀 결사. 1847년 홍수전(洪秀全)이 창설. 상제 여호와(Johovah)를 유일신(唯一神)으로 숭배함. 이 결사가 중심(中心)이 되어 1850년 태평 천국(太平天國)의 반청 혁명(反淸革命)을 일으켰음. *태평 천국.

상:조[1]【上調】명〔악〕당비파(唐琵琶)로 당악(唐樂)을 연주할 경우, 첫째 줄 무현(武絃)은 탁무역(濁無射), 둘째 줄 대현(大絃)은 협종(夾鐘), 셋째 줄 중현(中絃)은 탁림종(濁林鐘), 넷째 줄 자현(子絃)은 임종(林鐘)으로 조율하는 일.

상:조[2]【尙早】명 ↗시기 상조(時機尙早).

상조[3]【相助】명 서로 도움. ¶상부(相扶)~. ——-하다 자여불

상조[4]【相照】명 서로 대조함. ——-하다 타여불

상조[5]【商調】명〔악〕상(商)의 음을 주음으로 하는 음계. 중국 중세의 속악(俗樂)에 사용되었음.

상조[6]【霜朝】명 서리가 내린 아침.

상:-조도【上鳥島】명〔지〕전라 남도 서남 해상, 진도군(珍島郡) 조도면(鳥島面)에 위치한 섬. [10.4 km^2]

상조 작용【相助作用】명〔synergism〕〔생〕다른 생물이 가까이에 존재함으로써, 생리적 과정이나 개체(個體)의 행동이 활발해지는 생태학적(生態學的) 작용.

상:족【上簇】명 누에를 발이나 섶에 올림. ——-하다 타여불

상존[1]【尙存】명 아직 존재함. ——-하다 자여불

상존[2]【常存】명 언제나 존재함. ——-하다 자여불

상존 성:총【常存聖寵】명〔천주교〕'생명의 은총'의 구용어. 평상 성총(平常聖寵). *성성 성총(成聖聖寵).

상:-존호【上尊號】명 임금의 성덕(聖德)을 봉송(奉頌)하기 위하여 존호(尊號)를 올림. ——-하다 자여불

상:종[1]【上宗】명 조상(祖上).

상종[2]【相從】명 서로 따르며 친하게 교제함. 과종(過從). ¶유유(類類)~. ——-하다 자여불

상:-종가【上終價】[—까] 명〔경〕증권 거래소에서, 하루에 오를 수 있는 최고 한도까지 올라간 주가(株價). ↔하종가.

상:좌[1]【上佐】명〔불교〕①행자(行者)❷. ②사승(師僧)의 대를 이을 여러 사람 중에서 가장 높은 사람. 상재.
[상좌가 많으면 가마솥을 깨뜨린다] 간섭하는 사람이 많으면 일이 제대로 안 된다는 말. 목수가 많으면 집을 무너뜨린다. [상좌 중의 법고(法鼓) 치듯] 무엇을 자주 빨리 꽝꽝 침을 이름.

상:좌[2]【上座】명 ①정면(正面)에 설치한 가장 높은 사람이 앉는 자리. 고좌(高座). 윗자리. ②〔불교〕절의 주지(住持)·강사(講師)·선사(禪師)·원로(元老) 들이 앉는 자리. ③〔연〕상좌 인형(人形). ④〔연〕상좌탈.

상좌[3]【相左】명 서로 틀림. 상위(相違). ——-하다 형여불

상:좌-부【上座部】명〔불교〕소승(小乘)의 2대 부문의 하나. 부처가 죽은 후 100년쯤 되어 교단(敎團)은 보수적 상좌와 진보적 대중부(大衆部)로 나뉘었는데, 후에 이 상좌부로부터 설일절 유부(說一切有部)가 갈라져 나왔고 거기에서 다시 독자부(犢子部)·정량부(正量部)·화지부(化地部)·법장부(法藏部)·음광부(飮光部)·경량부(經量部)로 분파하여 결국은 11부가 되었음. 인도에서는 유부(有部)가 가장 성행하였음. 남방(南方) 불교는 상좌부에 속함.

상:좌-승【上座僧】명 상좌에 앉는 중. 계급이 높은 중.

상:좌 인형【上座人形】명〔연〕고대 인형극에 쓰이는 민속(民俗) 인형의 하나. 꼭두각시놀음에 상좌로 나옴. 상좌(上座).

상:좌-탈【上座—】명〔연〕산대놀이나 오광대(五廣大) 탈놀이에 쓰이는 탈의 하나. 입술이 붉고 탈 전체는 흼. 상좌(上座).

상:-좌평【上佐平】명〔역〕백제 때, 으뜸가는 대신.

상:주[1]【上主】명〔천주교〕천주(天主)❺.

상:주[2]【上州】명〔역〕신라 때 고을 이름. 지금의 상주(尙州).

상:주[3]【上奏】명 임금에게 말씀을 아룀. 신주(申奏). ——-하다 타여불

상:주[4]【上珠】명 좋은 주옥(珠玉).

상:주[5]【上酒】명 고급 술.

상주[6]【尙州】명〔지〕경상 북도의 한 시(市). 1 읍(邑) 17 면(面) 7 동(洞). 북쪽은 문경시(聞慶市)와 충청 북도 괴산군(槐山郡), 동쪽은 예천군(醴泉郡)과 의성군(義城郡), 남쪽은 구미시(龜尾市)·김천시(金泉市)와 충청 북도 영동군(永同郡), 서쪽은 충청 북도 보은군(報恩郡)·옥천군(沃川郡)과 영동군에 접함. 쌀 이외에 양파·고추·마늘·잎담배 등의 농업과, 축산업·임업이 성함. 상주 명주는 예로부터 유명함. 명승 고적으로는 남장사(南長寺)·복룡리(伏龍里) 석불 좌상·양진당(養眞堂)·화달리(化達里) 삼층 석탑·정기룡(鄭起龍) 장군묘·문장대(文莊臺)·견훤산성(甄萱山城)·화양동 계곡(華陽洞溪谷) 등이 유명함. [1,254.81 km^2 : 133,872 명(1996)]

상주[7]【常主】명 ①정해진 주인. ②임금. 천자(天子).

상주[8]【常州】명〔지〕'창저우'를 우리 음으로 읽은 이름.

상주[9]【常住】명 ①항상 살고 있음. 늘 있음. ②〔불교〕생멸(生滅) 변화가 없이 항상 있음. ③〔불교〕↗상주물. ——-하다 자여불

상주[10]【常駐】명 언제나 주둔(駐屯)·주재하고 있음. ——-하다 자여불

상주[11]【喪主】명 주장되는 상제(喪制). 대개 장자(長者)가 됨. 맞상제.
[상주 보고 제삿날 다툰다] 제삿날을 가장 잘 아는 상주와 제삿날이 틀렸다고 다툰다는 말로, 자기의 틀린 것을 고집함을 일컫는 말.

상주[12]【象籌】명 상아(象牙)로 만든 산가지.

상주[13]【詳註】명 상세(詳細)한 주해(註解).

상주[14]【賞主】명〔기독교〕예수.

상주[15]【賞酒】명 상으로 주는 술. ↔벌주(罰酒).

상:-주국【上柱國】명〔역〕고려 때, 문종(文宗)이 정이품으로 정한 첫째 등급의 훈위(勳位). 충렬왕 이후 폐지됨.

상주-군【尙州郡】명〔지〕경상 북도에 속했던 군. 1995년 1월, 상주시에 통합됨.

상-주다【賞—】자타 칭찬하는 뜻으로 상을 주다.

상주 대:표부【常駐代表部】명 정식 외교 관계가 수립되기 전에 설치되는 대사관급의 외교 공관. 신임장을 상대국의 외무 장관에게 제출함.

상:주-문【上奏文】명 소(疏)❸.

상주-물【常住物】명〔불교〕절에 소속되는 동산·부동산의 총칭. ㊥상주(常住).

상주 민란【尙州民亂】[—밀—] 명〔역〕조선 철종(哲宗) 13년(1862)에 상주에서 일어난 농민 폭동. 빈민들이 작당하여 부자를 습격한 사건으로, 폭동의 성질은 이 때로부터 점차 변하여 갔음.

상주 부단【常住不斷】명〔불교〕상주 불멸(常住不滅).

상주 분지【尙州盆地】명〔지〕낙동강 상류에 위치하며 안동 분지(安東盆地)와 함께 태백 산맥의 배사면(背斜面)에 둘러 싸인 분지. 중심지는 상주. 견직물의 가내 공업이 발달되었음. 그 외에 쌀·술·감 등의 특산물이 산출됨.

상:주-불【上住佛】명〔불교〕염주(念珠)의 위에 꿴 큰 구슬.

상주 불멸【常住不滅】명 〖불교〗 본연 진심(本然眞心)이 없어지지 아니하고 영원히 있음. 상주 부단(常住不斷). ——-하다 자여불

상:주-서【上奏書】명 임금에게 상주하는 사연을 적은 문서.

상:주-안【上奏案】명 임금에게 상주하는 안건(案件).

상:-주음【上主音】명 〖악〗 '위으뜸음'의 구용어.

상주 인구【常住人口】명 한 지역에 상주하는 인구. 일시적 현재자(現在者)를 제외하며, 일시적 부재자(不在者)를 포함함.

상:주-정【上州停】명 〖역〗 신라의 군영(軍營)인 육정(六停)의 하나. 진흥왕(眞興王) 13년(552)에 지금의 상주(尙州)에 베풀어 문무왕(文武王) 13년(673)에 귀당(貴幢)에 합침. 금(衿)의 빛은 청적색(靑赤色).

상주 좌:와【常住坐臥】명 앉고 눕고 하는 일상 생활의 거동. ¶ ~에 그대 생각뿐이오.

상죽【湘竹】명 〖식〗 대나무의 일종. 흑색의 반점(斑點)이 있음. 순(舜)임금이 죽었을 때 아황(娥皇)과 여영(女英)의 두 비(妃)가 슬피 울어 떨어진 눈물이 이 대나무에 배어 얼룩이 졌다 함. 상비(湘妃). 반죽(斑竹).

상:-죽도【上竹島】명 〖지〗 ①전라 남도의 서남해상(西南海上), 진도군(珍島郡) 조도면(鳥島面) 거차 군도(巨次群島)를 이루는 한 섬. ②경상 남도의 남해상(南海上), 통영시(統營市) 한산면(閑山面) 창좌리(倉佐里)에 있는 섬. [0.02 km^2]

상:준[1]【上尊】명 ①제사 때 상위(上位)에 놓는 주준(酒樽). ②상등의 술.

상준[2]【象尊】명 옛적에 코끼리 모양으로 만들어 쓰던 술통. 뒤에는 제기(祭器)로 썼음.

〈상준[2]〉

상준[3]【詳準】명 상세(詳細)히 비준(比準)함. ——-하다 타여불

상중[1]【桑中】명 남녀간의 불의(不義)의 낙(樂). 음사(淫事).

상중[2]【喪中】명 ①초상이 난 동안. ②상제(喪制)로 있는 동안.

상:-중순【上中旬】명 상순과 중순.

상:-중-하【上中下】명 위와 가운데와 아래. 상등(上等)과 중등(中等)과 하등(下等).

상즉【相卽】명 〖불교〗 만유(萬有)는 그 진여(眞如)에 있어서 융합 일체(融合一體)라는 말.

상즐【象櫛】명 상아로 만든 머리빗.

상:증【上烝】명 상음(上淫). ——-하다 자여불

상지[1] 명 〈방〉 ①상자(箱子)(전라). ②송아지(경북).

상:지[2]【上旨】명 임금의 마음. 상의(上意).

상:지[3]【上枝】명 위쪽에 있는 나뭇가지. ↔하지(下枝).

상:지[4]【上肢】명 〖생〗 견부(肩部)·상박부(上膊部)·전박부(前膊部)·수부(手部)의 총칭. 곧, 두 팔. 손. ↔하지(下肢). *전지(前肢).

상:지[5]【上智】명 ①가장 뛰어난 지혜. 또, 그 사람. ②〖천주교〗 천주의 적극적 품성의 하나. 만물 중에서 가장 뛰어난 천주의 지혜. ↔하지(下智).

상지[6]【相地】명 땅의 길흉을 판단하여 봄. ——-하다 자여불

상지[7]【相知】명 서로 앎. 또, 서로 아는 사이. ——-하다 자여불

상지[8]【相持】명 양보하지 아니하고 서로 자기의 의견을 고집함. ¶ 혼인하는 데 재물로 ~하는 것을 오랑캐의 성질로 인정한다 하오니… 《金宇鎭 : 榴花雨》. ——-하다 자여불

상지[9]【祥祉】명 다행함. 복지(福祉).

상지[10]【常紙】명 품질이 별로 좋지 못한 보통의 종이.

상:지-골【上肢骨】명 〖생〗 상지대(上肢帶)와 유리 상지(遊離上肢) 뼈의 총칭.

상지-관【相地官】명 〖역〗 조선 시대 관상감(觀象監)의 한 벼슬. 대궐 자리·능 자리 등의 지상(地相)을 보는 벼슬아치.

상:지-근【上肢筋】명 〖생〗 상지의 운동을 주장하는 근육. 견갑근(肩胛筋)·상박근(上膊筋)·전박근(前膊筋)·수근(手筋) 등의 총칭. ↔하지근(下肢筋).

상:지-대【上肢帶】명 〖생〗 상지를 버티는 골격(骨格). 견갑골(肩胛骨)·쇄골(鎖骨)·오탁골(烏啄骨) 등으로 이루어짐. 견대(肩帶). ↔하지대.

상:지-상【上之上】명 〖역〗 시문(詩文)을 평가하는 등급의 하나. 첫째 등(等) 중의 첫째 급(級). 전체적 등급의 표준은 네 등에 각각 세 급으로 나뉘는데, 상지상·상지중·상지하, 이상(二上)·이중·이하, 삼상(三上)·삼중·삼하, 차상·차중·차하의 열두 등급임.

상:지-수【上池水】명 이슬.

상:-지신【尙之信】명 〖사람〗 중국 청(淸)나라 때의 광동 왕(廣東王). 윈난 왕(雲南王) 오삼계(吳三桂)가 반란을 일으키고, 푸젠 왕(福建王) 경정충(耿精忠)이 이에 응하자 자신은 부친 가희(可喜)를 유폐(幽閉)하고 이에 가담하였음. 얼마 후, 청나라에 항복(降伏)하여 사사(賜死)되었음. [?-1680]

상:지 운:동【上肢運動】명 상지에 있는 모든 근육·골격·관절 들의 발달과 교정(矯正)을 위하여 행하는 운동. 주로 두 팔·가슴·허리의 운동임. 팔운동.

상:지-전【上知殿】명 〖불교〗 대웅전(大雄殿)과 법당(法堂)을 맡아 보는 임원(任員)의 숙소(宿所).

상:지-중【上之中】명 〖역〗 시문(詩文)을 평가하는 등급의 하나. 상등의 중간. *상지상.

상:지-하【上之下】명 〖역〗 시문(詩文)을 평가하는 등급의 하나. 상등의 아래. *상지상.

상:직[1]【上直】명 ①당직(當直)❷. ②숙직(宿直). ——-하다 자여불

상:직[2]【上職】명 윗자리에 있는 직원. 또, 그 직위.

상직[3]【常直】명 계속해서 하는 당직(當直)이나 숙직.

상직[4]【常職】명 ①일상의 직무(職務)나 직업. ②일정한 직무나 직업.

상:직-꾼【上直一】명 ①당직이 된 사람. ②상직파(上直婆).

상:직-파【上直婆】명 안에서 부녀(婦女)의 수종(隨從)을 드는 노파(老婆). 상직꾼.

상:-진[1]【尙震】명 〖사람〗 조선 명종(明宗) 때의 상신(相臣). 자는 기부(起夫), 호는 송현(松峴) 또는 향일당(嚮日堂)·범허정(泛虛亭). 목천(木川) 사람. 명종 15년(1560) 상위(相位)에 있으면서 불편 부당(不偏不黨)하여 무사히 지냈고, 사재(史才)로도 유명함. 시호 성안(成安). [1493-1564]

상진[2]【霜晨】명 서리가 내린 아침.

상:-진동【上振動】명 〖물〗 기본 진동 이외의 진동.

상:-진무【上鎭撫】명 〖역〗 조선 시대 초에 의흥 친군위(義興親軍衛)·삼군 진무소(三軍鎭撫所)·오위 진무소(五衛鎭撫所) 등에 딸린 벼슬. 도진무(都鎭撫)의 다음. 세조 12년(1466)에 부총관(副摠管)으로 고침.

상:-진일【上辰日】명 〖민〗 음력 정월의 첫 진일(辰日). 하늘의 용이 이 날 새벽에 우물에 알을 낳는다 하여, 이른 새벽에 주부들이 용의 알이 든 우물물을 길어, 그 물로 밥을 지어, 당년의 행운을 빎. 또, 부녀자들이 이 날 머리를 감으면 머리채가 용과 같이 길어진다고 함.

상:-질[1]【上秩】[—찔] 명 상(上)길.

상:질[2]【上質】명 질이 상등(上等)임. ¶ ~지(紙).

상질[3]【緗帙】명 표지가 누른 책.

상집[1]【常執】명 ↗상임 집행 위원(常任執行委員)·상임 집행 위원회.

상집[2]【翔集】명 날아와 모임. ——-하다 자여불

상징【象徵】명 어떤 사물·사상·정조(情調) 등을 이것과 어떠한 의미로 상통(相通)하는 다른 사물에 의하여 연상적(聯想的)으로 표현하는 일. 또, 그 대상물. 즉 '흰색은 순결의 상징'이라 할 때의 흰색 같은 것. 표징(表徵). 표상(表象). 심벌(symbol). ——-하다 타여불

상징-극【象徵劇】명 〖연〗 상징주의극(象徵主義劇).

상징 불능증【象徵不能症】[—릉쯩] 명 〖의〗 실어증(失語症)의 하나. 회화(會話)·문장(文章)·거동(擧動) 등의 상징을 전달 수단으로서 이해하거나 사용할 수 없는 상태.

상징 숭배【象徵崇拜】명 종교적인 상징에 대한 신앙(信仰). 기독교에서 십자가(十字架)를 상징으로 하여 숭배하는 일 같은 것.

상징-시【象徵詩】명 〖문〗 음악적·암시적인 형태로 상징적인 내용이나 언어(言語)를 구사(驅使)하여 이루어진 시. 1885년부터 프랑스의 시단(詩壇)을 휩쓴 상징주의 시인(詩人)들의 의식적·상징적 작품. 서술적인 표현 대신 상징으로 암시하는 방법이어서, 그 내용을 직접 포착하기에 곤란한 것이 특징임. 말라르메(Mallarmé)·베를렌(Verlaine)·랭보(Rimbaud) 등이 그 대표적 시인임.

상징-적【象徵的】명관 상징을 나타내는 모양. 무엇을 상징하는 상태.

상징-주의【象徵主義】[—/—이] 명 〖문〗 19세기말 이래, 현실주의·자연주의에 대한 반동으로 프랑스·벨기에 등지에서 일어난 문예상(文藝上)의 태도·경향. 외적 경험(外的經驗)과는 별도로 내면적이고 신비적(神祕的)인 깊은 세계를 상징으로서 암시적(暗示的)으로 표현하려 함. 생볼리슴(symbolisme). 심벌리즘.

상징주의-극【象徵主義劇】[—/—이—] 명 〖연〗 자연주의에 대한 반동으로 생긴 암시와 감득(感得)을 표현 수단으로 삼는 희곡 또는 연극. 표현 대상을 내적·전체적·종합적·주관적인 것에서 구(求)함. 상징극.

상징주의-자【象徵主義者】[—/—이—] 명 상징주의를 주창하고 또한 실천에 옮기는 사람. 생볼리스트.

상징-파【象徵派】명 〖문〗 상징주의(象徵主義)를 주창하는 문예상의 한 파(派).

상징-화【象徵化】명 상징으로 됨. 상징으로 만듦. ——-하다 자타여불

상차【傷嗟】명 슬퍼하고 차탄(嗟歎)함. ——-하다 타여불

상차-가【相借家】명 같은 주인으로부터 한 용마루 밑에 여러 사람이 빌려 든 집 또는 방.

상-차례【床一】명 상을 차리는 순서.

상차 운송【相次運送】명 〖법〗 연대(連帶) 운송.

상착【常着】명 보통 때에 늘 입는 옷. 상복(常服).

상:찬[1]【上饌】명 매우 좋은 반찬.

상찬[2]【常餐】명 일상 먹는 식사.

상찬[3]【常饌】명 일상 먹는 밥반찬.

상찬[4]【賞讚】명 잘 한다고 또는 좋다고 칭찬함. 찬상(讚賞). ——-하다 타여불

상찬-계【相讚契】명 〖역〗 계원이 서로 칭찬하여 그 이름을 세상에 널리 알리게 하여서 이익(利益)을 꾀하던 단체(團體).

상찰[1]【詳察】명 자세히 살핌. ——-하다 타여불

상:찰[2]【想察】명 생각하여 헤아림. ——-하다 타여불

상참[1]【常參】명 〖역〗 의정(議政)을 비롯하여 중신(重臣)·시종신(侍從臣)이 매일 편전(便殿)에서 임금께 국무(國務)를 아뢰던 일.

상참[2]【傷慘】명 애타하며 근심함. ——-하다 타여불

상:창[1]【上唱】명 ①뛰어난 창(唱). ②높은 소리로 창함. ——-하다 타여불

상창[2]【傷創】명 다친 상처.

상창[3]【傷愴】명 비창(悲愴)❶. ——-하다 형여불

상창지-변【桑滄之變】명 능곡지변(陵谷之變).

상채[1] 명 〈방〉 〖식〗 상치[1](경북).

상채[2]【喪債】명 상고(喪故)를 치르기 위하여 진 빚.

상:채[3]【償債】명 빚을 갚음. ——-하다 자여불

상채기 명 〈방〉 생채기.

상:책[1]【上策】명 제일 좋은 꾀. 상계(上計). ↔하책(下策).

상책[2]【尙冊】명 〖역〗 조선시대 내시부(內侍府)의 종사품(從四品) 벼슬. 상호(尙弧)의 위, 상전(尙傳)의 아래.

상책[3]【商策】명 상업에 관한 계책.

상:처[1]【喪妻】명 아내의 상고(喪故)를 당함. 상우(喪耦). 상배(喪配). ↔상부(喪夫). ——-하다 자여불

상처[2]【傷處】명 부상을 입은 자리. 상이(傷痍).

상척【相斥】명 서로 배척함. ↔상인(相引). ——-하다 자여불

상:천[1]【上天】명 ①하늘. ↔하토(下土)❷. ②〖종〗 하느님. ③사천(四天)의 하나로, 겨울 하늘.

상천[2]【常賤】명 상사람과 천인(賤人).

상천[3]【霜天】명 서리가 내리는 밤의 하늘.

상:천⁴【常川】명 늘. 항상.

상-천우【桑天牛】명〖충〗뽕나무하늘소. 「지.

상:천 하:지【上天下地】명 위에 있는 하늘과 아래에 있는 땅. 곧, 온 천

상:첨【上籤】명〖민〗신표(神標) 같은 데에서 산가지를 뽑아 길흉(吉凶)을 점치는 가장 길한 산가지.

상:청¹【上一】명 ☞상창(上唱). ——-하다 타여불

상:청²【上淸】명〖악〗①양금(洋琴)의 오른쪽 괘(棵) 왼쪽 셋째 줄인 협종(夾鐘)의 구음(口音). ②↗괘상청(棵上淸).

상:청³【上請】명 썩 긴한 청(請). 으뜸가는 청. ——-하다 타여불

상:청⁴【上聽】명 상문(上聞). ——-하다 타여불

상:청⁵【上廳】명 위청.

상청⁶【常靑】명 늘 푸름. ——-하다 형여불

상청⁷【喪廳】명〈속〉궤연(几筵).

상:청 환입【上淸還入】명 [상청은 높은 청(淸)의 뜻]〖악〗윗도들이.

상:체¹【上體】명 몸의 윗 부분. 사람은 대개 배꼽 위를 일컬음.↔하체(下體).

상체²【相替】명 서로 대체(代替)함. ——-하다 자타여불

상:체 운:동【上體運動】명 상체를 움직이는 운동. 가슴 운동·목운동·

상초¹ 명〈방〉〖식〗상추¹(충북). ㄴ팔운동 같은 것.

상:초²【上草】명 품질이 썩 좋은 살담배.

상:초³【上焦】명〖한의〗삼초(三焦)의 하나. 위(胃)의 분문(噴門) 부분으로 음식을 흡수함. *중초(中焦)·하초(下焦).

상초⁴【霜草】명 서리를 맞은 풀. 「벌개지고 머리가 아픈 병.

상:초-열【上焦熱】명〖한의〗상초(上焦)에 열이 생겨 입 안이 헐고 눈이

상촉【尙燭】명〖역〗조선 시대 내시부(內侍府)의 종육품 벼슬. 상훤(尙烜)의 위, 상세(尙洗)의 아래.

상촌¹【桑村】명〖사람〗김자수(金自粹)의 호(號).

상촌²【象村】명〖사람〗신흠(申欽)의 호(號).

상촌령 괵국 고:분【上村嶺虢國古墳】[—촐—] 명 상춘링 괵국 고분.

상촌-집【象村集】명〖책〗조선 선조(宣祖)·인조(仁祖) 때의 학자 신흠(申欽)의 시문집(詩文集). 원래는 그의 아들 익성(翊聖)이 편찬한 것으로, 원(原)·후(後)·속(續)집으로 나누어 발간하였으나 널리 보급되지 않아 인조(仁祖) 14년(1636)에 이르러 종제(從弟) 익량(翊亮)과 의논하여 증보 간행하였음. 부(賦)·풍체(風體)·악부(樂府)·서독(書牘)·응제문(應製文)·산중 독언(山中獨言)·구안록(求安錄)·조사 성명기(詔使姓名記) 등이 수록되어 있음. 상촌(象村)은 신흠의 호임. 63권 20책.

상:총【上寵】명 임금의 총애(寵愛). 임금의 은총(恩寵).

상추¹ 명[근대: 상치]〖식〗[*Lactuca scariola* var. *sativa*] 국화과에 속하는 일년초 또는 월년초. 줄기 높이 1m 가량이고, 근생엽(根生葉)은 크고 타원형이며, 경엽(莖葉)은 호생하고 무병(無柄)이며, 줄기를 쌈. 초여름에 담황색 두상화(頭狀花)가 원추(圓錐) 화서로 국화꽃 비슷하게 가지 위에 피고, 꽃이 진 뒤에 작은 수과(瘦果)를 맺음. 잎·줄기를 자르면 백색 즙(汁)이 나옴. 유럽 원산으로 세계 각지에서 재배함. 잎은 여름철에 상추쌈을 싸서 먹음. 거와(苣萵).

〈상추¹〉

【상추 밭에 똥 싼 개는 저 개 저 개 한다】한 번 잘못을 저지르면 늘 세인의 지탄을 받게 된다는 말.

상:추²【上秋】명 초가을. 음력 칠월. 초추(初秋).

상:추³【爽秋】명 상쾌한 가을.

상추⁴〔商邱〕명〖지〗중국 허난 성(河南省) 동부의 도시. 화북(華北) 평야의 중심지로, 룽하이(隴海) 철도에 연하여 있으며, 주변에서 산출되는 밀·콩 등 곡물과 면(綿)·쇠가죽을 집산함. 식품·기계·차량·화학 공장이 있음. 상구. [193,000(1984)]

상추-떡 명 상추잎을 넣고 만든 시루떡. 와거병(萵苣餠).

상추-쌈 명 고추장·된장 등을 찍어 넣어 밥을 싸서 먹는 상추잎. 또, 그 음식. 와거포(萵苣包). 「말.

【상추쌈에 고추장이 빠질까】언제나 따라 다니고 같이 붙어 다닌다는

상:-추자도【上楸子島】명〖지〗제주도(濟州道)의 서북쪽, 추자 군도(楸子群島)에 속하는 섬의 하나. 북제주군(北濟州郡) 추자면(楸子面)에 위치함. [1.53 km²: 3,379 명(1984)]

상:축【上祝】명〖불교〗임금을 위하여 불전(佛前)에 기도하는 일.

상:-축일【上丑日】명〖민〗음력 정월의 첫 축일. *소달깃날.

상:춘¹【上春】명 음력 정월의 별칭.

상춘²【常春】명 항상 봄이 계속됨. ¶ ~의 나라.

상춘³【賞春】명 봄을 맞아 기림. ——-하다 자여불 「*향춘객.

상춘-객【賞春客】명 봄의 좋은 날씨와 경관(景觀)을 즐기러 나온 사람.

상춘-곡【賞春曲】명〖악〗조선 시대의 가사의 하나. 성종(成宗) 때의 가사(歌詞)의 대가(大家) 정극인(丁克仁)이 지은 노래. 불우헌집(不憂軒集)에 실려 있는데 문학사상 가사 문학의 효시(嚆矢)임.

상춘-등【常春藤】명〖식〗①댕댕이덩굴. ②송악¹.

상춘링 궈궈 고:분【—古墳】〔중 上村嶺虢國〕명 중국 허난 성(河南省) 싼먼샤 시(三門峽市) 상춘링에 있는 서주 말(西周末) 춘추 초(春秋初)의 괵국 귀족의 고분. 234기의 묘가 발굴되었는데, 그 중에는 괵국 태자의 묘로 생각되는 것도 있음.

상:충¹【上衝】명 위로 치밀어 오름. 충상(衝上). ——-하다 자여불

상충²【相沖】명〖민〗방위·일진·시 등이 서로 맞질림. ——-하다 자여불

상충³【相衝】명 맞지 않고 서로 어긋남. ——-하다 자여불

상충⁴【桑蟲】명〖충〗뽕나무벌레.

상췌【傷悴】명 마음이 상해서 얼굴이나 몸이 축남. ——-하다 자여불

상취 명〈방〉〖식〗상치¹.

상:측¹【上側】명 상부의 곁. 위 측. ↔하측(下側).

상측²【喪側】명 시체가 있는 곁. 「층(下層).

상:층【上層】명 ①상부의 층. 위 층. ②윗 계급. 높은 계급. 1)·2):↔하

상:층 건:축【上層建築】명〖철〗상부 구조(上部構造). ↔하층 건축.

상:층 계급【上層階級】명 사회의 상층에 있는 계급. 곧, 자본가나 고급 관리들. 상류 계급. ↔하층 계급.

상:층 구조【上層構造】명〖철〗상부 구조(上部構造).

상:층 기단【上層氣團】명〔superior air mass〕〖기상〗침강에 의해 생기는 예외적으로 건조한 기단. 흔히, 상공에서 볼 수 있으나, 때로는 극단적인 침강에 의해서 지표(地表)까지 도달할 때도 있음.

상:층 기류【上層氣流】명〖기상〗상공(上空)의 기류.

상:층-류【上層流】[—뉴] 명 상층의 조류(潮流) 또는 기류(氣流).

상:층 사회【上層社會】명〖사〗신분이 높은 사람들이나 부호(富豪)·유한(有閑) 계급의 사회. 상류 사회(上流社會). ↔하층 사회.

상:층-운【上層雲】명〖기상〗상층에 높이 떠 있는 구름. 지상(地上)에서 6,000–13,000 m의 높이에 얼음의 결정(結晶)으로 이루어지며, 날씨가 변할 직전에 나타남. 권운(卷雲)·권적운(卷積雲)·권층운(卷層雲) 등으로 구분함. 위턱구름. ↔하층운(下層雲).

상:층-풍【上層風】명〖기상〗대기의 상층을 부는 바람. 일반적으로 북반구(北半球)에서는 저압부(低壓部)의 중심을 좌(左)로 보면서 등압선(等壓線)에 평행으로 붊. 상승(上昇) 속도가 일정한 기구(氣球)를 추적하여 이를 관측할 수 있음. 고층풍.

상치¹ 명〖식〗☞상추¹.

상:-치²【上一】명 같은 종류 가운데 상길의 물건. 상품(上品). ↔하치.

상:치³【上齒】명 윗니. ↔하치(下齒). 「로(敬老). ——-하다 자여불

상:치⁴【尙齒】명 나이 많이 먹은 사람을 위하는 일. 노인을 존경함. 경

상치⁵【相値】명 두 가지 일이 공교롭게 마주침. ——-하다 자여불

상치⁶【相馳】명 일이나 뜻이 서로 어긋남. ——-하다 자여불

상치⁷【常置】명 늘 설치하여 둠. 늘 비치하여 둠. ——-하다 타여불

상-치다【傷—】타〈방〉해치다. ¶ "아따 이놈아, 그 주먹 좀 놓아라. 잘못하다간 사람 상치겠다." ≪李周洪: 탈선 춘향전≫. 「유.

상치 분신【象齒焚身】명 재산이 많은 사람은 화(禍)를 입기 쉽다는 비

상:치 세:전【尙齒歲典】명〖역〗조선 시대, 세수(歲首)에 조관(朝官)들 부인의 나이가 70세 이상이 된 이에게 궁중에서 쌀·고기·소금 등을 주던 일. 대한 제국 때까지 계속되었음.

상치 신:호기【常置信號機】명 신호기의 한 가지. 일정한 장소에 설치해서, 나무·등불 등으로 운전상의 신호를 하는 장치.

상치-원【常置員】명 어떤 일을 늘 맡아 볼 수 있도록 배치한 인원.

상:-치은【上齒齦】명〖생〗윗잇몸. ↔하치은(下齒齦).

상:치-회【尙齒會】명〖역〗노인을 모아 나이 차례로 앉히고, 시가(詩歌)를 지어 즐겁게 놀도록 하는 모임. 845년에 당(唐)나라의 시인(詩人) 백거이(白居易)가 이도방(履道坊)에서 연 것이 맨 처음이었음.

상칙【常則】명 언제나의 법칙. 정하여진 규칙. 상규(常規).

상친【相親】명 서로 친절하게 지냄. ——-하다 자여불

상친-간【相親間】명 서로 친밀하게 지내는 사이.

상:칠장 하:삼장【上七章下三章】[—짱—짱] 명〖악〗용비 어천가(龍飛御天歌)에서 여민락(與民樂)에 얹어 부르는 장. 상칠장은 용비 어천가의 제 1 장인 해동장(海東章), 제 2 장인 근심장(根深章)과 원원장(源遠章), 제 3 장인 석주장(昔周章)과 금아장(今我章), 제 4 장인 적인장(狄人章)과 야인장(野人章)이고, 하삼장은 마지막 제 125 장인 천세장(千世章)·자자장(子子章)·오호장(嗚呼章)임. *여민락.

상:침¹【上針】명 ①좋은 바늘. ②박이옷이나 보료·방석 같은 것의 가장자리를 실밥이 겉으로 드러나게 꿰매는 일.

상:침(을) 놓다 구 박이옷이나 보료·방석 등의 가장자리를 실밥이 겉으로 드러나게 꿰매다.

상침²【尙針】명〖역〗고려 때의 여관(女官)의 하나.

상침³【尙寢】명〖역〗①고려 때의 여관(女官)의 하나. ②조선 시대 여관

상칫-동 명〈방〉부룻동. ㄴ(女官)의 정육품(正六品) 벼슬.

상칭【相稱】명 ①서로 일컬음. ②〔symmetry〕〖물〗구성 요소(構成要素)가 중앙의 수직선(垂直線) 또는 수평선(水平線)의 양쪽에 균등하게 배분(配分)되어, 서로 조응(照應)해서 균형(均衡)을 유지하는 일. 좌우 균제(左右均齊). 「여불. ——-히 부

상:쾌【爽快】명 기분이 썩 시원하고 유쾌함. 상활(爽闊). ——-하다 형

상-퀼로트〔프 sans-culotte〕명 프랑스 혁명 당시에 귀족들이 입던 긴 바지인 퀼로트(culotte)를 입지 않는다는 뜻에서, 당시의 수공업자(手工業者)·중소 상인(中小商人)·노동자를 말함. 그들은 부르주아지와는 별도로 정치 세력을 형성하여, 프랑스 혁명을 추진시킴에 큰 역할을 함.

상큼 부 발을 좀 높이 들어 가볍게 내딛는 모양. <성큼.

상큼-상큼 부 연해 발을 높이 들어 가볍게 걷는 모양. <성큼성큼.

상큼-하다¹ 형여불 윗도리는 짧은데, 아랫도리가 어울리지 아니하게 길쭉하다. <성큼하다.

상큼-하다² 형여불 ①냄새나 맛 따위가 향기롭고 시원하다. ¶과일 맛이 ~. ②보기에 시원스럽고 좋다. ¶상큼한 눈 / 상큼한 봄옷을 차려입다.

상키다 타 ☞삼키다.

상-타다【賞—】자 상찬의 뜻으로 주는 상을 받다.

상탁【床卓】명 제상(祭床)과 향탁(香卓).

상:탁 하:부정【上濁下不淨】명 윗물이 흐리면 아랫물도 깨끗하지 못하다는 뜻으로, 윗사람이 바르지 않으면 아랫사람도 이를 본받아 행실이 바르지 않다는 말.

상탄¹【傷嘆·傷歎】명 마음이 상하여 슬퍼함. ——-하다 타여불

상탄²【賞嘆】명 탄복하여 크게 칭찬함. ——-하다 타여불

상탐【詳探】명 자세하게 찾아봄. ——-하다 타여불

상탑【牀榻】명 깔고 앉거나 눕거나 하는 제구. 평상(平牀)·와탑(臥榻) 같은 것.

상:탕¹【上湯】명 온천 안에서 가장 뜨거운 곳. ＊하탕(下湯)·중탕(中湯).

상탕²【尙帑】명〖역〗조선시대 내시부(內侍府)의 종4품 벼슬. 상세(尙洗)의 위, 상호(尙弧)의 아래.

상:태¹【上太】명〈방〉〖식〗콩(함경).

상태²【狀態】명 ①사물의 되어 있는 형편이나 모양. ②〔state〕〖물〗자연 현상의 관측에 의해서, 가능한 한 완전히 기술된 계(系)의 존재 상황. 열역학적 상태·에너지 상태 따위.

상태³【常態】명 보통 때의 모양이나 형편. 정상적인 상태. ↔변태(變態).

상태 감:정【狀態感情】명〔도 Zustandsgefühl〕〖심〗심신 상태(心身狀態)에 규정되어 발생하는 기분(氣分)이나 정서(情緖). 곧, 권태·불안·희망 같은 것.

상태기 명〈방〉상투¹(평안).

상:태-도¹【上苔島】명〖지〗전라 남도 신안군(新安郡) 흑산면(黑山面) 상태도리(上苔島里)에 위치한 섬. [1.42 km²: 304 명(1984)]

상태-도²【狀態圖】명〖화〗상평형 도표(相平衡圖表).

상태-량【狀態量】명〖화〗물질 또는 물리적 공간(物理的空間)의 거시적 상태(巨視的狀態)로서 정하여지는 양(量). 곧, 온도·압력 및 농도(濃度) 등에 의하여 결정되는 열역학적(熱力學的)인 양.

상태 레지스터【狀態—】명〔status register〕〖컴퓨터〗마이크로프로세서나 처리기의 내부에 상태 정보를 간직하도록 설계된 레지스터.

상태미 명〈방〉상자(箱子)(함경).

상태 방정식【狀態方程式】명〔equation of state〕〖물〗균질(均質)한 등방체(等方體)의 상태를 나타내는 양(量)인 온도·압력 및 체적 사이에 성립하는 일정한 관계 방정식. 이상 기체(理想氣體)에서는 보일 샤를(Boyle-Charles)의 법칙에 따름. 준상태식(狀態式).

상태-범【狀態犯】명〖법〗①일정한 법의 침해의 결과가 일어난 것으로 범죄는 종료하고, 그 후, 법익(法益) 침해의 상태가 계속하여도 그것은 이미 범죄 사실로는 인정되지 않는 범죄. 절도죄·사기죄 같은 것. ②우발범(偶發犯) 또는 기회범에 대하여 사용되는 위험성 범죄를 일컬음. 위험한 상습범(常習犯) 같은 것.

상태 벡터【狀態—】〔vector〕명〖물〗양자 역학에서, 입자의 역학적인 상태를 나타내는 힐베르트(Hilbert) 공간의 벡터. 위치나 운동량 따위의 물리량은 이 벡터에 작용하는 연산자(演算子)로서 나타냄. 상태 벡터는 해밀토니언(Hamiltonian)이라는 에너지 연산자의 작용에 의해서 시간적으로 변화함. 파동 함수는 상태 벡터의 한 표시임.

상태 변:화【狀態變化】명〖물〗안정되어 있는 하나의 열역학적 상태가 다른 안정된 열역학적 상태로 변화하는 일. 고체·액체·기체 간의 상전이(相轉移) 따위.

상:태-성【上台星】명〖천〗삼태성(三台星) 중에서 서쪽으로 문창성(文昌星)에 가까운 두 별.

상태-식【狀態式】명〖물〗↗상태 방정식.

상토¹ 명〈방〉상투¹(경상·함경).

상:토²【上土】명〖농〗농사짓기에 썩 좋은 땅. ↔중토(中土)·하토(下土). ＊상답(上畓).

상토³【床土】명〖농〗모판흙.

상:토-권【上土權】[-꿘] 명〖법〗딴사람의 토지를 개간(開墾)하는 자가 토지의 소유권으로부터 독립해서 가지는 하급 소유권적(下級所有權的)인 경작권(耕作權). 이것에 대하여 물권(物權)으로서의 효력을 인정할 것인가에 대하여서는, 물권 법정주의와 소유권의 원만성이라는 견지에서 문제가 되며, 판례(判例)나 다수설(多數說)은 이것을 부정함.

상:토 하:사【上吐下瀉】명 위로는 토하고 아래로는 설사함. 준토사(吐瀉). ——-하다 자여불

상:통¹【上通】명 아랫 사람이 윗사람에게 의사를 통하는 일. ——-하다 타여불

상통²【相—】명〈속〉얼굴. ¶ 찌푸린 ～.

상통³【相通】명 ①서로 막힘 없이 길이 트임. ②서로 마음과 뜻이 통함. ③서로가 어떤 일에 공통되는 바 있음. ——-하다 자여불

상통⁴【傷痛】명 마음이 몹시 상하고 아픔. ——-하다 형여불

상:통 천문【上通天文】명 천문에 관한 일을 잘 앎. ↔하달 지리(下達地理). ——-하다 자여불

상:퇴【上腿】명〖생〗하지(下肢)의 윗 부분. 골반(骨盤)에서 무릎까지를 말함.

상:-퇴성【上退聲】명〖악〗꺾는목.

상투¹ 명〔근대 중국어 上頭〕①예전에 장가 든 사내가 머리털을 끌어올려서 정수리 위에 틀어 감아 매던 것. 대개 망건(網巾)을 쓰고 동곳을 꽂아 맴. ②〈속〉증권 거래에서, 최고로 오른 시세. ↔바닥.
【상투가 국수버섯 솟듯하다】스스로 자기를 어른이라 일컫고 남을 부리는 사람을 이르는 말.
상투 위에 올라 앉다 구 상대를 만만히 보고, 기어 오르는 행동을 하다.
상투 틀다 구 총각이 장가를 가서 어른이 되다.

동곳 풍잠 상투
〈상투¹〉

상:투²【上投】명 차를 먼저 차기(茶器)에 넣고 나중에 더운 물을 붓는 전차(煎茶)의 방법. ＊중투(中投).

상투³【相鬪】명 서로 때리고 다툼. ——-하다 자여불

상투⁴【常套】명 예사로 늘 하는 투. ¶ ～ 수단(手段).

상투-관【—冠】명 머리털이 적은 노인이 관을 쓸 때에 상투에 씌우는 검은 종이 또는 베로 만든 물건.

상투 기둥 명〖건〗기둥 위에 사개를 잇지 않고 상투처럼 만들어 도리에 구멍을 뚫어서 얹게 된 기둥.

상투-꼬부랑이 명 ☞ 상투쟁이.

상투-도리 명〖건〗상투 기둥에 끼워 맞추기 위하여 끝 쪽에 구멍을 뚫은 도리.

상-투메〔São Tomé〕명〖지〗①아프리카 기니만(灣) 동남부의 화산성의 섬. 적도 직하에 있으며, 북동부의 프린시페 섬과 더불어 상투메 프린시페 공화국을 이룸. [830 km²] ②상투메 섬에 있는 도시로, 상투메프린시페의 수도. [25,000 명(1990)]

상투메 프린시페〔São Tomé & Principe〕명〖지〗아프리카 기니만(Guinea 灣) 동남부의 공화국. 상투메 섬과 프린시페 섬으로 이루어짐. 적도 바로 아래 있으며 코프라·코코넛·커피·카카오·야자유(油) 등을 산출함. 1975년 7월 12일 5백 년간의 포르투갈 식민 통치로부터 독립함. 수도는 상투메. 정식 명칭은 '상투메 프린시페 민주 공화국(Democratic Republic of São Tomé and Principe)'. [964 km²: 120,000 명(1990 추계)]

상투-밑 명〈방〉배코.
상투밑(을) 치다 구〈방〉배코(를) 치다.

상투-빗 명 상투를 틀어 올릴 때 쓰는 빗.

상투 수단【常套手段】명 버릇이 되어서 예사로 쓰는 투의 수단. 늘 예사로 쓰는 수단.

상투스〔라 sanctus〕명〖천주교〗천주교회의 미사에서 성변화(聖變化)의 임박을 알릴 때, 세 번을 반복해서 사제가 염하는 찬미의 경문. 또, 그 음악.

상투-어【常套語】명 늘 쓰는 예사로운 말. 입버릇처럼 외는 케케묵은 말. 투어(套語).

상투-이음 명〖건〗상투처럼 장부나 촉을 만들어 구멍에 끼워 맞추어 잇는 일.

상투-잡이 명 ①〈방〉상투쟁이. ②씨름 재주의 하나. 샅바를 쥐지 아니한 손으로 상대편의 꼭뒤를 짚어 누르며 내사리어서 넘어뜨림. ——-하다 자여불

상투-장이 명 ☞ 상투쟁이.

상투-쟁이 명 상투를 맨 사람.

상투-적【常套的】명관 늘 버릇이 되다시피 한 모양. ¶ ～인 수법(手法).

상투-제침 명〖악〗판소리를 잘 부르는 나이 어린 소년. 상투 튼 어른 소리보다 낫다는 뜻에서 붙여진 말.

상툿-고 명 상투의 틀어 감아 맨 부분.

상툿 바람 명 상투 있는 머리에 아무 것도 쓰지 아니하고 나선 차림새.

상트 페테르부르크〔Sankt Peterburg〕명〖지〗러시아 연방 제 2 의 대도시. 발트 해의 동쪽 귀퉁이 핀란드 만두(灣頭)에 있으며, 네바 강(Neva 江)이 시내를 관류(貫流)함. 1703 년 표트르 대제(Pyotr 大帝)가 건설하여 상트페테르부르크로 명명한 후 1917 년까지 제정 러시아의 수도였는데, 1924 년 레닌을 기념하기 위하여 이름을 레닌그라드로 고쳤다가 1991 년에 다시 이 이름으로 바뀜. 제 2 차 대전 중 독일군의 포위에 견디어 영웅 도시로 일컬어짐. 기계 공업을 비롯하여 조선·전기·차량·무기·제지·석유·화학·알루미늄·섬유·식품·인쇄 공업이 성함. 에르미타주 미술관, 국립 박물관, 표트르 궁전 등 명소가 많음. [5,020,000 명(1989)]

상트 페테르부르크 필하:모닉 오:케스트라〔Sankt Peterburg Philharmonic Orchestra〕명 러시아의 국립 오케스트라로서 세계 굴지의 교향악단. 그 역사는 1772 년의 '음악 협회'로 거슬러 올라갈 수 있는데 1882년 제실(帝室) 교향악단이 되고, 소련 시대에는 '레닌그라드 필하모닉 오케스트라'로 개칭되었다가 1991 년 본디 이름으로 환원됨.

상팀〔프 centime〕의명 프랑스와 스위스의 화폐 단위. 프랑의 1/100.

상파¹【床播】명〖농〗묘상(苗床)에 파종함. ——-하다 타여불

상파²【翔破】명 ①새가 날아서 지나감. ②비행기 같은 것이 날아서 전행정(全行程)을 마침. ——-하다 자여불

상-파대기【相—】명〈방〉상판대기.

상-파울루〔São Paulo〕명〖지〗브라질 남동부 상파울루 주(州)의 주도(州都)이자 브라질 최대의 도시. 해발 750 m의 고원에 있으며 기온은 온화함. 세계 최대의 커피·설탕의 집산지이며 섬유·제철·기계 공업도 발달함. 주민은 대체로 이탈리아·포르투갈·일본 등지로부터의 이민이 많은데, 한국인도 많이 진출하고 있음. [10,099,086 명(1985)]

상:-판¹【上—】명 첫 판. ↔하판¹.

상:판²【上版】명〖불교〗오가는 손님들이 앉는, 절의 큰 방의 윗목. ↔하판(下版)❶.

상-판³【相—】명 ↗상판대기. ㅆ쌍판.

상판⁴【裳板】명〖건〗치마널.

상-판대기【相—】명〈속〉얼굴. 준상판.
【상판대기가 꽹과리 같다】얼굴이 꽹과리 같다 함이니, 파렴치한 사람을 두고 일컫는 말.

상:-팔십【上八十】[-씹] 명 옛날에 강태공(姜太公)은 처음 80년 동안은 낚시질을 하며 가난하게 살았고, 나중 80년 동안은 정승이 되어 잘 살았는데, 낚시질을 하면서 가난하게 살던 먼저 80년을 말함. 선팔십(先八十). 전팔십(前八十). ＊달팔십(達八十).
【상팔십이 내 팔자(八字)】가난한 것이 내 팔자라는 말.

상:-팔자【上八字】[—짜] 명 썩 좋은 팔자. 아주 편한 팔자.

상:패¹【上牌】명 ①골패(骨牌)·화투·트럼프 같은 것에서의 좋은 패. ②〖역〗홍문관(弘文館)의 서책(書冊)을 출납할 때 쓰던 상아(象牙)로 만든 패.

상패²【賞牌】명 상으로 주는 패. 보통 금속(金屬)으로 만듦.

상:편【上篇】명 두 편이나 세 편으로 된 책의 첫째 편. ＊하편·중편❶.

상:평【上平】명 상평성(上平聲). ↔하평(下平).

상평-곡【常平穀】명〖역〗상평청(常平廳)에 보존해 두던 곡식.

상-평면【像平面】명〔image plane〕〖광학〗광학계(光學系)에서 만들어진 상(像)이 형성되는 평면. 만약 물평면(物平面)이 광축(光軸)에 수직이면, 상평면도 보통은 광축에 수직이 됨.

상:-평성【上平聲】명〖언〗한자(漢字)의 평성(平聲)의 하나. 동(東)·동(冬)·강(江)·지(支)·미(微)·어(魚)·우(虞)·제(齊)·가(佳)·회(灰)·진(眞)·문(文)·원(元)·한(寒)·산(刪)의 15운(韻). 중국어의 발음에서 소리가 좀 높고 처음부터 끝까지 그 높이가 다르지 않은 것. 상평(上平). ↔하평성(下平聲).

상평-창【常平倉】명〖역〗중국 한(漢)나라와 당(唐)나라에서 시작된 물가 조절 제도의 기관. 우리 나라에서는 고려 성종(成宗) 12년(993)에 처음 설치되어, 미곡·면포 등 생활 필수품을 물가가 내릴 때 다소 비싼 값으로 사들였다가 오를 때 약간 싼 값으로 팔아 물가를 조절하였음. 조선 선조(宣祖) 41년(1608)에 폐지하고 선혜청(宣惠廳)으로 개칭함.

상평-청【常平廳】명〖역〗①조선 인조(仁祖) 11년(1633)에 설치한 관아. 상평 통보(常平通寶)를 주조(鑄造)하였음. ②조선 인조 26년(1648) 진휼청(賑恤廳)의 고친 이름.

상평 통보【常平通寶】명〖역〗조선 시대에 쓰던 엽전(葉錢)의 이름. 구리와 주석의 합금임. 인조(仁祖) 11년(1633)에 처음 만들어 쓰고, 숙종(肅宗) 4년(1678)에 두 번째 만들어 씀. 그 후 중앙 관서·지방 관아 및 군영(軍營)에서 수시로 주조 유통됨.

〈상평 통보〉

상평형 도표【相平衡圖表】명〔phase diagram〕〖화〗어느 한 물질 또는 물질계의 상태를 나타내기 위해 온도·압력·체적 또는 성분비(成分比) 사이의 관계를 나타낸 평면적 또는 입체적 도표. 상태도.

상:포¹【上浦】명〖지〗함경 남도 영흥군(永興郡)에 있는 못. [$1.53\,km^2$]

상포²【常布】명 품질이 낮은 베.

상포³【商布】명〖역〗거래할 때에 화폐(貨幣) 대신으로 쓰던 포목.

상포⁴【商鋪】명 상점(商店).

상포⁵【喪布】명 초상 때 쓰는 포목.

상포-계【喪布契】명 초상 때의 비용을 서로 도와 주기 위하여 조직한 계. 초상계.

상-포동 감〈방〉내쾌.

상:표¹【上表】명〖역〗표(表)를 임금에게 올림. ——하다 자여불

상표²【商標】명〖경〗상공업자(商工業者)가 자기의 생산·제조·가공·선택·증명·취급 및 판매 영업에 관계되는 상품이라는 것을 일반 구매자에게 인식시키기 위하여 상품에 붙이는 표지(標識). 상품의 신용을 보호하기 위하여 다른 사람이 동일한 상품에 유사 상표(類似商標)를 사용함을 금함. 마크. 레터르(letter). 트레이드마크.

상표³【商飆】명 가을 바람. 추풍(秋風).

상표⁴【傷表】명 과음(過飮)으로 인하여 신체 표면에 나타나는 상처(傷處).

상표-권【商標權】[—꿘] 명〖경〗상표를 독점적으로 사용할 수 있는 권리. 상표 원부에 등록함으로써 발생하며, 존속 기간은 설정의 등록일로부터 10년이지만 10년간씩 갱신할 수 있음. 상표 전용권(專用權).

상표 등록【商標登錄】[—녹] 명 상표를 전용(專用)하려는 사람이 규정에 따라 상표 원부(原簿)에 등록하는 일. 상표권은 이 등록으로 발생함.

상표-법【商標法】[—뻡] 명〖법〗상표를 보호함으로써 상표 사용자의 업무상의 신용 유지를 도모하여 산업 발전에 이바지함과 아울러 수요자(需要者)의 이익을 보호함을 목적으로 하는 법률.

상표 원부【商標原簿】명〖법〗상표권의 변동이나 기타 법령으로 정한 사항을 등록하는 특허청(特許廳)에 비치하는 공부(公簿).

상표 전용권【商標專用權】[—꿘] 명〖경〗상표권(商標權).

상-표초【桑螵蛸】명〖한의〗뽕나무에 붙은 당랑(螳螂)의 알둥지. 요통(腰痛)·산증(疝症)·음위(陰痿)·유정(遺精)·유뇨(遺尿) 등을 고치는 데에 씀. 준표초(螵蛸).

상:-푸동 감〈방〉내쾌.

상:-푸둥 감〈방〉내쾌.

상-풀이【床—】명〈방〉큰상 물림(경상).

상:품¹【上品】명 ①나은 품위(品位). ②질이 좋은 물품. 상치. ↔하품(下品). ③〖불교〗극락 정토(極樂淨土)의 최상급. *하품·중품(中品). ④〖악〗조선 시대 순조 때 소개된 서양 음악의 높은음자리표의 이름. '𝄞'로 표시함.

상품²【商品】명 ①팔고 사는 물품. ②시장에서 팔 목적으로 생산된 물건. ③〖법〗동산(動産)과 같이 상거래를 목적으로 하는 물건.

상품³【賞品】명 상으로 주는 물품.

상품 거:래소【商品去來所】명 면사·생고무·미곡·설탕 등과 같이 품질이 표준화되고 내구성이 있어 대량 거래되는 상품을 정해진 방법과 조건에 따라 거래하는 시장. 대량의 상품이 경매매(競賣買)의 방식으로 거래되며 공정한 가격으로 신속 정확히 거래됨.

상품 거:래원【商品去來員】명〖경〗상품 거래소의 회원으로서, 그 개설하는 시장에서 자기 매매 외에 남의 위탁 매매를 할 수 있는 사람.

상품 경제【商品經濟】명〖경〗자본주의 경제의 특징의 하나로 모든 재(財)나 서비스가 상품으로서 생산되고 교환되는 경제.

상품 경제 사회【商品經濟社會】명〖경〗상품의 수요 공급을 중심으로 본 경제 사회.

상품 계:정【商品計定】명〖경〗상품의 매입고(買入高)·매상고(賣上高)·상품 매매 직접비(直接費) 등을 기재하여 매매 손익(損益)을 알아낼 목적으로 설정하는 계정(計定).

상품 공:동 기금【商品共同基金】명〔Common Fund for Commodity〕〖경〗지역적·시기적으로 수급에 차질을 빚고 있는 주요 일차 산품의 완충 재고(緩衝在庫)를 마련하고, 국제 시장에서의 수급을 탄력적으로 조정하며, 그것을 금융적으로 뒷받침하기 위하여 설정한 국제 금융 기구. 철광·망간·인광(燐鑛)·주석·식물유(植物油)·육류(肉類)·차(茶)·커피 등 18개 품목을 대상으로 함. 본부는 스위스의 제네바에 있음.

상품 관:리【商品管理】[—괄—] 명〖경〗상품을 사들여서 판매할 때까지와 유통 과정을 통하여, 상품의 매입(買入)·재고·진열·매각·수도(受渡)를 정확 신속하게 분석·확인하며 기록하는 관리.

상품 광:고【商品廣告】명〔product advertising〕상품 또는 서비스를 광고의 수용자(受容者)인 소비자에게 직접 팖을 의도한 광고. 상품의 특징·성질·가격·상표 이름 등을 강조함. *산업(産業) 광고.

상품-권【商品券】[—꿘] 명〖경〗백화점이나 상점에서 발행하는 상품 교환권. 이를 제시(提示)한 자에게 자기가 취급하는 상품을 권면(券面)에 기재한 금액에 달할 때까지 공급할 것을 약속한 무기명식(無記名式)의 유가 증권임.

상품권-법【商品券法】[—꿘뻡] 명〖법〗상품권의 확실한 상환을 기하여 이의 유통 질서를 확립하고 소유자의 권익을 보호하고자 상품권의 발행·등록·발행에 따른 공탁, 상품권면 기재·금액 제한·상환 의무 등을 규정한 법률.

상품 금융 회:사【商品金融會社】[—/—늉—] 명〔the Commodity Credit Corporation〕〖경〗농산물 가격의 유지를 목적으로 하고 농산물 그 밖의 상품의 구입·판매·수송 등의 금융과 통제를 임무로 하는 회사.

상품 담보【商品擔保】명 상품을 은행 대출의 담보 물건으로 하는 것. 직접 상품에 담보권을 설정하는 것과 화물 증권(貨物證券)에 담보권을 설정하는 것과 가매도 저당(假賣渡抵當)의 세 가지 방법이 있음.

상품 매매장【商品賣買帳】[—짱] 명〖경〗상품 매매를 자세히 기록하는 치부책.

상품-명【商品名】명 매매할 상품의 이름.

상품 목록【商品目錄】[—녹] 명〖경〗상품의 명칭·성질·종류·수량·단가(單價) 및 판매 조건 등을 기록하여 고객(顧客)에게 배부하는 책자(冊子). 카탈로그(catalogue).

상품별 링크제【商品別—制】〔link〕명〖경〗개별(個別) 링크제.

상품 생산【商品生産】명〖경〗교환을 목적으로 한 재화(財貨) 생산.

상품 신:탁【商品信託】명 상품을 관리 또는 처분할 목적으로 하는 신탁.

상품 어음【商品—】명〖경〗상업(商業) 어음.

상:품 연대【上品蓮臺】[—년—] 명〖불교〗극락 세계의 가장 높은 연대(蓮臺).

상품 유통【商品流通】[—뉴—] 명〖경〗화폐에 의해서 중개되는 상품의 교환. *자본 유통·물물 교환.

상품 자본【商品資本】〔도 Warenkapital〕명〖경〗판매(販賣)가 이루어지는 재화(財貨). 즉, 상품으로서 자본주의적 기업의 수중에 보유(保有)되는 자본을 이름. *화폐 자본.

상품 작물【商品作物】명〖농〗시장에 내다 팔기 위하여 재배하는 농작물.

상품 진:열관【商品陳列館】명 내외국의 상품 및 이에 관한 도서(圖書)·통계(統計) 같은 것을 수집·진열하여 일반에게 전람시키는 곳. 내외 상품의 견본의 전시(展示) 및 상거래에 관한 소개(紹介)·질의 응답(質疑應答) 및 상품의 직매(直賣) 등을 행함.

상품 진:열소【商品陳列所】[—쏘] 명 선전(宣傳) 같은 것을 목적으로 상품을 진열하여 놓은 곳. 상품 진열장.

상품 진:열실【商品陳列室】[—씰] 명 선전 같은 것을 목적으로 상품을 진열하여 놓은 방.

상품 진:열장【商品陳列場】[—짱] 명 상품 진열소.

상품 진:열창【商品陳列窓】명 상점 같은 데서 상품을 진열하여 놓고 바깥에서 사람들이 볼 수 있도록 유리를 끼워 낸 창. 쇼윈도.

상품 차:관【商品借款】명 소비재 등 상품의 형태로 상대국 정부에 제공하는 원조.

상품-학【商品學】명〔commodities〕〖경〗상품의 품질·분류 방법·규격 등의 여러 문제를 연구 대상으로 하는 상학(商學)의 한 분과.

상품-화【商品化】명 상품으로 만듦. 또, 상품으로 됨. ——하다 자타여불

상품화-권【商品化權】[—꿘] 명〖경〗어떤 상품의 이름이나 특징을 상표 등록해 놓고, 그것을 사용하는 이로부터 사용료를 징수하는 권리.

상품 화:폐【商品貨幣】명〖경〗상품 자체가 화폐 구실을 하는 물건. 곧, 물물 교환 시대에 생긴 돈 구실의 물건. 조가비·짐승 가죽·곡식 따위. 물품 화폐.

상품 회전율【商品回轉率】[—뉼] 명〖경〗일정한 기간내의 평균 상품 재고량(在庫量)으로써 그 기간의 상품 매상 원가(賣上原價)를 나눈 몫. 상품에 투입된 자본의 회전 속도를 재기 위한 것으로, 이 비율이 높을수록 판매 능력이 큼을 뜻함.

상풍¹【常風】명 평상시(平常時)의 바람.

상풍²【商風】명 가을 바람. 추풍(秋風).

상풍³【傷風】명〖한의〗바람을 쏘여서 생기는 모든 병증(病症).

상풍⁴【霜楓】명 서리 맞은 단풍 잎. 시든 단풍.

상풍 고절【霜風高節】명 곤경에도 굽히지 않는 높은 절개.

상풍-증【傷風症】[—쯩] 명〖한의〗감기로 인하여 콧물이 많이 흐르고 코가 막히는 증세. 비감모(鼻感冒). 코감기.

상풍 패:속【傷風敗俗】명 풍속을 문란하게 함. 또, 부패하고 문란한 풍속. ——하다 자여불

상프란시스쿠 강〔São Francisco〕명〖지〗남아메리카 브라질(Brazil)의 동부의 큰 강으로 브라질 대지(臺地)에서 발원하여 북동쪽으로 흘러 대서양에 들어감. [3,200 km]

상:피¹【上皮】명〖생〗외면(外面)을 둘러싼 가죽. 윗가죽.

상피²【相避】명 ①친족(親族) 또는 기타의 관계로 같은 곳에서 벼슬하는 일이나, 청송(聽訟)·시관(試官) 같은 것을 피함. ②가까운 친척 사이인 남녀간의 성적 교접(交接). 근친 상간(近親相姦). ——하다 자여불 서로 피하다.

상피(가) 나다 구 상피 붙은 일이 생기다.

상피 붙다 구 유복친(有服親)이나 가까운 친척 사이의 남녀가 간통하다.

상피³【象皮】명 코끼리의 가죽.

상:피 근세포【上皮筋細胞】명〖동〗강장(腔腸) 동물에서 볼 수 있는 상피 세포. 기부(基部)는 신장(伸長)하고 그 곳에 수축성 섬유(纖維)가 있음.

상피리 명〖어〗게르치.

상피-병【象皮病】[—뼝] [명] 〔elephant disease〕〖의〗 국소(局所) 림프(lymph)의 울체(鬱滯) 또는 사상충(絲狀蟲)의 기생으로 피부나 피하 조직이 부어올라 상피상(象皮狀)을 이루는 만성병. 하지(下肢)·음낭(陰囊)·음경(陰莖)·여자의 외음부(外陰部)에 많이 발생하는데, 풍토병(風土病)임.

상:피성 신:장증【上皮性腎臟症】[—썽—쯩] [명] 〖의〗 네프로오제(Nephrose).

상:피 세:포【上皮細胞】[명] 〖생〗 상피 조직을 구성하는 세포.

상:피 소:체【上皮小體】[명] 〖생〗 부갑상선(副甲狀腺).

상:피 소:체 기능 감:퇴증【上皮小體機能減退症】[—쯩] [명] 〖의〗 부갑상선 기능 감퇴증. 테타니(tetany).

상:피 소:체 기능 항:진증【上皮小體機能亢進症】[—쯩] [명] 〖의〗 부갑상선 기능 항진증.

상:피 소:체 호르몬【上皮小體—】〔hormone〕 [명] 〖의〗 부갑상선(副甲狀腺) 호르몬.

상:피 융모 태반【上皮絨毛胎盤】[명] 〖의〗 모체의 자궁 상피와 태아의 영양층 상피가 접촉하고 있는 형태의 태반.

상:피 조직【上皮組織】[명] 〖생〗 동물체를 구성하는 조직의 하나. 체내외의 표면을 싼 막상(膜狀)의 조직으로서 여러 층의 상피 세포와 적은 수의 세포 간질(細胞間質)로 이루어짐. 내부의 보호를 주작용(主作用)으로 하나, 감각(感覺)·분비(分泌) 등의 작용도 겸함. 표피 조직.

상피-주【桑皮酒】[명] 뽕나무의 속껍질을 담가 우린 술.

상:필【想必】[부] 반드시.

상:-하¹【上下】[명] ①위와 아래. 고하. ②높고 낮음. ③귀함과 천함. ④윗사람과 아랫 사람. ⑤좋고 나쁨. ⑥오르고 내림. ⑦건곤(乾坤)❺.

상하²【常夏】[명] 항상 계속되는 여름. ¶ ~의 나라 하와이.

상하-걸【霜下傑】[명] '국화(菊花)'의 별칭.

상:하-권【上下卷】[명] 두 권으로 가른 책의 상권(上卷)과 하권.

상:하 노:소【上下老少】[명] 윗사람이나 아랫 사람, 그리고 늙은이나 젊은이. ¶ 그 집 식구는 ~ 할 것 없이 한결같이 부지런하다.

상-하다¹【傷—】[자][타][여불] ①물건이 깨어지거나 헐거나 썩다. ②근심·슬픔·노여움 같은 것으로 마음이 언짢게 되다. ¶ 부모의 마음을 상하게 하다. ③여위다. ¶ 얼굴이 몹시 ~.

상:-하다²【尙—】[타][여불] 공주·옹주(翁主)를 결혼시키다.

상-하다³ [보형] 〈방〉 성하다(경상).

상:하-대【上下—】[명] 위아래의 영창대.

상:하-동¹【上下洞】[명] 위아랫 동네.

상:하-동²【上下動】[명] 지진(地震)이나 기타의 진동에 있어서 수직의 방향으로 움직이는 진동. ——-하다 [자][여불]

상:하동 지진계【上下動地震計】[명] 위아래로 진동하는 지진을 기록하는 계기.

상:하-부【上下部】[명] 상부와 하부를 아울러 이르는 말.

상:하-분【上下墳】[명] 상하장(上下葬)으로 쓴 무덤. 연분(連墳).

상:하사 불급【上下寺不及】[명] 위로도 아래로도 닿지 못함. 두 가지 일이 모두 실패하게 됨. ¶ 이러다가는 ~ 되겠소.
[상하사 불급이오 이름만 석숭(石崇)이가 되었다] 이 일 저 일 벌여 놓기만 하고 실속은 없어 제 재물로 모은 것은 없다는 뜻.

상:하 상몽【上下相蒙】[명] 윗사람과 아랫 사람이 서로 속임. ——-하다 [자][여불]

상:하-성【上下聲】[명] 〖악〗 생황(笙簧)의 연주법에서, 일자관(一字管)·이자관(二字管)·오자관(五字管)을 함께 짚어 내는 소리. 자모성(子母聲).

상-하수도【上下水道】[명] 상수도와 하수도.

상:하 순설【上下脣舌】[명] 남의 입길에 오르내림.

상하이〔上海〕[명] 〖지〗 중국 장쑤 성(江蘇省) 동부에 있는 중국 최대의 항만·상공업 도시. 창강(長江)의 지류인 황푸(黃浦)·우쑹(吳淞)의 두 강이 만나는 곳에 있음. 1842 년 이래 난징 조약(南京條約)에 의하여 급속히 발전하여 최대의 무역항이 된 국제적인 도시로서, 반제 반봉건(反帝反封建) 운동의 요람지(搖籃地)임. 1948 년 이래 직할시(直轄市)임. 교외에서는 쌀·보리·목화·야채·과일 등이 산출되고, 젖소·닭·돼지 등이 많이 사육됨. 방적·식품·화학·인쇄 등의 경공업과 조선·철강 등의 중공업이 발달함. 수만 톤급의 외항선이 정박할 수 있는 세계 최대급의 항구의 하나임. [7,430,000 명(1989 추계)]

상하이 사:변【—事變】〔중 上海〕[명] 〖역〗 만주 사변의 연장으로서, 1932 년 1 월 28 일 이후에 상하이(上海)와 그 교외에서 벌어진 중일(中日) 양군의 충돌 사건. 중일 전쟁의 도인(導因)이 됨. 상해 사변.

상:하 일이지보【上下一二之譜】[명] 〖악〗 조선 세조(世祖) 때 창제(創製)된 한국 고유의 악보. 음계의 순을 조(調)의 여하를 막론하고 궁(宮)으로 주음(主音)을 삼고, 위로 '上一·上二·上三·上四·上五', 아래로 '下一·下二·下三·下四·下五'로 기보함. '上五·宮·下五'가 각각 위아래의 옥타브(octave)가 됨.

상:하-장【上下葬】[명] 남편과 아내를 같은 묏자리에서 위아래로 묻는 장사.

상:하지-분【上下之分】[명] 위아래의 분별.

상:하태-도【上下台島】[명] 〖지〗 전라 남도의 서해상(西海上), 신안군(新安郡) 신의면(新衣面) 상하태리(上下台里)에 위치한 섬. [29.0km²: 4,335 명(1985)]

상:하 탱석【上下撑石】[명] 몹시 꼬이는 일을 당하여 임시 변통으로 이리저리 견디어 가는 일. ¶ 회삿돈에다가 손을 대어서 처음에는 이리저리 변통을 하여서 ~이 되더니…《趙重桓 : 長恨夢》. ——-하다 [자][여불]

상:하-현【上下弦】[명] 〖천〗 상현(上弦)과 하현(下弦).

상:하 화목【上下和睦】[명] 윗사람과 아랫 사람이 서로 화목하게 지냄. ——-하다 [자][여불]

상:하 화순【上下和順】[명] 위와 아래가 서로 뜻이 맞아 온화함. ——-하다 [형][여불]

상:학¹【上學】[명] 학교에서 그 날의 공부를 시작함. ↔하학(下學). ——-하다 [자][여불]

상학²【相學】[명] 얼굴의 생김새를 보고 그 운명을 알아내는 일을 연구하는 학문.

상학³【商學】[명] ↗상업학(商業學).

상학 박사【商學博士】[명] 상학에 관한 전문적 지식과 이론에 정통하고 일정한 제도상의 과정을 통과한 이에게 주어지는 학위. 또, 그 학위를 받은 사람.

상학-사【商學士】[명] 상과 대학을 마친 자에게 수여하는 학위. 또, 그 학위를 받은 사람.

상:학 시간【上學時間】[명] 상학하는 시간. ↔하학 시간.

상:학 일자【上學日字】[—짜] [명] 상학하는 날.

상학-자【相學者】[명] 상학을 연구하는 사람.

상:학-종【上學鐘】[명] 상학 시각을 알리는 종. ↔하학종(下學鐘).

상:한¹【上限】[명] ①위쪽의 한계. ¶ ~선(線). ↔하한(下限). ②시대의 상고(上古)의 한계. ③〖수〗 실수(實數)의 집합(集合)에서 어느 요소보다도 작지 않은 수 중에서 최소(最小)의 것. 곧, 상계(上界) 중 최소의 것. ④〖수〗 정적분(定積分)의 위의 한계. 이를테면 $f(x)$라는 함수(函數)를 a에서 b까지 적분할 때, b를 그 적분의 상한이라고 함. ↔하한(下限).

상:한²【上澣】[명] 상순(上旬). *하한(下澣).

상한³【常漢】[명] 상놈❶.

상한⁴【象限】[명] 〔quadrant〕〖수〗 ① '사분면(四分面)'의 구용어. ②공간을 서로 수직으로 만나는 두 평면으로 네 등분하였을 때의 각 부분. 사분 공간(四分空間).

상한⁵【傷寒】[명] 〖한의〗 ①추위에 손상되어 생긴 병. 감기·급성 열병(熱病)·폐렴(肺炎) 같은 것. ②방사 과도(房事過度)나 성욕(性慾) 억제로 인하여 생기는 병의 한 가지.

상한 동:계【傷寒動悸】[명] 〖한의〗 가슴이 울렁거리는 급성 열병.

상한 동:기【傷寒動氣】[명] 〖한의〗 뱃속에 있는 묵은 적(積)과 한기(寒氣)가 서로 충돌이 되어 뱃 속이 흔들거리는 것 같고 복통이 심한 상한.

상한-론【傷寒論】[—논] [명] 〖책〗 중국의 후한(後漢) 때에 장중경(張仲景)이 지은 의학 책. 동양 의학의 최고 원전(最古原典)의 하나로서 임상 치료학의 권위서. 주로 급성 발열성(發熱性) 질환의 치료법을 상세히 설명하였음.

상한-발 [명] 〈방〉 생안발.

상한 번조【傷寒煩燥】[명] 〖한의〗 번조가 심하고 정신이 불안한 상한.

상한-손 [명] 〈방〉 생인손.

상한 양증【傷寒陽症】[—냥쯩] [명] 〖한의〗 오한(惡寒)·발열(發熱)·두통 등과 같은 양증으로 경과하는 상한. 태양증(太陽症). 양증 상한. [준]양증(陽症). ↔상한 음증(傷寒陰症). *상한 표증(傷寒表症).

상한 음증【傷寒陰症】[—쯩] [명] 〖한의〗 사지 궐랭(四肢厥冷)·토사(吐瀉)·맥박 미약(脈搏微弱)의 증세로 경과하는 상한. 음증 상한. 태음증(太陰症). [준]음증(陰症). ↔상한 양증(傷寒陽症).

상한-의【象限儀】[— / —이] [명] ①〖천〗 사분의(四分儀). ② 〖군〗 포의 사각(射角)을 장치하는 데에 쓰는 분도기와 수포(水泡)가 달린 기계.

상한 이:증【傷寒裡症】[—쯩] [명] 〖한의〗 더운 것을 싫어하고, 찬 것을 좋아하며, 구갈(口渴)·변비(便秘)가 생기고 헛소리를 하는 상한.

상한 전:기계【象限電氣計】[명] 〖물〗 상한 전위계(象限電位計).

상한 전:위계【象限電位計】[명] 〖물〗 정전적(靜電的) 힘을 이용하여 소전압(小電壓)을 정밀하게 측정하는 장치. 금속제의 중공(中空) 원통형의 물건을 네 개의 상한으로 자른 후, 적당한 간격을 두어 조합하고, 그 안에 전도성(電導性)이 있는 용수철과 가벼운 판상 지침(板狀指針)을 가는 석영선(石英線)으로 매달아 이 지침의 기우는 각도로 전위차를 구함. 상한 전기계.

〈상한 전위계〉

상한 전:율【傷寒戰慄】[명] 〖한의〗 오한(惡寒)이 심하여 몸을 떠는 상한.

상한-점【象限點】[—쩜] [명] 〖천〗 황도(黃道) 위에서 가장 높은 점으로 지평선과의 교점(交點)으로부터 90° 되는 점.

상한-차【象限差】[명] 선수(船首)·기수(機首)의 방위가 90도 바뀔 때마다 부호(符號)를 바꾸는 자차(自差).

상한 표증【傷寒表症】[—쯩] [명] 〖한의〗 병이 발생한 뒤 이삼 일 동안 머리가 아프고, 사지에 권태를 느끼며, 오한(惡寒)·발열(發熱)이 나는 급성 열병.

상:합¹【上合】[명] 〖천〗 외합(外合).

상합²【相合】[명] 서로 맞음. ——-하다 [자][여불]

상:항¹【上項】[명] 위의 항목(項目).

상항²【桑港】[명] 〖지〗 '샌프란시스코(San Francisco)'의 취음.

상항³【商港】[명] 상선(商船)이 드나들고, 여객이 오르내리며, 화물(貨物)을 싣고 풀 수 있는 항구. 무역항(貿易港).

상:해¹【上海】[명] 〖지〗 '상하이'를 우리 음으로 읽은 이름.

상해²【桑海】[명] ↗상전 벽해(桑田碧海).

상해³【傷害】[명] 상처를 내어서 해를 입힘. ——-하다 [타][여불]

상해⁴【詳解】[명] 자세하게 해석함. ——-하다 [타][여불]

상해⁵【霜害】[명] 가을의 이른 서리 또는 봄의 늦은 서리에 의하여 농작물·나무 들이 받는 손해. 서리 피해.

상해⁶ [부] 〈방〉 상애.

상해 보:상【傷害補償】[명] 업무상 입은 부상 또는 질병으로 인하여 발생한 신체상의 장애에 대하여 근로자가 사용자로부터 받는 보상.

상해 보:험【傷害保險】[명] 〖법〗 ①개인 보험으로서는, 뜻밖의 일로 인한 신체의 손상(損傷)에 대한 의료비(醫療費)를 지급(支給)하고 또는 요양(療養)중의 소득(所得) 보충(補充)을 위하여 일정한 액수의 돈을 지급하는 보험. ②사회 보험으로서는, 근로자가 업무상(業務上) 입은 신체의 상해에 대하여 그 경제적 손실을 전보(塡補)함을 목적으로 하는 보험.

상:해-봉【上海峰】[명] 〖지〗 강원도 김화군(金化郡)에 있는 산봉우리. [1,019 m]

상:해 사:변【上海事變】[명] 〖역〗 상하이 사변.

상:해 요리【上海料理】[명] 중국 요리에서, 상해를 중심으로 쑤저우(蘇

州)·항저우(杭州) 등지에서 발달한 요리. 부용해(芙蓉蟹)·창하(搶蝦) 등이 유명함. 설탕을 많이 쓰고 맛이 농후하며 쌀밥 요리·면(麵)요리도 많음.

상해 위험도【霜害危險度】[명]〖기상〗서리의 피해를 받을 위험성의 정도. 봄철의 늦서리, 가을의 이른 서리가 발생한 날짜 수로 표현됨.

상:-해일【上亥日】[명]〖민〗정월의 처음 해일(亥日). 이 날 해낭(亥囊)을 재신(宰臣)과 근시(近侍)에게 나누어 줌. 또, 얼굴이나 살갗이 검은 사람은 이 날, 왕겨나 콩깍지로 문지르면 살결이 희고 고와진다고 함.

상:해 임:시 정부【上海臨時政府】[명] 대한 민국 임시 정부.

상해-죄【傷害罪】[—쬐] [명]〖법〗폭행 또는 그 밖의 침해 행위로 남의 신체를 고의로 상해함으로써 이루어지는 범죄. *폭행죄.

상해 치:사【傷害致死】[명] 고의로 상해하여 생명을 잃게 함.

상해 치:사죄【傷害致死罪】[—쬐] [명]〖법〗남의 신체를 고의(故意)로 상해하여 생명을 잃게 함으로써 성립되는 범죄.

상해 호르몬【傷害—】〔hormone〕[명]〖생〗생물의 조직에 상처를 입혔을 때 분비되는, 세포의 증식(增殖)을 촉진하는 것으로 생각되는 호르

상핵【詳覈】[명] 세밀히 조사함. ——-하다 [자][타][여불] └몬성(性)의 물질.

상:행[1]【上行】[명] ①지방에서 서울로 올라가는 일. ②↗상행 열차. ③↗상행차(上行車). 1)-3):↔하행(下行). ——-하다 [자][여불]

상행[2]【常行】[명] 일상 하는 일. 항상 취하는 행동.

상행[3]【喪行】[명] 상여(喪輿)의 뒤를 따르는 행렬.

상:행 결장【上行結腸】[—짱] [명]〖생〗대장(大腸)의 결장 중 맹장(盲腸)에 잇닿아 시작되어 우측 복부(腹部)를 따라 올라가 간장(肝臟) 하면까지 도달한 부분. *결장(結腸).

상:행 보살【上行菩薩】[명]〖불교〗법화경(法華經)을 말법(末法)의 세상에 베풀어 넓힐 것을 석가(釋迦)에게서 부탁받은 네 보살 가운데의 수위(首位) 보살.

상행 삼매【常行三昧】[명]〖불교〗①90일 동안을 기한하고, 항상 아미타불(阿彌陀佛)을 생각하는 일. ②항상 일념으로 염불하는 일.

상:-행성【上行星】[명]〖천〗외행성(外行星).

상:행 열차【上行列車】[—녈—] [명] 지방역(地方驛)에서 서울역으로 올라가는 열차. [준]상행(上行). ↔하행(下行) 열차.

상-행위【商行爲】[명]〖법〗영리(營利)를 목적으로 하는 매매(賣買)·교환(交換)·운수(運輸)·임대(賃貸) 등의 행위. 절대적 상행위(絶對的商行爲)와 부속적 상행위(附屬的商行爲)로 나뉨.

상:행-차【上行車】[명] 지방에서 서울로 올라가는 차량(車輛). [준]상행(上行). ↔하행차(下行車).

상:행 하:효【上行下効】[명] 윗사람이 하는 일을 아랫사람이 본받음.

상:향[1]【上向】[명] ①위를 향함. ¶금리의 ~ 조정. ②시세가 오르는 기세를 보임. ——-하다 [자][여불]

상:향[2]【上香】[명] 불전이나 신위에 향을 올림. ——-하다 [자][여불]

상향[3]【常香】[명]〖불교〗불전(佛前)에 그치지 않고 태우는 향(香).

상:향-적【上向的】[명][관]〔acropetal〕〖식〗어떤 기관(器官)의 형성이나, 병원(病原)의 만연 등 성질이 밑에서 위로 향하는 일. ↔하향적.

상헌【橡軒】[명]〖사람〗안정복(安鼎福)의 호(號).

상혁【象奕】[명] '상희(象戲)'의 딴이름.

상:현[1]【上玄】[명] 하늘. 또, 하느님.

상:현[2]【上弦】[명]〖천〗매달 음력 7-8일경에 나타나는 달의 상태. 달이 태양의 동쪽에 있어서 지심(地心) 경도(經度)의 차(差)가 90°일 때, 신월(新月)과 만월(滿月)의 중간 되는 반월(半月)로, 달의 활 모양의 현(弦)이 위쪽을 향하여 있음. ↔하현(下弦).

상:현[3]【尙賢】[명] 어진 사람을 존경함. ——-하다 [자][여불]

상:현-달【上弦—】[—딸] [명]〖천〗상현 때의 반원형의 달. ↔하현달.

상:현-재【上弦材】[명]〖건〗트러스(truss) 위에 있는 부재(部材). 반달 모

상:혈【上血】[명]〖의〗토혈(吐血). ——-하다 [자][여불] └양을 이룸.

상:형[1]【上刑】[명] 극형(極刑).

상형[2]【相形】[명] 얼굴 모양.

상형[3]【常形】[명] 정해진 모양. 일정한 형상(形狀). ┌는 저울.

상형[4]【常衡】[명]〔avoirdupois〕16온스(ounce)를 1파운드(pound)로 하

상형[5]【象形】[명] ①물건의 형상을 시늉함. ②↗상형 문자.

상형[6]【賞刑】[명] 포상(褒賞)과 형벌(刑罰).

상형 문자【象形文字】[—짜] [명]〔hieroglyphic〕〖언〗물체의 형상을 본떠서 만든 글자로 낱말의 뜻을 나타내는 것. 이집트와 중국의 고대 문자(古代文字) 같은 것. 특히, 한자(漢字)의 육서(六書)의 하나로 '山'·'川'·'人' 같은 글자. 그림글. 형상 문자(文字). 시늉 글자. [준]상형.

상형-설【象形說】[명] 훈민 정음 자모(字母)의 기원설(起源說)의 하나. 곧, 훈민 정음의 창제(創製) 원리(原理)가 발음 기관(發音器官)이나 삼재(三才)를 상형의 대상으로 한다는 설.

상혜【霜蹊】[명] 서리가 내린 산길.

상:호[1]【上戶】[명]〖역〗연호법(煙戶法)의 등급의 하나. 서울에서는 호주(戶主)가 현임(現任) 일이품(一二品), 시골에서는 식구가 15인 이상이 되는 집.

상호[2]【尙弧】[명]〖역〗조선 시대 내시부(內侍府)의 정오품 벼슬. 상탕(尙帑)의 위, 상책(尙冊)의 아래.

상호[3]【相互】[명][부] 피차(彼此)가 서로. 호상(互相).

상호[4]【相好】[명] 서로 좋아함. ——-하다 [자][여불]

상호[5]【相好】[명]〖불교〗얼굴의 형상.

상호[6]【相呼】[명] 서로 부름. ——-하다 [자][여불]

상호[7]【桑戶】[명] 뽕나무로 만든 지게문. 가난한 집의 비유.

상호[8]【桑弧】[명] ①뽕나무로 만든 활. ②상호봉시(桑弧蓬矢).

상호[9]【桑扈·桑鳸】[명]〖조〗콩새.

상호[10]【桑湖】[명]〖지〗강원도 통천군(通川郡)에 있는 못. [3.57 km²]

상호[11]【常戶】[명] 상사람의 가호(家戶). ↔반호(班戶).

상호[12]【商戶】[명] 장사하는 집의 호수(戶數). 또, 장사하는 집.

상호[13]【常好】[명] 늘 좋음. 늘 좋아함. ——-하다 [자][타][여불]

상호[14]【商號】[명] ①상인이 영업상으로 자기를 나타내는 데 쓰는 칭호. ②〖법〗상인이 영업 활동상으로 자기를 표시하기 위하여 사용하는 명칭. 영업의 신용을 유지하는 실익(實益)이 있음. 회사는 합명(合名)·합자(合資)·주식(株式) 등의 회사의 종류를 상호 속에 채용함을 필요로 하고, 회사가 아닌 것은 회사를 나타내는 문자를 써서는 아니됨.

상호[15]【霜毫】[명] 서리처럼 흰 털.

상호 감:응【相互感應】[명]〖물〗상호 유도(誘導).

상호 계:약【相互契約】[명]〖법〗계약하는 당사자(當事者)가 언제든지 자유로운 입장에서 내용을 협정하는 계약.

상호 관계【相互關係】[명] 서로서로의 걸리어 있는 관계. 상관 관계.

상호 교:수법【相互敎授法】[—뻡] [명]〖교〗우수한 학생을 조교(助敎)로 뽑아 그로 하여금 다른 학생을 가르치게 하는 교수법. 영국의 교육가 랭커스터(Lancaster, J.; 1778-1838)가 창시함.

상:-호군【上護軍】[명]〖역〗①고려 공민왕 때에 '상장군(上將軍)'의 고친 이름. 정삼품임. ②조선 시대 오위(五衛)의 정삼품 벼슬. 당하관(堂下官)이고, 대호군(大護軍)의 위임. 현직에 있지 아니한 문관과 무관 또는 음관(蔭官)으로 채움.

상호-권【商號權】[—꿘] [명]〖법〗상인이 자기의 상호를 아무런 방해 없이 사용할 수 있으며, 타인이 부정의 목적으로 모용(冒用)함을 배척할 수 있는 권리.

상:호 도감【上號都監】[명]〖역〗조선 시대에, 왕이나 왕비 등의 시호(諡號)를 짓기 위하여 설치한 임시 관청. 추상 존호 도감(追上尊號都監).

상호 동화【相互同化】[명]〖언〗인접하는 두 개의 음(音)이 서로 영향을 주고받아 피차 동화(同化)하는 현상. '독립'이 '동닙'으로, '사이'가 '새'로, '아이'가 '애'로 되는 따위. 호상 동화(互相同化). *순행(順行) 동화·역행(逆行) 동화.

상호-례【相互禮】[명] '상우례(相遇禮)'의 잘못된 말.

상호 모방성 행동【相互模倣性行動】[—썽—] [명]〔allelomimetic behavior〕〖심〗집단성을 가진 동물이, 각기 인접해 있는 동료와 거의 똑같은 행동을 취하는 일.

상호 방위 조약【相互防衛條約】[명] 2개국 또는 그 이상의 나라 사이에 외국의 침략을 받았을 때, 서로 군사적으로 원조한다는 조약. 군사 협력의 정도가 낮은 것으로부터 군사 동맹 방식에 이르기까지 갖가지가 있음. 2차 세계 대전 후 세계는 동서 양진영으로 갈라져, 각각 이 상호 방위 조약을 맺고 대립하고 있음. 1953년 10월에 조인한 한미 상호 방위 조약도 이 조약의 하나임. *한미 상호 방위 조약.

상호 변:조【相互變調】[명]〔intermodulation〕〖전자〗복합파(波)의 각 성분이 서로 변조를 일으키는 일. 본디의 복합파의 성분 주파수의 정수배(整數倍)의 합(合)·차(差)와 같은 주파수를 갖는 파를 발생함.

상호 보:험【相互保險】[명]〖경〗같은 위험을 만날 우려가 있는 사람들끼리 서로 모여서 단체를 조직하고, 각자가 일정한 보험료(保險料)를 내어 손해를 입은 사람에게 그 손해를 보전(補塡)하는 보험. 영리를 목적으로 하지 아니함. ↔영업 보험.

상호 보:험 회:사【相互保險會社】[명]〖경〗상호 회사(相互會社).

상호 봉시【桑弧蓬矢】[명] 뽕나무로 만든 활과 쑥대로 만든 살. 옛날 중국에서 남자가 나면 이것을 천지 사방으로 쏘아, 큰 뜻을 이루기를 빌던 풍속이 있었음. 전(轉)하여, 남자가 뜻을 세움. 상호(桑弧). 상봉지지(桑蓬之志).

상호 부:금【相互賦金】[명]〖경〗서민 금융의 하나로, 은행(銀行)이 가입자와 일정한 기간을 정하여 그 중도(中途) 또는 만료시(滿了時)에 일정한 금액을 급부함을 약정하는 해당 기간내의 부금.

상호 부조【相互扶助】[명] ①서로 돕는 일. ②〖사〗생물이 공동 생활에 있어서 서로 돕는 일. 러시아의 무정부주의자 크로포트킨(Kropotkin)이 인용한 말. *상호 부조론.

상호 부조론【相互扶助論】[명]〖사〗사회 발달의 최대 요인(要因)은 상호 부조에 있다고 주장하는 학설. 러시아의 무정부주의자이며 사회학자인 크로포트킨(Kropotkin)의 학설. 상호 투쟁(相互鬪爭)이 생물간에 있어서의 진화(進化)의 근본적 요인이라고 하는 다윈(Darwin)의 학설에 반대하고, 또 국가적·법률적 강제력을 주장하는 학설에 반대하여 제창함. 나중에 무정부주의와 사회주의의 논거(論據)가 되었음.

상호 비:례의 법칙【相互比例—法則】[—/—에—] [명]〔law of reciprocal proportions〕〖화〗물질 'A'가 다른 'B'·'C'와 화합할 때, 'A'의 일정량(一定量)에 대하여 화합하는 'B'·'C'의 질량 상호(質量相互)의 비(比)는 B·C 등이 서로 직접 화합하는 때의 질량의 비와 같거나, 간단한 정수비(整數比)를 이룬다는 법칙.

상호 삼투【相互滲透】[명]〔도 Durchdringung der Gegensätze〕엥겔스가 설명한 변증법의 근본 법칙의 하나. 대립되는 것이 서로 연관하여, 각각 자기에게 대립되는 것을 자기 존재의 전제로 하여 하나의 통일 속에 공존(共存)하여 일정한 조건하에서는 서로 전화(轉化)하는 일.

상:호-식【上號式】[명] 대종교(大倧敎)에서 최고의 호칭인 '도형(道兄)'을 부여하는 의식. *도형.

상호 신:용계【相互信用契】[명]〖경〗상호 신용 금고에서 취급하는 계. 일정한 계좌수(計座數)와 기간 및 금액을 정하고 정기적으로 계금(契金)을 납입하게 하여, 계좌마다 추첨(抽籤)·입찰(入札) 등의 방법으로 계원에게 금전을 급부하는 계.

상호 신:용 금고【相互信用金庫】[명]〖경〗서민 금융 회사의 하나. 상호 신용계(信用契), 신용 부금(賦金), 소액 신용 대출, 어음의 할인 등의 업

무를 취급함. ㊀신용 금고.

상호 신:용 금고법【相互信用金庫法】[—뻡] 명〖법〗 상호 신용 금고의 육성 지도를 함으로써 서민 금융의 원활, 신용 질서의 확립 및 거래자 보호를 목적으로 하는 법률. 금고의 설치 자본금, 영업의 인가 업무, 여신 한도(與信限度), 감독 등을 규정하고 있음.

상호 신:용 보:장 기금【相互信用保障基金】명〖경〗상호 신용 금고의 계원(契員)·부금자(賦金者)에 대한 급부(給付)와 환급(還給)을 보장하기 위하여 설치한 기금. 이 기금으로 상호 신용 금고에 대한 대부, 상호 신용 금고의 금융 기관으로부터의 차입에 대한 지급 보증 또는 보증 채무의 변제 등을 함.

상호 안전 보:장법【相互安全保障法】[—뻡] 명 상호 안전 보장 본부에서 공포 시행하던 법. 자유 세계의 방위와 안전 보장, 우호국(友好國)의 자원 개발(資源開發), 우호국의 국제 연합 집단 안전 보장 기구(機構)에의 참가·활동 등을 목적으로 함. 엠 에스 에이(M.S.A.).

상호 안전 보:장 본부【相互安全保障本部】명 미국의 대외(對外) 원조를 통할하던 기관. 1953년 8월에 폐지되고 에프 오 에이(FOA)로 대치(代置)됨. 약 60개국이 원조를 받았음. 엠 에스 에이(M.S.A.).

상호 원:조 조약【相互援助條約】명〖정〗침략을 받았을 때 서로 원조할 것을 약속하는 조약.

상호 원:조 투표【相互援助投票】명〖정〗어떤 의원(議員)이 자기가 발의(發議)한 의안에 찬성 투표해 줄 것을 조건으로, 상대방이 제출한 의안에 찬성 투표하는 일.

상호 유도【相互誘導】명 〔mutual induction〕〖물〗 하나의 코일(coil) 속의 전류가 변화할 때, 그 근방에 있는 다른 코일 속의 전류에 동전력(動電力)이 유기(誘起)되는 현상. 유도 코일·변압기 등에 응용됨. 상호 감응(相互感應). ↔자기 유도(自己誘導).

상호 유도 계:수【相互誘導係數】명〖물〗전자기(電磁氣)의 상호 유도의 현상이 있을 때에, 그 기전력(起電力)의 강도(强度)가 전류(電流)의 변화하는 정도에 비례되는 상수(常數). ↔자기(自己) 유도 계수.

상호 은행【相互銀行】명〖경〗일정한 기간에 부금(賦金)을 받아들이고, 그 중도 또는 만료(滿了)한 때에 일정한 금액을 대부하는 것을 의무로 하며 아울러 일반 은행 업무도 하는 은행. 한 사람에 대한 많은 액수의 신용의 집중을 금지하며, 영업 구역에 대하여 제한을 하고 자금의 지방 환원(地方還元)을 도모하는 것을 특징으로 함. 폐지되었음.

상호 인덕턴스【相互—】명 〔mutual inductance〕〖전〗두 개의 전류 회로간의 전자 유도(電磁誘導)의 크기를 양자(兩者)의 기하학적인 배치에만 관계하여 나타내는 계수(係數). MKS 단위는 헨리(henry). *인덕턴스.

상호 작용【相互作用】명 〔mutual action〕①서로 작용하고 또 영향을 주는 일. ②〖물〗두 개의 물체의 변화와 운동이 독립하여 있지 아니하고, 서로 작용을 미치는 일. ¶강한 ～.

상호 전용권【商號專用權】[—꿘] 명 상호의 사용에 대한 방해를 배제할 수 있는 권리. 곧, 남이 부정한 목적으로 동일하거나 또는 비슷한 상호를 사용하여 자기의 영업 활동을 방해하는 경우, 이에 대하여 그 사용의 폐지나 손해 배상을 청구할 수 있는 권리를 말함.

상호 전:좌【相互轉座】명 〔reciprocal translocation〕〖생〗전좌(轉座)의 특수한 예로서, 세포 염색체의 두 개의 단편이 그 위치를 서로 바꾸는 일.

상호 전:화【相互轉化】명 몇 개의 입자가 소멸함과 동시에 몇 개의 입자가 생성하는 현상. 소립자(素粒子)라는 물질의 단계에서 나타나고, 이 단계를 특징짓는 과정.

상호 조약【相互條約】명〖법〗호혜 조약(互惠條約).

상호 조합【相互組合】명〖사〗서로의 이익을 도모하기 위하여 설립한 조합. 건강 보험 조합·동업(同業) 조합 같은 것.

상호-주의【相互主義】[—/—이] 명 〔principle of reciprocity〕〖법〗 자국인이 외국에서 부여받고 있는 범위내에서, 외국인에게도 같은 정도의 권리를 인정한다고 하는 주의. 조약(條約)으로 정하는 경우와 국내법(國內法)으로 정하는 경우가 있음.

상호 채:무 지급 보증【相互債務支給保證】명〖경〗은행 등 금융 기관으로부터 대출을 받을 때 계열사(系列社)끼리 서로 지급 보증을 서 주는 행위.

상호 컨덕턴스【相互—】명 〔mutual conductance〕〖전〗전자관(電子管)의 격자 전압(格子電壓)의 변화에 따라 생기는 양극(陽極) 전류의 변화를 나타내는 지수. 진공관의 세 상수(常數)의 하나임. *콘덕턴스.

상호 통신 방식【相互通信方式】명 〔intercommunication system〕〖통신〗①같은 구내(構內)에서 직접 통화가 되는 전화 방식. ②각국(各局)이 마이크로폰과 스피커를 가지고, 일정한 구역 안에서 쌍방향 통신이 가능한 통신 방식.

상호 확산【相互擴散】명 〔interdiffusion〕〖물·화〗최초에는 격막(隔膜)으로 분리되어 있던 두 개의 유체(流體)의 자기 혼합(自己混合).

상호 확실 파:괴【相互確實破壞】명 〔Mutual Assured Destruction; MAD〕〖군〗대립 관계에 있는 쌍방이 서로 확실 파괴 전략에 의한 손해를 주고받을 수 있는 상태.

상호 회:사【相互會社】명〖경〗회사의 한 가지. 사원(社員)의 상호 보험(相互保險)을 목적으로 하며, 공익 법인(公益法人)이나 영리 법인의 어느 것에도 속하지 아니하는 회사. 상호 보험(保險) 회사.

상혼[1]【商魂】명 이익을 추구하려는 상인의 심리. 장사를 잘하려고 하는 마음의 준비. ¶약삭빠른 ～.

상혼[2]【喪魂】명 매우 놀라거나 혼이 나서 얼이 빠짐. ——-하다 자여불

상혼[3]【傷魂】명 마음을 상함. 상심(傷心). ——-하다 자여불

상혼 낙담【喪魂落膽】명 낙담 상혼. ——-하다 자여불

상홀【象笏】명 상아(象牙)로 만든 홀.

상-홍양【桑弘羊】명〖사람〗중국 전한(前漢)의 정치가. 무제(武帝) 때 염철(塩鐵)의 전매, 균수 평준법(均輸平準法)을 시행하여 재정을 풍부하게 함. 소제(昭帝) 때에 곽광(霍光)과 함께 보좌역이 되었으나, 뒤에 모반(謀反)을 일으켜서 살해되었음. [150?-80 B.C.]

상화[1]【床花】명 잔칫상이나 전물상(奠物床)에 꽂는 가화(假花).

상화[2]【尙火】명〖사람〗이상화(李相和)의 호(號).

상화[3]【相和】명 서로 고르게 어울림. 서로 조화(調和)됨. ——-하다 자여불

상화[4]【商貨】명 장사하는 물건.

상:화[5]【想華】명〖문〗수필(隨筆).

상화[6]【常華】명〖불교〗불전에 공양하는, 놋쇠나 나무로 만든 연꽃.

상화[7]【霜花·霜華】명 ①꽃 같은 서릿발. ②↗상화떡.

상화-가【相和歌】명 중국 한대(漢代)의 민간 악부(民間樂府)의 하나. 사죽(絲竹)을 연주하여 상화시켜 가락을 맞춤.

상화-고【霜花糕】명 상화떡.

상화-당【賞花堂】명〖민〗창기(娼妓)를 두고 손님을 받던 곳.

상:화-도【上花島】명〖지〗①전라 남도 남해안(南海岸), 고흥군(高興郡) 도양읍(道陽邑) 봉암리(鳳岩里)에 위치한 섬. [0.03 km²: 182명 (1984)] ②전라 남도 남해안, 여천군(麗川郡) 화정면(華井面) 상화리(上花里)에 위치한 섬. [0.67 km²: 322 명 (1984)]

상화-떡【霜花—】명 칠석(七夕)날 절사(節祀)에 쓰는 떡. 밀가루에 막걸리를 타서 쑨 죽에 가루 누룩을 넣어 하룻밤을 지낸 다음, 이것을 걸러 밀가루를 넣고 반죽해서 잰 뒤에, 꿀팥소를 넣고 다시 재어서 물에 담가, 거기서 뜨는 것을 건져서 시루에 쪄 냄. 상화고(糕). 상화병(餠). ㊀상화.

상화롱-장【床花籠匠】명〖역〗잔치상에 꾸미는 조화(造花)나 꽃바구니를 만드는 공장(工匠).

상화-방【賞花坊】명 창기(娼妓)를 두고 손님을 받던 기생집.

상화-병【霜花餠】명 상화떡.

상:화 선개 꽃차례【上花先開一次例】명〖식〗유한(有限) 꽃차례.

상화-점【霜花店】명〖악〗쌍화점(雙花店).

상화-지【霜華紙·霜花紙】명 전라 북도 순창(淳昌) 부근에서 나는 종이. 윤이 나고 질김.

상확[1]【相確】명 서로 의논하여 확정함. ——-하다 타여불

상확[2]【商確】명 상의(商議)하여 확정함. ——-하다 타여불

상확[3]【詳確】명 자세하고 확실함. ——-하다 형여불. ——-히 부

상-확대【像擴大】명 〔augmentation〕〖천〗지구에서 본 천체의 반경이 천체의 고도, 곧 지평선에서의 각(角)거리가 증가함에 따라 외견상 커지는 일. 관측자로부터의 거리가 짧아짐에 유래함. 이 말은 보통, 달에 대하여 씀.

상환[1]【相換】명 ①서로 바꿈. ②〖경〗교환(交換). 인환(引換). ——-하다 타여불

상환[2]【償還】명 ①대상(代償)으로 돌려 줌. ②금전 채무를 변제하는 일. 소각(消却). ——-하다 타여불

상환-곡【償還穀】명 농지 개혁법에 의하여 농지를 분배 받은 농민이 그 농지의 대가(代價)로서 정부에 상환하는 곡식.

상환 공채【償還公債】명〖경〗일정한 기한 안에 원금(元金)을 상환하는 공채. 수시(隨時) 상환 공채와 정기(定期) 상환 공채로 나눔.

상환-권【償還權】[—꿘] 명〖법〗어음의 지불 거절(支拂拒絶) 또는 인수 거절(引受拒絶)에 있어서, 어음 소지인의 소구권(遡求權)이 발생하였을 때에, 소구 의무자(遡求義務者)가 소구 권리자로부터의 상환 청구를 기다리지 아니하고 자진해서 상환을 할 수 있는 권리. 소구가 늦거나 거듭함에 따라, 그만큼 소구 금액이 증대되므로 그 불이익(不利益)을 피하기 위하여, 소구 의무자에게 이 권리를 부여함.

상환-금【償還金】명 갚는 돈.

상환 금액【償還金額】명〖법〗소구 금액(遡求金額).

상환 기금【償還基金】명〖경〗공채 상환(公債償還)을 위하여 준비하여 둔 기금.

상:환-암【上歡庵】명〖불교〗충청 북도 보은군(報恩郡) 속리산(俗離山)에 있는 법주사(法住寺)의 말사(末寺). 이 태조(李太祖)가 아직 왕이 되기 전에 여기서 백일 기도를 하였다 함. 부근에는 은폭동(隱瀑洞)·태봉산(胎封山) 등의 명승 고적이 있음.

상환 우선주【償還優先株】명〖경〗배당 등에서 보통주보다 우선권을 갖는 상환 주식. 이 우선주에는 상환에 충당하기 위한 기금의 적립(積立)에 대해서 특약(特約)하는 것과 상환에 일정한 기한을 둔 것이 있음.

상환 이:행 판결【相換履行判決】명〖법〗쌍무 계약의 당사자의 일방인 원고의 청구에 대하여 피고로부터 동시 이행의 항변(抗辯)이 있을 때, 원고의 이행과 맞바꾸어 피고에게 급부를 명(命)하는 판결. 구용어: 인환 급부(引換給付) 판결.

상환적 급부【相換的給付】명〖법〗쌍무 계약에 있어서, 당사자 쌍방이 동시에 서로 상대방에게 하는 급부.

상환 적립금【償還積立金】[—님—] 명〖경〗상환 주식의 소각(消却)을 위하여 적립되는 임의 준비금(任意準備金). 상환 주식의 상환에 기한을 특정하여 주주(株主)에게 주식 상환을 청구할 권리를 부여할 때, 대량 상환을 가능하게 하기 위하여, 정관(定款)의 규정에 의해서 순이익 속에서 적립되는 것이 보통임.

상환 주식【償還株式】명〖경〗회사가 액면 또는 액면 이상으로 장차 상환하여 소각(消却)한다는 조건부로 발행한 주식. 사채(社債)의 경우 투자 원본의 상환 조건은 당연하지만 주식에 있어서는 부자연스러운 것으로 주식과 사채를 절충한 것이라고 할 수 있음.

상환-증【相換證】[—쯩] 명〖경〗상환하는 증서. 구용어: 인환증.

상환 차익【償還差益】명〖경〗공·사채(公社債) 발행시의 발행 가격과 액면 가격의 차(差)의 이익. 응모자(應募者)에게는 보통의 이자(利子) 이외의 이익이 됨.

상환 청구권【償還請求權】[—꿘] 명〖법〗어음·수표 등의 소지인이

그 이행을 받지 못하였거나 또는 그럴 염려가 있을 때, 전소지인 또는 발행인에게 상환을 청구할 수 있는 권리.

상:활【爽豁·爽闊】명 상쾌(爽快). ¶ 마음이 ～하다. ――-하다 형여불

상:황¹【上皇】명 ↗태상황(太上皇).

상황²【狀況】명 일이 되어 가는 형편이나 모양. *정황(情況).

상황³【常況】명 평상시(平常時)의 형편.

상황⁴【商況】명 상업상의 형편. 시황(市況).

상황-도【狀況圖】명 특정 기간에 있어서의 전술적 또는 행정적 상황을 나타내는 도표. 또, 그 지도.

상-황련【常黃連】[一년] 명〖한의〗우리 나라에서 나는 깽깽이풀의 뿌리. 노두(蘆頭)와 수근(鬚根)을 버리고, 술에 담갔다 불에 쬐어 먹으면 건위(健胃)·제번(除煩)·해갈(解渴) 등에 효험이 있음. 맛이 쓰고 성질은 참. *황련(黃連). 「또, 그 내용.

상황 보:고【狀況報告】명 전술적 또는 행정적 상황 등을 상부에 알림.

상황 설명【狀況說明】명 브리핑.

상황-실【狀況室】명 작전상 또는 행정상의 계획·통계·상황 도표·상황판 등을 갖추어, 전반적 상황을 한눈에 파악할 수 있게 한 방.

상황 증거【狀況證據】명〖법〗범죄 사실을 간접적으로 추측할 수 있게 하는 사실. 또, 그러한 간접 사실을 증명하는 것. 정황(情況) 증거. 간

상황-판【狀況板】명 상황을 나타내는 도판(圖板). ㄴ접 증거.

상황 판단【狀況判斷】명 어떤 목적을 이루기 위해서 여러 가지의 상황을 판정하는 일.

상:회¹【上廻】명 웃돎. 어떤 수량보다 많아짐. ↔하회(下廻). ――-하다

상:회²【上繪】명 염색한 피륙 위에 그린 그림. ㄴ자여불

상회³【相會】명 서로 만남. 서로 면회함. ――-하다 자여불

상회⁴【常會】명 늘 일정한 때에 여는 회합. ¶ 반(班) ～.

상회⁵【商會】명 ①상점에 쓰이는 칭호. ¶ 화신 ～. ②여러 사람이 함께 장사를 하는 상업상의 조합(組合).

상회⁶【傷懷】명 마음속으로 애통히 여김. ――-하다 자타여불

상회-례【相會禮】명 처음으로 서로 만나는 예. ――-하다 자여불

상회-수【桑灰水】명〖약〗뽕나무 잿물. 종기를 씻는 데와 찜하는 데 씀.

상효【霜曉】명 서리 내린 새벽. 「자여불

상:후【上候】명 ①성후(聖候). ②편지로 웃어른에게 안부함. ――-하다

상후-도【霜後桃】명 서리가 내린 뒤에 익는 복숭아. 개성(開城) 부근에서 남. 「¶ ～의 봉급 인상률. ↔하후 상박.

상:후 하:박【上厚下薄】명 웃사람에게는 후하고 아랫 사람에게 박함.

상훈【賞勳】명 ①상(賞)과 훈장(勳章). ②훈공을 포상(褒賞)함.

상훈-법【賞勳法】[一뻡] 명〖법〗대한 민국 국민 및 외국인으로서, 대한 민국에 공로가 뚜렷한 자에 대한 서훈(敍勳)에 관한 사항을 규정한 법.

상훈 심:의회【賞勳審議會】[一/一이一] 명〖법〗총무처 장관의 자문에 응하여 훈장 수여에 관한 공적 사항을 심의하기 위해 총무처에 둔 기관. 위원장·부위원장 각 1인과 5인 이상 21인 이내의 위원으로 구성됨.

상훈 언:해【常訓諺解】명〖책〗조선 시대 영조(英祖)가, 일상 지켜야 할 여덟 가지 훈계를 정하여, 세자(世子)에게 내리어 준 것을 한글로 번역한 책. 1권 1책. 어제 상훈 언해(御製常訓諺解).

상훼【尙烜】명〖역〗조선 시대, 내시부(內侍府)의 정칠품 벼슬. 상설(尙說)의 위, 상촉(尙燭)의 아래.

상흔【傷痕】명 다친 흉터.

상희【象戲】[一히] 명 예전에 '장기(將棋)'를 일컫던 이름.

상힐【相詰】명 서로 힐난함. ¶ 그런 더러운 놈의 집을 가려서 이러니저러니 시시비비를 ～할 것이 없지 아니하냐?《崔瓚植 : 金剛門》. ――-하다 자여불

샹화 명〈옛〉만두. =상화. ¶ 샹화 만(饅), 샹화 투(餖)《字會 中 20》.

샃 명〈방〉샅(충북·강원).

샅¹ 명 ①두 다리의 사이. 고간(股間). 서혜(鼠蹊). ②두 물건의 틈.

샅² 명〈옛〉삿자리. ¶ 수리 씨어놀 사틱 눕고져 스랑ᄒ고(酒醒思卧簟)《初杜諺 XV:9》/녀름 사톤 프른 琅玕 ᄀ도다(夏簟青琅玕)《初杜諺 XV:46》.

샅-걸레 명〈방〉기저귀(전라).

샅-걸이 명 씨름에서, 다리 재간의 하나. 오른발을 상대자의 샅에 넣고 왼다리를 뒤로 뻗침. 상대자에게 배지기를 들릴 때에 방비책으로 행함.

샅-들어치기 명 씨름에서, 겹쳐잡은 상태에서 머리를 상대의 사타구니 사이로 들이밀어 머리와 목으로 흔들어 중심을 잃게 하여 뒤로 들어 넘기는 혼합 기술의 하나.

샅-바 명 ①씨름에서, 다리에 걸어서 상대편의 손잡이로 쓰는 포목의 바. ②〖역〗죄인의 다리를 얽어 묶던 바.

샅바(를) 지르다 구 다리를 샅바로 묶다.

샅바(를) 채우다 구 죄인의 다리를 샅바로 묶다.

샅바-꾼 명〈속〉샅바를 묶고 씨름 경기를 하는 것을 업으로 삼는 사람. 곧, 씨름꾼의 별칭.

샅바 씨름 명 다리에 샅바를 걸고 하는 씨름. 「리. ¶ ～ 찾다.

샅샅-이 [一사치] 부 이 구석 저 구석 틈이 있는 곳마다. 남김없이 모조

샅-폭【一幅】명 바지 같은 것의 샅에 대는 좁은 헝겊.

샇다 타〈옛〉쌓다¹. ¶ 사홀 적(積)《類合 下 58》.

새¹ 명〖광〗금분(金分)을 함유한 구새.

새² 명 ①〖식〗띠·억새 같은 것의 총칭. ②〖식〗↗억새. ③이엉. ④〈방〉땔나무.

[샛바리 짚바리 나무란다] 양자(兩者)간에 큰 차이가 없는데도 남을 나무란다는 말. 오십보(五十步)로 소백보(笑百步).

새³ 명 ↗샛바람.

새⁴ 명〈방〉혀¹❶(전라·경상).

새⁵ 명〈방〉쇠¹(전남·경남).

새⁶ 명〈옛〉새 것. ¶ 새와 새왜 니러나미라(新新而起)《圓覺 上 二之三 17》.

새⁷ 명〈옛〉풀. ¶ 萬里橋ㅅ 西ㅅ녀긔 ᄒᆞᆫ 새지비로소니(萬里橋西一草堂)《初杜諺 Ⅶ:2》.

새:⁸ 명〈방〉새암¹(경상).

새:⁹ 명 ↗사이¹. ¶ ～가 뜨다.

새:¹⁰ 명 ①날짐승의 총칭. ¶ ～가 날다. ②↗참새.

[새 까먹은 소리] 근거없는 말을 듣고 잘못 옮긴 헛소문. 조탁성(鳥啄聲). [새도 가지를 가려서 앉는다] 친구를 사귀거나 직업을 취함에 있어서도 잘 가려야 한다는 말. [새도 앉는 데마다 깃이 듣는다; 새도 나는 대로 깃이 빠진다] ㉠이사를 다닐수록 세간이 줄어든다는 말. ㉡직장을 자주 옮기면 좋지 않다는 말. [새도 염불(念佛)하고 쥐도 방귀를 뀐다] 여러 사람 앞에서 수줍어서 노래나 춤을 못하는 사람을 두고 조롱하는 말. [새 망에 기러기 걸린다] 애매한 것이 잡혔다는 말. [새 발의 피] 분량이 아주 적음을 말함. 조족지혈(鳥足之血). [새 잡아 잔치할 것을 소 잡아 잔치한다] 조그마한 주의를 게을리하여 큰 손해를 보았을 때 이르는 말. *호미로 막을 것을 가래로 막는다. 기와 한 장 아끼다 대들보 썩인다. [새 한 마리도 백 놈이 갈라 먹는다] 아무리 작은 것이라도 의가 좋으면 여러 사람이 같이 나누어 먹을 수 있다는 말.

새¹¹【璽】명 ↗국새(國璽).

새¹² 의명 피륙의 날을 세는 단위. 곧, 날 80올. 승(升). ¶ 석 ～ 삼베.

새¹³ 관 새로운. ¶ ～ 집/～ 생활/～ 터전을 마련하다.

[새 도랑 내지 말고 옛 도랑 메우지 마라] 새로운 법을 내려고 하기보다 옛 법을 잘 운영함이 더 낫다는 말. [새 바지에 똥싼다] 염치없는 행동을 하는 사람을 일컫는 말. [새 오리 장가 가면 헌 오리 나도 한다] 남이 하는 대로 무턱대고 자기도 하겠다는 말. 「<시-. *샛-.

새- 두 빛깔이 매우 짙고 산뜻함을 나타내는 말. ¶ ～빨갛다/～파랗다.

-새¹ 미 명사꼴의 말에 붙어서, '됨됨이'·'모양'·'상태' 등의 뜻을 나타내는 접미어. ¶ 모양～/씀～.

-새² 어미〈옛〉-세². ¶ 飛脚을 셜 양으로 ᄒ옵새《新語 V:5》.

새가 명〈방〉계집아이(함북). 「구흉(鳩胸).

새:-가슴 명 흉골(胸骨)이 불거져 새의 가슴처럼 생긴 가슴. 계흉(鷄胸).

새-가을 명 새 기분으로 맞이하는 첫 가을. 신추(新秋).

새각-류【鰓脚類】[一뉴] 명〖동〗[Branchiopoda] 절지 동물 갑각류(甲殼類) 엽각목(葉脚目)에 속하는 한 아목(亞目). 물벼룩과(科) 등이 이에 속함. 진정 엽각류(眞正葉脚類).

새-각시 명〈방〉새색시(전라·함경).

새-각씨 명〈방〉새색시(충북·강원·전라·경상·제주·함경).

새-각지 명〈방〉새색시(전라·함북).

새간 명〈방〉행랑(行廊)(함경).

새갓-통【一桶】명 바가지에 손잡이를 단 그릇.

〈새갓통〉

새강¹ 명〈방〉〖식〗억새(경북).

새:-강²【一綱】명〖동〗[Aves] 척추 동물에 속하는 한 강(綱). 파충류(爬蟲類)에서 진화(進化)된 것으로 체제(體制)가 비슷한데 온혈(溫血)·난생(卵生)이고, 몸의 표면은 깃털로 덮였는데, 후지(後肢)는 발이 되고, 전지(前肢)는 날개로 변하였음. 몸은 머리·목·몸통·날개·발의 다섯 부분으로 구분함. 고조류(古鳥類)와 신조류(新鳥類)의 두 아강(亞綱)으로 분류하는데, 신조류는 참새목(目)·칼새목·물총새목·두견이목·딱다구리목·매목·도요목·닭목·기러기목 등 20여 목(目)으로 분류함. 날짐승. ㄴ조류(鳥類).

새개【鰓蓋】명〖어〗아감딱지.

새개-골【鰓蓋骨】명〖어〗아감딱지뼈.

새-개기 명〈방〉쇠고기(전남).

새갱이¹ 명〈방〉〖동〗새우(경기).

새갱이² 명〈방〉〖식〗억새(강원).

새거랍다 형〈방〉시다(경북).

새-것 명 ①새로 나온 것. ②아직 안 쓴 물건. ③낡지 아니한 물건. ↔헌

새-게기 명〈방〉쇠고기(전남). ㄴ것.

새겨-듣다 타ㄷ불 ↗새기어 듣다. ¶ 스승의 훈계를 마음속 깊이 ～.

새경 명 ←사경(私耕)❷.

새-고기¹ 명〈방〉쇠고기(전남·경북).

새:-고기² 명 ①새의 고기. 조육(鳥肉). ②참새 고기.

새-고라 명〈방〉황부루.

새-고자기 명〈방〉새고자리.

새-고자리 명 지게의 윗세장 위의 가장 좁은 사이.

새골【鰓骨】명〖어〗아감뼈.

새곰-새곰 부 여럿이 다 새곰한 모양. 또, 매우 새곰한 모양. ㅆ새콤새콤. <시굼시굼. ――-하다 형여불

새곰-하다 형여불 조금 신 맛이 있다. ¶ 김치 맛이 ～. ㅆ새콤하다. <시굼하다. *새금하다.

새공【鰓孔】명〖어〗아감구멍.

새공-류【鰓孔類】[一뉴] 명〖동〗[Derotrema] 유미류(有尾類)에 속하는 한 아목(亞目). 성체(成體)에는 바깥 아가미가 없고, 목의 양쪽에 한 쌍의 새열(鰓裂)이 남아 있음. 이가 있고 사지(四肢)는 작음. 피공류(皮孔類). 유공류(有孔類).

새괭이 명〈방〉〖식〗억새(충북).

새굉이 명〈방〉〖식〗억새(강원·충북).

새구 명〈방〉석유¹(石油)(전남·경남).

새구랍다 형〈방〉시다(경상).

새구럽다 형〈방〉시다(경북). 「설골궁(舌骨弓)·악골궁(顎骨弓).

새궁【鰓弓】명〖생〗네 쌍의 내장궁(內臟弓) 중의 제3 및 제4 장궁. *

새귀-나무 명〈방〉〖식〗소귀나무.

새그랍다 형〈방〉시다(경남).

새그무레-하다 형여불 조금 새금한 듯하다. ¶김치 맛이 ~. <시그무레하다.
새:-그물 명 새를 잡는 데 쓰는 그물. 조망(鳥網).
새근-거리다¹ 자 ①분이 치밀거나 배가 불러 숨을 가쁘게 쉬다. <시근거리다¹. ②어린아이가 곤히 잠들어 조용히 숨을 쉬다. 1)·2):ㅆ쌔근거리다. 새근-새근¹ 부. ¶아기가 ~ 잠자다. ——-하다¹ 자여불
새근-거리다² 자 뼈마디가 잇따라 새근하다. ¶손목이 ~. ㅆ새큰거리다. <시근거리다². 새근-새근² 부. ——-하다² 형여불
새근-대다 자 새근거리다¹·².
새근덕-거리다 자 새근거리고 할딱거리다. 매우 거칠게 새근거리다. ㅆ쌔근덕거리다. <시근덕거리다. 새근덕-새근덕 부. ——-하다 자여불
새근덕-대다 자 새근덕거리다.
새근-발딱 부 숨이 차서 새근거리며 할딱이는 모양. ㅆ쌔근발딱. ㅆ쌔근팔딱. <시근벌떡. ——-하다 자여불
새근발딱-거리다 자 숨이 차서 잇따라 새근거리며 할딱이다. ㅆ쌔근발딱거리다. ㅆ쌔근팔딱거리다. <시근벌떡거리다. 새근발딱-새근발딱 부. ——-하다 자여불
새근발딱-대다 자 새근발딱거리다.
새근-하다 형여불 뼈마디가 조금 시다. ¶발목이 ~. ㅆ새큰하다. <시근하다.
새금-새금 부 여럿이 다 새금한 모양. 매우 새금한 모양. ㅆ새큼새큼. <시금시금. ——-하다 형여불
새금-파리 명 〈방〉 사금파리(경상).
새금-하다 형여불 조금 신 맛이 있다. ¶김치 맛이 ~. ㅆ새큼하다. <시금하다. *새곰하다.
새기¹ 명 〈방〉 새색시(함경).
새:기² 명 〈방〉 새아기.
새기³ 부 〈방〉 빨리(경북).
새기-개 명 ①새김질에 쓰는 연장. ②〖고고학〗 석기의 끝을 날카롭고 좁게 만들어 돌이나 뼈에 그림을 새기거나 뼈를 쪼개 연장을 만드는 데 쓰는 연모.
새기다¹ 타 〔중세 : 사기다〕 ①글씨나 그림 또는 어떤 형상을 나무나 돌 같은 데에 파다. 조각(彫刻)하다. 파다. ¶도장을 ~. ②마음속에 깊이 간직하다. 단단히 기억하다. 명심하다. ¶마음에 ~.
새기다² 타 〔중세 : 사기다〕 ①말이나 글의 뜻을 알기 쉽게 풀이하다. ¶한문을 ~. ②번역(飜譯)하다. ¶영문을 우리말로 ~.
새기어 듣다 구 ㉠말하는 뜻을 잘 되씹어 분석하여 가며 듣다. ¶그의 야릇한 말을 ~. ㉡마음 가운데 단단히 기억하기 위하여 주의하여 듣다. 명심해서 듣다. ¶스승의 훈계를 ~. 준새겨듣다.
새기다³ 타 소나 양 같은 반추(反芻) 동물이 먹은 것을 되내어서 씹다. 반추(反芻)하다. *삭이다¹.
새긴-잎 [—닙] 명 〖식〗 결각(缺刻)으로 된 식물의 잎. 결각엽(缺刻葉).
새-길 명 〈방〉 첫길.
새김¹ 명 ①글 뜻을 알기 쉽게 풀이함. ②한자(漢字)를 읽을 때의 뜻. 하늘 천(天)의 '하늘' 같은 것. 훈(訓). ↔음(音). ③글씨나 그림 또는 그 밖의 형상을 나무나 돌 같은 데에 새기는 일. 또, 그 물건. ¶~질. ④윷놀이에서, 사위 뒤에 윷을 한 번 더 던지는 일.
새김² 명 소나 양 같은 반추(反芻) 동물이 먹은 것을 되내어서 씹는 일. 반추(反芻).
새김 무늬 [—니] 명 ① 새김질에 쓰이는 무늬. ② 〖고고학〗 새겨서 이루어진 무늬. 각문(刻文). 각선문(刻線文).
새김-문 【—門】 명 〖건〗 무늬를 새긴 판자문(板子門).
새김-밥통 【—桶】 명 '반추위(反芻胃)'의 풀어 쓴 말. 새김위(胃).
새:-김생 명 〈방〉 날짐승.
새김-위 【—胃】 명 〖동〗 반추 동물(反芻動物)의 위(胃). 새김 밥통. 되새김 밥통.
새김-장이 명 〈방〉 각수장이.
새김-질 명 ①나무·돌 등에 글씨나 그림 같은 것을 새기는 일. ②소나 양 등이 먹은 것을 되내어 씹어 먹는 짓. 되새김. 반추(反芻). ——-하다 자타여불
새김질-동물 【—動物】 명 〖동〗 '반추 동물'의 풀어 쓴 말.
새김질 목수 【—木手】 명 조각공(彫刻工).
새김-창 【—窓】 명 〖건〗 여러 가지 꽃무늬 같은 것을 새겨서 만든 창.
새김-칼 명 새김질에 쓰는 칼. 각도(刻刀).
새까래 명 〈방〉 서까래(경북).
새까리 명 〈방〉 서까래(경상).
새-까맣다 [—마타] 형ㅎ불 ①아주 짙게 까맣다. ¶피부색이 새까만 흑인. ㅆ새카맣다. <시꺼멓다. ②매우 까마득하다. ¶새까맣게 먼 옛날/새까만 후배. ③아는 것이 전혀 없거나 전혀 기억이 나지 아니하다. ¶새까맣게 잊어버렸다.
새-까매 준 '새까맣아'의 줄어 변한 말. ¶~지다/~서. ㅆ새카매. <시꺼메.
새까매-지다 자 새까맣게 되다. ¶햇볕에 타서 ~. ㅆ새카매지다. <시꺼메지다.
새-깽이 명 〈방〉 새끼².
새-꺼리 명 〈방〉 색갈이. ——-하다 타여불
새-껴 명 〈방〉 왕겨(경북).
새경 명 〈방〉 거울(전남·경상).
새-꼬갱이 명 〈방〉 새패기.
새-꼬래기 명 〈방〉 새끼¹(평안).
새:꼬리-하루살이 명 〖충〗 [*Epeorus aesculus*] 하루살잇과에 속하는 곤충. 몸길이 9-13 mm, 앞날개 10-14 mm이며, 몸빛은 대체로 황토색(黃土色)에 흉배(胸背)는 광택 있는 갈색, 날개는 무색 투명하고, 제1-7 복절(腹節)은 투명하며 각 복절 후연(後緣)은 갈색임. 한국·일본·사할린 등지에 분포함.
새-꼬막 명 〖조개〗 [*Anadara subcrenata*] 돌조갯과에 속하는 조개. 피조개와 비슷한데 패각(貝殼)의 길이 75 mm, 높이 55 mm, 폭 50 mm 내외이고, 표면은 다갈색의 털이 있는 각피(殼皮)로 덮이고 각표(殼表)의 방사륵(放射肋)은 30개 가량임. 비교적 함도(鹹度)가 높은 깊이 15-40 m의 해저 진흙 모래 속에 서식하는데, 한국 남해·일본 근해(近海)에 분포함. 양식(養殖)하는 패류임. 꼬마피안다미조개. *피조개.

〈새꼬막〉

새-패기 명 띠·갈대·억새·짚 등의 껍질을 벗긴 가는 줄기. 준패기.
【새패기에 손 베었다】 변변하지 못한 사람이나 대단치 않은 일에 뜻밖의 해를 입었다는 말.
새핑이 명 〈방〉 〖식〗 억새(경북).
새꾸 명 〈방〉 새끼¹(경남).
새꾸데이 명 〈방〉 새끼¹(경남).
새-꾼 명 〈방〉 나무꾼(평안).
새끄뎅이 명 〈방〉 새끼¹(경남).
새끼¹ 명 〔중세 : 숯. 근대 : 숫기〕 짚으로 꼰 줄. 초삭(草索).
【새끼에 맨 돌】 ㉠새끼를 끄는 대로 돌도 끌려 간다는 뜻에서, 서로 떨어질 수 없는 관계를 일컫는 말. ㉡주견(主見)이 없이 남이 하자는 대로 하는 사람을 두고 이르는 말.
새끼² 명 〔중세 : 삿기〕 ①낳은 지 얼마 아니되거나 아직 낳지 않은 동물의 어린것. ¶~를 배다/개가 ~를 낳다. ②〈속〉 자식(子息). ¶오 내 ~야. ③〈속〉 주로 할머니가 어린 손주를 귀엽게 이르는 말. ¶아이구, 귀여운 내 ~. ④〈속〉 '자식'의 뜻으로 욕하는 말. ¶개~/야 이 ~야. ⑤원물(元物)에서 생기는 수익물. ⑥〈속〉 본전(本錢)에 대한 변리(邊利). ¶~ 치다.
【새끼 많이 둔 소가 길마 벗을 날이 없다】 자식을 많이 거느리는 부모가 다망(多忙)함을 일컫는 말.
새끼(를) 치다 구 ㉠동물이 새끼를 낳거나 알을 까서 번식하다. ㉡무엇을 바탕으로 하여 그 수를 늘어나게 하다.
새끼-가락 명 새끼손가락과 새끼발가락의 통칭.
새끼-거북꼬리 명 〖식〗 좀깻잎나무.
새끼-꿩의비름 [—/—에—] 명 〖식〗 [*Sedum viviparum*] 돌나물과의 다년초. 뿌리는 비후(肥厚)하고, 줄기는 높이 60 cm 가량임. 잎은 대생(對生) 또는 세개의 잎이 윤생(輪生)하고 넓은 피침형을 이루며 잎꼭지는 짧음. 8-9월에 황백색 꽃이 취산(聚繖) 화서로 정생(頂生)하여 피고, 골돌과(蓇葖果)를 맺음. 산지(山地)에 나는데, 거의 한국 전역에 분포함.
새끼-노루발 명 〖식〗 [*Orthilia secunda*] 노루발과에 속하는 상록 다년초. 꽃줄기는 높이 15 cm 가량이고, 잎은 호생하며 유병(有柄)에 달걀꼴 또는 타원형임. 7-8월에 녹백색의 꽃이 총상 화서로 정생(頂生)하여 피고, 삭과(蒴果)를 맺음. 고산의 침엽수 밑에 나는데, 한국 북부에 분포함.
새끼-똥구멍 [—꾸—] 명 똥구멍 위에 조금 옴폭한 부분.
새끼-마루 명 〖건〗 추녀마루·박공마루의 끝 부분을 한 단 낮추어 장식적으로 작게 만든 지붕마루.
새끼-발 명 ↗새끼발가락.
새끼-발가락 [—까—] 명 맨 가에 있는 가장 작은 발가락. 계지(季指). 소지(小指). 준새끼발.
새끼-발톱 명 새끼발가락의 발톱.
새끼-벌레 명 〖충〗 유충(幼蟲).
새끼 사슴의 이야기 [—/—에—] 명 〔The Yearling〕〖문〗 미국 여류 작가 롤링스(Rawlings Marjorie; 1896-1953)가 1938년에 지은 소설. 플로리다(Florida)의 산속에 사는 소년과 그가 주워 기른 새끼 사슴과의 이야기. 소년과 사슴의 애정·이별, 황무지에서 사는 일가의 생활, 부자(父子)의 애정 등을 따듯한 인정미가 넘치게 그렸으며, 자연 묘사도 아름다움.
새끼-손 명 ↗새끼손가락.
새끼-손가락 [—까—] 명 맨 가에 있는 가장 작은 손가락. 계지(季指). 소지(小指). 수소지(手小指). 준새끼손.
새끼-손까락 명 〈방〉 새끼손가락(제주).
새끼-손꼬락 명 〈방〉 새끼손가락(경기·충청·전라).
새끼-손꾸락 명 〈방〉 새끼손가락(경기·강원·충청·전라·경북).
새끼-손톱 명 새끼손가락의 손톱.
새끼-송까락 명 〈방〉 새끼손가락(경기·강원·충청·전라·경상).
새끼-송꼬락 명 〈방〉 새끼손가락(경기·충청·전라).
새끼-송꾸락 명 〈방〉 새끼손가락(경기·강원·충청·전라·경북).
새끼-시계 【—時計】 명 고대의 불시계의 한 가지. 새끼에 불을 댕기어, 타 들어가는 것으로 헤아렸음.
새끼-장 명 옛날에, 감옥 안에서 망나니가 있게 하던 집. 문에 새끼를 쳐 놓고 그 밖으로는 마음대로 못 나가게 하였음.
새끼-줄 명 새끼로 되어 있는 줄.
새끼-집 명 짐승의 아기집.
새끼탱이 명 〈방〉 새끼¹(경남).
새끼-틀 명 볏짚으로 새끼를 꼬는 기계. 발로 돌리는 식(式)과 모터 등 동력으로 돌리는 동력식(動力式)이 있음.
새:나 조 〈방〉 새로에(경상).
새-나다¹ 자 〈방〉 약비나다.
새:-나다² 자 비밀이 밖으로 드러나다. 새다. ¶말이 ~.
새-나무 명 띠·억새 같은 땔나무.
새:-나지 명 〈방〉 〖조〗 새매(함경).
새-날 명 ①새로 동터 오는 날. ¶~이 밝다. ②새로운 시대. 또, 닥쳐올 앞날.
새:남 명 〖민〗 ↗지노귀새남. ¶野祭俗稱 새남《平壤本 經國大典》. *시왕가르다. ——-하다 자여불
새:남 가다 구 새남하러 가다.
새남-터 명 옛날에, 역적(逆賊)들의 사형(死刑)을 집행하던 곳. 천주교의

순교지(殉敎地)로서도 유명함. 지금의 서울 신용산(新龍山)의 철교 부근이며, 한국 복자 수도회에서 세운 대성전이 있음. 「말. [새남터를 나가도 먹어야 한다] 곧 죽는 일이 있어도 먹어야 한다는

새납 명 〈방〉 날라리. 「장성(萬里長城) 이남(以南). ↔새외(塞外).

새내【塞內】명 ①요새(要塞)의 안. ②중국의 북방의 국경 안쪽. 곧, 만리

새내끼 명 〈방〉 새끼¹(전남).

새내키 명 〈방〉 새끼¹(전라).

새너제이 〔San Jose〕 명 〖지〗 미국 캘리포니아 주(州) 샌프란시스코 만에 면한 첨단 산업 도시. 실리콘밸리의 일부로, 컴퓨터·유도탄·전자 등 기술 집약 산업이 발달하고 과수 원예업도 성함. [732,020명(1988)]

새너토리엄 〔sanatorium〕 명 ①교외(郊外)·임간(林間)·해변(海邊)·고원(高原) 등 공기가 신선하고 햇빛 잘 드는 곳에 설치하여, 주로 결핵 환자를 요양하는 곳. 일광 요양소(日光療養所). 사나토리움. ②요양지. 보양지(保養地). ③학교의 부속 병원.

새네끼 명 〈방〉 새끼¹(전남). 「諺 I:7≫.

새녀 부 〈옛〉 새로이. ¶ 새녀 도라와 내 뜨들 慰勞호니(新歸且慰意)≪杜

새-노랗다 [-라타] 형 ㅎ불 ☞ 샛노랗다.

새:-누에 명 〖충〗 새누에나방의 유충(幼蟲). 누에 비슷한데, 더 검으며 들에서 뽕잎을 먹고 저절로 자람. 고치는 누에고치보다 작음.

새:누에-나방 명 〖충〗 [*Bombyx mori mandarina*] 누에나방과에 속하는 나방의 하나. 가잠(家蠶)인 누에나방의 원종이라고 하며 누에나방과 비슷한데 편 앞날개의 길이는 32-45mm, 몸빛은 암갈색에 앞날개의 끝에는 특히 짙은 암갈색 큰 무늬가 있고, 중앙(中央)의 횡대(橫帶)는 흑갈색을 이룸. 유충은 '새누에'라고 하는데, 뽕잎을 먹고 야생(野生)함. 한국·일본·중국·대만 등지에 분포함. 멧누에나방. 작잠아(柞蠶蛾).

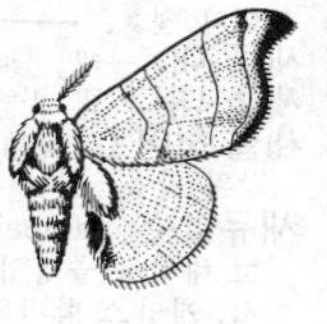

〈새누에나방〉

새-니다 자 〈옛〉 이엉을 이다. ¶ 새닐 졈(苫)≪字會 下 18≫.

새:다¹ 자 〔중세 : 싀다〕 ①날이 밝아 오다. ¶ 날이 ~. ②구멍이나 작은 틈으로 조금씩 흘러나오다. 또, 광선 따위가 밖으로 비치어 나가다. ¶ 그물 안의 고기가 ~/불빛이 ~. ③새나다. ¶ 비밀이 ~. ④〈속〉 어떤 데서 슬쩍 빠져 나오다. ¶ 회의 도중에 ~.

새:다² 타 ↗새우다¹. ¶ 뜬눈으로 밤을 ~.

새-다래 명 〖어〗 [*Lepidotus brama*] 새다랫과에 속하는 바닷물고기. 몸은 길이 50cm 가량의 달걀꼴인데 몹시 측편(側扁)하고 머리 위가 솟아 있음. 둥근 비늘로 덮이고 등지느러미와 뒷지느러미의 기저(基底)가 길. 몸빛은 회흑색으로 특별한 무늬는 없고, 꼬리지느러미는 길게 두 가락으로 갈라짐. 원해성(遠海性) 어종으로 한국 남부해·일본 중부 이남·인도양에 널리 분포함.

〈새다래〉

새다랫-과【一科】명 〖어〗 [Lepidotidae] 농어목(目)에 속하는 어류의 한 과. 새다래가 이에 속함.

새다리 명 〈방〉 사닥다리(경기·강원·경상·충북·전라).

새닥 명 〈방〉 새색시(강원·경기·충청).

새닥다리 명 〈방〉 사닥다리(충청·함경).

새-달 명 새로 오는 달. 곧, 다음 달. 내달. 내월(來月). ¶ ~ 그믐께.

새당이 명 〈방〉 아지랑이(함북).

새:-대가리 명 연의 '꼭지'의 딴이름. 조두(鳥頭).

새대기 명 〈방〉 새색시(경상).

새-댁【一宅】명 ①'새집'의 경칭. ②혼인 때, 혼가(婚家)끼리 서로 부르

새도래이 명 〈방〉 새퉁이(함경). ㄴ는 말. ③새색시.

새-되다 형 목소리가 높고 날카롭다. ¶ 새된 목소리.

새두리 명 〈방〉 떠버리(함경).

새:-둥주리 명 짚 같은 것으로 바구니 비슷하게 엮어 만든 새의 집. 보

새드기 명 〈방〉 새색시(경북). ㄴ금자리. *둥주리.

새드래 명 〈방〉 사닥다리(경남).

새드래기 명 〈방〉 새끼¹(함경).

새드랫기 명 〈방〉 새끼¹(함남).

새드리 명 〈방〉 사닥다리(경남).

새득-새득 부 조금 시들어서 윤기가 없고 빠득빠득한 모양. ¶ 참외가 ~ 말랐다. <시득시득. ——-하다 형 여불

새들 〔saddle〕 명 안장(鞍裝)❷. 「중매(仲媒)를 하다.

새:-들다 타 ①물건을 사고 파는 데 거간(居間)을 하다. ②혼인하는 데

새들러스 웰스 극장【一劇場】〔Sadler's Wells〕 명 런던에 있는 극장. 1684년 창설. 처음에 셰익스피어의 작품이나 고전극(古典劇)을 주로 상연하였으나, 1934년 이후 오페라·발레 전용 극장이 됨. 전속(專屬)의 새들러스 웰스 발레단, 즉 현재의 로열 발레단이나 부속의 발레 학교는 세계적으로 유명함.

새들러스 웰스 발레단【一團】〔Sadler's Wells Ballet〕 명 〖연〗 영국 현대의 대표적인 발레단. 1931년 드 발루아가 창립한 바, 처음에는 빅웰스 발레(Vic-Wells Ballet)라 칭하였으나 1941년 새들러스 웰스 발레단이라 개칭. 1956년 국왕의 윤허를 받아 현재의 로열 발레단이 됨. 대표 공연 제목 ≪백조의 호수≫·≪교향 변주곡≫·≪잠자는 숲 속의 미녀≫·≪환영≫ 등 다수. 로열 발레단.

새들 레더 〔saddle leather〕 명 승용마(乘用馬)의 비품에 쓰이는 무두질한 쇠가죽. 또, 그와 비슷한 가죽. 핸드백이나 기타 피혁 제품에 쓰임.

새들-백¹ 〔saddleback〕 명 〖기상〗 두 개의 탑과 같은 적운이나 적란운 사이에 있으며, 하층의 구름 덩어리 위에 있는 구름이 없는 대기(大氣).

새들 백² 〔saddle bag〕 명 새들, 곧, 말의 안장 모양의 튼튼한 백. 버클이나 스티치가 있으며 숄더 백에 많음.

새들-새들 부 조금씩 시드는 모양. 또, 시든 모양. <시들시들. ¶ 색정이 풀려 ~해진 계집의 한 팔이 이젠 서슴없이 가슴에 와 얹힌다 ≪金周榮 : 客主≫. ——-하다 형 여불

새들 슈:즈 〔saddle shoes〕 명 새들, 곧 말의 안장형 장식(裝飾)이 있는 콤비네이션의 구두. 골프 등의 스포츠 슈즈에 많음. 새들 옥스퍼드.

새들 옥스퍼드 〔saddle oxford〕 명 새들 슈즈.

새디이 명 〈방〉 새색시(경북).

새때¹ 명 〈방〉 열쇠(전남·경남).

새:-때² 명 끼니와 끼니의 중간 되는 때.

새때기 명 〈방〉 〖식〗 억새(전북).

새:-떼 명 새의 떼. 새의 무리.

새똑 명 〈방〉 산밑(평안).

새:-똥 명 새의 똥. 닭이나 오리 똥 같은 것은 농사(農事)에 거름으로 쓰며, 남미(南美) 칠레 특산의 구아노(guano)는 특히 유명함. 조분(鳥糞).

새뚝-떨어지다 형 〈방〉 새침하다(함경).

새뚝-하다 형 〈방〉 새치름하다(평안).

새:-뜨기 명 〈방〉 사팔뜨기.

새:-뜨다 형 〔↗사이뜨다〕 ①사이가 좀 떨어져 멀다. ¶ 이 샘마을과 한 시오 리 새떠 있는, … 상나뭇골 마을의 한명인이란 사람이었다≪黃順元 : 별과 같이 살다≫. ②소원(疏遠)하다.

새뜩-거리다 자 잔단 일로 자꾸 토라져서 말대꾸도 하지 않다. <시뜩거리다. 새뜩-새뜩 부. ——-하다 자 여불

새뜩-대다 자 새뜩거리다.

새뜩-하다 자 여불 잔단 일로 토라져서 말대꾸도 아니 하다.

새뜻-이 부 새뜻하게.

새뜻-하다 형 여불 새롭고 산뜻하다. ¶ 새뜻한 차림.

새띠기 명 〈방〉 〖식〗 억새(경남).

새러토가 〔Saratoga〕 명 〖지〗 미국 뉴욕 주 동부의 새러토가 스프링스(Saratoga Springs) 남동 교외에 있는 작은 마을. 1831년에 '스카일러빌(Schuylerville)'로 이름을 고침. 1777년 독립 전쟁 때, 식민지군이 영국군을 크게 격파한 격전지임. 국립 사적 공원이 있음.

새러토가 스프링스 〔Saratoga Springs〕 명 〖지〗 미국 뉴욕 주 동부에 있는 온천 보양(保養) 도시. 광천(鑛泉)으로 유명하며, 화학 공업이 행해짐. 교외에 국립 사적(史蹟) 공원이 있음. [24,048명(1984)]

새러토가 전:투【一戰鬪】〔Saratoga〕 명 〖역〗 1777년 10월 미국 독립 전쟁 때, 새러토가에서 벌어진 전투. 식민지군(植民地軍)의 게이츠(Gates, H.; 1728?-1806) 장군이 영국군의 버고인(Burgoyne, J.; 1722-92) 장군을 격퇴함으로써 독립으로의 전세(戰勢)를 유리하게 이끌었으며, 프랑스를 식민지군 편에 참전시키게 하였음.

새려¹ 부 〈옛〉 새로이. ¶ 새려 혜요리라(新數)≪杜諺 V:6≫.

새려²【新丁】부 〈이두〉 새로이.

새려³ 조 〈방〉 새로에.

새로¹ 부 ↗새로이. ¶ ~ 들여온 물건/~ 온 사람/~ 맞이한 남편.

새:로² 조 ↗새로에.

새:로에 조 '는'이나 '은'의 밑에 붙어서, '고사하고'·'커녕'의 뜻을 나타내는 보조사. ¶ 늘기는~ 줄어가다/대꾸는~ 금시 얼굴이 파랗게 질리더니 눈을 감고 팔죽지를 만지면서 신음하는 것은…≪李孝石 : 花粉≫. 준새로. *커녕.

새로우- 간 '새롭다'의 불규칙 어간. ¶ ~ㄴ 마음/~며.

새-로이¹ 부 ①새롭게 다시 고쳐서. ②전에 없던 것이 처음으로. ¶ ~ 만

새:로이² 조 〈방〉 새로에. ㄴ든 국산 약. 준새로.

새로이³【新反】조 〈이두〉 오히려. 차라리. 도리어.

새록-거리다 자 ☞ 색색거리다. ¶ 그녀의 새록거리는 가쁜 숨소리가 들렸다≪洪性裕 : 사랑과 죽음의 세월≫.

새록-새록 부 뜻밖의 일이 잇따라 새로 생기는 모양. 새로운 일이나 물건 따위가 자꾸 생기는 모양. ¶ ~ 일이 벌어지다/~ 생기는 새 유행의 물결. ②거듭하여 새로움을 느끼는 모양. ¶ 상대편에 ~ 강한 정력을 부어 주는 건 아내의 역할이니깐요≪朴花城 : 고개를 넘으면≫/달착지근한 감상이 사라지자 집 걱정이 ~ 이 가슴을 누른다≪玄鎭健 : 無影塔≫.

새롭다 형 ㅂ불 〔중세 : 새ᄅᆞᆸ다〕 ①지나간 일이 다시 생각되어 마음에 새삼스럽다. ¶ 추억이 ~. ②전에 본 것을 다시 보니 마음에 새삼스럽다. ¶ 볼수록 눈에 새로운 풍경. ③본디의 새것인 상태로 있다. ¶ 이 물건은 언제 보아도 ~. ④지금까지 있은 일이 없다. ¶ 새로운 기술. ⑤매우 절

새롱 명 〈방〉 살강(황해) ㄴ실하게 필요하다. ¶ 단돈 백 원이 ~.

새롱-거리다 자 ①경솔하고 방정맞게 야불야불 계속해서 지껄이다. ②남녀가 점잖지 못한 말이나 행동으로 서로 희롱하다. <시룽거리다. 새롱-새롱 부 ¶ 그렇지 않으면 철 모르고 ~ 덤볐거나 한 게야≪李孝石:

새롱-대다 자 새롱거리다. ㄴ粉女≫. ——-하다 자 형 여불

새루갱이 명 〈심마니〉 국수.

새룽 명 〈방〉 살강(경기).

새리왕이 명 〈심마니〉 국수.

새림-문【一門】명 〈방〉 사립문(전남·경남).

새ᄅᆞ외욤 형 새로움. '새ᄅᆞᆸ다'의 명사형. ¶ 雲安縣ㅅ 모딘 더위 새ᄅᆞ외욤과 ᄀᆞᆮ디 아니ᄒᆞ도다(不似雲安毒熱新)≪杜諺 XXI:30≫.

새ᄅᆞᆸ다 형 〈옛〉 새롭다. ¶ 서ᄅᆞ 보니 몃디위롤 새ᄅᆞᆸ거뇨(相見幾回新)≪杜諺 XI:2≫.

새마을 금고【一金庫】명 〖법〗 국민의 상부 상조 정신에 입각하여 자금의 조성 및 이용과 회원의 경제적·사회적·문화적 지위의 향상 및 지역 사회 개발을 목적으로 새마을 금고법에 의거 설립된 금융 기관. 회원의 예탁금·적금의 수납과 회원에 대한 자금의 대출 등 신용 사업·

문화 복지 후생 사업·지역 사회 개발 사업 등을 함.
새마을 운:동【一運動】 명 근면·자조(自助)·협동 정신을 바탕으로 한 범(汎)국민적인 지역 사회 개발 운동. 박정희 대통령이 1970년 4월 22일 지방 장관 회의에서 처음으로 제창한 것임.
새마을 정신【一精神】 명 새마을 운동의 바탕이 되는, 근면·자조·협동하는 정신.
새마을 취:로 사:업【一就勞事業】 명 취로 사업.
새마을 포장【一褒章】 명 〖법〗 새마을 운동을 통하여, 새마을 정신을 구현(具現)함으로써 지역 사회 개발과 주민 복리 증진(住民福利增進)에 기여한 공적이 뚜렷한 사람에게 수여하는 포장. 수(綬)는 소수(小綬)이며, 연두색 바탕 중앙에 붉은 줄이 한 줄 있음.
새마을 훈장【一勳章】 명 〖법〗 새마을 운동을 통하여, 국가 사회 발전에 공적이 뚜렷한 자에게 수여하는 훈장. 자립장(自立章)·자조장(自助章)·협동장(協同章)·근면장(勤勉章)·노력장(努力章)의 다섯 등급이 있음.

〈새마을 포장〉

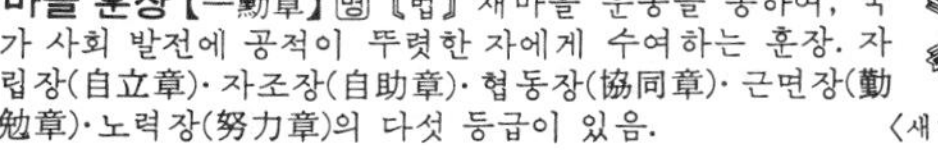

〈새마을 훈장〉

새마을 훈장 근면장【一勳章勤勉章】 명 제4등급의 새마을 훈장. 수(綬)는 소수(小綬)이며, 연두색 바탕에 적색 줄이 넉 줄 있음.
새마을 훈장 노력장【一勳章努力章】 명 제5등급의 새마을 훈장. 수(綬)는 소수(小綬)이며, 연두색 바탕에 적색 줄이 두 줄 있음.
새마을 훈장 자립장【一勳章自立章】 명 제1등급의 새마을 훈장. 수(綬)는 대수(大綬)이며, 연두색임.
새마을 훈장 자조장【一勳章自助章】 명 제2등급의 새마을 훈장. 수(綬)는 중수(中綬)이며, 연두색 바탕에 적색 줄이 여덟 줄 있음.
새마을 훈장 협동장【一勳章協同章】 명 제3등급의 새마을 훈장. 수(綬)는 중수(中綬)이며, 연두색 바탕에 적색 줄이 여섯 줄 있음.
새:-막【一幕】 명 벼나 수수 등의 곡식이 익을 무렵에, 곡식을 까먹으려고 모여 드는 새를 쫓기 위하여 논밭 가에 지은 막.
새-말 명 새로 생기거나 지은 말. 신어(新語). 신조어(新造語).
새-말갛다 [一가타] 형 ㅎ불 새하얗고 맑다.
새-말개 준 '새말갛아'의 줄어 변한 말.
새말개-지다 자 새말갛게 되다.
새:-매 명 〖조〗 [*Accipiter nisus nisosimilis*] 맷과(科)에 속하는 새. 소형의 매로서 날개의 길이 수컷은 20-22 cm, 암컷은 23-26 cm 이고 꽁지는 암컷이 17-19 cm 내외로 훨씬 길. 몸빛은 회색인데 가슴에 횡문(橫紋)이 있고, 수컷은 배면(背面)이 대청 석판색(帶靑石板色)이고 복면(腹面)은 적색을 띤 백색에 적갈색의 가는 가로 무늬가 있음. 텃새 또는 떠돌이새인데 숲 속에 단독으로 살며 작은 새나 병아리·쥐 등을 잡아먹고, 5월에 나무 위 둥지에 너덧 개의 알을 낳음. 수컷은 '난추니', 암컷은 '익더귀'라고 함. 길들여, 작은 새 등을 잡는 데 씀. 도롱태. 작요(雀鷂). *초지니·삼지니·산지니.

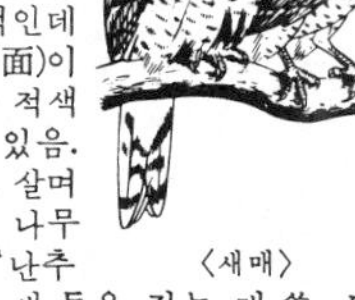
〈새매〉

새:-머루 명 〖식〗 [*Vitis flexuosa*] 포도과에 속하는 낙엽 활엽 만목. 잎은 대생(對生)하고 거꿀달걀꼴 또는 삼각상(三角狀) 심장형으로 잎의 뒷면에는 잔 털이 있음. 6-7월에 담황록색의 작은 꽃이 피고, 흑색 장과(漿果)를 맺는데 포도보다 작으며 9월에 익음. 산기슭에 나는데, 한국 중부 이남 및 일본·대만·중국 등지에 분포함. 열매는 먹는데 맛이 심.

〈새머루〉

새:-머리 명 소의 갈비와 관절(關節) 사이에 붙은 고기. 흔히 찜의 재료로 씀.
새먼 〔salmon〕 명 〖어〗 ①연어. ¶ ~ 스테이크. ②연어 빛깔. 오렌지색. ¶ ~ 핑크.
새-며느리밥풀 명 〖식〗 [*Melampyrum nakaianum*] 현삼과에 속하는 일년초. 줄기 높이 50 cm 가량이고, 잎은 대생(對生)하며 유병(有柄)에 달걀꼴 피침형(披針形) 또는 피침형임. 8-9월에 홍자색의 꽃이 편측생(偏側生) 수상(穗狀) 화서로 정생하고, 편편한 달걀꼴의 삭과(蒴果)를 맺음. 산지에 나는데, 금강산에 분포함.
새:면-발이 명 〈방〉 사면발이.
새모래-덩굴 명 〖식〗 [*Menispermum dauricum*] 새모래덩굴과에 속하는 낙엽 활엽 만목(蔓木). 잎은 방패 모양의 다각형(多角形)이고 가에 톱니가 없거나 또는 3-9 갈래로 얕게 째졌음. 자웅 이가(雌雄異家)로, 여름에 엷은 황색꽃이 원추(圓錐) 화서로 액생(腋生)하고, 가을에 동글납작한 핵과(核果)가 까맣게 익음. 산기슭 양지에 나는데, 한국 각지 및 일본·중국·만주·시베리아 등지에 분포함. 녹비(綠肥) 또는 드물게 약재로 씀.

〈새모래덩굴〉

새모래덩굴-과【一科】[一꽈] 명 〖식〗 [Menispermaceae] 쌍자엽 식물에 속하는 한 과. 방기(防己)·새모래덩굴 등이 이에 속함.
새목 명 〈옛〉 새의 목구멍. ¶ 새목 항(吭. 鳥喉)《字會 下 6》.
새무룩-이 부 새무룩하게. ㅆ쌔무룩이. <시무룩이.
새무룩-하다 형 여불 ①못마땅히 여기어 말이 없이 보로통해 있다. ¶ 새무룩한 얼굴 / 명랑하면서도 종종 새무룩해지는 버릇이 있다. ②날이 흐리어 그늘지다. ¶ 새무룩한 하늘. 1)·2): ㅆ쌔무룩하다. <시무룩하다.
새:-무리 명 조류(鳥類).
새-문【一門】 명 〈속〉 〖지〗 숭례문(崇禮門)·흥인지문(興仁之門) 등보다 늦게 세웠다는 뜻으로, 돈의문(敦義門), 곧 서대문을 일컫던 말.
새문-안【一門一】 명 〖지〗 새문의 안쪽 지역의 뜻으로 서울 종로구(鐘路區) 신문로(新門路) 일대를 일컫던 이름.
새-물 명 ①새로 나온 과실·생선 같은 것. ¶ ~ 참외. ②빨래하여 갓 입은 옷.
새물-거리다 자 이 빠진 노인이 입 언저리를 연방 움직여 힘없이 웃다. 또, 입술을 약간 샐그러뜨리며 소리없이 자꾸 웃다. ㅆ쌔물거리다. <시물거리다. **새물-새물** 부 ¶ 그에게 있어서는 어떤 종류의 일도 지나치게 심각할 수 없다는 듯한 예의 ~ 웃는 낯으로 말했다《康信哉 : 琉璃의 덫》. **——-하다** 자 여불
새물-내 [一래] 명 빨래하여 갓 입은 옷에서 나는 냄새.
새물-대다 자 새물거리다.
새물 청어【一靑魚】 명 ①새로 나온 청어. ②새로 와서 경험이 없는 사람의 비유.
새뮤얼슨 〔Samuelson, Paul Antony〕 명 〖사람〗 미국의 경제학자. 시카고 대학을 졸업하여, 1940년 이래 매사추세츠 공과 대학 경제학 교수로서, 케인스 학파의 소득 분석 이론을 발전시킴. 케네디 및 존슨 정권의 경제 브레인으로 활약함. 1970년 노벨 경제학상 수상. 저서에 《경제 분석의 기초》·《경제학》 등이 있음. [1915-2009]
새미[1] 명 〈방〉 수염(경상).
새미[2] 명 〖어〗 [*Ladislavia taczanowskii*] 잉어과에 속하는 민물고기. 몸은 길이 10-13 cm 로 측편(側扁)하며 주둥이는 둥근데 몸빛은 고정된 표본은 담갈색이고, 등 쪽이 암색, 배 쪽은 희며 몸 옆구리 가운데에 암색 세로띠가 있음. 산 것은 몸빛이 연청색(鉛靑色)을 띰. 한강·대동강·청천강·압록강 등의 상류 및 만주 헤이룽 강 수계(水系)에 분포함.

〈새미²〉

새미[3] 명 〖민〗 경기 농악에서 악기는 치지 않고 어른의 어깨 위에 올라 서서 춤을 추는 사내 아이.
새:미[4] 명 〈방〉 샘(함경·경상).
새:미-끈 명 〈방〉 우물 고누(경상).
새미-놀이 명 〖민〗 어름[3].
새미-류【鰓尾類】 명 〖동〗 [Branchiura] 절지 동물(節肢動物) 갑각류(甲殼類) 요각목(橈脚目)에 속하는 한 아목(亞目). 어류(魚類)의 몸 같은 데 붙어서 피를 빨아먹고 사는 것으로, 체제(體制)는 매우 복잡하고 대개는 넓적하며 투명(透明)함. 물고기진드기 등이 이에 속함. *기생류(寄生類).
새-바람 명 신풍조(新風潮).
새-바름 명 〈방〉 동풍(東風)(제주).
새:박[1] 명 〖한의〗 새박덩굴 열매의 씨. 정기를 돕고 음도(陰道)를 강하게 하고 허로(虛勞)를 다스리는 약으로 씀. 작표(雀瓢). 나마자(蘿藦子).
새박[2] 명 〈옛·방〉 새벽[1](평안·경북). ¶ 새바기 거우루로 누출 비취오(忽於晨朝以鏡照面)《圓覺 序 46》.
새:박-덩굴 명 〖식〗 박주가리[1].
새박-모래 명 〈방〉 모새[1](함경).
새:박 뿌리 명 〖한의〗 새박덩굴의 뿌리. 강장제(强壯劑)로 쓰임. 하수오(何首烏). 토우(土芋).
새:박-조가리 명 〈속〉 〖한의〗 새박[1].
새:발-고사리 명 〈방〉 면마(綿馬).
새:발-사향【一麝香】 명 〈방〉 정향(丁香).
새:발사향-꽃【一麝香一】 명 〈방〉 정향화(丁香花).
새:발사향-나무【一麝香一】 명 〈방〉 〖식〗 정향나무❷.
새:발 심지【一心一】 명 종이나 솜으로 새의 발처럼 밑이 세 갈래가 되게 꼬아서 세워 놓게 만든 심지.
새:발 육공【一六空】[一륙一] 명 매화 육궁(梅花六宮).
새:발 장식【一裝飾】 명 새의 발처럼 만든, 문짝에 박는 쇠장식. 조족철(鳥足鐵).
새:발톱-표【一標】 명 〖언〗 인용부(引用符)의 하나인 「' '」의 이름. 작은따옴표. *게발톱표.
새방【塞方】 명 변경(邊境).
새:방울-사초【一莎草】 명 〖식〗 [*Carex vesicaria*] 방동사닛과에 속하는 다년초. 복지(匐枝)로 번식함. 줄기는 높이 20 cm 가량이고, 봄에 잎 사이에서 30 cm 가량의 꽃줄기가 나와 녹갈색의 작은 꽃이 이삭 모양으로 핌. 습지나 못가에 자생(自生)함.
새-밭 명 억새가 무성한 곳.
새배 명 〈옛〉 새벽[1]. ¶ 곳 아래 또 몰곤 새배로다(花下復淸晨)《杜諺 X:5》/새배 신(晨)《字會 上 1》.
새배기 명 〈방〉 〖식〗 억새(경남).
새백 명 〈방〉 새벽[1](전남·경상).
새뱅이 명 〈방〉 〖동〗 새우[1](경기·충청). ¶ ~ 조림.
새벅 명 〈방〉 새벽[1](경기·강원·전라·경상·충청).
새베-흙 명 〈방〉 〖건〗 새벽[2]❷.
새벡[1] 명 〈방〉 새벽[1](경남·제주).
새벡[2] 명 〈방〉 〖건〗 새벽[2]❷(경상).
새:-벼룩 명 〖충〗 [*Echidnophaga gallinacea*] 모래벼룩과에 속하는 벼룩의 하나. 몸길이는 1 mm 내외. 머리는 모가 지고, 촉각와(觸角窩)의

앞·뒤쪽에 각각 두 쌍의 빳빳한 털이 있음. 닭의 볏의 피하(皮下)에서 피를 빨아먹어 일종의 암종(癌腫)을 일으키기도 함. 사람·개·고양이 따위에도 기생하는데, 전세계에 분포함. 닭벼룩.

새벽¹ 명〔중세 : 새박, 새배, 새볘. 근대 : 새벽〕날이 밝을 녘. 먼동이 트기 전. 효신(曉晨). 효단(曉旦).

[새벽 길쌈 잘하는 년 사타리 옷만 입는다] '짚신장이 헌 신 신는다'와 같은 뜻. [새벽 바람 사초롱] 매우 사랑스럽고 소중한 것의 일컬음. ¶열 소경의 한 막대, 분방 서안 옥등경, 새벽 바람 사초롱《沈淸傳》. [새벽 봉창 두들긴다] ㉠무엇을 갑자기 불쑥 내미는 것을 이름. ㉡너무나도 뜻밖의 말을 갑자기 한다는 뜻. [새벽 호랑이가 중이나 개를 헤아리지 아니한다] 다급할 때는 무엇이든지 헤아리지 아니하게 된다는 말. [새벽 호랑이다] 활동할 때를 잃고 깊은 산에 들어가야 할 호랑이라는 뜻으로, 대세(大勢)가 기울어져 물러서게 된 신세를 비유하는 말.

새벽² 명〖건〗①누른 빛의 차지고 고운 흙. ②누른 빛깔의 차진 흙에 세사(細沙)나 말똥 같은 것을 섞어, 벽이나 방바닥 같은 데에 막토를 바른 뒤, 덧바르는 흙. ③↗새벽질. ——-하다 자여불

새벽-같이 [—가치] 부 아침에 아주 일찍이. ¶매일 ~ 일어나서 산에 오른다.

새벽-녘 명 새벽이 될 무렵. 신명(晨明). 동운(東雲). ¶~에야 잠이 들다.

새벽-달 명 음력 하순(下旬)의 새벽에 보이는 달. 효월(曉月).

[새벽달 보려고 어스름달 안 보랴] 아직 당하지 아니한 미래의 일만 믿고 지금 당장의 일을 무시할 수 없다는 말. '나중에 꿀 한 식기 먹으려고 당장에 엿 한 가락 안 먹을까', '훗장에 소다리 먹으려고 이 장에 개 다리 안 먹을까'와 같은 뜻. [새벽달 보자고 초저녁부터 기다린다] 일을 너무 일찍 서두른다는 말. '시집도 아니 가서 포대기 장만한다', '떡방아 소리 듣고 김치국 찾는다'와 같은 뜻.

새벽-닭 [—닥] 명 새벽녘에 우는 닭.

새벽 동자 명 새벽에 밥을 지음. ——-하다 자여불

새벽 바람 명 새벽에 부는 찬바람.

새벽 박동 명〈방〉새벽 동자. ——-하다 자

새벽-밥 명 새벽에 지어 먹는 밥.

새벽-별 명 ☞샛별.

새벽-일 [—닐] 명 새벽에 하는 일.

새벽-잠 명 새벽에 깊이 드는 잠.

새벽-종【—鐘】명 새벽에 치는 종소리. 새벽에 들리는 종소리.

새벽-질 명〖건〗벽이나 방바닥에 새벽을 바르는 일. 준새벽. ——-하다 자여불

새벽 협심증【—狹心症】[—쯩] 명〖의〗이른 새벽에 발작하는 협심증.

새-별¹ 명 새로운 별. 새로운 스타. 신성(新星).

새별² 명〈옛〉샛별. ¶새벼리 나지 도도니(煌煌太白當晝垂示)《龍歌 101章》/새별(明星)《譯語 上 1》.

새베 명〈옛〉새벽¹.=새배. ¶새뱃 고지 이슬만 ᄒᆞᆫ돗ᄒᆞ도다(曉花濃)《百聯 19》.

새보【†璽寶】명〔←사보(璽寶)〕옥새(玉璽)와 옥보(玉寶).

새:-보다 자 논밭의 곡식이나 우케 멍석에 날아드는 새를 쫓기 위하여 지키다.

새복¹ 명〈방〉새벽¹(전남·경상).

새-복² 명〈방〉〖건〗새벽²(경상·충청).

새-봄 명 새로운 기분으로 다시 맞이하는 첫봄. 신춘(新春).

새부랑-거리다 자 ☞사부랑거리다. 새부랑-새부랑 부. ——-하다 자여불

새부리 명〈옛〉새 주둥이. ¶새부리 췌(嘴)《字會 下 6》.

새북 명〈방〉새벽¹(강원·충청·전라·경상).

새붕개 명〈방〉〖동〗새우¹(전라).

새-붙이다 [—부치—] 사동〈방〉흘레붙이다.

새비 명〈방〉〖동〗새우¹(전라·경상·강원·함경).

새비-나무 명〖식〗[*Callicarpa mollis*] 마편초과에 속하는 낙엽 활엽 관목. 잎은 대생하고 달걀꼴의 긴 타원형 또는 피침형(披針形)이며 가에 잔톱니가 있음. 여름에 담자색꽃이 취산(聚繖) 화서로 액생(腋生)하여 피고 핵과(核果)는 10월에 자색으로 익음. 산록의 숲 속에 나는데, 한국의 전남 및 일본·대만 등지에 분포함. 양산 자루·나무 젓가락 등을 만드는 데 씀.

〈새비나무〉

새비지 터치 [savage touch] 명 컬이 많은 롱 헤어로, 젊은 사람에게 어울리는 머리형.

새-빠람 명〈방〉동풍(東風)(경기·강원·충북·전라·경상).

새-빠지다 형〈방〉엉뚱하다(충청).

새-빨간 관 아주 터무니없는. ¶~ 거짓말.

새-빨갛다 [—가타] 형ㅎ불 아주 짙게 빨갛고 새뜻하다. <시뻘겋다.

새-빨개 준 '새빨갛아'의 줄어 변한 말. ¶~ 가지고/~서. <시뻘게.

새빨개-지다 자 새빨갛게 되다. ¶얼굴이 ~. <시뻘게지다.

새-뽀얗다 [—야타] 형ㅎ불 빛깔이 산뜻하고 뽀얗다. <시뿌옇다.

새-뽀애 준 '새뽀얗아'의 줄어 변한 말. ¶~ 가지고/~지다. <시뿌예.

새뽀애-지다 자 새뽀얗게 되다. <시뿌예지다.

새삣-하면 부〈방〉걸핏하면(함경).

새-사람 명 ①새로 나선 사람. 신인(新人). ②새로 시집 온 사람을 손윗사람이 일컫는 말. ③중병을 치르고 난 사람. ④그 전의 생활 태도에서 탈피(脫皮)하여 새로운 정신으로 생활하게 된 사람. ¶~이 되다. ⑤〖기독교〗성령의 힘을 입어, 회개하고 중생(重生)한 사람.

[새사람 들여 삼 년; 새 묘 써서 삼 년] 새로 일을 경영한 경우에, 약 삼 년을 두고 봐서 탈이 없어야, 안심이란 말.

새-살 명 종기가 낫거나 곪아 썩은 자리에 새로 돋아난 살. 생살. ¶~이 돋다.

새살-거리다 자 상글상글 웃으면서 재미있게 지껄이다. <새실거리다·시설거리다. 새살-새살 부. ——-하다 자여불

새살-궂다 형 매우 새살스럽다. <새실궂다·시설궂다.

새:살-까다 자〈방〉놀소리하다.

새살-대다 자 새살거리다.

새살-떨다 자 새살스럽게 행동하다. <새실떨다·시설떨다.

새-살림 명 처음으로 시작하는 살림. ¶~을 차리다. ——-하다 자여불

새살-스럽다 형ㅂ불 성질이 차분하지 못하여 실없이 수선부리기를 좋아하다. <새실스럽다·시설스럽다. 새살-스레 부

새:-삼 명〖식〗[*Cuscuta japonica*] 새삼과에 속하는 일년생의 기생(寄生) 만초(蔓草). 줄기는 황갈색의 철사(鐵絲) 모양이고, 잎은 없음. 여름에 백색의 잔 화수(花穗)가 가지 끝에 피는데, 종 모양의 꽃부리는 끝이 너덧 갈래로 째지고, 달걀꼴의 삭과(蒴果)를 맺는데, 익으면 깍정이가 열리어 종자가 나옴. 종자가 땅에서 발아(發芽)하여 다른 기주(寄主) 식물에 휘감겨 오르는데, 흡수하는 뿌리를 내어 양분(養分)을 섭취하기 시작하면 밑뿌리는 말라 죽음. 산과 들에 나는데, 한국 각지·일본 홋카이도 및 동부 아시아 등지에 분포함. 열매는 한방(韓方)에서 '토사자(菟絲子)'라 하여 약재로 씀. 토사(菟絲). 샘.

열매

〈새삼〉

새삼스러-이 부 새삼스럽게. 준새삼스레.

새삼-스럽다 형ㅂ불 ①지난 일이 다시 생각되어, 마치 새로운 것인 듯한 느낌이 있다. ¶그날의 감격이 ~. ②지난 일을 공연히 다시 들추어 내는 느낌이 있다. 전에 하지 않던 일을, 이제 와서 하는 것이 보기에 가외의 일 같다. ¶새삼스럽게 말할 필요도 없지만/새삼스럽게 겉은 무슨 절이니. 새삼-스레 부 ↗새삼스러이.

새:삼-씨 명〖한의〗토사자(菟絲子).

새:-새¹ 명부 ↗사이사이. ¶공부하는 ~ 운동도 하여라/상치밭 ~에 쑥갓을 심다.

새-새² 부 ↗새실새실.

새새-거리다 자 실없이 까불며 자꾸 웃다.

새-새닥 명〈방〉새색시(충남).

새새-대다 자 새새거리다.

새새덕-거리다 자 실없이 웃어가며 잇따라 재깔이다. <시시덕거리다.

새새덕-대다 자 새새덕대다.

새새득-거리다 자 ☞새새덕거리다.

새:새-틈틈 부 사이마다 틈마다.

새-색시 명 새로 시집 온 여자. 신부(新婦). 새댁. 준색시.

새서【璽書】명 ①군주(君主)의 어새(御璽)가 찍혀 있는 문서. ②임금이 신하의 공로를 포상하는 뜻을 적고, 어새(御璽)를 찍은 조서.

새-서방【—書房】명〈속〉①신랑(新郞). ②새로 맞이한 서방.

새서 표리【璽書表裏】명〖역〗임금이 신하에게 주던 포상(褒賞)의 하나. 곧, 새보(璽寶)를 찍은 유서(諭書)와 관복(官服) 감으로 주는 명주나 비단 등의 두 필.

새선【腮腺】명〖생〗각선(殼腺).

새셔 명〈옛〉초가(草家). 모옥(茅屋). ¶九月九日애 아으 藥이라 먹는 黃花고지 안해 드니 새셔 가만ᄒᆞ야라 아으 動動다리《樂範 動動》.

새:-소리 명 ①새가 우는 소리. ② ☞놀소리.

새-소엽【鰓小葉】명 조름❶.

새수-나다 자 ①갑자기 좋은 수가 생기다. ②뜻밖에 재물이 생기다.

새수 대애 명〈방〉세수 대야(경남).

새수 대이 명〈방〉세수 대야(경남).

새수-때 명〈방〉세수 대야(경남).

새수-못하다 자여불 손을 대지 못하다.

새-순【—筍】명 새로 나온 어린 순. *새싹.

새-스방【—房】명〈방〉새서방(평안).

새-스배 명〈방〉새서방(함경).

새스커툰 [Saskatoon] 명〖지〗캐나다 중남부 서스캐처원 주(州)에 있는 도시. 남(南)서스캐처원 강 연변에 위치한 농축산 지역의 중심지로서, 제분·기계·정유 공업이 성함. [174,641명(1986)]

새시 [sash] 명 ①드레스의 허리나 모자 등에 장식하는 띠. 식대(飾帶). ②창틀. 또, 출입구의 틀과 창, 출입구의 건구(建具)까지를 포함하여 이름. 재료는 나무·철·스테인레스 스틸·알루미늄 등인데, 최근에는 스틸이나 알루미늄제(製)의 것을 이름. ¶알루미늄 ~.

새신【賽神】명〖민〗굿 또는 푸닥거리. ——-하다 자여불

새-신랑【—新郞】[—실—] 명 갓 결혼한 신랑.

새신 만:명【賽神萬明】명 ①굿하는 무당. ②경솔하고 방정맞은 사람을 일컫는 말.

새실-거리다 자 상글상글 웃으면서 재미있게 지껄이다. >새살거리다. <시설거리다.

새실-궂다 형 매우 새실스럽다. >새살궂다. <시설궂다.

새실-대다 자 새실거리다.

새실-떨다 자 새실스럽게 굴다. >새살떨다. <시설떨다.

새실-새실 부 까불며 웃는 모양. 준새새·샐샐. <시실시실. ——-하다 자여불

새실-스럽다 형ㅂ불 성질이 차분하지 못하고 실없이 수선부리기를 좋아하다. >새살스럽다. <시설스럽다. 새실-스레 부

새-싹 명 ①새로 돋은 싹. 신아(新芽). ¶~이 움트는 계절. ②사물의 근원이 되는 새로운 시초. ¶어린이는 나라의 ~이다. *새순.

새삼 명〈옛〉새삼. ¶새삼 토(菟), 새삼 ᄉᆞ(絲)《字會 上 8》.

새삼도이 부〈옛〉새삼되게. 새삼스럽게. ¶싀어미를 나날 새삼도이 효도ᄒᆞ야(婦養姑不衰)《重三綱 陳氏》.

새삼ᄃᆞ비 부〈옛〉새삼되게. 새삼스럽게. ¶나날 새삼ᄃᆞ비 孝道ᄒᆞ야(養姑不衰)《三綱 陳氏養姑》.

새-아가 명 아가❷.

새-아기 명 시부모(媤父母)가 '새며느리'를 이르는 말.

새-아기씨 명 '새색시'의 존칭. 준새아씨.

새-아씨 명 ↗새아기씨.

새-아이 명 ☞새아기.
새-아주머니 명 새로 시집온 형수나 제수 또는 숙모(叔母)뻘 되는 사람.
새-악시 명 〈방〉 새색시(경상).
새-악씨 명 〈방〉 새색시(전북·경북·함북).
새악-아 감 ↗새아기야.
새:안 명 〈방〉 세안⁴(전라).
새:-알 명 ①모든 새의 알을 통틀어 일컫는 말. ②참새의 알. [새알 꼽재기만하다] 물건이 아주 작음을 일컫는 말. [새알 멜빵 하겠다] 사람이 매우 약다는 뜻. 참새 굴레 씌우겠다.
새:알 사탕【一砂糖】명 새알만하게 만든 사탕. ＊눈깔 사탕.
새:알-심【一心】명 찹쌀 가루나 수수 가루로 새알만하게 덩어리를 만들어서 팥죽에 넣는 것. ㊟샐심.
새:알-콩 명 콩의 한 가지. 한편은 좀 푸르고 다른 한편은 검거나 희거나 누른데, 아롱아롱한 점이 있음.
새:알-팥 명 팥의 한 가지. 한편은 희고 다른 한편은 아롱아롱한 줄이 있으며 알이 작음.
새암¹ 명 〔중세 : 새옴('새오다'의 파생 명사)〕 ☞샘³.
새암² 명 〈방〉 샘². 우물(전라·충북·경북·제주).
새:암³ 명 〈방〉 새삼.
새암-물 명 〈방〉 샘²(전남).
새암-바르다 형 르불 ☞샘바르다.
새암-바리 명 ☞샘바리.
새앙¹ 명〔식〕 생강(生薑). ㊟생.
새앙² 명〔역〕 ↗새앙머리.
새앙 각시 명〔역〕 새앙머리를 땋은 어린 궁녀(宮女). 애기 나인.
새앙-나무 명 생강나무. ㊟생나무.
새앙 낭자【一娘子】명〔역〕 새앙머리.
새앙 단자【一團餈】명 생강 단자(生薑團餈). ㊟생단자.
새앙-머리 명 예전에 계집아이가 예장(禮裝)할 때, 머리털을 두 갈래로 갈라서 땋은 머리. 이것을 다시 틀어 올려, 아래위로 두 덩어리가 지게 잡아매기도 함. 새앙 낭자. ㊟생머리.

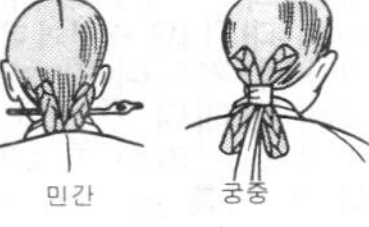

〈새앙머리〉

새앙-뿔 명 ①새앙 뿌리의 뿌다귀. ②두 개가 모두 짧게 난 소의 뿔.
새앙-손이 명 손가락이 잘라져서 새앙처럼 된 사람의 일컬음.
새앙-순【一筍】명 생강의 순. 강순(薑筍).
새앙순 정:과【一筍正果】명 생강순 정과.
새앙-엿 [-녇] 명 생강엿. ㊟생엿.
새앙 장아찌 명 생강 장아찌.
새앙 정:과【一正果】명 생강 정과.
새앙-주【一酒】명 생강주.
새앙-쥐 명〔동〕 ☞생쥐.
새앙-쥐치 명〔어〕 [*Monacanthus japonicus*] 쥐치복과에 속하는 바닷물고기. 쥐치에 흡사하나 체고(體高)가 얕음. 몸빛은 갈색이고 길이는 약 12cm 정도임. 등의 앞쪽에 불분명한 암색의 가로띠가 있고, 옆에 넓고 짧은 암색 무늬가 산재함. 한국 남부·일본 중부 이남의 바다 및 태평양에 분포하며, 심해저(深海底)에서 서식하고 해안에 접근하는 일이 드묾.
새앙-즙【一汁】명 생강즙(生薑汁).
새앙-차【一茶】명 생강차(生薑茶).
새앙-초【一醋】명 생강초(生薑醋).
새앙치 명 〈방〉 송아지(전남).
새앙-토끼 명〔동〕 생토끼.
새앙-편 명 생강편.
새-애기 명 ①☞새아기. ②〈방〉 매춘부(賣春婦)(함경).
새앵지 명 〈방〉 행주(함경).
새얌 명 〈방〉 샘²(충남·전북·경북).
새양 명 〈방〉 ①〔식〕 생강(충남·전라). ②사냥.
새양-버들 명〔식〕 [*Chosenia bracteosa*] 버들과에 속하는 낙엽 활엽 교목. 줄기는 높이 15-30m, 직경 1m 가량이고 잎은 호생하고 유병(有柄)에 도피침형이고, 뒷면은 잔가지와 함께 백분(白粉)이 덮여 있음. 5월에 자웅 이가(雌雄異家)의 풍매화(風媒花)가 유제(葇荑) 화서로 피는데 수꽃이삭은 늘어지고, 암꽃이삭은 곧게 서거나 비스듬히 올라가며, 삭과(蒴果)는 6월에 익음. 높은 지대의 냇가에 나는데, 한국 북부·일본·사할린·만주·우수리·캄차카·바이칼 등지에 분포함. 목재는 나막신, 잔가지는 약용하고, 조림수(造林樹)로 적합한데 증식이 매우 곤란함. 채양버들.

〈새양버들〉

새양치 명 〈방〉 송아지(전라).
새-어머니 명 새로 시집온 아버지의 후취(後娶). ＊새엄마.
새-엄마 명 새어머니를 친근하게 일컫는 말.
새열【鰓裂】명 〔←새렬〕 [gill slit] 〔생〕 척추 동물, 특히 어류(魚類)나 양서류(兩棲類)의 유생(幼生)의 두부(頭部)에서 볼 수 있는 대여섯 쌍의 열구(裂口). 그 통로(通路)에 아가미가 생겨서 호흡을 하게 됨. 포유류(哺乳類)의 태아(胎兒)에도 일시적으로 나타나나 아가미가 생기지 않고, 내분비 기관으로 됨.
새염 명 〈방〉 수염(경상).
새영 명 〈방〉 사냥(함경).
새영-꾼 명 〈방〉 사냥꾼(함경).
새오 명 〈방〉〔동〕 새우¹(충청).
새오다 타 〈옛〉 새우다. 시기(猜忌)하다. ¶敬亭ㅅ 그를 새오디 말라(莫妬敬亭詩)《杜諺 XXII:18》.
새옴 명 〈옛·방〉 샘³. ¶닐오디 忿怒와 긋움과 慳貪과 새옴과(謂忿覆慳嫉)《圓覺 上 一之一 30》.
새옴ᄆᆞᅀᆞᆷ 명 〈옛〉 시기심(猜忌心). 투기심(妬忌心). ¶이바딜 머구리라 새옴ᄆᆞᅀᆞᆷ을 낸대《月印 上 39》.
새옴ᄇᆞᄅᆞ다 형 〈옛〉 샘바르다. ¶믈읫 有情이 貪ᄒᆞ고 새옴ᄇᆞᆯ라 제 모ᄆᆞᆯ 기리고 ᄂᆞᄆᆞᆯ 허러《釋譜 Ⅸ:15》.
새옹¹ 명 놋쇠로 만든 작은 솥. 배가 부르지 아니하고 바닥이 평평하며 전과 뚜껑이 있음. 흔히 밥을 지어서 새옹째 가져다가 상에 놓음. 절 같은 데에서 많이 씀.
새옹²【塞翁】명 북방의 변새(邊塞)에 사는 노인. ＊새옹지마(塞翁之馬).
새옹 득실【塞翁得失】명 한때의 이(利)가 장래의 해(害)가 되기도 하고, 한때의 화(禍)가 장래에 복(福)을 가져오기도 한다는 말. 새옹 화복(塞翁禍福). ¶새옹 득실같이 화가 복이 될지 모를 일이올시다《李人稙:牡丹峰》. ＊새옹지마(塞翁之馬).
새옹-마【塞翁馬】명 ↗새옹지마(塞翁之馬).
새옹지-마【塞翁之馬】명〔회남자(淮南子) 인간훈(人間訓)에 나오는 고사(故事). 어떤 새옹이 기르는 말이 혹은 도망치고 혹은 준마(駿馬)를 이끌고 돌아오고 하는데, 그 아들이 말을 타다가 떨어져 절름발이가 되어 그로 말미암아 출전(出戰)을 면하여, 다른 사람처럼 목숨을 빼앗기지 않고 살아났다 함〕 모든 것이 전전(轉轉)하여 무상(無常)하니, 인생의 길흉(吉凶)·화복(禍福)이란 항시 바뀌어 예측할 수 없는 것이라는 말. ㊟새옹마(塞翁馬). ＊새옹 득실.
새옹 화:복【塞翁禍福】명 새옹 득실(塞翁得失).
새:-완두【一豌豆】명〔식〕 [*Vicia hirsuta*] 콩과에 속하는 월년생의 만초. 줄기는 길이 50cm 가량이고 잎은 호생하며 무병(無柄)에 우상 복엽(羽狀複葉)이고 선단(先端)에 갈라진 권수(卷鬚)가 있는데, 소엽(小葉)은 6-8 쌍이고 선상(線狀)은 긴 타원형임. 5-6월에 백자색의 꽃이 총상(總狀) 화서로 액출(腋出)하고, 과실은 협과(莢果)임. 밭이나 산록에 나는데, 한국 남부 및 일본 등지에 분포함. 차(茶) 대용 또는 목초(牧草)로 씀.

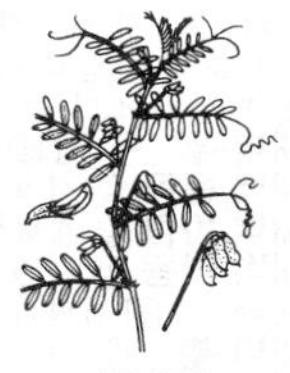
〈새완두〉

새왕 명 〈방〉 올가미(강원).
새외【塞外】명 ①요새(要塞)의 밖. ②중국의 북쪽 국경. 곧, 만리 장성의 바깥. ¶～ 민족. 1)·2):↔새내(塞內).
새요 명 〈옛〉 새우¹. ¶새요 하(鰕)《字會 上 20》.
새우¹ 명 〔중세 : 사비〕〔동〕 장미류(長尾類)에 속하는 갑각류(甲殼類)의 총칭. 몸은 좌우 상칭이고 두흉부(頭胸部)·복부(腹部)·미부(尾部)의 세 부분으로 형성됨. 두흉부는 굳은 딱지로 덮이고 눈·촉각·보각(步脚)이 있으며, 제2 촉각은 몹시 길고 복부는 근육이 발달하여 7절로 되고 각 마디에 유영각(遊泳脚)이 다섯 쌍 있음. 참새우·대하·보리새우 등이 있는데, 한대에서 열대에 걸쳐 담수나 바다에 널리 분포함. [새우로 잉어를 낚는다; 새우 미끼로 잉어를 잡는다] 적은 밑천으로 큰 이득을 얻음을 말함. [새우 싸움에 고래 등 터진다] 남의 싸움에 관계 없는 사람이 해를 입는다는 말. '고래 싸움에 새우 등 터진다'가 잘못 쓰인 것인 듯.

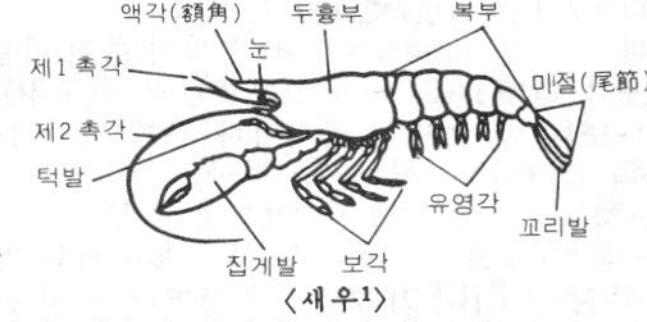

〈새우¹〉

새우² 명 지붕의 기와와 산자 사이에 까는 흙.
새우³ 명 〈방〉 상여(喪輿)(함경).
새우 구이 명 큰 새우의 껍질을 벗기고 둘로 쪼개서, 양념을 넣고 꼬챙이에 꿰어 구운 음식. 하구(蝦炙).
새우-나무 명〔식〕 [*Ostrya japonica*] 자작나뭇과에 속하는 낙엽 교목. 잎은 호생하고 달걀꼴로 된 긴 타원형이며 가에 이중 톱니가 있음. 5-6월에 잎이 피기 전에 단성화(單性花)가 수상(穗狀) 화서로 피는데, 수꽃이삭은 선상(線狀)으로 늘어지고 암꽃이삭은 낭상(囊狀)의 포(苞)가 있고 새 가지 끝에 위로 향하며, 견과(堅果)는 길이 4cm의 과수(果穗) 속에 있는데 직경 5mm 가량임. 산지에 나는데, 한국의 제주도·해남 및 일본·중국에 분포함. 목재(木材)는 단단하고 빛이 아름답고 내구력(耐久力)이 있어 건축재·기구재·신탄재로 씀.

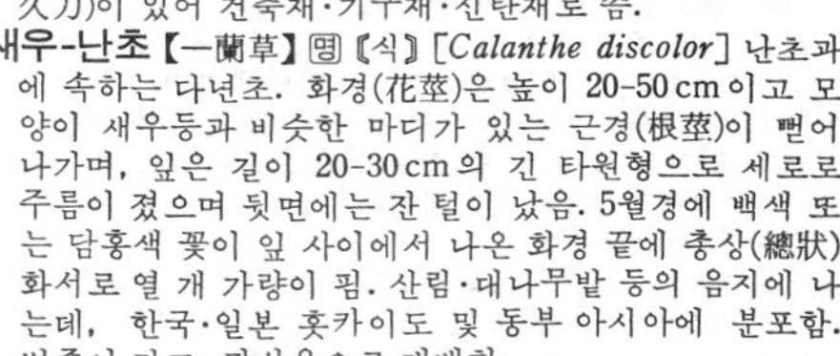
〈새우나무〉

새우-난초【一蘭草】명〔식〕 [*Calanthe discolor*] 난초과에 속하는 다년초. 화경(花莖)은 높이 20-50cm이고 모양이 새우등과 비슷한 마디가 있는 근경(根莖)이 뻗어나가며, 잎은 길이 20-30cm의 긴 타원형으로 세로로 주름이 졌으며 뒷면에는 잔 털이 났음. 5월경에 백색 또는 담홍색 꽃이 잎 사이에서 나온 화경 끝에 총상(總狀) 화서로 열 개 가량이 핌. 산림·대나무밭 등의 음지에 나는데, 한국·일본 훗카이도 및 동부 아시아에 분포함. 변종이 많고, 관상용으로 재배함.

〈새우난초〉

새우다¹ 타 〔중세 : 새오다〕 한숨도 자지 않고 밤을 밝히다. ㊟새다.
새우다² 타 샘을 내다. 샘하다.
새우-등 명 ①새우의 등. ②새우의 등처럼 구부러진 사람의 등.
새우등-지다 자 등이 새우처럼 구부러지다.
새우 만두【一饅頭】명 만두속에 새우를 넣은 만두.
새우 무침 명 말린 새우를 간장에 무쳐서 양념을 친 반찬.
새우 볶음 명 새우를 볶아 만든 반찬. 대하(大蝦)는 살을 긁어 내어 잘

게 뜯어서 간장에 볶고, 중하(中蝦)는 껍질을 벗겨 물에 불렸다가 진장과 팟대강이 이긴 것을 섞어서 볶으며, 보리새우는 까불어서 깨끗이 씻어 장을 치고, 짓이긴 파를 넣어 무쳐서 볶음.
새우-잠 [명] 새우같이 몸을 모로 꼬부리고 자는 잠.
 새우잠 자다 [구] 새우처럼 모로 누워서 꼬부리고 자다.
새우 저:냐 [명] 새우의 살로 만든 저냐. 큰 새우는 껍질을 벗기고 쪼개어 소금을 뿌렸다가 밀가루를 묻히고 달걀을 씌워 지지며, 작은 새우는 껍질을 벗기고 쪼개지 아니한 채, 밀가루를 묻히어 달걀에 풀어서 지짐. 「새젓.
새우-젓 [명] 빛이 흰 작은 새우에 소금을 뿌려 담근 젓. 백하해(白蝦醢). [준]
새우젓 찌개 [명] 햇새우젓을 물에 씻어서 고기와 파를 썰어 넣고, 기름과 고춧가루를 쳐서 버무린 뒤에, 물을 붓고 끓인 찌개.
새우지 [명] 〈방〉 〖동〗 새우¹(평안).
새우 지짐이 [명] 고추장을 탄 물에 고기와 파를 썰어 넣고 끓이다가, 큰 새우는 껍질을 벗기고 잔 새우는 그대로 넣어서, 다시 끓인 음식.
새우 찌개 [명] 날새우로 끓인 찌개. 큰 새우는 껍질을 벗기고 살을 토막 내어, 장이나 고추장에 무치어 고기와 파를 넣고 끓이며, 작은 새우는 그냥 장이나 고추장을 풀고 고기와 파를 넣어 끓임.
새우-탕【一湯】[명] 새우를 맑은 장국에 넣고 달걀을 풀어서 끓인 국.
새움 [명] 〈방〉 샘³(제주).
새웅 [명] 〈방〉 새옹¹.
새웅개 [명] 〈방〉 〖동〗 새우¹(전라·충청).
새웅-쥐 [명] 〈방〉 〖동〗 생쥐(평안).
새웅지 [명] 〈방〉 〖동〗 새우¹(평안).
새위 [명] 〈방〉 〖동〗 새우¹(제주).
새:을-변【一乙邊】[명] 한자 부수(部首)의 한 가지. '九'나 '乾' 등의 'Z'의 이름.
새음 [명] 〈방〉 샘³. ——-하다 [타]
새이¹ [명] 〈방〉 사이¹.
새이² [명] 〈방〉 형(兄)(경남).
새이비아【塞耳比亞】[명] 〖지〗 '세르비아(Serbia)'의 취음(取音).
새-이삭여뀌 [명] 〖식〗 [*Persicaria* ***neo-filiforme***] 마디풀과에 속하는 다년초. 줄기 높이 50 cm 가량이고, 잎은 호생하며 달걀꼴임. 7월에 붉은 꽃이 길이 30 cm 가량의 수상(穗狀) 화서로 피고, 수과(瘦果)를 맺음. 들에 나는데, 경남의 통영·미륵산 등에 분포함.
새일-녘 [명] 〈방〉 샐녘.
새-임 [명] 새로 사귀어서 사랑하는 사람.
새-잎 [명] 새로 돋아 나온 초목의 잎. 신엽.
-새이다 [어미] 〈옛〉 -사이다. -십시다. ¶ 우리 모다 흥의 가새이다(咱會同着一時行)《朴解 上 9》.
새-잡다¹ [타] 〖광〗 도태법(淘汰法)을 사용하여, 도광기(搗鑛機)로 찧은 복대기에서 금분(金分)을 함유한 황화물(黃化物)을 잡다.
새:-잡다² [타] 남의 비밀을 엿듣다.
새:-잡이¹ [명] ①새를 잡는 일. ②〈방〉 다리쇠.
새-잡이² [명] ①어떤 일에 새로이 처음으로 손을 대는 사람. ②새로 다시 하는 일. ¶ ~로 가게를 내다.
새:-장【一欌】[명] 새를 넣어서 기르는 장. 조롱(鳥籠). 번롱(樊籠). 어리.
새-장귀 [명] 〈방〉 장구(함경).
새:-장지 [명] ☞ 샛장지.
새:-재 [명] 〖지〗 ①경상 북도 문경군(聞慶郡)과 충청 북도 괴산군(槐山郡) 사이에 있는 재. 조령(鳥嶺). [1,017 m] ②황해도 송화군(松禾郡)에 있는 재. [151 m]
새-잽이 [명] ☞ 새잡이²
새-저 [명] 〈방〉 왕겨(경북).
새:-저루 [명] 〈방〉 〖조〗 새매.
새저리¹ [명] 〈방〉 무릎치기¹.
새-저리² [명] 〈방〉 〖조〗 새매(함경).
새전【賽錢】[명] 신불(神佛) 앞에 참배할 때 드리는 돈. 또, 참배할 때 돈을 바침. ——-하다 [자][여불]
새:-전체수【一全體需】[명] 참새구이.
새:-점【一占】[명] 〖민〗 새장 속에 새와 여러 개의 괘사(卦辭)를 적은 쪽지를 넣어서, 새가 물어 내오는 쪽지의 괘상(卦相)을 통하여 길흉·화복을 판단하는 점. 돈을 넣어 주면 쪽지를 물어 오도록 훈련된 새를 사용하며 생년월일시로써 점치는 운명적인 것이 아니고, 우연(偶然)의 일치로 판단함.
새:-젓 [명] ↗새우젓.
새:-조개 [명] 〖조개〗 [*Fulvia mutica*] 새조갯과에 속하는 쌍패류(雙貝類)의 하나. 패각(貝殼)의 높이 95 mm, 폭 65 mm 가량의 원반상(圓盤狀)으로 각표(殼表)는 매끈매끈하며 46-47개의 물결 모양의 방사상 각맥(放射狀刻脈)이 있고, 거기에 황백색을 띤 비늘이 있는 피질(皮質)이 있으며, 벨벳 모양의 단모(短毛)가 있음. 내면(內面)은 홍색이고 보드라우며 살빛은 담회색임. 깊이 6-9 m 되는 내만(內灣)의 진흙 섞인 모래땅 속에 서식하며, 5-10월에 산란함. 한국·일본·대만의 연안에 분포함. 살은 초장에 회를 만들어 먹기도 하는데 새고기 맛과 같음. 조합(鳥蛤). 바지락조개.

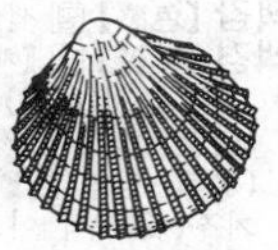

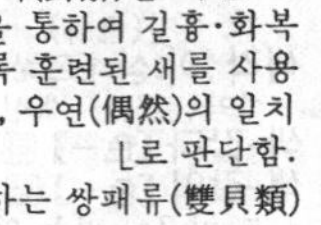
〈새조개〉

새:조갯-과【一科】[명] 〖조개〗 [Cardiidae] 진정 판새류(眞正瓣鰓類)에 속하는 한 과. 새조개 등이 이에 속함.
새:조-변【一鳥邊】[명] 한자 부수(部首)의 하나. '鳴'·'鳩' 등의 '鳥'의 이름.
새주 [명] 〈방〉 소주⁵(전남).
새-줄 [명] 〈방〉 쇠줄(경남).
새줄랑이 [명] 아주 소견없이 방정맞고 경솔한 사람.
새:-중간【一中間】[명] 중간의 힘줌말. ¶ 생기는 것 없이 ~에서 수고만 한다.
새:지 [명] 〈방〉 송아지(함경).
새지근-하다 [형][여불] ☞ 새척지근하다.
새:-짐승 [명] ☞ 날짐승.
새-집¹ [명] ①새로 지은 집. ②새로 이사하여 든 집. ③새로 맺은 사돈의 집. ④'새색시'를 허물없이 일컫는 말.
새집² [명] 〈옛〉 뗏집. 띠로 이은 집. 초가(草家). ¶ 菴은 새지비라《妙蓮 II:244》.
새:-집³ [명] ①새가 깃들이는 집. ②참새의 집.
새집 증후군【一症候群】[명] 〖사·의〗 새 아파트 입주자들에게 쉬이 나타나는 증세. '빌딩 증후군'과 비슷하여 시멘트와 페인트, 벽지, 카펫, 비닐 장판에서 나오는 화학 가스와 먼지 등이 실내 공기를 오염시키는 한편 밀폐형 설계로 맑은 공기가 순환되지 못하면서 호흡기 질환과 피부병, 알레르기성 질환을 일으킴. 새집 병.
새-째 [명] 〈방〉 왕겨(강원·경북).
새-쩨 [명] 〈방〉 왕겨(강원·경북).
새-쪽 [명] '동쪽'의 뱃사람 말.
새:쫓기 노래 [명] 우리 나라 구전(口傳) 민요의 하나. 벼가 익을 무렵, 새막 같은 데에 걸터앉아, 새를 쫓을 때에 부르는 노래.
새-찔 [명] 〈방〉 ①골목(경남). ②소로¹(小路)(충남·전라·경상).
새:-찜 [명] 참새 고기의 찜. 튀한 참새를 뜯어 소금을 뿌린 다음, 녹말 익힌 국물을 씌워 후춧가루를 뿌리고 파뿌리, 채친 도라지, 데친 미나리, 굵게 썬 목이채(木耳菜), 황화채(黃花菜), 표고, 석이(石耳)를 기름에 볶아 놓고, 알고명을 부쳐 썰어 실백(實柏)을 섞어 얹음. 조증(鳥蒸).
새차우 [명] 〈방〉 올가미(충북·경북).
새:-참 【一站】 [명] ↗사이참.
새:-창 [명] 소의 창자의 한 가지. 이자머리와 똥창의 두 부분으로 되었음.
새창애 [명] 〈방〉 올가미(강원).
새:처니-질 [명] 〈방〉 까붐질. ——-하다 [자]
새척지근-하다 [형][여불] 음식이 쉬어서 신맛이 조금 나다. [준]새치근하다. <시척지근하다.
새첩다 [형] 〈방〉 예쁘다.
새-청 [명] 날카로운 목소리. 새된 목소리.
새청-붙이다 [一부치一] [타] 〈방〉 생청붙이다.
새초¹ [명] 작게 만든 엽전(葉錢).
새초² [명] ↗새초 미역.
새초³ [명] 〈방〉 〖식〗 억새(강원).
새초롬-하다 [형] 새치름하다.
새:-초롱【一籠】[명] 〈방〉 새장.
새초름-하다 [형] 〈방〉 새치름하다.
새초 미역 [명] 장곽(長藿)보다 짧게 채를 지어 말린 미역. 빛이 검고 품질이 좋음. 길이 70 cm, 넓이 7 cm 가량으로 자름. 중곽(中藿). [준]새초.
새촘-하다 [형][여불] ☞ 새침하다. ❛ 연산은 눈을 새촘하게 뜨고 일부러 이렇게 말을 꺼냈다《朴鍾和 : 錦衫의 피》.
새:-총【一銃】[명] ①새를 잡는 데 쓰는 작은 총. 공기의 압착(壓搾) 작용을 이용하여 만든 것으로, 탄착 거리(彈着距離)가 짧고 힘이 약함. 조총(鳥銃). *공기총. ②'Y'자 형으로 된 쇠붙이나 나뭇가지에, 고무줄을 달아 돌을 끼어 튀기는 장난감 총. 새도 잡음.
새추 [명] 〈방〉 〖식〗 억새(강원).
새:추-부【一隹部】[명] 한자 부수(部首)의 하나. '隻'·'雄' 등의 '隹'의 이름.
새치¹ [명] 〈방〉 새끼(함경).
새치² [명] 〖어〗 돛새치·백새치·청새치·황새치 등 바닷물고기의 총칭. 다랑어와 비슷하나 턱이 길게 튀어나왔음. 몸길이 2-3 m, 몸무게 130 kg에 이르며 외양성(外洋性) 어류로 고기 맛이 좋음.
새:치³ [명] 젊은 사람의 머리에 난, 하얗게 센 머리카락.
새:치⁴ [명] 〈방〉 산장이(평안).
새치근-하다 [형][여불] ↗새척지근하다.
새:-치기 [명] ①순서를 어기고 남의 자리에 끼어 드는 짓. ②자기가 맡은 일 외에 때때로 다른 일을 하는 짓. ——-하다 [자][여불]
새치롬-하다 [형][여불] ☞ 새치름하다.
새치름-하다 [형][여불] 시치미를 떼고 태연하거나 얌전한 기색을 꾸미다. [준]새침하다. <시치름하다. **새치름-히** [부]
새치-부리다 [자] 몹시 사양하는 체하다.
새침-데기 [一떼一] [명] ①겉으로만 얌전한 체하는 사람. ②새침한 태도가 있는 사람. ¶ ~ 아가씨.
【새침데기 골로 빠진다】 얌전한 체하는 사람일수록 한번 길을 잘못 들면 그만 건잡을 수 없이 된다는 말.
새침-하다 [형][여불] ↗새치름하다.
새-카맣다 [一마타] [형][ㅎ불] 아주 검다. ¶ 해수욕으로 새카맣게 탔다. ㅆ새까맣다. <시커멓다.
새-카매 [준] '새카맣아'의 줄어 변한 말. ㅆ새까매. <시커메.
새카매-지다 [자] 새카맣게 되다. ㅆ새까매지다. <시커메지다.
새캄-새캄 [부] ①여럿이 다 새카맣거나 여러 곳이 새카만 모양. ❛ 사미승의 배코친 머리가 ~하게 자라고 있었다. <시컴시컴. ②몹시 새카만 모양. ——-하다 [형][여불]
새커리 〔Thackeray, William Makepeace〕 [명] 〖사람〗 영국의 소설가. 처음 《배리 린돈(Barry Lyndon)》 등 희문(戲文)을 쓰다가 1847년 《허영의 거리》로 일약 유명해졌음. 우수한 풍속 작가(風俗作家)로서 자유 활달한 문장의 교묘한 표현이 특색임. [1811-63]
새코 [명] 〈방〉 올가미(함남).
새코-미꾸리 [명] 〖어〗 [*Cobitis rotundicaudata*] 기름종갯과에 속하는 민물고기. 몸길이 15-17 cm. 몸빛은 암황색, 체측에 암갈색의 불규칙한 운양문(雲樣紋)이 있음. 한국 특산어로, 낙동강·금강·한강 등의 상류(上流)에 삶. 새코미꾸라지.
새:코-찌리 [명] 〖식〗 조의 한 가지. 가스랭이가 길고 씨가 누름.
새콤달콤-하다 [형][여불] 약간 시면서 맛깔스럽게 달다. *새큼달큼하다.
새콤-새콤 [부] 여럿이 다 새콤한 모양. 매우 새콤한 모양. ㅗ새곰새곰. <

시쿰시쿰. ——-하다 형여불

새콤-하다 형여불 웅숭깊게 좀 신 맛이 있다. ㅗ새곰하다. <시쿰하다.

〈새콩〉

새:-콩 명〖식〗[*Falcata japonica*] 콩과에 속하는 일년생 만초(蔓草). 줄기는 길게 뻗어 나가며 잎은 호생하고 장병(長柄)에 삼출 복엽(三出複葉)이고, 소엽(小葉)은 마름모 형상의 달걀꼴을 이룸. 8-9월에 담자색 꽃이 총상(總狀) 화서로 액생(腋生)하고, 협과(莢果)를 맺음. 들에 나는데, 한국 각지에 분포함. 씨는 흔히 아이들이 따서 먹으며, 구황용(救荒用) 재배 식물임.

새크라멘토 〔Sacramento〕 명〖지〗미국 캘리포니아 주의 주도. 새크라멘토 강(江) 하류에 있으며, 샌프란시스코와의 사이에 정기 여객선이 다님. 캘리포니아 분지(盆地)의 거의 중앙에 위치하며, 야채·과실 등의 식품 가공업이 성함. [274,000 명(1980 추계)]

새크라멘토 강 【—江】〔Sacramento〕 명〖지〗미국 캘리포니아 주 북서부를 남쪽으로 흘러, 샌프란시스코 만으로 빠지는 강. 캘리포니아 분지의 관개용 수원으로서 중요함. 유역 면적 70,200 km^2. [515 km]

새크러먼트 〔sacrament〕 명〖기독교〗신은(神恩)을 신도(信徒)에게 베푸는 예식. 천주교에서는 이것을 '성사(聖事)'라 부르고, 그리스 정교에서는 '기밀(機密)'이라 부르며, 각 일곱 가지로 구별함. 신교(新敎)에서는 성례(聖禮)라 하며, 세례(洗禮)·성찬(聖餐)의 두 가지 의식을 말함. 예전(禮典).

새크리파이스 〔sacrifice〕 명 ①희생. ②〖기독교〗공희(供犧). 산 제물.

새크리파이스 번트 〔sacrifice bunt〕 명 야구에서, 자기 편의 주자(走者)를 전진시키기 위해서 하는 희생 번트.

새크리파이스 히트 〔sacrifice hit〕 명 야구에서, 희생타(犧牲打).

새큰-거리다 자 뼈마디가 잇따라 새큰하다. ㅗ새근거리다. <시큰거리다. 새큰-새큰 부. ——-하다 자여불

새큰-대다 자 새큰거리다.

새큰-하다 형여불 뼈마디가 저리면서 조금 시다. ¶ 발목이 ~. ㅗ새근하다. <시큰하다. 「하다.

새큼달큼-하다 형여불 약간 새큼하면서 맛깔스럽게 달다. *새콤달콤

새큼-새큼 부 모두가 다 새큼한 모양. 매우 새큼한 모양. ㅗ새금새금. <시큼시큼. ——-하다 형여불

새큼-하다 형여불 매우 새금하다. ㅗ새금하다. <시큼하다.

새:-타령 【—打令】 명〖악〗남도 잡가(南道雜歌)의 하나. 온갖 날짐승의 독특한 울음 소리를 흉내냄. 장단은 중몰이.

새타이어 〔satire〕 명 풍자. 풍자의 글. 빈정거림. 비꼼.

새터데이 〔Saturday〕 명 토요일.

새터데이 이브닝 포스트 〔Saturday Evening Post〕 명 미국의 대중 주간 잡지. 문예지의 전통에, 정치상의 논의(論議)와 논픽션을 가미한 '세련된 추문(醜聞) 폭로'를 표방하여, 한때 발행 부수 450만 부를 기록함. 1821년 창간, 여러 번 지명(誌名)이 바뀌고 1969년 폐간되었으나 계간(季刊) 잡지로 복간됨.

새턴 〔Saturn〕 명 ①〖신〗'사투르누스(Saturnus)'의 영어명. ②토성(土星). 점성술(占星術)에서는 재앙의 별로 간주함. ③미국의 '아폴로 계획'에 사용된 대형 액체 추진제(推進劑) 로켓. Ⅰ형, ⅠB형, 5형의 3단계로 개발됨.

새:-털 명 새의 털.

새:털 구름 명〖천〗'권운(卷雲)'의 속명(俗名). 「雲層).

새:털구름-층 【—層】 명〖천〗새털구름이 겹치어 쌓이는 층. 권운층(卷

새통-바가지 명〈방〉새퉁이.

새통-이 명〈방〉새퉁이.

새퉁-빠지다 형 매우 새퉁스럽다.

새퉁-스럽다 형ㅂ불 어처구니없이 새삼스럽다. 새퉁-스레 부

새퉁-이 명 밉살스럽고 경망한 짓. 또, 그러한 사람.

새퉁이 부리다 구 밉살스럽고 경망한 짓을 하다.

새퉁-쩍다 형 ☞새퉁스럽다.

새틀라이트 〔satellite〕 명 ↗새틀라이트 스튜디오. ¶ ~ 프로그램.

새틀라이트-국 【—局】〔satellite〕 명 라디오·텔레비전 방송의 수신이 곤란한 지역에서 본국(本局)의 전파를 증폭하여 중계하는, 전력이 작은 보조 방송국. 위성국(衛星局).

새틀라이트 스튜디오 〔satellite studio〕 명 라디오에서, 방송국 밖에 마련한 방송용의 작은 스튜디오. 번화가 등에 설치된 라디오의 스튜디오. 유리로 된 구조물로서, 이 곳으로부터 방송국에 중계함.

새틴 〔satin〕 명 견직물(絹織物)의 일종. 직물의 표면에 날실만 또는 씨실만을 뜨게 한 것으로, 일반적으로 수자직(繻子織)의 양복지를 말함. 광택이 곱고 보드랍기 때문에 장식적(裝飾的)인 여성복·핸드백·모자 등에 사용됨. 수자(繻子).

새틴 스티치 〔satin stitch〕 명 프랑스 자수에서, 도안의 면을 전부 메우는 수법으로, 꽃잎·나뭇잎 등 여러 가지 도안에 쓰임.

새-파랗다 〔—라타〕 형ㅎ불 ①몹시 파랗다. ¶ 새파란 하늘. ②놀라거나 성을 내거나 춥거나 하여 몹시 질려 있다. ¶ 새파랗게 질리다. ③썩 젊다. ¶ 새파란 젊은이. 1)-2): <시퍼렇다.

새파랗게 젊다 구 썩 젊다. 「해지다.

새파랗게 질리다 구 놀라거나 겁이 나서, 핏기가 가시어 안색이 창백

새-파래 준 '새파랗아'의 줄어 변한 말. ¶ ~서/~ 가지고. <시퍼레.

새파래-지다 자 새파랗게 되다. <시퍼레지다.

새파우 명〈방〉〖동〗새우¹(경상).

새-판 명 ①새로 벌어진 일의 판. 새로운 판국. ②노름이나 바둑·장기 같은 것의 새로 시작된 판. ¶ ~을 벌이고 해 보자.

〈새팥〉

새:-팥 명〖식〗[*Phaseolus nipponensis*] 콩과에 속하는 일년생의 만초(蔓草). 줄기는 가늘고 다른 것에 감기어 올라감. 잎은 호생하고 장병(長柄)에 삼출복엽(三出複葉)이며 소엽(小葉)은 긴 달걀꼴 또는 달걀 모양의 타원형을 이룸. 8월에 담황색의 두상화가 잎 사이로부터 긴 꽃줄기가 나와 줄기 끝에 두세 개가 밀착하여 피고, 협과(莢果)를 맺음. 들에 나는데, 거의 한국 각지에 분포함.

새-풀 명〈방〉〖식〗억새(강원).

새-품 〔근대 : 새픔〕 명 억새의 꽃.

새풍 명〈방〉동풍(東風)(강원).

새피이 명〈방〉〖식〗억새(경남).

새-하다¹ 자〈방〉나무하다(평안).

새:-하다² 형〈방〉싸하다.

새-하얗다 〔—야타〕 형ㅎ불 몹시 하얗다. ¶ 새하얀 버선. <시허옇다.

새-하얘 준 '새하얗아'의 줄어 변한 말. ¶ ~지다/~서. <시허예.

새하얘-지다 자 새하얗게 되다. ¶ 새하얘진 얼굴. <시허예지다.

새-해 명 새로 시작되는 해. 개년(改年). 개춘(改春). 신년(新年). 신세(新歲). ↔묵은해.

[새해 못 할 제사 있으랴] 일을 그르쳐 놓고 다음부터 잘하겠다는 사람을 보고 핀잔주는 말.

새해 문:안 【—問安】 명 ①새해를 맞아 웃어른에게 드리는 인사. ②〖역〗정월 초하룻날 임금에게 올리던 인사. 의정 대신(議政大臣)이 백관(百官)을 거느리고 대궐에 들어가, 정전(正殿)의 뜰에서 임금에게 조하(朝賀)하고 전문(箋文)을 올리고, 팔도(八道)의 방백(方伯)·병사(兵使)·수사(水使)·목사(牧使)도 전문과 지방(地方)의 산물(產物)을 바치며, 각 고을의 호장(戶長)들도 올라와 문안(問安)에 참예함. 신세 문안(新歲問安).

새해 전갈 【—傳喝】 명〖민〗정초(正初)에 부녀(婦女) 등이 인친(姻親)의 집에 문안비(問安婢)를 보내어 인사를 전하던 일.

새해 차례 【—茶禮】 명〖민〗정월 초하룻날 지내는 차례. 신세 차례.

새:-호리기 명〖조〗[*Falco subbuteo*] 맷과에 속하는 새. 매와 비슷한데 날개 길이 24-28 cm, 몸빛은 아랫부분이 황백색에 가슴과 옆구리에는 많은 흑점이 있고, 복부·꽁지는 적갈색인데 꽁지는 두 깃 이외는 흑갈색 띠가 있음. 산이나 들에서 작은 새를 잡아 먹음. 한국·중국 북동부·시베리아·만주·유럽에 분포함.

〈새호리기〉

색¹ 명〖광〗감돌·복대기·감흙 등을 조금 빻고 갈아서 사발 따위에 넣고 물에 일어서, 금분이 있고 없음을 시험하는 일. *사발색.

색² 【色】 명 ①빛. 빛깔. ②같은 부류를 가리키는 말. ¶ ~다른 사람. ③〖역〗사무의 한 분장(分掌). 관청의 과(課) 또는 계(係) 같은 것. 빗. ¶ ~관(官)/승전(承傳) ~. ④↗색사(色事). ⑤↗여색(女色)❶. ⑥〖불교〗오온(五蘊)의 하나. 눈에 보이는 현상(現象) 세계, 곧 물질 세계.

색³ 〔S.A.C.〕 명 〔Strategic Air Command〕〖군〗①전략 공군(戰略空軍). ②전략 공군 총사령부.

색⁴ 〔sack〕 명 ①주머니. 포대. 부대. ②↗루데 삭. 「식.

색⁵ 부 좁은 틈으로 김이나 바람이 세차게 나오는 소리. 또, 그 모양. <

색가오릿-과 【色—科】 명〖어〗[Dasyatidae] 가오리목(目)에 속하는 어류(魚類)의 한 과. 꼬리가 가늘고 길며 채찍 모양이고, 꼬리지느러미가 없는 것이 많은데 꼬리 등 쪽에는 1-3개의 독선(毒腺)이 있는 톱니 모양의 큰 가시가 있음. 청달래가오리·꽁지가오리·노랑가오리·흰가오리·나비가오리 등이 이 과에 속함.

색각 【色覺】 명 〔color sense〕〖생〗빛의 파장(波長)을 감각하여, 색채(色彩)를 식별(識別)하는 시각(視覺)의 한 가지. 척추(脊椎) 동물은 대개 적색·등색·황색·녹색·청색·자색(紫色) 등을 구별할 수 있음. 색채 감각. 색신(色神). ↔무색(無色) 감각.

색각 이:상 【色覺異常】 명 색채의 식별 능력의 이상. 곧, 색맹(色盲)과 색약(色弱). 색신(色神) 이상.

색-갈다 【色—】 타 사물을 여러 가지 색다른 것으로 갈아 바꾸다.

색-갈이 【色—】 명 봄에 묵은 곡식을 꾸어 주었다가 가을에 새 곡식으로 바꾸어 받는 일. ——-하다 타여불

색감 【色感】 명 색채(色彩) 감각. 빛깔에서 받는 느낌. *색각(色覺).

색경 【穡經】 명〖책〗조선 시대 현종 때, 서계(西溪) 박세당(朴世堂)이 지은 농서(農書). 구곡(九穀)·백과(百果)·소채(蔬菜)·과호(瓜瓠)·마시(麻枲)·계돈(鷄豚)·아압(鵝鴨)·봉어(蜂魚)·재목(材木)·화약(花藥)·수한(水旱)·양잠(養蠶) 등 농사 이외에 축산(畜產)·원예(園藝)·수리(水利)·기후(氣候)에 이르기까지 제반사를 논급하였음. 《서계집(西溪集)》 제7권에 들어 있음. 2 권 2 책.

색계¹ 【色界】 명 ①〖불교〗삼계(三界)의 하나. 욕계(慾界)와 무색계(無色界)의 중간 세계로 욕계처럼 탐욕(貪慾)은 없으나, 아직 색법(色法)을 벗지 못한 세계. 초선천(初禪天)·이선천(二禪天)·삼선천(三禪天)·사선천(四禪天)의 사천(四天)이 있으며, 이들은 다시 나뉘어 십팔천(十八天)이 됨. *삼십삼천(三十三天)·십팔천(十八天)·욕계(慾界). ②여색(女色)의 세계. 화류계(花柳界).

색-계² 【索契】 명 '삭계(索契)'의 잘못.

색계-상 【色界上】 명 화류계의 방면.

색골 【色骨】 명 색(色)을 지나치게 즐기는 사람. 또, 그런 생김새. 호색가(好色家). 호색꾼.

색관 【色官】 명〖역〗일을 담당한 계원(係員).

색광¹ 【色光】 명 ① 여자의 매력. ②〖불교〗부처나 보살의 몸에서 나오

는 광명.
색광²【色狂】명 색정(色情)을 만족시키기 위하여 상식에서 벗어나는 행동을 하는 사람. 색에 미친 사람. 색마(色魔). 색정광.
색광-증【色狂症】[ㅡ쭝] 명 『의』 색정(色情)의 만족만을 생각하는 정신병의 하나.
색구¹【色球】명 『천』 채층(彩層).
색구²【色驅】명 『역』 구종(驅從)의 두목.
색구³【索求】명 찾아서 구함. ──-하다 타여불
색구⁴【索具】명 '삭구(索具)'의 잘못.
색깔【色ㅡ】명 빛깔.
색깔-치【色ㅡ】명 색소체(色素體).
색난【色難】명 ①자식이 늘 부드러운 얼굴빛으로 부모를 섬기기란 어렵다는 뜻. ②부모의 얼굴빛을 보고 그 뜻에 맞게 봉양하기란 어렵다는 뜻.
색념【色念】명 여색에 대한 생각. ¶ 횃대 밑 사내라더니 밖에선 구실을 못하면서 깐에 ~ 하난 도저하시우《金周榮 : 客主》.
색-노끈【色ㅡ】명 ①고운 물감을 들인 노끈. ②색종이로 꼰 지노.
색-다르다【色ㅡ】형르불 종류가 다르다. ¶ 색다른 맛이 있다.
색달【色疸】명 『한의』 여로달(女勞疸).
색-대【色ㅡ】명 가마니나 섬 속에 든 물건을 조금 찔러 빼내어, 간색(看色)하는 데 쓰는 물건. 대통이나 쇠통의 끝을 엇비슷이 베어 만듦. 태관(兌管). 간색대.
〈색대〉
색-대님【色ㅡ】명 고운 빛과 무늬 있는 피륙으로 만든 대님.
색-대리석【色大理石】명 『광』 흰 빛깔 외의 다른 빛깔로 된 대리석.
색-대자【色帶子】명 오색실로 간결러 짠 띠.
색덕【色德】명 여자의 고운 얼굴과 아름다운 덕행(德行).
색도¹【色度】명 [chromaticity] 『물』 명도(明度)를 제외한 광선의 빛깔의 종별(種別)을 수량적(數量的)으로 지정(指定)한 수치(數值). 수량적으로는 주파장(主波長)과 순도(純度)에 의하여, 혹은 그 색에 포함되어 있는 삼원색(三原色)의 비율에 따라 표시됨.
색도²【色道】명 색사(色事)에 관한 기술.
색도³【色圖】명 여러 가지 색을 칠한 그림. 채색한 그림.
색도⁴【索道】명 '삭도(索道)'의 잘못.
색도⁵【索綯】명 '삭도(索綯)'의 잘못.
색도-계【色度計】명 『물』 색도를 측정하는 기계. 흔히, 삼색 색도계(三色色度計)를 사용함.
색도-도【色度圖】명 [chromaticity diagram] 그림으로 표시된 색도 좌표(色度座標). 곧, 삼색 계수(三色係數)를 삼선 좌표(三線座標)에 취하거나 또는 그 중의 두 계수를 직각 좌표에 취하여, 평면상의 점(點)에서 색도를 나타낸 것. 국제 조명(照明) 위원회에서 규정된 삼색 계수 중의 x, y를 직각 좌표로 취한것이 가장 많이 쓰이고 있음.
색도 인쇄【色度印刷】명〈속〉 색도 분해에 의한 원색판(原色版)을 사용한다는 뜻에서 다색 인쇄(多色印刷)를 일컫는 말.
색도 좌:표【色度座標】명 [chromaticity coordinates] 『물』 광선의 색도(色度)를 수량적(數量的)으로 나타낸 수치(數值). 빨강·초록·파랑 삼색(三色)의 혼합량(混合量)을 각각 X, Y, Z로 표시한 것인데, 그 사이에는 $X+Y+Z=1$의 관계가 있음.
색-동¹【色ㅡ】명 옷소매의 동을 여러 가지 빛깔로 층이 지게 만든 어린 아이들의 소맷감. ¶ ~ 저고리.
색동²【色動】명 놀라거나 성이 나서 얼굴빛이 변함. ──-하다 자여불
색동 마고자【色ㅡ】명 색동으로 소매를 대서 만든 마고자.
색동 반배【色ㅡ】명〈방〉 색동 마고자.
색동-옷【色ㅡ】명 색동을 대서 만든 옷.
색동 저고리【色ㅡ】명 색동으로 소매를 대어 만든 어린 아이의 저고리. *까치 저고리.
색동-천【色ㅡ】명 무지개같이 여러 가지 빛깔로 층이 지게 짠 천.
색동-호랑거미【色ㅡ虎狼ㅡ】명 『동』 [*Coganargiope amoena*] 호랑거밋과에 속하는 거미. 몸길이 암컷은 25 mm, 수컷은 8 mm 내외이며, 배갑(背甲)은 암갈색에 은백색의 짧은 털로 덮임. 흉판(胸板)의 양측은 흑갈색, 다리는 황갈색에 흑륜(黑輪)이 있으며, 복배면(腹背面)은 세 개의 황대(黃帶)와 흑갈대(黑褐帶)가 번갈아 있음. 인가(人家)·전원·풀밭에 서식하는데, 한국·일본에 분포함.
〈색동호랑거미〉
색동-회【色ㅡ會】명 『문』 아동 문학과 아동 운동을 위한 문화 단체. 1922년 일본 도쿄에서 방정환(方定煥)·마해송(馬海松)·윤극영(尹克榮)·손진태(孫晋泰)·조재호(曺在浩) 등이 주동이 되어 창립됨. 1923년 기관지 '어린이'를 간행하여, 새 사조(思潮)에 입각한 많은 동요·동화 등을 발표하였음. 윤극영이 작곡한 '반달'은 이 시절의 대표적인 작품임.
색 드레스 [sack dress] 명 몸의 선(線)에 맞추지 않고 넓게 지어, 부대자루같이 생긴 여성용의 풍성한 드레스.
색-등【色燈】명 빨강·파랑·노랑 따위의 빛깔로 비치는 등.
색-등거리【色ㅡ】명 ①〈방〉 색동 마고자. ②'오라¹'의 곁말.
색등식 신:호기【色燈式信號機】명 주야를 통하여, 청(青)·황(黃)·적(赤)의 삼색 등화로 진행·주의·정지 등의 신호를 나타내는 신호기. 철도용과 도로용이 있음.
색-떡【色ㅡ】명 여러 가지 빛깔을 물들여서 만든 떡. 갖은색떡과 민색떡의 두 종류가 있음. 색병(色餠).
색락【色落】[ㅡ낙] 명 『역』 세곡(稅穀)이나 환곡(還穀)을 받을 때에 간색(看色)이나 헤어질 쌀을 채우기 위하여, 얼마쯤 가외로 더 받아들이던 곡식. 색모(色耗).
색랍【色蠟】[ㅡ납] 명 [color wax] 식물에 포함되는 색소 카로티노이드(carotinoid)와 지방산(脂肪酸)과의 에스테르(ester). 보통의 납(蠟)과 똑같은 촉감(觸感)이나 질을 가지며, 카로티노이드에 기인(基因)하는 색을 띠고 있음.
색량-계【色量計】[ㅡ냥ㅡ] 명 『물』 색(色)의 농도(濃度)를 비교·측정하여 그 색소량(色素量)을 재는 계기.
색려【色厲】[ㅡ녀] 명 얼굴빛이 엄하여 위엄이 있음. 겉으로 엄함. ──-하다 형여불
색력【色力】[ㅡ녁] 명 [color force] 『물』 쿼크(quark)를 결합하는 강한 힘. *색력론.
색력-론【色力論】[ㅡ녁논] 명 [chromodynamics] 『물』 색력을 다루는 이론. 쿼크(quark)를 결합하여 하드론(hadron)을 형성시키는 강한 상호 작용을 연구함.
색론【色論】[ㅡ논] 명 사색 당파(四色黨派)의 논전(論戰). ──-하다 자여불
색리【色吏】[ㅡ니] 명 『역』 감영(監營)이나 군아(郡衙)의 아전.
색마【色魔】명 마귀처럼 색정(色情)의 만족을 추구하는 사람. 색광(色狂).
색-망치 명 『광』 사발색을 볼 때에 전용으로 쓰는 망치.
색맹【色盲】명 [color blindness] 『생』 색각(色覺)이 불완전하여 빛깔을 식별 못하는 상태. 또, 그러한 증상의 사람. 선천적 소질의 결함으로 모든 빛깔을 식별 못하고 명암(明暗)만을 분간하는 전색맹(全色盲)과, 일정한 빛깔만을 식별 못하는 부분(部分) 색맹이 있는데, 부분 색맹에는 홍록(紅綠)을 분간 못하는 홍록 색맹과 청황(青黃)을 분간 못하는 청황 색맹이 있음. 색맹보다 정도가 가벼운 것을 색약(色弱)이라 함. 여자에게는 극히 드묾. 색소경. *부분 색맹.
색맹 검:사【色盲檢査】명 『생』 색각 이상(色覺異常)의 종류나 정도를 검사하는 일. 색맹 검사표 등을 사용하여 행함.
색맹 검:사표【色盲檢査表】명 『생』 색각 이상(色覺異常)을 발견하기 위해 사용되는 표(表). 정상자(正常者)는 읽을 수 있으나 이상자는 읽지 못하는 것과, 그 반대의 것 등이 교묘히 조합(組合)되어 있음.
색맹 유전자【色盲遺傳子】[ㅡ뉴ㅡ] 명 『생』 색맹을 일으키게 하는 유전자. 이 유전자는 정상에 대하여 열성(劣性)의 유전자로서, 엑스 염색체(X染色體)에 있기 때문에, 남자에게 이 유전자가 있으면 색맹이 되지만, 여자에서는 잠재 유전자인 경우가 많음. 색맹 인자.
색맹 인자【色盲因子】명 『생』 색맹 유전자.
색면【索麪】명 '삭면(索麪)'의 잘못.
색모¹【色耗】명 『역』 색락(色落).
색모²【色貌】명 ①여자의 아름다운 생김새. ②안색과 용모.
색목【色目】명 『역』 조선 시대의 사색 당파(四色黨派)의 이름.
색목-인【色目人】명 중국 원(元)나라 때, 유럽·서(西)아시아·중부(中部) 아시아 등지에서 온 외국인의 총칭. 피부나 눈의 빛깔이 다르기 때문에 이렇게 불렀음.
색-무명【色ㅡ】명 물들인 무명.
색-미투리【色ㅡ】명 총에 여러 가지 물을 들여 만든 어린 아이나 젊은 여자들의 미투리. 왕골 속으로 만듦.
색-바꿈【色ㅡ】명 같은 소용의 물건에서 뜻에 맞는 것으로 바꿈. ──-하다 타여불
색-바람 명 이른 가을에 부는 선선한 바람.
색법【色法】명 『불교』 일체 제법(一切諸法) 가운데 색이나 형체(形體)를 갖고 있는 현상(現象) 세계의 총칭. 외계 인식의 주체인 눈·귀·코·혀·몸의 오근(五根)과 객체인 빛·소리·향기 및 촉법(觸法)의 오경(五境)과 방선 방악(防善防惡)의 무형물을 포함함.
색별【色別】명 ①종류가 다른 것마다에 다른 빛깔을 칠하는 일. ¶ 지도를 각국별로 ~하다. ②종류에 따라 구별하는 일. ──-하다 타여불
색병¹【色病】명 『의』 색상(色傷).
색-병²【色餠】명 ①색떡. ②색절편.
색-보다 자 『광』 사발이나 함지 따위로 색을 보다. 감흙·감돌 따위를 대접 같은 데에 넣고 물에 일어서, 금분이 있고 없음을 시험하다. *사발색(을) 보다.
색복【色服】명 빛깔이 있는 의복. 무색옷. 색의(色衣).
색부【嗇夫】명 인색한 사내. 깍정이.
색-비름【色ㅡ】명 『식』 [*Amaranthus gangeticus*] 비름과에 속하는 일년초. 줄기는 원기둥꼴에 높이 1.5 m 가량임. 잎은 호생하는데 여러 개가 서로 접근하여 붙고, 긴 타원상의 피침형 내지 선형(線形)이며 홍색·황색의 반문(斑紋)이 있어 아름다움. 8-9월에 엷은 녹색 또는 담황색의 잔 꽃이 잎 사이에 밀생하여 피고 달걀 모양의 타원형 개과(蓋果)를 맺는데, 잔 종자가 한 개씩 들어 있음. 열대 아시아 원산(原産)으로 정원에서 재배함. 노소년(老少年). 당비름. 땅비름. 십양금(十樣錦). 안래홍(雁來紅).

〈색비름〉

색빌-웨스트 [Sackville-West, Victoria] 명 『사람』 영국의 여류 시인·소설가. 남작(男爵)의 딸. 외교관·전기 작가·소설가인 니콜슨(Nicolson)의 아내. 작품은 시집 《토지》, 소설 《에드워드 왕조의 사람들》 등이 있음. [1892-1962]
색사¹【色事】명 남녀간의 욕정(慾情), 특히 육체적인 교접(交接)에 관한 일. ㈜색(色). ──-하다 자여불
색사²【色絲】명 색실.
색-사발【ㅡ沙鉢】명 『광』 색을 보기 위하여 정해 놓고 쓰는 사발.
색-사지【色ㅡ】명 잔치 때, 누름적이나 산적들의 꼬챙이 끝에 휘감는 오색 종이 조각. *사지¹.
색-사진【色寫眞】명 ①빛깔을 넣어서 현상(現像)한 사진. 천연색(天然色) 사진. ②물감으로 채색한 사진.
색사피아【索士皮亞】명 『사람』 '셰익스피어'의 개화기(開化期) 때의

한자 표기.

색상¹【色相】명 ①색조(色調). ②〖불교〗육안으로 볼 수 있는 모든 물질의 형상. ③〖불교〗불신(佛身)의 모습. ④색감(色感)을 물리학적으로 또는 심리학적으로 구별할 때의 요소의 하나. 명도(明度)·선명도(鮮明度)이외의 빛깔의 구별에 상당하며, 색의 3속성(屬性)의 하나로, 적색·황색·청색 같은 색을 특성짓게 하는 속성을 이름. 색상을 가지는 색을 유채색, 색상을 안 가지는 색, 즉 백색·회색·흑색을 무채색이라 함.

색상²【色商】명 여자를 색주가에 넘기거나 매음을 하게 하던 상인.

색상³【色傷】명〖의〗방사(房事)의 과도(過度)로 생기는 병. 색병(色病).

색-상자【色箱子】명 여러 가지 빛깔의 종이로 바른 상자.

색상-환【色相環】명〔hue circle〕〖미술〗색상에 따라 계통적으로 색을 둥그렇게 배열한 것. 원색인 빨강·노랑·파랑에 녹색과 보라를 추가하여 주요(主要) 5색상을 정한 뒤, 이에 간색을 마련하면 10색상이 되며, 다시 10색상을 서로 혼합하여 간색을 마련하면 20색상이 되는데, 이를 비슷한 색상끼리 둥글게 배열한 것임. 보통, 여기에 나타난 색을 순색(純色)이라 하며, 색상환의 정반대에 있는 색상끼리는 서로 보색(補色) 관계에 있음. 컬러서클.

색색¹【色色】명 ①여러 가지의 빛깔. ¶ ~으로 장식하다. ②여러 가지. 가지각색. ¶ 형형(形形) ~/물건을 ~으로 갖추어 놓다.

색색² 부 숨을 가느다랗게 쉬는 소리. ¶ 아기가 ~ 잘도 잔다. ㅆ쌕쌕. <식식. ——-하다 자여불

색색-거리다 자 색색 소리를 내며 숨을 연해 가늘게 쉬다. ㅆ쌕쌕거리다. <식식거리다.

색색-대다 자 색색거리다. ¶ 진주집은 바싹 독이 올라서 색색대었다 ≪李無影 : 農民≫.

색색-이【色色—】부 여러 가지 빛깔로. ¶ ~ 물들이다.

색선【色扇】명 여러 가지 색종이를 붙여 만든 부채. *까치선.

색소【色素】명 ①물체의 색(色)의 본질(本質). 또, 물체에 빛깔을 나타내게 하는 물감 등의 성분. 대개 광물이나 동식물에 함유되어 있는 천연(天然) 색소와 도료(塗料)·안료(顔料) 등의 인공(人工) 색소로 크게 나눔. 물씨. ¶ ~ 침전(沈澱). ②〖생〗↗색소 세포(色素細胞).

색소 결핍증【色素缺乏症】명〖의〗선천적(先天的)으로 피부에 색소가 적은 증세. 그러한 사람을 '백인(白人)'이라 하는데, 야맹증(夜盲症)도 눈에 색소가 부족한 증세임.

색-소경【色—】명〖생〗색맹(色盲).

색소-뇨【色素尿】명〖생〗체내의 혈색소(血色素)·담즙(膽汁) 색소 등이 섞여서 배설되는 오줌.

색소 단백질【色素蛋白質】명〔chromoprotein〕〖생·화〗색소를 함유한 복합 단백질의 총칭. 헤모글로빈 따위.

색소-산【色素酸】명〖화〗색소가 산(酸)과 염기(塩基)와의 화합으로 이루어지는 경우, 발색단(發色團)이 존재하는 산. 산성 염료(酸性染料)·직접 염료(直接染料) 등은 색소산을 가짐. ↔색소 염기(色素塩基).

색소 색전증【色素塞栓症】[—쯩] 명〖의〗탄분증(炭粉症)·흑색 육종(黑色肉腫) 등의 경우에 림프선(腺) 속에서 볼 수 있는, 색소에 의한 색전증의 하나. *혈전성(血栓性) 색전증.

색소성 건피증【色素性乾皮症】[—썽—쯩] 명〔라 xeroderma pigmentosum〕〖의〗얼굴이나 손발 따위에 일광 광선을 받아 빨갛게 되는 상태를 되풀이한 후, 주근깨나 모반(母斑) 등의 반점이 생겨, 피부가 말라 위축되는 병.

색소성 모:반【色素性母斑】[—썽—] 명〔pigmented mole〕〖의〗담갈색 내지 흑갈색, 편평 또는 부정(不整)의 융기를 하는 모반. 부위는 일정하지 않으나, 대개 선상(線狀) 또는 대상(帶狀)으로 발생함.

색소 세:포【色素細胞】명 ①〔pigment cell〕〖동〗동물 세포 가운데, 다량(多量)의 색소를 함유하는 세포. 그 세포 자신이 신축하여 체색(體色)의 농담(濃淡)의 차(差)를 유지하는 것과, 세포내에서 세포 알갱이가 집산(集散)하여 그와 같은 효과를 유지하는 것이 있음. 그 신축은 신경 또는 호르몬의 작용에 지배됨. ②색소포.

색소 실조증【色素失調症】[—쪼쯩] 명〔라 incontinentia pigmenti〕〖의〗생후 즉시 또는 2-3세까지에 망목상(網目狀) 또는 별 모양의 청회색(青灰色) 반점이 하반신에 생겨 빨갛게 되거나 붓거나 물집이 생기고, 점점 색이 바래는 병.

색소 염기【色素塩基】명〖화〗색소가 산(酸)과 염기(塩基)와의 화합(化合)으로써 이루어지는 경우, 발색단(發色團)이 존재하는 염기. 모든 염기성(塩基性) 물감은 색소 염기를 가짐. ↔색소산(色素酸).

색소 유지질【色素類脂質】명〔chromolipid〕〖생〗동식물의 체내(體內)에 들어 있는 지방상(脂肪狀)의 색소. 카로틴(carotin) 등이 있음.

색소 조직【色素組織】명〔pigment tissue〕〖생〗색소 세포가 모여서 된 조직. 체표(體表)의 진피(眞皮) 또는 드물게 표피에도 볼 수 있음. 대개의 동물에서는 신경이나 호르몬의 영향을 받아, 색소 세포가 신축하여 체색(體色)을 변화함.

색소-체【色素體】명〔plastid〕〖식〗식물의 세포질(細胞質)에 함유되어 있는 소입자(小粒子). 개체성(個體性)이 있어, 스스로 분열(分裂)하여 수가 늘게 됨. 수정란(受精卵)·세포 중에 있는 색소체는 분열하여 세포 분열에 의해서 된 세포에 분배되는데, 녹색의 엽록소(葉綠素)를 함유하면 엽록체(葉綠體)라고 하며 녹색 식물의 녹색 부분에 들어 있음. 다른 빛깔로 된 것을 잡색체(雜色體) 또는 유색체(有色體)라 하고, 색소가 없는 것을 백색체(白色體)라고 하며, 이는 무색(無色)의 뿌리나 줄기나 잎의 내부의 흰 부분에 함유됨. 흔히, 일광(日光)을 받으면 엽록체로 변하며, 엽록체도 일광을 못 받으면 백색체로 변하는 것이 있음. *엽록체(葉綠體).

색소체 유전자【色素體遺傳子】명〔plastogene〕〖생〗엽록체 등 식물의 색소체에 있는 유전자.

색소 침착【色素沈着】명〔pigmentation〕〖생〗생체내(內)에 색소가 병적으로 나타나는 일.

색소-포【色素胞】명〖생〗〔↗색소 세포〕좁은 의미로, 피부에 존재하여 색소의 과립(顆粒)이나 적립(滴粒)이 있고 그 분포가 가역적(可逆的)으로 변하는 것.

색소포 자:극 호르몬【色素胞刺戟—】명〔chromatophorotrophin〕〖동〗색소 과립(顆粒)의 활동을 조절하는 갑각류(甲殼類)의 신경 호르몬의 총칭.

색소폰:〔saxophone〕명〖악〗〔발명자인 벨기에 사람 색스(Sax; 1814-94)의 이름에서〕관악기의 한 가지. 금속제(金屬製)로, 리드(reed)는 하나뿐이며 구조는 클라리넷과 비슷하나 똑바로 된 것과 아래위가 구부러진 것이 있음. 음역(音域)에 따라 7종류로 나뉘나, 대체로 부드럽고 감미로운 소리를 내며, 음량이 풍부하여 취주악 또는 재즈에 많이 쓰임. 1840년경에 발명되었음. *색소혼(saxhorn).

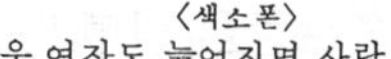
〈색소폰〉

색쇠 애:이【色衰愛弛】명 귀염을 받던 아름다운 여자도 늙어지면 사랑을 잃어버린다는 말. ——-하다 자여불

색-수차【色收差】명〔chromatic aberration〕〖물〗렌즈가 맺는 물체의 상(像)이 광(光)의 파장(波長)에 의한 굴절율(屈折率)의 상이(相異)로, 빛깔에 따라 그 위치나 배율(倍率)을 바꾸는 현상. 이것을 없앤 것이 색지움 렌즈임. ㉮수차(收差).

색-순응【色順應】명〖물〗햇빛·텅스텐(tungsten) 전등·형광등(螢光燈) 등, 광원(光源)이 다름에 따라서 분광 에너지 분포(分光 energy 分布)가 다르고, 따라서 그 빛을 받은 물체의 색도 다르게 보이는데, 그 차(差)를 적게 하는 눈의 자동 조절을 일컬음.

색스〔sax〕명 지붕의 슬레이트(slate)끝을 자르는 공구(工具). 한 쪽 끝에 못 구멍을 만드는 돌기(突起)가 있음.

색스니¹〔Saxony〕명〖지〗'작센(Sachsen)'의 영어명.

색스니²〔saxony〕명 엷고 썩 좋은 방모 직물(紡毛織物)의 한 가지. 멜톤(Melton)과 플란넬과의 중간 직물로서, 메리노 양모(Merino 羊毛)로써 능직(綾織)으로 짠 뒤에 축융(縮絨)·기모(起毛)한 것임. 처음에 독일의 색스니 지방에서 나는 양모로 짰기 때문에 이 이름이 있음.

색스혼:〔saxhorn〕명〖악〗〔발명자인 벨기에 사람 색스(Sax, Adolphe)의 이름에서〕취주악의 중심이 되는 금관악기(金管樂器). 관(管)은 몇 겹으로 구부러졌고, 보통 변음용의 밸브(valve)가 세 개 달렸음. 피스톤을 가지며, 음역(音域)에 따라 고음역 넷과 저음역 셋의 7 종의 형(型)으로 나뉨. *색소폰.

〈색스혼〉

색슨-족【—族】〔Saxon〕명〖인류〗튜튼족(Tuton 族)의 한 종족. 2-3세기경 라인(Rhein)·엘베(Elbe) 두 강 사이의 북부 지방에 거주하다가, 5-6세기경 독일 북부를 점령하고, 일부는 브리튼(Britain) 섬에 침입하여, 앵글인(Angle 人)과 더불어 영국의 기초를 이룸. *앵글로색슨(Anglo-Saxon).

색:시¹ 명 ①아직 시집을 가지 않은 처녀. 규수(閨秀). ②술집 등의 접대부(接待婦). ③↗새색시.

【색시 귀신에 붙들리면 밥을 못 뺀다】시집도 못 가고 죽은 처녀 원혼(冤魂)의 빌미는 무섭다는 말. 【색시 그루는 다홍치마 적에 앉혀야 한다】아내 또는 새 며느리는 데려오자 바로 길들이고 법도를 세워야 한다는 말. 【색시 짚신에 구슬 감기가 웬 일인고】분에 맞지 않는 호사를 하면 어울리지도 않고 어색함을 일컫는 말.

색시²【色視】명〖의〗실제로는 빛깔이 없는 물건에 빛깔이 있는 것처럼 보이는 병적 상태.

색:시 걸음 명 새색시처럼 아주 얌전하고 조심스럽게 걷는 걸음.

색:시 놀이 명 ☞각시놀음.

색신¹【色身】명 ①〖불교〗색상(色相)이 있는 몸. 곧, 육체(肉體). ②〖불교〗석가 모니나 보살의 육신(肉身). ③여자의 고운 용모와 자태(姿態).

색신²【色神】명〖생〗색각(色覺).

색신 검:사【色神檢査】명〖생〗색신의 정상 여부를 검사하는 일. 이상이 있을 때에는 색맹(色盲)이나 색약(色弱)이므로 색맹 검사와 같은 뜻으로 쓰임.

색신 이:상【色神異常】명 색각 이상(色覺異常).

색-실【色—】명 물감을 들인 실. 색사(色絲).

색심【色心】명 ①〖불교〗색법(色法)과 심법(心法). 곧, 유형(有形)의 물질과 무형의 정신. ②색욕(色慾)이 일어나는 마음.

색:싯-집 명 ①〈속〉처가(妻家). ②작부(酌婦)를 두고 술을 파는 집.

색-쓰다【色—】자 ①사정(射精)하다. ②색사(色事)를 실행하다. ③〈속〉성적 교태(性的嬌態)를 취하다.

색-안경【色眼鏡】명 ①눈을 보호하기 위하여 색유리를 낀 안경. 선글라스(sunglass). ②주관이나 감정 같은 것에 지배되어, 편파적으로 관찰(觀察)하는 태도.

색안경으로 보다 구 편견이나 선입견을 가지고 보다.

색약【色弱】명〔도 Farbenschwäche〕〖생〗색맹(色盲)만큼 심하지는 않으나, 건전한 눈보다는 빛깔의 판별력(判別力)이 약한 현상. 적색약(赤色弱)·녹색약(綠色弱)이 있음. *색맹(色盲).

색-연필【色鉛筆】[—년—] 명 연필의 심을 납(蠟)·찰흙·백악(白堊) 같은 것에 광물질 물감을 섞어서 빛깔이 나게 만든 연필.

색염【色染】명 염색(染色). ——-하다 타여불

색-온도【色溫度】명 발광체(發光體)의 온도를 나타내는 방법의 하나. 또, 그 수치(數値). 직접 측정할 수가 없는 고온도의 물체나 별 같은 것의 온도를 측정할 때 쓰임.

색-온도계【色溫度計】명 직접 온도의 측정이 불가능한 고온도(高溫度)

의 물체나 별 등의 온도를 측정하는 데 쓰이는 고온계의 하나.

색-옷【色—】[명] ↗무색옷.

색욕【色慾】[명] ①〖불교〗 감각적인 욕망. 사욕(四慾)·오욕(五慾)의 하나로, 욕계(慾界)의 중생이 남녀의 아름다움 등에 사로잡히는 일. 또, 남녀간의 성욕. 색정(色情). 욕정(慾情). 음욕(淫慾). ②색정과 이욕(利慾).

색욕-계【色慾戒】[명]〖불교〗 오계(五戒)의 하나. 사음계(邪淫戒)의 일컬음. 아내 이외의 여자, 남편 이외의 남자와의 성적 관계를 훈계한 것.

색원【塞源】[명] 근원(根源)을 아주 없애 버림. ¶ 발본(拔本) ~. ——-하다 [자][여불]

색원-체【色原體】[명]〔chromogen〕〖화〗 자신은 무색이거나 혹은 담색(淡色)으로 염착성(染着性)이 약한 화합물이지만, 여기에 조색단(助色團)을 도입하면 염착성을 얻을 수 있는 염료 모체(母體). 크로모겐.

색-유리【色琉璃】[—뉴—] [명] 광학용(光學用) 필터·신호 표지등·식기(食器)·장식용(裝飾用)·건축용 유리 타일 등에 널리 쓰이는 유색(有色) 유리의 총칭. 각종 천이 금속(遷移金屬) 이온 또는 유색 콜로이드(colloid)에 의하여 착색(着色)함.

색은【索隱】[명] ①숨은 사리(事理)를 찾음. ②〖책〗 당(唐)의 사마정(司馬貞)이 사기(史記)를 주석한 책. 30 권. ——-하다 [자][여불]

색은 행괴【索隱行怪】[명] 궁벽한 것을 캐고 괴이한 일을 행함. 괴벽스러운 짓을 함. ——-하다 [자][여불]

색음【色陰】[명]〔coloured shadow〕〖심〗 시계(視界)가 일종의 색광(色光)으로 비치어져 있을 때, 색조(色調)가 없어야 될 회색이 주위의 색채 대비(色彩對比)에 의하여 그 색채의 보색(補色)으로 보이는 현상. *접촉(接觸) 대비·양안(兩眼) 대비.

색의【色衣】[—/—이] [명] 빛깔이 있는 옷. 무색옷.

색의 운:동【色衣運動】[—/—이—] [명]〖사회〗 경제적으로나 미적(美的)인 견지에서 색의를 장려하는 운동.

색이다 [타] ☞삭이다¹.

색이 회유【索餌回游】[명] 산란기 이외의 시기에 성어(成魚)가 먹이를 찾아서 군영(群泳)하여 떠돌아다니는 일. 북반구(北半球)에서는 대개 북방을 향함. 먹이 회유. ↔생육(生育) 회유. *계절 회유(季節回游).

색인¹【色人】[명]〖불교〗 매음(賣淫)해서 생활하는 사람. 매음녀.

색인²【索引】[명] ①찾아 냄. ②책의 내용이 되는 사항이나 자구(字句)를 일정한 순서로 배열(配列)하여, 그의 있는 곳을 쉽게 찾아볼 수 있도록 꾸며 놓은 목록(目錄). 인덱스(index). ——-하다 [타][여불]

색-입체【色立體】[명]〔color solid〕〖미술〗 색상(色相)·명도(明度)·채도(彩度)라는 색의 3요소를 기초로 하여 모든 물체의 색을 삼차원 공간(三次元空間)에 규칙적으로 배치한 것. 먼셀(Munsell A.H.; 1858-1918)의 색입체 외에 여러 방식이 있음.

색장¹【色—】[명]〈방〉 색골(色骨).

색장²【色掌】[명]〖역〗 ①성균관·향교(鄕校)·사학(四學) 등에 기거하는 유생(儒生)의 임원(任員)의 버금. 장의(掌議)를 보좌함. ②각 궁전(宮殿)의 주색(酒色)·다색(茶色)·증색(蒸色) 같은 것으로 계(係)의 일을 맡아 보던 자의 총칭(總稱). ③소임(所任)❷.

색장 나:인【色掌—】[명]〖역〗 편지를 전하는 나인. 빗장 나인.

색적【索敵】[명] 적을 찾아다님. 적을 색출(索出)함. 적군을 탐색함. ——-하다 [자][여불]

색전¹【色典】[명]〖역〗 고려 시대 때, 세곡(稅穀) 운송을 위해 각지에 설치된 조창(漕倉)에 소속된 향리(鄕吏)의 하나. 세곡(稅穀)의 수납·운반을 감독하고 개경(開京)에 도착하면 이를 경창(京倉)에 납입시키는 업무를 맡았음.

색전²【塞栓】[명]〖의〗 색전증(塞栓症)에서 관강(管腔)을 폐색한 물질.

색전-증【塞栓症】[—쯩] [명]〖의〗 혈관이나 림프관 속에서 생기거나 또는 밖에서 관 속으로 들어간 여러 가지 유리물(遊離物)이, 혈액이나 림프액(液)에 의하여 흘러가다가 관내에 막혀, 관강(管腔)이 막히는 증상. 혈전증(血栓症)·공기(空氣) 색전증·기생체(寄生體) 색전증 따위.

색-절병【色切餠】[명] 색절편.

색-절편【色切—】[명] 흰떡에 여러 빛깔을 물들여 절편판에 박아 만든 떡. 색절병(色切餠). 색병(色餠).

색정【色情】[명] 남녀간의 정욕. 색을 좋아하는 마음. 춘정(春情). 색욕(色慾).

색정-광【色情狂】[명] 색광(色狂). 에로토마니아.

색정 도:착【色情倒錯】[명]〖심〗 색정 도착증. *이상 성욕(異常性慾).

색정 도:착증【色情倒錯症】[명]〖심〗 이상한 자극에 의해서만 색정이 일어나는 일. 학대(虐待) 음란증·동성애증(同性愛症) 같은 것. 성도착(性倒錯).

색정-적【色情的】[명][관] 색정에 쏠리는 모양.

색정적 피:해 망:상【色情的被害妄想】[명]〖심〗 피해 망상의 하나. 성적(性的)인 폭행을 당한다고 생각하는 이상 심리(異常心理). *물리적 피해 망상.

색조¹【色租】[명]〖역〗 세곡(稅穀)이나 환곡(還穀)을 받을 때나 타작할 때에, 정부(政府)나 지주(地主)가 간색(看色)으로 받던 곡식.

색조²【色調】[명] ①빛깔의 조화(調和). ②색채의 강약(强弱)·농담(濃淡) 등의 정도.

색조³【索條】[명] '삭조(索條)'의 잘못.

색조-차【索條車】[명] '삭조차(索條車)'의 잘못.

색-종이【色—】[명] 물을 들인 종이. 색지(色紙).

색주【色紬】[명] 물을 들인 명주.

색주-가【色酒家】[명] 술집에서 술과 색을 겸하여 파는 계집. 또, 그러한 술집. 색줏집.

색줄-멸【色—】[명]〖어〗[*Atherina bleekeri*] 색줄멸과에 속하는 바닷물고기. 몸이 멸치와 비슷하나 비늘이 몸에 밀착하여 있고, 비늘 연변(緣邊)에 둔한 톱니를 가지고 있음. 체측(體側)에 청색을 띤 은백색의 폭이 넓은 세로띠가 한 줄 있음. 우리 나라 동남해·일본 중부 이남·중국 동남해·대만 고웅(高雄) 등지에 분포함.

색줄멸-과【色—科】[—꽈] [명]〖어〗[Atherinidae] 숭어목에 속하는 어류의 한 과. 밀멸·색줄멸 등이 이에 속함.

색줏-집【色酒—】[명] 색주가.

색즉-시공【色卽是空】[명]〖불교〗 반야경(般若經)에 있는 말. 색(色)이란 유형(有形)의 만물(萬物)을 말하며, 이 만물은 모두 인연(因緣)의 소생(所生)으로서, 그 본성(本性)은 실유(實有)의 것이 아니므로 공(空)이라는 뜻. *공즉시색(空卽是色).

색-증감【色增感】[명]〖물〗 사진 감광 재료의 유제(乳劑)를 증감 색소로 염색하여, 감광성을 장파장(長波長)까지 확장시켜 감색성(感色性)을 증가시키는 일. 광학(光學) 증감. ↔유제(乳劑) 증감·화학 증감.

색지【色紙】[명] 색종이. 염지(染紙).

색-지수【色指數】[명]〖천〗 항성(恒星)의 사진 등급(寫眞等級)에서 실시(實視) 등급을 뺀 차. 청백색에 가까운 별일수록 색지수가 작아짐.

색-지움【色—】[명]〔achromatic〕〖광학〗 렌즈·프리즘 따위의 색수차(色收差)를 보정(補正)하는 일.

색지움 렌즈【色—】[명]〔achromatic lens〕〖물〗 색수차(色收差)를 보정(補正)한 렌즈계(lens系)를 이름. 흔히 크라운 유리의 볼록 렌즈와 플린트 유리의 오목 렌즈를 짝지어 만듦. 소색(消色) 렌즈. 애크로매틱 렌즈.

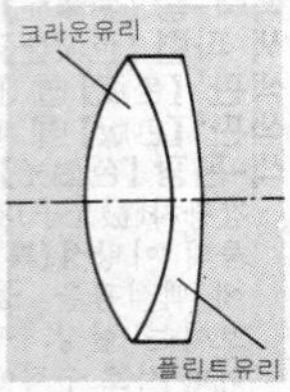

〈색지움 렌즈〉

색지움 프리즘【色—】[명]〔achromatic prism〕〖물〗 굴절(屈折)에 의하여 광선의 방향을 전환(轉換)시키는 데, 빛깔에 따라 편각(偏角)의 차(差)가 없도록 한 프리즘계(prism系). 크라운 유리의 프리즘과 플린트 유리의 프리즘을 짝지어 만듦. 소색(消色) 프리즘.

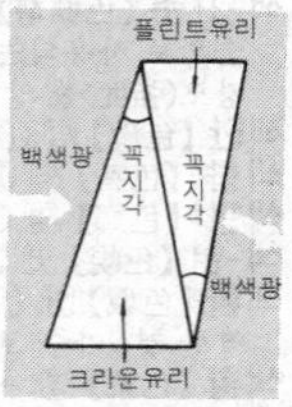

〈색지움 프리즘〉

색-차지【色次知】[명] 놀이에 기생을 맡아서 주선하던 사람.

색채【色彩】[명] ①빛깔. ¶ ~가 곱다. ②빛깔과 문채. ③경향(傾向). 성질. ¶ 야당적 ~가 짙다.

색채-감【色彩感】[명] 색채가 잘 조화되고 못 된 데 대한 느낌.

색채 감:각【色彩感覺】[명]〖심〗 색각(色覺).

색채 대:비【色彩對比】[명]〖심〗 보색 또는 이와 비슷한 관계에 있는 두 가지 색을 나란히 놓고 볼 때에, 이를테면 적(赤)과 청록색(靑綠色)의 경우에는, 서로 다른 빛을 두드러지게 하고 포화도(飽和度)를 높이어, 선명하게 보이는 현상. 접촉(接觸) 대비·변연(邊緣) 대비·복사(覆紗) 대비 및 색음(色陰)·양안(兩眼) 대비 등 여러 가지가 있음.

색채-론【色彩論】[명]〔도 Zur Farbenlehre〕〖책〗 1810년 괴테(Goethe)가 지은 광학(光學)책. 강술편(講述編)·논쟁(論爭)편·역사(歷史)편의 3부로 됨. 뉴턴(Newton)의 광학과 역학적 자연관에 비판을 가했음.

색채 상징【色彩象徵】[명] 색채에 의하여 어떠한 사상(事象)을 상징하는 일. 빨강 빛이 정열과 사랑을, 파랑 빛이 젊음과 성실을, 초록빛이 희망을 상징하는 따위.

색채-석【色彩石】[명] 색의 조화가 이루어진 아름다운 수석(壽石).

색채-설【色彩說】[명]〖심〗 색채 감각(色彩感覺)의 현상을 설명하는 학설. 빨강·초록·파랑의 삼원색(三原色)의 감각에서 모든 색채 감각이 생긴다고 한, 영 헬름홀츠(Young-Helmholtz)의 삼색설(三色說)과, 헤링(Hering)에 의한 노랑·파랑·빨강·초록의 사색설(四色說) 등이 있음.

색채-어【色彩語】[명] 색깔을 나타내는 말.

색채 영화【色彩映畫】[명]〖연〗 천연색 영화.

색-채움【色—】[명] 형식상 구색(具色)을 갖추어 채우는 일. [준]색챔. ——-하다 [자][여불]

색채 조절【色彩調節】[명] 색이 지니는 심리적·생리적·물리적인 성격을 적극적으로 이용, 주로 건축의 실내를 합리적으로 채색하여, 보안(保安)·능률·위생 및 쾌적(快適)의 효과를 향상시키는 일. 색채 조정. 색채 조화. 컬러 컨디셔닝(colour conditioning). 컬러 다이내믹스(colour dynamics).

색채 조정【色彩調整】[명] 색채 조절.

색채 조화【色彩調和】[명] 색채 조절.

색채 청:각【色彩聽覺】[명]〖심〗 색청(色聽).

색채 토기【色彩土器】[명]〖공〗 채화기(彩畫器).

색채 팔면체【色彩八面體】[명]〖심〗 헤링(Hering)의 사색설(四色說)에 의하여 광각(光覺)의 체계(體系)를 나타내는 팔면체. 빨강·노랑·초록·파랑을 네 정점(頂點)으로 하는 사변형(四邊形)을 바탕으로 하여, 그 중앙을 수직으로 관통하는 축(軸)의 양끝을 흑백(黑白)의 정점으로 하는 팔면체. 표면에 가까울수록 포화도(飽和度)가 높고, 중앙은 회색(灰色)을 나타내는데, 위쪽일수록 밝고, 아래쪽일수록 어두움.

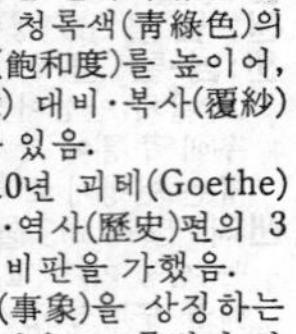

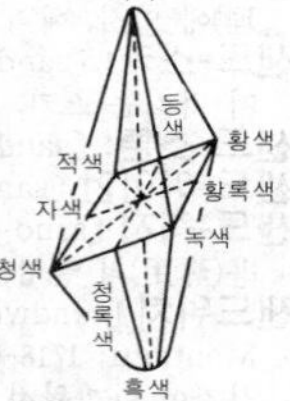

〈색채 팔면체〉

색책【塞責】[명] ①책임을 다함. ②책임을 면하기 위하여 겉만 겨우 미봉(彌縫)하는 짓. ¶ 저의 아버지는 ~으로 마지못하여 학교에를 보냈건마는 …《作者未詳 : 홍도화》. ——-하다 [자][여불]

색-챔【色—】[명] ↗색채움. ——-하다 [자][여불]

색청【色聽】[명]〖심〗 음(音)을 어떠한 자극으로서 부여하였을 때, 본래의 청각 이외에 색채 감각이 이에 준하여 일어나는 일. 공감각(共感覺) 중

에서 가장 많은 형(型)인데, 가령 악음(樂音)에 관하여서는 대개 저음(低音)에는 어두운 색, 고음에는 밝은 색이 나타남. 색채 청각. *공감각. 「여불

색체【色滯】명 얼굴에 화색이 없음. ——하다 형

색-초:크【色—】〔chalk〕명 착색(着色)한 분필.

색출【索出】명 뒤져 찾아 냄. ¶범인을 ~하다. ——하다 타여불

색층 분석【色層分析】명 〖화〗 크로마토그래피.

색-칠【色漆】명색을 칠함. 또, 그 칠. ——하다 자여불

색 코:트〔sack coat〕명 ①신사복 상의. ②유아용(幼兒用)의 느슨하고 짧은 웃저고리.

〈색 코트❷〉

색탐【色貪】명 여색을 몹시 탐함. ——하다 자여불

색태【色態】명 ①곱고 아리따운 자태(姿態). ②빛깔의 태.

색택【色澤】명 빛나는 윤기. 「때에 일어남.

색택-증【索澤症】명 〖한의〗 피부의 혈색이 없어지는 병. 빈혈이 심할

색-파련【色波蓮】명 〖건〗 오색(五色)으로 그린 파련초(波蓮草).

색판[1]【色板】명 ①색칠한 판자. ②〖인쇄〗 빛깔 인쇄에 사용하는 판목(版

색판[2]【色版】명 채색(彩色)을 하여 인쇄한 출판물. ㄴ木).

색-편광【色偏光】명 〔chromatic polarization〕〖물〗 편광자(偏光子)와 검광자(檢光子)와의 사이에, 광축상(光軸上)에 평행한 수정판(水晶板) 등의 이방성(異方性) 물질을 놓을 때, 이에 백색광을 통하면 검광자에 착색되어 보이는 현상. 평면 편광이 수정판을 통과하면 서로 수직이 되는 두 개의 편광으로 나뉨.

편광자 수정결정판 검광자

〈색편광〉

색-표준【色標準】명 〔color standard〕〖화〗 비색용(比色用)의 빛깔 표준으로 사용되는, 화학 조성과 농도(濃度)가 일정한 착색(着色) 용액. 강도(強度)를 알 수 없는 시료(試料)의 광학적(光學的) 분석에 쓰임.

색한【色漢】명 ①특히 여색을 좋아하는 사내. 호색한. ②치한(癡漢)❷.

색향[1]【色香】명 ①꽃 같은 것의 색과 향기. ②용모의 아름다움.

색향[2]【色鄕】명 ①미인이 많이 나는 고을. ②기생이 많이 나는 고을.

색-현【色峴】명 〖지〗 경기도 가평군(加平郡)에 있는 고개. [175 m]

색환【色環】명 〖물〗 색상(色相)을 스펙트럼의 순서로 환상(環狀)으로 배열한 것. 마주 보는 두 색은 서로 보색(補色)의 관계에 있음.

색황【色荒】명 여색에 빠져 타락함. ——하다 자여불

색히다 ㅡ타 〈방〉 삭이다. ㅡ사동 〈방〉 삭히다(경상).

샛 명 〈방〉 빛❶(경상).

샌: 의명 〈방〉 생원(生員). 「보수적(保守的)이고 고루한 사람의 별칭.

샌:-님 명 ①↗생원님. ②얌전한 사람의 별칭. ¶얌전하기는 ~이다. ③

샌:님-탈 명 〖민〗 산대놀음에 쓰이는 탈의 하나. 눈썹과 수염은 흰 털로 길게 만들어졌으며, 눈은 둥글고 지름이 한 치 두 푼이고, 상하·좌우에 주름이 각각 석 줄 있음. 길이는 아홉 치, 너비는 일곱 치 닷 푼, 입은 언청이로 네 치 오 푼이나 째졌음.

샌더:〔sander〕명 〖기〗 ①목재·금속 등의 재료 표면을 연마하는 데 쓰는 전동 기계(電動機械). ②기관차나 전기 기관차에 부속된, 철길에 모래를 뿌리는 장치. 동륜(動輪)의 마찰을 증대시킴.

샌드〔sand〕명 모래.

샌드 그린:〔sand green〕명 골프장에서, 땅을 평평하게 다지고 그 위에 엷게 모래를 깐 배팅 그린(batting green)을 일컬음.

샌드-믹서〔sand-mixer〕명 〖기〗 주물(鑄物)을 만들 적에, 주형(鑄型)을 만들 모래에 점토수(粘土水)·짚부스러기 등을 혼입(混入)하는 기계. 혼사기(混沙機). 「혼합시키는 확.

샌드 밀〔sand mill〕명 주물(鑄物) 공업에서, 점결제(粘結劑)와 모래를

샌드-백〔sandbag〕명 ①모래 주머니. 사낭(砂囊). ②비행선(飛行船)·보트(boat)·기구(氣球) 등의 바닥짐·방수(防水)·방탄(防彈)에 쓰이는 모래 주머니.

샌드버:그〔Sandburg, Carl August〕명 〖사람〗 미국의 시인. ≪시카고 시집≫ 등으로 신시(新詩) 운동에 투신, 평민적이고 소박한 언어로 도시나 전원 등을 운율적(韻律的)·영적(靈的)으로 표현하였으며, 수 권의 시집과 ≪링컨전≫ 등이 있음. [1878-1967]

샌드-블라스트〔sandblast〕〖공〗 압축 공기 혹은 원심력(遠心力)으로 모래알 또는 강립(鋼粒)을 금속 제품에 내뿜어서, 그 표면을 깨끗하게 하는 가공법. 주물(鑄物)에 붙은 모래, 단조품(鍛造品)이나 강재(鋼材)에 붙은 스케일(scale)을 제거하거나, 각종 금속의 표면 처리(表面處理)에 앞서, 예비 처리의 공정(工程)으로 쓰임. 모래 분사.

샌드-스키:〔sand-ski〕명 스키에서, 눈 대신에 모래 언덕에서 미끄러져 내리는 스키. 방법과 용구(用具)는 설상(雪上) 스키와 같음. *론 스

샌드-스톤:〔sandstone〕명 〖지〗 사암(砂岩). ㄴ키(lawn ski).

샌드-아이언〔sand-iron〕명 샌드웨지(sand-wedge).

샌드-웨지〔sand-wedge〕명 골프에서, 벙커에 들어간 볼을 쳐내는 전용(專用)의 클럽(club). 샌드아이언.

샌드위치〔sandwich〕명 ①〔영국의 정치가 샌드위치(Sandwich, John Montagu; 1718-92) 백작이 밤을 새워 노름할 때, 식사 시간이 아까워서 이것을 먹었다는 데서〕엷게 썬 두 조각의 빵의 안쪽에 버터를 바르고, 사이에 고기·야채·치즈 등을 끼워 넣은 음식. ②↗샌드위치 맨.

샌드위치 가열【—加熱】명 〔sandwich heating〕〖공〗 열가소성(熱可塑性)의 시트(sheet)를 성형(成形)할 때 시트를 양쪽에서 동시에 가열하는 방법.

샌드위치 맨〔sandwich man〕명 몸의 앞뒤에 두 장의 광고판(廣告板)을 달고 거리를 다니는 사람. ㊀샌드위치.

〈샌드위치 맨〉

샌드위치 압연법【—壓延法】〔—뻡〕명 〔sandwich rolling〕〖야금〗 복합판을 만드는 방법. 여러 장의 금속판(板)을 압연하여 야금(冶金)적으로 결합시켜서 만듦.

샌드위치 패널〔sandwich panel〕명 착색 강판(着色鋼板) 사이에 스티로폴이나 폴리우레탄·유리 섬유 등의 단열재를 부착시켜 단열성 및 흡음성·내열성을 향상시킨 건자재(建資材). 「은 섬.

샌드 케이〔sand cay〕명 〖지〗 해안선에 평행(平行)인 사질(砂質)의 작

샌드 트랩〔sand trap〕명 ①골프장에서, 볼을 잡기 위해 설치된 모래땅의 장애물. 또, 페어웨이(fairway)의 가운데에 있는 장애 구역. ②〖공〗 물에 의해 운반된 모래나 흙을 긁어 모으기 위해 관내(管內)에 설치한 장치(裝置). 「만든 곳.

샌드 파일〔sand pile〕명 모래를 쌓아 어린이들이 장난을 할 수 있게

샌드-펌프〔sand-pump〕명 〖기〗 모래나 고체 입자가 포함된 액체를 압송(壓送)할 때 사용하는 펌프. 흔히 스크루 펌프를 사용하는데, 고체 입자(固體粒子)에 의한 마모(磨耗)를 방지하기 위하여, 날개 바퀴를 경질(硬質) 금속으로 만들든가, 연질(軟質) 고무로 피복(被覆)함. 또, 날개 바퀴에 뒷날개를 달아, 굴대통에의 입자(粒子)의 침입을 방지하기도 함. 준설 공사(浚渫工事)·광산·화학 공장에서 사용함.

샌드-페이퍼〔sandpaper〕명 모래나 유리 가루를 발라 붙인 헝겊이나 종이. 쇠붙이 같은 것을 닦거나 문지르는 데 씀. 사지(砂紙). 사포(砂布). 에머리 페이퍼(emery paper). 마연지. 연마지(硏磨紙). 연마 포지(硏磨布紙). 여지(鑢紙). ㊀페이퍼.

샌들〔sandal〕명 ①옛날 이집트를 비롯하여, 그리스 및 로마 사람이 신던, 가죽으로 만든 짚신 모양의 신. ②신의 한 가지. 나무·가죽 등으로 바닥을 만들고, 이를 가느다란 끈으로 발등에 매어 신게 된 여자·아이들용의 구두.

옛 이집트 옛 그리스

〈샌들❶〉

샌디 사막【—沙漠】〔Sandy〕명 〖지〗 그레이트 샌디(Great Sandy) 사막.

샌-디에이고〔San Diego〕명 〖지〗 미국 캘리포니아 주 남서쪽, 샌디에이고 만안(San Diego灣岸)에 있는 도시로 천연의 양항(良港). 캘리포니아 대학이 있으며, 시내에는 공원이 많고, 진귀한 동물이 있는 동물원이 있음. 1769년에 스페인인(人)이 창건하였고, 1848년에 미국 영토가 됨. 해군 기지(海軍基地)이고, 항공기의 제작과 과실의 집산지임. [1,110,549 명(1990)]

샌:-손 명 〈방〉 생인손.

샌-안토니오〔San Antonio〕명 〖지〗 미국 텍사스 주(州) 남부의 상공업 도시. 농산물·가축·양모의 집산 가공지로 발전함. 근래에는 제철·정유(精油)공업도 성하며 온천지와 육군의 기지가 있음. 1718 년 스페인인이 건립하였으며, 프란체스코회(會) 선교의 거점이었음. 1836 년의 알라모(Alamo) 싸움의 격전지로 유명함. 제 2 차 세계 대전 후 멕시코로부터의 이민자들이 유입하여 주민의 절반 이상이 멕시코 계통임. [935,730 명(1988)]

샌:전-병문 명 〖지〗 서울 옛날 거리의 한 이름. 지금의 종로 1가에서 무교동(武橋洞)으로 통한 어귀. 생선전(生鮮廛)이 있었음.

샌타-모니카〔Santa Monica〕명 〖지〗 미국 캘리포니아 주(州)의 남부, 태평양에 면한 관광 휴양 도시. 로스앤젤레스 대도시권(大都市圈)의 위성 도시로서 경치·기후가 좋아, 호텔·별장·고급 주택들이 늘비함. 1875년 창건됨. [88,000 명(1981 추계)]

샌타-바:버라〔Santa Barbara〕명 〖지〗 미국 캘리포니아 주의 서남부에 있는 도시. 피서·피한의 휴양지로서 알려짐. [74,000 명(1981 추계)]

샌타바:버라 제도【—諸島】〔Santa Barbara〕명 〖지〗 미국의 태평양 연안, 로스앤젤레스의 난바다에 있는 섬들. 주도(主島)는 산타크루즈섬으로, 이밖에 애나캐파(Anacapa)·샌타로자(Santa Rosa) 등의 섬이 있음. 피서·피한의 휴양지. 채널(Channel) 제도.

샌타-애나〔Santa Ana〕명 ① 〖지〗 미국 캘리포니아 주 로스앤젤레스 시 남동쪽에 있는 주택·상업 도시. 과실 통조림 가공과 사탕무 정당(精糖) 공업이 성함. 시원한 바다 바람과 건조한 사막 바람이 적당히 뒤섞여 이상적인 기후를 나타내어 주변은 행락·관광지를 이룸 [246,930 명(1988)] ② 〖기상〗 덥고 건조한 푄 현상의 사막풍. 미국 캘리포니아의 샌타애나의 산길이나 협곡에서 특히 볼 수 있는 것으로서, 흔히 북동 또는 동쪽에서 불어옴.

샌타-페이〔Santa Fe〕명 〖지〗 미국 서남 뉴멕시코 주(New Mexico 州)의 수도. 로키(Rocky) 산맥의 해발 2,130 m의 고원에 있는 도시. 예로부터 미국인·스페인인·인디안 사이의 거래의 중심지이며 관광휴양(觀光休養) 도시임. [55,859 명(1990)]

샌타페이 철도【—鐵道】〔Santa Fe〕〔—또〕명 미국 대륙 횡단 철도. 시카고와 태평양 기슭 남부 멕시코 만 기슭의 지역을 연결함. 지선(支線)은 널리 12주(州)에 걸침. [21,000 km]

샌퍼라이즈〔미 Sanforize〕 명 〔고안자인 미국인 샌퍼드(Sanford, L. Cluett)의 이름에서〕직물, 특히 면직물(綿織物)이 주름이 생기거나 줄어드는 것을 막기 위하여 행하는, 물리적 수지 가공법(樹脂加工法). 또, 이같이 가공된 무명. 샌퍼라이징. ——하다 타여불

샌퍼라이징〔sanforizing〕명 샌퍼라이즈.

샌-프란시스코〔San Francisco〕명 〖지〗 미국 캘리포니아 주 서부의 항시(港市). 1848년의 골드 러시(gold rush) 이후 급속히 발전하여 태평양 연안의 상업·교통의 중심이 되었음. 곡물(穀物)·밀가루·과실·석유·면화를 수출함. 대안(對岸)의 오클랜드(Oakland)와 금문교(金門橋)로 연결됨. 상항(桑港). [723,959 명(1990)]

샌프란시스코 강:화 조약【—講和條約】〔San Francisco〕명 제2차 세계 대전 종결과 국교 회복에 대하여 연합국과 일본간에 체결된 조약. 1951년 9월 샌프란시스코에서 조인. 일본의 개별적·집단적 자위권을

인정하였으며, 이에 따른 미일(美日) 안전 보장 조약이 동시에 조인됨. 연합국 55개국 중 48개국이 참가하고, 소련·중국·인도 등은 조인을 거부함. 대일(對日) 강화 조약.

샌프란시스코 선언【—宣言】〔San Francisco〕 명 국제 연합 10주년 특별 총회의 최종일인 1955년 6월 26일에 발표된 선언. 국제 연합 헌장의 원리에 의한 헌신(獻身), 새 시대의 전쟁의 재해로부터의 구출, 국제적 분쟁의 평화적 해결, 군축(軍縮)의 촉진, 생활 개선에의 노력 등의 결의를 내용으로 함.

샌프란시스코 회:의【—會議】[—/—이]〔San Francisco〕 명 1945년 4-6월, 샌프란시스코에서 50개국 대표가 참가하여 개최된 연합국 회의. 이 회의에서 국제 연합 설립을 결정, 국제 연합 헌장을 채택하고, 제2차 세계 대전의 전후처리와 국제 평화 문제에 대한 토의가 있었음.

샌-환〔San Juan〕 명 『지』 서인도 제도에 있는 미국 자치령 푸에르토리코의 주도(主都)이며 섬 동북부 대서양안(岸)의 항구 도시. 16세기 스페인인이 건설. 사탕수수·담배·커피·과일 등을 수출함. [437,745명(1990)]

샐그러-뜨리다 타 샐그러지게 하다. ㅆ쌜그러뜨리다. <실그러뜨리다.

샐그러-지다 자 한쪽으로 배뚤어지거나 기울어지다. ㅆ쌜그러지다. <실그러지다.

샐그러-트리다 타 샐그러뜨리다.

샐긋-거리다 자타 샐그러질 듯이 계속해서 움직이다. 또, 샐그러지게 자꾸 움직이다. ㅆ쌜긋거리다. <살긋거리다·실긋거리다. **샐긋-샐긋** 부. ——-하다 자타여불

샐긋-대다 자타 샐긋거리다.

샐긋-하다 형여불 물건이 한쪽으로 배뚤어져 있다. ㅆ쌜긋하다. <살긋하다·실긋하다.

샐기죽-거리다 자타 샐그러지게 천천히 계속해서 움직이다. 천천히 샐긋거리다. ㅆ쌜기죽거리다. <실기죽거리다. **샐기죽-샐기죽** 부. ——-하다 자타여불

샐기죽-대다 자타 샐기죽거리다.

샐기죽-이 부 샐기죽하게.

샐기죽-하다 형여불 물건이 약간 샐그러져 있다. ㅆ쌜기죽하다. <실기죽하다.

샐:-녘 [—력] 명 날이 샐 무렵. ¶뜬 눈으로 샌 나는, ～이 되자 또 다시 옷을 주워 입고 일어났다《鄭飛石 : 故苑》.

샐:-닢 [—립] 명 쇠천 반 푼의 뜻. 곧, 썩 적은 돈. 중국 청나라 때에 쓰던 황동전(黃銅錢) 반푼을 이름. ¶쇠천 ～도 없다/저희들이야 설령 이재에 물리가 트였다 한들 상종하느니 ～이나 쥐고 떠는 장돌림이니…《金周榮 : 客主》.

샐러드〔salad〕 명 서양 요리의 하나. 생채(生菜)나 과일을 주로 하여 냉육류(冷肉類)를 섞고 마요네즈 등에 버무린 음식. 재료에 따라, 야채 샐러드·프루츠(fruits) 샐러드·햄(ham) 샐러드 등으로 나뉨.

샐러드 드레싱〔salad dressing〕 명 샐러드에 치는 소스. 프렌치 드레싱 계(French dressing系)와 마요네즈 계(mayonnaise系)로 대별되는데, 마요네즈 소스가 가장 많이 쓰임.

샐러드 오일〔salad oil〕 명 샐러드유(salad油).

샐러드-유【—油】〔salad〕 명 샐러드용으로나 냉식용(冷食用)에 쓰이는 식용유(食用油). 빛깔이나 냄새가 썩 좋은 식물성 지방유(脂肪油)로, 본래는 정제(精製)한 올리브유(油)를 쓰지만, 낙화생유나 호도유를 대용하기도 함. 샐러드 오일.

샐러리〔salary〕 명 봉급. 급료. 월급.

샐러리 데이〔salary day〕 명 월급날. 봉급일.

샐러리 맨〔salary man〕 명 봉급 생활자(俸給生活者). 월급장이.

샐러리 우먼〔salary woman〕 명 봉급 생활을 하는 여자.

샐러맨더〔salamander〕 명 뱀의 형상을 한 서양의 전설상(傳說上)의 동물. 불 가운데를 걷고, 불을 끄는 힘을 가지며, 또 동물 중에서 가장 강한 독을 가졌다고 전하여지고, 불 속에서 산다고 믿어졌음. 뒤에 도롱뇽이 샐러맨더라고 불리게 되었으며, 또 '불뱀'이라고도 번역되고 있음.

〈샐러맨더〉

샐룩 부 근육의 일부분이 또는 일부분을 갑자기 움직이는 모양. ㅆ쌜룩. <실룩. ——-하다 자타여불

샐룩-거리다 자타 연하여 샐룩하다. 또, 연하여 샐룩샐룩 움직이게 하다. ㅆ쌜룩거리다. <실룩거리다. **샐룩-샐룩** 부. ——-하다 자타여불

샐룩-대다 자타 샐룩거리다.

샐린저〔Salinger, Jerome David〕 명 『사람』 미국의 소설가. 유태인을 아버지로 뉴욕에서 태어남. 제2차 세계 대전에 자원하여 종군한 후, 장편 《호밀밭의 파수꾼》으로 고교생(高校生)의 미묘한 심리를 그려 명성을 얻음. 《아홉 개의 단편》에 이어 '그라스 가(家) 연대기(年代記)'로 통칭되는 단편 《프래니》·《조이》·《시모어》 등을 발표하여 참된 삶이 무엇인가를 추구함. [1919-]

샐베이션 아:미〔Salvation Army〕 명 『기독교』 구세군(救世軍).

샐-별 명 〈옛·방〉 샛별. ¶샐별 디쟈 종다리 떳다 호믜 메고 사립 나니《古時調》.

샐비어〔salvia〕 명 『식』 ①[*Salvia officinalis*] 차조깃과에 속하는 다년초. 높이 50-80cm로 줄기는 방형(方形)이고, 기부(基部)는 목질화(木質化)하였으며, 잎은 대생하고 긴 타원형 또는 피침형으로 질이 두껍고 윗면에 잔주름이 있으며 녹백색임. 여름에 자색의 순형화(脣形花)가 줄기 끝에 여러 층 윤생(輪生)함. 남유럽 원산(原産)임. 잎은 약용(藥用) 또는 향료(香料)로 양식(洋食)에 쓰임. 세이지(sage). ②[*Salvia splendens*] 차조깃과에 속하는 일년생 또는 다년초. 높이 80cm 가량이고, 잎은 달걀꼴이며 가을에 화수(花穗)가 나와 큰 농홍색의 순형화가 핌. 샐비어속 중에서 꽃이 제일 아름다움. 관상용(觀賞用)으로 심음.

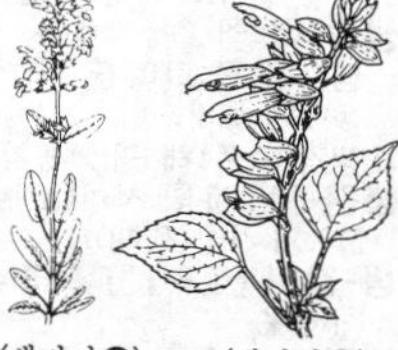
〈샐비어❶〉 〈샐비어❷〉

샐비지〔salvage〕 명 ①해난 구조(海難救助). ②『공』 침몰선을 인양(引揚)하여 그 철재(鐵材)나 적하물(積荷物)을 유용 자재로서 얻고자 하는 일.

샐비지 베슬〔salvage vessel〕 명 구조선(救助船).

샐:-샐 부 ↗새실새실. ¶얄밉게 ～ 웃다. <실실. ——-하다 자여불

샐:-심 명 ↗새알심.

샐쭉-하다 형여불 샐쭉하다.

샐쭉 부 ①어떤 감정의 표현으로서 입이나 눈이 한쪽으로 샐긋하고 움직이는 모양. ¶～ 웃다. ②마음에 차지 않아서 약간 고까워하는 몸가짐을 하는 모양. ¶왜 또 ～ 돌아서니. 1)·2): ㅆ쌜쭉. <실쭉. ——-하다[1] 자타여불

샐쭉-거리다 자타 ①물건이 각도가 변하도록 자꾸 움직이다. ②싫은 생각이 나서 얼굴이나 입 등을 자꾸 갈쭉하게 실그러뜨리다. 1)·2): ㅆ쌜쭉거리다. <실쭉거리다. **샐쭉-샐쭉** 부. ——-하다 자타여불

샐쭉-경【—鏡】 명 타원형으로 생긴 안경.

샐쭉-대다 자타 샐쭉거리다.

샐쭉-이 명 ☞샐쭉경.

샐쭉-하다[2] 형여불 ①싫어서 한쪽으로 비켜 나서려는 태도가 있다. ¶샐쭉한 얼굴. ②한쪽으로 갈쭉이 샐그러져 있다. 1)·2): <실쭉하다[2].

샘[1] 명 〈방〉 수염[3](경상).

샘:[2] 명 〔중세 : 섬〕 ①물이 땅에서 솟아 나오는 자리. ¶～이 솟다. ②↗샘터. ③〈방〉 우물[1](경기·충청·전라·경상). ④『생』 선(腺). ¶땀～. **[샘에 든 고기]** 올데 갈데 없는 처지에 빠졌음을 이르는 말. **[샘을 보고 하늘을 본다]** 샘 속에 비친 하늘을 보고서야 비로소 하늘이란 것을 새롭게 인식한다는 말.

샘:[3] 명 남의 일이나 물건을 탐내거나, 자기보다 나은 처지에 있는 사람이나 적수를 미워하고 속을 태움. 또, 그러한 마음. 시기(猜忌). 질투. ¶～을 부리다. ——-하다 타여불

샘:이 불 같다 구 시새우고 부러워함이 성화와 같이 심하다.

샘:[4] 명 『식』 새삼.

샘[5]〔SAM〕 명 〔surface to air missile의 약어〕 『군』 지대공(地對空) 미사일.

샘:-고누 명 〈방〉 우물 고누.

샘:골 유적【—遺蹟】[—꼴—] 명 충청 북도 청원군(淸原郡) 문의면(文義面) 문덕리(文德里) 샘골의 낮은 대지(臺地) 위에 있던 구석기 시대의 포함층 유적. 대청(大淸)댐 수몰 지역에 포함됨에 따라 1978년 충북대학교 박물관에서 발굴함.

샘:-구멍 [—꾸—] 명 샘물이 솟아 나오는 구멍.

샘:-굿 명 『민』 마을의 공동 우물에, 물 잘 나오라고 치성드리는 굿. 정월(正月) 중 샘 맡은 신령이 내려온다는 날에 함. 술과 음식을 차려 놓고 축문을 읽은 뒤, 부락 전체의 호주(戶主)의 이름을 부르면서 한 호에 한 장씩 지폐(紙幣)를 불사르며 제사를 드림. 부락의 악역(惡疫)과 수량(水量)의 감소, 수질(水質)의 악화 등을 면하기 위함이라 함. 정제(井祭). 정주제(井主祭).

샘:-내다 자타 샘하는 마음을 먹다. 샘을 부리다.

샘:-뇌하수체【—腦下垂體】 명 〔adenohypophysis〕 『생』 뇌하수체의 샘부분. 전엽(前葉) 및 중엽(中葉)으로 구성됨.

샘-다리 명 〈방〉『농』 산올벼.

샘:-물 명 ①샘구멍에서 솟아 나오는 물. 천수(泉水). ②〈방〉 우물[1](강원·충북·경상). ③〈방〉 샘[2]❶(경기·강원·충북·전남·경북).

샘:물-줄기 [—쭐—] 명 샘물이 솟아나는 땅 속의 물줄기.

샘:-바르다 형르불 샘하는 마음이 많다. ¶샘바른 계집.

샘:-바리 명 샘이 많아서 안달하는 성질이 강한 사람. ¶～ 계집애.

샘:-받이 [—바지] 명 『농』 ①논에 샘물을 끌어 대는 곳. ②샘물이 나는 논.

샘:-병 【—病】[—뼝] 명 〈방〉〔염병을 앓으면 샘을 많이 낸다는 데서〕 염병(染病)❷.

샘:-솟다 자 ①샘물이 솟아 나다. ② 힘·용기 따위가 줄기차게 솟아 나다. ¶샘솟는 애국심/정력이 ～.

샘:지 명 〈방〉 수염[3](경상).

샘:-창자 명 『생』 십이지장(十二指腸).

샘치 명 〈방〉 샘[2](함남).

샘:-터 명 샘이 있는 곳. 또, 샘물이 솟아 나오는 빨래터. ㊟샘[2].

샘:-터지다 자 ①새로 샘구멍이 나서 샘물이 나오기 시작하다. ②막혔던 샘이 다시 터져 샘물이 나오다.

샘팬〔sampan〕 명 삼판선(三板船).

샘플〔sample〕 명 견본(見本). 표본(標本). 겨냥.

샘플 기록【—記錄】 명 〔sample log〕 『공』 코어 샘플(core sample) 또는 드릴(drill)로 후벼낸 샘플의 기록. 지질학적 상태, 외관(外觀), 탄화 수소 함유량과 구멍의 깊이와의 관계 등을 알 수 있음.

샘플러〔sampler〕 명 ①『공』 분석 물질의 시료(試料)를 채취하기 위해 설계된 기계적 장치. 생물학·화학·지학(地學) 등의 분야에서 쓰임. ②『물』 샘플 데이터의 제어(制御) 시스템에 쓰이는 장치. 그 출력은 일정한 시간 간격으로 발생하는 일련(一連)의 임펄스(impulse)이며, 각 임펄스의 높이는 임펄스 순간의 연속 입력(入力) 신호의 값과 같음.

샘플 룸:〔sample room〕 명 견본 진열실(陳列室). 표본 진열실.

샘플링〔sampling〕 명 ↗랜덤 샘플링(random sampling).

샘플링 간격【—間隔】 명 〔sampling interval〕 『물』 샘플 데이터 제어(制御) 시스템에서, 연속 샘플링 펄스 간(sampling pulse間)의 시간.

샘플링 속도【—速度】 명 〔sampling rate〕 『공』 물리량(物理量)을 측정하는 속도. 미사일의 속도를 계산할 때 그 위치를 1000분의 1초로 측

정할 수 있으면 샘플링의 속도는 1 초당(秒當) 1000이 됨.

샘플링 전:압계 【—電壓計】 명 〔sampling voltmeter〕 〖공〗 신호(信號)와 기억 장치를 잇는 전자 스위치에 의해, 어떤 규정된 시간 간격으로 입력 신호(入力信號)의 즉시치(即時値)를 조사하는 특수한 전압계. 고주파수(高周波數)의 신호나 잡음이 섞인 신호를 검출하는 데 유효함.

샘플 카:드 〔sample card〕 명 양복감 견본(見本) 같은 것을 따 붙인 카드.

샙 명 〈방〉 〖광〗 썹.

샙-뜨기 명 〈방〉 사팔뜨기.

샙-조개 명 〖조개〗 [*Gomphina aequilatera*] 진정 판새류(眞正瓣鰓類)에 속하는 조개. 모시조개와 비슷한데, 패각(貝殼)의 길이 45 mm, 높이 35 mm, 폭 20 mm 가량으로 거의 삼각형(三角形)에 가까우며, 거죽에 희미한 윤맥(輪脈)이 있고, 희거나 옅은 갈색을 이루며 여러 개의 굵은 방사상(放射狀)의 얼룩 무늬가 있음. 연해(沿海)에 많이 나는데, 강원도의 동해에 분포함. 맛이 썩 좋음.

샛- 부 빛깔이 더할 수 없이 산뜻하게 짙음을 나타내는 말. ¶ ~노랗다. <싯-. *새-.

샛:-강 【—江】 명 큰 강에서 줄기가 갈려 나가서 중간에 섬을 이루고, 아래에 가서 다시 본류(本流)와 합류하게 되는 지류(支流).
【샛강 물소리 멎을 때 북촌(北村) 마님 빈대떡 주무르듯】 평장히 바쁜 모양.

샛-검불 명 잡풀이 섞인 새나무의 검불.

샛골 명 〈방〉 골목(경북).

샛:-길 명 ①큰길로 통하는 작은 길. 간로(間路). ¶ ~로 가다. ②〈방〉 골목(전북·경남).

샛-깃 명 〈방〉 기저귀.

샛-까맣다 [—마타] 형 ㅎ불 ☞새까맣다.

샛-까매 준 ☞새까매.

샛-까매지다 자 ☞새까매지다.

샛-노랗다 [—라타] 형 ㅎ불 더할 수 없이 노랗다. ¶ 샛노란 개나리. <싯누렇다.

샛-노래 준 '샛노랗아'의 줄어 변한 말. ¶ ~지다/~서. <싯누레.

샛-노래지다 자 샛노랗게 되다. <싯누레지다.

샛-눈 명 감은 듯이 하고서 살짝 뜨고 보는 눈.
샛눈(을) 뜨다 구 눈을 감은 체하면서 살짝 무엇을 보다.

샛-돔 명 〖어〗 [*Psenopsis anomalus*] 샛돔과에 속하는 바닷물고기. 몸길이 20 cm 가량의 타원형으로, 몹시 측편(側扁)하고, 등 쪽이 솟아 있으며, 머리는 둥글고 짧음. 주둥이는 무디고 작으며, 양턱에만 이가 있고, 벗겨지기 쉬운 둥근 비늘로 덮임. 몸빛은 은백색이며, 아감딱지 위쪽에 흑갈색 무늬가 하나 있음. 온해성(溫海性) 어종으로, 한국 서해·중국 동해 및 남일본 등지에 분포함. 몸에서 점액(粘液)을 많이 내어 미끄럽고, 맛이 좋음.

〈샛돔〉

샛돔-과 【—科】 [—꽈] 명 〖어〗 [Stromateidae] 농어목(目)에 속하는 어류의 한 과. 연어병치·샛돔 등이 이 과에 속하는데, 등지느러미가 하나인 것이 특징임.

샛마 명 〈옛〉 동남풍. ¶ 東南風謂之緊麻 卽景明風《星湖 八方風》.

샛-멸 명 〖어〗 [*Argentina semifasciata*] 샛멸과에 속하는 바닷물고기. 몸빛은 푸른 빛을 띤 은색인데, 배 쪽은 은백색임. 부레가 크고, 혀 위에 이가 있으며, 비늘은 벗겨지기 쉬움. 300-400 m 깊이의 심해성 어종으로, 부산·포항 및 일본에 분포함.

〈샛멸〉

샛멸-과 【—科】 [—꽈] 명 〖어〗 [Argentinidae] 청어목(目)에 속하는 어류의 한 과. 한국에는 샛멸 1 종만이 알려짐.

샛:-문 【—門】 명 정문(正門) 외에 따로 만든 작은 문.

샛-바가지 명 〈방〉 새통이.

샛-바구니 명 〈방〉 새통이.

샛-바람 명 동풍(東風)의 뱃사람 말. 준새.
【샛바람에 게눈 감기듯】 몹시 졸린 모양을 이르는 말.

샛:-밥 명 ①곁두리. ②끼니 외에 먹는 밥.

샛:-베리 명 〈방〉 〖천〗 샛별(함경).

샛:-벨 명 〈방〉 〖천〗 샛별(함경).

샛:-벽 【—壁】 명 〖건〗 방과 방 사이에 간막이한 벽.

샛:-별¹ 명 〖천〗 새벽에 동쪽 하늘에서 반짝이는 금성(金星)을 일컫는 말. 계명성(啓明星). 명성(明星). 신성(晨星). 효성(曉星). ¶ ~같이 빛나는 눈동자. ↔개밥바라기.

샛:-별² 명 1913년 육당(六堂) 최남선(崔南善)에 의해 발간된 어린이 잡지. '소년(少年)'지가 폐간된 후, 그 후신(後身)으로 등장한 잡지로서, '소년'지에서 발단(發端)된 신문학 운동을 중개(仲介)하여 '청춘(靑春)'지에 계승함. 특히 육당(六堂)·춘원(春園)의 초기 신체시(新體詩)가 발표됨.

샛:별-눈 [—룬] 명 샛별처럼 맑고 초롱초롱한 눈.

샛-비늘치 명 〖어〗 [*Myctophum affine*] 샛비늘칫과에 속하는 바닷물고기. 항문 위쪽에 한 줄의 발광기(發光器)를 가짐. 한국 남부 연해·일본·인도양 및 대서양에 분포함.

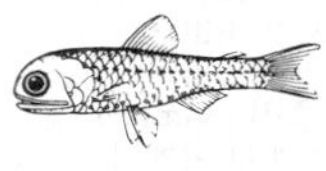

〈샛비늘치〉

샛비늘치-목 【—目】 〖어〗 [Myctophida] 경골어류(硬骨魚類) 조기 아강(條鰭亞綱)에 속하는 한 목(目). 매퉁잇과(科)·물천궃과·샛비늘칫과 등이 있음. 모두 바닷물고기로 부레가 있으며, 배지느러미는 가슴 쪽에 있고, 대부분은 기름지느러미가 있는데, 아감구멍이 큼. 발광기(發光器)가 있는 것도 있음. 거의 심해성(深海性) 어종임.

샛비늘칫-과 【—科】 명 〖어〗 [Myctophidae] 샛비늘치목(目)에 속하는 한 과.

샛-빨갛다 [—가타] 형 ㅎ불 ☞새빨갛다.

샛-빨개 준 ☞새빨개.

샛-빨개지다 자 ☞새빨개지다.

샛:-서방 【—書房】 명 남편 있는 여자가 남편 몰래 관계하는 남자. 간부(間夫). 군서방. 밀부(密夫). 사부(私夫).

샛:-장식 【—裝飾】 명 〖고고학〗 귀걸이의 고리와 드리개의 중간 부분을 이루는 장식. *가는고리.

샛:-장지 【—障—】 명 방과 방 사이에 간막이한 장지. 간장자(間障子).

샛줄-멸 명 〖어〗 [*Spratelloides japonicus*] 눈퉁멸과에 속하는 바닷물고기. 눈퉁멸과 비슷한데 몸의 길이 8-10 cm이고, 몸빛은 청갈색이며, 폭 넓은 은백색 가로 띠가 있음. 눈이 크고, 비늘도 크며 벗겨지기 쉬움. 한국 남부·일본·인도양에 분포하는데, 5-8월경의 산란기에는 내만(內灣)으로 떼를 지어 몰려옴. 식용함.

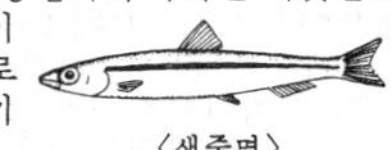

〈샛줄멸〉

샛치 명 〈방〉 새끼¹(함남).

샛-파랗다 형 ㅎ불 ☞새파랗다.

샛-파래 준 ☞새파래.

샛-파래지다 자 ☞새파래지다.

샛-하얗다 형 ㅎ불 ☞새하얗다.

샛-하얘 준 ☞새하얘.

샛-하얘지다 자 ☞새하얘지다.

생:¹ 명 〖식〗 ↗새앙¹.

생² 【生】 명 ①생명(生命). ¶ ~을 받다/~의 철학. ②삶. ¶ ~과 사(死). ↔사(死).

생³ 【牲】 명 〖역〗 찌³.

생⁴ 【笙】 명 〖악〗 ↗생황(笙簧).

생⁵ 【生】 인대 어른에게 자기를 낮추어 이르는 말. 흔히 편지에 씀.

생- 【生】 두 ①과실 같은 것이 풋것으로 아직 익지 아니하였음을 나타내는 말. ¶ ~쌀/~감. ②물건이 가공(加工)되지 아니하고, 생겨나 있거나 되어 있는 그대로의 상태로 있음을 나타내는 말. ¶ ~가죽/~굴. ③피륙을 빨거나 누이지 아니하였음을 나타내는 말. ¶ ~모시/~당목. ④무리하거나 애매하거나 또는 공연함을 이르는 말. ¶ ~사람을 잡다/~트집. ⑤초목 같은 것이 아직 살아 있거나 바싹 마르지 아니하였음을 나타내는 말. ¶ ~가지/~나무. ⑥'낳은'의 뜻. ¶ ~부모/~할아버지. ↔양-(養). *날-.

-생 【生】 미 ①성(姓) 밑에 붙여, 젊은 사람이라는 뜻을 나타내는 말. ¶ 이(李)~/김(金)~. ②간지(干支)나 연수(年數) 아래에 쓰이어, 그 해에 태어났음을 뜻하는 말. ¶ 을유(乙酉)~/1950년~.

생가¹ 【生家】 명 ①↗본생가(本生家). ↔양가(養家). ②그 사람이 태어난 집.

생가² 【笙歌】 명 생황(笙簧)과 노래.

생가망가-하다 형 〈방〉 생게망게하다.

생-가슴 【生—】 명 공연한 걱정으로 상하는 마음속. ¶ ~을 앓다.
생가슴(을) 뜯다 구 무리하거나 공연한 일로 속을 태우다.

생-가시아비 【生—】 명 〈비〉 살아 있는 가시아비.
생가시아비 묶듯 구 살아 있는 장인을 묶는다는 뜻에서, 자기에게 너무 너그럽게 한다고 하여 웃사람에게 너무 버릇없이 굴어 도리에 어긋나는 일을 한다는 뜻.

생가 요량 【笙歌寥亮】 명 〖악〗 왕의 만수 무강을 부른 곡조의 이름. 궁중에서 정재(呈才) 때에 아뢰던 악장(樂章).

생-가죽 【生—】 명 다루지 아니한, 벗긴 채로의 가죽.
생가죽(을) 벗기다 구 가진 것을 모두 빼앗다.

생-가지 【生—】 명 살아 있는 나무의 가지. ¶ ~를 꺾지 맙시다.

생각¹ 명 ①마음에 느끼는 의견. ¶ 내 ~은 이렇다. ②바라는 마음. ¶ 술~이 간절하다. ③관념(觀念). ¶ 케케묵은 ~. ④연구하는 마음. ¶ ~을 짜내다. ⑤깨달음. ¶ 겨우 ~이 나다. ⑥추억(追憶). ¶ 옛 ~. ⑦고려(考慮). ¶ 잘 ~해 주기 바랍니다. ⑧의도(意圖). 목적. ¶ 그를 죽일 ~으로 때린 것은 아니었다. ⑨사모(思慕). ¶ 임의 ~/어머님 ~. ⑩그렇다고 침. 간주(看做). ¶ 오지 않으면 단념한 것으로 ~하겠다. ⑪각오(覺悟)❷. ¶ 이번에도 안 되면 그만둘 ~이다. 주의 '生覺·省覺'으로 씀은 취음. ——-하다 자타여불
생각(이) 나다 구 생각이 떠오르다.
생각이 꿀떡 같다 구 생각이 매우 간절하다. ¶ 그 집 재산을 통으로 먹어 볼까 하는 생각이 꿀떡 같으나, 마음대로 할 수가 없는 고로 《崔瓚植: 金剛門》.
생각이 팔자 구 늘 원하고 골똘히 생각하고 있노라면 소원대로 살 수 있게 된다는 말.
생각하는 갈대 구 〔파스칼의 명상록(冥想錄)인 《팡세》에 있는 말로, 사람을 가리키는 말〕 사람은 자연 중에서 가장 약하여 마치 갈대와도 같으나, 사고(思考)하는 점이 존귀하고 위대하다는 뜻.

생각² 【生角】 명 ①저절로 빠지기 전에 잘라 낸 사슴의 뿔. ②삶지 아니한 짐승의 뿔. 각세공(角細工)에 많이 쓰임.

생각-건대 부 '생각하건대, 생각해 볼 때에'의 뜻의 접속 부사. ¶ ~ 그 일은 실패로 끝날 듯 싶소.

생각-다 타 ↗생각하다.
생각다 못:하여 구 아무리 생각하여도 별로 신통한 수가 없어서. 준생각다 못해.
생각다 못:해 구 ↗생각다 못하여. ¶ ~ 이 곳을 떠나기로 했다.

생간 【生間】 명 적지(敵地)의 정보(情報)를 수집하여 되돌아온 간첩(間諜). *사간(死間).

생-갈이 【生—】 명 〖농〗 ①↗홍두깨생갈이. ②☞애벌갈이. ——-하다 타여불

생감 【省減】 명 덜. 줄임. ——-하다 타여불

생강【生薑】명〖식〗①[*Zingiber officinale*] 생강과에 속하는 다년초. 줄기 높이 30-60 cm 인데, 잎은 두 줄로 호생(互生)하며 피침형(披針形)이고, 길이 15-30 cm 로 홍색 또는 담홍색임. 보통은 꽃이 안 피나 난지(暖地)에서는 지하경(地下莖)에서 20 cm 가량의 꽃줄기가 나와 황록색의 잔 꽃이 수상(穗狀) 화서로 핌. 지하경은 회백색 내지 황색임. 열대(熱帶) 아시아의 원산(原產)으로, 세계 각지에서 재배함. 지하경은 맛이 맵고 시고 향기가 좋아서, 향신료(香辛料)·건위제(健胃劑)로 쓰임. 새앙. ②생강의 뿌리.

〈생강❶〉

생강-과【生薑科】[—꽈] 명〖식〗[Zingiberaceae] 단자엽(單子葉) 식물에 속하는 한 과. 전세계에 800여 종, 한국에는 생강·양하(蘘荷)의 2 종이 분포함.

생강-나무【生薑—】명〖식〗[*Benzoin obtusilobum*] 녹나뭇과에 속하는 낙엽 활엽의 작은 교목. 높이 3 m 가량이고, 잎은 호생하며 넓은 달걀꼴에 세 갈래로 얕게 갈라지고, 뒷면 엽맥에는 솜털이 있음. 2월에 황색의 꽃이 산형(繖形) 화서로 액생(腋生)하여 모여 피고, 직경 8 mm의 둥근 장과(漿果)를 맺는데, 9월에 붉게 익음. 평남북·함남북을 제외한 한국 중남부 및 일본·중국·만주 등지에 분포함. 꽃과 가지를 꺾으면 방향(芳香)이 나서 꽃은 생화(生花)로, 가지는 약용함. 열매는 기름을 짜서 머릿기름·등잔 기름으로, 어린 싹은 작설차용(雀舌茶用)으로 씀. 조림수(造林樹)로 심음. 새앙나무. 납매(蠟梅). 황매(黃梅).

〈생강나무〉

생강 단자【生薑團子】명 생강 가루를 묻힌 단자. 찹쌀 가루를 물에 반죽하여 손바닥같이 만든 뒤에, 끓는 물에 삶아 내어 방망이로 밀어, 된풀같이 만들고, 소를 넣고 둥글게 만든 다음에, 꿀에 잠가서, 생강을 이기어 말린 가루를 묻힘. 새앙 단자.

생강-뿔【生薑—】명 새앙뿔.

생강-손이【生薑—】명 ☞새앙손이.

생강순 정:과【生薑筍正果】명 생강의 순이 잣만할 때 따서 물기를 없애고 꿀에 열흘쯤 재어 두었다가 먹는 정과. 강순 정과(薑筍正果). 새앙순 정과.

생강-엿【生薑—】[—녇] 명 생강의 즙(汁)을 넣고 만든 엿. 새앙엿.

생강 장아찌【生薑—】명 생강을 껍질을 벗기고 말려서 삶아 내어 물에 담갔다가 건져서 간장에 끓여 낸 반찬. 새앙 장아찌.

생강 정:과【生薑正果】명 생강으로 만든 정과. 새앙을 껍질을 벗기어 얇게 썰어서, 물을 붓고 오래 끓여, 물을 두세 번 갈아 내어 매운 맛이 조금 있을 때에, 물을 모두 따르고 꿀을 넣어서 조리다가 기름을 조금 치고 퍼 낸 음식. 새앙 정과.

생강-주【生薑酒】명 생강의 뿌리를 다져서 즙(汁)을 내어 만든 술. 새앙주.

생강-즙【生薑汁】명 강즙(薑汁).

생강-차【生薑茶】명 생강을 넣어 달인 차. 새앙차.

생강-초【生薑醋】명 생강의 즙(汁)을 넣고 끓여 낸 초. 새앙초.

생강-편【生薑—】명 하룻밤쯤 물에 담근 생강을, 껍질을 벗기어 이기거나 갈아서 즙(汁)을 내 가지고, 꿀과 검은엿을 넣고 저어서 조리어 호박(琥珀) 빛이 되었을 때, 한 치쯤 되게 타원형으로 만들어 잣가루를 그 위에 뿌린 떡. 강병(薑餠). 새앙편.

생-거름【生—】명 잘 썩지 아니한 거름.

생-걱정【生—】명 대수롭지 아니한 것을 가지고 공연히 하는 걱정. ——-하다 자타여불

생-건지황【生乾地黃】명〖한의〗날로 말린 지황의 뿌리. 생지황보다 성질은 좀 덜 차고, 약효는 대개 같으나 힘이 좀 약함. 심장(心臟)을 편히 하고 해열(解熱)·보혈(補血)·지혈(止血) 등의 약재로 쓰임. 건하(乾芐). ㊀건지황(乾地黃).

생검【生檢】명 [biopsy]〖의〗생체 검사(生體檢査).

생-겁【生怯】명 대수롭지 아니한 것을 가지고 공연히 내는 겁. ¶ ～을 집어 먹다.

생겁-스럽다 형ㅂ불 ☞생급스럽다. ¶ 가만히 있다가 생겁스럽게 없는 음식을 내라고 생벼락이다《李無影 : 三年》.

생-것【生—】명 생으로 된 물건. 생으로 있는 물건. ＊날것.

생게망게-하다 형여불 뜻밖의 일이 너무도 터무니가 없어서 도무지 이해할 수가 없다. 생급스럽고 터무니가 없어 생각이 도무지 닿지 않다. ¶ 건성으로 울고 있던 상제는… 상놈 하나가… 읍곡을 하자, 생게망게해서 맥을 놓고 바라보았다《金周榮 : 客主》.

생겨-나다 자 ↗생기어나다.

생견¹【生絹】명 생사(生絲)로 짠 깁.

생견²【生繭】명 건조하지 아니한 고치. 생고치. ↔건견(乾繭).

생결【生訣】명 생이별. ——-하다 자타여불

생경¹【生梗】명 두 사람 사이에 불화한 일이 생김.

생경²【生硬】명 ①세상의 사정에 통하지 아니하고 완고(頑固)함. ¶ ～한 태도. ②익지 아니하여 딱딱함. ③시문(詩文) 등이 세련(洗練)되지 못함. ¶ ～한 솜씨. ——-하다 형여불. ——-히 부

생경지-폐 【生梗之弊】명 양자(兩者)간에 생긴 불화로 말미암은 폐단.

생경-직【生經職】명 살아 있을 때 받은 관직.

생계¹【生計】명 살아 나아갈 방도(方途). 활계(活計). 생도(生道). 생로(生路). ¶ ～를 세우다/～가 막연하다.

생계²【生界】명 생물의 사회. 생물의 세계.

생계 무책【生計無策】명 살아 나갈 방책(方策)이 없음. ——-하다 형여불

생계-비【生計費】명 ①생활해 나가는 데 드는 비용. ②〖경〗일반 대중 생활의 최소 한도의 비용. ¶ ～ 미달(未達).

생계비 지수【生計費指數】명〖경〗특정한 사회 계급, 곧 봉급 생활자·노동자의 가족을 표준으로 하여, 그들이 소비 생활을 하는 데 필요한 비용의 변동을 표시하는 지수. 따라서 산업상(產業上) 중요한 지위를 차지하는 상품이라도 일반 생활에 직접 관계가 없는 것은 제외되며, 상품이 아닌 교통비·오락비까지 계상(計上)되는데, 보통 식료비(食料費)·주거비(住居費)·광열비(光熱費)·피복비(被服費)·잡비(雜費)의 다섯 가지 지수를 계산함.

생계 유지【生計維持】명 생계를 유지함. 살아 나아감. ¶ ～가 곤란하다. ——-하다 자여불

생고¹【生苦】명〖불교〗사고(四苦)의 하나. 생존(生存)중에 받는 괴로움이 없는 고통.

생-고²【笙鼓】명〖악〗생황(笙簧)과 태고(太鼓).

생-고기【生—】명 날고기.

생고:르〔Senghor, Léopold Sédar〕명〖사람〗세네갈(Senegal)의 시인·정치가. 프랑스에 유학. 1946-58년 프랑스의 하원 의원을 지냄. 1960년 세네갈이 독립하자 초대 대통령이 됨. 저서로 《아프리카의 사회주의》 및 시집(詩集) 《응달의 노래》 등이 있음. [1906-]

생-고무【生—】〔프 gomme〕명 파라고무나무의 껍질에서 빼 낸 유액(乳液)을 초산(醋酸)으로 응결(凝結)시켜서 판상(板狀)으로 만든 물건. 탄성(彈性) 고무의 원료인데, 탄성이 풍부하나 높은 온도에서는 엿같이 되며, 낮은 온도에서는 딱딱해져서 탄성을 잃음. 천연(天然) 고무.

생-고사【生庫紗】명 생사(生絲)로 짠 고사.

생-고생【生苦生】명 까닭없이 하는 고생. ——-하다 자여불

생-고집【生固執】명 어거지로 부리는 공연한 고집. ¶ ～을 부리다.

생-고치【生—】명 생견(生繭).

생-고타르〔Saint-Gotthard〕명〖지〗스위스의 알프스 산 고타르 산괴(山塊)를 넘는 고개. 알프스를 넘는 최단(最短) 거리의 길이 통하며, 중세 이래 이탈리아와 스위스·독일을 잇는 요로(要路)임. 1882년에 연장 약 15 km 의 터널을 지나는 철도가 개통됨. [2,108 m]

생곡【生穀】명 ①익히지 아니한 곡식. ②곡식이 남. 곡식을 산출함. ——-하다 자여불

생과【生果】명 ↗생과실(生果實).

생과-방【生果房】명〖역〗조선 시대 때, 궁중의 육처소(六處所)의 하나. 생과·전과(煎果)·다식(茶食)·죽 등 별식(別食)을 맡아 거행하는 직소(職所). ＊소주방(燒廚房).

생과방 나:인【生果房—】명〖역〗조선 시대 때, 생과방에 딸린 나인. ＊소주방(燒廚房) 나인.

생-과부【生寡婦】명 남편이 살아 있으면서도 멀리 떨어져 있거나 소박을 맞은 여자. ¶ ～ 신세.

생-과실【生果實】명 아직 덜 익은 과실. 생실과(生實果). ㊀생과.

생-과자【生菓子】명 물기가 약간 있도록 무른하게 만든 과자. 주로 단팥소를 사용함. 진과자.

생광【生光】명 ①빛이 남. ②영광스러워 낯이 남. 생색(生色). ¶ 참석하여 주시면 ～이겠습니다/하찮은 일에 ～을 내다. ③아쉬움을 면해 줌. ¶ 아쉬운 것을 빌려 주어서 ～입니다. ④〖천〗일월식(日月蝕) 때에, 개기식(皆旣蝕)이 지나, 해나 달에서 다시 빛이 나기 시작함. ——-하다 자여불

생-광목【生廣木】명 누이지 아니한 광목.

생광-스러이【生光—】부 생광스럽게.

생광-스럽다【生光—】형ㅂ불 ①보람이 있어 낯이 나다. ¶ 왕림해 주셔서 생광스럽습니다. ②아쉬운 때에 잘 쓰게 되다. ¶ 생광스럽게 잘 썼습니다/우환이 있는 집에다 대고 철없이 돈 청구만 할 수도 없어 걱정인 판에 마침 ～《廉想涉 : 萬歲前》. 생광-스레【生光—】부

생광-쩍다【生光—】형 ☞생광스럽다.

생-괴기【生—】명〈방〉날고기(경상·함경).

생구【省句】명 문장 속의 어떤 구절(句節)을 생략하는 일. 또, 그 구(句).

생-굴【生—】명 익히지 아니한 굴. 날굴.

생귀【生貴】명 고귀(高貴)한 집에서 태어남. ——-하다 자여불

생-귀신【生鬼神】명〖민〗제 명(命)에 죽지 못한 사람의 영혼.

생균 백신【生菌—】〔vaccine〕명〖의〗병원균을 여러 방법으로 약독화(弱毒化)하여, 이를 생체(生體)에 심어 주어 병원균에 대한 저항력을 기르게 하는 백신. 생(生)백신.

생그레 부 소리 없이 지그시 눈웃음만 치는 모양. ¶ ～ 웃다. ㅆ쌩그레. <싱그레. ——-하다 자여불

생글-거리다 자 소리 없이 부드럽고 정답게 연해 눈으로 웃다. ㅆ쌩글거리다. <싱글거리다. 생글-생글 부. ——-하다 자여불

생글-대다 자 생글거리다.

생글-뱅글 부 생글거리면서 뱅글거리는 모양. ㅆ쌩글빵글. <싱글벙글. ——-하다 자여불

생금¹【生金】명 정련(精鍊)하지 아니한, 캐어 낸 대로의 황금. ¶ ～ 덩이.

생금²【生擒】명 산 채로 잡음. 사로잡음. 금생(擒生). 생포(生捕). ¶ 평을 ～하다. ——-하다 타여불

생급-스럽다 형ㅂ불 ①하는 일이 뜻밖이고 갑작스럽다. ②끄집어 내는 말이 터무니없다. ③☞새삼스럽다. 생급-스레 부

생긋 부 소리 없이 얼핏 정답게 눈웃음만 치는 모양. ¶ ～ 웃다. ㅆ생끗·쌩긋·쌩끗. <싱긋. ——-하다 자여불

생긋-거리다 자 소리 없이 눈만 조금 움직이어 정답게 잇달아 웃다. ㅆ생끗거리다·쌩긋거리다·쌩끗거리다. <싱긋거리다. 생긋-생긋 부. ——-하다 자여불

생긋-대다 자 생긋거리다.

생긋-뱅긋 부 생긋거리면서 뱅긋거리는 모양. ㅆ생끗뺑끗·쌩긋빵긋·쌩끗빵끗. <싱긋빙긋. ——-하다 자여불

생긋-이 부 소리 없이 지그시 눈웃음치는 모양. ㅆ생끗이·쌩긋이·쌩끗이. <싱긋이.

생기[1]【生起】명 발생(發生). 야기(惹起). ＊생기다[1]. ──-하다 자여불

생기[2]【生氣】명 활발하고 생생한 기운. 활기(活氣). 생채(生彩). ¶ ～가 넘치다/～ 발랄(潑剌).

생기[3]【省記】명 ①약기(略記). ②〖역〗병조(兵曹)에 입직(入直)하는 낭관(郎官)이, 매일 궁궐을 경비하는 장수에게 교부하는 군호와, 궁궐의 각 처에 입직하는 관원·하례(下隷) 및 각 영(各營)·각 문(各門)에 입직하는 장사(將士)의 이름을 열기(列記)하여, 승정원(承政院)을 거쳐서 임금에게 올리던 서면. ──-하다 타여불

생기다[1] ㊀자 ①없던 것이 있게 되다. ¶ 새로 생긴 기구(機構). ②자기의 소유(所有)가 되다. 제 손에 들어오다. ¶ 돈이 좀 ～. ③일어나다. 발생(發生)하다. ¶ 중대한 일이 ～. ㊁보형 어미(語尾) '-게' 아래에 붙어서 '어떠하게 보이다'의 뜻. ¶ 예쁘게 ～.

생기다[2] 타 〈방〉 섬기다(전라).

생기령 탄:광【生氣嶺炭鑛】명 〖지〗 함경 북도 경성군(鏡城郡) 주을온면(朱乙溫面)에 있는 탄광. 석탄은 갈탄(褐炭)이고 매장량은 283만 톤

생기-론【生氣論】명 〖철〗 생기설(生氣說). ＊신생기론. ㄴ가량 됨.

생기 발랄【生氣潑剌】명 생기 있고 발랄함. ¶ ～한 처녀들. ──-하다 형여불

생기-법【生氣法】[―뻡] 명 〖민〗 사람의 일수(日數)를 보는 법의 하나. 일진(日辰)과 나이를 팔괘(八卦)에 나누어 상중하(上中下)의 세 효(爻)의 변화로써 보며, 변화의 순서는 일상 생기(一上生氣)·이중 천의(二中天宜)·삼하 절체(三下絕體)·사중 유혼(四中遊魂)·오상 화해(五上禍害)·육중 복덕(六中福德)·칠하 절명(七下絕命)·팔중 귀혼(八中歸魂)으로 됨.

생기-보다【生氣―】 자 〖민〗 생기법(生氣法)으로 그 날의 운수를 보다.

생기 복덕【生氣福德】명 〖민〗 ↗생기 복덕일. ¶ 신랑·신부의 ～을 가리어 길일 양시를 고르고 고르자니…《崔瓚植 : 春夢》.

생기 복덕일【生氣福德日】명 〖민〗 생기일과 복덕일. ㊥생기 복덕.

생기 사:귀【生寄死歸】명 인간이 이 세상에 사는 것은 잠시 기우(寄寓)하고 있는 것이고, 죽음은 그 본집으로 돌아가는 것임.

생기-설【生氣說】명 〖철〗 생물에는 무생물(無生物)에서 볼 수 없는 힘과, 물리 화학적인 기계관(機械觀)으로 설명할 수 없는 초경험적인 생명력(生命力)이 있다고 상정(想定)하여, 이것이 없으면 생명 현상(生命現象)의 근본적 설명이 불가능하다고 하는 설. 생기론(生氣論). 활력설(活力說). 애니미즘(animism). 바이탈리즘(vitalism).

생기어-나다 자 없던 것이 있게 되다. 출생(出生)하다. 발생(發生)하다. ㊥생겨나다. ＊생기다[1].

생기-일【生氣日】명 〖민〗 생기법(生氣法)으로 본 길일(吉日)의 하나.

생기적 연:구【生起的研究】명 발생적 연구.

생기-짚다【生氣―】 자 〖민〗 생기법(生氣法)에 의하여 일진(日辰)과 나이를 팔괘(八卦)에 맞춰 따지다. 「서 보이던 게시판.

생기-판【省記板】명 〖역〗 관아(官衙)에서 당직자(當直者)의 이름을 써

생기후-학【生氣候學】명 기상병(氣象病)·계절병(季節病) 등을 다루는 의학과 관계가 있는 기상학의 한 분야. 기상병은 천식(喘息)·알레르기성(性) 질환 및 신경통 등의 류머티즘 질환이 기상 전선(氣象前線) 통과에 따라서 발작을 일으키는 것을 이르며, 계절병은 계절에 따라 병원균에 의해서 발생하는 전염병을 이름.

생김-새 명 생긴 모양새. ¶ 얼굴 ～/～가 틀렸다.

생김-생김 명 생긴 모양. ¶ ～이 참하다.

생-김치【生―】명 날김치. 풋김치.

생-꾼【生―】명 〈속〉 생무지. 「꿋. ──-하다 자여불

생끗 부 예쁘게 살짝 가벼운 눈웃음을 짓는 모양. ㅗ생긋. ㅆ쌩끗. <싱

생끗-거리다 자 얌전한 태도로 연해 생끗 눈웃음치다. ㅗ생긋거리다. ㅆ쌩끗거리다. <싱끗거리다. **생끗-생끗** 부. ──-하다 자여불

생끗-대다 자 생끗거리다. 「<싱끗빙끗. ──-하다 자여불

생끗-뱅끗 부 생끗거리며 뱅끗거리는 모양. ㅗ생긋뱅긋. ㅆ쌩끗뺑끗.

생끗-이 부 예쁘게 지그시 눈웃음치는 모양. ㅗ생긋이. ㅆ쌩끗이. <싱

생:끼 명 〈방〉 송아지(경남). ㄴ끗이.

생끼-송까락 명 〈방〉 새끼손가락(경남).

생끼-송꼬락 명 〈방〉 새끼손가락(강원).

생:-나무[1] 명 〖식〗 ↗새앙나무.

생-나무[2]【生―】명 ①살아 있는 나무. ②벤 채로 아직 마르지 아니한 나무. 날목. 생목(生木). ¶ ～를 때다. ↔마른 나무.

[생나무 휘어 잡기] 되지 않을 일을 억지로 한다는 뜻.

생-나물【生―】명 익히지 아니하고 생것으로 무친 나물.

생-나제르 (Saint-Nazaire) 명 〖지〗 프랑스 서부, 비스케이 만(Biscay灣)에 있는 루아르 강(Loire江) 하구의 항구 도시. 야금·화학·식품·조선·항공기 따위 공업이 행해짐. 제2차 대전 중, 독일의 잠수함 기지(基地)였음. [68,000 명(1981 추계)] 「를 겪다.

생-난리【生亂離】[―날―] 명 아무 까닭없이 몹시 시끄러운 판. ¶ ～

생남【生男】명 아들을 낳음. 생자(生子). 득남(得男). 첨정(添丁). ↔생녀(生女). ──-하다 자여불 「하다 자여불

생남 기도【生男祈禱】명 아들을 낳도록 신불(神佛)에게 하는 기도. ──-

생남-례【生男禮】[―녜] 명 아들을 낳고 자축(自祝)하는 뜻에서 한턱을 내는 일. 득남례(得男禮). 생남턱. ↔편잔례. ──-하다 자여불

생남 불공【生男佛供】명 아들을 낳기 위하여 드리는 불공.

생남-주【生男酒】명 생남례(生男禮)로 내는 술.

생남-턱【生―】명 생남례(生男禮).

생-낳이【生―】[―나―] 명 생베.

생-내기【生―】명 〈방〉 생무지.

생녀【生女】명 딸을 낳음. 득녀(得女). ↔생남(生男). ──-하다 자여불

생-녀진【生女眞】명 〖역〗 '생여진(生女眞)'의 잘못.

생년【生年】명 출생한 해. 난 해.

생-년월일【生年月日】명 출생한 해와 달과 날. ↔졸년월일.

생-년월일시【生年月日時】[―씨] 명 출생한 해와 달과 날과 시. ＊사주(四柱).

생념【生念】명 생각을 가짐. ¶ 아주머니 그런 소리 다시 하지도 마시오. 김 서방은 ～도 아니하는 일이요《張德祚 : 狂風》.

생-논【生―】명 〖농〗 갈이가 잘 되지 아니한 논.

생-눈【生―】명 아프지도 다치지도 아니한 멀쩡한 눈.

생-니【生―】명 병들거나 아프지 아니한 성한 이. ¶ ～를 뽑다.

생:-단자【―團子】명 ↗새앙 단자.

생달-나무 [―라―] 명 〖식〗 [*Cinnamomum japonicum*] 녹나뭇과의 상록 교목. 높이 15m 가량, 수피(樹皮)는 육계(肉桂)와 비슷한 향기가 있고, 잎은 긴 타원형으로 광택이 있으며 혁질(革質)임. 6월에 담황색의 잔 꽃이 산형(繖形) 화서로 피며, 장과(漿果)는 구형(球形)이고 흑자색으로 익음. 산기슭에 나는데, 한국·일본·중국 등지에 분포함. 재목은 기구재(器具材)·신탄재(薪炭材), 과실은 기름을 짜내어 비누의 원료 또는 약용(藥用)으로 씀.

〈생달나무〉

생-담배【生―】명 피우지 아니하고 저절로 타는 담배. 냄새가 몹시 독

생-당목【生唐木】명 생옥양목(生玉洋木). ㄴ함.

생-당포【生唐布】명 누이지 아니한 당모시.

생대 명 〈방〉 아지랭이(함경).

생댕 명 〈방〉 아지랭이(함북).

생댕이 명 〈방〉 아지랭이(함경).

생도[1]【生徒】명 ①중등 학교 이하의 학생을 일컫던 말. ②군(軍)의 교육 기관, 특히 사관 학교의 학생. ③〖역〗 조선 시대 때, 임관 전에 소속 관아(官衙)의 기학(技學)을 익히던 사람.

생도[2]【生道】명 살아 나가는 방도. 생계(生計). 생로(生路).

생도-감【生徒監】명 그 학교의 생도의 훈육에 관한 일을 맡은 사람.

생-도라지【生―】명 말리지 아니하였거나, 익히지 아니한 도라지.

생도지-방【生道之方】명 살아 나갈 방책(方策).

생독【牲犢】명 희생으로 쓰이는 송아지.

생-돈【生―】명 들일 필요 없는 데에 공연히 쓰는 돈. ¶ ～을 쓰다.

생동[1] 명 〖광〗 광맥(鑛脈) 중에 아직 채굴(採掘)하지 아니한 곳.

생동[2]【生動】명 ①살아 움직임. 생기 있게 움직임. ②그림이나 글씨가 썩 잘되어 기운(氣韻)이 살아 움직이듯이 보임. ──-하다 자여불

생동[3]【生銅】명 〖광〗 불리지 아니한 구리.

생동-감【生動感】명 생동하는 것과 같은 느낌. ¶ ～이 넘치다.

생동생동-하다 형여불 기운이 꺾이지 아니하고 본래의 기운이 그대로 남아 있다. ¶ 그리고 이불을 들치고 내 귀에는 영 생동생동한 몇 마디 말로 나를 위로하려 든다《李箱 : 날개》. <싱둥싱둥하다.

생동-쌀 명 생동찰의 쌀. 청량미(青粱米). 청정미(青精米).

생동-이 명 〈방〉 풋나기.

생동-적【生動的】명관 생동하는 모양.

생동-찰 명 〖식〗 차조의 한 가지. 이삭에 긴 가시랭이가 있고 알이 잘며

생동-찹쌀 명 ☞생동쌀. ㄴ빛이 푸름. 청량(青粱).

생동-팥 명 〖식〗 팥의 한 종류. 음력 4-5월경에 씨를 뿌림.

생-되다【生―】[―뙤―] 형 일에 익지 아니하고 서투르다.

생뒤 명 〈방〉 똘기(함경).

생:-드니 (Saint-Denis) 명 〖지〗 프랑스의 북부 교외 센 강(Seine江)과 생드니 운하의 교차점에 있는 교통의 요지. 야금·기계·화학 등 공업이 성함. [91,000 명(1981 추계)]

생득【生得】명 나면서부터 가짐. 타고남. ¶ ～ 관념/～의 성질.

생득 관념【生得觀念】명 (innate ideas) 〖철〗 생후(生後)의 경험에 의하여 처음으로 얻은 것이 아니고, 나면서부터 가지고 있는 관념. 데카르트(Descartes)나 라이프니츠(Leibniz) 등에 의하여 주장됨. 근세에 있어서는 이 관념의 존재는 그것을 긍정하는 합리론(合理論)과 부정하는 경험론과의 대립에서 인식론상(認識論上)의 중심 문제로 됨. 본유관념(本有觀念). ↔습득 관념(習得觀念).

생득-설【生得說】명 〖철〗 사람의 지식의 어떤 부분은 본래부터 공통적으로 모든 사람에게 갖추어져 있으며, 또 모든 사람에게 똑같이 그 성질을 띠게 한다는 학설. 「有的).

생득-적【生得的】명관 성격 따위가 타고난 그대로인 모양. 본유적(本

생-등심【生―】명 냉동(冷凍)하지 않은 냉장(冷藏) 상태의 등심 살코기.

생디카 (프 syndicat) 명 〖사〗 조합(組合).

생디칼리스트 (프 syndicaliste) 명 〖사회〗 생디칼리슴(syndicalisme)을 신봉하는 사람. 노동 조합주의자.

생디칼리슴 (프 syndicalisme) 명 〖사〗 19세기말부터 20세기초에 걸쳐서 프랑스와 이탈리아의 양국에서 일어났던 노동 조합주의의 하나. 주로 프랑스에서 성하였는데, 급진적 산업 조합주의(急進的産業組合主義)의 성격을 띤 이 조합 운동은, 일체의 정치 행동, 특히 의회주의를 배격하고, 총동맹 파업·사보타지(sabotage) 등의 직접 행동에 의해서 산업 관리를 이행하고 사회 개조를 실현하려 하였음. 지나친 폭력주의에 치우친 나머지 무정부주의적인 색채가 있었음. 이론적으로는 프루동(Proudhon)에서 비롯함. 신디칼리즘. 노동 공산주의.

생-딱지【生―】명 아직 덜 나은 헌데의 딱지.

생-딴전【生―】명 엉뚱한 딴 짓. ¶ ～만 부리다.

생-땅【生—】명 이제까지 파 헤친 일이 없는, 생긴 채 그대로 있는 굳은 땅. 생지(生地). ¶ ~을 일구다. 「이 갑자기 죽다니.

생때-같다【生—】형 몸이 튼튼하고 아무 병이 없다. ¶ 생때같은 사람

생-떡국【生—】명 쌀가루를 반죽하여 새알 만큼씩 만들어 장국이 끓을 때에 넣어서 익힌 음식. 생병탕(生餠湯).

생-떼【生—】명 ↗생떼거리.

생떼(를) 쓰다 구 ↗생떼거리(를) 쓰다. 「생떼.

생-떼거리【生—】명 당치 아니한 일을 억지로 하려는 고집. 생청'. 준생

생떼거리(를) 쓰다 구 당치 아니한 일을 억지로 하려고 고집하다. 준생떼(를) 쓰다.

생-떼그렝이【生—】명〈방〉 생떼거리.

생-똥【生—】명〈방〉 산똥(경상).

생뚱-같다 형 말이나 짓이 앞뒤가 서로 맞지 아니하고 엉뚱하다.

생란-기【生卵器】[—난—] 명 〔oogonium〕〖생〗 균류(菌類)나 조류(藻類)에서 볼 수 있는 자성(雌性)의 생식기. 내부에 몇 개의 자성 배우자(雌性配偶子), 즉 알이 생김. 이끼·양치류 등의 조란기(造卵器)에 해당하는 것. *조정기(造精器).

생래【生來】[—내] 명 ①세상에 태어난 이래. ¶ ~ 처음이다. ②성질을 타고남. 천성(天性). ¶ ~의 바보 / 역시 자기는 ~의 시골 선비로서 그를 당할 수 없다고 감탄의 혀를 찼다《鮮于輝 : 默示》.

생랭【生冷】[—냉] 명 날것과 찬 것.

생략【省略】[—냑] 명 간단하게 덜어서 줄임. 뺌. 약생(略省). 오미트(omit). ¶ 이하 ~. 준약(略). ——하다 타여불

생략 기호【省略記號】[—냑—] 명〖악〗'줄임표'의 한자 이름.

생략-법【省略法】[—냑—] 명 ①사물을 되도록 생략하여 간단히 하는 방법. ②〖문〗 문장을 간결하게 하여 언외지의(言外之意)나 여운(餘韻)·암시를 독자(讀者)가 파악하게 하는 수사법(修辭法)의 한 가지.

생략-산【省略算】[—냑—] 명〖수〗어떤 수의 근삿값을 되도록 간단히 하는 한편, 그의 오차(誤差)가 예정한 범위를 넘지 아니하도록 하는 계산법. 우수리의 반올림 같은 것. 약산(略算).

생략 삼단 논법【省略三段論法】[—냑—뻡] 명〖논〗 대전제나 소전제(小前提), 혹은 결론(結論) 가운데 어느 하나를 생략하는 삼단 논법. 예를 들면 '모든 동물은 죽는다' '그러므로 동물인 사람은 죽는다'라고만 하여 '사람은 동물이다'라는 소전제를 생략하는 일 따위. 생략 추리법. 「段論法).

생략 추리법【省略推理法】[—냑—뻡] 명〖논〗 생략 삼단 논법(省略三

생략-표【省略標】[—냑—] 명 문장이 생략되었음을 나타낼 때 쓰는 부호. 곧, '…'. 줄임표.

생량【生涼】[—냥] 명 가을에 서늘한 바람이 남. 가을이 되어 서늘한 기운이 생김. ¶ 올여름에는 꼭 일을 당하는 줄 알았더니 ~한 뒤부터 다시 좀 그만하셔서 내가 떠나왔네《洪命憙 : 林巨正》. ——하다 자여불

생량-머리【生涼—】[—냥—] 명 초가을이 되어 서늘하여질 무렵.

생력【省力】[—녁] 명 힘을 덞. 노동력을 덞. ¶ ~화(化).

생력-꾼【生力—】[—녁—] 명 기운이 한창 왕성한 사람.

생력 농업【省力農業】[—녁—] 명〖농〗 기계화·공동화·집단화·화학화 등에 의하여 노동력을 절약하여서 하는 농업. 농업 생산력의 유지·증진(增進) 또는 생산 기술의 근대화를 촉진함.

생력 투자【省力投資】[—녁—] 명〖경〗 노동력을 덜기 위하여 산업의 기계화·자동화·무인화(無人化)를 촉진시키기 위한 투자.

생력-화【省力化】[—녁—] 명〖경〗 산업의 기계화·자동화·무인화(無人化)를 촉진시키어 노동력을 줄이는 일. ¶ ~시대. *오토메이션화(automation 化). ——하다 자타여불

생령【生靈】[—녕] 명 ①생명(生命). ↔사령(死靈). ②살아 있는 사람의 영혼. ③생민(生民).

생령-장【生靈章】[—녕짱] 명 용비 어천가 제73장(章)의 이름.

생례【省禮】[—녜] 명 상중(喪中)에 있는 사람에게 보내는 편지의 첫머리에 쓰는 말. 예절(禮節)을 생략하고 쓴다는 뜻. 생식(省式). ——하다 자여불

생로[1]【生路】[—노] 명 살아 나갈 방도. 살아날 길. 활로(活路). 생계(生計).

생로[2]【生路】[—노] 명 선 길. 처음 가는 길. ↔숙로(熟路).

생 로랑 〔Saint-Laurent, Yves (Henri Donat Mathieu)〕 명〖사람〗 프랑스의 패션 디자이너. 우아한 디자인으로 당대 최고의 인기 디자이너로 꼽힘. 크리스티앙 디오르의 조수·후계자로서 활약하다가 1962 년에 독립하여 자신의 가게를 가짐. 1970 년대 이후 화장품 등 사업에도 진출함. [1936-]

생-로-병:-사【生老病死】[—노—] 명〖불교〗 인생이 반드시 겪어야만 하는 네가지 고통. 곧 나고, 늙고, 병들고, 죽는 일. *사고(四苦).

생록-지【生漉紙】[—녹—] 명 닥나무의 겉껍질로 뜬 종이.

생뢰【牲牢】[—뇌] 명 희생(犧牲)❶.

생-루이 〔Saint-Louis〕 명〖지〗 아프리카 서부 세네갈 강 어귀에 있는 세네갈의 항구 도시. 교통·상업의 중심지로, 1658년에 건설된 옛 도시임. [97,000 명(1979 추계)]

생률【生栗】[—뉼] 명 ①말리거나, 굽거나, 삶거나, 찌거나 하지 않은 생으로 있는 밤. 날밤. ②나부죽하게 쳐서 깎은 날밤. 흔히 제사·잔치에 씀.

생률 치다 구 날밤의 껍질을 벗기고 나부죽하게 쳐서 깎다.

생리[1]【生利】[—니] 명 이익을 냄. ——하다 자여불

생리[2]【生梨】[—니] 명 배[3]❶.

생리[3]【生理】[—니] 명 ①생물이 살아가는 사리(事理). 생활하는 길. ②생물이 생명을 유지하여 가는 데 있어서의 여러 가지 현상이나 기능. 또, 그 원리. ¶ ~ 현상. ③월경. 멘스. ¶ ~ 휴가. ④↗생리학(生理學).

생리-대【生理帶】[—니—] 명 월경대(月經帶).

생리 사:별【生離死別】[—니—] 명 살아서 이별함과 죽어서 이별함.

생리 생태학【生理生態學】[—니—] 명 〔physiological ecology〕〖생〗 자연 환경 또는 인공 환경 속에서의 생물학적 과정이나 생육(生育)에 관하여 연구하는 학문.

생리 위생【生理衛生】[—니—] 명 ①생리와 위생. ②생리학과 위생학.

생리 유전학【生理遺傳學】[—니—] 명 〔physiological genetics〕〖생〗 유전형질(遺傳形質)의 발현(發現) 작용을 생리학적으로 연구하는 학문. 유전 생화학(遺傳生化學)이 생긴 후로는 오로지 물리적인 수단에 의한 연구를 가리킴. 광의(廣義)의 형질(形質) 유전학의 한 분야. *유전 생화학.

생리-일【生理日】[—니—] 명〖생〗 월경이 있는 날.

생리 작용【生理作用】[—니—] 명〖생〗 생물의 생활하는 작용. 곧, 혈액 순환·호흡·소화·배설·생식 등에 관한 작용의 총칭.

생리-적【生理的】[—니—] 명관 ①신체의 조직·기능에 관한 모양. ②이치나 사리(事理)가 아니라 본능적·육체적인 모양. ③기능이 정상(正常)인 모양. ↔병리적(病理的).

생리적 낙과【生理的落果】[—니—] 명 과실이 폭풍우·병충해·약해(藥害) 및 기상(氣象) 환경의 이상(異常) 등 이외의 생리적 원인으로 낙과하는 일. 「(rep).

생리적 뢴트겐 당량【生理的—當量】[—니—냥] 〔도 Röntgen〕 명 렙

생리적 분업【生理的分業】[—니—] 명〖생〗 생물의 각 기관이 각각 분업적으로 활동하여 기능을 발휘함으로써 생물체를 지속(持續) 발달하게 하는 일.

생리적 생활 시간【生理的生活時間】[—니—] 명 생활 시간 가운데, 수면·식사·휴양, 그 밖에 생존에 필요한 시간.

생리적 식염수【生理的食鹽水】[—니—] 명〖의〗 세포액·체액(體液)·혈액(血液)과 동등한 삼투압(滲透壓)을 가진 식염수. 혈액 속에 풀려 있는 염류(塩類)와 같은 분량의 식염(食塩)을 녹인 물로, 사람의 경우는 약 0.9 %이며, 의료상(醫療上) 수분(水分)을 보급할 목적으로 정맥(靜脈) 속에나 피하(皮下)에 주사함. 준식염수. *링거액(Ringer 液).

생리적 영도【生理的零度】[—니—] 명〖심〗 피부에 온각(溫覺)도 냉각(冷覺)도 일으키지 아니하는 온도. 대략 28.9°C 임.

생리적 용액【生理的溶液】[—니—] 명〖의〗 생체(生體)에서 분리된 조직을 배양(培養)하거나 기관(器官)의 생리 시험 또는 의료상(醫療上)의 관류액(灌流液)으로서 천연적 체액(體液)에 대용될 수 있는 인공 용액(人工溶液). 생리적 식염수·링거액·로크액(Locke液) 등이 있음.

생리적 황달【生理的黃疸】[—니—] 명〖의〗 신생아(新生兒)에게 생리적으로 발생하는 황달. 곧, 신생아 황달.

생리-통【生理痛】[—니—] 명〖생〗 월경통(月經痛).

생리-학【生理學】[—니—] 명〖생〗 ①〔physiology〕 생물의 생리 작용 전반에 관하여 연구하는 학문. 곧, 생물 화학·생물 물리학의 총칭. ②넓은 의미의 생리학에서 생물 화학 방면을 제외한 생물 물리학. 준생리.

생리학-자【生理學者】[—니—] 명 생리학을 연구하는 학자.

생리학-적【生理學的】[—니—] 명관 생리학에 관계되는 모양.

생리학적 심리학【生理學的心理學】[—니—니—] 명〖심〗 생리학적 실험법을 보조 수단으로 하여, 심신의 상호적 또는 상관적(相關的) 인과(因果) 관계를 설명하려는 학문. 감각 정신 생리학(感覺精神生理學)·신경(神經) 심리학·내분비(內分泌) 심리학 등을 포함함.

생리 휴가【生理休暇】[—니—] 명〖사〗 근로 기준법(基準法)에 의거한 여성의 휴가의 하나. 생리일의 취업이 몹시 곤란한 여자 또는 생리에 해로운 업무에 종사하는 여자에게, 본인의 청구에 의하여 주어짐. 월 하루의 유급 휴가임. *분만 휴가(分娩休暇).

생마[1]【生馬】명 길들지 아니한 거친 말.

[생마 갈기 외로 길지 바로 길지] 말 새끼의 갈기가 좌우 어느 쪽으로 자랄지 알 수 없듯이, 사람이 착하게 되고 나쁘게 됨은 어렸을 때부터 분간할 수 없다는 뜻. [생마 잡아 길들이기] 성질이 거칠고 악한 사람을 교도(敎導)하기란 힘이 든다는 뜻. 「을 모르는 사람.

생마[2]【生麻】명 누이지 아니한 삼.

생마 새끼【生馬—】명 ①길들지 아니한 거친 망아지. ②〈속〉 예의 범절

생-매[1]【生—】명 길을 들이지 아니한 매. 「하다 타여불

생매[2]【生埋】명 생물을 산 채로 땅 속에 묻음. 생장(生葬). 산장. ——

생매 잡아【生—】명〖악〗 경기 휘몰이 곡조. '생매 잡아 길 잘 들여 두메로 꿩 사냥 보내고…' 이렇게 시작하여, 거드렁거리는 머슴의 모습을 그린 긴 사설을 빠른 박자로 몰아서 부르는 소리 곡조임.

생-매장【生埋葬】명 ①사람을 산 채로 땅에 묻음. ②아무 잘못도 없는 사람을 사회적 지위에서 몰아 냄. ¶ 사회에서 ~ 당하다. ——하다 타여불

생맥-산【生脈散】명〖한의〗 원기 쇠약과 번조(煩燥)에 쓰는 탕약(湯藥). 맥문동(麥門冬)·인삼(人蔘)·오미자(五味子)가 주재(主材)인데, 여름에 숭늉 대신으로 먹기도 함.

생-맥주【生麥酒】명 양조(釀造)한 채로 살균용의 열(熱)을 가하지 아니한 맥주. 드래프트 비어. ↔라거 비어(lager beer).

생맥줏-집【生麥酒—】명 생맥주를 전문으로 조끼에 따라 파는 간단한 술집.

생:-머리 명〖역〗 ↗새앙머리.

생-먹다【生—】타 ①남의 말을 듣지 아니하다. ②모르는 체하다.

생-멧소【生—】명 소 한 마리의 값을 빚으로 쓰고, 그것을 다 갚을 때까지 해마다 소 한 마리에 대한 도조(賭租)를 물어 주던 한 관례(慣例). *돈도지.

생면[1]【生面】명 ①↗생면목(生面目). ¶ ~ 부지(不知). ↔숙면(熟面). ②

낯을 냄. ──-하다 자여불

생면²【生麵】명 만들어 놓고 그대로 말리지 않은 국수. ↔건면(乾麵).

생면 강산【生面江山】명 ①처음으로 보는 강산. ②처음으로 보고 듣는 일.

생면 대:책【生面大責】명 일의 내용을 알지도 못하고 관계 없는 사람을 턱없이 나무라는 일. ──-하다 타여불

생-면목【生面目】명 처음으로 대함. 또, 그 사람. ㊟생면(生面).

생면 부지【生面不知】명 한 번도 본 일이 없어 도무지 모르는 사람.

생-면주【生綿紬】명 생명주(生明紬).

생멸【生滅】명 우주 만물(宇宙萬物)의 생김과 없어짐. 생기(生起)와 멸진(滅盡). ¶ 만물은 ~ 유전(流轉)한다. ──-하다 자여불

생명【生命】명 ①목숨. 수명(壽命). 성명(性命). ②사물을 유지하는 기한. ¶ ~이 길다. ③사물의 중요한 점. ¶ 책의 ~은 내용에 있다. ④〔life〕〖생〗 세포(細胞) 상호간의 활동에 의한 생물의 생활 현상 일체에서 추출(抽出)되는 일반적 개념. 자연 법칙에 입각하여 그 본질을 구명하려는 기계설(機械說)과 신비력(神祕力)의 지배를 주장하는 생기설(生氣說)이 있음.

생명(을) 걸:다 구 목숨(을) 걸다.

생명-감【生命感】명〖문〗 한 작품이 살아 있는 것처럼 생생하게 느껴지는 예술적 매력. ¶ ~에 넘치다.

생명 감:정【生命感情】명 기아(飢餓)·쾌(快)·불쾌(不快) 등, 인간의 근원적인 욕구(慾求)에 관여하고 있는 감정과 그 실감(實感).

생명 공학【生命工學】명 바이오테크놀로지.

생명 과학【生命科學】명〔life science〕 생명이나 생체의 유지·보호에 관한 것을 해명하기 위하여, 생리학·생물학·생물 화학·생물 공학·의학·인류학·언어학·사회학 등 많은 과학 분야를 종합하여 연구하려는 과학·기술. 새로운 약제의 개발, 이상 환경의 조절, 컴퓨터의 의학계에의 응용, 유전자(遺傳子)의 해명, 인공 장기(臟器)의 이식(移植) 등이 모두 이에 속함.

생명-권【生命權】[─꿘] 명〖법〗 인격권(人格權)의 하나. 불법(不法)으로 인간의 생명이 침해당하지 아니하는 권리.

생명 나무【生命─】명 생명수(生命樹).

생명-력【生命力】[─녁] 명 생명의 힘. 살아나가려고 하는 힘. ¶ 강인한 ~.

생명-령【生命靈】[─녕] 명 영혼 관념의 한 형(型). 비인격적(非人格的)이고, 산 동식물에 공통인 보편적 생명 원리로서의 영혼. 생명령은 개체(個體)가 죽으면 없어지거나 보편적 생명으로 돌아간다고 생각되었음.

생명-록【生命錄】[─녹] 명〖기독교〗 교인(敎人)의 명부. *생명책.

생명-론【生命論】[─논] 명〖철〗 생명이란 무엇이냐에 대한 설(說)과 이론의 총칭. 기계론·생기론(生氣論)·유기체론(有機體論) 등이 대표적임.

생명 물리학【生命物理學】명〖물〗 생명 현상(生命現象)의 메카니즘, 생명의 본질 등을 물리학의 입장에서 해명하려는 물리학의 한 부문.

생명 보:험【生命保險】명〖경〗 피보험자의 사망(死亡) 또는 일정한 연령에 달하기까지의 생존(生存)을 조건으로 하여 일정한 금액을 지불할 것을 약정(約定)한 보험. 사망 보험·생존 보험·양로(養老) 보험 등이 있음. ¶ ~ 계약/~ 증서 /~에 가입하다.

생명 보:험 모집인【生命保險募集人】명〖법〗 생명 보험 회사의 임원(任員)·사용인(使用人) 또는 위탁을 받은 사람으로서 그 보험 회사를 위하여 생명 보험 계약의 체결을 중개하는 사람.

생명 보:험 신:탁【生命保險信託】명 금전 채권 신탁의 하나. 보험금 수취인의 낭비를 막기 위해, 신탁 재산으로서 생명 보험 채권을 받아들이는 신탁.

생명 보:험 회:사【生命保險會社】명 생명 보험을 주업무(主業務)로 하는 보험 회사.

생명-선【生命線】명 ①사느냐 죽느냐의 경계선. 최저 생활선(生活線). ②생존을 위하여 기필코 지켜야 할 가장 중요한 한계. ③국가의 독립을 유지하기 위한 최후적 방위선(最後的防衛線). ④수상(手相)에서, 생명의 길이에 관계가 있다는 손금.

생명-소【生命素】명 생명을 유지하는 데 필요한 요소.

생명-수¹【生命水】명 ①생명을 유지하는 데 필요한 물. ②〖기독교〗 영원한 영적(靈的) 생명에 필요한 물이란 뜻으로, 하느님의 복음(福音)을 비유하는 말. ㊟생수(生水).

생명-수²【生命樹】명〖종〗 생명의 원천(源泉), 세계의 중심 또는 인류의 발상지(發祥地)로서의 나무. 이 사상은 고래로 메소포타미아·이집트·이란·인도·북부 유럽 등의 민간 신앙·신화·전설 속에 널리 분포된 것임. 에덴 동산의 선악(善惡)을 아는 지혜의 나무 같은 것이 이에 속함. 세계수(世界樹). 생명 나무. 생명의 나무. 선악과(善惡果) 나무.

생명에의 의:지【生命─意志】[─/─에의─] 명〔도 Wille zum Leben〕〖철〗 쇼펜하워의 철학 용어. 충족 이유율(理由律)에 속박되지 아니하고, 단순히 살려고 하는 의지. 그는 이것을 만계(萬界)의 근저로 하여 만상(萬象)을 이 의지의 발현(發現)이라고 하였고, 따라서 개체(個體)의 본질적 이기성(利己性)이 성립하여, 분할되지 아니하는 전체로서의 생명 의지가 존재하게 된다고 하였음.

생명 연금【生命年金】[─년─] 명〖경〗 어떤 사람이 지금 기입에 생존해 있는 것을 조건으로 급부(給付)가 행하여지는 연금. ↔확정 연금.

생명 유지 시스템【生命維持─】[─뉴─] 명〔life support system〕〖공〗 해저 잠수 장치(潛水裝置)나 우주선에서 쓰이는, 환경의 제어(制御)와 감시(監視)를 행하는 시스템. 호흡용 혼합 공기 공급 시스템·공기 정화 및 여과(濾過) 시스템·이산화 탄소 제거 시스템 따위.

생명의 과학【生命─科學】[─/─에─] 명〖책〗 웰스(Welles, H.G.)가 그의 아들 및 생물학자 헉슬리(Huxley, J.S.)와 함께 저술한 과학 계몽서. ≪세계 문화사 대계≫의 자매편으로, 생명의 탄생에서 생물의 진화 상태에 이르기까지 과학적인 자료를 바탕으로 기술함. 1929-31년에 발표.

생명의 기원【生命─起源】[─/─에─] 명〖책〗 소련의 생화학자(生化學者) 오파린(Oparin, Aleksandr Ivanovich; 1894-1980)이 자연 과학 각 분야의 성과를 토대로 지구상의 생명의 기원에 대한 문제를 과학적 학설로 제창한 저서. 그는 생명의 기원을 지구상의 물질, 특히 탄소 화합물 발전의 일환으로 포착하려고 하였음. 1936년 간행.

생명의 나무【生命─】[─/─에─] 명〖종〗 생명수(生命樹).

생명의 비약【生命─飛躍】[─/─에─] 명〔프 élan vital〕〖철〗 베르그송의 철학 체계에서 쓴 용어. 그의 창조적 진화에 있어서는 생명이 외계의 사정에 의하여 우연적으로나 피동적으로 진화하는 것이 아니고, 내부(內部)로부터 창조적으로 비약하여 진화한다 함. 생의 약진(躍進).

생명의 은총【生命─恩寵】[─/─에─] 명〖천주교〗 인간의 생존적(生存的)으로 소유하는 은혜로서의 성화 성총(聖化聖寵). 상존(常存) 성총. 초성 은혜(超性恩惠). *도움의 은총.

생명 전선【生命前線】명〔biological front line〕〖생〗 1년이 경과하는 동안 계절의 변화에 따라 처음으로 꽃이 피는 장소와 시기, 새가 처음 나타나는 시기 등을 이은 선.

생명-점【生命點】[─쩜] 명〖생〗 호흡 중추·심장 중추가 존재하는 연수(延髓)의 한 점. 이 곳을 바늘로 찌르면 죽음.

생-명주【生明紬】명 생사(生絲)로 짠 명주. 생면주(生綿紬). ㊟생주(生紬).

생-명주실【生明紬─】명 삶지 아니한 명주실. 견사(繭絲).

생명-책【生命冊】명〖기독교〗 생명록(生命錄).

생명 철학【生命哲學】명〖철〗 생의 철학.

생명-체【生命體】명 생명이 있는 물체.

생명-표【生命表】명 한 나라 국민의 사망(死亡)의 정칙(定則)·비율을 알리기 위하여, 연령별·인구별·남녀별·직업별 등으로 유별(類別)한, 사망수(數)·생존율(生存率)·사망률·평균 여명(餘命) 등을 나타낸 통계표.

생명 현:상【生命現象】명 생물이 나타내는 현상 가운데 특히 생물 고유의 것으로 인정되는 것. 또, 생물 현상의 총칭.

생명-형【生命刑】명〖법〗 사형(死刑).

생명-혼【生命魂】명 목숨과 넋. 또, 목숨에 깃들인 넋.

생-모¹【生─】명 윷놀이에서 말을 새로 다는 모. ¶ ~로 달다.

생모²【生母】명 자기를 낳은 어머니. 생어머니. ↔양모(養母).

생-모리츠〔Saint Moritz〕명〖지〗 스위스 남동부의 관광지. 피서·휴양지로서 남서단에 광천(鑛泉)이 있음. 1928년과 1948년, 동계 올림픽 대회의 개최지였음. 해발 1,822m. [5,900명(1980)]

생-모시【生─】명 누이지 아니한 모시. 생저(生苧).

생모-체【生毛體】명〖생〗 하등 조류(藻類)·유주자(遊走子)·배우자·정자(精子) 등이 가지는 털 모양의 기점(基點)에 있는 세포질의 소체(小體).

생:목¹【─木】명〔←서양목(西洋木)〕 당목(唐木).

생목²【生─】명 입으로 되살아 올라오는 삭지 아니한 음식물. ¶ ~이 오르다.

생목³【生木】명 누이지 아니한 무명.

생목⁴【生木】명 생나무² ❷.

생-목숨【生─】명 ①살아 있는 목숨. ②죄 없는 사람의 목숨. ¶ ~을 앗아 가다.

생몰【生沒】명 낳음과 죽음. 생졸(生卒). ¶ ~일(日)/~ 연대.

생몰-년【生沒年】[─련] 명 생년(生年)과 몰년(沒年). 생졸년(生卒年). ¶ ~ 미상.

생-무지【生─】명 그 일에 익숙하지 못한 사람. 생수(生手). 생꾼. 주의 '生無知'로 씀은 취음(取音).

생문¹【生門】명〖민〗 팔문(八門) 가운데 길(吉)하다는 문의 하나. 구궁(九宮)의 팔백(八白)이 본자리가 됨.

생문²【省文】명 글자나 문구(文句)를 생략함. 또, 그 글자나 문구. ──-하다 자여불

생문-방【生門方】명〖민〗 생문의 방위.

생-문자【生文字】[─짜] 명 새로 만들어 널리 쓰이지 아니하는 생된 문자·용어.

생물【生物】명〔organism〕〖생〗 생명(生命)을 가지고 생활 현상을 영위(營爲)하는 물체. 원형질(原形質)로 되어 있으며, 영양(營養)·생장(生長)·증식(增殖)을 하며, 보통 일정한 형태와 기능을 갖는 개체(個體)로서 존재하고, 대체로 일정한 기간 생존하는 수명(壽命)이 있으며, 자기와 같은 종류의 개체를 생식함. 세포(細胞)의 구성상으로 단세포(單細胞) 생물과 다세포(多細胞) 생물로 구분하나, 동물과 식물로 크게 분류함. ↔무생물(無生物). *유기물(有機物).

생물-가【生物價】[─까] 명〔biological value〕 생체 조직의 유지 및 성장에 필요한 식품 중의 단백질 함유량 효율(效率)의 척도(尺度).

생물 검:정【生物檢定】명 생물이 물질의 종류에 관하여 나타내는 특이성을 이용하여 물질을 검정하는 일. 비타민·호르몬 등의 검정에 이용되며, 화학적 방법으로 측정할 수 없는 극미량(極微量)의 물질의 증명(證明)·정량(定量)이 가능하게 됨.

생물 경제학【生物經濟學】명〖생〗 생물계에 있어서의 물질의 생산과 소비에 관한 법칙을 탐구하는 학문.

생물-계【生物界】명 생물의 총칭. 또, 생물이 살고 있는 세계. 동물계와 식물계 등. ↔무생물계.

생물 계:절【生物季節】명〖생〗 식물의 발아(發芽)·성장·개화(開花)·결실(結實)·낙엽(落葉)·고사(枯死)와, 동물의 동면(冬眠)·발정(發情)·분만(分娩) 등의 일련(一連)의 계절에 따르는 변화와 진행. 생물 계절을 연구하는 학문을 생물 계절학, 특히 개화(開花)의 경우는 화력학(花曆學)이라 함. *생물력(生物曆).

생물 공학【生物工學】명〔bionics〕〖생〗 생물이 가진 기능을 인공적으로 실현하여 활용하는 것을 목적으로 하는 학문. 생체 공학(生體工學).

생물 구계【生物區系】명〖생〗 지구상의 각지의 생물상(生物相)을 비교

하여 어느 지역에 공통된 특징적인 생물종(生物種)이 인정된 경우, 생물 지리학적으로 주어진 단위. 일반적으로 동물상(動物相)과 식물상(植物相)에 따라 지리상의 특징이 다르므로 동물 구계와 식물 구계로 나누어 단위를 정함.

생물 군계【生物群系】 명 『생』 열대 강우림(降雨林)·툰드라(tundra) 등과 같이, 주로 기후 조건에 따라 나뉜 생태계(生態系)에 포함된 생물의 집단. 생물 군집(群集)을 구분하는 가장 큰 단위(單位)임. 바이옴(biome).

생물-권【生物圈】[—꿘] 명 〔biosphere〕 생물이 서식하는 범위. 기권(氣圈)·수권(水圈)·암석권(岩石圈)에 걸침.

생물권 보:존 지역【生物圈保存地域】 명 육지 또는 해양 환경 가운데 중요한 생물군계(群系)를 이루고 있는 지역으로서, 자원을 자연 상태로 보전하고 이에 대한 연구를 다각적으로 추진하기 위하여 유네스코가 지정한 지역. 1971년 그 설정이 정해졌으며, 1982년 설악산(雪嶽山)이 이 지역으로 지정되었음.

생물 기상학【生物氣象學】 명 〔biometeorology〕 생물의 중요한 환경조건으로서의 기상의 연구. 농업과 위생에 중요한 영향을 줌.

생물 기후의 법칙【生物氣候—法則】[—/—에—] 명 생물 계절학적 사상(事象)은, 위도에 대하여 북쪽으로 1° 이동할 때마다 4일, 경도에 대하여는 동쪽으로 5° 옮길 때마다 약 4일이 늦는다는 법칙.

생물 농약【生物農藥】[—롱—] 명 『생』 식물의 해충을 포살(捕殺)하는 성질을 이용해서 계획적으로 육성하는 천적(天敵).

생물 농축【生物濃縮】[—롱—] 명 〔biological magnification〕 『생』 식물 연쇄(食物連鎖) 과정에서, 생물체내에 분해되기 어려운 DDT·BHC·유기 수은(有機水銀)·PCB 등의 화학 물질이 흡수된 경우에, 이들 물질이 연쇄를 거칠 때마다 점점 농축되는 일.

생물 돌변설【生物突變說】 명 『생』 돌연 변이설.

생물-량【生物量】 명 『생태학』 어느 시점에서 임의(任意)의 공간 내(空間內)에 존재하는 생물체의 양(量). 중량(重量) 또는 에너지량(量)으로 나타냄. 바이오매스(biomass).

생물-력【生物曆】 명 『생』 각 지방에서 생물 계절의 변화를 관측한 기록. *생물 계절.

생물 루미네선스【生物—】 〔luminescence〕 명 생물 발광(發光).

생물 무기 화학【生物無機化學】 명 〔bioinorganic chemistry〕 『화』 금속 이온의 생체(生體) 속에서의 작용을 중심 과제로 다루는 화학의 한 분야.

생물 물리학【生物物理學】 명 〔biophysics〕 『생』 생물의 생리 작용의 물리적 방면을 연구하는 학문. 생물 이학(理學).

생물 물리 화학【生物物理化學】 명 『생』 생체 속에서 영위되는 여러 가지 현상이나 생체 물질의 구조를 물리 화학적 수단으로 해명하려는 생물학의 신분야(新分野).

생물 발광【生物發光】 명 『생』 생물체에서 발광하는 현상. 균류(菌類)·세균류(細菌類) 등 식물과, 동물에서는 반딧불이·야광충(夜光蟲)·지렁이·해파리·오징어 그 밖에 어류(魚類) 등에 많은데, 광선은 거의 완전한 냉광(冷光)으로, 빛깔은 생물에 따라서 다르나 노랑·초록·파랑이 많고, 빨강이나 자주는 적으며, 광도(光度)는 약함. 공기 중의 산소에 의하여 일어나는 일종의 산화 작용으로 생각됨. *발광 동물·발광 식물.

생물 발생 원칙【生物發生原則】[—쌩—] 명 『생』 1868년에 독일의 생물학자 헤켈(Haeckel)이 제창한 학설. 생물의 개체가 완성되어 가는 과정은 그 종(種)이 지금까지 진화되어 온 과정을 요약하여 반복한다고 함. 반복설. 요약설.

생물 발전【生物發電】[—쩐] 명 『생』 생물체에서 발전하는 현상. 생물체가 정지하고 있을 때에 일어나는 정지 전류(靜止電流)와 생물체의 활동에 따라서 일어나는 활동 전류(活動電流)의 두 가지가 있으며, 대개 그 전압(電壓)이 밀리볼트(mV) 정도의 미약한 것이나, 생물의 종류에 따라서는 수백 볼트에 달하는 것도 있음. *발전어(發電魚).

생물 병기【生物兵器】 명 생물학 병기.

생물 분류【生物分類】 명 생물을 형태·구조·생식·발생 등의 유사점·차이점에 따라 정리하고, 일정한 체계를 세우는 일. 분류는 종(種)을 기본으로 하여, 속·과·목·강·문·계(界)와 차례로 비슷한 것을 정리해 감. 이것들에 대한 명칭을 세계 공통의 라틴말로 나타낸 것이 학명(學名)임.

생물 사이클【生物—】 명 〔biocycle〕 생물권(生物圈)의 주요 부분을 구성하고 있는 유사한 생활권의 그룹(group). 육상·해양·담수(淡水)의 세 개의 생물 사이클이 있음.

생물 사회【生物社會】 명 〔society of organisms〕 개체간의 상호 관계를 기초로 하여, 일정한 기능과 질서를 갖는 생물 집단. 동일종(同一種)의 개체로 이루어진 종내(種內) 사회와 두 종 이상의 개체로 이루어진 종간(種間) 사회가 있음.

생물-상【生物相】[—쌍] 명 〔biota〕 같은 환경 아래 또는 지리적 구역 등 일정한 지역에 분포하는 생물의 전종류(全種類). 동물상과 식물상을 합친 것을 이름.

생물 생태학【生物生態學】 명 〔bio-ecology〕 『생』 동물 생태학과 식물 생태학의 병칭(倂稱). 군집 생태학.

생물 쇄:설암【生物碎屑岩】 명 〔bioclastic rock〕 생물의 단단한 부분인 뼈와 껍질 따위가 분쇄·퇴적하여 생긴 암석.

생물 시계【生物時計】 명 〔biological clock〕 『생』 체내 시계(體內時計).

생물 시대【生物時代】 명 『지』 생물이 나타나기 시작해서부터 지금까지의 선캄브리아대(先 Cambria代)·고생대(古生代)·중생대(中生代)·신생대(新生代)의 총칭. *지질(地質) 시대.

생물-암【生物岩】 명 『지』 수성암(水成岩)의 하나. 생물의 생리 작용이나 생물체(生物體) 자체의 침전(沈澱)으로 형성된 암석. 패각 석회암(貝殼石灰岩) 등의 동물암과 석회조(石灰藻)·규조토(珪藻土) 등의 식물암으로 나뉨.

생물 요법【生物療法】[—료뻡] 명 〔biotherapy〕 『의』 생물학적 약제(藥劑)를 사용하는 치료법. 약제의 재료를 생물로 제조함.

생물 위성【生物衛星】 명 〔biosatellite〕 사람이나 동물 및 기타의 생물을 일정한 기간 정상적인 상태에서 생존시키고, 지구로 안전하게 귀환시킬 수 있게 설계된 인공 위성.

생물 음향학【生物音響學】 명 〔bioacoustics〕 생물과 음(音)의 관계에 대해서 연구하는 학문 분야.

생물 이:학【生物理學】[—리—] 명 생물 물리학(物理學).

생물 장애【生物障礙】 명 『생』 ①기생충에 의한 인체의 장애, 박테리아의 침입에 의한 인체의 이상(異常) 등 생물로 인해 사람에 미치는 장애의 총칭. ②유해(有害)한 유전자를 갖게 된 박테리아나, 유해한 바이러스의 유전자를 염색체(染色體)의 일부로서 가진 박테리아 등에 의해서 인위적(人爲的)으로 유해 유전자(遺傳子)에 의한 해를 사람에게 입히는 일. ③바이러스의 유해 유전자를 핵외(核外) 유전자로서 박테리아에 넣어, 유해 작용을 하게 하는 일.

생물 재해【生物災害】 명 유전자 조작 등에 의해서 유해한 유전자를 갖게 된 박테리아나 바이러스가 인간이나 그 밖의 생물에 해를 끼치는 일.

생물적 기억【生物的記憶】 명 〔mneme〕 『심』 신경·근육·세포 등에 과거의 일이나 경험이 각인(刻印)되어 그것이 보존되는 현상.

생물적 방제법【生物的防除法】[—뻡] 명 생물간의 상호 관계를 이용하여 유해한 생물을 방제하는 방법. 예를 들면 해충의 천적(天敵)인 생물을 적극적으로 도입·번식시켜 해충을 포식(捕食)시키고 증식(增殖)을 억제하는 방법 따위.

생물적 폐:유 처리【生物的廢油處理】 명 떠 있는 기름을 생물적으로 분해하기 위해서, 미생물의 배양을 이용하는 일.

생물 전:기【生物電氣】 명 『생』 생물체 속에서 일어나는 전기. 생물의 조직이나 기관이 작용할 때 흐르는 미약한 전류(電流)인데, 특히 근육이나 신경 같은 데서 현저하게 발생함. 생체 전기. *생물 발전.

생물 전선【生物前線】 명 어떤 생물의 활동 개시 시기와 장소를 전선(前線)처럼 연결하여 지도에 나타낸 것. 또, 그 이은 선.

생물 지구 화학【生物地球化學】 명 〔biogeochemistry〕 지구 화학의 한 분야. 생물과 그 지역의 흙 속에 함유된 화학 물질과의 관계를 다루는 학문.

생물 지구 화학적 탐광【生物地球化學的探鑛】 명 땅 속에 어떤 종류의 원소(元素)가 농축되어 있으면, 지상에 특정한 식물이 자라는데, 이것을 이용해서 광상(鑛床)을 탐사하는 기술.

생물 지리 분포학【生物地理分布學】 명 『생』 생물 지리학.

생물 지리학【生物地理學】 명 〔biogeography〕 『생』 지구상에 현존하거나 또는 화석으로 인정되는 모든 생물의 분포·유래(由來)에 관하여 연구하는 학문. 동물 지리학과 식물 지리학으로 나뉘며, 대상에 따라 생물 구계(生物區系) 지리학·생물 계통 지리학·고생물 지리학으로 나뉨. 생물 지리 분포학.

생물 지리학적 건조 지대【生物地理學的乾燥地帶】 명 물의 부족으로 식물이 비교적 적은 지역.

생물 지표【生物指標】 명 서식(棲息)하는 생물의 종류로써 그곳의 대기나 수질 등의 오염도(汚染度)를 알 수 있는 지표.

생물-체【生物體】 명 『생』 물체로서의 생물. 생물의 몸. 생체(生體). 유기체(有機體).

생물 측정학【生物測定學】 명 〔biometrics〕 『생』 생물 통계학(生物統計學).

생물 층서학【生物層序學】 명 〔biostratigraphy〕 『고생물』 고생물에 의해서 지층(地層)의 층서(層序)나 시대를 연구 응용하는 학문.

생물 통:계학【生物統計學】 명 『생』 생물의 여러 가지 성질을 통계적으로 나타내어 생물의 변이(變異) 상태와 생물 집단의 생태적 문제 등을 연구·분석하는 생물학의 한 분과. 영국의 수리 통계학자이며 우생학자인 피어슨(Pearson, Karl;1857-1936)이 최초로 체계를 세웠으며, 피셔(Fisher, Ronald)의 추측 통계학의 창시와 더불어 눈부시게 발전되었는데, 주로 유전학자 사이에 이용됨. 생물 측정학(生物測定學).

생물 편년학【生物編年學】 명 〔biochronology〕 동물상(動物相)·식물상(植物相)의 변천을 연대순으로 추적·연구하는 학문.

생물-학【生物學】 명 〔biology〕 『생』 생물이 나타내는 생명 현상(生命現象)을 연구 대상으로 하는 자연 과학의 한 분과. 대상이 되는 생물의 종류에 따라 동물학·식물학·미생물학(微生物學)으로 분류하는데, 다시 분류학(分類學)·형태학(形態學)·생리학(生理學)·생태학(生態學)·유전학(遺傳學) 등으로 나뉘며, 구성(構成) 단계에 의하여 세포학·조직학(組織學)·기관학(器官學) 등이 있음. 동식물에 공통의 연구 항목으로서 생물 지리학(地理學)·고생물학(古生物學)·진화학(進化學) 등이 있음.

생물학-과【生物學科】 명 『교』 대학에서 생물학을 전공하는 학과. *미생물학과.

생물학 병기【生物學兵器】 명 『군』 세균·바이러스(virus)·육종(肉腫)·리케차(rickettsia)·생체 조직 독소(毒素) 및 특수한 생화학 물질을 이용하여 인간·가축·식물을 살상·고사(枯死)시키는 병기의 총칭. ABC 병기의 B병기로, 세균탄(細菌彈)·호르몬탄·곤충탄(昆蟲彈)·바이러스탄 등이 있음. 비전투원의 대량 살해·기습·교란(攪亂)·공황(恐慌) 도발용(挑發用) 병기로서 효과가 큼. 생물 병기. *세균 병기.

생물학 사전【生物學辭典】 명 생물학에 관한 용어·사항(事項) 등을 모아 주석한 전문 사전의 하나.

생물학-자【生物學者】 명 생물학을 연구하는 학자.

생물학적 교:육학【生物學的教育學】 명 〔도 biologische Pädagogik〕 『교』 교육 활동을 과학적으로 설명하고 교육의 실천에 생물학적인 발전, 진화론(進化論)의 성립 등의 원리(原理)를 응용하려는 교육학. 19세기의 스펜서(Spenser)를 대표로 듀이(Dewey)의 사상에 이르며, 생물과 환경(環境)의 관계에서 출발하여 '환경에의 적응(適應)'을 전제로 주장함.

생물학적 리듬【生物學的一】[명]〔biorhythm〕생물체에서 볼 수 있는 주기적인 현상.
생물학적 반:감기【生物學的半減期】[명] 생체 내에 존재하는 물질의 반량(半量)이, 대사(代謝)나 배출에 의해서 그 부역(部域)에서 없어지는 데 드는 시간.
생물학적 부:식【生物學的腐蝕】[명]〔biological corrosion〕미생물의 신진대사의 결과, 금속 등의 질이 저하되는 일.
생물학적 사회학【生物學的社會學】[명]〖사〗생물학적 이론의 응용에 의한 사회의 연구. 사회를 유기체로서 유추(類推)하여, 그 진화·분화(分化) 등을 고찰한 스펜서(Spencer)나, 러시아의 사회학자 릴리엔펠트(Lilienfeld) 등의 이론이 이에 속함.
생물학적 산소 요구량【生物學的酸素要求量】[명]〔biochemical oxygen demand〕〖생〗수중(水中)에 함유되어 있는 유기물을 미생물이 분해할 때에 필요로 하는 산소량. 약칭:비 오 디(BOD). 생화학적 산소 요구량.
생물학적 산화【生物學的酸化】[명]〔biological oxidation〕세포 속의 에너지 생성 반응. 어떤 분자에서 다른 분자로 수소 원자나 전자(電子)의 이동을 동반함.
생물학적 제:제【生物學的製劑】[명] 병원 미생물(病源微生物)이나 그 대사 물질(代謝物質)을 사용하거나 또는 면역 이론에 따라 제조하는 제제. 왁친과 면역 혈청으로 대별됨.
생물학적 종【生物學的種】[명] 개체 상호간의 생식 가능성을 기본으로 하여 정하는 종(種). 서로 생식적으로 격리된 지방 집단(地方集團)으로 이루어짐. 형태에 중점을 둔 린네종(Linné種)에 상대되는 말.
생물학-주의【生物學主義】[－／－이][명] ①〔biologism〕〖철〗인식 작용을 생명의 유지(維持)·증진(增進)을 위한 작용이라고 보아, 생존 투쟁을 위한 한 수단으로 생각하는, 인식론(認識論)의 한 입장. 니체의 초인주의(超人主義), 베르그송의 직관 철학(直觀哲學)이 그 대표적 학설임. ②〖사〗생물학적 현상과의 비교에 의하여 사회 현상을 설명하려는 사회학상의 한 경향. 사회 유기체설(社會有機體說)과 사회 다윈주의(社會 Darwin 主義) 등이 있음.
생물 항:공【生物航空】[명] 조류(鳥類) 등이 보금자리에 돌아올 때, 먼 바다에 나갔다가 육상의 목표가 완전히 없어져도 귀로를 찾아내는 현상. *귀소성(歸巢性).
생물 화학【生物化學】[명]〖생〗생화학(生化學).
생물 화학 소자【生物化學素子】[명] 바이오칩.
생물 환경 조절 실험실【生物環境調節實驗室】[명]〖생〗바이오트론.
생-미사【生彌撒】[명]〖천주교〗생존(生存)해 있는 이를 위해서 드리는 미사.
생민【生民】[명] ①백성. 국민. 민생(民生). ②생령(生靈)❸.
생밀【生蜜】[명] 정제(精製)하지 아니한 꿀.
생박【生縛】[명] 사로잡아 묶음. ——-하다 [타][여불]
생-박쥐 [명]〖동〗[*Eptesicus nilssonii parvus*] 애기박쥣과의 박쥐의 하나. 날개처럼 된 익수(翼手)의 배면(背面) 대부분은 짙은 암갈색 털로 덮이고 몸의 상면(上面)은 짙은 암갈색이며 몸의 하면은 엷은 적갈색을 띰. 익수의 기부(基部)에는 담색의 큰 반문(斑紋)이 한 개 있고, 주둥이·볼기·비막(鼻膜)은 흑색임. 한국·사할린에 분포함.
생-박파【生拍破】[명] 때도 되기 전에 억지로 하는 일.
생반【生飯】[명]〖불교〗밥을 먹을 때, 먹기 전에 조금 떠 내는 밥.
생발〔프 cymbale〕[명]〖악〗'심벌즈(cymbals)'의 프랑스 말.
생-밤【生一】[명] 날밤².
생-방송【生放送】[명] 미리 녹화·녹음한 것의 재생이 아니라, 스튜디오 또는 현장에서 직접 하는 방송. ↔녹화 방송·녹음 방송.
생배 앓다【生一】[－알타][자] ①공연히 생으로 배를 앓다. ②남이 잘되는 것을 시기하다.
생백【生魄】[명] 달의 검은 바닥이 커지기 시작한다는 뜻으로, 음력 매월 열 엿샛 날을 일컫는 말. 또, 그 날의 달. 기망(旣望). ↔사백(死魄).
생-백신【生一】〔vaccine〕[명] 면역용(免疫用)의 생균(生菌) 백신. 비 시 지(BCG)·두묘(痘苗)·폴리오 생백신 따위.
생번【生蕃】[명] ①교화(敎化)되지 아니한 번인(蕃人). ②타이완(臺灣)의 고사족(高砂族) 중에서 숲 속에 살며, 비교적 원시적 생활을 하고 있는 토족(土族). ↔숙번(熟蕃).
생-베【生一】[명] 누이지 아니한 베. 생포(生布). 생낳이.
생-베르나르〔Saint Bernard〕[명]〖지〗알프스 서남부에 있는 대소 두 개의 산마루. 그랑(Grand) 생베르나르는 이탈리아·스위스 국경, 프티(Petit) 생베르나르는 이탈리아·프랑스의 국경에 있으며, 모두가 예로부터 알프스의 횡단로로 유명함.
생-벼락【生一】[명] 아무 죄도 없이 맞는 벼락. 또, 아무런 잘못 없이 뜻밖에 당하는 재앙. 날벼락.
생벼락(을) 맞다 [구] 아무런 잘못 없이 뜻밖에 재앙을 당하다. 날벼락(을) 맞다.
생변-사:변【生變死變】[명] 죽었다 살았다 함. 몇 번이고 죽었다 살아남. ——-하다 [자][여불]
생별【生別】[명] ↗생이별(生離別). ¶ 부부가 ～하다. ↔사별(死別). ——-하다 [자][여불]
생-병【生病】[명] 힘에 겨운 일을 함으로써 생긴 병. ¶ ～이 나다.
생-병탕【生餠湯】[명] 생떡국의 한자 표기(表記).
생보¹【生保】[명] ① ↗생명 보험. ② ↗생활 보호.
생보²【生報】[명]〖불교〗삼보(三報)의 하나. 현세(現世)에서 선악(善惡)의 행위를 하여 내세(來世)에서 받는 고락(苦樂)의 업보(業報).
생보-자【生保者】[명] ↗생활 보호자.
생복【生鰒】[명] 익히지 아니한 전복(全鰒). ↔숙복(熟鰒).
생복-구【生鰒灸】[명] 생복 구이의 한자 표기(表記).
생복 구이【生鰒一】[명] 전복(全鰒)을 넓게 저며 기름과 설탕을 쳐서 구운 음식. 생복구(生鰒灸).
생복-회【生鰒膾】[명] 전복(全鰒)을 생으로 굵게 썰어서 초장에 찍어 먹는 회.
생볼리스트〔프 symboliste〕[명] 상징주의자. 상징파.
생볼리슴〔프 symbolisme〕[명]〖문〗'심벌리즘'의 프랑스 말.
생부【生父】[명] 자기를 낳은 아버지. 생아버지. ¶ ～를 찾다. ↔양부(養父).
생-부모【生父母】[명] ↗본생 부모(本生父母).
생-분해성【生分解性】[－썽][명]〔biodegradability〕물질이 미생물에 의해서 분해되는 성질.
생분해성 플라스틱【生分解性一】[－썽－][명]〔biodegradable plastics〕폐기물 공해를 줄이기 위해 흙 속이나 물 속에서 미생물에 의하여 분해되도록 고안한 플라스틱. 영국 최대의 화학 회사 아이 시 아이(ICI)가 1990년 상품화한 '바이오폴'이 유명함.
생불【生佛】[명] ①〖불교〗덕행(德行)이 썩 높은 중. 활불(活佛). ②〈속〉 여러 끼를 굶은 사람.
생불 불이【生佛不二】[명]〖불교〗생불 일여(生佛一如).
생-불여사【生不如死】[명] 극도로 곤란한 지경에 빠져 삶이 죽음만 같지 못하다는 뜻.
생불 일여【生佛一如】[명]〖불교〗중생(衆生)과 제불(諸佛)이 그 천성(天性)에 있어서는 다름이 없다는 뜻. 생불 불이(生佛不二). 인불 불이(人佛不二).
생비【省費】[명] 비용을 줄이고 절약함. ——-하다 [자][여불]
생-뿔 [명] 새앙뿔.
생:-사¹【一紗】[명] '서양사(西洋紗)'의 줄어 변한 말.
생사²【生死】[명] ①사는 일과 죽는 일. 또, 나는 일과 죽는 일. 삶과 죽음. ¶ ～를 함께 하다. ②〖불교〗생로 병사(生老病死)의 사고(四苦)의 시작과 끝. 모든 생물이 과거의 업(業)의 결과로 개체(個體)를 이루었다가 드디어 해체(解體)되는 일.
생사³【生事】[명] 사단(事端)을 일으킴. ——-하다 [자][여불]
생사⁴【生祠】[명]〖역〗생사당(生祠堂).
생사⁵【生絲】[명] 삶아서 익히지 아니한 명주실. *연사(練絲).
생사 가:판【生死可判】[명] 사느냐 죽느냐를 따지어 판단함. 사생 가판(死生可判). ——-하다 [자][여불]
생사-경【生死境】[명] 사느냐 죽느냐 하는 위급한 지경. ¶ ～을 헤매다.
생사 관두【生死關頭】[명] 사생 관두(死生關頭).
생-사당【生祠堂】[명]〖역〗감사(監司)나 수령(守令)의 선정(善政)을 찬양하는 표시로 백성들이 그 사람이 살아 있을 때부터 받들어 제사 지내는 사당. 생사(生祠).
생사 대:해【生死大海】[명]〖불교〗생로 병사(生老病死)하는 인생의 모든 현상을 큰 바다에 비유한 말.
생-사람【生一】[명] ①아무 허물이 없는 사람. ¶ 도둑은 못 잡고 ～을 끌고 가다. ②아무 관계가 없는 사람. ③생때 같은 사람.
생사람(을) 잡다 [구] 아무 허물이 없는 사람을 모해하여 구렁에 넣다.
생사 유전【生死流轉】[명]〖불교〗유전 윤회(流轉輪廻).
생사 육골【生死肉骨】[명] 죽은 사람을 살려서 뼈에 살을 붙인다는 뜻으로, 큰 은혜를 입음을 이름.
생사 입판【生死立判】[명] 사느냐 죽느냐가 당장에 판정됨.
생사 존망【生死存亡】[명] 생사와 존망. 생사 존몰(生死存沒). 사생(死生) 존망. 사생 출몰(死生出沒).
생사 존몰【生死存沒】[명] 생사 존망(生死存亡).
생사-탕【生蛇湯】[명]〖한의〗날뱀을 달이어 마시는 탕약.
생산【生産】[명] ①아이를 낳음. 출산(出産). ②〔production〕〖경〗자연물(自然物)에 인력(人力)을 가(加)하여 사람의 욕망을 충족(充足)시킬 수 있는 재화(財貨)를 만들어 내거나 증가(增加)시키는 일. 또, 그 활동. 농업·공업·광업 등의 물적(物的) 생산과 운수업·창고업 등의 용역(用役) 생산으로 대별됨. 산출(産出). ↔소비(消費). ——-하다 [타][여불]
생산-가【生産價】[－까][명]〖경〗↗생산 가격.
생산 가격【生産價格】[－까－][명]〖경〗생산비에 평균 이윤을 보탠 금액. 판매(販賣) 가격을 규정하는 중심 가격이 됨. [준]생산가.
생산 가:능 매장량【生産可能埋藏量】[－냥][명] 일차 채수(採收)·이차 채수의 구별 없이, 현재 채수하고 있는 부문에서 채수 가능한 확인 매장량.
생산 가축【生産家畜】[명] 고기나 가죽·털·젖·알 따위를 얻기 위해 기르는 가축. 양·돼지·젖소·가금류 같은 것.
생산 갱구【生産坑口】[명]〖광〗갱내로부터 석탄을 파내고 있는 갱구.
생산 계급【生産階級】[명]〖경〗생산적 노동에 직접 종사하는 계급.
생산-고【生産高】[명] ①〖경〗일정한 기간에 생산된 재화(財貨)의 수량. 생산액(生産額). 생산량(生産量). ②〔yield〕〖공〗화학 반응이나 식품 가공에서 반응이나 공정(工程) 생성물의 양(量).
생산 공정【生産工程】[명] 원료 또는 재료에서 제품에 이르기까지의 제조 과정에서 행하여지는 일련의 작업. 설계·기술 교육 등의 계획 공정과 노동력·기계·재료·제품 완성 등의 제조·작업 공정으로 나누어짐.
생산 공채【生産公債】[명]〖법〗공공 단체가 생산적인 사업의 경비(經費)에 충당(充當)하기 위하여 모집하는 공채. 철도 및 항만(港灣)의 창설·확장 등을 위한 공채 같은 것. 건설 공채. *적자(赤字) 공채.
생산 공학【生産工學】[명] 인더스트리얼 엔지니어링.
생산 과세【生産課稅】[명] 내국 소비세(內國消費稅) 부과의 한 방법. 원료·제조 공정(工程)·제품 등에 과하는 조세(租稅).
생산 과:잉【生産過剩】[명] 사회의 구매력(購買力)을 초과(超過)하여 상품이 생산되는 일.
생산 과:정【生産過程】[명] 사회 존속의 기본적 조건을 이루며, 사회의 기초인 인간의 물질적 생활을 위한 생산의 과정.
생산 관계【生産關係】[명]〖경〗생산의 과정(過程)에 있어서 사람이 필연

적으로 끼게 되는 사회적 관계. 일정한 사회에 있어서 생산 관계는 물질적 생산력의 발전에 적응(適應)하며, 이는 곧 그 사회의 경제적 구조를 이룸.

생산 관리【生產管理】[―괄―] 명 ①〖경〗 생산력을 최고도로 발휘하고 생산 능률을 올리기 위해 여러 공정 부분에 따라 과학적 방법으로 연구하여 관리하는 일. ②〖사〗 노동 쟁의가 일어났을 때, 노동 쟁의의 한 수단으로서 노동 조합 등의 노동 단체가 자주적으로 사용자의 경영권을 빼앗아서 적극적으로 생산 과정의 모든 부문을 관리하는 일. 업무 관리. ――하다 자 여불

생산 관리 투쟁【生產管理鬪爭】[―괄―] 명 〖사〗 노동 쟁의 전술의 하나. 노동 조합이 공장의 설비·자재 등을 직접 관리하에 두고 회사측의 명령을 배제하는 일.

생산 교:육【生產敎育】 명 〖교〗 생산 활동의 교육적 가치를 중시(重視)하는 교육. *생산 학교.

생산 구조【生產構造】 명 〖경〗 원료재(原料財)의 획득으로부터 시작하여 가지가지 생산재(生產財)의 생산을 거쳐 완성 소비재의 성립에 이르는 시간적 생산 경로(經路).

생산 국민 소:득【生產國民所得】 명 〖경〗 생산물의 부가(附加) 가치의 총계(總計)로 본 국민 소득. *분배 국민 소득.

생산 금융【生產金融】[―/―늉] 명 〖경〗 생산 목적에 사용되는 자금의 융통. ↔소비 금융.

생산 기간【生產期間】 명 〖경〗 생산의 요소(要素)가 투입(投入)되어서 그것이 생산물로 이루어지기까지의 동안.

생산 기관【生產機關】 명 생산 수단에서 노동력을 제외한 기계·원료 등의 총칭.

생산 기술【生產技術】 명 보다 큰 효용(効用)과 가치를 얻기 위해서 산업 내부에서 재료의 형상(形狀)·상태·상호 관계를 변화시키는 기술적인 방법의 체계(體系).

생산 기준【生產基準】 명 〖경〗 판매 기준·현금 기준 따위와 더불어 수익(收益)의 계상 기준(計上基準)으로, 생산물의 판매가 끝나기 전과 판매 대금의 회수 전에 수익의 계상을 인정하는 기준.

생산 녹지【生產綠地】 명 〖법〗 농업이나 목축 등의 생산 활동이 허용되는 녹지(綠地). ↔자연 녹지(自然綠地).

생산 능력【生產能力】[―녁] 명 생산 요소가 충분히 발휘되었을 때의 능력. 특히, 자본·설비가 전부 가동되었을 때의 생산량.

생산 능력 지수【生產能力指數】[―녁―] 명 〖경〗 일정 시기에 있어서의 제조 공업의 생산 능력을 기준으로 하여, 그 후의 변화를 지수로 나타낸 값. 기업 활동의 변화를 파악하기 위한 지표가 됨.

생산 도시【生產都市】 명 물자의 생산을 특색으로 하는 도시. 공업 도시 등이 그 예임. ↔소비 도시.

생산 득률【生產得率】[―늘] 명 득률(得率).

생산-량【生產量】[―냥] 명 〖경〗 생산고. ㊀산량(產量).

생산-력[1]【生產力】[―녁] 명 〖경〗 물질적 재화(物質的財貨)를 생산할 수 있는 힘. 생산 수단(生產手段)과 이를 사용하여 생산을 실현하는 사람의 노동력으로 되며, 이 두 가지는 일정한 생산 관계(生產關係)를 통하여 현실적인 생산력을 이룸.

생산-력[2]【生產曆】[―녁] 명 자연의 계절에 따라 생산 활동을 규제하는 시간 계열(時間系列). 특히 기후 조건에 영향을 받는 농업 생산과 어업 생산 활동에 중요한 지침이 됨.

생산력 임:금설【生產力賃金說】[―녁―] 명 〖경〗 노동의 생산력에 의해서 임금이 결정된다는 설. 19세기 중엽의 영국에서 주장되어, 미국의 클라크(Clark, J.B.)에 의해, 임금의 한계 생산력설로 발전되었음. 이러한 견해는 임금이 자본주의하에서는 노자(勞資)의 대항(對抗) 관계에서 규정되어 있다는 것을 무시하고 있음.

생산력 확충【生產力擴充】[―녁―] 명 〖경〗 국민 경제의 생산력을 높이는 일.

생산-물【生產物】 명 〖경〗 생산된 물품. 생산품.

생산물 배상【生產物賠償】 명 자본재(資本財)나 소비재(消費財) 등의 생산물을 제공함으로써 상대방에게 끼친 손해를 배상하는 일. *역무(役務) 배상.

생산물 분여 방식【生產物分與方式】 명 〔production-sharing method〕〖경〗 개발 수입 방식의 하나. 선진국이 발전 도상국에 그 개발 자재(資材)나 기술을 제공하고, 이를 개발된 생산물로 회수하는 경제 원조 방식.

생산물 지대【生產物地代】 명 〖사〗 그 토지에서 생산되는 현물(現物)로써 지급하는 지대(地代). 화폐 지대(貨幣地代)가 발생하기 이전에 성행하던 것으로, 봉건 사회의 표준적 지대가 되었음. 현물(現物) 지대. ↔화폐 지대·노동 지대.

생산 방법【生產方法】 명 〖경〗 물질적 재화(財貨)를 생산하는 기술적 방법.

생산 부족【生產不足】 명 어떤 물품(物品)의 생산액이 사회의 수요(需要)에 모자람.

생산 분석【生產分析】 명 〖경〗 일정한 제품을 생산하기 위하여 공정(工程)을 낱낱의 작업으로 분해하여 가공(加工) 방법을 결정하고, 검사 기준을 정하여 재료·반제품(半製品) 등의 이동 경로를 확정하는 생산 관리의 하나. *공정(工程) 관리·제품 개발(製品開發).

생산-비【生產費】 명 〖경〗 물질적 재화(財貨)를 생산하는 데 드는 비용. 원료비(原料費)·노력비(勞力費)·고정 자산비(固定資產費) 및 그 밖의 간접 경비(間接經費) 등으로 이루어짐. 생산 코스트. 원가(原價).

생산비 미가【生產費米價】[―까] 명 생산비를 충족하고 재생산 할 수 있도록 정해진 쌀값.

생산비-설【生產費說】 명 〖경〗 가치 학설(價值學說)의 하나. 상품의 현실 가격은 수요와 공급의 비례에 의하여 결정되는데, 경쟁이 완전히 자유롭게 행하여지는 한, 가격은 그 변동의 중심점으로서의 이윤을 포함한 생산비로 낙착되는 경향이 있다고 하는 주장. 스미스(Smith, Adam)가 정식화(定式化)하고, 밀(Mill, J.S.)에 의해서 완성되었음. *노동 가치설(勞動價值說).

생산비의 법칙【生產費―法則】[―/―에―] 명 〖경〗 생산품의 가격은 평균 비용과 같다는 법칙. 완전 경쟁하에서는 초과 이윤을 추구하는 새 기업이 생겨 생산량의 증대, 가격 저하, 초과 이윤 감소로, 결국 가격·한계 생산비·평균 비용이 일치하여 초과 이윤이 소멸하는 완전 균형 상태를 이룬다고 함.

생산 사료【生產飼料】 명 가축의 생존 유지만을 위하는 것이 아니고 고기·알·털·가죽 같은 것의 생산에 필요한 정도의 사료. *유지 사료(維持飼料).

생산 사:업【生產事業】 명 〖경〗 재화를 생산하는 사업. ㊀산업.

생산-성【生產性】[―썽] 명 ①〔productivity〕〖경〗 노동·설비·원재료 등의 투입량과, 이것으로 만들어 내는 생산물의 산출량과의 비율. 노동 생산성·원재료 생산성·자본 생산성 등이 있음. ②〖농〗 단위 면적의 땅에서 생산되는 특정 농작물의 수확량(收穫量).

생산성 기준 원리【生產性基準原理】[―썽―월―] 명 〖경〗 임금의 상승은 생산성 향상의 범위 안에서 그쳐야 한다는 주장. 부가 가치 생산성의 향상을 목적으로 하며, 경영 실태·업종 상황에 따라 업종별·지역별로 합리적인 임금 상승률의 기준을 설정하여야 한다는 이론.

생산성 향:상 운:동【生產性向上運動】[―썽―] 명 〖사〗 노동자(勞動者)와 사용자(使用者)가 협력하여 노동 생산성을 높임으로써 생산과 이윤을 증가시키고 임금 인상을 실행하여 경영 합리화(經營合理化)를 도모(圖謀)하는 운동. 제2차 세계 대전 후 미국을 비롯한 세계 각국에서 전개되고 있음.

생산 수단【生產手段】 명 〖경〗 생산 과정에 있어서 그 물질적 조건으로서 사용되는 것. 곧, 토지·삼림(森林)·매장물(埋藏物)·원료·생산 용구(用具)·생산용 건물·수역(水域)·교통 및 통신 수단 같은 것의 총칭. 노동 대상(勞動對象)과 노동 수단(勞動手段)으로 이루어짐.

생산 수준【生產水準】 명 〖경〗 한 국가의 일정 연도내(一定年度內)에 있어서의 어떤 산업의 총생산량의 평균.

생산 시간【生產時間】 명 작업이나 공정(工程)에서 유용(有用)한 작업이 진행된 시간.

생산-액【生產額】 명 〖경〗 생산고(生產高).

생산액 비:례법【生產額比例法】[―뻡] 명 〖경〗 비례법.

생산 야:금【生產冶金】[―냐―] 명 광석으로부터의 금속의 분리와 금속의 정련(精鍊)을 다루는 야금학의 한 부문.

생산 양식【生產樣式】[―냥―] 명 〔도 Produktionsweise〕〖경〗 사회 발전의 어떤 단계(段階)에 있어서의 생산의 양식. 생산력과 생산 관계가 결합하여 이루어짐. 원시 공동체적·노예제적·봉건제적·자본주의적·사회주의적 양식 등 다섯 개의 기본형이 있음.

생산-업【生產業】 명 생산 산업. 생활에 필요한 물자의 생산을 영위하는 사업. 산업.

생산 연령【生產年齡】[―녈―] 명 생산 활동 특히, 노동에 종사할 수 있는 연령. 보통 만 15세 이상 65세 미만을 말함.

생산 연령 인구【生產年齡人口】[―녈―] 명 연령별 인구 중 노동력의 중핵(中核)을 이루는 인구층. 보통 15-59세 또는 15-64세의 연령 구분을 사용함.

생산 예:측【生產豫測】[―녜―] 명 〖경〗 판매 예측에 따라 생산 능력을 가장 효과 있게 활용하도록 생산 목표를 세우는 생산 관리의 하나. *제품 개발(製品開發).

생산 요소【生產要素】[―뇨―] 명 〖경〗 생산에 반드시 필요한 요소. 곧, 토지·노동·자본 또는 지대(地代)·임금·이윤 같은 것.

생산 용:구【生產用具】[―뇽―] 명 〖경〗 생산을 하는 데 보조가 되는 용구. 곧, 도구·기계 같은 것.

생산용 원자로【生產用原子爐】[―뇽―] 명 플루토늄(plutonium)과 같은 핵분열성 물질을, 대규모로 생산하기 위해서 설계된 원자로.

생산-자【生產者】 명 ①〖경〗 재화(財貨)의 생산에 종사하는 사람. ↔소비자(消費者). ②〖생〗 자연계에서, 무기물로부터 유기물을 합성하는 생물. 광합성을 하는 녹색 식물이나 광합성 식물이 포함되며, 독립 영양을 영위하고 생태계(生態系) 안에서 다른 생물의 영양원이 됨.

생산자 가격【生產者價格】[―까―] 명 〖경〗 생산자가 생산물을 판매하는 가격. 특히, 정부(政府)가 주식(主食) 생산자인 농민에게 지급하는 매상 양곡(買上糧穀)의 가격. ↔소비자 가격.

생산자 내:구 시:설【生產者耐久施設】 명 〖경〗 생산자 내구재(耐久財).

생산자 내:구재【生產者耐久財】 명 〖경〗 생산자가 투자(投資)하는 내구재. 기계·공장 시설 따위. 생산자 내구 시설. ↔소비자 내구재.

생산 자본【生產資本】 명 〖경〗 산업 자본이 그 순환 과정에서 취하는 한 형태. 생산 과정의 여러 요소, 곧 노동력·생산 수단의 형태를 취한 자본을 일컬음. ↔유통 자본(流通資本)·소비 자본. *화폐 자본.

생산자의 자유【生產者―自由】[―/―에―] 명 경제적 자유의 하나. 자기가 원하는 종류의 직업을 자유로이 선택할 수 있는 직업 선택의 자유, 피고용자가 단결하여 고용자와의 교섭에 의하여 노동 조건을 협정하는 권리가 인정되는 단체 교섭의 자유 및 각 개인이 자기 계산하에 자유로이 기업을 경영할 수 있는 기업의 자유 등의 총칭. *소비자의 자유.

생산-재【生產財】 명 〖경〗 생산 수단(生產手段)으로서 사용되는 재(財). 광의(廣義)로는 자본재와 같은 뜻인데, 협의(狹意)로는 한 번의 생산에 소비해 버리는 재(財)를 이름. 고차재(高次財). ↔소비재(消費財).

생산재 공업【生產財工業】 명 공업의 종류의 하나. 생산재를 생산하는 공업. 대표적인 것으로 금속·기계·화학 공업 등이 있음. ↔소비재(消費財) 공업.

생산-적【生產的】 명관 ①생산에 관계가 있음. ②그것이 바탕이 되어 새로운 것이 생겨나는 모양. 건설적. ¶ ~ 사고(思考). ↔비(非)생산적.

생산적 노동【生產的勞動】 명 농업·공업·상업 등 가치(價值)를 만들고

증식(增殖)하는 노동. 자본주의(資本主義) 사회에서는 자본을 위하여 이윤(利潤)이 생기게 하는 노동을 이름.

생산적 사고【生産的思考】명〔productive thinking〕〖심〗 과거의 경험을 이용하여 미지(未知)의 새로운 결론이나 신발명을 이끌어 내는 사고. 산출적(産出的) 사고. 창조적 사고. *재생적 사고.

생산적 소비【生産的消費】명〖경〗 생산을 위하여 물자를 사용하는 일. 생산과 직접 일치하는 것으로서의 소비. 생산 수단(生産手段)·원자재(原資財) 따위.

생산 제:한【生産制限】명〖사〗 자본가가 상품 과잉(商品過剩)과 이윤율(利潤率)의 저하(低下)를 방지하기 위하여 일시적으로 생산의 일부분을 제한하거나 조업(操業) 시간을 단축하는 일.

생산 제:한 카르텔【生産制限—】〔도 Kartell〕명〖경〗 생산량 또는 판매량의 최고 한도를 협정하는 카르텔. *판로 카르텔.

생산 조합【生産組合】명〖사〗 ①협동 조합을 그 기능으로 보아 분류한 한 가지. ②조합원인 수공업자나 농민이 독립해서 생산을 영위하면서 경영의 일부분, 곧 생산 수단의 구입, 생산물의 가공·판매 등을 협동으로 하여 대기업(大企業)에 대립하려고 하는 조합. ③조합원인 노동자가 노동력과 자본을 제공해서 공동 계산 아래 생산부터 판매까지를 하는 조합. 기업 조합·어업 생산 조합 같은 것.

생산-지【生産地】명 어떤 상품을 생산하는 곳. ↔소비지.

생산 지리학【生産地理學】명〖지〗 여러 가지 생산업을 지리학적으로 연구하는 경제 지리학의 한 부문.

생산 지수【生産指數】명〖경〗 생산량의 변동을 기준 시점(基準時點)의 생산량과 비교한 지수.

생산 집중도【生産集中度】명〖경〗 생산이 몇 개의 기업에 집중되어 있는가를 나타내는 비율.

생산 창고【生産倉庫】명 생산지에서 생산자를 위하여 생산물을 보관하는 창고. 농업 창고가 그 대표적인 것임.

생산 카르텔【生産—】〔도 Kartell〕명〖경〗 같은 종류의 산업에 종사하는 기업자(企業者)들이 생산상의 상호 이익을 위하여 조직한 카르텔.

생산 코스트【生産—】〔cost〕명〖경〗 재화(財貨)의 생산에 요하는 비용. 생산비. 원가(原價).

생산 통:계【生産統計】명 한 나라의 전체적인 생산물에 대한 통계. 공업 생산 통계·광업 생산 통계·농업 생산 통계·수산물 생산 통계 등이 있음.

생산-품【生産品】명 생산된 물품. 생산물.

생산 프레이즈반【生産—盤】〔fraise〕명〖공〗 프레이즈반의 하나. 통상은 헤드형(head形)이고, 자동 사이클이 가능함. 동일 제품의 대량 생산에 알맞도록 튼튼하게 만들어졌음.

생산 학교【生産學校】명 생산 활동의 교육적 가치를 중시(重視)하는 학교. 1910년부터 독일 및 구(舊)소련에서 일어남. 경제 가치를 지닌 재(財)의 생산을 중시하는 데에 특색이 있음. *생산 교육.

생산 할당 카르텔【生産割當—】〔도 Kartell〕〔—땅—〕명〖경〗 할당 카르텔의 한 가지. 카르텔의 중앙 기관이 결정한 전체의 생산량 또는 판매량을 각 가맹(加盟) 기업에 할당하는 방식. *이윤 할당 카르텔.

생산 함:수【生産函數】〔—쑤〕명 일정한 단위 기간에 대하여 생산 요소의 투입량과 생산물의 산출량의 기술적 관계를 나타내는 함수.

생산 협정 카르텔【生産協定—】〔도 Kartell〕명〖경〗 기계 설비의 봉인(封印), 작업 시간의 단축, 휴일제(休日制)의 채용 등 단순한 방법으로 생산 수량의 제한을 도모하는 카르텔.

생-살[1]【生—】명 ①새살. ¶ ~이 돋아나다. ②헌 데 따위의 언저리에 있는 성한 살. ¶ ~을 째다.

생-살[2]【生殺】명 살리고 죽이는 일. 생지 살지(生之殺之). 활살(活殺). ——-하다 타여불

생살-권【生殺權】〔—꿘〕명 생살(生殺)하는 권리. 생살지권(生殺之權).

생살 여:탈【生殺與奪】명 살리고 죽이고, 주고 빼앗는 일. ——-하다 타여불

생살 여:탈권【生殺與奪權】〔—꿘〕명 생살 여탈하는 권리.

생살지-권【生殺之權】〔—꿘〕명 살리고 죽이는 권리. 생살권(生殺權). 살활지권(殺活之權).

생-삼【生蔘】명〖식〗 수삼(水蔘).

생삼 사:칠【生三死七】명〖민〗 사람이 난 뒤 사흘 동안과 죽은 뒤 이레 동안을 부정하다고 꺼리는 일.

생-삼팔【生三八】명 생실로 짠 삼팔주(三八紬).

생-상스〔Saint-Saëns, Charles Camille〕명〖사람〗 프랑스의 작곡가. 파리 출생으로 어릴 때부터 음악에 특출한 재질이 있었음. 투명한 형식미(形式美) 중에 질서 정연한 작풍이 특색임. 가극으로 《삼손과 델릴라》, 관현악곡으로 《죽음의 무도》·《동물의 사육제(謝肉祭)》 등이 유명함. [1835-1921]

생상-청 명〖악〗 사관(四管) 청[1].

생색【生色】명 낯이 나도록 하는 일. 생광(生光).

생색(이) 나다 구 체면이 유지되다. 낯이 나다.

생색(을) 내:다 구 대수롭지 아니한 일을 가지고 자기의 낯을 지나치게 드러내다. ¶ 마치 제것처럼 ~.

생색(을) 쓰다 구 생색 내는 행동을 하다.

생색-쩍다【生色—】형〈방〉 생광(生光)스럽다.

생-생가【生生家】명 친아버지의 생가(生家).

생-생목【生—木】명 누이지 아니한 당목(唐木).

생생 발전【生生發展】〔—쩐〕명 끊임없이 힘차게 발전함. ——-하다 자여불

생생 세:세【生生世世】명〖불교〗 세세 생생(世世生生).

생생이 명 노름판 같은 데서 속여서 돈을 빼앗는 짓.

생생이-판 명 속임수로 돈을 빼앗는 판.

생생-자【生生字】〔—짜〕명 조선 정조(正祖) 때에 중국 취진판 자전(聚珍板字典)의 자체(字體)를 모방하여 나무로 판 활자(活字).

생생지-리【生生之理】명 모든 생물이 생기고 퍼지는 자연의 이치.

생생-하다【生生—】형여불 ①생기가 왕성하다. 생동감이 있어서 실물이나 실제같이 보이다. 축나거나 썩지 아니하고 본디 그대로의 생기를 지니고 있다. ¶ 생생하게 자라나는 풀/생선이 ~. 쓰쌩쌩하다. ②빛이 맑고 산뜻하다. 1)·2):<싱싱하다. ③눈앞에 보이듯이 명백하고 또렷하다. ¶ 기억이 ~/생생한 증거. **생생-히**【生生—】부

생생 화:육【生生化育】명 만물을 육성(育成)하여 우주를 경영(經營)함. ——-하다 타여불

생석【生石】명〖광〗 광석의 한 가지. 빛은 회청색(灰靑色)인데 몸이 반드럽지 못하여 맷돌을 만드는 데에 씀. 바닥이 닳았을 때에 축축한 땅바닥에 엎어 놓아 두면 저절로 우툴두툴하게 내솟아 다시 쫄 필요가 없어 매우 진귀(珍貴)함.

생석-매【生石—】명 생석(生石)으로 만든 맷돌.

생-석회【生石灰】명〈속〉〖화〗 산화 칼슘(酸化 calcium). 강회(剛灰). 준생회(生灰).

생선【生鮮】명 말리거나 절이지 아니한 물고기. 생어(生魚). 선어(鮮魚). 어선(魚鮮).

생선-구이【生鮮—】명 생선에 소금을 뿌리거나 양념장을 발라서 구운 요리.

생선-국【生鮮—】〔—꾹〕명 생선으로 끓인 국. 어탕(魚湯).

생선-국수【生鮮—】명 제주도 향토 음식의 하나. 빨간도미·볼락·옥돔 따위 생선을 끓인 국물에 가는 밀국수를 넣고 생선살, 볶은 채소, 표고버섯 등을 얹어 먹는 음식.

생선-묵【生鮮—】명 ↗생선묵튀김.

생선묵-튀김【生鮮—】명 주로 잔 생선을 뼈째 갈아, 전분(澱粉) 등의 고착재(固着材)와 섞어 빚어서 기름에 튀긴 식품(食品). 준생선묵.

생선 볶음【生鮮—】명 생선을 썰어서 소금을 뿌렸다가 밀가루를 묻혀 기름에 볶은 음식. 생선초(生鮮炒).

생선뼈 무늬【生鮮—】〔—니〕명〖고고학〗 물고기 뼈 모양과 같이 연속된 빗금무늬가 엇갈리게 반복되는 무늬. 주로 우리 나라의 빗살무늬 토기 가운데 많이 보임. 어골문(魚骨文). *빗살무늬 토기.

생선-장【生鮮場】명 시장(市場) 안에서 생선 가게만이 모여 있는 곳. 어시장(魚市場).

생선 저:냐【生鮮—】명 생선의 살을 저며서 소금을 뿌린 뒤 밀가루를 묻히고 달걀을 씌워서 지진 저냐.

생선-적【生鮮炙】명 생선의 내장을 빼고 꽁지를 짜른 뒤에 통으로 몸을 칼로 드문드문 에고 기름을 발라 구운 음식.

생선-전【生鮮廛】명 ①생선을 파는 가게. ②〖역〗 서울 종로(鐘路) 서쪽 길가에 있던 생선을 팔던 노점(露店).

생선-젓【生鮮—】명 ①생선을 소금에 절인 것. ②생선을 토막친 뒤에 소금과 흰밥 또는 천초나 귤피를 넣고 만든 젓. 어초(魚酢). 식해(食醢).

생선-죽【生鮮粥】명 생선의 살과 닭고기·쇠고기·멥쌀을 넣고 달걀을 풀어서 쑨 죽. 어죽(魚粥).

생선-증【生鮮蒸】명 생선찜.

생선 찌개【生鮮—】명 생선으로 끓인 찌개.

생선-찜【生鮮—】명 생선을 토막쳐서 데친 미나리로 감고, 밀가루나 녹말을 씌워서 달걀을 묻히고 지져서 맑은 장국을 치고 그 위에 온갖 고명을 얹은 반찬. 생선증(生鮮蒸).

생선-초【生鮮炒】명 생선 볶음.

생선-회【生鮮膾】명 어회(魚膾).

생성【生成】명 ①사물이 생겨 남. 이루어짐. ¶ 지구의 ~ 과정. ②사물이 생겨났을 때부터의 상태. ③〔도 Werden〕〖철〗 사물이 그 상태를 변하여 딴 것이 됨. ——-하다 자여불

생성-계【生成系】명〖화〗 어떤 물질이 화학 변화를 일으키어 생성되는, 한 종류 이상의 물질군(物質群). 화학 반응식에서 보통 '→' 또는 '=' 의 우측에 쓰임. ↔반응계(反應系).

생성 문법【生成文法】〔—뻡〕명〖언〗 문장을 생성하는 문법. 미국의 구조 언어학자 촘스키(Chomsky, N.) 등이 제창한 문법 이론으로, 인간 내부에 숨겨져 있는 무한한 언어 생성 능력을 기술함을 목적으로 함. 중핵(中核)이라고 불리는 기본적인 문장에서 다른 파생문(派生文)이 변형(變形)의 규칙에 따라 생긴다고 하며, 변형 분석에 의해 문장을 설명하기 때문에 변형 문법이라고도 함. 변형생성 문법.

생성-물【生成物】명〖화〗 서로 작용하여 새로이 생성되는 물질. ↔반응물(反應物).

생성-열【生成熱】〔—녈〕명〔heat of formation〕〖화〗 반응(反應)열의 하나. 성분 원소(成分元素)의 단체(單體)에서 1몰(mol)의 화합물을 합성할 때에 발생 또는 흡수되는 열량. 화학 반응이 발열적(發熱的)이면 음(陰), 흡열적(吸熱的)이면 양(陽)의 값이 됨.

생성 음운론【生成音韻論】〔—논〕명〖언〗 생성 문법 이론에 바탕을 두고 있는 음운론.

생성 효소【生成酵素】명〖화〗 리가아제(ligase).

생세지-락【生世之樂】명 세상에 나서 살아 가는 재미.

생소[1]【生素】명 ↗생소 갑사(生素甲紗).

생소[2]【生疎】명 ①친하지 아니함. ¶ ~한 사이. ②익숙하지 못함. 서투름. ¶ 이 방면엔 ~하다. ——-하다 형여불

생소 갑사【生素甲紗】명 갑사의 한 가지. 준생소(生素).

생-소나무【生—】명 ①살아 있는 소나무. ②벤 지 얼마 되지 아니하여 아직 마르지 아니한 소나무. 생솔.

생-소리【生—】명 ①생판으로 이치에 맞지 아니하게 하는 소리. ②새삼스러운 말. ——-하다 자여불

생-소산【生燒散】명〖불교〗 죽지 아니한 사람을 화장(火葬)하는 일. 생화장(生火葬). ——-하다 타여불

생-손 명 ↗생인손. ¶ ~을 앓다.

생-손톱【生—】명 손가락에 나 있는 그대로의 손톱. ¶ ~을 뜯다.

생-솔【生—】명 생(生)소나무❷.

생수[1]【生水】명 ①샘구멍에서 솟아 나오는 맑은 물. ②〖기독교〗 생명수(生命水).

생수[2]【生手】명 생무지. ↔익수.

생수-받이【生水—】〔—바지〕명 땅에서 나는 물을 받아서 경작(耕作)하는 논.

생-수철【生水鐵】명 무쇠❶.

생-숙【生熟】명 ①날것과 익은 것. ②서투름과 익숙함.

생숙-탕【生熟湯】명〖한의〗 냉수(冷水)와 백비탕(白沸湯)을 섞은 물.

곽란(癨亂)이나 구토(嘔吐)에 약으로 씀.

생시【生時】명 ①난 시간. ¶생일(生日) ～. ②자지 아니하고 깨어 있을 때. 평소(平素). ¶～에 먹은 맘을 취중(醉中)에 말한다/이게 꿈이냐 ～냐. ③살아 있는 동안.

생-시르-레콜〔Saint-Cyr-l'École〕명〖지〗프랑스 북부, 베르사유 근교의 마을. 1808년 나폴레옹이 육군 사관 학교를 이 곳으로 이전해서 제2차 세계 대전 때 파괴되기까지 존속되었음. 1946년에 렌(Renne) 근교로 다시 이전했으나, 생시르라는 명칭은 오늘날까지 그대로 사용되고 있음. [15,000명(1982추계)]

생-시몽〔Saint-Simon〕명〖사람〗①〔Claude Henri, S.〕프랑스의 사상가. 귀족 출신. 미국 독립 전쟁에 참가하고 투기 사업 등에 종사하였음. 사상가로서 명확한 이론은 없으나 일찍 사회 생활의 경제적 기초를 자각하여 종교적·도의적 정조(情操)에 의해서 사회주의적 이상을 실현코자 한 점으로 마르크스(Marx)로부터 공상적 사회주의자(空想的社會主義者)로 불렸음. 그러나 사회주의 사상의 선구로서 많은 영향을 끼침. 주저(主著)에 《산업론》·《산업자(產業者)의 교리 문답(敎理問答)》 등이 있음. [1760-1825] ②〔Louis de Rouvroy, S.〕프랑스의 작가. 공작(公爵)으로 ❶의 당숙(堂叔)임. 궁정(宮廷) 생활 당시의 메모를 기초로 하여 루이 14세 만년(晩年)의 궁정 생활을 그린 《회상록》을 저술함. 이것은 사후(死後) 출판되어, 1830년 완본(完本)이 나왔음. [1675-1755]

생시몽-주의【一主義】〔Saint-Simon〕[─/─이] 명 프랑스의 사상가 생시몽에서 시작하여 그의 제자 세 사람에 의해 전개된 사회주의적 사상.

생식¹【生食】명 익히지 아니하고 날로 먹음. ↔화식(火食). ──-하다 타

생식²【生息】명 사는 일. 생존(生存). ──-하다 자여불

생식³【生殖】명 ①낳아서 불림. 낳아서 불어남. ②〖생〗생물이 자기와 같은 종류의 생물을 새로 낳는 현상. 유성 생식(有性生殖)과 무성 생식(無性生殖)의 두 가지가 있음. 불이. ¶～ 능력. ──-하다 타여불

생식⁴【省式】명 생례(省禮). ──-하다 자여불

생식-기¹【生殖期】명 생식이 행하여지는 시기. 생식에 적합한 시기. 종류에 따라 계절을 달리함. *번식기.

생식-기²【生殖器】명 ①〖생〗생물의 유성(有性) 생식을 하는 기관(器官). 동물에 있어서는 생식선(生殖腺)·생식 수관(輸管)·교접기(交接器) 등의 총칭이고, 식물에 있어서는 포자낭(胞子囊)이나 배우자낭(配偶者囊) 또는 이들에 필요한 부속의 부분까지를 일컬음. 사람에 있어서는 남자는 고환(睾丸)·부고환(副睾丸)·수정관(輸精管)·정낭(精囊)·전립선(前立腺) 등의 내생식기(內生殖器)와 음경(陰莖)·요도(尿道)·음낭(陰囊) 등의 외(外)생식기로 되며, 여자는 난소(卵巢)·수란관(輸卵管)·자궁(子宮)·질(膣) 등의 내생식기와 소음순(小陰脣)·대음순(大陰脣)·음핵(陰核) 등의 외생식기로 이루어짐. 성기(性器). ②외부 생식기, 곧 교접기. 생식 기관(生殖器官). 성기(性器).

생식기-계【生殖器系】명〖생〗성세포(性細胞)의 생산 기관 및 그 부속 기관의 모든 구조.

생식 기관【生殖器官】명〖생〗생식기(生殖器).

생식 기능【生殖機能】명〖생〗새로운 개체를 생식할 수 있는 기능.

생식기-병【生殖器病】[─뼝] 명〖의〗생식기에 일어나는 질병의 총칭.

생식기-소【生殖器巢】명〖식〗갈조류(褐藻類)나 홍조류(紅藻類)에서 볼 수 있는 기관(器官). 생식 세포를 포함한 세포군(群)이 몸의 표면에 발생함에도 불구하고, 주위의 체세포(體細胞)가 그것을 둘러싸고 발육했기 때문에 결과적으로는 체내(體內)의 움푹 팬 곳에 생긴 듯이 보이는 경우를 말함.

생식기 숭배【生殖器崇拜】명〔phallicism〕생식기, 곧 남근(男根)과 여음(女陰)을 여러 가지 모양으로 나타내어 이것을 숭배하는 원시 신앙의 하나. 인간 및 동물의 생식 작용으로 새로운 개체가 생겨나는 것을 신기하게 여겨 생식 기관의 상징물(象徵物)을 신으로 숭배하는 일로서, 세계 종교사상 일찍부터 행하여졌음. 성기(性器) 숭배.

생식-력【生殖力】[─녁] 명〔fecundity〕〖생〗개개의 생물이 태어날 때부터 가지고 있는 잠재적인 재생산(再生產) 능력. 생식 세포를 형성하고 성숙시켜, 이것을 몸에서 분리할 수 있는가 없는가로 나타냄.

생식 모:세포【生殖母細胞】명〔gametocyte〕①배우자(配偶者)의 바탕이 되는 미분화(未分化) 세포. 정모세포(精母細胞)와 난모세포(卵母細胞). ②어떤 종류의 원생 동물(原生動物)에서, 무성 생식(無性生殖)에 의한 최종(最終)의 개체(個體).

생식 불능【生殖不能】[─릉] 명〖의〗성교는 가능하나 임신이 되지 아니하는 증상. 남자에 있어서는 정자에 결함이 있는 것과 정자의 이동에 장애가 있는 것이 있으며, 여자에 있어서는 난자(卵子)에 결함이 있는 것, 난자의 이동에 결함이 있는 것, 수정란(受精卵)의 발육에 적당한 조건을 결여하고 있는 것 등의 원인이 있음.

생식-선【生殖腺】명〖생〗①생식 세포, 곧 정자(精子)나 난자(卵子)를 만들어 내는 기관. 남자에 있어서는 고환(睾丸), 여자에 있어서는 난소(卵巢)를 말하는데 이들은 생식 세포를 만들어 낼 뿐더러, 내분비(內分泌)를 하여 전신의 신진 대사(新陳代謝)·발육(發育) 등에도 중요한 관계를 가짐. 성선(性腺). 생식소(生殖巢). ②생식기에 부속하는 분비선(分泌腺)의 총칭.

생식선 자:극 호르몬【生殖腺刺戟一】〔hormone〕명〔gonadotropic hormone〕〖생〗자웅 양성(兩性)의 생식선에 작용하여 그 발육을 촉진하고 기능을 고무(鼓舞)하며 성호르몬의 분비를 촉진하는 호르몬. 난포(卵胞) 자극 호르몬·황체화(黃體化) 호르몬·황체 자극 호르몬 등의 뇌하수체(腦下垂體) 전엽성(前葉性)의 것과, 임부뇨 고나도트로핀(姙婦尿 gonadotrophin) 등의 태반 융모성(胎盤絨毛性)의 것의 두 가지가 있음. 약칭: 지 티 에이치(GTH).

생식선 제거【生殖腺除去】명〖생〗난소(卵巢) 또는 정소(精巢)의 제거에 의해서 성적 특징이나 성적 능력을 박탈하는 일.

생식 세:포【生殖細胞】명〔reproductive cell〕〖생〗생식에 관계되는 세포. 수컷의 정세포(精細胞)와 암컷의 난세포(卵細胞)를 이름. 생식 세포가 아닌 세포를 체세포(體細胞)라고 하며, 이 두 가지 세포는 발생 초기부터 구별된다고 함. 성세포(性細胞). 배세포(胚細砲).

생식 세:포 분열【生殖細胞分裂】명〖생〗감수(減數) 분열.

생식-소¹【生殖素】명〖생〗생식 세포 안에 있어서 형질 유전(形質遺傳)의 특수한 능력을 가진 물질.

생식-소²【生殖巢】명〖생〗성소(性巢). 생식선(生殖腺).

생식 수관【生殖輸管】명〔라 gonoductus〕〖생〗생식기의 일부분. 수정관(輸精管)·수란관(輸卵管)과 같이 생식 세포나 배(胚)를 간직하였다가 외부로 내보내는 관(管).

생식-욕【生殖慾】[─뇩] 명〖생〗생물이 본능적으로 생식을 하고자 하는 욕구(慾求). *성욕(性慾).

생식-우【生殖羽】명〖생〗번식우(繁殖羽).

생식 장관【生殖腸管】명〖동〗흡충강(吸蟲綱) 중의 다후구목(多後口目)에 속하는 동물이 가진 기관(器官)의 하나. 장관(腸管)과 수란관(輸卵管)을 연락하는 관으로 쓸데없이 남은 정충(精蟲)과 난황(卵黃)을 배제(排除)하는 작용을 함.

생식-절【生殖節】명 ①〖동〗생식기 형성에 관여하는 배(胚)에 있는 체절(體節). ②〖충〗곤충의 수컷의 개체(個體)에 있는 복부의 제9체절.

생식-질【生殖質】명〔germ-plasm〕〖생〗생식에 관계되는 물질. 정자(精子)·난세포(卵細胞) 또는 그런 것을 만드는 세포 같은 것의 총칭.

생식 행동【生殖行動】명〔reproductive behavior〕〖동〗정자(精子)를 난자(卵子)에 이르게 하거나, 태어난 새끼를 기르는 따위의 동물 행동.

생식-협【生殖莢】명〖동〗히드로 합체(hydro 合體)의 한 부분. 생식체(生殖體)를 덮은 달걀 모양의 물질.

생식 흡반【生殖吸盤】명〖동〗흡충류(吸蟲類)의 생식기의 개구부(開口部)를 둘러싼 빨판 모양의 구조.

생신¹【生身】명〖불교〗①부처나 보살이 중생(衆生)을 제도(濟度)하기 위해서 부모에 의탁하여 태생(胎生)하는 육신(肉身). 정신(正身). ②부모에게서 난 몸. 산 몸. 육신(肉身).

생신²【生辰】명 생일(生日)의 공대말. *수신(晬辰).

생신³【生神】명 살아 있는 신. 덕망(德望)이 썩 높은 사람을 생전(生前)에 숭배하여 일컫는 말.

생신⁴【生新】명 종기나 상처 같은 데서 군것이 없어지고 생살이 돋아나는 일. ──-하다 자여불

생신⁵【生新】명 산뜻하고 새로움. 생생하고 새로움. 또, 그 모양. ¶～한 기운. ──-하다 형여불

생신 차례【生辰茶禮】명 죽은 사람의 생신(生辰)에 지내는 차례. 보통 삼년상 안에 지냄.

생-실과【生實果】명 생과실(生果實).

생심【生心】명 하려는 마음을 냄. 마음 먹음. 생의(生意). ──-하다 자여불

생-쌀【生一】명 익히지 아니한 쌀. *날쌀.

생-아버지【生一】명 양자(養子)로 간 사람이 자기를 낳은 아버지를 부르는 말. 생부. ↔양아버지.

생-아편【生阿片】명 덜 익은 양귀비 열매 껍질을 칼로 베었을 때 흘러나오는, 말리지 아니한 진. 날아편. *아편.

생안-발 명 ☞생인발.

생안-손 명 ☞생인손.

생애【生涯】명 ①살아 있는 동안. 세상에 살아가는 동안. 일생 동안. ¶애국자로서의 ～. ②생계(生計).

생애 교:육【生涯敎育】명〔life long education〕①1965년에 유네스코 성인(成人) 교육 부장 폴 랑그랑이 제창한 교육 이념인 '평생 교육'의 딴이름. ②어릴 때부터 노인이 되기까지 평생토록 계속되는 교육. 즉, 자기 교육.

생-야단【生惹端】[─냐─] 명 공연히 야단스럽게 구는 일. 또, 그렇게 꾸짖는 일. ¶전엔 통행 금지 시간만 되면 모두들 ～이었다. ──-하다 자여불

생약【生藥】명 ①〖한의〗식물성의 초재(草材). ②〖약〗초근(草根)·목피(木皮)·꽃·과실·종자 또는 서각(犀角) 등으로서, 그대로 약품으로 쓰거나 제약의 원료로 하는 천연적 산물(產物).

생약-포【生藥鋪】명〖역〗조선 시대 때 중국의 약재(藥材)를 수입하는 일을 맡아 보던 관청. 초기부터 설치되었는데, 세조(世祖) 때 그 업무가 아주 소홀해져서 전의감(典醫監)에 이관되었음.

생양【生養】명 기르는 일. ──-하다 타여불

생-양가【生養家】명 생가(生家)와 양가(養家).

생양가 봉:사【生養家奉祀】명 양자(養子) 간 사람이 생부모가 별세한 뒤, 양가(養家)와 생가(生家)의 제사를 도맡아 받드는 일.

생-양목【生洋木】명 생옥양목(生玉洋木).

생어¹【生魚】명 ①산 물고기. ②생선(生鮮).

생어²〔Sanger, Frederick〕명〖사람〗영국의 생화학자(生化學者). 케임브리지 대학 교수. 단백질의 구조 연구에 디니트로페닐화법(dinitrophenyl化法)을 도입해서, 인슐린(insulin)의 아미노산 배열 순서를 규명하고 그 화학 구조식을 결정하여, 1958년 노벨상을 수상함. 다시 1980년, 유전 인자(遺傳因子)의 기본 구조와 기능을 구명한 공로로, 미국의 길버트와 공동으로 두번째 노벨 화학상을 수상함. [1918-]

생어³〔Sanger, Margaret〕명〖사람〗미국의 여류 사회 사업가. 간호원으로서 뉴욕의 빈민가에서 근무하던 중, 빈곤과 비위생(非衛生)이 다산(多產)에 기인함을 깨닫고, 산아 제한(產兒制限)을 주장함. 진료소(診療所)의 개설, 기관지 발행 등으로 수차 관헌의 탄압을 받았으나 차츰 세간의 지지를 받아 1925년 국제 산아 제한 연맹을 조직하였음.

[1883-1966]

생어리즘 〔Sangerism〕 명 산아 제한론(產兒制限論). 생어 부인(Sanger 夫人)이 주창한 데서 이 이름이 있음.

생-어머니 【生一】 명 양자(養子) 간 사람이 자기를 낳은 어머니를 부르는 말. 생모(生母). ↔양어머니.

생어사 장어사 【生於斯長於斯】 명 여기서 나서 여기서 자람. ㈜생어 장어(生於長於). ——-하다 자 여불

생어 장어 【生於長於】 명 ↗생어사 장어사(生於斯長於斯). ——-하다 자 여불

생어토 귀어토 【生於土歸於土】 명 흙에서 나서 흙으로 돌아감. ——-하다 자 여불

생-억지 【生一】 명 생판으로 쓰는 억지.
생억지(를) 쓰다 구 생판으로 억지를 쓰다.

생업 【生業】 명 살아가기 위하여 하는 일. 직업(職業).

생-여진 【生女眞】 [一녀一] 명 〖역〗 귀화(歸化)하지 아니한 여진족(女眞族). ↔숙여진(熟女眞).

생연-손 명 〈방〉 생인손.

생열귀-나무 명 〖식〗 [*Rosa davurica*] 장미과에 속하는 낙엽 활엽 관목. 줄기는 족생(簇生)하고 가시가 났으며, 잎은 날개 모양으로 복생(複生)하고 타원형 또는 긴 타원형이며, 잎 뒤에 선점(腺點)이 있음. 5월에 장미색의 꽃이 1-3개가 정생(頂生)하여 피는데 향기가 강하고, 과실은 구형(球形)으로 9월에 황홍색으로 익음. 산골짜기 및 밭·산복의 암석지에 나는데, 강원도 이북 및 일본·사할린·만주·시베리아·아무르 등지에 분포함. 관상용으로 가꾸고, 꽃은 향수 원료로 씀.

생:-엿 [一녓] 명 ↗새앙엿.

생영 【生榮】 명 삶을 누림. ——-하다 자 여불

생오 명 〈방〉 〖동〗 새우[1](강원).

생-옥양목 【生玉洋木】 명 빨지 아니한 옥양목. 생당목(生唐木). 생양목(生洋木).

생왕 【生旺】 명 ①삶의 뜻을 왕성하게 함. 왕성하게 삶. ②자유로운 삶. ——-하다 자 여불

생왕-방 【生旺方】 명 〖민〗 오행(五行)으로 따지어 보아서 길한 방위.

생-외가 【生外家】 명 양자(養子) 간 이의 생가의 외가. ↔양외가(養外家).

생-욕 【生辱】 [一뇩] 명 생판으로 당하는 욕.

생우 명 〈방〉 〖동〗 새우[1](강원·평안).

생-우유 【生牛乳】 명 끓이지 아니한 우유. ㈜생유(生乳).

생우지 명 〈방〉 〖동〗 새우[1](평안).

생-울타리 【生一】 명 산울타리.

생원 【生員】 ㊀ 명 〖역〗 고려 승보시(陞補試) 및 조선 시대 소과(小科) 종장(終場)의 경의(經義) 시험에 합격한 사람. 상사(上舍). ㊁ 의명 나이 많은 선비를 그 성(姓) 밑에 붙이어 부르는 말. ¶ 김 ~/최 ~.

생원-과 【生員科】 명 〖역〗 조선 시대 사마시(司馬試)의 하나. 주로 유생(儒生)에게 경서(經書)를 시험 보여 생원(生員)을 뽑으며, 초시(初試)와 복시(覆試)가 있었음. 생원시. *진사과(進士科).

생원-님 【生員一】 명 상사람이 선비를 부르는 말. ㈜샌님.
【생원님이 종만 업신여긴다】 무능(無能)한 사람이 남의 실력은 모르고 되지 못하게 멸시만 함을 이르는 말.

생-원소 【生元素】 명 〖생〗 생물체(生物體)가 생명을 유지하는 데 필요한 원소. 탄소·산소·수소·질소·칼륨·황(黃)·인(燐)·칼슘·나트륨·마그네슘·염소·플루오르·철·규소·붕소·브롬·아연·구리·망간·니켈·코발트·바나듐 등.

생원-시 【生員試】 명 〖역〗 생원과(科).

생원 진:사시 【生員進士試】 명 〖역〗 조선 시대에, 생원·진사를 각 100명씩 뽑는 소과(小科)의 딴이름.

생월 【生月】 명 난 달.

생월 생시 【生月生時】 명 난 달과 난 시.

생위-단 【生胃丹】 명 〖한의〗 위(胃) 질환에 사용하는 한약 처방의 하나. 위장의 기능을 도와주고 담음(痰飮)을 제거하며 흉격(胸膈)을 통하게 하고, 식욕을 증진시킴.

생유[1] 【生有】 명 〖불교〗 사유(四有)의 하나. 중생이 미계(迷界)에서 유전(流轉)하다가 태어날 때. *본유(本有)·사유(死有)·중유(中有).

생유[2] 【生乳】 명 ①↗생우유. ②끓이지 아니한 우유(牛乳)·양유(羊乳)·인유(人乳) 등의 총칭. 생젖.

생-유기 【生油氣】 명 〖화〗 에틸렌(ethylene)❶

생육[1] 【生肉】 명 날고기.

생육[2] 【生育】 명 낳아서 기름. 또, 나서 자람. ——-하다 자 타 여불

생-육신 【生六臣】 명 〖역〗 조선 단종(端宗)이 세조(世祖)의 힘에 밀려난 뒤, 세조(世祖)의 그릇된 처사에 분개하여 절개를 지키어, 끝내 벼슬을 하지 아니하고 여생을 보낸 여섯 사람. 이맹전(李孟專)·조려(趙旅)·원호(元昊)·김시습(金時習)·성담수(成聃壽)·남효온(南孝溫). ↔사육신(死六臣).

생육신 합집 【生六臣合集】 명 〖책〗 생육신 이맹전(李孟專)·조려(趙旅)·원호(元昊)·성담수(成聃壽)·김시습(金時習)·남효온(南孝溫)의 시문을 합편한 책. 조려의 후손인 조기영(趙基永)이 순조 33년(1833)에 편집 간행함. 9권 2책.

생육 회유 【生育回游】 명 〖어〗 산란장(產卵場)에서 부화(孵化)하여 치어기(稚魚期)를 지낸 후, 성어(成魚)의 생활 수역(水域)으로 향하는 회유. ↔색이(索餌) 회유.

생융 명 〈방〉 새옹[1].

생-윷 [一늋] 명 윷놀이에서, 말을 새로 달아 네 밭을 따로따로 쓰게 된 사위.

생-으로 【生一】 부 ①익거나 마르거나 삶지 아니한 대로. ¶ ~ 먹다. *날로[1]. ②저절로 되지 아니하고 무리하게. 억지로. ¶ ~ 사람을 잡다/고생을 ~ 사서 하다/내가 그래 네넨하고 그 방에 붙어 있는 걸 가서 ~ 떼어 왔다 말이냐? ≪李文熙 : 鮮血의 對岸≫.

생의 【生意】 [一/一이] 명 생심(生心). ¶ 쇠도리깨 도적놈은 무서워서 좀처럼 잡을 ~도 못할게다≪洪命憙 : 林巨正≫. ——-하다 자 여불

생의 약진 【生一躍進】 [一/一에一] 명 〖철〗 생명의 비약.

생의 철학 【生一哲學】 [一/一에一] 명 〔도 Lebensphilosophie〕 〖철〗 독일 관념론을 대표하는 이성(理性)을 위주로 하는 철학, 칸트의 '학(學)으로서의 철학', 실증주의, 유물론 등의 주지주의에 반대하여 생명, 곧 살고 있는 생명의 현실 속에서 진실을 찾으려는 철학. 19세기 중엽부터 일어난 경향으로, 현실은 이성으로써는 파악할 수 없으며, 생의 직접적인 체험 속에서만 이해할 수 있고, 객관적 지식은 생의 근본적인 주체성(主體性)으로 요해(了解)된다고 주장함. 헤겔에 반대하는 쇼펜하우어·키르케고르에서 시작하여 니체·베르그송·딜타이·지멜·실러·하이데거·야스퍼스 등이 그 대표적인 철학자임. 생명 철학.

생이[1] 명 〖동〗 [*Paratya compressa*] 십각류(十脚類)에 속하는 새우의 한 가지. 대개 몸길이 35mm 가량이고, 두흉갑(頭胸甲)에는 경구(頸溝)가 확실하고, 몸은 투명하며, 몸빛은 청록색이고 머리의 배중선(背中線)에서 융기(隆起)가 벋어 액각(額角)이 되며 이 곳에 약 25개의 잔 이가 있음. 말리면 빛이 붉게 됨. 담수(淡水) 연못 등의 풀섶에 서식하는데, 한국·일본에 분포함. 생으로 젓을 담가 먹거나 말리어 먹음. 애새우. 토하(土蝦).
【생이 벼락 맞던 이야기를 한다】 쓸데없이 자잘한 이야기를 지껄임을 이름.

〈생이[1]〉

생이[2] 명 〈방〉 ①〖조〗 새[7](제주). ②〖동〗 새우[1](강원·경기). ③형(兄)(경남).

생이[3] 명 〈방〉 상여[1].

생이-가래 명 〖식〗 [*Salvinia natans*] 생이가랫과에 속하는 일년초. 줄기는 가늘고 길며 잔 털이 배게 나고, 물 속에 잠기는 잎은 근상(根狀)으로 털이 있고, 수면(水面)에 뜨는 것은 타원형으로 윗면은 황색, 하면은 담녹색에 잔 털이 났음. 자낭(子囊)은 물에 잠긴 잎의 기저(基底)에 붙어 나고, 자낭과(子囊果)가 겨울에 째져서 갈색의 포자(胞子)를 많이 물에 띄움. 무논·연못·도랑 등에 나는데, 제주·경남·경기 지방에 분포함. 괴엽빈(塊葉蘋).

생이가랫-과 【一科】 명 〖식〗 [Salvinnaceae] 고등 은화 식물(高等隱花植物) 수생 양치류(水生羊齒類)에 속하는 한 과. 물에 떠서 사는데, 줄기가 가늘고 포자(胞子)는 크고 작은 것의 두 가지 종류가 있으며, 정충(精蟲)에는 섬모(纖毛)가 많음. 2속(屬) 12종이 있는데, 한국에는 생이가래 등의 2종이 분포함.

〈생이가래〉

생-이별 【生離別】 [一니一] 명 살아 있는 부부끼리 하는 이별. 생결(生訣). ㈜생별(生別). ——-하다 자 타 여불

생이-손가락 [一까一] 명 〈방〉 생인손(경상).

생이-적 【一炙】 명 생이의 해감을 빼고 짓이기어 소금을 치고, 조금씩 떠서 밀가루나 메밀 가루를 묻히고 달걀을 씌워서 지진 음식.

생이-젓 명 생이로 담근 젓. 토하젓.

생-이지지 【生而知之】 명 배우지 아니하여도 스스로 통해서 앎. ——-하다 자 여불

생이 지짐이 명 생이의 해감을 뺀 다음에, 고추장 물에 고기·파·무 같은 것을 썰어 넣고 끓인 반찬.

생인[1] 【一人】 명 〈방〉 상인(喪人)(충남·전북).

생인[2] 【生人】 명 ①살아 있는 사람. ②초대면(初對面)의 사람.

생인[3] 【生因】 명 생기는 원인.

생인-발 명 발가락 끝에 나는 종기.

생인-손 명 손가락 끝에 나는 종기. ㈜생손.

생일 【生日】 명 출생한 날. 또, 해마다의 그 달의 그 날. *생신(生辰)·수신(晬辰).

생일-날 【生日一】 [一랄] 명 생일이 되는 날.
【생일날 잘 먹으려고 이레를 굶는다】 어떤 일에 미리부터 지나치게 기대함을 일컫는 말.

생일-도 【生日島】 [一또] 명 〖지〗 전라 남도 남해상(南海上), 완도군(莞島郡) 금일면(金日面) 유촌리(柳村里)에 위치한 섬. [11.3 km^2]

생일-맞이 【生日一】 명 〖민〗 생일날에 무당이나 판수를 시켜서 신령 앞에 음식을 차려 놓고 복록(福祿)을 비는 일. ——-하다 자 여불

생일 불공 【生日佛供】 명 〖불교〗 생일에 올리는 불공.

생일-빠낙 【生日一】 명 생일 잔치를 베푸는 때.

생일 잔치 【生日一】 명 생일에 베푸는 잔치. ——-하다 자 여불

생-입 【生一】 [一닙] 명 쓸데없이 놀리는 입.

생자[1] 【生子】 명 생남(生男). ——-하다 자 여불

생자[2] 【生者】 명 ①산 사람. 살아 있는 사람. 생존자(生存者). ②〖불교〗 생명이 있는 모든 것.

생자기 명 ①☞생재기. ②☞생무지.
생자기(를) 떼다 구 ☞시치미(를) 떼다. ¶ 아니 왔다고 생자기를 떼더라니까≪李海朝 : 鬢上雪≫.
생자기(가) 미:다 구 ☞생재기(가) 미다.

생-자리 명 손을 대어서 건드려 보지 아니한 자리.
생자리(를) 떼다 구 ☞시치미(를) 떼다. ¶ 나는 엽전 한 푼 범용한 일이 없다고 생자리를 떼면 무슨 증거가 있을 터인가? ≪李海朝 : 昭陽亭≫.

생자 필멸 【生者必滅】 명 〖불교〗 생명이 있는 것은 반드시 죽음. *성자필쇠(盛者必衰).

생작이-떼다 자 ☞시치미떼다. ¶ 네가 아무리 생작이떼어 보아라. 내가 모르나≪李海朝 : 鳳仙花≫.

생장[1] 【生長】 명 나서 자람. ——-하다 자 여불

생장[2] 【生葬】 명 산 채로 묻음. 생매(生埋). 산장. ——-하다 타 여불

생장-계[1] 【生長計】 명 성장계(成長計).

생장-계²【生獐契】 명 〖역〗 혼전(魂殿)의 제물(祭物)로 쓰는 산 노루를 바치는 계.

생장-률【生長率】[—뉼] 명 〔growth rate〕〖생〗 단위 시간당 생물의 체량(體量)의 증가율. 세균 따위의 경우에는 증식(增殖) 속도를 일컬음. 성장률.

생장-소【生長素】 명 〖식〗 성장소(成長素)❶.

생장 운:동【生長運動】 명 〖식〗 식물의 각 부분의 성장이 불균형하기 때문에 일어나는 운동. 자극(刺戟)에 의한 굴성(屈性)·경성(傾性)이 대부분이며, 자극에 의하지 아니하는 자발적 운동도 있음. 성장(成長) 운동.

생-장작【生長斫】 명 아직 마르지 아니한 장작.

생장-점【生長點】[—쩜] 명 〖식〗 식물의 줄기나 뿌리의 맨 끝에 있어 세포 분열을 행하여 식물의 성장을 이루는 부분. 화본과(禾本科) 식물의 줄기와 같이 마디 사이의 부분에 있는 것도 있음. 생장첨(生長尖). 자람점. 성장점(成長點).

생장 조절제【生長調節劑】[—쩨] 명 〖화〗 식물의 생장을 촉진하는 천연 호르몬과 동등한 효과를 가진 합성 물질.

생장-첨【生長尖】 명 〖식〗 생장점(生長點).

생장 호르몬【生長—】〔hormone〕 명 〖식·동〗 포유류(哺乳類)의 성장을 촉진하는 단백계(蛋白系) 호르몬. 뇌하수체(腦下垂體) 전엽(前葉)으로부터 분비되며, 과잉일 때는 거인증(巨人症)·말단 비만증 등이 발생함. 성장소(成長素). 성장 호르몬.

생재¹【生財】 명 재물을 늘림. ——-하다 자 여불

생재²【眚災】 명 잘못하여 허물을 저지름으로써 생긴 재앙.

생-재기【生—】 명 ①종이나 피륙 같은 것의 성한 곳. ②☞생무지.
생재기(가) 미:다 구 생재기가 찢어져 구멍이 나다.

생재지-방【生財之方】 명 살아 나갈 방도(方途). 생재(生財)하는 방법.

생저【生苧】 명 생모시.

생전【生前】 ㊀ 명 살아 있는 동안. 죽기 전. ¶어머님 ~에. ↔사후(死後). *살아생전. ㊁ 부 아무리 애써 보아도. ¶~ 되는가 해 봐라.
【생전 부귀(生前富貴)요 사후 문장(死後文章)이라】 부귀는 죽음으로 그치지만 문장은 영구히 빛난다는 말.

생전 계:약【生前契約】 명 〖법〗 생전 행위로서 행해지는 계약.

생전 예:수【生前預修】[—녜—] 명 〖불교〗 살아서 미리 자기가 자신의 재(齋)를 지냄.

생전 처:분【生前處分】 명 〖법〗 생전 행위. ↔사후 처분.

생전 행위【生前行爲】 명 〖법〗 법률 행위의 효력이 행위자(行爲者)의 사망(死亡)과는 관계되지 않는 법률 행위. 곧, 사후 행위 이외의 법률 행위. 매매(賣買)·임대차(賃貸借) 등의 일반적인 법률 행위가 이에 속함. ↔사후 행위(死後行爲).

생정【生庭】 명 ①'생가(生家)'의 존칭. ↔양정(養庭). ②〖식〗 백목련(白木蓮).

생-정문【生旌門】 명 〖역〗 효자나 열녀(烈女)를 표창하기 위하여, 그 동네 가운데나 그 집으로 들어가는 어귀에 세우는 정문.

생정 불신【生丁不辰】[—씬] 명 좋지 못한 시대에 태어남. ——-하다 자 여불

생-젖【生—】 명 ①생유(生乳). ②억지로 일찍 떼는 젖.

생-제르맹-데-프레 〔Saint-Germain-des-Prés〕 명 〖지〗 파리 중앙부, 센 강(Seine江) 좌안(左岸)에 있었던 수도원 및 부속 교회의 이름. 또, 이 부근을 이름. 제2차 세계 대전 후, 이 일대의 카페(café)에 실존주의자가 모여서 활동하여 유명해짐.

생-제르맹-앙-레 〔Saint-Germain-en-Laye〕 명 〖지〗 프랑스 파리 서북서(西北西)의 교외의 주택 도시. 루이 6세에서 14세까지의 왕궁이 있었음. 제1차 세계 대전 후에는 연합국과 오스트리아간의 강화 조약이 이 곳에서 체결됨. [38,000 명(1982)]

생제르맹 조약【—條約】〔Saint-Germain〕 명 〖역〗 제1차 세계 대전 후 1919년에 파리의 서교(西郊) 생제르맹앙레에서 연합국과 오스트리아 사이에 맺어진 평화 조약. 헝가리·체코슬로바키아의 독립, 영토 할양(領土割讓), 군비 제한 등을 정함.

생존【生存】 명 ①살아 있음. 살아 남음. 존명(存命). ¶적자(適者) ~. ②〖철〗 다자인(Dasein). ——-하다 자 여불

생존 경:쟁【生存競爭】 명 ①〔struggle for existence〕〖생〗 모든 생물이 그의 생존을 유지하기 위하여 서로 경쟁하는 결과로, 적자(適者)는 끝까지 살아 남고 부적자(不適者)는 도태(淘汰)되는 현상. ②살려고 서로 악착같이 다투는 일.

생존-권【生存權】[—꿘] 명 〔right of existence〕〖법〗 국민이 인간다운 생활을 위한 제조건(諸條件)의 확보(確保)를 나라에 요구할 수 있는 권리. 우리 나라의 헌법 제32조는 이러한 권리를 보장하고 있음.

생존권적 기본권【生存權的基本權】[—꿘—꿘] 명 〖법〗 자유권적(自由權的) 기본권에 대한 개념. 인간다운 생활을 보장하기 위하여 인정된 기본권.

생존 배:우자【生存配偶者】 명 〖법〗 상대방이 사망하고 없는 배우자. 곧, 부부 중의 어느 일방(一方)이 죽었을 때의 살아 남은 쪽.

생존 보:험【生存保險】 명 〖경〗 생명 보험의 한 가지. 피보험자(被保險者)가 일정한 연령에 이르렀을 때에 소정의 보험금(保險金)을 지급하는 보험으로, 흔히 자녀를 피보험자로 하여, 그들의 교육·결혼·사업 등에 필요한 비용의 적립금(積立金)으로 씀.

생존비-설【生存費說】 명 〖경〗 임금 학설의 하나. 리카도(Ricardo)가 가장 명확하게 정식화(定式化)하였는데, 자연(自然) 임금은 노동자와 그 부양 가족의 생활 자료(주로 식량)의 가격, 즉 생존비에 의하여 결정되며, 시장(市場) 임금, 곧 노동의 수급(需給)에 의하여 결정되는 실제 임금도 맬서스 인구 법칙의 작용에 의하여 생존비 수준으로 낙착된다고 주장함. 이 주장은 뒤에 라살(Lassalle)에 의하여 임금 철칙(賃金鐵則)이라고 불려졌음.

생존-자【生存者】 명 ①살아 있는 사람. 생자(生者). ②살아 남은 사람.

생졸【生卒】 명 생몰(生沒).

생졸-년【生卒年】[—련] 명 생년(生年)과 졸년(卒年). 생몰년(生沒年).

생종 페르스 〔Saint-John Perse, Alexis〕 명 〖사람〗 프랑스의 시인·외교관. 본명은 Marie René Alexis Léger. 북경(北京) 주재 대사관 서기관을 비롯하여, 대사·외무성 총무국장 등을 역임. 1941년 이후 미국에 정주(定住). 최초의 시집 《찬(讚)》을 비롯하여, 제2차 세계 대전의 경험을 토대로 한 《추방(追放)》, 그 밖에 시집 ≪유적(流謫)≫·≪연대기(年代記)≫ 등이 유명함. 상징주의 정통(正統)의 시풍(詩風)과 박력 있는 이미지(image)를 내포하고 시각적인 표현으로 현세대의 생활 환경을 반영시켰음. 1960년 노벨 문학상을 받음. [1887-1975]

생주【生紬】 명 ↗생명주(生明紬).

생주 이:멸【生住異滅】 명 〖불교〗 모든 사물이 생기고, 머물고, 변화하고, 소멸한다고 하는 네 가지 모양. 일체의 상(相)이 미래의 상에서 과거의 그것으로 사라져, 모두가 무상(無常)한 것임을 밝힌 것.

생-죽음【生—】 명 명(命)대로 살지 못하고 죽음. 비명(非命)으로 죽음. 오사(誤死)·횡사(橫死)·자살·타살 등. ——-하다 자 여불

생중【生中】 명 술에 취하지 아니하였을 때. ↔취중(醉中).

생-중계【生中繼】 명 운동 경기나 행사 따위를 실시간으로 그대로 보여주는 중계방송. ——-하다 타 여불

생:-쥐 명 〖동〗 [*Mus musculus*] 〔←새앙쥐〕 쥣과에 속하는 쥐의 일종. 두동(頭胴) 6-10 cm, 꼬리 5-10 cm의 매우 작은 집쥐로서 들쥐와 비슷하고, 몸빛은 배면(背面)이 회갈색 내지 담갈색이고 정중선(正中線)만은 진하며 복면(腹面)은 순백색임. 여름에는 암갈색으로 변색함. 귀가 크고 위턱의 문치(門齒)의 후면에 특유한 점각(點刻)이 있고, 위턱 제1 구치(臼齒)에 두 개의 돌기가 있을 뿐임. 전세계의 인가(人家)·농경지에 서식하고, 한배에 5-14 마리의 새끼를 낳으며 곡물·야채·곤충·밤 등을 먹음. 애완용·의학 실험용으로 사육함. 정구(鼱鼩).

〈생쥐〉

[생쥐 고양이한테 덤비는 격] 도무지 이겨낼 가망이 없는 것을 가지고 다투어, 도리어 큰 낭패를 보게 됨을 이르는 말. [생쥐 새끼라] 몸이 작고 재빠른 사람을 이름. [생쥐 소금 먹듯 한다] 무엇을 조금씩 먹음을 이름.
생:쥐 발싸개 구 매우 작게 생긴 것.
생:쥐 볼가심 구 아주 미미한 음식으로 요기나 함. ¶세 발 장대 거칠 것 없고 생쥐 볼가심할 것도 쌓아 둔 것이 없는 작자가 양모 능라사 주의(紬衣)가 웬일이오 ≪朴頤陽: 明月亭≫.

생-쥐스트 〔Saint-Just, Louis Antoine de〕 명 〖사람〗 프랑스 혁명기의 지도자. 로베스피에르와 함께 자코뱅당 중심 세력의 투사로 활약하였으며, 공안 위원회(公安委員會) 위원으로서 공포(恐怖) 정치에 수완을 발휘하였으나, 뒤에 반대파에 의하여 처형되었음. [1767-94]

생-즉무생【生卽無生】 명 〖불교〗 상식으로 태어난다고 생각하는 그 생(生)도, 실은 인연(因緣)에 의한 가생(假生)이며, 그 실은 무생(無生)이라고 하는 뜻.

생즙【生汁】 명 식물을 익히지 아니하고 날것을 짓찧어서 짜낸 액체.

생지¹ 명 〈방〉 행주¹(함경).

생지²【生地】 명 ①천연 그대로의 지질(地質). 생땅. ②출생한 곳. 출생지(出生地).

생지³【生知】 명 ①삼지(三知)의 하나. 나면서부터 도(道)를 앎. *학지(學知)·곤지(困知). ②전(轉)하여, '성인(聖人)'을 일컬음.

생지⁴【生紙】 명 뜬 채로의 종이.

생지 살지【生之殺之】[—찌] 명 살리기도 하고 죽이기도 함. 생살(生殺). ——-하다 타 여불

생지 안행【生知安行】 명 천성(天性)이 총명하여, 나면서부터 도의(道義)에 통하고 편안한 마음으로 도를 실행함. ——-하다 자 여불

생-지옥【生地獄】 명 살아 있는 이 세상에서 마치 지옥과 같은 괴로움이나 참경(慘景)을 당하는 일. 또, 그러한 경우. 산 지옥. ¶아비 규환(阿鼻叫喚)의 ~/출근 때의 버스 속은 ~이다.

생지-주의【生地主義】[—/—이] 명 〖법〗 출생지주의.

생지지-자【生知之資】 명 오덕(五德)의 하나. 나면서부터 사물을 아는 자질(資質).

생-지황【生地黃】 명 〖한의〗 지황(地黃) 뿌리의 날것. 성질이 차서 열이 대단한 혈증(血症)에 씀. ↔숙지황(熟地黃).

생지황-탕【生地黃湯】 명 〖한의〗 안혼증(眼昏症), 즉 내장안(內障眼)에 사용하는 처방.

생진¹【生辰】 명 '생신(生辰)'의 잘못.

생진²【生進】 명 〖역〗 생원(生員)과 진사(進士).

생진-과【生進科】 명 〖역〗 생원과(生員科)와 진사과(進士科). *생원 진사시(試).

생-진헌【生進獻】 명 얇고 가벼운 생모시.

생질【甥姪】 명 누이의 아들.

생질-녀【甥姪女】[—려] 명 누이의 딸.

생질-부【甥姪婦】 명 누이의 며느리.

생질-서【甥姪壻】[—써] 명 누이의 사위.

생-짐치【生—】 명 〈방〉 날김치(경상).

생징【生徵】 명 백징(白徵). ——-하다 타 여불

생-짜【生—】 명 익거나 마르지 아니한 것. 또, 삶지 아니한 것. ¶~로 먹다. *날짜.

생:쪽 매듭 명 매듭의 기본형(基本型)의 하나. 생강쪽처럼 생긴 매듭. 삼작 노리개·부채끈·귀주머니 등에 쓰이며, 석씨 매듭·장고 매듭·가지방석 매듭 등의 기초가 됨.

생:-차【—茶】 명 ↗새앙차.

생채¹【生彩】 명 생생한 빛이나 기운. 생기(生氣).

생채²【生菜】 명 날로 만든 나물의 총칭. ¶무 ~/오이 ~.

생-채기 명 손톱 같은 것으로 할퀴어 생긴 작은 상처.

생-채색【生彩色】 명 〖미술〗 조각 전면에 얇은 칠을 하여 칠박(漆箔)을 박고, 그 위에 짙은 색을 칠한 채색.

생:-철¹【—鐵】 명 〔←서양철(西洋鐵)〕 얇은 철판의 안팎에 주석을 도

금(鍍金)한 물건. 통조림통·석유통 같은 것을 만들며, 주석 대신 아연(亞鉛)을 입혀 함석을 만들기도 함. *양철.

생철² 【生鐵】 명 〖광〗 무쇠.

생:철-통 【一鐵桶】 명 생철로 만든 통. 양철통(洋鐵桶).

생-철학 【生哲學】 명 〖철〗 인식론적(認識論的) 철학에 대하여, 창조적 정신 생활의 실재(實在)를 시인하며, 문화 가치(文化價値)를 실생활에 실현(實現)하려는 철학. *생의 철학.

생청¹ 【生一】 명 생떼거리. ¶ 이놈아, 네가 뉘게다 ~을 붙이느냐≪洪命憙 : 林巨正≫.

생청² 【生淸】 명 벌통에서 떠낸 그대로의 꿀. 가공하거나 끓이지 않은 「꿀.

생청-부리다 【生一】 자 〈방〉 생청붙이다.

생청-붙이다 【生一】 [一부치一] 자 모순되는 말을 시치미떼고 하다.

생청-스럽다 【生一】 형 ㅂ불 생청붙이는 태도가 있다. **생청-스레** 【生一】 부

생체 【生體】 명 생물의 몸. 살아 있는 몸. 산 몸. 생물체. ¶ ~ 해부.

생체 감:각기 【生體感覺器】 명 바이오센서(biosensor)

생체 검:사 【生體檢査】 명 바이옵시. 준생검.

생체 계:측 【生體計測】 명 형태적 변이(形態的變異)를 연구하기 위하여, 생체의 각 부위(各部位)의 크기를 일정한 계측기로, 일정한 방법에 따라 계측하여 수량적인 표시를 하는 일. 인체의 경우 마르틴식(Martin式) 계측법이 가장 일반적임. 「하는 일.

생체 공학 【生體工學】 명 의학 및 생물학 분야에 공학적인 지식을 응용

생체 동:력화론 【生體動力化論】 [一녁一] 명 〖연〗 비오메하니카(biomekhanika).

생체-론 【生體論】 명 〖생〗 생체주의(生體主義).

생체 리듬 【生體一】 (rhythm) 명 바이오리듬.

생체 반:응 【生體反應】 명 〖생〗 ①살아 있는 세포내에서만 일어나는 정색(呈色) 반응·침전 형식(沈澱形式) 반응을 말함. 대개 효소 반응에 의한 것으로, 세포의 생사 판별(生死判別)에 이용됨. ②생활(生活) 반응.

생체 분해 【生體分解】 명 ①죽음에 이어서 조직의 붕괴(崩壞)가 일어나는 일. ②오니(汚泥)처럼 유기물이 생물에 의해서 분해되는 일.

생체 산화 【生體酸化】 명 〖생〗 생물이 그 생활 영위에 필요한 에너지를 얻기 위하여, 체내에서 음식물을 산화할 때의 그 산화 환원 반응(酸化還元反應). 「↔합성(合成) 색소.

생체 색소 【生體色素】 명 〖생〗 생물체내에 존재하는 용색(溶色) 물질.

생체 염:색 【生體染色】 명 〖생〗 생물체의 일부분 또는 전체를 생활 상태를 해침이 없이 색소(色素)로 염색하는 일. 보통 유기(有機)의 염기성 색소(塩基性色素)를 쓰며, 의학·생물학의 연구 방법으로 아주 편리한 수단임. ↔초(超)생체 염색.

생체 의용 공학 【生體醫用工學】 명 (biomedical engineering) 의학상의 문제에 공학적 수법을 응용하는 일. 이를테면, 심장의 인공 판막(瓣膜), 맹인(盲人)용의 각종 센서(censor), 자동 의수(義手)·의족(義足) 등의 보조구(補助具)의 개발이 있음.

생체 재료 【生體材料】 명 이·뼈·혈관·내장 등 생체의 여러 부위에 치료나 대체(代替)의 목적으로 이식(移植)되는 재료.

생체 전:기 【生體電氣】 명 〖생〗 생물 전기.

생체-주의 【生體主義】 [一/一이] 명 〖생〗 생기설(生氣說)·기계설(機械說)의 대립은 다 같이 오류(誤謬)를 범한 것으로 취급하고, 생물체에는 독특한 법칙이 있어 이것에 따라서 연구하지 않으면 안 된다고 주장하는 설. 생체론(生體論).

생초¹ 명 〈방〉 〖식〗 상추¹(강원).

생초² 【生草】 명 살아 있거나 마르지 아니한 풀. 생풀. ↔건초(乾草).

생초³ 【生綃】 명 생사(生絲)로 얇게 짠 깁의 한 가지.

생-초목 【生草木】 명 살아 있는 풀과 나무.
[생초목에 불붙는다] 갑자기 뜻밖의 화를 당하거나 어떤 사람이 요절(夭折)하였을 때, 분통한 정상을 비유한 말.

생-초상 【生初喪】 명 제 명대로 살지 못하고 죽은 사람의 초상(初喪).

생총-실 명 〈방〉 미투리(함경).

생추 명 〈방〉 〖식〗 상추¹(강원·경북).

생축 【生祝】 명 〖불교〗 살아 있는 사람의 복을 비는 일.

생취¹ 명 〈방〉 〖식〗 상추¹.

생취² 【生聚】 명 ①생산하여 자재(資財)를 모아 저축함. ②백성을 길러, 군사를 강화하고 나라를 부(富)하게 함. ──-하다 자여불

생치¹ 명 〈방〉 〖식〗 상추¹.

생치² 【生雉】 명 익히지 아니한 꿩고기. ¶ ~ 조림.

생치³ 【生齒】 명 ①인민(人民)❶. ②그 해에 난 아이.

생치 곤:란 【生齒困難】 [一골一] 명 〖생〗 이가 돋아날 때에 그 부분의 잇몸에 염증(炎症)을 일으키는 일. 제3 어금니, 곧 사랑니가 날 때에 흔히 볼 수 있는 증상으로, 어린애에게는 드묾.

생치-구 【生雉灸】 명 생치 구이.

생치 구이 【生雉一】 명 꿩의 고기를 저며, 소금·깨소금·파·설탕·후춧가루와 함께 주물러 구운 반찬. 생치구(生雉灸). 치구(雉灸).

생치덕-산 【生雉德山】 명 함경 남도 덕원군(德源郡) 풍상면(豐上面)과 풍하면(豐下面) 사이에 있는 산. [1,076m]

생치 만두 【生雉饅頭】 명 꿩고기로 만든 만두. 털을 뜯고 내장을 발라 낸 생치를 무를 넣고 삶은 뒤에, 굵은 대추만큼씩 뭉쳐 실백자를 박고, 녹말 가루를 씌우고 고기 장국에 끓여 국물과 함께 그릇에 담아, 계란채와 표고채를 뿌리고 실백자를 띄움.

생치 저:냐 【生雉一】 명 꿩의 고기에 소금을 쳐 주무른 다음에 밀가루·계란을 씌워서 지진 저냐. 치육 전유화(雉肉煎油花).

생치-적 【生雉炙】 명 꿩의 고기를 구운 음식. 털 뽑은 생치를 내장·대가리·발목을 없애고, 소금·파·기름·깨소금·후춧가루를 쳐서 구운 적.

생칠 【生漆】 명 ①불에 달이지 않은 옻칠. ②정제하지 않은 옻나무의 진.

생-침¹ 【生一】 명 긴장하거나 답답할 때 공연히 삼키는 침.

생침² 【生鍼】 명 멀쩡한데 공연히 맞는 침. ¶ ~을 맞다 / ~을 놓다.

생-코 【生一】 명 자는 척하면서 공연히 고는 코. ¶ ~를 골다.

생-크림 【生一】 (cream) 명 우유에서 뽑아낸 담황백색의 지방분. 버터의 원료가 되고, 양과자 등에도 씀.

생크추어리 (Sanctuary) 명 ①일반인의 접근을 막는 신성한 장소. 그리스도교에서는 제단(祭壇)이 있는 곳을 이름. 지성소(至聖所). ②중세 시대에 법률의 힘이 미치지 못하던 교회 안. 성역(聖域). ③〖책〗 포크너(Faulkner)의 장편 소설. 미국의 남부를 무대로 하여, 오직 죽음만이 구원이 될 수 있는 불구자로 태어난 남자 포파이가, 여러 가지 잔인하고 추악한 사건을 일으키는데, 그 가혹한 일생을 통하여, 인생의 약점·악(惡)·불합리 등을 선명하게 묘사했음.

생:키 명 〈방〉 송아지(경남).

생키다 타 〈방〉 삼키다(경상·평안).

생탄 【生誕】 명 탄생(誕生). ──-하다 자여불 「병(病).

생-탈 【生頉】 명 일부러 만들어 낸 탈. 곧, 일부러 일으킨 사고(事故)나

생태¹ 【生太】 명 말리거나 얼리지 아니한, 잡은 그대로의 명태(明太). 명태를 동태(凍太)나 북어에 대하여 똑똑히 일컫는 말. *선태(鮮太).

생태² 【生態】 명 살아가는 모양. 생활하는 상태. ¶ 식물의 ~.

생태-계 【生態系】 명 (ecosystem) 〖생〗 특정 지역의 생물과 그것을 둘러싼 물리적 환경을 종합하여 통일체로서 파악한 개념. 「하는 일.

생태 변:화 【生態變化】 명 〖생〗 생물이 환경에 따라 그 생활 모습을 변

생태적 기후학 【生態的氣候學】 명 (ecological climatology) 생물 기후학의 한 분야. 동식물의 기후가 미치는 생리학적 적응과, 기후와 관련된 동식물의 지리학상의 분포 상태 등을 다룸.

생태 지리학 【生態地理學】 명 생물의 분포와 그 분포를 지배하고 있는 자연 환경의 여러 요소와의 관계를 연구하는 학문.

생태 통로 【生態通路】 [一노] 명 도로·댐·수중보(水中洑)·하구언(河口堰) 등으로 인하여 야생 동식물의 서식지가 단절되거나 훼손·파괴되는 것을 방지하고 야생 동식물의 이동을 돕기 위해 설치한 인공 구조물. 식생(植生) 등의 생태적 공간.

생태-학 【生態學】 명 (ecology) 〖생〗 생물의 생활 상태 및 생물과 환경과의 관계를 과학적으로 연구하는 생물학의 한 부문.

생태-형 【生態型】 명 〖생〗 생물이 환경에 적응(適應)하여 변화하고, 그 변화가 유전적으로 고정된 형(型). 근래에는 형질(形質)이 유전적으로 고정하지 아니하는 적응형(適應型)에도 오용(誤用)됨.

생테티슴 (프 synthétisme) 명 〖미술〗 18세기 중엽, 고갱(Gauguin) 등에 의해서 시도된 새로운 회화(繪畫) 수법. 인상파의 필촉 분할(筆觸分割)이나 점묘(點描)를 피하고, 그냥 보통으로 칠한 색면(色面)과 윤곽선(輪郭線)으로 대상(對象)을 단순화하여 형(形)과 색(色)의 조화를 꾀함. 종합주의(綜合主義).

생테티엔 (Saint-Étienne) 명 〖지〗 프랑스 동남부, 세벤 산지(Cévennes 山地) 북부의 탄전(炭田)에 위치한 군수 공업 도시. 1828년에 이 곳에 프랑스 최초의 철도가 부설됨. [205,000명(1982 추계)]

생텍쥐페리 (Saint-Exupéry, Antoine de) 명 〖사람〗 프랑스의 작가·비행사. 항공 소설을 개척, 위험을 무릅쓰고 행동하는 인간의 아름다움과 고귀함을 그렸음. 작품으로 ≪인간의 대지(大地)≫·≪야간 비행≫ 등이 있음. [1900-44]

생:토끼 명 〖동〗 [*Ochotona hyperborea coreana*] 생토낏과에 속하는 동물. 두동(頭胴) 13cm, 귀 1.5cm, 다리 2.6cm 가량으로 토끼와 비슷하나 귀가 쥐와 비슷하여 짧고 둥글며 꼬리는 없음. 여름의 털빛은 상면(上面)이 적갈색, 하면과 사지(四肢)는 황백색이고 겨울에는 회갈색으로 됨. 산지의 바위·돌이 많은 곳에 군생(群生)하며 밤에도 활동하는데 '꺆꺆'하고 욺. 5-9월에 한 배에 서너 마리의 새끼를 낳음. 시베리아·몽골·중국 동북부·한국에 분포함. 쥐토끼, 우는토끼.

생:토낏-과 【一科】 명 〖동〗 [Ochotonidae] 설치목(齧齒目)에 속하는 한 과. 토끼 비슷하나 소형(小形)이고 쥐에 가까움. 앞발이 짧고 뒷발이 길며, 귀가 짧고 넓으며 꼬리는 없음. 북반구에만 분포함.

생트-뵈브 (Sainte-Beuve, Charles Augustin) 명 〖사람〗 프랑스의 시인·비평가. 몽테뉴의 전통을 이은 모랄리스트로, 독자적인 역사·심리적인 방법으로 근대 비평을 확립함. 시집 수권 외에 불후의 명저 ≪포르-루아얄(Port-Royal)≫과 ≪월요 한담(月曜閑談)≫·≪신(新) 월요 한담≫ 28권 등이 있음. [1804-69] 「다 자타여불

생-트집 【生一】 명 아무 까닭도 없이 트집을 잡음. 또, 그 트집. ──-하

생트집(을) 잡다 구 아무런 까닭도 없이 트집을 잡다.

생틸레르 (Saint-Hilaire, Etiénne Geoffroy) 명 〖사람〗 프랑스의 생물학자. 라마르크의 진화론에 공명, ≪동물학 원리≫를 저술하였음. [1772-1844]

생-파리 【生一】 명 ①생기가 있고 팔팔한 파리. ②〈속〉 남이 말을 붙일 수도 없게 성미가 뾰롱뾰롱한 사람.
[생파리 같다] 남이 조금도 가까이할 수 없게 쌀쌀하고 까다로운 사람을 이르는 말. [생파리 잡아떼듯 한다] 도무지 말도 붙여 보지 못하게 쌀쌀맞게 잡아뗄 때 이름.

생판 【生一】 ㊀명 어떤 일에 대하여 전혀 모르거나 손을 대지 아니함. 또는 그런 사람. ¶ 이 일에는 ~이다. ㊁부 ①매우 생소하게. ¶ ~ 처음 듣는 이야기 / ~ 모르는 사람 / ~ 남이다. ②전혀 터무니없이. 무리하게. ¶ ~ 떼를 쓰다.

생평 【生平】 명 ①평소(平素). ②평생.

생폐¹ 【生弊】 명 폐단이 생김. ──-하다 자여불

생폐[2] 【牲幣】 명 희생(犧牲)과 폐백(幣帛).

생포[1] 【生布】 명 생베.

생포[2] 【生捕】 명 산채로 잡음. 생획(生獲). 생금(生擒). 활착(活捉). ¶ 적군 50명 ～/호랑이를 ～한 장사. ──하다 타 여불

생포[3] 【生鮑】 명 『동』 전복(全鰒).

생폴: 섬 〔Saint Paul〕 명 『지』 인도양 남부에 있는 무인의 화산도(火山島). 프랑스령(領)임.

생-풀[1] 【生一】 명 밀가루나 쌀가루를 맹물에 타서 그대로 쓰는 풀. ¶ ～을 먹이다.

생-풀[2] 【生一】 명 누이어 낸 모시 같은것을 온 필째로 풀을 먹여서, 다듬지 아니하고 두 사람이 마주 잡고 별바로 서서, 흔들어 말리어 치는 재양(載陽). ──하다 자타 여불

생-풀[3] 【生一】 명 마르지 아니한 싱싱한 풀. 생초(生草).

생피[1] 명 〈방〉 전복(全鰒).

생피[2] 명 〈방〉 상피(相避)❷(경상·충청). ──하다 자

생-피[3] 【生一】 명 살아 있는 사람이나 동물의 싱싱한 피. 생혈.

생피[4] 【生皮】 명 무두질하지 아니한 동물의 가죽. 날가죽.

생-피리 명 〈방〉 『어』 상피리.

생-피에르[1] 〔Saint-Pierre, Abbé de〕 명 『사람』 프랑스의 저술가. 예수회 수사(修士). 스페인 계승 전쟁의 결과로 열린 유트레히트 평화 회의(1712)에 참가했던 것이 계기가 되어 지은 《영구 평화론》에서, 영원한 국가 연합(國家聯合)의 수립, 국제군의 창설에 의한 세계 평화 등을 주장하여, 칸트·루소 등에게 큰 영향을 주었음. [1658-1743]

생-피에르[2] 〔Saint-Pierre, Jacques Henri Bernardin de〕 명 『사람』 프랑스의 작가·박물학자. 로빈슨 크루소(Robinson Crusoe)를 꿈꾸어 여러 곳을 방랑하였음. 섬 생활의 체험을 그린 《자연 연구》의 마지막 권(卷)인 《폴과 비르지니》는 청순한 소년·소녀의 사랑을 그린 명편임. [1737-1814]

생피에르미클롱 제도 【一諸島】 〔St. Pierre & Miquelon〕 명 『지』 캐나다의 뉴펀들랜드 섬 남쪽에 있는 프랑스령(領)의 섬. 주산업(主産業)은 어업. 주도는 생피에르. [242 km²]

생피-장 【生皮匠】 명 『역』 생가죽을 다루는 공장(工匠).

생-핀잔 【生一】 명 아무 까닭 없는 핀잔.

생핀잔(을) 주다 구 아무 까닭 없는 핀잔을 주다.

생-필름 【生一】 〔film〕 명 아직 찍지 아니한 필름.

생필-품 【生必品】 명 ↗생활 필수품(生活必需品).

생-하수 【生下水】 명 『토』 하수 처리(下水處理)를 하지 아니한 하수.

생-합 【生蛤】 명 익히지 아니한 대합 조개.

생-합성 【生合成】 명 〔biosynthesis〕 『생』 생물체내(生物體內)에서의 세포의 작용에 의한 유기 물질의 합성. ↔화학 합성.

생-항라 【生亢羅】 〔一나〕 명 당항라(唐亢羅).

생해 【生骸】 명 화석(化石) 가운데 특히 지층 속에 들어 있는, 과거 생물의 유물.

생혈 【生血】 명 생피.

생-호령 【生號令】 명 아무 까닭 없이 내리는 호령. ──하다 자 여불

생혼 【生魂】 명 『천주교』 동식물의 성장·번식의 기본 원리이며 생명력인 혼(魂). *각혼(覺魂)·영혼.

생혼-나다 【生魂一】 자 뜻밖에 몹시 혼나다.

생화[1] 명 먹고 살아 나가는 데 도움이 되도록 장사하는 일. ¶ 농사가 아니라면 이 촌구석에서 뭘루 ～를 삼고 있나? 《李無影 : 農民》. ──하다 자 여불

생화[2] 【生化】 명 태어나고 성장하는 일. 또, 생성하고 변화하는 일.

생화[3] 【生花】 명 산 화초에서 꺾은 생생한 꽃. ↔조화(造花).

생-화장 【生火葬】 명 『불교』 생소산(生燒散). ──하다 타 여불

생-화학 【生化學】 명 〔biochemistry〕 『화』 생물체(生物體)를 이룬 물질의 화학적(化學的) 구조를 밝히고, 생물체 안에 있어서의 그들의 분포·분해·합성 및 생리학적(生理學的) 의의(意義)에 관한 연구를 비롯하여, 생물체에 관계되는 모든 물질을 화학적으로 연구하는 학문. 생물화학(生物化學). *화학과.

생화학-과 【生化學科】 명 『교』 대학에서, 생화학을 전공하는 학과.

생화학적 광:상 【生化學的鑛床】 명 〔biochemical deposit〕 『지』 생물의 작용에 의해서 직접 또는 간접으로 만들어진 침전 광상(沈澱鑛床). 이를테면, 철(鐵)박테리아의 작용으로 생성된 소철광(沼鐵鑛)이나 생물의 유해(遺骸)로 된 석회암(石灰岩) 따위.

생화학적 산소 요구량 【生化學的酸素要求量】 명 생물학적 산소 요구량.

생화학적 연료 전:지 【生化學的燃料電池】 〔一열一〕 명 〔biochemical fuel cell〕 『전』 개발중인 연료 전지. 어떤 종류의 생물계(生物系)에 의해서 장기간에 걸쳐 연속적으로 작은 전력(電力)을 얻을 수 있음.

생화학적 형태학 【生化學的形態學】 명 〔biochemorphology〕 음식물이나 약(藥)의 화학 구조 및 생물체에 어떻게 반응하는가를 다루는 과학.

생환 【生還】 명 ①살아 돌아옴. ¶ 전쟁터에서 ～하다. ②야구에서, 주자(走者)가 본루에 돌아와 득점함. ──하다 자 여불

생활 【生活】 명 ①생명을 가지고 활동함. 살아서 활동함. ¶ 동물의 ～ 형태/안이한 ～ 태도. ②생계를 유지하여 살아 나감. ¶ ～ 곤란/～ 수단. ③일정한 조직체의 구성원으로 매이어 활동함. ¶ 단체 ～/군대 ～. ④어떤 행동이나 활동을 하며 살아가는 상태. ¶ 연구 ～/문학 ～. ──하다 자 여불

생활-감 【生活感】 명 생활 속에서 우러나는 느낌.

생활 감:정 【生活感情】 명 ①생활 경험을 기초로 한 감정. ②〔도 Lebensgefühl〕 구체적인 생활에 직결(直結)한 인간성에 있어서의 근원적(根源的) 감정. 심리학적 미학(美學)에서, 생활의 촉진 또는 억압(抑壓)의 감정으로서 쾌(快)·불쾌(不快) 등이 포함됨.

생활 개:선 【生活改善】 명 『사』 생활 양식(樣式)이나 용구(用具)를 근대적(近代的)으로 또는 합리적(合理的)으로 개선하는 일. ¶ 농촌의 ～. ──하다 자 여불

생활 경제학 【生活經濟學】 명 경제학의 이론과 기술을 '생활'이라는 시점(視點)에 따라 연구하는 학문. 종래의 가정 경제학 혹은 가족 경제학과는 달리 '가정'이라는 그룹 또는 가족 생활 구성원(家族生活構成員)으로서의 개인이 아니고 넓은 입장에서의 '인간의 생활'을 대상(對象)으로 함.

생활 경험 【生活經驗】 명 실제 생활해 가는 동안에 겪고 얻은, 지식·기능·태도·욕구 등의 모든 경험.

생활-고 【生活苦】 명 생활하는 데 있어서의 경제적인 고통.

생활 공간 【生活空間】 명 〔life space〕 『심』 어떤 순간에 있어서의 개인 또는 개체(個體)의 행동을 규정하는 조건. 곧, 개인 조건과 환경 조건의 총칭. 독일의 심리학자 레빈(Lewin, Kurt)의 용어.

생활 공:동체 【生活共同體】 명 함께 생활을 영위하는 협동체.

생활-관[1] 【生活館】 명 학생, 특히 여학생들에게 가정 및 사회 생활에 필요한 교양과 예절·생활 태도 등을 가르치기 위하여 학교나 특정 기관에서 운영하는 교육 시설의 하나.

생활-관[2] 【生活觀】 명 생활의 목적·의의·태도 등에 대한 견해.

생활 교:육 【生活教育】 명 『교』 실생활을 학습자 자신이 경험하게 함으로써 실생활에 필요한 지식(知識)·기능(技能)·태도(態度)를 형성하게 하는, 생활에 의한, 생활을 위한 교육. 페스탈로치가 최초로 주창하였음. *생활 학교.

생활-권[1] 【生活圈】 〔一꿘〕 명 지역 주민이 통학·통근·쇼핑·오락 등 일상 생활을 하는 데 있어서, 행정 구역에 관계 없이 밀접하게 연결되어 있는 범위. 물자의 유통이나 금융 지배 등의 범위인 경제권과 대비(對比)됨.

생활-권[2] 【生活權】 〔一꿘〕 명 생활을 유지·존속시키기 위한 권리. 사회적·문화적·경제적으로 일정 수준의 생활을 할 권리.

생활-급 【生活給】 명 노동자의 최저 생활의 확보를 목표로 하는 임금. 생활 임금. *능률급(能率給).

생활 기능 【生活機能】 명 생물이 살아 나가는 기능.

생활 기록부 【生活記錄簿】 명 『교』 학적부(學籍簿).

생활-난 【生活難】 〔一란〕 명 물가의 앙등이나 수입의 감소, 빈곤(貧困) 또는 사회적 여건(與件) 등으로 살아가기가 썩 어려운 일.

생활 단:면 【生活斷面】 명 생활하는 가운데의 어떤 순간의 형편.

생활 단원 【生活單元】 명 『교』 교육 과정에서, 논리적인 학문 체계를 떠나서 생활 경험을 중심으로 설정된 학습 단원.

생활-대 【生活帶】 명 〔life zone〕 생물의 분포대(分布帶). 일반적으로 기후·토양·생물상(生物相)이 같은, 지구 위의 한 지역.

생활-력 【生活力】 명 사회 생활을 영위하는 데 필요한 능력. 특히, 경제적인 능력을 일컬음.

생활-면 【生活面】 명 ①드러난 생활의 상태. 생활해 나가는 양상(樣相). ②생활의 분야. ③『고고학』 살림바닥.

생활 물자 유통 정보 시스템 【生活物資流通情報一】 〔system〕 〔一짜一〕 명 생활 물자의 유통 단계에서의 정보를 정확히 파악하여, 안정 가격에 의한 안정 공급을 목적으로 하는 시스템.

생활 미술 【生活美術】 명 일상 생활 용품을 중심으로 하는 산업 디자인이나 실내(室內) 디자인.

생활 반:응 【生活反應】 명 법의학(法醫學)의 용어. 사람이 살아 있을 때에만 나타나는 반응. 피하 출혈(皮下出血), 염증성(炎症性)의 발적(發赤)·종창(腫脹)·화농(化膿) 등은 시체에 외상(外傷)을 입혀도 생기지 아니하므로, 시체 검증(檢證)에 이용됨. 생체(生體) 반응.

생활 방식 【生活方式】 명 생활하는 방법과 양식.

생활 방편 【生活方便】 명 생계를 유지하기 위한 수단.

생활 보:호 【生活保護】 명 사회 보장의 하나로서, 국가 또는 지방 자치 단체가 생활 유지 능력이 없는 사람의 생활을 보호하는 일. 보호의 종류에는 생계·의료·자활(自活)·교육·해산(解産)·장제(葬祭) 보호 등이 있음.

생활 보:호법 【生活保護法】 〔一뻡〕 명 『법』 생활 유지의 능력이 없거나 생활이 어려운 사람에게 필요한 보호를 하여 이들의 최저 생활을 보장하고 자활(自活)을 조성(助成)함으로써 사회 복지의 향상을 도모할 목적으로 제정된 법률.

생활 보:호 위원회 【生活保護委員會】 명 생활 보호법에 의한 보호 사업의 기획·조사·실시 등에 관하여 필요한 사항을 심의하기 위하여 보건 복지부와 서울 특별시·광역시·도(道)·시(市) 및 군(郡)에 설치한 기관.

생활 보:호자 【生活保護者】 명 부양 의무자가 없거나 부양 의무자가 있어도 부양 능력이 없어, 생활 보호법의 보호를 받고 있는 사람.

생활 불안 【生活不安】 명 개인적인 빈곤이나 사회적인 여건(與件)으로 생활면에서 받는 불안.

생활-비 【生活費】 명 생활해 나가는 데 드는 모든 비용.

생활-사 【生活史】 〔一싸〕 명 『생』 생물체(生物體)가 발생·생장하여 다음 세대를 낳은 다음에 죽을 때 까지의 생활 과정(生活過程). 그 동안에 다음 세대가 같은 생활 과정을 되풀이한다 함에서 온 말. 라이프 사이클(life cycle). 생활환(生活環).

생활-상 【生活相】 〔一쌍〕 명 살아가는 형편. 생활해 나가는 양상(樣相).

생활 상태 【生活狀態】 명 생활상(生活相).

생활-소 【生活素】 〔一쏘〕 명 『화』 비타민(vitamin).

생활 수준 【生活水準】 명 어떤 시대·어떤 나라·어떤 사회·어떤 계급에 있어서, 일반적으로 영위되고 있는 생활의 정도. 생활 표준.

생활 시간 【生活時間】 명 하루에 행하여지는 각종 생활 활동에 충당되

는 시간. 노동 시간과 통근 시간 등의 수입(收入) 생활 시간, 수면·식사 기타에 필요한 생리적 생활 시간, 가사적(家事的) 생활 시간, 사회적 문화적 생활 시간으로 대별됨.

생활 양식【生活樣式】[―량―] 명 살아가는 방법. 생활하는 데 있어서의 일정한 형식.

생활 연령【生活年齡】[―련―] 명 탄생(誕生)을 기점(起點)으로 한 달력상의 연령. 햇수로 따지는 연령과 만(滿)으로 따지는 연령의 두 가지가 있음. 역연령(曆年齡). ↔정신 연령.

생활 온도【生活溫度】명〖생〗생물이 생활할 수 있는 온도. 보통 0°-45°C까지임.

생활-욕【生活慾】[―룍] 명 살아 보려는 의욕. 생활 의욕(意慾).

생활용 상품【生活用商品】[―룡―] 명 일상 생활에 사용되는 물품으로서의 상품. 시장에서는 최종(最終) 상품이라고도 함. ↔산업용 상품.

생활 용:수【生活用水】[―룡―] 명 일상 생활에 쓰이는 물. ¶ ～ 부족.

생활 의:지【生活意志】명〖철〗생활을 욕구(慾求)하는 인간의 본능.

생활-인【生活人】명 ①세상에 살아가는 사람. ②현실 생활 자체에 가치를 부여하고, 실생활의 체험을 존중하는 생활파(生活派)적인 입장에 있는 사람.

생활 임:금【生活賃金】명 생활급(給).

생활-점【生活點】[―쩜] 명〖생〗연수(延髓)의 능상와(菱狀窩) 뒤 끝의 양쪽에 있는 호흡 중추(呼吸中樞).

생활 정보【生活情報】명 쇼핑이나 행사 등, 일상 생활에 직접 관련을 갖는 정보.

생활 정보 광:고【生活情報廣告】명 일상 생활상의 메모·힌트·유의점(留意點) 등을 내용으로 하면서, 광고하려는 상품·서비스를, 알리는 정보와 잘 결부시키는 광고.

생활 준:비설【生活準備說】명〖교〗교육의 목적은 장래의 사회 생활에 대한 준비를 시키는 데 있다고 주장하는 교육학의 한 견해.

생활 지도【生活指導】명〖교〗아동의 일상 생활 활동을 직접 지도하여, 좋은 습관이나 태도를 기르는 일. 넓은 뜻으로는 교육 전체를 일컫는 말. ――-하다 자여불

생활 지도안【生活指導案】명〖교〗학습 지도안(學習指導案).

생활 지표【生活指標】명 [national living indicator]〖경〗국민 생활을 파악하는 필요상, 특히 국제적으로 비교 검토할 경우에 요구되는 지표. 주요한 것으로는 국민 1인당 소득액, 소비 지출액, 가계(家計)의 균형 상태, 생활 내용의 구성, 내구(耐久) 소비재의 보유 및 보급 상태, 소비자 물가의 동향, 주택의 실태, 국민의 생활 시간 등임.

생활 철학【生活哲學】명〖철〗실제 생활에서 우러나온 산 철학. 현실적 생활면에 중점을 두고, 실제 생활에 대한 예지(叡智)와 체험(體驗)을 중요시하는 철학.

생활-체【生活體】명 생활하는 개체(個體)로서의 생물체(生物體). 활체(活體).

생활 통지표【生活通知表】명〖교〗학습자의 지능(知能)·생활 태도·건강 상태·학습 성적(成績) 등을 기재하여 가정(家庭)에 보내거나 참고로 하는 장부. 구칭:통신부(通信簿).

생활-파【生活派】명〖예〗현실적인 생활면에 중점을 두어, 실생활에서 얻은 체험을 중요시하는 예술상의 한 파. 자연주의(自然主義) 작가들은 이에 속함.

생활 평면【生活平面】명 [plan of living]〖사〗각 가정에서 실제로 생활을 영위(營爲)하고 있는 소비(消費)의 수준.

생활 표준【生活標準】명 생활 수준(生活水準).

생활-품【生活品】명 생활 필수품.

생활 필수품【生活必需品】[―쑤―] 명 일상 생활에 없어서는 아니 될 물품. 생활품. ㊀생필품(生必品).

생활 하:수【生活下水】명 일상 생활을 하는 데에 쓰이고 난 뒤 하천으로 내려오는 물. ¶ 정화되지 않은 ～가 마구 방류된다.

생활 학교【生活學校】명〖교〗교과서 중심 교육에서 벗어나, 학습자의 자치적인 생활을 중심으로 모든 학습을 피교육자의 현실 생활로부터 출발시키려고 하는 교육론에 의거한 학교. *생활 교육.

생활 학습【生活學習】명〖교〗아동이 생활하고 있는 현실 생활 중에서 문제(問題)를 해결하고, 실천 생활을 통하여 지식·기능·태도 등을 기르려는 학습. 경험 학습.

생활 향:상【生活向上】명 생활의 수준이 높아짐.

생활 현:상【生活現象】명 [vital phenomena]〖생〗영양·번식·성장·운동·지각(知覺) 등, 생물체에 특유한 여러 현상. 생물체의 기능에 따라 일어나는 생물체 내외의 세력 변환(變換)의 현상.

생활 협동 조합【生活協同組合】명 생산자와의 직결(直結)로 생활 물자를 싸게 입수(入手)할 목적으로, 소비자끼리 서로 모여 만든 협동 조합.

생활-형【生活形】명〖생〗생물, 특히 식물이 환경에 적응(適應)하여 가지게 되는 형상(形狀). 교목(喬木)·관목(灌木)·일년생초 등.

생활-화【生活化】명 생활의 형태로 변함. ――-하다 자타여불

생활-환【生活環】명〖생〗생활사(生活史).

생활 환경【生活環境】명 생활하는 주위의 환경. 곧, 대기(大氣)·물·폐기물·소음·진동·악취·일조(日照) 등 일상 생활과 관련된 환경.

생황【笙簧·笙篁】명〖악〗아악(雅樂)에 쓰는 관악기의 하나. 큰 나무통(桶) 위에 길고 짧은 17개의 죽관(竹管)을 둥글게 세운 것인데, 각각 그 위 안쪽에 지공(指孔)이나 음공(音孔)이 있으며, 아래 끝에 소리를 울리게 하는 쇠청을 박아서, 나무통 옆의 불구멍으로 불거나 들이마시어 소리를 내게 되어 있음. 옛날에는 나무통을 쓰지 않고 박통을 썼음. 소리가 맑고 아름다움. 포(匏). ㊀생(笙).

생황 자보【笙簧字譜】명〖악〗생황(笙簧)을 위한 자보. 대표적인 것으로는 《유예지(游藝志)》가 있음.

생황-장【生黃醬】명 콩과 밀가루로 메주를 만들어 담근 간장. 〈생황〉

황자장(黃子醬).

생회【生灰】명〖화〗↗생석회(生石灰).

생획¹【生獲】명 생포(生捕). ――-하다 타여불

생획²【省畫】명 글자의 획을 줄이어 쓰는 일. ――-하다 타여불

생후【生後】명 출생한 후. 난생 후. ¶ ～ 6개월.

생흔¹【生痕】명〖생〗과거에 있던 생물의 생활 현상과 생명 현상의 흔적(痕跡). 발자취, 기어간 자취, 살던 동굴이나 집, 배설물 같은 것. 과거 생물의 생활 양식을 아는 데 중요함.

생흔²【生釁】명 가깝던 사이에 서로 틈이 남. ――-하다 자여불

생-흙【生―】[―흑] 명 생땅의 흙.

샤:[shah] 명 페르시아 왕의 존칭.

-샤 어미 〈옛〉-시어. ¶ 九重에 드르샤 太平을 누리싫제(入此九重闕 享此太平日)《龍歌 110章》.

샤갈:[Chagall, Marc] 명〖사람〗러시아의 화가. 선명(鮮明)한 색조(色調)와 자유 분방한 대상 묘사로, 독특한 시적·환상적 화풍을 개척, 공상(空想)에서 오는 대상의 초현실적 묘사로 쉬르리얼리즘의 개척자의 한 사람으로 꼽힘. 제2차 세계 대전중에는 미국에 체재(滯在)하고, 파리에서 활동함. [1887-1985]

샤공 명 〈옛〉사공⁵. ¶ 샤공아 네의 날 보내요몰 어즈러이 ㅎ노니(篙師煩爾送)《杜諺 Ⅱ:14》.

샤:-나:메[Shah Name] 명〖문〗페르시아의 시인 피르다우시(Firdausī; 920?-1020?)가 지은 장편 서사시. 《왕자(王者)의 서(書)》로 번역됨.

샤넬¹[Chanel] 명 1924년 샤넬의 의상점(衣裳店)에서 발매된 향수의 이름. 샤넬이 애용하므로 그 이름이 붙었다 함. 5번, 22번은 특히 유명함.

샤넬²[Chanel, Gabrielle] 명〖사람〗프랑스의 여류 복식(服飾) 디자이너. 심플하고 스포티한 디자인을 발표. 특히, 자켓(jacket)에 스커트와 블라우스를 짝지은 샤넬 슈트는 유명함. 샤넬 의상점(衣裳店)의 향수 '샤넬 No. 5'로도 널리 알려짐. 통칭(通稱) 코코(Coco). [1883-1971]

샤넬 룩 [Chanel look] 명 프랑스의 여류 디자이너 샤넬이 발표한 카디건 슈트의 의상. 또, 그것을 본뜬 복장.

샤노젠 [프 cyanogène] 명〖화〗'시안(cyan)'의 프랑스어 이름.

샤논 [Shannon, Claude Elwood] 명〖사람〗미국의 수학자. 통신의 수학 이론을 연구하여 정보량(情報量)의 단위 비트(bit)·통로 용량(通路容量)·정보의 엔트로피(entropy)·용장도(冗長度) 등의 개념을 도입, 위너(Wiener, N.)와 더불어 정보 이론의 기초를 다짐. 저서 《통신의 수학 이론》은 이 분야의 고전(古典)임. [1916-]

샤논 강【―江】[Shannon] 명〖지〗에이레 북부 산지(山地)에서 발원하는 강. 다수의 빙식호(氷蝕湖)를 연결, 중앙부의 저지(低地)를 남으로 흘러, 리머릭(Limerick)에서 대서양으로 빠짐. 영국 제도(英國諸島) 중 최대의 강으로, 유로(流路)는 대부분 항해가 가능함. 유역(流域)에는 경승지(景勝地)가 많음. [약 350 km]

샤도:[Schadow, Johann Gottfried] 명〖사람〗독일의 조각가. 베를린 태생. 독일 고전주의 조각의 대표적 작가임. 만년에는 낭만주의적 작풍으로 이행(移行)하고, 사실적 경향을 띠었음. 대표작에 《프리드리히 대왕 기념상》 등이 있음. [1764-1850]

-샤도 어미 〈옛〉-시어도. -셔도. ¶ 化身이 뵈샤도 根源은 업스샤미 둜 그림제 眞實ㅅ둘 아니로미 ㄱㅎ니라《月釋 Ⅱ:55》.

샤독 [Shaddock] 명〖군〗러시아의 함대함(艦對艦) 미사일. 제트 추진식이며, 사정 거리 1,100 km의 소형 핵탄두 미사일.

-샤되 어미 〈옛〉-시되. ¶ 萬物을 敎化ㅎ샤뒤 모디디 아니ㅎ시며《月釋 Ⅸ:11》.

샤라 [Charrat, Janine] 명〖사람〗프랑스의 여류 무용가·안무가(按舞家). 영화 《백조의 죽음》(1937)에 출연, 1951년에 자신의 발레단(ballet 團)을 창설했음. 안무 작품에 《카르타(carta) 놀이》·《아마존의 학살》·《해조(海藻)》·《일곱 개의 대죄(大罪)》 등이 있음. [1924-]

샤라부루 명 〈옛〉시화¹. ¶ 샤라부루 거(蘧), 샤라부루 미(蕒)《字會 上 14》.

샤랑트 강【―江】[Charente] 명〖지〗프랑스 중앙 고지(高地) 서부에서 발원, 서쪽으로 흘러 비스케 만(灣)에 빠지는 강. 중류(中流)의 코냑(Cognac) 일대는 브랜디의 명산지임. [350 km]

샤롱 [Charron, Pierre] 명〖사람〗프랑스의 신학자·모랄리스트. 몽테뉴(Montaigne)의 회의론을 체계화한 저서 《지혜에 관해서》는 예수회(會)의 심한 공격을 받음. [1541-1603]

샤룬: [Scharoun, Hans] 명〖사람〗독일의 건축가. 2차 대전 후 수도 베를린 신도시 설계 계획에 참여하여, 북(北) 샤를로텐부르크 주거 단지, 베를린 필하모니 콘서트 홀, 독일 해양 박물관, 국립 도서관 등의 문화 시설 건축의 실현에 전생을 바침. [1893-1972]

샤르댕¹ [Chardin, Jean Baptiste Siméon] 명〖사람〗프랑스의 화가. 성실·정중한 필치로 정물화(靜物畫)·풍경화를 주로 그렸음. 대표작 《베네디시테(Bénédicité)》 등이 있음. [1699-1779]

샤르댕² [Chardin, Pierre Teilhard de] 명〖사람〗프랑스의 신학자, 고고(考古)·인류(人類) 학자. 예수회의 일원으로서 중국·몽고의 고고학적 연구를 행하고 인류의 아프리카 기원설을 주장함. 또, 그의 종교 상의 입장에서 《현상(現象)으로서의 인간》을 저술하여, 일종의 종교적·진화론적 문명론을 전개했음. [1881-1955]

샤르도네 [Chardonnet, Hilaire Bernigaud] 명〖사람〗프랑스의 화학자·물리학자. 누에의 연구 중 콜로디온(collodion)에서 실뽑기에 성공, 인조 견사(人造絹絲)의 공업적 제법을 완성하였음. [1839-1924]

샤르돈 [Chardonne, Jacques] 명〖사람〗프랑스의 소설가. 심리적 분석(心理的分析)으로 부부간의 애정을 테마로 취급했음. 작품에는 《축혼가(祝婚歌)》·《감정적 운명》 따위가 있음. [1884-1968]

샤르망 [프 charmant] 명 매력적인 모양. 차밍(charming).

샤르코 [Charcot, Jean Martin] 명〖사람〗프랑스의 의학자. 파리 의과

대학의 교수로서, 신경병학(神經病學)의 영역에 많은 업적을 남겼음. 그의 아들 J.B. 샤르코는 탐험가. [1825-93]

샤르트르 〔Chartres〕 명 〖지〗 프랑스 중북부, 센 강의 지류에 연한 상업 도시. 1146년 베르나르가 제2차 십자군을 제창한 곳이며, 1594년에는 앙리 4세의 대관식(戴冠式)이 행하여졌음. 샤르트르 대성당이 있음.

샤르트르 대:성당 【一大聖堂】 〔Chartres〕 명 프랑스의 샤르트르에 있는 성당. 프랑스의 고딕 건축의 대표작으로 일부는 12세기 중엽의 건축임. 12-13세기의 착색(着色) 유리로 되어 있는 창문이 특히 유명하며, 고딕 조각의 유물도 많음.

샤르파크 〔Charpak, Georges〕 명 〖사람〗 폴란드 태생의 프랑스 물리학자. 1959년 이래 유럽 원자핵 공동 연구소에서 연구를 계속, 68년에 다선식(多線式) 비례 계수 상자를 개발하여 소립자 물리학에서 물질 내부의 비밀을 해명하는 아주 드문 입자간의 상호 작용을 검출할 수 있게 됨. 그 공로로 1992년 노벨 물리학상을 수상함. [1924-]

샤르팡티에 〔Charpentier, Gustave〕 명 〖사람〗 프랑스의 작곡가. 후기 낭만파의 명랑한 작풍으로 관현악 모음곡(曲) 《이탈리아의 인상》을 작곡, 《루이스(Louise)》로 크게 성공하였음. [1860-1956]

샤를 〔Charles, Jacques Alexandre César〕 명 〖사람〗 프랑스의 물리학자·화학자. '샤를의 법칙'을 발견, 기구(氣球)에 수소(水素)를 채워 이에 최초로 탑승하였음. [1746-1823]

샤를 구세 【一九世】 〔Charles Ⅸ〕 명 〖사람〗 프랑스 국왕. 앙리(Henri) 2세의 아들. 즉위 후에도 실권은 모후(母后) 카트린 드 메디시스(Catherine de Médicis)의 수중에 있었음. 치세초(治世初)에 종교 내란이 발발, 신구 양파의 대립이 심하여, 왕권은 그 새중간에서 동요하였음. 1572년 모후가 일으킨 성바르톨로뮤 축일(聖 Bartholomew 祝日)의 학살 사건으로 고민하다 병사(病死)하였다 함. [1550-74; 재위 1560-74]

샤를마뉴 〔Charlemagne〕 명 〖사람〗 '카롤루스(Carolus) 대제'의 프랑스어명.

샤를 십세 【一十世】 〔Charles Ⅹ〕 명 〖사람〗 프랑스 국왕. 루이 15세의 손자. 프랑스 혁명의 발발과 동시에 망명, 각지에서 반혁명 운동을 전개함. 1814년 왕정 복고 후에는 극우 왕당파의 지도자가 되었음. 1824년 루이 18세의 사망으로 왕위에 올랐으나 망명 귀족의 재산 배상, 언론의 자유 억압 등 반동 정책을 썼기 때문에 7월 혁명으로 쫓겨나, 망명지 이탈리아에서 객사함. [1757-1836; 재위 1824-30]

샤를의 법칙 【一法則】 [一/一에一] 명 〔Charles' law〕 〖물〗 모든 기체의 체적은 같은 온도와 같은 압력 아래에서는 1°C 온도가 올라갈 때마다 0°C일 때의 약 273분의 1씩 증가한다는 법칙. 샤를이 발견하였으나 발표하지 아니하였는데, 뒤에 게이 뤼삭이 1802년에 이를 공포하였으므로 '게이 뤼삭의 법칙'이라고도 함.

샤를 칠세 【一七世】 〔Charles Ⅶ〕 [一쎄] 명 〖사람〗 프랑스 국왕. 샤를 6세의 아들. 1420년 트루아 조약(Troyes 條約)으로 왕위 계승권을 영국왕 헨리 6세에 빼앗겼으나 아르마냐크 파(Armagnac 派)의 도움으로 영국 부르고뉴 파(Bourgogne 派)와 다툼. 잔 다르크(Jeanne d'Arc)에 의한 오를레앙(Orléans) 해방 후에 랑스(Lens)에서 대관(戴冠)함. 1853년 칼레(Calais) 이외의 전국토에서 영국군을 몰아내고 백년 전쟁을 종결시킴. 갈리카니슴(gallicanisme)의 확립, 전후 재정 개혁, 상비군의 설치 등으로 왕권을 강화하고, 국민 국가에의 길을 열었음. [1403-61; 재위 1422-61]

샤를 팔세 【一八世】 〔Charles Ⅷ〕 [一쎄] 명 〖사람〗 발루아 왕조(Valois 王朝) 직계 최후(最後)의 프랑스 국왕. 루이 11세의 아들. 열세 살에 즉위. 1488년 제후 동맹(諸侯同盟)의 반란을 평정, 1491년 브르타뉴 공녀(Bretagne 公女)와 결혼하여 동공령(同公領)을 합병, 왕령(王領)을 넓힘. 1495년 한때 나폴리 왕국을 점령, 이탈리아 르네상스를 최초로 프랑스에 이식(移植)하는 계기를 이루었음. [1470-98; 재위 1483-98]

샤를 호담공 【一豪膽公】 명 〔Charles le Téméraire〕 〖사람〗 부르고뉴 공(公). 프랑스 왕 루이 11세의 왕권 신장에 대항하여 '공익(公益) 동맹'을 조직하고 왕을 포로로 함. 후에 왕이 알자스 로렌 제후의 협력을 얻어 반격으로 나오자 이와 싸워 낭시(Nancy)에서 전사함. [1433-77]

샤리아 〔아랍 shari'ah〕 명 〖이슬람〗 이슬람법(法). 알라가 마호메트에게 내린 종교상의 규칙(規則).

샤릐드다 짜 〈옛〉 사레들다. ¶ 샤릐드다(暢了) 《譯語 上 37》.

샤마괴 명 〈옛〉 사마귀¹. =샤마괴. ¶ 샤마괴(黶子) 《譯語 上 36》.

샤말 〔shamal〕 명 〖기상〗 걸프 만 주변에 부는 돌풍. 2월 중순부터 시작하여 6,7월에 절정을 이루며 강력한 모래 바람을 동반함. 길 때는 2,3일 동안 지속되기도 함.

샤:머니즘 〔shamanism〕 명 〖사〗 원시 종교의 하나. 주술사(呪術師), 곧 샤먼은 부족(部族)·씨족(氏族)의 대표로서 주술(呪術)과 제사를 맡아 신의 뜻을 전달하는 사람으로 여겨져, 그의 주술은 병마(病魔)·악령(惡靈) 등의 재앙을 물리치고, 모든 기원(祈願)·욕망을 성취시킨다고 믿는 신앙. 세계 여러 곳, 특히 시베리아·만주·중국·한국·일본 등지에 보임. 무술(巫術). *토테미즘·무당.

샤먼¹ 〔廈門〕 명 〖지〗 중국 푸젠 성(福建省) 동남 아모이 섬 남쪽 연안에 있는 항구 도시. 1842년의 난징(南京) 조약에 의하여 개항장(開港場)이 됨. 제2차 세계 대전 전에는 상하이(上海)·대만·남양과의 사이에 무역이 성하여 차(茶)·설탕·종이·담배 등을 수출하였으며, 매년 10만 명이 넘는 푸젠 성 화교의 출국항이었음. 전후에 길이 2,212 m, 폭 19 m의 둑으로 본토와 연결됨. 연안의 수산물의 집산지이며, 조선·식품·통조림·유리·고무·수산 가공 등의 공업이 성함. 1980년에 경제 특구(經濟特區)로 지정됨. 하문(廈門). 아모이(Amoy). [800,000명(1980 추계)]

샤:먼² 〔shaman〕 명 〖사〗 〔퉁구스어 또는 불교의 '사문(沙門)'에서 왔다 함〕 샤머니즘의 주사(呪師). 여자가 많은데, 북아메리카 인디언의 주의(呪醫)도 이에 속함. 무자(巫者). 무녀(巫女).

샤모니 〔Chamonix〕 명 〖지〗 프랑스 남동부, 몽블랑 북쪽 산기슭에 있는 도시. 몽블랑의 등산 기지 및 스키장·휴양지로 유명함. 정식 명칭은 '샤모니 몽블랑(Chamonix-Mont-Blanc)'. [8,800명(1982 추계)]

샤모테 〔도 Schamotte〕 명 내화(耐火) 점토를 1,300-1,500°C로 가열한 후에, 부수어서 가루로 만든 것. 내화 벽돌의 제조에 쓰임. 소분(燒粉).

샤모테 벽돌 【一甓一】 〔도 Schamotte〕 명 내화 점토(耐火粘土) 등을 1,300°-1,500°C의 고온으로 구워서 분쇄한 샤모테를 원료로 하는 내화 벽돌.

샤미센 〔일 三味線: しゃみせん〕 명 〖악〗 일본 음악에서의 대표적인 현악기. 고양이 가죽이나 개 가죽을 붙인 공명(共鳴) 상자와 자루로 이루어지는데, 줄은 세 줄이 있음. 무릎 위에 비스듬히 얹고 발목(撥木)으로 줄을 튕겨 연주함.

〈샤미센〉

샤미소 〔Chamisso, Adelbert von〕 명 〖사람〗 프랑스 귀족 출신인 독일의 시인·자연 과학자. 프랑스 혁명을 피하여 독일에 이주(移住). 세계를 주유하고 후에 베를린 식물원에 근무함. 서정시 《여자의 사랑과 일생》, 동화 《페터 슐레밀의 이상한 이야기》가 유명한데, 후자는 후기 로망파와 리얼리즘을 연결시키는 걸작임. [1781-1838]

샤바 〔Shaba〕 명 〖지〗 아프리카 중부, 콩고 민주 공화국 동남부의 주(州). 해발 1,000 m 이상의 고원 지대에 위치하며 자이르 강의 상류인 루알라바 강이 남쪽에서 북쪽으로 흐름. 구리·금(金)·다이아몬드·주석(朱錫)·아연(亞鉛) 등 지하 자원(地下資源)이 풍부함. 1972년까지는 카탕가라고 불렸음. 주도(州都)는 루붐바시(Lubumbasi). [496,965 km²: 3,873,200명(1984)]

샤반 〔Chavannes, Édouard〕 명 〖사람〗 프랑스의 중국학 학자. 동양어학교를 졸업 후 오랫동안 베이징(北京) 공사관에 근무하고, 1893년 이래 콜레주 드 프랑스의 교수를 지냄. 최대 업적은 《사기(史記)》의 번역이지만, 그 외에 《서역 구법 고승전(西域求法高僧傳)》·《금석비문(金石碑文)》 등의 번역도 있음. 스타인(Stein)이 발견한 목간(木簡)의 해독(解讀) 등, 문헌·새 자료의 충실한 소개·해독에 공헌함. [1865-1918]

샤봉 〔포 sabão〕 명 비누.

샤세리오 〔Chassériau, Théodore〕 명 〖사람〗 프랑스의 고전파 화가. 들라크루아의 영향을 받아 다채롭고 독자적인 관능미(官能美)를 창조함. 후세에 모로 등에 영향을 주었음. 대표작은 《수잔나》·《고대 로마의 욕실(浴室)》 등. [1819-56]

샤스타 데이지 〔미 Shasta daisy〕 명 〖식〗 〔*Chrysanthemum burbankii*〕 국화과에 속하는 다년초. 미국의 버뱅크(Burbank, Luther; 1849-1926)가 개량한 것으로, 프랑스 국화와 일본 북부 지방산(產)의 국화와의 교배종(交配種)임. 키는 60-70 cm가량이며, 6-7월경에 순백색의 꽃이 핌. 꽃꽂이·원예용으로 가꿈.

〈샤스타 데이지〉

샤스탕 〔Chastan, Jacques Honoré〕 명 〖사람〗 프랑스의 천주교 신부로 순교 성인. 앵베르(Imbert)의 뒤를 이어 조선에 잠입, 전도하다가 박해를 받아 헌종(憲宗) 5년(1839), 기해 사옥(己亥邪獄) 때 앵베르·모방(Maubant)과 함께 순교하였음. 1984년 102위 한국 순교 성인들과 함께 시성(諡聖)됨. 한국명은 정 아각백(鄭牙各伯). [1803-39]

샤쓰 〔shirts〕 명 ☞ 셔츠.

-샤샤 어미 〈옛〉 -시어야 ¶ 用兵如神ᄒᆞ샤 가샤샤 이기시릴써(用兵如神 往則莫抗) 《龍歌 38章》.

샤약 명 〈옛〉 작약¹. ¶ 샤약 작(芍), 샤약 약(藥) 《字會 上 7》.

샤오샹 〔瀟湘〕 명 〖지〗 중국 후난 성(湖南省) 둥팅 호(洞庭湖) 남쪽에 있는 샤오수이(瀟水)강과 샹장(湘江)강의 병칭. 그 부근에 유명한 팔경(八景)이 있음. 소상.

샤오샹 반죽 【一斑竹】 〔중 瀟湘〕 명 중국 후난 성(湖南省) 샤오샹 지방(瀟湘地方)에서 생산되는 아롱진 무늬가 있는 대. 소상 반죽.

샤오샹 팔경 【一八景】 〔중 瀟湘〕 명 소상 팔경.

샤오탕산 사당 【一祠堂】 〔중 孝堂山〕 명 〖고적〗 중국 산둥 성(山東省) 페이청 현(肥城縣) 샤오리푸(孝里舖)에 있는 사당. 석회암제(石灰岩製)의 박공(欂栱) 지붕으로, 두 간 내림의 가운데에 큰 팔각 석주(八角石柱)가 서서, 한대(漢代)의 목조 건축을 본뜨고 있음. 벽면과 대들보에 인물·거마(車馬)·전투 등의 화상(畫像)이 있으며 영건(永建) 4년(129)의 명(銘)으로서 후한 중기(後漢中期) 이전의 건조물로 추정되고 있음. 효당산 사당.

샤옹 명 〈옛〉 남편. ¶ 夫는 샤오이오 妻는 가시라 《月釋 Ⅰ:12》.

샤요-궁 【一宮】 명 〔프 Palais de Chaillot〕 파리 시내에 있는 호화로운 건물. 1878년에 국제 박람회를 위하여 건축되어 1937년 개축되었는데, 지금은 극장과 네 개의 박물관으로 쓰임.

샤우딘 〔Schaudinn, Fritz〕 명 〖사람〗 독일의 동물학자. 원생 동물, 특히 병원성 원충류(原蟲類) 연구에 일생을 바쳤음. 호프만(Hoffmann)과 함께 매독 병원체를 발견함. [1871-1906]

샤워 〔shower〕 명 ① 소나기. ②↗샤워 배스(shower bath). ——-하다 짜여불

샤워 배스 〔shower bath〕 명 ① 냉수 또는 온수를 물뿌리개 모양의 분출구(噴出口)로부터 비오듯이 뿌리도록 된 장치. 또, 그 물. ② 샤워를 머리로부터 뒤집어 쓰고 하는 목욕. ㊄샤워(shower). ——-하다 짜여불

샤이너 〔Scheiner, Christoph〕 명 〖사람〗 독일의 천문학자·수학자. 망원경에 태양상(太陽像)을 투영(投影)시켜 태양면을 관측하는 방법을 고안, 1611년 갈릴레이(Galilei)나 파브리치우스(Fabricius)와는 별도

로 태양 흑점을 발견, 그 이동을 관측하여 태양의 자전(自轉)을 측정하였음. [1579-1650]

샤이데만 〔Scheidemann, Philipp〕 명 《사람》 독일의 정치가. 독일 사회 민주당의 국회 의원(1903-33). 수정주의적 입장에서 제1차 세계 대전 때는 정부의 전쟁 정책을 지지했음. 1919년 공화국 초대 수상으로서 독일 혁명을 탄압했지만 베르사유 조약에 반대하여 사임. 1933년 나치스 정권 수립 후, 덴마크로 망명함. [1865-1939]

샤이엔 〔Cheyenne〕 명 《지》 미국 북서부 와이오밍 주의 주도(州都). 로키 산맥의 동단 표고(標高) 약 1,800m의 지점에 있음. 소·양의 거래가 성하며, 철도·항공로의 중심지임. 정유소(精油所)·철도 공장·항공기 수리 공장이 있음. [47,000 명(1980 추계)]

샤이트 〔Scheidt, Samuel〕 명 《사람》 독일의 작곡가. 출생지 할레(Halle)를 중심으로 오르간 주자(奏者), 궁정 악장(宮廷樂長)으로서 활약. 오르간의 기보법(記譜法)을 혁신하고, 코랄(Choral) 편곡 등의 프로테스탄트 음악의 기초를 세웠음. [1587-1654]

샤이흘-이슬람 〔터 Seyhül-Islām〕 명 이슬람권(圈)에서 10세기경부터 우수한 신학자·법학자·성자(聖者)에게 수여된 종교상의 영예적 칭호(榮譽的稱號). 종교적·정치적으로 절대적인 권력을 가졌음. 아라비아명(名):샤이흐 알 이슬람(Shaikh al-Islām).

샤일록 〔Shylock〕 명 셰익스피어(Shakespeare) 작 ≪베니스(Venice)의 상인≫ 중의 인물. 유태인 고리 대금(高利貸金) 업자로, 욕심이 많고 인정 없는 인간의 전형(典型)으로 표사되었음.

샤: 자한 〔Shah Jahan〕 명 《사람》 인도 무굴(Mughul) 왕조의 제5대 황제. 그의 치세는 무굴조의 최성기(最盛期)임. 비(妃)를 잃고부터 방종(放縱)해지자, 왕자 사이에 왕위 계승의 싸움이 일어나, 그 승자 아우랑제브(Aurangzēb)에 의하여 유폐(幽閉)됨. 그가 비(妃)를 그려 세운 타지마할(Taj Mahal)은 인도의 대표적 건조물로 유명함. [1592-1666; 재위 1628-58]

샤처 명 〔←중 下處〕 사처[1].

샤콘 〔프 chaconne〕 명 《악》 3/4박자의 느린 무곡(舞曲). 특색 있는 화음 진행으로, 간단한 주제(主題)에 의하여 작곡되는 변주곡풍(變奏曲風)의 곡. 치아코나.

샤쿤탈라 〔인 Śakuntala〕 명 《책》 4-5세기에 지은 고대 인도의 희곡. 칼리다사(Kālidāsa)의 작품. 선인(仙人)의 양녀(養女)이자, 자연아(自然兒)인 아름다운 처녀 샤쿤탈라와 왕자(王子)와의 사랑이 어떤 선인(仙人)의 농간으로 파란을 겪는다는 줄거리. 인도 문학의 최대 걸작으로 18세기말의 유럽 문학에 지대한 영향을 주었음.

샤:크 만 【一灣】 〔Shark〕 명 《지》 오스트레일리아 서안(西岸) 중부에 있는 만. 남북 약 241km. 동서 약 97km.

샤:크-스킨 〔sharkskin〕 명 상어 가죽 비슷하게 짠 소모(梳毛) 직물의 일종. 광택(光澤)이 있고 시원한 감을 주기 때문에 하복지(夏服地)로 사용됨.

샤태나다 자 〈옛〉 사태 나다. ¶ 샤태나다(龍抓了) ≪譯語 上 7≫.

샤토 〔프 château〕 명 성(城). 궁전. 대저택(大邸宅). 관(館).

샤토브리앙 〔Chateaubriand, François René de〕 명 《사람》 프랑스의 작가·정치가. 몰락 귀족 출신. 프랑스 낭만주의 문학의 창시자. 가톨릭 사상을 사상적 기반으로 함. 대표작은 ≪아탈라≫·≪르네≫·≪그리스도교 정수(精髓)≫. 정치적으로는 반(反) 프랑스 혁명군에 가담했으며, 왕정 복고(王政復古) 시대에는 외무상에 피임됨. [1768-1848]

샤티 명 〈옛〉 새치[3]. ¶ 샤티(雜頭髮) ≪譯語 上 34≫.

샤포 〔프 chapeau〕 명 ①모자. ②프랑스식의 군모. 챙이 달리고, 흔히 나사(羅紗)로 만듦.

샤푸르 일세 【一一世】 〔Shapur I〕 〔一쎄〕 명 《사람》 사산조(朝) 페르시아의 제2대 왕. 아르메니아와 메소포타미아로 영토를 확장. 로마군을 격파, 발레리아누스 황제를 종신 포로로 함. [?-?; 재위 253-60]

샤프[1] 〔Chappe, Claude〕 명 《사람》 프랑스의 발명가·기사. 파리와 릴 사이에 최초로 전신선을 부설함. [1763-1805]

샤:프[2] 〔Sharp, Phillip A.〕 명 《사람》 미국의 생화학자. 일리노이 대학에서 박사 학위를 취득, 매사추세츠 공과 대학 암(癌) 연구소 연구원이 됨. 1977년 절단(切斷)된 구조를 가지는 유전자(遺傳子)를 발견하였음. 이 연구로 1993년 미국의 로버츠(Roberts, R.)와 공동으로 노벨 의학·생리학상을 수상함. [1944-]

샤:프[3] 〔sharp〕 명 ①뾰족함. 날카로움. ②신랄(辛辣)함. 예민(銳敏)함. ¶ ~한 두뇌. ③《악》 '올림표'의 영어명. ↔플랫. ④↗샤프 펜슬. ——하다 형여불

샤:프-깨알물방개 〔sharp〕 명 《충》 [*Laccophilus sharpi*] 물방개과에 속하는 곤충. 깨알물방개와 비슷한데, 몸길이 4mm 내외이고, 전배판(前背板)은 황갈색이며, 시초(翅鞘)는 다소 담색에 물결 모양의 흑갈색 반문이 있고, 뒷다리는 적갈색, 그 외의 다리는 황색임. 못·늪에 서식하며, 한국·일본에 분포함.

샤프들렌 〔Chapdelaine, Auguste〕 명 《사람》 프랑스의 가톨릭 선교사. 중국에 건너가 포교중, 광시성(廣西省)의 비적 반란을 선동한 죄로 처형됨. 그 사건은 프랑스가 청국(淸國)에 대하여 톈진(天津) 조약 체결을 재촉하는 계기가 되었음. [1814-56]

샤프롱 〔프 chaperon〕 명 젊은 여자가 사교장 등에 나갈 때에 동반하는 사람. 보통, 나이 지긋한 부인임. *에스코트(escort).

샤프츠버리 〔Shaftesbury〕 명 《사람》 ①〔1st Earl of S., Anthony Ashley Cooper〕 영국의 정치가. 청교도 혁명 시대에 왕정 복고(王政復古)에 진력하여 반가톨릭, 휘그당의 지도자가 됨. [1621-83] ②〔3rd Earl of S., Anthony Ashley Cooper〕 영국의 도덕 철학자. ❶의 손자. 로크(Locke, J.)의 제자로서 도덕의 고유 가치를 강조하고, 선(善)과 미(美)의 일치를 주창하였음. [1671-1713] ③〔7th Earl of S., Anthony Ashley Cooper〕 영국의 정치가·인도주의자. 공장법(工場法), 10시간 법 등의 노동 입법의 제정과 자선 사업·종교 운동에 진력하였음. [1801-85]

샤프탈 〔Chaptal, Jean〕 명 《사람》 프랑스의 화학자·정치가. 명반(明礬) 제조법 및 면직물(綿織物) 염색법의 발명자. 나폴레옹 1세 밑에서 대신(大臣)으로 있으면서 프랑스 자본주의 확립기의 산업 기술 개발에 공헌함. [1756-1832]

샤프트 〔shaft〕 명 《기》 동력 전달을 주된 목적으로 하는 회전축(回轉軸). 주축(主軸)·선축(線軸)·중간축(中間軸)의 세 가지가 있음. 축(軸).

샤:프 펜슬 〔sharp pencil〕 명 〔←에버 샤프 펜슬〕 휴대용 필기 도구의 하나. 금속·셀룰로이드·에보나이트·플라스틱제(製)의 축(軸) 안에 연필 심을 넣은 펜슬인데, 축의 끝 부분을 돌리거나 누르면 심이 나오게 되어 있으며, 심만을 갈아 넣어서 줄곧 쓸 수 있는 것이 특징임. 1837년 미국의 에버 샤프 회사가 처음으로 만들었음. ㈜샤프.

〈샤프펜슬〉

샤프-하우젠 〔Schaffhausen〕 명 《지》 스위스 북단(北端), 독일 국경에 가까운 라인 강에 면한 공업 도시. 중세의 건물이 많고, 직물·기계 공업이 성함. [34,396 명(1983)]

샤피로 〔Shapiro, Karl Jay〕 명 《사람》 미국의 시인·비평가. 제2차 세계 대전 종군중에 발표한 시집 ≪사람·장소·물건≫·≪사랑의 장소≫·≪V-레터≫에서 전쟁 체험을 실감 있게 표현하였음. [1913-]

샤향노ᄅᆞ 명 〈옛〉 사향노루. ¶ 샤향노ᄅᆞ 샤(麝) ≪字會 上 18≫.

샤허 〔夏河〕 명 《지》 중국 간쑤 성(甘肅省) 남서부의 현(縣). 부근은 황허(黃河) 강 상류부의 풍요한 농목 지대(農牧地帶)로 상업·교역(交易)이 성(盛)함. 라마교(Lama敎) 황모파(黃帽派)의 중심인 라브랑 사(Labrang寺)가 있음. 별명 라브랑. 하하. [122,000 명(1982)]

샤흐트 〔Schacht, Horace Greeley Hjalmar〕 명 《사람》 독일의 은행가. 라이히스(Reichs) 은행(銀行) 총재. 나치스 내각의 경제상(經濟相)을 역임하였음. 1944년 인플레이션 방지를 도모하다 나치스와 충돌 체포되었음. 1945년 뉘른베르크 국제 군사 재판(Nürnberg國際軍事裁判)에 회부되었지만, 무죄가 됨. 1953년 이후 샤흐트 은행을 경영하였으며, 회고록 등의 저서가 있음. [1877-1970]

샨 〔Shahn, Ben〕 명 《사람》 러시아 태생의 유태계 미국 화가. 대공황(大恐慌) 시대에 사회적 주제를 다룬 연작(連作)을 남김. 독자(獨自)의 애수를 띤 화풍(畫風)과 비평적 정신이 특징임. [1898-1969]

-샨 어미 〈옛〉 -신. ¶ 御製는 님금 지ᅀᅳ샨 그리라 ≪訓諺 1≫.

샨데리아 명 ←샹들리에(chandelier).

샨:족 【一族】 〔Shan〕 명 중국 윈난성(雲南省) 지역에서 이동해 와 주로 미얀마 서부 샨 주(州)에 정착한 민족. 13세기에는 아쌈을 정복하고 18세기에는 아홈 왕국을 세우는 등, 토착 문화와의 광범한 접촉·혼합으로 샨족 간에는 다소의 지방차를 볼 수 있음.

샨 주 【一州】 〔Shan〕 명 《지》 미얀마(Myanmar) 동부에 위치한 주. 중국·인도차이나·타이와 접함. 주민은 주로 샨족이며, 생활 양식이 서로 다른 10여 민족이 흩어져 살고 있음. 1948년 샨 연합주(聯合州)와 와 제주(Wa諸州)가 합병하여 샨 주가 됨. 철·구리·아연·은·납·주석 등의 광산물이 풍부하며, 임산(林産)도 많음. [158,834 km^2 : 3,710,000 명(1983 추계)]

샨체 〔도 Schanze〕 명 스키에서, 점프대(jump臺). 준비 활주의 사면(斜面)과 도약부(跳躍部)·착륙 사면의 세 부분으로 됨.

샨츠 〔Schanz, Martin von〕 명 《사람》 독일의 고전학자. 뷔르츠부르크 대학 교수. 플라톤의 원전(原典) 비판의 권위자. 주저에 ≪로마 문학사≫가 있음. [1842-1914]

샬 〔Schall, Johann Adam〕 명 《사람》 ↗샬 폰 벨.

-샬 어미 〈옛〉 -실. ¶ 일후미 救脫이라 ᄒᆞ샤리 座애셔 니르샤 ≪月釋 Ⅸ: 49≫ / 즈믄 힐 長存ᄒᆞ샬 藥이라 받ᄌᆞᆸ노이다 ≪樂範 動動≫.

-샬딘댄 어미 〈옛〉 -실진대. ¶ 王이 ᄒᆞ다가 作用 아니 ᄒᆞ샬딘댄(王若不用) ≪牧訣 6≫.

샬랴핀 〔Chaliapin, Feodor Ivanovitch〕 명 《사람》 러시아의 베이스(bass) 가수. 타고난 미성(美聲)과 연기로 명성을 떨쳤는데, 1921년 이래 뉴욕의 메트로폴리탄 가수로 활약하였음. [1873-1938]

샬레[1] 〔프 chalet〕 명 ①스위스의 높은 산에 있는, 통나무로 벽을 치고 돌로 지붕을 이은 집. 목자(牧者)가 삶. ②샬레풍(風)의 별장.

샬레[2] 〔도 Schale〕 명 둥글고 운두가 낮은 유리 용기(容器). 뚜껑이 달림. 세균의 배양 등 의학·약학·농예(農藝) 화학에 쓰임.

샬레 구조 【一構造】 〔도 Schale〕 명 〔Schale는 껍데기·외피(外皮)·씌우개의 뜻〕 셸 구조. 곡판(曲板) 구조.

샬: 폰 벨 〔Schall von Bell, Johann Adam〕 명 《사람》 독일의 예수회(Jesus會) 소속 선교사. '아담 샬'이라고도 불림. 1622년 중국에 건너와 명(明)·청(淸) 양조에 벼슬하고, 천문(天文)·역법(曆法)·대포(大砲) 제조법 등을 소개, 망원경 등을 만들었음. 중국식 이름은 탕약망(湯若望). ㈜샬. [1591-1668]

샴[1]: 명 〈방〉 샘(충남).

샴[2] 명 《지》 ☞ 시암.

-샴 어미 〈옛〉 -심. ¶ 가샴 겨샤매 오ᄂᆞᆯ 다ᄅᆞ리잇가(載去載留 豈異今時) ≪龍歌 26章≫.

샴 쌍생아 【一雙生兒】 〔Siam〕 명 일란성(一卵性) 쌍생아의 기형(畸型). 두 사람이 두부(頭部), 흉부(胸部), 골반부(骨盤部) 등에서 결합되어 있는 기형아. 머리·가슴이 하나며, 머리 양쪽에 얼굴이 있는 야누스체(Janus體)와 팔 두 개 머리 두 개, 혹은 팔 세 개 머리 두 개가 있는 이두체(二頭體)의 두 가지가 있음. 19세기초에 희귀하게 오래 산 태국 출

생의 연신 쌍생아(連身雙生兒)에서 유래함.

샴페인 〔champagne〕 명 프랑스 동북 지방인 샹파뉴(Champagne) 주에서 나는 술. 이산화 탄소를 함유한 발포성(發泡性) 포도주로 상쾌한 향미가 있음. 발효할 때 생기는 이산화 탄소를 함유하는 것과 인공적으로 넣는 것이 있는데, 알코올 9-11%를 함유하고 있음. 삼편주(三鞭酒).

샴페인 사이다 〔champagne cider〕 명 ①탄산을 함유하는 청량 음료. ②사과즙에 브랜디·감미료 등을 넣고 발효시킨 일종의 과실주.

샴푸: 〔shampoo〕 명 ①머리를 감는 일. ②세발제(洗髮劑). 술폰(sulfon) 화합물을 쓰며, 가루·크림·액제(液劑) 등 여러 종류가 있음.

샷 〔shot〕 명 ①〈속〉 위스키 같은 강주(強酒)의 한 모금. ②〖연〗 영화 촬영에서 카메라의 위치를 움직이지 않고 찍는 하나의 단위. 곧, 신(scene)의 최소의 단위. 컷(cut).

-샷다 어미 〈옛〉 -시도다. ¶ 萬人 비취실 즈이샷다《樂範 動動》.

샹 명 〈옛〉 향(鄕). 상(常). 보통. ¶ 샹해 사룸ᄃᆞ려 닐오ᄃᆡ(常語人曰)《飜小 X:9》.

샹강 〔香港〕 명 〖지〗 '향항(香港)'을 중국 음으로 읽은 이름.

샹데르나고르 〔Chandernagore〕 명 〖지〗 ☞ 찬데르나고르.

샹들리에 〔프 chandelier〕 명 천장에 매어다는 여러 개의 가지가 달린 촛대나 등불대. 가지 끝마다 불을 켬. 예전에는 촛불·가스등·석유등 따위를 켰는데, 지금은 흔히 전등을 켬. 펜던트(pendant). 샨데리야. 「60」.

〈샹들리에〉

샹모 명 〈옛〉 삭모(槊毛). ¶ 샹모(紅纓)《老乞 下

샹보:르 성 【一城】 〔Chambord〕 명 프랑스 루아르 강 유역에 있는 성. 초기 르네상스 건축의 하나. 프랑수아 1세의 명령으로 1519년 기공, 1536년 완공됨. 네 모퉁이에 탑(塔)을 가진 사각형의 건물로, 주요 건물의 중심에 승강별(昇降別) 이중 나선(螺旋) 계단을 가진 것이 특징임.

샹산 만 【一灣】 〔象山〕 명 〖지〗 중국 저장 성(浙江省) 동쪽에 있는 해만(海灣). 동중국해(東中國海)에 있는 만(灣)의 하나로, 내륙으로 40 km 나 만입(灣入)하였음. 물이 깊어 옛날부터 중국이 해군의 근거지를 만들려고 기도하였던 곳임. 상산만.

샹삷이 【上白是】 명 〈이두〉 상사리. 「요·가요.

샹송 〔프 chanson〕 명 〖악〗 서민적인 가벼운 내용을 지닌 프랑스의 민

샹수이 〔湘水〕 명 〖지〗 샹장(湘江).

샹슬라드-인 【一人】 〔Chancelade〕 명 1888년 남프랑스의 페리괴 시(市) 샹슬라드 군(郡) 레이몽당 유적의 마그다레니앙 문화층(文化層)에서 발굴된 화석 원생인골(原生人骨). 현존의 에스키모와 닮은 형태적 특징을 갖는다 함.

샹양 〔襄陽〕 명 〖지〗 중국 후베이 성(湖北省) 북부에 있던 도시. 대안의 판청전(樊城鎭)과 더불어 고래로 군사 상의 요지였으며, 서쪽의 푸룽 산(伏龍山)은 제갈 공명(諸葛孔明)의 은거지였음. 1950 년 판청전과 합치어 샹판 시(襄樊市)가 됨. 양양.

-샹이다 어미 〈옛〉 -사이다. -십시다. ¶ 딩아돌아 當今에 계샹이다《樂詞 鄭石歌》.

샹 일홈 명 〈옛〉 우리 나라 이름. ¶ 楡皮 鄕名 於乙邑 유피의 샹일호ᄆᆞᆫ 느릅이니《救荒 3》.

샹장 〔湘江〕 명 〖지〗 중국 후난 성(湖南省)에 있는 강. 광둥 성(廣東省)의 구이린(桂林) 부근에서 발원하여 북으로 흘러 후난 성(湖南省)에 들어가 헝저우(衡州)·샹탄(湘潭)·창사(長沙) 등지를 지나 둥팅호(洞庭湖)에 이름. 샹수이(湘水). 상강(湘江). [700 km]

샹젤리제 〔Champs-Élysées〕 명 파리의 간선(幹線) 가로의 하나. 개선문이 있는 드골 광장에서 콩코르드 광장에 이르는 1,880 m의 직선 도로로서 양측에는 마로니에와 플라타너스 등의 가로수와 호텔·고급 상점·카페 등 건물이 줄지어 있음.

샹쥬 명 〈옛〉 상주(上主). ¶ 거룩거룩ᄒᆞ다젼능ᄒᆞ신샹쥬《찬양가 : 1》.

샹탄 〔湘潭〕 명 〖지〗 중국 후난 성(湖南省) 동부의 도시. 샹장(湘江) 강과 롄수이(漣水) 강의 합류점에 있으며, 샹첸(湘黔) 철도의 연변에 있어 수륙 교통이 편리함. 기계·방직·식품·시멘트 등의 공업이 있음. 상담(湘潭). [400,853 명(1987)]

샹토 명 〈옛〉 상투. ＝샹투. ¶ 샹토와 머리 터러이(髻髮)《無冤錄 I :24》.

샹파뉴 〔Champagne〕 명 〖지〗 프랑스의 동중앙부를 점(占)하는 지방. 농업 지대를 이루며, 마른 현(Marne縣)을 중심으로 하는 포도주는 유명하며, 소위 샴페인이라는 이름은 세계적으로 통용됨.

샹판 〔襄樊〕 명 〖지〗 중국 후베이 성(湖北省) 북부의 도시. 한수이(漢水) 강과 바이허(白河) 강의 합류점에 위치하는 수륙(水陸) 교통의 요충지로, 쌀·보리·콩의 집산지(集散地)임. 1950 년 샹양(襄陽)과 판청전(樊城鎭)이 합쳐져 시(市)가 됨. [407,000 명(1984 추계)]

샹페뉴 〔Champaigne, Philippe de〕 명 〖사람〗 프랑스의 화가. 플랑드르 출신으로 루벤스·반다이크 등의 화풍을 프랑스에 소개함. [1602-74]

샹폴리옹 〔Champollion, Jean François〕 명 〖사람〗 프랑스의 이집트학(Egypt學) 학자. 1822년 로제타석(Rossetta石)과 오벨리스크(Obelisk) 명문(銘文)을 비교하여 이집트 상형 문자를 처음으로 판독함으로써 새로이 이집트학(學)을 창시하였음. [1790-1832]

샹해 부 〈옛〉 항상. ¶ 샹해 사룸ᄃᆞ려 닐오ᄃᆡ(常語人曰)《飜小 X:9》.

샹해사룸 명 〈옛〉 보통의 사람. 서민(庶民). ¶ 이 샹해 사ᄅᆞ미 효되라(此庶民之孝也)《正俗 22》. 「上 35」.

샹화 명 〈옛〉 만두. ＝상화. ¶ 샹화 소에 ᄡᅳ니라(饅頭餡兒裏使了)《老乞

샹히 부 늘. 항상. ¶ 잘 못 먹건마는 샹히 몯ᄒᆞ고《新語 Ⅲ:17》.

샹녜 ㊀명 〈옛〉 보통. ¶ 샹녯 사ᄅᆞᄆᆞᆫ 煩惱를 몯 ᄞᅥ려 ᄇᆞ릴ᄊᆡ《月釋 I : 12》. ㊁부 〈옛〉 항상. 늘. ¶ 法身이 샹녜 이셔(法身常住)《月序 1》.

샹녯사룸 명 〈옛〉 보통의 사람. 서민. ¶ 샹녯 사ᄅᆞᄆᆞᆫ 煩惱를 몯 ᄞᅥ려 ᄇᆞ릴ᄊᆡ《月釋 I :12》. 「43》.

샹ᄃᆞᄫᆡ다 형 〈옛〉 상스럽다. ¶ 여러 가지 샹ᄃᆞᄫᆡᆫ 이리 나니라《月釋 I :

샹볿사룸 명 〈옛〉 관상 보는 사람. ¶ 相 볼 사ᄅᆞ미 닐오ᄃᆡ 이 각시 당다이 轉輪聖王을 나ᄒᆞ시리로다《月釋 Ⅱ:23》.

샹셩 【上聲】 명 〈옛〉 상성. ¶ 左加一點則去聲 二則上聲 無則平聲 入聲加點同而促急 《訓例》.

샹인 명 〈옛〉 상사람. 상인(常人). ¶ 君子ㅣ 늘금애 거러ᄃᆞᆫ니디 아니ᄒᆞ고 샹인이 늘금애 민밥 먹디 아니ᄒᆞᄂᆞ니라(君子耆老 不徒行 庶人耆老不徒)《小諺 Ⅱ:65》. 「라《釋譜 Ⅵ:1》.

샹재 명 〈옛〉 상재. 사미(沙彌). ¶ 羅睺羅ㅣ를 노하보내야 샹재 ᄃᆞ외에ᄒᆞ

샹투 명 〈옛〉 상투. ＝샹토. ¶ 샹투 계(髻)《字會 中 25》.

섀기 카:펫 〔shaggy carpet〕 명 털 길이가 3-7 cm 정도로 긴 융단. 부드럽고 따뜻한 느낌을 줌.

섀넌 〔Shannon, Claude Elwood〕 명 〖사람〗 샤논.

섀넌 강 【一江】 〔Shannon〕 명 〖지〗 샤논 강(江).

섀도: 〔shadow〕 명 ①그림자. 음영(陰影). ②↗아이섀도.

섀도: 마스크 〔shadow mask〕 명 컬러 텔레비전의 수상관(受像管)내에 설치된 전자 빔(beam) 차폐판(遮蔽板). 삼색 형광체(三色螢光體)를 점상(點狀)으로 도포(塗布)한 형광면에 대응하여, 철판의 전면에 작고 둥근 구멍(직경 0.2-0.3 mm)을 뚫은 것. 비교적 간단하고 고장이 적어, 컬러 텔레비전 수상 방식으로 가장 많이 사용됨.

섀도:-복싱 〔shadowboxing〕 명 권투에서, 가상(假想)의 적(敵)을 염두에 두고, 혼자서 풋 워크(foot work)·공격·방어의 연습을 하는 일.

섀도: 스트라이프 〔shadow stripe〕 명 서로 다르게 꼰 실로 짠 직물(織物)의 무늬. 따라서 광선이 비치는 방향에 따라 무늬가 보였다 안 보였다 하는 것이 특징임.

섀도: 캐비닛 〔shadow cabinet〕 명 〖정〗 야당(野黨)에서 정권을 잡을 경우를 예상하여 조직하는 내각(內閣). 정부나 여당(與黨)에서도 이것을 존중하여 줌.

섀도: 플레이 〔shadow play〕 명 야구 연습에서, 수비 위치에 서서 공을 사용하지 않고 동작만 수비의 흉내를 내는 일.

섀드웰 〔Shadwell, Thomas〕 명 〖사람〗 영국의 극작가·시인. 처음 셰익스피어의 《템페스트(Tempest)》를 가극으로 고친 《매혹의 섬》으로 데뷔, 이래 《알사티아(Alsatia)의 향토》 등을 발표함. 드라이든(Dryden)에 이어 1688년 계관 시인(桂冠詩人)이 되었음. [1640?-92]

-섀라 어미 〈옛〉 -세라. -구나. ¶ 낟마티 들리도 어ᄡᅳ섀라《鄕樂 思母曲》.

섀미 가죽 명 〔미 chamois leather〕 양·영양 등의, 부드럽게 다룬 가죽.

섀스타 산 【一山】 〔Shasta〕 명 〖지〗 미국 캘리포니아 주(California 州) 북부에 있는 캐스케이드산맥(Cascade山脈)중의 화산. 산정부(山頂部) 일대에는 빙하(氷河)가 있음. 산록(山麓)에 동명(同名)의 취락(聚落)이 있고, 등산·관광의 중심지로 되어 있음. [4,317 m]

섀시 〔chassis〕 명 ①자동차 등의 차대(車臺). ②라디오 같은 것의 세트를 꾸미는 대. 밑판.

섀클턴 〔Shackleton, Ernest Henry〕 명 〖사람〗 에이레(Eire) 출신의 영국 탐험가. 1901-04년에 스코트(Scott)의 남극 탐험에 참가, 1907-09 년에는 자신이 직접 탐험대를 이끌고 남극점에서 약 155 km 지점인 남위 88° 23′ 까지 도달하였음. [1874-1922]

섀플리 〔Shapley, Harlow〕 명 〖사람〗 미국의 천문학자. 1921년 하버드 대학 천문대장이 됨. 리비트(Leavitt)가 발견한 세페이드(Cepheid) 변광성(變光星)의 주기 광도 곡선(週期光度曲線)을 발전시켜 절대 척도(絕對尺度)를 정하고, 이에 의해서 은하계의 구조를 밝혔음. 식변광성(蝕變光星)·구상 성단(球狀星團)에 관한 연구도 있음. [1885-1972]

섈러 〔Schaller, George Beals〕 명 〖사람〗 독일 태생의 미국 동물학자. 세계 각처에서 야생 동물의 생태 조사와 연구에 종사함. 자신이 촬영한 진귀한 사진을 포함한 많은 저서를 발표함. 대표작으로 《고릴라의 사계(四季)》 등이 있음. [1933-]

섈리 〔Schally, Andrew〕 명 〖사람〗 폴란드 태생의 미국 의사. 스코틀랜드와 영국에서 교육을 받고, 1957년 캐나다 몬트리올의 매길 대학에서 박사 학위를 획득함. 1962년 미국 뉴올리언스의 재향 군인 병원 부설 내분비선 연구소장으로 취임함. 인간의 성장 신진 대사와 재생 기능에 중요한 뇌중(腦中) 폴리타이드 호르몬을 분석·합성한 공으로, 기유맹(Guillemin, R.), 앨로(Yallow, R.V.) 등과 함께 1977년 노벨 생리의학상을 수상함. [1926-]

섕크 〔shank〕 명 연장의 손잡이. 또, 기계의 부착·삽입 따위를 하는 부분.

서[1] 명 ↗서까래.

서[2] 명 〈방〉 혀[1]❶(전라·경상·충청·강원).

서[3] 【西】 명 ↗서쪽. ↔동(東).

서:[4] 【序】 명 ①문장(文章)의 한 체(體). 사적(事蹟)의 요지(要旨)를 적은 글. ②↗서문(序文).

서[5] 【徐】 명 성(姓)의 하나. 현재 우리 나라에는 이천(利川)·달성(達城) 등 17 개의 본관이 있음.

서[6] 【書】 명 ①문체의 명칭. 친구나 아는 이들끼리 주고받는 편지. ②문자 또는 글의 뜻. ③서경(書經)의 본래 명칭. ④글씨. 또, 글씨 쓰는 법. ¶ 대가(大家)의 ～. ⑤책. 서적.

서[7] 【書】 명 성(姓)의 하나. 우리 나라에는 현존하지 아니함.

서[8] 【犀】 명 〖동〗 코뿔소.

서:[9] 【鼠】 명 〖악〗 신라의 이문(泥文)이 지은 가야금 곡(曲)의 이름.

서:[10] 【署】 명 ①관서(官署). ②↗경찰서. ③↗세무서. ④↗소방서.

서:[11] 〔sir〕 명 ①남을 높여서 부를 때 쓰는 말. 선생. ②〔S-〕영국에서 준남작(準男爵) 또는 나이트 작(爵)의 지위에 있는 사람의 씨명 또는 이름 위에 붙이는 존칭. 경(卿).

서[12] 관 ㄷ·ㅁ·ㅂ·ㅍ 등을 첫소리로 한 낱말 앞에 쓰이는 '세[8]'의 특별한 용법. ¶ ~ 돈/~ 말/~ 발/~ 푼. *세[10]·석[12].

서[13] 조 ①↗에서❷. ¶서울~ 부산까지/외국~ 왔다. ②-고·-아·-어 등의 어미에 붙어서 그 말뜻을 밝히고, 여유를 주는 보조사. ¶먹고~/보아~/먹어~ 해가 될 것은 없지만.

서[14] 준 서어. ¶ ~ 있다.

서:-【庶】 두 낱말의 앞에 붙어 본처(本妻) 아닌 여자에게서 난 사람을 나타내는 말. 얼-(孼). ¶ ~누이/~동생.

서:가[1]【序歌】 명 ①서사(序詞)를 붙인 노래. ②서(序)에 대신하는 노래.

서가[2]【書架】 명 책을 얹어 두는 시렁. 서각(書閣). 책시렁.

서가[3]【書家】 명 ①글씨를 잘 쓰는 사람. 서공(書工). 서사(書師). ②서예(書藝)의 전문가.

서:가[4]【庶家】 명 적자(嫡子)가 서자손(庶子孫)의 집을 일컫는 말. 서류(庶流)의 집. ↔적가(嫡家).

서가 모니 명 〖불교〗←석가 모니(釋迦牟尼).

서각[1]【西閣】 명 〈방〉 뒷간(황해).

서각[2]【書刻】 명 나무에 새긴 각서(刻書).

서각[3]【書閣】 명 ①서가(書架). ②서재(書齋). 서루(書樓).

서:각[4]【犀角】 명 ①코뿔소의 뿔. 결이 곱고, 누른 빛이나 검은 빛의 꽃무늬가 있음. 술잔 같은 것을 만들며, 인도 등지에서는 약으로 귀하게 쓰임. ②〖한의〗코뿔소의 뿔의 끝 부분을 분말(粉末)로 만든 것. 성질이 차서 해열제 등으로 쓰임. 검은 색의 것을 오서각(烏犀角)이라 함.

서:각-방【犀角鎊】 명 서각(犀角)의 가루.

서:각 소독음【犀角消毒飮】 명 〖한의〗단독(丹毒)·마진(痲疹)·은진(癮疹) 등에 쓰이는 약.

서:각 승마탕【犀角升麻湯】 명 〖한의〗열이 많이 나는 귀앓이·이앓이·단독(丹毒) 등에 쓰이는 약.

서간[1]【西間】 명 〖역〗조선 시대 때, 의금부(義禁府) 안 서쪽에 있던 옥사(獄舍). *남간(南間).

서간[2]【書簡·書柬】 명 편지.

서간[3]【徐看】 명 조용히 봄. ——-하다 자 여불

서-간[4]【徐幹】 명 〖사람〗중국 삼국(三國) 시대 위(魏)나라의 학자. 자(字)는 위장(偉長). 건안 칠사(建安七士)의 한 사람. 저서에 《중론(中論)》이 있음. [171-218]

서간-경【書簡經】 명 ①〖성〗신약(新約) 성서 가운데 예수의 제자들의 편지 형식으로 된 성경. 바울의 서간 등. ②〖천주교〗예배 미사 중에 의식의 일부로서 읽는, 교훈의 부분. 구약 성서와 사도들의 서간·복음에서 발췌한 것임.

서-간도【西間島】 명 〖지〗백두산 부근의 만주 지방. *간도(間島).

서간-문【書簡文】 명 〖문〗서한문(書翰文).

서간 문학【書簡文學】 명 〖문〗서한 문학(書翰文學).

서간-전【書簡箋】 명 편지를 쓰는 데 소용되는 용지(用紙). 책처럼 되었는데, 쓴 다음에는 한 장씩 뜯어내게 되어 있음.

서간-집【書簡集】 명 편지를 모아 엮은 책.

서간-체【書簡體】 명 〖문〗서한체(書翰體).

서간체 소:설【書簡體小說】 명 〖문〗서간체의 형식으로 구성된 소설. 리처드슨(Richardson)의 《파멜라》, 괴테(Goethe)의 《젊은 베르테르의 슬픔》 등은 모두 이에 속함.

서:간 충비【鼠肝蟲臂】 명 쥐의 간이나 벌레의 발처럼 아주 쓸모없는 물건.

서:감【暑感】 명 여름에 드는 감기.

서-강【西江】 명 〖지〗'시장(西江)'을 우리 음으로 읽은 이름.

서강 대학교【西江大學校】 명 가톨릭 계통의 사립 대학교의 하나. 1960년 단과 대학으로 설립되고, 1967년 대학원을 두었으며, 1969년 종합 대학교로 승격함. 문과·사회과학·이공·경상의 4개 단과 대학에 20 학과가 있음. 서울 마포구에 소재함.

서강-성【西康省】 명 〖지〗시캉 성.

서:거【逝去】 명 '사거(死去)'의 높임말. ——-하다 자 여불

서거리 깍두기 명 소금에 절인 명태 아가미를 넣고 담근 깍두기.

서-거정【徐居正】 명 〖사람〗조선 시대 초의 학자. 자는 강중(剛中), 호는 사가정(四佳亭). 세종 이후 5조를 역사(歷仕)했는데, 천문·지리·의약·복서(卜筮)·성명(星命) 등 각 부문에 능통하였음. 저서에 《동국 통감(東國通鑑)》·《필원 잡기(筆苑雜記)》·《신찬 동국 여지승람(新撰東國輿地勝覽)》 등이 있음. 시호는 문충(文忠). [1420-88]

서거차-도【西巨次島】 명 〖지〗전라 남도 서남 해상(西南海上), 진도군(珍島郡) 조도면(鳥島面) 서거차도리(西巨次島里)에 위치한 섬. 동(東)거차도와 함께 거차 군도(巨次群島)를 이룸. [2.82 km^2: 379명 (1984)]

서걱 부 ①연한 사과나 과자 따위를 씹을 때 약간 옹승깊게 나는 소리. ②갈대나 풀먹인 천 따위가 마찰하는 소리. 쓰써걱. >사각. ——-하다 자타 여불

서걱-거리다 자타 ①사과나 연한 과자 같은 것을 씹는 소리가 연해 나다. 또, 그런 소리를 연해 내다. 쓰써걱거리다. >사각거리다. ②갈대 같은 것이 마찰하는 소리가 자꾸 나다. 또, 그런 소리를 자꾸 내다. >사각거리다. 서걱-서걱 부. ¶ ~ 톱을 느리게 메겼다 당겼다 했다《金廷漢: 뒷기마나루》. ——-하다 자타 여불

서걱-대다 자타 서걱거리다.

서검【書劍】 명 문무[1](文武). ¶ ~을 못 이루고《古時調 金天澤》.

서검-도【西檢島】 명 〖지〗경기도 서해상(西海上), 강화군(江華郡) 삼산면(三山面) 서검리(西檢里)에 위치한 섬. 석모도(席毛島)의 서쪽 8 km 떨어진 곳에 있음. [1.44 km^2: 249명 (1984)]

서겊다 형 〈방〉 서글프다.

서게 명 〈방〉 석유[1](강원).

서-견【徐甄】 명 〖사람〗고려 말의 문신. 호는 여와(麗窩). 조선조(朝)가 개국되자 청백리(淸白吏)에 녹선(錄選)되었으나, 금천(衿川)에 은거하여, 벼슬하지 아니하고 절개를 지켰음. 시조 1수가 《청구 영언》에 전함. 생몰년 미상.

서-겸【徐謙】 명 〖사람〗'쉬첸(徐謙)'을 우리 음으로 읽은 이름.

서경[1]【西京】 명 〖역〗①고려 때 사경(四京)의 하나. 지금의 평양(平壤). ②서도(西都)❶.

서경[2]【西經】 명 〖지〗서쪽의 경도(經度). 곧, 본초 자오선(本初子午線)을 0도로 하여 그 서쪽의 180도의 사이. ↔동경(東經).

서경[3]【書痙】 명 〖의〗직업적으로 붓글씨를 많이 쓰는 사람이 글씨를 과도하게 쓴 결과로 생기는 신경증. 글씨를 쓰려고 하면 동통(疼痛) 또는 경련(痙攣)을 일으키어 글씨를 못 쓰게 됨.

서경[4]【書經】 명 〖책〗삼경(三經) 또는 오경(五經)의 하나. 중국 요순(堯舜) 때로부터 주(周)나라 때까지의 정사(政事)에 관한 문서(文書)를 공자(孔子)가 수집·편찬한 책. 뒤에 송(宋)나라 채침(蔡沈)이 주해(註解)한 것을 《서전(書傳)》이라 함. 20권 58편. 구칭은 상서(尙書). *벽경(壁經).

서경[5]【書檠】 명 서등(書燈).

서:경[6]【敍景】 명 자연의 경치를 글로 적음.

서:경[7]【署經】 명 〖역〗①임금이 관원(官員)을 서임(敍任)한 뒤에 그 사람의 성명·문벌(門閥)·이력(履歷)을 갖추어 써서 대간(臺諫)에게 서명(署名)으로써 그 가부(可否)를 구하던 일. 고려 때는 일품(一品)에서 구품(九品)까지 모든 관원의 임명(任命)에 대간의 서경을 거쳤으나, 조선 시대에는 오품(五品) 이하의 관원만 서경을 하였음. ②고을 원이 부임할 때 상신(相臣)·장신(將臣)·육경(六卿)·전관(銓官) 들에게 고별(告別)하는 일.

서:경[8]【曙景】 명 동틀 때의 경치.

서경-곡【西京曲】 명 〖문〗고려 가요의 하나. 서경의 민풍이 순후하고 충효(忠孝)할 줄 알므로 이 노래를 지어 어진 은혜가 널리 퍼짐을 길이 찬양함. 원가는 전하지 아니하고 《고려사》 악지(樂志)에 내력이 전함. 작자·제작 연대 미상.

서-경덕【徐敬德】 명 〖사람〗조선 시대 초기의 학자. 자는 가구(可久), 호는 복재(復齋) 또는 화담(花潭). 당성(唐城) 사람. 벼슬에 뜻을 두지 않고 도학(道學)에만 전념하였음. 저서에 《대허설원(大虛說原)》·《이기 사생 귀신론(理氣死生鬼神論)》 등이 있음. [1489-1546]

서:경-문【敍景文】 명 〖문〗자연의 경치를 서술함을 위주로 하는 글. ↔서사문(敍事文)·서정문(敍情文).

서경 별곡【西京別曲】 명 〖악〗고려 가요의 하나. 평양에서 사랑하는 이를 송별하는 여인의 애틋한 심정을 읊은 것으로, 노래의 표현과 내용이 너무 절실하여 조선 성종(成宗) 때의 구악(舊樂) 정리 때 삭제되기도 하였음. 《악장 가사(樂章歌詞)》에 실려 전해 내려옴. 작자·연대는 미상.

서:경-시【敍景詩】 명 〖문〗자연의 경치를 읊은 시(詩). ↔서사시(敍事詩)·서정시(敍情詩).

서-경우【徐景雨】 명 〖사람〗조선 인조 때의 상신(相臣). 자(字)는 시백(施伯), 호는 만사(晩沙). 달성(達城) 사람. 인조 22년(1644)에 우의정을 지냄. 인품이 원만하여 장덕 군자(長德君子)의 칭을 받았음. [1573-1645]

서경 잡기【西京雜記】 명 〖책〗중국 진대(晉代)의 갈홍(葛洪)의 저(著)라고 전하는 책. 전한(前漢)의 천자(天子)·후비(后妃) 및 저명인의 일화·궁정의 제도·풍습·비보 등에 관한 잡록(雜錄)임. 6권.

서경-지【西京誌】 명 평양지(平壤誌).

서계[1]【西界】 명 〖역〗양계(兩界)의 하나. 고려 현종(顯宗) 때에 정한 지방 행정 구역으로, 지금의 평안도 지방. ↔동계(東界). *양계.

서계[2]【西溪】 명 〖사람〗박세당(朴世堂)의 호(號).

서계[3]【書契】 명 글자로 사물을 표시하는 부호.

서계[4]【書契】 명 〖역〗조선 시대에, 우리 정부에서 일본과 왕래하던 공식 외교 문서(文書).

서계[5]【書啓】 명 〖역〗봉명관(奉命官)의 복명서(復命書).

서:계[6]【庶系】 명 서가(庶家)의 계통.

서:계[7]【誓戒】 명 〖역〗나라의 대제(大祭)를 이레 앞두고, 제관(祭官)의 임무를 맡은 관원(官員)들이 의정부(議政府)에 모여서 서약하는 경계. 곧, '술과 고기를 먹지 말고, 가무(歌舞)·조상(弔喪)·문병(問病)을 말고, 형벌·형살(刑殺)을 처판(處辦)하지 말고, 다만 각기 그 직책을 다하라. 혹 어김이 있을 때에는 나라에서 정한 형벌을 받게 된다'라는 경계를 받고 서약하는 일. ——-하다 자 여불

서:계-식【敍階式】 명 〔라 consecratio〕〖천주교〗사제(司祭)를 주교(主敎)로 승급시키는 식.

서고[1]【書庫】 명 책을 넣어 두는 곳집. 문고(文庫).

서고[2]【書賈】 명 서적상(書籍商).

서:고[3]【鼠姑】 명 〖동〗쥐며느리.

서:고[4]【暑苦】 명 더위로 말미암은 괴로움. ↔한고(寒苦).

서:고[5]【誓告】 명 〖역〗임금이 나라의 큰 일을 종묘에 고하던 일. ——-하다 타 여불

서:고[6]【誓誥】 명 웟사람이 아랫 사람에 대한 맹세의 말. ——-하다 자타 여불

서:고[7]【曙鼓】 명 새벽을 알리는 북소리.

서고 동저【西高東低】 명 〖기상〗우리 나라 부근의 대표적인 겨울형 기압 배치. 시베리아 연안(沿岸)에 고기압이 발달하고 태평양 쪽에 저기압이 있는 기압 배치. ↔동고 서저(東高西低).

서:고-문【誓告文】 명 〖역〗서고(誓告)를 하는 내용을 쓴 글.

서고트-족【西一族】〔Goths〕 명 〔Visigoths〕〖역〗게르만 민족의 한 파. 처음에는 흑해(黑海) 북쪽에 살고 있다가, 4세기 후반(後半)에 훈족(Huns族)의 압박에 못 이겨 남쪽으로 내려와 로마의 영내에 들어왔음. 이 이동이 민족 대이동의 단서(端緖)가 됨. 5세기초에 로마를 멸망시키고, 갈리아(Gallia) 남쪽에서 에스파냐(España)에 걸치는 서고트

왕국을 세움.

서:곡¹【序曲】명〖악〗①가극(歌劇)·성극(聖劇) 등의 주요(主要)한 부분을 시작하기 전에 연주하는 기악곡(器樂曲). ¶ 카르멘 ~. ②악곡 형식의 하나. 대체로 소나타 형식을 써서 단악장(單樂章)으로 맺게 된 관현악곡. 서악(序樂). 아인라이퉁. 오버처(overture). ＊전주곡(前奏曲).

서:곡²【序曲】명〔The Prelude〕〖문〗영국 시인 워즈워스(Wordsworth)의 최대 걸작의 하나인 장시(長詩). 1799-1805년에 걸쳐 쓰여진 것으로, 그 후 시구의 개정(改訂)이 있은 뒤, 1850년에 그의 부인의 손으로 출판되었음. 부제(副題) '시인의 마음의 생장'에서 알 수 있듯이, 작자의 정신적 자서전시(詩)임.

서:곡³【黍穀】명 조·수수·옥수수 따위 잡곡.

서곤 수창집【西崑酬唱集】명〖책〗〔서곤은 곤륜산(崑崙山)을 가리키며, 서왕모(西王母)의 거처(居處)로 이곳에 옛 제왕의 장서(藏書)가 있었다는 전설에 의하여, 천자(天子)의 비서(秘書)였던 사람들의 작품집이란 뜻임〕 중국 북송(北宋) 초기 1004-1008년경 한림 학사(翰林學士) 양억(楊億; 974-1020)과 전유연(錢惟演)·유균(劉筠) 등 17명이 창화(唱和)한 시 250 수 가량을 모은 책. 북송 초기의 시풍 서곤체(西崑體)를 대표하는 시집임.

서곤-체【西崑體】명 한시체(漢詩體)의 하나. 중국 당대(唐代) 말기의 시인 이상은(李商隱)과 온정균(溫庭筠)의 시풍을 본받은 한시체.

서골【鋤骨】명〖생〗척추 동물(脊椎動物)의 두개상(頭蓋床)을 형성(形成)하는 뼈.

서공¹【西貢】명〖지〗'사이공(Saigon)'의 한자 이름.

서공²【書工】명 서가(書家).

서과【西瓜】명〖식〗수박¹.

서과-청【西瓜淸】명 꿀수박.

서과 홍저【西瓜紅菹】명 수박 깍두기.

서:곽【暑霍】명〖한의〗더위로 인하여 일어나는 토사 곽란(吐瀉癨亂).

서관¹【西關】명〖지〗서도(西道). ¶ ~ 사람.

서:관²【敍官】명 임관(任官). ——-하다 자여불

서관³【書館】명 서점(書店).

서:관⁴【庶官】명 ①여러 벼슬아치. 모든 관리. 백관(百官). ②〖역〗고려 때, 팔구품(八九品)인 국자감(國子監)의 산학 박사(算學博士)·서학(書學) 박사, 상부 형부(尙部刑部)의 율학(律學) 박사와 주(州)·현(縣)의 영위(令尉)·주부(主簿)·사재(司宰) 등 관원의 일컬음. ＊영관(令官).

서광¹【西光】명〖불교〗서방 정토(西方淨土)의 부처의 빛. 서방 옥락세계의 광명.

서광²【書狂】명 서적광.

서:광³【瑞光】명 상서로운 빛. 또, 길한 일의 조짐. 상광(祥光).

서:광⁴【曙光】명 ①새벽의 날 새는 빛. 신광(晨光). ②일의 전도에 비치는 기대나 희망. ¶ 통일의 ~ /해결의 ~이 비치다.

서:광⁵【曙光】명〖책〗1919년에 발간된 종합 잡지. 오천석(吳天錫)·오상순(吳相淳)·이병도(李丙燾)·장덕수(張德秀) 등이 집필한 것으로, 당시 일어났던 신문예 운동에 기여하였음.

서-광계【徐光啓】명〖사람〗중국의 역수(曆數) 학자. 가톨릭 교도. 상해(上海) 출신. 자는 자선(子先). 1603년 나여망(羅如望)에게 세례를 받음. 선교사들과 협력하여 유럽의 역서(曆書)와 《기하학》 6 권을 번역하였음. [1562-1633]

서-광범【徐光範】명〖사람〗조선 고종 때의 정치가. 자는 서구(叙九), 호는 위산(緯山). 대구 사람. 김옥균(金玉均) 등과 갑신 정변(甲申政變)에 참가하였다가 실패, 일본에 망명하고, 갑오 경장(甲午更張) 후 법무 대신을 거쳐 주미 공사로 쫓겨나 임지에서 죽었음. [1859-97]

서교¹【西郊】명 ①서쪽 교외(郊外). ②서울의 서대문(西大門) 밖.

서교²【西敎】명 서양의 종교라는 뜻으로 '예수교'를 이르는 말. ＊동교(東敎).

서교³【書敎】명〖기독교〗성문법(成文法), 특히 모세의 율법. 족장 시대의 히브리 민족에 구전되어 오던 규율에 대하여 일컫는 말.

서:교-증【鼠咬症】[—쯩] 명〖의〗쥐에 물린 뒤, 약 20일의 잠복기를 거쳐 일어나는 일종의 스피로헤타병(spirochaeta病). 국부(局部)에 동통과 경결(硬結)이 생기며 청적색(靑赤色)이 나타나고, 국소의 림프선이 부으며, 오한 발열(惡寒發熱)이 수반함. 고양이·족제비·능대 등에게 물려도 생기는 수가 있음. 서독병(鼠毒病).

서구¹ 명〈방〉석유¹ (경상).

서구²【西歐】명〖지〗〔↗서구라파〕①구주(歐洲)와 미주(美洲)의 통칭. ¶ ~ 문명. ②구라파의 서부 제국(諸國). 서유럽. ¶ ~ 연합. ↔동구(東歐).

서구-권【西歐圈】[—꿘] 명 동구권(東歐圈)에 상대되는 말로, 구미(歐美) 등의 자본주의 여러 나라의 세력권내(勢力圈內)에 드는 지역. ↔동구권(東歐圈).

서구니 명〈방〉정강이.

서-구라파【西歐羅巴】명〖지〗서구(西歐). ↔동구라파.

서구 연합【西歐聯合】명〔Western European Union〕〖정〗1948년 영국 외상(外相) 베반(Bevan, A.)의 제창으로 브뤼셀 조약(Brussels條約) 기구 5개국, 즉 영국·프랑스·네덜란드·벨기에·룩셈부르크에 서독·이탈리아를 가입시켜, 유럽의 점진적인 통일을 촉진하면서 소련에 대항하기 위해서 결성한 집단 방위 군사 동맹 조직. 1954년의 파리 협정을 수정하여 1955년 발족함. 파리 협정 이전을 서구 연합, 이후를 신(新) 서구 연합이라고도 함. ＊브뤼셀 조약.

서구 오:국 조약【西歐五國條約】명〖정〗브뤼셀 조약(Brussels條約).

서구-주의【西歐主義】[—/—이] 명 서구파(派)의 주의·사상. ↔슬라브주의.

서구주의-자【西歐主義者】[—/—이—] 명〖사〗서구주의, 곧 서구파(西歐派)에 속했던 사람. 서구주의를 신봉하던 사람. ↔슬라브주의자.

서구-파【西歐派】명〖사〗1940년대에 있어서 슬라브주의(Slave主義)에 대립하는 러시아 사상계(思想界)의 한 유파(流派). 러시아의 역사적 발달의 독자성(獨自性)을 부정하고 서구 부르주아지의 진보성을 주장하였음.

서국¹【西國】명 ↗서양국(西洋國).

서국²【書局】명〖역〗중국 송대(宋代)에 관(官)의 장서(藏書)를 보관하던 곳. 청대(淸代)에도 학문·정치에 관한 중요 서적을 출판하고 문교(文敎)를 널리 펼 목적으로 각지에 설치하였는데, 1865년 설립의 장쑤(江蘇) 서국, 1867년의 저장(浙江) 서국, 1886년의 광야(廣雅) 서국 등이 특히 유명함. 유력한 민간인의 기부를 받아 관영(官營)되었는데, 민국 수립 후에는 경영난으로 도서관에 합병 또는 폐지되었음.

서:국-초【鼠麴草】명〖식〗떡쑥.

서궁-록【西宮錄】[—녹] 명〖책〗계축 일기(癸丑日記).

서권【書卷】명 서책(書冊).

서궐【西闕】명〖역〗서쪽에 있는 대궐이라는 뜻으로 '경희궁(慶熙宮)'을 이르는 말.

서궤¹【書几】명 책상.

서궤²【書櫃】명 ①책을 넣어 두는 궤짝. ②아는 것이 많은 사람. 특히, 사전적(辭典的) 지식(知識)이 많은 사람. ＊박학(博學).

서귀【西歸】명〖지〗서귀포(西歸浦)가 읍(邑)이었을 때의 이름.

서귀다 타 ①서로 바꾸다. ②서로 달리하다.

서귀-포【西歸浦】명〖지〗제주도 남해안 중앙에 있는 시(市). 남제주군의 군청 소재지인 항구 도시. 동쪽 해안 절벽 위의 정방 폭포(正房瀑布), 서쪽 연외천(淵外川) 협곡의 천지연 폭포(天池淵瀑布), 서북쪽의 복식 화산(複式火山) 등 많은 관광 자원을 간직한 중문 관광 단지(中文觀光團地)의 관광 개발 기점임. 기온이 온난하여 부근 도서(島嶼)에서는 반열대 식물(半熱帶植物)이 자라는데, 특히 밀감·파인애플의 산지로 유명함. 서귀(西歸). [88,292 명(1990)]

서:규【庶揆】명 서관(庶官). 서료(庶僚).

서그러-지다 자 마음이 너그럽고 서글서글하게 되다. ¶ 자네가 이렇게 속이 서그러진 줄은 몰랐네그려《趙重桓 : 菊의 香》.

서그럽다 형(ㅂ불) 성질이 너그럽고 서글서글하다.

서그프다 형〈방〉서글프다(경상).

서근새 명〈옛〉썩은 새. ¶ 집기슭 서근새(屋簷爛草)《救簡 Ⅲ:68》.

서근서근-하다 형여불 ①사과·배 같은 것을 씹을 때 연하고 시원하게 씹히는 느낌이 있다. ②성질이 부드럽고 시원하여 붙임성이 있다. ¶ 사람이 ~. >사근사근하다. 서근서근-히 부

서글다 자〈옛〉번뇌하다. ¶ 서그러 말라(休煩惱)《朴解 下 1》.

서글서글-하다 형여불 마음이 너그럽고 성질이 부드럽다. ¶ 서글서글한 성격.

서글타 자〈옛〉걱정하다. 성내다. ¶ 어긔면 서글허 嗔心을 가지ᄂᆞ니(違意則小於小諸懊嗔)《永嘉 下 74》.

서글프다 형〔중세 : 서글프다('서긇다'의 파생형용사)〕①슬프고도 허전하다. ¶ 낙엽 지는 서글픈 가을. ②섭섭하고 언짢다. ¶ 사랑하는 이를 보내는 서글픈 마음/서글픈 웃음.

서:금【瑞金】명〖지〗'루이진(瑞金)'을 우리 음으로 읽은 이름.

서:금 정부【瑞金政府】명〖역〗루이진 소비에트.

서급【書笈】명 책을 넣어 등에 지고 다니도록 만든 상자.

서-긍【徐兢】명〖사람〗중국 송(宋)나라 사람. 고려에 사신으로 다녀가서 《선화봉사 고려 도경(宣和奉使高麗圖經)》을 지어 고려의 실정을 소개하였음. 그 글 가운데 고려의 말을 소개한 것이 있는 데, 이것은 오늘날 국어 연구에 귀중한 자료가 됨.

서기¹ 명〈방〉석유(石油)(충북·경북).

서기² 명〈방〉갈기²(함북).

서기³【西紀】명 ↗서력 기원(西曆紀元). ¶ ~ 2000년.

서:기⁴【序記】명 머리말. 서문(序文).

서기⁵【書記】명 ①회의 같은 데에서 기록을 맡아 보는 사람. ¶ ~를 뽑다. ②관공서에서 상사(上司)의 지휘·명령을 받아 사무를 처리하는 8급 국가 공무원과 8급 지방 공무원. ③〖역〗대한 제국 때, 각 관아에서 서무(庶務)에 종사하던 판임관(判任官)의 하나. ④〖역〗조선 시대의, 육의전(六矣廛)의 하공원(下公員)의 하나.

서기⁶【書記】명〖책〗백제 근초고왕(近肖古王) 30년(375)에 박사(博士) 고흥(高興)이 지은 역사 책.

서-기⁷【徐起】명〖사람〗조선 선조(宣祖) 때의 학자. 자는 대가(待可), 호는 이와(頤窩) 또는 구청(龜靑)·고청(孤靑). 만년에 계룡산(鷄龍山) 고청봉(孤靑峰) 아래에서 열 여덟 해 동안 학도를 많이 길러 내었음. [1523-91]

서:기⁸【庶幾】부 거의.

서:기⁹【暑氣】명 더운 기운. ↔한기(寒氣).

서:기¹⁰【瑞氣】명 상서로운 기운. 가기(佳氣). 가기(嘉氣). 휴기(休氣). ¶ ~가 감돌다. ——-하다 자여불 서기를 내다.

서:기¹¹【署記】명 서명(署名). ——-하다 자여불

서기-관【書記官】명 ①〖법〗행정직 국가 공무원 직급 명칭의 하나. 행정 직렬(職列)에 속하며, 행정 사무관·전산 사무관·통계 사무관의 위, 부이사관의 아래로 4급 공무원임. ②〖역〗대한 제국 때 각 관아(官衙)의 주임관(奏任官)의 한 벼슬. ③〖성〗다윗왕 이후 히브리 궁정에서 중요한 사건의 기록, 왕에의 조언(助言) 등을 담당하던 고관(高官).

서기-국【書記局】명 좌익 정당(政黨) 등의 일상(日常) 사무를 맡아 보는 기관. 서기장(書記長) 및 서기(書記) 약간 명으로 구성됨.

서기-랑【書記郞】명〖역〗대한 제국 때, 각 관아의 판임관(判任官)의 한 벼슬.

서:-기-발【序記跋】명 서문(序文)과 본문(本文)과 발문(跋文).

서기-백【西箕伯】명〖역〗기백(箕伯).

서기-보【書記補】명 국가 및 지방 공무원의 최하위직(最下位職) 공무원. 9급 공무원임.

서기-소【書記素】명〔grapheme〕〖언〗알파벳과 같은 일정한 수의 서기 호(書記記號)를 말함. ¶ ~론.

서:기 양두각【鼠忌羊頭角】명〖민〗원진살(元嗔煞)의 하나. 궁합(宮合)에서 쥐띠는 양띠를 꺼린다는 말.
서기-장【書記長】명 ①서기의 우두머리. ②〔general secretary〕좌익 정당(政黨) 같은 데에서 중앙 집행 위원회(中央執行委員會)에 속한 서기국(書記局)을 통솔하는 직명(職名). ③〖성〗성전(聖殿)의 헌납금의 기록을 감시하고 중요한 공무를 맡아 보는 고관.
서기-정【西畿停】명〖역〗두량미지정(豆良彌知停).
서:기지-망【庶幾之望】명 거의 될 듯한 희망.
서:기체 표기【誓記體表記】명 1934년에 경주시(慶州市) 현곡면(見谷面) 금장리(金丈里) 석장사지(石丈寺址) 뒤 언덕에서 발견된 '임신 서기석(壬申誓記石)' 문체의 일컬음. *임신 서기석.
서김¹ 명 '석임'의 잘못.
서김² 명〈옛〉석임. 삭임. ¶서김 교(酵)《字會 中 21》/서김(酒酵)《四聲 下 23》.
서까래 명〖건〗도리에서 처마 끝까지 건너지른 나무. 그 위에 산자(橵子)를 얹게 됨. 연목(椽木). 옥연(屋椽). ㉥서.
서까랫-감 명 서까래로 쓸 수 있는 재료.
서까리 명〈방〉서까래(경북).
서깔 명〈방〉혀¹❶(황해).
서껀 조 명사 아래에 붙어서 무엇이 여럿 중에 섞여 있음을 나타내는 보조사. ¶김군·최군~ 모두 와 있습니다/떡~ 모두 먹어 치우다.
서끌 명〈방〉서까래(전라).
서끌다 형〈방〉성기다.
서끝 명〈방〉혀¹❶(황해).
서나 명〈방〉사내. 남편(평북).
서-나무 명〖식〗[*Carpinus laxiflora*] 자작나뭇과에 속하는 낙엽 활엽 교목. 줄기는 높이 15m 가량이고, 수피(樹皮)는 암회백색에 반들반들하며, 잎은 호생하고 달걀꼴 또는 긴 타원형에 엽맥(葉脈)이 뚜렷하고, 가에 톱니가 있음. 자웅 일가(雌雄一家)로 5월에 잎보다 먼저 꽃이 피는데, 암꽃이삭은 위 쪽에, 수꽃이삭은 아래 쪽에 늘어지며, 과수(果穗)는 길이 5-8cm의 좁은 원뿔꼴로 10월에 견과(堅果)가 익음. 산지에 나며, 한국의 중부 이남 및 일본·중국에 분포함. 표고 버섯의 원목(原木)·건축재·가구재(家具材)·인목(印木)·신탄재로 쓰며, 조림수(造林樹)로 심음.

〈서나무〉

서나벌【徐那伐】명〖역〗서라벌.
서나이 명〈방〉사내(평남).
서나지 명〈방〉사내아이(함경).
서-낙동강교【西洛東江橋】명 부산 광역시 강서구(江西區) 강동동(江東洞)과 가락동(駕洛洞)을 연결하는 다리. 1981년 준공됨. 길이 426m.
서낙-하다 형여불 장난이 너무 심하다. ¶돌 지난 지 두어 달밖에 안 되는 것이 어떻게 서낙한지 몰라요《洪命憙 : 林巨正》. ㉥선하다. **서낙-히** 부
서날미 명〈방〉사내(평안).
서남¹【西南】명 ①서쪽과 남쪽. ②↗서남간. 1)·2)↔동북(東北).
서:남²【庶男】명 첩의 몸에서 난 아들.
서남-간【西南間】명 서쪽과 남쪽의 사이.
서남 독일 학파【西南獨逸學派】명〔도 die süd-west-deutsche Schule〕〖철〗신칸트 학파 중에서 빈델반트(Windelband, W.)·리케르트(Rickert, Heinrich) 등을 대표로 하며, 문화 과학의 가치론을 중심 과제(中心課題)로 하는 한 파. 바덴 학파(Baden學派). 서남 학파(西南學派).
서남-방【西南方】명 남서쪽.
서남 방언【西南方言】명 대부분의 전라 남북도 지역 및 충청 남도의 일부 지역에서 사용되는 방언. 전라도 방언. 호남 방언.
서-남서【西南西】명 서쪽과 남서쪽의 중간되는 방위. ↔동북동(東北東).
서남 아시아【西南一】〔Asia〕명〖지〗이란·아프가니스탄이 있는 이란 지방, 이라크·시리아·레바논·이스라엘·요르단·사우디아라비아가 있는 아라비아 지방과 터키의 소아시아 반도를 일컫는 말.
서남 아프리카【西南一】명〔Southwest Africa〕〖지〗'나미비아(Namibia)'의 구칭.
서남-쪽【西南一】명 남서쪽.
서남 태평양【西南太平洋】명 서태평양 남부의 수역 및 그 지역.
서남-파【西南派】명〖정〗시난파(西南派).
서남-풍【西南風】명 남서풍. 곤신풍(坤申風).
서남 학파【西南學派】명〖철〗서남 독일 학파(西南獨逸學派).
서남-향【西南向】명 남서향(南西向).
서낭 명〖민〗①〔←성황(城隍)〕서낭신이 붙어 있다는 나무. ②↗서낭신. *식물 숭배.
【서낭에 가 절만 한다】영문도 모르고 덩달아 남의 흉내만 낸다.
서낭에 나다 구 ㉠어떠한 물건의 진퇴로 재앙이 생기다. ㉡어떤 물건의 값이 어처구니없이 쌀 때 이르는 말.

〈서낭〉

서낭-단【一壇】명〖민〗〔←성황단(城隍壇)〕서낭신(神)에게 제사지내는 단.
서낭-당【一堂】명〖민〗〔←성황당(城隍堂)〕서낭신을 모신 당. 국사당(國師堂).
서낭당 갈다 구 번듯하고 훤한 곳을 이르는 말.
서낭대-싸움 명〖민〗경상 남도 영산(靈山)에 전승되는 민속 놀이. 쇠머리대기 싸움에 앞서, 마을이 동서 두 패로 갈라져 수십 개의 서낭기를 들고 서로 기를 후려치며 싸움. 성한 기가 많은 쪽이 이김.
서낭-상【一床】[一쌍] 명〖민〗〔←성황상(城隍床)〕무당이 굿을 할 때에 쓰는 제물상(祭物床)의 하나.
서낭-신【一神】명〖민〗〔←성황신(城隍神)〕한 부락의 수호신(守護神)으로 받드는 신. ㉥서낭.
서:낭자 명〈방〉선왕재(善往齋).
서낭-제【一祭】명〔←성황제(城隍祭)〕서낭에 지내는 제사.
서내-산【西乃山】명〖지〗'시나이 산(Sinai山)'의 한자 표기.
서너 관 셋이나 넷쯤 됨을 나타내는 말. 삼사(三四). ¶~ 되/~ 명/~ 차례.
서너-너덧 명 셋이나 넷 또는 넷이나 다섯. ¶~ 번 갔었다/~ 명이 서 있다.
서널미 명〈방〉사내(평안).
서-넙도【西一島】명〖지〗서잉도(西芿島).
서넛 명 셋이나 넷. 삼사(三四). ¶사람 ~이 앉아 있다.
서:녀【庶女】명 첩의 몸에서 난 딸.
서녕【西寧】명〖지〗'시닝(西寧)'을 우리 음으로 읽은 이름.
서-녘【西一】명 서쪽 방면. 서방(西方). ¶~에 해가 지다. ↔동녘.
서느러- 간 '서느렇다'의 불규칙 어간. ¶~ㄴ/~면.
서느럽다 형〈옛〉서늘하다. 서느렇다. ¶그늘 서느러운 듸 미여두고(絟在陰涼處)《朴解 上 21》.
서느럽다 형〈옛〉서늘하다. 서느렇다. ¶부텻 그르메 서느러버《月釋 Ⅶ:36》.
서느렇다 [一러타] 형ㅎ불 ①물체의 온도나 기후(氣候)가 찬 정도에 가깝도록 서늘하다. ¶서느런 공기. ②갑자기 몹시 놀란 때, 마음 속에 찬 기운이 도는 것 같은 기분이 들다. 1)·2):ㅆ써느렇다. >사느랗다.
서늘-바람 명 첫가을에 부는 서늘한 바람.
서늘-하다 형여불〔중세 : 서늘ᄒᆞ다〕①조금 추운 느낌이 있다. 양(涼)하다. ¶초가을의 서늘하게 부는 바람. ②갑자기 놀란 때 마음 속에 좀 찬 기운이 도는 듯한 기분이 들다.¶간담이 서늘해지다. 1)·2):ㅆ써늘하다. >사늘하다. **서늘-히** 부
서늘ᄒᆞ다 형〈옛〉서늘하다. =서ᄂᆞᆯᄒᆞ다. ¶蕭蕭ᄂᆞᆫ 서늘ᄒᆞᆫ 양ᄌᆡ라《南明 上 67》.
서ᄂᆞ럽다 형〈옛〉서느렇다. 서늘하다. ¶細雨淸江이 서ᄂᆞ럽다 밤긔운이야《古時調 鄭澈》.
서ᄂᆞᆯᄒᆞ다 형〈옛〉서늘하다. =서늘ᄒᆞ다. ¶하ᄂᆞᆯ히 서ᄂᆞᆯᄒᆞ고 새 ᄒᆞ마 잘 ᄃᆡ 가고(天寒鳥已歸)《杜諺 Ⅸ:14》.
서:다¹【誓多·逝多】명〖불교〗기타 태자(祇陀太子).
서다² 자〔중세 : 셔다〕①발바닥을 땅에 대고 몸을 곧게 하다. ¶일렬로 ~. ②초목이 똑바로 자라 있다. 기둥 같은 것이 땅에 수직으로 박혀 있다. ¶전봇대가 서 있는 거리. ③높은 것이 솟아 있다. ¶우뚝 서 있는 백두산. ④앉았거나 누웠다가 다리를 뻗어 똑바로 되다. 일어서다. ¶일어서거라. ⑤계속하던 동작을 멈추다. ¶시계가 ~/기차가 ~. ⑥위쪽으로 뻗어 있다.¶개의 귀가 ~/서릿발이 ~. ⑦건조물(建造物)이 만들어지다. ¶건물이 ~. ⑧끝이 날카롭게 되다. ¶날이 시퍼렇게 선 칼. ⑨불룩하게 튀어 나와 있다. ¶핏발이 ~. ⑩지위(地位)를 점하다. ¶우위(優位)에 ~. ⑪지위에 오르다. ¶사단장의 자리에 ~. ⑫보초(步哨) 같은 근무를 맡다. ¶불침번을 ~/보초 ~. ⑬무지개가 나타나다. ¶동녘에 무지개가 ~. ⑭장이 열리다. 성립하다.¶장이 ~. ⑮뱃 속에서 아이가 생기기 시작하다. 임신하다. ¶아이 ~. ⑯나라가 새로 독립하거나 새로운 정부나 기관 따위가 성립되다.¶나라가 ~/임시 정부가 ~. ⑰흥정에 의하여 값이 매겨지다. ¶금이 ~. ⑱명령이나 규칙대로 잘 시행되다. ¶규율이 ~. ⑲손상(損傷)되지 않고 떳떳하게 되다. ¶위신이 ~/면목이 ~. ⑳이치에 맞게 되다. ¶이유가 서지 않는 말/말발이 ~. ㉑확실한 것이 되다. 뚜렷한 모습을 취하다. ¶계획이 ~/결심이 ~/대책이 ~. ㉒빳빳하다. ¶와이셔츠의 깃이 ~.㉓남의 일에 책임을 지다.¶보증을 ~. ㉔어떤 위치나 입장에 있거나 놓이다. ¶기로에 ~/미국 편에 ~.
【설 사돈 있고 누울 사돈 있다】'사돈도 이런 사돈 저런 사돈 있다'와 같은 뜻. 【설 제 궂긴 아이가 날 제도 궂긴다】처음이 불순(不順)하면 종말에 가서도 불순하다는 뜻.
서다³ 타〈방〉켜다(경상).
서다리 명〈방〉사다리(경상).
서:다-림【逝多林】명〖불교〗수달 장자(須達長子)가 석가에게 바쳤다고 하는 기원 정사(祇園精舍)의 소재지. 본디 서다 태자(逝多太子)의 소요지였음.
서단¹【西端】명 서쪽 끝. ↔동단(東端).
서단²【西壇】명〖역〗↗서방 토룡단(西方土龍壇).
서단³【緖端】명 단서(端緖). 실마리.
서담¹【西潭】명〖사람〗이달(李達)의 호(號).
서:담²【鼠膽】명 ①쥐의 쓸개. ②약한 담력(膽力).
서답 명〈방〉①개짐(충청). ②빨래❶❷(평안·함경·경상·제주).
서답-갠 명〈방〉빨래터(함경).
서답-나덜 명〈방〉빨래터(함경).
서답 바드랭이 명〈방〉바지랑대(제주).
서답-질 명〈방〉다듬이질(전남).
서당¹【書堂】명 글방. 당(堂). ¶~식 교육.
【서당 개 삼 년에 풍월 짓는다】아무리 무식한 사람이라도 유식한 사람과 오랫 동안 같이 있으면 다소 견문이 트인다는 말. 당구 삼년(堂狗三年)에 폐풍월(吠風月). 【서당 아이들은 초달(楚撻)에 매여 산다】범이 엄해야 비로소 질서가 잡힌다는 말.
서:당²【誓幢】명〖역〗신라 때의 군대 조직의 단위. 진평왕(眞平王) 5년(583)에 베풀어서, 동 35년(613)에 녹금 서당(綠衿誓幢)으로 고친 후, 역대를 통하여 증설되어 구서당(九誓幢)으로 발전함. *구서당(九誓幢).
서당-계【書堂契】명〖역〗서당의 설립과 운영을 위하여 만든 계조직.

서대[1] [명] ①소의 앞 다리에 붙은 고기. 곰 거리로 씀. ②〖어〗↗서대기.

서:대[2]【犀帶】[명]〖역〗정일품·종일품의 벼슬아치가 두르는 띠. 서각(犀角)으로 장식하였음. 서띠. *품대(品帶).

서대구 공업 단지【西大邱工業團地】[명]〖지〗대구 광역시 서구(西區)에 위치하는 도시형 내륙 공업 단지. 1979년에 조성되었음. 통칭 이현 공단(梨峴公團).

서대-굴【西臺窟】[명]〖지〗강원도 강릉시(江陵市) 옥계면(玉溪面) 산계리(山溪里)에 있는 석회 동굴. 복합형의 수직 동굴로 다층(多層) 구조를 이루고 있음. 길이 1,600 m.

서대기 [명]〖어〗양서댓과에 속하는 바닷물고기의 총칭. 몸이 혀 또는 나뭇잎처럼 납작하고 왼쪽에 두 눈이 달렸음. 바다 밑의 땅 속에 잠복하여 삶. 각시서대·개서대·참서대 등이 있음. 혜저어(鞋底魚). 우설어(牛舌魚). [준]서대.

서-대륙【西大陸】[명]서반구(西半球)의 대륙. 곧, 남미(南美)와 북미(北美). 미주(美洲). ↔동대륙(東大陸).

서-대문【西大門】[명]서울 '돈의문(敦義門)'의 통칭.

서대문-구【西大門區】[명]〖지〗서울 특별시의 한 구. 북은 은평구(恩平區)와 종로구(鍾路區), 동은 종로구, 서는 은평구, 남은 마포구에 인접함. 관내 22동(洞). 독립문(獨立門)·연세 대학(延世大學)·이화 여대(梨花女大) 등이 있음. [17.6 km²: 367,061명(1996)]

서더기 [명]〈방〉서대기.

서덜 [명] ①냇가나 강가의 돌이 많은 곳. ②생선의 살을 발라 내고 난 나머지의 뼈·대가리·껍질의 총칭. ③〖어〗〈방〉서대기.

서덜랜드〔Sutherland, Graham〕[명]〖사람〗영국의 화가. 런던 태생. 쉬르리얼리즘의 영향을 받아, 그림 물감·과수(gouache)로 특이한 풍경화를 그림. 처칠(Churchill)과 몸(Maugham)의 초상화로도 유명함. [1903-80]

서덜-취 [명]〖식〗[*Saussurea grandifolia*] 국화과에 속하는 다년초. 줄기 높이 30-50cm이고, 하부(下部)의 잎은 달걀꼴, 중간 부분의 잎은 넓은마름모형의 달걀꼴, 맨 위의 잎은 피침형을 이룸. 6-10월에 자색의 두화(頭花)가 방상 화수(房狀花穗)로 핌. 산지에 나는데, 한국 각지에 분포함. 어린 잎은 식용함.

서-도[1]【西島】[명]〖지〗전라 남도의 남해상(南海上), 여수시(麗水市) 삼산면(三山面)에 위치한 섬. 여수시에서 112.2km 남쪽, 거문도(巨文島)의 서쪽에 인접함. [7.77 km²]

서도[2]【西都】[명] ①중국 주(周)시대의 호경(鎬京). 서경(西京). ②중국 한(漢)나라의 장안(長安).

서도[3]【西道】[명] ①〖지〗황해도와 평안 남북도 지방의 총칭. 서관(西關). 서로(西路). 서토(西土). ¶ ~ 사람. ②〖대종교〗천산(天山)을 중심으로 하여 그 서쪽 지방을 일컫는 말.

서도[4]【書刀】[명] ①옛날 중국에서 대나무 패에 글씨를 새기거나 새긴 패를 다시 깎아 내는 데 쓰던 칼. ②종이를 자르는 작은 칼. 페이퍼 나이프(paper knife).

서도[5]【書道】[명]글씨를 쓰는 방법을 배우는 일. 붓으로 글씨를 맵시 있게 쓰는 기술. 동양 예술의 하나로서, 중국 위(魏)·진(晉) 때 왕희지(王羲之)·왕헌지(王獻之) 부자에 의하여 발달함. 필도(筆道). *습자(習字)·서예(書藝).

서도[6]【書圖】[명]글씨와 그림.

서:-도[7]【鼠島】[명]〖지〗전라 남도의 서해안(西海岸), 영광군(靈光郡) 염산면(塩山面)에 위치한 섬. [0.0094 km²]

서도-가【書道家】[명] ①붓글씨를 직업으로 쓰는 예술가. ②붓글씨에 능란한 사람.

서도 민요【西道民謠】[명]〖악〗평안도와 황해도 지방에서 불리어지는 민요. 평안도의 수심가(愁心歌)·배따라기, 황해도의 산염불(山念佛)·난봉가·몽금포 타령 따위가 있음.

서도-소리【西道—】[명]〖악〗평안도와 황해도를 중심으로 민간에서 주로 불린 노래. 민요와 시창(詩唱)·잡가(雜歌)를 모두 포함함.

서도 입창【西道立唱】[명]〖악〗서도 잡가 가운데 선소리. 놀량·앞산타령(山打令)·뒷산타령·경발림의 차례로 부름. *서도 좌창(坐唱).

서도 잡가【西道雜歌】[명]〖악〗잡가 가운데, 서도의 소릿조(調)로 된 긴 노래. 탄식하는 듯한 느낌을 지님. 노래하는 방식에 따라, 서도 입창(立唱)과 서도 좌창(坐唱)으로 구분됨.

서도 좌:창【西道坐唱】[명]서도 잡가 가운데 앉은소리. 공명가(孔明歌)·사설(辭說) 공명가·초한가(楚漢歌)·제준(祭尊)·배따라기·영변가(寧邊歌)·적벽부(赤壁賦)·관동 팔경(關東八景) 등이 있음.

서독[1]【西獨】[명]〖지〗'독일 연방 공화국'의 속칭. 곧, 2차 대전 직후 미국·영국·프랑스의 3개국이 주둔한 지역이었으나, 1990년 동독을 흡수 통일하였음. 서부 독일. ↔동독.

서독[2]【西瀆】[명]〖역〗사독(四瀆)의 하나. 대동강(大同江)을 이름.

서독[3]【書牘】[명]편지.

서:독[4]【暑毒】[명]더위의 독기(毒氣).

서독-문【書牘文】[명]서한문(書翰文).

서:독-증【鼠毒症】[명]〖의〗서교증(鼠咬症).

서독-체【書牘體】[명]서한체(書翰體).

서독 평화 계:약【西獨平和契約】[명]〖정〗서독을 유럽 방위 공동체(防衛共同體)에 편입시키기 위하여, 점령 상태를 끝내고 대내·대외 관계에 있어서의 권능(權能)을 인정한 미국·영국·프랑스 3국과 서독간에 1955년에 체결한 조약.

서돌 [명]〖건〗집 짓는 데 쓰는 중요한 재목인 서까래·도리·보·기둥 등의 통칭.

서-돌궐【西突厥】[명]〖역〗6세기 중엽에 서쪽으로 이동한 돌궐이, 에프털라이트(Ephthalite)를 멸망시키고 신장(新疆) 지방을 중심으로 하여 583년 동부에서 독립하여 세운 나라. 7세기말에 쇠퇴(衰頹)함. *돌궐.

서동[1]【書童】[명]글방에서 글을 배우는 아이. 학동(學童).

서동[2]【薯童】[명]백제 30대 무왕(武王)의 어릴 때 이름. 서동요(薯童謠)를 지었다 함.

서-동문【書同文】[명]↗거동궤 서동문(車同軌書同文).

서:동 부언【胥動浮言】[명]거짓말을 퍼뜨려 인심을 선동함. ——-하다 [자][여불]

서동 시편【西東詩篇】[명]〔도 Westöstlicher Divan〕〖책〗괴테의 시집. 1819년작. 사랑·술·인생의 예지(叡智)를 노래한 것으로, 13개의 서(書)로 이루어짐. 페르시아의 시인 하피즈(Hāfiz)의 시에서 받은 깊은 감명과, 라인을 여행하던 때의 젊은 유부녀와의 사랑의 체험이, 그 배경이 되어 있음. 그 중에서도 《줄라이카(Suleika)의 서》는 특히 유명함.

서동-요【薯童謠】[명]〖문〗향가의 하나. 백제 무왕(武王)이 일찍이 신라 진평왕(眞平王)의 셋째 딸 선화 공주(善花公主)를 사모한 끝에, 신라의 서울인 경주(慶州)로 들어가 기계(奇計)로써 이 노래를 지어 거리의 아이들에게 부르게 하였다 함. 사구체(四句體)의 노래로, 《삼국 유사(三國遺史)》에 전함.

서:동지-전【鼠同知傳】[명]〖책〗조선 시대 때의 작품으로《쥐전》·《서옥설(鼠獄說)》·《서옹전(鼠翁傳)》·《서대주전(鼠大州傳)》 등과 모두 유사한 내용을 지닌 작자·연대 미상의 소설. 서류(鼠類)의 세계를 의인화(擬人化)한 우화(寓話) 소설로, 쥐의 신세를 많이 진 다람쥐가 구걸하려 갔다가 거절당한 분풀이로 쥐를 관가에 무고(誣告)하나, 오히려 쥐의 결백이 밝혀지고 다람쥐가 처형된다는 이야기. 배은 망덕하는 인간성을 풍자한 작품임.

서:두[1]【序頭】[명]어떤 차례의 첫머리.

서두[2]【書頭】[명] ①본론(本論)에 들어가기 전의 첫머리. ②책의 윗난의 빈 자리. ③초벌 매어 놓은 책 등의 가장자리. ——-하다 [타][여불] 초벌 맨 책의 가장자리를 도련(刀鍊)하다.

서두르다 [타][르불]일을 빨리 하려고 급히 굴다. ¶ 조급하게 ~. [준]서둘다.

서두-수【西頭水】[명]〖지〗함경 북도 무산군(茂山郡) 삼사면(三社面)에서 두만강(豆滿江)으로 흐르는 내. [164.1 km]

서:두-어【鼠頭魚】[명]〖어〗보리멸.

서둘다 [타] ↗서두르다.

서:드〔third〕[명] ①'셋째'의 뜻. ②↗서드 베이스. ③↗서드 베이스맨. ④자동차의 전진(前進) 제3단 기어. *로[5]·세컨드·톱·백.

서드래 [명]〈방〉사닥다리(경남).

서드리 [명]〈방〉너덜겅.

서드베리〔Sudbury〕[명]〖지〗캐나다 온타리오 주(Ontario州) 남부의 세계적인 광산 도시. 세계 총생산의 과반을 차지하는 니켈광(鑛) 외에 은·백금·구리·금·코발트 등을 생산하며, 펄프·제재업도 성함. [92,884명(1991 추계)]

서:드 베이스〔third base〕[명]야구에서, 삼루(三壘). [준]서드(third).

서:드 베이스맨〔third baseman〕[명]야구에서, 삼루수. [준]서드.

서등【書燈】[명]글 읽을 때 켜 놓는 등불. 서경(書檠).

서ᄃᆞ리 [명]〈옛〉층계(層階). 사닥다리. ¶ 서ᄃᆞ리(層堦)《同文 上 34》/돌서ᄃᆞ리(階級)《漢請 Ⅸ:28》.

서:-띠【犀—】[명]〖역〗서대(犀帶).

서라마 제:국【西羅馬帝國】[명]〖역〗'서로마 제국(西Roma帝國)'의 한자 말.

서라-말 [명]흰 빛에 거뭇한 점이 섞인 말. 은갈마(銀褐馬). 취음(取音): 雪羅馬.

서라벌【徐羅伐】[명]〖역〗①'신라(新羅)'의 옛 이름. 서야벌(徐耶伐). 서나벌(徐那伐). 서벌(徐伐). ②'경주(慶州)'의 옛 이름.

서란[1] [명]〈방〉〖조개〗소라.

서란[2] [명]〈방〉소란(小欄).

서랍 [명]〔근대: 설합〕책상·문갑·장롱·경대 등에 붙어 끼웠다 빼었다 하게 만들어서 여러 가지 물건을 담게 된 상자 비슷한 제구. 혈합(穴盒).

서:랑[1]【壻郎】[명]남의 사위를 높여 일컫는 말. 영서(令壻).

서:랑[2]【鼠狼】[명]〖동〗족제비.

서래【西來】[명] ①서쪽에서 옴. ②서쪽의 나라에서 건너옴. ¶ ~의 물건. ——-하다 [자][여불]

서량[1]【西涼】[명]〖역〗오호 십육국(五胡十六國)의 하나. 서진(西晉)의 말기에 한인(漢人) 이고(李暠)가 둔황(敦煌)에 도읍하여 지금의 간쑤 성(甘肅省) 북부에 세운 나라. 이대(二代)로써 북량(北涼)에게 망함. [400-421]

서:량[2]【恕諒】[명]사정을 살피어 용서함. ——-하다 [타][여불]

서량-기【西涼伎】[명]〖악〗티베트 북쪽에 있던 서량 지방의 무악(舞樂). 중국의 수·당나라 때 제정된 무악인 구부기(九部伎)와 십부기(十部伎)에 속함. 국기(國伎).

서러-브레드〔thoroughbred〕[명]〖동〗영국산 경마의 우량종(優良種). 영국 재래종(在來種)의 말에 아라비아계의 말을 교배하여 종자를 향상·고정시킨 마종(馬種). 체질·체형(體形)이 우수하고 기품(氣品)이 있음.

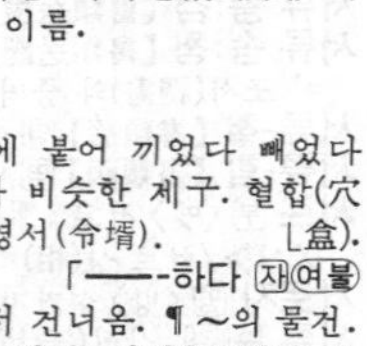
〈서러브레드〉

서:러움 [명]설움.

서:러워-하다 [자][타][여불]〔←설워하다〕서럽게 여기다. ¶ 정든 임과의 이별을 못내 ~.

서런 [수]〈방〉서른(경상).

서:럽다 [형][ㅂ불]〔←섧다〕원통하고 슬프다. ¶ ~ 말을 할까 하니 서러워.

서럿다 [자]〈옛〉설거지하다. =서렃다. ¶ 우리 잘ᄃᆡ롤 서럿쟈(我整理睡處)《老乞 上 22》.

서렃다 [자]〈옛〉설거지하다. =서럿다. ¶ 사발 뎝시 서러즈라(收拾碗楪着)《老乞 上 38》.

서력[1]【西曆】[명]서양의 책력. 예수가 탄생한 해를 기원(紀元)으로 함(사실은 예수의 탄생은 기원 전 4년인 것을 잘못 계산한 것이라 함). ¶ ~ 연대.

서:력[2]【紓力】[명]돈이 없어 곤란하게 된 형편을 면하여 힘을 폄. ——-하다 [자][여불]

서력 기원【西曆紀元】[명]서력(西曆)의 기원(紀元). 단군 기원보다 2333년이 늦음. 그리스도 기원. 에이 디(A.D.). [준]서기(西紀).

서련-호【西蓮湖】[명]〖지〗함경 북도 경성군(鏡城郡) 어랑면(漁郎面)에

있는 못. 주위 1.3km. *동련호(東蓮湖).
서령 뷔 ☞설령(設令).
서령-사【書令史】명〖역〗고려 때 중서 문하성(中書門下省)·상서 육부(尙書六部)·어사대(御史臺)·한림원(翰林院) 밖에 여러 관청 안에 두었던 이속(吏屬). 영사(令史)의 아래. 문부(文簿)를 맡아 봄.
서례【書例】명 서식(書式).
서로[1]【西路】명 ①서쪽으로 가는 길. ②〖지〗서도(西道)❶.
서:로[2]【庶老】명 서민(庶民) 가운데 나이가 70 이상 된 노인.
서로[3] ㊀뷔〔중세 : 서르〕함께. 다 같이. ¶～ 제가 잘났다 한다/～ 도우며 살자. ㊁명 쌍방. ¶～의 이익/～가 힘을 합하여.
서로 군정서【西路軍政署】명〖역〗1919년, 만주 쑹장 성(松江省) 안투 현(安圖縣)에서 조직된 무장 독립 운동 단체. 독판(督辦)에 이상룡(李相龍). 밀림 지대에서 농민에게 군사 기술을 가르침. 「어.
서로나눗셈-법【一法】[一뻡] 명〖수〗'호제법(互除法)'의 풀어 쓴 용
서:로마 제:국【西一帝國】〔Roma〕명〖역〗①로마 제국이 2분된 중의 서쪽의 제국. 395년 테오도시우스 대제(Theodosius大帝)의 사후, 차자(次子) 호노리우스(Honorius)가 이탈리아 반도를 중심으로 통치하였는데, 제권(帝權)의 쇠미(衰微), 게르만 민족의 끊임없는 침략, 농민의 노예화 등이 특색이었음. 수도는 로마. 476년에 게르만인에 의해 멸망하였음. ↔동(東)로마 제국. ②800년에 게르만의 일족 프랑크족(Frank族)의 왕인 샤를(Charles)이 세운 나라. 오래 못 갔으나, 그 전통은 신성(神聖) 로마 제국에 계승(繼承)됨. 서라마 제국(西羅馬帝國).
서로바뀜 현:상【一現象】명〖화〗호변(互變).
서로-서로 뷔 많은 사람들의 하나하나가 함께. ¶～ 돕자.
서로 전:신선【西路電信線】명 조선 고종(高宗) 22년(1885)에 우리 나라 최초로 가설이 완공된 제물포(濟物浦)—한성(漢城)—의주(義州) 간의 전신선.
서로-치기 명 꼭 같은 일을 서로 바꾸어 하여 주기. ——-하다 타여불
서록[1]【書錄】명 기록(記錄). ——-하다 타여불
서록[2]【書簏】명 ①책상자. ②책을 읽은 기억은 하나, 그 근본 뜻을 모르는 사람을 비유하는 말. 서주(書廚). 「론(緖論)·본론(本論).
서:론[1]【序論】명 머리말로서의 논설. 곧, 서문(序文)으로 쓴 논설. *서
서론[2]【書論】명 ①서적에 쓰인 의론. ②서법(書法)에 대한 의론.
서:론[3]【緖論】명 본론(本論)의 실마리가 되는 논설. 논제(論題) 및 본론의 의의(意義)·동기(動機)·발전 등을 간략히 논함. *본론·결론(結論).
서:료【庶僚】명 모든 일반 관리(官吏).
서루[1]【書樓】명 층집으로 된 서재(書齋). 독서루(讀書樓).
서:루[2]【鼠瘻】명〖한의〗나력(瘰癧).
서루[3] 뷔〈옛·방〉서로. ¶흔갓 서루 브르놋다(空相呼)《重杜諺Ⅱ:46》.
서룬 쉬〈방〉서른(전남).
서:룹다 형〈방〉서럽다(전남·경남).
서류[1]【西流】명 강물이 서쪽으로 흐름. ——-하다 자여불
서류[2]【書類】명 어떤 내용을 적은 문서. 특히, 사무에 관한 문서. 서면(書面). ¶～를 정리하다.
서:류[3]【庶流】명 ①서자의 계통. ②본가에서 나뉘어져 나온 집안 분가
서:류[4]【庶類】명 여러 가지 흔한 종류. ㄴ(分家). 1)·2):↔적류(嫡流).
서류-꽂이【書類一】명 레터 파일(letter file).
서류 송:검【書類送檢】명〖법〗서류 송청(書類送廳).
서류 송:청【書類送廳】명〖법〗사법 경찰관이 형사 사건의 피의자는 없이 조서(調書)와 증거 물품만을 검사에게 넘기는 일. 서류 송검(送檢).
서류-철【書類綴】명 여러 가지 서류를 한데 모아 철(綴)하는 것. 또, 그
서류-함【書類函】명 서류를 넣어 두는 함. ㄴ렇게 맨 책.
서르 뷔〈옛〉서로. ¶봄비체 서르 보디 몯ᄒᆞ리로다(春光不相見)《杜諺Ⅹ:1》/서르 샹(相)《字會 中 1》/서르 호(互)《類合 下 44》.
서르지 명〈방〉설거지. ——-하다 자
서른 쉬관 삼십(三十).
【서른 과부는 넘겨도 마흔 과부는 못 넘긴다】삼십대의 과부는 혼자 살아도 사십대의 과부는 혼자 못 산다는 말.
서름겄이 명〈방〉설거지. ——-하다 자
서름서름-하다 형여불 매우 서름하다. ¶처음 오니까 모든 것이 ～/주식과 뇌물이 들면 서름서름한 사이라두 친하게 만들거든요《洪命熹 :
서름-질 명〈방〉설거지. ——-하다 자 ㄴ林巨正》.
서름-하다 형여불 ①남과 가깝지 못하다. ¶서름한 사이. ②사물에 익
서:릅다 형〈방〉서럽다(전남·경남). ㄴ숙하지 못하다.
서-릉[1]【西陵】명〖역〗①중국 삼국 시대(三國時代)의 위(魏)나라 무제(武帝)의 능. 위나라의 도읍 업(鄴), 곧 지금의 허베이 성(河北省) 남쪽 린장 현(臨漳縣)의 서쪽 구릉(丘陵)에 있었음. ②중국 청나라 세종(世宗)의 태릉(泰陵), 인종(仁宗)의 창릉(昌陵), 선종(宣宗)의 모릉(慕陵), 덕종(德宗)의 숭릉(崇陵)의 총칭. 허베이 성(河北省) 역 현(易縣)의 융닝 산(永寧山)에 있으며, 쭌화(遵化)의 동릉(東陵)에 대하여 일컬음.
서-릉[2]【徐陵】명〖사람〗중국 남북조(南北朝) 시대의 문인. 자(字)는 효목(孝穆). 양(梁)·진(陳)나라에서 활약하였음. 유신(庾信)과 더불어 서유체(徐庾體)라고 불리는 궁체(宮體)의 시(詩)를 일으켰으며, 양태자(梁太子) 소강(蕭綱)의 명(命)으로 《옥대 신영(玉臺新詠)》을 엮었음. 저서에 《서효목집(徐孝穆集)》이 있음. [507-583]
서릉-씨【西陵氏】명〖민〗선잠(先蠶).
서릉-협【西陵峽】명〖지〗'시링샤'를 우리 음으로 읽은 이름.
서룻다 타 ①좋지 못한 것을 쓸어 치우다. ②〈방〉설겆다.
서룻-이 명〈방〉설거지. ——-하다 자
서리[1] 명〔중세 : 서리〕①맑고 바람 없는 밤에 기온이 어는점 아래로 내릴 때, 공기 중의 수증기가 지표에 접촉해서 얼어 붙은 흰 가루 모양의 얼음. ②타격 또는 피해의 비유.
서리(를) 맞다[1] 구 ㉠물건 위에 서리가 내리다. ㉡시들시들 힘이 풀리다. ㉢어떤 권력 또는 난폭한 힘에 의하여 타격이나 피해를 받다. ¶서리맞은 상가(商街)/시세 폭락으로 된서리를 맞다.
【서리 맞은 고명 호박】철 늦게까지 고명격(格)으로 달려 있다가 서리를 맞아서 시들시들하게 된 하나의 호박 열매. 【서리맞은 구렁이】㉠행동이 몹시 굼뜨고 기백이 없는 사람의 비유. ㉡세력(勢力)이 쇠잔(衰殘)하여져서 모든 희망이 좌절된 사람의 비유.
서리를 이다 구 머리카락이 하얗게 세다. ¶머리에 ～.
서리[2] 명 떼를 지어서 남의 물건을 훔쳐 먹는 장난. ¶닭 ～/참외 ～/～꾼. ——-하다 타여불
서리(를) 맞다[2] 구 서리꾼에 의하여 도난당하여 해를 입다.
서리[3] 명 많이 모여 있는 무더기. ¶나무 ～.
서리[4] 명〈방〉팽이(황해·평안).
서리[5] 명〈방〉서까래(제주).
서리[6] 명〈옛〉사이. 가운데. ¶千崖ㅅ 서리예 사ᄅᆞ미 업고 萬壑이 괴외ᄒᆞ니(千崖無人萬壑靜)《杜諺 Ⅸ:5》.
서:리[7]【胥吏】명〖역〗관아(官衙)에 딸려 말단 행정 실무에 종사하는 이속(吏屬). 품외(品外)의 하급 관리로, 고려 때에는 중앙의 각 관청에 딸린 말단 행정 요원만을 가리켰으나, 조선 시대에는 경향(京鄕)의 이직(吏職) 관리를 모두 뜻함. 이서(吏胥). 연리(椽吏). *아전(衙前).
서리[8]【書吏】명〖역〗고려·조선 시대에, 경아전(京衙前)의 하나. 하급의 서리(胥吏). 서제(書題). *녹사(錄事).
서:리[9]【犀利】명 단단하고 날카로움. ——-하다 형여불
서:리[10]【黍離】명 망국(亡國)의 성터가 황폐하여서, 기장 같은 식물이 자라 쓸쓸한 광경(光景). *서리지탄(黍離之歎).
서:리[11]【鼠李】명〖식〗갈매나무.
서:리[12]【暑痢】명 더위 먹어서 설사하는 병. 열리(熱痢). 장구(腸垢).
서:리[13]【署理】명 ①결원(缺員)이 있을 때 다른 사람이 직무를 대리함. 또, 그 사람. ¶학장 ～. ②〖법〗행정기관이 그 구성자인 공무원의사망·사임 등에 의하여 궐위(闕位)된 경우에, 타인이 그 권한을 행사함으로써 당해 기관의 행위로서의 효과를 발생하게 하는 일. 또, 그 사람. ¶국무 총리 ～. ——-하다 타여불
서리[14]〔Surrey〕명〖지〗영국 잉글랜드 남동부의 카운티(County). 북부는 대(大)런던에 포함되어 있으며, 런던 근교 지역에서는 낙농(酪農)·과수 재배를 하여 왔으나, 근래에는 주택이 많이 들어섬. 식품 가공업·기계 공업도 행하여짐. 중심지는 길포드(Guilford). [1,679 km²: 1,011,700명(1986)]
서리기 명〖고고학〗엿가락같이 만든 흙테를 나사식으로 서리서리 감아 올려서 토기를 빚는 방법. *테쌓기.
서리-꽃 명 유리창 등에 서린 수증기가 꽃처럼 엉기어서 이룬 무늬.
서리-꾼 명 서리를 하는 장난꾼.
서리다[1] 자 ①기가 꺾이다. ②수증기가 찬 기운을 받아 물방울을 지어 엉기다. ¶창에 김이 ～. ③어떤 기운이 얼굴에 나타나다. ④어떤 생각이 마음 속 깊이 자리잡다. ¶가슴 속에 서린 원한.
서리다[2] 타 길고 잘 감기는 물건을 동그랗게 포개어 감다. ¶새끼를 ～/뱀이 몸을 ～. >사리다. 「飄委擢柳)《初杜諺 Ⅸ:21》.
서리디다 타〈옛〉서리다[2]. ¶버텅에 서리딘 버드는 ᄇᆞᄅᆞ매 부치놋다(飄
서리-백【一伯】명〔Earl of Surrey〕〖사람〗영국의 시인. 본명은 헨리 하워드(Henry Howard). 《아에네이스(Aeneis)》의 번역 속에서 근대 영국시(英國詩) 및 서사시(敍事詩)의 대표적 운율(韻律)인 무운시(無韻詩)를 창시(創始)하였음. [1517?-47]
서리-병아리 명 ①이른 가을에 깬 병아리. ②힘없이 추레한 꼴을 이르는 말.
서리-서리 뷔 ①노끈·새끼 등을 서리어 놓은 모양. >사리사리. ②어떤 감정이 복잡하게 서리어 얽힌 꼴. ¶폐비는 만단 수심을 ～ 가슴 속에 간직하신 채…《朴鍾和 : 錦衫의 피》.
서:리-자【鼠李子】명〖약〗갈매나무의 열매. 하제(下劑)로 쓰임.
서:리지-탄【黍離之嘆】명〔나라가 망하여, 옛 대궐 터에 기장이 익어 늘어진 것을 보고 탄식한 고사(故事)에서 유래〕세상의 영고 성쇠(榮枯盛衰)가 무상함을 한탄한다는 말. *서리(黍離).
서리 취:재【書吏取才】명〖역〗조선 시대 때, 서리(書吏)를 뽑기 위한 이조(吏曹) 취재의 하나. 해서(楷書)와 행산(行算)을 시험 과목으로 하여 3년마다 시행함. 후기에 폐지됨. *역승(驛丞) 취재·이과(吏科).
서리티다 자〈옛〉서리가 치다. ¶서리티다(霜打了)《譯語 上 2》.
서:리-피【鼠李皮】명〖약〗갈매나무의 껍질. 하제(下劑)로 씀.
서리 피:해【一被害】명 '상해(霜害)'의 풀어 쓴 말.
서리-학【一學】명〔cryopedology〕〖지〗심한 서리 작용이나, 영구 동토(永久凍土)에 관한 연구를 하는 지질학의 한 분야.
서린-꼭지 명〖고고학〗소라껍질 모양으로 빙빙 뒤틀려 서린 상태로 올라간 뚜껑의 꼭지.
서린-무늬[一니] 명〖고고학〗고사리 모양처럼 생긴 무늬. 청동기와 삼국 시대의 토기에서 많이 보임.
서린-잡이 명〖고고학〗나사 모양으로 돌아간 형태의 손잡이.

〈서린꼭지〉

서림【書林】명 서점(書店).
서:립【序立】명 차례대로 늘어섬. ——-하다 자여불
서릿-김 명 서리가 내린 기운.
서릿 바람 명 서리 내린 아침의 찬 바람.
서릿-발 명 서리가 땅바닥·풀포기 같은 것의 위에 엉기어 성에처럼 된 모양. ¶～이 서다.

서릿발 같다 구 권위·형벌 따위가 매우 매섭고 준엄함의 비유.
서릿발(이) 치다 구 서릿발을 이루다.
서릿-점【―點】명 '상점(霜點)'의 풀어 쓴 말.
서르 부〈옛〉서로. =서르. ¶出入에 서르 友ᄒᆞ며 守望애 서르 助ᄒᆞ여 疾病애 서르 扶持ᄒᆞ면(出入相友守望相助疾病相扶持)《孟諺 滕文公 上》.
서릇다 자〈옛〉설거지하다. ¶상 서릇다(擡卓兒)《譯語 上 60》.
서리다 타〈옛〉서리다². ¶길흔 하ᄂᆞᆯ흘 마라 서리옛고(徑磨穹蒼蟠)《杜諺 I:17》.
서-마구리【西―】명〖광〗동서맥(東西脈) 구덩이의 서쪽 마구리.
서:막【序幕】명 ①연극 등에서 처음 여는 막. ¶오페라의 ~. ②일의 처음 시작. ¶권력 투쟁의 ~.
서:맥【徐脈】명〖생〗심장의 느린 맥박. 보통 1분간의 맥박수가 60 이하인 경우를 말함. 심근염(心筋炎)·관상 동맥 경화(冠狀動脈硬化)·고혈압·황달 등 병적인 경우에 흔히 볼 수 있음.
서:맹【誓盟】명 맹세(盟誓). ――-하다 자타여불
서머〔summer〕명 여름.
서머 드레스〔summer dress〕명 여름용의 드레스.
서머리〔summary〕명 적요(摘要). 요약(要約). 개요(概要). 초록(抄錄).
서머리 리코:더〔summary recorder〕명 정보의 합계를 기록하는 출력장치(出力裝置).
서머서머-하다 형여불 매우 서머하다.
서머 스웨터〔summer sweater〕명 여름용의 스웨터.
서머 스쿨:〔summer school〕명 하기 학교(夏期學校). 하기 강습회.
서머 스키:〔summer ski〕명 여름에 눈이 있는 산에 올라가서 즐기는 스키.
서머 울:〔summer wool〕명 여름용의 얇은 모직(毛織) 옷감. 포라 따위.
서머 코:스〔summer course〕명 하기 강좌(夏期講座).
서머 코:트〔summer coat〕명 여름에 입는 여자용의 코트. 모양을 낼 때 입음.
서머 타임〔summer time〕명 여름에 아침 일찍이 출근하여 집무 능률을 높이고, 저녁에도 일찍이 퇴근하여 여가의 이용 및 휴양하기에 적합하게 하기 위하여, 보통 시각을 다가서 짠 시각. 흔히, 5-9월 동안에 한 시간을 빠르게 함. 우리 나라에서도 한때 시행하였으나 1961년부터 폐지하였음. 하기 시간(夏期時間). 일광 절약 시간.
서머-하다 형여불 미안하여 대할 낯이 없다.
서머 하우스〔summer house〕명 고원이나 해변에 있는 피서용의 별장. 빌라(villa).
서머ᄒᆞ다 형〈옛〉서머하다. 서먹서먹하다. ¶瞿然 서머ᄒᆞᆫ 톄라《小諺 V:119》.
서먹서먹-하다 형여불 매우 서먹하다. ¶남의 방에 들어가기가 ~.
서먹-하다 형여불 낯익지 아니하여 어색하다. ¶인사하기가 어쩐지 ~.
서:멀〔thermal〕명〖기상〗대기(大氣)가 지표(地表)로부터 국소적(局所的)으로 가열되어, 하층(下層)에 절대 불안정(絶對不安定)이 생기어 상승하는 비교적 소규모의 기류(氣流).
서:멀 블랙〔thermal black〕명〖화〗천연 가스의 열분해(熱分解)로 생성되는 카본 블랙(carbon black)의 하나. 고무 공업에 쓰임.
서:멀 스타:터〔thermal starter〕명〖전〗형광 방전등(螢光放電燈)의 불을 켜는 관. 발열체(發熱體)가 있어서 이에 기동(起動) 전류를 흐르게 하여 발생하는 열로 바이메탈(bimetal) 전극(電極)을 동작시킴.

〈서멀 스타터〉

서:멧〔cermet〕명〔ceramic+metal〕내화성(耐火性)이 높은 세라믹스와 금속으로부터 분말 야금법(粉末冶金法)으로 만들어 낸 초내열(超耐熱) 재료. 1000°C 이상의 온도에서 견딜 수 있는 경질 공구(硬質工具) 및 제트 엔진의 터빈익(turbine翼)에 사용함. 도성 합금(陶性合金).
서:멧계 재료【―系材料】〔cermet〕명 분말 야금(粉末冶金)을 주체로 하는 합금 재료의 하나. 세라믹스(ceramics)와 금속의 복합 재료.
서:멧 핵연료【―核燃料】〔―녀―〕〔cermet nuclear fuel〕내열성 세라믹스(耐熱性 ceramics)와 금속을 혼합한 원자로의 연료. 용해되기도 힘들며 손상(損傷)도 잘 받지 않음.
서면¹【西面】명 ①앞을 서쪽으로 향함. ¶~한 창. ②각 군(郡)의 서쪽에 있는 면. ――-하다 자여불
서:면²【恕免】명 죄를 용서하여 면하게 함. ――-하다 타여불
서면³【書面】명 ①글씨를 쓴 지면(紙面). 문면(文面). 지면(紙面). ②서류(書類). ¶~으로 지시하다.
서:면⁴【黍麪】명 기장으로 만든 국수.
서면 결의【書面決議】〔―/―이〕명〖법〗유한 회사 등에서, 총회(總會)를 열지 아니하고 우편(郵便) 등을 통하여 서면으로 총회의 결의(決議)에 대신하는 방법.
서면 계:약【書面契約】명〖법〗서면의 작성을 계약 성립의 요건(要件)으로 하는 계약. ↔구두(口頭) 계약. ――-하다 타여불
서면 심리【書面審理】〔―니〕명〖법〗주로 법원의 소송 행위, 특히 변론(辯論)이나 증거 조사(證據調査)가 구두(口頭)의 진술에 의하지 아니하고 서면으로 행하여지는 일. 청원(請願)의 재결(裁決) 절차 및 그 밖에 행정 관청에서 사건을 심리·처리할 때에 쓰임.
서면 심리주의【書面審理主義】〔―니―/―니―이〕명〖법〗서면주의.
서면 위임【書面委任】명〖법〗서면의 작성을 성립 요건(要件)으로 하는 위임.
서면 조사【書面調査】명 과세 표준을 납세자의 제출 서류를 토대로 검토하여 결정하는 조사 방법.
서면-주의【書面主義】〔―/―이〕명〖법〗당사자의 변론이나 법원의 증거 조사를 서면으로 할 것을 주장하는 주의. 민사 소송법은 구두주의의 결점을 보충하기 위하여 이 주의를 많이 채용하였음. 서면 심리주의. ↔구두주의(口頭主義).
서면 진부 확인의 소:【書面眞否確認―訴】〔―/―에―〕명〖법〗유언서·정관(定款) 등 법률 관계를 증명하는 서면이 작성 명의인(名義人)에 의하여 작성되었나를 판결로 확정할 것을 요구하는 소(訴).
서면 투표제【書面投票制】명〖법〗비밀 투표제(秘密投票制)에서 서면으로 투표하는 제도(制度).
서명¹【書名】명 책의 이름. ¶~ 목록.
서:명²【署名】명 ①자기의 성명을 써 넣음. 또, 써 넣은 그것. 서기(署記). 사인(sign). ②〖법〗문서상에 있어서의 성명 및 상호(商號)의 표시. 자서(自署)를 원칙으로 하나 타인의 대서(代署)가 용허되는 경우에는 기명 날인으로써 대신할 수 있음. ――-하다 자여불
서:명³【誓命】명 임금의 신하에 대한 맹세(盟誓). ――-하다 자타여불
서-명(:)균【徐命均】명〖사람〗조선 영조(英祖) 때의 상신(相臣). 자는 평보(平甫), 호는 보졸재(保拙齋). 대구 사람. 영조 8년(1732)에 좌의정이 됨. 청백하고 근검(勤儉)한 재상으로 유명하였음. [1680-1745]
서:명 기사【署名記事】명 기자의 이름을 밝힌 신문의 보도 기사. 기자의 견해를 쓸 수 있음.
서:명 날인【署名捺印】명〖법〗문서상(文書上)에 성명 또는 상호(商號)의 표시를 하고, 인장을 찍는 일. 자서(自署)·날인(捺印)을 원칙으로 함. *기명(記名) 날인·기명 조인(記名調印).
서:명 대:리【署名代理】명〖법〗대리인이 대리권에 의하여 직접 본인의 서명을 하는 일.
서:명 운:동【署名運動】명〖사〗어떠한 주장이나 의견에 관하여 그 찬성의 서명을 얻기 위한 운동. *연판장(連判狀).
서:명 위조【署名僞造】명〖법〗공문서·사문서·공인(公印)·사인(私印)에 관한 서명을 위조하는 일. 문서 위조죄 또는 인장(印章) 위조죄로 처벌됨.
서-명(:)응【徐命膺】명〖사람〗조선 영조(英祖) 때의 대제학. 자는 군수(君受), 호는 보만재(保晩齋). 대구 사람. 영조 35년(1759)에 왕명(王命)을 받들어 《대악 전보(大樂前譜)》와 《대악 후보(大樂後譜)》를 집대성한 거대한 공적이 있음. 형조·이조·호조·병조 판서와 지경연사(知經筵事)·홍문관 대제학(弘文館大提學) 등을 지냄. 시호는 문정(文靖). [1716-87]
서:명-인【署名人】명 서명자.
서:명-자【署名者】명 서명을 한 사람. 서명인.
서:명-장【署名帳】〔―짱〕명 사인 북(sign book).
서:모【庶母】명 아버지의 첩. *계모(繼母).
서:모스탯〔thermostat〕명 ①항온기(恒溫器). ②온도 조절기(溫度調節器).
서:모-컬러〔thermo-colour〕명 측온 도료(測溫塗料).
서:모 콘크리:트〔thermo concrete〕명 기포(氣泡)를 함유한 콘크리트. 가볍고 내열성이 강하며 흡음성(吸音性)도 있음.
서목【書目】명 ①책의 목록(目錄). ②도서 목록(圖書目錄). ③중요로운 부분을 뽑아서 보고서(報告書)에 덧붙인 지면(紙面).
서:목-태【鼠目太】명〖식〗쥐눈이콩.
서:몽【瑞夢】명 ①상서로운 꿈. ②어떤 일이 일어날 것을 미리 알리는 꿈.
서묘【西廟】명〖역〗서울 서대문 밖에 옛날에 있던 관왕묘(關王廟).
서무¹【西廡】명〖역〗문묘(文廟) 안에서 유현(儒賢)들을 배향(配享)하는 집으로, 대성전(大成殿)의 서쪽 아랫채. ↔동무(東廡).
서:무²【庶務】명 특별한 명목이 없는 일반 사무. 여러 가지 잡다(雜多)한 사무. ¶~계/~과.
서:무³【署務】명 서(署)라고 이름 붙은 관청의 사무. ¶~장.
서:무-계【庶務係】명 여러 가지 잡다(雜多)한 일반 사무를 담당하는 계(係).
서:무-국【庶務局】명〖역〗대한 제국 때 탁지부(度支部)·경부(警部)·수륜원(水輪院)·철도원(鐵道院) 등에 둔 한 국.
서무-날 명 무수기를 볼 때, 음력 열이틀과 스무이레를 이르는 말.
서:무-실【庶務室】명 학교 등에서 일반 사무를 맡아 보는 곳. *교무실.
서문¹【西門】명 서쪽으로 난 문. ↔동문(東門).
서문²【西門】명 성(姓)의 하나. 우리 나라에는 본관(本貫)이 안음(安陰) 하나뿐임.
서:문³【序文】명 ①머리말. 권두언(卷頭言). 서기(序記). 서사(序辭). ②서(序)의 체(體)로 쓴 글. 준서(序). ↔발문(跋文). *서론(序論).
서:문⁴【署門】명 남쪽.
서:문⁵【誓文】명 서약서(誓約書).
서:문-경【序文經】명〖천주교〗미사의 전문(典文)이 시작되는 서문. 경본(經本)에 열 넷의 서문경이 있어, 그날그날의 미사에 따라 다름.
서:문-장【誓文狀】〔―짱〕명 서약서(誓約書).
서:물¹【庶物】명 ①여러 가지 물건. 만물. ②주물(呪物).
서:물²【瑞物】명 음양도(陰陽道)에서, 길상(吉祥)의 증표(證標)가 되는 것. 기린(麒麟)·봉황 따위.
서물-거리다 자 ①어리숭한 것이 눈앞에 떠올라 어른거리다. ②매운 것을 먹어 뱃속이 자꾸 얼얼해 오다.
서:물 숭배【庶物崇拜】명〖종〗주물 숭배(呪物崇拜).
서미다 자〈방〉한숨쉬다.
서:미-초【鼠尾草】명〖식〗둥근빼차조기.
서:민【庶民】명 ①아무 벼슬이 없는 평민. 백성. 범민(凡民). 서인(庶人). 제민(齊民). ¶일반 ~. ②귀족이 아닌 보통 사람. 서인(庶人). ③중류 이하의 넉넉하지 못한 백성. 소인(小人). ¶~ 생활.
서:민 계급【庶民階級】명〖사〗지배자 또는 권력·지위·재산 등을 가진 계급의 사람들에 대하여 일반 사람들. 일반 대중. ¶~ 출신.
서:민 금고【庶民金庫】명 중소 상업자나 소액 봉급 생활자 등을 위하여 담보 없이 보증인을 세우고 소액의 금융을 취급하는 금융 기관.
서:민 금융【庶民金融】〔―늉〕명 서민 계급에 대한 금전의 융통. 신용 조합·전당포·고리 대금업자 등이 행하는 금융. 금액이 적고, 소비 자금(消費資金)인 것이 특징임. 대출 기간이 짧으며, 금리(金利)는 보통 높음.
서:민 문학【庶民文學】명 귀족 문학에 대립하여 나타난 객관주의적 문학으로서 서민 생활을 묘사한 대중 문학.
서:민 은행【庶民銀行】명 서민 계급에 대한 금융을 목적으로 하는 금융 기관.

서:민-적【庶民的】명관 서민과 같은 태도·경향이 있는 모양.

서:민-층【庶民層】명 서민의 계층(階層). ↔특권층

서-민호【徐珉濠】명《사람》정치가. 전라 남도 고흥(高興) 출신. 일본 와세다 대학(早稻田大學) 경제학과와 미국 콜럼비아 대학 정치 사회학부 수료. 전남 도지사(全南道知事), 국회 의원을 거쳐, 1960년 민의원(民議院) 부의장, 1966년 민주 사회당 대표 최고 위원 등을 역임함. 저서에 《나의 옥중기(獄中記)》가 있음. [1903-74]

서밋〔Summit〕명〔↗Summit Conference〕《정》'서방 선진 칠개국 정상 회담'의 통칭.

서:바이벌 게임〔survival game〕명 레포츠화한 전쟁 놀이. 숲이 우거진 야산에서 실물 크기로 본뜬 모의총(模擬銃)으로 페인트 용액이 든 콩알 크기의 플라스틱 착색탄(着色彈)을 쏘아 상대편을 공격함.

서반[1]【西班】명《역》무관(武官)의 반열(班列). 조하(朝賀) 때에 무관은 서쪽, 문관은 동쪽에 각각 벌이어 섰었으므로 일컬어진 말. ↔동반(東班). *양반(兩班).

서:반[2]【序盤】명 초반(初盤).

서-반구【西半球】명《지》지구(地球)를 경도(經度) 0° 및 180°에서 동서 두 쪽의 반구로 나눈 것의 서쪽 부분. 남북 아메리카·태평양·대서양의 대부분을 포함하는 반구. ↔동반구(東半球).

서반아【西班牙】명《지》'스페인(Spain)'의 음역(音譯).

서:-발[1] 명 한 발의 세 갑절.

【서발 막대 거칠 것 없다】서발이나 되는 긴 막대기를 내저어도 닿을 것이 없다 함이니, 가난하여 아무런 세간이 없음을 이르는 말.

서발[2]【西撥】명《역》조선 시대 때, 서울 모화관(慕華館)에서 황해도 금천(金川)·해주(海州),박천(博川) 등지를 거쳐 의주(義州) 및 압록강 강변 여러 읍(邑)까지의 황해·평안도 지방에 이르는 파발(擺撥)의 통신망(通信網). 주로, 기발(騎撥)이 이용됨. *남발(南撥)·북발(北撥).

서:발[3]【序跋】명 서문(序文)과 발문(跋文).

서:발-한【舒發翰】명《역》이벌찬(伊伐飡).

서방[1]【西方】명 ①서쪽. 서녘. 서쪽 지방. 서방 국가. ↔동방(東方). ②《불교》↗서방 극락(西方極樂).

서방[2]【書房】㊀명 ①〈속〉남편. ¶ ~을 얻다. ②《역》고려 때 무신 집권(武臣執權) 후 최이(崔怡)가 자기 집에 둔 임시 특별 관청. 문신(文臣) 및 유학자들을 세 반으로 편성 교대로 숙직시켜 국정을 의논하였음. *도방(都房). ㊁의명 벼슬이 없는 사람의 성 아래에 붙여 이름 대신 부르는 말. ¶ 이 ~/최 ~.

서방 가다 구〈방〉장가가다(함경).

서:방[3]【瑞芳】명《지》'루이팡(瑞芳)'을 우리 음으로 읽은 이름.

서방 국가【西方國家】명《정》미국의 정치 노선을 따르는 영국·프랑스·독일 등을 중심으로 한 나라들. 서방 세계. ↔공산 국가.

서방 극락【西方極樂】[—낙] 명《불교》서쪽으로 십만억(十萬億) 국토를 지나서 있는 아미타불의 세계. 극락 정토(淨土). 서방 세계. 서방 정토. 서방 안락국. 서방 십만억토. 서찰(西刹). 준서방(西方).

서방-님【書房—】명 ①남편을 공대(恭待)하여 부르는 말. ②결혼한 시동생에 대한 호칭(呼稱). *아주버니. ③《역》벼슬 없는 젊은 선비를 상사람이 부르는 말.

서방-덤【書房—】명 자반 고등어 따위의 배때기에 끼워 놓은 덤으로, 「패 큰 것. *외동덤.

서방-맞다【書房—】자 남편을 얻다.

서방-맞이【書房—】명 서방맞는 일. ——하다 자여불

서방-맞히다【書房—】타 남편을 얻게 하다.

서방 보내다【書房—】타〈방〉장가들이다(함경).

서방-색【書房色】명《역》조선 시대 때 대전(大殿)·액정서(掖庭署)의 한 「분장(分掌).

서방 선진 칠개국 정상 회:담【西方先進七個國頂上會談】명《정》미국·영국·프랑스·독일·이탈리아·캐나다·일본 등 서방 세계의 7개 선진국 수뇌에 의해 해마다 열리는 세계 정치·경제 운영에 관한 정상 회의. 1975년 석유 위기를 맞은 세계 경제 문제를 토의하기 위하여 프랑스 파리 교외의 랑부예에서 열린 것이 제1회였음. 서밋(Summit).

서방 세:계【西方世界】명 ①서방 국가. ②《불교》서방 극락(西方極樂).

서방 십만억토【西方十萬億土】명《불교》서방 극락(西方極樂).

서방 안락국【西方安樂國】[—알—] 명《불교》서방 극락(西方極樂).

서방-재【書房—】명〈방〉신랑(新郞)(함경).

서방 정토【西方淨土】명《불교》서방 극락(西方極樂).

서방 정토 삼부경【西方淨土三部經】명《불교》정토 삼부경(淨土三部經).

서방-주【西方主】명《불교》서방 극락의 주인공. 곧, 석가 모니.

서방-질【書房—】명 제 서방이 아닌 남자와 동침하는 것. 화냥질. ——하다 자여불

서방 최:대 이:각【西方最大離角】명《천》지구에서 보아 내행성(內行星)이 태양에서 서쪽으로 가장 멀리 떨어져 있을 때의 각도. ↔동방 최대 이각. *최대 이각.

서방-측【西方側】명《정》서방 국가의 쪽. ¶ ~과 공산측의 대결.

서방 토룡단【西方土龍壇】명《역》오방 토룡제(五方土龍祭)를 지내는 제단(祭壇)의 하나. 서울 삼개(지금의 마포) 위 가을두(加乙頭)에 있다가, 뒤에 양화도(楊花渡) 옆으로 옮겼음. 준서단(西壇).

서방 토룡제【西方土龍祭】명《역》오방 토룡단(五方土龍壇)에서 동방·남방·북방·중앙과 동시에 지내던 제사. 백룡 기우제(白龍祈雨祭).

서방 행:자【西方行者】명《불교》극락 세계에 가려고 염불(念佛)하는 사람.

서:배【鼠輩】명 보잘것없는 무리.

서배너〔Savannah〕명《지》미국 조지아 주(Georgia 州)의 항만 도시. 서배너 강의 하구에 가까우며 담배·면화의 적출항(積出港)으로 유명함. [137,560명(1990)]

서배너-호【—號】〔Savannah〕명 미국에서 만든 세계 최초의 원자력 화객선(貨客船). 1962년 완성. 배수량 22,000톤, 길이 180 m, 폭 24 m, 속력 20노트. 여객 60명 수용. 시험 항해 결과, 이 정도 크기로서는 경제성이 없음이 판명됨.

서배티컬 리:브〔sabbatical leave〕명 ①미국에서, 연구·여행 등을 위하여 대학 교수에게 7년마다 주는 휴가. ②기업 등에서, 일정 기간마다 주는 상당 기간의 장기 휴가.

서백년-산【西百年山】명《지》평안 남도 성천군(成川郡) 숭인면(崇仁面)과 황해도 곡산군(谷山郡) 봉명면(鳳鳴面) 사이에 있는 산. 언진 산맥(彥眞山脈) 중에 솟음. [1,217 m]

서백리아【西伯利亞】[—니—] 명《지》'시베리아(Siberia)'의 음역(音譯).

서:버〔server〕명 ①테니스·탁구·배구 등에서, 서브(serve)하는 쪽. 또, 서브하는 사람. ↔리시버(receiver). ②《컴퓨터》주된 정보의 제공이나 작업을 수행하는 컴퓨터 시스템. 클라이언트 시스템이 요청한 작업이나 정보의 수행 결과를 돌려줌. *클라이언트.

서:버러스〔Cerberus〕명《신》그리스 신화에 나오는, 명부(冥府)의 괴견(怪犬) 케르베로스(Kerberos)의 영어명.

서벅-거리다 자타 ①연한 배나 사과 등을 씹는 것 같은 소리가 자꾸 나다. 또, 그런 소리를 자꾸 내다. ②모래밭을 걸어가는 것 같은 소리가 자꾸 나다. 또, 그런 소리를 자꾸 내다. 1)·2):>사박거리다. 서벅-서벅 부. ——하다 자타여불

서벅-대다 자타 서벅거리다.

서벅-돌 명 단단하지 못하고 잘 부스러지는 돌.

서번-련【西蕃蓮】명《식》시계풀.

서벌【徐伐】명 ①《역》신라(新羅). 서라벌. ②서울[1].

서범【西犯】명《역》양안(量案) 위에서 어떤 논밭이 번호(番號)의 차례로 보아서, 그 앞에 있는 번호의 논밭의 서쪽에 있음을 표시하는 말.

서법[1]【書法】[—뻡] 명 ①글씨 쓰는 법. ②문장(文章)을 쓰는 법.

서:법[2]【敍法】[—뻡] 명〔mood〕《언》문장의 내용에 대한 화자(話者)의 심적 태도(心的態度)를 나타내는 동사의 어형 변화.

서:베이 미터〔survey meter〕명 방사선(放射線)의 검출·측정에 사용되는 휴대용 계기(携帶用計器).

서:베이어 계:획【—計劃】〔Surveyor〕명 미국의 무인(無人) 월면 탐사(月面探査) 계획. 아폴로 계획의 준비로서, 무게 약 1톤의 관측 기기를 연착륙(軟着陸)시켜, 달의 지질을 조사하는 것이 임무였음. 1966년 6월 2일 1호가 발사되어 연착륙에 성공, 11,150장의 사진을 촬영, 전송했음. 7호 발사로 계획은 완료됨.

서-벵골【西—】〔Bengal〕명《지》인도 북동부의 주(州). 방글라데시에 접하며, 다시 동북부는 아샘 주에 접함. 갠지스·브라마푸트라(Brahmaputra)의 2대 강이 합하여 이루는 대 3각주의 서쪽 반을 차지하고 있으며, 풍부한 쌀의 산지임. 예로부터 문예(文藝)가 성한 곳으로, 영국의 지배하에 들어 온 후로는 유럽의 영향을 받아 인도 근대화의 중심이 되었음. 주도는 캘커타. [87,853 km²: 54,580,467명(1989)]

서벽[1]【西壁】명《역》모여 앉을 때, 벼슬의 차례로 보아 좌석의 서쪽에 앉는 벼슬. 곧, 의정부(議政府)의 우참찬(右參贊), 홍문관(弘文館)의 교리(校理)와 수찬(修撰), 통례원(通禮院)의 가인의(假人儀) 등. 동벽(東壁)의 윗자리. ↔동벽.

서벽[2]【書癖】명 글 읽기를 좋아하는 성벽(性癖).

서-벽토【西壁土】명 해질 때에 햇빛을 받는, 서쪽으로 향한 벽의 흙. 약에 씀.

서변【西邊】명 서쪽 부근. 서쪽의 변두리. 서수(西陲). ↔동변(東邊).

서-병(:)오【徐丙五】명《사람》서화가. 호는 석재(石齋). 대구 출생. 어려서부터 시·서·화·의약·거문고·바둑·장기·색에 능하여 팔능(八能)으로 불리었음. 글씨는 행서, 그림은 난죽(蘭竹)에 특히 뛰어남. [1863-1936]

서:보[1]【徐步】명 천천히 걷는 걸음.

서보[2]【書譜】명《책》중국의 예술서. 중국 당(唐)나라의 손과정(孫過庭)이 찬(撰)함. 본디 6편 2권인데 현존하는 것은 진적 총서(眞迹總序) 한 편뿐임. 서론(書論)의 초고(草稿)로 생각되나, 예로부터 초서(草書)의 글씨본으로도 귀히 여겨짐.

서:보 기구【—機構】〔servo〕명 제어(制御)해야 할 장치의 기계적인 위치를 자동적으로 조종하는 기구. 보통, 위치를 측정하여 기준치(基準値)와 비교하는 검출부(檢出部), 측정치(測定値)와 기준치와의 차를 증폭시키는 증폭부(增幅部), 증폭된 편차 신호(偏差信號)를 구동력(驅動力)으로 바꾸는 서보 모터 및 기어 기구(gear 機構)로 구성됨. 선박·항공기의 자동 조종, 공작 기계의 자동 조종 등 이용 범위가 넓음.

서:보-모:터〔servomotor〕명《기》원동기(原動機)의 회전 속도를 일정하게 유지하기 위한 조속기(調速機)에서, 조정력이 약할 때, 이를 증력(增力)하기 위한 간접 조속(調速) 장치.

서:보-브레이크〔servobrake〕명《기》자동차용 브레이크의 한 가지. 브레이크 페달을 밟는 힘에 따라, 전력(電力)이나 유압(油壓)과 같은 다른 역원(力源)에 의하여 브레이크 조작력(操作力)을 돕는 브레이크. 파워브레이크(powerbrake).

서-복【徐福】명《사람》중국 진(秦)나라 때 사람. 진시황(秦始皇)의 명을 받들어 동남(童男)·동녀(童女) 3,000명을 데리고 불사약(不死藥)을 구하러 떠난 뒤에 돌아오지 아니하였다 함. 일명 서불(徐市).

서봉【西峯】명 서쪽 봉우리.

서:봉-장【瑞鳳章】명《역》내명부(內命婦)와 외명부(外命婦) 가운데에 숙덕(淑德)과 훈로(勳勞)가 뛰어난 사람에게, 황후(皇后)의 영지(令旨)로 내리던 훈장(勳章). 1등에서 6등까지 있음. 고종(高宗) 광무(光武) 11년(1907)에 제정하였음.

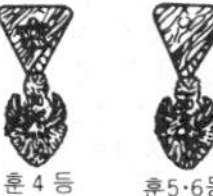

〈서봉장〉

서:봉-총【瑞鳳塚】명〖지〗 신라의 금관을 발굴한 경주의 한 고분(古墳). 1926년 10월에, 마침 한국에 여행중이던 스웨덴(Sweden)의 황태자이며 고고학자인 구스타프(Gustav)의 참석 하에, 세 마리의 봉황이 붙은 금관을 비롯하여 금·은으로 만든 장신구와 구리로 만든 기물(器物)·유리·옥 등을 이 무덤에서 발굴하였음.

서부¹【西部】명 ①서쪽 부분. ¶ ~ 개척 시대. ②〖역〗 서울 안의 오부(五部)의 하나. 또, 그를 관할하던 관아. ③〖역〗 소노부(消奴部). 1)-3): ↔동부(東部).

서:부²【舒鳧】명〖조〗 집오리.

서:부³【鼠婦·鼠負】명〖동〗 쥐며느리.

서부-극【西部劇】명〖연〗 서부 활극(西部活劇).

서부렁-서부렁 부 여럿이 모두 서부렁한 모양. >사부랑사부랑². ――-하다 형여불

서부렁-섭적 부 힘들이지 아니하고 선뜻 건너 뛰거나, 올라서는 모양. ¶ ~ 올라가다. >사부랑삽작.

서부렁-하다 형여불 묶거나 쌓은 물건이 꼭 다붙지 아니하고 느슨하거나 버름하다. >사부랑하다.

서부산 낙동강교【西釜山洛東江橋】명 부산 광역시 북구(北區) 학장동(鶴章洞)과 강서구(江西區) 대저(大渚) 2동을 연결하는 다리. 1981년에 준공되었음. 길이 1,765 m.

서부 영화【西部映畵】명 미국 서부 지방의 카우보이 등의 활약을 주제로 한 영화. 웨스턴 무비.

서부 음악【西部音樂】명〔western music〕〖악〗 미국 서부(西部)의 카우보이들의 노래를 중심으로 한 경쾌한 경음악(輕音樂). 웨스턴 뮤직.

서부 전:선【西部戰線】명〔Western Front〕〖역〗 ①제1차 세계 대전 때 독일군이 연합군과 대진(對陣)하여 장기 참호전(長期塹壕戰)을 계속한 서북부, 곧 프랑스와 벨기에 사이의 전선. 독일의 레마르크의 소설 ≪서부 전선 이상 없다≫에서 나온 말임. ②제2차 대전 때의 프랑스와 독일간의 전선.

서부 전:선 이:상 없:다【西部戰線異常―】명〔도 Im Westen nichts Neues〕〖책〗 독일의 소설가 레마르크(Remarque)의 반전적(反戰的) 전쟁 소설. 1928년 작(作). 제1차 세계 대전중의 프랑스 전선(戰線)을 무대로, 지원병 파울 보이머(Paul Boimer)가 전쟁의 피해를 정면으로 입은 자기네 세대의 일을 얘기하는 체재로 되어 있음. 객관적인 서술과 환상적인 정경 묘사가 특색임. 세계 각국어로 번역되고 영화·연극으로 각색(脚色)되었음.

서-부진언【書不盡言】명 글로는 의사를 충분히 표현할 수 없다는 말.

서-부터 조 ↗에서부터. *에서².

서부 해:당【西部海棠】명 해당화(海棠花)의 한 가지.

서부 활극【西部活劇】명〖연〗 미국 서부의 대평원(大平原)을 개척하는 쓰라린 투쟁을 배경으로 한 영화나 연극. 대개 모험(冒險)·의협(義俠)·연애(戀愛) 등을 주제로 한 흥미 본위의 것이 많음. 서부극. 웨스턴.

서북【西北】명 ①서쪽과 북쪽. ②↗서북간(西北間). ③서도(西道)와 북관(北關).

서북-간【西北間】명 서쪽과 북쪽의 사이가 되는 방위(方位). 곧, 건방(乾方). 준서북(西北).

서북 강계도【西北疆界圖】명〖지〗 우리 나라 북부 지방과 만주 지방의 관방용(關防用) 고지도(古地圖). 필사본. 작자 미상. 제작 연대는 18세기 전반으로 추정됨. 크기 118 cm×78.7 cm. 북부 지방의 군현(郡縣)과 도로망 특히 압록강과 두만강 국경 지대의 동리와 도로망이 자세함.

서북-방【西北方】명 서북쪽.

서북 방언【西北方言】명 평안 남북도 전역에서 사용되는 방언. 관서 방언. 평안도 방언.

서-북서【西北西】명 서쪽과 북서쪽과의 중간 방위(方位). ↔동남동(東南東).

서-북-송-탐【西北松耽】명 서도(西道)·북관(北關)·송도(松都)·탐라(耽羅)를 아울러 부르는 말.

서북-쪽【西北―】명 서쪽과 북쪽의 중간이 되는 쪽. 북서쪽.

서북 청년회【西北靑年會】명 반공 청년 단체의 하나. 1946년 11월 30일에 북한에서 월남(越南)한 청년으로 조직되어 반공 운동의 선봉이 되었음. 1948년 대동 청년단(大同靑年團)에 통합됨.

서북-풍【西北風】명 서북쪽에서 불어오는 바람. 북서풍. 부주풍(不周風). 여풍(麗風). ↔동남풍. *높하늬·된하늬.

서북 학회【西北學會】명〖역〗 1908년 안창호(安昌浩)·이갑(李甲) 등이 중심이 되어 조직한 애국 계몽 단체. 서우 학회(西友學會)·한북 학회(漢北學會)가 병합하여 설립됨. 월보(月報) 간행·순회 강연 등으로 배일(排日) 애국 사상을 고취하고, 민중 계몽에 힘썼음. 당시 정부는 이를 강제로 해산시키자, 중심 인물은 그 후 대한 협회(大韓協會)에 합류, 계속 항일(抗日) 운동에 헌신하였음.

서북-향【西北向】명 동남쪽을 뒤로 하고 서북쪽으로 향함. ↔동남향.

서:분【序分】명〖불교〗 경전(經典) 따위의 전체를 삼분(三分)한 경우의 서(序)에 해당하는 부분. 그 경전의 연기(緣起)·취지(趣旨) 따위를 설명한 부분임.

서분서분-하다 형여불 성정이 부드럽고 친절하다. >사분사분하다. 서분서분-히 부

서분-하다 형여불 ①조금 서부렁하다. >사분하다. ②☞ 서운하다. 서분-히 부

서분한-살 명 굵고도 가벼운 화살.

서불 제명 각자【徐市題名刻字】명 화상 문자(畵像文字)의 하나. 경상남도 남해군(南海郡) 이동면(二東面) 양아리(良阿里)에 있는 바위에 새겨진 글자로, 전설에는 진시황(秦始皇)이 서불(徐市)이라는 사람과 5백 명의 동녀(童女)를 삼신산(三神山)에 불로초(不老草)를 구하러 보내었는데, 이들이 이 곳에 와서 새긴 동양 최고(最古)의 화상 문자라고 함. 그러나 학자간에는 이견(異見)이 있음. 글자는 가로 50cm, 세로 1m임. 남해도 각자(南海島刻字).

서:불-한【舒弗邯】명〖역〗 이벌찬(伊伐飡).

서붓 부 발을 가볍게 얼른 내디디는 모양이나 소리. ㅆ서뿟. ㅆ서풋. >사붓.

서붓-서붓 부 발을 소리가 크게 나지 아니할 정도로 가볍고도 빠르게 내딛는 모양이나 그 소리. ㅆ서뿟서뿟. ㅆ서풋서풋. >사붓사붓.

서브¹〔sub〕명 ①야구에서, 후보 선수. ②보조적 또는 정(正)에 대한 부(副)·소(小)의 뜻. ¶ ~노트/~타이틀.

서:브²〔Serb〕명〖군〗 러시아의 잠수함 발사 탄도 미사일. 미국의 폴라리스에 상당하며, 전장(全長) 10 m, 직경 1.5 m, 사정 거리는 1,200 km, 탄두(彈頭)는 1메가톤.

서:브³〔serve〕명〔본디 섬기거나 봉사한다는 뜻〕 테니스·탁구·배구 등에서, 공격측이 먼저 공을 상대 코트에 쳐 넣는 일. 또, 그 공. 서비스. ――-하다 자여불

서:브(를) 들이다 구 공을 서브해서 상대편 코트에 쳐 넣다.

서브-겔리졸〔subgelisol〕명〖지〗 영구 동토층(永久凍土層) 밑에 있는 비동결토(非凍結土).

서브-도미넌트〔subdominant〕명〖악〗 '버금딸림음'의 영어명.

서브-록〔subroc〕명〖군〗〔submarine rocket 의 약어〕 미국 해군의 원자력 잠수함에 장비되어 있는 잠수함 공격용 수중 대 수중(水中對水中)의 미사일.

서브-룩〔sub-ruck〕명 대소(大小) 두 개의 룩색(rucksack)을 갖는 경우, 작은 것을 일컫는 말. 보조 룩색.

서브-머린:〔submarine〕명 잠수함.

서브머린: 피처〔submarine pitcher〕명 야구에서, 부상(浮上)하는 잠수함의 모양과 흡사한 데서, 언더 스로의 투수를 일컬음.

서브-미사일〔submissile〕명〖군〗 대형 미사일 탄두에 탑재되었다가 발사되는 소형 미사일.

서:브 사이드아웃〔serve side-out〕명 배구에서, 서브를 두 번이나 실패한 경우를 이름.

서:브-선【―線】〔serve〕명 서비스 라인(service line).

서브-스케일〔subscale〕명〖야〗 금속 표면의 바로 밑 부분에서 일어나는 산화 반응(酸化反應).

서브스턴스〔substance〕명〖철〗 실체. 본체.

서브-스테이션〔substation〕명 중간 가압 기지(加壓基地). 원거리(遠距離)를 도관(導管)으로 수송하는 액체를 재가압(再加壓)하는 곳.

서브스티튜:션〔substitution〕명 농구·배구에서, 경기중의 선수 교대.

서브-웨이〔subway〕명 지하도. 지하 철도.

서브제로 처:리【―處理】〔sub-zero〕명 강철을 열처리한 직후, 0°C 이하의 온도에서 냉각시키는 일. 경도(硬度)·내마모성(耐摩耗性) 등이 향상되고, 시효 변형(時效變形)을 막을 수 있음. 심랭 처리(深冷處理).

서브젝트〔subject〕명 ①주제(主題). 화제(話題). ②〖언〗 주어(主語). ③〖논〗 주사(主辭). ④〖철〗 주체. 주관. 자아(自我).

서:브 키:프〔serve keep〕명 테니스·탁구 등에서, 서브한 편이 이기는 일.

서브-타이틀〔subtitle〕명 ①부표제(副標題). 부제(副題). ②영화의 보조 자막. 설명 자막(說明字幕). ↔메인타이틀.

서브-헤드〔subhead〕명 부표제(副標題). 세목(細目).

서블라임〔sublime〕명 장엄. 숭고. 웅대. ――-하다 형여불

서:블리그〔therblig〕명〖심〗〔창시자 길브레스(Gilbreth, F.B; 1868-1924)의 이름을 거꾸로 읽은 것〕 작업 동작을 분석적으로 연구하는 데에 쓰이는 일종의 부호.

기본 동작 표시표

번호	동작의 명칭	서블리그 표시법	
		서블리그 기호	기호의 뜻
1	찾다	⦶	눈으로 무엇을 찾는 꼴
2	찾아 내다	⦶	눈으로 무엇을 찾아 낸 꼴
3	고르다	→	고른 것을 지시한 꼴
4	쥐다	∩	무엇을 잡는 꼴
5	나르다	⌣	접시에 무엇을 올려 놓은 꼴
6	정치(定置)시키다	9	하중(荷重)이 손끝에 있는 꼴
7	짜 맞추다	#	결합한 꼴
8	쓰다	U	Use의 머리 글자
9	떼다	‡	결합한 데서 한 개 떼어 낸 꼴
10	검사하다	0	렌즈의 꼴
11	예치하다	8	볼링의 보틀
12	놓다	6	접시를 거꾸로 한 꼴
13	맨손	)	빈 접시의 꼴
14	쉬다	∿	사람이 의자에 기댄 꼴
15	불가피한 지연(遲延)	ᓚ	사람이 발이 걸려 넘어진 꼴
16	피할 수 있는 지연	ᒍ	사람이 자는 꼴
17	생각하다	ᓗ	생각하고 있는 꼴
18	보존하다	∀	바이스의 꼴

서비리아【西比利亞】명〖지〗 '시베리아(Siberia)'의 음역(音譯).

서:비스〔service〕명 ①봉사(奉仕). 접대(接待). 근무. ②↗아프터 서비스. ③개인적으로 다른 사람을 위해서 여러 가지로 시중을 드는 일. ④가게 등에서 값을 싸게 하거나 경품(景品)을 붙여서 파는 일. 또, 경품으로 주는 물건. ⑤ 물질적 생산 과정 이외에서 작용하는 노동의 총칭. 운수업·상업·자유업 등. ⑥서브(serve). ――-하다 자여불

서:비스 걸:〔service girl〕명 음식점 등에서 손님을 접대하는 젊은 여자. 여급.

서:비스 공장【―工場】〔service〕명〈속〉 자동차의 수리 공장.

서:비스 공학【―工學】명〔service engineering〕 장치(裝置)와 서비스의 보전성(保全性)을 정량(定量)하는 학문 분야. 운전상(運轉上)의 신뢰성(信賴性)을 판정하고 유지(維持)하는 일, 설계(設計) 변경 등을 보증하는 일, 이미 유통(流通)되고 있는 시방서(示方書)나 표준과 틀리지

않을 것 등을 목적으로 함.

서:비스 데이〔service day〕명 봉사하기로 정한 날. 백화점 등에서 상품을 염가(廉價)로 손님들에게 특별 봉사하는 날.

서:비스 라인〔service line〕명 테니스에서, 서비스 박스의 네트에 평행하는 선(線). 서브선(serve線).

서:비스 마:크〔service mark〕명 은행·보험업·오락 등의 제3차 산업이 기업(企業) 어필의 수단으로서, 서비스의 제공자(提供者)를 표시하기 위한 마크.

서:비스 무:역【一貿易】〔service〕명 상품 무역 이외의 국제 거래. 금융·운수·정보 통신 등의 무역외 거래가 중심을 이룸.

서:비스 박스〔service box〕명 테니스에서, 서브를 그 안에 넣어야 할 직사각형의 구획. 네트의 양쪽에 있어 좌우로 나뉨.

서:비스 배상【一賠償】〔service〕명〖경〗가공 배상(加工賠償).

서:비스 밴드〔service band〕명 어떤 무선 업무(無線業務)에 할당(割當)되는 주파수의 대역(帶域).

서:비스 산:업【一產業】〔service〕명 운수·통신·상업·금융·공무(公務)·자유업 등 서비스라는 무형(無形)의 상품을 제공하는 산업의 총칭. 제3차 산업과 그 범위가 거의 같은 말로서, 경제의 발전이 일정 단계에 이르면 국민 총생산 중에 차지하는 비율이 높아짐. *서비스업(業).

서:비스 세일〔service sale〕명 상점 따위에서, 값을 싸게 하거나 경품(景品)을 붙이어 파는 일.

서:비스 수갱【一竪坑】명〔service shaft〕〖광〗지하와 지상 사이에서, 광부(鑛夫)와 자재(資材)를 실어 나르는 데 쓰이는 수갱.

서:비스 스테이션〔srevice station〕명 ①주유소(注油所). 급유소(給油所). ②자동차·전기 기기 등의 메이커가 자사(自社) 제품의 수선(修繕) 등을 위해 시설한 출장소.

서:비스-업【一業】〔service〕명 산업을 분류할 때의 한 분야. 여관·하숙 같은 숙박 설비 대여업(貸與業), 광고업, 자동차 등의 수리업, 영화·연극 등의 흥행업(興行業), 의료·보건업, 종교·교육·법무(法務) 관계 업종 및 기타 비영리적 단체 등이 이에 포함됨.

서:비스 에어리어〔service area〕명 ① 어떤 특정 라디오·텔레비전의 시청(視聽)·청취 가능 지역. ②테니스·배구 등에서, 서브 구역.

서:비스 에이스〔service ace〕명 배구·테니스·탁구 등에서, 상대가 받을 수 없게 넣은 멋진 서브. 또, 그것으로 얻은 득점.

서:비스-율【一率】명〔service factor〕〖공〗화학(化學) 또는 석유 가공 플랜트(plant)나 기기(機器)의 연속 운전성(連續運轉性)의 척도(尺度). 조업(操業) 시간을 전(全)경과 시간으로 나누어서 계산함.

서:비스 코:트〔service court〕명 테니스에서, 서비스를 넣는 선의 안.

서:비스 프로그램〔service program〕명〖컴퓨터〗시스템의 운영·관리·변경이나 사용자의 프로그램 작성·실행을 돕기 위하여 컴퓨터 제조 회사가 제공하는 범용(汎用) 프로그램.

서:비스 홀:〔service hole〕명 골프에서, 비교적 버디(birdie)를 따기가 쉬운 홀.

서비 한:림【西飛翰林】〔一할一〕명〖역〗문과(文科)에 급제한 사람이 승문원(承文院)·성균관(成均館)·교서관(校書館)에 쓰이기 전에 한림(翰林) 벼슬에 뽑힘. ——-하다 자여불

서-빙고【西氷庫】명〖역〗조선 시대 초기에 두었던 빙고의 하나. 지금의 서울 용산(龍山) 한강(漢江) 가 둔지산(屯智山) 아래에 있었는데, 창고는 여덟 개, 얼음은 주로 궁중(宮中)과 백관(百官)이 썼음. *동빙고(東氷庫)·빙고(氷庫).

서뿌루다 형〈방〉서투르다(평안·전라).

서뿐 부 발소리가 나지 아니할 정도로 살짝 내디디는 모양이나 소리. 㦝서푼. >사뿐.

서뿐-서뿐 부 발소리가 나지 아니할 정도로 연해 살금살금 걷는 모양이나 소리. ¶ ~ 걸어 오다. 㦝서푼서푼. >사뿐사뿐.

서뿟 부 발소리가 나지 아니할 정도로 가볍게 얼른 내디디는 모양이나 소리. ㅿ서붓. 㦝서풋. >사뿟.

서뿟-서뿟 부 발소리가 나지 아니할 정도로 가볍고도 빠르게 걷는 모양. 또, 그 소리. ㅿ서붓서붓. 㦝서풋서풋. >사뿟사뿟.

서사[1]【西士】명〖천주교〗서교(西敎)를 전하는 사람의 뜻으로 신부(神父)를 일컫던 말.

서:사[2]【序詞】명 ①서문(序文)❶. ②〖연〗가극(歌劇)에서 막을 올리기 전에 하는 독창(獨唱). ③음악·희곡(戲曲)·소설 등에서 전체의 진행을 암시하거나 예고하는 내용이 담긴 첫머리의 부분. 프롤로그(prologue).

서:사[3]【敍事】명 사실을 있는 그대로 적는 일. ¶ ~시. ——-하다 자여불

서:사[4]【敍賜】명 위계(位階)·훈등(勳等) 등에 붙여서 훈장이나 연금(年金)을 내려 줌. ——-하다 타여불

서사[5]【書士】명 대서(代書)나 필사(筆寫)를 업으로 하는 사람. ¶ 행정 ~.

서사[6]【書史】명 ①서책(書冊). ②경서(經書)와 사기(史記).

서사[7]【書吏】명〖역〗고려 때 국자감(國子監)·대복시(大僕寺)·예빈성(禮賓省)·대부시(大府寺)·사재시(司宰寺) 등에 두었던 이속(吏屬). 문부(文簿)를 맡아봄. *서령사(書令史).

서사[8]【書司】명〖불교〗'서기(書記)❶'를 일컫는 말.

서사[9]【書舍】명 선비들이 모여서 공부하는 집.

서사[10]【書師】명 서도(書道)에 능한 사람. 서가(書家).

서사[11]【書肆】명 서점(書店).

서사[12]【書寫】명 글씨를 베낌. ——-하다 자여불

서사[13]【書寫】명〖역〗조선 시대 때, 육의전(六矣廛)의 하공원(下公員)의 하나.

서사[14]【書辭】명 서장(書狀)에 쓰이는 말. 서중(書中)의 언사(言辭).

서사[15]【徐事】명〖역〗태봉(泰封)의 광평성(匡評省)의 둘째 벼슬. 고려의 시랑(侍郞)과 같음.

서:사[16]【筮仕】명 처음으로 벼슬을 얻음. ——-하다 자여불

서:사[17]【署事】명〖역〗조선 시대 때, 의정부(議政府)에 보고된, 육조(六曹)의 소관 사무를 세 의정(議政)이 함께 의결(議決)하는 일.

서:사[18]【誓師】명 출정(出征)하는 장병들을 모아 놓고 훈계하여 타이르는 일.

서:사[19]【誓詞】명 맹세하는 말.

서:사-곡【敍事曲】명〖악〗서사시(敍事詩)를 가사(歌詞)로 한 곡조. 레겐데(Legende).

서사 군도【西沙群島】명〖지〗시사 군도.

서사-기【西使記】명〖책〗중국 원(元)나라 헌종(憲宗) 때, 서역(西域)에 사신으로 갔던 상덕(常德)의 견문을 유욱(劉郁)이 글로 옮긴 책.

서-사모아【西一】〔Samoa〕명〖지〗남태평양 사모아 제도(諸島)의 주요부를 차지하는 독립국. 1900년 독일령이 되었으며, 제1차 세계 대전 후 뉴질랜드의 위임 신탁 통치령을 거쳐, 1962년에 독립함. 주민은 폴리네시아계(系)이며, 주로 우폴루(Upolu) 섬과 사바이(Savaii) 섬에서 삶. 코프라·카카오·바나나 등을 산출(產出)함. 수도는 아피아(Apia). [2,831 km²: 170,000 명 (1995 추계)] *사모아 제도(諸島).

서:사 무:가【敍事巫歌】명 이야기로 되어 있는 무가.

서:사-문【敍事文】명〖문〗서사체로 쓴 글. 설화(說話)·사화(史話)·소설 등과 신문의 사회면 기사 같은 것. ↔서정문(抒情文)·서경문(敍景文).

서:사 민요【敍事民謠】명 이야기로 된 민요. 서정(敍情) 민요나 교술(敎述) 민요와 구별됨. 설화요(說話謠). 댕기노래. 전설요.

서:사-시【敍事詩】명〔epic〕〖문〗서정시(抒情詩)·극시(劇詩)와 아울러 시의 삼대 부문의 하나. 국민적·민족적 집단의 역사적 사건이나 신화 또는 전설과 영웅의 사적 등을 장시(長詩)로 꾸미어 객관적·비개성적(非個性的)으로 읊은 시. 오디세이(Odyssey)·롤랑(Roland)의 노래, 니벨룽겐(Nibelungen)의 노래 같은 것. 에포스(epos). *서정시·극시.

서:사시-적【敍事詩的】〔一쩍〕명관 서사시와 같은 모양.

서사 왕:복【書辭往復】명 편지가 오고 가고 함. ——-하다 자여불

서사을-목【西士乙木】명〈방〉〖건〗발비.

서:사-체【敍事體】명〖문〗사실(事實)을 있는 그대로, 객관적(客觀的) 수법(手法)에 의하여 묘사하는 문체.

서-사하라【西一】〔Sahara〕명〖지〗아프리카 북서부, 사하라 사막의 서쪽 끝에 해당하는 지역. 1884 년 이래 에스파냐령 사하라였으나, 1976 년 에스파냐가 영유권을 포기함에 따라 모리타니와 모로코가 분할 통치, 1979 년 모리타니의 영유(領有) 포기로 모로코(Morocco)가 전면 통치하고 있으나 독립을 주장하는 폴리사리오 전선(Polisario 戰線)이 알제리(Algérie) 안에 사하라 아랍 민주 공화국의 망명 정권을 수립하여 양국 간의 분쟁이 계속되고 있음. 주산업은 어업이며, 낙타·염소의 사육도 이루어지고, 인광석(燐鑛石)의 세계적인 산지임. 주민은 아랍인과 베드 윈계(系) 유목민, 언어는 아랍어, 종교는 이슬람교임. [266,000 km²: 270,000 명 (1995 추계)]

서산[1] 명〈심마니〉〖동〗쥐.

서산[2]【西山】명 해 지는 쪽의 산. 서쪽에 있는 산.

서산[3]【書算】명 글 읽는 번수를 세는 물건. 봉투 비슷하게 만들어 거죽에 두 층으로 눈을 다섯씩 에어서 그 눈대로 접었다 폈다 하여 십진법(十進法)으로 셈을 함. 서수(書數).

〈서산[3]〉

서:산[4]【瑞山】명〖지〗충청 남도의 한 시(市). 1 읍(邑) 9 면(面) 6 동(洞). 동쪽은 예산군(禮山郡)·당진군(唐津郡), 북쪽과 남쪽은 황해, 남동쪽은 홍성군(洪城郡), 서쪽은 태안군(泰安郡)에 접함. 농업·수산업·제염업(製塩業)이 성함. 명승 고적으로는 운산(雲山)의 마애 삼존 불상(磨崖三尊佛像), 개심사(開心寺), 보원사지(普願寺址)의 당간 지주(幢竿支柱)와 법인 국사 보승탑(法印國師寶乘塔) 등이 있음. 1989년 1월 읍에서 시로 승격하고, 1995년 1월, 서산군과 통합, 개편됨. [636.60 km²: 142,159 명 (1996)]

서:산-군【瑞山郡】명〖지〗충청 남도에 속했던 군. 1995년 1월, 서산시에 통합됨.

서산-나귀 명 중국에서 나는 나귀의 한 가지. 보통 나귀보다 큼.

서산 낙일【西山落日】명 ①서산에 지는 해. ②세력 등이 기울어져 어찌 수 없이 멸망하게 된 판국을 이르는 말.

서산-대【書算一】〔一때〕명 책을 읽을 때에 글줄·글자를 짚거나 또는 서산(書算)을 눌러 두는 가는 막대. 책대.

서산 대:사【西山大師】명〖사람〗휴정 대사(休靜大師)의 별칭.

서산 대:사전【西山大師傳】명〖문〗서산 대사의 무용담(武勇譚)에서 취재한 전기적 작품. 작자·창작 연대 미상.

서:산 마애 삼존 불상【瑞山磨崖三尊佛像】〔一쌍〕명 충청 남도 서산시 운산면(雲山面) 용현리(龍賢里)에 있는 마애 불상. 총높이 2.8 m의 본존 여래 입상(本尊如來立像)을 중심으로 좌측에 총높이 1.65 m의 반가 사유형(半跏思惟形)의 보살 좌상, 우측에 총높이 1.7 m의 보살 입상이 배치되어 있음. 백제 말기에 만들어진 것으로 추정됨. 국보 제84호.

서산-이[1] 명〈방〉서산나귀.

서산-이[2] 명〈심마니〉〖동〗쥐.

서산-파【西山派】명 시산파(西山派).

서:산 해:안 국립 공원【瑞山海岸國立公園】〔一닙一〕명〖지〗'태안(泰安) 해안 국립 공원'의 개칭(改稱)되기 전인 1978 년부터 1990 년까지의 이름.

서살-목 명〈방〉발비.

서-삼릉【西三陵】〔一능〕명〖역〗경기도 고양시(高陽市) 원당동(元堂洞)에 있는 세 능(陵). 중종 계비(中宗繼妃) 장경 왕후(章敬王后)의 희릉(禧陵)과, 인종(仁宗) 및 인종비 인성 왕후(仁聖王后)의 효릉(孝陵)과, 철종(哲宗) 및 철종비 철인 왕후(哲仁王后)의 예릉(睿陵)의 일컬음. 사적(史蹟) 제200 호.

서:-삼촌【庶三寸】명 서숙(庶叔).

서상[1] 【西廂】 명 서쪽에 있는 결채.

서:상[2] 【敍上】 명 상술(上述). 여상(如上).

서:상[3] 【瑞相】 명 상서로운 징조(徵兆). 서조(瑞兆). 서상(瑞祥).

서:상[4] 【瑞祥】 명 상서로운 조짐. 길조(吉兆). 서조(瑞兆). 서상(瑞相).

서:상[5] 【瑞像】 명 〖불교〗 서상(瑞相)을 갖춘 불상. 특히 우진왕(優塡王)이 처음으로 석가상을 전단(栴檀)으로 만들었다는 전설상의 불상을 이름.

서:상[6] 【暑傷】 명 더위를 먹음. ——-하다 자 여불

서상-기 【西廂記】 명 〖책〗 중국 원대(元代)의 희곡(戲曲). 북곡(北曲)의 조(祖)라고 할 수 있는 책으로, 작자는 왕실보(王實甫) 혹은 관한경(關漢卿)이라고도 하고 일설에는 두 사람의 합작(合作)이라고도 함. 최앵앵(崔鶯鶯)이라는 미인(美人)과 장군서(張君瑞)라는 청년과의 곡절 많은 정사(情事)를 각색(脚色)한 것임. 5본(本) 21절(折).

서-상륜 【徐相崙】 [—눈] 명 〖사람〗 기독교 선교사. 평안 북도 의주 출신. 조선 고종 13년(1876)에 행상(行商)으로 만주에 갔다가 로스(Ross) 목사를 만나 세례를 받고, 동만주 일대의 교포에게 전도(傳道)하고, 1887년 황해도 송천(松川)에 우리 나라 최초의 신교 교회를 세웠음. [1849–1926]

서-상방 【西上房】 명 남쪽으로 낸 대청에, 안방을 오른편에 만든 집. ↔동상방(東上房).

서상-학 【書相學】 명 필적학(筆跡學).

서:색[1] 【瑞色】 명 상서로운 빛.

서:색[2] 【鼠色】 명 쥐의 털과 같은 빛. 곧, 푸른빛이 나는 잿빛.

서:색[3] 【曙色】 명 서광(曙光)을 받은 산천(山川)의 빛. 새벽녘의 경치.

서생[1] 【書生】 명 ①유학(儒學)을 닦는 사람. ②남의 집에서 일을 하여 주면서 공부하는 사람.

서:생[2] 【庶生】 명 첩의 소생. 서출(庶出).

서생 문학 【書生文學】 명 아직 습작(習作) 정도에 그치는 작품. 또, 그 시기의 문학.

서:-생원 【鼠生員】 명 〈속〉 '쥐'를 의인화(擬人化)하여 부르는 애칭.

서생포 왜성 【西生浦倭城】 명 〖지〗 임진 왜란 때에 왜군이 경상도 지방 해안 일대에 축성한 18개 성루(城壘) 가운데의 하나. 선조 26년(1593)에 왜장 가토 기요마사가 일본식으로 쌓은 것으로, 양산시(梁山市) 서생면(西生面) 서생리(西生里) 뒷산에 남아 있음.

서서[1] 【西署】 명 〖역〗 조선 시대 말엽, 서울 안 오부(五部)의 하나인 서부(西部)의 경무 관서(警務官署). 고종(高宗) 32년(1895)에서 순종(純宗) 융희(隆熙) 4년(1910)까지 있었음.

서:서[2] 【瑞西】 명 〖지〗 '스위스(Suisse)'의 취음(取音).

서:서[3] 【筮書】 명 복서(卜筮)를 의뢰받은 사람이 길흉(吉凶)을 써 내는 문서.

서:서[4] 【誓書】 명 서약서(誓約書).

서:서-원 【瑞書院】 명 〖역〗 홍문관(弘文館).

서:서-인 【瑞西人】 명 스위스 사람. 독일계·프랑스계·이탈리아계로 되어 있음.

서:서-히 【徐徐—】 부 천천히. ¶ 경기(景氣)가 ~ 호전(好轉)되고 있다.

서-석 【徐碩】 명 〖사람〗 고려 문종(文宗) 때의 학자. 사학(私學)을 세워 후진(後進)을 양성하였는데, 세상에서 이를 서시랑도(徐侍郎徒)라 불렀으며, 사학 12 공도(公徒)의 하나임. 생몰년 미상.

서석-산 【西石山】 명 〖지〗 평안 북도 후창군(厚昌郡) 동신면(東新面)과 동흥면(東興面)사이에 있는 산. 낭림 산맥(狼林山脈)의 첫머리 부분에 있음. [1,304 m]

서석-집 【瑞石集】 명 〖책〗 조선 현종 때의 서석(瑞石) 김만기(金萬基)의 시문집. 18권 9책.

서:선 【鼠銑】 명 흑연(黑鉛)으로서 유리(遊離)한, 탄소를 많이 함유하는 선철(銑鐵). 회흑색(灰黑色)인데, 주물(鑄物)로서 기계·수도관(管) 등을 만듦. ＊백선(白銑).

서:설[1] 【序說】 명 머리말로서의 논설.

서:설[2] 【敍說】 명 말로서 설명함. ——-하다 타 여불

서설[3] 【棲屑】 명 일정한 거처 없이 떠돌아다님. ¶ 아직 댁도 못 정하고 객지에 ~한다 하니 범백사가 여북 군색하겠소《李海朝 : 鳳仙花》. ——-하다 자 여불

서설[4] 【絮說】 명 너절하게 쓸데없이 길게 말함. ——-하다 타 여불

서:설[5] 【暑泄】 명 〖한의〗 여름의 더위로 인하여 생기는 설사.

서:설[6] 【瑞雪】 명 상서로운 눈.

서:설[7] 【鼠齧】 명 서파(鼠破).

서-성[1] 【徐渻】 명 〖사람〗 조선 중기의 명신(名臣). 자는 현기(玄紀), 호는 약봉(藥峯). 달성 사람. 함재(涵齋) 해(嶰)의 아들. 병조 정랑(兵曹正郞)·경기 감사를 지내고 광해군(光海君) 때 11년간 귀양살이를 하다가 인조 반정(仁祖反正)으로 다시 형조·병조 판서를 역임함. 시호는 충숙(忠肅). [1558–1631]

서성[2] 【書聖】 명 서도(書道)의 명인(名人). 글씨를 썩 잘 쓰는 사람을 높이어 일컫는 말.

서:성[3] 【瑞星】 명 상서로운 별. 태평 성대(太平聖代)에 나타난다 함. 경성(景星). 덕성(德星).

서성-거리다 자 어떤 일을 결단하여 해내지 못하고 그 둘레에서 망설이며 왔다 갔다하다. 마음이 가라앉지 못하여 서서 왔다갔다하다. **서성-서성** 부. ¶ 칼 하나를 잘 들게 갈아가지고 해 가기를 기다리는 모양으로 ~하면서 무슨 생각을 하는데…《作者未詳 : 金菊花》. ——-하다 자 여불

서성-대다 자 서성거리다.

서:성 대:훈장 【瑞星大勳章】 명 〖역〗 대한 제국 때 훈장의 하나. 왕족 또는 문무관 가운데, 이화 대훈장(李花大勳章)을 받은 사람으로서 특별한 공훈이 있는 사람에게 특지로써 내리었음.

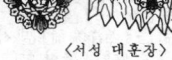

〈서성 대훈장〉

서:세[1] 【逝世】 명 '별세(別世)'의 존대말. ——-하다 자 여불

서:세[2] 【瑞世】 명 상서로운 세상. 성대(聖代).

서-세(:)창 【徐世昌】 명 〖사람〗 '쉬 스창(徐世昌)'을 우리 음으로 읽은 이름.

서섹스 〔Sussex〕 명 〖지〗 영국 잉글랜드 남동부, 영국 해협에 면하는 지방. 밀·귀리·사탕무·홉(hop)·과수 등 농사 외에 낙농(酪農)이 행하여지며, 제도(製陶)·유리·시멘트·농산물 가공의 공업도 성함. 고대 7왕국 중의 하나로, 행정적으로는 동서(東西) 두 주(州)로 갈라지며 동(東)서섹스의 중심지는 루이스(Lewes). [1,795 km^2 : 653,000명(1981)], 서(西)서섹스의 중심지는 치체스터(Chichester). [1,991 km^2 : 659,000명(1981 추계)]

서셴 〔歙縣〕 명 〖지〗 중국 안후이 성(安徽省) 동남단의 도시. 저장(浙江)·안후이·장시(江西)의 세 성(省) 사이의 교통의 요지로서 차(茶)·붓·휘묵(徽墨)·벼루 등을 산출(產出)함. 구명은 후이저우(徽州). 흡현. [576,000명(1982)]

서소 【書疏】 명 편지.

서-소문 【西小門】 명 〖지〗 〈속〉 소의문(昭義門). ＊서대문.

서-소우이도 【西小牛耳島】 명 〖지〗 전라 남도의 서해상(西海上), 신안군(新安郡) 도초면(都草面) 우이리(牛耳里)에 위치한 섬. [0.27 km^2 : 100명(1984)]

서속[1] 【西俗】 명 서양(西洋)의 풍속(風俗).

서:속[2] 【黍粟】 명 ① 기장과 조. 전(轉)하여, 오곡(五穀)을 이름. ②〈방〉 〖식〗 조[1](경북).

서:손 【庶孫】 명 서자(庶子)의 자손. 또, 아들의 서자. 얼손(孼孫). ↔적손(嫡孫).

서수[1] 【西收】 명 〔서(西)는 가을이라는 뜻〕 추수(秋收). ——-하다 타 여불

서수[2] 【西陲】 명 한 나라의 서쪽의 변두리. 서쪽 변방. 서변(西邊).

서:수[3] 【序數】 명 〔ordinal number〕 〖수〗 순서를 나타내는 수. 곧, 첫째·둘째 같은 것. 순서수(順序數). ＊기수(基數).

서수[4] 【書手】 명 잔글씨 쓰는 것을 업으로 하는 사람. 또, 잔글씨에 능숙한 사람.

서수[5] 【書手】 명 〖역〗 고려 때, 중서 문하성(中書門下省)·한림원(翰林院)·비서성(祕書省) 등에 두었던 이속(吏屬).

서수[6] 【書數】 명 서산(書算).

서:수[7] 【庶羞】 명 여러 가지 음식.

서수라 【西水羅】 명 〖지〗 함경 북도 경흥군(慶興郡)에 있는 읍(邑). 우리 나라의 가장 동북쪽 끝에 있는 항구로, 명태가 많이 나서 어기(漁期)에는 퍽 번화함.

서:수-사 【序數詞】 명 〖언〗 차례를 나타내는 수사(數詞). 곧, 첫째·둘째 같은 것. 차례 셈씨. 순서 수사(順序數詞). ↔양수사(量數詞).

서-수쟁 【徐樹錚】 명 〖사람〗 '쉬 수정(徐樹錚)'을 우리 음으로 읽은 이름.

서:수-필 【鼠鬚筆】 명 쥐의 수염으로 만든 붓.

서:숙[1] 명 〈방〉 〖식〗 조(전라·경상·충남·경기).

서숙[2] 【書塾】 명 글방.

서:숙[3] 【庶叔】 명 할아버지의 서자(庶子). 서삼촌(庶三寸).

서숙[4] 【棲宿】 명 서식(棲息). ——-하다 자 여불

서숙-찹쌀 명 〈방〉 차좁쌀(경남).

서순: 〔Sassoon, Siegfried Lorraine〕 명 〖사람〗 영국의 시인. 1차 대전에 종군하고 돌아와 전쟁의 잔학(殘虐)을 통절히 그린 시집 《병사의 선언》·《역습》 등을 내어 의회에서까지 문제되게 하였고, 그 후 산문 작가로 활동하면서 풍자성·환상성(幻想性)을 내포한 《마음의 일기》·《묵상(默想)》 등을 썼음. [1886–1967]

서:술 【敍述】 명 차례를 좇아 말함. ¶ 일의 경위를 연차순(年次順)으로 ~하다. ——-하다 타 여불

서:술-격 【敍述格】 [—껵] 명 〖언〗 문장의 술어(述語)가 되는 어격(語格). 풀이 자리. ↔주격(主格).

서:술격 조:사 【敍述格助詞】 명 [—껵—] 명 〖언〗 체언에 붙어, 그 체언을 문장의 서술어가 되게 하는 격조사. '이다' 하나뿐인데, '이냐, 이로구나, 이거든, 인데' 등으로 활용하며, 받침 없는 말 아래서는 '이'가 생략되기도 함.

서:술 기후학 【敍述氣候學】 명 〔descriptive climatology〕 그래프나 기술 표현(記述表現)에 의한 기후학. 원인이나 이론의 추구(追求)는 하지 아니함.

서:술-법 【敍述法】 [—뻡] 명 말끝을 예사로 마치는 법. '-다·-오·-나이다' 등.

서:술-부 【敍述部】 명 문장의 본체부를 이루는 중요 구성 요소의 하나. 서술어와 서술어에 딸린 부속부를 합하여 일컫는 말.

서:술성 의존 명사 【敍述性依存名詞】 [—썽—] 명 〖언〗 문장 안에서 서술어로 쓰이는 의존 명사. '진리는 하나가 있을 따름이다', '말해 봤을 뿐이다' 등에서 '따름', '뿐' 따위.

서:술-어 【敍述語】 명 〖언〗 한 문장의 주어 아래에 있어서, 어떤 동작이나 형태나 존재 등을 나타내는 말. 동사·형용사가 이에 사용됨. 술어(述語). 풀이말.

서:술-절 【敍述節】 [—쩔] 명 〖언〗 하나의 문장 안에서 서술부의 구실을 하는 절. '창수는 배가 고프다'에서 '배가 고프다' 따위.

서:술-형 【敍述形】 명 〖언〗 어미 변화의 하나. 어미를 예사로 마치는 어형(語形). 베풂꼴.

서-숭사 【徐崇嗣】 명 〖사람〗 중국, 북송(北宋)의 화가(畫家). 금릉(金陵) 사람. 서희(徐熙)의 화풍을 이어 화조화(花鳥畫)에 명성을 떨쳤으나, 후에 채색의 농담(濃淡)에 의한 몰골법(沒骨法)으로 명화 진조(名花珍鳥)를 그렸다고 함. 생몰년(生沒年) 미상.

서스캐처원 강 【—江】 〔Saskatchewan〕 명 〖지〗 캐나다 중서부의 강. 로키 산맥에서 발원하여 위니펙 호(Winnipeg 湖)로 흐름. 중류 일대에는 밀 농사가 발달했음. [1,940 km]

서스캐처원 주 【—州】 〔Saskatchewan〕 명 〖지〗 북아메리카 캐나다 중남부의 농업주(農業州). 프레리 제주(Prairie 諸州)의 하나이며, 남은 초

원(草原), 북은 평탄한 삼림 지대임. 밀이 주산물이고 귀리·소·목재(木材)·물고기·광물(鑛物) 등을 산출함. 주도(州都)는 리자이나(Regina). [652,000 km²: 995,300 명 (1991 추계)]

서스쿼해나 강【一江】〔Susquehanna〕[명]〖지〗미국 동부의 강. 뉴욕 주의 오체고 호(Otsego 湖)에서 발원(發源)하여 애팔래치아(Appalachian) 산맥을 남서와 남동 방향으로 흘러, 체서피크 만(Chesapeake 灣)으로 흘러 듦. 식민지 시대 때부터 강줄기를 따라 애팔래치아 산맥을 넘는 교통로가 열려 있음. [714 km]

서스테이닝 프로그램〔sustaining program〕[명] 민영 방송(民營放送)에서, 스폰서 없이 자주적으로 편성하는 방송 프로그램. [준]서스프로. ↔스폰서드 프로그램.

서스펜더〔suspender〕[명] ①양복바지 멜빵. ②양말 대님.

서스펜더 스커:트〔suspender skirt〕[명] 바지 멜빵처럼 헝겊 오리로 멜빵을 만들어 댄 스커트.

서스펜디드 게임〔suspended game〕[명] 야구에서, 후일에 다시 경기를 계속, 완료할 것을 조건으로 9회 이전에 중지한 경기.

서스펜션 라이트〔suspension light〕[명]〖연〗푸트 라이트(foot light)의 한 가지. 위로부터 전광(電光)을 늘어뜨린 것으로, 주간 흥행에서 연기면을 밝게 하고 입체적으로 보이게 하는 데 효과가 있음.

서스펜션 피:더〔suspension feeder〕[명]〖동〗물에 부유(浮遊)하면서 살아 있는 미소 동식물이나 큰 생물의 배설물·부패물 따위의 소립자(小粒子)를 먹는 동물.

서스펜스〔suspense〕[명] 소설·영화 등에서, 줄거리의 발전이나 위기의 과정을 통하여, 독자나 관객으로 하여금 마음을 졸이고 아슬아슬한 느낌을 갖게 하는 기교. 또, 그때의 불안과 긴장감.

서스-프로 [명] ↗서스테이닝 프로그램(sustaining program).

서슬¹ [명] ①칼날이나 다른 물건의 날카로운 곳. ¶ ~이 시퍼런 칼. ②언행의 날카로운 기세. 등등한 기세. ¶ ~이 시퍼래서 대들다 / 갑자기 두 눈이 번들번들해지고 표정에 ~을 세우며 생기를 되찾았다≪李浩哲 : 深淺圖≫.

서슬이 시퍼렇다 [구] ㉠칼날 따위가 날카롭게 빛나다. ㉡기세가 등등하다. 또, 권위 따위가 준엄하다.

서슬² [명]〈방〉간수².

서슴-거리다 [자][타] 말이나 행동을 자꾸 서슴다. ¶ 서슴거리지 말고 말해 보라. 서슴-서슴 [부]. ——-하다 [자][타][여불]

서슴다 [-따] [자][타] 〔근대 : 서슴다〕 말이나 행동을 머뭇거리며 망설이다. ¶ 서슴지 아니하고 들어오다 / 재차 물어도 그 사람은 얼른 누구라고 대지 않고 서슴는 말로 …≪洪命憙 : 林巨正≫.

서슴-대다 [자][타] 서슴거리다.

서슴-없다 [-업-] [형] 말이나 행동에 거침이 없다. 망설임이 없다.

서슴-없이 [-업씨] [부] 서슴없게. ¶ ~ 소신을 말하다.

서:습【暑濕】[명] ↗서습지기(暑濕之氣).

서:습지-기【暑濕之氣】[명] 서기(暑氣)와 습기(濕氣). [준]서습(暑濕).

서승¹【西昇】[명]〖불교〗서행(西行). ——-하다 [자][여불]

서:승²【序陞】[명]〖역〗관직에 있는 햇수를 따라서 품계나 벼슬을 올림. ——-하다 [타][여불]

서시¹ [명] 투전·화투 등의 노름에서, 여섯 끗을 이르는 말. *고비.

서시²【西施】[명]〖사람〗중국 춘추 시대 월(越)나라의 미인(美人). 월나라 왕 구천(勾踐)이 오(吳)나라에게 패한 뒤에 미인계(美人計)로 서시를 오왕 부차(夫差)에게 보내니, 부차는 서시에게 혹하여 고소대(姑蘇臺)를 짓고 정사를 돌보지 아니하여, 드디어 구천과 범소백(范少伯)의 침공을 받아 망하였음. 생몰년 미상.

서:시³【序詩】[명] ①책의 첫머리에 서문 대신으로 쓴 시. ②장시(長詩)에서, 서문 비슷하게 첫머리에 딴 장을 마련하여 쓴 시.

서:시⁴【薯豉】[명] 감자로 만든 된장.

서시랑-도【徐侍郞徒】[명]〖역〗고려 때의 열 두 사학(私學)의 하나. 서석(徐碩)이 세움. *십이도(十二徒)·서석(徐碩).

서시 빈목【西施矉目】[명] 〔미인 서시가 속병이 있어 눈을 찌푸리고 있었는데, 이것을 본 마을의 못난 여자들이 눈을 찌푸리면 아름답게 보이는 줄 알고, 자기도 눈을 찌푸리니 더욱 못나게 보였다는 고사(故事)에서〕 함부로 남의 흉내를 내어, 세상 사람의 웃음거리가 됨을 이르는 말. *효빈(效顰).

서시-옥시【西施一】[명] 미인(美人)을 비유하여 일컫는 말.

서식¹【書式】[명] 증서(證書)·원서(願書)·신고서 등을 쓰는 일정한 법식. 서례(書例).

서식²【棲息】[명] 동물이 어떠한 곳에서 삶. 서숙(棲宿). ¶ 숲 속에 ~하는 새들. ——-하다 [자][여불]

서식-지【棲息地】[명] 동물이 서식(棲息)하는 곳.

서신¹【書信】[명] 편지로 전하는 소식. 신서(信書). 안신(雁信).

서:신²【庶神】[명] 여러 가지 귀신.

서:실¹【胥失】[명] 서로 잘못한 허물.

서실²【書室】[명] 서재(書齋)²❶.

서실³【閪失】[명] 물건을 흐지부지 잃어버림. ¶ 찬 밥덩이라도 ~이 될까 봐 별 핑계를 다 해가며 내쫓기로만 위주를 하여…≪李海朝 : 巢鶴嶺≫. ——-하다 [타][여불]

서씨-체【徐氏體】[명]〖미술〗중국 오대(五代)의 화조(花鳥) 화가 서희(徐熙)의 화풍(畫風). 우선, 수묵(水墨)으로 가지·잎·꽃 등의 대강을 그린 다음 엷게 채색하는 것으로, 화조의 형체보다 그 생의(生意)를 표현함을 주안(主眼)으로 삼음. 주로 문인 화가(文人畫家)가 즐기던 체임. *황씨체(黃氏體).

서-아시아【西一】〔Asia〕[명]〖지〗동양과 서양의 중간에 위치한 아시아의 남서부 지역. 보통, 동쪽의 파키스탄에서 시작하여 서쪽으로 아프가니스탄·이란·이라크·아라비아 반도를 거쳐 터키에 이르는 넓은 지역. 대부분이 건조한 지역이며 석유 산유국이 많음. 주민은 주로 이슬람교도. 중동(中東)지역. 중근동(中近東). 근동(近東).

서아시아 경제 사회 위원회【西一經濟社會委員會】[명]〔Economic and Social Commission for Western Asia〕 국제 연합 경제 사회 이사회의 지역 경제 위원회의 하나. 이란과 이스라엘을 제외한 서아시아 14개국이 가맹하고 있음. 1973년 서아시아 경제 위원회로 발족, 1985년 이 이름으로 개칭되었음. 본부는 바그다드. 이 에스 시 더블유 에이(ESCWA).

서아프리카 경제 공:동체【西一經濟共同體】[명]〔Economic Community of West African States〕 1975년 5월에 발족한, 서(西)아프리카 16개국의 경제 통합. 가맹국(加盟國) 상호간의 점진적 관세 철폐, 역외(域外)에 대한 공동 관세의 설정, 역내(域內) 자본·노동력·서비스의 자유 이동, 농업 정책의 조종 등을 목적으로 함.

서악¹【西嶽·西岳】[명]〖지〗중국 오악(五岳)의 하나. 화산(華山).

서:악²【序樂】[명]〖악〗①모음곡(曲)·오페라·오라토리오 또는 종교적·세속적 의식의 처음에 연주되는 기악의 총칭. ②서곡(序曲)❷.

서악리 고:분군【西岳里古墳群】[-니-] [명]〖역〗경상 북도 경주시(慶州市) 서악동(西岳洞)에 있는 통일 신라 시대의 굴식 돌방 무덤.

서악 서원【西岳書院】[명]〖역〗조선 시대 때의 사액(賜額) 서원의 하나. 경상 북도 경주시(慶州市) 서악동(西岳洞) 소재. 명종 16년(1561)에 이정(李楨)이 창설, 신라의 3명신 김유신(金庾信)·설총(薛聰)·최치원(崔致遠)의 신주를 모시어 유학(儒學) 강론의 총원(叢園)이 되었던 곳으로 경주 유풍(儒風)의 중심이었음.

서안¹【西安】[명]〖지〗'시안(西安)'을 우리 음으로 읽은 이름.

서안²【西岸】[명] 서쪽에 있는 강가 또는 바닷가·물가. 서쪽 연안. ↔동안(東岸).

서안³【書案】[명] ①책을 얹는 책상. ②문서의 초안(草案).

서:안⁴【舒雁】[명]〖조〗거위¹.

서안 경계류【西岸境界流】[명]〖지〗대양(大洋)의 서부에서 다른 해류들에 비해 좁은 폭으로 빠르고 두껍게 북쪽을 향해 흐르는 해류. 열대와 아한대를 연결하는 난류(暖流)임. 대평양에는 쿠로시오(黒潮), 대서양에는 멕시코 만류가 있음.

서안 기후【西岸氣候】[명]〖기상〗같은 위도의 동안(東岸) 지역과 다른 기후 특성을 갖는, 대륙의 서안 지역에 발달하는 기후. 열대(熱帶) 서안에서는 상승 기류가 발달하지 않으므로 구름이나 비가 발생하지 않고, 습도가 높으며, 기온의 연교차(年較差)가 작고 해륙풍(海陸風)이 현저하며, 빈약한 식물이 나는 사막이 형성됨. 아열대(亞熱帶)에서는 겨울에는 우기(雨期), 여름에는 건기(乾期)가 발생하며, 지중해성(地中海性)의 건지(乾地) 식물 지역이 형성됨. 중위도(中緯度)에서는 일년 중 습도가 높고, 여름에는 저온, 겨울에는 고온이며 기온의 연교차가 작고, 가을·겨울에 약간 비가 많으나 강수량의 연변화(年變化)가 적으며, 낙엽수림·혼효림(混淆林) 지역이 형성됨.

서안 비림【西安碑林】[명] 시안(西安) 비림.

서안 사:건【西安事件】[-껀] [명]〖역〗시안(西安) 사건.

서:안-악【舒安樂】[명]〖악〗서안지악.

서:안지-악【舒安之樂】[명]〖악〗조선 세종 때 사용된 연례악(宴禮樂)의 하나.

서안 해:양성 기후【西岸海洋性氣候】[-썽-] [명]〖기상〗서안 기후의 하나. 주로 중위도(中緯度)의 대륙 서안에 분포하는 온대 습윤 기후. 난류나 편서풍(偏西風)의 영향으로 기온·강수량이 일년을 통하여 고르며, 위도에 비해 온난(溫暖)하여 살기에 좋음. 서유럽·캐나다 서안(西岸)·오스트레일리아 남동부 등에 분포함.

서:압【署押】[명] 화압(花押)을 둠. ——-하다 [자][여불]

서애【西厓】[명]〖사람〗유성룡(柳成龍)의 호(號).

서애-집【西厓集】[명]〖책〗조선 선조(宣祖) 때의 상신(相臣). 유성룡(柳成龍)의 시문집으로, 인조(仁祖) 11년(1633) 그의 손자 유삼(柳袗)이 펴냄. 원집(原集) 20권과 별집(別集) 4권으로 되어 있음.

서야벌【徐耶伐】[명]〖역〗서라벌(徐羅伐).

서:약【誓約】[명] 맹세하고 약속함. 약속. ——-하다 [타][여불]

서:약-문【誓約文】[명] 서약서.

서:약-서【誓約書】[명] 서약하는 글. 서약문. 서문(誓文). 서문장(誓文狀). 서서(誓書). 서장(誓狀).

서양【西洋】[명] 유럽·아메리카의 여러 나라를 일컫는 말. 구미(歐美). 태서(泰西). *동양·중양(中洋).

서양 가구【西洋家具】[명] 서양에서 수입해 온 가구. 또, 서양식으로 만든 가구.

서-양갑【徐羊甲】[명]〖사람〗조선 광해군(光海君) 때의 사람. 평소 양반의 태생이나 서출(庶出)인 까닭에 벼슬을 못함을 불평하던 중, 조령(鳥嶺)에서 상인을 죽이고 금품을 빼앗은 죄로 문초를 받자, 목숨을 살려준다는 이이첨(李爾瞻) 등의 꾐에 빠져 김제남(金悌男) 등과 역모(逆謀)를 꾸며 영창대군(永昌大君)을 옹립하려 했다고 허위 진술하여 많은 사람이 억울하게 참변을 당함. *강변 칠우(江邊七友). [?-1618]

서양 고추【西洋一】[명]〖식〗피망(piment)❷.

서양 과자【西洋菓子】[명] 서양에서 건너온 것이거나 또는 서양식으로 만든 과자. 비스킷 따위. [준]양과자(洋菓子).

서양-관【西洋館】[명] 양관(洋館)❷.

서양-국【西洋國】[명] 서양의 모든 나라. [준]서국(西國)·양국(洋國).

서양-류【西洋流】[-뉴] [명] 서양풍(西洋風).

서양-목【西洋木】[명] →생목.

서양-못【西洋一】[명] 왜못.

서양 무:용【西洋舞踊】[명] 서양에서 전래(傳來)한 무용. 주로 발레·현대 무용 등을 말함. 동적(動的)이고 하지(下肢)를 많이 움직이는 것이 특징임.

서양 문학【西洋文學】[명] 유럽·아메리카 문학의 총칭.

서양 미술【西洋美術】[명]〖미술〗유럽에서 발생·발달한 미술. 이집트

미술·페르시아 미술·이슬람 미술을 포함하는 수도 있음. ↔동양 미술.

서양-배【西洋一】명 품종을 개량한 서양종의 배. 향기·맛이 좋음.

서양-사¹【西洋史】명 유럽·아메리카·중동(中東) 등 여러 나라의 역사. ↔동양사.

서양-사²【西洋紗】명 가는 무명올로 폭이 넓고도 설피게 짠 피륙. ㊟생사·양사(洋紗).

서양사-학【西洋史學】명 서양 세계를 하나의 문화권으로 보고 그 문화의 변천 과정을 탐구하는 학문.

서양사학-과【西洋史學科】명 대학에서, 서양사에 관한 학문을 전공하는 학과. *동양사학과.

서양-산【西陽山】명〖지〗함경 남도 단천군(端川郡) 남두일면(南斗日面)에 있는 산. [1,205m]

서양 상법【西洋商法】[一뻡] 명 서로의 이해(利害)를 명확히 하고 사적(私的)인 감정이나 정실(情實)에 구애되지 아니하는 상법.

서양-식【西洋式】명 서양풍(西洋風)의 양식(樣式). ㊟양식(洋式).

서양 야:채【西洋野菜】[一냐一] 명 비교적 근년에 구미(歐美)에서 도입된 야채의 통칭. 토마토·감자·시금치 등 일반적인 것은 제외하고, 주로 서양 요리의 재료로서 독특한 것을 말함. 도시 근교나 고냉지(高冷地) 등에서 온실 재배나 청정(淸淨) 재배되는 것이 많음. 양상추·피망·셀러리·콜리플라워 등.

서양 요리【西洋料理】[一뇨一] 명 나이프·포크 등을 사용하여 먹는 서양풍(西洋風)의 요리. 양식(洋食). ㊟양요리(洋料理).

서양 음악【西洋音樂】명 서양에서 발생하여 발달한 음악. 오페라·악극·관현악·실내악 등. ㊟양악(洋樂). ↔동양 음악.

서양 의학【西洋醫學】명 서양에서 발생하여 발달한 의학. ↔동양 의학.

서양-인【西洋人】명 서양의 여러 나라 사람. ㊟서인(西人)·양인(洋人). ↔동양인.

서:-양자【婿養子】명 사위를 양자로 삼음. 또, 그 양자. ——하다 자타여불

서양 장:기【西洋將棊】명 체스(chess).

서양-적【西洋的】명관 서양의 특징을 지닌 모양. ↔동양적.

서양-정【西洋錠】명 맹꽁이 자물쇠.

서양-종【西洋種】명 원산지(原産地)가 서양인 종자. 주로 동물·식물에 대하여 씀. 양종(洋種).

서양-주【西洋酒】명 양주(洋酒).

서양-지【西洋紙】명 양지(洋紙).

서양-철【西洋鐵】명〖화〗☞ 생철.

서양 철학【西洋哲學】명 고대 그리스 철학에서 비롯되어, 중세 기독교 세계에서 배양되고, 근대에서 현대에 걸쳐 구미(歐美)에서 다채롭게 발전해 온 철학.

서양-풍【西洋風】명 서양에서 하는 양식을 본받은 모양. 서양류(西洋流). ㊟양풍(洋風). ↔동양풍.

서양-학【西洋學】명〖사〗서양의 언어·문화·역사·종교·철학·기예·풍속·관습·미술·음악 등을 연구하는 학문. ↔동양학.

서양 학자【西洋學者】명 서양학을 연구하는 사람. ㊟양학자.

서양-화¹【西洋化】명 서양의 문화나 생활 양식의 영향을 받아 그것을 닮아 감. 또, 그것을 닮음. ——하다 자타여불

서양-화²【西洋畫】명 서양에서 발달한 그림. 또, 서양에서 보급된 재료·기술에 의하여 그려진 그림. 유화(油畫)·수채화(水彩畫)·파스텔화(pastel畫)·연필화·펜화 같은 것. ㊟양화(洋畫). ↔동양화.

서어¹【絮語】명 너절하게 긴 말.

서어²【鉏鋙·齟齬】명 ①의견이 맞지 아니하여 뜻대로 되지 아니함. ②서름서름하여 탐탁하지 못함. ¶나이 젊은 사람들도 대개는 ~하게 지내는 것이었다≪洪命憙 : 林巨正≫. ③〖악〗아악기(雅樂器) 어(敔)의 잔등에 있는, 스물 일곱 개의 톱니. ——하다 형여불 ——히 부

서어히 부〈옛〉섭섭히. 소홀히. ¶서어히 이바도믄 有司의 허므리디비 天子ㅣ 야 엇디 아ᄅᆞ시료(犒服不豐有司之過)≪三綱. 孝子 秀實奪笏≫.

서어ᄒᆞ다 형〈옛〉설피다. 소루(疏漏)하다. ¶서어ᄒᆞ다(扭別)≪漢淸 Ⅶ:50≫.

서언¹【西諺】명 서양(西洋)의 속담.

서:언²【序言·緖言】명 머리말❶. ¶책의 ~.

서:언³【誓言】명 맹세하는 말. 맹세한 말.

서언 고:사【書言故事】명〖책〗중국의 고사 성어(故事成語)를 모아서 인군류(人君類)·유학류(儒學類)로 분류·해석하고 그 출전(出典)을 밝힌 책. 송(宋)나라의 호계종(胡繼宗)이 편찬함. 12권.

서언-왕【徐偃王】명〖사람〗약 3,000년 전, 양쯔 강(揚子江) 북쪽 장쑤성(江蘇省) 근방에, 서(徐)나라를 세웠다는 우리 나라 사람. 중국 주(周)나라 목왕(穆王)도 굴복할 정도로 세력을 떨쳤다 함.

서:얼【庶孼】명 서자(庶子)와 그 자손. 일명(逸名). 초림(椒林).

서:얼 금:고법【庶孼禁錮法】[一뻡] 명〖역〗조선 시대 때 서얼을 차별하던 규정. 서자는 과거에 응시하지 못하며, 특히 재가녀(再嫁女)·삼가녀(三嫁女)의 자식은 사적(仕籍)에도 오르지 못하게 하는 등, 신분·출세·재산 상속 등에 심한 제약을 받음.

서:얼 제:도【庶孼制度】명〖역〗조선 시대 때 서얼을 차별하던 제도.

서:얼 차대【庶孼差待】명〖역〗조선 시대 때 서얼을 차별하던 일.

서:업¹【庶業】명 영업 소득세를 물지 아니하는 저술가(著述家)·만화가(漫畫家)·연예인(演藝人)·변호사·의사·학원 강사·점술가(占術家) 등의 자유업(自由業)과 농업·임업·축산업 등을 통속적으로 일컫는 말.

서:업²【緖業】명 시작한 일.

서:업 소:득세【庶業所得稅】명 영업 소득세를 물지 아니하는 자유업(自由業) 등에 과하는 사업 소득세의 관용적인 일컬음.

서:여¹【緖餘】명 나머지❶.

서여²【薯蕷】명〖식〗마⁴.

서여-주【薯蕷酒】명 약용(藥用) 약주의 하나. 햇볕에 말린 서여, 곧 '참마'를 푹 쪄서 말린 것 한 근과 우유 석 냥을 섞어 잘 반죽하여 계란만 하게 빚어 두었다가 술 반 되에 한 개 비율로 넣어 삭인 약주. 오장(五臟)의 번열을 제거하고 음(陰)을 도와준다고 함.

서역¹【西域】명〖역〗중국의 서쪽에 있는 여러 나라를 총칭한 역사적 용어. 넓은 의미로는 중앙 아시아·서부 아시아·인도를 포함하나, 좁은 의미로는 대개 지금의 신장 성(新疆省) 톈산 남로(天山南路) 지방을 이름. 태고 이래, 이란(Iran) 계통의 여러 민족이 분산하여 살고 있어, 한(漢)나라 때에는 이오(伊吾)·차사(車師) 등을 일컬어 서역 36국이라 했음. 동서 무역의 통로로서 문화의 교류(交流)에 공헌이 컸는데, 특히 불교를 비롯하여 마니교(摩尼敎)·경교(景敎) 등도 여기를 통하여 널리 전파되었음.

서역²【書役】명 글씨를 쓰는 수고로운 일. ——하다 자여불

서:역³【鼠疫】명〖의〗'페스트(Pest)'의 이칭.

서역 구법 고승전【西域求法高僧傳】[一뻡一] 명〖책〗↗대당(大唐) 서역 구법 고승전.

서역-국【西域國】명〖역〗중국 서역 지방에 있었던 여러 나라.

서역-기【西域記】명〖책〗↗대당(大唐) 서역기.

서역 도호【西域都護】명〖역〗중국 한(漢)나라의 서역 도호부의 장관.

서역 도호부【西域都護府】명〖역〗중국 한대(漢代)에 서역 경영을 위해 둔 관부(官府). 장관을 도호(都護)라 칭하며, 기원전 59년 선제(宣帝) 때 오루성(烏壘城)에 설치된 것이 시초임.

서역 수도기【西域水道記】명〖책〗수맥(水脈)을 중심으로 해서, 지금의 중국 신장 성(新疆省) 지방의 지리 및 역사를 기술한 책. 중국 청(淸)나라의 서송(徐松)이 편찬한 것으로 모두 5권임.

서연¹【西燕】명〖역〗중국 5호 16국 시대에 선비족(鮮卑族)이 산시(山西) 남부에 세운 나라. 후연(後燕)에게 멸망됨. [384-394]

서연²【書筵】명〖역〗①조선 시대 때 왕세자(王世子) 앞에서 경서를 강론(講論)하는 자리. 이연(离筵). 뇌사(雷肆). 주연(胄筵). ②고려 때 '경연(經筵)'의 일컬음.

서연-관【書筵官】명〖역〗서연(書筵)에 참례하는 벼슬아치.

서연 문의【書筵文義】[一/一이] 명〖책〗조선 고종 21년(1884)부터 동 31년까지의 서연에서 궁관(宮官)이 왕세자에게 문의를 진강(進講)한 필기. 시강원(侍講院) 편. 10책. 사본.

서연 비:람【書筵備覽】명〖책〗서연 강관(講官)이 경전(經典)의 요지를 수집하여 각 부문의 절목(節目)을 세워서 열람하기에 편하도록 한 책.

서:열¹【序列】명 ①순서를 좇아 늘어섬. ②순서(順序). ¶연공 ~.

서:열²【暑熱】명 찌는 듯한 더위. 여름의 더위.

서:염【暑炎】명 타는 듯한 더위.

서영【西營】명〖역〗①조선 시대 때 창덕궁(昌德宮)의 서쪽에 있었던 금위영(禁衛營)의 분영(分營). ②경희궁(慶熙宮) 서쪽에 있었던 훈련 도감(訓鍊都監)의 분영. ③조선 고종(高宗) 때, 평양(平壤)에 두었던 친군영(親軍營)의 하나. 동왕 21년(1884)에 설치하여 동 31년에 폐함.

서-영보【徐榮輔】명〖사람〗조선 순조 때의 문신. 자는 경재(景在), 호는 죽석(竹石). 달성(達城) 사람. 진하 사은사(進賀謝恩使)로 중국 청나라에 다녀왔고 호조 판서·지중추 부사(知中樞府事)를 지냈으며, 글씨에 뛰어나 수원의 지지대비(遲遲臺碑) 비문을 적었음. [1759-1816]

서영-사【西營使】명〖역〗서영(西營)의 주장(主將).

서예¹【書藝】명 '서도(書道)'를 예술이란 뜻으로 일컫는 말.

서예²【書藝】명〖역〗고려(高麗) 때 중서 문하성(中書門下省)·사관(史館)·비서성(祕書省) 등에 두었던 이속(吏屬).

서예-가【書藝家】명 서도가(書道家)❶.

서:오【曙烏】명 새벽녘에 울며 나는 까마귀.

서오니ᄒᆞ다 타〈옛〉설피게 하다. 늦추다. ¶물돌다 오랑을 서오니 ᄒᆞ고(把馬們都鬆了)≪老乞 上 62≫.

서-오릉【西五陵】명〖지〗경기도 고양시(高陽市) 용두동(龍頭洞)에 있는 다섯 능(陵). 조선 예종(睿宗) 및 예종비 안순 왕후(安順王后)의 창릉(昌陵), 숙종(肅宗)과 숙종 계비 인현(仁顯) 왕후 및 동계비(同繼妃) 인원(仁元) 왕후의 명릉(明陵), 숙종비 인경(仁敬) 왕후의 익릉(翼陵), 영조비(英祖妃) 정성(貞聖) 왕후의 홍릉(弘陵), 덕종(德宗) 및 덕종비 소혜(昭惠) 왕후의 경릉(敬陵)의 일컬음. 사적(史蹟) 제198호.

서오ᄒᆞ다 형〈옛〉생소하다. ¶서오ᄒᆞ다(生分)≪漢淸 Ⅷ:21≫.

서옥¹【書屋】명 글방.

서:옥²【婿屋】명〖역〗고구려의 혼인 풍속. 정혼(定婚) 후에 신부집의 뒷결에 조그마하게 지어, 사위를 머무르게 하는 집. 거기서 자식을 낳고 장성하면, 아내를 데리고 신랑집으로 돌아감.

서:옥-설【鼠獄說】명〖문〗≪서동지전(鼠同知傳)≫과 유사한 내용을 지닌 옛 소설 이름.

서-온돌【西溫突】명〖역〗대궐 안, 침전(寢殿)의 서쪽에 있는 방. ↔동온돌(東溫突).

서:옹-전【鼠翁傳】명〖문〗≪서동지전(鼠同知傳)≫과 유사한 내용을 지닌 옛 소설 이름.

서:완¹【徐緩】명 진행이 느림. ——하다 형여불

서:완²【舒緩】명 느린 모양. 천천히 하는 모양.

서-왈보【徐曰甫】명〖사람〗한국인 최초의 비행사(飛行士). 1919년에 중국 베이징(北京)에서 비행대(飛行隊)의 비행사로 있었음. [1886-1928]

서왕-가【西往歌】명〖문〗작자·제작 연대 미상의 고가요(古歌謠)의 하나. 세사(世事)에만 집착하는 뭇사람들로 하여금 불교에 귀의할 것을 권장한 작품. 강월 서왕가(江月西往歌).

서왕-모【西王母】명 중국 상대(上代)에 받들었던 선녀(仙女)의 하나. 성(姓)은 양(楊), 이름은 회(回). 주(周)나라 목왕(穆王)이 쿤룬산(崑崙山)에 사냥 나갔다가 서왕모를 만나서 요지(瑤池)에서 노닐며 돌아올줄을 몰랐다 하며 또, 한(漢)나라 무제(武帝)가 장수(長壽)를 원하매, 그를 가상히 여기어 하늘에서 선도(仙桃) 일곱 개를 가져다 주었다 함. ≪산해경(山海經)≫에는 그 모양이, 반인 반수(半人半獸)로 표범 꼬리에 범의 이를 가지고, 더벅머리에 풀다리를 꼈다 함. 그 여자의 남쪽에는 세 청조(靑鳥)가 있어서 그 여자의 먹을 것을 마련하여 준다 함. *동왕

부(東王父).

서외【書外】[명] 서면(書面)에 쓰여진 이외의 것.

서-요【西遼】[명]〖역〗1125년에 금(金)나라의 공격으로 요(遼)나라가 망하자 그 한 왕족인 야율 대석(耶律大石)이 중앙 아시아로 달아나, 1132년에 새로 세운 나라. 1211년 몽골에게 망하기까지 약 90년 동안 존속했음. 카라키타이(Kara-khitai). 흑글안(黑契丹).

서:용[1]【敍用】[명] ①관위(官位)를 내려 주어 등용함. ②〖역〗조선 시대 때, 죄로 인하여 면관(免官)된 사람을 다시 씀. ——-하다 [타][여불]

서:용[2]【恕容】[명] 서유(恕宥). ——-하다 [타][여불]

서-용보【徐龍輔】[명]〖사람〗조선 순조(純祖) 때의 상신(相臣). 자는 여중(汝中), 호는 심재(心齋). 달성(達城) 사람. 순조 즉위년에 영의정이 됨. 왕과 정순 왕후(貞純王后)의 신임이 두터웠으며, 늘 측근에서 받들었고, 민심이 불안할 때 조정을 안정시켰음. 시호는 익헌(翼憲). [1757-1824]

〈서우기〉

서:우[1]【暑雨】[명] 더운 여름날에 내리는 비.

서:우[2]【瑞雨】[명] 곡물의 생장을 돕는 고마운 비. 자우(慈雨).

서:우-기【犀牛旗】[명]〖역〗의장기(儀仗旗)의 하나.

서우산바오〔首山保〕[명]〖지〗중국 랴오닝 성(遼寧省)에 있는 지명. 중창 철도(中長鐵道)의 서우산(首山)역이 있음. 역 동편에 서우산(首山)이 있고 그 꼭대기에 봉화대(烽火臺)가 있음. 예로부터 전략상 중요시된 곳으로, 후한(後漢) 말 위(魏)의 사마 의(司馬懿)와 공손 연(公孫淵)이 싸웠고, 당(唐)나라 태종(太宗)이 고구려를 침략할 때 이 산이 주군(駐軍)의 근거지였다고 함. 수산보.

서우양 산【—山】〔首陽〕[명]〖지〗중국 산시 성(山西省) 서남쪽에 있는 산. 옛날에 백이(伯夷)와 숙제(叔齊)가 여기서 굶어 죽었다고 함. 수양산.

서우젯-소리 [명]〖악〗제주도 토속 민요. 태왁을 장구로 삼고 비창을 채로 삼아 장단을 맞춰, 이 노래를 부르면서 모닥불 주위에서 춤을 춤.

서:운[1]【瑞雲】[명] 상서로운 구름. 경운(景雲). 경운(慶雲).

서:운[2]【瑞運】[명] 상서로운 운수.

서:운[3]【曙雲】[명] 새벽녘의 구름.

서:운[4]【曙雲】[명]〖사람〗박계주(朴啓周)의 호(號).

서운-관【書雲觀】[명]〖역〗①고려 때 천문·역수(曆數)·측후(測候)·각루(刻漏)의 일을 맡아 보던 관아. 충렬왕(忠烈王) 34년(1308)에 사천감(司天監)·태사국(太史局)을 합쳐서 베풂. ②조선 태조 원년(1392)에 베푼 관아. 천문·재상(災祥)·역일(曆日)·추택(推擇) 등의 일을 맡아 봄. 세종 때에 관상감(觀象監)으로 개칭. [준]운관(雲觀).

서운관-지【書雲觀志】[명]〖책〗조선 정조(正祖) 때 성주덕(成周悳)이 편 책으로, 천문·지리·역수(曆數)·점주(占籌)·측후(測候)·각루(刻漏) 등의 발달, 제도의 연혁 등을 기록함. 순조 18년(1818)에 출판.

서운서운 [부]〈옛〉슬슬. 가볍게. ¶ ᄀᆞᄂᆞᆫ 침으로 아긔 밧바당을 ᄒᆞᆫ푼 두푼 들게 서너곧 주고 소곰을 ᄇᆞᄅᆞ고 서운서운 미러 들이라(用細鍼刺兒足心深一二分三四刺之以塩塗其上輕輕送入)≪胎産集要 24≫.

서운-하다 [형][여불]〔근대 : 서운ᄒᆞ다〕마음에 부족함을 느끼어 속의 한 구석이 빈 것 같다. 결연(缺然)하다. ¶ 여비도 넉넉히 주지 못하고 보내서 ~. 서운-히 [부]

서:운 향구【瑞雲香毬】[명] 향(香)의 한 가지.

서울[1] [명] 한 나라의 중앙 정부가 있는 곳. 경궐(京闕). 경도(京都). 경락(京洛). 경사(京師). 경성(京城). 경읍(京邑). 경조(京兆). 도부(都府). 도성(都城). 도읍. 도하(都下). 수도(首都). 수부(首府). ↔시골.

서울[2] [명]〖지〗한국의 수도. 북위 37°25′-47′, 동경 126°45′-127°11′. 북쪽에는 삼각산(三角山), 서북에는 인왕산(仁旺山)·무악산(毋嶽山), 동북에 낙타산(駱駝山)·수락산(水落山), 남쪽에는 관악산(冠岳山)이 각각 솟아 있고, 한강(漢江)이 그 안을 돌아 서남을 흘러 황해로 들어감. 우리나라의 정치·경제·문화·상공업의 중심지. 백제의 시조(始祖) 온조왕(溫祚王)이 서울 부근에 나라를 세웠다가, 즉위 14년(5 B.C.)에 남한산(南漢山)으로 옮긴 뒤에 '북한성(北漢城)'이라 하였고, 백제 근초고왕(近肖古王) 26년(371)에 다시 이 곳에 도읍하였다가, 개로왕(蓋鹵王) 31년(475)에 고구려 장수왕(長壽王)에게 패하여 고구려의 남평양(南平壤)이 됨. 그 후 신라 진흥왕(眞興王) 14년(553)에 신라의 신주(新州), 18년(557)에 북한산주(北漢山州), 29년(568)에 남천주(南川州), 진평왕(眞平王) 26년(604)에 다시 북한산주, 경덕왕(景德王) 16년(757)에 한주(漢州)의 한양군(漢陽郡), 고려 태조 23년(940)에 양주(楊州), 문종(文宗) 21년(1097)에 남경(南京), 충렬왕(忠烈王) 34년(1308)에 한양부(漢陽府), 조선 태조 3년(1394)에 한성부(漢城府)로 조선 왕조 500년의 도읍이 된 후, 융희(隆熙) 4년(1910)에 경성부(京城府), 1945년 해방 후에 서울이라 고침. 창덕궁(昌德宮)·경복궁(景福宮)·덕수궁(德壽宮)을 비롯하여 명승과 고적이 많음. 서울 특별시. [605.78 km² : 10,543,993 명(1996)]
【서울 가 본 놈하고 안 가 본 놈하고 싸우면 가 본 놈이 못 이긴다】실지로 행하여 보지 못한 사람이 오히려 이론은 그럴 듯하고 말이 많다는 말. 【서울 가서 김서방 찾는다】무턱대고 막연하게 찾아간다는 말. 【서울 놈의 글 꼭질 모른다고 말 꼭지야 모르랴】글을 모른다고 너무 무시하지 말라는 말. 【서울 사람은 비만 오면 풍년이란다】서울 사람이 농사 일에 대하여 전혀 모름을 비웃는 말. 【서울 사람을 못 속이면 보름을 똥을 못눈다】시골 사람이 서울 사람을 자주 속인다 하여 이르는 말. 【서울서 매맞고 송도(松都)서 주먹질한다】욕을 당한 데서는 말 한마디 못하고 있다가 노염을 다른 데다 옮긴다는 말. '종로서 뺨맞고 한강에 가 눈 흘긴다'와 같은 뜻. 【서울 소식은 시골가서 들어라】가까운데 소식을 먼 데서 더 잘 아는 수가 있다는 말. 【서울이 무섭다 하니까 남태령(南太嶺)부터 긴다】남태령은 서울의 남쪽 30리 밖에 있는 땅 이름으로, 어떤 일에 대해서 말로만 듣고 미리부터 지나치게 겁을 낸다는 말.

서울이 낭이다 [구] 서울 인심이 매우 사납다는 말. 【서울이 낭이라는 말을 듣고 삼십리부터 긴다; 서울이 낭이라니까 과천(果川)서부터 긴다】서울의 인심이 야박하여 마치 준험한 낭떠러지와 같다는 말을 듣고 미리 두려워 어쩔 줄을 모른다는 말이니, 부당하게 겁내는 모양을 비유한 말.

서울[3] [명]〈방〉설(평안).

서울 가:락동 유적【—可樂洞遺蹟】[명] 서울 특별시 송파구(松坡區) 가락동 일대에 있는 백제 초기 고분군과 주거지 유적.

서울 경제 신문【—經濟新聞】[명] 서울에서 발간되는 일간 경제 신문. 1960년 8월 1일 창간, 1980년 11월 25일 종간되었다가 88년 8월에 다시 복간됨.

서울 고덕동 유적【—高德洞遺蹟】[명] 서울 특별시 강동구(江東區) 고덕동에 있는 한강변(漢江邊) 조질 무문 토기 문화(粗質無文土器文化) 유적.

서울 교외선【—郊外線】[명]〖지〗능곡(陵谷)에서 일영(日迎)·송추(松湫)를 거쳐 의정부(議政府)에 이르는 철도선. 1963년 8월 20일 준공되었으며, 전에는 능의선(陵議線)이라 불렀음. [31.8 km]

서울 구경【—求景】[명] 어린 아이의 등뒤에 서서 아이의 양쪽 귀나 그 위쪽의 머리를 두 손바닥으로 잡고 번쩍 들어 올리는 짓.

서울-귀룽나무 [명]〖식〗[*Prunus padus* var. *seoulensis*] 장미과에 속하는 낙엽 교목. 잎은 타원형 또는 거꿀달걀꼴이며, 가장자리에 가는 톱니가 있음. 4-5월에 흰 꽃이 총상 화서로 가지 끝에 피고, 달걀 모양의 핵과(核果)가 7월에 검게 익음. 산골짜기와 강 유역에 나는데, 전남·충남을 제외한 각지에 분포함.

서울 까투리 [명] 수줍어하는 기색이 없는 사람의 별명.

서울 깍쟁이 [명] 시골 사람이 서울 사람의 까다롭고 인색한 모양을 꼬집어 하는 말.

서울 깍정이 [명] ☞서울 깍쟁이.

서울-나기〔—라—〕[명] ☞서울내기.

서울-내기〔—래—〕[명] 서울에서 난 사람 또는 나서 자란 사람. 경락이. 경종(京種). ↔시골내기.

서울-단풍【—丹楓】[명]〖식〗[*Acer nudicarpum*] 단풍나뭇과에 속하는 낙엽 활엽의 작은 교목. 원형의 잎은 장상(掌狀)을 이루고 9-10 갈래로 갈라졌는데 열편(裂片)은 달걀꼴 피침형임. 5월에 꽃이 방상(房狀) 화서로 가지 끝에 정생(頂生)하고, 시과(翅果)는 10월에 익음. 산기슭에 드물게 나는데, 남한산·황해도 등지에 분포함. 관상용으로 심음.

서울 대:공원【—大公園】[명]〖지〗서울 특별시가 서울 교외 과천(果川)에 건설한 대공원. 면적 163만 5천평(坪)에, 동물원·식물원·놀이 시설·운동 시설·휴식 시설·전망탑·민족 박물관·야외 음악당·숙박 시설·연구 시설 등을 갖춤. 1978년 착공, 1984년 완공됨.

서울 대:교【—大橋】[명] '마포 대교'의 구칭.

서울 대학교【—大學校】[명] 국립 종합 대학의 하나. 1924년에 설립된 경성 제국 대학(京城帝國大學)이 해방과 더불어 개편된 것. 인문(人文) 대학·사회 과학 대학·자연 과학 대학·경영 대학·공과 대학·사범 대학·법과 대학·약학 대학·의과 대학·치과 대학·가정 대학·미술 대학·음악 대학·농과 대학·수의과 대학의 15개 단과 대학과 대학원·보건 대학원·행정 대학원·환경 대학원 등으로 이루어짐. 서울 특별시 관악구(冠岳區) 신림동(新林洞)에 있음.

서울 대학교 병:원〔—大學校病院〕[명] 서울 특별시 종로구(鐘路區) 연건동(蓮建洞)에 있는 서울 대학교 의과 대학 부속 병원.

서울-뜨기 [명] 시골 사람이 서울 사람을 조롱하여 부르는 말. ↔시골뜨기·촌뜨기.

서울-띠기 [명]〈방〉서울뜨기.

서울-말 [명] ①서울 사람이 쓰는 말. ②〖언〗서울의 중류(中流) 사회에서 쓰는 표준어. 경언(京言). ↔시골말·방언(方言).

서울 반:닫이【—半—】〔—다지〕[명] 서울에서 나는 반닫이. 대체로, 백통과 놋쇠로 된 조촐한 쇠장식을 알맞게 써서, 아담한 느낌을 주는 것이 특색임. *평양 반닫이.

서울 방:송【—放送】[명] 민영 방송의 하나. 라디오 방송은 1991년 3월에, 텔레비전 방송은 91년 12월에 개국(開局)하였음. 호출 부호는 HLSQ. 통상 명칭은 에스 비 에스(SBS).

서울 부산간 고속 도:로【—釜山間高速道路】[명]〖지〗경부 고속 도로.

서울 시:립 대학교【—市立大學校】[명] 공립 종합 대학교의 하나. 1918년에 설립된 경성 공립 농업 학교가 그 모체임. 1950년 서울 농업 초급대학으로 인가, 1956년 서울 농업 대학으로, 1973년 서울 산업 대학으로 개편, 1981년 10월 서울 시립 대학으로 개칭, 다시 1987년 3월 종합 대학으로 개편되었음. 서울 특별시 동대문구(東大門區) 전농동(典農洞)에 위치함.

서울 신문【—新聞】[명] 서울에서 발간되는 일간 신문의 하나. 매일 신보(每日申報)의 후신으로, 1946년 4월에 현재의 명칭으로 개칭(改稱)됨.

서울 신:탁 은행【—信託銀行】[명] 일반 은행의 하나. 1976년 8월, '서울 은행'과 '한국 신탁 은행'이 합병되었으나 1996년 6월 다시 서울 은행으로 개칭함. 일반 은행 업무와 신탁 업무를 겸함.

서울 여자 대학교【—女子大學校】〔—려—〕[명] 사립 여자 종합 대학교의 하나. 1960년 서울 여자 대학으로 개교하고, 1988년 종합 대학교로 승격됨. 서울 특별시 노원구(蘆原區) 공릉동(孔陵洞)에 위치함.

서울-오갈피나무 [명]〖식〗[*Acanthopanax seoulense*] 두릅나뭇과에 속하는 낙엽 활엽 관목. 오갈피나무와 비슷한데, 짧은 가시가 났고 잎은 장상(掌狀)이며, 3-5개의 소엽(小葉)은 도피침형(倒披針形)임. 꽃은 여름에 두상(頭狀) 화서로 피고 핵과(核果)는 10월에 흑색으로 익음. 산록에 나는데 서울의 청량리(淸涼里) 지역에 분포함. 정원수로 심으며, 수피(樹皮)는 약용함.

서울 운:동장【—運動場】[명] '동대문 운동장'의 구칭.

서울 은행【一銀行】명 서울에 설립된 지방 은행의 하나. 1959년 창립. 1976년 8월 '신탁 은행'과 합병하여 '서울 신탁 은행'이 되었다가 1996년 6월 다시 서울 은행으로 개칭함.

서울의 사:진【一四鎭】[一/一ㅔ一] 명 〖역〗 서울의 외각 도성(都城)으로, 강화도(江華島)·수원(水原)·개성(開城)·남한산성(南漢山城)의 일컬음.

서울-제비꽃 명 〖식〗 [*Viola seoulensis*] 제비꽃과에 속하는 다년초. 무경성(無莖性)이고 잎은 잎꼭지가 길고 뿌리로부터 모여 나는데 달걀꼴 피침형 또는 달걀꼴 타원형을 이룸. 4-5월에 홍자색 꽃이 잎 사이로부터 가는 꽃줄기가 나와 줄기 끝에 좌우 상칭(左右相稱)의 한 송이가 달리어 피고, 삭과(蒴果)를 맺음. 들에 나는데 서울에 분포함.

서울 종합 운:동장【一綜合運動場】명 서울 특별시 송파구(松坡區) 잠실동(蠶室洞)에 있는 종합 운동장. 1988년 서울 올림픽 경기장으로 마련되었음. 주경기장·실내 체육관·야구장·실내 수영장·학생 체육관 등이 있음.

서울 중앙 방:송국【一中央放送局】명 한국 방송 공사의 전신(前身)인 방송국. ㊤중앙 방송국.

서울 체육 고등 학교【一體育高等學校】명 서울 특별시 시립의 특수 학교. 장차의 체육 지도자·국가 대표 선수 양성을 목표로 전원 기숙사에 수용, 관비로 교육함. 1971년 3월에 중학교 과정으로 개교하였다가, 후에 고등 학교 과정으로 개편함.

서울 타워 [tower] 명 서울 남산(南山)에 있는, 높이 236.7 m의 방송 전파탑(電波塔). 해발(海拔) 479 m. 지하 1층, 지상 5층의 본건물 위에 탑이 솟고 그 중간에 관광 전망대가 있음. 1975년 완공(完工)됨.

서울 특별시【一特別市】명 지방 자치 단체인 특별시로서의 서울. 국무총리 소속. 해방과 더불어 경성부(京城府)가 서울시로, 1949년에 서울 특별시로 됨. 25 구(區)가 있음.

서울 특별시 부:시장【一特別市副市長】명 〖법〗 서울 특별시의 부시장. 일급(一級) 공무원으로 정부에 의해서 임명됨. 제1 부시장·제2 부시장의 두 사람이 있음.

서울 특별시장【一特別市長】명 서울 특별시의 장(長). 지방 자치 단체의 집행 기관으로서의 지위가 본체(本體)이지만 국가 사무의 처리도 겸하고 있음. 현재는 지방 자치법에 따라 선거에 의해 선출됨. *시장(市長)·도지사.

서울 화:력 발전소【一火力發電所】[一쩐一] 명 서울 특별시 마포구(麻浦區) 당인동(唐人洞)에 있는 화력 발전소. 1924년에 설립. 1982년에 마지막 석탄 화력 발전기가 폐지되고, 현재는 중유(重油) 전소(全燒) 발전 설비 2기(基)가 가동 중인데, 1987년부터 열병합 발전 방식으로 개조됨. 속칭 : 당인리(唐人里) 발전소.

서웃-날 명 〈방〉 설날(평안).

서원¹【西苑】명 〖지〗 상림원(上林苑).

서원²【書員】명 〖역〗 ①조선 시대 때 서리(書吏) 없는 관아에 둔 벼슬아치. ②각 고을의 세금을 받던 아전(衙前).

서원³【書院】명 〖역〗 ①중국에서 옛날에 강서(講書)·강학(講學)을 하던 곳 또는 천자(天子)의 문사(文士)를 있게 하던 곳. ②실학(實學)을 뜻하는 사람을 가르치던 사숙(私塾). 중국 송(宋)나라 때 사대 서원(四大書院), 곧 백록동(白鹿洞)·악록(岳麓)·응천부(應天府)·숭양(嵩陽)은 특히 유명함. ③조선 시대에, 선비들이 모여서 학문을 강론하고, 석학(碩學) 또는 충절(忠節)로 죽은 사람을 제사하던 곳. 중종(中宗) 38년(1543)에 풍기 군수(豐基郡守) 주세붕(周世鵬)이 주자(朱子)의 백록동 서원(白鹿洞書院)을 본받아, 고려의 명유(名儒) 안향(安珦)이 살던 백운동(白雲洞), 곧 영주시(榮州市) 순흥면(順興面)에 세운 백운동 서원(白雲洞書院)이 처음임.

서원⁴【書院】명 〖역〗 아전(衙前)의 하나.

서:원⁵【署員】명 ①끝에 서(署)자가 붙는 관청에 근무하는 사람. ¶ 세무~/경찰~. ②'경찰서원'을 통속적으로 줄이어 부르는 말.

서:원⁶【誓願】명 ①〖불교〗 보살(菩薩)이 수행(修行)의 목적인 원망(願望)을 밝히고, 그 달성을 맹세하는 일. 보살의 공통된 원(願)인 사홍서원(四弘誓願), 아미타(阿彌陀)의 48원(願), 석가(釋迦)의 500 대원(大願) 등. ②〖성〗 구약 시대의 풍습으로, 하느님에게 어떤 은혜를 빌고, 그 보답으로 하느님에게 어떤 행위, 곧 헌물(獻物)을 바칠 것을 맹세하는 일. ——-하다 타여불

서원-경【西原京】명 〖역〗 신라의 오소경(五小京)의 하나. 신문왕(神文王) 5년(685)에 지금의 충청 북도 청주(淸州)에 베풂.

서원-도【西園徒】명 〖역〗 고려 때의 열두 사학(私學)의 하나. 김무체(金無滯)가 세움. *십이도(十二徒).

서:원-력【誓願力】[一녁] 명 〖불교〗 서원(誓願)하는 염력(念力).

서:원 미사【誓願彌撒】명 〖천주교〗 신심(信心) 미사.

서원-본【書院本】명 〖역〗 서원에서 간행한 책. 서원본에는 서원에 배향(配享)된 선현 등의 언행록(言行錄)·전기(傳記), 서원의 사적(事蹟), 선현의 문집 외에 강학(講學)에 필요한 경서류(經書類)·유가류(儒家類)·사서류(史書類) 등이 있음. 사원본(祠院本). 사원판(祠院版).

서원-전【書院田】명 〖역〗 조선 시대 중기 이후, 서원 자체에서 마련한 토지. 소유 상한(上限)이 3결(結)이었으며 면세(免稅)는 되지 않았음.

서원 향약【西原鄕約】명 〖역〗 율곡(栗谷) 이이(李珥)가 청주 목사(淸州牧使)로 있을 때 백성을 교화하기 위하여 만든 향약.

서:월¹【暑月】명 '음력 유월(六月)'의 별칭. 더운 달이라는 뜻.

서:월²【曙月】명 새벽녘의 달. 잔월(殘月). 효월(曉月).

서-월영【徐月影】명 〖사람〗 연극 배우. 본명은 영관(永琯), 월영은 예명(藝名). 1925년 토월회(土月會)에 참여한 이후, 태양 극장(太陽劇場)·청춘좌(靑春座) 등의 극단에서 활약함. 영화에도 출연함. [1905-73]

서위¹【西魏】명 〖역〗 북위(北魏)가 534년에 동·서로 분리되어 이루어진 나라의 하나. 장안(長安)에 도읍(都邑)함. 556년에 망함. *북위(北魏)·동위(東魏).

서위²【書幃】명 서재에 친 휘장. 전하여, 서재. 서유(書帷).

서:위³【敍位】명 위계(位階)를 수여(授與)함. ——-하다 자여불

서:위⁴【暑威】명 몹시 심한 더위. ↔한위(寒威).

서위-하다 형 〈방〉 서운하다.

서유¹【書帷】명 서위(書幃).

서:유²【恕宥】명 잘못을 너그럽게 용서함. 서용(恕容). ——-하다 타여불

서유 견:문【西遊見聞】명 〖책〗 조선 고종 32년(1895)에 유길준(兪吉濬)이 지은 책. 미국 시찰시에 보고 들은 바를 한글과 한문을 섞어 썼음. 언문 일치(言文一致) 운동의 선구(先驅)가 됨.

서-유(:)구【徐有榘】명 〖사람〗 조선 정조(正祖) 때의 농정가(農政家). 달성(達城) 사람. 자는 준평(準平), 호는 풍석(楓石). 통신사(通信使)에게 부탁, 일본으로부터 감자씨를 도입, 식량 증산에 힘쓰고, 《종저보(種藷譜)》 및 농업 경제에 관한 백과 사전격인 《임원 경제 십육지(林園經濟十六志)》를 저술함. 시호는 문간(文簡). [1764-1845]

서유-기【西遊記】명 〖책〗 ①중국 송(宋)나라 말엽에 이지상(李志常)이 그의 스승 장춘 진인(長春眞人)과 함께 몽고의 칭기즈칸의 초청에 응하여, 서역(西域)에 갔을 때의 기행문(紀行文). 2권. ②중국 사대 기서(四大奇書)의 하나. 100회(回)로 된 회장 소설(回章小說)로서 명(明)나라 오승은(吳承恩)이 지음. 당(唐)나라의 중 현장(玄奘)이 손오공(孫悟空)·저팔계(猪八戒)·사오정(沙悟淨)의 세 종자(從者)를 데리고 갖은 장애, 온갖 악마와 싸워 이기어, 인도로부터 무사히 불경(佛經)을 가지고 돌아온다는 줄거리.

서-유:럽【西一】[Europe] 명 〖지〗 ①유럽 주(洲)와 아메리카 주(洲)의 통칭. ②유럽 서부의 여러 나라. 서구(西歐). *동유럽.

서유:럽 연합【西一聯合】명 [Western European Union] 〖정〗 서구 연합(西歐聯合).

서유-록【西遊錄】명 〖책〗 칭기즈칸의 서정(西征) 때에 따라간 중국 원초(元初)의 정치가 야율 초재(耶律楚材)의 견문기(見聞記). 1권.

서-유(:)린【徐有隣】명 〖사람〗 조선 정조 때의 문신. 자(字)는 원덕(元德). 달성(達城) 사람. 공시 당상(貢市堂上)으로 국경 무역(貿易)을 관장하고 왕명으로 《증수 무원록(增修無冤錄)》을 국역(國譯)하였음. 만년에 벽파(僻派)에 의하여 유배(流配), 배소에서 죽음. 글씨를 잘 썼음. 시호는 문헌(文獻). [1738-1802]

서-유(:)문【徐有聞】명 〖사람〗 조선 시대 후기의 문신. 자는 학수(鶴叟). 영남 암행 어사·공충도 관찰사(公忠道觀察使)·평안도 관찰사 등을 역임. 저서에 한글 기행문인 《무오 연행록(戊午燕行錄)》 등. [1762-?]

서:윤【庶尹】명 〖역〗 조선 시대에, 한성부(漢城府)와 평양부(平壤府)에 두었던 종사품(從四品) 벼슬. 판관(判官)의 위, 좌우윤(左右尹)의 아래.

서융【西戎】명 〖역〗 중국 서쪽 변방(邊邦)의 오랑캐. 서이(西夷). *동이(東夷).

서-으로【西一】부 서쪽으로의 뜻의 '서(西)로'를 상호간에의 뜻인 '서로'와 구별하기 위하여 쓰는 특별한 말. ¶ ~ 향하여 길을 떠나다. *가으로.

서음【書淫】명 지나치게 글 읽기를 즐김. 또, 그런 사람.

서:응【瑞應】명 임금의 인정(仁政)이 하늘에 감응(感應)되어 나타난 길한 조짐(兆朕).

서응-산【棲鷹山】명 〖지〗 함경 남도 신흥군(新興郡)에 있는 산. 주위에는 산림이 우거지고, 산기슭 곳곳에는 화전(火田)과 화전 취락(聚落)이 산재함. [1,628 m]

서의¹【書意】[一/一이] 명 씌어 있는 글의 뜻.

서의²【書儀】[一/一이] 명 〖책〗 중국 송(宋)나라 때 사마광(司馬光)이 편찬한 공사(公私)의 서장(書狀) 형식에 관한 저서(著書). 전(轉)하여, 서장의 일정한 형식.

서:의³【暑衣】[一/一이] 명 더울 때 입는 옷.

서:의⁴【誓意】[一/一이] 명 서약하는 마음.

서의여히 부 〈옛〉 쓸쓸하게. ¶ 서의여히 ᄃᆞᆫ뇨매 하ᄂᆞᆯ과 ᄯᅡ히 크고(牢落乾坤大)《初杜諺 XXI:2》.

서의여ᄒᆞ다 형 〈옛〉 쓸쓸해 하다. ¶ 山陰옛 ᄒᆞᆫ 새 지비 江海예 이셔 나날 서의여ᄒᆞ도다(山陰一茅宇江海日凄涼)《杜諺 Ⅲ:59》/이제 와 내 ᄒᆞ오아 서의여호라(於今獨蕭索)《初杜諺 Ⅸ:2》.

서의-하다 형 〈방〉 서운하다.

서의히 부 〈옛〉 미족(未足)하게. ¶ ᄒᆞ다가 흐워기 ᄒᆞᆫ디위ᄒᆞ고 서의히 ᄒᆞᆫ 디위ᄒᆞ야(苦到濃一上淡一上)《蒙法 38》.

서의ᄒᆞ다 형 〈옛〉 쓸쓸하다. ¶ ᄃᆞ르흔 ᄆᆞ장 서의ᄒᆞ리로다(原野轉蕭瑟)《杜諺 Ⅳ:14》.

서:이¹ ㊀ 명 세 사람. ¶ ~씩 앉아라. ㊁ 부 세 사람이서. ¶ ~ 들고 왔다. ㊂ 수 〈방〉 셋(경기·강원·충북·전라·경상).

서이²【西夷】명 〖역〗 서융(西戎).

서-이리안【西一】[Irian] 명 〖지〗 뉴기니(New Guinea) 섬의 서반부(西半部)로서 인도네시아령(領). 동경(東經) 141° 선에서 파푸아뉴기니와 접함. 촌락(村落)은 북안(北岸)·북서안(北西岸)에 많으며 전체적으로는 미개발 상태임. 1828년 네덜란드가 영유, 네덜란드령 뉴기니가 되었다가 제2차 세계 대전 후, 서이리안 문제가 일어나 1969년 이후 인도네시아령이 됨. 주도(主都)는 자야푸라(Djajapura). 구칭 : 네덜란드령 뉴기니. [412,981 km² : 1,174,000 명(1980 추계)]

서이리안 문:제【西一問題】[Irian] 명 서이리안의 귀속에 따른 문제. 인도네시아는 1949년 독립한 이래 서이리안 영유권을 주장하여 네덜란드와 다투고, 1960년 국교 단절을 선언, 무력 해결의 결의를 보이는 한편 유엔에 제소하였음. 1969년, 유엔 제안에 의한 주민 투표로 인도네시아 귀속이 결정되었음.

서이미 명 〈방〉 형(兄)(함남).

서-익【徐益】명 〖사람〗 조선 명종(明宗)·선조(宣祖) 때의 문신. 자는 군수(君受), 호는 만죽(萬竹)·만죽헌(萬竹軒). 군수·의주 목사를 역임하였는데 탄핵 받은 이이(李珥)를 변호하는 상소(上疏)를 했다가 파

직됨. 저서에 ≪만죽헌집≫이 있고, ≪청구 영언(靑丘永言)≫에 시조 2 수가 전함. [1542-87]

서인[1]【西人】명 ①〖역〗당파(黨派) 싸움이 발단(發端)이 된 한 파(派). 조선 선조(宣祖) 8년(1575)에 김효원(金孝元)에 대립하여 심의겸(沈義謙)을 싸고 돌던 파. 또, 그 파에 속한 사람. 뒤에 서인은 청서(淸西)·훈서(勳西)·소서(少西)·노서(老西)·노론(老論)·소론(少論)·사대신(四大臣)·시(時)·벽(僻)으로 시대와 왕조(王朝)를 따라 갈려 나갔는데, 이것도 모두 '서인'이라 함. ↔동인(東人). *당론(黨論). ②↗서양인.

서:인[2]【庶人】명 서민(庶民)❶❷.

서인도 연방【西印度聯邦】명〔West Indies Federation〕〖지〗바하마 제도·영령 버진(Virgin) 제도의 식민지를 제외한 영령 서인도 제도의 대부분으로 이루어졌던 영(英)연방내의 전(前) 공화국. 1958년에 독립하였다가 자메이카와 트리니다드토바고가 분리 독립하여 1962년에 해체됨. 수도는 트리니다드 섬의 포트오브스페인이었음.

서인도 제도【西印度諸島】명〔West Indies〕〖지〗〔1492년 콜럼버스(Columbus)가 산살바도르(San Salvador) 섬에 도달하여 인도의 서부로 오인(誤認)한 데서 이 명칭이 유래함〕중앙 아메리카의 동쪽 바다에 활 모양으로 흩어져 있는 열도(列島). 바하마(Bahamas)·대(大)앤틸리스(the Greater Antilles)·소(小)앤틸리스(the Lesser Antilles)로 나뉨. 감자당(甘蔗糖)·커피·담배·야자·바나나·파인애플·목화 등이 생산됨. 아이티(Haiti)·도미니카(Dominica)·쿠바(Cuba)·자메이카(Jamaica) 및 트리니다드토바고(Trinidad Tobaco)·바베이도스(Barbados)·그레나다(Granada)·바하마(Bahamas) 연방 등 대부분 독립하였으나 아직 영국·미국·프랑스·네덜란드의 보호령(保護領)으로 남아 있는 곳도 있음. [260,000 km²]

서인도 회:사【西印度會社】명 ①네덜란드가 아메리카·아프리카 무역을 목적으로 1621년에 설립한 회사. 스페인·포르투갈 식민지에 공격을 가하고 브라질·뉴 네덜란드의 개발을 실시하였으나 국제 정세의 변화로 1674년에 해산함. ②프랑스의 정치가 콜베르(Colbert)가 1664년에 설립한 회사. 캐나다·아케이디아(Acadia) 등 북아메리카 동안(東岸) 및 아프리카 서안(西岸)에 대한 40년간의 무역 독점권을 얻음. 서인도 제도의 감자당(甘蔗糖)의 독점을 기도하여 아케이디아 지방에서 대농원(大農園)을 개발하였으나 부채(負債)로 인하여 1674년에 해산함.

서-일[1]【徐一】명〖사람〗독립 운동가. 호는 백포(白圃). 평북 출생. 3·1 운동 뒤에 김좌진(金佐鎭)·이범석(李範奭) 등과 북로 군정서(北路軍政署)를 조직, 총재로 추대되어 1920년 청산리(靑山里) 싸움을 지도하였음. 저서 ≪오대 종지 강연 도해(五大宗旨講演圖解)≫ 등. [1881-1921]

서:일[2]【曙日】명 아침 해. 조일(朝日).

서:임【敍任】명 관위(官位)를 내림. ——-하다 타여불

서:임권 투쟁【敍任權鬪爭】[—꿘—] 명 ↗성직(聖職) 서임권 투쟁.

서:임 의원【敍任議員】명〖정〗국가 원수나 군주의 서임(敍任)에 의하여 그 지위를 취득하는 의원. ↔민선 의원·세습(世襲) 의원.

서:입-혼【壻入婚】명 초서혼(招壻婚).

서-잉도【西芿島】명〖지〗전라 남도 완도군(莞島郡) 노화읍(蘆花邑) 방서리(防西里)에 있는 섬. 잉도(芿島)의 서쪽에 있음. 우리말 이름은 서넙도. [0.29 km² : 287 명(1985)]

서에 명〈옛〉서에[2]. ¶ 서에(爲流澌)≪訓例 用字例≫.

서자[1]【書字】[—짜] 명 간략한 편지.

서자[2]【書者】명〖역〗서 역(驛)의 이역(吏役)의 하나.

서:자[3]【庶子】명 ①첩에게서 난 아들. 첩자(妾子). 얼자(孼子). 별자(別子). ↔적자(嫡子). ②중자(衆子). ③민법상(民法上) 적법(適法)한 혼인 관계(婚姻關係)가 없는 남녀 사이에 생긴 자녀(子女)를 그 아버지가 인지(認知)한 사생자(私生子).

서:자[4]【庶子】명〖역〗고려 때 동궁(東宮)의 정사품(正四品) 벼슬. 빈객(賓客)의 다음. 문종(文宗) 22년 (1068)에 정하였는데, 좌우(左右) 각 한 사람씩 있었음.

서:자[5]【逝者】명 돌아간 자(者).

서:자[6]【筮子】명〔옛날 중국에서 처음 임관(任官)할 때에 길흉(吉凶)을 점(占)친 일에서 나온 말〕처음으로 관리(官吏)가 되는 일.

서:-자고【瑞鷓鴣】명〖악〗조선 시대에, 궁중 연례악의 하나인 송구여지곡(頌九如之曲)을 현악 위주의 악기 편성일 때 일컫는 딴이름.

서:자고-사【瑞鷓鴣詞】명〖악〗악사(樂詞)의 이름.

서:-자녀【庶子女】명 첩(妾)이 낳은 아들과 딸. 서자와 서녀.

서자서 아:자아【書自書我自我】명 글은 글대로 나는 나대로, 곧, 글을 읽되 정신은 딴 데 쓴다는 말.

서자-잠【書字簪】명 '수(壽)'자 등의 상서로운 글씨를 대가리에 아로새긴 비녀.

서:자 준:정【庶子準正】명〖법〗서자가 그 부모의 혼인에 의해서 당연히 적출자(嫡出子)가 되는 일.

서자-지【書字—】명〖역〗〔←書字的〕각 병영(兵營)의 군총(軍摠)의 하나.

서-자평【徐子平】명〖사람〗중국 송(宋)나라 또는 오대(五代) 때의 사람. 호(號)는 낙록자(珞琭子). 역학(易學)에 정통하여, 후세 역술(易術)의 종조(宗祖)로 일컬어짐. 저서에 ≪낙록자 삼명 소식부주(珞琭子三命消息賦注)≫가 있음.

서:작【敍爵】명 작위(爵位)를 내림. ——-하다 자여불

서장[1]【西藏】명〖지〗'티베트(Tibet)'의 한자 이름.

서장[2]【書狀】명 편지.

서장[3]【書狀】명〖역〗↗서장관(書狀官).

서장[4]【書狀】명〖불교〗불교 학과(佛教學科) 가운데 사집(四集)의 한 과정(課程)으로 가르치는 책. 중국의 대혜 대사(大慧大師)가 속학자(俗學者)를 상대로 하여, 정중 수선(靜中修禪)보다 요중 수선(搖中修禪)을 선포하였던 서간문(書簡文)을 모아 엮은 책. 신서(信書).

서장[5]【書欌】명 책장(冊欌).

서:장[6]【誓狀】[—짱] 명 서약서(誓約書).

서:장[7]【署長】명 ①한 서(署)의 우두머리. ¶ 경찰~/세무~. ②↗경찰서장.

서장-관【書狀官】명〖역〗외국에 보내는 사신(使臣)을 따라 보내던 임시 벼슬. 정사(正使)·부사(副使)와 아울러 삼사(三使)의 하나에 드는데 정사·부사보다는 지위가 낮지만 행대 어사(行臺御史)를 겸하고 있었음. 행대(行臺). 준서장(書狀).

서장-대【西將臺】명〖역〗산성(山城)의 서쪽에 만들어 놓은 높은 대. 장수(將帥)가 올라 서서 지휘하던 곳.

서장-어【西藏語】명〖언〗'티베트어(Tibet語)'의 한자 이름.

서장-족【西藏族】명 '티베트족(Tibet族)'의 한자 이름.

서재[1]【西齋】명〖역〗성균관(成均館) 또는 향교(鄕校)의 명륜당(明倫堂)의 서쪽에 있는 집. 유생(儒生)이 거처하고 공부하던 곳.

서재[2]【書齋】명 ①책을 모아 두고 글을 읽고 쓰고 하는 방. 계창(鷄窓). 문방(文房). 서각(書閣). 서실(書室). ¶ ~에 틀어박히다. ②글방.

서재[3]【書齋】명〖역〗구재(九齋)의 하나로, 서경(書經)을 공부하던 성균관(成均館)의 한 분과(分科). *구재(九齋).

서재다 형〈옛〉교만하다. ¶ 서재다(倨傲)≪同文 上 23≫.

서:재-목【鼠梓木】명〖식〗광나무.

서재 문학【書齋文學】명〖문〗현실성이 없고 극히 관념적인 내용으로 된 문학.

서재-인【書齋人】명 서재에만 박혀 있어 사회와의 교제가 적은 사람. 학자나 문필가.

서재-파【書齋派】명 이론(理論)만을 추구하고 실제로 행동하지 않는 사람들.

서재 평:론【書齋評論】[—논] 명〖문〗창조적 비판이 없이 다만 단어와 유행적 어투(語套)의 나열에 불과한 문학 평론.

서-재(:)필【徐載弼】명〖사람〗독립 운동가·개화 정치가·의학 박사. 호는 송재(松齋). 달성(達城) 사람. 갑신 정변(甲申政變) 때, 독립당(獨立黨)에서 활약하다 일본으로 망명, 다시 미국으로 건너갔다 1896년에 귀국, 개화 사상을 고취하고, 독립 협회 고문으로 활약하면서 '독립 신문'을 발간하고, 1897년에는 '독립문'을 세우는 등 독립 운동을 전개함. 광무(光武) 2년(1898)에 다시 미국으로 돌아감. 해방 후, 1947년 과도 정부 최고 정무관에 취임하기 위하여 잠시 고국에 돌아왔으나 이듬해에 다시 미국으로 가서 여생을 마쳤음. [1863-1951]

서적[1]【書跡】명 필적(筆跡).

서적[2]【書籍】명 사람의 사상(思想)이나 감정을 글자나 그림으로 기록하여 꿰어 맨 것. 도서(圖書). 간책(簡冊). 문적(文籍). 서권(書卷). 서사(書史). 서질(書秩). 책자(冊子). 재적(載籍). 전적(典籍). 서책(書冊). 서지(書誌). 장목 비이(長目飛耳).

서:적[3]【庶嫡】명 적출(嫡出)과 서출(庶出).

서:적[4]【鼠賊】명 좀도둑.

서적-광【書籍狂】명 어떤 부문의 학문을 연구하기 위해서가 아니라 단순한 취미로, 책이라는 책은 모조리 사들이는 사람. 서광(書狂).

서적-대【書籍代】명 책 값. 서적비.

서적-비【書籍費】명 책을 사는 데 드는 돈. 책 값.

서적-상【書籍商】명 서적을 파는 사람. 또, 서적을 판매하는 장사. 서고(書賈).

서적-소【書籍所】명〖역〗고려 인종(仁宗) 때, 서적을 갖추어 두고 임금이 여러 학사(學士)들과 더불어 학문을 토론하던 곳. 인종 7년(1129)에 설치함.

서적-원【書籍院】명〖역〗고려 공양왕 및 조선 태조(太祖) 때에 두었던 관아. 서적을 번역·주석하여 출판하였음.

서-적전【西籍田】명〖역〗묘사(廟社)·제향(祭享)에 쓸 곡식을 농사 짓던 논밭. 개성(開城)에 있었음.

서적-포【書籍鋪】명〖역〗고려 숙종 때 국자감(國子監)에 두었던 출판부. 책을 인쇄·보급하여 관학(官學)을 진작시키는 데 크게 기여 하였음. *서적원.

서전[1]【西銓】명〖역〗병조(兵曹).

서전[2]【書典】명 서적(書籍).

서전[3]【書傳】명〖책〗≪서경(書經)≫에 주해(註解)를 달아 편찬한 책. 중국 송(宋)나라 때 주희(朱熹)가 제자 채침(蔡沈)을 시켜 만든 책. 10 책.

서:전[4]【瑞典】명〖지〗'스웨덴(Sweden)'의 음역. ¶ ~을 장식하다.

서:전[5]【緖戰】명 전쟁의 발단(發端)이 되는 싸움. 또, 경기의 초반(初盤).

서:전 서숙【瑞甸書塾】명〖역〗1907년에 이상설(李相卨) 등이 북간도(北間島)의 용정촌(龍井村)에 설립한 교포 자제 교육을 위한 사립 학교.

서:전-어【瑞典語】명〖언〗'스웨덴어(Sweden語)'의 음역(音譯).

서전 언:해【書傳諺解】명〖책〗≪서전(書傳)≫을 한글로 번역한 책. 조선 선조 때에 지은 칠서 언해(七書諺解) 가운데의 하나. 5권 5책.

서:전 체조【瑞典體操】명 '스웨덴 체조'의 음역.

서:절[1]【暑節】명 여름의 더운 시절. 곧, 삼복(三伏)의 때.

서:절[2]【鼠竊】명 서절 구투(鼠竊狗偸).

서:절 구투【鼠竊狗偸】명 '좀도둑'을 쥐나 개처럼 몰래 물건을 훔친다는 뜻으로 하는 말. 서절(鼠竊).

서점[1]【西漸】명 점점 서쪽으로 옮김. ——-하다 자여불

서점[2]【書店】명 책(冊)을 파는 가게. 서관(書館). 서림(書林). 서사(書肆). 서포(書鋪). 책방(冊房). 책사(冊肆). 책전. 책점.

서점 운:동【西漸運動】명〔Westward Movement〕〖역〗북미의 대서양 연안에 이주한 백인의 개척(開拓)이 시대에 따라 차차 서방으로 확대하여 태평양 연안에 미친 경향. 그 시기는 1635년부터 19세기 말엽까지 계속되는데, 1812년의 영미 전쟁부터 남북 전쟁까지의 동안이 그 최성기(最盛期)였음. 이 운동이 정부나 큰 회사에 의하여 행하여지지 않고, 거의 개개의 가족과 작은 집단의 손에 의해 이루어진 것이 특징임.

서:점-자【鼠黏子】명〖한의〗우방자(牛蒡子).
서정¹【西征】명 서쪽을 정벌함. ——-하다 자여불
서정²【西庭】명 ①집안의 서쪽에 있는 마당. ②〖역〗성균관(成均館)의 명륜당(明倫堂) 서쪽에 있는 뜰. 승학시(陞學試)를 보는 유생(儒生)들이 앉는 곳.
서:정³【抒情·敍情】명 자기의 감정을 나타내는 일. ——-하다 자여불
서:정⁴【庶政】명 여러 가지의 정사(政事).
서-정경【徐禎卿】명〖사람〗중국 명나라의 시인. 쑤저우(蘇州) 출생. 이몽양(李夢陽)·하경명(何景明) 등에게 권유를 받아 한위(漢魏)와 성당(盛唐)의 시를 공부한 후 삼웅(三雄)이라 일컫게 됨. 전칠자(前七子)의 한 사람. 저서에 《서적공집(徐迪功集)》 등이 있음. [1479-1511]
서정-록【西征錄】[—녹] 명〖책〗조선 세종 때 이순원(李純元)이 지은 책. 파저(婆猪) 사람이 압록강을 넘어 침범한 것을 조정에서 쳐서 물리친 사실을 기록함. 중종(中宗) 11년(1516)에 발간함. 1권 1책.
서:정-문【抒情文】명〖문〗자기의 감정을 주관적으로 표현한 글. ↔서사문(敍事文).
서:정-미【抒情味】명 서정적인 맛.
서:정 민요【抒情民謠】명 감정을 주관적으로 표현하는 민요.
서:정-성【抒情性】[—썽] 명 서정적인 특성.
서:정 소:곡【抒情小曲】명〔프 novelette〕〖악〗환상적이며 로맨틱한 소곡(小曲). 슈만(Schumann)의 피아노곡에서 비롯함. 노벨레테.
서:정 쇄:신【庶政刷新】명 여러 정사(政事)의 처리에 있어서 나쁜 폐단을 없애고, 그 면목(面目)을 일신(一新)함.
서:정-시【抒情詩·敍情詩】명〔lyric〕〖문〗시의 3대 부문의 하나. 서사시(抒事詩)·극시(劇詩)와 달리 주관적(主觀的)이며 관조적(觀照的) 수법으로 자기 내부의 감정을 운율적으로 나타냄. 대개 짧은 형식으로 되며, 주로 연애·종교·자연 그리고 사상적 갈등을 나타낸 것으로, 그 원조(元祖)로는 그리스의 여류 시인 사포(Sappho)를 꼽음. 리릭(lyric). 주관시. *서사시(敍事詩)·극시(劇詩).
서:정-적【敍情的】명관 보드랍고, 어쩐지 마음을 흐뭇이 취하게 하는 모양. 리리컬(lyrical). ¶ ~ 문장.
서-정주【徐廷柱】명〖사람〗현대의 시인. 호는 미당(未堂). 전북 고창(高敞) 출생. 1936년 《벽(壁)》으로 동아 일보 신춘 문예에 당선, 시단(詩壇)에 등단함. 그 후 문교부 예술국장, 여러 대학의 교수 등을 역임하였으며, 순수시(純粹詩)의 태두(泰斗)로서 등단 이후 1천 편에 가까운 시를 지었음. 대표작 《국화 옆에서》·《노래》·《안 잊히는 일들》 등은 특히 유명하며, 저서로도 《한국의 현대시》·《시문학 원론》 등을 남겼음. [1915-2000]
서:정-체【抒情體·敍情體】명 서정을 주로 한 문체.
서:제¹【序題】명 서문(序文). 서언(序言).
서제²【書題】명〖역〗서리(書吏).
서:제³【庶弟】명 서모(庶母)에게서 난 아우.
서:제⁴【噬臍】명 후회(後悔)하는 일.
서:제 막급【噬臍莫及】명 사람에게 잡힌 노루가 배꼽 때문에 잡힌 줄 알고 배꼽을 물어뜯는 것과 같이, 무슨 일이 지난 뒤에는 후회하여도 이미 늦다는 말. 후회 막급(後悔莫及).
서제-소【書題所】명〖역〗정일품 관원의 사신(私信)에 관한 일을 맡아보던 곳.
서:조¹【瑞兆】명 서상(瑞相).
서:조²【瑞鳥】명 상서로운 새. 봉황 따위.
서:조³【鼠蚤】명〖충〗쥐벼룩.
서:-조모【庶祖母】명 할아버지의 첩(妾).
서:족【庶族】명 서파(庶派)의 족속. 좌족(左族). 부천(部薦).
서좌-도【西佐島】명〖지〗경상 남도 남해상(南海上), 통영시(統營市) 한산면(閑山面) 창좌리(倉佐里)에 위치한 섬. [2.10km²]
서죄¹【書罪】명〖역〗조신(朝臣) 가운데에 나쁜 죄가 있을 때에 야다시(夜茶時)에 모든 감찰(監察)이 그의 죄악을 흰 널판에 써서 그의 집 문 위에 붙이는 일. *칠문(漆門). ——-하다 자여불
서:죄²【恕罪】명 정상을 살피어 죄를 용서함. ——-하다 타여불
서주¹【西周】명〖역〗중국 주(周)나라 제1대 무왕(武王)부터 제12대 유왕(幽王) 때까지의 이름. 서울인 호경(鎬京)이 동천(東遷) 뒤 낙읍(洛邑)의 서쪽에 있었던 데서 나온 말. *동주(東周).
서:주²【序奏】명〖악〗뒤에 이어서 나오는 악곡(樂曲)을 도입(導入)하는 준비로서 하는 전주(前奏). 인트로덕션. *서주부(序奏部)·전주.
서주³【徐州】명〖지〗'쉬저우(徐州)'를 우리 음으로 읽은 이름.
서주⁴【書籌】명 사자(寫字)와 산술(算術).
서:주⁵【黍酒】명 ① 옛날의 술그릇의 이름. ②기장으로 빚은 술.
서:주-부【序奏部】명〔introduction〕〖악〗악곡(樂曲)의 주요 부분에 들어가기 전에 준비로서 마련한 부분. 비교적 늦은 템포의 연주로, 주요 부분과 관계 있게 된 것과 관계 없이 된 것의 두 가지가 있음. 도입부. 인트로덕션.
서주-하고초【徐州夏枯草】명〖식〗꿀풀.
서중¹【書中】명 서적이나 문서·편지 등에 쓰여진 문구(文句) 가운데.
서:중²【暑中】명 여름의 더운 때.
서:중 휴가【暑中休暇】명 여름 더위 때문에 학업이나 사무를 쉬는 겨를.
서증¹【書證】명〖법〗문서로써 하는 재판상의 증거 방법. ↔인증(人證).
서증²【書贈】명 글씨를 써서 증정(贈呈)함. ——-하다 타여불
서:증³【暑症】명〖한의〗①더위❷. ②더위의 증세.
서지¹【書旨】명 서면(書面)의 취지(趣旨).
서지²【書誌】명 서적(書籍).
서:지³【舒遲】명 느릿느릿한 일.
서지⁴【棲遲】명 ①천천히 돌아다니며 놂. ②벼슬을 하지 아니하고, 세상을 피하여 시골에서 삶. ——-하다 자여불
서:지⁵〔serge〕명〔이탈리아어(語)의 세르지아(sergea)에서 나온 말〕본디 견모 교직(絹毛交織)을 일컬었으나, 근래에는 주로 소모사(梳毛絲)로써 능직(綾織)으로 짠 옷감을 말함. 감색·흑색 및 백색의 무지(無地)로 된 것이 많으며, 털 외에 면(綿)서지·견(絹)서지·스프 서지·나일론 서지 등이 있음. 서지와 세루는 어원(語源)을 같이하며, 넓은 뜻으로는 같은 뜻이나 좁은 뜻으로는 그 내용을 좀 달리함. 세르주. *세루.
서:지⁶〔surge〕명 ①〖전〗전기 회로(回路)의 전류(電流)나 전압이 순간적으로 크게 증가하는 일. ②〖공〗공정(工程)중에서 유체(流體)가 변동하는 일. 이로 인하여, 종종, 증기 배관(蒸氣配管)을 통해서 액이 넘쳐흐름. ③공정(工程) 중의 압력의 최고점(最高點). ④플라스틱 등의 압출 성형(壓出成形)을 할 때에, 불안정한 압력이 생겨서, 압출량이 변동하여, 압출 성형품의 표면에 골이 지는 일. ⑤수직(垂直)인 벽(壁)의 운동으로 생기는 액체의 자유 표면(自由表面)에 있어서의 물결. 물마루의 높이의변화나 심한 소용돌이 운동을 수반함.
서:지 변:형력【一變形力】[—녁] 명〔surge stress〕〖물〗유체(流體)의 유속(流速)이나 압력의 급변으로 장치(裝置) 등에 작용하는 물리적 변형력.
서:지 탱크〔surge tank〕명 수력 발전소에서, 도수관(導水管)의 수격작용(水擊作用)을 완화하기 위해서 도수관의 말단 가까이에 설치하는 높은 수조(水槽). 조정 수조(調整水槽).
서지-학【書誌學】명〔bibliography〕도서(圖書)를 연구의 대상으로 하는 학문. 도서 및 도서 관계 사항의 일반 연구와 각개의 도서·문헌에 관한 고증적(考證的) 연구가 행해지며, 도서의 대교 감정(對校鑑定) 해제(解題), 도서 목록(目錄)의 편찬(編纂) 등을 이루는 학문. 문헌학(文獻學). 비블리오그래피.
서:직【黍稷】명 차기장과 메기장. 옛날 나라 제사에 낱것으로 썼음.
서진¹【西秦】명〖역〗중국의 오호(五胡) 십육국의 하나. 선비족(鮮卑族)의 걸복국인(乞伏國仁)이 간쑤(甘肅)의 금성(金城)에 도읍하여 세운 나라. 4세(世)로 대하(大夏)의 혁련정(赫連定)에게 망함. 진(秦). [385-431]
서진²【西晉】명〖역〗중국 진(晉)나라 무제(武帝)로부터 민제(愍帝)에 이르기까지의 52년간의 국호. 뤄양(洛陽)이 동진(東晉)의 도읍지인 건강(建康)에서 서쪽에 해당하는 데서 나온 말임.
서진³【西進】명 서쪽으로 진출함. ——-하다 자여불
서진⁴【書鎭】명 책장 또는 종이쪽이 바람에 안 날리도록 누르는 물건. 쇠·돌·나무 같은 것으로 만듦. 문진(文鎭).
서질【書帙】명 ①서적(書籍). ②책을 한 권 또는 여러 권씩 싸서 넣어 두기 위하여 헝겊으로 만든 책 덮개.

〈서질❷〉

서:징〔surging〕명 축류 압축기(軸流壓縮機)·터보 압축기 따위를 설계 유량(設計流量)보다 현저하게 적은 유량의 상태에서 가동시켰을 때, 유량·압력(壓力)이 주기적으로 크게 변동하는 특정한 진동 현상. 압축기의 날개가 실속(失速) 상태에서 돌기 때문에 일어나며, 이음(異音)이 생기고 기기(機器)의 파손을 초래하는 경우도 있음.
서치다 형〈옛〉교만하다. ¶ 서천체ᄒᆞ다(担大款)《漢淸 Ⅷ:21》.
서-쪽【西一】명 해가 지는 쪽. 서방(西方). 준서(西). ↔동쪽.
서쪽에서 해가 뜨다 구 절대로 있을 수 없는 일 또는 아주 희한한 일의 비유.
서쪽-새 명〈방〉소쩍새(경기·강원·충청·경북).
서:차【序次】명 차례(次例).
서:차-법【序次法】[—뻡] 명〖문〗가까운 데서 먼 데로, 쉬운 데서 어려운 데로, 미리 아는 것으로부터 모르는 것으로, 이렇게 순서를 올바르게 밟아 씀으로써 독자(讀者)로 하여금 알기 쉽도록 하는 문장의 형태.
서찰¹【西刹】명〖불교〗서방 극락(西方極樂).
서찰²【書札】명 편지.
서창¹【西昌】명〖지〗'시창(西昌)'을 우리 음으로 읽은 이름.
서창²【西窓·西牕】명 서쪽으로 난 창. ↔동창.
서창³【西廠】명〖역〗중국 명대(明代)의 환관(宦官)이 관민의 동정을 살피던, 밀정(密偵) 정치 기관. 동창(東廠) 외에 헌종(憲宗) 13년(1477)에 환관 왕직(汪直) 밑에 두었으나 5년 후에 폐지했다가, 무종(武宗) 1년(1506)에 다시 환관 유근(劉瑾) 밑에 두어 5년 동안 존속하였음. *동창(東廠).
서:창⁴【敍唱】명 '레치타티보(recitativo)'의 역어.
서창⁵【書窓】명 서재(書齋)의 창.
서:창⁶【舒暢】명 느릿느릿 뻗어가는 일. 한가로이 구는 일. ——-하다 자여불
서책【書冊】명 서적(書籍). 판적(版籍).
서척¹【書尺】명 편지.
서:척²【敍戚】명 멀어진 딴 성의 겨레붙이가 서로 그 척분 관계를 말하는 일. ——-하다 자여불
서천¹ 명 목수(木手)의 품삯.
서천²【西天】명 ①서쪽 하늘. ↔동천. ②〖불교〗↗서천 서역국.
【서천에 경 가지러 가는 사람은 가고 장가들 사람은 장가든다】서로 같은 목적으로 같이 동행하여 가다가도, 드디어 변하여 자기 좋은 대로 행동하여 버림을 이르는 말.
서천³【西遷】명〖역〗1934-36년에 걸쳐 중국 공산당군(軍)이 행한 대이동(大移動). 중국 국민당군의 공격을 받은 마오 쩌둥(毛澤東) 등이 거느린 공산당군이 장시 성(江西省) 루이진(瑞金)에서 대행군(大行軍)을 시작하여 산시 성(陝西省)의 옌안(延安)까지 이동한 사실을 말함. 대서천(大西遷).
서:천⁴【逝川】명 ①흘러가는 냇물. ②한 번 가면 다시 돌아오지 못함의 비유.
서:천⁵【舒川】명〖지〗충청 남도 서천군의 군청 소재지로 읍(邑). 군의 중서부에 위치함. 장항선(長項線)의 요역임. [15,423명(1996)]
서:천⁶【暑天】명 더운 여름의 하늘.
서:천⁷【曙天】명 새벽 하늘.

서:천-군 【舒川郡】[명]〖지〗충청 남도의 한 군. 관내 2읍 11면. 북은 보령군(保寧郡)과 부여군(扶餘郡), 동남은 금강(錦江) 하류에 접함. 넓은 평야가 있으며, 주산물은 쌀·보리·마늘 등 농산물과 김·조개류(類)의 해산물 등인데, 특히 한산(韓山)의 '세모시'는 유명함. 명소 고적으로는 마량리(馬梁里) 동백나무 숲·건지산성(乾芝山城)·서천 읍성지(邑城址)·비인(庇仁) 읍성지 등이 있음. 군청 소재지는 서천(舒川). [363.59 km²: 100,533명(1990)]

서-천린 【徐天麟】[—철—][명]〖사람〗중국 남송(南宋)의 학자. 장시(江西) 사람. 자는 중상(仲祥). 저서에 ≪서한 회요(西漢會要)≫·≪동한 회요(東漢會要)≫ 등 제도(制度)에 관한 것과 ≪서한 지리소(西漢地理疏)≫ 등이 있음. [12세기말-13세기] 「(西天).

서천 서역국 【西天西域國】[명]〖역〗인도(印度)의 옛 호칭(呼稱). [준]서천

서천-왕 【西川王】[명]〖사람〗고구려의 제13대 왕. 휘는 약로(藥盧). 중천왕(中川王)의 둘째 아들. 동왕 7년(276) 숙신국(肅愼國)이 내침한 때 왕제(王弟)를 보내어 평정하였음. [재위 270-291]

서천 이:십팔조 【西天二十八祖】[—쪼][명]〖불교〗선종에서, 석가의 법을 계승한 인도의 28조사(祖師). 곧, 마하가섭(摩訶迦葉)·아난다(阿難陀)·상나화수(商那和修)·우바국다(優婆毱多)·제다가(提多迦)·미차가(彌遮迦)·바수밀다(婆須密多)·불타난제(佛陀難提)·복타밀다(伏馱密多)·협존자(脇尊者)·부나야사(富那夜舍)·마명(馬鳴)·가비마라(迦毘摩羅)·용수(龍樹)·가나데바(迦那提婆)·나후라다(羅睺羅多)·승가난제(僧伽難提)·가사사다(迦邪舍多)·구마라다(鳩摩羅多)·사야다(闍夜多)·바수반두(婆修槃頭)·마나라(摩拏羅)·학륵나(鶴勒那)·사자비구(師子比丘)·바사사다(婆舍斯多)·불여밀다(不如密多)·반야다라(般若多羅)·보리다라(菩提多羅).

서:천 화:력 발전소 【舒川火力發電所】[—쩐—][명] 충청 남도 서천군 서면(西面) 마량리(馬梁里)에 있는 무연탄과 중유 혼소용(混燒用) 화력 발전소. 시설 용량 40만kW. 1978년 1호기가 전력 생산을 개시한 후, 1983년 2호기가 준공됨.

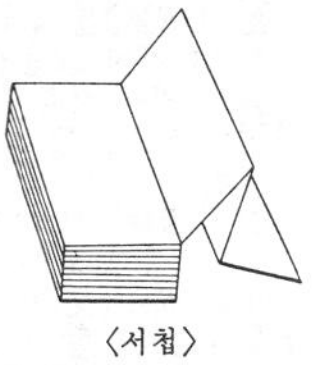
〈서첩〉

서철 【西哲】[명] ①서양의 현철(賢哲). 서양의 철학자. ②서양 철학.

서첨 【書籤】[명] 책의 제목으로 쓴 글씨.

서첩 【書帖】[명] 이름난 이의 글씨를 모은 장첩(粧帖). 명필(名筆)을 모아 꾸민 책. 흔히, 여러 겹 접게 되었음. 묵첩(墨帖).

서청 【西淸】[명] ①중국 궁중(宮中)의 깨끗하고 조용한 서쪽의 상(廂). ②청조(淸朝) 궁정(宮廷)의 한 방으로서 한림 학사(翰林學士)가 출사(出仕)하던 곳.

서청 고:감 【西淸古鑑】[명]〖책〗청조 내부 소장(淸朝內府所藏)의 고기(古器)를 도설(圖說)한 책. 건륭(乾隆) 14년(1749) 양시정(梁詩正) 등이 칙명을 받들어서 편찬했음. 40권.

서체[1] 【書體】[명] ①문자(文字)의 체재(體裁). 서풍(書風). ②문자의 여러 가지 쓰는 방법. 한자(漢字)에서 해서·행서·초서·전서(篆書)·예서(隸書), 한글의 궁체(宮體), 영어의 인쇄체·필기체 등. 글씨체.

서:체[2] 【暑滯】[명] 더위로 인하여 생기는 체증.

서초 【西草】[명] 평안도에서 나는 담배.

서:초-구 【瑞草區】[명]〖지〗서울 특별시의 한 구. 서울 강남(江南)의 중심부에 위치하며 북은 한강, 서는 동작구(銅雀區)와 관악구(冠岳區), 동은 강남구, 남은 경기도와 접하고 있음. 신흥 개발 지역의 하나로 경부 고속 국도가 구 안을 남북으로 곧게 뻗어 있음. 15개 동. [47.54 km²: 396,467명(1991)]

서초 머리 【西草—】[명] 서초(西草)와 같이 누르고 나슬나슬한 머리털.

서초 패:왕기 【西楚覇王記】[명]〖문〗삼설기(三說記)에 들어 있는 소설의 하나. 한 소년 선비가 우미인(虞美人)의 묘우(廟宇)에 들어갔다가 초패왕의 꾸지람을 듣고 도리어 그의 옹졸함을 꾸짖었다는 이야기.

서촌 【西村】[명] 서울 안의 서쪽에 있는 동네들. ↔동천(東村).

서:총-대 【瑞葱臺】[명]〖역〗①임금이 임어(臨御)하여 무관(武官)의 활 쏘는 것을 점검(點檢)하던 대(臺). 조선 연산주(燕山主) 때 창덕궁(昌德宮) 안에 지었음. ②↗서총대과(瑞葱臺科).

서:총대-과 【瑞葱臺科】[명]〖역〗서총대에서 임금이 친림(親臨)하여 행하던 무과(武科). [준]서총대(瑞葱臺).

서:총대-무명 【瑞葱臺—】[명] 서총대베.

서:총대-베 【瑞葱臺—】[명] [연산주(燕山主) 때에 서총대를 쌓기 위하여 부역을 과하여 무명을 거둔 까닭에 백성의 살림이 피폐하여져서 나중에는 척수가 짧고 빛이 검은 무명을 바쳤던 일에서] 품질이 낮고 척수(尺數)가 짧은 무명베를 놓으로 이르는 말. 서총대포(瑞葱臺布). 서총대 └무명.

서:총대-포 【瑞葱臺布】[명] 서총대베.

서:최-자 【瑞嗺子】[명]〖악〗옛날 악곡(樂曲)의 이름.

서추[1] 【西陬】[명] 서쪽에 있는 벽촌(僻村).

서추[2] 【西樞】[명]〖역〗조선 시대 때, '중추부(中樞府)'의 별칭(別稱).

서축[1] 【書軸】[명] 글씨를 쓴 족자(簇子).

서:축[2] 【舒縮】[명] 신축(伸縮). ——-하다 [자][타][여불]

서:축[3] 【鼠縮】[명] 곡식을 쥐가 먹는 까닭에 나는 축.

서:출 【庶出】[명] 첩(妾)의 소생. 측출(側出). 서생(庶生). ↔적출(嫡出).

서출-지 【書出池】[—찌][명]〖역〗경주시(慶州市) 남산동(南山洞)에 있는 못. 신라 소지왕(炤智王) 때, 이 못 근처에서 왕비의 비행(非行)을 알리는 글발이 전해졌다는 고사(故事)가 있음. 사적 제 138호.

서치[1] [명]〈방〉〖어〗서대기.

서:치[2] 【序齒】[명] 나이의 차례대로 함. 「는 어리석음.

서치[3] 【書癡】[명] 글 읽기에만 온 정신을 쓰고 세상일을 돌아보지 아니하

서:치-라이트 [searchlight][명] 탐조등(探照燈).

서:카라마 [Circarama][명] 1955년에 디즈니(Disney, W.)가 완성한 영화의 한 방식. 11대의 촬영기가 사방 360°를 동시에 촬영하여, 원형 극장 안의 전주(全周) 스크린에 영사함. 와이드스크린 영화가 발전한 것 └임.

서카래 [명]〈방〉〖충〗서캐.

서캐 [명]〖충〗이의 알. 「비유.

[서캐 훑듯 한다] 하나도 빠뜨리지 아니하고 샅샅이 뒤지어 조사함의

서캐-조롱 [명]〖민〗계집 아이들이 차고 다니는 조롱의 한 가지. 콩알만큼씩 하게 세 개를 한데 엮고, 위아래 두 개는 붉게, 가운뎃 것은 노랗게 물들이고, 그 끝에 돈을 달게 됨. ↔말조롱. 「힌 참빗.

서캐-훑이 [—훌치][명] 서캐를 훑어 내는 데 쓰는, 살이 가늘고 배게 박

서커 [sucker][명] 면직물의 한 가지. 곱슬한 세로 무늬가 있는 것으로 흔히 여성이나 아동용의 하복지로 쓰임. 면직(綿織) 외에 화학 섬유로 된 것도 있는데, 구미에서는 시어서커(seersucker)라 함.

서:커스 [circus][명] 곡마(曲馬). 곡예(曲藝). 곡마단. 곡예단.

서:큘러 [circular][명] ①둥근 모양. 원형(圓形). ②소매·스커트·케이프 등의, 끝으로 갈수록 넓고 여유가 있는 형(型).

서:큘러 밀 [circular mil][의명] 전선(電線)의 굵기를 나타내는 단위. 직경 천분의 1인치의 원의 면적이 1서큘러 밀임.

서:큘러 스커:트 [circular skirt][명] 스커트의 한 가지. 원형으로 재단된 스커트로, 길이는 용도와 유행에 따라 여러 가지임.

서:큘러 케이프 [circular cape][명] 둥근 천의 중앙을 도려 내어, 그곳으로부터 목을 내밀게 된 케이프.

서:큘레이션 [circulation][명] ①순환(循環). ②서적이나 화폐의 유통. 유통고(流通高). 유포(流布). ③발행 부수. 발행고. ④통화(通貨).

서:클 [circle][명] ①원(圓). 원주(圓周). ②활동 범위(活動範圍). 주위(周圍). ③같은 이해 관계·직업·취미 등에 의하여 결합된 사람들 또는 단체. ¶ 문학 ～/독서 ～. ④투척(投擲) 경기에서, 밟고 넘어가서 던지지 못하게 하기 위해 마련되는 철륜(鐵輪). 해머의 서클은 직경 2.135 m, └원반은 2.50 m임.

서:클 에이트 [circle eight][명] 에이트❸.

서:킨 [Serkin, Rudolf][명]〖사람〗체코 태생의 미국 피아니스트. 부슈(Busch, A.)와의 실내악 연주로 유명함. 1960년에 내한함. [1903-91]

서:킷 [circuit][명] ①〖물〗전기 회로(電氣回路). 전로(電路). ②〖연〗흥행 계통(興行系統). 체인. ③순회(巡回). 순회 여행(巡回旅行). ¶ 아시아 ～ 골프. ④자동차·오토바이 따위의 경주용 환상(環狀) 도로. ⑤원형의 └경기장.

서:킷 브레이커 [circuit braker][명]〖전〗차단기(遮斷器).

서:킷 트레이닝 [circuit training][명] 기초 체력을 기르는 단련법. 1953년 영국 리드 대학의 모건(Morgan, R.E.) 및 애덤슨(Adamson, G.T.)에 의하여 고안됨. 일련(一連)의 운동을 통하여, 혈액 순환·호흡·근육 등에 전반적인 힘을 증강하는 것이 목적임. 운동 종목은 24종류임.

서태평양 철도 【西太平洋鐵道】[—또][명] [Western Pacific Railroad]〖지〗미국의 로키 횡단 철도(Rocky 橫斷鐵道)의 하나. 샌프란시스코에서 새크라멘토(Sacramento)·덴버(Denver)·오마하(Omaha)를 거쳐 시카고(Chicago)에 이름.

서-태후 【西太后】[명]〖사람〗중국 청조(淸朝) 함풍제(咸豐帝)의 황후(皇后). 동치제(同治帝)의 생모(生母). 1861년 동치제가 다섯 살에 즉위하자 모후(母后)로서 동태후(東太后)와 같이 집정, 1874년 동치제가 사망하자 세살난 그의 조카 광서제(光緖帝)를 강제로 즉위시키고 재차 집정, 1889년 정무에서 떠났다가, 1898년 광서제가 신정을 수행하매 그는 보수파들과 공모하여 쿠데타를 일으켰으며, 그 후에도 3차나 집정하였음. 중국음: 시태후. [1835-1908]

서-터 【西—】[명]〈방〉서정[2](西庭)❶.

서:턴 [Sarton, George Alfred][명]〖사람〗벨기에 태생의 미국 과학사가(科學史家). 1912년 과학사 연구 기관지 '이시스(Isis)'를 발간. 제1차 세계 대전 중 미국에 망명, 1940년에 하버드 대학 교수, 1950년 국제 과학사 학회 회장. ≪과학사와 신(新)휴머니즘≫ 등 계몽서를 저술함. [1884-1956]

서:턴-상 【—賞】[명] [Sarton award] 과학사가 서턴을 기념하여, 미국의 과학사 협회가 해마다 세계의 뛰어난 과학사 연구자에게 주는 상.

서털-구털 [부] 말이나 행동이 침착 단정하지 못하고 아무렇게나 하는 모양. ¶ 갈피를 잡을 수 없게 ～ 지껄인다. ——-하다 [형][여불]

서토 【西土】[명] ①서쪽 땅. ②〖지〗서도(西道)❶.

서통[1] 【書通】[명] 서면(書面)을 보내서 뜻을 서로 통함. ——-하다 [자][여불]

서통[2] 【書筒】[명] 봉투.

서:퇴 【暑退】[명] 더위가 물러감. ¶ 속적삼에 배었던 땀이 식어서 선뜩선뜩할 만큼이나 ～가 되었다≪沈熏: 常綠樹≫. ——-하다 [자][여불]

서투 【書套】[명] 책 덮개. 서질(書帙).

서:투르다 [형][르불] [근대: 서툴다] ①익숙하지 못하다. ¶ 외국어에 ～. ②만나본 일이 없어 어색하다. ¶ 그와는 서투른 사이다.

[서투른 도둑이 첫날 밤에 들킨다] 어쩌다 한 번 나쁜 일을 해본 것이 공교롭게 첫번에 들킨다는 말. [서투른 무당이 장고만 나무란다; 서투른 숙수(熟手)가 피나무 안반만 나무란다] 기술이 부족한 사람이 자기 능력은 모르고 도구만 나쁘다고 탓함을 이름. [서투른 풍수 집안 만 망쳐 놓는다] '반 풍수 집안 망친다'와 같은 뜻.

서:툴다 [형] ↗서투르다.

서:티 [thirty][명] ①'서른·삼십'의 뜻. ②테니스에서, 득점수가 2점임을 이르는 말.

서:티피케이션 [certification][명] ①증명(證明). 인가(認可). ②〖법〗어음의 지급을 확실히 하고, 그 원활한 유통을 도모하기 위한 미국(美國)의 제도. 소지인(所持人)의 청구에 의하여 지급인(支給人)인 은행이 어음에 'good'라고 기재 서명하면 자금이 소지인에게 지급되고, 이를 소지인이 은행에 예금한 것으로 인정되는 결과, 발행인(發行人)이나 배

서인(背書人)이 면책(免責)되는 대신 지급인이 소지인에 대하여 지급 의무를 지게 됨. 지급 보증은 이것을 따른 것이나 방식·효과 등에 다른 점이 있음.

서파[1] 【西陂】 명 〖사람〗 유희(柳僖)의 호(號).

서:파[2] 【庶派】 명 서자(庶子)의 자손. ↔적파(嫡派).

서:파[3] 【鼠破】 명 쥐가 쏠아서 결딴냄. 서설(鼠齧).

서-파키스탄 【西—】 〔Pakistan〕 명 〖지〗 1971년에 동파키스탄이 방글라데시 인민 공화국으로서 독립하기 이전, 파키스탄이 인도를 끼고 동서로 갈라져 있을 때에, 현재의 파키스탄 회교 공화국의 지역을 이르던 호칭.

서판 【書板】 명 글씨 쓸 때에 종이 밑에 까는 널조각.

서퍼 〔supper〕 명 저녁밥. 만찬(晩餐).

서퍽 〔Suffolk〕 명 〖지〗 영국의 잉글랜드 남동부, 북해에 면한 지방. 동부는 점토층(粘土層)의 평지, 서부는 백악층(白堊層)으로 된 구릉지(丘陵地). 영국의 중요한 곡창(穀倉)으로 밀·보리·귀리 등을 산출함. [3,807 km²: 612,500 명(1983 추계)]

서-펀자브 【西—】 〔Punjab〕 명 〖지〗 파키스탄 북부 지방. 인더스 강 상류 5지류(支流)의 유역으로 라호르(Lahore)와 이슬라마바드(Islamabad)를 중심으로 하며, 밀을 주산물로 하는 파키스탄의 곡창(穀倉) 지대임. 아프가니스탄과의 교통의 요지로 국방상 중요한 지구임. 인도와 분할된 이래 피난민이 많아 정치·경제·사회면에서 불안함. 인도령 펀자브 주를 동(東)펀자브라 이르는 데 대하여, 파키스탄령(領)의 펀자브 지방을 일컫는 말.

서편[1] 【西便】 명 서쪽 편. ↔동편(東便).

서편[2] 【西偏】 명 서쪽으로 기울어짐. ↔동편(東偏).

서편-제 【西便制】 명 〖악〗 판소리에서, 조선 시대 말기의 명창(名唱) 박유전(朴裕全)의 법제(法制)를 따라 부르는 창법(唱法)의 유파(流派). 음색(音色)이 곱고 애절함. 본디, 보성(寶城)·광주·나주(羅州) 등 섬진강(蟾津江) 서쪽에서 성하였음. 중고제(中高制). *동편제(東便制).

서평 【書評】 명 책에 대한 평. 레뷰(review). ¶ ～란(欄).

서평-산 【西坪山】 명 〖지〗 함경 남도 장진군(長津郡)에 있는 산. [1,750 m]

서폐 【書肺】 명 〖생〗 폐낭(肺囊).

서포[1] 【西浦】 명 〖사람〗 김만중(金萬重)의 호(號).

서포[2] 【書鋪】 명 서점(書店).

서포 만:필 【西浦漫筆】 명 〖책〗 서포(西浦) 김만중(金萬重)이 지은 책. 제자 백가(諸子百家) 가운데 의심 나는 점을 변석(辯析)하고, 책 끝에 신라 이후의 유명한 시(詩)를 약평(略評)한 것을 부록하였음. 2권 2책.

서포:터 〔supporter〕 명 ①지지자. 후원자. ②축구 등 운동 선수들이 음부(陰部)를 보호하기 위하여 차는 것.

서포:트 인 〔support in〕 명 탁구에서, 지주(支柱)에 공이 맞고 상대편의 코트에 들어간 경우. 서비스일 때는 노카운트이고, 기타의 경우에는 유효함.

서폭 【書幅】 명 글씨를 써서 꾸민 조각. ¶ ～이 걸려 있다. *화폭(畫幅).

서표 【書標】 명 읽던 책장을 표시하기 위하여 그 사이에 끼워 두는 종이 또는 다른 물건으로 만든 조각. 표장. 표지(標紙).

서:-푼[1] 【一分】 명 ①한 푼(分)의 세 곱. ②아주 보잘것없는 값어치를 이르는 말. ¶ ～짜리 소설가/～어치도 못 되는 놈.

서푼[2] 부 발소리가 나지 아니할 정도로 가볍고 빠르게 내디디는 모양. 쓰서뿐. >사푼.

서푼-목정 명 소의 목덜미 아래에 붙은 고기.

서푼-서푼 부 발소리가 크게 나지 아니할 정도로 연해 가볍게 내걷는 모양. 쓰서뿐서뿐. >사푼사푼.

서:품[1] 【序品】 명 〖불교〗 경전(經典)의 내용을 미리 추려 나타낸 개론(概論)과 비슷한 부분.

서:품[2] 【敍品】 명 천주교에서, 안수에 의하여 주교·사교·부제를 임명하는 일. ¶ ～을 받다.

서:품-식 【敍品式】 명 〖천주교〗 신품(神品)에 올리는 의식. 서품을 하는 예식.

서풋 부 소리가 나지 아니할 정도로 발을 가볍게 빨리 내디디는 모양. 스서붓. 쓰서뿟. >사풋.

서풋-서풋 부 발소리가 크게 나지 아니할 정도로 가볍게 급히 걷는 모양. 스서붓서붓. 쓰서뿟서뿟. >사풋사풋.

서풍[1] 【西風】 명 서쪽에서 불어 오는 바람. 여합풍(閭闔風). 진풍(秦風). 종풍(終風). *갈바람·가수알바람.

서풍[2] 【書風】 명 서체(書體)❶. ¶ 자유 분방한 ～.

서풍 피류 【西風皮流】 명 〖지〗 편서풍(偏西風)에 의해 일어나는 표면 해류. 북태평양·북대서양 등의 중위도 해역(中緯度海域)에는 편서풍대가 있기 때문에 생긴 해류임. 북태평양 해류나 북대서양 양(兩)해류를 가리키는 경우도 있음.

서:프 〔serf〕 명 농노(農奴). 노예.

서프랑크 왕국 【西—王國】 〔Frank〕 명 〖역〗 843년의 베르됭(Verdun) 조약, 870년의 메르센(Mersen) 조약의 결과 분할된 프랑크 왕국의 서반부로, 훗날 프랑스의 근원이 됨. 왕권이 약했으며, 노르만인의 침입, 봉건 귀족의 대두로 시달리다가, 987년 왕통은 단절되고, 위그 카페(Hugues Capet) 밑에서 프랑스의 봉건 국가가 발족함.

서프러제트 〔suffragette〕 명 〖정〗 여성 참정 운동가.

서-프로이센 【西—】 〔Preussen〕 명 〖지〗 중부 유럽, 폴란드 북부에 있는 지방. 제1차 세계 대전에 의하여 동(東)프러시아와 분리된 후, 비스투라 강(Vistura江) 하류의 서안(西岸)을 폴란드령(領)이라 하여 이렇게 부름.

서:프-보:드 〔surfboard〕 명 서핑용의 기름한 타원형의 판자. 길이 2.7-3 m, 너비 50-60 cm임.

서플리먼트 〔supplement〕 명 부록(附錄). 증보(增補). 보유(補遺). 추가.

서피[1] 【書皮】 명 책의 표지(表紙).

서:피[2] 【黍皮】 명 돈피(獤皮)❶❷.

서:피[3] 【犀皮】 명 코뿔소의 가죽.

서:피[4] 【鼠皮】 명 쥐의 가죽.

서:피-계 【黍皮契】 명 〖역〗 돈피(獤皮)를 공물로 바치던 계.

서:피 목도리 【鼠皮—】 명 쥐의 가죽으로 만든 목도리.

서:피스 게이지 〔surface gauge〕 명 〖기〗 공작물에 금을 긋거나 둥근 막대의 중심을 구할 때에 쓰는 공구(工具). 주철로 만든 밑받침이 달린 기둥에 금긋기 바늘을 단 것임.

서:피스 그라인더 〔surface grinder〕 명 〖기〗 표면 연마기.

서:핑 〔surfing〕 명 ①파도타기. ②〖악〗 미국에서 생긴 재즈의 하나. 1963년 여름경부터 미국 서해안, 하와이를 중심으로 유행한 새 리듬.

서하[1] 【西河】 명 〖지〗 '시허(西河)'를 우리 음으로 읽은 이름.

서하[2] 【西夏】 명 〖역〗 중국 당(唐)나라 하주(夏州) 절도사(節度使)의 후예인 척발씨(拓拔氏)라 부르는 이원호(李元昊)가 지금의 간쑤 성(甘肅省)에서 내몽고 서부에 걸치는 땅에 세운 나라. 주류(主流)는 티베트족인 당항(黨項). 송(宋)·요(遼)·금(金)과 화전(和戰)을 거듭하며, 동서 교통로를 막아 이익을 보다가 몽고에게 망함. 중국 문화와 서방 문화의 혼성이고, 말은 티베트·버마 계통이며, 고유한 문자를 가졌었음. '대하(大夏)'라 자칭함. 하(夏). [1038-1227]

서하[3] 【書下】 명 임금이 벼슬시킬 사람의 이름을 친히 적어 내리던 일. ——-하다 타여불

서:하[4] 【暑夏】 명 더위가 심한 여름.

서-하객 【徐霞客】 명 〖사람〗 중국 명(明)나라 말기의 지리학자. 장쑤 성(江蘇省) 출생. 이름은 굉조(宏祖)인데 호(號)인 하객으로 널리 알려짐. 1636년 51세 때, 여행 계획을 세워 중국 각지를 4년간 역유(歷遊)하면서 지리적 조사(地理的調査)를 하였음. 저서는 《서하객 유기(徐霞客遊記)》. [1586-1641]

서하 문자 【西夏文字】 [—짜] 명 중국의 서하국(西夏國)의 문자. 경종(景宗) 이원호(李元昊)의 창제(創製)라고 하는데, 서체(書體)는 해서(楷書)·행서(行書)·초서(草書)·전서(篆書)가 있고, 위에서 아래로, 왼편에서 오른편으로 쓰이었으며, 거의 한자(漢字)를 모방한 표의 문자(表意文字)가 대부분임. 전부 6,133자.

서하-사 【棲霞寺】 명 〖불교〗 치샤 사.

서하-어 【西夏語】 명 11-13세기에 걸쳐 서하국을 세운 탕구트(Tangut)족에 의해 사용된 언어. 지금은 사어(死語).

서학[1] 【西學】 명 ①천주교를 서양의 학문이라는 뜻으로 일컫는 말. 특히, 천도교에서, 천도교를 동학(東學)이라 일컫는 것의 반대말로 쓰임. ②〖역〗 고대에, 중국·인도 등 서쪽 나라로 가서 학문·도를 닦는 일. ③〖역〗 조선 시대 후기에, 서양 문명에 대한 학문적 연구. ④〖역〗 조선 시대에, 서울 서부에 있었던 사학(四學)의 하나. 지금의 서울 중구(中區) 태평로(太平路) 1가의 시청 청사 근처에 있었음.

서학[2] 【書學】 명 〖역〗 고려 때의 교육 기관인 국자감(國子監) 경사 육학(京師六學)의 하나로서, 팔품관(八品官) 이상인 관원의 자제와 서인(庶人)이 들어갔음.

서:학[3] 【暑瘧】 명 〖의〗 열학(熱瘧).

서학 박사 【書學博士】 명 〖역〗 고려 때, 국자감(國子監)의 종구품 벼슬.

서한[1] 【西漢】 명 〖역〗 전한(前漢).

서한[2] 【書翰】 명 편지.

서:한[3] 【暑寒】 명 한서(寒暑).

서:한-도 【恕限度】 명 〖의〗 어떤 유해한 환경 조건이 어떤 한계를 넘어야만 안전할 때의 그 한계를 나타내는 양.

서한-만 【西韓灣】 명 〖지〗 평안 북도 서단과 황해도 서단과의 사이에 위치하는 바다. 만내에는 다사도(多獅島)·남포(南浦) 등의 주요 항구가 있고 또, 조기·준치·전어·새우·상어 등 어산물이 많음.

서한-문 【書翰文】 명 편지에 쓰이는 특수한 형식의 문체. 상대방에 대한 경어(敬語)나 자기에 관한 겸양의 뜻을 나타냄을 특징으로 함. 서간문(書簡文). 서독문(書牘文).

서한 문학 【書翰文學】 명 〖문〗 서한체 형식의 문학 작품. 《젊은 베르테르의 슬픔》 따위. 서간(書簡) 문학.

서한-체 【書翰體】 명 〖문〗 서한문 형식으로 된 문체(文體). 서간체. 서독체(書牘體).

서함 【書函】 명 ①편지. ②책을 넣는 상자. 편지를 넣는 통. ¶ 사(私)～.

서:합 【噬嗑】 명 〖민〗 ↗서합괘(噬嗑卦).

서:합-괘 【噬嗑卦】 명 〖민〗 육십 사 괘의 하나. 이괘(離卦)와 진괘(震卦)가 거듭된 것으로 번개와 우뢰를 상징함. 준서합(噬嗑).

서-항석 【徐恒錫】 명 〖사람〗 독문학자·극작가. 호는 경안(耿岸). 함남 홍원(洪原) 출생. 일본 도쿄 제국 대학(東京帝國大學) 독문학부 졸업. 1931년 극예술 연구회(劇藝術硏究會) 조직에 주도적 역할을 하고, 비평과 강연으로 연극 계몽에 주력함. 광복 후 중앙 국립 극장장을 역임했으며, 서라벌 예술 대학 교수와 예술원 회원을 지냄. 번역에 괴테의 《파우스트》, 희곡 작품에 《견우 직녀》·《콩쥐 팥쥐》 등이 있음. [1900-85]

서해[1] 【西海】 명 ①서쪽에 있는 바다. ②〖지〗 '황해(黃海)'를 우리 나라의 서쪽에 있다고 해서 부르는 말. 1)·2):↔동해(東海).

서:해[2] 【曙海】 명 〖사람〗 최학송(崔鶴松)의 호(號).

서해-안 【西海岸】 명 ①서해(西海)의 해안. 또, 바다의 서쪽 연안. ②〖지〗 우리 나라의 황해와 접한 곳의 해안. 평야가 많으며, 간만(干滿)의 차가 심한 것이 특징임. 1)·2):↔동해안(東海岸).

서행[1] 【西行】 명 〖불교〗 서방 정토 세계(西方淨土世界)에 왕생(往生)하는 일. 서승(西昇). ——-하다 자여불

서:행[2] 【徐行】 명 천천히 감. 안행(安行). ¶ 제차(諸車) ～. ——-하다 자여불

서행-장 【西幸章】 [—짱] 명 용비 어천가(龍飛御天歌) 42장의 이름.

서향[1] 【西向】 명 동쪽을 뒤로 하고 앞을 서쪽으로 향함. ↔동향(東向). ——-하다 자여불

서:향² 【瑞香】 명 〖식〗 [*Daphne odora*] 팥꽃나뭇과에 속하는 상록 관목. 중국 원산(原產). 높이 약 1 m. 잎은 무병 혁질(無柄革質)로서, 타원상(狀) 피침형이고, 전연(全緣)에 광택이 있으며 반문(斑紋)이 있는 것도 있음. 겨울에는 잎 사이에 꽃망울이 족출(簇出), 춘분(春分) 전후에 열 대여섯의 꽃이 두상 화서(頭狀花序)로 배열되어 핌. 화피(花被)는 관상(管狀), 내면(內面)은 흰색이며 외면(外面)은 자적색(紫赤色)임. 내외 모두가 흰색인 것도 있음. 향기가 강하며, 보통 열매를 맺지 아니함.

〈서향²〉

서-향(:)전 【徐向前】 명 〖사람〗 '쉬 샹첸(徐向前)'을 우리 음으로 읽은 이름.
서향-집 【西向一】 [一찝] 명 대청이 서쪽을 향하고 있는 집.
서향-판 【西向一】 명 서쪽으로 향하여 있는 터전.
서헌 【書軒】 명 공부방.
서혈 【棲穴】 명 짐승들이 사는 굴.
서-협문 【西夾門】 명 궁궐(宮闕)이나 관아(官衙)의 정문(正門)인 삼문(三門) 가운데서 서쪽에 있는 문. ↔동협문(東夾門).
서:형 【庶兄】 명 서모(庶母)에게서 난 형. 얼형.
서:혜 【鼠蹊】 명 〖생〗 샅❶.
서:혜 고환 【鼠蹊睾丸】 명 〖생〗 고환은 태생 초기에는 복강내(腹腔內)에 있다가 태생 후기에 내려오는데, 내려오다가 장애를 받아 음낭에까지 내려오지 않고 서혜관 안에 머물러 있는 것.
서:혜-관 【鼠蹊管】 명 〖생〗 서혜 인대(靭帶)를 엇비슷하게 뒤에서 앞쪽으로 향하여 뻗은 길이 4 cm 가량의 관. 남자에겐 정삭(精索), 여자에겐 자궁 원인대(子宮圓靭帶)가 지나가고 있음.
서:혜 림프선 【鼠蹊一腺】 [limph] 명 〖생〗 허벅다리 서혜부(鼠蹊部)의 림프선. 서혜선(鼠蹊腺).
서:혜 림프 육아종 【鼠蹊一肉芽腫】 [limph] 명 〖의〗 음부(陰部)에 미란(糜爛)·수포(水疱)·소궤양(小潰瘍) 등이 나며, 서혜부(鼠蹊部)의 림프샘이 크게 붓고 점점 커 가며, 거대한 경결물(硬結物)을 만드는 질환(疾患). 매독(梅毒)·임질(淋疾)·연성 하감(軟性下疳)에 대하여 제4 성병(性病)이라고도 함.
서:혜-부 【鼠蹊部】 명 〖생〗 불두덩 옆에 오목하게 된 곳. 아랫배의 양쪽 아래 측면(側面)과 허벅다리와의 사이.
서:혜-선 【鼠蹊腺】 명 〖생〗 서혜(鼠蹊) 림프선.
서:혜 인대 【鼠蹊靭帶】 명 〖생〗 전장골극(前腸骨棘)으로부터 엇비슷이 치골 결절(恥骨結節)로 향하여 붙어 있는 유대(紐帶). 그 위는 외복사근(外腹斜筋)의 건막(腱膜)의 아래 부분과 연결되어 있음. 배와 대퇴(大腿)와의 경계를 이룸.
서:혜 헤르니아 【鼠蹊一】 [hernia] 명 〖의〗 서혜 인대의 윗 부분에서 복벽(腹壁) 안쪽으로부터 서혜부로 탈출한 헤르니아. 선천적 발육 이상(發育異常)이나 복벽근·결체(結締) 조직의 약화가 원인이 되는데, 어릴 때 많이 발생하며 대개 소장(小腸)이 탈출함.
서-호 【西湖】 명 〖지〗 ①경기도 수원(水原)에 있는 못. [0.19 km²] ② '시후(西湖)'를 우리 음으로 읽은 이름.
서호-납줄갱이 【西湖一】 명 〖어〗 [*Pseudoperilampus hondae*] 잉어과에 속하는 민물 고기. 몸길이 약 5 cm이고, 구강 내면(口腔內面)은 검정색이며, 인두치(咽頭齒)는 날카롭고 가로 홈이 있음. 등지느러미 및 꼬리지느러미에는 검고 좁은 세로띠가 있으며, 뒷지느러미와 함께 유난히 길. 수원(水原) 서호에서만 나는 특산 물고기임.
서호 별곡 【西湖別曲】 명 〖문〗 조선 중종(中宗) 때의 허강(許橿)이 지은 가사라고도 하고, 작자 미상이라고도 하는 가사. 가사의 뜻은 《어부사(漁夫詞)》와 비슷하며, 가사 제목 앞에 '양봉래 소전본(楊蓬萊所傳本)'이라 씌어진 것으로 보아 어느 도학자가 지은 듯도 함.
서호-진 【西湖津】 명 〖지〗 함경 남도 흥남(興南)의 외항(外港). 비료·화학 제품의 수출항이고, 부근 일대의 어업의 중심지임.
서:호-필 【鼠毫筆】 명 쥐털로 만든 붓.
서-홍보석 【西紅寶石】 명 중국 명(明)나라 때, 선요(宣窯)에서 나던 제홍(祭紅)의 한 가지.
서-화¹ 【書畫】 명 글씨와 그림.
서:화² 【瑞花】 명 [풍년(豐年)의 서상(瑞相)이 되는 꽃이라는 뜻] '눈⁵'의 이칭(異稱). *설화(雪花).
서화-가 【書畫家】 명 글씨와 그림을 잘 그리는 사람. 또, 그것을 업으로 하는 사람.
서화담-전 【徐花潭傳】 명 〖책〗 작자·연대 미상의 우리 나라 고전 소설의 하나. 국문본이며 중국 소설의 형식을 모방하여, 조선 초기의 도학자 서경덕(徐敬德)을 유명한 도사로 등장시켜, 도술적(道術的)인 행각(行脚)을 표현한 허구적(虛構的)인 작품임.
서화-도 【西花島】 명 〖지〗 전라 남도의 남해상(南海上), 완도군(莞島郡) 군외면(郡外面) 당인리(唐仁里)에 위치한 섬. [0.13 km² : 33 명 (1984)]
서화-상 【書畫商】 명 글씨와 그림을 전문으로 매매하는 사람. 또, 그 직업.
서화-전 【書畫展】 명 ↗서화 전람회(書畫展覽會).
서화 전:람회 【書畫展覽會】 [一절一] 명 글씨와 그림의 종합 전시회. 준서화전(書畫展).
서화-첩 【書畫帖】 명 글씨와 그림을 모아 만든 책.
서화-포 【書畫舖】 명 글씨와 그림을 파는 가게.
서화-회 【書畫會】 명 서화를 쓰거나 또는 진열하기 위해서 여는 모임.
서:화-희 【鼠火戲】 [一히] 명 〖민〗 '쥐불놀이'의 한자말.
서황 【棲遑】 명 몸 붙여 살 곳이 없음. ——하다 형여불
서:회 【敍懷·舒懷】 명 회포를 풀어 말함. ——하다 자여불
서:훈 【敍勳】 명 훈공(勳功)의 등급을 따라서 훈장(勳章)을 내림. ——하다 자여불
서:휘 【庶彙】 명 ①여러 가지 물건. ②백성. 인민.
서흐다 타 〈옛〉 썰다. ¶서흐다(剉)《吏文 續 1》.
서흐레 명 〈옛〉 ①써레. ¶서흐레 파(杷)《字會 中 17》. ②등급. 계급. ¶서흐레 급(級)《字會 下 31》.
서:흥 【瑞興】 명 〖지〗 황해도 서흥군의 한 고을. 경의선(京義線)의 연선에 있으며, 농산물 특히 콩·담배·소 등의 집산지임.
서:흥-군 【瑞興郡】 명 〖지〗 황해도의 한 군. 관내 12면. 북은 수안군(遂安郡)과 평안 남도 중화군(中和郡), 동은 수안군과 신계군(新溪郡), 남은 평산군(平山郡), 서는 봉산군(鳳山郡)과 황주군(黃州郡)에 접함. 산물은 쌀·보리·콩·목화·삼·사과·밤·고치 등임. 명승 고적은 귀진사(歸眞寺)·고려 고분(高麗古墳)·용담사(龍潭寺)·대현산성(大峴山城)·속명사(續命寺) 등이 있음. 군청 소재지는 신막(新幕). [914 km²]
서-희¹ 【徐熙】 [一히] 명 〖사람〗 고려 초기의 공신(功臣). 성종(成宗) 12년(993)에 거란(契丹)이 침입하였을 때, 중군사(中軍使)로 적영(敵營)에 들어가 적장 소손녕(蕭遜寧)과 담판하고 유리한 강화를 맺고 돌아옴. 시호는 장위(章威). [942-998]
서-희² 【徐熙】 [一히] 명 〖사람〗 중국 오대 남당(五代南唐)의 화가. 강서(江西) 사람이며, 금릉의 명문가에서 태어남. 화조화(花鳥畫)에 절묘한 솜씨를 보여 송(宋)의 태종(太宗)에게 격찬을 받았으며, 그 화풍은 송의 서씨체(徐氏體)라 불리어 황전(黃筌)의 황씨체와 더불어 송초(宋初)의 화조 화단을 양분하였음. 생몰년 미상.
서히 ⊟ 명부 〈방〉 서이. ⊟ 수 〈방〉 셋(함경·황해).
서힌두-어 【西一語】 [Hindu] 명 〖언〗 인도 어파(印度語派)에 속하는 언어. 서부 지방의 힌두인(Hindu人) 약 4천만 명이 사용함.
석¹ 명 ↗석동.
석² 명 〈방〉 섟.
석³ 명 〈방〉 고삐(제주).
석⁴ 【石】 명 〖악〗 경쇠.
석⁵ 【石】 명 성(姓)의 하나. 주요 본관(本貫)은 충주(忠州)·화원(花園)·광주(廣州) 등이 있으나 사실상 충주 석씨로 일원화되었음.
석⁶ 【昔】 명 성(姓)의 하나. 본관(本貫)은 월성(月城:경주(慶州)의 별호) 단본으로, 시조는 신라 탈해왕(脫解王)임.
석⁷ 【席】 명 성(姓)의 하나. 우리 나라에는 현존(現存)하지 아니함.
석⁸ 【錫】 명 〖화〗 주석(朱錫)❷.
석⁹ 【釋】 명 〖불교〗 아침 저녁으로 부처 앞에 예불(禮佛)하는 일. ——하다 자여불
【석나고 배 터진다】 공교롭게 일이 틀어졌을 때 이르는 말.
석¹⁰ 【釋】 명 성(姓)의 하나. 우리 나라에는 현존(現存)하지 아니함.
석¹¹ 【石】 의명 섬¹.
석:¹² 관 수관형사 '세'의 특별 용법. ㄴ·ㄷ·ㅅ·ㅈ 등을 첫소리로 하는 몇몇 말의 앞에 쓰임. ¶～ 냥/～ 되/～ 섬/～ 자. *서¹⁰·세¹².
【석 달 장마에도 개부심이 제일】 ㉠끝판에 가서야 평가가 가능하다는 말. ㉡끝마무리가 중요하다는 말. 【석 자 베를 짜도 베틀 벌이기는 일반】 작은 일을 하더라도 준비하기는 매일반이라는 말.
석:자 세:치 발감개를 하다 구 상일로 생계를 삼다. ¶자기는 석자 세치 발감기를 할지라도 세간살이는 착실하지요《朴頤陽:明月亭》.
석¹³ 부 ①종이 같은 것을 칼이나 가위로 베는 모양이나 소리. ②한 금으로 거침없이 밀거나 쓸어 나가는 모양. ¶문을～ 열다. ③조금도 남김없이 죄다. ¶～ 밀어 붙여라. 1)-3):ㅆ썩². >삭.
-석 【席】 미 어떤 말에 붙어 '자리'의 뜻을 나타내는 말. ¶부인～/내빈～.
석가¹ 【石瘕】 명 〖한의〗 자궁(子宮)에 어혈(瘀血)이 모여 아이 밴 것같이 경도가 없고, 아랫배가 아픈 병.
석가² 【釋迦】 명 ① [범 Śakya: 능력 있는 자란 뜻] 아리아족의 크샤트리아에 속하는 고종족(古種族). 석존(釋尊)은, 이 석가족에서 났음. 능인(能仁). ②〖사람〗 ↗석가 모니.
석가³ 【釋家】 명 불가(佛家)❶.
석가 고행도 【釋迦苦行圖】 명 〖불교〗 석가 모니의 설산(雪山) 수도(修道) 장면을 그린 그림.
석가 모니 【釋迦牟尼】 명 [범 Śakyamuni] 〖사람〗 불교의 교조(教祖). 세계 사성인(四聖人)의 하나. 지금의 네팔 지방의 가비라성(迦毗羅城)의 성주(城主) 정반왕(淨飯王)의 아들로 룸비니 동산에서 탄생함. 29세에 생사 해탈(生死解脫)의 법(法)을 구하여 집을 나와 35세에 정각(正覺)을 얻어 부처가 됨. 갠지즈 강가에 있는 녹야원(鹿野苑)에서 사제(四諦)·십이 인연(十二因緣)·팔정도(八正道) 등의 법을 가르치고, 이후 45년간 인도 각지에 법을 선포(宣布), 기원전 480년 2월 15일 80세로 구시나라(拘尸那羅)의 사라 쌍수(娑羅雙樹) 숲 속에서 열반(涅槃)함. 성은 고타마, 이름은 싯다르타. 능인 적묵(能仁寂默). 황면 노자(黃面老子). 서가 모니. 석가문(釋迦文). 석씨(釋氏). 준석가(釋迦).
석가 모니불 【釋迦牟尼佛】 명 〖불교〗 부처로서 모시는 석가 모니. 석가문불(釋迦文佛). 부처. 본존(本尊). 준모니불.
석가 모니 여래 【釋迦牟尼如來】 명 〖불교〗 석가 모니(釋迦牟尼)를 신성하게 이르는 말. 대사문(大沙門). 대선(大仙). 준석가 여래(釋迦如來)·여래(如來).
석가-문 【釋迦文】 명 〖불교〗 석가 모니(釋迦牟尼).
석가문-불 【釋迦文佛】 명 〖불교〗 석가 모니불(釋迦牟尼佛).
석가-법 【釋迦法】 [一뻡] 명 〖불교〗 밀교(密敎)에서, 석가 모니를 본존(本尊)으로 하고, 일체의 장애(障礙)와 병환을 퇴치하기 위하여 하는 수법(修法).
석가 보살 【釋迦菩薩】 명 〖불교〗 석가 모니가 여래(如來)로 되기 전의 일컬음.
석가-봉 【釋迦峰】 명 〖지〗 금강산 내금강의 한 봉우리. 강원도 회양군(淮陽郡)에 있음. [946 m]
석-가산 【石假山】 명 정원 가운데에 돌을 모아 쌓아서 조그마하게 만든 산. 준가산(假山).
석가 삼존 【釋迦三尊】 명 〖불교〗 석가 모니·문수(文殊) 보살·보현(普賢)

보살의 세 부처를 함께 높여 부르는 말. 준삼존(三尊).
석가 세:존【釋迦世尊】명〖불교〗석가 모니의 존칭. 박가범(薄伽梵). 준석존(釋尊)·세존(世尊). 「여래.
석가 여래【釋迦如來】명〖불교〗↗석가 모니 여래(釋迦牟尼如來). 준
석가 일대【釋迦一代】[—때]명 오랜 세월. 물건이 단단해서 오래 가는 모양의 비유.
석가-장【石家莊】명〖지〗'스자좡(石家莊)'을 우리 음으로 읽은 이름.
석가 탄:신일【釋迦誕辰日】명 석가 모니가 탄생한 날. 음력 4월 8일. 이날 관불(灌佛)을 행함. 부처님 오신 날.
석가-탑【釋迦塔】명〖불교〗석가(釋迦)의 치아·머리털·사리(舍利) 등을 모시어 둔 탑. 우리 나라에는 경주 불국사·보은(報恩) 법주사(法住寺)·양산(梁山) 통도사(通度寺)·평창(平昌) 월정사(月精寺)·칠곡(漆谷) 송림사(松林寺) 등에 있음. ＊불국사 삼층 석탑.
석가 탱화【釋迦幀畫】명 석가 모니의 화상(畫像).
석가 팔상【釋迦八相】[—쌍]명〖불교〗석가가 중생을 구하기 위해 이 세상에서 보여 준 여덟 가지의 상(相). 즉, 강도솔(降兜率)·입태(入胎)·출태(出胎)·출가(出家)·항마(降魔)·성도(成道)·전법륜(轉法輪)·입멸(入滅)의 팔상 성도(成道)를 이름.
석가 행적【釋迦行跡】명 석가모니 일생의 역사.
석각¹【夕刻】명 저녁때.
석각²【石角】명 돌의 뾰족 나온 모서리.
석각³【石刻】명 돌에 새김. ↔목각(木刻). ——하다 타여불
석-각⁴【石恪】명〖사람〗중국 오대 후촉(五代後蜀)의 화가. 자(字)는 자전(子專). 생애의 태반을 후촉에 신사(臣事)하였고, 후촉 멸망 후는 송도(宋都) 변경(汴京)의 상국사(相國寺)의 벽화를 그렸음. 풍자적이면서도 기품(氣品) 있는 화풍으로 유명하며, 특히 불화(佛畫)에 능했음. 생몰년 미상.
석각-장이【石刻匠—】명 석수(石手).
석각-화【石刻畫】명 돌에 조각한 그림. 비석 따위에 새긴 그림.
석간¹【夕刊】명 ↗석간 신문(夕刊新聞). ↔조간(朝刊).
석간²【石澗】명 산골짜기의 돌이 많은 곳에 흐르는 시내.
석간-송【石間松】명 바위 틈에서 자란 소나무.
석간-수¹【石間水】명 바위 틈에서 나오는 샘물. 석천(石泉). 돌샘.
석간-수²【石澗水】명 석간(石澗)의 맑은 물. 「조간 신문.
석간 신문【夕刊新聞】명 저녁 때에 발행하는 신문. 석간지. 준 석간. ↔
석간-주【石間硃】명〖광〗붉은 산화철(酸化鐵)을 많이 포함한, 빛이 붉은 흙. 석회암(石灰岩)·혈암(頁岩) 등이 분해된 곳에 남. 제도용(製圖用) 및 산수화(山水畫)에 많이 쓰고, 인물화(人物畫)에는 살빛에만 씀. 대자(代赭). 자석고(紫石膏). 자토(赭土). 주토(朱土). 적토(赤土). 토주(土朱).
석간주 사기【石間硃沙器】명 석간주를 잿물로 쓴 사기.
석간주 항아리【石間硃缸—】명 석간주를 잿물로 쓴 항아리. 빛이 검붉
석간-지【夕刊紙】명 석간 신문. └음.
석간 토혈【石間土穴】명〖민〗바위 사이에 무덤 구덩이를 팔 만한 땅.
석갈¹【石碣】명 석비(石碑).
석갈²【釋褐】명〖역〗〔갈(褐)은 천복(賤服)으로, 이것을 벗는다는 뜻〕문과(文科)에 급제하여 처음으로 벼슬함. ——하다 자여불
석감¹【石龕】명 돌로 만든 탑파(塔婆).
석감²【石鹼】명 비누❷.
석감-변【石鹼便】명〖의〗인공 영양 유아(乳兒)의 이상변(異常便)의 하나. 물기가 적고 고형이며, 기저귀에 묻지 않고 백색 또는 회백색을 띠며, 구린내가 몹시 나는 똥. 우유의 석회 성분이 장내(腸內)에서 지방산과 결합하여 비누가 되기 때문임.
석감-청【石紺靑】명 남동광(藍銅鑛)을 곱게 빻은 가루로, 천연으로 나는 감청(紺靑)빛 물감. ↔화감청(花紺靑). 「다 자여불
석강【夕講】명〖역〗저녁때 임금이 글을 강론함. ＊조강(朝講). ——하
석개【石芥】명〖식〗키가 작은 겨자의 한 품종(品種).
석갱【石坑】명 암석에 판 구멍.
석거【石距】명〖동〗낙지.
석검【石劍】명〖역〗돌로 만든 긴 칼. 석기 시대의 유물(遺物)로서, 녹니편암(綠泥片岩)과 점판암(粘板岩)으로 만들어졌음. 유병식(有柄式)·유경식(有莖式)으로 대별함. ＊동검(銅劍).
석겁【石蛣】명〖동〗거북손.
석-결명¹【石決明】명〖식〗[*Cassia occidentalis*] 차풀과에 속하는 일년초. 줄기 높이 1-1.5m이고, 잎은 호생하며 유병(有柄)에 우수 우상 복엽(偶數羽狀複葉)이며, 5-6쌍의 소엽(小葉)은 피침형 혹은 달걀꼴의 타원형임. 6-8월에 짙은 황색의 오판화(五瓣花)가 줄기 끝의 잎 사이에 여러 개씩 정생(頂生)하여 피고, 협과(莢果)는 길이 10cm 가량의 편평하고 긴 타원형이고, 두 쪽으로 갈라져 종자가 나옴. 중국 원산(原産)으로, 약용 식물로서 재배함. 종자는 '결명차'와 함께 완하(緩下)·강장제, 곤충·뱀의 해독제, 차(茶) 대용으로 씀.

〈석결명¹〉

석-결명²【石決明】명〖한의〗전복의 껍데기. 칼슘(calcium) 성분이 많아 안약(眼藥)으로 씀. 흡수공(吸收孔)이 9개 있는 것을 상품(上品)이라 하고, 10개 이상은 하품이라 하여 쓰지 아니하며, 7개가 있는 것은 중품으로 간혹 씀.
석겸【石鎌】명〖고고학〗'돌낫'의 구용어.
석경¹【夕景】명 ①저녁 햇빛의 그늘. ②저녁때의 경치(景致).
석경²【石徑·石逕】명 돌이 많은 좁은 길.
석경³【石經】명 돌에 새긴 경문(經文). 중국의 한(漢) 이후 경전(經典)을 영구히 남길 목적으로 수(隋)·당(唐)대에 성행함. 불교나 도교(道敎)의 것도 있지만, 보통 유교의 것을 가리킴. 175년에 후한(後漢)의 채옹(蔡邕)이 왕명으로 육경(六經)의 글자를 바로잡아 대학(大學)의 문 밖에 세운 것이 그 시초로, 서도사상(書道史上) 귀중함.
석경⁴【石磬】명〖악〗아악기(雅樂器)의 하나. 돌로 만든 경쇠. 경쇠.
석경⁵【石鏡】명 ①유리로 만든 거울. ↔동경(銅鏡). ②면경(面鏡). ③중국 장시 성(江西省) 북부 루산(廬山)의 벼랑에 걸려 있는 둥근 돌. 거울처럼 잘 비친다고 함.
석-경(:)당【石敬瑭】명〖사람〗중국 후진(後晉)의 건국자인 '고조¹¹(高
석계【石階】명 섬돌. └祖)'의 이름.
석고¹【石鼓】명 중국 산시 성(陝西省) 바오지 현(寶鷄縣)서 발견된 중국 선진대(先秦代)의 10개의 석조(石造) 유품. 높이 90 cm, 지름 60 cm 정도의 북 모양의 돌. 석면(石面)에 진전(秦篆)에 가까운 문자가 새겨져 있음. 700자 이상 새겨져 있었으나 현존하는 것은 272자임.
석고²【石膏】명〖광〗석회질(石灰質) 광물의 한 가지. 보통, 무색(無色) 또는 회백색으로, 투명 또는 반투명이며, 층을 이루어 수성암(水成岩) 중에 남. 때로는 불순물이 많이 섞이어 회색·황색·붉은색을 띰. 화학 성분은 수화 황산 칼슘(水化黃酸 calcium)으로 2분자의 결정수(結晶水)를 가짐. 투석고(透石膏)·설화(雪花) 석고·섬유(纖維) 석고·파리(玻璃) 석고 등이 있음. 분쇄·건조시켜 백색 안료(顔料)로 하고, 145°C로 열을 가하여 소석고(燒石膏)를 만들어 도자기 제조용 원형(原型)으로 쓰며, 분필·시멘트 원료·모형(模型)·조각(彫刻) 재료 등으로 씀. 깁스. [$CaSO_4 \cdot 2H_2O$] ＊황산 칼슘.
석고-끌【石膏—】명 석고상을 만들 때 쓰는 끌. 「다 자여불
석고 대:죄【席藁待罪】명 거적을 깔고 엎디어 처벌을 기다림. ——하
석고 모델【石膏—】〔model〕명 점토 등의 원형으로부터 석고로 본을 뜬 모형.
석고 보:드【石膏—】〔board〕명 건축 자재의 하나. 건물의 내장재(內裝材)로서 천장 및 내벽(內壁)에 사용하는 판자 모양의 석고재. 방화(防火)·방부성(防腐性)은 크지만 내수(耐水)·내충격성이 약함.
석고 본뜨기【石膏—】명 석고의 고체화하는 성질을 이용하여 원형으로부터 본을 뜨는 방법.
석고 붕대【石膏繃帶】명 깁스.
석고-상【石膏像】명 석고로 만든 초상(肖像).
석고-색【石膏色】명 석고의 빛 같은 색, 곧 흰 빛.
석고 세:공【石膏細工】명 석고를 써서 하는 세공.
석고-천【石膏泉】명〖지〗물 1kg 가운데 고형 성분 1g 이상을 함유하며 음(陰)이온으로서 황산 이온, 양(陽)이온으로서 칼슘 이온이 주성분인 황산염천(黃酸塩泉)의 하나. 목욕하면 류머티즘·피부병에 좋고, 마시면 이뇨(利尿) 작용이 있음.
석고 플라스터【石膏—】명〔gypsum plaster〕석고를 주원료로 하는 건축 재료의 하나. 백운석(白雲石)·점토(粘土) 등과 접착재·아교질재(阿膠質材) 등을 혼합한 것으로 벽·천장 등에 미장용(美粧用)으로 바름.
석고-형【石膏型】명 미술·공예품 따위의 제작에 사용되는 석고로 만든 성형용(成形用)의 틀.
석곡¹【夕哭】명 상제가 소상(小喪) 때까지 저녁때마다 신주 앞에서 우
석곡²【石斛】명〖식〗석골풀. └는 일. ——하다 자여불
석곡³【石穀】명 섬곡식. 「km²]
석곡-호【石谷湖】명〖지〗경상 남도 창녕군(昌寧郡)에 있는 못. [4.76
석골-풀【石—】명〖식〗[*Dendrobium monile*] 난초과에 속하는 상록 다년초. 근경(根莖)은 많은 수근(鬚根)이 나고, 줄기는 족생(簇生)하며, 높이 20cm 가량에 많은 마디가 있으며 녹갈색임. 잎은 2-3년생으로 호생하며, 끝이 뾰족한 넓은 피침형 또는 넓은 선형(線形)임. 5-6월에 백색 또는 담홍색의 꽃이 총상(總狀) 화서로 정생(頂生)함. 난지(暖地)의 나무 또는 바위 위에 나는데, 제주도·전남·경남·강원도에 분포함. 관상용으로 가꾸고, 한방(韓方)에서 건위 강장제(健胃強壯劑)로 씀. 석곡(石斛).

〈석골풀〉

석공¹【石工】명 ①석수(石手). ②↗석공업(石工業). 「工).
석공²【石公】명 ↗대한 석탄 공사.
석공-업【石工業】명 돌·콘크리트·벽돌 등을 다루는 직업. 준석공(石
석공 장궁【石鞏張弓】명 중국의 고사. 당의 선승(禪僧) 석공은 중이 오면 활을 쏘아 시험했는데, 한번은 의충 선사(義忠禪師) 삼평(三平)이 자기 가슴을 풀어 헤치고, 석공의 활은 사람을 죽이는 활이냐 살리는 활이냐고 물었으매 이후로 석공은 활을 버렸다 함. 화제(畫題)로서 잘 쓰임. 삼평 개흉(三平開胸).
석과 불식【碩果不食】[—씩]명 큰 과실은 다 먹지 아니하고 남긴다는 말. 곧, 자기만의 욕심을 버리고 자손에게 복을 끼쳐 준다는 뜻.
석곽【石槨】명 돌덧널. 「墓).
석곽-묘【石槨墓】명〖고고학〗'돌덧널무덤'의 구용어. ↔목곽묘(木槨
석곽-분【石槨墳】명〖고고학〗'돌덧널무덤'의 구용어.
석관【石棺】명 돌로 만든 관(棺). 돌널.
석관-묘【石棺墓】명〖고고학〗'돌널무덤'의 구용어.
석관-장【石棺葬】명〖역〗금석기 시대(金石器時代)의 고대인들이 시체
석광¹【石鑛】명 석혈(石穴). └를 석관에 넣어 장사 지내던 일.
석광²【錫鑛】명〖광〗주석을 파 내는 광산. 석혈(石穴)로 나기도 하고
석괴【石塊】명 돌덩이. └사광(砂鑛)으로 나기도 함.
석교¹【石交】명 언제까지나 변치 않는 굳은 교제. 돌과 같이 단단한 교
석교²【石橋】명 돌다리². └제.

석교[3]【釋敎】명 불교(佛敎).
석구【石臼】명 돌절구.
석국【石國】명〖지〗우즈베키스탄 공화국 수도 '타슈켄트(Tashkent)'의 수(隋)·당(唐) 시대의 중국명. 시르 강(Syr江) 상류의 오아시스에 위치하며 동서 무역로의 요충지(要衝地)로서 번영하였음.
석-굴[1]【石一】명〖조개〗'굴조개'를 미네굴에 대하여 일컫는 말.
석굴[2]【石窟】명 바위에 뚫린 굴. 암굴(岩窟). 암수(岩岫). 암혈(岩穴).
석굴-불【石窟佛】명〖불교〗석굴 사원의 내부에 새겨진 석불.
석굴-사【石窟寺】명 석굴 사원.
석굴 사원【石窟寺院】명 암벽에 굴을 파서 그 안에 불상을 안치하거나 또는 벽면에 새겨서 사원으로 만든 곳. 인도에서 시작하여 아프가니스탄·중앙 아시아를 거쳐 중국에 전하여졌음. 석굴사. 석불사(石佛寺).
석굴-암【石窟庵】명〖불교〗경주(慶州) 불국사(佛國寺) 뒤의 토함산(吐含山) 동쪽에 있는 한국 유일의 석굴 불암(石窟佛庵). 화강암을 석굴 모양으로 쌓아 올려 그 위에 흙을 덮은 것으로, 크기는 석굴 전장(全長)이 14.8 m, 굴실(窟室)의 지름이 7.2 m, 굴실의 높이가 9.3 m, 본존상(本尊像)의 높이 3.26 m, 본존상 대좌(臺座)의 높이 1.58 m 임. 내부의 천장과 밑바닥과 둘레는 전부 연꽃 모양으로 되었고, 빙 돌아가며 1.88-2.21 m의 여러 불상(佛像)을 꽃잎에 어울리게 새기었음. 석굴 외부에 장방형의 전실(前室)이 있음. 신라 경덕왕(景德王) 때에 불국사를 창건한 대상(大相) 김대성(金大成)이 축조한 것으로, 간단하고도 기묘한 그 모양과 조각의 영묘(靈妙)함이 세계 불교 예술사상 무비(無比)의 걸작이라고 할 만함. 국보 제24호.
석궁【石弓】명〔crossbow〕총신(銃身)과 같은 대(臺)에 목제 또는 철제(鐵製)의 활을 장치한 무기. 활시위를 당겼다 놓는 격발(擊發) 장치가 있음. 최대 사정(射程)은 약 270 m. 중세(中世) 초기 유럽에서 전쟁에 쓰던 것으로, 총이 발명되기 전 15 세기 말까지 사용되었음. 근자에 스포츠·레저로 각광을 받게 됨. 노궁(弩弓).
석권【席卷·席捲】명 자리를 마는 것과 같이 쉽게 토지나 일 등을 공략(攻略)함. ——하다 타여불 「널리 세력을 펴는 기세.
석권지-세【席卷之勢】명 자리를 마는 것같이 거침없이 빠르게 또,
석궐【石闕】명 능묘(陵墓)나 묘(廟) 앞에 좌우 한 쌍으로 돌을 쌓아 겹친 장식적인 문의 하나. 사면에 인물이나 동물을 조각하여 화상석(畫像石)과 비슷함. 중국 한(漢)나라 때부터 시작하였음.
석귀【石龜】명〖동〗남생이.
석금【石金】명 돌에 박혀 있는 금.
석금-기【石金期】명〖역〗금석 병용 시대(金石併用時代).
석기[1]【石基】명 ①돌의 토대(土臺). ②〔groundmass〕〖광〗화성암(火成岩)의 반상 구조(斑狀構造)에 있어서, 반정(斑晶) 이외의 미세 결정(微細結晶)이 집합한 부분. 또, 퇴적물 또는 퇴적암 사이를 메우고 있는 세소(細小)한 물질. 매트릭스(matrix).
석기[2]【石器】명 돌로 만든 여러 가지 기구(器具). 주로, 선사 시대(先史時代)에 쓰이던 유물(遺物)을 말함. 석촉(石鏃)·석부(石斧)·석명(石皿)·석추(石錘)·귀엣고리 같은 것. 석재는 안암석(安岩石)·흑요석(黑曜石)·녹니 편암(綠泥片岩)·경옥(硬玉) 등임. 돌연모.
석기[3]【炻器】명〖공〗도자기의 한 가지. 굽는 법은 자기(磁器)와 같으나 잿물을 바를 때의 화도(火度)가 자기보다 약하고, 잿물의 원료에는 철분이 들어 있어 대개는 적갈색 또는 흑갈색임. 토관(土管)·병(甁)·화로 등에 쓰임.
석기다 자 '섞이다'의 잘못.
석기-봉【石奇峰】명〖지〗충청 북도 영동군(永同郡)과 전라 북도 무주군(茂朱郡) 사이에 있는 산봉우리. [1,239 m]
석기 시대【石器時代】명〔stone age〕〖역〗인류 문화 발달을 그들이 쓴 도구(道具)에 따라 구분한 선사 시대의 제1 단계(段階). 아직 금속을 사용할 줄 모르고 돌로 도구를 만들어 쓰던 시대로서, 서석기(曙石器) 시대·구(舊)석기 시대·중석기(中石器) 시대·신(新)석기 시대로 나눔.
석남[1]【石南】명〖식〗①〔*Andromeda polifolia* var. *grandiflora*〕석남과에 속하는 상록 활엽 관목. 잎은 호생하고, 선상(線狀) 타원형이며 뒷면에 백분(白粉)이 덮여 있음. 5월에 백색 또는 담홍색 꽃이 총상(總狀) 화서로 피고, 직경 3 mm 가량의 둥근 삭과(蒴果)가 가을에 익음. 높은 지대의 습지에 나는데, 한국 북부·중국 북부·홋카이도·사할린에 분포함. 고산(高山) 식물로서의 관상용임. ②'철쭉나무'를 잘못 이르는 말. ③만병초(萬病草).

〈석남[1]❶〉

석남[2]【石南】명〖사람〗송석하(宋錫夏)의 호(號).
석남-과【石南科】[—꽈] 명〖식〗〔Ericaceae〕쌍자엽 식물에 속하는 한 과. 철쭉과와 거의 같은 종류로서, 석남·산매자나무·팽나무·들쭉나무 등이 있음.
석남-등【石南藤】명〖식〗마가목.
석남-산【石南山】명〖지〗가지산(加智山).
석남-화【石南花·石楠花】명 ①석남(石南)의 꽃. ②'철쭉꽃'의 잘못 이르는 말. ③만병초의 꽃.
석녀【石女】명 아이를 낳지 못하는 여자. 돌계집.
석년【昔年】명 ①여러 해 전. 옛날. ②지난해.
석노【石砮】명 돌로 만든 살촉.
석노교【惜奴嬌】명〖악〗정재(呈才) 때에 곡파무(曲破舞)에 부르던 가사. 아홉 장(章)으로 되었음.
석뇌-유【石腦油】명 나프타(naphtha).
석-누조【石漏槽】명〖건〗성문(城門) 같은 데에 물이 흘러내리게 하기 위하여 성벽(城壁) 위쪽에 끼운 물건. *이무기돌.

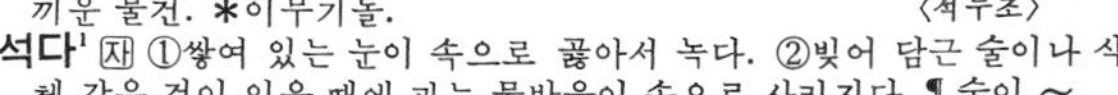

〈석누조〉

석다[1] 자 ①쌓여 있는 눈이 속으로 곯아서 녹다. ②빚어 담근 술이나 식혜 같은 것이 익을 때에 괴는 물방울이 속으로 사라지다. ¶술이 ～.
석다[2] 자〈옛〉썩다. ¶서글 부(腐)≪字會 下 13≫/朽는 서글씨라 ≪月序 24≫.
석다-치다 타 말에 재갈을 물리고 채치어 달리다.
석단[1]【石段】명 돌로 만든 계단(階段). 석계(石階). 섬돌.
석단[2]【石壇】명 돌로 만든 단.
석-달개【石達開】명〖사람〗중국 청대(淸代), 태평 천국(太平天國)의 난(亂)의 지도자의 한 사람. 홍수전(洪秀全)을 좇아 익왕(翼王)으로 봉(封)해짐. 후에 그의 냉대로 태평 천국과 분립하여 사천(四川)에 전전(轉戰), 성도(成都)에서 청군(淸軍)에게 죽음을 당함. [1831-61]
석담[1]【石潭】명 암석(岩石)으로 둘러싸인 깊은 소(沼).
석담[2]【石潭】명〖사람〗①이이(李珥)의 호(號). ②이윤우(李潤雨)의 호.
석담[3]【石膽】명〖약〗담반(膽礬)❶.
석담-집【石潭集】명〖책〗조선 선조 때의 학자인 이윤우(李潤雨)의 시문집(詩文集). 시(詩)·사(辭)·명(銘)·서(序)·기(記)·제문(祭文) 등을 수록함. 6권 4책.
석당【石幢】명 ①돌로 기둥처럼 길게 만들어 세운 것. 현재 경주(慶州) 박물관에 있는, 개석(蓋石)이 없어진 6면(面)의 석당은 백률사(柏栗寺)의 것으로 1면에는 그림이, 다른 5면에는 글이 새겨져 있음. 이것은 이차돈(異次頓)을 공양하기 위하여 신라 때에 만든 것이라 함. ②석조(石造) 건물의 하나. 6각주(角柱) 또는 8각주의 당신(幢身)과 감부(龕部)·갓·보주(寶珠) 등으로 이루어짐.
석대[1] 명〈방〉혁대(革帶).
석대[2]【石臺】명 돌로 만든 밑받침.
석대[3]【碩大】명 몸피가 굵고 큼. ——하다 형여불
석덕【碩德】명 ①높은 덕. ②덕이 높은 사람. ③〖불교〗덕이 높은 중.
석도[1]【石刀】명 돌로 만든 칼. 돌칼. *석검(石劍).
석-도[2]【石濤】명〖사람〗17세기의 중국 청초(淸初)의 화승(畫僧). 법명(法名)은 도제(道濟). 호는 대척자(大滌子). 산수(山水)·화훼(花卉)·난죽(蘭竹) 등에 능하였으며, 정통적 남화의 전형주의에 대립하였음. 대표작에 ≪여산 관폭도(廬山觀瀑圖)≫ 등이 있음. 생몰년 미상.
석-도[3]【席島】명〖지〗황해도 서북 해상 대동강(大同江) 어귀에 있는 섬. 연안 일대는 조기의 어획이 많음. [6.046 km²]
석-도기【夕到記】명〖역〗성균관에서 저녁 식사 때에 받는 도기. ↔조도기(朝到記).
석도-벚나무【席島—】명〖식〗〔*Prunus koraiensis*〕장미과에 속하는 낙엽 활엽 교목. 잎은 넓은 타원형이고, 가지는 굵으며 회흑색을 띰. 꽃과 과실은 아직 보지 못함. 산록의 골짜기에 나는데, 황해도의 장산곶(長山串)·대청도(大靑島)·석도(席島)에 분포함. 관상용으로 가꿈.
석돌 명 ↗푸석돌.
석:-동 명 윷놀이에서, 세 번째 가는 동. 준석.
석:동-무니 명 윷놀이에서, 석동을 한데 합쳐 가는 말.
석:동-사니 명〈방〉석동무니(평안·전라). 「돌대가리.
석두【石頭】명 아무리 가르쳐 주어도 알지 못하는 머리. 또, 그런 사람.
석두-기【石頭記】명〖책〗홍루몽(紅樓夢). 「[1,001 m]
석두-봉【石頭峰】명〖지〗강원도 강릉시(江陵市)에 위치하는 산봉우리.
석두-성【石頭城】명〖지〗지금의 중국 난징(南京). 여러 설이 있으나 건강성(建康城) 또는 금릉성(金陵城)의 이칭(異稱). 한말(漢末)에 손권(孫權)이 서쪽에 있는 석두산(石頭山) 위에 쌓은 성에서 유래함.
석두-아【石蠹蛾】명〖충〗날도래. 「둑.
석둑 부 연한 물건을 한 번 토막쳐 자르는 모양이나 소리. ㅆ썩둑. >삭
석둑-거리다 자타 연한 물건을 계속하여 칼로 토막쳐서 자르다. ㅆ썩둑거리다. >삭둑거리다. 석둑-석둑 부. ——하다 자타여불
석등【石燈】명 석등롱(石燈籠).
석-등롱【石燈籠】[—농] 명 돌로 만든 등기(燈器). 장명등(長明燈).
석란[1]【石欄】[—난] 명 돌난간.
석란[2]【石蘭】[—난] 명〖식〗나비난초.
석란[3]【錫蘭】[—난] 명〖지〗실론(Ceylon)의 음역(音譯).
석랍【石蠟】[—납] 명〖화〗파라핀(paraffin)❶.
석량【碩量】[—냥] 명 큰 도량(度量).
석려[1]【夕麗】[—너] 명 저녁 놀이 타면서 고운 모양.
석려[2]【釋慮】[—너] 명 염려하던 마음을 놓음. 방심(放心). ——하다 자여불
석력[1]【石礫】[—녁] 명 작은 돌. 자갈.
석력[2]【淅瀝】[—녁] 명 ①비나 눈이 내리는 소리. ②바람이 나무를 울리는 소리.
석련-자【石蓮子】[—년—] 명 오래 묵은 연밥.
석례【釋例】[—녜] 명 해석(解釋)의 예(例).
석로[1]【碩老】[—노] 명 덕이 높은 노인. 덕을 쌓은 노인.
석-로[2]【釋老】[—노] 명 석가(釋迦)와 노자(老子)를 아울러 부르는 말.
석록【石綠】[—녹] 명 ①〖광〗공작석(孔雀石). ②그림 그릴 때, 녹색(綠色)을 이르는 말. 청황 간색(間色)인데 진채(眞彩)에 속함.
석론【釋論】[—논] 명〖불교〗①경전(經典)의 뜻을 하나하나 해석하는 일. ↔종론(宗論). ②현교(顯敎)에서는 대반야경(大般若經)을 해석한 글로서, '대지도론(大智度論)'의 이칭(異稱). 밀교(密敎)에서는 '석마하연론(釋摩訶衍論)'의 이칭.
석룡-산【石龍山】[—농—] 명〖지〗경기도 가평군(加平郡) 북면(北面)과 강원도 화천군(華川郡) 사내면(史內面) 사이에 있는 산. [1,155 m]
석룡-자【石龍子】[—농—] 명〖동〗①도마뱀❶. ②'도룡뇽'의 잘못된 말.
석류[1]【石榴】[—뉴] 명 ①〖식〗석류나무의 열매. 맛이 시고 닮. 자류(柘榴). ②〖한의〗석류나무 열매의 껍질. 설사(泄瀉)·이질(痢疾)·복통(腹痛)·대하증(帶下症) 등에 수렴제(收斂劑)로 쓰고, 촌충(寸蟲)의 구

제약(驅除藥)으로도 씀. 석류피. ③떡의 웃기의 한 가지. 찹쌀가루를 반죽하여 붉은 물을 들여서 석류 모양으로 만들어 기름에 지지어 얹음. 석류병.
【석류는 떨어져도 안 떨어지는 유자(柚子)를 부러워하지 않는다】 누구나 저 잘난 맛에 산다는 말.

석류[2]【石瘤】[—뉴] 명 〖의〗 석영(石癭)

석류-꽃【石榴—】[—뉴—] 명 석류나무의 꽃.

석류-나무【石榴—】[—뉴—] 명 〖식〗 [*Punica granatum*] 석류나뭇과의 낙엽 활엽 교목. 높이 3m 가량. 잎은 대생하고 긴 타원형 또는 긴 거꿀달걀꼴이며 광택이 남. 6월에 짙은 등홍색(橙紅色)의 육판화(六瓣花)가 가지 끝이나 엽액(葉腋)에 차례로 핌. 과실은 화탁(花托)이 발달한 것인데 직경 6cm 가량의 구형(球形)에 과피(果皮)가 두껍고 황적색이며, 10월에 익으면 불규칙하게 째져서 담홍색의 투명한 씨를 드러냄. 인도의 북서부에서 페르시아 근처에 저절로 나며 아열대(亞熱帶) 지방에서 널리 재배하는데, 한국 중부와 남부에서도 심어 가꿈. 근피(根皮)·수피(樹皮) 및 과피(果皮) 등을 말려서 하리(下痢)·구충제 등으로 씀.

〈석류나무〉

석류나뭇-과【石榴—科】[—뉴—] 명 〖식〗 [Punicaceae] 쌍자엽 식물 이판화구(離瓣花區)에 속하는 한 과. 작은 교목(喬木)으로서 지중해 연안에 두세 종, 한국에는 석류나무 한 종류가 분포함.

석류 노리개【石榴—】[—뉴—] 명 익어서 갈라진 석류 열매와 갈라지지 않은 석류를 패물(佩物)로 만들어서 단 노리개.

석류-도【石榴圖】[—뉴—] 명 민화(民畫)의 화제(畫題)의 하나. 석류를 그린 그림. 많은 자식을 거느리는 것과 금 주머니를 상징함.

석류-동【石榴—】[—뉴—] 명 〖건〗 단청(丹青)에 쓰는 석류 모양으로 된 무늬.

석류-목【石榴木】[—뉴—] 명 〖민〗 육십 화갑자(六十花甲子)에서, 경신(庚申) 신유(辛酉)에 붙이는 납음(納音). 경(庚)은 서리요, 신(辛)은 과일이니, 신유(申酉) 곧 바위에 있는 나무에서 열매가 맺어 석류나무가 된다는 말.

석류-문【石榴紋】[—뉴—] 명 석류를 도안화(圖案化)한 무늬.

석류-병【石榴餠】[—뉴—] 명 석류(石榴)❸.

석류-분【石榴粉】[—뉴—] 명 연근(蓮根)을 작게 잘라서 둥글게 만들어 매실(梅實) 담근 물에 연지(臙脂)를 타고 녹말과 한데 버무린 뒤에, 맑은 물에 삶거나 오미자(五味子) 물에 꿀을 타서 넣은 것. 모양이 석류알과 같음.

석류-석【石榴石】[—뉴—] 명 [garnet] 〖광〗 마그네슘·철(鐵)·망간·칼슘·알루미늄 등을 포함한 규산염(珪酸塩) 광물의 한 가지. 등축 정계(等軸晶系)이고, 빛깔은 노랑·갈색·적색·흑색 등임. 고운 것은 장식에 쓰이나, 주로 연마재(硏磨材)로 쓰임. 가닛. 자류석(柘榴石).

석류-잠【石榴簪】[—뉴—] 명 머리에 석류 열매를 새긴 비녀.

석류-풀【石榴—】[—뉴—] 명 〖식〗 [*Mollugo stricta*] 석류풀과에 속하는 일년초. 줄기는 모가 나고 높이 20cm 내외이며, 잎은 3-5개가 윤생하고 거꿀달걀꼴 혹은 피침형임. 8-9월에 황갈색 꽃이 기산(岐繖) 화서로 다수(多數) 정생하고, 과실은 삭과(蒴果)임. 길가나 원포(園圃)에 나는데, 한국 각지에 분포함.

〈석류풀〉

석류-피【石榴皮】[—뉴—] 명 〖한의〗 석류의 껍질. 석류(石榴).

석류-화【石榴花】[—뉴—] 명 〖식〗 석류나무의 꽃. 석류꽃.

석-륵【石勒】[—늑] 명 〖사람〗 중국 후조(後趙)의 시조(始祖). 갈족(羯族) 출신. 원래 노예이며 도둑이었음. 전조(前趙) 유연(劉淵)의 장군으로 활약하다가, 나중에 이반(離反)하여 양국(襄國)에 도읍하고, 한때 강북(江北)을 지배하였음. [273-333; 재위 319-333]

석리【石理】[—니] 명 암석의 육안(肉眼)으로 볼 수 있는 외관(外觀). 곧, 암석을 구성하는 광물의 크기·배열(配列)·모양 등의 상황(狀況)·조직(組織) 등. 암석 조직. *편리(片理).

석림【石痳·石淋】[—님] 명 〖한의〗 임질의 한 가지. 신장(腎臟)이나 방광(膀胱) 속에 돌 같은 것이 생기는 병. 소변 볼 때 요도(尿道)가 아픔.

석립-산【石立山】[—닙—] 명 〖지〗 평안 북도 강계군(江界郡) 용림면(龍林面)과 희천군(熙川郡) 신풍면(新豐面) 사이에 있는 산. [1,773m]

석마[1]【石馬】명 왕릉(王陵) 따위에 문인석(文人石)·무인석(武人石)과 함께 그 옆에 돌로 만들어 놓은 말. *석양(石羊)·석물(石物).

석마[2]【石磨】명 맷돌.

석마 도기【石瑪陶器】명 〖공〗 중국 명(明)나라 때에 푸젠 성(福建省)에서 나던 도자기의 이름.

석마하연-론【釋摩訶衍論】[—논] 명 〖책〗 '대승 기신론(大乘起信論)'의 주석서(註釋書). 용수(龍樹)가 지음. 후진(後秦)의 벌제마다(筏提摩多)의 번역이라 전하여짐. 완성 연도 미상. 모두 10권. 석론(釋論).

석말[1]【石抹】명 성(姓)의 하나. 우리 나라에는 현존(現存)하지 아니함.

석말[2]【席末】명 말석(末席)❷.

석망【碩望】명 높은 명망.

석매【惜賣】명 상인(商人)이 물건 값이 오르기를 바라고 팔지 아니함. ——하다 자여불

석면【石綿】명 〖광〗 광물의 하나. 사문석(蛇紋石) 또는 각섬석(角閃石)이 섬유질(纖維質)로 변한 것. 솜같이 보드랍고 명주실같이 번쩍번쩍하며 질김. 열·전기의 불량 도체(不良導體)이므로 화부(火夫)·소방원(消防員)의 내화복(耐火服), 증기 기관(蒸氣機關)의 접속 부분이나 보일러 등의 피복(被覆), 금고(金庫)의 방화벽, 전기의 절연용(絶緣用) 등으로 두루 쓰였음. 그러나 근래에는 흡입(吸入)하면 폐암의 원인이 된다는 사실이 밝혀져 그 사용이 규제되고 있음. 돌솜. 석융(石絨). 아스베스트(asbest). *유리 섬유.

석면 도기【石綿陶器】명 〖공〗 원료 속에 석면이 포함된 도기(陶器). 잘 깨어지지 아니함.

석면 보:온재【石綿保溫材】명 [asbestos insulation] 석면 섬유를 찰흙의 혼합물이나 규산(珪酸) 나트륨으로 결합(結合)시킨 조성물(組成物). 1,500°F 이상의 온도에서 쓰는 보온재임.

석면-복【石綿服】명 소화 작업(消火作業) 같은 때 입는, 석면으로 만든 옷. 요즈음은 유리 섬유 따위로 만듦. 내화복(耐火服).

석면 분진【石綿粉塵】명 타일·전기 제품·자동차 부품 등 석면으로 만든 제품의 분진. 대기 중에 오염되면, 석면폐증(石綿肺症)이나 폐암(肺癌)의 원인이 됨.

석면-사【石綿絲】명 석면의 섬유를 무명·명주·삼 등의 섬유(纖維)와 섞어 짜서, 이들 섬유를 태워 제거한 실. 흰 빛 또는 노랑 빛이며, 내화성(耐火性)이 강한 전기(電氣)의 불량도체(不良導體)임. 석면포(石綿布)로서 소방용(消防用) 옷으로 씀.

석면 슬레이트【石綿—】[slate] 명 인조(人造) 슬레이트의 한 가지. 석면 섬유(石綿纖維)와 시멘트를 물에 이겨서 엷은 널빤지 모양으로 만들어 말린 시멘트 제품(製品). 지붕 이는 데 씀.

석면-판【石綿板】명 석면을 주재료(主材料)로 하여 만든 판. 패킹재(packing材)·전기 절연재(電氣絶緣材)·연마재(硏磨材) 등으로 씀.

석면 펠트【石綿—】[felt] 명 석면의 섬유로 만든 펠트. 방화재(防火材)·흡음재(吸音材) 등으로 씀.

석면폐-증【石綿肺症】[—쯩] 명 [asbestosis pulmonum] 〖의〗 석면 분진(粉塵)의 흡입으로 인하여 발생하는 진폐(塵肺)의 하나. 기관지·폐포(肺胞) 등의 염증, 섬유화(纖維化)와 흉막(胸膜)의 비후(肥厚)·석회화(石灰化), 발암(發癌) 등의 병변(病變)을 일으킴.

석명[1]【釋名】명 경론(經論)을 해석할 때에 제목의 의의를 해명(解明)하는 일. 또, 그 해명한 것. ——하다 타여불

석명[2]【釋名】명 〖책〗 후한(後漢)의 유희(劉熙)가 지은 책. ≪이아(爾雅)≫를 본떠서 훈고(訓詁)를 설명하였음. 8권.

석명[3]【釋明】명 ①똑똑히 풀어 밝힘. ②사정을 설명하여 책임 소재를 분명히 하는 일. 석변(釋辯). ——하다 타여불

석명-권【釋明權】[—꿘] 명 〖법〗 소송 관계(訴訟關係)를 명료하게 하기 위한 법률상 또는 사실상(事實上)의 사항에 관하여 당사자에게 발문(發問)하여 그 진술(陳述)을 석명하는 기회를 주고, 또 입증(立證)을 촉구(促求)하는 법원의 직권(職權).

석명 의:무【釋明義務】명 〖법〗 석명권(釋明權)을 법원의 직무로 보아 붙인 이름.

석명 처:분【釋明處分】명 〖법〗 민사 소송에서 법원이 석명권 행사의 준비나 보충으로서 행하는 일정한 처분. 이를테면, 직접 당사자 본인에게 출두를 명하거나 소송 서류를 제출시키거나 검증을 하는 따위.

석모[1]【席帽】명 자기 마음에 만족하지 아니한 벼슬.

석모[2]【碩謀】명 석획(碩畫).

석모-강【石毛薑】명 〖식〗 넉줄고사리.

석모-도【席毛島】명 〖지〗 인천 광역시 강화군(江華郡) 삼산면(三山面) 석모리(席毛里)에 있는 섬. 강화도의 서쪽 15km 떨어진 곳에 있으며, 연안에서는 도미·조기·삼치 등이 많이 잡힘. [42.43km²]

석-목탁【釋木鐸】명 〖불교〗 석(釋)을 할 때 치는 목탁.

석무[1]【夕霧】명 저녁에 끼는 안개.

석무[2]【碩茂】명 ①재덕(才德)이 뛰어난 사람. ②크게 성(盛)함. 자손이 번성(繁盛)함. ——하다 형여불

석묵【石墨】명 〖광〗 흑연(黑鉛).

석묵 편:암【石墨片岩】명 〖광〗 흑연 편암(黑鉛片岩).

석문[1]【石文】명 비석(碑石)·벽돌·기와 같은 데에 조각한 글.

석문[2]【石門】명 ①돌로 만든 문. ②바위가 자연적으로 문과 같이 된 곳. 암문(岩門).

석문[3]【石紋】명 돌의 무늬.

석문[4]【釋文】명 〖불교〗 불교 경론(經論)을 해석한 문장. 또, 그 문구.

석문[5]【釋門】명 〖불교〗 불가(佛家)❶.

석문 가례초【釋門家禮抄】명 〖책〗 조선 인조(仁祖) 때의 승려인 진일(眞一)이, 중국의 ≪자각 대사 선원 청규(慈覺大師禪院淸規)≫·≪석씨 요람(釋氏要覽)≫ 등에서 불문(佛門)의 길례(吉禮)·흉례(凶禮)에 대한 요항(要項)을 추려 엮은 책. 효종(孝宗) 10년(1659)에 발간됨. 1책.

석물【石物】명 무덤 앞에 만들어 놓은 석인(石人)·석수(石獸)·석주(石柱)·석등(石燈)·상석(床石) 같은 것. 석의(石儀).

석민【惜閔·惜愍】명 아끼고 슬퍼함. ——하다 타여불

석밀【石蜜】명 석청(石淸).

석박【錫箔】명 납지(鑞紙).

석박-지 명 ☞ 섞박지.

석반[1]【夕飯】명 저녁밥.

석반[2]【石盤】명 석판(石板).

석반-석【石盤石】명 석반(石盤)을 만들 때에 쓰이는 석재(石材). 점판암(粘板岩) 등이 있음.

석반-어【石斑魚】명 〖어〗 쥐노래미.

석발-미【石拔米】명 돌을 골라 낸 쌀. 고른쌀.

석방【釋放】명 〖법〗 재감자(在監者)의 신체의 구속을 해제하는 일. 기결수(既決囚)의 석방은 특사(特赦)나 직권(職權) 있는 사람의 명령 또는 형기(刑期)의 만료 등에 의하고, 미결자(未決者)의 석방은 체포·구류(拘留) 기간의 만료나 구류의 취소, 구류의 집행 정지, 보석(保釋) 등에 의함. 방면(放免). 방석(放釋). ——하다 타여불

석-방렴【石防簾】[—념] 명 원시적 어로(漁撈) 시설의 하나. 주로 경상도·전라도 연안에서 멸치·고등어·새우·전어 등을 잡기 위해, 만입(灣入)한 간석지의 경사가 급한 곳에 쌓은 반원형·C자형의 돌담. 밀물

때 돌담 안으로 들어온 고기들을 썰물 때 잡아 올림.

석방-자【釋放者】명 석방되어 자유의 몸이 된 사람. 「향(鐵方響).

석-방향【石方響】명〔악〕동양 악기의 한 가지. 돌로 만든 방향. ↔철방

석배다 자〈옛〉썩어 없어지다. 썩어 문드러지다. ¶ 늘거 석밴게 다시 옷곳호리로다(衰朽再芳菲)≪初杜諺 XXIV:50≫.

석-벌【石―】명〔충〕바위 틈에 집을 짓고 사는 벌. 이 벌의 꿀을 '석청(石淸)'이라 함.

석벌의 집 구 ㉠바위 틈에 지은 벌의 집. ㉡석벌의 집처럼 엉성한 물건.

석-범¹【石帆】명〔사람〕조선 헌종(憲宗) 때의 사람. 저서에 ≪언음 첩고(諺音捷考)≫ 상하 2권이 있음. 생몰년 미상.

석-범²【釋梵】명〔불교〕제석(帝釋)과 범천(梵天). 「서 된 곳.

석벽【石壁】명 ①돌로 쌓은 벽. ②언덕의 바위가 바람벽같이 내리질러

석-벽려【石薜荔】[―녀] 명〔식〕담쟁이덩굴. 「다 타여불

석변【釋辯】명 사정을 자세히 설명하고 양해를 구함. 석명(釋明). ――하

석별【惜別】명 서로 떨어지기를 섭섭히 여김. 이별을 애틋하게 여김. ¶ ～의 정(情). ――하다 자타여불

석별-가【惜別歌】명〔문〕조선 시대 때의 내방 가사(內房歌辭)의 하나. 작자 및 연대 미상. 시집가는 여자가 정든 벗들과 이별을 서러워하며 남의 집 며느리로서 지켜야 할 도리 등을 엮은 가사로, 다정한 여인의 마음이 소상히 담겨져 있음.

석별-연【惜別宴】명 서로 떨어지기를 섭섭히 여기어 베푸는 연회.

석별지-정【惜別之情】명 서로 떨어지기를 섭섭히 여기는 마음. 이별을 애틋하게 여기는 마음. 석별의 정.

석병-산【石屛山】명〔지〕강원도 강릉시(江陵市) 옥계면(玉溪面)과 정선군(旌善郡) 임계면(臨溪面) 사이에 있는 산. [1,054m]

석보【石堡】명 돌로 만든 보(堡).

석보 상절【釋譜詳節】명〔책〕조선 세종(世宗)이 소헌 왕후(昭憲王后) 심씨(沈氏)의 명복을 빌기 위해, 세종 29년(1447)에 수양 대군(首陽大君)을 시켜 짓게 한 책. 당(唐)나라 도선(道宣)이 엮은 ≪석가씨보(釋迦氏譜)≫, 양(梁)나라 승우(僧祐)가 엮은 ≪석가보(釋迦譜)≫, 그 밖에 법화경(法華經)·지장경(地藏經) 등에서 뽑아 한글로 번역한 산문으로 된 책으로, 석가모니의 일대기(一代記)임. 24권.

석복【惜福】명 검소하게 생활하여 복을 오래 누리도록 함. ――하다 자

석봉¹【石峯】명〔사람〕한호(韓濩)의 호(號). ⌊여불

석봉²【石棒】명〔고고학〕'갈돌'의 구용어.

석봉³【石蜂】명〔충〕날도래.

석봉 천자문【石峯千字文】명〔책〕명필(名筆)로 알려진 한석봉(韓石峯)이 왕명을 받들어 천자문을 쓰고, 한글로 훈(訓)과 음(音)을 달아 놓은 한자 학습의 입문서. 조선 선조 16년(1583) 간행. 선조 34년(1601), 숙종 20년(1694), 영조 30년(1754)에 각각 중간(重刊)함.

석부¹【石斧】명 돌도끼. 「경(特磬) 등이 있음.

석부²【石部】명 국악기(國樂器) 중, 돌을 깎아 만든 악기. 편경(編磬)·특

석부³【石趺】명 돌로 만든 부좌(趺坐)·비(碑)받침 같은 것.

석부⁴【石婦】명 ①돌계집. ②정부(貞婦)를 조각한 석상(石像). ③자기 남편과의 이별을 슬퍼하여 떠나가는 남편의 뒷모습을 바라본 채로 되었다고 하는 돌. 「에서 물러감. ――하다 자여불

석부⁵【釋負】명 ①크고 무거운 책임을 면함. ②〔역〕의정(議政)의 자리

석북-집【石北集】명〔책〕조선 영조 때의 문인(文人) 신광수(申光洙)의 시문(詩文)을 모은 책. 고종(高宗) 10년(1873)에 간행됨. 석북(石北)은 그의 호(號)임. 16권 8책.

석분¹【石粉】명 ①〔공〕장석(長石)의 가루. 도자기(陶瓷器)의 재료나 유리의 원료가 됨. ②〔건〕건축 재료의 하나. 한수석(寒水石)이나 석회암(石灰岩)의 가루.

석분²【石糞】명〔지〕지질 시대(地質時代)의 동물의 똥이 화석(化石)으로 된 것. 분화석(糞化石).

석불【石佛】명 돌부처❶. ↔목불(木佛).

석-불가난【席不暇暖】명 자꾸 드나들어 앉은 자리가 따뜻할 겨를이 없다는 뜻으로, 자리나 주소를 자꾸 옮김을 이르는 말. ――하다 형여불

석불-사【石佛寺】명〔지〕①석굴 사원(石窟寺院)인 '원강 석굴(雲崗石窟)'을 절로서 부르는 이름. ②석굴사(石窟寺).

석비【石碑】명 돌로 만든 비. 돌비. 석갈(石碣). 비석(碑石). *보주(寶珠).

석-비레 명 푸석돌이 많이 섞인 흙. 풍화된 편마암(片麻岩).

석비레-담 명 석비레로 쌓은 담. 단단히 쌓으면 돌처럼 굳어짐.

석-빙고【石氷庫】명〔지〕경상 북도 경주(慶州)에 있는 고적(古蹟)의 하나로, 신라 지증왕(智證王) 때에 지은 빙고(氷庫). 근세 냉장고의 개조(開祖)라 함. *빙고(氷庫).

이수
비신
비좌
귀부
〈석비〉

석사¹【碩士】명 ①벼슬이 없는 선비를 높이어 부르는 말. ②〔교〕대학원의 소정 과정을 마치고, 석사 학위 논문 심사와 구두 시험에 합격한 사람에게 수여되는 학위. 또, 그 학위를 받은 사람. 마스터. ¶ ～ 학위. *박사·학사.

석사²【碩師】명 훌륭한 학자. 석학(碩學).

석사³【釋辭】명 말의 의미를 밝힘. 말의 해석.

석사 과정【碩士課程】명〔교〕석사 학위를 수여하는 대학원의 교육 과정. 4년제 대학 졸업자 중에서 선발하며, 수업 연한은 2년 이상. 이 위에 박사 과정이 있음. 마스터 코스.

석사 논문【碩士論文】명〔교〕대학원의 석사 과정을 끝마칠 때 제출하는 논문.

석사-서【釋辭書】명 낱말의 읽기·의미·어원(語源) 따위를 해설한 서적. 사서(辭書).

석산¹【石山】명 돌로 이루어진 산. 돌산.

석산²【石蒜】명〔식〕[*Lycoris radiata*] 수선화과(水仙花科)의 다년초. 땅 밑에 수선과 같은 인경(鱗莖)이 있고, 화경(花莖)의 높이 30-50cm임. 잎은 넓은 선상(線狀). 가을에 잎에 앞서 붉은 육판화(六瓣花)가 화경 끝에 산형(繖形) 화서로 피는데, 꽃술은 길게 나옴. 중국의 것은 결실(結實)함. 산밑이나 못가의 풀밭에 모여 나는데, 중국·일본·한국에 분포함. 인경은 알칼로이드의 독성(毒性)이 있어 토제(吐劑) 또는 치창약(治瘡藥)으로 씀. 만주사화(曼珠沙華).

〈석산²〉

석산호-류【石珊瑚類】명〔동〕[Madreporaria] 유자포 동물(有刺胞動物) 육방류(六放類)에 속하는 강장(腔腸) 동물의 한 목(目). 단립(單立) 또는 군체(群體)를 이루는데 외피면(外皮面)에서 분비물이 나와 석회성(石灰性)의 단단한 외생 골격(外生骨格)을 이루고, 간혹 큰 덩어리가 되어 산호초(珊瑚礁)를 형성함. 버섯속산호 등이 이에 속함. 녹석류(綠石類). *각산호류(角珊瑚類).

석산-화【石蒜花】명 석산의 꽃. 「여러 해.

석:-삼년【―三年】명 세 번 거듭되는 삼 년이란 뜻으로, 아홉 해. 또,

석상¹【石床】명 혼유석(魂遊石). *상석(床石). 「*동상(銅像).

석상²【石像】명 돌을 조각(彫刻)하여 만든 사람이나 동물의 형상(形像).

석상³【石箱】명〔고고학〕'돌널'의 구용어.

석상⁴【席上】명 여러 사람이 모인 자리. 좌상(座上). ¶ 회의 ～에서 연설

석상⁵【席床】명〔역〕돗자리를 짜는 공장(工匠). ⌊하다.

석상-분【石箱墳】명〔고고학〕'돌널무덤'의 구용어.

석-상식【夕上食】명 저녁 상식.

석상 휘호【席上揮毫】명 그림이나 글씨를 앉은 자리에서 즉석 그리거나 쓰는 일.

석:-새 명 예순 올의 날실. *새¹².

석:새-베 명 ↗석새 삼베.

【석새베 것에 열새 바느질】㉠아무리 허름한 것이라도 정미(精美)한 기술을 가하면 훌륭해짐을 이르는 말. ㉡나쁜 바탕에 정공(精工)을 가한다는 것이 부당함을 이르는 말.

석:새 삼베 명 굵은 베. 삼승포(三升布). 준석새베.

석:새 짚신 명 총이 굵은 짚신.

【석새 짚신에 구슬 감기】차림이 어울리지 않음을 비웃어 하는 말.

석서¹【石鼠】명〔충〕땅강아지.

석서²【席書】명 집회 석상(集會席上) 같은 데서 즉흥적(卽興的)으로 글을 짓거나 그림을 그림.

석서³【鼫鼠】명〔동〕[*Sciurotamias davidianus*] 다람쥣과에 속하는 작은 동물. 다람쥐와 같으나 몸빛은 황갈색(黃褐色)에 검은 빛이 나고, 눈의 가장자리에 다색(茶色)의 환문(環紋)이 둘러 있음. 꼬리의 끝이 희고, 배 쪽은 회황색(灰黃色)이며 특히, 볼에는 협낭(頰囊)이 있음. 만주의 특산(特産)임. 곡물(穀物)에 해를 끼치나, 털로는 붓을 만듦.

석-석¹【錫石】명〔광〕주석석.

석-석² 부 ①거침없이 가볍게 비비거나 쓸거나 하는 소리. 또, 그 모양. ②종이나 헝겊 따위를 거침없이 가볍게 베어 나가는 소리. 또, 그 모양. 1)·2): ㅆ썩썩¹. >삭삭¹. ――하다 자여불

석석-거리다 자타 석석 소리가 자꾸 나다. 또, 그런 소리를 자꾸 내다. ㅆ썩썩거리다. >삭삭거리다.

석석-대다 자타 석석거리다.

석선【石船】명 돌을 나르는 배. 돌배.

석선-재【石仙齋】명〔사람〕신광한(申光漢)의 호(號).

석-성¹【石星】명〔사람〕중국 명(明)나라의 문신(文臣). 벼슬이 병부 상서(兵部尙書)에 오름. 임진 왜란 때, 조승훈(祖承訓)·이여송(李如松)을 원군(援軍)으로서 조선에 파병(派兵)하고, 한편 심유경(沈惟敬)을 시켜 일본과의 화의(和議)를 추진함. 울산(蔚山)·남원(南原)에서 명군(明軍)이 대패(大敗)하자 체포되어 옥사함. 조선에서는 1594년 사당을 세워 이여송(李如松)과 함께 합사(合祀)함.

석성²【石城】명 돌로 쌓은 성. *전성(甎城).

석성³【石聖】명〔불교〕덕이 높고 믿음이 굳은 중.

석-세포【石細胞】명〔식〕후막 세포(厚膜細胞)의 일종으로 유세포(柔細胞) 비슷하되 더 크고 등경(等徑)이며 구형(球形)인 이형(異形) 세포의 하나. 단독으로 또는 무리를 이루어 피층(皮層)·사부(篩部)·수(髓) 또는 과육(果肉) 속에 생김.

석소리 명〈방〉〔식〕종가시나무(제주).

석송【石松】명〔식〕[*Lycopodium clavatum* var. *nipponicum*] 석송과에 속하는 상록(常綠) 다년생 만초(蔓草). 줄기는 땅 위로 기어 뻗는데 길이 2m 가량이며 가지가 많이 갈라져 흰 수근(鬚根)이 남. 잎은 녹색 광택이 있는 경질(硬質)로 선상(線狀) 줄기에 밀생함. 여름에 직립(直立)한 가지 끝에 담황색 원기둥꼴의 자낭수(子囊穗)가 2-4개가 나고 신장형(腎臟形)의 포자낭(胞子囊)이 달림. 산록의 양지바른 곳에 나는데, 한국·일본 및 북반구(北半球)·아프리카 등지에 분포함. 관상용으로 심고, 여린 황색의 포자(胞子)는 '석송자(石松子)'라 하여 환약(丸藥)의 겉을 싸거나 피부의 미란부(糜爛部)에 뿌리기도 함.

〈석송〉

석송-과【石松科】[―꽈] 명〔식〕[Lycopodiaceae] 고등 은화 식물 석송류(石松類)에 속하는 한 과. 전세계에 180여 종, 한국에는 다람쥐꼬리·배암톱·산석송·석송 등의 15종이 분포함.

석송-자【石松子】명〖한의〗석송(石松)의 아포(芽胞)를 모은 담황색의 가루. 지방분(脂肪分)이 있고 흡습성(吸濕性)이 있으므로 환약(丸藥)의 겉을 싸거나 미란부(糜爛部)에 뿌림.

석쇠[1] 명〔←적쇠〕고기나 굳은 떡 같은 것을 굽는 기구. 네모지거나 둥근 쇠테에 철사로 구멍이 잘게 그물 뜨듯 하여 만듦. 적철(炙鐵). 철구(鐵灸).

〈석쇠[1]〉

석-쇠[2]【釋—】명〖불교〗석(釋)을 할 때 치는 종.

석쇠 무늬〔—니〕명 격자(格子) 무늬.

석수[1]【石手】명 돌을 다루어 물건을 만드는 사람. 석공(石工). 석각장이. 석장(石匠). 돌장이.

석-수[2]【石數】명 곡식을 섬으로 센 수효.

석수[3]【石獸】명 무덤 앞에 세우는 돌로 만든 짐승. ↔석인(石人). *석물(石物).

석수[4]【汐水】명 저녁때에 밀어 들어왔다가 나가는 바닷물. 해석(海汐). ↔조수(潮水).

석수[5]【淅水】명〖지〗'시수이(淅水)'를 우리 음으로 읽은 이름.

〈석수[3]〉

석수-선【石數船】명 석수로써 용적을 나타내는 선박.

석수-어【石首魚】명〖어〗조기[1].

석수-장이【石手匠—】명 석수(石手).

[석수장이 눈깜짝이부터 배운다] 쉽고 낮은 기술부터 배우게 된다는 말.

석수-질【石手—】명 석수들이 돌을 다루는 일.

석순[1]【石筍】명〖광〗석회동(石灰洞) 안의 상벽(上壁)에 있는 돌고드름에서 떨어지는 물방울 중 탄산 석회(炭酸石灰)가 물과 이산화 탄소의 증발로 인하여 유리(遊離) 결정(結晶)하여 죽순(竹筍) 모양으로 된 돌기물(突起物). 돌순.

석순[2]【石蓴】명〖식〗파래.

석순[3]【席順】명 석차(席次)[1]❶❷.

석-숭【石崇】명 ①〖사람〗중국 진(晉)나라 때의 부호이며 문장가(文章家). 자(字)는 계륜(季倫). 형주 자사(荊州刺史)를 지냈음. 항해(航海)와 무역으로 엄청나게 많은 돈을 벌어, 그 영화로움이 비길 데 없었다 함. 녹주(綠珠)와의 일화(逸話)가 많음. 생몰년 미상. ②부자(富者)의 비유.

[석숭의 재물도 하루 아침] 큰 재산도 쉽게 없어진다는 말.

석쉬 명〈방〉석쇠.

석시[1] 명〈방〉석쇠.

석시[2]【昔時】명 옛적❶.

석-식영암【釋息影庵】명〖사람〗고려 시대의 승려. ≪정시자전(丁侍者傳)≫의 작자. 최씨(崔氏) 집권 시대에 생존하였던 중으로서 시문에 능하였음.

석신【石神】명〖민〗기석(奇石)·영석(靈石)·석봉(石棒)·석검(石劍) 등을 신체(神體)로 여겨 모시던 민간 신앙의 신(神).

석-신명【惜身命】명 몸을 조심하여 위험을 피함. ——하다 자 여불

석실[1]【石室】명 ①돌함. 석함(石函). ②돌방.

석실[2]【石室】명〖사람〗김상헌(金尙憲)의 호(號).

석실-묘【石室墓】명〖고고학〗'돌방무덤'의 구용어.

석실-분【石室墳】명〖고고학〗'돌방무덤'의 구용어.

석심-산【石心山】명〖지〗경상 북도 군위군(軍威郡)·영천시(永川市)·청송군(青松郡) 사이에 있는 산. 팔공 산맥(八公山脈)에 속하여 대구 분지(大邱盆地)를 둘러싸 자연의 요새지(要塞地)를 이룸. [751m]

석-씨【釋氏】명〖불교〗①석가(釋迦)❷. ②불가(佛家).

석씨 계고략【釋氏稽古略】명〖책〗중국 송대(宋代)까지의 편년체(編年體)의 불교사. 원(元)의 지정(至正) 14년(1354) 보주(寶州) 각안(覺岸)이 지음. 중국의 역사를 제왕(帝王) 중심으로 요령 있게 정리하였고, 이에 선(禪)의 입장에서 불교의 계승과 전파(傳播)에 관한 사적(事蹟)을 엮은 것. 4권. ㊌계고략(稽古略).

석씨 매듭 명 납작이 매듭의 상하 좌우로 생쪽 매듭이 둘러싼 모양의 매듭.

석씨 요람【釋氏要覽】명〖책〗초학자(初學者)를 위하여 불교의 명목(名目)·고실(故實) 등을 설명한 책. 중국 송(宋)의 도성(道誠)이 천희(天禧) 3년에 지음. 모두 3권.

석-악【石嶽】명〖지〗제주도 남제주군 안덕면(安德面)에 있는 산봉우리. 기생 화산(寄生火山)의 하나임. [369m]

석안【石案】명〖역〗무덤 앞에 만들어 놓은 네모난 상석(床石).

석안 유심【釋眼儒心】명 석가의 눈과 공자의 마음. 곧, 자비(慈悲)스럽고 인애(仁愛)로운 일.

석암【石岩】명 암석(岩石).

석약【石藥】명 광물질(鑛物質)의 약제.

석양[1]【夕陽】명 ①저녁때의 해. 낙양(落陽). 낙조(落照). 만양(晩陽). 석일(夕日). ↔조양(朝陽). ②저녁나절. 만양(晩陽).

석양[2]【石羊】명 왕릉(王陵)의 곡장(曲墻) 안에 놓은 돌로 만든 양. *석마(石馬)·석수(石獸).

석양-녘【夕陽—】명 해질 무렵.

석양-볕【夕陽—】〔—뼏〕명 저녁때의 햇볕.

석양-빛【夕陽—】〔—삗〕명 저녁때의 햇빛.

석-양지【釋良志】명〖사람〗신라의 중으로 유명한 조각가. 선덕(善德) 이후 3대에 걸쳐 살았는데, 조각·글씨·목공·석공에 두루 능하였음. 대표작에 영묘사(靈廟寺)의 ≪장륙 불상(丈六佛像)≫, 사천왕사(四天王寺)의 ≪천왕상(天王像)≫ 등이 있음.

석양-천【夕陽天】명 저녁때의 하늘.

석양-판【夕陽—】명 해가 넘어갈 판. *잔양(殘陽)판.

석어【石魚】명〖어〗조기.

석어-당【昔御堂】명 서울 덕수궁(德壽宮) 안에 있는 당.

석언【釋言】명 변명을 함. 또, 변명하는 말. ——하다 타 여불

석-얼음 명 ①수정(水晶) 속에 있는 잔 줄. ②물 위에 떠 있는 얼음. ③유리창에 얼어 붙은 얼음.

석역【石役】명 돌을 다루어 물건을 만드는 일.

석연[1]【夕煙】명 저녁밥을 짓는 연기.

석연[2]【石硯】명 돌을 쪼아 만든 벼루.

석연[3]【石燕】명〖동〗의연체 동물(擬軟體動物) 완족강(腕足綱) 유교목(有鉸目)에 속하는 화석(化石) 동물. 옆으로 벋은 새 날개 모양의 석회질(石灰質)의 껍데기를 가지며, 표면에는 방사상(放射狀)의 선(線)이 있음. 껍데기의 내부에는 나선상(螺旋狀)으로 감긴 완골(腕骨)이 있는 것이 특징임. 고생대(古生代) 실루리아기(紀)로부터 중생대(中生代) 쥐라기(紀)에 이르는 사이, 특히 석탄기(石炭紀)에 생존했는데 종류가 많음. 세계적으로 분포하며, 지층(地層)을 비교하는 데에 유용한 표준 화석임.

석연[4]【石燕】명〖한의〗중국 링링(零陵)·융저우(永州)·치양(祁陽) 등에서 나는 돌. 모양이 제비나 조개와 비슷한데, 한방(韓方)에서 난산(難產)·임질(淋疾) 등에 약으로 씀. 연함석(燕含石).

석-연대【石蓮臺】〔—년—〕명 돌연대.

석-연자【石蓮子】〔—년—〕명 오래 묵은 연밥.

석연-하다【釋然—】형 여불 속으로 의심스러운 일이 시원하게 풀리다. 마음이 환하게 풀리다. ¶석연하지 않은 얼굴. **석연-히**【釋然—】부

석염【石塩】명〖광〗암염(岩塩).

석엽【腊葉】명 종이 같은 것의 사이에 눌러서 말린 식물의 잎사귀·가지 등의 표본(標本).

석영[1]【夕影】명〖사람〗안석주(安碩柱)의 호(號).

석영[2]【石英】명〔quartz〕〖광〗이산화 규소(二酸化珪素)의 한 형(型). α형과 β형이 있으며, α형은 삼방 정계(三方晶系), β형은 육방 정계(六方晶系)의 결정(結晶)으로 유리와 같은 광택을 갖는 광물. 순수한 것은 무색 투명하여 수정(水晶)이라고 함. 화강암 및 유문암(流紋岩) 가운데에 있음. 변성암(變成岩)·수성암(水成岩)도 대개 석영을 포함하고 있음. 유리·도기(陶器)·장식·통신 기기의 재료로 쓰임. 차돌.

석영[3]【石癭】명〖의〗돌같이 단단하게 된 혹. 석혹. 석류(石瘤).

석영 렌즈【石英—】〔lens〕명 석영 유리로 만든 렌즈.

석영 반암【石英斑岩】명〖광〗비현정질(非顯晶質) 석기(石基) 가운데에 석영(石英)과 정장석(正長石)의 반정(斑晶)을 가지는 반암. 대개 암맥(岩脈)으로 산출(產出)되며 흰빛·잿빛·누른빛·녹색 등 여러 가지가 있음. 이것을 현미경으로 보면 반상(斑狀)을 이루고 있으며, 반정은 석영 장석 외에 약간의 운모(雲母)와 각섬석(角閃石)을 함유함.

석영-사【石英沙】명〖광〗규사(珪沙).

석영 섬록암【石英閃綠岩】〔—녹—〕명〖광〗석영과 사장석(斜長石)을 주성분으로 하는 심성암(深成岩). 운모나 각섬석(角閃石)을 함유하는 수가 많음.

석영 수은등【石英水銀燈】명〔quartz lamp〕〖전〗유리 대신에 투명한 석영 용기(容器)를 가진 수은등. 석영은 내열(耐熱)이 강하여 높은 전류를 보낼 수가 있고, 유리에서는 흡수되는 자외선도 투과(透過)시키는 장점이 있음.

석영 안산암【石英安山岩】명〖광〗안산암보다 약간 규산이 많은 분출암.

석영-암【石英岩】명〖광〗거의 석영으로 이루어진 화산암.

석영 유리【石英琉璃】〔—뉴—〕명〖광〗순수한 천연(天然) 수정(水晶)의 가루를 탄소 가마 속에 용해시켜 만든 유리. 높은 온도의 변화에 잘 견디며, 자외선·적외선을 잘 통과시키므로 이화학(理化學) 기구·화학 공업용으로 사용됨. 실리카 유리.

석영 조면암【石英粗面岩】명〖광〗유문암(流紋岩).

석영 편암【石英片岩】명 석영을 주성분으로 하는 결정 편암(結晶片岩). 각암(角岩)이나 사암(砂岩)을 원암(原岩)으로 하여, 백운모(白雲母)나 적철광(赤鐵鑛)을 함유하는 수도 있음.

석오【石吾】명〖사람〗이동녕(李東寧)의 호(號).

석-오공【石蜈蚣】명〖동〗개지네.

석왕-사【釋王寺】명〖불교〗함경 남도 안변군(安邊郡) 설봉산(雪峰山)에 있는 절. 조선 태조(太祖) 때 무학 대사(無學大師)가 지은 절로, 지금은 선교 양종(禪敎兩宗)의 본산이 되었음. 전에는 31 본산(本山)의 하나였음.

석왕사-곡【釋王寺谷】명〖지〗함경 남도 검불랑(劍佛浪) 부근에서 발원하여 북동으로 흐르는 남대천(南大川) 중류에 형성된 골짜기. 골짜기의 서쪽에는 넓은 선상지(扇狀地)가 발달하여 논밭으로 많이 이용되고 있으며, 동쪽의 현무암(玄武岩) 지역은 논이 많아 동서가 좋은 대조를 이루고 있음. 석왕사 일대는 산자 수명(山紫水明)하여, 삼방 협곡(三防峽谷)과 함께 좋은 계곡 휴양 지대임.

석-용예【石龍芮】〔—농—〕명〖식〗개구리자리.

석-용추【石龍芻】〔—농—〕명〖식〗골풀❷.

석-웅황【石雄黃】명 ①〔orpiment, yellow arsenic〕〖광〗안료(顔料)의 한 가지. 천연적으로 나는 삼황화 이비소(三黃化二砒素)로서, 계관석(鷄冠石)과 더불어 산출되는 누런 덩어리. 수지상(樹脂狀) 광택을 가졌음. 물감·화약(火藥)·채료(彩料) 등으로 쓰임. ㊌석황(石黃)·웅황(雄黃). [As_2S_3] ②누른 빛의 그림 물감. 진채(眞彩)에 속하는데 좀 탁(濁)함.

석월【夕月】명 저녁에 뜨는 달.

석위【石葦】명〖식〗〔*Pyrrosia lingua*〕고사릿과에 속하는 상록(常綠) 양치(羊齒) 식물. 근경(根莖)은 길게 옆으로 벋으며, 적갈색의 피침형 비늘이 밀생함. 잎은 직립(直立)하나 드물게 총생(叢生)하며 두꺼운 혁질(革質)의 피침형에 표면은 녹색, 뒷 면은 황갈색 털이 밀생하고 포자낭군(胞子囊群)이 있는 잎은 폭이 좁음. 바위·나무 줄기에 착생 군생(群生)하는데, 한국 남부·중국·대만·일본에 분포함. 잎과 줄기는 한방(韓方)에서 이뇨약(利尿藥)으로 쓰임. 와위(瓦葦).

〈석위〉

석유[1] 【石油】 명 〖광〗 천연(天然)으로 지하(地下)에서 산출되며, 탄화 수소(炭化水素)를 주성분(主成分)으로 하는 가연성(可燃性) 광물성 기름. 또, 이것을 증류(蒸溜)·정제(精製)하여 얻은 각종 석유 제품의 총칭. 협의로는 원유(原油) 또는 등유(燈油)를 가리키기도 함. 물속에 사는 미생물의 유해(遺骸)가 부니(腐泥)로 되어 탄화 수소로 변화한 액체라고 추측되는 것임. 천연 그대로의 것을 원유라 하고, 증류해서 분별(分別)·정제하여 휘발유(揮發油)·등유·경유(輕油)·중유(重油)·석유 피치(石油 pitch) 등을 얻음. 물보다 가볍고 특수한 냄새가 남. 종래에는 등유로서만 사용되어 왔으나, 근래에는 동력(動力)의 연료(燃料)와 공업용으로 널리 쓰임. 석탄유(石炭油). 지유(地油). 왜기름.

석유[2] 【昔遊】 명 이전에 놀았던 일.

석유[3] 【碩儒】 명 거유(巨儒)❷.

석유 개:질법 【石油改質法】 [―뻡] 명 가솔린의 질을 향상시키기 위해 열이나 촉매(觸媒)를 사용하여 탄화 수소의 구조를 바꾸는 일. 열개질(熱改質)과 접촉 개질이 있음.

석유-갱 【石油坑】 명 〖광〗 석유정(石油井).

석유 경유 【石油輕油】 명 〖화〗 석유의 원유(原油)를 끓일 때, 200°-350°C 사이에서 얻는 기름. 동력·기계 세척용 등으로 쓰임. 가스 오일(gas oil). ↔가스 경유(gas 輕油). *경유.

석유 공시 가격 【石油公示價格】 [―까―] 명 〔posted price〕 〖경〗 원유의 판매자, 보통 국제 석유 회사가 모든 매주(買主)에 대하여 일률적으로 적용하는 석유의 판매 가격.

석유 공업 【石油工業】 명 넓은 뜻으로는 가연성 천연 가스나 원유 등을 기초 원료로 하여, 생활에 유용한 제품을 만드는 것의 총칭. 좁은 뜻으로는 원유를 처리하여 여러 가지 제품을 만드는 일.

석유 공학 【石油工學】 명 〔petroleum engineering〕 〖공〗 석유·천연 가스·탄화 수소 등을 탐사하기 위한 시추(試錐)나 그 생산에 관한 기술과 응용 등을 연구하는 학문.

석유 광:상 【石油鑛床】 명 석유의 광상. 이암(泥岩)·혈암(頁岩) 등의 층과 그 아래에 있는 공극(孔隙)이나 갈라져서 틈이 많은 사암(砂岩)·석회암(石灰岩) 등의 사이의 빈틈에, 밑으로부터 물·석유·가스의 순으로 괴어 있음.

석유 기관 【石油機關】 명 〖공〗 내연 기관의 한 가지. 휘발유·석유·중유(重油) 등을 연료로 하여, 이것을 공기와 혼합·폭발·연소시켜서 동력을 발생시키는 기관(機關)의 총칭. 가솔린 기관·등유(燈油) 기관·디젤 기관 등으로 나눔. 석유 발동기. 석유 엔진. 오일 엔진.

석유 난:로 【石油煖爐】 [―날―] 명 석유 스토브.

석유 남포 【石油―】 명 석유 램프.

석유 단백질 【石油蛋白質】 명 석유 정제(精製)의 부산물인 노멀 파라핀을 원료로 하고, 이것을 효모균(酵母菌) 등의 미생물에 먹여 번식시킨 미생물을 단백원(蛋白源)으로 한 사료.

석유-등 【石油燈】 명 석유를 연료(燃料)로 하여 불을 켜는 등잔.

석유 램프 【石油―】 〔lamp〕 명 석유를 연료로 하는 램프. 석유 남포.

석유류-세 【石油類稅】 [―쎄] 명 국세의 한 가지. 휘발유·경유·중유·벙커 C유 등의 제조 업자·수입 신고자에게 매기는 간접세. 1977년 부가 가치세법의 시행에 따라 폐지됨.

석유 모:층 【石油母層】 명 〖지〗 석유의 근원 물질을 포함하고 그로부터 석유가 생성되었다고 생각되는 지층.

석유 미생물학 【石油微生物學】 명 〔petroleum microbiology〕 〖생〗 석유 공업에 관련되는 미생물학적 공학 분야. 석유 형성에 있어서의 미생물의 역할·탐색·제조·저장 및 석유를 이용한 식품 합성(食品合成) 따위를 연구함.

석유 박테리아 【石油―】 〔bacteria〕 명 석유로 생육(生育)하는 박테리아. 석유 단백질(蛋白質)의 제조에 이용되거나 그 분포를 조사하여 석유의 탐광(探鑛)에도 이용되고 있음.

석유 발동기 【石油發動機】 [―똥―] 명 〖공〗 석유 기관(石油機關).

석유 벤진 【石油―】 〔benzine〕 명 〖화〗 벤진(benzine).

석유 사:업법 【石油事業法】 명 〖법〗 석유 정제업·판매업·수출입업 등의 석유 사업을 합리적으로 조정·육성하고, 석유의 수급 안정과 저렴한 공급을 기함으로써 국민 경제의 발전과 국민 생활의 향상을 도모할 목적으로 제정된 법률.

석유 산:업 【石油產業】 명 원유의 탐사·채굴·수송·정제·판매를 하는 산업. 내연(內燃) 기관의 발달로 가장 뛰어난 동력원(動力源)을 공급하는 산업으로 급속히 발전함.

석유 수출국 기구 【石油輸出國機構】 명 〔Organization of Petroleum Exporting Countries〕 1960년 9월, 바그다드에서 열린 이라크·이란·쿠웨이트·사우디 아라비아·베네수엘라의 5개 산유국 회의에서 결성한 석유 생산·수출국의 국제 기구. 직접적인 목표는 원유 가격 인하 방지였으나, 정식으로는 산유국 간의 석유정책 조정과 이를 위한 정보의 수집·교환임. 석유 가격의 안정을 위하여 국제 석유 회사와 협의하며, 보다 많은 이권 획득을 위해 교섭함. 1991년말 현재 가맹국은 전기 5개국 외 카타르·인도네시아·리비아·아랍에미레이트·알제리·나이지리아·에콰도르·가봉 등 13개국으로, 사무국은 오스트리아의 빈(Wien)에 있음. 약칭은 오펙(OPEC).

석유 스토:브 【石油―】 〔stove〕 명 등유를 연료로 하는 스토브. 열의 전도 방식에 의해, 방 전체를 덥게 하는 대류식(對流式)과 부분적으로 덥게 하는 반사식(反射式)이 있음. 사용이 간편하고, 자유로이 이동할 수 있는 이점이 있음. 석유 난로.

석유 아스팔트 【石油―】 명 〔petroleum asphalt〕 석유를 증류(蒸溜)하여 휘발성 유류를 빼낸 잔류품. 스트레이트 아스팔트와 블론 아스팔트로 구분되는데, 주로 방수(防水)·방식(防蝕)용 포장재로 쓰임. *천연 아스팔트.

석유-업 【石油業】 명 석유의 채취(採取)·정제(精製)를 전문으로 하는 공업.

석유 에:테르 【石油―】 명 〔petroleum ether〕 〖화〗 석유를 분류(分溜)할 때, 40°-70°C에서 유출(溜出)되는 무색(無色)의 연소(燃燒)되기 쉬운 액체. 비중 0.66-0.68. 추출 용제(抽出溶劑) 등으로 쓰임.

석유 엔진 【石油―】 〔engine〕 명 〖공〗 석유 기관(石油機關).

석유 유제 【石油乳劑】 명 〖약〗 석유에 비누와 물을 가하여 우유 빛으로 만든 약제(藥劑). 소독제·식물 해충의 구제용(驅除用)으로 쓰임.

석유-정 【石油井】 명 석유갱(石油坑). 유정(油井).

석유 정제 【石油精製】 명 원유를 가공·정제하여 가솔린·중유(重油) 등의 각종 석유 제품으로 만드는 일. 단순히 깨끗이 할 뿐 아니라 분해·개질(改質)·중합(重合) 등의 화학 변화를 가하고, 목적에 따라서는 첨가제를 가하는 수도 있음.

석유 제:품 【石油製品】 명 원유를 처리·가공하여 주로 연료 및 윤활유로 쓰도록 만들어 낸 제품. 가솔린·등유(燈油)·경유·중유·윤활유 같은 것. *석유 화학 제품.

석유-조 【石油槽】 명 유층(油層).

석유 지질학 【石油地質學】 명 〖지〗 지질학적 원리와 방법을 이용하여 자연계의 석유에 관해서 연구하는 지질학의 한 분과.

석유 지하 비:축 【石油地下備蓄】 명 지하의 공동(空洞)을 이용해서 석유를 비축하는 방식.

석유 코:크스 【石油―】 〔cokes〕 명 석유를 정제하고 남은 찌꺼기에서 만들어지는 코크스. 전극(電極)·전기 브러시 등의 공업용 탄소 재료로 쓰임.

석유 탐사 【石油探査】 명 석유가 존재하는 장소와 석유의 집적(集積)에 알맞은 지질 구조를 찾는 일. 그 방법으로는 지질학적 방법, 지구 물리학적 방법, 지구 화학적 방법, 시추(試錐) 등을 종합하여 행함. 최근은 대륙붕 등 해저의 석유 탐사도 대규모로 행하여지고 있음.

석유 탱크 【石油―】 〔tank〕 명 석유를 저장하는 큰 용기(容器).

석유-통 【石油桶】 명 석유를 담는 통.

석유 파동 【石油波動】 명 유류(油類) 파동. 오일 쇼크.

석유 풍로 【石油風爐】 [―노] 명 석유를 연료로 하는 풍로.

〈석유 풍로〉

석유 피치 【石油―】 〔pitch〕 명 〖화〗 중유(重油)에서 비교적 많은 양의 유분(油分)을 빼낸 뒤의 암갈색 또는 검정빛의 고형물(固形物). 절연체(絕緣體)·아스팔트로서 도로(道路) 포장 등에 쓰임.

석유 합성 【石油合成】 명 〖화〗 천연(天然) 가스나 분해(分解) 석유 제조의 부산물(副產物)로 생기는 가스를 분리해서, 이것과 수소(水素)를 원료로 하여 고온(高溫)·고압(高壓) 아래에서 중합(重合)시키는 일. *석탄 액화(液化)·인조 석유.

석유 혈암 【石油頁岩】 명 〖광〗 함유 셰일.

석유 화학 【石油化學】 명 석유 화학 공업의 기초를 이루는 석유계 탄화 수소(石油系炭化水素)에 관한 화학.

석유 화학 공업 【石油化學工業】 명 석유 또는 천연(天然) 가스를 원료로 하여 연료 및 윤활유 이외의 화학 제품을 제조하는 공업. 좁은 뜻으로는 석유계 탄화 수소를 원료로 하는 유기 합성(有機合成) 화학 공업을 이르며, 넓은 뜻으로는 수소의 원료로서 석유를 사용하는 암모니아 합성 공업(合成工業)을 포함해서 이름.

석유 화학 공업 단지 【石油化學工業團地】 명 〖법〗 석유 화학 공업을 집단적으로 개발·육성하기 위하여 구획 조성(區劃造成)한 단지.

석유 화학 제:품 【石油化學製品】 명 석유 또는 천연 가스로부터 만들어진, 연료 및 윤활유 이외의 주로 유기 합성(有機合成) 화학 제품.

석유 화학 콤비나:트 【石油化學―】 〔러 combinat〕 명 석유 정제·나프타(naptha) 분해 플랜트를 중심으로 여러 가지 화학 제품 공장이 원료·제품 수송의 파이프로 결합된 공장 집단. 프로세스 오토메이션(process automation)에 의한 자동 조업, 중간 제품·부산물의 완전 이용, 수송의 합리화 등에 의한 효과와 대규모 생산의 이익이 큼.

석-유황 【石硫黃】 [―뉴―] 명 〖광〗 유황(硫黃). 황(黃).

석유 효모 【石油酵母】 명 석유계(石油系) 탄화 수소를 이용하는 효모.

석융 【石絨】 명 〖광〗 석면(石綿).

석은-새 명 〈방〉 썩은새(평안).

석음[1] 【夕陰】 명 해진 뒤의 어스름한 때.

석음[2] 【惜陰】 명 세월이 헛되이 지나감을 애석히 여김. 시간을 아낌. ――하다 자 여불

석의[1] 【石衣】 [―/―이] 명 〖식〗 해캄[1].

석의[2] 【石儀】 [―/―이] 명 석물(石物).

석의[3] 【釋義】 [―/―이] 명 글의 뜻을 해석함. ――하다 타 여불

석의-봉 【石衣峰】 [―/―이―] 명 〖지〗 함경 남도 갑산(甲山)군 갑산면과 삼수군(三水郡) 회린면(會麟面) 사이에 있는 산봉우리. [1,556 m]

석이 【石耳·石栮】 명 〖식〗 [*Gyrophora esculenta*] 석이과에 속하는 지의류(地衣類)의 하나. 원반형(圓盤形)의 편평한 엽상(葉狀)으로 직경 3-10 cm 가량이며, 질(質)은 부드러우나 말리면 혁질(革質)이 됨. 상면(上面)은 회갈색이며 번들번들하고, 안쪽은 검은 빛에 검은 가시 털이 밀생하는데, 중앙부의 삭상체(索狀體)의 돌기(突起)로 바위에 고착(固着)함. 포자(胞子)는 타원형의 단세포(單細胞)임. 깊은 산의 바위 위에 나는데, 일본 특산으로 한국 및 중국에도 분포함. 향기와 맛이 좋아 흔히 초(酢)를 쳐서 식용함. 석이버섯.

〈석이〉

석이-과【石耳科】[-꽈] 명〔식〕[Gyrophoraceae] 진균 식물(眞菌植物) 지의류(地衣類)에 속하는 한 과.
석이 나물【石耳―】명 석이를 물에 데쳐서 부드럽게 하여 소금과 기름에 볶아 낸 다음에 잣가루를 뿌린 음식. 석이채(石耳菜).
석이다 사동 ①푹한 날씨가, 쌓인 눈을 속으로 석게 하다. ②더운 기운이 술·식혜 등의 괴는 국물을 속으로 석게 하다.
석이 단자【石耳團子】명 찹쌀 가루를 반죽하여 손바닥만하게 만든 뒤에 물에 삶아, 방망이로 저어서 된풀같이 만들어 꿀에 잠가서 석이 가루를 묻힌 단자.
석-이두【石螭頭】[-니-] 명〔건〕이무기돌.
석이-떡【石耳―】명 귀리를 곱게 빻아 석이를 섞어서 꿀물에 반죽하여 놋시루에 찐 떡.
석이-버섯【石耳―】명〔식〕'석이(石耳)'를 분명히 일컫는 말.
석이-쌈【石耳―】명 석이를 삶아서 곱게 만든 다음, 고기·장·파·기름·깨소금을 치고 주무른 뒤에 끓여서 밥 위에 얹어 먹는 음식.
석이 저:냐【石耳―】명 넓은 석이에 밀가루를 묻히고 달걀을 씌워 지진 저냐.
석이-채【石耳菜】명 석이 나물.
석인¹【石人】명 왕릉이나 지체 높은 사람의 무덤 앞에 세우는, 돌로 만든 사람의 형상. 문인석(文人石)·무인석(武人石) 등이 있음. 인석(人石). 장군석(將軍石). ↔석수(石獸). *석물(石物).
석인²【石印】명 ①돌에 새긴 인장(印章). 석탑(石搨). ②〔인쇄〕↗석판 인쇄(石版印刷).
석인³【昔人】명 옛사람. 고인(古人).
석인⁴【碩人】명 큰 덕(德)이 있는 사람.
석인 기법【石刃技法】[-뻡] 명〔고고학〕'돌날떼기'의 구용어.
석인-본【石印本】명 석판 인쇄(石版印刷)로 된 책.
석인 석마【石人石馬】명 석인과 석마. 돌사람 돌말.
석인 석수【石人石獸】명 석인과 석수. 돌사람 돌짐승.
석인 석편【石刃石片】명〔고고학〕'돌날격지'의 구용어.
석인-핵【石刃核】명〔고고학〕'돌날몸돌'의 구용어.
석일¹【夕日】명 석양(夕陽). 퇴일(頹日).
석일²【昔日】명 옛날.
석임 명 빚어 담근 술이나 식혜 같은 것이 익을 때 부글부글 괴면서 속으로 석음. ――-하다 자여불
석자¹ 명 철사로 그물처럼 엮어, 바가지같이 만들고, 긴 자루를 단 그릇. 튀김 같은 것을 건져낼 때에 씀. 누표(漏杓).

〈석자¹〉

석자²【石子】명 작은 돌.
석자³【昔者】명 ①옛적. ②어제.
석자⁴【席子】명 돗자리.
석자⁵【釋子】명〔불교〕석가의 제자(弟子). 불제자(佛弟子).
석자-계【席子契】명〔역〕돗자리를 공물(貢物)로 바치던 계.
석자-탑【惜字塔】명 중국 각지의 사묘(寺廟)에 설치되어 있는, 글씨 쓴 종이를 넣어 태우는 화로의 일종. 경자탑(敬字塔). 자지로(字紙爐).
석잠【石蠶】명〔한의〕'물여우'를 한방(韓方)에서 일컫는 말. 열(熱)을 덜고 이수(利水)하는 약으로 씀.
석잠-아【石蠶蛾】명〔충〕물여우나비.
석잠-풀【石蠶―】명〔식〕[*Stachys japonica*] 꿀풀과에 속하는 다년초. 지하경(地下莖)은 백색이고, 줄기는 방형(方形)이며 높이 1m가량임. 잎은 대생하며 유병(有柄)으로 긴 타원상 피침형임. 6-9월에 담홍색 꽃이 윤산(輪繖) 화서로 정생하며 화관(花冠)은 통상 순형(筒狀脣形)이고 과실은 수과(瘦果)임. 들의 습지에 나는데, 한국 각지에 분포함.
석장¹【石匠】명〔역〕조선 시대에, '석수(石手)'의 일컬음.
석장²【石腸】명 ↗철석 간장(鐵石肝腸).
석장³【席匠】명〔역〕조선 시대에, 돗자리를 만드는 공장(工匠).
석장⁴【席長】명 모인 총중(叢中)에서 가장 어른 되는 사람. 좌장(座長).
석장⁵【錫杖】명〔불교〕중이 짚는 지팡이. 보살(菩薩)이 두타행(頭陀行)을 닦을 때 또는 먼 데를 다닐 때에 씀. 하부(下部)는 엄니나 뿔로 만들고, 중부(中部)는 나무로 만들며, 상부(上部)는 탑(塔) 모양인데, 여러 개의 고리를 달아 소리가 나게 함.
석:장-볏【―張―】명 석 장으로 된 닭의 볏.
석-장생【石長栍】명 돌로 만든 장승.
석-장포【石―蒲】명 ☞석창포(石菖蒲).

〈석장⁵〉

석재¹【石材】명 토목(土木)·건축(建築) 및 그 밖에 다른 제작(製作)의 재료로 쓰는 돌. 돌. ↔목재(木材).
석재²【碩材】명 위대한 학재(學材). 또, 그 사람.
석저【石疽】명〔의〕살이 돌처럼 단단하게 되는 종기.
석저-산【石咀山】명〔지〕스쭈이 산(石咀山).
석전¹【夕奠】명 염습(殮襲) 때부터 장사(葬事) 때까지 저녁마다 신위(神位) 앞에 제물(祭物)을 올리는 의식(儀式).
석전²【石田】명 돌이 많은 밭.
석전³【石殿】명 돌로 만든 전당(殿堂).
석전⁴【石戰】명〔민〕돌팔매질을 하여 승부를 다투는 편싸움. 옛날 고구려에서 대보름에 하류층(下流層)에서 하던 놀이로서, 고려·조선 시대를 통하여 이 풍속은 끊이지 아니하였음. 돌싸움. *편싸움.
석전⁵【席典】명〔역〕신라 때의 마을 이름.
석전⁶【釋典】명〔불교〕불경(佛經).
석전⁷【釋奠】명 ↗석전제(釋奠祭).
석전 경우【石田耕牛】명 자갈밭을 가는 소의 뜻으로, 황해도(黃海道) 사람의 부지런하고 인내심이 강한 성격(性格)을 평(評)한 말. *암하 노불(岩下老佛).
석전-놀이【石戰―】명〔민〕석전(石戰).
석전 대:제【釋奠大祭】명 석전제(釋奠祭).
석전-제【釋奠祭】명 문묘(文廟)에서 공자(孔子)에게 지내는 제사. 음력 2월과 8월의 상정일(上丁日)에 거행함. 석채(釋菜). 석전 대제(大祭). 상정(上丁). 정제(丁祭). 준석전.
석전제-악【釋奠祭樂】명〔악〕문묘악(文廟樂).
석전-치【石田峙】명〔지〕경상 남도 고성군(固城郡)에 있는 고개. [109 m]
석정¹【石井】명 돌우물.
석정²【石精】명 나프타 기름. 나프타.
석정³【石鼎】명 돌로 만든 솥.
석정-산【石鼎山】명〔지〕강원도 평강군(平康郡)과 이천군(伊川郡) 사이에 있는 산. [1,075m]
석제¹【石梯】명 석계(石階). 섬돌.
석제²【釋帝】명〔불교〕'제석천(帝釋天)'의 이칭(異稱).
석-제녕【石薺寧】명〔식〕들깨풀.
석제 모조품【石製模造品】명 고분 문화에서의 제구(祭具)의 하나. 활석(滑石) 등 연질(軟質)의 석재(石材)를 사용하여, 이기(利器)·무구(武具)·용기(用器)·농기구 등 각종 기물을 소형화하여 본뜬 것. 고분이나 제사 유적 등에서 출토되기 때문에 의식용 기구였던 것으로 생각됨.
석제-품【石製品】명 전중기(前中期)의 고분 부장품(古墳副葬品) 중에 볼 수 있는 벽옥(碧玉) 따위 경질(硬質)의 재료로 만든 기물(器物)의 총칭. 차륜석(車輪石)·초형석(鍬形石)·금주형(琴柱形) 석제품·석천(石釧) 등이 있으며, 실용품이라기 보다는 권위를 나타내는 기재(器材) 또는 제사(祭祀)용으로 보임.
석조¹【夕照】명 저녁때에 비치는 불그레한 햇빛. 만조(晩照). 석휘(夕暉). 여휘(餘暉). 낙조(落照).
석조²【夕潮】명 석수(汐水). 해석(海汐).
석조³【石造】명 돌로 물건을 만드는 일. 또, 그 물건. ¶~ 건물.
석조⁴【石彫】명 돌에 조각함. 또, 그 물건.
석조⁵【石棗】명 ①〔식〕산수유(山茱萸)나무. ②〔한의〕산수유(山茱萸).
석조⁶【石槽】명 큰 돌을 파서 물을 부어 쓰도록 만든 돌그릇. 큰 절에서 잔치를 끝내고 그릇 같은 것을 닦을 때 흔히 쓰던 것임.
석조 미술【石造美術】명〔미술〕돌로 만든 미술품. 석탑(石塔)·장명등(長明燈)·석불(石佛)·석인 석수(石人石獸) 같은 것. 석굴암(石窟庵)은 우리 나라 석조 미술의 대표임.
석조-전【石造殿】명 ①석재(石材)로 지은 궁전(宮殿). ②〔지〕덕수궁(德壽宮) 안에 있는 궁전의 하나. 광무(光武) 4년(1900)에 착공(着工)하여 10년 만에 완성한 근대식 석조 건물로 고종(高宗)이 잠시 동안 사용하였음. 지금은 궁중 유물 전시관으로 쓰임.
석족【石鏃】명 석촉(石鏃).
석존【釋尊】명〔불교〕↗석가 세존(釋迦世尊).
석존-제【釋尊祭】명〔불교〕석가 세존(釋迦世尊)의 탄생을 축하하는 의식. 음력 4월 8일에 행함.
석종【石鐘】명〔건〕종(鐘) 모양으로 된 부도(浮屠). 고려 때 매우 발달되었음.
석-종유【石鍾乳】명〔광〕돌고드름.
석좌【夕座】명〔불교〕법화 팔강(法華八講)·최승강(最勝講) 등을 조석(朝夕)으로 나누어 행하는 것 중에서 저녁에 하는 강좌(講座). ↔조좌(朝座).
석좌 교:수【碩座敎授】명 기업이나 개인이 기부한 기금(基金)으로 연구 활동을 하도록 대학에서 지정된 교수.
석주¹【石洲】명〔사람〕권필(權韠)의 호(號).
석주²【石柱】명 돌로 만든 기둥.
석-주명【石宙明】명〔사람〕박물학자. 평양(平壤) 출신. 일본 가고시마(鹿兒島) 고등 농림 학교 졸업 후, 모교인 개성의 송도(松都) 중학교에서 교편을 잡으며, 나비 연구에 몰두, 1940년에 한국산(産)《접류 목록(蝶類目錄)》을 출간함. 논문《배추흰나비의 변이(變異) 곡선》은 분류학상·생물 측정학상 중요함. 제주도 방언(方言) 연구에도 공헌하였음. 6·25 사변 때 횡사(橫死)함. [1910-50]
석주-장【昔周章】[-짱] 명〔악〕악장(樂章)의 이름.
석죽【石竹】명 패랭이꽃❶.
석죽-색【石竹色】명 패랭이꽃과 같은 담홍색(淡紅色). 핑크(pink).
석죽형 화관【石竹形花冠】명〔식〕꽃의 밑은 가늘고 길며, 위쪽 화판(花瓣)의 끝이 직각(直角)에 가깝게 바깥으로 뒤집히어 벌리어진 꽃부리. 패랭이꽃의 꽃부리 같은 것.
석죽-화【石竹花】명 패랭이꽃의 꽃. 패랭이꽃.
석지¹【石地】명 돌이 많은 땅.
석지²【石芝】명〔동〕버섯속산호. *목지(木芝).
석질【石質】명 돌의 본바탕. 돌의 성질.
석질 운:석【石質隕石】명〔광〕주성분이 규산염(珪酸塩) 광물로 된 운석. ↔석철(石鐵) 운석·운철(隕鐵).
석집은-따 명〈방〉비탈.
석차【席次】명 ①자리의 차례. ¶~를 정하다. ②성적의 차례. 석순(席順).
석착【石鑿】명〔고고학〕나무에 구멍을 뚫거나 다듬는 데 쓰이는 너비가 비교적 좁고 직사각형인 연장. 신석기 시대·청동기 시대 및 초기 철기 시대까지 사용되었음.
석찬【夕餐】명 만찬(晩餐)❶.
석창【石槍】명 석기 시대(石器時代)의 유물로서 돌로 만든 창. 타제품(打製品)으로 석촉(石鏃)을 크게 한 것 같으며 흑요석(黑曜石)·규석(珪石)·안암석(安岩石) 등으로 만들었음. 길이 20cm가 넘는 것도 있으며, 사냥에 씌었음.

석-창포【石菖蒲】명〖식〗[*Acorus gramineus*] 창포과에 속하는 상록 다년초. 근경(根莖)은 비후(肥厚)하고 마디와 수근(鬚根)이 많고 향기가 나며, 근생엽(根生葉)은 총생(叢生)하고 길이 20-50cm, 폭 4-6mm 임. 6-7월에 황록색 꽃이 잎 모양으로 생긴 꽃줄기 끝에 육수(肉穗) 화서로 피고, 과실은 삭과(蒴果)임. 물가에 나는데, 한국 남부 및 일본에 분포함. 관상용으로나 토사 붕괴(土砂崩壞)를 막기 위하여 정원에 이식(移植)하기도 함. 근경(根莖)은 한방(韓方)에서 청량 건위약(淸凉健胃藥)으로 쓰며, 한 치에 아홉 마디가 있는 것을 특히 양품(良品)으로 침.

〈석창포〉

석채[1]【石彩】명〖미술〗진채(眞彩).
석채[2]【釋菜】명 석전제(釋奠祭).
석채-화【石彩畫】명〖미술〗진채화(眞彩畫).
석척【蜥蜴】명〖동〗①도마뱀❶. ②'도롱뇽'의 잘못 일컫는 말.
석척 기우【蜥蜴祈雨】명〖민〗옛날, 중국에서 도마뱀이 용(龍) 비슷하다 하여 이것을 잡아 병에 넣어 내에 잠가서 기우제(祈雨祭)를 지내던 일.
석천[1]【石泉】명 석간수(石間水).
석천[2]【石泉】명〖사람〗신작(申綽)의 호(號).
석천[3]【昔泉】명〖사람〗오종식(吳宗植)의 호(號).
석천[4]【席薦】명 멍석. 돗자리.
석철 운:석【石鐵隕石】명〖광〗주성분이 금속과, 그 사이를 메우고 있는 규산염(珪酸塩) 광물로 이루어진 운석의 한 종류. ↔석질(石質) 운석·운철(隕鐵).
석청【石淸】명 산 속의 나무나 돌 사이에 벌이 모아 둔 꿀. 품질이 썩 좋으며, 한방(韓方)에서 경간(驚癎)·천식(喘息)·대변 불통(大便不通)·산후 구갈(産後口渴)·난산(難産) 등에 약으로 쓰임. 요리의 조미제(調味劑)로도 씀. 석밀(石蜜).
석청-자【石靑子】명〖공〗화소청(畫燒靑).
석촉【石鏃】명 석기 시대(石器時代)에 무기로 가장 많이 쓰이던 석제(石製)의 화살촉. 타제품(打製品)과 마제품(磨製品)이 있음. 석재(石材)는 흑요석(黑曜石)·사누카이트(sanukite)·규암(珪岩)·점판암(粘板岩) 등이며, 길이 1-6cm 가량 됨. 석족(石鏃). 돌살촉. 돌촉.
석총【石冢】명 돌무덤.
석추【石錐】명〖고고학〗'돌송곳'의 구용어.
석축【石築】명〖토〗돌로 쌓은 옹벽(擁壁)의 한 가지. 흙이 무너지지 아니하도록 가장자리에 돌을 쌓아올린 벽.
석춘【惜春】명 가는 봄을 아쉬워함. ¶ ~부(賦).
석춘-사【惜春詞】명〖문〗작자·제작 연대 미상의 가사의 하나. 봄이 덧없이 지나감을 중국 고대 미인들의 고사에 담아 서술하고, 낭군과 떨어져 지내는 작자의 쓸쓸한 젊음의 우수(憂愁)를 읊음. 《교주 가곡집(校註歌曲集)》 등에 전함.
석출【析出】명〖화〗①화합물(化合物)을 분석하여 어떤 물질을 분리(分離)함. 분석하여 냄. ¶ 독물(毒物)을 ~하다. ②액상(液相)으로부터 고상(固相)이 생기는 현상. 용액(溶液)을 냉각하였을 때 용질(溶質)이 결정(結晶)되는 것 따위. ——하다 타여불
석취【錫觜】명〖조〗콩새.
석취-산【石嘴山】명〖지〗석저산(石咀山).
석-치다【釋一】자〖불교〗절에서 아침 저녁으로 예불(禮佛)할 때에 종을 치다.
석탄【石炭】명〖광〗태고 때의 식물질(植物質)이 땅 속 깊이 묻히어 오랫동안 지압(地壓)·지열(地熱)을 받아 점차 분해되어 생긴 함수 탄소 물질(含水炭素物質)의 화석 연료(化石燃料). 탄화(炭化)의 정도에 따라 역청탄(瀝靑炭)·이탄(泥炭)·갈탄(褐炭)·흑탄(黑炭)·무연탄(無煙炭)으로 나눔. 탄소·산소·수소를 주성분으로 하고 약간의 황과 많은 양의 회분(灰分)·수분(水分)을 포함함. 점토나 셰일(shale)·사암(砂岩) 등의 호층(互層) 사이에 층을 이루고 있음. 빛이 검고 태우면 냄새가 남. 연료(燃料)와 화학 공업에 널리 사용됨. 매탄(煤炭). 콜(coal). ㊉탄.
석탄 가스【石炭一】〔gas〕명〖화〗①석탄 건류(石炭乾溜)에 의하여 얻는 가연성(可燃性)의 기체. 조제품(粗製品)은 탄화 수소·수소·질소·일산화 탄소·이산화 탄소·황화 수소·암모니아·시아노겐(cyanogen) 등을 포함함. 연료(燃料)·등화용(燈火用)·공업용으로 씀. 석탄 와사. ②석유 등불에 생기는 검은 그을음. 매기(煤氣).
석탄-갱【石炭坑】명〖광〗탄갱(炭坑).
석탄 건류【石炭乾溜】[一걸一] 명〖화〗석탄을 용기(容器) 속에 밀폐(密閉)하고 가열하여 분해하는 일. 수분·석탄 가스·타르(tar)를 유출(溜出)하고 코크스가 남음. 1,000°-1,350°C의 고온 건류(高溫乾溜)와 500°-600°C의 저온 건류(低溫乾溜)가 있음.
석탄-계【石炭系】명〔Carboniferous system〕〖지〗석탄기(石炭紀)에 퇴적(堆積)하여 생긴 지층(地層). 육성층(陸成層)과 해성층(海成層)이 있음.
석탄-고【石炭庫】명 탄고(炭庫).
석탄 고:생 식물학【石炭古生植物學】명〔coal paleobotany〕고생 식물학의 한 분야. 석탄층(石炭層)에 존재하거나, 그와 관련된 화석 식물(化石植物)에 관해서 그 기원(起源)·성분·발생 양식·중요도(重要度) 따위를 조사 연구함.
석탄-광【石炭鑛】명〖광〗석탄을 캐어 내는 광. 매광(煤鑛). 탄산(炭山). ㊉탄광(炭鑛).
석탄-기【石炭紀】명〔Carboniferous period〕〖지〗고생대(古生代) 중엽인 데본기(紀)와 페름기(紀)와의 중간 시대로, 약 3억 6천만 년-2억 9천만 년 전의 시대. 이 기(紀)의 후반에는 조산 운동(造山運動)·화성 활동(火成活動)이 맹렬히 있은 뒤로서 육지가 퍽 넓어지고 양치(羊齒) 식물의 교목(喬木)과 노목(蘆木)·봉인목(封印木)·인목(鱗木) 등 높이 20-30m 이상의 나무가 번성하였고, 파충류(爬蟲類)·곤충류(昆蟲類)가 출현(出現)하였음. 이것들이 지하에 매몰 탄화(埋沒炭化)하여 석탄이 되었으므로 석탄기라 함.
석탄-병【惜呑餠】명 감을 저며 말려 쌀가루와 섞어, 잣가루·계피 가루·대추·황률을 넣고, 켜를 앉힐 때에 팥을 뿌려 찐 음식.
석탄-불【石炭一】[一뿔] 명 석탄을 땐 불. *숯불.
석탄-산【石炭酸】명〖화〗페놀(phenol).
석탄산-수【石炭酸水】명〖약〗0.1-0.2%의 페놀을 함유하는 무색 투명한 액체. 방부제(防腐劑)·소독제로 씀.
석탄산 수지【石炭酸樹脂】명〖화〗베이클라이트(bakelite). 페놀(phenol) 수지.
석탄산-액【石炭酸液】명〖화〗페놀의 용액(溶液).
석탄 산:업법【石炭産業法】명〖법〗석탄 자원의 합리적인 개발과 효율적인 이용을 위하여 석탄 산업을 건전하게 육성·발전시키고 석탄 및 석탄 가공 제품의 수급 안정과 유통의 원활을 기하며 탄광 지역의 진흥 사업을 원활히 추진하기 위하여 제정된 법률.
석탄산-유【石炭酸油】[一뉴] 명〖화〗중유(中油).
석탄산 유고【石炭酸油膏】[一뉴一] 명〖약〗석탄산으로 만든 묽은 고약.
석탄 송:입기【石炭送入機】명 급탄기(給炭機).
석탄 암석학【石炭岩石學】명〔coal petrology〕〖지〗석탄의 성인(成因)·형성 과정·구조·화학적 조성(組成)·분류 등을 다루는 학문.
석탄 액화【石炭液化】명〖화〗인조 석유(人造石油) 제법의 한 가지. 석탄을 500°C, 300-700 기압의 고온 고압(高溫高壓) 아래에서 촉매 작용(觸媒作用)에 의하여 열분해(熱分解)시켜 수소(水素)를 첨가하여 석유를 만드는 직접 액화법(直接液化法)인 베르기우스법(Bergius法)과, 석탄 또는 코크스와 물에서 수성 가스(水性 gas)를 만들어 석유와 비슷한 탄화 수소(炭化水素)를 만드는 간접 액화법인 피셔법(Fischer法)·합성법(合成法) 등이 있음. *석유 합성.
석탄-유【石炭油】[一뉴] 명〖광〗석유(石油).
석-탄일【釋誕日】명 불탄일(佛誕日).
석-탄자【石彈子】명 잔 돌멩이를 튀겨서 쏘는 쇠뇌.
석탄-재【石炭一】[一째] 명 석탄을 태운 나머지의 재.
석탄 저:온 건류 공업【石炭低溫乾溜工業】[一걸一] 명〖화〗석탄을 500°C 내외의 온도로 가열(加熱)·건류하여 석유를 만드는 산업. 주로 연료용 중유(重油)로서의 저온(低溫) 타르(tar)의 생산을 목적으로 하며, 아울러 건류 가스(gas)에서 약간의 휘발유를 뺌.
석탄 조직학【石炭組織學】명 석탄에 대한 암석학적(岩石學的)인 연구를 행하는 학문.
석탄-주【惜呑酒】명 우리 나라 고유의 술의 하나. 멥쌀로 술밑을 만든 것에 찹쌀로 다시 덧술하여 만든 술. 그 맛이 달아 입에 머금고 차마 삼키기가 아깝다고 하여 붙여진 이름이라고 함.
석탄-층【石炭層】명〖지〗탄층(炭層).
석탄 타르【石炭一】〔tar〕명〖화〗콜타르(coal tar).
석탄 탐지기【石炭探知機】명〔coal-sensing probe〕〖광〗감마선(γ線) 조사(照射) 장치로써 탄층내(炭層內)에 남아 있는 석탄의 두께를 측정하는 방사선 장치.
석탄화-도【石炭化度】명 매몰된 식물이 각종의 변성(變成) 작용을 받아 석탄화된 정도. 아탄(亞炭)·갈탄(褐炭)·아역청탄(亞瀝靑炭)·역청탄·무연탄으로 석탄화가 진행됨. *탄화도(炭化度).
석탄화 작용【石炭化作用】명〔coalification, bituminization〕〖지〗지질 시대에 무성했던 식물이 땅 속에 묻혀 오랜 동안에 걸쳐 석탄화되는 작용. 비교적 낮은 온도와 높은 압력으로, 서서히 수소·탄소·메탄의 순서로 이탈(離脫)이 진행, 석묵(石墨)으로 됨. *탄화(炭化) 작용.
석탄 화학【石炭化學】명 석탄의 성인(成因)·성질·구조·반응 따위를 화학적으로 연구하는 학문. 넓은 뜻으로는, 석탄 화학 공업을 포함해서 이름.
석탄 화학 공업【石炭化學工業】명 석탄을 원료로 하여 화학 제품을 제조하는 공업.
석탄 화학 제:품【石炭化學製品】명〔coal chemicals〕석탄에서 야금용(冶金用) 코크스를 제조해 내는 과정에서 부차적으로 생산되는 화학 제품. 합성 물감·의약품·방부제·용제(溶劑) 등의 합성 중간체로 쓰임.
석-탈해【昔脫解】명〖사람〗탈해왕(脫解王).
석탑[1]【石塔】명 돌로 쌓은 탑. 돌탑.

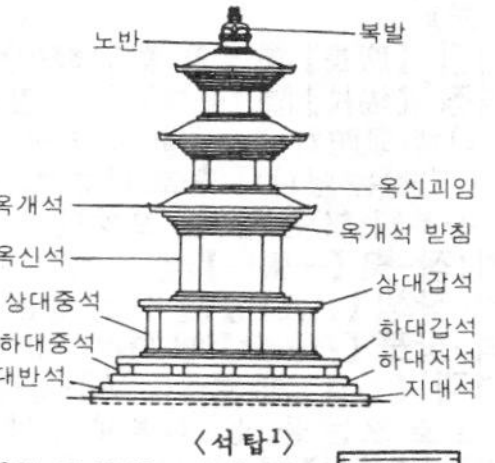

〈석탑[1]〉

석탑[2]【石搭】명 석인(石印)❶.
석탑 산:업 훈장【錫塔産業勳章】명 제5 등급의 산업 훈장. 수(綬)는 소수(小綬)이며, 하늘색 바탕에 황색줄이 두 줄 있음. *산업 훈장.
석태[1]【石胎】명 대리석으로 만든 것같이 굳고 묵직하게 만들어진 자기(瓷器)의 몸. 빛이 희고 흡수성(吸收性)이 없고 불투명함.
석태[2]【石苔】명〖식〗돌김.
석태-도【石台島】명〖지〗충청 남도(忠淸南道)의 서해안(西海岸), 보령시(保寧市) 웅천읍(熊川邑) 관당리(冠堂里)에 위치하는 섬. [0.17km²]

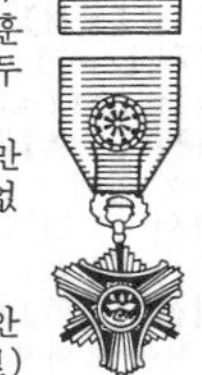
〈석탑 산업 훈장〉

석퇴【石槌】명〖고고학〗'돌망치'의 구용어.
석투【石投】명〖역〗고려 때 별무반(別武班)에 딸린 군대의 하나. 팔매질하던 군대.
석투-당【石投幢】명〖역〗신라 때 팔매질하던 군대.
석투당-주【石投幢主】명〖역〗신라 때 무관(武官). 석투당을 거느림. 위계는 급찬(級飡)으로부터 사지(舍知)까지.
석파【石坡】명〖사람〗①이하응(李昰應)의 호(號). ②김상용(金尙鎔)의 호.
석판[1]【石板】명 석판석(石板石)을 얇게 깎아 그 위에 석필(石筆)로 글씨와 그림을 그리게 된 도구. 석반(石盤).

석판[2] 【石版】 명 〔lithography〕 평판(平版) 인쇄의 하나. 석판석(石版石)의 겉쪽에 비누와 기름을 섞은 재료로 글씨나 그림을 그려서 제판(製版)해서, 물과 기름의 반발성(反撥性)을 이용하여 인쇄함. 1798년, 독일 사람 제네펠더(Senefelder, Aloys; 1771-1834)가 발명했음.

석판-석[1] 【石板石】 명 『광』 석판(石板)의 재료가 되는 점판암.

석판-석[2] 【石版石】 명 『광』 석판(石版)에 쓰이는 석회암. 탄산 칼슘을 주성분으로 하는데, 단단하고 치밀하며, 판상(板狀)으로 쉽게 박리(剝離)되며, 흡습(吸濕)·흡유성(吸油性)이 있음. 빛은 회색 또는 담황색.

석판-술 【石版術】 명 석판(石版)을 제작·인쇄하는 기술.

석판 인쇄 【石版印刷】 명 석판으로 인쇄하는 일. ㊀석인(石印).

석판 전:사지 【石版轉寫紙】 명 『인쇄』 얇고 질긴 종이에 용해성 콜로이드층(colloid 層)을 바른 전사지.

석판 조직 【石版組織】 명 〔lithographic texture〕 『지』 1/256 mm 이하의 입경(粒徑)을 가지고 매끄러운 외관(外觀)을 지닌 어떤 종류의 석회질 퇴적암(堆積岩)의 조직.

석판-화 【石版畫】 명 석판(石版)으로 박은 그림.

석패 【惜敗】 명 경기나 시합에서 조금의 점수 차이로 아깝게 지는 일. 분패(憤敗). ──하다 자여불

석패-과 【石貝科】 〔─꽈〕 명 『조개』 〔Uninidae〕 연체(軟體) 동물에 속하는 쌍패류(雙貝類)의 한 과. 특색은 이 과(科) 조개의 아가미 또는 외투막(外套膜)에 납줄갱이·각시붕어·줄납자루·중고기 등 잉어과(科) 물고기들이 산란(產卵)케 하여 천적(天敵)으로부터 보호해 주며, 대신 석패과 조개들은 그 어류(魚類)에 유생(幼生)을 부착시켜 자라게 하는 공생(共生) 관계를 이루고 있음. 한국에는 말조개·펄조개·두드럭조개 따위가 있음.

석-페스트 【錫─】 〔pest〕 명 북유럽의 추운 겨울에 석기(錫器)에 돌기(突起)가 생기어 모양이 변하는 현상. 백색석(白色錫)이 회색석(灰色錫) └으로 변하기 때문에 생김.

석편 【石片】 명 돌 조각.

석폐 【石肺】 명 『생』 공장 같은 데에서 발생한 광물성의 먼지가 흡수·침적(沈積)되어, 병리적 변화를 일으킨 폐(肺). *진폐(塵肺).

석필 【石筆】 명 ①검은 빛 또는 붉은 빛의 점토(粘土)를 단단하게 해서 붓 모양으로 만들어 통에 끼어 서화(書畫)를 그리는 데 쓰는 기구. ②납석(蠟石) 같은 것을 붓 모양으로 만들어, 석판(石板)에 글씨·그림을 그리는 데 쓰는 문방구(文房具).

석필-석 【石筆石】 명 『광』 납석(蠟石)의 한 가지. 치밀한 덩어리 모양으로 투명하지 아니하고 흰 빛·회색·녹색을 띠며, 지방(脂肪) 광택이 남. 주로 가리(加里)·반토(礬土)·규산(珪酸) 및 물로 되고, 석필·내 └화 벽돌의 제조에 쓰임.

석필-어 【石鮅魚】 명 『어』 상피리.

석하[1] 【夕霞】 명 해질 무렵의 안개. 만하(晚霞).

석하[2] 【石罅】 명 돌의 갈라진 틈.

석-하다 【釋─】 자여불 아침 저녁으로 부처 앞에 예불(禮佛)하다.

석학 【碩學】 명 학식이 많음. 학문이 깊음. 또, 그러한 사람. 석사(碩師).

석할 지옥 【石割地獄】 명 『불교』 팔열 지옥(八熱地獄)의 하나. 큰 철산(鐵山)이 양쪽에서 무너져 죄인을 압살(壓殺)하며 유혈(流血)이 땅에 가득 찬다고 하는 지옥. 중합 지옥(衆合地獄).

석함 【石函】 명 돌함. 석실(石室).

석해 【石蟹】 명 『동』 가재.

석해-전 【石蟹腷】 명 가재 지짐이.

석핵 【石核】 명 『고고학』 '몸돌'의 구용어.

석핵 석기 【石核石器】 명 구석기 시대에 사용된 석기 가운데, 돌덩이의 주변을 깨뜨려 버리고 중심을 석기로 만든 것의 총칭. 비교적 무거운 것이 많으며, 나무를 벌채(伐採)하고 땅을 파는 데 적합함. 서(西)유럽·아프리카·남부 인도 등의 고온 습윤(高溫濕潤)한 삼림 지대의 생활 문화에서 볼 수 있음.

〈석핵 석기〉

석-현[1] 【石峴】 명 『지』 경기도 용인시(龍仁市)에 있는 고개. [78m]

석현[2] 【昔賢】 명 옛날의 현인. 고현(古賢).

석혈 【石穴】 명 『광』 광석(鑛石)이 바윗 속에 든 광산(鑛山). 석광(石鑛). ↔사금광(砂金鑛).

석호[1] 【石虎】 명 왕릉(王陵) 등의 곡장(曲牆) 안에 만들어 세운 돌로 된 범. 호석(虎石). *석마(石馬).

석호[2] 【潟湖】 명 〔lagoon, seashore lake〕 『지』 사취(砂嘴)·사주(砂洲)·연안주(沿岸州) 등에 의하여 바다의 일부가 외해(外海)와 분리되어 생 └긴 호소(湖沼).

석-호유 【石胡荽】 명 『식』 피막이풀.

석-혹 【石─】 명 〈속〉 석영(石癭).

석혼-식 【錫婚式】 명 결혼 기념식의 하나. 결혼 10 주년이 되는 날을 축하하여, 부부가 주석 제품을 선물로 주고받아 기념함. *피(皮)혼식.

석화[1] 【石火】 명 ①돌이 서로 맞부딪치거나 또는 돌과 쇠가 맞부딪칠 때 일어나는 불. ②몹시 빠른 것의 비유. ¶ 전광(電光) ~.

석화[2] 【石化】 명 ①〔petrifaction〕 생물의 유해(遺骸)가 땅 속에 매장되어 있는 동안에, 규소(珪素)·석회(石灰) 등의 광물질의 침투로 인하여 유해한 유기질(有機質)과 치환(置換)하여 형태를 보강(補強)함으로써 화석(化石)이 되는 일. ②대화(帶化). ──하다 자여불

석화[3] 【石花】 명 ①『조개』 굴조개. ②『식』 지의[2](地衣).

석화[4] 【石貨】 명 돌로 만든 돈. 지금도 일부 미개인(未開人)들이 사용함.

석화[5] 【席畫】 명 어떤 자리에서 주문(注文)에 응하여 즉석에서 그림을 그림. 또, 그 그림. ──하다 자여불

석화[6] 【錫花】 명 흰 빛으로 변한 연질 연유(軟質鉛釉). 연질 연유가 흙 속에 오래 있어 거죽에 탄산(炭酸)납이 나와서, 처음에 엷을 때는 홍채(紅彩)가 돌다가, 짙어질수록 은백색을 띠게 되고, 마침내는 윤택이 없는 흰 빛으로 변함.

석화 광음 【石火光陰】 명 돌이 마주 부딪칠 때에 불빛이 한 번 번쩍하였다가 곧 없어지는 것처럼 빠른 세월을 비유하는 말.

석화-반 【石花飯】 명 굴밥.

석화 작용 【石化作用】 명 〔lithification〕 생물의 유해(遺骸) 등에 탄산석회(炭酸石灰)·규산(珪酸) 등이 들어가서, 변질(變質)시켜 굳게 하는 └작용.

석화-저 【石花菹】 명 굴김치.

석화 전:유화 【石花煎油花】 명 굴저냐.

석화-죽 【石花粥】 명 굴죽.

석화-채 【石花菜】 명 『식』 우뭇가사리. *한천(寒天).

석화-탕 【石花湯】 명 굴국.

석화-해 【石花醢】 명 굴젓.

석화-회 【石花膾】 명 굴회.

석환 【石環】 명 환석(環石)❶.

석황 【石黃】 명 『광』 ↗석웅황(石雄黃)❶.

석황-니 【石黃泥】 명 중국 의흥요(宜興窯)의 원료가 되는 흙. 누른 빛의 흙. 덩어리인데, 햇빛을 쬐면 부서져서 주사(朱砂)가 된다 함.

석회 【石灰】 명 『화』 ①석회석(石灰石)·백악(白堊)·조가비 등을 탄산 가스가 전부 없어질 때까지 구워서 얻는 백색 덩어리의 생석회(生石灰)와 이것을 물에 타서 얻는 소석회(消石灰)의 총칭. 회. 칼크(calc). ②탄산 칼슘.

석회 가마 【石灰─】 명 〔lime kiln〕 『공』 석회를 굽는 데 쓰이는 가마. 반응 부분(反應部分)은 1,200° C 가량임.

석회-각 【石灰殼】 명 〔calcareous crust〕 『지』 탄산 석회가 땅의 표면에 나와서 단단하게 굳어진 지각(地殼).

석회 그리:스 【石灰─】 명 〔lime grease〕 그리스의 일종. 탄산 나트륨으로 만든 그리스보다 쉽게 유화(乳化)되지 않는 것이 특징임. 장마철이나 그 밖의 물이 많은 환경에서 쓰임.

석회니 석회암 【石灰泥石灰岩】 명 〔calcilutite〕 『광』 ①고회암(苦灰岩) 또는 석회암. 전형적 비규산질(非珪酸質)인 석회질 암석의 분말로 됨. ②탄산 칼슘 암석. 평균 직경 1/16 mm 이하의 입자 또는 결정으로 이 └루어짐.

석회-동 【石灰洞】 명 『지』 종유동(鍾乳洞).

석회-말 【石灰─】 명 〔calcareous algae〕 『식』 석회석 또는 석회질이 침투한 해토(海土)에서 생육하는 조류(藻類). 석회 조류.

석회 모르타르 【石灰─】 명 〔lime mortar〕 소석회(消石灰)에 모래를 섞어 물로 반죽하여 만든 도료(塗料)의 한 가지.

석회반 건조 평야 【石灰盤乾燥平野】 명 〔lime-pan playa〕 『지』 탄산 칼슘으로 된, 표면이 굳고 평탄한 건조 평야.

석회 보르도 액 【石灰─液】 〔프 Bordeaux〕 명 보르도액(液).

석회-분 【石灰分】 명 석회의 성분.

석회 비:료 【石灰肥料】 명 『농』 석회질 비료.

석회사 석회암 【石灰砂石灰岩】 명 〔calcarenite〕 『광』 석회암 또는 고회암(苦灰岩)의 일종. 산호·패사(貝砂) 또는 오래된 석회암의 침식 작용으로 된 모래로 이루어짐. 입자의 크기는 1/16-2mm. ┌(骨骸).

석회 산호 【石灰珊瑚】 명 『동』 산호 군체(群體)가 분비한 석회질의 골해

석회-샘 【石灰─】 명 〔calciferous gland〕 『동』 어떤 빈모류(貧毛類)의 식도(食道)에 있어 탄산 칼슘을 분비하는 샘.

석회-석 【石灰石】 명 『광』 석회암(石灰岩). 횟돌.

석회-수 【石灰水】 명 〔lime water〕 『화』 석회를 녹인 무색 투명의 액체. 알칼리성 반응을 일으키며 쉽게 탄산 가스를 흡수하여 뿌옇게 됨. 소독·살균제로 쓰고, 구토(嘔吐)·설사·디프테리아(diphtheria) 등에 내복(內服)하며, 인후 질환(咽喉疾患)에 함수제(含漱劑)로, 화상(火傷)에 찜질약으로 씀. 그 외에 제산제(制酸劑) 및 탄산 가스의 검출 시약(檢出試藥)으로도 쓰임. 석회액. 횟물. ┌하여 잘 자라는 식물.

석회 식물 【石灰植物】 명 〔calcicole, lime plants〕 석회암 지역에 분포

석회 알칼리암 【石灰─岩】 〔alkali〕 명 『광』 칼크(calc) 알칼리암.

석회-암 【石灰岩】 명 〔lime stone〕 『광』 대개 탄산 석회를 주성분으로 하는 수성암(水成岩). 수중(水中) 동물의 뼈나 껍질이 쌓여서 된 것으로, 산화철(酸化鐵)이나 수산화철(水酸化鐵)이 섞인 것은 붉은 빛 또는 적갈색, 유기물(有機物)이나 탄소가 섞이면 암색(暗色), 점토가 섞이면 유색(黝色), 황철광(黃鐵鑛)의 가루가 섞인 것은 남색(藍色)이 됨. 건축용재(用材) 석회 및 시멘트 제조의 원료로 쓰임. 석회석(石灰石). 횟돌.

석회-액 【石灰液】 명 『화』 석회수(石灰水).

석회-유[1] 【石灰乳】 명 〔milk of lime〕 『화』 소석회(消石灰)를 10배의 물에 녹인 백색 이상(白色泥狀)의 액체. 알칼리성을 나타냄. 시궁창·변소·불결한 곳에 소독수로 뿌리고, 공업상 황산액(黃酸液)의 중화제(中和劑)로 쓰임. 유상 석회(乳狀石灰). ┌에 쓰는 잿물의 총칭.

석회-유[2] 【石灰釉】 명 『공』 탄산 석회를 매용제(媒溶劑)로 하여 도자기

석회 유리 【石灰琉璃】 명 소다 석회 유리.

석회 유황 합제 【石灰硫黃合劑】 명 『농』 생석회와 유황화(硫黃華)를 물에 조합 조제(調合調製)하여 만든 알칼리성의 투명한 액체. 농작물의 살균·살충제 및 토양의 소독제로 쓰임.

석회-장 【石灰匠】 명 『역』 석회를 굽는 장인(匠人).

석회-정 【石灰穽】 명 〔dolina〕 『지』 석회암(石灰岩) 지대에 생기는 오목한 곳. 석회암이 물에 용해되어 생김. 돌리나. 돌리네(Doline).

석회조-류 【石灰藻類】 명 『식』 주위의 물 속에서 석회질(質)을 취하여 이것을 석출(析出)하여 그 체내에 침전시키는 조류(藻類)의 총칭. 홍조류(紅藻類)의 산호조과(珊瑚藻科)의 모든 조류가 이에 속함. 석회말.

석회-증 【石灰症】 〔─쯩〕 명 〔calcinosis〕 『의』 어떤 종류의 병리학적 상태 밑에서, 피부·피하 조직 등에 칼슘염이 침적(沈積)하는 병증.

석회-질 【石灰質】 명 석회 성분을 주로 가진 물질. ㊀회질.

석회질 도기 【石灰質陶器】 명 『공』 장석질(長石質)의 도기(陶器). 경질

도기(硬質陶器)보다 석회를 많이 포함함.

석회질 비:료【石灰質肥料】 명 〖화〗 간접 비료로 사용하는 석회. 칼슘을 주성분으로 하는 비료로서, 중요한 것으로는 생석회(生石灰)·소석회(消石灰)·탄산 석회 등이 있음. 흙 속의 불용해(不溶解) 성분을 분해하여 가흡태(可吸態) 양분을 증가시키고, 산성(酸性)이 강한 흙을 중화시켜 작물(作物)에 대해 간접적 효과를 줌. 석회 비료(石灰肥料).

석회 질소【石灰窒素】[—쏘] 명 〔nitrolime, lime nitrogen〕 〖화〗 탄화(炭化) 칼슘을 1,000°C에서 가열한 다음에 질소 가스를 통하여 유리 질소(游離窒素)를 고정시키어 얻는 칼슘·시아나미드(cyanamide)·탄소의 혼합물. 백색 또는 흑백색의 가루로서, 화약(火藥)·비료 등의 원료로 씀.

석회질 연:니【石灰質軟泥】 명 〔calcareous ooze〕 〖지〗 세립(細粒)의 원양성(遠洋性) 퇴적물. 작은 해생(海生) 생물의 미용해(未溶解) 물질이나 모래알 크기 또는 실트(silt) 크기의 석회질 골격의 유해를 함유하고 있고, 일정치 않은 점토(粘土) 크기의 물질도 혼입되어 있음.

석회질 토양【石灰質土壤】 명 〔calcareous soil〕 〖지〗 탄산 칼슘과 탄산 마그네슘의 집적(集積)으로 된 토양.

석회 찰제【石灰擦劑】[—쩨] 명 〖약〗 석회수(石灰水)와 참기름을 같은 양으로 혼합하여 만든 흰 빛의 액체. 화상(火傷)·습진(濕疹) 등에 바름.

석회-층【石灰層】 명 〖지〗 탄산 석회가 석출(析出)하여 침전(沈澱)되어서 생기는 지층(地層). 회백색임.

석회 침착【石灰沈着】 명 〖의〗 혈액 속에 석회 성분이 증가하거나 조직의 상태가 변화하여 석회의 침착이 용이하게 된 조건 밑에서, 생리적으로 칼슘 성분이 존재하지 않는 세포 또는 그 간질(間質)에 석회염(塩)이 침착하는 현상. *석화(石化) 작용.

석회-토【石灰土】 명 탄산 석회(炭酸石灰)가 많이 섞인 흙.

석회 피각【石灰皮殼】 명 〖지〗 반(半) 사막 지역에서 탄산 칼슘이 토양의 표면에 석출(析出)되어 이루어진 단단한 지각. 두께는 50센티 정도가 보통. 연 강우량 100-500밀리 정도의 지방에 발달함. 아프리카 남서부의 고지에서 볼 수 있음.

석회 해:면류【石灰海綿類】[—뉴] 명 〖동〗 〔Calcarea〕 해면(海綿) 동물에 속하는 한 강(綱). 무색 또는 흰 빛이고, 석회질(石灰質)의 골편(骨片)으로 세 개의 복(輻)이 있음. 군체(群體)를 이루는데, 염산(塩酸) 또는 질산(窒酸)에 담그면 탄산 가스의 거품을 일으키고 차츰 오그라듦. 등강류(等腔類)와 이강류(異腔類)의 두 목(目)으로 분류됨. 싸리버섯해면 등이 이에 속함.

석회-화[1]【石灰化】 명 〔calcification〕 〖생〗 생물체에서의 석회질 침착. 핏 속에 녹아 있는 칼슘이 조직 및 세포 간질(細胞間質)에 쌓여서 골질(骨質)을 이루는 일.

석회-화[2]【石灰華】 명 〔calcareous sinter〕 〖광〗 석회질(石灰質)의 수용액(水溶液)에서 침전(沈澱)된 탄산 석회. 온천(溫泉) 근처에 많음.

석획【碩劃】 명 큰 계획. 큰 모책(謀策). 석모(碩謀).

석후【夕後】 명 저녁밥을 먹고 난 뒤. ¶ ～의 산보.

석훈【夕曛】 명 해진 뒤의 어스레한 빛.

석휘【夕暉】 명 석조(夕照).

섞-갈리다 자 갈피를 잡지 못하게 여러 가지가 뒤섞이다. ¶이야기가 ～.

섞다 타 〔중세 : 섥다〕 ①두 가지 이상의 것을 함께 합치다. 이미 있는 것에 새로 더 넣다. ¶ 우유에 커피를 ～/쌀에 보리를 ～. ②휘저어 합치다. ③어떤 말이나 행동에 다른 행동이나 말을 아울러 나타내다. ¶ 거짓말을 섞어가며 지껄이다.

섞-바꾸다 자타 서로 다른 것으로 갈아 바꾸다. 서로 번갈아 차례를 바꾸다.

섞-바뀌다 피동 서로 다른 것으로 바꾸어지다. 서로 번갈아 차례가 바뀌다.

섞박-지 명 절인 배추·무·오이를 넓적하게 썰고 고명에 젓국을 쳐서 한데 버무려 담은 뒤에 조기젓 국물을 아주 적게 부어서 익힌 김치. 마른 낙지·전대구·북어 등의 살을 토막쳐서 넣기도 함.

섞-사귀다 자 지위와 환경이 다른 사람들끼리 서로 사귀다.

섞어-짓기 명 〖농〗 생장 기간(生長期間)이 거의 같은 두 가지 이상의 작물을 동시에 같은 땅에 재배하는 일. 대개 여름 작물에 한함. 혼작(混作). 혼식(混植).

섞이다 피동 서로 섞어지다.

섞임-월 명 〖언〗 '혼성문(混成文)'의 풀어 쓴 말.

섟[1] [석] 명 물가의 배를 매어 두기 좋은 곳.

섟[2] [석] 명 서슬에 불끈 일어나는 감정. ¶ ～김에 때리다.

섟[3] [석] 명 〈방〉 ①두께. ②운두.

섟[4] [석] 의명 '-ㄹ'이나 '-을' 아래에 조사 '에'와 함께 쓰이어 '마땅히 하여야 할 경우에 그렇게 하지는 못하나마 도리어'의 뜻을 나타내는 말. ¶ 도와 줄 ～에 방해를 하다니/빚을 갚을 ～에 돈을 더 달란다.

섟-삭다 [석—] 자 ①서슬에 불쑥 일어난 노여움이 풀어지다. ②의심하는 마음이 풀어지다.

선:[1] 명 사람의 좋고 나쁨과 합당하고 불합당함을 가리어 보는 일. ¶ 색시의 ～을 보다/맞～을 보다.

선[2]【仙】 명 ↗신선(神仙).

선[3]【先】 명 ①첫째 차례. 선번(先番). ②바둑이나 장기를 시작할 때에 맨 처음에 상대편보다 먼저 두는 일. ③화투놀이 따위에서, 패를 돌라 주고, 먼저 패를 떼는 사람. 보통, 앞서 판에서의 최우승자가 됨. ④↗정선(定先). ——-하다 자여불

선[4]【先】 명 성(姓)의 하나. 본관(本貫)은 진성(晋城)으로 전함.

선[5]【宣】 명 성(姓)의 하나. 우리 나라에서는 보성(寶城) 외에 광주(光州)·이천(利川)·전주(全州) 등 20여 본(本)이 문헌에 전하나, 모두 보성 선씨의 분파 세거지지(分派世居之地)를 뜻한다고 함.

선[6]【扇】 명 〖역〗 임금의 거둥 때 쓰던 부채.

선:[7]【善】 명 ①착하고 올바름. 어질고 좋음. 또, 그런 일. ¶ ～을 쌓다. ②정리(正理)를 따름. 양심이 있고 도덕을 갖춤. ③〖윤〗 도덕적 생활의 최고 이상. 1)-3):↔악(惡). ——-하다 형여불 착하다. 어질다.

선[8]【善】 명 성(姓)의 하나. 우리 나라에 현존하지 아니함.

선[9]【腺】 명 〔gland〕 〖생〗 생물체가 몸 속의 액체 물질을 분비 및 배설하는 상피 조직성(上皮組織性)의 기관. 동물에는 내분비선(內分泌腺)과 외분비선(外分泌腺)의 구별이 있음. 누선(涙腺)·위선(胃腺)·유선(乳腺)·한선(汗腺) 같은 것. 샘.

선[10]【線】 명 ①그어 놓은 줄이나 금. ¶ ～을 긋다. ②↗경계선(境界線). ¶ ～을 넘다. ③가늘고 길게 뻗쳐 있는 전선(電線)이나 선로(線路) 같은 것의 일컬음. ¶ 경부～/호남～/국내(國內)～/전화～. ④노선(路線) ❶. ⑤〔line〕 〖수〗 기하학(幾何學)에서 취급하는 대상의 하나. 점(點) 다음 가는 단순한 도형(圖形)의 구성 요소로, 길이와 위치는 있으나 넓이와 두께는 없는 것의 일컬음. 곧, 직선(直線)·곡선(曲線)·절선(折線)의 총칭. ⑥〖미술〗 물체와 물체를 경계짓는 곳. ¶ ～이 뚜렷하다. ⑦〖악〗 보표(譜表)에 있는 다섯 개의 줄. 밑으로부터 제일선, 제이선, 제삼선, 제사선, 제오선이라고 부름.

선이 굵다 구 ㉠굵은 선으로 그어져 있다. ㉡통이 크고 힘찬 느낌이다.

선[11]【璇】 명 〖천〗 북두 칠성(北斗七星)의 둘째 별.

선[12]【縇】 명 옷이나 방석 등의 가장자리.

선:[13]【選】 명 ①여럿 가운데에서 뽑음. ¶ 고문(古文)～/당시(唐詩)～. ②시험이나 심사에 든 사람을 뽑는 일. ¶ ～에 들다/～에서 빠지다.

선[14]【禪】 명 〖불교〗 ①〔←선나(禪那), 범 dhyāna〕 삼문(三門)의 하나. 마음을 가다듬고 정신을 통일하여 번뇌를 끊고 진리를 깊이 생각하여 무아 정적(無我靜寂)의 경지에 몰입(沒入)하는 일. ②↗선종(禪宗). ③↗좌선(坐禪).

선[15]【鮮】 명 성(姓)의 하나. 우리 나라에는 현존(現存)하지 아니함.

선[16]〔sun〕 명 태양. 해.

선[17]〔Sun, the〕 명 영국의 대중적 조간 신문. 주로 젊은 층을 상대로 하며, 정당색을 띠지 않는 것이 특색임. '데일리 헤럴드(Daily Herald)'의 후계지(後繼紙)로 1964년 10월에 창간함. 발행 부수는 1,161,000부(1968년).

선[18]【仙】 의명 '센트(cent)'의 취음.

선:-[1] 접 익숙하지 못하거나 격에 맞지 않아 서투르고 덜됨을 나타내는 말. ¶ ～잠/～무당/～웃음/～하품. *설-.

선-[2]【先】 접 ①명사 앞에 붙이어 '돌아간'의 뜻을 나타내는 접두어. ¶～대왕(大王)/～대인(大人). ②명사 앞에 붙이어 '앞선·먼저'의 뜻을 나타내는 접두어. ¶ ～세(貰)/～보름.

-선[1]【仙】 미 '신선(神仙)'의 뜻 또는 재능이 뛰어남을 나타내는 접미어. ¶ 시(詩)～/주(酒)～.

-선[2]【船】 미 '배'의 뜻을 나타내는 말. ¶ 수송～/병원～/외국～/유조～.

선가[1]【仙家】 명 ①신선(神仙)이 사는 집. 선관(仙館). 선장(仙莊). ②선도(仙道)를 닦는 사람. ③선인(仙人)이 되는 길을 설법하는 사람. 도가(道家).

선가[2]【仙駕】 명 임금이나 신선이 타는 수레.

선가[3]【船架】 명 배를 수선하기 위하여 궤도(軌道) 위에 올려서 땅 위로 끌어 올리는 설비(設備). 선가대(船架臺).

선가[4]【船價】 명 ①배를 타거나 또는 배로 짐을 실어 옮긴 값. 뱃삯. 선임(船賃). ②〖역〗 조선 시대에, 조선(漕船)의 사공(沙工)·조졸(漕卒)에게 지급하기 위하여, 세곡(稅穀)을 상납(上納)할 때 서울과의 거리에 따라 각 군(郡)에 물리던 부가세(附加稅).

【선가 없는 놈이 배에 먼저 오른다】 능력 없는 사람이 능력 있는 사람보다 앞서 떠들고 덤벙대는 것을 두고 이르는 말.

선:가[5]【善價】[—까] 명 후하고 많은 값. 좋은 값.

선:가[6]【選歌】 명 노래를 가려 뽑음. 또, 그 노래.

선가[7]【禪家】 명 〖불교〗 ①참선(參禪)하는 중. 선객(禪客). 선석(禪席). ②참선하는 집.

선가 귀감【禪家龜鑑】 명 〖책〗 조선 명종(明宗) 때, 서산 대사(西山大師) 휴정(休靜)이 지은 불교 개론서. 본디, 삼교 귀감(三敎龜鑑)의 제1권. 명종 19년(1564)에 간행.

선가 귀감 언:해【禪家龜鑑諺解】 명 〖책〗 서산 대사(西山大師) 휴정(休靜)이 지은 《선가 귀감》을 그의 제자 유정(惟政)이 언해한 책. 조선 선조(宣祖) 때 간행. 국어사(國語史) 연구의 좋은 자료가 됨.

선가-대【船架臺】 명 선가(船架).

선가-어【船可魚】 명 〖어〗 꺽저기❶.

선가 오:종【禪家五宗】 명 〖불교〗 선종(禪宗)의 다섯 종파(宗派). 곧, 임제종(臨濟宗)·운문종(雲門宗)·조동종(曹洞宗)·위앙종(潙仰宗)·법안종(法眼宗). 오파(五派). ㊥오종(五宗).

선가파【先嘉陂】 명 〖지〗 '싱가포르(Singapore)'의 음역.

선각[1]【先覺】 명 ①남보다 앞서서 도(道)나 사물을 깨달음. 선성(先醒). ↔후각(後覺). ②↗선각자(先覺者). ——-하다 자타여불

선각[2]【船殼】 명 의장(艤裝)·기관(機關) 등을 제외한 배의 골격과 외곽을 형성하는 구조 주체. 공장에서 만든 블록을 선대(船臺) 위에서 조립함. 선곽(船郭).

선각[3]【禪閣】 명 〖불교〗 선종(禪宗)의 사원(寺院). 선사(禪寺).

선각[4]【蟬殼】 명 매미의 허물.

선각-산【仙角山】 명 〖지〗 전라 북도 진안군(鎭安郡) 백운면(白雲面)에 있는 산. [1,150 m]

선각-자【先覺者】 명 남달리 앞서 깨달은 사람. ㊥선각(先覺).

선-간[1]【線間】 명 ①두 줄의 사이. 줄과 줄의 사이. ②〖악〗 보표(譜表)의 오선(五線)에 있어서 각 줄의 사이. 밑으로부터 제일간·제이간·제

삼간·제사간이라 부름.

선:간[2]【選干】명〖역〗신라 때 외위(外位)의 한 벼슬. 십등(十等) 가운데 다섯째로, 경위(京位)의 나마(奈麻)에 준함. 찬간(撰干).

선-갈퀴 명〖식〗[*Asperula odorata*] 꼭두서닛과에 속하는 다년초. 줄기는 방형(方形), 높이 30cm 내외이며, 잎은 6-8개가 윤생(輪生)하고 거꿀달걀꼴의 긴 타원형 또는 피침형을 이룸. 5-6월에 깔때기꼴의 꽃부리로 된 흰 꽃이 총상 취산(總狀聚繖) 화서로 정생하며 향기로운 과실을 맺음. 산지에 나는데, 금강산·울릉도·평북 등지에 분포함.

〈선갈퀴〉

선:감【善感】명 ①종두(種痘) 같은 것이 잘 감염(感染)됨. ↔불선감(不善感). ②걸핏하면 감동(感動)함. ——하다 자여불

선감-도【仙甘島】명〖지〗경기도 안산시(安山市) 대부동(大阜洞) 선감리(仙甘里)에 있는 섬. [3.72 km^2]

선-감찰【船鑑札】명〖법〗총톤수 5톤 미만의 범선(帆船) 및 단주(端舟)를 제외한, 총톤수 20톤 미만의 선박이 선적항(船籍港)을 관할하는 지방 관청으로부터 받는 감찰. 다른 선박의 선박 국적 증서(船舶國籍證書)에 해당함.

선갑-도【仙甲島】명〖지〗인천 광역시 옹진군(甕津郡) 덕적면(德積面)에 있는 덕적 군도(德積群島)의 한 섬. 무인도(無人島)임. [1.98 km^2]

선강【銑鋼】명 선철(銑鐵)과 강철.

선강 일관 작업【銑鋼一貫作業】명 제선(製銑)·제강(製鋼)·압연(壓延)의 3단계 작업을 동일 제철소에서 일관해서 행하는 근대적인 철강(鐵鋼) 생산 방식.

선개【蘚蓋】명〖식〗선류(蘚類)의 포자낭의 끝을 덮고 있는 뚜껑 모양의 기관. 포자낭이 성숙하면 자연히 떨어지며, 포자가 이곳에서 비산(飛散)함.

선개-교【旋開橋】명 [swing bridge]〖토〗가동교(可動橋)의 한 가지. 교체(橋體)가 중앙 지점(支點)을 중심으로 하여 동력의 힘으로 수평으로 회전하여 선로(船路)를 열어 주는 장치를 한 다리. 회선교. *승개교.

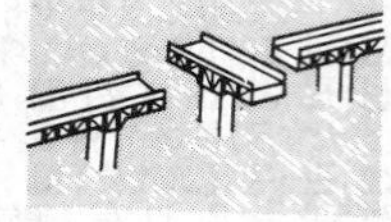

〈선개교〉

선-개불알풀 명〖식〗[*Veronica arvensis*] 현삼과에 속하는 월년초(越年草). 줄기 높이 25cm 가량, 잎이 줄기 아래에서는 대생(對生), 상부에서는 대생 혹은 호생하며, 거의 무병(無柄)에 달걀꼴을 이룸. 5-6월에 담홍자색의 꽃이 총상(總狀) 화서로 줄기 위 엽액(葉腋)에 액생(腋生)하고, 작은 삭과(蒴果)를 맺음. 들에 나는데, 울릉도에 분포함.

선객[1]【仙客】명 신선(神仙). 선인(仙人).

선객[2]【先客】명 먼저 온 손님. ¶~이 있다.

선객[3]【船客】명 배를 탄 손님. 여객선(旅客船)의 승객(乘客).

선객[4]【禪客】명〖불교〗선가(禪家)❶.

선객 채:여【仙客採餘】명〖미술〗동양화의 화제(畫題)의 하나. 영지(靈芝)와 돌을 그린 것. 장수를 축하하는 그림임.

선거[1]【仙居】명 신선(神仙)이 사는 곳. 속세(俗世)를 떠난 조용한 곳.

선거[2]【船車】명 배와 수레.

선거[3]【船渠】명 [dock]〖토〗선박(船舶)의 건조나 수리 또는 하역을 하기 위한 설비. 바닷가에 배가 들어갈 만한 구덩이를 파고 둘레와 밑바닥에 콘크리트를 쳐서 만듦. 작업할 때는 출입구로부터 배를 끌어넣고 출입구의 문을 닫은 다음, 배수함과 동시에 선체를 좌우에서 기둥으로 받쳐 자빠지지 않게 함. 작업이 끝난 후에는 다시 문을 열어 물을 채워 배를 내보내게 됨. 건선거(乾船渠)와 부선거(浮船渠) 등이 있으나, 보통 건선거를 말함. 독(dock). 뱃도랑.

선:거[4]【選擧】명 ①많은 사람 가운데서 적당한 사람을 대표로 뽑아 냄. ②〖정〗선거권(選擧權)을 가진 사람이 전국에 걸쳐서 또는 일정한 구역에 있어서, 특정한 수효의 의원(議員) 등 공직(公職)에 임할 사람을 특히, 투표에 의하여 선정(選定)하는 행위. ——하다 타여불

선:거 간섭【選擧干涉】명〖정〗여당(與黨)의 당선자를 많이 내기 위하여 관권(官權)으로 반대당(反對黨)을 압박하고 선거의 공정(公正)을 깨뜨리어 부당히 간섭하는 일.

선:거 공보【選擧公報】명 대통령 선거인단·국회 의원의 선거에서, 후보자의 기호·성명·경력·정견·사진 등을 게재한 문서. 관할 선거구 선거 관리 위원회가 1회 발행하여, 유권자에게 배포함.

선:거 공약【選擧公約】명 선거 운동시에, 정당이나 입후보자가 선거권자에게 제시하는, 공적(公的)인 약속. 당선 후 펴 나갈 시책들에 관한 것임.

선:거 공영【選擧公營】명〖정〗국가나 지방 자치 단체가 선거 운동의 공평을 기하기 위하여, 운동에 일정한 제한을 가함과 동시에 각종의 편의를 주어, 그 비용을 부담하는 제도. 선전 벽보의 작성·첩부(貼付), 선거 공보의 발행, 연설회장의 대여, 경력 방송, 교통 시설 편의의 제공 따위를 행함. 공영 선거.

선:거 관리 위원회【選擧管理委員會】[—괄—] 명〖정〗선거와 국민 투표의 공정한 관리 및 정당에 관한 사무를 관장하는 기관. 중앙 선거 관리 위원회, 서울 특별시·광역시·도(道) 선거 관리 위원회, 시·구·군 및 투표구 선거 관리 위원회가 있음. 준선위(選委)·선관위.

선:거-구【選擧區】명〖정〗의원(議員)을 선출하는 단위(單位)로서 전국을 지역적으로 구분한 구역(區域). 소선거구(小選擧區)·중선거구(中選擧區)·대선거구(大選擧區)의 구별이 있음.

선:거 군주국【選擧君主國】명〖정〗선거 군주제를 채택 실시하고 있는 나라. *세습 군주국.

선:거 군주제【選擧君主制】명〖정〗군주의 지위 계승(繼承)의 방법에 따라 분류한 군주제의 하나. 군주의 지위가 선거에 의하여 계승되는 정치 체제. 단, 군주가 될 수 있는 사람은 특별한 혈통에 한함. 신성 로마 제국은 이의 적례(適例)이며, 지금은 존재하지 않음. *선정(選定) 군주제·세습(世襲) 군주제.

선:거-권【選擧權】[—꿘] 명〖법〗선거에 참가하여 투표를 행할 수 있는 권리. *참정권.

선:거 기간【選擧期間】명〖정〗선거 기일(期日)의 공포 또는 고시(告示)가 있은 날부터 선거일까지의 기간.

선거 노:마【鮮車怒馬】명 좋은 수레와 힘센 말.

선:거-록【選擧錄】명〖정〗선거 위원회가 선거 경과의 전말(顚末)을 기록한 책.

선거리 명〖민〗충청도의 서해(西海) 섬 지역에서, 무꾸리·푸닥거리 등을 업으로 하는 만신.

선:거 무효【選擧無效】명〖법〗선거의 효력을 부인하는 일. 대통령 및 국회 의원 선거에 관하여 이의가 있는 선거인·정당·후보자는 선거일로부터 30일 안에 대법원에 소송을 제기할 수 있으며, 대법원은 선거에 관한 규정에 위반한 사실이 있을 때라도 선거 결과에 영향을 미쳤다고 인정할 때에 한하여 선거의 전부 또는 일부의 무효를 판결함.

선:거 방해【選擧妨害】명 후보자를 당선시키지 아니할 목적으로 선거 운동에 방해나 압력을 가하는 일.

선:거 방해죄【選擧妨害罪】[—쬐] 명〖법〗검찰(檢察)이나 경찰 또는 군(軍)의 직에 있는 공무원이 법률에 의한 선거에 관하여 입후보자(立候補者)나 입후보하려는 자에게 협박을 가하거나 기타의 방법으로 선거의 자유를 방해함으로써 성립되는 범죄.

선:거 범:죄【選擧犯罪】명〖법〗각종 선거법의 벌칙(罰則)에 규정된 범죄.

선:거-법【選擧法】[—뻡] 명〖법〗각종(各種) 선거에 관한 법률.

선:거 보:복【選擧報復】명 선거에 승리한 자거나 패배한 자거나간에, 선거가 끝난 후에 그 경쟁 상대자와 그 관계자에 대하여 행하는 보복.

선:거 비:용【選擧費用】명〖정〗선거 운동에 관한 비용. 법령에 의하여 그 한도액(限度額)이 정하여져 있음. 선거 운동 비용.

선:거 사:무소【選擧事務所】명〖정〗선거 운동의 사무를 담당하기 위한 시설. 곧, 선거 운동의 본거가 되는 사무소.

선:거 사:범【選擧事犯】명〖법〗각종 선거법에 저촉되거나 위반함으로써 성립되는 범죄. 또, 그 범인.

선:거 소송【選擧訴訟】명〖법〗선거 및 당선의 효력(效力)을 둘러싸고 선거의 전부 또는 그 일부의 무효를 주장하는 소송. 곧, 이의(異議)있는 선거인이나 입후보자가 관계 선거 관리 위원회 위원장 또는 당선인을 피고로 하여 제기하는 소송. 선거 무효 소송과 당선 무효 소송이 있음.

선:거 운:동【選擧運動】명 선거에 임하여 특정한 후보자를 당선시킬 목적으로 주선·권유 및 그 밖의 운동을 행하는 일.

선:거 운:동 비:용【選擧運動費用】명〖법〗선거 비용.

선:거 위반【選擧違反】명〖정〗선거에 있어서 금지되거나 처벌의 대상으로 간주되는 행위. 매수(買收)·선거 방해·사전 운동(事前運動)·호별 방문(戶別訪問)·투개표(投開票)의 부정·매스컴의 불법 이용 및 그 밖의 금지 사항을 위반하는 일을 말함.

선:거의 사:대 원칙【選擧—四大原則】[—/—에—] 명 선거를 행하는 데 있어서의 네 가지의 큰 원칙. 곧, 보통 선거·직접 선거·평등 선거·비밀 선거의 네 가지.

선:거-인【選擧人】명〖법〗선거권(選擧權)을 가진 사람. 선거자(選擧者). 유권자(有權者).

선:거인 단체【選擧人團體】명〖정〗선거인 전체, 특히 선거구의 선거인 전체를 일체(一體)로 보았을 때의 일컬음. 일종의 합의제(合議制)의 국가적 기관의 성질을 띠는 것으로 볼 수 있음.

선:거인 명부【選擧人名簿】명〖법〗선거권자의 성명·주소·성별·생년월일 등을 적은 명부. 기본(基本) 선거인 명부와 보충(補充) 선거인 명부가 있음.

선:거-일【選擧日】명〖정〗선거를 하는 날. 법률로써 선거하는 날로 확정(確定)된 날.

선:거-자【選擧者】명 선거인(選擧人).

선:거 자격【選擧資格】명〖법〗선거인이 될 수 있는 법률상의 자격. 한국의 법률로서는 금치산 선고나 한정 치산 선고를 받은 자, 금고(禁錮) 이상의 형의 선고를 받은 자 및 법원의 판결에 의하여 자격이 정지된 자를 제외한 만 20세 이상의 국민에게 이 자격이 부여됨.

선:거-장【選擧場】명 선거를 행하는 장소. 투표장.

선:거 재판【選擧裁判】명 선거 사범(選擧事犯)에 관한 재판.

선:거-전【選擧戰】명〖정〗선거 때에 입후보자들 사이에 당선(當選)을 노리고 벌이는 경쟁.

선:거 조례【選擧條例】명〖역〗갑오 경장 때, 과거 제도를 폐지하고 새로 만든 중앙 정부 관리 임용에 관한 규정. 각부 아문 대신(各府衙門大臣)이 그 부서의 주임관(奏任官)과 판임관(判任官) 임용 후보자를 선발하면, 전고국(銓考局)에서 2차례 시험을 치러서 뽑게 됨. 고종 31년(1894)에 의안(議案)이 마련됨.

선:거 지반【選擧地盤】명 선거 운동의 발판이 되는 근거지. 선거에서 표를 많이 얻을 수 있는 세력 범위.

선:거 투표【選擧投票】명〖정〗선거를 하기 위한 투표.

선:거-후【選擧侯】명 [도 Kurfürst]〖역〗신성 로마 제국의 제후(諸侯) 중 1356년의 황금 문서(黃金文書)에 의하여 독일 황제의 선거권을 가지는 일곱 사람의 제후. 나중에 그 수는 열이 되어 1806년 신성 로마 제국이 와해(瓦解)할 때까지 존속함. 선제후(選帝侯).

선건 전:곤【旋乾轉坤】명 천하의 난을 평정함. 또, 나라의 폐풍(弊風)을 크게 고침.

선-걸음 명 지금 서서 가는 그대로의 걸음. 이왕 내디딘 걸음.

선겁다 형ㅂ불 ①놀랍다. ②재미롭지 못하다.

선격【船格】명〖역〗배를 부리는 격군. 격군(格軍).

선견[1]【先見】명 일이 일어나기 전에 미리 앎을 내다봄. 일에 앞서 미리 알아 차림. 예견(豫見).

선견[2]【先遣】명 먼저 파견함. ¶~ 부대. ——하다 타여불

선:견³【善見】[명]〖불교〗↗선견천(善見天).
선:견⁴【選繭】[명] 고치의 품질을 구별하여 등급별로 골라내는 일. 고치 가림. 고치 고르기. ——-하다 [자][여불]
선:견-기【選繭機】[명] 고치를 고르는 기계. 고치고름틀. 「는 부대.
선견-대【先遣隊】[명]〖군〗본부대(本部隊)나 주력 부대에 앞서 파견되
선:견-산【善見山】[명]〖불교〗수미산(須彌山) 꼭대기의 산 이름. 그 꼭대기에 선견성(善見城)이 있다고 함. 「釋天)의 거성(居城).
선:견-성【善見城】[명]〖불〗수미산(須彌山) 꼭대기에 있다는 제석천(帝
선견-자【先見者】[명] ①선견지명(先見之明)이 있는 사람. 훗날의 일을 미리 짐작하여 아는 사람. 선견지인. ②선지자(先知者).
선견지-명【先見之明】[명] 일을 미리 짐작하는 밝은 지혜.
선견지-인【先見之人】[명] 선견지명이 있는 사람. 선견자(先見者).
선:견-천【善見天】[명]〖불교〗색계(色界) 17천(天)의 하나. 색계 제4 선천(禪天)에 있는, 팔천(八天) 중의 여섯째. 정중(定中)의 장애가 차차 없어져서 분명하게 시방 세계(十方世界)를 볼 수 있음. [준]선견(善見).
선결¹【先決】[명] 다른 문제보다 앞서 해결하거나 결정함. ¶ ~ 문제. ——-하다 [타][여불] 「[여불]
선결²【鮮潔】[명] 신선(新鮮)하고 결백함. 새롭고 흠이 없음. ——-하다 [형]
선결-례【先決例】[명]〖법〗선례(先例). 「力)의 원칙.
선결례의 원칙【先決例一原則】[─/─에─] [명]〖법〗선례 구속력(拘束
선결 문:제【先決問題】[명] ①다른 문제보다도 먼저 해결해야 될 문제. ②〖법〗어떤 소송 사건에 대하여 그 판결(判決)을 하기 위한 전제(前提)로서, 먼저 결정할 필요가 있는 문제.
선결 문:제 요구의 허위【先決問題要求一虛僞】[─/─에─] [명] 〔라 petito principii〕〖철〗전제가 되는 논점(論點) 또는 그러한 논점을 포함하는 원리를 증명 없이 가정하고 있는 허위. 그와 같은 전제 그 자체의 근거를 선결 문제로서 요구하지 아니하면 아니 된다는 뜻에서 이 명칭이 붙음.
선결 문:제의 소송【先決問題一訴訟】[─/─에─] [명]〖법〗행정법상의 문제가 민사나 형사 소송의 선결 문제가 되는 경우, 소원(訴願) 또는 행정 소송의 절차에 의하여 그 적법 여부(適法如否)의 인정을 구하는 일. 하천법(河川法)·사방법(砂防法)에 대하여서만 이것이 인정됨.
선결적 신청【先決的申請】[─쩍─] [명]〖법〗민사 소송에 있어서 두 개의 신청 중 제2의 신청이 인용(認容)되기 위하여, 제1의 신청이 인용되어야 할 관계에 있을 때의 제1의 신청. 예를 들면 매매 계약의 무효 확인이 있어야만 매매 물품의 반환을 요구할 수 있는 일과 같은 것.
선결적 항:변【先決的抗辯】[─쩍─] [명]〖법〗국제 사법 재판소에서 사건의 본안(本案)을 심리(審理)하기 전에 당사국(當事國)이 일정한 사항의 결정을 청구함으로써 사실(事實) 심리를 배제하려는 절차. 이는 양 당사자가 다 같이 제기할 수 있으며 늦어도 최초의 소답(訴答) 제출 기한의 만료 전에 제기(提起)하여야 함.
선경【仙境】[명] ①신선(神仙)이 산다는 곳. 선계(仙界). 선향(仙鄕). 선환(仙寰). 신경(神境). ②속세(俗世)를 떠난 청정(淸淨)한 곳. ↔속계(俗
선계¹【仙界】[명] 선경(仙境)❶. 「界).
선-계²【船契】[명] 배를 장만하거나 수리하기 위한 계.
선:계³【善計】[명] 좋은 계획. 교묘한 계획. 선모(善謀).
선고¹【先考】[명] 돌아간 아버지. 선군(先君). 선친(先親). 황고(皇考). ↔
선고²【先姑】[명] 돌아간 시어머니. 황고(皇姑). 「선비(先妣).
선고³【宣告】[명] ①공표하여 널리 알림. ¶ ~문(文)/~서(書). ②〖법〗소송법상(訴訟法上), 공판정(公判廷)에서 재판장이 판결을 알리는 일. 주문(主文)을 낭독하고 이유의 요지를 설명하여야 함. ¶ 사형 ~. *고지(告知). ——-하다 [타][여불]
선고⁴【船庫】[명] 작은 배를 넣어 두는 곳집.
선:고⁵【選考】[명] 전형(銓衡). ——-하다 [타][여불]
선고-문【宣告文】[명] 선고하는 취지를 기록한 글. 판결문(判決文).
선고-서【宣告書】[명] 선고하는 취지를 기록한 문서. 판결문(判決文).
선고 유예【宣告猶豫】[명]〖법〗범죄자의 정상(情狀)을 참작하여, 판결의 선고를 일정한 기간 동안 유예하는 일. 우리 나라 형법에는 1년 이하의 징역이나 금고, 자격 정지 또는 벌금의 형을 선고할 경우에 그 선고를 유예할 수 있고, 유예를 받은 날로부터 2년이 경과한 때에는 면소(免訴)된 것으로 간주(看做)한다고 규정되어 있음. *집행 유예.
선고-장¹【先考丈】[명] 남의 돌아가신 아버지를 높이어 일컫는 말. [준]선장(先丈). 「(判決文).
선고-장²【宣告狀】[─짱] [명]〖법〗선고하는 내용을 적은 글. 판결문
선-고탈【先股脫】[명]〖의〗↗선천성 고관절 탈구(先天性股關節脫臼).
선고-형【宣告刑】[명]〖법〗법관이 어떤 범죄에 대하여 처단형(處斷刑)의 범위 내에서 임의로 선택·양정(量定)하여 선고하는 형. *법정형.
선:곡【選曲】[명] 많은 가운데서 몇 곡을 고름. ——-하다 [자][여불]
선골¹【仙骨】[명] 신선(神仙)의 골격. 비범한 골상(骨相).
선골²【扇骨】[명] 부챗살.
선골³【船骨】[명] 용골(龍骨)❷.
선공¹【先攻】[명] 야구(野球)에서, 먼저 공격하는 일. ——-하다 [타][여불]
선공²【扇工】[명] 부채를 만드는 직공.
선공³【船工】[명] 배를 만드는 목공(木工). 선장(船匠).
선:공⁴【善功】[명] 좋은 결과를 낳는 공덕.
선:공-감【繕工監】[명]〖역〗①고려 충렬왕 24년(1298)에 장작감(將作監)을 고친 이름. 뒤에 선공사(繕工司)·선공시(繕工寺)·장작감(將作監) 등으로 개변(改變)을 되풀이함. ②조선 시대에, 토목·영선(營繕)에 관한 일을 맡은 관아. 태조 원년(1392)에 베풀어 고종 31년(1894)에 폐함.
선공-류【線孔類】[─뉴] [명]〖동〗[Actipylavia] 방산충류(放散蟲類)에 속하는 원생(原生) 동물의 한 아목(亞目). 중심낭(囊)에는 많은 작은 구멍이 있고, 20개의 규질(硅質)로 된 바늘 같은 가시가 튀어나옴. 유극류(有棘類).
선:공-무덕【善供無德】[명] 부처님께 공양(供養)을 잘 드려도, 아무 공덕이 없다는 뜻으로, 남을 위해 힘써도 별로 소득이 없음을 이르는 말.
선:공-사【繕工司】[명]〖역〗고려 충렬왕 34년(1308)에 선공감(繕工監)을 고친 이름. 뒤에 선공시(繕工寺)·장작감(將作監) 등으로 개변(改變)함.
선:공-시【繕工寺】[명]〖역〗고려 충선왕 때에 선공사(繕工司)를 고친 이름. 뒤에 장작감(將作監)으로 고침. 「룸. ——-하다 [자][여불]
선공 후:사【先公後私】[명] 공사(公事)를 먼저 하고 사사(私事)를 뒤로 미
선:과¹【善果】[명]〖불교〗좋은 과보(果報). 선행(善行)의 보답(報答). 선보(善報). ↔악과(惡果).
선:과²【選果】[명] 과실을 가려 냄.
선:-과³【選科】[─꽈] [명]〖교〗①선택한 학과 또는 과목. ②규정된 학과 중에서 일부를 선택하여 학습하는 과. ¶ ~생(生).
선과⁴【禪科】[명]〖역〗조선 시대에, 예조(禮曹)에서 중에게 도첩(度牒)을 내려 줄 때 보이던 과거.
선:과-기【選果機】[명] 귤·감·배·양파 등을 크기에 따라 몇 개의 등급(等級)으로 골라 내는 기계.

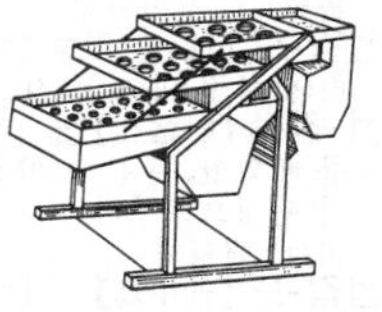
〈선과기〉

선:과-생【選科生】[─꽈─] [명]〖교〗선과(選科)의 학생.
선곽【船郭】[명] 선각(船殼).
선관¹【仙官】[명] ①선경(仙境)의 관원. ②〖민〗'무당'의 별칭. 개성(開城) 지방에서는 양반 출신의 무녀(巫女)를 일컬음.
선관²【仙館】[명] 선가(仙家)❶.
선:관³【選官】[명]〖역〗고려 초기에 있던 육관(六官)의 하나. 문선(文選)·훈봉(勳封)의 일을 맡음. 성종(成宗) 14년(995)에 상서 이부(尙書吏部)
선:관⁴【膳官】[명]〖역〗내자시(內資寺). 「로 고치었음.
선:관-서【膳官署】[명]〖역〗고려 충렬왕(忠烈王) 34년(1308)에 대관서(大官署)를 고친 이름. 뒤에 다시 대관서·선관서로 고침.
선:관-위【選管委】[명] ↗선거 관리 위원회.
선:관 주:의 의:무【善管注意義務】[─/─이의─] [명]〖법〗선량한 관리자의 주의 의무. 곧, 물건 또는 사무를 관리함에 있어서, 당해 직업 또는 지위에 있는 자로서 일반적으로 요구되는 정도의 주의를 해야 할 의무. 특정물의 인도(引渡)를 완료할 때까지의 채권자의 특정물 보관 의무, 수임자(受任者)의 주의 의무 같은 것.
선광¹【線纊】[명] 실과 솜.
선:광²【選鑛】[명]〖광〗①광석의 등분을 가림. ②채굴한 광석을 유용물(有用物)과 무용물로 가리어 내는 일. 기계적 방법과 화학적 방법이 있음. ¶ ~부. ——-하다 [자][여불]
선광-각【旋光角】[명]〖물〗광학 활성(光學活性)이 있는 물질이 편광면(偏光面)을 회전시킬 때의 회전각(回轉角). 액체·용액 등에 있어서는 빛이 통과하는 액층(液層)의 길이와 농도(濃度)에 비례함. 편광계(偏光
선광-계【旋光計】[명]〖물〗편광계(偏光計). 「計)로 관측함.
선:광 공장【選鑛工場】[명]〖광〗선광 작업을 하는 공장. 선광장.
선:광-기【選鑛機】[명]〖광〗광물 고유의 여러 성질의 차이에 따라서, 방사능 선광(放射能選鑛)·자력(磁力) 선광·부유(浮游) 선광·비중(比重) 선광 등, 여러 가지 선광 방법 중의 하나 또는 둘 이상을 이용하여 종류가 다른 광물의 분리를 행하는 장치. 분리기(分離機).
선광-성【旋光性】[─썽] [명] 광학 활성(光學活性).
선:광-장【選鑛場】[명]〖광〗①선광 작업을 하는 곳. ②선광 공장.
선:광-제【選鑛劑】[명]〖광〗부유(浮游) 선광에 사용되는 시약(試藥). 부선제(浮選劑).
선-괭이눈 [명]〖식〗[*Chrysosplenium trachyspermum*] 범의귓과에 속하는 다년초. 줄기 높이 10 cm 가량, 근엽(根葉)은 총생(叢生)하며 경엽(莖葉)은 대생하고 소형임. 8월에 황금색 꽃이 취산(聚繖) 화서로 정생하고, 과실은 삭과(蒴果)임. 산지의 그늘에 나는데, 평북의 낭림산, 함남의 삼방, 함북의 무산 등지에 분포함.
선교¹【仙敎】[명] 선도(仙道)를 닦는 종교(宗敎).
선교²【仙橋】[명] 선계(仙界)로 들어가는 입구에 있다는 다리.
선교³【宣敎】[명] 종교를 선전하여 전도함. ——-하다 [자][여불]
선교⁴【船橋】[명] ①배다리❶. ②배의 상갑판(上甲板) 중앙부 전방에 있어, 항해중 선장이 항해·운용(運用)·통신 등을 지휘하는 곳. 브리지.
선:교⁵【善巧】[명]〖불교〗교묘한 방법으로 사람에게 이익을 줌.
선:교⁶【善交】[명] 잘 사귐. 교묘히 교제(交際)함. ——-하다 [자][여불]
선:교⁷【善敎】[명] 좋은 교훈.
선교⁸【禪敎】[명]〖불교〗①선종(禪宗)과 교종(敎宗). ②선학과 교법.
선교-관【宣敎官】[명]〖역〗나라에 경사가 있을 때에 반교문(頒敎文)을 읽던 임시 벼슬.
선교-랑【宣敎郎】[명]〖역〗조선 시대에, 문관의 종육품의 품계. 무공랑(務功郎)의 위, 승의랑(承義郎)의 아래. *선무랑(宣務郎).
선교-루【船橋樓】[명] 선교(船橋)에 만든 선루(船樓).
선:교 방편【善巧方便】[명]〖불교〗부처가 임기 응변(臨機應變)으로 사람을 인도하는 기묘한 방법.
선교-사【宣敎師】[명] ①종교를 널리 전도하는 사람. ②〖기독교〗기독교의 외국 전도(傳道)에 종사하는 사람. 「會).
선교사-회【宣敎師會】[명]〖기독교〗선교사들의 모임. 미션회(mission
선교 습합【禪敎習合】[명]〖불교〗선종(禪宗)과 교종(敎宗)의 교설(敎說)을 결합·절충하는 일. 「함께 주관하는 본산.
선교 양:종 본산【禪敎兩宗本山】[명]〖불교〗선종(禪宗)과 교종(敎宗)을

선교-회【宣敎會】명〖기독교〗선교를 목적으로 조직한 회.

선구[1]【先驅】명 ①↗선구자(先驅者). ②기마(騎馬)에서 선도(先導)하는 일.

선구[2]【船具】명 배에 쓰는 기구. 노·닻·키·돛 같은 것.

선:구[3]【選球】명 야구에서, 타자가 투구(投球)의 스트라이크와 볼을 가려 내는 일. ¶ ～안(眼)이 좋다.

선구 동:물【先口動物】명〖동〗[Protostomia] 원장배(原腸胚)의 원구(原口)가 그대로 성체(成體)의 입이 되고 항문(肛門)은 따로 만들어지는 동물. 곧, 편형(扁形) 동물·윤형(輪形) 동물·선형(線形) 동물·환형(環形) 동물·절지(節肢) 동물·연체(軟體) 동물·전항(前肛) 동물 등이 이에 속함. 전구(前口) 동물.

선구 생물【先驅生物】명〔pioneer〕〖생〗불모 지대(不毛地帶)에 스스로 정착(定着), 생태적(生態的) 사이클을 시작하는 동물.

선구-자【先驅者】명 ①사상이나 한 일이 그 시대의 다른 사람보다 앞선 사람. ¶ 시대의 ～. ②말을 타고 갈 때에 맨 앞에 나가는 사람. ㊈선구.

선구자-적【先驅者的】명관 선구자다운 모양.

선:국[1]【選局】명 수신기를 조절하여 방송국을 고름. ¶ ～ 다이얼/～ 단추.

선국[2]【禪毱】명〖불교〗털을 뭉치어서 공처럼 만든 것으로, 좌선(坐禪)할 때 수마(睡魔)에 걸린 자에게 던져서 잠을 깨게 하는 도구.

선군[1]【先君】명 ①선왕(先王)❶. ②선고(先考).

선군[2]【旋軍】명〖군〗환군(還軍). 회군(回軍). 철병(撤兵). ――하다 자여불

선군[3]【船軍】명〖역〗여말 선초(麗末鮮初)에, 기선군(騎船軍)의 딴이름. ＊수군(水軍).

선:군[4]【選軍】명〖역〗고려 때 군사를 뽑는 일을 맡아 보던 관아. 충렬왕 34년(1308)에 폐하였다가 충선왕(忠宣王) 3년(1311)에 회복함.

선:군 별감【選軍別監】명〖역〗고려 때, 선군의 한 벼슬. 군사 뽑는 일을 맡음.

선군-자【先君子】명 선고(先考).

선굴【仙窟】명 ①신선(神仙)이 사는 곳. ②속세(俗世) 밖의 거처(居處).

선-굿 명〖민〗무당이 서서 뛰놀면서 하는 굿.

선궁[1]【仙宮】명 신선(神仙)이 산다는 궁전(宮殿).

선궁[2]【禪宮】명〖불교〗절.

선궤【先軌】명 조상이 남겨 놓은 궤범.

선귀【旋歸】명 가다가 도로 돌아옴. ――하다 자여불

선규【先規】명 종전부터의 규정. 원래의 규칙. 전례(前例).

선:근【善根】명〔범 kuśalamūla〕〖불교〗좋은 과보(果報)를 초래할 만한 선인(善因). 여러 가지의 선(善)을 낳는 근본(根本). 덕본(德本).

선:근-마【善根魔】명〖불교〗십마(十魔)의 하나. 자기가 하고 있는 좋은 일에 집착(執着)하는 일. 좋은 일이 자라지 못하고 오히려 수도(修道)에 방해가 되므로 마(魔)라 이름.

선-글라스〔sunglass〕명 주로 태양 광선으로부터 눈을 보호해 주는 안경. 보통은 니켈·크롬·세륨 등 산화물로 착색한 색유리를 쓰나, 때로는 편광(偏光) 유리도 사용함. 최근에는 밝은 곳에서만 광선을 감약(減弱)하는 포토크로믹(photochromic) 유리의 것도 나옴. 색안경. ＊라이반(Ray Ban).

선금[1]【仙禽】명〖조〗두루미.

선금[2]【先金】명 ①값이나 삯 같은 것의 지급(支給) 기한이 되기 전에 그 전부나 일부를 먼저 치르는 돈. 전금(前金). ②물건을 받기 전이나 셋집에 입주(入住)하기 전에 내는 돈. ¶ ～을 받다.

선금-급【先金給】명〖법〗국고금의 지출 방법에 관한 특례의 하나. 국가가 채무의 이행기 전에 그 채무를 갚는 일. 원칙적으로 국가의 채무는 그 이행기가 된 때에 지출하는 것이지만, 운임·용선료(傭船料)·여비 그 밖에 대통령령으로 정하여진 경비로서, 그 성질상 먼저 지급하지 않으면 사무나 사업에 지장이 있을 우려가 있는 경비의 경우에, 이것이 인정됨.

선급[1]【先給】명 값이나 삯을 미리 치러줌. 선하(先下). ――하다 타여불

선급[2]【船級】명 선박의 규모·구조·설비 등에 따라 매긴 등급. 선박 보험 및 해상 운송 계약에 있어서 선박의 감항 능력(堪航能力)의 증명에 쓰임.

선급-금【先給金】명 선불(先拂)한 돈. 전불금(前拂金).

선급 비:용【先給費用】명〖경〗일정한 계약에 따라 계속적으로 역무(役務)의 제공을 받고, 또 상당 기간의 역무의 대가를 현금으로 지급했을 때, 아직 제공되지 않은 역무에 대하여 지급된 대가(代價). 전불(前拂) 비용.

선급-선【船級船】명〖해〗선급이 부여된 배.

선급 협회【船級協會】명 해상 보험업자나 하주(荷主)의 편의를 도모하기 위해, 일정한 기준에 따른 검사를 하여 선박에 선급을 매기며, 기타 선박의 손상 따위를 사정(査定)하는 비영리적인 특수 법인.

선기[1]【先期】명 기한(期限)보다 앞섬. ――하다 자여불

선기[2]【船旗】명 배에 다는 기.

선기[3]【璇機】명〖기〗같이틀.

선:기-대【善騎隊】명 말을 잘 타는 군대.

선기-도【禪機圖】명〖미술〗선(禪)을 깨달은 계기를 상징적으로 표현한 선종계(禪宗系)의 인물화. 중국의 송대(宋代)에 시작되며, 송·원(元)대에 많음.

선기 옥형【璇璣玉衡】명〖천〗혼천의(渾天儀).

선길 장수 명〈방〉봇짐 장수.

선나[1]【先拏】명 죄인을 임금에게 아뢰기 전에 먼저 잡음. ――하다 타여불

선나[2]【禪那】명〖불교〗→선(禪).

선-나다【禪―】자 염불방에서 참선(參禪)을 마치고 나오다. ↔선들다.

선나 후:주【先拏後奏】명〖역〗죄지은 사람을 먼저 잡고 뒤에 임금에게 아뢰던 일. 죄 있는 주임관(奏任官)을 체포하는 절차. ↔선주 후나(先奏後拏).

선난【船難】명 배가 항해 중에 당하는 재난. 뱃 속에서의 위난(危難).

선:남【善男】명 ①착한 남자. ②〔범 kulaputra〕〖불교〗불법에 귀의(歸依)한 남자. 선남자(善男子).

선:남 선:녀【善男善女】명 ①착한 남자와 착한 여자. ②〖불교〗불법에 귀의(歸依)한 남자와 여자. 믿음이 깊은 사람들.

선:-남자【善男子】명 선남(善男).

선납【先納】명 기한이 되기 전에 돈을 미리 바침. 예납(豫納). ――하다 타여불

선납-금【先納金】명 선납하는 돈. 예납금(豫納金).

선내【船內】명 배의 안. 배의 속.

선-내다【禪―】자 참선을 끝내고 방선(放禪)하다. ↔선들이다.

선내 하:역【船內荷役】명〖경〗화물을 본선(本船)에 싣고 부리는 작업.

선-네고【先―】〔negotiation〕명〖경〗수출품이 선적(船積)되기 전에 은행이 수출 신용장을 매입(買入)하는 형식으로 해 주는 대출(貸出).

선녀[1]【仙女】명 선경(仙境)에 사는 여자. 선아(仙娥). 옥녀(玉女).

선:녀[2]【善女】명 ①착한 여자. ↔악녀(惡女). ②〔범 kulaputrī〕〖불교〗불교에 귀의(歸依)한 여자. 선여자(善女子).

선녀-부전나비【仙女―】명〖충〗[*Artopoëtes pryeri*] 부전나빗과에 속하는 곤충. 편 날개의 길이 27mm 내외, 날개 빛은 청남색이며 넓은데 그 주위는 암갈색임. 연모(緣毛)는 백색이고 날개 뒷면에는 흑색 점이 있음. 암컷은 자색(紫色)을 띰. 한국·일본 등지에 분포함.

〈선녀부전나비〉

선녀-왕【仙女王】명〔The Faerie Queen〕〖문〗우화시(寓話詩). 스펜서(Spenser, E.; 1552?–99) 작(作). 선경(仙境)의 여왕 글로리아나를 모시는 12인의 무사의 모험을 노래한 대작. 신선 여왕.

선녀-춤【仙女―】명 하늘에서 인간 세계로 내려오는 선녀들의 모습을 상징하여 추는 춤. 우아하고 아름다움.

선년【先年】명 전년(前年). 지난 해.

선-녹색【鮮綠色】명 밝은 녹색.

선농【先農】명 처음으로 농업을 가르친 신(神). 곧, 신농씨(神農氏).

선농-단【先農壇】명〖역〗중국 상고(上古) 시대의 신농씨(神農氏)와 후직씨(后稷氏)를 제사하던 단. 서울 동대문 밖에 있었음.

선농-악【先農樂】명〖악〗선농제(先農祭)를 지낼 때 사용하던 음악. 당상(堂上)에서는 남려(南呂)를 쓰고 당하(堂下)에서는 고선(姑洗)을 썼으며 신(神)을 영송(迎送)할 때에는 황종궁(黃鍾宮)을 썼음.

선농-제【先農祭】명〖역〗고려·조선 시대 때, 동교(東郊)의 제단에서 신농씨(神農氏)·후직씨(后稷氏)에게 농사가 잘되게 해 달라고 빌던 제사. 매년 경칩(驚蟄) 후 첫 해일(亥日)에 행하였음.

선뇌-저【鮮腦藷】명〖한의〗백합(百合)의 뿌리. 한방(韓方)에서 허로(虛勞)·해수(咳嗽) 등에 약재로 씀.

선니【禪尼】명〖불교〗불문(佛門)에 들어간 여자. ↔선문(禪門).

선다-님 명 '선달(先達)'의 높임말.

선:다-형【選多型】명〖교〗선택형 출제 방식의 하나. 보통, 한 문제에 대하여 너덧 개 가량의 답지(答肢)를 미리 제시해, 그 중에서 정답을 고르게 하는 방법. ¶ 사지(四肢) ～ 문제.

선-단[1] ①홑두루마기나 치마폭의 앞섶에 세로 댄 옷단. ②〖건〗문설주.

선단[2]【仙丹】명 먹으면 장생 불사(長生不死)하고 신선이 된다는 영약(靈藥). 신선이 만들었다 함. 금단(金丹). 단약(丹藥). 선약(仙藥).

선단[3]【先端】명 앞쪽의 끝.

선단[4]【船團】명 선박(船舶)의 일단(一團). ¶ 수송 ～/포경(捕鯨) ～.

선단 거:대증【先端巨大症】[―쯩] 명〔acromegaly〕〖의〗뇌하수체(腦下垂體)에 생긴 선종(腺腫)의 원인으로 사춘기가 지난 뒤에 일어나는 뇌하수체 기능 항진증(亢進症). 극히 드묾. 경과는 비교적 완만한데, 사지(四肢) 끝을 비롯하여 아래턱·광대뼈·코·입술 등의 끝이 비대하며 내장 기관이나 갑상선(甲狀腺)의 비대도 볼 수 있고, 그 밖에 성기(性器)의 위축, 음성 변화 등의 증상이 나타나고 마침내는 악액증(惡液症)이 되어 죽음. 말단 거대증. ↔거인증(巨人症).

선단-석【扇單石】명〖건〗홍예문(虹霓門) 등의 맨 밑을 괴는 크고 모난 돌.

선단 참가선【船團參加船】명 단독으로 항해를 한 후에 주(主)선단에 합류하는 선박. 또, 그 선박 집단.

선단 항:로【船團航路】[―노] 명 해당 관계 당국에 의하여 각 선단에 할당된 특정 항로.

선달[1] 명〖건〗살판이나 살목 위에 세우는 나무.

선달[2]【先達】명〖역〗문무과에 급제하고 아직 벼슬하지 않은 사람.

선달-산【先達山】[―싼] 명〖지〗강원도(江原道) 영월군(寧越郡) 하동면(下東面)과 경상 북도(慶尙北道) 봉화군(奉化郡) 물야면(物野面) 사이에 있는 산. [1,234m]

선당【禪堂】명〖불교〗참선(參禪)하는 곳으로, 절 안의 왼쪽에 있는 집.

선대[1]【先代】명 이전의 대(代). 조상의 세대. 선세(先世). ↔후대(後代).

선대[2]【先貸】명 뒷날에 지급할 금전을 그 기일 이전에 빌려 줌. ――하다 타여불

선대[3]【船隊】명 여러 척의 배로 구성된 대(隊). ¶ 수송 ～.

선대[4]【船臺】명〔shipway, ways〕배를 건조할 때에 선체를 올려 놓는 대(臺). 대의 표면은 수면에 대하여 경사 평면(傾斜平面)을 이루고, 선대 위에 용골 반목(龍骨盤木)·만곡부 반목(彎曲部盤木)·선저 현측(船底舷側)의 지주(支柱) 등을 설치하여 배를 건조함.

선:대[5]【善待】명 친절하게 잘 대접함. 선우(善遇). 선대지(善待之). ――하다 타여불

선-대[6]【禪―】[―때] 명〖불교〗염불방에서 선들이고 선낼 때마다 치는 제구. 대쪽으로 부챗살처럼 만들었는데 치면 찰그락 소리가 남.

선대[7]【禪代】명 시대가 바뀜.

선대[8]【禪臺】명〖불교〗대쪽으로 만든 선대를 올려 놓는 상. 선상(禪床).

선대-구【蒜臺灸】명 산대구(蒜臺灸).

선대-금【先貸金】명 선대한 돈. 또, 선대하는 돈.

선-대부인【先大夫人】명 남의 돌아간 어머니를 높이어 일컫는 말.

선-대왕【先大王】명 붕어(崩御)한 선왕(先王)을 높이어 일컫는 말.

선-대인【先大人】명 윗사람이나 점잖은 이에게 대하여, 그의 돌아간 아버지를 높이어 일컫는 말.

선:대-지【善待之】명 선대(善待)함.

선-대칭【線對稱】명 〔line symmetry〕〖수〗 도형 중의 서로 대응하는 어느 두 점을 연결하는 직선이 주어진 직선에 의해서 모두 수직으로 2등분되는 위치 관계. ↔점대칭(點對稱).

선더-치:프〔Thunderchief〕명〖군〗전술 핵무기 및 통상의 공격 병기 등을 탑재할 수 있는 대형의 만능 전투 폭격기. 승무원 1명, 탑재 능력 약 6톤, 최대 속도 마하 2.03. 'F-105 전투 폭격기'의 이칭(異稱).

선덕[1]【先德】명〖불교〗진언종(眞言宗)·천태종(天台宗) 등에서 일컫는 말로, 죽은 덕 있는 중.

선덕[2]【宣德】명 ①〖역〗명(明)나라 선종(宣宗)의 치세(治世)의 연호(年號). [1425-35] ②〖공〗↗선덕 동기(宣德銅器). ③〖공〗선덕 동기를 모방하여 만든 동기(銅器).

선:덕[3]【善德】명 바르고 착한 덕행. ↔악덕(惡德).

선덕[4]【禪德】명〖불교〗선리(禪理)에 조예가 깊어 덕망(德望)이 높은 사람.

선덕 동기【宣德銅器】명〖공〗중국 명(明)나라 선종(宣宗)의 칙명에 의하여, 선덕 3년(1428)에 만든 동기. ㊀선덕(宣德).

선덕-랑【宣德郞】[—낭] 명〖역〗고려 때 정칠품의 하(下)의 문관 품계(品階). 문종(文宗)이 베풀었다가 충렬왕(忠烈王) 34년(1308)에 폐하고, 충선왕(忠宣王) 2년(1310)에 다시 종육품으로 회복시키었음. *승봉랑(承奉郞)·수직랑(修職郞).

선덕-로【宣德爐】[—노] 명 중국 명나라 선덕(宣德) 때에 동(銅)으로 만든 화로(火爐).

선:덕-산【善德山】명〖지〗'덕산(德山)'의 구명(舊名).

선:덕 여왕【善德女王】[—녀—] 명〖사람〗신라 제27대 왕. 휘(諱)는 덕만(德曼). 진평왕(眞平王)의 장녀. 매우 영특(英特)함. 김춘추(金春秋)를 당(唐)나라에 보내서 그 원군(援軍)을 청하여 백제를 협공(挾攻)하고, 9년(640)에는 당나라에 유학생을 보내어 그 문화를 받아들임. [재위 632-646]

선덕-왕【宣德王】명〖사람〗신라 제37대 왕. 성은 김(金), 휘는 양상(良相). 내물왕(奈勿王)의 10대손. 이찬 김지정(金志貞)이 반란을 일으키자 상대등(上大等)으로서 이를 진압, 혜공왕(惠恭王)이 죽은 뒤에 왕이 됨. 당(唐)나라의 덕종(德宗)으로부터 검교 대위 계림주 자사 영해군사 신라왕(檢校大尉鷄林州刺史寧海軍使新羅王)의 봉작을 받았음. [재위 780-784]

선덕-요【宣德窯】명 중국 명대의 선덕(宣德) 연간(1426-35), 장시 성 징더전(江西省景德鎭)에 있던 관영(官營)의 도요(陶窯).

선덜랜드〔Sunderland〕명〖지〗잉글랜드 북부 해안의 항구. 위어 강(Wear江) 하구에 있는데, 조선(造船)·제지·화학 약품·도자기 제조 등이 성하고, 어업도 왕성함. 부근에 탄전(炭田)이 있음. [297,100명(1992)]

선데이〔Sunday〕명 일요일.

선데이 미러〔Sunday Mirror, the〕명 영국의 사진 신문. 매(每)일요일 발행. 데일리 미러지(誌)가 선데이 픽토리얼(Sunday Pictorial)을 흡수하여 1963년 발족함.

선데이 스쿨:〔Sunday school〕명 주일 학교(主日學校).

선데이 익스프레스〔Sunday Express, the〕명 영국의 일요 신문. 중립적인 논조(論調)가 특색임. 1918년 창간.

선데이 타임스〔Sunday Times〕명 1822년에 창간된 영국의 일간 신문.

선데이 픽토리얼〔Sunday Pictorial, the〕명 영국의 진보적 일요 사진 신문. 1963년에 데일리 미러에 흡수됨. *선데이 미러.

선 덱〔sun deck〕명 ①배의 선수루(船首樓)·선미루(船尾樓)·선교(船橋) 등이 있는 맨 위의 갑판. 언제나 햇볕을 받고 풍우를 맞는 데서 나온 이름. 선객이 이 곳에서 볕을 쬠. 상갑판(上甲板). ②툇마루.

선도[1]【仙桃】명〖역〗헌선도(獻仙桃) 춤에 드리는 복숭아. 나무로 만든 열매에 구리로 된 잎사귀를 달았음.

선도[2]【仙桃】명 선경(仙境)에 있다는 복숭아.

선도[3]【仙道】명 신선(神仙)을 배우고자 닦는 도.

선도[4]【先到】명 남보다 앞서서 도착함. ——하다 자 여불

선도[5]【先渡】명 거래 매매에서, 화물의 인도(引渡)가 계약 후 일정 기한이 지나간 뒤에야 행하여지는 일.

선도[6]【先導】명 앞에 서서 인도함. 앞장 서서 안내함. ¶ ~자(者). ——하다 타 여불

선:도[7]【善途】명〖불교〗선근(善根)을 닦는 길. 불상(佛像)을 만들어 그에 귀의(歸依)하는 일.

선:도[8]【善道】명 ①바르고 착한 도리. ②선취(先趣).

선:도[9]【善導】명 올바르고 좋은 길로 잘 가르쳐 이끎. ——하다 타 여불

선:도[10]【善導·善道】명〖사람〗중국 당(唐)나라 때의 중. 산둥(山東) 출생. 장안(長安)의 광명사(光明寺)에서 설법하였으며 정토종(淨土宗)을 정비하고 완성시켰음. 저서에 《관경소(觀經疏)》·《왕생 예찬(往生禮讚)》·《법사찬(法事讚)》 등이 있음. [613-681]

선도[11]【線圖】명 선으로 나타낸 그림.

선도[12]【鮮度】명 ①야채·어육 등의 신선한 정도. ¶ ~ 높은 생선. ②빛깔이나 명암(明暗)의 선명한 정도.

선도[13]【禪徒】명〖불교〗선종(禪宗)에 속한 중.

선도[14]【禪道】명〖불교〗①참선하는 도. ②선종(禪宗). 선문(禪門).

선도[15]【禪兜】명〖불교〗인간과 그 밖의 모든 생물. 중생.

선-도[16]【蟬島】명〖지〗전라 남도 서해상인 신안군(新安郡) 지도읍(智島邑) 선도리(蟬島里)에 있는 섬. [5.26 km²]

선도-교【仙道敎】명〖종〗증산(甑山) 강일순(姜一淳)을 교조(敎祖)로 하는 흠치교(吽哆敎) 계통의 한 교. *증산교.

선도-기[1]【先導機】명〖군〗①비행 중에 있는 편대내의 다른 항공기를 지휘하도록 지정된 항공기. ②비행 중에 있는 2대 이상의 항공기 중에서 선두에 위치한 항공기.

선도-기[2]【線度器】명 길이의 표준기 또는 길이를 재는 도구로서, 선과 선 사이의 거리를 길이로 표시하는 것의 총칭. 대자·접자·줄자 같은 것.

선-도록【船都錄】명〖역〗선지증(船之證).

선도미 후:지미【先悼尾後知味】명 개가 음식을 먹고자 할 때, 먼저 꼬리를 흔들고 난 뒤에 먹는다는 뜻이니, 곧 무엇을 먼저 계획한 다음에야 그것을 얻는다는 말.

선도-반【仙桃盤】명〖역〗헌선도(獻仙桃)할 때에 쓰는 은쟁반. ㊀도반(桃盤).

선도-배【仙桃杯】명〖역〗조선 중종(中宗) 때, 독서당(讀書堂)에 하사한, 복숭아를 새긴 술잔. *혜호배(蟪蛌杯).

선도-사【宣道師】명〖종교〗시천교(侍天敎)에서 대도사(大導師)의 지휘를 받아 포덕(布德)에 종사하는 직무. 또, 그 사람.

선도-자【先導者】명 앞장서서 인도하는 사람.

선도 장치【先導裝置】명 시계(視界)가 불량하거나 하여 정확한 시각(視覺) 비행을 할 수 없을 경우에 쓰이는 레이더 장치.

선도-적【先導的】명관 앞에 서서 인도하는 모양. ¶ ~ 역할(役割).

선도-주【先導株】명〖경〗상장 주식(上場株式) 가운데서 어느 종목보다 앞서 시장 동향에 민감하게 움직이는 주식.

선-도지【先賭地】명 ①〖농〗가을에 받을 것을 당겨서 봄에 미리 받는 도지. ②〖역〗퇴도지(退賭地).

선도-창【先導唱】명〖악〗여러 사람이 패를 갈라 소리를 부를 때 먼저 메기는 일. 또, 그 구실을 맡은 사람.

선도-탁【仙桃卓】명〖역〗나라 잔치 때에, 선도반(仙桃盤)을 올려 놓던 탁자. 헌도탁(獻桃卓).

선-도표【線圖表】명 통계 숫자를 곡선 또는 꺾은금으로 나타낸 도표.

선도-회【宣道會】명〖종교〗대종교(大倧敎)에서 그 교리를 널리 세상에 전도하는 기관. 서울에 본부(本部)가 있음.

선-돈【先—】명 ☞ 선금(先金).

선-돌 명〔고고학〕선사(先史) 시대의 건조물(建造物)의 하나. 거석(巨石) 기념물로서, 자연석(自然石) 또는 다소 가공한 주상(柱狀)의 돌을 땅 위에 하나 또는 몇 개 세운 것. 높이 2-3 m 또는 10 m에 달하는 것도 있음. 대개 분묘(墳墓)의 표지로서 또는 돌에 대한 원시적 신앙의 대상물(對象物)로서 세워진 것으로 생각됨. 프랑스·잉글랜드·인도·티베트·인도네시아 등에 분포하며, 한국에도 여러 곳에 있음. 입석(立石). 멘히르(menhir). *고인돌.

〈선돌〉

선동[1]【仙洞】명 신선이 산다는 산골. 선원(仙院).

선동[2]【仙童】명 선경(仙境)에 산다는 아이 신선.

선동[3]【煽動】명 남을 추기어 어떤 일을 일으키게 함. 유동(誘動). 아지테이션(agitation). ¶ ~자(者)/~ 연설. ——하다 타 여불

선동-가【煽動家】명 ①군중의 감정을 부추기어 그들로 하여금 어떤 일을 일으키게 하는 사람. ②선동을 잘하는 사람.

선동-이【先童—】명 ☞ 선둥이.

선동-자【煽動者】명 선동하는 사람. 아지테이터.

선동-적【煽動的】명관 선동을 하는 모양. ¶ ~ 언사(言辭).

선동 정치가【煽動政治家】명 민중을 선동하여 자기에게 이롭도록 사건을 발생시키는 재주가 많은 정치가. 데마고그(Demagog).

선동-죄【煽動罪】[—쬐] 명 남을 선동하여 중정(中正)한 판단을 잃게 함으로써 범죄 실행의 결의를 일으키게 하거나 조장하는 죄.

선두[1]【先頭】명 첫머리. 맨 앞. ¶ ~에 서다.

선두[2]【船頭】명 이물. ↔선미(船尾).

선두[3]【禪頭】명〖불교〗선종에서 수행승(修行僧)의 첫째에 위치하는 중.

선두래미 명〈방〉선두리.

선-두르다 타 르불 가장자리에 무엇을 그리거나 꾸미다.

선두리 명〖충〗①물방개. ②꼬마물방개.

선두-안【宣頭案】명〖역〗조선 시대에, 내수사(內需司)에 속하는 노비(奴婢)의 원적부(原籍簿). 20년마다 새로 자세히 만들어 임금에게 바쳤음.

선둥-이【先—】명 쌍태(雙胎) 중에서 먼저 나온 아이. ↔후둥이.

선드러-지다 형 태도가 맵시 있고 경쾌(輕快)하다. >산드러지다.

선 드레스〔sun dress〕명 여름용 여성복의 하나. 많은 햇볕을 쬘 수 있도록 만들었음. 해변에서 흔히 입음.

선-드리다【禪—】자〖불교〗염불방(念佛房)에서 선대를 상 위에 놓고 차그락차그락 소리를 내며 염불을 시작하다.

선득 부 갑자기 놀라거나 찬 느낌을 받는 모양. ¶ 가슴이 ~하다. ㅆ선뜩. >산득. ——하다 형 여불

선득-거리다 자 연해 선득한 느낌이 있다. ㅆ선뜩거리다. >산득거리다. 선득-선득 부. ¶ 빗발에 피부가 척척해 옴을 느끼는 동시에 마음까지 ~함을 느꼈다《朴榮濬 : 靑春病室》. ——하다 자형 여불

선득-대다 자 선득거리다.

선들-거리다 자 ①조금 추운 듯한 서늘한 바람이 잇따라 불다. ②사람의 성질이 시원하고 연해 흐늘거리는 맛이 있다. 1)·2): >산들거리다. 선들-선들 부. ¶ ~ 부는 바람. ——하다 자형 여불

선-들다【禪—】자〖불교〗염불방(念佛房)에 참선(參禪)하러 들어가다. 입선(入禪)하다. ↔선나다.

선들-대다 자 선들거리다.

선들-바람 명 선들선들 부는 바람. >산들바람.

선-들이다【禪—】사동〖불교〗참선하러 염불방에 들어가게 하다. ↔선내다.

선등[1]【先登】명 맨 먼저 오름. ——하다 자 여불

선등[2]【先等】명 남보다 앞서 함. *꽃등. ──-하다 자여불

선등[3]【船燈】명 ①배에 켜는 등불. ②배가 항해 또는 정박(碇泊) 중에 표시·계양하는 등불. 항해 중의 기선(汽船)은 우현(右舷)에 녹색광, 좌현(左舷)에 홍색광을 올림. 장등(檣燈)·현등(舷燈)·선미등(船尾燈)·정박등(碇泊燈)·양색등(兩色燈)·조타 목표등(操舵目標燈)·신호등(信號燈) 등의 구별이 있음.

선-등갈퀴【—藤—】명〖식〗[*Vicia saxajuga*] 콩과에 속하는 다년초. 줄기 높이 1m 가량, 잎은 호생하며 유병(有柄)에 우상 복생(羽狀複生)하고, 소엽(小葉)은 3-7쌍이며 달걀꼴의 타원형을 이룸. 6월에 홍자색 꽃이 총상(總狀) 화서로 액출(腋出)하고, 협과(莢果)를 맺음. 산이나 들에 나는데, 거의 한국 전역에 분포함.

선:-떡 명 잘 쪄지지 아니한 떡. 잘 익지 아니한 떡.
[선떡 가지고 친정에 간다] 선물할 물건이 변변찮고 부적당함을 두고 이르는 말. [선떡 먹고 체하였나 웃기는 왜 웃노] 아무렇지도 아니한 시시한 일에 잘 웃는 사람을 핀잔주는 말.

선:떡 받듯이 구 마음에 흡족하지 않거나 못마땅해 하는 태도를 이르는 말. ¶자네는 그렇게 선떡 받은 듯이 서서 있지 말고 이리 와서 조력 좀 하게≪趙重桓:菊의 香≫.

선:떡 부스러기 명 ①선떡의 부스러진 조각. ②어중이떠중이가 모인 실속없는 무리를 가리키는 말. ③영성하고 변변치 않은 한 번 흩어지기만 하면 다시 결합하기 어려움을 비유한 말.

선:-똥 명 지나치게 먹어서 완전히 삭지 아니하고 밀려 나오는 똥.

선뜩 부 갑자기 놀라거나 찬 느낌을 받는 모양. ¶가슴이 ~하다. ㅅ선득. >산뜩. ──-하다 형여불

선뜩-거리다 자 연해 선뜩한 느낌이 있다. ¶진득거리는 땀기가 등허리에 선뜩거리는 것도 같이 느끼다. ㅅ선득거리다. >산뜩거리다. 선뜩-선뜩 부. ¶외마디 곡성을 애처롭게 부르짖어 강변 어부한이의 가슴을 ~하게 할 뿐이다≪朴鍾和:錦衫의 피≫. ──-하다 형여불

선뜩-대다 자 선뜩거리다.

선뜻 부 거침없이 가볍고 빠르고 시원스러운 모양. ¶~ 응낙했다. >산뜻.

선뜻-선뜻 부 몹시 선뜻한 모양. 또, 여럿이 모두 선뜻한 모양. ¶모두들 ~ 응한다. >산뜻산뜻. ──-하다 형여불

선뜻-이 부 선뜻하게. >산뜻이.

선뜻-하다 형여불 깨끗하고 말쑥하여 시원스레 보이다. >산뜻하다.

선라-풍【蟬螺風】[설—] 명〖한의〗입 속에 둥글둥글한 백태가 많이 생기고, 가슴이 아픈 병. 금구증(噤口症). 아후창(鵝喉瘡).

선란【煽亂】[설—] 명 소란(騷亂)을 선동함. 선동하여 소란을 일으킴. ──-하다 자여불

선랑【仙郞】[설—] 명〖역〗①신라 말기에, 화랑(花郞)의 일컬음. ②고려 때, 팔관회(八關會)의 무동(舞童)의 일컬음. 또, 귀한 집의 미혼(未婚)의 자제.

선랑-치【仙郞峙】[설—] 명〖지〗경상 북도 상주시(尙州市)에 있는 고개.

선래【先來】[설—] 명〖역〗외국에 갔던 사신이 돌아올 때에 앞서서 돌아오는 역관(譯官).

선략 장군【宣略將軍】[설—] 명〖역〗조선 시대에, 무관(武官)의 종사품의 품계. *정략(定略) 장군.

선:량[1]【善良】[설—] 명 착하고 어짊. ↔불량(不良). ──-하다 형여불

선-량[2]【線量】[설—] 명 (dose)〖물〗물질이나 생물이 받은 방사선의 양. 보통, 뢴트겐을 단위로 씀.

선:량[3]【選良】[설—] 명 ①뛰어난 인물을 선출함. 또, 그 선출된 인재. ②'국회 의원(國會議員)'의 별칭. ¶십만의 ~.

선량-계【線量計】[설—] 명 (dosimeter)〖물〗조사(照射) 중에 받은 전선량(全線量)을 잴 목적으로 전리함(電離函)과 계기(計器)로 만든 적산식(積算式)의 장치.

선려[1]【仙侶】[설—] 명 동행하거나 함께 노는 사람을 칭찬하여 이르는 말.

선려[2]【先廬】[설—] 명 조상 때부터 살아 오는 집.

선려[3]【禪侶】[설—] 명〖불교〗선사(禪寺)의 승려(僧侶). 선종(禪宗)의 중.

선려[4]【鮮麗】[설—] 명 신선하고 아름다움. ──-하다 형여불

선려-궁【仙呂宮】[설—] 명〖악〗악곡(樂曲)의 음조(音調). 궁성 칠조(宮聲七調)의 하나.

선려-조【仙呂調】[설—쪼] 명〖악〗악곡(樂曲)의 음조(音調). 우성 칠조(羽聲七調)의 하나.

선력【宣力】[설—] 명 힘껏 주선함. ──-하다 형여불

선령[1]【仙靈】[설—] 명 신선(神仙).

선령[2]【先靈】[설—] 명 ①선조의 영혼. ②선열(先烈)의 영혼.

선령[3]【船齡】[설—] 명 배가 진수(進水)한 때로부터의 경과 연수(經過年數).

선령-비【仙靈脾】[설—] 명〖한의〗음양곽(淫羊藿).

선령-상【先靈床】[설—쌍] 명〖민〗무당이 굿을 할 때에, 굿을 하는 집의 조상의 혼령을 위하여 차리는 제물상.

선례【先例】[설—] 명 ①전례(前例). ②〖법〗일정한 판결에 나타난 취지나 원칙이 그 후의 판결에 의하여 도습(蹈襲)되는 경우, 앞의 판결을 이름. 선결례(先決例). 전령(典令).

선례 구속력의 원칙【先例拘束力—原則】[설—녁—/설—녁에—] 명〖법〗후일 같거나 비슷한 사건에 대해 판결을 내리는 경우에 선판례에 의해 구속을 받으며 상급 법원의 판결은 하급 법원을 구속한다는 원칙. 선결례(先決例)의 원칙.

선례 후:학【先禮後學】[설—] 명 먼저 예의를 배우고 나중에 학문을 배우라는 말. 곧, 예의가 첫째라는 뜻.

선로[1]【船路】[설—] 명 뱃길.

선로[2]【船艫】[설—] 명 고물.

선:로[3]【善路】[설—] 명 착한 길.

선로[4]【線路】[설—] 명 ①열차나 전차의 바퀴가 굴러 가는 레일(rail). 궤도(軌道). ¶~ 보수 공사. ②열차·전차·자동차 등이 다니는 노선(路線). ③전력(電力) 수송·송신용(送信用) 등, 옥외(屋外)의 유선식(有線式) 전기 회로의 총칭.

선로-공【線路工】[설—] 명 선로를 부설하거나 수리 보전하는 일을 맡아 보는 사람. 보선공.

선로 도:선【線路導線】[설—] 명〖전〗전력 선로에서 도체(導體)로 사용되는 금속. 가장 많이 쓰이는 도체는 구리와 알루미늄임.

선로 명주【仙露明珠】[설—] 명 선인(仙人)이 내려주는 이슬과 아름다운 구슬. 곧, '서법(書法)의 원활(圓滑)'함을 이르는 말.

선로 제표【線路諸標】[설—] 명 철도 선로의 거리·기울기·곡선 또는 기적 취명(汽笛吹鳴)·속도 제한 등을 나타내는 표지. 열차의 운전과 안전, 선로의 보수(補修)를 위해 선로 상의 필요한 곳에 설치함. 선로표.

선로-표【線路標】[설—] 명 선로 제표.

선:록【選錄】[설—] 명 가려서 기록함. ──-하다 타여불

선롱【先壟】[설—] 명 선산(先山).

선루【船樓】[설—] 명 ①배 위의 다락집. ②배의 이물이나 중앙 또는 고물의 상갑판(上甲板)에 만든 갑판 구조물(構造物). 그 속에 여객실(旅客室)·선원실을 설치하며, 또 기관실(機關室)을 덮기 위해 설비함.

선루 별곡【仙樓別曲】[설—] 명〖문〗조선 시대 후기의 가사의 하나. 평안 남도 성천(成川)의 객사인 동명관(東明館)과 이에 딸린 건물 강선루(降仙樓)를 중심으로, 명승 고적·인물·풍속 등을 노래한 것임. 지은이와 연대는 미상(未詳).

선-룸: (sunroom) 명 일광욕을 위해서 특별히 유리로 설비된 방. 일광욕실.

선-류【蘚類】[설—] 명〖식〗[Bryosida] 선태 식물(蘚苔植物)에 속하는 한 강(綱). 실 같은 원사체(原絲體)를 이룸. 줄기와 잎의 구별이 있으며, 다세포(多細胞)인 헛뿌리를 가짐. 유성 세대(有性世代)의 생식 기관으로는 자웅 이주(雌雄異株)인 줄기나 가지의 맨 끝에 장정기(藏精器) 또는 장란기(藏卵器)를 가지고 있으며, 무성 세대(無性世代)의 것은 배우체(配偶體) 위에 포자낭(胞子囊)을 형성하고 여기에 포자(胞子)가 생김. 물이끼·솔이끼 같은 것이 이에 속함. ↔태류(苔類).

선륜【線輪】[설—] 명〖물〗'코일(coil)'의 구용어.

선륜-차【旋輪車】[설—] 명〖공〗물레.

선-릉【宣陵】[설—] 명〖지〗①조선 성종(成宗)과 성종 계비(繼妃) 정현(貞顯) 왕후 윤(尹)씨의 능. 서울 특별시 강남구 삼성동(三成洞)에 있음. ②고려 현종의 능. 경기도 개풍군 중서면에 있음.

선리[1]【先利】[설—] 명〖경〗선변(先邊).

선리[2]【船離】[설—] 명〖악〗배따라기❶.

선:리[3]【善吏】[설—] 명 선량한 관리.

선:린【善隣】[설—] 명 이웃과 사이좋게 지내는 일. 또, 그러한 이웃. ¶~ 우호(友好).

선:린 외:교【善隣外交】[설—] 명 이웃 나라와의 친선을 꾀하여 취하는 외교 정책.

선:린 정책【善隣政策】[설—] 명〖정〗①이웃 나라와 친선(親善)을 꾀하기 위한 정책. ②(good neighbor policy)〖정〗1920년대로부터 현재에 이르기까지 미국이 라틴 아메리카의 여러 나라에 대하여 취한 우호적 외교 정책. 특히 프랭클린 루스벨트 대통령에 의하여 강력히 추진되었음. 선린주의(善隣主義).

선:린-주의【善隣主義】[설—/설—이] 명〖정〗선린 정책(善隣政策)❷.

선림【禪林】[설—] 명〖불교〗①선종(禪宗)의 사원(寺院). ②선정(禪定)을 닦는 절. 선원(禪院).

선:립-종【瘰粒腫】[설—] 명〖의〗눈꺼풀에 작은 멍울이 생기는 염증. 마이봄(Meibom) 지선(脂腺)의 만성 비화농성 염증(慢性非化膿性炎症)임.

선마[1]【宣麻】명〖역〗임금이 신하에게 궤장(几杖)을 사송(賜送)할 때에 함께 껴서 주는 글.

선:마[2]【騸馬】명 불알을 깐 말.

선마-가【船馬價】[—까] 명〖역〗조선 시대에, 세곡(稅穀)의 운반비의 명목으로 거두는 일종의 부가세(附加稅).

선망[1]【先望】명 선보름. ↔후망(後望).

선망[2]【旋網】명 두릿그물.

선:망[3]【羨望】명 남을 부러워하고, 자기도 그렇게 되기를 바람. ¶~의 대상. ──-하다 타여불

선망 어업【旋網漁業】명 두릿그물 어업.

선망 후:실【先忘後失】명 자꾸 잊어버리기를 잘함. ¶낫살을 먹으니까 아무래두 ~해서 할 수 없어≪洪命憙:林巨正≫. ──-하다 타여불

선-맞섬【線—】명〖수〗'선대칭(線對稱)'의 풀어 쓴 말.

선매[1]【先買】명 남보다 먼저 삼. ──-하다 타여불

선매[2]【先賣】명 예매(豫賣). ¶입도(立稻) ~. ──-하다 타여불

선매-권【先買權】[—꿘] 명 남에 앞서서 물건이나 권리를 사는 권리.

선-머리【先—】명 ①순서 있는 일의 맨 처음. ②줄지어 가는 행렬의 앞부분. ¶일행은 다시 봉삼과 조성준을 ~로 하여 석조다리 쪽의 내리막길로 들어섰다≪金周榮:客主≫. 1)·2):↔후머리.

선:-머슴 명 장난이 세차고, 함부로 덜렁거리는 사내 아이.
[선머슴이라] ㉠거칠고 사나우며 예의바르지 못한 사내아이란 뜻. ㉡계집애가 얌전치 못하고 덜렁거릴 때 이름.

선-메꽃 명 〖식〗 [*Calystegia davurica*] 메꽃과에 속하는 다년초. 지하경은 백색이고, 줄기 높이 60cm 가량되며 잎은 호생하고, 유병(有柄)에 피침형임. 6-8월에 긴 꽃줄기 끝에 담황색 꽃이 액출하여 피고, 삭과(蒴果)를 맺음. 들이나 밭에 나는데, 강원·황해·함북에 분포함. 근경(根莖)과 어린 잎은 식용함.

선면【扇面】 명 부채의 면. 곧, 사(紗)나 종이를 바른 거죽.

선면-화【扇面畫】 명 부채 위의 그림.

선명[1]【宣明】 명 명확하게 밝혀, 선언(宣言) 또는 선포(宣布)함. ——-하다 타여불

선명[2]【船名】 명 배의 이름. ¶ ～록(錄).

선명[3]【鮮明】 명 ①산뜻하고 밝음. 조촐하고 깨끗함. ¶ ～한 인쇄물/～한 색채. ②뚜렷하여 다른 것과 혼동되지 않음. ¶ 태도가 ～하지 않다. ——-하다 형여불. ——-히 부

선명[4]【蟬鳴】 명 매미가 욺. 또, 그 소리.

선명-도【鮮明度】 명 ①〖물〗 렌즈를 통하여 맺혀진 상(像)의 밝기나 세부(細部)를 분별할 수 있는 정도. ②통신에서, 텔레비전이나 팩시밀리 수신기가 상(像)을 형성하는 충실도(忠實度).

선명-력【宣明曆】 [—녁] 명 〖역〗 중국 당(唐)나라 장경(長慶) 2년(822)에 서앙(徐昂)이 만든 태음력(太陰曆). 823년부터 71년간 쓰였는데, 1년의 길이를 365.2446일로 잡음.

선명-록【船名錄】 [—녹] 명 선박 원부(船舶原簿)에 의하여 선명(船名)·선박 번호·톤수(ton數)·제조 연월일·선급(船級) 등을 기입한 장부.

선모[1]【仙母】 명 〖악〗 왕모(王母)❷.

선모[2]【仙茅】 명 〖식〗 [*Tragopogon porrifolius*] 국화과에 속하는 이년초. 높이 1m 가량, 잎은 호생하고 피침상 선형(線形)으로 끝이 뾰족하며 기각(基脚)은 줄기를 싸고 있음. 7월에 자줏빛을 띤 몇 개의 큰 두상화(頭狀花)가 피며, 수과(瘦果)는 관모(冠毛)가 있음. 관상용이며, 흰 빛의 다육근(多肉根)은 식용함. 남유럽 원산인데, 보통 밭에 많이 재배함.

〈선모²〉

선:모[3]【善謀】 명 뛰어난 계략. 선계(善計).

선모[4]【旋毛】 명 가마[3]❶.

선모[5]【腺毛】 명 〖생〗 식물과 곤충 등의 몸 겉 쪽에 있는 털의 한 가지. 식물은 줄기·잎·꽃·포(苞) 등 여러 군데에 있으며, 그 모양도 가지 각색인데, 점액(粘液) 또는 그 밖의 액체를 분비(分泌)함. 곤충의 몸에 있는 것은 털 뿌리에 독선(毒腺)이 있어, 털의 중공부(中空部)를 통하여 독액이 흘러나옴. 찔리면 몹시 쓰라리고 아픔. 모드라기풀의 잎의 털, 토마토의 줄기의 털이나, 독나방·송충이 등의 털 같은 것.

선:모[6]【羨慕】 명 부러워하고 흠모함. ——-하다 타여불

선:모[7]【選毛】 명 양모 방적 공정(羊毛紡績工程)에서 양모의 섬유를 그 장단과 품질에 따라 선별하는 일.

선모[8]【蘚帽】 명 선류(蘚類)의 조포체(造胞體)의 포자낭(胞子囊)을 싸고 있는 모상 기관(帽狀器官).

선모-류【旋毛類】 명 〖동〗 [Spirotricha] 섬모충강(纖毛蟲綱)에 속하는 원생(原生) 동물의 한 목(目). 몸은 긴 타원형이거나 또는 도원추체(倒圓錐體)인데, 온몸에 섬모가 있으며, 입 가의 섬모는 훨씬 커서 이른바 구모열(口毛列)을 이룸. 잡모류(雜毛類). 이모류(異毛類).

선모-충【旋毛蟲】 명 〖동〗 [*Trichinella spiralis*] 선충강(線蟲綱) 모관목(毛管目) 선모충과에 속하는 선형(線形) 동물. 회충과 비슷한데, 몸은 길이 1-4mm의 사상(絲狀)이며, 앞 끝은 차차로 가늘게 되어 있고, 몸빛은 담황백색(淡黃白色)임. 모충(母蟲)은 사람 또는 포유 동물의 소장(小腸)에 기생하고, 유충은 근육 속에 나선상(螺旋狀)으로 뭉쳐 기생함. 선모충병(病)을 일으키는데, 돼지의 날고기로부터 감염됨.

선목【先牧】 명 〖민〗 말을 처음으로 먹였다고 전하여지는 사람. 말을 처음 탔다는 마사(馬社)라는 사람과, 말을 해(害)친다는 마보(馬步)라는 귀신과 함께 설단(設壇)하여 제사지냈음. 서울 동대문 밖 북쪽에 단이 있었다 함.

선-목단풀【—牧丹—】 명 〖식〗 [*Clematis tubulosa*] 미나리아재빗과에 속하는 작은 낙엽 관목. 높이 1m 가량, 잎은 삼출 복엽(三出複葉)의 넓은 달걀꼴에 거친 톱니가 있음. 여름에 벽색(碧色) 꽃이 자웅 이가(雌雄異家)의 밀산(密繖) 화서로 정생(頂生) 또는 액생(腋生)하며, 수과(瘦果)는 편편한 타원형임. 산록에 나는데, 한국·일본·중국·만주에 분포함. 뿌리는 약용함. 조이풀.

선묘[1]【先墓】 명 선산(先山).

선:묘[2]【善苗】 명 좋은 모. 튼튼한 묘목.

선묘[3]【線描】 명 선(線)만으로 그림. ——-하다 타여불

선:묘[4]【選苗】 명 모·묘목을 고름. ——-하다 자타여불

선묘[5]【鮮妙】 명 조촐하고 묘함. 산뜻하고 고움. ——-하다 형여불. ——-히 부

선무[1]【先務】 명 제일 먼저 해야 할 요긴한 일. ¶ 뒷수습이 급～이다.

선무[2]【宣撫】 명 ①지방이나 점령지(占領地)의 주민(住民)에게 정부 또는 본국의 본의(本意)를 이해시키어 인심을 안정시키는 일. ②〖역〗 중국의 당(唐)나라 때의 관명(官名). 지방에 파견되어 어수선한 민심을 무마(撫摩)하는 직무를 맡았음.

선무 공신【宣武功臣】 명 〖역〗 조선 선조(宣祖) 37년(1604)에, 임진 왜란에 큰 공을 세운 이순신(李舜臣)·권율(權慄) 등 열여덟 사람의 무신(武臣)에게 내린 훈공(勳功).

선무 공작【宣撫工作】 명 지방이나 점령지의 주민에게 정부 또는 본국의 본의(本意)를 바르게 이해시키고, 민심을 안정시키는 모든 활동.

선:무 군관【選武軍官】 명 〖역〗 조선 영조(英祖) 27년(1751) 균역법(均役法)의 시행(施行)에 따라, 양인(良人)으로 면역(免役)하여 놀고 있는 자를 추려 충정(充定)한 군역(軍役). 평시에는 입번(立番)하지 않고 해마다 포(布) 1필을 바치며, 유사시에는 수령(守令)의 영솔(領率) 아래 방수(防守)에 대비하게 함.

선:무 군관포【選武軍官布】 명 〖역〗 조선 영조(英祖) 때, 균역법(均役法)의 실시에 따라, 놀고 있는 양인(良人)의 군역(軍役) 해당자를 찾아내어, 한 사람에 1필씩 부과한 군포(軍布).

선:-무당【—巫—】 명 〖민〗 서투르고 미숙한 무당.
[선무당이 마당 기울다 한다; 선무당이 장구 탓한다] ㉠할 줄 모르는 사람일수록 핑계가 많다는 뜻. ㉡제 솜씨가 부족함을 다른 핑계로 변명한다는 뜻. [선무당이 사람 죽인다] 미숙한 사람이 잘하는 체하다가 일을 그르쳐 놓는다는 뜻.

선무-랑【宣務郞】 명 〖역〗 조선 시대 때, 종육품 문관의 품계(品階). 무공랑(務功郞)의 위, 승훈랑(承訓郞)의 아래. *선교랑(宣敎郞).

선무-사【宣撫使】 명 〖역〗 조선 시대 때, 나라 안에서 큰 재해(災害)나 난리가 일어났을 때에, 왕명(王命)을 받들어 그 곳의 백성을 진무(鎭撫)하던 임시 벼슬.

선:무외【善無畏】 명 〔범 Subhakara Simha〕 〖사람〗 밀교 열조(密敎列祖)의 한 사람. 중인도 사람. 13세에 마가다국(Magadha 國)의 왕이 되었으나 여러 형들이 반란을 일으키자 형들에게 양위(讓位)하고, 나란타사(那爛陀寺)의 달마국다(達磨掬多)에게서 유가(瑜伽)·삼밀(三密)의 비결을 깨쳤음. 뒤에 당나라 장안(長安)으로 와서 《대일경(大日經)》 등의 경서를 번역하였음. [637-735]

선문[1]【先文】 명 〖역〗 벼슬아치가 지방에 출장할 때에 도착할 날짜를 그 곳에 미리 통지하던 공문.
선문(을) 놓다 구 미리 알리다. 사전(事前)에 통지하다.

선문[2]【先聞】 명 일이 있기 전에 전해지는 소문. 또, 그 소문을 들음. 선성(先聲). ——-하다 타여불

선문[3]【旋紋】 명 소용돌이치는 물결 모양의 무늬.

선문[4]【線紋】 명 선 모양으로 된 무늬. 줄무늬.

선:문[5]【選文】 명 ①문장을 가림. 또, 그 문장. ②서위(敍位)할 관리(官吏)를 가려낸 문서. ——-하다 자여불

선문[6]【禪門】 명 〖불교〗 ①선종(禪宗)의 문파(門派). ②불가(佛家)❶. ③불문에 들어간 남자. ↔선니(禪尼).

선문[7]【蟬紋】 명 매미 모양의 무늬.

선문 수승【蟬紋水丞】 명 둘레에 매미 모양의 무늬를 넣은 자기(瓷器) 주전자.

선문 염송 설화【禪門拈頌說話】 명 〖책〗 고려의 각운 선사(覺雲禪師)가 혜심(慧諶)이 지은 《선문 염송집(禪門拈頌集)》 중에서 요어(要語)를 추려 세밀하게 설화를 붙인 책. 천은자(天隱子)의 서(序)를 붙여, 조선 숙종(肅宗) 11년(1685)에 출판한 목판본임. 고려 때는 선문 필독(禪門必讀)의 책으로 세간에서도 널리 읽혔으나, 조선 시대에는 불교 배척의 영향을 받아 이 책은 깊이 산사(山寺)에 묻히게 됨. 30권 5책.

선문 염송집【禪門拈頌集】 명 〖책〗 고려의 중 무의자(無衣子) 혜심(慧諶)이 고려 고종(高宗) 13년(1226)에 편집한 선림(禪林)의 고화(古話) 1125칙(則)과 여러 선사의 염송(拈頌)을 수록한 책. 선문의 오종론도(悟宗論道)에 대한 재료로 삼은 것이라 하며, 법문(法門)의 전등(傳燈)이라는 평이 있음. 인조(仁祖) 14년(1636) 전남 보성군(寶城郡) 대원사(大原寺)에서 간행함. 목판본. 30권 10책.

선-문자【線文字】 [—짜] 명 그리스 최고(最古)의 문자인 크레타(Kreta) 문자의 하나. 크레타 문자에는 그림 문자와 선문자 A·B가 있는데, 그 중 선문자 B는 1952년 영국의 벤트리스(Ventris, M.)가 해독(解讀)하였음.

선물[1]【先物】 명 맏물.

선물[2]【先物】 명 〖경〗 장래의 일정한 시기에 현품(現品)을 넘겨 줄 조건으로 매매 계약을 하는 거래 종목(去來種目). ↔실물(實物).

선:물[3]【膳物】 명 남에게 선사하는 물품. 물선(物膳). 폐물(幣物).

선물 거:래【先物去來】 명 〖경〗 거래소(去來所)의 거래의 하나. 장래의 일정한 기일에 현품(現品)의 수도(受渡)에 의하여 결제(決濟)할 것을 원칙으로 하는 거래. 선물 매매. ↔실물 거래(實物去來).

선물 매매【先物賣買】 명 〖경〗 선물 거래.

선-물수세미【—쑤—】 명 〖식〗 [*Myriophyllum ussuriense*] 개미탑과에 속하는 다년생 수초(水草). 줄기는 가늘고 길이 50cm 가량으로, 진흙 속에 있는 것은 6-10cm이며, 지하경에는 수염뿌리가 남. 잎은 줄기 마디에 두세 조각씩 윤생(輪生)하고, 날개 모양으로 깊게 갈라졌으며 열편(裂片)은 실 모양임. 7월에 담황색의 꽃이 잎 사이에 하나씩 피고, 자웅 이가(雌雄異家)임. 진흙이나 물 속에 나는데, 전남 구례(求禮) 등지에 분포함.

선물-환【先物換】 명 〖경〗 장래의 일정한 시기에 인수·인도를 하기 위해 매매되고 그 인수·인도와 동시에 대금이 결제되는 것을 조건으로 하는 외국환(外國換). 환(換)시세 변동에 따르는 위험을 막기 위해 무역업자에게는 요긴한 것임.

선물환 거:래【先物換去來】 명 〖경〗 1-6개월 후에 외환(外換)을 인도하는 조건으로 계약을 한 외환 거래. ↔현물환 거래.

선물환 시세【先物換時勢】 명 〖경〗 선물환 거래에 적용되는 시세.

선미[1]【仙味】 명 신선(神仙)의 취미. 탈속(脫俗)한 취미. 영묘(靈妙)한 취미.

선미[2]【船尾】 명 고물[3]. ↔선두(船頭).

선:미[3]【善美】 명 ①선(善)과 미(美). ②착하고 아름다움. ——-하다 형여불

선미[4]【線美】 명 파선(波線)이나 곡선(曲線)에 있어서, 선 그 자체의 특유한 형식에 따르는 미.

선미[5]【鮮美】 명 산뜻하고 아름다움. ——-하다 형여불

선미[6]【鮮媚】 명 ①필력(筆力)이 곱고 부드러움. ②경치가 아름답고 조용함. ——-하다 형여불

선미[7]【禪味】 명 〖불교〗 선(禪)의 취미. 탈속(脫俗)한 취미.

선:미-도【善尾島】 명 〖지〗 인천 광역시 옹진군(甕津郡) 덕적면(德積面) 북리(北里)에 위치한 섬. 덕적도의 서북쪽 8km 떨어진 곳에

있음. [0.81 km² : 8 명(1984)]

선미-등【船尾燈】명 고물에 단, 무색(無色) 원통형 유리로 된 선등(船燈).

선미-루【船尾樓】명 고물에 만들어 놓은 선루(船樓).

선미익-기【先尾翼機】명 비행기의 하나. 수직 미익이나 수평 미익을 기체의 앞쪽에 장치한 비행기. 고속기에 쓰임.

선미-재【船尾材】명 고물에 있는, 키나 추진기(推進器)를 장치하는 강재(鋼材). 대부분은 용골(龍骨)에 대하여 수직(垂直)이지만 약간 경사진 것도 있음.

선민[1]【先民】명 ①선대의 현인(賢人). 선철(先哲). ②옛날 사람. 고인(古人).

선:민[2]【善民】명 선량한 인민. 양민(良民).

선:민[3]【選民】명 ①〖성〗 하느님의 특별한 은총을 입어 '거룩한 백성'으로서 택함을 받은 이스라엘 백성. ②한 사회에서 남달리 특별한 혜택을 받고 잘사는 소수의 사람.

선민[4]【鮮民】명 가난하고 부모가 없는 고독한 사람.

선:민 사:상【選民思想】명 선민 의식.

선:민 의:식【選民意識】명 세계의 온 백성 중에서 유일신(唯一神)을 믿는 자기 백성만이 여호와의 택함을 받고 그의 특별한 은혜를 입는다는 이스라엘 사람의 종교적·민족적 우월감(優越感). 선민 사상.

선-밀도【線密度】[—또] 명 [linear density] 〖물〗 실이나 철사 같은 가늘고 긴 물체의 단위 길이당(當)의 질량(質量). 곧, 선밀도=질량÷길이.

선-바람 명 지금 차리고 나선 그대로의 차림새. 「다니다.

선:바람 쐬다 자 낯선 지방의 바람을 쏘이다. 곧, 낯선 지방으로 돌아다니다.

선-바위고사리 명 〖식〗 [*Onychium japonicum*] 고사릿과에 속하는 다년생 상록 양치류(羊齒類). 높이 60 cm 가량이고 근경(根莖)은 옆으로 길게 뻗었으며 갈색의 피침형 비늘 조각이 덮여 있음. 잎은 근경에서 총생(叢生)하고, 잎자루는 30 cm 내외로 길이 매우 단단함. 포자엽(胞子葉)은 나엽(裸葉)보다 높게 쑥 비어져 나왔는데 암녹색의 엽면(葉面)은 긴 달걀꼴이며, 너덧 갈래로 우상 심렬(羽狀深裂)함. 자낭군(子囊群)에는 피막(被膜)이 있음. 산의 건조한 땅에 나는데, 제주·경남에 분포함.

선박[1]【船泊】명 정박(碇泊). ——하다 자여불

선박[2]【船舶】명 ①사람이나 물건을 수송하기 위하여 수상(水上)을 항행할 능력이 있는 구조물. 배. ②〖법〗 해상법(海商法)상 상행위(商行爲)를 할 목적으로 수상을 항행하는 구조물. 명칭·국적·선적항(船積港) 등을 가지며, 본래는 동산이지만 부동산에 준(準)한 취급을 받는 경우가 있음. 종류는 기선(汽船)과 범선(帆船)으로 크게 나누며, 보통 넓은 뜻으로의 수상 항행용 구조물이라고 하면 항해선(航海船)·내수선(內水船)·공선(公船)·사선(私船)·기선·범선·노도선(櫓櫂船)·등록선(登錄船)·부등록선·상선(商船)·비상선(非商船) 등을 말함.

선박 검:사【船舶檢査】명〖법〗 선박의 안전 항행을 도모하기 위하여 해당 관청에서 선박의 구조·설비·만재 흘수선(滿載吃水線)·무선 전화 시설 등에 관하여 검사하는 일. 정기(定期)·중간·임시·임시 항행·특별 검사가 있음. ——하다 자여불

선박 공:유자【船舶共有者】명〖법〗 한 척의 배를 두 사람 이상이 소유하고, 공동으로 상행위(商行爲)를 할 목적으로 항해에 이용하는 사람.

선박 공학【船舶工學】명 조선학(造船學).

선박 관리인【船舶管理人】[—괄—] 명〖법〗 선박 이용에 관한 선박 공유자(共有者)의 총괄적 관리인. 선박 관리인은 선박 공유자의 법정 대리인이며, 선박의 이용에 관한 법정의 사항을 제외하고는 포괄적 대리권을 가짐. 선임(選任)은 선박 공유자 과반수의 결의에 의하며, 공유자 이외의 사람을 선임할 때에는 모든 공유자의 동의(同意)를 요함.

선박-국【船舶局】명〖해〗 선박의 항행과 인명의 안전 또는 사업상의 목적 등을 위하여 항해 중의 배에 설비되는 무선국.

선박 국적 증서【船舶國籍證書】명〖법〗 총톤수 20 톤 이상의 선박에 대하여 그 선적(船籍)을 증명하기 위하여 해운 관청(海運官廳)으로부터 교부되는 증서.

선박 권력【船舶權力】[—궐—] 명〖법〗 해상(海上)에서의 위험 방지를 위하여, 선장(船長)이 필요한 해원(海員)들의 조력(助力)을 구하고 또한 일정한 명령을 내릴 수 있는 권한(權限).

선박 금융【船舶金融】[—/—늉] 명 선박 건조(建造)를 위한 자금의 금융. 건조 중에 있는 배 또는 취항(就航) 중의 배를 저당(抵當)으로 함.

선박 등기【船舶登記】명 선박의 소유권·임차권(賃借權)·저당권(抵當權) 등 선박에 관한 일정한 사항을 선적항(船籍港)을 관할하는 지방 법원·동지원(同支院) 또는 등기소의 선박 등기부(船舶登記簿)에 등기하는 일. 20 톤(ton) 이상의 모든 선박에 대하여 등기하게 되어 있음.

선박 등기법【船舶登記法】[—뻡] 명〖법〗 선박법의 규정에 의하여 선박의 등기에 관한 사항을 정한 법.

선박 등기부【船舶登記簿】명〖법〗 선박에 관한 일정한 사항을 등기하기 위하여 등기소에 비치하여 두는 공부(公簿). 「하는 문서.

선박 등기 증서【船舶登記證書】명〖법〗 선박 등기를 필하였음을 증명

선박 등록【船舶登錄】[—녹] 명〖법〗 선적항(船籍港)을 관할하는 해운관청(海運官廳)의 선박 원부에 선박에 관한 일정한 사항을 기재하는 일. 이것을 마친 다음에 비로소 선박 국적(國籍) 증서가 교부되고, 국기 게양권·항행권이 공인(公認)됨.

선박-법【船舶法】명〖법〗 선박의 소속을 명확히 하고 해상의 질서를 유지하며, 국가 권익과 국민 경제에의 기여를 목적으로 정한 법. 한국 선박의 요건, 선박 적량 측도(積量測度), 선적항(船籍港), 등록, 선박 국적 증서(國籍證書) 등을 규정함.

선박 보:험【船舶保險】명〖법〗 선박에 있어서 생길 수 있는 손해의 보전(補塡)을 목적으로 하는 해상(海上) 보험의 하나. 선박 보험의 목적물은 선박이며, 특약(特約)이 없는 한 속구 목록(屬具目錄)에 기재된 것도 포함함.

선박 부:이사관【船舶副理事官】명 선박직(船舶職) 국가 공무원 직급 명칭의 하나. 선박 직렬(職列)에 속하며, 선박 서기관(書記官)의 위, 선박 이사관의 아래로 3급 공무원임.

선박 사:무관【船舶事務官】명 선박직(船舶職) 국가 공무원 직급 명칭의 하나. 선박 직렬(職列)에 속하며, 선박 주사(主事)의 위, 선박 서기관(書記官)의 아래로 5급 공무원임.

선박 사:무장【船舶事務長】명〖해〗 선박에 타고, 그 선박의 경리 업무 면을 담당하는 책임자.

선박 산:법【船舶算法】[—뻡] 명〖해〗 배의 배수량·부심(浮心)·경심(傾心) 위치·중심(重心) 위치·배의 자세 등에 관한 계산법.

선박 서기【船舶書記】명 선박직(船舶職) 국가 공무원 직급 명칭의 하나. 선박 직렬(職列)에 속하며, 선박 서기보의 위, 선박 주사보(主事補)의 아래로 8급 공무원임.

선박 서기관【船舶書記官】명 선박직(船舶職) 국가 공무원 직급 명칭의 하나. 선박 직렬(職列)에 속하며, 선박 사무관(事務官)의 위, 선박 부이사관(副理事官)의 아래로 4급 공무원임.

선박 서기보【船舶書記補】명 선박직(船舶職) 국가 공무원 직급 명칭의 하나. 선박 직렬(職列)에 속하며, 선박 서기(書記)의 아래로 9급 공무원임.

선박 서류【船舶書類】명〖법〗 선박에 관한 서류. 곧, 선박 국적 증서·해원 명부·항해 일지·여객 명부 및 속구 목록(屬具目錄)·운송 계약서 등으로서, 선장은 항상 이를 그 선박에 비치하여야 함.

선박-세【船舶稅】명 [ship money] 〖역〗 영국(英國)에서 1634-41년까지 해군 유지(海軍維持)를 위하여 각 주(州) 및 시(市)에 부과한 세금.

선박 소:유권【船舶所有權】[—꿘] 명〖법〗 선박에 관한 소유권.

선박 소:유자【船舶所有者】명〖법〗 선박을 스스로 소유하고, 그 선박을 상행위(商行爲)를 할 목적으로 항해용으로 제공하는 사람.

선박 속구【船舶屬具】명 선박의 구성 부분이 아니고, 독립한 물건이지만 선박의 상용(常用)에 제공되는 선박에 부속된 물건. 나침반·해도(海圖)·돛·닻·구명구(救命具)·신호 기구 같은 것. 속구(屬具).

선박 시험소【船舶試驗所】명 선박·선박용 기관(船舶用機關)·선박 용품(船舶用品)에 관한 시험 및 연구를 행하는 곳.

선박 신:호【船舶信號】명 배와 배 또는 배와 육지 사이에 쓰는 신호. 홍백(紅白) 두 개의 수기(手旗)를 좌우의 손에 들고 숫자(數字)나 글자로 엮는 수기 신호(手旗信號)와, 로마 글자를 나타내는 백(白)·홍(紅)·황(黃)·감(紺)·흑(黑)의 다섯 가지 빛깔을 합쳐 만든 신호기로써 하는 신호 및 모스(morse) 부호에 의한 무선 전신(無線電信) 또는 발화 신호(發火信號) 등 여러 가지가 있음.

선박 안전법【船舶安全法】[—뻡] 명〖법〗 해상 인명 안전 조약에 따라 선박의 감항성(堪航性)을 보지하고 인명과 재화의 안전 보장에 필요한 시설을 하게 함으로써 해상(海上)에 있어서의 여러 가지 위험을 방지하려는 법.

선박 압류【船舶押留】[—뉴] 명〖법〗 ①선박에 대한 강제 집행상의 압류. ②선박 억류(抑留).

선박 억류【船舶抑留】[—뉴] 명 자기 나라의 항만(港灣)에 있는 외국 선박을 억류하는 일. 흔히 어떤 외국의 불법 행위에 대한 보복(報復)의 수단으로서 행하여짐. 선박 압류. 엠바고(embargo).

선박 원부【船舶原簿】명 선박 등록을 위하여 선적항(船籍港)을 관할하는 해운 관청(海運官廳)에 비치한 공부(公簿).

선박 이:사관【船舶理事官】명 선박직(船舶職) 국가 공무원 직급 명칭의 하나. 선박 직렬(職列)에 속하며, 선박 부이사관(副理事官)의 위, 관리관(管理官)의 아래로 2급 공무원임.

선박 임:대차【船舶賃貸借】명 상행위(商行爲)를 목적한 선박의 임대차. 선박 임대차에서는 선장의 선임 감독권(選任監督權)이 선주(船主)가 아니고 선박임차인에게 있는 점이 용선(傭船)과 다름.

선박 임:차인【船舶賃借人】명 남의 선박을 임차하여 상행위를 할 목적으로 항해용으로 제공하는 사람. *용선자(傭船者).

선박 입항 신고【船舶入港申告】명 ①항해 중의 선박이 선적항(船籍港)에 돌아왔음을 알리는 신고. ②항해 중의 선박이 어떤 항구에 입항하였음을 당해 관청에 알리는 신고.

선박 저:당권【船舶抵當權】[—꿘] 명〖법〗 선박을 목적으로 하는 저당권. 이미 등기(登記)를 필한 선박에 대하여서만 설정할 수 있으며 제조 중의 선박은 선박으로 인정할 수는 없으나 선박 금융의 편리를 열어 주기 위하여 특히 저당권 설정이 인정됨. 효력은 부동산 저당권과 같음.

선박 전:화【船舶電話】명 선박 내에 설치되어 있는 무선 전화. 연안을 항행 중이거나 입항 중인 선박 상호간 또는 육지와 선박 사이에 이용되는 전화.

선박 주사【船舶主事】명 선박직(船舶職) 국가 공무원 직급 명칭의 하나. 선박 직렬(職列)에 속하며, 선박 주사보(主事補)의 위, 선박 사무관(事務官)의 아래로 6급 공무원임.

선박 주사보【船舶主事補】명 선박직(船舶職) 국가 공무원 직급 명칭의 하나. 선박 직렬(職列)에 속하며, 선박 서기(書記)의 위, 선박 주사(主事)의 아래로 7급 공무원임.

선박 직원【船舶職員】명 해기사(海技士)로서 선박에서 선장·항해사·기관장·기관사·통신장·통신사·운항장(運航長) 및 운항사(運航士)의 직무를 맡아 보는 사람.

선박-질【船舶質】명〖법〗 선박을 목적으로 하는 질권(質權). 등기되지 않은 선박에 대해서만 인정되고, 그 법률 관계는 동산질(動産質)에 관한 규정이 적용됨. 실제 거래에서는 양도 담보의 방법이 많이 쓰임.

선박 채:권자【船舶債權者】[—꿘—] 명〖법〗 상법의 규정에 따라 선박 선취 특권(船舶先取特權)을 가지는 채권자. 선취 특권자 이외에 선박

상에 저당권을 가지는 채권자도 포함할 때가 있음.

선박 톤수【船舶一數】〔ton〕[一쑤] 명 〖해〗 배의 크기를 나타내는 단위. 각종 세나 수수료·매매 가격 등의 표준이 됨. 총톤수·순(純) 톤수·운하(運河) 톤수·배수량(排水量)·재화(載貨) 중량·재화 용적 톤수 등 여러 가지가 있음. ↔적화(積貨) 톤수.

선박 통보【船舶通報】 명 〖해〗 통과보(通過報)·신호보(信號報)·해난보(海難報)의 총칭. 통과보는 등대(燈臺)의 연해(沿海)를 통과하는 선박에 관하여, 선명(船名)·통과 시간·통과 방향을 청구자(請求者)에게 통지하는 것, 신호보는 선박 소유자와 선장과의 통신을 어느 등대에서 중계 송수(中繼送受)하는 것, 해난보는 선박의 조난(遭難)에 관하여 선명(船名)·재액(災厄)의 일시(日時)·위치(位置)·상황(狀況)을 청구자에 통지하는 것임.

선박 통항 신:호소【船舶通航信號所】 명 굴곡(屈曲)된 좁은 수로(水路)에서 충돌 예방 등을 위해 선박의 동정(動靜)을 신호하는 시설.

선반[1]【一盤】 명 〔←현반(懸盤)〕 ①물건을 얹어 두기 위하여 까치발을 받치어 벽에 달아 놓은 긴 널빤지. ②〈방〉 살강(전남·경남). ③〈방〉 시렁[1](경기·강원·전북·경상).

[선반에서 떨어진 떡] 뜻하지 않게 굴러 들어온 행운의 비유.

선반[2]【先般】 명 부 지난 번. 전번.

선반[3]【宣飯】 명 〖역〗 관아(官衙)에서 관원에게 끼니때에 제공하던 식사.

선반(을) 놓다 구 공사장·부역장(賦役場)에서 일꾼에게 식사 시간을 주다.

선반[4]【旋盤】 명 〖기〗 각종 금속 소재(素材)를 회전 운동시켜서, 갈거나 파내거나 도려내는 데 쓰이는 금속 공작 기계. 공작물(工作物)을 주축(主軸)과 함께 회전시키어 왕복대(往復臺) 상의 칼을 좌우·전후로 움직여 칼질을 하게 됨. 탁상 선반·자동 선반·축(軸)선반 등이 있음. 선반기. 선조기(旋造機). 레이드(lathe). *갈이 기계.

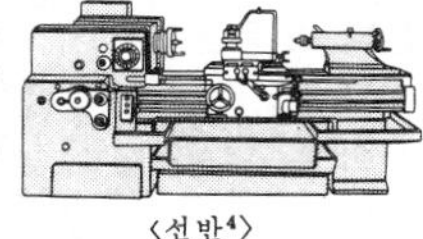
〈선반[4]〉

선반-공【旋盤工】 명 선반을 사용하여 일을 하는 공원(工員).

선반-기【旋盤機】 명 〖기〗 선반(旋盤).

선반-턱【一盤一】 명 얹은 물건이 굴러 떨어지지 아니하도록 선반 가장자리에 따로 붙인 나무.

선-발[1] 명 집 안에서 종일 서서 일하느라고 돌아다니는 발. ¶ ~로 있는 아이에게 무얼 또 시키느냐.

선발[2]【先發】 명 ①먼저 출발함. ↔후발. ②야구 등 경기에서, 첫회서 부터 출전함. ——-하다 자 여불

선:발[3]【選拔】 명 많은 속에서 골라 뽑아 냄. 택발(擇拔). ——-하다 타 여불

선발-대【先發隊】[一때] 명 먼저 출발한 부대. ↔후발대.

선발 멤버【先發一】〔member〕 명 스타팅 멤버.

선발명-주의【先發明主義】[一/一이] 명 〖법〗 먼저 발명한 자에게 특허권을 우선적으로 주는 주의. *선원주의(先願主義).

선발 발전 도상국【先發發展途上國】[一쩐一] 명 비교적 공업화가 진행되고 있는 발전 도상국. ↔후발(後發) 발전 도상국.

선:발-생【選拔生】[一쌩] 명 많은 속에서 골라 뽑아 낸 학생.

선:발 시험【選拔試驗】 명 지원자 중에서 입학자·채용자(採用者)를 선발하기 위하여 행하는 시험. 준선시(選試).

선:발 육종법【選拔育種法】[一뻡] 명 유전적(遺傳的)으로 혼계(混系) 상태에 있는 재래(在來) 품종으로부터 실용적으로 가치 있는 것을 가려내어 유전적으로 고정시키고, 재래 품종보다 훨씬 나은 새 품종을 내는 품종 개량의 한 방법. 분리(分離) 육종법.

선발 제:인【先發制人】 명 남의 꾀를 알아차리고 사전에 미리 제어함. ——-하다 자 여불

선:발 징병제【選拔徵兵制】 명 1948년 6월 이래 시행되고 있는 미국의 징병제. 각 주마다 18-26세의 성년 남자를 등록시키고, 그 중 19-25세의 남자로부터 뽑은 인원에게 1년 9개월의 현역 의무와 제대 후 최고 5년의 예비군적 보유의 의무를 지움. 1970년부터 추첨에 의한 선발 방법을 채용하고 있음.

선발 투수【先發投手】 명 야구에서, 경기 개시 전에, 양팀이 교환한 타격 순표(順表)에 기재되어 있는 투수. 스타팅 피처.

선:발 팀:【選拔一】〔team〕 명 ①선발된 팀. ②여러 팀의 선수 중 우수 선수만을 뽑아 구성한 팀. 올 스타 팀. ¶ 금융 ~.

선방[1]【仙方】 명 신선(神仙)의 방술(方術). 영묘(靈妙)한 방법.

선방[2]【船房】 명 선실(船室).

선:방[3]【善防】 명 잘 막아 냄. ——-하다 타 여불

선방[4]【禪房】 명 〖불교〗 참선(參禪)하는 방. 선실(禪室).

선배【先輩】 명 ①연령(年齡)·학예·지위 등이 자기보다 많거나 나은 사람. 선진(先進). ②자기 출신 학교를 먼저 졸업한 사람. 전배(前輩). 1)·2):↔후배(後輩).

선배-놀이 명 〈방〉 얼음지치기(함경).

선배-뇌 명 〈방〉 얼음지치기(함경).

선배 알족【鏇坏屹足】[一쪽] 명 〖공〗 도자기의 몸을 다듬고 굽을 파내는 일.

선-백미꽃【一白薇一】 명 〖식〗 [*Cynanchum inamoenum*] 박주가릿과에 속하는 다년초. 높이 60 cm 가량이고, 줄기는 족생(簇生)하며, 잎은 단병(短柄)에 하엽(下葉)은 넓은 달걀꼴임. 7-8월에 황색의 꽃이 산형(繖形) 화서로 액출하여 피고, 골돌과(蓇葖果)는 9월에 익음. 산지에 나는데, 강원·경북·경남에 분포함. *백미꽃.

선-버들 명 〖식〗 [*Salix subfragilis*] 버드나뭇과에 속하는 낙엽 활엽 교목. 잎은 대생, 피침형(披針形)으로 양끝이 뾰족하며 가에 잔 톱니가 있고, 뒷면은 흰 빛이며 탁엽(托葉)은 달걀꼴임. 4월경에 자웅 이가(雌雄異家)의 꽃이삭이 가지 끝에 길이 3-5 cm의 유제(葇荑) 화서로 피는데, 수꽃이삭은 황색의 꽃밥이 붙은 꽃술이 세 개, 암꽃은 꽃술이 하나임. 삭과(蒴果)는 넓은 타원형으로 5월에 익고, 흰 털이 있는 종자(種子)를 날림. 물가에 나는데, 일본·홋카이도·한국·만주 등지에 분포함. 신탄용·제방림(堤防林)으로 많이 심음.

〈선버들〉

선번[1]【先番】 명 ①먼저 하여야 할 차례에 당함. 또, 그 차례. 선(先). ②바둑에서, 흑(黑)을 가지고 먼저 둘 차례. 또, 그 차례에 당한 사람. 흑번(黑番).

선번[2]【線番】 명 ↗선번호(線番號).

선-번호【線番號】 명 철사·전선(電線) 등의 굵기를 나타내는 번호. 선의 직경(直徑)을 mm로 표시한 지선 번호(G 線番號)는 직경이 가장 큰 12 mm의 것을 1번선(番線)으로 하고, 가장 작은 0.1 mm까지의 사이를 42종으로 나누었음. 선호(線號). 준선번(線番).

선:벌【選伐】 명 경신(更新) 또는 이용의 목적으로 입목(立木)을 골라서 벰. *간벌(間伐). ——-하다 타 여불

선범【仙凡】 명 선인(仙人)과 속인(俗人). 또, 선계(仙界)와 속계(俗界).

선법[1]【仙法】[一뻡] 명 선술(仙術).

선법[2]【旋法】[一뻡] 명 〔mode〕 〖악〗 악곡의 선율(旋律)을 구성할 때, 음계(音階) 속에 음을 배열(配列)하는 방법. 예를 들면 근대 서양 음악에서 장음계에 의한 장선법(長旋法), 단음계(短音階)에 의한 단선법(短旋法) 같은 것. 율선법(律旋法)·여선법(呂旋法)·양선법(陽旋法)·음선법(陰旋法) 등이 있음. 모드(mode).

선:법[3]【善法】[一뻡] 명 도리에 맞고 자기에게 도움이 되는 방법.

선-법[4]【禪法】[一뻡] 명 〖불교〗 참선(參禪)하는 법. 경(經)·논(論)에 의하지 아니하고, 조사(祖師)가 마음에서 마음으로 부처의 심인(心印)을 전하는 법.

선-벨트 〔미 Sunbelt〕 명 미국 동부 노스캐롤라이나 주(州)로부터 멕시코 만(灣) 연안의 여러 주와 테네시·아칸소·오클라호마·애리조나를 거쳐 태평양 연안의 캘리포니아 주에 이르는 지역(地域).

선-벼락 명 〈방〉 산벼락.

선벽[1]【璇碧】 명 옥(玉)의 한 가지.

선벽[2]【鮮碧】 명 선명한 푸른 빛.

선-변[1]【一邊】 명 빌려 온 돈에 대하여 다달이 갚는 변리. ↔누운변.

선-변[2]【先邊】 명 빚을 쓸 때에 본살에서 미리 떼어 내는 변리. 선리(先利). 선이자(先利子). ——-하다 자 여불

선:변[3]【善變】 명 성행(性行)이나 사물 또는 형편이 전보다 좋게 변함.

선:별【選別】 명 가려서 따로 나눔. 선분(選分). ——-하다 타 여불

선:별 금리【選別金利】[一니] 명 거래선(去來先)이나 자금(資金)의 용도에 따라서 다른 금리를 적용하는 일.

선:별 금융【選別金融】[一/一늉] 명 〖경〗 금융 기관이 융자 대상을 엄선하여 융자하는 일. 자금 사정이 어려워지면 강화하게 됨.

선:별 소비【選別消費】 명 소비자가 상품을 살 때, 가격의 동향(動向)에 따라 좌우되는 소비.

선:별 수출주의【選別輸出主義】[一/一이] 명 〖경〗 무역 마찰을 일으키지 않고 교역(交易) 조건을 높이기 위해, 수출 상품을 선별하여 효과적인 수출을 하려는 무역 정책상의 생각.

선:별 저울【選別一】 명 경화(硬貨)·총포탄(銃砲彈)·기계 공작 부품·캐러멜 등 대량 생산품을 질량(質量)의 대소에 의해서 여러 무리로 자동적으로 선별하는 저울.

선병[1]【腺病】 명 〖의〗 삼출성(滲出性)·림프성(lymph 性) 체질의 어린 아이에게서 흔히 보는 결핵성(結核性) 전신병(全身病). 피부가 두껍고 껄껄하여지며, 입술과 코가 두꺼워지는 동시에 체질이 약해지고, 림프선 종창(腫脹)·습진(濕疹)·수포성 결막염(水疱性結膜炎)·만성 비염(慢性鼻炎) 등의 증상이 나타남.

선:병[2]【選兵】 명 선발된 우수한 병사. 정병(精兵).

선병-자【先病者】 명 같은 병을 먼저 앓아 본 사람.

[선병자 의(醫)라] 선병자는 경험이 있어 뒤에 앓는 이의 병을 고칠 수 있다는 뜻. 경험 있는 사람이 남을 인도할 수 있다는 말.

선병-질【腺病質】 명 ①흔히 체격이 작고 흉곽(胸廓)이 편평(扁平)하며, 빈혈질(貧血質)·경선 종창(頸腺腫脹) 등의 무력성(無力性)의 체질. 또, 신경질이란 뜻으로도 쓰임. ②〖의〗 선병의 경향이 있는 어린 아이에게 체질상 나타나는 일종의 특별한 증상. 흔히, 특유한 선병성 용모(容貌)를 나타냄. 림프 소질(lymph 素質).

선보[1]【先報】 명 앞서의 통지. 전보(前報).

선보[2]【宣父】 명 〔중국 당(唐)나라의 개원(開元) 27년에 문선왕(文宣王)이라고 추시(追諡)한 데서〕 '공자(孔子)'의 존칭.

선:보[3]【善報】 명 〖불교〗 선과(善果).

선:보[4]【繕補】 명 고치고 기움. ——-하다 타 여불

선보[5]【璿譜】 명 〖책〗 ↗선원 보략(璿源譜略).

선:-보다 타 좋고 나쁨과 마땅하고 마땅하지 못함을 알아보기 위하여 용모나 행실을 살피어 보다. 특히, 혼인에 있어서 당사자를 부모나 그 당사자끼리 대면하여 용모나 행실을 살피어 보다.

선-보름【先一】 명 한 달의 먼저 보름 동안. 곧, 초하룻날부터 보름날까지의 열 닷새 동안. 선망(先望). ↔후보름.

선:-보이다 一 타 사물을 처음으로 공개하여 여러 사람에게 보이다. 사물을 첫등장시키다. ¶ 신형 트럭을 ~. 二 사동 선을 보게 하다. 준선

되다.

선복[1]【仙服】명 신선(神仙)의 옷.

선복[2]【船卜】명 배에 실은 짐.

선복[3]【旋葍】명〖식〗메꽃.

선복[4]【船腹】명 ①배의 중간 허리. 배의 중턱. ②〖해〗선박의 화물을 싣는 장소. 보통, 그 능력은 용적 또는 중량의 톤수로 나타냄. ③수송 기관으로서의 배.

선복-화【旋覆花】명〖식〗금불초(金佛草).

선:본[1]【善本】명〖불교〗좋은 과(果)를 얻을 수 있는 선근공덕(善根功德). 또, 일체의 선의 근본. 정토교(淨土敎)에서는 나무아미타불(南無阿彌陀佛)을 이름.

선:본[2]【善本】명 ①내용이 뛰어나고, 교정(校正)이 되어 있으며, 제본(製本)도 잘 된 책. ②서지학(書誌學)에서, 보존 상태가 좋거나 본문의 계통이 오랜 희귀한 책.

선봉[1]【先鋒】명 ①맨 앞장을 서는 군대. 선봉군(先鋒軍). 전봉(前鋒). ②행동이나 주장 등에서 앞장서는 일. ¶ 반대 운동의 ~.

선봉[2]【船篷】명 비바람을 막기 위해서 띠 따위로 엮어 배 위를 덮는 뜸. 또, 그런 것으로 덮은 배.

선봉[3]【綫縫】명 ①중국에서 풀로 바른 접엽(黏葉)에 대하여, 실로 맨 책을 이름. ②'책'의 별칭.

선봉-군【先鋒軍】명 선봉에 서는 군대. 또, 그 군인. 선봉(先鋒).

선봉-대【先鋒隊】명 선봉에 서는 대열(隊列). 또, 그 사람.

선봉 대:장【先鋒大將】명 선봉군을 지휘하는 장수. ㊌선봉장.

선봉-사【僊鳳寺】명〖불교〗경상 북도 칠곡군(漆谷郡) 북삼면(北三面)에 있는 절. 보물인, 고려 인종 10년(1132)에 건립한 대각 국사비(大覺國師碑)가 있음.

선봉-장【先鋒將】명 ↗선봉 대장.

선봉-적【先鋒的】명관 맨 앞장에 서는 모양.

선:-뵈다 타 사동 ↗선보이다.

선부[1]【先夫】명 이전 남편. 전부(前夫). ↔후부.

선부[2]【先父】명 돌아가신 아버지. 선친(先親).

선부[3]【船夫】명 뱃사공.

선부[4]【船府】명〖역〗신라 때 선박(船舶)에 관한 일을 맡아 보던 관아. 문무왕 18년(678)에 처음 베풀고, 경덕왕(景德王) 때에 이제부(利濟府)로 고치고, 혜공왕(惠恭王) 때에 다시 본이름으로 고침.

선:부[5]【善否】명 좋음과 좋지 못함. 양부(良否).

선:부[6]【膳夫】명〖역〗사옹원(司饔院)의 종칠품 잡직(雜職). 조부(調夫)의 위, 재부(宰夫)의 아래.

선:부[7]【選部】명〖역〗고려 충렬왕 34년(1308)에 전조(銓曹)·병조(兵曹)·의조(儀曹)를 합친 관아. 병조는 곧 분리되었고 공민왕 5년(1356)에 이부(吏部)와 예부(禮部)로 분리됨. *육조(六曹).

선-부군【先父君】명 '선고(先考)'의 존칭.

선부수 삼천【宣部守三薦】명〖역〗조선 시대에, 무과 급제한 사람을 문벌에 따라서 선전관(宣傳官)·부장(部將)·수문장(守門將)의 세 가지로 나누어서 천거(薦擧)하던 일.

선부진【宣府鎭】명〖지〗'선화[3](宣化)'의 별칭.

선-부형【先父兄】명 세상을 떠난 부형(父兄).

선부 후:빈【先富後貧】명 잘 지내던 사람이 나중에 가난하여짐. ↔선빈 후부.

선분[1]【線分】명〖수〗직선 상의 두 점 사이의 한정된 부분. 곧, 한정된 길이의 직선. 유한 직선(有限直線). *구분(球分).

선:분[2]【選分】명 선별(選別). ——-하다 타 여불

선:-불[1] 명 설맞은 총알. ↔된불❶.
[선불 맞은 노루 모양: 선불 맞은 호랑이 뛰듯] 분에 못 이겨 또는 노기 등등하여 매우 사납게 설침을 비유하는 말.
선:불(을) 걸:다 구 ㉠선불리 건드리다. ㉡관계 없는 일에 참견하여 해를 입다. 선불 놓다.
선:불(을) 놓다 구 선불 걸다.

선불[2]【仙佛】명 ①신선과 부처. ②선도(仙道)와 불도(佛道).

선불[3]【先拂】명 일이 끝나기 전이나 또는 물건을 받기 전에 미리 돈을 지불함. ¶ 운임 ~/월급을 ~하다. ↔후불(後拂). *가불(假拂). ——-하다 타 여불

선:-불선【善不善】[-썬] 명 ①착함과 착하지 아니함. 좋음과 나쁨. ②잘 됨과 못 됨.

선:불-질 명 서투른 총질. ——-하다 자 여불

선불 카:드【先拂—】〔card〕명 일정액의 현금을 미리 내고 구입한 뒤, 그 액면 내에서 결재하는 카드《공중 전화 카드, 버스 카드 따위》.

선비[1] 명〔중세 : 션비〕①옛날에, 학식이 있되 벼슬하지 아니한 사람. ②학문을 닦은 이를 예스럽게 일컫는 말. ③마음이 어질고 썩 순한 이.
[선비 논 데 용 나고 학이 논 데 비늘이 쏟아진다] 훌륭한 행적이나 착한 행실은 반드시 좋은 영향을 끼친다는 말.

선-비[2] 명 서서 쓸게 되어 있는 자루가 긴 비.

선비[3]【先非】명 전비(前非).

선비[4]【先妣】명 돌아가신 어머니. 전비(前妣). ↔선고(先考).

선비[5]【船費】명 ①선임(船賃). 뱃삯. ②선박을 운항(運航)하는 데 소요되는 경비. 선용(船用).

선비[6]【鮮卑】명〖역〗몽고족과 퉁구스족(Tungus族)과의 잡종(雜種). 유목(遊牧)하던 아시아 고대 민족의 하나로, 중국 전국 시대부터 흥안령(興安嶺)의 동쪽에 웅거하여, 후한(後漢)의 화제(和帝) 때, 흉노(匈奴)에 대신해서 몽고 지방의 패권(覇權)을 잡고, 2세기 중엽에는 요동(遼東)에서 내외 몽고를 포함한 큰 나라를 이루었음. 위(魏)나라 때부터 차차로 중국 본토로 들어와서 삼국 시대에는 모용씨(慕容氏)·우문씨(宇文氏)·척발씨(拓跋氏) 등이 나타나 오호 십육국 중의 전연(前燕)·서연(西燕)·후연(後燕)·남연(南燕)·서진(西秦)·남량(南凉) 등의 나라를 세우고, 그 중 특히 척발씨는 북조(北朝) 최초의 왕조(王朝)인 북위(北魏)를 세웠음. 당송(唐宋) 이후에는 한족(漢族)과 동화(同和)함.

선비[7]【鮮肥】명 신선한 살진 고기. 신선한 비육(肥肉).

선비 보:험【船費保險】명〖경〗선박의 침몰 등으로 항해(航海)가 실패했을 경우에 회수하지 못한 선비로 인한 선주(船主)의 손해를 전보(塡補)하는 보험.

선비사-부【—士部】명 한자 부수(部首)의 하나. '壬'·'壺' 등에서 '士'의 이름.

선비잡이-콩 명〖식〗약간 푸르고 눈의 양편에 검고 둥근 점이 있는 콩.

선빈 후:부【先貧後富】명 가난하던 사람이 나중에 부자가 됨. ↔선부 후빈(先富後貧).

선:사[1] 명 남에게 선물을 줌. ¶ 입학 기념으로 책을 ~하다. ——-하다 타 여불

선사[2]【仙槎】명 신선(神仙)이 타는 배.

선사[3]【先士】명 선자(先子).

선사[4]【先史】명 역사(歷史)에 선행(先行)함. 유사 이전(有史以前).

선사[5]【先祀】명 선조(先祖)의 제사.

선사[6]【先師】명 ①돌아가신 스승. ②전대(前代)의 현인(賢人). 선철(先哲).

선사[7]【船師】명〖불교〗〔중생을 미망(迷妄)의 차안(此岸)으로부터 깨달음의 피안(彼岸)으로 배 태워 데려간다는 뜻에서〕'부처'의 딴이름.

선사[8]【旋師】명 싸움에 이기고 군사를 돌려 돌아옴. ——-하다 자 여불

선:사[9]【善士】명 선행(善行)이 있는 인사(人士).

선:사[10]【善事】명 ①착한 일. 좋은 일. ②신불(神佛)에게 공양함. ——-하다 타 여불

선:사[11]【善射】명 총이나 활 같은 것을 잘 쏨. ——-하다 타 여불

선:사[12]【善寫】명 글씨를 잘 씀. ——-하다 타 여불

선사[13]【禪寺】명〖불교〗선찰(禪刹)❶.

선사[14]【禪師】명 ①〖불교〗선종(禪宗)의 법리(法理)에 통달(通達)한 법사(法師). ②〖불교〗'중'의 높임말. ③〖불교〗조선 시대에, 중덕 법계(中德法階)를 받고, 두 해를 더 수행한 중에게 주는 선종의 셋째 법계(法階). ④〖역〗고려 때, 승려(僧侶)의 법계(法階)의 하나. 선종(禪宗)에서 삼중 대사(三重大師)의 위, 대선사(大禪師)의 아래.

선:사[15]【繕寫】명 잘못을 바로잡아 다시 고쳐 베낌. ——-하다 타 여불

선사 고고학【先史考古學】명 선사 시대(先史時代)의 물질적 유물(物質的遺物)에 의하여, 인류의 과거를 연구하는 고고학.

선:-사령【善辭令】명 묘하게 잘 하는 말. 솜씨가 좋은 말.

선:사 상:관【善事上官】명 상관을 잘 섬김. ——-하다 자 여불

선사 시대【先史時代】명〖역〗고고학상 시대 구분의 하나. 문헌적 사료(文獻的史料)가 전혀 있지 않은 시대. 연구 자료로서 유물(遺物)·유적(遺跡)이 있을 뿐임. 보통, 신구 석기 시대(新舊石器時代)·청동기 시대(靑銅器時代)를 말함. ↔역사(歷史) 시대.

선-사초【—莎草】명〖식〗[*Carex alterniflora*] 방동사닛과에 속하는 다년초. 높이 30cm 가량. 줄기와 잎이 총생(叢生)하며, 가는 선형(線形)의 잎은 줄기보다 길게 나와 적색을 띰. 4-6월에 백록색의 꽃이 피는데, 소수(小穗)는 두세 개이고 웅화수(雄花穗)는 정생(頂生), 자화수(雌花穗)는 한두 개가 측생(側生)하여, 선상(線狀) 원기둥꼴을 이룸. 과실은 수과(瘦果)임. 들의 풀밭에 나는데, 한국 각지에 분포함.

선:사-품【善事品】명 선사하는 물품.

선사-학【先史學】명 선사 시대의 일을 연구하는 학문. 고고학(考古學)이 인공 유물(人工遺物)의 연구를 주로 하는 데 대하여, 자연 유물(自然遺物)의 연구에도 힘을 기울여, 동식물(動植物)·지리(地理)·지질(地質) 등의 이학(理學)에도 깊은 연관을 가짐. 사전학(史前學).

선삭【旋削】명 선반(旋盤)으로 하는 작업에서, 둥근 모양의 공작물을 회전시키면서 그 표면을 절삭 공구로 깎아 가공하는 일.

선산[1]【先山】명 조상의 무덤이 있는 곳. 선롱(先壟). 선묘(先墓). 선영(先塋). 세장지지(世葬之地). 족산(族山).

선:산[2]【善山】명〖지〗경상 북도 구미시(龜尾市)의 한 읍(邑). 시(市)의 중북부에 위치하여 낙동강에 임함. 경부선 김천역(金泉驛)에서 동북쪽으로 23km 떨어져 있음. 신라 때 주(州)의 소재지였고, 조선 시대 때 도호부사(都護府使)가 있었음. 부근 농산물 집산의 중심을 이룸. 약주(藥酒)가 특히 유명함. 죽장동(竹杖洞) 오층 석탑(五層石塔)은 국보로 지정되고 있음. [66.94 km^2 : 21,385 명 (1996)]

선:산[3]【善散】명 돈을 적절하게 잘 씀. ——-하다 타 여불

선:산-군【善山郡】명〖지〗경상 북도에 속했던 군. 1995 년 1월, 구미시(龜尾市)에 통합됨.

선산 동해【仙山東海】명 삼신산(三神山)이 있다는 동해.

선산-밑【先山—】명 선산의 아래쪽. 선산하(先山下). 선영하(先塋下).

선산-발치【先山—】명 조상의 무덤이 있는 산기슭.

선:산 죽장동 오:층 석탑【善山竹杖洞五層石塔】명〖불교〗경상 북도 구미시(龜尾市) 선산읍(善山邑) 죽장동(竹杖洞)에 있는 기단(基壇) 이층, 탑신(塔身) 오층 및 상륜부(相輪部)로 구성된 석탑. 현재 상륜부는 전실(全失)됨. 화강암 석재로 통일 신라 시대에 건립됨. 높이 약 10 m, 밑의 기단 폭 7 m. 국보 제130호.

선산-하【先山下】명 선산 밑. 선산이 있는 마을. ㊌산하(山下).

선상[1]【先上】명 물건 값이나 또는 빚의 얼마만을 먼저 받음. ——-하다 타 여불

선상[2]【扇狀】명 부채를 편 것과 같은 모양. 부채꼴.

선상[3]【船上】명 ①배의 위. ②항행 중의 배를 타고 있음을 뜻하는 말.

선상[4]【船商】명 ①배의 매매(賣買)를 직업으로 삼는 영업. ②물건을 배에 싣고 다니며 파는 장수.

선:상[5]【善祥】명 서상(瑞祥). 길상(吉祥).

선-상[6]【線上】명 ①선(線)의 위. ¶ 선분(線分) A의 ~. ②어떤 일정한 상태에 있음. ¶ 기아 ~에 허덕이는 사람들.

선상[7]【線狀】명 선(線)의 모양 또는 실같이 줄을 이룬 모양. 선형(線形).

선:상[8]【選上】명 ①〖역〗지방의 노비(奴婢)를 뽑아서 서울 관아에 올림. ¶ ~노(奴). ②골라 뽑아서 바침. ——-하다 타 여불

선상[9]【禪床】명〖불교〗①선가(禪家)에서 설법(說法)하는 중이 올라앉는 법상(法床). ②선대(禪臺).

선:상-노【選上奴】명〖역〗지방에서 중앙 관아로 뽑아 올린 노비(奴婢).

선상 대:장【先廂大將】명〖역〗임금이 거둥할 때에 전위군(前衛軍)을 거느리던 장수.

선-상선【先相先】명 바둑에서, 호선(互先)과 선(先)의 중간 치수(置數). 하수(下手)가 삼 국(三局) 가운데, 첫 국은 흑(黑), 둘째 국은 백, 셋째 국은 흑을 가지며, 제4국 이하는 삼 국마다 이에 준함. 1단(段) 차이에 상당함.

선상-지【扇狀地】명〖지〗산지(山地)에서 평지(平地)로 흘러 나오는 시내의 출구(出口)에서, 낮은 땅을 향하여 선상(扇狀)으로 퍼진 원추상(圓錐狀)의 지형(地形). 경사(傾斜)가 갑자기 완만해져 물의 흐르는 속도가 느려지고 운반력(運搬力)이 줄어들므로 모래·자갈이 퇴적(堆積)되어 생김. 충적선(沖積扇). 충적 선상지. 충적추(沖積錐). 팬(fan).

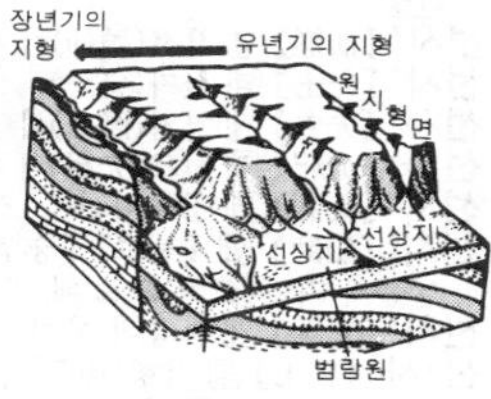

〈선상지〉

선상-진【先廂陣】명〖역〗임금의 거둥 때에 앞장서던 전위대(前衛隊).

선상-체【線狀體】명〖생〗신경 세포(神經細胞)가 집합하여 대뇌 기저핵(大腦基底核)의 일부를 이루고 있는 부분. 선조체(線條體).

선상-탄【船上歎】명〖문〗박인로(朴仁老)가 지은 가사의 하나. 임진 왜란 때, 통주사(統舟師)로 부산에 내려가, 전쟁의 비애와 평화를 읊은 것. 총 144 구.

선-상피【腺上皮】명〖생〗분비 작용이 특히 왕성한 상피 조직. 선(腺)은 대개 이로써 형성되어 있음. 편도선과 임파선은 예외임.

선상 피부 위축증【線狀皮膚萎縮症】명〖의〗임신과 수유(授乳)를 여러 번 거듭한 여자의 하복부나 유방에 또는 살쪘던 이가 마를 경우에 넓적다리·종아리 등에 생기는 선상 혹은 방추상의 피부 위축. 백색이나 담홍색(淡紅色)으로 길이는 수 cm 정도임. 피하 지방·근육이 축소되기 때문에 긴장했던 피부가 줄어들어서 생김.

선새미 명〈방〉선생(先生)(함경).

선색【鮮色】명 산뜻한 빛. 고운 빛.

선샘[1] 명〈방〉선생님(함경).

선:-샘[2] 명 장마철에 땅 속에 스며들었던 빗물이 솟아나는 샘.

선생【先生】명 ①'교사(敎師)'의 존칭. ②학예(學藝)가 뛰어난 사람의 존칭. ③'의사(醫師)'의 존칭. ④남을 경대하여 호칭하는 말. 흔히 성(姓)이나 직함 밑에 붙이어 씀. ¶ 김 ～/의사 ～. ⑤〖역〗성균관(成均館)의 교무(敎務) 직원의 칭호. ⑥〖역〗각 관아의 전임(前任) 관원.
[선생의 똥은 개도 안 먹는다] 선생 노릇 하기가 무척 어렵고 힘이 든다는 말.

선생-님【先生一】명 '선생'의 존칭.

선생-안【先生案】명〖역〗각 관아에서 전임(前任) 관원의 이름·관명(官名)·생년월일·본적 같은 것을 기록한 책. 안책(案冊).

선생-질【先生一】명〈속〉학생들에게 글을 가르치는 것. 훈장질. ——-하다 자여불

선서[1]【仙書】명 선도(仙道)에 관한 책.

선서[2]【仙逝】명 선유(仙遊)❷.

선서[3]【仙鼠】명〖동〗박쥐❶.

선서[4]【先緖】명 선인(先人)이 남긴 사업. 선조의 유업(遺業). 전서(前緖).

선서[5]【宣誓】명 ①맡은 일에 대하여 성실할 것을 맹세함. ¶ ～문(文)/～서(書)/～식(式). ②〖법〗증인(證人)·감정인(鑑定人)·통역(通譯) 등이 증언(證言)에 앞서, 법정(法定)의 형식에 따라서 그 진술(陳述) 또는 감정·통역을 성실히 할 것을 맹세하는 일. ③〖법〗대통령이 취임할 때 국회에서 일정한 절차에 따라 헌법(憲法)을 지켜 국정(國政)을 성실히 베풀 것을 맹세하는 일. ——-하다 타여불

선:서[6]【善書】명 ①글씨를 썩 잘 씀. 또, 그 글씨. ②양서(良書).

선:서[7]【善逝】명〔범 Sugata〕〖불교〗여래 십호(如來十號)의 하나. 이 세상에 손님처럼 오셨다가 자기 집에 도로 가시듯 잘 가신 이라는 뜻으로, 불타(佛陀)를 일컫는 말. *세간해(世間解).

선:서[8]【選敍】명 선발하여 서위(敍位)·서임(敍任)함. 선발하여 관직에 임(任)함.

선서-문【宣誓文】명 선서하는 내용의 글.

선서-서【宣誓書】명〖법〗선서의 취지를 일정한 문언(文言)으로 적은 문서.

선서-식【宣誓式】명 선서(宣誓)를 행하는 의식.

선서-조【宣敍調】명〖악〗'레치타티보(recitativo)'의 역어(譯語).

선석[1]【扇石】명〖광〗고토(苦土)·철(鐵)·반토(礬土)로 이루어진 함수 규산염(含水珪酸鹽). 단사정계(單斜晶系)의 녹니석(綠泥石)임. 육각 판상(六角板狀) 또는 기둥 모양으로 측면에 주름이 있고, 결정은 연충상(蠕蟲狀)·구상(球狀)·선상(扇狀)·엽상(葉狀)·입상(粒狀) 등으로 되어 있음. 빛은 녹(綠)·황록(黃綠)·흑록(黑綠) 등이며, 조흔(條痕)은 무색 또는 담녹색(淡綠色)임.

선석[2]【煽石】명〖광〗현무암(玄武岩) 및 이와 비슷한 화산 암맥(火山岩脈)과의 접촉에 의하여 생긴 석탄층(石炭層)의 변질물(變質物). 외관은 무연탄과 유사하여 유흑색(黝黑色)이며, 불 속에 넣으면 폭발하는 것이 있음. 연료는 안됨. 천연 해탄(天然骸炭).

선석[3]【禪席】명〖불교〗①참선하는 장소. ②선가(禪家).

선석[4]【霰石】명〔aragonite〕〖광〗탄산 칼슘(炭酸 calcium)으로 구성된 광석. 화학 성분(成分)은 방해석(方解石)과 같으나 결정계(結晶系)가 틀리는 백색·황색 또는 회색의 사방 정계(斜方晶系)로, 기둥 모양이거나 덩어리, 때로는 콩알 같은 작은 덩어리로 화산암(火山岩)의 틈새나 고온(高溫)의 온천 등에서 산출됨. [$CaCO_3$]

선석 가사【仙石歌辭】명〖문〗〔선석은 신계영의 호(號)〕신계영(辛啓榮)의 문집 《선석 유고(仙石遺稿)》에 수록되어 있는 그의 가사·시조 등 도합 16 수의 총칭.

선선[1]【扇仙】명 '파초(芭蕉)'의 이칭(異稱).

선선[2]【鄯善】명〖역〗동투르케스탄(東 Turkestan)에 있었던 고국(古國)의 하나. 타림 분지(Tarim 盆地)의 남동, 체르첸 강(Cherchen 江)의 동쪽 끝의 로프노르 호(Lob Nor 湖) 서단부(西端部) 남쪽을 차지함. 서역(西域)과 칭하이(靑海)를 연결하는 요지(要地)로, 5세기에는 토욕혼(吐浴渾)의 지배를 받았으며, 7세기 후반에는 토번(吐蕃)의 세력이 강했었음. *누란(樓蘭).

선선-월【先先月】명 지지난달.

선선-하다 형여불 ①날씨가 알맞게 서늘하다. ¶ 아침 공기가 ～. >산산하다. ②성질이 시원스럽고 쾌활하다. ¶ 대답이 ～. **선선-히** 부. ¶ 기부금을 ～ 내놓다.

선설-류【扇舌類】명〖동〗〔Rhipidoglossa〕전새류(前鰓類)에 속하는 한 아목(亞目). 이 유에 속하는 동물은, 설뉴(舌紐)는 폭이 넓고 치돌기(齒突起)는 많은 종렬(縱列)을 지어 다소 선형(扇形)으로 배열(排列)함. 부레는 한 개인 것도 있으나 심이(心耳)는 한 쌍임.

선섬【仙蟾】명〖동〗합개(蛤蚧).

선성[1]【仙聖】명 신선(神仙)과 성인(聖人).

선성[2]【先聖】명 ①옛날의 성인. ②중국의 주공(周公)의 일컬음. ③특히, 중국 당(唐)나라의 태종(太宗) 이후, 공자(孔子)의 일컬음.

선성[3]【先醒】명 남보다 먼저 사물의 도리나 시대의 조류(潮流) 따위를 깨치는 일. 선각(先覺).

선성[4]【先聲】명 ①전부터 알리어진 명성. ②선문(先聞).

선성[5]【宣城】명〖지〗'쉬안청(宣城)'을 우리 음으로 읽은 이름.

선성[6]【宣聖】명 문선왕(文宣王), 곧 공자(孔子)를 성인(聖人)으로 일컫는 경칭.

선성[7]【蟬聲】명 매미의 우는 소리.

선성 선사【先聖先師】명 유교에서, 공자(孔子)와 안회(顔回)를 이름.

선성 탈인【先聲奪人】명 ①먼저 소문을 퍼뜨려, 남의 기세를 꺾음. ②먼저 소리를 질러, 남의 기세를 꺾음. ——-하다 타여불

선성 후:실【先聲後實】명 처음에 헛소문을 퍼뜨리고 뒤에 실력을 씀. ——-하다 타여불

선세[1]【先世】명 선대(先代).

선세[2]【先貰】명〖법〗임차인(賃借人)이 임대료(賃貸料)의 지불 및 임대차(賃貸借) 계약상의 채무를 담보할 목적으로 임대인(賃貸人)에게 교부하는 금전.

선-세음【先一】명 ☞선셈.

선-셈【先一】명 일이 되기 전이나 기한 전에 미리 돈을 치르는 셈. ——-하다 타여불

선 셧 커:튼〔sun shut curtain〕명 고급 커튼의 상품명. 외부의 빛을 차단하기 위한 삼중직(三重織)으로, 방음과 보온의 효과도 지님.

선셰이드〔sunshade〕명 태양 광선으로부터 눈을 보호하기 위한 차양 모양의 모자. 테니스 경기 때 따위에 사용함. 아이셰이드.

선소[1]【宣召】명 임금의 부르심.

선:소[2]【善所】명〖불교〗인계(人界)·천상(天上) 또는 제불(諸佛)의 정토(淨土). 극락(極樂).

선소[3]【尠少·鮮少】명 대단히 적음. ——-하다 형여불

선-소리[1] 명 잡가(雜歌)에서, 대여섯 사람이 장구를 메고 둘러서서, 서로 주고받고 하면서 부르는 방식. 또, 그런 방식으로 부르는 잡가. 입창(立唱). ↔앉은소리. ——-하다 타여불

선:-소리[2] 명 경위(經緯)에 닿지 않는 말. 덜된 소리. ¶ 익은 밥 먹고 ～한다.

선소리 산타령【一山打令】명〖악〗선소리의 대표적 곡목. 경기 산타령과 서도(西道) 산타령이 있음.

선소리-치다【先一】자 맨 앞에 서서 소리를 치다.

선속[1]【船速】명 배의 항행 속도.

선속[2]【線束】명〔flux〕〖물〗일정한 점(點)을 지나는 직선의 다발.

선-속도【線速度】명〔linear velocity〕〖물〗각속도(角速度)와 구별하여 속도를 일컫는 말.

선-손【先一】명 ①남보다 먼저 한 착수(着手) 또는 먼저 착수함. 선수(先手). ②먼저 손찌검을 함. 또, 그 손찌검. 선수.
선손(을) 걸:다 구 먼저 손찌검을 하다. 선수 걸다.
선손(을) 쓰다 구 남보다 먼저 착수하다. 선수 쓰다.

선손-질【先一】명 먼저 손찌검하는 것. ——-하다 자여불
[선손질 후방망이] 남을 먼저 해치면 자기는 후에 더 큰 해를 입게 됨을 비유하는 말.

선수[1]【先手】명 ①선손. ②남의 기선(機先)을 제하여 공격의 지위에 섬. ③바둑에서, 상대 편이 어떤 수를 쓰기 전에 그 판국에 먼저 놓는 일. 1)-3):↔후수(後手).
선수(를) 걸:다 구 선손(을) 걸다.
선수(를) 쓰다 구 선손(을) 쓰다.

선수[2]【先守】명 운동 경기 따위에서, 먼저 수비하는 일. 또, 그 편짝.

선수[3]【船首】명 이물. ¶ ～를 남쪽으로 돌리다.

선:수[4]【善手】명 솜씨가 남보다 나은 사람.

선:수[5]【選手】명 어떤 운동 경기나 기술 등에 뛰어나게 능숙하여, 많은 사람 속에서 그 대표로 선발된 사람. ¶ 배구 ～/마라톤 ～.

선:수[6]【選授】명 인재(人材)를 뽑아서 벼슬 자리를 줌. ——-하다 타여불

선:수-권【選手權】[一꿘] 명 어떠한 경기 대회에서, 우승한 개인 또는 단체에게 주어지는 자격. 챔피언십. 타이틀. ¶ ～ 쟁탈전.

선:수권 대:회【選手權大會】[一꿘一] 명 여럿 중에서 대표 선수를 뽑

는 경기회(競技會).
선:-수단¹【善手段】명 좋은 수단.
선:수-단²【選手團】명 어떤 경기의 선수들로 조직된 단체. ¶~ 결단식.
선수-루【船首樓】명 이물에 있는 선루.
선수-상¹【船首像】명 곡선형의 선수를 가지는 배의 이물 끝에, 장식으로 붙이는 사람이나 동물의 상.
선:수-상²【膳羞床】[―쌍] 명〖민〗무당이 굿을 할 때에 차려 놓는 제물(祭物)상의 한 가지.
선:수-촌【選手村】명 선수들이 집단적으로 숙식(宿食)할 수 있는 시설을 갖추어 놓은 일정한 지역.

〈선수상¹〉

선수 프로펠러【船首―】〔propeller〕명 하천을 운항하는 페리 보트 등에서, 배를 되돌리지 않고 왕복할 수 있도록 뱃머리에 장치한 프로펠러. 외항선도 항내(港內)에서의 조종용으로 이를 장치한 것이 있음.
선-숙부【先叔父】명 돌아가신 작은아버지.
선-순위【先順位】명 ①순서가 다른 것보다 앞에 있는 위치. ②유산 상속 따위에서 순위가 먼저임.
선술¹ 명 술청 앞에 선 채로 간단히 마시는 술. 입주(立酒).
선술²【仙術】명 신선(神仙)이 행하는 술법. 불로 불사(不老不死)·우화 등선(羽化登仙) 등의 방술(方術). 선법(仙法).
선술-집 [―찝] 명 술청 앞에 선 채로 술을 먹게 된 간단한 술집. *다모
선-스나 명〈방〉사내(황해·함경·평안). ⌊토리.
선-스니 명〈방〉사내(함남).
선-스펙트럼【線―】명〔line spectrum〕〖물〗원자(原子)에 의한 다수(多數)의 순수(純粹)에 가까운 단색광(單色光)의 무리로 이루어지는 스펙트럼. 염광(炎光)·아크 방전(放電)·진공(眞空) 방전에서는 주로 중성(中性)의 원자, 불꽃 방전에서는 주로 이온화한 원자로부터 빛이 나옴. 원자가 어떤 에너지 상태로부터 다른 상태로 옮길 때 생기며, 이로부터 원소의 종류·에너지 준위(準位)의 위치 및 성질을 알 수 있음. 휘선(輝線) 스펙트럼. *원자(原子) 스펙트럼. ⌈자여불
선승¹【先勝】명 여러 번에 걸쳐 행하는 경기에서, 먼저 이김. ――하다
선승²【禪僧】명〖불교〗①선종(禪宗)의 중. ②참선하는 중.
선-승당【禪僧堂】명〖불교〗선당(禪堂)과 승당(僧堂).
선시¹【宣示】명 널리 선포하여 알림. ――하다 타여불
선시²【禪詩】명 선적(禪的)인 시(詩). 선의 시적(詩的) 표현. 또, 시의 선적(禪的) 표현.
선:시³【選試】명 ↗선발 시험(選拔試驗).
선-시력【線視力】명〖의〗미세한 선(線)의 존재 유무를 분간할 수 있는 눈의 능력. ↔점시력(點視力).
선:시 선:종【善始善終】명 처음이나 끝이나 한결같이 잘함. ――하다
선시-에【先是―】부 이보다 앞서. 이보다 먼저. ⌊자여불
선:시 장:자【善施長子】명〖불교〗수달(須達).
선:시 태자【善施太子】명〖불교〗심법(心法)을 닦으려고 단바라밀(檀波羅蜜)을 행하던 당시의 불타(佛陀)의 이름. 소달나 태자(蘇達拏太子).
선식¹【仙食】명 신선(神仙)이 먹는 음식.
선식²【鮮食】명 생선 반찬을 갖춘 밥.
선신¹【先臣】명 군주(君主)에 대하여 자기의 망부(亡父)를 이르는 말.
선:신²【善神】명〖불교〗정법(正法)을 지키는 신. 복(福)을 주는 신.
선신경 세:포【腺神經細胞】명〖생〗신경 분비 작용을 가지는 신경 세포. 척추 동물 중에서도 포유류에서는 간뇌(間腦) 특히, 시상 하부(視床下部)와 뇌하수체에 많이 분포되어 있음. 신경 분비 세포.
선신-세【鮮新世】명〖지〗'플라이오세'의 구칭.
선실¹【船室】명 선박(船舶) 안에 시설된 승객들의 방. 선방(船房). 캐빈
선실²【璇室】명 옥(玉)으로 꾸민 방. ⌊(cabin).
선실³【禪室】명〖불교〗①선방(禪房). ②'승려(僧侶)'의 경칭.
선실 기도【先失其道】명 일을 함에 있어 먼저 그 방법을 그릇되게 함. ――하다 자여불
선:심¹【善心】명 ①착한 마음. 선량한 마음. ②남을 구제하는 마음. ③〖불교〗보리심(菩提心). 1)-3):↔악심(惡心).
　선:심(을) 쓰다 구 남을 도와 주는 착한 마음을 베풀다. ¶술 한 잔 밥 한 술 선심을 쓰는 일이 없음은 물론.
선심²【線審】명 ↗선심판(線審判).
선심³【禪心】명〖불교〗선정(禪定)의 마음. 마음을 한 가지 대상에 집중하여 흐트러지지 않는 상태를 이름.
선-심판【線審判】명 테니스·야구·축구·배구 등에서, 선에 관한 규칙의 위반 여부를 판정하는 보조 심판원. 라인즈맨(linesman). 준선심(線審).
선-씀바귀 명〖식〗〔*Ixeris chinensis*〕국화과에 속하는 다년초. 높이 30 cm 가량이고, 줄기는 총생(叢生)하여 곧게 자라며, 가지가 지고, 온 몸에 흰 분가루가 있음. 잎은 밑동에서 총생하는데 가늘고 긴 피침형(披針形)에, 가에는 톱니가 있는 것과 없는 것 또는 갈라진 것 등이 있으며, 줄기의 잎은 드문드문 호생함. 5-6월에 담황색의 두상화(頭狀花)가 줄기 끝에 취산(聚繖) 화서로 핌. 들의 양지에 나는데, 한국 각지에 분포함. 근경(根莖)과 어린 잎은 식용함. *벋은씀바귀.
선아【仙娥】명 ①선녀(仙女). ②'달'의 이칭(異稱).

〈선씀바귀〉

선악¹【仙樂】명 신선(神仙)이 울리는 풍악. 속계(俗界)에서는 들을 수 없는 미묘한 음악.
선:악²【善惡】명 착함과 악함. 장부(臧否). 숙특(淑慝).
선:악 개오사【善惡皆吾師】명 착한 일이나 악한 일이 모두 자기 몸가짐의 거울이 된다는 뜻.
선:악-과【善惡果】명 ①〖성〗선악을 알게 한다는 선악과 나무의 열매. 태초에 만지지도 말고 먹지도 말라 한 에덴(Eden) 동산의 나무 실과 '금단(禁斷)의 열매'를 뱀의 유혹에 빠져 이브와 아담이 따먹음으로써 여호와의 계명(戒命)을 어기고 원죄(原罪)를 범하여, 여자는 잉태(孕胎)하는 고통을 받고 남자는 종신(終身)토록 수고하여, 그 소산으로 먹고 살게 하는 저주를 받았다 함. ②〖불교〗선과(善果)와 악과(惡果).
선:악과 나무【善惡果―】명〖성〗선악과가 달렸던 에덴 동산의 실과(實果) 나무. 선악수(善惡樹). 생명수(生命樹).
선:악-관【善惡觀】명 선악에 관하여 가지는 의견.
선:악 무기【善惡無記】명〖불교〗모든 것을 선과 악, 그리고 선도 아니고 악도 아닌 것의 세 가지로 나눈 것.
선:악 불이【善惡不二】명〖불교〗선악이 각각 두 가지가 아니고 평등 무차별한 한 가지 불리(佛理)로 귀착된다는 말.
선:악 상반【善惡相半】명 선과 악이 서로 반씩 섞임. ――하다 형여불
선:악-수【善惡樹】명〖성〗선악과 나무. ⌈라 생긴다는 말.
선:악 수연【善惡隨緣】명〖불교〗선악이 모두 진여(眞如)의 인연에 따
선:악업과-위【善惡業果位】명〖불교〗선악의 업에 의하여 받은 지위.
선:악의 피:안【善惡―彼岸】[―/―에―] 명〖윤〗선악을 초월하여 그 대립과 차별이 없는 경지(境地). 독일의 철학자 니체(Nietzsche)가 처음 쓴 말로, 도덕적 판단은 상대적(相對的)으로 타당(妥當)할 뿐이며, 절대적(絶對的)인 진리(眞理)의 입장에서 볼 때, 도덕의 궁극적 이상(窮極的理想)은 선악의 피안에 있다는 말.
선:악-적【善惡籍】명〖역〗서원(書院)에서, 직월(直月)이 제생(諸生)의 품행의 양부(良否)를 적은 기록. 매달 삭일(朔日)에 스승에게 보고함.
선:악지-보【善惡之報】명 선악에 대한 응보(應報).
선암¹【腺癌】명〖의〗선세포로부터 생긴 암. 소화관이나 호흡기 계통 등의 선조직 또는 피복 상피(被覆上皮)에 유래하는 것이 보통임. 위암(胃癌)이나 대장암(大腸癌) 같은 것.
선암²【禪庵】명〖불교〗선승(禪僧)의 암자(庵子). 선종(禪宗)의 절.
선암-사【仙巖寺】명〖불교〗전라 남도 순천시(順天市) 승주읍(昇州邑) 죽학리(竹鶴里)에 있는, 25 교구 본사(教區本寺)의 하나. 신라 내물왕(奈勿王) 때 아도 화상(阿道和尙)이 세움.
선암-산【船巖山】명〖지〗경상 북도 의성군(義城郡)과 군위군(軍威郡) 사이에 위치한 산. 팔공 산맥(八公山脈) 중에 솟아 있음. [879 m]
선앙【扇央】명〖지〗선상지(扇狀地)의 중앙부를 이름.
선야【先夜】명 전날 밤.
선야-설【宣夜說】명 고대 중국의 우주론(宇宙論)의 하나. 일월 성신(日月星辰)이 자연히 허공 속에 떠 있어, 기(氣)에 의하여 움직이고 정지하므로 그 운동이 극히 불확실하다고 설명함. *개천설(蓋天說)·혼천설(渾天說).
선약¹【仙藥】명 ①금단(金丹). 선단(仙丹). ②효험(効驗)이 썩 좋은 약.
선약²【先約】명 먼저 약속함. 또, 그 약속. 전약(前約). ↔후약(後約). ――하다 타여불
선-약해【宣若海】명〖사람〗조선 인조 때의 무관. 자(字)는 백종(伯宗). 보성(寶城) 사람. 국서(國書)를 가지고 선양(瀋陽)에 사행(使行), 숭명배청(崇明排淸)의 대의(大義)에 입각하여, 외국의 위력에 굴하지 않고 귀국하여 경상 좌수사(慶尙左水使)에 승진되었음. [1579-1643]
선양¹【宣揚】명 드러내어 널리 떨치게 함. ¶국위(國威)를 만방(萬邦)에 ~하다. ――하다 타여불
선양²【煽揚】명 부추김. ――하다 타여불
선양³【禪讓】명 선위(禪位). ――하다 타여불
선양⁴【瀋陽】명〖지〗중국 동베이 지방 랴오닝 성(遼寧省)의 성도(省都). 교통의 요지이며 경제의 중심지임. 또, 방적·모직물·마대(麻袋) 등의 공업이 활발하며, 주변의 푸순(撫順)·번시(本溪)·안산(鞍山) 등을 포함하는 선양 공업구(工業區)는 중국 최대의 공업 지대로, 기계·전기·기관차·자동차·화학 공업 따위가 발달함. 성내(城內)에는 궁전이 있고 교외에 동릉(東陵)·북릉(北陵) 등 청(淸)나라의 명소가 있음. 구명은 봉천(奉天). 심양(瀋陽). [3,603,712 명(1990)]
선양 방:벌【禪讓放伐】명 방벌(放伐).
선:양-장【善養章】[―짱] 명〖악〗악장(樂章)의 이름.
선양 조직【腺樣組織】명〖생〗망양 조직(網樣組織).
선:양-주【善釀酒】명 중국의 대표적인 양조주인 샤오싱주(紹興酒)의 일종. 양조 후 저장 연수가 긴 것일수록 귀함.
선어¹【仙馭】명 붕어(崩御). ――하다 자여불
선:어²【善語】명 말을 잘함. ――하다 자여불
선어³【鮮魚】명 생선(生鮮).
선어⁴【鱔魚】명〖어〗두렁허리.
선:어⁵【鱓魚】명〖어〗선어(鱔魚).
선어-록【鱔魚綠】명 중국 명(明)나라와 청(淸)나라 때, 창관요(廠官窯) 산물의 도자기 빛깔의 하나. 철규산염(鐵硅酸塩)의 결정이 굳어서 된 검은 녹색. 녹선(綠鱔).
선어말 어:미【先語末語尾】명〔prefinal ending〕〖언〗어말 어미에 선행되어 나타나는 활용 어미. 종래에 보조 어간이라 불린 형태들이 여기에 속함. 비어말(非語末) 어미.
선언¹【宣言】명 ①널리 펴서 말함. 의견을 공표(公表)함. ②단체나 국가가 자기의 방침과 주장을 외부에 정식으로 표명함. ¶중립(中立) ~/독립 ~. ――하다 타여불
선:언²【善言】명 착한 말. 좋은 말. 덕음(德音). 미언(美言).
선언-령【宣言令】[―녕] 명〔Declatory Act〕〖역〗영국 국왕 및 본국 의회가 식민지에 대해서, 우월한 입법권을 가짐을 재확인하기 위하여

1766년 3월에 발한 법령.
선:언 명:제【選言命題】명〖논〗선언적(選言的) 판단을 내용으로 하는 명제. '과일 중에서 제일 맛있는 것은 사과나 배나 감 중에 하나다'·'저 사람은 선하든지 악하든지 하다'와 같은 것. 선언적 명제.
선언-문【宣言文】명 선언하는 취지를 적은 글. 「~.
선언-서【宣言書】명 어떤 일을 선언하여 공표(公表)하는 문서. ¶ 독립
선:언 원리【選言原理】[—월—] 명〖논〗선언율(選言律).
선:언-율【選言律】[—뉼] 명〔law of disjunction〕〖논〗사유(思惟) 법칙의 하나. 'A는 A이든지 A가 아니든지 이다'의 형식으로 나타냄. 이접 원리(離接原理). 양중 선일(兩中選一) 원리. 선언(選言) 원리.
선:언-적【選言的】명관〖논〗몇 개의 배타적(排他的) 개념이나 빈사(賓辭) 중에서 선택될 것임을 나타낸 모양. ↔정언적(定言的).
선:언적 개:념【選言的概念】명〔disjunctive concept〕〖논〗동일류(同一類)에 속하는 개념으로 그 외연(外延)이 조금도 교차(交叉)하지 아니하고 전혀 분리되어 있는 개념. 흑(黑)과 백(白), 삼각형(三角形)과 사각형 같은 것. 이접적 개념(離接的概念).
선:언적 명:제【選言的命題】명〖논〗가언적(假言的) 명제와 함께 형식 논리학에 있어서의 복합적 명제의 하나. p·q를 명제로 한다면 "p 또는 q"라는 형식으로 표현되는 명제인데, 그 두 가지 명제의 어느 한쪽이 '참'임을 주장함. p·q를 선언지(選言肢)라고 하며 두 개에 한정되지 않음. 선언 명제. ↔정언적(定言的) 명제.
선:언적 삼단 논법【選言的三段論法】[—뻡] 명〔disjunctive syllogism〕〖논〗삼단 논법의 하나. 하나의 선언적 판단을 대전제(大前提)로 한 정언적 판단(定言的判斷)의 소전제(小前提)에서, 그 선언지(選言肢)의 어느 쪽을 긍정 또는 부정하여 결론을 얻는 추리 방법. '고래는 어류(魚類)이거나 포유류(哺乳類)이다(대전제). 고래는 어류가 아니다(소전제). 그러므로 고래는 포유류이다(결론).' 같은 것. 선언적 추리. 선언적 추론식.
선:언적 추론식【選言的推論式】명〖논〗선언적 삼단 논법.
선:언적 추리【選言的推理】명〖논〗선언적 삼단 논법.
선언적 판결【宣言的判決】명〖법〗영미법(英美法)에서, 법률 관계에 관하여 다툼이 있을 경우에 재판소가 당사자의 법적 권리에 대하여 부여하는 구속적(拘束的)인 확정이나 선고.
선:언적 판단【選言的判斷】명〔disjunctive judgement〕〖논〗주사(主辭)가 두 개 이상의 빈사(賓辭) 중의 하나와 일치(一致) 또는 불일치한다고 하는 판단. 예를 들면, 'a는 b나 c나 d 중의 하나다' 같은 것. 이접적 판단(離接的判斷). ↔정언적(定言的) 판단.
선:언-지【選言肢】명〔members of disjunction〕〖논〗선언적 판단에 있어서, 선택되는 여러 개의 빈사(賓辭). '고래는 어류(魚類)이거나 포유류(哺乳類)이다'에 있어서의 어류와 포유류.
선:언-편【選諺篇】명〖책〗조선 시대 때, 민간에 퍼져 있던 속담·전설 등을 수집하여 한글로 기록한 책. 영조·정조 시대에 간행된 것으로 추
선엄【先嚴】명 돌아가신 아버지. ㄴ정됨. 작자와 연대 미상.
선업¹【先業】명 ①선대(先代)의 기업(基業). 선인(先人)이 끼친 사업. 전서(前緖). ②〖불교〗전생(前生)에 지은 업인(業因). 숙업(宿業).
선:업²【善業】명〖불교〗좋은 과보(果報)를 받을 수 있는 착한 일. 정업(淨業). ↔악업(惡業). 「여불
선:-여인교【善與人交】명 남을 공경하여 오래 잘 사귐. ——-하다 자
선:-여자【善女子】[—녀—] 명〖불교〗선녀(善女)❷.
선역【腺疫】명〖동〗선역(腺疫) 연쇄 구균에 의하여 일어나는 말의 병. 턱의 림프선의 화농을 비롯하여 내장의 림프선까지 파급됨.
선연¹【仙緣】명 신선(神仙)과의 인연.
선연²【洒然】명 놀라는 모양. ——-하다 형여불. ——-히 부
선연³【船緣】명 뱃전.
선:연⁴【善緣】명 좋은 인연.
선-연리초【—連理草】[—열—] 명〖식〗[*Lathyrus komarovi*] 콩과(科)에 속하는 다년생초. 줄기는 높이 30-60cm이고, 잎은 호생·유병(有柄)이며 우상복엽(羽狀複葉)이고, 소엽(小葉)은 1-4쌍으로 선형(線形) 또는 피침형임. 6월에 홍자색의 꽃이 총상(總狀) 화서로 액출(腋出)하여 핌. 과실은 협과(莢果)임. 산지(山地)에 나는데, 강원·평북·함남북에 분포함.
선연-하다¹【嬋姸—】형여불 몸맵시가 날씬하고 아름답다.
선연-하다²【嬋娟—】형여불 얼굴이 곱고 아름답다.
선연-하다³【鮮姸—】형여불 산뜻하고 아름답다.
선열¹【先烈】명 ①정의(正義)를 위하여 싸우다가 죽은 열사(烈士). ¶ 순국 ~. ②선대(先代)의 공적. 전대(前代)의 여광(餘光).
선열²【船列】명 몇 척 늘어서 있는 배. 또, 항해하는 배의 열. ¶ 수송 선단의 ~.
선열³【腺熱】명〖의〗바이러스의 일종 또는 리케차의 일종의 감염에 의한 전신의 림프샘 종창(腫脹). 인두(咽頭)가 부으며 발열·혈액 중의 단핵(單核) 세포 증다(增多)의 여러 증상을 나타냄.
선열⁴【禪悅】명〖불교〗선정(禪定)에 들어간 즐거움.
선열 법희【禪悅法喜】[—히] 명〖불교〗선정(禪定)에 들어간 즐거움과 부처의 교법(敎法)을 듣는 즐거움.
선열-식【禪悅食】명〖불교〗〔사람이 음식을 먹음으로써 목숨을 보존함과 같다는 데서 온 말〕선정(禪定)으로써 몸과 마음을 돕는 일.
선열 위식【禪悅爲食】명〖불교〗선정(禪定)에 들어가서, 침식마저 잊고 즐겁게 생활함. ——-하다 자여불
선염【渲染】명〖미술〗바림.
선염-법【渲染法】[—뻡] 명〖미술〗화면(畫面)에 물을 칠하고 채 마르기 전에 붓을 대어, 몽롱(朦朧)하고 침중(沈重)한 묘미(妙味)를 나타내는 화법(畫法). 산수 운연(山水雲煙)의 흐릿한 감이나 우중(雨中)의 정취(情趣), 어스름달 등을 표현하는 데 씀.
선영¹【先塋】명 선산(先山).
선영²【線影】명 소묘(素描)나 제도에서, 간격을 좁힌 선을 병렬(並列) 또는 교차시켜서 그늘을 나타낸 것.
선영-하【先塋下】명 선산 밑.
선예【蟬蛻】명 선퇴(蟬退).
선-오랑캐꽃 명〖식〗선제비꽃.
선오-산【鮮奧山】명〖지〗함경 북도 무산군(茂山郡)과 함경 남도 갑산군(甲山郡) 사이에 있는 산. [1,986m]
선온【宣醞】명〖역〗임금이 신하에게 술을 하사(下賜)하던 일. 또, 그 술. 이 술은 사온서(司醞署)에서 만들었음. ——-하다 타여불
선옹【仙翁】명 늙은 신선(神仙). 신선 노인.
선옹-초【仙翁草】명〖식〗[*Lychnis githago*] 너도개미자릿과에 속하는 일년초. 줄기 높이 80cm가량이고, 잎은 호생하며 선형(線形) 혹은 선상 피침형임. 6-7월에 자색의 꽃이, 액생(腋生)한 긴 화경(花梗) 끝에 하나씩 달리어 피고, 과실은 삭과(蒴果)임. 일본·유럽 원산(原産)으로, 각지에서 관상용으로 재배함.
선와【旋渦】명 소용돌이❶. 「(聖王).
선왕¹【先王】명 ①선대의 임금. 망군(亡君). 선군(先君). ②고대의 성왕
선-왕²【宣王】명〖사람〗발해(渤海)의 제10대 왕. 고구려·부여의 영토를 강토로 하여 해동(海東)의 대국(大國)으로 군림하면서, 중국 당나라 제도를 모방하여 행정 구역을 5경(京) 15부(府) 62주(州)로 설정하고, 당(唐)나라와의 외교를 돈독히 하여 해동 성국(海東盛國)이라 불림. [?-830; 재위 818-830]
선왕 유제【先王遺制】[—뉴—] 명 선왕(先王)이 뒤에 남긴 제도.
선:왕-재【善往齋】명〖불교〗죽은 뒤에 천도하기 위하여 불전(佛前)에 공양하는 재. 죽기 전에 절에 가서 행함.
【선왕재 하고 지벌 입다】공을 들여 좋게 되기를 바랐으나, 도리어 나쁜 결과를 얻게 됨을 이르는 말.
선왕-조【先王朝】명 선왕이 생존하던 시대. 또, 그 때의 세상.
선-외¹【—椳】명〖건〗설외. ↔누운외.
선:외²【選外】명 선(選)에 들지 못함. ¶ ~ 가작(佳作).
선-외가【先外家】명 선대(先代)의 외가. 「품. 가작(佳作).
선:외 가작【選外佳作】명 비록 입선(入選)은 안 되었으나 꽤 잘 된 작
선외 기정【船外機艇】명 기관과 프로펠러를 일체(一體)로 해서 선미(船尾)에 장치하고, 자유로이 떼었다 붙였다 할 수 있는 모터 보트.
선외 활동【船外活動】[—똥] 명 우주 비행 중에, 우주선 밖으로 나와 활동하는 일.
선요【禪要】명〖책〗불교 학과 중 사집과(四集科)의 한 과정. 중국의 고봉 대사(高峰大師)가 지음.
선용¹【先用】명 ①미리 선셈으로 꾸어 씀. ②남에 앞서서 먼저 사용함.
선용²【船用】명 선비(船費)❷. ㄴ——-하다 타여불
선:용³【善用】명 ①좋은 일에 씀. ②적절하게 잘 이용하여 씀. ¶여가 ~. 1)·2):↔악용(惡用). ——-하다 타여불
선:용⁴【選用】명 여럿 가운데서 가려 뽑아 씀. ——-하다 타여불
선용 부:위【宣勇副尉】명〖역〗조선 시대 때, 무반(武班) 잡직(雜職)의 종칠품의 품계(品階). 맹건(猛健) 부위의 위, 등용(騰勇) 부위의 아래.
선용-품【船用品】명 식료·연료·소모품·강삭(鋼索)·집기(什器) 등 선박에서 사용되는 물품.
선우¹【單于】명〖역〗흉노(匈奴)가 자기들의 추장(酋長)을 높이어 부르는 칭호. 넓고 크다는 뜻.
선:우²【善友】명 착하고 어진 벗. 사귀어 유익한 친구.
선:우³【善遇】명 선대(善待). ——-하다 타여불
선우⁴【鮮于】명 성(姓)의 하나. 본관(本貫)은 중국의 태원(太原; 산시성(山西省)) 단본임.
선우 도호부【單于都護府】명〖역〗중국의 당(唐)나라 때, 육도호부(六都護府) 중의 하나. 내몽고(內蒙古) 지방의 돌궐(突厥) 등의 여러 부(部)를 다스리던 변강 통치 기관(邊疆統治機關). 고종(高宗)이 베풀었음.
선우-월【蟬羽月】명 '음력 유월'의 별칭.
선우-협【鮮于浹】명〖사람〗조선 인조 때의 학자. 자(字)는 중윤(仲潤). 평양(平壤) 사람. 인조 때 희릉(禧陵) 참봉으로 성균관 사업(司業). 서북인 중에 유일한 학자로서 장현광(張顯光)·김집(金集)에게도 도를 배웠음. 저서는 《태극 변해(太極辨解)》. [1588-1653]
선우 후:락【先憂後樂】명 세상의 근심할 일은 남보다 먼저 걱정하고 즐거워할 일은 남보다 나중 기뻐함. 지사(志士)·인인(仁人)의 마음을 가리키는 말. ——-하다 자여불
선우-휘【鮮于煇】명〖사람〗작가·언론인. 평북 정주(定州) 출신. 경성 사범 학교 졸업. 조선 일보 기자를 하다가 정훈 장교로 입대하여 1958년 대령으로 예편함. 뒤에 일본 도쿄(東京) 대학 대학원 수료함. 한국 일보 논설 위원을 거쳐 조선 일보 논설 위원·편집국장·주필 등을 지냄. 1955년에 우화적인 소품(小品) 《귀신(鬼神)》으로 문단에 등단, 단편 《불꽃》·《똥개》·《보복》·《오리의 계급장》, 중편 《깃발없는 기수》, 장편 《성채(城砦)》·《사도 행전(使徒行傳)》·《노다지》 등 50여 편의 작품을 남김. [1922-86]
선운¹【船運】명 배로 사람이나 물건을 운반함. ——-하다 타여불
선운²【鮮雲】명 아름다운 구름.
선운-사【禪雲寺】명〖불교〗전라 북도 고창군(高敞郡) 아산면(雅山面) 삼인리(三仁里)에 있는 25교구 본사(敎區本寺)의 하나. 신라 때 진감 국사(眞鑑國師)가 지은 것으로, 조선 태종 7년(1407)에 많은 절을 폐쇄할 때 조계종(曹溪宗)의 한 사찰로 존속되었으며, 그 후 성종(成宗) 3년(1472)에 다시 크게 재건하였으나, 임진 왜란 때 타 버리고, 다시 재건

한 것이 현존함. 이 절은 동백꽃으로 만든 향유(香油)로 유명하였음.

선운-산 【광】구덩이의 원편.

선운산-가【禪雲山歌】명【악】지금은 전하지 않는 백제 때의 노래의 하나. 싸움터에 나가 오랫동안 돌아오지 않는 남편을 기다리며, 그의 아내가 선운산(禪雲山)에 올라가서 지어 불렀다 함. 「음.

선:-웃음 명 우습지 아니한 일에 엉너리치느라고 거짓 꾸미어 웃는 웃

선원¹【仙苑】명 ①선인(仙人)의 화원(花園). 선원(仙園). ②천자(天子)의

선원²【仙院】명 선동(仙洞). ㄴ궁원(宮苑).

선원³【仙媛】명 ①선인계(仙人界)의 미녀. 선녀. ②전(轉)하여, 썩 아름

선원⁴【仙園】명 선원(仙苑)❶. ㄴ다운 여성.

선원⁵【船員】명 ①선박의 승무원. 곧, 선장과 해원(海員) 및 예비원(豫備員)의 총칭. ②선박 기능직 국가 공무원 직급 명칭의 하나. 선장(船長)의 아래임. 8급·9급·10급의 세 등급이 있음.

선원⁶【禪院】명【불교】①선종(禪宗)의 사원(寺院). ②선정(禪定)을 닦는 도량(道場). 선림(禪林).

선원 계:보 기략【璿源系譜記略】명【책】조선 이씨 왕실(李氏王室)의 세보(世譜). 숙종(肅宗) 때 처음 간행하고 새 임금이 즉위할 때마다 보간(補刊)하였음. 6책으로 됨. 선원록.

선-원근법【線遠近法】[-뻡] 명【미술】공간과 입체를 하나의 평면상에 묘사하려는 기법의 하나. 원리적으로는, 시점(視點)과 물체 사이에 화면을 놓고 시점과 물체의 각 점을 잇는 직선이 화면과 교차하는 점을 연결시키어 도형(圖形)을 그림. 르네상스기(期)의 화가가 이 기법을 많이 썼으며 레오나르도 다 빈치의 《최후의 만찬》의 구도는 이의 대표적인 것임. 현대에도 건축화 따위에 많이 쓰임. 선투시(線透視).

선원 대:향【璿源大鄕】명 조선 이씨 왕실의 본관(本貫)을 높이어 일컫

선원-록【璿源錄】[-녹] 명【책】선원 계보 기략. ㄴ는 말.

선원-법【船員法】[-뻡] 명【법】선내(船內) 질서를 유지하고, 선원의 기본적 생활을 보장·향상시키며 선원의 자질 향상을 도모하기 위하여, 선원의 직무, 복무, 근로 조건의 기준, 직업 안정 및 교육·훈련에 관한 사항을 규정한 법률.

선원 보:략【璿源譜略】명【책】선원 보첩(璿源譜牒)을 간략하게 기록한 책. ㊌선보(璿譜).

선원 보:첩【璿源譜牒】명【책】조선 왕조의 왕실의 보첩(譜牒).

선원 보:험【船員保險】명【법】선원 또는 선원이었던 사람의 질병(疾病)·부상(負傷)·실업(失業)·노령(老齡)·폐질(廢疾)·탈퇴(脫退)·사망(死亡)에 관하여, 보험 급여(保險給與)를 하는 사회 보험(社會保險). 1962년부터 실시함.

선원-사【禪源寺】명【불교】인천 광역시 강화군(江華郡)에 있던 절. 고려 고종 때 최우(崔瑀)가 창건한 것으로, 한때 고려 대장경(大藏經) 판목(板木)을 두었으나, 태조 7년(1398)에 해인사로 옮겨짐.

선원 수첩【船員手帖】명 선원의 신분(身分)을 증명하는 수첩. 성명·본적·생년월일·이력(履歷)·승무 선박(乘務船舶)·고용 계약 내용·사진 등을 기재한 것으로, 승선(乘船) 중에는 선장이 보관함.

선원-실【船員室】명 배 안에서 선원이 거처하는 방.

선원-전【璿源殿】명 조선 시대의 태조(太祖)·숙종(肅宗)·영조(英祖)·정조(正祖)·순조(純祖)·익종(翼宗)·헌종(憲宗) 등의 어진(御眞)을 모신 창덕궁(昌德宮) 안의 궁전. 진전(眞殿).

선원-주의【先願主義】[-/-이] 명【법】둘 이상의 출원(出願)이 경합(競合)한 경우에, 먼저 출원한 사람을 우선적으로 다루는 주의. 우리나라에서는 선원주의를 택하고 있음. *선발명(先發明) 주의.

선월【先月】명 지난달.

선위¹【船位】명 해상(海上)에 있어서의 배의 위치.

선위²【宣威】명【악】제향(祭享) 때, 아헌례(亞獻禮)와 종헌례(終獻禮)의 헌가(軒架)에서 아뢰던 제악곡(祭樂曲). 도조(度祖; 이태조의 조부)의 위대한 업적을 기린다는 곡으로 6단으로 되었음.

선위³【腺胃】명【생】전위(前胃).

선:위⁴【選委】명 ↗선거 관리 위원회(選擧管理委員會).

선위⁵【禪位】명 임금이 왕위(王位)를 물리어 줌. 선양(禪讓). *방벌(放伐). ──-하다 자여불

선위-사【宣慰使】명【역】난리나 또는 큰 재해(災害)가 있은 뒤에 왕명을 받들어, 백성의 질고(疾苦)를 위문하던 임시 벼슬. 「여불

선:위 설사【善爲說辭】[-싸] 명 말을 재치 있게 잘 함. ──-하다 자

선위-장【宣威章】명【악】옛 악장의 이름. 정대업(定大業) 춤의 탁정장(濯征章) 다음에 아뢰며, 박(拍)을 치면 춤을 추는 무기(舞妓)가 곡진(曲陣)으로 변하고, 그 뒤 박에 응하여 직진(直陣)·예진(銳陣)·원진(圓陣)·방진(方陣)을 짓고, 신정장(神定章)을 아뢰기까지에 처음 배열(排列)로 돌아감.

선위 장군【宣威將軍】명【역】고려 때 무관의 관계(官階). 종사품의 상(上). 성종 14년(995)에 정함. 명위(明威) 장군의 위, 장무(將武) 장군의 아래.

선유¹【仙遊】명 ①천자(天子)가 유람(遊覽)함. ②'사람의 죽음'에 대한 높임말. 선서(仙逝). ③선경(仙境)에서 놂. ──-하다 자여불

선유²【先儒】명 옛 선비. 선대(先代)의 유학자(儒學者).

선유³【宣諭】명 임금의 훈유(訓諭)를 백성(百姓)에게 널리 포고(布告)함. ──-하다 타여불

선유⁴【船遊】명 뱃놀이. 주유(舟遊). ──-하다 자여불

선:유⁵【善柔】명 ①성실(誠實)한 마음이 없고, 외면(外面)만 유화(柔和)함. ②마음이 너무 착하여, 줏대가 없고 남에게 곰살궂기만 함. ──-하다 형여불

선유-가【船遊歌】명【악】조선 시대 때 십이 잡가(十二雜歌)의 하나. 물놀이를 권유한 것이지만, 남녀의 사랑을 읊은 내용임. 지은이와 때는 자세하지 않음. 가세 타령.

선유-담【仙遊潭】명【지】강원도 고성군(高城郡)에 있는 못. 간성(杆城) 남쪽 10리쯤 되는 곳에 있음.

선유-도【仙遊島】명【지】전라 북도의 서해상(西海上), 군산시(群山市) 옥도면(沃島面) 선유도리(仙遊島里)에 위치한 섬. 군산시의 서남쪽 49.9 km 지점에 있으며, 섬 서쪽에 해수욕장이 있음. [2.03 km²]

선유-락【船遊樂】명【악】나라 잔치 때에 추던 춤의 한 가지. 무기(舞妓)가 채선(彩船)을 끌고, 배 떠나는 정경을 그린 것. 동기(童妓) 둘이 돛의 앞뒤에 갈라 서고, 두 여기(女妓)가 호수(虎鬚)를 꽂은 주립(朱笠)을 쓰고, 철릭을 입고 동개를 차고, 배 앞에 늘어서서 호령하면 집사 무기(執事舞妓)인 여섯 명의 내무(內舞)와 서른 두 명의 외무(外舞)가 청령(聽令)하고, 어부사(漁父辭)를 부르며 행선(行船)하여 빙빙 돌면서 춤을 추는데, 행선(行船)의 호령이 있을 때에는 겸내취(兼內吹)가 뜰에서 취타(吹打)하고 노래를 부르며, 춤을 출 때에는 주악(奏樂)을 연주함. 신라 때부터 있던 것으로 배따라기·여악(女樂)·향악(鄕樂)을 조금 고쳐서 이룩한 것임. *배따라기.

〈선유락〉

선유-량【仙遺粮】명【식】비해(萆薢).

선유-사【宣諭使】명【역】병란(兵亂)이 났을 때에, 임금의 명령을 받들어 백성을 훈유(訓諭)하던 임시 벼슬.

선육【鮮肉】명 신선(新鮮)한 고기. 「dy).

선율¹【旋律】명【악】'가락²❶'의 한자 이름. 율선(律旋). 멜로디(melo-

선-율²【禪律】명【불교】①선종(禪宗)과 율종(律宗). ②선종의 계율

선율 단음계【旋律短音階】명【악】가락 단음계. ㄴ(戒律).

선율-법【旋律法】[-뻡] 명【악】선율을 구성하는 방법.

선율 음정【旋律音程】명【악】가락 음정.

선율-학【旋律學】명【악】선율의 구성 원리를 연구하는 학문.

선음¹【先蔭】명 선조(先祖)의 숨은 은덕(恩德).

선:음²【善飮】명 술을 좋아함. 술을 잘 마심. ──-하다 자여불

선음³【蟬吟】명 매미의 울음 소리.

선의¹【先議】[-/-이] 명 의회가 양원제(兩院制)일 경우, 한 원(院)이 다른 원에 앞서 심의하는 일. ¶~권. ──-하다 타여불

선의²【船醫】[-/-이] 명 배 안에서 승무원(乘務員) 및 선객(船客)의 병상(病傷)을 치료하고, 승무원의 건강 진단(健康診斷)을 하는 의사.

선:의³【善意】[-/-이] 명 ①착한 마음. 가의(佳意). ②남을 위해서 생각하는 마음. 호의(好意). ¶~로 해석하다. ③【법】법률 관계의 발생·소멸 및 그 효력에 영향을 미치는 사실을 모르는 일. 가령 선의의 점유(占有)란 것은 물건을 점유할 권리가 없음을 모르고 행하는 점유임. ¶~의 제삼자. 1)-3):↔악의(惡意).

선의⁴【禪衣】[-/-이] 명【불교】선승(禪僧)이 입는 옷.

선의⁵【鮮衣】[-/-이] 명 선명하고 아름다운 옷.

선의-권【先議權】[-꿘/-이 꿘] 명【법】양원제(兩院制)의 의회에서, 국민의 부담에 중대한 관계가 있는 예산이나 재정 법안에 관하여, 하원이 상원에 앞서서 심의하는 권능.

선의-랑【宣議郞】[-/-이-] 명【역】고려 때 문반(文班)의 품계. 종칠품의 상(上). 문종(文宗) 때에 정했다가 충렬왕 원년에 폐함.

선:의의 사:람들【善意―】[-/-이에-] 명 〔프 Les hommes de bonne volonté〕【책】프랑스의 작가 줄 로맹의 장편 소설. 1932-47년에 지은 것인데, 대하 소설의 대표적인 작품. 제1차 세계 대전 전후의 비참·혼란한 시대를 배경으로 하여, 선의에 찬 사람들이 어떻게 행복의 길을 개척해 가나 하는 것을 서술하고 있음. 27권임.

선:의 점:유【善意占有】[-/-이-] 명【법】점유할 권리, 즉 본권(本權)이 없음에도 불구하고 본권이 있다고 오신(誤信)하여 하는 점유.

선:의 취:득【善意取得】[-/-이-] 명【법】평온(平穩)·공연(公然)하게 남의 동산을 점유하기 시작한 자가 선의이며 또한 무과실(無過失)인 때에는 즉시 그 동산의 질권(質權) 또는 소유권을 행사하는 권리를 취득하는 일. 민법이 인정하고 있는 거래의 안전 보호를 위한 제도. 즉시 취득. 즉시 시효.

선:이【墡膩】명【공】차진 백토(白土).

선-이자【先利子】[-니-] 명【경】선변(先邊).

선-이질풀【-痢疾-】명【식】[*Geranium japonicum*] 쥐손이풀과에 속하는 다년초. 높이 60-100 cm이고, 거친 털이 있으며, 근생엽(根生葉)은 대생(對生)하고 장병(長柄)이며, 경엽(莖葉)은 장상(掌狀)에 3-7 갈래로 깊이 째지고, 탁엽(托葉)은 달걀꼴임. 7-8월에 백색에 자색 무늬가 있는 꽃이 가지 끝에 취산(聚繖) 화서로 피고, 삭과(蒴果)는 다섯 갈래로 갈라짐. 산이나 들에 나는데, 한국 각지에 분포함.

선익-지【蟬翼紙】명 매우 얇은 종이.

선인¹【仙人】명 ①신선(神仙). 연객(煙客). ②도를 닦는 사람. 도사(道士). ③【불교】외도(外道)의 수행자(修行者)로서, 세속을 떠나 산 속에서 여러 도(道)의 법을 닦은 바라문(婆羅門)의 현자(賢者). ④선인²(先人)❸.

선인²【先人】명 ①윗사람에게 자기의 돌아간 아버지를 일컫는 말. 선자(先子). 선친(先親). ②전대(前代)의 사람. ↔후인(後人). ③【역】고구려 전기(前期) 직제의 벼슬 이름. 조의(皁衣)의 다음.

선인³【船人】명 ①뱃사공. ②뱃사람.

선:인⁴【善人】명 착한 사람. 선량한 사람. 선자(善者). ↔악인(惡人).

선:인⁵【善因】명【불교】선과(善果)를 초래하는 원인이 되는 선행(善行).

↔악인(惡因).
선:인⁶【選人】명 뽑힌 사람.
선인-관【仙人關】명〖지〗'센런관'을 우리 음으로 읽은 이름.
선인-반【仙人飯】명〖식〗둥굴레.
선:인 선:과【善因善果】명〖불교〗선업(善業)을 행하면 그 원인으로써 반드시 좋은 과보(果報)가 있음. 복인 복과. ↔악인 악과(惡因惡果).
선인 수표【線引手票】명〖경〗'횡선 수표(橫線手票)'의 구용어.
선인-장¹【仙人杖】명〖식〗구기자나무.
선인-장²【仙人掌】명〖식〗[*Opuntia tuna*] 선인장과에 속하는 직립(直立) 또는 만성(蔓性)의 다년초. 줄기는 장경(漿莖)으로 육질(肉質)에 즙(汁)이 많고, 원주형·구형(球形) 및 편편한 것이 있음. 묵은 줄기는 목질(木質)이며, 높이 2m 정도, 길이 3-6m 가량, 어린 줄기는 녹색으로 동화 작용을 함. 보통 잎은 변태엽(變態葉)으로 가시 모양·혹 모양이며, 꽃은 줄기의 꼭대기나 옆에 하나 또는 모여 피고 꽃꼭지가 있는 것과 없는 것이 있고, 흰 빛·누른 빛·붉은 빛으로 핌. 자방(子房)은 그 아래쪽에 있고 열매는 장과(漿果)로 즙이 많아 식용함. 열대(熱帶)·아열대의 사막(沙漠) 지대에 많은 품종이 분포함. 화분에 심어 관상용으로 재배함. 백년초(百年草). 패왕수(覇王樹). 사보텐. 캑터스.

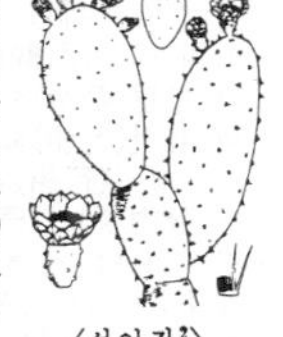
〈선인장²〉

선인장-과【仙人掌科】[—꽈] 명〖식〗[Cactaceae] 쌍자엽 식물 이판화류에 속하는 한 과. 대부분 멕시코를 중심으로 남북미의 열대·아열대 지방에 나는데, 140속 1,700여 종이 분포함.
선인-죽【仙人粥】명 껍질을 벗긴 새박 뿌리를 저며서 끓이다가, 흰 쌀을 넣고 쑨 죽.
선인-처【仙人處】명〖불교〗녹야원(鹿野苑).
선-일¹[—닐] 명 서서 하는 일. ↔앉은일.
선일²【先日】명 지난 날. 전일(前日).
선일자 수표【先日字手票】[—짜—] 명〖경〗'앞수표'의 구칭.
선임¹【先任】명 먼저 그 임무를 맡거나 그 지위에 올라 있음. 또, 그 임무·사람. 전임(前任). ↔후임(後任).
선임²【船賃】명 배를 타거나 빌려 쓰고 삯으로 내는 돈. 뱃삯. 선가(船價).
선:임³【選任】명 사람을 가려 뽑아서 직무 또는 어떤 임무(任務)를 맡김. ——-하다 타여불
선임-권【先任權】[—꿘] 명〖사〗선임제(先任制)에 있어서, 고참자가 신참자보다 유리한 입장에 서는 지위. 고참권(古參權).
선임권 제:도【先任權制度】[—꿘—] 명〖사〗선임제(先任制).
선:임 유언 집행자【選任遺言執行者】명〖법〗지정(指定) 또는 법정의 유언 집행인이 죽었거나 또는 다른 사유로 유언 집행자가 없을 때, 이해 관계인(利害關係人)의 청구에 따라 법원이 선임하는 유언 집행자.
선임-제【先任制】명〖사〗승진·해고(解雇) 및 경영 부진에 의한 휴직(休職) 등에 있어서, 먼저 채용된 자를 우대(優待)하는 제도. 선임권 제도.
선임 하:사관【先任下士官】명〖군〗특정한 부대의 같은 계급의 하사관 중에서 가장 먼저 임관된 하사관.
선:임 후:견인【選任後見人】명〖법〗법원에 의하여 선임된 후견인. 미성년자에게 친권자(親權者)·지정 후견인·법정 후견인이 없는 경우 또는 금치산자(禁治產者)·한정 치산자에게 법정 후견인이 없는 경우에는 피후견인의 친족이나 이해 관계인(利害關係人)의 청구에 따라 법원이 이를 선임함. 후견인이 사망하거나 결격된 경우에도 마찬가지임.
선입¹【先入】명 ①미리 마음 속에 듦. ②애초에 배워서 익힘.
선:입²【選入】명 가려 뽑아서 넣음. ——-하다 타여불
선입-감【先入感】명 선입관(先入觀).
선입-견【先入見】명 선입관(先入觀).
선입-관【先入觀】명 애초부터 머릿속에 들어가 있는 고정적인 관념 및 견해. 그것이 자유로운 사고(思考)를 구속하는 경우에 일컬음. 선입감(先入感). 선입견(先入見). 선입 관념. 선입주(先入主). 선입 주견(先入主見). 선입지견(先入之見).
선입 관념【先入觀念】명 선입관(先入觀).
선입 선출【先入先出】명 (first-in, first-out)〖컴퓨터〗리스트 테이블 또는 큐 따위에서 어떤 요소를 저장하거나 꺼낼 때, 먼저 저장된 것을 먼저 꺼내는 방식. 에프 아이 에프 오.
선입 선출법【先入先出法】[—뻡] 명〖경〗재고 자산 평가 방법(在庫資產評價方法)의 한 가지. 먼저 입고된 것부터 차례로 출고(出庫) 소비된 것으로 간주하여, 재고 자산의 출고 가격을 계산함. 물가가 떨어질 때, 자산 내용을 견실하게 함.
선입자 위주【先入者爲主】명 선입 관념을 주장으로 삼음.
선입-주【先入主】명 선입관(先入觀).
선입 주견【先入主見】명 선입관(先入觀).
선입지-견【先入之見】명 선입관(先入觀).
선자¹【仙子】명 ①신선(神仙). ②용모가 아름다운 여자를 이르는 말.
선자²【仙者】명 신선(神仙).
선자³【仙姿】명 신선과 같은 모습. 전(轉)하여, 속세를 떠난 모습의 비유.
선자⁴【先子】명 옛 사람. 특히, 망부(亡父)나 선사(先師). 선인(先人). 선사(先士).
선자⁵【先資】명 일을 착수(着手)함에 앞서서 요구되는 자금.
선자⁶【先慈】명 세상을 떠난 어머니. 망모(亡母).
선자⁷【扇子】명 ①부채. ②〖건〗↗선자 추녀.
선:자⁸【善者】명 착한 사람. 선량한 사람. 선인. ↔악자(惡者).
선:자⁹【選者】명 많은 작품 중에서 좋은 것을 가려 뽑는 사람. 선택의 임무를 맡은 사람.
선자 개:판【扇子蓋板】명〖건〗선자 추녀의 서까래를 덮은 천정 널판. 개판(蓋板).
선자 고래【扇子—】명 부챗살 모양으로 퍼지어 나가게 만든 방고래.
선자 구들【扇子—】명〈방〉선자 고래.
선-자귀¹ 명 반 간(間) 퇴의 두 짝으로 된 분합문.
선-자귀² 명 서서 나무를 깎을 때에 쓰는 큰 자귀.
선-자물쇠 [—쐬] 명 배목에 비녀장을 꽂는 구조의 간단한 자물쇠. 좌우로 여는 문짝에서만 쓰임.
선자-연【扇子椽】명〖건〗선자 추녀에 부챗살같이 낸 서까래.
선자 옥질【仙姿玉質】명 신선의 자태에 옥의 바탕이라는 뜻이니, 매우 아름다운 사람을 형용하는 말.
선자-장【扇子匠】명〖역〗조선 시대에, 부채를 만드는 공장(工匠).
선자-지【扇子紙】명 부채에 바르는 종이. 질기고 단단한 흰 종이로서, 좋은 연을 만드는 데에도 쓰임.
선자 추녀【扇子—】명〖건〗서까래를 부챗살 모양으로 낸 추녀. 준선자(扇子). ↔말굽 추녀.
선자 춘설【扇子春舌】명〖건〗선자 추녀의 취음(取音).
선:-잠¹ 명 깊이 들지 못한 잠.
선:잠(을) 깨:다 구 잠이 깊이 들지 아니하였다가 깨다.
선잠²【先蠶】명〖민〗양잠(養蠶)하는 법을 시작하였다는 신(神). 서릉씨(西陵氏). 잠신(蠶神).
선잠-단【先蠶壇】명〖역〗잠신(蠶神)인 서릉씨(西陵氏)를 제사하던 단(壇). 서울 동대문 밖에 있었음.
선잠-악【先蠶樂】명〖악〗선잠제(先蠶祭)를 지낼 때 사용하던 음악. 당상(堂上)에서는 남려(南呂), 당하(堂下)에서는 고선(姑洗)을 썼고 신(神)을 맞이하고 보낼 때에는 황종궁(黃鐘宮)을 썼음. 또, 북은 노고(路鼓)를 사용하였음.
선잠-제【先蠶祭】명〖역〗고려·조선 시대에, 선잠단에서, 양잠(養蠶)의 창시자인 중국 황제의 원비(元妃) 서릉씨(西陵氏)에게 지내던 제사. 해마다 음력 4월 첫 사일(巳日)에 베풀었음.
선장¹【仙仗】명〖역〗궁중 예식(宮中禮式)에 쓰던 의장(儀仗)의 하나.
선장²【仙莊】명 선가(仙家)❶.
선장³【先丈】명 ↗선고장(先考丈).
선장⁴【先場】명〖역〗옛날 과거(科擧) 때 문과(文科) 장중(場中)에서 가장 먼저 글장을 바치던 것. 또, 그 순간.
선장⁵【船匠】명 배를 만드는 목수. 선공(船工).
선장⁶【船長】명 ①선원의 우두머리로서 선박의 항행을 지휘하며, 선원을 감독하는 사람. 선내(船內)에 있어서의 사법권(司法權)은 물론, 경찰권 그 밖의 공법 상의 권한이 국가로부터 부여되고, 또 선주(船主)의 대리인으로서의 권한을 가짐. 선장(船將). ②선박 기능직 국가 공무원 직급 명칭의 하나. 선원의 위로 6급·7급·8급의 세 등급이 있음.
선장⁷【船將】명 ①군함(軍艦)의 지휘자(指揮者). ②선박의 지휘자. 선장(船長).
선장⁸【船裝】명 배의 장식(裝飾).
선장⁹【船檣】명 ①배의 돛대. ②배의 무전 안테나(無電 antenna)의 지지(支持), 선기(船旗)의 게양(揭揚), 기중기(起重機)의 기둥으로서 쓰는 기둥. 마스트(mast).
선장¹⁰【線裝】명 서적 장정(書籍裝幀)의 한 가지. 서사(書寫) 또는 인쇄된 책장의 면이 밖으로 보이도록 복판에서 바르게 접고, 그 책장의 단면(斷面)의 가까운 곳을 끈으로 간단히 맨 다음, 두 장의 표지를 앞면과 뒷면에 대어 서뇌(書腦; 책의 등) 부분을 끈으로 튼튼하게 꿰맨 장정. 봉철(縫綴). 철장(綴裝). 당철(唐綴). 대철(袋綴).
선:장¹¹【選獎】명 좋은 것을 골라서 장려(奬勵)함. ——-하다 타여불
선장¹²【禪杖】명 ①중의 지팡이. ②참선(參禪)할 때, 졸음을 막기 위하여 대나무로 만든 지팡이. 끝에 연하고 둥근 것을 붙이었음.
선:장¹³【繕匠】명 건축에서, 목재를 바심하는 사람.
선장-등【船檣燈】명 배의 진로 방향(進路方向)을 나타내기 위하여 배의 앞 돛대에 다는 항해등(航海燈).
선장-수【船匠手】명〖군〗해군에서 배의 목수로 근무하는 병사.
선장-실【船長室】명 선장이 거처하는, 배 안의 방.
선장 집물【船裝什物】명 배의 장식에 필요한 물건.
선재¹【仙才】명 뛰어난 재주.
선재²【先在】명 먼저부터 있음. 앞서서 있음. ——-하다 형여불
선재³【船載】명 배에 실음. 박재(舶載). 주재(舟載). ——-하다 타여불
선재⁴【船材】명 배를 만드는 재목.
선재⁵【線材】명 단면이 원형의 강재(鋼材). 굵기가 5밀리 가량이며, 강삭(鋼索)·철망·철사 따위의 소재(素材)가 됨.
선재-도【仙才島】명〖지〗인천 광역시 덕적 군도(德積群島) 동쪽인 옹진군 영흥면(靈興面) 선재리(仙才里)에 있는 섬. 인천의 서남쪽 37 km 떨어진 곳에 있음. [1.97 km²]
선:재 동:자【善財童子】명〖불교〗구도(求道)의 보살의 이름. 복성 장자(福城長子)의 아들로, 53명의 선지식(善知識)을 두루 찾아보고, 최후에 보현 보살(普賢菩薩)을 만나서 10대원(大願)을 듣고, 아미타불 정토에 왕생하여 법계(法界)에 들어가기를 원하기에 이름. 불도 수행(佛道修行)의 계제(階梯)를 나타낸 것임.
선재-성【先在性】[—썽] 명〖철〗시간적 또는 심리적으로 앞서는 성질. 예컨대, 경험론(經驗論)에 있어서 감각은 지성(知性)에 시간적으로, 발생적으로 선재(先在)한다고 하는 것과 같은 성질.
선저【船底】명 배의 밑바닥.
선저 도료【船底塗料】명 배 밑바닥에 바르는 특별한 도료. 배 밑바닥에

굴이나 조개, 그 밖의 생물이 부착(附着)하여 배의 속력을 감퇴시키거나, 선체의 부식과 녹스는 것을 방지함. 보통, 구리·비소·수은·납 등의 화합물과 나프탈린·크레오소트 등을 섞어 만듦.

선-저지【先沮知】명〖역〗조위(造位).

선적[1]【先蹟】명 조상의 사적(事蹟).

선적[2]【船積】명 선박에 화물을 적재(積載)하는 일. ——-하다 타여불

선적[3]【船籍】명 선박(船舶)의 소속지가 선주(船主)의 계출에 의하여, 관해 관청(管海官廳)의 선박 원부(船舶原簿)에 등록된 것. 곧, 선박의 국적(國籍).

선적국-법【船籍國法】명〖법〗기국법(旗國法).

선적 기간【船積期間】명 하물(荷物)을 선적하는 기간. *정박 기간(碇泊期間).

선적-도【船積圖】명〖해〗선박 안에 적재된 모든 화물의 위치를 나타낸 도면.

선적-물【船積物】명 배에 실은 물건.

선적 서류【船積書類】명〖해〗수출 화물을 선적(船積)하는 경우에 작성되는 여러 가지 서류. 선하 증권·보험 증권·송장(送狀)의 세 가지 외에 때로는 세관(稅關) 송장·영사(領事) 송장·원산지 증명서·중량 용적 증명서 등을 포함하는 수가 있음.

선적 선하 증권【船積船荷證券】[—꿘] 명〖경〗선주(船主) 또는 용선자(傭船者)로부터 하송인(荷送人)에 대하여 선적(船積) 후에 교부하는 선하 증권. ↔수령 선하 증권(受領船荷證券).

선적 송:장【船積送狀】[—짱] 명〖경〗선적 통지서(船積通知書).

선적 증서【船籍證書】명〖법〗총톤수 20톤 미만의 선박의 선적을 증명하기 위하여 교부하는 증서. 선적항(船籍港)을 관할하는 해무 관서로부터 이 증서를 받아야 함.

선적 지시서【船積指示書】명〔shipping order〕〖경〗선주(船主)나 해상 운송인(海上運送人)이 선장에게 용선자(傭船者)가 지참(持參)하는 하물(荷物)을 선적할 것을 지시한 증서. 's/o'라 생략함.

선적 통지서【船積通知書】명 하물(荷物)을 선적(船積)하였을 때 그 취지를 하주(荷主)가 하수인(荷受人)에게 알리는 서류. 탑재선명(搭載船名)·하인(荷印)·품명·개수·가격·양륙항(揚陸港)·하수인(荷受人)의 성명 등을 기입함. 적하 안내(積荷案內). 선적 송장(船積送狀).

선적-항[1]【船積港】명 하물을 선적하는 항구(港口). 적하항(積荷港).

선적-항[2]【船籍港】명 선적이 있는 항구. 곧, 선박이 항해하지 아니할 때 머무를 장소로 예정한 항구.

선전[1]【宣傳】명 ①말하여 전함. 널리 전함. ②어떤 것의 존재나 효능 또는 주의·주장 등을 남에게 설명하고 이해를 구하는 일. 또, 그 운동과 활동. ¶ ～문(文)/～술(術). ③사실 이상으로 과장하여 말을 퍼뜨리는 일. ④〖역〗↗선전관(宣傳官). ——-하다 타여불

선전[2]【宣箋】명〖역〗↗선전관(宣箋官).

선전[3]【宣戰】명〖법〗상대국과 전쟁 상태에 있다는 일방적인 의사 표시. 곧, 개전(開戰)의 선언(宣言). *선전 포고(宣戰布告). ——-하다 자여불

선전[4]【船戰】명 해전(海戰).

선전[5]【旋轉】명 뱅뱅 돌아감. ——-하다 자여불

선:전[6]【善戰】명 잘 싸움. 실력 이상으로 싸움. ¶ ～ 분투. ——-하다 자여불

선전[7]【縇廛·線廛】명〖역〗비단을 팔던 가게. 한양(漢陽)이 도읍(都邑)으로 정하여진 뒤, 이 전이 가장 먼저 섰으므로 서울의 백각전(百各廛)·육주 비전(六注比廛)의 으뜸이며, 유분전(有分廛)으로 국역(國役)의 십분(十分)을 부담함. 입전(立廛). *육주 비전(六注比廛).
[선전 시정(市井)의 비단 감듯 한다] 빨리 감거나 잘 말아들임을 일컫는 말.

선전[8]【獮田】명 가을철의 사냥.

선전[9]【鮮展】명 ↗조선 미술 전람회(朝鮮美術展覽會).

선전[10]〔深圳〕명〖지〗중국 광둥 성(廣東省)에 있는 도시. 홍콩과 인접함. 1980년 경제 특별 구역이 설치되어 공업이 급속도로 발전함. 심천.

선전-관[1]【宣傳官】명〖역〗조선 시대에, 선전 관청(宣傳官廳)에 있던 무관(武官) 벼슬. 정삼품부터 종구품까지 있었음. ㉮선전. *문겸(文兼).

선전-관[2]【宣箋官】명〖역〗임금에게 하장(賀狀)을 올릴 때 또는 임금이 궤장(几杖)을 하사(下賜)할 때 전문(箋文)을 읽던 임시 관원. ㉮선전.

선전 관청【宣傳官廳】명〖역〗조선 시대에, 형명(刑名)·계라(啓螺)·시위(侍衛)·전령(傳令)·부신(符信)의 출납(出納) 등을 맡아 보던 관아. 조선 시대 초에 베풀어서 고종 3년에 폐함.

선전 광:고업【宣傳廣告業】명 광고주(廣告主)와 광고 매체(媒體) 소유자와의 사이에 서서, 그 대리로서 선전 광고의 업무를 전문적으로 취급하는 사업. 주로 광고 대리업을 가리킴.

선전 도안【宣傳圖案】명 간판이나 포스터와 같이 선전의 취지를 그린 도안.

선전-망【宣傳網】명 선전 사업을 목적으로 한 조직 체계.

선전-문【宣傳文】명 선전의 취지를 적은 글.

선전 미술【宣傳美術】명 선전을 위한 시각적(視覺的) 조형 표현의 총칭.

선전 삐라【宣傳—】명〔bill〕선전·광고를 위해, 사람이 많은 곳에서 돌리거나 뿌리거나 하는 인쇄물.

선전 소식【宣傳消息】명〖역〗고려 때, 임금이 각 지방의 안찰사(按察使)나 수령(守令)에게 무엇을 징구(徵求)할 때에 내리던 글. 승선(承宣)이 왕지(王旨)를 받들어 종이에 쓰고, 그 끝에 서명(署名)함. 충렬왕(忠烈王) 원년(1275)에 시작됨. ㉮소식(消息).

선전-술【宣傳術】명 선전하는 기술.

선전-원【宣傳員】명 선전 업무에 종사하는 사람.

선전-자【宣傳者】명 선전하는 사람.

선전-적【宣傳的】명관 선전에 관함. 선전에 관한 모양. ¶ ～ 효과.

선전-전【宣傳戰】명 ①선전에 의한 경쟁. 서로 다투어 선전하는 일. ②〖군〗정신적으로 적에게 타격을 주고 또한 자기 편을 고무(鼓舞)하기 위하여, 피아간(彼我間)에 서로 선전에 주력하는 일. *사상전(思想戰).

선전-탄【宣傳彈】명 선전문을 넣은 포탄이나 폭탄.

선전-탑【宣傳塔】명 선전이나 계몽을 목적으로 일정한 기간 동안 세우는 탑.

선전 포:고【宣戰布告】명〖법〗상대국과 전쟁 상태에 들어감을 선언·공포함. 곧, 선전의 요식 행위(要式行爲). ——-하다 자여불

선절 교:위【宣折校尉】명〖역〗고려 때의 무반(武班)의 품계(品階). 정팔품(正八品)의 상(上). 성종(成宗) 14년(995)에 정함. 선절 부위의 위, 익휘 부위(翊麾副尉)의 아래.

선절 부:위【宣折副尉】명〖역〗고려 때의 무반(武班)의 품계. 정팔품의 하(下). 성종 14년(995)에 정함. 어모(禦侮) 교위의 위, 선절 교위의 아래.

선절 장군【宣節將軍】명〖역〗고려 말엽(末葉), 조선 초엽의 무관의 정팔품 품계. 7대 세조(世祖) 12년(466)에 정략 장군(定略將軍)으로 고침.

선점[1]【先占】명 ①남보다 앞서서 차지함. ②〖법〗↗선점 취득(取得). ——-하다 타여불

선:점[2]【選點】[—쩜] 명〖토〗측량(測量)하기 전에 현지(現地)에 직접 가서 기점(基點) 될 만한 곳을 미리 살핌. ——-하다 자여불

선점 취:득【先占取得】명〖법〗①무주물(無主物) 선점. ②국제법상 어느 나라의 영토에도 속하지 않는 땅을 영유(領有)할 의사를 갖고서, 딴 나라보다 앞서 점유함. ㉮선점(先占). ——-하다 타여불

선접【先接】명〖역〗과거(科擧) 때에 남보다 일찍 장중(場中)에 들어가 좋은 자리를 차지함. ——-하다 타여불
선접(을) 잡다 구 과거 때 선접하여 좋은 자리를 차지하다.

선접-꾼【先接—】명〖역〗과거 때 제일 먼저 선접(先接)하는 사람.

선정[1]【先正】명〖역〗조선 시대에 선대(先代)의 어진 이를 일컫던 말.

선정[2]【扇頂】명〖지〗선상지(扇狀地)에서 산지(山地)로부터 평지로 나가는 강의 출구 중심부를 일컫는 말.

선:정[3]【善正】명 이치에 맞고 옳은 일.

선:정[4]【善政】명 바르고 착한 정치. ↔악정(惡政)·횡정(橫政). ——-하다 자여불

선정[5]【煽情】명 정욕(情慾)을 북돋우어 일으킴. ¶ ～적인 몸짓.

선:정[6]【選定】명 가려 뽑아서 정함. 택정(擇定). ——-하다 타여불

선정[7]【禪定】명〔범 dhyāna〕〖불교〗참선(參禪)하여 삼매경(三昧境)에 이름. 정(定). ——-하다 자여불

선정[8]【鮮晶】명 선명하게 빛남. ——-하다 자여불

선:정 군주제【選定君主制】명〖정〗군주의 지위 계승(繼承)의 방법에 의하여 분류한 군주제의 하나. 군주가 그 후계자를 지명하는 정치 체제. *선거(選擧) 군주제·세습(世襲) 군주제.

선:정 당사자【選定當事者】명〖법〗민사 소송(民事訴訟)에 있어서, 공동(共同)의 이익에 관한 소송을 하려는 여러 사람 가운데서 소송 당사자(訴訟當事者)로서 선정(選定)된 사람.

선:정-비【善政碑】명 선정(善政)을 베푼 관원의 덕을 길이 기념하기 위하여 세운 비석.

선정-어【船矴魚】명〖어〗천칭어.

선정-원【宣政院】명〖역〗중국 원대(元代) 1288년부터 원말(元末)까지 존속했던, 불교 및 티베트에 관한 사항을 관장하던 특수 관청. 1274년에 같은 목적으로 둔 총제원(總制院)을 개칭한 것.

선정-전【宣政殿】명 서울 창덕궁(昌德宮) 안에 있는 편전(便殿).

선:정-주의【善政主義】[—/—이] 명〖정〗좋은 정치를 베풀려는 사상 및 그 주의.

선:정 후:견인【選定後見人】명〖법〗미성년자(未成年者)에 대한 지정(指定) 후견인이나, 금치산자(禁治產者)에 대한 법정(法定) 후견인이 없는 경우에 법원에서 선임(選任)하는 제이 순위(第二順位)의 후견인.

선제[1]【先制】명 선수(先手)를 쳐서 상대방을 견제함. 기선(機先)을 제함. ¶ ～ 공격. ——-하다 자여불

선제[2]【先帝】명 ↗선황제(先皇帝).

선제[3]【先除】명 앞서 뺌. 먼저 제하여 냄. ——-하다 타여불

선제[4]【宣帝】명〖사람〗중국 전한(前漢) 제9대의 황제. 이름은 유순(劉詢). 구민(救民)·권농의 정책과 지방 행정 기구를 정비하고 흉노(匈奴)를 치는 등 큰 공을 세웠음. [91-49 B.C.; 재위 74-49 B.C.]

선제[5]【船梯】명 배에 오르내릴 때 쓰는 사닥다리.

선제 공:격【先制攻擊】명 상대편을 견제하기 위하여 선수(先手)를 쳐서 공격하는 일.

선-제비꽃 명〖식〗[*Viola raddeana*] 제비꽃과에 속하는 다년초. 줄기 높이 40 cm 가량이고, 잎은 호생(互生)·장병(長柄)이며, 삼각상 피침형(三角狀披針形)임. 5-6월에 엷은 자색의 꽃이 줄기·잎 사이에 달리어 좌우 상칭(左右相稱)으로 피며, 과실은 삭과(蒴果)임. 들의 습지에 나는데, 강원·경기·평북·함남에 분포함. 선오랑캐꽃.

선제 사:용【先制使用】명〔first use〕〖군〗대치하는 전선에서, 재래식 전력(在來式戰力) 및 전술 핵전력(戰術核戰力)에 대하여 전술 핵무기로 선제 공격하는 일.

선:제-후【選帝侯】명〖역〗선거후(選擧侯).

선조[1]【仙鳥】명〖불교〗가릉빈가(伽陵頻伽).

선조[2]【先祖】명 한 가계(家系)의 웃 조상. 핏줄을 이어 받은 먼 대의 조상.

선조[3]【先朝】명 전조(前朝).

선조[4]【宣祖】명〖사람〗조선 제14대 왕. 덕흥 대원군(德興大院君)의 셋째 아들. 초휘(初諱)는 균(鈞), 휘(諱)는 공(昖). 명종(明宗)이 후사(後嗣) 없이 승하하자 즉위, 이황(李滉)·이이(李珥) 등의 인재를 등용하고, ≪유선록(儒先錄)≫·≪근사록(近思錄)≫·≪심경(心經)≫·≪삼강 행실(三綱行實)≫ 등을 편찬케 하는 등 선정에 힘썼으나 세자 책봉을 둘러싼 당파 싸움으로 국력이 쇠약해지고 임진 왜란을 겪게 됨. 수군 제독 이순신(李舜臣)의 활약과 명(明)나라 이여송(李如松)의 원군(援軍)으로 왜군을 물리쳤으나 7년에 걸친 전란과 격심해진 당쟁으로 큰 시련을 겪었음. 서화(書畫)에 뛰어남. 시호(諡號)는 소경(昭敬). [1552-1608; 재위 1567-1608]

선조[5]【線彫】명〖미술〗조각법의 하나. 가는 선으로 쌓아 올리거나 선을 파 들어가는 방법으로, 공예품의 장식적 표현에 많이 활용함.

선조[6]【線條】명〖물〗'필라멘트(filament)'의 한자어.

선조[7]【蟬噪】명 ①매미가 시끄럽게 우는 일. ②전(轉)하여, 시끄럽게 떠드는 일. ¶ ～ 와명(蛙鳴).

선조-관【宣詔官】명〖역〗나라에 경사(慶事)가 있을 때 조서(詔書)를 읽던 임시 벼슬.

선조-기【旋造機】명 선반(旋盤).

선조-성【宣詔省】명〖역〗발해(渤海)의 관제인 삼성(三省)의 하나. 정책 교서의 심사 발표를 관장하였으며, 그 장인 좌상(左相)은 충부(忠部—吏部)·인부(仁部—仁部)·의부(義部—禮部)를 감독하였음. ＊정당성(政堂省)·중대성(中臺省).

선조 실록【宣祖實錄】명〖책〗조선 14 대 왕 선조(宣祖)의 실록(實錄). 광해군(光海君) 8년(1616)에 기자헌(奇自獻) 등이 찬수(撰修)함.

선조 와명【蟬噪蛙鳴】명 매미와 개구리가 요란스럽게 운다는 뜻으로, 여럿이 모여 시끄럽게 떠듦을 이르는 말. 와명 선조(蛙鳴蟬噪).

선조-체【線條體】명〖생〗선상체(線狀體).

선조-총【旋條銃】명 라이플(rifle)❶.

선족【跣足】명 맨발.

선종[1]【宣宗】명〖사람〗고려의 제13대 왕. 휘(諱)는 운(運). 문종(文宗)의 둘째 아들로, 정종(靖宗)이 승하한 후 유조(遺詔)에 의하여 즉위하였음. 고려 문화의 융성기로 왕제(王弟) 의천(義天)이 중국 송(宋)나라에 들어가 불경을 연구하고 귀국하였음. [1049-94; 재위 1083-94]

선종[2]【宣宗】명〖사람〗'도광제(道光帝)'의 묘호(廟號).

선종[3]【旋踵】명 발길을 돌림. 등지고 돌아 섬. ——-하다 자 여불

선:종[4]【善宗】명〖사람〗'궁예(弓裔)'의 승명(僧名).

선:종[5]【善終】명〖천주교〗임종(臨終) 시에 성사(聖事)를 받아, 대죄(大罪) 없는 상태에서 죽는 일. ——-하다 자 여불

선:종[6]【善種】명〖불교〗↗선종자.

선종[7]【腺腫】명〔도 Adenoma〕〖의〗선상피 세포(腺上皮細胞)가 증식(增殖)하여 결절상(結節狀) 또는 유두상(乳頭狀)을 이룬 종양(腫瘍). 흔히 위장과 자궁(子宮)의 점막(粘膜)에 생기며, 악성(惡性)의 것은 때로는 암종(癌腫)으로 변함.

선:종[8]【選種】명〖농〗병충해를 입은 종자·잎·깍지·딴 종류의 씨, 잡초의 씨 및 흙이나 모래 등을 제거하고, 건전하고 충실한 씨만을 골라 냄. ——-하다 타 여불

선종[9]【禪宗】명〖불교〗불교의 한 종파(宗派). 어려운 불경(佛經)에 의하지 않고, 이심 전심(以心傳心)의 묘법으로 참선(參禪)을 중요시하여 경전(經典)도 없이 불립 문자(不立文字)·교외 별전(敎外別傳)을 종지(宗旨)로 하고, 직지 인심(直指人心)·견성 성불(見性成佛)을 그 표지(標識)로 삼음. 석가(釋迦) 이후 28조(祖) 달마 대사(達磨大師)에 의하여 양(梁)나라의 무제(武帝) 때에 중국에 전함. 불심종(佛心宗). (동)선(禪). ↔ 교종(敎宗).

선종 본산【禪宗本山】명〖불교〗선종(禪宗)의 중심이 되는 본산. 우리 나라에서는 동래 범어사(梵魚寺)임.

선종 사원【禪宗寺院】명〖불교〗선종(禪宗)의 도를 닦는 절.

선종-선【禪宗選】명〖역〗고려 때 승과(僧科)의 하나. 선종(禪宗) 출신의 승려들에게 본사(本寺)인 개경(開京)의 광명사(廣明寺)에서 보이던 과거. 이에 입격한 자에 대선(大選)이란 법계(法階)를 주었고, 차츰 국사(國師)로 오를 첫길이 되었음. ＊교종선(敎宗選).

선종-시【禪宗試】명〖역〗조선 시대 승과(僧科)의 하나. 선종(禪宗) 출신의 승려(僧侶)들에게 전등(傳燈)·점송(拈頌) 등을 시험보여 30명을 뽑아 선종 대선(禪宗大選)의 법계(法階)를 주었음. ＊교종시(敎宗試).

선종 영:가집 언:해【禪宗永嘉集諺解】명〖책〗조선 세조(世祖)의 명(命)을 받들어 혜각 존자(惠覺尊者)·신미(信眉) 등(等)이 중국 당(唐)나라의 영가 사문 현각(永嘉沙門玄覺)이 편찬한 선종 영가집(禪宗永嘉集)을 국문으로 번역한 책. 당시 간경 도감에서 간행(刊行)하였는 바, 2권 3책의 목판본임. (동)영가집 언해(永嘉集諺解).

선:-종자【善種子】명 선(善)의 소인(素因). (동)선종(善種).

선종-화【禪宗畫】명 도석화(道釋畫)의 한 종류. 불교 선종의 이념이나 그와 관계되는 소재를 다룬 그림.

선좌【禪坐】명〖불교〗참선(參禪)하여 앉음. 좌선(座禪)함.

선주[1]【先主】명 ①선대(先代)의 군주(君主). ↔후주(後主). ②전번의 주인(主人).

선주[2]【先週】명 지난 주일(週日). 전주(前週).

선주[3]【宣州】명〖역〗중국 수(隋)나라 때, 안후이 성(安徽省) 동남부에 둔 주(州). 현재의 쉬안청 현(宣城縣)이 중심지였으며, 진대(晉代)의 선성군(宣城郡)의 전신임.

선주[4]【船主】명 배의 주인. 배임자.

선-주름잎[—닙] 명〖식〗[*Mazus stachydifolius*] 현삼과에 속하는 일년초. 줄기 높이 30cm 가량이고, 잎은 긴 거꿀달걀꼴 또는 피침형이며, 거의 무병(無柄)임. 6-8월에 담자색 꽃이 총상(總狀) 화서로 정생하고, 화관(花冠)은 순형(脣形), 과실은 소형의 삭과(蒴果)임. 원포(園圃)나 밭둑에 나는데, 한국 각지에 분포함.

선-주민【先住民】명 먼저 살던 사람. ＊원주민.

선주 민족【先住民族】명 먼저 거주하던 민족.

선주-원【膳厨院】명〖역〗사옹원(司饔院)의 딴이름.

선-주인【船主人】명〖역〗조선 시대에, 배로 나르는 해산물의 흥정을 붙이는 여각(旅閣)의 주인.

선주 후:나【先奏後拿】명〖역〗죄를 범한 칙임관(勅任官)을 잡던 절차. 곧, 먼저 임금에게 아뢴 다음에 붙들어 잡음. ↔선나 후주(先拿後奏).

선:죽-교【善竹橋】명〖지〗경기도 개성(開城)에 있는 돌다리. 고려 말기의 충신 정몽주(鄭夢周)가 이성계(李成桂)를 문병하고 돌아오다가 이성계의 다섯째 아들 방원(芳遠)이 보낸 조영규(趙英珪) 등 사오인에게 철퇴를 맞고 죽은 곳임. 이 돌다리에는 아직도 정몽주의 혈흔(血痕)이 남아 있다고 함.

선-줄명〖광〗세로 박혀 있는 광맥(鑛脈).

선-줄바꽃명〖식〗[*Aconitum raddeanum*] 성탄꽃과에 속하는 다년초. 뿌리는 비대하고 줄기는 곧은데, 높이 50cm 가량이며 잎은 호생하고 장병(長柄)에 세 갈래로 갈라지고 톱니가 있음. 8-9월에 자색의 꽃이 총상(總狀) 화서로 정생(頂生)하여 피고, 과실은 골돌과(蓇葖果)임. 산지에 나는데, 황해·평북·함북에 분포함. 독(毒)이 있음.

선중【船中】명 배의 안.

선지[1]명〔근대 : 선디〕짐승을 잡아서 받은 피. 식어서 묵같이 엉긴 덩어리를 국·저냐 등에 씀. 특히, 소의 피를 말함. 선지피.

선지[2]【先志】명 선조(先祖)의 유지(遺志).

선지[3]【先知】명 ①먼저부터 미리 알고 있음. ②남보다 일찍 도(道)를 깨달아 앎. ③〖기독교〗↗선지자(先知者).

선지[4]【宣旨】명 임금의 명(命)을 널리 선포함. ——-하다 타 여불

선지[5]【宣紙】명 중국에서 나는 종이의 한 가지. 주로 서화에 씀.

선지[6]【扇紙】명 부채에 붙이는 질긴 흰 종이. 전라 북도 남원(南原)에서 남.

선:-지식【善知識】명〖불교〗①사람을 불도(佛道)로 교화·선도(善導)하는 고승(高僧). 지식(智識). ↔악지식(惡知識). ②진종(眞宗)에서 염불의 교육을 권하는 사람. ③진종에서 법주(法主)를 일컫는 말. ④선종(禪宗)에서 사승(師僧)을 존대하여 이르는 말.

선지-자【先知者】명〖기독교〗예수 이전에 나타나 예수의 강림(降臨)과 그 밖의 하나님의 뜻을 예언하던 사람. 대선지자(大先知者) 네 사람과 소(小)선지자 열 두 사람이 있음. 예언자. 선견자. (동)선지(先知).

선지 저:냐명 선지를 재료로 하여 만든 저냐. 선지를 데쳐 저민 다음 젓국을 좀 뿌리고 밀가루를 묻혀 달걀을 씌워서 지지거나 또는 선지에 갖은 양념을 하고, 소다를 넣어 주무른 다음에 중탕하여 익혀 저며서 부침.

선지-증【船之證】명〖역〗선박으로 화물을 운송하는 경우에 발행하는 증서. 송화인(送貨人)이 이를 작성하여 화물과 함께 선주(船主)에게 교부하는 것과, 선주가 작성하여 송화인에게 교부하는 두 가지가 있음. 발행이 다름에 따라 운송장(狀)·화물 상환증(貨物相換證) 또는 선하 증권과 유사(類似)함. 선도록(船都錄).

선지 찌개명 소의 피에 젓국을 치고, 볶은 고기와 갖은 양념을 다져 넣고 주무른 뒤에 찐 찌개.

선지-피명 ①선지[1]. ②다쳐서 선지처럼 쏟아져 나오는 피.

선지 후:행설【先知後行說】명〖철〗먼저 그 이(理)를 알고 난 뒤에 비로소 행하여야 한다는 설(說). 도덕상의 이(理)를 알기 전에는 이를 실천할 수 없다고 하는 송(宋)나라 주자(朱子)의 수양설(修養說). ↔지행 합일설(知行合一說).

선직-랑【宣職郎】[—낭] 명〖역〗조선 시대에, 토관(土官)의 정육품 동반(東班)의 품계(品階). 봉직랑(奉職郎)의 위, 봉의랑(奉義郎)의 아래.

선직-면【線織面】명〖수〗직선의 운동에 의하여 그려지는 곡면(曲面). 기둥면·뿔면·접선(接線) 곡면·일엽 쌍곡면(一葉雙曲面) 등.

기둥면 뿔면 접선곡면 일엽쌍곡면

〈선직면〉

선진[1]【先陣】명 본진(本陣)의 앞에 자리잡거나, 앞장 서서 나아가는 군사의 진. 일진(一陣). 전군(前軍). ↔후진(後陣).

선진[2]【先秦】명〖역〗중국의 시대 구분(時代區分). 기원전 221년, 진의 시황제(始皇帝)의 통일 제국 이전의 봉건 시대를 이름. 주로, 춘추 전국 시대를 가리키나 상한(上限)에 정설(定說)은 없음.

선진[3]【先進】명 ①어느 한 가지 분야에서, 연령·지위·기량(技量) 등이 앞서 있는 일. 또 그 사람. 선배(先輩). 선진자(先進者). ②발전의 단계나 진보의 정도가 다른 것보다 앞서는 일. 또, 앞서 있는 일. ¶ ～국(國). 1)·2):↔후진(後進).

선-진[4]【船津】명〖지〗경상 남도 사천시(泗川市) 용현면(龍見面)에 있는 임진 왜란 때의 고적지. 군의 거의 중앙에 위치하며, 사주천(泗洲川)의 하류의 침강(沈降)에 의하여 나팔형의 하구(河口)를 이루는 선진포(船津浦)의 만구(灣口) 좌안에 위치하는 작은 항구로, 사천시의 서남 8km 지점에 있음. 벚꽃나무의 좋은 공원을 가졌으며 근해(近海)에는 김·조개·굴·전어·낙지 등의 해산물이 많음.

선진 개발 도상국【先進開發途上國】명〔advanced developed countries〕개발 도상국 가운데 급속한 공업화(工業化)를 바탕으로 하여 현저한 경제 발전을 이룩해 가고 있는 신흥 공업국의 딴이름.

선진-경【先秦鏡】명 중국의 방경(方鏡) 가운데서, 한경(漢鏡)에 선행(先行)하는 경군(鏡群)을 이름. 그 대부분은 원경(圓鏡)이며, 한경의 조형적(祖型的)인 일군과, 그것과는 다른 금은 상감(金銀象嵌) 따위가 있는 일군으로 나뉨.

선진-국【先進國】명 타국의 경제 개발과 문화 향상에 기여할 수 있을 만큼 경제와 문화가 앞선 나라. 전진국(前進國). ↔후진국(後進國).

선진국 클럽【先進國—】〔club〕명 경제 협력 개발 기구.

선진 문학【先秦文學】명〖문〗중국 진(秦)나라 이전, 곧, 주(周)나라 초기부터 춘추 전국(春秋戰國) 시대에 이르기까지의 운문(韻文)·산문(散文) 문학의 총칭. 곧, 시경(詩經)·서경(書經)·춘추 좌전(春秋左傳)·맹자(孟子)·순자(荀子)·노자(老子)·장자(莊子)·묵자(墨子)·관자(管子)·한비자(韓非子)·국어·초사(楚辭) 등 널리 역사서·사상서도 아울러 일컬음.

선-진배【先進排】명 ↗선진배 후수(後受). ——-하다 타 여불

선진배 후:수【先進排後受】명 먼저 물건을 바치고 나중에 값을 받음. (동)선진배(先進排). ——-하다 타 여불

선진-병【先進兵】명 앞장서서 나아가는 군사.

선진 사회【先進社會】명 개인 소득이 많고 고도의 문명(文明)을 가진
선진-자【先進者】명 선진(先進). ㄴ사회.
선진-적【先進的】명 관 경제(經濟)·문화(文化)면에서 앞선 모양.
선:집【選集】명 한 사람 또는 여러 사람의 모든 저작(著作)가운데서, 대표적인 것이나 어떤 기준을 두어 골라 뽑아서 모은 책.
선짓-국 명 선지를 넣고 끓인 국.
[선짓국을 먹고 발등걸이를 하였나] 선짓국을 먹고 발등걸이를 당한 것과 같은 안색(顏色)이라 함이니, 술을 먹고 얼굴이 붉은 사람을 이르
선짓-덩이 명 선지가 식어 엉긴 덩어리. ㄴ는 말.
선좀 명〈옛〉 선잠¹. ¶松壇에 선좀씨야 醉眼을 드러보니《永言 234》.
선차¹【先次】명 먼저 번.
선차²【旋車】명〔공〕 발로 돌리는 물레.
선차-방【宣差房】명〔역〕 조선 시대에, 의정부(議政府)에 속한 아문(衙門). 의정부와 육조(六曹) 사이에 왕복하는 서류나 계본(啓本) 따위를 전달하고 수납(收納)하는 일을 맡음. 「의∼.
선차-성【先次性】[—썽] 명 차례에서 먼저가 되는 성질. ¶의식(意識)
선착¹【先着】명 ①먼저 도착함. ¶∼순(順). ②↗선착수. ③↗선착편.
선착²【船着】명 배가 와 닿음. ——하다 자 여불 ㄴ——하다 자 여불
선-착수【先着手】명 먼저 착수함. 준선착(先着). ——-하다 자 여불
선착-순【先着順】명 먼저 와 닿는 차례. ¶∼으로 서다.
선착순 방식【先着順方式】명〔경〕 수입 승인(輸入承認) 발급(發給)의 한 방식. 각종 품목별로 일정한 수입 예산이 세워져 있어서 그 예산에 찰 때까지 선착순으로 신청한 자에 대하여 수입 승인을 해주는 방식. 신청이 많을 때는 추첨으로 정하게 됨. *외화 자금 할당제 자동 승인
선착-장【船着場】명 배가 와서 닿는 곳. ㄴ제.
선착-편【先着鞭】명 ①남보다 먼저 착수하거나 먼저 자리를 잡음. 선참(先站). ②〔남보다 먼저 말에 매질을 한다는 뜻〕 남보다 앞서 공을 이룸. 앞지름. 기선(機先)을 제(制)함. 준선착(先着)·선편(先鞭). ——-하다 자 여불 「주장하는 절.
선찰【禪刹】명〔불교〕 ①선종(禪宗)의 절. 선사(禪寺). ②참선(參禪)을
선찰 대:본산【禪刹大本山】명〔불교〕 참선(參禪)을 주장하는 대본산.
선-참¹ 명〈방〉 선걸음(평안). 「여불
선참²【先站】명 ①먼저 길을 떠남. ②선착편(先着鞭)❶. ——-하다 자
선참 후:계【先斬後啓】명 군율(軍律)을 어긴 사람을 먼저 처형하고 난 뒤에 임금에게 아룀. ——-하다 타 여불 「——-하다 타 여불
선창¹【先唱】명 ①맨 먼저 주창함. ②맨 먼저 부름. ¶만세를 ∼하다.
선창²【船倉】명 선박 안의 상갑판(上甲板)의 아래에 있는 짐을 쌓는 간.
선창³【船窓】명 배의 창문.
선창⁴【船廠】명 조선소(造船所).
선창⁵【船艙】명 ①물 가에 다리처럼 만들어서 배가 닿고 짐을 싣고 부릴 수 있도록 된 곳. 준창(艙). ②배다리❶. ③〈방〉 나루¹(경상).
선창⁶【癬瘡】명〔의〕 버짐.
선창-가【船艙—】[—까] 명〈방〉 나루¹(전남).
선창-산【仙蒼山】명〔지〕 강원도 통천군(通川郡)과 회양군(淮陽郡) 사이에 있는 산. 외금강(外金剛) 안에 솟아 있는 기봉(奇峰)의 하나.
선창-자【先唱者】명 선창하는 사람. ㄴ[1,224m]
선채¹【先債】명 그전에 진 부채. 먼저의 빚.
선채²【先綵】명 혼례를 지내기 전에 신랑 집에서 신부 집으로 보내는 채단. ¶처음에야 그런 말이 없더니 난데없는 ∼금 30원을 가져오란다《金裕貞 : 시골 나그네》.
선채³【鮮菜】명 싱싱한 야채.
선:채-마니【善採—】명〈심마니〉 산삼을 잘 캐는 능숙한 심마니.
선:책【善策】명 좋은 방책. 「冊)을 읽던 임시의 벼슬.
선책-관【宣冊官】명〔역〕 왕세자(王世子)를 책봉(冊封)할 때에 죽책(竹
선처¹【先妻】명 전처(前妻). 「다 자 여불
선:처²【善處】명 잘 처리함. 좋도록 처리함. ¶∼를 앙망합니다. ——-하
선척¹【先尺】명〔역〕 돈을 받기 전에 관아(官衙)에 먼저 내는 영수증(領
선척²【船隻】명 배². ㄴ收證).
선천¹【先天】명 나면서부터 몸에 갖추어져 있음. ↔후천(後天).
선천²【宣川】명〔지〕 평안 북도 선천군의 읍(邑). 경의선(京義線)이 통과하며 농산물의 집산지이고 광업이 성함. 미국 선교사의 최초의 선교지(宣敎地)의 하나로 기독교가 성함.
선천³【宣薦】명〔역〕 새로 무과(武科)에 급제한 사람 중에서 선전관(宣傳官)이 될 만한 사람을 후보자로 추천하는 일. 신분이 좋은 사람을 골라서 함. ——-하다 타 여불
선천-군【宣川郡】명〔지〕 평안 북도의 한 군. 북은 의주군(義州郡)과 구성군(龜城郡), 동은 구성군과 정주군(定州郡), 남은 바다, 서는 철산군(鐵山郡)과 각각 맞닿음. 주요 산물은 농산물과, 금·중석 등 광산물이고, 명승 고적으로 동림 폭포(東林瀑布)·신미도(身彌島)·검산(劍山)·보광사(普光寺) 등이 있음. 「일대의 금산. 광량(鑛量)이 풍부함.
선천 금산【宣川金山】명〔지〕 평안 북도 선천읍(宣川邑)의 동부와 북부
선천-독【先天毒】명 본래 그 몸에 갖추고 있는 병독(病毒). 유전(遺傳)에 의한 질병·독소.
선천-론【先天論】[—논] 명〔철〕 성질과 지식 및 기능(機能)은 나면서부터 모든 사람에게 구비되어 있는 것이라는 생득설(生得說). 선천설(先天說). 천부설(天賦說). *선천주의(先天主義).
선천마니 명〈심마니〉 천둥마니.
선천 매독【先天梅毒】명〔의〕 태아(胎兒)가 모체(母體) 내에 있는 동안에 감염(感染)된 매독. 출생 후 1-2개월 내에 증상(症狀)이 나타남.
선천 면:역【先天免疫】명〔의〕 모체(母體)로부터 받은 선천적인 병원체에 대한 저항성. 넓게는 인공적 조작에 의하지 않고 얻어진 면역(免疫)까지도 이름. 선천성 면역. ↔후천 면역.
선천-병【先天病】[—뼝] 명 나면서부터 가지고 있는 병. 「상태.
선천 부족【先天不足】명〔한의〕 부모로부터의 유전으로 몸이 허약한
선천-사【先天事】명 나기 전의 일. 옛 일.
선천-설【先天說】명〔철〕 선천론(先天論).
선천-성【先天性】[—썽] 명 ①나면서부터 가지고 있는 성질. 본래부터 타고난 성질. ②의학에서, 출생 때 또는 출생전부터 존재하는 일. ↔후천성(後天性).
선천성 거:대 결장증【先天性巨大結腸症】[—썽—짱쯩] 명〔라 Megacolon congenitum〕〘의〙 선천적으로 결장이 이상하게 큰 유아(幼兒)의 병. 완고한 변비(便祕)와 복부의 이상 팽만(膨滿)을 수반함. 히르쉬스프룽병(Hirschsprung 病).
선천성 고관절 탈구【先天性股關節脫臼】[—썽—] 명〔congenital dislocation of the hip joint〕〘의〙 날 때부터 고관절이 탈구되어 있는 상태. 여아(女兒)에 많으며, 한쪽의 탈구는 발을 절고, 양쪽의 탈구는 엉덩이를 흔들면서 걷게 됨. 준선고탈(先股脫).
선천성 근긴장증【先天性筋緊張症】[—썽—쯩] 명〔congenital myotony〕〘의〙 톰슨병(Thomsen 病). 「무력증.
선천성 근무긴장증【先天性筋無緊張症】[—썽—쯩] 명〘의〙 선천성 근
선천성 근무력증【先天性筋無力症】[—썽—] 명〔라 Myatonia congenita〕〘의〙 선천성 중추 신경계 질환의 하나. 태어나면서부터 전신의 근육이 이완(弛緩)되어, 중증에서는 2-3세가 되도록 머리와 허리를 가누지 못하며, 사지(四肢)도 손발가락을 약간 움직일 수 있는 외에는 스스로 움직일 수가 없는데, 뇌신경 지배하의 근(筋) 및 횡격막은 침범되지 않으며 지각 및 지능은 장애가 없음.
선천성 기형【先天性畸形】[—썽—] 명〘의〙 모체의 영양 부족이나 임신 중의 질병 등으로 인하여, 날 때부터 신체에 기형(畸形)을 나타내는 일. 곧, 배냇병신의 의학적인 일컬음.
선천성 뇌수종【先天性腦水腫】[—썽—] 명〘의〙 양친의 매독(梅毒)·만성 알코올 중독 또는 임신 중의 모체(母體)가 급성 전염병에 걸림으로써 신생아(新生兒)에게 생기는 뇌수종(腦水腫).
선천성 면:역【先天性免疫】[—썽—] 명〘의〙 선천 면역(先天免疫).
선천성 반:장슬【先天性反張膝】[—썽—] 명〘의〙 선천성의 슬관절 탈구(膝關節脫臼)로 말미암아 슬관절이 반대로 휜 무릎.
선천성 백색증【先天性白色症】[—썽—] 명〔albinism〕〘의〙 유전성 대사 장애(代謝障礙)의 하나. 상염색체(常染色體) 열성(劣性)으로서 유전되며, 피부·모발 및 눈의 멜라닌 생성 불능을 특징으로 함.
선천성 색맹【先天性色盲】[—썽—] 명〔도 Angeborene Farbenblindheit〕〘의〙 모친을 통하여 유전(遺傳)으로 나타나는, 날 때부터의 색맹. 그 유전 인자(遺傳因子)는 열성(劣性)으로 대부분 두 눈에 다 유전함.
선천성 수포성【先天性水泡性】[—썽—썽] 명〘의〙 나면서부터 물집이나 뭇이 잘 생기는 체질. 유전적으로는 열성(劣性)임.
선천성 식도 협착증【先天性食道狹窄症】[—썽—] 명〘의〙 선천적(先天的)인 식도 협착증. *식도 협착(食道狹窄).
선천성 심장병【先天性心臟病】[—썽—뼝] 명〔도 Angeborener Herzfehler〕〘의〙 보통 발육 장애 또는 모체의 감염에 의한 염증 등이 원인이 되어, 태생기(胎生期)에 심장·혈관의 구조 위치의 이상이 나타난 병의 총칭. 대부분의 경우 심장의 기형(畸形)임. 흔히, 지능의 발육 장애를 수반함. 선천성 심질환.
선천성 심질환【先天性心疾患】[—썽—] 명〘의〙 선천성 심장병.
선천성 약질【先天性弱質】[—썽—] 명〔도 Lebensschwäche〕〘의〙 건강한 신생아(新生兒)와 비교하여 병에 대한 저항력·젖 빠는 힘·성장 능력·체중 등이 선천적으로 약한 체질. 주로 모체의 병, 특히 매독이 원인이 되며 조생아(早生兒)에 많음.
선천성 어린선【先天性魚鱗癬】[—썽—] 명〔라 Ichthyosis congenita〕〘의〙 어린선(魚鱗癬)의 중증 형태. 비늘 모양으로 균열이 생기는 비후한 피부 및 점막(粘膜)을 특징으로 함.
선천성 어린성【先天性魚鱗性】[—썽—썽] 명〘의〙 나면서부터 몸의 피부가 단단하게 굳어 째져 있는 체질. 오래지 않아 죽음. 유전적으로는 열성(劣性)임.
선천성 용혈성 빈혈【先天性溶血性貧血】[—썽—썽—] 명〘의〙 유전성 질환으로 나면서부터 적혈구의 저항이 약하기 때문에, 몸 속에서 용혈이 일어나고 빈혈이 되는 병. 어릴 때에 안면 창백·황달(黃疸)·비종(脾腫) 등의 증상이 나타남.
선천성 유문 경련증【先天性幽門痙攣症】[—썽—년쯩] 명〔도 Angeborener Pylorospasmus〕〘의〙 선천적으로 위의 근육이 유문부의 비후(肥厚)하여, 연축(攣縮)이 일어나기 때문에 젖을 빨 때 젖의 통과가 나쁜 질환. 생후 두 주일경부터 젖을 먹을 때마다 토하고 위가 확장하며, 변비가 되기 쉬움.
선천성 이:상【先天性異常】[—썽—] 명〔congenital anomaly〕〘의〙 출생전(出生前)에 형성되는 인체(人體)의 구조상 또는 기능상의 이상.
선천성 질환【先天性疾患】[—썽—] 명〔congenital disease〕〘의〙 출생 시에 이미 존재하는 장애 또는 병적 상태.
선천-수【先天數】명〔민〕 천간(天干)과 지지(地支)에 각각 배정한 수. 갑(甲)·기(己)·자(子)·오(午)는 각각 9, 을(乙)·경(庚)·축(丑)·미(未)는 8, 병(丙)·신(辛)·인(寅)·신(申)은 7, 정(丁)·임(壬)·묘(卯)·유(酉)는 6, 무(戊)·계(癸)·진(辰)·술(戌)은 5, 사(巳)·해(亥)는 4임. *후천수.
선천-적【先天的】명 관 ①태어날 때부터 지니고 있는 모양. ¶∼ 소질. ↔후천적. ②〔철〕 아 프리오리(a priori)❷.
선천적 종합 판단【先天的綜合判斷】명〔철〕 종합 판단으로서 경험적이 아니고 선천적인 것. 7+5=12라든가, 직선은 두 점 사이의 가장 짧

은 거리라든가 하는 것이 이것임. 칸트 철학의 용어.

선천-주의【先天主義】[-/-이] 명 ①『생·심』타고난 소질을 생리적·심리적 제 기능의 기초로 보는 입장. ②『종』신적(神的) 제 능력·이성 또는 이데아·신·자아(自我) 등의 관념 및 제 표상(表象)이 생득적(生得的)으로 갖춰져 있다고 보는 학설. ↔경험주의. ③『철』주관의 선천적 형식이 경험에 의하여 후천적으로 주어지는 소재를 통일하고 질서를 부여하는 것이므로, 이 선천적인 것이 지식·과학의 진리 근거라고 주장하는 칸트 및 신칸트파(派)의 입장.

선천 품:부【先天稟賦】명 선천적으로 타고남.

선철¹【先哲】명 옛날의 현철(賢哲). 선현(先賢). 선민(先民). 선사(先師). 전철(前哲). ↔후철(後哲).

선철²【銑鐵】명 무쇠❶.

선철 일관법【銑鐵一貫法】[-뻡] 명 광석법(鑛石法).

선체【船體】명 ①선박의 형체. 배의 모양. 또, 선박. ②적재물(積載物)과 부속물(附屬物)을 제외한 부분의 일컬음.

선초¹【仙草】명 먹으면 신선(神仙)이 된다는 가상의 풀.

선초²【扇貂】명 부채 고리에 매어 다는 장식품. 선추(扇錘).

선초³【鮮初】명 '조선 초기(朝鮮初期)'를 줄여 이르는 말. ¶여말(麗末)~.

선추¹【仙椎】명『생』척추 가운데서, 요추(腰椎)와 미추(尾椎) 사이에 있어 골반부를 이루는 부분. 사람에게는 다섯 개가 있으며 유합(癒合)하여 선골(仙骨)을 이룸.

선추²【扇錘】명 선초(扇貂).

선축¹【先蹴】명 축구 경기 등에서, 한쪽 팀이 공을 먼저 참. ——-하다 자여불

선축²【線軸】명 라인 샤프트(line shaft).

선출¹【先出】명 만물.

선:출²【選出】명 여럿 가운데서 골라 뽑아 냄. ——-하다 타여불

선:출 공리【選出公理】[-니] 명 [axiom of choice]『수』임의의 집합(集合)은 공집합이 아닌 부분 집합에, 각 대표 원소를 동시에 대응시킬 수 있다는 공리. 정렬(整列) 가능 정리를 증명하는 데 쓰임. 구용어: 선택 공리·제르멜로(Zermelo)의 공리.

선충¹【船蟲】명『동』갯강구.

선충²【蟬蟲】명『충』말매미.

선충-류【線蟲類】[-뉴] 명『동』[Nematoda] 선형 동물(線形動物)에 속하는 한 강(綱). 기생충의 대부분이 이에 속하는데, 짐승 또는 식물에 기생하는 것과, 민물이나 바다의 마름·산호·바위 틈에서 기생하지 아니하고 스스로 사는 것이 있음. 몸은 선형(線形)이고 피부의 겉에는 유리막(琉璃膜)이 있으며 순환계(循環系)와 호흡계(呼吸系)는 전혀 없고, 알은 숙주(宿主) 없이 부화함. 회충·십이지장충·요충·주혈(住血)사상충 등이 있는데 근관류(筋管類)와 모관류(毛管類)의 두 목(目)으로 분류함. 원충류(圓蟲類). *침금충류(針金蟲類)·구두충류(鉤頭蟲類).

선취¹【先取】명 남보다 먼저 가짐. ——-하다 타여불

선취²【船醉】명 뱃멀미.

선:취³【善趣】명『불교』육취(六趣) 가운데에서 비교적 즐거움이 있는 경계(境界). 곧, 천(天)·인(人)의 이취(二趣). 선도(善道).

선:취⁴【選取】명 골라 가짐. ——-하다 타여불

선취-권【先取權】[-꿘] 명 ↗선취 특권(先取特權).

선-취득【先取得】명 남보다 먼저 취득함. ——-하다 타여불

선취-매【先取買】명『경』주가(株價)의 상승이 예상되는 경우에, 남보다 앞질러 그 주식을 매수하는 일. ——-하다 타여불

선취-음【先取音】명『악』'앞선음'의 한자 이름.

선취-점【先取點】[-쩜] 명 운동 경기 등에서, 먼저 딴 점수.

선취 특권【先取特權】명『법』법률로 규정된 특수한 채권(債權)을 가지고 있는 자가, 채무자의 총재산이나 특정의 재산으로부터 다른 채권자에 앞서 변제(辨濟) 받을 수 있는 물권(物權). 현행 민법에서는 인정되지 않음. 선취권(先取權).

선취 특권자【先取特權者】명『법』선취 특권을 가지고 있는 사람.

선측【船側】명 ①뱃전. ②배의 곁.

선측-도【船側渡】명 에프 에이 에스(F.A.S.).

선:치¹ 명〈방〉선채(先綵).

선:치²【善治】명 백성을 잘 다스림. ——-하다 타여불

선-치³【蟬峙】명『지』전라 남도 영광군(靈光郡) 묘량면(畝良面)과 함평군(咸平郡) 해보면(海保面) 사이에 있는 고개. [175m]

선치부 후:출급【先置簿後出給】명 먼저 장부에 기입하고 나중에 물품을 내어 줌.

선:치 수령【善治守令】명 백성을 잘 다스리는 수령.

선친【先親】명 남에게 대하여 자기의 돌아간 아버지를 일컫는 말. 선고(先考). 선군(先君). 선부(先父). 선인(先人).

선침¹【仙寢】명 능(陵).

선:침²【選針】명 기계 편물(機械編物)에 있어 무늬를 짜넣기 위해서, 편물기의 어느 바늘로 하여금 다른 바늘과 다른 움직임을 갖게 하는 일.

선-칼도【-刀】명 '劍'·'釗' 등 한자(漢字)의 오른편에 붙는 '刂'의 이름. *칼도방.

선캄브리아-대【先一代】[Cambria] 명 [Precambrian era]『지』캄브리아기(紀) 이전의 지질 시대. 약 5억 7천만년 전 이전을 이름. 10여억 년 전에 원시 동물이 생겨났고 약 7억 년 전에 해파리·환형 동물(環形動物)이 생겨났음. 원생대(原生代)와 시생대(始生代)로 나뉨. 구칭: 태고대(太古代).

선-키 명 섰을 때의 키. ↔앉은키.

선키스트 [Sunkist] 명 미국 캘리포니아의 감귤 생산 조합 연합체가 출하(出荷)하는 레몬의 상품명.

선탁¹【宣託】명 신탁(神託).

선:탁²【選擢】명 골라서 뽑음. 골라냄. 선택(選擇). ——-하다 타여불

선탄¹【煽炭】명 천연 코크스.

선:탄²【選炭】명 원탄(原炭)에서 불순물을 골라 내고, 용도에 따라 품위(品位)·입도(粒度)·탄질(炭質)별로 나누어 상품탄(商品炭)으로 만드는 작업.

선:탄 공장【選炭工場】명 탄광이나 제철소 등에 부속되어 선탄 작업을 하는 공장. 선탄장(場).

선:탄-장【選炭場】명 ①선탄 작업을 하는 곳. ②선탄 공장.

선탈【蟬脫】명 [매미가 허물을 벗는다는 뜻] 낡은 인습·속박에서 벗어남. 속사(俗事)에서 초연히 벗어남. 현상(現狀)에서 이상(理想)을 구하여 빠져 나감. ——-하다 자여불

선탑【禪榻】명『불교』참선(參禪)할 때에 앉는 의자.

선태¹【鮮太】명 생선 장수들 사이에서 생선 명태(明太)를 이르는 말. *생태(生太).

선태²【蘚苔】명『식』이끼¹.

선태-류【蘚苔類】명『식』선태 식물의 종류. 태선류(苔蘚類).

선태 식물【蘚苔植物】명『식』[Bryophyta] 은화 식물(隱花植物)의 한 문(門). 관다발을 가지지 아니하며, 음습(陰濕)한 곳에 군생(群生)하고 몸은 작은데 줄기·가지·잎 등의 구별이 없는 엽상체(葉狀體)이며, 헛뿌리로 무기 양분(無機養分)을 흡수함. 배우체(配偶體)에 의한 유성(有性) 생식과 포자(胞子)의 무성(無性) 생식이 교대로 됨으로써 세대 교번(世代交番)을 함. 선류(蘚類)와 태류(苔類)의 두 강(綱)으로 나뉨. *양치(羊齒) 식물.

선태-학【蘚苔學】명『식』선태류(蘚苔類)를 전문으로 연구하는 학문.

선:택【選擇】명 ①골라 뽑음. 좋은 것을 취하고 나쁜 것을 버림. 취택(取擇). 선탁(選擢). ¶취사 ~. ②[selection]『생』적자 생존(適者生存)의 이치에 의하여, 생물 중 환경이나 조건 등에 알맞은 것만이 살아 남고 그렇지 아니한 것은 죽어 없어지는 현상. 자연 선택과 인위(人爲) 선택의 두 가지가 있음. 도태(淘汰). ——-하다 타여불

선:택 공리【選擇公理】[-니] 명『수』'선출 공리(選出公理)'의 구용어.

선:택 과목【選擇科目】명『교』선택하여 학습할 수 있는 학과목(學科目) 또는 교과목(教科目). ↔필수 과목(必須科目).

선:택 관세【選擇關稅】명 종량세(從量稅)와 종가세(從價稅)를 절충한 관세. 양쪽 중 어느 하나를 택하여 관세 부담을 조정(調整)함. 복합(複合) 관세.

선:택 관할【選擇管轄】명『법』선택적 재판적(選擇的裁判籍).

선:택 교:과【選擇教科】[-꽈] 명『교』각인(各人)의 개성과 필요에 응하여 자유로 선택시키는 교과. ↔필수 교과(必須教科).

선:택-권【選擇權】명 ①선택할 권리. ②『법』선택 채권에 있어서, 여러 개의 변제물(辨濟物) 중 그 하나를 선택 결정하는 권리. 원칙적으로 채무자가 가짐.

선:택-도【選擇度】명『전』딴 주파수를 배제하면서 어떤 특별한 신호를 수신하는 수신기의 능력의 정도.

선:택 무기명식 선하 증권【選擇無記名式船荷證券】[-꿘] 명『경』증권상(證券上)에 특정인(特定人)을 권리자로서 기재함과 동시에 그 증권의 소지인(所持人)도 운송품(運送品)의 급부(給付)를 받을 권리자로서 인정한다는 취지를 기재한 선하 증권.

선:택 무기명식 증권【選擇無記名式證券】[-꿘] 명『경』증권상에 특정인을 권리자로서 기재함과 동시에, 그 증권의 소지인도 권리자로 인정한다는 취지의 문언(文言)을 기재한 증권. 흔히 '아무개에게 또는 지참인에게'라는 문언이 기재되어 있음. 선택 지참인불 증권.

선:택 반:사【選擇反射】명 [selective reflection]『물』특정한 파장(波長)의 전자기 복사(電磁氣輻射)가 다른 파장의 것에 비교하여 강력하게 반사되는 일.

선:택 반:응【選擇反應】명 학습에 의하여, 서로 다른 몇 가지 자극에 대해 다른 반응을 나타내는 일. 또, 그 반응.

선:택 배:양【選擇培養】명『생』특별한 생물을 선택적으로 배양하는 일. 어떤 균종(菌種)에는 적합하고 딴 균종에는 적합하지 않은 환경을 인위적으로 만들어서, 특수한 성질을 가지는 미생물의 분리에 흔히 이용됨.

선:택 배:양법【選擇培養法】[-뻡] 명『식』식물의 종자(種子) 중에서 우수한 종자를 선택하여 배양함으로써, 점차 우수한 품종을 만드는 품종 개량법의 하나.

선:택 배:양액【選擇培養液】명 [selective medium]『생』미생물의 집단으로부터 특정한 세포를 선택적으로 증식(增殖)시키기 위한 배양액.

선:택 배:지【選擇培地】명『생』선택 배양액.

선:택-법【選擇法】명『심』평정법(評定法)의 한 종류. 훈련을 받은 일이 없는 동물한테 성질이나 강도(強度)가 다른 두 가지 자극을 주어 어느 쪽을 선택하는가 관찰하는 법. 동물이 감각할 수 있는 범위를 조사하는 데 쓰임.

선:택 본원【選擇本願】명『불교』①아미타불(阿彌陀佛)의 사십팔원(四十八願). ②사십팔원 가운데, 염불(念佛)의 행자(行者)를 구제(救濟)하려고 하는 서원(誓願)인 제십팔원(第十八願).

선:택 부선【選擇浮選】명 맥석(脈石)으로부터 유용(有用) 광물을 선택적으로 가려내는 부유 선광(浮遊選鑛).

선:택 산:란【選擇散亂】[-살-] 명 [selective scattering]『물』특정 파장(波長)의 전자기 복사(電磁氣輻射)가 다른 파장의 것에 비하여 강력하게 산란하는 일.

선:택 상속【選擇相續】명 몇 사람의 출생자 중 특정한 한 사람을 골라 상속시키는 관행(慣行).

선:택-성【選擇性】명『화』①일반 화학 반응에서, 어떤 물질이 다른 집단적 종별(種別)을 선택하여 반응하는 경향. 보통, 검출 시약(檢出試藥)이나 정량(定量) 시약의 성질에 대하여 말함. ②촉매(觸媒) 반응에서, 반응계(系) 전체 중 목적하는 주(主)반응이 선택적으로 진행하는 정도. 부차적(副次的) 반응이 적으며, 목적 생성물의 수율(收率)이 큰 것을 선택성이 크다고 함. ③이온 교환 반응에서, 이온이 이온 교환체에 교환 흡착(交換吸着)되는 강도(強度).

선:택성 건:망증【選擇性健忘症】[—쯩] 명〖심〗 역행성(逆行性) 건망증의 하나로서, 어떤 사건이나 인물에 관한 기억이 상실되어 있는 상태.

선:택성 단위 생식【選擇性單爲生殖】명〖생〗 동시에 만들어진 다수의 배우자 가운데, 어떤 것은 수정을 하고 어떤 것은 수정을 하지 않는 경우의 단위 생식. 벌이 가장 전형적인 예인데, 수정하지 않고 단위 생식을 한 알은 모두 수펄이 되고 수정한 벌은 일벌이 됨. *주기성(周期性) 단위 생식·정상적 단위 생식.

선:택 수취인【選擇受取人】명〖법〗 어음에 갑(甲) 또는 을(乙)이라는 형식으로 선택적으로 기재된 몇 사람의 수취인. 각인(各人)이 각각 단독으로 권리를 행사함. 택일적 수취인(擇一的受取人).

선:택 용융【選擇熔融】명〔selective fusion〕〖지〗 혼합물의 일부분만이 용융하는 일. 암석(岩石)과 같이 융점이 다른 물질의 혼합물에서 가능함.

선:택 의:지【選擇意志】명〔도 Kürwille〕〖사〗 게젤샤프트에서 인간이 이해 득실을 합리적으로 고량(考量)하는 의지. 독일의 사회 학자 퇴니에스(Tönnies, F.)가 게마인 샤프트에 있어서의 자연적 욕구인 본질 의지(本質意志)에 대비시켜 제기한 개념임.

선:택적 급부【選擇的給付】명〖법〗 선택 채권에 있어서, 여러 개의 급부 중에서 선택에 의하여 정하여지는 경우의 급부.

선:택적 긴급 수입 제:한【選擇的緊急輸入制限】명〖경〗 특정한 나라를 대상으로 하는 긴급 수입 제한.

선:택적 소구【選擇的遡求】명〖법〗 소구 의무자의 의무 부담(義務負擔)의 순서에 불구하고, 소구권자의 선택에 따라서 어떠한 소구 의무자에게도 소구할 수 있는 일. 우리 나라의 어음·수표는 이 방법을 취하고 있음. 비약적 소구(飛躍的遡求).

선:택적 재판적【選擇的裁判籍】명〖법〗 동일 사건에 관하여 수 개의 관할 법원이 경합(競合)하여 있는 경우에 원고(原告)가 그 중의 하나를 선택하여 기소(起訴)할 수 있을 때의 재판적. 선택 관할(選擇管轄).

선:택 조항【選擇條項】명〖법〗 임의(任意) 조항.

선:택 중합【選擇重合】명〔selective polymerization〕〖화〗 단량체(單量體)의 혼합물 가운데서 단일형(單一型)의 분자를 중합시키는 일. 부틸렌 혼합물로부터 디이조부틸렌(diisobutylene)을 생성하는 따위.

선:택-지【選擇肢】명 일정한 질문에 답하기 위하여 마련되어 있는 복수(複數)의 회답(回答)으로서, 회답자가 그중의 하나를 선택하도록 만들어진 것. 학업 테스트의 다지(多肢) 선택법의 경우는 선택지의 어느 하나가 정답(正答)으로 되어 있음.

선:택 지급인【選擇支給人】명〖법〗 어음에 있어서 동일한 채무를 가지는 여러 사람의 지급인. 중첩적(重疊的)으로 기재(記載)되어 있는 경우에만 유효하며, 선택적으로 기재되어 있는 경우에는 무효임.

선:택 지참인불식 수표【選擇持參人拂式手票】명〖경〗 소지인 출급식 수표.

선:택 지참인불 증권【選擇持參人拂證券】[—꿘] 명〖경〗 선택 무기명식 증권.

선:택 채:권【選擇債權】[—꿘] 명〖법〗 채권의 목적이 수개(數個)의 급부(給付) 중에서 선택에 의하여 정하여지는 채권. 책 두 권 중에서 어느 것이든지 한 권만이라든가, 팔목 시계와 회중 시계의 어느 쪽을 급부시키는 채권 따위.

선:택 채:무【選擇債務】명〖법〗 선택 채권(債權)에 있어서의 채무. 곧, 채권의 목적이 여러 개 있을 때, 그 어느 것을 급부할 것이냐가 선택권을 가진 자가 선택하는 데 따라서 정하여지는 채무.

선:택 투과성【選擇透過性】[—썽] 명〖물〗 막(膜) 따위에서 볼 수 있는, 어떤 것을 다른 것 보다 용이하게 통과시키는 성질.

선:택-형【選擇刑】명〖법〗 법정형(法定刑)에 둘 이상의 것을 규정하고 선고(宣告)할 때, 그 중의 어떤 것을 선택하도록 한 형(刑).

선:택 흡수【選擇吸收】명 ①〖천〗 성간 흡수(星間吸收)의 하나. 성간 물질의 미립자의 크기가 광선의 파장(波長)만하거나 또는 그보다 작을 때, 짧은 파장의 광선이 몹시 분산되고 통과하여 오는 광선이 붉은 기운을 띠는 현상. *단색(單色) 흡수·일반 흡수. ②〔selective absorption〕〖물〗 물질에 빛이 비칠 때, 특정 범위의 파장(波長)의 것만을 특히 강하게 흡수하는 현상. 물체가 색을 갖는 것은 흡수된 색광의 보색(補色)이 눈에 느껴지기 때문임.

선-탠〔suntan〕명 ①살갗이 태양 빛을 쐬어 엷은 황갈색으로 타는 일. 또, 그렇게 태우는 일. ②유리 표면에 착색(着色) 셀로판을 붙이거나 칠을 하여 갈색으로 만드는 일.

선통[1]【先通】명 미리 통지함. ——하다 타여불

선통[2]【宣統】명〖역〗 중국 청말(淸末)의 연호(年號). [1909-11]

선통-제【宣統帝】명〖사람〗 중국 청조(淸朝)의 마지막인 12대 황제. 이름은 부의(溥儀). 후에 만주국(滿洲國)의 강덕제(康德帝)가 됨. [1907-67; 재위 1908-12]

선퇴【蟬退】명〖한의〗 매미가 환생(幻生)할 때 벗은 허물. 찬 기운이 있는데, 두진(痘疹)·두드러기·열병·소아 경련 등에 약으로 씀. 선예(蟬蛻).

선:투【善投】명 공 따위를 잘 던짐. ——하다 타여불

선-투구꽃 명〖식〗 [*Aconitum umbsosum*] 미나리아재비과의 다년초. 줄기 높이 120cm 가량이고, 잎은 호생하며 유병(有柄)에 세 갈래로 갈라지고 가에 톱니가 있음. 7-8월에 황색의 꽃이 총상(總狀) 화서로 정생(頂生)하여 모여 피고, 과실은 골돌과(蓇葖果)임. 산지(山地)에 나는데, 평북에 분포함. 독이 있음.

선-투시【線透視】명 선원근법(線遠近法).

선파【璿派】명 조선 왕실의 파계(派系).

선파-인【璿派人】명 선파에 속한 사람. 곧, 조선 왕실의 파계(派系)에 속한 사람. 선파 자손(璿派子孫).

선파 자손【璿派子孫】명 선파인(璿派人).

선파 후:추법【先罷後推法】[—뻡] 명〖역〗 조선 시대 관리 징계 방법의 하나. 비위 사실이 중대하고 증거가 명백한 경우, 먼저 파직시키고 그 죄상은 뒤에 추문(推問)하는 일. 주로, 지방관에게 많이 적용하였음.

선판【一板】명〈방〉 현판(懸板)(전라·충청).

선-팔십【先八十】[—씹] 명 상팔십(上八十).

선패[1]【先牌】명 도박(賭博)판에서 제일 먼저 돌려 주는 패. ↔말패.

선패[2]【宣牌】명〖역〗 임금이 관원(官員)을 부를 때 쓰는 패.

선-팽창【線膨脹】명〔linear expansion〕〖물〗 고체(固體)에 열(熱)을 가하면 그 길이가 늘어 나는 현상. ↔체팽창(體膨脹).

선팽창 계:수【線膨脹係數】명〔coefficient of linear expansion〕〖물〗 물체가 온도 1°C 오르는 데 대하여 그 길이가 늘어나는 비율. 선팽창률. ↔체팽창 계수(體膨脹係數).

선팽창-률【線膨脹率】[—뉼] 명〖물〗 선팽창 계수. ↔체팽창률.

선-페스트【腺—】〔pest〕명〖의〗 페스트의 하나. 균이 벼룩이 문 상처로 침입하여, 사타구니·겨드랑이·목 등의 림프샘에 이르러 그 곳에 출혈성 염증을 일으킴. 동양(東洋)에 많은데, 갑자기 고열을 발하고 종창(腫脹)은 때로 주먹만함. 사람에서 사람으로 직접 전염은 안함. *폐(肺)페스트·피부(皮膚) 페스트.

선편[1]【先便】명 앞서의 편. 지난 번의 편. ↔후편(後便).

선편[2]【先鞭】명 ↗선착편(先着鞭)❶❷. ——하다 타여불

선편[3]【船便】명 배편.

선-편광【旋偏光】명〖물〗 편광이 어떤 물질을 통과할 적에 광면(光面)이 회전하는 일.

선:평【選評】명 선택하여 비평함. 또, 그 비평. ——하다 타여불

선포[1]【宣布】명 세상에 널리 알림. ——하다 타여불

선포[2]【腺胞】명 유선(乳腺).

선 포:치〔sun porch〕명 일광욕을 하기 위한 포치.

선폭【船幅】명 가장 넓은 부분에서 잰 배의 폭.

선표【船票】명 배 타는 표. 배표.

선풍[1]【仙風】명 선인(仙人)과 같은 기질(氣質) 또는 풍채(風采).

선풍[2]【旋風】명 ①〖기상〗 회오리바람. ②사회에 돌발적(突發的)으로 큰 동요(動搖)를 일으키는 사건. ¶ 검거(檢擧) ~.

선풍[3]【颴風】명〔cyclone〕〖기상〗 온대(溫帶) 및 한대(寒帶) 지방에 발생하는 이동성 저기압계(低氣壓系)의 회오리바람. 직경(直徑) 100-1,000km 가량 되는데, 북반구(北半球)에서는 우선(右旋)하고 남반구(南半球)에서는 좌선(左旋)함. 특히 봄·가을·겨울에 많고, 흔히 폭풍 우설(暴風雨雪)을 가져오는데, 중국·시베리아 대륙에서 동진(東進) 또는 남하(南下)하여 옴.

선풍-기【扇風機】명 송풍기(送風機)의 한 가지. 작은 전동기(電動機)의 축(軸)에 몇 개의 편익(扁翼)을 달고 그 회전에 의하여 바람을 일으키는 장치. 기능에 따라 고정형(固定型)·수진형(首振型)·선회형(旋回型) 등이 있으며, 용도에 따라 탁상 선풍기·천정(天井)선풍기·스탠드 선풍기·환기용 등이 있음. 모터 팬(motor fan).

선풍 도:골【仙風道骨】명 신선(神仙)의 풍채와 도인(道人)의 골격. 곧, 남달리 뛰어나게 고아(高雅)한 풍채를 이르는 말.

선풍-엽【旋風葉】명 서적 장정(書籍裝幀)의 한 가지. 첩장(帖裝)의 형태와 같으나, 다만 한 장의 표지로 책의 앞뒤와 등을 덮어 싼 장정. 불교 경전에 이러한 장정이 많아서 범협본(梵夾本)·경접장(經摺裝)·경절장(經折裝)이라 일컫기도 함.

선-피막이 명〖식〗 [*Hydrocotyle wilfordii*] 미나릿과에 속하는 다년초. 줄기는 가늘고 길며 땅 위로 벋고, 잎은 장병(長柄)에 원형 또는 신상형(腎狀形)으로 가장자리가 얕게 갈라짐. 6-8월에 백색의 꽃이 화경 끝에 산형(繖形) 화서로 피고, 열매는 편원형임. 들에 나는데, 한국 중부 이남에 분포함. 잎은 지혈제(止血劑)로 씀. *피막이풀.

〈선피막이〉

선피-유【鱔皮釉】명〖공〗 선어록(鱔魚綠)을 이룬 잿물.

선필[1]【仙筆】명 청일(淸逸)한 시문(詩文).

선필[2]【仙蹕】명 신선이 다닐 때의 벽제(辟除). 전(轉)하여, 임금의 거둥.

선하[1]【先下】명 선급(先給). ——하다 타여불

선하[2]【宣下】명 임금이 조서(詔書)를 내림. ——하다 자타여불

선하[3]【船荷】명 배에 실어서 보내는 짐. 선화(船貨).

선-하다[1]【先—】자여불 바둑·장기·고누 등에서 상대방보다 먼저 두다.

선-하다[2] 형여불 ↗서낙하다.

선:-하다[3] 형여불 마음에 사무치어 눈앞에 암암히 보이는 듯하다. ¶ 고향 산천이 눈에 ~/그녀의 모습이 아직도 눈에 ~. 선:-히 부

선:-하다[4]【善—】형여불 착하다. 어질다.

선하-령【仙霞嶺】명〖지〗 '셴샤링(仙霞嶺)'을 우리 음으로 읽은 이름.

선하심 후:하심【先何心後何心】명 먼저는 무슨 마음이고 나중에는 무슨 마음이냐란 뜻으로, 이랬다 저랬다 하는 번덕스러운 마음을 이르는 말.

선하-주【船荷主】명 배에 실은 짐의 임자. *하주(荷主).

선하 증권【船荷證券】[—꿘] 명〖법〗 해상 운송(海上運送)에 있어서, 선적(船積)한 화물(貨物)을 대표하는 유가 증권. 해운 업자에 의하여 발행되는데, 운송 화물의 수취(受取) 또는 선적(船積)을 증명하고 해상 운송 후에 증권의 정당한 소지자에게 운송품의 인도(引渡)를 약속함. 선화 증서. 비엘(B/L).

선하 증권에 관한 통:일 조약【船荷證券—關—統一條約】[—꿘—] 명〖법〗 1923년 브뤼셀 외교 회의에서 체결한 조약. 선하 증권에 관한 각

국법의 통일을 목적으로 함. 유력한 해운국인 영국·미국·독일·프랑스 등에서는 이미 이 조약의 규정을 국내법화하고 있음.

선하 증서【船荷證書】명〖법〗선하 증권.

선:-하품 명 ①음식이 잘 삭지 아니하거나 체하려 할 때에 나는 하품. ②억지로 하는 하품.

선학[1]【仙鶴】명〖조〗두루미.

선학[2]【先學】명 학문상의 선배(先輩). ↔후학(後學).

선학[3]【禪學】명〖불교〗선종(禪宗)의 교학(敎學). 선(禪)에 관한 학문. 의학(意學).

선학-원【禪學院】명〖불교〗선학(禪學)을 연구하는 학원.

선한【先限】명〖경〗3개월제(制)의 청산 거래(清算去來)에 있어서 주식(株式)을 매매 계약한 다음, 다음 월말에 인수 인도(引受引渡)하는 일. 우리 나라에서는 2개월제를 취하고 있기 때문에, 중한(中限)이 없고, 다음 달에 수도(受渡)하는 것이 선한임. *당한(當限)·중한(中限).

선함【船艦】명 선박(船舶)과 군함(軍艦).

선함-사【船艦司】명〖역〗통리 기무 아문(統理機務衙門)에 딸린 관청의 하나. 각종 선박을 제조하고 통할하는 일을 맡아보았음. 조선 고종 17년(1880)에 설치됨.

선-해리【先解離】명〔predissociation〕〖물·화〗에너지를 흡수한 분자(分子)가, 방출(放出)로 에너지를 잃기 전에 해리하는 일.

선행[1]【先行】명 ①앞서 감. 남보다 먼저 감. ②딴 일에 앞서 행함. ¶ ~되어야 할 조건. ——-하다 자 여불

선행[2]【旋行】명 ①돌아서 감. ②〖악〗선율상(旋律上), 이 음(音)에서 다른 음으로 옮겨 감. ——-하다 자 여불

선:행[3]【善行】명 착하고 어진 행실. 가행(嘉行). ↔악행(惡行).

선행[4]【跣行】명 맨발로 감. ——-하다 자 여불

선행-곡【先行谷】명〖지〗강의 중류나 하류 쪽이 상류 쪽보다 급속히 융기(隆起)하는 불균등한 지반 변위(地盤變位)가 생겼을 때 생기는 골짜기. 산맥을 가로 질러 흐르는 강에 많음.

선행-음【先行音】명〖악〗'앞선음'의 한자 이름.

선:행-자【善行者】명 선행을 행한 사람.

선행적 자백【先行的自白】명〖법〗먼저 자기에게 불리한 사실을 말하고 뒤에 상대방이 그것을 원용(援用)함으로써 성립되는 자백. 본래의 자백은 아니지만 자백으로서의 효과가 인정됨. 상대방이 원용하기 전이면 그 진술을 철회할 수 있는데, 철회하면 자백은 성립되지 않음. 자발적 자백. 사전(事前) 자백.

선행 조건【先行條件】[—껀] 명 ①선행하는 조건. 앞서 있는 조건. ②〖법〗권리의 이전(移轉)이 생기기 전에 일어난 조건. 1)·2): ↔후생 조건(後生條件).

선행 지표【先行指標】명〖경〗경제 통계 가운데서, 경기(景氣)에 선행하는 것. 경기 전환의 징후를 포착하는 지표. 외화 준비액(外貨準備額)·원자재 재고 투자·반제품(半製品) 재고 투자·생산자 제품 재고율 지수·기계 수주(受注)·건설 수주·총노동 시간·입직율(入職率)·기업 도산 건수(倒產件數) 등.

선향[1]【仙鄕】명 선경(仙境). 백운향(白雲鄕).

선향[2]【先鄕】명 관향(貫鄕).

선향[3]【線香】명 가늘고 긴 선상(線狀)의 향(香). 여러 가지 향분(香粉)을 섞어 풀로 굳혀 만듦. 불전(佛前)에 피우는 데 씀. 훈향(薰香).

선향 엄:류 설화【仙鄕淹留說話】[—뉴—] 명 세계에 널리 유포되어 있는 설화의 한 형. 어떤 사람이 우연히 또는 어떤 사정으로 선향에 이르러 단기간 머물러 있다가 돌아와 보니, 사실은 그 동안 긴 세월이 초자연적으로 경과해 있어서 놀람을 내용으로 하는 설화. 어빙(Irving, W.)의 작품 ≪립 밴 윙클(Rip Van Winkle)≫ 따위.

선험【先驗】명〖철〗경험에 앞서 인식을 규정하는 근거가 되는 원리.

선험-론【先驗論】[—논] 명〖철〗선험주의(主義). 초월론(超越論).

선험론-적【先驗論的】[—논—] 명관〖철〗초월론적.

선험-적【先驗的】명관〔도 transzendental〕〖철〗경험에 앞서서, 곧 경험에서 독립하여, 경험을 가능케 하도록 조건(條件) 짓는 모양. 일체의 경험에 앞서서, 인식(認識)의 가능성을 다룰 수 있는 모든 원리(原理)의 본연의 자세에 관한 모양. 트란스첸덴탈.

선험적 감:성론【先驗的感性論】[—논] 명〖철〗칸트 비판 철학의 근본 과제(根本課題)의 하나. 감성(感性)의 선천적(先天的) 형식으로서의 시간·공간을 논하는 부문.

선험적 과학【先驗的科學】명 형식 과학(形式科學).

선험적 관념론【先驗的觀念論】[—논] 명〖철〗인식(認識)은 대상 인식(對象認識)의 선천적인 모든 형식을 통해서 선험적 통각(先驗的統覺)에 의하여 구성(構成)되고, 그 객관성(客觀性)은 초개인적인 의식 일반(意識一般)에 기초한다고 하는 입장. 칸트가 처음으로 주장함. 비판적 관념론(批判的觀念論). 선험적 유심론. *의식 일반.

선험적 논리학【先驗的論理學】[—놀—] 명〖철〗칸트 철학 용어의 하나. 형식 논리학(形式論理學)에 대하여 경험 내용을 갖는 인식(認識)의 구조(構造) 및 그 선험적 근거를 밝히는 논리학.

선험적 방법【先驗的方法】명〖철〗칸트 및 칸트파(派) 철학의 방법. 사실의 발생보다도 사실의 권리 근거(權利根據)를 물어 인식의 선험적 근거를 밝히고, 사실이나 인식의 본질을 구명하려는 비판 철학의 방법. 인식·도덕·예술·종교 등의 기초를 이루는 보편적·필연적인 근본 제약을 연구함. 비판적 방법. ↔발생적 방법.

선험적 변:증론【先驗的辨證論】[—논] 명〖논〗선험적 논리학의 구성 요소(構成要素)의 하나. 이념(理念)을 경험적 인식의 주어진 대상(對象)으로 보고 인식하려고 함으로써 성립되는 선험적 가상(先驗的假象)을 비판함을 목적으로 하는 논리학.

선험적 분석론【先驗的分析論】[—논] 명〖논〗선험적 논리학의 구성 요소의 하나. 자연 과학 일반의 가능성의 기초를 세우려는 데 그 목적이 있음. 범주(範疇)를 발견하려는 '개념(概念) 분석론'과 범주를 현상(現象)에 적용함을 논하는 '원칙(原則) 분석론'으로 나뉨.

선험적 실재론【先驗的實在論】[—째—] 명〖철〗공간(空間)과 시간이 물체(物體) 자체를 제약하는 조건이라 보고, 공간에 나타나는 현상 그것이 사물(事物)이라고 생각하는 설.

선험적 심리학【先驗的心理學】[—니—] 명〖심〗인식 작용을 사실 상의 한 심리 과정(心理過程)으로 보고, 그것을 분석함으로써 점차 초월적 대상(超越的對象)에까지 접근하려는 학문.

선험적 연:역론【先驗的演繹論】[—논] 명〖철〗칸트 철학의 용어. 선천적 개념(先天的概念)이 대상(對象)에 관계할 수 있는 권리를 밝히는 이론. 순수 이성 비판(純粹理性批判)의 중심을 이루는 부분임.

선험적 유심론【先驗的唯心論】[—논] 명〖철〗선험적 관념론.

선험적 의:식【先驗的意識】명〖심〗경험에 제약(制約)을 받지 아니하는 의식. ↔경험적 의식(經驗的意識).

선험적 자유【先驗的自由】명〖철〗칸트의 자유의 개념. 경험에 앞서서, 그것을 초월했기 때문에, 이론적으로 인식(認識)할 수 없으나 이성(理性)의 사실인 도덕 법칙의 존재 근거로서 실천적으로 요청하지 않을 수 없는 이념.

선험적 주관【先驗的主觀】명〖철〗칸트 철학의 용어. 개개의 경험적 주관을 초월하는 선험적인 주관. 경험계(經驗界)를 선험적인 이성 형식(理性形式)에 의하여 구성하는 주체(主體).

선험적 통:각【先驗的統覺】명〖철〗의식 일반(意識一般).

선험적 확률【先驗的確率】[—뉼] 명 확률의 하나. 어떤 시행의 결과 일어날 수 있는 경우의 수가 n이고, 어떤 경우가 일어날 것도 확실한 듯할 때, 어떤 사상(事象)이 일어나는 경우의 수가 a라면, n분의 a를 그 사상의 선험적 확률이라 함. 수학적 확률.

선험적 환원【先驗的還元】명〖철〗후설 현상학(Husserl現象學)의 용어의 하나. 외적 경험계(外的經驗界)의 실재성(實在性)을 소박하게 믿고 있는 일상적(日常的) 태도를 중성화(中性化)하고, 그러한 경험성(經驗性)을 선험적인 순수 의식으로 환원시키는 일.

선험-주의【先驗主義】[—/—이] 명〖철〗선험적인 것의 존재(存在)를 주장해 그것을 철학의 원리(原理)로 하는 입장 및 주의. *비판 철학.

선험 철학【先驗哲學】명〖철〗비판 철학(批判哲學).

선-헤엄 명 물 속에 들어가서 서서 치는 헤엄. 입영(立泳). ↔앉은 헤엄.

선현[1]【先賢】명 선철(先哲). 전현(前賢). ¶ ~의 가르침을 받다.

선현[2]【船舷】명 뱃전.

선:현[3]【善現】명〖불교〗선현천(善現天).

선:현[4]【選賢】명 현인(賢人)을 골라 뽑음. ——-하다 자 여불

선:현-천【善現天】명〖불교〗색계 십칠천(色界十七天)의 하나. 색계 제4선천(禪天)에 있는 팔천(八天) 중의 제7. 형색(形色)이 뛰어나 잘 변현(變現)한다 함. 선현(善現).

선혈【鮮血】명 생생한 피. 상하지 아니한 선명한 피. ¶ ~이 낭자하다. *선지피.

선혈-문【鱔血紋】명〖미술〗중국 송(宋)나라 관요(官窯)의 청자(靑瓷) 무늬의 한 가지.

선형[1]【先兄】명 세상을 떠난 형.

선형[2]【扇形】명 '부채꼴'의 한자 이름.

선형[3]【船型·船形】명 ①배의 형상. ②배의 외형(外形)을 나타내기 위한 모형(模型).

선형[4]【線形】명 ①선의 모양. 선(線)과 같이 가늘고 긴 형상. 선상(線狀). ②〖식〗잎의 형상의 한 가지. 가늘고 길며 폭(幅)이 좁은데, 한쪽 끝에서 다른 쪽 끝까지 폭이 거의 같고 양쪽 가장자리는 대체로 평행함. ③〖컴퓨터〗리니어.

선형[5]【線型·線形】명〔linear〕〖수〗1차식으로 되어 있는 일. 또, 1차식의 성질을 보존하는 일.

〈선형[4]❷〉

선형 가속기【線型加速器】명〖물〗가속기의 하나. 일렬로 늘어놓은 공동 공진기(空洞共振器)에 고주파(高周波)를 걸어, 그 안에서 양성자(陽性子)나 전자(電子) 따위 하전 입자(荷電粒子)를 직선(直線)으로 가속하여 높은 운동 에너지를 얻는 장치. 리니어 액셀러레이터(linear accelerator).

선형 경제학【線形經濟學】명 일차식(一次式)의 모델을 이용하는 경제 이론. 선형 곧, 1차식 체계의 모델이라는 형식적 공통성을 갖는 산업 관련론·선형 계획론·게임(game)의 이론의 총칭.

선형 계:획법【線形計劃法】명〖경〗리니어 프로그래밍(linear programming).

선형 공간【線形空間】명〖수〗수학의 연구 대상의 하나. 하나의 집합 V가 있고 V의 임의(任意)의 두 개의 원(元) x 및 y에 대해 그 합(合)이라고 불리는 제3의 원 $x+y$를 정하는 규칙과, V의 임의의 원 x와 임의의 실수 a에 대해 x의 a배(倍)라 불리는 V의 원 ax를 정하는 규칙이 주어져 있고, 다음 여덟 가지 조건을 만족시키고 있을 때, V를 일컬음. 첫째 $x+y=y+x$, 둘째 $x+(y+z)=(x+y)+z$, 셋째 임의의 x에 대해 $x+0=x$가 되는 V의 원 0이 존재함. 넷째 x에 대해 $x+(-x)=0$이 되는 V의 원 $-x$가 존재함. 다섯째 $a(x+y)=ax+ay$, 여섯째 $(a+b)x=ax+bx$, 일곱째 $(ab)x=a(bx)$, 여덟째 $1x=x$. 여기서 x, y, z는 V의 임의의 원, a, b는 임의의 실수임. 벡터 공간.

선형 대:수학【線形代數學】명〖수〗선형 공간 및 선형 사상(寫像)에 관한 대수적 이론. 다변수(多變數)의 일차식 및 중일차식(重一次式)이 나오는 이론을 통일적으로 다루는 분야를 이르며, 행렬과 행렬식(行列式)이 중요한 구실을 함.

선형 도형【線形圖形】명〖수〗몇 개의 선과 그 끝점으로 이루어져 있고 전체가 연결되어 있는 도형.

선형 동:물【線形動物】명〖동〗[Nemathelminthes] 동물의 한 문. 몸은 대체로 선형(線形)·실 모양이고 횡단면은 원형(圓形)이며, 큐티쿨라층(cuticular層)으로 덮여 있음. 순환계(循環系)·호흡계가 없으며 자웅 이

체인데, 대부분이 기생(寄生)을 하나 흙 속에서 생활하는 것도 있음. 선충류(線蟲類)·윤충류(輪蟲類)·구두충류(鉤頭蟲類)로 분류하며, 회충·요충·편충·십이지장충 등이 이에 속함. 원형 동물(圓形動物).

선형 사상【線形寫像】명〖수〗선형 공간에서 선형 공간을 향한 사상의 하나. 선형 공간 V에서 선형 공간 W로의 사상 f가, V의 임의 요소(任意要素) $x \cdot y$와 임의의 수 a에 대하여 $f(x+y)=f(x)+f(y)$, $f(ax)=af(x)$를 만족시킬 때 f를 V에서 W로의 선형 사상이라 함. 대수학·상위(相位) 수학에서 중요한 개념으로, 미분 연산자(微分演算子) d/dx, 적분(積分) 연산자 $\int dx$도 선형 사상의 예(例)임. 일차 변환.

선형-성【線形性】[-썽] 명 [linearity]〖물〗어떤 한 양(量)의 변화가 다른 양의 비례적인 변화를 가져올 때, 그 두 양 사이의 관계. 「론.

선형 수:학【線形數學】명〖수〗선형 공간 및 선형 사상에 관한 수학 이

선형 순:서 집합【線形順序集合】명〖수〗전순서 집합(全順序集合).

선:-형용【善形容】명 그럴싸하게 시늉이나 형용을 잘 함. ——-하다 타 여불

선형 조업【扇型操業】명 모선식 포경(母船式捕鯨)에 있어서의 선단(船團)의 조업 방식의 하나. 모선을 부채꼴의 중심점에 두고 캐처 보트는 거기서부터 부채꼴로 흩어져 조업을 함.

선형 톱니바퀴【扇形—】명〖기〗원(圓)의 일부분을 이용한 선형의 톱니바퀴. 일정한 각도(角度) 안에서 왕복 운동을 하며, 계기(計器)나 간헐적(間歇的)으로 움직이는 기계 따위에 쓰임. 섹터. 섹터 톱니바퀴.

선형-풍【旋衡風】명〖기상〗태풍의 중심부의 바람이나 선풍(旋風)처럼 중심으로 향하는 기압 경도(氣壓傾度)에 의한 힘과, 중심에서 밖으로 향하는 원심력이 평형되어 있는 바람.

선형-학【船型學】명〖공〗배의 모양·프로펠러 등의 형상을 대상으로 하는 배에 관한 유체 역학의 한 부문.

선혜 당상【宣惠堂上】명〖역〗선혜청(宣惠廳)의 제조(提調). 대동 당상(大同堂上). 준혜당(惠堂).

선:혜-지【善慧地】명〖불교〗십지(十地)의 아홉째. 보살이 무량의 지혜로서 진여(眞如)를 체득하여 훌륭한 일을 하게 하는 경지.

선혜-청【宣惠廳】명〖역〗조선 시대에 대동미(大同米)·대동목(大同木) 등의 출납을 맡아 보던 관청. 선조(宣祖) 41년(1608)에 처음으로 두었다가, 고종(高宗) 31년(1894)에 폐지하였음. 준혜청(惠廳). *경기청·
└호서청.

선호[1]【船號】명 배의 이름.

선호[2]【線號】명 선번호.

선:호[3]【選好】명 여럿 중에서 가려서 좋아함. ¶ 남아 ~. ——-하다 타 여불
「하다 형 여불

선호[4]【鮮好】명 신선(新鮮)하여 좋음. 선명(鮮明)하여 아름다움. ——-

선혹【煽惑】명 선동하여 현혹하게 함. ——-하다 타 여불

선-홈통【—桶】명〖건〗지붕 등에서 땅바닥까지 수직으로 댄, 빗물 받는 홈통. *처마홈통.

선홍[1]【宣弘】명 세상에 널리 선포함. ——-하다 타 여불

선홍[2]【鮮紅·宣紅】명〖공〗제홍(祭紅). 「도자기의 잿물.

선홍 보:석유【鮮紅寶石釉】명〖공〗서홍 보석(西紅寶石)을 원료로 한

선홍 사기【鮮紅砂器】명〖공〗석록(石綠)으로 붉은 빛을 낸 사기.

선홍-색【鮮紅色】명 산뜻하고 밝은 홍색.

선화[1]【仙化】명 신선으로 되었다는 뜻으로 노인이 병 없이 곱게 죽음을 이름. ——-하다 자 여불

선화[2]【宣化】명 임금의 덕화를 널리 펌. ——-하다 타 여불

선화[3]【宣化】명〖지〗'쉬안화(宣化)'를 우리 음으로 읽은 이름.

선화[4]【旋花】명〖식〗메꽃.

선화[5]【船貨】명 배에 실은 화물. 선하(船荷).

선:화[6]【善化】명 선한 방향으로 인도하여 변화시킴. ——-하다 타 여불

선:화[7]【善畫】명〖역〗조선 시대에, 도화서(圖畫署)의 종육품의 잡직.

선화[8]【線畫】명 ①색칠을 하지 아니하고 선(線)만으로써 그린 그림. 백묘(白描). ②선만으로써 그린 그림을 촬영한 사진. 만화(漫畫)는 그 하나임. ③선만으로 그린 그림을 촬영한 영화(映畫).

선화[9]【鮮花】명 산뜻하고 고운 빛의 꽃.

선화[10]【鮮華】명 곱고 화려함. ——-하다 형 여불

선화[11]【禪和】명 참선(參禪)하는 사람.

선화[12]【禪話】명〖불교〗선학(禪學)에 관한 이야기. 선학의 강화(講話).

선화[13]【蟬化】명 시해(尸解).

선:화 공주【善花公主】명〖사람〗신라 진평왕(眞平王)의 셋째 공주. 미모로 이름이 났는데 몰래 연정(戀情)을 품은 백제의 서동(薯童)이 자기와 공주가 밀회(密會)한다는 《서동요(薯童謠)》를 금성(金城)에 퍼뜨렸다 함. 이에 억울한 누명을 쓴 공주는 유배(流配) 도중, 서동에게 구출되어 백제로 가, 후에 서동이 무왕(武王)이 됨에 그의 왕비가 되었다 함. 생몰 연대 미상. 「(正堂). *당헌(棠軒).

선화-당【宣化堂】명〖역〗각 도의 관찰사(觀察使)가 사무를 보는 정당

선화 보:험【船貨保險】명〖경〗적하 보험.

선화 서화보【宣和書畫譜】명〖책〗중국 북송(北宋)의 휘종(徽宗)의 서화 장품 목록(書畫藏品目錄). 화(畫)는 산수(山水)·인물(人物)·화조(花鳥) 등 부문별로, 서(書)는 서체별(書體別)로 분류하여 집록(集錄)했고 각각 서론과 서화가의 간단한 평전(評傳)을 붙였음. 서문에 선화 2년(1120) 완성이라고 되어 있고 편자(編者)는 채경(蔡京)·채변(蔡汴)·미비(米芾)라 전함. 서보(書譜)·화보(畫譜) 각 20권.

선화 증권【船貨證券】[—꿘] 명〖법〗선하 증권(船荷證券).

선화-지【仙花紙】명 닥나무로 만들어, 두껍고 질기며 빛이 희지 아니한 종이. 봉지 또는 포장용의 종이로 쓰임.

선화 철판【線畫凸版】명 문자·선화 등의 원고로 사진 제판한 철판. 판재(版材)로서 아연판(亞鉛版)을 사용하므로 아연 철판이라고도 함. 사진판과 더불어 신문·잡지·서적 등에 널리 이용됨.

선화 후:과【先花後果】명 먼저 꽃이 피고 나중에 열매를 맺는다는 뜻으로, 먼저 딸을 낳고 뒤에 아들을 낳음을 일컫는 말.

선환[1]【仙寰】명 선경(仙境)❶.

선환[2]【旋環】명 둥글게 선회(旋回)함. ——-하다 자 여불

선황【先皇】명 ↗선황제(先皇帝).

선-황제【先皇帝】명 선대(先代)의 황제. 준선제(先帝)·선황(先皇).

선회[1]【旋回】명 ①둘레를 빙빙 돎. 윤선(輪旋). ¶ ~ 운동. ②항공기가 그 진로(進路) 방향을 곡선을 그리듯 변경함. 턴(turn). ¶ ~ 비행/급(急)~. ——-하다 자 여불

선:회[2]【善誨】명 훌륭한 교회(敎誨). 또, 충분히 가르침. 「職).

선:회[3]【善繪】명〖역〗조선 시대에, 도화서(圖畫署)의 종칠품 잡직(雜

선회[4]【禪會】명〖불교〗참선(參禪)을 하는 모임. ——-하다 자 여불

선회-계【旋回計】명 항공기가 좌우 방향으로 선회하는 속도를 나타내는 항공 계기. 유리관 속에 까만 구슬이 든 경사계(傾斜計)가 계기 아래쪽에 함께 붙어 있음.

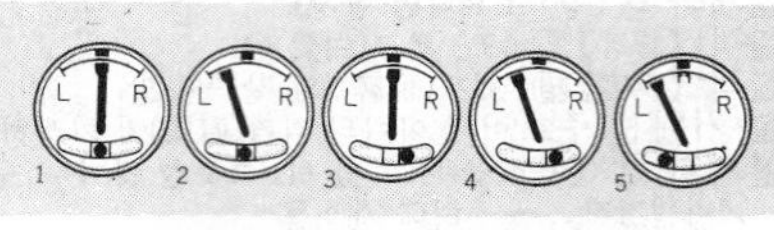

1. 직선 수평 비행중
2. 정상적인 좌선회
3. 직선 비행중 우측 경사
4. 좌선회중 경사 불충분
5. 좌선회중 경사 과도

〈선회계의 지시〉

선회 기관총【旋回機關銃】명〖군〗사출(射出)에 따라서 그 총신(銃身)이 임의의 방향으로 선회할 수 있는 기관총. 비행기에 장비함. 유동식(遊動式) 기관총.

선회-포【旋回砲】명 포신을 360도 선회할 수 있게 포탑에 장치한 포. 전차포·함포 따위.

선회 포대【旋回砲臺】명 빙빙 돌려서 여러 방향으로 겨눌 수 있게 된 포대.

선후[1]【先后】명 ①선대의 군주. ②선제(先帝)의 황후(皇后).

선후[2]【先後】명 ①먼저와 나중. 후선(後先). ②앞섬과 뒤섬. ③앞서거니 뒤서거니 하여 서로 순서를 바꿈. ——-하다 타 여불 「(策).

선:후[3]【善後】명 뒷갈망을 잘 하려고 꾀함. 뒷일을 잘 처리함. ¶ ~책

선후-걸이【先後—】명 말의 가슴걸이와 후걸이.

선후 당착【先後撞着】명 앞뒤가 서로 맞지 아니하고 모순됨. ——-하다 자 여불 「——-하다 자 여불

선후 도:착【先後倒錯】명 먼저 할 것과 나중 할 것이 거꾸로 뒤바뀜.

선-후배【先後輩】명 선배와 후배. ¶ 그와 나와는 ~의 사이이다.

선:후지-책【善後之策】명 뒷갈망을 잘 하려는 계책. 준선후책.

선후-창【先後唱】명 민요의 가창 방식(歌唱方式)의 하나. 한 사람의 선창자와 한 사람 혹은 다수의 후창자로 나누어서, 선창자가 변화 있는 말로 된 가사를 부르면, 후창자는 똑 같은 후렴을 되풀이하는 방식. *교환창(交換唱)·제창(齊唱).

선후-책[1]【先後策】명 먼저 할 것과 나중 할 것과를 연관시키어 꾸미는 └계책.

선:후-책[2]【善後策】명 ↗선후지책(善後之策).

선후-천【先後天】명 선천과 후천. 「품에 대하여 하는 평.

선:후-평【選後評】명 문예 작품을 골라서 등급을 매기고, 그 경과 및 작

선후-획【先後畫】명 글씨를 쓸 때, 왼쪽을 먼저 쓰고 오른쪽을 나중에 쓰며 위쪽을 먼저 하고 아래 쪽을 나중에 하는 법.

선훈【船暈】명 뱃멀미.

선휘 대:부【宣徽大夫】명〖역〗조선 시대에, 정사품 종친(宗親)의 품계.

선희-궁【宣禧宮】[—히—] 명〖역〗칠궁(七宮)의 하나. 조선 영조(英祖)의 후궁(後宮) 영빈 이씨(暎嬪李氏)의 사당. 서울 종로구 신교동 맹아 학교 자리에 있던 것을 고종 7년(1870) 육상궁(毓祥宮)에 합사(合祀)함.

선ᄒᆞ다 형〈옛〉서낙하다. 그악하다. ¶ 잡ᄉᆞ와 두어리 마ᄅᆞᄂᆞᆫ 선ᄒᆞ면 아니올셰라《樂詞 가시리》.

섣:달 명 [중세: 섯ᄃᆞᆯ, 섨ᄃᆞᆯ] 음력으로 한 해의 마지막 달. 음력 12월. 극월(極月).

[섣달 그믐날 개밥 퍼 주듯] 시집을 못 가고 해를 넘기게 된 처녀가 개밥을 퍼 주듯, 많이 푹푹 퍼 주는 모양. [섣달 그믐날 시루 얻으러 가다니] 되지도 않을 일을 안타깝게 애쓰니 미련한 짓이란 말. [섣달 그믐날 흰떡 맞듯] 함부로 치는 매를 맞는 모양. ¶ 부애김에 술집 가니 술값 내라 이짝 저짝 섣달 그믐 흰떡 맞듯 뺨만 실컷 뚜들겨 맞고 《民謠》. [섣달에 들어온 머슴이 주인 마누라 속곳 걱정한다] 자기와는 아무 상관없는 일에 지나친 걱정을 한다는 말. [섣달이 둘이라도 시원치 않다] 시일을 아무리 연기시켜도 일의 성공을 기할 수 없다는 뜻.

섣:달 그믐 명 음력으로 한 해의 마지막 날.

섣:달-받이 [—바지] 명 음력 섣달 초순에 함경도의 해안으로 몰려오는 명태의 떼.

섣:-부르다 형 [중세: 설우르다] 르불 솜씨가 설고 어설프다.

섣:불리 부 섣부르게. 어설프게. ¶ ~ 건드렸다가는 큰코 다친다.

섣:-잡다 타〈방〉설잡다.

설:[1] 명 ①새해의 첫머리. 세수(歲首). 세시(歲時). 세초(歲初). 연두(年頭). 연수(年首). 연시(年始). ②정월 초승. 연시(年始). 정초(正初). ③↗설날.

[설 쇤 무] 무엇이나 때가 지나 볼 것 없이 된 것을 이르는 말. '삼십 「넘은 계집'과 같은 뜻.

설[2]【舌】명 혀[1]❶. 「뿐임.

설[3]【偰】명 성(姓)의 하나. 현재 우리 나라에는 본관이 경주(慶州) 하나

설[4]【說】명 ①의견. 주의(主義). 학설. ¶ ~을 달리하다/맬서스의 ~. ②

풍설. ¶ 그런 ~이 떠도오. ——하다 타 여불 ①설명하여 말하다. ②이치·도리·학설 등을 말하다.

설[5]【薛】명 성(姓)의 하나. 현재 우리 나라에는 경주(慶州)·순창(淳昌) 등 두 개의 본관(本貫)이 있음.

설[6] 의명 〈옛〉 살[6]. ¶ 큰 아ᄃᆞ론 아홉서레 비치 몰ᄀᆞ니(大兒九齡色淸徹)《杜諺 Ⅷ:24》.

설- 접 동사나 동사로 된 명사의 머리에 붙어서 '충분하지 못함'의 뜻을 나타내는 말. ¶ ~다루다/~익다/~늙은이. *선-.

설가【挈家】명 온 가족을 데리고 감. 설권(挈眷). ——하다 자 여불

설-가다 형〔광〕광맥이 탐탁하지 아니하고 금분(金分)이 적다.

설각【雪殼】명 크러스트(crust)❷.

설갑 명 〈방〉 서랍(황해).

설강【舌強】명 혀가 굳어서 뻣뻣함. ——하다 형 여불

설강-증【舌強症】[—쯩] 명〔의〕혀가 굳어서 뻣뻣해지고, 말하기가 어렵게 되는 병.

설개다 타 〈방〉 조르다❷(함경).

설객[1]【雪客】명〔조〕백로(白鷺)❷.

설객[2]【說客】명 '세객(說客)'의 잘못된 말.

설-거위 명 주로 어린 아이의 직장(直腸)에 기생하는 거위의 하나.

설거지 명 ①음식을 먹고 난 뒤, 그릇을 씻어 치우는 일. 뒷설거지. ②↗비설거지. ——하다 자 여불

설거지-물 명 설거지할 때 그릇을 씻는 물, 곧 개숫물.

설거지-통【—桶】명 설거지할 때 쓰는 통, 곧 개수통.

설검【舌劍】명 '남을 해치려는 뜻이 담긴 말'을 칼에 비유하여 이르는 말.

설겅-거리다 자 설삶은 콩이나 밤 등이 씹힐 때에 부서지는 소리가 자꾸 나다. 또, 그것을 씹을 때에 입 안에서 무르지 아니한 느낌을 연해 주다. ㅆ썰겅거리다. ㅆ설컹거리다·썰컹거리다. >살강거리다. 설겅-설겅 부. ——하다 자 여불

설겅-대다 자 설겅거리다.

설겆다 타 ☞ 설겆이를 하다. ¶ 방을 설겆기가 바쁘게 나는 자리에 누웠는데 뒷맛이 썼다《崔仁勳 : 낙엽》.

설겆-이 명 ☞설거지.

설겆이-물 명 ☞설거지물.

설겆이-통【—桶】명 ☞설거지통.

설견【屑繭】명 치레기 고치.

설경[1]【舌耕】명 강연·연설·변호·보도 등, 말하는 것으로 생계를 삼는 일.

설경[2]【雪徑】명 눈이 쌓인 좁은 길.

설경[3]【雪景】명 눈이 내리는 경치. 또, 눈이 쌓인 경치. 설광(雪光). 설색(雪色).

설경[4]【說經】명 ①〔불교〕경전(經典)·교의(敎義)를 풀어 중서(衆庶)를 화도(化導)함. ②〔역〕조선 시대에, 경연청(經筵廳)의 정팔품 벼슬. 경서(經書)를 강독(講讀) 논평하였음. 전경(典經)의 위, 사경(司經)의 아래. ——하다 자 여불

설경 산수도【雪景山水圖】명 설경을 그린 산수도·동양화의 화제(畫題)의 하나. 보통, 눈은 흰 바탕으로 남기고, 하늘에 연한 먹칠을 함.

설-경(:)성【薛景成】명〔사람〕고려 충선왕 때의 명의(名醫). 신라 설총(薛聰)의 후손. 충렬왕의 병을 고치어 이름이 났고, 중국 원(元)나라에 가서 세조(世祖)와 성종(成宗)의 병을 고치었음. [1237-1313]

설계[1]【設計】명 ①계획을 세움. ¶ 생활을 ~하다. ②제작이나 공사 등에 앞서 그 목적에 맞도록 공비(工費)·부지(敷地)·재료 및 구조상의 모든 계획을 세워, 도면(圖面) 혹은 그 밖의 방식으로 명시(明示)하는 일. 디자인(design). ——하다 타 여불

설계[2]【設契】명 계를 만듦. ↔파계(破契). ——하다 자 여불

설계[3]【雪溪】명〔지〕높은 산의 사면(斜面)의 골짜기에 쌓인 눈이, 녹을 때가 되어도 아직 많이 남아 있는 곳.

설계[4]【說戒】명〔불교〕계율(戒律)을 설명하여 들려 줌. *설교. ——하다 자 여불

설계-가【設計家】명 설계를 업으로 하는 사람. ¶ 건축 ~.

설계-도【設計圖】명 설계한 구조·형상·치수 등을 일정한 규약(規約)에 따라서 그린 도면(圖面). 조립도(組立圖)·부품도(部品圖)·선도(線圖) 등으로 분류함. 마련그림. 청사진.

설계-사【設計士】명 설계를 업으로 하는 기사(技士).

설계-서【設計書】명 설계의 내용을 써 놓은 문서.

설-계(:)선【薛季宣】명〔사람〕중국 송(宋)나라 때의 학자. 자는 사룡(士龍). 호는 간재(艮齋). 영가(永嘉) 사람. 호안국(胡安國) 등의 철학 사상에 감화를 받고, 또 병법(兵法)에 능통하였음. 저서에 《서고문훈(書古文訓)》·《낭어집(浪語集)》 등이 있음.

설계 속도【設計速度】명〔design speed〕〔토〕차량이 안전하게 연속 주행할 수 있는 최고의 속도. 도로의 설계 특성(特性)에 의해서 좌우됨.

설계-안【設計案】명 설계의 안.

설계 압력【設計壓力】[—녁] 명〔design pressure〕〔토〕댐에 저장된 정수(靜水)가 댐에 미치는 압력. 또 댐이 견딜 수 있는 압력.

설계 온: 무게【設計—】명〔design gross weight〕〔항공〕설계 계산에 쓰이는, 항공기·로켓 등이 이륙할 때, 가질 것으로 생각되는 온 무게.

설계 응:력【設計應力】[—녁] 명〔design stress〕〔물〕기계 부품 또는 구축물이 받는 최대의 허용 응력. 하중(荷重)의 초과나, 기타 불확실한 나쁜 작용이 가해졌을 때 파손을 막을 수 있는 충분한 크기의 응력.

설계-자【設計者】명 설계한 사람. 디자이너.

설계-진【設計陣】명 설계하는 사람들의 진용.

설계 표준【設計標準】명〔design standards〕설계에 표준적으로 적용되는 일정한 방법·단위·재료 또는 부품을 이르는 말.

설고【雪餻】명 카스텔라(castella).

설고-빵【雪餻—】명 카스텔라.

설골【舌骨】명〔hyoid〕〔생〕혀뿌리에 있는 'V'자 모양의 작은 뼈. 인대(靭帶)에 의하여 후두(喉頭)와 섭유골(顳顬骨)에 연결됨. 설골체(舌骨體)·대각(大角)·소각(小角)의 세 부분으로 구별하는데, 이 세 부분의 결합은 젊을 때에는 연골(軟骨)로 되어 있지만 늙으면 굳은 뼈로 됨.

회염연골
설골
갑상연골
〈설골〉

설골-궁【舌骨弓】명〔생〕척추(脊椎) 동물의 내장 골격에 있어서 네 쌍의 내장궁(內臟弓) 가운데 제2의 장궁. 설골(舌骨)이나 중이(中耳)의 등골(鐙骨)이 이로부터 생기며, 안면(顏面) 신경도 이에 속함. *악골궁(顎骨弓)·새궁(鰓弓).

설골 상:근【舌骨上筋】명〔suprahyoid muscles〕〔생〕설골(舌骨)의 윗가장자리에 부착된 근육.

설과【設科】[—꽈] 명〔교〕교과의 과정(科程)을 설치함. ——하다 자 여불

설관【設官】명 벼슬을 베풀어 둠. ——하다 자 여불

설광【雪光】명 ①눈의 빛. ②설경(雪景).

설괘-전【說卦傳】명〔책〕공자(孔子)가 말한 역(易)의 십익(十翼)의 제팔익(第八翼)으로서, 팔괘효(八卦爻)가 일어나는 곳과 괘상(卦象)의 유추례(類推例)를 적은 책.

설괴【雪塊】명 눈의 덩어리.

설교[1]【雪橋】명 '스노브리지(snowbridge)'의 역어(譯語).

설교[2]【說敎】명 ①신자를 모아 놓고 교의(敎義)나 종지(宗旨)를 설명함. ¶ 가두(街頭) ~. ②단단히 타일러서 가르침. 또, 그 가르침. ¶ 아버지의 ~. ——하다 자 여불

설교-단【說敎壇】명 설교자의 설교를 위하여, 한 단 높게 설치한 장소. 고좌(高座).

설교-사【說敎師】명〔불교〕경전(經典)의 설교를 하는 사람.

설교-자【說敎者】명 설교(說敎)를 하는 사람.

설구【舌口】명 혀와 입.

설구개 신경【舌口蓋神經】명〔glossopalatine nerve〕〔해부〕안면 신경의 중간지(中間枝).

설-구이 명〔공〕①유약(釉藥)을 바르지 아니하고 저열(低熱)로 구운 질그릇. ②자기(瓷器)를 만들 때, 마침구이하기 전에 잿물을 칠할 수 있을 정도로 슬쩍 구워 굳히는 공정(工程). 애벌구이. ↔마침구이. ——하다 타 여불

설국【設局】명 ①약국을 냄. ②노름판을 벌임. ——하다 자 여불

설굴【雪窟】명 눈이 쌓인 구덩이.

설궁[1]【雪宮】명 중국 제(齊)나라 왕궁의 이름.

설궁[2]【說窮】명 설빈(說貧). ——하다 자 여불

설권[1]【舌卷】명 혓바닥이 말리어서 펴지지 아니하는 병. 말을 할 수 없게 됨.

설권[2]【挈眷】명 설가(挈家). ——하다 자 여불

설권 낭축【舌卷囊縮】명 혀가 꼬부라지고 불알이 오그라든다는 뜻으로, 병세가 매우 위독함을 가리키는 말.

설권-음【舌卷音】명〔언〕진동음(振動音).

설권 증권【設權證券】[—꿘—꿘] 명〔경〕증권상의 권리가 증권의 작성에 의하여 비로소 발생하는 유가 증권. 어음·수표는 이에 해당함.

설근[1]【舌根】명 ①〔생〕회염 연골(會厭軟骨)의 앞 부분에 있는 혀의 뿌리. 설본(舌本). ②〔불교〕육근(六根)의 하나.

설근[2]【舌筋】명〔생〕혀를 형성하고, 그 주질(主質)이 되는 근육.

설근-음【舌根音】명〔언〕설근과 연구개(軟口蓋)·목젖·인두벽(咽頭壁) 사이에서 조음(調音)되는 음.

설기[1] 명 ↗백설기.

설기[2] 명 싸리채나 버들채 같은 것으로 결어서 만든 직사각형의 상자. 아래 위 두 짝으로 되었는데, 윗 것은 뚜껑의 구실을 함.

설기[3]【泄氣】명 휘발성(揮發性) 기운이 꼭 담겨 있지 아니하고, 새어서 흩어짐. ——하다 자 여불

설기[4]【雪肌】명 설부(雪膚).

설기[5]【雪氣】명 눈이 내릴 듯한 하늘 모양.

설기[6]【褻器】명 요강.

설기-떡 명 ☞ 백설기.

설-깨다 자 잠이 완전히 깨지 못하다. ¶ 설깨어 비실비실하다.

설-꼭지 명 질그릇 같은 것의 넓죽한 꼭지.

설-깃 명 소의 볼기짝에 붙은 고기의 한 가지. 구이·회 등에 씀.

설:-날 [—랄] 명 정월 초하룻날. 예로부터 첫 명절로서 설빔을 입고, 특히 흰 떡을 마련하여 조상에게 차례를 지내며, 성묘(省墓)도 하고, 윗사람에게 세배(歲拜)를 함. 신원(新元). 원일(元日). ㊂설.

[설날에 옴 오르듯] 재수 없다는 말.

설-농양【舌膿瘍】[—롱—] 명〔Lingual abscess〕〔의〕농양증의 하나. 급성 전염병에 속발(續發)되거나, 충치, 곤충에 물린 독, 구내염(口內炎) 및 설근(舌根)·편도선 화농(扁桃腺化膿) 등이 있을 때 발생함. 심하면 연하(嚥下) 곤란·언어 장애 및 호흡 장애 등을 일으키는 때도 있음.

설농-탕【雪濃湯】[—롱—] 명 '설렁탕'의 취음(取音).

설뉵【舌衄】[—륙] 명〔의〕혀에서 피가 나는 병.

설-늙은이 [—를근—] 명 그다지 늙지는 않았지만 기질이 매우 노쇠한 사람.

설니【雪泥】[—리] 명 눈으로 뒤범벅이 된 진 땅.

설니 홍조【雪泥鴻爪】[—리—] 명 눈 위의 기러기 발 자취가 눈이 녹으면 없어지 듯, 인생의 자취가 흔적이 없음을 비유하는 말.

설:다[1] ㊀ 자〔중세 : 설다〕①열 익다. ¶ 선 밥/선 사과. ②잠이 모자라다 또는 잠이 깊이 들지 아니하다. ¶ 잠이 ~/선 잠 깨다. ㊁ 형 서투르다. ¶선무당/산도 설고 물도 ~.

설:다[2] 타 〈방〉 아기 서다.

설다[3] 타 〈옛〉 설거지하다. ¶ 다 자시ᄆᆞᆯ 기ᄃᆞ려 뫼ᄅᆞᆯ 설고 侍者ㅣ 饌믈을 설어 別室에 ᄂᆞ화 두어든 《家禮 Ⅳ:2》.

설:다[4] [—따] 형 ☞섧다.

설-다듬이 명 대강대강 다듬는 다듬이.

설-다루다 타 불충분하게 처리하다. 서투르게 다루다. 선불리 다루다.

설단[1] [—딴] 명 〈방〉 ①설통발. ②〔건〕문설주.

설단[2]【舌端】[—딴] 명 혀끝.

설단-음【舌端音】[—딴—] 명 〖언〗 혀끝과 윗잇몸 사이에서 나는 음. 곧, 'ㄹ'·'ㄷ' 등. 혀끝 소리.

설단-증【舌短症】[—쯩] 명 〖의〗 혀가 짧아지는 병. 음강증(陰強症).

설당[1]【屑糖】[—땅] 명 →설탕[1].

설당[2]【雪堂】[—땅] 명 중국 송(宋)나라의 소식(蘇軾)이 유적(流謫)의 땅 황주(黃州)에 세운 당(堂). 대설(大雪)을 무릅쓰고 건립, 사방의 벽에 설경(雪景)을 그렸다고 함.

설당[3]【雪糖】[—땅] 명 →설탕[2].

설-대[1] [—때] 명 〖식〗 [*Arundinaria japonica*] 댓과(科)에 속하는 대. 높이 2-6 m, 직경 1.5-2 cm로, 뚜렷하고 넓은 융기(隆起)와 희미하고 좁은 융기로 되며 마디와 마디 사이는 길. 아지(芽枝)는 줄기 위쪽에서 마디마디 나며, 거기에서 다시 작은 아지가 갈라지고, 끝에는 호생(互生)하는 피침형의 잎이 나는데, 잎은 3-10개, 겉이 반질반질함. 죽순(竹筍)은 지하경의 끝에서 나며, 푸른 순피(筍皮)는 혁질(革質)이고 털이 있음. 줄기로 화살·바구니·조리 등을 만듦.

 설대 같다 [—때—] 구 쪽 곧다.

〈설대[1]〉

설대[2] [—때] 명 ↗담배 설대.

설대[3] [—때] 명 〈방〉 소란(小欄).

설대[4]【舌代】[—때] 명 '말의 대신'이란 뜻으로, 편지나 쪽지를 쓸 적에 첫머리에 쓰는 말.

설-데치다 타 불충분하게 데치다. 대강 데치다.

설도[1]【舌刀】[—또] 명 칼과 같은 혀라는 뜻으로, '날카로운 말'을 일컫는 말.

설도[2]【說道】[—또] 명 도(道)를 설명함. ——하다 자여불

설독【褻瀆】[—똑] 명 〖천주교〗 직접으로 또는 성인이나 성물(聖物)을 통하여 천주를 말로 모욕함. 또, 그 행위. ——하다 타여불

설동【雪洞】[—똥] 명 스노홀(snowhole).

설두[1]【舌頭】[—뚜] 명 혀끝.

설두[2]【設頭】[—뚜] 명 앞서서 주선함. ¶ 네가 ～해라. ——하다 타여불

설득【說得】[—뜩] 명 ①여러 가지로 설명하여 납득시킴. ②〖심〗 다른 사람의 생각이나 행동에 영향을 주는 방법 가운데 비교적 이성적(理性的)인 방법. 논술(論述) 정도로 객관적이 아니나, 논술의 형태를 취하면서 감정에 호소함. 정당인(政黨人)이나 종교가(宗敎家)의 말에서 흔히 볼 수 있음.

설득-력【說得力】[—뜽녁] 명 설득하는 힘.

설득 요법【說得療法】[—뜽뇨뻡] 명 〖의〗 환자의 이성에 호소하여 그 증상에 대한 생각을 고치게 하며, 병상의 경쾌를 꾀하는 정신 요법의 하나. 강박(強迫) 신경증·히스테리 등의 심인성(心因性) 정신 질환에 이용됨.

설-듣다 타ㄷ불 불충분하게 듣다. 잘 못 듣다.

설-때리다 타 〈방〉 설치다[2].

설뚱멀뚱-하다 형 〈방〉 서름서름하다.

설-뜨리다 타 〈방〉 설치다[2].

설라【薛羅】 명 〖역〗 '신라(新羅)'를 그 당시의 중국에서 부르던 이름.

설라-마【雪羅馬】 명 '서라말'의 취음(取音).

설라무니 조 〈방〉 설랑은(평안).

설라믄 조 ☞ 설랑은.

설랍 명 〈방〉 서랍(제주).

설랑 조 조사 '서'와 'ㄹ랑'이 겹친 말. ¶ 방에～ 공부하고, 밖에～ 뛰어 놀자/여기～ 놀지 마라.

설랑-은 조 조사 '설랑'을 강조하는 말. ¶ 여기～ 제발 뛰지 말라.

설량【雪量】 명 눈이 내린 분량.

설량-계【雪量計】 명 적설계(積雪計).

설렁 명 [←현령(懸鈴)] 처마 끝 같은 곳에 달아 놓고, 사람을 부를 때에 줄을 잡아당기면 소리가 나게 장치한 방울.

설렁-거리다 자 ①조금 서늘한 느낌이 생길 만큼 바람이 가볍게 자꾸 불다. ②팔을 가볍게 저어 바람을 내면서 걷다. ㅆ썰렁거리다. >살랑거리다. 설렁-설렁 부. ——하다[1] 자여불

설렁-대다 자 설렁거리다.

설렁설렁-하다[2] 형여불 날씨가 바람이 설렁거리는 상태에 있다. ㅆ썰렁썰렁하다[2]. >살랑살랑하다[2].

설렁-제【—制】[—쩨] 명 〖악〗 처음에 높은 소리를 질러 내서 호령을 하다가 차차 아래로 하강(下降)하는 가락의 판소리 창법. 씩씩한 느낌을 주는 가락. 덜렁제(制). 덜렁조(調). 권마성제(勸馬聲制).

설렁-줄 [—쭐] 명 설렁을 울릴 때 잡아당기는 줄.

설렁줄 설렁

〈설렁줄〉

설렁-탕【—湯】 명 소의 머리·내장·족·무릎도가니 등을 푹 삶아서 만든 국. 밥을 말고, 소금·고춧가루·파 같은 것을 넣어서 먹음. 주의 '설농탕(雪濃湯)'으로 쓰은 취음(取音).

설렁-하다 형여불 ①설렁설렁한 느낌이 있다. ②갑자기 놀라 가슴 속에 찬 바람이 도는 것 같다. ㅆ썰렁하다. >살랑하다.

설레[1] 명 〈심마니〉 바람.

설레[2] 의명 설레는 바람. ¶ 아이들 ～에 도무지 공부할 수가 없다.

설레기 명 〖낚시〗 낚싯봉 없이, 또는 가벼운 낚싯봉을 달아서, 낚시채비가 물살에 떠밀려 흘러 내려가게 해서 낚는 방법.

설레-꾼 명 직업적인 노름꾼이나 야바위꾼. ¶ 버릇들인 ～이며 타짜꾼들은 질매를 당한다 하여도 그 버릇 개주지 못한다던데《金周榮 : 客主》.

설레다 자 ①마음이 가라앉지 아니하고 들떠서 두근거리다. ¶ 설레는 가슴. ②가만히 있지 아니하고 자꾸만 움직이다. ¶ 아이들이 설레는 바람에 정신이 없다.

설레-발 명 몹시 서두르며 부산하게 구는 짓.

 설레발(을) 놓다 구 설레발(을) 치다.

 설레발(을) 치다 구 몹시 설쳐대다. ¶ 귀여운 입을 오므렸다 폈다 애교를 피어 가며 임성희 여사는 설레발을 쳤다《朴花城 : 벼랑에 피는 꽃》.

설레-발이 명 〈방〉〖동〗 그리마. ¶ ～와 같이 기다란 눈썹.

설레-설레 부 머리나 꼬리 등을 좌우로 크고 가볍게 흔드는 모양. ¶ 머리를 ～ 흔들다. 준설설. ㅆ썰레썰레. >살래살래.

설령[1]【雪嶺】 명 눈이 쌓인 산봉우리.

설-령[2]【雪嶺】 명 〖지〗 함경 북도 무산군(茂山郡) 연사면(延社面)에 있는 고개. [2,350 m]

설령[3]【設令】 부 ①'그렇다 치고'·'그렇다 하더라도'의 뜻의 접속 부사. ②'가령'·'설사(設使)'·'설약(設若)'·'설혹(設或)'·'유혹(猶或)'의 뜻의 접속 부사. ¶ ～ 내가 잘못했다손 치더라도.

설령-골풀【雪嶺—】 명 〖식〗 [*Juncus castaneus*] 골풀과에 속하는 다년초. 고산(高山) 중턱에 나는데, 높이 25 cm 가량, 3-4개의 선형(線形)의 잎이 호생(互生)함. 7월에 흑갈색의 꽃이 두상 화수(頭狀花穗)로 2-5개가 착생하여 피는데, 포(苞)는 달걀꼴 피침형을 이룸. 높은 산에 나는데, 함북 설령봉(雪嶺峰) 등지에 분포함.

설령-봉【雪嶺峰】 명 〖지〗 함경 북도(咸鏡北道) 무산군(茂山郡) 양사면(暘社面)과 함경 남도 혜산군(惠山郡) 운흥면(雲興面) 사이에 있는 산봉우리. [1,836 m]

설령-오리나무【雪嶺—】 명 〖식〗 [*Alnus vermicularis*] 자작나뭇과에 속하는 낙엽 활엽의 교목. 잎은 달걀꼴 또는 달걀꼴 타원형을 이룸. 6월에 자웅 일가(雌雄一家)의 꽃이 수상(穗狀) 화서로 피고, 과실은 9월에 익음. 산에 나는데, 함북의 설령봉(雪嶺峰) 등지에 분포함. 신탄재로 쓺.

설령-황기【雪嶺黃芪】 명 〖식〗 [*Astragalus setsureianus*] 콩과에 속하는 다년초. 뿌리는 다소 비대하고, 줄기는 높이 28 cm 가량, 잎은 호생하고, 잎꼭지가 있는데 기수 우상 복엽(奇數羽狀複葉)이며, 4-6쌍의 타원형을 이룸. 8월에 황색 꽃이 총상(總狀) 화서로 액출(腋出)하고, 삭과(蒴果)를 맺음. 고산의 위턱에 나는데, 평북·함남·함북에 분포함.

설로[1]【泄露】 명 누설되어 탄로남. 새어 나옴. 드러남. 또, 들추어 냄. ——하다 자타여불

설로[2]【雪路】 명 설정(雪程).

설록-차【雪綠茶】 명 우리 나라에서 나는 명차(銘茶)의 한 가지.

설론【舌論】 명 말다툼. ——하다 자여불

설루【洩漏】 명 누설(漏洩). ——하다 타여불

설:루:트 [salute] 명 펜싱에서, 경기 개시 또는 종료 후에 심판과 상대자에게 하는 인사.

설룬 [saloon] 명 객실(客室). 대청. 살롱(salon). 홀(hall).

설룹다 형 〈방〉 서럽다(제주).

설리[1]【泄痢】 명 설사(泄瀉).

설리[2]【雪裏】 명 눈 속. 설중(雪中).

설리[3]【薛里】 명 〖역〗 내시부(內侍府)에서 어선(御膳)을 맡아 보던 벼슬.

설리-고【雪梨膏】 명 〖한의〗 배를 껍질을 벗기고 씨를 빼어서 썰고, 거기에다 껍질 벗긴 호두와 작말(作末)한 붕사(硼砂) 및 새앙 끓인 물을 치고, 끓인 다음 꿀을 탄 약. 감기·술탈 등에 약으로 씀.

설리번[1] [Sullivan, Arthur Seymour] 명 〖사람〗 영국의 작곡가. 런던 왕립 음악원 교수를 지냄. 시나리오 작가 길버트(Gilbert, W.S.; 1836-1911)와 함께 많은 오페레타(operetta)를 작곡함. 작품《미카도》·《군함 피나포아》 등. [1842-1900]

설리번[2] [Sullivan, Louis Henri] 명 〖사람〗 미국의 건축가. 새로운 기능주의(機能主義) 이론으로 시카고파(Chicago派)를 형성함. 미국 근대 건축학의 창시자의 한 사람임. [1856-1924]

설리번-상【—賞】 [Sullivan] 명 매년 가장 뛰어난 운동 정신을 발휘한 미국의 아마추어 선수에게 수여되는 상. 1930년 제정. 선수 선정(選定)은 전미 체육 협회(全美體育協會) 관계자의 투표로 함.

설림【說林】 명 여러 학자의 논설(論說)을 수록(收錄)한 책.

설립【設立】 명 만들어 세움. ¶ 회사를 ～하다. ——하다 타여불

설립 강:제【設立強制】 명 〖법〗 행정청(行政廳)이 조합(組合) 같은 것의 설립을 강제하는 일.

설립 등기【設立登記】 명 〖법〗 법인(法人)이 설립된 경우, 일정한 기간 내에 법정 사항(法定事項)에 관하여 행하여지는 등기.

설립-변【—立邊】 명 한자 부수(部首)의 하나. '端'·'竭' 등의 '立'의 이름.

설립 비:용【設立費用】 명 모든 사단(社團)·재단(財團)·조합(組合), 특히 주식 회사 및 유한 회사의 설립 사무에 필요한 비용.

설립 위원【設立委員】 명 〖법〗 회사가 신설 합병될 때, 각 당사 회사(當事會社)에 의하여 선임(選任)되고, 공동으로 신설 회사의 정관(定款) 작성 및 기타 회사의 설립에 관한 행위를 하는 사람.

설립-자【設立者】 명 설립한 사람. 기관(機關)이나 조직 등을 새로 만든 사람.

설립 행위【設立行爲】 명 〖법〗 사단 법인(社團法人)·재단 법인(財團法人) 등을 설립하는 행위. 사단 법인에서는 정관(定款)의 작성, 재단 법인에서는 기부(寄附) 행위 등.

설마[1]【雪馬】 명 →썰매.

설마[2] 부 [중세: 현마] 아무리 하기로. ¶ ～ 그럴라구.

 [설마가 사람 죽인다] 설마 그리 되지 않겠지 하고, 마음을 놓는 데서 탈이 난다는 뜻.

설-마르다 자르불 덜 마르다. 불충분하게 마르다.

설마-치【雪馬峙】 명 〖지〗 경기도 파주시(坡州市) 적성면(積城面) 남쪽 4 km 지점에 있는 재. 감악산(紺嶽山)의 남쪽 기슭이 되는데, 이 재를 넘으면 양주(揚州)에 이름.

설만【褻慢】 명 행동이 거만하고 무례함. ¶ 가형을 위지에서 구하신 대은인을 몰라보고, 부당한 감정을 품고 ～히 대우를 하였으니 용서하여 주오《李海朝 : 雨中行人》. ——하다 형여불 ——히 부

설-망【—網】 명 〖낚시〗 견지 낚시에서 밑밥을 넣어 물 밑에 내리는, 철망 씌운 그릇.

설망 낚시【—網—】 명 〖낚시〗 밑밥 넣은 설망을 물 밑에 고정시켜 놓

고 하는 견지 낚시.

설망-추【一網錘】명 〖낚시〗 설망을 물 밑에 가라앉히기 위하여 설망 밑에 붙인 납덩이.

설-맞다 자 ①총알 같은 것이 바로 맞지 아니하다. ¶ 설맞은 총알. ②매 같은 것을 덜 맞다. 조금 맞다. ¶ 매를 설맞아서 여전히 까분다.

설:-맞이 명 설을 맞는 일. ¶ 오래간 만에 고향에서 ~하다. ——-하다 자여불

설매 명 〈방〉 썰매(평안·함경).

설맹【雪盲】명 〔snow blindness〕〖의〗 적설(積雪)의 반사 광선(反射光線), 특히 강렬한 자외선(紫外線)의 자극에 의하여 일어나는 눈의 각막(角膜)·결막(結膜)의 염증. 설안염(雪眼炎).

설멍-설멍 부 설멍한 다리로 띄엄띄엄 걸어가는 모양. >살망살망.

설멍-하다 형여불 ①아랫도리가 가늘고 길어 어울리지 아니하다. ②옷이 몸에 짧아 어울리지 아니하다. >살망하다.

설면[1]【舌面】명 혓바닥❶.

설면[2]【雪面】명 ①쌓여 있는 눈의 표면. ②눈처럼 흰 얼굴.

설면-음【舌面音】명 〖언〗 전설면(前舌面)·후설면(後舌面)과 경구개(硬口蓋)·연구개(軟口蓋) 사이에서 조음(調音)되는 음. ↔설첨음(舌尖音)·전설음(前舌音).

설면-자【雪綿子】명 풀솜.

설면-하다 형여불 ①자주 만나지 못하여 좀 설다. ¶ 멀리 떨어지면 친구와도 설면해지기 쉽다. ②정답지 아니하다. 설면-히 부. ¶ 피차 안면은 두터우나 우금껏 ~ 지내와 대단히 불민하외다≪作者未詳:劍中花≫.

설명【說明】명 풀어서 밝힘. 사물의 내용·이유·뜻 같은 것을 알도록 일러 줌. 설여(說與). 신해(申解). ¶ ~자(者). ——-하다 타여불

설명 개:념【說明槪念】명 〖심〗 일정한 사상(事象)이 생기는 이유를 나타내기 위하여 구성되는 개념. 객관적인 관찰로부터 사상을 규정하는 기능적 사실을 포착하여 이것을 개념으로 정립(定立)한 것. 기능(機能)개념.

설명 과학【說明科學】명 설명적 과학.

설명-도【說明圖】명 제작물의 구조·기능의 설명을 목적으로 하는 도면. 필요한 부분을 굵은 실선(實線)으로 나타내거나 투시(透視)·채색(彩色) 등을 하여 알기 쉽도록 그림. *견적도(見積圖)·승인용도(承認用圖).

설명-문【說明文】명 〖문〗 사리(事理)를 설명하여 감정이나 이성에 호소하는 글. ↔서정문(抒情文)·서사문(敍事文)·서경문(敍景文).

설명 문법【說明文法】[一뻡] 명 〔explanatory grammar〕〖언〗 문법 현상(現象)의 유래를 설명하는 태도로 기술하는 문법. 그 성질상 역사(歷史) 문법 또는 비교(比較) 문법인 경우가 많음. ↔기술 문법·기술 문전.

설명 문전【說明文典】명 설명 문법.

설명-법【說明法】[一뻡] 명 〖언〗 평서법(平敍法).

설명-부【說明部】명 〖언〗 술부(述部).

설명-서【說明書】명 내용이나 이유·사용법 등을 설명한 문서.

설명-어【說明語】명 〔predicate〕〖언〗 주어(主語)의 동작·상태·성질 등을 설명하는 말. 동사·형용사 등. 술어(述語). 풀이말.

설명-자【說明者】명 어떤 사물(事物)에 관하여 설명을 하는 사람.

설명 자막【說明字幕】명 서브타이틀(subtitle)❷.

설명적 과학【說明的科學】명 과학의 분류상(分類上) 설명을 목적으로 하는 과학의 총칭. 곧, 여러 가지 현상의 원인을 캐고, 그것이 일어나는 까닭을 인과율(因果律)로써 설명함. 물리학·화학·동식물학·광물학 같은 것. 설명 과학. ↔기술적 과학(記述的科學).

설명적 심리학【說明的心理學】[一니一] 명 〖심〗 기술(記述)보다 설명을 주요 목적으로 하는 심리학상의 한 입장. 부분에서 전체로, 하위 전체(下位全體)에서 상위 전체(上位全體)로 인과적(因果的) 설명을 함.

설모【雪毛】명 눈같이 흰 털.

설문[1]【設問】명 물음을 냄. 문제를 베풂. 또, 그 문제. ¶ ~서(書). ——-하다 타여불

설문[2]【說文】명 문자의 성립과 원의(原義)를 설명하는 일. ——-하다 자여불

설문[3]【說文】명 〖책〗 ↗설문 해자(說文解字).

설문-학【說文學】명 한자의 구조·조직·뜻 따위를 연구하는 학문.

설문 해:자【說文解字】명 〖책〗 후한(後漢)의 허신(許愼)이 찬(撰)한 중국의 가장 오래된 자전(字典). 중국 문자학의 기본적인 고전의 하나. 한자(漢字)를 수집 분류하여 육서(六書)의 뜻을 캐고, 문자의 의미를 밝혔음. 30권. 준설문(說文).

설믜 명 〈옛〉 눈썰미. 지혜. 총명. ¶ 설믜 모도와 有德ᄒᆞ신 가ᄉᆞ매≪樂範動動≫.

설미【雪眉】명 흰 눈썹. 또, 흰 눈썹을 가진 노인(老人).

설미지근-하다 형여불 ①충분히 익고 뜨거워야 할 물건이 설익고 미지근하다. ②어떤 일에 임하는 태도가 맺고 끊는 듯한 야무진 맛이 없고, 매우 약하다. ¶ 설미지근한 태도.

설:-밑 명 세밑. 세모(歲暮). 세말(歲末).

설바나이트 〔sulvanite〕 명 〖광〗 청동 황색(青銅黃色)의 광물. 동(銅) 및 바나듐(vanadium)의 황화물(黃化物)로 형성되었으며, 괴상(塊狀)으로 존재함. [Cu_3VS_4]

설백【雪白】명 눈처럼 흼. ——-하다 형여불

설백-색【雪白色】명 눈처럼 흰 색. 순백색(純白色).

설법【說法】명 〖불교〗 불법(佛法)을 풀어 밝힘. 불교의 교의(敎義)를 들려 줌. ——-하다 자여불

설병【說病】명 병의 증세를 설명함. ——-하다 자여불

설-보다 타 똑똑히 아니 보고 대강 보다. 잘 못 보다.

설복[1]【設伏】명 복병(伏兵)을 베풀어 둠. ——-하다 자여불

설복[2]【說服·說伏】명 알아듣도록 말하여 수긍(首肯)하게 함. 세복(說服). ——-하다 타여불

설복[3]【褻服】명 속옷.

설본【舌本】명 〖생〗 설근(舌根)❶.

설본-음【舌本音】명 〖언〗 혀의 윗면의 후부(喉部)와 연구개(軟口蓋)로 내는 음.

설봉[1]【舌鋒】명 서슬이 선 말. 날카로운 변설(辯說).

설봉[2]【雪峯·雪峰】명 눈이 내려 덮인 산봉우리.

설-봉(:)조【薛鳳祚】명 〖사람〗 중국 청초(淸初)의 천문학자. 자는 의보(儀甫). 산둥(山東) 쯔촨(淄川) 사람. 세조(世祖) 때에 서양인 목이각(穆尼閣; 본명 Smogolenski)에게 배워 그 천문 역법(天文曆法)의 설을 번역하여 《천보 진원(天寶眞源)》을 내고, 또 스스로 《천학 회통(天學會通)》을 저작하였음. [?-1680]

설부[1]【雪膚】명 눈처럼 아주 흰 살갗. 설기(雪肌). *빙기(氷肌).

설부[2]【說郛】명 〖책〗 중국 원말(元末)·명초(明初)의 총서(叢書). 도종의(陶宗儀) 편찬. 비교적 진귀한 수필·설화(說話) 등의 책 천여 종에서 발췌·편집한 것임. 100 권.

설부 화용【雪膚花容】명 눈같이 흰 살결과 아름다운 얼굴.

설분【雪憤】명 울분을 씻어 풂. 분풀이. ——-하다 자여불

설분 신원【雪憤伸冤】명 신원 설치(伸冤雪恥). ——-하다 자여불

설비[1]【雪庇】명 〖지〗 산의 능선의 바람받이에 돌출한 처마 모양의 적설. 보통 완만한 사면(斜面)이 바람이 불어오는 쪽이 되고, 급한 사면이 바람받이가 되었을 때에 생김.

설비[2]【設備】명 ①베풀어서 갖춤. ②건축물에 부대(附帶)하는 물건. 기계·전기·난방 장치 같은 것. 부대 설비. ¶ ~비(費). ——-하다 타여불

설비 관리【設備管理】[一괄一] 명 〖경〗 생산 설비를 가장 합리적으로 선택하고, 최저의 유지비(維持費)로 최대의 유효 활용을 위하는 생산 관리의 하나. *품질(品質) 관리.

설비 동:결【設備凍結】명 〖경〗 수급(需給) 관계가 개선(改善)될 때 설비의 가동(稼動)을 한때 중지하는 일. *설비 폐기(廢棄).

설비 분산【設備分散】명 〔facility dispersion〕〖통신〗 두 점 사이의 회선을 몇 개의 물리적·지리적 경로를 따라 분산하는 일. 설비의 손상에 의한 중계선군(中繼線群) 전체가 사용 불능이 되는 것을 방지하는 데 목적이 있음.

설비-비【設備費】명 〖경〗 설비를 갖추는 데 요하는 비용.

설:-비슴 명 〈방〉 설빔.

설비 예:산【設備豫算】명 〖경〗 자본 예산(資本豫算).

설비 용량【設備容量】[一냥] 명 〔installed capacity〕〖전〗 설비된 기기(機器)의 정격(定格)을 합계로 나타낸 용량.

설:-비음 명 ☞ 설빔.

설비 자:금【設備資金】명 〖경〗 사업의 창설·확장·개량 등의 설비에 충당되는 자금으로서 성질상 장기(長期)에 걸치어 고정(固定)되는 자금. ↔경영 자금·운전 자금(運轉資金).

설비 자본【設備資本】명 〖경〗 산업 자본 중 설비로서 보유(保有)되는 자본. ↔경영 자본·운전 자본(運轉資本).

설비 전:환 중계선【設備轉換中繼線】명 〔interfacility transfer trunk〕〖통신〗 형식이 서로 다른 설비의 스위칭 센터 사이를 접속하는 중계선.

설비 투자【設備投資】명 건물·기계·사무실·점포 따위와 같은 생산 설비의 신설·증설을 위한 내구적(耐久的) 자본 자산에 대한 투자. 공장·댐 등의 영업용 건설이나, 주택 건설 등에 대한 건설 투자를 포함한 고정 자본 투자의 뜻으로도 쓰임. *건설 투자.

설비 투자 예:산【設備投資豫算】명 〖경〗 자본 예산(資本豫算).

설비 폐:기【設備廢棄】명 〖경〗 정기적으로 수급(需給) 개선의 전망이 보이지 않는 산업에서, 과잉 설비 부분을 폐기하는 일. *설비 동결(凍結).

설비-품【設備品】명 설비한 물품. 또, 설비하기 위한 물품.

설빈[1]【說貧】명 살림의 구차스러움을 남에게 이야기함. 설궁(說窮). ——-하다 자여불

설빈[2]【雪鬢】명 눈같이 흰 살쩍. 하얗게 센 살쩍.

설:-빔 명 설을 맞이하여 새로 차리어 입는 의관(衣冠). ¶ ~옷. ——-하다 자여불 설빔을 입다.

설빙【雪氷】명 ①빙설(氷雪)❶. ②〔snow ice〕 빙하빙(氷下氷)과 같이 눈에서 생긴 얼음. 곧, 부분적으로 녹은 눈이 눌리어 단단해지거나 재동결(再凍結)에 의해서 생기는 얼음 덩어리. ↔수빙(水氷).

설빙-학【雪氷學】명 〔cryology〕 얼음과 눈에 관한 연구 분야.

설사[1]【泄瀉】[一싸] 명 배탈이 생기어 자주 나오는 썩 묽은 똥. 사리(瀉痢). 설리(泄痢). ——-하다 자여불 배탈이 나서 묽은 똥을 누다. 준사(瀉)하다.

설사[2]【設使】[一싸] 부 설령(設令)❷.

설사-병【泄瀉病】[一싸뼝] 명 ①병으로서의 설사. 배탈. ②〖충〗 누에의 연화병(軟化病)의 하나. 병세가 진행됨에 따라 식욕이 줄고 운동이 활발하지 못하며, 발육이 느리고 피부의 탄력이 없어짐. 설사를 하는 것이 특징임.

설사-약【泄瀉藥】[一싸一] 명 설사를 멈추는 약의 총칭. 설사제. 지사제(止瀉劑).

설사-제【泄瀉劑】[一싸一] 명 설사약.

설산[1]【雪山】[一싼] 명 눈이 쌓인 산. 늘 눈이 녹지 아니하고 덮이어 있는 높은 산.

설산[2]【雪山】[一싼] 명 〖사람〗 장덕수(張德秀)의 호(號).

설-산[3]【雪山】[一싼] 명 〖지〗 ①히말라야 산(Himalaya山). 또, 히말라야 산맥. 특히, 불교의 전적(典籍)에서 이르는 말. 대설산(大雪山). ② '쉐산(雪山)'을 우리 음으로 읽은 이름.

설산 대:사【雪山大士】[一싼一] 명 〖불교〗 〔설산에서 성도(成道)하였음에 유래함〕 석가의 존칭.

설산 동:자【雪山童子】[一싼一] 명 〖불교〗 석가가 설산(雪山)에서 고행(苦行)하던 때의 일컬음.

설산 성도【雪山成道】[一싼一] 명 〖불교〗 석가 여래가 과거세(過去世)에 설산에서 수행(修行)하여 오도(悟道)하고 성도(成道)한 일.

설산 수도【雪山修道】[一싼一] 명 〖불교〗 석가 여래가 전세(前世)에 설산에서 행한 수도(修道)를 이르는 말.

설-삶기다 [一삼一] 자 덜 삶기다. 충분히 삶아지지 아니하다.

설-삶다 [一삼따] 타 반쯤 삶다. 덜 익게 삶다.
【설삶은 말대가리】 고집이 세어 말을 알아듣지 못하는 사람을 이르는 말.

설상[1]【舌狀】[一쌍] 명 혀의 모양. 혀처럼 생긴 형상(形狀). 곧, 납작하고 양끝이 무딘 타원형으로 된 것.

설상²【雪上】[—쌍] 명 눈 위. 눈이 쌓인 위.
설상³【雪霜】[—쌍] 명 ①눈과 서리. 상설(霜雪). ②간고(艱苦)를 이르는 말.
설상⁴【楔狀】[—쌍] 명 쐐기와 같은 모양. V자 모양.
설상 가상【雪上加霜】[—쌍—] 명 눈 위에 서리가 덮인다는 뜻으로 불행한 일이 엎친 데 덮치어서 거듭 일어남의 비유. 설상 가설(雪上加雪). ¶ 파산(破產)한 데다 ~으로 병(病)까지 났다.
설상 가설【雪上加雪】[—쌍—] 명 설상 가상(雪上加霜).
설상-골【楔狀骨】[—쌍—] 명〖생〗①척추 동물의 두저(頭底) 중앙부에 있는 쐐기 모양의 뼈. 두저골(頭底骨). ②족골(足骨)을 구성하는 부골(跗骨)의 일부. 제1·제2·제3의 세 개로 되어 있음.
설상 문자【楔狀文字】[—쌍—짜] 명〖언〗쐐기 문자.
설상 분지【舌狀盆地】[—쌍—] 명〖지〗빙하(氷河)의 말단 부분에 생기는 큰 웅덩이. 흔히 호소(湖沼)를 이룸. 알프스 산록(山麓)의 레만 호(Léman 湖) 같은 것이 이에 속함.
설상-차【雪上車】[—쌍—] 명 빙설 위를 주행할 수 있는 특수한 자동차. 접지압(接地壓)을 0.15 kg/cm² 이하로 하기 위하여, 가볍고 넓은 캐터필러(caterpillar)를 달고, 차체도 되도록 경량화(輕量化)하여 캐터필러나 구동륜(驅動輪)에 눈이 끼거나 얼지 아니하도록 특수한 구조를 가짐. 적설지(積雪地)에서의 수송에 사용됨.
설상-화¹【舌狀花】[—쌍—] 명 [ray flower]〖식〗설상 꽃부리로 된 꽃. 사출화(射出花). 혀꽃.
설상-화²【雪上靴】[—쌍—] 명 눈 위에서 신는 신발. 미끄러지지 아니하게 바닥에 체인(chain)을 대었음.
설상 화관【舌狀花冠】[—쌍—] 명〖식〗합판 화관(合瓣花冠)의 한 가지. 한 꽃 중의 온 화판(花瓣)이 서로 결합되어 하부(下部)는 관상(管狀)을, 상반부(上半部)는 설상(舌狀)을 이루어 나오는 꽃부리. 국화·민들레 같은 것. 혀꽃부리.

〈설상 화관〉

설-색¹【雪色】[—쌕] 명 ①눈의 빛. 눈같이 흰 빛. 눈빛. ②설경(雪景).
설색²【設色】[—쌕] 명 색을 칠함. 채색함. ——-하다 자여불
설서【說書】[—써] 명〖역〗조선 시대에, 세자 시강원(世子侍講院)의 정칠품 벼슬. 사서(司書)의 아래.
설선¹【舌腺】[—썬] 명 [lingual gland]〖생〗포유 동물의 혀에 있는 점막의 깊은 곳에 있는 침샘. 장액선(漿液腺)·점액선 또는 점액성 장액선으로 이루어짐.
설선²【雪線】[—썬] 명 [snow line]〖지〗높은 산에서, 사철 눈이 녹지 아니하는 부분과 녹는 부분과의 경계선. 강설량과 융해량(融解量) 및 증발량(蒸發量)이 같은 점(點)을 연결하여 생기는 선으로, 기후적 설선과 지형적 설선의 두 가지가 있음. 적도 부근에서는 5,000 m, 위도 50°에서는 1,000 m, 극지방은 해면까지 내려옴. 항설선(恒雪線).
설-선³【薛宣】명〖사람〗중국 명(明)나라의 철학자. 자는 덕온(德溫). 호는 경헌(敬軒). 산시(山西) 허진(河津) 출생. 송학(宋學)을 연구하여 궁행 복성(躬行復性)으로 주장을 삼았는데, 그의 학문을 하동파(河東派)라함. 저서 《설자 도론(薛子道論)》·《독서록(讀書錄)》 등. 시호는 문청(文淸). [1389-1464]
설설¹【舌舌】명〖불교〗경문 등을 욀 때 가끔 자구(字句)를 생략하고 소리를 길게 끌어 부르는 일.
설설² 부 ①물이 고루 천천히 끓는 모양. ②온돌방이 고루 뭉근하게 더운 모양. ③벌레 따위가 긴 다리로 연해 가볍게 기는 모양. ④↗설레설레. ⑤무섭거나 두려워하여 기세를 펴지 못하는 모양. 3)-5): ㅆ썰썰. 1)-5): >살살.
설설-거리다 자 ①긴 다리로 연해 가볍게 기어다니다. ②마음이 들떠서 연해 돌아다니다. ③머리를 연해 가볍게 젓다. 1)-3): ㅆ썰썰거리다. 1)·2): >살살거리다.
설설-고사리 명〖식〗[*Phegopteris decursive-pinnata*] 고사릿과(科)에 속하는 다년생의 양치 식물(羊齒植物). 근경(根莖)은 짧고 곧게 서며 밑에 수염 뿌리가 남. 근생엽(根生葉)은 높이 50cm 내외, 일회(一回) 우상 복엽(羽狀複葉)인데, 총생하며 피침형을 이루고 가에는 잔 톱니가, 잎꼭지에는 잔털이 많음. 자낭군(子囊群)은 잎의 뒤쪽에 붙어 있는데, 포막(包膜)은 긴 타원형이고, 잔털이 밀생함. 보통 산의 음지에 나는데, 한국·일본 등지에 분포함.

〈설설고사리〉

설설 기다 자 다른 사람 앞에서 매우 무섭거나 두려워서 기를 펴지 못하다. ㅆ썰썰 기다. <살살 기다.
설설-대다 자 설설거리다.
설설-밭 명〖동〗〈방〉그리마.
설설-하다 형 활달하고 시원시원하다. 설설-히 부 ¶ 대통장수는 본 대로를 ~ 아뢰었다《李無影 : 農民》.
설성¹【舌聲】[—썽] 명〖언〗혓소리.
설-성²【雪城】[—썽] 명 한성(漢城). 서울.
설성-도【雪性度】[—썽—] 명 설질(雪質)❷.
설소-차【雪掃車】[—쏘—] 명 제설차(除雪車).
설-쇠 [—쐬] 명〈방〉①다리쇠(평안). ②팽과리(제주).
설:-쇠다 자 새해를 맞이하다. 설을 지내다. 과세(過歲)하다.
설수【雪水】[—쑤] 명 눈이 녹은 물. 눈석임물.
설-순【偰循】명〖사람〗조선 세종 때의 학자·문신. 자(字)는 보덕(輔德). 경주(慶州) 사람. 세종 13년(1431) 집현전 부제학(集賢殿副提學)으로서 《삼강 행실도》를 편수함. 저서에는 윤회(尹淮)와 함께 저술한 《통감 훈의(通鑑訓義)》가 있음. [?-1435]
설술【說述】[—쑬] 명 설명하여 논술함. ——-하다 타여불
설시¹【設始】[—씨] 명 처음으로 시설함. *설립(設立). ——-하다 타여불
설시²【設施】[—씨] 명 시설(施設). ——-하다 타여불
설시³【說示】[—씨] 명 알기 쉽게 설명하여 보임. 또, 그 글. ——-하다 타여불
설시-초【設施初】[—씨—] 명 ①처음으로 시설할 때. ②막 시설하고 난 그 시초.
설식【舌識】명〖불교〗육식(六識)의 하나. 혀로 온갖 맛을 분별하는 심식(心識). 곧, 미각(味覺).
설식 작용【雪蝕作用】[—씩—] 명 [nivation, snow patch erosion]〖지〗사면(斜面)의 퇴설(堆雪)에서 생기는 융설수(融雪水)가 풍화 암력(風化岩礫)과 더불어 사면을 아래로 서서히 이동하면서 행하는 침식 작용.
설-신경【舌神經】명 [lingual nerve]〖생〗삼차(三叉) 신경의 제3지(枝)인 하악(下顎) 신경의 가지의 하나로서, 혀의 앞 부분의 점막에 분포하는, 순전히 혀의 미각(味覺)과 지각(知覺)을 맡는 신경. 그 중 미각 신경 섬유는 고색(鼓索) 신경을 거치어 안면(顏面) 신경으로 들어감.
설심 주:의【設心做意】[—씸—/—씸—이] 명 계획적으로 간사(奸詐)한 꾀를 꾸밈. ——-하다 자여불
설-아득불【設我得佛】명〖불교〗아미타불이 세운 마흔 여덟 가지 서원(誓願)의 각 장구(章句) 첫머리에 놓인 말로 '만약에 내가 부처가 된다면'의 뜻.
설악-산【雪嶽山】명〖지〗강원도 양양군(襄陽郡)과 인제군(麟蹄郡) 사이에 있는 산. 태백 산맥 중에 솟은 명산으로 주봉은 대청봉(大靑峰)임. 태백 산맥을 동서 경계선으로 하여 인제군 쪽을 내설악(內雪嶽),양양군 쪽을 외(外)설악이라 함. 남한 3대 고산(高山) 중의 하나로서 그 고준 웅장(高峻雄壯)함과 아름다운 산악미(山岳美)는 한국제일의 관광명소로 알려짐. 춘하 추동 특징 있는 아름다움을 보여 주는 경관으로는 비선대(飛仙臺)·울산(蔚山)바위·비룡 폭포(飛龍瀑布)·금강굴(金剛窟)·망경대(望境臺)·장수대·신흥사(新興寺) 등이 있음.1970년 이 산의 일대를 국립 공원으로 지정함. [1,708 m]
설악산 국립 공원【雪嶽山國立公園】[—닙—] 명〖지〗강원도의 속초시(束草市), 양양군(襄陽郡), 인제군(麟蹄郡), 고성군(高城郡)에 걸친 설악산 일대의 국립 공원. 1970년에 지정됨. 대청봉(大靑峰), 한계령(寒溪嶺), 가리봉(加里峰), 점봉산(點鳳山) 등과 천불동 계곡(千佛洞溪谷), 가야동(伽倻洞)계곡, 구곡담(九曲潭)계곡, 백담사(百潭寺) 계곡 등은 금강산에 버금가는 경승지(景勝地)로서 유명함. 역내에 신흥사(神興寺)·백담사·오세암(五歲庵)·봉정암(鳳頂庵) 등이 있음.
설-안경【雪眼鏡】명 스키를 탈 때 등에, 눈에 의한 강한 자외선이나 눈부심으로부터 눈을 보호하는 색안경.
설안-염【雪眼炎】[—념] 명〖의〗설맹(雪盲).
설-암【舌癌】명 [cancer of the tongue]〖의〗구강암(口腔癌)의 하나. 혀의 점막(粘膜)이나 점막선(粘膜腺) 또는 혀의 표면이나 내면에 나는 암종(癌腫). 충치(蟲齒)의 자극·끽연(喫煙)·혀의 만성 궤양(慢性潰瘍) 등을 원인으로 40세 이상의 남자에게 많이 발생함. 빨리 수술하지 아니하면 점점 주위에 퍼지어 헐고 허물어져서 매우 아프고, 나중에는 인두(咽頭)·후두(喉頭)에 까지 미침.
설압-자【舌壓子】[—짜] 명〖의〗압설자.
설앵-초【雪櫻草】명〖식〗[*Primula modesta*] 앵초과에 속하는 다년초. 꽃꼭지의 높이 15cm 내외로, 근생엽(根生葉)은 족생(簇生)하고, 유병(有柄)이며 주걱형이고 긴 타원상 도피침형 또는 원형을 이룸. 5-6월에 담자색 꽃이 산형(繖形) 화서로 정생(頂生)하여 피고, 삭과(蒴果)를 맺음. 고산(高山)에 나는데, 제주·전남·전북·평북·함북에 분포함. 관상용으로 가꿈.

〈설앵초〉

설야¹【雪夜】명 눈 내리는 밤. ↔설조(雪朝).
설야²【雪野】명 눈에 덮인 들.
설약【設若】부 설령(設令).
설어【褻語】명 설언(褻言).
설언【褻言】명 ①천한 말. 외설한 말. ②버릇없이 구는 말. 설어.
설엊다 타〈옛〉설거지하다. ¶ 쇼 그릇들 설어저 오라《老乞 上 39》.
설여¹【雪餘】명 눈이 온 뒤. 설후(雪後).
설여²【說與】명 풀어서 들려줌. 풀어서 밝힘. 설명. 해설. ——-하다 타여불
설연¹【設宴】명 잔치를 베풂. ——-하다 자여불
설연²【設筵】명 거적이나 돗자리를 깔아 자리를 베풂. ——-하다 자여불
설-연타【薛延陀】명〖역〗6-7세기 사이에, 몽고의 중가리아(Jungaria) 북부를 차지하고 있던 터키 계통의 유목민의 집단. 설(薛)과 연타(延陀)의 두 부(部)로 이루어짐. 627년 이후 약 20년간 돌궐(突厥)에 갈마들어 몽고를 지배하였다가, 중국 당(唐)나라에 망함.
설염【舌炎】명 [glossitis]〖의〗혀의 염증(炎症). 혀의 끝이나 가장자리에 흰 빛 또는 회백색(灰白色)의 반점(斑點)이 생기고, 때로는 궤양(潰瘍)을 일으켜 심한 고통이 있으며, 열이 남.
설영【設營】명 야영(野營)을 베풂. ——-하다 자여불
설영-대【設營隊】명 설영에 종사하기 위해 편성된 일단. 군대에서 기지 시설·주둔지 따위의 설영에 종사하는 부대.
설옹-산【雪甕山】명〖지〗설산³(雪山)❷.
설완【褻翫】명 가까이 두고 완상(玩賞)함.
설왕 설래【說往說來】명 서로 변론을 주고받으며 옥신각신함. 언왕 언래(言往言來). 언거 언래(言去言來). 언왕설래(言往說來). ——-하다 자여불
설-외【—椳】명〖건〗벽 속에 세로 얽어 댄 외. ↔누울외.
설욕【雪辱】명 부끄러움을 씻음. 설치(雪恥). 세설(洗雪). ¶ ~전(戰). *쾌설(快雪). ——-하다 자여불
설욕-전【雪辱戰】명 복수전.
설우르다 형〈옛〉미숙(未熟)하다. ¶ 아히ᄢᅴ브터 深山애 이셔 사ᄅᆞᆷ이 이리 설우르고 플옷 닙고 나못여름 먹ᄂᆞ니《釋譜 XI:28》.
설우숩다 형〈옛〉악연(愕然)하옵다. ¶ 그제사 須達이 설우ᅀᆞᄫᅡ 恭敬ᄒᆞ

숩는 法이 이러호 거시로다 ᄒᆞ야(是時須達見其如是 乃爲愕然而自念言恭敬之法 事應如是 ≪釋譜 Ⅵ:21≫.

설운【雪雲】명 ①눈과 구름. ②눈을 내리게 하는 구름. ③눈 모양의 구름.

설:움 명 섧게 느껴지는 마음. ¶ 치밀어오르는 ~을 겨우 진정시키다.

설워-하다 자여불 →서러워하다.

설원¹【舌院】명〖역〗사역원(司譯院).

설원²【雪原】명〔snowfield〕〖지〗고산(高山) 지방 및 남북극(南北極) 지방에서, 내려 쌓인 눈이 녹아 없어지지 아니하고 늘 쌓여 있는 지역. 눈벌. 설전(雪田). 만년 설원(萬年雪原).

설원³【雪冤】명 원통함을 풂. ——-하다 자여불

설원⁴【說苑】명〖책〗중국의 훈계적 전설집. 군도(君道)·신술(臣術)·건본(建本)·입절(立節)·귀덕(貴德)·부은(復恩) 등 20편으로 나누어서, 처음에 서설(序說)을 말하고 뒤에 일화(逸話)를 열거한 책. 한(漢)나라의 유 향(劉向)이 편찬함. 20권.

설월【雪月】명 ①눈과 달. ②눈 위에 비친 달.

설-월야【雪月夜】명 눈이 내리는 달밤.

설-월-화【雪月花】명 눈과 달과 꽃. 곧, 사시(四時)의 좋은경치를 말함.

설웨라 형〈옛〉슬프다. ¶ 늙기도 설웨라커든 짐을 조차 지실가≪古時調 鄭澈≫.

설위【設位】명 자리를 베풀어 만듦. ——-하다 자여불

설유【說諭】명 말로 타이름. ——-하다 타여불

설-유두【舌乳頭】[—류—] 명〔papillae of the tongue〕〖생〗혓바닥에 밀생(密生)한 다수의 유두.

설유-원【說諭願】명〖법〗원통한 일을 당하였을 때, 상대방을 설유해달라고 관계 관청에 제출하는 청원.

설:음¹ 명〈방〉설움.

설음²【舌音】명〖언〗혀를 움직이어서 내는 자음. ㄴ·ㄷ·ㄸ·ㅌ 등. 혓소리. 설성(舌聲).

설음³【舌瘖】명〖한의〗말을 하지 못하는 병.

설:-음식【—飮食】명 설에 해 먹는 색다른 음식.

설음-질 명〈방〉설거지. ——-하다 자

설의¹【雪意】[—/—이] 명 눈이 올 듯한 하늘 모양.

설의²【設疑】[—/—이] 명 의문(疑問)을 베풂. ——-하다 타여불

설의³【說義】[—/—이] 명 의리(義理)를 이야기함.

설의⁴【褻衣】[—/—이] 명 ①속옷. ②평상복(平常服).

설의-법【設疑法】[—뻡/—이뻡] 명〔interrogation〕〖문〗쉽게 내릴 수 있는 결론을 일부러 의문의 형식으로 하여, 독자(讀者)에게 스스로 판단하게 하는 수사법(修辭法).

설-의(:)식【薛義植】명〖사람〗언론인·평론가. 호는 소오(小梧). 함남 출생. 동아 일보사에서 20여 년간 활약, 서울 신문사 사장을 거쳐, 새한 민보를 발간함. 저서는 ≪해방 이전≫·≪화동 시대(花洞時代)≫ 등. [1901-54]

설이【雪異】명 유달리 많이 오는 눈이나, 때아닌 눈.

설-익다 [—릭—] 자 덜 익다. 불충분하게 익다.

설인【雪人】명 히말라야의 산속에 살고 있다는, 인간에 가까운 정체 불명의 동물. 실재설(實在說)의 최대의 근거는 1951년 영국 등산대가 촬영한 약 30cm 길이의 눈 위의 발자국 사진인데, 인간과는 다르지만 두 발로 걷는다는 추측을 낳게 함. 그러나, 그 후 여러 나라에서 수색을 해 보았으나 아무 것도 발견하지 못해 실재(實在)는 의문시됨.

설-인귀【薛仁貴】명〖사람〗중국 당(唐)나라의 무장(武將). 당 태종(太宗)의 고구려 침입 때 안시성(安市城) 공격에 공을 세워 유격 장군(遊擊將軍)으로 발탁되고, 고구려 보장왕(寶藏王) 17년(658) 재침 때 우령군 중랑장(右領軍中郞將)으로 참전하여 횡산(橫山)에서 패전함. 보장왕 25년(666) 연개소문(淵蓋蘇文)이 죽고 그의 장남 남생(男生)이 입당(入唐)하여 구원을 청하자, 좌무위 장군(左武衛將軍)으로서 요동 안무 대사(遼東安撫大使) 계필 하력(契苾何力)을 도와 고구려를 멸망시키고, 검교 안동 도호(檢校安東都護)가 됨. 신라 문무왕 11년(671)에도 계림도 행군 총관(鷄林道行軍摠管)으로 신라에 내침했으나 패퇴함. [613-682]

설인귀 사:적비【薛仁貴事蹟碑】명〖역〗경기도 양주군(楊州郡)의 감악산 신라 고비(紺岳山新羅古碑)의 속칭.

설인귀-전【薛仁貴傳】명〖문〗고전 소설의 하나. 중국의 군담(軍談) 소설로 당나라 고종 때의 명장(名將) 설인귀가 고구려와 싸운 무용담과 고향으로 돌아가서 일어난 여러 가지 사건을 기록함. 작자·제작 연대 미상. 국문본.

설인 신경【舌咽神經】명〔glossopharyngeal nerve〕〖생〗제9 뇌신경. 연수(延髓)의 뒤쪽에서부터 나와 혀뿌리 및 인두에 분포하는 혼합 신경. 지각(知覺)·운동·미각(味覺)의 세 신경 섬유를 포함함.

설인 신경 마비【舌咽神經痲痺】명〔paralysis of the glossopharyngeal nerve〕〖의〗설인(舌咽) 신경이 마비되어 혀 뒤쪽의 미각(味覺) 장애가 일어나는 뇌신경(腦神經) 마비의 하나. *미주(迷走) 신경 마비.

설자¹【楔子】명 ①쐐기. ②〖문〗문예 작품에서 어떤 사건을 이끌어 내기 위하여 따로 설명하는 절(節).

설자²【說者】[—짜] 명 설(說)을 내세우는 사람. 또, 설을 펴는 사람.

설-자리 [—짜—] 명 ①서 있을 자리. ¶ 앉을 자리는 커녕 ~도 없다. ②활을 쏠 때에 서는 자리.

설-잡다 타 불완전하게 붙잡다.

설-잡죄다 타 불충분하게 잡죄다. 잘못 잡도리하다.

설-장고【—杖鼓】[—짱—] 명〖악〗→설장구.

설-장구 [—짱—] 명〔←설장고(杖鼓)〕〖악〗①농악에서, 장구잡이가 혼자 나와 발림을 곁들여 갖가지 장구 가락으로 묘기를 보이는 놀이. ②두레패·걸립패·농악대 따위에서 장구를 치는 우두머리. 또 그 장구.

설장-증【舌長症】[—짱쯩] 명〖한의〗중독이나 자극 또는 다른 병으로, 혀가 부어 터져서 입 밖으로 나오는 병. 양강증(陽強症).

설재【設齋】명〖불교〗불공을 위해 음식물을 마련하여 중에게 공양함.

설저【舌疽】[—쩌] 명〖한의〗혀에 생기는 부스럼.

설적【薛炙】[—쩍] 명〔송도 설씨(松都薛氏)가 시작한 데서 나온 말〕쇠고기나 소의 내장을 고명하여 끄챙이에 꿰어 구운 음식.

설전¹【舌戰】[—쩐] 명 말다툼. ——-하다 자여불

설전²【雪田】[—쩐] 명 설원(雪原).

설전³【雪戰】[—쩐] 명 눈을 뭉쳐 던져 서로 장난으로 하는 싸움. 눈싸움. ——-하다 자여불

설전-음【舌顫音·舌轉音】[—쩐—] 명〖언〗혀끝을 윗잇몸에 굴리어 내는 소리. 곧, 사람·구름·머리의 ㄹ 소리. 굴림소리. 진동음(振動音).

설점¹【設店】[—쩜] 명〖역〗조선 시대에, 관의 허가를 받아, 금점(金店)·은점(銀店)·연점(鉛店)·동점(銅店) 등 광산(鑛山)을 개설(開設)함. ——-하다 자타여불

설점²【雪點】[—쩜] 명〔snow point〕〖물〗승화(昇華) 성분의 증기압이 혼합 가스 중의 그 성분의 부분압(部分壓)과 같아지는 온도. 이슬점(點)과 비슷함.

설정¹【泄精】[—쩡] 명 몽설(夢泄). ——-하다 자여불

설정²【設定】[—쩡] 명 ①새로 만들어 정해 둠. ②〖법〗제한 물권(制限物權)을 새로이 발생시키는 행위. ——-하다 타여불

설정³【雪程】[—쩡] 명 눈이 쌓인 길. 설로(雪路).

설-정식【薛貞植】[—쩡—] 명〖사람〗시인. 함경 남도 단천(端川) 출생. 설의식(薛義植)의 아우. 연희 전문 학교 문과를 다니다가 1937년 미국에 유학하여 마운트 유니언 대학, 컬럼비아 대학에서 수학하고 1940년에 귀국함. 광복 뒤 미군정청 공보처 여론국장을 역임하면서 조선 문학가 동맹에 가담함. 1932년 ≪묘지(墓地)≫·≪거리에서 들려주는 노래≫ 등을 발표하였으며, 시집 ≪종(鐘)≫·≪포도≫·≪제신(諸神)의 분노≫ 등이 있음. 1950년경에 월북, 53년에 남로당 숙청으로 처형됨. [1912-53]

설정 행위【設定行爲】[—쩡—] 명〖법〗지상권(地上權)·용수 지역권·질권(質權)·저당권 따위의 권리를 설정하는 법률 행위.

설제¹【雪堤】[—쩨] 명 눈이 많이 내리는 곳에서 사면(斜面)의 눈이 흘러내리는 것을 방지하기 위하여 철도 선로에 따라, 굳게 뭉친 눈을 돌담과 같이 쌓아 올린 것.

설제²【設題】[—쩨] 명 문제(問題) 또는 제목(題目)을 설정함. 또, 그 문제나 제목. ——-하다 타여불

설조【雪朝】[—쪼] 명 눈 내리는 아침. ↔설야(雪夜).

설종【舌腫】[—쫑] 명〖한의〗중혀.

설주【—柱】[—쭈] 명〖건〗↗문설주.

설죽【雪竹】[—쭉] 명 자죽(紫竹).

설-죽다 자 덜 죽다. 아주 죽지는 아니하다.

설중【雪中】[—쭝] 명 ①눈이 내리는 가운데. ¶ ~에 어디로 가오. ②눈 속. 눈 가운데. 설리(雪裏). ¶ ~에 핀 매화.

설중-매¹【雪中梅】[—쭝—] 명 눈 가운데 핀 매화나무나 그 꽃.

설중매²【雪中梅】[—쭝—] 명〖문〗신소설의 하나. 일본 개화기(開化期), 즉 메이지(明治) 초기에 나온 스에히로 텟초(末広鉄腸)의 정치 소설 ≪설중매≫를 무대와 인물을 바꾸어 개화기의 현실에 맞게 번안(飜案)한 것으로, 이해조(李海朝)의 ≪자유종≫과 더불어 개화기 소설에 크게 영향을 주었음. 작자는 이인직(李人稙)으로 알려져 왔으나, 근래에는 구연학(具然學)으로 추정하고 있음.

설중 사:우【雪中四友】[—쭝—] 명 옥매(玉梅)·납매(臘梅)·다매(茶梅)·수선(水仙)을 일컫는 말.

설중-상【雪中霜】[—쭝—] 명 적설(積雪) 속에 생긴 서리.

설중 송백【雪中松柏】[—쭝—] 명 눈 속의 소나무와 잣나무라는 뜻으로, 높은 절개, 굳은 절조를 이르는 말.

설증【泄症】[—쯩] 명 설사(泄瀉)하는 증세.

설지다 형〈옛〉살찌다. ¶ 가다니 비브른 도ᄅᆡ 설진 강수를 비조라≪樂詞 靑山別曲≫.

설진¹【舌診】[—찐] 명 혀의 상태를 보아서 병의 유무(有無)를 진단(診斷)하는 일.

설진²【屑塵】[—찐] 명 티끌. 먼지.

설진³【雪震】[—찐] 명〔snow tremor, snowquake〕〖지〗넓은 면적의 두꺼운 적설(積雪)이나 표층(表層)의 눈이 동시에 침하할 때 일어나는 설원(雪原)에서의 지진.

설질【雪質】[—찔] 명 ①눈의 성질. ②〔quality of snow〕〖기상〗눈의 시료(試料) 속의 얼음의 양(量). 시료의 무게의 백분율로 나타냄.

설창¹【雪窓】명 ①눈이 오는 창. 눈이 보이는 창. ②〔창밖의 눈빛으로 독서한다는 고사에서〕가난한 집.

설창²【雪窓】명〖사람〗중국 원대(元代) 후기(後期)의 화승(畫僧). 설창은 자(字). 법휘(法諱)는 보명(普名). 조맹부(趙孟頫)에게 배워 묵란(墨蘭)을 잘하여 이름을 얻었음. 생몰년 미상.

설채【設彩】명〖미술〗색을 칠함. 부채(賦彩). ——-하다 자여불

설척【雪滌】명 깨끗이 씻음. ——-하다 타여불

설천【雪天】명 눈 내리는 날. 또, 날씨.

설철¹【屑鐵】명 ①철제품을 만들 때 나오는 쇠부스러기. *쇠똥. ②파쇠❶.

설철²【齧鐵】명 불가사리¹.

설첨【舌尖】명 혀끝.

설첨-음【舌尖音】명〖언〗혀끝으로 조음(調音)되는 음. ↔설면음.

설-총【薛聰】명〖사람〗신라 경덕왕(神文王) 때의 학자. 자는 총지(聰智). 원효(元曉)의 아들. 신라에 한문(漢文)이 처음으로 들어왔을 때, 구경(九經)을 우리 말로 풀이하였는데, 이것이 신라 이두(吏讀)의 시초임. 고려 현종(顯宗) 13년(1022)에 문묘(文廟)에 배향하였음. 생몰년 미상.

설-취하다【—醉—】자여불 덜 취하다.

설측-음【舌側音】명〖언〗혀끝을 윗잇몸에 단단히 대고, 양쪽 트인 데로 입김을 흘리어 내는 소리. 곧, 달·물·길·빨래·홀로 등의 ㄹ 소리. 그 아래에 모음으로 된 조사가 오는 경우에는 설전음(舌轉音)으로 변함. 혀옆소리. ㈜측음(側音). *설전음·전설음.

설치¹ 명〖어〗①괴도라치의 새끼. 빛이 하얀데, 이것을 말린 것이 '뱅어

포'임. 충남 서산(瑞山)에서 많이 잡힘. ②황어(黃魚)❶.

설치²【雪恥】명 부끄러움을 씻음. 욕됨을 씻음. 설욕(雪辱). ——-하다 자여불

설치³【設置】명 어떤 목적에 유용하게 쓰기 위하여 기관·설비 등을 만드는 일. ¶노동 위원회를 ~하다. ——-하다 타여불

설치⁴【楔齒】명 염습(殮襲)하기 전에, 입에 낟알을 물리기 위하여 시체의 이를 버티는 일. ——-하다 자여불

설-치다¹ 자 행동을 거칠게 하면서 날뛰다. 급히 서둘러 마구 덤비다. ¶설치는 불량배들/거리를 설치고 다니다.

설-치다² 타 제 한도(限度)에 차지 아니해서 그만두다. ¶잠을 ~.

설:-치레 명〈방〉설비음. ——-하다 자

설치-류【齧齒類】명〖동〗쥐목(目).

설치-어 명〈방〉황어(黃魚)❶.

설컹-거리다 자 덜 익은 밤이나 콩 같은 것을 씹을 때, 날것을 씹을 때와 같은 소리가 자꾸 섞여 나다. ㄴ설겅거리다. ㅆ썰겅거리다. ㅆ썰컹거리다. >살캉거리다. 설컹-설컹 부. ¶감자가 덜 물러 ~하다. ——-하다 자형여불

설컹-대다 자 설컹거리다.

설타-음【舌打音】명〔click〕〖언〗구개(口蓋)와 전설면(前舌面)·후설면 또는 양입술 사이를 밀폐시키고, 밀폐된 안쪽의 구강(口腔)을 진공 상태로 만든 후, 밀폐를 급격히 개방할 때 나는 파열음(破裂音). 흡착음(吸着音).

설탄〔sultan〕명 술탄.

설탕¹【屑糖】명〔←설당〕가루 사탕.

설탕²【雪糖】명〔←설당〕가루 사탕. 또, 흰 가루 사탕. 사탕(砂糖).

설탕-물【雪糖—】명 설탕을 탄 물.

설태【舌苔】명〔도 Zungenbelag〕〖의〗열병(熱病)·소화기병(消化器病) 또는 위중한 질병으로 말미암아 혀의 거죽에 생기는 이끼 모양의 물질. 혀의 겉껍질이 벗겨진 것이 쌓여서 된 것으로 흰빛·잿빛 또는 더러운 갈색(褐色)을 띰. 쉽게 없애 버릴 수 있으나 원인이 되는 병을 치료하기 전에는 곧 재발함.

설-터리다 타〈방〉설치다².

설토-화【雪吐花】명〖식〗불두화(佛頭花).

설-통¹ 명 ↗설통발.

설-통²【—桶】명 깊은 산에 있는 산벌의 벌통.

설통³【說通】명〖불교〗웅변(雄辯).

설-통발 명 강이나 여울에서 위로부터 내려오는 물고기를 잡으려고 거꾸로 놓은 통발. ㈜설통.

설-트리다 타〈방〉설치다².

설파¹【雪坡】명〖사람〗'이상언(李尙彦)'의 호(號).

설파²【說破】명 ①사물의 내용을 밝혀서 말함. ②상대방의 이론을 깨뜨려 뒤엎음. 논파. ——-하다 타여불

설파-제【—劑】명〔sulfa drug〕〖약〗술파제.

설판¹【雪板】명〖지〗지상의 적설(積雪)이 바람에 휘날려서 쌓이고 쌓인 판상(板狀)의 단단한 눈. 산의 사면(斜面) 같은 데서는 눈사태를 일으키는 수가 있으며, 이것을 설판 눈사태라고 함.

설판²【設辦】명〖불교〗신도(信徒)와 승려가 한 법회(法會)의 모든 비용을 마련하여 내는 일. ——-하다 타여불

설판 재자【設辦齋者】명〖불교〗한 법회(法會)의 모든 비용을 마련하여 내는 사람.

설퍼널〔sulphonal〕명〖약〗최면제 또는 마취제의 일종.

설페이트-법【—法】〔—뻡〕명〔sulfate process〕황산염법(黃酸塩法).

설페이트-지【—紙】명〔sulfate paper〕설페이트법(法)의 펄프. 곧, 황산염 펄프로 만든 종이라는뜻으로일컫는크라프트지(craft紙)의 별칭.

설편【雪片】명 눈송이.

설폐【說弊】명 폐단을 말함. ——-하다 타여불

설폐 구:폐【說弊救弊】명 폐단을 말하고, 그 폐단을 바로잡음. ——-하다 자여불

설-포장【設布帳】명 베 또는 무명 등으로 만들어서 집 밖에 치는 휘장.

설표-선【設標船】명 항로 표지(航路標識)의 일종인 부표(浮標)의 설비·보수 및 감시를 행하며, 아울러 등대의 보급과 인원의 교체(交替) 및 건설용 자재 운반에 사용되는 배.

설풍【雪風】명 ①눈바람². ②눈과 함께 부는 바람. 눈보라. ③눈 위에서 불어오는 바람.

설피다¹ 형〈옛〉설피다. 배지 않다. 성기다. ¶松竹이 가지 설피며(松竹森梢)《永嘉 下 113》.

설피다² 형〈옛〉영롱(玲瓏)하다. ¶다 설피게 곳사긴 거시러라(都是玲瓏花樣的)《老乞 下 46》.

설피¹ 명〈심마니〉①손¹. ②발¹.

설피²【雪皮】명 산간 지대에서 남자들이 눈 속에서 사냥할 때 짚신에 매어 신는 일종의 방한화(防寒靴).

설피다 형〔중세 : 설피다〕짜거나 엮은 것이 거칠고 성기다. >살피다.

설피드-화【—化】명〔sulfidation〕〖화〗화합물에 황 원자를 화학적으로 도입하여 설피드를 만드는 일. ——-하다 자타여불

설피소미딘〔sulfisomidine〕명〖약〗설피속사졸 다음에 개발된 강하고 광범위한 항균성(抗菌性)을 갖는 술파제(sulfa劑)의 하나. 설피속사졸과 효과는 같으나 부작용이 적음. *술파메티졸.

설피속사졸〔sulfisoxazole〕명〖약〗강하고 광범위한 항균성(抗菌性)을 갖게 개량된 술파제(sulfa劑). 각종 감염증의 결핵에도 하이드라지드와 병용됨. 이것이 개량되어 술파메티졸·설피소미딘이 개발됨.

설피-창이 명 발이 거칠고 성긴 피륙.

설피 터널【雪避—】〔tunnel〕명 눈에 의한 재해(災害)가 예상되는 곳의 선로(線路)를 보호하기 위하여 설치한 터널.

설핏-설핏 부 짜거나 엮은 것이 거칠고 성긴 모양. >살핏살핏. ——-하다 형여불

설핏-하다 형여불 ①조금 설핀 듯하다. ②해가 져 밝은 빛이 약하다. ¶해는 벌써 설핏하고 강바람은 차가웠다. >살핏하다.

설핀다 형〈옛〉설피다. 배지 않다. 성기다. ¶촌 곳부리와 설핀 가지 半만 치우믈 이긔디 몯 ㅎ얏다(冷藥疎枝半不禁)《初杜諺 VIII:42》.

설-하다【說—】타여불 ①설명해서 말하다. ②도리·이치·학설 등을 베풀어 말하다.

설하-선【舌下腺】명〔sublingual gland〕〖생〗혀 아래 점막(粘膜)의 밑에 있는 타액선(唾液腺)의 하나. 타액을 분비하여서 구강(口腔) 안으로 보냄. 혀밑샘.

설하 신경【舌下神經】명〔nerve hypoglossae〕〖생〗말초 신경계(末梢神經系)의 제12 뇌신경(腦神經). 설근(舌筋)에 분포하는 순 운동성의 신경으로, 연수(延髓)의 아랫 부분에서 시작하여 여기서 나오는 신경은 10-14갈래의 섬유속(纖維束)으로 나뉘어 후두골(後頭骨)의 설하 신경관 속에서 하나로 합치고, 그 사이에 많은 가지가 나와서 혀 속에 분포함. 혀밑 신경.

설하 신경 마비【舌下神經麻痺】〔도 Hypoglossuslähmung〕〖의〗설하 신경이 마비되어 혀가 마비된 쪽으로 오그라지는 뇌신경 마비의 하나. 부신경 마비. 혀밑 신경 마비.

설한¹【雪恨】명 원한을 씻음. ——-하다 자여불

설한²【雪寒】명 눈이 오거나 온 뒤의 추위. ¶엄동(嚴冬) ~.

설한-풍【雪寒風】명 ①눈바람². ②눈이 올 때에 휘몰아 부는 찬바람.

설합【舌盒】명 →서랍.

설해【雪害】명 강설(降雪)로 말미암아 받는 피해. *수해(水害).

설행¹【設行】명 베풀어 행함. ——-하다 타여불

설행²【雪行】명 눈 속을 감. ——-하다 자여불

설험【設險】명 요해처(要害處)에 방비 시설을 함. ——-하다 자여불

설혈【雪穴】명 '스노홀(snowhole)'의 역어(譯語).

설형【楔形】명 쐐기의 형상. 쐐기꼴.

설형 문자【楔形文字】〔—짜〕명〖언〗쐐기 문자.

설형 문자법【楔形文字法】〔—짜뻡〕명 법률 문서에 설형 문자를 사용한 법. 기원전(紀元前), 3000년경부터, 약 3000 년에 걸쳐 메소포타미아, 소아시아(小 Asia) 지방에 흥망(興亡)한 바빌로니아, 아시리아(Assyria) 그 외의 여러 민족의 법. 함무라비(Hammurabi) 법전도 이의 일종. 현재 그 실체적 내용에 대한 연구가 진행되고 있음.

설호¹【雪冱】명 눈이 내리고 땅이 얾.

설호²【雪濠】명 고산(高山)의 능선(稜線)의 움푹 들어간 부분에 눈이 쌓여서 생기는 호(濠) 모양의 것. 탁월풍(卓越風)의 바람맞이에 생기며, 여름 동안에도 잔설(殘雪)이 있는 수가 많음.

설호-정【挈壺正】명〖역〗고려 때 태사국(太史局)의 종팔품 벼슬.

설혹【設或】부 설령(設令)❷.

설화¹【舌禍】명 ①말을 잘못함으로써 입는 화(禍). ②연설·강연 같은 것의 내용이 법에 저촉되어 받는 재앙. ¶~ 사건.

설화²【屑話】명 자질구레한 이야기.

설화³【雪花·雪華】명 ①'눈송이'를 꽃에 비유하여 일컫는 말. ②나뭇가지에 붙은 눈발.

설화⁴【雪禍】명 큰 눈으로 말미암은 재화(災禍). ¶~ 대책(對策).

설화⁵【說話】명 ①이야기❺. ②신화·전설 등을 줄거리로 한 사실과는 좀 먼 옛이야기. ¶~집(集).

설화-고【雪花糕】명 떡의 한 가지. 찹쌀을 쪄서 깨소금에 사탕 가루를 쳐서 속을 넣고 잘라 모지게 만듦.

설화-도【說話圖】명 민화(民畫)의 화제(畫題)의 하나. 민간에 떠도는 야담이나 설화의 내용을 그린 그림.

설화 문학【說話文學】명〖문〗설화(說話)를 소재(素材)로 하여 문학적인 내용과 형태를 갖춘 것의 총칭. 개성미(個性味)가 없고 예술성(藝術性)이 낮으나 서사적(敍事的)·전기적(傳奇的)·우화적(寓話的)·전승적(傳承的)인 요소를 갖고, 한 민족의 생활·감정·풍습·신앙 등을 단적(端的)으로 나타내어 후세의 문학에 큰 영향을 줌. 각 나라마다 설화 문학이 있으나 《아라비안 나이트》·《일리어드》·《오디시》 등이 세계적으로 유명함.

설화 석고【雪花石膏】명〔alabaster〕〖광〗석고의 한 가지. 흰 빛의 작은 알맹이의 치밀한 덩어리로 암염(岩塩)·석회암 등에 붙어서 층(層)을 이룸. 질이 좋은 것은 장식용의 조각재(彫刻材)로 씀. 앨러바스터.

설화 소:설【說話小說】명〖문〗소설의 분류에서, 그 분류의 기준을 창작 의식과 작품의 모티브에다 둘 때 설화를 소재로 하여 지어진 소설.

설화-요【說話謠】명〖문〗서사 민요(敍事民謠).

설화-자【說話者】명 이야기하는 사람.

설화-지【雪花紙】명 백지의 한 가지. 강원도 평강(平康)에서 남.

설화-집【說話集】명 신화·전설 등을 소재(素材)로 하여 이루어진 이야기를 집성한 것.

설화-화【說話畫】명〖미술〗많은 사람들에게 기억되고 있는 과거의 역사적인 사건이나 신화·전설 등에 나타난 장면을, 화가가 상상을 통하여 재현(再現)한 그림.

설후【雪後】명 눈이 내린 뒤. 설여(雪餘).

설훈 수〈방〉서른(전북).

설흔 수〈방〉서른(충남·전남·경남).

섮 명〈옛〉섶기². ¶楊公이 섶글 떠러내야(楊公拂簾箔)《杜諺 XVI:21》.

섧:다〔설따〕형ㅂ불〔중세 : 셟다〕원통하고 슬프다. →서럽다·설다.

섬¹ ㊀ 명〔중세 : 셤〕곡식을 담기 위하여 짚으로 엮어 만든 멱서리. ㊁ 의명 용량(容量)을 계산하는 단위의 하나. 곧, 한 말의 열 갑절. 주로 곡식이나 액체를 다룰 때에 씀. 석(石).

【섬 속에서 소 잡아 먹겠다】좁은 볏섬 속에서 큰 소를 잡아 먹겠다 함이니, 하는짓이 옹졸하고 답답한 사람을 두고 비웃는 말. 【섬 진 놈 멱 진 놈】어중이떠중이를 이르는 말.

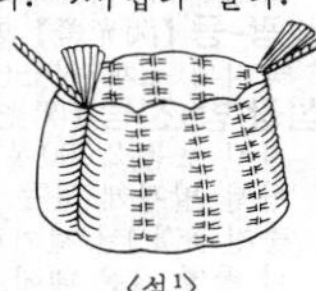
〈섬¹〉

섬² [명] 〔중세 : 셤〕 ①돌 층계의 계단. 층층대. ②↗섬돌.

섬:³ [명] 〔중세 : 셤〕 ① 〖지〗 사면(四面)이 물로 둘러싸인 작은 육지(陸地). 수효로 보아 고도(孤島)와 제도(諸島)로 나누고, 제도는 다시 군도(群島)와 열도(列島)로 나누며, 성인(成因)으로 보아 화산도(火山島)·산호도(珊瑚島)·육도(陸島)·융기도(隆起島)·퇴적도(堆積島) 등으로 구별함. 도서(島嶼). 도지(島地). 주도(洲島). ②주위와 관계가 없는 좁은 땅의 비유.

섬⁴ [명] 〈방〉 헤엄(충남).

섬:⁵ [명] 〈방〉 수염³(충남·전라).

섬⁶【纖】[수] 소수(小數)의 단위의 하나. 미(微)의 십 분의 일, 사(沙)의 십 배, 곧 10^{-7}.

섬-강【蟾江】[명] 〖지〗 강원도 횡성군(橫城郡)에서 발원하여 원주군(原州郡)을 지나 한강(漢江)에 합류하는 강. [92.6 km]

섬개【纖芥】[명] 검부러기.

섬:-개벚나무 [명] 〖식〗 [*Prunus buergeriana*] 장미과에 속하는 낙엽 교목. 때로 높이 10 m에 달함. 잎은 거꿀달걀꼴의 긴 타원형을 이루며 가에는 톱니가 있음. 봄에 흰 빛의 작은 오판화(五瓣花)가 액출(腋出)하여 총상(總狀) 화서로 피고, 핵과(核果)는 가을에 검붉게 익음. 고산(高山)에 나는데, 제주도·일본 등지에 분포함. 관상용으로 가꾸고, 나무는 판목(版木)·기구(器具)를 만듦.

〈섬개벚나무〉

섬:-개서나무 [명] 〖식〗 [*Carpinus fauriei*] 자작나뭇과에 속하는 낙엽 활엽 교목. 잎은 긴 달걀꼴 또는 긴 타원형이고, 가에는 고르지 않은 톱니가 있으며, 엽병(葉柄)에는 잔털이 났음. 자웅 동가(雌雄同家)로 4-5월에 꽃이 피고, 견과(堅果)는 10월에 익음. 산복(山腹) 이하의 숲 속에 나는데, 제주도의 특산임. 표고버섯의 원목(原木)이고, 나막신·기구재·신탄재로 쓰임.

섬:-개야광나무 [명] 〖식〗 [*Cotoneaster wilsonii*] 능금나뭇과에 속하는 낙엽 활엽의 작은 교목. 잎은 단엽(單葉)이고, 타원형 또는 긴 달걀꼴을 이루는데 잎의 뒷면에는 하얀 견모(絹毛)가 밀생함. 5-6월에 흰 꽃이 복총상(複總狀) 화서로 가지 끝에 피고, 가을에 둥근 과실이 익음. 바위 틈에 나는데, 울릉도의 특산임. 관상용으로 가꿈.

섬:-개회나무 [명] 〖식〗 [*Syringa venosa*] 물푸레나뭇과에 속하는 낙엽 활엽 관목. 잎은 원형 또는 넓은 달걀꼴이고, 가에 톱니가 없음. 5월에 담자색 꽃이 원추(圓錐) 화서로 묵은 가지 끝에 액생(腋生)하여 피고, 삭과(蒴果)는 피목(皮目)이 산재(散在)하며 9월에 익음. 바위 틈에 나는데, 울릉도의 특산임. 관상용으로 가꿈.

섬-거적 〔—꺼—〕 [명] 섬을 엮거나 또는 섬을 뜯어낸 거적. [준]거적.

섬-거치 〔—꺼—〕 [명] 〈방〉 섬거적.

섬:-게 [명] 〖동〗 성게.

섬경【纖莖】[명] 가늘고 약한 줄기.

섬:-고광나무 [명] 〖식〗 [*Philadelphus scaber*] 고광나뭇과에 속하는 낙엽 활엽 관목. 잎은 달걀꼴이고 잎 뒤에 강모(剛毛)가 나며, 4-5월에 백색 꽃이 총상 화서(總狀花序)로 가지 끝에 정생하여 5-7개가 피고, 삭과(蒴果)는 10월에 익음. 산골짜기에 나는데, 전남의 진도(珍島)에 분포함. 관상용·신탄재로 씀.

섬:-고사리 [명] 〖식〗 [*Athyrium acutipinnulum*] 꼬리고사릿과에 속하는 다년생(多年生) 양치식물(羊齒植物). 근경(根莖)은 거칠고 크며, 짧고 두꺼우며 곧게 섰음. 높이는 80 cm, 잎자루는 40 cm 내외이고, 기부에 칠흑색(漆黑色)의 인편이 있음. 잎은 긴 타원형이고, 길이 40cm 내외로 우상 복생(羽狀複生)하였으며, 잎 뒤의 엽맥상(葉脈上)에 홀씨주머니가 줄지어 붙어 있음. 산의 응달지고 습한 곳에 나는데, 울릉도·강원도에 분포함.

섬-곡식【—穀—】〔—꼭—〕 [명] 한 섬쯤 되는 곡식. 석곡(石穀).

섬:-공작고사리【—孔雀—】[명] 〖식〗 [*Adiantum monochlamys*] 공작고사릿과에 속하는 다년 상록 양치류. 근경(根莖)은 가로 벋으며 흑갈색의 수염뿌리가 밀생하고, 근생엽(根生葉)은 총생하는데 2-3회 우상 복엽(羽狀複葉)으로 담녹색이고, 어린 잎은 붉은 빛을 띰. 소엽은 심장상 삼각형의 부채꼴인데 끝이 움푹 파지고 그 끝에 자낭군(子囊群)이 달림. 엽병(葉柄)은 자흑갈색에 광택이 남. 관상용으로 재배함. 산의 절벽에 나는데, 제주도·일본·중국·대만 등지에 분포함.

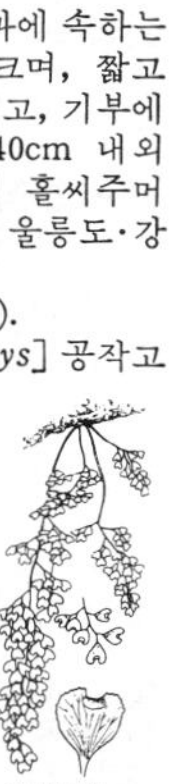

〈섬공작고사리〉

섬광¹【閃光】[명] ①번쩍하는 빛. ②순간적으로 비치는 광선. 마그네슘의 플래시 같은 것. ③항성(恒星)의 번쩍번쩍하는 빛. ④동광(銅鑛) 같은 것의 쪼개진 사이에 딴 물체가 끼어 발하는 이상한 광채.

섬광²【蟾光】[명] 달빛. 월광(月光). 섬휘(蟾輝).

섬광 계:수기【閃光計數器】[명] 〖물〗 입자(粒子)가 어떤 결정에 부딪칠 때 일어나는 섬광을 이용하여 원자 입자를 계수(計數)하는 장치.

섬:-광대수염【—鬚髥】[명] 〖식〗 [*Lamium takeshimense*] 꿀풀과에 속하는 다년초. 줄기는 사각형이고 높이 90 cm 이상이며, 잎은 잎꼭지가 짧고 달걀꼴임. 5-6월에 담홍자색 꽃이 줄기 위 엽액(葉腋)에 윤산(輪繖) 화서로 밀착하며, 화관(花冠)은 통상 순형(筒狀脣形), 과실은 수과(瘦果)임. 산지에 나는데, 전남·울릉도에 분포함.

섬광-등【閃光燈】[명] 섬광 신호에 쓰이는 등. 선박·항공기에 육지의 소재·원근(遠近)·위험 지점 등을 알림. 플래시 램프.

섬광 방:전등【閃光放電燈】[명] 축전기의 방전에 의하여 발생시킨 보통 2,000 볼트 정도의 고전압을 공급하여 순간적으로 방전·발광케 하는 방전관. 발생하는 광량(光量)은 축전기에 충전(充電)된 전기량에 비례함. 고속도 사진이나 천연색 필름의 촬영 같은 데에 쓰이는데, 되풀이하여 수천 내지 수만 번 사용할 수 있음.

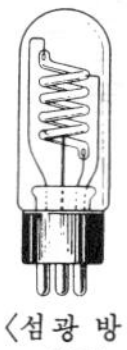

〈섬광 방전등〉

섬광-분【閃光粉】[명] 〖화〗 어두운 곳에서의 촬영용 광원(光源)으로 쓰이는 마그네슘분(粉)과 염소산(塩素酸) 칼리분(粉)과의 혼합물. 섬광기(閃光器)에서 일어나는 불꽃에 의하여 발화(發火)함. 섬광제(閃光劑). 플래시 파우더(flash powder).

섬광-성【閃光星】[명] 〖천〗 때때로 몇 분(分) 또는 수십분 간, 빛을 더하는 변광성(變光星). 저온도(低溫度)의 어두운 주계열성(主系列星)에서 볼 수 있음. 켄타우루스자리의 프로시마(Proxima) 등.

섬광 스펙트럼【閃光—】〔spectrum〕 [명] 〖물〗 개기 일식(皆旣日蝕)의 처음과 끝날 때 순간적으로 찍은 태양의 분광 사진(分光寫眞). 실과 같은 호상(弧狀)을 나타냄. 이것에 의하여 고온 저압하(高溫低壓下)에 있는 물질의 성질이 연구되고, 혹은 태양의 대기(大氣)의 구조(構造)·성질이 추론(推論)됨.

섬광 신:호【閃光信號】[명] 신호의 한 가지. 주로 밤에 섬광을 발하여 행하는 신호. 장단(長短)·이색(異色)의 섬광으로 선박 상호간이나 선박과 육지 사이에 쓰임.

섬광 실명【閃光失明】[명] 강렬한 섬광으로 말미암은 일시적인 시력의 상실.

섬광 아:크【閃光—】[명] 〔flash arc〕 대형(大型) 열전자관(熱電子管) 전자(電子) 방출이 급격히 증대함으로써 생기는 아크. 이것을 음극(陰極) 표면의 불규칙성에 기인하는 것으로 여겨짐.

섬광 암:점【閃光暗點】〔—쩜〕 [명] 심신의 과로 등으로 돌연 눈앞이 캄캄해지고, 반짝거리는 별 같은 것이 눈에 보이는 상태. 수 분(數分)에서 수십 분(數十分)까지 지속되는데, 뇌의 시각 중추(視覺中樞)의 혈관이 경련을 일으켜 일어남.

섬광 위성【閃光衛星】[명] 애너 원 비(Anna 1B).

섬광 전:구【閃光電球】[명] 사진 촬영용의 섬광을 발하는 특수 전구. 보통 전구와 모양은 같으나 내부에 금속 알루미늄의 얇은 조각을 꾸깃꾸깃 충전(充塡)하고 산소를 봉입(封入)하였음. 플래시(flash) 전구.

섬광-제【閃光劑】[명] 섬광분(閃光粉).

섬광 화:상【閃光火傷】[명] 〔flash burn〕 〖의〗 고강도(高強度)의 방사열(放射熱)에 쬠으로써 생기는 조직(組織)의 손상.

섬:-괴불나무 〔—라—〕 [명] 〖식〗 [*Lonicera insularis*] 인동과에 속하는 낙엽 활엽 관목. 수(髓)는 백색이고 여름에 두 개씩 나란히 꽃이 피는데, 처음에는 백색이던 것이 차차 황색으로 변하고, 장과(漿果)는 가을에 홍색으로 익음. 해변의 산록에 나는데, 울릉도에 분포함. 관상용이며, 목재는 신탄재로 쓰임.

섬교【纖巧】[명] 가늘고도 교묘함. 섬세(纖細)하고도 능숙함. ¶ ～한 솜씨. ——-하다 [형][여불]

섬국【纖國】[명] '타이'의 옛 한명(漢名).

섬:-국수나무 [명] 〖식〗 [*Physocarpus insularis*] 조팝나뭇과에 속하는 낙엽 활엽 관목. 잎은 호생하며 둥근 달걀꼴임. 꽃은 여름에 산방(繖房) 화서로 정생(頂生)하여 피고, 과실은 다섯 개씩 가을에 익음. 산지에 나는데, 울릉도의 특산임. 관상용임.

섬기【纖技】[명] 섬세한 기술.

섬기다 [타] 〔중세 : 셤기다〕 ①웃사람을 잘 모시어 받들다. ¶ 부모를 ～. ②남의 일에 힘써 거들어 주다.

섬:-기린초【—麒麟草】[명] 〖식〗 [*Sedum takesimense*] 돌나물과에 속하는 다년초. 뿌리는 비후(肥厚)하고 줄기는 족생(簇生)하며, 높이 20 cm 가량이고 기부(基部)는 홍자색을 띰. 잎은 호생하고 단병(短柄) 또는 무병(無柄)에 도피침형 또는 비형(篦形)임. 7-9월에 황색 꽃이 취산(聚繖) 화서로 정생(頂生)하고, 과실은 골돌과(蓇葖果)임. 산지에 나는데, 울릉도에 분포함.

섬:-꼬리풀 [명] 〖식〗 [*Veronica nakaiana*] 현삼과에 속하는 다년초. 줄기 높이 30 cm 내외이고, 잎은 대생하며 유병(有柄)에 난상(卵狀) 타원형 또는 달걀꼴임. 6-7월에 벽자색(碧紫色) 꽃이 줄기 위 가지 끝의 포엽액(苞葉腋)에 총상(總狀) 화서로 다수 착생하여 핌. 산지에 나는데 울릉도에 분포함.

섬:-꾸정모기 [명] 〖충〗 [*Tipula nipponensis*] 꾸정모깃과에 속하는 곤충. 몸길이 11-14 mm, 날개 길이 13-15 mm 이며 흉부(胸部)와 배면(背面)은 황갈색, 전순판(前楯板)의 위의 3종조(縱條)와 순판상의 두 개의 반문(斑紋)과 소순판의 양측 대부분은 흑갈색, 복부도 흑갈색, 각 절의 사이는 회백색임. 한국·일본에 분포함.

〈섬꾸정모기〉

섬:-나라 [명] 사방이 바다에 둘러싸인 나라. 도국(島國). 해국(海國).

섬:-나무딸기 [명] 〖식〗 [*Rubus takesimensis*] 장미과에 속하는 낙엽 활엽 관목. 잎은 장상(掌狀)에 5-7 갈래로 얕게 째졌으며, 열편(裂片)은 넓은 달걀꼴임. 5월에 백색 꽃이 산방(繖房) 화서로 액출(腋出)하여 피고, 과실군(群)은 원추형(圓錐形)이며, 7월에 홍색으로 익음. 해변의 산록(山麓)에 나는데, 울릉도에 분포함. 과실은 식용임.

섬:-나무좀 [명] 〖충〗 [*Scolytus japonicus*] 나무좀과에 속하는 곤충. 몸길이 2.5 mm 내외의 긴 타원형이고, 몸빛은 흑색 광택이 나며, 시초(翅鞘)는 굵은 점각(點刻)이 있고 겉 날개의 기부(基部)는 약한 갈색, 복부는 황색 털이 밀생(密生)하였음. 복숭아·벚꽃·매화나무 등의 나뭇가지에 기생하는 해충으로, 한국·일본·만주 등지에 분포함. 자치.

섬너¹ 〔Sumner, James Batcheller〕 [명] 〖사람〗 미국의 생화학자. 효소(酵素)의 정제·분리의 연구에 몰두하여, 콩과(科) 식물에서 우레아제(urease)의 추출(抽出)에 성공, 1946년 노드롭(Northrop)·스탠리(Stanley)와 함께 노벨 화학상을 받았음. [1887-1955]

섬너² 〔Sumner, William Graham〕 [명] 〖사람〗 미국의 경제학자·사회학자. 예일 대학 교수. 미국 자유주의 사회학을 대표함. 관습의 기원·

본질·가치를 실증적으로 연구함. 주저(主著)에 ≪습속론(習俗論)≫이 있음. [1840-1910]

〈섬노린재〉

섬:-노린재 명 〖충〗 [*Urostylis westwoodi*] 상수리노린잿과에 속하는 곤충. 몸길이 12 mm 내외이고, 몸빛은 일률적으로 담녹색이며, 촉각은 길고 담녹색에 기부(基部)의 관절(關節)과 말단의 3절은 흑색임. 콩과(科) 식물의 해충으로 한국·일본에 분포함.

섬:-노린재나무 명 〖식〗 [*Palura coreana*] 회목과에 속하는 낙엽 활엽 관목. 잎은 넓은 거꿀달걀꼴이고, 가에 톱니가 있음. 첫여름에 백색 꽃이 원추 화서로 정생하고, 열매는 외란형(歪卵形)이며, 검은 벽색(碧色)으로 가을에 익음. 산지에 나는데, 제주도·일본 등지에 분포함. 도구의 자루·판목(版木)·지팡이·자 등을 만듦.

섬:-놈 명 섬에 사는 사람을 낮게 일컫는 말.

섬-누룩 명 품질이 좀 낮은 누룩. 밀을 갈거나 찧어서 크고 둥글넓적하게 만들어 막걸리나 소주 만드는 데 씀.

섬니 명 〈방〉 〖역〗 설리(薛里).

섬:-다래나무 명 〖식〗 [*Actinidia rufa*] 다랫과(科)에 속하는 낙엽 활엽 만목(蔓木). 잎은 타원형이고 가에 톱니가 있음. 자웅 이가(雌雄異家)로 5-6월에 녹백색 꽃이 취산(聚繖) 화서로 액생(腋生)하여 피고, 장과(漿果)는 9-10월에 녹색으로 익음. 산지(山地)의 숲 속에 나는데, 전라 남도와 일본 등지에 분포함. 과실은 식용 또는 줄기와 함께 약용함.

섬:-단풍나무 【一丹楓一】 명 〖식〗 [*Acer takesimense*] 단풍과에 속하는 낙엽 활엽의 작은 교목. 잎은 장상(掌狀)이고 13갈래로 갈라졌으며, 열편(裂片)은 달걀꼴의 피침형이고, 가에 심한 톱니가 있음. 5월에 꽃이 총상(總狀) 화서로 가지 끝에 정생(頂生)하여 피고, 시과(翅果)는 10월에 익음. 산지의 숲 속에 나는데, 전라 남도의 완도(莞島)·대흑산도(大黑山島)·경상 북도의 울릉도에 분포함. 관상용임.

섬당-향 【詹糖香】 명 향의 이름. 섬당수(詹糖樹)의 지엽(枝葉)을 달여서 만든 것. 당(糖)과 비슷하며 검은 색임. 섬당수는 귤나무와 흡사한 나무로, 중국 남부 지방에서 남.

섬:-대 명 〖식〗 [*Sasa kurilensis*] 댓과에 속하는 다년생의 상록 목본(木本). 줄기는 높이 3-5 m이고 군생(群生)하며, 잎은 가지 끝에 2-4개가 나는데 긴 타원형 또는 피침형이고 잎 뒤가 백색을 띰. 여름에 꽃이 3-7년생의 곁가지에 측생(側生), 복총상(複總狀) 화서로 핌. 영과(穎果)는 가을에 익음. 산복(山腹)에 나는데, 울릉도와 사할린에 분포함. 죽순(竹筍)은 식용함.

섬:-댕강나무 명 〖식〗 [*Abelia insularis*] 인동과에 속하는 낙엽 활엽 관목. 잎은 달걀꼴 또는 타원형이고, 5월에 엷은 황색 꽃이 두 개씩 가지 끝에 나란히 피고, 과실은 한 개의 종자가 있으며 9월에 익음. 산록(山麓)의 바위 틈에 나는데, 울릉도에 분포함. 관상용으로 가꿈.

섬도[1] 【銛刀】 명 썩 잘 드는 예리한 칼. 이도(利刀).

섬도[2] 【纖刀】 명 몸이 가는 칼.

섬도[3] 【纖度】 명 실의 굵기의 비(比)를 나타내는 말. 실 하나의 일정한 길이의 중량(重量) 또는 일정한 중량의 길이에 비례(比例)하는 수(數)로 나타냄. 면사(綿絲)·마사(麻絲)·모사(毛絲)·방적 견사 등에서는 번수(番手)·번호(番號)로, 생사(生絲)에서는 데니어(denier)로 나타냄.

섬도-계 【纖度計】 명 생사(生絲)의 굵기를 계량하는 형기(衡器).

섬도-지 【閃刀紙】 명 도련 칠 때에 귀가 접힌 채로 베어진 종이.

섬-돌 [一똘] 명 집채의 앞뒤에 쌓아 만든 오르내리는 돌층계. 보석(步石). 석계(石階). 승강석(陞降石). 석단(石段). 준섬.

섬동지-전 【蟾同知傳】 명 〖문〗 작자 미상의 옛 소설. 두꺼비를 의인화(擬人化)한 우화 소설임. 불경(佛經)의 십송률(十誦律)에 나오는 설화를 소재로, 동물 세계를 통하여 인간성의 결함을 풍자하였음. 일명 ≪두꺼비전≫ 또는 ≪섬처사전(蟾處士傳)≫이라 함.

섬-떡 명 ①쌀 한 섬으로 만든 떡. ②고수레떡.

섬뜩-하다 형 여불 가슴이 덜렁하도록 무섭고 끼림칙하다. 소름이 끼칠 만큼 무섭고 끔찍하다. ¶계집은 가슴이 섬뜩하여 사내를 쳐다보았다.

섬라 【暹羅】 [一나] 명 〖지〗 '사이암(Siam)'의 음역(音譯).

섬락 【閃絡】 [一낙] 명 〖전〗 송전선·배전선의 뚱딴지 표면이나 직류기·회전 변류기의 정류자편(整流子片) 사이 등의 절연이 파괴되어, 지속 아크(持續 arc)에 의하여 전류가 흘러 버리는 현상. ——-하다 자 여불

섬락 전:압 【閃絡電壓】 [一낙一] 명 섬락 현상이 일어날 때의 전압.

섬려 【纖麗】 [一녀] 명 섬세하고 아름다움. 날씬하고 아름다움. ——-하다 형 여불

섬록-암 【閃綠岩】 [一녹一] 명 〖광〗 심성암(深成岩)의 한 가지. 사장석·각섬석(角閃石)이 주성분으로 되어 있고, 그 밖에 석영(石英)·운모(雲母)·휘석(輝石) 등이 들어 있음. 녹색 및 회록색(灰綠色)을 띠는데, 단단하고 치밀하여 건축용의 석재(石材)로 쓰임.

섬마-섬마 감 따로따로 따따로.

섬:-말나리 [一라一] 명 〖식〗 [*Lilium hansonii*] 백합과의 다년초. 인경(鱗莖)은 직경 3.5-7 cm의 달걀꼴 또는 구형(球形)에 인편(鱗片)이 덮이고, 줄기는 높이 1-1.5 m이며, 잎은 줄기의 상부에서는 호생하고, 하부에서는 2-3층으로 6-7장씩 윤생(輪生)하며, 도피침형 또는 좁은 타원형임. 6-7월에 황색 육판화(六瓣花)가 줄기 끝에 총상(總狀) 화서로 피는데, 화판에는 흑자색 반점(斑點)이 있음. 산지(山地)에 나는데, 한국 원산(原產)으로 울릉도에 분포함. 꽃에 향기가 높아 관상용으로 재배함.

〈섬말나리〉

섬망 【譫妄】 명 〖의〗 의식 장애(意識障礙)의 상태의 하나. 외계(外界)에 대한 의식(意識)이 흐리고, 흔히 착각을 일으키며 망상(妄想)이 나타나고, 이야기가 요령 부득(要領不得)이고, 흥분·불온(不穩) 상태를 나타내며, 마침내 마비 증상(症狀)에 이르는 병증. 알코올·모르핀의 중독이나 뇌막염(腦膜炎)·급성 전염병(傳染病) 등에 나타나는 수가 많음.

섬:-매자나무 명 〖식〗 [*Berberis amurensis* var. *quelpaertensis*] 매자나뭇과에 속하는 낙엽 활엽 관목. 줄기에 가시가 있고 잎은 긴 타원형이며, 가에는 가시 모양의 톱니가 있음. 5-6월에 육판화(六瓣花)가 총상(總狀) 화서로 액생(腋生)하여 피고, 장과(漿果)는 9월에 홍색으로 익음. 산꼭대기의 호반(湖畔)에 나는데, 제주도에 분포함. 가지와 잎은 약용 및 물감으로 씀.

섬-머글기 명 〈방〉 섬멍구럭.

섬-멍구럭 명 섬을 묶어서 친 얽이.

섬:-멧새 명 〖조〗 [*Emberiza cioides ijimae*] 참샛과에 속하는 멧새의 하나. 섬에서 사는 익조(益鳥). 제주도·울릉도에 분포함.

섬멸 【殲滅】 명 남김 없이 모두 무찔러 멸망시킴. ——-하다 타 여불

섬멸-전 【殲滅戰】 [一쩐] 명 적을 남김 없이 모두 무찔러 멸망시키는 전투(戰鬪).

섬:-명아주 명 〖식〗 [*Chenopodium distatum*] 명아줏과에 속하는 일년초. 줄기 높이 60 cm 가량이고, 잎은 호생하며 피침형(披針形) 또는 긴 타원형임. 7-8월에 황록색 꽃이 수상(穗狀) 화서로 정생(頂生) 또는 액출(腋出)하여 피고, 과실은 포과(胞果)임. 해변에 나는데, 울릉도에 분포함.

섬모 【纖毛】 명 ①가는 털. ②[cilium] 〖생〗 섬모충류의 체표(體表)나 많은 후생(後生) 동물의 섬모 상피(上皮) 세포 등에 난 가늘고 짧은, 털과 같은 물질. 기본적인 구조는 편모(鞭毛)와 같으나 운동 형식이 다름. 흔히, 물체를 일정한 방향으로 운반하거나 또는 세포 자체를 이동시킴. 대장균(大腸菌)을 중심으로 한 장내 세균(腸內細菌) 등에 붙어 있고, 인체(人體)의 기관(氣管)의 거죽에 가장 발달되어 있으며 그 밖에 성기(性器)에도 있음. 물결털. ＊편모(鞭毛). ③섬유(纖維). ＊강모(剛毛).

섬모-류 【纖毛類】 명 〖생〗 섬모충류

섬모 상:피 【纖毛上皮】 명 〖생〗 섬모 세포가 모여서 된 상피 조직. 포유류의 기관(氣管)·기관지·수란관(輸卵管) 등의 내표면(內表面), 개구리의 구내 상피(口內上皮) 등에서 볼 수 있음.

섬모 운:동 【纖毛運動】 명 〖생〗 섬모충류나 섬모 상피 따위에 있는 섬모의 운동. 일정한 방향으로 매초(每秒) 수회(數回)에서 수십회 되풀이되는데, 섭식(攝食)·호흡을 위해 물의 흐름을 일으키게 하거나 동물체의 이동 또는 배출물(排出物)·생식 산물(生殖產物)의 이송(移送) 등에 쓰임. 물결털 운동.

섬모 유충 【纖毛幼蟲】 명 〖동〗 섬모충의 유충. 디스토마(distoma) 등의 유충으로, 알에서 까면 몸의 거죽에 섬모가 있고, 이것으로 헤엄쳐서 중간 숙주(中間宿主)로 들어감.

섬모-충 【纖毛蟲】 명 〖동〗 섬모충류에 속하는 원생(原生) 동물의 총칭. 짚신벌레·종벌레·나팔벌레 따위가 있음. 물결털벌레.

섬모충-류 【纖毛蟲類】 [一뉴] 명 〖동〗 [Ciliata] 진핵(眞核) 단계(段階)에 있는 원생 생물(原生生物)의 한 무리. 동물로 분류했을 때 원생동물 유모류(有毛類)에 속함. 단세포(單細胞)로 달걀꼴 또는 타원형이고, 몸길이 0.01-3 mm임. 몸 속에는 크고 작은 두 개의 핵(核)이 있으며, 큰 핵은 영양, 작은 핵은 생식에 관여함. 이분법(二分法) 또는 때로 접합(接合)으로 번식함. 짧은 섬모가 배게 났는데, 그 운동에 의하여 물 속을 헤엄쳐서 먹을 것을 찾음. 일반적으로 담수산(淡水產)이지만, 해산(海產)의 종(種)이나 동물에 기생하는 종도 있음. 전모류(全毛類)·선모류(旋毛類)·연모류(緣毛類)·흡관충류(吸管蟲類) 등으로 분류함. 섬모류. ＊편모충류(鞭毛蟲類).

섬미[1] 【纖眉】 명 가는 눈썹이라는 뜻으로, 미인(美人)의 아름다운 눈썹. 아미(蛾眉).

섬미[2] 【纖微】 명 매우 잚. 매우 가늚. 섬세(纖細). ——-하다 형 여불

섬밀 【纖密】 명 섬세하고도 자세함. ——-하다 형 여불

섬:-바디 명 〖식〗 [*Dystaenia takesimana*] 미나릿과에 속하는 다년초. 줄기는 장대(壯大)하고 높이 1.5 m 가량이며, 잎은 장병(長柄)에 삼각형으로 재우상 전열(再羽狀全裂)하고 열편(裂片)은 피침형임. 7월에 백색 꽃이 복산형(複繖形) 화서로 피고, 총산경(總繖梗)은 다수임. 산이나 들에 나는데, 울릉도와 평안 북도 지방에 분포함.

섬바-섬바 감 〈방〉 섬마섬마(경상).

섬박 【殲撲】 명 때려 부숨. ——-하다 타 여불

섬-밥 [一빱] 명 쌀 한 섬으로 지은 밥.

섬백[1] 【蟾魄】 명 [섬(蟾)은 달 속에 있는 두꺼비의 뜻] '달'의 별칭.

섬백[2] 【纖魄】 명 섬월(纖月).

섬:-백리향 【一百里香】 [一니一] 명 〖식〗 [*Thymus magnus*] 꿀풀과에 속하는 낙엽 활엽의 작은 관목. 잎은 넓은 달걀꼴 또는 달걀꼴의 타원형이고 가에 톱니가 없으며, 양면에 선점(線點)이 있고 향기가 남. 여름·가을에 분홍색 꽃이 윤산(輪繖) 화서로 정생하고, 핵과(核果)는 가을에 암갈색으로 익음. 고산의 바위 위에 나는데, 울릉도 특산임. 관상용으로 가꾸고, 줄기·잎은 약용함.

섬:-버들 명 〖식〗 [*Salix ishidoyana*] 버드나뭇과의 낙엽 활엽 관목. 높이 1 m 이내, 잎은 타원형 또는 긴 타원상 피침형이며 표면은 주름지고 뒷면에는 견모(絹毛)가 났음. 자웅 이가(雌雄異家)로 4월에 꽃이 유제(葇荑) 화서로 피고, 삭과(蒴果)는 여름에 익음. 산복에 나는데 울릉도의 특산임. 녹비(綠肥)로 사용함.

「썸뻑. >삼박. ——-하다 자 여불

섬벅 부 잘 드는 칼에 쉽사리 베어지는 모양. 또, 그 소리. ㅆ섬뻑·썸벅·

섬벅-거리다 자 ☞ 슴벅거리다. ¶김인문의 섬벅거리는 눈이 잠시도 석란을 놓지 않았다 ≪朴花城 : 벼랑에 피는 꽃≫. 섬벅-섬벅[1] 부. ——-하다 자 여불

섬벅-섬벅[2] 부 ①잘 드는 칼에 쉽사리 연해 베어지는 모양. 또, 그 소리.

②조금 단단하고 물기가 많은 것이 잘 썹히는 모양. 또, 그 소리. ㅆ섭뻑섭뻑. 썸벅썸벅²·썸뻑썸뻑². >삽박삽박². ——-하다 자형여불

섬:-벚나무 명 〖식〗 〔*Prunus takesimensis*〕 장미과에 속(屬)하는 낙엽 활엽 교목(喬木). 벚나무와 비슷한데 가지가 굵고, 잎은 대란상(帶卵狀) 타원형 또는 넓은 타원형이고, 어릴 때부터 녹색이며, 좀 대형(大形)에 가서 모양의 톱니가 있음. 4-5월에 백색의 오판화(五瓣花)가 2-4개씩 모여 피고, 핵과(核果)는 6월에 흑색으로 익음. 해변의 산록에 나는데, 한국의 울릉도 원산(原產)으로 일본에도 분포함. 정원수·관상용으로 재배하고, 과실의 버찌는 식용, 잎은 떡을 싸는 데 사용하기도 함.

〈섬벚나무〉

섬-벼 명 섬에 넣은 벼. *섬곡식.

섬복-지【纖匐枝】 명 아주 가늘게 뻗은 가지.

섬부【贍富】 명 넉넉함. 풍부함. 섬족(贍足). ¶어깨넘엇글로 저렇게 ~하기는 더욱 희한치 아니한 일인가!《李海朝 : 彈琴臺》. ——-하다 형여불

섬부-주【贍部洲】 명 〖불교〗 염부제(閻浮提).

섬뻑 부 잘 드는 칼에 쉽사리 깊게 베어지는 모양. ㅅ섬벅. ㅆ썸벅·썸뻑. >삼빡. ——-하다 자여불

섬뻑-섬뻑 부 ①잘드는 칼에 쉽사리 연해 깊게 베어지는 모양. 또, 그 소리. ②조금 단단하고 물기가 많은 것이 잘 썹히는 모양. 또, 그 소리. ㅅ섬벅섬벅². ㅆ썸벅썸벅²·썸뻑썸뻑². >삽빡삽빡. ——-하다 자형여불

섬썹다 형 〈옛〉 싱겁다. ¶섬썹고 놀라울슨 仲秋에 기러기로다《永言 441》.

섬:-사람 [—싸—] 명 섬에 사는 사람. 도민(島民). ↔뭍사람.

섬사-주【蟾蛇酒】 명 두꺼비를 물어 삼키려는 순간의 살모사를 잡아 공기가 들어가지 아니하도록 흙으로 봉하여서 빚은 술. 한방에서 쇠약증(衰弱症)·빈혈증(貧血症) 등에 약으로 씀.

섬삭【閃爍】 명 번쩍하고 빛나는 모양.

섬:-새 명 〖조〗 슴새.

섬서구-메뚜기 명 〖충〗 〔*Atractomorpha bedeli*〕 메뚜깃과에 속하는 곤충. 몸길이는 날개 끝까지 28-42mm인데, 암컷은 비대(肥大)하고, 수컷은 몹시 작고 가늚. 몸빛은 담녹색, 머리는 원추형이며, 중앙에는 한 개의 가는 종구(縱溝)가 있고, 촉각은 굵고 칼 모양임. 교미시(交尾時)에 수컷이 업혀 다님. 여름철의 풀밭에 서식하는데, 한국·일본에 분포함. 민떡대기. *방아깨비.

〈섬서구메뚜기〉

섬서-성【陝西省】 명 〖지〗 산시 성. 준섬성.

섬서-하다 형여불 친절하지 아니하다. 어울리지 아니하다. >삼사하다.

섬서흐레 명 〈옛〉 계급. =서흐레❷. ¶섬서흐레(階級)《譯語 上 19》.

섬섬¹【閃閃】 명 번득이는 모양. 번쩍이는 모양. ——-하다 형여불

섬섬²【纖纖】 명 연약하고 가냘픈 모양. ——-하다 형여불

섬섬 약골【纖纖弱骨】 명 섬섬 약질(纖纖弱質).

섬섬 약질【纖纖弱質】 명 가냘프고 연약한 체질. 섬섬 약골(纖纖弱骨).

섬섬 옥수【纖纖玉手】 명 가냘프고 고운 여자의 손.

섬섬 초월【纖纖初月】 명 가느다란 초승달.

섬성【陝省】 명 〖지〗 ↗섬서성(陝西省).

섬세【纖細】 명 ①가냘프고 가늚. 섬미(纖微). ②미묘(微妙). 델리킷(delicate). ¶~한 공예품. ——-하다 형여불. ——-히 부

섬세-성【纖細性】 [—썽] 명 섬세한 성질.

섬세의 정신【纖細一精神】 [—/—에—] 명 〔프 esprit de finesse〕〖철〗 파스칼의 용어로, 일상 생활에서 복잡한 사상(事象)을 추리에 의하지 않고, 일거(一擧)에 감득(感得)하는 부드럽고 정감적(情感的)인 인식 능력. ↔기하학적 정신(幾何學的精神).

섬소¹【蟾酥】 명 〖한의〗 두꺼비의 고막(鼓膜) 위의 이선(耳腺)에서 짜낸 흰 독액(毒液)을 밀가루에 반죽하여 말린 둥글넓적한 약. 감병(疳病)·정(疔)·악종(惡腫) 등의 치료에 쓰임.

섬소²【纖疎】 명 체격이나 구조가 가냘프고 어설픔. ——-하다 형여불

섬:-속소리나무 명 〖식〗 〔*Quercus neo-glandulifera*〕 참나뭇과에 속(屬)하는 낙엽 활엽 교목. 잎은 긴 타원형이고 5월에 자웅 일가(雌雄一家)의 꽃이 피는데, 수꽃이삭은 늘어지고 암꽃이삭은 곧게 피며 견과(堅果)는 9월에 익음. 산복(山腹) 이하의 숲 속에 나는데, 전남의 흑산도(黑山島)와 경기도 광릉(光陵)에 분포함. 목재는 신탄재로, 과실은 식용함.

〈섬속소리나무〉

섬수【纖手】 명 가냘픈 손.

섬:-시호【—柴胡】 명 〖식〗 〔*Bupleurum latissimum*〕 미나릿과에 속하는 다년초. 줄기 높이 60cm 내외이고, 잎은 호생하며 장병(長柄)에 신장상(腎臟狀)의 달걀꼴임. 5월에 황색 꽃이 복산형 화서(複繖形花序)로 줄기 끝이나 가지 끝에 정생(頂生)하여 핌. 해안에 나는데, 울릉도에 분포함.

섬싱 〔something〕 명 어떤 것. 어떤 일. 얼마간. ¶~이 있다.

섬:-쑥 명 〖식〗 〔*Artemisia hallaisanensis*〕 국화과에 속하는 다년초. 줄기 높이 20cm 내외이고, 잎은 호생하며 무병(無柄)에 우상 심렬(羽狀深裂)하며 열편(裂片)은 피침형 또는 선형(線形)임. 8-9월에 담황갈색 꽃이 총상 원추 화수(總狀圓錐花穗)로 핌. 산지에 나는데, 제주도에 분포함.

섬:-쑥부쟁이 명 〖식〗 〔*Aster glehni*〕 국화과에 속하는 다년초. 줄기 높이 1m 내외이고, 잎은 호생하며 유병(有柄)에 넓은 피침형임. 7-8월에 백색 두상화(頭狀花)가 산방상(繖房狀)을 이루어 줄기 끝이나 가지 끝에 다수 모여 피고, 과실은 수과(瘦果)임. 산지(山地)에 나는데, 울릉도에 분포함. 어린 잎은 식용함.

섬-아연광【閃亞鉛鑛】 명 〔sphalerite〕〖광〗 아연의 주요 광석(主要鑛石). 등축 정계 사면체 반면상(等軸晶系四面體半面像)의 결정 또는 입상(粒狀)·괴상(塊狀) 및 더러는 엽상(葉狀)·섬유상(纖維狀)임. 수지 광택(樹脂光澤)내지 금강 광택(金剛光澤)을 가지며, 빛은 보통 황색·갈색·흑색·적색·백색 등이고, 순수한 것은 무색임.

섬약【纖弱】 명 가냘프고 약함. 연연(軟娟). 면약(綿弱). ——-하다 형여불

섬어【譫語】 명 ①헛소리. ¶철식은 자나 깨나 병중에 ~할 때에도 '외투 외투'하고 귀중히 여기는 것이다《沈天風 : 兄弟》. ②잠꼬대. ——-하다 자여불

섬어-하다 형 〈방〉 ①섭서하다. ②서머하다.

섬:-엄나무 명 〖식〗 돈나무.

섬:엄나뭇-과【—科】 명 〖식〗 돈나뭇과.

섬여【蟾蜍】 명 〖동〗 두꺼비.

섬연【纖姸】 명 날씬하고 아름다움. ——-하다 형여불

섬염【纖艷】 명 날씬하고 아름다움. 섬완(纖婉). ——-하다 형여불

섬영【閃影】 명 번득거리는 그림자.

섬:-오갈피나무 명 〖식〗 〔*Acanthopanax koreanum*〕 두릅나뭇과에 속하는 낙엽 활엽 관목. 줄기에는 짧은 가시가 있고, 잎은 장상(掌狀)이며 흔히 다섯 갈래로 째졌으며, 소엽(小葉)은 거꿀달걀꼴 또는 넓은 거꿀달걀꼴로 뒷면(面)의 엽맥(葉脈)에 잔 털이 밀포(密布)함. 첫여름에 녹색 꽃이 산형(繖形) 화서로 정생(頂生)하여 피고, 핵과(核果)는 가을에 흑색으로 익음. 해변 산기슭에 나는데, 제주도 및 일본에 분포함. 수피(樹皮)는 약용임. *오갈피나무.

섬완【纖婉】 명 섬염(纖艷). ——-하다 형여불

섬:-왕머루【—王—】 명 〖식〗 〔*Vitis kaempferi* var. *glabrescens*〕 포도과에 속하는 낙엽 활엽 만목(蔓木). 잎은 심장 모양으로 둥글며 3-5갈래로 거친 톱니처럼 째졌음. 자웅 동가(雌雄同家). 꽃은 5월에 밀추 화서(密錐花序)로 피고, 둥근 장과(漿果)를 맺는데 9-10월에 검게 익음. 산지(山地) 숲 속에 나며, 수평적(水平的)으로는 표고 600-900m의 울릉도, 지리적으로는 일본 홋카이도에 분포함. 과실은 식용·약용으로 쓰임.

섬요¹【閃搖】 명 〔flicker〕 광도(光度)가 다른 광선이 교대 교대(交代交代)로 눈을 자극할 때에 일어나는 명멸(明滅) 현상.

섬요²【閃耀】 명 번쩍거리며 빛남. ——-하다 형여불

섬요³【纖腰】 명 가냘프고 연약한 여자의 허리. 곧, 미인(美人)을 형용하는 말.

섬-우라늄광【閃—鑛】 명 〔uraninite〕〖광〗 우라늄의 산화물을 주성분으로 하는 중요 광석 광물. 상당량의 Th나 Pb 따위와 소량의 He·Ar·N_2 따위 기체를 함유함. 등축 정계(等軸晶系)이며, 결정은 입방체 또는 8면체인데, 입상(粒狀)·괴상(塊狀) 등으로 산출됨. 경도(硬度) 5-6, 비중 10.3임. [UO_2] *피치블렌드(pitchblende).

섬월【纖月】 명 초승에 가늘게 보이는 달. 섬백(纖魄).

섬유¹【纖柔】 명 가늘고 연약함. ——-하다 형여불

섬유²【纖維】 명 ①〖생〗 생물체의 몸을 이루는 가늘고 긴 실 같은 물질. 세포나 원형질(原形質)이 분화(分化)한 것으로 일정한 방향에 길게 뻗어, 서로 엇눌려 있으므로 생물체를 튼튼하게 함. 직물(織物)·종이 등의 원료가 됨. 섬모(纖毛). ②실 모양으로 된 고분자(高分子) 물질. 고체로 불휘발성(不揮發性)이고 물에 잘 녹지 않으며 적당한 탄성(彈性)을 가짐. 천연 섬유·인조 섬유·합성 섬유로 구별되며, 용도에 따라 방직용·제지용으로 구분됨. 올실.

섬유 강화 금속【纖維強化金屬】 명 금속 모재(母材)에 강한 섬유 소재(素材)를 접합시킨 복합 재료.

섬유 강화 플라스틱【纖維強化—】 〔plastics〕 명 유리 섬유 보강 플라스틱.

섬유-공【纖維工】 명 섬유 산업에 종사하는 직공. 인조 섬유 제조공·생사공(生絲工)·방적공(紡績工)·제직공(製織工)·편직공(編織工)·염색공 및 관련 종사자들의 통칭.

섬유 공업【纖維工業】 명 〖공〗 생사(生絲)·면사(綿絲)·모사(毛絲)·마사(麻絲)·화학 섬유 등의 방적이나 직물의 공업. 넓은 의미로는 제지(製紙)·셀룰로이드 등의 섬유소 공업도 포함함.

섬유 공업 근:대화 기금【纖維工業近代化基金】 명 〖경〗 섬유 공업 근대화 촉진에 필요한 재원(財源)을 확보하기 위하여 정부의 출연금(出捐金) 등으로 조성되는 기금.

섬유 공예【纖維工藝】 명 직물·편물·염색·자수(刺繡)를 수단으로 하는 창조 활동(創造活動) 전반 및 그 작품을 말함. 수공예(手工藝) 이외에 공업 생산도 포함됨.

섬유 공학【纖維工學】 명 섬유를 원료로 하여 의료용(衣料用) 섬유 제품과 산업용 섬유 제품을 만드는 섬유 공업을 연구 대상으로 하는 학문.

섬유 기계【纖維機械】 명 섬유 원료로부터 제품을 만들어 낼 때까지에 사용되는 기계의 총칭. 그 기능에 따라 제사기(製絲機)·방적기(紡績機)·제직 준비기(製織準備機)·직조기(織造機)·염색기(染色機)·메리야스 기계 등의 구별이 있음. *산업 기계.

섬유 사:무관【纖維事務官】 명 공업직(工業職) 국가 공무원 직급 명칭의 하나. 섬유 직렬(職列)에 속하며, 섬유 주사(主事)의 위, 공업 서기관(書記官)의 아래로 5급 공무원임.

섬유상 단백질【纖維狀蛋白質】 명 〔fibrous protein〕 분자의 형상이 가느다란 단백질. 동물의 구조 조직(構造組織)을 구성하여 생물의 형태를 유지함. 물·염류 용액(塩類溶液)·유기 용매(有機溶媒) 따위에 잘 녹지 않음. *구상(球狀) 단백질.

섬유상-설【纖維狀說】 명 〖생〗 사상설(絲狀說).

섬유 서기【纖維書記】 명 공업직(工業職) 국가 공무원 직급 명칭의 하나. 섬유 직렬(職列)에 속하며, 섬유 서기보의 위, 섬유 주사보의 아래로 8급 공무원임.

섬유 서기보【纖維書記補】 명 공업직(工業職) 국가 공무원 직급 명칭의 하나. 섬유 직렬(職列)에 속하며, 섬유 서기의 아래로 9급 공무원임.

섬유성 골염【纖維性骨炎】 [―썽―렴] 명 〖의〗 부갑상선(副甲狀腺)의 기능 항진(亢進)으로 뼈 속의 석회염이 오줌으로 배출되고 골수가 섬유화(纖維化)하여 골절(骨折)되기 쉽게 되는 증상.

섬유성 연축【纖維性攣縮】 [―썽―] 명 〔fibrillation〕 〖의〗 근육의 이상 조건이나, 근육을 지배하는 운동 신경에 이상한 자극이 가해졌을 때 근육의 섬유가 여기저기서 무질서하게 연축을 되풀이하는 상태.

섬유 세:포【纖維細胞】 명 〖생〗 섬유 아세포.

섬유-소【纖維素】 명 ①〖화〗 식물의 세포막 및 섬유의 주요 성분. 대부분 식물에 있고 동물에는 극소수의 해산물에만 있음. 목화는 90-97%, 나무는 40-50%를 포함함. 보통 솜을 처리하여 얻는데, 백색·무미·무취의 가루거나 섬유상의 탄수화물(炭水化物)임. 200-2,000개의 포도당의 분자가 결합하여 된 다당류(多糖類)이며, 비중 1.61, 비열 0.32임. 열과 전기의 불량 도체(不良導體)로 극히 안전함. 황산(黃酸)과 시바이젤 시약에 녹으며, 양잿물에 담그면 광택이 나고 강하여짐. 산(酸)과 작용하여 에스테르와 함께 많은 유도체를 만듦. 면화약(綿火藥)·불연성(不燃性) 필름·제지(製紙) 등의 원료가 되며, 질산(窒酸) 섬유소·초산(醋酸) 섬유소 및 기타 인견(人絹) 원료로서 널리 쓰임. 셀룰로오스(cellulose). 세포막질. 울실소. ②〖생〗 피브린(fibrin).

섬유소 가:소물【纖維素可塑物】 명 셀룰로오스 가소물.

섬유소 분해균【纖維素分解菌】 명 섬유소를 분해하여 번식하는 세균·사상균(絲狀菌) 등의 미생물. 산림이나 밭의 흙에는 사상균과 세균에 속하는 것이 많고, 논·하수(下水) 또는 초식 동물의 소화관(消化管) 속에는 세균, 특히 혐기성(嫌氣性) 세균에 속하는 것이 많음.

섬유소성-염【纖維素性炎】 [―썽념] 명 〖의〗 삼출성염(滲出性炎)의 한 가지. 섬유소의 석출(析出)이 현저한 염증. 섬유소성 폐렴·디프테리아·세균성 적리(赤痢)·요독증(尿毒症) 등에 나타남.

섬유소성 폐:렴【纖維素性肺炎】 [―썽―] 명 〖의〗 크루프성 폐렴.

섬유소 수화물【纖維素水和物】 명 〖화〗 천연 섬유소를 강한 산(酸)이나 알칼리 또는 진한 염류 용액(塩類溶液)으로 처리한 것.

섬유 시험기【纖維試驗機】 명 실·직물 등 섬유 제품의 여러 성질을 시험하고 측정하는 기계 장치.

섬유 식물【纖維植物】 명 〖식〗 직물(織物)·종이·그물 등의 원료가 되는 섬유를 공급하는 식물. 목화·삼·삼지닥나무·모시풀·황마·어저귀·양마·왕골·고리버들·수세미 같은 것. 울실 식물.

섬유 아구【纖維芽球】 명 〖생〗 섬유 아세포(芽細胞).

섬유 아세포【纖維芽細胞】 명 〔fibroblast〕 〖생〗 콜라겐(collagen) 섬유를 산출하는 세포. 유연(柔軟)한 결합 조직의 주요 세포 성분임. 신체 여러 조직의 고유한 분화를 한 세포 사이에서 그들을 연결하는 일을 함. 건(腱)이나 근초(筋鞘)는 이 세포로 된 조직임. 섬유 아구(芽球). 섬유 세포(細胞).

섬유 음료【纖維飮料】 [―뇨] 명 섬유질 물질로 만든 음료. 다이어트·미용은 물론 변비·대장염·심장병·당뇨병에 효과가 있음.

섬유 작물【纖維作物】 명 섬유를 채취하기 위하여 재배하는 작물. 방적(紡績) 원료로서 목화·아마(亞麻) 따위, 제지(製紙) 원료로서 삼지닥나무·닥나무, 조편(組編) 원료로서 골풀·파나마풀, 가구(家具) 원료로서 대·으름덩굴 따위가 있는데, 열대에서 생산되는 것이 많음.

섬유 제:품【纖維製品】 명 섬유를 원료로 하여 만든 물품. 보통은 의료품(衣料品)을 일컬음.

섬유 조직【纖維組織】 명 섬유 세포에 의해서 된 식물(植物) 조직. 울실 조직.

섬유-종【纖維腫】 명 〔fibroma, fibroid tumor〕 〖의〗 결합 조직(組織) 세포와 그 섬유로 이루어진 양성(良性) 종양의 하나. 피부·골막(骨膜)·근막(筋膜)·신경·신장(腎臟)·자궁·난소(卵巢)·위장·비강(鼻腔) 등에 흔히 발생하는데, 결절상(結節狀)·혹모양·미만성(彌漫性) 등 여러 가지 형태가 있고 크기도 좁쌀만한 것부터 머리통만한 것까지 있음. 반흔(瘢痕) 조직으로부터 생기는 섬유종을 특히 켈로이드라고 함. ＊지방종(脂肪腫).

섬유 주사【纖維主事】 명 공업직(工業職) 국가 공무원 직급 명칭의 하나. 섬유 직렬(職列)에 속하며, 섬유 주사보의 위, 섬유 사무관(事務官)의 아래로 6급 공무원임.

섬유 주사보【纖維主事補】 명 공업직(工業職) 국가 공무원 직급 명칭의 하나. 섬유 직렬(職列)에 속하며, 섬유 서기(書記)의 위, 섬유 주사의 아래로 7급 공무원임.

섬유-질【纖維質】 명 섬유로 이루어진 물질. 섬유를 가지고 있는 물질. ¶～ 광물(鑛物).

섬유-판【纖維板】 명 목재·대 따위, 섬유 식물을 펄프화(化)해서 압축 성판(壓縮成板)한 건축 재료. 연질(軟質)의 것은 흡음(吸音)·단열성(斷熱性)이 있어 내장(內裝)에, 경질(硬質)의 것은 외장(外裝)에 쓰임.

섬인【纖人】 명 가냘픈 사람. 약질(弱質). 약골(弱骨).

섬:-자리공 명 〖식〗 [*Phytolacca insularis*] 자리공과에 속하는 다년초. 괴근(塊根)이 비대(肥大), 줄기는 원주형을 이루며, 높이 2m 가량됨. 잎은 호생하며 달걀꼴 또는 타원형임. 5-6월에 백색 꽃이 총상(總狀) 화서로 줄기 옆에 많이 밀착(密着)하여 피고, 장과(漿果)를 맺는데 자흑색으로 익음. 해변의 숲 속에 나는데, 경북의 울릉도에 분포함. 뿌리는 유독(有毒)하여 약용임.

섬:-잔대 명 〖식〗 [*Adenophora taquetii*] 초롱꽃과에 속하는 다년초. 줄기가 족생(簇生)하고 높이 25cm 가량, 잎은 호생하고 무병(無柄) 또는 유병(有柄)에 달걀꼴 타원형 또는 거꿀달걀꼴 타원형을 이룸. 7-8월에 벽자색(碧紫色) 종상화(鐘狀花)가 줄기 끝이나 가지 끝에 달리어 핌. 산지에 나는데, 제주도에 분포함.

섬:-잣나무 명 〖식〗 [*Pinus parviflora*] 소나뭇과에 속하는 상록 침엽 교목. 높이 20-25m, 잎은 침상(針狀)이고 다섯 개가 윤생(輪生)으로 속생(束生)하는데, 길이 3-6cm이며 뒷면에는 뚜렷한 흰 줄이 있으며, 엽질(葉質)은 부드럽고 횡단면(橫斷面)은 삼각형을 이룸. 6월에 담녹색의 꽃이 자웅 동가(雌雄同家)로 피며, 수꽃이삭은 달걀꼴의 긴 타원형, 암꽃이삭은 달걀꼴 타원형이고, 구과(毬果)를 맺는데 이듬해 9월에 익음. 잣나무에 비하여 열매가 작음. 산지에 나는데, 울릉도 및 일본에 분포함. 목재는 건축재나 도구재로 씀.

〈섬잣나무〉

섬:-장대【―長―】 [―때] 명 〖식〗 [*Arabis takesimana*] 겨잣과에 속하는 월년초(越年草). 줄기는 족생(簇生)하고 높이 30cm 내외이며, 근생엽(根生葉)은 총생(叢生)하고 유병(有柄), 경엽(莖葉)은 호생하고 무병(無柄)임. 6월에 백색 꽃이 총상(總狀) 화서로 정생(頂生)하여 다수 피고, 과실은 장각(長角)임. 해변 산기슭에 나는데, 울릉도에 분포함.

섬장-암【閃長岩】 명 〔syenite〕 〖광〗 정장석(正長石)·조장석(曹長石) 등을 주성분(主成分)으로 하고, 약간의 유색 광물(有色鑛物)을 포함하는 심성암(深成岩). 대부분 알칼리암(alkali岩)에 속함.

섬전【閃電】 명 순간적으로 번쩍 비치는 번갯불. 또는 전기의 불꽃.

섬:-점나도나물 명 〖식〗 [*Cerastium caespitosum* var. *hallaisanense*] 너도개미자릿과(科)에 속하는 월년초. 그루 전체에 잔털이 배게 나 있는데 줄기는 곧고 높이 약 15cm, 잎은 호생(互生)하고 달걀꼴에 무병(無柄)임. 6월에 흰 꽃이 줄기 끝에 빽빽이 취산 화서(聚繖花序)로 핌. 산지(山地)에 나며, 제주도에 분포함.

섬:-제비꽃 명 〖식〗 [*Viola takeshimana*] 제비꽃과에 속하는 다년초. 높이는 10-15cm 내외이며 유경성(有莖性)임. 잎은 호생하고 장병(長柄)에 달걀꼴 심장형을 이룸. 5월에 백색 꽃이 줄기 위에 액생(腋生)하여 좌우 상칭(左右相稱)으로 피고, 삭과(蒴果)를 맺음. 산지(山地)에 나는데, 울릉도에 분포함.

섬조【纖條】 명 ①금속(金屬) 등의 가는 줄. ②필라멘트(filament).

섬조 전:지【纖條電池】 명 〖전〗 에이 전지(A電池).

섬족【贍足】 명 섬부(贍富). ――하다 형여불

섬주【蟾注】 명 두꺼비 모양으로 된 연적(硯滴).

섬중【剡中】 명 〖지〗 '산중'을 우리 음으로 읽은 이름.

섬:-쥐손이 명 〖식〗 [*Geranium shikokianum* var. *quelpaertense*] 쥐손이풀과(科)에 속하는 다년초. 그루 전체에 잔 털이 배게 덮이고 높이는 12cm 내외. 잎은 대생(對生)하는데, 잎꼭지가 길고 3-5갈래로 깊이 째졌음. 7-8월에 적자색(赤紫色)의 꽃이 액생(腋生)하여 긴 꽃자루에 두 송이 피고, 삭과(蒴果)를 맺음. 높은 산에 나며, 제주도에 분포함.

섬지【纖指】 명 가늘고 잔약(孱弱)한 여자의 손가락.

섬-지기 의명 〖농〗 볍씨 한 섬의 모를 심을 만한 논의 넓이. 한 마지기의 스무 갑절. ＊되지기.

섬진[1]【贍賑】 명 재물을 주어 도와 줌. ――하다 자여불

섬진[2]【纖塵】 명 자디잔 티끌.

섬진-강【蟾津江】 명 〖지〗 전라 북도 진안군(鎭安郡)에서 발원(發源)하여 임실(任實)·남원(南原)·순창(淳昌), 전라 남도 구례(求禮)·곡성(谷城)·광양(光陽), 경상 남도 하동(河東) 등지를 지나 남해(南海)에 들어가는 강. [212km]

섬진강 댐【蟾津江―】 〔dam〕 명 섬진강 상류에 있는 다목적(多目的) 댐. 중력식(重力式) 콘크리트 댐으로, 호남 지방의 전력난(電力難)을 해소하고, 동진강 하류 지역의 수리 불안전답과 계화도(界火島) 간척지를 관개하며, 섬진강 중·하류 지역의 홍수 피해를 막음. 높이 64m, 언제(堰堤) 길이 335m, 저수량 4억 6천만 m^3.

섬진강 수력 발전소【蟾津江水力發電所】 [―쩐―] 명 〖지〗 전라 북도 정읍시 칠보면(井邑市七寶面)에 있는 수력 발전소. 섬진강 본류를 가로지르는 직선식(直線式) 콘크리트 중력댐(重力dam)을 이용한 다목적 개발 사업의 하나로 건설된 것으로, 최대 출력은 28,800kw임. 1965년 12월에 준공함.

섬질 명 널빤지 등의 옆을 대패로 밀어 깎는 일. ――하다 타여불

섬쩍지근-하다 형여불 무섭고 꺼림칙한 느낌이 오래도록 있다.

섬쩍-하다 형 〈방〉 섬뜩하다.

섬찍-하다 형여불 ☞ 섬뜩하다. ¶어머니의 결심이 심상치 않은 것을 보자 창우는 가슴이 섬찍해졌다《朴榮濬 : 颱風地帶》.

섬:-참새 명 〖조〗 [*Passer rutilans rutilans*] 참샛과에 속하는 철새. 참새와 비슷한데 날개 길이 73mm, 꽁지는 53mm 가량임. 수컷은 배면(背面)이 밤색이며, 드문드문 검은 종반(縱斑)이 벌려 있고, 턱 아래는 검음. 암컷은 등이 회갈색이며, 허리는 담적색 빛을 띠고, 얼굴에는 암황백색의 미반(眉斑)이, 목에는 황갈색의 반점(斑點)이 있음. 섬의 산과 들에 서식하는데, 제주도·울릉도 및 일본에 분포함. 농작물을 해침.

〈섬참새〉

섬처사-전【蟾處士傳】 명 〖문〗 섬동지전(蟾同知傳).

섬:-천남성【―天南星】 명 〖식〗 [*Pleuriarum negishii*] 천남성과에 속하는 다년초. 구경(球莖)은 편구형(扁球形)이고 위경(僞莖)은 높이 60cm 내외임. 잎은 장병(長柄)이고 엽면(葉面)은 새발 모양으로 11-13갈

래로 갈라지며 열편(裂片)은 피침형을 이룸. 5-6월에 자웅 이가(雌雄異家)의 꽃이 육수(肉穗) 화서로 핌. 산에 나는데, 거문도(巨文島)에 분포함. 유독(有毒)함.

섬:-초롱꽃 명〖식〗[*Campanula takesimana*] 초롱꽃과에 속하는 다년초. 줄기는 비대(肥大)하고 높이 50cm 내외이며, 밑의 잎은 장병(長柄), 꼭대기 잎은 무병(無柄)에 넓은 달걀꼴 또는 달걀꼴의 긴 타원형을 이룸. 6-7월에 담자색 종상화(鐘狀花)가 줄기 위에 액생(腋生)하여 핌. 해안 지대에 나는데, 울릉도에 분포함.

섬-치 명〈방〉섬누룩. 「곤, 달의 별명.

섬토【蟾兎】명 달 속에 있다고 상상으로 생각되는 금두꺼비와 옥토끼.

섬-통 명 곡식을 담은 섬의 부피. ¶ ~이 너무 크다.

섬:-패랭이꽃 명〖식〗[*Dianthus littorosus*] 너도개미자릿과에 속하는 다년초. 줄기는 총생하고 높이 30cm 가량이며, 잎은 대생하고 무병(無柄)에 피침형 또는 도피침형을 이룸. 꽃과 과실은 아직 발견하지 못하였음. 울릉도와 황해도 구월산(九月山)에 분포함.

섬:-피나무 명〖식〗[*Tilia insularis*] 피나뭇과에 속하는 낙엽 활엽 교목. 잎은 원형 또는 달걀꼴이고 끝이 뾰족하며, 잎 뒷면의 엽맥(葉脈) 사이에 잔털이 났음. 꽃은 여름에 총상(總狀) 화서로 피고, 과실은 아직 발견하지 못하였음. 삼림에 나는데, 울릉도에 분포함. 수피(樹皮)는 새끼의 대용으로 함.

섬학-전[1]【贍學田】명〖역〗조선 시대에, 성균관(成均館)에 내려 준 땅. 문묘(文廟)의 자성(粢盛)과 거재 유생(居齋儒生)의 공궤(供饋)를 돕기 위하여 태조(太祖) 때 1,035결(結)을 주고, 세종(世宗) 13년(1431)에 965결을 더 줌. 양현고(養賢庫)의 설치로 없어짐. *학위전(學位田)·학전(學田).

섬학-전[2]【贍學錢】명〖역〗고려 충렬왕(忠烈王) 때에 국학(國學)에 소요되는 자금을 보조하기 위하여 왕과 문무관이 내던 돈.

섬:-향나무【—香—】명〖식〗[*Sabina pacifica*] 향나뭇과에 속하는 낮은 상록 침엽 관목. 측백나무의 변종으로 줄기는 만상(蔓狀)이고 높이 2m 가량임. 가지는 여럿이 분지(分枝)하여 땅을 덮고, 잎은 침엽(針葉)인데 세 개가 윤생(輪生) 밀생하며 뒷 면에는 흰 혹이 있음. 4월에 단성화(單性花)가 피는데, 수꽃은 달걀꼴, 암꽃은 둥글고, 장질(漿質)의 구과(毬果)를 맺어서 이듬해 10월에 익음. 난지(暖地)의 해변에 나는데, 제주도·전남·경기·황해도 및 대마도·류큐(琉球)에 분포함. 관상용으로 정원에 심고, 가지는 꽃꽂이에 쓰임.

섬:-현호색【—玄胡索】명〖식〗[*Corydalis filistipes*] 양귀주머닛과에 속하는 다년초. 줄기 높이 40cm 가량이고 잎은 호생하며 유병(有柄)에 재삼 우상 전열(再三羽狀全裂)하고 열편(裂片)은 선상(線狀) 피침형임. 5월에 자색 꽃이 총상(總狀) 화서로 정생(頂生)하여 피고, 과실은 삭과(蒴果)임. 산지에 나는데, 울릉도에 분포함. 괴경(塊莖)은 약용함.

섬호【纖毫】명 ①매우 가는 털. ②썩 미세(微細)한 사물의 비유.

섬 홀:드〔thumb hold〕명 ①바닥에 뚫린 구멍에 왼쪽 엄지손가락을 질러 넣고, 손으로 받치면서 사생(寫生)할 수 있는, 소형의 스케치 통. 또, 거기에 사용하는 작은 스케치 판(板). ②그림의 크기의 하나. 1호(號)와 2호 사이의 크기로서, 세로 22.7cm, 가로 15.8cm임. 또, 그런 치수의 작은 화포(畫布).

섬홀-하다【閃忽—】자여불 번쩍하다.

섬화[1]【閃火】명 번쩍이는 불빛.

섬화[2]【閃花】명 눈에 병이 났을 때 불빛을 대하여 나타나는 형상.

섬화[3]【纖化】명〖식〗빛의 결핍 등으로 말미암아 식물의 엽신(葉身)이나 옆 가지가 발달하지 못하며, 줄기의 마디 사이가 가늘고 길어지며, 경엽(莖葉) 조직의 분화(分化) 및 세포막(細胞膜)의 비후(肥厚)가 지체되는 현상. 황화(黃化)와 동시에 일어나는 현상임.

섬화 방:전【閃火放電】명〖전〗불꽃 방전.

섬:-황경피나무【—黃—】명〖식〗[*Phellodendron insulare*] 운향과에 속하는 낙엽 활엽 교목. 잎은 우상 복생(羽狀複生)하고 소엽(小葉)은 달걀꼴 또는 달걀꼴 타원형을 이루며 가에 잔 톱니가 있음. 5-6월에 황색 꽃이 자웅 이가(雌雄異家)의 원추 화서로 정생하고, 핵과(核果)는 10월에 까맣게 익음. 산중턱 위에 나는데, 울릉도에 분포함. 나무는 건축재(建築材)로 쓰이고, 수피(樹皮)는 코르크용(cork 用) 또는 과실과 함께 약용함.

섬회【蟾灰】명〖한의〗두꺼비를 태운 재. 감창(疳瘡)에 약으로 뿌림.

섬:-회나무【—檜—】명〖식〗[*Euonymus chibai*] 노박덩굴과에 속하는 상록 활엽 교목. 잎은 타원형, 여름에 녹백색 꽃이 취산(聚繖) 화서로 액생(腋生)하여 피고, 삭과(蒴果)는 가을에 익음. 산지에 나는데, 거문도(巨文島) 및 일본에 분포함. 도구재(道具材)로 쓰임.

섬휘【蟾輝】명 섬광(蟾光).

섭[1] 명〈방〉잎[1](제주).

섭[2] 명〈옛〉눈섭. ¶ 眉曰疎步《雞類》/눈섭 미(眉)《字會 上 25》.

섭[3] 명〈옛〉잎나무. =섭나모. ¶ 붉게 스븐 가온딧 서블딛고(明燃林中薪)《杜諺 IX:14》.

섭[4]【聶】명 성(姓)의 하나. 우리 나라에는 현존(現存)하지 아니함.

섭-검(:)영【葉劍英】명〖사람〗'예 젠잉'을 우리 음으로 읽은 이름.

섭겁다 형〈옛〉나약(懦弱)하다. ¶ 섭거운 사름 ᄌᆞᆯ한 ᄃᆞᆺᄒᆞ더라(如儒夫然)《內訓 I:29》.

섭-공조【葉公超】명〖사람〗'예 궁차오'를 우리 음으로 읽은 이름.

섭관【攝官】명 벼슬을 겸함. 또, 그 벼슬.

섭금-류【涉禽類】[—뉴] 명〖조〗[Grallatores] 조류를 생활 형태로 분류한 한 종류. 다리·목·부리가 모두 길어서 얕은 물 속을 걸어 다니며, 물고기·곤충 등을 포식함. 두루미·백로·황새 등. *주금류(走禽類)·유금류(游禽類).

섭나모 명〈옛〉잎나무. =섭[3]. ¶ 섭나모 요(蕘)《字會 下 4》.

섭-나방 명〖충〗[*Dendrolimus undans flaveola*] 솔나방과에 속하는 곤충. 편 날개의 길이는 수컷이 65mm, 암컷은 110mm 가량이며, 몸빛은 암황갈색에 앞날개의 띠무늬는 암갈색이고, 앞뒷 날개에 암갈색의 점선(點線)이 있음. 유충은 상수리나무 등의 잎의 해충임. 한국에도 분포함.

〈섭나방〉

섭니 명〖역〗'설리(薛里)'가 변하여 된 말.

섭대승-론【攝大乘論】[—논] 명〖책〗4세기경 인도의 무착(無着)이 지은 불서(佛書). 십의(十議)로써 대승(大乘)의 입장을 설명한 유식(唯識) 계통에 속하는 가장 중요한 불서의 하나로, 이 책에 의해서 유식의 사상이 완전히 조직되었음. ㊂섭론(攝論).

섭-도【攝島】명〖지〗전라 남도의 남해상(南海上), 완도군(莞島郡) 금일읍(金日邑) 사동리(沙洞里)에 위치한 섬. [0.40km²]

섭동【攝動】명 ①행동을 섭리(攝理)하는 일. ②〔perturbation〕〖천〗태양계의 모든 천체가 다른 행성(行星)의 인력(引力)으로 인하여 타원 궤도(楕圓軌道)에 변화를 일으키는 일. ③〔perturbation〕〖물〗일반적으로 역학계(力學系)에 있어서 주요한 힘의 작용에 의한 운동이 부차적인 힘의 영향으로 인하여 교란(攪亂)되어 일어나는 운동.

섭동-력【攝動力】[—녁] 명〖천〗천체(天體)의 운행에 변화를 미치는 힘. 달의 운행은 태양 및 행성의 인력(引力)의 영향을 받고 지구와 모든 행성의 운행은 상호 작용 및 태양의 인력의 영향을 받음.

섭동-법【攝動法】[—뻡] 명〖물〗역학(力學)에서, 섭동에 의하여 다체(多體) 문제를 근사적(近似的)으로 푸는 방법.

섭력【涉歷】[—녁] 명 물을 건너고 산을 넘었다는 말로, 여러 가지 일을 많이 경험했다는 뜻. ——-하다 타여불

섭렵【涉獵】[—념] 명 여러 가지 책을 널리 읽음. ——-하다 타여불

섭론【攝論】[—논] 명〖책〗↗섭대승론(攝大乘論).

섭론-종【攝論宗】[—논—] 명〖불교〗중국 불교 십삼종(十三宗)의 하나로 무착(無着)의 저서 《섭대승론(攝大乘論)》이라는 철학 책의 학설에 의하여 성립한 학문적 종파. 당대(唐代)에 현장(玄奘)이 법상종(法相宗)을 전하매, 이와 합류하여 독립한 종파의 형태를 잃음.

섭리[1] [—니] 명〖역〗설리(薛里)가 변하여 된 말. 「——-하다 타여불

섭리[2]【燮理】[—니] 명 음양(陰陽)을 고르게 잘 다스림. 섭화(燮和).

섭리[3]【攝理】[—니] 명 ①병(病)을 조섭함. ②대신하여 처리하고 다스림. ③〖종〗신(神) 또는 정령(精靈)이 인간의 이익(利益)을 염려하면서 세상의 모든 일을 다스리는 일. ④〔providence〕〖기독교〗하느님이 세계(世界)를 창조한 그 의지(意志)로써 세계를 지배·소유하면서 인간(人間)을 그의 구제(救濟)의 목적으로 영원한 계획에 의하여 인도(引導)하는 질서(秩序)와 그 은혜. *운명(運命). ⑤자연계를 지배하고 있는 이법. ¶ 자연의 ~. ⑥〖불교〗승통(僧統). ——-하다 타여불

섭백【鑷白】명 센 머리털을 뽑아 버림. ——-하다 타여불

섭벌【燮伐】명 협동하여 정벌함. ——-하다 타여불

섭복【懾服】명 두려워 복종함. ——-하다 자여불

섭섭다 형〈옛〉나약(懦弱)하다 ¶ 儒夫 섭써운 사름이라《小諺 VI:125》.

섭사[1]【攝祀】명 남을 대신하여 제사를 지냄. ——-하다 타여불

섭사[2]【攝事】명〖역〗조선 시대 때 영흥부(永興府)·함흥부(咸興府)·평양부(平壤府)·영변 대도호부(寧邊大都護府)·경성 도호부(鏡城都護府)·의주목(義州牧)·회령(會寧)·경원(慶源)·종성(鐘城)·온성(穩城)·부령(富寧)·경흥(慶興)·강계 도호부(江界都護府)의 동반(東班)의 종구품(從九品) 토관(土官) 벼슬. 「지어서 구운 적.

섭-산적【—散炙】명 쇠고기를 난도질하여 갖은양념을 치고 반대기를 [섭산적이 되도록 맞았다] 살이 갈갈이 찢기고 떨어져 나가도록 수없이 두들겨 맞았다는 뜻.

섭-새기다 타〖미술〗조각에서, 속이 뜨게 파내거나 뚫어지게 새기다.

섭-새김 명〖미술〗조각에서, 글자나 그림이 두드러져 오르게 새긴 새김. *돋을새김. ——-하다 타여불

섭새김-질 명〖미술〗조각에서 섭새김하는 일. ——-하다 자여불

섭생【攝生】명 양생(養生)❶. ——-하다 타여불

섭생-가【攝生家】명 섭생을 잘 하는 사람.

섭생-법【攝生法】[—뻡] 명 섭생하여 건강을 유지하는 법.

섭서비[1] 명〈방〉허파(황해·평안). 「29》.

섭서비[2] 부〈옛〉섭섭히. ¶ 神靈의 마롤 섭서비 너겻더니《三綱 孝子

섭선법-계【攝善法戒】명〖불교〗삼취 정계(三聚淨戒)의 하나. 일체의 선(善)을 스스로 행하는 일.

섭섭-하다 형여불〔중세:섭섭ᄒᆞ다〕①정(情)에 끌려 서로 헤어지기가 마음에 서운하고 아쉽다. ¶ 이렇게 헤어지다니 무척 섭섭하군. ②없어지는 것이 아깝다. ¶ 혼란기에 이런 지도자를 잃었다는 것은 참 섭섭한 일이다. ③남이 자기에게 하는 태도가 서운하고 흡족하지 아니하다. ¶ 네가 나에게 그렇게 하다니 참 ~. 섭섭-히 부 ¶ ~ 여기다.

섭세【涉世】명 세상을 살아 나감. ——-하다 자여불

섭세비 명〈방〉허파(함남).

섭수[1] 명〈방〉수단(手段).

섭수[2] 명〖역〗←협수(夾袖).

섭-수[3]【—數】명 ①볏짚의 수량. ②잎나무의 수량.

섭수[4]【涉水】명 물을 건넘. ——-하다 자여불

섭수[5]【攝受】명 ①마음을 관대히 먹어 남을 받아들임. ②〖불교〗부처가 자비심(慈悲心)으로 일체 중생(一切衆生)을 두호(斗護)함. 호념(護念). ↔절복(折伏). ——-하다 타여불

섭수-금【涉水禽】명〖조〗섭금류(涉禽類)에 속하는 새.

섭수-기【攝受器】명 수용기(受容器).

섭수-문【攝受門】명〖불교〗섭수의 법문(法門). 곧, 중생(衆生)을 받아들여 자비(慈悲)로 제도(濟度)하는 법문. ↔절복문(折伏門).
섭수 절복【攝受折伏】명〖불교〗부처와 보살이 중생(衆生)의 교화(敎化)에 쓰는 두 개의 법문(法門), 곧 섭수문(攝受門)과 절복문.
섭수-조【涉水鳥】명〖조〗섭금류(涉禽類)에 속하는 새.
섭슬-리다 자 ☞휩쓸리다. ¶이로부터 물은 조수까지 섭슬려 더욱 흐리나 그득하니 벅차고, 강 너비가 훨씬 퍼진 게 제법 양양하다≪蔡萬植: 濁流≫.
섭식[1] 명〈방〉〖의〗협체(挾滯).
섭식[2]【攝食】명 음식물을 섭취함. ——-하다 자타여불 「자여불
섭심【攝心】명〖불교〗마음을 가다듬어 흩어지지 않게 함. ——-하다
섭-쓸리다 피동 ☞휩쓸리다.
섭씨【攝氏】명〖물〗[↗섭씨 온도] 섭씨 온도계의 눈금의 명칭. 1742년에 스웨덴의 천문학자 셀시우스(Celsius, Anders; 1701-44)가 정한 것으로 'C'로 표시함. ¶～36도. ＊열씨(列氏)·화씨(華氏).
섭씨 온도계【攝氏溫度計】명〖물〗온도계의 한 가지. 일 기압(一氣壓)에 있어서의 어는점(點)을 영도(零度), 끓는점(點)을 100도(度)로 하여 그 사이를 100등분한 온도계. 섭씨 한란계. ＊화씨 온도계.
섭씨 한란계【攝氏寒暖計】[—할—] 명〖물〗섭씨 온도계(攝氏溫度計).
섭양【攝養】명 양생(養生)❶. ——-하다 타여불
섭-영진【聶榮臻】명〖사람〗'녜 룽전'을 우리 음으로 읽은 이름.
섭-옥잠【鑷玉簪】명 대가리를 뚫어 새긴 옥비녀.
섭외[1]【涉外】명 ①외부 특히 외국과 연락·교섭하는 일. ¶～부(部). ②어떤 법률 사항이 내외국(內外國)에 관계·연락되는 일. ¶～사법(私法).
섭외[2]【懾畏】명 섭포(懾怖). ——-하다 타여불
섭외 사법【涉外私法】[—뻡] 명〖법〗'국제 사법(國際私法)'의 별칭.
섭외적 법률 관계【涉外的法律關係】[—뉼—] 명〖법〗내외 여러 국가의 법률에 관계를 가지는 법률 관계.
섭외적 사법 관계【涉外的私法關係】[—뻡—] 명〖법〗섭외적 법률 관계가 사법적 법률적 관계인 경우에 특히 이르는 말. 우리 나라 사람과 외국 사람이 매매 계약을 맺거나 외국 사람이 우리 나라에서 불법 행위를 한 경우 따위와 같음.
섭위[1]【涉危】명 섭험(涉險). ——-하다 자여불
섭위[2]【攝位】명 임시로 군주의 자리에 올라 정치를 함. 임시로 제왕의 위에 오름. ——-하다 자여불
섭유[1]【囁嚅】명 말을 제대로 하지 못하고 머뭇거리면서 입만 열었다 닫았다 함. ——-하다 자여불
섭유[2]【顳顬】명〖생〗태양혈(太陽穴).
섭유-골【顳顬骨】명 [Ossa temperale]〖생〗두개골(頭蓋骨)의 바깥 쪽을 이루는 뼈의 총칭. 암골부(岩骨部)·고실부(鼓室部)·인골부(鱗骨部)로 되어, 그 속에 청기(聽器)의 주요 부분을 넣고 외면(外面)에는 외청공(外聽孔)이 있음. 측두골(側頭骨). 옆머리뼈.
섭유-근【顳顬筋】명〖생〗섭유골을 싸고 있는 부채 모양의 근육.
섭의【涉疑】[—/—이] 명 의심스러움. ——-하다 형여불
섭의-증【涉疑症】[—쯩/—이쯩] 명〖의〗전염될 의심이 있는 병.
섭이【攝餌】명 먹이를 먹음. ——-하다 자여불
섭장귀 명〈방〉잎(함경).
섭-적【葉適】명〖사람〗중국 남송(南宋)의 학자. 주자(朱子)와 같은 시대의 사람. 자는 정칙(正則), 호는 수심 선생(水心先生). 영종(寧宗) 때 연강 제치사(沿江制置使)로서 금군(金軍)을 막음. 퇴관(退官) 후에는 저작에 전념, ≪수심 문집(水心文集)≫을 저술함. [1150-1223]
섭정【攝政】명〖정〗임금이 나이가 어리거나 병 또는 그 밖의 사고로 직접 정치를 할 능력이 없는 경우, 임금을 대신하여 정치를 함. 또, 그 사람. ——-하다 자타여불
섭정 양식【攝政樣式】명 오를레앙 공, 필립이 루이 15세의 섭정이던 시대에 행해진 프랑스의 실내 장식 및 공예품의 양식. 루이 14세 양식의 장중함에다 우아한 경쾌미(輕快美)를 가미한 것. 레장스 양식.
섭제【攝提】명 ①〖천〗대각(大角) 별의 양쪽에 있어 북두 칠성(北斗七星)의 자루에 상당하는 세 별의 이름. ②〖천〗세성(歲星), 곧 목성(木星)의 딴이름. ③〖민〗섭제격(攝提格).
섭제-격【攝提格】명〖민〗지지(地支)의 '인(寅)'의 고갑자(古甲子) 이름. 섭제(攝提).
섭-조개 명〖조개〗진주담치.
섭주【攝奏】명 옆에서 말을 거들어 여쭘. ——-하다 자여불
섭-죽【—粥】명 진주담치를 넣고 쑨 죽.
섭중【攝衆】명〖불교〗중생을 두둔하여 보호함. ——-하다 자여불
섭중생-계【攝衆生戒】명〖불교〗삼취 정계(三聚淨戒)의 하나. 중생을 교화하여 이익이 베풀어지도록 힘쓰는 일.
섭:-쥐똥나무 명〖식〗[*Ligustrum foliosum*] 물푸레나뭇과에 속하는 낙엽 활엽의 작은 관목. 잎은 달걀꼴 타원형 또는 피침형이고 가에 톱니가 없음. 5-6월에 백색 꽃이 복총상(複總狀) 화서로 가지 끝에 정생(頂生)하여 피고, 장과(漿果)를 맺는데 10월에 까맣게 익음. 산중턱 위에 나는데, 경북의 울릉도와 황해도에 분포함. 산울타리용으로 심음.
섭직【攝職】명 직무(職務)를 맡아 행하는 일. 또, 두 개 이상의 직무를 겸하는 일. 겸직(兼職). ——-하다 타여불
섭-집게 명 진주담치를 잡는 집게.
섭취【攝取】명 ①자기 것으로 받아들임. 또는, 영양물을 몸 속에 받아들임. ②〖불교〗부처가 자비의 광명(光明)으로써 중생을 제도함. ——-하다 타여불
섭취 불사【攝取不捨】[—싸] 명〖불교〗아미타불(阿彌陀佛)의 광명(光明)인 지혜(知慧)·자비(慈悲)가 염불(念佛)의 중생을 섭취하여 버리지 아니하는 일. 곧, 미타(彌陀)의 구제(救濟)를 말함.
섭치 명 여러 가지 물건 중에서 변변하지 아니한 물건.
섭-통례【攝通禮】[—녜] 명〖역〗조선 시대 때, 통례원(通禮院)의 임시 벼슬.
섭포【懾怖】명 두려워함. 섭외(懾畏). ——-하다 타여불
섭-하다 형〈방〉섭섭하다.
섭행【攝行】명 ①대신으로 일을 행함. 대행(代行). ②겸하여서 일을 행함. ③통치권(統治權)을 행함. ④섭사(攝祀). ——-하다 타여불
섭험【涉險】명 위험함을 무릅씀. 섭위(涉危). ——-하다 자여불
섭호【攝護】명 다스려 지키는 일. 통일하여 수호(守護)하는 일.
섭호-선【攝護腺】명〖생〗전립선(前立腺).
섭호선-염【攝護腺炎】[—념] 명 전립선염(前立腺炎)
섭-호장【攝戶長】명〖역〗조선 시대에, 군아(郡衙)에 딸렸던 향리(鄕吏)로, 호장(戶長) 직무를 겸한 사람.
섭화[1]【燮和】명 ①부드럽게 다스리는 일. 음양(陰陽) 등을 조화시킴. 섭리(燮理). ②[재상은 음양을 조화시킨다는 데서] 재상(宰相)의 직분.
섭화[2]【攝化】명〖불교〗중생을 두둔하고 보호하여서 교화함. ——-하다 타여불
섭화씌 명〈옛〉꽃무늬 새긴 띠. ¶은견메워 섭화씌 ᄒᆞ나 ᄆᆡᆼᄀᆞ라(做一條銀廂花帶)≪朴解 上 19≫.
섭ᄒᆞ다 타〈옛〉아로새기다. ¶ᄒᆞᆫ 됴ᄒᆞᆫ 고ᄌᆞᆯ 섭ᄒᆞ고(鈒一箇好花樣兒)≪朴解 上 16≫.
섯결다 타〈옛〉엇결다. ¶叉手ᄂᆞᆫ 두솏가라ᄅᆞᆯ 섯겨를시라≪圓覺 上 一之二 84≫.
섯굼 타〈옛〉섞음. 엇결음. '섯다'의 명사형. ¶시혹 ᄒᆞᆫᄢᅴ ᄒᆞ야 서르 섯구미(或同時互相交絡)≪圓覺序 60≫.
섯긔다 형〈옛〉성기다. ¶녯 城엔 디ᄂᆞᆫ 남기 섯긔고(古城疏落木)≪重杜諺 XIII:49≫.
섯기다 자〈옛〉①사귀다. 교전하다. ¶힌 뼤ᄂᆞᆫ 새려 사홈을 섯겟도소니(白骨新交戰)≪杜諺 V:13≫. ②섞이다. ¶믌출히 몰ᄀᆞ니 줏나븨 소리 섯겟고(泉源冷冷雜猿狖)≪杜諺 V:36≫.
섯ᄀᆞ이다 자〈옛〉섞갈리다. ¶終南山ㅅ 프른 비치 섯ᄀᆞ이고(錯磨終南翠)≪杜諺XIII:14≫.
섯날 명〈옛〉설날. ¶ᄯᅩ한 섯날 아ᄎᆞᄆᆡ(又方元日)≪瘟疫方 4≫.
섯-녘【西—】명〈방〉서녘.
섯느리다 타〈옛〉섞어 늘이다. ¶류리따우희 황금 노ᄒᆞ로 섯느리고 칠보 ᄀᆞᆯ비 분명ᄒᆞ고(瑠璃地上以黃金繩雜厠間錯以七寶界分齊分明)≪觀經 8≫.
섯닐다 자〈옛〉사귀어 일다. 함께 일다. ¶法이 滅호려 홀 쩨 世와 道왜 섯배며 邪와 暴왜 섯니러 사ᄅᆞ미 嫉諂이 할씨(法欲滅時 世道交喪 邪暴交作 人多嫉諂)≪妙蓮 V:43≫.
섯다 타〈옛〉섞다. ＝섞다. ¶道理ᄅᆞᆯ 솔펴 섯근 것 업시 眞實ᄒᆞ야≪月釋 Ⅱ:60≫.
섯돌다 자〈옛〉섞이어 돌다. ¶銀ᄀᆞᄐᆞᆫ 무지게 玉ᄀᆞᄐᆞᆫ 龍의 초리 섯돌며 ᄲᅮᆷᄂᆞᆫ 소리≪松江 關東別曲 2≫.
섯듧다 타〈옛〉뒤덮다. ¶쇠 그므리 섯두퍼 잇거늘≪月釋 XXIII:83≫.
섯듣다 자〈옛〉섞여서 떨어지다. ¶瓔珞과 옷과 곳비왜 섯듣더니 ≪月釋 Ⅱ:42≫.
섯등 명 염전(鹽田)에서 소금을 만들 때 바닷물을 걸러 내기 위하여 바닥을 다지고 가장자리에 넓고 길게 둘러 막아 놓은 장치. 속에는 경그레를 하고 양편에 구멍이 있어 소금물을 받아 냄.
섯디르다 자〈옛〉섞갈리다. 뒤섞이다. ¶섯딜어 어즈러우미 어느 時節에 훤ᄒᆞ며(交交擾擾何時而廓然)≪楞嚴 Ⅲ:116≫.
섯ᄃᆞᆮ다 자〈옛〉뒤섞여 달리다. ¶여러 가짓 모딘 벌에 무리 섯ᄃᆞᄅᆞ며(諸惡蟲輩 交橫馳走)≪妙蓮 Ⅱ:107≫.
섯ᄃᆞᆯ 명〈옛〉섣달. ¶섯ᄃᆞᆯ(臘月)≪譯語 上 4≫. 「Ⅷ:132≫.
섯모ᄃᆞ다 자〈옛〉섞여 모이다. ¶섯모도ᄆᆞᆯ 堅固히 ᄒᆞ야(堅固交遘)≪楞嚴
섯밑 명 [←혓밑] 소의 혀 밑에 붙은 살코기. 맛이 좋으며 편육으로 씀.
섯미다 자〈옛〉사귀다. 사귀어 매다 ¶交ᄂᆞᆫ 섯밀씨오 ≪妙蓮 Ⅰ:85≫.
섯맺다 타〈옛〉사귀어 맺다. ¶ᄇᆡᆺ모디 섯미자 몸 업스샤미 龍 서린ᄃᆞᆺ ᄒᆞ샤미 第十三이시고 ≪妙蓮 Ⅱ:15≫.
섯-바닥 명〈방〉혓바닥(전라·충청·황해).
섯박다 타〈옛〉섞어 박다. ¶보빗 섯바곤 帳이 그 우희 차둡고(寶交露幔遍覆其上)≪妙蓮 Ⅳ:123≫.
섯배다 자〈옛〉함께 망하다. ¶法이 滅호려 홀 쩨 世와 道왜 섯배며(法欲滅時 世道交喪)≪妙蓮 V:43≫.
섯버믈다 타〈옛〉섞어 버무리다. ¶하ᄂᆞᆳ 香이 섯버므러 곧곧마다 붊비치 나더라≪月釋 Ⅱ:52≫. 「것는ᄃᆞᆺ ≪松江 關東別曲 5≫.
섯브다 타〈옛〉섞어 불다. 합주(合奏)하다. ¶鼓角을 섯브니 海雲이 다
섯알ᄑᆞ다 형〈옛〉마구 아프다. ¶ᄆᆞᅀᆞᆷ과 비왜 섯알ᄑᆞ고(心腹攪痛)≪救方 下 49≫.
섯자 명〈방〉석자[1].
섯쟈 명〈옛〉석자[1]. ¶섯쟈曰漏杓≪字會 中 19 杓字註≫.
섯흘리다 자〈옛〉엇걸려 흐르다. 마구 흐르다. ¶눈므리 어즈러이 ᄐᆞ개 섯흘리노라(涕泗亂交頤)≪杜諺 Ⅲ:2≫.
섥다 타〈옛〉섞다. ＝섯다. ¶ᄒᆞ마 섯그니(旣混)≪楞嚴 Ⅰ:70≫.
섰다[1] 명 두 장씩 노나 가진 화투장으로 서로의 끗수를 짐작으로 겯주어 돈을 더 내면서 버티어 그 버틴 중에서 제일 높은 끗수가 그 판의 돈을 먹는 노름. 돈을 더 태울 때 '섰다'라고 말함.
섰다[2] 준 서 있다.
성:[1] 명 [중세:셩] 불유쾌한 충동으로 속에서 왈칵 치밀어 오르는 노여운 감정.
　성:이 머리끝까지 나다 구 성이 극도에 이르도록 나다. ¶성이 머리끝

까지 나서 영창을 밀어젖히고 한숨을 쉬어가며 혼자 구성거리는데 ≪金宇鎭:榴花雨≫.

성² 명 〈방〉 형(兄)(서울·경상·강원·경기·충청·전라·함경·제주).

성³【成】명 성(姓)의 하나. 본관은 창녕(昌寧) 단본임.

성:⁴【姓】명 한 혈통을 잇는 겨레붙이의 칭호. 대대로 이어 내려 한 겨레와 다른 겨레가 구별됨. 곧, 김(金)·박(朴)·이(李) 등.

[성은 피가(皮哥)라도 옥관자(玉貫子) 맛에 다닌다] 본바탕은 시원찮아도 겉 모양이 좀 나음을 자랑삼아 뽐냄을 이르는 말.

성:을 갈겠다 구 단언(斷言)할 때나, 다시는 하지 않겠다고 다짐할 때에, 맹세지거리로 이르는 말.

성:⁵【性】명 ①사람이나 사물(事物)의 본바탕. ②〖철〗후천적·경험적 요소를 포함하지 아니하고 사람이 나면서부터 가지고 있는 소질. ¶ 사람의 ~은 원래 선하다. ③〖불교〗만유(萬有)의 본체(本體). ④〖생〗남녀(男女) 자웅(雌雄) 및 빈모(牝牡)의 구별. 섹스(sex). ⑤↗성욕(性慾). ⑥〔gender〕〖언〗인도·유럽어(語)에서, 명사·대명사 등의 문법상(文法上) 성질의 하나. 남성(男性)·여성(女性)·중성(中性)으로 나뉨.

성⁶【星】명〖천〗↗성성(星星).

성⁷【星】명 성(姓)의 하나. 본관은 미상임.

성⁸【省】명 ①옛날 중국에서, 궁중(宮中)·금중(禁中)의 뜻. ②〖역〗중국의 옛날의 중앙 정부(中央政府). 곧, 중서성(中書省). ③〖지〗중국의 최상급의 지방 행정 구획(區畫).¶ 산둥 ~ / 장시 ~. ④〖정〗미국·영국·일본 등의 중앙 행정 기관. 우리 나라의 부(部)에 해당함. ¶ 국무~.

성⁹【城】명 적(敵)을 막기 위하여 높이 쌓은 큰 담. 성곽(城郭).

[성 쌓고 남은 돌] ㉠쓸 자리에 쓰이지 못하고 남아, 쓸모가 없게 된 물건. ㉡혼자 남아 외로운 신세.

성:¹⁰【聖】명 ①〖종〗종교의 본질을 규정하는 가치(價値), 곧 초월적 존재(超越的存在)로서의 신(神) 또는 신성(神性)의 숭엄·능력 및 접근 불능(接近不能)을 나타냄. ②지덕이 가장 뛰어나 천하가 우러러 사표(師表)로 삼음. 또, 그 사람. ③그 방면에 가장 걸출(傑出)한 인물. ¶ 시(詩) ~. ④↗신성(神聖). ⑤↗성인(聖人).

성¹¹ 의명 용언의 관형형 어미 '-ㄴ'·'-은'·'-는'·'-ㄹ'·'-을'의 뒤에 붙어서 '싶다' 따위와 함께 쓰이어, '것 같다'의 뜻으로 막연한 추측을 나타내는 말. ¶ 한 번 본 ~ 싶다 / 좋을 ~ 싶다 / 좋은 분일 ~ 싶소. *듯¹.

성:-【聖】접 ①〖천주교〗시성(諡聖)된 이의 이름 앞에 붙이는 말. 세인트(Saint). ¶ ~바울. ②기독교에 관한 사물(事物)의 이름 앞에 붙여 거룩한 뜻이나 그 관계를 나타내는 말. ¶ ~만찬/~십자가.

-성¹【成】미 황금(黃金)의 순도(純度)를 나타내는 말. 십성(十成)이 순금(純金)임. *-금(金).　「~/적극~.

-성:²【性】미 명사 밑에 붙어, 그러한 성질·경향을 나타내는 말. ¶ 인간

성가¹【成家】명 ①따로 한 집을 이룸. ②학문이나 기술이 탁월하여, 한 파(派)나 체계(體系)를 이룩함. ③성취(成娶). ——-하다 자여불

성:가²【聖架】명 예수가 못박힌 십자가(十字架).

성:가³【聖家】명〖천주교〗성가정(聖家庭).

성:가⁴【聖歌】명 ①신성한 노래. ②가톨릭·프로테스탄트 등의 기독교

성:가⁵【聖駕】명 거가(車駕)❶. ⌊종교 가곡. 찬미가. 찬송가. 성악(聖樂).

성가⁶【聲價】[—까] 명 세상의 좋은 평판(評判). 성명(聲名). ¶ ~가 높아지다/~를 높이다.　「용어.

성:가 광영【聖架光榮】명〖천주교〗'성(聖)십자가의 현양 축일'의 구

성:-가극【聖歌劇】명〖악〗'오라토리오(oratorio)'의 역어(譯語).

성:가-대【聖歌隊】명〖종〗성가를 부르기 위하여 조직된 합창대.

성가시다 형 자주 들볶아 귀찮다. 너무 폐롭게 굴어 싫다.

성:-가정【聖家庭】명〖천주교〗아기 예수, 성모 마리아, 성 요셉의 나사렛에서의 가정. 성가(聖家).

성:-가족【聖家族】명〖천주교〗기독교적 가족의 모범으로서의 성모 마리아·요셉·예수의 가족. 고래로 회화·조각의 좋은 제재(題材)임. 그 축일은 공현 축일(公現祝日) 후의 최초의 일요일임. 신성 가족.

성-가퀴【城—】명 성 위에 낮게 쌓은 담. 몸을 숨기고 적을 치는 곳. 성첩(城堞). 여장(女墻). 치첩(雉堞). 타구(垜口). 보원(堡垣). 치성(雉城).

성:가-회【聖家會】명〖천주교〗성가(聖家)를 본받는 뜻으로 세운 신심

성각¹【城閣】명 성루(城樓).　⌊회(信心會).

성각²【誠慤】명 성실(誠實). ——-하다 형여불

성각³【醒覺】명 각성(覺醒)❷. ——-하다 자여불

성-간【成侃】명〖사람〗조선 세종 때의 문신·문인. 자(字)는 화중(和仲), 호는 진일재(眞逸齋). 창녕(昌寧) 사람. 집현전(集賢殿) 박사(博士)로 문명(文名)을 떨쳤으나 요절(夭折)하였음. 시부(詩賦)에 능하여, ≪궁사(宮詞)≫·≪신설부(新雪賦)≫·≪용부전(庸夫傳)≫ 등의 작품이 전함. [1427-56]　「는 기체. 우주(宇宙) 가스.

성간 가스【星間—】〔gas〕명〖천〗성간 물질의 대부분을 차지하고 있

성간 물질【星間物質】[—찔] 명〔interstellar matter〕〖천〗별과 별 사이의 공간에 떠 있는 극히 희박한 물질. 그 밀도는 장소에 따라 차가 있음. 성간 가스·우주진(宇宙塵)·유성 물질 등이 이에 속함.

성간-운【星間雲】명〖천〗우주운(宇宙雲).

성간 흡수【星間吸收】명〔interstellar absorption〕〖천〗성간 물질에 의해서 별로부터 오는 광선이 흡수되거나, 산란(散亂)되거나 또는 차단되거나 하는 현상. 일반 흡수·선택(選擇) 흡수·단색(單色) 흡수 등으로 분류됨.　「쾌감.

성:감¹【性感】명 성기(性器) 또는 성감대(性感帶)를 자극할 때의 생리적

성감²【誠感】명 참된 마음으로 남의 마음을 움직임. ——-하다 타여불

성:감³【聖鑑】명 임금의 감식(鑑識).

성:감-대【性感帶】명 그 부분을 자극함으로써 성적인 감각을 유발(誘發) 또는 조장(助長)할 수 있는 신체의 부분.

성:감 이:상증【性感異常症】[—쯩] 명〔anorgasmy〕〖의〗성교 중에 절정감에 도달할 수 없는 상태. 보통, 정신적인 것이 원인을 이룸.

성:강【盛彊·盛強】명 세력이 성하고 강함. 강성(強盛). ——-하다 형

성:개【盛開】명 ①성하게 핌. ②성하게 열림. ——-하다 자여불　⌊여불

성:거【盛擧】명 장거(壯擧).　「변(曜變) 같은 작은 점이 많은 잔.

성건-잔【星建盞】명 중국 건주(建州)에서 나는 흑도(黑陶) 가운데, 요

성:걸【性傑】명 성급(性急)함. ——-하다 형여불

성:검【聖劍】명 성스러운 칼.

성겁【成劫】명〖불교〗사겁(四劫)의 하나. 세계가 성립하고 인축(人畜)이 생성(生成)하는 시기(時期). *공겁(空劫)·주겁(住劫).

성겁다 형〈옛〉나약(懦弱)하다. 싱겁다. ¶ 浮虛코 성거울쓴 아마도 西楚霸王≪古時調≫.

성:-게 명〖동〗①극피 동물 성게강(綱)에 속하는 동물의 총칭. 불가사리와 가까운 종류로서, 지름 5 cm 가량의 구형(球形) 또는 원반형(圓盤形)에 그 표면에는 가시가 많이 나서 밤송이와 같고 또 가시 사이에 실 같은 관족(管足)이 많이 나와 쉽게 움직이며 먹이는 주로 그 관족으로 잡아 먹음. 대개 복부(腹部)의 중앙부에 입이 있고, 배면(背面)의 한 가운데에 항문(肛門)이 있음. 발생학(發生學) 및 세포학의 실험(實驗)에 많이 쓰임. 해담(海膽). ②[*Anthocidaris crassispina*] 성게강 정형류(正形類)에 속하는 성게의 하나. 가장 흔한 성게의 하나로 지름 5 cm, 몸빛은 농자색(濃紫色)이고 암자색(暗紫色)을 띤 길고 짧은 가시가 전면(全面)에 났음. 난소(卵巢)는 5-8월에 성숙하며 어린것을 '플랑크톤'이라고 함. 열대·아열대 및 일본·대만·한국·중국 남해의 간조선(干潮線) 부근의 암석 사이에 분포함. 껍데기는 세공품(細工品)을 만들기도 함.

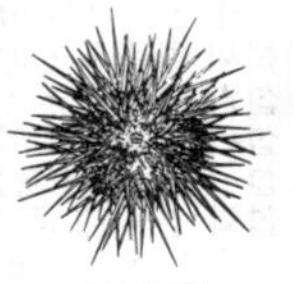

〈성게❷〉

성:게-강【—綱】명〖동〗[Echinoidea] 유재류(遊在類)에 속하는 극피(棘皮) 동물의 한 강(綱). 몸은 반구상(半球狀)·난원형·원반상(圓盤狀) 등이고, 입은 복부(腹部)의 중앙에 있으며, 배설강(排泄腔)은 배면(背面)의 중앙부에 있는 것이 보통임. 바다와 바위 틈·모래·진흙 밑 등지에 서식함. 말똥성게·성게·해연 등이 이에 속하는데, 정형목(正形目)·초침목(蛸枕目)·심형목(心形目)의 세 목(目)으로 분류함. 해담류.

성격¹【成格】명 격식을 이룸. 또, 격식이 이루어짐. ——-하다 자여불

성:격²【性格】[—껵] 명 ①성결¹. ②언동(言動)을 통하여 나타나는 개인의 특질 또는 그 자체가 지니고 있거나 일하는 태도의 본질적 특징 및 통일적 근본 경향. ③〖심〗인간의 정신 생활을 모든 방면에서 나타내는 전체로서의 소질. ④〖윤〗개인의 의욕·행위·태도에 일관하는 확고한 근본 특질. 곧, 자기의 신조(信條)를 끝까지 지켜 나가는 의지나 습관. ⑤사물에 구비된 고유의 성질. 사물의 전체적인 특징. ¶ 강제적인 ~을 띤 처사.

성:격 검:사【性格檢査】[—껵—] 명〖심〗정의 검사(情意檢査).

성:격 교:육【性格敎育】[—껵—] 명 심리학적인 입장 또는 사회 도덕적인 견지에서, 좋은 성격을 양성하는 교육.

성:격-극【性格劇】[—껵—] 명〖연〗주인공의 특수한 성격의 활동을 특히 선명하게 표현하고, 그것이 근본이 되어 일어나는 희비(喜悲)의 사상(事象)을 전개한 희곡(戲曲)이나 연극.

성:격 묘:사【性格描寫】[—껵—] 명 소설이나 희곡(戲曲)·영화 등에서, 인물의 성격을 그려내는 일.

성:격 배우【性格俳優】[—껵—] 명〖연〗어떤 인물의 개성적인 성격을 교묘하게 표현하는 자질(資質)을 가진 배우.

성:격 비극【性格悲劇】[—껵—] 명 성격 상의 특수성이 대립, 알력을 일으켜, 파멸적인 결과로 이끄는 사건을 표현한 성격극. 셰익스피어의 ≪햄릿≫·≪리처드 3세≫ 같은 것. ↔성격 희극.

성:격 심리학【性格心理學】[—껵—니—] 명〔psychology of personality〕〖심〗심리학의 한 분야. 성격의 이론, 성격 형성의 요인, 성격 이상, 성격의 진단 방법, 성격의 지도, 성격과 주변 과학(周邊科學)과의 관련 등에 관해서 연구하는 분야를 이름. *개인 심리학.

성:격 유:형【性格類型】[—껵뉴—] 명 여러 사람의 성격의 유사(類似)·친근(親近)을 추출(抽出)하여 몇 개로 나눈 형(型).

성:격 이:상【性格異常】[—껵—] 명〖의〗정신적 불안정 상태의 하나. 지능(知能)은 대개 보통이나, 주로 감정이나 의지의 방면에 결함이 있음. 곧, 의지 박약증(意志薄弱症)·방일증(放逸症) 등 사회 생활에 순응하지 못하는 경우가 많음.

성:격-자【性格者】[—껵—] 명 어떠한 성격의 소유자.

성:격 장애【性格障礙】[—껵—] 명〔personality disorder〕〖심〗신경증·정신병이나 일시적인 이상 반응에 의한다기보다는 오히려 지속적인 이상 행동으로 특징지워지는 여러가지 장애의 총칭.

성:격-적【性格的】[—껵—] 명관 성격에 관한 모양.

성:격 책임【性格責任】[—껵—] 명〔도 Charakterschuld〕〖법〗형사 책임의 근거를 개개의 행위나 의사에서가 아니라, 그 행위자의 성격에 구하는 경우의 책임. 성격 책임은 사회적 책임론의 중심이 되는 개념이며, 행위 책임이 도의적 책임론에 의하여 주장되는 것에 대한 말.

성:격-학【性格學】[—껵—] 명〔characterology〕〖심〗인간의 성격을 연구하는 학문. 성격 심리학을 중심으로 해서, 인간 이해의 과제를 가장 구체적으로 연구하려는 학문.

성:격-화【性格化】[—껵—] 명 일정한 성격을 이룸. 일정한 성격으로 되게 함. ——-하다 자타여불

성:격 희:극【性格喜劇】[—껵히—] 명 탐욕·소심(小心) 등의 특정한 성격의 외적(外的) 표현이, 주위에 부조화(不調和)를 나타내고 익살스러운 느낌을 불러 일으키는 성격극의 하나. 몰리에르의 여러 희극 같은

것. ↔성격 비극(悲劇).

성:-결[1]【性一】[一껼] 명 성품의 곱고 사나운 성질. 성격(性格). ¶ ～이 고약하다. ㊀결.

성:결[2]【聖潔】명 거룩하고 깨끗함. ——-하다 형여불

성:결-교【聖潔敎】명 〖기독교〗 동양(東洋)에서의 기독교의 한 교파. 1901년에 미국 감리 교회의 신자 카우만(Cowman, C.E.)과 그의 친구 길보른(Gillbowrne, E.A.)이 일본의 도쿄에 '동양 선교회'를 두고 동양 각처에 전교하였으며, 1907년에는 서울에 처음 전파하여 교회를 설립하고, 1922년에 '성결 교회'라 이름지었음. 중생(重生)·성결(聖潔)·신유(神癒)·재림(再臨)의 사중 복음(四重福音)을 주로 하고, 오순절적(五旬節的) 성신(聖神)의 '불 세례(洗禮)'의 체험을 역설하며 '성결의 은혜'를 강조함. 성결 교회.

성:결 교:회【聖潔敎會】명 〖기독교〗 ①성결교. ②성결교 교파의 교회.

성:-결정【性決定】[一쩡] 명 〖생〗 성의 결정.

성경[1]【星鏡】명 〖책〗 중국의 천문서(天文書)와 서양인의 학설을 참조하여, 성수(星宿)의 도보(圖譜)를 그리고 설명을 붙인 책. 조선 철종(哲宗) 때, 남병길(南秉吉)이 지음. 전 2권 2책.

성경[2]【誠敬】명 정성스러움과 공경스러움.

성:경[3]【聖經】명 ①종교상 신앙의 최고 법전(最高法典)이 되는 책. 기독교의 신구약 성서(聖書), 불교의 팔만 대장경, 유교의 사서 오경(四書五經), 회교의 코란(Koran) 등. ②〖기독교〗 성서(聖書). ③〖불교〗 '불경(佛經)'의 이칭. ④성인(聖人)이 지은 책. 성인의 행적(行蹟)을 기록한 책. ⑤후세에 길이 모범이 될 만한 책. 성전(聖典).

성:경-대【聖經臺】명 〖불교〗 독경대(讀經臺).

성-경-신【誠敬信】명 〖천도교〗 천도교에 있어서의 수도의 근본 신조. 곧 정성과 공경과 믿음의 세 가지로써 한울님을 섬기고 사람을 섬기고, 세상의 모든 일에 기준을 삼는 일.

성:경학-자【聖經學者】명 성경을 전문으로 깊이 연구하는 사람.

성:경 현전【聖經賢傳】명 성현(聖賢)이 지은 책과 이에 의거하여, 현인(賢人)이 지은 책. ㊀경전(經傳).

성계[1]【成鷄】명 알을 낳을 정도로 성장한 닭.

성:계[2]【姓系】명 ①성씨(姓氏)와 계통. ②계도(系圖).

성:계[3]【性戒】명 〖불교〗 안으로 마음을 경계하여 닦는 일. 부처가 금(禁)하거나 금하지 않거나를 불문하고, 자신이 죄가 되는 행위를 경계하는 일. 살생계(殺生戒)·투도계(偸盜戒)·사음계(邪淫戒)·망어계(妄語戒) 같은 것. ↔차계(遮戒).

성:계 제:도【姓階制度】명 인간이 나면서부터 일정한 계급에 속하게 되는 사회 제도. 인도의 사성(四姓)과 같은 예. 카스트(caste).

성곡【聲曲】명 음곡(音曲).

성:골【聖骨】명 〖역〗 신라 때 골품(骨品)의 하나. 부모가 다 왕계인 사람. 시조 혁거세왕(赫居世王)부터 28대 진덕 여왕(眞德女王)까지가 이에 속함. *진골(眞骨).

성골-하다【成骨一】자여불 뼈가 굵어지다. 성인(成人)이 되다.

성공[1]【成功】명 ①목적을 이룸. 뜻을 이룸. ②낮은 데서 몸을 일으켜 크게 됨. 사회적인 지위를 얻음. 1)·2):↔실패(失敗). ——-하다 자여불

성:공[2]【性空】명 〖불교〗 모든 물체의 본성이 원래는 공허하다는 말.

성:공[3]【聖功】명 거룩한 공적.

성:공[4]【聖供】명 〖불교〗 부처에게 음식을 바치는 일.

성:공 무덕【聖供無德】명 부처에게 공양하였으나 아무 공덕이 없다는 뜻이니, 곧 남을 위하여 노력하나 아무 소득이 없음을 뜻함.

성공-적【成功的】명관 성공했다고 할 만한 것. ¶ 이만하면 ～이다.

성:-공회【聖公會】명 〔Anglican Church〕 〖기독교〗 신교의 한 파. 영국 국교회(英國國敎會; Church of England)의 전통과 조직을 같이하는 교회의 총칭. 39개조의 신조를 가지고 1534년 로마 가톨릭 교회로부터 분파한 것으로, 미국에 건너가서는 '미국 성공회'를 이루었음. 한국에는 1890년 코르테(Corte) 감독이 건너와 정식 발족을 보게 됨.

성과[1]【成果】[一꽈] 명 일의 이루어진 결과.

성:과[2]【聖果】명 〖불교〗 성자(聖者)가 되는 수행(修行)을 쌓아 얻은 진정한 과(果). 곧, 열반(涅槃)을 말함.

성과 계:산【成果計算】[一꽈一] 명 〖경〗 ①경영 활동의 전체 또는 특정 부분에서의 합목적성을 표현하는 수치를 구하는 계산. ②손익(損益) 계산.

성과-급【成果給】[一꽈一] 명 일의 성과를 기준으로 하여 지급되는 임금(賃金). 개수불 임금(個數拂賃金). ↔시간급(時間給).

성:과-기【盛果期】명 과수(果樹)의 결실(結實)이 좋아져서, 해마다 거의 일정(一定)한 양의 수확이 계속되는 기간.

성과 배:분【成果配分】[一꽈一] 명 〔allocation of outcome〕 노동 성과의 공정한 배분을 통하여 노동자에게 생산성 향상을 위한 자극을 줌과 동시에 기업 내에서의 협력을 환기하고자 경영 활동의 성과를 자본과 노동에 배분하는 일.

성과 배:분 제:도【成果配分制度】[一꽈一] 명 〔payment by the result system〕 〖경〗 종업원의 기업 참가 의식 고양과 생산성 향상을 위하여 생산 활동의 성과를 노사 간(勞使間)에 공평하게 배분하는 제도.

성:과-사【聖果寺】명 성궈 사(寺).

성:-과학【性科學】명 성에 관한 여러 가지 사상(事象)을 의학적 또는 심리학적으로 연구하는 학문의 전문 분야.

성곽【城郭】명 ①내성(內城)과 외성(外城). 성의 둘레. ②성(城).

성곽 건:축【城郭建築】명 성을 구성하는 여러 건물.

성곽 도시【城郭都市】명 ①외적(外敵)을 막기 위하여 돌·벽돌·나무·흙 등의 성곽으로 둘러 싼 도시. 중국·러시아·인도에 많은데, 특히 중국의 북경은 그 대표적인 도시임. 위곽(圍郭) 도시. ②방수(防守) 도시.

성관[1]【成冠】명 〖역〗 관례(冠禮)를 행함. 성인(成人). ——-하다 자여불

성관[2]【城館】명 〖역〗 프랑스·독일·영국 등 서구(西歐)에 있어서의 16세기의 군주나 귀족이 살던 거성 별장(居城別莊).

성:관[3]【盛觀】명 성대한 구경거리. 훌륭한 경치. 장관(壯觀).

성관[4]【誠款】명 성심(誠心).

성관-성【誠款性】[一썽] 명 정성스럽게 남의 일을 돌보아 주는 마음.

성:-관세음【聖觀世音】명 〖불교〗 모든 관음(觀音)의 근본이 되는 관음. 상호(相好)가 원만하고 대자 비심(大慈悲心)을 표현하며, 보관(寶冠) 가운데에 무량수불(無量壽佛)을 이고 있음. ㊀성관음.

〈성관세음〉

성:-관음【聖觀音】명 〖불교〗 ↗성관세음(聖觀世音).

성:관음-법【聖觀音法】[一뻡] 명 〖불교〗 밀교(密敎)에서 성관음을 본존(本尊)으로 하여 기도하는 수법(修法).

성광[1]【成狂】명 광인(狂人)이 됨. ——-하다 자여불

성광[2]【星光】명 별빛. 성휘(星輝).

성:광[3]【聖光】명 〖천주교〗 성체 강복(聖體降福) 때에 성체를 모시는 기물(器物).

〈성광[3]〉

성광-제【成鑛劑】명 〖광〗 광화제(鑛化劑)❶.

성괴【成塊】명 덩어리가 됨. ——-하다 자여불

성:교[1]【性交】명 남녀가 서로 육체적으로 관계하는 일. 방사(房事). 음사(淫事). 교합(交合). 교접(交接). 교구(交媾). 구합(媾合). 육교(肉交). 성행위. ——-하다 자여불

성:-교[2]【性敎】명 모세 이전, 문자(文字)가 아직 없던 시대에 본성적(本性的)으로만 천주(天主)를 숭배하던 교. *고교(古敎).

성:교[3]【聖敎】명 ①임금의 교명(敎命). ②성인의 교(敎). 공맹(孔孟)의 교. ③가톨릭교. ④〖불교〗 석가 소설(釋迦所說)의 교법(敎法). 또, 그 밖의 성자(聖者)의 불교 전적(典籍). ⑤불교.

성교[4]【聲敎】명 제왕(帝王)이 백성을 교화(敎化)하는 덕(德). 풍교(風敎).

성:교 무욕증【性交無慾症】명 냉감증(冷感症).

성:교 불능증【性交不能症】[一롱쯩] 명 〖의〗 정신적 또는 육체적 원인으로 성교를 하지 못하는 상태. ㊀불능증(不能症). *음위(陰萎).

성:교 사:규【聖敎四規】명 〖천주교〗 천주교회의 네 가지 법규. 첫째 주일(主日)을 지켜 미사에 참예하는 일과, 둘째 지정한 날에 만 21세부터 60세까지의 교우는 단식재(斷食齋)를 지키고 14세부터 죽을 때까지 금육재(禁肉齋)를 지킬 것과, 셋째 적어도 1년에 한 번은 고해(告解)해야 하는 일과, 넷째 매년 부활 축일 전후에 적어도 한 번은 성체를 받아야 하는 일. ㊀사규(四規).

성:교-서【聖敎序】명 중국 당(唐)나라의 태종(太宗)이 지은 문장(文章) 이름. 현장(玄奘)이 서역(西域)에서 널리 구한 불전(佛典)을 중국에 반포(頒布)한 일을 서술함. 이어서 황태자가 그 기(記)를 만들고, 현장이 번역한 심경(心經)과 태종의 서문(序文) 및 세자(世子)의 전답(牋答) 등 5편을 회인(懷仁)이 왕희지(王羲之)의 행서(行書)를 모아서 석각(石刻)한 것. 현재, 장안(長安)의 공자묘 뒤, 비림(碑林) 속에 있음.

성:-교육【性敎育】명 남녀 청소년에게 성에 관한 과학적인 지식을 주어서, 성에 대한 올바른 태도와 정의(情意)를 길러, 성에 관한 무지(無知)와 성욕으로부터 생기는 폐해를 없이 하려는 교육. 성욕 교육(性慾敎育). *순결 교육(純潔敎育).

성교-장【聲敎章】[一짱] 명 용비 어천가 제56장의 이름.

성:교 중절법【性交中絕法】[一뻡] 명 피임법의 한 가지. 사정(射精)하기 직전에 성교를 중단하고 질외(膣外)에 정액(精液)을 유출시켜, 정자(精子)가 자궁 안의 난소(卵巢)에 이르지 않게 함.

성:-교회[1]【聖敎會】명 〔인도 Arya-Samaj〕 〖종〗 19세기에 다야난다 사라스바티(Dayananda Sarasvati)가 처음 일으킨 인도에서의 새로운 종교. 서구(西歐) 문화의 수입에 반대하고, 인도 본래의 사상과 신앙으로 되돌아가자는 운동으로부터 일어나, 범(梵)을 유일신(唯一神)으로 해서 신과 개인아(個人我)와의 관계를 부자(父子)의 관계처럼 보며, 신을 믿음으로써 개인은 구제된다고 함.

성:교-회[2]【聖敎會】명 천주교회(天主敎會).

성구[1]【成句】명 ①글귀를 이룸. ②〖언〗 하나의 뭉뚱그려진 뜻을 나타내는 글귀. 예로부터 내려오는 관용구(慣用句). 가을을 형용하는 '천고마비(天高馬肥)' 따위. ③옛 사람이 만들어 놓은 시문(詩文)의 구. ——-하다 자여불

성구[2]【筬簆】명 바디[1]❶.

성:구[3]【聖句】명 성서에 있는 글귀.

성구 동:물【星口動物】명 〖동〗 별벌레강(綱)을 독립된 한 문(門)으로 다루었을 때의 이름.

성구-어【成句語】명 〖언〗 전에 이루어진 글의 구절.

성국[1]【成局】명 체격이나 꾸밈새 같은 것이 잘 어울림.

성:국[2]【盛國】명 번성하는 나라. 국세(國勢)를 떨치는 나라.

성군[1]【成群】명 떼를 지음. 무리를 이룸. ——-하다 자여불

성군[2]【星群】명 〖천〗 같은 방향으로 공통(共通)되는 공간 운동(空間運動)을 하는 항성(恒星)의 한 무리. 운동 성단(運動星團).

성:군[3]【聖君】명 덕(德)이 아주 뛰어난 어진 임금. 성왕(聖王). 성제(聖帝). 성주(聖主).

성군 작당【成群作黨】명 여러 사람이 모여 떼를 지음. 또, 그 무리.

성:궁【聖躬】명 임금의 몸. 성체(聖體). ——-하다 자여불

성궈 사【一寺】〔聖果〕명 중국의 저장 성(浙江省) 항저우 시(杭州市)의 펑황 산(鳳凰山)에 있는 절. 수대(隋代)에 창건(創建)한 것이라 함. 성과사.

성궐【城闕】명 ①대궐의 문. 궁성(宮城)의 문. ②전(轉)하여, 궁성(宮城).

③도시(都市)의 전체를 일컬음.
성귀-소 명 쇠살쭈의 은어(隱語)로, 부림소를 이르는 말.
성규【成規】명 작정된 규칙. 성문화(成文化)된 규칙.
성균-감【成均監】명〖역〗고려 충렬왕(忠烈王) 24년(1298)에 국학(國學)을 고친 이름. 동 34년에 성균관(成均館)으로 고침.
성균-관【成均館】명 ①〖역〗고려 충렬왕(忠烈王) 34년(1308)에 성균감(成均監)을 고친 이름. ②〖역〗조선 시대 때, 유교(儒敎)의 교회(敎誨)를 맡아 보던 관부. 공자(孔子)를 제사하는 문묘(文廟)와 유학(儒學)을 강학(講學)하는 명륜당(明倫堂)의 총칭. 태조(太祖) 원년(1392)에 베풀었다가 융희 4년(1910)에 폐하였음. 서울 명륜동(明倫洞)에 소재하며, 한국 유도회(儒道會) 본부가 있음. 태학(太學). 학궁(學宮). ㊀관(館).
　성균관 개구리 귀 자나 깨나 글만 읽는 글방 도련님을 농으로 이르는 말.
성균관 대학교【成均館大學校】명 사립 종합 대학의 하나. 조선 시대 때의 성균관을 모체로 발족된 것으로, 한일 합방 후 경학원(經學院)으로 이름을 고쳤다가 1930년에 명륜 학원(明倫學院)을 부설하고 1942년에 명륜 전문 학교로 승격. 일제 강점기 말에 명륜 연성소(鍊成所)로 개편, 1946년 성균관 대학, 1953년에 성균관 대학교로 됨. 현재 문리대·이공대·법정대·경상대·약대·유학대(儒學大)의 6개 단과 대학과 대 ⌊학원으로 구성됨.
성균관-장【成均館長】명 성균관의 장.
성균관-전【成均館田】명〖역〗조선 시대에, 성균관의 경비에 충당하기 위하여 설정한 학전(學田). 처음에 섬학전(贍學田)이라 했다가 양현고(養賢庫)의 설치로 없어지고, 영조(英祖) 때 400결(結)로 규정됨.
성균 박사【成均博士】명〖역〗①고려 때, 성균감(成均監)의 정칠품 벼슬. 국자 박사(國子博士)의 고친 이름. ②조선 시대에, 성균관의 정칠품 벼슬.
성균-시【成均試】명〖역〗①국자감시(國子監試). ②조선 시대에, 식년(式年) 문과 및 증광시(增廣試) 문과의 초시(初試)의 하나. 원점(圓點) 300점 이상을 딴 성균관 유생에게 보임. 시취 액수(試取額數)는 처음에는 30인, 태종 17년(1407) 이후 50인으로 됨. 관시(館試).
성그다 형〈방〉성기다.
성그레 부 천연스럽게 부드러운 눈웃음을 짓는 모양. ㅆ썽그레. >상그레. ——-하다 자여불
성:극【聖劇】명 ①종교극(宗敎劇)의 한 가지. 성경(聖經)에서 취재(取材)하여 꾸민 연극. ②오라토리오(oratorio).
성:근[1]【性根】명 타고난 성질. 천성(天性).
성근[2]【誠勤】명 성실하고 근면(勤勉)함. ——-하다 형여불
성글-거리다 자 천연한 태도로 연해 부드럽게 눈웃음치다. ㅆ썽글거리다. >상글거리다. **성글-성글** 부. ——-하다 자여불
성글다 형 성기다. ¶ 2등 칸은 자리가 ～.
성글-벙글 부 성글거리면서 벙글벙글하는 모양. ㅆ썽글뻥글. >상글방글. ——-하다 자여불
성금[1] 명 ①말한 보람. ¶대관절 대감께서 조정에 계시어서 하신 일이 무엇이오이까. 무슨 포부를 다하셨으며, 무슨 건백(建白)이 ～ 서셨습니까《朴鍾和 : 錦衫의 피》. ②일의 효력. 일한 보람. ¶먹은 것이 ～에 안 간다. ③꼭 지켜야 할 명령.
　성금(을) 세:다 귀 명령을 꼭 지키게 하다.
성금[2]【誠金】명 정성으로 내는 돈. ＊헌금(獻金).
성:-금요일【聖金曜日】명〖천주교〗예수가 십자가에 못박혀 죽음을 기념하는 날. 성주간의 하루로, 부활절의 이틀 전날임. 수난일(受難日).
성급【成給】명 문서·증서 따위를 작성하여 발급(發給)함. ——-하다 타여불
성:급-하다【性急―】형여불 성미가 팔팔하고 조급하다. **성:급-히**【性急―】부
　[성급한 놈 술값 먼저 낸다] 성미가 급하면 손해 본다는 말.
성긋 부 천연스럽게 얼핏 가벼운 눈웃음을 짓는 모양. ㅆ성끗·썽긋·썽끗. >상긋.
성긋-거리다 자 천연한 태도로 연해 가볍게 눈웃음치다. ㅆ성끗거리다·썽긋거리다·썽끗거리다. >상긋거리다. **성긋-성긋** 부. ——-하다 자여불
성긋-벙긋 부 성긋거리면서 벙긋벙긋하는 모양. ㅆ성끗벙끗·썽긋뻥긋·썽끗뻥끗. >상긋방긋. ——-하다 자여불
성긋-이 부 천연스럽게 지그시 눈웃음치는 모양. ㅆ성끗이·썽긋이·썽끗이. >상긋이.
성기[1] 명〈방〉놋그릇(평안).
성기[2]【成器】명 ①완성한 그릇. ②재기(材器)를 이룸. ——-하다 자여불
성:기[3]【性器】명〖생〗생식기(生殖器)❶❷.
성기[4]【星氣】명 별의 형세. 별의 모양.
성기[5]【省記】명 '생기(省記)'의 잘못.
성기[6]【星期】명 ①음력 7월 7일. ②〔칠석(七夕)의 견우·직녀성의 전설에서〕혼인의 기일(期日). 혼인날. ③일요일(日曜日).
성:기[7]【盛氣】명 왕성(旺盛)한 기운이 버쩍 오름. 또, 그 기운. ——-하 ⌊다 자여불
성:기[8]【盛期】명 한창 때.
성기[9]【聲妓】명 가기(歌妓).
성기[10]【聲技】명 음악에 관한 재주.
성기[11]【聲氣】명 ①음성과 기운. ②음성(音聲)과 안색(顔色). 음성과 기색(氣色). ③힘을 줌. 힘을 들임.
성:기-기【性器期】명〖심〗정신 분석학 용어. 전성기기(前性器期) 다음에 오는 정신성적(精神性的) 발달의 한 시기. 12세 전후에 성체제(性體制)가 성기(性器)를 중심으로 완성되고, 성감대(性感帶)가 성기(性器)에 의해서 통일되어지는 생식(生殖) 준비기(準備期). ↔전(前)성기기.
성기다 형〔중세 : 성긔다〕사이가 배지 아니하고 뜨다. 성글다. ¶그 동안 소원했던 사이에 나와의 정분이 점차 성기는 것인가?《金周榮 : 客主》. >상기다. ↔배다.
성기 상통【聲氣相通】명 ①소식이 서로 통함. ②마음과 뜻이 서로 통함. ——-하다 자여불
성:기 숭배【性器崇拜】명 성기에 의해 상징된 자연의 생산력·풍요력에 대한 신앙. 선사 시대에 기원(起源)하며 현존하는 미개 민족의 종교에 있어서도 주술적(呪術的) 호부(護符)로서 남아 있음. 생식기 숭배.
성:기적 성:격【性器的性格】[―껵] 명 정신 분석에서, 성적(性的) 발달 단계로 보아 가장 성숙한 성격의 타입을 말함. 구순(口脣) 성격·항문(肛門) 성격 등을 거쳐 도달함.
성:기 폐:쇄증【性器閉鎖症】[―쯩] 명 쇄음(鎖陰).
성기-학【星氣學】명 별의 형세를 연구하는 학문.
성긴-털제비꽃 명〖식〗[*Viola scabrida*] 제비꽃과에 속하는 다년초. 무경성(無莖性)이고 잎은 뿌리로부터 총생하며, 장병(長柄)에 심상 달걀꼴 또는 달걀꼴 타원형을 이룸. 5-6월에 잎 사이에서 긴 꽃꼭지가 나와 그 끝에 자색 꽃이 정생(頂生)하여 피고, 삭과(蒴果)를 맺음. 산이나 들에 나는데, 거의 한국 전역에 분포함.
성길사-한【成吉思汗】명〖사람〗'칭기즈칸'의 한자 이름.
성깃-성깃 부 여러 사이가 모두 배지 아니하고 조금씩 뜬 모양. >상깃상깃. ——-하다 형여불
성깃-하다 형여불 조금 성긴 듯하다. >상깃하다.
성:-깔【性―】명 ①성질을 부리는 형세. ②날카롭고 매서운 성질.
성:깔-머리【性―】명〈속〉성깔.
성끗 부 다정하게 얼핏 눈웃음치는 모양. ㄴ성긋. ㅆ썽긋·썽끗. >상끗.
성끗-거리다 자 천연한 태도로 연해 눈웃음치다. ㄴ성긋거리다. ㅆ썽긋거리다·썽끗거리다. >상끗거리다. **성끗-성끗** 부. ——-하다 자여불
성끗-벙끗 부 성끗거리면서 벙끗벙끗하는 모양. ㄴ성긋벙긋. ㅆ썽긋뻥긋·썽끗뻥끗. >상끗방끗. ——-하다 자여불
성끗-이 부 천연스럽게 지그시 눈웃음치는 모양. ㄴ성긋이. ㅆ썽긋이·
성나 명〈방〉성냥(황해). ⌊썽끗이. >상끗이.
성:-나다 자 ①성이 나다. 노여움이 생기다. 골나다. ②흥분되어 거친 기운이 일어나다. ③잘못 건드려 종기가 덧나다.
　[성나 바위 차기] 우둔하여 자기만 손해 봄을 이르는 말. [성난 황소 영각하듯] 성난 황소가 크게 울 듯이 무섭게 고함친다는 뜻.
성:난 젊은이들 [―절믄―] 명〔angry young men의 역어〕영국 작가들의 한 파. 오스번(Osborne, J.)의 《성나서 돌아보라(1956년)》에서 유래하였는데, 과거의 영국 문화 및 기성의 사회 체제에 대한 불만과 비판을 표명, 젊은 세대의 지지를 받았음.
성-남[1]【城南】명 성(城)의 남쪽.
성남[2]【城南】명〖지〗경기도의 한 시. 서울 특별시의 위성 도시로 발달함. 시내에는 공업 단지가 조성되어 완구·가발·전기 제품·농기구 등 중소 기업이 성함. [540,764명(1991)]
성남-도【城南島】명〖지〗전라 남도 서남 해상(西南海上), 진도군(珍島郡) 조도면(鳥島面) 성남도리(城南島里)에 위치한 섬. [1.33 km²: 112명(1984)]
성낭[1] 명〈방〉①성(城)(함경·충청·전라). ②성냥(전라·충남·경상).
성:낭[2]【聖囊】명〖천주교〗미사 때와 봉성체(奉聖體)하러 갈 때에 성체를 담는 주머니. 새 전례(典禮)에서는 쓰지 않음. ＊성체포낭(聖體布囊).
성낭[3]【聲囊】명〖생〗개구리·맹꽁이의 목 좌우에 있어, 울 때에 부풀어
성내[1] 명〈방〉성냥(평안·황해). ⌊오르는 부분. 소리주머니.
성내[2]【城內】명 성의 안. ↔성외(城外).
성:-내다 자 ①성을 내다. 노여움을 나타내다. 골내다. ②흥분되어 거친 기운을 내다.
　[성내어 바위를 차니 발부리만 아프다] ㉠화가 난다고 앞뒤 생각 없이 심술대로 하다가는 자기만 손해를 본다는 말. ㉡아니 될 일을 억지로 하다가는 스스로 해를 당한다는 말.
성냐 명〈방〉성냥(황해).
성냥 명〔←석유황(石硫黃)〕마찰에 의하여 불을 켜는 물건의 한 가지. 백양(白楊)·미루나무·소나무 등의 작은 나뭇개비 끝에 적린(赤燐)·염소산 가리·이산화 망간·과산화 납·황 따위의 발화 연소제(發火燃燒劑)를 발라 붙이고, 갑(匣)의 마찰면에는 유리 가루·규사(珪砂)·규조토(珪藻土) 등의 마찰제를 발라, 두 가지를 서로 마찰시키어서 불을 일으킴. 황린(黃燐) 성냥·적린(赤燐) 성냥·무린(無燐) 성냥의 구별이 있음. 당황(唐黃). 매치(match). 양취등(洋吹燈).
성냥-간【―間】[―깐] 명〈방〉대장간(경상).
성냥-갑【―匣】[―깝] 명 성냥개비를 넣은 갑.
성냥-개비 [―깨―] 명 성냥의 낱개비.
성냥-골 명〖식〗올방개아재비.
성냥-노리 명 대장장이가 외상으로 일하여 준 값을 섣달에 농가로 다니
성냥-일 [―닐] 명 ☞ 대장일. ⌊며 거두는 일.
성냥-쟁이 명〈방〉대장장이(전라·경남).
성냥추 개울 명〈방〉빨래터.
성냥-하다 타여불 쇠를 불에 불리다. ⌈子聖人).
성:녀【聖女】명 ①지덕(知德)이 뛰어난 여성. ②〖천주교〗여자 성인(女
성년[1]【成年】명〖법〗신체나 지능이 완전히 발달되어 완전한 행위 능력이 있다고 간주되는 나이. 만 20세 이상. 성인(成人). ↔미성년(未成年).
성:년[2]【盛年】명 한창의 젊은 나이. 또, 그 사람. 장년(壯年).
성:년[3]【聖年】명〖천주교〗성년 대사(大赦)를 베푸는 해. 1450년 이래 25년마다 설정함. 그 해 성탄절에 성베드로 대성당의 성비(聖扉)를 교황이 엶으로써 시작되며, 성년을 포고(布告)하는 회칙(回勅)과 교회에

서 정한 특정 행위를 신자(信者)가 이행하면 교황으로부터 특별한 대사가 내림. 교회가 큰 기쁨이나 슬픔에 처할 때 등 특별한 상황 아래서 특별 성년을 선포하는 수도 있음.

성년-기【成年期】명 성년이 된 시기.

성:년 대:사【聖年大赦】명〖천주교〗25년마다 또는 큰 경사나 슬픈 일이 있을 때에 교황(敎皇)이 전세계의 신자에게 베푸는 대사.

성:년 부중래【盛年不重來】[—내] 명 젊은 시절은 거듭 오지 아니한다는 말. 곧, 시간을 아껴 공부하라는 뜻. ——하다 자여불

성년 선고【成年宣告】명 일정한 연령 이상의 미성년자를, 일정한 조건하에 성년자(成年者)로 선고하여, 완전한 행위 능력을 부여하는 제도. 독일·스위스 민법은 인정하나 우리 나라에서는 인정하지 않음.

성년-식【成年式】명 ①왕이나 왕족이 성년에 이를 때 행하는 의식. ②〔initiation〕미개인(未開人) 사이에서, 청년 남녀에게 씨족(氏族) 또는 종교나 주술(呪術) 단체 등의 성원(成員)으로서의 가입 자격을 주기 위하여 행하는 공공적인 행사나 훈련. 흔히 엄격한 고행(苦行)이나 훈련을 함께 함.

성년의 날【成年—】[—/—에—] 명 문화 관광부 주관으로, 만 20세가 되는 젊은이들에게, 국가와 민족의 장래를 짊어질 성인으로서의 자부심과 책임을 부여하는 행사를 하는 날. 5월의 셋째 월요일.

성년-자【成年者】명 성년에 이른 사람. 곧, 만 20세 이상인 사람. 정년자(丁年者). ↔미성년자.

성녕-깐 명〈방〉대장간(경남).

성:노¹ 명〈방〉〖식〗석류¹(石榴)(전라·경상).

성:노²【盛怒】명 대단히 성냄. ——하다 자여불

성농【成膿】명〖의〗화농(化膿). ——하다 자여불

성뇌 명〈방〉성냥(황해).

성뉴 명 ☞〖식〗석류¹(石榴).

성:능【性能】명 ①기계의 성질과 능력. ②어떤 물건이 가지고 있는 성품과 기능.

성:능 곡선【性能曲線】명〔performance curves〕〖물〗기계의 여러 성능을 표시하는 곡선. 곧, 내연 기관이면 회전수(數)에 응하는 출력(出力)·연료 소비량 등의 변화도(度), 펌프의 경우는 회전수에 응하는 토출(吐出) 압력·배수량(排水量) 등의 변화도를 표시하는 곡선 등.

성단¹【星團】명〔star cluster〕〖천〗천구(天球)의 일부에 밀집하여 있는 항성(恒星)의 큰 집단. 알려진 것은 1,100개 이상인데, 그 중 약 100개가 구상(球狀) 성단이고, 나머지는 모두 산개(散開) 성단임.

성단²【星壇】명〖역〗미성(尾星)과 기성(箕星)을 제사 지내던 단.

성:단³【聖壇】명 ①신을 모신 단. ②신성한 단(壇). 곧, 교회 같은 곳의 강단.

성:단⁴【聖斷】명 옳고 그름에 대한 임금의 판단. 예단(叡斷).

성:담【聖譚】명〖기독교〗성자(聖子)의 생애·기적에 관한 이야기. 넓은 뜻으로는 세속적인 전설에 대한 기독교적인 전설을 가리킴.

성:담-곡【聖譚曲】명〖악〗'오라토리오(oratorio)'의 역어(譯語).

성-담수【成聃壽】명〖사람〗조선 세조 때 생육신의 한 사람. 자(字)는 미수(眉叟). 창녕(昌寧) 사람. 김해(金海)에 유배당함. [? -1456]

성당¹【成黨】명 도당(徒黨)을 지음. ——하다 자여불

성:당²【盛唐】명〖역〗한시(漢詩)에 있어서, 당(唐)나라를 사분(四分)한 둘째 시기. 개원(開元)부터 대력(大曆)까지의 당시(唐詩)가 가장 성하던 시기임. 8세기 초부터 말엽까지인데 이백(李白)·두보(杜甫)·왕유(王維)·맹호연(孟浩然) 등의 시인이 났음.

성:당³【聖堂】명 ①〖천주교〗천주교의 교회당(敎會堂) 또는 천주교회 안의 사제(司祭)가 미사 올리는 집. 주당(主堂). ②〖기독교〗교회(敎會)❷. ③공자(孔子)를 모신 묘(廟). 문묘(文廟). 성묘(聖廟). ④〖지〗삼성사(三聖祠).

성:당-지기【聖堂—】명〖천주교〗성당, 성구(聖具), 종 등을 지키고 관리하는 사람. 주임 신부가 고용함.

성대¹ 명〖어〗[*Chelidonichthys kumu*] 양성댓과에 속하는 바닷물고기. 몸길이 40cm 내외로 가늘고 길며 주둥이가 내밀었음. 몸빛은 등 쪽이 자회색, 배 쪽은 담색인데, 등 쪽에 암적색의 무늬가 산재하며, 지느러미가 몹시 크고 안쪽은 선청색(鮮青色)으로 아름다운 반점이 있고, 꼬리지느러미는 적갈색임. 가슴지느러미 앞쪽의 연조(緣條)가 유리되어 있어 이것으로 해저를 걸어다니기도 함. 한국 전연해(全沿海)·일본 중부 이남·동남 중국해·대만·필리핀·호주·뉴질랜드 연해에 분포함. 맛이 좋아 식용함. 갑두어(甲頭魚).

〈성대¹〉

성:대²【盛大】명 성하고 큼. 아주 성함. 크고 장함. ——하다 형여불 ——히 부

성:대³【盛代】명 세력이 왕성한 시대. 성세(盛世).

성대⁴【惺臺】명〖사람〗권병훈(權丙勳)의 호(號).

성:대⁵【聖代】명 성세(聖世). ¶ 태평(太平) ～.

성:대⁶【聖帶】명 ①〖역〗천사 옥대(天賜玉帶). ②〖천주교〗미사(彌撒) 제구의 하나.

성:대⁷【聖臺】명〖천주교〗제대(祭臺).

성대⁸【聲帶】명〖생〗후두(喉頭)의 중앙부에 있는 발성 장치. 앞 끝은 갑상(甲狀) 연골의 내면에, 뒤 끝은 피열(披列) 연골에 부착한 탄력 있는 두 개의 인대(靭帶)로서, 자유롭게 신장(伸長)·수축하여 공기의 통로 폭(幅)을 조절하며, 폐(肺)에서 배출되는 공기에 의하여 진동(振動)되어 소리를 냄. 목청.

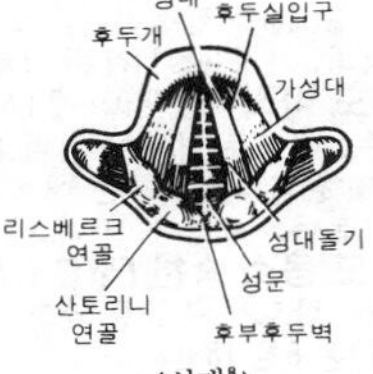

〈성대⁸〉

성대 결절【聲帶結節】[—쩔] 명〖의〗성대(聲帶)의 주위에 생기는 작은 결절. 가수(歌手)·아나운서·교사 등과 같이 목소리를 내는 일을 직업으로 하는 사람에게 있어서, 발성법(發聲法)의 잘못이라든가 목소리의 지나친 사용 등으로 말미암아 생기며, 그 모양은 좁쌀알만한 크기로 원형 또는 원뿔 모양을 이루고 있음. 결절성 성대염.

성대-권【成帶圈】[—꿘] 명〖지〗성층권(成層圈)❷.

성대-근【聲帶筋】명〖생〗성대 내부에 있는 가로무늬근(筋).

성대 마비【聲帶痲痺】명〖의〗목소리가 쉬든가 나오지 않게 되는 병. 미주 신경(迷走神經) 및 그 연수핵(延髓核)에 장애가 생기면 후두근(喉頭筋)이 마비되어 일어남.

성대 모사【聲帶模寫】명 특정인의 목소리나 또는 새·짐승 등의 음색(音色)을 흉내내는 일.

성대-음【聲帶音】명〖언〗목청 사이에서 나는 소리. 'ㅎ'이나 홀소리 같은 것. 목구멍 소리. 목청 소리. 후음(喉音).

성대 인:대【聲帶靭帶】명〖생〗성대 내부에 있는 탄력성이 강한 띠처럼 된 섬유속(纖維束).

성덕¹【成德】명 ①대성(大成)한 덕. 완성한 덕. ②덕을 닦아 성가(成家)함. ——하다 자여불

성:덕²【盛德】명 크고 훌륭한 덕. 성대한 덕.

성:덕³【聖德】명 ①성인의 덕. ②임금의 덕. 천자의 덕. 건덕(乾德). ③거룩한 덕. 가장 뛰어난 지덕(知德).

성:덕-가【聖德歌】명 조선 세종(世宗) 11년(1429)에 예조(禮曹)에서 찬진(撰進)한 가사(歌辭). 왕조의 창업과 임금의 어진 덕을 송축(頌祝)한 것으로, 경기체가(景幾體歌)의 형식으로 되어 있음. 《세종 실록》에 실려 전하여 옴.

성덕 군자【成德君子】명 덕이 매우 높은 사람.

성:덕 대:왕 신종【聖德大王神鐘】명 '봉덕사 종(奉德寺鐘)'의 정식 이름.

성:덕-사【盛德事】명 남에게 성대한 덕을 베푸는 일.

성:덕-왕【聖德王】명〖사람〗신라 33대 왕. 휘는 흥광(興光). 본명은 융기(隆基). 왕 16년(717)에 수충(守忠)이 중국 당(唐)나라에서 가져온 공자와 10철(哲)·72현(賢)의 화본(畫本)을 대학(大學)에 삽입하였고, 동 17년에는 누각(漏刻)을 처음으로 만듦. [재위 702-737]

성:덕 태자【聖德太子】명〖사람〗'쇼토쿠다이시'를 우리 음으로 읽은 이름.

성도¹【成都】명〖지〗'청두(成都)'를 우리 음으로 읽은 이름.

성도²【成道】명 ①도를 닦아 완전한 데에 이름. ②〖불교〗음력 섣달 초여드렛날에 석가 여래(釋迦如來)가 대도(大道)를 이룬 일. ——하다 자여불

성:도³【性度】명 성품(性品)과 도량(度量).

성도⁴【星度】명〖천〗별이 돌아가는 도수(度數).

성도⁵【星圖】명〖천〗항성(恒星)·성운(星雲) 등의 위치·밝기 등을 나타낸 그림. 보통, 성표(星表)의 적경(赤經)·적위(赤緯)·등급 등을 기초로 하여 만듦. 본(Bonn)성도와 코르도바(Cordoba) 성도가 유명함. 항성도(恒星圖).

성도⁶【省都】명 중국의 각 성(省)의 주도(主都).

성:도⁷【聖徒】명 ①〖기독교〗'기독교 신자'의 존칭. ②〖천주교〗특히 공덕이 높은 신자. 이들에게는 축일(祝日)이 제정되어 있음. 세인트(saint).

성:도⁸【聖都】명 거룩한 도시. 성스러운 도시. 영도(靈都).

성:도⁹【聖道】명 ①성인의 도. 거룩한 도. ②〖불교〗자력문(自力門)으로 미(迷)를 끊고 도를 깨닫는 교법(敎法). 성도문(聖道門).

성:도 검:사【性度檢査】명 심리적 반응을 남성적 경향과 여성적 경향의 유형으로 분류, 그것을 양적(量的)으로 측정하기 위하여 만들어진 성격 검사. 성도(性度) 테스트.

성:도-교【聖道敎】명〖종〗'천도교(天道敎)'의 별칭.

성:-도덕【性道德】명 남녀 간의 성(性)에 대한 사회적 윤리 규범.

성:도-문【聖道門】명〖불교〗불교 중의 자력문(自力門)으로, 현세(現世)에 있어서도 미(迷)를 끊고 도(道)를 깨우치는 교법(敎法). 성도(聖道).

성도-절【成道節】명〖불교〗석가 여래(釋迦如來)가 성도한 날을 축하하는 경절(慶節). 음력 12월 8일. *열반절(涅槃節).

성:-도착【性倒錯】명 색정 도착증(色情倒錯症).

성:도착-자【性倒錯者】명〔transsexual〕〖심〗각기 남녀 어느 한쪽에 특유한 염색체·생식선 및 체격은 갖고 있으나 외과 수술이나 호르몬 조정에 의한 성전환(性轉換)을 강력히 바라고, 정신적으로 자신을 이성(異性)의 한 사람으로 여기는 사람.

성:도 테스트【性度—】〔test〕명〖심〗성도 검사.

성도-회【成道會】명〖불교〗석가가 성도한 날을 기념하여 음력 12월 8일에 여는 법회(法會).

성-돌기【城—】명〖민〗옛 성(城)이 있는 근처 마을 사람들, 주로 부녀자들이 윤(閏)달에 그 성터에 올라가, 성벽을 따라 줄을 지어 도는 일. 중부 이남 지역에서 행해지는데, 액운을 면하고 장수를 비는 뜻이라 함. 성밟기.

성동¹【成童】명 열다섯 살 된 소년.

성동²【城東】명 도성(都城)의 동쪽.

성:동³【盛冬】명 한겨울❶.

성동 격서【聲東擊西】명 동쪽을 칠 듯이 말하고 실제로는 서쪽을 침. 기발하게 적을 공략함의 비유. ——하다 자여불

성동-구【城東區】명〖지〗서울 특별시의 한 구(區). 서쪽은 중구(中區), 동쪽은 광진구(廣津區), 북쪽은 동대문구(東大門區), 남쪽은 한강에 접함. 주로 주택가를 형성하고 있음. 한양 대학교·살곶이다리 등이 있음. 1995년 3월, 광진구와 분리되었음. [16.84 km² : 341,328 명(1996)]

성동 원두【城東原頭】명 서울 동쪽의 넓은 벌판. 흔히, 동대문 운동장을 말함.

성두¹【星斗】명 ①별²❶. ②북두(北斗)와 남두(南斗).

성두²【城頭】명 성상³(城上).

성두-도【城頭島】명〖지〗전라 남도 남해안(南海岸), 고흥군(高興郡) 포두면(浦頭面) 남성리(南星里)에 위치한 섬. 방조제로 연결되어 육지화됨. [0.87 km²]

성두-토【城頭土】명〖민〗육십 화갑자(六十花甲子)에서, 무인(戊寅) 기묘(己卯)에 붙이는 납음(納音). 인묘(寅卯)의 큰 숲이 무사(戊巳)의 흙

더미를 들고 일어나니, 마치 높은 성을 쌓은 것과 같다는 말. 성상토(城上土).

성등【省籐】명〖식〗등(籐)❶.

성등 정:각【成等正覺】명〖불교〗미(迷)를 버리고 오(悟)를 열어, 정각(正覺)을 이룸.

성라【星羅】[—나] 명 하늘의 별과 같이 많이 늘어선 모양. ——-하다 형여불

성라 기도【星羅奇島】[—나—] 명 하늘의 별같이 많이 늘어서 있는 기이하게 생긴 섬들.

성라 기포【星羅碁布】[—나—] 명 별같이 벌여 있고 바둑돌처럼 늘어 놓였다는 뜻. 곧, 물건이 여기저기 많이 흩어져 있음의 비유. ——-하다 형여불

성:람【聖覽】[—남] 명 천람(天覽). ——-하다 타여불

성:랍【聖蠟】[—납] 명〖천주교〗예수 부활 전날 밤에 쓰는 축성 밀촉(祝聖蜜燭). 성촉(聖燭).

성랑¹【城廊】[—낭] 명 성곽의 곳곳에 세운 다락집.

성랑²【聲浪】[—낭] 명 ①세평(世評). ②음파(音波).

성:래【性來】[—내] 명 본래의 성질.

성량【聲量】[—냥] 명 목소리의 분량(分量). 곧, 목소리가 울려 퍼지는 양. 음량(音量). ＊음색(音色).

성:려【聖慮】[—녀] 명 임금의 진념(軫念). 임금의 염려(念慮). 성정(聖情). 신려(宸慮). 신려(神慮). 예려(叡慮).

성력【誠力】[—녁] 명 ①정성과 힘. ②성실한 힘.

성:력-파【性力派】[—녁—] 명〔범 Sāktāh〕〖종〗여신(女神) 두르가(Durga)의 성적(性的) 힘을 숭배하고, 그에 대한 요가(yoga)와 의례(儀禮)를 중심으로 수행하는 힌두교의 한 분파. 8-9세기경에 시바교(Siva教)에서 갈라져 나온 것으로, 10세기 이후에는 다시 좌도(左道)와 중도(中道)의 두 성력파로 갈라졌으며, 후기 불교에도 영향을 미쳤음.

성:련【聖輦】[—년] 명〖역〗정련(正輦).

성:령¹【性靈】[—녕] 명 ①영묘(靈妙)한 성정(性情). 영성(靈性). 정신(精神). ②시의 일파(一派). 중국 청(淸)나라의 왕사정(王士禎)의 신운파(神韻派)에 대항하여 표방된 명칭.

성:령²【聖靈】[—녕] 명〖기독교〗성신(聖神).

성:령 강:림절【聖靈降臨節】[—녕—님—] 명〖기독교〗예수 부활후 50일 되는 제7일요일. 마가의 다락방에 모였던 제자들에게 성령이 임하여 교회의 초석을 이룬 날. 오순절. 성신(聖神) 강림절.

성:령 출세【性靈出世】[—녕—쎄] 명〖천도교〗사람이 죽은 뒤에, 그 성령이 미래의 사람의 성령 속에 다시 태어난다는 말.

성례¹【成禮】[—녜] 명 ①예식을 이룸. ②혼인의 예식을 지냄. ——-하다 자여불

성:례²【聖禮】[—녜] 명 ①거룩한 예식. ②〖기독교〗세례식(洗禮式)·성찬식(聖餐式) 등의 예식.

성:로【聖路】[—노] 명〖천주교〗예수가 골고다로 십자가(十字架)를 지고 간 길을 성스럽게 일컫는 말.

성:로 선:공【聖路善功】[—노—] 명〖천주교〗'십자가의 길'의 구용어.

성록 대:부【成祿大夫】[—녹—] 명〖역〗조선 시대에, 정일품 의빈(儀賓)의 품계.

성:론¹【性論】[—논] 명〖철〗사람의 타고난 성(性)에 관한 논의. 중국 철학의 중요 과제로, 주(周)의 세석(世碩)이 성에 선과 악이 있다고 설명한 것에서 비롯하여, 맹자(孟子)의 성선설(性善說), 순자(荀子)의 성악설(性惡說)이 대표적이고, 그 밖에 성삼품설(性三品說)이 있으며 주자(朱子)·정자(程子)에 이르러서는 성리학(性理學)으로 전개됨.

성론²【聲論】[—논] 명〖철〗어상주론(語常住論).

성루¹【城樓】[—누] 명 성문(城門) 위에 세운 높은 누각(樓閣). 성각(城閣).

성루²【城壘】[—누] 명 ①성(城) 바깥 둘레의 흙담. ②성보(城堡).

성루³【聲淚】[—누] 명 우는 소리와 눈물.

성류【星流】[—뉴] 명〔star drift〕〖천〗항성(恒星)의 집단적 운동. 카프타인(Kapteyn)의 항성의 고유 운동 연구에 의하여, 항성계(恒星界)에는 은하(銀河)면에 평행하여 방향이 반대인 이대(二大) 성류가 있음이 발견(發見)되었음.

성:류-굴【聖留窟】[—뉴—] 명〖지〗경상 북도 울진군(蔚珍郡) 근남면(近南面)에 있는 종유동(鍾乳洞). 추정 연륜은 2억 5천년 가량. 천연 기념물 제155 호. [약 470 m]

성률【聲律】[—뉼] 명 ①〖악〗음악의 율려(律呂). 음률(音律). ②〖언〗사성(四聲)의 규율(規律).

성:리¹【性理】[—니] 명 ①인성(人性)과 천리(天理). ②인성(人性)의 원리(原理).

성리²【聲利】[—니] 명 명예와 이익. 명리(名利).

성:리 대:전【性理大全】[—니—] 명〖책〗중국 명(明)나라 때에 호광(胡廣) 등이 칙명(勅命)을 받들어, 주자(周子)·장자(張子)·주자(朱子) 등 여러 학자의 성리설(性理說)을 집록(集錄)한 책. 70권.

성:리-학【性理學】[—니—] 명〖철〗중국 송나라 때의 유학(儒學)의 한 계통으로, 성명(性命)과 이기(理氣)의 관계를 논한 유교 철학. 한(漢) 및 당(唐) 이래의 경서(經書)의 주석(註釋)만을 일삼던 훈고학(訓詁學)을 배척하고, 보다 깊은 철학적 고찰을 통하여 우주(宇宙)의 본체(本體)와 인성(人性)에 관한 연구를 하였음. 북송(北宋)의 주돈이(周敦頤)를 비롯하여 여러 대유(大儒)가 뒤를 이었고, 주자(朱子)에 이르러 집대성(集大成)되었음. 여말(麗末)에 우리 나라에 들어와 조선시대 때 특히 성하여 드디어 국시(國是)가 되었음. 송학(宋學). ㊌이학(理學).

성림¹【成林】[—님] 명 나무가 자라서 삼림(森林)을 이룸. 또, 그 수풀. ——-하다 자여불

성:림²【聖林】[—님] 명 중국의 취푸(曲阜)에 있는 공자(孔子)의 무덤을 둘러 싼 숲.

성:림³【聖林】[—님] 명〖지〗'할리우드(Hollywood)'의 한자 표기.

성립【成立】[—닙] 명 사물(事物)이 이루어짐. ——-하다 자여불

성립가 주:문【成立價注文】[—닙—] 명〖경〗증권 시장에서, 형성되는 가격대로 사거나 팔기로 약정하고 하는 주문.

성립 예:산【成立豫算】[—닙네—] 명〖법〗국회의 의결(議決)을 거쳐서 성립된 예산. ↔예산안.

성립 조건【成立條件】[—닙—껀] 명 어떠한 사물(事物)이 성립하는 데 필요로 하는 조건.

성:-마르다【性—】형르불 도량이 좁고 성질이 급하다.

성:막【聖幕】명〖천주교〗성체(聖體)를 모시어 두는 나무로 된 궤.

성만¹【成滿】명〖불교〗일체(一切)가 완성 성취(成就)함. ——-하다 자여불

성:만²【盛滿】명 ①넘치도록 가득히 참. 영만(盈滿). 영성(盈盛). ②집안이 아주 번창함. ——-하다 형여불

성:-만찬【聖晩餐】명〖기독교〗①최후(最後)의 만찬(晩餐). ②성찬식(聖餐式)에 행하는 식사(食事). 예수의 피와 살을 상징(象徵)하는 포도주와 떡을 회중(會衆)에게 나누고, 예수 수난(受難)의 전날 밤을 기념하는 일. 천주교에서는 '성체 배령(聖體拜領)'이라 함. 만찬. 성찬(聖餐). 성찬식.

성망¹【星芒】명 별의 광망(光芒). 별빛.

성:망²【盛望】명 높고 큰 덕망(德望).

성망³【聲望】명 명성(名聲)과 인망(人望). 좋은 평판.

성:면¹【聖面】명 ①임금의 얼굴. ②〖천주교〗예수의 용모(容貌). 성용(聖容).

성:면²【聖麵】명〖천주교〗미사할 때에 쓰는 축성(祝聖)한 면병(麵餠). 예수의 살을 상징하며, 이것을 받아먹음으로써 예수를 마음 안에 모실 수 있다고 함.

성명¹【成名】명 명성을 떨침. ——-하다 자여불

성명²【成命】명 ①이미 정하여진 천명(天命). ②임금이 신하의 신상(身上)에 관하여 결정적으로 내리는 명령.

성:명³【姓名】명 성과 이름.

성:명⁴【性命】명 ①인성(人性)과 천명(天命). ②생명(生命)❶.

성:명⁵【盛名】명 떨치는 이름. 훌륭한 명성(名聲).

성:명⁶【聖名】명〖천주교〗예수나 성모 마리아의 거룩한 이름.

성:명⁷【聖明】명 임금의 밝은 지혜.

성명⁸【聲名】명 명성(名聲).

성명⁹【聲明】명 일정 사항에 관한 견해나 의견을 여러 사람에게 발표하는 일. 또, 그 의견. 성언(聲言). ——-하다 타여불

성명¹⁰【聲明】명〔범 Sabdavidyà〕〖불교〗①인도 오명(五明)의 하나. 음운(音韻)·문법·훈고(訓詁)의 학문. 전에는 바라문(婆羅門) 필수 과정(必須課程)의 하나였는데, 불교에서 이를 따라 쓰게 됨. ②불식(佛式)에 쓰이는, 인도에서 전하여져 내려온 찬송 가영(讚頌歌詠). 범패(梵唄).

성:명-권【姓名權】[—꿘] 명〖법〗인격권(人格權)의 하나. 자기의 성명을 사용하는 것을 내용으로 하는 사권(私權). 지배권(支配權)의 성격을 가짐.

성명-문【聲明文】명 성명서(聲明書).

성:명 부지【姓名不知】명 성명(姓名)을 알지 못함. 성부지 명부지.

성명-사【聲明師】명〖불교〗성명의 이(理)에 정통한 사람.

성:명 삼자【姓名三字】[—짜] 명 이름 석자. ¶제 ~도 못 쓴다.

성명-서【聲明書】명 ①성명하는 뜻을 쓴 글. ②사회·정치·외교 등의 책임자가 신문이나 그 밖의 보도(報道) 기관을 통하여, 일반에게 견해를 발표하는 문서. 성명문. 스테이트먼트(statement).

성명-성【聲明聲】명 성명을 제창하는 것과 같은 소리.

성명-업【聲明業】명〖불교〗진언종(眞言宗)에서, 성명을 배우는 수행(修行).

성:명-없다【姓名—】[—업—] 형 인격적으로 또는 사회적으로 그 사람의 존재가 보잘 것 없다.

성:명-없이【姓名—】[—업씨] 부 성명없게.

성:명-왕【聖明王】명 성왕⁴(聖王).

성명-절【聲明節】명〖불교〗성명의 곡절(曲節).

성:명 철학【姓名哲學】명 음양설(陰陽說)을 토대로, 성명 판단(姓名判斷)에 관한 것을 연구하는 학. 성명학(姓名學).

성:명 판단【姓名判斷】명 성명을 분석하여 그 사람의 운명·길흉을 판단하는 일. 주로 성명 문자의 자획(字畫)·음성(音聲)·자의(字義) 등으로 판단함.

성:명-학¹【姓名學】명 성명 철학(姓名哲學).

성명-학²【星命學】명〖민〗사람의 운명과 길흉을 판단하는 학문.

성:모¹【聖母】명 ①성인(聖人)의 어머니. ②백성이 국모(國母)를 성스럽게 이르는 말. ③〖천주교〗성모 마리아.

성:모²【聖謨】명 임금이 통치하는 방책. 임금의 정치적인 규모.

성모³【聲母】명〖언〗한어(漢語)의 음절의 앞 부분. ↔운모(韻母).

성모⁴【聲貌】명 음성(音聲)과 용모(容貌).

성:모-경【聖母經】명〖천주교〗'성모송'의 구용어.

성:모 대:관【聖母戴冠】명 성모 마리아가 천상계(天上界)에서 하느님이나 그리스도 또는 천사로부터 관(冠)을 받는 장면. 그리스도교의 화제(畫題)의 하나로 르네상스기(期)에 많음.

성:모 덕서도문【聖母德敍禱文】명〖천주교〗'성모 호칭 기도'의 구용어.

성:-모둠【姓—】명 지닐총을 겨루는 장난의 한 가지. 책을 펴 놓고 범위(範圍)를 한정하여, 그 안에서 성자(姓字)가 되는 글자만을 골라서 적되, 가장 많이 적은 사람이 이김. ——-하다 자여불

성:모 마리아【聖母—】〔Maria〕명〖성〗예수를 낳은 마리아. 특히 천주교에서는 영원한 처녀로서, 금욕(禁慾)·동정(童貞)·공순(恭順)·순종(順從)의 본이 되는 어머니로 추앙받음. 성모(聖母). 동정녀(童貞女). 마돈나. 마리아. 산타 마리아.

성:모 몽소 승천【聖母蒙召昇天】명〖천주교〗성모 마리아가 하느님의 어머니로서 부름을 받고 승천하였다고 믿는 교리(敎理). 그 축일(祝日)은 8월 15일.

성:모 무염 시:잉 모:태【聖母無染始孕母胎】명〖천주교〗성모의 원

죄 없으신 잉태'의 구용어.

성:모 무염 시:태【聖母無染始胎】[명]〖천주교〗↗성모 무염 시잉 모태.

성:모 설지전【聖母雪地殿】[—찌—] [명]〖천주교〗로마에 있는 대성전(大聖殿). 이 터를 계시(啓示)하느라고 팔월 염천(炎天)에 눈이 쌓여 있었다는 전설이 있음. 매년 8월 5일에 이를 기념함.

성:모 성:심회【聖母聖心會】[명]〖천주교〗성모의 성심을 공경하고 그 성심의 전달로, 죄인들의 개과(改過)함을 목적으로 하는 신심회(信心會)의 하나. 1836년 12월 16일 프랑스의 파리에서 창립되었음.

성:모 성:월【聖母聖月】[명]〖천주교〗예수의 어머니를 특별히 공경하는 달. 양력 5월.

성:모-송【聖母誦】[명]〖천주교〗주요 기도문의 하나. 대천사 가브리엘의 축사(祝詞), 엘리사벳의 하례(賀禮), 성모에 대한 기원(祈願)으로 이루어짐. '성모경'의 고친 말.

성:모 수태【聖母受胎】[명]〖성〗①성모 마리아가 천사(天使) 가브리엘(Gabriel)의 계시(啓示)를 받고 성령(聖靈)으로 하느님의 아들 예수 그리스도를 동정녀(童貞女)로서 잉태한 일. ②처녀 마리아는 원죄(原罪)의 더럽힘 없이 수태하였다고 하는 천주교의 교의(教義). *성모 영보(領報).

성:모 승천【聖母昇天】[명] ①〖천주교〗성모 몽소 승천. ②〖미술〗성모 마리아가 승천하는 모양을 그린 그림의 제목. 고대 화가들이 즐겨 쓴 화제(畫題)인데, 그 그림은 대부분 무덤이 아래에 있고 성모는 바야흐로 천국에 오르려고 하거나 또는 이미 천국의 옥좌(玉座)에 이른 모양으로 되어 있음.

성:모 시:잉 모:태【聖母始孕母胎】[명]〖천주교〗↗성모 무염 시잉 모태(聖母無染始孕母胎).

성:모 애상【聖母哀傷】[명]〖악〗스타바트 마테르(Stabat mater).

성:모 영보【聖母領報】[명]〖천주교〗성모(聖母) 마리아가 성자(聖子)를 잉태할 것을 천사에게서 기별받은 일. 일반적으로 수태 고지(受胎告知)라는 제목의 종교화의 소재로 많이 다루어짐. 영보. *성모 수태(受胎).

성:모 왕:고【聖母往顧】[명]〖천주교〗성모 마리아가 세례자 요한을 잉태한 엘리사벳을 방문한 일.

성:모의 원죄 없:으신 잉:태【聖母—原罪—孕胎】[—업쓰—/—에—업쓰—][명]〖천주교〗성모 마리아가 그의 아들 예수 그리스도의 공로를 미리 힘입어 원죄의 물듦 없이 모태에 잉태된 일. 그 축일은 12월 8일. '성모 무염 시잉 모태'의 고친 말.

성:-모자【聖母子】[명] 성모 마리아와 어린 예수를 말함. 라파엘로·보티첼리 등의 성모자도(圖)가 유명함.

성:모 자헌【聖母自獻】[명]〖천주교〗성모 마리아가 자기의 일생을 천주에게 바친 사실. 기념일은 11월 21일임.

성:모 찬:가【聖母讚歌】[명]〖악〗성모 마리아를 예찬하는 노래. 슈베르트·구노 등의 작곡이 있음. *아베 마리아.

성:모 취:결례【聖母取潔禮】[명]〖천주교〗'주의 봉헌 축일'의 구용어.

성:모 칠고【聖母七苦】[명]〖천주교〗성모 마리아가 예수의 어머니임으로 해서 당한 일곱 가지 고통. 곧, 예리한 칼이 찌르듯 아프리라는 시메온의 예언을 들었을 때, 이집트로 피난갈 때, 예루살렘에서 예수를 잃고 찾아 헤맬 때, 십자가를 메고 골고다로 가는 예수를 만났을 때, 못박혀 죽은 아들 예수의 십자가 밑에 섰을 때, 아들의 시체를 받아 안았을 때, 예수를 무덤에 묻을 때 받은 고통. [준]칠고(七苦).

성:모 칠락【聖母七樂】[명]〖천주교〗성모 마리아의 일생에 있어서, 특별한 일곱 가지 기쁨.

성:모 통:고【聖母痛苦】[명]〖천주교〗성모 마리아가 아들 예수 그리스도로 인하여 받은 슬픔과 고통.

성:모 호칭 기도【聖母呼稱祈禱】[명]〖천주교〗성모를 공경하는 여러 호칭을 부르며, 성모께 드리는 일련의 탄원 기도, '천상 은총의 어머니' '지극히 거룩한 동정녀' 등등 호칭할 때마다 '우리를 위하여 빌으소서'하고 반복함.

성목【成木】[명] 나무로 다 자람. 또, 그 나무. ——-하다 [자][여불]

성:-목요일【聖木曜日】[명]〖천주교〗성주간(聖週間)의 하루로 예수가 죽은 전날. 이 날 밤 그리스도가 12 제자와 더불어 최후의 만찬을 마치고 그의 신비체(神祕體)인 성체 성사(聖體聖事)를 제정한 것을 기념함.

성묘¹【成苗】[명] 다 자란 묘목. 다 큰 묘.

성묘²【省墓】[명] 조상의 산소를 찾아가서 살피어 돌봄. 흔히, 설날·한식날·추석(秋夕)에 행함. 간산(看山). 성추(省楸). 참묘. ——-하다 [자][여불]

성:묘³【聖廟】[명] 문묘(文廟).

성무¹【成務】[명] 임무를 완수함. 사업을 완성시킴.

성무²【星霧】[명]〖천〗성운(星雲).

성:무³【聖務】[명]〖천주교〗성직자의 직무인 설교, 전례 집전, 교리 교육, 교회 지도 등.

성:무-기【聖武記】[명]〖책〗중국 청(淸)나라의 역사책. 위원(魏源)이 편찬. 청나라 태조부터 도광(道光) 연간까지의 사적과 그 밖에 병제(兵制)·병향(兵餉)·장고(掌故)·고증(考證) 등도 들어 있음. 모두 14권임.

성무니 [명]〈방〉정강이(제주).

성-무상론【聲無常論】[—논][명]〖철〗어무상론(語無常論).

성:무 일도【聖務日禱】[—또][명]〖천주교〗매일 정해진 시간에 하느님을 찬미하는 교회의 공적인 기도.

성문¹ [명]〈방〉정강이(전남).

성문²【成文】[명] ①문장으로 써서 나타냄. 이미 정해져 있는 것이나 새로 정한 것 등을 문장이나 조문(條文)으로 써서 나타냄. 또, 그 문장이나 조문. ↔불성문. ②명문(明文)❷. ——-하다 [자][타][여불]

성문³【城門】[명] 성곽(城郭)의 문. 성의 출입문. 서울에는 동대문·서대문·남대문·북문의 사대문과 동소문·서소문·남소문·창의문(彰義門)의 네 소문(小門)이 있었음.

성문⁴【省問】[명] ①부모의 안부(安否)를 물음. ②조사하여 물음. ——-하다 [타][여불]

성:문⁵【聖文】[명] ①훌륭한 문덕(文德). ②임금의 문덕.

성:문⁶【聖門】[명] ①성인(聖人)의 도(道). 공자(孔子)의 가르침. ②공자의 문하(門下). 공문(孔門).

성:문⁷【聖聞】[명] 임금이 듣는 일. ——-하다 [타][여불]

성문⁸【聲門】[명]〖생〗후두(喉頭)에 있어서, 양쪽 성대(聲帶)의 사이에 있는 좁은 간격. 안정 호흡(安靜呼吸)을 할 때에는 열리어 벌어져서 삼각형이 되고, 소리를 낼 때에는 사이가 좁아짐. 목청문.

성문⁹【聲紋】[명][voice print] 음성의 특징을 주파수(周波數)로 분석하여 소나그래프(sonagraph)로 나타낸 것. 지문(指紋)과 같이 고유의 패턴을 나타내므로 범죄 수사 등에 이용됨.

성문¹⁰【聲問】[명] ①방문(訪問). ②소식(消息)❷.

성문¹¹【聲聞】[명] ①명성(名聲). 성명(聲名). ②[범 śrāvaka]〖불교〗부처의 설법(說法)을 듣고 사제(四諦)의 이치를 깨달아서 아라한(阿羅漢)이 된 불제자(佛弟子). ③〖불교〗↗성문승(聲聞乘).

성문 경련【聲門痙攣】[—년][명][laryngospasm]〖의〗신경질이 있거나 구루병(佝僂病) 등의 질환을 가진 아이에게서 볼 수 있는 경련. 웃거나 울거나 하는 흥분 상태에 있을 때, 내쉬는 숨만 있고 들이마시는 숨이 없어 얼굴이 창백해지며 갑자기 숨이 꽉 막히는 증상이 일어나고 더 심하면 그대로 질식하는 수도 있음.

성문-계【聲聞界】[명]〖불교〗성문의 경계(境界).

성문 계:약【成文契約】[명] 약속하는 내용이나 조목을 문서(文書), 곧 계약서로 만들어 맺는 계약. ↔구두 계약(口頭契約).

성문-권【成文券】[—꿘][명] 문서로 작성된 권면(券面).

성문-다리 [명]〈방〉정강이(전남).

성문 도감【城門都監】[명]〖역〗조선 시대 초엽에 궁성·도성·교량(橋梁)의 수축(修築)을 맡아 보던 관아. 태조 때 설치되었으나 세종 8년(1426)에 금화 도감(禁火都監)과 합쳤음.

성문-법【成文法】[—뻡][명][라 jus scriptum]〖법〗문자로 표현되고 문서의 형식을 갖추어 성립된 법. 제정법(制定法)은 이 형식을 취함. 성문율(成文律). 실정법(實定法). ↔불문법(不文法).

성문 부장【城門部將】[명]〖역〗성문을 지키던 부장.

성문-승¹【聲聞乘】[명]〖불교〗삼승(三乘)의 하나. 성문의 목적인 아라한(阿羅漢)의 깨달음을 얻게 하는 교법(教法). [준]성문(聲聞). *보살승.

성문-승²【聲聞僧】[명]〖불교〗성문으로서의 중. 사리불(舍利佛)이나 목련(目連) 등. *보살승(菩薩僧)·범부승(凡夫僧).

성문-율【成文律】[—뉼][명]〖법〗성문법(成文法). ↔불문율(不文律).

성문-음【聲門音】[명]〖언〗목구멍에서 나오는 소리. 곧, 'ㅎ·ㅇ'.

성문 헌:법【成文憲法】[—뻡][명]〖법〗성문법(成文法)으로서 정립(定立)한 헌법. 형식 헌법(形式憲法). [준]성헌(成憲). ↔불문 헌법.

성문-화¹【成文化】[명] 문장으로 써서 나타내는 일. 문장·조문(條文)으로 써서 나타내는 일. ——-하다 [타][여불]

성문-화²【聲門化】[명][glottalization]〖언〗어떤 음이 동시 조음(調音)으로서 성문의 폐쇄 또는 긴장을 수반하게 되는 현상. 후두화(喉頭化).

성:물【聖物】[명]〖천주교〗하느님의 예배에 사용하는 성스런 물건.

성:미¹【性味】[명] 성정과 취미. 성질과 비위. ¶ 까다로운 ~.
성:미(가) 가시다 [구] 발끈 일어난 성미가 가라앉다.
성:미(가) 나다 [구] 성미가 치밀어 일다. ¶ 한 번 성미 나면 물불을 가리지 않는다.
성:미(를) 부리다 [구] 성미대로 되지 않는다고 신경질을 내다.

성미²【誠米】[명] ①신불(神佛)에게 바치는 쌀. 헌미(獻米). ②〖종〗기독교나 천도교 신도들이 하느님께 기도하는 뜻으로 모은 쌀. 이 쌀을 교회나 사회의 공공 사업에 헌납함. 기도미(祈禱米).

성:바돌로매 축일의 학살【聖—祝日—虐殺】[—/—에—][명][the Massacre of St. Bartholomew's Day]〖역〗1572년 8월 23일 밤에서 24일에 걸쳐 성바돌로매 축일(祝日)에 카트린 드 메디시스 등이 저지른 신교도 학살 사건. 파리에서 수천명, 전국에서 1만 명의 사망자를 냈고, 위그노 전쟁의 격화를 초래함. 생바르텔미의 학살.

성-바르다 [보형]〈방〉성싶다.

성:바실리 대:성당【聖—大聖堂】[Vasiliy][명] 러시아 모스크바에 있는 그리스 정교 성당. 1554-1560년에 세워짐. '붉은 광장'에 면한, 러시아의 목조 건축과 비잔틴 건축의 혼합 양식의 건물로, 아홉 개의 돔을 가짐.

성:-바지【姓—】[명] 성의 각 종류. ¶ 각(各) ~/같은 ~.

성-밖【城—】[명] 성의 바깥. 성외(城外). ↔성안.

성반¹【星斑】[명] ①별 모양의 반점(斑點). ②소의 털의 별 모양의 반점.

성:반²【聖盤】[명]〖천주교〗미사 때에 쓰는 금 또는 은으로 만든 쟁반. 성체를 모시어 둠.

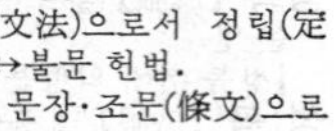
〈성반²〉

성:발【性發】[명] 영리(怜悧). ——-하다 [형][여불]

성-밟기【城—】[—밥—][명]〖민〗성돌기.

성배¹【成坏】[명]〖공〗주배(做坏).

성:배²【聖杯】[명] ①신성(神聖)한 술잔. ②〖기독교〗예수가 최후의 만찬(晩餐)에 쓴 술잔.

성:배 전설【聖杯傳說】[명][Legend of the Holy Grail] 그리스도가 최후의 만찬에 사용하였고, 아리마대의 요셉(Joseph of Arimathea)이 십자가 위의 그리스도의 피를 받아 브리타니아(Britannia)로 가져온 성배를 기사(騎士)들이 찾아 다닌다는 유럽 중세의 전설. 크레티엥 드 트루아(Chrétien de Troyes)의 《성배 이야기》, 볼프람 폰 에셴바흐(Wolfram von Eschenbach)의 《파르치팔(Parzival)》, 맬로리(Malory, T.)의 《아서 왕의 죽음》, 테니슨(Tennyson)의 《왕의 전원시》 등에 묘사되었고, 그 후 바그너(Wagner, W.R.)의 악극(樂劇) 《파르치팔(Parzival)》 등으로 각색(脚色)되었음.

성:-백숙【蟶白熟】명 맛살 백숙.

성:-범【聖凡】명 ①성인과 범인. ②성스러움과 범속함.

성:-범죄【性犯罪】명 성(性)과 관계가 있는 범죄. 강간·준강간·강제 추행·외설죄·음란죄 따위가 해당되며 형법 '제 22 장 풍속을 해하는 죄'와 '제 32 장 정조에 관한 죄'에서 규정하고 있음.

성법[1]【成法】[—뻡] 명 실정법(實定法). 「법칙. 자연법.

성:법[2]【性法】[—뻡] 명 인류의 이성(理性)에 따라 자연적으로 정해진

성:법[3]【聖法】[—뻡] 명 ①성인이 베푼 법도(法度). ②성스러운 법.

성-법원【星法院】명〖역〗성실 법정(星室法廷).

성:베드로 대:성당【聖—大聖堂】명〔이 San Pietro Basilica〕산 피에트로 대성전(大聖殿).

성:벽[1]【性癖】명 ①심신(心身)에 밴 습관. ②〖심〗선천적(先天的) 또는 주관적(主觀的)으로 정욕(情慾)의 만족을 지향하는 소질(素質).

성벽[2]【城壁】명 성의 담벼락.

성변【星變】명 별의 위치나 빛에 생긴 변화.

성변 측후 단자【星變測候單子】명〖역〗조선 시대에, 관상감(觀象監)에서 성변(星變)을 관측·기록한 보고서. 관측과 동시에 승정원(承政院)·시강원(侍講院)을 거쳐 국왕에게 보고하였는데, 관측과 보고의 조례(條例)는 엄밀하였으며 그 기록 대장으로 천변 등록(天變謄錄)이라는 것이 관상감에 있었음. 이 관측은 관상감에서만 하지 않고 서울 남산 꼭대기 또는 강화도(江華島) 마니산(摩尼山)에서도 측정하였음.

성:-변화【聖變化】명〔transubstantiation〕〖천주교〗면병(麵餠)과 포도주의 실체(實體)가 그리스도의 몸과 피로 변하는 일.

성:별[1]【性別】명 남성과 여성의 구별. 암수의 구별.

성:별[2]【聖別】명〔consecration〕〖천주교〗축성(祝聖). ——-하다 자여불

성:별 도:착【性別倒錯】명 성애(性愛)의 대상으로 성숙한 이성을 택하지 아니하고 동성이나 유소아(幼少兒)를 택하는 이상(異常) 습성을 말함. *성적 도착.

성:별 형질【性別形質】명〖생〗성징(性徵). 「하다 자여불

성병[1]【成病】명 근심 걱정 또는 그 밖의 이유로 말미암아 병이 됨. ——-

성:병[2]【性病】[—뼝] 명〔venereal disease〕〖의〗매독(梅毒)·임질(淋疾)·연성 하감(軟性下疳)·제사 성병(第四性病) 등의 총칭. 주로 성교(性交)로 말미암아 감염·발병함. 화류병(花柳病).

성병[3]【城兵】명 성을 지키는 병사. 「病).

성:병적 육아종【性病的肉芽腫】[—뼝—] 명〖의〗제오 성병(第五性

성:보[1]【姓譜】명〖역〗족보(族譜). 「壘). 성자(城子).

성보[2]【城堡】명 외적을 막기 위하여 임시로 쌓은 작은 산성. 성루(城

성:보[3]【聖褓】명〖천주교〗성작개(聖爵蓋)의 구용어.

성복[1]【成服】명 초상이 나서 사흘이나 닷새 뒤에, 처음으로 상복을 입는 일. 「은 뜻. *사후(死後).

【성복 뒤에 약방문; 성복후 약방문】'사후 약방문(死後藥方文)'과 같

성:복[2]【盛服】명 훌륭히 차려 입은 옷. 성장(盛裝)한 옷.

성복-날【成服—】명 성복하는 그 날. 즉, 초상이 난 뒤 나흘이 되는 날.

성복-전【成服奠】명 성복할 때 지내는 전.

성복-제【成服祭】명 성복할 때 지내는 제사.

성-부[1]【成否】명 성불성(成不成). 「省).

성부[2]【省府】명〖역〗①조선 시대의 의정부(議政府). ②고려의 삼성(三

성부[3]【城府】명 ①성시(城市). ②마음속에 쌓은 담.

성:부[4]【聖父】명〖성〗성자(聖子)·성신(聖神)과 함께 삼위 일체의 제1위(位). 신교에서는 '하느님', 천주교에서는 '천주'라 함. 「컬은 말.

성:부[5]【聖婦】명〖천주교〗전례 용어로, 성서에 나오는 성녀(聖女)들을 일

성부[6]【聲部】명〖악〗소리의 높고 낮음에 따라서 차지하는 자리.

성부[7]【聲符】명 성점(聲點).

성:-부동【姓不同】명 성이 같지 않음. 곧, 일가가 아님.

성:부동 남【姓不同—】명 성이 달라서 남이지, 친분으로는 일가나 마찬가지로 사이가 퍽 가까운 사람. *성부동 형제.

성:부동 형제【姓不同兄弟】명 성은 같지 않아도 형제처럼 다정한 사

성-부르다 보형〈방〉성싶다(전라). ㄴ람.

성:-부지【姓不知】명 성을 모름.

성:부지 명부지【姓不知名不知】명 성도 모르고 이름도 모름. 성명 부지(姓名不知).

성북【城北】명 도성(都城)의 북쪽.

성북-구【城北區】명〖지〗서울 특별시의 한 구(區). 총 30 개동(洞). 북쪽은 강북구(江北區), 동쪽은 중랑구(中浪區)와 노원구(蘆原區), 남쪽은 동대문구와 종로구, 서쪽은 종로구에 접함. 보문사(普門寺)·개운사(開運寺)가 있음. [24.55 km^2 : 495,431 명(1996)]

성분[1]【成分】명 ①〖물·화〗화합물·혼합물 등을 구성하고 있는 순물질(純物質)을 일컬음. ¶ 물의 ~은 산소와 수소이다. ②하나의 문장(文章)을 이루는 각 부분. 곧, 주어·술어·목적어·보어·수식어 등의 총칭. ③〖수〗하나의 벡터를 각 방향의 벡터로 분해했을 때의 각 벡터. ④사람의 사상적(思想的)인 성행(性行). ¶ ~ 조사.

성분[2]【成墳】명 봉분(封墳). ——-하다 자여불

성:분[3]【性分】명 성질.

성분-력【成分力】[—녁] 명〔component of force〕〖물〗하나의 힘이, 둘 이상의 힘을 합(合)한 결과라고 생각할 때 그 여러 개의 힘을 각각 이름. 분력(分力)

성분 부:사【成分副詞】명〖언〗한 문장의 각 성분을 꾸미는 부사. 성상 부사·지시 부사·부정 부사 등이 여기 딸림.

성분-비【成分比】명〔composition〕〖화〗한 물체를 이루고 있는 여러 성분의 양(量)의 비. 조성(組成).

성분 수혈【成分輸血】명〖의〗혈액 성분 중 환자에게 필요한 성분만을 분리하여 수혈하는 방식.

성분 영양식【成分營養食】명〔elemental diet〕〖의〗모든 성분이 완전히 소화(消化)되고 그대로의 형태로 흡수되는, 화학적으로 성분이 명확한 것으로만 구성된 특수한 식이(食餌). 아미노산(酸)·당질(糖質)·지질(脂質)·미네랄·비타민 등을 함유함.

성분-제【成墳祭】명 봉분제(封墳祭).

성불【成佛】명〖불교〗①모든 번뇌를 해탈하여 불과(佛果)를 얻음. 부처가 됨. 성불도(成佛道). 득불(得佛). ②죽어서 부처가 됨. ——-하다 자

성불-도[1]【成佛道】[—또] 명〖불교〗성불(成佛)❶. ㄴ여불

성불-도[2]【成佛圖】[—또] 명 극락(極樂)과 지옥(地獄)에 비기어 만든 판으로 승부를 다투는 놀이의 하나.

성불 득탈【成佛得脫】명〖불교〗불과(佛果)를 얻어 해탈(解脫)한 덕을 얻음. 죽어서 부처가 되어 고환(苦患)을 면함.

성불-사【成佛寺】[—싸] 명〖불교〗황해도 황주군(黃州郡) 정방산(正方山) 속에 있는 절. 신라 말(末)에 도선(道詵)이 창건, 조선 인조(仁祖) 10년(1632)에 중건, 숙종(肅宗) 10년(1684)에는 400근의 종을 만들어 달았음. 경승지(景勝地)로 유명함. 종전의 31본산(本山)의 하나.

성-불성【成不成】[—썽] 명 일의 됨과 아니 됨. 일의 이루어짐과 아니 이루어짐. 성부(成否).

성불성간-에【成不成間—】[—썽—] 부 일이 되든지 아니 되든지 간에. 일의 됨과 아니 됨에 불구하고. ¶ ~ 통지하마.

성:비[1]【性比】명 같은 종(種) 안에서 자웅(雌雄)의 개체수(個體數)의 비. 일반적으로 암컷의 개체수 또는 전개체수에 대한 수컷의 개체수의 비율로 나타냄. 성염색체에 의한 성(性) 결정에 따르면 암수는 거의 비슷하게 생기겠지만 종류에 따라 차이가 있음. 사람의 출생시의 성비는 남성이 약간 많음.

성:비[2]【盛備】명 성설(盛設). ——-하다 타여불

성:비[3]【聖扉】명〖천주교〗성년(聖年)이 시작될 때 열었다가, 끝날 때 봉하는 성(聖)베드로 대성당의 문. *성년(聖年).

성-비세려【誠非細慮】명 걱정이 적지 아니함.

성빈[1]【成殯】명 빈소(殯所)를 만듦. ——-하다 자여불

성:빈[2]【聖貧】명〖천주교〗신빈(神貧).

성사[1]【成事】명 일을 이룸. ——-하다 자여불

성사[2]【星使】명 천자(天子)로부터 파견된 사자(使者).

성사[3]【星槎·星楂·星査】명 ①성사(星使)가 타고 가는 배. ②먼 나라로 항행하는 선박. 세계를 주유(周遊)하는 배.

성:사[4]【盛事】명 성대한 일. 장한 일.

성:사[5]【聖史】명〖천주교〗예수 그리스도의 복음(福音)을 기록한 책. 또, 이를 기록한 마태오·마르꼬·루가·요한의 네 사가(史家).

성:사[6]【聖事】명 ①성스러운 일. 곧, 종교에 관한 일. ¶ 하느님의 ~. ↔ 속사(俗事). ②〖천주교〗형상 있는 표적으로 형상 없는 성총(聖寵)을 표하는, 예수 친히 세우신 거룩한 행사. 곧, 세례(洗禮)·견진(堅振)·고백(告白)·성체(聖體)·병자(病者)·신품(神品)·혼인(婚姻)의 일곱 가지 행사. 「희(孫秉熙)의 경칭.

성:사[7]【聖師】명〖천도교〗제삼세 교주(第三世敎主)인 의암(義庵) 손병

성:사-극【聖史劇】명〔프 mystères〕〖연〗15세기부터 프랑스에서 기적극(奇蹟劇) 이래 다시 일어난 종교극. 성서(聖書)를 소재(素材)로 한 것으로, 대규모의 민중 예술이 되었으며, 중세(中世) 기독교 문화의 집약적 표현을 볼 수 있음. 신비극(神祕劇).

성-사(:)달【成士達】명〖사람〗고려 공민왕 때의 공신(功臣). 호는 역암(易菴). 창녕(昌寧) 사람. 홍건적(紅巾賊) 침입 때, 판전교 시사(判典校寺事)로 왕을 호종하였고, 김용(金鏞)의 반란을 평정하고 대제학(大提學)에 올랐음. [?-1380]

성사-산【城祉山】명〖지〗평북 후창군(厚昌郡)에 있는 산. [1,157 m]

성:사 성:총【聖事聖寵】명〖천주교〗각 성사를 받음으로써 그 본 목적을 달성하도록 사람을 도와 주는 성총. 세례는 재생(再生)의 성총, 견진(堅振)에서는 강화(強化), 성체(聖體)에서는 영양(營養)과 일치(一致), 고백(告白)에서는 치료(治療), 병자(病者)에서는 경감(輕減), 신품(神品)에서는 축성(祝聖), 혼인(婚姻)에서는 정결(貞潔) 등임.

성사 재:천【成事在天】명 일의 되고 안 됨은 오로지 천운(天運)에 달렸다는 말.

성사축-류【星四軸類】[—뉴] 명〖동〗[Astrotetraxonida] 사축(四軸) 해면류의 한 아목(亞目). 골편(骨片)은 네 개의 팔 모양의 복(輻)을 이루었으나 작은 골편(骨片)은 여러 개로 별 모양을 이룸. 별불가사리

성사-후【成事後】명부 일을 이룩한 뒤. ㄴ등이 이에 속함.

성산[1]【成算】명 성취(成就)할 가능성. 되엄직한 예산.

성산[2]【城山】명〖지〗제주도 남제주군(南濟州郡)의 한 읍(邑). 군의 동쪽 끝에 위치(位置)함. 성산포(城山浦)의 일출봉(日出峰)이 유명(有名)함. [16,579 명(1996)]

성산[3]【星散】명 새벽 하늘의 별과 같이 사물이 뿔뿔이 헤어지거나 흩어져 있음을 비유하는 말. ——-하다 자여불

성산[4]【星算】명〖천〗천문 역수(天文曆數).

성:산[5]【聖算】명 ①임금의 나이. ②임금이 나라를 다스리는 방책·계략.

성산 가야【星山加耶·星山伽倻】명〖역〗육가야(六伽倻)의 하나. 지금의 경상 북도 성주(星州) 부근에 있던 부족(部族) 국가로, 신라 법흥왕(法興王) 19년(532)에 신라에 병합됨. 벽진 가야(碧珍伽倻).

성산 대:교【城山大橋】명 한강에 놓인 열두째의 다리. 서울 마포구 망원동(望遠洞)과 영등포구 양평동(楊平洞)을 연결함. 1980년 개통됨. [1,410 m]

성산 별곡【星山別曲】명〖문〗조선 선조 때, 송강(松江) 정철(鄭澈)이 지은 가사의 하나. 당시의 문인 김성원(金成遠)이 세운 성산(星山)의 서

하당(棲霞堂)·식영정(息影亭)을 중심으로 철마다 변하는 경치를 읊음.

성:산 사:건【聖山事件】[—껀] 명 기원전 494년과 449년의 두 번에 걸쳐 로마의 평민이 귀족에 반항하여, 로마 북동쪽의 성산, 몬스 사케르(Mons Sarcer)에 진을 친 사건. 그 결과, 호민관(護民官) 제도가 생겼음.

성산-포【城山浦】명〖지〗제주도 동부 성산읍(城山邑)에 있는 항구. 여수(麗水)와의 사이에 정기 항로가 통하며, 도내에서는 제주(濟州) 및 서귀포(西歸浦)와 연락됨. 농산물과 수산물의 집산지(集散地)임.

성:삼【聖三】명〖천주교〗성부·성자·성신의 삼위(三位). 천주 삼위(天主三位).

성-삼문【成三問】명〖사람〗조선 세종(世宗) 때의 충신. 사육신(死六臣)의 한 사람. 자는 근보(謹甫), 호는 매죽헌(梅竹軒). 창녕(昌寧) 사람. 집현전(集賢殿) 학사로 정인지(鄭麟趾) 등과 함께 세종의 훈민 정음 창제를 도우면서 음운(音韻)의 조사 연구를 위하여 요동(遼東)에 적거(謫居)한 황찬(黃瓚)에게 13번이나 왕래하였음. 세조 원년에 상왕(上王)의 복귀를 꾀하다가 발각되어 피살됨. [1418-56]

성:-삼일【聖三日】명〖기〗성금요일, 성토요일 및 부활 주일의 일컬음.

성:삼 주일【聖三主日】명〖천주교〗'삼위 일체 주일(三位一體主日)'의 구칭.

성:-삼품설【性三品說】명〖철〗중국 철학의 성론(性論)의 하나. 사람의 타고난 성(性)에 상·중·하의 세 계급이 있다는 설. 상은 가르치지 아니하여도 선(善)인 것, 중은 인도(引導)에 따라 선도 되고 악도 될 수 있는 것, 하는 악한 것으로 성선설(性善說)·성악설(性惡說)의 절충임.

성:상[1]【性狀】명 ①사물의 성질과 상태. ②성정(性情).

성:상[2]【性相】명〖불교〗만물의 본성(本性)과 현상(現相).

성상[3]【城上】명 성곽(城郭)의 위. 성두(城頭).

성상[4]【城上】명〖역〗각 궁전과 관아에서 그릇을 맡아 보던 하례(下隷). 잡자.

성상[5]【省狀】명 부모를 모시고 지내는 형편.

성상[6]【星狀】명 별 모양. 흔히, 다섯 개 내외의 방사상(放射狀) 돌기(突起)가 있는 형상. 성형(星形). ＊성상체(星狀體).

성상[7]【星象】명〖천〗성좌(星座)의 모양.

성상[8]【星像】명〖생〗성상체(星狀體).

성상[9]【星霜】명 일년 동안의 세월. ¶십 개 ~이 흐르다.

성:상[10]【聖上】명 살아 있는 자기 나라 황제를 높여 부르는 말.

성:상[11]【聖像】명 ①성인이나 임금의 화상(畫像). 또, 그 초상(肖像). ②〖기독교〗그리스도나 성모(聖母)의 상(像).

성:상 관형사【性狀冠形詞】명〖언〗사물의 겉 모양과 속 성질을 나타내는 관형사. '새[13]'·'헌' 같은 말. 성질 관형사. 실질 관형사. 그림 매김씨.

성:상 부:사【性狀副詞】명〖언〗사물의 성질과 상태를 한정하여 꾸미는 부사. '잘'·'몹시'·'데굴데굴' 따위.

성상 세:포【星狀細胞】명〔astrocyte〕별 모양의 세포. 특히, 신경 세포나 혈구(血球) 등을 이름.

성상-소【城上所】명〖역〗사헌부(司憲府)의 관원이 대궐문 위에서, 드나드는 백관(百官)을 살피던 곳.

성상 신경절【星狀神經節】명〖생〗교감 신경의 줄기가 되는 신경절의 하나. 하경(下頸) 신경절과 제1 신경절이 하나로 융합된 것.

성-상주론【聲常住論】명〖철〗어(語)상주론. ↔성무상론(聲無常論).

성상-체【星狀體】명〖생〗동물 및 어떤 종류의 식물의 핵분열에서, 방추체(紡錘體) 양극(兩極)의 중심체(中心體) 주위에 존재하는 방사상의 원형질(原形質)의 줄. 성형(星形). 극방사(極放射). 성상(星像). 극모(極帽).

성상-토【城上土】명〖민〗성두토(城頭土).

성:상-학【性相學】명 사람의 육체 상(肉體上)에 나타나는 인상(人相)·골상(骨相)·수상(手相) 등으로 사람의 성질이나 운명을 판단하는 학술(學術).

성:상 형용사【性狀形容詞】명〖언〗사물의 성질과 상태를 나타내는 형용사. '뜨겁다'·'아름답다'·'기쁘다' 따위. ＊지시(指示) 형용사.

성새【城塞】명 성채(城砦).

성:색[1]【盛色】명 아름다운 안색. 미인(美人)의 용모.

성색[2]【聲色】명 ①노래와 여색(女色). ②말소리와 얼굴 빛.

성생 성기【省牲省器】명〖역〗나라의 제향(祭享)에 쓸 희생(犧牲)과 기명(器皿)을 살펴 봄. ——-하다 자여불

성:-생활【性生活】명 성적 방면에 관한 생활. 생활 가운데서 성행위에 관한 면(面). 성적(性的) 생활.

성서[1]【城西】명〖지〗경상 북도 달성군(達城郡)에 있던 한 읍(邑). 1981년 대구 직할시(大邱直轄市)에 편입됨.

성:서[2]【盛暑】명 한더위. 번서(繁暑).

성:서[3]【聖書】명 ①성인(聖人)이 저술한 서적. ②〖종〗교리(教理)를 기록한 경전(經典). ③〔Bible〕〖기독교〗기독교의 성전(聖典). 여호와 하느님이 천지(天地) 만물의 창조(創造)로부터 시작하여 구세주(救世主)인 예수에 미치고, 다시 예수로부터 시작하여 세계의 종말(終末)의 임함을 보여 준 역사 및 인류의 구원(救援)에 관한 말과 복음(福音)이 그 내용임. 그리스도 이전의 것을 중심으로 기록된 구약(舊約) 성서 39권과 이후의 신약(新約) 성서 27권의 2부(部)로 되고, 이 66권의 정전(正典)에 들지 아니하는 경외전(經外典)이 있음. 최초 구약은 헤브라이어(語), 신약은 그리스어(語)로 기록되었는데, 한국에서는 1910년에 우리말로 완역(完譯)되었음. 성경(聖經). 바이블.

성:서[4]【聖瑞】명 성천자(聖天子)가 된다는 상서로운 조짐. 성인이 된다는 조짐.

성:서 고고학【聖書考古學】명〔Biblical archaeology〕성서의 세계, 곧 팔레스티나 및 그 인접 제국(諸國)에서의 고대의 유적·유물을 연구하는 고고학의 특수 부문.

성:서 공회【聖書公會】명〔Bible Society〕〖기독교〗기독교를 보급시키기 위하여 성서를 각국어(各國語)로 번역(飜譯)·출판·반포하는 단체. 독일에서 1712년에 남작(男爵) 칸슈타인(Canstein, von F.; 1667-1719)이 설립한 것을 비롯하여 1804년에 설립된 영국 성서 공회, 1816년의 미국 성서 공회 등이 유명하며, 지금은 세계 각국에 널리 퍼져 있음. 한국에는 1946년에 '대한 성서 공회'로 자립 운영하고 있음.

성:서 번역【聖書飜譯】명 기독교를 전도할 목적으로 성서를 그 나라 말로 번역하는 일.

성:서 석의학【聖書釋義學】[—/—이—] 명 문법적·언어학적인 검토와 문학적·역사적인 탐구 및 성서 신학·교의학적(教義學的) 관점 등에 의하여 성서의 장구(章句)의 의의를 해석하는 학문.

성:서 신학【聖書神學】명 성서의 내용을 조직적·계통적으로 해설하는 신학의 한 분야. 역사 신학인 동시에 교의학(教義學)의 기초가 됨.

성:서 주일【聖書主日】명〖기독교〗성서에 대한 연구, 전도 사업 등을 위하여 설정한 주일. 이 날의 각 교회의 헌금은 성서 공회에 헌납함. 매년 12월 둘째 주일.

성:서-학【聖書學】명〔science of the Bible〕〖성〗성서에 관한 학술적 연구의 총칭. 주로 성서의 해석·비판 등을 함.

성석[1]【成石】명 회(灰) 같은 것이 굳어서 돌과 같이 됨. ——-하다 자여불

성석[2]【星石】명〖천〗운석(隕石).

성:석[3]【聖石】명〖천주교〗미사 제구(祭具)의 한 가지. 성해(聖骸)를 모신 돌판.

성-석린【成石璘】[—닌] 명〖사람〗조선 태조 때의 명신. 호는 독곡(獨谷), 자는 자수(子修). 창녕(昌寧) 사람. 고려 공민왕 때 양광도(楊廣道) 도관찰사(都觀察使)로서 각 고을에 의창(義倉)을 세워 빈민(貧民)을 구제하고, 뒤에 태조 때 영의정이 됨. [1336-1423]

성선[1]【成善】명 착한 일을 이룸. ——-하다 자여불

성:선[2]【性腺】명〖생〗생식선(生殖腺)❶.

성:선[3]【聖善】명 어머니의 경칭. 자모(慈母).

성:선-설【性善說】명〖윤〗인간의 본성은 선천적으로 착하다는 설. 맹자(孟子)가 주창한 것으로 측은(惻隱)·수오(羞惡)·사양(辭讓) 등의 착한 마음이 있으나, 물욕(物慾)에 가리어서 악한 일을 저지르게 된다고 함. 뒤에 유가(儒家)의 정설(定說)이 되었음. ↔성악설(性惡說).

성:선 자:극 호르몬【性腺刺戟—】〔hormone〕명 여포 성숙 호르몬(濾胞成熟 hormone)과 황체(黃體) 형성 호르몬의 총칭.

성:-선회【盛宣懷】명〖사람〗'성 쉬안화이'를 우리 음으로 읽은 이름.

성:설[1]【性說】명〖윤〗중국에서의 사람의 성(性)에 관한 논설(論說). 성선설(性善說)·성악설(性惡說)·선악 혼효설(善惡混淆說) 등이 있으며, 공자(孔子)·맹자(孟子)·순자(荀子)·한비자(韓非子) 등이 논함. 원래 서경(書經)·시경(詩經)에서 시작된 것인데, 송대(宋代)에 이르러 송학(宋學)으로 되어, 본연 기질론(本然氣質論)을 야기(惹起)하는 원인이 되었고 장자(張子)·정자(程子)·주자(朱子) 들 사이에 활발히 논의되었음.

성:설[2]【盛設】명 성대하게 차림. 잔치를 크게 베풂. 성비(盛備). ——-하다 타여불

성성[1]【星星】명〖천〗이십팔수(二十八宿)의 하나. 곧, 스물다섯째의 별. 준성(星).

성성[2]【猩猩】명〖동〗성성이❷.

성:성[3]【聖性】명 성스럽고 거룩한 성품.

성:성[4]【聖省】명 로마 교황청 국무 성성(國務聖省) 산하의 행정 기구. 추기경으로 구성되며, 지금은 9개 성성이 있음.

〈성성기〉

성성-기【星星旗】명〖역〗의장기(儀仗旗)의 한 가지.

성성-목【猩猩木】명〖식〗포인세티아.

성성 성:총【成聖聖寵】명〖천주교〗'성화(聖化) 성총'의 구용어(舊用語). ＊상존 성총(常存聖寵)·조력 성총(助力聖寵).

성성-이【猩猩—】명〖동〗①[*Pongo pygmaeus*] 유인원과에 속하는 짐승. 키는 수컷이 1.65m 가량이고, 얼굴 이외의 온 몸에 긴 털이 덮여 있는데, 보르네오산(産)은 적갈색, 수마트라 산은 적자색임. 귀는 작고 코는 넓적하며 입은 폭이 넓고 삐죽함. 사지(四肢)가 잘 발달되어 반직립(半直立)하여 걸어다니기도 하고 나무 사이를 교묘하게 건너 다니는 데 특히 앞다리가 유별나게 긺. 힘이 몹시 강하나 성미는 매우 느림. 나무 위에 집을 짓고 사는데 열매나 잎 같은 것을 따 먹음. 보르네오·수마트라 등지의 삼림 지대에 분포함. 오랑우탄(orangutan). ②중국에서의 상상(想像)의 괴상한 짐승. 사람 비슷하나 몸은 개와 같고 털이 길며 그 빛은 주홍색(朱紅色)이라 하는데, 사람의 말을 이해하며 또 술을 좋아한다고 함. 성성(猩猩).

〈성성이❶〉

성성-전【猩猩氈】명 성성이의 피로 물들인 심홍색(深紅色)의 전.

성성-하다【星星—】형여불 센 머리털이 희끗희끗하다. ¶백발이 ~.

성세[1]【成勢】명 세력을 이룸. 세력을 떨치게 됨. ——-하다 자여불

성세[2]【城勢】명 성 안의 상태. 성곽(城郭)의 형세.

성:세[3]【盛世】명 한창 융성(隆盛)한 세대. 국운이 번영하고 있는 태평한 시대. 성대(盛代). 성시(盛時).

성:세[4]【聖世】명 성군(聖君)이 다스리는 축복 받는 세대. 성대(聖代). 성시(聖時).

성:세[5]【聖洗】명〖천주교〗'세례(洗禮)'를 성스럽게 일컫는 말. 준세(洗).

성세[6]【聲勢】명 명성(名聲)과 위세(威勢).

성-세(:)명【成世明】명〖사람〗조선 중종(中宗) 때의 고관. 자는 여회(如晦). 창녕(昌寧) 사람. 《연산군 일기(燕山君日記)》를 편찬하였고 벼슬은 지돈령부사(知敦寧府事)까지 지냈음. 시호는 평안(平安).

[1447-1510]
성:세 성:사【聖洗聖事】명〖천주교〗'세례 성사'의 구용어.
성:세-수【聖洗水】명〖천주교〗세례 성사에서 사용하기 위하여 축성(祝聖)한 물.
성:세 위언【盛世危言】명〖책〗중국 청말(淸末)의 개혁론자 정관응(鄭觀應)이 그의 주장 내용을 발표한 저서. 1895년 간행. 아편 전쟁 및 1860년의 경신지변(庚申之變)을 목격한 저자가 무비(武備)를 갖춰 각국의 제국주의에 항쟁할 뿐 아니라, 의회 제도, 언론 자유의 확립, 관리 등용 제도, 학교 제도, 관세 제도, 농지와 광산의 개발, 형사(刑事) 제도 등 국정(國政) 전반에 걸친 개혁을 주장하였음. 14권.
성:세 자생 인정책【盛世慈生人丁册】명〖역〗중국 청조(淸朝)의 강희제(康熙帝) 말년에 만든 호적부. 단순히 인구수를 알기 위해 만든 점이 중국 종래의 징세(徵稅)에 목적을 둔 호적부와는 다름.
성:-세포【性細胞】명〖생〗생식 세포(生殖細胞).
성세 항언【醒世恒言】명〖책〗중국 명대(明代)의 대표적인 단편 소설집인 《삼언 이박(三言二拍)》의 하나.
성:소¹【性巢】명〖생〗내부 생식기 가운데에서 생식 세포의 형성을 행하는 부분. 수컷은 고환(睾丸) 또는 정소(精巢)이고, 암컷은 난소(卵巢)임. 생식소(生殖巢).
성소²【惺所】명〖사람〗허균(許筠)의 호(號).
성:소³【聖召】명〖천주교〗성직(聖職) 또는 수도(修道) 생활을 위하여 천주께서 부르심.
성:소⁴【聖所】명〔sanctuary〕〖성〗제사장(祭司長)이 하느님에게 제물(祭物)을 바치고 의식(儀式)을 행하던 거룩한 곳. *지성소(至聖所).
성소 복부고【惺所覆瓿藁】명〖책〗허균(許筠)의 시문집. 조선 광해군 3년(1611) 저자 자신이 편찬함. 43권 12책.
성소작-지【成所作智】명〖불교〗도(道)를 닦아서 얻는 지혜.
성속【成俗】명 풍속을 이룸. 또, 풍속이 이루어짐. ——-하다 자여불
성:손【姓孫】명 후손(後孫).
성:손-장【聖孫章】[—짱]명 용비 어천가(龍飛御天歌)의 제 14장의 이름.
성:쇠【盛衰】명 성함과 쇠퇴함. 기복(起伏). 융체(隆替). 흥체(興替). 오륭. 승강(昇降). ¶흥망 ~.
성:쇠지-리【盛衰之理】명 성하고 쇠하는 이치. 끊임없이 잇따라 도는 성쇠(盛衰)의 이치. 승제지리(乘除之理).
성수¹【成遂】명 어떤 일을 끝까지 다 해냄. ——-하다 타여불
성수²【成數】명 일정한 수효를 이룸. ——-하다 타여불
성수³【成獸】명〖동〗성장한 짐승. 어미 짐승.
성수⁴【星宿】명〖천〗온갖 별자리의 별들. 진수(辰宿).
성수⁵【星數】명 운수(運數). ¶종의 자식으로 재상까지 되었을 젠 여간 좋은 ~를 타고난 사람이 아닐겝세《洪命憙：林巨正》.
성:수⁶【聖水】명〖천주교〗성례(聖禮)에 쓰기 위하여 축성(祝聖)한 물.
성:수⁷【聖壽】명 임금의 나이 또는 수명(壽命).
성:수⁸【聖數】명 신성시(神聖視)되는 수(數). 숭배를 받는 것도 있고 기(忌)하는 것도 있음. 고대 이스라엘 사람은 7을 신성한 수로 삼고, 12를 좋은 수, 6을 좋지 아니한 수로 여겼음.
성수-겁【星宿劫】명〖불교〗과거·현재·미래 삼세(三世)의 삼대겁(三大劫)의 하나로 미래의 대겁(大劫)을 말함. 이 겁 중에 1천 부처가 출현하는 것이 하늘의 별과 같다는 뜻에서 나온 말임.
성:수-기【盛需期】명 어떤 물품이 한창 쓰이는 철, 즉 수요가 가장 많을 때. ↔비수기(非需期).
성:수 대:교【聖水大橋】명〖지〗한강에 놓인 열한째의 다리. 서울 특별시 성동구(城東區) 응봉동(鷹峰洞)에서 강남구(江南區) 압구정동(狎鷗亭洞)을 연결하는 다리로, 6차선(車線)의 차도 양쪽에 인도가 있고, 다리의 양쪽 끝에는 인터체인지 시설을 갖춤. 1979년 개통되었으나, 95년 다시 개수(改修)하여 97년 재개통됨. [1,160 m]
성:수 만:세【聖壽萬歲】명 성수 무강(聖壽無疆). ——-하다 자여불
성:수 무강【聖壽無疆】명 임금이 오래 살기를 비는 말. 성수 만세. ——-하다 자여불
성:수무강-악【聖壽無疆樂】명〖악〗악장의 이름.
성:수-반【聖水盤】명〔holy water basin〕〖천주교〗성당(聖堂) 입구 등에 놓아 두는 물 그릇. 신도가 이 물을 손끝에 찍어 '十'자의 성호(聖號)를 그음.

〈성수반〉

성:수 불루【盛水不漏】명 가득 찬 물이 조금도 새지 아니한다는 뜻으로, 사물이 빈틈 없이 꽉 짜이어 있거나 또는 지극히 정밀(精密)함을 이르는 말.
성:수-산【聖壽山】명〖지〗전라 북도 장수군(長水郡)과 진안군(鎭安郡) 사이에 있는 산. [1,059 m]
성:수-장【性雖章】[—짱]명 용비어천가 제122장의 이름.
성수-채¹【星宿菜】명〖식〗진퍼리까치수염.
성:수-채²【聖水—】명〖천주교〗예식 때 사제가 성수를 찍어 뿌리는 채.
성-수침【成守琛】명〖사람〗조선 명종(明宗) 때의 숨은 선비. 자(字)는 중옥(仲玉), 호는 청송(聽松). 창녕(昌寧) 사람. 조광조(趙光祖)의 문인(門人)으로, 중종 14년(1519)의 기묘 사화(己卯士禍) 이후 세상과 뜻을 끊고 백악산 기슭 청송당(聽松堂)에서 여생을 마침. [1493-1564]
성숙【成熟】명 ①무르녹게 익음. ②생물이 충분히 잘 발육됨. ¶~한 처녀. ③익숙함. ④사물이 적당한 시기에 이르름. ¶시기가 ~하다. ⑤〔maturity〕〖지〗쇄설(碎屑) 퇴적물의 조직과 조성(組成)이 최종 생성물에 가까워지는 일. ——-하다 자여불
성숙 가속 현:상【成熟加速現象】명 인간의 성장 속도가, 세대(世代)가 바뀌어 감에 따라 점점 빨라지는 현상. 단백질 섭취량의 증대와 도시화 현상(都市化現象)에 기인하는 것으로 풀이되고 있음.
성숙-기【成熟期】명 ①성숙하는 시기. ②사람의 육체와 정신의 발육이 한창인 시기. 숙기(熟期).
성숙-도【成熟度】명 성숙한 정도.
성숙-란【成熟卵】[—난]명〖생〗난소(卵巢) 안에서 성숙한 난세포(卵細胞).
성숙 분열【成熟分裂】명〔maturation division〕〖생〗난세포(卵細胞)가 되는 감수 분열(減數分裂). 생식 세포가 형성되는 최후의 과정으로, 감수 분열에 의해 염색체수(染色體數)가 반감(半減)하는 분열. 감수 분열.
성숙 사회【成熟社會】명〔영국의 물리학자이며 미래학자인 가보르(Gabor, D.)의 저서 The Mature Society에서 유래〕현대의 인류가 지향해야 할, 자유와 문화적 성숙(成熟)이 이루어진 안정 균형의 사회.
성숙 산:업【成熟産業】명 그 산업을 지탱하는 기본 기술이 확립되고, 시장(市場)도 포화 상태에 있는 산업.
성숙-아【成熟兒】명〖생〗임신 10개월이 경과된 뒤에 분만(分娩)된 아이. 신체의 각 부분 및 내장(內臟) 기능이 생활할 수 있는 정도로 발육하고, 체중이 2.8-3 kg, 신장이 48-50 cm 가량에 이른 아이를 말함. ↔조산아(早産兒)·미숙아(未熟兒).
성숙-유【成熟乳】명〔mature milk〕〖생〗분만(分娩)한 지 3주일이 지난 산모(産母)에게서 나오는 젖. 산모의 젖의 성분은 분만한 지 1주일이 지나면 3주일이 지날 때까지 변하다가, 3주일이 지나면 그 조성이 일정하게 됨. 영구유(永久乳).
성:술¹【性術】명 심술(心術)❶.
성술²【星術】명 점성술(占星術).
성:-숭배【性崇拜】명 인도의 원시 종교에 전형적으로 나타난 신앙의 한 형태. 남녀의 생식기를 본뜬 것 또는 시바 신(Śiva神)·음모신(陰母神) 등 생식에 관계가 있는 신을 신앙의 대상으로 함.
성 쉬안화이〔盛宣懷〕명〖사람〗중국의 관료 자본가. 1911년 우전부대신(郵傳部大臣)이 되어 간선 철도의 국유령(國有令)을 발포(發布)해서 신해(辛亥) 혁명을 유발하였음. 성선회. [1847-1916]
성:-스럽다【聖—】형ㅂ불 거룩하고 고결하여 엄숙하다. 성:-스레【聖—】부
성습【成習】명 버릇이 됨. 습관이 됨. ——-하다 자여불
성-승¹【成勝】명〖사람〗조선 단종(端宗) 때의 충신. 성삼문(成三問)의 아버지. 호(號)는 적곡(赤谷). 창녕(昌寧) 사람. 벼슬은 도총관(都摠官)까지 지냈고, 단종이 찬위(簒位)된 후 사육신 사건에 아들과 함께 참여한 까닭에 처형되었음. [?-1456]
성:승²【聖僧】명 고승(高僧).
성시¹【成市】명 ①저자가 됨. ②시장(市場)을 이룸. ¶문전 ~. ——-하다 자여불
성시²【城市】명 성이 있는 시가(市街). 또, 성 안에 있는 시가. 성부(城府).
성시³【省試】명〖역〗중국의 당송(唐宋) 시대에 행하여진 문관 시험. 향시(鄕試)에서 급제한 사람을 예부성(禮部省)에서 고시(考試)하였음. 격자를 공사(貢士)라 함.
성:시⁴【盛市】명 풍성한 시장.
성:시⁵【盛時】명 ①혈기가 왕성한 시기. ②국운(國運)이 흥성한 때. 성세(盛世).
성:시⁶【聖屍】명〖천주교〗예수의 시체.
성:시⁷【聖時】명 성대(聖代).
성:시⁸【聖詩】명〖기독교〗①구약(舊約)의 시편(詩篇)에서 발췌한 시. ②성서(聖書)의 내용을 주제로 한 시.
성시⁹【聲嘶】명〖한의〗↗성시증(聲嘶症).
성:-시간【聖時間】명〖천주교〗감람산(橄欖山)에서 만민의 죄를 한탄한 그리스도의 고민을 묵상하면서 예수 성심(聖心)을 특별히 공경하는 기도 시간. 1674년 프랑스의 수녀인 성녀(聖女) 마르그리트 알라코크(Marguerite Alacoque)에게 현시(顯示)된 바에 의하여 목요일 밤에서 금요일까지로 정했었으나 편의상 매월 첫 목요일 밤 한 시간을 이용하고 있음.
성시 의외【誠是意外】명 참으로 뜻밖. 아주 뜻밖. ¶당초에 그 조부를 흉포한 위인으로만 알았다가 그처럼 인자하기는 ~라 말끝마다 칭송하기를 마지 아니하니…《金敎濟：地藏菩薩》.
성시-증【聲嘶症】[—쯩]명〖한의〗창병(瘡病) 또는 후두(喉頭)·성대(聲帶)의 병으로 말미암아 생기는 목 쉬는 증세. ㊀성시(聲嘶).
성:식¹【性息】명 성정(性情). ¶아버님 ~에 이런 소리를 들으시면 나는 반쯤 죽고 말 터인데…《作者未詳：雨中奇緣》.
성식²【星蝕】명〖천〗행성(行星)이나 항성(恒星)이 달에 가리어 보이지 아니하는 일. 엄폐(掩蔽).
성:식³【盛飾】명 성장(盛裝).
성식⁴【聲息】명 ①음신(音信). ②소문(所聞).
성신¹【星辰】명 별²❶. ¶일월(日月) ~.
성:신²【聖臣】명 육정(六正)의 하나. 인격이 가장 뛰어난 신하.
성:신³【聖神】명〔Holy Spirit〕〖기독교〗성부(聖父)·성자(聖子)와 함께 삼위 일체(三位一體) 중의 제3위(位). 성부·성자와 동격(同格)의 참 신(神)·진리(眞理)의 신으로서, 신자(信者)의 영적(靈的) 생활의 근본 힘이 되고 의지(意志)에 의하여 발출(發出)하며, 특히 성부·성자의 '사랑'을 전하는 힘과 계시(啓示)를 받을 수 있는 힘과, 감화를 받아서 진리를 깨닫고 신앙 생활에 정진(精進)할 수 있는 힘의 근원이 되는 본체임. 성령(聖靈). 패러클리트.
성신⁴【誠臣】명 충성으로 군주를 섬기는 신하. 충신(忠臣).
성신⁵【誠信】명 ①성실(誠實). ②성의(誠意)에서 나온 신앙(信仰).
성:신 강:림【聖神降臨】[—님]명〖기독교〗성신이 세상에 내려온 일. 신약의 사도 행전 2장에 있는 기사로서, 오순절(五旬節) 날에 교도들이 모여 있을 때 돌연 폭풍이 불어 오는 듯한 소리가 일어나고 혀와 같은 것이 불꽃처럼 각 교도 위에 내려 앉아 성령이 충만하였다고 함.
성:신 강:림절【聖神降臨節】[—님—]명〖기독교〗성령(聖靈) 강림절.
성신-도【星辰圖】명〖고고학〗별그림.
성:신 말:법【—法】[—뻡]명〖민〗무당들이 점을 치고 굿을 하는 법

을 적은 책의 이름.

성:신 세:례【聖神洗禮】명〔기독교〕성신이 사람의 마음속에 임하여 죄를 씻는다는 세례.

성신 숭배【星辰崇拜】명〔프 astrolâtrie〕성신에게 신비적 세력(神祕的勢力)이 있다 하여 존숭(尊崇)하는 신앙(信仰)과 의례(儀禮). 고대의 아라비아·바빌로니아·인도에서 볼 수 있음.

성:신 십이:효【聖神十二効】명〔천주교〕성신의 열두 가지 효험. 곧, 애덕(愛德)·신락(神樂)·평화(平和)·인내(忍耐)·인자(仁慈)·양선(良善)·관용(寬容)·순량(順良)·충신(忠信)·단정(端整)·담박(澹泊)·정결(淨潔).

성:신 쌍전【性身雙全】명〔천도교〕영(靈)과 육(肉)을 일체로 보는 천도교의 주의. 영과 육을 그 어느 한 쪽에 치우침이 없이 완전히 통일하여 중정(中正)의 도를 지켜야 함을 이름.

성신 여자 대학교【誠信女子大學校】명 사립 대학교의 하나. 1965년에 설립된 성신 여자 사범 대학의 후신으로, 1982년 종합 대학교로 승격됨. 소재지는 서울시 성북구 동선동(東仙洞).

성:신 칠은【聖神七恩】명〔천주교〕성신의 일곱 가지 은혜. 곧, 이사야 예언서 11장 2절에 나오는 지혜(智慧)·통달(通達)·의견(意見)·강의(剛毅)·지식(知識)·효경(孝敬)·경외(敬畏).

성실[1]【成實】명 성숙하여 열매를 맺음. ——-하다 자여불

성실[2]【誠實】명 거짓이 없고 정성스러움. 성각(誠慤). 성신(誠信). 각실(慤實). 충성(衷誠). ——-하다 형여불. ——-히 부

성실-감【誠實感】명 정성스럽고 참되어 거짓이 없는 느낌.

성실 법정【星室法廷】명〔Court of Star Chamber〕〔역〕영국 런던의 웨스트민스터 궁전내 '성실 곧, 별의 방'에서 열렸던 형사(刑事) 특별 법정. 튜더 왕조(Tudor王朝) 때, 왕의 고문관들이 이 성실에 모여 신분이 높은 자가 관련된 형사 사건을 심리했음. 1540년경부터 실지로 독립 기관이 되었으며, 왕권의 강화와 더불어 일반 법원의 권한을 침범, 왕의 정치적 반대자를 처벌하는 데에 이용되고, 튜더 왕조 및 스튜어트 왕조(Stuart王朝) 등의 절대 왕정의 전제(專制) 지배의 도구가 되어 역사상 악명을 남겼음. 1641년 '장기 의회(長期議會)'에 의해 폐지됨. 성법원(星法院). 성실청(星室廳).

성실-성【誠實性】[—썽] 명 성실한 품성.

성실 의:무【誠實義務】명〔법〕행정법상 공무원이 전력을 다하여 성실히 직무를 수행하며 법령을 준수할 의무.

성실-종【成實宗】[—쫑] 명〔불교〕불교의 한 종파. 모든 거짓을 버리고, 무(無)의 진지(眞智)로부터 열반(涅槃)에 이름을 종지(宗旨)로 함.

성실-청【星室廳】명〔역〕성실 법정(星室法廷).

성:심[1]【聖心】명 ①성스러운 마음. ②〔천주교〕예수와 성모의 마음.

성심[2]【誠心】명 정성스러운 마음. 성실한 마음. 성관(誠款). 단념(丹念).

성심-껏【誠心—】부 성심을 다하여. ¶ ~ 돕다.

성:심 성:월【聖心聖月】명〔천주교〕예수 성심 성월.

성:심-회【聖心會】명〔천주교〕신심회(信心會)의 하나. 예수 성심회와 성모 성심회의 두 가지가 있음.

성:십자가의 현:양 축일【聖十字架—顯揚祝日】[—/—에—] 명〔천주교〕페르시아인(人)들에게 빼앗겼던 예수의 십자가를 동(東)로마 제국의 헤라클리우스(Heraclius) 황제가 628년 탈환하여 예루살렘으로 가져온 사건을 기념하며, 그 십자가의 빛나는 영광을 기념하는 일. 또, 그 축일. '성가 광영(聖架光榮)'의 고친 말.

성-싶다 보형 윗말을 받아 주관적·추리적인 추측을 나타내는 말. 어미 '-ㄴ'·'-은'·'-는'·'-ㄹ'·'-을' 뒤에 붙음. ¶ 한 번 본 ~ / 좋을 성싶어 └서.

성쌍【成雙】명 성혼(成婚). ——-하다 자여불

성:씨【姓氏】명 '성(姓)'의 경칭.

성:씨-부【姓氏部】명 한자 부수(部首)의 하나. '民'·'氏' 등의 '氏'의 └이름.

성아 명〈방〉형(兄)(경남).

성:악[1]【性惡】명 ①사람의 본성(本性)은 악임. ②성미(性味)가 악함. ——-하다 형여불

성:악[2]【聖樂】명〔악〕①종교적이고 장엄·엄숙한 곡조와 가사로 된 음악. ②교회에서 부르는 음악. 성가(聖歌).

성악[3]【聲樂】명〔vocal music〕〔악〕사람의 목소리로 이루어지는 음악상의 한 분야. 소프라노·메조소프라노·알토·테너·바리톤·베이스 등에 의한 독창·중창을 비롯하여 합창·오라토리오·미사곡(曲) 등을 포함함. ↔기악(器樂).

성악-가【聲樂家】명〔악〕성악을 전공하는 음악가.

성:악-설【性惡說】명〔윤〕이기적(利己的)인 심정을 근원적인 것으로 보고, 인간의 본성(本性)은 악(惡)이라고 주장하는 학설. 순자(荀子)가 제창한 것으로, 곧 인간은 선천적으로 한없는 욕망을 가지고 있어 그대로 방치하면 싸움만이 일어나 마침내 파멸하고 말 것이기 때문에 예의로써 이것을 바로잡아야 한다고 주장하였음. ↔성선설(性善說).

성안[1]【成案】명 안(案)을 꾸미어 이룸. 또, 그 안. ¶ 새 헌법을 ~하다. ——-하다 타여불

성-안[2]【城—】명 성문(城門)의 안. 성내(城內). 성중(城中). ↔성밖.

성:안[3]【聖顔】명 천안(天顔).

성안-악【成案樂】명〔악〕풍류의 이름.

성애[1] 명 ①물건을 팔고 살 때에 흥정이 다 된 증거로 옆에 있는 사람들에게 술이나 담배를 대접하는 일. ¶ ~술을 먹다. ②물건을 살 때에 값어치의 물건 외에 다른 물건을 더 얹어 받는 일.

성애[2] 명〈방〉①성에[1]. ②성에[2]. 「의 ~에 관한 문제로.

성:애[3]【性愛】명 남녀 양성간의 본능적인 애욕(愛慾). ¶ 다름아닌 남녀

성애-술 명 흥정을 도와 준 대가로 사 주는 술.

성야[1]【星夜】명 별빛이 밝은 밤. 성월야(星月夜). 「브.

성:야[2]【聖夜】명 거룩한 밤. 곧, 크리스마스 전야(前夜). 크리스마스 이

성약[1]【成約】명 계약(契約)을 이룸. 계약이 성립함. ——-하다 자여불

성:약[2]【聖藥】명 효력이 비상한 약.

성양[1] 명〈방〉성냥(경북).

성양[2]【成樣】명 모양을 갖춤. ——-하다 타여불

성어[1]【成魚】명 충분히 자란 물고기. ↔치어(稚魚).

성어[2]【成語】명 ①말을 이룸. ②고인(古人)이 만든 말. ③〔언〕숙어(熟語)❶❷. ——-하다 자여불

성:어-기【盛漁期】명 고기가 많이 잡히는 시기. ↔어한기(漁閑期).

성:언[1]【聖言】명 ①성인(聖人)의 말. ②성서에 기록된 말.

성언[2]【聲言】명 성명[9](聲明). ——-하다 타여불 「의 말.

성:-언량【聖言量】[—얼—] 명〔불교〕바르고 진실하고 허물 없는 부처

성:엄【聖嚴】명 거룩하고 엄숙함. ——-하다 형여불

성업[1]【成業】명 학업(學業)이나 사업(事業)을 이룸. ——-하다 타여불

성:업[2]【盛業】명 성대한 사업. 또, 사업이 번창함. ¶ ~중.

성:업[3]【聖業】명 ①신성한 사업. 성스러운 사업. ②임금의 업적.

성업 공사【成業公社】명 한국 산업 은행으로부터 승계 또는 이관된 채권의 보전 및 추심과 아울러 재산의 관리와 처분 등을 맡아 하는 공사.

성업-률【成業率】[—뉼] 명〔교〕에이 큐(A.Q.).

성에[1] 명〔농〕쟁기의 술의 윗 머리에 뒤 끝을 맞추고 앞으로 길게 뻗치어 나간 나무. 허리에 한 마루 구멍이 있고, 앞 끝에 물추리막대가 가로 꽂히었음. *쟁기.

성에[2] 명〔중세 : 서에〕①추운 겨울에 유리나 굴뚝 같은 데에 수증기가 허옇게 얼어붙은 것. ¶ ~ 낀 유리창 / ~가 하얗게서리다. ②↗성엣장.

성에[3] 명〈옛〉성애[1]. ¶ 成語성에 凡賣買居間興成而食成語者謂之僧晉《吏讀便覽》.

성엣-장 명 물위에 떠서 흘러 가는 얼음덩이. 유빙(流氷). ㊄성에.

성-여(:)학【成汝學】명〔사람〕조선 중엽의 문장가. 자는 학안(鶴顔), 호는 학천(鶴泉) 또는 쌍천(雙泉). 창녕(昌寧) 사람. 시(詩)를 잘하여 이수광(李睟光)과 시우(詩友)의 사이었음. 저서에 《속어 면순(續禦眠楯)》·《가항 골계부(街巷滑稽哀)》 등이 있음.

성역[1]【城役】명 성을 쌓거나 수축(修築)하는 역사(役事).

성:역[2]【聖域】명 ①성인(聖人)의 지위(地位). 성인의 경지. ②신성한 장소. 불교에서는 영장(靈場)이라 일컬음. ③비유적으로, 전화(戰火) 등을 미치게 하지 아니하기로 당사국(當事國) 사이에 양해가 되어 있는 지역 또는 문제 삼지 아니하게 되어 있는 사항(事項).

성역[3]【聲域】명〔악〕'소리넓이'의 한자(漢字) 이름.

성역 당상【城役堂上】명〔역〕성역(城役)을 잘 감독한 공으로 승진한 통정 대부(通政大夫).

성:연[1]【盛宴】명 성대히 차린 잔치.

성:연[2]【盛筵】명〔자리를 깔고 밖에서 하는 성대한 집회의 뜻에서〕성대하게 마련된 집회(集會)나 연석(宴席).

성:열【盛熱】명 한더위.

성:염【盛炎】명 한더위.

성염 발색【成塩發色】[—쌕] 명〔화〕조염(造塩) 발색.

성:-염색체【性染色體】명〔생〕성(性)의 결정에 관계가 있는 염색체. 성(性) 결정의 유형에 따라 X·Y·Z·W 염색체로 구별됨. 엑스 염색체. 이형(異型) 염색체. ↔오토솜.

성영[1]【星影】명 ①별빛. ②물 같은 데에 비치는 별의 그림자.

성:영[2]【盛榮】명 한창 번영함. ——-하다 형여불

성:영[3]【聖詠】명〔천주교〕구약 시편(舊約詩篇) 제150편의 이름. 특별히 천주를 찬양한 시편(詩篇)임.

성:영[4]【聖嬰】명〔천주교〕영해(嬰孩) 때의 예수.

성영[5]【聲影】명 목소리와 자태(姿態).

성-영(:)달【成永達】명〔사람〕조선 선조 때의 무신. 창녕(昌寧) 사람. 임진 왜란 때 경상 우도 병마 우후(慶尙右道兵馬虞侯)로 역전(力戰), 많은 공을 세웠으나, 진주성(晋州城) 싸움에서 전사하였음. 병조 참의에 추증(追贈). [?-1592]

성:예[1]【盛譽】명 몹시 칭찬함. 성대(盛大)한 성예(聲譽).

성예[2]【聲譽】명 명성(名聲)과 칭예(稱譽). 곧, 훌륭한 명망(名望).

성예지-기【腥穢之氣】명 비리고 더러운 냄새.

성오【省悟】명 반성(反省)하여 깨달음. ——-하다 타여불

성옥【成獄】명〔역〕살인 사건을 재판함. ——-하다 자타여불

성왕[1]【成王】명〔사람〕기원전 11세기경, 중국 주(周)나라 제2대 왕. 무왕(武王)의 아들. 나이 어리어 임금이 되매 숙부되는 주공 단(周公旦)이 그를 도와서 나라를 잘 다스렸음.

성왕[2]【成王】명〔사람〕발해(渤海) 제 5 대 왕. 휘(諱)는 화여(華璵). 문왕의 손자로 연호를 중흥(中興)으로 고치고 서울을 상경 용천부(上京龍泉府)로 옮겼음. [재위 794-795]

성:왕[3]【盛旺】명 왕성(旺盛). ——-하다 형여불. ——-히 부

성:왕[4]【聖王】명 성군(聖君).

성:왕[5]【聖王】명〔사람〕백제의 제 26 대 왕. 휘는 명농(明禯). 16년(538) 사비(泗沘)로 천도하고 국호를 남부여(南扶餘)라 하였음. 551년 신라와 함께 고구려가 장악하고 있던 한강 유역의 옛 땅을 빼앗았으나 554년 신라에게 그 부분을 다시 빼앗기고 왕자 여창(餘昌)과 함께 친히 군사를 거느리고 신라 공격에 나섰다가 전사함. [재위 523-554]

성외【城外】명 성문(城門) 밖. 성밖. ↔성내(城內).

성:욕【性慾】명 성숙한 남녀간 또는 암수간에 일어나는 성교의 욕망. 육욕(肉慾). 섹스. 정욕(情慾). ㊄성(性).

성:욕 교:육【性慾敎育】명〔교〕성교육(性敎育).

성:욕 묘:사【性慾描寫】명〔문〕소설 중에 사람의 성욕을 노골적으로 묘사하는 일. 관능 묘사(官能描寫).

성:욕 이:상【性慾異常】명〖의〗심리적 원인이나 신체적 질환에 수반하여 일어나는 성욕의 장애. 양적(量的)인 면에서 성욕의 감퇴는 불감증(不感症)·발기(勃起) 불능으로 나타나고, 증진은 색정광(色情狂)의 원인이 됨. 또, 질적(質的) 면에서는 성도착(性倒錯)이 됨.

성:욕-주의【性慾主義】[-/-이] 명 〔sensualism〕 모든 도덕 관념(道德觀念)의 테두리를 벗어나서 감정이 내키는 대로 성욕을 만족시켜야 하며, 또한 그것은 자연(自然)스러운 것이며, 정당(正當)한 것이라고 하는 주의. ↔금욕주의(禁慾主義).

성:욕-학【性慾學】명〖교〗성욕을 과학적으로 연구하는 학문.

성:용[1]【聖容】명 ①〖천주교〗예수의 거룩한 모습. 성면(聖面). ②신불(神佛) 등의 거룩한 자태. ③천자의 용자(容姿).

성용[2]【聲容】명 ①소리의 모양. ②음성(音聲)과 용모(容貌).

성우[1]【成牛】명 다 자란 소.

성우[2]【星雨】명〖천〗운성(隕星). 유성우(流星雨).

성우[3]【惺牛】명〖사람〗근대의 고승(高僧). 선종(禪宗)을 중흥시킨 대선사(大禪師)임. 속성(俗姓)은 송씨(宋氏), 전주(全州) 출신. 법호(法號)는 경허(鏡虛), 성우는 법명임. 9세 때 출가한 후에 용암(龍巖)의 법통(法統)을 이어 선(禪)을 생활화하고 실천함으로써 근대 선을 다시 일으켰음. [1849-1912]

성:우[4]【聖佑】명〖천주교〗천주의 은우(恩佑).

성우[5]【聲優】명 목소리 만으로 출연하는 배우. 라디오 방송극·텔레비전의 나레이션·더빙(dubbing) 전문의 배우.

성:우 숭배【聖牛崇拜】명 소를 신성시(神聖視)하는 신앙. 특히, 인도에 성함.

성-운[1]【成運】명〖사람〗조선 중종·선조 때의 학자. 자(字)는 건숙(健叔), 호는 대곡(大谷). 49세 때 을사 사화(乙巳士禍)에 형 혼(渾)이 화를 당하자 속리산에 은거하여 다시는 출사(出仕)하지 아니함. 도학(道學)이 높은 학자. 문집으로 ≪대곡집≫이 있음. [1497-1579]

성운[2]【星雲】명〔nebula〕〖천〗구름처럼 보이는 천체. 은하계(銀河系) 안의 가스와 우주진(宇宙塵)이 빛나 보이는 것을 은하계내 성운이라고 하며, 은하계 밖에 존재하는 천체들을 은하계외 성운이라고 함. 근년에는 전자(前者)를 가스 성운, 후자를 은하라고 일컫는 경향이 정착되고 있음. *은하계내 성운 · 은하.

성:운[3]【盛運】명 잘 되어 가는 운. 흥성(興盛)하는 운. 융운(隆運).

성:운[4]【聖運】명 임금의 운 또는 임금이 될 운.

성운[5]【聲韻】명 음운(音韻).

성운 가:설【星雲假說】명〖천〗성운설(星雲說).

성운간 물질【星雲間物質】[-찔] 명〖천〗은하계의 성운과 성운 사이의 공간에 존재하는, 성간(星間) 물질보다 훨씬 희박한 물질.

성운-군【星雲群】명〖천〗은하군(銀河群).

성운-단【星雲團】명〖천〗은하단(銀河團).

성운-선【星雲線】명〖천〗가스상(gas狀) 성운의 스펙트럼에 나타나는 고유의 휘선(輝線).

성운-설【星雲說】명〖천〗태양계(太陽系)의 기원(起源)에 관한 한 가설(假說). 태양계에는 맨 처음에 성운상(星雲狀)의 아주 뜨거운 가스(gas) 덩이가 있어 냉각(冷却)과 회전 운동을 하는 동안에 수 많은 작은 덩이가 떨어져 나가 원래의 큰 덩이를 에워 싸고 빙빙 돌게 되는데, 그 중심이 되는 것이 곧 태양이고 그 주위의 것이 행성(行星), 나아가서는 위성(衛星)이 된다고 하는 설. 독일의 칸트와 프랑스의 라플라스가 각각 주창한 것으로 이론적으로는 불비(不備)하나마 우주 진화론(宇宙進化論)의 선구(先驅)로서 매우 중요시됨. 성운 가설(星雲假說). 칸트 라플라스의 성운설.

성운-소【星雲素】명〖화〗성운 가운데에만 있다고 믿어지는 원소(元素). 1927년 미국의 보엔에 의하여 그 성소(成素)가 산소 및 질소임이 증명됨.

성:웅【聖雄】명 거룩한 영웅. 뛰어난 영웅. ¶ ~ 이순신 장군.

성원[1]【成員】명 ①단체를 조직하는 사람. ②회의를 성립시키는 데 필요한 인원. ¶ ~ 미달.

성원[2]【星原】명 별이 많이 모인 곳.

성:원[3]【聖院】명〖종〗이슬람교(敎)의 교당(敎堂). 모스크(mosque).

성원[4]【聲援】명 ①소리쳐서 사기(士氣)를 북돋우어 줌. ②멀리서 격려 고무하여 형세를 도와 줌. ——하다 타여불

성원-국【成員國】명 성원(成員)이 되는 국가.

성-원묵【成原默】명〖사람〗조선 철종 때의 판서(判書). 자(字)는 중연(仲淵). 창녕(昌寧) 사람. 관은 예조 판서(禮曹判書)에 이름. 철종(哲宗) 때 원로(元老)로 중용되었음. [1785-1865]

성원 집단【成員集團】명〖심〗실제로 자기가 그 성원(成員)으로 되어 있는 집단. ↔관계(關係) 집단.

성월[1]【星月】명 별과 달.

성:월[2]【聖月】명〖천주교〗천주(天主)나 또는 성인(聖人)을 특별히 공경하는 달. ¶ 성모 ~.

성-월야【星月夜】명 별빛이 달처럼 밝게 보이는 밤. 성야(星夜).

성위[1]【星位】명 ①〖천〗하늘에 있어서의 항성(恒星)의 위치. ②고관(高官)을 일컫는 말.

성:위[2]【盛位】명 고귀한 지위.

성:위[3]【聖威】명 천자(天子)의 위광(威光).

성위[4]【聲威】명 ①위광(威光)과 평판. ②떠들썩하게 날리는 위엄(威嚴).

성위-표【星位表】명〖천〗항성(恒星)의 위치·크기·밝기·빛·변광 주기(變光週期)·운동·거리(距離) 등을 기록한 표. 항성표(恒星表).

성유【成乳】명 초유(初乳)에 이어서 나오는 보통의 모유(母乳).

성:유[2]【性柔】명 성질이 부드럽고 온화함. ——하다 형여불

성:유[3]【聖油】명〖천주교〗의식(儀式)이나 전례(典禮)를 베풀 적에 쓰는, 축성(祝聖)한 올리브유(油).

성:유[4]【聖諭】명 임금의 칙유(勅諭).

성:유 미사【聖油彌撒】명〖천주교〗성목요일 아침에 대성당에서 드리는 성유 축성을 위한 미사.

성유-법【聲諭法】[-뻡] 명〖문〗수사법 중 비유법의 일종. 사물의 소리를 그대로 묘사하여 그 소리나 상태를 실제와 같이 표현하는 방법. 사성법(寫聲法). 의성법(擬聲法).

성유식-론【成唯識論】[-논] 명〖불교〗유식론(唯識論).

성:유인 물질【性誘引物質】[-찔] 명 주로 곤충의 암컷의 몸에서 분비되어 수컷을 유인하는 물질.

성육[1]【成育】명 자라남. 성장(成長)함. ——하다 자여불

성:육[2]【聖育】명 종교 교육(宗敎敎育).

성-육신【成肉身】명〔Incarnation〕〖기독교〗성서(聖書)의 하느님은 아버지·아들·성령(聖靈)이라는 세 가지의 위격(位格)과, 하나의 실체(實體)에 있어서 존재한다는 것이 삼위 일체(三位一體)인데, 그 제2 위격인 아들이 나사렛 예수라는 역사적 인간성을 취했다고 하는 교리를 말함. 화신(化身). 신자 성육(神子成肉). 수육(受肉). 인카네이션(Incarnation).

성육 회유【成育回游】명 산란(産卵)하는 장소가 원래의 서식장과 다른 어류 등의 수서(水棲) 동물이 성장기에 행하는 회유. 대개의 경우 유어(幼魚)에서 성어(成魚)로 성장하는 시기에 이동함.

성으레 명〈방〉써레(함남).

성:은[1]【盛恩】명 넘치는 은혜. 풍성하게 많은 은혜.

성:은[2]【聖恩】명 ①임금이 베푸는 은혜. 성자(聖慈). ②〖기독교〗하느님의 거룩한 은혜.

성음【聲音】명 ①목소리❶. ②음악. 성악(聲樂).

성음 문자【聲音文字】[-짜] 명 표음 문자(表音文字).

성음-서【聲音署】명〖역〗'장악원(掌樂院)'의 별칭(別稱).

성음 진:탕【聲音震盪】명〖의〗검사자의 손을 환자의 가슴에 대고 낮은 소리를 발음시킬 때 미세한 진동이 전달되어 손에 감각되는 현상. 진단(診斷)에 이용되는데, 흉막강(胸膜腔)에 액체 또는 기체가 괴어 있을 때 진동이 미약하고, 폐렴처럼 침윤(浸潤)이 강할 때는 강해짐.

성음-학【聲音學】명 음성학(音聲學).

성음-해【聲音解】명〖책〗서경덕(徐敬德)의 ≪화담집(花潭集)≫에 실려 있는 논문. 서경덕이 ≪성음도(聲音圖)≫와 그 주해를 보고 자기 나름의 주해를 피한 글.

성읍【城邑】명 성시(城市). 도읍(都邑). 고을.

성읍 국가【城邑國家】명〖역〗한국의 역사에 맨 먼저 등장하는 국가 형태. 1970년대 초부터 '부족 국가'란 말 대신에 쓰이기 시작함.

성:의[1]【盛儀】[-/-이] 명 성대한 의식(儀式). 성전(盛典).

성:의[2]【聖衣】[-/-이] 명〖천주교〗①예수가 입었던 옷. ②성의 회원이 입는 옷.

성:의[3]【聖意】[-/-이] 명 ①성지(聖旨). ②〖천주교〗천주(天主)의 거룩한 뜻.

성:의[4]【聖儀】[-/-이] 명 ①임금. ②임금의 위엄 있는 모습.

성의[5]【誠意】[-/-이] 명 참되고 정성스러운 뜻. 간의(懇意).

성:의 결정【性一決定】[-쩡/-에-쩡] 명 하나의 배(胚)로부터 자웅(雌雄) 어느 것이 생기는가의 결정. 성의 유전자(遺傳子)를 띤 성염색체(性染色體)의 수정시(受精時)의 결합의 차이에 따라 결정됨. 성결정.

성의-껏【誠意-】[-/-이-] 부 가진 바 성의를 다하여.

성:의-패【聖衣牌】[-/-이-] 명〖천주교〗성의회원(聖衣會員)이 성의 대신으로 가지는 패.

성:의-회【聖衣會】[-/-이-] 명〖천주교〗신심회(信心會)의 한 가지. 회원은 이에 상응(相應)하는 옷이나 패를 가짐.

성이[1] 명〈방〉형(兄)(함경).

성이[2]【星移】명 별의 위치가 옮겨진다는 뜻으로 세월이 지남의 비유.

성인[1]【成人】명 ①자라서 어른이 됨. 성년(成年)이 됨. 또, 그 사람. 보통, 만 20세(歲) 이상의 남녀를 이름. 대인(大人). 어른. 성년(成年). ↔미성인(未成人). ②성관(成冠). ——하다 자여불

성인[2]【成仁】명 인(仁)을 이룸. 덕(德)을 갖춤. ¶ 살신(殺身) ~. ——하다 자여불

성인[3]【成因】명 사물(事物)이 이루어지는 원인.

성:인[4]【聖人】명 ①덕과 지혜가 뛰어나 길이길이 우러러 받들어 본받을 만한 사람. 특히, 유교에서는 고대의 요(堯)·순(舜)·우(禹)·탕(湯)·문왕(文王)·무왕(武王)·공자 등을 가리킴. 성자(聖者). ②〖천주교〗넓은 뜻으로는 천국에 간 모든 사람. 엄밀한 뜻으로는 지상(地上) 생활을 훌륭한 성덕(聖德)으로 마친 사람으로서 천국에 간 것이 확실하여 공식(公式) 공경을 받을 만하다고 교회로부터 시성식(諡聖式)을 통하여 인정 선포된 사람. ⓕ성(聖).

[성인 그늘이 팔십리를 간다] 성인의 덕이 널리 미친다는 말. [성인도 시속(時俗)을 따른다] 수시 응변(隨時應變)함을 말함. [성인도 제 그름을 모른다] 제 결점을 알기란 매우 어렵다는 말. [성인도 하루에 죽을 말을 세 번 한다] 아무리 훌륭한 사람도 실수는 하는 법이란 말. [성인 못된 기린] 쓸데없고 보람없게 된 처지를 이름. [성인 벼락 맞는다] 세상 인심이 사나워서 착하고 어진 사람이 도리어 큰 환란을 입는다는 말.

성인 강:좌【成人講座】명 성인 학급(成人學級).

성인 교:육【成人敎育】명 사회 교육의 한 부문. 이미 사회로 나아간 성인(成人)에 대하여 특히 문맹 퇴치 및 농촌 계몽·생활 개선·보건 위생 등에 관한 새로운 지식과 기능을 베푸는 교육. *통속 교육.

성:인-력【聖人曆】[-녁] 명 천주교회에서 경축하는 성인들의 축일을 규정한 연중 책력.

성인 만:화【成人漫畫】명 성인층(層)을 대상으로 하여 제작된 만화.

성:인 반열【聖人班列】명〖천주교〗천국에 가 있는 성인들의 대열.

성인-병【成人病】[-뼝] 명〖의〗주로 중년 이후에 발병하는 병의 총

칭. 동맥 경화·고혈압·암종(癌腫)·심근 경색증(心筋梗塞症)·폐기종·당뇨병·백내장 등.

성:인-봉【聖人峰】명 〖지〗 울릉도에서 가장 높은 산봉우리. 꼭대기에는 직경 3km에 달하는 화구(火口)가 있음. [984m]

성인 영화【成人映畵】[—녕—] 명 미성년자가 보기에 부적당한, 성인용으로 제작 또는 지정된 영화.

성-인지미【成人之美】명 남의 미점(美點)을 도와 완성하게 함.

성:인-품【聖人品】명 〖천주교〗 교회로부터 시성식(諡聖式)을 통하여 성인으로 확정된 지위(地位). *복자품(福者品).

성인 학교【成人學校】명 성인(成人)을 대상으로 하는 강좌 형태의 사회 교육. 문맹 퇴치를 주로 하며 꽃꽂이·요리·수예·서예 등 다양한 내용의 교육을 포함함. 성인 학급. 성인 강좌.

성인 학급【成人學級】명 성인 학교.

성:일[1]【聖日】명 〖기독교〗 성스러운 날. 곧, 주일(主日).

성일[2]【誠一】명 심지(心志)가 한결같고 굳음. ——-하다 형여불

성-임【成任】명 〖사람〗 조선 초기의 문장가·학자. 자(字)는 중경(重卿), 호는 일재(逸齋). 창녕(昌寧) 사람. 관은 지중추부사(知中樞府事). 율시(律詩)에 능하였고 고금의 이문(異聞)을 모아 《태평 통재(太平通載)》를 내었음. 시호는 문안(文安). [1421-84]

성:-자[1]【姓字】[—짜] 명 성(姓)을 나타내는 글자.

성자[2]【城子】명 성보(城堡).

성-자[3]【省字】[—짜] 명 〖역〗 조선 시대에, 왕세자(王世子)가 군사(軍事)의 문서(文書)에 찍던 '省'자를 새긴 인(印).

〈성자[3]〉

성:자[4]【盛者】명 세력을 크게 떨치는 사람.

성:자[5]【聖子】명 ①성인(聖人)의 아들. 또는, 성인(聖人). ②〖기독교〗 삼위 일체 중의 제2위(位). 곧, '예수'.

성:자[6]【聖姿】명 임금의 모습.

성:자[7]【聖者】명 ①성인(聖人)❶. ②〖불교〗 온갖 번뇌(煩惱)를 끊고 정리(正理)를 깨달은 사람. ③〖종〗 종교상 뛰어난 수행(修行)을 닦아 쌓은 사람. 특히, 기독교에서 거룩한 신도(信徒)나 순교자(殉教者)를 일컬음. 세인트(saint).

성:자[8]【聖慈】명 임금님이 베푸는 은혜. 성은(聖恩).

성:자 숭배【聖者崇拜】명 성자 또는 종교(宗敎)상의 위인(偉人)을 신성시(神聖視)하여 존숭(尊崇)·갈앙(渴仰)하고 봉사(奉仕)·구제(救濟)·기원(祈願) 등을 하는 일. ——-하다 자여불

성:자 신손【聖子神孫】명 성군(聖君)의 자손.

성자애 유적【城子崖遺跡】명 청쯔야 유적.

성:자 필쇠【盛者必衰】[—쐬] 명 〖불교〗 세상은 무상(無常)하여 아무리 성한 자라도 반드시 쇠할 때가 있다는 뜻. *생자 필멸(生者必滅).

성:작【聖爵】명 〖천주교〗 미사 제구(彌撒祭具)의 한 가지로, 성혈(聖血)을 담는 잔. 칼리스.

성:작-개【聖爵蓋】명 〖천주교〗 성작을 덮는 작은 뚜껑으로 겉을 아마포(亞麻布)로 싼 네모진 판(板). 성작 뚜껑.

〈성작〉

성:작 뚜껑【聖爵—】명 〖천주교〗 성작개(聖爵蓋).

성:작-보【聖爵褓】명 〖천주교〗 미사에서 예비 미사 때까지와 영성체후에 성작·성반·성작개 등을 챙겨 놓고 덮는 네모진 보자기. 새 전례(典禮)에는 쓰지 아니함.

「(亞麻布) 수건.

성:작 수:건【聖爵手巾】명 〖천주교〗 성작(聖爵)을 닦는 작은 아마포

성장[1]【成長】명 ①자라서 점점 커짐. 자람. 발육. ②〔growth, auxesis〕〖생〗 세포수나 그 크기 또는 그 양자의 증가를 수반하는, 대사 활성(代謝活性)을 가진 원형질(原形質)의 양적 증가. 발육이라고 할 때도 있음. ——-하다 자여불

성장[2]【星章】명 별 모양으로 된 표. 모장(帽章)·금장(襟章) 등에 씀.

성장[3]【城將】명 성을 지키는 장수.

성장[4]【城牆】명 성벽 위의 울 또는 성벽(城壁).

성:장[5]【盛壯】명 힘이 왕성함. 혈기(血氣)가 왕성함. ——-하다 형여불

성:장[6]【盛粧】명 훌륭한 화장. 짙은 화장. ——-하다 자여불

성:장[7]【盛裝】명 훌륭하게 옷을 차려 입음. 또, 그 차림새. 성식(盛飾). ——-하다 자여불

성장[8]【筬匠】명 〖역〗 베틀의 바디를 만드는 장인(匠人).

성:장[9]【聖裝】명 〖천주교〗 성의(聖衣)로 차려 입음. 또, 그 차림새. ——-하다 자여불

「자여불

성장[10]【聲張】명 ①소리를 지름. ②세상 사람의 비평을 함. ——-하다

성장-계【成長計】명 고등 식물의 성장을 재는 장치. 식물의 선단(先端)에 맨 실을 도르래에 걸어서 성장에 의한 움직임을 관찰함. 생장계(生長計).

「등을 도표로 나타낸 것.

성장 곡선【成長曲線】명 동물의 성장의 속도나 변화해 가는 길이·무게

성장-기【成長期】명 성장하는 시기. 발육기. ↔노쇠기(老衰期).

성장-륜【成長輪】[—뉸] 명 1년 간에 형성되는 수목의 목질(木質)의 부분으로, 춘재(春材)와 추재(秋材)를 합쳐서 일컬음.

「↗경제 성장률.

성장-률【成長率】[—뉼] 명 ①〔growth rate〕〖생〗 생장률(生長率). ②

성장 산:업【成長産業】명 어떤 산업의 수요 신장률(需要伸張率)이 모든 산업의 평균 신장률보다 상당히 높은 경우의 산업. 산업은 성장기·성숙기·정체기·쇠퇴기를 거치는데, 성장기에 있는 산업을 성장 산업이라 함.

성장-선【成長線】명 〔accretion line〕〖생〗 ①연체 동물(軟體動物)의 패각(貝殼)의 표면에서 볼 수 있는, 가장자리와 평행하는 선조(線條). 패각이 점점 크게 되어 간 흔적임. ②치아(齒牙)의 상아질이 층상(層狀)으로 성장함으로써 생기는 선. 에나멜질에도 같은 평행조(平行條)를 볼 수 있음.

성장-소【成長素】명 ①〔auxin〕〖식〗 식물의 줄기 끝 등 성장하는 부분에 있는 식물 호르몬(hormone)으로서, 성장을 촉진하고 세포를 신장시키는 원동력이 되는 물질. 생장소(生長素). ②〖동〗 성장 호르몬.

성장 억제 물질【成長抑制物質】[—찔] 명 〖생〗 생물의 성장을 억제시키는 작용을 하는 물질의 총칭.

성장 운:동【成長運動】명 〔growth movement〕〖생〗 생장 운동.

성장-점【成長點】[—쩜] 명 〖식〗 생장점.

성장 조정 물질【成長調整物質】[—찔] 명 〔growth regulating substance〕〖생〗 극히 미량(微量)으로 존재하는, 생물의 성장에 변화를 주는 유기 화합물로서, 영양 물질(營養物質)이 아닌 것. 성장 촉진 물질·성장 억제 물질 또는 성장 양식을 바꾸는 물질이 포함됨.

성장-주【成長株】명 〖경〗 장래(將來)의 발전 속도(速度)와 규모(規模)가 특히 큰 기업(企業)의 주(株). 발전주(發展株). *자산주.

성장 촉진 물질【成長促進物質】[—찔] 명 〖생〗 비타민 B군(群)이나 성장 호르몬 등과 같이 성장을 촉진시키는 물질의 총칭. 발육 인자.

성장 통화【成長通貨】명 〔cash currency needed for economic expansion〕〖경〗 적정(適正)한 경제 성장에 필요한 현금 통화.

성장 핵도시【成長核都市】명 〖지〗 성장 가능성이 크고, 균형있는 발전을 기할 수 있는 거점(據點) 도시.

성장 호르몬【成長—】〔hormone〕명 〖동〗 생장 호르몬.

성재[1]【成才】명 ①인재(人才)를 기름. 또, 그 재능. ②기예(技藝)를 숙달시켜 대성(大成)시킴.

성재[2]【省齋】명 〖사람〗 이시영(李始榮)의 호(號).

성:재[3]【聖宰】명 현명한 재상의 뜻으로, 재상을 공경해서 하는 말.

성:재[4]【聖裁】명 임금의 재가(裁可).

성재[5]【誠齋】명 〖사람〗 양성지(梁誠之)의 호(號).

성재-기【成才妓】명 기예(技藝)가 성숙한 기생.

성저【城底】명 성의 밑. 또, 성밑의 마을.

성적[1]【成赤】명 혼인날 신부가 얼굴에 분을 바르고 연지를 찍는 일. ¶~한 색시처럼 눈을 꼭 내리감고는 입을 열려고 들지를 않는다《沈熏: 常綠樹》. ——-하다 자여불

성적[2]【成跡】명 성립(成立)한 형적(形跡). 사업(事業)의 결과.

성적[3]【成績】명 ①다 마친 결과. 이루어 놓은 공적. ②〖교〗 학습에 의하여 획득한 지식·기능·태도 등의 평가된 결과. ¶ ~ 고사.

성:적[4]【性的】[—쩍] 명관 성(性)에 관계되는 모양. ¶ ~ 욕망/~ 매

성적[5]【城跡】명 성지(城址).

└력/~ 생활.

성:적[6]【聖蹟】명 ①천자와 관계가 있는 유적·사적. ②성스러운 사적이

성:적[7]【聖籍】명 성인(聖人)이 쓴 책.

└나 고적.

성적[8]【聲績】명 명성(名聲)과 공적(功績).

성적 고사【成績考査】명 〖교〗 학교에서 아동(兒童)·학생이 각 교과(敎科)의 학습을 습득한 결과를 검사하는 일. 진급(進級)·졸업(卒業)을 인정(認定)하는 자료가 됨.

성:적 도:착【性的倒錯】[—쩍—] 명 〖심〗 일반인의 경향에서 보아 현저하게 일탈(逸脫)했다고 생각되는 성행동의 유형을 일컬음. 성애(性愛)의 대상을 도착하는 동성애·사디즘·마조히즘·노출증 등 성행위에 있어서 변태적 이상 습성.

성:적 동일성【性的同一性】[—쩍—썽] 명 〔gender identity〕〖심〗 문화적으로, 각기 남성적 성격, 여성적 성격에 기인하는 개인의 외관이나 행동의 특징의 총칭.

성:적 매력【性的魅力】[—쩍—] 명 성욕 상으로 상대자의 마음을 호리어 끄는 힘. 섹스 어필.

성적-분【成赤粉】명 혼인날 신부가 얼굴에 바르는 분.

성:적 생활【性的生活】[—쩍—] 명 성욕(性慾)이나 생식(生殖)에 관계되는 방면으로 본 생활. 성생활.

성:적 양:능성【性的兩能性】[—쩍—썽] 명 〔sexual bipotentiality〕〖생〗 ①암과 수의 양쪽 기능을 갖는 일. ②자웅 동체 현상(雌雄同體現

성:적 충동【性的衝動】[—쩍—] 명 성욕을 일으키는 충동.

└象).

성적-표【成績表】명 성적을 기입(記入)한 표. *통신부.

성전[1]【成全】명 ①완성(完成)함. ②〔integration〕〖심〗 심리적인 재료가 결합·조직화되어, 보다 고차적(高次的)인 복합체로 되는 일. 곧, 일련(一連)의 반응이 융합하여 보다 큰 반응형(反應型)을 형성하는 일. 통합(統合).

성전[2]【成典】명 ①정하여진 법식(法式). ②정하여진 의식(儀式). ③성문(成文)의 법전(法典).

성:전[3]【性典】명 성지식(性知識)을 주기 위하여 만든 책.

성전[4]【星傳】명 급용(急用)으로 달리는 역마(驛馬).

성:전[5]【盛典】명 성대한 의식(儀式). 성의(盛儀). 무전(懋典).

성:전[6]【聖典】명 ①성인이 쓴 고귀한 책. 또, 성인의 언행을 기록한 책. 성경(聖經). ②〖종〗 불교의 경전(經典), 기독교의 성서(聖書), 이슬람교의 코란(Koran) 등과 같이 그 종교의 교리(敎理)·교조(教條)·계율(戒律)·의범(儀範) 등을 적은 문헌(文獻). ③〖천주교〗 교회의 법규.

성:전[7]【聖殿】명 ①신성한 전당. 신을 모신 전당. ②〖기독교〗 교회(敎會). 예배당(禮拜堂). *성당(聖堂).

성:전[8]【聖傳】명 ①성인의 구수(口授)나 전승(傳承). ②〖천주교〗 성서(聖書) 외에 입으로나 표적으로 전하여 오는 예수의 행적에 관한 전설.

성:전[9]【聖戰】명 신성한 전쟁. 성스러운 싸움.

성전[10]【腥膻】명 비린내와 노린내.

성:-전환【性轉換】명 남성 또는 여성으로 성장하여 그 기능을 발휘하고 있던 것이 여러 가지 원인으로 그 반대 성(性)의 특징을 나타내는 현상. ¶ ~ 수술.

성:절【聖節】명 성인(聖人)이나 임금의 생일을 경축하는 명절.

성:절-사【聖節使】명〖역〗조선 시대에, 해마다 중국 황제의 생일 축하로 중국에 보내던 사절. *천추사(千秋使).

성점[1]【星占】명 별점(占).

성점[2]【聲點】[—쩜] 명 한자의 사성(四聲)을 표시하기 위한 부호의 점. 「성부(聲符).

성정[1]【成丁】명〖역〗사내의 나이가 열여섯 살이 됨. 또, 그 사내. ——-하다 자 여불

성:정[2]【性情】명 성질과 심정. 또, 타고난 본성. 성상(性狀). 성식(性息). 성품(性稟). 정성(情性).

성:정[3]【聖情】명 천자(天子)의 심정. 성려(聖慮).

성:정-머리【性情—】명 〈속〉 성정(性情). ¶ ~ 한 번 고약하다.

성제[1] 명 〈방〉 형제(兄弟)(함경·전라).

성:제[2]【盛際】명 번성(繁盛)할 때. 융성(隆盛)한 시대.

성:제[3]【聖帝】명 ①성군(聖君). ②성제님.

성:제[4]【聖祭】명 ①〖종〗종교적인 축제(祝祭). ②〖천주교〗미사(彌撒)❶.

성:제[5]【聖製】명 천자가 지은 시문(詩文). 성작(聖作). 어제(御製).

성:제-님【聖帝—】명 무당·전내(殿內)들이 위하는 관우(關羽)의 혼. 성

성:제-대【聖帝帶】명〖역〗천사 옥대(天賜玉帶). ⌊제(聖帝).

성:제 명왕【聖帝明王】명 덕이 높고 지혜가 밝은 임금.

성제-무두 명 〈심마니〉 젓가락.

성조[1]【成祖】명 중국 명조(明朝)의 제3대 황제 영락제(永樂帝)의 존호

성조[2]【成鳥】명 성장하여 생식력을 가진 새. ⌊(尊號).

성조[3]【成條】명 성문(成文)의 개조(個條).

성조[4]【成造】명〖민〗성주[1].

성:조[5]【性燥】명 성질이 조급함. ——-하다 형 여불

성조[6]【星鳥】명 ①이십팔수(二十八宿)의 하나. ②음력 2월의 이칭.

성:조[7]【聖祚】명 천자(天子)의 위(位). 제위(帝位).

성:조[8]【聖祖】명 ①성인이나 성왕(聖王)의 조상. ②〖천주교〗인성(人性)으로 예수의 조상이 되는 아브라함·이삭·야곱의 일컬음. ③〖천주교〗한국 천주교회의 창립자인 이벽(李檗)의 경칭.

성:조[9]【聖詔】명 성왕(聖王)의 칙유(勅諭).

성:조[10]【聖朝】명 ①어진 임금이 다스리는 조정(朝廷). ②당대(當代)의 왕조(王朝)를 백성들이 일컫는 존칭.

성조[11]【腥臊】명 비린내. 곧, 상스러운 일.

성조[12]【聲調】명 ①목소리의 가락. ②[tone]〖언〗음절(音節) 안에서의 소리의 높이의 차이를 이름. 중국어의 사성(四聲)은 대표적인 예임.

성조-기【星條旗】명 [Stars and Stripes, Star-Spangled Banner] 미국(美國)의 국기(國旗). 독립 당초의 13주를 상징하는 13개의 적백색 횡선(橫線)과 푸른 바탕에 구성 주(構成州)를 상징하는 50개의 흰 별을 그림. 1777년 6월 14일에 제정됨.

성조신-가【成造神歌】명〖민〗성주풀이.

성:족[1]【姓族】명 동성(同姓)의 일족(一族). 성이 같은 족속.

성:족[2]【盛族】명 왕성(旺盛)한 족속. 세력이 있는 족속.

성:졸【性拙】명 성질이 옹졸함. ——-하다 형 여불 「가.

성종[1]【成宗】명 대종가(大宗家)에서 갈려 나와 사대(四代)를 지난 새 종

성종[2]【成宗】명〖사람〗고려 제6대 왕. 휘(諱)는 치(治). 초창기의 제반 문물 제도를 정비, 유교주의를 채택하여 학교를 많이 세우고, 거란(契丹)과 수교하고 동·서북 경비에 주력하였음. [960-997; 재위 981-997]

성종[3]【成宗】명〖사람〗조선 제9대 왕. 호학(好學)에 사예 서화(射藝書畫)를 잘 하였고 유학(儒學)을 장려하였으며, 세조가 만든 당시의 법률 및 제도(制度)의 기초 서적인 《경국 대전(經國大典)》을 출판하였음. [1457-94; 재위 1469-94]

성종[4]【成腫】명 종기가 됨. ——-하다 자 여불

성:종[5]【聖宗】명〖사람〗중국 요(遼)나라 제6대 왕. 휘는 융서(隆緖). 남으로는 송을 쳐서 전연(澶淵)의 맹(盟)을 이루고, 동으로는 발해(渤海)의 유족을, 서로는 하서(河西)의 회흘(回紇)을 정복하여 판도를 넓힘. [971-1031]

성:종[6]【聖鐘】명 예배당·성당(聖堂) 등에 달아 의식의 시각을 알리기 위하여 치는 종.

성종[7]【醒鐘】명 경시종(警時鐘).

성종 실록【成宗實錄】명〖책〗조선 제9대 임금, 성종(成宗)이 재위(在位)한 25년간의 실록. 연산군(燕山君) 5년(1499)에 신승선(愼承善) 등이 편찬함. 297권 47책.

성좌[1]【星座】명〖천〗별자리.

성:좌[2]【聖座】명 신성한 자리. 성인이나 임금이 앉는 자리.

성좌-도【星座圖】명〖천〗별자리를 기입한 천체도(天體圖).

성좌 조:견도【星座早見圖】명〖천〗어느 시각(時刻)에 있어서의 별자리의 위치를 빨리 보기 위하여 평면(平面) 위에 나타낸 천체도.

성주[1] 명〖민〗집을 지키는 신령. 흰 종이를 한 변이 10cm 가량 되게 모지게 여러 겹으로 접어서 왕돈 한 푼을 그 속에 넣고 안방 쪽으로 향한 대들보에 붙인 다음 쌀을 뿌려 붙게 하여 표상(表象)으로 함. 성조(成造). 상량신(上樑神). ¶그 동안 하루도 빼놓지 않고 새벽마다 당상에 정화수 떠다 놓고 ~님께 빌었다《朴敬洙 : 동토》.

성주(를) 받다 구〖민〗성주받이를 하다.

성주[2]【城主】명 ①성(城)의 우두머리. ②조상의 무덤이 있는 지방의 수령의 딴이름. ③〖역〗삼국(三國) 또는 통일 신라(統一新羅) 때 성(城)을 지키던 으뜸이 되는 장수. ④〖역〗나말 여초(羅末麗初) 때에 지방에서 세력을 잡고 있던 반독립적(半獨立的) 영주(領主).

성주[3]【星主】명 ①〖역〗신라 시대부터 고려를 거쳐 조선 초까지 제주 지방의 대표적 토호(土豪)에게 준 작호(爵號). 한때는 성주가 정무(政務)를 관장하기도 했으나, 상징적 존재로서 존속된 시기가 더 많았음. ② 조선 시대에 '제주 목사'의 일컬음.

성주[4]【星州】명〖지〗경상 북도 성주군의 군청 소재지로 읍(邑). 낙동강(洛東江)의 지류에 연한 분지에 있으며, 이 분지에서 산출되는 쌀·맥류·고구마 등 농산물의 집산지이며, 수박 재배가 유명함. 동방사 구층탑(東方寺九層塔)·임풍루(臨風樓)·인흥사(仁興寺)·대각 국사비(大覺國師碑) 및 성산동(星山洞)의 가야(伽倻) 시대 고분군(古墳群)·성산성(星山城)터 등 고적이 남아 있음. [13,756명(1996)]

성:주[5]【聖主】명 성군(聖君).

성:-주간【聖週間】명〖천주교〗그리스도의 수난을 기념하는 부활절 전의 1주일 동안. 신자는 이 동안 엄격히 단식재(斷食齋)를 지키며, 특히 마지막 이틀은 완전히 단식하는 수도 있음. 성칠일(聖七日). *성지 주일(聖枝主日)·성목요일·성금요일·성토요일.

성주-군【星州郡】명〖지〗경상 북도의 한 군. 관내 1읍 9면. 북은 김천시(金泉市)와 칠곡군(漆谷郡), 동은 칠곡군과 대구 광역시, 남쪽은 고령군(高靈郡)과 경상 남도 합천군(陜川郡), 서는 김천시와 합천군에 접함. 명승 고적으로 성산 산성(星山山城)·요도(蓼島)·동방사 유지(東方寺遺址)·가야 고분(伽倻古墳) 등이 있음. 군청 소재지는 성주(星州). [616.41 km² : 53,872명(1996)]

성:-주기【性周期】명〖동〗번식 기간에 있어서의 암컷의 발정(發情) 주기. 호르몬의 지배로 생식 기관 및 기타에 주기적인 변화가 일어나는 것인데 사람의 경우에는 월경 주기가 이것임. 발정 주기.

성-주덕【成周悳】명〖사람〗조선 말기의 천문학자. 자(字)는 현지(顯之). 창녕(昌寧) 사람. 영조·정조·순조 3대에 걸쳐 관상감(觀象監)에 근무하면서 《서운관지(書雲觀志)》를 편찬하였음. [1759-?]

성주-독 명〖민〗영남·호남 등지에서, 성주로서 보리나 쌀을 넣어 마루 한 구석에 모셔 놓는 독.

성주 마애 삼존불【星州磨崖三尊佛】명〖불교〗경상 북도 칠곡군 지산면 노석동(岐山面老石洞) 도고산(道高山) 중턱에 있는 5m 사방의 화강암에 조각된 삼존불. 통일 신라 시대 초기의 작품으로 추정되는데, 본존불(本尊佛)은 양쪽 다리를 포개어 앉은 교각상(交脚像)이며, 좌우 양쪽에 작은 보살상이 본존불을 바라보고 앉아 있고, 불상의 상의(上衣)와 입술에 붉은 채색을 한 흔적이 뚜렷함. 1978년에 발견됨.

성주-받이 [—바지] 명〖민〗집을 새로 짓거나 옮긴 뒤에 성주를 받아들이는 굿. 열두 거리 굿에서는 다섯째 거리임. 무당이 갓과 도포(道袍) 차림을 함. 성줏굿. 성주받이굿. ——-하다 자 여불

성주받이-굿 [—바지—] 명〖민〗성주받이.

성:주-사【聖住寺】명〖불교〗①경상 남도 창원시(昌原市) 성주동(聖住洞) 불모산(佛母山) 기슭에 있는 절. 범어사(梵魚寺)의 말사(末寺). 신라 때 건립된 것이라고 전함. ②충청 남도 보령시(保寧市) 성주면 성주리(聖住面聖住里)에 있던 절. 신라 말기의 선종 구산(禪宗九山)의 하나로, 신라 문성왕(文聖王) 때 무염 선사(無染禪師)가 개산(開山)하였음. 현재는 사지(寺址)에 국보로 지정된 무염 선사의 탑비(塔碑)와 보물로 지정된 석탑 3기(基)가 남아 있을 뿐임.

성:주사 낭:혜 화상 백월 보광탑비【聖住寺朗慧和尙白月葆光塔碑】명〖역〗충청 남도 보령시(保寧市) 성주면(聖住面) 성주리(聖住里)에 위치한 성주사 절터에 남아 있는 석제 탑비. 높이 4.55m, 비신(碑身)의 높이 2.52m, 동 나비 1.5m임. 신라 진성 여왕 4년(890)에 건립된 것으로 추정되는 낭혜 화상 무염(無染)의 탑비로, 귀부·비신·이수(螭首)를 모두 갖추고 있으며, 전체의 형태가 장중한 멋을 풍김. 비문은 최치원(崔致遠)이 짓고 최인곤(崔仁滾)이 썼음. 국보 제8호임.

성:주-산【聖住山】명〖불교〗구산(九山)의 하나. 신라 문성왕(文聖王) 때, 광종 대사(廣宗大師) 무염(無染)이 개산(開山)함. 구지(舊址)는 충청 남도 보령시(保寧市) 성주면 성주리(聖住面聖住里)에 있음.

성주 운:보기【—運—】명〖민〗집을 짓는 이의 운수와, 앞으로 그 집을 지켜줄 성주의 운이 서로 맞는가를 점치는 일. 양쪽의 운이 좋으면 '성주운이 닿는다'고 함.

성주-탕【醒酒湯】명 해장국.

성주-풀이 명〖민〗무당이 성주받이를 할 때 구송(口誦)하는 소리. 성주의 내력(來歷)을 읊은 서사 무가(敍事巫歌)임. 성조 신가(成造神歌). ——-하다 자 여불

성죽【成竹】명 미리부터의 고안. 미리부터 세운 계획. 성산(成算).

성-준【成俊】명〖사람〗조선 시대 연산군(燕山君) 때의 상신(相臣). 자는 시좌(時佐). 창녕(昌寧) 사람. 성종(成宗) 때 북정(北征)하여 공을 세웠으나, 영의정이 된 뒤 갑자 사화(甲子士禍)에 연좌(連坐), 두 아들과 함께 죽음을 당함. 시호는 명숙(明肅). [1436-1504]

성줏-굿 명〖민〗①성주받이. ②재앙을 물리치고 행운이 깃들게 해 달라고 성주신에게 비는 굿. 가정을 단위로 하는 개인적인 것으로서 가족의 재액 피면(避免)과 재수 발원이 주목적임.

성줏-상【—床】명〖민〗성주받이를 할 때 성주를 위하여 차려 놓은 상.

성줏-제【—祭】명〖민〗각 가정에서 시월 상달의 오일(午日)이나 길일

성중[1]【成衆】명〖역〗↗성중관. ⌊(吉日)을 택해서 성주에게 드리는 치성.

성중[2]【城中】명 성안.

성:중[3]【聖衆】명〖불교〗극락 세계에 있는 모든 보살(菩薩).

성중-관【成衆官】명〖역〗한 관서(官署)에서 무리를 이루어 소속되어 있던 관리의 범칭(汎稱). ①고려 때 내시(內侍)·다방(茶房)의 별감(別監), 사순(司楯)·사의(司衣)·사이(司彛) 등, 임금에게 시종(侍從)하고 궁궐을 숙위(宿衛)하던 문반(文班) 소속의 관원. ②조선 시대 초기에, 녹사(錄事)·지인(知印) 등 서리(胥吏)와, 별시위(別侍衛)·내금위(內禁衛) 등의 금위 군사(禁衛軍士) 및 상림원(上林園)·도화원(圖畫院)·액정서(掖庭署) 등 잡직(雜職) 관서의 관리, 봉상시(奉常寺) 소속의 제관(祭官), 각사(各司)의 서리(書吏)·연리(掾吏)·전리(典吏) 등의 이전(吏典)

및 각 전(各殿)의 행수(行首)와 견룡(牽龍) 등 여러 관서의 집단 관리의 범칭. ③조선 시대 후기에, 내금위(內禁衛)·충의위(忠義衛)·충찬위(忠贊衛)·충순위(忠順衛)·별시위(別侍衛)·족친위(族親衛) 등에 속하여 궁궐의 숙위와 근시(近侍)의 일을 맡은 직임(職任). 성중 애마(成衆愛馬). 성중 아막(成衆阿幕). ㊣성중(成衆).

성중 아막【成衆阿幕】명 〖역〗 성중관(成衆官).

성중 애:마【成衆愛馬】명 〖역〗 성중관(成衆官).

성-중(:)엄【成重淹】명 〖사람〗 조선 연산군(燕山君) 때의 문신·학자. 자는 계문(季文), 호는 청호(晴湖). 창녕 사람. 관은 홍문관 박사(弘文館博士). 무오 사화(戊午士禍)로 화(禍)를 입은 명현들을 적극 변호한 죄로 귀양을 가서, 갑자 사화 때 살해됨. [1474-1504]

성즉군왕 패:즉역적【成則君王敗則逆賊】명 성공하면 왕이 되고 실패하면 역적이 된다는 말.

성:-즉리【性卽理】[-니] 명 〖철〗 중국 송대(宋代)의 철학자 정이천(程伊川)이 처음으로 제창하고 주자(朱子)가 계승한 주자학의 근본 명제. 성이 우주 만유(萬有)의 존재 근거인 이(理)의 내재태(內在態)이며, 성범(聖凡)의 구별 없이 보편적이라고 주장하며, 성즉리로써 도덕적 완전의 가능 근거가 만인에게 내재하는 보편적 순수 인간성에 있음을 정식화(定式化)한 것임.

성:지¹【性智】명 타고난 지혜.

성지²【城地】명 성과 영지(領地).

성지³【城池】명 성과 그 주위에 파 놓은 못. *해자(垓字).

성지⁴【城址】명 성터.

성:지⁵【聖地】명 ①종교상의 유적이 있는 곳. ②〖종〗 종교의 발상지(發祥地). 기독교에서는 예루살렘, 이슬람교에서는 메카임.

성:지⁶【聖旨】명 임금의 뜻. 성의(聖意). 성충(聖衷). 성지(聖志).

성:지⁷【聖志】명 ①성인의 뜻. ②성지(聖旨).

성:지⁸【聖枝】명 〖천주교〗 성지 주일(主日)에 축성(祝聖)한 나뭇가지. 원래는 올리브나무 가지이나, 주로 상록수의 가지가 쓰임.

성:지⁹【聖智】명 성인의 지혜.

성-지¹⁰【聲池】명 〖지〗 경상 북도 경주시(慶州市)에 있는 못. [1.36km²]

성:지 순례【聖地巡禮】[-술-] 명 〖종〗 종교상 의무 관념이나 가호(加護)·은총을 구할 목적으로 성지 또는 본산(本山) 소재지 등을 순차로 찾아 참배하는 일. 성지 순배(聖地巡拜).

성:지 순배【聖地巡拜】명 〖종〗 성지 순례.

성:지 주일【聖枝主日】명 〖천주교〗 부활제 바로 전의 주일. 예수가 수난 전 예루살렘에 들어간 날을 기념함. 부활 전주일.

성직¹【誠直】명 성실(誠實)하고 곧음. ──-하다 형여불

성:직²【聖職】명 ①신성하거나 거룩한 직분(職分). ②〖기독교〗 교회의 선교사·사제·목사 등의 교직(敎職).

성:직 매매【聖職賣買】명 〖역〗 10-11세기에 천주교의 주교(主敎)·수도 원장 등의 성직을 봉건 군주들이 돈을 받고 임명하던 일.

성:직 서:임권【聖職敍任權】[-꿘] 명 [investiture] 〖역〗 주교(主敎)·수도원장 등의 성직을 임명하는 권한. 본래, 봉건 군주가 가지고 있었으나, 1122년 보름스 협약(Worms協約)에 의하여 교황이 가지게 됨.

성:직 서:임권 투쟁【聖職敍任權鬪爭】[-꿘-] 명 〖역〗 11세기 후반부터 12세기 전반에 걸쳐 주교·수도원장의 임명권을 둘러싸고 로마 교황과 유럽 각국 군주 사이에 벌어졌던 싸움. 1076년 독일의 신성 로마 제국 황제 하인리히 4세와 교황 그레고리우스 7세 간의 싸움이 가장 유명함. 1122년의 보름스(Worms) 협약에 의하여 교회법에 의한 임명이 확인됨으로써 교황의 승리로 끝났음.

성:직-위【聖職位】명 성직의 등위(等位).

성:직-자【聖職者】명 종교상의 직분을 맡은 교역자(敎役者). 신부·목사(牧師)·선교사(宣教師)·승려 등.

성:진¹【性眞】명 본성(本性).

성진²【城津】명 〖지〗 함경 북도의 한 시. 동해 무역항. 쌀·콩·생선·쇠가죽·금·흑연·대리석 등의 산물이 많고, 명승 고적으로는 청학봉(靑鶴峰)·송흥(松興) 온천·세천 온천·쌍포(雙浦)·마천령(摩天嶺) 등이 있음.

성진-군【城津郡】명 〖지〗 함경 북도 학성군(鶴城郡)의 구명.

성:질【性質】명 ①마음의 바탕. ②사물이 본디부터 가지고 있는 고유한 특성. 이에 의하여 다른 사물과 종류가 구별됨.

성:질 내:다; 성:질(을) 부리다 구 타고난 성질을 억제하지 못하고 그냥 밖으로 드러내어, 신경질을 부리다. 화를 내다. 성깔 부리다.

성:질 관형사【性質冠形詞】명 〖언〗 성상(性狀) 관형사.

성:징【性徵】명 남녀(男女)·암수의 주로 형태학상의 차이를 일컬음. 생식선(生殖腺) 및 이에 딸린 생식기(生殖器)의 상이(相異)를 제일차 성징이라 말하며, 제일차 성징 이외의 성에 부수(附隨)하는 특질(特質) 곧 수사슴의 뿔, 수사자의 갈기, 짐승의 암컷의 유방(乳房) 등을 제이차 성징이라 말함. 또, 심리적 차이 등 정신 활동에서 볼 수 있는 성적 특이성을 제삼차 성징이라 하는 수도 있음. 성별 형질(性別形質).

성:차¹【性差】명 남성과 여성의 성격 특성이나 능력의 차이.

성차²【星次】명 〖천〗 28수(宿)의 차례.

성:찬¹【盛饌】명 풍성하게 잘 차린 음식. ¶진수 ～. ↔조찬(粗餐).

성:찬²【聖餐】명 ①[Lord's Supper] 〖기독교〗 성찬식의 식사. 예수가 최후의 만찬(晩餐)에서 빵과 포도주를 들고 '이것은 나의 몸이요, 나의 피니라'하고 말한 것을 유래로, 예수의 피와 살을 상징하는 포도주와 빵을 회중(會衆)에게 나누는 기독교의 의식. 성찬식. 성만찬. 주(主)의 만찬. 유카리스트. ②〖불교〗 부처 앞에 올렸던 음식.

성:찬 논쟁【聖餐論爭】명 예수의 피와 살이, 빵과 포도주에 의한 성찬속에 현실화(現實化)되느냐의 여부와, 현실화된다면 그것은 어떤 식으로 되느냐에 대한 논쟁. 9세기에 비롯됨. 종교 개혁 시대에는 가톨릭의 교설(敎說)에 반대하면서도 현실화를 주장하는 루터에 대하여, 그것은 단순한 상징에 지나지 않는다는 츠빙글리(Zwingli)가 대립, 프로테스탄트 내에서의 논쟁이 격화되고 프로테스탄트의 교파(敎派) 분열의 한 원인이 되었음. 성체(聖體) 논쟁.

성:찬-례【聖餐禮】[-녜] 명 〖기독교〗 성찬식(聖餐式).

성:찬-식【聖餐式】명 [Communion Service] 〖기독교〗 예수의 최후를 기념하여 그 살과 피를 상징하는 빵과 포도주를 나누는 기독교회 의식. 감사식(感謝式). 성만찬. 성찬. 유카리스트. *최후의 만찬.

성:찬의 전:례【聖餐一典禮】[-절-/-에절-] 명 〖천주교〗 미사 중 '말씀의 전례'가 끝난 다음 계속되는 본미사의 가장 중요한 부분. 제물(祭物)의 봉헌(奉獻)과 성찬 기도 및 성찬식으로 이루어짐. '제헌 미사'의 고친 말.

성찰【省察】명 ①지난 일의 선악(善惡)·시비(是非)를 반성하여 살핌. ②〖천주교〗 저지른 죄를 자세히 생각하여 냄. ──-하다 자여불

성창¹【成瘡】명 부스럼이 됨. ──-하다 자여불

성:창²【盛昌】명 세력이 왕성한 모양. ──-하다 형여불

성채¹【星彩】명 ①별빛. ②어떤 광물을 빛에 비추어 볼 때 생기는 별과 같은 광채(光彩).

성채²【城砦】명 성과 진(陣)터. 성새(城塞).

성책¹【成册】명 책이 됨. 책으로 만듦. ──-하다 자타여불

성책²【成策】명 ①성립된 계책. ②전부터 생각해 놓은 책략.

성책³【城柵】명 성에 둘러친 목책(木柵).

성:책⁴【聖册】명 〖역〗 궁예(弓裔)의 다년호(大年號). [905-910]

성천¹【成川】명 내가 됨. 내를 이룸. ──-하다 자여불

성천²【成川】명 〖지〗 평안 남도 성천군의 군청 소재지. 대동강(大同江)의 지류인 비류강(沸流江)의 좌안에 위치하며, 평원 가도(平元街道)의 요역(要驛)임.

성:천³【聖天】명 〖불교〗 환희천(歡喜天).

성:천⁴【聖泉】명 〖천주교〗 성세(聖洗) 때 물을 담아 두는, 돌이나 나무로 만든 그릇.

성천-강【城川江】명 〖지〗 함경 남도 신흥군(新興郡)에서 발원(發源)하여 함주군(咸州郡)을 지나서 동해로 들어가는 강. [98km]

성천-군【成川郡】명 〖지〗 평안 남도의 한 군. 관내 12면. 북쪽은 순천군(順川郡)과 맹산군(孟山郡)과 양덕군(陽德郡), 서쪽은 강동군(江東郡)과 순천군, 동쪽은 양덕군과 황해도 곡산군(谷山郡), 남쪽은 황해도 수안군(遂安郡)에 각각 접함. 주요한 산물은 농산으로 쌀·보리·콩·목화·담배·고치 등이며, 그 밖에 임산·수산·공산·축산·광산 등이 있음. 명승 고적으로는 흘골성지(紇骨城址)·회암성지(檜巖城址)·강선루(降仙樓)·향풍산(香風山)·성천 온천(成川溫泉) 등이 있음.

성천 분지【成川盆地】명 〖지〗 평안 남도 동부에 있는 산간 분지. 대동강 상류의 개착(開鑿) 작용에 의하여 이루어진 침식 분지의 하나로 중심지는 성천임. 농산물의 집산과 금산지로 알려져 있음.

성천-수【城川水】명 〖지〗 함경 북도 회령군(會寧郡)에서 발하여 무산(茂山) 등지를 지나서 두만강(豆滿江)으로 들어가 합치는 강. [70km]

성:-천자【聖天子】명 성덕(聖德)이 높은 천자.

성천-초【成川草】명 평안 남도 성천(成川)에서 생산되는 담배.

성천 포:락【成川浦落】명 논밭이 흐르는 냇물에 스치어서 떨어짐. ──-하다 자여불

성:철¹【性徹】명 〖사람〗 현대의 고승(高僧). 경남 산청(山淸) 출생. 속명은 이영주(李英柱). 호는 퇴옹(退翁). 1935년 하동산(河東山)을 은사(恩師)로 해인사(海印寺)에 들어가 득도(得度), 50년 대덕(大德) 법계(法階)를 받고, 67년 해인 총림 방장(海印叢林方丈), 81년 조계종(曹溪宗) 종정(宗正)에 추대됨. 장좌 불와(長坐不臥) 정진(精進) 10년으로 유명함. 《선문 정로(禪門正路)》 등 법어집(法語集) 11권을 남겼으며, 한국 불교의 전통(傳統) 선이론(禪理論)인 돈오 점수론(頓悟漸修論)을 비판하고 돈오 돈수론(頓悟頓修論)을 주장함. [1912-93]

성:철²【聖哲】명 지덕(知德)이 높고 사리(事理)에 밝은 사람. 곧, 성인과 철인.

성첩¹【成貼】명 〖역〗 문서에 관인(官印)을 찍음. ──-하다 타여불

성첩²【城堞】명 성가퀴.

성청¹【成廳】명 세력이 있는 집의 하인들끼리 단결하여 폐를 이룸. ──-하다 자여불

성:청²【聖聽】명 임금의 귀에 들어감. 임금이 들음.

성:청³【聖廳】명 〖천주교〗 로마 교황청의 일컬음.

성체¹【成體】명 〖생〗 다 발육하여서 생식 능력이 있는 동물. 곤충은 성충(成蟲)이라고 함. ↔유생(幼生).

성:체²【性體】명 마음의 본체.

성:체³【聖體】명 ①성궁(聖躬). ②〖천주교〗 예수의 몸을 일컬음.

성:체 강:복【聖體降福】명 〖천주교〗 주일(主日) 또는 다른 날에 성체로써 강복을 행함.

성:체 거:동【聖體擧動】명 〖천주교〗 성체를 모시고 성당(聖堂) 밖에 행렬하는 행사. *성체 행렬.

성:체 논쟁【聖體論爭】명 성찬 논쟁.

성:체 대:회【聖體大會】명 〖천주교〗 성체(聖體)의 비적(祕跡)을 존숭하기 위하여 가톨릭 신자가 행하는 국제적인 집회. 1881년에 프랑스에서 제1회 만국 성체 대회가 열린 후 1922년부터는 2년마다 열림. 행사로는 회의와 영성체(領聖體)·성체 행렬 등이 있음.

성:체-등【聖體燈】명 〖천주교〗 성당 안의, 성체가 모셔진 감실(龕室) 앞에 밤낮으로 켜놓는 등.

성:체 배:령【聖體拜領】명 〖천주교〗 성체를 받아 먹음으로써 모시는 일.

성:체 성:사【聖體聖事】명 〖천주교〗 칠성사(七聖事)의 하나. 성체 배령(聖體拜領)의 성사. 성체를 이루는 거룩한 예식.

성:체 축일【聖體祝日】명 〖천주교〗 성체에 대한 신앙심을 고백하는 가톨릭 교도의 축일로서, 매년 삼위 일체(三位一體) 축일 후의 목요일인데 6월에 해당함. 성체 강복식과 성체 행렬을 행함.

성:체-포【聖體布】명 〖천주교〗 미사 때에 성체(聖體)와 성작(聖爵)을 올려 놓기 위하여 제대(祭臺) 위에 펴놓는 네모지고 널찍한 작은 아마포(亞麻布).

성:체포-낭【聖體布囊】명〖천주교〗성작개(聖爵蓋)와 성체포(聖體布)를 넣는 네모지고 납작한 주머니. 새 전례(典禮)에서는 쓰지 않음. *성낭(聖囊).

성:체 행렬【聖體行列】[—녈] 명〖천주교〗예수에 대한 찬미, 종교적 공감(共感), 교회적 통일의 강화를 표명하는, 성체 축일의 가톨릭 신자의 행진. 십자가를 선두로 성체를 봉안한 성체 현시대(顯示臺)를 모시고 찬미가를 부르며 옥외(屋外)를 행렬함.

성:체 현:시대【聖體顯示臺】명〖천주교〗성광(聖光)을 올려 놓는 대.

성:체-회【聖體會】명〖천주교〗성체를 특히 공경하는 신심회(信心會).

성:촉【聖燭】명〖천주교〗축성(祝聖)한 초. 성랍(聖蠟).

성촌【成村】명 마을을 이룸. ——-하다 자여불

성:총[1]【性聰】명〖사람〗조선 시대 중기의 중. 속성은 이씨(李氏). 남원 사람. 9년간 취미 대사(翠微大師) 밑에서 공부하고 30세 때부터 송광사(松廣寺), 징광사(澄光寺) 등에 있으면서 《화엄경소(華嚴經疏)》·《회현기(會玄記)》 등 80권의 불서(佛書)를 간행함. 저서 《백암집(栢庵集)》. [1631-1700]

성:총[2]【盛寵】명 풍성한 은총.

성:총[3]【聖聰】명 임금의 총명.

성:총[4]【聖寵】명 ①임금의 은총. ②〖천주교〗'은총(恩寵)'의 구용어.

성추[1]【省楸】명 성묘(省墓). ——-하다 자여불

성:추[2]【盛秋】명 가을의 한창인 때. 한가을.

성축[1]【成畜】명 다 자란 가축.

성축[2]【成軸】명 시회(詩會) 때에 그 지은 글을 두루마리에 차례로 벌이어 적음. ——-하다 타여불

성축[3]【成築】명 축대(築臺)를 쌓아올림. 또, 그 축대. ——-하다 타여불

성:축[4]【聖祝】명 성탄(聖誕)을 축하함. ——-하다 자여불

성충[1]【成忠】명〖사람〗백제 말엽의 충신. 의자왕(義慈王) 때의 좌평(佐平)으로 있으면서 왕의 방탕함을 여러 번 간하다가 투옥되자, 단식(斷食)하고 글을 올려, 만일 적군이 침입하면 육군은 탄현(炭峴)을 넘지 못하게 하고, 수군은 기벌포(伎伐浦)를 들어오지 못하게 막으라는 말을 남기고 죽음. [?-656]

성충[2]【成蟲】명〔imago〕〖충〗엄지벌레. ↔유충. *성체(成體).

성충[3]【星蟲】명〖동〗별벌레

성충[4]【誠忠】명 충성(忠誠).

성:충[5]【聖衷】명 성지(聖旨).

성충-류【星蟲類】[—뉴] 명〖동〗별벌레강(綱).

성충-아【成蟲芽】명〔imaginal disk〕〖생〗주로 완전 변태를 하는 곤충의 유충(幼蟲)의 체벽낭(體壁囊) 중에서, 비후(肥厚)한 부역(部域). 이곳에서 성체(成體)의 각 기관이 발생함.

성취[1]【成娶】명 장가를 들어 아내를 얻음. 성가(成家). ——-하다 자여불

성취[2]【成就】명 목적한 대로 일을 이룸. 종성(終成). ——-하다 타여불

성취[3]【腥臭】명 비린내.

성취[4]【醒醉】명 술에 취함과 술에서 깸.

성취 지수【成就指數】명〖교〗에이 큐(A.Q.).

성층【成層】명 ①겹치어서 층(層)을 이룸. 또, 그 층을 이루고 있는 것. ②〔stratification〕〖지〗퇴적 물질이나 퇴적암이 층상(層狀)으로 배열 또는 붙어 있는 일. ——-하다 자여불

성층 광:상【成層鑛床】명〖광〗광층(鑛層).

성층-권【成層圈】[—꿘] 명〔stratosphere〕①〖기상〗대류권(對流圈)과 중간권(中間圈) 사이에 있는, 거의 안정된 대기층. 높이 약 10km-50km에 이르며, 구름은 없고 동서(東西)에서 바람이 번갈아 붊. 기온은 상층(上層)이 영도에 가깝고 하층(下層)은 영하 50° 정도이며 성층권에는 오존이 많음. ②〖지〗해면(海面) 밑 약 500m 이하의 염분(塩分)·수온(水溫)이 거의 안정된 층(層). 성대권(成帶圈). 등온층(等溫層).

성층권 계:면【成層圈界面】[—꿘—] 명〔stratopause〕〖기상〗성층권과 중간권을 가르는 경계에 있는 천이권(遷移圈). 여기에서 고도(高度)에 대한 온도 변화의 역전(逆轉)이 일어남. *중간권 계면.

성층-면【成層面】명〔bedding plane, stratification plane〕〖지〗상하로 겹친 지층이 서로 접하는 면. 층리면(層理面).

성층-암【成層岩】명〔stratified rock〕〖광〗퇴적암(堆積岩).

성층 화:산【成層火山】명〔strato volcano〕〖지〗분출된 용암·화산탄(火山彈)·화산회(火山灰) 등이 분구화(噴火口)의 둘레에 점점 쌓이고 겹치어서 층을 이루고 있는 화산. 두 번 이상의 분화에 의하여 이루어지는데 큰 화산은 대개 이에 속함. 층상(層狀) 화산.

〈성층 화산〉

성-치[1]【城峙】명〖지〗함경 남도 덕원군(德源郡) 적전면(赤田面)과 부내면(府內面) 경계에 있는 고개. [1,103m]

성치[2]【星馳】명 별똥이 떨어지듯 매우 급히 달림. ——-하다 자여불

성:칙【聖勅】명 임금의 명령.

성친【成親】명 ①출세하여 부모의 명성을 드높임. ②친척을 이룬다는 뜻으로 '결혼'의 별칭. ¶아조 ~되기 전에 위선 하룻밤 동침하기를 청한다《경제당 : 洞庭秋月》.

성:-칠일【聖七日】명〖천주교〗성주간(聖週間).

성:칭[1]【盛稱】명 매우 칭찬함. 크게 칭찬함. ——-하다 타여불

성칭[2]【聲稱】명 명성(名聲).

성크름-하다 형여불 ①옷감의 발이 가늘고 성기다. ②바람기가 많고 좀 쌀쌀하다.

성큼 부 발을 가볍게 높이 들어 걷는 모양. ¶발을 ~ 내딛다. >상큼.

성큼-성큼 부 발을 연해 가볍게 높이 들어 걷는 모양. ¶~ 걸어가다. >상큼상큼.

성큼-하다 형여불 키나 옷 등의 아랫도리가 웃도리보다 어울리지 아니하게 길쭉하다. >상큼하다.

성:탄【聖誕】명 ①임금이나 성인의 탄생. ②〖기독교〗↗성탄절.

성:탄-목【聖誕木】명〖기독교〗크리스마스 트리.

성:탄-일【聖誕日】명 ①임금이나 성인이 탄생한 날. ②〖기독교〗크리스마스.

성:탄 전야【聖誕前夜】명 성탄절의 전날밤. 크리스마스 이브.

성:탄-절【聖誕節】명〖기독교〗①크리스마스. ②12월 24일부터 1월 1일 또는 6일까지의 성탄을 축하하는 명절. 크리스마스 타이드. 준성탄.

성:탄-제【聖誕祭】명〖기독교〗크리스마스.

성:탑【聖塔】명 성당(聖堂)의 탑.

성탕【成湯】명〖사람〗탕왕(湯王)의 딴이름.

성태【成胎】명 잉태(孕胎). ——-하다 자여불

성:택【聖澤】명 ①임금의 은택(恩澤). 천은(天恩). ②〖악〗↗성택무.

성:택-무【聖澤舞】명〖악〗정재(呈才) 때에 추는 춤의 하나. 봉족자(奉簇子)·선모(仙母) 한 사람씩과 죽간자(竹竿子) 두 사람, 좌협무(左挾舞)·우협무(右挾舞) 각 네 사람, 모두 열두 사람이 춤. 준성택(聖澤).

성-터【城—】명 성이 있던 자리. 성지(城址). 성적(城跡).

성토【聲討】명 여러 사람이 모여 어떤 잘못을 토론하고 규탄(糾彈)함. ——-하다 타여불

성토 대:회【聲討大會】명 어떤 문제를 놓고, 여러 사람이 문제의 잘못을 토론하고 규탄하는 대회.

성토-문【聲討文】명 성토의 내용을 적은 글.

성:-토요일【聖土曜日】명〖천주교〗성주간(聖週間)의 마지막 날로 예수 부활의 전날. 예수가 무덤 속에 머물러 있었음을 기념함.

성:통【聖統】명 성상(聖上)의 계통(系統) 또는 성왕(聖王)의 업(業).

성:통 공완【性通功完】명〖대종교〗도(道)를 통해 깨달음이 이루어짐.

성:판【聖板】명〖천주교〗성작(聖爵)을 덮는 미사 제구(祭具)의 하나.

성판-악【城板岳】명〖지〗제주도 북제주군 조천읍(朝天邑)과 남제주군 남원읍(南元邑) 사이에 있는 산봉우리. 한라산(漢拏山)과 함께 신생대(新生代) 제3기에서 제4기에 걸쳐 분출된 화산임. [1,215m]

성패[1]【成敗】명 성공과 실패. 일의 됨과 아니됨. ¶~는 오로지 너의 열성에 달렸다.

성:패[2]【聖牌】명〖역〗은사(恩赦)에 부쳐서 내리는 여러 가지 패물(牌物).

성패-간【成敗間】부 성공하든지 실패하든지 간에. 되고 안 되고 간에. ¶~ 결행(決行)하겠다.

성:-페로몬【性—】〔pheromone〕명〖생〗곤충(昆蟲)의 암컷에게서 볼 수 있는, 수컷을 유인하는 물질.

성편【成篇】명 시나 글 등의 한 편을 완성함. ——-하다 타여불

성평-절【成平節】명〖역〗고려 문종(文宗) 때 임금의 탄일을 일컫던 말.

성:포【聖布】명〖천주교〗미사 제구(彌撒祭具)의 하나.

성폭력 범:죄【性暴力犯罪】명〖법〗강간(強姦)·추행(醜行), 이에 따른 살인·상해(傷害) 및 영리를 목적으로 한 약취(略取)·인신 매매(人身賣買), 미성년자 등에 대한 간음 등의 범죄. 특히, 업무상 위력(威力) 등을 앞세워 하는 추행, 대중 교통 수단·공연장·집회 장소 등에서의 추행, 통신 매체를 이용하여 상대방에게 성적(性的) 수치심을 일으키게 하는 행위 등도 포함됨.

성표[1]【成標】명 증서(證書)를 작성함. ——-하다 타여불

성표[2]【星表】명〖천〗↗항성표(恒星表).

성:-풀이 명 성난 마음을 푸는 일. ¶아랫사람한테 ~하다. ——-하다 자여불

성:품[1]【性品】명 성질과 됨됨이. 성질과 품격.

성:품[2]【性稟】명 성정(性情).

성:품[3]【聖品】명〖천주교〗신품 성사(神品聖事).

성:품 성:사【聖品聖事】명〖천주교〗신품 성사(神品聖事).

성풍[1]【成風】명 풍속을 이룸. ——-하다 자여불

성풍[2]【腥風】명 피비린내가 풍기는 바람.

성풍-하다 형여불 매우 흔하다. 성풍-히 부. ¶개는 ~ 많이 길러 한 집에 두세 마리씩은 으레 있던 터이라《作者未詳 : 홍도화》.

성하[1]【城下】명 성 밑. 성의 아래. 또, 그 곳에 있는 동리.

성하[2]【星河】명 은하(銀河).

성:하[3]【盛夏】명 한여름. *성염(盛炎).

성:하[4]【聖下】명〖천주교〗교황에 대한 존칭(尊稱). *각하(閣下)·전하(殿下).

성-하다[1] 형여불〔중세:셩ᄒᆞ다〕①본디대로 온전하다. ¶성한 그릇/성한 옷. ②몸에 병이나 상처가 없다. ¶성한 사람/성한 다리. 성-히[1] 부. ¶몸 ~ 잘 있다.

성:-하다[2]【盛—】형여불 ①기운이나 세력이 왕성하다. 국가나 사회가 번창하다. ¶나라가 크게 ~. ②나무나 풀이 한창으로 우거지다. ¶뜰에 초목이 ~. 성:-히[2]【盛—】부

성 하다[3] 구 의존 명사 '성'과 보조 형용사 '하다'의 합친 말. ¶그가 온 ~/모자랄 ~.

성:하 목욕【聖河沐浴】명〖종〗힌두교도의 신앙. 성스러운 강물에 몸을 담가 죄나 더러움을 깨끗이 씻는 일.

성:하 염열【盛夏炎熱】[—녈] 명 한여름의 심한 더위. 성하지열.

성하지-맹【城下之盟】명 적에게 수도(首都)의 성밑까지 침공(侵攻)을 당하고 맺는 굴욕적인 강화(講和)의 맹약.

성:하지-열【盛夏之熱】명 한여름의 심한 더위. 성하 염열(盛夏炎熱).

성학[1]【星學】명 천문학(天文學).

성:학[2]【聖學】명 성인이 가르친 학문. 특히 유학(儒學)을 일컬음.

성학[3]【聲學】명 성악(聲樂)에 관하여 연구하는 학문.

성학-가【星學家】명 ①천문 학자(天文學者). ②천문을 보고 길흉을 점치는 사람.

성:학 십도【聖學十圖】명〖책〗조선 시대 때 퇴계(退溪) 이황(李滉)이 선조(宣祖)의 경연(經筵)에서 성학의 대강을 풀이하여 밝히고, 심법(心法)의 가장 중요한 점을 명시하기 위하여 여러 유학자들의 도설(圖說)을 인용하고 자기의 의견을 첨부하여 만든 책. 1권.

성:-학자【聖學者】명〖천주교〗신(神)에 대한 깊은 연구와 지식으로 신학(神學)을 한 차원 높게 올린 성인(聖人) 신학자. 교황청에서 선포(宣布)함.

성:학 집요【聖學輯要】명〖책〗조선 시대 선조(宣祖) 때에 율곡(栗谷)

이이(李珥)가 대학(大學)의 본뜻을 좇아서 성현(聖賢)들의 가르침을 차례대로 실어 인용하고 자기의 설명을 붙인 책. 통설(統說)·수기(修己)·정가(正家)·위정(爲政)·성학 도통(聖學道統)의 다섯 편으로 나뉨. 13권 7책.

성-한[1]【成漢】명〖역〗중국 오호 십육국(五胡十六國)의 하나. 서장계(西藏系) 저족(氐族)의 추장(酋長) 이웅(李雄)이 촉(蜀)을 중심으로 하여 세운 나라. 국호(國號)를 처음에 성(成)이라고 했다가 한(漢)이라고 고쳤으므로 사가(史家)들이 성한이라 일컬음. 청두(成都)에 도읍하고 오세(五世) 44년 만에 진(晉)나라의 환온(桓溫)에게 멸망당함. 지금의 쓰촨(四川) 및 산시(陝西)의 남부, 윈난(雲南)·구이저우(貴州) 북부의 땅을 점유하였음. 후촉(後蜀). [302-347]

성한[2]【星漢】명 '은하(銀河)'의 별칭.

성:함【姓銜】명 '성명(姓名)'의 경칭.

성:합【聖盒】명〖천주교〗성체(聖體)를 모시어 두는 금 또는 은으로 만든 합.

〈성합〉

성항【星港】명〖지〗'싱가포르(Singapore)'의 한자 이름.

성:해[1]【性海】명〖불교〗진여(眞如)의 이성(理性)이 깊고 넓음을 바다에 비유한 말.

성:해[2]【聖骸】명〖천주교〗성인(聖人)의 유골.

성:해[3]【鯹醢】명 맛젓.

성:행[1]【性行】명 성질과 행실. 일상 거동.

성:행[2]【盛行】명 매우 성하게 유행함. ——하다 자여불

성:행[3]【聖行】명〖불교〗보살(菩薩)들이 수행하는 계(戒)·정(定)·혜(慧).

성:-행위【性行爲】명 성교(性交).

성:향[1]【性向】명 성질 상의 경향(傾向). 기질(氣質).

성:향[2]【姓鄕】명 관향(貫鄕).

성향[3]【聲響】명 소리의 울림. 또, 울려서 나는 소리.

성헌【成憲】명 ↗성문 헌법(成文憲法).

성-현[1]【成俔】명〖사람〗조선 성종(成宗) 때의 학자. 자(字)는 경숙(磬叔). 호는 용재(慵齋)·허백(虛白) 또는 부휴자(浮休者). 창녕(昌寧) 사람. 대사간(大司諫)·대사헌(大司憲)·대제학(大提學)을 역임. 예악(禮樂)에 밝고 문장에 뛰어났음. 《악학 궤범(樂學軌範)》을 찬(撰)하였으며, 이 밖에 《허백당 시문집(虛白堂詩集)》 등이 있음. [1439-1504]

성-현[2]【城峴】명〖지〗황해도 곡산군(谷山郡)에 있는 고개. [231m]

성:현[3]【聖賢】명 성인(聖人)과 현인(賢人). 지덕(知德)이 가장 뛰어난 사람. 명성(明聖). ¶ ~의 가르침.

[성현이 나면 기린이 나고 군자가 나면 봉이 난다] 옛날에, 성인(聖人)이 나서 왕도(王道)가 행해지면, 이에 응해 기린이나 봉황이 나타난다고 믿었던 일. ¶예로부터 성현이 나면 기린이 나고 군자가 나면 봉이 난다드니 《봉산 탈춤》.

성혈[1]【腥血】명 비린내나는 피.

성:혈[2]【聖血】명〔oblation〕〖기독교〗성찬식(聖餐式) 때 예수의 피를 상징하는 포도주.

성형[1]【成形】명 ①형체를 만듦. ②〖공〗그릇의 형체를 이룸. ③〔forming〕〖공〗유리·세라믹스·플라스틱·금속을 가압(加壓)함으로써 시트, 봉(棒) 기타로 성형(成形) 가공하는 일. ——하다 타여불

성형[2]【星形】명 ①별의 형상. 또, 별 같은 모양. 성형(星型). ②〖생〗성상체(星狀體).

성형[3]【星型】명 성형(星形).

성형-기【成形機】명 고체 재료의 가소성(可塑性)을 이용, 어떤 형을 만드는 가공 기계. 플라스틱 성형·금속 성형·유리 성형 등에 사용됨.

성형 기관【星型機關】명〖기〗기통(氣筒)을 방사상(放射狀)으로 배치한 원동기(原動機)의 형식(型式). 항공 발동기(航空發動機)에 사용됨.

성형 도법【星形圖法】〔—뻡〕명〖지〗편의(便宜) 도법에 속(屬)하는 지도 투영법(投影法)의 한 가지. 별과 같은 형상의 윤곽 안에 한 극(極)을 중심으로 해서 세계 전도(全圖)를 나타내는 방법.

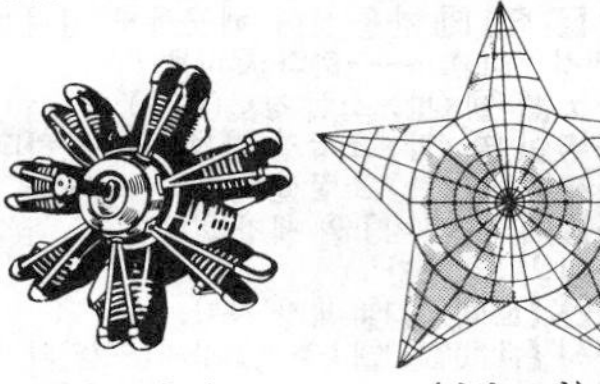

〈성형 기관〉 〈성형 도법〉

성형 모조석【成形模造石】명〔cast stone〕〖공〗콘크리트로 성형(成形)하여 천연 암석같이 만든 건축용 석재(石材).

성형 수술【成形手術】명〖의〗성형술을 이용하여 행하는 성형 외과의 수술. *정형 수술.

성형-술【成形術】명〔plastic surgery〕〖의〗상실·상해 또는 변형된 인체의 부분을 조직의 이식(移植)에 의해서 외과적으로 수복(修復)·치환(置換) 또는 개변(改變)하는 일.

성형-약【成形藥】〔—냑〕명〖약〗부형약(賦形藥).

성형 외:과【成形外科】〔—꽈〕명 인체의 표면 상의 선천적·후천적 기형(畸形)이나 변형(變形)을 정상적인 모양으로 고치는 외과. 얼굴을 중심으로 하여 눈·귀·코·입술·유방 등이 주 대상이 되며, 특히 피부의 이동·이식 등이 중요 분야임. 미용(美容)을 위한 것도 이에 속함. *정형 외과.

성형 이:상형【成形異常型】명〖심〗정신병자(精神病者)의 체격을 분류한 형의 하나.

성형 코:크스【成形—】〔cokes〕명 강점결탄(強粘結炭)과 일반 석탄(一般石炭)을 분쇄 혼합하고, 이것을 조개탄 모양으로 뭉쳐서 건류(乾溜)하여 만든 코크스. 제철용 환원제(製鐵用還元劑)로 쓰임.

성형-품【成形品】명 합성 수지류(樹脂類)를 높은 온도에서 형(型)에 끼워 일정한 기물(器物)로 만든 것.

성형-형【成形型】명 도자기의 모양을 만드는 데 쓰이는 모형. 석고제(石膏製)·질그릇·금속제의 세 종류가 있음.

성호[1]【城狐】명 임금 곁에 있는 소인(小人)을 비유(譬喩)하는 말.

성호[2]【城濠】명 해자(垓字)❷.

성호[3]【星湖】명〖사람〗이익(李瀷)의 호(號).

성:호[4]【聖號】명〖천주교〗신자가 가슴에 그리는 '†'의 표. ¶~를 긋다.

성:호-경【聖號經】명〖천주교〗십자(十字) 성호를 그으면서 '성부와 성자와 성신의 이름으로'라고 외는 기도문. 모든 기도의 시작과 마침, 모든 일의 전후에 욈.

성:-호르몬【性—】명〔sexual hormone〕〖생〗동물의 생식선(生殖腺)에서 분비(分泌)되는 호르몬. 생식기의 발육·성징(性徵)의 발현(發現)·생식 행위의 유발 등에 작용함. 수컷에는 정소(精巢)에서 분비되는 남성 호르몬, 암컷에는 난소에서 분비되는 여성 호르몬이 있는데, 후자는 발정(發情) 호르몬과 황체(黃體) 호르몬으로 나뉨. 모두 뇌하수체 전엽(腦下垂體前葉)의 생식선 자극 호르몬의 영향을 받음. *호르몬.

성호 사:서【城狐社鼠】명 임금 곁에 있는 간신(奸臣)의 무리.

성호 사설【星湖僿說】명〖책〗조선 영조(英祖) 때의 대학자인 성호(星湖) 이익(李瀷)이 평생에 수시로 지은 글을 모아 편집한 책. 천지(天地)·만물(萬物)·인사(人事)·경사(經史)·시문(詩文) 등의 부문으로 나뉨. 30권 30책.

성-혼[1]【成渾】명〖사람〗조선 시대 선조(宣祖) 때의 유학자. 자(字)는 호원(浩原). 호는 우계(牛溪)·묵암(默庵). 창녕(昌寧) 사람. 이율곡(李栗谷)과 사단(四端)·칠정(七情)·이기(理氣)의 설을 논난하여 학계에 이채(異彩)를 나타내었고, 성리학에 있어서 기호학파(畿湖學派)의 이론적 근거를 닦음. 문묘(文廟)에 배향됨. 시호는 문간(文簡). [1535-98]

성혼[2]【成婚】명 혼인이 이루어짐. 결혼함. 성쌍(成雙). ——하다 자여불

성홍【猩紅】명 성성이의 털빛과 같은 좀 검고 짙은 다홍색.

성홍-열【猩紅熱】〔—녈〕명〔scarlet fever〕〖의〗법정(法定)의 급성 전염병의 하나. 어린이에게 많은데, 흔히 가을부터 겨울 사이에 있음. 갑자기 고열이 나고 구토를 일으키며, 두통·인두통(咽頭痛)·사지통(四肢痛)·오한이 있고 얼굴이 짙은 다홍빛을 띠면서 피부에 발진(發疹)이 나타남. 원인은 용혈성(溶血性)의 연쇄 구균(連鎖球菌)에 의한 것인데, 관절 류머티즘·중이염(中耳炎)·신장염(腎臟炎)을 병발(倂發)하는 일이 있음. 양독(陽毒).

성홍열 신:장염【猩紅熱腎臟炎】〔—녈—념〕명〖의〗성홍열 때에 합병증으로서 일어나는 신장염.

성화[1]【成火】명 ①몹시 애를 쓰면서 번민함. ②몹시 귀찮게 구는 일. ——하다 자여불

성화(를) 대:다 구 몹시 귀찮게 굴다.

성화[2]【星火】명 ①〖천〗유성(流星). ②유성이 떨어질 때의 불빛. ③유성이 떨어지듯 매우 급한 일의 비유. ④매우 작은 숯불. 불티.

성:화[3]【盛火】명 매우 괄게 타는 불.

성:화[4]【聖火】명 ①신에게 바치는 신성한 불. ②〖기독교〗하느님이 임재(臨在)함으로써 나타나는 불. ③〔Sacred Olympic Fire〕올림픽 대회장(大會場)에 켜놓는 횃불. 고대 올림픽 회장지(會場地)인 올림피아(Olympia)에서 태양 광선으로 점화(點火)한 불을 릴레이(relay)식으로 운반하여, 주(主)경기장의 성화대(聖火臺)에 대회가 끝날 때까지 밝힘. 1928년 암스테르담에서의 제9회 대회 때부터 시작됨. 이를 본떠 국내 체육 대회에서도 함.

성:화[5]【聖化】명 ①성인이나 임금의 덕화(德化). ②성스럽게 됨. 또, 성스럽게 함. ③〔sanctification〕〖기독교〗예수로부터 받은 신의 은총에 의하여 의(義)를 인정받은 자가 성령(聖靈)을 받아 신성한 인격을 완성하는 일. ——하다 자타여불

성:화[6]【聖花】명〖불교〗불전(佛前)에 바치는 꽃.

성:화[7]【聖畫】명〖미술〗종교화(宗敎畫).

성화[8]【聲華】명 세상에 널리 알려진 명성. ¶~는 익히 듣고 있습니다.

성화-같다【星火—】형 성화와 같이 몹시 다급하다.

성화-같이【星火—】〔—가치〕부 성화와 같게. 성화처럼. ¶~ 조르다.

성:화-대[1]【聖火隊】명 ↗성화 봉송대(聖火奉送隊).

성:화-대[2]【聖火臺】명 올림픽 경기나 전국 체육 대회 때, 성화(聖火)를 켜기 위하여 경기장에 설치한 장치.

성화 독촉【星火督促】명 몹시 다급하게 재촉함. ——하다 타여불

성:화 릴레이【聖火—】〔relay〕명 올림픽의 성화를 발상지인 그리스의 아테네로부터 날라 오는 계주(繼走). 국내 체육 대회에서도 강화도 마니산(摩尼山)에서 날라 옴.

성화-보【成化譜】명 조선 세조(世祖) 때, 곧 중국 명(明)나라 성화 연간(成化年間)(1465-87)에 만들어진 안동 권씨(安東權氏)의 족보(族譜). 서문(序文)만이 전함.

성:화 봉:송대【聖火奉送隊】명 체육 대회 등에서 성화를 댕기어 릴레이식으로 성화대(臺)까지 봉송하는 대(隊). 준 성화대(聖火隊).

성:-화상【聖畫像】명 성화와 성상(聖像).

성:화상 논쟁【聖畫像論爭】명 성화상 또는 성화를 신앙에 도움이 되는 것으로 인정하느냐, 우상 숭배로서 배척하느냐의 논쟁. 좁은 뜻으로는 8세기에 비잔틴(Byzantine) 황제 레오(Leo) 3세 치하(治下)에 일어난 논쟁을 말하나, 넓은 뜻으로는 16세기 서유럽에서의 프로테스탄트 등의 종교 미술 부정 운동까지를 포함함.

성:화 성:총【聖化聖寵】명〖천주교〗인간에게 하느님의 자녀가 되어 그리스도의 형제·자매, 하느님 나라의 상속자가 되게 하는 은혜. 구(舊) 용어는 성성 성총(成聖聖寵).

성화지-분【城化之分】명 수령(守令)과 백성의 신분의 한계.

성환【成歡】명〖지〗충남 천안시(天安市)의 한 읍. 경부선 연선(沿線)에 있고 아산(牙山)시로 통하는 중요 지점이며, 농산물이 풍부하고 특히 젖소의 목장과 참외로 유명함. 청일(淸日) 전쟁의 옛 싸움터임. [26,847명(1996)]

성황[1]【城隍】명〖민〗→서낭❶.

성:황²【盛況】명 모임 따위에 사람이 많이 모이거나 어떤 일에 많은 사람이 관여하여 활기에 찬 모양. ¶ ~을 이루다.
성황-단【城隍壇】명【민】→서낭단.
성황-당【城隍堂】명【민】→서낭당.
성:황-리【盛況裡】[—니] 명 성황을 이룬 가운데. 주로 '성황리에'와 같이 쓰임.
성황-반【城隍飯】명【문】무가(巫歌) 계통의 노래. 사방 서낭을 불러 치성드리는 말과 '다리러 다로리' 등의 후렴으로 이루어짐. 《시용 향악보(時用鄕樂譜)》에 전함.
성황-상【城隍床】명【민】→서낭상.
성황-신【城隍神】명【민】→서낭신.
성황-제【城隍祭】명【민】→서낭제.
성회¹【成會】명 회의를 이룸. 회의가 성립함. ↔유회(流會). ——-하다 자여불
성:회²【盛會】명 성대(盛大)한 모임. 고회(高會).
성:회³【聖灰】명【천주교】성회례에 사용하는 재. 지난해에 축성(祝聖)한 성지(聖枝)를 태워서 만듦.
성:회⁴【聖會】명 ①신성한 집회. 종교적 의식이나 제전(祭典)에 관한 모임. ②【천주교】천주 교회. ③【기독교】교회.
성:회-례【聖灰禮】명【천주교】재의 수요일(水曜日)에 사제(司祭)가 '사람아 너는 흙이니 흙으로 돌아갈 줄을 생각하라'고 하면서 신자의 머리 위에 성회를 뿌려 세속의 헛됨과 죽음을 상기시켜 죄의 보속(補贖)을 북돋는 예절.
성:회-일【聖灰日】명【천주교】'재의 수요일(水曜日)'의 구용어.
성효¹【成效】명 ①성과. 결과. 성적. ②【역】신하가 맡은 직임에 봉사하여 그 공적을 이루어서 임금의 은혜에 보답함. ——-하다 자여불
성효²【誠孝】명 효성(孝誠).
성:후【聖候】명 임금의 안후(安候). 상후(上候).
성:훈【聖訓】명 성인이나 임금의 교훈.
성:훈 가어【聖訓家語】명【책】동학(東學)의 2대 교주(敎主) 최시형(崔時亨)의 수제자 김연국(金演局)의 저서. 《성훈》은 김연국이 최시형을 따라 다니며 그의 말을 받아 적은 기록이고, 《가어》는 김연국의 자신의 생각을 적어 놓은 것. 수필본(手筆本) 1책.
성휘¹【星輝】명 별의 반짝거림. 별빛.
성:휘²【聖諱】명 성인의 휘.
성흥 광:산【成興鑛山】명【지】평안 남도 성천군(成川郡) 숭인면(崇仁面) 창인리(昌仁里)에 있는 금광산.
성:희【性戲】[—히] 명 성적(性的)인 유희(遊戲).
성-희안【成希顔】[—히—] 명【사람】조선 중종(中宗) 때 공신. 삼훈신(三勳臣)의 한 사람. 자는 우옹(愚翁). 호는 인재(仁齋). 창녕(昌寧) 사람. 연산군(燕山君) 10년에 이조 참판(吏曹參判)이 되었으나, 왕을 풍자하였다 하여 좌천되었고, 후에 중종 반정(中宗反正)을 성공적으로 이끈 공으로 창산 부원군(昌山府院君)에 봉함을 받고 영의정이 됨. 시호는 충정(忠定). [1461-1513]
성희-요【聲戲謠】[—히—] 명【문】어희요(語戲謠).
성긔다 형〈옛〉성기다. ¶ 성긔디 아니ᄒᆞ며 이저 ᄢᅥ러디디 아니ᄒᆞ며 《月釋 XVII:52》.
섶¹ 명 줄기가 가냘픈 식물을 버티느라고 곁들여 꽂아 두는 꼬챙이.
섶² 명 (근대 : 섭) ↗옷섶.
섶³ 명 (중세 : 섭) ↗섶나무.
[섶을 지고 불로 들어가려 한다] 자기가 짐짓 그릇된 짓을 하여 화를 더 얻으려 한다는 뜻.
섶⁴ 명 ①누에가 올라가 고치를 짓도록 마련해 놓은 짚이나 잎나무. 잠족(蠶簇). ②물고기가 많이 모이도록 물 속에 쌓아 놓은 나무.
섶⁵ 명〈방〉옆(평안·함경).
섶-나무 명 잎나무·풋나무·물거리 등의 통칭. 준섶.
섶-단 명 섶 안 쪽에 대는 헝겊 조각.
섶-머리 명 섶의 아래 끝부분.
섶-선 명 섶의 가장자리를 이루는 선.
섶-청울치 명 꼬지 아니한 청울치.
섶-코 명 섶 끝의 뾰족한 부분.
섶-폭【—幅】명 섶의 넓이.
세¹ 명〈방〉①혀¹❶(경기·경상·전라·충청·강원·황해·함경·제주). ②서캐(경상). ③소¹(경남). ④쇠¹(충남·전남·황해).
세:²【洗】명【천주교】↗성세(聖洗). ¶ 저들에게 ~를 주다.
세:³【貰】명 ①남의 것을 빌려 쓰고 그 값으로 내는 돈. ②일정한 대가(代價)를 지불하기로 계약하고 남의 소유물을 빌려 쓰는 일.
세:⁴【稅】명 ①【역】옛날 사전(私田)의 수확물을 일정한 비율로 나라에 바치게 한 구실. 후에 공전(公田)에서 받는 조(租)와 혼동되어 그 구별이 없어지고 조세(租稅)의 뜻으로 쓰였음. *조(租). ②↗조세(租稅).
세:⁵【勢】명 ↗세력(勢力).
[세 좋아 인심 얻어라] 세력 있음을 뽐내지 말고 그 세력으로 남에게 좋은 일을 해두어야 훗날 도움을 받게 될 것이라는 뜻.
세⁶ (Say, Jean Baptiste) 명【사람】프랑스의 고전학파 경제학자. 가치(價値)의 원천을 효용에 있다고 규정하고 자본의 생산적 역할로써 이윤(利潤)을 설명, 공급은 수요를 낳는다고 하는 '세의 법칙(法則)'과 더불어 근대 경제학의 형성에 영향을 줌. 주저(主著)《경제학》. [1767-1832]
세⁷ 수〈옛〉셋. ¶ 三은 세히오 《月釋 I:15》.
세:⁸ 수〈방〉셋(경북).
세⁹【歲】의명 한자(漢字)말로 된 숫자(數字) 아래 쓰이어 나이를 나타내는 말. ¶ 방년 십팔 ~.
세:¹⁰ 관 '셋'의 뜻. ¶ ~ 개/~ 사람. *서¹²·석¹².
[세 닢 주고 집 사고, 천 냥 주고 이웃 산다] ㉠이웃이 매우 중요함을 이르는 말. ㉡집을 새로 살 때에는 먼저 그 이웃이 좋은가 살펴보라는 말. [세 사람만 우겨대면 없는 호랑이도 만들어 낼 수 있다] ㉠여럿이 힘을 합하면 무슨 일이나 할 수 있다는 말. ㉡여러 사람이 떠들며 소문낸 것이 무섭다는 말. *삼인 성호(三人成虎). [세 살 난 아이도 제 손엣 것 안 내놓는다] 제 것은 내놓기 싫어한다는 말. [세살 난 아이 물가에 놓은 것 같다] 위태위태하여 마음이 놓이지 않는다는 말. [세살에 도리질한다] 학문의 진도나 사업의 경영이 남보다 늦음의 비유. [세살 적 버릇이 여든까지 간다] 어린 때의 몸에 밴 버릇은 나이를 먹어도 좀처럼 고치기 어렵다는 뜻. 곧 어릴 때부터 버릇을 잘 가르쳐야 함을 이르는 말. [세살 적부터 무당질을 하여도 목두기 귀신은 못 보았다] 오랜 동안 여러 사람을 겪어 보았으나 그 같은 사람은 처음이라는 말. [세 어이딸 두부 앗듯] 시끄럽기만 하고 일이 잘 안 된다는 말.
-세¹【世】의 ①(epoch)【지】'기(紀)'를 세분(細分)하는 지질 시대의 한 단위. 기(紀)의 아래 단위. ¶ 홍적(洪積)~. ②부자 상전(父子相傳)하거나, 동계 동명(同系同名)의 왕호(王號)의 선후대수(先後代數)를 나타내는 말. 대(代). ¶ 나폴레옹 3~/록펠러 2~.
-세² 어미 어떤 동사 및 '있다'의 어간(語幹)에 붙이어 자기와 동등하거나 손아래가 되는 사람에게 함께 하자는 뜻을 나타내는 종결 어미(終結語尾). ¶ 가~/보~/먹~/나누~/같이 있~.
세:가¹【世家】명 여러 대(代)를 이어 가며 나라의 중요한 지위에 있거나 특권을 누리는 집안. 교목 세가(喬木世家). 세족(世族).
세:가²【細苛】명 잘달고 번거로움. ——-하다 형여불
세:가³【貰家】명 셋집. 대가(貸家).
세:가⁴【勢家】명 ①권세가 있는 집안. 세문(勢門). ②↗세력가(勢力家).
세:가락-메추라기 명【조】[*Turnix tanki blanfordii*] 세가락메추라깃과에 속하는 새. 날개 길이 90-105mm 이고, 몸의 윗부분은 갈회색에 등과 허리에는 흑색과 밤색의 무늬가 있고 가슴은 등갈색이며 그 양측에는 검은 반점(斑點)이 산재(散在)함. 풀씨·벌레 같은 것을 먹음. 풀밭·산에 사는데, 한국·만주·북부 중국에서 번식하고 남부 이남의 지방에서 월동함. 삼반순(三斑鶉). 황암(黃鵪).

〈세가락메추라기〉

세:가락메추라기-목【—目】명【동】[Hemipodii] 조류에 속하는 한 목.
세:가락메추라깃-과【—科】명【조】[Turnicidae] 세가락메추라기목(目)에 속(屬)하는 한 과. 중형의 조류로서 부리가 짧고 그 기부는 피막(被膜)으로 싸였는데 뒷발가락이 없음. 암컷이 더 크고 알은 수컷이 품음. 마른 초원, 수목이 우거진 곳에 살며, 번식기에는 지상에 둥지를 짓고 4-6 개의 알을 낳음. 오스트레일리아를 중심으로 31종이 분포함.
세가락 모릐 명〈옛〉세(細)모래. ¶ 물아래 세가락 모릐 아무리 밟다 발자최 나며 《古時調 類聚》.
세:가락-정읍【—井邑】명【악】조선 시대의 궁중 연례악(宴禮樂)의 하나인 '동동(動動)'의 속칭.
세가리 명〈방〉서까래(경북).
세:가 문권【貰家文券】[—꿘] 명 가옥의 대차(貸借) 계약서. 차주(借主)가 가옥주(家屋主)에게 일정한 금액을 기탁하고 별도로 집세를 내지 않고 퇴거(退去)할 때 기탁금을 돌려 받는 전세(傳貰) 계약서와, 매월 일정한 집세를 치르고 또 대차의 기한을 정하는 월세(月貰) 계약서의 두 가지 구분이 있음.
세:가 소:탈【勢家所奪】명 권세가 있는 사람에게 빼앗기는 바가 됨.
세:가 자제【勢家子弟】명 권세가 있는 집안의 자제.
세:간¹ 명 집안 살림에 쓰는 모든 기구. 살림살이. 가장 집물.
세:간(을) 나다 구 함께 살던 사람이 따로 살림을 차리다. 분가하다.
세:간(을) 내:다 구 함께 살던 사람을 따로 내보내어 살림시키다.
세:간²【世間】명 ①세상(世上). 인환(人寰). ¶ ~의 비난을 받다. ②【불교】중생(衆生)이 서로 의지하며 살아가는 세상. ↔출세간(出世間).
세:간³【洗肝】명 간을 씻어 깨끗하게 한다는 뜻으로, 마음을 정결하게 함. 세심(洗心). ——-하다 자여불
세:간-노름 명〈방〉소꿉 장난(함남).
세:간-녹질 명〈방〉소꿉질(함경). ——-하다 자
세:간-놀이 명〈방〉소꿉질(황해). ——-하다 자
세:간-붙이 [—부치] 명 세간¹.
세:간-살이 명 세간¹.
세:간-인【世間人】명 세상 사람.
세:간-지【世間智】명【불교】삼지(三智)의 하나. 범부(凡夫)의 외도(外道)의 속된 지혜 또는 세간 일반의 보통 지혜. 세속지(世俗智). 세지(世智). 속지(俗智).
세:간-차지 명 남의 집 세간을 맡아 보는 사람.
세:간 청지기 명〈방〉세간차지.
세:간 치레 명 ☞세간 치장. ——-하다 자여불
세:간 치장【—治粧】명 세간을 매만지고 가꾸는 일. ——-하다 자여불
세간티니 (Segantini, Giovanni) 명【사람】이탈리아의 화가. 밀라노에서 수학(修學). 스위스·이탈리아의 알프스 지방의 목가적(牧歌的) 풍경화를 많이 그림. 독자적인 색채 분할 기법(色彩分割技法)을 연구, 점묘풍(點描風)의 필법으로, 밝은 색과 딱딱한 선묘(線描)를 결합시킨 화면을 그려냈음. [1858-99]
세:간-해【世間解】명【불교】여래 십호(如來十號)의 하나. 세간의 모든 것을 잘 아신다는 뜻으로, 불타(佛陀)를 일컫는 말. *무상사(無上士).
세:강 속말【世降俗末】명 세상이 그릇되어 모든 풍속이 아주 어지러움. ——-하다 형여불
세:객¹【勢客】명 권세 있는 사람. 세력가(勢力家).
세:객²【歲客】명 세배(歲拜)꾼.
세:객³【說客】명 능란한 말솜씨로 각지를 유세하러 다니는 사람.
세:거¹【世居】명 한 고장에서 대대로 사는 일. ——-하다 자여불
세:거²【細鉅】명 작은 일과 큰 일. 세대(細大).
세:-거리 명 세 갈래로 난 길. 삼거리.
세:거-우【洗車雨】명 음력 7월 7일에 내리는 비. 일설에는 7월 6일에 오는 비라고도 함.
세:거지-지【世居之地】명 대대로 살고 있는 고장.
세:걸-산【世傑山】[—싼] 명【지】전라 북도 남원시(南原市)에 있는 산. [1,222 m]

세:검【細檢】명 ①잔단 행위. 세행(細行). ②세사(細査).

세:검-정【洗劍亭】명〖지〗①서울 경복궁(景福宮) 뒤 창의문(彰義門) 밖에 있는 정자. 인조 반정(仁祖反正) 때 이귀(李貴)·김류(金瑬) 그 밖의 지사(志士)들이 이곳에 모여 광해군(光海君)을 폐위할 것을 의논하고 칼을 씻어 이 이름이 생겼다 함. ②관서 팔경(關西八景)의 하나. 평안 북도 강계군(江界郡) 만포(滿浦)에 있는 정자. 고려 말에 여진(女眞)을 물리치고 이곳에 둔 진(鎭)의 군사들이 유연장(遊宴場)으로 사용한 정자임.

세게 부〈방〉빨리(경상).

세-게기 명〈방〉쇠고기(충남·경남).

세:견【細見】명 ①자세히 들여다봄. 상세히 관찰함. ②상세히 볼 수 있도록 만든 지도(地圖) 같은 것. ——하다 타여불

세:견-선【歲遣船】명〖역〗조선 시대에 쓰시마(対馬) 섬을 비롯하여 일본 각지에서 해마다 정기적으로 건너오는 사송선(使送船)이나 무역선(貿易船). 삼포 왜란(三浦倭亂) 전까지 공식적으로 200여 척에 달했는데, 왜인(倭人)의 격(格)에 따라서 배의 척수를 제한하고, 우리 나라에서 발행한 입국 증명(入國證明)인 서계(書契)·도서(圖書)·노인(路引)·문인(文引)·상아부(象牙符) 등을 가지고 와야 됨. 세약선(歲約船). 흥리선(興利船). 흥판선(興販船).

세:겹-살 명 ☞삼겹살.

세경¹ 명〈방〉소경¹(경기·충남).

세:경²【細徑】명 소로(小路).

세:경³【細莖】명 가는 줄기.

세:경-놀이【世經—】명〖민〗제주도 지역에서, 큰 굿의 마지막께에서 하는 농업신 세경을 위하는 의식 및 연주놀이. 조·보리 농사의 경작에서 수확까지의 과정을 재현함.

세:경-본풀이【世經本—】명〖민〗제주도 무속(巫俗) 노래의 하나. 지상의 외동딸 세경이 옥황 상제 문선왕의 아들 문 도령과 혼인하고 인간 세상에 내려와 오곡과 가축을 맡아 본다는 서사적인 무가임.

세:계¹【世系】명 대대의 계통(系統).

세:계²【世界】명 ①온 세상. ¶～ 지도. ②〖불교〗〔능엄경(楞嚴經)에서 '世'는 과거·현재·미래의 삼세(三世), '界'는 동·서·남·북·상·하의 육방(六方)의 뜻〕널리 중생(衆生)이 삶을 영위하는 범위. ③우주(宇宙). 곧 일체의 존재와 현상의 총체. ④〖철〗객관적 현상의 일체의 범위. ⑤지구(地球) 또는 지구상의 인류 사회 전체. ⑥같은 종류끼리 모이거나 이념(理念)과 목적을 같이하는 사람의 집단 또는 관찰 방법에 의한 특수한 범위. ¶문학의 ～/젊은이의 ～.

세:계³【稅契】명〖역〗중국의 계세(契稅) 제도에 있어서 인계전(印契錢)을 징수한 관아에서 발행 교부하는, 관인을 찍은 공증 증서. 인계(印契).

세:계⁴【歲計】명〖경〗①한 회계 연도 내의 세입·세출의 총계. ②일년 동안의 수입과 지출의 총계.

세:계 감:기【世界感氣】명〖의〗1918년 스페인의 마드리드에서 발생하여 전세계에서 2,129만 명의 사망자를 낸 것으로 추정되는 '스페인 감기'를 일컬음.

세:계 개벽론【世界開闢論】[—논] 명〖철〗우주 개벽론(宇宙開闢論).

세:계 경제【世界經濟】명〖경〗세계의 전인류와 전지역을 범위로 하여 성립되는 경제. 국제 간의 교통 기관의 발달, 교섭의 밀접 등으로 일국의 상품 생산이 자국(自國) 내의 수요에 그치지 아니하고, 세계 시장을 목표로 하여 행하여지며 각국의 경제가 세계적으로 접근·밀착(密着)하여 형성된 경제.

세:계 경제 연차 보:고【世界經濟年次報告】명 1948년 이래, 국제 연합이 해마다 세계 경제의 동향을 분석하여 발표하는 보고서 《세계 경제 개관(World Economic Survey)》의 일컬음.

세:계-고【世界苦】명〔도 Weltschmerz〕〖철〗인간의 욕망·욕구를 충족하지 못하는 데서 오는 고뇌. 인간 세계의 결함과 사악(邪惡)에서 오는 인간의 고뇌.

세:계 고:금【世界古今】명 세계의 옛적이나 현재.

세:계 공민【世界公民】명〔도 Weltbürger〕세계 국가 또는 세계 협동체의 성원(成員). 스토아 학파(Stoa學派) 및 예수교회 사회관(社會觀)에서 유래한 관념임.

세:계 공:황【世界恐慌】명〔world crisis〕〖경〗온 세계에 걸친 경제 공황. 19세기 중엽 이후 여러 번 있었으나, 특히 1929년 12월에 뉴욕 주식 거래소(株式去來所)에서의 주가(株價) 폭락으로 시작하여, 자본주의 제국(諸國)으로 파급, 세계적 규모로 진행된 공황이 그 대표적인 예임.

세:계-관【世界觀】명〔도 Weltanschauung〕〖철〗세계의 구성의 의의(意義)나 가치에 관한 통일적 견해. 세계 및 인생을 해석·평가하고 의의(意義)를 부여하는 총체(總體)라는 뜻에서 민족성·전통·환경·교육·운명 등을 기반으로 하여, 생(生)의 자기 반성(自己反省) 및 세계의 지적 파악(知的把握)에서 한 걸음 더 나아가, 직접적인 정의적(情意的) 평가를 포함한 인생관(人生觀)보다 더 포괄적인 개념. 낙천(樂天)주의·염세(厭世)주의·숙명론(宿命論) 및 종교적·도덕적·유물론적·기계론적인 여러 견해가 있음. *인생관.

세:계관-설【世界觀說】명〖철〗세계관학(世界觀學).

세:계관 정당【世界觀政黨】명〖정〗종교·사상 등에서 특정한 입장을 취하기를 고집하는 정당의 한 유형. ↔이익(利益) 정당.

세:계관-학【世界觀學】명〖철〗일정한 세계관의 수립을 목적으로 하는 것이 아니고, 역사적으로 존재하는 여러 세계관을, 그 근원이 되는 삶의 현실에 대한 여러 태도와 관련시키면서 유형적(類型的)으로 비교·고찰하는 것으로서 철학의 본무(本務)로 삼는 학(學)의 입장(立場). 그 대표자인 딜타이는 세계관의 유형을 자유의 이상주의·자연주의·객관적 유심론(唯心論)의 세 가지로 나누고 있음. 세계관설.

세:계 교:육자 회:의【世界教育者會議】[—/—이] 명〔The World Teacher's Conference〕세계 교원 조합 연맹의 제창으로 1953년 7월 오스트리아 빈시(市)에서 개최된 회의. 유럽·아시아·아랍 등 48개국에서 640만의 교원 대표 485명이 참가했으며, 인권·자유·평화의 옹호를 강조한 세계 교육 헌장에 의하여 그 결론을 널리 각국에 소개함. 동서(東西)를 결부시키는 교육 부문의 평화 회의로서의 첫 시도임.

세:계 교:직 단체【世界教職團體】명〔World Organization of the Teaching Profession〕교육을 통하여 세계의 평화와 인류의 복지(福祉)를 도모할 목적으로 1946년에 결성된 세계 각국의 교육자의 단체. 1952년에 발족된 세계 교직 단체 총연합으로 통합·흡수됨.

세:계 교:직 단체 총:연합【世界教職團體總聯合】[—년—] 명〔World Confederation of Organization of the Teaching Profession〕1952년 덴마크의 코펜하겐에서 세계 교직 단체·국제 중등 교원 연합·국제 연합 교육 협회 등 세 단체의 발전적 해소에 따라 설립한 세계 교원 조직의 총연합체. 참가 단체는 서방측(西方側)의 각국에 한하며, 그 운동도 직능적(職能的)·보수적인 색채가 농후하여 국제적 친선 단체에 그침. 약칭: 더블유 시 오 티 피(WCOTP).

세:계 교:회 운:동【世界教會運動】명〔Ecumenical Movement〕〖종〗교회 합동 운동(教會合同運動).

세:계 교:회 협의회【世界教會協議會】[—/—이—] 명〔World Council of Churches〕〖기독교〗1948년 네덜란드의 암스테르담에서 결성된 천주교회를 제외한 대다수의 세계 기독교회의 국제 협력 조직. 세계 교회 회의의 집행 기관임. 약 110개국 300여 교파가 가맹하고 있음. 천주교회는 옵서버만을 보냄. 약칭: 더블유 시 시(W.C.C). *교회 합동 운동.

세:계 교:회 회:의【世界教會會議】[—/—이] 명〖기독교〗세계 교회 협의회가 1948년 이후 6년마다 여는 대회. 1961년 제3회 때에는 로마 가톨릭 교회·러시아 정교회도 참여함.

세:계 국가【世界國家】명〔world state〕인류(人類) 전체에 의하여 구성되며, 전세계에 걸쳐 이루어지는 국가. 고대(古代)에 있어서 알렉산더 대왕의 이상(理想)과 중세(中世)의 가톨릭교에 의한 세계의 통일(統一)과 근대에 있어서 시민 계급의 세계적 연대(連帶) 등은 다 이것을 표방한 것임. 제2차 세계 대전 후, 전쟁의 비참(悲慘)함을 반성하고 아인슈타인 등에 의하여 세계 국가주의가 제창되어, 각국의 공명자(共鳴者) 사이에 연맹(聯盟)이 조직됨. 세계 연방(世界聯邦). *세계 연방 운동·세계 정부(世界政府).

세:계 기독교 선명회【世界基督教宣明會】명 박애(博愛) 정신과 인도주의 정신에 입각하여, 불우한 어린이들의 구호를 목적으로 하는 기독교 사회 봉사 기관. 1950년 미국 캘리포니아 주에서 창립됨. 1953년에 한국에 지부가 설치됨.

세:계 기록【世界記錄】명 경기 등에서 그 때까지의 기록을 깨뜨린 세계 최고 기록(最高記錄). 세계 신기록.

세:계 기상 감시 계:획【世界氣象監視計劃】명〔World Weather Watch: WWW〕1963년 세계 기상 회의 이후 시작된 전지구적(全地球的)인 기상 관측 계획. 국제적인 협력으로써 세계의 관측망과 예보(豫報) 통보(通報)·해석(解析) 업무를 확대 강화하여 인류 복지에 공헌하고자 하는 것을 목적으로 함.

세:계 기상 기구【世界氣象機構】명〔World Meteorological Organization: W.M.O.〕유엔 전문 기구의 하나. 기상 관측망(網)을 확립하여 기상 정보의 교환을 촉진하며, 항해·항공·농업 그 밖의 활동에 있어서의 기상 관측의 응용 촉진을 목적으로 함. 1991년 현재 가입국은 158개국. 본부는 제네바. 우리 나라는 1956년 3월 16일 가입함. *세계 기상 회의.

세:계 기상의 날【世界氣象—】[—/—에—] 명 세계 기상 기구가 1950년 3월 23일에 발족한 것을 기념하고, 기상 정보의 국제적 교환의 중요성을 계몽하기 위하여 설정한 날. 1960년 6월에 열린 세계 기상 기구 집행 위원회에서 매년 3월 23일로 정하고, 한국에서는 1961년부터 실시되었음.

세:계 기상 주간선【世界氣象主幹線】명〖기상〗세계 기상 통신계(通信系)의 하나. 워싱턴·모스크바·멜버른의 세계 기상 중추(世界氣象中樞)와 독일의 오펜바흐, 인도의 뉴델리, 일본의 도쿄 등 지구(地區) 통신 중추를 잇는 고속도(高速度) 텔레타이프 회선(回線). 세계 각지의 기상 관측 자료(資料)·예상 일기도(日氣圖)와 해석(解析) 결과 등을 단시간 안에 상호 교환하기 위한 것임.

세:계 기상 회:의【世界氣象會議】[—/—이] 명 세계 기상 기구 가맹국의 기상 기관장(機關長)을 수석 대표로 하는 가맹국 대표로 구성되어 4년에 한번 개최되는 국제 회의.

세:계 기시【世界起始】명〖불교〗불교의 우주 개벽론. 개벽초에 아무것도 없던 것이 각명(覺明)과 공매(空昧)가 서로 기다려 흔들림이 일어나서 바람이 되고, 금석(金石)·불·물·바다·산이 차례로 생기어 인연이 끊어지지 않고 연달아 모든 것이 생겨났다 함.

세:계 기업【世界企業】명 월드 엔터프라이즈.

세:계 기후 계:획【世界氣候計劃】명〔World Climate Program: WCP〕〖기상〗세계 기상 기구(世界氣象機構)가 1980년부터 4년간 세계 각국의 협력 아래, 이상 기상(異常氣象)·기후 변동(氣候變動)의 원인과 그 영향에 대하여 국제적으로 연구하기로 한 계획.

세:계 난민의 해【世界難民—】[—/—에—] 명 난민의 생활 문제, 조국에의 귀환, 현재지에서의 정착(定着)·동화(同化) 등을 촉진하기 위해, 1958년의 제13회 국제 연합 총회에서 설정한 해. 1959년 6월 30일부터 1960년 7월 1일까지의 1년간.

세:계내 존재【世界內存在】명〖철〗하이데거(Heidegger)에서 시작된 실존 철학의 근본 개념. 인간 존재의 본질 구조. 세계 속에 다른 존재자와 교섭을 가지면서 존재하는 인간이, 존재자 일반을 초월한 존재 의

미(意味)의 기반(基盤)인 세계에 있어 존재하는 일. 그로 인해 원본적(原本的) 실존이 가능해짐.

세:계 노동 조합 연맹【世界勞動組合聯盟】[ㅡ년ㅡ] [명] 〔World Federation of Trade Unions〕 1945년에 파리에서 파시즘 타도와 영구 평화 확립을 위하여 창립한 국제적 노동 조직. 1949년에 미(美)·영(英)·네덜란드 등 반공 진영이 탈퇴(脫退)하여 1991년 현재 73개국에 2억 6천만 명이 가맹하고 있음. 반공적 색채를 띤 국제 자유 노동 조합 연맹과 더불어 국제적 노동 운동의 2대 세력임. 약칭:더블유 에프 티 유(WFTU). [준]세계 노련(勞聯). *국제 자유 노동 조합 연맹.

세:계 노련【世界勞聯】[명] ↗세계 노동 조합 연맹.

세:계 농림업 센서스【世界農林業ㅡ】〔census〕[ㅡ님ㅡ] [명] 세계 농림업에 관한 국제 조사. 제1차 세계 대전 후는 국제 연맹, 제2차 세계 대전 후는 국제 연합의 제안에 의하여 일정한 조사 사항·조사 방식으로 그 가맹국이나 그 제안에 찬성하는 각국이 일정한 해에 세계적 규모로 실시함.

세:계 대:전【世界大戰】[명] 〔World War〕 세계적인 규모로 일어난 대전쟁. 보통, 제1차 및 제2차 세계 대전을 일컬음. [준]대전(大戰).

세:계 도서의 해【世界圖書ㅡ】[ㅡ/ㅡ에ㅡ] [명] 1970년 11월 파리에서의 제16차 유네스코 정기 총회에서 채택·제정된 1972년의 일컬음. 사회 발전과 인류 복지 향상에 도서가 기여하는 바를 기념하기 위해 제정됨.

세:계 도시【世界都市】[명] 중추 관리 기능(中樞管理機能)을 특정 도시에 집중하지 않고 네트워크에 의하여 분산시킨 다핵적(多核的)인 광역(廣域) 도시. 과밀(過密)과 그에 따르는 환경 악화(環境惡化)를 방지할 수 있음. 에큐메노폴리스(ecumenopolis).

세:계-력【世界曆】[명] 〔world calendar〕〖천〗 날짜와 주일(週日)을 고정(固定)되게 만든 역법(曆法). 1년을 십삼 주(十三週)씩 사계(四季)로 나누고, 각계(各季)는 30일, 31일, 30일의 삼 개월(三個月)로 하고 따로 주외일(週外日), 곧 무요일(無曜日)을 평년에는 1일, 윤년에는 2일을 둠. 1930년경부터 미국의 아켈리스 여사(Achelis女史)가 제창함.

세:계 무:대【世界舞臺】[명] 세계적인 범위에서의 활동 분야. *국제 무대.

세:계 무:역 기구【世界貿易機構】[명] 우루과이 라운드의 종결(終結)에 따라 종전의 가트(GATT)의 조직을 흡수·확대하여 1995년에 설립하기로 합의한 새로운 국제 기구로서의 다각적(多角的) 무역 기구. 가맹국(加盟國)과 가맹 지역에 의한 각료 회의(閣僚會議)를 최고 의사 결정의 장(場)으로 삼으며, 전체 이사회(理事會) 밑에 분쟁 처리 기관과 무역 정책 심사 기관을 갖게 됨. 더블유 티 오(WTO).

세:계 문학【世界文學】[명] ①그 내용이 보편적이며 범세계적으로 읽혀지는 문학. ②개개 국가의 국민성을 기반으로 하면서 보편적인 인간성의 표현을 지향하는 통일적인 문학 개념. 괴테가 주창함. ③한국 문학에 대한 세계 각국의 문학.

세:계 문화사 대:계【世界文化史大系】[명] 〔The Outline of History〕〖책〗 영국의 역사가 웰스(Wells, H.G.)가 저술한 사학서(史學書). 1920년 간행됨. 제1차 세계 대전 후의 군비(軍備) 없는 세계 국가의 구상(構想)과 이상(理想)에 의거하여 우주의 발생과 인류의 기원으로부터 시작해서 인류 문화의 발전의 자취를 개설(槪說)한 종합적 세계사(世界史)임. 일명 '세계사 개관'.

세:계-민【世界民】[명] 인종·민족·종교·국적·사상의 구별 없이 인류는 모두 평등하다는 입장에서, 세계는 한 나라이며 사람들은 그 한 나라의 국민이라는 생각에서 이르는 말임.

세:계 반:공 연맹【世界反共聯盟】[ㅡ넌ㅡ] [명] 〔World Anti-Communist League; WACL〕 '세계 자유 민주 연맹'의 전신.

세:계 방:송 통신 기구【世界放送通信機構】[명] 아이 아이 시(IIC).

세:계-법【世界法】[ㅡ뻡] [명] 전세계를 국가·민족 등을 초월한 하나의 사회로 보고 '사회가 있는 곳에 법이 있다'는 입장에서 이론상 필연적으로 존재한다고 생각되는 법. 자연법 사상에 기초를 두는 것으로, 미래형(未來形)의 국제법이라고도 함.

세:계 보:건 기구【世界保健機構】[명] 〔World Health Organization〕〖사〗 유엔의 전문 기구의 하나. 보건 위생 향상을 위한 국제 협력이 목적임. 전염병의 정보, 위생 통계의 교환 등을 행함. 1992년 현재 168개국이 가맹하고 있으며, 우리 나라는 1949년 8월 7일 가입함. 본부는 제네바. 국제 보건 기구. 약칭:더블유 에이치 오(W.H.O.).

세:계 보:건일【世界保健日】[명]〖사〗 세계 보건 기구(保健機構)가 발족한 것을 기념하는 날. 해마다 4월 7일임. 우리 나라에서는 이 날을 기념하여 1973년에 '보건의 날'로 정하였음.

세:계 불교도 우의회【世界佛敎徒友誼會】[ㅡ/ㅡ이ㅡ] [명]〖불교〗〔World Fellowship of Buddhists; WFB〕 1950년 버마의 랑군에서 결성된 전세계 불교의 포괄적인 국제 협력 조직. 2-3년마다 총회로서 세계 불교도 회의를 개최함. 1963년에 한국 지부 위원회가 결성됨.

세:계 불교도 회:의【世界佛敎徒會議】[ㅡ/ㅡ이] [명]〖불교〗 세계 불교도 우의회가 1950년 이후 한 해 또는 두 해 걸러 개최하는 대회. 제1회는 스리랑카의 콜롬보에서 열렸음.

세:계 불교 승가회【世界佛敎僧伽會】[명]〖불교〗 1966년 스리랑카의 콜롬보에서 결성된 불교 승려들의 국제적인 조직체. 본부는 스리랑카의 콜롬보. 4년마다 총회를 엶. 한국은 1976년에 가입함.

세:계 불교 청년회【世界佛敎靑年會】[명]〖불교〗 1972년 스리랑카의 콜롬보에서 결성된 청년 불교 신도들의 국제적 조직체(組織體). 본부는 타이의 방콕에 있으며, 2년마다 총회를 엶. 한국은 1972년에 가입함.

세:계-사【世界史】[명] ①통일적인 연관성을 가진 하나의 전체(全體)로서의 인류의 역사. 또, 그러한 견지에서 쓰여진 인류의 역사. 만국사. ②동양사와 서양사를 합편(合編)한 역사.

세:계 사격 선:수권 대:회【世界射擊選手權大會】[ㅡ꿘ㅡ] [명] 국제 사격 연맹이 올림픽 대회의 중간 연도에 개최하는, 올림픽 대회 종목으로서의 라이플 사격 및 클레이 사격의 세계 선수권 대회. 본디, 1897년 프랑스 리옹에서 제1회를 연 뒤, 부정기적으로 열리다가, 1954년의 제36회 카라카스(Caracas) 대회 이후 4년마다 열리게 됨. 우리 나라는 1970년 제39회 대회부터 참가, 1978년에 제42회 대회를 서울에서 엶.

세:계 산:업 노동자 동맹【世界産業勞動者同盟】[명]〖사〗 아이 더블유 더블유(I.W.W.).

「계의 모습.

세:계-상【世界像】[명] 〔도 Weltbild〕 어떤 일정한 입장에서 표사되는 세

세:계-선【世界線】[명] 〔world line〕〖물〗 러시아의 물리학자 민코프스키(Minkowski)가 제창한 시공(時空) 세계의 세계점(世界點)의 궤적(軌跡). 세계점이 질점(質點)을 대표하는 경우는, 세계선은 질점이 각 시각(時刻)에 어떠한 공간점(空間點)을 통하여 운동하는가를 표시하는 선임. *세계점(世界點).

세:계 선주 민족 협의회【世界先住民族協議會】[ㅡ/ㅡ이ㅡ] [명] 〔World Council of Indigenous Peoples〕 선주 민족의 주권적(主權的) 권리의 회복을 위한 국제 기구. 1975년 캐나다에서 발족됨.

세:계-수【世界樹】[명]〖종〗 생명수(生命樹)❶.

세:계-시【世界時】[명] 〔universal time〕 그리니치 자오선(子午線) 상의 평균 태양시로, 세계에서 일률적으로 쓰는 시법(時法). 그리니치시. 약칭:유티(UT).

세:계 시:민【世界市民】[명] 〔world citizen〕〖사〗 지구 상의 어느 특정 국가의 국적에서 벗어나 전체 세계 인류의 구성(構成) 개체로서의 시민(市民).

「형성되는 추상적(抽象的) 시장.

세:계 시:장【世界市場】[명]〖경〗 ①국제 시장. ②세계적 무역에 의하여

세:계 식량 계:획【世界食糧計劃】[ㅡ냥ㅡ] [명] 〔Wolrd Food Plan; WFP〕 1974년 11월의 세계 식량 회의의 결정에 응하여, 1974년 11월에 로마에서 열린 국제 연합 식량 농업 기구 이사회가 채택한, 세계 식량 안전 보장에 관한 국제 계획. 100만 달러의 기금(基金)을 설정하고, 각 나라 별로, 기본 식량, 특히 곡물(穀物)을 비축·유지함을 목적으로 함.

세:계 식량의 날【世界食糧ㅡ】[ㅡ냥ㅡ/ㅡ냥에ㅡ] [명] 세계 식량 농업 기구가 1945년 10월 16일에 창설됨을 기념하기 위하여 1979년에 설정한 날. 1981년 10월 16일에 그 제1회를 쇰.

세:계 식량 이:사회【世界食糧理事會】[ㅡ냥ㅡ] [명] 〔World Food Council〕 세계 식량 회의의 결의를 신속(迅速)하게 실시하기 위해 관계 각국의 의견을 조정(調整)하고 필요한 경우에는 권고(勸告)를 하는 국제 연합의 한 기구. 이사국(理事國)은 36나라. 1974년 11월 로마에서 열린, 세계 식량 회의의 결의(決議)에 따라 그 해 12월에 설립됨.

세:계 식량 정보 조:기 경:보 시스템【世界食糧情報早期警報ㅡ】[ㅡ냥ㅡ] [명] 〔Global Information and Early Warning System on Food and Agriculture〕 국제 연합 식량 농업 기구가 밀·쌀·사료 곡물·콩·축산물 등에 대한 자료(資料)를 각 나라에서 얻어, 현황(現況) 및 앞으로의 전망을 정기적으로 각국에 배포(配布)해 주는 제도. 1969년 12월에 제1회 보고를 발표하였음.

세:계 식량 회:의【世界食糧會議】[ㅡ냥ㅡ/ㅡ냥ㅡ이] [명] 〔World Food Conference〕 장기적인 세계의 식량 문제를 검토하기 위하여, 1974년 11월 5일부터 16일까지 로마에서 열린 국제 회의. 국제 연합 가맹의 133개국이 참가하여, '기아 및 영양 불량 해소에 관한 세계 선언'을 채택하고, 세계 식량 비축안(備蓄案)을 결의하였음. *세계 식량 계획.

세:계 신기록【世界新記錄】[명] 세계 기록.

세:계 십이대 문화재 유산【世界十二大文化財遺産】[명] 1978년에 유네스코의 세계 문화재 유산 위원회가 선정한, 세계적으로 가치가 있는 8개 문화 유적과 4개의 자연 유적지(遺蹟地). 15세기 말부터 이용되고 있는 폴란드 비엘리치카(Wieliczka)의 암염갱(岩塩坑), 폴란드 크라쿠프의 13세기의 역사 센터, 9-13세기의 북아메리카 토인의 벼랑 궁전(宮殿)이 보존되어 있는 미국 콜로라도 주의 메사버드(Mesa Verde) 국립 공원, 1872년에 창설된 세계 최초의 국립 공원인 미국 와이오밍 주의 옐로스톤 국립 공원, 북아메리카 대륙에 남아 있는 유일한 노르웨이인(人)의 유적지인 캐나다 뉴펀들랜드의 랑스오 초원(草原), 야생 동물과 장엄한 자연 경관(景觀)을 가진 캐나다 노스웨스트 지방의 나하니(Nahanni) 국립 공원, 1534년 스페인 사람의 정착(定着)으로 형성된 에콰도르의 옛 도시 키토(Quito), 다윈의 탐험 여행으로 유명한 동(東)태평양의 갈라파고스(Galapagos) 군도(群島), 시바 여왕(女王) 시대에 만들어진 바위를 잘라 지은 에티오피아 랄리벨라(Lalibela)의 교회(敎會), 희귀 동물을 갖고 있는 아프리카의 지붕인 에티오피아의 시미엔 국립 공원, 독일 아헨(Aachen)의 대성당(大聖堂), 노예 무역의 중심지로 건축학상 흥미 진진한 건물이 많은 세네갈의 고레(Goréo) 섬의 12유산.

세:계 아동의 해【世界兒童ㅡ】[ㅡ/ㅡ에ㅡ] [명] 1979년을 유엔의 세계 아동 인권 선언 선포(宣布) 20주년으로서 기념하기 위해 설정한 해. 1976년 제31차 유엔 총회에서 결정됨.

세:계 아동 인권 선언【世界兒童人權宣言】[ㅡ꿘ㅡ] [명] 1959년 10월 20일 유엔 총회 본회의에서 채택된 아동 복지를 위한 국제 인권 선언. 인류는 그가 갖는 최선의 것을 어린이에게 줄 의무가 있다는 전문(前文)과 어린이의 건전한 성장을 위해 그들이 보호받을 권리, 교육받을 권리가 있는 등의 10개조로 되어 있음.

세:계 아마추어 야:구 선:수권 대:회【世界ㅡ野球選手權大會】[ㅡ꿘ㅡ] 〔amateur〕 [명] 4년마다 한 번씩 열리는 국제 아마추어 야구 경기. 1회 대회는 1966년 미국의 호놀룰루에서 열렸음.

세:계 야:생 생물 기금【世界野生生物基金】[명] 〔World Wildlife Fund〕

1961년 호랑이·악어·고래 및 플라밍고 등, 남획(濫獲)이나 자연 파괴로 급속히 자취를 감추어 가고 있는 야생 생물을 국제 협력으로 보호하기 위하여 마련한 기금. 약칭:더블유 더블유 에프(WWF).

세:계-어【世界語】 명 〖언〗 ①세계적으로 널리 쓰이는 말. 영어·프랑스어 등. ②온 세상 사람이 다 같이 공통으로 쓸 수 있게 하기 위해 만든 말. 에스페란토 같은 것. 국제어.

세:계 여성의 해【世界女性―】[―/―에―] 명 〔International Women's Year〕〖사〗 평등·발전·평화를 향한 여성의 구실을 인식하기 위하여 1972년의 유엔 총회에서 설정하기로 결의한 해. 곧, 1975년.

세:계 여자 테니스 연맹【世界女子―聯盟】〔tennis〕 명 미국·오스트레일리아·프랑스 등의 프로 여자 테니스 선수가 1973년에 결성한 단체. 순회 경기도 가짐.

세:계 연방【世界聯邦】 명 세계 국가.

세:계 연방 운:동【世界聯邦運動】 명 〔World Government Movement〕 평화적으로 세계 국가(世界國家)를 건설하여 세계 정부를 수립하려는 운동. 제2차 세계 대전이 일어날 무렵에 태동(胎動)하여, 1945년에는 아인슈타인 등의 제창으로 표면화하여 1947년에 제1회 대회를 개최함. 국제적으로 두 개의 조직이 있어, 세계 연방론자 세계 협회(世界聯邦論者世界協會)는 본부를 암스테르담에 두고, 세계 정부를 위한 국회 의원 세계 협회는 본부를 런던에 두고 있음.

세:계 열강【世界列強】 명 세계의 여러 강대국.

세:계 영혼【世界靈魂】 명 〖철〗 세계 정신❶.

세:계 유산 조약【世界遺產條約】 명 세계의 귀중한 문화·자연 유산을 보호하기 위해 1972년 유네스코 총회에서 체결한 조약. 96년 현재 가맹국은 146개국. 문화 유산·자연 유산·문화 및 자연 복합 유산으로 구분하는데, 지금까지 등록된 곳은 이집트의 피라미드, 중국의 만리 장성, 폴란드의 아우슈비츠 강제 수용소, 인도의 타지마할 등 469개소이며, 우리 나라는 불국사 석굴암·해인사(海印寺)의 팔만 대장경·서울의 종묘(宗廟) 등 3개소가 문화 유산으로 등록됨.

세:계 은행【世界銀行】 명 '국제 부흥 개발 은행'의 통칭.

세:계-인【世界人】 명 ①세계적으로 유명한 사람. ②세계를 집으로 삼고 돌아다니는 사람. 코즈머폴리턴.

세:계 인구의 날【世界人口―】[―/―에―] 명 세계 인구의 팽창에 경각심을 불러 일으키기 위하여 세계 인구가 50억을 넘어선 1987년 7월 11일에 유엔이 선포한 날. 매년 7월 11일.

세:계 인구의 해【世界人口―】[―/―에―] 명 인류의 미래를 위협하는 인구 문제에 대한 인식을 촉구하는 뜻에서, 유엔이 설정한 1974년의 일컬음. 그 해의 8월 19일부터는 루마니아의 수도 부쿠레슈티에서 제3회 세계 인구 회의가 열려 '세계 인구 행동 계획'이 결의되었음.

세:계 인권 선언【世界人權宣言】[―꿘―] 명 1948년 12월, 파리의 제3차 유엔 총회에서 채택된 인권에 관한 세계 선언. 법적 구속력은 없고 하나의 이상을 제시한 것으로, 전문(前文)과 본문 30조로 이루어짐. 시민적·정치적 기본권 외에 사회 보장을 받을 권리, 노동권 및 교육을 받을 권리 등 경제적·사회적 권리를 규정하고 있음. 인권 공동 선언. ㊌인권 선언.

세:계 인권 선언 기념일【世界人權宣言紀念日】[―꿘―] 명 법무부 주관으로, 유엔에서 세계 인권 선언의 취지의 기념 행사를 하는 날. 12월 10일.

세:계-일【世界日】 명 〖지〗 지구 관측(地球觀測) 기간 중, 유성(流星)이 많이 나타나는 날이나 음력 초순(初旬)처럼 태양이나 지구의 활동이 심하여지는 날을 매월 3-4일 선정하여, 각국이 특히 관측을 강화하기로 한 날. *특별 세계일(特別世界日).

세:계 일보【世界日報】 명 ①광복 후에 창간하여 제19호를 내고 휴간 중이던《동신 일보(東新日報)》를 유자후(柳子厚) 등이 인수하여 1946년 2월 2일 제1호를 낸 종합 일간지. 얼마 못가 휴간하였고 이를 김종량(金宗亮) 등이 인수하여 47년 2월 14일 다시 제1호로 간행하였으나 휴간·정간 등의 곡절을 겪고 49년 1월 4일 기사 관계로 폐간됨. ②1989년 2월 1일 세계 기독교 통일 신령 협회 유지 재단에 의하여 창간된 종합 일간지.

세:계 잉:여【歲計剩餘】 명 〖경〗 세계 잉여금(歲計剩餘金).

세:계 잉:여금【歲計剩餘金】 명 〖경〗 국고(國庫)에서 1년간에 실제로 수입된 금액에서 지출된 금액을 빼고도 국고에 남는 출납 잔액. 다음 해의 세입에 이월(移越)됨. 세계 잉여.

세:계 자연 헌:장【世界自然憲章】 명 자연 환경의 보호를 천명(闡明)하고, 자연에 영향을 주는 사람의 행동을 지도하고 판단할 수 있는 공동 기준의 원리를 표명한 헌장. 1978년 10월 5일 소련의 아시하바드 시(市)에서 열린 국제 자연 보호 연합(國際自然保護聯合)의 제14차 총회에서 채택됨. 전문(前文)과 기본적 의무, 사람의 책임, 헌장 시행을 위한 요청의 세 장(章)으로 이루어짐.

세:계 자유 민주 연맹【世界自由民主聯盟】 명 〔World League for Freedom and Democracy:WLFD〕 자유와 민주주의를 사랑하는 모든 세계 자유민 상호 간의 협력 관계를 유지함으로써 세계 평화와 자유를 지키고 인류의 복지 증진을 도모하기 위하여 결성된 기구. 1990년 7월 종전의 '세계 반공 연맹'을 개칭한 것임.

세:계 장애자의 해【世界障礙者―】[―/―에―] 명 심신(心身) 장애자의 사회 참여와 적응, 장애자를 위한 복지 정책 수립 및 각종 시설의 개선 등을 촉진하기 위하여, 1976년 제31차 유엔 총회의 결의로 설정한, 1981년의 일컬음.

세:계 재:향 군인 연맹【世界在鄕軍人聯盟】 명 〔World Veterans Federation; W.V.F.〕 프랑스의 재향 군인 단체가 제창해서 1950년 파리에서 조직된 재향 군인의 국제 단체. 전쟁에 의한 상병자(傷病者)와 유가족의 생활 보호 운동, 이를 위한 국제 회의 개최와 정보 교환, 평화 헌혈(獻血) 등의 활동을 하고 있음. 유엔 경제 사회 이사회에 대하여 발언권도 가짐. 우리 나라의 재향 군인회는 1961년 가입함.

세:계-적【世界的】 명관 온 세계에 관계되는 모양. 세계성(性)을 띤 모양.

세:계-점【世界點】[―쩜] 명 〔world point〕〖물〗 러시아의 물리학자 민코프스키(Minkowski)가 제창한, 시공(時空) 세계 위의 한 점. 이에 의하여 공간의 위치와 시각(時刻)이 지정됨. *세계선.

세:계 정부【世界政府】 명 세계 국가를 구상(構想)하는 공동 통치 이념으로서의 정부. *세계 연방 운동. 세계 국가.

세:계 정세【世界情勢】 명 세계가 움직여 나가고 있는 형편. 국제 정세.

세:계 정세 교:서【世界情勢敎書】 명 〖정〗 미국의 외교 및 국방에 관한 교서를 일컫는 말. 1970년 닉슨 대통령이 처음으로 의회에 제출하였음. 외교 교서.

세:계 정신【世界精神】 명 〖철〗 ①우주나 세계를 지배하는 통일 원리로서의 정신. 세계 영혼(世界靈魂). 우주 정신. ②헤겔 철학에서는 세계사 속에 자기를 전개하여 실현하는 정신을 말함.

세:계 정책【世界政策】 명 〖정〗 ①19세기 말 이래 뚜렷하여진 열강국(列強國)의 대외 팽창(對外膨脹) 정책. 정치·경제·군사면에 있어서의 제국주의적인 대외 정책을 말함. ②세계 정세를 참작하여 취하는 각국의 대외 정책. 특히, 강대국의 입장에서 세워진 것을 일컬음.

세:계 종교【世界宗教】 명 〖종〗 인종·국적·성별·계급 등을 초월하여 온 세상에 널리 퍼져 신앙되는 종교. 기독교·불교·회교를 3대 세계 종교라고 함. ↔민족 종교.

세:계-주의【世界主義】[―/―이] 명 〔cosmopolitanism〕 온 인류를 동포로 보고 세계 국가를 상정(想定)함으로써 고원(高遠)한 인류 사회의 통일을 꾀하려고 하는 입장. 멀리는 퀴니코스 학파·스토아 학파가 있으며, 기독교적 세계 종교도 이러한 입장을 주장함. 유니버설리즘. *세계 국가·세계 연방 운동.

세:계주의-자【世界主義者】[―/―이―] 명 세계주의의 사상을 가진 사람. 코즈머폴리턴. 유니버설리스트.

세:계 지구계【世界地溝系】 명 〔world rift system〕〖지〗 전지구적인 규모로 지구 표면에 연속되는 균열을 일컫는 말로서 대양(大洋) 중앙 해령(海嶺)과 상호 연결되어 있는 계(系). 당김 작용에 의한 균열이 생기는 곳인 동시에 해양저(海洋底) 확대의 원인을 이루는 것으로 생각되는 마그마 분출(噴出)의 장소임. 「(輿地圖).

세:계 지도【世界地圖】 명 〖지〗 세계를 그린 지도. 만국 지도. 여지도

세:계 지적 재산권 기구【世界知的財產權機構】[―쩍―꿘―] 명 〔World Intellectual Property Organization〕 유엔 전문 기구의 하나. 국제 저작권(著作權) 조약·국제 산업 재산권 조약 등, 산업·과학·문학·예술 분야의 지적(知的) 활동에서 발생하는 모든 권리를 보호하기 위해 체결된 국제 조약들을 행정적으로 관리하는 기구. 우리 나라는 1979년에 가입함.

세:계 칠대 불가사의【世界七大不可思議】[―때―/―때―이] 명 〔seven wonders of the world〕 로마 제정기(帝政期)의 필로(Philo)가 말한 7개의 대건축물 및 예술 작품. 곧, 이집트의 피라미드, 아시리아(Assyria)의 여왕 세미라미스(Semiramis)의 바빌론(Babylon)의 가공 정원, 에페수스(Ephesus)의 아르테미스(Artemis) 신전(神殿), 페이디아스(Pheidias)의 올림피아(Olympia)의 제우스(Zeus) 상(像), 소아시아의 할리카르나소스(Halikarnassos)의 마우솔레움(Mausoleum), 로도스(Rhodos) 섬의 아폴론(Apollon) 거상(巨像) 및 알렉산드리아(Alexandria)의 파로스(Pharos) 섬의 등대를 가리킴. 일설(一說)에는 페르가몬(Pergamon)의 제우스(Zeus)의 제단(祭壇)을 들기도 함.

세:계 평화 평:의회【世界平和評議會】[―/―이―] 명 〔World Council of Peace〕 국제 평화의 실현과 옹호를 목적으로 하는 국제 조직. 1950년 바르샤바에서 열린 제2회 세계 평화 옹호자 대회에서 설립됨. 전쟁 반대, 원수폭(原水爆) 금지 운동 등 업적을 올리고 있음. 참가국은 약 120개국으로, 본부는 빈(Wien).

세:계-항【世界港】 명 〖지〗 연간 무역량(年間貿易量)이 300만 톤을 넘는 세계적인 항구. 또, 세계의 각 지방과 항로(航路)가 개척되어 있는 항구. 뉴욕·런던·안트베르펜·함부르크·홍콩 따위.

세:계 협력의 해【世界協力―】[―녀―/―녀에―] 명 국제 협력의 해.

세:계 형질론【世界形質論】 명 〖철〗 우주론. 「자타여불

세:계-화【世界化】 명 세계적으로 됨. 세계적으로 되게 함. ――하다

세:계 화:폐【世界貨幣】 명 〖경〗 어떠한 나라나 제한된 지역 안에서만 유통하는 것이 아니라 세계적 규모로 유통하는 화폐. 곧, 세계 경제를 기능 영역(領域)으로 하는 화폐. 지금(地金)이 오늘날의 실질적인 세계 화폐이고, 외국 환(換)어음이 그 대용물임.

세:계 환경의 날【世界環境―】[―/―에―] 명 1972년 6월 5일, 스웨덴의 스톡홀름에서 제1회 국제 연합 인간 환경 회의가 개최된 날을 기념하기 위하여 제정한 날. 해마다 6월 5일.

세:계 휴일【世界休日】 명 세계력(世界曆)에서 12월 31일과 윤년의 6월 31일. 주외일(週外日). 무요일(無曜日).

세:고[1]【世故】 명 속세의 일. 세상 일. 세사(世事).

세:고[2]【細故】 명 작은 사고(事故). 작은 일.

세-고기 명 〈방〉 쇠고기(충남).

세:고리 자루 명 〖고고학〗 칼자루 끝에 안 쪽이 터진 작은 고리 셋이 위쪽과 좌우에 붙어 꾸며진 것. 삼환두(三鐶頭).

세고비아[1] 〔Segovia〕 명 〖지〗 스페인 중앙부의 도시. 마드리드 북서쪽, 과다라마(Guadarrama) 산맥의 북서부 기슭에 위치함. 로마인이 건설하였으며 이슬람이 지배한 후 카스티야 왕국(Castilla王國)의 수도가

됨. 로마 시대의 수도교(水道橋)와 중세의 고딕 사원 등이 남아 있음. [53,000 명(1981)]

세고비아² 〔Segovia, Andrés〕 명 『사람』 스페인의 기타 연주가. 낭만파와 현대 주법(奏法)의 중간을 취한 독자적인 주법(奏法)을 창안, 기타 연주의 제일인자로 클래식을 편곡·연주하는 등 기타의 예술성을 높이는 데 공헌함. [1894-1987]

세:곡 【稅穀】 명 조세(租稅)로 바치는 곡식.

세:골-장 【洗骨葬】 [-짱] 명 『고고학』 시체를 일단 안치한 다음, 육탈(肉脫)하면 뼈만을 골라 다시 묻는 일. *두번묻기.

세:골-창 【細骨窓】 명 『건』 세살창.

세:공¹ 【細工】 명 ①작은 물건을 만드는 수공(手工). ②잔손이 많이 가는 수공.

세:공² 【細孔】 명 가는 구멍.

세:공³ 【歲功】 명 ①해마다 철을 따라 짓는 농사. ②해마다 해야 할 일.

세:공⁴ 【歲貢】 명 연말(年末)에 바치는 공물(貢物).

세:공-물 【細工物】 명 세공한 물건. 세공품(細工品). *수예품(手藝品).

세:공-인 【細工人】 명 세공을 하는 일을 업으로 하는 사람. 세공에 재주가 있는 사람.

세:공-장 【細工場】 명 세공품을 만드는 공장.

세:공-재 【細工材】 명 세공에 쓰이는 재료.

세:공-품 【細工品】 명 세공물(細工物).

세:과¹ 【細過】 명 작은 과실.

세:과² 【歲過】 명 해가 지나감. 세월이 흐름. ――-하다 자여불

세:-과목 【細科目】 명 세분(細分)한 과목.

세:관¹ 【世官】 명 세습(世襲)하는 관직.

세:관² 【細管】 명 가느다란 관.

세:관³ 【稅官】 명 세리(稅吏).

세:관⁴ 【稅關】 명 ①『역』 개항장(開港場)에서 수출입세(輸出入稅) 징수 등 사무를 관장하던 관아. 융희(隆熙) 원년(1907)에 베풀어 4년까지 존속함. ②관세청장 소속 하의 한 관청. 비행장·항만·국경 지대에서 관세·돈세(噸稅)의 부과 징수, 수출입 화물의 단속, 수출입 화물에 대한 내국세(內國稅)의 부과 징수 등의 사무를 관장함. 서울·부산 등 전국 30곳에 있으며, 관하에 출장소·감시서를 둠.

세:관 가:치장 【稅關假置場】 명 『법』 세관에서 검사한 물건을 임시로 보관하는 곳.

세:관 감시서 【稅關監視署】 명 ①『역』 밀수출입을 막기 위하여 선박을 감시하던 관아. 융희(隆熙) 원년(1907)에 베풀어 4년에 폐함. ②『법』 세관 관할 지역(管轄地域) 안의 특정한 곳에 설치하여, 세관장 지휘 감독 아래 관세 경찰·범칙(犯則) 처분에 관한 사무를 처리하게 하는 관서. 서장(署長)은 관세 주사(主事) 또는 관세 주사보(補)등으로 보(補)함.

세:관 공항 【稅關空港】 명 항공기에 의한 수입 화물에 관세를 부과하기 위하여 법으로 지정한 공항. 세관 비행장.

세:관 구내도 【稅關構內渡】 명 『경』 화물을 세관 구내에서 인도(引渡)할 것을 조건으로 하는 매매 계약. 국제 무역에서 화물의 인도 장소를 정하는 매매 조건의 하나로, 외국 화물의 매주(賣主)가 세관에 대한 일체의 수입 절차를 마친 후, 세관 구내에서 화물을 매주(買主)에게 인도하는 방법. ㊌세관도.

세:관-도 【稅關渡】 명 『경』 ↗세관 구내도.

세:관 면:장 【稅關免狀】 [-짱] 명 『법』 세관에서 발행하는 허가장. 세관을 경유하는 화물·선박에 대하여 그 수출입 선적(船積)·회조(回漕)·입항(入港)·출항(出港) 등을 허가하는 서장(書狀). 수출 면장·수입 면장·반송 면장 따위.

세:관 보:세 구역 【稅關保稅區域】 명 통관 절차를 밟고자 하는 물품을 장치(藏置) 또는 검사하기 위한 장소.

세:관 비행장 【稅關飛行場】 명 세관 공항.

세:관 수수료 【稅關手數料】 명 『법』 세관에서 받는 수수료의 총칭. 세관 가치장(假置場)의 임시 개청(開廳) 특허 수수료, 화물의 반입 반출 및 취급 특허 수수료, 세관에서 정한 장소 이외에 있어서의 검사 특허 수수료, 외국 무역선 불개항(不開港) 출입 허가 수수료, 증명서·수출입 화물 일계표(日計表) 및 기타 선박 화물에 관한 계표(計表)를 청구할 때 납부하는 수수료 등이 있음.

세:관-원 【稅關員】 명 항구·비행장 또는 국경 지대에서, 여객의 소지품·수출입 화물에 대하여, 검사·허가·관세 사무를 맡아 보는 사람.

세:관 인력 【細管引力】 [-일-] 명 『물』 모세관 인력(毛細管引力).

세:관-장 【稅關長】 명 『법』 관세청장의 지휘·감독 하에 세관 사무를 장리하고, 소속 공무원을 지휘 감독하는 각 세관의 장.

세:관 출장소 【稅關出張所】 [-짱-] 명 『법』 세관(稅關) 관할 지역 안의 특정한 곳에 관세 공무원을 출장시키, 세관장의 업무를 분장(分掌)하게 하는 관서(官署). 소장은 행정 사무관으로 보(補)함.

세:광 【洗鑛】 명 『광』 구덩이 속에서 파낸 광석을 물에 씻어 흙과 잡물(雜物)을 떨어 버리는 일. ――-하다 타여불

세:괘 【細罫】 명 『인쇄』 가는 괘.

세-괴기 명 〈방〉 쇠고기(충남·경남).

세:교¹ 【世交】 명 대대(代代)로 사귀어 온 교분(交分). ¶훈의 아버지와 윤 주사는 ～ 관계로 형님 아우님으로 지냈다《黃順元 : 카인의 후예》.

세:교² 【世教】 명 세상의 가르침. 사회의 풍교(風教).

세:교³ 【勢交】 명 오교(五交)의 하나. 세력을 얻기 위한 교제. *세리지교(勢利之交).

세구¹ 명 〈방〉 석유(石油)(충남·전라·경상).

세:구² 【世仇】 명 대대로 내려오는 원수. 세수(世讎).

세:구³ 【歲久】 명 여러 해가 지나 꽤 오램. 세월이 많이 지남. ――-하다 형여불

세:구-균 【細球菌】 명 『생』 작은 공 모양으로 된 균.

세구랍다 형 〈방〉 시다(경상).

세:구 연심 【歲久年深】 명 연구 세심(年久歲深).

세:국 【世局】 명 세상의 판국. 시국(時局).

세:군 【細君】 명 〔동방 삭(東方朔)이 그의 아내를 농담 삼아 부른 고사(故事)에서〕 한문 편지 등에서 자기의 아내를 상대하여 일컫는 말.

세굳-차다 형 ☞ 힘차다.

세:궁 【細窮】 명 약하고 궁함. 매우 가난함. ――-하다 형여불

세:궁-민 【細窮民】 명 매우 가난한 사람. 약하고 궁한 사람. 세민(細民)과 궁민(窮民).

세:궁 역진 【勢窮力盡】 [-녁-] 명 기세가 다 꺾이고 힘이 빠짐. 기진맥진(氣盡脈盡)하여 꼼짝할 수 없게 됨. ――-하다 자여불

세:권¹ 【稅權】 [-꿘] 명 ①과세의 권리. ②국제 무역에서, 관세(關稅) 징수를 대등하게 보지(保持)하는 권리.

세:권² 【勢權】 [-꿘] 명 세력과 권력. 권세(權勢).

세귀:르 〔Ségur〕 명 『사람』 프랑스의 여류 작가. 구명(舊名)은 소피 로스토프친(Sophie Rostopchine). 모스크바 총독 로스토프친의 딸로 세귀르 백작과 결혼함. 손자들을 위하여 많은 동화를 썼는데, 아동 문학의 고전으로 남는 대표작 《불행한 소피》·《당나귀 이야기》 등이 있음. [1799-1874]

세규¹ 명 〈방〉 석유(石油)(충청·전라·함남).

세:규² 【世規】 명 세상의 규율(規律).

세:균 【細菌】 명 『식』 세균 식물(植物)에 속하는 생물의 통칭. 생물계(生物界) 중에서 가장 미세(微細)하고 하등(下等)인 단세포 생활체로서 육안(肉眼)으로는 볼 수 없고, 구조가 매우 간단함. 엽록소(葉綠素)가 없으며 세포막과 원형질(原形質)로 됨. 다른 것에 기생하여 발효·부패시키고 병원(病原)이 되나, 반면 항생 물질·비타민 및 백신 생산 등 의약(醫藥)의 제조, 식품 가공에 쓰이며, 유전학 등 생물학 연구에 도움이 되기도 함. 균체(菌體)의 분열에 의하여 번식하지만 포자(胞子)에 의하여 번식하기도 함. 미균(黴菌). 박테리아(bacteria). ㊌균(菌). *세균 식물.

1 2 3 4 5 6 7 8 9 10 11

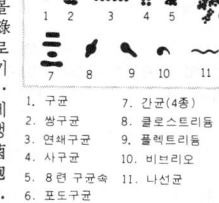

1. 구균 7. 간균(4종)
2. 쌍구균 8. 클로스트리듐
3. 연쇄구균 9. 플렉트리듐
4. 사구균 10. 비브리오
5. 8련 구균속 11. 나선균
6. 포도구균

〈세균의 종류〉

세:균-뇨 【細菌尿】 명 〔bacteriuria〕 『의』 백혈구가 적은데도 대장균·포도상 구균·연쇄상 구균 따위 세균이 많이 들어 있어 백탁(白濁)한 오줌. 신장(腎臟)이나 방광(膀胱)·요도(尿道)의 병이 원인임. 오줌 속에 들어 있는 세균의 종류에 따라, 대장균뇨(大腸菌尿)·결핵균뇨(結核菌尿) 등으로 구별됨.

세:균 독소 【細菌毒素】 명 〔bacteriotoxin, bacterial toxin〕 세균에 의해 만들어지는 독소. 세균 안에 들어 있으며, 붕괴(崩壞)에 의해서 나오는 균체내(菌體內) 독소와 세균에 의해 생성되고, 세균이 체외(體外)에 배출(排出)하는 균체외 독소로 대별됨.

세:균-론 【細菌論】 [-논] 명 〔germ theory〕 전염성·감염성 질환 등이 미생물이 원인이 된다고 하는 이론.

세:균 발광 【細菌發光】 명 〔bacterial luminescence〕 어떤 종류의 세균에 의한 발광(發光) 현상.

세:균 병기 【細菌兵器】 명 『군』 생물학 병기(生物學兵器)의 일종. 병원균 또는 인체에 해로운 세균·바이러스를 폭탄(爆彈) 등으로 적지(敵地)에 살포(撒布)하는 것. *생물학 병기.

세:균 비:료 【細菌肥料】 명 『농』 유용(有用)한 토양(土壤) 세균을 순수 배양(純粹培養)하여, 이것을 토양 또는 퇴비(堆肥)에 접종(接種)해서, 그 미생물상(微生物相)을 개량(改良)하려는 비료로서의 세균. 현재 실용화되고 있는 것은 뿌리혹박테리아뿐임.

세:균 색소 침착 【細菌色素沈着】 명 〔bacterial pigmentation〕 어떤 종류의 세균으로 생성(生成)되는 유기(有機) 화합물에 의해서, 배양액(培養液)이나 콜로니(colony)가 착색되는 일.

세:균 색전증 【細菌塞栓症】 [-쯩] 명 『의』 주로 화농균, 때로 결핵균 등의 세균 자체가 색전이 되어 정착(定着)하는 색전증의 하나. *세포 색전증.

세:균-성 【細菌性】 [-썽] 명 세균의 성질이 있는 것.

세:균성 농증 【細菌性膿症】 [-썽-쯩] 명 〔pyobacillosis〕 화농성(化膿性) 코리네박테륨(Corynebacterium)에 의해 양(羊)이나 돼지에 발생하는 세균성 전염병. 보통, 농양(膿瘍)을 특징으로 하지만, 양에 있어서는 만성(慢性)의 화농성 폐렴(肺炎)의 형태를 취함.

세:균성 뇌염 【細菌性腦炎】 [-썽-] 명 〔bacterial encephalitis〕 『의』 일차적 또는 이차적인 세균 감염(感染)에 의한 뇌의 염증(炎症).

세:균성 반점병 【細菌性斑點病】 [-썽-쩜뼝] 명 〔bacterial speck〕 『식』 식물(植物)의 잎이나 줄기에 작은 병반(病斑)이 생기는 식물 세균병의 총칭(總稱).

세:균성 식중독 【細菌性食中毒】 [-썽-] 명 『의』 세균의 오염으로 생기는 병. 복통·구토·설사·두통·발열(發熱) 등의 급성 위장 장애의 증상을 나타냄. 때로는 손발이 차가워지고 부정맥(不整脈) 현상과 치아노제(Zyanose)의 증상을 나타낼 때도 있음.

세:균성 연:부병 【細菌性軟腐病】 [-썽넌-뼝] 명 〔bacterial softrot〕 조직이 연화 부패(軟化腐敗)하고 붕괴(崩壞)하는 식물 세균병의 총칭.

세:균성 이:질 【細菌性痢疾】 [-썽-] 명 〔bacillary dysentery〕 『의』 이질균(痢疾菌)의 경구(經口) 감염으로 일어나는 급성 전염병. 잠복기(潛伏期)는 약 2-7 일. 발열(發熱)이 심하며 뒤가 무겁고 피가 섞인 점액질(粘液質) 설사를 하는 것이 특징임. 세균성 적리.

세:균성 적리 【細菌性赤痢】 [-썽-니] 명 『의』 세균성 이질.

세:균 식물 【細菌植物】 명 『식』 〔Bacteriophyta〕 원핵(原核) 생물의 진정(眞正) 세균류와 광합성(光合成) 세균류를 합친 무리를 식물로 분류했을 때의 한 문(門). 미소(微小)한 단세포 생물로, 때로는 다수(多數)가 모여 콜로니(colony)를 형성함. 분열(分裂)에 의해 번식하지만 포자(胞子)를 만들 때도 있음. 일반적으로 유성 생식(有性生殖)은 알려져 있지 않으나 접합(接合)을 하는 것도 있으며, 독립 영양(獨立營養)과 기

생성(寄生性)으로 나뉨. 구균(球菌)·간균(桿菌)·나선균(螺旋菌) 등이 있는데, 진정(眞正) 세균류·스피로헤타류·리케차류·방선균류(放線菌類) 등으로 분류함.

세:균 여:과기【細菌濾過器】[―녀―] [명]〔bacterial filter〕〖의〗약제(藥劑)의 수용액(水溶液)·액체 배양기(培養基) 등으로부터 세균을 없애기 위하여 사용하는 여과기. 규조토(珪藻土)·도토(陶土)·아스베스토스(asbestos) 등의 다공질(多孔質)의 재료를 여과막(濾過膜)으로 하여 만듦. 특히 혈청(血淸)·세균 독소(毒素) 등 열(熱)에 약한 물질을 포함하는 재료를 여과하여 세균을 없애는 데 씀.

〈세균 여과기〉

세:균 역적【勢均力敵】[―녁―] [명] 세력이 서로 균등(均等)하고 힘이 서로 비슷함. ――하다 [형][여불]

세:균 유전학【細菌遺傳學】[―뉴―] [명]〔bacterial genetics〕〖의〗박테리아의 유전과 변이(變異) 형식을 연구하는 세균학의 한 분야.

세:균-전【細菌戰】[명]〖군〗세균을 무기로 이용하는 전법. 전염병 등의 병원균(病原菌)을 배양하여 이것을 투하(投下)·살포(撒布) 또는 혼입(混入)함으로써 적의 전투력 및 생산력을 약화시킴. 세균 전쟁.

세:균 전:쟁【細菌戰爭】[명] 세균전.

세:균 폭탄【細菌爆彈】[명] 세균 병기의 한 가지. 투하(投下)하면, 탄체(彈體)는 폭발하지 않고 뚜껑이 자동적으로 열리어, 세균이 묻은 곤충(昆蟲)을 퍼뜨림.

세:균-학【細菌學】[명]〔bacteriology〕〖생〗세균을 연구하는 생물학의 한 분과(分科). 기초 과학으로서, 세균의 형태·생리·분류·분포·변이(變異)·유전·진화 등에 관한 연구를 함. 코흐(Koch)와 파스퇴르(Pasteur)에 의해 개발된 이래, 지금은 역학(疫學)·혈청학(血淸學)·병리학(病理學)·면역학(免疫學)·바이러스학(virus 學)·항생 물질학·수의학·농예화학·토양학(土壤學) 등과 밀접한 관계를 맺음. 미균학(黴菌學).

세:균 협막【細菌莢膜】[명]〔bacterial capsule〕어떤 종류의 세균을 싸고 있는, 두꺼운 점막성(粘膜性)의 외피(外被). 폴리펩티드(polypeptide)·탄수화물(炭水化物)로 형성됨.

세:균형 광합성【細菌型光合成】[명]〔bacterial photosynthesis〕녹색(綠色) 세균·홍색(紅色) 세균이 빛의 에너지를 이용하여 유기(有機) 화합물을 합성하는 일.

세:균 효소【細菌酵素】[명]〔bacterial enzyme〕세균에 의해서 생성(生成)된 대사(代謝) 반응 촉매(觸媒)의 총칭(總稱).

세그럽다 [형]〈방〉시다(경상).

세그레〔Segrè, Emilio Gino〕[명]〖사람〗이탈리아 태생의 미국의 물리학자. 캘리포니아 대학 교수. 중성자(中性子)·방사성 화학 등 핵물리학(核物理學) 분야를 널리 연구함. 1959년 공동 연구자인 체임벌린(Chamberlain, O.)과 더불어 노벨 물리학상 수상. [1905-89]

세그먼트〔segment〕[명]〖토〗실드 공법(shield工法)에 의하여 굴착하는 터널의 제1차 복공재(覆工材).

세:극【細隙】[명] ①가느다란 틈. ②〖물〗슬릿(slit).

세:근¹【細根】[명]〖식〗토양 중에서 직접 양분이나 수분을 흡수하는 측근(側根)이 분화(分化)된 말단(末端). 근모(根毛).

세:근²【細瑾】[명] '세근(細謹)'을 잘못 쓴 데서, 전(轉)하여, 작은 흠. 사소한 잘못.

세:근³【細謹】[명] 작은 일을 삼감. 작은 일에도 조심함. ――하다 [자][여불]

세:금¹【稅金】[명] 조세(租稅)로서의 돈. 조세로 바치는 돈. 세전(稅錢).

세:금²【貰金】[명] 세놓은 물건을 쓴 대가(對價)로서 지불하는 돈.

세:금 세:공【細金細工】[명]〔filigree〕〖미술〗금은(金銀)을 가늘게 늘여 장식 등으로 이용한 세공. 일찍이 이집트에서 발달하여 그리스·이탈리아에서는 기원전 3세기경에 그 기술이 최고조에 달하였고, 인도·중국에서도 발달하였음. 특히, 우리 나라 신라(新羅) 시대의 금세공은 세계에 유례(類例)가 없을 정도로 정교(精巧)함.

세:-금속【細金屬】[명] 세밀한 공예품을 만드는 쇠붙이.

세기¹ [명]〈방〉석유(石油)(강원·충북·제주·함경).

세:기² [명] 수를 세는 일. 수를 세는 것.

세:기³【世紀】[명]〔century〕①시대(時代) 또는 연대(年代). ¶ 중(中)~. ②서력(西曆)에 있어서 100년을 단위로 하여 연대를 세는 말. 21세기는 2001년부터 2100년까지. ③지금의 세기. 현대.

세:기⁴【稅期】[명] 납세 또는 징세(徵稅)의 시기.

세:기⁵【貰器】[명] 세를 받고 빌려 주는 그릇.

세기디아〔스 seguidilla〕[명]〖악〗옛날부터 스페인 남부에서 행하여진 3박자(拍子) 단음계(短音階)의 민속 무곡(民俗舞曲). 빠르고 화려한 것부터 느리고 감상적인 것까지 여러 종류가 있음. 가극(歌劇) 카르멘에 이용된 것은 매우 유명함.

세:기-말【世紀末】[명] ①한 세기의 끝. ¶ 15 ~. ②〔프 fin de siécle〕〖문〗19세기 말엽의 유럽, 특히 프랑스를 지배한 회의적(懷疑的)·퇴폐적(頹廢的)·병적(病的)인 경향의 사조(思潮). ③어떤 사회의 몰락기에 나타나는 비정상적인 상태나 경향. 곧, 퇴폐·향락·염세·회의 등 모든 병적 경향(病的傾向)을 비유하여 일컫는 말. 말세기(末世紀). *말세(末世).

세:기말-적【世紀末的】[―쩍] [명][관] 세기말과 같은 경향이 있는 모양. 말세기적(末世紀的).

세:기-병¹【世紀病】[―뼝] [명] 그 세기에 특유한 병적인 경향. 시대병(時代病).

세:기-병²【洗氣甁】[―뼝] [명] 기체(氣體)를 액체(液體)로써 세척하거나 혹은 흡수(吸收)하는 데 쓰이는 기구. 액체욕(液體浴) 중에 기체를 유입(流入) 접촉시켜서 회수하는 형식의 것.

세:기-적【世紀的】[명][관] 세기(世紀)를 대표할 만한 모양. ¶ ~인 위업(偉業).

세김 [명]〈옛〉썩임. 삭임. ¶ 麴蘖 눌욱과 세김이니 술을 닐음이라《小諺 V:20》.

세까닥 [명]〈방〉혀¹❶(제주).

세까래 [명]〈방〉〖건〗서까래(강원·전라·경상).

세까랭이 [명]〈방〉〖건〗서까래(경북).

세까리 [명]〈방〉〖건〗서까래(경남).

세깡 [명]〈방〉석경(石鏡)(경북).

세껭 [명]〈방〉석경(石鏡)(전라·경남·강원).

세경 [명]〈방〉석경(石鏡)(경기·경상·제주·전라·충청·강원·황해·함남).

세끝 [명]〈방〉혀¹❶(황해).

세:-끼 [명] 하루에 세 번 먹는 밥.

[세 끼를 굶으면 쌀 가지고 오는 놈 있다] 정 궁하면 살 길이 나온다는 말. 하늘이 무너져도 솟아날 구멍이 있다.

세나꾸 [명]〈방〉새끼¹(전남).

세-나다¹ [자] 상처나 부스럼 같은 것이 덧나다.

세:-나다² [자] 그 물건을 찾는 사람이 많아서 잘 팔린다.

세:-나절 [명] 잠깐 동안에 간단히 끝마칠 수 있는 일을 일부러 느리게 하는 동안을 조롱으로 일컫는 말. ¶ 그까진 일을 가지고 ~ 꾸물거리고 있다.

세나클〔프 cénacle〕[명] ①예수의 최후의 만찬실. ②뜻을 같이하는 문학자·예술가의 모임.

세:난【世難】[명] 세상이 어지러워지는 일.

세:납【稅納】[명] 납세(納稅). ――하다 [자][여불]

세:납-자【稅納者】[명] 세금을 바치는 사람. 납세자(納稅者).

세낭쿠:르〔Sénancour, Etienne Pivert〕[명]〖사람〗프랑스의 소설가. 19세기의 낭만주의 사조의 선구자의 한 사람으로, 혁명 후의 현실 사회에 환멸을 느껴 불안·권태·허무감 및 절망적인 기분이 그의 작품 전편에 흐르고 있음. 작품은 《오베르망(Obermann)》·《인간의 근원적 성질에 관한 몽상(夢想)》 등. [1770-1846]

세:-내다【貰―】㊀[타] 돈을 주기로 약속하고 남의 것을 빌려 오다. ↔세놓다. ㊁[자] 셋돈을 주다.

세네가〔senega〕[명]〖식〗[*Polygala senega*] 애기풀과에 속하는 다년초. 높이 30cm 가량이고 뿌리는 큰 괴상(塊狀)이 갈라져서 구부러지고 이로부터 많은 줄기가 나오며, 잎은 긴 달걀꼴임. 백색 내지 담자색의 꽃이 줄기 끝에 작은 꽃차례로 피고, 뿌리는 '세네가근(senega根)'이라 하여 약용으로 쓰임. 북아메리카 원산으로, 재배함.

세네가-근【―根】〔senega〕[명]〖약〗세네가(senega)의 뿌리를 말린 것. 쪄서 거담제(祛痰劑)로 씀.

세네갈〔Sénégal〕[명]〖지〗아프리카 서부(西部)의 한 공화국. 북쪽은 모리타니, 동쪽은 말리, 남쪽은 기니와 기니비사우, 서쪽은 바다에 면함. 국토의 대부분은 표고 100m 이하의 저지(低地)이며 주민(住民)의 약 80%가 이슬람교도이고 공용어는 프랑스어(語)임. 농업이 주이며 세계 유수의 땅콩 생산지임. 다카르를 중심으로 식품 가공·식용 유지 공업이 행해짐. 1958년 프랑스 공동체 안의 자치 공화국, 1959년 수단과 함께 말리 연방으로 독립했다가 1960년 다시 분리 독립, 1982년에 감비아와 통합하여 연방이 되었다가 89년에 다시 분리됨. 수도는 다카르(Dakar). [196,722km²: 7,500,000명(1991 추계)]

세네갈 강【―江】〔Sénégal〕[명]〖지〗아프리카의 서부 세네갈과 모리타니(Mauritanie)의 국경을 흐르는 강. 말리의 기니 고지(高地)에서 발원하여 대서양으로 흘러 들어감. [1,680km]

세네카〔Seneca, Lucius Annaeus〕[명]〖사람〗고대 로마의 스토아 학파 철학자. 로마에서 변론가로 성공, 네로(Nero) 황제의 교사, 집정관(執政官) 등이 되었으나, 모반의 혐의를 받고 자살하였음. 저서 《도덕적 서한》 등에서 고귀·엄숙한 도덕을 말하여 후세에 영향을 주었음. [4?B.C.-A.D.65]

세:념【世念】[명] 세상살이에 대한 온갖 생각.

세노이-족【―族】〔Senoi〕[명] 사카이족(Sakai族).

세:농【細農】[명] ①소규모로 짓는 농사(農事). ②↗세농가(細農家).

세:농-가【細農家】[명] ①아주 가난한 농가. ②소규모로 농사를 짓는 집.

세:농-민【細農民】[명] 영세농(零細農). [준]세농(細農). ↔대농가.

세:-놓다【貰―】[―노타] [타] 돈을 받기로 하고 자기 물건을 남에게 빌려 주다. ¶ 방을 ~. ↔세내다.

세:뇌【洗腦】[명] ①〖군〗한국 전쟁에 있어서, 중공군(中共軍)이 국련군(國聯軍) 포로(捕虜)를 수면 부족, 혹은 공복(空腹)으로 인한 일종의 정신 마비(精神痲痺) 상태에 빠지게 하여, 이를 이용하여 공산주의 사상을 주입(注入)했던 일. ②어떤 관념(觀念)으로 머리가 굳어진 사람에게 선전(宣傳)이나 계몽(啓蒙)을 통하여 새로운 사상(思想)을 주입(注入)함. ¶ ~ 공작. ――하다 [타][여불]

세뇨〔이 segno〕[명]〖악〗기호(記號). 보통, '기호 있는 데까지 연주하라'는 뜻의 al segno 따위로 쓰임. 기호로는 보통, 𝄋이 쓰임.

세:뇨-관【細尿管】[명]〖생〗신장(腎臟) 속에 있는 혈액에서 나오는 오줌을 모으는 무수한 가는 관(管). 오줌을 모아서 신우(腎盂)로 보냄. 요세관.

세뇨라〔스 señora〕[명] '미시즈(Mrs.)'의 스페인어.

세뇨르〔스 señor〕[명] '미스터(Mister)'의 스페인어.

세뇨리타〔스 señorita〕[명] '미스(Miss)'의 스페인어.

세뇨보스〔Seignobos, Charles〕[명]〖사람〗프랑스의 역사가. 파리 대학 교수. 정치 현상의 이론적 파악에 신생면(新生面)을 엶. 주저 《현대 유럽 정치사》. [1854-1942]

세:-누비【細―】[명] 누빈 줄이 썩 촘촘하고 고운 누비. *중누비.

세니〔Segni, Antonio〕[명]〖사람〗이탈리아의 정치가. 인민당에 소속했다가 무솔리니 정권하에서는 정계를 떠남. 제2차 대전 후 기독교 민주당 재건에 참가. 농업 문제에 밝아, 여러 차례 수상·각료를 역임, 1962-64년 대통령을 지냄. [1891-1972]

세닐웨 [명]〈옛〉세이레. 삼칠일(三七日). ¶ 내 처섬 道場애 안자 세 닐웻 소시를 스랑호요티《釋譜 XIII:57》.

세:닢-부치 [명]〈심마니〉잎이 셋 난 산삼.

세:다[1] 자 〔중세 : 셰다〕 ①머리털이 생리적으로 희어지다. ¶ 머리가 ~. ②얼굴의 혈색이 없어지다.

세:다[2] 타 〔중세 : 혜다〕 ①사물(事物)의 수효를 계산하다. ¶ 돈을 ~. ② ⌊↗세우다.

세다[3] 형 〈방〉 시다[5](평안).

세:다[4] 형 〔중세 : 세다〕 ①힘이 많다. ¶ 힘이 ~. ②주량이 크다. ¶ 술이 ~. ③세력이 크다. ¶ 화력(火力)이 ~. ④마음이 굳세다. ¶ 고집이 ~. ⑤딱딱하고 뻣뻣하다. 또, 보드랍지 아니하고 거칠다. ¶ 가시가 ~/살결이 ~/성품이 ~. ⑥풍속(風速)이나 유속(流速)이 빠르다. ¶ 바람이 ~/물살이 ~. ⑦궂은 일이 자주 일어 좋지 아니하다. ¶ 팔자가 ~/집터가 ~. ⑧일이 벅차서 감당해 나가기가 힘들다. ¶ 일이 센 집. ⑨장기·바둑 등의 수가 높다. ¶ 바둑은 약하지만 장기는 ~.

세:다가【勢多迦】 명 〔범 Cetaka〕 『불교』 팔대 동자(八大童子)의 여덟 번째. 긍갈라 동자(矜羯羅童子)와 같이 부동 명왕(不動明王)의 협사(脇士)로서, 오른쪽에 섬. 동자의 모습을 하고 홍련색(紅蓮色)이며, 머리에 천의(天衣)를 두르고 왼손에 박일라(縛日羅), 오른 손에 금강봉(金剛棒)을 가짐. 진심(瞋心)·악성(惡性)이므로 가사(袈裟)를 입지 아니함. 제타가(制吒迦). 제타가 동자(制吒迦童子).

〈세다가〉

세다리 명 〈방〉 사닥다리(전남·경북).

세다숫 명 〈옛〉 셋이나 다섯. ¶ ᄒᆞ다가 세다ᄉᆞ시어나 ᄒᆞ다가 百千이어나(若三五若百千)≪圓覺 下 二之一 61≫.

세:단[1]【細斷】 명 가늘게 자름. ——-하다 타여불

세:단[2]【歲旦】 명 정월 초하루 아침. 원단(元旦).

세단[3] 〔미 sedan〕 명 상자 모양에 좀 납작하고, 운전사석을 따로 칸막이하지 아니한 4-6명이 타게 된 보통의 승용차(乘用車).

〈세단[3]〉

세:단-뛰기【一段一】 명 육상 경기에서, 도약 운동(跳躍運動)의 하나. 금에서 앙감질하고, 처음은 앙감질한 발로, 다음은 딴 발로 뛰어 두 발로 땅에 떨어지는 넓이뛰기. 홉 스텝 앤드 점프. 구용어:삼단도(三段跳).

세:담【細談】 명 쓸데없는 잔말.

세:답[1]【洗踏】 명 빨래❶.

세:답[2]【貰畓】 명 남에게 세를 내고 얻어 짓는 논.

세:답-방【洗踏房】 명 『역』 조선 시대에, 궁중의 육처소(六處所)의 하나. 빨래·다듬이질·다림질 등을 맡은 곳. *침방(針房).

세:답방 나:인【洗踏房一】 명 『역』 조선 시대에, 세답방에 딸린 나인. ⌊*침방 나인.

세:답-장사【洗踏一】 명 〈방〉 마전장이

세:답-장이【洗踏匠一】 명 〈방〉 마전장이.

세:답 족백【洗踏足白】 명 '상전(上典)의 빨래에 종의 발꿈치가 희게 된다'는 말로, 남의 일을 하여 주면 그만한 소득이 있다는 뜻.

세대[1] 명 『어』 〈방〉 서대기.

세:대[2]【世代】 명 ①여러 대(代). 여러 연대(年代)의 층(層). ②한 대(代). 약 30년을 한 구분으로 하는 연령층. ¶ 한 ~ 뒤진 사람. ③세상(世上). ¶ ~가 달라지다. ④한 시대 사람들. 제너레이션(generation). ¶ 젊은 ~. ⌊~.

세:대[3]【世帶】 명 의명 가구(家口).

세:대[4]【細大】 명 ①가는 것과 굵은 것. ②작은 일과 큰 일.

세:-대가리 명 『식』 [*Lipocarpha microcephala*] 방동사니과에 속하는 일년초. 줄기는 높이 30cm 내외이고 잎은 근생하며 협선형(狹線形)이고 길이가 줄기와 거의 같음. 6-8월에 서너 개의 화수(花穗)가 줄기 끝에 족생(簇生)하며, 과실은 수과(瘦果)임. 전포(田圃)의 습지에 나는데, 제주·전남·경기·경남에 분포함.

세:대 교번【世代交番】 명 〔alternation of generation〕 『생』 생물의 번식 형태의 하나. 무성 생식(無性生殖)을 하는 무성 세대와 유성 생식(有性生殖)을 하는 유성 세대가 번갈아 나타나는 현상. 동물에는 해파리·진디, 식물에는 선태류(鮮苔類)에서 볼 수 있음. 세대 윤회(輪廻). 세대 교체.

세:대 교체【世代交替】 명 ①『생』 세대 교번. ②젊은이가 늙은이와 교대하여 어떤 일을 맡아 봄. ——-하다 자여불

세:대-박이 명 돛대 셋을 세운 큰 배. 삼대선.

세:-대삿갓【細一】 명 여승(女僧)이 쓰는 대삿갓을 고운 대오리로 만들었다 하여 일컫는 특칭(特稱).

세:대수 촌:수제【世代數寸數制】 [一쑤一쑤一] 명 『법』 주로 혈연(血緣)의 원근(遠近), 세대수(世代數)의 다소(多小)를 기준으로 한 일반적인 계산법(計算法)에 의해 촌수를 산정(算定)하는 제도. 어떤 두 사람 사이의 촌수는 항상 동일함. 인척도 혈족과 같이 촌수를 계산하지만 배우자간에는 촌수가 없음. 현행 민법에서는 이 계산법을 씀. *계급 촌수제.

세:대 시간【世代時間】 명 〔generation time〕 『물』 핵분열(核分裂)로 생긴 한 개의 중성자(中性子)가 새로운 핵분열을 일으키는 데 드는 평균 시간. ⌊균 시간.

세:대 윤회【世代輪廻】 명 『생』 세대 교번(世代交番).

세:대-적【世代的】 명관 세대에 관한 모양. 연대(年代)의 층(層)에 관한 모양. ¶ ~인 차이점(差異點).

세:대-주【世帶主】 명 한 세대의 주장이 되는 사람. 가구주(家口主).

세:-대:패【細一】 명 〈방〉 겹대패.

세당 명 〈옛〉 목책(木柵). ¶ 세당 칙(柵)≪字會 中 6≫.

세:덕[1]【世德】 명 대대로 쌓아 내려오는 아름다운 덕화(德化).

세:덕[2]【勢德】 명 힘이 센 은혜(恩惠). 권세의 여덕(餘德).

세:덕[3]【歲德】 명 『민』 한 해 가운데 유덕(有德)한 방위(方位)에 있는 신(神). ⌊(神).

세:도[1]【世途】 명 세로(世路).

세:도[2]【世道】 명 ①세상을 올바르게 다스리는 도리. ②세상의 도의.

세:도[3]【勢道】 명 ①정치상의 권세를 장악(掌握)함. ¶ ~를 부리다. ②『역』 조선 정조(正祖) 이후에 권문 척신(權門戚臣)이 왕(王)의 신임을 받아 정권을 쥐고 행사하던 일. *세도 정치. ——-하다 자여불

세:도가 빨랫줄이다 구 세도가 든든하고 길다.

세:도(를) 부리다 구 자기의 사회적 지위나 권세를 이용하여 부당하게 세력을 부리다. 세도(를) 쓰다.

세:도(를) 쓰다 구 세도(를) 부리다.

세:도-가【勢道家】 명 세도하는 사람. 또, 그 집안.

세:도-꾼【勢道一】 명 세도 쓰는 사람.

세:도막 형식【一形式】 명 〔ternary form〕 『악』 악곡의 형식이 3개의 큰 악절, 즉 24마디로 이루어진 것. 곡의 첫째와 끝 악절은 비슷하게 하거나 같게 하고, 가운데 악절은 다르게 하는 것이 보통임. 12마디로 된 것은 작은 세도막 형식이라 함. 구용어:삼부분 형식.

세:도 인심【世道人心】 명 세상의 도의와 사람의 마음.

세:도 재:상【勢道宰相】 명 ①세도를 잡고 국가의 대권(大權)을 좌우하는 재상. ②세도 정치(勢道政治)를 하는 재상.

세:도 정치【勢道政治】 명 『역』 조선 정조(正祖) 이후, 세도가(勢道家)에 의하여 관리(官吏)의 임면(任免), 왕명(王命)의 출납, 상주 건의(上奏建議), 군기 국무(軍機國務)에 이르기까지의 온갖 정사가 좌우되던, 일종의 신임(信任) 정치. 세도가는 왕실의 신임만 받으면 관직의 고하(高下)와는 상관없이 정권을 장악하게 되므로, 왕권의 쇠퇴에 따른 변태(變態) 정권이라고도 할 수 있음. 정조 때의 홍국영(洪國榮)에게서 비롯하며 당쟁과 결부되었음. *세도(勢道).

세도프 〔Sedov, Leonid〕 명 『사람』 소련의 우주 과학자. 모스크바 대학을 졸업하여, 1937년부터 모스크바 대학 교수로 있으면서, 폭발 이론과 가스 역학의 권위자로서 달 로켓 스푸트니크의 발사에 공헌함. [1907-]

세:독【細讀】 명 글에 맛을 들여 자세히 읽음. *정독(精讀). ——-하다 타여불

세:동가리-돔 명 『어』 [*Chaetodon modestus*] 나비고깃과에 속하는 바닷물고기. 길이 12-15cm로 몸은 짧고 높으며 주둥이가 내밀고 입은 작음. 몸빛은 아름다운 담갈색으로, 체측에 석 줄의 갈색 가로띠가 있음. 배지느러미는 흑색, 가슴지느러미는 담색임. 한국 남부·일본 중부 이남·대만 및 필리핀 등의 연해에 분포함.

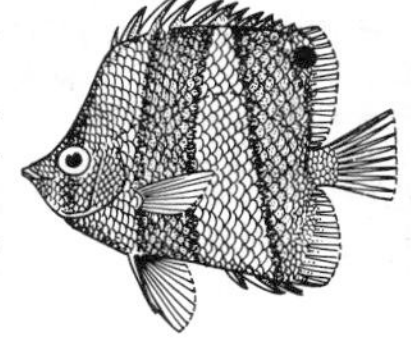

〈세동가리돔〉

세때[1] 명 〈방〉 혀[1]❶(함남).

세때[2] 명 〈방〉 열쇠(전남·경남).

세때기[1] 명 〈방〉 혀[1]❶(함남).

세때기[2] 명 〈방〉 『식』 억새(전북).

세땡이 명 〈방〉 혀[1]❶(함경).

세떵이 명 〈방〉 혀[1]❶(함경).

세떼 명 〈방〉 혀[1]❶(함경).

세:뚜리 명 ①한 상(床)에서 한 번에 세 사람이 식사하는 일. ②새우젓 같은 것을 나눌 때, 한 독을 세 몫으로 나누는 일. 또, 그 분량.

세뜨이 명 〈방〉 혀[1]❶(함북).

세라믹 〔ceramic〕 명 무기 비금속(無機非金屬) 원료로 성형한 후 고온 처리한 것들의 총칭. 가정용품으로서 우리 주변에 있는 도자기류도 여기 해당함.

세라믹 코:팅 〔ceramic coating〕 명 비금속·무기질(無機質)을 피복(被覆)하는 일. 산화(酸化) 알루미늄 또는 산화 지르코늄을 분무(噴霧)하거나 규화(珪化) 알루미늄과 같은 결정성의 금속간(金屬間) 화합물을 접착시켜 만듦. 금속에 1,100°C 이상의 내열성(耐熱性)을 부여하는 보호 피막(保護被膜) 구실을 함.

세라피모비치 〔Serafimovich, Aleksandr〕 명 『사람』 소련의 소설가. 카자흐 사관(Kazakh 士官)의 집안에 태어나, 혁명 운동에 참가. ≪광야의 거리≫ 등으로 인정을 받음. 혁명 후의 국내전에서 취재한 중편 ≪철(鐵)의 흐름≫은 초기 소비에트 문학의 대표작임. [1863-1949]

세라핌 〔seraphim〕 명 『천주교』 치품 천사(熾品天使).

세락 〔프 sérac〕 명 『지』 빙하가 급경사진 언덕을 내려올 때, 빙하의 균열(龜裂)과 균열이 교차하여 생기는 탑상(塔狀)의 얼음덩이.

세:람【細覽】 명 자세히 봄. ——-하다 타여불

세람 섬 〔Ceram〕 명 『지』 인도네시아 북동쪽, 몰루카(Molucca) 제도에 속하는 섬. 반다 해(Banda海) 북쪽에 위치하며 산(山)이 많음. 다마르(dammar)가 특산임. 동쪽에 유전이 있으며, 니켈·보크사이트·철광석 등의 지하 자원이 있음. [17,658 km² : 110,000명(1975 추계)]

세:량[1]【細凉】 명 갓의 한 가지. 가는 바탕에 엷은 깁으로 만든 갓양태. ⌊↔중량(中凉).

세:량[2]【歲糧】 명 『역』 세미(歲米).

세레나:데 〔도 Serenade〕 명 『악』 ①저녁에 애인의 집 창 밑에서 노래하거나 연주하는 음악. ②18세기에 시작된 기악(器樂) 형식. 대부분 관악·현악·소관현악을 위하여 작곡된 소규모의 모음곡(曲)으로서, 구성이 간소한 몇 악장을 이은 것임. 형식이 자유롭고 내용은 경쾌하며, 모차르트의 소야곡은 유명함. 세레나드. 소야곡(小夜曲). 야곡(夜曲).

세레나드 〔프 sérénade〕 명 『악』 '세레나데'의 프랑스어명. *오바드.

세레브로시드 〔cerebroside〕 명 『화』 갈락토시드(galactoside)의 딴이름. ⌈호. *세리카(Serica).

세레스 〔Seres〕 명 고대 그리스 및 로마 사람이 중국인을 가리키던 칭

세:려【細慮】 명 꼼꼼하게 생각함. 또, 세심(細心)한 생각. ——-하다 ⌊타여불

세:력【勢力】 명 남을 복종시키는 기세(氣勢)와 힘. 준세(勢).

세:력이 빨랫줄 같다 구 세도가 당당하다. ¶ 요ᄉᆡ이 셰력이 ᄲᅢᆯ늬줄 갓흔 배비장도 궤속 귀신이 될 번한 일 못 드럿습나 ≪裵裨將傳≫.

세:력-가【勢力家】명 세력이 있는 사람. 세객(勢客). 준세가(勢家).

세:력-권【勢力圈】명 세력이 미치는 범위(範圍).

세:력 균형【勢力均衡】명 〔balance of power〕『정』근대 국가에 있어서의 국제 정치의 원리의 하나. 국제 관계에 있어서, 어떤 한 나라가 다른 나라들을 압도(壓倒)할 만큼 강대(強大)하게 되지 않도록 서로 다른 나라와 세력의 균형을 이루는 일. 한 국가와의 사이 또는 여러 국가와의 사이의 관계에 있어서 동맹(同盟)에 의한 경우가 많고, 완충국(緩衝國)·영세 중립국(永世中立國)의 설치, 영토의 분할, 분할 점령, 위임 통치, 신탁 통치 등을 행함. 권력 균형.

세:력 대:사【勢力代謝】명『생』에너지 대사(energy代謝).

세:력 범:위【勢力範圍】명 ①국가나 개인의 세력이 미치는 범위. ②『정』자국령외(自國領外)의 지역에서 다른 나라 세력의 침입을 배제(排除)하여, 자국의 정치·경제상의 우월권(優越權)을 수립한 지역.

세:력-주의【勢力主義】[ㅡ/ㅡ이] 명 〔Energism〕『윤』정력주의(精力主義).

세:력 투쟁 행위【勢力鬪爭行爲】명 〔agonistic behavior〕『생』집단성(集團性)의 동물이 나타내는 투쟁이나 도피 따위의 행동. 흔히, 발정기(發情期)의 수컷에서 볼 수 있음.

세:련[1]【洗練·洗鍊】명 ①깨끗이 씻고 불림. ②지식을 연마하고 기술을 익혀, 어색하거나 서투른 데가 없게 함. ③사상(思想)이나 시문(詩文)을 잘 다듬음. ④수양을 쌓아, 인격이 원만하고 성품(性品)이나 취미가 고상하고 우아(優雅)하게 함. ——하다 타여불

세:련[2]【細漣】명 잔잔한 파도.

세:련-되다【洗練—】형 ①글·언행·취미 등이 어색하지 아니하고 잘 다듬어져 있다. ¶세련되지 않은 문장. ②모습이 촌스러운 데가 없이 맵시가 있다. ¶세련된 몸가짐.

세:련-미【洗練味】명 세련된 맛.

세:렴[1]【細簾】명 가는 대나무로 촘촘하게 엮은 발.

세:렴[2]【稅斂】명 수세(收稅)❶.

세:례【洗禮】명 ①〔baptism〕『기독교』입교(入敎)하려는 사람에게 베푸는 의식(儀式)의 하나. 물과 하느님의 이름으로 원죄(原罪)·자죄(自罪)를 모두 사(赦)하고 성신(聖神)에 의한 중생(重生), 하느님의 생명에의 참여(參與), 천국(天國)의 세사(世嗣), 의무 이행, 영적 은혜(靈的恩惠)를 위하여 행하여짐. 종파(宗派)에 따라 다르나, 대개 안수(按手) 목사가 머리에 점수(點水)함으로써 원죄를 씻고, 새로운 생명으로 소생함을 상징함. 천주교에서는 '성세(聖洗)'라고도 했음. 물세례. *학습(學習)·영세(領洗). ②어떤 단체의 구성원이나 이념의 실행에 필요한 경험 또는 시련(試鍊). ③쏟아지는 공격·비난·제재(制裁) 따위. ¶주먹 ~를 받다.

세:례-명【洗禮名】명『기독교』세례 때에 붙여지는 이름. 성서 중의 인물 또는 성인(聖人)의 이름을 붙임. 프로테스탄트에서는 별로 붙이지 않음. 크리스천 네임.

세:례-반【洗禮盤】명『천주교』세례식 때 쓰는 성수를 담는 그릇. 보통, 돌·나무·금속으로 만듦.

세:례 성:사【洗禮聖事】명『천주교』성부(聖父)와 성자(聖子)와 성신(聖神)의 이름으로 입교자(入敎者)를 물로 씻는 예식. 이 예식으로 하느님의 자녀가 됨. 성세(聖洗) 성사.

세:례-식【洗禮式】명『기독교』세례를 베푸는 의식(儀式).

세:례 아동【洗禮兒童】명『기독교』예수교의 세례를 받을 때로부터 입교인이 될 때까지의 어린아이. 아이의 세례는 세 살 안에 줌.

세:례 요한【洗禮—】〔Johannes〕명『성』예수에게 세례를 베푼 요한.

세:례-자【洗禮者】명 세례를 주는 사람.

세:로[1] 명부 위에서 아래에 이르도록 곧게 내리 그은 모양. 또, 그렇게 놓인 상태. ↔가로.

세:로[2]【世路】명 세상에서 살아가는 길. 행로(行路). 세도(世途).

세:로[3]【細路】명 작은 길. 좁은 길.

세:로 가늠자 명『군』총의 가늠자의 하나. 가늠자틀의 한 부분으로서, 상하로 이동시켜서 사격 거리나 위치를 조절함.

세:로 글씨 명 글줄을 세로 쓰는 글씨. 한자(漢字)나 일본 가나(仮名)가 대표적임. 내리글씨. ↔가로 글씨.

세:로-금 명 세로줄. ↔가로금.

세:로-끼움표【—標】명 문장(文章)에 끼움표로 쓰는 부호 '‹'의 이름. 세로쓰기에 씀. *끼움표·삽입부(挿入部).

세:로-대 명『수』세로축. 종축(縱軸). ↔가로대.

세:로-띠 명 세로 길게 떤 띠. 종대(縱帶). ↔가로띠.

세:로띠-잡이 명『고고학』그릇 몸통 양쪽에 위아래로 넓적하게 띠 모양으로 붙은 잡이.

세:로-무늬[ㅡ니] 명 세로 길게 나타난 무늬. 종문(縱紋). ↔가로무늬.

세:로-쓰기 명 글씨를 세로 쓰는 일. 종서(縱書). 내리쓰기. ↔가로쓰기.

세:로-좌:표【—座標】명『수』와이 좌표(y座標). ↔가로좌표.

세:로-줄 명 ①세로 그은 줄. 종렬(縱列). 종선(縱線). 세로금. ↔가로줄. ②〔bar〕『악』악보에서, 마디를 구분하기 위하여 그은 수직선. 한 줄로 그은 것과 겹으로 그은 것의 두 가지가 있음. 종선(縱線). ③〔single bar〕『악』세로줄 가운데, 특히 한 줄로 그은 가느다란 수직선의 일컬음. 구용어:단종선(單縱線). *겹세로줄.

세로줄 겹세로줄

〈세로줄❷〉

세:로-지 명 ①엮은 발로 뜬 종이를, 그 결이 세로 접거나 자르거나 쓰거나 하는 때의 종이 결. ②종이·피륙 등의 세로 긴 조각. 준세지. ↔가로지.

세:로 진:동【—振動】명『물』종진동(縱振動).

세:로-짜기 명『인쇄』활자를 세로 짜는 방식. ↔ 가로짜기.

세:로-축【—軸】명『수』직교 좌표(直交座標)에서 세로로 잡은 좌표축. 와이축(y軸). 종축(縱軸). ↔가로축.

세로토닌〔serotonin〕명『생』포유류(哺乳類)의 혈소판(血小板)·혈청(血淸)·위점막(胃粘膜) 및 두족류(頭足類)의 타액선 등에 함유되어 혈관·평활근(平滑筋) 수축 작용을 하는 물질. 또, 뇌조직(腦組織)에서도 생성되어, 과잉될 경우에는 뇌기능(腦機能)이 활발해지고, 부족하면 침정(沈靜) 상태가 인지(認知)되는 것으로 보아, 중추 신경 시냅스(synapse)의 자극 전달 물질이라고도 생각되고 있음.

세:로-트기 명『식』종렬(縱裂)❶.

세로트-산【—酸】명 〔cerotic acid〕『화』유리(遊離)되어서, 밀랍(蜜蠟) 중에 존재하는 포화 지방산(飽和脂肪酸)으로 물에 녹지 않는 백색의 결정(結晶). 녹는점 77.8°C. [$C_{25}H_{51}COOH$]

세:록【世祿】명 자자 손손 이어서 받는 국록(國祿).

세:록지-신【世祿之臣】명 대대로 국록(國祿)을 받는 신하. 준세신.

세:론[1]【世論】명 여론(輿論).

세:론[2]【細論】명 자세하게 의논함. 또, 그 의논. ——하다 타여불

세:롱【細聾】명 가는귀가 먹어서 웬만한 소리는 잘 들리지 아니함. 청형(聽熒).

세:료【洗料】명 세제(洗劑)❶.

세루[1] 명〈방〉팽이(평북).

세:루[2]【世累】명 세상의 어수선하고 괴로운 일. 세속(世俗)의 번루(繁累)한 일.

세:루[3]〔serge〕명 모직물의 한 가지. 양털을 원료로 한 방모(紡毛) 또는 소모(梳毛)의 견모 교직물(絹毛交織物). 서지(serge)와 같은 뜻으로도 쓰이나 엄밀한 의미로는 서지는 두꺼운 바탕에 올새가 굵은 것을 말하며, 세루는 얇은 바탕에 올새가 가는 것을 말함. *서지(serge).

세루[4] 부〈방〉세로.

세루사이트〔cerussite〕명『광』백연광(白鉛鑛).

세:류[1]【洗流】명 〔wash〕『물』비행기가 날 때에, 날개의 뒤에서 일어나는 기류(氣流).

세:류[2]【細柳】명『식』가지가 가늘고 긴 버들. 세버들.

세:류[3]【細流】명 자그마한 흐름. 졸졸 흐르는 물. 작은 시내.

세륨〔cerium〕명『화』납처럼 생긴, 연한 희토류(稀土類) 원소의 하나. 회색의 전연성(展延性)이 있는 금속으로서 갈렴석(褐簾石) 등의 속에 다른 유사(類似) 금속 혹은 규토(珪土) 등과 함께 함유되어 있음. 주석보다는 단단하고 아연보다는 연함. 유리(遊離) 금속은 그 염화물(塩化物)을 전해(電解)하여 만드는데, 강회색(鋼灰色) 광택이 있음. 녹는점 795°C, 끓는점 3,468°C, 비중(比重) 6.771, 공기(空氣) 중에서는 약 160°C에서 발화(發火)하여 강한 빛과 열을 방사하므로 발화(發火) 합금 등으로 쓰임. [58번 : Ce : 140.12]

세륨-족【—族】〔cerium〕명『화』희토류 원소(稀土類元素) 가운데, 란탄(Lanthan)·세륨(cerium)·프라세오디뮴(praseodymium)·프로메튬(promethium)·네오디뮴(neodymium) 및 사마륨(samarium)의 6개 원소의 총칭. *이트륨족(yttrium族).

세르반테스〔Cervantes Saavedra, Miguel de〕명『사람』스페인의 소설가. 노예 생활·파문(破門)·투옥 등 기구한 체험을 함. 기발한 공상과 유머에 찬 문장으로, 명작 《돈 키호테(Don Quixote)》를 발표하여 세계적으로 이름을 얻음. [1547~1616]

세르베토〔Serveto, Miguel〕명『사람』스페인의 신학자·의학자. 혈액의 폐 순환을 발견함. 기독교의 정통적 교리인 삼위 일체를 부정하고 극단적인 인간 중심적 신앙을 역설하였기 때문에, 신구(新舊) 양파로부터 이단시되어 제네바에서 화형(火刑)당함. [1511~53]

세르보크로아트-어【—語】〔Servo-Croat〕명『언』인도 유럽 어족(語族)의 남(南)슬라브어에 속하는 언어. 구(舊)유고슬라비아 중, 마케도니아·슬로베니아(Slovenia)를 제외한 지방에서 사용되며, 사용 인구는 1,300만 명. 가톨릭 교도인 크로아티아인은 로마자를, 그리스 정교도인 세르비아인은 키릴(cyrill) 문자를 사용하고 있음. 네 종류의 독특한 악센트를 가짐.

세르비아〔Serbia〕명『지』유고슬라비아 연방 공화국을 구성하는 공화국. 유고의 동부에 위치하며, 총면적의 약 3분의 1을 차지함. 북부는 다뉴브 강(江) 유역 평야, 남부는 산지(山地)임. 주민의 대부분은 세르비아인(人)으로 세르보크로아트어(語)를 씀. 밀·옥수수 등 농업이 주산업임. 14세기 이래 오랫동안 투르크에 예속하여 있다가 1878년 왕국으로 독립하였으나 1914년 한 청년에 의한 오스트리아 황태자 암살 사건으로 제1차 세계 대전을 야기시켰으며, 제2차 세계 대전 후 유고슬라비아 연방 공화국의 최대 공화국이 됨. 1989년부터 동유럽을 휩쓴 공산 정권 붕괴의 소용돌이 속에서 연방내 세르비아의 독주에 불만을 품어 오던 슬로베니아·크로아티아·마케도니아·보스니아헤르체고비나는 독립하고 현재는 몬테네그로 공화국과 함께 유고슬라비아 연방 공화국을 구성하고 있음. 정식 명칭은 '세르비아 공화국(Republic of Serbia)'. [88,000 km² : 9,790,000 명 (1995 추계)]

세르비아-인【—人】〔Serbia〕명『인류』남슬라브계(系) 인종의 하나. 오늘날의 세르비아와 그 인접 지방에 거주하며, 농목업(農牧業)에 종사함. 14세기부터 오랫동안 투르크에 예속됨. 민족적 단결력이 강하고 전통적 습속을 존중하는데, 북방 산지의 자드루가제(zadruga制)는 대가족(大家族) 공동 주거의 예로서 유명함.

세르주〔프 serge〕명 서지(serge).

세르카리아〔cercaria〕명『동』편형 동물(扁形動物) 흡충류(吸蟲類)의 유생(幼生) 디스토마류가 알로부터 발육하는 도중에 이루어지는 한 형태. 제1 중간 숙주(宿主)의 몸 안에 있는 레디아(redia)의 체내에 생김. 몸은 둥근 달걀꼴이고 끈 모양의 꼬리가 있으며, 보통 입과 배에 흡반(吸盤)을 가지고 있음. 조개 등의 제2 중간 숙주의 몸 안에 들어와 꼬

리를 잃고 주머니를 쓰며, 최종 숙주인 사람이나 소의 체내에 들어감.
세르코모나스 〔cercomonas〕 명 〖의〗 사람·동물의 장내(腸內)에 기생하는 편모충의 일종. 병원성(病原性)은 없음.
세른 【CERN】 명 〔Conseil européen pour la recherche nucléaire의 약칭〕 유럽 원자핵 연구 기관. 1952년 프랑스·서독·이탈리아·벨기에·네덜란드·룩셈부르크·스위스·영국 등 12개국(현 14개국)이 공동으로 원자핵 물리학의 연구를 발전시키기 위하여 설립함. 중앙 연구소는 제네바 근교에 있음. 오늘날은 L'organisation européenne pour la recherche nucléaire로 바뀜.
세를리오 〔Serlio, Sebastiano〕 명 〖사람〗 이탈리아의 르네상스기(期)의 건축가. 프랑스에도 초빙되어 활약함. 주저인 《건축론》은 널리 연극 관계에까지 영향을 미쳤음. [1475-1554]
세:리[1] 명 〈방〉 팽이(평안·함북).
세:리[2] 【稅吏】 명 세무(稅務)를 맡아 보는 관리. 세무 관리(稅務官吏). 세관(稅官).
세:리[3] 【勢利】 명 ①세력과 권리. ②권세와 이욕(利慾).
세리:[4] 〔프 série〕 명 〖악〗 십이음 음악의 기본이 되는 음형(音型).
세리머니 〔ceremony〕 명 의례(儀禮). 의식(儀式). 전례(典禮).
세리신 〔sericin〕 명 〖화〗 생사(生絲)의 표면에 부착한 아교 모양의 단백질. 열탕으로 처리하면 녹아서 피브로인(fibroin)을 남김. 실크 글루(silk glue).
세리오소 〔이 serioso〕 명 〖악〗 '비장(悲壯)하게·장중(莊重)하게'의 뜻.
세:리지-교 【勢利之交】 명 권세와 이익을 위하여 맺는 교제. *세교(勢交).
세리카 〔Serica〕 명 옛 그리스 및 로마 사람이 중국을 부르던 호칭. 비단의 뜻인 세르(ser)에 유래한다 함.
세리프 〔serif, ceriph〕 명 로마자 활자(活字)의 글씨의 획의 시작이나 끝 부분에 있는 작은 돌출선(突出線). 활자 서체의 특이점과 활자의 수명 및 가독성(可讀性) 등을 식별하는 데 관계됨.

E

세리프

〈세리프〉

세리플레인 〔seriplane〕 명 생사(生絲)의 흠을 검사하는 기계.
세:린 【細鱗】 명 ①자질구레한 비늘. ②작은 고기.
세:립 【細粒】 명 자디잔 알갱이.
세:마[1] 【洗馬】 명 〖역〗 ①고려 문종(文宗) 때 동궁(東宮)의 종오품 벼슬. ②고려 공양왕(恭讓王) 때 춘방원(春坊院)의 정칠품(正七品) 벼슬. ③조선 시대에, 세자 익위사(世子翊衛司)의 정구품 벼슬. 좌(左)·우(右) 세마 각 1명씩 있었음.
세:마[2] 【細馬】 명 좋은 말. 훌륭한 말. 양마(良馬).
세:마[3] 【貰馬】 명 세를 받고 빌려 주는 말.
세:마-계 【貰馬契】 〔-계〕 명 말을 세놓는 일을 목적으로 하는 계.
세마구 명 〈방〉 외양간(경남).
세마랑 〔Semarang〕 명 〖지〗 사마랑(Samarang).
세:-마치 명 ①대장간에서 쇠를 불릴 때에 세 사람이 돌려 가며 치는 큰 마치.
세:마치-장단 【-長短】 명 〖악〗 민속 음악에서, 판소리 및 산조 장단의 하나. 보통 빠른 3박자의 9/8 박자임. '아리랑'·'양산도' 등. 대장간에서 세마치로 치는 듯한 장단이라 하여 이 이름이 붙여졌음.
세:-마포 【細麻布】 명 가는 삼실로 짠 썩 고운 베. 세포(細布).
세:만 【歲晩】 명 세모(歲暮). 세밑.
세:말[1] 【世末】 명 세상이 망하는 때. 이 세상의 종말(終末). 말세(末世).
세:말[2] 【細末】 명 썩 곱게 빻은 가루. ——-하다 타여불 가루를 곱게 빻다.
세:말[3] 【歲末】 명 세밑. 연말(年末). 절계(節季). ¶ 분주한 ~ 풍경.
세:말에 팔리다 관 세말 아니면 기를 못 편다는 뜻으로, 누구에게나 악감(惡感)을 사거나, 가는 곳마다 욕을 먹고 몰린다는 말.
세:말 도목 【歲末都目】 명 〖역〗 고려·조선 시대 섣달에 실시되던, 주로 문무관에 대한 도목 정사(都目政事). *유월(六月) 도목.
세:말-서 【細末書】 〔-써〕 명 시말서(始末書). 전말서(顚末書).
세:망[1] 【世網】 명 속세(俗世)의 번루(繁累)함을 어조(魚鳥) 등이 그물에 걸려 있음에 비유하여 이르는 말.
세:망[2] 【勢望】 명 세력(勢力)과 인망(人望).
세망[3] 〔Semang〕 명 〖인류〗 니그리토계(Negrito系)의 종족. 본디 바닷가나 섬에 살았으나, 지금은 주로 말레이·수마트라의 삼림에 물러나 살고 있음. 피부는 암흑색이며, 미개 종교를 신봉함.
세:망 내:피계 【細網內皮系】 명 〖생〗 림프관(管)·지라·흉선(胸腺)·골수(骨髓) 등에서 볼 수 있는 동일한 계통의 조직의 총칭. 돌기(突起)가 그물 모양으로 연결된 세포로 이루어졌으며 간질(間質)은 적음. 식균 작용(食菌作用)과 백혈구·림프구(球) 등을 만드는 작용을 함.
세:망 조직 【細網組織】 명 〔reticular tissue〕 〖의〗 림프절(節)·지라 내부나 골수(骨髓) 등에 있는 결합 조직의 특수한 한 형(型). 가는 망상(網狀)의 것으로 돌기(突起)를 가진 세포가 그 돌기로써 서로 결합하여 있음.
세매이 명 〈방〉 소매[1](경북).
세:맥 【細脈】 명 〖식〗 ①가는 맥(脈). 잔맥. ②측맥(側脈)과 측맥의 사이를 연결하는 가는 엽맥(葉脈). *주맥(主脈).
세메다인 〔Cemedine〕 명 순간 접착제의 상품명.
세메루 산 【-山】 〔Semeroe〕 명 〖지〗 인도네시아 자바 섬 동부의 활화산(活火山). 자바의 최고봉. 남쪽 기슭 일대에서는 커피 재배가 활발함. [3,676m]
세멘-시나 〔라 semen cinae〕 명 〖식〗 〔시나의 종자란 뜻〕 〔*Artemisia cina*〕 국화과에 속하는 다년초. 높이 50cm 가량이고 줄기의 밑 부분은 목질(木質)이고 잎은 두터우며 우상(羽狀)으로, '머위지기'와 비슷함. 황회색의 작은 두상화(頭狀花)가 피는데, 말린 꽃봉오리를 '시나꽃'이라 하는데, 산토닌(santonin)의 함유량이 많아 회충 구제약으로 유명함. 소련의 투르키스탄(Turkistan) 원산으로, 그 재배와 산토닌 제조는 소련의 전매(專賣) 사업으로 종자의 수출이 엄금되고 있음.
세멜레 〔Semele〕 명 〖신〗 그리스 신화에 나오는, 디오니소스(Dionysos)의 어머니. 제우스(Zeus)에게 총애됨을 시기한 비(妃) 헤라(Hera)의 간계로 제우스에게 정체(正體)를 보여 달라고 했기 때문에 뇌정신(雷霆神)인 제우스를 보고 곧 타죽었다고 함.
세:면[1] 【洗面】 명 얼굴을 씻음. 세수(洗手). 세안(洗顔). ——-하다 자여불
세:면[2] 【細麵】 명 실국수❶.
세:면-구 【洗面具】 명 ↗세면 도구.
세:면-기 【洗面器】 명 얼굴을 씻기 위한 물을 담는 그릇. 대야·세숫대야.
세:면-대 【洗面臺】 명 세면기 시설을 하여 놓은 대(臺).
세:면 도:구 【洗面道具】 명 세면에 쓰는 여러 가지 물건. 준세면구.
세:면-소 【洗面所】 명 세면을 하는 곳. 세수간(洗手間).
세:면-실 【洗面室】 명 세면을 하는 방. 세수간(洗手間).
세:면-장 【洗面場】 명 세면 시설을 갖추어 놓은 곳.
세:-모[1] 명 세모꼴의 각모. 삼각(三角).
세:모[2] 【世母】 명 세부(世父)의 아내. 백모(伯母).
세:모[3] 【洗毛】 명 양모 방적(羊毛紡績) 공정(工程)에서, 양모에 묻은 불순물을 씻어서 제거하는 일. ——-하다 자타여불
세:모[4] 【細毛】 명 ①썩 가는 털. ②〖식〗 참가사리.
세:모[5] 【歲暮】 명 한 해의 마지막 때. 세말. 연말(年末). 세밑. 연모(年暮).
세:모-게 명 〖동〗 [*Trigonoplax unguiformis*] 달랑겟과에 속하는 절지(節肢) 동물. 배갑(背甲)의 길이 11mm, 폭 14mm 내외임. 갑각(甲殼)은 연약(軟弱)하고 두흉갑(頭胸甲)은 삼각형이며, 액각(額角)도 삼각형으로 돌출함. 다리는 납작하고 길며 제1·2 각(脚)은 갑장(甲長)의 2.5배나 됨. 얕은 바다에 서식하는데, 한국·일본 및 인도양 각지에 분포함.
세:모 기둥 명 〖수〗 삼각 기둥.
세:모-꼴 명 〖수〗 '삼각형(三角形)'의 풀어 쓴 말.
세:모-끌 명 〖공〗 날은 반뜻하나 등이 모져서 세모를 이룬 끌. 나무를 따내는 데 많이 쓰임.
세모니데스 〔Semonides〕 명 〖사람〗 기원전 7세기의 사모스(Samos) 섬 출신의 그리스 시인. 특히, 유명한 것은 여자를 여러 가지 동물에 비유해서 풍자한 긴 단편(斷片)이며, 그 밖에 작은 단편이 몇 편 남음.
세:모띠 무늬 〔-니〕 명 〖고고학〗 한 빗금을 엇갈리게 그어 나가서 이어진 세모꼴 무늬.
세:-모래 【細-】 명 〈방〉 모새[1](평안).
세:모-본 명 '삼각자'의 풀어 쓴 말.
세:모-뿔 명 〖수〗 '삼각뿔'의 풀어 쓴 말.
세:모 송:곳 명 〖공〗 끝이 세모진 송곳.
세:-모시 【細-】 명 올이 가늘고 썩 고운 모시. 세저(細苧).
[세모시 키우는 사람하고 자식 키우는 놈은 막말을 못 한다] 자식은 자기 뜻대로 할 수 없는 일이니 장담을 하지 말라는 뜻.
세:모-자 명 〖수〗 '삼각자'의 풀어 쓴 말.
세:모잡이-게고둥 명 〖조개〗 [*Eupagurus trigonocheirus*] 게고둥과에 속하는 권패(卷貝)의 하나. 배갑(背甲)의 길이 25mm 내외이고 액각(額角)은 삼각형이며 집게발도 삼각형인데 오른쪽 것이 왼쪽 것보다 큼. 적당한 구멍이나 개각(介殼) 같은 곳에 들어가 서식하는데, 알래스카·시베리아·베링 해·캄차카·태평양 연안·대만 해협 등에 분포함.
세:모-제 【歲暮祭】 명 ①세모에 지내는 제사. ②〖역〗 섣달 그믐날 나라에서 지내던 제향(祭享).
세:모-줄 명 쇠붙이를 깎는 줄의 한 가지. 삼각주(三角柱)·삼각추(三角錐) 꼴로 만듦.
세:모-지다 형 세모가 나 있다.
세:모-창 【-槍】 명 끝이 세모로 된 창.
세:모-촉 【-鏃】 명 〖고고학〗 평면이 세모꼴인 살촉. 단면(斷面)은 대부분 넓적한 여섯모꼴임. 삼각촉(三角鏃).
세:모-필 【細毛筆】 명 털이 가는 붓.
세:목[1] 명 〈방〉 엽막이.
세:목[2] 【洗沐】 명 ①물로 몸을 씻음. 또, 씻어 깨끗이 함. ②고대 중국에서, 관리의 휴가.
세:목[3] 【細木】 명 올이 썩 가는 무명. 고운 무명.
세:목[4] 【細目】 명 ①↗세절목(細節目). ②〖교〗 ↗교수 세목(教授細目).
세:목[5] 【稅目】 명 조세(租稅)의 종목.
세:목-장 【細目帳】 명 세목을 기록하는 장부.
세묘노프[1] 〔Semyonov, Gregori Mikhailovich〕 명 〖사람〗 러시아의 군인. 10월 혁명 후 반혁명군을 조직, 일본의 지지를 얻어 1918년 반혁명 정부를 수립함. 1920년 혁명군에 쫓겨서 망명한 후에도 만주에서 활약하다가, 제2차 대전 후 소련군에 의해 처형됨. [1890-1946]
세묘노프[2] 〔Semyonov, Nikolai〕 명 〖사람〗 소련의 화학자. 소련 과학계의 중진으로, 1956년 분자 성질의 기초적 기구의 연구로써 노벨 화학상을 받았음. 주저는 《화학 동역학(化學動力學)과 연쇄 반응》. [1896-1986]
세:무[1] 【世務】 명 세상을 살아가는 온갖 잡무(雜務).
세:무[2] 【細務】 명 자질구레한 사무. 대수롭지 않은 일.
세:무[3] 【稅務】 명 국세나 지방세를 막론하고 모든 조세(租稅)의 부과·징수에 관한 행정 사무.
세:무-감 【稅務監】 명 〖역〗 대한 제국 때 탁지부(度支部)에 딸린 벼슬. 관찰사(觀察使)가 겸임함.
세:무-관 【稅務官】 명 〖역〗 조선 시대에 탁지부(度支部)의 주임관(奏任官)의 하나.
세:무 관리 【稅務官吏】 〔-괄-〕 명 세리(稅吏).
세:무 대학 【稅務大學】 명 국세 행정에 종사할 사람에게 필요한 지식을 습득시키고, 덕성을 함양하게 할 목적으로 재정 경제부 장관 소속하에 둔 대학. 수업 연한은 2년임.
세:무-사 【稅務士】 명 세무사법의 규정에 의한 소정의 자격을 가지고, 납세 의무자의 위촉으로 조세에 관한 신고·신청·청구 및 이의(異議) 신

청 등의 대리(代理)와 세무 서류의 작성 등을 업으로 하는 사람.

세:무 사찰【稅務査察】명 조세 범칙(租稅犯則) 행위에 대한 강제 조사.

세:무-서【稅務署】명『법』지방 국세청장 소속하에 내국세(內國稅)에 관한 사무를 관장(管掌)하며, 다른 국가 기관·지방 자치 단체 등이 행하는 국세 징수에 관한 사무를 감독하는 세무 행정의 관청. 1·2·3급 세무서가 있으며 1급지 세무서 서장은 서기관으로, 2·3급지 세무서 서장은 서기관 또는 행정 사무관으로 보(補)함.

세:무 서기【稅務書記】명 행정직 국가 공무원 직급 명칭의 하나. 세무 직렬(職列)에 속하며, 세무 주사보의 아래, 세무 서기보의 위로 8급 공무원임.

세:무 서기보【稅務書記補】명 행정직 국가 공무원 직급 명칭의 하나. 세무 직렬(職列)에 속하며, 세무 서기의 아래로 9급 공무원임.

세:무 시:찰관【稅務視察官】명『역』조선 시대에 탁지부(度支部)의 주임관(奏任官)의 하나.

세:무 조사【稅務調査】명 세법(稅法)에 따라 행하는 세무 당국의 조사. ＊세무 사찰(査察).

세:무 주사【稅務主事】명 행정직 국가 공무원 직급 명칭의 하나. 세무 직렬(職列)에 속하며, 세무 주사보의 위로 6급 공무원임.

세:무 주사보【稅務主事補】명 행정직 국가 공무원 직급 명칭의 하나. 세무 직렬(職列)에 속하며, 세무 주사의 아래, 세무 서기의 위로 7급 공무원임.

세:무 행정의 원칙【稅務行政一原則】[—/—에—] 명 과세는 내용이 명확하고 납세가 편리하도록 하며, 최소의 징세비(徵稅費)로 징수하여야 한다는 일.

세:무 회:계【稅務會計】명『경』세무 당국에 소득세의 신고를 할 때에 이용되는 기업 회계. ＊관리 회계·재무 회계.

세:묵【細墨】명『미술』'시먹❶'의 취음(取音).

세:문[1]【細紋】명 가는 무늬. 잔 무늬.

세:문[2]【勢門】명 세가(勢家).

세:문[3]【歲問】명 해마다 일정한 시기에 봉물을 보내어 문안하는 일. ——하다 자여불

세:문-경【細文鏡】명『고고학』잔무늬 거울.

세:-문안【歲問安】명 새해에 문안을 드림. 또, 그 문안. ——하다 자여불

세물[1] 명〈방〉수은(水銀).

세:물[2]【貰物】명 세를 받고 빌려 주는 물건. 세놓는 물건.

세:물-전【貰物廛】명 혼인이나 장사 때에 쓰이는 물건을 세를 받고 빌려 주는 가게. 도가(都家).

세:물전 영:감이다 구 아는 것이 매우 많다는 말.

세미[1] 명〈방〉수염[3](경상).

세:미[2] 명〈방〉우물[1](전남·경남).

세:미[3]【世味】명 세상 살아가는 재미. 세상맛.

세:미[4]【洗米】명 쌀을 씻음. 또, 그 쌀. ——하다 자여불

세:미[5]【細美】명 가늘고 고움. ——하다 형여불

세:미[6]【細微】명 ①매우 가늘고 작음. 미세(微細). 세쇄(細瑣). 세소(細小). ②신분(身分)이 아주 낮음. 미천(微賤). ——하다 형여불

세:미[7]【稅米】명『역』조세로 바치던 쌀. ＊공미(貢米).

세:미[8]【歲米】명 세초(歲初)에 나라에서 늙은이에게 주던 쌀. 세량(歲糧).

세미-〔semi〕두 반(半). 얼마간의. 좀.

세미나〔seminar〕명 ①대학의 교육 방법의 하나. 교수의 지도 아래, 학생들이 모여서 연구 발표나 토론 등을 통해서 하는 공동 연구. 연습(演習). ②전문인 등이 특정한 과제(課題)에 관하여 여는 연수회(研修會)나 강습회. 제미나르(Seminar). ¶경영 ～.

세미너리〔seminary〕명 ①학교. 학원. 전문 학교. ②신학교.

세미-다큐멘터리〔semidocumentary〕명 ①문예·영화·방송극 등에서, 실화(實話)를 화제(話題)로 하여 가능한 한 사실에 입각한 구성으로써 현실감과 임장감(臨場感)을 담고 흥취가 있도록 각색한 작품. 또, 그 수법. ②세미다큐멘터리 영화.

세미다큐멘터리 영화【一映畫】〔semidocumentary〕명『연』기록(記錄) 영화 수법(手法)에 의하여 만든 반(半)기록적인 영화. 세미다큐멘터리. 반기록 영화.

세미덜 인견사【一人絹絲】〔semi-dull〕명 방사액(紡絲液)에 1.2%의 이산화 티탄(二酸化 thitan)을 섞어 광택을 부드럽게 만든 덜(dull) 인견사의 하나. ↔풀덜(full-dull) 인견사.

세미디:젤 기관【一機關】〔semi-diesel〕명『기』내연(內燃) 기관의 일종. 기통(氣筒)의 압축실(壓縮室)의 일부의 벽면(壁面)을 적열(赤熱)하고 이 곳에 피스톤으로 압축된 혼합 가스가 들어가면 폭발하도록 된 기관. 경유(輕油)를 연료로 하는 내연 기관으로서는 가장 적합함. 어선(漁船)에 많이 쓰임.

세:-미삼【細尾蔘】명 아주 가느다란 미삼.

세:미-선【細尾扇】명 부채살이 끝으로 갈수록 가는 부채.

세미소프트 칼라〔semisoft collar〕명 칼라의 한 가지. 소프트 칼라보다 약간 굳고 딱딱한 칼라.

세미-스틸:〔semisteel〕명 주철(鑄鐵)보다 탄소·규소가 적은 주물(鑄物). 주철보다 좀더 단단하고 항장력(抗張力)이 크나, 강에 비하여 점성(粘性)이 결핍되고 타격에도 약함. 반강(半鋼). 반강 주물(半鋼鑄物).

세미-이브닝 명〔semi-evening dress〕이브닝 드레스보다 약식의 야간 예복. 주로 여성복에 쓰이나 신사복으로는 턱시도를 이름.

세:미지-사【細微之事】명 세미한 일. 사소지사(些少之事).

세미-콜론〔semicolon〕명『언』가로 쓰는 글, 특히 유럽 문장의 구두점(句讀點)의 한 가지. 그 기능은 대체로 콤마와 피리어드의 중간인데, 문장을 일단 끊었다가 이어서 설명을 더 계속할 경우에 씀. 부호는 ';'. 반구절점(半句切點). 포갤꽁지점. 쌍반점(雙半點).

세미-콤프레그〔semicompreg〕명 수지(樹脂)를 함침(含浸)시킨 목재(木材). 밀도(密度)가 1.25를 넘지 않도록 압축한 것임.

세미킬드-강【一鋼】명〔semikilled steel〕『야금』불완전하게 탈산(脫酸)한 강(鋼). 함유하고 있는 탄소(炭素)와의 반응에 충분한 산소량(酸素量)을 자체에 용해(溶解)하여 내포하고 있는데, 산소는 탄소와 반응하여 일산화 탄소를 방출하고, 응고(凝固)할 때의 수축(收縮)을 상쇄함. 킬드강(killed 鋼)보다는 완전하지 못하나 용도는 큼.

세미-톤:〔semi-tone〕명『악』반음(半音).

세미트 문자【一文字】[—짜] 명〔Semitic〕셈어족(Sem 語族) 서방파의 문자. 가장 오랜 것은 기원전 1800년경부터 기원전 1500년경 사이에 성립되었으며 남북 2파로 나뉨. 남세미트 문자는 근대의 에티오피아 문자가 되었음. 북세미트 문자에는 페니키아 문자·아랍 문자가 포함되며, 페니키아 문자로부터는 그리스 문자가 생기고 아랍 문자로부터는 아라비아 문자 따위 많은 문자가 생겼음.

세미-파이널〔semifinal〕명 ①스포츠에서, 준결승전(準決勝戰). ②권투에서, 메인 이벤트 직전에 행하는 시합.

세미팔라틴스크〔Semipalatinsk〕명『지』카자흐스탄 공화국 동쪽의 도시. 이르티슈 강(Irtish江)의 우안(右岸)에 있으며, 시베리아 철도와 도 통(通)하여 수륙 교통이 편리함. 식육(食肉) 통조림·제분·제화(製靴) 등의 공업이 행해짐. [334,000 명(1989)]

세미-프로〔semipro〕명 ↗세미프로페셔널(semi-professional).

세미-프로페셔널〔semiprofessional〕명 ①본직(本職)을 가지고 있으면서 다른 직업(職業)을 가진 사람. ②반직업 선수(半職業選手). 준전문가(準專門家). 준세미프로.

세:민【細民】명 빈민(貧民).

세:민-가【細民街】명 빈민가(貧民街).

세:민-굴【細民窟】명 빈민굴.

세:민 문학【細民文學】명『문』빈민굴(貧民窟) 또는 극빈자의 생활 상태(生活狀態)를 중심으로 하는 문학. 또, 그것을 묘사한 작품.

세:민 빈혈【細民貧血】명『의』가성 빈혈(假性貧血).

세:민-층【細民層】명 빈민층(貧民層).

세:밀【細密】명 세세하고 주밀(周密)함. 면밀(綿密). 상세(詳細). 정밀(精密). 치밀(緻密). ↔소략(疎略). ——하다 형여불. ——히 부

세:밀-화【細密畫】명『미술』미세화(微細畫). 미니아튀르(miniature).

세:밑【歲一】명 한 해의 마지막 때. 섣달 그믐께. 세말(歲末). 세모(歲暮). 연말. 연모(年暮). ↔세초(歲初).

세-바람 명〈방〉서남풍(西南風).

세:바람-꽃 명『식』[*Anemone stolonifera*] 미나리아재빗과에 속하는 다년초. 높이 15-20cm이고 근생엽은 장병에 삼출 복생(三出複生)하고, 소엽(小葉)은 달걀꼴인데 두세 갈래로 째짐. 열편(裂片)은 피침형(披針形)에 톱니가 있음. 6-7월에 백색 무판화(無瓣花)가 총포(總苞)의 중심에 있는 화경(花梗) 끝에 한 개씩 핌. 자방(子房)에는 잔 털이 있음. 산지에 나는데, 제주도에 분포함.

세바스토폴〔Sevastopol'〕명『지』우크라이나 공화국 크림 반도(Krim 半島) 남단의 항구 도시. 흑해(黑海)의 해군 기지로 조선(造船)·수산물 가공업 등이 성함. 해양 생물 연구소(海洋生物研究所)가 있음. 크림 전쟁·제1차 및 제2차 대전 당시의 격전지로, 1855년 크림 전쟁 중 영국·프랑스 연합군이 점령하였고, 1942년에는 독일군이 점령하였었음. [356,000 명(1989)]

세:반【細飯】명 찐 찹쌀을 말리어 대강 부스러뜨리거나 빻은 가루. 산자(糤子) 따위에 묻혀 먹음.

세:반 강정【細飯一】명 세반에 꿀이나 조청을 묻히어 만든 강정의 한 가지. 붉은 물감을 들이기도 함. 주의 '細飯羌飣·細飯江丁'으로 쓰는 취음(取音).

세:반 산:자【細飯糤子】명 세반을 묻힌 산자. 흰 것과 붉은 것의 두 가지가 있음.

세:반 연:사【細飯軟絲】명 세반을 볶아 묻힌 연사(軟絲).

세:반 요:홧대【細飯蓼花一】[—뇨—] 명 세반을 볶아 묻힌 요홧대.

세:-받다【洗一】자『천주교』신부(神父)에게서 영세(領洗)를 받다. ↔세(洗)주다.

세:발【洗髮】명 머리를 감음. ¶～료(料). ——하다 자여불

세:발-낙지【細一】[—락—] 명 발이 가는 낙지.

세:발-다리 명〈방〉삼발이.

세:발-뛰기 명 ☞세단뛰기.

세:발-솥 명『고고학』다리가 셋 달린 작은 솥. 흔히 귀가 두 개 붙어 있음.

세:발-자전거【一自轉車】명 어린애들이 타는, 바퀴가 세 개 달린 자전거. ＊두발자전거.

세:발 토기【一土器】명『고고학』발이 셋 달린 토기의 총칭. 우리 나라에서는 삼국 시대에 처음 나타남.

세:-밥 명〈방〉조밥(함경).

세:-방【貰房】명 ☞셋방.

세:방-살이【貰房一】명 ☞셋방살이.

세:배【歲拜】명 섣달 그믐이나 정초(正初)에 친족(親族)이나 웃어른을 찾아가 문안(問安)하는 새해 인사. 아이들에게는 세뱃돈을 얼마씩 태워 줌. 섣달 그믐께 하는 것을 '묵은 세배'라 함. 세알(歲謁).

세:배-꾼【歲拜一】명 세배하러 다니는 사람.

세:배-상【歲拜床】[—쌍] 명 세배꾼에게 대접하는 음식상.

세:-백목【細白木】명 올이 가늘고 고운 무명.

세:-백저【細白苧】명 누여서 빛이 희어진, 발이 가는 모시.

세:뱃-값【歲拜一】[—갑] 명 세뱃돈.

세:뱃-돈【歲拜一】명 세배하러 온 아이들에게 주는 돈. 세뱃값.

세:-버들【細一】명 가지가 실같이 몹시 가는 버드나무. 세류(細柳).

세:번-깃꼴겹잎 [—닙] 명 〖식〗 '삼회 우상 복엽(三回羽狀複葉)'의 풀
세:번-뛰기 명 ☞ 세단뛰기. ⌊어 쓴 말.
세:번-맞섬대 [—때] 명 〖물〗 '삼회 대칭축(三回對稱軸)'의 풀어 쓴 말.
세:번-손꼴겹잎 [—닙] 명 〖식〗 '삼회 장상 복엽(三回掌狀複葉)'의 풀
세:벌 【世閥】 명 지체. 문벌(門閥). ⌊어 쓴 말.
세:벌 상투 명 고를 두 번 돌려 짠 상투.
세:벌-장대 【—長臺】 명 세 층으로 포개어 놓은 댓돌. ＊두벌장대.
세:범 【世範】 명 세상의 모범.
세:법¹ 【世法】 [—뻡] 명 〖불교〗 속세(俗世)의 법. ↔불법(佛法).
세:법² 【稅法】 [—뻡] 명 〖법〗 조세(租稅)의 부과 및 징수에 관한 법. 납세 의무자, 과세 물건에 관한 과세 표준, 세율·과세 방법 및 납세 의무 위반자에 대한 처벌 등을 규정한 법령(法令)의 총칭. 조세법(租稅法). 세율(稅律).
세베리니 〔Severini, Gino〕 명 〖사람〗 이탈리아의 화가. 코르토나(Cortona) 태생. 보초니(Boccioni) 등과 미래파 운동을 일으키고, 피카소 등과의 교우로 큐비즘(cubism)의 영향도 받았음. 후에 신(新)고전주의적 작풍으로 이행했지만, 만년에는 추상화를 그렸음. 저서에 ≪큐비즘에서 고전주의로≫가 있음. [1883-1966]
세:변 【世變】 명 세상의 변고(變故).
세:별 【細別】 명 종류에 따라 세밀하게 구별함. 자세하게 가름. ↔대별(大別). ——-하다 타여불 「——-하다 자여불
세:병¹ 【洗兵】 명 전쟁을 끝냄. 병기를 씻어서 거둔다는 뜻에서 온 말.
세:병² 【洗甁】 명 〖화〗 씻기병.
세:병-관 【洗兵館】 명 〖역〗 경상 남도 충무시(忠武市) 문화동(文化洞)에 있는 조선 시대 중엽의 건물. 전면 아홉 칸, 측면 다섯 칸, 8각 지붕의 목조 기와집으로 그 규모가 웅장함. 선조 36년(1603) 통제사 이경준(李慶濬)이, 이순신 장군의 전공을 기념하기 위하여 창건하였으며, 인조 22년(1644) 통제사 김응해(金應海)가 중건함. 보물 293호.
세:보¹ 【世譜】 명 ①계보(系譜)를 모아 엮은 책. ②대대의 계보.
세:보² 【世寶】 명 대대의 보물.
세:보³ 【細報】 명 자세한 보고. 상보(詳報). ——-하다 타여불
세:-보교 【貰步轎】 명 셋돈을 내고 빌려서 타는 보교.
세:-보다 타 ↗세어 보다. ¶ 세보지도 않고 받다.
세복 【說伏·說服】 명 설복(說服).
세봉 명 〈속〉 좋지 않은 일. 큰 탈이 날 일. ¶ 한데서 자다가 감기나 걸리면 ~인데. 「(伯父)를 이름.
세:부¹ 【世父】 명 아버지의 맏형. 곧, 대(代)를 잇는 아버지라 하여 백부
세:부² 【世婦】 명 옛날 중국에서, 천자를 섬기는 후궁의 하나. 빈(嬪)의 아래, 어처(御妻)의 위. 27 명이 정원(定員)임.
세:부³ 【細部】 명 세밀(細密)한 부분. 썩 작은 곳. ¶ ~에 이르기까지.
세부⁴ 〔Cebu〕 명 〖지〗 필리핀 세부 섬에 있는 항구. 필리핀 제3의 도시로, 세부 주(州)의 주도. 농산물 거래의 중심이며 야자유가 많이 나고, 제조업이 성함. 1527년, 마젤란의 상륙지로 유명함. [623,593 명(1989)]
세:-부득이 【勢不得已】 명부 ↗사세 부득이(事勢不得已). ——-하다 형여불
세부 섬 〔Cebu〕 명 〖지〗 필리핀 중앙부의 화산도(火山島). 필리핀에서 가장 인구가 과밀(過密)한 섬으로, 그 주위의 작은 섬들과 함께 세부 주(Cebu 州)를 구성함. 마닐라삼·사탕수수·면화·담배·코코넛·쌀 등의 농산물이 풍부함. 석탄·금 등의 광산물도 산출되며 정유업(精油業)도 성함. [4,421 km²: 2,092,000 명(1980)]
세:부-적 【細部的】 명관 세세한 부분에까지 미친 모양.
세:분¹ 【世紛】 명 어지러운 온갖 세상일.
세:분² 【洗粉】 명 물건을 닦는 데 쓰이는 가루. 닦을 물건에 따라 여러 가지가 있음.
세:분³ 【細分】 명 세밀하고 자세하게 분류함. ——-하다 타여불
세:분 도표 【細分圖表】 명 상세하게 그린 도표.
세:-불양립 【勢不兩立】 [—량닙] 명 비슷한 두 세력이 공존(共存)할 수 없음. 곧, 한 집에 주인이 둘 있을 수 없다는 말과 통함.
세브란스 의과 대학 【—醫科大學】 〔Severance〕 [—꽈—] 명 〖교〗 연세 대학교 의과 대학의 전신. 미국인 선교사 에비슨이 본국의 세브란스(Severance, L.H.)로부터 기부금을 받아 1902년, 서울 남대문 밖에 세브란스 병원을 세우고, 동 병원에 근무할 의사 양성을 위하여 시작한 것이 시초임. 1947년 전문 학교에서 대학으로 승격, 1957년 연희 대학교와 병합하였음.
세브르¹ 〔Sèvres〕 명 〖지〗 프랑스 파리 근교(近郊), 센(Seine) 강변의 작은 도시. 국제 도량형국(度量衡局) 본부가 있음. 고급 도자기(陶瓷器)의 명산지(名産地)임. [20,000 명(1982)]
세브르² 〔프 sèvres〕 명 프랑스의 세브르산(Sèvres産) 도자기.
세브르-요 【—窯】 〔프 Sèvres〕 명 프랑스의 세브르에 있는 국립 도기 공장(陶器工場). 18세기 중엽의 왕실 공장. 연질(軟質) 도자기의 특성을 살린 프랑스 로코코(Rococo) 양식의 우미한 제품으로 유명함.
세브르 조약 【—條約】 명 〔Treaty of Sèvres〕 〖역〗 세계 제1차 대전이 끝난 후, 1920년에 연합군과 패전국인 투르크 사이에 맺어진 조약. 투르크 국민의 맹렬한 분격을 사게 되어 파기되고, 1923년에 로잔 조약을 다시 맺음. ＊로잔(Lausanne) 회의.
세브카 〔sebkha〕 명 〖지〗 지질학적 특징의 하나. 북아메리카의 평탄한 평원에서, 흔히 비가 온 후 물이 증발할 때까지 빠지지 않고 습지 또는 얕은 호수를 이루는 지역. 염분의 농도가 높음.
세븐 〔seven〕 명 ①일곱. ¶ 럭키 ~. ②럭비에서, 스크럼을 포워드(forward) 일곱 사람이 짜는 일.
세븐스 애버뉴: 〔Seventh Avenue〕 명 미국 뉴욕 시(市) 7 번가의 뜻. 미국의 기성복 업계가 여기에 집중되어 있으며, 세계의 봉제품(縫製品) 산업을 리드하고 있어, '의복 산업(衣服産業)'의 대명사로도 쓰임. 약칭:에스 에이(S.A.).
세븐 시스템 〔seven system〕 명 럭비에서, 포워드(forward)를 7인으로 하고 백(back)을 8인으로 하는 포진(布陣).
세븐-에이스 〔seven-eighth〕 명 럭비에서, 스리쿼터와 풀백의 중간에 위치하는 선수. 「녀를 가리킴.
세븐-틴: 〔seventeen〕 명 ①열일곱. 17 세. ②널리 사춘기(思春期)의 남
세:비¹ 【歲費】 명 〖법〗 ①국가 기관의 일년 동안의 경비(經費). 세용(歲用). ②국회 의원에게 그 직무에 대한 보수로서 매년 급여되는 돈.
세비² 〔sébi〕 명 〖악〗 고대 이집트의 피리. 갈대로 만든 것으로 길이 120 cm이고, 맨 위에 부는 입이 달렸으며, 지공(指孔)이 셋 내지 넷이 있음. 두 손 또는 한 손을 뻗쳐 비스듬히 잡고 붊.
세비녜 부인 【—夫人】 〔Sévigné〕 명 〖사람〗 프랑스의 여류 문인. 후작 부인. 본명은 Marie de Rabutin-Chantal. 작품은 없으나 루이 14세의 궁정에 출입하면서 당시의 상황을 먼 곳으로 시집간 딸에게 보낸, 파리 사교계를 재치 있게 그린 ≪서간집(書簡集)≫이 유명함. [1626-96]
세비로 〔일:背広せびろ〕 명 〔civil clothes 또는 런던의 고급 양복점 거리의 이름 새빌 로(Savile Row)에서 유래되었다고 함〕 신사복.
세비야 〔Sevilla〕 명 〖지〗 스페인 남부 과달키비르 강(Guadalquivir 江)에 연한 도시. 서(西)아시아와 북아프리카의 문화가 들어왔을 때의 유적과 담배 공장이 유명함. [651,000 명(1986)]
세비야나 〔스 sevillana〕 명 〖악〗 스페인 민속 무곡(民俗舞曲)의 한 가지. 세비야 지방에 많이 유행되고 있음.
세비요 〔Sébillot, Paul〕 명 〖사람〗 프랑스의 민속학자. 처음 파리에서 공증인을 했지만, 후에 화가가 되어 화재(畫材)를 구하여 각지를 여행하는 동안에 민간 전승(傳承)에 흥미를 갖고 민속학을 연구함. 잡지 '민간 전승 연구'를 편집. 저서에 ≪프랑스 민속학≫·≪민속학≫ 등이 있음. [1846-1918]
세빌랴의 이:발사 【—理髮師】 [—싸/—에—싸] 명 〖연〗 ①〔프 Le Barbier de Seville〕 프랑스의 극작가 보마르셰의 4 막(幕) 희극. 1775년 코메디 프랑세즈 극단이 초연. 스페인의 세비야를 무대로 한 희극으로서, 위트(wit)와 풍자를 특징으로 함. ②〔이 Il Barbiere di Seviglia〕 이탈리아의 작곡가 로시니의 2 막 오페라. 1816년 로마에서 초연한 것으로 모차르트의 가극, ≪피가로의 결혼≫의 전편에 해당함.
세:빙 【細氷】 명 수증기가 빙정핵(氷晶核)으로 승화(昇華)되어 생긴 미세한 주상(柱狀) 또는 판상(板狀)의 얼음 결정(結晶)이 공기 중에 많이 부유(浮遊)하고 있는 현상. 대륙 내부나 높은 산 등의 한랭지(寒冷地)에서 기온이 영하 십여 도(十餘度)의 저온일 때에 발생함. 다이아몬드 더스트. 다이아몬드 포그.
세-빠닥 명 〈방〉 혀¹❶(경기·황해).
세-빠지다 형 ☞ 혀빠지다.
세:-뿔 명 날결.
세:뿔-귀뚜라미 명 〖충〗 모대가리귀뚜라미.
세:뿔-산여뀌 【—山—】 명 〖식〗 붉은대동여뀌.
세:뿔-석위 【—石葦】 명 〖식〗 [*Pyrrhosia hastata*] 고사릿과에 속하는 양치류(羊齒類). 근경(根莖)은 굵고 짧은 목질(木質)이며, 털뿌리가 많고 옆으로 벋음. 잎은 총생(叢生)하는데 담녹색의 두꺼운 혁질(革質)을 이루며, 3-5갈래로 갈라지고 뒷면에는 갈색 분상(粉床)의 모용(毛茸)이 밀생하고, 자낭(子囊)이 각 엽맥(葉脈) 사이에 여러 줄로 배열(排列)되어 밀착함. 산지의 바위에 나는데, 한국 남부에 분포함. 관상용으로 재배함.

〈세뿔석위〉

세:사¹ 【世事】 명 세상 일. 세간(世間)의 일. 세고(世故). 세상사(世上事).
세:사² 【世祀】 명 대대(代代)로 지내는 제사.
세:사³ 【世嗣】 명 ①후손(後孫). ②〖역〗 세자❷.
세:사⁴ 【細沙】 명 모새. 잔모래. →시새¹.
세:사⁵ 【細事】 명 자차분한 일.
세:사⁶ 【細思】 명 아주 꼼꼼하고 치밀한 생각. ——-하다 타여불 「여불
세:사⁷ 【細査】 명 빈틈없이 세밀히 조사함. 세검(細檢). ——-하다 타
세:사⁸ 【細絲】 명 ①가느다란 실. ②방적(紡績)의 40번수(番數)보다 가느다란 실. 12데니어 이하의 실.
세:사⁹ 【貰赦】 명 죄를 용서함. ——-하다 타여불
세:사¹⁰ 【歲事】 명 일년 중에 일어나는 일. 일년 중의 일.
세:사 난측 【世事難測】 명 세상일이 하도 변천이 심하여 이루 헤아릴 수 없다는 말.
세:사-미 【歲賜米】 명 〖역〗 조선 세종 때부터 해마다 쓰시마(対馬) 섬 도주에게 사급(賜給)하던 쌀. 처음에 200석으로 정하였으나 중종 때의 삼포 왜란(三浦倭亂) 이후 100석으로 줄이었음.
세:사-토 【細沙土】 명 고운 모래흙.
세산조시 장단 【—長短】 명 호남 지방 농악 장단의 하나. 매우 빠른 4박으로 이루어짐.
세:살 【歲煞】 명 〖민〗 삼살방(三煞方)의 하나. 곧, 인(寅)·오(午)·술(戌)의 해는 축방(丑方)에, 사(巳)·유(酉)·축(丑)의 해는 진방(辰方)에, 신(申)·자(子)·진(辰)의 해는 미방(未方)에, 해(亥)·묘(卯)·미(未)의 해는 술방(戌方)에 독한 음기(陰氣)의 살(煞)이 있다고 함. ＊삼살방(三煞方).
세:살-문 【—門】 명 창살을 성기게 대어 거칠게 만든 창문.
세:살 부채 【細—】 명 ①살이 아주 가늘거나 적은 부채. ②거의 다 찢어져 살이 몇 개 남지 아니한 부채.

세:살-창【細—窓】명〖건〗창살을 아주 가늘게 다듬어 만든 창. 세골창(細骨窓). 영성(欞星).

세:삼【細蔘】명 품질이 등급에 들지 못하는 잔뿌리의 인삼.

세:상[1]【世上】명 ①모든 사람이 살고 있는 사회의 통칭. 천하(天下). 인환(人寰). 사회. 세간(世間). 세대(世代). ¶～을 떠들썩하게 하다. ②한 사람이 살고 있는 동안. 평생(平生). ¶가난 속에서 한 ～을 보내다. ③어떤 특정한 자 또는 계통에 의해서 지배·통치가 이어져 가는 동안. ¶요순(堯舜) 임금의 ～/공화당 ～ /놈들의 ～에는 자유가 없다. ④세계. ¶～에서 제일 큰 것/총잡이의 ～. ⑤마음대로 활동할 수 있는 무대. ¶～을 만나다/제 ～인 것처럼 날뛰다. ⑥천상(天上)에 대한 지상(地上). ¶하느님의 아들이 ～에 내려오시다. ⑦절이나 수도원 또는 교도소 등과 같이 제약받는 사회에서 일컫는 바깥 사회. ¶～ 소식이 궁금하다. ⑧↗세상 인심(世上人心). ¶야속한 ～.

세:상(을) 떠나다; 세:상(을) 뜨다 구 사람의 죽음을 에둘러 일컫는 말.

세:상(을) 모르다 구 ㉠세상 물정에 어두워, 일상 생활의 주변에서 일어나는 일을 모르다. ¶세상 모르고 설치다. ㉡의식하지 못할 만큼 깊은 잠에 빠져, 아무 것도 모르다. ¶세상 모르게 곤히 자다.

[세상 모르고 약은 것은 세상이 넓은 줄 아는 못난이만 못하다] 될 수 있는 대로 많이 보고 많이 듣고 널리 알아야 한다는 말.

세:상(을) 버리다 구 죽다. 세상을 떠나다. ¶제 몸을 사랑하던 제 부모가 세상을 버리면 어떤 사람이 슯지 아니할 것은 아니나《崔瓚植: 金剛門》.

세:상-없는 구 세상에 다시없는. 비할 데 없는. ¶～ 보물/～ 장사도 못 당해 낸다/～ 일이 있어도 가겠다.

세:상-없어도 구 세상에 무슨 일이 있더라도 꼭. 어떠한 경우에 부닥칠지라도 반드시. ¶～ 하고야 말겠다/～ 가겠다.

세:상-없이 구 ㉠세상에 짝이 없을 만큼 더할 나위 없이. ¶～ 좋은 일도 다 시들하다/～ 좋은 사람. ㉡아무리. ¶～ 호소해도 막무가내다.

세:상-에 구 세상에 그런 일도 다 있나 하고, 크게 놀라는 뜻으로 쓰는 말. 세상 천지에. ¶～ 별놈 다 보겠다.

세:상에 물들다 구 세속(世俗)에 동화(同化)되다.

세:상에 서다 구 세상에 나서서 제 구실을 하다. 세상에 나가 상당한 지위에 올라서다.

세:상에 없:다 구 죽어서 또는 없어져서 이 세상에 존재하지 않다.

세:상이 바뀌다 구 사회 제도나 세태가 아주 달라지다.

세:상 천지(天地)에 구 '세상에'를 강조하는 말. ¶그런 일은 ～ 없다.

세:상[2]【世相】명 세태(世態). ¶～이 새옹지마(塞翁之馬)/～가 다 귀찮다.

세:상 만:사【世上萬事】명 세상에서 일어나는 온갖 일. ¶～ 새옹지마

세:상-맛【世上—】명 세상의 쓰고 달콤한 온갖 맛. 또, 세상을 살아가는 재미나 취미. 세미(世味). ¶～을 모르고 살다.

세:상-사【世上事】명 세상의 일. 세상일. 세사(世事).

세:상-살이【世上—】명 세상에서 삶을 이어 가는 일. 세상을 살아 나가는 일. ¶～가 이토록 어려워서야. ——-하다 자여불

세:상 인심【世上人心】명 세상 사람의 마음. ¶～이 이토록 사나워서야. 준세상(世上).

세:상-일【世上—】[—닐] 명 세상사(世上事). ¶～, 두고 봐야지.

세:새 명〈방〉[←세사(細沙)] 모새(평안).

세:서[1]【細書】명 잔글씨를 씀. 또, 그 글씨. 세필(細筆). ——-하다 타여불

세:서[2]【歲序】명 세월이 바뀌는 순서.

세:서-덩이 명〖농〗☞세섯덩이.

세:서 성문【細書成文】명 썩 가늘고 잔 글씨로 적음. 또, 그 기록. ——-하다 타여불

세:서 성자【細書成字】명 아주 가늘고 잘게 글씨를 씀. 또, 그 글씨. ——-하다 타여불

세:서-연【洗鋤宴】명 호미씻이.

세:서 천:역【歲序遷易】명 세월의 차례가 옮기어 바뀜. *기서 유역(氣序流易).

세:석[1]【細石】명 잔돌.

세:석[2]【細席】명 올이 가는 돗자리.

세:-석기【細石器】명〖역〗〖고고학〗잔석기.

세:선【細線】명 가느다란 줄. 잔금.

세:선-문【細線文】명〖고고학〗잔금무늬.

세:설[1]【世說】명 세평(世評).

세:설[2]【洗雪】명 부끄럼 등을 씻어 버림. 설욕(雪辱). ——-하다 자여불

세:설[3]【細雪】명 자디잘게 내리는 눈. 분설(粉雪).

세:설[4]【細說】명 ①잔말. 쓸데없는 말. 잔소리. ②상세(詳細)하게 설명을 함. 또, 그 설명. ③소인(小人)들의 참소(讒訴). 문제되지도 아니하는 너절한 말. ——-하다 자타여불

세:설 신어【世說新語】명〖책〗중국 송(宋)나라 유의경(劉義慶)이 지은 책. 후한(後漢)부터 동진(東晉)에 이르기까지의 귀족(貴族)·학자(學者)·문인(文人)·승려(僧侶) 들의 덕행(德行)·언어(言語)·문학(文學) 등 36문에 관한 일화(逸話)를 분류하여 수록함. 시대의 사조(思潮)를 잘 나타냈으며, 문장도 청신함. 3권.

세:섯-덩이 명〖농〗김맬 때에 흙을 떠서 앞으로 엎는 덩어리.

세:성【歲星】명〖천〗목성(木星).

세:세[1]【世世】명 대대(代代).

세:세[2]【歲歲】부 연년(年年).

세:세 사:정【細細事情】명 아주 꼼꼼하고 자세한 일의 형편이나 곡절. 「자세한 사정.

세:세 상전【世世相傳】명 대대로 전해 내려 옴. ——-하다 타여불

세:세 생생【世世生生】명〖불교〗몇 번이든지 다시 환생(還生)하는 일. 또, 그 때. 생생 세세(生生世世).

세:세 손손【世世孫孫】명 대대 손손(代代孫孫).

세:세 연년【歲歲年年】명부 '매년'을 강조하여 이르는 말. 연년 세세(年年歲歲). ¶～ 풍작을 누리다.

세:세-하다【細細—】형여불 ①아주 자세하다. ¶세세하게 설명하다. ②자디잘아 하잘것없다. ¶세세한 일들은 무시해 버리다. ③매우 가늘다. 세:세-히【細細—】부. ¶～ 이르다.

[세세한 도장에 법이 든다] 너무 세세하게 구는 집에 오히려 큰 잘못됨이 들기 쉽다는 말.

세:소[1]【細小】명 세미(細微)❶. ——-하다 형여불

세:소[2]【細梳】명 참빗. 진소(眞梳).

세:-소고연【勢所固然】명 일의 형세가 그렇지 아니할 수가 없음.

세소래 명〈방〉대야[1].

세:속【世俗】명 ①이 세상. 속세. ¶～을 등지고 살다. ②세상 사람. ③세상의 풍속. ¶～을 따르다. ④〖천주교〗삼구(三仇)의 하나.

세:속 오:계【世俗五戒】명〖역〗불가(佛家)의 오계에 대하여 신라 진평왕(眞平王) 때, 원광(圓光)이 세속적인 유가 덕목(儒家德目)에 비추어서 지은 화랑(花郞)의 다섯 가지 계율. 곧, 사군 이충(事君以忠)·사친 이효(事親以孝)·교우 이신(交友以信)·임전 무퇴(臨戰無退)·살생 유택(殺生有擇)의 다섯 가지. 오계(五戒).

세:속 음악【世俗音樂】명 중세 유럽에서 종교 음악에 대하여 도시의 발달에 따라 발달한 세속 일반의 음악의 이름.

세:속-적【世俗的】명관 속된 모양. 세속의 테두리를 벗어나지 못한 형편. ¶～인 사고 방식.

세:속-제【世俗諦】명〖불교〗속제(俗諦).

세:속-지【世俗智】명〖불교〗세간지(世間智). 유루지(有漏智).

세:속-화【世俗畫】명 세속적인 목적을 위해 주로 감상용으로 그려진 그림. 특히, 종교화에 대해 풍속·풍경 따위 비종교적 주제를 다룬 회화를 말함.

세:손【世孫】명 ↗왕세손(王世孫).

-세손【世孫】미 숫자(數字) 밑에 붙어, 시조(始祖)로부터 쳐서 몇 대째의 자손임을 나타내는 말. ¶이황(李滉)의 십～. *-대조(代祖).

세:손 강:서원【世孫講書院】명〖역〗조선 시대 때, 왕세손(王世孫)의 시강(侍講)을 맡아 보던 관아(官衙). 세종(世宗) 30년(1448)에 설치하고 고종(高宗) 31년(1894)까지 있었음. 준강서원(講書院).

세:손-궁【世孫宮】명〖역〗①'왕세손(王世孫)'의 존칭. ②왕세손이 거처하던 궁전.

세:손목-카래 명〖농〗↗세손목 한카래.

세:손목 한카래 명〖농〗줄꾼 두 사람과 장부잡이 한 사람이 하는 가래질. 준세손목카래.

세:손-부【世孫傅】명〖역〗조선 시대 때, 세손 강서원(世孫講書院)의 종일품 벼슬. 세손의 스승.

세:손-빈【世孫嬪】명〖역〗왕세손(王世孫)의 빈.

세:손-사【世孫師】명〖역〗조선 시대 때, 세손 강서원의 종일품 벼슬. 「세손의 스승.

세:손 위종사【世孫衛從司】명〖역〗조선 시대 때, 왕세손(王世孫)의 시위(侍衛)에 관한 사무를 맡아 보던 관아. 세종 30년(1448)에 설치하고 고종 31년(1894)까지 있었음. 준위종사(衛從司).

세:쇄[1]【細碎】명 ①자디잘게 깨뜨리거나 부서뜨림. ②자질구레하고 번거로움. 번쇄(煩碎). ——-하다 타형여불

세:쇄[2]【細瑣】명 세미(細微)❶. ——-하다 형여불

세:-쇠 명〈방〉삼발이.

세:수[1]【世守】명 여러 대(代)를 두고 지켜 옴. ——-하다 타여불

세:수[2]【世壽】명 세속(世俗)의 나이. 법랍(法臘)에 대하여 일컫는 말.

세:수[3]【世數】명 계통상(系統上) 부자(父子)간의 수. 상속상(相續上) 피상속인(被相續人)과 상속인간의 수.

세:수[4]【世讎】명 대대로 내려오는 원수. 세구(世仇).

세:수[5]【洗手】명 낯을 씻음. 세면(洗面). ¶～ 수건. ——-하다 자여불

세:수[6]【稅收】명 ↗세수입(稅收入). ¶～가 늘다.

세:수[7]【歲首】명 새해의 처음. 설. 세초(歲初). 연두(年頭). 연수(年首). 「수세(首歲).

세:수-간【洗手間】[—깐] 명 ①세수를 하도록 설비한 곳. 세면소(洗面所). 세면실(洗面室). ②〖역〗조선 시대 때, 액정서(掖庭署)의 한 분장(分掌). ③〖역〗조선 시대 때, 궁중의 육처소(六處所)의 하나. 왕과 왕비의 세숫물·목욕물·요강·타구 등의 심부름을 드는 직소(職所). *생과방(生果房).

세:수간 나:인【洗手間—】[—깐—] 명〖역〗조선 시대 때, 왕·왕비 등의 세숫물이나 목욕물 등의 심부름 외에, 궁성 안 거둥 때에 시위·전도(前導)를 거행하는 나인. *생과방(生果房) 나인.

세수-대 명〈방〉세숫대야(경기·경상).

세수 대앙 명〈방〉세숫대야(전남).

세수 대애 명〈방〉세숫대야(경남).

세수 대에 명〈방〉세숫대야(경남).

세수 대여 명〈방〉세숫대야(경기).

세수 대와 명〈방〉세숫대야(경남).

세수 대우 명〈방〉세숫대야(전남).

세:수-때 명〈방〉세숫대야(경기·강원·충청·전라·경상·함북).

세수 때야 명〈방〉세숫대야(경기·충북).

세수 때양 명〈방〉세숫대야(제주).

세수 때에 명〈방〉세숫대야(경북).

세수 때이 명〈방〉세숫대야(경남).

세수 땡애 명〈방〉세숫대야(함남).

세수 땡이 명〈방〉세숫대야(함북).

세:수 소:래【洗手—】[—쏘—] 명〈방〉세숫대야(함경).

세:수 수:건【洗手手巾】[—수쑤—] 명 세수를 하고 물기를 훔치어 내는 수건.

세수 싸레 명〈방〉세숫대야(제주).

세:수 의대【洗水衣襨】명〈궁중〉임금이나 왕비가 아침에 세수할 때 갈아입는 옷. 소매가 짧고 기장이 허리까지 내려오는데, 여름에 베로, 겨울에는 융으로 지음.

세:-수입【稅收入】명 조세(租稅)의 수입. ¶～을 늘리다. 준세수(稅收).

세:수-천【歲首薦】 명 〖역〗 해마다 새해 처음에 관찰사(觀察使)나 수령(守令)이 되기에 적당한 사람을 천거하던 일.

세:숫-대야【洗手—】 명 세숫물을 담는 대야. *세면기(洗面器).

세:숫-물【洗手—】 명 세수하는 물.

세:숫-비누【洗手—】 명 세수할 때에 쓰는 비누. 빨랫비누보다 알칼리 성분(alkali 性分)이 적고 부드러우며, 향료(香料)를 섞어 방향(芳香)이 있게 만듦. 화장 비누. *빨랫비누.

세슘 〔cesium〕 명 〖화〗 알칼리 금속 원소의 하나. 순수한 것은 은백색이고 질이 연한데, 공기 속에서 산화(酸化)하여 불이 붙으며, 물과 작용하면 분해되어 수소(水素)를 발생함. 보통 극히 적은 산화물 및 질소 화물(窒素化物)을 함유하고 누른 빛을 띰. 외부 광전(光電) 효과에 대한 양자(量子) 효율이 크므로 광전관(光電管)에 사용함. [55번: Cs: 132.9055]

세슘 광전관【—光電管】〔cesium〕 명 〖화〗 산화 세슘과 은으로 된 복합 음극(複合陰極)을 사용한 광전관. 가시 광선(可視光線)·자외선(紫外線)·적외선(赤外線)에 예민하므로 토키(talkie)·텔레비전·사진 전송·광선 전화(光線電話) 등에 응용됨.

세슘 백삼십사 〔cesium-134〕 명 〖화〗 질량수 134의 세슘 동위 원소. 음(陰)의 β입자를 방출하며, 반감기(半減期)는 2.19년. 광전관(光電管)이나 이온 추진 기구(ion 推進機構)의 연구에 쓰임.

세슘 백삼십칠 〔cesium-137〕 명 〖화〗 질량수(質量數) 137의 세슘. 인공 방사성 동위 원소(同位元素)의 하나. 핵분열(核分裂)로 생기며 반감기(半減期)는 약 30년. 화학적 성질이 칼륨과 비슷하며 인체내에 들어가면 근육 따위에 모이기 때문에 그 방출하는 γ선(線)은 유해함. γ선원(線源)·트레이서(tracer) 등에 이용되고 있음.

세슘 원자 시계【—原子時計】〔cesium〕 명 세슘 133 원자에서 방사되는 마이크로웨이브의 주기를 1초로 하는 데에 기초를 둔 원자 시계. 1972년 1월 1일부터 세계 각국의 표준시가 이 시계에 의거, 표시되도록 되었음.

세슘이온 엔진 〔cesium-ion engine〕 명 〖항공〗 우주 항행(宇宙航行)을 위한 비행체의 추진력을, 세슘 이온의 흐름을 이용해서 얻는 이온 엔진.

세슘 증기 램프【—蒸氣—】 명 〔cesium-vapor lamp〕 〖전자공학〗 이온화한 세슘 증기 속에서, 두 개의 전극(電極) 사이를 흐르는 전류에 의하여 발광(發光)하는 램프.

세스나-기【—機】〔Cessna〕 명 미국의 세스나 항공기 회사가 생산하는 비행기. 단발인 170형·207형, 쌍발인 310형, 하늘을 나는 중역실(重役室)이라는 421형 등 군용·민간용 및 자가용에 이르기까지 많은 형을 제작하고 있음. 경비행기의 대명사처럼 되어 있음.

세스페데스 〔Cespedes, Gregoriode〕 명 〖사람〗 스페인의 천주교 신부(神父). 예수회(Jesus會) 소속으로, 1577년 일본에서 포교, 임진 왜란 때, 고니시 유키나가(小西行長)의 초청으로 웅천성(熊川城)에 건너와 최초로 내한한 유럽인이 되었음. 나가사키(長崎)에서 병사함. [1551-1611]

세:습¹ 명 말이나 소의 세 살을 일컫는 말.

세:습²【世習】 명 세상의 풍습. ¶ ~에 따르다.

세:습³【世襲】 명 한 집안의 재산·작위(爵位)·업무(業務) 등을 자자 손손(子子孫孫) 물려받는 일. ——-하다 타 여불

세:습 군주국【世襲君主國】 명 〖정〗 군주(君主)의 지위가 일정한 혈통에 의하여 세습되는 국가. *선거 군주국(選擧君主國).

세:습 군주제【世襲君主制】 명 〖정〗 군주의 지위 계승(地位繼承)의 방법에 의하여 분류한 군주제의 하나. 군주의 혈통에 의하여 그 지위가 세습적으로 계승되는 정치 체제. *선거 군주제·선정 군주제.

세:습-무【世襲巫】 명 〖민〗 대대로 대를 물리어서 되는 무당. 우리 나라 남도(南道)에서는, 시어머니에게서 며느리로 세습됨. *강신무(降神巫).

세:습 연금【世襲年金】[—년—] 명 본인의 생시뿐 아니라, 그 자손에게까지 지급되는 연금.

세:습 영지【世襲領地】[—녕—] 명 옛날에, 관리들이 국가나 봉건 영주로부터 나누어 받은 상속권이 있는 토지.

세:습 의원【世襲議員】 명 〖정〗 의원의 지위를 세습에 의해서 취득하는 의원. ↔민선(民選) 의원·서임(敍任) 의원.

세:습 재산【世襲財産】 명 〖법〗 대대로 한 집안의 계승자(繼承者)가 물려받기는 하나 소유자가 자유 처분을 하거나, 채권자가 강제 집행을 할 수 없는 재산. 그 성질은 일종의 불융통물(不融通物)로 중세(中世) 봉건 귀족(封建貴族)의 경제적 기초를 확보하려는 제도였으나 근대법(近代法)은 거의 이를 인정하지 아니함.

세:습-적【世襲的】 명관 세습의 요건을 갖춘 모양.

세:승【細繩】 명 ①가는 노끈. ②가는 새끼. ③모시의 발.

세:승-포【細升布】 명 가는 베.

세:시¹【細視】 명 자세하게 봄. ——-하다 타 여불

세:시²【歲時】 명 ①일년 중의 때때. ¶ ~ 풍속집(風俗集). ②해와 시(時). ③새해. 설.

세:시³【歲試】 명 〖역〗 중국 청(淸)나라 때, 3년마다 있는 향시(鄕試)·회시(會試)·전시(殿試)의 예비 시험.

세:시-기【歲時記】 명 일년 중, 철을 따라서 행하여지는 자연(自然)·인사(人事)에 관한 여러 가지 행사를 적은 책. ¶ 동국(東國) ~.

세시-때 명 〈방〉 세숫대야(강원).

세:시 복랍【歲時伏臘】[—남] 명 새해·삼복(三伏)·납향(臘享)의 총칭.

세:시-증【歲時甑】 명 ①설떡을 찌는 시루. ②여러 사람이 같은 행사 때에 다 같이 쓰려고 찾는 물건.

세:시 풍속【歲時風俗】 명 일상 생활에 있어서, 계절에 따라 관습적으로 되풀이하는 민속(民俗).

세:시 풍속도【歲時風俗圖】 명 일상 생활의 장면이나 사철의 풍속을 그린 그림.

세:신¹【世臣】 명 ①대대로 한 가문(家門)이나 왕가(王家)를 섬기는 신하. ②↗세록지신(世祿之臣).

세:신²【細辛】 명 〖한의〗 족두리풀이나 민족두리풀의 뿌리. 말리어서 두통(頭痛)·발한(發汗)·거담(祛痰) 등의 약재로 씀.

세:신-과【細辛科】[—꽈] 명 〖식〗 [Asaraceae] 쌍떡잎 식물에 속하는 한 과. 족두리풀·민족두리풀 따위가 있음.

세:실¹【世室】 명 오랜 세대를 두고 지내는 제향(祭享)의 위패(位牌)를 모시는 종묘(宗廟)의 신실(神室).

세:-실²【細—】 명 가는 실.

세실³ 〔Cecil, Burghley William〕 명 〖사람〗 영국의 정치가. 엘리자베스 1세의 국무상이 되어 사실상의 수상으로서 내정의 정비, 영국의 국제적 지위 향상에 크게 공헌하였음. [1520-98]

세실⁴ 〔Cecil, Edgar Algernon Robert〕 명 〖사람〗 영국의 정치가. 국제 연맹의 발족과 그 발전에 기여, 연맹 총장직을 오랫동안 맡아 하였고 1937년에 노벨 평화상을 수상함. [1864-1958]

세:-실과【細實果】 명 잘게 만든 숙실과(熟實果).

세실 컷 〔Cécil+cut〕 명 영화 ≪슬픔이여 안녕≫의 여주인공 세실로 나온 진 세버그의 헤어 스타일로, 매우 짧은 쇼트 커트. 스포티한 느낌을 줌.

세:심¹【洗心】 명 마음을 깨끗이 씻음. 사심(邪心)을 버리고 올바른 마음을 가짐. 세간(洗肝). ——-하다 자 여불

세:심²【細心】 명 ①자그마한 일에까지도 꼼꼼하게 주의함. 또, 그 마음. ¶ ~한 배려. ②편협(偏狹)한 마음. ——-하다 형 여불. ——-히 부

세:-쌍둥이【—雙—】 명 삼태(三胎).

세아리다 타 〈방〉 헤아리다(경상·강원·함경).

세:악【細樂】 명 〖역〗 취타(吹打)가 아닌 장구·북·피리·저·깡깡이로 연주하는 군악(軍樂). 행렬 뒤에 따라서 아룀. ↔취타(吹打).

세:악-수【細樂手】 명 〖역〗 세악의 풍류를 하던 군사. 취악수. ↔취타수(吹打手)❶.

세:안¹【洗眼】 명 눈을 씻음. ¶ ~약. ——-하다 자 여불

세:안²【洗顔】 명 세면(洗面). ——-하다 자 여불

세:안³【細案】 명 ①세밀한 안건(案件). 세밀하고 구체적인 내용. ②〖교〗 개별적인 아동의 지도 등을 열거하여 작성한 학습 지도안. *교수 세목.

세:-안⁴【歲—】 명 새해가 되기 이전. 세전(歲前).

세:-알【歲謁】 명 세배(歲拜).

세:알-모끼 명 〖공〗 세 줄을 치도록 이가 셋이 있는 대패.

세암 명 〈방〉 ①우물¹(전남). ②샘²(전남).

세:액【稅額】 명 〔↗과세액(課稅額)〕 조세(租稅)의 액수. ¶ ~이 높다.

세:액 공:제【稅額控除】 명 〖경〗 산출(算出)된 세액에서 정책적으로 일정액을 공제하고, 납부할 세금을 정하는 세법 규정.

세:약【洗藥】 명 병든 자리나 상한 국부를 씻는 데 쓰는 약.

세:약-선【歲約船】 명 〖역〗 세견선(歲遣船).

세:양【歲陽】 명 〖민〗 '천간(天干)'을 음양(陰陽)의 구별로 일컫는 말. ↔세음(歲陰).

세:어-도【細於島】 명 〖지〗 인천 광역시의 앞바다, 서구(西區) 원창동(元倉洞)에 위치한 섬. [0.408 km²]

세:어 보다 타 사물의 수효를 밝히려고 헤아리거나 꼽아 보다. ㊟세보다.

세:언¹【世諺】 명 세상의 이언(俚諺). 속담.

세:언²【洗堰】 명 〖토〗 수량(水量)이 적은 하천(河川) 바닥에 있는 암석(岩石)에다 콘크리트 같은 것으로 가로질러 길 모양으로 만든 구조물(構造物). 평시에는 길이 되고 물이 날 때에는 둑의 작용을 함.

세:업【世業】 명 대대로 물려서 내려오는 직업. 세습(世襲)의 생업(生業). 가업(家業). ¶ ~을 잇다.

세:여【歲餘】 명 일년 남짓한 동안.

세:-여파죽【勢如破竹】 명 기세가 매우 맹렬하여 대항할 만한 적이 없다는 뜻. *파죽지세(破竹之勢).

세:역【歲役】 명 ①매년 일정하게 실시되는 부역(賦役). ②〖역〗 중국 고대의 세제(稅制)의 한 가지. 수(隋)나라와 당(唐)나라에서는 정역(正役) 20일, 유역(留役) 30일로 하여, 정역에 따르지 아니하면 대신 일정량(一定量)의 용(庸)을 바치고, 유역까지 하였으면 조조(調租)까지 면제되게 규정하였음.

세:연【世緣】 명 세상의 인연(因緣). 속세(俗世)의 온갖 인연.

세:연-례【洗硯禮】[—녜] 명 파접례(罷接禮).

세:열【細裂】 명 잘게 갈라짐. 잘게 찢음. ——-하다 자 타 여불

세:열 폭탄【細裂爆彈】 명 〖군〗 파편 폭탄.

세염¹ 명 〈방〉 수염³(경남).

세염² 명 〈방〉 헤엄(강원·경북).

세:염³【世染】 명 어수선한 세상의 너저분한 일.

세:염⁴【勢焰】 명 기세(氣勢)❶.

세:-영산【細靈山】 명 〖악〗 '잔영산(靈山)'의 한자 이름.

세:예【世譽】 명 ①세상이 모두 칭찬함. ②세상의 명예.

세오 부 〈방〉 몹시(함경).

세오다 타 〈옛〉 고집하다. ¶ 네 세오디 말고 가디 말라(你休強不要去)≪朴解 下 45≫.

세오돌라이트 〔theodolite〕 명 천체나 다른 물체의 방위각과 올려본각을 재는 기계. 망원경을 수직축과 수평축의 둘레에 회전할 수 있게 장치하였음. 천체용(天體用)과 측량용이 있음. 경위의(經緯儀).

세왇다 형 〈옛〉 굳세다. ¶ 세왇돌 환(桓)≪石千 23≫.

세:외¹【世外】 명 세상 밖. 곧, 속세를 떠난 곳.

세:외²【稅外】 명 세금 이외.

세:외 수입【稅外收入】 명 국가와 지방의 재정 수입 중, 조세 수입 이외의 수입. 국가에서는 전매(專賣) 수입·수수료·관업 익금(官業益金)·관

업 수입·관유 재산 수입·잡수입·전년도 잉여금 수입·공채·차입금 등이 있으며, 지방은 특별 회계에서의 전입금(轉入金)·공영 사업 수입·공공 사업에 의한 수익자 부담금 등이 있음. 「人)을 비유하는 말.

세:요[1]【細腰】명 ①가는 허리. ②허리가 가늘고 날씬한 여자. 미인(美

세:요[2]【勢要】명 권세가 있는 자리. 또, 그 자리에 있는 사람. 요로(要路)에 있는 세력자.

-세요 어미 -셔요. ¶잡수~/오~/좀 더 다가서~. *-으세요.

세:요-고【細腰鼓】명〖악〗허리가 잘록한 장고(長鼓).

세:요-봉【細腰蜂】명〖충〗나나니벌.

세:용【歲用】명〖법〗세비(歲費)❶.

세:우[1]【細雨】명 가랑비.

세:우[2]【貰牛】명 세를 내고 부리는 소.

세우[3] 부〈방〉①몹시. ②자주(함경).

[세우 찧는 절구에 손 들어갈 때 있다] 아무리 분주스러운 경우라도 틈을 내자면 낼 수 있다는 말. 「序 81》.

세우[4] 부〈옛〉세차게. 자주. ¶세우 비호게 傳ᄒᆞ노니(以傳強學)《圓覺

세우다 타 [중세 : 셰다] ①눕거나 넘어진 것을 바로 서게 하다. 일으키다. ¶개가 귀를 ~/외투의 깃을 ~/기둥을 ~. ②움직이거나 가는 것을 멈추게 하다. ¶차를 ~. ③날붙이의 날을 날카롭게 만들다. ¶톱날을 ~. ④계획·예측 등을 정하다. ¶목표를 ~/예산을 ~/뜻을 ~. ⑤짓거나 만들다. ¶집을 ~. ⑥어떤 업적을 성취하다. ¶공을 ~. ⑦제도·조직·전통 따위를 이룩하다. ¶전통을 ~/나라를 ~. ⑧어떤 자리에 나아가거나, 오르게 하다. ¶초대 왕으로 ~/후보자로 ~. ⑨어떤 일을 튼튼히 하기 위해 관여시키다. ¶증인을 ~/보증인을 ~. ⑩새 주장·의견을 표명하다. ¶새로운 가설(假說)을 ~. ⑪생활을 유지하다. ¶생계를 ~. ⑫잃지 않고 보전하다. ¶면목을 ~. ⑬고집을 부리다. ¶고집을 ~. ⑭명령·규칙·위엄 등이 잘 지켜지게 하다. ¶규율을 ~. 준세다.

세:우 사풍【細雨斜風】명 사풍 세우(斜風細雨).

세:운【世運】명 세상 운수.

세운-알 명〖경〗'건옥(建玉)'의 풀어 쓴 말.

세워들 형〈옛〉굳센. '세원다'의 활용형. ¶英雄도 ᄒᆞᆫ갓 스싀로 세워들 ᄲᅮᆫ니니라(英雄徒自強)《初杜諺 XVII:24》.

세워둔 형〈옛〉굳센. '세원다'의 활용형. ¶물 盜賊은 ᄂᆞ려 뫼ᄒᆞ로 避ᄒᆞ고 挖戎은 세워둔 彼敵을 막ᄌᆞᄅᆞ놋다(羣盜下避山挖戎備強敵)《重杜諺 XII:13》.

세워-총【—銃】㊀명〖군〗병사가 차려 자세를 취하고, 소총은 개머리판이 지면에 닿게 하여 우측에 잡는 집총 자세. ㊁감 '세워총'의 구령. ——-하다 자여불

세:원【稅源】명〖경〗세금을 매기게 되는 근원인 소득(所得)이나 재산. 영업세에는 영업 수익(收益), 상속세(相續稅)에는 상속 재산, 소득세(所得稅)에는 소득의 전부가 세원이 됨. ¶~을 찾아내다.

세원다 형〈옛〉굳세다. ¶니 세워드며(牙關緊急)《救方上 12》.

세:월[1]【細月】명 초승달.

세:월[2]【歲月】명 ①흘러가는 시간. 광음(光陰). 연화(年華). 세화(世華). 오토(烏兎). 연광(年光). ¶~은 유수와 같다. ②지내는 형편이나 사정. ¶~이 좋을 때는 나도 큰소리 깨나 쳤지. ③시간이나 때. ¶어느 ~에 그 일을 다 마치겠냐? ④상거래에서의 실속이나 벌이. ¶요즘 같은 불경기에 무슨 장산들 ~이 있겠나.

[세월이 약] 마음의 상처도 세월이 지나고 나면 가셔진다는 말.

세:월을 만나다 구 좋은 세상을 만나 활개치다.

세:월이 나다 구 제 세월을 만나서, 돈벌이가 잘 되다.

세:월이 좀먹다 구 세월이 가지 않는다는 뜻.

세:월-없다【歲月—】[—업—] 형 ①돈벌이가 잘 안 되다. ¶장마가 들어서 얼음 장사가 ~. ②일이 너무 더디어서 어느 때에 될는지 미리 말할 수 없다. ¶언제 끝날지 ~.

세:월-없이【歲月—】[—업씨] 부 세월없게. ¶ ~ 잠만 자다.

세:월 여류【歲月如流】명 세월이 흐르는 물과 같다는 말로, 세월이 빨리 흘러 감을 뜻하는 말. ——-하다 형여불

세:위[1]【勢位】명 권세(權勢)와 지위(地位). 또, 세력 있는 지위.

세:위[2]【勢威】명 기세(氣勢)와 위엄(威嚴). 위광(威光). 위세(威勢).

세:유【世儒】명 ①세속(世俗)의 유자(儒者). ②대대로 가학(家學)을 전

세:육【歲肉】명 정초(正初)에 쓰는 고기. 「하는 유자(儒者).

세:율[1]【稅律】명〖법〗조세(租稅)에 대한 법률(法律). 세법(稅法).

세:율[2]【稅率】명〖경〗[↗과세율(課稅率)] 일정한 과세물(課稅物)에 대하여 조세(租稅)를 부과(賦課)하는 비율.

세:율 약정【稅率約定】명〖경〗관세율(關稅率)에 대한 약정(約定).

세:은[1]【世銀】명 ↗세계 은행.

세:은[2]【稅銀】명〖역〗은전(銀廛)에서 세(稅)로 바치던 은.

세:음[1]【細音】명 '셈'[1]의 취음(取音). 「↔세양(歲陽).

세:음[2]【歲陰】명〖민〗'지지(地支)'를 음양(陰陽)의 구별로 일컫는 말.

세:의[1]【世誼】[—/—이] 명 대대(代代)로 사귀어 온 정의(情誼).

세:의[2]【世醫】[—/—이] 명 여러 대(代)를 이어 내려온 의원 노릇.

세:의[3]【世議】[—/—이] 명 세간의 논의. 세론(世論).

세:의[4]【歲儀】[—/—이] 명 연말에 선사하는 물건. 세찬(歲饌).

세의 법칙【—法則】[—/—에—] 명 [Say's law]〖경〗프랑스 고전파 경제학자 세(Say, J.B.)가 전개한 '공급은 그 자신의 수요를 창조한다'는 설. 화폐는 단지 교환 매개물에 불과하므로 상품의 구매 수단은 결국 상품이며, 상품을 생산한다는 것은, 곧 상품의 구매 수단을 만들어 내는 것이므로 모든 상품은 판매된다는 이론. 곧, 사는 것과 파는 것, 공급과 수요는 일치한다는 주장. 이 법칙은 일반적 과잉 생산 공황의 가능성을 부정하는 고전파 경제학의 근본적 전제(前提)를 이룸. 세의 판로 법칙.

세의 판로 법칙【—販路法則】[Say] [—팔—/—에팔—] 명〖경〗세의 법칙.

세이 명〈방〉형[1](兄)(경남).

세이건 [Sagan, Carl Edward] 명〖사람〗미국의 천문학자. 하버드 대학 조교수, 코넬 대학 교수. NASA의 행성 탐험 계획에서 지도적 역할을 함. 출판된 TV 시리즈 '코스모스'로 피바디 상을 수상. 핵무기와 핵전쟁의 위험을 경고한 《에덴의 공룡》(1978, 퓰리처상 수상)·《핵의 겨울》도 있음. [1934-]

세:-이레 명〖민〗아이를 낳은 지 3주(週)가 지난 스무하루째의 날. 이날까지는 타인의 출입을 금하며,여러 가지를 기휘(忌諱)함.삼칠일(三七日).

세이렌 [Seiren] 명〖신〗그리스 신화 중의 해정(海精). 상반신(上半身)은 여자이고, 하반신은 새 모양을 한 마녀(魔女). 이탈리아 근해에 출몰하며 아름다운 소리로 뱃사람을 유혹하여 죽게 한다 함. 나중에 오르페우스(Orpheus)를 유혹하다 실패하여 바위로 변하였음. 사이렌.

〈세이렌〉

세이버리 [Savery, Thomas] 명〖사람〗영국의 공학자. 1698년 대기압(大氣壓)으로 물을 빨아올리어, 증기압(蒸氣壓)으로 그것을 밀어 내는 광산용 양수기(揚水機)를 발명함. 이것은 증기력 이용의 최초의 기계로서 대기압 기관의 선구임. [1650?-1715]

세이버 제트기【—機】[미 saber jet] 명〖군〗미국 공군의 제트 전투기의 하나. 시속 1,000 km이며, 특히 레이더 조준기 성능이 매우 우수함. 에프 팔십육(F 86). 「의 에너지 절약.

세이베너지 [savenergy] 명 [save+energy] 가솔린·전력(電力) 따위

세이브 [save] 명 ①도움. 구조. ②절약. 저축. ③프로 야구에서, 승리 투수까지는 되지 않더라도 승리에 공헌한 투수를 기록하는 용어. ——-하다 타여불

세이브 포인트 [save point] 명 프로 야구에서, 구원 등판하여 최저 3 이닝을 투구하여 끝까지 리드를 지켰을 때나, 무주자(無走者)로 3 점을 리드하고 있을 때 등판하여 최저 1이닝 이상을 던졌을 때 구원 투수에게 주어지는 기록.

세이블 [sable] 명〖동〗검은 담비. 또, 그 모피(毛皮).

세이블 곶【—串】[Sable] 명〖지〗미국 플로리다 반도의 서남단에 있는 갑(岬). 미국 본토의 가장 남쪽 끝임. 연장 32 km. 폭 8-16 km.

세이빈 백신 [Sabin vaccine] 명 미국의 세균학자 세이빈(Sabin, A.B.; 1906-93)이 발명한 경구용(經口用)의 소아 마비 예방 생백신. 1959년 소련에서 실용화됨.

세이빙 [saving] 명 ①구조. 구제. ②절약. 저금. 저축. ③럭비에서, 지면에 있는 공에 달려들어 상대의 전진을 방해하는 일. 특히 드리블 공격의 방어에 사용됨.

세이셸 [Seychelles] 명〖지〗인도양 서부 마다가스카르(Madagascar) 섬의 북방부에 있는 90여 개의 작은 섬으로 이루어진 섬나라. 바닐라 등의 향료 및 코프라·대모갑(玳瑁甲)을 수출함. 인도양 항로·해저 전선의 중계지임. 1976년 영국의 직할 식민지로부터 독립함. 수도는 빅토리아. [280 km² : 70,000 명(1990 추계)]

세이스 [Sayce, Archibald Henry] 명〖사람〗영국의 동양어학자. 구약 성서와 아시리아어(Assyria語)를 연구함. 주저(主著)에 《아시리아어 문법》이 있음. [1845-1933]

세이지[1] [sage] 명〖식〗샐비어(salvia)❶.

세이지[2] [SAGE] 명〖군〗[Semi-Automatic Ground Environment 의 약칭] 반자동식 방공 조직(半自動式防空組織). 인력(人力)에 의지하는 최종적 판단을 제외하고는 컴퓨터를 활용하는 방공 조직. 미국에서 1954년부터 실용화됨.

세이퍼트 은하【—銀河】명 [Seyfert galaxy]〖천〗항성(恒星) 모양의 중심핵(中心核)에 초속 10^3-10^4km의 가스가 존재하는 은하. 1943 년 미국의 C.K. 세이퍼트가 발견. 매우 밝은 휘선(輝線)을 방사하고 있으며, 현재 약 100 개 정도가 확인되었고 형태는 나선(螺旋) 은하가 많음. 가장 밝은 것은 고래자리의 M 77. *준성 전파원(準星電波源).

세이프 [safe] 명 ①야구에서, 주자(走者)가 아웃을 면하는 일. 곧, 안전하게 베이스(base)까지 가는 일.¶심판이 ~를 선언하다.②테니스에서, 공이 경기장의 규정선 내에 들어가는 일. 인(in). 1)·2):↔아웃(out)❷.

세이프가:드 [safeguard] 명 ①〖경〗가트(GATT)의 특례 규정에 의한 수입 정책의 안전판 조항. 특정 품목의 수입 급증으로 국내 산업이 위태로울 경우에 긴급히 수입을 제한하는 권리. 긴급 관세. ②보호. 안전 장치.

세이프 사구【—砂丘】명 [seif dune]〖지〗세로 길고, 끝이 가늘고 뾰족한 사구(砂丘) 또는 일련의 사구. 단면(斷面)은 일련의 첨두(尖頭)와 안상부(鞍狀部)를 이룸.

세이프 인 [safe in] 명 야구에서, 주자가 생환(生還)하는 일. 홈 인(home in).

세이프티 [safety] 명 ①안전(安全). 무사(無事). ②미식 축구에서, 프리볼이 자기의 골 라인을 넘었을 때, 상대에게 터치 다운을 시키지 아니하기 위하여 먼저 볼을 터치하여 데드 볼로 만드는 일. 상대 팀이 2점을 얻음.

세이프티 레이저 [safety razor] 명 안전 면도(面刀).

세이프티 밸브 [safety valve] 명 안전판(安全瓣).

세이프티 번트 [safety+bunt] 명 야구에서, 주자를 다음 베이스에 나아가게 하면서, 타자 자신도 1루(壘)에 살아 나아가기 위해 행하는 번트.

세이프티 아일런드 [safety island] 명 안전 지대(安全地帶)❶.

세이프티 위:크 〔safety week〕 명 안전 주간(安全週間).
세이프티 존: 〔safety zone〕 명 안전 지대(安全地帶)❷.
세이프티 팩터 〔safety factor〕 명 안전 계수. 안전율(安全率).
세이프티 퍼:스트 〔safety first〕 명 위험 방지를 위한 표어(標語)로서, '안전 제일(安全第一)'이란 뜻.
세이프 히트 〔safe hit〕 명 야구에서, 안타(安打). 안전타(安全打).
세:인¹ 【世人】 명 세상 사람.
세:인² 【細人】 명 ①간첩(間諜). ②소인(小人)❸.
세:인³ 【稅印】 명 증서나 장부의 인지세(印紙稅) 납부 증명. 인지 세액 상당의 현금을 관서에 납부했을 때, 증표(證票)로 찍는 도장.
세인츠버리 〔Saintsbury, George Edward Bateman〕 명 《사람》 영국의 문학사가(文學史家). 에든버러(Edinburgh) 대학 교수. 《19세기 문학사》·《영문학 소사》 등의 명저 외에 드라이든(Dryden)·아놀드(Arnold) 등의 우수한 평전(評傳)이 있으며, 엄밀한 고증, 평명한 이론으로 알려짐. [1845-1933]
세인트¹ 〔saint〕 명 ①성인(聖人). 성자(聖者). 성도(聖徒). ②《성》 사도(使徒). 천사(天使). 성도(聖徒).
세인트² 〔Saint, St., S.〕 관 인명(人名)이나 지명(地名) 앞에 쓰이며, '성(聖)'이란 뜻을 나타내는 말. ¶ ~ 폴/~헬레나 섬.
세인트로:렌스 강 【—江】 〔Saint Lawrence〕 명 《지》 캐나다에서 가장 큰 강. 미국 노스다코타 주(North Dakota 州)의 산지에서 발원(發源)하여 오대호(五大湖)를 통하며 캐나다 동북에 거대한 나팔 모양의 하구(河口)를 만듦. 몬트리올(Montreal)까지 대양 기선(大洋汽船)이 소항(遡航)함. [1,223 km]
세인트로:렌스 섬 〔Saint Lawrence〕 명 《지》 미국 알래스카 주(Alaska 州)의 섬. 베링 해(Behring 海)에 있으며, 길이 150 km, 폭 15-55 km. 원주민은 에스키모이며, 주요 취락(聚落)은 북서단(北西端)의 갬벨(Gambell)임. 1728년, 베링에 의해 발견됨. [4,434 km²]
세인트로:렌스 수로 【—水路】 〔Saint Lawrence〕 명 《지》 세인트로렌스 강 상류의 몬트리올과 오대호(五大湖)를 연결하는 가항(可航) 수로. 1959년 완성. 이 수로의 개통으로 대서양으로부터 오대호 연안의 주요 도시까지 1만 톤급 대형선의 운항이 가능하게 되었음. 석탄·밀·목재·철광 등의 주요 수송로(輸送路)임. 전장 약 337 km.
세인트-루시아 〔Saint Lucia〕 명 《지》 서인도 제도의 남단부에 있는 영연방(英聯邦)내의 독립국. 윈드워드(Windward) 제도의 한 섬. 전체가 거의 산으로 되어 있으며, 화산이 있음. 바나나·사탕수수·감귤 등을 재배함. 1635년 프랑스령, 1814년 영령(英領)으로 되었다가, 1979년 2월에 독립함. 주민의 태반이 흑인이고, 수도(首都)는 캐스트리스(Castries). [616 km² : 150,000 명 (1991)]
세인트-루이스 〔Saint Louis〕 명 《지》 미국 미주리 주(Missouri 州) 동부의 미시시피 강과 미주리 강의 합류점에 있는 미주리 주 최대의 도시. 곡물·축산물·목재의 집산지로 철도·고속 도로·항공로 등이 집중함. 18세기 인디언과의 모피(毛皮) 거래소를 중심으로 프랑스인(人)이 건설한 도시임. [425,190 명 (1988)]
세인트루이스 블루:스 〔Saint Louis Blues〕 명 《악》 '블루스의 아버지'라고 일컬어지는 핸디(Handy, W.C.; 1873-1958)가 1914년 작사·작곡한 블루스 곡명(曲名). 니그로(Negro)의 독특한 애수(哀愁)를 띤 작품으로 널리 애창됨.
세인트 버:나:드 〔Saint Bernard〕 명 《동》 개의 한 품종. 원래 스위스의 수도원에서 기르던 구명견(救命犬)이었음. 체고(體高) 약 90 cm로 몸체가 크고, 내한력(耐寒力)·후각(嗅覺)이 발달하여, 눈 속에서 조난당한 사람을 구호하도록 훈련되었음.

〈세인트 버나드〉

세인트브라이드 배 【—杯】 〔Saint Bride〕 명 테니스의 세계 선수권 남자 싱글스의 우승자에게 주어지는 컵.
세인트브라이즈 만 【—灣】 〔Saint Brides〕 명 《지》 영국 웨일스의 남서부로 쑥 불거진 반도의 끝 쪽에 있는 만. 만 어귀의 폭과 어귀로부터 만까지의 거리는 각기 약 13 km. 세인트조지 해협의 남쪽 어귀에 위치함.
세인트빈센트 그레나딘 〔Saint Vincent and the Grenadines〕 명 《지》 서인도 제도 동부에 있는 영연방(英聯邦) 내의 독립국. 윈드워드 제도의 섬들로, 산이 많으며 화산이 있음. 1814년 영령(英領)이 되어, 1979년 10월 독립함. 농업과 관광(觀光)이 주요 산업임. 수도는 킹스타운. [388 km² : 120,000 명 (1990 추계)]
세인트빈센트 섬 〔Saint Vincent〕 명 《지》 세인트빈센트 그레나딘의 주도(主島). 윈드워드 제도의 중부에 위치함. 비옥한 화산도(火山島)로, 코프라·코코아·설탕·향료와 양질(良質)의 해면(海綿)이 산출됨. [345 km² : 약 100,000명]
세인트 소피아 성:원 【—聖院】 〔Saint Sophia〕 명 《지》 터키의 이스탄불에 있는 이슬람교의 성원. 처음에 기독교 성당으로서 콘스탄티누스 황제(皇帝)가 세웠으나, 뒤에 불타버리고 유스티아누스 황제가 재건하여 537년에 완성한 것으로, 1452년 이래 이슬람교 성원이 되었음. 비잔틴 건축 미술의 최고봉으로 일컬어짐.
세인트 앤드루:스 대학 【—大學】 〔St. Andrews〕 명 스코틀랜드 최고(最古)의 대학. 1411년 세인트 앤드루스의 주교(主教) 헨리 워들로(Henry Wardlaw)에 의해 창립되었음. 신학·의학·문학·과학·법학 등의 각 부로 나뉨.
세인트 엘모의 불 [—/—에—] 명 〔St. Elmo's fire〕 뇌우(雷雨)나 폭풍이 칠 때 탑의 꼭대기나 주두(柱頭)·피뢰침 등과 같이 공중으로 솟아 있는 땅 위의 물체의 끝에 나타나는 방전 현상. 대부분 푸른 빛이나 붉은 빛을 띠며, 마치 일루미네이션과 같은 미관(美觀)을 나타냄. 땅 위의 물건이 음극일 때는 대개 푸른 빛이며, 양극으로 될 때는 붉은 빛임.
세인트-오거스틴 〔Saint Augustine〕 명 《지》 미국 플로리다 주(州) 대서양 해안의 항구(港口)이며 휴양 도시(休養都市). 1565년 스페인 사람들이 창건한 미국 최고(最古)의 백인 정주지(定住地)로 당시의 가옥이 남아 있음. 17세기 말에 건설한 산 마르코 요새는 보존 상태가 좋아 국정(國定) 기념물로 되어 있음. [12,000 명 (1980)]
세인트-일라이어스 〔Saint Elias〕 명 《지》 캐나다와 알래스카의 경계에 있는 고봉(高峰). 표고 5,489 m로 캐나다의 해안 산맥 북단에 속하는 세인트일라이어스 산맥에 있으며 장대(長大)한 빙하가 있음.
세인트조:지 해:협 【—海峽】 〔Saint George〕 명 《지》 아일랜드 남부와 웨일스 사이에 있는 해협. 대서양과 아일랜드 해를 연결함. 동서의 폭은 80-150 km. 남북의 길이는 160 km.
세인트-존 〔Saint John〕 명 《지》 캐나다의 뉴브런즈윅 주(New Brunswick 州)의 도시. 펀디 만(Fundy 灣)의 북안에 위치하고 있는 무역항·어항(漁港). 조선(造船)·수산 가공이 성하고, 연어의 어획이 많음. 부근 일대는 펀디 국립 공원으로 되어 있음. [81,000 명 (1981)]
세인트-존스 〔Saint John's〕 명 《지》 캐나다 뉴펀들랜드 주(New Foundland 州)의 주도(主都). 뉴펀들랜드 섬의 동단에 위치하는 주 최대의 도시로 세계적인 대어항(大漁港)이며 대구·청어의 어획이 큼. 또 섬의 임산(林產)의 집산지임. [84,000 명 (1981)] ②앤티가 섬에 있는 항구 도시로 앤티가 바부다의 수도. [24,000 명 (1981)]
세인트 크리스토퍼 네비스 〔Saint Christopher and Nevis〕 명 《지》 동(東)카리브 해의 리워드 제도에 있는 영연방(英聯邦) 내의 독립국. 세인트 크리스토퍼 섬과 네비스 섬 등으로 구성됨. 1623년 영국 식민지, 1966년 자치권 획득, 1983년 독립. 수도는 바스테르(Basseterre). [269 km² : 43,200 명 (1988)]
세인트 크리스토퍼 섬 〔Saint Christopher I.〕 명 《지》 서인도 제도 리워드 제도에 있는 섬. 화산도로 비옥하며 사탕수수·해도면(海島綿)이 남. 1493년에 콜럼버스가 발견하였으며, 1623년에 서인도 제도에서의 첫 영국 식민지가 건설되었음. [176.2 km² : 34,100 명 (1986)]
세인트클레어 호 【—湖】 〔Saint Clair〕 명 《지》 미국과 캐나다의 국경에 있는 호수. 남서안(岸)에 디트로이트 시가 있음. [1,119 km²]
세인트키츠 섬 〔Saint Kitts〕 명 《지》 세인트크리스토퍼 섬.
세인트토머스 섬 〔Saint Thomas〕 명 《지》 서인도 제도 북동부, 미국령 버진(Virgin) 제도 제2의 섬. 화산도(火山島)로 기후가 온화함. 버진 제도의 주도(主都)인 샤를로트 아말리(Charlotte Amalie)가 있으며, 럼주(酒)를 산출함. 1493년 콜럼버스의 두 번째 항해 때 세인트 토머스에 의해 발견되었음. [73 km² : 44,000 명 (1980)]
세인트 폴:¹ 〔St. Paul〕 명 사도(使徒) 바울.
세인트-폴:² 〔Saint Paul〕 명 《지》 미국의 중북부 미시시피 강 상류에 연한 미네소타 주(Minnesota 州)의 주도. 대안(對岸)의 미니애폴리스와 쌍둥이 도시를 이룸. 중앙 평원(中央平原) 북부의 중심지로 농산물 가공업·농기구 제조업이 성함. [272,235 명 (1990)]
세인트폴: 섬 〔Saint Paul〕 명 《지》 인도양 남부에 있는 프랑스령(領)의 화산도. 무인도이나 부근은 어장(漁場)으로서 장래성이 있음. 1924년 이래 마다가스카르(Madagascar) 총독 관할하에 있었으나, 1955년 이후 프랑스의 남방 남극령(南極領)에 포함되어 있음. [7 km²]
세인트 폴: 성:당 【—聖堂】 〔Saint Paul〕 명 웨스터민스터 대성당과 더불어 런던의 주요한 교회당의 하나. 현재의 건물은 크리스토퍼 렌(C. Wren)의 설계로 1710년에 준공되었음. 르네상스식의 훌륭한 교회당 건축의 일례임. 지하 성당(地下聖堂)에는 넬슨·웰링턴 등과 그 밖의 명사들의 묘(墓)가 있음.
세인트 피:터 대:성전 【—大聖殿】 〔Saint Peter〕 명 산 피에트로(San Pietro) 대성전.
세인트 피터즈버:그 〔Saint Petersburg〕 명 《지》 미국의 동남부 플로리다 주 서안(西岸)의 관광 휴양(休養) 도시. 맑은 날씨와 온화한 기온을 가진 아름다운 도시로 아열대수의 공원·해수욕장·요트항(港) 등이 완비되어 연간 관광객이 50만 명에 이름. 철도·항공·해운의 한 중심으로 원예 농산물의 이출(移出)·수출이 많음. [235,450 명 (1988)]
세인트헬레나 섬 〔Saint Helena〕 명 《지》 아프리카 서부 해안으로부터 약 1,920 km에 있는 대서양상의 영국령 화산도(火山島). 1815-21년 나폴레옹 1세의 유배지(流配地). 아마사(亞麻絲)·레이스 등을 산출함. 주도는 제임스타운(Jamestown). [121.7 km² : 53,000 명 (1980)]
세인트-헬렌스 〔Saint Helens〕 명 《지》 잉글랜드 북서부에 있는 랭커셔(Lancashire) 지방의 도시. 맨체스터(Manchester)와 리버풀(Liverpool)의 중간에 위치하며, 유리 공업의 중심지로 화학·플라스틱·금속 등의 공업이 성함. [190,000 명 (1981)]
세일 〔sale〕 명 판매(販賣). 매출(賣出). 경매(競賣). ¶ 바겐 ~. ——-하다 타여불

세일러 〔sailor〕 명 ①뱃사람. 선원(船員). 항해자(航海者). ②해군 병사. 수병(水兵). ③↗세일러복(sailor 服).
세일러 룩 〔sailor look〕 명 머린 룩(marine look).
세일러-복 【—服】 〔sailor〕 명 ①해군복(海軍服). ②해군복을 본뜬 또는 그와 비슷한 어린 아이나 여학생들이 입는 상의(上衣). ¶ ~의 소녀. ㊔세일러(sailor).

〈세일러복❶〉

세일러 팬츠 〔sailor pants〕 명 해군복(海軍服)같이 바지통의 아랫부분을 썩 넓게 만든 바지.
세일러 해트 〔sailor hat〕 명 ①수부모(水夫帽). 수병모(水兵帽). ②여성용의 챙이 좁은 납작한 밀짚 모자. 또, 어린애용의 챙이 위로 휜 모자.
세일럼 〔Salem〕 명 《지》 ①미국 매사추세츠 주(州)의 북동부에 있는 항만 도시. 17세기부터의 오래된 항구로 독립 전쟁과 18세기 동양 무역

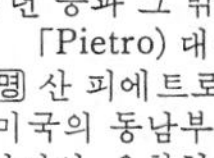

의 근거지가 됨. [38,000 명(1980)] ②미국 오리건 주의 주도(州都). 1824년 감리교의 포교단에 의해 건설됨. 농산물의 집산지. 식품 가공·제지·제재 등의 공업이 성함. [107,786명(1990)] ③인도 남부 마드라스 주(Madras 州)의 도시. 코베리 강(Cauvery 江) 지류에 임한 철도의 요지. 풍광 명미한 상업 도시임. 부근에서 철·망간이 남. 금속·섬유 공업이 성함. [515,000 명(1981)]

세일레노스 〔Seilenos〕 명 그리스 신화의 산과 들의 정령(精靈). 사람의 상반신에 말의 귀·발·꼬리가 달렸음. 「走法). 항해법.

세일링 〔sailing〕 명 ①범주(帆走). 항해(航海). 항행(航行). ②범주법(帆

세일링 보:트 〔sailing boat〕 명 범선(帆船).

세:-일배 【歲一拜】 명 벼슬이나 항렬이 높거나 나이 많은 웟사람에게 한 해에 한 번 세배하는 일. ——하다 자여불

세일즈-걸 : 〔salesgirl〕 명 여점원(女店員). 여판매원. 「交員).

세일즈-맨 〔salesman〕 명 점원(店員). 판매원(販賣員). 판매 외교원(外

세일즈맨의 죽음 [―/―에―] 명 〔Death of a Salesman〕 〖연〗 현대 미국의 극작가 밀러(Miller, A.)의 희곡. 3 막과 위령곡으로 됨. 1949년 뉴욕 모로스코 극장에서 초연하여, 동년도 퓰리처상(賞)과 뉴욕 극평가(劇評家) 서클상 획득. 시대에 밀려 나가는 늙은 세일즈맨이 생활에 지치고 큰 기대를 걸던 자식들에게도 배반당하여, 현실과 비현실 사이를 방황하다가, 자살하기에 이른다는 줄거리. 1952년 영화화되었음.

세일즈 엔지니어 〔sales engineer〕 명 기술적인 전문 지식을 구비하고 그것을 활용해서 상품 판매를 하는 사람.

세일즈 프로모:션 〔sales promotion〕 명 판매 촉진. 선전을 강화하고, 판매점을 증강하는 등의 수단으로 제품 판매의 촉진을 꾀하는 일.

세:입[1] 【稅入】 명 조세(租稅)의 수입(收入).

세:입[2] 【歲入】 명 국가나 지방 자치 단체의 한 회계 연도 동안에 있어서의 총수입(總收入). 경상(經常) 세입과 임시 세입이 있음. ↔세출(歲出).

세:입 결함 【歲入缺陷】 명 〖재정〗 세입, 특히 세수입(稅收入)이 당초 예정액을 밑돌아, 그 결과 세출(歲出)에 비하여 모자라는 일.

세:입 보:전 공채 【歲入補塡公債】 명 〖경〗 일반 회계의 세입 부족, 곧 적자(赤字)를 메우기 위하여 발행되는 공채. 적자 공채(赤字公債).

세:입 세:출 【歲入歲出】 명 세입과 세출.

세:입-자 【貰入者】 명 살림방이나 살림집, 가게·사무실 등에 전세(傳貰) 또는 월세(月貰)로 빌려 든 사람.

세:입 징수관 【歲入徵收官】 명 세입으로서 징수할 조세(租稅)나, 그 밖의 금액을 결정하여 채무자에게 납부할 것을 명하는 기관(機關). 현금을 받아들이는 수납(收納) 기관과는 원칙으로 다른 계통임.

세:잎 고리 자루 명 〖고고학〗 칼자루 고리 속에 세 갈래 잎 모양의 장식이 있는 것. 삼국 시대의 칼자루에서 보임. 삼엽 환두(三葉鐶頭).

세:잎-돌쩌귀 명 〖식〗 [*Aconitum triphyllum*] 성탄꽃과에 속하는 다년초. 줄기 높이 1-2m, 잎은 호생하며 세 갈래로 갈라지고, 잎꼭지가 길고 가에는 톱니가 있음. 9월에 청색 꽃이 꼭대기의 잎 사이에 두세 송이씩 달리어 피고, 골돌과(蓇葖果)를 맺음. 산지에 나는데, 전북·전남·경기도에 분포함. 유독(有毒)함.

세:잎-양지꽃 【―陽地―】 명 〖식〗 [*Potentilla freyniana*] 장미과에 속하는 다년초. 줄기 높이 50cm 가량이고, 잎은 꼭지가 길고 삼출(三出)하며 소엽(小葉)은 거꿀달걀꼴의 타원형 또는 기운 달걀꼴이며, 탁엽(托葉)은 달걀꼴임. 3-4월에 황색 오판화(五瓣花)가 취산(聚繖) 화서로 정생(頂生)하고, 과실은 수과(瘦果)임. 산이나 들에 나는데, 한국 중부 이남에 분포함. 어린 잎은 식용함.

세:잎-종덩굴 【―鐘―】 명 〖식〗 [*Clematis koreana*] 미나리아재빗과에 속하는 낙엽 활엽 만목(蔓木). 잎은 삼출 복생(三出複生)하고, 9월에 남자색 꽃이 액출(腋出)하여 피고, 수과(瘦果)는 날개 모양의 회갈색 털이 났으며 9월에 익음. 산중턱 이상의 숲 속에 나는데, 한국 각지에 분포함. 어린 잎은 식용함. 종덩굴.

세:잎-쥐손이 명 〖식〗 [*Geranium knuthii*] 쥐손이풀과에 속하는 다년초. 줄기 높이 90cm 가량, 잎은 대생하며 장병(長柄)임. 8월에 긴 꽃줄기가 나와 줄기 끝에 담홍색 꽃이 한두 개씩 달리어 피고, 과실은 삭과(蒴果)를 맺음. 산지에 나는데, 거의 한국 전역에 분포함.

세:자[1] 【世子】 명 ①↗왕세자(王世子). ②옛날 중국에서, 제후(諸侯)의 적자(嫡子). 세사(世嗣).

세:자[2] 【洗者】 명 〖천주교〗 '세례자 요한'의 일컬음.

세:자[3] 【細字】 명 잘게 쓴 글자. 잔글씨. 소자(小字). ¶ ～용 만년필.

세:자[4] 【細疵】 명 자디잔 흠이나 티.

세:자-궁 【世子宮】 명 〖역〗 ①'왕세자(王世子)'의 존칭. ②왕세자가 거처하는 궁전. 동궁(東宮). 춘궁(春宮). 춘저(春邸).

세:자궁 별감 【世子宮別監】 명 〖역〗 세자궁에 속하였던 별감.

세자:르-상 【―賞】 〔프 César〕 명 아카데미상에 해당하는 프랑스의 영화상. 전문 영화인들의 투표로 선출됨. 1976년부터 시작. 세자르는 카이사르의 뜻으로 상패의 조상(彫像)에 붙여진 이름임.

세: 자매 【―姉妹】 명 〖연〗 체호프(Chekhov)작의 희곡. 무기력하게 몽상(夢想)의 세계에 잠겨 사는 러시아의 지방 도시의 세 자매를 주인공으로, 제각기의 고뇌를 통하여 희비(喜悲)가 엇갈리는 인생을 그림. 4막. 1900-1901년 발표.

세:자-보 【世子保】 명 〖역〗 고려 때, 세자의 스승. 세자부(世子傅)의 다음인데 충렬왕 3년(1277)에 두었음. 그 전의 태자 태보(太子太保)와 같음.

세:자-복 【世子服】 명 왕세자(王世子)의 정복(正服). 조선 시대의 것은 대례·제복(祭服)인 면복(冕服), 조복(朝服)에 해당하는 원유관(遠遊冠)·강사포(絳紗袍), 공복·상복(常服)으로서의 익선관(翼善冠)·곤룡포 및 관례 전에 입는 책복(幘服)이 있음. 「동궁(東宮)의 관청.

세:자-부[1] 【世子府】 명 〖역〗 고려 충렬왕(忠烈王) 34년(1308)에 두었던

세:자-부[2] 【世子傅】 명 〖역〗 ①고려 때, 세자의 스승. 세자사(世子師)의 다음인데 충렬왕(忠烈王) 3년(1277)에 두었음. 전의 태자 태부(太子太傅)와 같음. ②조선 시대 때, 세자 시강원(世子侍講院)의 정일품 벼슬로서 의정(議政)이 이를 겸했음.

세:자-빈 【世子嬪】 명 〖역〗 왕세자(王世子)의 빈(嬪).

세:자-사 【世子師】 명 〖역〗 ①고려 때, 세자의 스승. 충렬왕 3년(1277)에 둠. 그 전의 태자 태사(太子太師)와 같음. ②조선 시대 때, 세자 시강원(世子侍講院)의 정일품(正一品) 벼슬로서 영의정(領議政)이 겸임하였음.

세:자 시:강원 【世子侍講院】 명 〖역〗 조선 시대 때, 왕세자(王世子)에게 경사(經史)를 시강(侍講)하여 도의(道義)로써 규간(規諫)하는 일을 맡았던 관청. 태조(太祖) 때 설치하고 고종(高宗) 32년(1895)에 폐지함. 갑관(甲觀). 춘방(春坊).

세:자 우:문학 【世子右文學】 명 〖역〗 고려 때, 동궁(東宮)의 오품(五品) 벼슬. 공양왕(恭讓王) 2년(1390)에 두었음.

세:자 우:보덕 【世子右輔德】 명 〖역〗 고려 때, 동궁(東宮)의 삼품(三品) 벼슬. 공양왕 2년에 두었음. 「(世子侍講院)의 종이품 벼슬.

세:자 우:부빈객 【世子右副賓客】 명 〖역〗 조선 시대 때, 세자 시강원

세:자 우:빈객 【世子右賓客】 명 〖역〗 ①고려 때 동궁(東宮)의 벼슬. 좌우사(左右師)의 다음임. 공양왕 2년(1390)에 두었음. ②조선 시대 때, 세자 시강원(世子侍講院)의 정이품 벼슬. 「에 두었음.

세:자 우:사 【世子右師】 명 〖역〗 고려 때, 세자의 스승. 공양왕 2년(1390)

세:자 우:사경 【世子右司經】 명 〖역〗 고려 동궁(東宮)의 육품(六品) 벼슬. 공양왕 2년(1390)에 두었다가 3년(1391)에 징원당(澄源堂)을 베풀고, 징원당 우사경(澄源堂右司經)으로 고쳐 일컬었음.

세:자 우:서윤 【世子右庶尹】 명 〖역〗 고려 때, 세자 첨사부(世子詹事府)의 벼슬. 충렬왕(忠烈王) 3년(1277)에 두었음.

세:자 우:찬덕 【世子右贊德】 명 〖역〗 고려 때, 세자 첨사부(世子詹事府)의 벼슬. 충렬왕 3년(1277)에 두었음.

세:자 우:필선 【世子右弼善】 [―썬] 명 〖역〗 고려 때, 동궁(東宮)의 사품(四品) 벼슬. 공양왕 2년(1390)에 두었음.

세:자 이:사 【世子貳師】 명 〖역〗 ①고려 충렬왕 때 있었던 동궁(東宮)의 벼슬. 세자보(世子保)의 다음이고, 그 전의 태자 소사(太子小師)와 같음. ②조선 시대 때, 세자 시강원(世子侍講院)의 종일품(從一品) 벼슬. ㊕이사(貳師).

세:자 이:조 【世子貳調】 명 〖역〗 고려 충렬왕 때 있었던 동궁(東宮)의 벼슬. 세자 이사(世子貳師)의 다음이고, 그 전의 태자 소부(太子小傅)와 같음.

세:자 이:호 【世子貳護】 명 〖역〗 고려 충렬왕 때 있었던 동궁(東宮)의 벼슬. 세자 이조(世子貳調)의 다음이고, 그 전의 태자 소보(太子少保)와 같음.

세:자 익위사 【世子翊衛司】 명 〖역〗 왕세자(王世子)의 시위(侍衛)를 맡던 관청. 조선 태조(太祖) 때 두어, 고종 32년(1895)에 폐함. ㊕익위사(翊衛司).

세:자 좌:문학 【世子左文學】 명 〖역〗 고려 때, 동궁(東宮)의 오품(五品) 벼슬. 공양왕 2년(1390)에 두었음.

세:자 좌:보덕 【世子左輔德】 명 〖역〗 고려 동궁(東宮)의 삼품(三品) 벼슬. 공양왕 2년(1390)에 두었음. 「의 종이품 벼슬.

세:자 좌:부빈객 【世子左副賓客】 명 〖역〗 조선 시대 때, 세자 시강원

세:자 좌:빈객 【世子左賓客】 명 〖역〗 ①고려 때 동궁(東宮)의 벼슬. 좌우사(左右師)의 다음임. 공양왕(恭讓王) 2년(1390)에 두었음. ②조선 시대 때, 세자 시강원(世子侍講院)의 정이품(正二品) 벼슬.

세:자 좌:사 【世子左師】 명 〖역〗 고려 때, 세자(世子)의 스승. 공양왕 2년(1390)에 두었음.

세:자 좌:사경 【世子左司經】 명 〖역〗 고려 동궁(東宮)의 육품(六品) 벼슬. 공양왕 2년(1390)에 두었다가 3년(1391)에 징원당(澄源堂)을 베풀고, 징원당 좌사경(澄源堂左司經)으로 고쳐 일컬었음.

세:자 좌:서윤 【世子左庶尹】 명 〖역〗 고려 때, 세자 첨사부(世子詹事府)의 벼슬. 충렬왕 3년(1277)에 두었음.

세:자 좌:우 부:빈객 【世子左右副賓客】 명 〖역〗 세자 좌부빈객(世子左副賓客)과 세자 우부빈객(世子右副賓客).

세:자 좌:우 빈객 【世子左右賓客】 명 〖역〗 세자 좌빈객(世子左賓客)과 세자 우빈객(世子右賓客).

세:자 좌:찬덕 【世子左贊德】 명 〖역〗 고려 때, 세자 첨사부(世子詹事府)의 벼슬. 충렬왕 3년(1277)에 두었음.

세:자 좌:필선 【世子左弼善】 [―썬] 명 〖역〗 고려 때, 동궁(東宮)의 사품(四品) 벼슬. 공양왕 2년(1390)에 두었음.

세:자 첨사부 【世子詹事府】 명 〖역〗 고려 때, 동궁(東宮)의 사무를 맡아보던 관아(官衙). 충렬왕 2년(1276)에 설치한 것인데, 전의 태자 첨사

세:작[1] 【世爵】 명 세습의 작위(爵位). ㄴ부(太子詹事府)와 같음.

세:작[2] 【細作】 명 〖역〗 간첩(間諜). ¶ ～을 놓아 창가 봉당 앞에 묶어 둔 세 놈의 거동도 살피게 하였다《金周榮 : 客主》.

세잔 〔Cézanne, Paul〕 명 〖사람〗 프랑스의 화가. 남(南)프랑스 엑상프로방스(Aix-en-Provence) 태생. 한때 아버지가 경영하는 은행에 근무하였으나 친구 졸라(Zola, E.)의 권고로 파리에 나와 그림에 전념하였음. 사실주의(寫實主義)에서 출발하여 인상파(印象派)의 영향으로 밝은 색조(色調)의 포름(form) 및 발뢰르(valeur)를 시험함. 1878년 이래 이와 결별하고 구도(構圖)와 형상을 단순화한 거친 터치(touch)로 독자적인 화풍을 개척하여 야수파(野獸派)·입체파(立體派) 등에 큰 영향을 주어 근대 회화의 아버지로 불림. 작품은 《목욕하는 여인들》·《생트빅투아르 산(山)》·《전원 풍경》 등. [1839-1906]

세장[1] 명 지게나 걸채 같은 것의 두 짝이 짜여져 있도록 가로질러 박은 나무.
세장[2] 명 〈방〉 장[20](場)(강원).
세:장[3]【世丈】명 세교(世交)가 있는 어른.
세:장[4]【洗腸】명 〔irrigation of the colon〕〖의〗 병을 치료하기 위하여 장내용(腸內容)의 유독 물질을 제거하고 깨끗이 함. 어린아이의 위장병, 특히 역리(疫痢)·대장염(大腸炎)을 치료할 때 쓰임. ——-하다 자여불
세:장[5]【細長】명 가늘고 긺. ——-하다 형여불
세:장[6]【歲粧】명〖역〗설에 옷을 차려 입는 일. 차례(茶禮)를 지낸 후, 보름날까지 갈아입지 않는 풍습이 있었음.
세:장-전【細長箭】명〖역〗조선 세종 때 개발된 화약 병기인 이총통(二銃筒)과 사전장총통(四箭長銃筒)에 쓰던 화살.
세:장지-지【世葬之地】명 대대로 묘를 쓰고 있는 땅. 선산(先山). 선영(先塋).
세:재[1]【世才】명 세상의 물정에 능통한 재주. 또, 그 사람. 세지(世智).
세:재[2]【世財】명 속세의 재산. 속재(俗材).
세쟁이 명 〈방〉 세장[1].
세:저[1]【細苧】명 세모시.
세:저[2]【歲底】명 세밑.
세:적[1]【世嫡】명 대를 이을 자식.
세:적[2]【稅籍】명 세무서에 비치하는 납세자(納稅者)의 기본 대장(臺帳).
세:전[1]【世傳】명 대대로 전함. 대대로 전하여 내려옴. ——-하다 자타여불
세:전[2]【細箭】명〖역〗①아기살. ②조선 세종 때 개발된 화약 병기인 사전총통(四箭銃筒)·팔전총통(八箭銃筒)에 사용되었던 화살. 세장전(細長箭)보다 짧고 차세전(次細箭)보다 화살대의 굵기가 굵음.
세:전[3]【貰錢】명 셋돈.
세:전[4]【稅錢】명 세금(稅金).
세:전[5]【歲前】명 새해가 되기 이전. 세안. ↔세후(歲後).
【세전 토끼】설을 쇠기 전의 토끼는 늘 같은 길로만 다닌다는 말로, '변통성이 없는 사람'을 일컫는 말.
세:전 노비【世傳奴婢】명 한 집안에 대를 이어 내려오는 종.
세:전-문【細箭門】명〖건〗아기살같이 문살이 짧은 문.
세:전지-물【世傳之物】명 대대로 전하여 내려오는 물건.
세:전지-보【世傳之寶】명 여러 대에 걸쳐서 오래 전해 내려오는 보물.
세:-절목【細節目】명 자질구레한 조목. 자세한 조목. ㊟세목(細目).
세:-절병【細切餠】명 잔절편.
세:점박이-모기【一點一】명〖충〗[*Culex sinensis*] 모깃과에 속하는 곤충의 하나. 몸길이 0.5-1.5 cm이고 몸빛은 흑갈색임. 뒷날개는 퇴화(退化)하였으며 복안(複眼)이 있고, 흉부에 세 쌍의 긴 다리가 있으며, 여름철 밤에 사람·가축을 흡혈(吸血)하기에 적당함. 수컷은 흡혈을 안 하며 화밀(花蜜) 등의 액즙(液汁)을 먹는데 단명(短命)함. 암컷은 웅덩이·수채·습지 등에 1회에 300-400개의 알을 낳음. 다른 쿨렉스속(Culex屬)의 모기와 같이 뇌염 등을 매개함. *집모기.
세:-점자【細點子】명〖악〗운라(雲鑼).
세:정[1]【世情】명 ①세태(世態)와 인정. ②세상의 물정(物情). 세상 인심(人心). 세태 인정(世態人情). ¶ ～에 어둡다/～을 모르다.
세:정[2]【洗淨】명 ①깨끗하게 씻음. 세척(洗滌). ②〖불교〗신신(心身)을 씻어 깨끗이 하는 일. ——-하다 타여불
세:정[3]【細情】명 ①세세(細細)히 맺힌 정. 살뜰한 정. ②자세한 형편.
세:정[4]【稅政】명 세무(稅務)에 관한 행정. 세무 행정.
세:정-제【洗淨劑】명 세제(洗劑)❶.
세:제[1]【世弟】명 ↗왕세제(王世弟).
세:제[2]【世諦】명〖불교〗[←세체(世諦)] 속제(俗諦).
세:제[3]【洗除】명 더러운 것을 씻어 버림. ——-하다 타여불
세:제[4]【洗劑】명 ①물에 타면 계면 활성(界面活性)을 나타내며, 그 작용에 의하여 고체 표면에 붙은 물질을 씻어 내는 데 쓰는 약제로, 세안(洗顔)·세탁(洗濯) 등의 가정용을 비롯하여 섬유 공업과 그 밖에 공업용으로까지 널리 쓰임. 비누·소플레스소프 따위. 세정제. 세료(洗料). ②세척제.
세:제[5]【稅制】명 조세(租稅)에 관한 제도. ¶ ～ 개혁.
세:제[6]【歲除】명 섣달 그믐날 저녁. 제석(除夕).
세:-제곱 명〖수〗①같은 수(數) 세 개를 연이어 곱하는 일. 또, 그 결과의 곱. $2\times2\times2=8$, $a\times a\times a=a^3$ 등. 삼승(三乘). 삼승멱(三乘冪). 삼자승(三自乘). ②길이의 단위명 뒤에 붙여 그 길이를 한 변으로 하는 육면체에 해당하는 부피를 나타내는 말. 입방(立方). ¶ 3～미터. ③길이의 단위명(單位名) 앞에 붙여 부피의 단위를 만드는 말. ¶ ～센티미터. 입방.
세:제곱-근【一根】명〖수〗A를 세제곱한 것이 B일 때 B에 대한 A를 일컬음. 예를 들면 3은 27의 세제곱근임. 삼승근(三乘根). 입방근(立方根).
세:제곱근-풀이【一根一】명〖수〗세제곱근을 계산하여 구함. 개립방(開立方).
세:제곱 미:터〔meter〕명 가로·세로·높이가 각 1미터인 정육면체의 부피. 입방 미터.
세:제곱-비【一比】명〖수〗세 개의 같은 비로 된 복비(複比). $a\times a\times a : b\times b\times b=a^3 : b^3$ 따위. 입방비(立方比). 삼승비(三乘比).
세제스타〔Segesta〕명〖지〗이탈리아 남부, 시칠리아 섬의 서부에 있던 고대 도시. 또, 그 유적.
세:제지-구【歲製之具】명 수의(壽衣).
세:조[1]【世祖】명〖역〗제왕(帝王)의 묘호(廟號)의 하나. 일세(一世)의 조(祖)의 뜻. 유공(有功)을 조로 함. 중국에서, 태조(太祖)·고조(高祖)·태종(太宗) 등을 이어 조정(朝廷)의 기초를 닦은 천자(天子)의 존호(尊號). 무제(武帝)·문제(文帝)·효원제(孝元帝)·효무제(孝武帝) 등, 각 시호(諡號) 위에 붙여 호칭함. 특히, 후한(後漢)의 광무제, 위(魏)나라의 조비(曹丕), 원(元)나라의 쿠빌라이 등이 유명함. *세종[1](世宗).
세:조[2]【世祖】명〖사람〗중국 후한(後漢)의 초대 황제인 유수(劉秀), 곧 광무제의 존호(尊號).
세:조[3]【世祖】명〖사람〗중국의 삼국 시대 때, 위(魏)나라의 초대 황제인 조비(曹丕), 곧 문제(文帝)의 존호.
세:조[4]【世祖】명〖사람〗중국의 삼국 시대 때, 진(晉)나라의 초대 황제인 사마염(司馬炎), 곧 무제(武帝)의 존호.
세:조[5]【世祖】명〖사람〗중국, 북위(北魏)의 3대 황제인 탁발도(拓拔燾), 곧 태무제(太武帝)의 존호.
세:조[6]【世祖】명〖사람〗중국 원조(元朝)의 초대 황제 쿠빌라이의 존호.
세:조[7]【世祖】명〖사람〗조선 제7대 왕. 휘(諱)는 유(瑈), 자(字)는 수지(粹之). 세종(世宗)의 둘째 아들. 등극하기 전 군호(君號)는 수양(首陽) 대군. 단종(端宗)을 상왕(上王)으로 삼고 왕위를 빼앗음. 무예에 능하고 병서에 밝았으며, 재위 13년 동안 국방·외교·서적 인간(印刊)·토지 제도 및 관제 등의 개혁·개편 등 수많은 치적을 올리고 조선 시대 초기의 왕권 확립에 크게 공헌하였으나, 만년에는 왕위 찬탈로 인한 인간적인 고뇌와 난치병에 몹시 시달리었다 함. 《국조 보감(國朝寶鑑)》·《경국 대전(經國大典)》 등의 서적을 편찬하고, 훈민 정음으로 경전(經典)의 역본(譯本)을 간행하였음. 시호(諡號)는 혜장(惠莊). [1417-68; 재위 1456-68]
세:조[8]【世祖】명〖사람〗중국 청조(淸朝)의 3대 황제인 아이신교로 복림(愛新覺羅福臨), 곧 순치제(順治帝)의 존호.
세:조[9]【世潮】명 시대의 풍조. 세상의 경향. 시대 사조.
세:조-대【細條帶】명 가느다란 띠.
세:조대왕-신【世祖大王神】명〖민〗무속(巫俗)에서 섬기는 왕신(王神) 계통의 신의 하나. 세조 대왕이 동제(洞祭)의 당신(堂神)으로 모시어져 있음.
세:조 실록【世祖實錄】명〖책〗조선 세조의 재위(在位) 13년 간의 실록. 성종(成宗) 2년(1471)에 신숙주(申叔舟) 등이 편찬함. 48, 49권에는 악보(樂譜)가 실려 있음. 49권 18책.
세:족[1]【世族】명 ①세가(世家). ②〖역〗중국 남북조 시대(南北朝時代)의 상층 계급. 가계(家系)와 문벌을 소중히 여기고 정치를 독차지하였으나 당(唐)나라 이후에 몰락하였음.
세:족[2]【洗足】명 발을 씻음. 탁족(濯足). ——-하다 자여불
세:족[3]【勢族】명 세력이 있는 족속.
세:족-례【洗足禮】[—녜] 명〖천주교〗성주간 성목요일에 행하는 의식의 하나. 예수가 십자가에 못박히던 전날 밤에 제자들의 발을 씻어 주었다는 성서(聖書) 속의 기사를 본뜬 것으로, 흔히 부활 대축일 전 목요일에 사제가 신자의 발을 씻어 주는 의식.
세:족-식【洗足式】명〖천주교〗세족례.
세:존【世尊】명〔범 bhagavat〕〖불교〗↗석가 세존(釋迦世尊).
세:존 단지 [—딴—] 명〖민〗영남(嶺南)·호남(湖南) 지방에서 농신(農神)에게 바치는 뜻으로, 햇곡식을 넣어 모시는 단지.
세:존-봉【世尊峰】명〖지〗강원도 고성군(高城郡)에 있는 외금강(外金剛)의 한 봉우리. 금강산내에서도 특히 웅장한 산악미(山岳美)를 자랑하고 있음. [1,122 m]
세:종[1]【世宗】명〖역〗제왕(帝王)의 묘호(廟號)의 하나. 일세(一世)의 종(宗)의 뜻. 유덕(有德)을 종으로 함. *세조[1](世祖).
세:종[2]【世宗】명〖사람〗중국 금조(金朝) 제5대의 황제. 1161년 해릉왕(海陵王)이 남송 정벌(南宋征伐)에 실패하자 랴오양(遼陽)에 있던 그는 추거(推擧)되어 즉위하였고 그해에 정식으로 황제가 됨. 남송과의 국교 회복에 힘썼음. [1123-89]
세:종[3]【世宗】명〖사람〗조선 제4대 왕(王). 휘(諱)는 도(祹). 자는 원정(元正). 태종(太宗)의 제3자. 조선 왕조 500년을 통하여 가장 뛰어난 임금으로 집현전(集賢殿)을 열어 학문을 장려하고, '훈민 정음(訓民正音)'을 창제 반포하였으며 《월인 천강지곡(月印千江之曲)》을 스스로 짓고, 《용비 어천가(龍飛御天歌)》를 짓게 하였으며, 음률을 정비하여 국악(國樂)을 새롭게 하였음. 또한, 측우기(測雨器)·혼천의(渾天儀) 등 과학 기구를 만들게 하였으며, 밖으로는 북쪽에 육진(六鎭)을, 남쪽에는 삼포(三浦)를 두어 외치(外治)를 튼튼히 하였음. 시호(諡號)는 장헌(莊憲). [1397-1450; 재위 1419-50]
세:종[4]【世宗】명〖사람〗중국 명(明)나라 가정제(嘉靖帝)의 묘호(廟號).
세:종[5]【洗種】명〖농〗십이월경에 잠란(蠶卵)이 휴면(休眠) 상태가 되었을 때에, 잠종(蠶種)을 맑은 물로 씻어서 붙어 있는 먼지나 잡물을 제거하는 일.
세:종[6]【稅種】명 조세(租稅)의 종별(種別).
세:종[7]【歲終】명 세밑.
세:종 기지【世宗基地】명 ↗한국 남극 세종 기지.
세:종 대학교【世宗大學校】명 사립 종합 대학교의 하나. 1947년 설립된 서울 가정 보육 사범 학교가 1954년 수도 여자 사범 대학으로, 1978년 남녀 공학의 세종 대학으로, 1987년 종합 대학교로 개편됨.
세:종 문화상【世宗文化賞】명 1982년부터 대한 민국 문화 공보부에서 시상하고 있는 문화상. 매년 10월 9일, 문화·학술·과학 기술·교육·국방 등 5개 부문으로 나누어 그 분야에 공로가 큰 사람이나 단체에 상을 줌. 현재는 문화 체육부에서 시상하고 있음.
세:종 문화 회:관【世宗文化會館】명 1972년에 소실된 서울 시민 회관 자리에 1978년 4월, 서울 특별시가 건립한 공연장. 회의실·전시실을 갖춘 종합 문화 공간임.
세:종 실록【世宗實錄】명〖책〗조선 제4대 왕(王) 세종의 재위 32년 간의 실록. 단종 2년(1454)에 정인지(鄭麟趾) 등이 편찬하였는데 오례의(五禮儀)·악보(樂譜)·지리지(地理志)·칠정산(七政算) 등도 함께 편

집하였음. 모두 163 권 67 책.
세주¹ 명 〈방〉 소주⁵(충남·전남).
세:주²【細註】명 ①자세히 설명한 주석(註釋). ②세자(細字)로 단 주석. 잔주.
세:주³【歲酒】명 설에 쓰는 술.
세:-주다¹【洗—】타 〖천주교〗 입교(入敎)하려는 이에게 세례(洗禮)를 주다. 세례를 시키다. ↔세받다.
세:-주다²【貰—】타 값을 받고 집이나 물건을 빌려 주다. ¶ 집을 ∼.
세줄 명 〈방〉 쇠줄(충남).
세:줄-나비 [—라—] 명 〖충〗 [*Neptis philyra*] 네발나빗과의 곤충. 편 날개의 길이 65-70 mm 이고, 애기세줄나비와 비슷한데 몸빛은 흑색 바탕에 백색 가로띠가 세 개 있고 앞날개 전연(前緣)에 가는 흰 무늬가 세 개, 중앙실(中央室)에는 무늬가 한 개 있음. 유충은 단풍나무 등의 잎을 먹으며 그 잎을 말아 속에서 월동(越冬)함. 주로 얕은 산·평지에 나는데, 한국·일본·중국·대만에 분포함.

〈세줄나비〉

세:줄날개-가지나방 [—랄—] 명 〖충〗 [*Boarmia roboraria arguta*] 자나방과(科)에 속하는 곤충. 편 날개 길이 43-60 mm, 몸빛은 회색임. 날개에는 흑갈색의 짧은 횡선(横線)이 많고 각 횡선은 불규칙하고 뒷날개의 내횡선(内横線)은 직선이며, 외횡선(外横線)은 물결 모양임. 유충은 사과·산딸기·떡갈나무 등의 잎의 해충으로 한국에도 분포함.

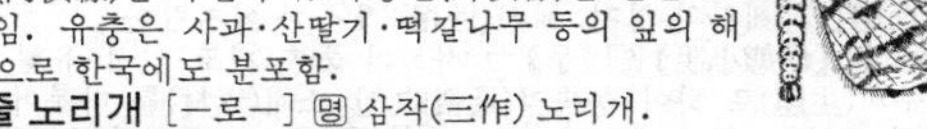
〈세줄날개가지나방〉

세:줄 노리개 [—로—] 명 삼작(三作) 노리개.
세:줄-뭉툭맵시벌 명 〖충〗 [*Metopius disectorius*] 맵시벌과에 속하는 곤충. 암컷은 몸길이 15 mm 가량이고 몸빛은 대체로 흑색이며 제1 복절(腹節)과 제2-3 복절 후연(後緣)의 양측 반문(斑紋) 및 제4 복절 후연은 황색임. 촉각은 흑갈색이고 온 몸에 점각(點刻)이 있음. 한국·일본·유럽·시베리아 등에 분포함.
세:줄-베도라치 명 〖어〗 [*Ernogrammus hexagrammus*] 양장갱잇과에 속하는 바닷물고기. 몸이 측편하고 길이는 약 13 cm. 몸의 양쪽에 석 줄의 옆줄이 있고, 몸빛은 회황색에 불투명한 흑갈색의 가로띠가 있음. 우리나라 동남 연해와 일본 전연안에 분포함.
세:줄-볼락 명 〖어〗 [*Sebastes trivittatus*] 양볼락과에 속하는 바닷물고기. 몸길이 30 cm 가량으로 모양이 볼락과 비슷하나 몸빛은 녹황색에 갈색을 띤 석 줄의 세로띠가 있음. 한국 동서 연해 특히 인천(仁川) 북방·남포(南浦)와 일본 북부해에 분포함. 맛은 보통이며 식용함.
세:줄-얼게비늘 명 〖어〗 [*Apogon doederleini*] 동갈돔과에 속하는 바닷물고기. 몸길이는 15 cm 가량으로, 먹얼게비늘과 비슷한데 몸빛은 담도색(淡桃色)이며 체측(體側)에는 석 줄의 암색(暗色) 세로띠가 있음. 우리 나라 남해와 일본 남부, 대만·필리핀 등지에 분포함.
세:지¹ 명 ↗세로지❷.
세:지²【世智】명 ①세상을 살아 나가는 지혜. 처세(處世)하는 지혜. 세재(世才). ②〖불교〗 세속적(世俗的)인 지혜. 세간지(世間智).
세:지³【世誌】명 족보(族譜).
세:지⁴【勢至】명 〖불교〗 ↗대세지 보살(大勢至菩薩).
세:지 보살【勢至菩薩】명 〖불교〗 ↗대세지 보살(大勢至菩薩).
세:지-봉【勢至峰】명 〖지〗 강원도 통천군(通川郡)과 고성군(高城郡) 사이에 있는 외금강(外金剛)의 한 봉우리. [1,041 m]
세:직【世職】명 세습(世襲)의 관직(官職)이나 직업(職業). 종직(宗職).
세:진¹【世塵】명 세상의 먼지. 세상의 속사(俗事).
세:진²【細塵】명 작은 티. 자디잔 먼지.
세:진-계【細塵計】명 [dust counter] 〖물〗 공기 중의 세진 함유량을 측정하는 기계. 세진에 수증기가 응결(凝結)할 때, 핵(核)으로 된다는 원리를 응용한 것으로, 에이트켄(Aitken, J.; 1839-1919)이 처음으로 고안하였음.
세:집【世執】명 〖불교〗 속세의 일에 사로잡힘. 속세에 집착함.
세짤-배기 명 〈방〉 말더듬이(충남).
세짧은-놈 명 〈방〉 말더듬이(전남).
세:-째 수 ☞셋째.
세:쪽-이 명 〖동〗 삼엽충(三葉蟲).
세:쪽-호리병벌 [—胡—瓶—] 명 〖충〗 [*Odynerus trilobus*] 말벌과에 속하는 곤충. 암컷은 몸길이 14 mm 내외이고 몸빛은 흑색에 복부(腹部) 제2-5 배판(背板) 후연(後緣)과 제1 배판상(背板上)의 큰 반문(중앙부의 '十'자형에는 흑색) 및 흉배 판상(胸背板上)의 여러 반문은 황색임. 한국·일본·대만·중국·아프리카에 분포함.
세:차¹【洗車】명 차체(車體)나 바퀴·기관(機關) 등에 묻은 먼지나 흙을 씻는 일. ——-하다 자여불
세:차²【貰車】명 세를 받고 빌려 주는 차. 전세차(專貰車).
세:차³【歲次】명 간지(干支)를 따라서 정한 해의 차례.
세:차⁴【勢車】명 관성(慣性) 바퀴.
세:차⁵【歲差】명 〖천〗 지구의 자전축(自轉軸)의 방향이 해마다 50초 26 분씩 서쪽으로 이동함으로써 춘분점(春分點)이 조금씩 앞으로 드티는 현상. 또, 그 차(差). 춘분점은 황도(黃道)를 서쪽으로 25,800 년 주기로 1주하는데 지구의 적도면(赤道面)이 황도면(黃道面)과 같지 아니하고, 또 적도면의 불룩한 부분에 해·달 그 밖의 행성(行星)의 인력이 작용하기 때문에 일어나는 현상임. 회귀년(回歸年)과 항성년(恒星年)의 차이, 적경(赤經)·적위(赤緯)의 변동이 원인이 됨. 기원전 125년경 그리스의 천문학자 히파르코스(Hipparchos)가 발견함.
세:-차다 형 힘차고 억세다. ¶ 비가 세차게 오다/불길이 ∼.
세:차 운:동【歲差運動】명 [precession] ①〖물〗 넘어지려는 팽이의 축이 그리는 원추형의 운동. ②〖지〗 지구의 자전축(自轉軸)이 궤도에 대하여 23도 30초의 경사도(傾斜度)를 가지고 자전하는 운동. *세차(歲差).

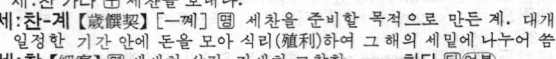

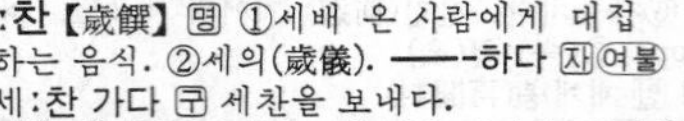

〈세차 운동❷〉

세:차-장【洗車場】명 세차 시설을 갖추고 돈을 받고 세차하여 주는 곳.
세:찬【歲饌】명 ①세배 온 사람에게 대접하는 음식. ②세의(歲儀). ——-하다 자여불
세:찬 가다 구 세찬을 보내다.
세:찬-계【歲饌契】[—꼐] 명 세찬을 준비할 목적으로 만든 계. 대개 일정한 기간 안에 돈을 모아 식리(殖利)하여 그 해의 세밑에 나누어 씀.
세:찰【細察】명 세세히 살핌. 자세히 고찰함. ——-하다 타여불
세찻 수 〈옛〉 셋째. 셋째의. ¶ 슬프다 세찻 놀애 블로매 놀애를 세번 브르노니(嗚呼三歌兮歌三發)《初杜諺 XXV:27》.
세:창 양행【世昌洋行】[—냥—] 명 〖역〗 조선 시대 말기, 고종 20년(1883)에 독일 함부르크의 메이어 상사(Meyer 商社)가 제물포(濟物浦)에 연 상사(商社). 광무(光武) 2년(1898) 강원도 금성(金城)의 당현 금광(堂峴金鑛)의 채굴권을 획득함.
세:책【貰册】명 세를 받고 빌려 주는 책. 대본(貸本).
세:책-가【貰册家】명 세책집.
세:책-례【洗册禮】[—녜] 명 '책씻이'의 한자 이름.
세:책-집【貰册—】명 세를 받고 책을 빌려 주는 책방. 세책가(貰册家).
세처니-질 명 〈방〉 까붐질(함경·경상). ——-하다 자
세:척【洗滌】명 ①깨끗이 씻음. ②[irrigation] 〖의〗 지속적으로 물이나 세척제 등을 흘려 넣어 깨끗이 씻는 치료법. ③[washing] 〖공〗 실험 시료(實驗試料)의 정제법(精製法). 침전물(沈澱物)에 남아 있는 액체 불순물을 제거하기 위하여 침전물에 세척액을 넣어 교반(攪拌)하고 웃물을 따라 냄. ④[scalp] 〖광〗 파괴된 광석. 돌이나 자갈 등에서 필요없는 잔 물질을 제거하는 일. ——-하다 타여불
세:척-기【洗滌器】명 〖의〗 상처(傷處)·코·위장·방광·질(膣) 등을 세척하는 데 쓰는 의료 기구.
세:척-병【洗滌瓶】명 〖화〗 씻기병(瓶).
세:척-제【洗滌劑】명 [lotion] 〖약〗 상처·눈·귀·방광·질(膣) 등을 세척하여 국소(局所)의 살균(殺菌)·소독 또는 점막(粘膜)의 청정(清淨), 불순물의 제거에 사용하는 약품. 멸균수(滅菌水)·생리 식염수(生理食塩水)·승홍수(昇汞水)·질산은수(窒酸銀水)·과산화 수소수(過酸化水素水) 등이 있음. 세제(洗劑).
세:첨【細尖】명 가늘고 뾰족함. ——-하다 형여불
세:-청【細—】명 〖악〗 주로 경제(京制) 정가(正歌) 여창(女唱)에 쓰이는 창법(唱法)의 하나. 비단실을 뽑아 내듯 한 가느다란 목소리. 속청. 가성(假聲).
세:청근-저【細青根菹】명 열무 김치.
세:초¹【洗草】명 〖역〗 조선 시대에 실록(實錄)의 편찬이 완료된 뒤에, 그 초고(草稿)를 없애 버리던 일. 자하문(紫霞門) 밖 조지서(造紙署)에서 그 사초(史草)를 물에 씻어 흐려 버리고, 그 종이는 다시 제지(製紙) 원료로 썼음. ——-하다 자여불
세:초²【細草】명 〖식〗 애기풀.
세:초³【歲抄】명 〖역〗 ①해마다 유월과 섣달에 이조(吏曹)와 병조(兵曹)에서 죄과(罪過) 있는 벼슬아치를 초록 상주(抄錄上奏)하여 왕명(王命)으로 감등(減等) 혹은 서용(敍用)하던 일. ②해마다 유월과 섣달에 군병(軍兵)의 결원(缺員)을 보충하던 일.
세:초⁴【歲初】명 새해의 첫머리. 새해의 처음. 설. 연시(年始). 연두(年頭). ↔세밑.
세:초-군【歲抄軍】명 〖역〗 조선 시대 때 해마다 유월과 섣달에 군병(軍兵)의 결원을 보충하기 위하여 초선(抄選)한 군대. 임진란(壬辰亂) 이후 개병 제도(皆兵制度)가 무너지고 생긴 것임.
세:초-연【洗草宴】명 〖역〗 국사의 찬수(撰修)를 마치고 원고를 정리할 때에 여는 잔치.
세:총【細葱】명 〖식〗 실파.
세:총 강회【細葱—膾】명 실파로 만든 강회. 파강회.
세:-총통【細銃筒】명 〖역〗 혈선(穴線)에 불씨로 점화하여 발사하는 유통식(有筒式) 휴대용 화기의 하나. 세종 14년(1432)에 창제됨.
세:출【歲出】명 1년 동안 또는 1회계 연도 동안의 총지출(總支出). ↔세입(歲入).
세:-출입【歲出入】명 세출과 세입.
세츠다 형 〈옛〉 세차다. ¶ 세츨 의(毅)《類合 下 3》.
세츠 인 유:스 [sets in use] 명 전체 텔레비전 수상기 대수에 대한, 실제 시청하고 있는 텔레비전 대수의 비율. 각 시간대(時間帶)마다 다르며, 시청률 조사 때에 원용(援用)됨.
세:치¹【細緻】명 자세하고 면밀함. 치밀(緻密). ——-하다 형여불
세:치²【歲雉】명 새해 선물로 보내는 꿩.
세치³ 부 〈옛〉 세차게. 심하게. ¶ 公木을 거르기 세치 골흰다ㅎ고《新語 Ⅳ:12》.
세:치-각【—角】명 ↗세치 각목(角木).
세:치 각목【—角木】명 세 치 폭으로 네모지게 만든 재목. 준세치각(角).
세:치-혀 명 삼촌설(三寸舌).
세:칙¹【細則】명 ①자세한 규칙. ¶ ∼을 마련하다. ②잔 일에 대한 규칙.
세:칙²【稅則】명 조세(租稅)의 부과(賦課)·징수(徵收)에 관한 규칙.
세:친【世親】명 〖사람〗 바수반두(婆修槃頭)의 역어.
세:침【細針】명 가는 바늘.
세:칭【世稱】명 세상에서 흔히 말함. 세상 사람들이 일컬음. ¶ ∼ 일류 학교.
세칼 명 〈방〉 서북풍(평안).
세캄 방식【SECAM方式】명 [SECAM은 Séquencial á Mémoire의 약자] 프랑스에서 개발된 컬러 텔레비전 방식의 하나. 두 개의 색신호 성

분(色信號成分)을 주사선(走査線)마다 바꾸어 방영(放映)하는 선순차(線順次)의 방식임. 색채의 해상력(解像力)이 반감(半減)되나 반면에 정확하고, 화상(畫像)이 안정된 장점이 있으며 브이티아르(VTR)나 마이크로 반송(搬送) 면에서도 우수함.

세컨더리 글라이더 〔secondary glider〕 명 활공(滑空) 훈련에 쓰는 중급(中級) 연습기.

세컨드 〔second〕 명 ①둘째. 제이(第二). ②↗세컨드 베이스. ③↗세컨드 베이스맨. ④권투에서, 선수의 보조자. ¶ 치프 ～. ⑤초시(秒時). 또, 시계의 초침(秒針). ⑥자동차의, 전진(前進) 기어의 제 2 단. ＊로(low)·서드(third)·톱(top). ⑦〈속〉 첩(妾).

세컨드 런 〔second run〕 명 재개봉(再開封).

세컨드 로: 〔second row〕 명 럭비에서, 포워드가 스크럼을 짤 때의 제2열의 선수.

세컨드 메이트 〔second mate〕 명 이등 운전사(二等運轉士).

세컨드 베이스 〔second base〕 명 야구에서, 이루(二壘). 준세컨드.

세컨드 베이스맨 〔second baseman〕 명 야구에서, 이루수(二壘手). 준세컨드.

세컨드 서:브 〔second serve〕 명 테니스·배드민턴 등에서, 두 번째 서브.

세컨드-핸드 〔second-hand〕 명 ①시계의 초침. ②중고품. 고물(古物).

세케트 〔Seked, Sekhet〕 명 『신』 이집트 신화에 나오는 여성신(女性神). 세케트호르(Sekhet-Hor)라고도 하며 성스러운 암소의 모습으로 표현됨. 이집트의 신년제(新年祭)를 주재(主宰)하며, 암소 및 일반 가축의 수호신임.

세코날 명 〔Seconal〕 〖약〗 최면제·진정제인 세코바비털(secobarbital)의 상표명.

세:코-짚신 명 발이 편하도록 앞쪽 양편의 총을 터서 코를 낸 짚신. 【세코 짚신에는 제 날이 좋다】 무엇이든지 분수에 알맞은 것이 가장 좋다는 말. 특히, 분수에 맞는 배필을 구하는 것이 좋다는 말.

세콤 명 〈옛〉 셋씩. ¶ 起踊振吼擊도 다 잇꿀로 닐어 세코미라 ≪月釋 Ⅱ: 14≫. 「≪圓覺 上 二之二 106≫.

세콰 〈옛〉 셋과. '세⁷'의 공동격형. ¶ 열세콰 네콰 다숫과는(十三四五)

세쿼이아 〔sequoia〕 명 『식』 ①소나뭇과 삼목속(杉木屬)에 속하는 교목(喬木). 백악기(白堊紀)에서 제3기에 번성하였던 것으로, 각처에서 화석(化石)으로 발견됨. 현생종(現生種)으로는 미국 캘리포니아에서 자생(自生)하는 2종(種)이 있을 뿐임. ②[*Sequoia sempervirens*] 줄기는 지름 2.5-4.5 m, 높이 50-100 m, 수피(樹皮)의 두께는 20-30 cm에 이름. 잎은 호생하고 심녹색(深綠色)이며, 구과(球果)는 길이 2-3 cm의 타원형임. 수령(樹齡)은 1,000-1,400 년으로 미국 오리건 주의 남부로부터 캘리포니아 주의 산지(山地)에 걸쳐 남북으로 띠 모양으로 분포함. ③[*Sequoia gigantea*] 줄기는 지름 3.5-6 m, 높이 60-90 m에 이름. 잎은 서로 겹쳐 나선상으로 나고 청록색(靑綠色)이며, 구과는 타원형으로 길이 5-10 cm, 폭 3.5-6 cm 임. 수령은 4,000-5,000 년으로 세계 최장수 수목임. 캘리포니아 주의 중부, 시에라네바다(Siera Nevada)의 서부 1,500-2,500 m의 높은 곳에 자생하며, 이들 나무를 보호하기 위하여 국립 공원으로 지정되어 있음. ＊메타세쿼이아.

〈세쿼이아❷〉 〈세쿼이아❸〉

세쿼이아 국립 공원 【—國立公園】 〔Sequoia〕 [—닙—] 명 『지』 미국 캘리포니아 주의 중부에 있는 국립 공원. 시에라네바다(Sierra Nevada) 산맥 중에 있으며 세쿼이아의 거목(巨木) 군생지(群生地)로 알려져 있음. 협곡(峽谷)과 야생 동물도 많음.

세크 〔sec〕 명 『수』 시컨트(secant).

세크레타 〔라 Secreta〕 명 『천주교』 〔갈라 놓는다는 뜻으로, 미사 중에 예비 신자와 신자를 갈라서 신자만 참예케 한 데서〕 봉헌 기도.

세크레터리 〔secretary〕 명 ①비서(祕書). 서기(書記). ②간사(幹事).

세크레틴 〔secretin〕 명 『생』 십이지장(十二指腸)에서 소화액(消化液)의 분비(分泌)를 촉진시키기 위하여 분비되는 호르몬.

세크메트 〔Sekhmet〕 명 『신』 고대 이집트의 여신(女神). 보통, 암사자의 모습으로 표현되며, 전투·역병의 신으로서 두려움의 대상임. 인류의 악업을 벌하려고 태양신(太陽神) 라(Ra)가 지상에 보냈다고 함.

세키 〔Secchi, Pietro Angelo〕 명 『사람』 이탈리아의 천문학자. 로마 대학의 교수. 항성(恒星) 스펙트럼 분류법을 고안하여 현재의 스펙트럼형 분류의 기초를 만듦. [1818-78]

세키노 다다시 〔關野貞: せきのただし〕 명 『사람』 일본의 건축사가(建築史家)·고고학자. 특히, 중국 및 한국을 연구하였으며, 그 중 낙랑(樂浪)의 조사는 유명함. 저서에 ≪일본의 건축과 예술≫·≪한국의 건축과 예술≫·≪낙랑군(樂浪郡) 시대의 유적≫ 등이 있음. [1867-1935]

세키이타 〔일 堰板: せきいた〕 명 『토』 '거푸집널'의 구용어.

세타르 〔페르시아 sētār〕 명 『악』 시타르(sitār).

세:탁 【洗濯】 명 빨래. 한탁(澣濯). 클리닝(cleaning). ——-하다 타여불

세:탁-기 【洗濯機】 명 〔washer〕 세탁하는 기계. ¶ 전기～ / 가정용 ～.

세:탁-물 【洗濯物】 명 빨랫감.

세:탁-부 【洗濯婦】 명 세탁을 위하여 고용(雇傭)된 부녀(婦女).

세:탁 비누 【洗濯—】 명 빨랫비누. ＊세숫비누.

세:탁-소 【洗濯所】 명 돈을 받고 남의 빨래를 하여 주는 곳.

세:탁 소:다 【洗濯—】 〔soda〕 명 탄산 나트륨(炭酸 natrium)의 10 수화물(水化物)로 단사 정계 주상 결정(單斜晶系柱狀結晶). 가정용 세제(洗劑)로 쓰였던 데서 이 이름이 있음. [$Na_2CO_3 \cdot 10H_2O$]

세:탁-실 【洗濯室】 명 세탁하기에 알맞게 꾸며 놓은 방. 빨랫간.

세:탁용-수 【洗濯用水】 [—뇽—] 명 빨래하기에 적당한 물. 무기 염류(無機塩類)가 적은 연수(軟水)가 좋음.

세:탁-제 【洗濯劑】 명 빨래할 때에 쓰는 비누·세제(洗劑)·소다 그 밖의 약품 등의 총칭.

세:탁-판 【洗濯板】 명 빨래판.

세:탄¹ 【洗炭】 명 석탄을 씻어서 불순물이나 불량탄(不良炭)을 제거하는 일. ——-하다 자여불

세탄² 〔cetane〕 명 『화』 세텐(cetene)에 수소를 첨가하거나 팔미트산(酸)의 환원(還元)에 의하여 얻어지는 더운 물질. 알코올이나 에테르에 녹음. 녹는점 20°C, 끓는점 278°C. 용이하게 균일한 것을 얻을 수 있으며, 또 디젤 기관에 대하여 세텐과 같은 정도의 내폭성(耐爆性)이 있으므로 세텐 대신 디젤 기관의 내폭성 판정(耐爆性判定)의 표준으로 사용됨. 헥사데칸(hexadecane). [$C_{16}H_{34}$]

세탄-가 【—價】 〔cetane〕 [—까] 명 『화』 세탄값.

세탄-값 〔cetane〕 [—깝] 명 『화』 디젤 기관용 연료의 내폭성(耐爆性)을 나타내는 지수(指數)의 하나. 정세탄(正 cetane)과 알파메틸나프탈렌을 적당히 혼합하여 표준 연료를 만들고, 표준 엔진을 사용하여 표준 연료와 시료 연료(試料燃料)가 같은 발화성(發火性)을 나타내는 경우의 세탄 용량 백분율(百分率). 세탄가(價).

세탄올 〔cetanol〕 명 『화』 탄소수 16 개인 사슬 모양 포화 1 가 알코올. 무색·무취의 결정성(結晶性) 고체. 녹는점 49.5℃. 경납(鯨蠟) 속에 지방산 에스테르로서 존재함. 연고·화장품의 원료로 쓰임. 세틸 알코올. [$CH_3(CH_2)_{14}\ CH_2OH$]

세:태 【世態】 명 세상의 형편. 세상(世相). ¶ ～가 어지럽다.

세:태 소:설 【世態小說】 명 『문』 그 사회의 풍속·제도·인심·유행 등 세태를 주제(主題)로 하여 통속적(通俗的)인 소재(素材)를 다루어 묘사(描寫)한 소설.

「복(反覆). 염량 세태(炎凉世態).

세:태 염량 【世態炎涼】 [—냥] 명 세정(世情)의 성쇠(盛衰). 인정의 반복(反覆).

세:태 인정 【世態人情】 명 세상의 되어 가는 형편과 백성들의 심적 동태(心的動態). 인심 세태(人心世態). 세정(世情).

세:태-학 【世態學】 명 『사』 사회학의 구칭.

세:태-화 【世態畫】 명 풍속도(風俗圖). 장르(genre).

세:택¹ 【洗宅】 명 〖역〗 신라 시대의 관청. 어룡성(御龍省)에 소속되어 있던 근시(近侍) 조직의 하나.

세:택² 【世澤】 명 조상이 남긴 은혜. 여택(餘澤). 유음(遺陰).

세터 〔setter〕 명 ①『동』 개의 한 품종. 영국 원산(原産)의 사냥개로 키는 60 cm, 체중은 22 kg 가량임. 얼굴이 길쭉하고 온 몸의 털이 길며, 털빛은 흑색·백색·황갈색 또는 반점(斑點)이 있는 것이 있음. 성질이 온순하여 사람을 잘 따르며, 체질이 강하고 한습(寒濕)에도 잘 견딜 뿐더러 후각(嗅覺)이 예민하고 사냥 거리를 잘 찾아 내어 코 끝으로 가리킴. 헤엄을 잘 치며, 사냥개나 애완견(愛玩犬)으로 사육함. ②배구에서, 스파이커(spiker)에게 토스(toss)를 하여 공격을 하게 하는 선수.

〈세터❶〉

세텐 〔cetene〕 명 『화』 불포화 탄화 수소(不飽和炭化水素)의 하나. 고래기름 속에 함유되어 있으며 알코올·에테르에 녹음. 녹는점 2°C, 끓는점 274°C. 디젤 기관에 대하여 노킹을 일으키는 정도가 적은 물질. 헥사데센(hexadecen). [$C_{16}H_{32}$]

세:토¹ 【稅土】 명 도조(賭租)를 바치고 부치는 논밭.

세토² 〈옛〉 셋도. ¶ 아랫 세토 또 곧ᄒᆞ니라(下三亦同) ≪圓覺 下 三之一 100≫.

세토나이카이 〔瀨戶內海: せとないかい〕 명 『지』 일본 혼슈(本州)·시코쿠(四国)·규슈(九州)에 둘러싸인 해역. 대소(大小) 약 3,000여 개의 섬이 산재(散在)하고 있는 다도해(多島海). 수심(水深)은 100-400 m. 도미·삼치·정어리·새우가 잡히며 굴·김의 양식이 행해짐. 연안 일대에는 중화학 공업 지대가 형성되어 있음. 경치가 아름다워 국립 공원으로 지정됨. [9,500 km^2]

세:톨-박이 명 한 송이에 세 톨의 알이 들어 있는 밤송이.

세:-톱 【細—】 명 이가 잘고 날이 얇은 작은 톱. ＊소톱·대톱.

세:통¹ 【世統】 명 대를 이어 내려오는 혈통. 세전(世傳)의 혈통.

세통² 부 〈방〉 온통(황해).

세:투 【歲鬪】 명 정초에 하는 노름.

세투리 명 『식』 〈방〉 씀바귀(함경).

세투발 〔Setúbal〕 명 『지』 포르투갈 남서부의 항구 도시. 리스본 남동 약 30 km, 사도 강(Sado江) 하구에 있음. 조선·코르크 가공·포도주 양조가 성함. 15세기 말에는 왕궁의 소재지였음. [97,000 명 (1981)]

세트¹ 〔set〕 명 ①도구나 가구(家具) 따위의 한 벌. 또, 일습(一襲). ¶ 커피 ～. ②라디오·텔레비전의 수신기(受信機). ¶ 라디오 ～. ③『연』 무대 장치. ④『연』 영화·연극·텔레비전 등에서, 방·집·가로(街路) 등을 모방하여 만든 장치. 옥내(屋內) 세트·옥외(屋外) 세트·로케이션 세트 등이 있음. ⑤테니스·배구 등에서, 한 경기(競技) 중의 한 구분. 테니스·배구에서는 3 세트, 탁구에서는 2 세트 등, 정해진 세트를 선취한 편이 이김. ⑥퍼머넌트를 한 다음에 이따금 머리의 모양을 매만져 고치는 일. 또, 이에 쓰이는 도구. ¶ ～한 머리. ——-하다 자여불

세트² 〔Set〕 명 『신』 이집트 신화 중의 암흑신(暗黑神) 게브(Geb)와 누트(Nut)의 아들. 몸은 나귀, 귀는 이리, 사자의 꼬리를 지녔고 신들에 반항하여 인간에 재앙을 가져오며, 형 오시리스(Osiris)를 나일 강(Nile)에 던졌다 함. 뒤에 오시리스의 아들 호루스(Horus) 한테 살해됨.

〈세트²〉

세트 빌 〔set bill〕 명 『경』 복수 어음.

세트 스코어 〔set score〕 명 테니스·탁구·배구 등에서, 쌍방(雙方)의 이긴 세트수(set數)를 이름.

세트 스크럼 〔set scrum〕 명 럭비에서, 가벼운 벌칙(罰則)에 대하여 양편의 포워드(forward)로 하여금 짜게 하는 스크럼. 볼을 그 중앙에 던져 넣을 수 있도록 짬. 타이트 스크럼.

세트-업 〔setup〕 명 『전자』 텔레비전에서, 귀선 소거(歸線消去) 레벨에서 측정한, 기준 흑레벨(黑 level)과 기준 백레벨(白 level) 사이의 비(比). 보통, 퍼센트로 나타냄.

세트 오펜스 〔set offence〕 명 농구에서, 상대방의 방어에 대하여 패스(pass)·드리블(dribble) 등으로 방어진을 교란시켜 노 마크(no mark)의 기회를 노려 공격하는 방법. 지공법(遲攻法).

세트 올: 〔set all〕 명 테니스·탁구·배구 등에서, 이긴 세트의 수가 서로 동수여서 다음 세트를 어느 쪽이 빼앗느냐로 승패가 결정되는 상태를 이름.

세트 포인트 〔set point〕 명 테니스·탁구·배구 등에서, 세트의 승부를 결정짓는 마지막 득점(得點).

세트 포지션 〔set position〕 명 야구에서, 투수가 투구할 때, 타자를 향해 한 발을 완전히 플레이트에 대고 다른쪽 발을 앞으로 내밀고서, 공을 두 손으로 몸의 앞쪽에서 쥐고 정지(靜止)하지 않으면 안 되는 자세(姿勢). 주자(走者)가 있을 때는 1초 이상 이 자세를 취하지 않으면 보크(balk)를 선언당함. *와인드업.

세틀먼트 〔settlement〕 명 『사』 종교 단체·공공 단체·사회 사업가 등이 도시의 영세민 지구에, 숙박소(宿泊所)·탁아소(託兒所) 그 밖에 여러 시설을 마련하여, 주민의 생활 향상을 돕는 사회 사업. 또, 그러한 시설. 인보 사업(隣保事業).

세틸 알코올 〔cetyl alcohol〕 명 『화』 '세탄올'의 관용명.

세팅 〔setting〕 명 ①『인쇄』 식자할 때, 앞 줄 또는 행이 움직이지 않도록 스틱에 넣는 자. 황동·아연 등의 얇은 판으로 만듦. 식자에서 활자를 스틱에 짤 때 한 줄이 끝나면 세팅을 넣고 다음을 짜 넣음. ②가구(家具) 등을 배치하는 일. ③녹음·영화 촬영 등의 장치를 배치하는 일. ④배드민턴에서, 득점상(得點上)의 룰의 하나. 15점 게임의 경우, 13점 올(all)일 때의 나머지 5점, 14점 올일 때 나머지 3점으로 게임을 할 것인가를, 13점 또는 14점을 선취한 사이드가 선택하는 일. ——하다 자타여불

세:파¹ 【世波】 명 ①모질고 거센 세상의 풍파. ¶ ~에 시달리다. ②세상이 되어 가는 형편.

세:파² 【世派】 명 한 겨레붙이에서 갈려 나온 파. 지파(支派). *방계(傍系)

세:-파³ 【細一】 명 〈방〉『식』 실파.

세:파⁴ 【細波】 명 잔 물결. 윤의(淪漪).

세:파⁵ 【歲破】 『민』 팔장신(八將神)의 하나. 물을 다스리는 신령(神靈). 이 신이 있는 방위로 배를 타고 가거나 이사함을 기(忌)함.

세파크 타크로: 〔sepak takraw〕〔sepak(말레이어로 '차다'), takraw(타이어로 '공')〕 명 발로 하는 배구 비슷한 경기. 선수는 3명씩 이며, 네트 양 끝에서 자기 편 코트 중앙의 원 안에 한 발을 디딘 서버(server)에게 공을 던져 이를 차서 상대방 코트에 넣음. 상대 팀은 손을 쓰지 않고 머리나 등 또는 발로 3회 이내에 이를 받아넘겨야 함. 15점 3세트 경기이며 1990년 베이징(北京) 아시안 게임에서 정식 종목으로 됨.

세팔로스포린 〔cephalosporin〕 명 『약』 항생 물질(抗生物質)의 하나. 페니실린이 듣지 않는 포도상 구균(葡萄狀球菌)에 의한 감염(感染)을 고칠 수 있는 치료약. 종류가 많음.

세팔린 〔cephalin〕 명 『화』 뇌나 혈장(血漿) 중에 다량으로 함유된 인지질(燐脂質)의 하나. 혈액 응고 작용에 관계가 있으며 생체막의 주요 성분임. 그람 음성균(Gram 陰性菌)의 주요 인지질임.

세퍼레이츠 〔separates〕 명 〔본디 분리한다는 뜻〕 ①슈츠같이 보이나 실은 상하 다른천으로 만들어져 있는 여성복. ②위아래를 달리하는 복장의 짜임새. 스웨터와 슬랙스(slacks) 따위.

〈세퍼레이츠❶〉

세퍼릿 〔separate〕 명 스테레오 장치·가구 따위에서 한 세트의 도구를 자유로이 짝맞추어 쓸 수 있게 만든 것.

세퍼릿 스테레오 〔separate stereo〕 명 플레이어(player)와 앰프를 장치한 센터 박스와, 두 대의 스피커 박스로 되는 분리형의 플로어형(floor 型) 스테레오.

세퍼릿 코:스 〔separate course〕 명 육상 경기의 단거리·중거리 경주에서, 구분(區分)된 주로(走路). 400 m 이내의 경주에서는 각자의 주로를 구분함.

세페리스 〔Seferis, George〕 명 『사람』 그리스의 시인. 본명은 Giorgos Stylianou Seferiades. 쉬르리얼리즘(surrealism)의 시인으로서 출발, 고대 그리스 시의 전통을 살린 작풍(作風)을 가짐. 외교관으로서도 활약, 1963년 노벨 문학상 수상함. 대표작《분기점》. [1900-71]

세페우스-자리 〔Cepheus〕 명 『천』 카시오페이아 자리의 북서쪽에 있는 북천(北天)의 별자리. 10월경 북쪽 하늘 높이 자오선(子午線) 상에 위치함. 대표적인 맥동 변광성(脈動變光星)인 델타성(δ星) 등이 있음. 약자 : Cep. 구칭 : 케페우스자리. *세페이드(Cepheid) 변광성.

세페이드 〔Cepheid〕 명 『천』 세페이드 변광성.

세페이드 변:광성 【一變光星】 명 〔Cepheid variable〕『천』 맥동(脈動) 변광성의 하나. 제 I 형과 제 II 형이 있는데, 제 I 형은 주기(週期) 1-135일, 변광 범위 0.1-2등, 스펙트럼형은 F5-G1, 대표 별은 세페우스자리의 델타성(δ星)으로 초거성(超巨星)이며, 제 II 형은 주기 0.8-35일, 변광 범위 0.3-1.2등, 스펙트럼형은 F7-K1, 대표 별은 처녀자리의 W성으로 거성(巨星)임. 세페이드.

세:편 【細片】 명 작은 조각.

세:평¹ 【世評】 명 세상의 평판. 세설(世說). 성랑(聲浪). 외의(外議).

세:평² 【細評】 명 자세한 비평. ——하다 타여불

세:폐 【歲幣】 명 『역』 매년 음력 시월에 중국에 가는 사신(使臣)이 가지고 가던 공물(貢物).

세:폐 겨냥 【歲幣—】 [—껴—] 명 길이·넓이·치수가 꼭 규격에 맞는 겨냥. 세포 겨냥.

세:폐-계 【歲幣契】 [—꼐—] 명 『역』 세폐에 쓸 무명을 공물로 바치던 계.

세:폐-사 【歲幣使】 명 『역』 조선 시대에 청(淸)나라에 예물(禮物)을 바치러 보내던 정례 사행(定例使行)의 하나. 삼절 겸 연공사(三節兼年貢使)라 불렀는데, 일행은 정사 1명, 부사 1명, 서장관 1명 등 모두 30명이며, 10월 말-11월 초에 떠나 연말 안으로 연경(燕京)에 도착, 40-60일을 머무르고 2월 중에 떠나 3월 말-4월 초에 귀국했음.

세:폐-색 【歲幣色】 명 『역』 조선 시대에, 세폐에 관한 일을 맡아 보던 호조(戶曹)의 한 분장(分掌).

세:포¹ 【洗浦】 명 『지』 강원도 평강군(平康郡) 고삽면(高揷面)에 있는 경원선(京元線)의 요역(要驛). 해발 540 m로, 여름에도 서늘하여 부근의 삼방(三防)과 함께 피서지(避暑地)로 알려짐.

세:포² 【細布】 명 가늘고 곱게 짠 삼베. 세마포(細麻布).

세:포³ 【細胞】 명 ①〔cell〕『생』 생물체의 기본적(基本的) 구성 단위. 주체(主體)가 되는 것은 생명 현상을 영위하는 원형질로서 세포 핵(核)과 세포질로 구분됨. 일반적으로 중심에 세포핵이 한 개 있고 그 주위를 세포막이 에워쌈. 동물의 세포는 세포막이 없고 원형질막으로 구획되며 식물의 세포는 셀룰로오스로 된 세포막(細胞膜)으로 덮여 있어 현미경으로나 볼 수 있는 극히 작은 생활체임. 동식물의 종류, 조직의 종류에 따라 그 크기·모양·구성 요소(要素) 등이 달라지며 그 종류가 여러 가지임. ②『사』 어떠한 단체, 특히 공산당 조직의 최소 구성 단위. ¶경영(經營) ~/~ 위원장.

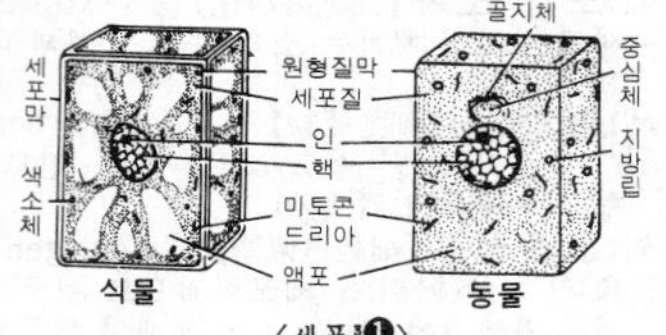

〈세포³❶〉

세:포⁴ 【稅布】 명 조세(租稅)로 바치던 피륙.

세:포간 시멘트 【細胞間—】〔cement〕 명 상피(上皮) 세포를 서로 결합시키는 물질.

세:포 겨냥 【歲布—】 [—껴—] 명 세폐 겨냥.

세:포 공학 【細胞工學】 명 〔cell engineering〕 세포 배양, 세포 융합 등 세포에 대한 유전자(遺傳子) 조작에 의해 생명 현상을 해명하고, 배양 세포에 의한 유용 물질의 생산 등을 목표로 하는 응용 생물학의 한 분야.

세:포 구축학 【細胞構築學】 명 〔cytoarchitecture〕 대뇌 피질(大腦皮質) 개개의 부위(部位)의 세포 조직을 연구하는 학문.

세:포 기관 【細胞器官】 명 『생』 단세포 생물의 원형질에서 분화(分化)한, 섭식(攝食)·운동·배출(排出) 따위 특정의 작용을 하는 구조 및 부분. 예컨대 원생 동물(原生動物)의 위족(僞足)·편모(鞭毛)·식포(食胞)·수축포(收縮胞)·안점(眼點) 따위를 가리키며 다세포(多細胞) 생물의 기관에 해당하므로 이 이름이 있음. 기관자. 소기관. 유기관(類器官).

세:포 기생충 【細胞寄生蟲】 명 『동』 세포 속에 기생하는 기생충. 세포핵(細胞核) 속에 기생하는 것과 세포체(細胞體) 속에 기생하는 것이 있는데, 장기(臟器)에 침범할 때에는 생리적 관능(官能)이 저해되고 숙주(宿主)는 병증(病症)을 일으킴.

세:포내 소화 【細胞內消化】 명 〔intracellular digestion〕『생』 동물이 위족(僞足)이나 섬모(纖毛) 따위로 먹이를 직접 세포내에 섭취하여 소화시키는 일. 원생 동물(原生植物) 이외에 해면(海綿) 동물·강장(腔腸) 동물·편형(扁形) 동물 등 소화관이 발달해 있지 않은 동물에서 볼 수 있음. *세포외 소화.

세:포내 운:동 【細胞內運動】 명 〔intracellular movement〕『생』 세포 안에서 행하여지는 운동. 원형질 유동(原形質流動), 엽록체(葉綠體)의 움직임, 작은 입자(粒子)의 브라운 운동(Brown 運動) 등.

세:포 단체 【細胞團體】 명 『사』 한 단체를 조직하는 요소(要素)로서의 하급 단체.

세:포 독소 【細胞毒素】 명 〔cytotoxin〕『생』 혈청학(血淸學)에서 항원 항체 반응(抗原抗體反應)을 중개로 하여, 특정 장기(臟器)에 선택적으로 작용, 그 부위를 상해(傷害)하는 항체를 이름.

세:포-막 【細胞膜】 명 〔cell membrane〕『생』 ①식물(植物) 세포의 표면을 에워싼 두꺼운 막. 셀룰로오스가 그 주성분임. 세포를 보호하고 그 모양을 유지함. 세포벽(壁). ②동물 세포의 원형질막(原形質膜).

세:포막-질 【細胞膜質】 명 『생』 셀룰로오스(cellulose).

세:포 배:양 【細胞培養】 명 『생』 단독 세포를 생체(生體)로부터 끄집어내어 배양액(培養液) 또는 배양기(基)에서 배양하는 일.

세:포-벽 【細胞壁】 명 『생』 세포막❶.

세:포 병:리학 【細胞病理學】 [—니—] 명 ①〔cellular patology〕『의』 질병의 본체를 세포의 변화에서 구명(究明)하고자 하는 병리학. 독일의 병리학자 피르호(Virchow, R.)가 주창함. ②『책』 병리학자 피르호의 저서. 세포의 영양적·기능적·형태적 변화에 질병의 원인이 있다고 주장하여 근대적 병리학의 기초를 세움. 1858년 간행.

세:포 분류학 【細胞分類學】 [—불—] 명 〔cytotaxonomy〕 염색체(染色體)의 배수성(倍數性)·게놈(Genom)·핵형 분석(核型分析) 등을, 종(種)을 중심으로 한 범위에 원용(援用)하는 분류학의 한 분야.

세:포 분열 【細胞分裂】 명 〔cell division〕『생』 하나의 세포가 두 개의 새로운 세포로 분열하는 일. 세포의 증식(增殖) 방법으로 세포핵이 2분되는 핵분열과 세포질이 2분되는 세포질 분열이 있음. 직접 분열·간접 분열 또는 유사(有絲) 분열·감수(減數) 분열 등으로 구분함.

세:포 색전증【細胞塞栓症】[—쯩] 명 〖의〗 간(肝)의 외상(外傷) 또는 악성 종양(惡性腫瘍) 등의 경우에 혈류에 들어온 세포나 조직의 파편이나 악성 종양에 의한 색전증. *색소(色素) 색전증.

세:포-설【細胞說】명〔cell theory〕〖생〗 모든 생물체는 세포를 단위로 하여 구성되어 있으며, 세포는 생물의 구조 및 기능의 단위(單位)라고 주장하는 설. 1838년 슐라이덴(Schleiden, M.J.)이 식물(植物)에 대하여, 다음 해에 슈반(Schwann, T.)이 동물(動物)에 대해서 주창함.

세:포 소:기관【細胞小器官】명〔organelle〕〖생〗 세포의 원형질의 일부가 변해서 된 구조로, 막(膜)으로 싸여 있고 일정한 기능을 가짐. 핵(核)·미토콘드리아·소포체·엽록체(葉綠體) 등과 편모(鞭毛)·섬모(纖毛)·수축포(收縮胞) 등이 이에 해당함.

세:포 식물【細胞植物】명 〖식〗 스위스의 식물 분류학자 드칸돌(de Candolle)의 용어. '엽상(葉狀) 식물'의 일컬음. ↔관다발 식물·유관(有管) 식물❶.

세:포-액【細胞液】명〔cell-sap〕〖생〗 세포의 공포(空胞)를 채우고 있는 액체. 보통, 식물에서 볼 수 있으며, 유기산(有機酸)·염류(塩類)·당(糖)·알칼로이드·타닌(tannin)·단백질류·색소(色素) 등을 함유하고 있음. 녹물.

세:포외 소화【細胞外消化】명〔extracellular digestion〕〖생〗 동물이 세포 밖에서 행하는 소화. 주로 소화관 내에서의 소화를 가리킴. *세포내 소화.

세:포 운:동【細胞運動】명〔Cell movement〕〖생〗 세포가 하는 능동적인 운동의 총칭. 섬모(纖毛) 운동·편모(鞭毛) 운동·아메바 운동·원형질 유동(原形質流動) 등.

세:포 유전학【細胞遺傳學】명〔cytogenetics〕〖생〗 유전 현상(遺傳現象)의 기구(機構)를 세포학적으로 연구하는 학문. 염색체의 구조 및 세포 분열시에 있어서의 염색체의 행동과 또한 핵형 분석(核型分析)과 게놈(Genom) 분석 따위가 중심이 됨.

세:포 융합【細胞融合】명〔Cell fusion〕〖생〗 둘 이상의 세포가 접착(接着)한 다음 공통 세포막(共通細胞膜)에 싸여서 하나의 다핵(多核) 세포가 되고, 거기에 핵(核)도 융합하여 거대한 세포가 생기는 현상. 수정(受精), 또는 골격근 세포(骨格筋細胞)처럼 발생 과정에서 생기는 것 외에 바이러스나 화학 물질에 의해서도 생김. 이를 이용하여 인공적으로 이종(異種)의 세포를 만드는 기술을 가리키기도 함.

세포이의 반:란【—叛亂】[—발—/—에발—] 명〔Sepoy Mutiny〕〖역〗 세포이의 항쟁.

세포이의 항:쟁【—抗爭】〔Sepoy〕[—/—에—] 명 〖역〗〔세포이는 영국의 동인도 회사의 인도인 용병(傭兵)을 이름〕 1857년에 영령 인도 벵골(Bengal)의 세포이가 선봉이 되어 영국의 학정을 물리치고자 일으킨 항쟁. 전인도의 세포이가 이에 참가하여 델리(Delhi)를 점령하고, 무굴 제국(Mughul帝國)의 당주(當主)를 세워 황제(皇帝)로 받들었으나, 영국군의 출동으로 1859년에 완전히 진압되었음. 이 결과 무굴 제국이 멸망하였으며, 인도 통치가 종래의 동인도 회사(東印度會社)에서 영국 정부로 들어가게 되었음.

세:포 조직【細胞組織】명 ①〖생〗 망양 조직(網樣組織). ②〖생〗 생물체 조성(組成)의 기본적 단위인 각 세포가 연결되어 생물체를 형성하는 일. ③〖사〗 정당·단체 등의 성립 요소 및 기반(基盤)으로서의 단위를 연결시키는 일. 특히 공산당의 말단 조직.

세:포 주기【細胞週期】명 〖생〗 세포 분열의 주기에 따라 일어나는 세포의 활동 주기. 보통 DNA 합성이 일어나는 S기, 세포 분열이 진행 중인 M기, S기와 M기의 중간에서 세포 분열 장치의 준비 등을 일으키는 G_2기, 분열의 완료에서부터 다음 DNA 합성 개시까지의 사이를 차지하는 G_1기의 넷으로 분류함.

세:포 증식 인자【細胞增殖因子】명〔cell-multiplying factor〕〖생〗 세포로 하여금 세포 분열을 일으키게 하여 증식시키는 인자.

세:포-진【細胞診】명〔cytodiagnosis of cancer〕〖의〗 암(癌)의 진찰 방법의 하나. 체강(體腔) 안에 벗겨져 떨어진 세포를 관찰해서 악성 세포를 발견하고, 그 병변(病變)이 암에 의한 것인가를 감별(鑑別)함.

세:포 진단학【細胞診斷學】명〔cytodiagnosis〕 생체(生體)로부터 채취한 세포를 연구함으로써 그 개체의 이상(異常)을 조사하는 학문.

세:포-질【細胞質】명〔cytoplasm〕〖생〗 세포의 핵(核)·액포(液胞)·세포 함유물을 에워싸고 있는 원형질(原形質)의 부분. 맨 바깥쪽은 원형질막으로 분화함. 단백질을 주성분으로 하며, 탄성(彈性)·점성(粘性)을 가짐.

세:포질 분열【細胞質分裂】명〔division of cytoplasm〕〖생〗 세포 분열에 있어서, 핵(核)분열에 이어 세포질이 둘로 분열하는 일.

세:포질 유전【細胞質遺傳】명〔cytoplasmic inheritance〕〖생〗 세포질 안의 핵(核) 이외의 부분에 의해 전(傳)해지는 유전 현상. 식물 잎의 반점 등 색소체(色素體)의 유전으로 알려짐. 비멘델 유전(非Mendel遺傳)의 하나. 모성 유전(母性遺傳).

세:포질-체【細胞質體】명〔cytoplast〕〖생〗 세포의 원형질체. 또, 원형질 중 핵을 제외한 부분을 특히 가리킬 때도 있음.

세:포-판【細胞板】명〔cell plate〕〖생〗 식물 세포의 분열 종기(終期)에, 딸세포(daughter cell) 사이에 생기는 최초의 격막(隔膜). 후에 세포막이 됨.

세:포-학【細胞學】명〔cytology〕〖생〗 세포의 형태나 기능 따위를 연구하는 생물학의 한 분과. 세포설에 의해 발전하여 현재 세포 유전학·세포 생리학·핵학(核學) 따위로 나뉨.

세:포 함유물【細胞含有物】명〔cell contents〕〖생〗 세포 안에 후생적(後生的)으로 생기는 유형(有形)의 물질. 녹말·글리코겐 과립(顆粒)·유적(油滴) 등의 세포내 저장 물질과 수지(樹脂)·알칼로이드 등의 분비(分泌) 물질 등.

세:포-핵【細胞核】명〔cell nucleus〕〖생〗 세포 안에 보통 한 개 들어 있는 구형상(球形狀)의 소체(小體). 핵막(核膜)에 싸여 있고 내부를 채우는 투명한 핵액(核液) 중에 염색사(染色絲)와 한 개 내지 수 개의 인(仁)이 있음. 세포의 활동을 통제하고 유전에 관계함. 세포 분열 때 핵 ㄴ분열을 일으킴. 핵(核).

세:포핵 분열【細胞核分裂】명 〖생〗 핵분열❶.

세:포 화학【細胞化學】명〔cytochemistry〕 세포 및 그 구성분(構成分)의 화학. 주로, 화학적 조성이나 효소(酵素)의 존재 장소에 관한 학 ㄴ문임.

세:표【世表】명 세상의 모범(模範).

세:풍[1] 명 〈방〉 서풍(西風)(평안).

세:풍[2]【細風】명 솔솔 부는 바람. 미풍(微風).

세:풍[3]【歲豐】명 풍년(豐年).

세:풍 사우【細風斜雨】명 사풍 세우(斜風細雨).

세피 명 〈방〉 오줌(함경).

세:-피리【細—】명 〖악〗 피리의 한 가지. 향피리와 모양이 같으나, 조금 가늘고 작음. 가곡(歌曲)·가사(歌辭)·시조(時調) 등의 반주용으로 쓰이고, 세악(細樂)에 편성됨. 세필률.

세피아〔sepia〕명 암갈색의 유기성(有機性) 안료(顏料). 오징어의 흑즙낭(黑汁囊) 중의 흑갈색의 액체를 말리어 알칼리액에 녹여 묽은염산(塩酸)으로 침전시켜서 만듦. 주로 수채화에서 씀.

세:필【細筆】명 세자(細字)를 씀. 또, 그것을 쓰는 가는 붓. 세서(細書). ㄴ——-하다 타여불

세:-필률【細觱篥】명 〖악〗 세(細)피리.

세:하[1]【細瑕】명 조그마한 흠. 작은 결점.

세:하[2]【細蝦】명 〖동〗 쌀새우.

세:하-젓【細蝦—】명 쌀새우로 담근 젓.

세:한【歲寒】명 추운 계절. 겨울.

세:한 삼우【歲寒三友】명 겨울철 관상용(觀賞用)의 세 가지 나무. 곧, 소나무·대나무·매화나무. 송죽매(松竹梅)라 하여 흔히 동양화(東洋畫)의 화제(畫題)가 됨.

세:함【歲銜】명 〖역〗 서울 및 지방 관아(地方官衙)의 이속(吏屬)이나 하례(下隷) 또는 각 영(營)의 군졸이 설날에 상관(上官) 집에 문안(問安)드리고 표적으로 놓고 오던 명함. 상관에게 직접 문안은 드리지 못하고 인사를 차린 증거로 남기는 것인데, 이것을 받는 집에서는 문 안 적당한 자리에 칠 그릇을 비치하여 이곳에 명함을 놓고 가도록 하였음.

세:항【世行】명 대대로 교분(交分)이 있는 비슷한 연배(年輩)의 벗.

세:행[1]【世行】명 '세항(世行)'의 잘못된 말.

세:행[2]【細行】명 조그마한 행위. 세검(細檢).

세헤 〈옛〉 셋에. '세[7]'의 처격형. ¶ 位예 나ᅀᅡ가 세헤 ᄂᆞᆫ호나(就位分三) 「≪永嘉 上 76≫.

세:혐【世嫌】명 두 집안 사이에 대대로 지녀 내려오는 원한과 미움.

세:화[1]【細畫】명 섬세하게 그린 그림. 미니아튀르. ↔약화(略畫).

세:화[2]【歲華】명 세월(歲月).

세:화[3]【歲畫】명 〖역〗 새해를 축복하는 뜻으로 궐내(闕內)에서 그리어 반사(頒賜)하던 그림. 선동(仙童)이 불로초(不老草)를 짊어진 것이나, 태상 노군(太上老君)을 그림. 문배(門排).

세:환[1]【世患】명 세상의 근심 걱정.

세:환[2]【細鐶】명 〖고고학〗 가는 고리. ↔태환(太鐶).

세:환식 귀걸이【細鐶式—】명 〖고고학〗 가는 고리 귀걸이. ↔태환식(太鐶式) 귀걸이. 「↔미환입(尾還入).

세:-환입【細還入】명 〖악〗 웃도드리의 별칭인 잔도드리의 한자 이름.

세:황【歲況】명 설을 맞은 정황(情況). 새해의 형편.

세:후【歲後】명 설을 쇤 뒤. ↔세전(歲前).

세:-훑이【細—】[—훌치] 명 〈방〉 서캐훑이. 「九)≪永嘉 下 14≫.

세흐로 〈옛〉 셋으로. '세[7]'의 조격형. ¶ 세흐로 아호볼 니ᄅᆞ니(三而論

세흔 〈옛〉 셋은. '세[7]'의 절대격형. ¶ 七淨은 ᄒᆞ나ᄒᆞᆫ 戒淨이오 둘흔 心淨이오 세흔 見淨이오 네흔 疑心 그촌 淨이오≪永嘉 序 9≫.

세흘 〈옛〉 셋을. '세[7]'의 목적격형. ¶ ᄒᆞᆫ 佛乘에 ᄂᆞᆫ호아 세흘 니르시ᄂᆞ니라ᄒᆞ시니라(於一佛乘分別說三)≪永嘉 序 4≫. 「三)≪永嘉 上 85≫.

세히 〈옛〉 셋이. '세[7]'의 주격형. ¶ ᄒᆞ나ᄒᆞᆯ 들면 곧 세히 ᄀᆞᆽ고(擧一卽具

세ᄒᆞᆫ 〈옛〉 셋은. '세[7]'의 절대격형. ¶ 세ᄒᆞᆫ 相應을 닐오미오(三則語其相應)≪永嘉 下 9≫. 「≪永嘉 下 14≫.

세ᄒᆞᆯ 〈옛〉 셋을. '세[7]'의 목적격형. ¶ ᄒᆞ나ᄒᆞ로 세ᄒᆞᆯ 니ᄅᆞ고(一而論三)

섹셔널리즘〔sectionalism〕명 한 부문이나 파벌 등의 입장을 고집하고, 배타적으로 흐르는 경향. 분파주의. 파벌주의. 할거주의(割據主義). 섹트주의.

섹션〔section〕명 ①조각. 단편(斷片). ②부분. 구획. ③문장이나 규약 등의 절(節) 또는 항(項). ④신문·잡지 등의 난(欄). ⑤관청·회사 등의 과(課) 또는 부(部). ⑥〖군〗 반(班). 분대. ⑦건축물의 단면도(斷面圖).

섹션 페이퍼〔section paper〕명 방안지(方眼紙). 제도 용지. 모눈종이.

색소소피〔sexosophy〕명〔sexology+philosophy〕 성(性)에 관한 가치관과 개인의 성적(性的) 발달 및 사회화(社會化)를 철학적으로 고찰하는 학문. 미국의 존스 홉킨스 대학의 성의학자(性醫學者) 존 마네교수의 조어(造語).

섹슈얼〔sexual〕명 성적 충동을 느끼게 하는 모양. ——-하다 형여불

섹스〔sex〕명 ①남녀 또는 자웅의 구별. 성(性). ②성현상(性現象). 성욕(性慾).

섹스 세러피스트〔sex therapist〕명 〖의〗 성(性)의 기능 이상(機能異常)을 치료하는 전문인(專門人). 의사 또는 심리학을 전공한 사람들이 맡음.

섹스 어필:〔sex appeal〕명 성적 매력(性的魅力)을 보이는 일. ——-하다 자여불

섹스 체크〔sex check〕명 육상 경기에서, 여자 선수에 대하여 경기 전

에 여성임을 확인하는 일. *도프 체크(dope check).

섹스턴트 〔sextant〕 명 육분의(六分儀).

섹스텟 〔sextet〕 명 〖악〗 ①육중주(六重奏). 또, 육중창(六重唱). ②육중주곡(六重奏曲). 또, 육중창곡.

섹스투스 엠피리쿠스 〔Sextus Empiricus〕 명 〖사람〗 2세기경의 그리스의 철학자·의사. 피론류(Pyrrhon流)의 회의론자. 그는 철저한 경험가(經驗家)의 입장에서, 논리학의 삼단 논법도 성립되지 않을 뿐더러 결과에 대한 원인도 의심스럽다고 논했음. 주저에 《피론 사상 개설(槪說)》·《정설가 논박(定說家論駁)》이 있음. 생몰년 미상.

섹시 〔sexy〕 명 성적(性的) 매력이 있는 모양. ¶ ~한 여자. ——-하다 「형여불

섹시옹 도:르 명 〔프 La section d'or〕〖미술〗1910년경, 파리 교외(郊外), 퓌토(Puteaux)의 아틀리에에 모인 퀴비슴 화가 그룹의 이름. 또, 그 그룹에 의하여 열린 같은 이름의 전람회.

섹터 〔sector〕 명 ①부채꼴. 선형(扇形). ②〖기〗선형(扇形) 톱니바퀴. ③〖컴퓨터〗 자기(磁氣) 디스크나 플로피 디스크에서, 원기둥 방향으로 구별되는 트랙을 여러 구획으로 나눈 부분. 이는 트랙을 구성하는 가장 작은 단위의 기억 장소로서 이 곳에 문자들이 저장됨.

섹터 톱니바퀴 〔sector〕 명 〖기〗 선형(扇形) 톱니바퀴.

섹트 〔sect〕 명 ①분파. 당파. 종파(宗派). 파벌(派閥). ②사상적·정치적으로 신념·사상을 같이하는 사람의 집단.

섹트-적 【一的】〔sect〕 명관 분파적(分派的). 섹트주의적.

섹트-주의 【一主義】〔一/一이〕 명 〔sectionalism〕 ①섹셔널리즘. ②〖사〗 사회 운동에서 한 조직체 안의 한 파가 자기 파의 주장만을 고집하여 남을 배척하는 태도.

센 의명 〈방〉 생원(生員).

센 강 【一江】〔Seine〕 명 〖지〗 프랑스 북부의 강. 랑그르 고지(Langres 高地)에서 발원하여 샹파뉴(Champagne) 지방과 파리 분지(Paris 盆地)를 흘러 영국 해협에 들어감. 파리·르아브르(Le Havre)·루앙(Rouen)의 각 도시를 연결하며 프랑스의 동맥으로 일컬어짐. 루앙까지 외항선(外航船)이 항행함. [776km]

센:-개 명 털 빛이 흰 개.

센나 〔senna〕 명 〖식〗 차풀과에 속하는 관목. 열대산(熱帶産)으로 이집트산(産)의 *Cassia acutifolia*와 인도산의 *C. angustifolia* 2종이 있는데, 모두 높이 1m 가량이며 4-7쌍의 작은 잎으로 이루어진 우상 복엽(羽狀複葉)이 호생함. 이집트산은 담회록색으로 달걀꼴의 피침형이며, 인도산은 황록색을 띠고 부등엽(不等葉)으로 좀 가늘고 깊. 여름에 황색의 오판화(五瓣花)가 핌. 잎은 '센나 잎'이라 하여 침제(浸劑)·하제(下劑)로 씀.

센:-내기 명 〖악〗 센박으로부터 시작하여 그 곡에 지정된 박자의 셈여림이 일정하게 되풀이되는 곡(曲). 강기(強起).

센다이 〔仙台:せんだい〕 명 〖지〗 일본 미야기 현(宮城縣)의 현청 소재지. 매목 세공(埋木細工)의 특산이 있으며, 소비 도시의 경향이 짙은데, 공업 지구를 형성하여 공업화가 진행중임. 관광 도시임. [878,632 명(1989)]

센달-나무 〔一라一〕 명 〖식〗 〔*Machilus japonica*〕 녹나뭇과의 상록 활엽 교목. 참나무와 비슷한데, 높이 10-13m, 잎은 긴 타원형 또는 피침형이며 끝이 뾰족하고 뒷면에 흰 가루가 있음. 7월에 담황록색의 꽃이 원추(圓錐) 화서로 피고, 구형(球形)의 흑록색 장과(漿果)는 8월에 익음. 산지에 나는데, 한국의 전남·경남 및 일본·대만·중국 남부에 분포함. 기구재·신탄재로 씀.

〈센달나무〉

센달로이 〔sendalloy〕 명 〖화〗 텅스텐·몰리브덴·크롬을 주성분으로 하고 이에 철·니켈·바나듐·망간 등을 가하여 만든 합금. 유리를 끊거나 깎거나 하는 공구에 사용함.

센:동-개 명 〈방〉 센개.

센:-둥이 명 털 빛이 흰 동물. 특히 흰 털의 강아지를 이름. [센둥이가 검둥이고 검둥이가 센둥이다] 색이 어떻든간에 개는 개라는 말로 그 본질은 어떻게 할 수 없다는 뜻.

센:둥이-하늘소 〔一쏘〕 명 〖충〗 흰목도리하늘소.

센:등-논종다리 〔一쫑一〕 명 〖조〗 흰등논종다리.

센:-말[1] 명 〖언〗 뜻은 같으나 어감이 강한 말. '굼틀'에 대하여 '꿈틀', '검다'에 대하여 '껌다' 등.

센:-말[2] 명 〈방〉 부루말. [센말 볼기짝 같다] 얼굴이 희멀겋고 몸집이 큰 사람의 비유.

센:-머리 명 털이 희어진 머리. 백발(白髮).

센:-물 명 〖화〗 〔hard water〕 칼슘 이온·마그네슘 이온이 많이 함유되어 비누 거품이 잘 일지 않는 물. 특히, 탄산 수소염(炭酸水素塩)이 녹아 들어 있는 것은 끓이면 탄산 가스로 유리(遊離)되어 단물로 만들 수 있어 일시적 센물이라 하고, 끓여도 단물로 되지 않는 것은 영구적 센물이라고 함. 영구적 센물은 이온 교환 수지(交換樹脂)를 써서 단물로 만들 수 있음. 경수(硬水). ↔단물.

센:-바람 명 〔moderate gale〕 〖기상〗 풍력 계급(風力階級)의 하나. 풍속(風速)이 1초(秒)에 13.9-17.1m되는 바람. 큰 나무 전체가 움직이며 우산을 쓰고 보행하기가 곤란함. 강풍(強風). *풍력 계급.

센:-박 【一拍】 명 〖악〗 한 마디 안에서 세게 연주하는 박자. 분표상으로는 제1박이 이에 해당함. 강박(強拍). 하박(下拍). ↔여린박.

센서[1] 〔censor〕 명 도서·신문·잡지 등의 검열자.

센서[2] 〔sensor〕 명 ①온도·압력·유량(流量)·빛·자기(磁氣) 등의 물리량(物理量)이나 변화량을 검출(檢出)하는 소자(素子), 또는 장치. 또, 검출량을 적절한 신호로 변환시켜 계측계(計測系)에 입력(入力)하는 장치를 가리키기도 함. 감지기(感知器). 검지기(檢知器). ②〖군〗 인간의 감각 능력(感覺能力)을 확대하기 위한 기술적 수단. 목표물로부터 반사(反射) 또는 방출(放出)되는 에너지에 의해서 지세(地勢)나 군사 표적의 존재 여부, 기타 인공 및 자연물의 활동 사항을 탐지·지적해 내는 데 쓰이는 장비.

센서스 〔census〕 명 ①국세 조사(國勢調査). 인구 조사(人口調査). ¶ 인구 ~. ②특정한 사회 현상에 대하여 어느 시점(時點)에 일제히 시행하는 전수(全數) 조사. ¶ 공업 ~.

센:-섭섭하다 형 〈방〉 시원섭섭하다.

센세이셔널 〔sensational〕 명 ①감동적(感動的). 선정적(煽情的). ¶ ~한 기사(記事). ②세상의 이목(耳目)을 이끄는 모양. 세상 평판이 아주 자자한 모양. ——-하다 형여불

센세이셔널리즘 〔sensationalism〕 명 ①사람의 흥미·관심을 부추기는 일을 주안(主眼)으로 하는 태도. ②〖문〗 선정주의(煽情主義). ③〖철〗 센슈얼리즘(sensualism)❸.

센세이션 〔sensation〕 명 ①느낌. 감각(感覺). ②흥분. 선정(煽情). 물의(物議). ③일시적인 큰 평판(評判). 선풍적인 인기(人氣). ¶ 그 책은 나오자마자 일대 ~을 불러일으켰다.

센:-숫돌 명 질이 거친 돌로 된 숫돌. ↔무른 숫돌.

센슈얼 〔sensual〕 명 ①육욕적(肉慾的). 육감적. 관능적. ②〖철〗 감각적. ——-하다 형여불

센슈얼리즘 〔sensualism〕 명 ①육욕주의(肉慾主義). 쾌락(快樂)주의. ②〖미술〗 육감주의. 관능주의. ③〖철〗 감각론. 센세이셔널리즘.

센스 〔sense〕 명 ①감각. 특히 감각 기능이나 그 능력. ②지각(知覺). 의식. 인식. ③사려(思慮). 분별. 양식(良識). ④사물의 미묘한 느낌 또는 의미를 깨닫는 일. ¶ 그는 어쩌나 ~가 빠른지/~가 무딘 사람.

센:-스럽다 형 〈방〉 시원스럽다.

센시블 〔sensible〕 명 ①예민(銳敏). 민감. ②지각이 있는 모양. 사려(思慮)가 깊은 모양. ¶ 그 앤 참 영리하고도 ~하다. ——-하다 형여불

센시빌리티 〔sensibility〕 명 감수성(感受性). 민감(敏感).

센시빌리티 트레이닝 〔sensibility training〕 명 감각성(感覺性) 훈련. 리더십 훈련의 하나로, 타인의 생각·느낌을 정확히 감지(感知)하는 능력과 이것을 바탕으로 적절하고도 부드러운 태도 내지 행동을 취하는 능력을 몸에 익히는 것을 목적으로 함. 약칭:에스 티(S.T.).

센시티브 아이템 〔sensitive item〕 명 〖경〗 외국 제품의 유입(流入)으로 국산품이 압박될 우려가 있을 때, 수입 제한(輸入制限)이나 금수 조치(禁輸措置)를 취하는 품목(品目).

센:-입천장 〔一닙一〕 명 〖생〗 경구개(硬口蓋). ↔여린입천장.

센:입천장-소리 〔一닙一〕 명 〖언〗 경구개음(硬口蓋音).

센:-자성 【一磁性】 명 강자성(強磁性).

센장 부 〈방〉 우선(함경).

센차 템포 〔이 senza tempo〕 명 〖악〗 '자유로운 속도(速度)로'의 뜻.

센추리 〔century〕 명 세기(世紀).

센추리 시리:즈 〔century series〕 명 〖군〗 〔세계 항공계에 새로운 세기를 연 정예군이라는 뜻〕 미국 공군에서 전투기의 기종 명칭이 100번대 이후인 최신 제트 전투기를 달리 이르는 말. 모두 초음속(超音速)으로 F-100·F-102·F-104·F-105·F-111 등은 특히 유명함.

센치 명 센티멘탈(sentimental)'의 줄어 변한 말. ——-하다 형여불

센타:르 〔centare〕 의명 면적의 단위. 1/100 아르. 약호 ca.

센타보 〔centavo〕 의명 통화 단위의 하나. 포르투갈 및 라틴 아메리카 여러 나라에서 널리 쓰임. 에스쿠도(escudo)의 1/100에 해당함.

센타우루스-자리 〔Centaurus〕 명 〖천〗 별자리의 하나. 6월 초순 저녁 때 남쪽 지평선 가까이에 있는데, 수성(首星)은 지구와 가장 가까운 일등급의 식변광성(蝕變光星)으로 거리는 4.3광년. 약자 : Cen. 구칭 : 켄타우루스자리.

센터 〔center, centre〕 명 ①중앙. 중심. ②농구에서, 중견 공격수. ③배구에서, 전위(前衛)·중위(中衛)·후위(後衛)의 각기 중앙에 선 사람. ④(축구·아이스 하키에서) ↗센터포워드. ⑤야구에서, 센터 필더. ⑥(야구에서)↗센터필드. ⑦럭비에서, 스리쿼터 백인 경우, 양쪽 윙 사이에 있는 두 플레이어. ⑧미식 축구에서, 공격팀의 포지션의 하나. 라인 중앙에 위치하여, 볼을 박스에 스냅함. ⑨전문적·종합적 설비나 기능이 집중되어 있는 곳. ¶ 문화 ~/암 ~. ⑩〖공〗 선반(旋盤)의 공작물(工作物)을 받치는 원추형의 강철 조각.

센터 라인 〔center line〕 명 ①경기장의 코트 따위를 중앙에서 2분하는 선. ②도로의 거의 중앙에 그어진, 좌우로 나누는 선.

센터리스 그라인더 〔centerless grinder〕 명 〖기〗 둥근 철봉을 원형으로 연마하여 다듬는 기계. 양 끝 중심을 지지(支持)하지 않고 필요한 지름의 간격대로 나란히 놓은 숫돌을 돌려서 깎게 됨.

센터링 〔centering〕 명 ①아치를 만드는 경우, 임시로 그것을 받치는 나무틀. ②축구·하키 등에서, 터치 라인 근처의 플레이어로부터 중앙에 있는 자기편 플레이어에게 볼을 패스하는 일.

센터 벤트 〔center vent〕 명 남자 양복의 상의, 슈트 상의의 등 중심선에 터놓은 부분.

센터 서:클 〔center circle〕 명 농구·축구·아이스 하키에서, 경기장의 중앙에 그어 놓은 원주(圓周). 중앙원.

센터 스크럼 〔center scrum〕 명 럭비에서, 센터 라인 또는 25야드 라인의 중앙에서 짜는 세트 스크럼.

센터 점프 〔center jump〕 명 농구에서, 센터 서클에서 행해지는 점프볼.

센터 존: 〔center zone〕 명 아이스 하키에서, 블루 라인으로 둘린 지역. 뉴트럴 존(neutral zone).

센터 파이어 피스톨 경:기 【一競技】〔center fire pistol〕 명 라이플 사격의 경기 종목의 한 가지.

센터 펀치 〔center punch〕 명 중심 각인기(刻印器).

센터 포:워드 〔center forward〕 명 축구에서, 제일 앞쪽의 중견 공격수(中堅攻擊手). 준센터(center).

센터-폴: 〔center-pole〕 명 경기장·광장 등의 백 스탠드 중앙에 세운 기둥. 기를 올리는 데 씀.

센터 플라이 〔center fly〕 명 야구에서, 중견수(中堅手) 쪽으로 쳐 올린 공. 중비(中飛).

센터-필:더 〔center-fielder〕 명 야구에서, 중견수(中堅手). ㊀센터(center).

센터-필:드 〔center-field〕 명 야구에서, 중견(中堅). ㊀센터(center).

센터 필러 〔center pillar〕 명 승용 자동차의 양측면 운전석과 후부 좌석과의 사이에 있는 기둥.

센터-하:프 〔center-half〕 명 축구·하키 등에서, 3명의 하프 백(half back) 중 중간에 위치하는 사람. 하프 센터.

센:-털 명 빛이 희어진 털.

센테시모 〔centesimo〕 의명 ①파나마의 통화 단위의 하나. 발보아(balboa)의 1/100과 같음. ②우루과이의 통화 단위의 하나. 페소의 1/100.

센텐스 〔sentence〕 명 ①〖언〗 문장. ②〖악〗 주로 8소절(小節)로 이루어진 하나의 완결된 악구(樂句). ③〖법〗 선고(宣告). 판결(判決).

센토:[1] 〔Centaur〕 명 액체 수소와 액체 산소의 강력한 연료(燃料)를 사용한 미국의 로켓 엔진. 아틀라스를 제1단으로, 센토를 제2단으로 한 아틀라스·센토 로켓으로 대형 위성 또는 중형의 달·행성(行星) 탐사기(探査機)를 쏘아 올리고 있음. 추력(推力)은 14톤.

센토[2] 【CENTO】 명 〔Central Treaty Organization의 약칭〕 중앙 조약 기구(中央條約機構).

센토레아 〔centaurea〕 명 〖식〗 수레국화.

센트 〔cent〕 의명 미국의 화폐의 단위. 1달러의 1/100. 주의 '선(仙)'으로 씀은 취음(取音).

센트럴 〔central〕 명 ①중앙. 중심. ②나라나 도시의 중심부(中心部).

센트럴 레이트 〔central rate〕 명 1971년에 워싱턴의 스미소니언 박물관에서 열린, 10개국 재상(財相) 회의의 합의에 의해, 금에 대한 교환성을 갖지 않은 달러가 새로이 금평가(金平價)를 설정할 때까지, 잠정적으로 정하기로 한 달러를 기준으로 한 환평가(換平價).

센트럴 파:크 〔Central Park〕 명 〖지〗 뉴욕의 맨해튼 섬 중앙부에 있는 공원. 동서 0.8km, 남북 4km의 광대한 휴식처임.

센트럴 히:팅 〔central heating〕 명 중심이 되는 한 곳에서 건물의 각 부에 증기(蒸氣)나 온수(溫水)를 보내는 난방(暖房) 방식. 집중 난방. 중앙 난방.

센트로이드 〔centroid〕 명 ①중심(重心). 질량(質量) 중심. ②물체가 운동할 때 그 중심이 그리는 궤적(軌跡).

센트-죄르지 〔Szent-Györgyi, Albert〕 명 〖사람〗 헝가리의 생화학자. 레몬·캐비지 따위에서 추출한 물질이 비타민C임을 밝히고 아스코르빈산(ascorbine酸)이라 명명함. 1937년 조직 호흡(組織呼吸)에 관한 여러 발견(發見) 및 비타민C의 순수 분리와 확인 등의 업적으로 노벨 생리·의학상을 받음. [1893—1986]

센티 〔centi〕 의명 ↗센티미터.

센티- 〔centi-〕 접두 미터법의 각 단위 앞에 붙어서 1/100의 소단위(小單位)를 나타내는 말. ¶ ~그램.

센티-그램 〔centigram〕 의명 무게의 단위. 1g의 1/100. 기호는 cg.

센티-리터 〔centiliter〕 의명 부피의 단위. 1*l*의 1/100. 0.0554홉임. 기호는 cl.

센티먼트 〔sentiment〕 명 감정. 정서(情緖). 정조(情操).

센티멘털 〔sentimental〕 명 감정적(感情的). 감상적(感傷的). 다감(多感). ——-하다 형 여불

센티멘털리스트 〔sentimentalist〕 명 감상적(感傷的)인 사람. 다정 다감한 사람.

센티멘털리즘 〔sentimentalism〕 명 ①쉽게 감동하고 지나치게 감정에 흐르거나 빠지는 태도. 감정주의. 감상벽(感傷癖). ②〖문〗 18세기 유럽에 나타난 문예상의 한 경향. 고전(古典)주의·계몽주의에 대한 반동으로 일어난 낭만주의적 문예 작품의 특징적 경향으로, 감정에 빠져 영탄(詠嘆) 또는 비탄(悲嘆)하는 태도를 강하게 표현하고자 하였음. 감상(感傷)주의. 주정(主情)주의.

센티모 〔centimo〕 의명 통화 단위의 하나. 스페인 및 라틴 아메리카 제국에서 널리 쓰임. 페세타(peseta)의 1/100에 해당함.

센티-미:터 〔centimeter〕 의명 길이의 단위(單位). 1m의 1/100. ㊀센티. 기호는 cm.

센티미터-파 【—波】 명 〔centimetric wave〕 통신에서, 파장(波長)이 1-10cm의 마이크로파(波). 주파수(周波數)로는 3-30GHz에 상당함.

센:-하다 형 〈방〉 시원하다.

센:-홀소리 [—쏘—] 명 〖언〗 강모음(強母音). 양모음(陽母音). ↔여린홀소리.

셀 〔cell〕 명 광화학 반응·전기 화학 반응을 행하고 있는 물질을 수용한 용기(容器). 전하여 전지(電池)·전해조(電解槽) 자체를 이름.

셀기 명 〈방〉 설기[1](평안).

셀기-떡 명 〈방〉 설기[1](평안).

셀라[1] 〔Cela, Camilo José〕 명 〖사람〗 스페인의 작가. 여러 직업을 경험하고 1940년대부터 작가로 나서 두각을 나타냄. 전후에 스페인 문학의 대표자로 꼽히는데, 작품은 스페인 내전을 주제로 한 것이 많음. 1989년 노벨 문학상을 수상함. 대표작 ≪벌집≫(1951) 등. [1916-]

셀라[2] 〔헤selah〕 명 〖성〗 〔구약 성서 시편에 나오는 말〕 악곡상의 지시로서 곡조를 올리라는 뜻. 또, 쉬라는 뜻.

셀러[1] 〔cellar〕 명 ①지하실(地下室). ②야구 리그전에서, 최하위의 팀.

셀러[2] 〔seller〕 명 판매자. 수출자. ↔바이어(buyer.)

셀러리 〔celery〕 명 〖식〗 [*Apium graveolens* var. *dulce*] 미나릿과에 속하는 이년생 초본. 스웨덴이 원산인데 키는 60cm 전후이며 잎은 우상 복엽(羽狀複葉)임. 초가을에 녹백색의 작은 꽃이 피며 전체에 향기와 감미(甘味)가 있어서 재배하여 식용으로 씀.

〈셀러리〉

셀러리액 〔celeriac〕 명 〖식〗 [*Apium graveolens* var. *rapaceum*] 미나릿과에 속하는 채소의 하나. 셀러리의 변종. 식용 부분인 뿌리는 지름 10cm 가량의 구형으로 비대하며 겉은 담갈색이나 살은 희고 향기가 있음. 생식(生食)에는 적당치 않고 수프(soup) 또는 스튜(stew)에 넣어 풍미를 냄. 저장이 용이하여 겨울 식품으로 가치가 있음.

셀러스 〔Sellers, William〕 명 〖사람〗 미국의 기계 기술자·기업가. 1843년 기계 공장을 일으키고, 이후 제강·기계 관계 회사를 경영. 동시에 공구·공작 기계·크레인·착암기 등을 개량하여 100여개의 특허를 얻었음. 특히 1864년에 발표한 셀러스 나사 방식은 미국의 표준 방식으로서 널리 보급됨. [1824-1905]

셀레네 〔Selene〕 명 〖신〗 그리스 신화에서 달의 여신(女神). 증식(增殖)·애정 생활에 영향을 가짐. 태양신·서광신(曙光神) 등과 동포이며, 사계(四季)의 여신의 어머니이고, 로마 신화에서의 루나(Luna)에 상당함. *루나.

셀레늄 〔selenium〕 명 〖화〗 셀렌.

셀레베스 섬 〔Celebes〕 명 〖지〗 인도네시아 공화국 중앙 동부에 있는 큰 섬. 해안선은 복잡하여 K자 모양을 하고 있으며 산이 많고 평야가 적으며 열대 몬순 기후에 속하나 지형에 따라 강우량(降雨量)이 다름. 주민은 부기족(Bugis族)이 35%, 마카사르족(Macassar族)이 14%, 기타 소수의 미나하사족(Minahasa族) 등으로 온순하고 민도(民度)가 높음. 산물은 쌀·코프라·커피·케이폭(kapok) 등이며, 니켈·금 등의 자원이 풍부함. 주요 도시는 섬 남단의 마카사르(Macassar)와 섬 북단의 메나도(Menado). 술라웨시 섬. [179,360km²: 8,925,000명(1981)]

셀레베스 해 【—海】 〔Celebes〕 명 〖지〗 태평양 남서부, 보르네오·민다나오·셀레베스의 각 섬에 둘러싸인 해역. 가다랭이의 호어장(好漁場)으로 알려짐. 술라웨시 해.

셀레스티나 〔Celestina, La〕 명 〖책〗 스페인의 16세기 초의 소설. 정식 제명은 ≪칼리스토와 멜리베아의 희비극(Comedia or Tragicomedia de Calisto y Melibea)≫. 로하스(Rojas, Fernando de; 1475-1538)가 썼다고 함. 근대적 사실주의의 선구적 작품임.

셀레우코스 왕국 【—王國】 〔Seleucos〕 명 〖역〗 알렉산드로스 대왕의 부장(部將)인 셀레우코스 1세가 창설한 '시리아 왕국'의 별칭.

셀레우코스 일세 【——世】 〔Seleucos I〕 [—쎄] 명 〖사람〗 시리아 왕국 초대의 왕. 셀레우코스 왕조(王朝)의 시조. 알렉산드로스 1세의 부장(部將)으로, 그의 사후 바빌로니아를 얻어 왕국을 창건하였음. 많은 도시를 건설한 것으로 유명함. [385?-280 B.C.; 재위 312-280 B.C.]

셀레우키아 〔Seleukia〕 명 〖역〗 셀레우코스(Seleucos) 1세가 건설하여 자기 이름을 따서 명명한 여러 도시. 가장 유명한 것은 기원전 312년경 티그리스(Tigris) 강변에 건설된 시리아 왕국의 동쪽 수도. 바빌론에 대신하여 오리엔트에 있어서의 그리스 문명의 중심이 되었음.

셀렌 명 〔selenium〕 〖화〗 희유 원소(稀有元素)의 하나. 금속 셀렌은 광택이 있는 잿빛의 고체이며 이황화 탄소에 약간 녹고, 결정(結晶) 셀렌은 금속 셀렌으로 변하기 쉬운 적색의 결정으로 이황화 탄소에 녹으며, 유리상 셀렌은 흑색 고체로 이황화 탄소에 잘 녹지 않음. 셀렌의 화학적 성질은 황과 비슷하여 공기 속에서 푸른 불꽃을 내며 탐. 널리 존재하나 양이 적으며 황화물에 수반하여 나옴. 악취가 있으며 유리의 탈색(脫色)·착색·셀렌 정류기(整流器)·셀렌 광전지(光電池)·합금(合金)·안료 등에 쓰이고 반도체(半導體)로서 중요함. 1817년 베르셀리우스(Berzelius, J.J.)가 발견함. 셀레늄. [34번: Se: 78.96]

셀렌 광전지 【—光電池】 명 〔selenium photocell〕 철과 셀렌의 경계면에 광선을 쏘이면 철이 양극, 셀렌이 음극이 되어 광기전력(光起電力)이 생기는 현상을 이용한 광전지. 조도계(照度計)·사진의 노출계 따위에 쓰임.

셀렌-산 【—酸】 명 〔selenic acid〕 〖화〗 맹독성의 수용액 백색 결정. 녹는점 58°C, 260°C에서 분해하며, 화학적 성질은 질산(窒酸)과 비슷함.

셀렌 정:류기 【—整流器】 [—뉴—] 명 〔selenium rectifier〕 반도체 정류소자(整流素子)의 하나. 니켈 도금을 한 철이나 알루미늄의 기판(基板) 위에 셀렌을 극히 엷게 부착시킨 것. 실리콘 정류기·게르마늄 정류기의 개발로 근년에는 별로 쓰이지 않음.

셀렝가 강 【—江】 〔Selenga〕 명 〖지〗 몽고의 중서부 항가이 산맥(Khangai 山脈)에서 발원, 북류(北流)하는 강. 수량이 풍부하고, 몽고와 러시아와의 무역에 중요한 역할을 하고 있음. [1,200km]

셀로 〔celo〕 의명 〖물〗 가속도의 단위. 물체의 속도가 1초간에 1ft/sec 증가하는 가속도를 말함.

셀로비오스 〔cellobiose〕 명 〖화〗 단당류(單糖類)의 하나. 셀룰로오스를 무기산(無機酸)과 함께 찔 때에 포도당으로 분해되기 전에 생기는 중간체. [$C_{12}H_{22}C_{11}$]

셀로-얀: 〔celloyarn〕 명 셀로판을 가늘게 잘라서 꼰 끈. 수예용 또는 꽃바구니 등을 만드는 데 쓰임.

셀로텍스 〔celotex〕 명 나무·짚·사탕수수 찌끼의 가루를 압축해 만든 건축 자료. 음향·열·습기에 대해 절연성이 큼. 벽·마루·반자 등에 사용됨.

셀로판 〔cellophane〕 명 비스코스(viscose)를 원료로 하는, 재생(再生) 셀룰로오스의 필름상(film狀) 물건. 무색 투명하고 유리 모양의 광택이 있음. 포장용(包裝用)으로 씀. 셀로판지(紙).

셀로판-지【一紙】〔cellophane〕명 셀로판.

셀로판 테이프〔cellophane tape〕명 셀로판에 점착제(粘着劑)를 바른 접착 테이프. 문방구로서 널리 이용됨.

셀로판 테이프법【一法】〔cellophane tape〕[一뻡] 명 〖의〗 요충(蟯蟲)의 알 검출법(檢出法). 이른 아침 배변전(排便前)에 셀로판 테이프를 항문부(肛門部)에 붙였다가 떼어서 현미경으로 조사함.

셀룰라아제〔cellulase〕명 〖화〗 셀룰로오스(cellulose) 등을 분해하여 덱스트린·포도당 등으로 만드는 여러 종류의 효소. 무척추 동물 중의 2-3 종, 달팽이 같은 종류의 체내(體內)에 있음. 초식 동물이 셀룰로오스를 소화시키는 것은 장내(腸內)에 사는 세균의 셀룰라아제에 의한 것임.

셀룰로오스〔cellulose〕명 〖화〗 섬유소(纖維素)❶.

셀룰로오스 가:소물【一可塑物】〔cellulose〕명 넝마·펄프 등을 원료로 하여 만든 셀룰로이드류(類). 섬유소 가소물.

셀룰로이드〔celluloid〕명 〖화〗 니트로셀룰로오스 75%에 장뇌(樟腦) 약 25%를 섞어서 압착(壓搾)하여 만든 일종의 플라스틱. 1869년 미국의 하이아트 형제(Hyatt 兄弟)가 발명함. 순수한 것은 무색 투명한데 안료로 착색함. 90°C 이상에서 유연(柔軟)하여지고 냉각(冷却)하면 굳어짐. 완구(玩具)·필름(film)·문방구(文房具)·장신구(裝身具) 등으로 썼으나 최근에는 아세틸 셀룰로오스계(系)의 플라스틱이 많이 쓰이며, 이것을 불연성(不燃性) 셀룰로이드라고 함.

셀리그먼〔Seligman, Edwin Anderson〕명 〖사람〗 미국의 재정·경제학자. 컬럼비아 대학 교수. 미국 경제 학회 회장. 셀리그먼 사회 백과 사전의 편집 주간으로도 알려짐. 주저에 《조세 전가론(租稅轉嫁論)》이 있음. [1861-1939]

셀리그먼 사회 과학 백과 사:전【一社會科學百科事典】〔Seligman〕명 〖책〗 정치·경제·법률·역사·철학 등 여러 방면에 걸친 사회 과학 사전. 편집 주간 셀리그먼의 이름을 붙여 그렇게 통칭됨. 1930-35년에 간행. 전 15권.

셀린〔Céline, Louis-Ferdinand〕명 〖사람〗 프랑스의 작가. 본명 Louis Ferdinand Destouches. 집안이 빈곤하여 독학으로 의사가 됨. 제1차 세계 대전에서 중상, 후에 파리에서 빈민을 위해 의사로서 일생을 보냄. 그 고뇌의 체험에서 소설 《밤이 다할 때까지의 여로(旅路)》를 발표, 속어를 섞은 반사회적·실존주의적 내용으로 반향을 일으킴. 그 외에 《성(城)에서 성으로》·《북(北)》, 평론집 《버러지들을 짓뭉개라》 등이 있음. [1894-1961]

셀림 일세【一一世】〔Selim I〕[一쎄] 명 〖사람〗 오스만 투르크 제9대 술탄. 이란·시리아·이집트를 지배하에 넣고 오스만 투르크 제국의 융성을 자랑했으나, 성격이 과격하여 '냉혹자(冷酷者)'라고 불림. [1470-1520; 재위 1512-20]

셀 모:터〔cell+motor〕명 〖기〗 직류 전동기의 하나. 엔진 따위의 원동기를 시동시키는 데 쓰는 전동기. 시동(始動) 모터.

셀바스〔Selvas〕명 〖지〗 아마존 강 유역의 열대 밀림 지역. 고온 다습하며 많은 종류의 수목이 밀생함. 파라고무나무의 원생지임.

셀본:의 박물지【一博物誌】[一/一에一] 명 〔Natural History and Antiquities of Selborne〕〖책〗 화이트(White, Gilbert; 1720-93)의 저서. 저자가 영국 햄프셔 주 셀본 지방의 동식물 및 자연 현상의 관찰을 박물학자 페넌트(Pennant, T.)와 법률학자 배링턴(Barrington, D.) 앞으로 써 보낸 편지 100통을 정리한 것임. 면밀하고 시사성(示唆性)이 풍부하며 문학적 가치도 높이 평가되고 있음. 1789년 간행.

셀빈스키〔Selvinskii, Il'ya L'vovich〕명 〖사람〗 소련의 시인. 구성파(構成派)의 지도자로서 활약. 대표작은 시극(詩劇) 《제2군 사령관》. [1899-1968]

셀시우스〔Celsius, Anders〕명 〖사람〗 스웨덴의 천문학자. 극광(極光)을 오랫동안 연구. 1736년 프랑스의 자오선 측량 탐험대에 참가하였고 1742년 물의 어는점·끓는점을 기준으로 한 섭씨(攝氏) 온도 눈금을 만들어 섭씨 온도의 기본이 되게 함. [1701-44]

셀신〔selsyn〕명 〔미 self synchro에서 온 말〕〖전〗 회전자(回轉子)의 회전 속도 또는 회전각을 전기적으로 원격 조작하는 동기(同期) 전동기. 원격 측정이나 신호의 전달 등에 이용됨. 발신기와 수신기로 이루어짐.

셀신 모:터〔selsyn motor〕명 〖전〗 셀신.

셀주크 왕조【一王朝】〔Seljuk〕명 〖역〗 투르크족의 일파인 셀주크족이 세운 왕조. 족장(族長) 셀주크의 손자 투그릴 베크(Tughril Beg)가 창건했음. 중앙 아시아·서남 아시아의 대부분을 차지하여 투르크계 회교도의 최초의 대제국을 형성하였음. 사라센 및 이란의 문화를 섭취하여 문화·예술·학술의 발달에 기여하였으나, 내분(內紛)으로 분열·멸망하였음. [1037-1157]

셀주크 투르크〔Seljuk Turks〕명 〖역〗 11세기에 카스피 해 연안 시르 하반(Syr 河畔)에서 전성했던 투르크족의 일파. 1037년에 셀주크 왕조를 세우고 서남 아시아 대부분을 지배하다가 종가(宗家)는 1157년에 멸망하고, 각지에 분열 정착한 여러 분가(分家)도 1308년 소(小)아시아에 있던 분가를 끝으로 모두 멸망함.

셀즈닉〔Selznick, David Oliver〕명 〖사람〗 미국의 영화 제작가. 부친의 사업을 계승하여 《바람과 함께 사라지다》 등의 대작을 발표하였고, 이 밖에 명배우들의 육성에도 공이 있음. [1902-65]

셀프〔self〕명 자기(自己). 자신(自身).

셀프-서:비스〔self-service〕명 〖경〗 식당이나 상점 같은 데서 손님이 마음대로 필요한 만큼 상품이나 음식(飮食)을 선택하여 카운터에서 일괄하여 대금(代金)을 치르는 자급식(自給式) 판매 방법.

셀프-컨트롤〔self-control〕명 자제(自制). 극기(克己).

셀프-타이머〔self-timer〕명 〖기〗 사진을 찍는 사람 자신이 사진에 찍힐 수 있도록 사진기의 셔터를 일정한 시간을 두고 자동적으로 끊는 장치.

셀피시〔selfish〕명 자기 본위(自己本位). 이기적(利己的).

셈:[1] 명 〔중세 : 혬〕 ①수효를 세는 일. 산(算). ¶ ~하여 보니 10명이 넘는다. ②주고받을 액수를 서로 따지어 밝히는 일. ¶ ~이 흐리다/~을 가리다. ③↗셈판. ¶ 어찌된 ~인지 모르겠다. ④사물을 분별하는 슬기. ¶ 그 사람이면 ~이 빨라서 일을 맡길 만하다 / 차츰 ~이 들면서부터 앞길이 자꾸 내다보였습니다《崔曙海 : 餞迓辭》. ⑤↗속셈. ¶ 떼어 먹을 ~으로 돈을 꾸다. 주의 '細音'으로 씀은 취음(取音). ——-하다 타 여불

셈[2]〔Sem〕명 〖성〗 구약 성서 중의 인물의 하나. 창세기(創世紀)에 나오는 노아의 맏아들. 셈어족(語族)의 원조라 전하여짐. ＊함(Ham).

셈: 가죽 명 ☞ 새미 가죽.

셈:-끌다 자 셈을 쳐서 갚을 돈을 갚지 않고 뒷날로 미루다.

셈:-나다 자 사물을 분별하는 슬기가 나다. 셈들다.

셈:낱-씨 명 〖언〗 '양수사(量數詞)'의 풀어쓴 용어.

셈:-놓다 [一노타] 타 ☞ 셈하다.

셈:대세울신-부【一部】[一때一] 명 隸울곤.

셈:-들다 자 사물을 분별하는 슬기가 생기다. 셈나다.

셈:-매김씨 명 〖언〗 '순서수(順序數)'의 풀어 쓴 용어.

셈:-법【一法】[一뻡] 명 '산법(算法)'의 풀어 쓴 말.

셈:-본 명 ①전에, 초등학교 교과인 산수(算數)의 딴이름. ②셈에 관한 법칙.

셈:-속 [一쏙] 명 ①일의 속 내용. ¶ ~을 알 수 없다. ②속셈의 실속. 이해타산.

셈:-수【一數】[一쑤] 명 셈평.

셈:-씨 명 〖언〗 '수사(數詞)'의 풀어쓴 용어.

셈-어족【一語族】〔Sem〕명 〖언〗 북아프리카로부터 서남 아시아에 걸쳐 있는, 어역상(語域上) 및 문화사(文化史)상 가장 중요한 어족의 하나. 히브리어·페니키아어·아라비아어·에티오피아어 등이 이에 속함. 함어(Ham語)와 기원을 같이 한다 하여, 함셈(Ham-Sem) 어족으로 어울러 일컫기도 함. ＊함셈 어족.

셈:여림-표【一標】[一녀一] 명 〖악〗 악보에서, 그 곡을 세게 또는 여리게 하는 것을 나타내는 부호. 강약 기호(強弱記號). 강약 부호.

셈-이찹살 명 〈방〉 차좁쌀(함남).

셈-인【一人】〔Sem〕명 셈족.

셈:-자 명 계산자.

셈:-제기 명 제기 놀이의 한 가지. 한 번에 계속하여 많이 찬 사람이 이김.

셈-족【一族】〔Sem〕명 〖인류〗 〔구약 성서에 나오는 셈의 자손이란 뜻〕 함족(Ham 族)·아리안족과 더불어 유럽의 3대 인종의 하나. 서아시아·아라비아 및 아프리카 동북부에 살며, 셈어족에 속하는 언어를 사용하는 민족의 총칭. 중키에 모발(毛髮)과 눈동자는 모두 검은 빛임. 아라비아인·에티오피아인·유태인 등을 포함하며 유태교·기독교·회교의 기원은 모두 다 이 인종에서 유래되었음. 셈인. ＊함족(Ham 族).

셈:-질기다 자 남에게 셈하여 줄 돈이나 물건 따위를 끈질기게 끌며 잘 주지 않다.

셈:-책【一冊】명 ☞ 치부책.

셈:-치다 ㊀타 셈하여 헤아리다. 계산하다. ¶ 임금(賃金)을 셈 치어서 주어라. ㊁ 보동 동작(動作)이나 사실(事實)을 요량으로 가정(假定)하다. ¶ 먹은 셈치고 물러서다/죽은 ~.

셈:-판 명 ①사실의 형편 또는 그 까닭. ¶ 어찌된 ~인지 모르겠다. ㊟셈. ②주판(籌板).

셈:-펴이다 자 ↗셈평 펴이다.

셈:-평 명 타산적(打算的) 내용. 셈수. ¶ ~을 따져보다.

셈:평 펴이다 구 생활이 아쉬움이 없을 정도로 넉넉하여지다. ¶ 셈평 펴일 날이 없다. ㊟셈펴이다.

셈프레〔이 sempre〕명 〖악〗 '항상'·'늘'의 뜻.

셈플리체〔이 semplice〕명 〖악〗 '단순한'·'평범한'의 뜻.

셈플리체멘테〔이 semplicemente〕명 〖악〗 '단순하게'의 뜻.

셈함 어:족【一語族】〔Sem-Ham〕명 〖언〗 함셈 어족.

셉텟〔septet〕명 ①칠인조(七人組). ②〖악〗 칠중주(七重奏) 또는 칠중창(七重唱). ③〖악〗 칠중주곡 또는 칠중창곡(七重唱曲).

셉투아진트〔Septuagint〕명 〖기독교〗 칠십인역 성경.

셋: 수 하나에 둘을 더한 수효. 넷보다 하나 적음. 삼(三).

셋강 명 〈방〉 석경(石鏡)(경상).

셋:-갖춤 명 저고리·바지·조끼를 다 갖춘 한 벌의 양복. 셋붙이.

셋겅 명 〈방〉 석경(石鏡)(전라).

셋겡 명 〈방〉 석경(石鏡)(전라·경상·강원).

셋:-겸상【一兼床】명 한 상에서 세 사람이 함께 먹을 수 있도록 차린 상.

셋공 명 〈방〉 석경(石鏡)(경상).

셋독 명 〈방〉 산(山).

셋:-돈【貰一】명 물건을 빌려 쓰고 내는 돈. 세전(貰錢).

셋-바닥 명 〈방〉 혓바닥(제주·전라·경상·충청·강원·함경).

셋:-방【貰房】명 세를 내고 빌려 쓰는 방. 사글셋방(貰房)과 전세방(傳貰房)의 두 가지가 있음. ¶ ~ 신세. ——하다 자여불

셋:방-살이【貰房一】명 셋방(貰房)을 빌려서 사는 살림살이. ——

셋:-붙이 [一부치] 명 ①산병(散餠)의 한 가지. 개피떡 세 개를 붙이어 만든 떡. 삼부병(三附餠). ②저고리·바지 및 조끼의 셋을 갖춘 양복의 한 벌. 셋갖춤.

셋소래 명 〈방〉 대야[1](함경).

셋:-잇단음표【一音標】명 〖악〗 잇단음표의 하나. 2등분하여야 할 음표를 3등분한 음표. 세 개의 음표를 이음줄로 묶고 '3'자를 기입함. 악곡의 리듬에 변화를 일으키게 함. 삼연음부(三連音符).

셋:-줄【勢一】명 권세의 힘을 빌려 쓸 수 있는 길. 뒷줄.

셋:-집【貰一】명 세를 내고 빌려 사는 집. 세가(貰家). 대가(貸家).

셋:-째 명 둘째 다음의 차례.

셋:째-가리킴 명 〖언〗 '삼인칭'의 풀어 쓴 말.

셋:째-밥통【一桶】 명 〖생〗 '제삼위(第三胃)'의 풀어 쓴 말.

셋:째-자리바꿈 명 〔third inversion〕〖악〗 칠(七)의 화음(和音)의 제칠음(第七音)을 베이스(bass) 또는 가장 낮은 음으로 하는 자리바꿈. 제삼 전회(第三轉回). *자리바꿈.

셍 명 〈방〉 형[1](兄)(전북·경남).

셍기다[1] 타 ①이 말 저 말을 연달아 주워대다. ¶ 애숭이는 더 셍기지 못하고 돌아서서 미두장 정문께로 가면서 혼자 무어라고 두런두런거린다≪蔡萬植:濁流≫. ②남에게 일거리를 잇따라 대어주다.

셍기다[2] 타 〈방〉 섬기다(함경).

셍묘 명 〈방〉 성묘(省墓)(전라·충청). ——-하다 자

셍이 명 〈방〉 형[1](兄)(경남·함남).

셔[1] 명 〈옛〉 서까래. ¶ 셔 연(椽), 셔 각(桷), 셔 최(榱)≪字會 中 6≫/새지브란 뎌른 셔를 브토리라(茅茨寄短椽)≪杜諺 Ⅱ:14≫. 「20≫.

셔[2] 조 〈옛〉 서. ¶ 제 어미 사라셔 因果信티 아니턴돌 알씨≪月釋 XXI:

셔기다 타 〈옛〉 속이다. 값을 에누리하다. ¶ 아희야 셔기지 말고 주는 대로 바다라≪古時調≫.

셔닐-사【一絲】 〔chenille〕 명 비로드처럼 잔 털이 있어서 모충(毛蟲)같이 보이는 실. 장식용이나 융단·목도리·어깨걸이 등을 짜는 데 쓰임. 모충사(毛蟲絲).

셔다 자 〈옛〉 서다. ¶ 일후미 제 셔고(名自立)≪永嘉 下 12≫.

셔:링 〔미 shirring〕 명 양재(洋裁)의 기법(技法)의 하나. 석 줄 이상의 주름을 잡은 장식적인 방법.

셔:먼-법【一法】 〔Sherman〕[一뻡] 명 〖법〗 1890년 제정된 미국 연방(聯邦)의 반트러스트법(反trust法). 미국 각 주(州) 사이 또는 외국과의 거래를 독점하거나 제한하는 일체의 기업의 결합 및 공모(共謀)를 위법으로 하고, 이에 대한 제재(制裁)를 규정하였음.

셔:먼호 사:건【一號事件】 〔Sherman〕[一껀] 명 〖역〗 1866년에 평양에서 일어난 미국 상선과의 분규 사건. 상품을 싣고 대동강(大同江)을 거슬러 올라온 제너럴 셔먼호(General Sherman號)가 통상을 요구, 이를 거절당하여 민중과 충돌하자, 평안 감사 박규수(朴珪壽)에 의하여 승무원은 몰살되고 배는 소각됨. 미국은 청국(淸國)을 통하여 문책하고 동양 함대가 나서서 강화도(江華島)를 공격함으로써 신미 양요(辛未洋擾)의 원인이 되었음.

셔방마치다 타 〈옛〉 시집보내다. ¶ 셔방마칠 가(嫁)≪倭解 上 41≫.

셔방맛다 자 〈옛〉 시집가다. =셔방맞다. ¶ 셔방맛다(嫁與人)≪譯語 上 41≫. 「婚姻ᄒᆞ다 ᄒᆞᄂᆞ니라≪釋譜 Ⅵ:16≫.

셔방맞다 자 〈옛〉 시집가다. =셔방맛다. ¶ 댱가들며 셔방 마조ᄆᆞᆯ 다

셔방 명 〈옛〉 서방(書房). ¶ 네 뚤 셔방은 언제나 마치ᄂᆞ손다≪古時調≫

셔방ᄒᆞ다 자 〈옛〉 시집가다.

셔:벗 〔sherbet〕 명 과즙(果汁)에 물·우유·크림·설탕을 넣고, 아이스크림 모양으로 얼린 빙과자(氷菓子).

셔블 〔shovel〕 명 삽. 「力)삽.

셔블-로:더 〔shovel loader〕 명 〖기〗 토목 공사(土木工事)용의 동력(動

셔ᄫᅮᆯ 명 〈옛〉 서울. =셔울. ¶ 셔ᄫᅮᆯ 使者를 ᄭᅥ리샤(憚京使者)≪龍歌 18章≫/셔ᄫᅮᆯ 긔벼를 알씨(詗此京耗)≪龍歌 35章≫.

셔슬ᄭᅡ다 자 〈옛〉 전 벌이다. ¶ 널로 셔슬ᄭᅡ다(鋪板), 발로 셔슬ᄭᅡ다(鋪簾)≪譯語 上 17≫.

셔아겨시다 자 〈옛〉 서 계시다. 즉위(卽位)하여 계시다. ¶ 그 ᄢᅴ 東土애 後漢明帝 셔아겨시더니≪月釋 Ⅱ:64≫.

셔아셔 자 〈옛〉 서서. '셔다'의 활용형. ¶ 이 말 니ᄅᆞᇙ 時節에 모든 사ᄅᆞ미 막다히며 디새며 돌ᄒᆞ로 텨든 조치여 ᄃᆞ라 머리 가 셔아셔 순지 高聲으로 닐오ᄃᆡ 내 너희를 업시오돌 아니ᄒᆞ노니 너희돌히 다 당다이 부톄 ᄃᆞ외리라 ᄒᆞ더라≪釋譜 XIX:31≫.

셔어겨시다 자 〈옛〉 서 계시다. ¶ 門밧긔 셔어겨샤 兩分이 여희ᄉᆞᆲ제 슬하디여 우러 녀시니≪月釋 Ⅷ:84≫. 「셔엣더시니≪月釋 Ⅱ:48≫.

셔엣다 자 〈옛〉 서 있다. 섰다. 즉위하였다. ¶ 그저긔 東土앤 周昭王이

셔올 명 〈옛〉 서울. ¶ 관개ᄒᆞᆫ 사ᄅᆞ미 셔올 ᄀᆞᄃᆞ기 잇거늘(冠蓋滿京華)

-셔요 어미 ↗-시어요. ¶ 가~/하~. *-으셔요. 「≪杜諺 XI:52≫.

셔:우드 〔Sherwood, Robert〕 명 〖사람〗 미국의 극작가. 한니발(Hannibal)을 제재(題材)로 한 ≪로마에의 길≫ 이후 ≪우자(愚者)의 기쁨≫ 등을 씀. 영화 ≪우리 생애 최고의 해≫의 시나리오 작가로도 알려짐. [1896-1955] 「諺 Ⅱ:22≫.

셔울 명 〈옛〉 서울. =셔ᄫᅮᆯ. ¶ 아ᄉᆞ라히 녯 셔울히 머니(漠漠舊京遠)≪杜

셔울헤 〈옛〉 서울에. '셔울'의 처격형. ¶ 알ᄑᆡ 가ᄂᆞᆫ 軍은 녯 셔울헤 臨歷ᄒᆞ앳도다(前軍壓舊京)≪初杜諺 XXⅢ:4≫.

셔울흔 〈옛〉 서울은. '셔울'의 절대격형. ¶ 셔울흔 녯 나라히 올맷도다(京華舊國移)≪重杜諺 XI:2≫. 「오(何由見兩京)≪初杜諺 X:37≫.

셔울홀 〈옛〉 서울을. '셔울'의 목적격형. ¶ 어느 젼ᄎᆞ로 두 셔울홀 보리

셔윰 타 〈옛〉 세움. '셰다'의 명사형. ¶ 이 우ᄒᆞᆫ ᄆᆞᄅᆞᆯ 일 셔유믈 염글우니라(右實立敎)≪飜小 Ⅸ:19≫.

셔츠 〔shirt〕 명 윗도리에 입는 서양식의 속옷. 털·목면·나일론 등으로 만들며, 그 모양은 여러 가지임. ¶ 러닝 ~.

셔츠 블라우스 〔shirt blouse〕 명 칼라나 커프스 등의 모양이 셔츠 비슷한 블라우스.

셔터 〔shutter〕 명 ① 좁은 철판(鐵板)을 가로 연결한 덧문. 말아 올려서 엶. ¶ ~를 내리다. ②사진기의 부속 기구(附屬器具)의 하나. 건판(乾板)이나 필름에 적당한 광선을 비치게 하기 위하여 렌즈의 뚜껑을 재빨리 여닫는 장치. ¶ ~를 누르다. ③영화를 촬영하거나 또는 영사(映寫)할 적에 필름의 한 화면(畫面)이 다른 화면으로 옮겨 가는 사이에 광선을 막는 회전판(回轉板).

셔터 속도【一速度】 〔shutter〕 명 사진기의 셔터에 있어서, 렌즈를 통과한 입사광(入射光)이 감광 재료(感光材料)에 조사(照射)되는 시간. 단위는 초(秒)로 표시됨.

셔틀 〔shuttle〕 명 직조기(織造機)나 재봉틀의 북.

셔틀 버스 〔shuttle bus〕 명 근거리를 왕복 운행하는 버스.

셔틀-콕 〔shuttlecock〕 명 배드민턴에서 사용하는, 깃털이 달린 공.

셔품 명 〈옛〉 습자(習字). ¶ 나지 다ᄃᆞᄅᆞ면 셔품 쓰기ᄒᆞ여(到晌午寫倣書)≪朴解 上 45≫. 「는 일. 카드를 치는 일. ↔커트.

셔플 〔shuffle〕 명 카드놀이에서, 카드를 잘 섞어 포개지는 순서를 바꾸

셕[1] 명 〈옛〉 고삐. =셗[1]. ¶ 셕 비(轡), 셕 파(靶)≪字會 中 27≫.

셕[2] 명 〈옛〉 직분(職分). =셗[2]. ¶ 지어민 셕스로 실 삼키러 갓습더니≪校註 387≫.

셕뉴 명 〈옛〉 석류(石榴). ¶ 셕뉴 류(榴) ≪字會 上 11≫.

셕다 자 〈옛〉 썩다. ¶ 이몸이 셕은 션븨로 擊節悲歌ᄒᆞ노라≪海謠 291≫.

셕대 명 〈옛〉 굴레. ¶ 셕대 됴코(好轡頭)≪朴解 上 63≫.

셕우황 명 〈옛〉 석웅황(石雄黃). ¶ 셕우황(雄黃)≪救簡 Ⅲ:50≫.

셕탄ᄌᆞ 명 〈옛〉 돌팔매. 포(砲). ¶ 셕탄ᄌᆞ 포(砲)≪字會 中 28≫.

셗[1] 명 〈옛〉 고삐. =셕[1]. ¶ 셗슬 치자ᄇᆞ시니(按轡而行)≪龍歌 58章≫.

셗[2] 명 〈옛〉 직분(職分). =셕[2]. ¶ ᄒᆞᆫ 남진 ᄒᆞᆫ 겨지븐 庶人의 셕시라(一夫一婦庶人之職也)≪內訓 Ⅰ:72≫. 「≪杜諺 XXI:13≫.

션븨 명 〈옛〉 선비. =션ᄫᅵ. ¶ 世上앳 션븨ᄂᆞᆫ 해 ᄲᅥ뎟ᄂᆞ니(世儒多汨沒)

션ᄫᅵ 명 〈옛〉 선비. =션븨. ¶ 션ᄫᅵ를 아ᄅᆞ실씨(且識儒生)≪龍歌 80章≫.

션신 명 〈옛〉 선인(仙人). ¶ 션ᄋᆞᆫ 仙션 人신이오 ≪月序 17≫.

션재 부 〈옛〉 선 채. ¶ 다시 힝혀 우ᄂᆞᆫ 사ᄅᆞᆷ을 션재 죽이리라ᄒᆞ다≪三譯 Ⅸ:5≫.

션:찮다 [一찬타] 형 ↗시원찮다.

션트 〔shunt〕 명 〖물〗 ①한 전로(電路)에 흐르는 전류를 분류(分流)시키기 위하여, 그것과 평행으로 접속한 전로. 분로(分路). ②분로(分路)를 만들어 전류를 갈라져 흐르게 함. 분류(分流). ③전기 회로의 일부에 병행(並行)으로 삽입(挿入)하여 이것에 전류를 분류시켜, 본(本) 전기 회로의 보조 통로 역할을 하는 기계. 분류기.

션:-하다 형 여불 ↗시원하다. 션:-히 부 「든≪海謠 57≫.

셜다 형 〈옛〉 설다[1]. 익지 아니하다. ¶ 나의 셜온 일을 다 알오려 ᄒᆞ시거

셜:록 홈:스 〔Sherlock Holmes〕 명 〖문〗 영국 소설가 코넌 도일(Conan Doyle)의 탐정 소설의 주인공. 아마추어 탐정으로, 우수한 추리력으로써 여러 어려운 사건을 명쾌히 해결함.

셜리 〔Shirley, James〕 명 〖사람〗 영국의 극작가. 희극·비희극·비극 등 40여의 극을 남김. [1596-1666]

셜마은 명 〈옛〉 삼사십(三四十). ¶ 셜마은 手帕ㅣ라도 드리기 유여티 못ᄒᆞ리라(三四十箇手帕也遞不勾)≪朴解 中 55≫.

셜ᄫᅥ 형 〈옛〉 서러워. '셟다'의 활용형. ¶ 모ᄆᆞᆯ 색씨 셜버 受苦ᄒᆞ다니≪月釋 Ⅱ:51≫.

셜ᄫᅥ이다 형 〈옛〉 섧습니다. 서럽습니다. ¶ 나도 머릴 울워러 셜버이다 救ᄒᆞ쇼셔 비ᄉᆞᄫᆞ니≪月釋 Ⅱ:52≫.

셜ᄫᅮᆷ 명 〈옛〉 서러움. '셟다'의 명사형. ¶ ᄒᆞᆫ 사래 五百올 쏘니 셜ᄫᅮ믈 몯내 니르리로다≪月釋 X:29≫.

셜ᄫᅳᆯ 형 〈옛〉 서러울. 괴로울. 서러운. 괴로운. '셟다'의 활용형. ¶ 痛ᄋᆞᆫ 셜ᄫᅳᆯ 씨라≪月釋序 10≫. 「≪月釋 Ⅷ:94≫.

셜ᄫᅵ 부 〈옛〉 섧게. ¶ ᄆᆞᅀᆞᄆᆞᆯ 더욱 셜ᄫᅵ 너기샤 눉므를 비오ᄃᆞᆺ 흘리시고

셜ᄫᅳᆫ일 명 〈옛〉 괴로운 일. 서러운 일. 고생사(苦生事). ¶ 地獄이 다 停寢ᄒᆞ니 셜ᄫᅳᆫ 이리 업스며≪月釋 Ⅱ:33≫.

셜아ᄆᆞᆯ 명 〈옛〉 서라말. ¶ 셜아ᄆᆞᆯ(白馬)≪老乞 下 8≫.

셜우- 어간 〈옛〉 '셟다'의 불규칙 어간. ¶ 셜워서 드르니 다 슬플시라≪杜諺 Ⅰ:5≫.

셜워 형 〈옛〉 서러워. 슬퍼. '셟다'의 활용형. ¶ 듯거운 ᄯᅡ히 더우믈 셜워 우놋다(慟哭厚地熱)≪杜諺 XII:9≫. 「≪朴解 上 75≫.

셜웝 명 〈옛〉 설법(說法). ¶ 법셕 시작ᄒᆞ야 셜웝ᄒᆞ리러라(開場說法裏)

셜이 부 〈옛〉 섧게. ¶ 또 셜이 우르샤(更又痛哭)≪金剛 下 3≫.

셜흔 수 〈옛〉 서른. ¶ 晏公올 보디 몯ᄒᆞ얀디 셜흔히니(不見晏公三十年)≪杜諺 Ⅸ:26≫/나히 셜흐니 몯ᄒᆞ야셔(年末三十) ≪杜諺 Ⅷ:21≫.

셜ᄒᆞ나믄 명 〈옛〉 서르나믄. ¶ 쟈근 도치 가지고 云山이와 뿔와 셜ᄒᆞ나믄 거르미나 가며≪續三綱 孝子圖≫. 「≪老乞 下 36≫.

셜ᄒᆞᆫ 명 〈옛〉 서른. =셜흔. ¶ 미 ᄒᆞᆫ복애 셜ᄒᆞᆫ 환식 ᄒᆞ여(每服三十丸)

셟다 형 〈옛〉 섧다. ¶ 죽셔는 셟지 아녀도 님 못볼까 ᄒᆞ노라≪海謠 55≫.

셟다 형 〈옛〉 섧다. 괴롭다. =셟다. ¶ 痛ᄋᆞᆫ 셜ᄫᅳᆯ씨라, 셜버 슬ᄊᆞᄫᆞ매이셔 ᄒᆞᇸ 바를 아디 몯ᄒᆞ다니(痛言在疚罔知攸措)≪月序 10≫.

셤[1] 명 〈옛〉 섬[3]. ¶ 셤안해 도ᄌᆞᆨ 니저니(島不警賊)≪龍歌 53章≫.

셤[2] 의명 〈옛〉 섬[1]. ¶ 셤 단(擔 十斗爲一斛即一擔也)≪字會 下 34≫.

셤기다 타 〈옛〉 섬기다. ¶ 獨夫受ㄹ 셤기시니(事獨夫辛) ≪龍歌 11章≫.

셧-아웃 〔shutout〕[셛一] 명 ①내쫓기. 차단. ②공장 폐쇄. ③야구에서, 상대편을 영패(零敗)시키는 일. 영봉(零封). 완봉(完封). 스컹크. 영패(零敗). ¶ ~당하다. 「一 地譜≫.

셩각희 명 〈옛〉 셩가퀴. ¶ 셩각희(垜口), 셩각희 구멍(砲眼)≪才物譜 卷

셩부 명 〈옛〉 성부(聖父). ¶ 찬양셩부셩ᄌᆞ셩령≪찬양가 : 9 ≫.

셩ᄲᆞᄅᆞ다 형 〈옛〉 성급하다. ¶ 나는 셩ᄲᆞᄅᆞᆫ 사ᄅᆞᆷ이니(我是快性的)≪老乞 下 21≫.

셩ᄌᆞ 명 〈옛〉 성자(聖子)❷. ¶ 찬양셩부셩ᄌᆞ셩령≪찬양가 : 9 ≫.

셩ᄒᆞ다 형 〈옛〉 성(盛)하다. ¶ 世上사ᄅᆞᆷ 들이 입들만 셩ᄒᆞ여 ≪永言≫.

셩가ᄉᆡ다 형 〈옛〉 성가시다. ¶ 셩가실 쵸(憔), 셩가실 췌(悴) ≪字會 中 32≫.

셩냥바지 명 〈옛〉 대장장이. =공쟝바치. ¶ 네 百姓ᄋᆞᆫ 그위실ᄒᆞ리와 녀름지ᅀᅳ리와 셩냥바지와 흥졍바지왜라≪楞嚴 Ⅲ:88≫.

셩녕 명 〈옛〉 공작품(工作品). 수공업. ¶이는 마쵸옴 셩녕이오(是主顧生活)≪老乞 下 30≫.

셩녕ᄒᆞ다 타 〈옛〉 수공(手工)하다. ¶나도 용심ᄒᆞ야 셩녕ᄒᆞᆯ 거시라(我也用心做生活)≪朴解 上 17≫.

셩뎍 명 〈옛〉 화장(化粧). ¶다 남그로 사긴 셩뎍 그르슬 쓰며 뮈자(皆用木粧奩)≪小諺 Ⅵ:108≫.

셩식 명 〈옛〉 성정(性情). ¶셩시기 麤率ᄒᆞ니 제가 몬 나시리라≪月釋 Ⅱ:11≫.

셰가탈 명 〈옛〉말이 약간 탈탈거리며 걷는 걸음. ¶셰가탈(細點的)≪譯語下 29≫. 「祖版 小諺 Ⅵ:20≫.

셰간 명 〈옛〉 세간. ¶셰간 논화 단 사라지라 求ᄒᆞ거놀(求分財異居)≪宣

셰간브티 명 〈옛〉 세간붙이. ¶광안닌 겨집이 셰간브티예 글월와 쳘냥 녀흔 방 줌물쇠 열쇠롤(弟婦籍滋蓄納管鑰)≪二倫 18. 光進返籍≫.

셰넌도:어 국립 공원【—國立公園】〔Shenandoah〕〔—넙—〕 명 〖지〗 미국 버지니아 주 북부에 있는 산악 국립 공원. 1935년에 지정됨. 블루리지(Blue Ridge) 산맥에 있는 길쭉한 자연 공원으로, 산악 경관이 아름답고 야생 동물도 풍부함. 표고 1,000 m 내외의 산과 고개가 연속되며, 길이 160 km의 스카이라인 드라이브웨이가 있음. [783km²]

셰니에 〔Chénier, André Marie〕 명 〖사람〗 프랑스의 시인. 콘스탄티노플 태생. 청순 우아한 시정(詩情)으로, 로망파·고답파의 선구자가 됨. 프랑스 혁명에 공명(共鳴), 입헌 군주제를 주장하다가 처형(處刑)됨. 작품에 ≪타란트의 처녀≫·≪자유≫ 등이 있음. [1762-94]

셰다[1] 자 〈옛〉 세다[1]. ¶셴 할미롤(皤皤老媼)≪龍歌 19章≫.

셰다[2] 자 〈옛〉 쇠다. 지내다. ¶粥早飯 朝夕 뫼 녜와 ᄀᆞᆮ티 셰시ᄂᆞᆫ가≪松江 續美人曲≫.

셰다[3] 타 〈옛〉 세우다. ¶中興主를 셰시니(立中興主)≪龍歌 11章≫.

셰답 명 〈옛〉 ①서답. 개짐. 월경대(月經帶). ¶조흔 셰답(月布)≪譯語 上 37≫. ②빨래. ¶셰답ᄒᆞ며 바ᄂᆞ질호되(洗濯紉縫)≪家禮 Ⅱ:28≫.

셰답ᄒᆞ다 자 〈옛〉 빨래하다. ¶셰답ᄒᆞ다(漿洗了)≪譯語補 29≫.

셰드 수족관【—水族館】〔Shedd〕 명 미국의 시카고에 있는, 세계 최대의 수족관. 1929년 설립.

-셰라 어미 〈옛〉 -세라. -구나. ¶가ᄉᆞ매칙칙기어즈러이 담겨셰라(側塞煩冒襟)≪杜諺 XV:3≫. *-ㄹ셰라.

셰러턴 〔Sheraton, Thomas〕 명 〖사람〗 영국의 가구(家具) 디자이너. 루이 16세 양식(樣式)과 이집트 취미를 도입한, 고전적이고도 간소하고 품위 있는 디자인을 발표함. 18-19세기 영국의 가구 디자인계(界)에 큰 영향을 주어 이른바, '셰러턴 가구'를 낳게 함. [1751-1806]

셰러턴 호텔 〔Sheraton Hotel〕 명 미국의 셰러턴 회사가 경영하는 세계 최대의 경영망(經營網)을 가진 호텔 체인(chain). 1937년 보스턴에서 설립. 전세계에 150여 개의 호텔을 소유함.

셰:레 〔도 Schere〕 명 〖경〗 협상 가격차(鋏狀價格差).

셰:렌-보:겐 〔도 Scherenbogen〕 명 스키의 회전 기술의 한 가지. 스키의 앞쪽을 가위 모양으로 벌리고, 체중을 다리쪽에 걸어 회전하는 방법.

셰르부:르 〔Cherbourg〕 명 〖지〗 프랑스의 북서부,영국 해협에 면한 항만 도시·군항(軍港). 기계·조선(造船)·병기(兵器) 공업이 행해지고 대영(對英) 무역도 성함. [28,000 명(1982)]

셰:르 샤: 〔Shēr Shāh〕 명 〖사람〗 인도 이슬람 정권 수르 왕조(Sūr王朝)의 창건자. 처음, 지방의 작은 세력가였으나 동족인 수르족을 중심으로 아프간 세력을 통합 무굴 왕조(Mughul 王朝)의 후마 윤(Hūma yūn) 왕을 인도 밖으로 쫓아내고 왕조를 세움. 인도에서 가장 훌륭한 임금의 한 사람으로 통치 기구의 정비 개선, 지세(地稅)·화폐 제도의 개혁, 기타 도로망 건설 등 많은 업적을 남김. [1472-1545; 재위 1539-45]

셰르파 〔Sherpa〕 명 히말라야 산 남부에 살고 있는 티베트계의 고산(高山) 주민. 라마교를 신봉하고 농업·목축·상업 등에 종사함. 히말라야 등산대의 짐 운반과 길 안내로 유명함.

셰리 〔sherry〕 명 스페인 남부에서 산출되는 알코올 성분 15-23%의 백포도주. 포도가 발효(醱酵)하는 도중에 브랜디를 부어 발효를 중단시키고, 술통에 넣어 오랜 세월을 저장하여 만듦. 담황색 또는 짙은 황색으로, 특유의 향미(香味)가 있으며 식전주(食前酒)로서 최고로 꼽힘.

셰리 글라스 〔sherry glass〕 명 받침이 달린 셰리 포도주용의 유리컵.

셰리든 〔Sheridan, Richard Brinsley〕 명 〖사람〗 영국의 정치가·극작가. 아일랜드 태생. 처녀작인 ≪연적(戀敵)≫, 사교계를 풍자한 ≪악평(惡評) 학교≫·≪비평가≫ 등으로, 18세기 영국 연극의 대표 작가로 꼽힘. 하원 의원도 지냄. [1751-1816]

셰리프 〔sheriff〕 명 보안관(保安官).

셰:링 〔Schering, Arnold〕 명 〖사람〗 독일의 음악학자. 베를린 대학 교수. 많은 음악학 논문을 발표하였으며, 특히 바흐 연구에 뛰어나 ≪바흐 연감≫을 간행함. [1877-1941]

셰링턴 〔Sherrington, C.S.〕 명 〖사람〗 영국의 신경 생리학자. 케임브리지 대학에서 수학(修學)하고, 옥스퍼드 대학의 교수가 됨. 원심성 신경(遠心性神經)을 연구, 근육 운동의 반사성 통어(反射性統御)의 기구(機構)를 밝힘. 1932년에 노벨상 수상. [1861-1952]

셰:마 〔도 Schema〕 명 도식(圖式). 형식(形式).

셰먀 〔Shemya〕 명 〖지〗 북태평양 알류샨 열도 중, 애투(Attu) 섬의 동방에 있는 세미치 군도(Semichi 群島)의 작은 섬. 미국의 공군 기지(空軍基地)가 있음.

셰비엇 〔Cheviot〕 명 〖지〗 체비엇.

셰 빙신 〔謝氷心〕 명 〖사람〗 중국의 여류 문학자. 이름은 완영(婉瑩). 연경(燕京) 대학 졸업 후 미국에 유학, 귀국하여 모교 교수. 재학 때부터 '소설 월보'에 ≪초인(超人)≫ 등의 작품을 발표함. 현재는 주로 아동 문학으로 활약하고 있음. 사빙심(謝氷心). [1900-]

셰셰 〔중 謝謝〕 감 '고맙다, 감사하다'의 뜻.

셰스토프 〔Shestov, Lev〕 명 〖사람〗 러시아 태생의 철학자·비평가. 혁명 후 파리에 망명, 소르본 대학 교수가 됨. 도스토예프스키의 영향을 받아, 이성(理性)과 양식(良識)이 지배하는 일상적(日常的) 합리주의를 비판하여, 그 밑에 잠긴 허무(虛無)와 불안의 비극적 생활의 현실을 파헤침으로써 제1차 세계 대전 후에 일어난 불안(不安)의 문학, 불안의 철학의 선구자로 알려짐. 저서(著書)에 ≪셰익스피어와 그의 비평가 브란데스≫·≪도스토예프스키와 니체—비극의 철학≫ 등이 있음. [1866-1938]

셰어[1] 〔share〕 명 〔market share〕 〖경〗 상품의 시장 점유율(占有率).

셰:어[2] 〔Schär, Johan Friedrich〕 명 〖사람〗 스위스 태생의 독일 경영학자. 베를린 상과 대학 교수. 영리(營利)를 추구하는 종래의 상업학(商業學) 대신, 국민 경제에 입각한 과학적인 상업 경영학(商業經營學)을 체계화함. 주저는 ≪상업 경영학 총론≫. [1846-1924]

셰에라자드 〔프 Scheherazade〕 명 ①〖문〗 ≪아라비안 나이트≫에 나오는 잔인한 술탄(Sultan)의 왕비. 매일 밤 재미있는 얘기를 남편에게 들려 주어, 목숨을 보전하였다 함. ②〖악〗 ❶을 표제로 한 림스키 코르사코프(Rimskii-Korsakov; 1844-1908) 작곡의 교향 조곡(交響組曲). 1888년 지음. ≪아라비안 나이트≫ 중의 이야기를 발췌화하고 있음. ③〖악〗 라벨 작곡의 관현악 반주부(伴奏付) 연가곡(連歌曲). 클링조르(Klingsor)의 시에 작곡하였음. 세 곡(曲)으로 됨.

셰오다 타 〈옛〉 세우다. ¶나라히 法을 셰오샤 罪인ᄂᆞᆫ 줄을 모로ᄂᆞᆫ다

셰우 명 〈방〉 바늘(전라).

셰우다 타 〈옛〉 세우다. ¶짐즛 이 글월을 셰워 쓰게 ᄒᆞ엿ᄂᆞ니(故立此文字爲用)≪朴解 中 10≫.

셰이드 〔shade〕 명 ①차양. 차일. ②전등이나 전기 스탠드의 갓. ③차광기(遮光器).

셰이버 〔shaver〕 명 전기 면도기.

셰이빙 〔shaving〕 명 면도(面刀). ——하다 자 여불

셰이빙 브러시 〔shaving brush〕 명 면도 솔.

셰이빙 크림 〔shaving cream〕 명 면도할 때 쓰는 크림.

셰이커 〔shaker〕 명 칵테일을 만들 때, 양주(洋酒)를 흔들어 혼합하는 기구. 진탕기(振盪器). 교반기(攪拌器).

캡
스트레이너
톱
보디
톱

〈셰이커〉

셰이크 달러 〔sheik dollar〕 명 〖경〗 [셰이크는 아라비아 말로 수장(首長)의 뜻] '오일 달러'의 딴이름.

셰이크 핸드 〔shake hand〕 명 ①악수(握手). ②↗셰이크핸드 그립.

셰이크핸드 그립 〔shakehand grip〕 명 탁구에서, 라켓을 쥐는 방법의 한 가지. 악수하는 것처럼 자루를 움켜잡음. 준셰이크 핸드. *펜홀더 그립.

셰이퍼 〔shaper〕 명 〖기〗 소형의 재료를 평면 또는 홈으로 깎는 공작 기계. 고정시킨 재료에 칼날이 왕복하며 깎음. 형삭반(形削盤).

셰이프 【SHAPE, Shape】 명 〔↗ Supreme Headquarters Allied Powers in Europe〕 〖군〗 북대서양군 최고 사령부.

셰익스피어 〔Shakespeare, William〕 명 〖사람〗 영국의 극작가·시인. 청년 시절에 런던으로 와서 처음에 배우가 되었으나 ≪비너스와 아도니스≫로 시재(詩才)를 인정받은 후, 희극·비극·사극(史劇) 등에 풍부한 천분을 발휘하였음. 그의 비극은 어두운 인간의 신비를 캐고, 시대를 초월한 경지에까지 이르렀음. 작품으로 4대 비극인 ≪햄릿(Hamlet)≫·≪리어 왕(Lear王)≫·≪맥베스(Macbeth)≫·≪오셀로(Othello)≫ 외에 ≪베니스의 상인≫·≪로미오와 줄리엣≫ 등 37편과 시집(詩集)·소네트집(集)도 많이 있으며 고전(古典)으로서 널리 읽혀지고 있음. 사옹(沙翁). [1564-1616]

셰일 〔shale〕 명 〖광〗 혈암(頁岩).

셰촨 〔斜川〕 명 〖지〗 중국 장시 성(江西省)의 북부, 포양 호(鄱陽湖)와 양쯔 강(揚子江) 사이에 있는 강. 사천(斜川).

셰틀랜드 〔shetland〕 명 영국 셰틀랜드산(産)의 양모. 또, 그것으로 만든 가볍고 따뜻하며, 보송보송한 느낌의 실이나 직물.

셰틀랜드 제도【—諸島】〔Shetland〕 명 〖지〗 영국 스코틀랜드 북단(北端), 북대서양에 있는 약 100개로 이루어진 제도. 산이 많고 평지가 적으며 빙하호(氷河湖)가 많음. 대부분은 무인도이고 20여 개의 섬에서 양·소·말의 목축이 주업(主業)으로 행하여짐. 어업도 성하며, 소모(梳毛) 직물이 유명함. 본디 노르웨이령(領)이었으나 1472년 스코틀랜드에 편입됨. [1,427 km² : 23,454 명(1987)]

셰퍼:드 〔shepherd〕 명 개의 한 품종. 프랑스 알자스 지방의 원산(原產)으로 늑대와 비슷한데, 체고(體高) 55-65 cm, 골격이 우미하고 기품(氣品)이 있음. 퍽 영리하고 충실·용감하며 후각이 예민함. 원래 목양견(牧羊犬)이었으나 현재 번견(番犬)·경찰견·군용견·맹도견(盲導犬) 등으로 쓰임.

〈셰퍼드〉

셰퍼:드 체크 〔shepherd check〕 명 두 가지 색깔로 짜여진 격자(格子) 무늬. 스코틀랜드의 셰퍼드, 즉 양치기가 사용한 데서 이 이름이 있음.

셰필:드 〔Sheffield〕 명 〖지〗 영국 잉글랜드 중부 페나인 산맥(Pennine 山脈) 남동 기슭의 공업 지대의 중심 도시. 탄전(炭田)과 철산지(鐵產地)가 가까워 중공업(重工業)을 주로 함. 14세기 이래 칼붙이 제조 공업이 유명(有名)함. 노르만 시대(Norman時代)의 성지(城址)가 있음. [537,000 명(1981)]

「니≪永言 519≫.

셰허리지 명 〈옛〉 가느다란 허리. ¶셰허리지 ᄌᆞ늑ᄌᆞ늑 紅裳을 거두치

셰헤라자드 〔Scheherazade〕 명 셰에라자드.

셴런관 〔仙人關〕 명 〖지〗 중국 산시성(陝西省) 펑 현(鳳縣) 남서에 있는 고관(古關). 산시·간쑤(甘肅) 양 성의 문호로 고대 송(宋)·금(金)이 교전할 때, 송의 장군 오개(吳玠)가 소흥(紹興) 3년(1133)에 여기에 1루를

쌓고, 군사를 두어 수호하였으며 다음해 금(金)의 장군 오수(烏殊)가 쳐들어왔을 때 오개가 역전(力戰)하여 이를 격파한 싸움터임. 선인관.

센샤링 〔仙霞嶺〕 명 〖지〗 중국 저장(浙江)·장시(江西)·푸젠(福建)의 성계(省界)에 있는 센샤링 산맥의 주봉. 첸탕 강(錢塘江)의 상원, 신장(信江) 강·민장 강(閩江)의 상원, 난푸 계(南浦溪)의 분수령을 형성함. 침식에 의하여 생긴 안부(鞍部)는 장시·푸젠 사이의 관문임. 선하령(仙霞嶺). [1,413 m]

센양 〔咸陽〕 명 〖지〗 중국 산시 성(陝西省) 시안(西安)의 북서부, 웨이수이(渭水) 강 북안(北岸)에 있는 도시. 진(秦)나라의 효공(孝公)이 이곳에 도읍(都邑)을 정하였고 진시황(秦始皇)은 궁궐 함양궁(咸陽宮)을 지었음. 함양. [624,000 명(1984)]

셀[1] 〔shell〕 명 혼자 타는, 경쾌한 경조용(競漕用)의 보트. 스컬(scull)과 비슷함.

셀[2] 〔shell〕 명 〖컴퓨터〗 명령어를 해석하는 데 쓰는 프로그램. 사용자가 입력하는 명령어를 해석하고 수행시켜 그 결과를 화면에 나타냄.

셀 구조【一構造】〔shell〕 명 〖건〗 곡면(曲面)으로 된 얇은 판으로 공간(空間)을 덮는 건축 구조. 달걀 껍데기처럼 곡면 내응력(曲面內應力)의 균형으로써 지탱되며, 또 휘는 모멘트(moment)가 아주 작으므로, 큰 스팬(span)을 덮을 수가 있음. 곧, 100 m 의 스팬이면 10 cm 두께 정도의 곡판(曲板)으로 가능함. 기둥 없이 큰 공간을 얻을 수 있으므로, 체육관·공장·창고·극장·격납고 등에 이용됨. 곡판 구조(曲板構造). 샬레(Schale) 구조.

셸락 〔shellac〕 명 〖화〗 천연 수지(樹脂)의 한 가지. 인도·미얀마 등지에 분포하는 랙충(lac蟲)의 분비물에서 얻음. 담황색인데 표백하여 흰 랙으로 만듦. 전기 절연 피막(被膜)·봉랍(封蠟)·니스 제조에 쓰임.

셸락 니스 명 〔shellac varnish〕 셸락을 알코올에 녹인 도료. 약간 탁한 액체로, 칠한 뒤 10-30 분에 마름. 목재의 구멍을 메우는 데, 초벌칠, 광을 내기 위한 마무리칠 등에 사용함. 랙 니스.

셸란 섬 〔Sjælland〕 명 〖지〗 덴마크 동부에 있는 셸란 제도의 주도(主島). 동안(東岸)에 수도 코펜하겐이 있고, 외레순(Öresund) 해협을 사이에 두고 스웨덴에 면함. 호수가 많고, 근교 농업(近郊農業) 및 낙농업이 발달함. 질랜드(Zealand) 섬. [7,016 km²: 2,160,000 명(1980)]

셸러 〔Scheler, Max〕 명 〖사람〗 유태계 독일 철학자. 현상학파(現象學派)의 중진으로, 현상학적 방법을 정신 과학·윤리학·심리학·종교 철학·지식 사회학(知識社會學)에 적용시킨 점에 공적이 큼. 칸트의 형식주의(形式主義)를 비판하여, 실질적 가치 윤리학(價値倫理學)을 수립코자 하였으며 만년에 철학적 인간학(人間學)을 제창함. 저서로 《철학적 세계관》 등이 있음. [1874-1928]

셸:레 〔Scheele, Karl Wilhelm〕 명 〖사람〗 독일 출생의 스웨덴 화학자. 염소(塩素)·산소(酸素)·암모니아·염산(塩酸)·아비산(亞砒酸)·락트산(酸)·타르타르산(酸) 등 많은 무기산(無機酸)·유기산(有機酸)을 발견하였음. 또, 흑연이 탄소의 한 형태임을 증명했으며 글리세린을 만들어 내기도 했음. [1742-86]

셸리 〔Shelley, Percy Bysshe〕 명 〖사람〗 영국의 낭만파(浪漫派) 시인. 서정적인 필치로 이상미(理想美)의 추구와 인간의 자유·해방을 구가함. 초기의 작품 《앨러스터(Alaster)》·《사슬에서 풀린 프로메테우스(Prometheus)》 외에 《구름》·《종달새에게》·《서풍에 부치는 노래》 등이 있음. [1792-1822]

셸링 〔Schelling, Friedrich Wilhelm Joseph〕 명 〖사람〗 독일의 철학자. 피히테 학파의 후계자로서 자연(自然)을 중시하고, 자연과 정신의 동일성(同一性), 객관과 주관과의 무차별이 철학의 원리가 된다는 동일철학(同一哲學)을 수립하였음. 저서에는 《선험적 관념론의 체계》·《인간적 자유 본질》 등. [1775-1854]

셸 몰:드 법【一法】〔shell mould〕〔一뻡〕 명 주물(鑄物) 제조법의 하나. 규사(硅砂)와 페놀(phenol) 수지의 혼합물을 쇠틀에 뿌리고, 이를 가열하여 만든 각상(殼狀)의 얇은 셸형(shell型)을 거푸집으로 사용하는 정밀 주조법(精密鑄造法). 양산(量産)할 수 있으며, 또 주물의 면(面)이 곱고 정밀도가 높아, 기계 부품(機械部品)의 주조 등에 이용됨.

셸 석유 회:사【一石油會社】〔Shell〕 명 로열 더치 셸 그룹.

셸터:드 워:크숍 〔sheltered workshop〕 명 〖사〗 신체 장애자를 위하여 집과 일터를 함께 마련한 곳.

소[1] 명 〔중세: 쇼〕 〖동〗 [*Bos taurus*] 솟과의 동물. 다리가 비교적 짧고, 몸이 살지고 뿔이 두 개, 꼬리가 좀 길고 가늚. 피부에 짧은 털이 밀생하고, 발굽이 둘로 째졌음. 위턱에 앞니가 없으며 풀 같은 것을 먹으면 반추(反芻)함. 몸빛은 황색·적갈색·흑색·백색 등 여러 가지인데, 한국 소는 황갈색이며 좀 작고, 중국 남부나 대만의 황소는 어깨 위에 융기(隆起)가 있음. 성질은 둔하나 힘이 세어 논밭을 갈고 수레를 끌며, 고기와 젖은 식용하고, 가죽·털·뼈·뿔 등도 여러 가지 세공용으로 쓰임. 가축 동물로서는 가장 오래된 것으로 세계 각지에서 기르는데, 육용(肉用)·유용(乳用)·사역용(使役用) 등 품종이 많음.

【소가 크면 왕(王) 노릇하나】 아무리 힘이 세고 체격이 커도 큰일을 할 수 없으니, 지략(智略)이 있어야 한다는 말. 【소 갈 데 말 갈 데】 소나 말이 갈 수 있는 곳이면 아무데나 가리지 않고 두루. 【소같이 벌어서 쥐같이 먹어라】 쉬지 않고 애써 일하여 저축한 것을 조금씩 절약하여 쓰라는 말. 【소 궁둥이에 꼴을 던진다】 몹시 둔하여 깨닫지 못한 사람에게는 아무리 교육을 시켜도 효능(効能)이 없다는 말. 【소는 농가의 조상】 농가에서는 소가 매우 중요하므로 조상같이 위한다는 말. 【소더러 한 말은 안 나도 처(妻)더러 한 말은 난다】 제아무리 다정한 사이라도 말을 조심하라는 말. 【소도 언덕이 있어야 비빈다】 언덕이 있어야 소도 가려운 곳을 비빈다는 뜻이니, 사람도 의지할 곳이 있어야 무슨 일을 시작하거나 성취(成就)할 수 있다는 말. 【소 뒷걸음질 치다 쥐 잡기】 우연한 공을 세웠다는 말. 【소 잃고 외양간 고친다】 이미 일이 실패된 뒤에 손질하거나 뉘우쳐도 쓸데없다는 말. 【소 잡은 터전은 없어도 밤 벗긴 자리는 있다】 나쁜 일이면 조그마한 일이라도 잘 드러난다는 말. 【소 탄 양반(兩班)의 송사(訟事) 결정이라】 소 탄 양반에게 무엇을 물으면, 이래도 끄떡끄떡, 저래도 끄떡끄떡하여 도무지 대중할 수가 없다는 말.

소가 짖다 구 하도 어처구니 없는 일이라 소까지 비웃는다.

소같이 먹다 구 엄청나게 많이 먹다.

소 닭 보듯 닭 소 보듯 구 아무 관심이 없이 본동만동함을 이르는 말.

소(가) 뜨물 켜듯이 구 물 같은 것을 한꺼번에 많이 들이켜는 모양. ¶ 자다가 깨어 냉수 한 그릇을 소 뜨물 켜듯이 마신 후《朴頤陽: 明月亭》.

소 잡아먹다 구 아주 음흉한 일을 하다.

소(가) 푸주에 들어가듯 구 무척 가기 싫어하는 모양. ¶ 소 푸줏간에 들어가듯이 눈쌀을 잔뜩 찌프리고 객실로 들어가니《金宇鎭: 花上雪》.

소한테 물리다 구 뜻밖의 상대에게 해를 입다.

소[2] 명 〔근대: 소〕 ①떡·만두 등의 음식을 만들 때 맛을 내기 위하여 익히기 전에 그 속에 넣는 것. 고기·두부·숙주나물·팥·콩·대추·밤 등을 넣음. ¶ 팥~. ②통김치·배추·오이 등의 속에 넣는 여러 가지 고명. ¶ 오이 ~박이.

소[3] 명 〈옛〉 물이 깊은 못. ¶ 훈 기픈 소해 다드라(至一深潭)《佛頂 下 12》.

소[4] 명 〈옛〉 거푸집. ¶ 範은 쇠디기옛 소히오《楞嚴 Ⅱ:20》.

소[5] 【小】 명 크기에 따라 대·중·소로 나눌 경우의 제일 작은 것. ↔대(大).

소[6] 【召】 명 성(姓)의 하나. 우리 나라에는 현존하지 아니함.

소[7] 【沼】 명 늪.

소:[8] 【所】 명 〖역〗 고려 때부터 조선 시대 초기에 걸쳐 천민(賤民)이 집단적으로 모여 살며, 광석(鑛石)을 캐거나 수공품(手工品)을 만들던 곳. 금소(金所)·은소(銀所)·자기소(磁器所)·탄소(炭所)·와소(瓦所)·염소(塩所)·사소(絲所)·지소(紙所)·묵소(墨所) 등.

소[9] 【邵】 명 성(姓)의 하나. 현재 우리 나라에는 평산(平山) 외에 남양(南陽) 등 열다섯 개의 본관이 있음.

소:[10] 【素】 명 ①흰 빛의 견(絹). 소견(素絹). ②흰 빛. ¶ ~교의. ③꾸미지 않고 덧붙이지 아니한 것. ¶ ~금대. ④사물의 근원. ⑤음식에 고기·생선들이 들지 아니한 것. ¶ ~국. ⑥〖민〗 기중(忌中)에 고기를 먹지 않는 일. ——하다 자 여불

소:[11] 【素】 명 성(姓)의 하나. 우리 나라에는 현존하지 아니함.

소[12] 【巢】 명 〔gross porosity〕 〖야금〗 주물(鑄物)이나 용접한 금속에서 볼 수 있는 가스 포켓(gas pocket)이나 작은 구멍.

소[13] 【疏】 명 ①〖불교〗 죽은 사람을 위하여 부처 앞이나 명부전(冥府殿)에 아뢰는 글. 소문(疏文). ②임금에게 올리는 글. ③조목별로 진술하는 일. 또, 그 문서. 관청에 올리는 문서. 상주문(上奏文). ④주석(註釋).

소[14] 【訴】 명 〖법〗 법원에 대하여 사법상(私法上)의 권리 또는 법률 관계의 존부(存否)에 관한 심판(審判)을 청구하는 행위. 구하고자 하는 판결의 내용에 따라 확인(確認)·급부(給付)·형성(形成)의 각 소(各訴)로 구분되고, 또 그것을 구하고자 하는 사람의 소송(訴訟)상의 지위에 따라 본소(本訴)·반소(反訴)로 분류됨.

소[15] 【簫】 명 〖악〗 아악기(雅樂器)에 속하는 피리의 하나. 마른 대 열여섯 낱으로 열두 정성(正聲)과 네 청성(淸聲)에 조율(調律)하여 가(架)에 한 줄로 꽂고 바로 붊. 봉소(鳳簫).

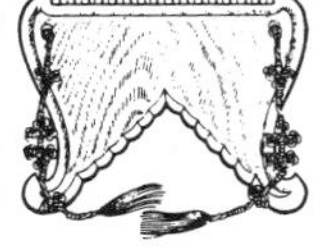

〈소15〉

소[16] 【蘇】 명 〖지〗 ↗소련(蘇聯).

소[17] 【蘇】 명 성(姓)의 하나. 현재 우리 나라에는 본관이 진주(晋州) 단본임.

소[18] 【騷】 명 〖문〗 한시(漢詩)의 한 체(體). 초(楚)의 굴원(屈原)의 《이소(離騷)》에 따른 고체(古體).

소-[1] 부 쇠-.

소:-[2] 【小】 부 작다는 뜻을 나타내는 말. ¶ ~부대/~규모. ↔대-.

-소[1] 【所】 미 명사 아래 붙어서, 무엇을 하는 일정한 처소(處所)임을 나타내는 말. ¶ 연구(研究)~/이발(理髮)~.

-소[2] 어미 하소 할 자리에 받침 있는 용언(用言)의 어간에 붙어서, 평서(平敍)·의문·명령 등을 나타내는 종결 어미. ¶ 한 해에는 네 철이 있~/빨리 먹~/얼마나 붉~/날좀 보~. *-오·-으오.

소:가[1] 【小家】 명 ①규모가 작은 집. 소림 일지(巢林一枝). ②첩. 작은집. ③가난한 집.

소:가[2] 【小暇】 명 얼마 안 되는 짧은 겨를. 소한(小閒).

소:가[3] 【小駕】 명 대가(大駕)·법가(法駕) 이외의 임금이 타는 수레의 하나.

소가[4] 【嘯歌】 명 휘파람을 붊. ——하다 자 여불

소:-가래 【小一】 명 〈방〉 종가래(평안).

소가리 명 〈옛〉 쏘가리. =소과리. ¶ 소가리(鱖魚)《方藥 49》.

소:-가리구이 【素一】 명 ☞소갈비구이.

소:가리 내:다 자 〈방〉 소가지 내다.

소:-가야 【小伽倻】 명 〖역〗 옛 육가야(六伽倻)의 하나. 지금의 경상 남도 고성(固城) 부근에 있었던 부족 국가로, 신라 법흥왕(法興王) 19년(532)에 신라에 병합됨.

소:-가족 【小家族】 명 ①식구가 적은 집안. ②부부와 미혼 자녀로써 구성된 개별적 가족. 핵(核)가족. 1)·2): ↔대가족(大家族).

소:가족 제:도 【小家族制度】 명 소가족으로 된 가족 제도. ↔대가족 제도(大家族制度).

소:가지 명 〈속〉 〔←속+-아지〕 심지(心志).

소:가지(를) 내:다 구 〈속〉 성내다.

소:각[1] 【小角】 명 〖건〗 폭(幅)이 20 cm 이하 되는 각재(角材).

소:각² 【小角】 [명] 〖악〗 작은 나발.

소각³ 【消却·銷却】 [명] ①지워 버림. ②써서 덜어 버림. 소비(消費)함. ③부채(負債) 등을 갚아 버림. 상환(償還). ——-하다 [타][여불]

소각⁴ 【燒却】 [명] 불에 태워서 없애 버림. ——-하다 [타][여불]

소각 소독 【燒却消毒】 [명] 소독 방법의 한 가지. 오물(汚物) 등이 묻은 기구·의복·이불 등을 태워 버리는 일.

소:-각씨도 【小角氏島】 [명] 〖지〗 전라 남도의 서해상, 영광군(靈光郡) 낙월면(落月面) 임병리(壬丙里)에 위치한 섬. [0.29 km²]

소:-각이도 【小角耳島】 [명] 〖지〗 전라 남도의 서해상, 영광군(靈光郡) 낙월면(落月面) 각이리(角耳里)에 위치한 섬. [0.12 km²]

소각-장 【燒却場】 [명] 쓰레기나 폐물 따위를 소각하는 장소.

소각-제 【消却制】 [명] 〖법〗 점수제(點數制).

소각지-혐 【銷刻之嫌】 [명] 지워 없애 버린 혐의(嫌疑). 취소하거나 말거(抹去)하는 것을 가리키는 말.

소:간¹ 【小簡】 [명] 좁고 작게 된 간지(簡紙).

소:간² 【所幹】 [명] 볼일.

소:간-령 【小間嶺】 [一갈一] [명] 〖지〗 강원도 인제군(麟蹄郡)에 있는 재. [585 m]

소:간-사 【所幹事】 [명] 볼일.

소간쟁이 [명] 〈방〉 소꿉 장난(강원).

소갈 【消渴】 [명] 〖한의〗 ↗소갈증(消渴症).

소:갈-딱지 [명] 소갈머리. 심지(心志). ¶ ~ 없는 짓.

소:갈-머리 [명] 심지(心志). ¶ ~가 좁다.

소:-갈비구이 【素一】 [명] 고기 없이 나물만으로 갈비구이처럼 만든 음식. 나뭇개비에 여러 가지 채소를 고명하여 대고, 고비 나물로 동여매어 구워서 만듦.

소-갈이 [명] 소로 논밭을 갊. 또, 그 일. ——-하다 [타][여불]

소갈-증 【消渴症】 [一쯩] [명] 〖한의〗 목이 말라서 물이 자꾸 먹히는 증세. 주로, 당뇨병·과로·병후 쇠약 등으로 인해 일어남. [준]소갈(消渴).

소:갈-찌 [명] 〈방〉 소갈머리.

소:감¹ 【少監】 [명] 〖역〗 ①신라 육정(六停)·구서당(九誓幢)·십정(十停)·오주서(五州誓)의 각 군영(軍營)의 기병(騎兵)이나 보병(步兵)을 거느리던 무관(武官) 벼슬. 감사지(監舍知)의 다음. 위계는 대사(大舍) 이하. ②신라 패강진전(浿江鎭典)에 속한 외관(外官)의 하나. 보감(步監)의 다음. 위계는 대사(大舍) 이하. ③고려 군기감(軍器監)·비서성(秘書省)·사재감(司宰監)·사진감(司津監)·사천대(司天臺)·소부감(小府監)·장작감(將作監)·전중성(殿中省)·태의감(太醫監)의 각 벼슬. 감(監)의 다음. 질(秩)은 사품(四品)에서 오품(五品)까지. ④조선 초(初)에 교서감(校書監)·선공감(繕工監)·사재감(司宰監)·군자감(軍資監)·군기감(軍器監)·사수감(司水監)·전의감(典醫監)에 속한 종사품(從四品) 벼슬. 감(監)의 다음. 태종(太宗) 14년(1414)에 부정(副正)으로 고침. *대감(大監).

소:감² 【所感】 [명] 마음에 느낀 바 또는 느낀 바의 생각. 감상(感想).

소감³ 【昭鑒】 [명] 하느님이나 귀신이 환히 내려다봄. ——-하다 [타][여불]

소:-감각체 【小感覺體】 [명] 〔sensillum〕 〖동〗 한 개 또는 여러 개의 세포로 구성되는 단순한 상피 세포의 감각 기관.

소:강¹ 【小康】 [명] ①병이 조금 나아 감. ②소란하던 것이 그치고 다소 잠잠함. ¶ 치열하던 전투가 ~ 상태에 들어갔다. ——-하다 [형][여불]

소:강² 【少康】 [명] 〖사람〗 중국 당(唐)나라 정토종(淨土宗)의 중. 저장(浙江) 사람. 속성은 주씨(周氏). 794년 우룡 산(烏龍山)의 정토 도량(淨土道場)을 세움. 중국 정토종의 제5조(祖)로 받듦. [?-805]

소:강³ 【溯江】 [명] ①강을 거슬러 올라감. ②특히, 양쯔 강(揚子江)을 거슬러 올라감. 소류(遡流). ——-하다 [자][여불]

소-강절 【邵康節】 [명] 〖사람〗 중국 북송(北宋)의 유학자 소옹(邵雍)을 그 시호(諡號)로써 일컫는 이름.

소개¹ [명] 〈방〉 솜(평안·함경·강원·경상·제주).

소개² 【紹介】 [명] ①두 사람 사이에 들어서 어떤 일을 어울리게 함. ②모르는 두 사람을 잘 알도록 관계를 맺어 줌. 또, 그 일. ③ 미지(未知)의 일의 내용을 해설하여 사람들에게 알리는 일. ¶ 해외 문학 ~. ——-하다 [타][여불]

소개³ 【疏開】 [명] ①서로 통하게 하여 벌림. ②〖군〗 적의 포화로 인한 피해를 줄이고자 밀집한 대형(隊形)의 거리 간격을 전황(戰況)에 따라 넓힘. 또, 그 일. ③공습(空襲)·화재(火災) 등의 피해를 적게 하기 위하여 한 곳에 집중해 있는 주민 또는 건조물을 분산·철거시킴. ——-하다 [자][타][여불]

소개⁴ 【疎槪】 [명] 〖역〗 ↗상소 대개(上疎大槪).

소:-개념 【小槪念】 [명] 〔minor concept〕 〖논〗 삼단 논법(三段論法)에 있어서, 결론(結論)의 주사(主辭)가 되는 개념. ↔대개념.

소:개념 부당 주연의 허위 【小槪念不當周延一虛僞】 [一/一에一] [명] 〔fallacy of illicit minor〕 〖논〗 정언적(定言的) 삼단 논법에 있어서의 형식적 허위의 하나. 결론 중의 소개념이 소전제(小前提) 중의 그것보다 넓게 주연됨으로써 일어나는 허위. 예를 들면, '모든 새는 날개가 있다(대전제). 어떤 동물은 새이다(소전제). 고로 모든 동물은 날개가 있다(결론)'에서 소전제의 소개념은 '어떤 동물'인데, 결론에서는 '모든 동물'로 되어 보다 넓게 주연되기 때문에 허위가 됨. 소명사(小名辭) 부당 주연의 허위.

소개 대:형 【疏開隊形】 [명] 〖군〗 적의 공습이나 지상(地上) 화력에 대비하여 부대를 널리 분산 배치하는 전투 대형.

소개-말 【紹介一】 [명] 어떤 사람이나 사실을 소개하여 알리는 말.

소개-비 【紹介費】 [명] 소개하여 준 대가로 소개업자에게 치르는 돈.

소개-소 【紹介所】 [명] ①소개업(紹介業)을 하는 곳. ②↗직업 소개소.

소개-업 【紹介業】 [명] 구전을 목적으로 직업(職業) 또는 집·토지 등의 매매나 임대(賃貸) 등을 소개함을 일삼는 업. *복덕방·중개업.

소개업-자 【紹介業者】 [명] 소개업을 하는 사람.

소개-자 【紹介者】 [명] 소개하는 사람.

소개-장 【紹介狀】 [一짱] [명] 어떤 사람이나 사물을 소개하기 위해 상대편에게 써 보내는 서장.

소개장-마니 [명] 〈심마니〉 계집애.

소객 【騷客】 [명] 소인(騷人).

소거¹ 【消去】 [명] ①사라져 없어짐. 또, 지워 없앰. ②〖심〗 강화(強化)를 따르게 하지 아니하고 조건 자극(條件刺戟)을 제시(提示)하는 절차. 또, 그 절차에 의하여 조건 반사(條件反射) 또는 조건 반응이 약화(弱化)되는 일. ③〖수〗 연립 방정식으로부터 특정의 미지수가 포함되지 않은 방정식으로 유도하는 일. ¶ 미지수 x를 ~하다. ④〖전〗 자기(磁氣) 테이프를 강력한 자기장(磁氣場)이나 고주파 교류(交流) 자기장 속을 지나게 함으로써 기록을 제거하여 본디의 상태대로 돌아가게 하는 일. ⑤계수형(計數型)의 계산기에서, 기억 장치 속의 모든 2진수(進數)를 0으로 바꾸는 일. ——-하다 [자][타][여불]

소:거² 【素車】 [명] 희게 꾸민 수레. 장식을 하지 않은 수레. 장사(葬事) 때 쓰임.

소거³ 【燒距】 [명] 〖물〗 초점 거리(焦點距離).

소거⁴ 【繅車】 [명] ↗소사거(繅絲車).

소거 가:능 기억 매체 【消去可能記憶媒體】 [명] 낡은 기록 데이터를 지우고 새로운 데이터를 기록할 수 있는 자기(磁氣) 디스크 또는 자기 테이프와 같은 기록 매체.

소:-거문도 【小巨文島】 [명] 〖지〗 전라 남도의 남해상, 여수시(麗水市) 삼산면(三山面) 손죽리(巽竹里)에 위치한 섬. [1.40 km²]

소:거 백마 【素車白馬】 [명] 〖역〗 흰 수레와 흰 말. 장식이 없는 흰 수레를 흰 말이 끌게 한 것. 적에게 항복할 때나 장례 때 쓰임.

소거-법 【消去法】 [一뻡] [명] ①〖논〗 사물의 본질이나 현상의 참된 상호인과 관계를 발견하기 위하여, 모든 가능한 경우를 선언적 판단(選言的判斷)의 형식으로 열거(列擧)하고 그 중에서 불가능하거나 우연한 판단을 소거하여 최후로 남은 하나만이 진정한 것을 나타낸다는 방법. ②〖수〗 연립 방정식의 가장 표준적인 해법(解法). 몇 개의 미지수를 가진 방정식에서 어떤 미지수를 없애는 방법. 연립 1차 방정식의 경우에는 대입법·가감법·등치법 등으로 불림.

소거 속도 【消去速度】 [명] 전하(電荷) 축적관에서, 연속된 축적 소자를 소거하는 속도.

소건 【訴件】 [一껀] [명] ↗소송(訴訟) 사건.

소:-건중탕 【小建中湯】 [명] 〖한의〗 한의학 처방(處方)의 하나. 허약한 아이의 체질 개선, 야뇨증(夜尿症)의 치료약으로 쓰임.

소:-건축 【小建築】 [명] 소규모로 건축하는 일. 또, 그 건축물.

소-걸이 [명] 우승상(優勝賞)인 소를 걸고 겨루는 씨름, 곧 상(上)씨름.

소:검 【小劍】 [명] 작은 칼.

소:겁 【小劫】 [명] 〖불교〗 ①사람의 목숨이 8만 살부터 백 년에 한 살씩 줄어서 열 살이 되기까지의 동안인 한 감겁(減劫). 또는 열 살에서 백 년마다 한 살씩 늘어서 8만 살에 이르는 동안인 한 증겁(增劫). ②한 감겁과 한 증겁을 합한 동안. *중겁(中劫).

소:게 【少憩】 [명] 잠깐 쉼. ——-하다 [자][여불]

소-게기 [명] 〈방〉 쇠고기(전라·경남).

소-겨리 [명] 겨리질을 할 수 있게 겨리에 두 마리의 겨릿소를 매어 짝을 묶는 일. ——-하다 [자][여불]

소겨앗다 [타] 〈옛〉 속여 빼앗다. ¶ 소겨아술 편(騙)≪字會 下 20≫.

소격 【疏隔】 [명] 서로 사귀는 사이가 멀어져서 왕래가 막힘. 소원(疏遠). ——-하다 [자][여불]

소격-감 【疏隔感】 [명] 어쩐지 서먹서먹하여지는 느낌.

소격란 【蘇格蘭】 [一난] [명] 〖지〗 '스코틀랜드(Scotland)'의 음역(音譯).

소격-서 【昭格署】 [명] 〖역〗 하늘·땅·별에 지내는 도교(道敎)의 초제(醮祭)를 맡은 관아(官衙). 조선 태조(太祖) 때에 베풀어서, 중종 때 잠시 폐하였다가 다시 베풀어, 선조 때 폐함.

소격-전 【昭格殿】 [명] 〖역〗 조선 시대 때 도교(道敎)의 일월 성신(日月星辰)을 구상화(具象化)한 신을 제사 지내던 전당(殿堂). 지금의 서울 삼청동(三淸洞)에 있었음. 삼청전(三淸殿).

소:견¹ 【小犬】 [명] 〖천〗 ↗소견좌.

소견² 【召見】 [명] 불러서 만나 봄. ——-하다 [자][타][여불]

소:견³ 【所見】 [명] ①사물(事物)을 보고 살피어 인식(認識)하는 생각. 의견(意見). ¶ ~이 좁다. ②눈으로 본 바. 생각. ¶ 임상(臨床) ~.

소견⁴ 【消遣】 [명] 소일(消日)❶. ——-하다 [자][여불]

소:견⁵ 【素絹】 [명] 소¹⁰(素)❶.

소:견-머리 【所見一】 [명] 〈속〉 소견(所見)❶. ¶ ~ 없는 계집애.

소:견-봉 【小繭蜂】 [명] 〖충〗 고치벌.

소견 세:월 【消遣歲月】 [명] ①하는 일 없이 세월을 보냄. ②그것에 마음을 두고 세월을 보냄. ——-하다 [자][여불]

소:견-좌 【小犬座】 [명] 〖천〗 작은개자리.

소:견-표 【所見表】 [명] 〖교〗 학생의 학업·신체·품행 등의 신상에 관한 것을 적은 서류. 상급 학교로 진학할 때 또는 전학할 때 책임 학교 교장이 새 학교 교장에게 보냄.

소결¹ 【疏決】 [명] 죄수(罪囚)를 너그럽게 처결함. ——-하다 [타][여불]

소결² 【燒結】 [명] 〖화〗 분말의 집합체나 이것을 적당한 형상(形狀)으로 가압(加壓)·성형(成形)한 것을 가열하였을 때, 분말이 서로 밀착하여 고결(固結)하는 현상. *분말 야금(粉末冶金). ——-하다 [자][타][여불]

소결 인조석 【燒結人造石】 [명] 금속 제련시에 나오는 찌꺼기인 슬래그와 석회석 등의 원료를 혼합하여 1,200 도로 구워 낸 것. 가벼우면서도 단단하고 색깔·무늬를 다양화할 수 있어 첨단 건축 재료로 쓰임.

소결 자석 【燒結磁石】 [명] 분말 야금법(粉末冶金法)으로 제조된 자석.

퍼멀로이(permalloy) 등.

소결 합금【燒結合金】명〖공〗금속 가루를 압축 성형(成形)하고, 녹는 점 이하의 온도로 가열하여 굳힌 합금(合金). 분말(粉末) 합금.

소-결핵【一結核】명 주로 우형(牛型) 결핵균의 감염에 의한 소의 결핵증. 젖소에 많으며 우유를 통해 사람에게도 감염됨. 소는 주로 폐를 침해당하며, 장막(漿膜)·림프절(節)에도 파급됨. 소결절(小結節)이 융합(融合)되어 결체 조직(結締組織)이 증가하게 되는데, 진주(眞珠) 알을 늘어놓은 것같이 보임. 진주병(眞珠病).

소:경[1] 명〔중세: 소경〕①눈이 어두워 아주 못 보는 사람. 판수. 장님. 맹자(盲者). 맹인. 봉사(奉事). 실명자(失明者). ②사물에 아주 어두운 사람. ¶글만 알지 세상 일에는 ~이야. ③글을 전연 읽지 못하는 사람. ¶편지가 와도 글에는 ~이라 알 수 있어야지.
[소경 개천 그르다 하면 무얼해; 소경 개천 나무란다] 제 잘못은 모르고 남만 탓한다는 말. [소경 기름값 내기] 속도 모르고 남이 하는 대로 따라 함을 이름. [소경 단청 구경] 내용을 분별할 줄도 모르고 사물을 봄을 이름. [소경더러 눈 멀었다 하면 노여워한다] 아무리 큰 결점이 있어도 그것을 지적하면 싫어한다는 말. [소경 매질하듯] 옳고 그름을 판별하지 못하고 일을 함부로 처리함을 이름. [소경 맴돌이 시켜 놓은 것 같다] 어리둥절하여 뭣이 뭣인지 분간 못함을 비유한 말. [소경 머루 먹듯] 일을 분별하지 못함을 이름. [소경 문고리 잡듯] 무능하거나 무식한 사람이 우연히 어떤 일을 알아 맞힘을 이름. [소경 북자루 쥐듯] 일이나 물건을 무턱대고 잔뜩 쥐고 놓지 아니함을 비유한 말. [소경 시집 다녀오듯] 십부름을 똑똑치 못하게 함을 이름. [소경 아이 낳아 만지듯] 어떤 일이나 물건의 내력도 모르고 어름어름 매만지기만 함을 이름. [소경의 월수(月收)를 내어서라도] 궁색한 처지에 어떤 일을 꼭 하겠다는 간곡한 뜻의 비유. [소경의 초하룻날] 소경 점장이에게 운수를 보려고 사람들이 모여듦을 이름이니, 무능한 사람이 갑자기 행운을 만남을 이름. [소경이 저 죽을 날 모른다] 무엇이든지 아는 체해도 제 앞일은 모른다는 말. [소경 잠 자나 마나] 일을 한 것인지 아니한 것인지 전연 성과가 없음을 이름. [소경 장 떠먹기] 무슨 일을 그저 짐작으로 함을 이름. [소경 제 닭 잡아먹기; 소경 제 호박 따기] 횡재라고 좋아한 일이 결국은 제게 손해가 됨을 이름. 또는 아무런 이익도 손해도 없는 일. [소경 죽이고 살인 빚을 갚는다; 소경 죽이고 살인 춘다] ㉠헛일을 하고 그로 인하여 톡톡히 화를 입음을 이름. ㉡변변하지 못한 것을 상하고 변변한 것을 물어 준다는 말. [소경 파밭 두드리듯; 소경 파밭 매듯] 일을 하지도 못하고 뒤헝클어 놓음을 이름. [소경 팔매질하듯] 목표도 모르고 그것이 어떤 결과를 가져올지도 생각하지 아니하고 일을 마구 함을 이름.

소:경[2]【小京】명〖역〗신라 때, 정치상·군사상 중요한 지방에 특별히 두었던 작은 서울.

소:경[3]【小逕·小徑】명 작은 길. 좁은 길. 행경(行徑).

소:경[4]【小莖】명 작은 줄기.

소:경[5]【小景】명 ①작은 경치. ②작은 규모의 풍경화(風景畫).

소:경[6]【小經】명 ①〖불교〗대경(大經)에 대한 소경, 곧, 무량수경(無量壽經)에 대한 아미타경(阿彌陀經). ②경서(經書) 가운데 그 권수(卷數)가 적은 것을 말함. 곧, 주역(周易)·상서(尙書)·춘추 공양전(春秋公羊傳)·곡량전(穀梁傳)을 말함. *대경(大經)·중경(中經).

소:경[7]【小鏡】명 작은 거울.

소:경[8]【少頃】명 잠시 지나간 동안.

소:경[9]【少卿】명〖역〗①고려 때 대상시(大常寺)·전중성(殿中省)·위위시(衛尉寺)·대복시(大僕寺)·예빈성(禮賓省)·대부시(大府寺) 등에 두었던 종사품(從四品) 벼슬. 경(卿)의 다음. ②조선 초(初)에 봉상시(奉常寺)·전중시(殿中寺)·사복시(司僕寺)·내부시(內府寺)·예빈시(禮賓寺) 등에 두었던 사품 벼슬. 경(卿)의 다음. ③대한 제국 때 어공원(御供院)·장례원(掌禮院)의 버금 벼슬.

소경[10]【疎耕】명〖농〗미개발 지역에서 행하여지고 있는 원시적인 농법. 괭이로 경지 표면을 긁어 헤치어 씨를 뿌리고, 농작물의 생육 기간 중에는 손질을 하지 않고 성숙을 기다려 수확함. 비료를 전혀 쓰지 않으므로 지력(地力)이 급속히 소모되며, 수년마다 딴 곳으로 이동하여 신개척지를 구하게 됨. 작물의 종류는 주로 감자·콩이고, 옥수수·조·수수 등도 약간 재배함.

소경[11]【韶景】명 화창한 봄 경치. 춘경(春景). 소광(韶光).

소경[12]【蘇莖·蘇梗】명〖한의〗소엽(蘇葉)의 줄기. 순하여 화중(和中)하는 데 씀.

소:경-낚시 명 미늘이 없는 낚시.

소:경-도【小鏡島】명〖지〗전라 남도 여수시(麗水市)의 앞바다, 경호동(鏡湖洞)에 위치한 섬. [0.40 km² : 494 명(1984)]

소:경-막대 명 소경이 짚고 다니는 지팡이.

소:경 매질 명 맹장질.

소:경-반자 명〈방〉삿갓반자.

소:경-불알 명〖식〗[*Codonopsis ussuriensis*] 초롱꽃과에 속하는 다년생 만초(蔓草). 괴근(塊根)은 둥글고 덩굴진 줄기는 다른 것에 감겨 올라가며, 절단하면 백색 유즙(乳汁)이 나옴. 잎은 짧은 가지 끝에 서너 개 나는데, 달걀꼴 또는 난상(卵狀) 타원형임. 7-9월에 자색 종상화(鐘狀花)가 가지 끝에 정생하고, 삭과(蒴果)는 원추형이며 씨는 윤이 남. 산지에 나는데, 한국 중부 이북에 분포함. 괴근은 식용함.

〈소경불알〉

소:경-사【所經事】명 겪어 온 일. ¶금궈는 자기 ~를 말하고, 이월은 저의 ~를 말하니 …《李海朝 : 鴛鴦圖》.

소:경-수수 명〖식〗수수의 한 가지. 껍질이 두껍고 씨가 잚.

소:경 여:갑당【小京餘甲幢】명〖역〗신라 때의 군대 이름. 삼십구 여갑당(三十九餘甲幢)의 한 부대.

소:경 여:갑당주【小京餘甲幢主】명〖역〗신라 삼십구 여갑당(三十九餘甲幢)의 무관 벼슬. 위계는 급찬에서 사지(舍知)까지임.

소:계[1]【小計】명 한 부분만의 합계. *총계(總計).

소:계[2]【小薊】명〖한의〗조방가새의 뿌리. 지혈제(止血劑)로 또는 뱀·벌레에 물린 때의 해독제(解毒劑)로 씀. 자계(刺薊).

소겡이 명〈방〉소경[1](경북).

소:고[1]【小考】명 ①체계를 세우지 아니한 고찰. ¶향가(鄕歌) ~. ②조금 생각함. 또, 자기 생각의 겸칭.

소:고[2]【小姑】명 시누이.

소:고[3]【小故】명 조그마한 사고. 작은 사건.

소:고[4]【小鼓】명〖악〗①'작은북'의 한자 이름. ②농악기(農樂器)의 하나. 작고, 운두가 낮으며 얇은 개가죽으로 메운 북. 자루가 달렸음. 나무채로 침. →소구.

〈소고[4]❷〉

소고[5]【訴告】명 고소(告訴). ——-하다 타여불

소:고[6]【溯考】명 옛일을 거슬러 올라가서 상고함. ——-하다 타여불

소고[7]【簫鼓】명〖악〗소(簫)와 북.

소:-고구려【小高句麗】명〖역〗고구려 멸망 후 요동 지역에 거주하던 고구려의 유민이 8세기 말에서 9세기 초에 걸쳐 자립하여 세운 나라. 역사서에서는 국호를 고(구)려라 했으나, 본래의 고구려나 후고구려, 고려와 구별하기 위해 소고구려로 쓰고 있음.

소-고기 명 ☞쇠고기.

소고랑 명〈방〉도랑[1](경북).

소고리 명〈방〉소쿠리(함경).

소:고-무【小鼓舞】명〖악〗소고춤.

소고의 [－/－이] 명〈궁중〉여자가 입는 짧은 저고리.

소:고-잡이【小鼓—】명〖악〗농악(農樂)에서 소고를 맡아 치는 사람. →소구잡이.

소:고-채【小鼓—】명〖악〗소고를 치는 막대기. →소구채.

소:고-춤【小鼓—】명 농악무(農樂舞)의 하나. 긴 상모(象毛)가 달린 전립(戰笠)에 전복(戰服) 차림으로, 소고로 장단을 두드리며 추는 춤. 이때, 흔히 상모를 빙빙 돌리며 춤. 소고무(小鼓舞). →소구춤.

소:-고풍【小古風】명〖문〗문과의 시체(詩體)를 본뜨기는 하나 운(韻)을 달지 않는 한 시체. 칠언(七言)으로 10구. 과문체(科文體). 곧, 공령시(功令詩)에 이르는 공부의 단계로, 처음에 소고풍, 다음에 대고풍을 익힘.

소:곡【小曲】명〖악〗↗소품곡(小品曲). ¶피아노 ~.

소:곤【小棍】명〖역〗형구(刑具)의 한 가지. 작은 곤장(棍杖). *곤장.

소곤-거리다 자타 낮은 목소리로 비밀히 말하다. ㅆ쏘곤거리다. <수군거리다. 소곤-소곤 부. ¶~ 이야기하다. ——-하다 자타여불

소곤-대다 자타 소곤거리다.

소골[1]【昭鶻】명〖조〗뿔매.

소골[2]【蘇骨】명 고구려 때, 절풍(折風)의 한 가지. 자줏빛 명주로 만듦.

소:-골반【小骨盤】명〖생〗골반 중 분계선(分界線) 아래쪽에 있는 부분. 협의의 골반은 이 부분을 말함. ↔대골반.

소곰[1] 명〈방〉고금[1](경기·강원·충청·전라·경상).

소곰[2] 명〈옛〉소금. ¶소곰 져 우므레셔 나느닌 이 시내예 사는 겨지비로소니(負塩出井此溪女)《杜諺 X:45》/소곰 사(鹺), 소곰 염(塩)《字會 中 22》.

소곰재 명〈방〉잠자리[2](함경).

소곰-쟁이 명〈방〉잠자리[2](강원·함경).

소곱 장난 명〈방〉소꿉 장난(전라).

소곳소곳-하다 형여불 여럿이 모두 소곳하다. <수긋수긋하다.

소곳-이 부 소곳하게. ¶화관 쓰고 하얀 버선코를 살짝 드러낸 아름다운 기생들은 오색 소매에 눈 같은 비단 한삼을 떨어뜨려 ~ 늘어섰다《張德祚 : 狂風》. <수긋이.

소곳-하다 형여불 ①고개를 약간 숙인 듯하다. ②흥분이 좀 가라앉은 듯하다. ¶간곡히 말하니까 소곳해지더군. <수긋하다.

소:공[1]【小工·少工】명 중국에서, 인부 따위 하급의 육체 노동자.

소:공[2]【小功】명 ①오복(五服)의 하나. 소공친(小功親)의 상사에 다섯 달 동안 입는 복제. 가는 누인 베로 지음. ②작은 공. 조그마한 공로. ↔대공(大功).

소-공[3]【召公】명〖사람〗중국 주(周)나라의 정치가. 이름은 석(奭). 별명은 소백(召伯). 소공은 칭호임. 주나라 무왕(武王)의 아우로, 형제인 주공(周公)과 더불어 어린 조카 성왕(成王)을 도와 주나라의 기초를 닦음. 산둥 반도의 이족(夷族)을 정벌하여, 동방(東方) 경략(經略)의 사업을 성취함. 생몰년 미상.

소:-공녀【小公女】명〔A Little Princess〕〖책〗미국의 여류 작가 버넷(Burnett)이 지은 순정 소설. 1888년 간행. *소공자(小公子).

소:-공원【小公園】명 규모가 작은 공원.

소:-공자【小公子】명〔Little Lord Fauntleroy〕〖책〗미국의 여류 작가 버넷(Burnett)이 지은 가정 소설. 1886년 간행. *소공녀(小公女).

소:공-친【小功親】명 유복친(有服親)의 하나. 종조부모(從祖父母)·외조부모(外祖父母)·외삼촌·이모(姨母)·형수(兄嫂)·계수(季嫂)·재종 형제(再從兄弟)·종질(從姪)·종손(從孫)·시고모(媤姑母) 및 남편의 형제 자매와 그 아내 등을 이름.

소:-공후【小箜篌】명〖악〗공후의 하나. 수(竪)공후보다 좀 작고, 줄을 가는 철사로 맨 13 현(絃)의 현악기.

소:과[1]【小科】명〖역〗생원(生員)과 진사(進士)를 뽑던 과거. 감시(監試). 사마시(司馬試).

소:과[2]【小過】명 ①작은 잘못. ↔대과. ②〖민〗↗소과괘(小過卦).

소:과[3]【所課】명 ①부과(賦課)하는 일. ②고과(考課)하는 일. ——-하다 타여불

소과[4]【蔬果】명 나물과 과실.

소:과-괘【小過卦】명〖민〗육십사 괘의 하나. 진괘(震卦)와 간괘(艮卦)가 거듭된 것으로 산 위에 우레가 있음을 상징함. ㊀소과(小過).
소과리 명〈옛〉쏘가리. ¶소과리 궐(鱖)《字會 上 20》.
소:과 무불잔멸【所過無不殘滅】명 가는 곳마다 잔인한 짓을 함. ——-하다 형여불
소:과 복시【小科覆試】명〖역〗회시(會試).
소:과 초시【小科初試】명〖역〗감시(監試)❷.
소:관¹【小官】㊀명 지위가 낮은 관리. 미관(微官). ㊁인대 관리가 상관에 대하여 스스로 자기를 낮추어 일컫는 말. 소직(小職).
소:관²【小管】명 작은 관.
소:관³【所管】명 맡아 다스리는 바. ¶내무부 ~/~ 업무.
소:관⁴【所關】명 관계되는 바. ¶팔자 ~이다.
소:관⁵【所觀】명 ①〖불교〗보이는 것. 보여지는 것. ②보고 느껴지는 바.
소:관⁶【素官】명 낮은 벼슬 또는 청빈한 벼슬.
소관⁷【韶關】명〖지〗'사오관(韶關)'을 우리 음으로 읽은 이름.
소관⁸【蕭關】명〖지〗중국 닝샤후이족 자치구(寧夏回族自治區)의 남부, 구위안 현(固原縣) 동남의 옛 관(關). 관중(關中)의 사관(四關)의 하나.
소:-관목【小灌木】명 키가 아주 작은 관목. 난쟁이나무. 작은떨기나무.
소:관-사【所關事】명 관계가 있는 일. ¶그것은 내 ~가 아니다.
소:관-자【小管子】명〖악〗목동(牧童)들이 불던 피리의 하나. 소리가 청량(淸亮)하고 불기 쉬움. 오래 묵은 황죽(黃竹)이나 큰 새의 뼈로 만듦.
소:관-청【所管廳】명 관장하여 다스리는 관청.
소:-괄호【小括弧】명〖수〗작은 괄호. 곧, '( )'를 말함. 손톱묶음.
소광¹【昭光】명 밝게 반짝이는 빛.
소:광²【素光】명 달빛 따위의 흰 빛을 이름.
소광³【消光】명 ①날을 보냄. 하는 일 없이 세월을 보냄. 소일(消日). ②어두워짐. ③〖물〗복굴절성 결정(複屈折性結晶)의 얇은 조각을 광물 현미경의 재물대(載物臺) 위에 놓고 회전시킬 때 1회전 동안 4회, 곧, 90° 마다 한 번씩 결정판(結晶板) 안에서의 빛의 진동 방향과 아래위의 직교 니콜(直交 nicol)의 진동 방향이 일치되어 어둡게 보이는 현상. ——-하다 자여불
소광⁴【疎狂】명 너무 지나치게 소탈(疎脫)하여 상규(常規)에 벗어나는 일. ——-하다 형여불
소광⁵【韶光】명 화창한 봄 빛. 춘광(春光). 소경(韶景).
소광-위【消光位】명〖물〗소광 현상이 일어나는 위치.
소:괴¹【小塊】명 작은 덩어리.
소괴²【燒塊】명〖화〗클링커(clinker).
소-괴기 명〈방〉쇠고기(강원·충북·경상).
소:괵【小斛】명 옛날 민가(民家)에서, 곡류(穀類) 열다섯 말을 되는 데 쓰던 양기(量器). 평석(平石). ↔대괵(大斛).
소:교¹【小巧】명 바둑에서, 기력(棋力)의 단계를 나타내는 말의 하나. 조금 재주를 부릴 줄 안다는 뜻으로 4단(段)을 이르는 말. *용지(用智).
소:교²【素轎】명 상인(喪人)이 타는 희게 꾸민 교자(轎子).
소:-교목【小喬木】명〖식〗교목 중 키가 그다지 크게 자라지 않는 나무. 매화나무·복숭아나무·배나무 등. 작은큰키나무.
소:-교의【素交椅】[—/—이] 명 장사 지내기 전에 신위(神位)를 모시는 희게 꾸민 교의(交椅).
소곰 타〈옛〉속임. '소기다'의 활용형. ¶怨望과 諂과 소곰과 憍慢괘라(恨諂誑慢)《圓覺 上 一之一 30》.
소:구¹ 명〖악〗←소고(小鼓)❷.
소:구²【小口】명 ①조금 열린 틈. ②적은 식구(食口).
소:구³【小丘】명 작은 언덕. 작은 산.
소:구⁴【小球】명 작은 공.
소:구⁵【小舅】명 시숙(媤叔).
소구⁶【訴求】명〖법〗소송(訴訟)에 의하여 권리를 행사하는 일. 특히, 청구권을 행사함을 이름. ——-하다 타여불
소구⁷【遡求】명 ①거슬러 구함. ②〖법〗어음이나 수표의 지급이 없거나 또는 지급이 현저하게 불확실하게 되었을 때 그 어음이나 수표의 소지인이 어음의 작성이나 유통에 관여한 자에 대하여 어음 금액 기타 비용의 변상을 청구하는 일. ——-하다 타여불
소:-구경【小口徑】명 총포의 구경이 작은 것.
소구-권【遡求權】[—꿘] 명〖법〗어음 또는 수표의 소지인이 소구(遡求)할 수 있는 권리.
소구권-자【遡求權者】[—꿘—] 명〖법〗소구권(遡求權)을 가진 사람.
소구 금액【遡求金額】명〖법〗소구권자가 소구 의무자에 대하여 청구할 수 있는 금액. 상환 금액.
소구리 명 ①〈방〉바구니(경상). ②〈방〉소쿠리(경상).
소구리-도【—島】명〖지〗경상 남도 진해시(鎭海市)의 앞바다, 명동(明洞)에 위치한 섬. [0.01 km²]
소구망이 명〈방〉소구멍.
소구멍 명〖광〗광산에서 천장에 뚫는 남폿구멍.
소:-구분【小區分】명 작게 구분함. 또, 그 구분. ↔대구분(大區分). ——-하다 타여불
소-구영 명〈방〉구유¹(강원).
소-구융 명〈방〉구유¹(경기).
소:구-잡이 명〖악〗←소고잡이.
소:구-채 명〖악〗←소고채.
소:구-춤 명 ←소고춤.
소:-구치【小臼齒】명〖생〗앞어금니. ↔대구치.
소구 한:묘【燒溝漢墓】명 사오거우 한묘.
소:-국¹【素—】[—꾹] 명 ☞솟국.
소:국²【小局】명 ①좁은 국량(局量). ②작은 판국.
소:국³【小國】명 작은 나라. 소방(小邦). ↔대국(大國).
소:-국민【少國民】명 나이 어린 국민. 어린이.
소:국-주【小麴酒·少麴酒·素麴酒】명 막걸리의 한 가지. 찹쌀로 담그는데, 누룩을 적게 씀. 맑은 수정 빛깔이며, 그 맛이 썩 좋음. 충청 남도 서천군(舒川郡) 한산(韓山)에서 나는 것이 특히 유명함.
소:군¹【小君】명 ①제후(諸侯)의 아내. ②〖역〗고려 때 천첩(賤妾)의 소생으로 중이 된 왕자를 일컫던 말.
소:군²【小郡】명 면적이 좁은 군(郡). 작은 군. 작은 고을. ↔대군(大郡).
소:군³【小群】명 작은 무리. 작은 떼. ↔대군(大群).
소굴【巢窟】명 도둑·악한(惡漢)들의 본거지. 굴혈(窟穴). 소혈(巢穴). 와굴. ¶부랑자의 ~. ㊀굴(窟).
소굼 명〈방〉소금¹(경기·강원·충청·전남·경상).
소굼-쟁이 명〈방〉잠자리²(강원).
소굿-하다 형여불 소곳하다.
소:궁【小宮】명〖악〗오음 약보(五音略譜)에서, 궁(宮)에서 위아래로 다섯번째의 음(音). 곧, 상오(上五)나 하오(下五)의 이름. *탁궁(濁宮)·청궁(淸宮).
소:권¹【小圈】[—꿘] 명〖수〗①작은 권점(圈點). 소원(小圓). ②구(球)의 중심을 통과하지 아니하는 어떤 평면(平面)과 구의 중심이 수직으로 만난 점을 중심으로 하는 원. 소원(小圓). ↔대권(大圈).
소권²【訴權】[—꿘] 명〖법〗민사 소송법상(民事訴訟法上) 법원에 소송을 제기(提起)하여 심판(審判)을 요구할 수 있는 권리. 판결 청구권(判決請求權).
소-귀귀 명〈방〉쇠고기(경북).
소귀-나무 명〖식〗[*Myrica rubra*] 소귀나뭇과에 속하는 상록 활엽 교목. 높이 10-20 m, 잎은 도피침형이며 표면 주맥(主脈)이 거의 오목 들어갔음. 4월에 황홍색의 자웅 이가(雌雄異家)의 꽃이 액생(腋生)하여 피는데 수꽃이삭은 원기둥꼴이고 암꽃이삭은 달걀꼴 타원형에 화피(花被)가 없음. 열매는 구형의 핵과(核果)로 6-7월에 검은 홍색으로 익음. 산록(山麓) 양지에 나는데, 제주도·일본·대만·중국에 분포함. 수피(樹皮)는 염료용(染料用), 과실은 식용함. 양매(楊梅). 산도(山桃). ㊀속나무.

〈소귀나무〉

소귀나뭇-과【—科】명〖식〗[Myricaceae] 쌍자엽 식물 이판 화류(離瓣花類)에 속하는 한 과. 교목으로 전세계에 40종, 한국에는 소귀나무 1종이 분포함.
소:-규모【小規模】명 일의 범위가 좁고 작은 규모. ↔대규모(大規模).
소:규모 기업【小規模企業】명 규모가 작은 기업. 소기업(小企業).
소그드〔Soghd〕명〖지〗소그디아나.
소그디아나〔Sogdiana〕명〖지〗고대 페르시아 제국의 주(州). 중앙 아시아(中央 Asia) 사마르칸트(Samarkand)를 중심으로 하는 제라프샨강(Zeravšhan 江) 유역(流域)에 해당하며, 현재 대부분은 우즈베키스탄 공화국에, 일부는 타지키스탄 공화국에 속함. 고래로 동서 교역의 요지임. 소그드.
소:극¹【小隙】명 ①작은 틈새. ②사소한 불화(不和).
소극²【消極】명 ①일에 대해서 자진해서 하려 하지 않음. 부정(否定)·음(陰)·정(靜)·수동(受動)·보수(保守)·부(負) 등을 나타내는 말. ¶~성(性)/~책(策). ↔적극(積極). ②〖물〗감극(減極).
소:극³【笑劇】명〖연〗유럽 중세의 익살과 웃음거리를 주로 한, 비속(卑俗)한 희극. 특히, 15세기 프랑스에서 성행함. 파스(farce).
소극⁴【素劇】명〖연〗직업 배우가 아닌, 연극 애호가가 하는 극. 소인극(素人劇).
소극 개:념【消極概念】명〖논〗부정적 개념(否定的槪念).
소극 대:리【消極代理】명〖법〗민법상(民法上) 본인(本人)의 대리인(代理人)으로서, 제삼자로부터의 의사 표시를 수령(受領)하는 일. 수동 대리(受動代理). ↔적극 대리(積極代理).
소극 명사【消極名辭】명〔negative term〕〖논〗부정적인 개념을 나타내는 명사. 곧, 부정직(不正直)·무학(無學) 등. 소극적 명사. 부정 명사(否定名辭). 부정적 명사(否定的名辭). ↔적극 명사(積極名辭).
소극 명:제【消極命題】명〖논〗부정 명제(否定命題).
소극 방공【消極防空】명〖군〗적의 공습에 대하여, 엄폐(掩蔽)·은폐(隱蔽)·소개(疏開) 등의 방법에 의한 방공. ↔적극 방공.
소극 방어【消極防禦】명〔passive defense〕〖군〗주도권을 장악하려는 기도 없이, 다만 적의 행동으로 인한 손상의 가능성을 감소시키고, 그 효과를 최소한으로 국한시키기 위하여 취하는 방책.
소극-성【消極性】명 소극적인 성질. ↔적극성.
소극 신:탁【消極信託】명〖법〗민법상(民法上) 신탁(信託)을 받은 사람이 신탁 재산의 권리자(權利者)가 될 뿐, 점유(占有)·관리(管理)·처분(處分)을 할 의무를 부담하지 아니하는 신탁.
소극 의:무【消極義務】명〖법〗어떠한 일정한 행위를 하지 아니하는 의무. 이를테면 전망(展望)을 방해하는 건축물을 세우지 않는 따위의 의무. 부작위(不作爲) 의무. ↔적극 의무.
소:-극장【小劇場】명〖연〗소규모의 극장. 대극장(大劇場)에서의 상업주의적인 연극을 부정하고, 연극 본래의 예술성 추구, 실험 연극(實驗演劇)의 시연(試演) 및 관객과의 친화(親和)를 목적으로 만들어졌음.
소:극장 운:동【小劇場運動】명〖연〗19세기 말부터 20세기 초에 걸쳐 일어난, 연극을 상업주의(商業主義)에서 해방시켜 새로운 연극 활동을 시도하려는 운동. 근대 극운동(劇運動)의 선구가 되었음.
소극 재산【消極財産】명〖법〗채무(債務)·부채(負債)의 일컬음. ↔적극

재산(積極財產).
소극-적【消極的】[명][관] 자진해서 일을 하지 않으려는 모양. 소심(小心)한 모양. ↔적극적.
소극적 개:념【消極的槪念】[명]〖논〗부정적 개념.
소극적 공:동 소송【消極的共同訴訟】[명]〖법〗민법상(民法上) 피고(被告)가 여럿인 때의 공동 소송.
소극적 권한 쟁의【消極的權限爭議】[—/—이] [명]〖법〗권한 쟁의의 한 가지. 어떤 사항에 대하여 관계 기관(關係機關)끼리, 서로 자기 권한에 속하지 아니함을 주장하는 쟁의(爭議).
소극적 급부【消極的給付】[명] 채권(債權)의 목적(目的)으로서의 채무자(債務者)의 부작위(不作爲). ↔적극적 급부(積極的給付).
소극적 명:령【消極的命令】[—녕] [명] 어떤 일을 하지 말라는 명령. ↔적극적 명령.
소극적 명사【消極的名辭】[명]〖논〗소극 명사.
소극적 명:제【消極的命題】[명]〖논〗부정 명제(否定命題).
소극적 손:해【消極的損害】[명]〖법〗재산적 손해(財產的損害)의 하나. 꼭 얻을 수 있는 재산 취득(財產取得)이 방해됨으로써 생기는 손해. 곧, 노동자가 부상(負傷)을 당하여 휴업(休業)하였기 때문에 임금을 받지 못하는 손해 따위. ↔적극적 손해. 「적 의지.
소극적 의:지【消極的意志】[명]〖논〗제 욕망을 억제하는 의지. ↔적극
소극적 이:익【消極的利益】[명]〖법〗이미 있는 재산에서 생긴 이익. 곧 채권자(債權者)가 채무자(債務者)로부터 취득(取得)할 물건을 다른 사람에게 더 비싸게 팖으로써 얻는 이익 따위.
소극적 잔상【消極的殘像】[명] 〔negative afterimage〕〖심〗보통 정도로 밝은 대상물을 비교적 오래 주시(注視)한 뒤에 일어나는, 본디 자극의 성질과는 반대의 성질을 가지는 잔상. ↔적극적 잔상.
소극적 지역권【消極的地役權】[명]〖법〗민법상(民法上) 승역지(承役地) 소유자로 하여금 어떤 일을 하지 못하게 하는 것을 내용으로 하는 지역권. 곧, 승역지 소유자로 하여금 일정한 한계 안에서 가옥(家屋)의 건축 또는 다른 공사를 못하게 하는 일 따위. 부작위 지역권(不作爲地役權). [준]소극 지역(消極地役).
소극적 판단【消極的判斷】[명]〖논〗부정 판단(否定判斷).
소극-제【消極劑】[명]〖물〗감극제(減極劑).
소극 조건【消極條件】[—껀] [명]〖법〗어떤 사실(事實)이 발생하지 아니함으로써 이루어지는 조건.
소극-주의【消極主義】[—/—이] [명] ①〖철〗회의론이나 불가지론을 주장하는 입장. 또, 현상계의 실재(實在)를 부정하는 입장. ②자진해서 행위를 하려고 하지 않는 생각이나 입장. 소극적인 태도를 취하는 경향. ↔적극주의(積極主義).
소극 지역【消極地役】[명]〖법〗↗소극적 지역권(消極的地役權).
소극-책【消極策】[명] 소극적인 방책. ↔적극책(積極策).
소극 행위【消極行爲】[명]〖법〗부작위(不作爲). ↔적극 행위.
소근-거리다 [자] ☞소곤거리다. 소근-소근 [부]. ——하다 [자][타][여불]
소금[1] [명] 〔중세: 소곰〕 ①〖화〗음식의 간을 하는 데 쓰이는, 짠맛 나는 결정체. 주성분은 염화(塩化) 나트륨. 광상(鑛床) 또는 바닷물에 있음. 용도는 퍽 넓어서, 양념·방부제로 쓰이고, 공업용으로는 수산화 나트륨·탄산 나트륨·염소(塩素)·염산(塩酸) 등의 제조 원료로 쓰임. *식염. ②〖성〗소금이 물건의 썩는 것을 막고 음식에 맛을 나게 하는 성질이 있는 데서, 참 신자(信者)로서 지녀야 할 사회 도덕을 순화 향상시키는 사명(使命)을 비유한 말.
[소금도 곰팡난다] 절대로 탈이 생기지 않는다고 단언할 수는 없다는 말. [소금 먹은 놈이 물을 켠다] 죄지은 사람이 벌을 당한다는 말. [소금 먹던 게 장을 먹으면 조갈병에 죽는다] 장이 맛이 좋아 너무 먹다가 조갈병이 든다는 뜻으로, 없이 살던 자가 좀 돈이 생기면 사치에 빠지기 쉽다는 말. [소금 먹은 소 굴우물 들여다보듯] 목은 마르지만, 우물은 깊어서 마실 수 없으므로 우물 속만 뚫어지게 들여다본다는 뜻으로, 무슨 일을 골똘하게 생각함을 이름. [소금 섬을 물로 끓이라면 끓이어라] 어떤 명령에도 순종하라는 말. [소금 실은 배만하다] 소금 실은 배가 조금은 짠 것같이, 촌수를 따질 때 남은 아니고 아주 먼 인척 관계가 있음을 이름. [소금에 아니 전 놈이 장에 절까] 그보다 더 큰 일에도 이기어 낸 사람이 그런 일에 넘어갈 리 없다는 말. [소금으로 장을 담근다 해도 곧이 듣지 않는다] ㉠평소에 거짓말을 잘하는 사람의 말은 도무지 믿을 수 없다는 말. ㉡남의 말을 믿지 않는다는 뜻. ¶콩으로 메주를 쑤고 소금으로 장을 담근다 하여도 도무지 곧이 들리지 아니하니≪토끼傳≫.
소금도 없:이 간: 내:먹다 [구] ㉠준비나 밑천 없이 큰 이득을 차지하려 하다. ㉡몹시 인색하다.
소금 들고 덤빈다 [구] 부정(不淨)을 대하듯 한다는 뜻. ¶평양집 말이라면 팥으로 메주를 쑨대도 곧이 듣고 이씨 부인의 말이라면 한 손에 소금을 들고 덤비는 터이라 ≪李海朝:鬢上雪≫.
소금 먹은 푸성귀 [구] 기가 죽어 후줄그레한 사람을 두고 이르는 말.
소금이 쉰:다 [구] 그럴 리가 없다는 말.
소금이 쉴: 때까지 해보자 [구] 끝까지 해보자.
소:금[2]【小金】[명]〖악〗국악의 타악기의 하나. 대금(大金)보다 작아 면(面)의 지름 28 cm, 울의 운두 5 cm이며, 붉은 칠을 한 나무 망치로 침. 제례악(祭禮樂)에 쓰임. 농악(農樂)에 쓰일 때에는, 꽹과리라 이름. *징[2]·나(鑼).
소:금[3]【小笒】[명]〖악〗삼금(三笒)의 하나. 중금(中笒)보다 작고, 일곱 구멍이 뚫렸음.
소:금[4]【小禽】[명] 작은 새. 소조(小鳥). 「문고.
소:금[5]【素琴】[명] ①아무런 장식도 없는 질박한 거문고. ②줄이 없는 거
소금[6]【銷金】[명]〖미술〗초상화를 그릴 때에, 그 옷에 금으로 비단 무늬를 칠하는 일. 또, 그 그림. ——하다 [자][여불]
소:-금강【小金剛】[명]〖지〗강원도 강릉시(江陵市) 연곡면(連谷面)에 있는 경승지(景勝地). 오대산(五臺山) 국립 공원의 일부로, 공원 전 면적의 4분의 1에 해당함.
소금-구이 [명] ①바닷물을 달여서 소금을 만드는 일. 또, 그 일을 하는 사람. ②생선(生鮮)이나 쇠고기 따위에 양념을 하지 않고 소금만 쳐서 굽는 일. 또, 그 고기. ——하다 [자][여불]
소금-국 [—꾹] [명] 염탕(塩湯).
소금-기【—氣】[—끼] [명] 염분(塩分).
소금 깍두기 [명] 소금을 넣고 담근 깍두기. ↔장깍두기.
소:-금대【素金帶】[명]〖역〗조선 시대 때, 종이품(從二品)의 조복(朝服)·제복(祭服)·상복(常服)에 띠는 금띠. 조각하지 않은 황금 띠돈을 달음.
소금 대통【—桶】[—때—] [명] 양치질에 쓰는 소금을 넣어 두는 대통.
소금-물 [명] 소금을 녹인 물. 또, 짜디짠 물. 염수(塩水).
소금-바다 [명] 염분을 포함한 바다. 곧, 보통의 바다.
소금-밥 [명] ①↗소금엣밥. 염반(塩飯). ②소금물을 묻히어 뭉친 주먹밥. ③소금을 섞은 밥. 농가에서 염증(炎症)을 풀게 하는 데 고약처럼 씀.
소금-버캐 [명] 소금이 엉기어서 굳어진 덩이.
소:-금안효【小金眼梟】[명]〖조〗금눈쇠올빼미.
소금엣-밥 [명] 반찬이 변변하지 못한 밥. 염반(塩飯). [준]소금밥.
소금 장사 [명] 소금을 파는 장사.
소금 장수 [명] 소금 장사를 업으로 하는 사람.
소금-쟁이 [명]〖충〗①소금쟁잇과에 속하는 애소금쟁이·좀등빨간소금쟁이 등의 총칭. ②[*Aquarius polludum*] 소금쟁잇과에 속하는 곤충. 몸길이 15 mm 내외이고, 몸빛은 일률적으로 흑색이나 전흉배(前胸背)의 전연(前緣)에 갈색 세로띠가 있으며, 정중선(正中線)은 불룩하게 융기(隆起)하였음. 발은 길고 끝에는 털이 있어서 물 위를 달리며 팔딱팔딱 튀어다니기도함. 못·개천·염분(塩分)이 많은 물에 군서(群棲)하며 구북구(舊北區) 및 동양에 널리 분포함. 수민(水黽).
소금쟁잇-과【—科】 [명]〖충〗[Gerridae] 매미목(目)에 속하는 한 과. 몸길이 15-30 mm이고 두부(頭部)는 짧으며, 복안(複眼)은 크게 돌출하였고, 촉각과 구문(口吻)은 4절(節)이며, 흉부는 크고 배면(背面)은 둥긂. 무시형(無翅型) 또는 유시형인데 다리는 가늘고 길며, 뒷다리 퇴절(腿節)은 복부 말단보다 긺. 물 위를 긴 다리로 다니면서 동물을 잡아먹음.

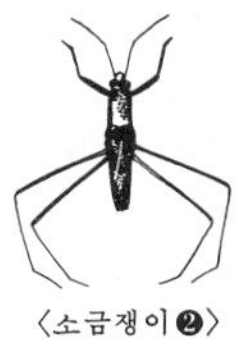
〈소금쟁이❷〉

소금-적 [명] ☞소금쩍.
소금-절이 [명] 고기·채소 등을 소금에 절임. 또, 그 고기나 채소. ——하다 [타][여불]
소:-금정【小金井】[명] 관(棺)이나 송장을 덮는 제구. 대나 나무의 오리로 만들고 거죽을 종이로 바름.
소금-죽【—粥】[명] 소금으로 쑨 죽. 몹시 짠 것을 비유하는 말.
소금-쩍 [명] 물건의 거죽에 소금 기운이 내솟아서 엉긴 조각.
소금 편포【—片脯】[명] 소금을 쳐서 만든 편포. ↔장편포.
소급【遡及】[명] 지나간 일에까지 거슬러 올라가서 미침. ¶형벌은 그 법의 공포 이전의 행위에 ~할 수 없다. ——하다 [자][여불]
소급-력【遡及力】[—녁] [명]〖법〗새로 제정·공포된 법령이, 그 법률의 시행(施行) 이전에 일어난 일에까지 거슬러서 미치는 힘.
소급적 보:육법【遡及的保育法】[명] 육아 과정에서, 특히 정신 발달이 뒤진 아이에 대하여, 그 원인에까지 거슬러 올라가 교육을 되시작하는 방법.
소급-효【遡及效】[명]〖법〗①법률이나 법률 요건(要件)의 효력이 그 시행(施行) 이전에 일어난 일에까지 거슬러 미치는 일. ②법률 행위나 그밖의 일반의 법률 요건(法律要件)의 효력이 그 성립 이전까지 거슬러 미치는 일. 특정(特定)의 경우에 한하여 인정됨.
소긋-하다 [형][여불] ☞소곳하다.
소:기[1]【小技】[명] 조그마한 재주.
소:기[2]【小朞】[명] 소상(小祥).
소:기[3]【小器】[명] ①작은 그릇. ②작은 기량(器量). 1)·2):↔대기(大器).
소:기[4]【小饑】[명] 그리 심하지 않은 작은 기근(饑饉). 평년(平年)보다 수확이 3분 1 정도 감소된 해를 일컬음. *대기(大饑)·중기.
소:기[5]【少妓】[명] 어린 기생.
소기[6]【沼氣】[명]〖화〗메탄(methane)
소:기[7]【所記】[명]〖언〗'시니피에(signifié)'의 역어(譯語).
소:기[8]【所期】[명] 기대한 바. ¶~의 목적을 달성하다.
소:기[9]【笑氣】[명]〖화〗'일산화 이질소(一酸化二窒素)'의 속칭.
소:기[10]【素氣】[명] 가을의 기운. 추기(秋氣).
소기[11]【搔器】[명]〖고고학〗긁개❷.
소기[12]【疎棄】[명] 탐탁하지 않아서 버림. 소폐(疏廢). ——하다 [타][여불]
소기[13]【燒棄】[명] 태워서 버림. ——하다 [타][여불]
소기[14]【騷氣】[명] 멋 있고 아담한 기질(氣質).
소:-기관【小器官】[명]〖생〗세포 기관(細胞器官).
소:-기기 [명] 〈방〉 쇠고기(경북).
소기다 [타] 〈옛〉 속이다. ¶소길 광(誆), 소길 잠(賺)≪字會 下 20≫.
소:기 마취법【笑氣痲醉法】[—뻡] [명]〖의〗일산화 질소(一酸化窒素)나 일산화 이질소 따위의 흡입에 의한 마취법. 에테르 따위와 병용됨.
소:-기업【小企業】[명] 소규모의 기업(企業).
소:기 작용【掃氣作用】[명] 2 사이클(cycle)식 내연 기관(內燃機關)에서, 공기를 들여보냄으로써 연소한 가스를 실린더로부터 밀어내는 작용.

소:기점-도【小奇點島】명〖지〗전라 남도의 서해상, 신안군(新安郡) 증도면(曾島面) 병풍도리(屛風島里)에 위치한 섬. [0.20 km²]

소:기-제【掃氣劑】명 엔진의 연소실 내부에 침착(沈着)하는 물질을 줄이기 위해 연료 안에 첨가하는 소량의 물질.

소:-기후【小氣候】명〖기상〗골짜기·사면(斜面)·경지(耕地)·도시 같은 좁은 지역의 기후. *대(大)기후·미(微)기후·중(中)기후.

소:-깍두기【素—】명 젓국을 치거나 양념을 하지 아니하고 소금에만 절이어 담근 깍두기.

소끌기 명〈방〉누룽지(강원).

소꼽 명 ☞소꿉.

소꼽장 명〈방〉소꿉장난(경남).

소꼽-장난 명 ☞소꿉장난.

소꼽-질 명 ☞소꿉질.

소꾸다 타〈방〉솎다(평안).

소꾸리 명〈방〉소쿠리(경남).

소꿉 명〔근대 : 속곱〕아이들이 소꿉질하는 데 쓰는 자질구레한 그릇 따위 장난감의 통칭.

소꿉-놀이 명 소꿉질하며 노는 놀이. ——**-하다** 자여불

소꿉-동무 명 어린 시절에 소꿉질을 같이 하며 놀던 동무. ¶그녀는 나의 ~였다.

소꿉-사리 명〈방〉소꿉장난(충남).

소꿉-장난 명 소꿉질하며 노는 장난. ——**-하다** 자여불

소꿉-질 명 아이들이 자질구레한 그릇 등을 가지고 음식을 만들며 살림살이하는 흉내를 내는 짓. ——**-하다** 자여불

소나:【SONAR】명〔sound navigation and ranging의 약칭〕음파·초음파를 사용하여 수중의 물체의 탐지·수심 측정(水深測定) 따위를 행하는 방식의 총칭. 좁은 뜻으로는 음향 측심기(音響測深機)·수중 청음기(水中聽音機)·어군 탐지기(魚群探知機) 따위를 말함. 음파 탐지기.

소나-그래프〔sonagraph〕명 음향 스펙트로그래프의 하나. 음성이나 소리를 주파수 분석하여 가로축(軸)에 시간, 세로축(軸)에 주파수를 잡아 분석한 주파수가 갖는 에너지를 농담(濃淡)으로 기록하도록 한 장치. 소음(騷音)·성문(聲紋)의 연구 따위에 이용함. 1914년경부터 미국의 벨 전화 연구소 등에서 연구·시작(試作)되었음.

소나-그램〔sonagram〕명 소나그래프에 의해 얻어지는 기록도(記錄圖).

소나기 명〔중세 : 쇠나기〕갑자기 세차게 쏟아지다가 곧 그치는 비. 특히 여름에 많은데, 바람이 불고 천둥이 치는 수가 있음. 소낙비. 백우(白雨). 취우(驟雨).

[소나기 삼형제] 소나기는 반드시 세 줄기로 쏟아진다는 말.

소나기-구름 명〖기상〗적란운(積亂雲).

소나기-매 명 갑자기 세찬 기세로 연달아 때리는 매.

소나기-밥 명 보통 때는 조금 먹다가 어떤 때는 갑자기 많이 먹는 밥.

소나기-술 명 보통 때는 먹지 아니하다가도 입에만 대면 한정 없이 먹는 술.

소나기 펀치〔punch〕명 갑자기 세찬 기세로 퍼붓는 펀치.

소나모 명〈옛〉소나무. ¶소나못 것 수른지 두돈(松樹皮燒灰二錢)≪救方下 11≫.

소-나무 명〔←솔나무〕〖식〗①소나뭇과(科)에 속하는 식물의 총칭. 솔. 목공(木公). 송목(松木). 송수(松樹). ②[*Pinus densiflora*] 소나뭇과에 속하는 상록 침엽 교목. 높이 30 m, 둘레 6 m 가량이며 나무 껍질은 검붉고 비늘 모양인데, 잎은 침형(針形)이고 두 잎이 모여 남. 꽃은 5월에 자웅 일가(雌雄一家)로 피는데, 수꽃이삭은 긴 타원형에 황색, 암꽃이삭은 달걀꼴에 자색이고, 구과(毬果)는 다음해 9-11월에 익음. 산록에 나는데, 북부의 고원 지대를 제외한 한국 각지 및 일본·만주 등에 분포함. 건축재·침목(枕木)·도구재·땔감으로 쓰고, 또 정원수로 심음. 화분(花粉)은 식용, 잎은 약용 및 식용, 수지(樹脂)는 약용 및 공업용임. 적송(赤松). 육송(陸松).

〈소나무❷〉

[소나무가 무성하면 잣나무도 기뻐한다] 자기 동류(同類)가 잘 되는 것을 좋아한다는 말.

소나무-겨우살이 명〖식〗[*Usnea longissima*] 소나무겨우살잇과에 속하는 기생(寄生) 지의류(地衣類). 길이 6-8 m 이나 4 cm짜리도 있음. 잔가지가 털 모양으로 되어 서로 엉클어져 있고, 사상(絲狀)의 것도 있으며, 몸의 중앙부에 밀접한 균사층(菌絲層)으로 된 강한 중축(中軸)이 있는 것이 특징임. 빛은 담녹색임. 깊은 산의 소나무 가지 등에 기생하며, 한국·일본 등에 분포함. 사원(寺院) 등의 정원수에 기생시키기도 함. 한방(韓方)에서 이뇨(利尿)·거담제(祛痰劑)로 쓰며, 결핵균(結核菌)에 대한 항균성(抗菌性)을 보이고 있음. 송라(松蘿).

〈소나무겨우살이〉

소나무겨우살잇-과【—科】명〖식〗[Usneaceae] 지의류(地衣類) 식물의 한 과. 전세계에 450 종이 있음.

소나무-깍지벌레 명〖충〗[*Poliaspis pini*] 사철나무깍지벌렛과의 곤충. 암컷의 개각(介殼)은 길이 2-4 mm, 수컷은 1 mm 내외이며, 배면은 융기하였고, 몸빛은 갈색 내지 농갈색임. 소나무 종류의 잎에 기생하는데, 한국·일본·대만에 분포함.

소나무-비단벌레【—緋緞—】명〖충〗[*Chalcophora japonica*] 비단벌렛과에 속하는 곤충. 몸길이 29-40 mm 이고, 몸빛은 청동색(青銅色) 내지 금동색(金銅色)인데, 때로는 녹색을 띠며, 전배판(前背板) 및 시초(翅鞘)의 네 개의 세로 융기(隆起)한 줄은 동흑색(銅黑色)임. 유충은 말라 죽은 소나무 종류의 재목(材木)에 서식하는 해충임. 한국·일본·중국·인도 등지에 분포함.

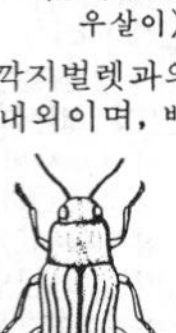
〈소나무비단벌레〉

소나무-좀 명〖충〗[*Mylophilis piniperda*] 나무좀과에 속하는 곤충. 몸길이 4-5 mm 이고, 몸은 긴 달걀꼴에, 몸빛은 광택 있는 흑갈색 또는 흑색이며, 온 몸에 회색 털이 덮이고, 촉각은 황갈색이며 끝이 달걀꼴임. 유충은 백색에 황색을 띠고, 한 해에 한 번 발생함. 소나무류의 줄기에 침입하여 번식하고, 40-60 개의 알을 낳음. 한국·일본에 분포함.

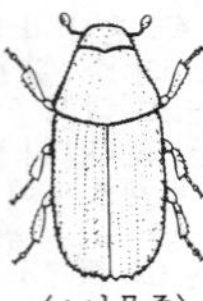
〈소나무좀〉

소나무-큰진딧물 명〖충〗[*Cinara pinea*] 진딧물과의 곤충. 몸길이 2.8-3.3 mm, 몸빛은 흑갈색 또는 흑색임. 긴 강모(剛毛)가 있음. 날개가 없는 것도 있음. 소나무에 기생함. 한국·일본·유럽에 분포함.

〈소나무큰진딧물〉

소나무-하늘소【—소】명〖충〗[*Rhagium inquisitor rugidenne*] 하늘솟과에 속하는 곤충. 몸길이 12-20 mm 이고, 몸빛은 암갈색 내지 흑갈색에, 회백색 털이 밀생함. 시초(翅鞘)에는 회황색과 광택 있는 흑색의 무늬와 융기(隆起)한 세 개의 줄이 각각 있음. 유충은 소나무·가문비나무 등의 해충임. 한국·일본 등지에 분포함.

소나뭇-과【—科】명〖식〗[Pinaceae] 현화식물(顯花植物) 나자류(裸子類)에 속하는 한 과. 대개 상록 교목으로 전세계의 아한대(亞寒帶) 지방에 100 여종이 분포하며, 2 엽송(葉松)과 5 엽송으로 크게 구별함. 백송·소나무·잣나무·해송(海松)·리기다소나무 등이 있음.

소나이 명〈방〉사나이.

소나타〔이 sonata〕명〖악〗16세기 중엽의 바로크 초기 이후에 유행하던 곡. 즉 칸타타와 별개로 발달한 악곡의 한 형식. 원칙적으로 표제(標題)가 없는 절대 음악적인 기악을 위한 독주곡 또는 실내 악곡으로, 2악장 이상의 복악장(複樂章)으로 이루어짐. 원칙적으로 제1악장은 소나타 형식에 의한 조급한 곡, 제2악장은 선율적이고 완만한 가요풍의 곡, 제3악장은 미뉴에트 무곡(menuet 舞曲)이나 스케르초(scherzo), 제4악장은 론도(rondo)나 그 밖의 급속한 종곡(終曲)으로 구성됨. 피아노 독주 또는 바이올린과 피아노, 첼로와 피아노 등의 이중주(二重奏)로 연주됨. 주명곡(奏鳴曲).

소나타 다 카메라〔이 sonata da camera〕명〖악〗17세기 이탈리아 바로크 시대의 실내 소나타. 무곡(舞曲)의 모음곡 형식(形式)을 취함.

소나타 다 키에자〔이 sonata da chiesa〕명〖악〗교회 소나타. 소나타 다 카메라와 함께 이탈리아 바로크 시대의 기악 형식의 하나. 아다지오·알레그로의 반복에 의한 4 악장 형식을 취했음.

소나타 형식【—形式】〔이 sonata〕명〖악〗소나타 혹은 교향곡의 제1악장에 주로 쓰이는 기악(器樂) 형식의 하나. 제시(提示)·전개(展開)·재현(再現)·종결(終結)의 순서로 악장(樂章)을 정리 완성시키는 것임.

소나티나〔이 sonatina〕명〖악〗소나티네.

소나티네〔도 Sonatine〕명〖악〗〔작은 소나타란 뜻〕형식과 내용이 모두 소규모인 소나타. 대개는 세 악장 이하로 되었으며, 또 각 악장도 짧음. 피아노 교재로서 유명함. 소주명곡(小奏鳴曲). 소나티나.

소낙 명〈방〉우레(함경).

소낙비 명 소나기.

소:난【小難】명 사소한 어려움.

소:난지-도【小蘭芝島】명〖지〗충청 남도 서해상(西海上), 당진군(唐津郡) 석문면(石門面) 난지도리(蘭芝島里)에 위치한 섬. [2.63 km²]

소-날 명〈속〉〖민〗축일(丑日).

소:남-산【小南山】명〖지〗함경 남도 장진군(長津郡) 상남면(上南面)과 신흥군(新興郡) 동상면(東上面) 사이에 있는 산. [1,969 m]

소:남-풍【少男風】명 비가 오기 직전에 급하게 불어오는 바람. ↔소녀풍(少女風)❶.

소:납[1] 명 어떤 일에 각각 소용되는 물건.

소:납[2]【笑納】명 자기가 보내는 물건이 보잘것없는 것이지만 웃고 받아 달라는 뜻으로, 겸손하게 일컫는 말. 소류(笑留). ——**-하다** 타여불

소:낭[1]【小囊】명 ①작은 주머니. ②〖생〗내이(內耳)에 있는 낭상 기관(囊狀器官)의 하나. 달팽이관(管)이 딸려 있으며, 통낭(通囊)과 함께 몸의 위치나 운동 감각을 지배함.

소:낭[2]【嗉囊】명①〖조〗모이주머니. ②〖동〗곤충류·환형(環形) 동물의 소화기. 위(胃)와 비슷한 구실을 함.

소내기 명〈방〉소나기(평안).

소:내 학생【所內學生】명〖역〗신라 시대의 관직의 하나. 성덕왕 20 년(721)에 설치됨. 그 직책은 분명하지 않음.

소넝이 명〈방〉소나기(함경).

소녕당 명〈방〉서낭당.

소네〔프 sonnet〕명〖문〗'소네트(sonnet)'의 프랑스어.

소네 아라스케〔曾禰荒助:そねあらすけ〕명〖사람〗일본의 정치가. 관료파(官僚派)의 수령으로서 중의원(衆議院) 부의장, 사법 대신, 농상 대신, 대장(大藏) 대신 등을 역임. 이토 히로부미 조선 통감(統監) 밑에서 부통감으로 조선에 왔다가 1909년 제2대 통감이 됨. [1849-1910]

소네트〔sonnet〕명〖문〗유럽의 서정시(抒情詩)의 한 형식. 13세기 이탈리아에서 일어나, 낭만파 시대에 각국에 성행하였음. 10 음절(音節) 14 행(行)으로 이루어지는바, 특수한 운(韻)을 띠고, 세련된 기교(技巧)를 요하는 단시형(短詩形). 보통 수십 편 또는 백 수십 편에 걸친 연작(連作)이 많음. 단테·페트라르카·셰익스피어·밀턴 등의 소네트는 특히 유명함. 14 행시. 소네.

소:녀[1]【小女】㊀명 작은 계집아이. ㊁ 인대 여자가 웃어른에게 자기를 겸손하여 일컫는 말.

소:녀[2]【少女】명 아주 어리지 아니하며 또 완전히 성숙하지도 아니한 계집아이. ¶~ 시절. ↔소년(少年). *처녀(處女).

소:녀-단【少女團】명 걸 스카우트.

소:녀 문학【少女文學】명〖문〗소녀를 대상으로 하거나 소녀가 쓴 문

학. 흔히 감상적(感傷的)·서정적(抒情的)인 경향을 띰. ↔소년 문학.

소:녀 소:설【少女小說】명 소녀를 대상으로 한 소설. 소녀에게 알맞게 쓰인 소설.

소:녀 잡지【少女雜誌】명 소녀를 대상으로 한 잡지.

소:녀 취:미【少女趣味】명 청년 전기(青年前期)에 있는 여성에게 공통적으로 보이는 취미. 감상적(感傷的)·몽상적(夢想的) 정서나 그것이 바탕이 되는 취미나 경향을 이름.

소:녀-풍【少女風】명 ①비가 오기 직전에 솔솔 불어오는 미풍(微風). ↔소남풍(少男風). ②소녀다움. 소녀와 같음.

소:년[1]【少年】명 ①아주 어리지 아니하고 완전히 성숙하지도 아니한 사내 아이. ↔소녀(少女). ②〖법〗소년법(少年法) 및 그 관계 법령에 있어서 20세 미만인 자.
【소년 고생은 사서 하랬다】젊었을 때의 고생은 많이 하는 것이 훗날에 크게 도움이 된다는 말.

소:년[2]【少年】명〖책〗①우리 나라 최초의 잡지. 1908년 11월 최남선(崔南善)에 의해 창간되고, 1911년 5월(통권 23호)에 우여 곡절 끝에 발행 정지를 당했음. ②1937년 방응모(方應謨)에 의해 창간된 어린이 잡지. 30년대의 대표적인 아동 잡지였으나 1940년 12월(통권 45호)로 종간됨.

소:년 감별소【少年鑑別所】[—쏘] 명〖법〗법무부 장관에 소속하여, 가정 법원 소년부 또는 지방 법원 소년부로부터 위탁(委託)된 소년을 수용하고, 소년에 대한 조사·심판이나 보호 처분의 집행에 도움을 줄 수 있도록, 의학·심리학·교육학·사회학·사회 사업학 등의 전문적 지식과 기술에 근거하여 소년의 자질을 감별하는 기관.

소:년 감전【少年監典】명〖역〗신라 때의 관청. 상제(上帝)를 제사할 때 연주하는 음악과 관계있는 것으로 추측됨. 경덕왕 4년(745) 7월에 설치됨.

소:년-공【少年工】명 소년인 직공(職工).

소:년 교:도소【少年矯導所】명〖법〗20세 미만의 수형자(受刑者)를 수용하는 교도소. 인천(仁川)·김천(金泉) 두 곳에 있음.

소:년-군【少年軍】명 ①소년들로써 조직된 군대. ②소년단(少年團).

소:년 근로자【少年勤勞者】[—글—] 명 연소자(年少者)인 근로자. 육체적·정신적인 나쁜 영향과, 착취·혹사(酷使)를 방지하기 위하여 근로 기준법상(勤勞基準法上) 특별한 보호를 받게 되어 있음.

소:년-기【少年期】명 소년·소녀로 있을 동안. 일반적으로 아동기(兒童期)의 후반을 가리킴. 만 20세 미만을 말하는 경우도 있으나 독일의 교육학자인 슈프랑거(Spranger, E.)는 8세-12세까지, 교육 사상가 코메니우스(Comenius, J.A.)는 7세-12세까지로 꼽고 있음.

소:년 노동【少年勞動】명 연소 노동(年少勞動).

소:년-단【少年團】명 보이 스카우트. 소년군(軍).

소:년 등과【少年登科】명〖역〗소년으로서 과거에 합격함. ——하다 자여불

소:년 문학【少年文學】명〖문〗소년을 대상으로 하거나 소년이 쓴 문학. 흔히, 영웅적(英雄的)·공상적(空想的)인 내용을 주로 하는 경향이 있음. ↔소녀 문학.

소:년-배【少年輩】명 소년의 또래.

소:년-범【少年犯】명〖법〗소년 범죄자. *소년 범죄.

소:년 범:죄【少年犯罪】명〖법〗20세 미만의 소년의 범죄. 소년법에 의하여 16세 미만인 자에 대하여는 사형(死刑)·무기형(無期刑)을 과하지 아니하며, 자유형을 과하는 경우에도 부정기형(不定期刑)을 과하도록 되어 있음.

소:년-법【少年法】[—뻡] 명〖법〗반사회성(反社會性)이 있는 소년에 대하여 그 환경의 조정(調整)과 성행의 교정(矯正)에 관한 보호 처분(保護處分)을 행하고, 형사 처분(刑事處分)에 관한 특별 조치를 행함으로써 소년의 건전한 육성을 기함을 목적으로 하는 법률.

소:년 보:호 사:건【少年保護事件】[—껀] 명〖법〗보호 처분을 할 사건. 죄를 범한 소년, 형벌 법령(刑罰法令)을 어긴 12세 이상 14세 미만의 소년, 우범 소년 등의 사건으로, 가정 법원 소년부·지방 법원 소년부의 단독 판사가 심리와 처분의 결정을 함. ㊜보호 사건.

소:년-부【少年部】명〖법〗①↗가정 법원 소년부. ②↗지방 법원 소년부.

소:년 비행【少年非行】명 처벌 또는 보도(補導)의 대상이 되는 소년의 반사회적 행위.

소:년 서성【少年書省】명〖역〗신라 원성왕(元聖王) 3년(787)에 두었던 승직(僧職).

소:년 소:설【少年小說】명 ①〖문〗아동 문학의 한 부문. 소년들의 교육과 정서의 도야(陶冶)를 목적으로 쓰여지는 소설. 공상적(空想的)·서정적(抒情的)·사실적(寫實的)·교양적(教養的) 작품 등 여러 가지가 있음. ②소년이 창작한 소설. *아동 문학.

소:년 시절【少年時節】명 소년기(少年期)의 시절. 어릴 때.

소:년 십자군【少年十字軍】명〔Children's Crusade〕〖역〗1212년 십자군의 실패·부패를 시정하고, 십자군의 목적을 달성하기 위하여 프랑스·독일·로마 교회가 조직한 소년·소녀 중심의 십자군. 난파(難破)·기아·질병 및 소녀들의 전락(轉落) 등 비극적인 결과만 가져 오고 예루살렘에 도달하지도 못하였음. 어린이 십자군.

소:년 야:구【少年野球】명 소년이 하는 야구. 경기장·볼·경기 횟수(回數) 등을 소년의 체력에 알맞게 한 야구.

소:년-원【少年院】명〖법〗가정 법원 소년부 또는 지방 법원 소년부의 보호 처분에 의해 송치(送致)된 소년을 수용하여 교정(矯正) 교육을 하는 법무부 장관 소속 하의 기관. 교과 교육 소년원·직업 훈련 소년원·여자 소년원·특별 소년원의 네 가지가 있음.

소:년-유【少年遊】명〖악〗고려 시대에 송나라에서 전래된 사악(詞樂)의 한 곡명. 악보는 전하지 않고 가사만 《고려사》 악지(樂志)에 전함.

소:년의 거리【少年—】[—/—에—] 명 미국 네브래스카 주 서부 마을. 1917년 플래너건(Flanagan, E.J.) 신부에 의하여 창설된 고아·기아 등을 위한 시설이 기원이 되어, 1936년 지방 자치체로서 인정되었음. 어른인 상담역(相談役) 밑에 소년들이 자치 조직을 가지고 운영하고 있음.

소:년 잡지【少年雜誌】명 소년에게 알맞게 꾸민 잡지.

소:년-행【少年行】명 고려 때 이제현(李齊賢)의 소악부(小樂府)에 수록되어 있는 실전 가요(失傳歌謠). 가사는 전하지 않고 한시(漢詩)로 번역되어 실려 있음.

소:념【所念】명 마음먹은 일. 마음먹은 바.

소노라마〔Sonorama〕명 소노시트를 보통의 인쇄된 페이지와 함께 제본한 소리 나는 잡지. 프랑스의 소노프레스 회사에서 발명하여 1958년에 창간함.

소:노록-도【小老鹿島】명〖지〗전라 남도의 서해상(西海上), 신안군(新安郡) 임자면(荏子面) 재원리(在遠里)에 위치한 섬. [0.09 km^2]

소:노-류【小笯類】명〖충〗단공류(單孔類)❶.

소노-미:터〔sonometer〕명〖악〗음의 높낮이를 측정하는 장치.

소노-부【消奴部】명〖역〗고구려 오부(五部)의 하나. 처음 이 부에서 임금을 내었으나 뒤에 계루부(桂婁部)에 세력을 빼앗기었음. 오부가 행정 구역으로 변함에 따라 서부(西部)·우부(右部)로 개칭됨.

소노 부이〔sono buoy〕명 음향 탐지기를 비치한 부이. 잠수함이나 어군 탐지, 해저의 지각 구조(地殼構造)의 탐사에 씀.

소노-시:트〔Sonosheet〕명 소리나는 잡지 '소노라마'를 위해 프랑스가 개발한 비닐 레코드. 보통의 레코드판보다 얇고 부드러우며 값싸게 대량 생산할 수 있음.

소:노은-산【小蘆隱山】명〖지〗함경 북도 무산군(茂山郡) 삼장면(三長面)에 있는 산. [1,367 m]

소:-논문【小論文】명 소규모의 논문.

소놀이-굿 명〖민〗경기도 양주(楊州)를 비롯하여 파주(坡州)·연천(漣川)·포천(抱川) 등지와, 황해도·평안도·함경도 일부에서 상원(上元)날 및 추석날에 행하던 농경 의례(農耕儀禮)의 하나. 무당이 제석(帝釋)거리와 풍년을 비는 놀이를 시작하면, 마부가 나무로 만든 모형(模型) 소를 몰고 들어와, 소에 대한 치레와 축복 덕담을 엮어가며 굿을 진행함.

소:농【小農】명〖사〗좁은 논밭을 소유하고, 가족끼리 소규모로 농사를 짓는 농민층. 중자작농(中自作農)·자작겸 소작농 등. *대농·중농.

소:-농가【小農家】명 소규모로 농사를 짓는 집. ↔대농가.

소:-농지【小農地】명 소규모의 농지. 소구획(小區劃)의 경지(耕地). ↔대농지.

소뇌[1] 명〈방〉쇠뇌.

소:뇌[2]【小腦】명〔cerebellum〕〖생〗대뇌(大腦)의 아래, 연수(延髓)의 뒤에 있는 타원형의 뇌수(腦髓)의 한 부분. 상하(上下)의 반월엽(半月葉)·중심엽(中心葉)·방형엽(方形葉)으로 나누어지고, 표면에 소뇌구(小腦溝)·소뇌 회전(小腦回轉) 등의 가는 홈이 있음. 겉은 회백색(灰白色)이고 속은 흼. 몸의 평균 운동을 조절하는 작용을 하며, 신속한 운동을 하는 동물일수록 잘 발달되어 있음. 작은골. *뇌.

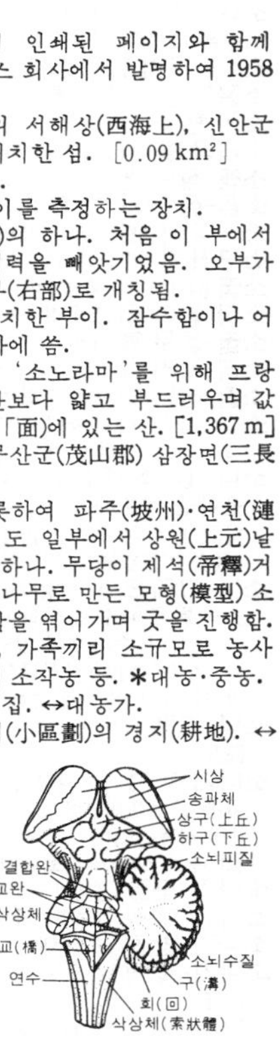

〈소뇌²〉

소뇌[3]【韶腦】명 장뇌(樟腦).

소:뇌성 운:동 실조증【小腦性運動失調症】[—썽—쪼쯩] 명〔cerebellar ataxia〕〖의〗소뇌의 질환으로 생기는 근육의 협조 불능(協調不能).

소:-누관【小淚管】명〖생〗누관(淚管)의 한 부분. 눈시울에 가까운, 눈꺼풀에 있는 누점(淚點)에서 누낭(淚囊)에 이르기까지의 누관.

소:-늑도【小勒島】명〖지〗전라 남도의 남해안(南海岸), 여수시(麗水市) 율촌면(栗村面) 송장리(松獐里)에 위치한 섬. [0.02 km^2]

소니 명〈옛〉쇠뇌. ¶ 소니 노(弩)《字會 中 28》.

소닉 붐〔sonic boom〕명〖물〗제트기가 급강하하여 음속을 돌파할 때에 일으키는 폭풍으로 말미암아 이중의 충격음이 발생하는 현상.

소닉 아:트〔sonic art〕명〖악〗공학(工學) 기술을 이용하여 음향 창조를 행하려는 전위(前衛) 예술의 한 분야. 기성(既成)의 전자 회로에 대해서 드라이버나 납땜 인두 따위로 회로를 변경시킴으로써 독특한 음향을 창조하는 일이 시도되고 있음.

소님 명〈방〉손님마마(경기·강원·전라).

소님마마 명〈방〉손님마마(경기·충북·경북).

소:다[1]〔soda〕명〖화〗①↗가성 소다. ②↗탄산 소다.

소다[2] 타〈옛〉쏘다. ＝뽀다. ¶ 거우루 닷곰과 활소기 빈홈괘라(磨鏡學射)《圓覺 上 一之一 112》.

소다[3] 타〈옛〉쏟다. ¶ 소다(爲覆物)《訓諺 合字》.

소:다 공업【—工業】〔soda〕명 소다를 제조하는 공업. 또, 식염(食塩)을 원료로 하여, 그 성분의 나트륨 및 염소(塩素)를 이용하여 화학 약품을 제조하는 공업.

소다내다 타〈옛〉쏟아 내다. ¶ 가ᄉᆞ매 다맛ᄂᆞᆫ 므ᄉᆞ믈 소다내요라(寫胷臆)《杜諺 Ⅸ:17》.

소다디다 자〈옛〉쏟아지다. ¶ ᄂᆞ솟ᄂᆞᆫ 믌겨른 소다디여 흘러가ᄂᆞ다(激浪輸)《杜諺 Ⅱ:7》.

소:다 비누〔soda〕명〖화〗보드랍고 순한 알칼리 비누에 대하여, 고급 지방산(脂肪酸)의 나트륨염을 주제(主劑)로 한 보통의 딱딱한 비누.

소:다 비:석【—沸石】〔soda〕명〖광〗비석, 곧 제올라이트(zeolite)의 하나. 사방 정계(斜方晶系)에 속함. 성분(成分)은 나트륨·알루미늄·규소(珪素) 등의 산화물(酸化物)과 흔히 주상(柱狀)·섬유상(纖維狀)·침상(針狀) 등의 정벽(晶癖)을 나타내며, 보통 현무암(玄武岩) 등의 염기성 화성암의 틈에서 산출됨. 유리 광택이 있고, 빛은 무색 또는 백색이며 때때로 적색인 수도 있음. 나트롤라이트(natrolite). *속비석(束沸石).

소:다-빵〔soda〕명 밀가루에 극소량의 소다를 섞어, 물에 반죽하여 쪄서 만든 빵.

소:다 석회【—石灰】〔soda〕명〖화〗생석회(生石灰)를 수산화 나트륨

의 진한 용액에 섞어서 가열(加熱)하여 만든 백색 입상 고체(粒狀固體). 강한 염기(塩基)로, 이산화 탄소(二酸化炭素)의 흡습제(吸濕劑)·유기 합성(有機合成)에 쓰임.

소:다 석회 유리【一石灰琉璃】〔soda〕 명 소다·석회·규산(珪酸)을 주성분으로 한 유리. 규사(珪砂)·소다회(soda 灰)·석회석 또는 돌로마이트(dolomite) 따위를 용해(熔解)하여 만듦. 판유리·창(窓)유리·유리병·일반 용기류(容器類)·식기 따위, 가장 흔하고 실용적인 유리로서 널리 사용되고 있음. 석회 유리. 소다 유리.

소:다-수【一水】〔soda〕 명 청량 음료수의 한 가지. 물에 무기 염류(無機塩類)를 가하여 탄산 가스를 포화(飽和)시킨 음료. 여러 가지 시럽(syrup)을 더하여 마심. 탄산수. 플레인 소다.

소:다-액【一液】〔soda〕 명 소다를 녹인 액체.

소:다-유【一釉】〔soda〕 명 〖공〗 도자기(陶瓷器)의 잿물의 한 가지. 규산(珪酸) 소다가 성분인데, 곱고 푸른 빛으로 매우 아름다우나 석회질(石灰質)의 결핍으로 수분(水分)에는 약하여 벗겨지기를 잘함.

소:다 유리【一琉璃】〔soda〕 명 〖화〗 소다 석회 유리.

소:다 초석【一硝石】〔soda〕 명 〖화〗 칠레 초석(Chile 硝石).

소:다 크래커〔soda cracker〕 명 밀가루에 소다를 넣어 구운 짭짤한 비스킷의 하나.

소:다 파운틴〔soda fountain〕 명 ①소다수를 필요할 때에 사이펀 장치로 내뿜게 하는 장치. ②소다수와 그 밖의 각종 청량 음료수·과자 등을 들며, 쉴 수 있게 시설해 놓은 영업집.

소:다 펄프〔soda pulp〕 명 〖화〗 섬유소 원료(纖維素原料)에서 수산화 나트륨으로 쪄서 불순물을 빼낸 펄프.

소:다 합제【一合劑】〔soda〕 명 〖농〗 귤이나 감나무에 붙는 벌레를 방제(防除)하기 위하여 쓰는 흑갈색의 살충제. 유효 성분은 수산화(水酸化) 나트륨이며 전착제(展着劑)로서 펄프 폐액(廢液)을 사용한 것인데, 분말과 액상(液狀)의 두 가지가 있음.

소:다-회【一灰】〔soda〕 명 〖공〗 탄산 나트륨 무수물(炭酸 natrium無水物)의 공업에서의 일컬음.

소단【騷壇】 명 문필가(文筆家)들의 사회.

소:-단원【小單元】 명 〖교〗 단원(單元) 학습에 있어서, 장시간(長時間)을 요하게 형성된 대단원(大單元)을 다시 몇 개로 구분한 단원(單元). 흔히, 소단원으로 구분하여 단계적으로 학습함. ↔대단원.

소달【疏達】 명 소탈(疏脫)하고 활달(豁達)함. ——-하다 형여불

소-달구지 명 소가 끄는 수레. 우차(牛車).

소달깃-날 명 〖민〗 음력 정월의 처음 축일(丑日). 이 날은 마소를 부리지 아니하고 위로한다 함.

소달나 태자【蘇達拏太子】[—라—] 명 〖불교〗 선시 태자(善施太子).

소:담[1]【小膽】 명 담력이 적음. 용기가 없음. 소심(小心). ↔대담(大膽). ——-하다[1] 형여불

소담[2]【消痰】 명 〖한의〗 가래를 삭힘. ——-하다[2] 자여불

소:담[3]【笑談】 명 우스운 이야기. ——-하다[3] 자여불 •

소담-스럽다 형ㅂ불 소담한 맛이 있다. ¶ 함박꽃이 소담스럽게 피다. 소담-스레 부

소담-제【消痰劑】 명 소담지제(消痰之劑).

소담지-재【消痰之材】 명 〖한의〗 가래를 삭히는 약의 재료.

소담지-제【消痰之劑】 명 〖한의〗 가래를 삭히는 약제(藥劑). 소담제.

소담-하다[4] 형여불 ①음식이 넉넉하여 보기에도 먹음직하다. ②생김새가 탐스럽다. ¶ 소담한 꽃송이. 소담-히 부

소당[1] 명 〈방〉 소댕(충남).

소:당[2]【小黨】 명 사람 수가 적은 당파. 적은 인원수의 정당.

소:당-류【少糖類】[—뉴] 명 〖화〗 올리고당(糖).

소:당 분립【小黨分立】[—불—] 명 정당 정치의 나라에 있어서, 군소(群小) 정당이 분립하여 있는 상태. 각계 각층의 의사가 정치에 반영될 수 있으나, 정국이 항상 불안정함.

소:당-은【所當—】 부 마땅히 할 바는.

소당이 명 〈방〉 소댕(강원).

소대[1] 명 〈방〉 〖어〗 서대기.

소:대[2]【小隊】 명 ①적은 인원의 1대. ②〖군〗 군대를 편성(編成)하는 단위의 하나. 보통, 중대(中隊)의 3분의 1 또는 4분의 1의 인원으로, 분대(分隊)의 위임. ③〖역〗 행군(行軍)할 때에, 두 오(伍)로 편제(編制)한 열 사람의 군사.

소대[3]【召對】 명 〖역〗 ①왕명으로 입대(入對)하여 정사에 관한 의견을 상주함. ＊윤대(輪對)·독대(獨對)·입대(入對). ②경연(經筵)의 참찬관(參贊官) 이하를 불러서 임금이 몸소 글을 강론(講論)함. ——-하다 타여불

소대[4]【昭代】 명 나라를 밝게 다스리어 태평한 세상.

소대[5]【疏待】 명 푸대접. ¶ 자네가 찾아갔는데 자네를 기생이라구 ~하면 자네 맘에 어떻겠나≪洪命憙 : 林巨正≫. ——-하다 타여불

소대[6]【燒臺】 명 〖불교〗 위패(位牌)를 불사르는 곳.

소:-대각봉【小大角峰】 명 〖지〗 함경 남도 혜산군(惠山郡) 운흥면(雲興面) 남동부에 있는 산. [2,042 m]

소:-대기【小大朞】 명 소대상(小大祥).

소:-대상【小大祥】 명 소상(小祥)과 대상(大祥). 소대기(小大朞).

소-대성【蘇大成】 명 잠이 몹시 많은 사람. ¶ 잠도 음식이지, ~이가 되려나, 밤낮 잠만 자게!≪作者未詳 : 홍도화≫.

소대성-전【蘇大成傳】 명 〖책〗 작자·창작 연대 미상의 고전 소설. 국문본. 중국 명대(明代)를 배경으로 하여 태평(太平) 땅에 사는 소대성(蘇大成)의 무용담을 그린 군담(軍談) 소설.

소:대-장【小隊長】 명 〖군〗 소대(小隊)를 지휘하는 장교(將校). 소위(少尉) 또는 중위(中尉)로써 보(補)함.

소:-대한【小大寒】 명 소한과 대한.

소댕 명 솥을 덮는 뚜껑. 가운데가 불룩하게 솟고 거기 손잡이가 붙어 있음. 솥뚜껑.

소댕-꼭지 명 소댕의 한가운데 뾰족하게 선 손잡이.

소댕-뚜껑 명 ☞ 소댕.

소댕이 명 〈방〉 소댕(강원).

소댕-질 명 〈방〉 지짐질.

소더비 경:매장【—競賣場】〔Sotheby's〕 명 영국 런던에 있는 소더비사(社)의 경매장. 명화를 비롯한 각종 예술 작품·희귀 수집품 등의 경매로 알려져 있음. 1744 년 도서 중개로 출발했음.

소:덕【所德】 명 남의 덕(德)을 봄. ＊뇌덕(賴德)·소뢰(所賴).

소덕 대:부【昭德大夫】 명 〖역〗 조선 시대 때, 종일품(從一品) 종친(宗親)의 품계(品階). ＊ 가덕(嘉德) 대부.

소:덕-도【小德島】 명 〖지〗 경상 남도의 남해상(南海上), 통영시(統營市) 한산면(閑山面) 매죽리(每竹里)에 위치한 섬. [0.08 km^2]

소데기 명 〈방〉 누룽지(강원).

소:도[1]【小刀】 명 작은 칼. 도자(刀子).

소:도[2]【小島】 명 작은 섬.

소:도[3]【小盜】 명 좀도둑. ↔대도(大盜).

소:도[4]【小道】 명 ①작은 길. ②작은 도의(道義). 1)·2):↔대도(大道).

소-도[5]【蔬島】 명 〖지〗 충청 남도의 서해상(西海上), 보령시(保寧市) 오천면(鰲川面) 효자도리(孝子島里)에 위치한 섬. [0.11 km^2]

소도[6]【蘇塗】 명 〖역〗 삼한(三韓) 시대에, 천신(天神)을 제사 지내던 지역(地域)의 일컬음. 각 고을에 있는 이 지역에 신단(神壇)을 베풀고, 그 앞에 방울과 북을 단 큰 나무를 세워 제사를 올리었음. 현대 민속상의 '솟대'는 이것으로부터 기원(起源)한다고 함.

소:-도구【小道具】 명 〖연〗 '소품[1](小品)❺'의 일본식 이름.

소-도둑 명 소를 훔치는 짓. 또, 그 도둑. 소도둑놈.

소도둑-놈 명 ①소를 도둑질하는 사람. ②음충맞고 욕심 많은 사람을 욕으로 일컫는 말. 소도둑.

소도록-이 부 소도록하게. ¶ 한 식구가 이렇게 한 자리에 ~ 모여 자는 것이 옥남에게는 더할 수 없이 대견하였다≪李光洙 : 사랑≫. ＜수두룩이.

소도록-하다 형여불 수효가 많아서 소복하다. ＜수두룩하다.

소도리 명 작은 장도리. 톱니를 때려 고르는 데나, 금은 세공(金銀細工)하는 데에 많이 씀.

소도마〔Sodoma〕 명 〖사람〗 이탈리아의 르네상스 성기(盛期)의 화가. 본명은 Giovanni Antonio Bazzi. 레오나르도 다 빈치와 라파엘로의 영향 아래 정서적 작풍(情緒的作風)의 시에나파(Siena 派) 그림을 남겼음. 작품은 ≪성카타리나의 성흔(聖痕)≫ 등. [1477 ? -1549]

소도미〔sodomy〕 명 계간(鷄姦). 남색(男色). 수간(獸姦).

소도바〔범 stūpa〕 명 〖불교〗 솔도파❶.

소도방 명 〈방〉 솥뚜껑. 소댕(경상·전라·충청).

소:-도사【小都司】 명 〖역〗 신라 때, 대일임전(大日任典)의 대도사(大都司)의 다음가는 벼슬. 경덕왕이 소전의(小典儀)라 고쳤다가 뒤에 다시 본이름으로 고침. 위계(位階)는 사지(舍知)로부터 대사(大舍)까지.

소독【消毒】 명 〖의〗 감염을 예방하기 위하여 병원균을 죽이는 일. 자비(煮沸)·소각(燒却)·일광(日光)·약품 소독 등이 있음. 약품으로는 알코올·포르말린·석회유(石灰乳)·클로르 석회·리졸·크레졸 등이 쓰임. ＊살균. ——-하다 타여불

소독-기【消毒器】 명 〖의〗 소독하는 기구.

소독-면【消毒綿】 명 〖의〗 탈지면(脫脂綿). 정제면(精製綿).

소독-법【消毒法】 명 〖의〗 전염병을 예방할 목적으로 오염물(汚染物)·배설물(排泄物) 등에 부착(附着) 혹은 잠복(潛伏)한 병원균을 소멸하는 방법. 소각(燒却)·일광(日光)·증기·약물 소독 등 여러 가지 방법이 있음. 살균법.

소:독-산【小獨山】 명 〖지〗 평안 북도 후창군(厚昌郡) 후창면(厚昌面)과 동신면(東新面) 사이에 있는 산. [1,016 m]

소독-수【消毒水】 명 소독하는 물. 소독약을 녹인 물.

소독-실【消毒室】 명 소독하는 방. 또, 소독을 한 방.

소독-약【消毒藥】[—냑] 명 〖약〗 소독하는 데 쓰는 약제의 총칭. 알코올·요오드·페놀(phenol)·승홍(昇汞)·생석회(生石灰)·리졸·크레졸·포르말린 등이 있음. 소독제(消毒劑). 살균제.

소독-의【消毒衣】[—/—이] 명 〖의〗 의사·간호사 등 병독(病毒)에 걸리기 쉬운 직업에 종사하는 사람이 입는 소독한 겉옷. 위생복.

소:독일-주의【小獨逸主義】[—/—이] 명 〔도 Kleindeutschtum〕〖역〗 오스트리아를 제외하고 프로이센을 중심으로 독일을 통일하려고 하는 입장(立場). 프랑크푸르트 국민 의회에서 대독일주의와 싸워 비스마르크는 이러한 입장에 서서 독일 제국을 건설하였음. ↔대독일주의.

소독-저【消毒箸】 명 소독을 한 나무 젓가락. 위생저.

소독-제【消毒劑】 명 〖약〗 소독약(消毒藥).

소독-차【消毒車】 명 소독하는 설비를 갖춘 차.

소돔〔Sodom〕 명 〖성〗 구약 성서 창세기(創世記) 19장(章)에 나오는 이방(異邦)의 마을. 고모라(Gomorrah)와 더불어 사해(死海) 남쪽에 있었다고 추정됨. 하느님에 대한 죄악 때문에 하느님이 불과 유황을 내려 멸망시키었다 함. ＊고모라(Gomorrah).

소:동[1]【小童】 명 ①열 살 안짝의 아이. 척동(尺童). ②심부름하는 작은 아이.

소동[2]【騷動】 명 ①마음이 수선거리어 움직임. ②여럿이 법석을 떪. ¶ ~이 일어나다. ——-하다 자여불

소동깨 명 〈방〉 소댕(평안).

소:동 대:동【小東大東】 명 동양(東洋)의 크고 작은 나라.

소:-동맥【小動脈】 명 〖생〗 대동맥에서 각 기관으로 갈라져 나간 동맥. 작은 동맥. ↔소정맥(小靜脈).

소:-동정【小洞庭】 명 〖지〗 강원도의 동해안, 통천군(通川郡) 학이면(鶴

二面)과 학삼면(鶴三面) 사이에 있는 두 개로 된 석호(潟湖). [5.12 km^2]

소:동 주:의【所動注意】[-/-이] 명〖심〗무의 주의(無意注意).

소-동파【蘇東坡】명〖사람〗소식(蘇軾)을 호(號)로 일컫는 이름.

소:-동패【小同牌】명〖농〗16-20세의 어린 일꾼들의 두레. *대동패(大同牌).

소:동패-놀이【小同牌—】명〖민〗전라 남도 여수시(麗水市) 현천면(玄川面)에 전승되어 오는 민속 놀이. 소동패들의 협동 노동 모습을 엮은 놀이임.

소두[1] 명 혼인한 지 얼마 아니 되는 안팎 사돈집끼리 생일 같은 때에 서로 보내는 물건.

소:두[2]【小斗】명 닷 되들이의 말. 대두(大斗)의 절반임. ↔대두(大斗).

소:두[3]【小豆】명〖식〗팥.

소:두[4]【小痘】명〖의〗작은마마.

소두[5]【疏頭】명〖역〗연명(連名)하여 올리는 상소(上疏)에서 맨 먼저 이름을 적은 주동이 되는 사람.

소두[6]【搔頭】명 ①비녀. ②머리를 긁음. ——-하다 자여불

소:두-도【小斗島】명〖지〗전라 남도의 남해상(南海上), 여수시(麗水市) 남면(南面) 두라리(斗羅里)에 위치한 섬. [0.19 km^2]

소:두리-도【小斗里島】명〖지〗전라 남도 서해상, 신안군(新安郡) 자은면(慈恩面) 고장리(古場里)에 위치한 섬. [0.07 km^2]

소:두무-현【小頭舞峴】명〖지〗경상 북도 영풍군(榮豐郡)에 있는 고개. [280 m]

소두방 명〈방〉소댕(경상).

소두배 명〈방〉소댕(경북).

소두벙 명〈방〉소댕(충북·경남).

소두벵이 명〈방〉소댕(강원·경북).

소-두엄 명 외양간에서 쳐낸 두엄.

소:두-엽【小豆葉】명 팥잎.

소:두-장【小豆醬】명 팥장.

소:두-증【小頭症】[-쯩] 명〖의〗머리가 작은 병. 두개골내의 뇌 자체의 발육이 늦어져서 작은 경우와, 두개골의 골봉합(骨縫合)이 너무 빨라 그 이상 머리가 커지지 않아서 작은 경우가 있음. 지능이 낮고 흥분성이며, 자주 경련 발작을 일으킴. 소로(小顱).

소:두-화【小豆花】명 팥꽃. 부비(腐脾).

소듐〔sodium〕명〖화〗나트륨(Natrium)의 영어명.

소드락-질 명 남의 물건을 마구 빼앗는 짓. ——-하다 자여불

소드방 명〈방〉소댕(경상).

소:드-테일〔swordtail〕명〖어〗[*Xiphophorus helleri*] 송사릿과에 속하는 열대산 물고기. 몸길이는 13 cm쯤 되고 태생함. 수컷은 생식돌기(突起)가 있거나 꼬리지느러미가 칼날 같은 모양으로 뻗쳐 있어서 생식 목적을 달함. 수컷의 몸빛은 물색이고, 등 쪽은 녹색이며 옆줄에 따라 붉은 줄이 있어 아름다움. 애완용으로 기름. 멕시코 원산임.

소:득【所得】명 ①자기 몸에 얻음. 터득함. 또, 얻은 것. ②자기 것이 된 물품·금전이나 이익·수입. 날찍. 소리(所利). 수입(收入). 유득(得). ③〖법〗세법(稅法)에서, 일정 기간의 근로·사업·자산 등에서 얻는 수입. 또, 거기서 필요 경비를 뺀 잔액(殘額). 봉급·임금·지대(地代)·이자(利子)·이윤(利潤) 등.

소:득 공:제【所得控除】명〖법〗과세 소득액(課稅所得額)을 결정하기 위하여 총소득액(總所得額)으로부터 법정(法定)의 금액을 공제하는 일. 기초 공제·배우자 공제·부양 가족 공제·장애자 공제·경로 우대 공제·부녀자 세대주 공제·기부금 특별 공제가 있음.

소득-밤 명 겉껍데기를 벗기지 아니한 채로 반쯤 말린 밤.

소:득 보:상 보:험【所得補償保險】명 의사·변호사·공인 회계사·세무사(稅務士)·건축사(建築士) 등 자유 직업인(自由職業人)이 사고로 말미암아 생명에는 관계없으나 직업을 잃었을 경우, 장래에 얻을 수 있는 소득을 보상해 주기 위한 보험(保險). *가정 복지 보험.

소:득 분포【所得分布】명 어떤 사회 집단에서, 상대적 소득 금액의 차이에 의하여 구분된 소득 계급 사이의 소득의 분포 상태.

소:득-세【所得稅】명〖법〗개인의 소득에 대하여 부과되는 국세(國稅). 소득은 종합 소득·퇴직 소득·양도 소득·산림(山林) 소득 등으로 구분됨. 세금을 부담할 수 있는 능력에 따라 과세를 하므로 기초 공제(基礎控除)·부양 가족 공제·장애자(障礙者) 공제 등의 공제 제도가 마련되고, 세율도 초과 누진 세율(超過累進稅率)로 되어 있음.

소:득세-법【所得稅法】[-뻡] 명 소득세에 관하여 필요한 사항을 정한 법률. 납세 의무자·과세 소득의 범위·세액(稅額)의 계산 방법·신고 절차와 원천 징수(源泉徵收) 등에 관한 사항 등을 규정함.

소:득세-할【所得稅割】명 소득세액을 과세 표준으로 하여 부과하는 주민세.

소득-소득 부 나무나 풀 뿌리 등이 몹시 시들어 마른 모양. <수득수득. ——-하다 형여불

소:득 수준【所得水準】명〖경〗생활 수준을 재는 중요한 지표(指標)의 하나로서, 1인당 또는 1가구당의 실질 소득을 소비자 물가 지수 또는 생계비 지수로 나누어서 얻어지는 지표.

소:득-액【所得額】명 소득하는 돈의 액수(額數).

소:득 예:금【所得預金】[-네-] 명 소득을 얻은 후, 이것을 지출할 때까지의 동안에 보유하고 있는 예금. 당좌 예금의 형태를 취함. ↔영업(營業) 예금·저축(貯蓄) 예금.

소:득 정책【所得政策】명〖경〗임금 인상이 물가 등귀를 초래한다는 코스트 인플레이션론의 입장에서, 국가 권력에 의한 유도 또는 강제에 의하여 임금 상승률을 국민 경제의 생산성 상승률의 범위내에 억제함을 주목적으로 하는 정책.

소:득 증대【所得增大】명 소득을 늘림. 소득이 늚.

소:득 탄:력성【所得彈力性】[-탈-] 명〖경〗소득의 증감률에 대한 소비(消費) 등 관련 변수(變數)의 증감률의 비율. 즉, 소득의 1퍼센트의 변화가 관련 변수의 몇 퍼센트의 증감으로 나타나는가를 표시하며, 제변수(諸變數)의 예측 따위에 사용됨.

소:득 패리티【所得—】〔parity〕명〖농〗농가의 소득과 다른 계층의 소득과의 대비(對比)를 기준시(基準時)와 동일하게 유지하도록 농산물 가격에 부여하는 지수(指數). 가격 패리티에서는 노동 생산력의 상대적 변화에 의한 공업과 농업의 단위 노동력당(勞動力當) 소득의 차이를 반영할 수 없기 때문에 이 지수를 채택함.

소:득 표준율【所得標準率】[-뉼] 명〖법〗정확한 사업 소득을 산출할 수 없는 기업에 대하여 소득 산출 방편으로 정부에서 정한 비율.

소:득-할【所得割】명〖법〗소득세할·법인세할·농지세할의 총칭(總稱).

소:득 혁명【所得革命】명〔income revolution〕〖경〗현대, 특히 미국의 자본주의에 있어서의 소득 분배의 평등화 사태(事態)를 일컫는 말.

소:득 효:과【所得效果】명〖경〗가계(家計)의 소득의 변화가 그 균형점(均衡點) 내지 균형 구입량(均衡購入量)에 미치는 영향. *가격 효과.

소들-소들 부 나무나 풀 뿌리 등이 알맞은 정도로 시들어 마른 모양. <수들수들. ——-하다 형여불

소들-하다 형여불 분량이 생각과는 달리 적어서 마음에 차지 아니하다. 소들-히 부

소등[1]【消燈】명 등불을 끔. ↔점등(點燈). ——-하다 자여불

소등[2]【燒燈】명 횃불.

소등 나팔【消燈喇叭】명 소등 시간을 알리는 나팔. 군대 같은 데에서 소등하라고 명령하는 나팔.

소등 시간【消燈時間】명 잠자리에 들기 위하여 불을 끄는 시간.

소-등에 명〖충〗[*Tabanus trigonus*] 등엣과에 속하는 곤충. 몸길이 24-29 mm이고 몸빛은 회흑색 내지 회갈색이며, 흉배(胸背)는 흑색에 황색 털이 있고, 전반부에는 세 개의 세로줄이 있으며, 복배(腹背)는 흑갈색 또는 회흑색이고 중앙에는 흰색 삼각 무늬가 있음. 8월경에 출현하여, 소·말 같은 가축과 사람에 덤벼 흡혈(吸血)함. 유충은 수생(水生)함. 한국·일본 등지에 분포함. 등에.

〈소등에〉

소디〔Soddy, Frederick〕명〖사람〗영국의 화학자. 방사성 원소(放射性元素)의 붕괴 연구에서 처음으로 동위 원소(同位元素)의 존재를 확인하여 1921년 노벨 화학상을 받았음. [1877-1956]

소디빙이 명〈방〉소댕(함경).

소디앙 명〈방〉소댕.

소듸셔방 명〈옛〉샛서방. ¶ 소듸 書房 그놈은 삿 벙거지 쁜 놈《永言》.

소:-딱지 명 먹초나 먹머리동이에 흰 꼭지를 붙인 지연(紙鳶).

소땅개 명〈방〉소댕(전북).

소똥-구리 명〈방〉〖충〗쇠똥구리.

소똥-불 명〈방〉반딧불(전남).

소뚜개 명〈방〉소댕(경북).

소뚜껑 명〈방〉소댕(경남·제주).

소뚜껑이 명〈방〉소댕(강원·제주·평안).

소-띠 명〖민〗소의 속성(屬性)을 상징하여 축생(丑生)을 일컫는 말.
[소띠는 일이 되다] 소해에 난 사람은 흔히 고된 일을 하면서 산다 하여 이르는 말.

소라[1] 명〈옛〉소래기[1]. ¶ 놋소라(鋼盆), 딜소라(瓦盆), 셰슈소라(洗臉盆)《譯語 下 13》.

소:라[2] 명 ①〖조개〗[*Turbo cornutus*] 소랏과에 속하는 고둥의 하나. 몸은 방추형(紡錘形)에 직경 8 cm, 높이 10 cm이고, 나층(螺層)은 6-7층임. 각피(殼皮)는 암청색이고 내면은 백색으로 진주 광택이 나는데, 먹이에 따라 영향이 있음. 각표(殼表)에 크고 작은 뿔 모양의 돌기(突起)가 많이 있으나, 내만성(內灣性)의 것은 없는 것이 보통이고 입은 달걀꼴임. 간조선(干潮線) 부근의 10-20 m 깊이에 서식하고, 밤에 해초를 먹으며 여름에 녹색 알을 낳음. 식용으로 수산상 중요하고 각피는 세공·자개·단추·바둑돌 등에 사용함. 일본·한국·중국 연안에 분포함. 해라(海螺). ②〖악〗소라고둥의 껍데기로 만든 악기. 길이 40 cm 가량의 소라고둥의 윗부분을 깎아내어 구멍을 뚫고 혀를 만들어 대어 불게 되었음. 옛날 군대에서 신호용으로 썼음. 우리 나라에서는 고려 공민왕 때에 중국 명(明)나라에서 수입하여, 조선 시대까지 군악(軍樂)에 썼음. 나각(螺角). 바라(哱囉). 법라(法螺). * 주라(朱螺).
[소라 껍질 까 먹어도 한 바구니, 안 까 먹어도 한 바구니] 무슨 일의 자국이 안 보일 때 이르는 말.

〈소라[2]❶〉

소:라[3] 명〈방〉소란(小欄).

소:라[4]【小鑼】명〖악〗꽹과리보다 작은 동라(銅鑼).

-소라 어미〈옛〉-었노라. -노라. ¶ 지슬 므슴미 업소라(無心作)《杜諺 Ⅶ:1》. *-노소라.

소:라-게 명〖동〗십각류(十脚類) 변미 아목(變尾亞目)에 속하는 대부분의 바다게의 총칭. 새우와 게의 중간형인데, 꽁무니를 다른 권패(卷貝)의 빈 껍데기 속에 박고 살며, 항상 그것을 끌고 다니나 그렇지 않은 것도 있음. 발은 좌우 각 다섯 개인데, 넷째와 다섯째 발이 퍽 작은 것, 또 다섯째 발만 퍽 작거나 아주 없어진 것도 있으며, 배딱지가 굳지 아니하여 말랑말랑함. 몸의 양편이 똑같지 아니하며, 집게발도 좌우가 같지 아니함. 종류가 매우 많으며, 대개 바다 속 모래 바닥에 사는데, 육지에 사는 것도 있음. 살은 식용함. 활자(蛞子). 활택(蛞蠌). *속살이게·게고둥.

소라-고동 명 〈방〉 소라(경 남).

소:라-고둥 명 〖조개〗 [*Tritonaria tritonis*] 소라고둥과에 속하는 바다 권패(卷貝)의 하나. 소라 중의 대형(大形)으로, 패각(貝殼)의 길이 40 cm, 직경 19 cm이고, 나탑(螺塔)은 8층임. 각표(殼表)는 홍색·갈색·백색의 반문이 있는데, 각 나층(螺層)은 둥글고 넓은 줄이 뻗쳐 있으며, 입은 달걀꼴임. 난해(暖海)의 암초 지대에 서식함. 살은 식용, 패각은 옛날부터 '소라' 또는 '나각'이라 하여 악기(樂器)로 사용함. 법라(法螺).

〈소라고둥〉

소:라고둥-과【一科】[一꽈] 명 〖조개〗 [Tritonidae] 연체 동물 복족강(腹足綱)에 속하는 한 과. 소라고둥이 이에 속함.

소라-고딩이 명 〈방〉 〖조개〗 소라[2](경 남).

소:라-구이 명 소라를 넓게 저미어 양념하여 구운 반찬.

소:라-딱지 명 소라의 껍데기.

소:라 반자 명 〈방〉 소란 반자.

소:라-젓 명 소라의 살로 담근 젓. 나해(螺醢).

소:라-진【一陣】 명 소라 형상으로 뺑뺑 돌아 가면서 치는 진(陣).

소라타 산【一山】〔Sorata〕 명 〖지〗 남미, 볼리비아 서부, 안데스 산맥 중, 코르디예라레알 산맥의 최고봉. 티티카카 호(湖)의 동쪽에 있음. 산정부(山頂部)에 빙하를 이루고 있으며, 산용(山容)이 웅대(雄大)한 것으로 이름이 있음. 남북의 두 봉우리가 있는데 북봉은 6,428 m, 남봉은 6,362 m 임.

소락-소락 부 언행(言行)을 요량없이 경솔히 하는 모양. ¶ 한길에서도 ~ 말을 거는 쥐알봉수≪李孝石 : 花粉≫. <수럭수럭. ——-하다 형여불

소:란[1]【小欄】 명 문지방이나 소반 같은 데에 나무를 가늘게 오려 돌려 붙이거나 제 바탕을 파서 턱이 지게 만든 물건.

소란[2]【巢卵】 명 밑알.

소란[3]【騷亂】 명 어수선하고 시끄러움. ¶ ~을 피우다. ——-하다 형여불

소:란 반자【小欄一】 명 〖건〗 반자의 한 가지. 반자를 '井'자 여럿을 모은 것처럼 소란을 맞추어 짜고 그 구멍마다 네모진 널조각의 개판(蓋板)을 얹어 만듦. 목반자. 조정(藻井). 천화판(天花板). 현란(懸欄). 화(花)반자. 우물 반자.

소:란 반자틀【小欄一】 명 〖건〗 소란 반자의 반자틀.

소란-스럽다【騷亂一】 형ㅂ불 소란한 듯하다. ¶ 장내가 ~. 소란-스레【騷亂一】 부. ¶ 한밤중에 개가 ~ 짖어댄다.

소:란 천장초【小欄天障草】 명 〖건〗 소란 반자로 된 천장에 그린 단청(丹靑).

소:람【笑覽】 명 ①웃으면서 봄. ②자기 것을 남에게 보아 달라고 할 때, 겸손하게 하는 말. ——-하다 타여불

소랑[1] 명 〈방〉 〖조개〗 소라[2](전라).

소:랑[2]【小娘】 명 나이가 어린 낭자(娘子).

소:랑-도【少浪島】 명 〖지〗 전라 남도의 남해상, 완도군(莞島郡) 금일읍(金日邑) 사동리(沙洞里)에 위치한 섬. [1.00 km²]

소래[1] 명 ↗소래기[1].

소래[2] 명 〈방〉 ①소라[2](전라). ②대야[1](황해·함경).

소래[3]【蘇萊】 명 〖지〗 경기도 시흥시(始興市)의 일부를 이루는 지명. 본래 소래읍이었으나 1989 년부터 시흥시의 일부로 편입되었음. 과림 저수지(果林貯水池)가 있음.

소래-고동 명 〈방〉 소라(경 남).

소래기[1] 명 모양이 굽 없는 접시처럼 된 넓은 질그릇. 독의 뚜껑으로도 쓰고 그릇으로도 쓰임. 준소래.

소래기[2] 명 〈속〉 소리.

소래기[3] 명 〈방〉 〖조〗 솔개(경 상).

소래-성 명 〈방〉 별박이.

소래-질 명 〈방〉 소로(小路)(경 북).

소랭【蕭冷】 명 쓸쓸하고 싸늘함. ——-하다 형여불

소랭이 명 〈방〉 대야[1](평 안).

소략【疏略】 명 꼼꼼하지 못하고 거칢. 소홀하고 간략함. ↔세밀(細密). ——-하다 형여불. ——-히 부

소:량[1]【小量】 명 좁은 도량(度量). ↔대량(大量).

소:량[2]【少量】 명 적은 분량(分量). ↔다량(多量).

소량[3]【素量】 명 〖물〗 구체적인 어떤 종류의 양의 최소 단위(最小單位). ¶ 전기(電氣) ~.

소:러〔soarer〕 명 높이 나는 고성능(高性能) 글라이더. 상승 기류를 이용하여 장시간 또는 장거리 비행을 할 수 있도록 활공비(滑空比)가 크고 거기에 필요한 계기를 갖춤. 상급 활공기(上級滑空機).

소:-러시아【小一】〔Russia〕 명 〖지〗 '우크라이나(Ukraina)'의 별칭.

소:러시아-인【小一人】〔Russia〕 명 우크라이나인.

소렌토〔Sorrento〕 명 〖지〗 이탈리아의 남부, 캄파냐의 항구 도시. 나폴리 만 남동안의 소렌토 반도에 있으며 나폴리와 마주 봄. 세계적인 관광·휴양지(休養地)로, 오렌지·레몬·올리브 따위가 나며, 포도주는 예로부터 유명함. [17,000 명(1981)]

소렐〔Sorel, Georges〕 명 〖사람〗 프랑스의 철학자·정치 사상가. 마르크스(Marx)의 경제학에 베르그송(Bergson)의 철학을 원용(援用)하여 혁명적 생디칼리슴(syndicalisme)과 직접 행동을 이론화하였음. 저서 ≪폭력론(暴力論)≫에서 총파업을 찬양, '파시즘의 성서'로 불렸음. [1847-1922]

소:력【小曆】 명 작게 만든 달력.

소:련[1]【素輦】 명 〖역〗 상중(喪中)에 쓰는 흰 연(輦).

소련[2]【蘇聯】 명 〖지〗 ↗소비에트 사회주의 공화국 연방. 준소(蘇).

소련 공:산당【蘇聯共產黨】 명 〔Kommunisticheskaia Partiia Sovetskogo Soiuza〕 〖정〗 소련의 유일한 정당이며 국정의 지도적 중핵이었던 정당. 전신(前身)은 1898년에 결성된 러시아 사회 민주 노동당. 후에 그 다수파인 볼셰비키(Bolsheviki)가 러시아 혁명을 지도하여 1918년에 러시아 공산당(볼셰비키), 1925년에 전연방(全聯邦) 공산당, 1952년에 이르러 소비에트 연방 공산당으로 바뀌었음. 제3 인터내셔널, 이어 코민포름(Kominform)의 중핵으로서 국제 공산주의 운동에도 지도적 지위를 차지하였으나, 1991 년 급진 개혁파에 의하여 활동이 정지되었으며 소련의 해체로 해산되었음.

소-련방【蘇聯邦】 명 〖지〗 ☞ 소연방.

소련 인권 위원회【蘇聯人權委員會】[一꿘一] 명 1970년 11월, 소련의 물리학자 사하로프(Sakharov) 등이, 유엔이 채택한 세계 인권 선언의 원칙을 기초로, 소련의 법체계(法體系) 속에서 개인의 자유가 어떻게 보장되고 있는가를 이론적으로 연구하고, 건설적인 비판을 할 목적으로 설립한 위원회. 브레즈네프 체제하에서, 국가 권력에 의한 소련 시민의 기본적 인권 침해를 고발하고, 소련의 민주화에 대한 국제 여론의 지원을 요청하였음.

소련 핀란드 전:쟁【蘇聯一戰爭】〔Finland〕 명 〖역〗 1939년-40년, 1941년-44년의 2차에 걸친 소련 대 핀란드의 전쟁. 1939년 독일과 더불어 폴란드를 침략 분할하고 발트 3국을 병합한 소련이 핀란드에 대하여 상호 원조 조약의 체결과 약간의 영토 할양을 요구함으로써 일어난 전쟁. 1947년 2월에 평화 조약이 성립되어 핀란드는 소련에 배상(賠償)을 하게 되고, 소련의 포르칼라(Porkkala) 군사 기지 사용권을 인정했음. 소분(蘇芬) 전쟁.

소:렴[1]【小殮】 명 시체를 옷과 이불로 쌈. ——-하다 타여불

소렴[2]【疎簾】 명 성기게 엮은 발.

소:렴-금【小殮衾】 명 시체를 싸는 이불.

소:렴-포【小殮布】 명 소렴할 때 시체를 싸는 베.

소:령[1]【小令】 명 〖문〗 중국의 사(詞) 및 산곡(散曲)의 시형(詩形)의 이름. 대개 30자 이상 58자 이내로 한 편을 이루는 짧은 시형으로, 전편이 1단(段)으로 됨. ↔장조(長調)❷.

소:령[2]【少令】 명 〖역〗 발해의 관직명. 왕의 옷을 관장하던 전중시(殿中寺)와 왕족의 사무를 관장하던 종속시(宗屬寺)의 차관직에 속함. 장관은 대령(大令).

소:령[3]【少領】 명 〖군〗 국군 장교 계급의 하나. 중령(中領)의 아래, 대위(大尉)의 위임.

소:령[4]【所領】 명 영유(領有)하고 있는 땅. 영지(領地).

소:례【小禮】 명 작은 예의(禮儀).

소:례-복【小禮服】 명 〖역〗 평상시에 진현(進見)할 때 입는 약식(略式)의 예복. *대례복(大禮服).

소:로[1]【小路】 명 작은 길. 경로(徑路). 세경(細徑). 협로(狹路). ↔대로(大路).

소:로[2]【小櫨】 명 〖건〗 접시받침.

소:로[3]【小顱】 명 〖의〗 소두증(小頭症).

소로:[4]〔Thoreau, Henry David〕 명 〖사람〗 미국의 시인·문명 비평가. 세상에 나서지 않고 사색 생활에 몰두하였으며 모든 조직·권위·부(富)의 축적 등을 개인의 내적 생활의 적이라 하였음. 대표작은 ≪월든(Walden)≫. [1817-62]

소로기 명 〈방〉 〖조〗 솔개(제주).

소로레이트〔sororate〕 명 〖사〗 아내가 사망한 후, 때로는 생존 중 남편이 아내의 여동생과 결혼하는 습속. 미개 사회에서 볼 수 있음. ↔레비레이트(revirate).

소:로받침-집【小櫨一】[一찝] 명 〖건〗 접시받침으로만 된 집.

소로소로 부 〈옛〉 살금살금. ¶ 갑주고 못 살 藥이니 넌즈 아라가며 소로소로ᄒᆞ여 百年ᄭᆞ지 ᄒᆞ리라≪永言 491≫.

소:로 수장집【小櫨修粧一】[一찝] 명 〖건〗 도리와 장여 밑에 접시받침을 한 집.

소:로지 명 〈방〉 〖식〗 소리쟁이(함경).

소로킨〔Sorokin, Pitirim Alexandrovich〕 명 〖사람〗 러시아 태생의 미국의 사회학자. 페테르부르크 대학 교수로 있으면서 케렌스키 내각의 각료를 지냈으나, 반공주의 인텔리겐치아로 몰려 국외 추방되어 미국으로 건너가 귀화하였음. 그의 연구의 주력은 사회적·문화적 동태학(動態學)으로, 주저 ≪혁명의 사회학≫ 등이 있음. [1889-1968]

소:록[1]【小祿】 명 작은 녹(祿). 미록(微祿).

소:록[2]【小錄】 명 요점만 간단히 적은 종이쪽.

소:록-도【小鹿島】 명 〖지〗 ①전라 남도 남해상에 돌출된 고흥 반도(高興半島) 서쪽, 고흥군(高興郡) 도양읍(道陽邑) 소록동(小鹿洞)에 위치한 섬. 나병 환자(癩病患者)를 수용하는 '국립 소록도 병원'이 설립되어 있음. [4.42 km²] ②경상 남도의 남해상(南海上), 거제시(巨濟市) 둔덕면(屯德面) 학산리(鶴山里)에 위치한 섬. [0.08 km²]

소록-소록 부 ①아기가 곱게 자는 모양. ②비가 보슬보슬 내리는 모양. ——-하다 자여불

소:론[1]【小論】 명 규모가 작은 논설·논문. 시론(試論).

소:론[2]【少論】 명 〖역〗 조선 시대 때의 당파(黨派)의 하나. 숙종 때에 서인(西人) 가운데, 윤증(尹拯)·조지겸(趙持謙)·한태동(韓泰東) 등의 소장파가 영수(領袖)인 송시열(宋時烈)과의 불화 반목(不和反目)으로 갈리어 나와 세운 당파. ↔노론(老論).

소:론[3]【所論】 명 논하는 바.

소:론 사:대신【少論四大臣】 명 〖역〗 조선 경종(景宗) 때에 왕세제(王世弟)의 책봉(册封)을 반대한 조태구(趙泰耉)·이광좌(李光佐)·최석항(崔錫恒)·유봉휘(柳鳳輝)의 네 대신(大臣). *노론 사대신(老論四大臣).

소롯이 부 ☞ 살며시. ¶ 무엇을 골똘히 생각하든지 하게 되면 잠이 ~ 오는 버릇이 있었다≪崔貞熙 : 녹색의 문≫.

소롱-하다【消一】 타여불 재물(財物)을 아무렇게나 되는 대로 그렁저렁 써서 없애다.

소:뢰[1]【少牢】 명 〖역〗 나라에서 제사지낼 때 양(羊)을 통채로 제물(祭物)로 바치는 일. 처음에는 양과 돼지를 아울러 바치는 것을 소뢰라고

하였으나 뒤에는 양만을 바쳤음. ↔태뢰(太牢).
소:뢰² 【所賴】[명] 소덕(所德). 뇌덕(賴德).
소:뢰-정 【掃雷艇】[명] 소해정(掃海艇).
소:료 【所料】[명] 요량(料量)한 바.
소:루¹ 【小累】[명]〖건〗접시받침. 「[여불]. ——-히 [부]
소루² 【疏漏·疎漏】[명] 꼼꼼하지 못하고 소홀함. 조루(粗漏). ——-하다 [형]
소루개 [명]〈방〉〖조〗솔개(강원).
소:루-쟁이 [명]〖식〗☞ 소리쟁이².
소:류¹ 【小流】[명] 실개천.
소:류² 【笑留】[명] 소납(笑納). ——-하다 [타][여불]
소류³ 【遡流】[명] ①물이 거슬러 흐름. 또, 거슬러 흐르는 물. ②소강(溯江). ——-하다 [자][여불]
소:류곡-산 【小柳谷山】[명]〖지〗평안 북도 희천군(熙川郡)과 강계군(江界郡) 사이에 있는 산. [1,616 m]
소:륜 【小輪】[명] ①꽃 따위의 송이가 작은 것. ¶ ~의 국화. ②작은 테. 1)·2)↔대륜(大輪).
소륜 요호 【燒圇窯戶】[명]〖공〗자작 도업자(自作陶業者)의 집. 곧 자기가 만든 그릇을 남의 가마를 빌어 굽지 아니하고 자기 가마에 구워 내는 사람의 집.
소르 〔Sor, Fernando〕[명]〖사람〗스페인의 작곡가·기타 주자(奏者). 파리를 중심으로 활동, 오페라·발레 등의 작품도 썼음. 특히, 기타곡(曲)
소르디노 〔이 sordino〕[명]〖악〗약음기(弱音器). 」이 유명함. [1778-1839]
소르르 [부] ①얽힌 물건이 잘 풀어지는 모양. ¶ 옷고름이 ~ 풀어지다. ②부드러운 바람이 천천히 부는 모양. ¶ 바람이 ~ 불다. ③물이나 가루 같은 것이 부드럽게 가만히 흐르거나 무너지는 모양. ¶ 밀가루 더미가 ~ 무너지다. ④졸음이 오는 모양. ¶ 졸음이 ~ 오다. 1)-3):＜수르르.
소르베 〔프 sorbet〕[명] '셔벗(sherbet)'의 프랑스어.
소르본 대학 【一大學】〔Sorbonne〕[명]〖교〗파리에 있는, 유럽에서도 가장 오래된 대학의 하나. 1253년 성직자 소르봉(Sorbon, Robert de)이 신학(神學) 교육을 위하여 창립, 16-18세기에 걸쳐 많은 신학자를 배출하였음. 1808년 파리 대학에 소속되고, 현재는 문과와 이과(理科)의 단과 대학임. 흔히 파리 대학의 별칭으로 불림. *파리 대학.
소르비톨 〔sorbitol〕[명] 사과·배·자두 따위 과실에 함유되어 있는 6가의 알코올. 단맛이 있는 무색의 결정으로 녹는점 93-94°C이며, 물이나 열·알코올에 쉽게 녹음. 비타민 C 및 계면 활성제(界面活性劑)의 제조 원료로 쓰이며, 당뇨병 환자에게 설탕 대용으로 사용됨. [$C_6H_{14}O_6$]
소륵 【疏勒】[명] ①〖지〗중국 신장 성(新疆省) 서부의 도시. 한대(漢代)의 안서(安西) 사진(四鎭)의 하나. 동서 간의 교통·무역의 중심지임. 토명(土名)은 카슈가르(Kashgar). ②〖역〗중국의 한(漢)나라와 당(唐)나라와의 중간 시대에 지금의 카슈가르(Kashgar) 지방에 있었던 나라. 처음의 주민은 아리아계(Arya系) 민족이었으나 10세기경부터 이슬람화(Islam化)한 터키 민족에 의하여 점거(占據)되었음.
소른 〔Zorn, Anders Leonhard〕[명]〖사람〗스웨덴의 화가·조각가. 근대 회화의 대표자의 한 사람. 에칭(etching)에도 뛰어난 작품을 남김. [1860-1920]
소:름 [명]〔중세 : 소홈〕춥거나 몹시 놀라거나 마음에 징그러울 때에 피부에 좁쌀 같은 것이 도톨도톨 돋아나는 현상. 교부(鮫膚). ¶ 오싹 ~이 끼치다.
소:름(이) 끼치다 [구] 춥거나 무섭거나 징그러워서 피부에 소름이 돋다. ¶ 소름 끼치는 사고 현장.
소-릉¹ 【昭陵】[명]〖지〗중국 당(唐)나라 태종(太宗)의 능(陵). 산시 성(陝西省) 리취안 현(醴泉縣)의 동북에 있음.
소:릉² 【少陵】[명]〖사람〗중국 성당(盛唐)의 시인 두보(杜甫)의 호(號). 소릉(少陵)은 산시 성(陝西省) 장안 현(縣)에 있던 지명으로, 두보가 이 곳에 살았던 데서 연유함.
소릐 [명]〈옛〉소리. ¶ 呻吟은 앓는 소릐라≪杜諺 Ⅰ:2≫.
소리¹ [명]〔중세: 소릐, 소리〕①〖물〗물체의 진동에 의해 일어나는 음파(音波)가 귀청을 울리어 일어나는 청각. ¶ 비바람 ~. *음파·음(音). ②사람이나 동물의 발성기(發聲器)에서 나는 소리. ¶ 목~/새~. ③〖언〗음성(音聲). 말. ¶ ~를 높이다. ④〖악〗판소리·잡가·민요 등과 같은, 속된 성악곡(聲樂曲). *노래. ¶ ~하고 춤춘다. ⑤항간의 여론이나 호소. ¶ 국민의 ~. ⑥소식. ¶ ~ 없이 찾아가다. ——-하다 [자][여불]
[소리 없는 고양이 쥐 잡듯] 말이 없이 실천에 옮기는 모양. [소리 없는 똥내는 캐싱캐싱 더 무섭다] 평소 말이 없는 사람이 일단 무슨 일이 있으면 더욱 무서워지고, 또 큰 일도 능히 해낼 수 있다는 말. [소리 없는 벌레가 벽을 뚫는다] 말이 없는 사람이 큰 실천력을 가지고 있다는 말. [소리 없는 총이 있으면 놓겠다] 상대방이 몹시 미울 때에 하는 말.
소리(를) 지르다 [구] ㉠목소리를 크게 내다. ¶ 꽥하고 ~. ㉡큰 목소리로 부르다. 큰 소리로 외치다. ¶ 여보시오 하고 ~.
소리(를) 치다 [구] ㉠소리를 지르다. ㉡소릿바람을 내다.
소리 소:문도 없:이 [구] 동작이 드러남 없이 슬그머니.
소리² [명]〈방〉팽이(황해·평북).
소리³ [명]〈방〉소라(경북).
소:리⁴ 【小吏】[명]〖역〗아전(衙前).
소:리⁵ 【小利】[명] 작은 이익(利益). ¶ ~에 눈이 어두워. ↔대리(大利).
소:리⁶ 【所利】[명] 일에서 생기는 이익. 소득(所得). 날찍.
소리⁷ 【疏履】[명] 내간(內艱)에 쓰는 엄짚신.
소리⁸ 【疏籬】[명] 엉성한 울타리.
소리-갈 [명] 음성학(音聲學).
소리개 [명]〖조〗☞ 솔개.
소리갱이 [명]〈방〉〖조〗솔개.
소리고딩 [명]〈방〉소라(경남).
소리-광대 [명]〖악〗판소리에서, 성량(聲量)이 풍부하여 창(唱)을 위주로 하는 광대. 아니리로 할 부분도 창으로 처리함. ↔ 아니리 광대.
소리-굽쇠 [명]〔tuning fork〕〖물〗발음체(發音體)의 진동수를 계산하는 기구. 강철로 U자형으로 만들어 아래에 자루를 붙이고 나무 상자 위에 앉혔음. 이를 두드리면 일정한 진동수의 소리를 냄. 음차(音叉). 조음기(調音器). 조음차(調音叉).

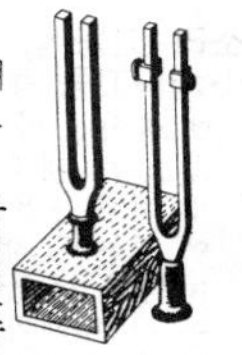
〈소리 굽쇠〉

소리-글 [명] ↗소리 글자. ↔뜻글.
소리-글자 【一字】[一짜] [명]〖언〗표음 문자(表音文字). [준]소리글. ↔뜻글자.
소리기 [명]〈방〉〖조〗솔개(경상).
소리-길 [명]〈방〉소로¹(小路)(경기·황해).
소리-꾼 [명] 온갖 노래를 아주 잘 부르는 사람.
소리낄 [명]〈방〉소로¹(小路)(경기·황해).
소리-나무 [명]〖식〗[*Quercus crispulimongolica*] 참나뭇과에 속(屬)하는 낙엽 활엽 교목. 물참나무 또는 물갈나무와 비슷한데 잎은 호생하고 거꿀달걀꼴 타원형에 굵은 톱니가 있고 무병(無柄)임. 6월에 자웅 일가(雌雄一家)의 꽃이 피는데, 수꽃이삭은 길게 늘어지고 암꽃이삭은 짧으며, 9월에 긴 타원형 견과(堅果)가 익음. 산중턱이나 꼭대기에 나며, 제주도에 분포함. 재목은 신탄재·침목(枕木)·기구재로 쓰이고 열매는 식용함. *속소리나무·떡소리나무.
소리-내기 [명]〖언〗'발음(發音)'의 풀어 쓴 말.
소리-넓이 [一널비] [명]〔compass of voice〕〖악〗사람이 노래부를 수 있는 음넓이. 그 구역의 높고 낮음에 따라 여성(女聲)을 소프라노·메조소프라노·알토, 남성(男聲)을 테너·바리톤·베이스로 나눔. 성역(聲域).
소리-마디 [명]〖언〗'음절(音節)'의 풀어 쓴 말.
소리-맞추기 [명] 체조·행진(行進) 등에서, 동작을 '하나·둘·셋·넷' 하는 소리에 맞추는 일. 「말.
소리-명창 【一名唱】[명]〈속〉소리의 명창을 '귀명창'에 상대하여 일컫는
소리-북 [명]〖악〗판소리에서, 고수(鼓手)가 가객(歌客)의 소리에 맞추어 반주를 치는 북. 고장(鼓長)북.
소리-소리 [부] 감정이 몹시 격하여 연해 큰 소리로 외치거나 큰 소리를 지르는 모양. ¶ ~ 지르다. 「렸다.
소리-소문 【一所聞】[명] '소문(所聞)²'의 힘줌말. ¶ ~도 없이 사라져 버
소리-시늉 [명]〖언〗'의음(擬音)'의 풀어 쓴 말. ↔짓시늉.
소리시늉-말 [명]〖언〗'의성어(擬聲語)'의 풀어 쓴 말. ↔짓시늉말.
소리야 【蘇利耶】[명]〖신〗'수랴(Surya)'의 취음(取音).
소리야 이 모랄 〔Zorrilla y Moral, José〕[명]〖사람〗스페인의 시인·극작가. 20세 때 작가 라라의 무덤 앞에서 자작의 시를 낭독하여 일약 유명해짐. 전설시(傳說詩)에 뛰어나며 ≪음유 시인(吟遊詩人)의 노래≫·≪그라나다(Granada)≫가 유명하나, 대표작은 희곡 ≪돈 환 테노리오≫임. [1817-93] 「의 이름.
소리음-부 【一音部】[명] 한자 부수(部首)의 하나. '韶'나 '韻' 등의 '音'
소리의 고저 【一高低】[一/一에一] [명] 소리의 높낮이.
소리의 높이 [一/一에一] [명]〔pitch〕〖물〗발음체(發音體)의 진동수(振動數)가 많고 적음에 따라 생기는 소리의 성질의 차이. 높은 소리는 진동수가 많고 낮은 소리는 진동수가 적음.
소리의 맵시 [一/一에一] [명]〔tone quality〕〖물〗'음색(音色)'의 풀어 쓴 말.
소리의 세:기 [一/一에一] [명]〔intensity of sound〕〖물〗음파의 전파(傳播) 방향과 직각인 단위 면적을 통하여 단위 시간에 흐르는 에너지를 이름. 단위로는 데시벨(decibel)을 쓰며 약호는 db.
소리의 이어바뀜 [一/一에一] [명]〖언〗'음(音)의 접변(接變)'의 풀어 쓴 말.
소리의 크기 [一/一에一] [명]〔loudness〕〖물〗감각상의 소리의 크기를 이름. 이것을 양적(量的)으로 표시하기 위하여 데시벨 척도(尺度)를 사용함.
소:리 장도 【笑裏藏刀】[명] 웃음 속에 칼을 감춘다는 뜻으로, 말은 좋게 하나 마음으로는 해칠 생각을 가진 것을 비유하는 말. 소중도(笑中刀).
소리-쟁이¹ [명] 노래 부르는 일로 업을 삼는 사람.
소:리-쟁이² [명]〖식〗[*Rumex coreanus*] 마디풀과에 속하는 다년초. 줄기 높이는 60 cm 가량, 자색을 띠며 잎은 호생하고 긴 타원상 피침형인데 매우 쭈글쭈글하고 근엽(根葉)은 길이 30 cm 내외임. 6-7월에 엽액(葉腋)에서 꽃줄기가 나와 담녹색의 많은 잔꽃이 원추(圓錐) 화서로 피고, 수과(瘦果)를 맺음. 들의 습지에 나며 강원·경기·함북에 분포함. 어린 잎은 식용함. 독채(禿菜). 양제(羊蹄). 양제초(羊蹄草). 우설채(牛舌菜). [준]솔쟁이.
소:리쟁잇-국 [명] 토장과 고추장을 풀어 소리쟁이 잎으로 끓인 국.
소리-주머니 [명]〖생〗'성낭(聲囊)'의 풀어 쓴 말.
소리-질 [명]〈방〉소로¹(小路)(충남·전라·경상).
소리-찔 [명]〈방〉소로¹(小路)(충남·전라·경상).
소리춤나모 [명]〈옛〉소리나무. ¶ 소리춤나모곡(槲)≪字會 上 19≫.
소리케 [명]〈방〉〖조〗솔개(경북).
소리-틀 [명]〖생〗'발음 기관(發音器官)'의 풀어 쓴 말.
소리-판 [명]〈속〉음반(音盤).
소리-표 【一標】[명]〖악〗음표(音標).
소리흉내-말 [명]〖언〗소리시늉말. 의성어(擬聲語).
소:린 【小鱗】[명] ①작은 비늘. ②작은 물고기.
소림¹ 【疏林】[명] 나무가 듬성듬성 서 있는 숲. ↔밀림.

소림²【蕭林】명 쓸쓸한 숲. 「던 곳.
소:림-굴【少林窟】명【불교】달마 대사(達磨大師)가 9년간 도(道)를 닦
소:림 권법【少林拳法】[—뻡] 명 중국의 선문(禪門)에서 좌선(座禪)과 함께 행(行)으로서 행하는 건강 증진·정신 수양·호신 연담(護身鍊膽)을 목적으로 하는 권법. 소림사 권법.
소:림-사【少林寺】명 중국 허난(河南) 성 덩펑(登封) 현의 쑹산(嵩山) 산 서쪽 샤오실 산(少室山) 북쪽 기슭에 있는 명찰(名刹). 496년 북위(北魏)의 효문제(孝文帝)가 인도의 중 발타(跋陀) 선사를 위해 세웠으며, 그후 34년 뒤 인도의 달마(達磨) 대사가 이곳에 와서 면벽(面壁) 9년에 도를 깨달은 곳. 소림 권법의 발상지.
소림 일지【巢林一枝】[—찌] 명 작은 집. 소가(小家).
소:립【小粒】명 낱낱의 썩 작은 알맹이.
소-립자【素粒子】명【물】현대 물리학에 있어서 물질 또는 장(場)을 구성하는 가장 기본적인 단위가 된다고 생각되는 입자(粒子). 일정한 질량(質量)·전하(電荷)·스핀(spin)을 가지며 그 본성(本性)은 영구 불변한 것이 아니고 입자와 반입자(反粒子)가 서로 작용하여 생성(生成)·소멸(消滅)한다고 함. 강한 상호 작용을 하는 강입자(强粒子), 약한 상호 작용을 하는 경입자(輕粒子), 상호 작용을 매개하는 게이지(gauge) 입자로 대별되며, 지금까지 약 300여 종이 발견되었음. 물질을 이루는 기본이 된다 하여 기본 입자라고도 함. *강입자·경입자·게이지 입자·쿼크(quark).
소립자-론【素粒子論】명 〔theory of elementary particles〕〖물〗소립자의 성질 및 그 상호 작용을 연구하는 물리학의 한 부문. 양자화(量子化)된 장(場)의 개념으로써 기술(記述)하게 되므로 '장(場)의 이론' 또는 '장(場)의 양자론(量子論)'이라고도 함. 소립자 물리학.
소립자 물리학【素粒子物理學】명 〔elementary particle physics〕〖물〗소립자론(素粒子論).
소립자의 상호 작용【素粒子—相互作用】[—/—에—] 명〖물〗소립자가 상호 전화(轉化)를 일으키는 원인이 되는 것의 총칭. 강한 상호 작용·약한 상호 작용·전자기(電磁氣) 상호 작용·중력(重力) 상호 작용
소릿-값 [—깝] 명【언】'음가(音價)'의 풀어 쓴 말. ㄴ으로 분류됨.
소릿-결 명【물】음파(音波).
소릿-바람 명 크게 떨치는 기세(氣勢)와 그 반향(反響).
소릐 명〈옛〉소리. ¶空中玉簫 소릐 어제런가 그제런가《松江 關東別曲 10》/ 도가방울소릐ㄱ지 세계에두루견ㅎ니《찬양가:5》.
소마¹ 명〈방〉소매¹(경북).
소:마² 명 '오줌'을 점잖게 이르는 말.
소:마(를) 보다 구 '오줌(을) 누다'를 점잖게 이르는 말. 「타여불
소마³【消磨】명 ①닳아서 없어짐. ②닳아서 없어지게 함. ——-하다 자
소마⁴【蘇摩】명〔범 soma〕【불교】①인도에서 예로부터 제식(祭式)에 쓰이는 술. '소마'라는 풀의 즙(汁)에 우유와 밀가루를 섞은 뒤에 발효(醱酵)시켜 만듦. ②인도의 주신(酒神). '소마❶'를 신격화(神格化)한 신(神). 인간에게 영양과 활력을 주고 수명을 연장하며 영감(靈感)을 가져온다 함.
소마-걷이 [—거지] 명【건】모난 기둥에 얹히는 보의 어깨통이 썩 넓을 때에 어깨의 양쪽 모서리를 둥글리어 기둥의 면이 드러나게 하는 방식. *-걷이.
소마구 명〈방〉외양간(전남·경남).
소마나-화【蘇摩那華】명 인도의 꽃의 이름. 황백색이고 향기(香氣)가 있는데, 사방으로 축 늘어져서 뚜껑과 비슷하다고 함. 소유(蘇油)의 원료(原料)로 쓰임.
소마데바 〔Somadeva〕명【사람】11세기경의 인도의 산스크리트(Sanskrit) 시인. 카슈미르 사람으로 약 20년 간에 걸쳐 설화집 《카타사리트사가라》를 저작함.
소:-마도【小馬島】명【지】전라 남도의 서남 해상(西南海上), 진도군(珍島郡) 조도면(鳥島面) 소마도리(小馬島里)에 위치한 섬. [1.07 km²]
소마 세:월【消磨歲月】명 하는 일 없이 헛되이 세월만 보냄. ——-하다 자여불
소마-소마 부 겁내거나 무서워하는 모양. ¶두군두군하는 가슴과 ~한 사지가 형언할 수 없이 어떻게 하면 좋을는지 모르는 모양에 이르더라《作者未詳:金菊花》. ——-하다 형여불
소:마젤란 성운【小—星雲】〔Magellan〕명 소마젤란운(雲).
소:-마젤란운【小—雲】명 〔Small Magellanic Cloud〕〖천〗은하계(銀河系)보다 약간 소규모의 은하. 하늘의 남극에 가까운 큰부리새자리에 있는 불규칙(不規則) 은하로, 지구에서 20만 광년(光年) 이상 떨어져 있으며, 실직경(實直徑)은 약 1만 광년임. 은하계·대(大)마젤란운과 함께 삼중 성운(三重星雲)을 형성함. 소마젤란 은하. 약칭: 에스 엠 시(SMC). *마젤란운.
소:마젤란 은하【小—銀河】〔Magellan〕명〖천〗소마젤란운.
소마-죽【蘇麻粥】명 차조기 씨와 삼씨를 등분하여 볶아서 멥쌀과 함께 짓찧어 가루를 만들어 쑨 죽.
소마토스타틴 〔somatostatin〕명〖약〗뇌하수체(腦下垂體)에서 분비되는 생장 호르몬을 억제하는 인자(因子). 시상 하부(視床下部)에서 만들어지는데, 인공적으로도 합성이 가능함.
소:만¹【小滿】명 24절기(節氣)의 하나. 입하(立夏)와 망종(芒種)의 사이에 듦. 태양의 황경(黃經)이 60도(度)인 때로 양력 5월 21일경임.
소:만²【掃萬】명 만사(萬事)를 다 제쳐놓음. ¶~ 왕림. ——-하다 자
소만³【疎慢】명 일에 게으르고 등한함. ——-하다 형여불 ㄴ여불
소:-만두【素饅頭】명 고기 없이 채소 따위로만 소를 넣어서 만든 만두.
소:만 왕:림【掃萬枉臨】[—님] 명 모든 일을 제쳐놓고 왕림함. ¶~해 주시길 바랍니다. ——-하다 자여불

소말리아 〔Somalia〕명〖지〗아프리카 소말릴란드 동단(東端) 해안 지대의 공화국. 1960년 7월에 전의 영국령 소말릴란드와 이탈리아 신탁 통치령 소말리아가 합쳐서 독립하였음. 주민 대부분이 소말리족이며, 소말리어(語)를 사용하나 문자가 없어 아라비아어가 공용어임. 소·양·낙타 등의 목축업이 성하며 바나나·옥수수·솜·땅콩 등을 산출함. 88년부터 북부(北部)의 소말리아 국민 운동, 중부(中部)의 통일 소말리아 회의 등이 무장 투쟁을 전개. 91년 북부의 소말리아 국민 운동은 분리 독립을 선언했고, 통일 소말리아 회의는 파벌 싸움이 내전으로 확대, 92년 12월 유엔에서 평화 유지를 위하여 다국적군 파견을 결의함. 정식 명칭은 '소말리아 민주 공화국(Somalia Democratic Republic)'. 수도는 모가디슈(Mogadishu). [637,657 km²: 9,250,000명(1995 추계)]
소말리-족【—族】〔Somali〕명 북동 아프리카의 소말릴란드·에티오피아·수단 지방에 거주하는 함(Ham)계의 종족. 피부는 거무스름하고 키가 큼. 주로 회교(回敎)를 믿으며, 유목 생활 또는 하천 유역 지방에서 농경 생활을 영위함.
소말릴란드 〔Somaliland〕명〖지〗아프리카의 동북부,인도양에 돌출한 삼각형의 반도. 내륙부(內陸部)는 에티오피아(Ethiopia)령이고 해안 지대는 지부티(Djibouti) 공화국과 소말리아 공화국으로 구분됨. 일반적으로 고원성(高原性)의 초원지가 많고, 기후는 건조(乾燥)함. 주민은 주로 소말리족(Somali族)인데, 회교(回敎)를 믿으며, 농목(農牧)에 종사함. 고무·커피·가죽·면화 등을 산출함.
소말-소말 부 마맛자국이 점점이 얕게 얽은 모양. ——-하다 형여불
소맛-간【—間】명〈방〉뒷간(충청).
소망¹ 명〈방〉뒷간(충남).
소망² 명〈방〉소매¹(경북).
소:망³【所望】명 ①바라는 바. 기대(期待)하는 바. 의망(意望). ¶~을 이루다. ②〖기독교〗예수교의 세 가지 큰 덕성의 하나. 하느님에의 변하지 않는 사랑과 믿음이 그들을 예수의 재림(再臨)과, 미래의 행복, 곧 영생(永生)으로 이끌어 주리라고 바라는 일. *삼덕(三德).
소:망(을) 보다 구〈심마니〉산삼 캐는 일을 실지로 이루다.
소망⁴【消亡】명 꺼져 없어짐. 소멸(消滅). ——-하다 자여불
소:망⁵【素望】명 본디부터의 희망. 평소(平素)에 늘 바라는 일.
소망⁶【燒亡】명 타서 없어짐. 소실(燒失). ——-하다 자타여불
소:망-스럽다【所望—】형ㅂ불 바람직하다. 소:망-스레【所望—】부
소:-망일【小望日】명 음력 정월 열나흗날을 달리 이르는 말. 여러 가
소:망-좌【小網座】명〖천〗그물자리. ㄴ지 나물을 먹음.
소매¹ 명〔중세: 소매〕웃옷의 좌우에 있어 두 팔을 꿰는 부분. 옷소매. [소매가 길면 춤을 잘 추고 돈이 많으면 장사를 잘 한다] 뒤가 든든하여야 성공하기 쉽다는 말. '장수 선무(長袖善舞)요 다전 선고(多錢善賈)라'와 같은 뜻. [소매 긴 김에 춤춘다] 별로 생각이 없던 일이라도 그 일을 할 조건이 갖추어졌기 때문에 하게 됨의 비유. '떡 본 김에 제사 지낸다'와 같은 뜻.
소매를 걷다 구 모든 일을 제쳐놓고 일을 시작하다.
소매 속에서 놀:다 구 손으로 하는 동작이 남의 눈에 띄지 아니하게 몰래 이루어지다. ¶정사(政事)는 모두 간활(奸猾)한 아전의 소매 속에서 놀다가 마침내 민요를 만났다는 말뿐이다《崔瓚植:秋月色》.
소매² 명〈방〉소마²(전라).
소:매³【小妹·少妹】명 어린 누이동생.
소:매⁴【小梅】명【역】초라니.
소:매⁵【小賣】명 물건을 도매상에서 사들이어 직접 소비자에게 파는 일. 산매(散賣). ↔도매(都賣). ——-하다 타여불
소:매⁶【素昧】명 견문(見聞)이 좁고 어두움. ——-하다 형여불
소:매⁷【笑罵】명 비웃고 꾸짖음. ——-하다 타여불
소:매-가【小賣價】[—까] 명 소매가격.
소:매-가격【小賣價格】[—까—] 명 물건을 소매할 때의 가격. 산매 가
소매-거지 명【건】〈방〉소마걷이. ㄴ격. ↔도매가격.
소:매 물가 지수【小賣物價指數】[—까—] 명【경】소매 단계의 물가 수준 변동을 나타낸 물가 지수. ↔도매 물가 지수.
소:-매물도【小每勿島】[—또] 명【지】경상 남도의 남해상(南海上), 통영시(統營市) 한산면(閑山面) 매죽리(每竹里)에 위치한 섬. [0.20 km²]
소:매-상【小賣商】명 소매하는 장사. 또, 그 장수. 산매상(散賣商). ↔도매상.
소:매 시세【小賣時勢】명 소매 가격의 시세. 산매 시세. ↔도매 시세.
소:매 시:장【小賣市場】명 소매상들이 모여서 이룬 시장. 산매 시장. ↔도매 시장. 「는 영업. 산매업(散賣業). ↔도매업.
소:매-업【小賣業】명 상품을 직접 소비자에게 파는 매매업. 곧, 소매하
소:매-인【小賣人】명 소매하는 장수. 산매인(散賣人).
소:매-점【小賣店】명 소매하는 상점. 산매점(散賣店). ↔도매점.
소:-매체【小媒體】명【광고】특히 한정된 사람들이나 지역 사회(地域社會) 등을 대상으로 하는 전달 범위가 좁은 매체. 무가지(無價紙)·우편 광고·점두(店頭) 광고 따위가 이에 속함.
소매-치기 명〔옷소매에 든 물건을 꺼내 간다는 뜻에서〕길거리나 차 안 등 혼잡한 곳에서 남의 몸에 지닌 금품을 슬쩍 빼어 훔침. 또, 그 도둑. 도모(掏摸). ¶지갑을 ~당하다. *날치기·들치기.
소매-통 명 소매의 너비.
소:매 평생【素昧平生】명 평생에 듣지도 보지도 못한 관계. 곧, 전혀 알지 못하는 사이. ¶서 판서가 ~ 초면 소년의 인사하는 양을 보고 심히 괴상히 여기는 중…《李海朝:九疑山》.
소:맥¹【小脈】명【의】맥동파(脈動波)의 폭이 작은 맥박. 흔히 판구 협착(瓣口狹窄)이나 심장 쇠약에 일어남. ↔대맥(大脈).
소:맥²【小麥】명【식】참밀.

소:맥-간【小麥稈】명 밀짚.
소:맥-계【小麥契】명《역》밀가루를 공물(貢物)로 바치던 계.
소:맥-노【小麥奴】명 밀깜부기.
소:맥-면【小麥麵】명 ①밀가루. ②밀국수.
소:맥-부【小麥麩】명 밀기울.
소:맥-분【小麥粉】명 밀가루.
소:맥-장【小麥醬】명 참밀로만 메주를 쑤어 담근 장.
소맷간 명〈방〉뒷간(전라).
소:맷-값【小賣—】[—깝] 명 소매가격.
소맷-귀 명 소맷부리의 구석.
소맷-길 명 옷소매의 화장.
소맷-동 명 옷소매의 이은 동아리.
소맷-동냥 명 이 집 저 집을 다니며 먹을 것을 얻어서 소매 안에 넣고 다니는 일. ——하다 타여불
소맷-부리 명 옷소매의 아가리. 메구(袂口). 수구(袖口).
소맷-자락 명 옷소매의 자락.
소:맹【小盲】명 소경이 편지 등에 자기를 겸손히 일컫는 말.
소:-맹선【小猛船】명《역》조선 시대 때, 수영(水營)에 속하였던 형체가 작은 싸움배의 하나. 뒤에 전선(戰船)이라 고쳤음.
소머트로:프〔thaumatrope〕명 장난감의 한 가지. 원판의 양면에 한쪽에 새장, 한쪽에 새를 그려 실을 꿰어 비비 꼬아서 돌리면 마치 새가 새장 속에 있는 것처럼 보임. 유럽에서 1820년대에 유행하였음.

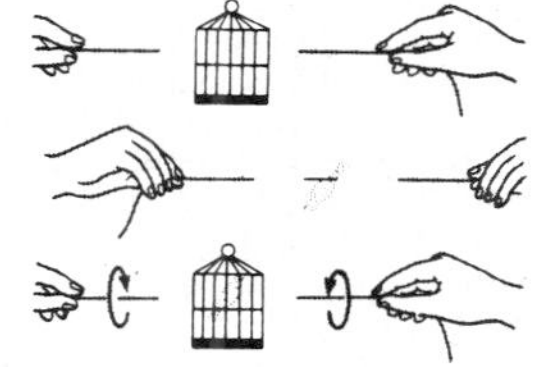
〈소머트로프〉

소먹이-놀이 명《민》황해도·경기도·충청도 지방에 전승되는, 풍농(豐農)을 기원하는 민속 놀이. 두 젊은이가 엉덩이를 맞대고 허리를 굽힌 위에 멍석을 덮어 소처럼 만들어서 몰이꾼들이 몰고 집집마다 찾아다니는데, 부잣집에서는 음식 대접을 함. 이때 농악대가 뒤따르면서 노래와 춤으로 흥겹게 놂.
소메 명〈방〉소매[1](전역).
소:면[1]【素面】명 화장을 하지 않은 얼굴.
소:면[2]【素麵】명 양념을 하지 않은 국수.
소면[3]【梳綿】명 방적 공정(紡績工程)에서 엉킨 섬유를 한 가닥씩 분리하고, 짧은 섬유와 불순물을 제거, 평행 상태로 정리·집합하여, 굵은 밧줄 모양의 섬유 다발로 만드는 일.
소면-기【梳綿機】명〔carding machine〕소면(梳綿) 또는 소모(梳毛) 공정(工程)에 쓰이는 기계. 가는 바늘의 작용으로 불순물이나 짧은 털을 철저히 없애고 그 솜을 가지런히 함.
소멸[1]【消滅】명 ①사라져 없어짐. 소망(消亡). ②〔annihilation〕《물》반입자(反粒子)와 소립자(素粒子)가 합체해서, 그 정지(靜止) 에너지를 다른 입자의 형태로 방출하는 과정. ——하다 자여불
소:멸[2]【掃滅】명 싹 쓸어서 없앰. ——하다 타여불
소멸[3]【燒滅】명 불타서 없어짐. 또, 불살라 없앰. ——하다 자타여불
소멸 시효【消滅時效】명《법》권리자가 권리를 행사할 수 있을 때부터 기산(起算)하여 법정 기간 안에 권리를 행사하지 않으면 그 권리가 소멸되는 시효. 소멸 시효에 해당하는 권리로서는 재산권, 특히 채권(債權)이 주요한 것이나 소유권이나 물권적 청구권은 이에 해당하지 않음. 시효 기간은 권리의 종류에 따라 각각 다르며 보통의 채권은 10년, 채권 이외의 재산권은 20년임. *시효(時效).
소멸 처:분【消滅處分】명《법》권리·의무·신분·능력 또는 법률상의 지위 등을 소멸시키는 행정 처분(行政處分).
소멸 회:사【消滅會社】명《법》합병(合併)으로 소멸하는 회사. 존속(存續) 회사 또는 신설 회사에 대한 말.
소:명[1]【小名】명 아명(兒名).
소명[2]【召命】명 ①신하를 부르는 임금의 명. ②〔라 Vocatio〕《기독교》사람이 어떤 특수한 신분, 이를테면 사제직·수도자 따위로서 신에 봉사하도록 신의 부르심을 받음. ¶신의 ~에 응해 수도원에 들어가다.
소명[3]【昭明】명 분별이 밝고 영리함. ¶행여나 공자의 활발한 뜻이 꺾여질세라 하는 공주의 ~한 마음씨였다《朴鍾和：多情佛心》. ——하다 형여불
소명[4]【疏明·疎明】명 ①변명함. ②《법》재판에서, 당사자가 그 주장 사실에 대하여, 법관으로 하여금 일단 확실해 보인다는 의식을 갖게 하는 일. 또, 이를 위해 당사자가 증거를 제출하는 일. 증명(證明)보다 낮은 정도의 심증(心證)임. ——하다 타여불
소-명반【燒明礬】명《화》명반을 태워서 얻는 백색 분말. 수렴제(收斂劑)·살포제(撒布劑) 등으로 쓰임.
소:-명사【小名辭】명《논》소개념(小槪念)을 나타낸 명사.
소:명사 부당 주연의 허위【小名辭不當周延—虛僞】[—/—에—] 명《논》소개념 부당 주연의 허위.
소모[1]【召募】명 의병(義兵) 등을 불러서 모음. 초모(招募). ——하다 타여불
소모[2]【消耗】명 ①써서 없어짐. 또, 써서 없앰. ¶~품(品). ②〔ablation〕《지》융해(融解)나 증발에 의해 빙하(氷河)의 부피가 줄어드는 일. ③〔depletion〕물·삼림(森林) 등의 자원을, 보충도 되기 전에 써버리는 일. ④〔marasmus〕《의》영양 불량에 의해 만성적으로 몸이 수척해지는 현상. 아이들에게서 흔히 볼 수 있음. ——하다 자타여불
소모[3]【梳毛】명 짐승의 털을 다듬어 강철로 만든 빗으로 빗으면서, 짧은 섬유는 없애고, 길이가 고른 긴 섬유만을 직선의 모양으로 평행이 되게 가지런히 함. 또, 그 긴 섬유. ¶~사(絲). ——하다 타여불
소모-관【召募官】명《역》조선 시대 때 의병을 모집하던 임시 관직.

소모-기【梳毛機】명 소모(梳毛)에 쓰이는 방적 기계.
소:모-도【小茅島】명《지》전라 남도 서남해상, 완도군(莞島郡) 청산면(青山面) 모도리(茅島里)에 위치한 섬. [2.51 km^2 : 120명(1984)]
소-모래미 명〈심마니〉조밥.
소모-량【消耗量】명 소모하는 양. 또, 소모되는 분량.
소:모-류【少毛類】명《동》빈모류(貧毛類).
소모 방적【梳毛紡績】명 5-30 cm 길이의 긴 양모를 소모(梳毛)한 뒤 모사(毛絲)로 만드는 방적.
소모-비【消耗費】명 써서 없애는 비용.
소모-사【梳毛絲】명〔worsted〕소모로 만들어진 실. 또, 소모에 다른 섬유를 섞어서 만든 털실.
소모사 모직【梳毛絲毛織】명 소모사로 짠 모직. 소모 직물(梳毛織物).
소모성 섬망【消耗性譫妄】[—썽—] 명〔exhaustion delirium〕《의》급성의 정신 착란 상태. 격심한 피로, 장기의 소모성 질환, 장기에 걸친 불면증으로 인해 유발됨.
소모성 심내막염【消耗性心內膜炎】[—썽—념] 명〔marantic endocarditis〕《의》비세균성의 혈전성(血栓性) 심내막염. 보통, 신생물 또는 다른 소모성 질환을 수반함.
소모성 자산【消耗性資產】[—썽—] 명 광산·유전(油田)과 같이 개발·채취함에 따라 소모되고 대체(代替)가 불가능한 자산.
소모-열【消耗熱】명《의》체온(體溫)이 하루에 1도 이상 오르내려서 체력이 약해지는 미열(微熱). *아(亞)소모열.
소모-율【消耗率】명 일정한 기간에 어떤 물자가 소모되는 정도를 나타내는 계수.
소:-모자【小帽子】명 감투.
소:모-적【小毛賊】명 좀도둑.
소모-전【消耗戰】명 ①인원·병기·물자 따위를 자꾸 투입하여 쉽게 승부가 나지 않는 전쟁. ②적의 군수품의 소모를 노려 장기 작전을 쓰는 전쟁.
소모-증【消耗症】[—쯩] 명〔도 Dekomposition〕《의》유아(乳兒) 영양 실조증의 증상이 심한 것. 체조직(體組織)의 파괴가 일어나고 식사량을 늘려도 체중은 증가하지 않고 오히려 더 감소되며 몹시 마름.
소모 직물【梳毛織物】명 소모사(梳毛絲)로 짠 모직물. 비교적 얇고 표면이 매끄러움. 서지·개버딘·포라·모슬린 따위. 우스팃. 소모사 모직.
소모-품【消耗品】명 쓰는 대로 닳아서 점점 못 쓰게 되거나 또는 아주 없어지는 물품. 잉크·연필·종이 또는 장작·숯 따위. ↔비품(備品). ¶~ 구입비.
소-목[1]【—目】명《동》〔Artiodactyla〕포유류 중 유제류(有蹄類)의 한 목(目). 발굽이 우수(偶數)인데, 제2발굽에서 제5발굽까지의 네 개가 있는 것과, 제3발굽에서 제4발굽까지 두 개가 있는 것이 있음. 발굽은 각질(角質)이며 마치 하나가 두 개로 갈라진 것처럼 보임. 대개가 초식성이며 육상 생활을 함. 전세계에 널리 분포함. 소·사슴·돼지·양·낙타 등이 이에 속함. 우제류(偶蹄類). 지제류(枝蹄類). 쌍제류(雙蹄類).
소:목[2]【小木】명 ↗소목장이. ↔대목(大木).
소:목[3]【小目】명 바둑에서, 3선(線)과 4선의 교점(交點). 보통, 귀에 선착(先着)하는 경우 및 걸치거나 굳히는 단계에서 두어짐. *고목(高目)·외목(外目).
소목[4]【昭穆·佋穆】명 사당에 조상의 신주를 모시는 차례. 천자(天子)는 1세를 가운데 모시고 2세·4세·6세는 소(昭)라 하여 왼편에, 3세·5세·7세는 목(穆)이라 하여 오른편에 모시어 삼소(三昭)·삼목(三穆)의 칠묘(七廟)가 되고, 제후(諸侯)는 이소(二昭)·이목(二穆)의 오묘(五廟)가 되며, 대부(大夫)는 일소(一昭)·일목(一穆)의 삼묘(三廟)가 됨.
소목[5]【梳木】명 즐목.
소목[6]【燒木】명 ①대궐에서 땔감으로 쓰는 잘게 쪼갠 참나무. ②《불교》화장(火葬)할 때에 쓰는 나무.
소목[7]【蘇木】명 ①↗소방목(蘇方木). ②《한의》약재로 쓰는 다목의 붉은 속살. 파혈(破血)하는 효험이 있어 통경제(通經劑) 및 외과(外科)약으로 쓰임.
소:-목장【小木匠】명 소목장이.
소:목-장이【小木匠—】명 나무로 가구(家具)나 문방구(文房具) 등을 짜는 일을 업으로 삼는 사람. 소목장(小木匠). 준소목(小木).
소목지-서【昭穆之序】명《역》양자(養子)로 될 수 있는 사람은, 양친(養親)이 될 사람과 같은 항렬(行列)에 있는 남계 혈족(男系血族) 남자의 아들이어야 한다는 원칙.
소:-목환【小木丸】명《역》①수레나 가마의 양편 채의 안쪽에 나란히 뚫은 구멍에 건너질러 산륜(散輪)이 되도록 끼운 둥근 나무. ②관축목(貫軸木) 머리의 둥글게 팬 곳에 꿰뚫어 세워서 윤축(輪軸)을 끼우는 나무.
소-몬거지 명〈방〉호미씻이.
소-몰이 명 소를 모는 일. 또, 그 사람.
소몰이-꾼 명 소를 모는 일을 업으로 삼는 사람. 소몰이.
소:묘【素描】명《미술》어떤 한 가지 색, 특히 검은 색의 선(線)이나 점(點)으로 대상물의 형상(形象)을 그린 그림. 회화의 기초가 됨. 데생(dessin). 스케치. 분본(粉本).
소:묘-곡【素描曲】명〔프 esquisse〕《악》묘사적(描寫的)인 작은 기악곡(器樂曲).
소:무[1]【小巫】명《민》탈춤에 등장하는 주요 인물. 봉산 탈춤에서 노장춤에, 강령 탈춤에서 영감의 첩으로 양주 별산대놀이에서 기녀(妓女)로, 그 밖에 송파 산대놀이, 북청 사자놀음, 고성 오광대놀이 등에 두루 등장하는 젊은 여자.
소무[2]【昭武】명《악》세종(世宗) 때의 정대업지무(定大業之舞) 소무악장(昭武樂章)을, 종묘 제례악(宗廟祭禮樂)으로 쓰기 위해 세조(世祖) 때 줄여서 쓴 곡. 정대업 11곡 중 첫번째 곡으로 인입장(引入章)임. 노랫말은 원래 5언 12구의 한시(漢詩)였으나 현재는 5언 4구임.
소-무[3]【蘇武】명《사람》중국 전한(前漢)의 충신. 자는 자경(子卿). 무제(武帝) 때 흉노(匈奴)에 사신으로 갔다가 억류된 지 19년 만에 귀국하였는데 절개를 굳게 지킨 공으로 전속국(典屬國)을 배명(拜命)했음.

오언 고시(五言古詩)의 창시자의 한 사람으로 침. [140?-60 B.C.]
소무 공신【昭武功臣】 명 『역』 조선 인조(仁祖) 5년(1627)에 이인거(李仁居)의 난을 평정한 공으로 홍보(洪霶) 등 여섯 사람에게 내린 훈호(勳號).
소무-무【昭武舞】 명 『악』 소무장(昭武章)에 맞추어 추는 춤.
소:-무의도【小舞衣島】[-/-이-] 명 『지』 인천 앞바다, 인천 광역시 중구(中區) 용유동(龍游洞)에 위치한 섬. [0.16 km²]
소무-장【昭武章】[-짱] 명 『악』 악장(樂章)의 이름. 정대업(定大業) 춤을 출 때 큰북을 열 번 친 뒤에 연주하는데, 박(拍)을 치면 무기(舞妓)가 춤추기 시작함.
소:무-탈【小巫-】 명 『민』 소무(小巫)가 쓰는, 흰 바탕의 탈.
소:문[1]【小門】 명 ①작은 문. ↔대문. ②〈속〉 보지. 하문(下門).
소:문[2]【所聞】 명 전하여 들리는 말. 인언(人言). 성식(聲息). ¶ 뜬 ~.
소:문(이) 나다 구 소문이 퍼지다.
【소문난 잔치에 먹을 것 없다】 평판과 실제와는 일치하지 않다는 뜻.
【소문난 호랑이 잔등이 부러진다】 세상에 떠들썩하게 소문이 나면 액(厄)이 끼어들기 쉽다는 말.
소:문(을) 내:다 구 소문을 퍼뜨리다.
소:문[3]【素門】 명 빈천(貧賤)한 가문. 상사람의 집안.
소:문[4]【素問】 명 『책』 중국 최고(最古)의 의서(醫書). 진한대(秦漢代)의 사람들이 황제(黃帝)의 이름을 빌어 찬(撰)했다고 전해짐. 음양 오행(陰陽五行)·침구(鍼灸)·맥(脈) 등에 관하여 황제와 그 신하인 명의(名醫) 기백(岐伯)과의 문답 형식으로 씌어져 있음. 24권.
소문[5]【疏文】 명 『불교』 부처나 명부전(冥府殿) 앞에 죽은 이의 죄복(罪福)을 아뢰는 글.
소문[6]【訴文】 명 소장(訴狀)❶.
소문[7]【謏聞】 명 명성(名聲)이 조금 퍼짐.
소:문-놀이【所聞-】 명 대장 아이가 상대 아이들에게 어떤 이야기를 말하고, 그 내용이 끝아이에까지 잘 전해지는가를 알아보며 즐기는 놀이.
소:문 대:요【素問大要】 명 『책』 대한 제국 광무(光武) 10년(1906) 이규준(李圭晙)이 편찬한 책. 한의학의 최고 원전(原典)인 ≪소문(素問)≫을 중심으로 세자와 문답 형식을 취했음. 4권 2책.
소:-문자【小文字】[-짜] 명 ①작은 문자. ②유럽 문자의 작은 체의 문자. 1)·2):↔대문자.
소:문-조【小紋鳥】 명 『조』 [*Bathilda ruficauda*] 단풍샛과(科)에 속하는 새. 참새만한데, 등은 올리브색, 배는 황백색, 가슴은 연한 회색이고, 부리·머리·얼굴은 붉은 색이며, 가슴·옆구리에 걸쳐서 희고 작은 점이 방사상(放射狀)으로 산뜻함. 오스트레일리아 원산으로, 널리 사육(飼育)됨.
소물[1] 명 〈방〉 쇠죽(평안).
소:물[2]【素物】 명 소찬(素饌)에 쓰는 나물 따위.
소물-통 명 〈방〉 구유[1](경북).
소:미[1]【小米】 명 좁쌀. ↔대미.
소:미[2]【小微】 명 미소(微小).
소:미 가숙 통감 절요【小微家熟通鑑節要】 명 『책』 중국 송(宋)나라의 학자 소미 선생(小微先生) 강지(江贄)가 사마광(司馬光)의 자치 통감(資治通鑑)을 바탕으로 하여 지은 편년체(編年體)의 절요 사서(節要史書). 우리 나라에서 조선 시대 초기부터 속칭 ≪통감(通鑑)≫의 이름으로 글방의 초학(初學) 교재로 널리 통용되었음.
소:-미사【小-】[missa] 명 『악』 소규모의 미사.
소미지-급【燒眉之急】 명 초미지급(焦眉之急).
소:민[1]【小民】 명 상사람.
소민[2]【消悶】 명 견민(遣悶).
소밀[1]【疎密·疏密】 명 성김과 빽빽함.
소밀[2]【巢蜜】 명 개꿀.
소밀-파【疏密波】 명 [wave of condensation and rarefaction] 『물』 물체의 밀도 변화(密度變化)의 파(波). 액체와 기체 속을 전하는 음파(音波)는 이것임. 또, 탄성체(彈性體) 속에서는 종파(縱波)로서 전파함. *종파(縱波).
소-바구미 명 『충』 [*Zygaenodes leucopis*] 소바구밋과에 속하는 곤충. 몸길이 8-9 mm, 몸빛은 흑색 내지 암갈색에 전배판(前背板)에는 주로 황갈색의 털이, 시초(翅鞘)에는 회갈색 내지 회색의 털이 밀포함. 촉각은 적갈색인데 복부에는 회백색 털이 밀생함. 나무 등걸 등에 사는데, 한국에도 분포함.
소바구밋-과【-科】 명 『충』 [Anthribidae] 딱정벌레목(目)에 속하는 한 과. 몸은 소형이고 촉각은 사상(絲狀) 또는 곤봉상이며 복부 끝의 전절(前節)은 중앙이 깊이 굽어 들어가 오목함. 대개 목질부(木質部)에 사는데, 1,000여 종이 분포함.
소-바리 명 소의 등에 짐을 실어 나르는 일. 또, 그 짐.
소바리-꾼 명 짐을 소바리로 나르는 일꾼.
소바리-짐 명 소바리로 싣는 짐.
소박[1]【素朴】 명 꾸밈이나 거짓이 없이 생긴 그대로임. ¶ ~한 인심/~한 인품. ——-하다 형여불
소박[2]【疏薄·疎薄】 명 처나 첩을 박대함. ——-하다 타여불
소박(을) 맞다 구 남편에게 소박을 당하다. ¶ 소박 맞고 친정으로 쫓겨오다.
소박-덩이【疏薄-】 명 〈방〉 소박데기.
소박-데기【疏薄-】 명 남편에게 소박을 맞은 여자.
소박-미【素朴美】 명 꾸밈이나 거짓이 없는 수수하고 순박한 아름다움.
소박 실재론【素朴實在論】[-째-] 명 [naive realism] 『철』 무반성·무비판적인 소박한 실재론. 외계는 실재(實在)하며, 또 외계의 모습은 우리가 인식하는 그대로라고 생각하는 입장. 변증법적 유물론은 이것이 발전한 사상임. 모사설(模寫說).
소-박이 명 ①↗오이소박이 김치. ②소를 넣어서 만든 음식의 총칭.
소박이 김치 명 ↗오이소박이 김치.
소박적 유물론【素朴的唯物論】 명 [naive materialism] 『철』 과학적 이론에 근거하지 아니하고 인식(認識)은 주관(主觀)에 의한 객관(客觀)의 단순한 모사(模寫)로 이루어진다고 하는 유물론.
소반[1]【小盤】 명 밥·반찬 그 밖의 음식들을 벌여 놓고 먹는 상.
소반[2]【沼畔】 명 늪 가. 늪 언저리. 소상(沼上).
소:반[3]【素飯】 명 소(素)밥.
소반 다듬이【小盤-】 명 소반 위에 쌀 등의 곡식을 펴놓고 모래나 잡것 들을 낱낱이 고르는 일. ——-하다 타여불
소:반대 대:당【小反對對當】 명 『논』 특칭 긍정 판단(特稱肯定判斷) I와 특칭 부정 판단(特稱否定判斷) O와의 대당 관계(對當關係). 이 대당 관계에서는 I가 진(眞)이면 O는 진위 불명(眞僞不明), I가 위(僞)이면 O는 진, O가 진이면 I는 진위 불명, O가 위이면 I는 진이라는 관계가 성립됨. *대당 관계(對當關係).
소:반-덕【小盤德】 명 『지』 함경 남도 단천군(端川郡) 북두일면(北斗日面)과 함경 북도 길주군(吉州郡) 장백면(長白面) 및 학성군(鶴城郡) 학서면(鶴西面) 사이에 있는 산. [1,664 m] [1,028 m]
소:반덕-산【小盤德山】 명 『지』 평안 북도 자성군(慈城郡)에 있는 산.
소:-반음【小半音】 명 [small semitone] 『악』 서양 근대 음계(音階)에 쓰이는 반음의 한 가지. 장 3도(長三度)와 단 3도(短三度) 사이에 있는 음정(音程). 반음계적 반음(半音階的半音).
소:발[1]【素髮】 명 흰 머리칼. 백발(白髮).
소발[2]【燒髮】 명 『민』 그 해 동안 빗을 때 빠진 머리카락을 모아 두었다가 이듬해 음력 설날 저녁에 대문 밖에서 살라 버리는 일. 본디 정월 인(寅)날에 하는 것이며, 이렇게 함으로써 모든 병마가 물러간다 함.
소:-발작【小發作】[-짝] 명 [little disease, minor seizure] 『의』 간질의 발작형(型)의 하나. 극히 짧은 동안의 의식의 혼탁(混濁)이 있어, 환자는 쓰러지지 않고 담화나 일을 일시 중단하고 몇 초 동안 이상한 표정을 띄우면서 입의 언저리와 눈꺼풀을 연축(攣縮)시키는 정도의 증상을 나타냄. 주로 소아기(小兒期)에 많으며 하루에도 몇 십 번, 혹은 몇 백 번 일어나는 일도 있음. *발작(發作).
소:-밥【素-】 명 고기 반찬이 없는 밥. 소반(素飯). 소식(素食).
소:방[1]【小邦】 명 작은 나라. 소국(小國).
소:방[2]【小房】 명 작은 방.
소방[3]【消防】 명 화재를 예방하고 불난 것을 끄는 일. ¶ ~ 시설. ——-하다 타여불
소방[4]【疏放·疎放】 명 죄수(罪囚)를 너그럽게 처결(處決)하여 놓아 줌. ——-하다 타여불
소방[5]【蘇方·蘇枋·蘇芳】 명 다목의 목재 속에 있는 붉은 살. 깎아서 달인 물을 물감으로 쓰는데, 빛이 새빨갛고 고우나 퇴색함.
소방-감【消防監】 명 국가 소방 공무원의 직급 명칭의 하나. 소방 정감의 아래, 소방정의 위임. 내무부 민방위 본부(民防衛本部) 소방국(消防局)의 과장 등에 보(補)해짐.
소방-경【消防警】 명 국가 소방 공무원의 직급 명칭의 하나. 소방령의 아래, 소방위의 위임. 소방서(消防署)의 과장 등에 보(補)해짐.
소방 계:획【消防計劃】 명 학교·병원·공장·극장 등의 방화 관리자가 화재가 발생했을 경우에 대비하여, 소화(消火)나 피난 방법, 설비 따위에 관해서 작성하는 계획.
소방 공무원【消防公務員】 명 『법』 화재를 예방·경계 또는 진압함으로써 국민의 생명·신체 및 재산을 보호하는 것을 직무로 하는 공무원. 국가 소방 공무원과 지방 소방 공무원이 있음.
소방-관【消防官】 명 '소방 공무원'의 통칭.
소방관 출장소【消防官出張所】[-짱-] 명 『법』 소방서(消防署) 관내의 일정한 곳에 출장시켜, 소방서장의 업무를 분장(分掌)하게 하는 곳.
소방관 파출소【消防官派出所】[-쏘] 명 『법』 소방서(消防署) 관내의 일정한 곳에 소방관을 파견하여, 소방서장의 업무를 분장(分掌)하게 하는 곳.
소방-교【消防校】 명 국가 소방 공무원의 직급 명칭의 하나. 소방장의 아래, 소방사의 위임.
소방-기【消防器】 명 불을 끄는 기구.
소방 기계【消防機械】 명 불을 끄는 데 쓰는 온갖 기계의 총칭.
소방-대【消防隊】 명 소방 사무에 종사하는 소방 공무원, 또는 의용 소방대원으로 편성된 대(隊).
소방 대:상물【消防對象物】 명 『법』 소방법상 소방의 대상이 되는 물건. 곧, 산림·주거(舟車)·선거(船渠), 항내(港內)에 계류(繫留)된 선박, 건축물 기타의 공작물(工作物) 또는 물건.
소방대-원【消防隊員】 명 소방대의 구성원.
소방-령【消防領】[-녕] 명 국가 소방 공무원의 직급 명칭의 하나. 소방정의 아래, 소방경의 위임. 소방서(消防署)의 과장 등에 보(補)해짐.
소방 망:대【消防望臺】 명 소방 망루.
소방 망:루【消防望樓】[-누] 명 화재를 재빨리 발견하고 급히 소방력을 발동시키기 위하여 설치한 망루. 소방서에 부속되어 높은 탑으로 되었음. 소방 망대.
소방-목【蘇方木】 명 『식』 다목[1]. 준소목(蘇木).
소방-법【消防法】[-뻡] 명 『법』 소방에 관한 법률. 곧, 화재를 예방·경계 또는 진압하여 국민의 생명·신체 및 재산을 보호함으로써 공공(公共) 안녕 질서의 유지와 사회의 복리 증진에 기여함을 목적으로 제정된 법률.
소방-복【消防服】 명 소방관이 착용하는 소방모·제복(制服)·소방화·표지장(標識章) 등의 총칭.
소방 본부【消防本部】 명 『법』 서울 특별시와 광역시 및 도의 소방 업무를 분장(分掌)하는 하부 조직. 시장의 명을 받아 소방에 관한 조사·지도·단속을 행함. 본부장은 소방 정감·지방 소방 정감 또는 소방

감·지방 소방감으로 보(補)함.

소방-부【消防夫】명 소방수(消防手).

소방-사【消防士】명 국가 소방 공무원의 직급 명칭의 하나. 소방교의 아래임.

소:-방상【小方牀】명 험한 길이나 좁은 곳에서 쓰는 작은 상여(喪輿). 소여(小輿). ↔대방상(大方牀).

소방-서【消防署】명 각급(各級) 소방 공무원을 두어 소방에 관한 사무를 맡아 보는 기관. 서울 특별시·광역시 및 시·군(市郡)에 둠.

소방서-장【消防署長】명 소방서의 우두머리. 관내의 소방에 관한 사무를 맡아 처리하고 소속 공무원을 지휘 감독함. 소방정(消防正) 또는 지방(地方) 소방정으로 보함.

소방-선【消防船】명 항만에 정박한 배나 해안 건물의 화재의 소방에 종사하는 배. 속력이 빠르며 선체가 경쾌하고 작음. 주요 설비는 강력한 펌프임.

소방-수【消防手】명 소방에 종사하는 사람. 소방부(消防夫).

소방 시:설【消防施設】명 소방 활동상 필요한 시설·설비의 총칭. 소화(消火) 설비·경보 설비·피난 설비·소화용수 설비·배연(排煙) 설비·연결 살수(連結撒水) 설비·연결 송수관 설비·비상 콘센트 설비 등.

소방-위【消防尉】명 국가 소방 공무원의 직급 명칭의 하나. 소방경의 아래, 소방장의 위임. 간부 후보생 선발 시험에 합격하여 소정(所定)의 훈련을 마친 사람에게 주어지며, 소방서의 과장 등에 보(補)해짐.

소방 자동차【消防自動車】명 불자동차. ㊣소방차.

소방-장【消防長】명 ①국가 소방 공무원의 직급 명칭의 하나. 소방위의 아래, 소방교의 위임. ②전에, 소방 공무원 계급의 하나. 소방사의 아래, 소방원의 위.

소:-방적【小方積】명〖건〗벽돌의 작은 면이 그 구축물(構築物)의 표면이 되게 쌓는 일. 작은모쌓기. ↔장방적(長方積).

소:-방전[1]【小方甎】명〖건〗성벽 같은 것을 쌓는 데 쓰는 작은 방형의 벽돌. ↔대방전(大方甎).

소방-전[2]【蘇芳典】명〖역〗신라 시대의 관청. 내성(內省)에 소속되어 직물(織物) 생산, 또는 염색을 담당하였을 것으로 추측됨.

소방-정【消防正】명 국가 소방 공무원의 직급 명칭의 하나. 소방감의 아래, 소방령의 위임. 소방서장(消防署長) 등에 보(補)해짐.

소방 정:감【消防正監】명 국가 소방 공무원의 직급 명칭의 하나. 소방감의 위임. 소방 학교장, 소방 본부장 등에 보해짐.

소방 즉통【消防喞筒】명 소방 펌프.

소방-차【消防車】명 ↗소방 자동차.

소방 펌프【消防一】〔pump〕명 화재(火災)를 진압하기 위하여 쓰는 펌프. 물에 센 압력을 주어 불길에 뿜어 불을 끄는 장치.

소방 학교【消防學校】명 ↗지방 소방 학교.

소:배[1]【少輩】명 나이가 젊은 사람. 젊은 후배(後輩).

소배[2] 부 〈방〉전혀.

소-배압【蕭排押】명 요(遼) 및 거란(契丹)의 장군. 고려 현종 1년(1010)에 거란의 성종(聖宗)이 고려 정벌의 군사를 일으켰을 때 사령관으로 한때 개성(開城)을 점령하였고, 현종 9년(1018)에 10만 대군을 이끌고 다시 침입했으나 평안도 구주(龜州)에서 강감찬(姜邯贊)에게 대패하였음. 생몰년 미상.

소:-배우자【小配偶子】명〔microgamete〕〖생〗이형(異型) 배우자의 작은 쪽의 것. ↔대배우자(大配偶者).

소:배우자 생식【小配偶子生殖】명〔microgamy〕〖생〗영양체(營養體)보다 작은 배우자의 융합(融合)에 의한 유성(有性) 생식. 원생(原生) 동물이나 조류(藻類)에서 볼 수 있음.

소:백-산【小白山】명〖지〗①함경 북도 무산군(茂山郡) 삼장면(三長面)과 함경 남도 혜산군(惠山郡) 보천면(普天面) 사이에 있는 산. [2,174 m] ②함경 남도 장진군(長津郡) 서한면(西閑面)과 평안 북도 강계군(江界郡) 용림면(龍林面) 사이에 있는 산. [2,184 m] ③경상 북도 영주시(榮州市)와 충청 북도 단양군(丹陽郡)의 사이, 소백 산맥의 초입에 있는 산.[1439 m]

소:백산 국립 공원【小白山國立公園】[—님—] 명〖지〗경북 영주시·봉화군과 충북 단양군에 걸쳐 있는 소백산을 중심으로 한 그 일대의 국립 공원. 1987년 12월 14일 지정됨. 비로봉·국망봉·제1연화봉·제2연화봉·도솔봉·신선봉 등과 죽계 9곡·희방 계곡 등 명승 계곡이 있음. 국립 천문대가 있음. [320.5 km²]

소:백 산맥【小白山脈】명〖지〗태백 산맥(太白山脈)에서 갈리어 서쪽으로 달리다가 서남 방향으로 뻗어 내려, 영남과 호남 지방과의 경계를 이루는 산맥. 일반적으로 고준(高峻)한 장년기(壯年期) 산지이므로, 교통상 큰 장애가 되고 있음. 주맥(主脈)은 여수(麗水) 반도에 이름.

소:-백의【小白衣】[—/—이] 명〖천주교〗교회 예식을 행할 때 입는 작은 흰 옷.

소:백 장의【小白長衣】[—/—이] 명〖천주교〗미사 제의(Missa 祭衣)의 한 가지. *장백의(長白衣).

소벌【疏伐】명 간벌(間伐). ——-하다 타여불

소:범【所犯】명 ①범한 죄(罪). ②↗소범 상한(所犯傷寒).

소:범 상한【所犯傷寒】명〖한의〗방사(房事)의 피로(疲勞)로 일어나는 상한증(傷寒症). ㊣소범(所犯).

소:-법정【小法廷】명〖법〗대법원의 대법원 판사 3명 이상으로 구성된 재판 기관으로서의 합의체(合議體). 대법원에서 처리되는 사건은 먼저 여기에서 심리(審理)하여, 의견이 일치되지 아니하는 사건과 법원 조직법상 대법정에서 심리하게 되어 있는 사건은 대법정으로 회부하며, 그 밖의 경우는 여기에서 재판함. ↔대법정(大法廷).

소베츠크〔Sovetsk〕명〖지〗러시아 연방 칼리닌그라드 주(Kaliningrad 州)의 상공업 중심 도시로, 하항(河港). 제철(製鐵)·기계 공업이 성하고 치즈(cheese)를 산출함. 구명(舊名)은 틸지트(Tilsit). [36,000명(1981 추계)]

소:벽【召辟】명 초야(草野)에 있는 사람을 예를 갖추어 불러 벼슬을 시킴. 초벽(招辟).

소:변[1]【小便】명 오줌. ¶ ~기(器). ↔대변.
　소:변(을) 보다 구 오줌(을) 누다. 소마(를) 보다. 소피(所避)(를) 보다.

소:변[2]【小變】명 ①약간의 변화. ②조그마한 사변(事變).

소:변 간삽【小便艱澁】명〖한의〗오줌이 잘 나오지 않는 병.

소:변-기【小便器】명 오줌을 누게 만든 여러 가지의 기구(器具).

소:변 불금【小便不禁】명〖한의〗오줌이 자주 나와 참지 못하는 병.

소:변 불리【小便不利】명〖한의〗소변 불통(小便不通).

소:변 불통【小便不通】명〖한의〗병으로 인하여 오줌이 나오지 아니함. 또, 그 병. 소변 불리(小便不利).

소:변-소【小便所】명 오줌을 누게 만든 곳. 「오줌 방울.

소:변 여력【小便餘瀝】명〖한의〗병 때문에, 소변 후 저절로 떨어지는

소:변 적삽【小便赤澁】명〖한의〗병으로 오줌이 붉고 누기 힘드는 증세.

소:별【小別】명 잘게 나눔. 소분(小分). *대별(大別). ——-하다 타여불

소:-별지【小別紙】[—찌] 명〖역〗대각지(大角紙)보다 좀 얇은, 책 표지나 사령장으로 쓰던 종이. 「추어 이르는 말.

소:병[1]【小兵】㊀명 적은 수의 병(兵). ㊁인대 병사(兵士)가 자기를 낮

소:병[2]【小甁】명 조그마한 병.

소:병[3]【素屛】명 그림이나 글씨가 없이 흰 종이만 바른 병풍.

소:병[4]【笑病】[—뼝] 명〖의〗실없이 자꾸 웃는 미친 병의 한 가지.

소:보[1]【小報】명〖역〗조선 시대에, 승정원(承政院)에서 그 날 중에 처리된 일을 간추려서 각 관원(官員)에게 알리던 문서.

소:보[2]【小補】명 자그마한 보조(補助). 또, 적은 원조.

소:보[3]【少保】명 고려 때 태자부(太子府)의 종이품 벼슬. 곧, 태자 소부(太子少傅)의 일컬음.

소보[4]【巢父】명〖사람〗중국 고대의 고사(高士). 속세(俗世)를 떠나서 산의 나무 위에서 살았다 하여 이 이름이 생김. 요(堯) 임금이 천하를 그에게 맡기려고 하였으나 이를 받지 않았다 함.

소:-보허사【小步虛詞】명〖악〗삼죽금보(三竹琴譜)에 전하는 곡의 하나. 굿보허사.

소:복[1]【小腹】명 아랫배. 하복(下腹).

소:복[2]【小福】명 조그마한 복력(福力).

소:복[3]【素服】명 ①하얗게 차려 입은 옷. 흰 옷. ↔화복(華服). ②상복(喪服). ——-하다 자여불 소복을 입다.

소복[4]【紹復】명 전대(前代)를 이어서 업(業)을 일으킴. ——-하다 자여불

소복[5]【蘇復】명 ①병이 나은 뒤에 원기가 회복됨. ¶ 아직 채 ~도 안 되셨는데 또 더치시면 어떡해요≪玄鎭健：無影塔≫. ②병 뒤에 원기를 회복하기 위하여 음식을 특별히 잘 먹음. ——-하다 자타여불

소:복[6]【小僕】인대 종이 상전(上典)에 대하여 자기를 일컫는 말.

소:복 담:장【素服淡粧】명 흰 옷을 입고 엷게 화장함. 또, 그러한 차림. ——-하다 자여불

소복-소복 부 여럿이 모두 소복한 모양. ¶ ~ 눈이 쌓이다. <수북수북.

소복-이 부 소복하게. <수북이. └——-하다 형여불

소복-하다 형여불 ①물건이 도드라지게 많이 담기어 있거나 쌓이어 있다. ②살이 부어서 도드라져 있다. ¶ 눈등이 ~. 1)·2): <수북하다.

소:본[1]【小本】명 같은 종류 중에서 작은 본새.

소본[2]【疏本】명 상소문(上疏文)의 원본(原本).

소:부[1]【小富】명 자그마한 부자.

소:부[2]【少婦·小婦】명 젊은 부녀(婦女). 「(太子少傅)의 일컬음.

소:부[3]【少傅】명 고려 때 태자부(太子府)의 종이품 벼슬. 곧, 태자 소부

소:부[4]【所負】명 ①남에게 진 신세. 남에게 진 바. 또, 남에게 진 부채. 소채(所債). ②책임진 바.

소부[5]【疏附】명 ①아랫사람을 잘 통솔하고, 윗사람과 친함. ②지위·계급이 서로 다른 사람과 친함. ——-하다 형여불

소:부-감【小府監】명〖역〗고려 광종(光宗) 때, 보천성(寶泉省)을 고친 이름. 충렬왕 24년(1298)에 내부감(內府監)이라 고침. *소부시(小府寺).

소:-부대【小部隊】명 규모가 작은 부대. ↔대부대.

소:-부등【小不等】명 조그마한 둥근 나무. ↔대부등(大不等).

소:-부르주아【小—】〔프 bourgeois〕명〖사〗자산자(資産者)와 무산자(無産者)와의 사이에 있어, 고용(雇傭) 관계에 의하지 아니하는 자영적 계급(自營的階級)이나 사회층(社會層). 수공업자·소상인(小商人)·소지주(小地主)·자작농(自作農) 등을 이르며, 넓은 의미에서는 사무원·교사 등 봉급 생활자도 포함함. *중산(中産) 계급.

소:부리-주【所夫里州】명〖역〗백제 멸망 후 수도였던 부여(扶餘)에 설치한 신라의 주(州).

소:-부분【小部分】명 작은 부분. 또는 적은 부분. ↔대부분.

소:부-시【小府寺】명〖역〗고려 충혜왕(忠惠王) 원년(1331)에, 선공사(繕工司)에 합하였던 내부감(內府監)을 다시 고치어 둔 관아. 공민왕(恭愍王) 5년(1356)과 18년에 소부감(小府監)으로, 11년과 21년에 본이름으로 환원했다가 공양왕(恭讓王) 2년(1390)에 폐함.

소:북【小北】명 조선 선조(宣祖) 32년(1599) 사색(四色)의 하나인 북인(北人)에서 갈라진 당파의 하나. 유영경(柳永慶)·김신국(金藎國)·남이공(南以恭) 등이 중심 인물임. ↔대북(大北). *당론(黨論).

소:북-산【小北山】명〖지〗평안 북도 후창군(厚昌郡) 칠평면(七坪面)에 └있는 산. [1,446 m]

소북-하다 형여불 ☞ 소복하다.

소:분[1]【小分】명 작게 나눔. 또, 그 부분. 소별(小別). ——-하다 타여불

소:분[2]【小忿】명 작은 화. 약간 노한 일.

소:분[3]【小紛】(명) 작은 분란(紛亂).

소:분[4]【掃墳】(명)〖역〗경사로운 일이 있을 때 조상의 무덤에 가서 제사 지내는 일. ――하다 (자)(여불)

소분[5]【燒焚】(명) 태움. ――하다 (타)(여불)

소분 전:쟁【蘇芬戰爭】(명)〖역〗↗소련 핀란드 전쟁.

소:-분청음【小分淸飮】(명)〖한의〗분청음(分淸飮)에서 목통(木通)과 차전자(車前子)를 빼고, 의이인(薏苡仁)과 후박(厚朴)을 더한 약제. 습체(濕滯)로 인하여 보약(補藥)을 받지 아니할 때 씀. ↔대분청음(大分淸飮).

소:불【小佛】(명) 작은 불상.

소-불간:친【疏不間親·疎不間親】(명) 친분이 먼 사람이 친분이 가까운 사람들을 이간하지 못한다는 말.

소:-불개:의【少不介意】[―/―이] (명) 조금도 개의하지 아니함. 조금도 마음에 두지 아니함. 소불개회(少不介懷). ――하다 (타)(여불)

소:-불개:회【少不介懷】(명) 소불개의(少不介意). ――하다 (타)(여불)

소:-불동:념【少不動念】(명) 조금도 마음을 움직이지 아니함. ――하다 (자)(여불)

소:-불여의【少不如意】[―/―이] (명) 조금도 뜻과 같지 아니함. 조금도 뜻대로 되지 아니함. ――하다(형)(여불)

소:-불하【少不下】(부) 적어도. 적게 치더라도. 하불하(下不下).

소브레로 [Sobrero, Ascanio] (명)〖사람〗이탈리아의 화학자. 니트로글리세린을 발견함. [1812~88]

소비[1] (명)〈방〉①쟁기(강원). ②보습[1](경북).

소:비[2]【所費】(명) 드는 비용. 무슨 일에 든 씀씀이.

소비[3]【消費】(명) ①돈이나 물건 등을 써서 없앰. 비소(費消). ¶~ 절약. ②〖경〗욕망의 충족을 위해 재화를 소모하는 일. 생산과 인과(因果) 관계가 있는 경제 현상. 생산적 소비와 비생산적 소비로 나눔. ¶~량/~재(材). ↔생산. ――하다 (타)(여불)

소비[4]【疏批】(명)〖역〗상소(上疏)에 내리는 비답.

소비 경기【消費景氣】(명)〖경〗소비자(消費者)의 소비 활동(消費活動)이 활발해짐으로써 생기는 경기. 투자와 밀접한 관계에 있으며, 과열되면 소비 인플레가 될 우려가 있음.

소비 경제【消費經濟】(명)〖경〗재(財)의 직접 소비를 목적으로 하는 경제. 국가 또는 지방 자치 단체가 경영하는 공적(公的) 소비 경제와 개인·가족 및 기타 공동체가 경영하는 사적(私的) 소비 경제의 둘로 나눔.

소비-고【消費高】(명) 소비한 분량.

소비 금융【消費金融】[―/―늉] (명)〖경〗각종 금융 기관이 개인의 소비 생활을 대상으로 하여 행하는 자금의 대부 또는 할부(割賦)에 의한 각종 물품의 판매 제도 등의 총칭. 소비자 금융. 소비자 론(loan). *기업 금융(企業金融)·산업 금융(産業金融)·생산 금융.

소비 기탁【消費寄託】(명)〖법〗'소비 임치(消費任置)'의 구민법(舊民法)상의 용어.

소비 대:차【消費貸借】(명)〖법〗차주(借主)가 대주(貸主)로부터 금전 기타의 물건을 받고, 그와 동종(同種)·동질(同質)·동량(同量)의 물건을 반환할 것을 약정함으로써 성립하는 계약. 금전(金錢)이나 쌀·보리 등의 대차(貸借)가 이에 해당함. ――하다 (타)(여불)

소비 도시【消費都市】(명)〖경〗소비자가 주민의 대부분을 차지하는 도시. 곧, 생산 기업체가 적고, 주로 정치·종교·학술 등의 비생산(非生産) 기관이 집중(集中)되어 있는 도시. 로마나 워싱턴과 같은 관광 도시나 정치 도시가 이에 해당함. ↔생산 도시.

소비-량【消費量】(명) 물품을 소비하는 분량.

소비-력【消費力】(명)〖경〗어떤 물품을 구매(購買) 소비하는 능력.

소비링이 (명)〈방〉진드기(경남).

소비-물【消費物】(명) 한번 쓰면 그만큼 없어지는 물건. 식료품·석탄·석유·쌀 같은 것. 소비품.

소비 사:업【消費事業】(명) 직접 생산을 목적으로 하지 아니하는 사업. 곧, 문화 사업·교육 사업 같은 것.

소비 사회【消費社會】(명) 물건을 대량으로 소비할 수 있게 된 사회. 제3차 산업의 비중(比重) 증대, 소득의 상대적 상승, 매스미디어의 발달, 유흥(遊興)으로의 지향성(指向性) 확대 등이 요건이 됨. 소비자 사회(消費者社會).

소비성 응고 장애【消費性凝固障礙】[―썽―] (명) 소비성 응혈 이상증.

소비성 응혈 이:상증【消費性凝血異常症】[―썽―쯩] (명) [consumptive coagulopathy]〖의〗혈액 응고가 몹시 항진해서, 그 결과 하나 또는 그 이상의 혈중(血中) 응고 인자가 감소하는 일.

소비 성:향【消費性向】(명)〖경〗소득 증가에 따라 변화하는 소비 경향. 곧, 소득에 대한 소비의 비율. 케인스(Keynes, J.M.)가 쓰기 시작한 말. 소득과 소비는 비례하여 증감하는 성질이 있으며, 사람의 제일차적 직접 욕망의 만족은 저축보다도 강하여, 어느 정도의 쾌적(快適)을 얻은 후에야 저축이 증가함. 제일차적 욕망을 충족한 후부터는 소득이 증가함에 따라 소비와 저축의 차가 커지고 저축하는 비율이 많아짐. ↔저축 성향(貯蓄性向).

소비-세【消費稅】[―쎄] (명)〖법〗과세 대상에 의한 세(稅)의 분류(分類)의 하나로 개인의 소비에 대하여 부과하는 세금. 소비의 최종 단계에서 과하는 입장세·유흥 음식세·자동차세 따위의 직접 소비세와, 생산·유통의 단계에서 과세하고 이것을 소비자에게 전가(轉嫁)시키려고 하는 주세(酒稅)·물품세·관세 따위의 간접 소비세로 구분됨. 소득세와 함께 조세 제도(租稅制度)의 중요한 구성 요소(構成要素)로 됨.

소비 수량【消費水量】(명)〖지〗한 지역에 있어서, 증발량과 식물의 이용량을 합한 육수(陸水)의 연간(年間) 총손출량(總損出量).

소비 수준【消費水準】(명)〖경〗생활 수준을 비교하기 위하여 실질 소비량(實質消費量)의 수준을 시계열적(時系列的)으로 또는 동시점(同時點)에 있어서의 사회 계층(階層) 상호간이나 지역(地域) 상호간을 비교하여 얻은 지표(指標).

소비-액【消費額】(명) 소비하는 돈의 액수.

소비에트 [러 Soviet] (명)〖정〗[본디 회의·평의회(評議會)의 뜻] ①소련에 있어서의 인민의 대표자 회의. 1905년 페테르스부르크의 노동자 사이에 조직된 것을 최초로 하여, 1917년 2월 혁명 후 노동자·병사·농민의 대표자로 구성되어 혁명적 세력의 중심을 이루고, 이어 볼셰비키 정권의 모태(母胎)가 되어, 소비에트 동맹 성립 후 공장·촌·시 등에서 군(郡), 군에서 주(州)로 선출된 소비에트가 집행권을 장악하였고, 1936년 신헌법 제정 후에는 직접 선거에 의해 최고 소비에트(국회)를 선출하였음. ②↗소비에트 사회주의 공화국 연방.

소비에트 공:산당【―共産黨】[Soviet] (명)〖정〗소련 공산당.

소비에트 동맹【―同盟】[Soviet] (명)〖지〗소비에트 연방 (Soviet聯邦).

소비에트 러시아 [Soviet Russia] (명) 소비에트 정권 하의 러시아란 뜻. '소비에트 연방'의 속칭.

소비에트 문학【―文學】[Soviet] (명)〖문〗러시아 혁명 이후에 형성된 마르크스 사회주의의 문학. *러시아 문학.

소비에트 사회주의 공:화국 동맹【―社會主義共和國同盟】[―/―이―] [Soviet] (명)〖지〗소비에트 사회주의 공화국 연방(聯邦).

소비에트 사회주의 공:화국 연방【―社會主義共和國聯邦】[Soviet] [―년―/―이―년―] (명) [Union of Soviet Socialist Republics; U.S.S.R.]〖역〗유럽 동부와 아시아 북부에 있던 연방 공화국. 1917년 10월 혁명(革命)의 결과 구제정(舊帝政) 러시아의 대부분을 차지함. 러시아 공화국을 비롯하여 우크라이나(Ukraina)·벨로루시(Belorussia)·아르메니아(Armenia)·아제르바이잔(Azerbaijan)·우즈베크(Uzbek)·카자흐(Kazakh)·투르크멘(Turkmen)·키르기스(Kirghiz)·그루지야(Gruziya)·타지크(Tajik)와 1940년에 새로 가맹(加盟)한 에스토니아(Esthonia)·라트비아(Latvia)·리투아니아(Lithuania)·몰다비아(Moldavia)의 15국의 사회주의 공화국(社會主義共和國)으로 이루어졌었음. 제2차 세계 대전 후 동독(東獨)의 일부와 사할린(Sakhalin)·남부 쿠릴 열도(Kurile 列島)가 병합되고, 1947년의 핀란드와의 강화 조약(講和條約)으로 베즈아모 주(州)를 획득했었으나, 1991년 12월에 러시아·우크라이나·벨로루시 공화국을 비롯한 11개 공화국이 연방을 탈퇴하여 '독립 국가 연합'을 구성함으로써 연방은 해체·소멸되었음. 수도는 모스크바. 소비에트 사회주의 공화국 동맹. 약칭: 유 에스 에스 아르. (준)소비에트·소비에트 연방·소련(蘇聯)·소(蘇) 연방. *독립 국가 연합.

소비에트 연방【―聯邦】[Soviet] (명)↗소비에트 사회주의 공화국 연방.

소비에트 연방 과학 아카데미【―聯邦科學―】[Soviet-academy] (명) 소련 최고(最高)의 학술 기관. 1724년 표트르 1세가 계획, 다음해 에카테리나 1세(Ekaterina 一世)가 페테르스부르크(레닌그라드)에 러시아 과학 아카데미란 이름으로 설립함. 혁명 후, 1925년 이 이름으로 개칭. 1934년 모스크바로 이전함. 소련에 있어서의 기초·응용 과학의 일반적 향상에 기여하고, 세계에 있어서의 과학 사상의 성과를 연구 발전시키는 일을 기본 임무로 하며, 수학·화학·경제학·문학 등 15 부문(部門)으로 나누어져 있었음.

소비 용:역【消費用役】(명)〖경〗의사의 시료(施療)나 교사의 강의(講義)와 같이 소비자의 욕망 충족에 직접 소용되는 무형의 서비스.

소비 인플레이션【消費―】[inflation] (명)〖경〗소비 수요(需要)에 비하여 소비재(財)의 공급이 훨씬 부족한 것이 기본 원인이 되어 발생하는 인플레이션.

소비 임:치【消費任置】(명)〖법〗수치인(受置人)이 임치물(任置物)을 소비하고 후일 그것과 동종(同種)·동등(同等)·동량(同量)의 물건을 반환할 것을 목적으로 하는 임치(任置). 불규칙 임치(任置). 불규칙 기탁.

소비-자【消費者】(명) ①물건을 소비하는 사람. ②〖경〗생산의 어느 과정에도 직접으로 관여하지 아니하는 사람. 곧, 정치·교육·문화 등에 종사하는 사람. ↔생산자.

소비자 가격【消費者價格】[―까―] (명)〖경〗①어떤 자재(資財)의 생산자 가격에 이윤(利潤)·운임(運賃) 등을 넣은 가격. ②정부가 소비자에게 매도(賣渡)하는 가격. ↔생산자 가격.

소비자 가격 조사【消費者價格調査】[―까―] (명)〖경〗물가의 추이를 소비자의 측면에서 파악하기 위한 일종의 가계(家計) 조사. 시 피 에스(C.P.S.). *소비자 실태 조사.

소비자 가격 지수【消費者價格指數】[―까―] (명)〖경〗소비자 가격 조사에 의해서 일정한 시기의 소비자 가격을 기준으로 해서 그 변동을 퍼센티지로 나타낸 수(數). 시 피 아이(C.P.I.). 소비자 물가 지수.

소비자 금융【消費者金融】[―/―늉] (명)〖경〗소비 금융.

소비자 내:구재【消費者耐久財】(명)〖경〗소비자에게 팔기 위하여 생산되는 내구재. 자동차·라디오·텔레비전·가구(家具) 따위. ↔생산자 내구재.

소비자 론【消費者―】[loan] (명)〖경〗소비자 금융.

소비자 문:제【消費者問題】(명) 소비자가 남에게서 받는 손실 및 그에 관련되어 생기는 문제.

소비자 물가【消費者物價】[―까]〖경〗소비자가 구입하는 모든 상품·서비스의 가격을 평균한 수치(數値). 보통, 지수(指數) 형태로 나타냄.

소비자 물가 지수【消費者物價指數】[―까―] (명)〖경〗소비자 가격 지수.

소비자 보:호법【消費者保護法】[―뻡] (명)〖법〗소비자의 기본 권익(權益)을 보호하기 위하여 국가·지방 자치 단체 및 사업자의 의무와 소비자 및 소비자 단체의 역할, 그리고 소비자 보호 시책의 종합적 추진을 위한 기본적 사항을 규정한 법률. 1980년 1월에 제정 공포되어 1986년 12월에 전문 개정됨.

소비자 보:호 운:동【消費者保護運動】(명) 상품의 품질·성능·가격·유통(流通)에 있어서의 생산자의 횡포를 막기 위한 소비자의 권익 옹호

운동.
소비 자본【消費資本】명〔경〕원료·기계 등의 생산 자본에 대하여, 소비자의 수중에서 소비되는 모든 재화의 총칭. ↔생산 자본.
소비자 선:택의 이:론【消費者選擇―理論】[―/―에―] 명〔경〕일정한 소득을 가진 소비자가 자기의 소비 목적에 따라 가장 합리적으로 그 소득의 전부를 소비하려고 할 때, 무엇을 얼마만큼 사들일 것인가에 대하여 답하는 이론. 소비자 행동의 이론. *효용(效用) 균등의 법칙.
소비자 소송【消費者訴訟】명 소비자가 분쟁의 사법적 해결을 요구하는 소송.
소비자 신:용【消費者信用】명 소비자에 대해 주어지는 신용. 크레디트 카드 따위에 의한 외상 거래·판매 등의 상품 신용(商品信用)과 주택 금융(住宅金融) 등의 소비자 금융으로 나누어짐.
소비자 실태 조사【消費者實態調査】명〔경〕소비자의 가계(家計)의 금전적(金錢的)·물질적 내용을 종합적으로 파악(把握)하기 위한 조사. *소비자 가격 조사(消費者價格調査).
소비자의 자유【消費者―自由】[―/―에―] 명 경제적 자유의 하나. 각 개인이 소득의 용도를 자유로이 선택할 수 있는 지출의 자유, 생산의 형(型)이 소비자가 행하는 소득 용도의 자유 선택에 따라 결정되는 소비 자주권(自主權) 및 각 개인이 시간을 통하여 그 소득을 자유로이 배분(配分)할 수 있는 저축(貯蓄)의 자유 등의 총칭. *생산자의 자유.
소비자 잉:여【消費者剩餘】명〔경〕소비자가 사들인 상품의 효용(效用)과 그 상품을 사들임으로써 잃은 화폐의 효용과의 차(差). 소비자는 화폐를 잃으나 이것에 의하여 얻은 상품으로 보다 주관적으로 만족하는 상태의 효용차.
소비자 주권【消費者主權】[―꿘] 명〔consumer's sovereignty〕〔경〕소비자의 욕구가 시장의 가격 기구(價格機構)를 통해서 생산자에게 전달됨으로써, 소비자가 자원 배분(資源配分)의 최종적인 결정권을 쥐고 있다는 생각.
소비자 파워【消費者―】〔power〕명 소비자 운동과 그것이 발휘하는 사회적인 힘.
소비자 행정【消費者行政】명 소비자의 권리와 이익을 지킴을 주안(主眼)으로 하는 행정.
소비-재【消費財】명〔경〕경제재(經濟財) 중에서 사람의 욕망을 채우는 데 이용되는 모든 재화(財貨). 식료·연료 등의 비내구(非耐久) 소비재와, 주택·텔레비전·자동차·가구(家具) 등의 내구 소비재로 나뉨. 향락재(享樂財). ↔생산재·원자재(原資材).
소비재 공업【消費財工業】명〔경〕공업의 종류의 하나. 소비재를 생산하는 공업. 상당히 장기간 사용 가능한 내구(耐久) 소비재와 한번의 소비로 소모되는 비내구 소비재의 두 가지가 있음. 식품 공업·섬유 공업 등이 대표적. ↔생산재 공업. *경공업(輕工業).
소비 전:력【消費電力】[―절―] 명 소비하는 전력.
소비 전:력량 표시 상품【消費電力量表示商品】[―절―냥―] 명 그 기계의 월간 소비 전력량의 표지가 붙어 있는 가전 제품(家電製品) 상품.
소비 조합【消費組合】명〔경〕소비자가 조직하는 협동 조합(協同組合)의 하나. 소비자가 공동 출자(出資)하여 일용품을 직접 도매상(都賣商)이나 생산자로부터 대량 구입하여, 조합원에게 염가(廉價)로 공급하며, 그 순이익을 적립(積立) 분배하는 조합.
소비-지【消費地】명 어떤 상품이 소비되는 지역. ↔생산지.
소비 지출【消費支出】명 소득에서 조세(租稅)와 저축을 공제한 나머지의 식료비·피복비·주거비·광열비·잡비 등의 지출.
소비 패턴【消費―】〔pattern〕명〔경〕소득의 증가에 따라 소비 지출의 내용이나 여러 가지 소비재(消費財)에의 지출의 소득에 대한 비율이 어떻게 변화하는가라는 소비의 형(型). 경제의 전망이나 소비 수요 전망에 의거한 투자 계획 따위의 지침(指針)이 됨. 소득의 크기에 따라 규정되는 동시에 관행(慣行) 따위의 사회적 정황(情況)에 의해서도 변화함.
소비-품【消費品】명 소비하는 물품. 소비물.
소비 함:수【消費函數】[―쑤] 명〔경〕소비와 그것을 결정하는 요인(要因)과의 관계를 함수로 표시한 것. 일반적으로 소득 수준이 설명 변수(說明變數)로서 쓰이나, 기타 자산(資産)이나 상대적인 소득을 쓰는 경우도 있음.
소비 혁명【消費革命】명 소득 수준의 상승, 기술 변화, 매스컴의 발달 따위로 사회 상황이 변화하고 소비 의욕이 높아지거나, 소비의 형태·구조가 변화하는 일.
소비 회:계【消費會計】명〔경〕소비 경제에 관한 회계. 비기업(非企業) 회계에 속하는데, 국가의 재정, 가정(家庭) 회계, 자선·교육·사교 등 비영리 목적을 위한 법인·단체의 회계가 모두 이 예임.
소:빈【素貧】명 전부터 가난함. 본디부터 빈한(貧寒)함. ――-하다 형여불
소:빙하 시대【小氷河時代】명〔Little Ice Age〕〔지〕산악 빙하가 확대된 한 시기. 알프스·노르웨이·알래스카·아이슬란드와 같은 지역에서는 16세기 말에 시작되어 1650년·1750년·1850년에 빙하의 신장이 최대에 달하였다 함.
소빠가지 명〈방〉조롱박(강원).
소:-뼘【小―】명〈방〉집게뼘.
소:사[1]【小史】명 줄여서 간략하게 기록한 역사.
소:사[2]【小使】명 사정(使丁).
소:사[3]【小事】명 작은 일. 대수롭지 아니한 일. ↔대사(大事)❶.
소:사[4]【小舍】명〔역〕사지(舍地)❶.
소:사[5]【小師】명〔불교〕가르침을 받은 지 십 년이 차지 아니한 스승.
소:사[6]【小絲】명 여덟 가닥의 실을 드려서 만든 가는 끈목. *중중사.
소:사[7]【小辭】명〔논〕삼단 논법(三段論法)에서 소전제(小前提)와 단안(斷案)의 주사(主辭)가 되는 말. 가령 '모든 포유류는 새끼를 낳는다'라는 대전제와 '고래는 새끼를 낳는다'라는 소전제와 '그러므로 고래는 포유류이다'라는 단안에 있어서의 '고래'.
소:사[8]【小辭·小詞】명〔particle〕〔언〕인도유럽 어의 문법에서 어형 변화를 하지 아니하는 단어의 총칭. 곧, 품사 가운데 부사·전치사·접속사·감탄사 등 어형이 작고 굴절을 하지 아니하는 것을 가리킴. 불변화사(不變化詞).
소:사[9]【少師】명〔역〕고려 때 태자부(太子府)의 종이품 벼슬. 곧, 태자소사(太子少師)의 일컬음.
소:사[10]【所思】명 생각하는 바.
소:사[11]【素沙】명 흰 모래. 백사(白沙).
소:사[12]【素砂】명〔지〕경기도 부천군(富川郡)에 속했던 한 읍(邑). 1973년 7월 1일 부천시(富川市)로 승격함. 소새.
소:사[13]【素紗】명 흰 얇은 비단.
소:사[14]【掃射】명 ①〔군〕기관총(機關銃) 등을 상하 좌우로 휘둘러 연달아 쏘는 일. ¶ 기총(機銃) ~. ↔점사(點射). ②〔전〕신호가 없을 때, 밝은 선을 그리면서 음극선관(陰極線管)의 스크린을 가로지르는 전자 빔(電子 beam)의 정상 운동(定常運動). 그려진 선은 선형(線形) 소사에서는 직선이고, 원형(圓形) 소사에서는 원형임. ③〔전〕신호 발생기의 출력 주파수가 어떤 범위의 한쪽 한계치(限界値)로부터 다른 한계치까지 정상적으로 변화하는 일. ④〔전〕지향성(指向性) 안테나를 움직여서 담당 구역의 일단(一端)에서 다른 쪽 끝까지 방사역(放射域)을 옮기는 일. ――-하다 타여불
소사[15]【疏食】명 거친 밥. 변변하지 못한 음식. 육미붙이가 없는 음식. 소식(疏食).
소사[16]【燒死】명 불에 타서 죽음. 분사(焚死). ¶ ~를 면하다. ――-하다 자여불
소사[17]【蔬食】명 채소(菜蔬) 반찬의 밥. 소식(蔬食).
소사[18]【召史】의명 성(姓)의 아래에 붙이어 과부임을 나타내는 말.
소사-거【繅絲車】명 고치로 실을 켜는 물레. 준소거(繅車).
소사나다 자〈옛〉솟아나다. ¶ 醴泉이 소사나아 衆生올 救ᄒ더시니≪月印 上 15≫.
소사-나무 명〔식〕[*Carpinus coreana*] 자작나뭇과에 속하는 낙엽의 작은 활엽 교목. 잎은 달걀꼴이고 잎꼭지에는 잔털이 있으며, 작은 가지에 배게 남. 꽃은 5월에 피는데 자웅 동가(雌雄同家)이고 견과(堅果)는 10월에 익음. 해변 산기슭에 저절로 나는데, 일본·중국 등지에 분포함. 기구재·신탄재·관상용으로 이용함.
소:-사랑【小舍廊】명 작은 사랑(舍廊).
소:-사미【少沙彌】명〔불교〕젊은 사미.
소:사 방해【掃射妨害】명〔sweep jamming〕〔전〕레이더 스코프상에서 수신되는 주파수와 똑같은 주파수를 가진 전자기파(電磁氣波)를 사용하여 레이더 빔이 커버하고 있는 영역을 소사함으로써 적의 레이더 탐지를 방해하는 일.
소:-사병【小司兵】명〔역〕신라 병부(兵部)의 벼슬의 하나로, 본래의 이름 '노당(弩幢)'을 경덕왕(景德王)이 고친 이름. 후에 혜공왕(惠恭王)이 다시 '노당'으로 고치었음. *노당.
소:사-선【掃射線】명〔trace〕〔전〕음극선관(陰極線管)의 스크린 위를 움직이는 점(點)의, 눈에 보이는 궤도(軌道).
소:사-수【掃射數】명〔sweep rate〕〔전〕1초 동안에 레이더(radar)의 지향성 패턴이 회전하는 횟수. 때로는, 1회전하는 데 소요되는 시간(초)으로 나타내기도 함.
소사-스럽다 형ㅂ불 하는 짓이 간사하고 좀스럽다. **소사-스레** 부
소:-사읍【小舍邑】명〔역〕신라 때 전읍서(典邑署)의 벼슬. 중사읍(中舍邑)의 다음. 위계는 대사(大舍)에서 사지(舍知)까지.
소사이어티〔society〕명 사회(社會). 사교계. ¶ 하이(high) ~.
소:-사자【小使者】명〔역〕고구려 후기 직제의 팔품(八品)쯤 되는 벼슬 이름.
소:-사자좌【小獅子座】명〔천〕작은사자자리.
소:-사전【小辭典】명 사전 중에서 그 내용이 간결하고 부피가 썩 작아서 취급하기에 아주 편하도록 만든 사전. ¶ 영한(英韓) ~. *대사전.
소사-탕【繅絲湯】명 명주실을 켤 때에 고치를 삶은 물. 약에 씀.
소삭[1]【疏數】명 드묾과 잦음.
소삭[2]【蕭索】명 소조(蕭條). ――-하다 형여불
소:-삭대엽【小數大葉】명〔악〕삼죽금보(三竹琴譜)에 전하는 가곡(歌曲)의 하나. 오늘날의 계면(界面)·우조(羽調)·두거(頭擧)와 같은 곡임.
소삭 완:급【疏數緩急】명〔악〕국악에서, 가락의 많고 적음과 속도의 느리고 빠름.
소:산[1]【小産】명〔한의〕반산(半産). ――-하다 타여불
소:산[2]【所産】명 ①생기어 나는 바. ¶ 꾸준한 노력의 ~. ②↗소산물(所産物).
소산[3]【消散】명 흩어져 사라짐. ――-하다 자여불
소산[4]【疏散】명 ①의사가 맞지 않아서 헤어짐. ②특정 지역에 밀집한 주민 또는 건조물을 분산시킴. ¶ 인구 ~책(策). ――-하다 자타여불
소산[5]【燒散】명 ①불살라 흩어 버림. ②〔불교〕화장(火葬). ――-하다 타여불
소:산-물【所産物】명 그 곳에서 생산되는 모든 물건. 준소산(所産).
소:산적 자연【所産的自然】명〔라 natura naturata〕〔철〕범신론(汎神論)에 있어서의 신에 대한 자연. ↔능산적 자연(能産的自然).
소:산-지【所産地】명 물건이 생산되는 곳.
소산-터【燒散―】명〔불교〕화장(火葬)터.
소:살[1]【笑殺】명 ①일소(一笑)에 붙임. 웃고 문제시하지 아니함. ②크게 웃음. ――-하다 자타여불
소살[2]【燒殺】명 불에 태워 죽임. ――-하다 타여불
소:살-판【小―】명 관사(官射)에서 세 순(巡)을 마치는 일. *대살판.
소삼【蕭森】명 ①가을 바람이 불어서 마음이 쓸쓸함. ¶ 낙엽이 우수수 떨어지니 마음이 ~하다. ②나무가 빽빽이 들어서 있음. ¶ 나무가 ~하

여 하늘이 안 보인다. ――-하다 형여불

소:삼-도【小三島】명〖지〗전라 남도의 서남해상(西南海上), 진도군(珍島郡) 의신면(義新面) 송정리(松亭里)에 위치한 섬. [$0.04\,km^2$]

소:-삼작【小三作】명 ↗소삼작 노리개.

소:삼작 노리개【小三作―】명 노리개의 크기가 25cm 이하로 작고 꾸밈새도 간략한 삼작 노리개. 소례복(小禮服)에 또는 평상시(平常時)에 착용(着用)함.

소:-삼재【小三災】명〖불교〗세계가 괴멸(壞滅)하는 겁말(劫末)에 일어난다는 도병재(刀兵災)·질역재(疾疫災)·기근재(飢饉災)의 세 가지를 이름. ↔대삼재(大三災). ＊삼재(三災).

소삼-정【召參停】명〖역〗신라의 군영(軍營). 십정(十停)의 하나. 삼국 통일 초기경 지금의 경상 남도 함안(咸安)에 두었음.

소:-삼채【素三彩】명〖공〗중국 청(淸)나라 때의 도자기(陶瓷器) 색채의 한 가지. 흰 바탕 또는 검은 바탕에 황(黃)·녹(綠)·자(紫)의 세 가지 빛 또는 천황(淺黃)·천록(淺綠)·천자(淺紫)의 바탕에 짙은 황·녹·자의 세 가지 빛의 잿물을 올림.

소:삽【小澁】명 어렵고 분명하지 아니함. ――-하다 형여불

소삽-하다【蕭颯―】형여불 바람이 차고 쓸쓸하다. ¶소삽한 산길 초로에서 동무를 잃고 헤매고 있는 길 걷는 사람≪朴鍾和 : 錦衫의 피≫.

소:상[1]【小祥】명 사람이 죽은 지 한 돐 만에 지내는 제사. 일회기(一回忌). 기년제(朞年祭). 소기(小朞). 연상(練祥). ＊대상(大祥)·탈상(脫喪).

소:상[2]【小像】명 작은 상(像).

소상[3]【沼上】명 못가. 못 언저리. 소반(沼畔).

소상[4]【昭詳】명 밝고 자세함. 분명하고 자세함. ――-하다 형여불. ――-히 부

소:상[5]【素尙】명 ①청소(淸素)하고 고상함. ②소원(素願). ――-하다 형여불

소:상[6]【素商】명 '가을'의 별칭(別稱).

소:상[7]【素像】명 채색(彩色)을 하지 아니한 상(像).

소상[8]【疏上】명 '삼가 아뢰나이다'라는 뜻으로, 상제(喪制)가 편지 끝에 쓰는 말.

소:상[9]【塑像】명〖미술〗점토(粘土)로 만든 인물(人物)의 모형(模型). 중국 당(唐)나라 때에는 불상(佛像)의 소상이 유행되었으나, 지금은 주로 조각·주물(鑄物)의 원형(原型)으로 쓰는 것을 이름. 석고상(石膏像)도 이의 한 가지임.

소상[10]【瀟湘】명〖지〗'샤오샹'을 우리 음으로 읽은 이름.

소상 반죽【瀟湘斑竹】명 샤오샹 반죽.

소상 분명【昭詳分明】명 밝고 상세하여 똑똑함. ――-하다 형여불

소:-상인【小商人】명 ①작은 규모로 장사하는 사람. 비판(裨販). ②〖법〗자본금이 1천만 원에 미달하는 상인으로서, 회사가 아닌 자.

소상 팔경[1]【瀟湘八景】명 중국 샤오샹(瀟湘) 지방에 있는 여덟 가지 아름다운 경치. 곧, 평사 낙안(平沙落雁)·원포 귀범(遠浦歸帆)·산시 청람(山市晴嵐)·강천 모설(江天暮雪)·동정 추월(洞庭秋月)·소상 야우(瀟湘夜雨)·연사 만종(煙寺晩鐘)·어촌 석조(漁村夕照).

소상 팔경[2]【瀟湘八景】명〖문〗이후백(李後白)의 연시조(聯時調). 중국의 소상 팔경을 노래함. 6수.

소상 팔경가【瀟湘八景歌】명〖문〗작자·제작 연대 미상의 가사의 하나. 샤오샹 강 주변의 팔경을 노래한 가사임.

소:상품 생산【小商品生産】명〖경〗자본주의 사회 및 사회주의 사회에 잔존(殘存)하고 있는 단순 상품 생산 양식. ＊단순 상품 생산.

소색【消色】명〖물〗색수차(色收差)를 없앰. ――-하다 타여불

소색 렌즈【消色―】〔lens〕명〖물〗색지움 렌즈.

소:-색병【素色餠】명 민색떡.

소색 프리즘【消色―〔prism〕명〖물〗색지움 프리즘.

소:생[1]【所生】명 자기가 낳은 아들이나 딸. ¶본처 ～.

소생[2]【巢笙】명〖악〗악기의 한 가지. 생(笙)과 비슷함.

소생[3]【疎生】명 띄엄띄엄 성기게 남. ↔밀생(密生). ――-하다 자여불

소생[4]【蘇生·甦生】명 다시 살아남. 회생(回生). 회소(回蘇). 부활(復活). ――-하다 자여불

소:생[5]【小生】인대 ①예전에 의정(議政)끼리 서로 자기를 가리키어 일컫던 말. ②자기를 낮추어 일컫는 말. 졸생.

소:생-가【所生家】명 양자(養子)간 사람의 실가(實家). 본생가(本生家).

소:서[1]【少西】명〖역〗조선 시대의 서인(西人)의 한 분파(分派). 인조 때, 공서(功西)의 수령 김류(金瑬)에 반대하고 갈려 나간 소장파(少壯派). ↔노서(老西).

소:서[2]【小序】명 시문(詩文)의 각 편(篇) 머리 같은 데에 쓴 짧은 서문(序文).

소:서[3]【小暑】명 24절기(節氣)의 열한째. 하지(夏至)와 대서(大暑) 사이에 있는데, 양력 7월 7·8일쯤 되며, 이때부터 더위가 본격화함. ↔대서(大暑).

소서[4]【消暑·銷暑】명 더위를 사라지게 함. 소하(消夏).

소:서[5]〔saucer〕명 컵이나 찻잔의 받침. 받침 접시.

-소서 어미 '합쇼'할 자리에서, 받침 없는 동사의 어간(語幹) 및 일부 형용사의 어간에 붙어, 바라거나 시킴을 나타내는 뜻으로 쓰는 종결어미. ¶호국의 영령이여 고이 잠드～/용서하～/ 만수 무강하～. ＊-으소서.

소:서 행장【小西行長】명〖사람〗'고니시 유키나가'를 우리 음으로 읽은 이름.

소:석[1]【小石】명 잔돌. 자갈. 조약돌.

소석[2]【昭析】명 소설(昭雪). ――-하다 타여불

소-석고【燒石膏】명〖화〗〔plaster of Paris〕〖화〗석고를 약 105°C로 구워서 얻어지는 분말(粉末). 물을 더하면 석고의 작은 결정(結晶)으로 되돌아가 굳음. 구운 석고. 반수(半水) 석고. [$2CaSO_4H_2O$]

소:-석만도【小石蔓島】명〖지〗전라 남도의 서해상(西海上), 영광군(靈光郡) 낙월면(落月面) 석만리(石蔓里)에 위치한 섬. [$0.32\,km^2$: 140명(1984)]

소-석회【消石灰】명〔slaked lime〕〖화〗수산화 칼슘.

소:선[1]【小船】명 ①작은 배. ②거룻배.

소:선[2]【小善】명 조그마한 선행(善行).

소:선[3]【素膳】명 어물(魚物)이나 육류(肉類)를 쓰지 아니한, 간소한 반찬. 소찬(素饌).

소:선[4]【素扇】명 깁부채.

소:-선거구【小選擧區】명〖정〗한 선거구(選擧區)에서 한 사람의 의원(議員)을 선출하는 제도의 선거구. 단기제(單記制)이며 후보자수(候補者數)가 적고 투표(投票)가 간편한 장점이 있는 반면에, 인재(人材)를 지방적(地方的)으로 한정하며 투표 매수(買收) 등의 폐단이 생기기 쉬움. ＊대(大)선거구·중(中)선거구.

소:선거구 비:례 대:표제【小選擧區比例代表制】명〖정〗한 선거구에서 한 사람의 의원(議員)을 뽑는 소선거구에, 비례 대표를 가미(加味)한 선거 제도.

소:선거구-제【小選擧區制】명〖정〗소선거구(小選擧區)를 단위로 하여, 한 선거구에서 한 사람의 의원(議員)을 선출하는 선거 제도. ↔대선거구제.

소:-선근【小善根】명〖불교〗조그만 과보(果報)를 가져오게 할 선인(善因). 사소한 공덕(功德).

소:-선생【小先生】명 현대 중국에 있어서, 먼저 문자(文字)와 지식을 습득한 학생이 교사에 대신하여 학우(學友)를 가르치는 방법이 성행되는데, 그 가르치는 학생을 말함.

소:선원 조:사 요법【小線源照射療法】[―뻡] 명 〔brachytherapy〕〖의〗고체나 봉입(封入)된 방사성 동위 원소를 사용하는 방사선 요법. 신체 표면에 직접 대거나 치료할 부위에 근접(近接)시켜서 사용함.

소:설[1]【小舌】명 ①하찮거나 쓸모없는 변설(辯舌). ②〖한의〗혀의 뿌리가 부어서 따로 혀 모양의 종기가 생기는 병. 중(重)혀. 중설(重舌). ③〖식〗보리나 벼 따위 식물의 엽초(葉鞘)와 엽신(葉身) 사이에 생기는 혀 모양의 돌기(突起). ④〖식〗바위손류(類) 따위의 소엽(小葉) 윗면의 기부(基部) 부근에 생기는 작은 혀 모양의 막질(膜質) 돌기.

소:설[2]【小雪】명 ①적게 오는 눈. ②24절기(節氣)의 스무째. 입동(立冬)과 대설(大雪) 사이에 있는데, 11월 22-23일경임. 이 때의 태양의 황경(黃經)은 240°가 됨.

소:설[3]【小說】명 ①〖문〗상상력(想像力)과 사실(寫實)의 통일적 표현으로써 인생과 미(美)를 산문체(散文體)로 나타낸 예술. 시적(詩的)인 환상 소설(幻想小說)로부터 르포르타주(reportage)까지를 포함하여 말함. 경험 또는 상상적(想像的)인 사건 속에 진리를 구상화(具象化)하여, 독자에게 감동적인 효과를 일으키기 위한 이야기로서, 그 형식과 내용과 가치(價値)에 따라 여러 가지가 있는데, 그 분량에 따라 단편(短篇)·중편(中篇)·장편(長篇) 및 장편(掌篇)의 구별이 있고, 그 소재(素材)에 따라 역사 소설·과학 소설·폭로 소설·추리 소설 등으로 구별되며, 문학적 수준(水準)에 따라 본격 소설·대중(大衆) 소설 등으로 분류됨. ¶연애 ～/인기 ～. ＊패설(稗說). ②↗소설책.

소:설[4]【所說】명 설명하는 바. 말하는 바.

소설[5]【昭雪】명 원통한 죄를 밝히어서 씻음. 소석(昭析). ――-하다 타여불

소:설[6]【素雪】명 백설(白雪).

소설[7]【騷說】명 시끄럽게 떠도는 소문(所聞).

소:설-가【小說家】명 소설을 짓는 사람.

소:설-계【小說界】명 ①소설의 영역(領域). ②소설가의 세계.

소:설-기【掃雪機】명 제설기(除雪機).

소:설-론【小說論】명〖문〗소설의 본질이나 형태에 관한 이론.

소:설-사【小說史】[―싸] 명 소설의 발생·변천 과정·발달 양식의 내력을 역사적으로 연구하는 학문.

소:설-식【小說式】명 소설과 같은 양식·형식. ¶～으로 재구성한 사건 개요.

소:설 어:록해【小說語錄解】명〖책〗중국 소설 ≪수호지(水滸誌)≫·≪서유기(西遊記)≫·≪서상기(西廂記)≫ 등의 어록을 수집하여, 이에 우리 글로 주석을 달아 놓은 책.

소:설-책【小說冊】명 소설을 수록한 책. 이야기책. ㊤소설(小說).

소:설-화【小說化】명 어떤 사실을 소설로 꾸밈. ――-하다 자타여불

소:섬[1]【素蟾】명 '달'의 딴이름.

소섬[2]【梳纖】명 아마(亞麻) 방직의 공정(工程)에서, 헝클어진 섬유를 풀고 불순물을 제거하여 평행 상태로 간추리는 일.

소섬사 직물【梳纖絲織物】명 삼 40%, 스프 60%, 또는 견(絹) 30%, 스프 70%의 비율로 섞어 짠 직물. 또, 고급 스프 직물.

소:-섬수【小閃袖】명 춘앵전(春鶯囀) 등에 보이는 춤사위의 하나. 팔을 벌리고 흔들며 드나드는데, 걸음에 따라 좌우의 소매에 고저(高低)가 생기게 하는 춤사위.

소:성[1]【小成】명 ①조그맣게 이루어짐. ②〖역〗소과(小科) 가운데, 초시(初試)나 종시(終試)에 합격(合格)함. ――-하다 타여불

소:성[2]【小星】명 ①작은 별. ②적은집.

소:성[3]【小星】명〖사람〗현상윤(玄相允)의 호(號).

소:성[4]【小聲】명 ①작은 소리. ②낮은 소리.

소:성[5]【素性】명 본디 타고난 성품.

소:성[6]【笑聲】명 웃음 소리.

소:성[7]【塑性】명〔plasticity〕〖물〗고체에 외력(外力)을 가하여 탄성(彈性) 한계 이상으로 변형시켰을 때, 외력을 빼어도 본디 자리에 돌아가지 아니하는 성질. 가소성(可塑性).

소성[8]【燒成】명 도토(陶土)를 높은 온도로 구워, 도자기를 만듦.

소성[9]【蘇省】명〖지〗'장쑤 성(江蘇省)'의 약칭인 '쑤 성'을 우리 음으로 읽은 이름.

소성[10]【蘇醒】명 ①까무러쳤다가 정신이 다시 깨어남. ②중병(重病)을

앓고 난 뒤 몸이 회복됨. ——-하다 자여불

소:성 가공【塑性加工】명 물체의 소성 변형을 이용하여 필요한 형체로 만드는 가공.

소:-성남도【小城南島】명〖지〗전라 남도(全羅南道)의 서남해상(西南海上), 진도군(珍島郡) 조도면(鳥島面) 성남도리(城南島里)에 위치한 섬. [0.15 km² : 27 명 (1984)]

소:성 변:형【塑性變形】명〔plastic deformation〕〖물〗물체에 외력(外力)이 작용하여 물체가 변형되고, 이 외력이 제거되어도 물체에 변형이 남을 때, 이 변형을 일컬음.

소:성 설계【塑性設計】명〖물〗기계 구조물의 일부에 소성 변형(塑性變形)이 생겨도 그것이 어느 한도 이상으로 진행되지 아니하고, 소성 붕괴나 파괴되지 아니하는 하중(荷重)의 한계치(限界値)를 구하여, 이것을 기준으로 하여 설계하는 방법. *허용 변형력(許容變形力).

소:성 시멘트【塑性—】명〔plastic cement〕주로 시멘트 건물의 갈라진 틈을 메우기 위해 쓰이는 소성 재료.

소성-왕【昭聖王】명〖사람〗신라 제 39 대 왕. 휘(諱)는 준옹(俊邕). 왕세손으로 왕위를 계승하였으나 재위 2년 만에 별세, 이후 신라의 왕위 쟁탈전이 벌어졌음. [재위 798-800]

소성 인비【燒成燐肥】명 인광석(燐鑛石)을 반융해(半融解)하여, 클링커상(clinker 狀)으로 만든 인산 비료.

소성-장【梳省匠】명 조선 시대의 공장(工匠)의 하나. 머리 빗을 닦는 「솔을 만들던 사람.

소성 점토【塑性粘土】명 물과 혼합하면 성형(成形) 가능한 재료가 된다는 뜻에서 '내화 점토(耐火粘土)'를 일컫는 말.

소성지-곡【紹聖之曲】명〖악〗제악(祭樂)의 하나. 고려 예종(睿宗) 11년(1116)에 지은 태묘 악장(太廟樂章). 혜종(惠宗)의 슬기와 용맹을 그린 곡으로 2장으로 되어 있고, 제향(祭享) 때 등가(登歌)에서 아뢰었음.

소:성 지수【塑性指數】명〔plasticity index〕〖지〗흙이 소성 상태에서 유동 상태로 옮겨질 때의 함수비(含水比).

소:성-체【塑性體】명〔plastic〕〖물〗열(熱)·압력 또는 이 두 가지로 성형(成形)할 수 있는 고분자(高分子) 화합물의 총칭. 또, 그 성형품을 가리키는 수도 있음. 가소물(可塑物). 가소성 물질.

소:성 훈장【素星勳章】명〔고구려 재상(宰相) 을파소(乙巴素)와 조선 시대의 학자 이익(李瀷)의 호 성호(星湖)에서〕군인·군속을 제외한 공무원으로서, 그 직무에 정려(精勵)하여 공적이 뚜렷한 사람에게 수여하는 훈장. 청조(青條) 소성 훈장·황조(黃條) 소성 훈장·홍조(紅條) 소성 훈장·녹조(綠條) 소성 훈장·옥조(玉條) 소성 훈장의 5등급이 있음. '근정(勤政) 훈장'으로 바뀌었음.

소:세[1]【小勢】명 ①작은 세력. ②적은 인원(人員).

소세[2]【梳洗】명 머리 빗고 낯 씻는 일. 건즐(巾櫛). ——-하다 자여불

소:-세계【小世界】명 ①소우주(小宇宙). ②좁은 세계. 「[1,070 m]

소:세곡-산【小細谷山】명〖지〗평안 북도 초산군(楚山郡)에 있는 산.

소-세(:)양【蘇世讓】명〖사람〗조선 중종(中宗) 때의 명신. 자는 언겸(彥謙). 호는 양곡(陽谷) 또는 퇴휴당(退休堂). 진주(晋州) 사람. 벼슬이 대제학(大提學)·우찬성(右贊成)까지 올랐으나, 중종 말년에 대윤(大尹) 윤임(尹任)의 전횡을 보고 은퇴하였음. 저서에 《양곡집(陽谷集)》이 있음. [1486-1562]

소:셜〔social〕명 ①사회적(社會的). 단체적. ②사교적. ¶ ~ 댄스.

소:셜 그룹 워:크〔social group work〕명〖사〗개인의 발달과 사회적 적응(適應)을 이루기 위한 소집단(小集團)의 활동. 공통된 흥미나 임의성(任意性)을 중심으로, 인위적(人爲的)으로 형성된 소집단을 바탕으로 하여 각 멤버의 자발적이고 창의적인 행동의 전개, 또 그에 의한 상호 작용의 결과로써 개인의 발달과 사회적 적응을 돕게 함.

소:셜 댄스〔social dance〕명 사교(社交)춤.

소:셜 덤핑〔social dumping〕명〖경〗환시세(換時勢)의 하락이나 저임금(低賃金)으로 인한 생산비의 저하 등을 이용하여, 해외 시장에 과잉 제품(過剩製品)을 투매(投賣)하는 일. *덤핑.

소:셜리스트〔socialist〕명 사회주의자(社會主義者).

소:셜리즘〔socialism〕명 사회주의(社會主義).

소:셜 액션〔social action〕명 개개인을 둘러싼 사회 환경을 구성하는 법률이나 정책을 유지·개선함으로써, 조직적인 복지(福祉)를 달성하려는 활동.

소:셜 오:버헤드 코스트〔social overhead cost〕명〖재정〗개개(個個)의 자본 활동이 원활(圓滑)하게 행하여질 수 있도록 사회 자본(社會資本)에 투자함으로써 이루어지는 사회 전체로서의 간접적 부담(負擔).

소:셜 인플레이션〔social inflation〕명〖경〗기업이 부담해야 할 사회적 비용을 소비자에게 전가(轉嫁)함으로써 나타나는 가격 상승(上昇).

소:셜 케이스 워:크〔social case work〕명 사회 관계 또는 인간 관계에 있어서 스스로 해결하기 곤란한 문제를 가진 개인 또는 가정을 재조정하기 위한 사회적 기술의 하나.

소:셜 코스트〔social cost〕명 사회적 비용.

소:셜 텐션〔social tension〕명〖사〗사회적 긴장(社會的緊張).

소:소[1]【小蘇】명 중국 송(宋)나라 때의 문인(文人) 소철(蘇轍)을 형인 소식(蘇軾)과 구별하여 일컫는 별칭.

소:소[2]【少小】명 나이가 젊음. 또, 그 사람. 연소(年少).

소소[3]【昭昭】명 소연(昭然). ¶ 친구의 계집을 앗고자 하는 괴악한 마음을 먹으니, ~한 하나님이 어찌 모르시리오? 《作者未詳 : 天然亭》. ——-하다 형여불. ——-히 부

소소[4]【炤炤】명 밝게 보임. ¶ 고런 일이야 보응(報應)이 어찌 그리 ~하단 말이오. 아주아주 상쾌하오마는…《作者未詳 : 貨水盆》. ——-하다 자여불

소소[5]【疎疎·疏疏】명 드문드문함. 성김. 또, 그러한 모양. ——-하다 형여불. ——-히 부 「조소(彫塑) 따위.

소:소[6]【塑塐】명〖미술〗흙으로 만든 물형(物形). 소형(塑型)·소상(塑像)·

소소[7]【簫韶】명〖악〗중국 순제(舜帝)의 악(樂)의 이름.

소:소 곡절【小小曲折】명 소소한 여러 가지 곡절.

소소리되지 명〈방〉갈기[2]. 「람. ②회오리바람.

소소리-바람 명 ①이른봄에 살 속으로 스며드는 듯한 음산하고 찬 바

소소리-패【—牌】명 나이가 어리고 경망한 무리. ¶ 말도 마소. 그런 ~가 어찌 사람의 정분을 안답디까《金周榮 : 客主》. 「【昭昭明明—】부

소소명명-하다【昭昭明明—】형여불 일이 환하게 밝다. 소소명명-히

소소-배【宵小輩】명 간사하고도 심지(心志)가 좁은 사람의 무리.

소:-소선【小小船】명〖역〗소선(小船)보다 더 작은 배.

소소쓰다 자〈옛〉솟아 뜨다. ¶ 縞衣玄裳이 半空의 소소뜨니《松江 關東別曲》/鶴이 제 기술 더뎌두고 半空의 소소뜰듯《松江 星山別曲 221》.

소소 응:감【昭昭應感】명 분명히 마음에 응하여 느낌. ——-하다 자여불

소:소크라테스 학파【小—學派】〔Socrates〕명〖철〗소크라테스의 문하에서 나와, 그 교설(敎說)을 각기 일방적으로 전개한 여러 철학파의 총칭. 플라톤은 이에 들지 아니하며, 크게 나누어 키니크파·키레네파·메가라파·엘리스파의 넷이 있음. *소크라테스 학파.

소:소-하다[1]【小小—】형여불 자질구레하다. ¶ 소소한 일까지 간섭한다. 소:소-히【小小—】부

소:소-하다[2]【小少—】형여불 ①키가 작고 나이가 젊다. ②얼마 아니 되다.

소소-하다[3]【蕭蕭—】형여불 바람이나 빗소리가 쓸쓸하다. 소소-히【蕭蕭—】부

소소-하다[4]【瀟瀟—】형여불 비바람이 대단하다. 소소-히【瀟瀟—】부

소소-하다[5]【騷騷—】형여불 부산하고 시끄럽다. 소소-히【騷騷—】부

소:속【所屬】명 어떠한 기관이나 단체에 딸림. 또, 그 사람이나 물건. ——-하다 자여불

소:속-감【所屬感】명 스스로 어떤 단체·기관의 일원으로 소속되어 있다고 하는 느낌.

소:-속명탕【小續命湯】명〖한의〗외감(外感)으로 인한 중풍증(中風症)에 쓰는 탕약.

소:속 부대【所屬部隊】명 군대에서, 그 군인이 소속하고 있는 부대.

소:속 집단【所屬集團】명〔membership group〕개인이 그 성원으로서 현실적으로 소속되어 있는 집단. 개인이 어느 집단에 소속되어 있다고 느끼고, 또한 이 사실이 다른 성원에 의해 인정되고 있을 때 이 집단은 그 개인에 대해서 소속 집단임.

소:손[1]【小孫】명 할아버지에게 이르는 자신의 겸칭.

소손[2]【燒損】명 타서 부서짐. 태워서 부숨. ——-하다 자타여불

소-손녕【蕭遜寧】명〖사람〗거란(契丹)의 장수. 고려 성종(成宗) 12년(993), 거란군 총사령관으로 80만 대군을 이끌고 고려의 서북부로 침입하였으나, 내사 시랑(內史侍郎) 서희(徐熙)와의 담판 끝에 고려에 강동 6주(州)를 넘겨 주고 철군하였음. 이 때부터 고려의 영토가 압록강까지 확장됨. 생몰년 미상.

소:솔【所率】명 딸린 식구(食口).

소솜[1] 명〈옛〉삽시간(霎時間). 잠깐. ¶ 혼 소솜(一霎)《煮硝》.

소솜[2] 명〈옛〉솟음. 솟아오름. 솟아 끓음. ¶ 열 스믈 소솜 글혀(煎一二十沸)《救簡 I :3》.

소솝뜨다 자〈옛〉솟구쳐 치뜨다. ¶ 青天 구룸 속에 소솝떠올른 말이 싀훤코 훤츨혼世界롤 다시 보고 말와라《永言》.

소송[1]【訴訟】명 ①재판을 걺. ¶ ~을 일으키다. ②〖역〗송사(訟事). ③〖법〗재판에 의해서, 원고·피고간의 권리 의무 등의 법률 관계를 확정하기 위하여, 법률의 적용을 법원에 요구하는 절차. 민사 소송·형사 소송·행정 소송·선거 소송 등의 구별이 있음. 송소(訟訴). 송옥(訟獄). ¶ 이혼 ~을 제기하다. ——-하다 타여불 「하다 타여불

소송[2]【燒送】명〖불교〗영가(靈駕)나 위패(位牌)를 불살라 버림. ——-

소송-건【訴訟件】[—껀] 명〖법〗↗소송 사건(訴訟事件).

소송 경제【訴訟經濟】명〖법〗소송 법규(法規) 운용상의 이상(理想)의 하나. 소송 절차에 있어서 가능한 한 법원과 당사자 및 기타 관계인의 노력(勞力)·경비 등의 부담을 최소 한도로 하는 일.

소송 계:속【訴訟繫屬】명〖법〗특정의 민사 사건이나 형사 사건이 특정 법원에 의하여 심리(審理)되고 있는 상태. 계속(繫屬).

소송 고:지【訴訟告知】명〖법〗민사 소송에 있어서, 당사자(當事者)가 소송 참가를 할 수 있는 제삼자에게 법정(法定)의 형식에 의하여 소송이 계속(繫屬)되어 있음을 통지하는 행위. 고지(告知)를 받은 사람의 그 참가 여부는 자유이나 참가하지 아니하는 경우에도 참가한 것과 같은 효력을 받게 됨.

소송 관계【訴訟關係】명〖법〗소송의 개시에서 종료(終了)에 이르기까지에, 소송 주체(主體) 사이에 생기는 법률 관계 또는 사실 관계.

소송 관계인【訴訟關係人】명〖법〗소송에 있어서, 당사자·대리인·증인 기타 법률상으로 관계가 있는 사람의 총칭.

소송 기록【訴訟記錄】명〖법〗①민사 소송법상, 특정한 소송에 관하여 법원에서 보존하여야 할 소장(訴狀)·답변서(答辯書)·준비 서면(準備書面)·송달 보고서(送達報告書)·구두 변론 조서(調書)·재판의 원본 등 일체의 서류를 편철(編綴)한 장부. ②형사 소송법상 법원에 제출된 특정한 소송에 관한 서류 및 재판서(裁判書) 등을 편철한 장부.

소송 능력【訴訟能力】[—녁] 명〖법〗①민사 소송법상 소송 당사자로서 자신이 유효하게 소송 행위를 하고 또는 받을 수 있는 능력. 소송법상의 행위 능력. ②형사 소송법상 의사 능력. 곧, 피고인 내지 피의자(被疑者)로서의 중요한 이해(利害)를 이해(理解)하고 그것에 따라 적당한

방어(防禦)를 할 수 있는 능력.

소송 당사자【訴訟當事者】[명]〖법〗법원(法院)에 대하여 재판권(裁判權)의 행사(行使)를 자기의 이름으로 요구하는 사람 및 그 대상자. 보통 상호 이해 관계가 대립되는 실체상(實體上)의 권리자(權利者)·의무자(義務者)임. 제일심(第一審)에서는 원고(原告)·피고(被告), 제이심(第二審)에서는 항소인(抗訴人)·피항소인(被抗訴人), 상고심(上告審)에서는 상고인(上告人)·피상고인(被上告人)이라고 일컬음.

소송 대:리【訴訟代理】[명]〖법〗소송 당사자를 대신하여 소송 행위를 하는 대리 관계(代理關係). 소송 당사자의 위임(委任)에 의하는 위임 대리와 법령에 의하는 법정(法定) 대리가 있음.

소송 대:리권【訴訟代理權】[―꿘] [명]〖법〗소송 추행(追行)을 위하여 주어지는 대리권. 소송 위임(委任)에 의하는 것과 실체법상의 대리인이 가지는 법정(法定) 권한에 의하는 것이 있음.

소송 대:리인【訴訟代理人】[명]〖법〗소송 대리권(訴訟代理權)을 가지는 사람. 당사자의 소송 위임에 의한 대리인과 법령상의 포괄적(包括的) 대리권에 의한 법령상(法令上)의 대리인이 있음.

소송-물【訴訟物】[명]〖법〗민사 소송(民事訴訟)에 있어서 소송의 목적물(目的物). 유형물(有形物)이거나 무형의 권리(權利)이거나를 막론하고 소(訴)의 목적이 된 모든 것을 이름.

소송-법【訴訟法】[―뻡] [명]〖법〗소송 절차(節次)를 규율하는 법규(法規)의 총칭. 실체법(實體法)의 실현(實現)·적용의 절차에 관한 것이 주요 부분을 이루므로 절차법(節次法)이라고도 하며, 또한 실체법의 실현·적용의 형식·방법을 규율하는 점에서 형식법(形式法)이라고도 함. 소송의 종류에 따라 민사 소송법·형사 소송법·행정 소송법·선거 소송

소송-비【訴訟費】[명]〖법〗↗소송 비용(訴訟費用). ㄴ법 등이 있음.

소송 비:용【訴訟費用】[명]〖법〗소송의 제기(提起)로부터 종국 판결(終局判決)에 이르기까지의 소송 행위(訴訟行爲)에서 발생하는 모든 비용. 패소자(敗訴者)가 부담함을 원칙으로 함. [준]소송비(訴訟費).

소송 사:건【訴訟事件】[―껀] [명]〖법〗소송을 일으킨 일. [준]소건(訴件)·소송건(訴訟件)·사건(事件).

소송상의 구:조【訴訟上―救助】[―/―에―] [명]〖법〗민사 소송에 있어서, 법원이 승소(勝訴)가 절망적(絕望的)이 아닌 무자력자(無資力者)의 신청에 의하여 재판 비용, 집달관(執達官)이나 법원이 선임(選任)을 명한 변호사의 보수, 체당금(替當金)의 지급(支給)을 유예(猶豫)하며 또는 소송 비용의 담보 의무(擔保義務)를 면제하는 일.

소송상의 담보【訴訟上―擔保】[―/―에―] [명]〖법〗민사 소송 또는 강제 집행(強制執行)에 관하여, 당사자의 일방이 임시로 자기에게 유리한 소송 행위를 할 것이 허용(許容)되었을 때에, 그에 의해서 장래 상대방에 대하여 부담하게 될지도 모르는 비용의 상환 의무(償還義務)나 손해 배상 의무에 대해서, 미리 제공하는 물적(物的) 또는 인적(人的) 담보.

소송 상태【訴訟狀態】[명]〖법〗사실상의 소송의 진행 단계(進行段階)의

소송 수속【訴訟手續】[명]〖법〗소송 절차(訴訟節次). ㄴ현상(現狀).

소송 수행권【訴訟遂行權】[―꿘] [명]〖법〗당사자 적격(當事者適格).

소송 승계【訴訟承繼】[명]〖법〗소송 중에 소송물(物)인 권리 관계에 관하여, 소송을 할 적격(適格)이 당사자로부터 제삼자에게 이전됨으로 말미암아, 그 제삼자가 당사자의 소송상의 지위를 승계하는 현상.

소송 요건【訴訟要件】[―껀] [명]〖법〗소송이 법원에 적법(適法)하게 계속(繫屬)하는 데 필요로 하는 요건. 형사 소송법상으로는 소송 조건(訴訟條件)이라고도 함.

소송 위임【訴訟委任】[명]〖법〗당사자(當事者)가 타인으로 하여금 특정(特定) 소송 사건의 추행(追行)을 대리시킬 목적으로 하는 위임. 소송 대리(訴訟代理)의 통상적(通常的) 형식임.

소송의 추행【訴訟―追行】[―/―에―] [명]〖법〗특정한 소송물(訴訟物)에 관하여, 원고 또는 피고로서 각자의 목적을 추구(追求)하는 행위를 하는 일.

소송-인【訴訟人】[명]〖법〗소송을 제기한 사람.

소송 인수【訴訟引受】[명]〖법〗당사자 아닌 제삼자가 계속(繫屬) 중인 민사 소송의 당사자 일방과 교체(交替)하여 상대방과의 사이에서 그 소송을 속행(續行)하는 일.

소송 일회주의【訴訟一回主義】[―/―이] [명]〖법〗별소 금지주의(別訴禁止主義).

소송 자료【訴訟資料】[명]〖법〗소송의 심판의 자료가 되는 사실의 주

소송-장【訴訟狀】[―짱] [명]〖법〗소장(訴狀)❷. ㄴ장 및 증거.

소송 장애【訴訟障礙】[명]〖법〗그 부존재(不存在)가 소송 요건이 되고, 그것이 존재하면 소송을 부적법(不適法)하게 만드는 사항.

소송 절차【訴訟節次】[명]〖법〗기소(起訴)에서 종국 판결(終局判決)에 이르는 동안의 소송에 관하여, 당사자 및 법원이 행하는 여러 가지 절차. 곧, 당사자가 하는 변론(辯論)·거증(擧證)·기피(忌避)와 법원이 행하는 증거 조사·판결·결정·명령 등의 총칭. 소송 수속(訴訟手續).

소송 절차의 정지【訴訟節次―停止】[―/―에―] [명]〖법〗민사 소송법상의 소송 절차의 중지(中止)와 소송 절차의 중단(中斷)의 합칭(合稱).

소송 절차의 중단【訴訟節次―中斷】[―/―에―] [명]〖법〗민사 소송상, 소송 당사자의 일방에 소송의 진행을 불능 또는 곤란하게 하는 일정한 사유(事由)가 발생하였을 때에, 그것이 해소될 때까지 당사자 보호를 위하여 소송 절차를 당연히 정지하는 일.

소송 절차의 중지【訴訟節次―中止】[―/―에―] [명]〖법〗천재(天災)나 기타 사고로 인하여 법원이 직무를 집행할 수 없을 때 당연히 또는 법정(法定)의 경우에, 법원이 중지 결정을 함으로써 일어나는 소송 절차의 정지.

소송 조건【訴訟條件】[―껀] [명]〖법〗형사 소송법상 소송을 추행(追行)하고 실체 판결을 하기 위한 요건. *소송 요건.

소송-주의【訴訟主義】[―/―이] [명]〖법〗형사 절차를 소송의 형식에 따라 하는 주의.

소송 주체【訴訟主體】[명]〖법〗소송 관계(訴訟關係)를 구성하는 주체. 이 소송 주체의 행위에 의하여 소송은 성립·발전(發展)·종료(終了)되는데, 민사 소송에서는 법원과 소송 당사자를 말하고, 형사 소송에서는 법원과 검사(檢事)·피고인(被告人)을 말함.

소송 지휘【訴訟指揮】[명]〖법〗소송의 신속한 처리와 심리(審理)의 완전을 기하기 위하여, 소송 절차를 주재(主宰)하는 법원측의 행위.

소송 참가【訴訟參加】[명]〖법〗소송의 결과에 관하여, 법률상 이해 관계를 가지는 제삼자(第三者)가 다른 사람의 사이에서 현재 계속(繫屬) 중인 소송에 가입하는 일. 원고나 피고의 어느 쪽을 보조하기 위하여 참가하는 보조 참가와 당사자로서 참가하는 당사자 참가가 있음.

소송 탈퇴【訴訟脫退】[명]〖법〗소송 당사자의 일방이 제삼자에 의한 소송 참가 또는 소송 인수(引受)에 의하여, 그 소송으로부터 탈퇴하는 일. ――-하다 [자][여불]

소송 판결【訴訟判決】[명]〖법〗소송 요건(要件)에 흠결(欠缺)이 있을 때, 소(訴) 또는 상소(上訴)를 부적법(不適法)이라고 각하(却下)하는 종국(終局) 판결. ↔본안(本案) 판결. *형식적(形式的) 재판.

소송 행위【訴訟行爲】[명]〖법〗소송 절차에 있어서, 소송법상의 효과 발생을 직접 목적으로 하는 소송 관계자의 의사 행위(意思行爲). 소송 절차를 조성(組成)하는 개개의 행위이며 재판 기관(裁判機關)에 의하는 것과 당사자에 의하는 것 등으로 분류됨.

소:쇄[1]【掃灑】[명] 먼지를 쓸고 물을 뿌림. ――-하다 [자][여불]

소쇄[2]【瀟灑】[명] 기운이 맑고 깨끗함. ――-하다 [형][여불]

소쇄-원【瀟灑園】[명] 전라 남도 담양군(潭陽郡) 남면(南面) 지곡리(芝谷里)에 있는 옛 정원(庭園). 조선 중종 때의 학자 소쇄옹(瀟灑翁) 양산보(梁山甫)의 은신처였음.

소:수[1]【小水】[명] ①약간의 물. ②오줌.

소:수[2]【小豎】[명] 더벅머리를 한 어린아이. 「다는 작은 수(綬).

소:수[3]【小綬】[명] 4등·5등급의 훈장 및 포장을 패용(佩用)할 때, 가슴에

소:수[4]【小數】[명] ①적은 수. ②〔decimal〕〖수〗일(一)보다 적은 실수(實數). 영(零) 다음에 점을 찍어 나타냄. 영 다음의 자릿수가 무한히 계속되는 것을 무한 소수(無限小數), 한정이 있는 것을 유한 소수(有限小數)라 함. 우리 나라의 소수의 명수법(命數法)에는 다음과 같은 단위가 쓰이어 왔음. 분(分), 이(厘), 모(毛) 또는 호(毫), 사(絲), 홀(忽), 미(微), 섬(纖), 사(沙), 진(塵), 애(埃), 묘(渺), 막(漠), 모호(模糊), 준순(逡巡), 수유(須臾), 순식(瞬息), 탄지(彈指), 찰나(刹那), 육덕(六德), 허(虛)와 공(空) 또는 허공(虛空), 청(淸)과 정(淨) 또는 청정(淸淨). ↔정수(整數). 「터 대나마(大奈麻)까지. 제수(制守).

소:수[5]【少守】[명]〖역〗신라 각 고을의 벼슬. 위계(位階)는 당(幢)으로부

소:수[6]【少數】[명] 적은 수효. ¶ ~의 의견을 존중하다. ↔다수(多數).

소:수[7]【所祟】[명] 귀신이 준 재앙(災殃).

소수[8]【消受】[명] 받아 가짐. 향유(享有). ――-하다 [타][여불]

소수[9]【消愁】[명] 쓸쓸한 회포를 없애 버림. ――-하다 [자][여불]

소수[10]【素數】[―쑤] [명]〔prime number〕〖수〗1과 그 수(數)의 자신(自身) 이외의 수로는 뚝 떨어지게 나눌 수 없는 정수(整數). 곧, 약수(約數)를 갖지 아니하는 수. 2·3·5·7·11·13 등의 수.

소수[11]【巢燧】[명]〖역〗나무 위에 집을 짓던 유소씨(有巢氏) 시대와, 부싯돌을 쳐서 처음으로 불을 얻어 살던 수인씨(燧人氏) 시대. 곧, 아주 옛날을 이르는 말. 태고 시대(太古時代).

소수[12]【疏水】[명] 관개(灌漑)·급수(給水)·선운(船運) 또는 수력 전기를 일으키기 위하여 새로 땅을 파서 수로(水路)를 만들고, 물을 보냄. 또, 그 수로. 흔히 호수나 강에서 물을 끌어 올리며, 지세(地勢)에 따라서는 개구(開溝) 또는 터널을 만듦. 「석 냥 ~/넉 달 ~.

소수[13] [의명] 몇 말·몇 냥·몇 달에 조금 넘음을 나타내는 말. ¶ 두 말 ~/

소수 가공【疏水加工】[명] 섬유에 물이 스미지 않게 하는 가공.

소수 결합【疎水結合】[명]〔hydrophobic bond〕〖화〗소수성기(疎水性基) 간의 수중에 있어서의 연결. 예컨대, 물 속의 단백질에서는 알킬기(基)·페닐기(基) 따위의 소수성기를 함유하는 아미노산 측쇄(側鎖) 사이에, 입체적으로 가능한 범위로 물과의 접촉이 가급적 적게 되도록 연결이 이루어지는 현상. 「사.

소수 공사【疏水工事】[명] 물을 뽑아 내거나 물꼬를 트기 위하여 하는 공

소수 교질【疎水膠質】[명]〖화〗소수 콜로이드(疎水 colloid). ↔친수(親

소수-나다 [자] 그 땅의 농산물이 증가하다. [준]솟나다. ㄴ水) 교질.

소:수 내:각【少數內閣】[명]〖정〗주요한 소수 각료만으로 중요 정책을 신속히 심의 결정하는 내각. 전시 또는 비상 사태에서 볼 수 있음. 이너 캐비닛(inner cabinet). 각내(閣內) 내각.

소:수-당【少數黨】[명]〖정〗소수(少數)의 사람으로 조직된 정당(政黨). 또는 국회(國會)에 있어서 의석(議席)이 적은 정당(政黨). 그 정치상의 직능은 큰 정당 사이에 있어서 어느 한 쪽과 손을 잡을 때에 발휘됨. 마이노리티(minority). ↔다수당(多數黨).

소:수 대:표제【少數代表制】[명]〔minority representation〕〖정〗다수 대표제에 대립하는 선거 제도상의 개념. 다수파가 의석(議席)을 독점하는 것을 방해하고, 소수파에게도 어느 정도의 의석을 확보하도록 하는 선거 제도. 대선거구 단기 투표제(單記投票制)·제한 연기 투표제(制限連記投票制)·누적(累積) 투표제 등은 이에 속함. ↔다수 대표제.

소:수력 발전【小水力發電】[―쩐] [명] 산간 벽지의 작은 하천이나 폭포수를 이용하여, 낙차(落差)의 원리로 발전하는 일.

소수리-바람 [명]〈방〉회오리바람(충남·경남).

소:수림-왕【小獸林王】[명]〖사람〗고구려의 제17대 왕. 휘(諱)는 구부(丘夫). 고국원왕(故國原王)의 아들. 2년(372)에 중국 전진(前秦)으로부

터 불교가 들어왔음. [재위 371-384]

소:수-맥【小水貊】 명 〖역〗 고구려의 별종(別種). 압록강의 북지류(北支流)인 지금의 동가강(佟佳江)을 소수(小水)라 하여, 이 근방에 근거를 두고 있던 예맥(濊貊)을 말함. *대수맥(大水貊).

소:수 민족【少數民族】 명 여러 민족이 한 국가를 구성할 때, 인구가 적은 민족. 대개 동화(同化)되나, 지역적으로 나뉘어, 언어·풍습을 달리하고 독자의 문화 양식 또는 정치 의식을 갖는 수도 있음. 마이노리티.

소:수 민족 보:호 조약【少數民族保護條約】 명 〖역〗 소수 민족을 보호하며 일반 국민과 동등한 대우를 할 것을 규정한 조약. 제일차 세계 대전 후에 유럽 13개국 및 터키에서 시행되었으며, 국제 연맹(國際聯盟)의 보장 아래 두어졌음. 「부분, 곧 가수부(假數部).

소:수-부【小數部】 명 부동(浮動) 소수점 방식에서, 고정(固定) 소수점

소수 서원【紹修書院】 명 〖지〗 백운동 서원(白雲洞書院)을, 조선 명종(明宗) 때 고친 이름. 이황(李滉)의 요청으로 명종 5년(1550)에 '소수(紹修)서원'이란 사액(賜額)이 내려진 데서 일컬어지게 되었음.

소수-성【疎水性】 [-썽] 명 〖화〗 물에 대하여 친화력을 갖지 아니하는 성질. 곧, 용해하기 어렵고 침전(沈澱)하는 성질. ↔친수성(親水性).

소수성-기【疎水性基】 [-썽-] 명 〔hydrophobic radical〕 〖화〗 분자 중의 기(원자단)로서 수분자(水分子)와의 사이에 결합을 이루기 어려운 것. 알킬기(基)·페닐기(基) 따위 탄화 수소의 기(基)는 그 예임.

소:-수술【小手術】 명 〖의〗 충수 절제(蟲垂切除)나 헤르니아(hernia)의 수술 같은 작은 수술. ↔대수술. 「치한 섬. [0.817 km²]

소:-수압도【小睡鴨島】 명 〖지〗 황해도 남쪽 해상, 벽성군(碧城郡)에 위

소:수 의:견【少數意見】 명 합의체(合議體)에서, 다수결(多數決)에 의하여 의사 결정이 행하여지는 경우에, 다수의 찬동을 얻지 못하고 폐기된 의견. ↔다수 의견(多數意見). 「옹호. ↔다수자(多數者).

소:수-자[1]【少數者】 명 소수(少數)인 사람 또는 사물(事物). ¶ ~의 권익

소수-자[2]【蘇穗子】 명 차조기 보숭이.

소:수-점【小數點】 [-쩜] 명 〔decimal point〕 〖수〗 소수(小數)의 부분과 정수(整數) 부분을 구획하기 위하여, 첫자리와 십분의 일이 되는 자리 사이에 찍는 동그란 점. 3.14나 0.15 등에 보이는 점. 포인트.

소수 정:리【素數定理】 [-쑤-니] 명 〖수〗 정수론(整數論)의 정리의 하나. 자연수(自然數) x보다 크지 아니한 소수(素數)의 개수(個數)를 $\pi(x)$라고 할 때, $\pi(x)\log x/x \to 1(x \to 0)$가 성립된다고 하는 정리. 단, 로그의 밑은 e로 함.

소:수 정예주의【少數精銳主義】 [-/-이] 명 집단의 조직과 활동 및 성원(成員)의 교육 훈련에 있어서의 원칙의 하나. 소수 정예(精銳)에 기초를 두어 질(質)에 의해서 집단 활동의 효과를 얻고자 하는 주의. 열성 당원에 의하여 구성되는 전위당(前衛黨)의 조직은 이에 해당함.

소:수 주주권【少數株主權】 [-꿘] 명 〖경〗 주주권의 하나. 다수 주주에 의한 횡포를 막고, 회사의 공정한 이익을 보호하기 위하여 소수 주주에게 주는 권리. 예컨대, 상법상 발행 주식 총수의 100분의 5 이상에 해당하는 주식을 가진 주주가, 회의의 목적 사항과 소집 이유를 기재한 서면을 이사회에 제출하여 임시 총회를 소집할 수 있는 따위의 권리.

소:수 지배의 철칙【少數支配-鐵則】 [-/-에-] 명 〖정〗 정치에 있어서, 지배 권력을 실질적으로 쥐는 것은 집단이나 사회의 원칙 여하(如何)를 불문하고, 항상 소수의 인간이라는 이론. 미헬스(Michels, Robert)가 독일 사회 민주당의 실태를 연구한 결과를 이와 같이 표현하고 나서부터 일반화되었음.

소:수 집단【少數集團】 명 ①어떤 집단 내의 소수파 의견의 그룹. ② 〖사〗 대사회에 있어서의 소수 민족이나 소수 인종이라고 하는 특성을 가지고 결합된 집단. 이들은 경우에 따라서 특정한 종교나 문화의 결사(結社)의 형태를 취하며, 자신들을 수호하기 위한 공동 의식이 강하

소:-수찰【小水鶖】 명 〖조〗 물떼새. ⌊고 배타적임.

소수 콜로이드【疎水-】 명 〔hydrophobic colloid〕 〖화〗 분산매(分散媒)인 물과 콜로이드 입자(粒子)와의 친화력(親和力)이 약한 콜로이드. 금·은 따위의 금속 원소, 수산화철 따위 중금속의 수산화물, 황화 비소(黃化砒素) 따위의 황화물(黃化物)이 만들기 쉬움. 틴들 현상(Tyndall 現象)을 나타내며, 입자는 브라운 운동을 함. 일반적으로 불안정하여 소량(少量)의 전해질(電解質)로 응결하기 쉬움. 소수 교질(疎水膠質). ↔친수(親水) 콜로이드. 「(多數派).

소:수-파【少數派】 명 속해 있는 사람수가 적은 쪽의 파(派). ↔다수파

소:-수파련【小水波蓮】 명 ↗일층(一層) 소수파련. *수파련.

소-순【蘇洵】 명 〖사람〗 중국 송(宋)나라 때의 문호. 자는 명윤(明允). 호는 노천(老泉). 육경 백가(六經百家)의 설에 통달하였음. 쓰촨 성(四川省) 출신. 소식(軾)·소철(轍)의 아버지. 당송 팔대가(唐宋八代家)의 한 사람임. 저서에 《권서(權書)》·《소노천 문집(蘇老泉文集)》 등이 있음. [1009-60]

소:순다 열도【小-列島】 〔Sunda〕 [-또] 명 〖지〗 순다 열도 중 발리(Bali) 섬의 동쪽, 티모르(Timor) 섬에 이르기까지의 열도를 말함. *

소:-순판【小楯板】 명 작은 방패 모양의 판. ⌊순다 열도.

소:-순환【小循環】 명 〖생〗 ①폐순환(肺循環). 작은피돌기. ②〖경〗 재고(在庫) 투자의 변동으로 말미암아 일어나는 경기 순환. 순환 주기(周期)는 키친 사이클에 상당함. ↔주순환(主循環).

소:술[1]【小術】 명 작은 술수(術數). 변변치 못한 계책(計策). 소책(小策).

소:술[2]【所述】 명 말하는 바. 말하는 일.

소술[3]【紹述】 명 선대(先代)의 일을 이어받아 밝힘. ──-하다 타여불

소:숫-자리【小數-】 명 소수점의 아랫자리. 또, 그 수. 소수점 아래 왼쪽부터 차례로 '소수 첫째 자리', '소수 둘째 자리' 따위로 부름.

소쉬:르[1] 〔Saussure, Ferdinand de〕 명 〖사람〗 스위스의 언어학자. 제네바(Geneva) 대학에서 비교 언어학과 산스크리트학을 담당하면서, 프랑코·스위스 학파, 제네바 학파의 기간을 구축했음. 특히, ≪일반 언어학 강의≫는 언어학의 방법론을 명확하게 밝힌 획기적인 저작임. [1857-1913]

소쉬:르[2] 〔Saussure, Horace Bénédict de〕 명 〖사람〗 스위스의 자연 과학자·등산가. 알프스의 지질 구조 등을 연구함. 또, 현대적 등산법을 창시하여, '과학적 등산의 아버지'로 불림. [1740-99]

소:스[1] 〔sauce〕 명 서양 요리에 쓰이는 액체 조미료(調味料). 종류가 많으며, 육류(肉類)·야채류의 요리나 과자 등에 씀. ¶ 화이트 ~ / 마요네즈 ~. 「¶ 뉴스의 ~를 밝히다.

소:스[2] 〔source〕 명 ①원천(源泉). 근원(根源). ②출처(出處). 근거(根據).

소스노비에츠 〔Sosnowiec〕 명 〖지〗 폴란드 남부의 공업 도시. 상(上)실레지아(Silesia) 공업 지대에 속하며, 철강·기계·화학·식품 따위의 공업이 행하여짐. 1795년에 프로이센령(領)이 되었고, 19세기 말 이후 급속히 발전하였음. [251,300 명(1993)]

소스라-뜨리다 자타 깜짝 놀라, 몸을 갑자기 솟굴 듯이 움직이다. ¶ 주형은 어깨를 소스라뜨리며 오징어가 뿜어대는 진을 피했다≪洪性裕 : 사랑과 죽음의 세월≫.

소스라-치다 자타 깜짝 놀라, 몸을 떠는 듯이 움직이다. ¶ 소스라치게 놀라다 / 순간 나는 그것이 사람의 음성이 아니고 벼락치는 소리로 들었을 만큼 소스라쳤었다≪李無影 : 사랑의 畫帖≫.

소스라-트리다 타 소스라뜨리다.

소스랑-바람 명 〈방〉 회오리바람.

소스래-바람 명 〈방〉 회오리바람(경남).

소스랭이 명 〈방〉 쇠스랑(평안).

소스-치다 타 몸을 솟치다. 「라는 뜻.

소스테누토 〔이 sostenuto〕 명 〖악〗 '음을 끌어서, 음을 늘려서 무겁게'

소스피란도 〔이 sospirando〕 명 〖악〗 '아주 슬프게'의 뜻. 「람.

소슬-바람【蕭瑟-】 [-빠-] 명 가을에, 으스스하고 쓸쓸하게 부는 바

소슬-하다【蕭瑟-】 형여불 가을 바람이 으스스하고 쓸쓸하다. ¶ 석양은 지고 늦겨울 바람은 나뭇가지에 ~. **소슬-히**【蕭瑟-】 부

소:습【所習】 명 배워서 익힌 바. 배워서 지니는 바.

소:승[1]【小乘】 명 〖불교〗 〔승(乘)은 운재(運載)의 뜻〕 사람을 인도(引導)하여 해탈(解脫)의 이상(理想)에 들어가게 하는 교법(敎法). 후기 불교의 이대 유파(二大流派)의 하나로, 대승(大乘)이 고상(高尙)·심원(深遠)한 데 비하여 비근(卑近)한 교리임. 곧, 소극적인 아라한과(阿羅漢果)를 목적으로 하여 공적(空寂)한 열반(涅槃)을 구하게 하는 일. 석가가 열반한 후로, 인도의 불교도는 교단(敎團) 유지를 위하여 유계(遺戒)의 엄수(嚴守)와 교리(敎理)의 정리에 몰두하여, 소극적·허무적인 열반(涅槃)만을 중시하는 나머지, 자유(自由)·박대(博大)한 진전(進展)을 방해하기에 이르렀음. 이에 반발하여 일어난 것이 적극적인 대승(大乘) 불교임. 인도·스리랑카(Sri Lanka)·타이 등은 소승에 속함. ↔ ⌊대승(大乘).

소:승[2]【少僧】 명 젊은 중. ↔노승(老僧).

소승[3]【紹承】 명 이어받음. 물려받음. ──-하다 타여불

소:승[4]【小僧】 인대 중이 자기를 낮추어 일컫는 말. 빈도(貧道).

소:승-경【小乘經】 명 〖불교〗 소승교(小乘敎)의 경전(經典). 사아함경(四阿含經)을 비롯하여, 인연 본생(因緣本生) 등을 설명한 모든 원시 경전(原始經典). ↔대승경(大乘經).

소:승-교【小乘敎】 명 〖불교〗 소승 불교. ↔대승교(大乘敎).

소:-승기탕【小承氣湯】 명 〖한의〗 승기탕(承氣湯)의 하나. 약간 가벼운 증상의 상한(傷寒)·이증(裏症) 등에 씀.

소:승 불교【小乘佛敎】 명 〖불교〗 소승(小乘)을 주지(主旨)로 하는 교파의 총칭. ↔대승 불교(大乘佛敎).

소:승자 총통【小勝字銃筒】 [-짜-] 명 조선 중기에 제조된, 불씨를 손으로 점화하여 발사하는 유통식(有筒式) 화기.

소:승-적【小乘的】 명관 조그만 일에 얽매여, 대국적(大局的)인 면을 보지 못함. 시야(視野)가 좁아, 너무 비근(卑近)한 모양. ↔대승적(大乘的).

소:승-종【小乘宗】 명 〖불교〗 우리 나라에 대승 불교가 들어오기 전에 먼저 온 소승파교(小乘派敎). 칠 종(七宗) 십이 파(十二派)의 하나.

소:시[1]【小市】 명 ①작은 도시. ②작은 시장(市場).

소:시[2]【小柿】 명 고욤.

소:시[3]【小詩】 명 짧고 간단한 시.

소:시[4]【少時】 명 젊을 때.

소:시[5]【所視】 명 남이 보는 바. ¶ 중인(衆人) ~리에.

소시[6]【昭示】 명 명백히 나타내는 일. ──-하다 타여불

소시랑 명 〈방〉 쇠스랑(경상·전라).

소시랑-바람 명 〈방〉 회오리바람(경남).

소:-시민【小市民】 명 자본가와 노동자의 중간 계급에 속하는 사람. 의식면(意識面)으로는 자본가에 가깝고, 경제면(經濟面)으로는 노동자의 생활에 가까움. 소상인·수공업자·하급 봉급 생활자 등.

소:시민 계급【小市民階級】 명 〔프 petit bourgeoisie〕 자본가 계급과 노동자 계급의 중간에 속하는 계급. 프티 부르주아. *소시민.

소:시민-성【小市民性】 [-썽] 명 소시민이 가지는 성질. 또, 소시민의 사회에서 흔히 볼 수 있는 성질.

소시에테 제도【-諸島】 〔Société〕 명 〖지〗 동남 태평양의 프랑스령인 12개의 화산성 산호초 군도(火山性珊瑚礁群島). 주도(主島)는 타이티(Tahiti) 섬. 1676년 쿡(Cook)이 발견했음. 바닐라(vanilla)·코프라(copra)·인광석(燐鑛石)·진주(眞珠)조개 등을 산출함. 수도는 파페테(Papeete). [1,647 km²]

소:시오그램 〔sociogram〕 명 〖심〗 소시오메트리(sociometry) 이론을

바탕으로, 집단 내에 있어서의 인간 관계의 다이나믹한 구조(構造)를 표시하기 위하여 만든 도표(圖表). 집단 내의 개인을 원(圓)으로 나타내고, 그들 상호 관계를 화살표로 연결지어, 개인의 특징이나 집단내의 위치 등을 밝힘. 교우 도식(交友圖式).

소:시오그룹: 〔sociogroup〕 명 『심』 미국의 심리학자 제닝스의 용어(用語). 반드시 자유 의사는 아니나, 객관적인 문제에 대해, 이해(利害) 관계가 일치하는 사람들이 모인 집단을 이름.

소:시오드라마 〔sociodrama〕 명 『심』 미국의 심리학자 모레노(Moreno, J.D.)에 의해 시작된 집단 심리 요법의 하나. 즉흥극(即興劇)을 연기(演技)하게 함으로써 집단 전체의 치료를 목적으로 하는 심리극(心理劇)을 이름. ＊사이코드라마(psychodrama).

소:시오메트리 〔sociometry〕 명 ①인간 관계·사회 관계에 관한 일반적인 측정의 이론 및 기술. 사회 측정학(社會測定學). ②『심』 모레노(Moreno, J.D.)에 의하여 창시된 사회 과학의 한 분야. 집단 성원(成員) 사이의 견인(牽引)과 반발(反撥) 등의 역동적(力動的)인 대인(對人) 관계를 소시오그램으로 표시하고, 또 여러 가지 지수(指數) 계산에 의하여 이들을 측정해서, 성원의 지위나 집단의 온갖 특성을 수량적으로 기술하는 방법.

소:시올러지 〔sociology〕 명 사회학(社會學).

소시-요 【燒柴窯】 명 『공』 송시요(松柴窯).

소:시-자 【所恃者】 명 믿고 의지할 만한 사람이나 일.

소시-장 【燒屍場】 명 시체를 태우는 곳. ＊화장장(火葬場).

소시지 〔sausage〕 명 돼지 창자에 양념을 하여 곱게 다진 고기를 채우고 삶은 서양식 순대. 양순대.

소:시지-과 【少時之過】 명 젊었을 적에 저지른 잘못.

소:-시호탕 【小柴胡湯】 명 『한의』 식욕이 없고 열이 올랐다 내렸다 하며, 맥박이 빠른 증세가 있는 외감(外感)에 쓰는 약. 시호(柴胡)·황금(黃芩)·인삼·생강(生薑)·반하(半夏) 등이 들어 있음.

소:식[1] 【小食】 명 음식을 적게 먹음. 또 그 적은 분량. ¶ ～가(家). ↔대식.

소:식[2] 【所食】 명 ①요식(料食). ②먹는 분량. ——-하다 타여불

소:식[3] 【素食】 명 소밥.

소식[4] 【消食】 명 먹은 음식이 소화(消化)됨. ——-하다 자여불

소식[5] 【消息】 명 ①천지 시운(時運)이 자꾸 변화하는 일. ②안부를 전하는 편지나 음신(音信) 같은 것. 성문(聲問). 풍신(風信). ③상황(狀況)이나 동정(動靜)을 알리는 보도(報道) 같은 것. ¶ 고향 ～. ④『역』 ↗선전 소식(宣傳消息).

소식이 깡통 구 〈속〉 소식을 전혀 모름을 이르는 말.

소:식[6] 【掃拭】 명 쓸고 닦음. 소제(掃除). ——-하다 타여불

소식[7] 【疏食】 명 소사(疏食).

소식[8] 【蔬食】 명 소사(蔬食).

소식[9] 【蘇息】 명 끊어질 듯한 숨이 되살아남. ——-하다 자여불

소-식[10] 【蘇軾】 명 『사람』 중국 북송(北宋)의 문인. 호는 동파(東坡). 아버지 순(洵), 아우 철(轍)과 더불어 삼소(三蘇)라고 불림. 당송 팔대가(唐宋八大家)의 한 사람. 왕안석(王安石)과 대립하여 좌천되었으나, 후에 철종(哲宗)에게 중용되어 구법파(舊法派)의 대표자의 하나가 되었음. 서화(書畫)에도 능하였음. 저서에 ≪적벽부(赤壁賦)≫·≪동파전집(東坡全集)≫이 있음. [1036-1101]

소식-란 【消息欄】 [―난] 명 신문 등에서 인사(人事) 및 소식을 전하는 기사를 싣는 난. 인사란(人事欄).

소식 만:허 【消息滿虛】 명 소식 영허(消息盈虛).

소식 불통 【消息不通】 명 ①소식의 왕래가 없음. 소식이 서로 통하지 아니함. ②소식이 없어 전혀 알지 못함. ③어떤 일을 전혀 알지 못함.

소식 영허 【消息盈虛】 명 시운(時運)의 변천. 소식 만허(消息滿虛).

소식-자 【消息子】 명 〔도 Sonde〕 『의』 외과(外科)에서 쓰는 의료 기구의 하나. 끝이 둥글게 된 막대 모양인데, 창상(創傷) 또는 심부(深部)의 상황을 살피거나 실 같은 것을 들여보내는 데 쓰임. 보통, 금속성으로 가늘고 유연한 봉상(棒狀)임. 존데. ＊위(胃)소식자·카테터.

소식자 영양법 【消息子營養法】 [―뻡] 명 『생』 음식물을 넘기기 곤란한 환자 등에게, 비강(鼻腔)이나 구강(口腔)으로부터 소식자를 위(胃)와 십이지장에 주입(注入)하여 영양을 취하게 하는 방법.

소식-제 【消食劑】 명 소화제(消化劑).

소:식-주의 【小食主義】 [―/―이] 명 〔미 Fletcherism〕 소식은 인류에게 경제적일 뿐만 아니라, 건강을 증진시키고 두뇌를 명석하게 한다고 주장하는 주의. 미국의 저술가 플레처(Fletcher)가 주창하였음.

소식-통 【消息通】 명 사람이나 사건에 관하여, 자세한 내막(內幕)이나 사정에 통하는 사람. ¶ 믿을 만한 ～에 의하면.

소:신[1] 【小汛】 명 무쉬.

소:신[2] 【小臣】 ㊀ 명 신분이 낮은 신하. 수리(豎吏). 수신(豎臣). ㊁ 인대 신하가 임금에 대하여 자기를 낮추어 이르는 말.

소:신[3] 【小信】 명 작은 신의(信義).

소:신[4] 【所信】 명 ①믿는 바. ②자기가 확실하다고 굳게 생각하는 바. ¶ ～의 일단/～을 피력하다.

소신[5] 【燒身】 명 분신(焚身).

소신[6] 【燒燼】 명 모두 다 타버리거나 태워 버림. ——-하다 자타여불

소신 공:양 【燒身供養】 명 자기 몸을 불살라 부처 앞에 바침. ——-하다 자여불

소:-신학교 【小神學校】 명 『천주교』 대신학교(大神學校)에 진학(進學)하기 위한 준비 과정의 학교.

소:실[1] 【小失】 명 ①작은 손실(損失). ②작은 과실(過失). 1)·2):↔대실(大失).

소:실[2] 【小室】 명 작은집. 부실(副室). 별실(別室).

소:실[3] 【少室】 명 성(姓)의 하나. 우리 나라에는 현존하지 아니함.

소:실[4] 【所失】 명 ①허물. ②노름을 해서 돈을 잃음. 또, 그 액수. ——-하다 자여불 노름에서 잃다.

소실[5] 【消失】 명 어디로 사라져 없어짐. 사라져 잃어버림. ——-하다 자타여불

소실[6] 【燒失】 명 불에 타서 없어짐. 소망(燒亡). ——-하다 타여불

소실-성 【消失性】 [―썽] 명 종기 같은 병이 저절로 낫는 성질.

소실-점 【消失點】 [―쩜] 명 『수』 투시(透視)한 평행 직선군(平行直線群)이 집중(集中)되어 한 점에 모인 점. 소점(消點).

소실지-경 【蘇悉地經】 명 『불교』 오부 비경(五部祕經)·삼부 비경(三部祕經)의 하나. 선무외(善無畏)가 번역한 밀교(密敎)의 근본 성전(根本聖典)으로, 지송(持誦)·관정(灌頂)·호마(護摩)·기청(祈請)·성취(成就) 등의 법을 해설하였음. 3권.

소실-하다 형여불 ☞ 소슬하다. ¶ 소실한 한풍은 나무 사이에 움직이고 참담한 월색은 서천에 기울어졌더라≪崔瓚植 : 秋月色≫.

소:심[1] 【小心】 명 ①삼가 조심함. 주의가 깊음. ②도량이 좁음. 마음을 쓰는 푼수가 작음. ③담력이 없고 겁이 많음. 소담(小膽). ——-하다 형여불. ——-히 부

소:심[2] 【素心】 명 평소의 마음. 소지(素志).

소:심 공:포증 【小心恐怖症】 [―쯩] 명 『심』 아무 것도 아닌 것을 공연히 두려워하는 병적 증상. 정신 쇠약이나 강박(强迫) 신경증에서 볼 수 있는 일종의 강박 현상.

소:심 근:신 【小心謹愼】 명 마음을 조심하여 언행(言行)을 삼감. ——-하다 자여불

소:심-스럽다 【小心―】 형ㅂ불 보기에 소심한 태도가 있다. 소:심-스레 【小心―】 부

소:심 익익 【小心翼翼】 명 조그만 일에까지 대단히 조심하고 삼가는 모양. 전(轉)하여, 소심하여 겁이 많음. ——-하다 형여불

소:심-자 【小心者】 명 소심(小心)한 사람.

소:심-증 【小心症】 [―쯩] 명 매사에 지나치게 소심하게 대하는 병증.

소:싯-적 【少時―】 명 나이 어렸을 적.

소:-싱안링 【小―】〔興安嶺〕 명 『지』 중국 헤이룽장 성(黑龍江省) 동북부에 있는 산맥. 평균 높이 700 m, 최고점 1,150 m. 헤이룽 강의 강줄기에 평행하여 헤이룽 강·쑹화 강(松花江)의 합류점에 이르고, 그 북서는 대(大)싱안링 이러후리 산(伊勒呼里山)에서 대싱안링에 이어짐. 삼림에는 야수(野獸)가 많고, 금광(金鑛)도 있음. 소흥안령. 별칭 : 동싱안링(東興安嶺).

소-싸움 명 『민』 단오날에 남부 각 지방에서 유행하던 행사. 사나운 소 두 마리를 골라 넓은 들에서 싸움을 시키는데, 지금도 진주·밀양 지방에서 행함. 투우(鬪牛). ⓒ소쌈.

소-쌈 명 ↗소싸움.

소-씨 명 씨받이할 소의 종자.

소심 명 〈옛〉 소임(所任). 맡은 일. ¶ 소심을 브즈러니 ᄒᆞ며(勤於me職)≪飜小 X:8≫.

소:아[1] 【小我】 명 ①『철』 우주의 절대(絶對)인 나와 구별한 자아(自我). 현상계(現象界)에 있어서의 물건의 개성(個性). ②『불교』 진실·자재(自在)·불변 상주(不變常住)를 가진 열반(涅槃)의 대아(大我)에 대하여, 진실도 없고 자재도 없는, 범부(凡夫)로서의 나. 1)·2):↔대아(大我).

소:아[2] 【小兒】 명 어린아이. 보통, 출생(出生)부터 14-15세까지의 아이.

소:아[3] 【小雅】 명 시경(詩經)의 한 편(篇)의 이름. 작은 정사(政事)에 관한 일을 노래한 정악(正樂). 시경(詩經) 305편 중 72편을 이름.

소:아[4] 【素娥】 명 ①'달'의 별칭. ②소복한 미인(美人).

소아[5] 【騷雅】 명 문아(文雅)❷. ——-하다 형여불

소:아 결핵 【小兒結核】 명 〔도 Kindertuberkulose〕 『의』 어린아이에게 걸리는 결핵증(結核症)의 총칭.

소:아-과 【小兒科】 [―꽈] 명 『의』 어린아이의 병을 전문적으로 치료하는 의과(醫科).

소:아-론 【小兒論】 명 『책』 조선 숙종 때 간행된 만주어(滿州語)의 학습서(學習書). 신계암(申繼黯) 편저. 세살 된 아이와의 문답(問答)으로 된 내용이며, 만주어를 쓰고 우리말로 음과 뜻을 옮겼음. 신석 소아론(新釋小兒論).

소:아 마비 【小兒痲痺】 명 〔라 poliomyelitis〕 『의』 급성 회백수염(急性灰白髓炎)의 일반적인 명칭. 중추 신경계(中樞神經系)에 친화성(親和性)이 있는 바이러스(virus)의 전염에 의한 전신성 감염(全身性感染)을 일으키는 마비성 질환. 흔히 어린이의 수족(手足)에 일어남. 뇌성(腦性)과 척수성(脊髓性)이 있는데, 전자는 태내(胎內) 혹은 분만할 때의 이상이나 또는 뇌염에 의하여 생기고, 후자는 유행성 척수염을 앓은 뒤에 남는 증상(症狀)임. 그 증세는 처음에 갑자기 고열(高熱)이 나고 2-3일 경과하면 사지(四肢)가 마비되며 심하면 불구자가 됨. 현재 완치는 불가능하나, 예방 백신의 보급으로 많이 줄어들고 있음. 급성 회백수염.

소:아-반 【小兒斑】 명 『의』 몽고반(蒙古斑). 아반(兒斑).

소아베 〔이 soave〕 명 『악』 '부드럽게·사랑스럽게'의 뜻.

소:아-병 【小兒病】 [―뼝] 명 ①어린아이에게서 흔히 볼 수 있는 내과적(內科的)인 병. 백일해·디프테리아·홍역·작은마마·성홍열(猩紅熱) 등. 소아 질환. ②유치하고 극단적인 성향(性向). ¶ 좌익(左翼) ～.

소:아-복 【小兒服】 명 어린이의 옷.

소:아 성:욕 【小兒性慾】 명 〔infantile sexuality〕 『심』 유아나 아동이, 본질적으로 성욕과 결부된 행위나 경험을 할 수 있는 능력과 그것에 대한 쾌감을 말함.

소:-아시아 【小―】〔Asia〕 명 『지』 아시아 서부에 돌출하고, 흑해·에게해(Aegae海)·지중해에 둘러싸인 반도. 마르마라 해를 사이에 두고 발칸 반도와 대치하며, 터키의 대부분을 차지함. 고원상 대지(高原狀臺地)로, 북으로 쿠제이 아나돌루(Kuzey Anadolu) 산맥, 남으로 토로스(Toros) 산맥이 뻗음. 해안은 지중해식 기후로, 내륙은 우량이 적으며 초원과 사막을 이룸. 주산물은 곡물·과실·양(羊)·크롬·구리 등. 예로부터 유럽과 아시아를 잇는 동서 교섭(交涉)의 무대였음.

소:아 실어증 【小兒失語症】 [―쯩] 명 〔childhood aphasia〕 『심』 어린이가 말을 할 수 없게 되거나, 그 언어 기능이 저하되거나 하는 일.

소:아 약용량 【小兒藥用量】 [―냥] 명 『약』 어린아이에 대한 의약품

의 상용량(常用量). 보통, 성인량을 기초로 영식(Young 式)으로 산출.

$$\text{소아 약용량}=\text{성인량}\times\frac{\text{연령}}{\text{연령}+12}$$

그러나 이 식은 편의적(便宜的)인 것이고, 각종 약제에 대한 경험으로 얻은 소아 약용량이 정해져 있음.

소:아 외:과【小兒外科】[一꽈] 명 〖의〗 소아 마비·수액(輸液)·수혈(輸血)의 기술 개발에 힘입어, 1950년대부터 발달해 온 의학의 한 분과. 종래 치료법이 없었던 신생아의 내장 질환, 곧 선천성 장폐쇄증(腸閉鎖症)·식도(食道) 폐색증·횡격막 헤르니아·쇄항(鎖肛) 등을 위시하여 선천성 심장병, 각종 기형(畸形) 외에 소아의 충수염(蟲垂炎)·장중적(腸重積) 등을 수술에 의하여 치료함.

소:아 위생【小兒衛生】명 〖의〗 어린아이의 병을 막고, 몸을 튼튼하게 함을 목적으로 하는 위생학(衛生學).

소:아-의【小兒醫】[一/一이] 명 소아과를 전문으로 하는 의사. 소아과의 의사.

소아지 명 〈방〉 송아지(경상).

소:아 지방변증【小兒脂肪便症】[一쯩] 명 〔celiac syndrome〕〖의〗 아기에게서 볼 수 있는, 장관(腸管)에서의 지방의 흡수 불량으로 생기는 증후군(症候群). 묽고 냄새가 고약한 변을 많이 배설함. 지방산(脂肪酸) 함량(含量)이 높은 것이 특징임.

소:아 질환【小兒疾患】명 소아병❶.

소:아 천:식【小兒喘息】명 〖의〗 어린아이의 천식성(喘息性) 기관지염과 기관지염 천식을 합병(合併)한 상태의 속칭. 주요 증상으로, 콧물이 나 기침이 나거나 호흡할 때 목에서 가르랑거림.

소:아-체【小芽體】명 〖동〗 종충(種蟲).

소:아치 명 〈방〉 송아지(경상).

소:아 태변【小兒胎便】명 〖생〗 태변(胎便).

소:아 후두 경련【小兒喉頭痙攣】[一년] 명 〔laryngismus stridulus〕〖의〗 ①특히 생후 1년 이내의 어린이의 경련성 후두염. ②어린이의 저(低)칼슘 혈증(血症) 상태에서 가끔 나타나는, 후두의 연축(攣縮).

소:악[1]【小岳】명 작은 산.

소:악[2]【小惡】명 작은 나쁜 일.

소:악[3]【素堊】명 흰 흙. 또, 흰 벽. 백악(白堊).

소:악-도【小岳島】명 〖지〗 전라 남도의 서해상(西海上), 신안군(新安郡) 증도면(曾島面) 병풍도리(屛風島里)에 위치한 섬. [0.46 km^2]

소:-악부【小樂府】명 〖문〗 고려의 문신 이제현(李齊賢)이 번역한 악부시(樂府詩). 고려 때 유행하던 가요를 한문학의 장르인 악부체(樂府體)로 번역함. 이제현의 문집 《익재 난고(益齋亂藁)》에 전함.

소:-악절【小樂節】명 〔sentence〕〖악〗 작은악절.

소:안[1]【小安】명 ①조금 안심함. ②잠시 편안함. ③소성(小成)에 만족하고 대지(大志)가 없음. ——-하다 형여불

소:안[2]【小眼】명 〖동〗 단안(單眼)❷.

소:안[3]【素顔】명 ①흰 얼굴. ②화장하지 아니한 맨 얼굴. ③수염이 없는 얼굴.

소:안[4]【笑顔】명 웃는 얼굴. 웃음 띈 얼굴.

소안[5]【韶顔】명 빛을 발하듯, 젊게 보이는 노인의 얼굴. 소용(韶容).

소:안-도【所安島】명 〖지〗 전라 남도의 남해상(南海上), 완도군(莞島郡) 소안면(所安面) 비자리(榧子里)에 있는 섬. 섬 서쪽에는 보길도(甫吉島)를 비롯한 주위의 여러 섬과 연락하는 소안항(所安港)이 있음. [23.16 km^2]

소안 문화【一文化】〔Soan〕명 〖역〗 인도의 펀자브(Punjab) 지방, 소안강·인더스 강 유역에 분포된 구석기 시대의 문화. 역기(礫器)와 박편(剝片) 석기를 주로 하며, 제3 빙기(氷期)를 사이에 낀 전후기(前後期)로 나누어져 있음.

소안치 명 〈방〉 송아지(경남).

소암[1] 명 〈속〉 효험(効驗).

소:암[2]【小庵】명 작고 좁은 암실(庵室). 조그마한 암자(庵子).

소:애【少艾】명 젊고 어여쁜 계집.

소:액[1]【少額】명 적은 액수(額數). ¶ ～ 수표.

소액[2]【訴額】명 〖법〗 소송물의 가액(價額).

소:액 사:건 심:판법【少額事件審判法】[一껀一뻡] 명 〖법〗 지방 법원 및 지방 법원 지원(支院)에서, 소액의 민사 사건을 간이(簡易)한 절차에 따라 신속히 처리하기 위하여, 민사 소송법에 대한 특례(特例)를 규정한 법. 소송물의 가액(價額)이 1천만원을 초과하지 않는 사건에 적용하고, 구술(口述)에 의한 소(訴)의 제기, 순회 재판(巡廻裁判) 등에 관하여 규정하고 있음.

소:액 지폐【少額紙幣】명 〖경〗 보조 화폐의 성질을 띤, 금액이 적은 지폐.

소액 포말【疎液泡沫】명 안정 포말.

소:액 현:금 계:정【少額現金計定】명 〖경〗 자산 계정의 한 가지. 출납계(出納係)가 많은 금액을 현금으로 갖고 있으면 위험할 뿐만 아니라 부정이 생기기 쉬우므로, 용도계(用度係)나 소액 지급계에 일정액의 자금을 전도(前渡)하여, 일상 쓰이는 소액 경비의 지급을 다루게 하는 경우에, 이 전도액을 표시하는 계정.

소:액-환【小額換】명 우편환(郵便換)의 하나. 환(換)증서의 소지자에게 어느 우체국에서나 그 증서와 상환(相換)으로 현금을 지급함.

소: 앤틸리스 제도【小一諸島】〔Antilles〕명 〖지〗 서인도 제도 동부의 작은 도군(島群). 푸에르토리코 섬의 동쪽에서 남미 대륙의 동북 해안까지 호상(弧狀)으로 연하여, 버진 제도·리워드 제도·윈도워드 제도·트리니다드 섬·토바고 섬 및 로케스 제도(諸島)로 이루어짐. *앤틸리스 제도.

소:야【小冶】명 〖역〗 조선 시대에, 15명 미만의 장인(匠人)을 거느리는 작은 규모의 대장간. *대야(大冶)·중야(中冶).

소:야-곡【小夜曲】명 〖악〗 '세레나데(Serenade)'의 역어(譯語).

소야-도【蘇爺島】명 〖지〗 인천 광역시(仁川廣域市) 옹진군(甕津郡) 덕적면(德積面) 소야리(蘇爺里)에 위치한 섬. 덕적도(德積島)의 동남쪽 3.5 km에 인접함. [3.03 km^2]

소:야 해:협【一海峽】〔宗谷:そうや〕명 〖지〗 사할린(Sakhalin)과 홋카이도(北海道) 사이의 해협. 1-3월은 사할린에서 내려오는 유빙(流氷)으로 막힘. 폭 45 km, 수심은 30-70 m 임.

소:약【小弱】명 작고 힘이 약함. 나이가 어리고 약함. ——-하다 형여불

소:-약과【小藥菓】명 작게 만든 약과.

소:약-국【小弱國】명 약소국(弱小國).

소-약수【素約數】명 〖수〗 소인수(素因數).

소:양[1]【小羊】명 작은 양. 새끼 양.

소:양[2]【小洋】명 중국 화폐로, 작게 만든 은화의 이름.

소:양[3]【小恙】명 대단하지 아니한 병. 조금 앓는 병. 미양(微恙)

소:양[4]【小揚】명 〖악〗 거문고 연주에서 술대 쓰는 법의 한 가지. 술대로 좀 약하게 줄을 뜯어서 소리를 내는 법. '양(揚)'보다 조금 약함.

소양[5]【邵陽】명 〖지〗 '사오양'을 우리 음으로 읽은 이름.

소양[6]【昭陽】명 〖민〗 천간(天干) '계(癸)'의 고갑자(古甲子) 이름.

소양[7]【素養】명 평소의 교양. 이미 배워서 기른 힘. ¶ 음악의 ～이 있다.

소:양[8]【掃攘】명 휩쓸어 없앰. 소탕(掃蕩). ——-하다 타여불

소양[9]【搔痒】명 가려운 데를 긁는 일. ¶ 격화(隔靴) ～.

소양[10]【霄壤】명 하늘과 땅. 천지(天地). 천양(天壤).

소양-감【搔痒感】명 가려운 느낌.

소양-강【昭陽江】명 〖지〗 북한강(北漢江)의 지류. 강원도 인제군(麟蹄郡) 서화면(瑞和面)에서 발원하여, 양구군(楊口郡)을 흘러 춘천시(春川市) 북쪽에서 북한강에 합류됨. 다목적 댐이 있으며, 상류 43.2 km 지점까지 배가 항행함. [166.2 km]

소양강 댐【昭陽江一】〔dam〕명 〖지〗 소양강에 있는, 동양 최대이며 세계 4위의 다목적 사력(砂礫) 댐. 춘천시 북동 13 km, 북한강 합류점에서 12 km 지점에 위치함. 소양강의 물길을 가로막아 거대한 저수지를 만들고, 한강 유역의 홍수 조절과 농·공업용 용수(用水) 공급, 수질 오염도 완화 등의 구실을 하며, 시설 용량 20만 kw의 수력 발전소가 있음. 둑의 높이 123 m, 길이 530 m, 호수 면적 960만 m^2, 총저수량 29억 톤. 1967년 4월 착공, 1973년 10월 준공됨.

소양배양-하다 형여불 아직 나이가 어려서, 함부로 날뛰기만 하고 철이 없다. ¶ 소양배양한 젊은 사람 아니고, 설마 배약(背約)하오리까! ≪李海朝 : 花의 血≫.

소양-어【韶陽魚】명 〖어〗 송사리❶.

소:양-인【少陽人】명 〖한의〗 사상(四象) 의학에서, 사람의 체질(體質)을 넷으로 가른 하나. 소화기(消化器)가 강하고 생식기 계통이 약한 형(型)으로, 상체(上體)가 발달하고 민첩하며 비판적이지만 감정적이고 끈기가 부족한 편임. *소음인(少陰人).

소양-전【昭陽殿】명 중국 한(漢)나라 때, 성제(成帝)가 건축한 궁전.

소양-제【消陽劑】명 양기(陽氣)를 줄이는 약제.

소:양-증[1]【少陽症】[一쯩] 명 〖한의〗 열이 심하게 나고 옆구리가 아프며, 입안이 쓰고 귀가 잘 들리지 아니하는 병.

소양-증[2]【搔痒症】[一쯩] 명 〖한의〗 피부가 가려운 증세. 피부 소양증.

소양지-간【霄壤之間】명 하늘과 땅 사이. 곧, 사물이 서로 엄청나게 다름을 일컫는 말. 천양지간(天壤之間). 소양지판(霄壤之判).

소양지-차【霄壤之差】명 천양지차(天壤之差).

소양지-판【霄壤之判】명 하늘과 땅의 차. 곧, 사물이 서로 엄청나게 다름을 일컫는 말. 소양지간(霄壤之間). 천양지판(天壤之判). *운니지차(雲泥之差).

소양-진【搔痒疹】명 몹시 가려운 신경성 피부병의 한 가지.

소:어[1]【小魚】명 잔고기.

소:어[2]【小語】명 짧은 말. 사소한 말.

소:어[3]【笑語】명 ①우스운 이야기. ②웃으면서 하는 말.

소어[4]【蘇魚】명 〖어〗 밴댕이.

소어[5] 〔Thor〕명 〖군〗 1950년대에 미국 공군이 보유하던 지대지(地對地) 중거리 탄도탄의 하나. 액체 연료식. 현재는 군용으로는 쓰지 않고, 그 로켓이 우주 개발용으로 이용되고 있음.

소어-소【蘇魚所】명 〖역〗 조선 시대에, 생선의 진공(進貢)을 맡아 보던 사옹원(司饔院)의 직소(職所). 경기도 안성군(安城郡)에 두었음.

소:언[1]【少焉】명 잠깐 동안.

소:언[2]【笑言】명 웃으면서 말을 함. ——-하다 자여불

소:얼【小櫱】명 〖식〗 ①매자나무. ②당매자나무.

소:업[1]【所業】명 업으로 삼는 일.

소:업[2]【素業】명 평소의 일. 또, 행실.

소:여[1]【小輿】명 국상(國喪) 때 좁거나 험한 길에서 쓰기 위한 작은 상여. 소방상(小方牀). ↔대여(大輿).

〈소여[1]〉

[소여 대여(大輿)에 죽어가는 것이 헌 옷 입고 볕에 앉았는 것만 못하다] 죽어서 대접 받는 것보다, 대접을 못 받아도 살아 있는 것이 더 낫다는 말.

소:여[2]【所與】명 ①주어진 것. 부여된 바. ②〖철〗 사유(思惟)에 의하여 가공(加工)되지 아니한 직접적인 의식 내용. ③일반적으로 연구 등의 출발점으로서 이의 없이 받아들이게 되는 사실·원리. 여건(與件).

소:여[3]【掃如】명 쓸어 내어 없앤 듯이 물건이 남지 아니함. ——-하다 형여불

소:여-꾼【小輿一】명 〖역〗 소여를 메는 사람.

소:여-성【所與性】[一썽] 명 〖철〗 소여의 범주(範疇).

소:역【小驛】명 작은 역(驛).

소:연[1]【小宴】명 작은 잔치. 작은 연회. 소작(小酌).

소:연[2]【小鷰】명 〖조〗 제비. 호연(胡鷰)에 상대하여 일컫는 말.

소:연[3]【所緣】명 〖불교〗 마음으로 인식하는 대상(對象). 육식(六識)의

대상으로 인식되는 육경(六境)과 같은 것. ↔능연(能緣).

소연⁴【昭然】명 밝고 뚜렷함. 분명함. 소소(昭昭). ——-하다 형여불. ——-히 부

소:연⁵【素鳶】명 색종이를 바르지 아니한 흰 연.

소연⁶【蕭然】명 쓸쓸함. ¶ ~한 황야. ——-하다 형여불. ——-히 부

소연⁷【騷然】명 수선함. 떠들썩함. ¶ 장내가 ~해지다. ——-하다 형여불. ——-히 부

소-연방【蘇聯邦】명〖지〗↗소비에트 사회주의 공화국 연방.

소연방 각료 회:의【蘇聯邦閣僚會議】[—뇨—/—뇨—이] 명 구(舊)소련의 국가 권력의 최고 집행 처리 기관. 여느 나라의 내각(內閣)에 해당함. 소연방 최고 회의의 양원 합동 회의에서 선임되었으며, 수상인 의장 1명, 제1부수상인 의장 대리 1명, 부수상 12명 외에 각 부(部)의 장관과 국가 위원회 의장 등 95명의 각료 회의 구성원이 있었음. 법의 집행을 위한 결정이나 명령 외에, 국정 전반에 걸친 지도를 하였음.

소연방 영웅【蘇聯邦英雄】명 구소련에서, 주로 영웅적 공훈(功勳)을 세운 군인에게 주던 최고 칭호(稱號)의 하나.

소연방 최:고 회:의【蘇聯邦最高會議】[—/—이] 명 구(舊)소연방의 최고 국가 권력 기관. 근로자의 대표인 연방 회의와 각 민족의 특수 이익을 대표하는 민족 회의의 양원(兩院)으로 이루어져, 보통 연 2회 개최되었으며, 대의원의 임기는 5년이었음. 입법 기관의 기능 이외에, 최고 회의 간부 회의와 최고 재판소의 선임권(選任權), 각료 회의의 조직권(組織權) 등을 가졌었음.

소연방 최:고 회:의 간부 회:의【蘇聯邦最高會議幹部會議】[—/—이—이] 명 구(舊)소연방의 폐회 중의 국가 최고 기관. 소연방 최고 회의에서 선임된 간부 회원으로 구성되었으며, 최고 회의의 소집·해산, 장관의 임면, 영예의 수여, 선전(宣戰), 동원(動員), 대·공사(大公使)의 임면(任免), 조약의 비준·폐기 등을 행하였음. 의장은 국가 원수에 해당.

소:-연지봉【小臙脂峰】명〖지〗백두산(白頭山)에 있는 한 봉우리. 신생대 제3-4기에 걸쳐 분출된 화산. 백두 화산맥을 이룸. [2,123 m]

소:-연평도【小延坪島】명〖지〗경기도의 서해상(西海上), 옹진군(甕津郡) 송림면(松林面) 연평리(延坪里)에 위치한 섬. 연평도의 동남 쪽에 있음. [0.24 km²]

소열【消熱】명 해열(解熱).

소열-제【消熱劑】[—쩨] 명〖약〗해열제(解熱劑).

소열 황제【昭烈皇帝】명 중국 촉한(蜀漢)의 시조인 유비(劉備)의 시호(諡號).

소염【疏髯】명 성기게 난 나룻.

소염-기【消焰器】명 [flash hider]〖군〗총포가 발사될 때 섬광을 감추거나 사수(射手)의 눈을 보호하기 위해, 총포 끝에 설비된 우산 모양 또는 원판상의 쇠붙이.

소염-법【消炎法】[—뻡] 명〖의〗염증(炎症)을 없애는 방법. 전신 소염법으로는 해열법(解熱法)이 있고, 국부 소염법으로는 물이나 약으로 찜질하는 방법이 있음.

소염-제【消炎劑】명 [anti-inflammatory agent]〖약〗염증(炎症)을 내리게 하는 약제.

소염 진:통제【消炎鎭痛劑】명 염증을 제거하고 아픔을 가라앉히는 약품.

소염 화:약【消焰火藥】명〖군〗총을 쏠 때 불꽃이 나지 아니하도록 만든 무연 화약(無煙火藥). 야간 사격에서, 아군(我軍)의 위치를 모르게 하는 데 이용함.

소:엽¹【小葉】명 ①작은 잎. 잔 잎. ②[leaflet]〖식〗복엽(複葉)을 이루는 작은 잎. 꼬마잎. ③[lobule]〖동〗몇 개의 작은 조각들로써 이루어진 기관(器官)의 작은 조각.

소엽²【蘇葉】명〖한의〗차조기의 잎. 땀을 내게 하며 속을 조화시키는 효력이 있어, 해수(咳嗽)·천촉(喘促)·자현(子懸)·곽란(霍亂)·각기(脚氣)·심복통(心腹痛) 등에 약재로 씀. 자소(紫蘇).

소:엽-맥문동【小葉麥門冬】명〖식〗[*Ophiopogon japonicus*] 백문아재빗과에 속하는 다년생의 상록초. 근경은 짧고 수근(鬚根)이 많으며 꽃줄기의 높이 10 cm 내외임. 잎은 뿌리에서 총생하는데 길이 15-30 cm의 좁은 선형(線形)을 이룸. 5월에 담자색 또는 드물게 백색 꽃이 총상(總狀) 화서로 정생하여 피며, 장과(漿果)는 구형이고 농청색으로 익음. 산지의 숲 밑에 나는데, 제주·경남·울릉도·경기도 등지에 분포함. 뿌리의 괴상부(塊狀部)를 약재로 씀. 실겨우살이풀.

〈소엽맥문동〉

소:엽-병【小葉柄】명〖식〗소엽(小葉)의 잎꼭지.

소:엽성 폐:렴【小葉性肺炎】명 [lobular pneumonia]〖의〗기관지 폐렴. ↔대엽성 폐렴.

소:영¹【素英】명 중국산 비단의 한 가지. 영초(英綃)와 똑 같은데, 무늬가 없음.

소영²【疎影】명 드문드문 비치는 그림자.

소:-영국주의【小英國主義】[—/—이] 명 [little Englandism]〖역〗19세기 중엽에 영국에서 일어난, 식민지를 포기하자고 역설한 주의. 곧, 영국 산업 자본의 시장 개척만으로도 충분하므로 부담이 많은 식민지 경영을 그만두자고 하는 주의. ↔대영국주의.

소영도리-나무 명〖식〗[*Weigela praecox*] 인동과(忍冬科)에 속하는 낙엽 활엽 관목. 잎은 거꿀달걀꼴 또는 넓은 달걀꼴이고, 끝이 뾰족하며 가장자리에는 톱니가 있고, 앞뒷면에는 거친 털이 있음. 5월에 1-3개의 붉은 장미빛 꽃이 엽액(葉腋)이나 줄기 끝에 액생(腋生)하여 핌. 열매는 삭과(蒴果)이며 9월에 익음. 산골짜기나 산기슭에 저절로 나는데, 관상용으로 심음.

〈소영도리나무〉

소:영-사【所營事】명 업으로 경영하는 일.

소:-영창【小詠唱】명〖악〗작은 아리아(aria). 아리에타(arietta).

소예 명〈방〉〖어〗숭어(松魚)(함경).

소:-예참【小禮懺】명〖불교〗부처 앞에 절을 간단히 하는 예배. ——-하다 자여불

소:오¹【小烏】명〖역〗신라 십칠 관등(十七官等)의 열여섯째 위계(位階). 대오(大烏)의 아래, 조위(造位)의 위, 사두품(四頭品)의 벼슬. 유리왕(儒理王) 9년(32)에 마련함. 소오지(小烏知).

소:오²【小梧】명〖사람〗설의식(薛義植)의 호(號).

소:-오봉산【小五峰山】명〖지〗함경 북도 회령군(會寧郡)에 있는 산. [1,184 m]

소:오-지【小烏知】명〖역〗소오(小烏).

소:-오촉【小烏蠋】명〖충〗범나비벌레.

소옥¹ 명〈옛〉속. ¶ 봄나래 픳고리는 긴 댓소오개셔 울오(春日鶯啼脩竹裏)《百聯 21》.

소:옥²【小屋】명 조그마한 집.

소:-옥타:브【小—】[octave] 명〖악〗제1 옥타브에 인접한 낮은 옥타브.

소옴 명〈옛〉솜. ¶ 버들 개야지 소오미라와 히요물 마장 뫼노라(生憎柳絮白於綿)《杜諺 XXII:23》.

소옴터리 명〈옛〉솜털. ¶ 지체 소옴터리로 뷔 빙마니 가져다가(消息來)《朴解 上 44》.

소옴티양 명〈옛〉털 좋은 양. 면양. ¶ 됴혼 소옴티양은 또 언머에 풀다(好綿羊却賣多少)《老乞 下 20》.

소-옹【邵雍】명〖사람〗중국 북송(北宋)의 학자. 자는 요부(堯夫). 주돈이(周敦頤)가 송학(宋學)의 이기론(理氣論)을 세운 데 대하여, 같은 때에 상수론(象數論)을 제창한 대사상가임. 저서에 《관물편(觀物篇)》·《황극 경세서(皇極經世書)》·《이천 격양집(伊川擊壤集)》 등이 있음. 이정(二程)과 주자(朱子)에 큰 영향을 미침. 시호는 강절(康節). [1011-77]

소-옹도리 명〈방〉쇠옹두리.

소와【騷訛】명 잘못 전하여져서 소동을 일으킨 소문.

소:-완초【小莞草】명〖식〗요향. *왕골.

소왈-소왈 부 ☞ 소곤소곤. ¶ 그것들은 냄새만 풍기는 것이 아니라 ~ 무엇을 속삭이기도 하는 것이었다《崔貞熙 : 녹색의 문》.

소:왕【素王】명 왕자(王者)는 아니나 왕자의 덕(德)을 갖춘 사람.

소왕이-풀 명〈방〉〖식〗영경퀴.

소외【疏外·疎外】명 ①소원(疏遠). 소척(疏斥). ¶ 인간 ~/~감(感). ②〖철〗자기 소외(自己疎外). ——-하다 타여불

소외-감【疏外感】명 남에게서 따돌림을 당한 것 같은 느낌.

소:요¹【所要】명 요구되는 바. 필요한 바. ¶ ~량(量)/~인원. ——-하다 자여불

소요²【逍遙】명 ①슬슬 거닐어 돌아다님. 산책(散策). ②마음을 속세간(俗世間) 밖에 유람하게 함. ——-하다 자여불

소요³【騷擾】명 ①여러 사람이 떠들썩하게 들고일어남. ②〖법〗뭇 사람이 들고일어나서 폭행·협박을 함으로써 한 지방의 공공 질서를 문란하게 하는 행위. ¶ ~죄(罪). ——-하다 자여불

소요-건【逍遙巾】명〖역〗청담파(淸談派)들이 유흥(遊興)할 때 쓰던 두건(頭巾). *청담파.

소:요-량【所要量】명 소요되는 분량.

소요-산¹【逍遙山】명〖지〗경원선(京元線) 동두천역(東豆川驛)에서 약 4 km 지점에 있는 산. 자재암(自在庵)과 약수(藥水)로 유명함. 봄·가을에 행락객이 많음.

소요-산²【逍遙散】명〖한의〗한약 처방의 하나. 당귀(當歸)·시호(柴胡)·백출(白朮)·백복령(白茯苓)·백작약·감초 등으로 조제함. 부인의 신경 쇠약·히스테리·불면증·월경 불순 등에 쓰임.

소요산-날도래【逍遙山—】명〖충〗[*Phryganea sordida*] 날도랫과에 속하는 곤충. 몸길이 13-15 mm, 편 날개 40-45 mm임. 두부(頭部)는 암갈색 흉부(胸部)는 흑갈색이며, 두흉부에 황갈색 털이 밀생함. 복부는 황갈색 내지 암갈색이고, 앞날개는 반투명이며 회갈색에 흑갈색 얼룩 무늬가 산재함. 뒷날개도 투명하고 빛은 암색(暗色)임. 한국·일본에 분포함.

〈소요산날도래〉

소요 산:회【逍遙散懷】명 바람을 쐬면서 이리저리 거닐어 울적한 기분을 풀어 없앰.

소요성 분열증【逍遙性分裂症】[—썽—쯩] 명 [ambulatory schizophrenia]〖심〗조울병(躁鬱病)과 분열성 정신병의 두 가지 증상을 나타내는 사람의 상태. 단, 공공 시설에 수용할 필요가 없는 증상임.

소:요 시간【所要時間】명 필요(必要)로 하는 시간. 무엇을 하는 데 소요되는 시간.

소:요-액【所要額】명 필요로 하는 금액. 무엇에 드는 금액.

소요 음영【逍遙吟詠】명 소요하면서 나직이 읊조림. ——-하다 타여불

소요-죄【騷擾罪】[—쬐] 명〖법〗대중이 집합하여 폭행·협박 또는 손괴(損壞)의 행위를 함으로써 성립하는 죄. 국헌(國憲) 문란의 목적이 없는 데서 내란죄(內亂罪)와 구별됨.

소요 학파【逍遙學派】명〖철〗[학원내의 나무 사이를 산책(散策)하면서 제자들을 가르쳤다는 데서 나온 말] '페리파토스 학파(Peripatos學派)'의 역어(譯語).

소요-호【燒窯戶】명 도자기를 굽는 사람의 집.

소:욕¹【小慾·少慾】명 욕심이 적음. 또, 그 욕심. 과욕(寡慾). ——-하다 형여불

소:욕²【所欲】명 하고 싶은 바.

소용¹ 명 ①기다랗고 자그마하게 생긴 병(甁). ②〈옛〉기름병. ¶ 소용(油甁)《譯語 下 13》.

소:용²【小用】명 ①작은 일. 조그마한 소용(所用). ②소변(小便). 오줌.

소:용³【小勇】명 ①한 사람을 대적할 만한 조그마한 용기. ②젊은 혈기로 소소한 일에 내는 용기.

소:용⁴【所用】명 ①쓸데. 쓰이는 바. ¶ ~ 있는 물건. ②쓰임. ¶ ~되는 물건. ——-하다 자여불
소:용에 닿:다 구 쓸데가 있다.
소용⁵【昭容】명〖역〗조선 시대에 내명부(內命婦)의 정삼품의 품계. 숙용(淑容)의 위, 숙의(淑儀)의 아래.
소:용⁶【笑容】명 웃는 얼굴. 웃는 모습.
소용⁷【疎慵】명 느슨하고 게으름. 옹골차지 못하고 게으름. ——-하다 형여불
소용⁸【韶容】명 소안(韶顏).
소용⁹【騷聳】명〖악〗남창 가곡의 하나. 떠들썩하고 높이 솟구치는 것처럼 부름. 5음 음계의 평조(平調)이며, 4곡이 전함. 삼뢰(三雷).
소용-돌이 명 ①바다이 두려빠져서 물이 빙빙 돌며 흘러가는 부분. 선와(旋渦). ¶ 분쟁의 ~ 속에 말려들다. ②〔vortex〕〖물〗유체(流體) 안에서 팽이처럼 회전하는 부분을 이름. 일반적으로 공기와 물처럼 점성(粘性)이 작은 유체에서는, 유체 내부에서 소용돌이는 발생하지 아니하고, 물체 표면의 얇은 소용돌이의 층(層), 곧, 경계층(境界層)이 벗겨져 유체 안에 흘러 들어가기 때문에 생김. 와동(渦動). 맴돌이.
소용돌이 고리 명〔vortex ring〕〖물〗유체(流體)가 폐곡선(閉曲線)을 축(軸)으로 하여 회전할 때 생기는 바퀴 모양. 총이나 대포를 쏠 때 나는 연기 같은 것. 와동륜(渦動輪). 와동환(環).
소용돌이-도【—度】명〖물〗유체(流體)의 소용돌이 운동의 강도(強度)와 축방향(軸方向)을 나타내는 스펙트럼. 와도(渦度).
소용돌이 무늬[—니] 명 소용돌이치는 모양과 같은 무늬. 와상문(渦狀紋).
소용돌이-선【—線】명〖수〗소용돌이를 이루고 있는 선분(線分). 와선(渦線).
소용돌이 온도계【—溫度計】명〔vortex thermometer〕항공기용(航空機用)의 온도계. 열센서(熱 sensor)를 통과하는 공기에 회전 운동을 부여하여, 온도의 단열 상승(斷熱上昇) 및 마찰에 의한 상승분(上昇分)을 자동적으로 보정(補正)하는 온도계.
소용돌이 전:류【—電流】[—절—] 명〖전〗푸코(Foucault) 전류.
소용돌이-치다 자 물이 빙빙 돌면서 흘러 나가다. 와동(渦動)하다.
소:용-없다【所用—】[—업—] 형 쓸데없다.
소:용-없이【所用—】[—업씨] 부 쓸데없이.
소용이¹【騷聳伊】명 소용⁹(騷聳).
소용이² 명〈방〉소용¹❶.
소:우¹【小雨】명 조금 오는 비. 조금 오다가 그친 비.↔대우(大雨)·호우(豪雨).
소우²【消憂】명 걱정을 없애 버림. ——-하다 자여불
소우³【疎雨】명 성기게 오는 비.
소우⁴【疎虞】명 조심성이 부족하여 그릇함. 어설퍼서 그릇함. 부주의 등으로 일어난 과실(過失).
소우매 명〈방〉소매¹(경남).
소우-변【—牛邊】명 한자 부수(部首)의 하나. '牧'·'物' 등에서 '牜'의 이름.
소:-우주【小宇宙】명 ①〔microcosm〕〖철〗우주의 한 부분이면서 마치 그것이 한 덩어리의 우주와도 같은 상(相)을 나타내는 것. 특히 인간 또는 인간의 혼(魂)을 말함. 소세계(小世界). 미크로코스모스(Mikrokosmos). ↔대우주(大宇宙). ②〖천〗은하(銀河)❷. ③어떤 종합된 미(美)의 세계, 이상(理想)의 세계 따위를 형성하고 있는 일. 또, 그 세계.
소운【疎韻】명 드문드문 들리는 소리. 또, 쓸쓸한 소리.
소:-운송업【小運送業】명 ↗철도 소운송업.
소:운송업-법【小運送業法】명〖법〗소운송업(小運送業)에 관한 법률.
소운-전【蘇雲傳】명〖문〗조선 시대 때의 소설. 중국 명대(明代)의 《소지현 나삼 복합(蘇知縣羅衫復合)》을 청(清)나라 때의 백나삼(白羅衫)이 번안한 고전 소설. 소운(蘇雲)의 형 소위(蘇渭)가 도둑떼에게 변을 당해 죽은 뒤, 그의 유복자가 암행 어사가 되어 원수를 갚는다는 내용. 뒤에 《강릉 추월(江陵秋月)》·《옥소 기봉(玉簫奇逢)》·《옥소전(玉簫傳)》 등의 개작(改作)이 나왔음.
소-운종【蕭雲從】명〖사람〗중국 명말(明末)의 화가. 안후이 우후(安徽蕪湖) 출생. 자는 척목(尺木). 호는 무민 도인(無悶道人). 손일(孫逸)과 함께 '강좌(江左)의 이가(二家)'라 일컬음. 작품은 《태평 산수도(太平山水圖)》·《매화당 유고(梅花堂遺稿)》 등. [1591-1668]
소울¹【疏鬱】명 답답한 것을 풀어 헤침. ——-하다 자여불
소:웅-궁【小熊宮】명〖천〗소웅좌(小熊座).
소:웅-성【小熊星】명〖천〗작은곰자리의 별. 작은곰별.
소:웅-좌【小熊座】명〖천〗작은곰자리.
소:원¹【小圓】명 ①작은 원. ②〖수〗소권(小圈). 1)·2):↔대원(大圓).
소:원²【小園】명 작은 정원. 작은 밭.
소:원³【所員】명 '소(所)'라고 이름 붙은 곳에 근무하는 사람. ¶ 연구~.
소:원⁴【所願】명 원함. 또, 그 원하는 바. 원(願). ¶ ~이 이루어지다. ——-하다 타여불
소:원(을) 풀다 구 원하는 바를 이루다.
소원⁵【昭媛】명〖역〗조선 시대 때 내명부(內命婦)의 정사품의 품계. 숙원(淑媛)의 위, 숙용(淑容)의 아래.
소:원⁶【素願】명 본디부터 원하는 바. 본래의 소원. 소상(素尙).
소원⁷【疏遠·疎遠】명 ①정분이 성기어 사이가 탐탁하지 아니하고 멂. 소적(疎逖)·소격(疏隔). ②오랫동안 격조(隔阻)함. 소활(疎闊). ——-하다 형여불. ——-히 부
소원⁸【訴冤】명 원통한 일을 관아(官衙)에 호소함. ——-하다 타여불
소원⁹【訴願】명 ①호소하여 청원함. ②〖법〗위법(違法) 또는 부당한 행정 처분으로 인(因)하여, 자기의 권리 또는 이익이 침해당하였다고 인정될 때에, 처분 행정청(處分行政廳)의 직접 상급(上級) 행정청에 대하여 그 처분의 취소 또는 변경을 청구하는 일. ——-하다 타여불
소원¹⁰【溯源·遡源】명 ①물의 근원(根源)을 찾아 거슬러 올라감. ②사물의 근원을 따져 밝힘. ——-하다 타여불
소원-법【訴願法】[—뻡] 명〖법〗소원 사항·소원 재결청(裁決廳)·소원 절차 등 소원에 관한 일반 원칙을 규정한 법.
소:원 성취【所願成就】명 소원을 달성함. 원하던 바를 이룸. ¶ ~를 빌다. ——-하다 자여불
소원-인【訴願人】명 소원을 제기한 사람.
소원-장【訴願狀】[—짱] 명 소원의 취지를 적은 문서.
소원 전치주의【訴願前置主義】[—/—이] 명〖법〗행정 관청의 위법적인 처분의 취소 또는 변경을 요구하는 행정 소송을 제기함에 있어, 그 전심(前審)으로서 소원(訴願) 등 일정한 행정상의 불복 신청을 하고 그 재결(裁決) 등을 거쳐야만 한다고 하는 주의.
소-원파【素元波】명〖물〗이차 파동(二次波動).
소:월¹【小月】명 작은 달. ↔대월(大月).
소:월²【素月】명 백월(白月).
소:월³【素月】명〖사람〗김정식(金廷湜)의 호(號).
소:위¹【小委】명 ↗소위원회. ¶ 군축(軍縮) ~.
소:위²【小違】명 조그마한 차이.
소:위³【少尉】명〖군〗위관(尉官)의 맨 아래 계급. 중위(中尉)의 아래, 준위(准尉)의 위임.
소:위⁴【所爲】명 ①하는 일. 하는 짓. 행위(行爲). ②소행(所行). ¶ 인간의 ~라고는 생각되지 않다.
소:위⁵【所謂】관 이른바. 세상에서 말하는 바. ¶ ~ 학자라는 사람이.
소:-위원회【小委員會】명 어떠한 위원회의 위원 중에서, 다시 몇 사람을 뽑아서 어떠한 일을 맡아 보게 한 위원회. ㊣소위(小委).
소위 장군【昭威將軍】명〖역〗조선 시대 때 정사품의 무관(武官) 품계. *진위 장군(振威將軍).
소:유¹【所由】명〖역〗고려 때의 사헌부(司憲府)의 이속(吏屬).
소:유²【所有】명 ①가지고 있음. 또, 그 물건. ¶ 토지를 ~하다. ②〖법〗권리의 목적물을 전면적·일반적으로 지배하는 일. ——-하다 타여불
소유³【遡游·泝游】명 물결에 따라 내려감. ↔소회(遡洄). ——-하다 자여불
소유⁴【蘇油】명 ①〔범 ghrta〕우유(牛乳)로 만든 기름. 식용(食用)·약용(藥用) 외에, 몸에 바르기도 함. ②소마나(蘇摩那)의 화즙(花汁)에서 빼낸 향유(香油).
소:유-권【所有權】[—꿘] 명〖법〗목적물(目的物)을 전면적으로 지배하는 물권. 소유물을 자유로이 사용, 수익(收益), 처분할 수가 있음. 재산권 중에서 가장 기본적인 것임. 사유 재산제(私有財產制)의 중심을 이루는 권리이며, 헌법·형법에 의하여 강력한 보호를 받고 있음.
소:유권 유보【所有權留保】[—꿘—] 명〖법〗할부 판매 등에 있어서, 목적물은 계약 직후 매수인(買受人)에게 인도하나, 매매 목적물의 소유권을 연부(年賦)·월부 등, 대금의 완전 결제시까지 매도자(賣渡者)가 유보하는 일.
소:유권 유보 계:약【所有權留保契約】[—꿘—] 명〖법〗소유권 유보(留保)를 내용으로 하는 계약.
소:유권-자【所有權者】[—꿘—] 명〖법〗소유권을 가진 사람.
소유-기【疏油基】명〖화〗친수기(親水基).
소:유 대:명사【所有代名詞】명〖언〗서구어(西歐語)에서, 소유를 나타내는 인칭 대명사. 영어의 'mine'·'yours'·'his' 따위. 가진 대이름씨.
소:유-물【所有物】명 ①소유하는 물건. ②〖법〗소유권의 목적물.
소:유물 반:환 청구권【所有物返還請求權】[—꿘] 명〔라 reivindicatio〕〖법〗물권(物權)에 의거한 청구권의 하나. 타인에 의한 목적물의 점유(占有)로 인하여 소유권을 침해당한 자가, 침해자에 대하여 그 목적물의 반환(返還)을 청구할 수 있는 권리.
소:-유병【素油餠】명 참기름을 섞어 밀가루를 반죽하여 널빤지에 밀어서 조그마하게 조각을 내어, 설탕소를 넣고 꽃 모양의 인(印)을 박아서, 화로에 구워 익힌 떡.
소:유 부분【所有部分】명〖법〗한 개의 물건을 두 사람 이상이 구분하여 소유할 때에, 그 소유하는 부분.
소:-유성【小遊星】명〖천〗소행성(小行星).
소유스〔Soyuz〕명〖동맹 또는 결합의 뜻〗소련에서 1967년부터 쏘아올렸던 일련의 대형 유인(有人) 우주선. 1호(號)는 코마로프가 타고 지구를 18주(周)한 뒤 착지(着地)에 실패하고, 3호는 무인(無人) 우주선인 2호와의 랑데부에, 4호는 유인 우주선인 5호와의 도킹에 성공했음. 1969년 10월에는 6,7,8호의 세 우주선이 편대 비행을 하였는데, 특히 6호에서는 무중량(無重量)·진공(眞空) 상태에서의 금속 용접에 성공함. 1971년 6월에 11호는 궤도 스테이션 '살류트'와 결합, 24일간의 장기 비행 기록을 수립 후, 지상으로 돌아오는 중 사고를 일으켜 3명의 우주 비행사가 사망함.
소:유와 경영의 분리【所有—經營—分離】[—불—/—에불—] 명〖경〗주식 회사가 발전해 대기업이 되면, 중소 주주의 증가로 주식 소유가 분산됨과 동시에 상대적으로 대주주의 지주율(持株率)이 저하되는 한편, 경영 관리의 직능(職能)이 전문화되기 때문에, 결국에는 주주가 경영 전반에 걸친 관리를 수행할 수 없게 되어, 경영의 지배권이 전문 경영자의 손에 돌아가게 되는 현상을 말함. 자본가가 전문 경영자를 고용하여 경영을 맡기고 있는 경우는, 진실한 의미에서의 소유와 경영의 분리라고는 할 수 없음. 자본과 경영의 분리.
소:유-욕【所有慾】명 소유하고자 하는 욕망.
소:유의 의:사【所有—意思】[—/—에의—] 명〖법〗물건을 자기의 소유로서 지배하려는 의사(意思). 취득 시효(取得時效)·선점(先占) 등의 요건으로 됨.
소:유-인【所有人】명 소유자(所有者).
소:유-자【所有者】명 ①그 물건의 임자. 소유인. ②〖법〗소유주.
소:유자 저:당【所有者抵當】명〖법〗부동산 소유자가 자기 소유의 부

동산 위에 스스로 저당권을 가지는 일. 독일 민법 등에서 인정되는 이론.

소:유-주【所有主】명 소유권을 가진 사람. 소유자.

소:유-지【所有地】명 소유권을 가지고 있는 땅.

소:유-품【所有品】명 가지고 있는 물품.

소:윤[1]【小尹】명〖역〗조선 12대 인종(仁宗)의 외숙(外叔)인 윤임(尹任) 일파를 대윤(大尹)이라 일컬은 데 대하여, 인종의 이복 동생인 경원 대군(慶原大君)의 외숙인 윤원로(尹元老)·윤원형(尹元衡) 일파를 가리키는 말. 이 두 파는 세력 다툼으로 알력이 심하였으며, 그들의 싸움은 을사 사화(乙巳士禍)의 도화선이 되었음. *대윤.

소:윤[2]【少尹】명〖역〗①신라 소오경(小五京)에 둔 외관(外官) 벼슬. ②고려 전중감(殿中監)·전중시(殿中寺)·위위시(衛尉寺)·예빈시(禮賓寺)·대부시(大府寺)·소부시(小府寺)·군자시(軍資寺)·사재시(司宰寺)의 소감(少監) 또는 소경(少卿)을 고친 이름. 윤(尹)의 다음이며 종사품임. ③고려 때 유수관(留守官)의 판관의 고친 이름. 육품 이상이 됨. ④조선 시대 초기에, 한성부·개성부·상서사(尙瑞司)에 둔 정사품 벼슬.

소:융[1]【小戎】명 옛적 전쟁에서 쓰던 무기. 뒤에서 따라 가던 병거(兵車).

소융[2]【消融】명 재물을 다 써버림. ──하다 타여불

소:은【小恩·少恩】명 적은 은혜. 사소한 은혜. 또 은혜가 적음.

소:-은대【素銀帶】명〖역〗조선 시대에, 종삼품(從三品)과 사품(四品) 관원이 조복(朝服)·제복(祭服)·상복(常服)에 띠는 띠. 조각하지 않은 은(銀) 띠돈을 닮.

소:-은병【小銀甁】[─뼝] 명〖역〗고려 충혜왕 원년(1331)에 만든 은화(銀貨). 이 소은병의 사용으로 구은병(舊銀甁)의 통용이 금지됨. 소은병의 가치는 오종포(五綜布) 15필에 해당하였음.

소:음[1]【小飮】명 ①적은 인원수로 주연(酒宴)을 엶. 조촐하게 술자리를 가짐. 또, 그 주연. ②술을 조금 마심. ──하다 자여불

소음[2]【消音】명 잡음이나 폭음(爆音)을 없앰. 소리가 밖으로 새 나가지 않도록 함. ¶ ～ 장치. ──하다 자여불

소음[3]【疏音·疎音】명 오랫동안 음신(音信)을 보내지 아니함.

소음[4]【騷音】명 ①음색(音色)이 불쾌한 음. ②떠들썩한 소리. 시끄러운 소리. 어떤 목적에 있어서 불필요한 소리나 장애가 되는 소리. ③도시 공해의 하나. 교통 기관·건축 공사·공장·광고 방송 등에서 생기며, 보통 80 폰(phon) 이상을 가리키나, 40-45 폰 이상이면 수면과 독서에 방해가 되고, 50-55 폰에서는 두통·이명(耳鳴)·맥박 증가 따위가 일어남. ¶ ～에 시달리다. *폰(phon).

소음-계【騷音計】명〖물〗소음(騷音)의 크기를 측정하는 기계. 전류계로 측정하는 지시(指示) 소음계와, 기계 안의 음원(音源)으로부터의 소리와 외부의 소음과를 비교하여 측정하는 청음(聽音) 소음계의 두 가지가 있음. *폰(phon).

소음-기【消音器】명〖기〗①내연 기관(內燃機關)에서의 배기 가스(排氣 gas)의 세력을 줄임으로써 배기 가스와 공기가 충돌하는 폭음(爆音)을 없애는 장치(裝置). 오토바이·자동차·항공(航空) 발동기 등, 그 쓰이는 곳에 따라 구조도 여러 가지가 있는데, 내부에서 배기 가스의 온도와 압력을 저하(低下)시킨 후 방출(放出)하도록 되어 있음. 소음 장치. ②총포(銃砲) 등의 발사음(發射音)을 감소시키는 장치. 머플러(muffler). 사일런서(silencer).

소음 방지【騷音防止】명 소음을 막음. 또, 소음을 내지 않도록 규제(規制)함. 방음(防音).

소음성 난청【騷音性難聽】[─썽─] 명〖의〗오랜 기간 강한 소음에 시달림으로써 일어나는 난청. 처음에는 4천 사이클 정도의 소리가 가장 듣기 어렵게 되다가 나중에는 온 주파수(周波數)에 걸치게 됨.

소:-음순【小陰脣】명〖생〗여성의 외부 생식기의 일부를 이루는 음순 중, 안쪽에 있고 질(膣) 전정(前庭)을 좌우에서 싸는 점막성 시울.

소:음-인【少陰人】명〖한의〗사상(四象) 의학에서, 사람의 체질(體質)을 넷으로 가른 하나. 소화기(消化器)가 약하고 생식기 기능이 강한 형(型)으로 허리가 가늘고 궁둥이가 잘 발달하고, 내성적·사색적인 반면 결단력이 부족한 편임. *태양인(太陽人).

소음 장치【消音裝置】명 소음기(消音器).

소음-주의【騷音主義】[─/─이] 명〖악〗자동차의 경적(警笛)·타이프 소리·전기 모터 소리·사이렌 소리·기적 소리 같은 소음을 의식적으로 악곡 속에 넣으려는 경향의 총칭. 새로운 음소재(音素材)의 개척을 지향하는 20세기의 제파(諸派) 속에 볼 수 있음.

소음 평:가수【騷音評價數】[─까─] 명 국제 표준화 기구(I.S.O.)가 제안한 소음에 대한 청력 보전 기준(聽力保全基準)의 단위. 엔 아르 수(NR數).

소:읍【小邑】명 작은 읍. 작은 고을.

소응【昭應】명 감응(感應)이 또렷이 드러남. ──하다 자여불

소:의[1]【少義】[─/─이] 명 의리(義理)가 모자람. 의리가 적음. 또, 그 의리. 대의(大義)에 대하여 이르는 말. ──하다 형여불

소:의[2]【所依】[─/─이] 명 의거(依據)하는 바.

소의[3]【昭儀】[─/─이] 명〖역〗조선 시대 때, 정이품의 내명부(內命婦)의 품계. 숙의(淑儀)의 위, 귀인(貴人)의 아래.

소의[4]【宵衣】[─/─이] 명 ①검은 깁으로 만든, 고대(古代) 여성들이 제사 때 입던 옷. ②날이 새기 전에 일어나 옷을 입음. *소의 한식(宵衣旰食).

소:의[5]【素衣】[─/─이] 명 색과 무늬가 없는 흰 옷. ¶ ～ 소식(素食).

소:의[6]【素意】[─/─이] 명 본디의 뜻. 평소부터의 생각. 소지(素志).

소의[7]【疎意·疏意】[─/─이] 명 멀리하는 마음. 소외(疏外)하는 뜻. 격의(隔意). 소정(疏情).

소의 대:부【昭義大夫】[─/─이─] 명〖역〗조선 시대 종이품 종친(宗親)의 품계.

소의-문【昭義門】[─/─이─] 명 서울 남서쪽, 곧, 지금의 덕수궁 뒤쪽에 있던 서소문(西小門)의 본명. 태조 때 건립하여 소덕문(昭德門)으로 명명하였다가 성종(成宗) 3 년(1472)에 이 이름으로 고쳤음. 1914 년에 헐렸음.

소의 변:경【訴―變更】[─/─에─] 명〖법〗민사 소송법상 소(訴)의 계속(繫屬)중 원고가 그 소(訴)에 의하여 심판을 구하는 권리 주장을 바꾸는 일. 종래의 청구를 철회(撤回)하고 새로운 청구를 하는 교환적(交換的) 변경과 종래의 것을 유지하면서 새 청구를 하는 추가적(追加的) 변경이 있음.

소의 병합【訴―倂合】[─/─에─] 명〖법〗재판의 중복(重複)이나 충돌을 피하고 소송 비용을 줄이기 위하여 원고가 피고에 대하여 여러 개의 청구권을 가진 경우나, 원고와 피고 또는 그 쌍방이 여러 사람 있는 경우에, 그것을 여러 개의 소송으로 하지 아니하고 한 개의 소송으로서 심리하는 일. 당사자에 대한 것인 주관적(主觀的) 병합과 청구에 대한 것인 객관적(客觀的) 병합이 있음.

소의 취:하【訴―取下】[─/─에─] 명〖법〗민사 소송법상, 한번 제기(提起)된 소(訴)의 전부 또는 일부를 철회하는 원고의 일방적 소송 행위. 그 소에 대한 종국 판결(終局判決)이 확정될 때까지 할 수 있음.

소의 한:식【宵衣旰食】[─/─이─] 명〔날이 밝기도 전에 옷을 입고 저물어서야 저녁밥을 먹는다는 뜻〕임금이 정치에 골몰하여 여가가 없음을 이르는 말. 준소한(宵旰). ──하다 자여불

소-이[1] 명〖충〗[*Haematopinus eurysternus*] 짐승닛과에 속하는 곤충. 몸길이는 2.2-3.0 mm 이고, 폭은 1.1-1.5 mm 임. 전두부(前頭部)는 원형이고, 각측(各側)에 2-3개의 미모(微毛)가 있음. 소에 기생하는 세계 공통종(共通種)임.

〈소이[1]〉

소:이[2]【小異】명 약간 다름. ¶ 대동(大同) ～. ──하다 형여불

소:이[3]【所以】명 일의 까닭. ¶ 학문의 학문다운 ～는.

소이[4]【燒夷】명 태워 버림. ¶ ～탄(彈). ──하다 타여불

소이경 명〈방〉소경[1](충남).

-소이다 어미 ↗-사오이다. ¶ 좋～. *-사외다.

소:이 대:동【小異大同】명 대동 소이. ──하다 형여불

소이-보다 타〈방〉자세히 보다(함경).

소:이-연【所以然】명 그렇게 된 까닭.

소:-이작도【小伊作島】명〖지〗인천 광역시(仁川廣域市) 옹진군(甕津郡) 자월면(紫月面) 이작리(伊作里)에 위치해 있는 섬. [1.36 km²]

소이-전【燒夷戰】명〖군〗소이탄·화염 방사기·소이 무기 등을 사용하는 전투.

소이-제【燒夷劑】명〖군〗적을 태워 죽이거나, 도시·구축물(構築物)·항공기 등을 태워 없애는 약제(藥劑). 석유·휘발유·테르밋(thermit) 등을 사용함.

소이-탄【燒夷彈】명〖군〗인축(人畜)이나 건조물을 불살라 버리는 데 쓰는 포탄이나 투하(投下) 폭탄. 그 원료는 인(燐)·테르밋(thermit)·작약(炸藥) 등임. 종류로는 유지(油脂) 소이탄·황린(黃燐) 소이탄 및 엘렉트론(electron) 소이탄 등이 있음.

소익【燒溺】명 불에 탐과 물에 빠짐을 아울러 이르는 말.

소:인[1]【小人】⊟ 명 ①나이 어린 사람. ¶ 대인(大人) 100 원, ～ 50 원. ②키가 작은 사람. ③도량(度量)이 좁고 간사한 사람. 수양(修養)이 적은 사람. 품성(品性)이 거친 사람. 세인(細人). 소인물(小人物). ↔군자(君子). ④무식하고 신분이 낮은 사람. 서민(庶民). ⊟ 인대 귀한 윗사람에 대한 자기의 겸칭. 또, 남에게 대하여 자기를 낮추어 이르는 말. ¶ ～ 이만 물러 가겠읍니다. *소생(小生).

소:인[2]【小仁】명 부인지인(婦人之仁).

소:인[3]【小引】명 간단히 소개한 짧은 서문(序文).

소인[4]【素人】명〔본디, 어떤 일을 전문적 또는 직업적으로 하지 않는 사람의 뜻인 일본말, 'しろうと(素人)'의 우리 음〕아마추어(amateur). ¶ ～극(劇).

소인[5]【素因】명 ①근본이 되는 원인. ②병에 걸리기 쉬운 소질. ③체질이나 기질의 기능적인 경향. 소질(素質).

소인[6]【消印】명 ①지워 버리는 표시로 찍는 인장(印章). 또, 그 인장을 찍음. ¶ ～을 찍다. ②우체국(郵遞局)에서 우표(郵票) 등에 찍는 일부인(日附印). ──하다 타여불

소인[7]【訴因】명〖법〗형사 소송에서, 공소(公訴) 사실을 법적으로 구성시키는 것.

소인[8]【燒印】명 불에 달구어 물건에 찍는 금속제(金屬製)의 인장. 목재나 가축의 몸에 찍어서 표시함. 낙인(烙印). 화인(火印).

소인[9]【騷人】명〔중국 초(楚)나라의 굴원(屈原)이 지은 ≪이소부(離騷賦)≫에서 유래한 말〕서정적인 시부(詩賦) 및 글을 쓰는 사람. 풍류(風流)를 즐기어 노래하고 읊는 사람. 문인(文人) 또는 시인(詩人). 소객(騷客). 풍류인(風流人).

소:인-국【小人國】명 난쟁이들만 살고 있다는 상상(想像)의 나라. *소인도(小人島).

소인-극【素人劇】명 전문가가 아닌 사람들이 출연하는 연극. 소극(素劇).

소:인-네【小人―】인대 →쇤네.

소:인-도【小人島】명 난쟁이들이 살고 있다는 상상(想像)의 섬. ≪걸리버 여행기(Gulliver 旅行記)≫에 나옴. *소인국(小人國).

소인 묵객【騷人墨客】명 시문(詩文)과 서화(書畫)를 일삼는 사람.

소:-인물【小人物】명 도량이 좁은 인물. 품성(品性)이 낮고 천한 사람. 소인(小人).

소:인-배【小人輩】명 간사하고 도량이 좁은 사람. 또 그 무리.

소-인수【素因數】[─쑤] 명〔prime factor〕〖수〗어떤 정수(整數)의 약수(約數)로 다만 소수(素數)가 되는 것을 곱의 형식으로 표시한 때의 각 인수(因數). 30 의 소인수는 30=2×3×5에서 2·3·5임. 소약수(素約數). 소인자(素因子). 원승자(原乘子). 원인자(原因子).

소인수 분해【素因數分解】[—쑤—] 명 〔factorization in prime factors〕〖수〗합성수(合成數)를 소수(素數)의 곱의 형식으로 표시하는 일. 곧, $600=2^3 \cdot 3 \cdot 5^2$ 등의 분해.

소:인-스럽다【小人—】형ㅂ불 간사하고 정대하지 못한 듯하다. 소:인-
소-인자【素因子】명〖수〗소인수(素因數). └스레【小人—】부
소:인지-용【小人之勇】명 혈기(血氣)에서 오는 소인의 용기. 필부지
소:일[1]【小—】명 아주 작음. 사소(些少). └용(匹夫之勇).
소일[2]【消日】명 ①날을 보냄. 하는 일 없이 세월을 보냄. 소견(消遣). 소광(消光). ②어떠한 것에 재미를 붙여 세월을 보냄. ¶독서로 ~하다. ——-하다 자여불

소일 거리【消日—】[—꺼—] 명 세월을 보내기 위하여 심심풀이로 하는 일. ¶~로 그림을 그리다.
소:일지-탄【小一之嘆】명 기쁜 일이 있을 때의 사소한 근심 걱정.
소:임【所任】명 ①맡은 바 직책. ¶~을 다하다. ②하급(下級)의 임원(任
소임-죽【蘇荏粥】명 차조기죽. └員). 색장(色掌).
소:입【所入】명 무슨 일에 든 돈이나 재물. 경비(經費).
소잉카〔Soyinka, Wole〕명〖사람〗나이지리아의 소설가·교수·극작가. 파리의 아프리카 문화 센터 소장을 지내며 희곡·소설 등을 집필함. 서구 연극에 아프리카의 전통을 접목했다는 평을 들음. 1986년 아프리카인으로는 처음으로 노벨 문학상을 수상함. 대표작에 ≪죽은 사나이≫·≪이변의 계절≫ 등이 있음. [1934-]
소자[1] 명〈방〉효자(孝子).
소:자[2]【小子】⊟명 제자를 사랑스럽게 부르는 말. ⊟인대 ①부모에게 대하여 자기를 이르는 겸칭. ¶~ 문안 드립니다. ②임금이 자기 조상(祖上)이나 백성에 대하여 겸손한 뜻을 보이어 자기를 이르는 말.
소:자[3]【小字】명 ①조그마한 글자. 세자(細字). ↔대자(大字). ②어릴 때의 이름. 아명(兒名). 「약간의 상처(傷處).
소:자[4]【小疵】명 ①조그마한 흠집이나 결점(缺點). 적은 과실(過失). ②
소:자[5]【少者】명 젊은 사람. 또, 자기보다 열 살 이상 연하(年下)인 사람을 이름. 「*감자(減磁). ——-하다 타여불
소자[6]【消磁】명〔demagnetization〕〖물〗대자(帶磁)를 소실(消失)시킴.
소자[7]【素子】명〖전〗①〔elemental device〕한데 뭉친 전기 회로나 기계 회로 속에서, 그 자신의 기능이 전체로서의 기능에 대하여 본질적으로 중요한 의미를 갖는 개개의 구성 요소. 전기 회로에서는, 진공관·트랜지스터와 같이 에너지를 발생하거나 변환(變換)하거나 하는 것을 능동 소자(能動素子), 저항(抵抗) 코일·콘덴서와 같은 것을 수동 소자(受動素子)로 대별함. ②전신 부호에서 부호를 구성하는 짧은 점 및 긴 점.
소자[8]【蘇子】명〖한의〗차조기의 씨. 담(痰)을 삭히고 이수도(利水道)·거풍(祛風)하는 약재로 씀. 「약.
소자 강:기탕【蘇子降氣湯】명〖한의〗숨이 차서 헐떡거리는 데에 쓰는
소:자 문서【小字文書】명 여진(女眞)의 글. 고려 고종 12년(1225)에 투화(投化)한 동여진(東女眞) 사람인 주한(周漢)으로 하여금 전습(傳習)
소:-자본【小資本】명 얼마 안 되는 약간의 자본. └시킨 글자.
소자-주【蘇子酒】명 차조기 씨를 볶아 짓찧어 헝겊 주머니에 넣고 술에
소자-죽【蘇子粥】명 차조기죽. └담근 지 사흘쯤 지나 먹는 술.
소:자지-학【小字之學】명 여진(女眞)말 공부.
소:-자출【所自出】명 사물이 어디로부터 나온 근본. 유래(由來)한 곳.
소:자-화【少子化】명〖사〗출생률 저하로 어린이 수가 감소하는 일. 특히, 선진국에서 심화(深化)되어 인구 감소를 우려하여 각종 대책을 강구하고 있음. ¶~ 사회. ↔고령화(高齡化). *합계 특수 출생률.
소:작[1]【小作】명〖농〗남의 땅을 빌려서 농사를 지음. 소작인은 지주(地主)에게 일정한 차지료(借地料)를 치르고 나머지를 차지함. 반작(半作). ↔자작(自作)❷. *병작(並作). ——-하다 타여불
소작을 주다 구 소작료를 받고 토지를 빌려 주다.
소:작[2]【小斫】명 개비가 잔 장작(長斫). ↔대작(大斫).
소:작[3]【小酌】명 ①조그마하게 차린 술잔치. 소연(小宴). ②술을 조금 마심. 일작(一酌). ——-하다 자여불
소:작[4]【所作】명 어떠한 사람의 제작 또는 작품(作品).
소작[5]【蘇雀】명〖조〗홍방울새.
소:작 겸 자작농【小作兼自作農】명〖농〗자작농과 소작농의 중간에 위치하여, 소작하는 경작지가 자작의 그것보다 더 많은 농가. 또, 그러한 농민. *자작 겸 소작농.
소:작 관:행【小作慣行】명〖사〗소작 제도(小作制度)에 있어서 법률상이나 계약상에 성문(成文)은 없더라도, 예로부터 내려오는 관습(慣習)에 의하여 인정되는 행위. 「농사지을 수 있는 권리.
소:작-권【小作權】명〖법〗소작료를 치르고, 지주로부터 농토를 빌려
소:작-농【小作農】명 소작료를 주기로 하고 남의 땅을 빌려 짓는 농사. 또, 그 사람. ↔자작농. 「지주에게 주는 곡식이나 돈.
소:작-료【小作料】[—뇨] 명 소작인이 빌려쓴 땅의 차지료(借地料)로
소:작 문:제【小作問題】명〖사〗①소작 제도로 인하여 일어나는 모든 정치적·경제적·사회적 문제. ②지주와 소작인 사이에 소작권과 소작료를 중심으로 일어나는 모든 이해상(利害上)의 대립 문제.
소:작-인【小作人】명〖농〗소작료를 주기로 약속하고 남의 땅을 빌려 농사 짓는 사람. 작자(作者). 준작인(作人).
소:작 쟁의【小作爭議】[—/—이] 명〖사〗소작 문제로 인하여 지주와 소작인 사이에 일어나는 이해상(利害上)의 다툼질. 「의 제도.
소:작 제:도【小作制度】명〖농〗소작 관계에 관한 법률상 또는 관습상
소:작 조정【小作調停】명〖사〗소작료 기타 소작 관계에서 야기되는 분쟁의 조정. 일제하의 제령(制令) '조선 소작 조정령'에 의하여 시장·군수 등이 관여하였음.
소:작 조합【小作組合】명〖사〗소작인들이 모여 지주에 대항하여 그들의 권리를 옹호하기 위하여 조직한 단체. 「작지.
소:작-지【小作地】명〖농〗소작인이 지주에게서 빌려 부치는 땅. ↔자
소잔[1]【消殘·銷殘】명 쇠가 녹듯이 사그라짐. ——-하다 자여불
소잔[2]【燒殘】명 불에 타버림. 소멸(燒滅)됨. ——-하다 자여불
소잡【騷雜】명 시끄럽고 난잡함. ——-하다 형여불
소-장[1]【一場】명 ☞쇠장.
소:장[2]【小腸】명〖생〗위(胃)에서 시작하여, 대장(大腸)에 이르는 관상(管狀)의 꾸부러진 소화기(消化器). 길이 6-7 m이고 근질막(筋質膜)과 점액막(粘液膜)으로 이루어지며, 안쪽의 점액막에는 융모(絨毛)가 있어 장액(腸液)을 분비하며 소화 작용을 하고 영양분을 핏 속으로 빨아들이는 기능을 가지고 있음. 십이지장(十二指腸)·공장(空腸)·회장(回腸)으로 나누어짐. 작은 창자. ↔대장(大腸). *내장(內臟).

〈소장[2]〉

소:장[3]【少壯】명 젊고 의기(意氣)가 왕성함. ¶~ 기예(氣銳). ——-하다 형여불
소:장[4]【少長】명 젊은이와 늙은이.
소:장[5]【少將】명〖군〗군의 장관(將官)의 하나. 중장의 아래이고 준장의 위임.
소:장[6]【所長】명 강습소·연구소·양성소·출장소 등, 소(所)의 명칭이 붙는 기관의 우두머리. ¶출장~/연구~.
소:장[7]【所長】명 자기 능력 가운데 가장 잘하는 장점.
소:장[8]【所掌】명 맡아 보는 일. 맡아 보는 바. 「여불
소:장[9]【所藏】명 간직하여 둠. 또, 그 물건. ¶박물관 ~. ——-하다 타
소장[10]【消長】명 사라짐과 자라남. 쇠함과 성함. ——-하다 자여불
소:장[11]【素帳】명 장사지내기 전에 궤연(几筵) 앞에 드리우는 흰 포장.
소:장[12]【素粧】명 화장하지 않고 깨끗이 차린 차림.
소장[13]【梳匠】명〖역〗조선 시대 때, 머리 빗는 빗을 만드는 공장(工匠).
소장[14]【疏章】명〖역〗상소(上疏)하는 문서.
소장[15]【訴狀】[—짱] 명 ①관청에 대하여 하소연하는 서면(書面). 소지(所志). 소첩(訴牒). 소문(訴文). ②〖법〗소송을 제기하기 위하여 법원에 제출하는 문서. 소송장(訴訟狀).
소-장[16]【蘇張】명〖사람〗중국 전국 시대의 세객(說客)인 소진(蘇秦)과 장의(張儀). 전(轉)하여, 변설(辯舌)이 뛰어난 사람.
소:-장구도【小長久島】명〖지〗전라 남도의 서남해상(西南海上), 완도군(莞島郡) 노화면(蘆花面) 내리(內里)에 위치한 섬. [$0.05\,km^2$]
소:장-급【少壯級】[—끕] 명 아마추어 씨름에서, 체급의 하나. 국민 학교부 40.1 kg-43 kg, 중학교부 55.1 kg-58 kg, 고등 학교부 65.1 kg-70 kg, 대학 및 일반부 70.1 kg-75 kg인 체급.
소장-마니 명〈심마니〉아이들. 청년. 소쟁이.
소:장-본【所藏本】명 개인이나 공공 단체가 가지고 있는 도서. ¶규장각 ~.
소장지-란【蕭墻之亂】명 소장지변(蕭墻之變).
소장지-변【蕭墻之變】명 안에서 일어난 변란(變亂). 자중지란(自中之亂). 소장지란.
소장지-수【消長之數】명 흥망 성쇠(興亡盛衰)의 이치(理致).
소:장-파【少壯派】명 젊고 의기가 왕성한 파. ¶~ 의원(議員). ↔노장
소:장-품【所藏品】명 자기의 것으로 소유하고 있는 물품. └파.
소:재[1]【小才】명 작은 재주. 대수롭지 아니한 재주. 전재(輇才). ↔대재
소:재[2]【小齋】명〖천주교〗'금육재(禁肉齋)'의 구용어. └(大才).
소:재[3]【所在】명 ①있는 곳. 있는 바. ¶책임의 ~. ②↗소재지. ——-하다 자여불 있다.
소:재[4]【所載】명 신문이나 잡지 등에 기사가 실려 있음.
소재[5]【素材】명 ①〖문〗예술 작품의 근본이 되는 재료. 곧, 자연물·환경·인물의 행동·감정 같은 것. ¶소설의 ~. ②인공적인 가공(加工)을 하지 아니한 본디 그대로의 재료. 원료(原料). ③조재(造材)만 했을 뿐, 아직 제재(製材)하지 않은 재목. 통나무 따위.
소재[6]【蘇齋】명〖사람〗노수신(盧守愼)의 호(號).
소재 생산【素材生産】명 용재림(用材林)의 나무를 벌채(伐採)하여 통나무를 생산하는 일.
소:재 신:문【所在訊問】명〖법〗법원이 증인의 현재지(現在地)에서 그 증인을 신문하는 일. 증인은 원칙적으로 공판정(公判廷)에서 신문을 하는 것이지만, 예외적으로 법률은 엄격한 조건 하에 공판정 외(外)에서의 증인 신문을 허용하고 있음. *임상(臨床) 신문.
소:재-지【所在地】명 있는 곳. 있는 지점(地點). 준소재.
소재-집【蘇齋集】명〖책〗조선 선조 때의 문신 노수신(盧守愼)의 문집.
소:재-처【所在處】명 있는 곳. 있는 처소(處所).
소쟁이[1] 명〈심마니〉소장마니.
소쟁이[2] 명〈방〉누룽지(강원).
소:저[1]【小姐】명 아가씨. 작은 아씨. ¶이(李) ~.
소:저[2]【小著】명 ①페이지 수가 적은 저서. ②'자기 저서'의 겸칭.
소저[3]【昭著】명 드러나서 또렷함. 밝게 드러나 있음. ——-하다 형여불
소:적[1]【小賊】명 좀도둑.
소:적[2]【小敵】명 대수롭지 아니한 적. ↔대적(大敵).
소:적[3]【少敵】명 소수의 적.
소적[4]【消寂】명 심심풀이로 어떤 일을 함. ——-하다 자여불
소:적[5]【素炙】명 두부·북어 등으로 만든, 제상에 올리는 적.
소적[6]【疎逖】명 소원(疎遠). ——-하다 형여불

소:적 대:성【小積大成】명 작은 것들이 쌓여서 큰 것으로 됨.
소:-전[1]【一廛】명 ☞쇠전.
소:전[2]【小傳】명 ①줄여서 간략하게 적은 전기(傳記). 약전(略傳). ② 시집(詩集)·문집(文集) 등에 있어서, 그 저자의 이름 아래에나 책끝에 저자의 본적·경력·학력 등을 간단히 적은 글.
소:전[3]【小箭】명〖역〗조선 세종(世宗) 때 개발된 화약 병기인 이총통(二銃筒)에 사용되었던 화살 중의 하나.

〈소전[4]〉

소:전[4]【小篆】명 한문 글씨인 고전(古篆)의 팔체서(八體書)의 하나. 중국 진시황(秦始皇) 때, 이사(李斯)가 대전(大篆)을 간략하게 변형하여 만든 글씨체임. 진전(秦篆). ↔대전(大篆).
소:전[5]【小錢】명〖역〗중국 청(淸)나라에서 쓰던, 황동(黃銅)으로 만든 작은 돈. '쇠천'이라 하여 우리 나라 엽전(葉錢)에 섞이어 쓰이는 일이 있었으나 공식으로는 금하였음.
소:전[6]【小戰】명 조그마한 싸움. 작은 규모의 전쟁. ↔대전(大戰).
소:전[7]【所傳】명 후세에 전하는 말·글 또는 유물(遺物) 따위.
소:전[8]【素荃】명〖사람〗손재형(孫在馨)의 호(號).
소전[9]【消轉】명〔evasion〕〖경〗조세 전가(租稅轉嫁)의 한 형태. 소비세 등이 부과되었을 때, 납세자인 제조업자측에서 생산 기술의 개선이나 원가 절감 등의 경영 합리화를 통해서 생긴 이윤을 조세(租稅) 부담에 충당하는 경우를 말하며, 이는 결국 납세자나 징수자 또는 소비자의 어느 쪽도 그 부담을 갖지 않게 됨. *조세 전가(租稅轉嫁).
소전[10]【疏典】명〖역〗신라 때 관청의 이름.
소:전-사【小典事】명〖역〗신라의 대일임전(大日任典)의 벼슬. 경덕왕(景德王) 때 당(幢)의 고친 이름. 위계는 대사(大舍) 이하.
소:전-의【小典儀】[一/一이] 명〖역〗신라 대일임전(大日任典)의 벼슬. 경덕왕(景德王) 때에 소도사(小都司)의 고친 이름. 위계는 대사(大舍)에서 사지(舍知)까지 있었음.
소:-전제【小前提】명〔minor premise〕〖논〗삼단 논법(三段論法)에서, 소개념(小槪念)을 가진 전제(前提). ↔대전제(大前提).
소:-전투【小戰鬪】명 소규모의 전투. ↔대전투.
소:절[1]【小節】명 ①세소(細小)한 예절(禮節). ②대수롭지 않은 절조(節操)·의리(義理). ③〖악〗'마디 ❽'의 한자 이름.
소:절[2]【素節】명 ①〔소(素)는 백(白)으로, 가을이란 뜻〕가을철. 소추(素秋). ②깨끗한 절개. ③평소의 행실.
소절[3]【紹絶】명 끊어진 것을 이음. ——하다 타여불
소:절-선【小節線】[一썬] 명〖악〗'마딧줄'의 구용어.
소:-절수【小切手】[一쑤] 명 '수표(手票)'의 구칭.
소:점[1]【小店】명 ①작은 상점. ②자기 가게의 겸칭. 폐점(弊店).
소점[2]【消點】[一쩜] 명 소실점.
소:접【召接】명 임금이 신하를 불러서 만나 봄. 또, 그 일. ——하다 타여불
소:정[1]【小正】명 ↗소정자(小正字).
소:정[2]【小亭】명 작은 정자.
소:정[3]【小政】명〖역〗음력 6월에 행하는 도목 정사(都目政事). 12월의 도목 정사보다 규모가 작아서 이 이름이 생김. 권무정(權務政). ↔대정(大政).
소:정[4]【小釘】명〖공〗작은 못. 잔못.
소:정[5]【小艇】명 작은 배.
소:정[6]【少正】명〖역〗발해(渤海)의 관직명. 감찰 기구인 중정대(中正臺)의 차관직에 해당함. 장관은 대중정(大中正)임.
소:정[7]【所定】명 정한 바. ¶~의 양식.
소:정[8]【素定】명 원래 작정된 일.
소:정[9]【素情】명 본디부터의 감정. 평소부터의 생각.
소정[10]【疏情·疎情】명 소의(疏意).
소:-정맥【小靜脈】명〖생〗대정맥으로 모여 붙은 정맥. 작은 정맥. ↔소동맥(小動脈).
소-정(:)방【蘇定方】명〖사람〗중국 당나라의 장군. 이름은 열(烈). 정방은 자(字)임. 무읍(武邑) 사람. 현경(顯慶) 5년(660)에 백제에 쳐들어와 신라군과 합세하여 의자왕(王)을 사로잡았음. 그 후, 고구려 서울을 포위했으나 대설(大雪)로 인하여 실패했음. [595-667]
소:-정월【小正月】명 음력 정월 14일부터 16일까지를 일컫는 말.
소:-정자【小正字】명 알파벳(alphabet)의 인쇄 활자체의 하나. 보통, 문장 첫머리 이외에 쓰이는 인쇄 글자. a·b·c·d 등. 준소정(小正). ↔대정자.
소:-정천【少淨天】명〔범 Parittasubha-deva〕〖불교〗색계(色界) 제3선(禪)의 제1천(天)의 이름. 의식(意識)에 정묘(淨妙)의 낙(樂)을 받기 때문에 정(淨)이라 이름짓고, 제3선천 가운데 최소(最少)의 것이기 때문에 소(少)라 함.
소-젖 명 ☞쇠젖.
소:제[1]【小題】명 책의 편명(篇名)을 그 책의 이름에 상대하여 일컫는 말. ↔대제(大題).
소:제[2]【掃除】명 떨고 쓸고 닦아서 깨끗이 함. 청소(淸掃). 소식(掃拭). 소청(掃淸). ——하다 타여불
소제[3]【昭帝】명〖사람〗중국 전한(前漢) 제8대의 황제. 성명은 유불릉(劉弗陵). 무제(武帝)의 아들. 대장군(大將軍) 곽광(霍光)의 보좌를 얻어 국력 회복에 진력하였음. [94-74 B.C.; 재위 87-87 B.C.]
소:제[4]【少弟】인대 동배(同輩) 사이에 나이가 열 살부터 열두세 살 위되는 사람에게 대하여 자기를 일컫는 말.
소:-제목【小題目】명 작은 제목.
소:제-부【掃除夫】명 '청소부(淸掃夫)'의 구칭.
소:-제상【素祭床】[一쌍] 명 장사를 지내기 전에 제물을 차려 놓는 흰 젯상.
소:조[1]【小鳥】명 작은 새. 소금(小禽).
소:조[2]【小朝】명〖역〗섭정(攝政)하는 왕세자(王世子).
소:조[3]【小照】명 ①자그맣게 박은 얼굴의 사진이나 그린 화상(畫像). ②자기의 사진 또는 화상(畫像)의 겸칭.
소:조[4]【小潮】명〔neap tide〕〖지〗간만(干滿)의 차(差)가 제일 적을 때의 조수(潮水). 달과 해가 지구에 대하여 직각(直角)의 방향에 있을 때, 달과 해의 지구에 대한 인력(引力)이 상쇄되어 간만의 차가 가장 적어지는데, 그 날은 상현(上弦)·하현(下弦)의 2, 3일 후인 음력 7·8·9일과 22·23·24일의 6일간임. ↔대조(大潮).
소:조[5]【所遭】명 치욕(恥辱)이나 고난을 당함. ¶소위 자식에게 ~를 당하고 억울하여 말을 하니, 아무쪼록 좋은 말로 안유를 시켜…《李海朝 : 鳳仙花》. ——하다 자여불
소:조[6]【塑造】명 진흙으로 조각(彫刻)의 원형(原型)을 만듦. ——하다 타여불
소조[7]【蕭條】명 분위기(雰圍氣)가 매우 쓸쓸함. 고요하고 조용함. 소삭(蕭索). 소슬(蕭瑟). ¶은자(銀子)도 누백 냥을 주거늘 소저 받지 아니하고 처음에 갔던 모양으로 ~히 나오니…《金榮漢 : 芙蓉軒》. ——하다 형여불. ——히 부
소:-조령【小鳥嶺】명〖지〗충청 북도 괴산군(槐山郡)에 있는 산. [362m]
소:조 상태【塑造狀態】명〔mecystactic relaxation〕〖생〗근육의 길이가 늘어나도 당초의 장력(張力)이 보존되고 있는 상태.
소:조 해:류【小潮海流】명〔neap tidal current〕〖해〗소조 때 생기는, 속도가 느린 조류(潮流).
소:족[1]【素族】명 벼슬이 없는 백성. 곧, 평민. 상사람. 상민(常民).
소족[2]【疎族·疏族】명 촌수가 먼 일가. 원족(遠族).
소:존【所存】명 ↗소존자(所存者).
소존-성【燒存性】[一썽] 명 태워 버린 물건의 잿 속에 아직도 남아 있어 그 물건을 알아볼 수 있는 성질.
소:존-자【所存者】명 아직 남아 있는 자. 준소존(所存).
소:졸[1]【小卒】명 ①힘없는 작은 졸병. ②↗소학교 졸업.
소졸[2]【疎拙·疏拙】명 거칠고 능하지 못함. 성기고 서투름. ——하다 형여불
소:종[1]【小宗】명 대종(大宗)에서 갈라져 나간 방계(傍系).
소:종[2]【小鐘】명〖불교〗밥그릇만한 크기의 작은 종. 큰 방의 한 구석에 달아 둠.
소:-종래【所從來】[一내] 명 지내온 내력. ¶네 동생이 불법한 짓은 안할 듯하나 저 물건들의 ~가 종시 수상하고…《洪命憙 : 林巨正》.
소:좌【少佐】명 2차 대전 때까지의 일본에서의 '소령(少領)'의 일컬음.
소:죄【小罪】명 ①작은 죄. 사소한 죄. ②〖천주교〗천주의 법을 조금 거스른 죄. 고해 성사(告解聖事)를 하지 않고서도 사(赦)하여짐. 1)·2):↔대죄(大罪).
소:주[1]【小舟】명 작은 배.
소:주[2]【小註】명 주석에 더 자세히 풀어 단 주석(註釋). 잔 주.
소주[3]【疏註·疏注】명 본문(本文)의 주(註)와 소(疏). 주소(註疏).
소주[4]【韶州】명〖지〗소관(韶關).
소주[5]【燒酒】명 ①쌀이나 기타의 잡곡을 쪄서 누룩과 물을 섞어 발효(醱酵)시켜 증류한 무색 투명의 술. 알코올분이 20-35%임. 증류식(蒸溜式) 소주. ②알코올을 물로 희석(稀釋)하여 향료 등을 첨가한 술. 희석식 소주.
소주(를) 내리다 구 익은 술을 고아 소줏고리에서 소주를 받다.
소주[6]【蘇州】명〖지〗'쑤저우'를 우리 음으로 읽은 이름.
소주-단【蘇州緞】명 중국 쑤저우(蘇州)에서 나는 비단의 하나. 족자(簇子)·장첩(粧帖) 등의 화장으로 많이 씀.
소:-주명곡【小奏鳴曲】명〖악〗소나티나(sonatina).
소:주 밀식【小株密植】[一씩] 명〖농〗모를 낼 때, 모 한 포기의 모 수를 적게 하고, 전체 면적(全體面積)에 꽂히는 포기 수를 많게 하는 방법. 한 포기의 모 수는 2-3대로 하고, 한 평(坪)에 100포기 이상을 심는 따위. ——하다 타여불
소-주방【燒廚房】명〖역〗조선 시대 때, 궁중의 육처소(六處所)의 하나. 대궐 안의 음식을 만드는 곳. 안소주방과 밭소주방의 통칭. 주간(廚間). 준주방. *세답방(洗踏房).
소주방 나:인【燒廚房一】명〖역〗조선 시대 때, 궁중의 부엌일을 도맡은 소주방 소속의 나인. 안소주방 나인·밭소주방 나인의 통칭. *세답방 나인.
소주 원미【燒酒元味】명 찹쌀을 미음처럼 쑤어 소주·꿀·새앙즙을 타서 만든 음식.
소주-잔【燒酒盞】[一짠] 명 소주나 그 밖의 독한 술을 따라 먹도록 운두가 얕고 작게 만든 술잔.
소:-주주【小株主】명 약간의 주식(株式)을 가진 주주. ↔대주주.
소죽【疎竹】명 드문드문 나 있는 대밭.
소줏-고리【燒酒一】명 소주를 고는 그릇. 구리나 오지로 두 짝을 겹쳐 놓게 만들었는데 위 짝은 아래가 좁고 위가 넓으며 아래 짝은 아래가 넓고 위가 좁음. 준고리.

〈소줏고리〉

소줏-불【燒酒一】명 ①소주를 연료(燃料)로 하여 붙인 푸르스름한 불. 연극 등에서 유령이나 여우가 나타나는 장면에 씀. ②소주를 많이 먹어서, 속에서 일어나는 독한 기운.
소중[1]【消中】명〖한의〗소갈증(消渴症)의 한 가지. 음식 섭취량이 늘고 땀이 나며 오줌이 잦음.
소:중[2]【笑中】명 웃는 가운데. 웃는 마음 속. ¶~ 유검(有劍).
소:중간 군도【小中間群島】명〖지〗전라 남도 목포에서 남서쪽으로 약 105 km 해상에 위치한 군도. 주도(主島)는 만재도(晩才島)이며 어로 작업시 어선들의 피난처임.
소:중-도【笑中刀】명 겉으로는 웃으면서 속으로는 해칠 마음을 품음.

소리 장도(笑裏藏刀). 소중 유검(笑中有劍). 소중 유도(笑中有刀).

소:중 유:검【笑中有劍】명 소중도(笑中刀).

소:중 유:도【笑中有刀】명 소중도(笑中刀).

소:중-하다【所重一】형여불 매우 중하다. 매우 귀중하다. ¶ 소중한 물 ㄴ건. 소:중-히【所重一】부

소:증[1]【所證】명〖불교〗증과(證果).

소:-증[2]【素症】[一쯩] 명 푸성귀 종류만 먹어서 고기가 먹고 싶은 증세. ＊육징(肉癥).

[소증 나면 병아리만 쫓아도 낫다] ㉠생각이 간절하면 비슷한 것만 보아도 마음이 좀 풀린다는 말. ㉡평소에 소식(素食)하던 사람이 어쩌다 육식(肉食)을 하게 되면 더 고기를 먹고 싶어한다는 말.

소:-증기선【小蒸氣船】명 작은 기선(汽船). 「m]

소:증-봉【小甑峰】명〖지〗평안 북도 강계군(江界郡)에 있는 산. [1,219

소:증-사납다 형ㅂ불 하는 짓의 동기가 아름답지 못하다.

소지[1] 명〈방〉휴지(休紙)(함경).

소지[2] 명〈방〉소주(燒酒)(경상).

소지[3] 명〈옛〉소송장. 고소장. ¶ 소지(狀子) ≪字會 上 35 狀字註≫.

소:지[4]【小志】명 작은 뜻. 원대(遠大)하지 않은 뜻.

소:지[5]【小枝】명 작은 나뭇가지.

소:지[6]【小指】명 ①새끼손가락. ②새끼발가락.

소:지[7]【小智】명 작은 지혜(智慧). 소혜(小慧).

소:지[8]【小誌】명 ①조그마한 잡지(雜誌). ②자기가 관여하고 있는 잡지 ㄴ의 겸칭.

소지[9]【沼池】명 늪과 못. 소택(沼澤).

소지[10]【沼地】명 늪이 많은 땅.

소:지[11]【所志】명〈이두〉소장(訴狀)❶.

소:지[12]【所持】명 ①가지고 있음. 지니고 있음. ¶ ～품/불법 ～. ②〖법〗민법상, 사회 통념(社會通念)으로 보아 물건이 사실적(事實的)으로 지배되어 있다고 보이는 객관적 상태. 형법상, 지배(支配)의 의사로써 사실상 재물을 지배하는 상태. ——-하다 타여불 「다.

소지[13]【素地】명 밑바탕. 요인(要因)이 되는 바탕. ¶ 능히 그럴 ～가 있

소:지[14]【素志】명 평소의 뜻. 본디의 뜻. 소심(素心). 소의(素意).

소:지[15]【掃地】명 ①땅을 쓺. ②〖불교〗마당을 쓰는 일을 맡은 사람. ——-하다 자여불

소:지[16]【燒紙】명〖민〗신령 앞에서, 비는 뜻으로 얇은 종이를 불살라서 공중으로 올리는 일. 또, 그 종이. ——-하다 자여불

소:지(를) 올리다 구〖민〗신령 앞에서 비는 뜻으로 종이를 불살라서 공중으로 올리다.

소:지-금【所持金】명 몸에 지니고 있는 돈. 가진 돈.

소:-지명【小地名】명 부락 이름 따위와 같은 작은 땅의 이름.

소:지 무여【掃地無餘】명 다 쓸어 내어 나머지가 없음. 물건이 아주 없음을 일컫는 말. ——-하다 형여불 「하는 일.

소:지 삼배【燒紙三拜】명〖민〗고사(告祀) 때 소지한 다음 세 번 절

소지-왕【炤知王】명〖사람〗신라 제21대 왕. 원래의 왕호는 소지 마립간(炤知麻立干). 동왕 9년(487)에 사방에 우역(郵驛)을 두었고, 12년(490)에는 국도(國都)에 시장을 설치했음. 백제와는 혼인(婚姻) 동맹을 맺고, 고구려와 여러 번 싸웠음. [재위 479-500]

소:-지의【素地衣】[一/一이] 명 흰 헝겊으로 가장자리를 꾸민 돗자리.

소:지-인【所持人】명 소지하고 있는 사람. 소지자.

소:지인 출급【所持人出給】명〖경〗수표(手票) 등에서, 특정한 수취인(受取人)을 지정하지 않고, 소지인에게 액면(額面)에 기재한 금액을 지급할 뜻을 적은 형식을 이름.

소:지인 출급식 수표【所持人出給式手票】명〖경〗특정인을 수취인(受取人)으로 지정하지 않고 소지인에게 금액을 지급할 뜻을 기재한 수표. 기명식 수표(記名式手票)에 '또는 소지인(所持人)에게'라는 문언(文言)을 기재한 수표도 소지인 출급식 수표로 간주함. 선택 지참인 불식 ㄴ수표.

소:지-자[1]【所知者】명 알고 있는 사람. 또, 알고 있는 일.

소:지-자[2]【所持者】명 가지고 있는 사람. 소지인.

소:지-장【所知障】명〖불교〗불교 수행의 두 가지 장애 중 하나. 번뇌장(煩惱障)과 함께 해탈을 막는 근본적 장애인데, 탐욕과 성냄과 어리석음 등의 근본 번뇌가 사물의 진실을 파악하지 못하게 하여 진실한 지혜가 일어나지 못하게 막는 번뇌. 지장(智障).

소:지-죄【所持罪】[一쬐] 명〖법〗어떤 물건을 소지함으로써 성립되는 죄. 마약(痲藥)이나 총포 따위를 불법 소지하는 따위.

소:지-품【所持品】명 가지고 있는 물건. 지니고 있는 물품.

소:직【小職】인대 소관(小官).

소진[1] 명〈옛〉송진. ¶ 茯苓은 소진이 짜해 드러 千年이면 化ㅎ야 茯苓ㄷ외ㄴ니라 ≪南明 上 67≫/소진(松膏) ≪救簡 I:91≫.

소진[2]【消盡】명 사라져 다 없어짐. ¶ 정력이 ～하다. ——-하다 자여불

소진[3]【疏陳】명 상소(上疏)하여 진술함. 조리(條理)를 세워서 상신함. ——-하다 타여불

소진[4]【訴陳】명 ①호소하여 진술함. ②〖법〗소송(訴訟)의 뜻을 진술함. 원고(原告)와 피고(被告)의 진술. ——-하다 타여불

소진[5]【燒盡】명 타서 죄다 없어짐. 죄다 타 버림. ——-하다 자여불

소-진[6]【蘇秦】명〖사람〗중국 전국 시대의 모사(謀士). 뤄양 사람. 연(燕)의 문후(文侯)에 대하여 6국 합종(合從)의 이익을 설명하여 채용되었고, 또 조(趙)·한(韓)·위(魏)·제(齊)·초(楚)를 설복하여 기원전 333년 6국 합종에 성공하였음. [?-317 B.C.] ＊장의(張儀). 「는 아이.

소진-동【蘇秦童】명〔소진은 중국 전국 시대의 세객(說客)〕말을 잘하

소진 장의【蘇秦張儀】[一/一이] 명 소진과 장의처럼 구변이 좋은 사람 ㄴ을 이르는 말. 소장(蘇張).

소진팡 명〈방〉쓰레받기.

소:-진화【小進化】명〔microevolution〕〖생〗비교적 단기간에 생기는 진화. 지질학적 규모에서의 진화인 대진화(大進化)에 대(對)하여, 실험실 안에서도 재현(再現)될 수 있는 소규모의 것을 이름.

소:질[1]【笑疾】명 저절로 웃음이 나오는 병.

소질[2]【素質】명 ①본래부터 갖추어 있는 성질. ¶ 음악의 ～. ②장래 발전의 기인(基因)이 되는 성질. ③〔도 Anlage〕〖생·심〗육체 상 및 정신상의 생득적(生得的) 체제(體制). 또, 육체 및 정신의 전성장(全成長)의 기초를 이루는 최초의 단계에서 볼 수 있는 각 기관(器官)의 기질적·기능적인 구조. 소인(素因).

소집【召集】명 ①불러서 모음. ¶ 비상 ～/주주 총회를 ～하다. ②병역법에 의거하여, 국가가 병역 의무자 중 예비역·보충역 또는 제 2 국민역에 대하여 현역 복무 이외의 군복무 의무 또는 공익 분야에서의 복무의무를 부과하는 일. 방위 소집·병력 동원 소집·병력 동원 훈련 소집·전시 근무 소집·교육 소집 등이 있음. ——-하다 타여불

소:-집단【小集團】명 ①적은 인원수로 구성된 집단. ②〔small group〕〖사〗상호간의 직접적인 접촉과 친밀한 커뮤니케이션이 가능한 소수자로 이루어진 집단. 가족·친지·서클·클럽(club)·직장 동료 등. 쿨리(Cooley)의 제1집단(集團)의 연구와 호손(Hawthorn) 실험 등의 연구결과를 바탕으로, 오늘날 교육·복지(福祉)·집단 치료·서클 운동 및 기업 경영 등에 이용되고 있음. 스몰 그룹(small group).

소집-령【召集令】[一녕] 명 소집하는 명령. ¶ ～이 내리다

소집 영장【召集令狀】[一녕짱] 명 '소집 통지서'의 속칭(俗稱).

소집-장【召集狀】[一짱] 명 사람을 불러 모으기 위하여 보내는 문건(文 ㄴ件).

소:-집회【小集會】명 인원수(人員數)가 적은 집회.

소:징 대:계【小懲大誡】명 징벌을 적게 하고 경계를 크게 함. ——-하다 ㄴ타여불

소짝-새 명〈방〉〖조〗소쩍새(전라·경상).

소짱-새 명〈방〉〖조〗소쩍새(경북).

소쩌기 명〈방〉〖조〗소쩍새(경남).

소쩍다-새 명〈방〉〖조〗소쩍새.

소쩍-새 명〖조〗[*Otus scops*] 올빼미목(目) 올빼밋과에 속(屬)하는 새. 날개 길이 30-35cm이고, 몸빛은 회색 바탕에 갈색 또는 담황색의 가는 가로무늬가 있음. 두정(頭頂)에는 귀 모양의 우모(羽毛)가 있고, 부리는 짧으나 끝이 만곡되었음. 4월경에 나타나서 5-6월에 나무 구멍 속에 너더댓 개의 알을 낳으며, 성질이 사나워서 인가(人家) 부근의 닭·토끼·쥐·곤충 등을 포식함. 깊은 숲 속에 서식하는데, 한국·중국 및 아시아·유럽·아프리카·시베리아 등지에 분포함. 해질 무렵부터 '소쩍소쩍' 하고 욺. 시조(時鳥). 제결(鷤鴂).

〈소쩍새〉

소쩡-새 명〈방〉〖조〗소쩍새(경북).

소쪽-바가지 명〈방〉조롱박(강원).

소쪽-박 명 ①나무를 깎아 파서 만든 바가지. ②〈방〉조롱박(경기).

소쪽-새 명〈방〉〖조〗소쩍새(경기·강원).

소쫑-새 명〈방〉〖조〗소쩍새(경북).

소-찌그리 명〈방〉부리망. 「은 곳.

소:차[1]【小次】명〖역〗거둥 때 임금이 잠깐 쉬기 위하여 막(幕)을 쳐 놓

소:차[2]【小借】명 약차(藥借)의 한 가지. 간단한 방문(方文)의 약을 먹어 힘을 웬만큼 세게 하는 일.

소:차[3]【小差】명 조그만 차이. ↔대차(大差).

소차[4]【疏箚】명〖역〗상소(上疏)와 차자(箚子).

소:-차유령【小車踰嶺】명〖지〗평안 북도 구성군(龜城郡) 관서면(館西面)에 있는 산. [327m] 「의 우두머리.

소:-차지【小差知】명〖역〗궁가(宮家)의 사무를 맡아 보던 숙궁(稤宮)

소착【疏鑿】명 물을 통하게 하기 위하여, 개천이나 우물·도랑 등을 침. ——-하다 타여불 「위(尸位) ～. ——-하다 자여불

소:찬[1]【素餐】명 아무런 재능이나 공로도 없이 녹(祿)을 타 먹음. ¶ 시

소:찬[2]【素饌】명 ①고기나 생선이 들지 아니한 반찬. 변변치 않은 식사를 이름. 소선(素膳). ②남에게 식사를 대접할 때의 겸양어. ¶ ～이나마 많이 드시오.

소:참【小參】명〖불교〗도(道)를 닦는 사람이 때를 정하지 아니하고 언 ㄴ제든지 스승과 더불어 문답하는 일.

소창[1] 명 이불 따위의 속감.

소:창[2]【小瘡】명〖한의〗자그마한 발진성(發疹性) 부스럼.

소창[3]【消暢】명 갑갑한 마음을 풀어 후련하게 함. ¶ 자유롭게 하루를 ～하여 놀도록 틈을 주다. ——-하다 자여불

소:-창옷【小氅一】명〖역〗중치막 밑에 입는 웃옷의 하나. 두루마기와 같은데, 소매가 좁고 무가 없음. ㊌창옷.

소:채[1]【所債】명 지고 있는 부채(負債). 갚아야 할 빚. 소부(所負).

소채[2]【蔬菜】명 소채류(類)의 나물. 채소. ¶ ～ 재배/청정(淸淨) ～.

소채-류【蔬菜類】명〖식〗곡식 이외에 줄기·잎·뿌리·열매를 부식물(副食物)로 하는 초본(草本)의 총칭. 농작물로 심어 가꾸는 것과 산과 들에 저절로 나는 것이 있음. 식용되는 부분에 따라 근채류(根菜類)·엽채류(葉菜類)·과채류(果菜類)·경채류(莖菜類)로 나눔. 「기술.

소채 원예【蔬菜園藝】명 원예의 한 분야. 소채의 생산 및 이용에 관한

소:책【小策】명 조금 아는 것만으로 재주를 피우는 쓸모없는 계책. 소 ㄴ술(小術).

소:-책자【小冊子】명 작은 책. 팸플릿.

소:처【小妻】명 첩(妾). 소실(小室).

소처네 명〈방〉〈어〉미꾸라지(함남).

소:척[1]【掃滌】명 물로 씻어 깨끗이 함. ——-하다 타여불

소척[2]【疏斥·疎斥】명 버성기게 하여 물리침. 소외(疏外). ——-하다 타 여불

소:천[1]【小川】명 자그마한 내. ↔대천(大川). 「반이니.

소:천[2]【所天】명 아내가 남편을 일컫는 말. ¶ 남편은 ～이라 하늘과 일

소천-굴【昭天窟】명 제주도 북제주군 한림읍(翰林邑)에 있는 용암 동굴

(熔岩洞窟). 길이 3,075 m.

소:-천문【小泉門】명〖생〗후두골(後頭骨)과 좌우의 두정골(頭頂骨) 사이에 있는 천문. 후두 천문(後頭泉門).

소:-천세계【小千世界】명〖불교〗삼천 대천 세계(三千大千世界)의 하나. 수미산(須彌山)을 중심으로 한, 해·달·사대주(四大洲)·육욕천(六慾天)의 범천(梵天). 욕계(慾界)로 이루어진 일세계(一世界)를 천 개 합한 세계.

소:-천어【小川魚】명 냇물에서 잡히는 작은 물고기.

소:-천지【小天地】명〔우주가 큰 데 비해서 인간 세계가 좁으므로〕좁은 사회. 좁은 세계.

소:천-표【掃天表】명〖천〗위치의 정확도(精確度)는 별을 판정할 수 있을 정도로 그친, 일정한 밝기의 별을 수록한 성표(星表)의 한 가지. ＊적위대 성표(赤緯帶星表).

소-철[1]【蘇轍】명〖사람〗북송(北宋)의 문인. 자는 자유(子由). 호는 영빈(潁濱). 소식(蘇軾)의 아우. 당송(唐宋) 팔대가(八大家)의 한 사람임. 벼슬은 문하 시랑(門下侍郞). 고문학자로 그의 작품에는 불교의 영향이 농후함. 저서는 ≪춘추전(春秋傳)≫·≪노자해(老子解)≫·≪난성집(欒城集)≫ 등임. [1039-1112]

소철[2]【蘇鐵】명〖식〗[*Cycas revoluta*] 소철과에 속하는 상록 교목(常綠喬木). 높이는 3m이고, 자웅 이주(雌雄異株)이며 줄기는 굵고 검은 빛인데 전면에 비늘 모양을 한 잎의 흔적이 있고 끝에는 크고 긴 깃 모양의 복엽(複葉)이 군생(群生)함. 작은 잎은 가늘고 길며, 진한 초록색인데 윤이 남. 수꽃과 암꽃이 모두 줄기 끝의 잎 사이에 액생(腋生)하여 여름에 피는데, 수꽃은 솔방울 모양으로 높이 40-60 cm, 폭 10 cm 가량이며 암꽃은 손바닥 모양을 하여 줄기 끝에 달림. 종자는 달걀꼴이고 적색·각질(角質)인데, 안쪽은 백색이며 지방유(脂肪油)·당질 수지(糖質樹脂)·황색소(黃色素)를 함유함. 정자(精子)를 만드는 유명한 열대성 고등 식물이며, 관상용으로 화분에 심기도 함. 종자는 식용 또는 건위(健胃) 강장제로 약용하며, 잎은 말려서 광주리 등을 만듦.

〈소철[2]〉

소철-과【蘇鐵科】[—꽈] 명〖식〗[Cycadaceae] 나자 식물(裸子植物)에 속하는 한 과.

소철-광【沼鐵鑛】명〖광〗다공질(多孔質) 덩어리로 된 침철광(針鐵鑛)의 특칭(特稱).

소:-첨례【小瞻禮】[—네] 명〖천주교〗파공(罷工) 첨례만큼 중요하지 않은 보통 축일. 지금은 '중요한 축일'로 이름이 바뀜.

소:-첨사【小詹事】명〖역〗①고려 때 동궁(東宮)의 종삼품 벼슬. ②고려 때 왕비부(王妃府)의 벼슬. 좌우 첨사(詹事)의 아래.

소:첩[1]【少妾】㊀명 젊은 첩. ㊁인대 여자가 자기를 썩 낮추어 일컫는 말. 보통, 남편에 대해서 아내가 씀.

소첩[2]【訴牒】명 소장(訴狀)❶.

소:청[1]【所請】명 청하는 바. 청하는 일. ¶ ~이 무어냐/~을 들어주다.

소:청[2]【掃淸】명 청소(淸掃). ——하다 타여불

소청[3]【訴請】명 ①하소연하여 청함. ②〖법〗지방 자치 단체의 조례(條例) 또는 그 장(長)의 명령이나 처분이 헌법이나 법률에 위반된다고 인정될 때에, 주민 100 명 이상의 연서(連署)로써 이유(理由)를 갖추어 그 시정(是正)을 요구하는 일. ③〖법〗징계 처분, 기타 그 의사에 반하는 불리한 처분을 받은 공무원이 그 처분에 불복(不服)이 있을 때에, 그 처분의 취소 또는 변경을 청구하는 일. ¶ ~ 심사 위원회. ④〖법〗귀속 재산(歸屬財產) 처리에 관하여 이해(利害) 관계인이 하는 이의 신청(異議申請). ¶ 귀속 재산 ~ 심의회. ——하다 타여불

소청[4]【疏請】명 임금에게 상소하여 청함. ——하다 타여불

소청[5]【疏廳】명〖역〗유생(儒生)들이 모여서 건의 상소(建議上疏)하던 집.

소:-청도【小青島】명〖지〗인천 광역시(仁川廣域市) 옹진군(甕津郡) 대청면(大靑面) 대청리(大靑里)에 위치한 섬. 인천항(仁川港)의 서북쪽 223.6 km 떨어진 곳에 있음. [2.92 km²]

소:청룡-탕【小靑龍湯】[—농—] 명〖한의〗감기에 걸려 오한(惡寒)이 나고 열이 있고, 기침이 심할 때 쓰는 탕약.

소:청룡-현【小靑龍峴】[—농—] 명〖지〗평안 북도 구성군(龜城郡) 천마면(天摩面)에 있는 고개. [370 m]

소청 심:사 위원회【訴請審査委員會】명〖법〗공무원의 징계 처분, 기타 그 의사에 반(反)하는 불리한 처분에 대한 소청을 심사 결정하는 기관. 총무처·국회 사무처·법원 행정처에 각각 설치됨.

소:체[1]【小體】명 작은 몸뚱이.

소체[2]【召遞】명〖역〗조선 시대 때, 소명(召命)을 받아, 삼사(三司)나 승정원 같은 데로 벼슬이 갈리는 일. ＊과체(瓜遞). ——하다 자여불

소체[3]【消滯】명 체한 음식을 내려가게 함. ¶ ~환(丸). ——하다 타여불

소체[4]【疏遞】명〖역〗상소하여 아뢰고 벼슬을 사직함. ——하다 타여불

소:체-자【小體者】명 몸뚱이가 작은 사람.

소:초[1]【小草】명 ①잘게 흘리어 쓴 글씨. ②영문자(英文字)의 필기체(筆記體) 소문자(小文字)를 흘리어 쓴 글씨. 1)·2):↔대초(大草).

소:초[2]【小草】명〖한의〗애기풀의 싹. 약재로 씀.

소:초[3]【小哨】명〖군〗전략적으로 중요한 곳을 경계하는 임무를 맡은, 적은 인원으로 구성된 부대.

소초[4]【疏草】명 상소문(上疏文)의 초고(草稿).

소초[5]【蠨蛸】명〖동〗장수갈거미.

소:-초도【小草島】명〖지〗함경 북도 동해상, 경흥군(慶興郡)에 위치한 섬. [0.478 km²]

소:-촉각【小觸角】명 작은 촉각.

소:촌[1]【小村】명 작은 촌락(村落). 작은 마을.

소촌[2]【疏村·疎村】명 두 집 또는 세 집·네 집씩 분산(分散)되어 있는 마을. 산촌(山村). ↔집촌(集村).

소:총[1]【小塚】명 작은 무덤.

소:총[2]【小銃】명〖군〗휴대(携帶)할 수 있는 전투용 화기(火器)의 하나. 휴대의 편리, 정확한 명중률, 우세한 화력 등이 그 특징임. 단발(單發)·연발(連發)·자동(自動)·반자동(半自動) 등 여러 가지 종류가 있음. 라이플.

소총-새 명〈방〉〖조〗소쩍새(경북).

소:총-수【小銃手】명 소총을 주무기(主武器)로 하는 병사.

소:총-탄【小銃彈】명〖군〗소총에 재어 쏘는 탄알.

소:-총통【小銃筒】명〖역〗혈선(穴線 : 도화선)에 불씨로 점화하여 발사하는 유통식(有筒式) 휴대용 화기의 하나. 조선 중기에 제조된 청동제임. 전체 길이 75.5 cm, 구경 1.6 cm. 보물 제 856 호.

소:-총회【小總會】명〔Little Assembly〕1947년 11월에 설립된 유엔의 중간(中間) 위원회의 통칭(通稱). 전체 가맹국으로 구성되어 총회의 폐회 중에만 개최되고, 국제 평화와 안전에 관한 문제 가운데 안전 보장 이사회가 심의하지 않는 문제를 토의하여 총회에 보고하는 상설(常設) 기관.

소:추[1]【小秋】명 이른 가을. 첫가을.

소:추[2]【素秋】명〔오행설(五行說)에서 흰 빛은 가을에 해당하는 데서 유래된 말〕가을의 별칭. 소절(素節).

소추[3]【梳帚】명 빗솔.

소추[4]【訴追】명〖법〗①검사가 특정한 사건에 관하여 공소(公訴)를 제기(提起)하는 일. ②탄핵(彈劾) 발의(發議)를 하여 파면(罷免)을 요구하는 행위. ——하다 타여불

소추[5]【疎麤】명 피륙이 거칠고 굵음. ——하다 형여불

소:축【小畜】명〖민〗↗소축괘(小畜卦).

소:축-괘【小畜卦】명〖민〗육십사 괘(六十四卦)의 하나. 손괘(巽卦)와 건괘(乾卦)가 거듭된 것으로, 바람이 하늘 위에 다님을 상징(象徵)함. 준소축(小畜).

소:-축척도【小縮尺圖】명〔small scale map〕〖지〗100 만분의 1 지도보다 작은 축척의 지도. 비교적 넓은 지역을 대상으로 관찰·계획하는 데 이용됨. ↔대축척도.

소:춘【小春】명 음력 시월의 이칭.

소:-춘풍【笑春風】명〖사람〗조선 성종 때의 영흥(永興) 명기(名妓). ≪해동 가요(海東歌謠)≫에 시조 3수가 전함. 생몰 연대 미상.

소:-춘향가【小春香歌】명〖악〗경기 십이 잡가(京畿十二雜歌)의 하나. 판소리 춘향가에서, 춘향이 처음 이 도령(李道令)을 만나는 대목을 딴 것.

소:출[1]【所出】명 논밭에서 나는 곡식.

소출[2]【繅出】명 고치에서 실을 뽑아 냄. ——하다 타여불

소:충【小蟲】명 작은 벌레.

소:취[1]【小醉】명 조금 취함. ↔대취(大醉). ——하다 자여불

소취[2]【消臭】명 악취를 없앰. ¶ ~액(液).

소취[3]【嘯聚】명 군호로써 많은 사람을 불러 모음. ——하다 타여불

소:-취타【小吹打】명〖역〗새벽과 밤에 진문(陣門)을 여닫을 때 하던 약식(略式)의 취타(吹打). 규모가 작고 세악(細樂)이 들지 아니함. 각 고을에 베풂. ↔대취타(大吹打).

소:치[1]【小癡】명〖사람〗허 유(許維)의 호(號).

소치[2]【召致】명 불러서 오게 함. ——하다 타여불

소:치[3]【所致】명 까닭에서 빚어진 일. 탓. ¶ 모두가 나의 부덕의 ~이다.

소치[4]【騷致】명 시문(詩文)의 아취(雅趣).

소치[5]〔Sochi〕명〖지〗러시아 연방 남부의 도시. 기후가 온난(溫暖)하고, 황화 수소천(黃化水素泉)이 있어 러시아의 대표적인 요양지임. 새너토리엄(sanatorium)도 많아 여름 해수욕장으로서 유명함. [352,000 명(1993)]

소치니〔Sozzini, Fausto Paolo〕명〖사람〗이탈리아 태생의 신학자(神學者). 조실 부모(早失父母)하고 숙부의 영향을 받아 신학을 공부, 1562년 반삼위 일체론(反三位一體論)의 입장을 분명히 하였으며, 1579년 이후 폴란드에서 후일 '소치니주의(主義)'라고 불린 그의 주장의 보급에 힘을 기울였음. [1539-1604] ＊유니테어리언(Unitarians).

소-치레 명 소의 몸체를 꾸미는 일. 장식물은 코뚜레·목찍게·고삐·방울 등임. ——하다 자여불

소:-칙서【小勅書】명 가톨릭에서, 간단한 교황의 서한.

소:친【所親】명 친한 연배. 가까운 친구.

소:-친시【小親侍】명〖역〗고려 때, 궁중의 사환(使喚) 노릇을 하는 소동(小童). 장성하면 궁중에서 나옴.

소:침[1]【小針】명 시계의 작은 바늘. ↔대침(大針).

소침[2]【消沈·銷沈】명 삭아 없어짐. 사그라지고 까라짐. ¶ 의기 ~. ——하다 자여불

소침-환【燒鍼丸】명〖한의〗젖먹이의 토사(吐瀉)에 쓰는 한약.

소:칭[1]【小秤】명 자그마한 저울. ↔대칭(大秤).

소:칭[2]【所稱】명 일컫는 바.

소캐 명〈방〉솜(경상·황해·평안).

소캐 입성 명〈방〉솜옷(평안).

소케 명〈방〉솜(전라·경상).

소켓〔socket〕명 전기 기구의 하나. 전선(電線)의 끝에 붙여서 이에 전구(電球) 등을 끼워 전류를 접속하는 데 씀. ＊라디오 소켓.

소코리 명〈방〉소쿠리.

소:쾌-산【小快山】명〖지〗평안 남도 영원군(寧遠郡) 영락면(永樂面)에 있는 산. [1,542 m]

소쿠데미 명〈방〉바구니(충남).

소쿠라-지다 자 아주 빠른 물결이 굽이쳐 용솟음치다.

소쿠리 명 앞이 트이고 테가 둥글게 결은 대 그릇.

소:크〔Salk, Jonas Edward〕명〖사람〗미국의 의학자. 뉴욕 대학을 졸업, 1947년 피츠버그 대학 바이러스 연구소장, 1954년 피츠버그 대학 교수로서 소아 마비 백신의 제조에 성공하였으며, 1965년에 혈액 속의 물질을 제어하여 암(癌) 발육을 억제하는 새 학설을 주장함. 1970년에 캘리포니아 대학 교수로 옮김. [1914-]

소크라테스〔Socrates〕명〖사람〗고대 그리스의 철학자. 주로 아테네(Athene)에서 활동, 저서도 없고 학원을 열어 보수도 받지 않았으며 지행 일치(知行一致)를 말하면서 거리에 나서서 민중의 계발(啓發)과 감화에 힘썼음. 소피스트(sophist)에 반대하여 진리의 절대성(絶對性)을 주장했음. 만년에, 신(神)을 모독하고 청년을 부패 타락시켰다는 혐의로 독배(毒杯)를 받고 죽음을 당했으나 그의 제자 플라톤과의 《대화편(對話篇)》 등으로 사상의 거대함이 전하여졌음. [470-399 B.C.]

소크라테스 방법【一方法】〔Socrates〕명〖교〗소크라테스가 그의 대화(對話)에서 사용한 교수법(敎授法). 곧, 문답(問答)을 주고 받는 가운데 상대의 막연하고 불확실한 지식을 스스로의 힘으로 참되고 바른 개념(槪念)으로 이끌어 내도록 하는 변증술(辨證術). 산파법(産婆法).

소크라테스의 변:명【一辨明】〔Socrates〕[ㅡ/ㅡ에ㅡ] 명〔그 Apologia Sokratsi〕〖책〗플라톤이 저술한 철학서. 국가가 공인한 신들을 믿지 않고, 또 청년들에게 해독을 끼쳤다는 죄목으로 고발된 소크라테스가 아테네 법정에서 행한 변명의 내용을 소크라테스 자신의 일인칭(一人稱) 형식으로 기술했음. 고발 사항에의 반론(反論), 고발자 멜레토스와의 일문 일답(一問一答), 정치 활동·교사(敎師) 생활을 하지 않았다는 것을 주장하는 세 개의 연설로 됨.

소크라테스 학파【一學派】〔Socrates〕명〖철〗소크라테스의 사상과 학설을 계승한 여러 학파의 총칭. 모두 소크라테스에서 비롯하여 각각 다른 철학적 사유(思惟)의 이상을 추구하였으나, 어느 것이나 인간의 참된 행복을 지적 인식(知的認識)의 길을 통하여 구한 점에서 일치함. 곧, 키닉파(Kynic 派)·크레네파·메가라파 등이 이에 속하며, 넓은 뜻으로는 플라톤의 고(古)아카데미 학파 및 페리파토스 학파도 이에 포함됨. *소(小)소크라테스 학파.

소:크 백신〔Salk vaccine〕명〖약〗소아 마비 예방 접종용의 백신. 1953년 미국의 소크 박사가 창시하였는데, 이는 처음으로 성공한 엔더스(Enders, J.) 박사의 방법을 다소 변경하여 바이러스를 배양·살균한 일종의 예방제임. 인체에 실험 결과, 경이적 효능이 확인됨.

소키 명〈방〉솜(전남).

소타¹【疎惰】명 일에 소홀함이 많고 게으름. ──-하다 형여불

소타²【嘯咤】명 꾸짖음. ──-하다 타여불

소-타령【一打令】명 소의 미점(美點)과 희생을 읊은 타령.

소:-탁목【小啄木】명〖조〗쇠딱다구리.

소:-탁엽【小托葉】명〖식〗작은 탁엽(托葉).

소탈【疎脫·疏脫】명 예절과 형식에 얽매이지 않고 언행이 거리낌없이 수수함. ¶ ~한 성품. ──-하다 형여불

소:탐 대:실【小貪大失】명 작은 것을 탐하다가 큰 것을 잃음. ──-하다 자여불

소:탕¹【素湯】명 ①고기붙이를 전혀 넣지 아니한 국. ②제사에 쓰는 국. 고기 없이 지진 두부와 다시마를 넣고 맑은 장에 끓임.

소:탕²【掃蕩】명 휩쓸어 죄다 없애 버림. 소양(掃攘). ──-하다 타여불

소탕³【疏宕】명 성질이 걸찍스럽고 호탕(豪宕)함. ──-하다 형여불

소:탕-전【掃蕩戰】명〖군〗적의 패잔병을 샅샅이 뒤져 소탕하는 전투. ¶ 공비(共匪) ~.

소:태¹ 명 ①〖식〗↗소태나무. ②↗소태 껍질.
소:태(와) 같다 구 맛이 몹시 쓰다. ¶ 맛이 ~.

소:태²【笑態】명 ①웃는 맵시. ②웃음.

소:태³【素胎】명〖공〗잿물을 들이기 전의 도자기(陶瓷器)의 흰 몸.

소태 껍질 명 소태나무의 껍질. 준소태.

소태-나무 명〖식〗[*Picrasma ailanthoides*] 소태나뭇과에 속하는 낙엽 활엽의 작은 교목. 높이 4 m 가량, 잎은 우상 복생(羽狀複生)하며 소엽(小葉)은 긴 타원형 또는 넓은 달걀꼴임. 5-6월에 자웅 잡가(雜家)로 된 황록색 꽃이 취산(聚繖) 화서로 액생(腋生)하여 피고, 핵과(核果)는 황록색으로 9월에 익음. 산복(山腹)이나 골짜기에 나는데, 한국·일본·대만·중국에 분포함. 수피는 '소태 껍질'이라 하여 짚신을 삼고, 뿌리와 함께 회충 구제약, 과실은 쓴 맛이 있어 위약(胃藥)·살충제·회약재(蛔藥材)로 쓰고, 재목은 농구(農具)·세공물을 만드는 데 씀. 고련(苦楝). 고목(苦木). 준소태.

〈소태나무〉

소태나뭇-과【一科】명〖식〗[Simaroubaceae] 쌍자엽 식물 이판화류(離瓣花類)에 속하는 한 과. 전세계에 125종, 한국에는 가죽나무·소태나무의 2종이 분포함.

소태-성【一星】명〈방〉별박이².

소택【沼澤】명 늪과 못. 소지(沼池). ¶ ~지(地).

소택 식물【沼澤植物】명 물가의 습지나 또는 얕은 물 속에 나는 식물. 갈대·벗풀 따위. 진펄 식물.

소택-지【沼澤地】명 늪과 못이 많은 땅.

소택 초지【沼澤草地】명 소택지에 이루어진 풀밭.

소테〔프 sauté〕명 서양 요리의 한 가지. 육류(肉類)를 기름으로 데친 음식의 총칭. 포크 소테·치킨 소테 같은 것.

소토【燒土】명〖농〗토양 소독법의 하나. 논밭의 표토(表土)를 긁어 모아 그 위에 마른 풀이나 나뭇조각을 놓고 태우거나 흙을 펴 놓은 철판 밑에서 불을 때어서 가열하여 살균함. ──-하다 자여불

소토 보체〔이 sotto voce〕명〖악〗'조용하게 약한 소리로'의 뜻.

소:-톱【小一】명 작은 동가리톱. *대톱·중톱·세톱.

소통¹ 명〈방〉①자물쇠(경상). ②구유¹(강원).

소:통²【小桶】명 ①자그마한 통. ②서 말 가량의 분량을 담을 수 있는 소금 섬.

소통³【昭通】명〖지〗'자오퉁'을 우리 음으로 읽은 이름.

소통⁴【疏通】명 ①막히지 않고서 통함. ¶ ~이 잘 되다. ②생각하는 바가 서로 통함. ¶ 의사(意思) ~. ③도리(道理)와 조리(條理)에 밝음. ④덮이거나 막힌 것을 열어 트이게 함. ──-하다 자타여불

소통⁵ 부〈방〉온통(제주).

소:팅〔sorting〕명〖컴퓨터〗데이터를 일정한 조건에 따라 순서대로 배열하는 일. ──-하다 타여불

소:파¹【小派】명 작은 당파.

소:파²【小波】명 잔 물결.

소:파³【小波】명〖사람〗방정환(方定煥)의 호(號).

소:파⁴【小破】명 조금 파손(破損)됨. *대파(大破)·중파(中破). ──-하다 자타여불

소파⁵【搔爬】명〖의〗체표면(體表面) 또는 체강(體腔) 표면의 연조직(軟組織)을 긁어 내는 일. ──-하다 타여불

소파⁶〔sofa〕명 서양식 가구(家具)의 한 가지. 등을 기댈 수 있고, 양쪽 가에는 팔걸이가 있는 안락 의자.

소:-파공【小罷工】명〖천주교〗대파공을 지키는 날 이외의 모든 주일에 지키는 파공. 특별한 경우에 파공 관면(寬免)이 내려짐. ↔대파공.

소-파리 명〈방〉〖충〗쇠파리(평안).

소:-파산【小破産】명〖법〗파산 선고(破産宣告)할 때나 파산 절차 중에 파산 재단(財團)에 속하는 재산액 50만 원 미만으로 인정될 때의 파산. 파산 선고와 더불어 또는 파산 절차 중에 소파산으로 한다는 뜻의 결정을 내림. 간단한 절차로 처리됨.

소:파-상【小波賞】명 어린이 운동의 선구자인 소파(小波) 방정환(方定煥)을 기념하기 위한 상(賞). '새싹회'에서 1957년에 제정, 매년 어린이를 위한 운동이나 일에 공로가 큰 사람에게 수여함.

소파 수술【搔爬手術】명〖의〗①자궁(子宮) 내막 소파 수술의 약칭. 자궁 내막 질환을 치료할 때, 자궁구(子宮口)에서 기계적으로 내막의 조직을 긁어 내는 방법. ②인공 임신 중절(人工姙娠中絶)의 한 방법으로서 태아(胎兒)·태반(胎盤) 등을 긁어 내는 자궁 내용 제거술(子宮內容除去術)을 시술(施術)할 때, 동시에 내막의 소파도 행하는 데서 일컫는, 인공 임신 중절의 속칭. ──-하다 타여불

소판【蘇判】명〖역〗①잡찬(迊飡). ②고려 태조(太祖) 때 신라의 제도를 본떠서 정한 관등(官等)의 넷째 등급.

소:-팔초어【小八梢魚】명〖동〗낙지¹.

소:패【小敗】명 조금 패하는 일. ↔대패(大敗). ──-하다 자여불

소:편¹【小片】명 작은 조각.

소:편²【小篇】명 단편(短篇).

소폐【疏廢】명 소홀히 여기어 버림. 소기(疏棄). ──-하다 타여불

소:포¹【小布】명 무명 등으로 만든 과녁. 솔.

소:포²【小包】명 ①자그마하게 포장(包裝)한 물건. ②↗소포 우편·소포 우편물.

소:포³【小圃】명 채소 등을 심는 작은 밭.

소:포⁴【小砲】명〖역〗조선 후기에 사용하던 청동제 유통식(有筒式) 화포. 총길이 108.5 cm, 포구 지름 8.4 cm. 이 포는 포가(砲架)를 갖추고 있었음.

소:포⁵【所逋】명 관청의 물건이나 공금(公金) 등을 사사로이 소비함. ──-하다 타여불

소:포-엽【小苞葉·小包葉】명〖식〗꽃의 가장 가까이에 있는 포엽(苞葉). 보통, 소화병(小花柄)에 달려 있음.

소:포 우편【小包郵便】명 ①물건을 소포(小包)로 해서 보내는 우편. ②↗소포 우편물. 준소포.

소:포 우편료【小包郵便料】[ㅡ뇨] 명 소포 우편물의 크기·무게 등에 따라서 일정하게 지불하는 요금.

소:포 우편물【小包郵便物】명 소포 우편으로 보내는 물품. 신서(信書) 이외의 작은 물건을 내용으로 하는 것으로, 포장의 표면에 '소포(小包)'라고 표시함. 패키지(package). 준소포²·소포 우편.

소:-포자【小胞子】명〔microspore〕〖식〗양치(羊齒) 식물 가운데 생이가래 등에서 볼 수 있는 포자(胞子)의 하나. 이것이 발아(發芽)해서 생긴 전엽체(前葉體)는 정자(精子)만을 만듦. 현화 식물(顯花植物)의 화분(花粉)이 이에 상당함. 작은 홀씨. ↔대포자(大胞子).

소포자-낭【小胞子囊】명〔microsporangium〕〖식〗소포자(小胞子)가 들어 있는 주머니. 현화 식물의 꽃밥이 이에 해당함.

소:-포작도【小包作島】명〖지〗전라 남도의 서해상, 신안군(新安郡) 지도읍(智島邑) 어의리(於義里)에 위치한 섬. [0.39 km²]

소포-제【消泡劑】명〔antifoaming agent〕〖화〗표면 장력(張力)을 내림으로써 액체를 휘저을 때 생기는 거품의 발생을 방해하는 물질. 실리콘·유기 인산염(有機燐酸塩)·알코올 따위.

소:포-체【小胞體】명〔endoplasmic reticulum : ER〕〖생〗동식물의 세포질(細胞質) 안에서 그물눈 모양으로 연결된 가느다란 관(管) 모양의 세포 소기관(小器官). 1945년 미국의 세포 생물학자 K.R. 포터가 발견. 단백질 분비 과립(顆粒)·지방(脂肪) 과립의 생성·운반 등의 기능을 수행함. 리보솜(ribosome)이 부착한 조면(粗面) 소포체와 부착하지 않은 활면(滑面) 소포체가 있음. *리보솜.

소포클레스〔Sophocles〕명〖사람〗고대 그리스 삼대 비극 시인의 한 사람. 작품 구성의 엄밀·중용성(中庸性)·기교적인 완벽으로 비극의 최고봉임. 123편의 작품 중 현존하는 《안티고네(Antigone)》·《콜로누스(Colonus)의 오이디푸스(Oedipus)》 등이 저명함. [496?-406 B.C.]

소포트〔Sopot〕명〖지〗폴란드의 북부, 그단스크 만(Gdańsk 灣)에 있는 휴양 도시. [51,000 명(1981)]

소:폭【小幅】명 ①좁은 폭. ②좁은 범위. ¶ 주가 ~ 상승/~적인 개각(改閣).

소:풀 명 〈방〉〖식〗 부추(경상).

소:품¹【小品】명 ①↗소품문(小品文). ②↗소품물(小品物). ③자그마한 제작품(製作品). ④변변치 못한 물건. ⑤〖연〗 무대 장치를 만드는 데 쓰이는 도구류(道具類) 및 의상(衣裳)·가발(假髮) 등 배우의 분장(扮裝)을 돕는 비교적 작은 물건의 총칭. 희곡의 분위기·시대·장소 등을 나타내기 위하여 쓰이는 것을 형용(形容) 소품, 배우의 연기(演技)에 꼭 필요한 것을 필수 소품이라 함.

소:품²【小品】명〖천주교〗전에, 천주 교회의 성직 계열에서 먼저 받는 수문품(守門品)·강경품(講經品)·구마품(驅魔品)·시종품(侍從品)의 네 품. 새 제도에서는 수문품과 구마품이 없어지고 나머지도 독서직(讀書職)과 시종직(侍從職)으로 바뀜. 하사품(下四品). ↔대품(大品).

소:품-곡【小品曲】명〖악〗작은 규모의 곡(曲). 스케치(sketch). 준소곡(小曲).

소:품-문【小品文】명 일상 생활에서 보고 느낀 것을 간단히 쓴 짤막한 문장. 어떤 형식을 갖추지 않고 자유로운 필치(筆致)로 보고 느낀 그대로 적은 글. 스케치체(體)의 문장. 준소품(小品).

소:품-물【小品物】명 자그마한 그림이나 조각품. 준소품(小品).

소풍¹【消風】명 답답한 마음을 풀기 위하여 바람을 쐬는 일. ——-하다 자여불

소풍²【逍風】명 ①운동이나 자연의 관찰을 겸하여 야외 등의 먼 길을 걷는 일. 원족. ②산책. ——-하다 자여불

소-풍경【—風磬】명 ☞쇠풍경.

소풍-날【逍風—】명 소풍 가는 날.

소풍 농:월【嘯風弄月】명 바람에 휘파람 불고 달을 희롱한다는 뜻으로, 자연 풍경을 애상(愛賞)한다는 말. ——-하다 자여불

소풍 활혈탕【疎風活血湯】명〖한의〗풍비(風痺)·역절풍(歷節風)·피부병(皮膚病) 등에 쓰는 약.

소:프〔soap〕명 비누❷.

소프라노〔이 soprano〕명〖악〗①여성(女性)이나 어린아이의 가장 높은 음역(音域) 또는 사부 화성(四部和聲)의 최고 음부(最高音部). 막청. ②고음(高音)의 여자 가수(歌手). ＊알토.

〈소프라노❶〉

소프론〔Sophron〕명〖사람〗고대 그리스에서, 미모스라는 일종의 대화체(對話體) 희극(喜劇)의 창시자. 전통적인 운문(韻文)에 의하지 아니하고 산문(散文)으로 쓴 점이 독창적임. 플라톤이 그의 작품에 애독하였다 함. [470?-400? B.C.]

소:프리스 소:프〔soapless soap〕명〖화〗〔비누가 아닌 비누라는 뜻〕 유지(油脂)에서 뺀 고급 알코올 또는 석유를 원료로 제조된 탄화(炭化)수소에 황산을 화합시켰다가 소다로 중화(中和)시킨 새로운 세제(洗劑). 경수(硬水)나 산성(酸性)에도 세정력(洗淨力)이 있으며, 특히 중성(中性)이기 때문에 털이나 견직물의 세정(洗淨)에 적합함. 중성 세제.

소:프 오페라〔soap opera〕명〔본디 미국의 비누 회사가 그 선전용으로 종종 제공한 데서〕가정 주부 상대의 주간(晝間) 연속 라디오 또는 텔레비전 방송극. 흔히, 가볍고 센티멘탈한 내용으로 됨.

소프트〔soft〕명 ①↗소프트 모자(帽子). ②↗소프트 칼라. ③↗소프트웨어. ④부드럽고 온화한 맛이 있는 행동이나 사고의 경향. ¶～한 인간미. ↔드라이·웨트. ——-하다 형여불

소프트 드링크〔미 soft drink〕명 알코올이 들어 있지 아니한 가벼운 음료(飮料). 소다수·커피·홍차·아이스 크림·주스 같은 것.

소프트 랜딩〔soft landing〕명 연착륙(軟着陸).

소프트 러버〔soft rubber〕명 탁구의 라켓에 붙이는 고무의 일종으로, 스폰지에 고무를 붙인 것. 작은 돌기(突起)를 표면에 낸 것과 안쪽에 낸 것의 두 가지가 있는데, 그 두께는 모두 4 mm 이내로 제한됨.

소프트 렌즈〔soft lens〕명 ↗소프트 콘택트렌즈(soft contact lens).

소프트 론:〔soft loan〕명〖경〗일반적으로 대부(貸付) 조건이 까다롭지 않은 차관(借款). 보통은 현지 통화(現地通貨)로도 변제를 인정함.

소프트 메이크업〔soft make-up〕명 부드러운 느낌을 살린 개성적인 화장법(化粧法).

소프트 모자【—帽子】〔soft〕명 펠트(felt)로 만든, 부드러운 중절 모자(中折帽子). 준소프트(soft).

〈소프트 모자〉

소프트-볼:〔softball〕명 ①가죽으로 만든 둘레 11-12 인치, 무게 6 온스의 공. 야구공보다 크고 무름. ②❶을 가지고 하는 야구의 한 가지. 대체로 야구의 형식과 비슷하여, 한 팀이 9-15 인조로서, 7 회전까지 하고 공격시에 얻은 득점의 누계(累計)로 승패를 지음. 아동·부녀자 사이에 행함.

소프트 사이언스〔soft science〕명 복잡한 사회 현상이나 경제 현상 등을 해결하기 위한 종합적 과학 기술 내지 수법. 조직 공학·정보 과학·행동 과학·사회 생태학 등 새로운 학문적 분야의 종합화로 공해(公害)·마약·인종(人種)·교통·도시 문제와 같이 복잡한 사회 문제의 해결에 응용됨. 소프트 테크놀러지(soft technology).

소프트 산:업【—産業】〔soft〕명 제 3 차 산업 중 특히 무형물(無形物)을 상품으로 다루고 있는 산업. 정보 산업 따위.

소프트-웨어〔software〕명 ①〖컴퓨터〗 컴퓨터 시스템의 작동과 관련된 모든 프로그램과 데이터의 복합체 혹은 프로그램과 그 작동 방법, 절차, 관련된 지식의 총체를 가리키는 용어. 컴퓨터를 관리하는 시스템 소프트웨어와 문제를 해결할 때 쓰이는 다양한 형태의 응용 소프트웨어가 있음. ¶～ 공학(工學) / ～ 위기. ②정보를 표현·전달하는 매체와 구별하여, 정보의 내용을 가리키는 말. 방송 프로그램이나 기록된 음악·영상(映像) 등. 소프트. ¶AV ～. ↔하드웨어.

소프트웨어 공학【—工學】명〔software engineering〕소프트웨어의 개발·보안(保安)·신뢰성(信賴性) 등을 공학적으로 연구하는 학문.

소프트웨어 하우스〔software house〕명〖컴퓨터〗컴퓨터에 사용되는 각종 제어(制御) 프로그램이나 처리(處理) 프로그램을 개발하여 사용자에게 제공하는 프로그램 전문 개발 회사.

소프트웨어 회:사【—會社】〔software〕명 전자 계산기의 이용 기술을 판매하는 회사.

소프트 칼라〔soft collar〕명 풀기가 적고, 감이 부드러운 칼라. 준소프트.

소프트 커:드 밀크〔soft curd milk〕명 엉기는 것이 부드럽도록 처리된 우유. 보통 우유보다 소화가 잘 됨.

소프트 콘택트 렌즈〔soft contact lens〕명 종래의 콘택트 렌즈의 소재를 개량하여, 렌즈의 함수율(含水率)을 높여 산소의 투과성(透過性)을 높인 콘택트 렌즈. 준소프트 렌즈.

소프트 크림〔soft cream〕명 특수한 기계로 공기를 넣으면서 얼린, 무른 아이스 크림.

소프트 테크놀러지〔soft technology〕명 소프트 사이언스.

소프트 페달〔soft pedal〕명〖악〗피아노에서 음을 부드럽게 할 적에 쓰는 피아노의 하부 좌측에 달린 페달. 약음 페달(弱音 pedal).

소프트 포:커스〔soft focus〕명 사진(寫眞)에서, 화면에 부드러운 감을 주기 위하여 초점(焦點)을 흐리게 하는 기법. 연초점(軟焦點).

소프호:스〔러 sovkhoz〕명〖사〗〔sevetskoe khozyaistvd의 약칭〕 소련의 사회주의적 농업 기업으로서의 대규모 국영 농장(國營農場). 국유 경지(國有耕地)에 있어서 근대화된 기계화 농업 경영 형태임. 소련의 지배적인 농업 경영인 콜호스(kolkhoz)에 모범을 보이고 지도를 베푸는 역할을 하였음. 국영 농장(國營農場). ＊콜호스.

소:피【所避】명 오줌 누는 일. ——-하다 자여불

소:피(를) 보다 구 소변 보다. 오줌 누다.

소:-피리【小—】명 6 세기경 고구려에서 사용했던 피리의 하나. 한자어로는 소필률(小篳篥)이라고 하며 대필률(大篳篥)과 대비됨.

소피스트〔sophist〕명〔그리스어로 지자(知者)·현인(賢人)의 뜻〕 ①기원전 5세기경, 주로 아테네의 자유민으로서 필요한 교양·학예, 특히 변론술의 교수를 업으로 삼던 사람들의 일컬음. 프로타고라스·고르기아스·프로디코스 등이 그 대표자임. 궤변을 농(弄)하고 변론을 위한 변론을 능사로 삼아, 궤변가의 뜻으로 쓰임. 궤변학파. ②궤변가. 이론가. 곡론가(曲論家).

소피스티케이션〔sophistication〕명 궤변을 농하는 일. 궤변.

소피스티케이티드 코미디〔sophisticated comedy〕명〖연〗영화·연극 등에서 빈정대는 도회 취미(都會趣味)의 세련된 희극(喜劇).

소피아¹〔Sofia〕명〖지〗불가리아의 수도. 유럽과 아시아를 연결하는 철도(鐵道)·항공로의 중요 지점임. 한때 훈족(Hun族)·터키·러시아에 침략을 당하였다가 1878년에 불가리아 수도가 됨. 기계·화학·섬유·전기 기구·피혁 공업이 행하여지며, 11세기에 세워진 소피아 교회가 있음. [1,140,000 명(1995 추계)]

소피아²〔그 sophia〕명〔지혜(智慧)의 뜻〕사물에 대한 완전한 인식 또는 최고선(最高善)에 대한 지식(知識). 그리스 사람은 이를 지덕(至德)의 하나로 삼았음.

소:-피트【小—】〔Pitt〕명〖사람〗피트².

소:핍자 상:량문【所乏者上樑文】〔-냥-〕명 가장 필요한 물건이 빠지고 없음을 이르는 말.

소:하¹【小蝦】명 대하(大蝦)의 새끼.

소:하²【所下】명〖지〗전에, 경기도 시흥군(始興郡)에 속했던 한 읍(邑). 지금의 광명시(光明市).

소하³【消夏·銷夏】명 여름의 더위를 덜어 잊게 함. 피서(避暑). 소서(消暑). ——-하다 자여불

소하⁴【遡河】명 바닷물고기가 산란(産卵)을 위해서 강물로 거슬러 올라감. ——-하다 자여불

소-하⁵【蕭何】명〖사람〗중국, 한 고조(漢高祖) 때의 명재상(名宰相). 장쑤 성(江蘇省) 출생. 장량(張良)·한신(韓信)·조참(曹參)과 함께 고조의 공신 중의 한 사람. 재상 때에 진(秦)나라의 법률을 버리고 ≪율구장(律九章)≫을 만들었음. [?-193 B.C.]

소:-하다【素—】자타여불 육식(肉食)을 하지 아니하고 채소만을 먹다.

소하-성【遡河性】〔-썽〕명 물고기가 산란(産卵)을 위해서 바다에서 육지의 강물로 거슬러 올라가는 성질.

소하-어【遡河魚】명 생애의 대부분을 바다에서 보내고 산란할 때에만 강물로 올라오는 물고기. 연어·송어 같은 것. ↔강하어(降河魚).

소:하-적【小蝦炙】명 작은 소하를 껍질을 벗기어 넣고 부친 적.

소:하 지짐이【小蝦—】명 작은 소하로 만든 지짐이.

소하 회유【遡河回游】명〖어〗바다에서 강으로 거슬러 올라가는 회유. ↔강하(降河) 회유.

소:학¹【小學】명 ①중국의 하(夏)·은(殷)·주(周) 시대의 학교. 당시의 보통 교육인, 쇄소(灑掃)·응대(應對)·진퇴(進退)의 범절과 사친(事親)·경장(敬長)·융사(隆師)·친우(親友)의 예절 및 조자(造字)의 근본(根本)을 배웠음. 여덟 살에 입학하였음. ②↗소학교.

소:학²【小學】명〖책〗중국 송(宋)나라의 유자징(劉子澄)이 주희(朱熹)의 가르침을 받아 지은 책. 쇄소(灑掃)·응대(應對)·진퇴(進退)의 예법과 선행(善行)·가언(嘉言)을 고금(古今)의 책에서 뽑아 편찬하였음. 6 권 5 책.

소:학³【所學】명 배울 만한 일. 학문(學問). 배운 바.

소:학⁴【笑謔】명 웃으며 농지거리함. ——-하다 자여불

소학⁵【疎學】명 ①학문에 어두움. 또, 학문을 물리치고 멀리함. ②자기의 학식·학문을 낮추어 이르는 말.

소:-학교【小學校】명 초등(初等) 학교의 옛 이름. 준소학.

소:학교 졸업【小學校卒業】명 소학교를 졸업함. 준소졸.

소:학-생【小學生】명 소학교에 다니는 학생. ＊초등 학생.

소:학 언:해【小學諺解】명〖책〗소학을 한글로 풀어 새긴 책. 처음의 것은 중종(中宗) 때 최숙생(崔淑生)이 편찬하였으나, 지금 전하는 것은 영조(英祖)가 친히 번역한 것으로, 영조 20년(1744)에 간행된 것과 선조(宣祖) 19년(1586)에 간행된 것의 두 가지가 있음. 6 권 5 책. ＊번

역 소학(飜譯小學).

소:학지-희【笑謔之戲】[—히] 명 〖연〗 우스운 말로 된 간단한 연극. 한 사람의 광대가 자문 자답(自問自答)하면서 하는 것이 보통임.

소:학 편몽【小學便蒙】명 〖책〗 조선 중종 32년(1537) 최세진(崔世珍)이 왕에게 진상하여 간행한 책. 현재 전하지 아니하나 그 내용은 중국어 교과서인 듯함.

소:한[1]【小寒】명 이십사 절기(二十四節氣)의 스물 세째. 태양의 황경(黃經)이 285°인 때. 동지(冬至)와 대한(大寒) 사이인 양력 1월 6일경이 됨. 겨울 절기 중에서 가장 추움. ↔대한(大寒).
[소한 추위는 꾸어다가라도 한다] 소한 때는 반드시 추운 법이라는 말.

소:한[2]【小閑】명 소가(小暇).

소한[3]【宵旰】명 ↗소의 한식(宵衣旰食).

소한[4]【消閑】명 한가한 겨를을 메움. 심심풀이함. 파적(破寂). ——-하다 자여불

소한[5]【消寒】명 추위를 견디어 이겨 냄. ——-하다 자여불

소한[6]【霄漢】명 하늘. 창천(蒼天).

소-한(:)신【蘇漢臣】명 〖사람〗 중국 송(宋)나라의 화가. 허난 성(河南省) 카이펑(開封) 사람. 섬세·선려(鮮麗)를 극한 사실적 묘사에 뛰어난 송조 화원(宋朝畫院)의 대표적 화가의 한 사람임. 생몰 연대 미상.

소:할【所轄】명 관할하는 바. 관할(管轄).

소:-함대【小艦隊】명 소수의 함선(艦船)으로 구성된 함대.

소합-원【蘇合元】명 〖한의〗 소합환(蘇合丸).

소합-유【蘇合油】명 소합향(蘇合香)❷.

소합-향【蘇合香】명 ①〖식〗 [*Liquidambar orientalis*] 조롱나뭇과에 속하는 낙엽 교목. 높이 10 m 가량, 잎은 장상(掌狀)이며 3-7 갈래로 째지고 엽병(葉柄)이 김. 자웅 동주(雌雄同株)임. 소아시아에 분포함. ②소합향의 수지(樹脂). 약용·향료로 씀. 소합유(蘇合油).

소합-환【蘇合丸】명 〖한의〗 위장(胃腸)을 맑게 하고 정신을 쾌하게 하는 약. 소합원(蘇合元).

〈소합향❶〉

소:항[1]【小巷】명 작은 누항(陋巷).

소:항[2]【小港】명 규모가 작은 항구. 소항구.

소항[3]【溯航】명 수류(水流)를 거슬러 항해(航海)함. ——-하다 자여불

소:-항구【小港口】명 소항(小港).

소-해[1] 명 〈속〉 〖민〗 축년(丑年).

소:해[2]【掃海】명 〖군〗 바다 속에 부설(敷設)된 기뢰(機雷) 등을 제거하여 항해를 안전하고 자유롭게 하는 작업. 보통 물에 얕게 잠기는 배를 사용할 때도 있으나 흔히 두 척의 단정(端艇) 또는 기정(汽艇) 사이에 폭발물(爆發物)을 단, 가는 줄을 바다 깊이 담가 이것을 끌어 기뢰를 포착하여 폭발시킴. ¶ ~ 작업.

소해[3] 〈옛〉 소에. '소[7]'의 처격형. =소히. ¶ 여흘란 어듸 두고 소해 자라 온다 ≪樂詞 滿殿春別詞≫.

소:해-삭【掃海索】명 소해 작업에 쓰는 바. 계유식(繫維式) 촉발 기뢰(觸發機雷)의 계유삭(繫維索)을 절단하여 물 위에 떠오른 기뢰를 사격해서 폭발시키기 위해 쓰임.

소:해-선【掃海船】명 〖군〗 소해(掃海)용의 배. 소해정(掃海艇).

소:-해손【小海損】명 항해에 임하여 선박이나 적하(積荷)에 대하여 보통 생기는 손해나 실비(失費)를 말함. 선박의 소모, 연료의 소비, 도선료(導船料) 따위. 공동 해손(共同海損) 또는 해상 충돌과는 구별되며, 이 소해손은 선주(船主)가 운송비에서 치르게 됨.

소:해-정【掃海艇】명 〖군〗 부설된 기뢰 따위 위험물을 수색·제거하여 항로(航路)의 안전을 도모하는 일을 담당한 함정(艦艇). 소뢰정(掃雷艇). 소해선(掃海船).

소:핵【小核】명 [micronucleus] 〖생〗 원생(原生) 동물의 섬모충류(纖毛蟲類)에서 볼 수 있는 핵(核)의 한 형(型). 유사 분열(有絲分裂)에 의하여 증가하며 일반적으로 고등 생물의 생식 세포핵에 상당함.

소:행[1]【所行】명 이미 하여 놓은 나쁜 짓. 소위(所爲). ¶ ~이 괘씸하다.

소행[2]【素行】명 본디의 행실. 평소의 품행. ¶ ~이 나쁘다.

소행[3]【宵行】명 밤길을 감. ——-하다 자여불

소행[4]【溯行】명 물의 흐름에 거슬러 올라감. ——-하다 자여불

소:-행성【小行星】명 〖천〗 화성(火星)과 목성(木星) 사이의 궤도(軌道)에서 태양을 도는 작은 천체(天體). 1801년 피아치(Piazzi, G.)가 제1호로 케레스(Ceres)를 발견한 이래, 발견된 순차로 확인된 번호를 붙여, 1989년 5월 20일까지 4,108번임. 총수는 4×10^3개로 추정됨. 그 직경은 최대가 케레스로 770 km, 보통 100 km 이하, 작은 것은 1 km 이하임. 항성에 대한 주기는 짧은 것이 13개월, 긴 것은 14년까지 감. 5-6년 되는 것이 가장 많은데, 그 성인(成因)은 아직 밝혀지지 않음. 소유성(小遊星). 소혹성(小惑星).

소행-죽【蘇杏粥】명 같은 양의 차조기씨와 살구씨를 매에 갈아서 받친 다음에 쌀 뜨물을 붓고 쑤다가 꿀을 탄 죽.

소:향[1]【所向】명 향하여 가는 곳.

소향[2]【燒香】명 분향(焚香). 염향(拈香). ——-하다 자여불

소:향 무적【所向無敵】명 어디를 가든지 대적할 상대가 없음. ——-하다 형여불

소향 억제【溯向抑制】명 [retroactive inhibition] 〖심〗 하나의 사물을 학습하거나 외운 뒤, 다른 심적(心的) 작업을 할 때에 그 뒤의 것으로 인하여 먼저 학습한 것의 내용의 상기(想起)가 어려워지는 일. 그 전과 후의 학습의 내용이 유사(類似)할 때에 그 억제(抑制) 효과는 더욱 큼. *순향(順向) 억제.

소:-향탁【素香卓】명 장사 지내기 전에 쓰는, 칠하지 아니한 향탁.

소:허【少許】명 얼마 안 되는 분량.

소:허사-도【小許沙島】명 〖지〗 전라 남도 서해상, 신안군(新安郡) 임자면(荏子面)에 위치한 무인도. [0.24 km²]

소헌 왕후【昭憲王后】명 〖사람〗 조선 시대 세종의 비(妃). 청송(青松) 사람. 청천 부원군(青川府院君) 심온(沈溫)의 딸. 심온이 한때 역적으로 몰렸으나, 내조(內助)의 공이 커서 왕비의 지위는 무사하였고 8남 2녀를 두었음. [1395-1446]

소현 세:자【昭顯世子】명 〖사람〗 조선 시대 인조의 세자. 심양(瀋陽)에 8년간 볼모가 되어 갔다가 돌아온 지 얼마 아니 되어 폭사(暴死)하였음. 인조의 후궁 조소용(趙昭容)과 불화하여 약에 중독되어 죽었다는 설도 있음. [1612-45]

소혈【巢穴】명 소굴(巢窟).

소:-협주곡【小協奏曲】명 [이 concertino] 〖악〗 소규모의 협주곡.

소:형[1]【小兄】명 〖역〗 고구려 후기 직제(職制)의 칠품쯤되는 벼슬. 실지(失支).

소:형[2]【小形】명 물건의 작은 형체. ↔대형(大形).

소:형[3]【小型】명 작은 형(型). ¶ ~ 라디오. ↔대형(大型).

소:형[4]【小荊】명 〖식〗 싸리나무.

소:형[5]【素馨】명 〖식〗 말리(茉莉).

소:형-기【小型機】명 전투기·정찰기·함재기(艦載機) 및 기타 비교적 기체가 작은 비행기의 총칭.

소:형 면:허【小型免許】명 자동차 운전 면허의 하나. 제1종 소형 면허와 제2종 소형 면허가 있음. 제1종으로는 삼륜 화물 자동차·삼륜 승용 자동차·원동기 장치 자전거를 운전할 수 있으며, 제2종으로는 이륜 자동차·원동기 장치 자전거를 운전할 수 있음. *대형 면허·보통 면허·특수 면허·원동기 장치 자전거 면허.

소:형 자동차【小型自動車】명 ①크기가 작은 자동차. ②자동차 관리법 시행 규칙에서 분류한 자동차의 한 종류. 배기량 1,500 cc 미만의 승용(乘用) 자동차, 승차 정원 15인승 이하의 승합(乘合) 자동차, 최대 적재량 1톤 이하의 화물 자동차, 견인 능력 5톤 이하의 특수 자동차, 배기량 100 cc 이하이거나, 정격 출력 1킬로와트 미만의 이륜(二輪) 자동차 등이 있음. ㊟소형차. *중형 자동차·대형 자동차·특수 자동차.

소:형-주【小型株】명 〖경〗 보통, 자본금이 적은 회사의 주식. 대형주와는 달리 적은 유통 자금으로도 주가(株價)가 크게 움직임. ↔대형주(大型株).

소:형 컴퓨:터【小型—】[computer] 명 〖컴퓨터〗 미니 컴퓨터.

소:형-차【小型車】명 ↗소형 자동차.

소:형 행성【小型行星】명 〖천〗 지구보다 작은 행성. 특히, 수성(水星)·금성(金星)·화성(火星)·명왕성(冥王星)을 가리킴.

소:혜【小慧】명 작은 지혜. 소지(小智).

소혜 왕후【昭惠王后】명 〖사람〗 조선 시대 덕종의 비(妃). 성은 한씨(韓氏). 청주(清州) 사람. 좌의정 확(確)의 딸. 불경(佛經)에 조예가 깊어 범(梵)·한(漢)·국(國) 삼자체(三字體)로 쓴 불서(佛書)와 부녀자의 예의 범절을 위한 ≪여훈(女訓)≫을 남겼음. 처음 인수 왕비(仁粹王妃)로 진봉(進封)되었다가 소혜(昭惠)로 개봉되었음. 인수 왕비. [1437-1504]

소:호[1]【小戶】명 ①작은 집. ②가난한 집. ③식구가 적은 가구(家口).

소:호[2]【小毫】명 ①아주 작은 터럭. ②분량이나 정도(程度)가 몹시 작거나 적음을 가리키는 말.

소:호[3]【小壺】명 작은 단지.

소:호[4]【少昊·少皞】명 중국에 있어서, 태고(太古) 시대의 전설상의 제왕(帝王). 이름은 현효(玄囂), 호(號)는 금천씨(金天氏). 황제(黃帝)의 아들. 태호 포희씨(太昊庖犧氏)의 법(法)을 닦았으므로 소호라 이름. 금덕(金德)으로써 왕이 되었으므로, 후세(後世)에, 가을을 다스리는 신으로 모심. 곡부(曲阜)에 도읍함. 재위(在位) 84년.

소-호[5]【沼湖】명 늪과 호수. 호소(湖沼).

소호[6]【巢湖】명 〖지〗 '차오후(巢湖)'를 우리 음으로 읽은 이름.

소-호[7]【瀟湖】명 〖지〗 중국의 샤오수이(瀟水) 강과 둥팅 호(洞庭湖).

소호[8]【SOHO】명 [small office home office의 약칭] 최첨단 비즈니스의 한 형태. 개인이 인터넷을 활용하여 자기 집이나 작은 사무실에서 자신의 전문 지식이나 경험, 새로운 아이디어 등을 사업화하는 것을 일컬음.

소호-당【韶護堂】명 〖사람〗 김택영(金澤榮)의 호(號).

소:호-좌【小狐座】명 〖천〗 여우자리.

소:-호지【小好紙】명 대호지(大好紙)보다 품질이 낮고 작은 종이.

소:-혹성【小惑星】명 [asteroid] 〖천〗 소행성(小行星).

소혼【消魂】명 몹시 근심하여 넋이 빠짐. ——-하다 자여불

소혼 단:장【消魂斷腸】명 근심과 설움으로 넋이 빠지고 창자가 끊어지는 듯함. ——-하다 자여불

소홀【疎忽】명 대수롭지 않고 예사임. 탐탁하지 않고 범연함. ¶ 준비가 ~하다. ——-하다 형여불. ——-히 부

소홈 명 〈옛〉 소름. 도톨도톨 돋아난 것. ¶ 須達이 부텨와 즁괏 마룰 듣고 소홈 도텨 自然히 모수매 깃븐 쁘디 이실씨 ≪釋譜 Ⅵ:16≫.

소:화[1]【小火】명 ①작은 불. ②작은 화재(火災). 1)·2):↔대화(大火).

소:화[2]【小話】명 짤막한 이야기. ¶ 프랑스 ~.

소:화[3]【所化】명 〖불교〗 불교에 귀의(歸依)한 사람. 교화(教化)를 받은 제자(弟子). ↔능화(能化).

소화[4]【昭和】명 '쇼와(昭和)'를 우리 음으로 읽은 이름.

소화[5]【宵火】명 반딧불.

소화[6]【消火】명 붙은 불을 끔. ¶ ~ 설비/ ~ 작업. ——-하다 자여불

소화[7]【消化】명 ①[digestion] 〖생〗 섭취한 음식물을 체내에서 흡수(吸收)할 수 있는 액체로 만들고 세포(細胞)에 의하여 이용될 수 있는 단순한 형태로 변화시키는 물리적·화학적 작용 또는 그 과정. 보통은 소화 기관 내에서 소화액의 분비(分泌)에 의하여 행하여짐. ②읽거나 들은 것을 충분히 이해하여서 자기의 지식으로 만듦. ¶ 제대로 ~ 못 한 지식. ③공채(公債) 또는 상품(商品) 등을 팔아 없앰. ¶ 상품을 ~시키다. ④광석(鑛石)을 농축할 때, 광물 성분의 선택적인 용해(鎔解). ⑤미생물 작용에 의한 유기(有機) 배출물의 액화(液化). ¶ ~ 오니(汚泥).

——-하다 자타여불

소화[8] 【消和】 명 〔slaking〕 〖화〗 생석회(生石灰)에 물을 부어 소(消)석회로 만드는 일. ——-하다 타여불

소:화[9] 【笑話】 명 우스운 이야기.

소:화[10] 【素花】 명 흰 꽃.

소화[11] 【疎畫】 명 거칠게 그린 그림. 대강 그린 그림.

소화[12] 【昭和】 명 아름답고 부드러움. ——-하다 형여불

소화[13] 【韶華】 명 ①봄의 화창한 경치. 소광(韶光). ②젊은 때. 청춘 시대. ③젊은이처럼 빛나는 늙은이의 얼굴 빛.

소화[14] 【燒火】 명 불사름. 불에 태움. ——-하다 타여불

소화[15] 【燒化】 명 태워서 질(質)을 변화시킴. ——-하다 타여불

〈소화 계〉

소화-계 【消化系】 명 〖생〗 소화 작용에 관계되는 기관. 소화 계통.

소화 계:통 【消化系統】 명 〖생〗 소화계(消化系).

소화-관 【消化管】 명 〔alimentary canal〕 〖생〗 강장 동물(腔腸動物) 외의 동물에서 흔히 볼 수 있는, 앞뒤가 환히 열린 관상(管狀)의 소화기(消化器). 식도(食道)·위장(胃腸) 등으로서, 음식물이 그 곳을 지날 때 소화하게 되어 있음. 삭임관.

소:-화기[1] 【小火器】 명 〖군〗 소구경(小口徑)의 총기(銃器)인 소총(小銃)·기관총(機關銃)·권총·엽총 따위. 최대 구경은 각 군별(軍別)로 다르나 대개 0.6인치 내지 1인치 이내임. ¶～ 탄약/개인 ～.

소화-기[2] 【消火器】 명 화재시 초기(初期)에 그 불을 끄는 데 쓰는 기구. 보통, 금속으로 만든 원통(圓筒)으로, 압착 공기(壓搾空氣)를 이용하는 분수 소화기(噴水消火器), 화학적(化學的)으로 발생시킨 탄산 가스를 분출시키는 탄산 가스 소화기, 중탄산소다(重炭酸 soda) 가루를 분출시키는 분말(粉末) 소화기, 탄산 가스의 기포(氣泡)를 분출하는 포말(泡沫) 소화기 등이 있음.

〈소화기²〉

소화-기[3] 【消化器】 명 〔digestive organ〕 〖생〗 동물의 몸에 있어 섭취한 영양물을 소화하는 기관(器官). 보통 소화관(消化管)과 소화선(消化腺)으로 이루어지는데, 입 주위의 기관도 포함하여 일컬음. 사람의 경우 구강(口腔)·식도(食道)·위(胃)·장(腸)·항문(肛門) 및 타액선(唾液腺)·간장(肝臟) 등으로 이루어짐. 소화 기관(消化器官). 삭임 기관. 삭임틀.

소화 기관 【消化器官】 명 〖생〗 소화기(消化器).

소:-화도 【小和島】 명 〖지〗 평안 북도 서남해, 철산군(鐵山郡)에 위치한 섬. [1.573 km²]

소화-력 【消化力】 명 음식물을 소화시키는 능력.

소:-화물 【小貨物】 명 철도에서, 여객 열차로 신속하게 운송되는, 수화물(手貨物) 이외의 가볍고 작은 화물. ↔대(大)화물. *수(手)화물.

소화-법 【燒火法】 [—뻡] 명 〖농〗 원야(原野) 개간 방법의 하나. 그 토지의 잡초·잡목을 베어 방치해 두었다가 이듬해 봄에 불에 태운 뒤 조나 옥수수 따위를 심는 방법.

소화 불량 【消化不良】 명 〖의〗 먹은 음식이 잘 소화되지 아니하는 병. 위장의 소화 흡수 작용이 장애를 받아 위장에 불쾌감과 동통(疼痛)을 느끼게 되며 때로는 설사·구토·식욕 감퇴·발열(發熱)·영양 불량 등을 일으킴. 피로·운동 부족·폭음(暴飮)·폭식(暴食) 및 소화가 잘 안 되는 음식물이나 상한 것을 먹음으로써 일어남.

소화 불량성 중독증 【消化不良性中毒症】 [—썽—] 명 〔도 Dyspeptische Toxikose〕 〖의〗 식이성(食餌性) 중독증.

소-화산 【消火山】 명 〖지〗 사화산(死火山).

소화-샘 【消化—】 명 〖생〗 소화선(消化腺).

소화-선 【消化腺】 명 〔digestive gland〕 〖생〗 소화기의 부속 기관으로, 소화액을 분비(分泌)하는 선(腺). 타선(唾腺)·위선(胃腺)·췌장(膵臟)·간장(肝臟)·장선(腸腺) 등의 총칭. 삭임샘. 소화샘.

소화 설비 【消火設備】 명 소방 시설의 하나. 물이나 소화제(消火劑)를 써서 불을 끄는 기계·기구·설비의 총칭. 소화기·물탱크·소화전(消火栓)·스프링클러(springkler)·동력 소방 펌프 등.

소화성 궤:양 【消化性潰瘍】 [—썽—] 명 〔peptic ulcer〕 〖의〗 위궤양·십이지장 궤양의 별칭. 위궤양과 십이지장 궤양에서 위액(胃液)의 자체 소화 작용이 중대한 역할을 하기 때문에 일컫는 말.

소화-액 【消化液】 명 〖생〗 먹은 음식물을 소화하기 위하여 선세포(腺細胞)로부터 소화관내(消化管內)로 분비되는 액체. 효소(酵素)·산소(酸素) 등을 포함하는 타액(唾液)·위액(胃液)·췌액(膵液) 등의 총칭. 삭임물.

소화-약 【消化藥】 명 〖약〗 소화제(消化劑).

소화 오니 【消化汚泥】 명 혐기성 균(嫌氣性菌)에 의해 분해된 물이 섞인 오니(汚泥) 또는 고농도(高濃度)의 고형(固形) 오물.

소:화 외:사 【小華外史】 명 〖책〗 조선 시대에 오경원(吳慶元)이 고려 이후로 우리 나라와 명(明)나라와 관계되어 온 사실을 적은 책. 순조 30년(1830)에 간행, 고종 6년(1869)에 재판(再版)하였음. 12권 6책.

소화-율 【消化率】 명 ①음식물의 양분의 양(量)에 대하여 그 양분의 소화·흡수된 비율을 백분율(百分率)로써 나타낸 수치(數値). ②읽거나 들은 것의 양과, 그 속에서 완전히 이해하여 자기의 지식으로 만든 것의 양과의 비율. ③일정한 양의 공채(公債)나 상품(商品)과 그 중 팔거나 처분한 양과의 비율.

소:-화자 【小火者】 명 〖역〗 환관(宦官)의 후보. 곧, 장래 환관이 될 고자인 소년.

소화 작용 【消化作用】 명 〔digestion〕 〖생〗 먹은 음식물의 영양분을 분해(分解)하여 물에 녹기 쉽고 흡수되기 쉬운 물질로 변화시키는 작용. 소화 기관의 소화액에 의하여 이 작용을 행함.

소화 장치 【消化裝置】 명 〔digester〕 오니(汚泥)를 가열하기 위한 뜨거운 물이나 증기(蒸氣)의 배관(配管)을 갖춘 오니(汚泥) 소화 탱크.

소화-전 【消火栓】 명 〔fire hydrant〕 불을 끄는 데 쓰이는 수도의 급수전(給水栓). 화재가 일어났을 때 호스를 이 마개에 끼워서 물을 뿜어 나오게 함. 지상식(地上式)과 지하식(地下式)이 있으며, 그 소재를 쉽게 발견할 수 있도록 표지를 하여 둠. 방화전(防火栓).

소화-제[1] 【消化劑】 명 〔digestant〕 〖약〗 소화를 촉진(促進)하는 약제. 병이 나서 생리적으로 분비되어야 할 소화액(消化液)이 불충분할 경우에, 이것을 보충 또는 분비를 촉진시키거나, 소화기(消化器)의 운동이나 흡수 작용에 장애가 있는 경우에 이것을 회복시키기 위한 약제의 총칭. 소화 효소제(消化酵素劑)·디아스타아제(Diastase)·펩신(pepsin)·트립신(trypsin) 등. 소화약(消化藥). 소식제(消食劑).

소화-제[2] 【消火劑】 명 불이 났을 때 불을 끄기 위해 쓰이는 화학 물질. 탄산수소나트륨 따위.

소화 중독제 【消化中毒劑】 명 〖약〗 살충제(殺蟲劑)의 한 분류명(分類名). 곤충의 입을 통하여 그 체내에 들어가 소화 기관으로 흡수되어 중독 작용을 일으켜 죽게 하는 작용을 하는 약제. 살충제의 대부분은 이에 해당함.

소화-탄 【消火彈】 명 불이 난 곳에 던져서 불을 끄는 소화 기구의 하나. 「불을 끄는 액체를 내뿜음.

소화 효소 【消化酵素】 명 〔digestive enzyme〕 〖생〗 소화에 관계되는 효소의 총칭. 일반적으로 가수 분해(加水分解) 작용을 하며, 소화선(消化腺)에서 분비되는 것과 세포 내의 소화에 관계되는 것이 있음. 단백질 분해 효소인 프로테아제(protease), 탄수화물 분해 효소인 말타아제(maltase)·아밀라아제(amylase) 등과 지방(脂肪) 분해 효소인 리파아제(lipase) 등으로 나뉨.

소화 흡수율 【消化吸收率】 명 섭취한 음식물 중의 영양 성분이 소화관에서 흡수되는 비율. 미흡수분은 분변(糞便)으로서 배설되는데, 분변 중에는 단백질·지방(脂肪) 등의 대사 산물(代謝產物) 등이 혼입(混入)되어 있기 때문에 그 혼입 물량을 제외한 분변량이 미흡수 성분량으로 쓰임.

소:환[1] 【小宦】 명 〖역〗 나이 젊고 지위가 낮은 환관(宦官).

소환[2] 【召喚】 명 〖법〗 피고인(被告人)·증인(證人)·변호인(辯護人)·대리인(代理人) 등에 대하여 공판 기일(公判期日)이나 그 밖의 일정한 일시에 법원(法院) 또는 법원에 의하여 지정된 장소에 출두할 것을 명령하는 일. ¶～장(狀)/증인을 ～하다. ——-하다 타여불

소환[3] 【召還】 명 ①일을 마치기 전에 불러 돌아오게 함. ②〖법〗 국가나 지방 자치 단체의 공직(公職)에 있는 자를 그 임기 종료 전(任期終了前)에 국민 또는 주민(住民)의 발의(發意)에 의하여 파면시키는 제도. ③〖법〗 파견국(派遣國)의 명령에 의한 외교 사절(外交使節)이나 영사(領事)의 귀환(歸還). ¶대사를 ～하다. ——-하다 타여불

소환-권 【召還權】 [—꿘] 명 〖정〗 공직(公職)에 있는 사람이 신임을 잃었을 때 선거민들이 언제든지 소환할 수 있는 권리. 우리 나라에는 이 제도가 없음. *국민 소환(國民召還).

소환-장[1] 【召喚狀】 [—짱] 명 〖법〗 ①민사 소송법상, 당사자나 그 밖의 소송(訴訟) 관계인에 대하여 기일(期日)을 고지(告知)하여 출석을 명하는 뜻을 기재한 서면. 호출장(呼出狀). ②형사 소송법에서, 영장(令狀)의 한 가지. 소환(召喚)의 재판을 기재한 재판서(裁判書).

소환-장[2] 【召還狀】 [—짱] 명 〖법〗 파견된 외교 사절(外交使節)이나 영사(領事)를 귀환하게 하는 영장(令狀).

소환-제 【召還制】 명 〖정〗 임기(任期) 만료 전에 선거민의 투표에 의하여 공무원을 파면시키는 제도. 직접 민주 정치 제도의 하나임. 리콜제(recall 制).

소활[1] 【疎闊】 명 ①서로 서먹서먹하여 가깝지 아니함. 소원. ②성품이 짜이지 못하고 어설픔. ——-하다 형여불

소활[2] 【疏豁】 명 앞이 탁 트이어 넓음. ——-하다 형여불

소:-황충 【小蝗蟲】 명 〖충〗 벼메뚜기.

소:회[1] 【小會】 명 인원수(人員數)가 적은 집회. ↔대회(大會).

소:회[2] 【所懷】 명 마음에 품고 있는 회포. ¶～의 일단을 말하다.

소회[3] 【素懷】 명 평소에 품고 있는 회포 또는 뜻.

소회[4] 【紹恢】 명 〔회(恢)는 대(大)의 뜻〕 선대(先代)의 사업을 이어받아 이를 크게 함. ——-하다 자여불

소회[5] 【遡洄】 명 흐르는 물의 위로 거슬러 올라감. ↔소유(遡游). ——-하다 자여불

소:-회죄경 【小悔罪經】 명 〖천주교〗 '통회의 기도'의 구용어.

소:-회향 【小茴香】 명 〖한의〗 회향(茴香)의 한 가지. 산증(疝症)·요통(腰痛)·복통(腹痛)·위한(胃寒) 등에 약으로 쓰임.

소:-횡간도 【小橫干島】 명 〖지〗 전라 남도의 남해상(南海上), 여수시(麗水市) 남면(南面) 횡간리(橫干里)에 위치한 섬. [0.08 km²]

소:후 【小堠】 명 〖역〗 조선 시대 때, 지방 도로에 10리(里)마다 세운 이정표(里程標). *대후(大堠).

소:후-가 【所後家】 명 양가(養家).

소:후-모 【所後母】 명 양모(養母).

소:후-부 【所後父】 명 양부(養父).

소훈 【昭訓】 명 〖역〗 조선 시대 때, 세자궁(世子宮)에 딸린 여관(女官)으로 종오품 내명부(內命婦)의 품계. 승휘(承徽)의 아래. *양제(良娣).

소훼 【燒燬】 명 불에 탐. 또는 불에 태워 버림. ——-하다 자타여불

소흉 【嘯兇】 명 악한 무리들. 악당(惡黨).

소:-흑산도 【小黑山島】 명 〖지〗 전라 남도의 서해상(西海上), 신안군(新安郡) 흑산면(黑山面) 소흑산리(小黑山里)에 위치한 흑산 군도(黑山群

島)의 한 섬. 한국의 섬 중에 최서남단에 위치함. 김·굴·미역 등의 수산물이 많아 제주도 등지에서도 출어함. 근해에는 농무(濃霧)가 심하여 섬의 서북단에 있는 등대(燈臺)에는 무적(霧笛)이 설치(設置)되어 있음. ＊흑산도(黑山島). [9.18 km² : 1,261 명(1984)]

소흔【燒痕】명 탄 자취. 탄 흔적.

소흥【紹興】명 〖지〗 '사오싱'을 우리 음으로 읽은 이름.

소:-흥안령【小興安嶺】[—알—] 명 〖지〗 소싱안링.

소흥-주【紹興酒】명 사오싱 주(酒).

소:희[1]【笑戲】[—히] 명 웃으며 장난하는 일. ——-하다 자여불

소희[2] 〈옛〉 소에. '소[7]'의 처격형. ¶ 至匊忩 至匊忩 於思臥 말가훈 기픈 소희 온갓 고기 뛰노느다 《古時調 尹善道》. 「《松江 星山別曲》.

소히 〈옛〉 소가. '소[7]'의 주격형. ¶ 環碧堂 龍의 소히 빗머리예 다하셰라

소ᄒᆞ다 타 울을 얽다. 울을 하다. ¶ 힌 불라 다믈 밍ᄀᆞ로디 대로 소ᄒᆞ야 굿눌로믈 뵈ᄂᆞ니(鏝爲墻實以竹 示式遏)《初杜諺 XXV:2》.

소히 〈옛〉 소에. '소[7]'의 처격형. =소해[3]. ¶ 스스로 기픈 소히 싸디니 도적기 죽그니라(自投深淵賊殺之)《東國新續三綱 烈女圖 Ⅳ:62 柳氏投淵》. ＊히[3].

속:[1] 명 ①깊숙한 안. ¶ 뼈~까지 스미다/산 ~/숲 ~/물 ~/이불~. ↔겉. ②깊숙한 안에 들어 있어서 중심을 이룬 유형·무형의 사물. ¶ 수박 ~/호두의 ~/연필 ~. ③↗뱃 속. ¶ ~이 편치 않다. ④마음 자리. 심보. ¶ ~이 검은 사람/~이 빤히 들여다보이는 소리/~ 다르고 겉 다르다. ⑤철이 난 생각. ¶ ~ 좀 차려라. ⑥속내평. 내막. ¶ 남의 ~도 모르고. ⑦본심. 진심. ¶ 여자들이란 추어 주기만 하면 대번 ~을 뽑아 주는 버릇이 있다《李無影 : 三年》.
[속 각각 말 각각] 하는 말과 생각이 다르다는 뜻. [속 빈 강정] 속에는 아무 실속도 없이 겉만 그럴 듯한 것의 비유. [속에서 쪼르륵 소리가 난다] 뱃 속이 비었다 함이니, 가난하여 끼니를 못 먹는다는 뜻. [속으로 기역자를 긋는다] 결정지어 마음 먹는다는 말.

속[2]【屬】명 ①딸린 것. ②↗속관(屬官). ③[genus] 〖생〗 생물 분류의 단위(單位)의 하나. 과(科)와 종(種)과의 중간(中間)에 딸림. ——-하다 자여불 무엇에 딸리다.

속[3]【贖】명 대갚음으로 바침. ——-하다 타여불

속[4]【束】의명 ①묶음⊟. ②뭇[3]❸.

속[5]【續】관 어떤 명사 위에 더하여 그 전의 것에 잇대어 된 뜻을 표하는 말. ¶ ~ 삼강 행실도(續三綱行實圖)/~ 미인곡(美人曲).

속가[1]【俗家】명 ①불교나 도교(道教)를 믿지 아니하는 사람의 집. ②중이 태어난 집. 중의 생가(生家). 「歌)'의 딴이름. 속요(俗謠).

속가[2]【俗歌】명 ①속된 노래. 속창(俗唱). ↔악가(樂歌). ②〖악〗 '잡가(雜

속:-가량【—假量】명 속으로 대강 쳐 보는 셈. ¶ 모두 만 원은 될 것이라고 ~해 보다. ↔겉가량. ——-하다 타여불

속:-가루 명 무엇을 빻아 가루를 내는 때에 나중에 되는 가루. 쌀 같은 것은 속 부분이 나중에 가루가 되고 고추 같은 것은 껍질이 나중에 가루가 되는데, 이 나중에 되는 가루가 맛이 좋고 맵고 함. ↔겉가루.

속:-가비 명 〈방〉 속고의(함경).

속:-가죽 명 겉가죽 속에 있는 가죽. 내피(內皮). ↔겉가죽.

속:-가지 명 〖언〗 '접요사(接腰辭)'의 풀어 쓴 말.

속각【粟殼】명 ↗앵속각(罌粟殼).

속:간[1] 명 ☞ 속셈. ¶ 인태는 ~이 있어 하는 말이다《李無影 : 三年》.

속간[2]【俗間】명 민간(民間). 세속(世俗). 사회.

속간[3]【續刊】명 간행을 중단하였던 신문·잡지 등을 다시 계속하여 간행함. ——-하다 타여불

속간 교배【屬間交配】명 〖생〗 속(屬)을 달리하는 두 개체 사이에서의 교배. 교배하기가 매우 힘드는데, 식물에서는 배와 사과, 동물에서는 말과 당나귀, 꿩과 닭 등의 예가 알려짐.

속간 잡종【屬間雜種】명 [intergeneric hybrid] 〖생〗 속간 교배(交配)에 의하여 생긴 잡종. 동물에서는 말과 당나귀 사이에 생긴 노새가 대표적임.

속:갈색-조개【—褐色—】[—쌕—] 명 〖조개〗 [*Glycymeris albolineata*] 돌조갯과(科)에 속하는 조개. 패각(貝殼)은 길이 85 mm, 높이 70 mm, 폭 40 mm 가량의 타원형임. 각표(殼表)는 미세한 포목상(布木狀)이며, 백색의 방사상선(放射狀線)과 각점렬(刻點列)이 있고, 담황갈색에 흑갈색 섬모(纖毛)로 된 각피(角皮)가 덮였으며, 주치선(主齒線)에는 전후 열 개의 교치(鉸齒)가 있음. 한국·일본 등지에 분포함. 줄무늬밤조개.

속:-감 명 쌍시(雙柿)의 속에 든 감.

속:-감침 명 실밥이 보이지 않도록 바늘을 깊숙이 넣어 감치는 일. ——-하다 타여불

속강[1]【俗講】명 〖불교〗 중국 당(唐)나라 중기 이후, 중이 속인(俗人)을 대상으로 주로 도시의 절에서 정기적으로 변문(變文)을 교재로 하고 변상도(變相圖)를 보이면서 행한 통속적인 설법(說法).

속강[2]【續講】명 먼젓번의 강의가 끝이 안 났으므로, 방학·휴일 같은 때에도 계속하여 강의하는 일. 또, 그 강의. ——-하다 자여불

속개【續開】명 일단 멈추었던 회의 따위를 다시 계속하여 엶. ——-하다 타여불

속객【俗客】명 ①아담한 멋이 없는 사람을 좀 홀하게 이르는 말. ②〖불

속갱이 명 〈방〉 관솔(경상). 교〗 속가(俗家)에서 온 손님.

속거 천리【速去千里】[—철—] 명 ①〖민〗 귀신을 쫓을 때 어서 멀리 가라는 뜻으로 쓰는 말. ②집 안의 노래기를 없앤다고 허연 서까래에 써 붙이는 글의 끝마디. ——-하다 자여불

속-건성【速乾性】[—썽] 명 액체가 공기와 접촉했을 때 여느 것보다 속히 건조되는 성질.

속건성 잉크【速乾性—】[ink] [—썽—] 명 재래의 아마인유(亞麻仁油) 니스를 사용한 잉크에 비하여 단시간에 건조하는, 합성 수지 또는 합성 건성유 니스를 사용한 인쇄 잉크의 총칭. 주로, 오프셋용의 것을 가리킴.

속:-것 명 ☞ 속곳.

속:-겉장 명 ☞ 속표지(表紙).

속:-겨 명 곡식의 겉겨가 벗기어진 뒤에 나온 고운 겨. ↔겉겨.

속격[1]【俗格】명 세상에서의 보통 격식. 속된 격식.

속격[2]【屬格】명 [genitive] 〖언〗 관형격.

속견【俗見】명 속된 생각. 세속적인 견해.

속결【速決】명 속히 처결함. ¶ 속전(速戰) ~. ——-하다 타여불

속경【俗境】명 ①속인(俗人)의 세계. ②무풍류(無風流)한 곳. 비속(鄙俗)한 곳. 속지(俗地). 속계(俗界).

속계[1]【俗戒】명 〖불교〗 오계(五戒)·팔계(八戒) 등의 재가계(在家戒).

속계[2]【俗界】명 ①속인(俗人)의 세계. 곧, 종교계(宗教界)에 대하여 이 세상을 일컫는 말. 속경(俗境). ②세속(世俗) 일에 얽매어서 지내는 곳. ↔선경(仙境).

속고【續稿】명 앞 원고(原稿)에 계속되는 원고.

속:-고갱이 명 한가운데 주장된 고갱이.

속고다[1] 타 〈옛〉 솎아 내다. ¶ 파 속고다(凹葱)《譯語 下 12》.

속고다[2] 타 〈옛〉 끓이다. ¶ 압 닉에 후린 고기 굽ᄂᆞ냐 膾 티ᄂᆞ냐 속고앗ᄂᆞ냐 《古時調》.

속:-고름 명 〈방〉 안 옷고름. 「끼. ↔겉고삿.

속:-고삿 명 짚으로 지붕을 일 때, 먼저 지붕 위에 건너질러 매는 새

속:-고샅 명 ☞ 속고삿.

속:-고의【—袴衣】[—/—이] 명 속에 껴 입는 고의. 속바지.

속:고의 적삼【—袴衣—】[—/—이—] 명 속고의와 적삼.

속고지【速古赤】명 〖역〗 임금의 옷을 맡은 숙위(宿衛)의 신하. 고려 말(末)에 둠. 원(元)나라에서 온 제도.

속곡【俗曲】명 ①시속(時俗)의 노래 곡조. ②저속한 노래.

속:-곡식【—穀食】명 겉껍질을 벗겨 낸 곡식.

속골【俗骨】명 항용으로 생긴 범속(凡俗)한 골격(骨格).

속:곳 명 '속속곳'과 '단속곳'의 총칭. 단의(單衣).
[속곳 벗고 은가락지 낀다] 격에 맞지 않는 겉치레가 도리어 보기 흉하다는 말. [속곳 열 둘 입어도 밑구멍은 밑구멍대로 나왔다] 애써 숨기려 해도 가려지지 않을 경우에 이름.

속:곳-바람 명 치마를 입지 아니하고 속곳만 입고 나선 차림새. ¶ 불이야 소리에 ~으로 뛰어나오다.

속공[1]【速攻】명 지체함이 없이 빨리빨리 공격함. 주로 운동 경기에서 쓰는 말. ¶ ~ 전술/~책(策). ↔지공(遲攻). ——-하다 타여불

속공[2]【屬公】명 〖역〗 임자가 없는 물건이나 금제품(禁制品)·장물(贓物) 등을 관부(官府)로 떼어 붙임. ¶ 얼룩이는 벌써 ~돼서 지금쯤 사복(司僕)에 들어가 매였을지두 모르는 걸…《洪命憙 : 林巨正》. ——-하다 타여불

속공-법【速攻法】[—뻡] 명 운동 경기에서, 기민한 동작으로 공격을 가하는 기술의 한 가지.

속관【屬官】명 장관에게 속한 관원. 요좌(僚佐). 준속(屬).

속광【屬纊】명 [옛 중국에서 사람이 죽어 갈 무렵에 고운 솜을 코나 입에 대어 기식(氣息)을 검사했다는 데에서] 임종(臨終)을 이르는 말.

속교【俗交】명 세속(世俗)의 교제(交際).

속-교구【屬教區】명 관구(管區)에 속해 있는 관구 산하의 교구.

속구[1]【俗句】명 비속(鄙俗)한 구(句). 속취(俗臭)를 풍기는 구(句).

속구[2]【速球】명 야구 따위에서, 속도가 빠른 공. 스피드가 있는 볼. ↔완구(緩球). 「구.

속구[3]【屬具】명 ①어느 물건에 딸린 기구(器具). ②〖법〗 선박(船舶) 속

속국【屬國】명 〖정〗 형식적(形式的)으로는 독립하여 있어도 정치적(政治的)으로는 다른 나라에 매여 있는 나라. 기미국(羈縻國). 예속국. 종속국. 속방(屬邦).

속:-궁리【—窮理】[—니] 명 마음 속으로 하는 궁리. ——-하다 타여불

속:-궁합【—宮合】명 오행(五行)에 의해 맞춰 보는 궁합. ↔겉궁합.

속권【俗權】명 천주교에서, 교회의 재판권에 속하는 일에 개입하는 국가 또는 세속의 권력.

속:-귀 명 〖생〗 내이(內耳).

속근-근【續筋根】명 메의 뿌리. 식용 또는 약재로 쓰임.

속:-긁다 [—극—] 자 비위를 건드리어 속이 뒤집히게 만들다.

속금【贖金】명 속전(贖錢).

속:-긋 명 글씨나 그림 등을 처음 배우는 이에게 덮어 쓰이기 위하여 먼저 가늘게 그리어 주는 획.
속:긋(을) 넣:다 구 속긋을 그어 주다.

속기[1]【俗忌】명 세속에서 꺼리는 일. ——-하다 자여불

속기[2]【俗氣】명 속계(俗界)의 기풍(氣風). 「——-하다 타여불

속기[3]【速記】명 ①빨리 적음. ②속기법(速記法)으로 적음. ¶ ~사(士).

속기[4]【速棋】명 대국(對局) 시간이 짧은 바둑의 대국. 각자 3시간씩으로 제한하는 것부터 각각 15분 경과 후에 30초의 초(秒)읽기를 하는 것 등 여러 가지가 있음.

속기 기호【速記記號】명 속기술(速記術)에 쓰는 부호. 속기 부호.

속기-록【速記錄】명 ①속기술로 적은 기록. ②속기술로 적은 기록을 보통 글자로 바꾸어 맨 책. ¶ 국회 ~.

속기-법【速記法】[—뻡] 명 썩 간단하고 편리한 부호로써 연설·강연·담화(談話)·회의(會議)의 의사(議事) 등을 그대로 즉석에서 빨리 적는 방법.

속기 부호【速記符號】명 속기(速記) 기호.

속기-사【速記士】명 ①속기술(速記術)의 일정한 능력을 습득한 사람. ②속기를 업으로 하는 사람. ③〖법〗 공무원의 한 가지. 국회·법원에 소

속하여 속기록(速記錄) 작성에 종사하는 사람.
속기-술【速記術】명 속기법을 응용하여 빨리 적는 기술.
속기-자【速記者】명 ①구술(口述)·강연(講演)·회의(會議)의 의사(議事) 등을 속기하는 사람. ②속기를 업으로 삼는 사람.
속기 축음기【速記蓄音器】명 딕터폰(dictaphone).
속기-호【速氣湖】명〔지〕경상 남도 창녕군(昌寧郡) 영산면(靈山面)에 있는 못. [3.74 km²]
속:-꺼풀 명 겉꺼풀 밑에 겹으로 되어 있는 꺼풀. ↔겉꺼풀.
속:-껍더기 명 ☞속껍데기.
속:-껍데기 명 겉껍데기 안에 겹으로 있는 껍데기. ↔겉껍데기.
속:-껍질 명 겉껍질 안에 겹으로 있는 껍질. ↔겉껍질.
속:-끓이다 [一끌一] 자 귀찮은 일로 자꾸 마음을 태우다.
속:-나깨 명 메밀의 고운 나깨. ↔겉나깨.
속-나무 명〔식〕↗소귀나무.
속:-내 명 ↗속내평.
속:-내다¹ 자〈방〉소가지 내다.
속:-내다² 타 대패나 끌의 등을 갈아서 새로 날이 서게 하다.
속:-내복【一內服】명 속내의(內衣). 「속옷.
속:-내의【一內衣】[一/一이] 명 ①내의 속에 껴입는 내의. 속내복. ②
속:-내평 명 겉으로 드러나지 아니한 일의 실상. 내막(內幕). 이허(裏許).
속:-녀의 명 ☞속여의. ∟준속내.
속념【俗念】명 세상에 얽매인 생각. 속려(俗慮). 진정(塵情). 속회(俗懷).
속노【粟奴】명 조의 깜부기.
속:-눈¹ 명 곱자를 반듯하게 'ㄱ'자 모양으로 놓을 때 밑쪽에 새기어 있는 자의 눈. 겉쪽의 한 눈의 길이를 한 변(邊)으로 하는 정사각형의 대각선의 길이를 한 눈으로 함. ↔겉눈.
속:-눈² 명 눈을 감은 체하면서 속으로 조금 뜬 눈.
속:눈(을) 뜨다 구 남이 보기에는 겉으로 눈을 감은 체하면서 속으로는 눈을 조금 떠서 무엇을 보다. *겉눈감다.
속:-눈썹 명 눈시울에 난 털. 첩모(睫毛). ↔겉눈썹.
속:-눈물 명 눈 안에 어리기만 하는 눈물.
속:-눈치 명 밖으로 내보이지 않고 속에 숨기고 있는 마음의 어떤 태도.
속다 자 ①남의 꾀에 넘어가다. ¶사기꾼에게 ~. ②거짓을 참으로 알다.
속:-다짐 명 속셈❶.
속닥-거리다 자 동아리끼리 연해 가만가만 이야기하다. ㅆ쏙닥거리다. ＜숙덕거리다. 속닥-속닥 부. ——-하다 자여불
속닥-대다 자 속닥거리다. 「덕이다.
속닥-이다 자 동아리끼리 모여서 은밀히 이야기하다. ㅆ쏙닥이다. ＜숙
속단¹【速斷】명 빨리 판단함. 신속하게 결단함. ¶~은 금물이다. ——-하다 타여불
속단²【續斷】명〔식〕[*Phlomis umbrosa*] 꿀풀과에 속하는 다년초. 줄기는 직사각형이고 높이는 1 m 가량임. 잎은 대생하는데 잎꼭지가 길고 삼각형 또는 달걀꼴임. 7월에 빨간 꽃이 윤산(輪繖) 화서로 줄기 위나 가지 끝에 정생하고, 수과(瘦果)는 넓은 달걀꼴임. 산지에 나는데, 한국 각지에 분포함. 뿌리·줄기는 지혈제(止血劑) 등의 약용(藥用)으로 쓰며, 어린 잎은 식용함. *산속단.

〈속단²〉

속단 불허【速斷不許】명〔속단함을 허락하지 않음〕'섣불리 판단하지 말라'의 뜻.
속:-단추 명 겉으로 나타나지 않게 속에 단 단추.
속달【速達】명 ①속히 배달함. ②↗속달 우편. ¶~로 보내다. ——-하다 자타여불
속달-거리다 자 동아리끼리 모여서 자꾸 둘레를 살펴가면서 가만가만히 이야기하다. ㅆ쏙달거리다. ＜숙덜거리다. 속달-속달 부. ——-하다 자여불
속:-달다 자 무슨 일에 애를 쓰느라고 속이 타는 것같이 안타까워지다.
속달-대다 자 속달거리다.
속:-달래다 자 비위를 달래다.
속달-뱅이 명 작은 규모(規模).
속달 우편【速達郵便】명 특정 구역(特定區域) 안에서 보통 우편보다 빨리 배달되는 우편. 준속달.
속담【俗談】명 ①옛적부터 내려오는 민간(民間)의 격언(格言)으로 교훈·풍자·경험·유희(遊戲) 등의 뜻이 담긴 짧은 말. '등잔 밑이 어둡다', '오는 말이 고와야 가는 말이 곱다', '집 안에 연기 차면 비올 징조' 같은 것. 세언(世諺). 이언(俚諺). 속언(俗諺). ¶~에 이르기를. ②속된 이야기. 속설(俗說). 속어(俗語).
속담 딱지【俗談一】명 특히 어린이들을 위한 장난감의 하나. 두꺼운 종이 조각에 교훈(敎訓)이 될 만한 속담을 한 마디씩 적고, 거기에 해당한 그림 조각을 같은 수효로 만든 것인데, 한 사람이 속담을 읽으면 여러 사람이 거기에 해당한 그림 조각을 먼저 줍기를 다투어, 많이 딴 사람이 이기게 됨. 「하다 자여불
속답【速答】명 빨리 대답함. 빨리 해답함. 또, 그 대답이나 해답. ——
속:-대¹ 명 푸성귀의 겉대 속에 있는 줄기나 잎. ↔겉대¹.
속:-대² 명 댓개비의 속살 부분. ↔겉대².
속대³【束帶】명 관(冠)을 쓰고 띠를 맴. 곧, 예복(禮服)을 입음. ¶의관
속:-대-쌈 명 배추 속대로 싸서 먹는 쌈. ∟(衣冠) ~. ——-하다 자여불
속-대전【續大典】명〔책〕경국 대전(經國大典) 이후의 교령(敎令)과 조례(條例)를 계속하여 모아 편찬(編纂)한 책. 조선 영조(英祖) 22년(1746)에 왕명으로 김재로(金在魯)가 편찬하여 간행함.
속:-대중 명 마음 속으로만 치는 대중. ↔겉대중. *속어림.
속:-댓-국 명 배추 속대로 끓인 국.
속:-더께 명 덮어서 쪄든 물건에 낀 속의 때. ↔겉더께.
속도¹【速度】명 ①물체가 움직이는 빠르기. ¶비행기의 ~. ②사물의 진행 상태. ¶작업 ~를 높이다. ③〔velocity〕〔물〕운동체(運動體)의 위치의 변화를 나타내는 양(量). 벡터량(vector量)으로 그 크기는 단위 시간에 통과한 거리와 같고, 방향(方向)은 경로(經路)의 접선(接線) 방향과 일치함. ④〔악〕악곡을 연주하는 빠르기. 템포(tempo).
속도²【屬島】명 ①그 나라에 부속되어 있는 섬. ¶독도는 대한 민국의 ~이다. ②육지나 큰 섬에 부속되어 있는 작은 섬. ¶울릉도는 경상 북도의 ~이다.
속도-계【速度計】명〔speedometer〕운동체(運動體)의 움직이는 속도를 스스로 재는 계기(計器). 자동차·항공기·함선(艦船) 등에 장치되어
속도 기호【速度記號】명〔악〕'빠르기표'의 구용어. ∟있음.
속도 벡터【速度一】〔vector〕명〔물〕운동하고 있는 물체의 각 시점(時點)에 있어서의 순간(瞬間) 속도에 비례하는 길이를 갖고, 운동하는 방향과 평행되게 그은 벡터.
속도 변:조관【速度變調管】명〔전〕클라이스트론(klystron).
속도-선【速度線】명〔speed line〕침로(針路)에 거의 직각인 위치선(位置線). 실속력을 정할 때에 항공기나 함선 등이 쓰임.
속도-원【速度圓】명〔물〕한 점(點)을 기점(起點)으로 하여 시시 각각(時時刻刻)의 속도 벡터(vector)를 화살로 나타낼 적에, 그 선단(先端)이 그리는 곡선(曲線)을 말함. 반드시 원(圓)만은 아님.
속도 위반【速度違反】명 ①교통 법규상 제한되어 있는 차량의 속도를 위반하는 일. ②〈속〉결혼 전에 아기를 갖는 일. ——-하다 자여불
속도 제:한【速度制限】명 철도나 도로를 달리는 열차나 차량의 속도에 제한을 가함. 일반적으로 최고 속도를 제한하지만, 고속 도로의 경우는 최저 속도의 제한도 행해지고 있음.
속-도지【速圖之】명 기회를 놓치지 아니하고 빨리 서두름. ——-하다
속도 표어【速度標語】명〔악〕'빠르기말'의 구용어. ∟타여불
속독¹【束毒】명〔연〕신라 때 들어온 서역(西域) 계통의 탈춤의 하나. 쑥머리에 남색 탈을 쓰고 북소리에 맞추어 떼를 지어 이리 뛰고 저리 뛰면서 춤. 「타여불
속독²【速讀】명 책 따위를 보통보다 빨리 읽음. ¶~술(術). ——-하다
속독-법【速讀法】명 한 눈에 많은 양(量)의 글자를 읽는 훈련을 통해서, 책을 빨리 읽기를 익히는 방법.
속:-돌 명〔광〕화산 용암(火山熔岩)의 한 가지. 분출(噴出)된 용암이 갑자기 식어서 된 다공질(多孔質)의 가벼운 돌. 산성(酸性)·중성(中性)의 화산암(火山岩)에 많으며, 물건을 가는 데 씀. 경석(輕石). 부석(浮石). 해석(海石). 고석(蠱石). 수포석(水泡石).
속-동문선【續東文選】명〔책〕조선 중종(中宗) 13년(1517)에 신용개(申用漑)가 성종(成宗) 이후의 시문(詩文)을 모아 엮은 책. 목록 2권을 포함해서 23권. 「가. ②세속적이다. ¶속된 인간.
속-되다【俗一】형 ①고상하지 못하고 천하다. ¶속된 말씨/속된 유행
속된-말【俗一】명 세속적으로 이르는 말.
속: 들여다보이다 구 속셈이나 거짓이 언뜻 보아도 빤히 알 수 있다.
속등【續騰】명 물가(物價)나 시세(時勢) 따위가 계속해서 오름. 등귀(騰貴)가 계속됨. ↔속락(續落). ——-하다 자여불
속:-등거리 명 ☞등거리❶.
속:-등겨 명 ☞쌀겨.
속:-떠보다 자 남의 속마음을 슬며시 알아보다.
속:-뜨물 명 곡식을 여러번 씻은 다음에 나오는 깨끗한 뜨물. ↔겉뜨물.
속:-뜻 명 ①마음 속으로 품고 있는 깊은 뜻. ¶그 자의 ~을 모르겠다. ②글의 표현의 속을 흐르고 있는 기본 의미.
속-라틴어【俗一語】〔Latin〕명 인도 유럽어족의 이탤릭 어파(Italic 語派)에 속하며, 문어(文語)인 고전 라틴어에 대(對)하여 일상 구어(口語)의 라틴어를 가리킴. *로망스어(Romance 語).
속락【續落】[一낙] 명 시세(時勢)·물가(物價) 따위가 자꾸 떨어짐. ¶물가(物價) ~. ↔속등(續騰). ——-하다 자여불
속량【贖良】[一냥] 명 ①〔역〕종을 풀어 주어서 양민(良民)이 되게 함. 속신(贖身). ②〔성〕속죄(贖罪)❷. ③〔천주교〕남의 환난(患難)을 대신하여 받음. ——-하다 타여불
속량 문기【贖良文記】[一냥一] 명〔역〕노비주(奴婢主)에게 속가(贖價)를 치르고 노비의 신역(身役)으로부터 해방되는 문서.
속려【俗慮】[一녀] 명 속세간(俗世間)에 관한 생각. 속념(俗念). 속정(俗情).
속력【速力】[一녁] 명 빠른 힘. 빠르기. ¶최대 ~을 내다.
속령【屬領】[一녕] 명 어떤 나라에 딸린 영토(領土).
속례¹【俗例】[一녜] 명 세속(世俗)의 관례(慣例).
속례²【俗禮】[一녜] 명 세속(世俗)의 습관(習慣)으로 된 예절.
속로-회【贖虜會】[一노一] 명〔천주교〕이슬람교인(人)에게 포로가 된 신도(信徒)를 속출(贖出)할 목적으로 세웠던 수도회(修道會).
속론¹【俗論】[一논] 명 ①세속의 논의(論議). 속인(俗人)의 의론. 속의(俗議). ②통속적(通俗的)인 이론.
속론²【續論】[一논] 명 ①토론할 적에 다 펴지 못한 뜻을 다른 사람이 잇대서 하는 언론. ②계속하여 논함. 또는, 그러한 이론이나 그것을 적은 책. ——-하다 타여불
속료【屬僚】[一뇨] 명 요속(僚屬).
속루¹【俗陋】[一누] 명 비속(鄙俗)하고 누열(陋劣)함. 속(俗)되고 천함. ——-하다 형여불
속루²【俗累】[一누] 명 세상살이에 얽매인 너더분한 일. 얽매인 속무(俗務). 진루(塵累).

속류【俗流】[―뉴] 명 세속(世俗)의 속된 무리. 속배(俗輩).

속류 유물론【俗流唯物論】[―뉴유―] 명〖철〗1850 년대에 특히 독일 생리학자 사이에서 일어나 널리 보급된 기계론적 유물론. 의식 및 관념을 뇌수(腦髓)의 분비물(分泌物)로 보는 견해로, 18 세기의 프랑스 유물론보다 사회 인식의 면에서 뒤떨어졌으므로 속류라고 칭함.

속리¹【俗吏】[―니] 명 범용(凡庸)한 관리. 견식이 없고 비천한 관리.

속리²【俗理】[―니] 명 세속의 도리. 속된 이치.

속리³【屬吏】[―니] 명 하급 관리. 지위가 낮은 관리.

속리-기린초【俗離麒麟草】[―니―] 명〖식〗[*Sedum zokuriensis*] 돌나물과에 속하는 다년초. 줄기는 총생하고 높이는 15 cm 가량. 마디에서 뿌리가 나고, 잎은 호생하며 유병(有柄)에 주걱 모양을 이룸. 7-8 월에 노란 꽃이 취산(聚繖) 화서로 정생하고, 골돌과(蓇葖果)를 맺음. 깊은 산 바위 위에 나는데, 속리산(俗離山) 등에 분포함.

속리-산【俗離山】[―니―] 명〖지〗충청 북도 보은군(報恩郡) 내속리면(內俗離面)과 경상 북도 상주시(尙州市) 화북면(化北面) 사이에 있는 산. 소백 산맥(小白山脈) 중에 있으며 경치가 좋아 소금강(小金剛)이라고도 일컬음. 화강암의 기봉(奇峰)과 산 전체를 뒤덮은 울창한 삼림은 산중에 있는 호서 지방 제일 가람(伽藍)이라는 법주사(法住寺)의 건축물과 잘 조화되어 승경(勝境)을 이루고 있음. 국립 공원의 하나. [1,057 m]

속리산 국립 공원【俗離山國立公園】[―니―닙―] 명〖지〗충북 괴산군·보은군과 경북 상주시·문경시에 걸쳐 있는 속리산 일대의 국립 공원. 1970 년 3 월 24 일 지정. 공원 내에는 천황봉, 비로봉·묘봉·남산 등과 사내천·삼가 저수지·오송 폭포·장각 폭포 등이 있음. [283.4 km²]

속리산-싸리【俗離山―】[―니―] 명〖식〗[*Lespedeza tetraloba*] 콩과에 속하는 낙엽 활엽 관목. 잎은 삼출 복엽(三出複葉)이고 넓은 타원형 또는 거꿀달걀꼴임. 8 월에 짙은 자색의 꽃이 총상(總狀) 화서로 피고, 협과(莢果)는 10 월에 익음. 산기슭에 나는데, 속리산에 분포함. 목재는 신탄재, 잎은 사료(飼料), 수피(樹皮)는 섬유용임.

속립【粟粒】[―닙] 명 ①조의 낟알. ②극히 작은 물건.

속립 결핵【粟粒結核】[―닙―] 명 [miliary tuberculosis]〖의〗결핵균에 의한 패혈증(敗血症). 많은 결핵균(結核菌)이 피의 흐름에 따라 몸 각 부분의 장기(臟器)에 운반되어, 그 곳에 좁쌀알만한 크기의 무수한 결핵 결절(結核結節)을 만드는 질환(疾患).

속립-종【粟粒腫】[―닙―] 명〖의〗얼굴 특히 눈꺼풀 및 그 주위 또는 음부에 잘 발생하는 좁쌀만한 크기의 백색 또는 황백색의 작은 종기. 모낭(毛囊)에 발생하는 낭종(囊腫)의 한 가지임. 비립종(肥粒腫).

속:-마음 명 겉으로 드러나지 아니한 참마음. ¶ ~을 털어놓다. 준속맘.

속:-말 명 속마음에서 나오는 참된 말. ↔겉말. ――-하다 자여불

속:-맘 명 ↗속마음.

속망【屬望】명 촉망(屬望·矚望). ――-하다 타여불

속맥【速脈】명〖의〗빨리 상승했다가 곧 내려오는 맥박(脈搏). 대동맥판 폐색 부전(大動脈瓣閉塞不全)·발열(發熱)·각기(脚氣) 등에 볼 수 있음. ↔지맥(遲脈).

속맥 출거【粟麥出擧】명〖역〗쌀·벼·보리·좁쌀 등 곡물의 출거. ↔재물(財物) 출거. *출거(出擧).

속명¹【俗名】명 ①본명(本名)이나 학명(學名) 외에 통속적(通俗的)으로 부르는 이름. ②속된 명성(名聲). ③〖불교〗중이 되기 전의 이름. ↔계명(戒名)❶.

속명²【屬名】명〖생〗생물을 분류할 때 속(屬)에 주어진 명칭.

속-명(:)득【續命得】명〖사람〗신라 경덕왕(景德王) 때의 악사(樂師). 옥보고(玉寶高)로부터 거문고를 전수(傳授)받았고, 이를 다시 귀금(貴金)에게 전하여 금도(琴道)를 계승시켰음. 생몰년 미상.

속-명의록【續名義錄】[―/―이―] 명〖책〗조선 정조(正祖)의 명에 의해 김치인(金致仁) 등이 편찬한 책. 정조 원년 7 월부터 이듬해 2 월에 일어났던 홍상범(洪相範)의 역모 사건을 기록한 것으로, 정조 2 년(1778)에 간행됨. 인본(印本). 1 책.

속명의록 언:해【續明義錄諺解】[―/―이―] 명〖책〗조선 정조(正祖)의 명에 의하여 동왕 2년(1778)에, 김치인(金致仁)이 기록한 책. 《명의록 언해(明義錄諺解)》의 속편으로, 1777년 7월-78년 2월에 일어났던 홍상범(洪相範)의 옥사(獄事)를 적은 것임.

속:-모 명 윷놀이에서 앞밭으로부터 다섯째 밭.

속:모 가다 구 윷놀이에서 말이 속모에 가다.

속:모 보내다 구 윷놀이에서 말을 속모에 옮기다.

속목【屬目】명 눈을 쏘아봄. 주목(注目)하여 봄. ――-하다 자여불

속무【俗務】명 속된 잡무(雜務).

속문¹【俗文】명 ①통속(通俗)의 체(體)로 쓴 글. ②하찮은 문장(文章).

속문²【屬文】명 문장을 얽어서 만듦. ――-하다 자타여불

속-문학【俗文學】명〖문〗예술적 가치가 적은 속된 문학. 또, 그런 문학 작품.

속물¹【俗物】명 ①속된 물건. ②교양(敎養)이 부족하고 야비(野卑)한 사람. 속사(俗事)에만 마음이 이끌리는 사람. ¶ 보기와는 달리 ~이다.

속물²【贖物】명 속죄(贖罪)하기 위해서 내는 물건.

속물 근성【俗物根性】명 금전이나 명예를 제일로 치는 생각이나 성질. 스노비즘(snobbism).

속미【粟米】명 좁쌀.

속미-분【粟米粉】명 좁쌀 가루.

속-미음【粟米飮】명 좁쌀로 쑨 미음.

속-미인곡【續美人曲】명〖문〗조선 선조(宣祖) 때 송강(松江) 정철(鄭澈)이 지은 가사. 동인(東人)과 서인(西人)의 당쟁(黨爭)에 몰려 고양(高陽)에 퇴거하였다가 창평(昌平)으로 내려가 세월을 보내며 나라 일을 걱정하고 임금의 은혜를 생각하며 지은 노래임. 연군(戀君)의 정(情)을 두 선녀가 대화하는 형식으로 표현하였음. 《송강 가사(松江歌辭)》에 실려 있음.

속미-주【粟米酒】명 좁쌀로 담근 술.

속민¹【俗民】명 세속의 백성.

속민²【屬民】명 ①딸린 백성. ②백성을 모음.

속:-바람 명 몸이 몹시 지친 때에 숨을 고르게 쉬지 못하고 몸이 떨리는 현상.

속:-바지 명 속고의(袴衣).

속-바치다【贖―】타 속전(贖錢)을 내다.

속박【束縛】명 ①얽어 매어서 자유를 구속함. ¶ ~당한 생활. ②[constraint] 계(系)의 자유도(自由度)를 한정하는 조건. 물리적(物理的)·수학적(數學的)인 것, 필연적(必然的)·우연적(偶然的)인 것이 있음. ――-하다 타여불

속박-력【束縛力】[―녁] 명〖물〗물체의 속박 운동에 있어서 그 속박의 결과로서 나타나는 힘.

속박 운:동【束縛運動】명 [constrained motion]〖물〗물체가 다른 물체로부터 역학적(力學的) 또는 그 밖의 조건에 의하여 구속(拘束)되어 행하는 운동.

속박 입자【束縛粒子】명 [bound particle]〖물〗어떤 일정한 영역에 갇혀 있는 입자.

속박 전:자【束縛電子】명 [bound electron]〖물〗원자(原子) 또는 분자(分子) 속에서 속박된 전자(電子). ↔자유 전자(自由電子).

속반【粟飯】명 조밥.

속발¹【束髮】명 ①머리털을 잡아 묶거나 가지런히 함. ②상투를 짬. ――-하다 자여불

속발²【俗髮】명 세속의 머리 모양.

속발³【速發】명 ①빨리 길을 떠남. ②효과가 빨리 나타남. ――-하다 자

속발⁴【續發】명 계속하여 일어남. ¶ ~하는 사고. ――-하다 자여불

속-발진【續發疹】[―찐] 명 [도 Sekundäre Exantheme]〖의〗원발진(原發疹)이 변화하여 생기는 발진. 소흔(搔痕)·미란(糜爛)·궤양(潰瘍)·농양(膿瘍)·가피(痂皮)·반흔(瘢痕) 등 여러 종류가 있음. ↔원발진.

속:-발톱 명 발톱의 안쪽에 있는 반달 모양의 흰 부분.

속:-밤 명 껍데기 속에 든 밤톨. ↔겉밤.

속방【屬邦】명 속국(屬國).

속배【俗輩】명 속류(俗流).

속:-배포【―排布】명 마음 속에 품고 있는 계획이나 꾀. 복안(腹案). 속셈.

속백【束帛】명〖역〗①옛적에 나라 사이에 빙문(聘問)하는 예폐(禮幣). 비단 다섯 필을 각각 양끝을 마주 말아서 한데 묶은 것. ②가례(嘉禮) 때 납폐(納幣)로 쓰던 양단(兩端). 검은 비단 여섯 필과 붉은 비단 네 필.

〈속백❶〉

속백-함【束帛函】명〖역〗속백을 담는 함.

속:-버선 명 속에 신는 겹버선. ↔겉버선.

속:-벌 명 속에 입을 옷의 각 벌. 저고리·바지·조끼·마고자 같은 것. ↔겉벌.

속:-병¹【―病】명 ①오래된 몸 속의 병을 통틀어서 속되게 일컫는 말. 오래된 가슴앓이·체증 등. ¶ ~으로 고생하다. ②〈속〉위장병(胃腸病). 속증.

속병²【粟餠】명 좁쌀로 만든 떡.

속병³【屬兵】명 딸린 병정.

속병장 도설【續兵將圖說】명〖책〗조선 시대에 이루어진 《병장 도설》의 속편. 영조(英祖) 25년(1749)에 조관빈(趙觀彬)·박문수(朴文秀)·구성임(具聖任)·김성응(金聖應)·김상로(金尙魯) 등 5인이 왕명에 따라 완성했음. 진법(陣法)에 관한 도해(圖解)와 군령(軍令)에 관하여 상술함. 1 책. 인본(印本). *병장 도설.

속:병-쟁이【―病―】명 '속병을 앓는 사람'을 얕잡아 일컫는 말.

속보¹【速步】명 빨리 걷는 걸음.

속보²【速報】명 빨리 알림. 또, 그 보도(報道). ¶ ~판. ――-하다 타여불

속보³【粟保】명〖역〗조선 시대에, 포목(布木) 대신 밭벼 쌀로 받아들이는 보포(保布). *태보(太保).

속보⁴【續報】명 계속하여 알림. 또, 그 보도. *후보(後報). ――-하다 타여불

속보-대【速報臺】명 신문사·통신사 등에서, 기사를 보다 빨리 보도하고자 게시판처럼 만들어 길거리에 세운 대.

속:-보이다 자 품은 마음 속이 드러나다. 준속뵈다.

속보-판【速報板】명 주요 사항(主要事項)을 속보하는 게시판(揭示板).

속복【屬服】명 복종하여 따름. ――-하다 자여불

속본【俗本】명 속서(俗書).

속:-뵈다 자 ↗속보이다.

속:-불꽃 명〖화〗불꽃의 안쪽에 있는 녹청색의 부분. 공기와 혼합된 가스가 불타서 수성(水性) 가스가 생김. 내염(內焰). 환원성(還元性) 불꽃. ↔겉불꽃.

속:-블라우스 [blouse] 명 치마 속에 자락을 집어넣고 입는 블라우스. ↔겉블라우스.

속:-비밀【―祕密】명 따로 속에 간직하고 있는 비밀.

속-비석【束沸石】명〖광〗비석(沸石), 곧 제올라이트(zeolite)의 한 가지. 단사 정계(單斜晶系)에 속함. 투입 쌍정(透入雙晶)이 평행으로 집합하여 다발을 이루고 있음. 진주 광택이 나며, 빛은 무색인데, 때로 황색·갈색·적색일 때도 있음. 현무암 등의 염기성 화성암 속의 틈에서 산출됨. 비중 2.2. 스틸바이트(stilbite). [$Ca(Al_2Si_7O_{18}) \cdot 7H_2O$] *휘비석(輝沸石).

속빈【速賓】명 청빈(請賓). ――-하다 자여불

속:빈-벽돌【―甓―】명 공동(空洞) 벽돌.

속빙【續聘】명 계속하여 고빙(雇聘)하는 일. ――-하다 타여불

속:-빼놓다【―노타】자 줏대나 감정을 억눌러 배제(排除)하다.

속:-빼다 타〖농〗논을 두 번째 갈다.

속:-뼈대 명 물고기·새·소 등의 등뼈를 중심으로 하는 뼈대.

속:-뽑다 타 남의 마음 속을 살피어 알아 내다. ¶능소 능대한 수단으로 슬금슬금 속도 뽑아 보고 덜미도 치며 ≪崔瓚植:金剛門≫.
속:-뽑히다 피동 자기 마음 속을 남이 알아차리게 되다.
속사[1]【俗士】 명 ①속사(俗事)에 능한 인사(人士). ②평범(平凡)한 사람. ③학예(學藝)가 모자라는 사람. 견식(見識)이 없는 사람.
속사[2]【俗事】 명 세상살이의 이런 일 저런 일. 속세의 일. ↔성사(聖事)❶.
속사[3]【速射】 명 빨리 발사(發射)함. ¶～포. ——-하다 타여불
속사[4]【速寫】 명 ①글씨를 빨리 씀. 빨리 베낌. ②빨리 찍음. ——-하다 [타여불]
속사[5]【屬司】 명 그 관청에 소속된 하급(下級) 관청.
속사[6]【屬寺】 명 〖불교〗 ①각 종파에 소속된 절. ②각 지역의 종사(宗寺)에 소속된 조그만 절. 1)·2):↔종사(宗寺).
속사[7]【屬辭】 명 문사(文辭)·시문(詩文)을 지음. [하다 자여불]
속사[8]【贖死】 명 재물(財物)을 바침으로써, 죽을 죄를 면하는 일. ——-
속:-사랑 명 겉으로 나타나지 않게 속으로 하는 사랑.
속-사미인곡【續思美人曲】 명 〖문〗 조선 시대의 문신 이 진유(李眞儒)가 지은 가사. 작자가 추자도(楸子島)에서, 귀양살이하는 억울함을 임금에게 하소연한 내용임. 이광사(李匡師)의 소장이었던 가사책에 전함. 총 188 구.
속사-봉【速沙峰】 명 〖지〗 평안 북도 강계군(江界郡)에 있는 산. 낭림 산맥(狼林山脈) 중에 솟음. [1,791 m]
속사-산【東沙山】 명 〖지〗 평안 북도 강계군(江界郡) 성간면(城干面)과 간북면(干北面) 사이에 있는 산. [1,416 m]
속:-사정【—事情】 명 겉으로 드러나지 않은 일의 실제 형편. ¶말 못할 ～이 있다.
속:-사주【—四柱】 명 혼담(婚談)이 결정된 뒤에 정식으로 사주 단자(四柱單子)에 적어 보내는 신랑의 사주. ↔겉사주.
속사 케이스【速寫—】〔case〕 명 소형 카메라에 있어서 일일이 꺼내지 아니하고 어깨에서 늘어뜨리어 뚜껑만 열면 촬영할 수 있도록 만든 휴대용 케이스.
속사-판【速寫板】 명 등사기(謄寫機).
속사-포【速射砲】 명 〖군〗 ①쉽게 장전(裝塡)하여 빨리 발사(發射)할 수 있는 포(砲). ②기관총(機關銃)의 속칭.
속삭-거리다 자 나지막한 목소리로 정답게 잇따라 자꾸 이야기하다. 속삭-속삭 부. ——-하다 자여불
속삭-대다 자 속삭거리다.
속삭-이다 자타 나지막한 목소리로 정답게 이야기하다.
속산[1]【速算】 명 빨리 셈함. 또, 그 셈. ——-하다 타여불
속산[2]【粟散】 명 〖불교〗 조의 알맹이가 흩어지는 것처럼 자질구레하게 흩어짐. ——-하다 자여불
속산-국【粟散國】 명 좁쌀을 뿌린 것과 같이 자질구레하게 흩어져 있는 작은 나라.
속산 변토【粟散邊土】 명 좁쌀을 뿌린 것처럼 먼 곳에 흩어져 있는 좁은 땅.
속산-왕【粟散王】 명 작은 나라의 왕.
속:-살[1] 명 ①평상시에는 옷에 가려져 밖으로 드러나지 아니하고, 옷을 벗어야만 보이는 부분의 피부. 팔·다리·배 따위. ¶옷이 비쳐 ～이 보이다. ↔겉살[1]. ②무슨 물체든지 겉으로는 몰라도 속으로 실속 있게 찬 살. ③소의 입 안에 붙은 고기.
속:살(이) 찌다 구 ㉠속살이 올라서 뚱뚱해지다. ㉡겉으로는 나타나지 아니하나 속으로 실속이 있다.
속:-살[2] 명 젖부채의 겉살과 겉살 사이의 많은 살. ↔겉살[2].
속살-거리다 자타 자질구레한 말로 속닥거리다. ㅆ쏙살거리다. <숙설거리다. 속살-속살 부¶～하는 말같이 새어흐르다. ——-하다 자여불
속:-살다 형 겉으로는 죽은 듯이 가만히 있으나, 속으로는 반항하는 뜻이 있다. ¶군수는 없고 시임 좌수가 서리로 사무를 본다 하는지라 슬며시 속살게 생각하기를 (주제넘은 것 다 보겠다. …) ≪李海朝:鳳仙花≫.
속살-대다 자 속살거리다.
속:살이-게 명 〖동〗[*Pinnotheres pholadis*] 속살이겟과에 속하는 게의 한 가지. 배갑(背甲) 길이는 7.5 mm 내외이고, 두흉갑(頭胸甲)은 원형이며 중앙에 위심구(圍心溝)가 있고 전표면이 매끈함. 제2각(脚)은 전절(前節) 이하, 제3각은 완절(腕節) 이하에 잔 털이 밀생함. 보라주머니·가리비·새조개의 껍데기인 외투강(外套腔) 속에 숨어서 서식(棲息)하는데, 한국·일본·중국에 분포함. 조갯속게. *소라게.

〈속살이게〉

속:살이겟-과【—科】 명 〖동〗[Pinnotheridae] 절지(節肢) 동물 검미목(劍尾目)에 속하는 한 과. 굴속살이게·대합속살이게·속살이게 등이 이에 속함.
속삼강 행실도【續三綱行實圖】[—또] 명 〖책〗 ≪삼강 행실도≫에 빠진 효(孝)·충(忠)·열(烈)의 사실을 그림과 글로 기록하고, 번역한 책. 조선 중종(中宗)이 대제학(大提學) 신용개(申用漑) 등에게 명하여 만듦. 중종 9년(1514) 간행함. 1책.
속-삼화음【屬三和音】 명 〔dominant triad〕〖악〗 속음(屬音)을 근음(根音)으로 하는 삼화음. 'V' 또는 'D'로 표시하기도 함.
속상[1]【俗尙】 명 시속(時俗)에서 숭상하여 좋아하는 일. 세속(世俗)의 기호(嗜好).
속상[2]【俗狀】 명 세속(世俗)의 상태.
속:-상우다【—傷—】 타 마음에 쓰라린 일이 있어 정신에 괴로움을 주다.
속:-상하다【—傷—】 자여불 ①마음이 불편하고 괴롭다. *속썩다. ②화나다.
[속상한데 서방질이나 하자는 격] 울분을 이기지 못하여 그것을 푸노라고 백해 무익의 차마 하지 못할 짓까지 저지르려 할 때 이르는 말.

속새 명 ①〖식〗[*Equisetum hiemale* var. *japonicum*] 속샛과에 속하는 다년생의 상록 숙근초(宿根草). 지상경(地上莖)은 높이 40-60 cm, 직경이 5-6 mm인데 속이 빈 원통형이며 근경(根莖)에서 총생(叢生)함. 잎은 흑갈색이고 줄기의 각 마디에 윤생(輪生)하는데, 퇴화엽(退化葉)의 연합(連合)임. 자낭수(子囊穗)는 긴 타원형이며 줄기의 선단(先端)에 한 개를 맺는데 길이 1 cm 가량이고 처음에는 녹갈색이나 뒤에 황색으로 변함. 산과 들의 음습한 곳에 나는데 한국 각지 및 일본·중국 등지에 분포함. 줄기는 규산염(硅酸塩)을 많이 함유하여 목재·뿔·뼈 등의 딱딱한 기구(器具)를 반드럽게 닦는 데에 쓰며, 이수(利水)·발한(發汗)·안질(眼疾) 등의 수렴제(收斂劑)로 씀. 덕욱새. 목적(木賊). ②〈방〉 사포(砂布). ③〈방〉〖식〗 억새(경북).

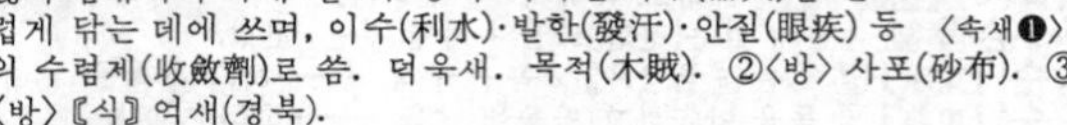
〈속새❶〉

속새-질 명 속새로 물건의 껄껄한 부분을 문질러 반드럽게 하는 짓. 사포(砂布)질. ——-하다 자여불
속샛-과【—科】 명 〖식〗[Equisetaceae] 고등 은화 식물에 속하는 양치류(羊齒類)의 한 과(科). 한국에는 쇠뜨기·물쇠뜨기·속새·물속새 등의 7-8 종이 분포함.
속생【續生】 명 잇따라 생기어 남. 같은 일이 연달아 일어남. 속출. ——-하다 자여불
속:-생각 명 남 모르게 속으로 가만히 헤아리어 따지어 보는 일. ——-하다 자여불
속생이 명 〈방〉 섬태기.
속-생활【俗生活】 명 ①속된 생활. ②일상 생활.
속서【俗書】 명 ①비속(卑俗)한 서적. 학문적이 아닌 저급(低級)한 책. 속된 책. ②〖종〗 불경(佛經)이나 성경(聖經)이 아닌 속가(俗家)의 책. ③아담하지 못한 필적(筆跡).
속서근-풀 명 〖식〗 황금(黃芩).
속선【束線】 명 〖수〗 일정점(一定點)을 지나는 직선의 무리.
속설【俗說】 명 ①세간(世間)에 전하여 내려오는 설. ②속담(俗談).
속성[1]【俗姓】 명 〖불교〗 중의 중이 되기 전의 성.
속성[2]【俗性】 명 속되고 천한 성질.
속성[3]【速成】 명 빨리 이룸. 속히 됨. ¶～ 교육/영어를 ～으로 배우다. ↔만성(晚成). ——-하다 자타여불
속성[4]【續成】 명 계속하여 이룸. ——-하다 타여불
속성[5]【屬性】 명 〔attribute〕 ①사물(事物)의 특징 또는 성질. ②〖철〗 어떤 사물에 있어서 그것 없이는 생각할 수 없는 성질. 곧 사물의 본질(本質)을 이루는 성질. 스콜라 철학 이래 데카르트·스피노자 들이 이런 뜻으로 썼음. 징표(徵表). ③주요한 성질에 부속(附屬)한 성질. 부성(附性).
속성 개:념【屬性槪念】 명 〖논〗 빈사(賓辭)로 되어 있는 개념. 대상(對象) 개념에 대하여, 사물의 성질·상태·동작 등을 나타내는 개념. 추상(抽象) 개념.
속성-과【速成科】[—꽈] 명 짧은 동안에 빨리 이루는 학과.
속성-법【速成法】[—뻡] 명 단기간에 이루는 방법.
속성 속패【速成速敗】 명 급하게 이루어진 것은 쉬 결딴이 남. ——-하다 자여불
속성-수【速成樹】 명 생장이 빠르고 크게 자라며 벌채 기간이 짧은 나무. 오동나무·이탈리아 포플러 등. ↔장기수(長期樹).
속성 작용【續成作用】 명 〔diagenesis〕〖지〗 변성(變成) 작용의 초기 단계로 저온(低溫)·저압(低壓) 밑에서 행하여지는 반응의 총칭. 퇴적물의 간극(間隙)을 메우는 시멘트(cement) 작용, 퇴적물의 구성 광물 사이에 반응이 생겨서 새로운 광물이 생기거나 성장하는 자생(自生) 작용, 퇴적물 속의 작은 광물이 녹아서 더 크게 덩이를 이루는 분화(分化) 작용 등의 현상이 이에 속함.
속성 재:배【速成栽培】 명 촉성(促成) 재배.
속성 퇴비【速成堆肥】 명 〖농〗 가축이 없는 농가에서 단기간에 만드는 질이 좋은 퇴비. 짚·밀짚에 석회유(石灰乳)를 가하여, 약 2주일 후에 석회의 작용과 발효(醱酵)로써 짚의 조직이 물러졌을 때, 속효성 질소와 물을 보충해서 6-10 주일 동안에 썩인 퇴비.
속세【俗世】 명 속인(俗人)의 세상. 신앙의 세계나 선경(仙境) 등에 대하여 이 세상을 일컫는 말. 진세(塵世). 속세간(俗世間). 세속(世俗). ¶～를 떠나 산 속으로 들어가다.
속-세간【俗世間】 명 속세(俗世). 풍진(風塵).
속-세계【俗世界】 명 속세의 사회. 현세(現世). 사바(娑婆). 사바 세계.
속:-셈 명 ①마음 속으로 하는 셈. 심산(心算). 흉산(胸算). 속다짐. ¶그의 ～을 알 수 없다. ㈜셈. ②연필이나 주판을 쓰지 아니하고 마음 속으로 하는 계산. 암산(暗算). ——-하다 자여불
속:셈이 있다 구 외면상 안 그런 체하면서, 뒤로는 수지 타산·계획 등의 실속을 차리고 있다.
속:-셔츠〔shirts〕 명 맨 속에 입는 셔츠.
속소그레-하다 형여불 조금 작은 여러 개의 물건이 크지도 작지도 아니하여 거의 고르다. ㅆ쏙소그레하다. <숙수그레하다.
속소그르르-하다 형 〈방〉 속소그레하다.
속:-소리 명 ①속에서 가늘게 내는 소리. ② ☞속말. ③〖언〗 간음(間音).
속소리-나무 명 〖식〗[*Quercus donarium*] 참나뭇과에 속하는 낙엽 활엽 교목. 높이는 10 m 가량이고 잎은 호생하며 유병(有柄)에 좁은 거꿀달걀꼴 또는 도피침형이고, 아래쪽은 담녹색이고 표면은 광택이 있으며 가에는 톱니가 있음. 5월에 자웅 일가(雌雄一家)로 된 꽃이 액생(腋生)하여 피고, 견과(堅果)는 달걀꼴 또는 타원형이며 10월에 익음. 산기슭에 저절로 나는데, 한국의 특산종으로 중부 이남에 분포함. 열매는 식용함. *소리나무.
속-소위【俗所謂】 관 세속에서 이르는 바.
속속【續續】 부 자꾸 계속하여. ¶～ 모여들다/～ 도착하다.
속:-속곳 명 여자의 맨 속에 입는 속옷.
속:속-들이 부 겉에서부터 속의 속까지 샅샅이. ¶너의 마음은 이제 ～

다 알았다.

속:속-이 부 〈방〉 속속들이.

속속이-풀 명 〖식〗 [*Rorippa palustris*] 겨잣과에 속하는 월년초(越年草). 줄기 높이는 60cm 가량이고 근생엽(根生葉)은 족생(簇生)하며 경엽(莖葉)은 호생하고 무병(無柄)임. 5-6월에 황색 꽃이 총상(總狀) 화서로 줄기 끝과 가지 끝에 정생하고, 과실은 장각과(長角果)임. 밭의 습지에 나는데, 한국 각지에 분포함. 어린 싹은 식용함.

〈속속이풀〉

속속-히 【速速—】 부 속하고 속하게. 썩 빨리.

속:-손톱 명 손톱에 있는 반달 모양의 하얀 부분. 반달.

속수[1] 【束手】 명 ①손을 묶음. ②↗속수 무책. ——**-하다** 자여불

속수[2] 【束修】 명 몸을 단속하고 마음을 닦음. ——**-하다** 자여불

속수[3] 【束脩】 명 ①포개어서 묶은 포(脯). 옛날 진상물(進上物) 또는 예물(禮物)로 한 것임. ②옛날 처음으로 스승을 뵈올 때에 가지고 간 예물(禮物). 전하여, 입학할 때에 내는 돈. ③성인(成人)이 되어 의관(衣冠)을 갖추는 일.

속수[4] 【束數】 명 묶음의 수효.

속수[5] 【俗手】 명 바둑·장기 등에서, 속되고 평범한 수. *정수(正手).

속수[6] 【速修】 명 빨리 배움. ——**-하다** 타여불

속수리-꿀밤 명 〈방〉 〖식〗 상수리[1](충북).

속수 무책 【束手無策】 명 어찌 할 방책이 없어 손을 묶은 듯이 꼼짝할 수 없음. 준속수(束手).

속수-자 【續隨子】 명 〖식〗 [*Euphorbia lathyris*] 대극과(科)에 속하는 월년초(越年草). 줄기 높이 60-100cm로 원기둥꼴이며, 하부(下部)의 잎은 호생하고 선형(線形), 상부의 잎은 대생하며 피침형임. 여름에 황자색의 잔 사판화(四瓣花)가 가지 끝에 정생하여 피고 초승달 모양의 누른 선(腺)이 있음. 직경 10mm의 삭과(蒴果)는 타원이며 세 개의 씨를 가짐. 한국 각지 및 유럽 남부·아시아 서부에 분포함. 한방(韓方)에서 뿌리를 '속수자'라 하여 어혈(瘀血)·징가(癥瘕)·심복통(心腹痛)·부종(浮腫) 등에, 종자는 이뇨제(利尿劑)·하제(下劑)로 씀. 거동(拒多). 연보(聯步). 천금자(千金子).

〈속수자〉

속수지-례 【束脩之禮】 명 스승에게 속수를 바치는 예의.

속:-숨 명 〖생〗 내호흡(內呼吸).

속스 〔socks〕 명 ①짧은 양말. ②가벼운 구두.

속슬렛 추출기 【—抽出器】 명 〔Soxhlet's extractor〕 〖화〗 고체(固體) 중에 있는 불휘발성(不揮發性) 물질을 휘발성 용매(溶媒)로 추출하기 위한 장치. 독일의 화학자 속슬렛(Soxhlet, Franz von; 1848-1926)이 고안하였음.

〈속슬렛 추출기〉

속습 【俗習】 명 ①속세의 풍습(風習). ②저속(低俗)한 풍습.

속승 【俗僧】 명 속태(俗態)를 벗지 못한 중.

속시 【俗詩】 명 비속(鄙俗)한 시. 고아(高雅)하지 못한 시.

속:-시원하다 형여불 바라던 대로 되어서 마음이 개운하다. 기분이 후련하다. ¶속시원하게 비밀을 털어 놓다. 속:-시원히 부. ¶~ 울어나 버렸으면.

속:-시침 명 바늘땀이 겉으로 드러나지 않게 헝겊의 안쪽을 시치는 일. ——**-하다** 타여불

속신[1] 【束身】 명 몸을 삼감. ——**-하다** 자여불

속신[2] 【束薪】 명 단으로 된 나무.

속신[3] 【俗信】 명 민간에서 행해지는 신앙 관습(信仰慣習). 점(占)·금기(禁忌)·민간 요법·주법(呪法) 등이 이에 속함.

속신[4] 【贖身】 명 속량(贖良)❶. ——**-하다** 타여불

속:-심[1] 명 ☞속셈.

속:-심[2] 【—心】 명 ☞속마음.

속심[3] 【俗心】 명 속된 마음.

속심[4] 【續審】 명 〖법〗 항소 법원(抗訴法院)이 제일심(第一審)의 심리 절차(審理節次)와 소송 자료를 전제로 하면서, 다시 사건의 심리(審理)를 속행하여 새로운 자료의 추가를 인정한 상태에서 제일심 판결의 당부(當否)를 심판하는 항소심의 구조. ↔복심(覆審). *사후심(事後審). ——**-하다** 타여불

속:-싸개 명 여러 겹 싼 물건의 겉싸개 밑에 싼 드러나지 아니하는 싸개. ↔겉싸개.

속:-쌀뜨물 명 쌀을 한두 번 씻어 낸 다음에 받는 깨끗한 뜨물. 국이나 숭늉·찌개·지짐이 등을 끓이는 물로 씀.

속:-썩다 자 마음이 몹시 상하다. *속상하다.

속:-썩이다 一자 뜻대로 되지 아니하는 일, 좋지 아니한 일로 몹시 마음을 괴로워하다. ¶자식의 일로 ~. 二사동 속썩게 하다.

속:-씨껍질 명 〖식〗 '내종피(內種皮)'. ↔겉씨껍질.

속:씨 식물 【—植物】 명 〖식〗 [Angiospermeae] 종자(種子) 식물에 속하는 한 아문(亞門). 밑씨가 씨방 안에 들어 있음. 쌍떡잎 식물강(綱)과 외떡잎 식물강으로 크게 분류하는데, 지구 상에서 가장 발달한 고등 식물임. 감나무·버드나무·벚나무·국화(菊花)·벼·난초(蘭草)·백합(百合) 등의 대부분의 종자 식물(種子植物)이 이에 속함. 피자(被子) 식물. ↔겉씨 식물.

속식 명 〈옛〉 속새❶. ¶속시(木賊)《方藥 15》.

속:-아가미 명 〖동〗 양서류(兩棲類)의 무미목(無尾目)의 아가미. 복부측(腹部側)에 발달하여 생기며, 아가미의 딱지로 가려서 겉에서는 보이지 아니함. 내새(內鰓).

속아 넘어가다 자 감쪽같이 속다.

속:-아리 명 〈방〉 속병.

속-아문 【屬衙門】 명 〖역〗 조선 시대에 육조(六曹)에 분속되었던 관사(官司)의 총칭.

속악[1] 【俗惡】 명 속되고 악함. 품이 낮고 나쁨. ——**-하다** 형여불

속악[2] 【俗樂】 명 〖악〗 ①세상에 떠도는, 품이 낮은 음악. 또, 평민 계급의 소박한 정서를 솔직히 표현한 민속적인 음악. 유행가·잡가·민요·판소리·시나위·산조(散調)·농악(農樂) 등이 있음. 민속악. 민악(民樂). ↔아악(雅樂). ②저속한 음악. *정악(正樂).

속악 가사 【俗樂歌詞】 명 〖문〗 악장 가사(樂章歌詞) 중의 가사에서 속요(俗謠)에 해당하는 노래. 《가시리》·《동동(動動)》·《서경 별곡(西京別曲)》·《쌍화점(雙花店)》·《정석가(鄭石歌)》 등이 이에 속함.

속악-스럽다 【俗惡—】 형ㅂ불 속되고 악하다. 품이 낮고 나쁘다. 속악-스레 【俗惡—】 부

속안[1] 【俗眼】 명 속인이 보는 눈. 속인이 보는 바. 저속(低俗)한 식견(識見).

속안[2] 【續案】 명 〖역〗 조선 시대 때, 공천 대장(公賤臺帳)의 하나. 3년마다 개서 계속(改書繼續)하던 대장. ↔정안(正案).

속:-앉다 [—안따] 자 배추·양배추 따위의 속이 생겨 들다.

속-앓이 [—알—] 명 ☞속병.

속애 【俗埃】 명 속진(俗塵).

속어 【俗語】 명 ①통속적(通俗的)으로 쓰이는 저속한 말. 곧, '거짓말'을 '공갈', '교도소'를 '큰집', '돈'을 '동그라미'로 이르는 말 같은 것. ↔아어(雅語). ②상말[2]❶. ③속담.

속:-어림 명 마음 속으로 짐작하여 잡는 어림. 속짐작. ↔겉어림. *속요량(料量).

속언[1] 【俗言】 명 속(俗)된 말. ↔아언(雅言).

속언[2] 【俗諺】 명 세간에 떠도는 상말.

속:-없다 [—업—] 형 ①줏대가 없다. 속의 알맹이가 될 만한 중심이 없다. ②악의가 없다.

속:-없이 [—업씨] 부 마음의 핵심이 없이. ¶~ 웃고만 있네.

속:-여 명 썰물에도 드러나지 않는 여. 암초(暗礁).

속여-넘기다 타 남이 속아 넘어가게 하다.

속여-먹다 타 남을 속이어 이(利)를 보다. ¶감쪽같이 속여먹었지.

속:-여의 [—녀—] 명 〈궁중〉 속속곳.

속연[1] 【俗緣】 명 ①속세와의 인연(因緣). 속인(俗人)으로서의 연고(緣故). ②〖불교〗 중이 속세에 있었을 때의 친척 또는 연고자(緣故者).

속연[2] 【續演】 명 ①연극이 호평을 얻어 예정한 흥행 기간을 연장하여 상연(上演)함. ②1회의 상연이 끝난 뒤에 간격을 두지 아니하고 계속하여 상연함. ——**-하다** 타여불

속:열매-껍질 [—녈—] 명 〖식〗 '내과피(內果皮)'의 풀어 쓴 말. ↔겉열매껍질.

속염-제 【速染劑】 명 〖화〗 촉염제(促染劑).

속영 【續映】 명 ①영화가 호평(好評)을 얻어 예정한 흥행 기간(興行期間)을 연장하여 상영(上映)함. ②1회의 상영이 끝난 뒤에 간격을 두지 아니하고 계속하여 상영함. ——**-하다** 타여불

속오-군 【束伍軍】 명 〖역〗 조선 선조(宣祖) 25년(1592)에 임진 왜란(壬辰倭亂)이 일어났을 무렵, 지방에서 역(役)이나 벼슬이 없는 15세 이상의 양인(良人)과 천민(賤民)으로 조직한 군대. 평시에는 군포(軍布)를 바치게 하고, 조련(操鍊)할 때와 유사시(有事時)에는 군역(軍役)을 치르게 하였음.

속-오례의 【續五禮儀】 [—/—이] 명 〖책〗 조선 영조(英祖) 20년(1744)에 예조(禮曹)에 명하여 오례의(五禮儀)의 속편(續編)으로 편찬한 책. 오례의와 같이 길(吉)·흉(凶)·가(嘉)·빈(賓)·군(軍)의 오례(五禮)를 편술한 것임. 5권 4책. 인본.

속:-옷 명 겉옷 안쪽, 맨 속에 껴입는 옷. 내복(內服). 내의(內衣). 설복(褻服). 친의(襯衣). ↔겉옷.

속:-옷고름 명 〈방〉 안옷고름.

속요 【俗謠】 명 ①민간에 널리 떠도는 속된 노래. 이요(俚謠). 속창(俗唱). 속가(俗歌). ②〖악〗 잡가(雜歌)의 딴이름.

속:-요량 【—料量】 [—뇨—] 명 하는 일에 대한 혼자 마음 속으로의 헤아림. *속짐작. ——**-하다** 타여불

속용 【俗冗·俗用】 명 속세의 온갖 잡사(雜事).

속용 문자 【俗用文字】 [—짜] 명 〔demotic〕 이집트 문자(Egypt文字)의 하나. 기원전 7세기경에 승용 문자(僧用文字)가 간이화(簡易化)되어 만들어진 상형(象形) 및 표음(表音) 문자로, 오른쪽에서 왼쪽으로 써 나가는 가로 글씨였음. 민중 문자(民衆文字).

속운 【俗韻】 명 속된 음운(音韻).

속:-울음 명 표면에 나타내지 않고 속으로 우는 울음. ¶여자는 겉울음을 울고 사내는 ~을 운다.

속유[1] 【俗儒】 명 식견(識見)이나 지행(志行)이 저속한 선비. 속된 유생(儒生). 비유(鄙儒). ↔아유(雅儒).

속유[2] 【粟乳】 명 조묵.

속-육전 【續六典】 [—뉵—] 명 〖책〗 ↗경제 속육전(經濟續六典).

속:-윷 [—눋] 명 윷판의 앞밭으로부터 네째 밭.

속음[1] 【俗音】 명 한자(漢字)의 시속에서 쓰는 음. '육월(六月)'을 '유월'로, '자(左)'를 '좌'로 읽는 것 등. 관용음(慣用音). 익은 소리. 통용음.

속음[2] 【續音】 명 〖언·악〗 ↗지속음(持續音). ↔단음(斷音).

속음[3] 【屬音】 명 〖악〗 '딸림음'의 한자 이름.

속음-조 【屬音調】 [—쪼] 명 〖악〗 '딸림음조'의 한자 이름.

속읍 【屬邑】 명 〖역〗 큰 고을에 딸려 붙은 작은 고을.

속의[1] 【俗議】 [—/—이] 명 속인(俗人)의 의론(議論). 속론(俗論).

속의[2] 【屬意】 [—/—이] 명 어떤 사물에 마음을 붙이거나 생각을 둠. ——**-하다** 자여불

속이 【俗耳】 명 속인(俗人)의 귀. 세인(世人)의 귀.

속이다 타 ①거짓을 참으로 곧이듣게 하다. ¶좋은 물건처럼 ~. ②거짓말로 남을 자기에게 이롭게 꾀다.

속인[1] 【俗人】 명 ①세상 일반의 사람. 속세의 사람. 용인(庸人). ②학문이 없는 사람. 또, 풍류를 알지 못하는 사람. ③〖불교〗 불도(佛道)를 깨단

지 못한 사람. 또, 중이 불교에 귀의(歸依)하지 아니하는 사람을 일컫는 말. 백의(白衣).
속인²【屬人】명 그 사람에게 속함. ↔속지(屬地).
속인-법【屬人法】[―뻡] 명 〖법〗국제 사법상(國際私法上)의 개념. 사람이 국적(國籍) 또는 주소를 가지고 있는 나라의 법률. *본국법(本國法)·주소지법(住所地法).
속인법-주의【屬人法主義】[―뻡―/―뻡―이] 명 〖법〗국제 사법상(國際私法上), 각종의 법률 관계에 대하여, 원칙적으로 그 사람이 속하여 있는 나라의 법률을 적용하는 주의. *속인주의.
속인-주의【屬人主義】[―/―이] 명 〖법〗①법령, 특히 형법(刑法)의 적용 범위에 관한 주의. 곧, 범죄지의 여하를 불문하고, 자국민(自國民)이 행한 범죄에 대하여는 자국의 형법을 적용하는 주의. ↔속지주의(屬地主義). ②혈통주의(血統主義). *속인법주의(屬人法主義).
속인 특권【屬人特權】명 〖법〗그 사람의 신분에 속하는 특권.
속임-수【―數】[―쑤] 명 남을 꾀어서 슬며시 속이는 짓. 또, 그 수단. 기만책(欺瞞策). 외수(外數). 암수(暗數). 사술(詐術). ¶ ～를 쓰다.
속:-잎[―닢] 명 풀이나 나무 우듬지 속에서 새로 돋아나오는 잎. ↔겉잎.
속자¹【俗字】명 세간에서 두루 쓰이는 문자로서 정격(正格)이 아닌 한자(漢字). 보통 간단히 된 것이나 아주 새로 된 한자도 있음. '竝'에 대한 '並', '拂'에 대한 '払', '巖'에 대한 '岩' 등. ↔정자(正字). *약자(略字).
속자²【屬者】명 따라다니는 사람.
속:-자락 명 〖건〗주의(柱衣) 등에 그리는 무늬의 한 부분. ↔겉자락❷.
속자치 통감【續資治通鑑】명 〖책〗중국 청(淸)나라 필완(畢沅)이 저술한 편년체의 역사책. 사마광(司馬光)의 《자치 통감》에 이어, 송(宋)나라 태조에서부터 원(元)나라 순종(順宗)에 이르기까지 26제(帝) 409년 동안의 사실(史實)을 기록했음.
속자치 통감 장편【續資治通鑑長編】명 〖책〗중국 송나라의 이도(李燾)가 편찬한 편년체(編年體)의 사서. 사마광(司馬光)의 《자치 통감(資治通鑑)》이 당(唐)과 오대(五代)로 끝난 것을 보충하여 북송(北宋)의 전시기(全時期)를 기술한 것으로, 사실(史實)에 충실하여, 사료(史料) 가치가 극히 높음. 1182년에 완성함. 원본은 1,063권, 현행본은 520권임.
속:-잠방이 명 아랫도리 옷의 맨 속에 입는 잠방이.
속:-장¹ 명 신문·책 같은 것에서 겉장 안에 접어 넣은 각 지면(紙面)의 종이. 간지(間紙). ↔겉장.
속장²【束裝】명 행장(行裝)을 갖추어 차림. ――하다 자여불
속장³【俗腸】명 천한 마음. 비속한 마음.
속장⁴【屬長】명 〖기독교〗기독교 감리회에서, 속회(屬會)를 맡아 인도하는 교직. 또, 그 직분을 맡은 사람.
속-장경【續藏經】명 〖불교〗고려 대장경(高麗大藏經)을 결집(結集)할 때 누락된 것을 모아 고려 숙종(肅宗) 원년(1096)에 완성한 불경. 고려 때의 승려 대각 국사(大覺國師) 의천(義天)이 송(宋)·일본(日本)·거란(契丹) 등지에서 불서(佛書)와 경전(經典)을 구하여 완성했으므로 '의천의 속장경'이라고도 하나, 몽고 침입 때 소실(燒失)되었음.
속재¹【俗才】명 속사(俗事)에 능한 재사. 세속(世俗)의 재사. 세재(世才).
속재²【續載】명 연재(連載). ――하다 타여불
속:-재목【―材木】명 통나무의 속쪽. 심재(心材).
속:-재미 명 남모르게 보는 실속 있는 재미. ¶ ～는 저 혼자 본다.
속:-저고리 명 속에 입는 여자의 저고리. ↔겉저고리.
[속저고리 벗고 은반지] 어울리지 않는 지나친 장식을 하여 웃음을 살 지경이란 뜻.
속적【屬籍】명 그 사람이 속하는 국적 또는 본적이나 거주적(居住籍).
속:-적삼 명 저고리나 적삼 안에 껴입는 적삼. 한삼(汗衫).
속전¹【俗傳】명 세상에 널리 전함. 민중 사이에 말을 퍼뜨리어 전함. ――하다 타여불
속전²【速戰】명 운동 경기나 전투를 일찍 끝내려고 신속하게 싸움.
속전³【粟田】명 조밭.
속전⁴【續田】명 〖역〗조선 시대 때, 토질(土質)이 나빠서 해마다 농사를 짓지 못하고, 농사 지을 때에만 과세하는 땅. *정전(正田).
속전⁵【贖錢】명 죄를 면하고자 바치는 돈. 속금(贖金).
속전 속결【速戰速決】명 〖군〗지구적 장기전(持久的長期戰)을 피하고 속전(速戰)으로써 전국(戰局)을 빨리 판가름하려는 일. 또, 짧은 시간 안에 일을 결판내는 일. 속전 즉결. ――하다 자여불
속전 즉결【速戰卽決】명 〖군〗속전 속결.
속절【俗節】명 〖민〗제사날 외에 철을 따라 사당이나 선영(先塋)에 차례(茶禮)를 지내는 날. 곧, 음력 설날·한식(寒食)·단오(端午)·추석(秋夕)·9월 9일·동지(冬至) 같은 날.
속절-없다[―업―] 형 아무리 하여도 단념할 수밖에는 별도리가 없다. ¶ 속절 없는 세월은 유수같이 흘러.
속절-없이[―업씨] 부 단념할 수밖에 별도리 없게.
속:-젓 명 조기의 내장으로 담근 젓. 이해(裏醢).
속:-정¹【―情】명 ①비밀한 사정이나 내용. ②은근하고 진실한 정분.
속정²【俗情】명 ①세속적(世俗的)인 생각. 속려(俗慮). ②세속(世俗)의 인정. ③명리(名利)를 바라는 마음.
속제¹【俗諦】명 〖불교〗속세(俗世)의 실상(實狀)에 따라서 알기 쉽게 설명한 진리. 자타(自他)의 차별이 있는 현실의 생활에 관한 이치. 세속제(世俗諦). 세제(世諦). ↔진제(眞諦).
속제²【贖祭】명 〖종〗유태인들이 죄를 지었을 때 보속(補贖)으로 드리는 제사. 바스까제(pascha祭) 같은 것.
속조【俗調】명 ①속세(俗世)에서 행하는 가락. ②비천한 가락. ③평범(平凡)한 가락.
속:-족건【―足件】명 〈궁중〉 속버선.
속:-종¹ 명 마음 속에 품고 있는 소견. ¶ 이런, 남의 ～도 모르고 나무라기부터 하네《李海朝: 鬢上雪》.
속종²【屬從】명 어떤 물건에 붙어서 좇음. 또, 그 물건. ――하다 자타여불
속죄【贖罪】명 〔redemption〕①지은 죄를 다른 공로를 세워서 비겨 없앰. ¶ 죽음으로써 ～하다. ②〖성〗예수가 죄인(罪人)인 인류를 대신하여 십자가의 보혈(寶血)로써 인류의 죄를 대속(代贖)한 일. 또, 죄를 회개하고 예수를 믿음으로써 사망(死亡)을 이기고 하느님의 은총을 받는 일. 속량(贖良). 죄멸(罪滅). *대속(代贖). ――하다 자여불
속죄-금【贖罪金】명 지은 죄를 상대방에게 용서받기 위하여 내놓는 돈.
속죄-론【贖罪論】명 〖기독교〗죄악으로부터 인류를 구출하는 데 신(神)과 화합시키려는 예수의 구제 사업을 합리적으로 풀어 내려고 하는 논설.
속죄-양【贖罪羊】명 남의 죄 따위를 뒤집어쓰고 대신 희생되는 사람.
속죄-일【贖罪日】명 〖성〗구약 성서 '레위기(記)'에 정한 대로, 매년 7월 10일 유태인이 단식(斷食)하며 몸을 스스로 괴롭히고, 제사장(祭司長)이 지성소(至聖所)에 들어가서 속죄의 의식을 행하는 날.
속주【屬州】명 ①어느 나라에 속하여 있는 주(州). ②〖역〗이탈리아 반도 이외의 로마(Roma)의 영토.
속:-주다 자 마음 속에 있는 것을 숨김없이 드러내보이다.
속:-주름 명 속으로 들어간 주름살.
속:-주머니 명 옷의 안쪽이나 속옷에 단 주머니. ↔겉주머니. 안주머니.
속줄【束乼】명 '뭇줄'의 취음(取音).
속줄-계【束乼契】명 〖역〗'뭇줄계'의 취음(取音).
속중【俗衆】명 ①중에 대하여 일반 사람을 이르는 말. ②속인들.
속:-증【―症】명 속병.
속:-지¹【―紙】명 ①겹으로 된 편지 봉투 등의 속에 들어 있는 종이. ②편지 등의 봉투 안에 들어 있는, 글을 쓴 종이. ③속장¹. ④책장 사이에 끼워두는 흰 종이.
속지²【俗地】명 속악(俗惡)한 땅. 풍아(風雅)하지 못한 곳. 속경(俗境).
속지³【俗知·俗智】명 속사(俗事)에 관한 지혜. 범속(凡俗)한 지혜. 세간지(世間智).
속지⁴【屬地】명 어느 나라에 속해 있는 땅. 속토(屬土). ↔속인(屬人).
속지 고각【束之高閣】명 묶어서 시렁 높이 얹어 둠. 한쪽에 치워 놓아두고 쓰지 아니함. ――하다 타여불
속:-지르다 타르불 남의 속을 까닭없이 태우다.
속지-법【屬地法】[―뻡] 명 〖법〗국제 사법상(私法上)의 개념으로, 법정(法廷)의 소재지·물건(物件)의 소재지·행위의 발생지가 속하여 있는 나라의 법률.
속지-주의【屬地主義】[―/―이] 명 〖법〗①법령, 특히 형법의 장소적(場所的) 적용 범위에 관한 한 주의. 범죄인의 국적 여하를 불문하고 자국 영토 안에서 행한 모든 범죄에 대하여 자국의 형법을 적용하는 것을 원칙으로 함. ↔속인(屬人)주의. ②출생지주의(出生地主義).
속진【俗塵】명 속세의 티끌. 세상의 번잡한 사물. 속애(俗埃). 황진(黃塵). ¶ ～을 피하여 산 속에 들어가다.
속:-질【―質】명 〖생〗실질성 기관(實質性器管)의 내부를 차지한 조직. 골의 백질(白質) 따위. 수질(髓質). ↔피질(皮質).
속:-짐작【―斟酌】명 마음속으로 치는 짐작. 속어림. ¶ ～만 대고 애매한 소리 마라. ↔겉짐작. *속대중.
속:-집¹ 명 〖식〗'내초(內鞘)'의 풀어 쓴 말.
속집²【續集】명 원래 있던 서책에 잇대어 수집한 문집(文集)이나 시집.
속집³【續輯】명 원래 있던 편집물(編輯物)에 잇대어 편집함. 또, 그러한 것. ――하다 타여불
속짝-새 명 〈방〉〖조〗소쩍새(전남).
속:-차리다 자 ①철이 난 것처럼 처신하려 하다. ②자기 실속을 차리다.
속:-창¹ 명 구두 속에 덧까는 창. *밑창.
속창²【俗唱】명 속세(俗世)의 노래. 비속(卑俗)한 가요(歌謠). 속가(俗歌). 속요(俗謠).
속:-채 명 〈방〉 세장¹.
속:-청 명 ①대나무나 갈대 같은 것의 속에 있는 얇다란 꺼풀. ②〖악〗세청.
속체【俗體】명 ①중이 아닌 속인(俗人)의 모양. ②고상한 풍치가 없는 속된 체제.
속초¹【束草】명 〖지〗강원도 동해안의 시(市). 남쪽은 양양군(襄陽郡), 북쪽은 고성군(高城郡), 동쪽은 동해에 접한 항구 도시. 설악산·해수욕장·비행장이 있으며, 명태·오징어·청어 등의 어획이 많음. [73,796명(1991)]
속초²【續貂】명 ①우수한 사람의 뒤를 열등한 사람이 따름. ②남이 하다가 남긴 일을 이어서 함의 겸칭(謙稱).
속출【續出】명 잇대어 나옴. 속생(續生). ¶ 사고 ～. ――하다 자여불
속취¹【俗臭】명 ①비속(卑俗)한 냄새. ¶ ～가 아직 가시지 않은 중. ②속세간(俗世間)의 부귀(富貴)나 명예 등에 집착하는, 천한 기풍(氣風). 속기(俗氣).
속취²【俗趣】명 세속의 취미. 속된 취미.
속:-치레 명 속을 잘 꾸민 치레. ↔겉치레. ――하다 자여불
속:-치마 명 겉치마 밑에 받쳐서 입는 치마. ↔겉치마.
속:-치장【―治裝】명 속 부분의 꾸밈새. ↔겉치장. ――하다 자여불
속칭【俗稱】명 세속에서 보통 일컫는 칭호. 통속적인 일컬음. ――하다 타여불
속:-타다 자 마음이 몹시 상하거나 속이 달아서 타는 듯하다. ¶ 남의 속 타는 줄도 모르고/房안에 혓는 燭불 눌과 離別 ᄒᆞ엿관ᄃᆡ 것츠로 눈물 디고 속타는 줄 모로는고 뎌 燭불 날과 것트며 속타는 줄 모로도다《李塏》.
속:-타점【―打點】[―쩜] 명 마음 속으로 어떤 것에 점을 찍어 정하여 놓음. ――하다 타여불
속:-탈【―頉】명 먹은 것이 잘 삭지 않아서 생기는 병.

속-탕수【粟湯水】명 조당수.
속태【俗態】명 아담스럽지 못한 태깔.
속:-태우다 사동 속타게 하다. ¶ 속태우지 말고 말 좀 들어라/꿀먹은 벙어리같이 제 속만 태우며 지나느라니 상하느니 마음이요 썩느니 비위다《金宇鎭:花上雪》.
속토【屬土】명 속지(屬地).
속투【俗套】명 세속의 습관이 된 격식.
속:-트이다 자 심지가 활달하고 언행이 대범하다. 도량이 넓고 관대하다.
속:-판¹ 명 ①목차(目次). ②심지(心志). ¶ 그 놈의 ~을 알 수가 있나.
속판²【續版】명 먼젓번 출판물(出版物)에 잇대어 출판함. 또, 그러한 출판물. ——-하다 타여불
속패【續敗】명 연패(連敗). ——-하다 자여불
속편【續編·續篇】명 먼젓번 책에 잇대어 편집한 책. ↔정편(正編).
속포【贖布】명〖역〗조선 시대 때, 경저리(京邸吏)나 영저리(營邸吏)가 백성이 공납(貢納) 의무를 이행하지 않거나, 고역(苦役)에 못 이겨 도망할 때에 이를 대납(代納)함. 또, 그 대납하는 무명. ——-하다 자여불
속:-표지【—表紙】명 서적의 제목·저자명·발행소명 등을 명시하는 페이지. 앞면지(面紙)의 다음 장. 안겉장.
속:-풀리다 자 ①불편한 가슴 속·뱃속이 시원하고 편해지다. ②맺혔던 원한이나 노염 따위가 누그러지고 없어지다.
속풍【俗風】명 세속적인 풍습(風習).
속필¹【俗筆】명 속악(俗惡)한 필적. 품위없는 글씨.
속필²【速筆】명 ①빨리 쓰는 글씨. ②문장 등을 빨리 씀.
속-하다¹【速—】형여불 빠르다. ¶ 약효가 ~. 속-히【速—】부
[속히 더운 방 쉬 식는다] 무엇이든지 쉽게 되는 것은 또한 쉽게 없어지거나 오래가지 않는다는 말.
속-하다²【屬—】자여불 무엇과 관계되어 딸리다. ¶ 우리 반에 속한 사람.
속-하다³【贖—】타여불 대갚음으로 바치다.
속-하다⁴【續—】타여불 잇다. 계승하다.
속학【俗學】명 천박하고 정도가 낮은 학문.
속한【俗漢】명 성품(性品)이 속된 사람.
속항【續航】명 계속하여 항해(航海)함. ——-하다 자여불
속해【俗解】명 속인(俗人)에게 쉽게 알 수 있도록 풂. 통속적(通俗的) 해설(解說). ——-하다 타여불
속행¹【速行】명 빨리 감. 빨리 행함. ——-하다 자타여불
속행²【續行】명 계속하여 행함. ——-하다 타여불
속현【續絃】명 금슬(琴瑟)의 끊어진 현(絃)을 다시 이음. 곧, 아내를 여읜 뒤 다시 새 아내를 맞는 일. 재취(再娶)·삼취(三娶) 같은 것. *단현(斷絃). ¶ 자네 상처한 소문까지 듣고 민망하게 여겼지마는, ~도 아직 못하였겠네그려《崔瓚植 : 春夢》. ——-하다 자여불
속형【贖刑】명 돈을 바치어 죄를 면함. 또, 그 형벌. ——-하다 자여불
속호【俗好】명 속인(俗人)의 기호(嗜好). 유행. 시호(時好).
속화¹【俗化】명 속되게 변함. ——-하다 자타여불
속화²【俗畫】명 속된 그림. 저속한 그림.
속화³【俗話】명 세속(世俗)의 이야기. 고상하지 못한 이야기.
속화⁴【速禍】명 재앙을 부름. ——-하다 자여불
속-화음【屬和音】명〖악〗'딸림화음'의 한자 이름. *주화음(主和音)·하속화음(下屬和音).
속-화품【續畫品】명〖책〗중국 남조(南朝)의 양(梁)·진(陳) 때의 사람인 요최(姚最)의 화론(畫論)을 모은 책. 사혁(謝赫)의 《고화 품록(古畫品錄)》을 본뜬 것으로, 사혁 이후 및 그가 빠뜨린 화가 20명의 짧은 평전(評傳). 1권.
속환¹【俗寰】명 진환(塵寰).
속환²【贖還】명 빼앗겼던 것을 대갚음하고 되찾아옴. ——-하다 타여불
속환-사【贖還使】명〖역〗조선 시대 병자 호란 때에, 청나라로 잡혀 간 사람을 돈을 주고 찾아오는 일을 맡아 보던 사신.
속환-이【俗還—】명 ↗중속환이.
[속환이 되동냥 안 준다] 사정을 알아, 협조해 줄 만한 사람이 오히려 그렇지 못하다는 말.
속회¹【俗懷】명 세속(世俗)의 생각. 속념(俗念).
속회²【續會】명 쉬었던 회의를 다시 계속함. ¶ 1시에 ~합니다. ——-하다 자여불
속회³【屬會】명〖기독교〗감리교(監理教)에서, 구역을 나누어 모이는 기도회.
속효【速效】명 빨리 나타나는 효과. ¶ ~ 비료.
속효 비:료【速效肥料】명〖농〗속효성 비료(速效性肥料).
속효-성【速效性】[—썽] 명 빠르게 나타나는 효력을 가진 성질.
속효성 비:료【速效性肥料】[—썽—] 명〖농〗비교적 분해가 용이하여 사용하자마자 바로 효과가 나타나는 비료. 황산 암모늄·초석(硝石)·과인산 석회 등의 금비(金肥)나 분뇨(糞尿) 같은 것. 속효 비료. ↔지효성(遲效性) 비료.
속히다 타〈방〉속이다.
솎다 타〔근대 : 솟고다〕배게 나 있는 것을 군데군데 골라 뽑아 성기게 하다.
솎아-베기 명 간벌(間伐). 「여불
솎음 명 촘촘히 난 푸성귀 등을 군데군데 솎아 내는 일. ——-하다 타
솎음-국 [—꾹] 명 ↗솎음 배춧국.
솎음 배추 명 솎아 낸 어린 배추.
솎음 배춧국 명 솎음 배추를 토장에 끓인 국. 치숭탕(穉菘湯). 준솎음국.
솎음-질 명 배게 난 채소 등을 솎아 내는 일. ——-하다 타여불
손¹ 명〔중세 : 손〕①사람의 팔목에 달린 손가락과 손바닥이 있는 부분. ¶ ~을 씻어라. *발¹. ②인체(人體)의 좌우의 어깨로부터 나온 부분. 곧, 손과 팔의 통칭. 상지(上肢). ¶ ~을 들어 맹세하다. ③손가락. ¶ ~꼽아 기다리다. ④손바닥. ¶ ~에 땀을 쥐고 응원하다. ⑤〖식〗덩굴손. ⑥사람의 손과 같이 활약한다는 뜻에서, 일할 수 있는 사람 또는 품. ¶ ~이 모자라서 일을 못 마치었다/~이 많이 가는 일. ⑦기술. ¶ 그 사람 ~이 가야 한다. ⑧교제(交際). 관계. ¶ 오랜 친구와 ~을 아주 끊을 수야 있나. ⑨수완(手腕). 잔꾀. ¶ 그의 ~에 녹아 나다. ⑩손버릇. ¶ ~이 거칠다. ⑪주선. 돌봐주는 일. ¶ 그 사람의 ~을 빌었다. ⑫물건에 대한 아량. 손을 쓰는 품. ¶ ~이 크다. ⑬마음씨. ¶ ~이 맑다. ⑭손을 놀리는 기준. 표준. ¶ ~을 넘기지 말고 잘 돌려라. ⑮기회 또는 시기. ¶ ~을 놓치지 말고 제때에 팔아 버려라. ⑯소유(所有)나 권력의 범위. ¶ 내 ~에 들어올 때만 기다린다/남의 ~에 넘어가다. ⑰힘. 역량(力量). ¶ 국토 통일은 우리 ~으로.

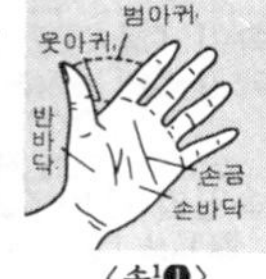

〈손¹❶〉

[손 안 대고 코풀기] 일을 힘 안 들이고 쉽게 해치운다는 뜻. [손에 붙은 밥풀 아니 먹을까] 이미 자기 차지가 된 것을 아니 가질 사람은 없다는 말. [손으로 샅 막듯] 애써 제 흔적을 숨기려 하나, 미처 다 가리지 못할 때 이르는 말. [손이 들이굽지 내굽나] '팔이 들이굽지 내굽나'와 같은 뜻. [손이 많으면 일도 쉽다] 무슨 일이나 여러 사람이 같이 힘을 합하면 쉽게 잘 된다는 말.
손에 걸리다 구 ㉠손아귀에 잡혀 들다. ¶ 내 손에 걸리기만 해봐라. ㉡흔하게 대하다. ¶ 시장에 가면 손에 걸리는 것이 곶감이었다.
손에 넣:다 구 자기 것으로 만들다. 세력 범위 또는 지배 아래에 두다.
손에 달리다 구 그 사람에게 매이거나 의존하여 좌우되다.
손에 들어가다 구 그 사람의 것이 되다.
손에 땀을 쥐:다 구 아슬아슬한 사물을 곁에서 보고 있으면서, 몹시 애가 달다. 보고 있으면서 긴장하거나 흥분하다.
손에 떨어지다 구 그 소유가 되다. 그 지배 밑에 들어가다. 손에 들어오다.
손에 붙다 구 능숙해져서 능률이 오르다. ¶ 일이 손에 붙어 일손이 빠르다.
손에 손을 잡다 구 서로 손을 마주 잡다. 다정하게 서로 힘을 합쳐 행동을 같이하다.
손에 익다 구 ㉠그 일을 오래 해 왔으므로 또는 전에 해 본 경험이 있으므로, 잘 할 수 있다. ㉡사용해 버릇하다. ↔손서투르다.
손에 잡히다 구 차분하게 마음을 집중하여 일에 임할 수 있게 되다. 참고 흔히, 아래에 부정(否定)의 말이 딸려서 쓰이는 수가 많음.
손에 잡힐 듯이 구 매우 가깝게 또는 또렷하게 보이거나 들리는 모양.
손에 쥐:다 구 수중에 넣다. 제 소유로 만들다. 손 안에 가지다.
손으로 넘어가다 구 그 사람의 소유가 되다.
손을 거치다 구 ㉠어떤 사람을 경유하다. ¶ 여러 손을 거쳐 나에게 온 물건. ㉡손을 대어 매만지다. ¶ 내 손을 거쳐야만 뒤탈이 없다.
손이 걸:다 구 ㉠무슨 일에든지 두루 일솜씨가 좋거나 날쌔다. ㉡씀씀이가 푸지다.
손이 딸리다 구 일할 사람이 모자라다. 일손이 달리다.
손이 많:다 구 일할 사람이 많다.
손이 발이 되도록 빌:다, 손발이 닳도록 빌:다, 손이야 발이야 빌:다 구 용서해 달라고 또는 살려 달라고 간절히 빌다.
손² 명〔중세 : 손〕① 남의 집에 와서 임시로 묵는 사람. ②주인을 찾아온 사람. ③영업하는 집에 찾아온 사람. 객(客). ④〈방〉손님마마(경상).
[손은 갈수록 좋고 비는 올수록 좋다] 비가 많이 오면 농사에 좋으나 찾아온 손님은 빨리 돌아가 주는 것이 고맙다는 뜻.
손³ 명〖민〗날수를 따라 여기저기로 다니면서 사람을 방해한다는 귀신. 음력 초하룻날과 이튿날은 동쪽에 있고, 사흗날과 나흗날은 남쪽에 있고, 닷샛날과 엿샛날은 서쪽에 있고, 이렛날과 여드렛날은 북쪽에 있고, 아흐렛날과 열흘·열 아흐렛날·스무날·스무 아흐렛날과 그믐날은 하늘로 돌아가 버린다고 함. ¶ ~이 없는 날을 택해 이사하다.
손:⁴【孫】명 ↗후손(後孫).
손⁵【孫】명 성(姓)의 하나. 현재 우리 나라에는 경주(慶州)·밀양(密陽) 등 아홉 개의 본관(本貫)이 있음.
손:⁶【巽】명〖민〗①↗손괘(巽卦). ②↗손방(巽方). ③↗손시(巽時).
손:⁷【損】명 ①↗손해(損害). ¶ ~을 보다. ②〖민〗↗손괘(損卦).
손⁸ 의명 손아랫사람을 일컫는 말의 하나. '사람'보다는 낮추고, '자'보다는 좀 대접하여 쓰는 말. ¶ 그 ~/젊은 ~.
손⁹ 의명 물건을 손으로 집어 내면서 셀 때에 한 번 집는 수량. 조기나 암치나 통배추 같은 것을 큰 것 작은 것 끼어 둘씩을, 미나리나 파는 한 줌씩을, 또 어떤 것은 넷이나 다섯씩을 한 손이라 함.
손:¹⁰〔sone〕의명 음향의 세기의 단위. 소리의 크기를 주관적으로 나타내는 단위로, 1킬로헤르츠에서 음압(音壓) 레벨이 40 데시벨인 음을 일컬음. 기호:sone.
손¹¹ 조 '-다'의 밑에 붙고, 그 아래에 '치더라도'·'치자' 등의 말과 같이 써서 '-다고 치더라도'·'-다고 하자' 등보다 좀더 양보(讓步)의 뜻으로 쓰는 보조사. ¶ 아무리 재주가 있다~ 치더라도 노력 없이는 성공 못 한다.
손-가늠 [—까—] 명 손으로 대중하여 무게·길이 따위를 재는 짓. ¶ 무게를 ~해보다. ——-하다 타여불
손-가다 자 손을 대어 베풀어야 할 수단·방법이 많고 복잡하다. 손질을 많이 해야 하다.
손-가락 [—까—] 명 손끝에 달려 있는 다섯 개의 짧은 가락. 엄지손가락·집게손가락·가운뎃손가락·약손가락·새끼손가락이 있는데, 엄지는 두 마디, 그 밖의 것은 세 마디로 되어, 안으로 구부렸다 폈다 함. 수지(手指). 손.
[손가락에 불을 지르고 하늘에 오른다] ㉠도저히 할 수 없다는 뜻으로, 그와 같은 것을 할 수 있다면 손가락에 불을 지르고 하늘에라도 오르

겠다고 하는 말. ㉡절대로 그렇지 않다고 강하게 부정(否定)하는 말.
[손가락으로 하늘 찌르기] 막연하여 이룰 가망이 없는 일.
손가락-무늬 [—까—니] 명 지문(指紋).
손가락-뼈 [—까—] 명 지골(指骨).
손가락-질 [—까—] 명 ①손가락으로 가리키는 짓. ②남을 흉보는 짓. ¶ 남의 ~ 받을 만한 짓. ——-하다 타여불
손가락질(을) 받다 구 남에게 비웃음을 당하다. 지탄을 받다. 비난을 받다. 뒷구멍으로 욕을 먹다.
손가락-표 【—票】 [—까—] 명 참고하라는 표의 부호. ☞표. 손표.
손-가래 [—까—] 명 〈방〉 종가래.
손-가마 [—까—] 명 두 사람이 손을 '井'자처럼 엮어서 사람을 태우는 놀이.
손-가방 [—까—] 명 손으로 들고 다니는 작은 가방. 핸드백.
손-각시 [—깍—] 명 〈방〉 손말명. ¶ 그 댁에 무서운 ~가 있답니다.
손-갈피 명 손바닥의 갈피. ¶ ~ 들여다보듯 한다.
손:감 【損減】 명 감손(減損). ——-하다 자타여불
손-강¹ 【孫康】 명 〖사람〗 3-4세기 중국 진(晉)나라 때의 학자. 산시(陝西) 사람. 집이 가난하여 기름을 사지 못하고, 겨울밤에 창을 열어 눈빛으로 독서하였다는 이야기는 차윤(車胤)의 형광(螢光)과 아울러 유명함. 벼슬은 어사 대부(御史大夫)에까지 이름. 생몰년 미상.
손: 강² 【—江】 〔Saône〕 명 〖지〗 프랑스 동부의 론 강(Rhône江)의 지류(支流). 동부에서 남서쪽으로 흘러, 리용(Lyon)에서 론 강과 합류함. 풍부한 수량(水量)으로 운하(運河)가 발달하여, 프랑스 굴지의 내륙 수로(內陸水路)를 형성하고 있음. [450 km]
손강 영:설 【孫康映雪】 명 ①중국 진(晉)나라 때 학자 손강(孫康)의 집이 몹시 가난하여 등유(燈油)를 못 사서 겨울밤에는 눈빛으로 공부하였다는 옛일. ②형설지공(螢雪之功).
손-거스러미 [—꺼—] 명 손톱이 박힌 자리 위에 일어난 거스러미. ¶ ~가 일다.
손-거울 [—꺼—] 명 몸에 지니고 다니다가 쓰는 작은 거울.
손-거칠다 형 손버릇이 나쁘다. 도둑질하는 손버릇이 있다.
손-걸다 자 ☞손대다. ¶ 김서방같이 큰 사람에게 손걸기가 엄청나서 ≪洪命憙 : 林巨正≫.
손-겪다 자 손님을 대접하다.
손-겪이 명 손님을 대접하는 일. ——-하다 자여불
손-견 【孫堅】 명 〖사람〗 중국 후한(後漢) 말기의 영웅. 삼국 시대의 오주(吳主) 손권(孫權)의 아버지. 자는 문태(文台). 저장(浙江) 사람. 황건(黃巾)의 난리 때 무장(武將)으로서 두각을 나타내고, 한(漢)나라의 영제(靈帝)에 의하여 장사 태수(長沙太守)에 임명됨. [157-193]
손-결 [—껼] 명 손의 살결. ¶ ~이 부드럽다.
손-경 【孫卿】 명 〖사람〗 순자(荀子).
손-경산 【孫京山】 명 〖사람〗 승려(僧侶). 속명(俗名)은 희진(喜璡). 함경남도 북청(北青) 출생으로, 1936년 금강산 유점사(楡岾寺)에서 득도(得度), 대한 불교 조계종(曹溪宗) 총무원장을 세 번 지냄. [1917-79]
손곡 【孫谷】 명 〖사람〗 이달(李達)의 호(號).
손-곱다 형 손이 몹시 차서 손가락이 곱다.
손곱-질 명 〈방〉 소꿉질. ——-하다 자
손-공¹ 【—功】 [—꽁] 명 손을 놀리어 애써 이룬 공로. 수공(手功).
손:공² 【遜恭】 명 겸손하고 공손함. ——-하다 형여불
손-과 【孫科】 명 〖사람〗 '쑨 커'를 우리 음으로 읽은 이름.
손-과(:)정 【孫過庭】 명 〖사람〗 7-8세기 중국 당(唐)나라 때의 서가(書家). 자는 건례(虔禮). 왕희지(王羲之)의 서법을 배워 초서(草書)에 능했음. 687년에 ≪서보(書譜)≫ 2권을 저술함. [648?-703?]
손:-괘¹ 【巽卦】 명 〖민〗 ①팔괘(八卦)의 하나. 상형(象形)은 '☴'인데, 바람을 상징(象徵)함. ②육십사 괘의 하나. 바람 아래에 바람이 거듭됨을 상징함. ㊀손(巽).
손:-괘² 【損卦】 명 〖민〗 육십사 괘의 하나. 간괘(艮卦)와 태괘(兌卦)가 거듭된 것으로, 산 아래에 못이 있음을 상징함. ㊀손(損).
손:괴 【損壞】 명 손상(損傷)하고 파괴함. ——-하다 타여불
손:괴-죄 【損壞罪】 [—쬐] 명 〖법〗 타인의 재물 또는 문서(文書)를 손괴하여, 그 효용(效用)을 해(害)함으로써 성립하는 범죄. 그 객체(客體) 및 행위에 따라 재물 또는 문서의 손괴, 공익 건조물(公益建造物)의 파괴, 중손괴(重損壞), 특수 손괴, 경계 침범(境界侵犯) 등의 유형(類型)이 있음. 훼기죄(毁棄罪). ↔영득죄.
손-구구 【—九九】 [—꾸—] 명 손가락을 꼽아 가면서 하는 셈. ——-하다 자타여불
손-구루마 〔일 くるま〕 [—꾸—] 명 ☞손수레.
손구비 명 〈옛〉 손목. ¶ 환도를 손구비에 언고(鬧刀手腕) ≪武藝譜譜 16≫.
손-군택 【孫君澤】 명 〖사람〗 중국 원나라 때의 화가. 저장 성(浙江省) 항저우(杭州) 사람. 마원(馬遠)의 구도법(構圖法)과 하규(夏珪)의 필법을 배우고 산수·인물을 교묘히 그렸음. 생몰년 미상.
손-굿 명 〖민〗 씻김굿의 일곱째 자리. 손님상(床)을 차려 놓고 손님마마의 노정(路程)을 구송(口誦)함.
손-권 【孫權】 명 〖사람〗 중국 삼국 시대 오(吳)나라의 왕. 자는 중모(仲謀). 손견(孫堅)의 아들. 유비(劉備)와 더불어 조조(曹操)를 적벽(赤壁)에서 대파하고 위(魏)와 제휴하여 제위에 오름. 연호를 황룡(黃龍)이라 하고, 도읍을 건업(建業)으로 옮겨서, 중국 남방 장쑤(江蘇) 일대를 다스렸음. [182-252; 재위 222-252]
손-궤 【—櫃】 [—꿰] 명 손으로 들고 다니기 좋게 만든 조그마한 궤.
손-그릇 [—끄—] 명 가까이 두고 늘 쓰는 작은 세간. 벼룻집·반짇고리 등.

손-근지럽다 형 ㅂ불 무엇을 몹시 하고 싶어 못 견디는 모양.
손-금¹ [—끔] 명 손바닥의 살결이 줄무늬를 이룬 금. 수상(手相). 수문(手紋). 수리(手理).
손금(을) 보다 구 ㉠〖민〗 손금을 보고 그 사람의 운수·길흉을 판단하다. ㉡〈속〉 화투·골패·투전 따위, 패를 손바닥에 들고 보는 노름을 하다.
손금 보듯 하다 구 낱낱이 환히 알다.

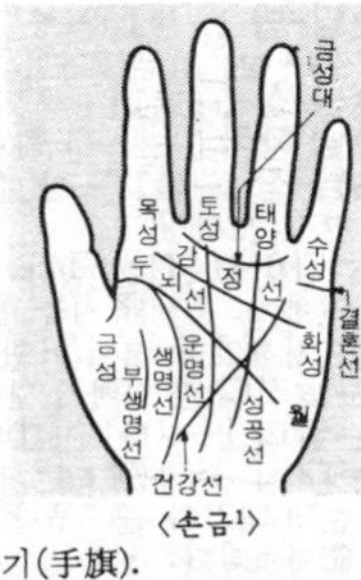

〈손금¹〉

손:금² 【損金】 명 손해를 본 돈. 또, 그 액수.
손금-쟁이 [—끔—] 명 남의 손금을 보아, 그 운수·길흉을 판단하여 주고 값을 받는 일을 업으로 삼는 사람.
손-기¹ 【—旗】 [—끼] 명 손에 드는 작은 기. 수기(手旗).
손:기² 【損氣】 명 심한 자극을 받아서 기운이 상함. ——-하다 자여불
손-기계 【—機械】 [—끼—] 명 동력(動力)을 쓰지 아니하고 사람의 손으로 돌리는 기계. 손틀. ↔발기계.
손-기봉 【孫奇逢】 명 〖사람〗 중국 명말(明末) 청초(淸初)의 유학자. 자는 계태(啓泰). 허베이 성(河北省) 사람. 심학(心學)을 비판하고 수양 실천(修養實踐)의 학문을 강조하여 화북(華北) 학계(學界)의 중심을 이루었음. 저서에 ≪사서 근지(四書近指)≫ 등이 있음. [1584-1675]
손-길 [—낄] 명 ①손바닥을 펴고 늘어뜨린 손. 또, 내밀어 뻗는 손. ¶ ~이 닿는 가까운 거리. ②구원하려고 또는 위해 주려는 마음으로 내미는 손. ¶ 구원의 ~을 뻗다/사랑의 ~.
손길(을) 잡다 [—낄—] 구 두 손을 펴서 서로 잡다.
손-까불다 자 ①재산을 날리다. ②경박한 행동을 하다.
손-꼴 명 '장상(掌狀)'의 풀어 쓴 이름.
손꼴-겹잎 [—닙] 명 〖식〗 '장상 복엽(掌狀複葉)'의 풀어 쓴 이름.
손-꼽다 자타 ①손가락을 꼽아 수를 세다. ②많은 가운데에서 특히 손가락을 꼽아 셀 정도로 뛰어나 있다. 굴지(屈指)의 존재이다. ¶ 손꼽을 만한 부자.
손-꼽이 명 손꼽아 헤아리는 짓.
손꼽이 치다 구 손꼽을 정도로 좋은 축에 들다.
손꼽이-가다 자 〈방〉 손꼽이치다.
손꼽이-치다 자 손가락에 꼽힐 정도로 상당한 축에 끼다.
손꼽 장난 명 〈방〉 소꿉장난(경기·강원·경상).
손-꼽히다 자 여럿 가운데 두드러져서 손꼽는 대상에 들다. ¶ 학교에서 손꼽히는 수재.
손-꽁치 명 낚시·그물에 의하지 않고, 수초(水草) 언저리에 모인 산란기(產卵期)의 꽁치를 손으로 떠서 잡는 고기잡이.
손-꾸락 명 〈방〉 손가락(평안·전라).
손-끈 명 꼭두각시 놀음에서, 인형의 손에 매어 조종하는 끈.
손-끊다 자 관계를 끊다. 교제를 끊다. 인연을 끊다.
손-끝 명 ①손가락의 끝. ¶ ~ 하나 까딱하기 싫다. ②손을 대어 건드리거나 배만졌기 때문에 생긴 독한 결과. ③손을 놀리어 하는 일 솜씨. ¶ ~이 여물다.
[손끝에 물도 튀긴다] 아무 일도 하지 아니하고 손 하나 까딱 아니 한다는 말.
손끝(이) 맵다 구 손을 대어 건드렸거나 배만진 결과가 모질다. ㊀손맵다.
손끝(을) 맺다 구 할 일이 있으면서도 아무 일도 아니 하다. ㊀손맺다.
손끝(에) 물이 오르다 구 구차하던 살림이 유복해지다.
손끝(이) 여물다 구 손을 놀리어 하는 일을 허술하다거나 뒤탈이 없도록 썩 잘하다. ㊀손여물다.
손마락 명 〈옛〉 손가락. ¶ 어미 병의 손마락글 금다(母病斷指) ≪東國新續三綱 孝子圖 Ⅲ:31 卵同斷指≫.
손-나누다 자 ①이별하다. 헤어지다. ②한 가지 일을 여럿이 나누어 하다.
손-나다 자 일이 일단락지어져서 짬이 생기다.
손-나발 명 ①손을 말아 입에다 대고 나발을 불듯이 소리내는 일. ②소리를 지를 때 나발처럼 입에다 말아 대는 손. ¶ ~을 하고 목청껏 형을 불렀다.
손-내밀다 자 ①무엇을 달라고 요구하다. 또, 무엇을 얻어 내려고 하다. ¶ 자꾸 손내밀지 말아라. ②악수를 하기 위해 한 손을 앞으로 내밀다.
손-넘기다 자 ①물건을 세어 넘겨 줄 때에 잘못 세어 넘기는 번수를 더하거나 혹은 덜하다. ②시기를 잃다. 때를 놓치다.
손녀 【孫女】 명 아들의 딸. 여손(女孫).
손녀-딸 【孫女—】 명 '손녀'를 귀엽게 이르는 말.
손:년 【損年】 명 손해를 본 해.
손녜로 명 〈옛〉 손님으로. 빈객(賓客)으로. ¶ 州ㅣ 손녜로 太學의 천거ᄒᆞ야든 太學이 모토아 ᄀᆞᄅᆞ쳐 ᄒᆡ마다 그 어딜며 能ᄒᆞᆫ 이를 도명에 의론ᄒᆞᆯ 디니라(州賓舉於太學 太學聚而敎之 歲論其賢者能者於朝) ≪小諺 Ⅵ:13≫.
손노락-질 명 〈방〉 손짭손. ——-하다 자
손-놀다 자 일이 없어 쉬는 상태에 놓이다.
손-놀림 명 손을 이리저리 움직이는 짓. ¶ ~이 재다.
손-놓다 [—노타] 타 하던 일을 그만두다.
손-누비 명 지은 옷이나 마른 옷감을 손으로 누비는 일. 또, 그 옷이나 옷감. ＊필누비.
손-늦추다 자 긴장도를 조금 늦추다.
손-님 명 ①'손²'의 존대말. 객인(客人). 객자(客子). ②손님마마. ③〈궁중〉 ↗유모방(乳母房) 손님.
손님-마마 【—媽媽】 명 〈속〉 천연두(天然痘). 별성 마마(別星媽媽). ㊀마마(媽媽)·손님. ——-하다 자여불 천연두(天然痘)를 앓다.
손님-맞이 명 오는 손님을 맞는 일. ¶ ~에 몹시 바쁘다. ——-하다 자

손님-방【—房】[—빵] 명 ①손님을 들이어 거처하게 하는 방. ②손님을 맞는 방. 빈실(賓室).
손님-상【—床】[—쌍] 명『민』무당이 굿을 할 때에 손님마마를 위하여 차린 제물상.
손님 자국 [—짜—] 명〈방〉마마 자국.
손님-장【—醬】[—짱] 명 특별한 때 쓰려고 따로 작은 그릇에 담그는 간장. 별간장.
손:다이크〔Thorndike, Edward Lee〕명『사람』미국의 심리학자·사전 편찬가. 동물의 지능 연구에 과학적 방법을 도입하고 또 학습 법칙을 확립하였음. 영어 어휘(語彙)의 연구로도 유명함. [1874-1949]
손-달리다 자 바빠서 일손이 부족하다.
손-닿다 [—다타] 자 ①힘이 미치다. ②어떤 테두리에 거의 미치다.
손-대[1] [—때] 명 ☞내림대.
손대 내리다 구 무당 등이 경문을 읽어, 귀신이 내림대에 내리다. ㈜대내리다.
손대[2] 명〈방〉일할 사람. ¶저 아니면 누가 길어 줄 ~가 있어야 말이지≪朴花城 : 벼랑에 피는 꽃≫.
손대기 명 잔심부름을 할 만한 아이.
손-대다 자 ①손으로 만지다. 손으로 건드리다. ¶그림에 손대지 말라. ②일을 시작하다. ¶출판 사업에 ~. ③관계하다. ¶여자에 ~. ④남을 때리다. ¶네가 먼저 손댔기에 나도 때렸다. ⑤수정하다. 고치다. ¶작품에 ~. ⑥공금이나 남의 돈 따위를 착복하다.
손-대야 [—때—] 명 작은 대야.
손-대중 [—때—] 명 손으로 만져 보고 어림으로 하는 헤아림. 또, 그 분량. ——하다 타여불
손-더듬이 명 물고기를 잡을 때에 손을 돌 밑에 넣어서 더듬는 것과 같은 수단. 또, 그러한 짓. ——하다 타여불
손-덕【—德】[—떡] 명 우연히 잘 맞는 손속. 수덕(手德).
-손뎌 어미〈옛〉-지마는. -다손 치더라도. ¶이링공 뎌링공ㅎ야 나즈란 디내와손뎌 오리도 가리도 업슨 바므란 또 엇디 호리라≪樂詞 靑山別曲≫.
손:도【損徒】명 오륜(五倫)에 벗어난 행실이 있는 사람을 그 지방에서 쫓아 냄. ——하다 자여불
손:도(를) 맞다 구 오륜에 벗어난 행실이 있어서 그 지방에서 쫓겨 나다. 남에게 배척을 당하다.
손-도끼 [—또—] 명 한 손으로 쓰는 작은 도끼. 수부(手斧). *자귀[3].
손도으리 명〈옛〉손 도울 사람. ¶여러 담 소리와 손 도으리 블러다가(叫幾箇打墻的和坌工來)≪朴解 上 10≫.
손-도장【—圖章】[—또—] 명 도장 대신 찍는 엄지손가락의 무늬. 무인(拇印). 지장(指章).
손-독【—毒】[—똑] 명 가려운 자리를 손으로 긁거나 헐어진 살에 손을 대어서 생긴 독기.
손독(이) 오르다 구 손독이 나타나다.
손독(을) 올리다 구 손독이 오르게 하다.
손돌이-바람 명 손돌풍. ¶최가의 속내도 ~이 지나고 난 쇠전머리 파장처럼 대중 없이 쓸쓸해졌다≪金周榮 : 客主≫.
손돌이 추위 명 음력 시월 스무날께의 심한 추위. *손석풍.
손돌이 추윈가 구 바람이 몹시 찬 것을 두고 이르는 말.
손돌-풍【孫乭風】명 손석풍(孫石風).
손돕 명〈옛〉손톱. =손똡. ¶손돕으로 쁘더 헌터ᄂᆞᆫ(爪破者)≪痘方 52≫.
손-동작 [—動作] [—똥—] 명 손을 놀리는 동작. ——하다 자여불
손:-득【損得】명 손실(損失)과 이득(利得). ¶~을 도외시하다.
손-들다 자 자기의 힘 이상의 것을 만나 항복하다. 굴복하다. 어이가 없어 내던져 포기하다. ¶저 고집장이에겐 정말 손들었다. *두손들다.
손-등 [—뜽] 명 손의 바깥쪽. 곧, 손바닥의 뒤. 수배(手背).
손ᄃᆡ 조〈옛〉에게. 한테. ¶약졍의손ᄃᆡ 고ᄒᆞ야(告于約正而)≪呂約 2≫/ 네 뉘손ᄃᆡ 글 비호ᄂᆞᆫ다(你誰根底學文書來)≪老乞 上 2≫.
손-때 명 ①손으로 오랜 세월을 두고 길들이어 만져서 묻은 때. ¶~ 묻은 사전. ②손끝❷.
손때(가) 맵다 구〈방〉손끝(이) 맵다.
손때(가) 먹다 구 그릇·기구 따위에 손이 많이 가 길이 들다.
손때(를) 먹이다 구 ㉠광이 나게 하다. ㉡오랜 세월을 두고 길들이어 쓰다. ㉢어루만지어 기르다. 양육하다.
손때(가) 묻다 구 오래 사용하여 손으로 만진 때가 끼어 있다.
손-떠귀 명 무슨 일에든지 손만 대면 좋거나 궂은 일이 따르는 일.
손-떼다 ㊀자 남과 함께 하던 일을 중간에서 관계를 끊다. ㊁타 하던 일을 마치어 끝을 내다.
손-또메 명〈방〉토시.
손-뜨겁다 형ㅂ불 내민 손이 무안당하여 부끄럽다.
손-뜨개 명 ①손으로 뜨는 일. ②손으로 뜬 것. ¶~ 조끼.
손-뜨개질 명 손으로 하는 뜨개질. 수편물(手編物). 뜨개질. ——하다 자여불
손-뜨다 형 ①일하는 동작이 매우 느리다. ②파는 물건이 잘 팔려 나가지 않다. ↔손빠르다.
손:료【損料】[솔— / —뇨] 명 의복이나 세간 등을 빌려 주고, 그 닳고 상한 값으로 받는 돈.
손-많다 [—만타] 형 일손이 많다.
손-말명 명『민』처녀로 죽어서 된 귀신.
손-말사【孫末寺】[—싸] 명『불교』말사에 딸려서 본사(本寺)의 지배를 간접으로 받는 작은 절을 본산에 대하여 일컫는 말. 말사의 말사.
손-맑다 [—막—] 형 ①재수가 없어 생기는 것이 없다. ②후하지 아니하고 다랍다.
손-맛 명 ①손으로 만져 보고 느끼는 느낌. ¶보자기에 싸인 물건을 ~으로 알아맞혔다. ②『낚시』낚싯대를 쥐고 있을 때, 입질이나 물고당기는 힘이 손에 전해져 오는 느낌. ③손으로 만져서 돋아나는 맛. ¶음식 맛은 ~이다.
손-맞다 자 함께 일하는 데 서로 보조가 맞다. 손발이 맞다.
손-맞잡다 자 서로 손에 손을 잡다. 서로 결속(結束)하다.
손-매 명 손의 맵시. ¶~가 곱다.
손-맵다 형ㅂ불 ↗손끝맵다.
손-맺다 자 ↗손끝맺다.
손-멈추다 자 하던 동작을 잠깐 중지하다.
손:-명【損名】명 명예를 떨어뜨림. 평판을 나쁘게 함. ——하다 자여불
손:-모【損耗】명 씀으로써 닳아 손실됨. 또는 손실되게 함. ——하다 자타여불
손-모가지 명〈속〉①손. ②손목.
손-모자라다 형 일손이 부족하다.
손-목 명 손과 팔이 이어진 부분의 손에 가까운 곳. 곧, 손의 관절이 있는 곳.
[손목을 잡고 말리다] 기어코 만류(挽留)하다. ¶"누구던지 여하로 며나리를 얻는다는 사람이 있으면 손목을 잡고 말리겠읍니다"≪崔瓚植 : 金剛門≫.
손-목동아리 명〈방〉손모가지.
손목-뼈 명『생』완골(腕骨).
손목 시계【—時計】명 손목에 차게 된 작은 시계.
손-목쟁이 명〈방〉손모가지(평안).
손-무【孫武】명『사람』기원전 6세기경, 중국 춘추 시대 제(齊)나라의 병법가(兵法家). 존칭하여 손자(孫子)라 함. 오왕(吳王) 합려(闔閭) 밑에서 절도(節度)와 규율 있는 군사를 양성하였음. 그의 병서 ≪손자(孫子)≫는 인의(仁義)를 전쟁의 이념으로 하여 전술(戰術)의 비의(秘義)를 서술한 것임. 병법(兵法)의 조(祖)로 불림. 생몰년 미상.
손-문【孫文】명『사람』'쑨 원'을 우리 음으로 읽은 이름.
손문-주의【孫文主義】[— / —이] 명『정』삼민주의.
손밀이 대:패 명 동력으로 돌리는 기계 대패의 하나. 회전축에 2-4장의 대팻날을 끼워서 1분간에 3000-5000회의 고속으로 회전시키고, 나무를 손으로 밀어 깎음.
손ᄡᅵ 명〈옛〉솜씨. ¶제 드러가 분 ᄇᆞᆫ터를 두루보니 그 겨집의 손ᄡᅵ과 ᄀᆞᆮ거ᄂᆞᆯ≪太平廣記 1 : 9≫.
손-바꿈 명 ①능한 솜씨를 서로 바꾸어서 일함. ②사람을 서로 바꾸어 일함. 환수(換手). ——하다 타여불
손-바느질 [—빠—] 명 기계의 힘을 빌지 아니하고 손으로 하는 바느질. ——하다 자타여불
손-바닥 [—빠—] 명 손의 안쪽. 곧, 손등과 반대되는 곳. 수장(手掌). 손. 수벽(手擘). 지장(指掌). ¶~만한 땅.
손바닥을 뒤집듯 하다 구 ㉠삽시간에 변하는 모양. ㉡노골적으로 태도를 바꾸는 모양.
손바닥-난초【—蘭草】[—빠—] 명『식』[*Gymnadenia conopsea*] 난초과에 속하는 다년초. 줄기는 곧고 높이 50cm 내외, 뿌리는 굵고 손바닥 모양으로 갈라져 벋으며, 잎은 호생하고 긴 타원형 또는 선상(線狀) 피침형임. 6-7월에 엷은 홍자색의 육판화가 수상(穗狀) 화서로 정생함. 높은 산의 습지에 나는데, 제주·충북·함경 등지에 분포함.

〈손바닥난초〉

손바닥-뼈 [—빠—] 명『생』장골(掌骨).
손-바람 [—빠—] 명 일을 치러 나가는 솜씨의 힘. ¶~이 나다.
손-발 명 손과 발. 수족(手足). ¶남의 ~이 되어 일하다.
손발(을) 걷다 구 사람이 죽은 뒤, 몸이 굳어지기 전에 팔과 다리를 거두어 놓다.
손발(이) 맞다 구 남과 힘을 합쳐 무엇을 할 때에 서로의 보조가 맞다.
손발이 되다 구 손과 발같이 그 사람의 뜻대로 움직이다.
손발(을) 치다 구 제가 발견한 것을 여러 사람에게 외치다.
손발-톱 명 손톱과 발톱.
손:방[1] 명 할 줄 모르는 솜씨. ¶내가 병하고는 ~일세. 여기 명의가 없거든 서울서 불러다가라도 보지≪李相協 : 再逢春≫/ 수영은 ~이다.
손:방[2]【巽方】명『민』①이십사 방위의 하나. 정동(正東)과 정남(正南) 사이 한가운데 15도(度)의 각거리(角距離)를 차지함. ②팔방(八方)의 하나. 정동과 정남의 사이 한가운데 45도의 각거리를 차지함. ㈜손(巽).
손-방아 [—빵—] 명〈방〉디딜방아.
손-버릇 [—뻐—] 명 ①손에 익어진 버릇. ②남의 물건을 훔치거나 망그지르는 버릇. 손. ¶~이 나쁘다.
손버릇(이) 사:납다 구 남의 물건을 훔치거나 망그러뜨리거나 또는 남을 때리거나 하는 버릇이 있다.
손-벌리다 자 무엇을 달라고 손바닥을 벌려서 내밀다.
손-벼루 명 조그마한 벼루.
손-병(:)희【孫秉熙】[—히] 명『사람』삼일 운동 때 민족 대표 33인 중의 한 사람. 호는 의암(義菴). 충북 출생. 1882년 천도교에 입교, 1897년 37세에 천도교 제3세 대도주(大道主)가 됨. 1908년 대도주직에서 물러나 학교를 설립하여 인재를 양성하다가, 1919년 3·1 운동을 일으켜 투옥되어 병보석으로 요양 중 사망하였음. [1861-1922]
손:보【損保】명 ↗손해 보험(損害保險).
손-보기[1] 명 손을 대어 기계 등을 잘 살피어 보는 일. 손질.
손-보기[2] 명 계집이 정조(貞操)를 파는 것으로 업을 삼는 일.
손-보다[1] 자 찾아온 손님을 만나 보다.
손-보다[2] 타 흠이나 탈이 없도록 손질을 하여 보살피다.
손:-복【損福】명 복이 덜림. ——하다 자여불
손봐 주다 타 남의 일을 도와 주다.
손부【孫婦】명 손자의 아내. 아들의 며느리. 손자며느리.
손-부끄러이 부 손부끄럽게.
손-부끄럽다 형ㅂ불 무슨 물건이나 어떤 일에 손을 내밀었다가 허탕이

되어 무안하고 부끄럽다.
손-붙이다 [-부치-] 자 ①무슨 일에 손을 대다. ②일을 시작하다.
손-비다 형 ①할 일이 없어 아무것도 하지 않고 있다. ②수중에 돈이 하나도 없다.
손-비비다 자 〈방〉 비손하다.
손-빈【孫臏】명〘사람〙중국 전국 시대 제(齊)나라의 병법가. 손무(孫武)의 후손. 기원전 367년경 위(魏)나라 군사를 계릉(桂陵)에서 대파하고, 기원전 353년 조(趙)나라를 도와 위나라 군사를 하남 대량(河南大梁)에서 재차 격파하여 병법가로 명성이 높았음. 생몰년 미상.
손-빌리다 자 무슨 일을 하는 데 남의 힘을 빌리다.
손-빚기 명〘고고학〙주로 작은 그릇을 직접 손으로 빚어 만드는 방법.
손-빠르다 형르불 ①일처리가 빠르다. 민첩하다. ②파는 물건이 잘 팔려 나가다. ↔손뜨다.
손-빨래 명 드라이클리닝이나 전기 세탁기 따위 기계를 이용한 빨래에 대하여, 손으로 비벼 빠는 빨래.
손-빼다 자 ①관계를 끊고 물러나다. ②바둑에서, 상대방의 착수(着手)에 대하여 직접 응수하지 않고, 다른 국면(局面)으로 옮기다.
손-뻗치다 자 이제까지 하지 않던 일을 해 보다. 세력을 넓히다.
손-뼈 명〘생〙장골(掌骨).
손뼉 명 〔근대 : 숀벽〕 손바닥과 손가락을 합친 전체의 바닥.
손뼉(을) 치다 구 ㉠손바닥을 마주 쳐서 소리를 내다. ㉡어떤 일에 찬성하거나 좋아하다. ¶남의 실패에 손뼉 치는 몰인정한 사람이 있다.
손뿌리-난초【一蘭草】명〘식〙손바닥난초.
손-뿌리치다 자 잡은 손이나, 잡으려는 손을 물리쳐 놓치게 하다.
손ᄭᅳᆷ 명 〈옛〉 손금. ¶손ᄭᅳᆷ 과(膕)《字會 上 25》.
손ᄯᅵᆷ 명 〈옛〉 손때. ¶아비 칙을 닑디 몯홈은 손ᄯᅵᆷ이 이실시며(不能讀父之書手澤存焉爾)《小諺 Ⅱ:16》.
손ᄯᅩᆸ 명 〈옛〉 손톱. =손돕. ¶손ᄯᅩᆸ 다ᄃᆞᆷ믈 쉬기도 엇디 못ᄒᆞ고(不得撚指歇息)《朴解 中 43》.
손ᄲᅡ당 명 〈옛〉 손바닥. =숀바당. ¶ᄒᆞᄅᆞᆺ 아ᄎᆞᄆᆡ 배요ᄃᆡ 손ᄲᅡ당 두위혐ᄉᆞᆷ이 ᄀᆞ토ᄆᆞᆯ(一旦敗之若反掌間)《內訓 Ⅲ:6》.
손:사¹【遜辭】명 겸손한 말.
손:사²【遜謝】명 겸손하게 사죄함. ——하다 타여불
손-사래 [—싸—] 명 어떤 말을 부인할 때 또는 조용하기를 요구할 적에 손을 펴서 휘젓는 짓. ¶춤사위로 다가가서 겨드랑이에 손을 넣어 잡아끄니, 잡힌 사람은 ~를 치다간 끌려가고 만다《金周榮 : 客主》. 준손살.
손사래(를) 치다 구 손을 펴서 함부로 휘젓다.
손사랫-짓 [—싸—] 명 손사래를 치는 것. ——하다 자여불
손-사막【孫思邈】명〘사람〙중국 당(唐)나라의 학자. 백가(百家)에 통하고 노장(老莊)의 도(道)에 환하며, 겸하여 음양과 의술에 통달함. 《천금방(千金方)》을 저술함. [?-682]
손-사(:)의【孫士毅】명〘사람〙중국 청나라 때의 정치가. 자는 지치(智治). 저장(浙江) 사람. 1769년 버마(Burma) 원정에 종군한 이래 1785년 대만 반란을 평정, 1787년 안남(安南)을 정벌, 1790년에는 티베트의 진무(鎭撫) 등 많은 공을 세웠음. [1720-96]
손:사-풍【巽巳風】명〘민〙손방(巽方)과 사방(巳方)에서 불어오는 바람.
손-살 [—쌀] 명 ↗손사래.
손-살피 명 ☞손살. ¶십삼도 강산이 ~같이 개미 하나 기어가는 것을 은휘하지 못할 이 시대이라《崔瓚植 : 金剛門》.
손:상【損傷】명 떨어지고 상함. ¶체면을 ~시키다. ——하다 자타여불
손:상 감:세【損傷減稅】명 수입 신고한 물품이 면허 전에 변질 또는 손상된 때에 관세를 경감하는 일. ——하다 자여불
손:상 박하【損上剝下】명 나라에 해를 끼치고 백성의 재물을 빼앗음.
손:상 익하【損上益下】명 윗사람에게 해를 끼쳐서, 아랫사람을 이롭게 함. ——하다 자여불
손:상 전:류【損傷電流】[—절—] 명 〔injury current〕〘생〙생물체가 부상하였을 때, 정상부(正常部)로부터 손상부로 흐르는 전류. 보통 20-40밀리 볼트 정도임. *염전류(塩電流)·정지(靜止) 전류.
손-상좌【孫上佐】명〘불교〙상좌의 상좌.
손-샅 [—싿] 명 손가락 사이.
[손샅으로 밑가리기] 가린다고 가렸으나 아무 소용도 없고 드러날 것은 다 드러나고야 만다는 말.
손:색【遜色】명 서로 견주어 보아서 못한 점.
손:색-없다【遜色—】[—업—] 형 서로 견주어 못한 점이 없다.
손:색-없이【遜色—】[—업씨] 부 서로 견주어 부족함이 없이.
손서【孫壻】명 손녀의 남편. 손주사위.
손-서투르다 형르불 무슨 일이 손에 익지 아니하여 서투르다. 준손서툴다·손설다. ↔손익다.
손-서툴다 형 ↗손서투르다.
손석-풍【孫石風】명〘민〙고려 때 어느 해 10월 20일, 사공 손석(孫石)이 임금이 탄 배를 저어 통진(通津)·강화(江華) 사이를 가다가, 풍랑에 밀려 매우 곤란을 겪게 되매, 임금이 다른 뜻이 있다 하여 그를 억울하게 참살(斬殺)한 일이 있은 뒤, 매년 그 날에는 몹시 추워지고 큰 바람이 인다고 전하여, 매년 음력 시월 스무날께 부는 바람을 이름. 손돌풍. *손돌이 추위.
손:설【飧泄】명〘한의〙먹은 음식이 삭지 아니하고 그대로 다 나와 버리는 설사.
손-설다 형 ↗손서투르다.
손-성연【孫星衍】명〘사람〙중국 청(淸)나라의 학자. 장쑤(江蘇) 사람. 자는 연여(淵如) 또는 백연(伯淵). 호는 방무 산인(芳茂山人). 경술(經術)에 몰두하여 널리 군서(群書)를 탐독하였음. 저서 《상서 고금문 주서(尙書古今文注書)》. [1753-1818]
손세【孫世】명 ①자손의 늘어가는 정도. ②손자의 대.
손-세간 [—쎄—] 명 〈방〉 손그릇.
손-소¹【孫昭】명〘사람〙조선 세조(世祖) 때의 공신. 자(字)는 일장(日章). 경주 사람. 이시애(李施愛)의 난 때 출정하여 적개 공신(敵愾功臣)이 됨. 뒤에 계천군(溪川君)의 봉군을 받았음. 시호는 양민(襄敏). [1433-84]
손소² 부 〈옛·방〉 손수. ¶너희 돌히 이 아기ᄅᆞᆯ 이대 기ᄅᆞ라 ᄒᆞ고 손소 목ᄆᆡ야 주고ᄃᆡ(汝等惟善養幼子遂自縊而死)《三綱 明秀》.
손-소(:)희【孫素熙】[—히] 명〘사람〙여류 작가. 함경 북도 경성(鏡城) 출신. 1936년 함흥 영생 고녀 졸업, 60년 한국 외국어 대학 졸업. 61년 서울 특별시 문화상(문학상) 등을 수상하고, 한국 펜클럽 중앙 위원을 역임. 창작집에 《창포(菖蒲) 필 무렵》·《태양의 계곡(溪谷)》·《원색(原色)의 계절》 등이 있음. [1917-87]
손-속 [—쏙] 명 노름할 때에, 힘들이지 아니하여도 손대는 대로 잘 맞아 나오는 운수. ¶~이 좋다.
손수¹ ⊟ 부 〔중세 : 손소, 손조〕 남의 힘을 빌리지 아니하고 제손으로. *몸소. ¶할머니께서 ~ 가꾸신 배추. ⊟ 인대 〈방〉 너¹(함경).
손-수²【—繡】[—쑤] 명 손으로 놓는 수. ↔틀수.
손-수건【—手巾】[—쑤—] 명 몸에 지니는 자그마한 수건.
손-수레 명 사람이 손으로 끄는 수레. 수거(手車).
손수레-꾼 명 손수레를 끄는 일로 업을 삼는 사람.
손수-변【—手邊】명 한자 부수의 하나. '持'·'拔'의 '扌'의 이름.
손수 운전【—運轉】명 주로 자기 소유의 승용차를 자신이 운전하여 운행하는 일. ¶~자(者).
손-수평기【—水平器】명〘물〙수준기(水準器).
손순 매아 설화【孫順埋兒說話】명 가난한 아들이 부모를 봉양하기 위하여 자기 자식을 파묻으려다가 석종(石鐘)을 얻어 부모에게 효도하는 희생 효행형(犧牲孝行型) 설화.
손-순효【孫舜孝】명〘사람〙조선 성종(成宗) 때의 문신. 자는 경보(敬甫). 호는 물재(勿齋) 또는 칠휴 거사(七休居士). 평해(平海) 사람. 관은 우찬성(右贊成)에 이르고 성종(成宗) 18년(1487)에 《식료 찬요(食療撰要)》를 저술하였음. 시호는 문정(文貞). [1427-97]
손숫-물 명 손을 씻는 물.
손-쉽다 형ㅂ불 일을 하기에 어렵지 아니하다. ¶손쉬운 일.
손:시【巽時】명〘민〙이십사 시(二十四時)의 열째 시. 오전 여덟 시 반부터 아홉 시 반까지의 동안. 준손(巽).
손-시늉 [—씨—] 명 손으로 하는 시늉.
손:실【損失】명 덜리어 잃어짐. 축나서 없어짐. ↔이득(利得). ——하다 자타여불
손:실-금【損失金】명 손실된 금액.
손:실-률【損失率】명 〔loss factor〕〘전〙물질의 유전율(誘電率)과 역률(力率)과의 비율. 물질 가운데에서의 발열량(發熱量)을 결정함.
손:실 물질【損失物質】[—찔] 명 〔lossy material〕〘물〙그 속을 전파(傳播)하는 전자기파(電磁氣波)나 음파(音波)의 에너지를 산일(散逸)시키는 물질.
손:실 보:상【損失補償】명〘법〙국가 또는 자치 단체 등이 적법(適法)한 공권력(公權力)의 행사에 의하여 특정인에게 재산 상의 손실을 가한 경우, 그 손실을 보전(補塡)하기 위하여 교부되는 공법상의 금전 급부(給付). *손해 배상.
손:실 전:류【損失電流】[—절—] 명 〔loss current〕 ①〘전〙유전체(誘電體)의 도전성(導電性)에 기인해서 축전기로 흐르며, 축전기에 전력 손실을 일으키는 전류(電流). ②〘전〙코일을 흐르는 전류의, 전압에 동상(同相)인 성분. 코일 속에서의 전력 손실에 관계됨.
손:실 체면【損失體面】명 체면을 잃음. ——하다 자여불
손-심부름 [—씸—] 명 몸 가까이에 있는 일에 대한 잔심부름. ——하다 자여불
손-싸다 형 손을 놀리어 일하는 품이 재빠르다.
손-싸매다 자 손을 싸매 놓은 것처럼 아무 일도 하지 않고 놀다.
손-쓰다 자 ①때를 놓치면 안 될 일에 대하여 필요한 조치를 취하다. ②남에게 무엇을 선심쓰다. ¶소인이 수달피 두 장을 손쓴 일은 있사오나 훔친 것은 아니올시다《洪命熹 : 林巨正》.
손-씻다 자 ①관계를 끊고 깨끗하게 되다. 주로, 나쁜 일에서 벗어남을 뜻함. ②깨끗이 결말을 짓다.
손-씻이 명 남의 수고에 대하여 적은 물건을 주는 일. 또, 그 물건. ——하다 자여불
손소 부 〈옛〉 손수. ¶손소 마리를 갓더니(自爲剪髮)《內訓 Ⅱ:60》.
손-아귀 명 ①엄지손가락과 다른 네 손가락과의 사이. 수악(手握). ②손으로 쥐는 힘. ③세력이 미치는 범위. ¶마귀의 ~에서 벗어나다. *손¹.
손아귀에 넣:다 구 완전히 제것으로 만들다.
손-아래 명 항렬이나 나이가 저보다 낮은 족척(族戚) 관계. 수하(手下). ↔손위.
손아래-뻘 명 손아래가 되는 관계를 나타내는 말. 준아래뻘.
손아랫-사람 명 손아래 되는 사람. 수하자(手下者). 아랫사람. ↔손윗사람.
손-안 명 수중(手中)❶. ¶그의 ~에서 꼼짝 못 하다.
손안에 넣:다 구 제것으로 만들다. 차지하여 가지다.
손안에 놓인 듯 구 썩 가까이 접근해 있는 것처럼 뚜렷한 모양.
손:암【巽庵】명〘사람〙정약전(丁若銓)의 호(號).
손:액【損額】명 손해본 양. 손실된 액수.
손:양【遜讓】명 겸손하여 사양함. ——하다 타여불
손-어림 명 손으로 대강 헤아림. 또, 그 분량. 손짐작. ——하다 타여불
손-없다 [—업—] 형 날짜 따라 사람의 행동을 방해한다는 귀신이 없다. *손³.
손-여물다 [—녀—] 형 ↗손끝 여물다.
손:여-언【巽與言】명 손여지언.

손:여지-언【巽與之言】 명 남의 마음을 거슬리지 않는 말. 완곡한 말. 손여언.
손:열【巽劣】 명 낮고도 못생김. ——-하다 형여불
손-오[1]【孫吳】 명 〖사람〗 중국의 병법가(兵法家)인 손자(孫子)와 오자(吳子).
손오[2] 부 〈옛〉 손수. ¶ 손오 桃李를 심구니 님제 업순디 아니로다(手種桃李非無主)《重杜諺 X:7》.
손-오(:)공【孫悟空】 명 ①중국 소설 서유기(西遊記)에 나오는, 조화(造化)를 부린다고 하는 가상적인 원숭이. 칠십이반 변화(七十二般變化)의 술과 근두운(觔斗雲)의 법을 수득(修得)하여 천공(天空)을 어지럽혔으나, 불조(佛祖)의 법력(法力)에 의해서 진압(鎭壓)되고, 후에 현장 삼장(玄奘三藏)을 따라 대소(大小) 팔십일난(八十一難)을 극복하여 천축(天竺)에 들어가서, 삼장(三藏)으로 하여금 오천 사십팔 권(五千四十八卷)의 경문(經文)을 얻게 하였다 함. ②〖건〗 잡상(雜像)의 하나.
손:옹【巽翁】 명 〖사람〗 주세붕(周世鵬)의 호(號).
손-우[1] 명 〈방〉 손위.
손:우[2]【損友】 명 해가 되는 벗. ↔익우(益友).
손-원일【孫元一】 명 〖사람〗 해군 제독(提督). 호는 고산(古山). 평안 남도 강서(江西) 출신. 중국 중앙(中央) 대학을 나와, 해방 후에 해군 총참모장·국방부 장관·서독 대사 등을 지냄. [1908-80]
손-위[1] 명 항렬이나 나이가 저보다 높은 족척(族戚) 관계. 수상(手上). ↔손아래.
손:위[2]【遜位】 명 임금의 자리를 사양함. ——-하다 자여불
손윗-사람 명 손위 되는 사람. ↔손아랫사람.
손-응(:)성【孫應星】 명 〖사람〗 서양화가. 강원도 평강(平康) 출신으로, 일본 태평양(太平洋) 미술 학교를 졸업하고, 석류(石榴)·고건축(古建築) 풍경을 즐겨 그린, 세필 사실(細筆寫實) 화가로 이름이 남. [1917-79]
손:이【巽二】 명 〖민〗 바람 귀신의 이름.
손-이양【孫詒讓】 명 〖사람〗 중국 청말(淸末)의 학자. 자는 중용(仲容). 저장 성(浙江省) 사람. 형부 주사(刑部主事)가 되었으나 곧 퇴관하고 생애의 태반을 저술로 보냈음. 저서 《주례 정의(周禮正義)》·《온주 경적지(溫州經籍誌)》 등. [1848-1908]
손:익【損益】 명 ①손해와 이익. ②재산의 덜림과 더해짐. ③증감(增減).
손:익 거:래【損益去來】 명 기업의 손익 발생의 원인이 되는 모든 거래. 지대(地代)·집세·급료와 같은 경비의 지급, 자금 및 노무에 대한 이자나 수수료의 수수(授受), 건물·상품 따위의 화재나 도난에 따른 훼손·손실·분실, 기부금이나 보조금의 수취와 같은 것.
손:익 계:산【損益計算】 명 사업의 손익을 계산하여 확정하는 일. 성과 계산.
손:익 계:산서【損益計算書】 명 〔profit and loss statement, income statement〕〖경〗 재무 제표(財務諸表)의 하나. 일정 기간(期間)에 있어서의 기업(企業)의 경영 성적을 명확하게 하기 위하여, 그 기간 중에 발생한 경상 이익(經常利益)과 그것을 수득(收得)하는 데 필요한 경상적 손비(損費)를 대비(對比)하여, 그 기간의 순손익(純損益)을 표시하는 계산 서류. 순손익의 발생 원인과 과정(過程)을 명시하고 경상 수익력(經常收益力)의 측정을 가능케 하며, 장래의 경영 활동에 관한 중요 지침이 됨. 손익표.
손:익 계:산서 계:정【損益計算書計定】 명 〖경〗 결산에 즈음하여, 그 결과가 재무 제표의 하나인 손익 계산서에 귀속하는 계정. 따라서 당기(當期)에 발생한 모든 수익과 이에 대응하는 모든 비용에 관한 각 계정이 이에 속함.
손:익 계:산서 분석【損益計算書分析】 명 〖경〗 경영자가 기업의 경영 성적을 전체 또는 부분적으로 관찰하기 위한 분석. 대차 대조표(貸借對照表) 분석과는 달라서, 주로 내부(內部) 분석에 속하는 것으로 동태 분석(動態分析)이라고도 함.
손:익 계:정【損益計定】 명 〖경〗 한 회계(會計) 기간의 영업 성적을 명시(明示)하기 위하여, 결산기(決算期) 끝에 원장(元帳)에 베푼 집합(集合) 계정. 비용에 대한 계정을 차변(借邊), 수익에 관한 계정을 대변(貸邊)이라 하며, 대변 합계가 차변 합계를 초과하면 그 차액은 순이익이 되고, 이것과 반대의 경우에는 손실이 됨. 손익 집합 계정. ↔실재 계정.
손-익다 [—닉—] 명 손에 익숙하다. ↔손서투르다.
손:익-법【損益法】 명 〖경〗 일정 기간 중에 발생한 개개의 이익 손비 항목(利益損費項目)을 집합하여, 총이익과 총손비(總損費)와의 비교에 의하여 순손익액(純損益額)을 계산하는 방법. 이것에 의하면 손익의 발생 원인은 분명하나, 과연 자기 자본이 그만큼 증가한 것인가 아닌가를 알 수가 없음.
손:익 분기점【損益分岐點】 [—쩜] 명 〔break-even point〕〖경〗 ①매상(賣上)이 그 이상이 되면 이익이 생기고, 그 이하가 되면 손실이 생기는 매상. ②어떤 일정한 매상의 경우에 얼마의 비용이 들면, 손익은 얼마나 생기나 또는 일정액의 이익을 올리려면 매상이 얼마라야 되며, 비용을 어느 한도로 억제하여야 하는가 등의 매상·비용·손익의 관계.
손:익 상계【損益相計】 명 〖법〗 손해 배상 청구권자가 그 손해가 발생한 것과 동일한 원인에 의하여 이익을 얻은 경우, 손해로부터 그 이익을 공제한 잔액을 배상(賠償)할 손해로 하는 일. 손익 상쇄.
손:익 상쇄【損益相殺】 명 〖법〗 손익 상계(損益相計).
손:익 집합 계:정【損益集合計定】 명 〖경〗 손익 계정(損益計定).
손:익-표【損益表】 명 〖경〗 손익 계산서(損益計算書).
손-일 [—닐] 명 주로 손을 움직여서 하는 일. 손노동. 손작업. ——-하다 자여불
손-일선【孫逸仙】 [—썬] 명 〖사람〗 쑨 원(孫文)을 자(字)로써 일컫는 이름.
손-입인【孫立人】 명 〖사람〗 '쑨 리런(孫立人)'을 우리 음으로 읽은 이름.
손자[1]【孫子】 명 아들의 아들.
[손자 밥 떠먹고 천장 쳐다본다] 면목없는 일을 해 놓고 외면함을 두고 이르는 말. [손자 턱에 흰 수염 나겠다; 손자 환갑 닥치겠다] 오랜 시일을 기다리기가 지루하다는 말.
손-자[2]【孫子】 명 ①〖사람〗 '손무(孫武)'의 존칭. ②〖책〗 중국의 병서(兵書). 손무 지음. 전략 전술의 법칙, 준거(準據)를 상세(詳細)하게 설명함. 고대 중국의 전쟁 체험의 집대성(集大成)으로, 간결 경발(簡潔警拔)한 기술(記述)에 의한 명문(名文)으로 알려짐. 후세(後世)의 병학(兵學)에의 영향이 큼. 1권 13편
손-자국 [—짜—] 명 손이 닿았던 흔적. ¶ ~이 나다.
손-자귀 [—짜—] 명 한 손으로 쓰는 작은 자귀.
손자-며느리【孫子—】 명 손부(孫婦).
손자 병법【孫子兵法】 [—뻡] 명 중국의 병서(兵書) '손자'의 통칭.
손-자봉틀【—自縫—】 명 ☞손재봉틀.
손:자삼요【損者三樂】 명 인생 삼요(人生三樂) 중, 분에 넘치게 즐겨하고, 한가(閑暇)함을 즐겨하고, 주색(酒色)을 즐겨함은, 곧 세 가지 손해라는 뜻. ↔익자삼요(益者三樂).
손:자 삼우【損者三友】 명 삼손우(三損友). ↔익자 삼우(益者三友).
손자-새끼【孫子—】 명 손자를 낮추어 일컫는 말.
손자 위성【孫子衛星】 명 〔lunar satellites〕 위성의 둘레를 도는 천체(天體)를, 본디의 행성(行星)으로부터 보아서 일컫는 속칭(俗稱). 지구의 위성은 달이므로, 보통은 달을 도는 인공 천체를 말함. 1966년 3월에 발사된 소련의 루나 10호가 지구 최초의 손자 위성이 되었음,
손-작다 형 ①마음이 후하지 못하여 손을 쓰는 품이 작다. ②수단이 적다. 1)·2):↔손크다.
손-작두【—斫—】 명 손으로 부리는 조그만 작두.
손-잠기다 자 다른 일에 매여서 빠져 나갈 수 없게 되다.
손-잡다 타 ①손과 손을 마주 잡다. ¶ 손잡고 거닐다. ②힘을 합하여 무슨 일을 하다. ¶ 앞으로 손잡고 잘 해 보세.
손-잡이 명 무슨 물건에 덧붙여서 손으로 잡게 된 부분. 핸들. ¶ 문의 ~.
손잡이 문골【—門—】 [—꼴] 명 〖건〗 손잡이 있는 쪽의 울거미.
손잡이 홂이기 [—훌치—] 명 〖건〗 손잡이 붙은 홂이기.
손-장난 [—짱—] 명 ①부질없이 손을 놀려서 하는 여러 가지 장난. ②〈방〉 소꿉장난(경 남). ——-하다 자여불
손-장단【—長短】 [—짱—] 명 손으로 맞춰 치는 장단.
손:재【損財】 명 재물을 잃어 버림. 또, 그 재물. ——-하다 타여불
손-재간【—才幹】 [—째—] 명 손재주.
손-재다 형 동작이 재빠르다.
[손잰 중 비질하듯] 동작이 재빠르고 무슨 일이나 제꺽제꺽 빨리 해내는 모양.
손-재봉틀【—裁縫—】 명 발로 밟지 않고 핸들(handle)을 돌려서 사용하는 소형(小型)의 재봉틀. 준손틀. ↔발재봉틀.
손:재-수【損財數】 [—쑤] 명 재물을 잃을 운수.
손-재주【—才—】 [—째—] 명 손으로 무엇을 만드는 재주. 손재간. 수교(手巧). 수재(手才). 수기(手技). *솜씨.
손-재(:)형【孫在馨】 명 〖사람〗 서예가(書藝家). 호는 소전(素荃). 전라 남도 진도(珍島) 출생. 양정 고보(養正高普) 졸업. 청년 시절부터 선전(鮮展)에 입선·특선하여, 소전체(素荃體)로 불리는 단아한 서체를 만들어 냄. 특히 한글 예서체(隸書體)·전서체(篆書體)가 일품임. 국회 의원·예총 회장·예술원 회원을 지냄. [1903-81]
손-저리다 자 당황하다. 겁나다. 떨리다. ¶ 독사같이 반짝 들고 달려드는 서슬에 변가가 손이 저려 감히 어쩌지 못하고 펄썩 주저앉아 〈朴顚陽:明月亭〉.
손-저울 [—쩌—] 명 손으로 쥐고 물건을 다는 작은 저울.
손:전【損田】 명 물·한발(旱魃)·바람·벌레·서리 등의 피해(被害)로 인하여 손해를 본 전지(田地).
손-전등【—電燈】 [—쩐—] 명 회중 전등(懷中電燈).
손:절-매【損切賣】 명 〔sale with a loss〕〖경〗 주식(株式) 시세가 매입(買入) 가격보다 낮은 상태에서, 앞으로 주가(株價)가 단기간 내에 상승할 희망이 없거나 추가 하락할 것으로 예상될 때 손해를 보고 파는 일. ——-하다 타여불
손-젓다 자ㅅ불 손을 휘저어서, 제지(制止)나 거절 또는 부인(否認)을 나타내는 신호를 보내다.
손:제【損弟】 인대 친구끼리 편지할 때에 자기를 식견이나 덕행이 부족한 양으로 겸손하여 일컫는 말.
손-제자【孫弟子】 명 〖불교〗 제자의 제자.
손조 부 〈옛〉 손수. 몸소. ¶ 아모듸나 절로 소슨 뫼헤 손조 밧 가로리라 《永言 225》.
손종 [—쫑] 명 〈방〉 손대중.
손:좌【巽坐】 명 〖민〗 묏자리나 집터 등의 손방(巽方)을 등진 좌.
손:좌 건향【巽坐乾向】 명 〖민〗 손방(巽方)을 등지고 건방(乾方)을 향한 좌향.
손주[1] 명 손자와 손녀를 아울러 이르는 말.
손주[2] 부 〈방〉 손수.
손-주다 자 호박 덩굴 같은 것이 타고 올라가게 섶 등을 대어 주다.
손주-딸 명 ☞손녀딸.
손주-며느리 명 ☞손자며느리.
손주-벼 명 〈방〉 움벼.
손주-사위 명 ☞손녀사위.
손:죽-도【巽竹島】 명 〖지〗 전라 남도 남해상(南海上), 여수시(麗水市) 삼산면(三山面) 손죽리(巽竹里)에 위치한 섬. [2,92 km^2]
손-중산【孫中山】 명 〖사람〗 쑨 원(孫文)을 호(號)로써 일컫는 이름.
손-증【孫曾】 명 손자와 증손.
손지[1] 명 〈방〉 손자(함경).
손지[2]【孫枝】 명 ①가지에서 또 돋아 나온 가지. ②고목이 다 된 나무에

서 새로 돋아 나온 가지.

손:지[3]【損紙】명〘인쇄〙인쇄 또는 그 전후의 공정(工程)에서 제품으로 쓸 수 없게 된 종이.

손-진(:)태【孫晉泰】명〘사람〙사학자. 호는 남창(南滄). 부산 출생. 일본 와세다 대학 졸업. 신민족주의(新民族主義)의 사관(史觀)에 입각하여 한국사에 관한 많은 논저(論著)를 남겼음. 서울 대학교 문리과 대학장 재직 중인 6·25 전쟁 때 납북되었음. 저서에는 《한국 민족 문화의 연구》·《한국 민족사 개론》 등이 있음. [1900-?]

손-질 명 ①손을 대어 잘 매만지는 짓. 손보기. ②남을 때리는 일. 매질. ③바둑에서, 공배(空排)를 메움으로써, 자기의 집 안에 상대방이 침입할 수 있게 될 경우 또는 잡아 놓은 상대방의 돌이 빅이 되려 할 때, 자기의 집에 필요한 돌을 두는 일. ——-하다 타여불

손질-돌쌓음[—싸—] 명〘건〙다듬어서 만든 각석(角石)으로 돌쌓음하는 일. 「다 타여불

손-짐작【—斟酌】[—찜—] 명 손으로 어림치어 헤아림. 손어림. ——-하

손-짓[—찟] 명 손을 놀려서 어떤 뜻을 나타내는 짓. ——-하다 자여불

손짓기 명〈옛〉손찌검. ¶뉘 이 손짓기를 ᄆᆞ이 ᄒᆞᆫ 줄을 아디 못홈도 이시며(有…莫知誰是下手重者)《無寃錄 Ⅰ:2》.

손-짚이기 명 씨름에서, 상대방의 처진 팔을 순간적으로 두 손으로 공격하여 경기장에 짚게 하는 손재간의 하나.

손ᄌᆞ[1] 명〈옛〉손자(孫子). ¶손ᄌᆞ(孫)《類合 上 26, 字會 上 32》.

손ᄌᆞ[2] 부 손수. ¶네 손ᄌᆞ ᄆᆞᆯ져제 ᄀᆞᆯ히여 사라 가라(你自馬市裏 揀着買去)《朴解 上 55》. 「잘 들어맞다.

손-짜이다 형 허술한 데나 빈틈이 없이, 격식이나 체제에 딱 어울리다.

손-짭손 명 자질구레하고 얄망궂은 손장난. ——-하다 자여불

손-짭신 명〈방〉손짭손. ——-하다 자

손-째잡손 명〈방〉손짭손. ——-하다 자

손-찌검 명 손으로 남을 치는 일. ¶툭하면 ~이다. ——-하다 타여불

손청-방【—廳房】명〘건〙몸채에서 떨어져 있는 사랑방.

손추 부〈방〉손수.

손-춤 명 주로 손으로 추는 춤.

손-치다[1] 자 보수(報酬)를 받고 손님을 묵게 하다.

손-치다[2] ㊀타 물건을 매만져서 바로잡다. ㊁자 ① 가지런히 되어 있는 물건의 한쪽이 없어지거나 어지럽게 되다. ②〈옛〉오라고 손짓하다. ¶富貴ᄅᆞᆯ 부뤄ᄒᆞ여 손치다 나아오랴《古時調》.

손-치르다 자 큰일에 여러 손님을 대접하다.

손-칼 명 ①〘고고학〙몸에 지니거나 달고 다니는 짧고 작은 칼. ②〈방〉주머니칼.

손-칼국수 명 '틀국수'에 상대하여 '칼국수'를 일컫는 말.

손-콤 명〈방〉손톱(제주).

손-크다 형 ①마음이 후하여 손을 쓰는 품이 넉넉하다. ②수단이 많다.

손-타구니 명〈방〉손아귀. └1)·2):↔손작다.

손-타다 자 물건의 일부가 없어지다.

손-털다 자 밑천이나 사재를 모조리 잃다. ¶손털고 일어서다.

손텁 명〈방〉손톱(경상).

손-톱[1] 명 손가락 끝의 윗면에 있는 각질물(角質物). 표피(表皮)가 변한 것으로 손가락 끝을 보호함. 수조(手爪). 지조(指爪).

[손톱 밑에 가시 드는 줄은 알아도 염통 밑에 쉬 스는 줄은 모른다] 사소한 일이나 소리(小利)에는 영리하여도 큰 일이나 큰 손해에는 어둡다는 말. [손톱 발톱이 젖혀지도록 벌어 먹인다] 어떤 사람을 위하여 죽을 힘을 다함을 두고 이르는 말. [손톱은 슬플 때마다 돋고, 발톱은 기쁠 때마다 돋는다] ㉠발톱보다는 손톱이 더 잘 자란다는 말. ㉡기쁨보다는 슬픔이 더 많다는 말.

손톱
조상
속손톱
손톱뿌리
끝마디뼈
표피

〈손톱〉

손톱도 안 들어가다 구 손톱으로 찍어도 자국이 안 날 정도로, 사람됨이 무척 야무지고 굳으며 인색하다.

손톱만큼 구 극히 소량(少量)의 비유. ¶손톱만큼도 생각지 않다/인정이라곤 손톱만큼도 없다. 주의 뒤에 반드시 부정적(否定的)인 말이 따름.

손톱 밑에 흙이 들어가다 구 고생하며 직접 농사일을 하다.

손톱 여물을 썬:다 구 ㉠무슨 일에 큰 걱정을 품고 혼자만 애를 씀을 이르는 말. ㉡음식 같은 것을 나누어 줄 때 조금씩 아끼면서 주다.

손톱을 튀기다 구 일을 하지 않고 가만히 놀고 지내다.

손톱 저기다 구 손톱으로 찍어서 자국을 내다.

손톱 하나 까딱하지 않는다 구 일을 하지 않고 가만히 놀고 지내다. 손톱을 튀기다.

손-톱[2] 명 한 손으로 쓰는 작은 톱.

손톱 기계【—機械】명〈방〉손톱깎이.

손톱-깎이 명 손톱을 깎는 기구. 손톱 형상의 날이 위아래로 붙었는데 손톱을 그 사이에 넣고 맞물어서 끊어 내게 되었음.

손톱-눈 명 손톱 좌우쪽과 살과의 사이.

손톱-독【—毒】명 손톱으로 긁거나 우벼서 생기는 독기(毒氣).

손톱독(이) 오르다 구 손톱독이 생기다.

손톱-무늬[—니] 명〘고고학〙빗살무늬 토기에 나타나는 아가리 무늬의 일종. 아가리 가장자리에 돌아가면서 손톱이나 손톱 모양의 무늬새기개로 눌러 찍은 것.

손톱-묶음 명〘인쇄〙묶음표 '( )'의 이름. 소괄호. 퍼렌디시스.

손톱-밀개 명〘고고학〙엄지밀개.

손톱 자국 명 손톱으로 다치어 일어나는 자국. 조흔(爪痕).

손톱조-변【—爪邊】명 한자 부수(部首)의 하나. '爬'나 '爭' 등의 '爪'·

손툽 명〈방〉손톱(전라·경상·강원). └'爫'의 이름.

손-틀 명 ①손으로 부릴 수 있는 소형(小形)의 기계. 손기계. ②↗손자

손틉 명〈방〉손톱(전라·경상). └봉틀. 1)·2):↔발틀.

손-티 명 약간 곱게 얽은, 얼굴의 마마 자국. ¶백옥같이 흰 얼굴에 약간 ~ 있는 것은 흠이라면 흠이지만…《鮮于日 : 杜鵑聲》.

손티다 자〈옛〉손치다. 손뼉치다. ¶손 티다(壓手)《同文 上 27》.

손-표【—標】명 손가락표.

손-풀무 명 ①궤 안에 장치하여 손잡이를 밖으로 만들어서, 이것을 잡아당겼다 밀었다 하여 바람을 일으키는 풀무의 한 가지. ②둥근 통 속에 장치하여 놓고 이것을 손으로 돌려서, 바람을 일으키는 풀무의 한

손:풍【巽風】명 동남풍(東南風). └가지.

손-풍금【—風琴】명 아코디언(accordion). 수풍금(手風琴).

손:피【遜避】명 겸손하여 피함. 사양하여 피함. ——-하다 타여불

손:하 익상【損下益上】명 아랫사람에게 해를 입히고 윗사람을 이롭게 함. ——-하다 자여불

손:-하절【巽下絶】명〘민〙손괘(巽卦)의 상형(象形)인 '☴'의 일컬음.

손항【孫行】명 손자뻘 되는 항렬. 종손(從孫)·재종손(再從孫)·족손(族孫) 같은 것.

손:해【損害】명 ①손상함. ②해를 봄. 준 손(損). 1)·2):↔이익(利益).

손:해(가) 가다 구 손해가 되다. ¶이번 일에 나만 손해갔다.

손:해(가) 나다 구 덜리어서 해로워지다. 손해가 생기다.

손:해(를) 보다 구 손해를 입다. 덜리어서 해롭게 되다. ¶이번 일에 손해 본 사람은 나다.

손:해-금【損害金】명 손해가 되는 금액.

손:해 담보 계:약【損害擔保契約】명〘법〙한 당사자가 딴 당사자에 대하여 특정한 사항에 관한 위험을 인수하고, 그 위험에서 생기는 손해를 담보하는 계약.

손:해 방지 의:무【損害防止義務】명〘법〙손해 보험에 있어서, 피보험자(被保險者)가 손해의 발생을 방지하여야 하는 의무.

손:해 배상【損害賠償】명〘법〙법률의 규정에 따라 남에게 끼친 손해를 메우어 줌. 또, 그 돈이나 물건. ——-하다 타여불

손:해 배상금【損害賠償金】명 손해를 배상하기 위하여 주는 돈.

손:해 배상 채:권【損害賠償債權】[—꿘] 명〘법〙배상 권리자(權利者)가 배상 의무자(義務者)에 대하여 가지는 채권. ↔손해 배상 채무(債務). 「에 대하여 지는 채무. ↔손해 배상 채권.

손:해 배상 채:무【損害賠償債務】명〘법〙배상 의무자가 배상 권리자

손:해 배상 책임【損害賠償責任】명〘법〙배상 의무자가 배상 권리자에 대하여 지는 책임. 「청구하는 권리.

손:해 배상 청구권【損害賠償請求權】[—꿘] 명〘법〙손해 배상을

손:해 보:험【損害保險】명〘법〙불의의 사고가 생길 때에 있을 재산상의 손해를 전보(塡補)하기 위한 보험 계약. 보험 사고(保險事故)의 종류에 따라, 해상(海上) 보험·화재(火災) 보험·운송(運送) 보험·도난(盜難) 보험·책임(責任) 보험 등이 있음.

손:해-비【損害費】명 손해에 해당하는 비용.

손:해 사정인【損害査定人】명 자동차 사고·화재 등 손해 보험 회사와 관련이 되는 각종 사고에 대해 보험 회사와 피해자 사이에 서서 적정한 피해 견적을 뽑는 전문 직업인.

손헤다 자〈옛〉싫어서 거절하는 뜻으로 손을 내젓다. ¶손헤다(點手)《四聲 下 82 點字註》/安貧을 실히 너겨 손헤다 물러가며 富貴ᄅᆞᆯ 부뤄ᄒᆞ여 손치다 나아오랴《古時調》.

손-호【孫皓】명〘사람〙중국 삼국 시대 오(吳)나라의 4대 군주. 손권(孫權)의 손자. 경제(景帝)의 뒤를 이어 오나라 임금이 되었으나 실정(失政)하여 진(晉)나라에 항복하니 58년 만에 나라가 망했음. 진나라는 그를 귀명후(歸命侯)로 봉하였음. [242-284; 재위 264-280]

손-화로【—火爐】명 한 손으로 들어 옮길 수 있는 작은 화로.

손-회목 명 손목의 잘록하게 들어간 곳. 수완(手腕). *발회목.

솑가락 명〈옛〉손가락. ¶指ᄂᆞᆫ 솑가라기오, 솑가락 자보믄 ᄃᆞᆯ ᄀᆞᄅᆞ치ᄂᆞᆫ 솑가라ᄀᆞᆯ 보고 ᄃᆞᄅᆞᆯ 아니 볼씨오《月序 22》.

솑ᄆᆞ락 명〈옛〉손가락. ¶손ᄆᆞ라고로 ᄲᅡ비다(指捻)《四聲 下 82 捻字註》. 「돕 조(爪)《字會 上 26》.

솑돕 명〈옛〉손톱. ¶두 드린 솑돕 ᄀᆞᆮᄒᆞ니(如双垂爪)《楞嚴 Ⅳ:110》/솑

솑목 명〈옛〉손목. ¶다ᄆᆞᆺ 솑목 자바(共携手)《杜諺 Ⅸ:13》/솑목 완(腕)《字會 上 26》.

솑바당 명〈옛〉손바닥. =솑바독. ¶ᄯᅩ 솑바당이 ᄃᆞ외도다(復成掌)《金三 Ⅱ:34》.

솑바독 명〈옛〉손바닥. =솑바당. ¶솑바독 쟝(掌)《字會 上 26》.

솑톱 명〈옛〉손톱. 솟돕. =솟톱. ¶블근 화래 金 솑톱 ᄀᆞᄐᆞᆫ 삸미티로소니(騂弓金爪鏑)《杜諺 Ⅱ:69》.

솓 명〈옛〉솥. ¶솓 뎡(鼎), 솓 확(鑊)《字會 中 10》.

솓다 타〈옛〉쏟다. ¶소다(爲覆物)《訓例 合字解》.

솓뫼 명〈옛〉땅 이름. 정산(鼎山). ¶詰旦誓而東踰雲峯 距賊數十里登鼎山 솓뫼峯 鼎山在雲峯縣東十六里《龍歌 Ⅶ:9》.

솔[1] 명〔중세 : 솔〕〘식〙소나무❶. ¶~뿌리.

[솔 심어 정자라] 장래의 성공이 가마득히 먼 것에 비유하는 말.

솔:[2] 명〔중세 : 솔〕먼지나 때를 쓸어 떨어뜨리거나 풀칠을 하는 데 쓰는 제구. 모발(毛髮)이나 풀 뿌리·나무 뿌리·가는 철사 등으로 곧추세워, 나무에 꽂거나 한데 묶어서 만듦. 브러시. 쇄모(刷毛). *옷솔.

솔:[3] 명 ↗솔기.

솔:[4] 명 화살로 맞히는 목표의 과녁. 나무·무명·베 등으로 사방 열 자가

되게 만듦. 소포(小布).

솔:⁵ 명 〖의〗 피부병의 한 가지. 처음에는 살에 좁쌀알 같은 것이 많이 돋고 오래 되면 그 속에 물이 생김.

솔:⁶ 명 〈방〉〖식〗 부추(경상·함경).

솔⁷ 【率】 명 〖역〗 고려 때에 태자 좌감문솔부(太子左監門率府)와 태자 우감문솔부(太子右監門率府), 태자 좌내솔부(太子左內率府)와 태자 우내솔부(太子右內率府), 태자 좌사어솔부(太子左司禦率府)와 태자 우사어솔부(太子右司禦率府), 태자 좌청도솔부(太子左淸導率府)와 태자 우청도솔부(太子右淸導率府) 등의 으뜸 벼슬. 대장군(大將軍) 이상이 하였음.

솔⁸ 〔이 sol〕 명 〖악〗 ①음계 이름의 하나. 장조(長調) 음계의 제5음, 단조(短調) 음계의 제7음. ②'G'음(音)의 이탈리아 음이름. 우리 나라 음이름 '사'와 같음.

솔⁹ 〔sol〕 명 페루(Peru)의 통화 단위의 하나. 센타보의 100 배와 같음.

솔:¹⁰ 〔soul〕 명 영혼. 심령(心靈). 정신.

솔가 【率家】 명 객지(客地)에서 사는데, 온 집안 식구를 데려감. ——-하다 자여불

솔-가래 [—까—] 명 〈방〉 솔가리(평안).

솔-가래기 [—까—] 명 〈방〉 솔가리(평안).

솔-가루 [—까—] 명 솔잎을 찧어 만든 가루. 송말(松末).

솔-가리 [—까—] 명 ①말라서 땅에 떨어진, 불쏘시개로 쓰는 솔잎. ¶ ~를 긁다. ②소나무의 가지를 묶은 땔나무.

솔-가지 [—까—] 명 꺾어서 말린 소나무 가지의 땔나무.

솔-갈비 [—깔—] 명 〈방〉 솔가리(경상).

솔강-불 명 ☞ 관솔불.

솔개 명 〖조〗 [*Milvus migrans*] 맷과에 속하는 매의 하나. 날개 길이 수컷은 45-49 cm, 암컷은 48-53 cm이고, 꽁지는 27-34 cm임. 몸빛은 암갈색이며 가슴에는 검은 세로 무늬가 있고 다리는 회청색, 홍채(虹彩)는 암갈색임. 꽁지는 엇갈리고 가로 무늬가 있는데 끝은 황백색을 이룸. 3-5월에 높은 나무에 둥지를 짓고 회백색에 갈색 무늬가 있는 알을 2-4개 낳음. 다른 매보다 온순(溫順)하여 시가지(市街地)·촌락·해안 등의 공중을 날개를 편 채 움직이지 않고 빙빙 떠돌면서 죽은 쥐나 어패(魚貝)만을 포식함. 텃새로서 아시아·유럽·아프리카에 분포함.
[솔개는 매 편이라고] 모양이 비슷하고 하는 짓이 비슷한 것끼리 한 속이 된다는 뜻. '가재는 게 편이라'와 같은 뜻. **[솔개도 오래면 꿩을 잡는다]** 재주가 없는 사람이라도 오래되면 무엇을 할 줄 안다는 뜻. **[솔개를 매로 보았다]** 못쓸 것을 쓸 것으로 잘못 보았다는 뜻. **[솔개 어물전 돌듯]** 한 곳에 애착(愛着)하여 떠나지 못하는 모양.

〈솔개〉

솔개 까치집 뺏:듯 구 남의 것을 강제로 빼앗음을 이르는 말.

솔개-그늘 명 〖민〗 아주 작게 지는 그늘. 음력 2월 20일에 일기(日氣)가 흐리면 풍년이 든다고 하므로, 솔개의 그림자만한 그늘만 끼어도 좋다고 함.

솔개미 명 ☞ 〖조〗 솔개(충청·강원·황해·함경·평안).

솔개이 명 ☞ 〖조〗 솔개(경상).

솔갱이 [—깽—] 명 ☞ ①솔가지(평안). ②〖조〗 솔개(충북·전라·경상).

솔거¹ 【率去】 명 여러 사람을 거느리고 감. ——-하다 타여불

솔거² 【率居】 명 〖사람〗 신라의 화가. 진흥왕(眞興王) 때 사람. 황룡사(皇龍寺)의 벽화 《노송도(老松圖)》를 그리어 신화(神畫)라 불리었음. 그 밖에 분황사(芬皇寺)의 《관음 보살(觀音菩薩)》 등이 있으나 지금은 모두 전하지 아니함. 삼성사(三聖寺)의 《단군 화상(檀君畫像)》도 그의 그림이라 함.

솔거 노비 【率居奴婢】 명 〖역〗 사노비(私奴婢)의 한 형태. 외거 노비(外居奴婢)에 대칭되는 용어로, 주로 주인과 같이 살거나 주인집 근처에 거주하면서 노동력을 제공하는 노비.

솔-거품벌레 명 〖충〗 [*Aphrophora flavipes*] 거품벌렛과에 속하는 곤충. 몸길이는 9-10 mm이고 몸빛은 담갈색에 아름다운 다갈색 반문(斑紋)이 있으며, 몸의 하면은 흑갈색임. 소나무의 해충으로, 한국·일본에 분포함. 솔좀매미.

〈솔거품벌레〉

솔-곰보바구미 명 〖충〗 [*Hylobius abietis haroldi*] 바구밋과에 속하는 곤충. 몸길이 9.5-15 mm이고 몸빛은 대체로 적갈색이며 온 몸이 황색의 인모(鱗毛)로 덮였는데, 시초(翅鞘)의 깃은 밀집하여 두 개의 횡대(橫帶)를 이루고 시초(翅鞘)의 점각렬(點刻列) 사이에는 과립(顆粒)이 있음. 소나무류의 해충으로, 한국·일본 등지에 분포함.

솔곳-이 부 〈방〉 솔깃이. ¶ 공연한 수고를 끼치지 말구 ~ 투구를 벗구 칼을 버리는 법야《李孝石 : 花粉》.

솔곳-하다 형 〈방〉 솔깃하다.

〈솔곰보바구미〉

솔관 명 〈옛〉 과녁. ¶ 솔관 정(鉦), 솔관 뎍(的)《字會 中 28》.

솔괭이 명 〈방〉〖조〗 솔개(경남).

솔구-이발 【率口而發】 명 경솔(輕率)하게 말을 함. 함부로 지껄임. ——-하다 자여불

솔권 【率眷】 명 집안에 거느리고 있는 식구를 데려감. ¶ ~해서 이사가다. ——-하다 자여불

솔기¹ 명 〔중세 : 솔기〕 옷 등을 지을 때 두 폭을 맞대고 꿰맨 줄. ¶ ~를 뜯다. ㊕솔.

솔기² 명 〈옛〉 나(羅). 비단의 한 종류. ¶ 샹해 흰 기블 닙고 고뢰며 솔기며 금슈로 쓰디 아니ᄒᆞ며(常衣絹素 不用綾羅錦繡)《飜小 K:106》.

솔깃-이 부 솔깃하게.

솔깃-하다 형여불 그럴 듯하게 여기어 마음이 쏠리다. ¶ 귀가 솔깃해지다 / 비로소 …이성을 바라보고 알아질 때에 왕의 흥미는 솔깃하니 남치맛길 늘이운 아리따운 궁녀들 틈으로 흐르기 시작했다《朴鍾和 : 錦衫의 피》.

솔-나리 [—라—] 명 〖식〗 [*Lilium cernum*] 백합과에 속하는 다년초. 줄기 높이는 70 cm 내외이고 잎은 호생하며 무병(無柄)에 선형(線形)이고 길이 15 cm 내외임. 6-7 월에 짙은 홍자색 꽃이 화경(花莖) 끝에 피며 삭과(蒴果)는 넓은 거꿀달걀꼴이고 세 쪽으로 갈라지며 갈색 씨가 있음. 꽃이 흰 품종은 '흰솔나리'라고 함. 산지에 나는데 경남의 가야산(伽倻山), 강원·평북·함북 등지에 분포함. 관상용이고, 인경(鱗莖)은 식용함.

솔-나무 [—라—] 명 〖식〗 → 소나무.

솔-나물 [—라—] 명 〖식〗 [*Galium verum* var. *asiaticum*] 꼭두서닛과에 속하는 다년초. 개솔나물의 변종(變種)으로, 높이는 80 cm 가량인데, 마디가 많고 잔 털이 났으며, 잎은 선형(線形)이고 각 마디에서 두 개의 정엽(正葉)과 여섯 개의 엽상 탁엽(葉狀托葉)이 윤생(輪生)함. 6-8 월에 황색 꽃이 줄기나 가지 끝에 원추(圓錐) 화서로 핌. 자방(子房)은 넓은 타원형이고 솜털이 있는 것과 없는 것이 있으며, 열매는 쌍두상(雙頭狀)으로 작음. 산과 들에 나는데, 한국 각지 및 일본·중국 등지에 분포함. *개솔나물·봉자채(蓬子菜).

〈솔나물〉

솔-나방 [—라—] 명 〖충〗 [*Dendrolimus spectabilis*] 솔나방과에 속하는 곤충. 몸길이 30 mm, 편 날개의 길이는 50-88 mm이고, 몸빛은 개체에 따라 변화가 심하나 대체로 앞날개는 갈색·적갈색·암갈색·흑갈색 또는 회백색에 백색·갈색·흑색 등의 줄 무늬가 있으며, 보통 중앙에 폭이 넓은 짙은 빛의 가로 띠가 있고, 그 바깥쪽에 백색의 줄무늬가 있으며, 뒷날개 중앙부에 가로띠가 있음. 알은 길이 2 mm의 타원형이고, 성충은 7-8월에 발생하여 침엽수에 300-600 개의 알을 낳으며 1 주일 만에 부화함. 유충은 '송충이'라고 하는데, 몸길이 80 mm 가량이고, 몸빛은 담황갈색에 배면(背面)의 각 절(節)에 적등색·회백색의 무늬가 있고, 제2·3 절에는 흑청색의 강모(剛毛)가 있음. 소나뭇과에 속하는 침엽수의 잎을 갉아먹는 해충(害蟲)으로 전세계에 분포함. 송충나방. 송충이나비.

〈솔나방〉

솔나방-과 【—科】 [—라—꽈] 명 〖충〗 [Lasiocampidae] 나비목(目)에 속하는 한 과. 몸은 중형 내지 대형이고 주야간에 활동하며 촉각은 쌍빗살 모양이고, 날개에는 시극(翅棘)이 없음. 유충은 원통형이며 어린 과실 또는 침엽수의 해충임. 섭나방·솔나방 등이 이에 속하는데, 전세계에 1,350여 종이 분포함. 송충나방과.

솔나방-알살이벌 [—라—] 명 〖충〗 송충나방알살이벌.

솔-낭기 명 〈방〉 소나무(함경).

솔-노랑잎벌 [—로—닙—] 명 〖충〗 [*Neodiprion sertifer*] 솔잎벌과에 속하는 곤충. 암컷의 몸길이는 8 mm 내외이고 몸빛은 황갈색이나 개체에 따라 흉배(胸背)의 대부분과 복배(腹背) 기부(基部)가 흑갈색인 것도 있음. 촉각은 21 절이고 각 마디에 두 개의 돌기가 있음. 수컷은 흑색이고 다리는 황갈색임. 유충은 소나무류의 잎을 갉아먹는 해충으로, 한국·일본·유럽에 분포함.

솔:다¹ 자 ①부레풀이나 콘크리트 등이 말라서 단단히 굳어지다. ②소쿠라지다.

솔:다² 자 시끄러운 소리나 귀찮은 말을 많이 들어서 귀가 아프게 되다. ¶ 네 말이라면 내 귀가 솔았다.

솔:다³ 자 ↗무솔다.

솔:다⁴ 형 넓이가 좁다. 폭이 좁다. ¶ 저고리의 품이 ~. ↔너르다.

솔:다⁵ 형 긁으면 아프고 그냥 두자니 가렵다.

솔:-대¹ [—때] 명 활 쏠 때 과녁으로 쓰는 솔을 버티는 나무.

솔:-대² [—때] 명 〖건〗 판장의 틈이나 문설주 같은 데에 가늘게 오려 붙인 나무오리. 솔대목.

솔:-대³ [—때] 명 〈방〉〖역·민〗 솟대.

솔대 도피 【率隊逃避】 [—때—] 명 지휘관이 적전(敵前)에서 부대를 인솔하여 도피함. ——-하다 자여불

솔:대-목 【—木】 [—때—] 명 〖건〗 솔대².

솔도파 【窣堵婆·率堵婆】 명 〔범 stūpa〕 〖불교〗 ①불사리(佛舍利)의 봉안(奉安)이나 절의 장엄(莊嚴)을 표시하기 위하여 또는 공양(供養)·묘표(墓表) 등을 위하여 쌓은 탑. 판도파(板堵婆). 솔탑파(率塔婆). 탑파(塔婆). 탑(塔). ②후세(後世)에 공양(供養)하기 위하여 묘(墓)의 뒤에 세우는, 꼭대기가 탑 모양으로 된 긴 널판. 범자(梵字)나 경문(經文)을 기입하였음. 탑파(塔婆).

솔-따비 명 솔뿌리나 청미래덩굴 뿌리 등을 캐는 따비.

솔-딱새 명 〖조〗 [*Hemichelidon sibirica*] 딱샛과에 속하는 새. 날개 길이는 80 mm 가량이고 몸빛은 배면(背面)이 흑갈색, 몸의 하면(下面)은 백색에 갈색의 축반(軸斑)이 있는 것도 있음. 소형의 곤충을 잡아먹는 익조(益鳥)로, 아시아의 동북부에서 번식하고, 한국·일본·중국 남부 지방에서 월동함.

〈솔딱새〉

솔-딸개리 명 〈방〉 솔방울.

솔-똥 명 〈방〉 솔방울.

솔라닌 〔solanine〕 명 〖화〗 감자의 새 눈에 들어 있는 알칼로이드 배당체

(配糖體)의 한 가지. 많이 먹으면 구토·복통·현기증 등 중독(中毒) 증상을 일으킴.

솔:라리제이션 〔solarization〕 명 사진 화면에 물체의 명암(明暗)이 거꾸로 나타나는 현상. 또, 그렇게 하는 기법(技法). 반전(反轉).

솔:라 하우스 〔solar house〕 명 태양열 주택(太陽熱住宅).

솔래【率來】명 데리고 옴. 인솔(引率)하여 옴. ——-하다 타여불

솔래-솔래 부 조금씩 조금씩 살짝 빠져 나가는 모양.

솔레노이드 〔solenoid〕 명 〖전〗 코일의 한 가지. 관상(管狀)으로 감은 코일. 원통(圓筒) 코일.

〈솔레노이드〉

솔레유 〔프 soleil〕 명 ①태양. 해. ②〖식〗 해바라기.

솔로¹ 〔이 solo〕 명 〖악〗 ①독창(獨唱). ②독주(獨奏). ¶ 피아노 ~. ③혼자서 하기. ¶ ~ 호머/~ 댄서.

솔로² 〔Solo〕 명 〖지〗 수라카르타(Surakarta).

솔로 강【一江】〔Solo〕 명 〖지〗 인도네시아 자바(Java) 섬의 가장 긴 강. 자바 섬 중동부 메파피 산(Mepapi山) 기슭에서 발원, 북동류(北東流)하여 자바 해에 들어감. [539 km]

솔로구프 〔Sologub〕 명 〖사람〗 러시아의 시인·작가. 본명은 Fyodor Kuzmich Teternikov. 몰락 귀족 출신으로, 러시아 상징주의의 대표자. 데카당스와 리얼리즘이 혼합된 독자(獨自)의 세계를 열었음. 소설 《소악마》, 희곡 《밤의 무도》 등이 있음. [1863-1927]

솔로몬 〔Solomon〕 명 〖사람〗 고대(古代) 헤브라이 왕국(Hebrai 王國)의 제3대 왕. 다윗왕(David 王)의 아들. 헤브라이 왕국 최성기(最盛期)에 군림(君臨)하여 그의 치세(治世)는 '솔로몬의 영화'라 일컬어지며, 또 지혜(知慧)로도 유명함. [재위 971?-932? B.C.]

솔로몬의 영화【一榮華】[一/一에一] 〔Solomon〕 명 〖성〗 고대 헤브라이 왕국의 완성자로서 많은 세금(稅金)을 받아 누린 솔로몬왕의 부귀영화. 하느님 없이 이룩된 인류 문화를 허무(虛無)한 것으로 비유함.

솔로몬의 지혜【一智慧】[一/一에一] 〔Solomon〕 명 ①고대 헤브라이 왕국의 제3대 왕 솔로몬이 비상한 지자(智者)였다는 데서 뛰어난 지혜를 일컬음. ②〖성〗 지혜서.

솔로몬 제도【一諸島】 명 〔Solomon Islands〕 〖지〗 남태평양(南太平洋)의, 과달카날(Guadalcanal) 섬·말라이타(Malaita) 섬 등 여섯 개의 큰 섬과 100 여 개의 작은 섬으로 이루어진 영국 연방 가맹의 독립국. 1893 년부터 영국의 보호령이 되었다가 1976 년 자치권을 획득, 1978 년 영연방의 일원으로 독립함. 주업은 어업이며, 주산물은 코프라·보크사이트·목재 등. 수도는 호니아라(Honiara). [28,896 km² : 330,000 명(1991)]

솔로몬 해【一海】〔Solomon〕 명 〖지〗 태평양 남서부, 뉴기니(New Guinea) 섬과 비스마르크(Bismarck) 제도, 솔로몬 제도에 둘러싸인 해역(海域). 중앙부에는 뉴브리튼(New Britain) 섬이 가로 놓여 있어 남북으로 나누는데, 제2차 세계 대전 때의 미군과 일본군의 격전지였음.

솔로비요프 〔Solov'yov, Vladimir Sergeevich〕 명 〖사람〗 러시아의 철학자·문명 비평가·시인. 광범한 학문적 활동을 계속, 웅대한 동방 기독교의 신비주의적 정신으로 서구 철학의 위기 등을 논하고, 교회의 통일을 바라 가톨릭에 친근하였음. [1853-1900]

솔로-인【一人】〔Solo〕 명 〖인류〗 자바 섬의 솔로 강변의 누간동의 단구(段丘) 위에서 1932년에 발굴된 11개분(個分)의 두골편(頭骨片). 뇌용적(腦容積) 약 1,100 cc로 자바 원인(猿人)이나 북경 원인(北京原人)보다 크며 아시아형 네안데르탈인(Neanderthal 人)으로 생각됨. 또, 오스트레일리아 원주민과 관련되는 화석 인류(化石人類)라고도 함.

솔론 〔Solon〕 명 〖사람〗 고대 그리스 아테네(Athenae)의 정치가로, 입법자·시인. 그리스 7현인(賢人)의 한 사람. 귀족과 평민을 조정, 시민을 그 재산 정도에 따라 사분(四分)하고, 여러 개혁(改革)을 하여 민주 정치의 기초를 세웠음. [638?-559? B.C.]

솔론-어【一語】〔Solon〕 명 〖언〗 넓은 뜻의 퉁구스어 방언의 하나. 중국 동북부의 넌장(嫩江) 강 유역, 훌룬부이르(Hulunbuir) 등지에서 솔론 족에 의해 사용됨.

솔론-족【一族】〔Solon〕 명 〖인류〗 남방 퉁구스족의 일파. 아무르 강의 남방에 분포함. 몽고인의 요소를 다분히 구비하고 있고, 농업·목축에 종사하거나 또는 삼림 속에서는 사냥을 함. 종교는 샤머니즘을 신봉하며 사자(死者)는 화장함. 용맹스럽고 민첩하기로 유명함. 한역(漢譯)은 색륜(索倫).

솔뤼트레 문화【一文化】〔Solutré〕 명 프랑스의 솔뤼트레 유적(遺跡)을 대표하는 후기 구석기 시대 문화. 스페인에서 동유럽까지 폭넓게 분포함.

솔리 〔이 soli〕 명 〖악〗 솔로(solo)의 복수(複數).

솔리다 타 말라서 굳어지게 하다. ¶ 엿가락을 ~. ＊솔다.

솔리대리티 〔solidarity〕 명 ①일치(一致). 단결(團結). ②사회 연대.

솔리드-스테이트 〔solid-state〕 명 〖물〗 텔레비전·라디오에서, 진공관 대신에 트랜지스터·아이 시(IC) 따위 반도체(半導體)로 회로(回路)를 구성(構成)하는 방식.

솔리드스테이트 볼: 〔solid-state ball〕 명 골프 공의 하나. 고체심구(固體芯球). 보통의 공은 심(芯)에 액체가 들어 있는 데 대하여, 이 공은 심에 고형물을 사용하였음.

솔리드스테이트 회로【一回路】〔solid-state〕 명 〖물〗 고체(固體) 회로. 넓은 뜻에서는 트랜지스터나 반도체(半導體) 다이오드(diode) 따위로 된 전자 회로, 좁은 뜻으로는 반도체 집적(集積) 회로를 이름.

솔리드 타이어 〔solid tire〕 명 공기가 든 고무 튜브를 넣는 대신에, 고무가 충전(充塡)되어 있는 타이어. 주로 중량물(重量物)을 받치는 트레일러 따위의 바퀴에 쓰임.

솔리스트 〔프 soliste〕 명 〖악〗 ①독창가. ②독주가(獨奏家).

솔립시즘 〔solipsism〕 명 〖철〗 유아론(唯我論).

솔: 마:크 〔sole mark〕 명 〖지〗 저흔(底痕).

솔-문【一門】명 경축이나 환영의 뜻을 나타내기 위하여 푸른 솔잎을 입혀 세운 문. ＊녹문(綠門).

솔: 뮤:직 〔soul music〕 명 〔영혼의 음악이라는 뜻〕 흑인(黑人) 음악의 한 형태. 고스펠 싱어(gospel singer)가 갖는 독특한 필링(feeling)이나 블루스의 감동을 불러일으키는 표현 또는 그러한 흐름에 따르는 리듬앤드 블루스 등의 연주와 가창(歌唱)을 가리킴.

솔미제이션 〔solmization〕 명 〖악〗 음이름 부르기. 음명 창법(音名唱法).

솔-바람 명 소나무에 이는 바람.

솔:-바탕 명 활 한 바탕. 곧, 활터의 활 쏘는 지점에서부터 솔대까지의 거리. 보통 일백이십 걸음.

솔반【率伴】명 인솔(引率)하여 함께 감. ——-하다 타여불

솔발【鈴鈸】명 놋쇠로 만든 종(鐘)과 같은 큰 방울. 위에 쇠자루가 달리고, 안에 작은 쇠뭉치가 달림. 군령(軍令)·경고(警告)에 씀. 요령(鐃鈴).
솔발(을) 놓다 구 ㉠솔발을 흔들다. ㉡남의 비밀을 털어 소문내다.
솔발(이) 나다 구 비밀이 탄로나다. ¶ 그놈들이 수재를 놓아 보내면 저희들 거기 있는 것이 솔발이 날까봐…《李海朝 : 巢鶴嶺》.

솔발-수【鈴鈸手】명 〖역〗 취타수(吹打手)의 하나. 군중(軍中)에서 솔발을 흔드는 임무를 맡은 사람.

솔방【率榜】명 〖역〗 방방(放榜)한 이튿날 급제(及第)한 사람이 임금을 뵙고 사은(謝恩)할 때, 집안의 선진자(先進者)가 따라가서 지도하는 일. ——-하다 타여불

솔-방구리 명 〈방〉 솔방울(강원).

솔-방울 [一빵一] 명 소나무 열매의 송이. 구형(球形)의 구과(毬果)로 여러 개의 잔 비늘 같은 조각이 겹쳐 달려 있고, 그 틈마다 씨가 들어 있으며 씨의 한쪽에 엷은 막으로 된 꼬리가 있어, 바람에 불려 먼 곳까지 갈 수 있음. 송자(松子).

솔방울-고둥 [一빵一] 명 〖조개〗 [*Monodonta lalis*] 비단들이고둥과에 속하는 연체 동물. 패각의 직경 20 mm, 높이 25 mm 내외, 각질(殼質)이 단단하고 두툼한 솔방울처럼 된 달걀꼴의 작은 권패(卷貝)임. 각정(殼頂)은 원뿔꼴이며 나층(螺層)은 6-7개, 표각(表殼)은 감람색(橄欖色)이며 사각형의 과립(顆粒)이 있고, 늑대(肋帶)가 16-17 개 있음. 해변의 돌 틈 같은 곳에 흔한데, 한국·일본 및 열대(熱帶) 지방에 분포함. 살은 식용함.

〈솔방울고둥〉

솔방울-고랭이 [一빵一] 명 〖식〗 [*Scirpus karuizawensis*] 방동사닛과에 속하는 다년초. 줄기는 삼릉상(三稜狀) 원기둥꼴이고 높이는 1 m 가량이며, 잎은 호생하고 선형(線形)임. 꽃은 8월에 산형(繖形) 화서로 복생(複生)·정생(頂生) 혹은 액생(腋生)하여 피고, 과실은 수과(瘦果)임. 산록의 양지 바른 습지에 나는데, 경남·강원·경기·황해·평남·평북 등에 분포함.

솔-밭 명 소나무가 많이 들어선 땅. 송전(松田).
[솔밭에 가서 고기 낚기] 불가능한 일을 이르는 말.

솔뱅이 명 〈방〉 〖조〗 솔개(경북).

솔-버덩 명 소나무가 무성하게 들어선 버덩.

솔베이 〔Solvay, Ernest〕 명 〖사람〗 벨기에의 화학 기술자·발명가. 1866년 합리적인 탄산 소다의 제조법인 '솔베이법'을 고안하여 공업계에 공헌하였음. [1838-1922]

솔베이-법【一法】〔Solvay〕 [一뻡] 명 〖화〗 암모니아 소다법(ammonia soda 法).

솔병【率兵】명 병사(兵士)를 통솔함. ——-하다 자여불

솔-보굿 [一뽀一] 명 소나무의 보굿.

솔복【率服】명 좇아서 복종(服從)함. ——-하다 자여불

솔봉이 명 촌티를 벗지 못한 나이 어린 사람의 별명.

솔-부엉이 명 〖조〗 [*Ninox scutulata scutulata*] 올빼밋과에 속하는 새. 올빼미와 비슷한데 날개 길이 22 cm 이고, 배면(背面)은 흑갈색, 하면은 백색에 갈색 세로 무늬가 많고, 꽁지에는 회갈색 굵은 줄이 있으며, 부리 둘레에는 세고 흰 털이 나고 다리와 발가락에는 누르스름한 털이 드물게 났음. 5-6월에 땅 위에서 10 m 정도 높이의 나무 구멍에 흰 알을 너덧 개씩 낳고, 주로 밤에 나와 잠자리·메뚜기·갑충(甲蟲) 등의 곤충 및 작은 새, 박쥐 등을 잡아 먹으며, 녹음이 짙을 무렵에 '부엉부엉' 하고 욺. 시베리아 동남부·중국·한국·일본 등지에서 번식하고, 10월경에 말레이·오스트레일리아·인도 등지로 건너가 월동함. 녹엽효(綠葉梟).

〈솔부엉이〉

솔-불 [一뿔] 명 ↗관솔불.

솔비-나무 명 〖식〗 [*Maackia fauriei*] 콩과에 속하는 낙엽 활엽 교목. 다릅나무와 비슷한데 잎은 우상 복생(羽狀複生)하고 잔 잎은 타원상의 달걀꼴임. 8월에 황백색의 꽃이 총상(總狀) 화서로 피고, 협과(莢果)는 10월에 익음. 산복(山腹)에 나는데, 제주도의 특산임. 목재는 기구재, 수피(樹皮)는 물감용으로 씀.

솔-비녀골풀 명 〖식〗 [*Juncus ounsanensis*] 골풀과에 속하는 다년초. 줄기 높이는 28 cm 가량이고 잎은 협선형(狹線形)이며, 길이는 6-15 cm 내외임. 꽃은 5-6월에 요형 취산(凹形聚繖) 화서로 정생(頂生)하여 피고 두상 화수(頭狀花穗)는 다수임. 과실은 삭과(蒴果)를 맺음. 들의 습지에 나는데, 함남의 원산(元山)에 분포함.

솔빈【率濱】명 ↗솔토지빈(率土之濱).

솔-뿌리 명 소나무의 뿌리. 이것을 건류(乾溜)하여 얻은 기름을 '송근유(松根油)'라 하여, 페인트·니스 등의 용제(溶劑)로 쓰며, 또 껍질을 벗긴 속의 심은 매우 질기므로 쪼개어서 나무 그릇을 꿰매거나 동이는 데 씀. 송근(松根).

솔-새[1] 명 〖식〗 [*Themeda japonica*] 볏과(科)에 속하는 다년초. 봄에 숙근(宿根)에서부터 경엽(莖葉)이 총생(叢生)하며, 높이는 1.5 m 가량, 잎은 선형(線形)으로 길이는 30 cm, 폭은 3-6 mm이고 가장자리에는 센 털이 있으며 아래로 축 늘어짐. 8월에 백색의 두상화(頭狀花)가 원추(圓錐) 화서로 정생(頂生) 또는 액생(腋生)하여 피고, 이삭은 갈색임. 산과 들에 나는데, 한국 중부 이남에 분포함. 뿌리로는 솔을 만들고 대로는 지붕을 이음.

〈솔새[1]〉

솔-새[2] [-쌔] 명 〖조〗 ①휘파람샛과 솔새속(屬)에 속하는 새의 총칭. 되솔새 등이 있음. ②쇠솔새.

솔선 【率先·帥先】 [-썬] 명 남에 앞장서서 함. ¶ ~ 수범. ——-하다 자여불

솔성 【率性】 [-썽] 명 ①천성(天性)을 좇음. ②천성. 성품. 성격.

솔소리-바람 명 〈방〉 회오리바람(전남).

솔:솔 부 ①물·가루 등이 연해 가볍게 새어 나오거나 흐르는 모양. ②이슬비가 가볍게 내리는 모양. ③얽힌 실·끈 등이 가볍게 잘 풀려 나오는 모양. ④말이 막힘없이 잘 나오는 모양. ⑤바람이 부드럽고 가볍게 부는 모양. 1)-5): <술술.

솔:솔-바람 명 약하게 솔솔 부는 바람.

솔:솔-이 부 솔기마다.

솔송-나무 명 〖식〗 [*Tsuga sieboldii*] 전나뭇과에 속하는 상록 침엽(針葉) 교목. 높이는 20 m 가량이고 수피(樹皮)는 회갈색이며, 잎은 선형이고 중륵(中肋) 양쪽에 백색 기공선(氣孔線)이 있음. 자웅 일가(雌雄一家)로 4월에 자색 꽃이 피고, 구과(毬果)는 엷은 갈색이며 10월에 익음. 산복(山腹) 이하에 나는데, 울릉도 및 일본에 분포함. 목재는 건축 용재, 외피(外皮)는 펄프, 내피(內皮)는 타닌산(Tannin酸) 제조에 사용함.

〈솔송나무〉

솔-송이 명 〈방〉 솔방울(평안).

솔-수펑이 명 솔숲이 있는 곳.

솔-숲 명 소나무가 우거진 숲. 송림(松林).

솔-쐐:기 명 〈방〉 〖충〗 송충이(평안).

솔악 【率樂】 명 〖역〗 과거의 방(榜)을 낼 때에, 급제(及第)한 사람이 북과 피리를 갖춘 악대를 앞세우고 식장(式場)으로 가는 일. ——-하다 자여불

솔양 【率養】 명 ①양자(養子)를 삼음. ②양자로 데려옴. ——-하다 타여불

솔연 【率然】 명 중국 오악(五嶽)의 하나인 상산(常山)에 산다는 뱀의 이름.

솔옷 명 〈옛〉 송곳. ¶ 그티 버서낫는 솔옷 든 느뭇출 뭇지노라(穎脫無錐囊)《杜諺 Ⅲ:12》.

솔웃 명 〈옛〉 소루쟁이. ¶ 솔웃 폐(薢)《字會 上 9》.

솔이[1] 【率易】 명 언행이 까다롭지 않고 솔직함. ——-하다 형여불

솔이[2] 【率爾】 부 ①급한 모양. ②경솔한 모양.

솔-이끼 [-리-] 명 〖식〗 [*Polytrichum juniperinum*] 솔이낏과에 속하는 선태류(蘚苔類). 가장 흔히 볼 수 있는 것으로 줄기는 가지 없이 곧게 자라며 높이는 약 10 cm 가량임. 잎은 인편상(鱗片狀)으로 밀생하는데 선상(線狀)의 피침형이고 그 끝의 배면(背面)에 뾰족한 톱니 돌기가 흩어져 있음. 자웅 이주(雌雄異株)인데 수정(受精)한 뒤에 자주(雌株)의 꼭대기에 긴 자루가 달린 자낭(子囊)이 생기고 그 가운데에 녹색(綠色)의 포자(胞子)를 갖게 됨. 산 속의 그늘진 습지에 군생(群生)하는데, 한국 및 일본·중국 등지에 분포함.

잎(확대) 자낭 ♂ ♀

〈솔이끼〉

솔-인진 【-茵陳】 명 〖식〗 [*Chrysanthemum Pallasianum*] 국화과에 속하는 다년초. 높이는 50 cm 내외이고 줄기는 총생(叢生)하며 뿌리는 목질(木質)임. 근엽(根葉)은 장병(長柄)이고, 경엽(莖葉)은 우상 분열(羽狀分裂)하며 열편(裂片)은 다시 가늘게 째져 선형(線形)을 이루는데 유병(有柄) 혹은 무병(無柄)임. 7월에 누른 빛의 작은 두상화(頭狀花)가 줄기나 가지 끝에 산방(繖房) 화서로 많이 핌. 산이나 들의 석회암(石灰岩) 지대에 나는데, 황해의 서흥(瑞興), 함북의 관모봉(冠帽峰) 등지에 분포함.

〈솔인진〉

솔-잎 [-립] 명 소나무의 잎. 송엽(松葉).

[솔잎이 버썩하니 가랑잎이 할 말이 없다] 정도가 덜한 사람이 먼저 야단스럽게 떠들고 나서니, 큰 걱정거리가 있어도 어이가 없어 할 말이 없다는 뜻으로 이르는 말. [솔잎이 새파라니까 오뉴월만 여긴다] 근심이 쌓이고 겹쳤는데, 어떤 작은 일 하나 되어 가는 것만 보고 속없이 좋아라고 날뜀을 이르는 말.

솔잎-게 [-립-] 명 〖동〗 [*Acanthodes armatus*] 부채겟과에 속하는 게의 하나. 배갑(背甲)의 길이는 114 mm, 폭 113 mm 내외이고 두흉갑(頭胸甲)은 매끈하나 이마와 전측연(前側緣)에는 갈색의 크고 작은 가시가 많이 있음. 다리의 가장자리에도 가시가 있지만 집게발의 내연(內緣)은 매끈하고, 좌우 집게발이 똑같음. 연안(沿岸)에 서식하는데, 한국·일본·오스트레일리아에 분포함.

〈솔잎게〉

솔잎 대강이 [-립-] 명 머리털을 썩 짧게 깎아 함함하지 못하고 빳빳하게 일어선 머리.

솔잎-말 [-립-] 명 〖식〗 붕어마름❶.

솔잎벌-과 【-科】 [-립-꽈] 명 〖충〗 [Diprinidae] 벌목(目)에 속하는 한 과. 몸은 짧고 폭이 넓으며 촉각은 짧고 톱 또는 빗 모양임. 유충은 소나무류의 해충임. 전세계에 많은 종류가 분포함.

솔잎-사초 【-莎草】 [-립-] 명 〖식〗 [*Carex biwensis*] 방동사닛과에 속하는 다년초. 높이는 30 cm 가량인데 줄기는 다소 삼릉형(三稜形)이고 총생(叢生)하며, 잎은 호생하고 선형(線形)임. 봄에 다갈색의 꽃이삭이 줄기 끝에 하나씩 피는데 상반(上半)에는 수꽃이삭, 하반에는 암꽃이삭이 달리고 달걀꼴의 넓은 타원형의 과낭(果囊)이 있음. 산지의 습지에 나는데, 경남·강원·경기·평북에 분포함.

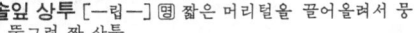

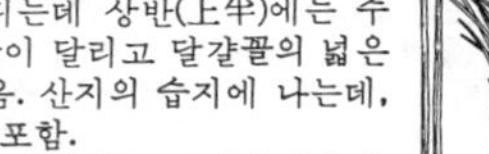

〈솔잎사초〉

솔잎 상투 [-립-] 명 짧은 머리털을 끌어올려서 뭉뚱그려 짠 상투.

솔-잣새 명 〖조〗 [*Loxia curvirostra*] 참샛과에 속하는 철새. 몸의 크기는 참새 정도이고 날개의 길이는 10 cm 가량임. 몸빛은 암컷과 어린 수컷은 녹색을 띤 황색이며, 수컷의 성조(成鳥)는 아름다운 암홍색(暗紅色)인데 날개와 꽁지는 암갈색임. 암컷의 몸의 상면(上面)은 감람황색에 암색 횡문(橫紋)이 있고 하면은 회황색임. 부리는 뾰족하나 윗부리는 아래쪽으로 아랫 부리는 위쪽으로 만곡(彎曲)하여 서로 교차(交叉)한 것이 특징이며, 잣·솔씨 등을 쪼아 까 먹기에 알맞음. 10월 하순에 도래(渡來)하여 잣·곤충·과실 등을 먹고 서식하는데, 유럽·아시아·북미(北美) 등지에 분포함. 잣새. 동취(銅嘴).

〈솔잣새〉

솔-장다리 명 〖식〗 [*Salsola collina*] 명아줏과에 속하는 일년초. 줄기 높이는 30 cm 가량이고, 잎은 무병(無柄)에 호생하고 선상(線狀) 원주형임. 여름에 담녹색 꽃이 액출(腋出)하여 피고, 열매는 단란형(短卵形)의 포과(胞果)임. 바닷가에 나는데, 거의 한국 각지에 분포함. 어린 잎은 식용함.

솔:-장이 【-匠-】 명 풀칠하는 솔을 만드는 일을 업으로 하는 사람.

솔:-쟁이 명 〖식〗 ↗소리쟁이[2].

솔:저 〔soldier〕 명 군인(軍人). 사병(士兵).

솔정 【率丁】 [-쩡] 명 자기 밑에 거느리어 부리는 사람.

솔제니친 〔Solzhenitsyn, Aleksander Isayevich〕 명 〖사람〗 소련의 작가. 로스토프(Rostov) 대학 물리 수학과 졸업. 1946년 포병 대위로 종군 중 정치적으로 고발을 당하여 10년간의 유형(流刑) 생활을 보냄. 그 체험을 바탕으로 한 《이반 데니소비치(Ivan Denisovich)의 하루》를 발표, 세계적인 작가가 되었으며, 그 후 《암병동(癌病棟)》 등 수편을 집필하였으나 작가 동맹에서 추방됨. 1970년 노벨 문학상 수상. 그 후 1973년 《수용소 군도(收容所群島)》 1·2부가 파리에서 러시아어로 출판되었으나 1974년 체포되어 사형 선고를 받았다가 시민권을 박탈당한 후 국외로 추방되어 미국에 정착해 살다가 러시아 민주화로 1994년 귀국함. [1918-]

솔-좀매미 명 〖충〗 솔거품벌레.

솔:즈베리[1] 〔Salisbury〕 명 〖지〗 영국 잉글랜드 남부, 에이번 강(Avon江) 하안(河岸)에 있는 도시. 양(羊)의 목초지이며, 군사 훈련장이기도 한 솔즈베리 평야의 중심임. 솔즈베리 성당이 있음. [35,000명(1981)]

솔:즈베리[2] 〔Salisbury〕 명 〖지〗 하라레(Harare)의 구칭.

솔:즈베리[3] 〔Salisbury, Robert Arthur Talbot Gascoyne-Cecil〕 명 〖사람〗 영국의 보수당 정치가. 3회나 수상직(首相職)을 역임. 베를린 회의에 참석하여 수에즈 운하(Suez運河)의 중립 조약을 체결하였으며 제국주의 창달에 힘이 컸음. [1830-1903]

솔:즈베리의 어둠상자 【-箱子】 [-/-에-] 명 〔Salisbury dark box〕 레이더 장치(裝置)의 실험에 쓰이는 격리실(隔離室). 벽(壁)이 모든 입사(入射) 마이크로파(波) 에너지를 흡수할 수 있도록 특별히 만들어져 있음.

솔직 【率直】 [-찍] 명 거짓이나 꾸밈이 없이 바르고 곧음. ¶ ~한 대답. ——-하다 형여불

솔직-성 【率直性】 명 솔직한 성질.

솔직-히 【率直-】 부 솔직하게. ¶ ~ 고백하다.

솔:-질 명 솔로 먼지 등을 문질러 털거나 닦는 짓. ——-하다 자여불

솔-찜 명 ↗솔찜질. ——-하다 자여불

솔-찜질 명 솔잎으로 찜질하여 병을 고치는 한 방법. 온몸에 솔잎을 덮고 방에 불을 많이 때어 솔잎 김을 쐬어서 땀을 내게 함. ㊟솔찜. ——-하다 자여불

솔창 【率倡】 명 〖역〗 방(榜)이 난 뒤 귀향할 적에 광대를 앞세우고 피리를 불리던 일. ——-하다 자여불

솔-체꽃 명 〖식〗 [*Scabiosa mansenensis*] 산토끼꽃과에 속하는 월년초(越年草). 줄기 높이는 90 cm 내외이고, 잎은 대생하며 밑의 잎은 장병(長柄)에 달걀 모양의 타원형임. 경엽(莖葉)은 우상 심렬(羽狀深裂) 또는 전열(全裂)하고 열편(裂片)은 피침형임. 7-9월에 자벽색(紫碧色) 두상화(頭狀花)가 줄기 끝에 피고, 수과(瘦果)는 긴 타원형임. 산지에 나는데, 한국 중부 이북에 분포함.

솔축 【率畜】 명 예전에, 비(婢)를 첩으로 맞이하여 동거하던 일. ——-하다 자여불

솔탑파 【率塔婆】 명 〖불교〗 솔도파(窣堵婆).

솔:-터 명 〈방〉 활터.

솔턴 호 【-湖】 〔Salton〕 명 〖지〗 미국 캘리포니아 주의 남단부, 임피리얼(Imperial) 계곡 북부의 저지(低地)에 있는 염호(塩湖). 길이 50 km, 폭 15 km이며 현재의 호면 표고는 72 m. 1905년 콜로라도 강 홍수에 의해 형성된 것으로 건조한 기후 때문에 증발이 심함.

솔토 【率土】 명 ↗솔토지빈(率土之濱).

솔토지-민 【率土之民】 명 온 나라 안의 백성.

솔토지-빈 【率土之濱】 명 바다에 이르는 땅의 끝. 곧, 온 나라의 지경 안. ㊟솔빈(率濱)·솔토(率土).

솔:트[1] 【SALT】 명 〔Strategic Arms Limitation Talks의 약칭〕 〖정〗 미국과 소련 양국 사이의 전략 무기의 양적·질적 제한을 위한 협상. 제

1차 협상(SALT Ⅰ)은 1970년 4월에 개시되어, 1972년 5월에 탄도탄 요격 미사일과 전략 공격 미사일의 제한에 관한 잠정 협정에 조인하였으며, 제2차 협상(SALT Ⅱ)은 1972년 11월에 개시되어, 1974년 11월에 전략 무기 총보유량을 2,400기(基)로 제한하는 블라디보스토크 합의(合意)에 도달했으나, 1977년 10월의 잠정 협정 유효 기간 내에 이에 대치할 협정 체결에 실패하여, 양국은 개별적으로 그 효력 연장을 발표하였다가, 1979년 5월에 1985년말까지 유효한 새 협정에 합의하여, 대륙간 탄도탄·잠수함 발사 탄도 미사일·전략 폭격기·공대지(空對地) 탄두탄의 총수를 2,400기 이하로 하기로 함. 전략 무기 제한 협상(戰略武器制限協商).

솔:트² 〔salt〕 [명] 소금. 식염(食塩).

솔:트-레이크-시티 〔Salt Lake City〕 [명] 〖지〗 미국 유타 주(Utah州)의 주도. 1847년 이래 모르몬교(Mormon敎)의 본부가 있으며 그레이트 솔트 호(Great Salt湖) 근처에 있어 관광 도시로도 유명함. 교통의 요지로, 철강·정유·섬유·식품 가공 등이 성함. [159,936명(1990)]

솔:트 유약 【—釉藥】 [명] 〔salt glaze〕 〖공〗 소성(燒成) 중에 가마 속에 투입된 소금과 반응해서, 석기(炻器) 표면에 형성되는 유약.

솔티 〔Solti, Gerog〕 [명] 〖사람〗 헝가리 태생의 영국 지휘자. 부다페스트 리스트 음악원에서 지휘·작곡·피아노를 배움. 시카고 교향악단 음악감독·런던 교향악단 수석 지휘자 등 유럽 각지에서 활약하며 명성을 높임. 영국 왕실로부터 'Sir'의 칭호를 받음. [1912-]

솔-파 〔이 sol-fa〕 [명] 〖악〗 음계(音階)의 도·레·미·파·솔·라·시. 또는 이를 사용하여 노래하는 법.

솔페리노의 싸움 〔이 Solferino〕 [─/─에─] [명] 〖역〗 제2차 이탈리아 통일 전쟁에서, 이탈리아와 동맹을 맺은 나폴레옹 3세가 지휘하는 프랑스군이 1859년 북(北)이탈리아의 솔페리노에서 오스트리아군을 격파하여 전반적 전국(戰局)을 호전시킨 싸움.

솔페:주 〔프 solfège〕 [명] 〖악〗 성악(聲樂) 및 독보(讀譜)를 위한 기초 훈련의 한 가지. 곧, 음을 가사(歌詞) 아닌 도·레·미·파의 계명(階名)을 써서 노래하는 독보법(讀譜法). 계명 창법(階名唱法). 솔페지오.

솔페지오 〔이 solfeggio〕 [명] 〖악〗 솔페주(solfège).

솔-포기 [명] 가지가 다보록한 작은 소나무. [준]솔폭.

솔포:드 〔Solford〕 [명] 〖지〗 영국 잉글랜드 중서부 랭커셔(Lancashire)에 속하는 공업 도시. 맨체스터(Manchester)의 서쪽에 인접하며, 맨체스터 시(市)를 중심으로 하는 대도시 지역(大都市地域)에 포함됨. 면공업(綿工業) 외에 직물·화학·기계 등의 공업이 성함. [244,000명(1981)]

솔-폭 [명] ↗솔포기.

솔하 【率下】 [명] 자기 밑에 거느리고 있는 부하(部下).

솔호 【率戶】 [명] 〖역〗 조선 시대 때, 호적(戶籍)에 올라 있는 노비(奴婢)·고공인(雇工人) 등 부리는 식구. ＊주호(主戶).

솛바올 [명] 〈옛〉 솔방울. ¶ 솛바올 닐굽과(松子維七)《龍歌 89章》.

솛진 [명] 〈옛〉 송진. ＝솘진. ¶ 솛진 놀 니겨 썩 밍ᄀ라 ᄇ티라(松脂煉作餠貼之)《救方 下 63》.

솘진 [명] 〈옛〉 송진. ＝솛진. ¶ 琥珀은 솘지니 싸해 드러 一千年이면 茯苓이 ᄃ외오 또 一千年이면 琥珀이 ᄃ외ᄂ니라《月釋 Ⅷ:10》.

솜: [명] 〔중세 : 소옴〕 목화의 삭과(蒴果) 속에 있어, 씨에 달라 붙은 섬유질의 물건. 흰 광택이 있으며 썩 부드럽고 가벼움. 탄력 및 장력(張力)이 풍부하고 흡습성(吸濕性)·보온성(保溫性)이 있어 직물(織物) 또는 그 밖의 많은 용도(用途)에 쓰임. 면(綿).
【솜 뭉치로 가슴을 칠 일이다】 몹시 원통함을 이르는 말. [솜에 채어도 발가락이 깨진다] 궂은 일이 생기려 들면 공교롭기만 하다는 말.

솜 강 【─江】 〔Somme〕 [명] 〖지〗 프랑스의 북부, 피카르디(Picardie) 지방의 강. 생캉탱 시(Saint Quentin市)의 북동 약 10 km 지점에서 발원하여 동북부를 지나, 영국 해협(英國海峽)으로 들어가는 강. 프랑스 제일급의 내륙 수로이며, 유역은 제1차 대전 때의 격전지(激戰地)로서 유명함. [245 km]

솜:-것 [─껏] [명] 〈방〉 솜옷.

솜:-고치 [명] 면견(綿繭).

솜:-구름 [명] 〈속〉 적운(積雲).

솜:-나물 [명] 〖식〗 [*Leibnitzia anandria*] 국화과에 속하는 다년초. 화경(花莖)은 봄에 10-15 cm 가을에 30-60 cm, 잎은 근생(根生)하며 거꿀달걀꼴의 긴 타원형인데 불규칙하게 우상 심렬(羽狀深裂)하고 잎꼭지와 잎 뒷면에 백색의 연모(軟毛)가 밀포함. 5-9월에 백색 또는 담자색의 두상화(頭狀花)가 잎 사이에서 나온 1-3개의 화경 끝에 하나씩 피고, 열매는 수과(瘦果)임. 산이나 들에 나는데, 한국 각지 및 아시아 동부의 온대 지방에 분포함. 어린 잎은 식용함.

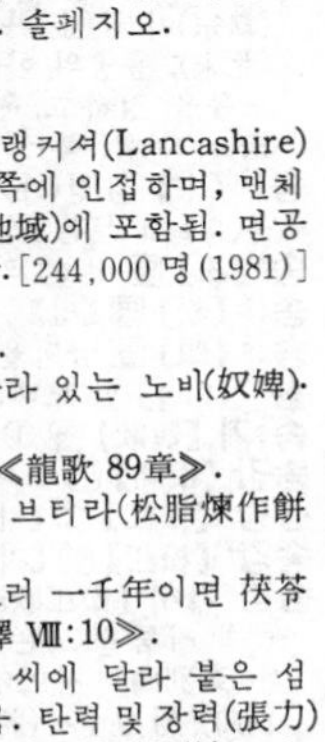

〈솜나물〉

솜냄뷸리즘 〔somnambulism〕 [명] 〖의〗 몽유병(夢遊病).

솜:-눈 [명] ☞함박눈.

솜:-다리 [명] 〖식〗 [*Leontopodium coreanum*] 국화과에 속하는 다년초. 백색의 면모(綿毛)가 밀포(密布)하고 줄기 높이는 30 cm 가량이며 잎은 무병(無柄)이고 도피침상(倒披針狀)의 선형(線形)임. 7-8월에 황색 두상화(頭狀花)가 줄기 끝에 수 개씩 밀방상 화수(密房狀花穗)로 피고, 과실은 수과(瘦果)임. 높은 산에 나는데, 제주·강원 등지에 분포함. 어린 잎은 식용함.

솜:-대 [명] 〖식〗 [*Phyllostachys nigra* var. *henonis*] 댓과(科)에 속하는 대의 한 가지. 줄기는 가로 번으며 근경(根莖)에서 나온 줄기의 높이는 10 m, 직경은 10 cm 가량에 담녹색이고 겉에 솜같이 보이는 흰 반점(斑點)이 있음. 줄기가 흑색인 것은 변종(變種)임. 마디는 이륜상(二輪狀)이며 각 마디에 몇 개의 가지가 나옴. 잎은 피침형이고 뒷면에 잔 털이 있음. 여름에 1-4개의 화수(花穗)가 원추(圓錐) 화서로 피고 영과(穎果)를 맺음. 약 60년을 주기(週期)로 꽃이 피고 결실(結實)한 후 흔히 그 나무는 시들어 죽음. 중국 원산(原産)으로 한국 중부 이남 및 일본·중국에서 재배함. 순(筍)은 대자색(帶紫色)인데 맛이 좋아 식용하고, 줄기는 기구재(器具材)·건축재로 씀. 감죽(甘竹). 담죽(淡竹). 분죽(粉竹).

〈솜대¹〉

솜:-덩이 [─떵─] [명] 솜의 뭉치. 솜이 뭉키어 이루어진 덩어리.

솜:-돗 [─똗] [명] 솜반을 짓는 데 쓰는 돗자리. 솜 조각을 그 위에 놓고 펴서 두르르 만 다음에 잠이 자게 밟음.

솜:-두루마기 [명] 솜을 두고 지은 두루마기.

솜:-들명나방 【─螟─】 [명] 〖충〗 [*Syllepte derogata*] 명나방과에 속(屬)하는 곤충. 편 날개의 길이는 30 mm 내외이고 몸빛은 백색에 다소 황색을 띠며 날개에는 흑갈색의 불규칙(不規則)한 가는 횡선(橫線)이 있음. 유충은 주로 목화(木花) 잎의 해충(害蟲)임. 미국·유럽을 제외(除外)한 전세계에 분포함.

〈솜들명나방〉

솜:-마고자 [명] 솜을 두고 지은 마고자.

솜:-먼지 [명] 솜이 부스러진 먼지.

솜:-몽둥이 [명] 벳조각 등에 솜을 싸서 몽둥이처럼 만든 물건. 윤을 내거나 칠을 할 때에 씀.

솜:-바늘꽃 [명] 〖식〗 장진바늘꽃.

솜:-바지 [명] 솜을 두고 지은 바지.

솜:-반 [─빤] [명] 솜돗에 펴서 잠이 자게 만든 반반한 솜의 조각. ＊솜채.

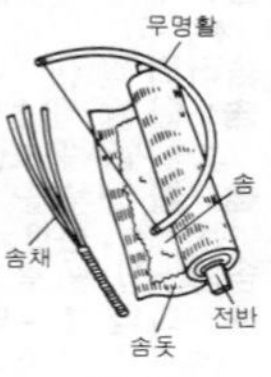

〈솜반〉

솜:-방망이¹ [명] 〖식〗 [*Senecio pierotii*] 국화과에 속하는 다년초. 연모(軟毛)가 덮여 있으며 높이는 60-90 cm이고 잎은 호생하며 기부(基部)의 잎은 달걀꼴의 타원형, 경엽(莖葉)은 피침형에 무병(無柄)이고 줄기를 싸고 있음. 5-6월에 황색 두상화(頭狀花)가 줄기 끝에 피고, 수과(瘦果)는 흰 관모(冠毛)가 있음. 산과 들의 습지에 나는데, 한국 각지 및 일본에 분포함. 어린 잎은 식용함.

〈솜방망이¹〉

솜:-방망이² [명] 솜을 쇠꼬챙이 끝에 뭉쳐서 붙이고 방망이처럼 묶은 것. 기름을 찍어 홰처럼 밝힘.

솜:-버선 [명] 솜을 넣고 만든 두꺼운 버선. 면말(綿襪).

솜:-벌레 [명] 〖충〗 ①목화에 모여 드는 벌레의 총칭. ②[*Pectinophora gosypiella*] 솜벌렛과에 속하는 나방의 하나. 몸길이 7 mm, 편 날개 17 mm 내외이고 몸빛은 암회색이며 앞날개에는 네 개의 불분명한 흑색 반점이 있고, 뒷날개는 회색에 광택이 남. 유충은 몸길이 12 mm이고 동부(胴部)는 흑색이며 한 해에 2-3회 발생함. 성충은 6-7월에 출현하여 목화의 열매 또는 새 순(筍) 부분에 산란하고 유충은 줄기를 갉아 파먹음. 동부 아시아 원산으로 전세계에 분포함.

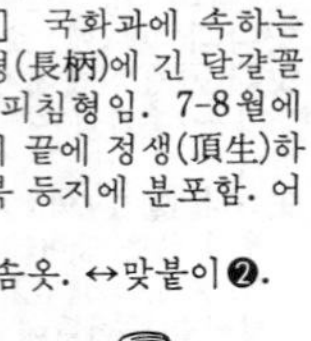
〈솜벌레②〉

솜:-병아리 [명] 알에서 깐 지 얼마 안 되는 어린 병아리. 그 털이 솜과 같이 보드라움.

솜:-분취 【─粉─】 [명] 〖식〗 [*Saussurea eriophylla*] 국화과에 속하는 다년초. 줄기 높이는 60 cm 가량, 각엽(脚葉)은 장병(長柄)에 긴 달걀꼴이며 경엽(莖葉)은 단병(短柄) 또는 무병(無柄)에 피침형임. 7-8월에 관상화(管狀花)로 된 홍자색 두상화(頭狀花)가 가지 끝에 정생(頂生)하고, 과실은 수과(瘦果)임. 산지에 나는데, 강원·함북 등지에 분포함. 어린 잎은 식용함.

솜:-붙이 [─부치] [명] 겹옷을 입어야 할 철에 입는 솜옷. ↔맞붙이②.

솜브레로 〔sombrero〕 [명] 스페인·멕시코·미국 남부 등지에서 쓰이는 챙이 썩 넓은 모자. 펠트 또는 밀짚으로 만듦. 특히 멕시코인이 쓰는 것은 크라운이 높고 가늘어서 '멕시칸 솜브레로'라고 함.

〈솜브레로〉

솜브레로 파워 〔sombrero power〕 [명] 〔솜브레로는 멕시코 사람들이 쓰는 챙이 넓은 모자〕 풍부한 석유 자원(石油資源)을 배경으로 한 멕시코의 국제적 지위 향상을 뜻하는 말.

솜:-사탕 【─砂糖】 [명] 빙빙 돌아가는 기계에 설탕을 넣고 끓이어 생기는 솜 같은 것을 꼬챙이에 둥글게 감아 묻힌 과자.

솜소미 [부] 〈옛〉 더부룩이. ¶ 가히 터리 솜소미 이시면(若有狗毛茸茸)《救簡 Ⅵ:41》.

솜솜 [부] 마마 자국이 잘고 얕게 얽은 모양. <숨숨. ──하다 [형][여불]

솜솜ᄒ다 [형] 〈옛〉 더부룩하다. ¶ 솜솜ᄒᆫ 터리 업ᄃ록 ᄒ야사 듣ᄂ니라(無茸毛方痊可)《救簡 Ⅵ:41》.

솜씨 [명] 〔근대 : 손씨〕 ①손을 놀려서 물건을 만드는 재주. 기술. ②일을 치러 나가는 수단.
【솜씨는 관(棺) 밖에 내어 놓아라】 손재주가 없는 사람을 보고 놓으로 이르는 말.

솜씨-꾼 [명] 솜씨가 뛰어난 사람.

솜:-아마존 [명] 〖식〗 [*Cynanchum amplexicaule*] 박주가릿과에 속하는 다년초. 전체가 분백색(粉白色)이고 줄기 높이는 90 cm 내외이며 잎은 대생하고 무병(無柄)에 거꿀달걀꼴의 긴 타원형 또는 타원형임. 6-7월에

〈솜아마존〉

담황색 또는 자갈색(紫褐色)의 꽃이 취산(聚繖) 화서로 액출(腋出)하여 피고, 과실은 골돌과(蓇葖果)임. 산이나 들에 나는데, 제주·전남·전북·평남 등지에 분포함.

〈솜양지꽃〉

솜:-양지꽃【一陽地一】[一냥一] 명 『식』 [*Potentilla discolor*] 장미과에 속하는 다년초. 뿌리는 비후(肥厚)하고 줄기는 땅으로 벋으며, 높이는 30 cm 가량으로, 근생엽(根生葉)은 총생(叢生)하고 장병(長柄)에 기수 우상 복생(奇數羽狀複生)인데, 경엽(莖葉)은 삼출(三出)하며, 소엽(小葉)은 달걀꼴의 긴 타원형임. 4-8월에 황색 꽃이 취산(聚繖) 화서로 정생하고, 과실은 수과(瘦果)임. 산과 들에 나는데, 한국 각지에 분포함. 칠양지꽃. 번백초(飜白草).

솜:-옷 명 솜을 넣고 지은 옷. 면복(綿服).

솜:-우티 명 〈옛〉 솜옷(함경).

솜:-이불 [一니一] 명 솜을 두고 지은 이불.

솜:-저고리 명 솜을 두고 지은 저고리.

솜:-진디 명 『충』 목화진딧물.

솜:-채 명 펴놓은 솜을 잠이 자도록 치는 데에 쓰이는, 대로 만든 채. ＊솜반.

솜터리 명 〈방〉 정수리.

솜:-털 명 ①솜에서 일어나는 잔털. ②매우 잘고 솜처럼 보드라우며 고운 털. 용모(茸毛). 면모(綿毛).

솜:-틀 명 솜을 뜯어서 그 속에 섞인 잡물을 가려 내고 곱게 부풀려 펴는 기계. 타면기(打綿機).

솜:틀-집 명 솜틀로 솜을 트는 일을 업으로 하는 집.

솜:-화약 【一火藥】 명 정제(精製)한 솜을 짙은 황산(黃酸)과 짙은 질산(窒酸)의 혼합액(混合液)에 센 도수(度數)로 질화(窒化)시키어 만든 화약. 겉 보기에는 솜과 비슷하나 불을 붙이면 폭발하며 재가 남지 않음. 무연(無煙) 화약의 원료임. 면화약(綿火藥). 화면(火綿). 무명 화약.

솜:-활 명 무명활.

솝 명 〈옛〉 속[1]. ¶風塵 소배 어려이 ᄃᆞ니시ᄂᆞ니(狼狽風塵裏) ≪杜諺 Ⅴ:1≫/솝 리(裏), 솝 충(衷)≪字會 下 33≫.

솝:리【一里】[一니] 명 『지』 '이리(裡里)'의 구명. ＊솝.

솝쓰다 자 〈옛〉 솟구쳐 오르다. ¶누워도 붓고 솝써도 ᄯᅮ라와 이 안쪄러 진다≪古時調≫.

솝서근플 명 〈옛〉 속서근풀. ¶솝서근플 불휘(黃芩)≪救簡 Ⅵ:78≫.

솝우틔 명 〈옛〉 속치마. ¶ᄆᆞᄆᆞ니 무러 어버싀 솝우틔를 가져다가 친히 제 ᄲᆞ라(取親中帬廁牏 身自浣滌)≪飜小 Ⅸ:85≫.

솟고다 자 〈옛〉 솟구치다. ¶솔소개 츨근 바로 천심올 솟고고(松裡之葛直聳千尋)≪野雲 59≫.

솟고라-지다 자 ①용솟음을 치며 뚫어오르다. ②솟구쳐 오르다.

솟-과 【一科】 명 『동』 [Bovidae] 우제류(偶蹄類)에 속하는 한 과. 보통 한 쌍, 드물게 두 쌍의 뿔이 있고, 초식성(草食性)이며, 반추(反芻)를 함. 200여 종, 400여 아종(亞種)이 분포함. 소·염소·양·영양(羚羊) 등이 이에 속하며, 소 아과(亞科)에는 물소·들소·야크 등이 있음.

솟구다 ㊀ 자 날 듯이 높이 뛰어오르다. ㊁ 사동 몸을 위로 솟게 하다.

솟구-치다 자 빠르고 세게 솟구다. ¶불길이 ∼.

솟:-국【素一】 명 고기를 넣지 않은 국.

솟글타 자 〈옛〉 솟아오르며 끓다. 용솟음하다. ¶그 므리 솟글코≪月釋 XXI:23≫/이 므리 엇던 緣으로 솟글호며 ≪月釋 XXI:25≫.

솟-나다[1] 자 ↗소수나다.

솟나다[2] 자 〈옛〉 솟아나다. ¶山河ㅣ ᄃᆞᄐᆞ와 솟나며 ≪南明 上 6≫.

솟다 자 ①아래에서 위로 또는 속에서 겉으로 세차게 나오다. ¶지하수가 ∼/용기가 ∼. ②높게 또는 키가 크게 서다. ¶산이 우뚝 솟아 있다.

솟:-대 명 ①『역』 과거에 급제한 사람을 위하여 그 마을 입구에 높이 세우던 붉은 장대. 그 끝에는 푸른 칠을 한 나무로 만든 용을 달았음. 효죽(孝竹). ②『민』 큰 농가에서 세안에 다음해의 풍년을 바라는 뜻으로 볍씨를 주머니에 넣어 높이 달아 매는 장대. 옛날의 소도(蘇塗)에서 기원한 것임. ③『민』 솟대쟁이가 올라가 재주를 부리는 장대.

솟:대-쟁이 명 『민』 탈을 쓰고 솟대 꼭대기에 올라가서 몸짓으로 온갖 재주를 부리는 사람.

솟돕 명 〈옛〉 손톱. =솑돕. ¶솟돕과 脉과ᄂᆞᆫ(爪脉)≪楞嚴 Ⅰ:52≫

솟뒤 명 〈방〉 부뚜막(강원).

솟돈다 자 〈옛〉 솟아 달아나다. ¶내 모미 自然히 솟ᄃᆞ라≪月釋 Ⅱ:62≫.

솟-보다 타 물건을 단단히 살펴 보지 아니하고 값을 많이 주고 사다.

솟아-나다 ㊀ 자 솟아서 밖으로 나오다. ㊁ 형 여럿 가운데서 뚜렷이 드러나다. 나타나다.

솟아-오르다 자 르불 솟아서 위로 오르다.

솟은-장식【一裝飾】 명 『고고학』 관의 테 위에 세워진 장식.

솟을-각 명 『건』 합각머리의 윗 부분.

솟을-금【一錦】 명 『건』 단청(丹靑)할 때의 금문(錦紋)의 한 가지.

솟을-꽃살창【一窓】 명 『건』 비낀 꽃무늬, 곧 빗꽃살무늬에 세로 긴 창살을 어우른 창.

솟을-대공【一臺工】[一때一] 명 『건』 마룻대공의 한 가지.

솟을-대문【一大門】[一때一] 명 행랑채의 지붕보다 높이 솟게 만든 대문. 고주 대문(高柱大門).

〈솟을대문〉

솟을-동자【一童子】[一똥一] 명 『건』 머름의 칸막이를 한 작은 기둥.

솟을-무늬[一니] 명 피륙에 놓은 도드라진 무늬.

솟을-문【一紋】 명 ☞솟을무늬.

솟을-빗살문【一門】 명 『건』 세전문(細箭門)의 한 가지. 세로 긴 살을 댄 빗살문.

〈솟을빗살문〉

솟을-삼문【一三門】 명 『건』 뱃집 지붕으로 된 고설 삼문(高設三門).

솟을-줏대금【一錦】 명 『건』 단청(丹靑)할 때의 금문(錦紋)의 한 가지.

솟을-화반【一花盤】 명 『건』 화반(花盤)의 한 가지.

솟적다식 명 〈옛〉 소쩍새. ¶草堂 뒤에 와 안저 우는 솟적다 시야≪古時調 類聚≫.

솟-치다 타 위로 높게 올리다.

솟쿠리 명 〈방〉 소쿠리(전남).

솟톱 명 〈옛〉 손톱. =솑돕. ¶들며 날저긔 솟토배 다텨 鏗然히 소리 잇도다(出入爪甲鏗有聲)≪重杜諺 XVI:58≫.

송:[1]【宋】 명 『역』 중국의 국명(國名). ①중국의 주대(周代)에, 무왕(武王)이 은(殷)나라 주왕(紂王)의 서형(庶兄) 미자계(微子啓)로 하여금 은나라의 유민(遺民)을 거두게 하기 위하여 봉(封)한 나라. 지금의 허난 성(河南省) 상추 현(商邱縣)에 도읍하였음. 춘추(春秋) 시대에 12 제후(諸侯)의 하나가 되었으나 전국(戰國) 시대에 제(齊)·초(楚)·위(魏)의 세 나라에게 32대(代) 만에 망하고 그 땅은 삼분됨. [?-286 B.C.] ②중국 남북조(南北朝) 때, 남조(南朝) 최초의 왕조. 동진(東晉)의 권신(權臣) 유유(劉裕)가 420년에 자기가 옹립(擁立)한 공제(恭帝)의 선양(禪讓)을 받아서 세운 나라. 건강(建康)에 도읍하여 북조(北朝)의 후위(後魏)와 함께 남북조를 이룸. 문제(文帝) 때에 국세를 떨쳤으나 그 뒤 귀족의 발호, 내란·외압(外壓) 등으로 쇠퇴하여 권신 소도성(蕭道成)에게 8대(代) 59년 만에 망함. [420-479] ③중국의 통일 왕조(統一王朝). 960년에 조광윤(趙匡胤)이 오대 후주(五代後周)의 공제(恭帝)의 선위(禪位)를 받아 세운 나라. 변경(汴京)에 도읍함. 제8대 휘종(徽宗)·제9대 흠종(欽宗)이 금(金)나라의 침입을 입어 북쪽으로 붙들려 가기까지를 북송(北宋), 흠종의 아우 고종(高宗)이 1127년 남으로 옮기어 임안(臨安)에 도읍을 정하고, 원(元)나라의 세조(世祖)에게 망할 때까지를 남송(南宋)이라 함. 북·남 합하여 18대 319년. [960-1279]

송:[2]【宋】 명 성(姓)의 하나. 현재 우리 나라에는 여산(礪山)·은진(恩津) 등, 24개의 본관(本貫)이 있음.

송[3]【松】 명 성(姓)의 하나. 우리 나라에는 현존(現存)하지 않음.

송:[4]【訟】 명 『민』 ↗송괘(訟卦).

송:[5]【頌】 명 공덕을 칭송하는 글월.

송[6] [song] 명 노래. 창가(唱歌). 성악. ¶히트 ∼.

송:가【頌歌】 명 ①찬양하는 노래. 오드(ode). ②기리고 노래함.

송간【松間】 명 소나무 사이.

송강[1]【松江】 명 『사람』 정철(鄭澈)의 호(號).

송강[2]【松江】 명 『지』 '쑹장'을 우리 음으로 읽은 이름.

송강 가사【松江歌辭】 명 『책』 송강 정철(鄭澈)이 지은 시조·노래 등의 문학 작품을 모은 책. 그의 현손(玄孫) 천(洊)이 엮은 것으로, 관동 별곡(關東別曲)·사미인곡(思美人曲)·속미인곡(續美人曲)·성산 별곡(星山別曲)·장진주사(將進酒辭)와 단가 72수가 수록되어 있음. 성주본(星州本)과 의성본(義城本)의 두 가지가 전함. 숙종(肅宗) 때에 간행. 상하 2권으로 됨.

송강-성【松江省】 명 『지』 쑹장 성.

송강-집【松江集】 명 『책』 송강 정철(鄭澈)의 시문집. 조선 고종(高宗) 31년(1894)에 후손 운학(雲鶴)이 송강의 유고 중 당시까지 간행되지 아니한 ≪송강 속집(續集)≫·≪송강 별집(別集)≫·≪송강 별집 부록(附錄)≫ 중에서 편찬하고 여기다가 기간(旣刊)의 일부를 보충 개각(改刻)함. 11권 7책.

송:객【送客】 명 손님을 보냄. ——-하다 자 여불

송거【松炬】 명 관솔불.

송:-경[1]【宋璟】 명 『사람』 중국 당나라의 재상. 현종(玄宗)의 개원(開元) 연간에 요숭(姚崇)의 추천으로 재상이 됨. 절개가 곧고 법도를 잘 지켰으며 성격이 강직하여 논공 상벌(論功賞罰)에 사사로움이 없었음. [663-737]

송:경[2]【宋鏡】 명 중국 송대(宋代)에 만들어진 거울. 화초·인물·산수도(山水圖) 따위의 무늬를 붙인 것과 제작자의 이름만을 적은 것으로 대별(大別)할 수 있음.

송경[3]【松京】 명 『지』 근세 조선 이후에 개성(開城)을 송악산(松嶽山) 밑에 있던 서울이란 뜻으로 일컫는 말. 송도(松都).

송경[4]【松徑】 명 소나무 숲 속의 작은 길.

송:경[5]【誦經】 명 ①판수가 경문(經文)을 읽. ②『불교』 불경을 읽. ——-하다 자 여불

송:-경(:)령【宋慶齡】[一녕] 명 『사람』 '쑹 칭링'을 우리 음으로 읽은 이름.

송-계[1]【松契】 명 소나무를 잘 가꾸고 보호하기 위하여 모은 계.

송계[2]【松鷄】 명 『조』 들꿩.

송고[1]【松膏】 명 송진(松津).

송:고[2]【送稿】 명 신문·잡지 등의 원고를 편집자에게 보냄. ——-하다 자 여불

송고리 명 '송골매'를 사냥꾼이 일컫는 말.

송곡-산【松谷山】 명 『지』 평안 북도 창성군(昌城郡)과 운산군(雲山郡) 사이에 있는 산. [1,022 m]

송골【松鶻】 명 [중세 : 송골. 몽 sŏnggor(사냥에 쓰는 매)] 『조』 송골매.

송골-매【松鶻一】 명 『조』 매. 해동청(海東靑). 준골매.

송골-송골 부 땀·소름 따위가 자디잘게 많이 돋아나는 모양. ¶땀이 ∼ 돋다.

송곱 명 〈방〉 송곳(경북).

송:곳 명 [중세 : 솔옷. 근대 : 송곳] 물건에 작은 구멍을 뚫는 데 쓰는 연

장. 끝이 뾰족하고 자루가 있는데 여러 종류가 있음.
[송곳 거꾸로 꽂고 발 끝으로 차기] 어리석은 사람이 화를 자초(自招)한다는 말. [송곳도 끝부터 들어 간다] 무슨 일이든 순서가 있다는 말. [송곳 모로 박을 곳도 없다; 송곳 박을 땅도 없다] ㉠어떤 곳이 대만원이란 말. ㉡자기 소유의 땅이 조금도 없다는 말. [송곳으로 매운 재 끌어 내듯] 송곳으로는 재를 끌어 낼 수 없으니, 쓸데없는 수고만 한다는 말.

송:곳-날 명 송곳 끝의 날.

송:곳-눈 명 날카롭게 쏘아 보는 눈초리를 이르는 말.

송:곳-니 명〖생〗[←송곳이] 앞니와 어금니 사이에 있는 뾰족한 이. 견치(犬齒).
[송곳니가 방석니가 된다] 닳도록 이를 간다는 뜻으로, 극심한 원한(怨恨)이 있어 이를 갈며 분해 한다는 뜻. [송곳니를 가진 호랑이는 뿔이 없다] 모두 다 갖출 수는 없다는 말.

송곳-망치 명 날이 송곳처럼 뾰족한 망치. 돌 따위를 다듬는 데 씀.

송:곳-벌 명〖충〗①송곳벌과에 속하는 곤충의 총칭. ② 얼룩송곳벌.

송:곳벌-과【一科】[一꽈] 명〖충〗[Siricidae] 벌목(目)에 속하는 한 과. 몸은 원통상이며 비교적 크고, 꼬리 끝에 송곳 모양의 산란관(産卵管)이 있음. 유충은 갓 죽은 침엽수나 활엽수의 목질부(木質部)를 파고 들어가 기생함. 긴송곳벌·얼룩송곳벌·수염송곳벌 등이 이에 속함.

송:곳벌레살이-납작맵시벌 명〖충〗[*Rhyssa persuasoria*] 맵시벌과에 속하는 곤충. 암컷의 몸길이는 38mm 가량이고 몸빛은 흑색이며 제1 복절(腹節) 후연(後緣)과 제2-6 복절 후연 양측의 반문(斑紋)은 황백색임. 촉각은 흑색, 날개는 담적갈색이고 산란관(産卵管)은 몸길이보다 길며, 얼룩송곳벌과 곤충의 유충에 기생(寄生)함. 한국·일본·유럽·사할린 등지에 분포함.

송:곳-이 [一니] 명〖생〗→송곳니.

송:곳-질 명 송곳으로 물건에 구멍을 뚫는 일. ――하다 자여불

송:곳-치기 명 송곳을 가지고 꽂기를 하는 장난.

송:곳-칼 명 한쪽 끝은 송곳으로 되고 다른 한쪽은 날이 있는 칼.

송:공【誦功】명 자신의 공적을 떠벌림. ――하다 타여불

송과-선【松果腺】명 [pineal gland] 〖생〗좌우 대뇌 반구(大腦半球) 사이 제3 뇌실(腦室)의 후부(後部)에 있는 작은 구상(球狀)의 내분비 기관(內分泌器官). 장경(長徑) 12mm, 무게는 170mg 쯤임. 그 내부는 송과 세포(松果細胞)라는 선세포(腺細胞) 같은 것으로 충만되어 있음. 7세까지 발달하여 성기(性器)의 성숙(成熟)을 억제하고 성장을 촉진하다가 차차 없어짐. 골윗샘. 송과체(松果體).

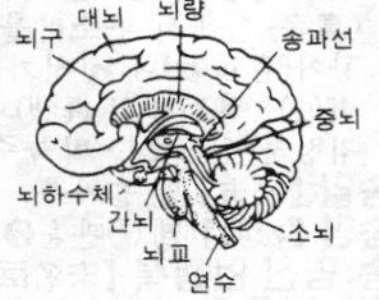

〈송과선〉

송과선-종【松果腺腫】명〖의〗송과체(松果體)에 생기는 종양(腫瘍). 사춘기까지의 남자에 많음. 이 종양으로 유아에 조숙(早熟) 현상이 보임.

송과-체【松果體】명〖생〗송과선(松果腺).

송:관【訟官】명〖역〗송사(訟事)를 맡아 다스리던 관원(官員).

송광-사【松廣寺】명〖불교〗전라 남도 순천시(順天市) 송광면(松廣面) 신평리(新坪里) 조계산(曹溪山)에 있는 25 교구 본사(敎區本寺)의 하나. 신라 말기에 혜린 선사(慧璘禪師)가 창건하고 고려 명종(明宗) 때 보조 국사(普照國師)가 크게 중창(重刱)하였음. 그 후 이 절에서 16 국사(國師)가 나왔으므로 승보 종찰(僧寶宗刹)이라 함. 종전에는 31 본산(本山)의 하나였음.

송광사 국사전【松廣寺國師殿】명 전라 남도 순천시(順天市) 송광사에 있는 전각. 낮은 석단(石壇) 위에 천축식(天竺式)의 영향이 짙은 조선 초기의 건물로서 정면 네 간, 측면 세 간 단층의 맞배지붕 주심포(柱心包)집이며, 조선 초기로 여겨지는 건립(建立) 당시의 단청(丹青)이 그대로 남아 있음. 국보 제56호.

송:-괘【訟卦】명〖민〗육십사 괘의 하나. 건괘(乾卦)와 감괘(坎卦)가 거듭된 것인데 하늘과 물이 어긋나서 행(行)함을 상징함. 준송(訟).

송:괴【悚愧】명 죄송스럽고도 부끄러움. ――하다 형여불. ――히 부

송:괴-스럽다【悚愧一】형ㅂ불 송괴한 느낌이 있다. 죄송하고 부끄러운 느낌이 있다. 송:괴-스레【悚愧一】부

송:-교(:)인【宋教人】명〖사람〗중국 신해(辛亥) 혁명 원훈(元勳)의 한 사람. 자객(刺客)에게 죽음을 당하여 제2차 혁명이 일어난 동기가 되었음. [1882-1913]

송교지-수【松喬之壽】명 고대 중국의 전설 상의 인물인 적송자(赤松子)와 주(周)나라의 왕자교(王子喬)의 수(壽). 두 사람이 모두 장수하였다는 신선(神仙)임. 전하여, 장수(長壽)를 이름.

송:구¹【送球】명 ①구기(球技)에서, 공을 던져 보냄. ② 핸드볼(hand ball). ――하다 자여불

송:구²【送舊】명 묵은 해를 보냄. ↔영신(迎新). ――하다 자여불

송:구³【悚懼·竦懼】명 마음에 두렵고 거북함. ――하다 형여불. ――히 부

송구⁴ 부〈방〉아직(평안).

송:구-스럽다【悚懼一】형ㅂ불 송구한 느낌이 있다. 마음에 두렵고 거북한 느낌이 있다. 송:구-스레【悚懼一】부

송:구여지-곡【頌九如之曲】명〖악〗웃도드리의 아명(雅名). *서자고(瑞鷓鴣).

송:구 영신【送舊迎新】명 묵은해를 보내고 새해를 맞음. 준송영(送迎). ――하다 자여불

송:굿 명〈방〉송곳(평안).

송:-규렴【宋奎濂】명〖사람〗조선 숙종(肅宗) 때의 정치가. 자(字)는 도원(道源). 호는 제월당(霽月堂). 은진(恩津) 사람. 송준길(宋浚吉)의 문인. 숙종 15년(1689) 이후 출사(出仕)하지 않다가 동왕 20년(1694)부터 대사헌·대사간 등을 지냄. 나이 80 때 지돈령부사(知敦寧府事)에 오름. 문집 《제월당집(霽月堂集)》. 시호는 문희(文僖). [1630-1709]

송그리다 타 ☞웅송그리다. ¶풀잎에 닿을 때면 바늘로 따끔 찌르는 듯도 하고 딱지 뗀 헌데를 만지는 것 같기도 해서 온몸이 송그러들었다 《崔曙海 : 그믐밤》.

송근【松根】명 소나무 뿌리. 솔뿌리.

송근-유【松根油】명 특이한 자극성 냄새 또는 테레빈유 비슷한 향내를 갖는 무색(無色)의 기름. 소나무의 뿌리나 가지를 건류(乾溜)하여 만듦. 페인트·니스 등의 용제(溶劑)로 쓰임. *송진(松津).

송글-송글 부 ☞송골송골. ¶이마엔 땀방울이 ~ 맺혀 있었다.

송금¹【松禁】명〖역〗소나무를 베지 못하게 말림. ――하다 자여불

송:금²【送金】명 돈을 부쳐 보냄. ¶~인(人). ――하다 자타여불

송금 사:목【松禁事目】명〖책〗송금 절목(松禁節目).

송:금 수표【送金手票】명〖경〗송금에 쓰이는 수표. 대개 은행이 자기의 지점(支店) 또는 거래의 약정(約定)이 있는 다른 은행에 대하여 발행함.

송:금 어음【送金一】명〖경〗송금 환어음.

송:금-인【送金人】명 송금하는 사람.

송금 절목【松禁節目】명〖책〗조선 정조(正祖) 12년(1788)에, 각지의 송림(松林)·송전(松田)을 감독하는 감관(監官)·산지기 등의 배양(培養)·보호에 관한 사목(事目) 등을 기록한 책. 송금 사목(松禁事目). 1책.

송:금-환【送金換】명〖경〗현금을 직접 보내지 아니하고 송금 어음만을 보내서 그것으로 우체국 또는 은행으로 하여금 자기를 대신하여 돈을 지급하게 하는 일.

송:금 환:어음【送金換一】명〖경〗송금의 위탁(委託)을 받은 은행이 현금(現金)을 보내지 아니하고, 보낼 곳의 은행으로 하여금 특정한 사람에게 일정한 돈을 지불하도록 하는 어음. 여러 가지가 있음. 송금 어음.

송:기¹【送氣】명 공기를 보냄. ¶~관(管). 「도 씀.

송기²【松肌】명 소나무의 속껍질. 쌀가루와 함께 섞어서 떡도 만들고 죽

송:기³【誦記】명 암송(暗誦). 암기(暗記). ――하다 타여불

송기 개피떡【松肌一】명 송기를 넣고 만든 개피떡.

송기-떡【松肌一】명 송기에 멥쌀 가루를 섞어 반죽하여 만든 절편·송편·개피떡 같은 것. 송기병(松肌餠). 송지병(松脂餠).

송기-병【松肌餠】명 송기떡.

송기 송편【松肌一】명 송기를 섞어 만든 송편.

송기 절편【松肌一】명 송기를 섞어 만든 절편.

송기 정:과【松肌正果】명 송기를 꿀에 재어서 끓인 정과. 송피 정과(松皮正果).

송기-죽【松肌粥】명 송기를 넣고 끓인 죽.

송꼬이 강【一江】[Songkoi] 명〖지〗홍 강(Hong 江).

송꼽노리 명〈방〉소꿉장난(경북).

송:-나라【宋一】명〖역〗중국의 '송(宋)'을 나라로서 똑똑히 일컫는 말.

송낙 명 [←松蘿] 소나무겨우살이로 만든, 여승(女僧)이 쓰는 모자. 송라립(松蘿笠).

〈송낙〉

송낙-뿔 명 둘이 다 옆으로 꼬부라진 쇠뿔. ↔우걱뿔.

송남 잡지【松南雜識】명〖책〗조선 순조(純祖) 때 사람 송남(松南) 조재삼(趙在三)이 엮은 책. 천문·지리·역년(曆年)·농정(農政)·어렵(漁獵)·의식(衣食)·이기설(理氣說)·인물·조시(朝市)·음악·인사·가취(嫁娶)·상제(喪祭)·성명·과거(科擧)·문방(文房) 등 여럿으로 나누어 썼음. 14책.

송내-도【松內島】명〖지〗경상 남도의 남해상(南海上), 마산시(馬山市) 진동면(鎭東面) 요장리(蓼場里)에 위치한 섬. [$0.001\ km^2$]

송네 협만【一峽灣】[Sogne] 명〖지〗북유럽 스칸디나비아 반도 서안 남부에 있는 협만. 노르웨이 협만 중 가장 큼. 길이 220 km, 폭 27 km, 가장 깊은 곳은 1,224 m 임.

송:년【送年】명 한 해를 보냄. ↔영년(迎年).

송:년-사【送年辭】명 묵은 해를 보내면서 하는 인사말이나 이야기. ↔「신년사(新年辭).

송:년-호【送年號】명 신문이나 잡지 따위의, 그 해를 보내며 마지막으로 발행하는 호.

송:년-회【送年會】명 연말에 한 해를 보내며 베푸는 모임. 송년 모임. 「망년회.

송니 명〈방〉어금니(전남).

송:달【送達】명 ①문서·물품 따위를 보내어 줌. ②〖법〗법원 서기관(書記官) 또는 서기가 소송 관계의 서류를 소송 관계인(訴訟關係人)에게 집달관(執達官)을 시키거나 또는 우편으로 보내는 일. 송달 수령자(送達受領者)에게 그의 주소·거소(居所)·영업소·사무소 등에서 송달 서류를 교부(交付)하는 교부 송달을 원칙으로 하고, 예외적으로 우편(郵便) 송달·촉탁(囑託) 송달·공시(公示) 송달의 방법 등이 있음. ――하다 타여불

송:달-리【送達吏】명 법원 서기(書記)의 위임을 받아서 송달을 하는 집달관(執達官)·우편 집배인(集配人)의 총칭.

송:달 서류【送達書類】명〖법〗송달을 하여야 하는 서류의 총칭. 소장(訴狀)·답변서(答辯書)·소환장·판결서 등.

송:달 수령자【送達受領者】명〖법〗송달을 받을 권한이 있는 사람. 원칙적으로는 당사자 본인을 말하지만, 본인 이외의 법정 대리인·소송 대리인·송달 영수인(送達領收人)까지도 포함함.

송:달 영수인【送達領收人】명〖법〗송달을 받기 위하여 당사자 또는 그 대리인이 설정(設定)하는 개별적(個別的) 대리인.

송:달-장【送達狀】[一짱] 명〖법〗송달 증서.

송:달 장소【送達場所】명〖법〗송달을 받을 사람의 주소·거소(居所)·영업소·사무소 등의 총칭.

송:달 증서【送達證書】명〖법〗송달에 관한 사항(事項)을 적은 서류. 곧, 송달의 장소와 연월일시·송달 방법·영수인(領收人) 등을 적음. 송달리(送達吏)가 만들어서 법원에 제출함. 송달장(送達狀).

송담 가사【松潭歌辭】명〖문〗백애회(白愛繪;1574-1642)의 문집 《송담집》에 수록된 가사 4편을 가리킴. 제작 연대 미상. 단가 1수와 가

사 3편.

송담-집【松潭集】명〖책〗①조선 인조 때 사람 백애회(白愛繪)의 문집. ②조선 효종 때 사람, 송담 이영인(李榮仁)의 시문집.

송당-송당 부 ①물건을 조금 작고 거칠게 빨리 써는 모양. ¶ 칼로 오이를 ～ 썰다. ②바느질할 때에 거칠게 호는 모양. ¶ ～ 호다. 1)·2):ㅆ쏭당쏭당. <숭덩숭덩.

송-대(:)립【宋大立】명〖사람〗조선 선조(宣祖) 때의 무신. 자는 신백(信白). 여산(礪山) 사람. 임진 왜란 때 이순신(李舜臣), 권율(權慄) 휘하에서 활약, 정유 재란(丁酉再亂) 때, 창의 별장(倡義別將)으로 의병을 모집하여 싸우다가 전사함. [1550-97]

송대-봉【松大峰】명〖지〗평안 북도 후창군(厚昌郡) 후창면(厚昌面)과 동흥면(東興面) 사이에 있는 산. [1,441m]

송:덕【頌德】명 공덕을 칭송함. ——-하다 타여불

송:덕-가【頌德歌】명 공덕을 기리는 노래.

송:덕-문【頌德文】명 공덕을 기리는 글.

송:-덕봉【宋德峯】명〖사람〗조선 선조 때의 여류 시인(詩人). 덕봉은 호(號). 미암(眉巖) 유희춘(柳希春)의 부인. 따뜻하고 순박한 작품으로 이름이 남. 시집 《송씨 시고(宋氏詩藁)》가 있으나, 전하지 않고, 남편의 일기에 조금 실려 있음.

송:덕-비【頌德碑】명 공덕을 칭송하여 후세에 길이 빛내기 위하여 세운 비.

송덕-산【松德山】명〖지〗평안 북도 자성군(慈城郡) 이평면(梨坪面)에 있는 산. [1,007 m]

송:덕-표【頌德表】명 공덕을 칭송하여 반드는 표(表).

송-도[1]【松島】명〖지〗①부산(釜山) 서남쪽에 있는 갑(岬). 해수욕장이 있음. ②인천(仁川) 광역시 앞바다에 있는 갑각(岬角). 조석의 간만(干滿)이 심하고 해수욕장이 있어 여름철 휴양지로 유명함. ③전라 남도 여수시(麗水市)의 앞바다, 여수시(麗水市) 돌산읍(突山邑) 송도리(松島里)에 위치한 섬. [0.91 km²: 622 명(1985)] ④전라 남도의 남해상(南海上), 진도군(珍島郡) 조도면(鳥島面)에 위치한 섬. [0.06 km²] ⑤전라 남도 남해상(南海上) 여수시(麗水市) 율촌면(栗村面) 여동리(麗東里)에 위치한 섬. [0.53 km²] ⑥경상 남도의 남해상(南海上), 통영시(統營市) 산양면(山陽面) 저림리(楮林里)에 위치한 섬. [0.29 km²] ⑦경상 남도 진해시(鎭海市)의 앞바다, 충무로 1가동(忠武路一街洞)에 위치한 섬. [0.01 km²] ⑧경상 남도의 남해상(南海上), 통영시(統營市) 한산면(閑山面) 창좌리(創佐里)에 위치한 섬. [0.20 km²] ⑨전라 남도 서해상, 신안군(新安郡) 신의면(新衣面)에 위치한 섬. [0.19 km²] ⑩경상 남도의 남해상(南海上), 마산시(馬山市) 진동면(鎭東面) 고현리(古縣里)에 위치한 섬. [0.10 km²] ⑪경상 남도의 남해상(南海上), 하동군(河東郡) 금남면(金南面) 중평리(仲坪里)에 위치한 섬. [0.075 km²]

송도[2]【松都】명〖지〗송경(松京).

【송도 계원(契員)】조그마한 지위나 세력을 믿고 남을 멸시하는 사람을 이름. 【송도 말년의 불가사리라】어떻게 손을 댈 수 없는 못된 행패를 하는 사람의 비유. 【송도 오이장수】헛수고만 하고 일을 낭패당한 사람의 비유.

송도[3]【松濤】명 바람을 받아 물결 소리같이 나는 소나무 소리.

송:도[4]【頌禱】명 송축(頌祝). ——-하다 타여불

송도리-째 부〈방〉송두리째.

송도리-채 부〈방〉송두리째.

송도 삼절【松都三絶】명 개성(開城)의 세 가지 뛰어난 존재. 곧, 서화담(徐花潭)·황진이(黃眞伊)·박연 폭포(朴淵瀑布). 황진이가 칭한 말.

송도-원【松濤園】명〖지〗원산(元山)의 해수욕장(海水浴場) 이름. 명사십리(明沙十里)와 해당화(海棠花)로 유명함.

송도-지【松都誌】명〖책〗개성(開城)의 사적을 적은 지지(地誌). 조선 인조(仁祖) 26년(1648)에 김육(金堉)·조신준(曺臣俊)이 쓴 《송도 잡기(松都雜記)》를 증보(增補) 개정하여 《송도지》라 한 것을, 후에 이돈(李墪)·엄집(嚴緝) 등이 계속해서 증수(增修)했으나 병란(兵亂)으로 없어진 것이 많고, 그 후 정조(正祖) 6년(1782)에 정창순(鄭昌順)이 전의 것을 참작하여 완성함. 고려 세기(高麗世紀)·국조 기사(國朝記事) 등 44개 항과 부록으로 나뉘어져 있음. 후에 김이재(金履載)가 지은 《중경지(中京誌)》의 저본(底本)이 됨. 7권 2책.

송:독【誦讀】명 ①소리를 내어서 글을 읽음. 독송(讀誦). ¶ 시를 ～하다. ②책을 외어 읽음. ——-하다 타여불

송:동【竦動】명 너무 황송하여 떨림. ——-하다 자여불

송동-산【松洞山】명〖지〗함경 남도 풍산군(豐山郡) 안산면(安山面)과 안수면(安水面) 사이에 있는 산. [1,627 m]

송두리-째 부 있는 바 전부를 모조리. ¶ ～ 써 버리다.

송두리-채 부 ☞송두리째.

송등-산【松嶝山】명〖지〗경상 남도 남해군(南海郡) 남면(南面)과 이동면(二東面) 사이에 있는 산. [617 m]

송라【松蘿】[—나] 명〖식〗소나무겨우살이.

송라-립【松蘿笠】[—나—] 명 송낙.

송:-렴【宋濂】[—념] 명〖사람〗중국 명(明)나라의 유학자. 자는 경렴(景濂), 호는 잠계(潛溪). 명의 태조(太祖)를 섬겨 《원사(元史)》를 편찬함. 또, 태조의 스승으로서 중용되었음. 저서에 《송학사 전집(宋學士全集)》 등이 있음. [1310-80]

송:례【送禮】[—녜] 명 사람을 보낼 때에 하는 예.

송로【松露】[—노] 명 ①솔잎에 맺힌 이슬. ②〖식〗[*Rhizopogon rubescens*] 복균류(腹菌類) 송로과(科)에 속하는 버섯의 하나. 갓과 자루의 구별이 없고, 자실체(子實體)는 지름 2-4 cm의 편구상(偏球狀) 또는 불규칙한 괴상(塊狀)이며, 표면은 반드럽고, 기부(基部)는 근상(根狀)의 균사속(菌絲束)을 갖춘 것이 특징임. 표피가 얇아 땅 속에서는 백색, 땅 위에 나오면 산화하여 홍색을 띠고, 익으면 황갈색 내지 암갈색으로 변함. 내부는 어릴 적에는 육질부(肉質部)가 희고 끈끈함. 솔밭 속의 모래땅 속 또는 반노출(半露出)하여 나는데 한국·일본·유럽 등지에 분포함. 4-5월에 채집함. 맛이 좋음.

〈송로❷〉

송뢰【松籟】[—뇌] 명 송풍(松風). 솔바람.

송:료【送料】[—뇨] 명 물건을 우송(郵送) 또는 운송(運送)하는 데 드는 비용.

송류【松留】[—뉴] 명〖역〗개성 유수(開城留守)의 약칭.

송:름【悚懍】[—늠] 명 두려워서 마음이 떨림. ——-하다 형여불

송:름-스럽다【悚懍—】[—늠—] 형ㅂ불 두려워 마음이 떨리는 느낌이 있다. 송:름-스레【悚懍—】[—늠—] 부

송:리【訟理】[—니] 명 송사(訟事)의 속 까닭.

송린【松鱗】[—닌] 명 물고기 비늘처럼 된 노송(老松)의 껍질.

송림[1]【松林】[—님] 명 소나무로 이룬 숲. 솔숲.

송림[2]【松林】[—님] 명〖지〗황해도 북부, 대동강(大同江) 하류 좌안(左岸)에 있는 공업 도시·항구. 제철소가 있어서 각종 철제품의 생산과 화학 공업이 성함. 부근에 철광산이 있음. 1945년까지 겸이포(兼二浦)로 불림.

송림사 오:층 전탑【松林寺五層塼塔】[—님—] 명 경상 북도 칠곡군(漆谷郡) 동명면(東明面) 송림사에 있는 탑. 신라 통일 시대에 건립. 신라의 전탑으로는 희귀한 한 예로, 넓은 석단 위에 있으며 5층의 감축률(減縮率)이 잘 조화되어 있음. 특히, 정상에는 금동제(金銅製)의 상륜(相輪)이 있어 귀중한 유물로서 주목됨. 보물 189호.

송림-선【松林線】[—님—] 명 황해도 황주(黃州)와 송림(松林) 사이의 단선 철도. 겸이포선(兼二浦線). [13.1 km]

송:-만(:)갑【宋萬甲】명〖사람〗한국 근대의 광대. 동편(東便)의 명창(名唱). 전남 출신. 원각사(圓覺社)의 간부. 어전 광대(御前廣大)로 고종(高宗) 앞에서 판소리를 불러 감찰 벼슬을 받았음. 소리로만 부르던 춘향가(春香歌)나 심청가(沈淸歌)를 창극화하였으며, 1923년 이동백(李東伯)·정정렬(丁貞烈)과 함께 '조선 성악 연구회'를 설립, 문하에서 김정문(金正文)·박녹주(朴綠珠)·박초월(朴初月) 등을 배출했음. [1865-1939]

송말【松末】명 솔가루.

송명【松明】명 ①관솔❷. ②관솔불.

송:명신 언행록【宋名臣言行錄】[—녹] 명〖책〗명신 언행록.

송:-명흠【宋明欽】명〖사람〗조선 영조(英祖) 때의 문신. 자는 회가(晦可). 호는 역천(櫟泉). 은진(恩津) 사람. 학자로서 인망이 높았음. 영조 40년, 찬선(贊善)으로 경연관(經筵官)이 되어 정치 문제를 논하다가 영조의 비위에 거슬려 파직, 죽은 후 복관(復官)되어 이조 판서에 추증(追贈)됨. 문집 《역천집(櫟泉集)》. 시호는 문원(文元). [1705-68]

송목【松木】명〖식〗소나무❶.

송:무【訟務】명〖법〗소송(訴訟)에 관한 사무·업무. ¶ ～과(課).

송무 백열【松茂柏悅】[—녈] 명 소나무가 무성하면 잣나무가 기뻐한다는 말로, 남이 잘 되는 것을 기뻐함의 비유. ＊혜분 난비(蕙焚蘭悲).

송:문[1]【宋文】명〖문〗송(宋)나라 때에 일어난 고문(古文).

송:문[2]【誦文】명 주문(呪文)을 외어 읽음. ——-하다 자여불

송:문-감【宋文鑑】명〖책〗중국 북송(北宋) 시대의 시문 선집. 남송(南宋)의 여조겸(呂祖謙;1137-81)의 편찬. 1177년 효종(孝宗)의 칙명에 의하여 착수해서 1179년에 완성했음. 문체(文體)에 따라 작자의 연대순으로 수록되어 있음. 150권.

송:-미령【宋美齡】명〖사람〗'쑹 메이링'을 우리 음으로 읽은 이름.

송:민[1]【悚憫】명 송구하고 민망함. ——-하다 형여불

송:민[2]【訟民】명 소송에 관련된 백성.

송:-민고【宋民古】명〖사람〗조선 전기의 서화가(書畫家). 자는 순지(順之), 호는 난곡(蘭谷). 여산(礪山) 사람. 문(文)·서(書)·화(畫)를 잘하여 삼절(三絕)이라 일컬음. [1592-?]

송방[1]【松肪】명 송진(松津).

송방[2]【松房】명 서울에 있는, 송경(松京) 곧 개성(開城) 사람의 주단 포목점.

송:배【送配】명 나누어서 보냄. ¶ 전력 ～. ——-하다 타여불

송:배-전【送配電】명 송전과 배전.

송백【松柏】명 ①소나무와 잣나무. ②껍질을 벗기어 솔잎에 꿴 잣. 접시에 높이 쌓아 담아서 제사나 잔치에 씀.

송백-목【松柏木】명〖민〗육십 화갑자(六十花甲子)에서, 경인(庚寅)·신묘(辛卯)에 붙이는 납음(納音). 인묘(寅卯)는 봄철의 왕성한 나무로서 경신금(庚辛金)을 두려워하지 않아 금(金)을 보고도 정정하니, 마치 눈서리에도 청청한 송목(松木)과 같다는 말.

송백-조【松柏操】명 결코 변하지 아니하는 절개. 소나무와 잣나무의 사시(四時) 푸름에 비유하는 말.

송변[1]【松卞】명〖한의〗개성(開城)에서 만든 숙지황(熟地黃).

송:변[2]【訟辯】명 송사하는 마당에서 변론함. ——-하다 타여불

송:별【送別】명 헤어지거나 멀리 여행을 떠나는 사람을 보내는 일. ↔ 유별(留別). ——-하다 타여불

송:별-사【送別辭】[—싸] 명 그 곳을 떠나는 사람에게 남아 있는 사람이 하는, 이별을 섭섭해하는 내용의 인사말. 준송사(送辭).

송:별-식【送別式】명 고별식(告別式).

송:별-연【送別宴】명 송별할 때에 떠나는 이를 위하여 베푸는 잔치. 송연(送宴). 별연(別宴). 이연(離宴).

송:별-회【送別會】명 송별의 섭섭함과 앞날의 축복의 뜻으로 베푸는

모임.

송병[1]【松餠】명 송편.

송:병[2]【送兵】명 군사를 보냄. ——-하다 자여불

송:-병(:)선【宋秉璿】명〖사람〗조선 고종(高宗) 때의 학자. 자(字)는 화옥(華玉). 호는 연재(淵齋). 은진(恩津) 사람. 을사 보호 조약(乙巳保護條約)의 체결을 보고, 박제순(朴齊純) 등 5인을 참(斬)하라고 상소하고자 하였으나 실패하고 고향에 가서 음독 자살함. 시호는 문충(文忠). 1962년, 대한 민국 건국 공로 훈장 복장(複章)이 수여됨. [1836-1905]

송:-병(:)준【宋秉畯】명〖사람〗조선 고종 때의 친일파(親日派)로 일진회(一進會)를 조직한 사람. 광무(光武) 11년(1907)에 농상공부 대신(農商工部大臣)으로 있으면서 한일 합방을 주장함. [1858-1925]

송:본【宋本】명 중국에서 송대(宋代)에 간행된 서적.

송:부【送付】명 물건을 부치어 보냄. ——-하다 타여불

송:부 채:무【送付債務】명〖법〗채권자·채무자의 주소 이외의 제3의 장소에 목적물을 보내 주어야 하는 채무.

송:사[1]【宋史】명〖책〗중국 이십오사(二十五史)의 하나. 송(宋)나라의 사서(史書)로 본기(本紀)·지(志)·표(表)·열전(列傳)으로 나누어서 496권(卷)으로 편찬하였음. 원(元)나라의 탈탈(脫脫)(탁극탁(托克托)이라고도 함)이 지음. 1345년에 완성됨. 이 책에 고려전(高麗傳)이 들어 있어 고려사 연구에도 참고가 됨.

송:사[2]【送辭】명 ↗송별사(送別辭).

송:사[3]【訟事】명 ①〖역〗백성끼리의 분쟁을 관부(官府)에 호소하여 그 판결을 구하던 일. 지금의 소송과 같은 제도. ②〈속〉소송(訴訟). ③〖역〗소송(訴訟)❷. ——-하다 자타여불

[송사는 졌어도 재판은 잘하더라] 비록 졌을망정 판결이 공평하여 조금도 억울하지가 않다는 말.

송:사[4]【頌辭】명 공덕을 칭송하는 말. ¶~를 올리다.

송:사리 명 ①〖어〗[*Orizias latipes*] 송사릿과에 속하는 민물고기. 몸은 길이 3-4cm 가량으로 길고 측편(側扁)하며 입은 작고 위를 향하여 있음. 눈은 크고 옆줄은 없으며 등지느러미는 하나인데 몸 뒤쪽에 뒷지느러미와 대채(對在)함. 몸빛이 담회갈색으로 후두(後頭)에서 등지느러미 기부까지 등에 따라 암색 세로띠가 있고, 옆구리에는 작은 흑점이 밀포하고, 특히 눈이 큼. 관상용으로 기르는데 여러 가지 몸빛을 가진 변종(變種)이 많음. 한국 서남부와 일본·중국·대만 등지에 널리 분포함. 유전의 실험에 흔히 사용됨. 소양어(韶陽魚). ②몹시 작고 하찮은 무리들을 일컫는 말. ¶단속에 ~만 걸려들었다.

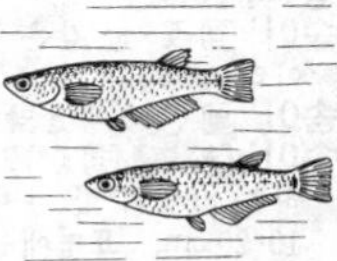

〈송사리❶〉

송:사리 끓듯 부 수없이 많이 모여 있는 모양. ¶여우·호랑이·맹렬한 짐승들이 송사리 끓듯 하는 곳이라《崔瓚植:金剛門》.

송:사리-목【—目】명〖어〗[Cyprinodontida] 어류에 속하는 한 목(目). 송사릿과(科)가 이에 속함.

송:사릿-과【—科】명〖어〗[Cyprinodontidae] 송사리목(目)에 속하는 어류의 한 과. 송사리가 이에 속함. 난생(卵生)임.

송:사-질【訟事—】명 옳고 그름을 판결하여 주기를 관부(官府)에 호소하는 짓. ——-하다 자타여불

송산【松山】명〖지〗①전라 북도 고창군(高敞郡) 무장(茂長)의 옛 이름. ②평안 북도 의주(義州)의 옛 이름. ③평안 북도 의주 정주진(靜州鎭)의 옛 이름. ④개성(開城)에 있는 산.

송산-가【松山歌】명〖문〗고려 때의 가요. 태조(太祖)가 개성에 도읍을 정한 후 국운(國運)의 영원한 발전을 축원하여 부른 노래라 하는데, 그 가사는 전해지지 않고 다만 《고려사》 악지(樂志)에 그 제목과 해설만 전함. 송산은 개성(開城) 뒤에 있는 진산(鎭山). 작가와 연대는 미상(未詳).

송:산리 고:분【宋山里古墳】[—살—] 명〖지〗충청 남도 공주시(公州市) 장지면 송산리 구릉에 있는 백제(百濟) 시대의 고분. 건축 구조와 양식이 중국 육조(六朝) 시대의 남조(南朝) 양식을 모방한 전제(磚製)로서 벽에 점토(粘土)나 회를 바르고 사신도(四神圖)를 그렸는데, 남한에는 하나밖에 없음. 백제 중기 웅진 시대(熊津時代)의 유물임.

송삼【松蔘】명 개성(開城)에서 생산되는 인삼.

송:-삼채【宋三彩】명〖공〗송자 가채(宋瓷加彩).

송상[1]【松商】명〖역〗조선 시대, 개성 곧 송도(松都)의 상인의 딴이름. ＊만상(灣商).

송:상[2]【送像】명 텔레비전의 영상(映像)을 전파로 보냄. ↔수상(受像).

송:-상기[1]【宋相琦】명〖사람〗조선 경종(景宗) 때의 판서(判書). 자는 옥여(玉汝), 호는 옥오재(玉吾齋). 노론(老論)으로서 경종 때 강진(康津)에 귀양갔다 적사(謫死)함. 문집으로는 《옥오재집(玉吾齋集)》 등이 있음. 시호는 문정(文貞). [1657-1723]

송:상-기[2]【送像機】명 텔레비전·사진 전송(電送)에서, 영상(映像)을 보내는 장치. ↔수상기(受像機).

송:-상현【宋象賢】명〖사람〗임진 왜란 때의 동래 부사(東萊府使). 자는 덕구(德求), 호는 천곡(泉谷). 임진년 4월 15일 남문(南門)에 올라가 독전(督戰)하다가 전사하였음. 이조 판서·찬성(贊成)에 추증(追贈)됨. 시호는 충렬(忠烈). [1551-92]

송:-서[1]【宋書】명〖책〗중국 이십오사(二十五史)의 하나. 육조(六朝) 시대 송(宋)나라의 정사(正史). 제기(帝紀) 10권, 지(志) 30권, 열전(列傳) 60권으로 모두 100권. 무제(武帝)에서 순제(順帝)까지의 역사를 기록한 것으로서 영명(永明) 5년에 육조 시대의 양(梁)나라 심약(沈約)이 제(齊)나라 무제(武帝)의 칙명(勅命)을 받아 편찬하였음.

송:서[2]【誦書】명 글을 소리 내어 읽음. ——-하다 자타여불

송서[3]【蚣蝑】명〖충〗메뚜기[1]❶.

송석원 시사【松石園詩社】명〖역〗조선 후기(後期)에, 송석원에 모이던 시인들의 모임. 고종 때, 흥선 대원군(興宣大院君)도 이 모임에 나왔다고 함. 송석원은 순조 때의 시인 천수경(千壽慶)이 지금의 서울시 종로구 옥인동(玉仁洞)의 칠성대(七星臺) 부근에 모옥(茅屋)을 지은 동산으로 서울선비들의 놀이터였음.

송:-석하【宋錫夏】명〖사람〗민속(民俗)학자. 호는 석남(石南). 경상 남도 출생. 서울 대학교 문리과 대학 교수를 역임하였음. 저서에 《한국민속고(韓國民俗考)》·《허수아비의 변》 등이 있음. [1904-48]

송:설【誦說】명 읽음과 설명함. ——-하다 타여불

송:성[1]【頌聲】명 ①공덕을 칭송하는 소리. ②태평(太平)한 세상을 노래하는 음악 소리.

송성[2]【鬆性】명〖물〗물질이 가지는 통유성(通有性)의 한 가지. 곧, 물질은 무엇이나 무수한 틈새를 지님.

송:-세(:)림【宋世琳】명〖사람〗조선 성종(成宗)·연산군(燕山君) 때의 문인. 자는 헌중(獻仲), 호는 취은(醉隱). 갑자 사화(甲子士禍)로 향리 태인(泰仁)에서 일생을 마침. 글과 서화에 능하였다 함. 저서 《어면순(禦眠楯)》. [1479-?]

송:소【訟訴】명 소송(訴訟). ——-하다 타여불

송속【松贖】명〖역〗벌목(伐木)을 못하게 한 소나무를 베고 속(贖)바치는 돈.

송송 부 ①물건을 아주 잘게 빨리 써는 모양. ¶파를 ~ 썰다. ②아주 작은 구멍이 빈틈 없이 뚫린 모양. ¶냄비에 구멍이 ~ 뚫려 있다. ③피부에 자디잔 땀방울이나 소름 따위가 많이 난 모양. 1)-3): <숭숭.

송송-이 명〈궁중·방〉깍두기.

송송-하다 형여불 잔 구멍이나 자국이 뚜렷이 나 있다. ¶얼굴의 털구멍에 땀방울이 ~.

송수[1]【松樹】명〖식〗소나무❶.

송:수[2]【送水】명 물을 보냄. ——-하다 자여불

송:-수[3]【送受】명 ①보냄과 받음. ②송신(送信)과 수신(受信).

송:수-관【送水管】명 상수도(上水道)의 물을 보내는 파이프(pipe).

송수리 명〈방〉〖어〗송사리(경북).

송:-순[1]【宋純】명〖사람〗조선 명종(明宗) 때의 문신·시인. 자(字)는 수초(遂初), 호는 면앙정(俛仰亭) 또는 기촌(企村). 벼슬은 좌찬성(左贊成). 말년에 담양(潭陽)에 은거하여 여생을 보냄. 저서 《기촌집(企村集)》·《면앙정가(俛仰亭歌)》 등. [1493-1583]

송순[2]【松筍】명 소나무의 새 순.

송순-주【松筍酒】명 소나무의 새 순을 넣고 빚은 술.

송쉐리 명〈방〉〖어〗송사리〈강원〉.

송:습【誦習】명 읽어 익힘. ——-하다 타여불

송:시[1]【宋詩】명 중국 송대(宋代)의 작가들이 지은 시·시여(詩餘).

송:시[2]【頌詩】명〖문〗공덕을 칭송하는 내용의 시(詩).

송:시[3]【誦詩】명 시가(詩歌)를 외어 읊음. ——-하다 자여불

송시랭이 명〈방〉〖어〗송사리(전남·경남).

송:-시열【宋時烈】명〖사람〗조선 시대의 정치가·학자. 자는 영보(英甫), 호는 우암(尤庵). 서인(西人)의 거두로 남인(南人)과 논쟁하고, 후에는 노론(老論)의 거두로 활약하다가 숙종(肅宗) 15년 세자 책봉(冊封)의 일로 왕의 노염을 사서 사사(賜死)되었음. 저서는 《주자 대전차의(朱子大全箚疑)》·《논맹 문의 통고(論孟問義通攷)》·《우암집》 등 100여 권이 있음. 시호는 문정(文正). [1607-89]

송시-요【松柴窯】명〖공〗중국 징더전(景德鎭)에서, 소나무를 때서 자기(瓷器)를 굽는 큰 가마. 소시요(燒柴窯). ↔모시요(毛柴窯).

송:신[1]【送信】명 통신(通信)을 보내는 일. ↔수신[3](受信). ——-하다 자여불

송:신[2]【送神】명〖민〗①제사가 끝난 뒤에 신(神)을 배웅하는 일. ↔영신(迎神). ②마마가 나은 지 12일 만에 두신(痘神)을 짚으로 말 모양으로 만들어 강남(江南)으로 보내 버리는 일. ——-하다 자여불

송:신[3]【竦身】명 ①몸을 움츠림. ②채신없이 안달함. ——-하다 자여불

송:신 공중선계【送信空中線系】명 송신 장치에서 발생하는 고주파(高周波) 에너지를 공간에 복사(輻射)하는 설비.

송:신-관【送信管】명 송신기에 사용되는 전자관(電子管). 수신관보다 많은 전력이 소요되어 크기가 큼.

송:신-기【送信機】명 [transmitter]〖물〗무선 방송(無線放送)에서 신호(信號)를 고주파(高周波) 전류(電流)로 바꾸어 송신 안테나로부터 보내는 장치(裝置). 발신기(發信機). ↔수신기(受信機).

송:신-소【送信所】명 방송국의 한 부서(部署). 방송 전파의 송신에 관한 업무를 분장함. 방송소(放送所). ↔수신소.

송:신 장치【送信裝置】명 무선 통신의 송신을 위한 고주파(高周波) 에너지를 발생하는 장치와 이에 부가(附加)하는 장치.

송:신-탑【送信塔】명 무선 통신의 송신 및 수신과 라디오·텔레비전 등의 송신 안테나 장치가 되어 있는 철탑(鐵塔).

송실【松實】명 소나무의 열매.

송:-심[1]【宋諶】명〖사람〗조선 인조(仁祖) 때의 무장. 자는 사윤(士允). 여산(礪山) 사람. 병자 호란(丙子胡亂) 때, 척후장(斥候將)으로 있다가 화의(和議) 성립으로 횡포를 부리며 철수하는 청군(淸軍)을 추격, 분전 끝에 전사하였음. 좌승지(左承旨)에 추증(追贈)됨. [1590-1637]

송심[2]【松蕈】명〖식〗송이(松栮).

송아리[1] ㊀명 자잘한 열매나 꽃 따위가 한데 모여 달린 덩어리. ¶포도가 ~지어 달리다 / 깨~. <숭어리. ＊송이. ㊁의명 ■을 세는 단위. ¶포도 한 ~. <숭어리. ＊송이.

송아리[2] 명〈방〉〖어〗송사리(전라).

송아지 명 어린 소. 독우(犢牛). ＊송치[1].

[송아지 못된 것은 엉덩이에 뿔이 난다] 사람이 변변치 못하면 말썽

만 피우고, 남의 말을 잘 듣지 않는다는 말.

송아치 명 〈방〉 송아지(전라·경상·충청).

송악¹ 명 『식』 [*Hedera tobleri*] 두릅나뭇과에 속하는 상록 활엽 만목(蔓木). 기근(氣根)이 있고, 잎은 달걀꼴에 3-5 갈래로 얕게 째졌음. 가을에 녹색 꽃이 산방상(繖房狀)의 산형(繖形) 화서로 피고, 핵과(核果)는 장과(漿果) 모양이고, 겨울에 흑색으로 익음. 산록(山麓)의 숲 속에 나는데, 한국·일본·대만·중국·유럽·아프리카에 분포함. 관상용인데, 줄기·잎은 약용함. 담장나무. 상춘등(常春藤).

〈송악¹〉

송악² 【松嶽】 명 『지』 개성(開城).

송악-산 【松嶽山】 명 『지』 경기도 개성시(開城市) 북쪽에 있는 산. 산 아래에 옛 궁터인 만월대(滿月臺)가 있음. 만수산. [488 m]

송:안 【訟案】 명 『역』 송사(訟事)의 기록.

송안치 명 〈방〉 송아지(경남).

송알-송알 부 ①고추장·술 등이 괴어서 거품이 이는 모양. ¶ ~ 괴다. ② 땀이나 물방울 등이 조그맣게 방울방울 많이 맺힌 모양. ¶이마에 땀방울이 ~ 맺히다 / 꽃잎에 이슬이 ~ 맺히다. <숭얼숭얼.

송암-집 【松巖集】 명 『책』 ①조선 선조(宣祖) 때의 학자 권호문(權好文)의 문집. 《송암 선생 문집》 6권 2책과 《송암 선생 속집》 6권 2책 등 모두 12권 4책. ②조선 숙종(肅宗) 때 사람, 이재형(李載亨)의 시문집. 영조(英祖) 34년(1758)에 간행함.

송애기 명 〈방〉 송아지(제주).

송애키 명 〈방〉 송아지(경남).

송액 【松液】 명 솔 뿌리를 자른 데에서 나오는 진.

송:액 영복 【送厄迎福】 명 액을 떠나 보내고 복을 맞이함. 액막이 연에 써 넣는 글귀.

송:-양공 【宋襄公】 명 『사람』 중국 춘추(春秋) 때 오패(五霸)의 한 사람. 제 환공(齊桓公)을 이어 중국의 맹주(盟主)가 되어 초(楚)나라와 더불어 패(霸)를 다툴 때, 마음이 너무 착하기만 하여 악착스러운 일을 아니 하려다가 도리어 패하여 죽었음. *송양지인(宋襄之仁). [?-637 B.C.; 재위 651-637 B.C.]

송양-나무 【松楊—】 명 『식』 [*Ehretia ovalifolia*] 송양나뭇과에 속하는 낙엽 활엽 교목. 잎은 넓은 도피침형 또는 거꿀달걀꼴이고, 6-7월에 흰 꽃이 원추(圓錐) 화서로 정생하며, 핵과(核果)는 8월에 등황색으로 익음. 산록(山麓)에 나는데, 제주도 및 일본·대만·중국·인도·말레이·오스트레일리아 등지에 분포함. 재목은 기구·장식용으로 쓰고, 어린 잎은 식용함.

〈송양나무〉

송양나뭇-과 【松楊—科】 명 『식』 [Ehretiaceae] 쌍자엽 식물에 속하는 한 과.

송:양지-인 【宋襄之仁】 명 〔중국 춘추(春秋) 시대, 송(宋)나라의 양공(襄公)의 인(仁)이라는 뜻〕 쓸데없이 너무 착하기만 하고 권도(權道)가 없음을 비유하는 말. *송양공(宋襄公).

송어 【松魚】 명 『어』 [*Oncorhynchus masou*] 연어과에 속하는 바닷물고기. 연어와 비슷한데, 몸길이 60 cm 가량이고, 유어(幼魚)의 몸빛은 암녹황색 바탕에 옆 끝은 암녹색, 배 쪽은 담회색에 은색을 띠며, 옆줄 위에 큰 타원형 무늬가 8-9개 있음. 등 쪽에는 작은 원형문(紋)이 많이 있으며, 눈의 둘레가 흑색이고 눈알에도 흑문이 있음. 성어(成魚)의 몸빛은 등 쪽이 짙은 남색, 배 쪽이 은백색, 옆구리에는 암갈색 점이 다소 있음. 여름철 산란기에는 하천으로 소강(溯江)하는데, 경북 이북의 동해안에 분포함. 맛이 썩 좋음. *준어(鱒魚).

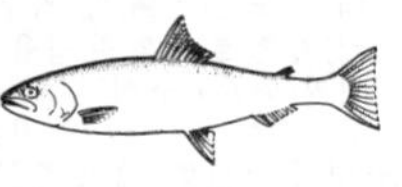
〈송어〉

송어사리 명 〈방〉 『어』 송사리(강원).

송어직-산 【松魚直山】 명 『지』 함경 남도 고원군(高原郡) 산곡면(山谷面)과 수동면(水洞面) 사이에 있는 산. [1,025 m]

송여자-도 【松汝自島】 명 『지』 전라 남도의 남해안, 여수시(麗水市) 화정면(華井面) 여자리(汝自里)에 위치한 섬. [0.17 km²]

송:-여지 【宋汝志】 명 『사람』 중국 남송(南宋) 영종(寧宗) 때의 화원(畫院)의 화조화가(花鳥畫家). 송여지 필(筆)이라고 전하는 《농작도(籠雀圖)》는 현존하는 원체화(院體畫)의 걸작으로 선묘 본위(線描本位)의 경향을 나타낸 것임. 생몰 연대 미상.

송연¹ 【松烟·松煙】 명 소나무를 태운 그을음. 먹의 원료로 씀.

송:연² 【送宴】 명 송별(送別)을 위하여 베푸는 연회(宴會). 송별연.

송:연³ 【竦然·悚然】 명 두려워서 옹송그림. ¶모골(毛骨)이 ~하다. ——-하다 형여불. ——-히 부

송연-묵 【松烟墨】 명 숯먹.

송엽 【松葉】 명 소나무의 잎. 솔잎.

송엽-액 【松葉液】 명 소나무의 잎을 찧어 짜낸 즙.

송엽-주 【松葉酒】 명 소나무의 잎을 넣고 빚은 술.

송엽-죽 【松葉粥】 명 생생한 소나무의 잎을 짓찧고 물을 쳐서 체에 걸러, 식힌 흰밥을 넣고 휘저어 두었다가 먹는 죽.

송:영¹ 【送迎】 명 ①떠나가는 사람을 보내고 오는 사람을 맞음. ¶~객으로 붐비다. ②↗송구 영신(送舊迎新). ——-하다 자여불

송:영² 【誦詠】 명 시가(詩歌)를 외어 읊조림. ——-하다 타여불

송:영-가 【頌咏歌】 명 『문』 송축가(頌祝歌).

송:영-대 【送迎臺】 명 공항 등에서 송영할 때, 바라다볼 수 있도록 만든 대.

송: -옥¹ 【宋玉】 명 『사람』 기원전 3세기, 중국 전국(戰國) 시대 말기의 초(楚)의 문인(文人). 작품에 《구변(九辯)》·《고당부(高唐賦)》·《신녀부(神女賦)》 등이 있으며, 형식·내용 모두 굴원(屈原)의 계승자로 불림. 생몰년은 미상.

송:옥² 【訟獄】 명 소송(訴訟).

송우 【舂愚】 명 어리석음. 우매함. ——-하다 형여불

송:-욱 【宋稶】 명 『사람』 영문학자·시인. 일본 교토(京都) 대학을 거쳐 서울 대학교 문리대 영문과를 졸업, 서울 대학교 문리대 영문과 교수, 인문대 학장을 지냄. 시집 《하여지향(何如之鄕)》, 평론 《시학 평전(詩學評傳)》·《문학 평전》 등이 있음. [1925-80]

송운 【松韻】 명 바람에 흔들리는 소나무의 운치(韻致) 있는 맑은 소리.

송운 대:사 【松雲大師】 명 『사람』 '송운(松雲)'은 유정(惟政)의 호(號). 사명당(四溟堂).

송:-원 【宋元】 명 송(宋)나라와 원(元)나라를 총칭.

송:원-경 【宋元鏡】 명 중국 송·요(遼)·금(金)·원(元) 시대의 금속 거울의 총칭.

송:원 학안 【宋元學案】 명 『책』 중국의 송원 시대의 학술사(學術史)에 관한 책. 청대(淸代)의 황종의(黃宗羲)의 원본(原本)을 황백가(黃百家)가 편집하고, 전조망(全祖望)이 수정한 것으로 100권. 각 방면의 학파를 서술하고, 그에 속하는 사람의 전기(傳記)와 학설을 들었음.

송:유¹ 【宋儒】 명 중국 송(宋)나라 정주(程朱) 학파의 선비의 일컬음. 정호(程顥)·정이(程頤)·주희(朱熹) 등을 일컬음.

송유² 【松油】 명 ①솔가지를 잘라서 불에 구워 받은 기름. 송탄유(松炭油). ②『화』 테레빈유(terebin油).

송:유-관 【送油管】 명 기름, 특히 석유나 휘발유를 일정한 곳에 수송하거나 공급하기 위하여 시설한 파이프(pipe). 보통은 철관(鐵管). 기름의 수송에 있어서 그 위험을 방지하고 비용을 절감하기 위하여 고안된 것으로서, 1865년 미국에서 처음으로 부설하였음. 유송관(油送管). 파이프 라인(pipe line).

송:-유(:)인 【宋有仁】 명 『사람』 고려 명종(明宗) 때의 장군. 정중부(鄭仲夫)의 사위. 문하 시랑 평장사(門下侍郎平章事)로 위세를 떨치고 인사권을 장악, 문극겸(文克謙)·한문준(韓文俊)을 탄핵하다가 경대승(慶大升)의 거사로 살해되었음. [? -1179]

송:유 펌프 【送油—】 〔pump〕 명 기름 펌프❷.

송:의 【送意】 [—/—이] 명 송별(送別)의 정.

송이¹ 명 꽃·눈 같은 것이 따로 된 한 덩이. ¶꽃 한 ~/포도 한 ~. *송아리.

송이² 명 〈방〉 궁굴막대.

송이³ 【松栮】 명 『식』 [*Armillaria edodes*] 송이과에 속하는 버섯의 한 가지. 줄기는 원통상이고 갓은 지름이 10-20 cm, 표면에는 회갈색 또는 담흑갈색의 섬유상(纖維狀) 비늘이 있으며 줄기의 살은 백색임. 송림(松林)의 낙엽이 쌓여 축축한 곳에 환상(環狀) 또는 선상(線狀)으로 군생(群生)하는데, 한국·일본·중국 남부에 조금씩 분포함. 특유의 향기가 있고 맛이 좋아 진중(珍重)함. 송심(松蕈).

〈송이³〉

송이-고랭이 명 『식』 [*Scirpus preslii*] 방동사닛과에 속하는 다년초. 줄기는 삼릉형(三稜形)에 높이 50-120 cm이고, 근경(根莖)은 횡주(橫走)하며 수염뿌리가 총생(叢生)함. 잎은 줄기의 기부(基部)에 몇 개 있으나 퇴화(退化)하여 인편상(鱗片狀)이며 각초(脚鞘)는 막질(膜質)임. 6-8월에 줄기 끝으로부터 3-10 cm의 아랫부분에 몇 개의 좁고 긴 달걀꼴의 작은 황백색 화수(花穗)가 두상(頭狀) 화서로 피고, 수과(瘦果)는 길이 2-2.5 mm이고 갈색임. 늪이나 습지에 나는데, 제주·전남·경남·강원·경기·평북 및 일본 등지에 분포함. 송이골.

송이-골 명 『식』 송이고랭이.

송이-과 【松栮科】 [—꽈] 명 『식』 [Tricholomataceae] 진균(眞菌) 식물 담자균류(擔子菌類)에 속하는 한 과. 줄기가 있는 것과 없는 것이 있음. 포자(胞子)는 흑색·자색·갈색·적색·백색 등이 있음. 밤버섯·송이 등이 이에 속하는데, 전세계에 54속(屬) 5,540여 종이 분포함.

〈송이고랭이〉

송이-꿀 명 〈방〉 개꿀.

송이 누름적 【松栮—炙】 명 송이를 짜개어 장·기름·후춧가루에 버무려 꼬챙이에 꿰고 녹말을 묻혀 달걀을 씌워 지진 적. 송이 화양적(松栮花香炙).

송이-도 【松耳島】 명 『지』 전라 남도 서해안, 영광군(靈光郡) 낙월면(落月面) 송이리(松耳里)에 속하는 섬. 조기잡이를 비롯하여 수산업이 성하며, 특히 굴비는 영광 굴비로서 그 질이 우수함. [4.44 km²]

송이-령 【松耳嶺】 명 『지』 함경 남도 북청군(北靑郡) 이곡면(泥谷面)에 있는 산. [1,074 m]

송이-반 【松栮飯】 명 송이밥.

송이-밤 명 까지 아니한 밤송이째로의 밤. ↔알밤.

송이-밥 【松栮—】 명 송이를 썰어 넣고 버무려서 지은 밥. 송이반(松栮飯).

송이-버섯 【松栮—】 명 『식』 송이(松栮)를 분명히 일컫는 말.

송이 산:적 【松栮散炙】 명 송이를 짜개어 기름과 파 이긴 것과 후춧가루를 치고 송이만하게 썬 고기를 섞어 꼬챙이에 꿰어 구운 산적.

송이-송이 부 여러 송이가 모두. 송이마다.

송이-술 명 익은 술독에서 전국으로 떠낸 술.

송이-재강 명 전국만 떠낸 술의 재강.

송이 저:냐 【松栮—】 명 송이를 저미어 밀가루나 녹말을 묻히고 달걀을 씌워 지진 저냐.

송이 찌개 【松栮—】 명 송이를 고추장물 또는 간장에, 쇠고기·두부·파와 함께 넣고 만든 찌개.

송이-찜 【松栮—】 명 갖은 양념을 한 쇠고기를, 쪼갠 송이 사이에 며 넣고 맞붙여 밀가루를 묻히고 달걀을 씌워, 기름을 두른 번철에 지진 뒤

에, 맑은 장국에 끓여 낸 찜.

송이-채【松栮菜】명 잘게 썰어 양념하여 볶은 쇠고기에 날송이를 썰어 넣은 다음 장을 치고 살짝 볶은 음식.

송이-탕【松栮湯】명 송잇국.

송이-풀 명〖식〗[*Pedicularis resupinata*] 현삼과에 속하는 다년초. 줄기는 사각형이고 높이 60cm 내외이며, 잎은 호생하고 유병(有柄)에 긴 달걀꼴 또는 긴 타원형임. 8-9월에 화관(花冠)이 통상 순형(筒狀脣形)인 자홍색의 꽃이 포액(苞腋)에 달리어 피고, 삭과(蒴果)는 긴 달걀꼴임. 산지에 나는데, 한국 각지 및 일본에 분포함. 어린잎은 식용함. *대송이풀.

〈송이풀〉

송이 화향적【松栮花香炙】명 송이 누름적.

송:-익필【宋翼弼】명〖사람〗조선 선조(宣祖) 때의 학자. 자는 운장(雲長). 사련(祀連)의 아들. 여산(礪山) 사람. 고양(高陽) 구봉산(龜峰山)에서 제자를 양성하였으므로 구봉 선생이라 함. 성리학자(性理學者)로서 당시 율곡(栗谷)·우계(牛溪)와 왕래하며 학문을 연마하였음. 저서 ≪구봉집(龜峰集)≫. [1534-99]

송:-인[1]【宋寅】명〖사람〗조선 중종(中宗) 때의 명신. 자(字)는 명중(明仲), 호는 이암(頤庵). 여산(礪山) 사람. 중종의 딸 정순 옹주(貞順翁主)와 결혼하고 문명이 높아 당대의 석학 퇴계(退溪)·율곡(栗谷)과 교유(交遊)하였음. [1517-84]

송:인[2]【送人】명〖문〗고려의 문인 정지상(鄭知常)이 지은 칠언 절구(七言絕句). 대동강변(大同江邊)에서의 이별을 읊음.

송잇-국【松栮一】명 송이에 녹말을 묻히고 달걀을 씌워서 장국에 끓인 국. 송이탕(松栮湯).

송:자[1]【宋磁】명 송대(宋代)에 만들어진 도자기. 고도의 기술을 구사(驅使)한 정교한 제품이 많음.

송자[2]【松子】명 ①솔방울. ②잣[1].

송:자 가채【宋瓷加彩】명〖공〗중국 송(宋)나라 때에 시작된, 세 가지 빛깔로 된 그림을 넣은 자기(瓷器). 송삼채(宋三彩).

송:자 대:전【宋子大全】명〖책〗조선 숙종(肅宗) 때의 학자 송시열(宋時烈)의 문집(文集). 헌종(憲宗) 13년(1847)에 간행됨. 315권 102 책. 인본(印本).

송:-자문【宋子文】명〖사람〗'쑹 쯔원'을 우리 음으로 읽은 이름.

송자-병【松子餠】명 밀가루에 우유와 설탕을 버무려서 덩이를 만들고, 납작하게 밀어서 가운데에 꽃판을 박아 지진 떡.

송자-송【松子松】명〖식〗잣나무.

송자-장【松子章】[一짱] 명 용비 어천가 제 89장의 이름.

송자-주【松子酒】명 실백을 누룩 가루에 섞어 빚은 술.

송:장[1] 명〔送葬?〕죽은 사람의 몸뚱이. 시신(屍身). 시체. 시구(屍軀). 주검.

[송장 빼놓고 장사 지낸다] 가장 긴요한 것을 잊어버리고 일을 치른다는 말. [송장치고 살인난다; 송장 때리고 살인났다] 억울하게 큰 벌을 받게 되었음을 이르는 말.

송:장[2]【送狀】[一짱] 명 ①운수(運輸) 회사에서 짐을 받을 사람에게 보내는 그 짐의 명세서(明細書). 송증(送證). 운송장(運送狀). ②인보이스(invoice). *송품장(送品狀).

송:장[3]【送葬】명 장송(葬送). ——-하다 타여불

송:장-개구리 명〖동〗[*Rana japonica*] 개구릿과에 속하는 개구리의 하나. 몸길이 6cm 가량이고 몸빛은 적갈색이며, 몸은 야위고 긴데, 뒷발에는 물갈퀴가 있고, 앞발에는 없음. 성낭(聲囊)이 없고, 혀의 끝에 두 개의 돌기(突起)가 있으며, 몸의 배면(背面)은 반드럽고 눈 뒤에서 꽁무니까지 좌우로 두 줄의 주름 피부 융기(皮膚隆起)가 있고 눈과 고막(鼓膜) 사이에 흑색 무늬가 있으며, 하면(下面)은 흰 빛이나 동면(冬眠)에서 나올 때는 붉은 빛임. 알은 1,300개 가량의 알 뭉치로 되었음. 초원(草原)·삼림(森林)에 서식하는데, 한국·일본 등지에 분포함. 산개구리❷.

〈송장개구리〉

송:장-메뚜기 명〖충〗[*Patanga japonica*] 메뚜깃과에 속하는 곤충. 몸길이는 수컷이 37mm, 암컷은 63mm 가량이고, 몸빛은 적갈색 또는 황갈색에, 두정(頭頂)에서 앞날개 후연(後緣)까지 한 개의 누른 줄무늬가 있음. 앞날개는 꼬리 끝을 훨씬 지나며 녹황색에 갈색 무늬가 있음. 풀밭에 서식하는데, 한국 각지에 분포함. 양혜(蠰蟧). 토종(土螽).

[송장메뚜기 같다] 미움 받치는 사람이 주제넘게 나서서 날뛸 때에 이르는 말.

송:장-벌레 명〖충〗①송장벌렛과에 속하는 곤충의 총칭. 검정송장벌레·넓적송장벌레·송장벌렛 등이 있음. ②[*Necrophorus japonicus*] 송장벌렛과에 속하는 갑충(甲蟲)의 하나. 몸길이 23mm 내외이고, 몸빛은 흑색에 날개에는 네 개의 적색을 띤 무늬가 있고, 흉부 하면에 황색 털이 났으며, 촉각은 곤봉상임. 뒷다리의 경절(脛節)이 안쪽으로 만곡(彎曲)한 것이 특이함. 동물의 사체(死體)에 모이는데 살조각을 뜯어 땅 속에 파묻어 두는 성질이 있음. 한국·일본·중국·대만에 분포함. 매장충.

〈송장벌레❷〉

송:장벌렛-과【一科】명〖충〗[Silphidae] 딱정벌레목(目)에 속(屬)하는 한 과(科). 주로 동물의 사체(死體)에 모이는 중형의 갑충(甲蟲)으로 시초(翅鞘)는 짧고 그 말단은 절단상(切斷狀)이며, 촉각은 11절이나 10절도 있고 곤봉(棍棒)·구간(球桿) 또는 실 모양임. 복부(腹部)는 5-6절이고, 몸에서는 악취(惡臭)와 액(液)을 냄. 검정송장벌레·넓적송장벌레·송장벌레·수중다리송장벌레 등이 있는데, 전세계에 1,600여 종이 분포함.

송:장-잡기 명〈방〉풍계묻이.

송:장-통【一桶】명〖광〗속에 아연사(亞鉛絲)를 담아 두고 복대기 물을 끌어대어 그 속에 섞인 금분(金分)을 가려내는 널 모양의 통. 그 양쪽에는 복대기 물을 끌어대는 호스(hose)와 내보내는 호스가 각각 달려 있음. 복대기 물이 이 통을 통과할 때에 금분(金分)이 아연사에 흡수됨.

송:장-풀 명〖식〗[*Leonurus japonicus*] 꿀풀과에 속하는 다년초. 줄기는 방형(方形)이고 높이 80-100cm이며 잎은 대생하고 달걀꼴 또는 피침형에 톱니가 있고 잔 털이 났음. 8월에 담홍색의 꽃이 윤산(輪繖) 화서로 엽액(葉腋)에 밀착하여 피고, 과실은 수과(瘦果)임. 산이나 들에 나는데, 한국·일본·중국에 분포함. 개방아.

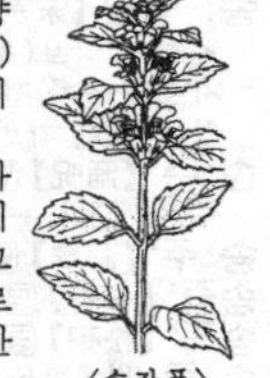
〈송장풀〉

송:장-하늘소 [一쏘] 명〖충〗벚나무하늘소.

송:장 헤엄 명 수영법(水泳法)의 한 가지. 위를 향해 번듯이 누워서 치는 헤엄. 배영(背泳). 백스트로크(back-stroke).

송:장-헤엄치개 명〖충〗[*Notonecta triguttata*] 송장헤엄치갯과에 속하는 물벌레. 몸길이는 13mm 내외이고, 몸빛은 황갈색에 정지하면 날개에 세 개의 흑색 반문이 보이며, 뒷다리는 매우 길고 경절(脛節)과 부절(跗節)에 긴 털이 빗살 모양으로 있음. 보통 복면(腹面)을 위로 하여 송장 헤엄을 치고, 밝은 날에는 날아다님. 물 속의 잔고기·올챙이 등을 잡아 흡혈(吸血)하고, 손으로 잡으면 몹시 아프게 묾. 연못·웅덩이 등에 서식하는데, 한국·일본 등에 분포함. 송조충(松藻蟲).

〈송장헤엄치개〉

송:장헤엄치갯-과【一科】명〖충〗[Notonectidae] 매미목(目)에 속(屬)하는 한 과(科). 몸은 가늘고 길며, 복면(腹面)은 미모(微毛)로 덮여 있음. 몸길이는 3-15mm이고, 두부(頭部)는 흉부(胸部) 속에 자리잡고, 촉각은 4절이며 단안(單眼)은 없음. 등불에 모여들기를 잘하는데, 뒷다리는 길어 헤엄치는 것이 마치 노를 젓는 것과 같음. 담수(淡水) 못·호수·개천에 살며 작은 수서(水棲) 동물을 포식하는데, 전세계에 200여 종이 분포함.

송장ᄒᆞ다 타〈옛〉장사지내다. ¶남진의 신톄 오나ᄃᆞᆫ 보아 송장ᄒᆞ고(待夫骸還葬)≪續三綱 鄭氏不食≫.

송:적【送籍】명 결혼하거나 양자로 들어가는 사람의 호적을 그 가는 집의 호적으로 넘김. ¶결혼과 동시에 ~하다. ——-하다 타여불

송:전[1]【宋錢】명 중국 송(宋)나라 때에 만든 돈. 남송(南宋) 시대에 해외로 많이 수출함. 원풍 통보(元豐通寶)·희령 원보(熙寧元寶) 등의 북송전(北宋錢)도 있음.

송전[2]【松田】명 솔밭.

송:전[3]【送傳】명 보내어 전함. 부쳐서 전함. ——-하다 타여불

송:전[4]【送電】명〖전〗①전류를 보내는 일. ②발전소로부터 높은 전압으로 수요지(需要地) 부근의 변전소로 전류를 보내는 일. *배전(配電). ——-하다 자여불

송전-만【松田灣】명〖지〗함경 남도 동남해에 있는 만. 호도 반도(虎島半島)에 둘러싸여 있으며 영흥만(永興灣)·함흥만(咸興灣) 등과 함께 동한만(東韓灣)에 속함. 부근 바다에서는 수산업이 성행되며 패류(貝類)가 풍부하여 예로부터 굴 산지로 유명함.

송:전-선【送電線】명〖전〗발전소(發電所)에서 발전된 전력을 변전소(變電所) 또는 배전소(配電所)로 송전하기 위하여 시설한 전선.

송:전 손:실【送電損失】명〖전〗송전 중에 생기는 전력(電力) 손실. 대부분이 전선 속에서 열이 되는 옴(ohm) 손실임.

송:전 전:력【送電電力】[一절一] 명〖전〗발전소에서 송전되는 전력. ↔수전(受電) 전력.

송:전 전:압【送電電壓】명〖전〗①송전 계통의 공칭(公稱) 전압. ②발전소(發電所)·변전소(變電所) 따위의 송전측의 전압.

송:전 효:율【送電效率】명〖전〗수전(受電) 전력과 송전(送電) 전력과의 비율로써 나타내는 송전 선로의 효율.

송절【松節】명 소나무의 마디.

송절-주【松節酒】[一쭈] 명 소나무의 마디를 넣고 빚은 술.

송-점사【松蛅蟖】명〖충〗송충이.

송정[1]【松汀】명〖지〗광주 직할시(光州直轄市) 서쪽 약 10km 지점에 있던 읍(邑). 광산(光山) 군청의 소재지였음. 1986년 11월에 시(市)로 승격되었고, 1988년 1월에 광산군과 통합되어 광주 직할시에 편입, 광산구(光山區)가 되었음.

송정[2]【松亭】명 솔숲 사이에 지은 정자.

송:정[3]【送呈】명 물건을 보내어 드림. ——-하다 타여불

송:정[4]【訟廷·訟庭】명 재판정(裁判廷). 법정(法廷).

송정-유【松精油】명〖화〗테레빈유(terebin油).

송:조【宋朝】명 ①송(宋)나라 조정. ② ↗송조체(宋朝體).

송:조 육현【宋朝六賢】명〖역〗중국 송(宋)나라 때의 여섯 명현(名賢). 곧, 주돈이(周敦頤)·정호(程顥)·정이(程頤)·소옹(邵雍)·장재(張載)·주희(朱熹). 조선 때, 문묘(文廟) 전내(殿內)에 종향(從享)함.

송:조-체【宋朝體】명 목판(木版) 또는 활자(活字) 서체(書體)의 한 가지. 해서체(楷書體)로서 길이보다 폭이 좁고 풍아(風雅)함. 송나라 때에 된 글씨체이므로 이렇게 일컫는데, 명조체(明朝體)와 비슷함. ㊔송조(宋朝)·송체(宋體).

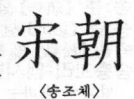

宋朝

〈송조체〉

송조-충【松藻蟲】명〖충〗송장헤엄치개.

송:조 표전 총류【宋朝表牋總類】[一뉴] 명〖책〗조선 태종(太宗) 연간(1403-18)에 간행된 중국 송조의 표문(表文)·전문(牋文)을 모은 책. 찬자(撰者) 미상(未詳)이나, 계미 동활자(癸未銅活字)를 사용하여 간행하였으며, 권지칠(卷之七) 1책이 전함. 국보 제150호.

송:조 활자【宋朝活字】[一짜] 명〖인쇄〗송조체(宋朝體)의 활자.

송:종【送終】명 장사(葬事)에 관한 모든 일. 또, 그 일을 끝마침. ——

하다 자여불

송:-종원【宋宗元】명〖사람〗신원·생존 연대 미상. 자는 군성(君星). 《화원 악보(花源樂譜)》·《청구 영언(青丘永言)》 등의 가집(歌集)에 시조 9수가 전함. 대체로 타향에서 겪는 외로움과 덧없이 흘러가는 세월에 대한 감회를 읊음.

송:주[1]【誦呪】명 ①주문(呪文)을 욈. ②〖불교〗다라니(陀羅尼)를 욈. 주송(呪誦). ——-하다 자여불 「타여불

송:주[2]【誦奏】명 임금에게 상주(上奏)하는 글을 읽어 올림. ——-하다

송죽[1]【松竹】명 솔과 대.

송죽[2]【松粥】명 날솔잎을 짓찧어서 짜낸 물. 양생방(養生方)으로나 벽곡방(辟穀方)으로 먹음.

송-죽-매【松竹梅】명 솔과 대와 매화. 예로부터 세한 삼우(歲寒三友)라 하여 시제(詩題)나 화제(畫題)로 많이 삼아 옴.

송죽지-절【松竹之節】명 소나무같이 꿋꿋하고 대나무같이 곧은 절개.

송:-준길【宋浚吉】명〖사람〗조선 현종(顯宗) 때의 명현(名賢). 자(字)는 명보(明甫), 호는 동춘당(同春堂). 송시열(宋時烈)과 같이 효종(孝宗)을 섬겨 국정에 참여하고, 남인(南人)을 물리치는 한편 청(淸)을 배척하기에 힘썼음. 문집 《동춘당집(同春堂集)》·《어록해(語錄解)》 등. [1606-72]

송:증【送證】[—쯩] 명 송장(送狀). ↔영수증(領受證).

송지【松脂】명 송진(松津).

송:-지문【宋之問】명〖사람〗중국 당초(唐初)의 시인. 자는 연청(延淸). 처음에 측천 무후(則天武后)를 섬겼으나, 뒤에 영신(佞臣)인 장역지(張易之)·무삼사(武三思) 등을 추종하였으므로 현종(玄宗) 때, 영신에게 아첨하였다 하여 죽음을 받았음. 오언시(五言詩)에 뛰어나, 심전기(沈佺期)와 더불어 율체(律體)를 창시하여 심송체(沈宋體)로 불리었음. [?-712]

송지-병【松脂餠】명 송기(松肌)떡.

송지-암【松脂岩】명〖광〗역청석(瀝青石). 피치스톤(pitch-stone).

송:-지영【宋志英】명〖사람〗언론인. 평안 북도 박천(博川) 출신. 중국의 난징(南京) 중앙 대학 졸업. 조선 일보 편집국장 및 논설 위원을 지내고 문예 진흥원장, 유네스코 한국 위원회 문화 분과 위원장 등을 역임한 외에 제 11 대 국회 의원도 지냈음. 건국 포장을 수여받았으며, 저서에 《청등 야화(青燈夜話)》·《부운(浮雲)》·《하 그리 많은 낮과 밤을》 등이 있음. [1916-89]

송지-유【松脂油】명〖화〗테레빈유(terebin 油).

송지 합제【松脂合劑】명 송진에 수산화 나트륨을 배합한 강알칼리성(強 alkali 性)의 농업용 살충제. 액체와 분말의 두 가지가 있음.

송진【松津】명 소나무의 줄기에서 분비되는 수지(樹脂). 누른 빛 또는 갈색을 띤 누른 빛의 매우 끈끈한 액체인데, 경고(硬膏)·납고(蠟膏)의 원료로나 테레빈유(油)·니스 제조 및 제지(製紙)·비누 공업 등에 쓰임. 송고(松膏). 송방(松肪). 송지(松脂).

송진-내【松津—】명 송진의 냄새.

송진-류【松津類】[—뉴] 명 여러 가지 소나무에서 분비(分泌)되는 수지(樹脂)의 종류.

송진-산【松眞山】명〖지〗함경 북도 경흥군(慶興郡)과 경원군(慶源郡) 사이에 있는 산. 산맥을 구성함. [1,146 m]

송:-진우【宋鎭禹】명〖사람〗독립 운동자. 호는 고하(古下). 전남 출생. 김성수(金性洙)와 제휴하여 민족 운동을 전개하였음. 동아 일보(東亞日報) 사장을 지내고, 해방 후 한국 민주당(韓國民主黨)을 조직하여 건국에 노력하던 중 암살됨. [1889-1945]

송:채[1]【送綵】명 혼인 때 신랑 집에서 신부 집으로 청색과 홍색의 채단을 보냄. ——-하다 자여불

송채[2]【菘菜】명〖식〗배추.

송:척【訟隻】명 송사(訟事)하는 상대자.

송-천【松川】명〖지〗강원도 대관령(大關嶺) 근방에서 발원(發源)하여 정선군(旌善郡)에서 한강(漢江)에 합류하는 내. [26 km]

송첨【松簷】명 소나무의 가지로 이은 처마.

송:청【送廳】명〖법〗검찰청(檢察廳) 이외의 수사(搜査) 기관에서 피의자(被疑者)를 일건(一件) 서류와 함께 검찰청으로 넘겨 보냄. ——-하다 타여불

송:체[1]【宋體】명 ↗송조체(宋朝體).

송:체[2]【訟體】명 송사(訟事)를 듣고 처리하는 사람의 체면.

송촌【松村】명〖사람〗지석영(池錫永)의 호(號).

송추【松楸】명 산소에 심는 나무의 총칭.

송:축[1]【悚縮·悚蹙】명 송구하여 몸을 움츠림. ——-하다 자여불

송:축[2]【頌祝】명 경사스러움을 칭송(稱頌)하여 축하함. 송도(頌禱). ——-하다 타여불

송:축-가【頌祝歌】명〖문〗조선 왕조의 창업(創業)을 기리고 태평 성대를 구가하는 조선 초기의 노래. 문체는 고려 가요의 전통 위에서 이루어졌으나 한문투가 많이 섞였음. 《무공곡(武功曲)》·《신도가(新都歌)》·《성덕가(聖德歌)》·《봉황음(鳳凰吟)》·《용비 어천가(龍飛御天歌)》 등이 이에 속함. 송영가(頌咏歌).

송:춘[1]【送春】명 봄을 보냄. 전춘(餞春). ——-하다 자여불

송:춘[2]【頌春】명 새봄을 칭송(稱頌)함. 새해의 인사말로 쓰임. ——-하다 자여불

송:출【送出】명 밖으로 내보냄. ¶해외 ～. ——-하다 타여불

송충【松蟲】명〖충〗송충이.

송충꼬리-맵시벌【松蟲—】명〖충〗[*Exeristesoides spectabilis*] 맵시벌과에 속하는 곤충. 암컷의 몸길이는 10 mm 가량이고, 몸빛은 흑색에 황색을 띰. 두흉부(頭胸部)에는 점각(點刻)이 없고 회백색의 털이 밀생함. 송충이의 유충에 기생(寄生)하는데, 한국·일본에 분포함.

송충-나방【松蟲—】명〖충〗솔나방.

송충나방-과【松蟲—科】[—꽈] 명〖충〗솔나방과.

송충나방-알살이벌【松蟲—】명〖충〗송충알벌.

송충-목【松蟲木】명 송충이의 해(害)를 입은 나무.

송충살이-벼룩좀벌【松蟲—】명〖충〗벼룩좀벌.

송충-알벌【松蟲—】명〖충〗[*Trichogramma dendrolimi*] 알살이벌과에 속하는 곤충. 암컷의 몸길이 0.5 mm 가량이고, 몸빛은 황색에 눈은 적색, 날개는 투명하며 앞날개에 12-13줄의 잔털이 있고, 수놈은 황색이고, 복부의 대부분은 갈색임. 송충나방 등의 알에 기생(寄生)하는데, 한국·일본에 분포함. 솔나방알살이벌. 송충나방알살이벌.

송충-이【松蟲—】명〖충〗솔나방의 유충. 주로 소나무 잎을 갉아먹는 해충(害蟲)임. 송충(松蟲). 송점사(松蛅蟖).

【송충이가 갈밭에 내려 왔다】어떠한 사물이 제 분수에 넘친다는 말.

【송충이가 갈잎을 먹으면 떨어진다】자기 맞은 직분을 아니하고 딴 생각을 먹다가는 낭패를 당한다는 말.

송충이-나비【松蟲—】명〖충〗솔나방.

송충잡이-자루맵시벌【松蟲—】명〖충〗[*Rhythmonotus takagii*] 맵시벌과에 속하는 곤충. 암컷의 몸길이는 11 mm 가량이고 두부·흉부(胸部)의 제1 복절(腹節)은 흑색이며, 복부는 제2·3절 후연(後緣)을 제외하고는 황적색, 제 2·3 복면절(腹面節)은 담황색, 기타는 적흑색임. 송충이에 기생(寄生)하는데, 한국·일본에 분포함.

송취【松翠】명 소나무의 푸른 빛깔.

송치[1] 명 ①암소의 뱃속에 들어 있는 새끼. ②〈방〉송아지(전라·경남).

송-치[2]【松峙】명〖지〗①전라 남도 광양시(光陽市)에 있는 고개. [127 m] ②전라 남도 순천시(順天市) 월등면(月燈面)에 있는 고개. [272 m]

송:치[3]【送致】명 ①보내어 그 곳에 닿게 함. ②〖법〗수사 기관에서 검찰청 또는 한 검찰청에서 다른 검찰청으로, 피의자(被疑者)와 일건 서류(一件書類)를 넘겨 보냄. ¶범인을 검찰에 ～하다. ——-하다 타여불

송:-치규【宋穉圭】명〖사람〗조선 순조(純祖) 때의 학자. 자는 기옥(奇玉), 호는 강재(剛齋). 은진(恩津) 사람. 송시열(宋時烈)의 6대손(孫). 김두묵(金斗默)의 문인으로, 이이(李珥)·김장생(金長生)·성혼(成渾)의 학문을 계승함. 시호는 문간(文簡). [1759-1838]

송침【松針】명 솔잎의 바늘.

송코이 강【—江】명〖지〗☞송꼬이 강.

송쿠 명〈심마니〉〖동〗쥐.

송쿠리 명〈방〉소쿠리(전남).

송탄[1]【松炭】명〖지〗경기도에 속했던 시(市). 1995년 5월, 평택시(平澤市)에 통합됨.

송:탄[2]【送炭】명 석탄(石炭)을 보냄. ——-하다 자여불

송탄-유【松炭油】명 송유(松油)❶.

송:파【送波】명 전파를 보냄. ——-하다 자여불

송파-구【松坡區】명〖지〗서울 특별시 25 구(區)의 하나. 1988 년 강동구(江東區)로부터 분리 신설되었으며, 북동쪽은 강동구, 동쪽은 하남시(河南市), 남쪽은 성남시(城南市), 서쪽은 강남구, 북서쪽은 광진구와 접했음. 서울 종합 운동장·석촌(石村) 호수 공원·올림픽 공원·광주 풍납리 토성(廣州風納里土城)·백제 고분군(百濟古墳群)·몽촌 토성(夢村土城) 등이 있음. 구청 소재지는 송파동. [33.89 km²: 666,319 명(1996)]

송파 나루【松坡—】명〖지〗서울 특별시 송파구 송파동에서 잠실로 건너가던 한강 나루.

송파-산대놀이【松坡山臺—】명〖민〗서울의 송파구 송파동에서 200 여 년 전부터 전승되어 오는 산대놀이. 세시 행사(歲時行事)로 정월 대보름과 단오, 추석에 놀았는데, 놀이는 모두 7 과장(科場)으로 되어 있으며, 음악 반주에 맞추어 춤이 주가 되고 몸짓과 사설 등을 곁들이는 탈놀이의 일종. 바가지로 만든 33 개의 가면(假面)이 쓰임. 중요 무형 문화재 제 49 호임.

송:판[1]【宋板·宋版】명 중국 송(宋)나라 시대에 송조체(宋朝體)로 간행된 책. 제본(製本)과 교정(校正)이 우수하며 연대(年代)가 오래된 점 등으로 매우 소중히 여겨져 옴. 관판(官版)에는 경사(經史)·의서(醫書) 등의 진서(珍書)가 많음.

송판[2]【松板】명 소나무를 켠 널빤지. 판자(板子).

송판-대기【松板—】명〈방〉송판(강원).

송편【松—】명 멥쌀 가루를 끓는 물에 반죽하고, 팥·콩·밤 등으로 만든 소를 넣어 반달·모시조개 모양으로 빚은 뒤에 솔잎을 깔고 찐 떡. 흔히 추석에 많이 만듦. 송병(松餠).

【송편으로 목을 따 죽지】송편은 한쪽이 칼날같이 되어 있는데 그것으로 목을 베어 죽으란 뜻이니, 곧 하찮은 일로 갈잖게 성을 내거나 분해하는 사람을 야유하는 말. ¶송편으로 목을 따고 접시물에 빠져 죽고 싶은 적이 한두 번 아니였나니《토끼전(傳)》.

송:품【送品】명 물품을 보냄. 물품을 부침. 또, 그 물품. ——-하다 타여불

송:품-장【送品狀】[—짱] 명 보내는 물품의 내용을, 받는 사람에게 적어 보내는 명세서(明細書). *송장(送狀).

송풍【松風】명 솔숲을 스치어 부는 바람. 송뢰(松籟).

송:풍-관【送風管】명 송풍기(送風機)로 일으킨 바람을 통하게 하는 파이프.

송:풍-기【送風機】명 광산의 갱내(坑內)나 실내(室內)의 환기(換氣) 또는 용광로(鎔鑛爐) 같은 여러 가지 화로의 통풍(通風)을 위하여 장치하거나, 내연 기관(內燃機關)의 과급기(過給器) 등에 장치하여 바람을 일으켜 보내는 기계. 압력식(壓力式)·회전식(回轉式)·원심식(遠心式) 등 여러 가지가 있음. *축류(軸流) 송풍기.

송풍-배【松風排】명〖역〗옛날의 운송선(運送船). 대동미(大同米)를 운수(運輸)하는 데 썼음.

송풍-병【松風餠】명 꿀물이나 설탕물에 밀가루를 반죽하여, 얇게 밀어서 참깨를 뿌리고 구운 떡.

송피 정:과【松皮正果】명 송기 정과(松肌正果).

송피-죽【松皮粥】명 소나무의 속껍질을 삶아 우려내고, 쌀과 함께 넣어서 쑨 죽.

송:하-인【送荷人】명 운송 계약에서, 물품의 운송을 위탁하는 사람. ↔수하인(受荷人).

송하-주【松下酒】명 동짓날 밤에, 술을 빚어 담은 항아리에 소나무 뿌리를 넣고 봉하여, 소나무 밑을 파고 묻어 두었다가, 이듬해 늦가을에 파내어 먹는 술.

송:학【宋學】명 중국 송(宋)나라 때의 유학(儒學). 한학(漢學), 곧 한(漢)·당(唐)의 훈고학(訓詁學)을 배척하고, 철학적인 사색(思索)으로써 인성(人性)과 우주(宇宙)와의 관계 등 만물의 이법(理法)을 밝히려는 학문. 주돈이(周敦頤) 등이 선구가 되고 정호(程顥)·정이(程頤)가 계승, 주희(朱熹)가 대성(大成)하였음. 성리학(性理學). 도학(道學).

송:-학선【宋學先】명〖사람〗독립 운동가. 서울 출생. 조선 총독 사이토 마코토(齋藤實)를 죽이려고 비수를 품고 대기하던 중, 일본인 경성부(京城府) 의원이 지나가는 것을 사이토로 오인하여, 금호문(金虎門) 앞에서 죽이고 체포되어 형사(刑死)함. [1893-1927]

송:한【悚汗】명 매우 죄송스러워서 흘리는 땀.

송-현【松峴】명〖지〗경상 북도 안동시(安東市)에 있는 고개. [123m]

송현 모전【松峴毛廛】명 서울 남대문 안에 있던 과일전.

송화¹ 명〈방〉성화(星火)(평안).

송화²【松禾】명〖지〗황해도 송화군(松禾郡)의 군청 소재지. 장연 남대천(長淵南大川) 상류에 위치함. 부근에 송화 온천이 있음.

송화³【松花】명 소나무의 꽃. 또, 그 꽃가루. 송황(松黃).

송:화⁴【送貨】명 화물을 보냄. 화물을 부침. ──하다 자여불

송:화⁵【送話】명 전화 등으로 상대방에게 말을 보냄. ↔수화(受話). ──하다 자여불

송화-강【松花江】명〖지〗쑹화 강.

송화 강정【松花─】명 송홧가루를 묻힌 강정. 주의 松花羌飣·松花江丁으로 씀은 취음(取音).

송:화-구【送話口】명 전화·마이크로폰 등에서, 입을 가까이 대고 말을 하여 상대방에게 보내는 장치의 부분.

송화-군【松禾郡】명〖지〗황해도의 한 군. 관내 13면. 북은 은율군(殷栗郡), 동은 은율군과 신천군(信川郡), 남은 장연군(長淵郡), 서는 바다에 닿음. 명승 고적으로는 송화 온천·용정 도동 서원(龍井道東書院)·삼봉 서원(三峰書院)·마총(馬塚)·구왕굴(救王窟) 등이 있음. 군청 소재지는 송화. [723km²]

송:화-기【送話機】명 음성(音聲)의 진동(振動)을 전류(電流)의 진동으로 바꾸는 데 쓰이는 장치. 전화의 송화기나 라디오의 마이크로폰 등으로서, 저항(抵抗)을 변환시키는 것, 전기 용량(容量)을 변환시키는 것, 전자 유도(電磁誘導)를 사용하는 것 등이 있음. 흔히는 탄소 입자(炭素粒子)를 채운 상자에 얇은 진동판의 덮개를 씌워, 음파에 따라서 접촉점(接觸點)의 전기 저항(電氣抵抗)을 바꾸는 장치의 것을 씀. ↔수화기(受話機).

송화 다식【松花茶食】명 송홧가루를 꿀에 반죽하여, 판에 박아 낸 다식.

송화-단【松花蛋】명 중국 음식의 한 가지. 오리알을 석회 점토(石灰粘土)·소금·재 및 속겨를 섞은 진흙에 밀봉(密封)하여 만듦. 저장 성(浙江省) 쑹화(松花)에서 남. 피단(皮蛋). 송화 채단(松花彩蛋).

송화 밀수【松花蜜水】[─쑤] 명 송홧가루를 탄 꿀물.

송화-색【松花色】명 송화와 같은 옅은 누른 빛. 담황색(淡黃色).

송화 온천【松禾溫泉】명〖지〗황해도 송화군에 있는 온천. 남대천(南大川)의 계곡을 따라 용출(湧出)되는 온천으로, 천량(泉量)이 풍부함. 수온은 80° C이상이고 천질(泉質)은 염류천(塩類泉)임.

송:화-인【送貨人】명 송하인(送荷人).

송:화-자【送話者】명 전화 등으로 말을 보내는 사람. ↔수화자(受話者).

송화-주【松花酒】명 송화를 넣고서 빚은 술.

송:환【送還】명 도로 돌려 보냄. ¶포로를 ～하다. ──하다 타여불

송:환-자【送還者】명 도로 돌려 보내는 사람.

송홧-가루【松花─】명 송화를 수비(水飛)하여 말린 가루.

송황¹【松黃】명 송화(松花).

송:황²【悚惶】명 송구(悚懼)스럽고 황공(惶恐)스러움. ──하다 형여불

송:-회요【宋會要】명〖책〗중국 송대(宋代)의 제도(制度)의 연혁(沿革)을 유별(類別) 집대성한 책. 송나라 송수(宋綬) 등이 칙명(勅命)에 의하여 엮음.

송:-흥록【宋興祿】[─녹] 명〖사람〗조선 영조(英祖) 초의 판소리 명창(名唱). 모든 가조(歌調)를 집대성하여 진양조(調)·우조(羽調)·계면조(界面調), 기타 모든 곡조에 극치를 이루고, 창으로는 특히, 《춘향 옥중가(春香獄中歌)》·《적벽가(赤壁歌)》·《변강쇠 타령》 등에 뛰어났음. 염계달(廉季達)·모흥갑(牟興甲)·고수관(高秀寬)과 더불어 창극의 사대가(四大家)로 불림. 생몰 연대 미상.

송:-희립【宋希立】[─히─] 명〖사람〗조선 선조(宣祖) 때의 무신. 자는 신중(信中). 여산(礪山) 사람. 임진 왜란 때, 의병을 이끌고 이순신 장군 밑에서 종군, 노량(露梁) 싸움에서는 적에게 포위된 명(明)나라 도독(都督) 진린(陳璘)을 구출하였으며, 전라 좌도 수군 절도사를 지냈음. [1553-1623]

송이 명〈옛〉연밥. 연씨. ¶송이(蓮子)《字會 上 7》.

솥 명〔중세 : 솥〕각종 음식을 끓이는, 무쇠 또는 양은 등으로 만든 그릇. 【솥 떼어 놓고 삼 년(三年)】솥까지 떼어 놓고 이사(移徙)갈 준비를 한 지 3년이 되었다 함이니, 오랫동안 결정을 못 짓고 우물쭈물 망설인다는 말. 【솥 속의 콩도 쪄야 익지】무엇이나 실지로 힘써 노력하지 않으면 이루어지지 않는다는 말. 【솥 씻어 놓고 기다리기】준비를 다 해 놓고 기다린다는 말. 【솥에 개 누웠다】쌀이 들어갈 솥에 개가 누웠다는 말이니 곧, 여러 날 밥을 짓지 못하였다는 뜻. 【솥에 넣은 팥이라도 익어야 먹지】일을 너무 급히 서두르면 안 된다는 말. 【솥은 부엌에 놓고 절구는 헛간에 놓아라】㉠누구나 다 아는 일이요 또 누구나 다 그렇게 하고 있는 것을 특별히 아는 체하고 남을 가르치는 사람을 비웃는 말. ㉡지위나 능력에 따라 알맞은 자리에 있어야 한다는 말.

솥-걸다 자 솥을 부뚜막에 얹어 놓고 흙으로 가를 바르다.

솥-검정 명 솥 밑바닥에 앉은 그을음. ¶～을 긁어 내다.

솥-귀 명 솥의 운두 위로 두 귀처럼 뾰족하게 돋친 부분. 가운데에 구멍이 있어 꿰어 들도록 되어 있음.

솥귀

〈솥귀〉

솥-두베개 명〈방〉솥뚜껑(함경).

솥-땜장이【─匠─】명 깨어진 솥을 때우는 사람.

솥-뚜껑 명 솥의 뚜껑. 소댕.

【솥뚜껑에 엿을 놓았나】뜨거운 솥뚜껑에 엿을 놓아 그것이 녹아 없어질까 봐 염려되어 그러느냐는 뜻으로, 찾아온 사람이 서둘러서 급히 돌아가려고 함을 비유하는 말.

솥뚜껑 운:전수 구〈속〉밥솥을 다루는 사람이라는 뜻으로, 가정부를 일컫는 말.

솥-뚜께 명〈방〉솥뚜껑(제주).

솥-물 명 새 솥에서 우러나는 쇳물.

솥-발 명 솥 밑에 달린 세 발. 정족(鼎足). ¶세 사람이 솥발같이 늘어 앉아서 《李人稙:牡丹峰》.

솥발-이 명 한 배에 난 세 마리의 강아지.

솥-솔 명 솥 안을 닦아 가시는 솔.

솥적다-새 명〈방〉〖조〗소쩍새.

솥-전¹ 명 솥 몸의 바깥쪽 중턱에 둘러 댄 전.

솥-전²【─廛】명 솥이나 남비, 그 밖의 부뚜막에서 쓰이는 쇠붙이를 파는 가게.

솥정-부【─鼎部】명 한자 부수(部首)의 하나. '鼐'·'鼒'·'鼏' 등의 '鼎'의 이름.

솥-젖 명 솥 몸의 바깥 중턱에 붙인 얇고 좁은 세 개의 쇳조각. 솥전 대신에 솥이 걸리게 함.

솥-티 명〈방〉눌은밥.

솥-훑이 [─훌치] 명〈방〉눌은밥(황해).

쏴: 부 ①나뭇가지나 물건의 틈 사이로 스쳐 부는 바람 소리. ②소나기가 내릴 때에 나는 비바람 소리. ③물이나 기타의 액체가 급히 내려가거나 급히 나오는 소리. ¶수도물이 ～ 쏟아진다. 1)-3):ㅆ쏴.

쏴르르 부 곡식·모래 따위가 줄이어 흐르는 소리.

쏴:-쏴 부 연달아 나는 '쏴' 소리. ㅆ쏴쏴.

쏴줄 명〈옛〉쇠사슬. ¶鎖는 쇄주리라《妙蓮 Ⅶ:56》.

쏴:지 명〈방〉송아지(경북).

쏼:쏼 부 ①물이 거침없이 흐르는 모양. ②가루 같은 것이 쳇구멍으로 가늘게 빠져 내리는 모양. ③머리털을 빗질하거나 짐승의 털을 솔질하는 모양.

쐉랴오〔雙遼〕명〖지〗중국의 동북부, 지린 성(吉林省) 서쪽에 있는 도시. 치핑(齊平)·다정(大鄭) 두 철도의 교차점임. 랴오허(遼河) 강 상류 일대의 농축산물의 대집산지인데 동북에 있는 마시(馬市)는 유명함. 쌍료. 구명(舊名):정가둔(鄭家屯)·요원(遼源).

쐉청〔雙城〕명〖지〗중국 헤이룽장 성(黑龍江省) 서남쪽에 있는 도시. 중창(中長) 철도의 요지이며 농산물의 집산지임. 정유(精油)·제분·주조(酒造) 공업이 성함. 서쪽 부근에 있는 푸위(扶餘)의 스베이웨이쯔(石碑崴子)는 금 태조(金太祖) 서사(誓師)의 땅이었으며, 여진 문자(女眞文字)로 된 대금 득승타비(大金得勝陀碑)가 있는 곳으로 유명함. 쌍성. [142,659명(1990)]

쌍 명〈옛〉쌍(雙). ¶혼 쌍 귀엿골회와 혼 쌍 풀쇠 다가 호리라(把一對八珠環兒一對釧兒)《朴解 上 20》.「把」《老乞 下 61》.

쌍가플 명〈옛〉쌍으로 된 까풀. ¶쌍가플 혼 칼 일 낫(雙鞘刀子一什)

쌍륙 명〈옛〉쌍륙(雙六). ¶博박은 쌍륙이오《內訓 I:28》.

쌍블쥐다 자〈옛〉제비 뽑다. ¶쌍블쥐기ᄒᆞ며(拿鬮)《朴解 上 18》.

쇄¹ 명〈방〉〖동〗소¹(경북·제주·함북).

쇄² 명〈방〉쇠¹(평북).

쇄³ 명〈방〉〖식〗억새(경남).

쇄:⁴ 부 ①나무나 물건의 틈 사이로 몰아쳐 부는 바람 소리. ②소나비가 몰아쳐 오는 소리. ③액체가 급히 나오는 소리. 또, 급히 내려가는 소리. ¶물이 ～ 흐르오. 1)-3):ㅆ쐐.

쇄:-개기 명〈방〉쇠고기(경남).

쇄:경 명〈방〉소경¹(제주).

쇄:곤-악【煞袞樂】명〖악〗옛날 풍류(風流) 이름의 한 가지.

쇄:골【鎖骨】명〔clavicule〕〖생〗흉부(胸部)의 전면(前面) 위쪽에 있는 긴 뼈. 약간 'S' 자형이며 한 끝은 흉골(胸骨)과의 관절(關節)을 이루고, 한 끝은 견갑골(肩胛骨)의 견봉(肩峰) 돌기(突起)와의 관절(關節)에 이어져 상지골(上肢骨)과 연결됨. 사람은 견갑골과 함께 어깨를 형성하나 포유류(哺乳類) 가운데 전지(前肢)를, 달리는 데에만 사용하는 말·소·개 등에서는 퇴화(退化)하여 없거나 인대상(靭帶狀)을 이루고 있음. 빗장뼈.

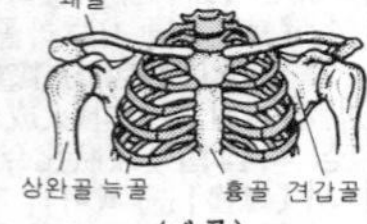

〈쇄골〉

쇄골-갑【鎖骨甲】명 목 아래 빗장뼈 부분의 가슴을 보호하는 갑옷의 하나.

쇄:골 발육 부전증【鎖骨發育不全症】[─쯩] 명〔cleidocranial dysostosis〕〖의〗선천성 기형(畸形)의 하나. 두개(頭蓋)와 쇄골의 뼈의 형성 부전(形成不全)을 이름.

쇄:골 분신【碎骨粉身】명 분골 쇄신(粉骨碎身)❷.

쇄:골 하:근【鎖骨下筋】명〔subclavius〕〖생〗쇄골과 제일 늑골에 붙어 있는 작은 근육.

쇄:골 하:동맥【鎖骨下動脈】명〔subclavian artery〕〖생〗쇄골 뒤 아래쪽에 있어, 상지 동맥(上肢動脈)의 대동맥(大動脈)에서 시작하여 상지 동맥에 이어져 있는 부분의 혈맥(血脈). 좌우 쪽에 '弓'자 형상으로 되어서 겨드랑 밑에 이름.

쇄:골 하:정맥【鎖骨下靜脈】명〔subclavian vein〕〖생〗상지(上肢)의 전부와 흉벽(胸壁)의 한 부분으로부터 정맥의 피가 몰리는 상지 정맥

(上肢靜脈)의 줄기. 상대정맥(上大靜脈)에서 시작하여 쇄골 옆에 있음. 흉쇄 관절(胸鎖關節)의 뒤쪽에 이르러서 총경정맥(總頸靜脈)과 합치어 무명 정맥(無名靜脈)을 형성함.

쇄:골 하:침윤【鎖骨下浸潤】명〔infraclavicular infiltration〕〖의〗폐결핵(肺結核)의 한 형(型). 폐결핵이 폐첨(肺尖)에서 시작한다는 설(說)에 대하여, 쇄골 밑에서부터의 침윤(浸潤)이 곧 성인 결핵의 출발점이 된다는 아스만(Assman, Richard; 1814-1918)의 주장임. 조기(早期) 침윤.

쇄:광【碎鑛】명〖광〗광석(鑛石)을 부수어서, 그 중의 유가 광석(有價鑛石)을 분리하기 쉬운 상태로 하는 일. ――-하다 자 여불

쇄:광-기【碎鑛機】명〖광〗쇄광(碎鑛)하는 기계.

쇄:국【鎖國】명 외국과의 통교(通交)와 교역(交易)을 금지함. 외국인(外國人)의 입국이나 무역을 통제하는 정책의 하나로, 이윤(利潤)의 확보를 위한 것, 선진국(先進國)에 대한 자기 방위(自己防衛)의 한 수단으로 하는 것, 국제적 고립 상태(孤立狀態)의 경우에 할 수 없이 하는 것 등이 있음. ↔개국(開國). ――-하다 자 여불

쇄:국 정책【鎖國政策】명〖정〗외국과의 통상과 교역을 하지 않는 정책(政策). ↔개방 정책(開放政策).

쇄:국-주의【鎖國主義】[―/―이] 명 쇄국을 주장하는 주의. ↔개국주의.

쇄:극【碎劇】명 번거롭고 바쁨. ――-하다 형 여불

쇄:금¹【碎金】명 금을 깨뜨리면 빛이 더 찬란하다는 뜻으로, 아름다운 시(詩)나 문장의 자구(字句)를 가리키는 말.

쇄:금²【鎖金】명 자물쇠.

쇄:기【碎器】명〖공〗중국 송(宋)나라 때, 길주(吉州)에서 만들었던, 거죽에 잔 금이 많은 사기(砂器).

쇄:납【瑣吶】명〖악〗'날라리'의 중국식 이름. *수르나이.

쇄:담【瑣談】명 잡단 이야기. 자질구레한 이야기.

쇄:도【殺到】명 한꺼번에 세차게 몰려 듦. 한꺼번에 많이 답지(遝至)함. ¶주문(注文)이 ～하다/～하는 인파(人波). ――-하다 자 여불

쇄:락【灑落】명 기분이 시원하고 깨끗함. ¶～한 사람/～한 태도/정 교수는 본디 품성이 인자한 데다가 ～한 면이 있어서 그를 따르는 학생이 적지 않았다≪黃順元 : 인간 접목≫. ――-하다 형 여불

쇄:마【刷馬】명〖역〗지방(地方)에 갖추었던 관용(官用)의 말. 사마(刷馬).

쇄:마-계【刷馬契】[―께] 명〖역〗중국에 사신(使臣)이 갈 때에, 방물(方物)과 관계 문서를 싣고 갈 말을 바치던 계.

쇄:마-전【刷馬錢】명〖역〗조선 시대 때, 지방 관아(官衙)의 교통비(交通費). 수령(守令)의 부임·퇴임·왕래(往來), 영리(營吏)의 상번(上番) 등의 경우에 책정된 말의 필수에 따라, 1필당 쌀 2-3말로 셈하여 지급함.

쇄:말【瑣末】명 사소(些少). 쇄세(瑣細). ――-하다 형 여불

쇄:말-주의【瑣末主義】[―/―이] 명 아주 자질구레한 일을 중시(重視)하는 사고 방식. 트리비얼리즘(trivialism).

쇄:모【刷毛】명 솔².

쇄:모-기【刷毛機】명〖기〗원통에 털이나 나무의 섬유를 붙여서, 직물(織物)에 묻은 먼지를 털고, 또 보풀을 세우거나 누이고 또는 광택이 나게 하는 기계.

쇄:목-기【碎木機】명〖기〗회전(廻轉) 숫돌에 물을 부으면서 제지용(製紙用) 목재를 납작하게 눌러, 마쇄 작용(磨碎作用)으로 목질(木質)을 이해(離解)하고 섬유를 분해하여 펄프를 만드는 기계.

쇄:목 펄프【碎木―】명〔groundwood pulp〕대표적인 기계 펄프의 하나. 목재를 쇄목기(碎木機)로 마쇄(磨碎)하여 펄프화(化)한 것. 신문 용지나 하등지(下等紙)의 주원료임.

쇄:무【碎務】명 잔 일. 번잡한 사무.

쇄:문【鎖門】명 문을 걸어 잠금. ――-하다 자 여불

쇄:문 도주【鎖門逃走】명 문을 걸어 잠그고 몰래 도망함. ――-하다 자 여불

쇄:빙【碎氷】명 얼음을 깨뜨려 부숨. ――-하다 자 여불

쇄:빙-대【碎氷帶】명〔broken belt〕〖해〗빙결(氷結)하지 않은 바다로부터 단단히 얼어 붙은 얼음 영역으로 전이(轉移)하는 지대(地帶).

쇄:빙-선【碎氷船】명〔icebreaker〕얼어 붙은 바다나 강의 얼음을 깨뜨려 부수고, 뱃길을 내는 배. 강력한 추진 기관을 장치함.

쇄:빙-함【碎氷艦】명〖군〗바다의 얼어 붙은 얼음을 깨뜨려, 뱃길을 내는 함정(艦艇).

쇄:사【瑣事】명 쓸데없고 사소한 일.

쇄:사-선【鎖絲線】명 쇠사슬 모양으로 그은 선. 곧 '―·―·―'의 이름.

쇄:상【鎖狀】명 쇠고리를 길게 이은 모양. *쇄상(鎖狀) 화합물.

쇄:상 정자【鎖狀晶子】명〔margarite〕〖광〗한 줄로 된 염주알 모양의 정자. 유리질 화성암(火成岩)에서 흔히 볼 수 있음.

쇄:상 화합물【鎖狀化合物】명〖화〗사슬 모양 화합물.

쇄:서【曬書】명 책이나 서화(書畫)를 햇볕에 쬐는 일. ――-하다 자 여불

쇄:서 포의【曬書曝衣】[―/―이] 명〖민〗칠석날에, 장마에 축축해진 책이나 옷 등을 햇볕에 쬐던 일.

쇄:석【碎石】명 돌을 깨뜨려 부숨. 또, 그 돌. ――-하다 자 여불

쇄:석-기【碎石機】명 바위나 돌을 부수어 알맞은 크기의 자갈로 만드는 기계. 주로 콘크리트의 골재(骨材)로 쓰는 돌을 만듦.

쇄:석-도【碎石道】명 쇄석을 깔아서 고른 길.

쇄:석-술【碎石術】명〔lithotripsy〕〖의〗방광 결석에서, 방광(膀胱) 속에 기계를 넣고, 그 안에 있는 결석(結石)을 갈아서 부수어 없애는 방법.

쇄:석 포도법【碎石鋪道法】[―뻡] 명〖토〗스코틀랜드의 토목 기사 머캐덤(McAdam, J.L.; 1756-1836)이 발명한 도로 포장법의 한 가지. 밤자갈과 모래와 아스팔트를 섞어서 깔아, 단단하게 굳히는 방법.

쇄:석 포장 도:로【碎石鋪裝道路】명〖토〗쇄석 포도법을 써서 포장한 도로.

쇄:설【瑣屑】명 자질구레한 부스러기.

쇄:설-암【碎屑岩】명〖지〗수성암(水成岩)의 하나. 파쇄(破碎)·분해(分解)된 여러 가지 암석의 쇄설(碎屑)이 수저(水底)에 침적(沈積)·고화(固化)되어 생긴 암석.

쇄:세【瑣細】명 잚. 작음. 사소(些少). ――-하다 형 여불

쇄:소¹【刷掃】명 쓸고 닦음. 청소하여 깨끗하게 함. ――-하다 타 여불

쇄:소²【灑掃】명 물을 뿌리고 비로 쓰는 일. ――-하다 타 여불

쇄:-소맥【碎小麥】명 타거나 빻은 밀.

쇄:쇄¹【瑣瑣】명 ①피로한 모양. ②세소(細少)한 모양. 쇄쇄(璅璅). ③옥(玉)이 구르는 모양. ――-하다 형 여불

쇄:쇄²【璅璅】명 보잘것없이 잔 모양. 자질구레한 모양. 쇄쇄(瑣瑣). ――-하다 형 여불

쇄:식 화합물【鎖式化合物】명〖화〗쇄상 화합물(鎖狀化合物). ↔환식(環式) 화합물.

쇄:신¹【刷新】명 나쁜 폐단을 없애고, 사태(事態)를 좋고 새롭게 함. 혁신(革新). ¶관기(官紀) ～/서정(庶政) ～. ――-하다 타 여불

쇄:신²【碎身】명 ↗분골 쇄신(粉骨碎身). ――-하다 자 여불

쇄:신 분골【碎身粉骨】명 분골 쇄신(粉骨碎身). ――-하다 자 여불

쇄슈 명〈옛〉쌍륙말. ¶쇄슈 투(骰)≪字會 中 19≫.

쇄:암-선【碎岩船】명 해저(海底)의 암석을 깨는 장치를 한 배. 선상(船上)에 높은 망루를 달고, 크롬강(chrom 鋼)을 끝에 단 지레를 내리쳐서 바위를 깸.

쇄:약【鎖鑰】명 자물쇠.

쇄:양【鎖陽】명〖한의〗①북방 몽고 지방의 밭에서 나는 버섯의 하나. 끝이 굵고 아래가 가늘며, 비늘이 많고 힘줄이 얽히어 있음. 약성(藥性)과 형태는 육종용(肉蓯蓉)과 같음. ②육종용의 뿌리.

쇄:열【碎裂】명〔←쇄렬〕부수어지고 찢어짐. ――-하다 자 여불

쇄:옥-성【碎玉聲】명 옥(玉)을 깨는 소리라는 뜻으로, '아름다운 목소리'를 이르는 말.

쇄:원【鎖院】명〖역〗과거(科擧)의 성적 발표가 있기 전에는 시관(試官)이 시험장을 떠나지 못하던 일.

쇄:음【鎖陰】명〖의〗여성의 성기(性器)가 폐쇄(閉鎖)되어 있는 기형체. 폐쇄 부위(部位)에 따라 처녀막 폐쇄·질(膣) 폐쇄·경관(頸管) 폐쇄로 나뉘고, 폐쇄 시기에 따라 선천성·후천성으로 구분되나, 모든 경우에 월경(月經)이 없음으로 해서 발견됨. 성기 폐쇄증(性器閉鎖症).

쇄:자¹【一子】명〖역〗수혜자(水鞋子).

쇄:자²【刷子】명〔←사자(刷子)〕갓이나 탕건 같은 것의 먼지를 터는 솔.

쇄:자-갑【鎖子甲·鏁子甲】명〖역〗갑옷의 한 가지. 사방(四方) 두 치 가량 되는 돼지 가죽으로 만든 미늘을, 작은 쇠고리로 서로 꿰어서 만듦.

쇄:장【鎖匠】명〖역〗↗옥쇄장(獄鎖匠).

쇄:장-간【鎖匠間】명〖역〗→사장간.

쇄장이 명〈옛〉옥사장이. 간수(看守). ¶오작은 쇄장이오≪無寃錄 Ⅰ:3 作作註≫.

쇄:재【璅才】명 보잘것없는 재능. 또, 재능이 없음. 무재(無才).

쇄쟝이 명〈옛〉옥사장이. =쇄장이. ¶仵作은 我國鎖匠쟝이 類라≪無寃錄 Ⅰ:17≫.

쇄:점-제【殺粘劑】명〖공〗도자기(陶瓷器)를 만드는 도토(陶土)의 끈기를 줄일 때 쓰는 약재.

쇄:족【鎖足】명 노예나 죄인(罪人)의 발목에 사슬을 걸어 자물쇠를 채움. ――-하다 타 여불

쇄:지¹ 명〈방〉송아지(함경).

쇄:지²【刷紙】명 인쇄에 쓰이는 종이.

쇄:직【鎖直】명 숙직(宿直) 같은 것으로 여러 날 외출을 못하는 일.

쇄:진【灑塵】명 물로 먼지를 씻어 내림. ――-하다 자 여불

쇄:창【鎖窓】명 쇠사슬의 무늬를 새긴 창문(窓門).

쇄:치 명〈방〉①새치³. ②송아지(전라·충남).

쇄:탈【洒脫】명 소탈(疏脫). ――-하다 형 여불

쇄:토【碎土】명 굳은 흙덩이를 부숨. ――-하다 자 여불

쇄:토-기【碎土機】명 가래로 일구어 놓은 흙을 파종하기 쉽도록 곱게 부수는 기계.

쇄:파【碎破】명 부수어 깨뜨림. 파쇄(破碎). ――-하다 타 여불

쇄:편【碎片】명 부스러진 조각.

쇄:편 분리【碎片分離】[―불―] 명〖생〗①〔frustulation〕어떤 종류의 히드로폴립(hydropolyp)이 섬모를 갖지 않은 플라눌라 비슷한 소편(小片)으로 분리되고, 여기에서 하나의 개체가 발생하는 증식법. ②〔fragmentation〕무성 생식의 한 형식. 비감수 분열(非減數分裂)을 이룸.

쇄:편 생식【碎片生殖】명〖생〗난편 생식(卵片生殖).

쇄:폐【鎖閉】명 폐쇄(閉鎖). ――-하다 타 여불

쇄:포【刷逋】명〖역〗써 버린 관금(官金)을 보충함. ――-하다 타 여불

쇄:풍【曬風】명 바람을 쐼. ――-하다 자 여불

쇄:하【殺下】명 아래쪽이 점점 여위고 살이 빠짐. 또, 야윈 볼. ――-하다 자 여불

쇄:항¹【鎖肛】명〖의〗항문 폐쇄(肛門閉鎖).

쇄:항²【鎖港】명 외국과의 통상(通商)을 끊고, 그 선박(船舶)의 입항(入港)을 금하는 일. ――-하다 자 여불

쇄:행【刷行】명 인쇄하여 출판함. ――-하다 타 여불

쇄:-호맥【碎胡麥】명 부수어 빻은 호밀.

쇄:환【刷還】명〖역〗조선 시대 때, 외국에서 유랑(流浪)하는 동포를 데려오던 일. ――-하다 타 여불

쇄:후-창【鎖喉瘡】명〖의〗후두(喉頭)에 나는 매독이나 암종(癌腫).

쇗도다 타〈옛〉쏘아 있도다. 쏘았도다. '소다²'의 활용형. ¶비치 서르 쇗도다(色相射)≪初杜諺 XXV:50≫.

쇠¹ 명〔중세 : 쇠〕①철(鐵). ¶～를 녹여 붓다. ②광물(鑛物)에서 나는 쇠붙이의 총칭. ③〈속〉지남철(指南鐵). ④↗열쇠. ⑤↗자물쇠. ⑥〈속〉돈. ¶～푼.
【쇠가 쇠를 먹고 살이 살을 먹는다】친족이나 동류끼리 서로 다툼을 이르는 말. 【쇠라도 맞부딪쳐야 소리가 난다】한 편이 가만히 있으면 싸움은 절대로 일어나지 않는다는 말. 【쇠먹은 똥은 삭지 않는다】뇌물을 먹이면 반드시 효과가 있다는 말.

쇠² 명〈방〉혀¹❶(경기·충청).

쇠[3] 명 〈방〉 소[1](강원·전남·경상·함경).
쇠[4] 부 〈옛〉 몹시. 심히. ¶쇠 치운 저기며 덥고 비오는 저긔도(祁寒暑雨)《飜小 Ⅸ:2》.
쇠-[1] 접 동식물의 작은 종류의 뜻을 나타내는 말. ¶~돌피/~고래.
쇠:-[2] 접〔↗소의〕명사 위에 붙어, '소의'란 뜻을 나타내는 말.¶~고기/~가죽/~ 기름 / ~머리 / ~뼈.
[쇠 먹미레 같다] 매우 고집이 세어 남의 말이라고는 도무지 듣지 않는 사람을 가리키는 말. [쇠살에 말 뼈] 제 격(格)에 맞지 않는 말을 한다는 뜻. [쇠 힘도 힘이요 새 힘도 힘이다] 커야만 좋은 것이 아니고 작은 것도 쓰일 곳이 따로 있다는 말. [쇠 힘은 쇠 힘이요 새 힘은 새 힘이다] ㉠큰 힘과 작은 힘은 각각 쓰일 곳이 다르니 힘의 대소(大小)만으로 그 가치를 평가해서는 안된다는 말. ㉡원체 비교가 안 된다는 말. [쇠 힘줄 같다] 몹시 고집이 세고 융통성이 없다는 뜻.
-쇠[1] 어미 어떤 명사에 붙어서 사내아이의 이름을 나타냄. ¶돌~ / 먹~ / 마당~.
-쇠[2] 어미 〈옛〉 -세. ¶어와 자네는 우은 사람이로쇠《新語 Ⅸ:19》.
쇠-가락 명〔악〕농악의 꽹과리 장단. 지방에 따라 다소 차이가 있으나 대개 굿거리·덩덕궁이 같은 장단이 많이 쓰임.
쇠-가래 명 가랫바닥이 쇠로 된 가래.
쇠가리[1] 명 〈방〉 서까래(경북).
쇠:-가리[2] 명 ☞쇠갈비.
쇠-가마우지 명〔조〕[*Phalacrocorax pelagicus*] 가마우짓과에 속하는 물새. 날개 길이 약 280 mm 가량, 몸빛은 검고, 번식기(繁殖期)에는 두부에 두 개의 관우(冠羽)가 생기고 날갯죽지에는 흰 반문(斑紋)이 한 개 생김. 사할린·일본의 연안에서 번식하고, 아시아의 동해안, 북아메리카의 서해안, 한국, 대만 등지에서 월동함.
쇠:-가죽 명 소의 가죽. 우피(牛皮).
쇠:가죽 무릅쓰다 구 부끄러움이나 체면(體面)을 돌아보지 아니하다.
쇠:-간【一肝】명 소의 간. 우간(牛肝).
쇠-갈고리 명 쇠로 만든 갈고리.
쇠:-갈비 명 소의 갈비.
쇠감【衰減】명 쇠하여 줆. ——하다 자 여불
쇠-개똥벌레 명〔충〕애반딧불이.
쇠게기 명 〈방〉 쇠고기(충남·전라·경남).
쇠겡이 명 〈방〉 소경(함경).
쇠:견 명 〈방〉 소견(所見)(전라·함경).
쇠:경[1] 명 〈방〉 소경[1](강원·함경·평안).
쇠경[2]【衰境】명 늙바탕. 노경(老境). ¶이미 ~에 빠졌소.
쇠:-고기 명 소의 고기. 우육(牛肉). 황육(黃肉).
[쇠고기 열 점보다 새고기 한 점이 낫다] 참새 고기가 맛있다는 말.
쇠-고둥 명〔조개〕물레고둥.
쇠-고랑 명 〈속〉 수갑(手匣). ㊥고랑.
쇠고랑(을) 차다 구 경찰에 잡혀가다.
쇠-고래 명〔동〕[*Eschrichtius gibbosus*] 쇠고랫과에 속하는 고래의 한 가지. 참고래와 비슷한데 몸길이는 수컷이 11 m, 암컷은 13 m 가량이고 머리가 작고 전지(前肢)가 크며 등 지느러미가 없음. 몸빛은 암회색인데 불규칙한 흰 무늬가 있음. 현재는 북태평양에만 살고 있으며, 여름은 북쪽의 빙해(氷海)에서 지내고 겨울철에는 동쪽은 캘리포니아, 서쪽은 한국 동해(東海)에까지 남하(南下)함. 쉽게 잡을 수가 있어서 그 수가 많이 줄었으므로 국제 포경(捕鯨) 조약에서 포획을 금지하고 있음. 왜고래.

〈쇠고래〉

쇠고랫-과【一科】명〔동〕[Eschrichtiidae] 고래목(目)에 속하는 한 과. 쇠고래가 이에 속함.
쇠-고리 명 쇠로 만든 고리.
쇠:-고삐 명 소의 굴레에 매어 늘인 줄.
쇠:-고집【一固執】명 몹시 센 고집. 또, 그러한 사람.
[쇠고집과 닭고집이다] ㉠매우 고집이 세다는 말. ㉡양쪽이 모두 못지 않게 고집이 세다는 말.
쇠곤【衰困】명 쇠약하고 피곤함. ——하다 형 여불
쇠:-골[1] 명 소의 골.
쇠골[2]【衰骨】명 잔약하게 생긴 골격(骨格). 또, 그러한 사람.
쇠-골무 명 두껍거나 빳빳한 감을 바느질할 때 가운뎃손가락에 끼는, 쇠로 만든 골무.
쇠-공이 명 쇠로 만든 공이.
쇠:-괴기 명 〈방〉 쇠고기(경기·충청·전라·경남·제주).
쇠굉이 명 〈방〉 소경[1](함경).
쇠-구들 명 고래가 막히어 불을 때어도 더워지지 아니하는 방.
쇠:-귀 명 소의 귀. 우이(牛耳).
[쇠귀에 경읽기] 아무리 가르치고 일러주어도 알아듣지 못함의 비유. '말 귀에 염불'·'쇠코에 경읽기'·'우이 독경(牛耳讀經)'·'우이 송경(牛耳誦經)'과 같은 뜻.
쇠:귀-나물 명〔식〕[*Sagittaria trifolia* var. *sinensis*] 택사과에 속하는 다년초. 근경(根莖)은 짧고, 수염뿌리가 총생(叢生)하며 땅 속으로 뻗음. 가지 끝에 둥근 담남색 괴경(塊莖)이 나와, 인편(鱗片)으로 싸이고 끝에 눈이 있음. 잎꼭지가 긴 근생엽은 총생(叢生)하는데 길이 30 cm 내외의 전형(箭形)임. 6-7월에 백색의 단성화(單性花)가 원추(圓錐) 화서로 정생(頂生)하여 핌. 중국 원산(原產)으로 논에 나는데, 한국·일본·중국 등지에 분포함. 괴경(塊莖)은 약용 및 식용하고 각지에서 재배함. 곡사(鵠瀉). 급사(及瀉). 망우(芒芋). 수사(水瀉). 자고(慈姑).

〈쇠귀나물〉

쇠:-귀신【一鬼神】명 ①소가 죽은 뒤 된다는 귀신. 우신(牛神). ②성질이 몹시 검질긴 사람을 일컫는 말.
쇠:귀신 같다 구 씩씩거리기만 하고 말없는 사람의 일컬음.
쇠규 명 〈방〉 석유(石油)(충북).
쇠-그륵 명 〈방〉 놋그릇(경남).
쇠-그릇 명 〈방〉 놋그릇(경남).
쇠금-변【一金邊】명 한자 부수(部首)의 하나. '銀'이나 '鋼' 등의 '金'의 이름.
쇠기 명 〈방〉 석유(石油)(충북).
쇠기다 타 〈방〉 속이다(평안).
쇠-기둥 명 작두의 날을 끼우기 위하여, 바탕에 박아 놓은 두 개의 쇳조각. *작두.
쇠-기러기 명〔조〕[*Anser albifrons frontalis*] 오릿과에 속하는 기러기의 한 가지. 날개 길이 37-45 cm, 꽁지 13-16 cm 가량이고, 몸빛은 자웅 동색(雌雄同色)인데, 몸의 윗부분은 암갈색, 아랫 부분은 흰데 가슴과 복부의 중앙에 불규칙한 큰 흑색 반문(斑紋)이 있음. 윗부리의 기부(基部) 둘레에는 백색부가 있고 그 뒤에 검은 떠를 둘렀으며 날개는 회백색, 발은 등황색임. 큰 떼를 지어 무논·밭·연못·초원(草原) 등에서 풀씨·줄기·싹 등을 먹고 삶. 아시아·북아메리카·유럽 극북부(極北部)에서 번식하고 한국·일본·인도·중국 등지에서 월동(越冬)하는데, 우리 나라에는 10월에 날아와서 이듬해 3월에 감. 고기 맛이 좋아서 중요한 엽조(獵鳥)의 하나로 침. 기러기.

〈쇠기러기〉

쇠:-기름 명 소의 기름. 우지(牛脂).
쇠-기침 명 오래도록 낫지 않아서 쉰 기침.
쇠-긴수염박쥐【一鬚髯一】명〔동〕[*Myotis ikonnikovi*] 애기박쥣과에 속하는 박쥐의 하나. 털보박쥐 비슷하나 몸이 좀 작음. 한국 각지에 분포함. 쇠털보박쥐.
쇠-길앞잡이 명〔충〕[*Cicindela specularis*] 길앞잡잇과에 속하는 곤충. 몸길이는 13 mm 내외, 전신이 암갈색이며 표면은 구리색 광택이 약간 나고 아랫면은 금속 광택이 있음. 시초(翅鞘)에는 초승달 모양과 'Y'자·'L'자 모양의 무늬가 있는데 그 빛은 회백색이고, 몸의 아래쪽 측면(側面)에는 흰 털이 밀생함. 한국·일본·중국·시베리아 등지에 분포함. 무당가뢰.

〈쇠길앞잡이〉

쇠-깽깽매미 명〔충〕[*Cicada dihamta*] 매밋과에 속하는 매미의 한 가지. 몸길이 30 mm, 날개 길이 91 mm 가량, 중흉배(中胸背)에는 'W'자 무늬, 그 아래에는 'X'자 무늬가 아주 뚜렷함. 8월경부터 강변의 큰 나무에서 울기 시작함. 한국 각지에 분포함.
쇠:-꼬리 명 ①소의 꼬리. ②베틀신의 끈.
[쇠꼬리보다 닭 대가리가 낫다] 크고 훌륭한 것 중에서 말석을 차지하여 대접을 못 받는 것보다 변변치 않은 것 중에서나마 도드라져서 대접을 받음이 낫다는 말. '계구 우후(鷄口牛後)'와 같은 뜻.
쇠:-꼬리거미 명〔동〕꼬리거미.
쇠:꼬리-채 명 베틀에 딸린 한 장치. 기름한 나무를 그 한 끝은 베틀 위에 꽂고 다른 한 끝에는 끈을 매어서, 이것을 잡아당기어 날과 씨를 서로 오르내리게 함. 추두(鞦頭).
쇠꼬-중우 명 〈방〉 잠방이(경남).
쇠-꼬창이 명 ☞쇠꼬챙이.
쇠-꼬챙이 명 쇠로 만든 꼬챙이.
쇠:-꼴 명 소에게 먹이기 위해 베는 꼴.
쇠-끄트러기 명 ①물건을 만들고 남은 찌꺼기 쇠. ②부스러기 쇠붙이. ㊥쇠끝.
쇠-끄트머리 명 ☞쇠끄트러기.
쇠-끝 명 ↗쇠끄트러기.
쇠끼송구락 명 〈방〉 새끼손가락(충북).
쇠나기 명 〈옛〉 소나기. ¶쇠나기 동(凍俗稱驟雨)《字會 上 3》/쇠나기(過路雨)《譯語 上 2》.
쇠-나다 자 ①솥에 녹난 것이 음식에 물들다. ②부스럼이 덧나다.
쇠-내 명 ☞쳇내.
쇠:네〔도 Schöne〕명 미인(美人).
쇠년【衰年】명 노쇠(老衰)하여 가는 나이. 쇠령(衰齡). 노년(老年).
쇠노판 명 〈옛〉 쇠 녹이는 판. =쇠판[1]. ¶쇠노판 용(鎔)《類合 下 61》.
쇠뇌 명〔고고학〕활의 한 가지. 여러 개의 화살이 연달아 나가게 된 활. 노(弩). 노포(弩砲). 연노(連弩).
쇠니기다 자 〈옛〉 쇠를 불리다. ¶쇠니길 련(鍊). 쇠니길 단(鍛)《字會 下 16》.
쇠다[1] 자 ①채소 같은 것이 너무 자라서 연하거나 부드러운 맛이 없어지고 억세지다. ¶나물이 ~/쇤 콩나물. ②제 한도가 지나도 점점 더하다. ③병이 덧나다. ¶감기가 ~.
쇠:다[2] 타 명일이나 생일 같은 날을 기념하고 지내다. ¶추석을 ~.
쇠다[3] 타 〈옛〉 쐬다. =뙤다. ¶프른 뵈롤 소라 헌 굼글 쇠면 毒氣 즉재 나ᄂᆞ니라(燒靑布以熏瘡口毒卽出)《救方 下 63》.
쇠다[4] 타 〈옛〉 쏘이다. ¶니기 더허 쉰 짜해 브티라(爛擣被螫處)《救方 下 74》.
-쇠다 어미 '-소이다'의 낮은 말. ¶잘 알았~.
쇠:-다리 명 소의 다리. 쇠족.
쇠-달구 명 쇠로 만든 달구.
쇠당 명 〈방〉 소댕(경기).
쇠-닻 명 쇠로 만든 닻.
쇠:-덕석 명 덕석.
쇠:데르블룸〔Söderblom, Nathan〕명〔사람〕스웨덴의 신학자·종교사가(宗教史家). 스웨덴에 근대적인 종교사학을 도입하였으며 스웨덴 교회의 대감독을 역임함. 1930년 노벨 평화상을 수상함. 주저(主著)《신판

념(神觀念)의 생성(生成)≫. [1866-1931]

쇠-도끼 명 쇠로 만든 도끼.

쇠-도리깨 명 〖역〗 쇠로 만든 병장기(兵仗器)의 하나. 포졸(捕卒)이 순라 돌 때 휴대함. 철연가(鐵連枷).

쇠-독 【一毒】 명 ☞ 쇳독.

쇠-돌피 명 〖식〗 [*Polypogon hiyegawari*] 볏과(科)에 속하는 이년초. 높이 50 cm 가량, 마디에서 수염뿌리가 나는데 잎은 호생(互生)하고 선형(線形)으로서 길이 4-10 cm, 폭이 4-6 mm 임. 5-6월에 녹자색 꽃이 원추(圓錐) 화서로 줄기 꼭대기에 가늘고 긴 여러 개의 소수(小穗)로 피고, 영과(穎果)를 맺음. 들에 나는데, 제주·경남·울릉도에 분포함.

쇠-두겁 명 쇠붙이로 만든 두겁.

쇠:-두엄 명 외양간에서 쳐 낸 두엄.

쇠-뒤쥐 명 〖동〗 좀뒤쥐.

쇠:-등 명 소의 등.

쇠-등에 명 소등에.

쇠디기 명 〈옛〉 쇠물로 그릇을 부어 만드는 일 또는 그 틀. ¶ 範은 쇠디기옛 소히오 ≪楞嚴 Ⅱ:20≫.

쇠디우다 타 〈옛〉 쇠물을 틀에 부어 짓다. ¶ 쇠디울 주(鑄) ≪類合下 7≫.

쇠-딱따구리 명 〖조〗 [*Dryobates kizuki*] 딱따구릿과에 속하는 새. 작은 딱따구리로서 날개 길이 85 mm, 부리는 15 mm 가량이고 몸빛은 회갈색, 두정(頭頂) 좌우에는 붉은 잔줄이 있고, 목은 황갈색, 등은 흑갈색에 흰 가로 얼룩무늬가 있음. 배는 희며 꽁지는 황백색에 흑갈색 종반(縱斑)이 몇 줄 있음. 암컷은 머리에 붉은 줄이 없음. 깊은 산림 속에서 서식하는데, 동남 시베리아·만주·한국·일본·사할린 등지에 분포함. 소탁목(小啄木).

〈쇠딱따구리〉

쇠-딱지 명 어린아이의 머리에 덕지덕지 눌어붙은 때.

쇠때 명 〈방〉 열쇠(강원·전라·경상).

쇠-똥¹ 명 쇠를 불에 달구어 불릴 때 튀는 부스러기. 철락(鐵落). 철설(鐵屑).

쇠:-똥² 명 ①소의 똥. 우분(牛糞). ②〈방〉 쇠딱지. 철소(鐵梢).

[쇠똥에 미끄러져 개똥에 코 박은 셈이다] 대단치 않은 일에 연거푸 실수만 하여 기가 막히고 어이없다는 말. [쇠똥에 미끄러져 개똥에 코 박을 일이다] 매우 억울하여 못 견딜 노릇이라는 뜻.

쇠:똥-구리 명 〖충〗 [*Gymnopleurus mopsus*] 풍뎅잇과에 속하는 갑충(甲蟲). 몸길이 18 mm 가량이고, 몸빛은 검은데 광택이 있으며 촉각은 적황색임. 두정(頭頂)에 두 개의 작은 돌기(突起)가 있으며 다리에는 톱니가 많이 나고, 앞다리는 넓적함. 여름철에 쇠똥·양똥 따위 짐승의 똥을 단독 또는 암수가 같이 굴리어 굴 속에 운반하여 저장하고, 성충 또는 유충(幼蟲)의 먹이로 하며 그 속에 산란하는 기습(奇習)이 있음. 한국·만주·북부 중국 및 유럽에 분포함. 말똥구리. 강랑(蜣蜋). 길강(蛣蜣). 퇴환(推丸). 쇠똥벌레.

〈쇠똥구리〉

쇠:똥-버러지 명 〈방〉 〖충〗 개똥벌레(충북).

쇠:똥-벌레 명 ①쇠똥에 잘 꾀는 벌레. ②〖충〗 쇠똥구리.

쇠:똥-찜 명 쇠똥을 구워서 부스럼이 난 데에 붙이는 찜질.

쇠-뚜껑 명 쇠로 만든 뚜껑. ¶ 맨홀의 ~.

쇠뜨기 명 〖식〗 [*Equisetum arvense*] 속샛과에 속하는 다년생의 양치류(羊齒類). 지하경은 길게 가로 벋으며, 곳곳에 공 모양으로 부풀어 올라 양분(養分)을 저장하는 곳이 있고, 마디에서 해마다 지상경(地上莖)이 곧게 남. 지상경에는 영양경(營養莖)·포자경(胞子莖)의 두 가지가 있어, 둘 다 또렷한 마디와 세로줄이 있으며 마디 사이는 속이 비어 있음. 영양경은 가는 가지가 나오고 녹색(綠色)이며, 포자경은 가지 없이 연한 담갈색을 띰. 보통의 잎은 퇴화(退化)하여 칼집 모양을 이룸. 3-4월에 영양경에 앞서서 줄기 꼭대기에 긴 타원형의 자낭(子囊) 이삭이 솟아남. 흔히 들이나 밭에 나는데 한국·일본·중국 등 온대 지방에 분포함. 어린 포자경은 '뱀밥'이라 하여 식용하고, 풀 전체를 이뇨제(利尿劑)로 약용함. 필두채(筆頭菜).

포자 포자 포자경 영양경

〈쇠뜨기〉

쇠-뜸부기 명 〖조〗 [*Porzana pusilla pusilla*] 뜸부깃과에 속하는 작은 새. 메추라기만한데, 날개 길이 90 mm 가량, 배면(背面)은 적갈색에 검은 반점이 있으며 복면(腹面)에는 흑백(黑白)의 반점이 있음. 주둥이와 다리는 녹색이고 번식기에는 아름다운 소리로 욺. 아시아 동북부에서 번식하고, 한국·사할린·중국·일본 등지에서 월동함. *알락뜸부기.

쇠뜸부기-사촌 【一四寸】 명 〖조〗 [*Porzana fusca erythrothorax*] 뜸부깃과에 속하는 작은 새. 쇠뜸부기만한데, 머리 위·목·가슴·배는 아름다운 붉은 빛을 띤 밤색이고 그 외는 암감람색(暗橄欖色)이며 다리는 붉음. 산지(山地)나 초원·들의 물가에 사는데, 동작이 민첩하고 번식기(繁殖期)에는 아름다운 목소리로 욺. 한국·일본 등지에 분포함.

쇠라 〔Seurat, Georges〕 명 〖사람〗 프랑스의 화가. 색채학 이론에 의거한 점묘 화법(點描畫法), 곧 색채를 분해하여 이것을 작은 터치로써 화포(畫布)에 늘어어 붙이는 새로운 과학적 화법을 안출하여 신인상파를 창시함. 독특한 형체 파악에 의한 ≪여체 군상(女體群像)≫이 대표작임. [1859-91]

쇠락 【衰落】 명 쇠약하여 말라서 떨어짐. ——-하다 자여불

쇠령 【衰齡】 명 쇠년(衰年).

쇠로 【衰老】 명 늙어 쇠약하여짐. ——-하다 자여불

쇠로기 명 〈옛〉 솔개. ¶ 쇠로기는 누른 뽕남긔셔 울오(鵰鳥鳴黃桑) ≪杜諺 Ⅰ:4≫.

쇠로지-년 【衰老之年】 명 쇠로한 나이.

쇠리 명 〈방〉 팽이(평안).

쇠:-마구 【一馬廐】 명 ↗쇠마구간(馬廐間).

쇠:-마구간 【一馬廐間】 [一깐] 명 소의 외양간. 준쇠마구(馬廐).

쇠-막대기 명 쇠로 만든 막대기. 금봉(金棒).

쇠:-말뚝 명 소를 매어 두는 말뚝. ¶ 아내가 고우면 처갓집 ~ 보고 절한다.

[쇠말뚝도 꾸미기 탓이라] 소를 매는 말뚝도 잘 꾸미면 좋아 보인다는 뜻으로, 못 생긴 사람도 잘 꾸며 놓으면 볼품이 있다는 말.

쇠:-망¹ 【一網】 명 ☞ 부리망.

쇠망² 【衰亡】 명 쇠퇴하여 망함. ——-하다 자여불

쇠망-기 【衰亡期】 명 쇠망하여 가는 시기.

쇠-망치 명 쇠로 만든 망치.

쇠:-머리 명 소의 머리. 소의 대가리.

쇠:머리-대기 명 〖민〗 나무쇠싸움의 딴이름.

쇠:머리 편육 【一片肉】 명 소의 머리에 붙은 고기를 삶아서 만든 편육.

쇠:머릿-살 명 소의 머리에 붙은 살코기.

쇠:-먹이 명 소에게 먹이는 사료. 여물 같은 것.

쇠-메 명 쇠로 만든 메.

쇠멸 【衰滅】 명 쇠퇴하여 멸망함. ——-하다 자여불

쇠모 【衰耗】 명 쇠퇴하여 없어짐. ——-하다 자여불

쇠목¹ 명 장롱 등을 짤 때 앞쪽의 두 기둥 사이에 가로 건너지르는 나무.

쇠:-목² 명 소의 목.

[쇠목에 방울 단다] 어울리지 않게 장식을 야단스럽게 한다.

쇠-못 명 쇠로 만든 못. 철정(鐵釘). ↔나무못.

쇠-몽둥이 명 쇠로 만든 몽둥이. 철봉(鐵棒). 철퇴(鐵槌).

쇠-몽치 명 쇠로 만든 몽치.

쇠:-무릎 명 〖식〗 [*Achyranthes japonica*] 비름과(科)에 속하는 다년초. 줄기는 사각이 지고 높이 1 m 내외임. 마디는 소의 무릎과 같이 타원형으로 망울졌음. 잎은 대생(對生)하고, 잎꼭지가 있는데 큰 타원형 또는 달걀꼴을 이룸. 8-10월에 녹색의 오판화(五瓣花)가 줄기 꼭대기나 엽액(葉腋)에 수상(穗狀) 화서로 피고, 포과(胞果)는 가시가 있어, 옷 같은 데에 달라붙음. 뿌리는 이뇨제(利尿劑)·강장제·해열제 및 옹종(癰腫)·통경(通經)·임질(淋疾)과 무릎 쑤시는 데에 약으로 쓰이며, 줄기와 잎은 독사(毒蛇) 물린 데에 해독약(解毒藥)으로 바름. 한국의 중부 이남 및 일본·중국 남부에 분포함. 우슬(牛膝). 산현채(山莧菜). 대절채(對節菜). 백배(百倍).

〈쇠무릎〉

쇠:무릎-지기 명 〖식〗 쇠무릎.

쇠-문¹ 【一門】 명 쇠로 된 문. 철문(鐵門).

쇠문² 【衰門】 명 쇠퇴해진 가문(家門). 기울어진 집안.

쇠문-이 【衰門一】 명 집안을 망치는 자라는 뜻으로, 행실이 못되고 진취성이 없는 사람을 일컫는 말.

쇠-물닭 [一딱] 명 〖조〗 [*Gallinula chloropus indica*] 뜸부깃과에 속하는 새. 날개 길이 160 mm 내외, 배면(背面)은 감람갈색(橄欖褐色)이며 얼굴·목·배는 회흑색, 복부 중앙은 회백색을 이루고, 부리의 기부(基部) 및 이마는 적색, 부리 끝은 황색임. 연못의 풀 사이나 논에서 살고, 헤엄을 잘 치며 웃음소리 비슷한 소리로 욺. 사할린 이남과 대만의 각지에서 번식함. *큰물닭.

〈쇠물닭〉

쇠-물돼지 [一돼一] 명 〖동〗 [*Neomeris phocaenoides*] 돌고랫과에 속하는 포유 동물의 하나. 돌고래 무리 가운데서 가장 작아 길이 1-1.5 m 가량인데, 등지느러미가 없고 몸빛은 흑색이고 주둥이는 둥글고 머리는 중철(中凸)임. 이는 끝이 몽똑하고 아래위로 15-19 쌍 있음. 한 마리 또는 작은 떼를 지어 다니는데, 아프리카 동안(東岸)·인도양·중국·일본·한국 등의 얕은 바다나 강구에 삶. 새우·꼴뚜기 따위를 잡아먹고, 10월경에 새끼를 한 마리 낳음. 용도는 기름을 짜는 데에만 쓰임. 상괭이.

〈쇠물돼지〉

쇠-물푸레 명 〖식〗 [*Fraxinus sieboldiana*] 물푸레나뭇과에 속하는 작은 낙엽 활엽 교목. 높이 10 m 내외, 잎은 우상 복엽(羽狀複葉)인데, 소엽(小葉)은 넓은 피침형 또는 긴 달걀꼴을 이루며 가에는 잔 톱니가 있음. 5월에 흰 꽃이 새 가지 끝의 엽액(葉腋)에서 원추(圓錐) 화서로 피고, 시과(翅果)는 9월에 익음. 산 허리나 바위틈에 나는데, 한국의 황해도 이남 지역 및 일본에 분포함. 뜰 안에 심기도 하며 재목은 기구를 만들거나 신탄재로 씀.

쇠-뭉치 명 쇠의 뭉쳐진 덩어리.

쇠미¹ 명 〈방〉 ①수염. ②좁쌀(평안).

쇠미² 【衰微】 명 쇠잔하고 미약함. ——-하다 형여불

쇠-밀화부리 【一密話一】 명 〖조〗 [*Eophona migratoria migratoria*] 참샛과에 속하는 새. 참새보다 커서 날개 길이 10 cm, 꽁지 7.5 cm 가량이며 몸빛은 회갈색에 등은 갈색이고, 머리·목·얼굴·날개·꽁지는 광택있는 흑색이며 복부는 백색임. 부리는 짧고 강대하며 황색임. 암컷은 머리빛이 회갈색임. 봄부터 여름 사이에 우는데 그 소리가 매우 고와서 사육함. 3-4 개의 알을 낳으며 단독으로 산림에서 과실·곤충·곡식 등을 먹고 삶. 한국·북중국·만주·몽골 및 시베리아에서 번식하고 제주도·쓰시마(対馬)·남일본 등지에서 월동함. 고지새. 납취(蠟嘴). 납취작(蠟嘴雀). 납취조(蠟嘴鳥). 청작(靑雀). 청조(靑鳥). 호조(鳸鳥).

〈쇠밀화부리〉

쇠-바구미 명 소바구미.

쇠-박새 명〖조〗[*Parus palustris hellmayri*] 박샛과에 속하는 새. 박새와 비슷한데, 두상(頭上)으로부터 뒷목에 이르는 부분만이 검음. 아고산대(亞高山帶)의 숲 속에 번식하며 겨울에는 떼를 지어 다니는데, 한국·일본 등지에 분포함.

〈쇠박새〉

쇠:-발 명 소의 발.

쇠:발-개발 ㊀명 아주 더러운 발을 비유로 일컫는 말. ㊁부 괴발개발.

쇠-발고무래 명〖농〗쇠로 만든 발고무래.

쇠-방동사니 명〖식〗[*Cyperus orthostachyus*] 방동사닛과에 속하는 일년초. 방동사니와 비슷한데, 높이 60cm 가량, 선형(線形)의 잎은 흔히 근생(根生)하고 폭 3-8mm이며, 줄기 끝에 3-6개의 엽상(葉狀) 총포(總苞)가 달림. 6-8월에 회백색 꽃이 산형(繖形) 화서로 피고, 영과(穎果)를 맺는데 길이 3mm 가량임. 논이나 들의 습지에 나는데, 한국·일본·중국에 분포함.

〈쇠방동사니〉

쇠-밭종다리 명〖조〗[*Anthus campestris godlewskii*] 할미샛과에 속하는 새. 논종다리 중에서 작은 종류로, 눈썹 무늬가 흰 것이 특징임. 흰눈썹종다리.

쇠배 부〈방〉전혀. ¶고향에서 사는 형님네와 왕래가 잦은 까닭에 고향 길이 ~ 어둡진 않소《洪命憙 : 林巨正》.

쇠백【衰白】명 체력이 쇠하고 백발이 됨.

쇠:-백장 명 소를 잡는 것을 업으로 삼는 사람. 도우탄(屠牛坦).

쇠-버마재비 명〖충〗좀사마귀.

쇠:-버짐 명〖의〗버짐의 한 가지. 우선(牛癬)·백선(白癬).

쇠-별꽃 명〖식〗[*Stellaria aquatica*] 너도개미자리괏과에 속하는 월년(越年) 또는 다년초. 풀 뿌리는 수염같이 생겼고, 줄기는 땅위로 벋으며 길이 30-90cm인데, 잎은 대생하며 달걀꼴에 끝이 뾰족하고, 하엽(下葉)은 유병(有柄), 상엽(上葉)은 무병(無柄)임. 5-6월에 백색 꽃이 취산(聚繖) 화서로 가지 끝에 피고, 열매는 삭과(蒴果)임. 논밭이나 들 같은 물기 있는 땅에 야생(野生)하는데, 한국 각지에 분포함. 어린 잎의 줄기는 식용함.

쇠병[1] 명〈옛〉된 병. 중병(重病). ¶쇠병흔 저기 아니어든(非甚病)《飜小 IX:104》.

쇠:-병[2]【一病】명〖동〗소에 일어나는 병. 흔히 제일위 식체(第一胃食滯)·감기(感氣)·결핵증(結核症)·유방염(乳房炎)·고장증(鼓腸症)·창상성 위염(創傷性胃炎)·유행성 뇌염(流行性腦炎)·난소낭종(卵巢囊腫)·전염성 유산증(傳染性流產症) 등이 있고, 최근에 밝혀진 병으로서는 후지 마비(後肢痲痺)가 주증(主症)인 케토시스(Ketosis)가 있음. 이 병은 운동 부족, 엔실리지(ensilage)의 과식(過食) 등에 의한 제일위(第一胃)에서의 이상 발효(異常醱酵)로 케톤(ketone)이 많이 생김에 인함. 포도당 주사나 설탕물을 먹이면 좋음.

쇠병[3]【衰病】명 쇠약(衰弱)하여 생긴 병.

쇠-보리 명〖식〗[*Ischaemum crassipes*] 볏과에 속(屬)하는 다년초. 줄기 높이 30-80cm, 잎은 길이 15-30cm, 폭 5-7mm의 피침형으로 끝이 매우 뾰족함. 꽃은 6-7월에 대자적색(帶紫赤色) 반원주형(半圓柱形)의 수상 화수(穗狀花穗)가 정생하고, 길이는 6cm 가량이며 이삭에는 가스랑이가 없음. 해안(海岸)에 흔히 나는데, 한국·일본·중국에 분포함.

〈쇠보리〉

쇠보미다 자〈옛〉쇠붙이가 녹슬다. ¶쇠보밀 싱(鉎), 쇠보밀 슈(銹)《字會下15》.

쇠부리-슴새 명〖조〗[*Puffinus tenuirostris*] 슴샛과에 속하는 새. 온몸이 암갈색인데 등 쪽은 진하고 배 쪽은 연하여 다소 회색을 띠며, 부리는 담회색, 다리는 황색을 이룸. 한국·일본·사할린에 분포함.

쇠북 명〈옛〉종[13](鐘)❶. =쇠붑. ¶寒山寺 쇠북소리 客船에 울려온다《古雜歌》.

쇠-분비나무좀 명〖충〗[*Cryphalus piceae*] 나무좀과에 속하는 곤충. 몸은 길이 1.4-1.8mm의 달걀꼴로, 몸빛은 흑갈색 내지 흑색이며 온몸이 회색 털로 덮임. 촉각은 황갈색이고 전배판(前背板)의 앞쪽에는 과립(顆粒)이 많음. 유충은 흰데, 몸길이 3mm 가량으로 1년에 4회 발생함. 흔히 식해(食害)하는 소나무·분비나무 등의 수피(樹皮) 밑에서 월동하고, 성충은 4-5월에 발생함. 농림업(農林業)의 해충으로 한국·일본·중국 등지에 분포함. *소나무좀.

쇠:-불알 명 소의 불알.

【쇠불알 떨어지면 구워 먹기; 쇠불알 떨어질 때를 기다린다】되지도 아니할 일을 기다린다는 뜻으로 노력 없이 결과만 기다린다는 말.

쇠-붉은뺨멧새 명〖조〗[*Emberiza pusilla*] 참샛과에 속하는 새. 날개 길이 70mm 가량, 얼굴과 머리는 밤색, 그 사이에 흑색부(黑色部)와 백색부가 있으며, 날개와 꼬리는 흑갈색, 흉복부(胸腹部)는 흼. 시베리아·몽골·만주에서 번식하고, 한국·일본·중국·인도 등지에서 월동함.

쇠붑 명〈옛〉종[13](鐘)❶. =쇠북. ¶쇠붑 죵(鐘)《字會 中 32》.

쇠-붓 명〈속〉철필(鐵筆).

쇠-붙이 [一부치] 명 ①금속(金屬). ②철류(鐵類).

쇠뷔 명〈옛〉쇠로 만든 비. ¶쇠뷔라ᄒᆞ야 쓰디 몯ᄒᆞ리며(不得作鐵掃箒)《蒙法 14》.

쇠비【衰憊】명 약하여지고 피곤함. ——하다 자여불

쇠:-비름 명〖식〗[*Portulaca oleracea*] 쇠비름과에 속하는 일년초. 줄기 높이 15-30cm이고 적자색이며, 잎은 잎꼭지가 없는데 보통 대생하고, 쐐기 형상의 긴 타원형임. 5-8월에 황색 오판화(五瓣花)가 가지 끝에 3-5개씩 피는데, 꽃꼭지가 없고 아침에 피었다가 한낮에 오므라들며, 열매는 개과(蓋果)이고, 검은 씨가 있음. 길가·정원·밭에 나는데, 한국 각지 및 전세계의 온대·열대에 널리 분포함. 어린 잎은 식용하며 풀 전체를 약재로도 씀. 마치현(馬齒莧). 오행초(五行草). 장명채(長命菜).

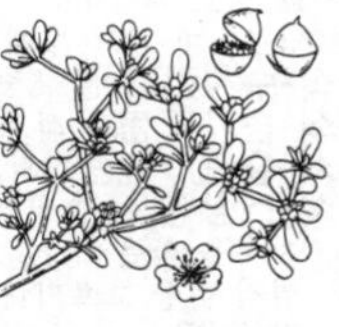
〈쇠비름〉

쇠:비름-과【一科】[一꽈] 명〖식〗[Portulacaceae] 쌍자엽 식물 이판화류(離瓣花類)에 속하는 한 과. 전세계에 210여 종, 한국에 쇠비름 등 2종이 분포함.

쇠:비름 나물 명 여름에, 쇠비름을 꽃이 피기 전에 캐어 뿌리를 떼고, 데치어서 물에 불리었다가 양념을 한 나물. 또, 데치어 말려 두었다가 겨울에 물에 불리어서 소금과 기름을 치고, 무치어 먹기도 함.

쇠:-비오리 명〖조〗톱니오리.

쇠:-뼈 명 소의 뼈.

쇠:-뼈다귀 명 '쇠뼈'의 낮은 말.

【쇠뼈다귀 우려 먹듯】한 가지를 변통성 없이 오래 두고 써먹는 모양.

쇠-뽕나무좀 명〖충〗[*Cryphalus exignus*] 나무좀과에 속하는 곤충. 몸길이 1.3mm 가량의 긴 달걀꼴이며 몸빛은 회갈색이나 드물게 황갈색인 것도 있는데, 온 몸이 회색 인모(鱗毛)로 덮여 있고 촉각은 황갈색, 두부(頭部)는 갈색임. 뽕나무에 기생하며, 한국·일본에 분포함.

쇠:-뿔 명 소의 뿔. 우각(牛角).

【쇠뿔도 단김에 빼랬다】어떤 일을 하려고 생각하였으면 망설이지 말고 곧 행동으로 옮기라는 말. 【쇠뿔 잡다가 소 죽인다】'교각 살우(矯角殺牛)'와 같은 뜻.

쇠:뿔-고추 명 쇠뿔과 같이 생긴 고추.

쇠:뿔-잡이 명〖고고학〗항아리나 독에 달려 있는 쇠뿔 모양의 손잡이.

쇠:뿔-참외 명 쇠뿔과 같이 생긴 참외.

쇠:뿔-테 명 쇠뿔로 만든 안경테.

쇠:뿔-하늘가재 명〖충〗톱사슴벌레.

쇠벼ᄅᆞ 명〈옛〉땅 이름. ¶與達川 달내合爲淵遷 쇠벼ᄅᆞ《龍歌 Ⅲ:13》.

쇠사【衰死】명 ①쇠약하여 죽음. ②시들어 죽음. ——하다 자여불

쇠-사다리 명 쇠로 만든 사닥다리.

쇠-사슬 명 쇠로 만든 고리를 여러 개 이어서 만든 줄. 준사슬.

쇠사줄 명〈옛〉쇠사슬. ¶쇠사주리 노피 드려셔(鐵鏁高垂)《杜諺 IX:8》.

쇠삭【衰索】명 ①쇠하고 흩어짐. ②영성하게 됨. ——하다 자여불

쇠-살문【一門】명〖건〗성곽(城廓)의 수구(水口) 등에 사용하는 쇠로 된 살대로 짠 문(門).

쇠:-살쭈 명 소를 팔고 사는 것을 흥정붙이는 사람. 준살쭈.

쇠-살창【一窓】명 쇠로 만든 살창.

쇠상【衰相】명〖불교〗쇠한 모양. *오쇠(五衰).

쇠-새 명〖조〗물총새.

쇠:-서 명 ①고기로서의 소의 혀. ②〖건〗↗쇠서받침.

쇠:서-나물 명〖식〗[*Picris japonica*] 꽃상춧과에 속하는 월년초(越年草). 산이나 들에 나는데, 줄기 높이 50-90cm, 근생엽(根生葉)은 땅에 붙어 총생(叢生)하며, 경엽(莖葉)은 호생하고 피침형 또는 긴 타원상 피침형인데 줄기와 함께 거친 털이 났음. 6-9월에 줄기나 가지 끝에 노란 두상화(頭狀花)가 피고 수과(瘦果)를 맺음. 산과 들에 나는데, 한국 및 일본에 분포함. 모련채(毛蓮菜).

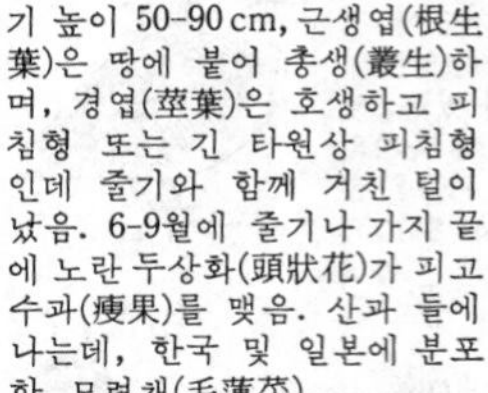
〈쇠서나물〉

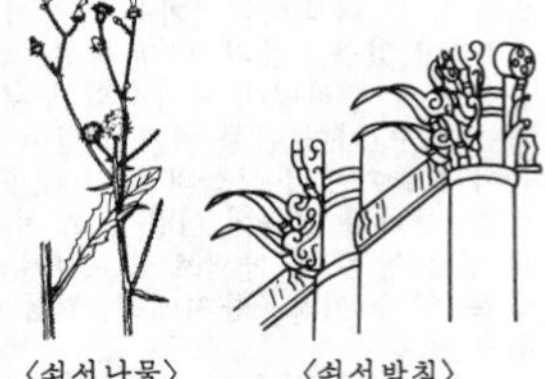
〈쇠서받침〉

쇠:서-받침 명〖건〗전각(殿閣)의 기둥 위에 덧붙이는, 소의 혀와 같이 생긴 장식. 준쇠서.

쇠:서 저:냐 명 소의 혀를 삶아서 얇게 썰어, 밀가루를 묻히고 달걀을 씌워 지진 저냐.

쇠-섬 명〖지〗경상 남도의 남해상(南海上), 마산시(馬山市) 구산면(龜山面) 구복리(龜伏里)에 위치한 섬. [0.02 km²]

쇠세[1]【衰世】명 쇠망해 가는 세상.

쇠세[2]【衰勢】명 쇠퇴한 세력. 쇠약해 가는 세력.

쇠-소댕 명 쇠로 만든 소댕.

쇠-손[1] 명〈방〉흙손(전남).

쇠손[2] 명〈옛〉쇠로 만든 흙손. ¶쇠손 만(鏝)《字會 中 16》.

쇠-솔딱새 명〖조〗[*Alseonax latirostris latirostris*] 딱샛과에 속하는 작은 새. 동박새보다 작은데, 배면(背面)은 회갈색, 하면(下面)은 백색이며 눈은 크고 검음. 얕은 지대의 나무 위에 집을 짓고 서식하는데, 동부 시베리아·사할린·일본·한국·대만·중국·남부 말레이 반도 등지에 분포함. *검은딱새.

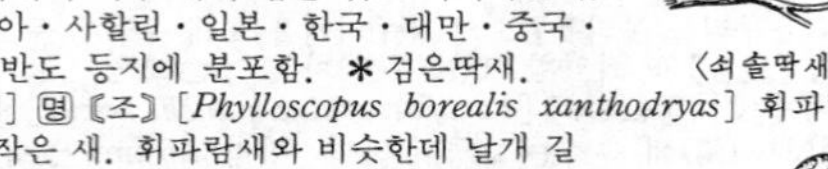
〈쇠솔딱새〉

쇠솔-새 [一쌔] 명〖조〗[*Phylloscopus borealis xanthodryas*] 휘파람샛과에 속하는 작은 새. 휘파람새와 비슷한데 날개 길이는 60-68mm 내외이고, 배면(背面)은 감람색(橄欖色), 얼굴은 황백색에 감람색의 과안선(過眼線)이 있고 날개에는 황백색부가 있으며 꽁지는 갈색임. 몸의 하면(下面)은 백색에 황색을 띰. 얕은 산에 살며 땅 위에 집을 짓고 백색 알을 대여섯 개 낳음. 해충을 잡아먹는 익조(益鳥)이므로 금렵조(禁

〈쇠솔새〉

獵鳥)로 취급됨. 아시아 동북부·일본·한국·만주에서 번식하고 중국 남부·미얀마·말레이에서 월동함.

쇠-수시렁이 [명] 〖충〗 애수시렁이.

쇠-숟가락 [명] 놋쇠로 만든 숟가락. [준]쇠술.

쇠-술 [명] ↗쇠숟가락.

쇠-스랑 [명] 〖농〗 쇠로 서너 개의 발을 만들고 자루를 박은 갈퀴 모양의 농구(農具). 땅을 파서 흙을 고르거나 두엄을 쳐내는 데 씀. 철탑(鐵搭).

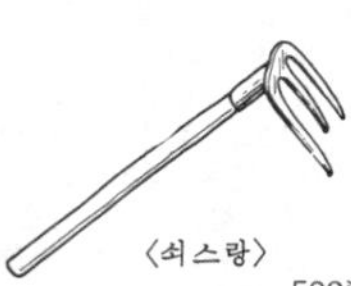
〈쇠스랑〉

쇠스랑-개비 [명] 〖식〗 뱀혀.

쇠슬히 [명] 〈옛〉 쇠스랑. ¶ 우리 쇠슬히 가지고 딜어 오리라《月釋 XXⅢ:82》.

쇠시리 [명] 〖건〗 기둥 모서리나 문살의 표면을 모양 있게 하기 위하여, 모를 접어 두 골이 나게 하는 일.

쇠시리 대:패 [명] 〖건〗 쇠시리를 하는 데 쓰는 대패.

쇠-시위 [명] 쇠로 만든 활시위. 철현(鐵弦).

쇠식 [명] 〈방〉 소식(消息)(함경·평안).

쇠:-심 [명] 소의 심줄.

쇠:심-떠깨 [명] 심줄이 섞여 있어 매우 질긴 쇠고기. [준]심떠깨.

쇠:심-회【一膾】 [명] 소의 등심 속에 있는 심떠깨의 심줄만을 얇게 가로 썰어서, 초고추장에 찍어 먹는 회.

쇠-싸리 [명] 〖건〗 [*Lespedeza melanantha*] 콩과에 속하는 낙엽 활엽 관목. 잎은 대생하고 타원형 또는 달걀꼴이며 유병(有柄)임. 5-6월에 짙은 자흑색 꽃이 총상(總狀) 화서로 피고, 협과(莢果)는 6월에 익음. 산지에 나는데, 충남·경남 등지에 분포(分布)함. 수피(樹皮)는 섬유용(纖維用)임. 검나무싸리.

쇠-쐐기 [명] 쇠로 만든 쐐기. 채석(採石)할 때 씀.

쇠쓰럽다 [형] 〈방〉 시끄럽다(평안).

쇠-아기 [명] 〈옛·방〉 쐐기². ¶ 자너네 쇠 쇠아기를 조지니《新語 V:22》.

쇠-아치 [명] 〈방〉 송아지(전라).

쇠안¹【衰眼】 [명] 쇠약하여진 안력(眼力). ＊노안(老眼).

쇠안²【衰顔】 [명] 쇠약한 얼굴.

쇠-앙치 [명] 〈방〉 송아지(전라).

쇠야기 [명] 〈옛〉 쐐기². ¶ 쇠야기 설(楔)《字會 中 18》.

쇠야미 [명] 〈옛〉 쐐기². ¶ 몯과 쇠야밀 싸혀니라(玄釘楔)《南明 下 57》.

쇠야치 [명] 〈방〉 송아지(전북·함경).

쇠약¹ [명] 〈옛〉 뿔로 만들어 차는 고두쇠. ¶ 쇠약 휴(觿)《字會 中 14》.

쇠약²【衰弱】 [명] 쇠하여 약함. ――-하다 [형][여불]

쇠약-증【衰弱症】 [명] 쇠약한 증세.

쇠양-깐 [명] 〈방〉 외양간(전북).

쇠양마 [명] 〈옛〉 소리를 크게 내는 말. ¶ 어디셔 삽진 쇠양馬는 외용지용 ᄒᆞᄂᆞ니《海謠 444》.

쇠양배양-하다 [형][여불] 앞일을 짐작하고 사물을 분별하는 지혜가 적다.

쇠:-여물 [명] 소를 먹이기 위한 여물.

쇠오다¹ [타] 〈옛〉 새우다. 지내다. ¶ 아춘설 밤 쇠오다(守歲)《譯語 上 4》.

쇠오다² [타] 〈옛〉 이루다. ¶ 쇠올 슈(遂)《類合 下 29》.

쇠-오리 [명] 〖조〗 [*Anas crecca*] 오릿과에 속하는 물새. 날개 길이 16-19 cm이고, 수컷의 몸빛은 머리와 목이 구릿빛이고 눈에서 후두(後頭)에 걸쳐 녹색 띠가 있으며 등에 흑백색의 가는 반점과 가슴에 검은 점이 있음. 몸의 아래 쪽은 희고 암컷의 등은 흑갈색 바탕에 적갈색의 무늬가 있음. 낮에는 호수·바다 위를 떼지어 날며 밤에 육지의 논이나 물가에서 식물의 종자(種子)·곤충을 포식함. 물가의 덤불에 집을 짓고 여름에 8-10개의 알을 낳음. 사냥새로 중요하며 고기는 맛이 좋음. 한국·일본 등지에서 월동함. 상오리. 침부(沈鳧).

〈쇠오리〉

쇠-오색딱따구리【一五色一】 [명] 〖조〗 [*Dryobates minor nojidoensis*] 딱따구릿과(科)의 새. 날개 길이는 90-98mm 가량으로 오색 딱따구리의 반쯤 됨. 등에는 검은 바탕에 흰 가로무늬가 있으며, 머리는 붉고 배는 흰색에 가까움. 5-6월에 나무에 구멍을 뚫고 4-6개의 알을 낳는 텃새임. 한국 동북부에 분포함. 연지머리딱따구리.

〈쇠오색 딱따구리〉

쇠:-오줌 [명] 소의 오줌.

쇠온 말이 [구] 〈옛〉 매우 강(強)하게 내니. 크게 내니. ¶ 子紘에 羽調올라 漢漢調 쇠온 말이 섧기는 젼혀 아니되《永言 75》.

쇠옹【衰翁】 [명] 노인. 늙은이.

쇠-옹도리 [명] 〈방〉 쇠옹두리. ¶ 나의 생질녀가 혼인 곧 하였으면 나는 슬몃 슬몃 다니며 ～ 우리듯 전천씩이나 착실히 빼앗아 먹을 것이라《李海朝: 昭陽亭》.

쇠:-옹두리 [명] 소의 옹두리뼈.

[쇠옹두리를 우리듯] 소의 옹두리뼈를 오래 우리듯 두고두고 되풀이 우려먹음을 이름.

쇠용【衰容】 [명] 쇠약한 모습. 부쩍 마른 얼굴 모양.

쇠-우렁이 [명] 〖조개〗 [*Parafossarulus manchouricus*] 쇠우렁잇과(科)에 속하는 고둥의 하나. 직경 3.5mm, 높이 5-10mm 내외이며, 나층(螺層)은 약 4층이고 보통 각정(殼頂)의 한 층은 침식당함. 각표(殼表)에는 나맥(螺脈)을 볼 수 없고 매끈하며 황갈색 또는 담갈색임. 구부(口部)에는 석회질의 덮개가 있음. 간장(肝臟) 디스토마의 중간 숙주(宿主)로 알려졌음. 늪·개천·논에 서식하는데, 중국·한국·일본 등지에 분포함. 꼬마씨우렁이.

〈쇠우렁이〉

쇠우렁잇-과【一科】 [명] 〖조개〗 [Bithyniidae] 연체 동물 복족류(腹足類) 전새목(前鰓目)에 속하는 한 과. 보통, 높이 1cm 가량의 권패(卷貝)를 가졌고, 늪·무논·웅덩이에 서식하는데, 한국·중국·일본 등에 분포함. 쇠우렁이 등이 이에 속함.

쇠운【衰運】 [명] 쇠하는 운수. 줄어드는 운수. 도운(倒運).

쇠-유리새【一琉璃一】 [명] 〖조〗 [*Luscinia cyane*] 지빠귓과에 속하는 작은 새. 날개 길이는 약 75mm 가량이며, 몸의 배면(背面)은 진한 암청색(暗青色)이고 머리 위는 하늘색을 띠며 아래쪽은 전부 순백색임. 아고산대(亞高山帶)의 무성한 산림 속에서 서식하는데, 동부 시베리아·한국·일본에서 번식하고, 가을에 몽골·중국을 거쳐 중국 남부·미얀마 등지에서 월동함.

쇠임직-하다 [형][여불] ☞ 섬직하다. ¶ 꺽정이의 나이 덕순이보다 배나 넘어 아래지만, 외자로 해라를 받는 외에는 동무 쇠임직하게 대접하며 덕순이와 서로 상종하였다《洪命憙: 林巨正》.

쇠-자루 [명] 쇠로 만든 자루.

쇠자루-칼 [명] 자루를 쇠로 만든 칼.

쇠잔【衰殘】 [명] 쇠하여 잔약하여짐. ――-하다 [자][여불]

쇠-잠자리 [명] 〖충〗 여름좀잠자리.

쇠-잡이 [명] 농악(農樂)에서 꽹과리나 징을 잡는 일. 또, 그 사람.

쇠장¹ [명] 〈방〉 세장¹.

쇠:-장²【一場】 [명] 소를 팔고 사는 장. 쇠전. 소장. 우시장.

쇠:-전【一廛】 [명] 쇠장².

쇠:-젖 [명] 소의 젖. 소젖. 우유(牛乳).

쇠:-족【一足】 [명] 소의 발. 쇠다리.

쇠:족 지짐이【一足一】 [명] 소의 족을 넣고 끓인 지짐이. 족전(足臈).

쇠-종다리 [명] 〖조〗 [*Calandrella rufescens cheleënsis*] 종다릿과에 속하는 새. 몸이 작고 빛은 담황백색인데, 몸에는 성기게 엷은 무늬가 있으며 부리가 짧고 큰 것이 특징임. 몽골·만주·북부 중국·한국 등지에 분포함.

쇠:좆-꼬챙이 [명] 〈방〉 물추리 막대.

쇠:좆-매 [명] 옛 형구(刑具)의 하나. 죄인을 때리는 것으로 황소의 생식기를 말리어 만들었음.

쇠주 [명] 〈방〉 소주(燒酒)(경기·강원·충청·전라·경상·황해).

쇠-주먹 [명] 쇠처럼 단단하고 센 주먹. 무쇠 주먹.

쇠:-죽【一粥】 [명] 쇠먹이로 짚과 콩 등을 섞어서 끓인 죽.

쇠:죽 가마【一粥一】 [명] 쇠죽을 끓이는 가마. 쇠죽솥.

[쇠죽 가마에 달걀 삶아 먹을라] ㉠아이를 훈계함에 있어, 도리어 나쁜 방법을 가르칠 때에 이르는 말. ㉡일을 적합하지 아니하게 거창히 함을 보고 이르는 말.

쇠:죽-물【一粥一】 [명] 쇠죽을 끓이는 데 쓰는 쌀뜨물이나 개숫물 같은 것.

쇠:죽 바가지【一粥一】 [명] 쇠죽을 푸는 바가지.

〈쇠죽 바가지〉

쇠:죽-솥【一粥一】 [명] 쇠죽 가마.

쇠:죽-통【一粥桶】 [명] 〈방〉 구유¹(강원·경북).

쇠-줄 [명] 쇠로 만든 줄. 철사(鐵絲) 같은 것.

쇠증【衰症】 [一쯩] [명] 노쇠(老衰)하여 생기는 증세.

쇠:지 [명] 〈방〉 송아지(함경).

쇠:지랑-물 [명] 외양간 뒤에 쇠오줌이 괴어 검붉게 된 물. 농가에서 거름으로 씀.

쇠:지랑-탕 [명] 쇠지랑물을 받아서 삭게 하는 웅덩이.

쇠-지레 [명] 쇠로 만든 지레.

쇠진【衰盡】 [명] 점차로 쇠하여 다 됨. ¶ 기력이 ～하다. ――-하다 [자][여불]

쇠:-짚신 [명] 일할 때에 소에게 신기는 짚신. 우비(牛扉).

쇠-찌그리 [명] 〈방〉 부리망.

쇠-찌르레기 [명] 〖조〗 [*Sturnus philippensis*] 찌르레깃과에 속하는 작은 새. 수컷은 머리와 목의 뒤쪽은 백색, 목의 둘레는 흑갈색, 가슴과 배는 회백색, 등은 흑자색으로 광택이 있고, 날개는 흑록색에 흰 얼룩점이 있음. 대개 부리와 발은 창갈색(蒼褐色)이고 꼬리는 검은 빛임. 암컷은 머리부터 꽁지에 이르기까지 회갈색임. 익조(益鳥)로 해충을 잡아먹음. 한국·일본 북부에서 번식하고, 일본 남부와 필리핀 등지에서 월동함.

쇠-차돌 [명] 산화철(酸化鐵)이 들어 있어, 황색이나 적색을 띤 차돌.

쇠-창살【一窓一】[一쌀] [명] 쇠로 만든 창살.

쇠-채¹ [명] 거문고 따위를 뜯을 때 사용하는, 쇠로 만든 채.

쇠-채² [명] 〖식〗 [*Scorzonera albricaulis*] 꽃상추과에 속하는 다년초. 줄기는 곧고 높이 30-50cm이며 근경(根莖)은 굵고, 잎은 긴 피침상 선형(披針狀線形)으로 그 끝이 뾰족함. 여름에 황색 두상화(頭狀花)가 줄기 끝에 피고, 수과(瘦果)에는 담갈색의 관모(冠毛)가 있음. 산기슭의 풀밭에 나는데, 한국 각지에 분포함. 어린 잎은 식용함.

쇠처네 [명] 〈방〉 〖어〗 미꾸라지(함남).

쇠천 [명] 〈속〉 소전(小錢).

[쇠천 뒷 글자 같다] 소전(小錢)에 새겨진 글자가 닳아서 잘 보이지 않는 것 같이 다른 사람의 내정(內情)을 잘 알 수 없음을 비유한 말. [쇠천 샐 닢도 없다] 주머니 속에 반 푼도 없다는 말.

쇠첩 [명] 〖건〗 머리초의 인휘 끝에 돌려 그린 무늬.

쇠-청다리도요 [명] 〖조〗 [*Tringa stagnatilis*] 도욧과에 속하는 새. 날개 길이 12.8-14.6cm이며, 몸빛은 자웅 동색(同色)으로, 어두운 회색에 검은 줄무늬가 있고, 배 쪽은 흼. 바닷가·호수·풀밭 등지에 단독 또는 4-5마리의 작은 떼를 지어 생활하며, 곤충류·민물조개 따위를 포식함. 5-6월 사이에 보통 4개의 알을 낳음. 나그네새로서 봄·가을 두 차례에 걸쳐 우리 나라를 통과하는데, 유럽의 남부·아시아의 중부·아프리카·인도·말레이·오스트레일리아·한국·일본·사할린 등지에 분포함.

쇠-청벌【一青一】 [명] 〖충〗 [*Chrysis japonicus*] 청벌과에 속하는 곤충. 몸길이 8mm 가량, 머리가 흉부보다 더 넓으며, 몸빛은 대체로 청람색

으로 광택이 나는데, 배는 남빛이 돌며, 발과 촉각은 초록색으로 금속빛이 남. 한국 각지에 분포함.

쇠촘:-하다 [형] 〈방〉 쇰직하다.

쇠:치 [명] 〈방〉 새치³.

쇠:치기-풀 [명] 〖식〗 [*Phacellurus angustifolia*] 벼과(科)에 속하는 다년초. 줄기는 곧게 또는 비스듬히 벋으며 총생(叢生)하고 높이 80 cm 가량인데, 잎은 호생하며 좀 두껍고 백록색을 띤 협선형(狹線形)임. 여름에 엽액(葉腋)에서 가늘고 긴 원주형의 꽃이삭이 나와 수상(穗狀) 화서로 피며, 화주(花柱)는 두 갈래로 갈라져 홍자색을 띤 우모상(羽毛狀)임. 들에 나는데, 한국 및 일본·중국 등지에 분포함.

〈쇠치기풀〉

쇠치네 [명] 〈방〉 〖어〗 미꾸라지(함남).

쇠-칡범잠자리 [—칙—] [명] 〖충〗 [*Davidius lunatus*] 왕잠자릿과에 속하는 곤충. 복부의 길이 29 mm, 뒷날개는 25 mm 가량이며, 두부(頭部)·복부(腹部)는 흑색임. 수컷의 복부 제1-2절(節)은 크고 배면(背面)에 황색 무늬가 있으며 제10절은 굵고 둥글며, 암컷의 제1-7절 측면에는 황색 줄무늬가 있음. 여름에 연못 가나 풀밭에 나는데, 한국 특산종임.

쇠:-침 [명] 소의 침. 소가 질질 흘리는 침.

쇠:-코 [명] ①소의 코. ②〖농〗 보습의 뒷면에 네모진 구멍 위에 가로 건너지른 부분.

【쇠코에 경읽기】 '쇠귀에 경읽기'와 같음.

쇠코 걸련 [명] 〖건〗 금문(錦紋)의 한 가지.

쇠:-코뚜레 [명] 소의 코청을 꿰뚫어 끼는 고리 모양의 나무. 다 자란 송아지 때부터 고삐를 매는 데 씀. [준]코뚜레.

쇠:코 잠방이 [명] 농부가 일할 때 입는 무릎까지 내려오는 짧은 잠방이. 독비곤(犢鼻褌).

쇠:코 짚신 [명] 〈방〉 세코 짚신.

쇠태 【衰態】 [명] 쇠잔한 모양. 쇠약한 모습.

쇠:-털 [명] 소의 털. 우모(牛毛).

【쇠털같이 많다】 소의 털과 같이 수효가 셀 수 없을 만큼 매우 많다는 말.

쇠:털-골 [명] 〖식〗 [*Eleocharis acicularis* var. *longiseta*] 방동사닛과에 속하는 다년초. 뿌리 줄기는 실 모양이고, 수염 뿌리가 총생(叢生)하며, 줄기도 실 모양으로 총생하고 높이 9 cm 가량됨. 잎은 모관상(毛管狀)이고 뿌리에서 총생하며 줄기보다 다소 짧음. 7-8월에 소형의 꽃이삭이 줄기 끝에 단립(單立)하여 피고, 과실은 수과(瘦果)임. 논이나 습지에 나는데, 한국 각지 및 일본에 분포함.

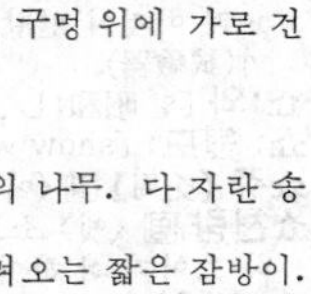
〈쇠털골〉

쇠:털 담:배 [명] 쇠털처럼 가늘게 썬 살담배. 담뱃대로 피움.

쇠:털-벙거지 [명] 털이 붙어 있는 쇠가죽으로 만든 모자. 주로 풍물놀이할 때 씀.

쇠-털보박쥐 [명] 〖동〗 쇠긴수염박쥐.

쇠:-털니 [—리] [명] 〖충〗 [*Bovicola bovis*] 짐승털닛과에 속하는 곤충. 몸길이 1.5 mm이고, 폭은 0.55 mm이며, 몸빛은 담황갈색에 적갈색 및 흑갈색 반문(斑紋)이 있음. 두부(頭部)는 심장형이며, 온 몸에 털이 있고, 각 복절(腹節) 중앙에 한 개의 가로띠 무늬가 있음. 소에 기생하는데, 세계 공통종임.

쇠:털-이슬 [—리—] [명] 〖식〗 [*Circaea cordata*] 바늘꽃과에 속하는 다년초. 줄기는 높이 40-50 cm이며 온 풀이 짧은 털로 덮여 있고, 잎은 대생하고 긴 꼭지가 달린 심장상 달걀꼴로 파상(波狀)임. 여름에 흰 꽃이 엽액(葉腋)에서 나온 가지 끝에 총상(總狀) 화서로 피고, 열매는 거꿀달걀꼴의 구형(球形)인데 갈고리 같은 갈색 털이 있음. 산과 들에 나는데, 거의 한국 각지에 분포함.

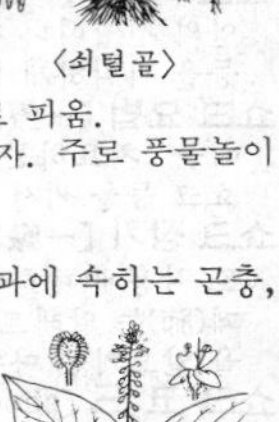
〈쇠털이슬〉

쇠-테 [명] 쇠로 만든 테. 철고(鐵箍).

쇠-톱 [명] 쇠를 자르는 데 쓰는 톱.

〈쇠톱〉

쇠-통¹ [명] 〖광〗 광맥(鑛脈)의 넓이.

쇠-통² 【—桶】 [명] ①쇠로 만든 통. 철통(鐵桶). ②〈방〉 자물쇠.

쇠:-통³ 【—桶】 [명] 〈방〉 구유¹(강원·경북).

쇠통⁴ [부] 〈방〉 전혀. 온통(경기·황해·함경).

쇠퇴 【衰退·衰頹】 [명] 쇠하여 퇴폐함. ——-하다 [자][여불]

쇠퇴-도 【衰退圖】 [명] 〔abandonment contour〕 석유정(石油井)의 실생산량 누계(累計)와 추정 궁극 생산량을 비교하는 도면. 유정 폐갱(油井廢坑)의 가장 경제적인 시기를 결정하는 데 사용됨.

쇠:-파리 [명] 〖충〗 [*Hypoderma bovis*] 쇠파릿과에 속하는 파리의 하나. 몸길이 15 mm 가량이고 몸빛은 황갈색이며, 온 몸에 검은 털이 밀생(密生)하고, 드문드문 황백색의 털이 있음. 머리가 크고 날개는 회갈색이며, 복배(腹背)와 흉배(胸背)에는 몇 개의 검은 줄무늬가 있음. 소나 말의 살갗을 파고 들어 흡혈(吸血)을 하며, 알을 낳아 유충(幼蟲)은 그 피하 조직(皮下組織)에서 기생하여, 큰 상처를 내다가 땅 속에서 번데기가 됨. 아시아·유럽·북아메리카 등지에 분포함. 소·말·사람·쥐·순록(馴鹿) 등에 기생하는 해충임.

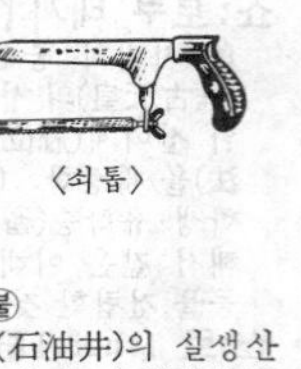
〈쇠파리〉

쇠:파릿-과 【—科】 [명] 〖충〗 [Hypodermatidae] 파리목(目)에 속(屬)하는 한 과(科). 대개 머리가 크고 주둥이는 퇴화(退化)하였으며 복안(複眼)은 작고 세 개의 단안(單眼)을 가지며 촉각은 매우 작음. 유충은 보통 짐승의 피부 속에 기생함.

쇠판¹ [명] 〈옛〉 쇠 녹이는 틀. =쇠노판. ¶쇠판 용(鎔)《類合 下 61》.

쇠-판² 【—板】 [명] 철판(鐵板).

쇠-팥 [명] 〖식〗 팥의 한 가지. 팥과 비슷하나, 너무 굳고 딱딱하여 먹지 못함. 적두(賊豆).

쇠패 【衰敗】 [명] ①쇠하여 패망함. ②늙어서 쇠약하여짐. ——-하다 [자][여불]

쇠폐¹ 【衰弊】 [명] 쇠하여 피폐(疲弊)함. ——-하다 [자][여불]

쇠폐² 【衰廢】 [명] 쇠하여 폐멸(廢滅)함. ——-하다 [자][여불]

쇠-푼 [명] 많지 아니한 돈. 얼마 되지 않는 돈. ¶~이나 있다고.

쇠:-풀 [명] 〖식〗 [*Andropogon brevifolius*] 벼과에 속(屬)하는 일년초. 높이 30 cm 가량이고 줄기는 비스듬히 벋으며, 총생(叢生)함. 잎은 호생하고 매우 얇으며, 짧은 선형(線形)임. 늦여름에 적자색 꽃이 엽액(葉腋)에서 나온 가지 끝에 수상(穗狀) 화서로 피고, 수과(瘦果)는 아주 작고 가늚. 산과 들에 나는데, 제주·경남·충북·강원·경기·평북에 분포함.

〈쇠풀〉

쇠-품 【—品】 [명] 〖광〗 쇳줄의 품.

쇠:-풍경 【—風磬】 [명] 소의 턱 밑에 다는 방울. *워낭.

쇠피-나무 [명] 홍수에 떠내려가서 쌓인 나무.

쇠-하다 【衰—】 [자][여불] ①힘이 차차로 약해지다. ②원기가 점점 없어지다. ③세력이 점차로 줄어지다.

쇠하래비 [명] 〈방〉 학질(강원).

쇠-혀 [명] 〖악〗 생황(笙簧) 따위의 죽관(竹管) 아래 끝에 붙여 떨어울리게 하는, 백동(白銅) 따위의 쇠붙이로 만든 혀. 쇠청.

쇠-호두 【—胡—】 [명] 딱딱하고 썩 두꺼운 껍풀이 있는 호두.

쇠-홍방울새 【—紅—】 [—쌔] [명] 〖조〗 [*Carduelis flammea exilipes*] 참새과에 딸린 새. 홍방울새와 비슷하나 그보다 몸빛이 대체로 엷은 빛깔이며, 이마와 머리 위 분홍색 무늬가 작음. 11월부터 이듬해 4월 사이에 볼 수 있는 철새로서 북극 지방, 시베리아, 한국 등지에 분포함.

쇠-화덕 【—火—】 [명] 쇠로 만든 화덕.

쇠-황조롱이 [명] 〖조〗 [*Falco columbarius insignis*] 수릿과에 속하는 새. 날개 길이 24 cm 내외이고 몸빛은 머리·목·등의 아래쪽은 청회색(青灰色), 등 쪽은 삼각형의 검은 점을 갖추고 복부에는 적백색(赤白色)을 띤 바탕에 검고 긴 점이 흩어져 있음. 날개는 창회색(蒼灰色)인데 깃에는 검은 줄이 있으며, 꽁지는 끝이 희고 검은 띠가 있음. 암컷은 머리와 꽁지가 밤빛이며, 들쥐와 곤충을 잡아먹음. 한국·중국에 분포함. 도롱태. 비하야(飛下野).

〈쇠황조롱이〉

쇠후 【衰朽】 [명] 낡아서 형태가 무너지든가 조직이 썩든가 함. 노쇠하여 쓸모 없게 됨.

쇠흰등-밭종다리 [—힌—] [명] 〖조〗 [*Anthus gustave mengbieri*] 할미샛과에 속하는 새. 흰등밭종다리와 비슷한데 좀 작을 뿐임. 흰등쇠논종다리.

쇤:-네 [인대] (←소인네) 상전(上典)에 대하여 하인(下人)이나 하녀가 자기를 스스로 낮게 일컫는 말.

쇤:네를 내:붙이다 [구] 자기 스스로 쇤네라 일컬으며 비굴하게 아첨하다.

쇤:바인 〔Schönbein, Christian Friedrich〕 [명] 〖사람〗 독일의 화학자. 스위스, 바젤 대학 교수로서 물리학·화학을 연구. 오존의 발견, 면화약·콜로디온의 발명 등의 업적이 있음. [1799-1866]

쇤:베르크 〔Schönberg, Arnold〕 [명] 〖사람〗 오스트리아의 작곡가. 유태계. 현대 음악의 방향을 결정하는 데 큰 역할을 함. 낭만파적 작풍(作風)에서 벗어나, 1908년부터 《세 개의 피아노곡》 등 무조 음악(無調音樂)을 작곡하고, 1923년에 발표한 《다섯 개의 피아노곡》부터 12음 음악(十二音音樂)을 채용, 《피아노의 조곡(組曲)》에서 그 수법을 확립함. 1933년 나치 독일이 대두하자 미국에 망명함. [1874-1951]

쇰 [명] 〈방〉 수염(강원).

쇰즉-하다 [형][여불] ☞ 쇰직하다.

쇰직-하다 [형][여불] 다른 것보다 좀 크거나 낫다. ¶한밤중부터 밥을 짓게 하여 군사들을 밤참 쇰직한 조반을 먹인 뒤에…《洪命憙 : 林巨正》.

쇳-가루 [명] 쇠의 가루.

쇳경 [명] 〈방〉 석경(石鏡)(평안).

쇳-내 [명] ①음식 따위에 쇳물이 우러나서 나는 냄새. ②몹시 숨이 차거나 힘이 들 때 목 안이 타는 듯한 느낌. ¶너무 힘들어서 목에서 ~가 난다.

쇳-냥 【—兩】 [명] 돈냥.

쇳-녹 【—綠】 [명] 쇠붙이에 돋는 녹.

쇳-대 [명] 〈방〉 열쇠(전라·경상·경기·함경).

쇳-덩어리 [명] 쇠붙이의 덩어리.

쇳-덩이 [명] 쇠붙이의 덩이.

쇳-독 【—毒】 [명] ①쇠붙이에 다쳐서 생긴 독기(毒氣). ¶~이 오르다. ②광물을 캐거나 쇠붙이를 제련할 때 그 주위에 풍기는 독기. 생물의 성장을 해침.

쇳-돌 [명] 쇠붙이의 성분(成分)이 들어 있는 광석.

쇳-물 [명] ①쇠에 난 녹이 우러난 물. ¶빨랫줄에서 빨래에 ~이 들다. ②열에 녹아 물처럼 된 물. ¶용광로에서 흘러 나오는 ~.

쇳-바닥 [명] 〈방〉 혓바닥(전라·경상·충청).

쇳-밥 [명] 쇠를 깎을 때 떨어지는 부스러기.

쇳:-병 【—病】 [명] 소에 생기는 병.

쇳빛-부전나비 [명] 〖충〗 [*Ahlbergia ferrea*] 부전나빗과에 속하는 곤충. 편 날개의 길이는 23 mm 내외이고, 날개는 청람색에 전연(前緣)과 후연(後緣)은 암흑색이며 뒷날개의 꼬리 부분은 갈색임. 한국·일본에 분

포함.

쇳-소리 명 ①쇠붙이가 부딪쳐서 나는 소리. ②쇠붙이가 부딪치듯 쨍쨍 울리는 날카로운 말소리.

쇳속 명〈옛〉자물쇠청. ¶쇳속 건(鍵)《字會 中 16》.

쇳-송【一頌】명〖불교〗아침 저녁에 드리는 예불의 준비로 종(鐘)이나 금고(金鼓)를 치며 진언(眞言)이나 게송(偈頌)을 외우는 일. 지전(知殿)이나 그 대리가 함.

쇳-조각 명 ①쇠의 조각. 금속편. 철편(鐵片). 편철(片鐵). ②냉담하고 경망스러운 사람을 가리키는 말.

쇳-줄 명〖광〗광맥(鑛脈). ㊀줄.

숑:-딸 명〈방〉수양딸.

숑:-아들 명〈방〉수양 아들.

숑:-아비 명〈방〉수양 아비.

숑:-앙치 명〈방〉송아지(전라).

숑:-애지 명〈방〉송아지(평안).

숑:-어머니 명〈방〉수양 어머니.

숑:-어미 명〈방〉수양 어미.

숑편 명〈방〉송편(함경·경상·전라).

쇼[1] 명〈옛〉속인(俗人). ¶門앞뒤 ᄒᆞᆫ 즁과 ᄒᆞᆫ 쇼ᄅᆡ 고본 겨지블 ᄃᆞ려 왜 녀 ᄑᆞᄂᆞ이다《月釋 Ⅷ:94》. 「《龍歌 87章》.

쇼[2] 명〈옛〉소[1]. ¶싸호ᄂᆞᆫ 한 쇼ᄅᆞᆯ 두소내 자ᄇᆞ시며(方鬪巨牛兩手執之)

쇼:[3]〔Shaw, George Bernard〕명〖사람〗영국의 극작가. 가난 속에 자라나 마르크스의 《자본론》에 의해 눈을 뜨고, 페이비언 협회(Fabian 協會)의 유력한 멤버가 되었음. 사회·사상 문제에 강렬한 관심을 보여 높은 경지의 문명 비판(文明批判)을 독자적인 날카로운 풍자와 역설(逆說)로 엮었음. 작품 《사람과 초인(超人)》·《시저와 클레오파트라》 등. [1856-1950]

쇼:[4]〔Shaw, Irwin〕명〖사람〗미국의 극작가·소설가. 2차 대전 후 휴머니티의 절규를 대변하여 반전(反戰) 작품《젊은 사자들》·《죽은 자를 파묻어라》 등으로 주목을 받음. [1913-84]

쇼:[5]〔show〕명 ①보이는 일. 전시(展示)하는 일. ②구경거리. ¶한바탕 ~가 벌어졌다. ③〖연〗대사(臺詞) 없이, 춤과 노래로 엮어진 가벼운 오락(娛樂). 흥행(興行). ¶스트립 ~. ④전람회. 전시회. ¶패션 ~.

쇼:-걸:〔showgirl〕명 쇼에 나오는 여자 배우. *코러스걸.

쇼경 명〈옛〉소경[1]. ¶일즉 醫人과 쇼경 무당으로 ᄒᆞ여곰(曾使醫人師巫)《無冤錄 Ⅰ:11》/쇼경 고(瞽), 쇼경 ᄆᆡᆼ(盲)《字會 中 3》.

쇼군〔일 將軍:しょうぐん〕명〖역〗일본 막부(幕府)의 주재자(主宰者).

쇼근 관〈옛〉작은. =효ᄀᆞᆫ·효근·혀근. ¶ᄌᆞ조 쇼근 나라해 가ᄆᆞᆯ 놀라노니(頻驚適小國)《重杜諺 Ⅶ:32》.

쇼:-다운〔미 showdown〕명 ①포커(poker) 놀이에서 손에 쥔 카드를 전부 내보이는 일. ②대결(對決). 결전(決戰). ③폭로(暴露).

쇼대남진 명〈옛〉샛서방. =쇼ᄃᆡ난편. ¶쇼대남진의 밥을 담다가 놋쥬걱 잘를 부르쳐시니《永言 478》.

쇼:더:비전 명〔shore+radar+television〕항만(港灣)이나 좁은 수도(水道) 내에 있는 선박의 위치나 방파제(防波堤) 따위의 장소를 레이더로 포착하고, 그 화상(畫像)을 텔레비전으로 방송하는 텔레비전국(局).

쇼ᄃᆡ난편 명〈옛〉샛서방. =쇼대남진. ¶밋난편 廣州ㅣ 싸리뷔쟝ᄉᆞ 쇼ᄃᆡ난편 朔寧 닛뷔 쟝ᄉᆞ《永言》.

쇼:랜〔shoran〕명〔short+range+navigation의 약칭〕〖항공〗비행기나 선박의 레이더에서 두 곳의 지상 비컨(地上 beacon)에 신호를 보내어, 그 송신 시각과 지상 비컨으로부터의 응신(應信)을 수신한 시각과의 차로 거리를 측정하여, 자기 위치를 구하는 비컨 항법. 대개 지평선 범위 내에서만 행함. 「ᄂᆞ니(惡之如鴟梟)《小諺 Ⅴ:122》.

쇼로개 명〈옛〉솔개. =쇼로기. ¶아쳐홈을 쇼로개와 온바미ᄀᆞ티 너기

쇼로기 명〈옛〉솔개. =쇼로개. ¶ᄲᅡ히 퍽 안즌 쇼로기도 갓고 석은 등걸에 부형이도 갓데《古時調》.

쇼:-룸:〔showroom〕명 상품의 진열실. 전시실.

쇼:리 명〔shorty〕〈속〉①키작은 사람. ②심부름하는 아이. 사환.

쇼릐셩 명〈옛〉별박이[2]. ¶쇼릐셩(白顚戴星馬)《才物譜 卷七》.

쇼:-맨〔showman〕명 ①쇼에 나오는 남자 배우. ②그때그때의 효과만을 나타내고자 노리는 사람.

쇼:맨-십〔showmanship〕명 ①관중을 조금이라도 기쁘게 하려고 하는 마음가짐. 흥행적 수완. 예인(藝人) 기질. ②많은 사람에게 자기를 잘 보여서 효과를 올리려는 재능.

쇼:몽〔Chaumont〕명〖지〗프랑스 북동부의 도시. 제1차 세계 대전 때 프랑스와 연합군 사이에, 프랑스를 1792년 당시의 경계로 복귀시키기 위한 조약이 이 곳에서 체결됨. 장갑·메리야스류(類)·피혁(皮革)·칼 등이 제조됨. [28,000명(1982)]

쇼바〔일 ショーバ〕명 '쇼크 애브소버'의 일본식 이름.

쇼:베르트〔Schobert, Johann〕명〖사람〗독일의 작곡가. 18세기 중엽에 파리의 살롱에서 피아니스트로 활약하면서 클라비어(Klavier) 협주곡(協奏曲)과 소나타를 쓰고, 환상적인 전개부(展開部)의 수법으로 모차르트에 영향을 주었음. [1720-67]

쇼:-보:트〔showboat〕명 연예선(演藝船).

쇼비니즘〔chauvinism〕명〔프랑스의 연출가 코냐르(Cognard)가 지은 속요(俗謠) 《삼색 모표(三色帽標)》에 나오는, 나폴레옹을 신(神)과 같이 숭배하는 병사의 이름 니콜라 쇼뱅(Nicholas Chauvin)에서 유래〕광신적 애국주의(狂信的愛國主義). 조국의 이익을 위하여는 방법과 수단을 가리지 않으며, 국제 정의(國際正義)조차도 부정하는 배외적(排外的) 애국주의.

쇼사【召史】명〈이두〉조이[7](召史).

-쇼셔 어미〈옛〉-소서. ¶滿朝히 두쇼셔커늘(滿朝請置)《龍歌 107章》.

쇼송〔Chausson, Ernest〕명〖사람〗프랑스의 작곡가. 25세에 파리 음악원에 들어가 프랑크에게 사사. 후에 국민 음악 협회에 관계하여 프랑스 근대 음악의 길을 틈. 무대 음악·교향곡도 있으나, 바이올린과 관현악을 위한 《시곡(詩曲)》과 다수의 서정적인 가곡이 유명함. [1855-99] 「ᄒᆞᆫ盞 먹쟈 ᄒᆞ고《松江 將進酒辭》.

쇼쇼리ᄇᆞ람 명〈옛〉소소리 바람. ¶ᄀᆞᄂᆞᆫ 비 굴근 눈 쇼쇼리ᄇᆞ람 불제 뉘

쇼스타코비치〔Shostakovich, Dmitri Dmitrievich〕명〖사람〗소련의 음악가. 1925년의 《제1 교향곡》이래 《제9 교향곡》에 이르기까지 근저(根底)에 흐르는 강력한 서구적 형식주의(形式主義)로 인해 비판을 받아 왔음. 이 외에 피아노 협주곡과 오라토리오(oratorio) 《수풀의 노래》 등이 있음. [1906-75]

쇼시랑 명〈옛〉쇠스랑. ¶쇼시랑(鐵杷)《字會 中 17》.

쇼신 명〈옛〉소인. ¶쇼신도 割付와 關字 옷 가지면 ᄆᆞᆯ 로리이다(小人也得了割付關字便上馬)《朴解 上 8》.

쇼어 경도【一硬度】〔Shore hardness〕명 금속의 경도 표시의 하나. 쇼어 경도계에 의하여 측정한 금속의 경도.

쇼어 경도계【一硬度計】명〔Shore durometer; 20세기 미국의 공업가 Albert F. Shore의 이름에서 유래〕〖물〗둥근 모양의 금강석을 앞 끝에 단 낙하추(落下錘)를 일정한 높이에서, 시험할 대상의 물건에 떨어뜨려 이것이 반발되어 튀어 오르는 높이로써 경도(硬度)를 아는 시험기(試驗器). 「까지의 일본 연호.

쇼:와〔일 昭和:しょうわ〕명 1926년 12월 25일부터 1989년 1월 7일

쇼: 윈도〔show window〕명 진열창(陳列窓). ㊀윈도.

쇼쥬【爻周】명〈이두〉말소(抹消).

쇼쳔량 명〈옛〉소로 돈 삼아 쓰는 것. ¶瞿陁尼ᄂᆞᆫ 쇼쳔량이라 혼 ᄠᅳ디니 그어긔 쇠 하아 쇼로 쳔 사마 홍졍ᄒᆞᄂᆞ니라《月釋 Ⅰ:24》.

쇼:-케이스〔showcase〕명 진열장(陳列欌). 「의 ~.

쇼크〔shock〕명 ①놀람. 심적 충격. 타격. ②〖의〗충격(衝擊)❷. ¶주사

쇼크(를) 먹다 구〈속〉충격을 속으로 깊게 입다.

쇼크-사【一死】〔shock〕명〖의〗외상을 입었을 때나 수술을 하였을 때, 갑자기 맥박이 약하고 빨라지며 무표정·피부 창백·혈압 강하 등의 쇼크 증상을 일으켜 실신하고 죽는 일. 충격사(衝擊死). *아나필락시.

쇼크 애브소버〔shock absorber〕명 자동차의 현가(懸架) 스프링에 진동(振動)이 생기는 경우, 스프링의 운동을 억제시키고 그 진동을 신속히 감속(減速)시켜 주는 충격 완충 장치. 브레이크를 걸 때의 차체 진동을 잡아 주므로, 제동력 등이 이것에 의해 좌우됨.

쇼크 여:진【一勵振】명〔shock excitation〕〖전〗비교적 짧은 시간 동안의 전압이나 전류 변화에 의한 여진. 발진기의 공진(共振) 회로의 진동을 시작하게 하는 데 쓰임.

쇼크 요법【一療法】[一뻡] 명〔shock therapy〕〖심〗정신 의학적인 장애를 치료하는 방법의 하나. 약제(藥劑)·이산화 탄소·인슐린·전기쇼크 등을 써서 혼수 상태로 만들고 치료함.

쇼크 장기【一臟器】명〔shock organ〕〖의〗항원(抗原) 항체(抗體)의 상호 작용에 대하여 과민하게 반응을 나타내는 장기나 조직. 이를테면, 폐(肺)는 알레르기성 천식(喘息)을, 또 피부는 알레르기성 접촉 피부염을 일으키는 따위.

쇼크 코:드〔shock cord〕명 글라이더의 예항삭(曳航索) 끝에 달아서 발진시(發進時)의 충격을 가볍게 하기 위해 사용하는 나일론·비닐론 따위의 줄.

쇼클리〔Shockley, William Bradford〕명〖사람〗미국의 물리학자. 벨(Bell) 전화 연구소에 입사하여, 동 연구소 반도체 연구 개발 그룹의 주도자로서 p-n 접합(接合)의 전자 이론을 전개하여 트랜지스터 효과의 발견과 그 물리적 원리를 해명하여 반도체 물리학을 확립하였으며, 접합 트랜지스터를 발명하였음. 1956년 노벨 물리학상 수상. [1910-89]

쇼킹〔shocking〕명 놀랄 만한 일. 깜짝 놀라는 모양. ¶~한 사건. ——-하다 형여불

쇼:토쿠 태자【一太子】〔聖德:しょうとく〕명〖사람〗일본 아스카(飛鳥) 시대의 중심적 정치가·사상가. 593년 태자가 되자, 스이코 천황(推古天皇)의 섭정으로서 불교를 기조(基調)로 한 정치를 함. 603년 관위 십이계(冠位十二階)를 정하고, 다음 해에는 십칠조 헌법(十七條憲法)을 제정함. 607년 중국 수(隋)나라와 대등한 국교(國交)를 열고, 유학생·유학승(留學僧)을 보내어 대륙 문화의 도입에 힘썼음. 불교에 대해서 깊은 이해와 신앙을 보여, 호류 사(法隆寺), 시텐노 사(四天王寺) 등을 건립한 것으로 전해짐. [574-622]

쇼:트〔short〕명 ①짧음. 짧은 장면. ②↗쇼트스톱(shortstop). ③쇼트 필드(short field). ④탁구의 단타법(短打法). 코트 가까이에 있다가 공이 높이 바운드(bound)하기 전에 받아 치는 법. ↔롱(long). ⑤골프에서, 볼이 목적한 곳에 이르지 못하고 바로 자기 앞에서 멈추는 것. ⑥↗쇼트서킷. ⑦〖연〗문화 영화·기록 영화 및 만화 영화 등의 단편(短編). ⑧무릎 위의 짧은 반바지. ⑨여성용의 짧은 속옷. ⑩쇼트 커트.

쇼:트닝〔shortening〕명 라드 대용 식품으로 제과(製菓)·요리 등에 쓰이는 반고형(半固形)의 유지 식품(油脂食品). 어유(魚油)·우지(牛脂)·땅콩 기름 등을 섞어 굳힌 것.

쇼:트 바운드〔short bound〕명 ①볼이 지상에 떨어져서 작게 튀는 일. ②테니스에서, 볼이 지상에 떨어져서 바운드하자마자 때리는 일. 볼이 발밑에 떨어져 전진도 후퇴도 할 수 없을 때의 방어적 타법(打法)임. ③야구에서, 투구나 타구가 지면에 떨어져서 작게 바운드되는 일.

쇼:트 볼:〔short ball〕명 테니스에서, 네트를 겨우 넘을 정도의 볼.

쇼:트-서:킷〔short-circuit〕명〖전〗전기 회로(回路)의 두 점 사이를 작은 저항으로 접속시키는 일. 또, 전기 회로의 절연(絕緣)이 잘 안 되어서 저항이 아주 작은 회로를 이루는 일. 단락(短絡). ㊀쇼트.

쇼:트 쇼:트 명〔short short story〕잡지 한 페이지 정도의, 매우 짧고

유머·서스펜스 따위가 담긴 소설. 공상(空想) 과학 소설이나 추리 소설적 요소를 포함하고 있는 일이 많음.

쇼:트 스커:트 〔short skirt〕 명 무릎이 덮일 정도의 길이의 스커트. ↔「롱 스커트.

쇼:트 스키: 〔short ski〕 명 스키판의 길이가 짧은 것. 대체로 110-160 cm의 것을 말하며, 주로 초보자나 연습용으로 쓰임.

쇼:트 스토:리 〔short story〕 명 단편 소설. 비교적 짧으나, 하나의 정돈된 내용을 가진 소설. 「치. 준쇼트(short).

쇼:트-스톱 〔shortstop〕 명 야구에서, 유격수(遊擊手). 또, 그 수비 위

쇼:트 아이언 〔short iron〕 명 골프에 쓰이는, 단거리용 전문(專門)의 금속제 클럽. 「에서의 접근타(打).

쇼:트 어프로:치 〔short approach〕 명 골프에서, 홀을 겨냥한 근거리

쇼:트 커트 〔short cut〕 명 ①여성의 머리형(型)의 하나. 짧게 커트한 것. 쇼트. 쇼트 헤어. ②골프에서, 굽어 있는 홀 등에서, 지름길을 노리고 치는 타법(打法). ③탁구에서, 짧게 깎아 치는 타법.

쇼:트-케이크 〔shortcake〕 명 양과자(洋菓子)의 한 가지. 카스텔라를 겹친 사이나 위에 크림 또는 과실을 얹은 것.

쇼:트 타임 〔short time〕 명 ①짧은 시간. ②〖경〗 조업 단축(操業短縮). ③창부를 상대로 하는 짧은 시간의 유흥.

쇼:트 톤 〔short ton〕 명 미국톤(美國ton). 곧, 2,000 파운드. 약 907 kg. 네트 톤. 기호는 tn 또는 net tn. ↔롱 톤(long ton).

쇼:트 트랙 〔short track〕 명 스피드 스케이팅에서 111.12 m의 짧은 트랙을 도는 경기. 1980 년 국제 빙상(氷上) 연맹으로부터 공식 경기로 인정받았음.

쇼:트 패스 〔short pass〕 명 축구·농구에서, 공을 짧게 주고받음. ——하다 타여불

쇼:트 팬츠 〔short pants〕 명 무릎 위에 오는 짧은 반바지. 흔히 운동용·레저용으로 입음.

쇼:트 펀트 〔short punt〕 명 미식 축구·럭비 등에서, 공을 짤막하게 적진 속으로 차 넣는 일.

쇼:트 프로그램 〔short program〕 명 피겨 스케이트 경기의 한 가지. 반드시 점프·스핀·스텝 등 일곱 요소(要素)의 연기(演技)를 넣어서 각자의 안무(按舞)로 2 분간 연기함.

쇼:트 필:드 〔short field〕 명 야구에서, 유격수의 수비 범위. 준쇼트.

쇼:트 헤어 〔short hair〕 명 여성의 짧은 머리형(型). 쇼트 커트.

쇼:트혼:-종 【—種】〔shorthorn〕 명 소의 한 품종(品種). 영국 원산의 육용우(肉用牛).

쇼:트 홀: 〔short hole〕 명 골프 코스에서, 250 야드 이하의 홀. 파(par) 3의 홀. 보통, 한 라운드에 네 개의 쇼트 홀이 설정되어 있음.

쇼티셰 〔도 Schottische〕 명 〖악〗 19세기에 유행한, 폴카 비슷한 2 박자의 윤무(輪舞). 또, 그 곡(曲). 쇼티시.

쇼티시 〔schottische〕 명 〖악〗 쇼티셰.

쇼팽 〔Chopin, Frédéric François〕 명 〖사람〗 폴란드의 작곡가·피아니스트. 일찌기 피아노의 신동(神童)이라는 이름을 듣고, 파리에 나와 성공, 여러 문인·예술가 등과 친교를 맺었는데, 여류 시인 상드(Sand)와의 연애는 유명함. 본래 허약한 가운데 조국애·귀족 취미 위에 성립된 섬세하고 세련된 작곡 및 피아노 연주는 '피아노의 시인(詩人)'으로까지 일컬어졌음. [1810-49]

쇼:퍼 〔chauffeur〕 명 자가용 자동차의 운전사.

쇼펜하우어 〔Schopenhauer, Arthur〕 명 〖사람〗 독일의 철학자. 유태인. 칸트의 인식론, 플라톤의 이데아론(Idea論), 인도 철학의 범신론(汎神論)과 염세관(厭世觀)을 종합한 철학 체계를 수립함. 주저(主著) 《의지와 표상(表象)으로서의 세계》에서 '세계는 나의 표상이며, 칸트의 물(物) 자체는 맹목적인 생(生)에의 의지'라 하였음. 생전에는 별로 인정되지 않았으나, 후대에 다대한 영향을 미쳤음. [1788-1860]

쇼핑 〔shopping〕 명 물건사기. 장보기. 물건을 사려 가게를 돌아다님. ——하다 자여불

쇼핑 몰: 〔shopping mall〕 명 쇼핑 공간 내에 백화점은 물론 호텔과 스포츠 레저 센터·극장·전시실·놀이 공원 등의 문화 시설을 갖춘 복합 유통장. 「일컬음. *장바구니.

쇼핑 백 〔shopping bag〕 명 산 물건을 넣는 바구니·망태기·백 따위의

쇼핑 센터 〔shopping center〕 명 한 군데에서 여러 가지 물건을 살 수 있는, 상점이 집중된 곳. 「解)《蒙法 57》.

쇽졀업다 형 〈옛〉 속절 없다. ¶ 쇽졀업슨 비화 아로몰 디녀셔(莫將閑學

쇽졀업시 부 〈옛〉 속절 없이. ¶ 末法은 쇽졀업시 似星이라 實업스니라 《月釋 Ⅸ:14》.

숀가우어 〔Schongauer, Martin〕 명 〖사람〗 독일, 후기(後期) 고딕의 대표적인 화가. 그 구도(構圖), 명암(明暗)을 취하는 방법, 묘선(描線) 등은 동시대의 독일의 화가에게 큰 영향을 주었음. 대표작은 유채화(油彩畫) 《장미원(薔薇園)의 성모(聖母)》. 또 뛰어난 동판화(銅版畫)를 많이 남겼음. [?-1491]

숄: 〔shawl〕 명 사각형 또는 직사각형으로 생긴 일종의 목도리. 주로 여성이 외출할 때에 장식·방한용으로 어깨에 걸쳐 앞에 드림. 어깨걸이.

숄:더 백 〔shoulder bag〕 명 어깨에 메는 가방.

숄:더 블로킹 〔shoulder blocking〕 명 미식 축구에서, 주로(走路)를 뚫을 때, 손을 사용하지 않고 어깨로 상대를 방해하는 플레이. 낮은 자세에서 어깨로 상대를 심하게 밀치거나 넘기거나 해서 전진(前進)을 저지하는 방어법.

숄:더 패드 〔shoulder pad〕 명 미식 축구에서, 어깨나 가슴을 보호하기 위하여 플레이어가 다는 용구(用具).

〈숄더 백〉

숄:더 패스 〔shoulder pass〕 명 농구·핸드볼 등에서, 공을 어깨 부분의 위치에 던지는 패스.

숄:라푸르 〔Sholapur〕 명 〖지〗 인도 마하라슈트라 주(Maharashtra州)의 도시. 교통과 상업의 요지로 면화의 집산(集散), 방적 공업이 성함. [514,000 명(1981)]

숄로: 〔Schawlow, Arthur〕 명 〖사람〗 미국의 물리학자. 캐나다의 토론토 대학을 나와, 1961년부터 캘리포니아 주 스탠퍼드 대학 교수로 있음. 비선형(非線型) 광학(光學)의 권위자로 레이저 광선을 이용한 원자 세계의 연구로 1981년 노벨 물리학상을 수상함. [1921-]

숄로호프 〔Sholokhov, Mikhail Aleksandrovich〕 명 〖사람〗 소련의 작가. 20세 때에 착수하여 40세에 완성한 《고요한 돈 강(Don江)》은 소련 문학의 대표작이라 불리며, 이 밖에 예민한 자연의 관찰과 섬세한 자연 묘사로 《개척(開拓)된 처녀지》 등의 거작을 발표함. 전후(戰後) 얼마 동안 침묵하다가 스탈린 비판 후 단편 《인간의 운명》을 발표하였고, 1960년에는 《개척된 처녀지》의 제2부를 30년 만에 발표하여 레닌상을 받음. 1965년 노벨 문학상 수상. [1905-84]

숄롱 〔Cholon〕 명 〖지〗 촐론. 「¶ 워크 ~.

숍 〔shop〕 명 ①상점(商店). 소매점(小賣店). ¶ 커피 ~. ②공장. 작업장.

숍-걸: 〔shopgirl〕 명 여점원(女店員). 여자 판매원.

숍-제 【—制】〔shop〕 명 노동 협약(勞動協約) 따위에서, 기업(企業)의 종업원으로서의 지위와 노동 조합원 자격과의 관계를 규정한 조항(條項)을 이름. 오픈 숍(open shop)·클로즈드 숍(closed shop)·유니언 숍(union shop) 따위가 있음.

숏 〔shot〕 명 샷(shot).

숏 피:닝 〔shot peening〕 명 〖공〗 선강 제품(銑鋼製品)의 표면 처리법의 하나. 선철(銑鐵) 또는 강철의 입상물(粒狀物)을 기계적 방법이나 압축 공기(壓縮空氣) 따위를 사용하여 두들겨서 표면 처리를 하는 일.

숏 효:과 【—効果】〔shot〕 명 〖물〗 산탄 효과(散彈效果).

숑낙 명 〈옛〉 송낙. ¶ 그립드고 즁의 숑낙나 베읍고《永言 551》.

숑ᄉᆞ 명 〈옛〉 송사(訟事). ¶ 숑ᄉᆞ숑(訟)《類合 下 21》.

숑골 명 〈옛〉 송골매. ¶ 숑골(海靑)《字會 上 15》.

숑아지 명 〈옛〉 송아지. ¶ 숑아지 독(犢)《字會 上 18》.

숑의맛 명 〈옛〉 창포(菖蒲). ¶ 숑의맛 불휘(菖蒲松衣ケ叱根)《牛方 7》.

쇠거름 명 〈옛〉 소의 걸음. ¶ 이 몰이 쇠거름 ᄀᆞ티 ᄌᆞ느ᄌᆞ느 것ᄂᆞ다(這馬牛行花塔步)《老乞 下 8》.

쇠궁치 명 〈옛〉 소의 궁둥이. ¶ 네 쇠궁치에 언저다가 주렴《永言 530》.

쇠귀나모 명 〈옛〉 쇠귀나물. ¶ 쇠귀나모 불휘(澤瀉)《濟衆》.

쇠귀ᄂᆞ물 명 〈옛〉 쇠귀나물. ¶ 쇠귀ᄂᆞᄆᆞᆯ 불휘(澤瀉)《救簡 Ⅲ:75》.

쇠머리 명 〈옛〉 소의 머리. 쇠머리. ¶ 그 뫼보오리 쇠머리 ᄀᆞᄐᆞᆯ씨 《月釋 Ⅰ:27》.

쇠멀헙 명 〈옛〉 외양간. ¶ 쇠멀헙《牛方 9》. 「77》.

쇠무룹 명 〈옛〉 쇠무릎. ¶ 쇠무룹 불휘와 닙과를(牛膝幷葉)《救簡 Ⅲ:

쇠똥 명 〈옛〉 쇠똥. ¶ 쇠똥(牛糞)《辟瘟新方 14》. 「上 16》.

쇠쁠 명 〈옛〉 쇠뿔. ¶ 늘근 쥐 쇠쁠에 드롬ᄀᆞᄐᆞ야(如老鼠入牛角)《龜鑑

쇠야지 명 〈옛〉 송아지. ¶ 쇠야지(牛犢)《同文 下 38》.

쇠졋 명 〈옛〉 우유. =쇠젖. ¶ 쇠졋 ᄯᅡ샨 이리라《楞嚴 Ⅵ:99》.

쇠졎 명 〈옛〉 우유. ¶ 쇠져즈로(牛乳)《楞嚴 Ⅲ:26》. 「49》.

쇠힘 명 〈옛〉 쇠심. ¶ 또 쇠히믈 ᄆᆞ레 돕가(又方以牛筋水浸)《救方 上

수[1] 명 생물의 남성. ¶ 암과 ~의 구별 / 수흔 ᄂᆞ라 머리 바볼求ᄒᆞ거늘(雄飛遠求食)《杜諺 ⅩⅦ:7》. ↔암[1].

수[2] 명 〈방〉 수수(함경).

수[3] 명 〈옛〉 숨. ¶ 호 수에 恩惠를 背叛호미 ᄯᅳ녀(一息에 背恩잇ᄯᅳ녀)《龜

수[4] 명 〈옛〉 숲. ¶ 叢林은 모다 난 수히오《月釋 Ⅹ:69》. 「鑑 下 55》.

수[5] 【手】 명 ①바둑·장기 같은 것에서 한 번씩 번갈아 두는 일. 또, 그 솜씨. ¶ 그보다 한 ~ 위다. ②일을 이루기 위한 수단이나 방법. ¶ 그런 ~에는 안 넘어 간다.

수[6] 【水】 명 〖민〗 오행(五行)의 하나. 방위(方位)로는 북쪽, 시절(時節)로는 겨울, 빛으로는 검정을 뜻함. 「두 개의 본관이 있음.

수[7] 【水】 명 성(姓)의 하나. 현재 우리 나라에는 강릉(江陵)·강남(江南)의

수[8] 【守】 명 〖역〗 조선 시대 때, 종친부(宗親府)·전설사(典設司)·풍저창(豐儲倉)에 두었던 정사품 벼슬.

수[9] 【守】 명 성(姓)의 하나. 우리 나라에는 현존(現存)하지 아니함.

수[10] 【秀】 명 성적(成績) 평점(評點)의 하나. 우(優)의 위로 으뜸가는 급(級)임. *미(美)·가(可).

수[11] 【受】 명 〖불교〗 십이 인연(十二因緣)의 하나. 외계의 대상으로 인하여 느끼는 희비 고락(喜悲苦樂) 등의 모든 인상 감각(印象感覺). 근(根)·경(境)·식(識)이 화합한 촉(觸)으로부터 생김.

수[12] 【洙】 명 성(姓)의 하나. 본관 미상.

수[13] 【隋】 명 〖역〗 옛날 중국에 있던 나라. 북주(北周)의 외척 양견(楊堅), 곧, 문제(文帝)가 북주의 정제(靜帝)의 선위(禪位)를 받아 세운 나라. 서울은 대흥(大興), 곧 장안(長安). 처음에는 남조(南朝)의 진(陳)을 합치고, 589년에 천하를 통일하여 집권적 제국을 수립함. 2세 양제(煬帝)는 호화를 극하고, 거대한 토목을 일으켰음. 특히 고구려를 세 번이나 침공하였으나, 도리어 대패함. 4세 공제(恭帝)에 이르러 당(唐)의 고조(高祖)인 이연(李淵)에게 망함. [581-617]

수[14] 【壽】 명 ①오복(五福)의 하나. 오래 삶. ¶ ~를 누리다. ②'나이'를 한문(漢文)식으로 높이어 일컫는 말. ③↗수명(壽命). ¶ ~를 다하다. ——하다 자여불

수[15] 【壽】 명 성(姓)의 하나. 우리 나라에는 현존(現存)하지 아니함.

수[16] 【綬】 명 ①중국에서 직인(職印)을 허리에 차는 데 쓰는 끈. ②패옥(佩玉)의 끈. ③〖역〗 후수(後綬)의 정식 이름. ④훈장·포장(褒章)·기장

(記章) 등을 다는 데 쓰는 끈.

수[17]【需】명〖민〗↗수괘(需卦).

수:[18]【數】명 ①셀 수 있는 물건의 많고 적음. ¶ ~가 많다. ②숫자(數字). ③〖수〗자연수·완전수·정수·음수·분수·무리수·실수·허수 등의 총칭. ④↗수학(數學).

수[19]【數】명 ①↗운수(運數). ¶ ~가 사납다. ②좋은 운수. ¶ ~가 나다.

수[20]【輸】명 성(姓)의 하나. 우리 나라에는 현존(現存)하지 아니함.

수[21]【隨】명〖민〗↗수괘(隨卦).

수[22]【隋】명 성(姓)의 하나. 우리 나라에는 현존(現存)하지 아니함.

수:[23]【繡】명 헝겊에 색실로 그림이나 글자 등을 떠서 놓는 일. 또, 그 그림이나 글자. 자수(刺繡). ¶ ~를 놓다.

수[24]【髓】명 ①수피(樹皮)를 제한 나무 줄기의 속 부분. 곧, 심재(心材). ②사물의 핵심. 고갱이.

수[25] 의명 ①일을 해 치우는 좋은 도리나 방법. ¶ 약을 쓸 ~ 밖에 없다/잊을 ~가 없다/그렇게 하지 않을 ~ 없다. ②일을 할 만한 능력. ¶ 큰 일을 할 ~ 있나/돈을 벌 ~ 있다.

수[26]【首】의명 ①시(詩)나 노래를 세는 단위. ¶ 시 한 ~ 읊어라/시조 한 ~를 짓다. ②마리[5]. ¶ 닭 30 ~/오리 한 ~.

수[27]〔프 sou〕의명 프랑스의 화폐 단위. 1수는 5상팀(centime)임.

수[28]【守】관〖역〗조선 시대 때 관계(官階)가 낮은 사람을 높은 직위(職位)에 앉혔을 경우에, 관계와 관직 사이에 넣어서 부르는 말. 가령 종이품인 가선 대부가 정이품직인 이조 판서가 된다고 하면 '가선 대부 수 이조 판서 모(嘉善大夫守吏曹判書某)'라고 서칭(書稱)함. ↔행(行).

수[29]【遂】부 드디어. ¶ ~ 적군 철수/~ 동장군 내습.

수-[1] 뜻 ①생물의 남성을 나타내는 말. ¶ ~개미/~캐/~탉/~평아리/~소/~은행나무. ②웅성적(雄性的)·능동적 특징을 빌려, 비유적으로 쓰는 말. ¶ ~키와/~톨쩌귀/~나사/~무지개. ↔암-. 「전.

수:-[2]【數】뜻 '여러'·'몇의'·'약간의'의 뜻. ¶ ~백만/~차(次)/~세기

-수[1]【手】미 어떤 명사 밑에 붙어 그에 종사하는 사람을 나타내는 말. ¶ 소방~/목(木)~. *-사(士).

-수[2]【囚】미 어떠한 명사 아래에 붙어서 옥에 갇혀 있는 죄인(罪人)의 어떠함을 나타내는 말. ¶ 미결~/기결~/사형~.

수가[1]【收家】명〖역〗빚 준 사람의 청구로 관아(官衙)에서 빚진 사람의 집을 압류(押留)하는 일. ——-하다 자여불

수가[2]【受呵】명 꾸지람을 들음. ——-하다 자여불

수가[3]【酬價】[—까] 명 보수(報酬)로 주는 대가(代價). ¶ 의료 보험 ~.

수가[4]【樹稼】명 상고대.

수가[5]【隨駕】명〖역〗거둥 때 임금을 모시고 따라감. ——-하다 자여불

수가[6]【讐家】명 원수의 집. 「'야곱의 샘'이 있음.

수가[7] 명〔Sychár〕〖성〗사마리아(Samaria)에 있는 촌락의 이름. 부근에

수가동-법【囚家僮法】[—뻡] 명〖역〗조선 시대 때, 양반이 죄를 범했을 때, 그 가노(家奴)가 대신 형(刑)을 받는 법. 태형(笞刑)·장형(杖刑)

수각[1]【手脚】명 팔다리. 「에 해당하는 가벼운 죄에만 적용됨.

수각[2]【水閣】명 물 가에나 물 위에 지은 정각(亭閣).

수각[3]【守閣】명〖역〗의정(議政)이 긴급한 일이 있어서 임금에게 뵈옵기를 구한 뒤에 하답(下答)이 있을 때까지, 편전의 문을 떠나지 아니하는

수:각[4]【數刻】명 서너 시간 또는 대여섯 시간. 「일.

수각-대【獸角—】명 물소 뿔로 만든 견지 낚싯대.

수각-집【水閣—】명 터가 습하여 물이 늘 나는 집.

수각 황망【手脚慌忙】명 급작스러운 일에 당황하여 어찌할 바를 모르

수간[1]【手簡】명 수서(手書). 「고 쩔쩔 맴. ——-하다 자여불

수:간[2]【數間】명 집의 두서너 칸.

수간[3]【樹間】명 나무와 나무의 사이.

수간[4]【樹幹】명 나무의 줄기. 「여불

수간[5]【獸姦】명 짐승을 상대로 성욕을 만족시키는 행위. ——-하다 자

수:간 두옥【數間斗屋】명 칸수가 몇 칸 되지 아니하는 매우 작은 집.

수간-수【樹間水】명 잎이나 가지 등에서 떨어진 수분이 모인 물.

수:간 초옥【數間草屋】명 칸수(數)가 몇 칸되지 아니하는 작은 초가(草家). 「에 속하는 간호사 중의 우두머리.

수-간호사【首看護師】명 종합 병원 등에서, 병동(病棟) 등 특정 단위

수-간호원【首看護員】명 '수간호사'의 구칭.

수갈 명〈옛〉웅검(雄劍). 주되는 칼. ¶ 수갈흔 여럿 匣애셔 울오(雄劍鳴開匣)《初杜諺 XX:1》.

수감[1]【收監】명 옥에 가두어 둠. ——-하다 타여불

수감[2]【隨感】명 마음에 느껴지는 그대로의 생각.

수감-록【隨感錄】[—녹] 명 마음에 느껴진 그대로를 적은 기록. 수필(隨筆).

수감-자【收監者】명 수감된 사람.

수감-장【收監狀】[—짱] 명〖법〗군법 회의에서, 사형·징역·금고·구류 등의 선고를 받은 자가 구금되지 아니한 때에, 그를 수감하기 위하여 검찰관이 발행하는 처분서. 효력은 구속 영장과 동일함.

조선 시대

현대

〈수갑[1]〉

수갑[1]【手匣】명 죄인이나 피의자의 행동을 부자유스럽게 하기 위하여 양쪽 손목에 걸쳐서 채우는 쇠로 만든 형구(刑具).

수갑[2]【水閘】명 [←수잡(水閘)] ①관개 시기(灌漑時期)에는 물을 가두어두고, 겨울철에는 물을 빼는 판(瓣)과 같은 설비. ②간만(干滿)의 차가 심한 항만(港灣)에서, 간만의 차에 따른 수면 상하의 영향을 차단하기 위한 수문(水門). ③운하(運河) 같은 데에서, 수위차(水位差)가 있는 수역(水域)을 연결할 때, 그 흐름을 차단하기 위한 수문(水門). 물문.

수갑[3]【戍甲】명〖역〗수졸(戍卒).

수갑-세【水閘稅】명 운하(運河) 등을 통과할 때 내는 세금.

수갑식 운하【水閘式運河】명 몇 개의 수갑(水閘)을 이용하여 수위(水位)를 조절하게 되어 있는 운하. 「다 자여불

수강[1]【受講】명 강습(講習)이나 강의(講議)를 받음. ¶ ~ 신청. ——-하

수강[2]【髓腔】명〖생〗골수(骨髓)가 들어 있는 뼈의 빈 구멍.

수강-궁【壽康宮】명〖역〗조선 세종(世宗) 1년에 부왕(父王)인 태종(太宗)을 위하여 서울 창덕궁(昌德宮) 동쪽에 지은 궁전. 성종(成宗) 14년(1481)에 중건(重建)하고 이름을 창경궁(昌慶宮)으로 고침.

수강-생【受講生】명 강의·강습 등을 받거나 받은 학생.

수강-자【受講者】명 강의·강습 등을 받거나 받은 사람.

수강-장【壽康章】[—짱] 명〖악〗아악(雅樂)의 한 악장(樂章)의 이름.

수강-증【受講證】[—쯩] 명 수강생임을 증명하는 증명서.

수개[1] 명〈옛〉수캐. ¶ 수개(牙狗)《譯語 下 32》.

수개[2]【修改】명 수리(修理)하여 고침. ——-하다 타여불

수:-개[3]【數箇】명 두서너 개.

수개[4]【樹介】명 상고대.

수-개미 명 개미의 수컷. ↔암개미.

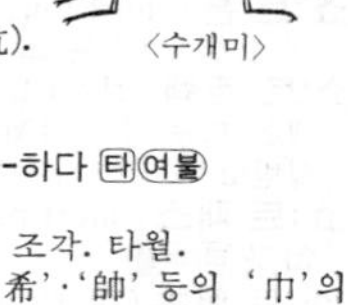

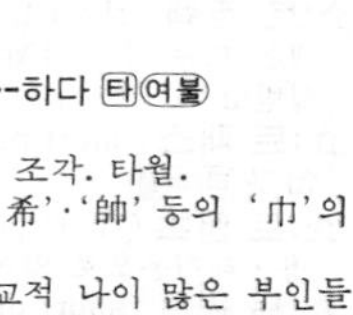

〈수개미〉

수:개-월【數箇月】명 두서너 달.

수객【瘦客】명 몹시 여윈 사람.

수갱【竪坑】명〖광〗수직갱(垂直坑). ↔횡갱(橫坑).

수거[1]【手車】명 ①손수레. ②인력거(人力車).

수거[2]【水渠】명 도랑.

수거[3]【收去】명 거두어 감. ¶ 분뇨 ~차(車). ——-하다 타여불

수-거미 명 거미의 수컷. ↔암거미.

수:건【手巾】명 손·얼굴·몸 등을 닦기 위한 헝겊 조각. 타월.

수:건-건【手巾巾】명 한자 부수(部首)의 하나. '希'·'帥' 등의 '巾'의 이름.

수:건-관【手巾冠】명 흔히 평안도 지방에서 비교적 나이 많은 부인들이 머리에 쓰는 수건 모양으로 된 헝겊. 겨울용은 겹, 봄·여름·가을용은 홑으로 함. 길이로 네 번 접어, 이마에서부터 양쪽으로 머리의 측면을 감고, 끝을 뒤에 세움.

수:건-돌리기【手巾—】명 아이들 놀이의 한가지. 술래가 빙 둘러 앉은 여러 아이들의 뒤를 돌다가 한 아이의 등 뒤에 수건을 떨어뜨린 다음 한 바퀴를 돌 때까지 모르고 앉아 있으면 그 아이가 술래가 되는 놀이.

수:건-질【手巾—】명 수건으로 몸의 물기(氣)를 닦는 짓. ——-하다 자여불

수걸【秀傑】명 재주가 뛰어나고 기상(氣像)이 걸출(傑出)함. 또, 그러한 사람. ——-하다 형여불

수검[1]【受檢】명 검사(檢査)나 검열·검정 등을 받음. ——-하다 자여불

수검[2]【搜檢】명 금제품(禁制品) 같은 것을 수색(搜索)하여 검사(檢査)함. 수험(搜驗). ——-하다 타여불

수검은줄-점불나방【—點—】[—라—] 명〖충〗뽕자지불나방.

수검-자【受檢者】명 검사나 검열을 받는 사람.

수겅-창 명〈방〉수채[1](강원).

수-게 명 게의 수컷. ↔암게.

수격[1]【手格】명 주먹을 뭉쳐 쥐고 침. 수박(手搏). ——-하다 타여불

수격[2]【首擊】명 격구(擊毬)에서, 다투어 말을 달리어 맨 먼저 공을 친 사람.

수격 작용【水擊作用】명〔water hammer〕〖물〗관 속을 가득 찬 상태로 흐르는 수류(水流)를 판(瓣)으로 급히 막을 때, 수압(水壓)의 격심한 상승으로 탄성파(彈性波)가 관내(管內)를 왕복하며, 반대로 막았던 판(瓣)을 갑자기 열 때 수압이 급속히 내려서 역시 탄성파가 관내를 왕복하는 현상.

수견[1]【收繭】명 누에가 섶에 지은 고치를 모으는 일. 고치따기. ——-하다 자여불

수견[2]【狩犬】명 사냥개. 엽견(獵犬).

수결【手決】명 옛날에 도장 대신으로 자기 직함 아래에 자필로 쓰던 일정한 자형(字形). 수례(手例). 수압(手押).

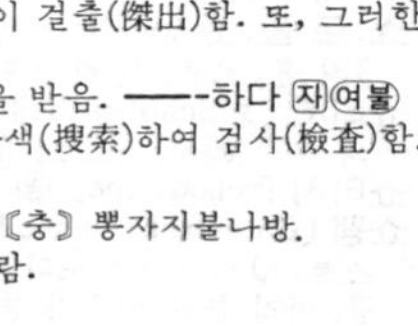

〈수결〉

수결 두다 구 수결을 쓰다.

수경[1]【水莖】명〖식〗↗수중경(水中莖).

수경[2]【水耕】명 물재배(栽培).

수경[3]【水經】명〖책〗중국 각지의 하천 수계(河川水系)를 간단히 기록한 지리서. 삼국 시대에 만들어진 것이나, 찬자(撰者)는 미상임.

수경[4]【水鏡】명 ①물이 물체의 모양을 있는 그대로 비치는 것처럼, 공평하게 사물을 관찰하며 그 형상을 통찰(洞察)하여 뭇 사람의 모범이 되는 일. 또, 그러한 사람. ②물을 거울에 비기어 일컫는 말. 거울같이 물체의 그림자를 비치는 물이라는 뜻. ③달의 이칭(異稱).

수경[5]【授經】명 경(經)을 가르쳐 줌. ——-하다 자여불

수경[6]【瘦勁·瘦硬】명 글자의 획이나 그림의 선(線) 같은 것이 가늘고도 힘이 있음. ——-하다 형여불

수경-류【鬚鯨類】[—뉴] 명〖동〗[Mystaoceti] 고래류(類)의 한 아목(亞目). 이 유(類)에 속하는 고래는 어릴 때는 이가 있으나, 자라면서 차차 경수(鯨鬚)로 바뀌어짐. 수염은 입천장 좌우에 반듯하게 나서 거의 정삼각형(正三角形)을 이룸. 북태평양 근해(近海)에서 남.

수경-법【水耕法】[—뻡] 명〖농〗물재배(栽培).

수경-성【水硬性】[—썽] 명 석회나 시멘트 등과 같이 물과 혼합하면 수화(水和)가 일어나 굳어지는 성질. 기경성(氣硬性).

수경 시멘트【水硬—】〔cement〕명 물 속에서 경화되는 시멘트.

수경-주【水經注】명〖책〗중국 북위(北魏)의 역도원(酈道元)이 지은 중국 지리책. 3세기경의 저작으로 생각되는 '수경(水經)'의 주석이거는

하나, 중국 각지를 편력한 저자의 체험과 문헌을 참고로, 중국 각지의 수로(水路)와 그 유역의 도읍·고적·산수 등을 기술하였음. 40권.

수경-증【手硬症】[—쯩] 명 〖의〗 뇌척수막염(腦脊髓膜炎)으로 인하여 손이 뻣뻣하여지는 어린아이의 병.

수경 플랜트【水耕—】[plant] 명 수경법(水耕法)에 의한 재배 설비.

수계[1]【水系】 명 〖지〗 ①지표(地表)의 물이 점차로 모여서 흐르는 계통. 수지상(樹枝狀)·격자상(格子狀)·방사상(放射狀)·환상(環狀)·망상(網狀)·평행상(平行狀) 등의 모양이 있음. 수계의 주체는 하천(河川)이지만, 여기에 딸린 호소(湖沼)도 역시 같은 수계에 속함. ②같은 성질을 가진 해수(海水)의 덩어리.

수계[2]【水界】 명 ①수권(水圈). ②수륙(水陸)의 경계.

수계[3]【水計】 명 〖기〗 ↗수면계(水面計).

수계[4]【水鷄】 명 〖조〗 비오리.

수계[5]【囚繫】 명 죄인(罪人)을 가두어서 맴. ——하다 타 여불

수계[6]【守誡】 명 〖천주교〗 계명(誡命)을 지킴. ——하다 자 여불

수계[7]【收繫】 명 옥에 가두어 구속함. ——하다 타 여불

수계[8]【受戒】 명 〖불교〗 불문(佛門)에 들어가서 중이 된 사람이 계율(戒律)을 받음. ——하다 자 여불

수계[9]【受繼】 명 계승(繼承). ——하다 타 여불

수계[10]【授戒】 명 〖불교〗 불문(佛門)에 들어가서 중이 된 사람에게 계율(戒律)을 줌. ——하다 자 여불

수계[11]【樹鷄】 명 〖조〗 들꿩.

수계 감:염【水系感染】 명 전염병 감염 경로의 하나. 물을 매체(媒體)로 하는 감염. 콜레라·장티푸스·적리(赤痢) 따위에서 볼 수 있음. 수계 전염(水系傳染).

수계-망【水系網】 명 그물처럼 널려 있는 하천(河川)·호소(湖沼) 등의 분포 형태.

수계-선【水界線】 명 〖지〗 수륙(水陸)의 경계선. 만조(滿潮)로 수심(水深)이 최고에 이르렀을 때의 수륙의 경계선을 고수선(高水線), 간조(干潮)로 수심이 최저에 이르렀을 때의 수륙의 경계선을 저수선(低水線)이라 함.

수:-계수【數係數】 명 [numerical coefficient] 〖수〗 문자와 숫자의 곱으로 된 단항식(單項式)에 있어서, 숫자 인수(數字因數)를 문자 인수(文字因數)에 대하여 일컫는 말. 예를 들면 $5x$, $6ab$, $7xy$ 등의 5,6,7은 x, ab, xy의 수계수임. 숫자 계수(數字係數). ↔문자 계수.

수계 전염【水系傳染】 명 수계 감염.

수계 전염병【水系傳染病】[—뼝] 명 〖의〗 수인성(水因性) 전염병.

수:고[1] 명 일을 하는 데 힘을 들이고 애를 씀. ¶추운데 ~하십니다. ——하다 자 여불

수고[2]【水鼓】 명 〖민〗 물에 바가지를 엎어 놓고 두드려 소리를 내는 장구. 물장구.

수고[3]【手鼓】 명 〖악〗 우리 나라의 속악 민요(俗樂民謠) 악기. 직경 약 30cm의 가죽을 양면에 팽팽하게 치고, 짧은 자루를 단 소형(小形)의 북.

수고[4]【受膏】 명 〖천주교〗 성유(聖油)를 머리에 뿌려 받음. ——하다 자 여불

〈수고³〉

수고[5]【搜攷】 명 이것저것 찾아서 상고함. ——하다 타 여불

수고[6]【愁苦】 명 수심(愁心)으로 괴로워함. 근심 걱정으로 고생함. ——하다 자 여불

수고[7]【壽考】 명 오래 삶. ——하다 자 여불

수고[8]【樹高】 명 나무의 높이. 나무의 키.

수고[9]【邃古】 명 아득한 태고 시대(太古時代). 아득한 옛날.

수:고-롭다 형 ㅂ불 일을 처리하기에 괴롭고 힘이 들다. 수:고-로이 부

수:고-스럽다 형 ㅂ불 일을 하기에 수고로움이 있다. 수:고-스레 부

수-고양이 명 고양이의 수컷. 준수괭이. ↔암고양이.

수고-자【受膏者】 명 〖천주교〗 성유(聖油)를 머리에 뿌려 받아 성화(聖化)한 사람.

수고-장【守考章】[—짱] 명 용비 어천가 제93장의 이름.

수곡【收穀】 명 곡식을 거둬 들임. ——하다 자 여불

수곡-도【水穀道】 명 창자.

수곡-리【水穀痢】 명 〖한의〗 음식에 체하여 설사하는 병.

수곡-선【垂曲線】 명 〖수〗 밀도(密度)가 한결같고 자유롭게 굽을 수 있는 새끼·노·쇠사슬 같은 것을 양쪽 끝을 매어 중간을 자유로이 처뜨릴 때, 이것이 연직 평면(鉛直平面) 안에서 중력(重力)에 의하여 만들어지는 곡선. 두 전주(電柱) 사이에 늘어진 전선(電線)의 곡선 같은 것. 현수선(懸垂線).

〈수곡선〉

수골[1]【手骨】 명 〖생〗 손가락 끝에서 손목까지에 이르는 뼈. 완골(腕骨)·장골(掌骨)·지골(指骨)로 됨.

수골[2]【收骨】 명 ①화장하고 남은 뼈를 거두어들임. ②흩어진 뼈를 매장하기 위하여 주워 모음.

수골[3]【壽骨】 명 오래 살 수 있게 생긴 골격(骨格).

수-곰 명 곰의 수컷. ↔암곰.

수공[1]【手工】 명 ①손으로 하는 공예(工藝). ②〖교〗 공작 교과목의 구칭.

수공[2]【水工】 명 〖역〗 대궐 안의 각사(各司)에 속한 아랫도리 사람. 마당을 쓸고 물을 긷고 하는 등의 일을 하였음.

수공[3]【水孔】 명 〖식〗 물구멍❸.

수공[4]【手功】 명 손공(功).

수공[5]【水攻】 명 성(城)을 공략하는 전법(戰法)의 하나. 물길을 끊어 성 안의 적에게 물을 주지 않거나 성 밖의 큰 물을 끌어다가, 성을 침수(浸水)시켜 항복을 받는 공성법(攻城法).

수공[6]【垂拱】 명 옷소매를 늘어뜨리고 팔짱을 낀다는 뜻으로, 아무 일도 하지 아니하고 남 하는 대로 내버려 두는 일. ——하다 자 여불

수공[7]【首功】 명 적장의 머리를 벤 공훈.

수공[8]【殊功】 명 특수(特殊)한 공로(功勞). 뛰어난 공훈. 수적(殊績).

수공-구【手工具】 명 공작에 사용하는 공구. 쇠톱·톱·줄·대패·끌·송곳·칼 따위.

수공법 채:유【水攻法採油】[—뻡—] 명 채유정(採油井) 주위에 우물을 파고 물을 부어 넣음으로써 지하의 유층(油層)에 있는 석유를 그 물로 밀어 내어서 한 곳에 모이게 하여, 채유하는 방법. 묵은 유전(油田)에 대하여 이 방법이 쓰임.

수공-업【手工業】 명 〖공〗 중소 공업의 생산 형태. 기계를 사용하지 아니하고 주로 손을 놀려서 간단한 기구를 사용, 주문(注文)에 응하여 소량으로 생산하는 소규모의 공업. ↔기계 공업. *가내 공업.

수공업 길드【手工業—】[guild] 명 동직 조합(同職組合).

수공업-자【手工業者】 명 수공업을 업(業)으로 삼는 사람.

수공-품【手工品】 명 수공으로 만든 물품.

수-공학【水工學】 명 [hydraulic engineering] 하수 처리장·정수장(淨水場)·댐·수력 발전소 등의 설계·건설·공사에 관계되는 토목 공학의 한 분야.

수-공후[1]【手箜篌】 명 〖악〗 수(竪)공후보다 작고, 가는 철사로 줄을 맨 공후(箜篌)의 하나.

수-공후[2]【竪箜篌】 명 〖악〗 공후의 하나. 활 모양의 나무통에 짐승의 심줄로 만든 줄 21현(絃)을 맨 현악기(絃樂器). 하프와 비슷한 음색(音色)을 내며 음량(音量)이 크고 아름다움.

수과[1]【水瓜】 명 〖식〗 수박.

수과[2]【守瓜】 명 〖충〗 외잎벌레.

수과[3]【瘦果】 명 [achene] 〖식〗 건조과(乾燥果) 중의 폐과(閉果)의 하나. 과피(果皮)는 말라서 목질(木質)이나 혁질(革質)이 되고, 속에 한 개의 씨가 들어 있어 과육(果肉)에 단단히 붙어 있지 아니하며, 종피(種皮)에서 떨어져 있음. 겉으로 보기에는 마치 씨처럼 생겼으며 작고, 여물어도 열개(裂開)하지 않음. 메밀·민들레·비단쑥·마편초·쪽·여뀌·할미꽃 등의 열매가 이것임. 장미과(薔薇果).

〈수과³〉

수과[4]【樹果】 명 나무의 열매.

수곽【水廓】 명 ①강가나 바닷가에 있는 촌락(村落). 수촌(水村). 수향(水鄕). ②〖생〗 →수확(水廓).

수관[1]【水管】 명 ①[water tube] 물을 필요한 장소로 통하여 흐르게 하는 관. ②[siphon] 〖동〗 연체 동물(軟體動物) 중 복족류(腹足類)나 부족류(斧足類)의 호흡구(呼吸口) 부분이 외투막(外套膜)의 일부가 변하여 대롱 모양으로 되어 있는 기관. 몸 밖의 물을 외투강 안에 보내어 호흡 작용을 함.

수관[2]【水罐】 명 떠서 먹을 물을 담아 두는 그릇. 주전자.

수관[3]【水觀】 명 ①물가의 조망(眺望). ②〖불교〗 수상관(水想觀).

수관[4]【收管】 명 죄인을 보관함. ——하다 타 여불

수관[5]【受灌】 명 〖불교〗 관정(灌頂)을 받음. ——하다 자 여불

수관[6]【修觀】 명 〖불교〗 마음의 본성을 살피는 일에 관한 수행. ——하다 자 여불

수관[7]【竪罐】 명 적고 압력이 낮은 증기를 발생하는 데에 쓰이는, 곧게 선 원통형의 증기관(蒸氣罐). 구조가 간단하고 운반하기 쉬우며, 장소를 가리지 아니하고 설치할 수 있는 것이 그 특징이며, 또 값이 싸고 비용이 덜 듦.

수관[8]【樹冠】 명 [crown] 〖식〗 나무의 줄기 위에 있어 많은 가지가 달려 있는 부분. 잎이 충분한 빛을 받지 않으면, 가지가 말라 죽으므로 수관의 발달 상태는 양광(陽光)과 밀접한 관계가 있는 것으로, 외따로 서 있는 나무는 수관이 길며, 숲 속에 있는 나무의 수관은 아주 작음. 침엽수(針葉樹)의 수관은 원뿔꼴 비슷한 모양이며, 활엽수의 수관은 반구형(半球形)이나 부채 모양임. 수관이 모여서 임관(林冠)을 이룸.

수관-계【水管系】 명 [water-vascular system] 〖동〗 극피 동물(棘皮動物)에 특유(特有)한 운동 기관. 몸 속에 방사형(放射形)으로 뻗은 관상 기관(管狀器官)의 계통으로, 쳇불 모양으로 뚫린 구멍에서 시작하여 몸 밖으로 솟은 관족(管足)에서 끝남. 내부에는 바닷물이 차 있는데, 관족으로써 운동하거나 호흡하며 촉각(觸角)을 움직임. 또는 관 전체로써 순환기(循環器)의 구실을 함. 보관계(步管系).

수관식 보일러【水管式—】[boiler] 명 〖공〗 보일러의 한 가지. 다수의 작은 수관에 물을 통하게 하고, 관의 바깥 둘레를 연소 가스(燃燒gas)로 가열해서 증기(蒸氣)를 발생하게 하는 가마. 고온(高溫) 고압(高壓)의 증기를 대량으로 얻을 수 있는 가장 대표적인 것으로, 횡경사관형(橫傾斜管型)과 종경사관형(縱傾斜管型), 수직관형(垂直管型)과 곡관형(曲管型)으로 대별됨. 워터 튜브 보일러(water tube boiler).

수관-율【樹冠率】[—뉼] 명 〖식〗 나무의 높이에 대한 수관의 길이의 비. 숲 속 나무 상호간의 간섭(干涉)의 정도를 나타내는 율.

수관 착정기【水管鑿井機】 명 〖기〗 착정기의 하나. 철관(鐵管)의 끝에 송곳 같은 것을 달아 구멍을 뚫으며, 또 관 속으로 물을 보내어 그 안에 생기는 암석 찌끼를 씻어 내어 물과 함께 관 밖으로 끌어 올려 내는 기계.

수:-관형사【數冠形詞】 명 〖언〗 명사나 의존 명사 앞에 붙어 수량을 표시하는 관형사. '세 사람'·'두 자' 등의 '세'·'두' 따위.

수괄【收括】 명 뭉뚱그림. ——하다 타 여불

수광-량【受光量】[—냥] 명 자연히 생육하는 식물체 또는 그 잎이 받는 빛의 양. 식물이 생육하는 데 필요한 빛의 최소량을 최소 수광량이라고 함.

수광-벌【受光伐】 명 〖농〗 삼림(森林)을 가꾸는 한 방법. 생장이 왕성한 나무에, 넓은 생장 구역(生長區域)을 베풀고 충분한 햇빛과 양분을 주기 위하여 주위의 잘 안 자라는 다른 초목을 베어 내는 일.

수-괘[1]【需卦】 명 〖민〗 육십사 괘(卦)의 하나. 감괘(坎卦)와 건괘(乾卦)

가 거듭된 괘로서, 하늘에 구름이 오름을 상징함. ㊌수(需).

수괘²【樹掛】명 상고대.

수-괘³【隨卦】명〖민〗육십사 괘의 하나. 태괘(兌卦)와 진괘(震卦)가 거듭된 괘로서, 못 가운데 우뢰가 있음을 상징함. ㊌수(隨).

수-괭이 명 ↗수고양이. ↔암괭이.

수괴¹ 명〈옛〉수고양이. ¶수괴(郞猫)≪譯語 下 32≫.

수괴²【水塊】명〖해〗수온(水溫)·염분(塩分)·물빛·투명도(透明度)·플랑크톤 분포(分布) 등이 비교적 고른 해수(海水)의 한 더미. 이것들의 여러 요소(要素) 중 하나만 같은 것을 수계(水系)라 함.

수괴³【水槐】명〖한의〗고삼(苦蔘)❷.

수괴⁴【首魁】명 괴수(魁首).

수괴⁵【殊怪】명 수상하고 괴이함. ——하다 형여불. ——히 부

수괴⁶【羞愧】명 부끄럽고 창피스러움. 수치(羞恥). ¶여자의 ~한 마음으로 차마 먼저 말을 묻지 못하다. ——하다 형여불. ——히 부

수괴 무면【羞愧無面】명 부끄럽고 창피스러워 볼 낯이 없음.

수괴-스럽다¹【殊怪—】형ㅂ불 수상하고 괴이한 데가 있다. 수상하고 괴이한 태도가 보이다. 수괴-스레【殊怪—】부

수괴-스럽다²【羞愧—】형ㅂ불 부끄럽고 창피스러운 느낌이 있다. 수괴-스레【羞愧—】부

수교¹【手巧】명 손재주.

수교²【手交】명 손수 내어 줌. 손수 전하여 줌. ——하다 타여불

수교³【手敎】명〖역〗훈작(勳爵)을 봉할 때 공신(功臣)에게 내리는 책명(策命).

수교⁴【受敎】명〖역〗조선 시대 때, 각사(各司)에 하달(下達)된 임금의 교명(敎命).

수교⁵【垂敎】명 가르침을 내림. 또, 받음. 수시(垂示). ——하다 자여불

수교⁶【首校】명〖역〗각 고을에 배속된 장교의 우두머리.

수교⁷【修交】명 나라와 나라 사이에 교제를 맺음. ——하다 자여불

수교⁸【樹膠】명 ①나무의 끊은 자리나 껍질에서 생기는 진. ②'고무'의 중국 이름.

수교⁹【讎校】명 다른 것과 대조하여 교정(校正)함. ——하다 타여불

수교-서【手交書】명 상대에게 직접 수교한 문서. 수교한 서류.

수-교위 명 반죽한 밀가루를 얇게 빚어서, 그 속에 잘게 썬 쇠고기·오이 같은 것으로 소를 넣고 만두 모양으로 찐 음식.

수교 조약【修交條約】명 국교를 열기로 정하는 조약.

수교 집록【受敎輯錄】[—녹] 명〖책〗≪대전 후속록(大典後續錄)≫ 간행 후의 수교(受敎)를 수집 편찬한 법전. 김수항(金壽恒)·김수흥(金壽興)·남구만(南九萬) 등이 영의정으로서 편집을 총령(總領)하고 이익(李翊)·윤지완(尹趾完) 등이 왕명을 받아 조선 숙종(肅宗) 24년(1698)에 반포함. 이(吏)·호(戶)·예(禮)·병(兵)·형(刑)·공(工)의 6전(典) 체계로 편집되었음. 6권 2책.

수교 포장【修交褒章】명 국권(國權)의 신장(伸張) 및 우방과의 친선에 뚜렷한 공을 세운 사람 또는 국위 선양(國威宣揚)에 크게 이바지한 사람에게 수여하는 포장. 수(綬)는 소수(小綬)이며, 담홍색 바탕 중앙에 진갈색 줄이 한 줄 있음.

수교 훈장【修交勳章】명 국권(國權)의 신장(伸張) 및 우방과의 친선에 공헌이 있는 사람 또는 임지(任地)로 부임하는 외교관과 정부 대표, 정부에서 필요하다고 인정하는 수행원(隨行員)에게 품위 유지의 의례적 장식용으로 수여되는 훈장. 광화 대장(光化大章) 및 광화장(光化章)·흥인장(興仁章)·숭례장(崇禮章)·창의장(彰義章)·숙정장(肅靖章)의 5등급이 있음.

〈수교 포장〉

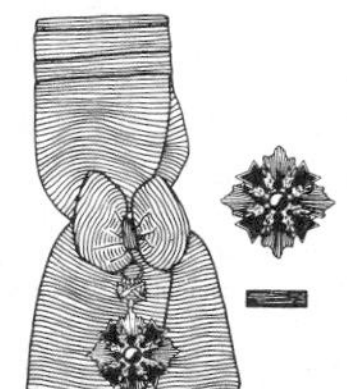

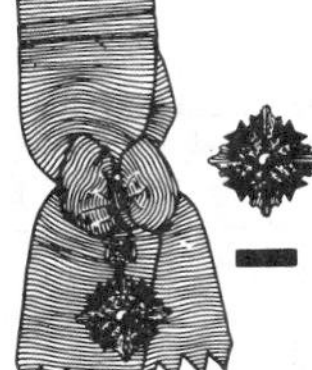
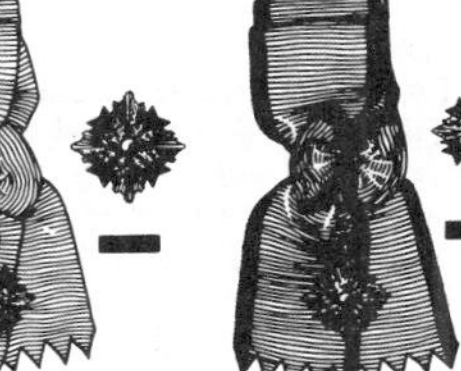
광화 대장 광화장 흥인장

수교 훈장 광화 대:장【修交勳章光化大章】명 제1등급의 수교 훈장. 수상(首相) 및 국가 원수급(元首級) 인사에게 수여됨. 수(綬)는 대수(大綬)이며 담홍색임.

수교 훈장 광화장【修交勳章光化章】명 제1등급의 수교 훈장. 장관급(長官級) 인사에게 수여됨. 수(綬)는 대수(大綬)이며 담홍색임.

수교 훈장 숙정장【修交勳章肅靖章】명 제5등급의 수교 훈장. 수(綬)는 소수(小綬)이며, 담홍색 바탕에 진갈색 줄이 두 줄 있음.

수교 훈장 숭례장【修交勳章崇禮章】[—네—] 명 제3등급의 수교 훈장. 수(綬)는 중수(中綬)이며, 담홍색 바탕에 진갈색 줄이 여섯 줄 있음.

숭례장 창의장 숙정장
〈수교 훈장〉

수교 훈장 창:의장【修交勳章彰義章】[—/—이—] 명 제4등급의 수교 훈장. 수(綬)는 소수(小綬)이며, 담홍색 바탕에 진갈색 줄이 넉 줄 있음.

수교 훈장 흥인장【修交勳章興仁章】명 제2등급의 수교 훈장. 수(綬)는 대수(大綬)이며, 담홍색 바탕에 진갈색 줄이 두 줄 있음.

수구¹【水口】명 ①물이 흘러 들어오거나 흘러 나가는 아가리. ②〖민〗풍수 지리(風水地理)에서, 득(得)이 흘러간 곳.

수구²【手具】명 체조(體操) 등을 할 때, 손에 가지는 도구.

수구³【水狗】명〖동〗물개❶.

수구⁴【水球】명 수상(水上) 경기의 한 가지. 농구(籠球)와 비슷한데, 가로 30 m, 세로 20 m의 풀(pool) 안에서 각각 일곱 사람씩 짠 두 편이 서로 물 위에 뜬 공을 헤엄을 쳐서 상대방의 골(goal) 속에 집어넣기를 겨룸. 경기 시간은 전후반 각각 15분. 1900년부터 올림픽 경기 종목으로 인정됨. 워터 폴로(water polo).

수구⁵【守口】명 비밀을 지킴. 말을 삼감. ——하다 자여불

수구⁶【守舊】명 구습(舊習)을 지킴. ——하다 자여불

수구⁷【秀句】명 뛰어난 시구(詩句).

수구⁸【首句】명 시문(詩文)의 첫 구. 기구(起句).

수구⁹【首丘】명 수구 초심(首丘初心).

수구¹⁰【隋寇】명 수나라의 도적.

수구¹¹【愁懼】명 근심하며 두려워함. 슬퍼하고 두려워함. ——하다 타여불

수구¹²【搜求】명 수색(搜索). ——하다 타여불

수구¹³【需求】명 필요하여 찾아 구하는 일. ——하다 타여불

수구¹⁴【壽具】명 사람이 죽은 뒤 소렴(小殮)과 대렴(大殮)을 할 때에 쓰는 옷·버선·이불·베개 등의 총칭.

수구¹⁵【瘦軀】명 빼빼 마른 몸.

수구-가【守舊家】명 옛 관습을 그대로 지키는 보수적인 사람.

수구-당【守舊黨】명 ①옛 제도를 지키기를 주장하는 당파. ②〖역〗근세 조선 고종(高宗) 때에, 왕비(王妃)인 민비(閔妃)와 민태호(閔台鎬)·민승호(閔升鎬)·민영익(閔泳翊) 등 민씨 일파가 중심이 되어 청(淸)나라 세력에 의지, 현상을 유지하며 구습(舊習)을 답습(踏襲)하여 계속 정권을 유지하려던 무리. 매사에 있어 혁신적인 개화당(開化黨)과 대립하였음. ③〖역〗근세 조선 대원군의 집정 때에, 대원군을 수령으로 하여 최익현(崔益鉉) 등이 중심이 되어 대외 통상을 반대하며, 구래의 쇄국 정책을 답습하려던 유생(儒生)들의 무리. 대일(對日) 국교 이래 수구당의 세력은 줄고 대신 개화당이 득세하게 되었음. 사대당(事大黨). 1)-3): ↔개화당.

수구렁 명〈방〉수령.

수-구렁이 명 구렁이의 수컷. ↔암구렁이.

수구레 명 ①쇠가죽에서 벗겨 낸 질긴 고기. ②〖광〗지형 관계로 굴을 바짓가랑이 밑으로 넣고 몸을 구부리어 망치질하여야 하는 납포 구멍.

수구레-편 명 수구레를 고아서 굳힌 음식.

수구릿-과【—科】명〖어〗[Rhinobatidae] 판새류(板鰓類) 가오리목(目)에 속(屬)하는 연골어류(軟骨魚類)의 한 과. 동(胴)수구리·가래상어 따위가 이에 속함.

수구-막이【水口—】명〖민〗풍수 지리(風水地理)에서 쓰는 말로, 골짜기에서 흐르는 물이 멀리 돌아 흘러서, 하류(下流)가 보이지 않게 된 땅의 형세. 수구 장문(水口藏門). 수살막이.

수구-문【水口門】명 ①성 안의 물이 흘러 나가는 수구에 있는 문. ②〖지〗'광희문(光熙門)'의 이칭(異稱).

【수구문 차례(次例)】㉠여럿이 둘러앉아 술을 마실 때 순배가 나이 많은 사람에게 먼저 가는 것을 조롱하여 일컫는 말. ㉡늙고 병들어 죽을 때가 가까운 사람을 두고 하는 말.

수구 보살【隨求菩薩】명〖불교〗대(大)수구 보살을 이름. 대수구 다라니(陀羅尼)의 공덕(功德)을 구현(具顯)한 것으로, 중생(衆生)의 원하는 바에 따라 고액(苦厄)을 제거하므로 이 이름이 있음.

수구-산【水口山】명〖지〗수이커우산(水口山).

수구-스럽다 형ㅂ불 ☞수고스럽다.

수구 여병【守口如甁】명 비밀을 잘 지켜서 남에게 알리지 아니함을 일컫는 말.

수구 장문【水口藏門】명〖민〗수구막이.

수구 즉득다라니【隨求即得陀羅尼】명〖불교〗수구 보살이 본원으로 하는 것으로, 일체의 죄장(罪障)을 멸하고 소원대로 즉시 복덕을 얻게 한다는 다라니. *오대 진언(五大眞言).

수:구지-가【數口之家】명 식구가 두셋 또는 대여섯 되는 집.

수구 체조【手具體操】명 손에 수구(手具)를 들고 하는 체조. 남자의 곤봉 체조, 여자의 신체조(新體操) 따위.

수구 초심【首丘初心】명 여우가 죽을 때 머리를 자기가 살던 굴로 향한다는 말로서, 고향을 그리워하는 마음을 일컫는 말. 수구(首邱).

수구-파【守舊派】명 수구당(守舊黨)의 사람들.

수:구-화【繡毬花】명〖식〗수국(水菊).

수국¹【水國】명 ①바다의 세계. ②물나라.

수국²【水菊】명〖식〗①수국과에 속하는 넌출수국·산수국·동수국 등의 총칭. ②[*Hydrangea macrophylla*] 수국과에 속하는 낙엽 활엽 관목. 높이 1 m 가량이고, 잎은 넓은 타원형에 톱니가 있음. 6-7월에 홍색 또는 청자색(青紫色), 구상(球狀)의 부등화(不登花)가 취산(聚繖) 화서로 피고 열매는 결실을 보지 못함. 절이나 인가(人家) 부근에 재배하는데, 전북·충남·경기 및 중국·일본 등에 백색·담홍색·짙은 청색 등의 개량 품종이 분포함. 관상용. 꽃을 건조하여 해열(解熱)의 약재로 씀. 분단화(粉團花). 수구화(繡毬花). 자양화(紫陽花). 팔선화(八仙花).

〈수국²❷〉

수국-과【水菊科】명〖식〗[Hydrangeaceae] 쌍자엽 식물 이판화구(離瓣花區)에 속하는 한 과.

수-국사【修國史】명〖역〗고려초 사관(史館)의 한 벼슬. 감수 국사(監修國史)의 다음으로, 이품(二品) 이상의 벼슬아치가 겸임함. 감수국사(監修國史)의 아래. *동수국사(同修國史).

수군【水軍】명 ①〖역〗조선 시대 때, 물 위를 방위하던 군대. 지금의 해군(海軍). 수사(水師). 주사(舟師). 주군(舟軍). ②〖역〗수군에 딸린 병

졸(兵卒). 칠반 천역(七般賤役)의 하나로, 천히 여겼음. ③〖군〗 해군.

수군-거리다 자타 목소리를 낮추어 남이 알아듣지 못하게 비밀히 말하다. ¶ 두 사람이 무언가 ~/남의 말을 ~. ㅆ쑤군거리다. >소곤거리다. 수군-수군 부. ——-하다 자타여불

수군-대다 자타 수군거리다.

수군덕-거리다 자타 제멋대로 마구 수군거리다. ㅆ쑤군덕거리다. 수군덕-수군덕 부. ——-하다 자타여불

수군덕-대다 자타 수군덕거리다.

수군 도안무 처:치사 【水軍都按撫處置使】 명 〖역〗 조선 세종(世宗) 2년(1420)에 수군 도절제사(水軍都節制使)를 고친 이름. 뒤 세조(世祖) 12년(1466)에 수군 절도사(水軍節度使)로 고침.

수군 도절제사 【水軍都節制使】 [—쩨—] 명 〖역〗 조선 태조 때의 수군(水軍)의 으뜸 군직(軍職). 세종(世宗) 2년(1420)에 수군 도안무 처치사(水軍都按撫處置使)로 이름이 바뀜.

수군 동첨절제사 【水軍同僉節制使】 [—쩨—] 명 〖역〗 조선 때의 무관(武官)의 외관직(外官職)의 하나. 절도사(節度使) 관할에 딸린 진(鎭)의 군직(軍職)으로 전임(專任)인 경우는 종사품임. 수군 첨절제사(僉節制使)의 아래. ↔병마(兵馬) 동첨절제사. *동첨절제사(同僉節制使).

수군 만:호 【水軍萬戶】 명 〖역〗 조선 시대 때, 각 도(道)에 있는 수군의 수영(水營)에 딸린 종사품(從四品)의 외직 무관(外職武官)의 하나. 수군 우후(水軍虞候)의 아래. ↔병마(兵馬) 만호. *만호(萬戶).

수군 우:후 【水軍虞侯】 명 〖역〗 조선 시대 때, 충청·경상·전라도에 있는 수군의 각 수영(水營)에 딸린 정사품(正四品)의 외직 무관(外職武官). 수군 만호(萬戶)의 위. 수군 첨절제사(水軍僉節制使)의 다음가는 직위임. ↔병마(兵馬) 우후. *우후(虞侯).

수군 절도사 【水軍節度使】 [—또—] 명 〖역〗 조선 시대 때, 각 도(道)에 있는 수군의 진수부(鎭守府)인 수영(水營)에 딸린 정삼품의 외직(外職) 무관. 각 수영의 수군을 통솔·지휘하던 으뜸 벼슬로, 당상관(堂上官)임. 수군 첨절제사의 위. 그 전의 수군 도안무 처치사(水軍都按撫處置使)를 세조(世祖) 12년(1466)에 이 이름으로 고친 것. ㊟수사(水使)·절도사(節度使). ↔병마(兵馬) 절도사.

수군 첨절제사 【水軍僉節制使】 [—쩨—] 명 〖역〗 조선 시대 때, 각 도(道)에 있는, 수영(水營)에 딸린 종삼품의 외직 무관(外職武官). 각 수영의 버금 벼슬로 수군 절도사(水軍節度使)에 다음가며, 수군 우후(水軍虞侯)의 위임. ↔병마(兵馬) 첨절제사. *첨절제사.

수군 통:제사 【水軍統制使】 명 〖역〗 조선 중기에 신설된 종2품 외관직 무관. 경상·전라·충청도 등 삼도의 수군을 지휘·통솔하던 수군 총사령관. 삼도 통제사(三道統制使), 삼도 수군 통제사, 또는 통곤(統閫)이라고도 함.

수굿수굿-하다 형여불 여럿이 모두 수굿하다. >소곳소곳하다.

수굿-이 부 수굿하게. ¶ …나는 그저 ~ 길잡이 노릇만을 하면서 집까지 꼬시고 들어왔다《桂鎔默 : 시골 노파》.

수굿-하다 형여불 ①좀 숙은 듯하다. ②흥분이 좀 누그러진 듯하다. [1)·2): >소곳하다.

수궁¹ 명 〈방〉 수채¹(충북).

수궁² 【水宮】 명 물 속에 있다고 하는 용궁(龍宮).

수궁³ 【守宮】 명 궁전(宮殿)을 지킴. ——-하다 자여불

수궁⁴ 【守宮】 명 〖동〗 도마뱀붙이.

수궁⁵ 【壽宮】 명 나라에서 미리 만들어 두는 임금의 관(棺).

수:궁⁶ 【數窮】 명 운수가 흉함. ——-하다 형여불

수궁-가 【水宮歌】 명 〖문〗 판소리 열두 마당의 하나. '토끼전(傳)'을 창극조로 엮은 것. 토끼 타령(打令). 별주부전(鼈主簿傳). 토별가(兎鼈歌).

수궁 대:장 【守宮大將】 명 〖역〗 임금이 성문(城門) 밖에 거둥하여 궁 안을 비울 때에, 궁문을 지켜 대궐을 호위하는 무관의 임시직. 경관직(京官職)으로, 정이품 이상의 당상관이 이 임(任)에 당함.

수궁빨치 명 〈방〉 수채¹(강원).

수궁-서 【守宮署】 명 〖역〗 고려 때의 관서. 지방의 공포(貢布)에서 장막(帳幕)을 지어 궁중 및 각 관아의 쓰임에 당하던 곳.

수-궁즉설 【獸窮則齧】 명 짐승은 궁지에 몰리면 문다는 뜻으로, 사람도 궁하면 나쁜 짓을 한다는 비유.

수권¹ 【水圈】 [—꿘] 명 [hydrosphere] 〖지〗 지구 상에서 물, 곧 해양·하천·호수·지하수·빙하 등이 차지하고 있는 총지역. 기권(氣圈)과 암석권(岩石圈)의 중간에 있어 지구 구성의 한 요소가 되며, 그 면적은 지구의 70.8%, 해양은 전수권의 98%를 차지함. 수계(水界). ↔기권(氣圈)·암석권(岩石圈).

수권² 【受權】 [—꿘] 명 국민의 투표로 정권을 인수하는 일.

수권³ 【垂眷】 명 자애를 베풂. 권애(眷愛)함.

수권⁴ 【首卷】 명 여러 권으로 된 한 벌 책의 그 첫째권.

수권⁵ 【殊眷】 명 특별한 권애(眷愛).

수권⁶ 【授權】 [—꿘] 명 〖법〗 일정한 자격·권리·권한 따위를 특정인에게 부여하는 일. 협의(狹義)로는 대리권(代理權)을 수여(授與)하는 일. ¶ ~설. [넣어 두는 우리.

수권⁶ 【獸圈】 [—꿘] 명 ①짐승이 서식하고 있는 권내(圈內). ②짐승을

수권-관 【收卷官】 명 〖역〗 과장(科場)에서 시권(試卷)을 걷는 벼슬아치.

수권-법 【授權法】 [—꿘뻡] 명 [도 Vermächtigungsgesetz] 〖법〗 법률의 위임을 정하는 법률. 특히, 광범한 포괄적인 법률의 위임을 정할 때 씀. 1933년의 나치스 국민 혁명 때의 수권법 따위.

수권 자본 【授權資本】 [—꿘—] 명 [authorized capital] 〖경〗 주식 회사에 있어서 장차 발행할 권한을 받은 주식 총수(株式總數). 설립할 때에 발행되지 않은 미발행주(未發行株)를 이사회(理事會)의 결의에 의하여 수시 발행함. 영국과 미국에서 발달한 제도로 자본 증가에 의한 정관(定款)의 변경이 필요하지 아니하며, 주주의 권한이 약화되고, 더욱 사업 예산에 대한 자본 조달의 융통성이 많음. 공인(公認) 자본. *발행필 주식.

수권 자본제 【授權資本制】 [—꿘—] 명 〖경〗 주식 회사 설립에 있어서 수권 자본의 일부에 해당하는 주식을 발행하고, 설립 후에 나머지 주식을 발행할 수 있게 된 제도. [진 정당.

수권 정당 【受權政黨】 [—꿘—] 명 차기 정권을 인수할 태세가 갖추어

수권 주식 【授權株式】 [—꿘—] 명 〖경〗 주식 회사에서, 회사가 발행할 주식의 총수(總數). 곧, 수권 자본 제도 하에서 정관(定款)에, 회사가 발행할 수 있는 것으로서 예정된 주식을 이름.

수권-학 【水圈學】 [—꿘—] 명 〖지〗 수권에 대하여 연구하는 지리학. 해양학(海洋學)·육수학(陸水學)·호소학(湖沼學)·하천학(河川學)·지하수학(地下水學)·빙하학(氷河學) 등.

수권 행위 【授權行爲】 [—꿘—] 명 〖법〗 대리권을 발생시키는 법률 행위. 본인과 대리인과의 합의로 성립됨.

수귀¹ 【水鬼】 명 ①물을 다스린다고 하는 귀신. 물귀신. ②항해 중에 보이는 괴물(怪物).

수귀² 【水龜】 명 〖동〗 남생이.

수귀리 명 〈방〉 〖어〗 귀상어.

수규¹ 【守閨】 명 〖역〗 조선 시대에 세자궁에 딸린 내명부(內命婦)의 하나. 품계는 종6품.

수규² 【首揆】 명 〖역〗 '영의정(領議政)'의 별칭.

수균 【銹菌】 명 〖식〗 녹균.

수그러-지다 자 ①푹 깊이 숙어지다. ¶ 머리가 ~. ②사납던 기세가 누그러지다. ¶ 불길이 ~.

수그리다 타 ①푹 깊이 숙이다. ②사납던 기세를 누그러뜨리다.

수-극화 【水克火】 명 〖민〗 오행(五行)의 운행(運行)에서 수(水)가 화(火)

수근¹ 【水芹】 명 〖식〗 미나리. [를 이긴다는 뜻.

수근² 【水根】 명 〖농〗 ①논에 댈 물이 나오는 곳. *수원(水源). ②〖식〗 물 속에 뻗어 있어 양분을 빨아 들이는 뿌리. 개구리밥과 같은 수생 식물(水生植物)의 뿌리가 이에 속함. 물뿌리. *기근(氣根).

수근³ 【樹根】 명 나무의 뿌리.

수근⁴ 【鬚根】 명 〖식〗 수염뿌리.

수근-거리다 자타 ☞수군거리다.

수근-골 【手根骨】 명 〖생〗 완골(腕骨).

수글 명 ①배워서 잘 써 먹는 글. ②옛날에 '한문'을 남자의 글이란 뜻으로 일컫던 말. ↔암글.

수금¹ 【水金】 명 〖미술〗 도자기(陶瓷器)에 금빛을 나타내기 위한 채료(彩料). 염화금(塩化金)을 테레빈유(terebin油)나 발삼(balsam)의 황화합물(黃化合物)과 결합하여, 테레빈유로 용해한 액체. 도자기에 글씨나 그림을 그리고, 가마에 구우면 금은 떨어져 나가고 금빛의 글씨나 [그림이 나타남. 물금.

수금² 【水禽】 명 물새❶.

수금³ 【囚禁】 명 죄인을 가두어 둠. 구수(拘囚). ——-하다 타여불

수금⁴ 【囚擒】 명 포로(捕虜).

수금⁵ 【收金】 명 받을 돈을 거두어 들임. 집금(集金). ——-하다 자여불

수금⁶ 【豎琴】 명 〖악〗 '하프(harp)'의 한자어.

수금⁷ 【燧金】 명 부싯돌을 쳐서 불이 일어나게 하는 쇳조각. 부시.

수:금⁸ 【繡衾】 명 수(繡)를 놓은 침구(寢具).

수-금매 【水金梅】 명 〖식〗 여뀌바늘.

수금-원 【收金員】 명 돈을 거두어 들이기 위하여 돌아다니는 사람. 수금 [인.

수금-인 【收金人】 명 수금원.

수금-화 【水錦花】 명 〖식〗 밀몽화(密蒙花).

수금-황 【水金凰】 명 〖식〗 노랑물봉선화.

수-급¹ 【收給】 명 수입과 지급.

수급² 【受給】 명 급여(給與)·연금·배급 등을 받는 일. ——-하다 자여불

수급³ 【首級】 명 싸움터에서 베어 얻은 적군의 목.

수-급⁴ 【需給】 명 ①수요(需要)와 공급(供給). ¶ ~의 균형. ②수요자(需要者)와 공급자(供給者).

수급-비 【水汲婢】 명 〖역〗 관아에 딸려 물을 긷는 관비(官婢).

수급 시세 【需給時勢】 명 〖경〗 주식(株式)에서, 시장 외부(市場外部)의 정세가 직접적인 원인이 아니고, 주식 그 자체의 수급 관계가 주된 원인으로 오르는 시세.

수긋-하다 형여불 ☞수굿하다.

수긍 【首肯】 명 ①그러하다고 고개를 끄덕임. ②옳다고 승낙함. 긍수(肯首). ¶ ~하기 어렵다. ——-하다 자타여불

수긍이 가다 구 옳다고 생각되다.

수기¹ 【手技】 명 손으로 물건을 만드는 기술. 손재주.

수기² 【手記】 명 ①체험을 손수 적음. 또, 그 기록. 수록(手錄). ¶ 생활 ~. ②수표(手標). ——-하다 타여불

수기³ 【手旗】 명 ①손에 쥐는 작은 기. 손기. ②해상에서나 혹은 군인들끼리 신호로 사용하는 작은 기. 붉은 기와 흰 기가 있음. ③〖역〗 행진(行進)할 때에, 장수(將帥)가 손에 가지는 작은 기. 본병(本兵)을 위시하여 금군 별장(禁軍別將)·각영(各營)의 대장(大將)·중군 별장(中軍別將)·금군장(禁軍將)·천총(千摠)·파총(巴摠)·초관(哨官)에 이르기까지 모두 가짐. 기의 넓이와 깃대 길이는 본병·대장·금군 별장·중군은 포백척(布帛尺)으로 아홉 치 평방에 한 자 여덟 치이고, 금군장·별장·천총은 여덟 치 평방에 두 자이며 파총과 초관은 일곱 치 평방에 석 자임. 본병은 황색 바탕에 적색 글자로 '본병(本兵)'이라 새겨 붙이고, 드림은 남(藍)·황·적·백·흑의 다섯 가지 색동으로 되었고, 금군 별장은 기와 드림이 모두 황색 바탕에 '금려 사령(禁旅司令)'이라고 붉은 자를 오려 붙였음. 훈련 대장(訓鍊大將)과 중군(中軍)은 황색 바탕에 각각 적색 글자로 '삼군 사명(三軍司命)'·'삼군 사령(三軍司令)'이라 붙이고, 금위 대

장(禁衛大將)과 중군은 남색 바탕에 흑색 글자로 '금위군 사명(禁衛軍司命)'·'금위군 사령(禁衛軍司令)'이라 붙이었으며, 어영 대장(御營大將)과 중군은 백색 바탕에 황색 글자로 '어영군 사명(御營軍司命)'·'어영군 사령(御營軍司令)'이라 붙이고, 수어사(守禦使)와 중군은 적색 바탕에 남색으로, '수어 제군 사명(守禦諸軍司命)'·'수어 제군 사령(守禦諸軍司令)'이라 붙이었고, 총융사(摠戎使)와 중군은 흑색 바탕에 백색 글자로 '총융 제군 사명(摠戎諸軍司命)'·'총융 제군 사령(摠戎諸軍司令)'이라 써 붙이었으며, 드림은 대장은 본병과 같고, 중군은 다 각기 바탕과 같은 빛깔임. 금군장은 번(番)의 빛을 따르고 각 영의 별장 이하는 그 방색(方色)을 좇음. 총융사는 뒤에 바탕을 누른 빛으로 고치었음.

〈수기³❸〉

수기⁴【水氣】명 ①물기. ②〖한의〗 신경(腎經)의 음기.
수기⁵【受記】명〖불교〗 내생(來生)에 부처가 되겠다든가 또는 어떻게 되리라는 것을 미리 부처에게서 기록(記錄)해 받는 일. ——-하다 자여불
수기⁶【秀氣】명 ①정순(精醇)하고 빼어난 기운. ②산천의 수려한 경치.
수기⁷【帥旗】명〖역〗↗수자기(帥字旗).
수기⁸【殊技】명 ①뛰어난 기술. ②기예가 서로 다름. ——-하다 자여불
수기⁹【修己】명 자신의 몸을 닦음. 자기 수양을 함. ——-하다 자여불
수기¹⁰【羞氣】명 부끄러운 기색. 부끄러워하는 태도.
수기¹¹【授記】명〖불교〗 ①불타(佛陀)의 설법(說法) 중에서 문답식(問答式) 또는 분류적 설명으로 되어 있는 부분. ②불타가 그 제자들에게 미래의 증과(證果)에 대하여 미리 예언한 교설(敎說). 또, 그러한 예언을 주는 일. ——-하다 자여불
수기¹²【需期】명 수요(需要)의 시기.
수기¹³【壽器】명 살았을 때에 미리 만들어 둔 관.
수:기¹⁴【數奇】명 운수가 기박(奇薄)함. ——-하다 형여불
수기¹⁵【隨機】명 ①어떠한 기회에 따르는 일. ②〖불교〗 중생의 근기(根機). 곧, 능력이나 성질에 응함. ③↗수기응변. ——-하다 자여불
수-기관【竪機關】명 왕복 운동(往復運動)을 하는 기관(機關)에 있어서, 왕복하는 부분이 곧게 서 있는 기관. 「다 자여불
수-기량【隨其量】명 식량(食量)에 알맞게 맞춤. ㊣수량(隨量). ——-하
수-기력【隨其力】명 제 힘에 알맞게 함. ㊣수력(隨力). ——-하다 자여불
수기다 타〈옛〉숙이다. ¶ 머리 수기고 冷히 안자(低頭冷坐)≪南明 上 27≫.
수기-목【一木】〔일 杉:すぎ〕명〖식〗 삼목(杉木).
수기 설법【隨機說法】〔一뻡〕명〖불교〗 중생의 근기(根機)에 맞추어 하는 설법. 대기(待期) 설법.
수기 신:호【手旗信號】명 보통 선박과 선박 또는 선박과 육지의 가시거리(可視距離) 이내에서 행하는 통신 방법의 하나. 오른손에 적기, 왼손에 백기를 들고 신호하는데, 그 신호 형상법은 국제 통신 서신호편(書信號篇)에 규정되어 있음.
수기아 명〈방〉수키와(황해).
수기 응:변【隨機應變】명 그때그때의 기회를 따라 일을 적당히 처리함. ㊣수기(隨機). *임기 응변. ——-하다 자여불
수기-절【壽祺節】명〖역〗 고려 희종(熙宗) 때, 임금의 탄일(誕日)을 기념하던 명절. 뒤에 수성절(壽成節)로 고치었음.
수긴 명〈궁중〉수건(手巾).
수깃 명〈옛〉수캐. =수개. ¶ 수기(公狗)≪華語 55≫.
수까치-깨 명〖식〗[*Corchoropsis tomentosa*] 피나뭇과에 속하는 일년초. 털이 많으며, 높이 60cm 가량, 잎은 호생하며 꼭지가 있고, 달걀꼴에 가에는 큰 톱니가 있음. 8-9월에 황색의 오판화(五瓣花)가 엽액(葉腋)에서 액생(腋生)하여 피고 열매는 삭과(蒴果)임. 산과 들에 나는데, 제주·전남·경남·경기 및 일본·중국 등지에 분포함.

〈수까치깨〉

수깔 명〈방〉숟가락(경기·강원·충청·전북·경북·황해).
수-깨 명〈방〉수캐(강원·충북·전라·경상).
수깽이 명〈방〉숯(경북).
수꺼멍 명〈방〉숯(경북).
수껑 명〈방〉숯(강원·경북).
수-꽁 명〈방〉장끼(경상).
수-꽃 명〖식〗 암술은 없고, 수술만 있는 단성화(單性花)의 하나. 웅화(雄花). ↔암꽃.
수-꽃술 명〖식〗 수술.
수-꽃이삭〔一니一〕명〖식〗 수꽃이 피는 꽃이삭. 웅화수(雄花穗). ↔암꽃이삭.
수꾸 명〈방〉〖식〗 수수(경상·강원·함경·충북).
수꾸락 명〈방〉숟가락(전라).
수꾸머리-새 명〈방〉〖조〗 쑥새.
수꿀-하다 형여불 무서워서 몸이 으쓱하다.
수꿍 명〈방〉숯(경북).
수꿩¹ 명〈방〉숯(경북).
수-꿩² 명 꿩의 수컷. 장끼. ↔암꿩.
수끼 명〈방〉수수¹(경북).
수끽【受喫】명 구량(口糧) 같은 것을 받아 먹음. ——-하다 타여불
수나〔아랍 Sunna, Sunnah〕명〖이슬람〗 습관(習慣). 전통(傳統). 임의 예배(任意禮拜).
수-나귀 명〖동〗↗수탕나귀. 「이 굴러 들어오다.
수:-나다【數一】자 ①뜻밖에 좋은 수가 생기다. ②생각지도 않던 재물
수-나라【隋一】명〖역〗 중국의 '수(隋)'를 나라로서 똑똑히 일컫는 말. 주의 예전에는, '숫나라'로 발음했음.
수-나무 명〖식〗 자웅 이주(雌雄異株)로 된 나무에서 열매가 열리지 아니하는 나무. ↔암나무.
수-나비 명 나비의 수컷. ↔암나비.
수:나비 노리개【繡一】명 나비를 수놓은 꾸미개를 주체(主體)로 한 노리개.
수-나사【一螺絲】명 표면(表面)에 나선형의 나사산이 있어 암나사에 끼우게 된 나사. ↔암나사.
수나이 명 피륙 두 필을 짤 감으로 주되, 한 필은 그 삯으로 주는 일.
수낙¹ 명〈방〉고뿔.
수낙²【受諾】명 →수락(受諾).
수난¹【水難】명 ①홍수의 재난(災難). ②물로 인하여 받는 온갖 재해(災害). 곧, 익사(溺死)·난선(難船)·침몰(沈沒) 등의 재난.
수난²【受難】명 ①재난(災難)을 당함. ②어려운 처지에 부닥침. ¶ ~ 시대. ③〔Passion〕〖기독교〗 예수 그리스도가 십자가에 못박힐 때 당한 고난(苦難). ——-하다 자여불
수난³【羞赧】명 부끄러워 얼굴을 붉힘. ——-하다 자여불
수난-곡【受難曲】명〔Passion〕〖악〗 예수 그리스도 또는 그 밖의 순교자의 수난당한 이야기를 극적(劇的)으로 나타낸 음악. 대규모 구성의 관현악에 독창·합창을 곁들인 것이 많음. 바흐의 '마태 수난곡' 따위. 수난악(受難樂).
수난 구:호법【水難救護法】〔一뻡〕명〖법〗 조난(遭難) 선박과 인명(人命)의 구호 및 표류물(漂流物)·침몰품(沈沒品) 등의 인양(引揚)과 이에 수반한 업무 처리에 관한 사항을 규정하여 수난 구호 업무의 신속(迅速)·적절(適切)을 기하려는 법.
수난-극【受難劇】명〔Passion play〕〖연〗 구세주(救世主) 예수를 중심으로 하여 그의 탄생(誕生)으로부터 수난(受難)·죽음·승천(昇天)에 이르기까지의 일대기(一代記)를 토대로 하여 꾸민 연극(演劇). 주로 중세기에 널리 유행하였음.
수난-기【受難記】명 몸소 겪은 고난(苦難)에 관한 수기(手記).
수난 대:재날【受難大齋一】명〖천주교〗 수난일(受難日). 이 날 단식재를 지킴. 성금요일(聖金曜日).
수-난로【水煖爐】〔一날一〕명〖공〗 증기 난로(蒸氣煖爐).
수난-사【受難史】명 재난을 당한 역사.
수난 시기【受難時期】명〖천주교〗 부활 대축일 전의 2주일 동안.
수난-악【受難樂】명〖악〗 수난곡(受難曲).
수난-일【受難日】명〖기독교〗 예수가 십자가에 못박혀 죽은 날. 성금요일(聖金曜日).
수난-자【受難者】명 재난을 당한 사람. 어려운 처지에 부닥친 사람.
수난-절【受難節】명〔Passion Week〕〖천주교〗 예수의 수난을 기념하기 위하여 기독교 교회에서 행하는 기념제(記念祭). 부활절 전의 2주간(週間)에 걸쳐서 행하며, 특히 그 전주(前週)에는 성대한 의식을 거행함. 대개 3월 하순부터 4월 상순에 해당됨.
수난-주【受難週】명〖기독교〗 수난절의 마지막 주간.
수납¹【收納】명 받아 거둠. ¶ 양곡 ~. ——-하다 타여불
수납²【受納】명 받아서 넣어 둠. 납수(納受). ——-하다 타여불
수납³【袖納】명 편지 등을 가지고 가서 손수 드림. ——-하다 타여불
수납⁴【輸納】명 실어다가 올리어 바침. ——-하다 타여불
수납 기관【收納機關】명〖법〗 조세 그 밖의 수입금을 수령(受領)하여 납부하는 행정 기관. 원칙적으로는 출납 공무원이 되며, 예외적(例外的)으로 한국 은행 또는 체신 관서가 됨.
수납-부【收納簿】명 수납을 기록하는 장부.
수납-장【收納帳】명 현금의 수납(受納)을 기록하는 장부.
수납 전표【收納傳票】명 현금을 수납할 경우에 작성하는 전표. 수입(收入) 전표. 입금표(入金票).
수낭¹ 명〈방〉감기.
수낭²【水囊】명 ①접었다 폈다 할 수 있는 휴대용(携帶用)의 베로 만든 물주머니. 특히 기마대(騎馬隊)에서 많이 씀. ②여수라(濾水羅).
수:낭³【繡囊】명 수주머니.
수낭이 명〈방〉감기(함경).
수내 명 ↗수나이.
수냇-소 명 송아지를 주고 그것을 기른 뒤에 소값을 제하고 도조(賭租)를 내는 소.
수냉 기통【水冷氣筒】명〖기〗 내연(內燃) 기관, 압축기 등의 기통의 주벽(周壁)을 이중(二重)으로 만들어, 그 틈새에 물을 순환시키는 것으로써 기통내에 발생하는 열을 제거하는 형(型)의 기통.
수냉 노벽【水冷爐壁】명〖공〗 연소실의 내측 벽면(內側壁面) 상에 화염(火焰)에 면(面)하여 수관(水管)을 배치한 것.
수녀¹【修女】명〖천주교〗 수녀원(修女院)에서 수도(修道)하는 여자. 독신(獨身)으로서 청빈(淸貧)과 복종을 서약하여 지킴. ↔수사(修士).
수녀²【須女】명 ①〖민〗 포백(布帛)을 맡은 별의 이름. ②천한 계집.
수녀-원【修女院】명〖천주교〗 일정한 규율(規律) 밑에서 공동 생활을 하면서 수행(修行)을 쌓는 수녀의 단체. 또, 그 곳.
수년¹【垂年】명 늙어서 죽을 때가 가까움. 또, 그 나이. ——-하다 형여불
수:-년²【數年】명 두서너 해. 대여섯 해.
수:년-래【數年來】〔一녈一/一내〕명 현재에 이르기까지의 두서너 해. 또는 대여섯 해 동안. ¶ ~ 처음 보는 큰 폭풍우.
수녕【水濘】명 수렁.
수노¹【水駑】명〖동〗 물여우.
수노²【首奴】명〖역〗 관아(官衙)에 딸린 관노(官奴)의 우두머리. 보통,

관노 중 연장(年長)하여 여러 사정에 통한 남자 하인을 이름.

수-노루 명 노루의 수컷. ↔암노루.

수노로 명 〈옛〉 수노루. ¶수노로(牙獐)≪字會 上 18≫.

수노이키스모스 〔그 sunoikismos〕 명 집단 거주의 뜻. 고대 그리스에 있어서 몇 개의 공동체가 결합하여 하나의 폴리스(polis)를 형성함을 이름. 대개의 경우 정치적·군사적 목적으로 행하여졌음.

수-놈 명 ①짐승의 수컷을 귀엽게 일컫는 말. ↔암놈. ②의협심(義俠心)이 강한 사람을 비유하여 일컫는 말.

수:-놓다¹ 【數—】 [—노타] 자 수효를 셈하다. ¶수판으로 ~.

수:-놓다² 【繡—】 [—노타] 자타 ①색실로 피륙에 그림·글씨·무늬 따위를 떠서 놓다. 자수(刺繡)하다. ¶꽃을 수놓은 스란치마. ②수를 놓은 것처럼 경치가 아름답게 전개되다. ¶단풍으로 수놓은 가을의 소금강(小金剛).

수뇌¹ 【首腦】 명 어떤 조직 단체의 가장 핵심(核心)이 되는 자리를 차지한 사람. 주뇌(主腦). ¶~ 회담.

수뇌² 【髓腦】 명 〖생〗 ①뇌수(腦髓). ②골수(骨髓)와 뇌. ③척추 동물(脊椎動物)의 원뇌포(原腦胞)의 맨 뒷부분. ④가장 중요한 부분.

수뇌-부 【首腦部】 명 한 단체나 기관의 수뇌가 되는 간부급.

수뇌-자 【首腦者】 명 한 단체나 기관의 수뇌가 되는 사람.

수뇌 회:의 【首腦會議】 [—/—이] 명 조직이나 집단의 최고 책임자가 모여서 여는 회의. 수뇌 회담(會談). 정상(頂上) 회의.

수뇨-관 【輸尿管】 명 〔ureter〕 〖생〗 신장(腎臟)에서 방광(膀胱)으로 오줌을 보내는 썩 가늘고 긴 관(管). 요관(尿管). 오줌관.

수뇨-증 【數尿症】 [—쯩] 명 〖의〗 '삭뇨증(數尿症)'의 잘못.

수누 명 〈방〉 시누.

수눅 명 버선 등의 꿰맨 솔기.

수늙 명 〈옛〉 ①재. 고개. ¶東녁 수늘게 구루미 나니 西ㅅ녁 수늘기 하야ㅎ고(東嶺雲生西嶺白)≪南明 下 19≫. ②수눅. ¶보비로 꾸민 수늙 노픈 곳 곳고(寶粧高頂揷花)≪朴解 上 5≫.

수능재주 우:복주 【水能載舟又覆舟】 명 물은 능히 배를 싣기도 하며 엎기도 한다는 뜻으로, 임금은 백성에 의하여 서고 또 백성에 의하여 망한다는 말.

수니 교:파 【—教派】 〔Sunni〕 명 〖종〗 회교(回教)의 정통파. 전교도의 약 90%를 차지함. ↔시아 교파.

수:다¹ 명 말이 많음. ——하다 형여불. ——히 부

수:다(를) 떨:다 구 수다스럽게 말을 많이 하다.

수:다(를) 부리다 구 수다스러운 행동을 하다.

수:다(를) 피우다 구 수다스러운 거동을 벌이다.

수:다² 【數多】 명 수효가 많음. 중다(衆多). ¶~한 사람들. ——하다 형여불. ——히 부

수다³ 타 〈옛〉 쑤다. ¶플 수어 환 밍ㄱ로티≪救簡方 I : 9≫.

수다라¹ 명 〈방〉 〖동〗 수달(水獺).

수다라² 【首陀羅】 명 수드라(Sudra).

수다라³ 【修多羅】 명 〔범 sutra〕 〖불교〗 ①경문(經文). ②십이분경(十二分經)의 하나. 산문(散文)으로 법의(法義)를 풀이한 경문. ③가사(袈裟)의 위에 장식(裝飾)으로 늘어뜨리는, 붉고 흰 네 개의 끈.

〈수다라³❸〉

수:다-스럽다 형ㅂ불 말이 많고 수선하다. ¶수다스러운 여자. 수:다-스레 부

수:다 식구 【數多食口】 명 많은 식구. 수다 식솔(數多食率).

수:다 식솔 【數多食率】 명 수다 식구(數多食口).

수다원-과 【須陀洹果】 명 〔범 srotapanna〕 〖불교〗 성문사과(聲聞四果)의 첫째 지위. 욕계(慾界)의 탐(貪)·진(瞋)·치(癡) 세 가지의 독함을 버리고 성자(聖者)의 무리에 들어가는 성문의 지위.

수:다-쟁이 명 수다스러운 사람을 조롱하여 일컫는 말.

수단¹ 【手段】 명 ①일을 처리해 나가는 묘안(妙案)을 꾸며 내는 솜씨와 꾀. ¶~이 좋다. ②목적을 이루기 위한 방법. ¶통신 ~ /~과 방법을 가리지 않는다.

수단² 【水丹】 명 중국 남방에서 만든 도료(塗料)의 하나. 동유(桐油)에 안료(顔料)를 섞어서 만듦. 빛깔에 따라 청단(靑丹)·홍단(紅丹)으로 나누는데, 선박 및 목재의 방수용으로도 쓰임.

수단³ 【水團·水䊊】 명 흰떡을 젓가락만큼씩 빚어 한 푼 반 길이로 썰어서 마르기 전에 꿀물에 넣고 실백을 띄운 음식. 흔히 유월 유두 때, 수교위와 함께 만듦.

수단⁴ 【水壇】 명 〖역〗 태봉(泰封) 때의 중앙 관아(官衙)의 하나. 고려 때의 공부(工部), 조선 시대 때의 공조(工曹)와 같은 종류임.

수단⁵ 【收單】 명 여러 사람의 성명을 쓴 단자(單子)를 거두어 들임. 또, 그 단자. ——하다 자여불

수단⁶ 【壽短·脩短】 명 수요(壽夭).

수:단⁷ 【繡緞】 명 수놓은 것같이 짠 비단.

수단⁸ 명 〔프 soutane〕 〖천주교〗 성직자가 제의(祭衣) 밑에 받쳐 입거나 또는 평시에 입는 길고 검은 옷. 흰 칼라를 뒤로 둘러 여미고 앞은 내리닫이로 많은 단추가 달려 있음.

수단⁹ 〔Sudan〕 명 〖지〗 ①지중해(地中海) 연안을 제외한 사하라 사막 이남의 아프리카를 아라비아인이 이르던 호칭. 또, 유럽인의 지역 개념으로는, 이전의 프랑스령 수단(말리(Mali) 공화국)과 현재의 수단 민주 공화국을 잇는, 동서로 긴 띠 모양의 지역을 뜻함. ②아프리카 북동부에 있는 민주 공화국. 나일 강(Nile江)의 중·상류를 점하고, 동북부는 홍해(紅海)에 임하며 북서쪽에 사하라(Sahara) 사막이 펼쳐짐. 1956년 영국·이집트의 공동 통치에서 독립. 면화·아라비아고무(세계의 80%)·소금·목재 등을 산출함. 정식 명칭은 '수단 공화국(Republic of the Sudan)'. 수도 하르툼(Khartoum). [2,505,813 km² : 25,940,000 명 (1991 추계)]

수단-가 【手段家】 명 수단이 좋은 사람. 수단꾼.

수단기니 언어군 【—言語群】 명 〔프 groupe soudano-guinéen〕 〖언〗 아프리카의 수단 지방부터 기니 지방까지 광대한 지역에 걸쳐 사용되는 여러 언어의 총칭. 하우사어(Hausa語)·요루바어(Yoruba語)·멘데어(Mende語) 등 수백의 언어가 포함됨.

수단-꾼 【手段—】 명 수단가.

수:단 설법 【數段說法】 [—뻡] 명 〖불교〗 몇 단계로 불법을 설명하는 일.

수-단추 명 똑딱단추의 암단추에 끼우는, 가운데가 우뚝 튀어나온 단추. ↔암단추.

수단-화 【水丹花】 명 연(蓮) 꽃.

수단 흑인 【—黑人】 〔Sudan〕 명 아프리카 수단 지방의 흑인종. 체격·체력이 모두 우수하며, 미국의 흑인 대다수는 모두 이 계통임.

수달¹ 【水獺·水㺚】 명 〖동〗 [*Lutra lutra lutra*] 족제빗과에 속하는 짐승. 족제비와 비슷한데 몸길이 60–80 cm, 꼬리 40–50 cm이고, 몸의 상면(上面)은 광택나는 갈색, 하면은 담갈색이며 머리와 몸이 편평(扁平)하고 귀는 몹시 작음. 네 발은 짧은데 발가락 사이에 물갈퀴가 있어 헤엄을 잘 치며 잠수(潛水)하여 물고기·개구리·게·조개 등을 잡아먹고, 겨울에 1-5 마리의 새끼를 낳음. 강기슭이나 늪가에 굴을 파고 사는데, 유럽·북아프리카·인도·아시아 중북부에 분포함. 모피는 목도리나 외투 깃으로, 털은 붓을 만드는 데 애용됨. 물개. *해달(海獺).

〈수달¹〉

수달² 【須達】 명 〔범 Sudatta〕 〖사람〗 석가(釋迦) 재세시(在世時)의 인도 사위성(舍衛城)의 장자(長者)의 이름. 자비심(慈悲心)이 많고 가난한 사람에게 많은 혜택을 주었으며, 기원 정사(祇園精舍)를 세웠음. 급고독장자(給孤獨長者). 선시 장자(善施長者). *기타 태자(祇陀太子).

수달-담 【水獺膽】 명 〖한의〗 수달의 쓸개. 쓰고 독이 없으며 시력(視力)이 약한 데나 눈병에 약으로 씀.

수달-치 【水達峙】 명 〖지〗 전라 남도 광양시(光陽市) 진월면(津月面)에 있는 고개. [111 m]

수달-피 【水獺皮】 명 수달의 가죽. 갖옷·옷깃에 털붙이로 씀.

수담 【手談】 명 상대하여 말 없이도 의사가 서로 통한다는 뜻으로, '바둑'·'바둑을 둠'을 일컫는 말. ——하다 자여불

수담-관 【輸膽管】 명 〔bile duct〕 〖생〗 간(肝)과 담낭(膽囊)에서 담즙(膽汁)을 받아 십이지장(十二指腸)으로 보내는 관의 총칭. 간관(肝管)·담낭관(膽囊管)·총담관(總膽管) 등. 길이 6-7 cm 가량임. 쓸개관. ㊥담관(膽管).

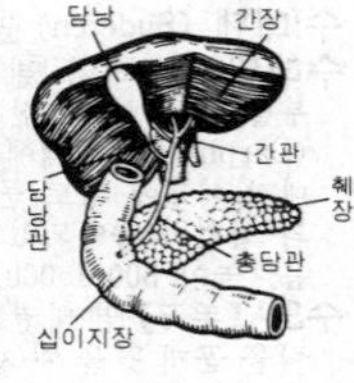

〈수담관〉

수답¹ 【水畓】 명 골답(畓).

수답² 【酬答】 명 남의 물음에 말로 대답(對答)함. 답수(答酬). ——하다 자여불

수당¹ 【手當】 명 일정한 급료 이외에 따로 주는 보수(報酬). 가족 수당·특근 수당·주택 수당 따위.

수당² 【秀堂】 명 〖사람〗 김연수(金秊洙)의 아호(雅號).

수당³ 【首堂】 명 〖역〗 한 관아(官衙)의 정삼품 이상의 당상관(堂上官) 중의 우두머리.

수당⁴ 【壽堂】 명 수실(壽室).

수당⁵ 【樹黨】 명 정당(政黨) 등의 당파를 세움. ——하다 자여불

수당-금 【手當金】 명 수당으로 주는 돈.

수-당량 【水當量】 [—냥] 명 〖물〗 열량계의 열용량(熱容量)이 얼마만한 물에 상당하는가를 나타내는 수(數).

수당 연:의 【隋唐演義】 [—/—이] 명 〖책〗 중국 명대(明代)에 나온 연의 소설(演義小說). 원래 '수당지전(隋唐志傳)'으로 불리었는데, 청(淸)나라 강희(康熙) 14년(1675), 저인확(褚人穫)이 이를 개정하고 이름을 바꾸었음.

수:-당혜 【繡唐鞋】 명 울이 수놓은 비단으로 된 당혜.

수대¹ 명 〈방〉 대야¹(경상).

수대² 명 〈방〉 되(경북).

수대³ 【手帒】 명 손에 들고 다니는 작은 전대나 부대. ¶~를 열고 그 속에 들었던 돈 오십원을 몰수이 내어주니…≪崔瓚植 : 春夢≫.

수대⁴ 【手帶】 명 〖천주교〗 미사 제구(祭具)의 하나. 미사 때에, 사제(司祭)가 왼쪽 팔목에 거는 짧은 헝겊 띠.

수대⁵ 【水大】 명 〖불교〗 만물(萬物)을 구성하는 요소인 사대(四大)의 하나. 사대는 지대(地大)·풍대(風大)·화대(火大)·수대(水大)를 이름. 수대(水大)는 습성(濕性)으로 물질을 섭인(攝引)하는 기능(機能)이 있음.

수대⁶ 【水碓】 명 물방아❶.

수대⁷ 【樹帶】 명 같은 정도의 높이의 나무가 띠와 같이 산기슭을 둘러싸고 무성하여 있는 곳.

수대⁸ 【穗袋】 명 〖고고학〗 자루 두겁.

수대⁹ 【獸帶】 명 〔zodiac〕 〖천〗 황도(黃道)를 중심으로 하여, 남북으로 너비가 각각 8°, 곧 온 너비 16° 되는 대상(帶狀)의 천역(天域). 달과 해와 열두 별자리가 이 대내(帶內)에서 운행하므로 예로부터 별자리들은 십이궁(十二宮)이라 일컬음. 짐승띠. 황도대(黃道帶). *황도 십이궁(黃道十二宮).

수더구 명 〈방〉 술(평안).

수더분-하다 형여불 성질이 까다롭지 아니하고, 순하고 소박(素朴)하다.

수덕¹ 【手德】 명 손속.

수덕² 【水德】 명 오행(五行) 중에서 물에 상응(相應)한 왕자(王者)의 덕. 중국에서 왕조(王朝)의 교체를 설명하기 위해 토(土)·목(木)·금(金)·화(火)·수(水)의 오덕(五德)중 어느 하나를 갖춘 왕조가 상승(相勝) 혹은 상생(相生)의 순서로 출현(出現)한다는 설에 기인함.

수덕³ 【修德】 명 덕을 닦음. ——하다 자여불

수덕[4]【酬德】명 덕(德)에 보답함. 은혜에 보답함. ——-하다 자여불

수덕[5]【樹德】명 덕을 베푸는 일. ——-하다 자여불

수덕구지 명〈방〉 술(함경).

수덕 대:부【綏德大夫】명〖역〗조선 시대 문산계(文散階)의 하나. 종친계(宗親階)의 종1품 상계(上階)의 품계명.

수덕 만:세【水德萬歲】명〖역〗태봉(泰封)의 연호(年號). [911-913]

수덕-사【修德寺】명〖불교〗충청 남도 예산군(禮山郡) 덕산면(德山面) 사천리(斜川里)에 있는 25 교구 본사(敎區本寺)의 하나. 대웅전(大雄殿)은 고려 충렬왕 34년(1308)에 건립. 맞배집으로 웅장 기묘하여 국보로 지정되어 있음. ≪삼국 유사(三國遺事)≫에 의하면 백제의 중 혜현(惠現)이 이 곳에서 삼론(三論)을 공부하였다 함. 산 위에는 남승(男僧)이 거처하는 정혜사(定慧寺)가 있고, 그 위에 여승이 사는 견성암(見性庵)이 있음.

수덕사 대:웅전【修德寺大雄殿】명〖불교〗수덕사에 있는 대웅전. 고려 충렬왕(忠烈王) 34년(1308)에 건립. 정면 세 칸, 측면 네 칸으로 된 맞배지붕 주심포(柱心包) 집이며 형태가 웅장 정중하고 수법이 견실하고 치밀함. 국보 제49호.

수덕사 벽화【修德寺壁畫】명〖불교〗수덕사 대웅전 안벽에 그린 그림. 고려 때의 것과 조선 시대 때의 것 두 가지가 있음. 고려 것은 1936-40년에 대웅전을 수리할 때에 발견한 것으로 ≪음률 공양 비천도(音律供養飛天圖)≫·≪수화도(水花圖)≫·≪야화도(野花圖)≫·≪금룡도(金龍圖)≫ 등인데 채색과 선이 부드러우며 동물의 움직임이 잘 나타나 있음. 조선 시대 때의 것은 ≪오불도(五佛圖)≫인데, 가운데에 석가 여래상, 양편에 보살상, 양끝에 일월광불(日月光佛)을 신선한 색채로 그렸음. 이 그림은 현존(現存)하지 않으며 모사(模寫)만이 국립 박물관에 보관되어 있음.

수덕-산【水德山】명〖지〗평안 북도 자성군(慈城郡)에 있는 산. [1,035 m]

수덕-주의【修德主義】[—/—이] 명〖천주교〗금욕(禁慾)주의. 아세티시즘.

수:데텐 [Sudeten] 명〖지〗수데티(Sudety).

수데티 [Sudety] 명〖지〗체코와 폴란드의 국경 지대와, 독일 동부의 일부를 차지하는 산지(山地). 북서에서 남동으로 뻗어 카르파티아(Carphatia) 산맥에 이어짐. 산지 남쪽의 수데티 지역은, 제2차 세계 대전 이전에 영토 문제가 발생하여 뮌헨 회담에서 이 지역에 대한 독일의 합병이 승인되었으나 제2차 대전 후에 체코슬로바키아에 반환되었음. 높이 500-1,000 m. 수데텐(Sudeten).

수도[1]【手刀】명 태권도에서, 엄지손가락을 안쪽으로 구부리고 네 손가락을 곧게 폈을 때 새끼손가락의 바깥쪽 끝 부분에서 손목까지의 부분을 이름. 촙(chop). *수도치기.

수-도[2]【水島】명〖지〗①경상 남도 남해상(南海上), 통영시(統營市) 용남면(龍南面) 지도리(紙島里)에 위치한 섬. [0.42 km²] ②전라 남도의 서해상(西海上), 신안군(新安郡) 임자면(荏子面) 수도리(水島里)에 위치한 섬. [1.45 km²] ③경상 남도 진해시(鎭海市)의 앞바다, 웅천동(熊川洞)에 위치한 섬. [0.43 km²]

수도[3]【水都】명 강이나 호수 등이 있는 경치 좋은 도시. ¶ ~ 베니스.

수도[4]【水道】명 ①뱃길. 물길. 수로(水路). ②물이 흘러 들어오거나 흘러 나가게 된 통로(通路). ③상수도(上水道)·하수도(下水道)의 총칭. ④ [↗상수도] 강이나 호수·늪 같은 곳의 물을 도시로 끌어들이어 주민의 음료수(飮料水)·사용수(使用水)·소화용수(消火用水) 등으로 공급할 목적으로 시설한 상수도(上水道)의 일컬음. 수통(水筩). ⑤바다나 큰 호수가 서로 접근하여 있는 육지(陸地)의 사이에 끼어서 좁게 된 부분. 해협(海峽).

수도[5]【水稻】명 논에 물을 대어 심는 벼. 논벼. ↔육도(陸稻).

수도[6]【囚徒】명 감옥에 갇히어 있는 죄수(罪囚).

수도[7]【受渡】명 물품이나 돈을 받아들이는 일과 넘겨주는 일. 보통은 물품을 매매할 적에 파는 편에서는 물품을 내어주고 대금을 받으며, 사는 편에서는 돈을 치르고 물품을 받는 일을 일컬음. ——-하다 타여불

수도[8]【首都】명 ①한 나라의 원수(元首)가 집무하며, 그 나라의 중앙 정부(中央政府)가 있는 도시. 서울. 수부(首府). ②어떤 한 지방에서 가장 중요한 도시.

수도[9]【修道】명 ①도(道)를 닦음. ¶ ~승. ②〖불교〗삼도(三道)의 하나. 수행(修行)을 함에 있어서, 견도(見道) 지위에 든 후에 더욱 구체적인 사상(事象)에 대처하면서 되풀이하여 수련(修鍊)·수습(修習)하는 단계. *견도(見道)·무학도(無學道). ——-하다 자여불

수도[10]【隧道】명 평지(平地)나 산·바다·강 등의 밑바닥을 뚫어서 굴로 만든 철도(鐵道)나 도로. 굴. 터널(tunnel). 수로(隧路). 굴길.

수도 고동【水道—】명 ☞ 수도 꼭지.

수도 공사【水道工事】명 급수(給水) 공사.

수도 공채【水道公債】명〖경〗수도를 설치할 자금을 조달하기 위하여 지방 자치 단체가 발행하는 공채.

수도-관【水道管】명 상수도(上水道) 또는 하수도(下水道)의 물이 통하는 파이프나 토관(土管).

수도-교【水道橋】명〖토〗하천(河川)이나 도로 등의 위를 건너는 상하 수도를 받치기 위해서 가설(架設)한 교량(橋梁).

수도-권【首都圈】[—꿘] 명 행정 구역으로서의 서울의 테두리를 넘어서 종합 도시 계획 수립 등을 목적으로 설정한, 서울을 중심으로 한 경기 일원을 일컬음. ¶ ~ 방위.

수도-기【囚徒記】명 감옥에 가둔 죄수의 성명과 죄명(罪名)을 적은 책.

수도 꼭지【水道—】명 상수도(上水道)에 있어서, 물이 나오게 하거나 나오는 물을 그치게 하기 위하여 손으로 틀어 열고 잠그는 부분.

수도 대:주교【首都大主敎】명〖천주교〗몇 개의 속교구(屬敎區)를 가진 교구의 대주교.

수도-료【水道料】명 ↗수도 요금.

수도-법【水道法】[—뻡] 명〖법〗수도(水道)의 설치 및 관리의 적정과 합리화를 도모함으로써 공중 위생의 향상과 생활 환경의 개선에 기여하기 위해 제정된 법.

수도-복【修道服】명 가톨릭 교회의 수도자들이 입는 옷.

수도-사【修道士】명〖천주교〗수사(修士).

수도 사제【修道司祭】명〖천주교〗수도 단체의 일원인 성직자. 수사 신부(修士神父). ↔교구(敎區) 사제.

수도-산【修道山】명〖지〗경상 북도 김천시(金泉市)의 대덕면(大德面)·증산면(甑山面)과 경상 남도 거창군(居昌郡) 가북면(加北面) 경계에 있는 산. 계곡에는 용추(龍湫)라는 구혈(甌穴)이 있어 한발시에는 기우제를 올렸다 함. [1,317 m]

수도서 왜인【受圖書倭人】명〖역〗수도서인(受圖書人).

수도 서:원【修道誓願】명〖천주교〗수도원에 들어가 수도자가 될 것을 맹세하는 서원.

수도서-인【受圖書人】명〖역〗조선 시대 때, 왕으로부터 도서(圖書)를 발급(發給)받은 일본 사람. 수도서 왜인(受圖書倭人).

수도-세【水道稅】[—쎄] 명 전에 수도료를 일컫던 속칭.

수도-승【修道僧】명〖불교〗도(道)를 닦는 중.

수도 시:설【水道施設】명 상수도(上水道)의 취수(取水)·저수(貯水)·도수(導水)·정수(淨水)·송수(送水)·배수(配水) 등을 위한 제반 시설.

수도 요금【水道料金】명 수돗물의 사용 요금. 급수료(給水料). ㊀수도료(水道料).

수도-원【修道院】명 [monastery]〖천주교〗일정한 규율 밑에서 금욕적(禁慾的)인 공동 생활을 하면서 수행을 쌓는 천주교의 수사(修士)나 수녀(修女)의 단체. 또, 그 곳. 수사원(修士院)과 수녀원(修女院)의 구별이 있음. ㊀수원(修院).

수도원-장【修道院長】명〖천주교〗수도원의 장으로 그 수도 단체에 대한 재치권(裁治權)을 행사하는 사제(司祭).

수도-자【修道者】명 ①도를 닦는 사람. ②〖천주교〗수사(修士) 또는 수녀(修女).

수도-전【水道栓】명 수통(水筩)❷.

수도-치기【手刀—】명 태권도에서, 수도(手刀)로써 상대방을 치는 일. 또, 그 구령. 주로 상대방의 경동맥부, 곧 목의 좌우 쪽이나 아래턱·허구리·안면의 양미간 및 손발과 그 관절부 등을 침. *수도.

수도-회【修道會】명〖천주교〗천주교에 속하는 수도원의 조직적 단체. 자유로운 의지로 청빈(淸貧)·정결(淨潔)·순종(順從)을 맹세하며 공동생활을 행하고 사회 사업 또는 교육 사업 등을 경영하면서 천주가 가르친 덕을 완성하려는 단체. 천주교에는 베네딕토회(Benedicto會)·프란체스코회(Francesco會)·도미니코회(Dominico會)·예수회 등이 있고, 성공회(聖公會)에는 복음 사가(福音史家) 요한회 등이 있음.

수돈【水豚】명〖어〗쏘가리.

수돋 명〈옛〉 수퇘지. =수돗. ¶ 수돋(豝)≪詩諺 物名 3≫.

수-돌쩌귀 명 ☞ 수톨쩌귀.

수돗 명〈옛〉 수퇘지. =수돋. ¶ 불친 수돗(豶豝)/큰 수돗(豝豬)≪漢淸文鑑 XIV:13≫.

수돗-물【水道—】명 상수도(上水道)에서 나오는, 먹는 물.

수동[1]【手動】명 손으로 움직임. 손으로 작동시킴. ¶ ~식(式) 펌프.

수동[2]【受動】명 남 또는 다른 것으로부터 움직임을 받음. 피동(被動). ¶ ~적(的). ↔능동(能動). ——-하다 자여불

수동[3]【豎童】명 심부름하는 더벅머리 아이.

수동 계:시【手動計時】명 [manual timing] 시간을 재는 운동 경기에서, 계시원(計時員)이 수동 스톱 워치를 사용하여 시간을 재는 일.

수동 교환기【手動交換機】명〖기〗교환수가 송신자와 수신자 간의 회선을 접속하는 교환기. 송신자가 핸들을 돌려 신호를 보내면 교환기의 가입자 표시기가 열리며, 교환수는 움직임 표시기에 의한 잭(jack)에 코드(cord)의 응답용 플럭(plug)을 꽂아서 응답하고, 수화자의 번호를 들은 후에 호출 코드의 플럭을 송화자의 잭에 꽂은 다음, 신호를 보내어서 호출하여 통화하게 하는 자석식(磁石式)과, 신호를 전부 램프(lamp)로 하는 공전식(共電式)이 있음. 또, 단식과 복식의 구별도 있음.

수동 대:리【受動代理】명〖법〗소극 대리(消極代理). ↔능동 대리.

수동 레이더:【受動—】명 [passive radar] 모든 물체에 의해 방사(放射) 및 반사(反射)되는 마이크로파(波)의 전자기(電磁氣) 에너지를 검출하여 멀리 떨어진 물체를 알아 내는 레이더.

수동력-계【水動力計】[—녁—] 명〖기〗동력계(動力計)의 일종. 한 장 또는 여러 장의 원반(圓盤)을 축(軸)에 붙이어 물 속에서 회전하여, 그 저항에 의해서 물의 동력(動力)을 측정하는 계기.

수동 면:역【受動免疫】명 [passive immunity]〖의〗획득 면역(獲得免疫)의 한 가지. 다른 생체(生體) 안에서 생성(生成)된 면역체를 자기 체내에 받아들임으로써 얻어진 면역 상태. 태아가 태반(胎盤)을 통하여 모체(母體)로부터 면역체를 받는 것은 자연적 수동 면역의 예이며, 백일해에 걸렸다가 회복한 사람의 혈청(血淸)을 주사하거나 디프테리아 독소나 파상풍 독소 등으로 말을 면역하여 얻은 혈청을 주사하는 것은 인공적 수동 면역의 예임. 피동성 면역. ↔능동 면역·자동 면역.

수-동모 명〖민〗남사당패에서 암동모를 거느리어 서방 노릇을 하는 광대.

수동-사【受動詞】명〖언〗피동사(被動詞).

수동-성【受動性】[—썽] 명 자발적이 아닌, 다른 것의 작용을 받아 움직이는 성질. ↔능동성(能動性).

수동 소자【受動素子】명 [passive element]〖전〗전기 회로의 소자(素子)의 하나. 코일·콘덴서와 같이 전력의 공급원을 포함하지 않은 것을 말함. ↔능동(能動) 소자.

수동-식【手動式】명 ①기계 따위를 손으로 움직여 쓰도록 만든 방식.

②〖전〗전기 기기(機器)나 회로 따위의 접속·개폐(開閉)를 사람의 손으로 행하는 방식.

수동식 전:화기【手動式電話機】명〖기〗전화기의 한 가지. 자석(磁石) 발전기와 전지를 갖추고, 수신의 경우 전령(電鈴)에만 전류가 흐르고, 송신의 경우 자석 발전기를 돌리면 수화기와 송화기의 회로가 닫혀 음성 전류를 보내도록 되어 있는 전화기.

수-동이 ⊟명〖광〗석유통(石油桶)을 광산에서 이르는 말. ⊟의명〖광〗광석(鑛石)의 무게의 단위(單位). 37.5 kg.

수동-자【受動者】명 남에게서 동작을 받아 움직이는 사람.

수동-적【受動的】명관 남 또는 다른 것으로부터 움직임을 받는 모양. ¶ 여성은 ~이고, 남성은 능동적이다. ↔능동적(能動的).

수동적 방해【受動的妨害】명〔passive jamming〕〖전〗적의 레이더에, 교란 반사기(攪亂反射器)를 사용하여 거짓 신호를 보내는 일.

수동적 수표 능력【受動的手票能力】〔—녁〕명〖경〗수표의 지급인이 될 수 있는 자격. 원칙적으로 은행에 국한되나 법령에 의하여 은행과 동시(同視)되는 신용 조합·상업 조합 등도 포함됨.

수동적 울혈【受動的鬱血】명〔passive congestion〕〖의〗정맥혈(靜脈血)이 환류(環流) 장애로, 기관(器官)이나 신체의 일부에 혈액 함량(含量)이 증가하는 일.

수동 즉시 통화【手動卽時通話】명 전화의 통화 취급 방식의 하나. 전화국에 통화를 신청하고 수화기를 놓지 않고 그대로 즉시 교환 취급자의 수동에 의하여 상대방에게 접속되는 통화.

수동 채:권【受動債權】〔—꿘〕명〖법〗상쇄(相殺) 행위에 있어서 상쇄를 받는 자의 채권. ↔자동 채권.

수동 추적【手動追跡】명〔manual tracking〕〖공〗추적용의 핸들을 손으로 돌려서 목표를 쫓는 시스템.

수동-태【受動態】명〔passive voice〕〖언〗주어(主語)가 어떤 동작의 대상이 되어, 그 작용을 받을 때의 관계를 나타내는 동사(動詞)의 형태. ↔능동태(能動態).

수동 통신 위성【受動通信衛星】명〔passive communications satellite〕기지(基地)로부터의 통신 신호를 증폭(增幅)하지 않고 반사(反射)하는 위성. 에코 위성 따위.

수동 회로망【受動回路網】명〔passive network〕〖전〗에너지원(源)이 없는 회로망.

수-돼지 명 ☞수퇘지.

수두[1]【水痘】명〖의〗작은마마.

수두[2]【水頭】명〔head〕〖물〗유체(流體)가 가지는 기계적 에너지 또는 압력·속도 등의 에너지를 위치 에너지로 환산한 것을, 그 높이로 나타낸 것. 유체가 기준면에서 높이 h의 위치에 있을 때 h를 위치 수두, 압력 p일 때, p/pg(p는 밀도, g는 중력 가속도)를 압력 수두, 속도 v로 흐를 때 $v^2/2g$를 속도 수두, 이상의 합계를 전(全)수두라고 부름.

수두[3]【首頭】명 ↗수두자(首頭者).

수두[4]【樹頭】명 나무의 꼭대기. 나뭇가지의 위.

수두[5]【獸頭】명 수면(獸面)❷.

수두룩-이 부 수두룩하게.

수두룩-하다 형여불 ①매우 흔하고 많다. 수효가 매우 많다. ¶ 그런 것쯤 어디 가나 ~. ②제법 많아서 수북하다. ¶ 수두룩하게 담다. 1)·2): >소도록하다.

수두 면:역 글로불린【水痘免疫—】명〔Zoster Immune Globulin; ZIG〕〖의〗어린이의 수두를 예방하기 위한 글로불린. 대상 포진(帶狀疱疹)에 걸린 성인(成人)의 회복기 혈청에서 분리 정제(精製)하고 건조하여 만듦.

수두 바이러스【水痘—】〔virus〕명〖의〗수두의 원인이 되는 바이러스.

수두벵이 명〈방〉소뱅(강원·경북).

수-두부【水豆腐】명 ①물두부. ②순두부(純豆腐).

수두 상기【垂頭喪氣】명 근심 걱정으로 고개가 숙고 기가 죽음. ——하다 자여불

수두-소님 명〈방〉손님마마(전남).

수두-자【首頭者】명 무슨 일에 앞장선 사람. ㈜수두(首頭).

수둑-수둑 부〈방〉수북수북(평안). ——하다 형

수-둑이 부 수둑하게.

수둑-하다 형여불 ☞수두룩하다.

수둥-다리 명〈방〉〖의〗수중다리.

수드라〔범 śūdra〕명 인도의 사성(四姓) 중에서 최하위인 노예 계급. 인도 아리아인의 인도 침입에 의하여 정복된 선주민(先住民)과 인도 아리아인 이외의 종족으로 구성되며, 주로 농업과 도살(屠殺)에 종사하고, 종교적으로는 다른 세 계급이 모두 재생할 수 있는 재생족(再生族)임에 반하여 수드라는 그 권능이 없는 일생족(一生族)이라 하여 천시(賤視)되며, 노예의 신분에서 일생 벗어날 수 없고, 오직 다른 세 계급을 섬기는 데 그 의무가 있었다고 함. 영국의 인도 통치 이래, 노예 해방에 의하여 이 제도는 없어짐. 수다라(首陀羅).

수득[1]【收得】명 거두어 들이어 소득(所得)으로 함. 제 것으로 함. ¶ ~죄. ——하다 타여불

수득[2]【修得】명 닦아 체득(體得)함. ——하다 타여불

수득[3]【搜得】명 찾아 얻음. ——하다 타여불

수득-세【收得稅】명 과세 대상에 의한 세(稅)의 분류(分類)의 하나. 일정액의 화폐를 수득하는 사실에 대하여 과하는 직접세. 소득세·수익세·특별 소득세의 셋으로 구분됨.

수득-수득 부 뿌리 같은 것이 심한 정도로 시들어 마른 모양. ¶ 무말랭이가 ~ 말랐다. >소득소득. ——하다 형여불

수득 수실【誰得誰失】명 득실(得失)이 분명하지 못한 형편.

수들 명〈방〉숫돌(경남).

수들-수들 부 뿌리 같은 것이 조금 시들어서 마른 모양. ¶ 호박고지가 ~ 말랐다. >소들소들. ——하다 형여불

수등 이:척법【隨等二尺法】명〖역〗고려 말부터 조선 말까지 토지의 비옥과 척박의 정도에 따라 토지 측량의 자의 길이를 달리하여 결(結)·부(負)의 면적을 산출하던 법.

수디새 명〈옛〉수키와. =수지새. ¶ 수디새(瓪瓦)≪譯語 上 17≫.

수돌마기 명〈옛〉수단추. ¶ 수돌마기 뉴(紐)≪字會 中 23≫.

수돍 명〈옛〉수탉. ¶ 수돍기 머리(雄雞頭)≪救方 上 26≫.

수땅 명〈방〉수수깡(평안·황해).

수-때우다【數—】자 앞으로 닥쳐올 불길한 수를 미리 다른 고난을 겪어서 대신하다.

수-땜【數—】명 수때우는 일. ——하다 자여불

수떨다 자 수다스럽게 떠들다.

수떨-하다 형여불 수선하고 떠들썩하다. ¶ 그러든저러든 수떨한 생각들을 가라앉히기 위해서 저 사람들을 안 달래야 되겠는가≪吳有權 : 방앗골 혁명≫.

수똘 명〈방〉숫돌(경기·강원·충청·전라·경상).

수뚜리다 자〈방〉수떨다.

수뚝 명〈방〉숫돌(전북).

수뚤 명〈방〉숫돌(충남·전남).

수:-띠【繡—】명 수를 놓아서 장식한 띠.

수라[1]【水剌】명〔몽 süle(n) (탕 湯)〕〈궁중〉임금에게 올리는 진지.

수라[2]【修羅】명〖불교〗①↗아수라(阿修羅). ②싸움을 잘하는 용맹스러운 귀신의 이름. ¶ ~의 망집(妄執).

수라[3]【須臝】명〖조〗농병아리.

수라[4]【蒐羅】명 널리 수집하는 일. ——하다 타여불

수라-간【水剌間】〔—깐〕명〈궁중〉수라를 짓는 주방. 어주(御廚).

수라-계【修羅界】명〖불교〗아수라도(阿修羅道).

수라-도【修羅道】명〖불교〗아수라도(阿修羅道).

수라바야〔Surabaya〕명〖지〗인도네시아 공화국 자바(Java) 섬 동부에 있는 도시로 이 나라 제일의 무역항. 자바 주(州)의 주도. 제2차 대전 이전부터 쌀·고무·담배 등의 상업 무역이 성하고, 최근에는 직물·조선 공업도 행하여지며, 부근에는 유전(油田)이 있음. 자바 종관 철도(縱貫鐵道)의 기점(起點)임. [2,289,000 명(1983 추계)]

수라-상【水剌床】〔—쌍〕명〈궁중〉임금에게 올리는 진짓상.

수라-왕【修羅王】명〖불교〗아수라왕(阿修羅王).

수라-장【修羅場】명 ①〖불교〗아수라왕(阿修羅王)이 제석천(帝釋天)과 싸운 마당. ②전란(戰亂)이나 싸움으로 뒤범벅이 되고 끔찍스럽게 야단이 난 곳. 또, 그런 상태. ¶ 회의장은 ~이 되다. 장내(場內)가 ~.

수라장화-하다【修羅場化—】자여불 수라장(修羅場)이 되다.

수라카르타〔Surakarta〕명〖지〗인도네시아 자바(Java)섬 중부의 도시. 솔로(Solo) 강 상류, 메라피(Merapi) 화산 동쪽 기슭의 비옥한 평야에 있으며, 남쪽의 요그야카르타(Yogyakarta)와 함께 자바 왕통(王統) 문화의 중심지임. 1710년 이래 수라카르타 후국(侯國)의 수도로, 옛 왕성이 있음. 자바 사라사(saraca)·담배 따위의 거래가 성함. 솔로(Solo). [470,000 명(1980)]

수라트〔Surat〕명〖지〗인도 서부, 캄베이 만(Cambay 灣)에 면한 항만 도시. 16세기 무굴(Mughul) 제국의 상항(商港)으로 번성했으며, 17세기 초기에는 인도에서의 최초의 영국 상관(商館)이 개설되고 후기에는 영국령 인도 정부가 설치됨. 봄베이(Bombay)의 발전으로 쇠퇴함. [913,000 명(1981)]

수락【受諾】명〔←수낙〕요구를 받아들여 승낙함. ¶ 제의를 ~하다. ——하다 타여불

수락-도【水洛島】명〖지〗전라 남도의 남해안(南海岸), 고흥군(高興郡) 봉래면(蓬萊面) 사양리(泗洋里)에 위치한 섬. [0.37 km^2 : 84 명(1984)]

수락-산【水落山】명〖지〗서울 특별시 도봉구(道峰區)·의정부시(議政府市)·경기도 남양주군 별내면(別內面) 경계에 있는 산. [755 m]

수락 석출【水落石出】명 ①물이 말라서 밑바닥의 돌이 드러나는 일. 겨울 강의 경치. ②무슨 일이 나중에 드러나는 일.

수란[1]【水卵】명 달걀을 깨뜨려서 수란짜에 담아 끓는 물에 반쯤 익힌 것.
수란(을) 뜨다 구 끓는 물에 달걀을 깨뜨려 넣어 수란을 만들다.

수란[2]【秀卵】명 숭어 알로 만든 어란(魚卵).

수란[3]【愁亂】명 수심(愁心)으로 정신이 혼란(混亂)함. 수요(愁擾). ¶ 공연히 마음이 ~하다. ——하다 형여불

수:란[4]【繡襴】명〖역〗①궁중 나인들이 예식(禮式) 때 입는 수놓은 치마. 폭이 넓고 길이가 훨씬 길며, 단에는 금실로 수를 놓았음. ②수놓은 치마.

수란-관【輸卵管】명〖생〗나팔관(喇叭管). 알관.

수란관-염【輸卵管炎】〔—념〕명〖의〗나팔관염.

수란-뜨기【水卵—】명 수란을 만드는 일.

수란-스럽다【愁亂—】형ㅂ불 수심(愁心)으로 정신이 혼란하다. 수란-스레【愁亂—】부

수란-짜【水卵—】명 수란을 뜨는 데 쓰는 쇠로 만든 기구. 얇은 쇠붙이 조각의 네 귀퉁이 바닥을 밑으로 둥글고 넓죽하게 우여서 만들고 복판에 자루를 닮.

수랄 명〈방〉수란(水卵).

수랄-짜 명〈방〉수란짜.

수람【收攬】명 ①인심(人心) 등을 거두어 모아 잡아쥠. ②거두어 수습함. ¶ 인심을 ~하다. ——하다 타여불

수랍【水蠟】명〖한의〗백랍(白蠟).

수랍-목【水蠟木】명〖식〗쥐똥나무.

수랑[1] 명〈방〉수렁.

수랑[2]【守廊】명 행랑(行廊)과 조금 떨어져 있는 집주인의 객실(客室).

수래 명〈방〉수레.

수래-산【水來山】명〖지〗황해도 곡산군(谷山郡) 산도면(山圖面)과 이

평면(伊寧面) 경계에 있는 산. 언진 산맥(彥眞山脈) 중에 솟아 있음. [1,083 m]

수랭-식【水冷式】명 물로써 식히는 방식. ↔공랭식(空冷式).

수랭식 기관【水冷式機關】명〖기〗 물을 순환시키어 기통(氣筒)을 냉각시키는 내연 기관(內燃機關). ↔공랭식 기관.

수랭식 발동기【水冷式發動機】[—똥—] 명〖기〗 수랭식에 의한 발동기. 냉각액(冷却液)으로 물을 사용하는 것. ↔공랭식 발동기.

수량[1]【水梁】명 물이 흐르다가 좁아진 곳.

수량[2]【水量】명 물의 분량. ¶ ~이 풍부하다.

수량[3]【收量】명 ①거둬 들인 양. 수확(收穫)의 분량. ②생산 과정에서 목적(目的)으로 하는 생성물(生成物)의 생성량. ③〖화〗 합성(合成)·정제(精製)·회수(回收) 등의 조작(操作)에서 얻어진 목적 물질의 양.

수량[4]【銖兩】명 ①수(銖)와 양(兩). 곧, 무게가 얼마 안 나가는 저울눈. ②근소(僅少).

수:량[5]【數量】명 수효와 분량.

수량[6]【隨量】명 ↗수기량(隨其量).

수:량 경기【數量景氣】명〖경〗 물가가 안정된 채, 생산량이나 거래량이 증대함으로써, 기업의 수익이 늘어 경기가 좋아지는 상태. ↔가격 경기(價格景氣).

수량-계【水量計】명 양수기(量水器). 유량계(流量計).

수:량 계:산【數量計算】명〖경〗 원단위(原單位) 계산.

수:량 대:명사【數量代名詞】명〖언〗 수(數)대명사와 양(量)대명사의 병칭.

수:량 지수【數量指數】명〖경〗 수량의 변화를 표시하는 지수. 생산(生産) 수량 지수·무역(貿易) 수량 지수 같은 것.

수:량-화【數量化】명 수량으로 직접 나타내기 어려운 양적(量的) 특성(特性)에 대하여 간접적으로 수량을 부여하는 일. 지능(知能)·생활 수준·사회적 태도 등 심리적·사회적 현상에 쓰이는 말. ——하다 자여불

수럭-수럭 부 말이나 하는 짓이 사뭇 쾌활(快活)한 모양. >소락소락. ——하다 형여불

수럭-스럽다 형ㅂ불 수럭수럭한 태도가 있다. 수럭-스레 부

수런-거리다 자 여러 사람이 한데 모여 수선스럽게 지껄이다. 수런-수런 부. ——하다 자여불

수런-대다 자 수런거리다.

수렁 명〔근대 : 술항〕①곤죽이 된 진흙과 개흙이 물과 섞여 무르게 풀리어 괸 웅덩이. 한 번 빠지면 사정없이 들어가게 됨. 수녕(水濘). ②헤어나기 힘드는 나쁜 환경이나 상태 등을 비유하는 말. ¶악의 ~에 빠지다.

수렁-논 명 수렁처럼 무른 개흙으로 된 논.

수렁-배미 [—빼—] 명 수렁처럼 무른 개흙으로 된 논배미.

수렁이 명〈방〉①〖충〗 수시렁이. ②수퇘지.

수레 명〔중세 : 술위〕 사람이 타거나 짐을 싣는, 바퀴를 달아 굴러 가게 만든 물건.

【수레 위에서 이를 간다】 이미 시기가 늦은 후에 사람을 원망하여도 소용이 없다는 말.

수레 갖춤 명〖고고학〗 수레의 각 부분에 부착한 금속제(金屬製), 주로 청동제(靑銅製)의 부속구(附屬具). 고삐 고리, 차축두(車軸頭), 바퀴축(軸), 굴대 투겁, 일산(日傘) 등. 거여구(車輿具).

수레거-변【—車邊】명 한자 부수(部首)의 하나. '輪'이나 '軸' 등에서 '車'의 이름.

수레-국화【—菊花】명〖식〗[*Centaurea cyanus*] 국화과에 속하는 일년초로 국화의 한 가지. 키는 60-90 cm이며 남빛·붉은 빛·흰빛 등의 꽃이 여름부터 가을까지 겹으로 핌. 옮겨 심기가 곤란하므로 직접 씨를 뿌리는 것이 보통이며 최근에는 교잡용으로서 설탄(sultan)이라는 꽃이 재배되어 온실에서 관상용으로 널리 가꾸어지고 있음. 한때 구 독일 제국(舊獨逸帝國)의 국화(國花)였음. 센토레아.

수레-목 명 쉰 목. 쉰 소리가 나는 목소리. *수리성.

수레목-지다 자 몹시 쉰 목소리가 나다. ¶하도 울어서 목소리가 수레목졌다. 준수레지다.

수레-바퀴 명 수레의 밑에 댄 바퀴. 차륜(車輪). 거륜. 차바퀴. 곡륜(轂輪).

수레-지다 자 ↗수레목지다.

수레-채 명〖고고학〗 수레에서 소나 말의 양옆으로 뻗은 나무.

수레-토기【—土器】명〖고고학〗 신라와 가야(伽倻)의 고분(古墳)에서 주로 출토되는 수레 모양의 토기.

수렛바퀴 명 ☞수레바퀴.

수려【秀麗】명 다른 것보다 뛰어나고 아름다움. ¶미목(眉目)이 ~하다. ——하다 형여불

수려-선【水驪線】명〖지〗 경부선 수원역(水原驛)에서 분기(分岐)하여 여주(驪州)에 이르던 철도선. 협궤로서 1931년 12월 1일 개통. 1972년 3월에 폐선됨. [73.4 km]

수력[1]【水力】명 ①물의 힘. ②〖물〗 물이 가지고 있는 운동의 에너지 또는 위치 에너지를 이용하여 어떤 일을 하였을 때의 물의 동력. 또, 그 에너지. ¶ ~ 발전소.

수력[2]【殊力】명 뛰어난 힘. 뛰어난 활동.

수력[3]【隨力】명 ↗수기력(隨其力).

수력 기계【水力機械】명〖기〗 물로부터 에너지를 얻고, 또 물에 에너지를 주는 기계의 총칭. 수차(水車)·펌프·수압기의 세 가지로 크게 나눔.

수력 기관【水力機關】명〖기〗 물의 에너지를 이용하여 동력을 발생시키는 기계의 총칭. 현재는 수차(水車) 이외는 거의 쓰이지 아니함. 수력 원동기(原動機).

수력 발전【水力發電】[—쩐] 명〖전〗 물의 낙차(落差)를 이용하여 발전기를 돌려서 전기(電氣)를 일으키는 일. 수로식(水路式)·댐식(dam 式)·댐 수로식·양수식(揚水式) 등이 있음. ↔화력 발전.

수력 발전소【水力發電所】[—쩐—] 명〖전〗 수력 발전을 하기 위하여 수력 터빈과 발전기(發電機) 및 배전(配電) 시설을 갖추어 놓은 곳.

수력 방적기【水力紡績機】명〖기〗 수차(水車)를 동력으로 하여 연속적 작업으로 강력한 실을 자아내는 기계. 서로 다른 속도로 회전하는 두 쌍의 롤러로 섬유속(纖維束)을 자아냄. 면(綿) 날실의 대량 공급을 가능하게 하여, 산업 혁명기의 영국 면공업(綿工業) 확립에 크게 기여하였음. 영국의 아크라이트(Arkwright, R.)가 발명함.

수력 시스템【水力—】명〔hydraulic power system〕〖기〗 동력의 전달 장치의 하나. 유체(流體)에너지를 발생·전달·제어·이용하기 위한 기계와 보기(補機)로 이루어짐.

수력 원동기【水力原動機】명〖기〗 수력 기관(水力機關).

수력 이음매【水力—】명〖물〗 일반적으로 물·기름 따위의 유동체를 매개(媒介)로 하여 두 축(軸) 간에 회전 운동을 전달하는 이음매의 총칭. 펌프와 수차(水車)의 결합으로 됨.

수력 전:기【水力電氣】명〖전〗 물을 동력으로 하여 발전기를 돌리어 일으키는 전기. 준수전(水電). ↔화력 전기.

수력 지점【水力地點】명〖토〗 수력 전기를 일으키는 곳. 또, 일으키기에 적당하다고 인정된 곳.

수력 채:탄【水力採炭】명 수력으로 석탄을 채굴하는 방식의 하나. 30-50 기압의 고압수(高壓水)를 노즐(nozzle)에서 탄벽(炭壁)에 뿜어서 붕괴시키고 석탄을 갱내에서 부수어 물과 함께 펌프로 지상에 반출함.

수력 충전【水力充塡】명 암벽(岩壁)의 붕괴나 침하(沈下)를 막기 위해서, 폐석(廢石)을 물에 흘려 보내어 충전하는 방법.

수력 터:빈【水力—】〔turbine〕명〖기〗 수력 원동기의 하나. 물을 날개바퀴에 유과(流過)시킴으로써 물이 갖는 에너지를 기계적 에너지로 바꾸는 기계. 대규모의 것은 수력 발전에 쓰임.

수련[1]【垂憐】명 가련하게 생각하여 돌봄. 불쌍하게 여기어 동정함. ——하다 형여불

수련[2]【修鍊·修練】명 ①수양하고 단련함. 인격·기술·학문 등을 닦아서 단련함. 연수(鍊修). ¶ ~의(醫). ②〖천주교〗 수도회(修道會)에 입회(入會)하여, 착의식(着衣式)을 거쳐 수도 서원(修道誓願)을 할 때까지의 몇 년 간의 훈련. 이 훈련을 거쳐 수도 서원을 하여야만 비로소 완전한 수도사(修道士)나 수녀(修女)가 됨. ——하다 타여불

수련[3]【睡蓮】명〖식〗[*Nymphaea japonokoreana*] 수련과에 속하는 다년생의 수초(水草). 근경(根莖)은 물 밑바닥으로 뻗어 나가고 수근(鬚根)이 많음. 잎은 길이 12 cm 가량으로 뿌리에 총생(叢生)하고 물 위에 뜨며, 마제형(馬蹄形)에 암자색임. 7-9월에 흰 꽃이 화경 끝에 한 송이씩 피는데, 대개 3일간씩 피었다 졌다 하고 아침에 피고 오후에는 오무라지며, 삭과(蒴果)에는 검은 씨가 있음. 연못·늪에 나는데, 한국 중부 이남 및 일본 등에 분포함. 관상용임.

열매 씨

〈수련[3]〉

수련-과【睡蓮科】[—꽈] 명〖식〗[Nymphaeaceae] 쌍자엽 식물 이판화구(離瓣花區)에 속하는 한 과. 전세계에 100여 종, 한국에는 6-7종이 분포함.

수련 노동【修鍊勞動】명 특수한 지식·기술·경험을 필요로 하는 전문적인 노동.

수련 병:원【修鍊病院】명 보건 사회부 장관의 지정을 받아 전공의(專攻醫)를 수련시키는 의료 기관.

수련-소【修鍊所】명〖천주교〗 수련자가 수련을 받는 수도원.

수련 수녀【修鍊修女】명〖천주교〗 수녀가 되려고 수련 중에 있는 여자. 곧, 예비 수녀.

수련-의【修鍊醫】[—/—이] 명 의과 대학을 졸업하고 의사 면허를 받은 사람으로서 병원에서 수련하고 있는 의사. 인턴(intern).

수련-자【修鍊者】명〖천주교〗 수도회에 입회하여 수련기에 있는 사람.

수련-장【修鍊長】명〖천주교〗 수도회에서 수련기에 있는 수련자를 지도하는 사람.

수련지-회【修鍊之會】명〖천주교〗 단련지회(鍛鍊之會).

수련-천【水連天】명 물과 잇닿아 보이는 아득한 하늘.

수련-하다 형여불 마음이 순하고 곱다. 수련-히 부

수렴[1]【水廉】명 무덤 안에 물이 괴어 송장이 해를 입음. *목렴(木廉).

수렴[2]【水簾】명 ①'폭포(瀑布)'의 미칭(美稱). ②〖식〗 개구리밥.

수렴[3]【收斂】명 ①돈을 추렴하여 모아 거둠. ②방탕한 사람이 심신을 다잡음. ③거두어 옴츠림. 수축(收縮)함. ¶혈관의 ~. ④조세(租稅)를 징수함. ⑤곡물(穀物) 등을 거두어들임. ⑥〔convergence〕〖수〗 어떠한 변수(變數) x가 어떤 유한 확정(有限確定)된 수 a에 한없이 가까워지는 일. 이 때의 기호는 $x \to a$. 또, 무한 급수(無限級數)의 합(合)이 유한 확정(有限確定)의 값에 가까워지는 일. 수속(收束). ⑦〖물〗 광선속(光線束)·유체(流體)·전류 등이 한 점에 모이는 일. 또, 대기(大氣)·해수(海水)가 한 수평면 위에서 한 점에 모이는 일. 수속(收束). ↔발산(發散). ⑧〔convergence〕〖생〗 동식물의 계통이 다른 군(群)이 같은 환경에 적응한 결과, 닮은 형질(形質)을 나타내는 일. ——하다 타여불

수렴[4]【垂簾】명 ①발을 드리움. 또, 그 발. ②〖역〗 ↗수렴 청정(垂簾聽政). ——하다 자여불

수:렴[5]【繡簾】명 모시 따위 발이 성긴 천에 무늬를 수놓아 드리운 발.

수렴 광선속【收斂光線束】명〖물〗 광선이 한 점을 향하여 집합하는 광선속. ↔발산 광선속(發散光線束).

수렴 급수【收斂級數】명〔convergent series〕〖수〗 무한 급수 $\sum_{n=1}^{\infty}=a_1+a_2+a_3+\cdots$에 있어서, 부분합(部分合) $S_n=\sum_{k=1}^{n}a_k$가 만드는 수열(數列) $S_1, S_2, S_3, \cdots$가 수렴할 때, 이 무한 급수의 일컬음.

수렴 기류【收斂氣流】명〖기상〗 넓은 구역에서 좁은 구역으로 불어 들어가는 기류. 지상(地上)의 저기압권 등에서 생김. ↔발산 기류.

수렴 렌즈【收斂—】명〔converging lens〕〖물〗 ①평행 광선속(平行光線束)을 수렴 광선속으로 만들 수 있는 렌즈. 볼록 렌즈는 이 구실을

함. ②전자 현미경에서, 전자선(電子線)을 수렴하여 시료(試料)에 비추기 위한 전자 렌즈.

수렴-막【垂簾膜】[명]〖의〗눈병의 한 가지. 트라코마(trachoma)의 독소가 각막(角膜)을 침범하여 눈망울이 흐려지는 병증(病症).

수렴-선【收斂線】[명]〖지〗①해류(海流)의 유선(流線)이 일직선 상에 모이는 선. ②〖기상〗기류의 수평 수렴(水平收斂)이 일어나고 있는, 수평으로 된 선. ③혼탁한 하천수(河川水)와 맑은 호수와의 경계선.

수렴-운【收斂雲】[명]〖기상〗기류가 수렴하는 선에 따라서 생기는 기다란 띠 모양의 구름. 기상 위성에서 보내 오는 에이 티 피(ATP) 사진 등에 의하여 알 수 있음.

수렴-전【收斂錢】[명] 수렴하여 모은 돈.

수렴 점토【收斂粘土】[명]〔astringent clay〕〖지〗명반(明礬)과 같이 수렴성의 염(塩)을 함유하고 있는 점토.

수렴-제【收斂劑】[명]〔astringent〕〖약〗위나 창자를 수렴시키어 설사를 멈추게 하며, 피부를 수렴시키어 종기 등의 피막(被膜)을 형성하는 약제. 지혈·진통·방부(防腐)·소염(消炎)의 작용도 있음. 타닌(tannin)·황산·아연·아연화(亞鉛華)·연당(鉛糖)·명반(明礬) 같은 것.

수렴 청:정【垂簾聽政】[명]〖역〗〔왕대비(王大妃)가 군신(群臣)을 접견할 때 내외하기 위해 그 앞에 발을 쳤던 데서〕임금이 나이 어려 등극하였을 때 왕대비가 이를 도와서 정사를 돌봄. [준]염정(簾政)·수렴(垂簾).

수렵【狩獵】[명] 사냥. ──하다 [타][여불] └──하다 [자][여불]

수렵-기【狩獵期】[명] 수렵 기간.

수렵 기간【狩獵期間】[명] 사냥을 허락하는 시기. 법규 상으로는 11월 1일부터 그 이듬해 2월 28일까지. 조수(鳥獸)의 종류에 따라 다시 그 기간에 제한이 있음. 사냥철. 수렵기. 엽기(獵期).

수렵-도【狩獵圖】[명]〖고고학〗사냥 그림.

수렵 면:장【狩獵免狀】[一짱][명]〖법〗↗수렵 면허장.

수렵 면:허【狩獵免許】[명]〖법〗수렵 관계의 법률에 의거, 일정한 수렵을 할 수 있는 면허.

수렵 면:허세【狩獵免許稅】[一쎄][명]〖법〗수렵 면허장(狩獵免許狀)을 가진 사람에게 부과하는 세금.

수렵 면:허장【狩獵免許狀】[一짱][명]〖법〗출원(出願)에 의하여 지방 장관이 내어 주는 사냥의 면허장. [준]수렵 면장.

수렵-문【狩獵文】[명]〖문〗수렵을 내용으로 한 글.

수렵-물【狩獵物】[명] 사냥을 하여 잡은 새나 짐승 따위.

수렵 민족【狩獵民族】[명] 농경(農耕)이나 목축(牧畜)에 선행(先行)하여 가장 원시적(原始的)인 경제 형태를 갖는 민족. 남자는 수렵, 여자는 야생 식물(野生植物)의 채집을 함. 20-100 명의 집단을 이루고, 계절이나 포획물(捕獲物)에 따라서 이동 생활을 함. 아프리카의 피그미(Pygmy), 부시먼(Bushman), 동남 아시아의 니그리토(Negrito), 오스트레일리아의 원주민 등.

수렵 시대【狩獵時代】[명] 사람의 지혜가 발달되지 아니하여, 짐승을 사냥하여 주식물(主食物)로 삼던 원시 시대.

수렵-장【狩獵場】[명] 수렵지.

수렵-조【狩獵鳥】[명] 사냥할 수 있도록 허가되어 있는 새. 잡는 지역과 기간이 제한되어 있음. 꿩·기러기·비둘기 등. *보호조.

수렵 조수【狩獵鳥獸】[명] 사냥할 수 있도록 허가되어 있는 새나 짐승.

수렵-지【狩獵地】[명] 사냥하는 곳. 사냥이 허락되어 있는 곳. 수렵장. 사냥터. ↔금렵지(禁獵地).

수렵 해:금【狩獵解禁】[명] 수렵 금지가 풀리는 일. *수렵 기간.

수령¹【守令】[명]〖역〗조선 시대 때, 동반(東班)의 외관직(外官職)으로 각 고을을 맡아 다스리던 관찰사(觀察使) 이하의 부윤(府尹)·목사(牧使)·부사(府使)·군수(郡守)·현감(縣監)·현령(縣令)의 총칭. 수신(守臣). 원(員). 자목지임(字牧之任).

수령²【秀靈】[명] 재주가 뛰어나고 영묘(靈妙)함. ──하다 [형][여불]

수령³【受領】[명] 받아들임. 영수. ¶ ~인. ──하다 [타][여불]

수령⁴【首領】[명] ①목. 머리. ②한 당파나 무리의 우두머리. ¶ 도둑의 ~.

수령⁵【粹靈】[명] 청수(淸秀)하고 신령(神靈)함. ──하다 [형][여불]

수령⁶【壽齡】[명] 긴 생명. 장수(長壽).

수령⁷【樹齡】[명] 나무의 나이. ¶ ~ 백 년.

수령-관【首領官】[명]〖역〗①고려 때, 도첨의사사(都僉議使司)의 경력(經歷)과 도사(都事)의 일컬음. 충선왕(忠宣王)이 처음으로 정하였다가 뒤에 폐함. ②조선 시대 때, 중앙 관아의 당상관(堂上官)이 없는 아문(衙門)에서, 칠품(七品) 이하의 관을 이르던 말. 당상관이 있는 데에서는 당하관이라 하였음. ③조선 시대 때, 감영(監營)과 유수도(留守都)의 경력(經歷)과 도사(都事)의 일컬음. 「하는 능력.

수령 능력【受領能力】[一녁][명]〖법〗타인의 의사 표시의 내용을 이해

수령-서【受領書】[명] 수령증(受領證).

수령 선하 증권【受領船荷證券】[一꿘][명]〖경〗해상 운송인(海上運送人)이 운송물을 수령한 뒤 선적(船積) 전에 교부하는 선하 증권. ↔선적(船積) 선하 증권. 「수령-스레【秀靈一】[부]

수령-스럽다【秀靈一】[형][ㅂ불] 재주가 뛰어나고 영묘하게 여겨지다.

수령-인【受領人】[명] 수령하는 사람. 수령자.

수령-자【受領者】[명] 수령인.

수령-증【受領證】[一쯩][명] 물품이나 금전을 받아들이었다는 표로 써서 주는 증서. 수령서(受領書).

수령 증표【受領證票】[명] 수령한 증명이 되는 전표(傳票).

수령 지체【受領遲滯】[명]〖법〗채권자가 채무자의 채무 이행을 거부하거나, 수령할 수 없게 되는 일. 사용자가 로크아웃(lockout)으로 노동자의 취업(就業)을 거부하거나 주문자(注文者)가 청부인(請負人)에 대하여 수선의 목적물의 인수를 거부하는 것과 같은 수령 거절(受領拒絕)과, 채권자 주소 이외의 제삼지에서 채무를 변제하는 송부 채무(送付債務)에 관하여 채권자가 불가 항력의 사유로 인하여 소정의 시간까지 그곳에 도착할 수 없게 된 경우의 수령 불능(受領不能)의 두 가지가 있음. 채권자의 귀책(歸責) 사유로 인한 수령 지체에서는 채무자의 책임이 경감(輕減)되고 채권자의 책임이 인정됨. 채권자 지체.

수령 칠사【守令七事】[一싸][명]〖역〗조선 시대 때, 수령(守令)이 자기 고을을 다스리는 데 힘써야 할 일곱 가지 일. 즉 농상(農桑)이 진흥하고, 호구(戶口)가 늘고, 학교가 일어나고, 군정(軍政)을 잘 베풀고, 부역(賦役)을 고르게 하고, 사송(詞訟)을 잘 처리하고, 간활(姦猾)이 없어지게 하는 것 등의 일곱 가지. 고려 때는 수령 오사(守令五事)라는 것이 있어서 전야(田野)가 넓어지고, 호구가 늘고, 부역을 고르게 하고, 사송(詞訟)을 잘 처리하고, 도적(盜賊)이 일어나지 아니하게 하는 것 등의 다섯 가지였음.

수례¹【手例】[명] 수결(手決).

수례²【修例】[명]〖역〗①조선 시대 때의 공조(工曹)의 별칭. 수부(水府). ②↗수례부(修例府).

수례-부【修例府】[명]〖역〗신라 경덕왕(景德王) 때 영선(營繕) 등의 사무를 맡아 보던 '예작부(例作部)'의 고친 이름. [준]수례(修例).

수로¹【水路】[명] ①물길. ②배로 가는 물 위의 통로. 또 그것을 이용한 교통. 뱃길. 수맥(水脈). 1)·2):↔육로(陸路). ③수영 경기에서, 경영자(競泳者)가 헤엄쳐 나가도록 정해 놓은 길. ¶ 장(長)~/단(短)~. ④물을 보내기 위해 만든 길. 송수로(送水路).

수로²【手爐】[명] 손을 쬐게 만든 화로.

수로³【囚虜】[명] 갇히어 있는 포로(捕虜).

수로⁴【垂老】[명] 칠십 노인.

수로⁵【垂露】[명] ①뚝뚝 떨어지는 이슬. ②필법(筆法)의 하나. 세로 내리긋는 획의 끝을 삐치지 아니하고 붓을 눌러서 그치는 법. ↔현침(懸針).

수로⁶【首虜】[명] 수급(首級)과 포로. 「[자][여불]

수로⁷【修路】[명] ①길게 이어진 길. 먼 길. ②도로를 수리함. ──하다

수로⁸【酬勞】[명] 수고나 공로에 대하여 보수함. ──하다 [자][여불]

수로⁹【竪爐】[명]〖공〗축(軸)이 아래 위로 통하여 있어, 연료와 광석을 같은 곳에 넣을 수 있게 된 노(爐). 배소(焙燒) 등의 증류(蒸溜)에 쓰임. ↔평로(平爐).

수로¹⁰【隧路】[명] 수도(隧道). 터널.

수로-교【水路橋】[명]〖토〗수로의 노선(路線)이 저지(低地)·하천·배수로 등을 횡단할 때 가설한 다리 모양의 구조물. 수도교(水道橋) 따위.

수로-구【水路區】[명] '도선구(導船區)'의 구칭.

수로-국【水路局】[명]〖법〗'국립 해양 조사원'으로 바뀜.

수로-기【修路機】[명]〖기〗로드 롤러(road roller).

수로 도서지【水路圖書誌】[명] 해상 교통 안전을 위하여 해양 수산부 장관이 수로 조사 성과를 수록하여 간행한 도서. 항해용도(航海用圖)·해저지형도(海底地形圖)·해저 지질 구조도(海底構造圖)·어업용도(漁業用圖) 등의 '해도(海圖)'와 수로지(水路誌)·조석표(潮汐表)·등대표(燈臺表)·천측력(天測曆) 등의 '서지(書誌)'를 아울러 일컫는 말.

수로 만:리【水路萬里】[一말一][명] 매우 먼 뱃길.

수로 부:이사관【水路副理事官】[명] 수로직(水路職) 국가 공무원 직급 명칭의 하나. 수로 직렬(職列)에 속하며, 수로 서기관(書記官)의 위, 수로 이사관의 아래로 3급 공무원임.

수로 사:무관【水路事務官】[명] 수로직(水路職) 국가 공무원 직급 명칭의 하나. 수로 직렬(職列)에 속하며, 수로 주사(主事)의 위, 수로 서기관(書記官)의 아래로 5급 공무원임.

수로 서기【水路書記】[명] 수로직(水路職) 국가 공무원 직급 명칭의 하나. 수로 직렬(職列)에 속하며, 수로 서기보(書記補)의 위, 수로 주사보(主事補)의 아래로 8급 공무원임.

수로 서기관【水路書記官】[명] 수로직(水路職) 국가 공무원 직급 명칭의 하나. 수로 직렬(職列)에 속하며, 수로 사무관(事務官)의 위, 수로 부이사관(副理事官)의 아래로 4급 공무원임.

수로 서기보【水路書記補】[명] 수로직(水路職) 국가 공무원 직급 명칭의 하나. 수로 직렬(職列)에 속하며, 수로 서기(書記)의 아래로 9급 공무원임.

수로-선【水路線】[명] 지도 등에 수로를 표시한 선(線).

수로식 발전【水路式發電】[一쩐][명]〖전〗수력 발전의 하나. 호수나 하천의 물을, 수로를 바꾸어 발전소 위의 산으로 유도하여 자연 낙차(落差)·자연 유량(流量)을 이용하는 발전 방식. 경사가 급한 하천에 흔히 이용되는 방법인데 계절적인 수량의 조절이 곤란함이 그 약점임. ¶ ~소. *댐식(dam式) 발전·양수식 발전.

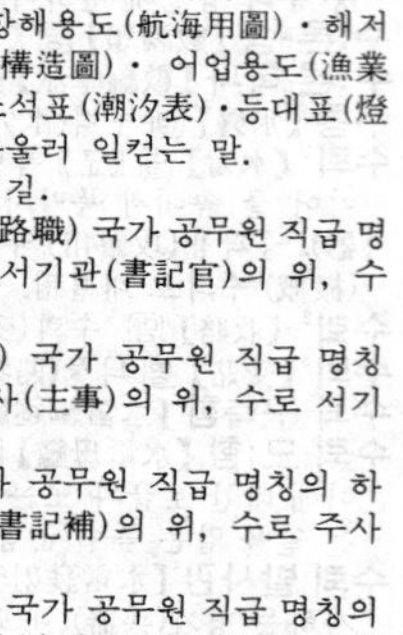

〈수로식 발전〉

수로-아【水老鴉】[명]〖조〗민물가마우지.

수로 안:내【水路案內】[명] 도선(導船).

수로 안:내인【水路案內人】[명] '도선사(導船士)'의 속칭.

수로 업무법【水路業務法】[一뻡][명]〖법〗과학적인 수로 측량과 해양 관측을 실시하여 그 성과를 공표함으로써 해상 교통 안전 및 해양 개발에 이용하게 하고 국제간에 수로 업무의 효율적 증진에 이바지하게 할 목적으로 제정한 법률.

수로-왕【首露王】[명]〖사람〗가락국(駕洛國)의 시조(始祖). 성은 김(金). 신라 유리왕(儒理王) 19년(42)에 하늘로부터 김해(金海)의 구지봉(龜旨峰)으로 내려와서 육가야(六伽倻)를 세웠다는 여섯 형제 중 하나. 왕후는

아유타국(阿踰陀國)의 허(許)씨라 함. 김수로(金首露). [재위 42-199]

수로왕-릉【首露王陵】[—능] 명 『지』 경상 남도 김해시(金海市)에 있는 가락국(駕洛國)의 시조 김수로왕의 능묘. 207년경 축조.

수로 이:사관【水路理事官】 명 수로직(水路職) 국가 공무원 직급 명칭의 하나. 수로 직렬(職列)에 속하며, 수로 부이사관의 위, 관리관(管理官)의 아래로 2급 공무원임.

수로 조사【水路調査】 명 그 성과를 해상 교통 안전 및 해양 개발에 이용하기 위하여 하는 과학적인 수로 측량과 해양 관측.

수로 주사【水路主事】 명 수로직(水路職) 국가 공무원 직급 명칭의 하나. 수로 직렬(職列)에 속하며, 수로 주사보의의 위, 수로 사무관(事務官)의 아래로 6급 공무원임.

수로 주사보【水路主事補】 명 수로직(水路職) 국가 공무원 직급 명칭의 하나. 수로 직렬(職列)에 속하며, 수로 서기(書記)의 위, 수로 주사의 아래로 7급 공무원임.

수로-지【水路誌】 명 수로 서지(水路書誌)의 하나. 해도(海圖)의 불비(不備)를 보충하기 위한 연안(沿岸) 각지에서의 수로의 안내서. 지리(地理)·국정(國情)·인문(人文)·연안(沿岸) 지형·기상·항로 표지·통신·무역, 그 밖의 내용에 필요에 따라 지형 사진 등의 사진과 도면을 첨부함.

수로 측량【水路測量】[—냥] 명 해양에 관한 수심(水深)·지자기(地磁氣)·중력(重力)·지형·지질 등에 대한 측량과 해안선 및 이에 수반되는 토지의 측량을 말함.

수로 측량표【水路測量標】[—냥—] 명 수로국 또는 수로 업무법에 의하여 허가를 받은 자가 수로 측량 또는 해상(海象) 관측을 하기 위하여 설치하는 표지(標識).

수로 터널【水路—】 명 〔water tunnel〕 지하에 매설(埋設)한 수로.

수로-학【水路學】 명 〔hydrography〕 항행(航行) 가능 여부를 명확하게 하기 위하여, 해양·호소·하천 및 이들에 근접한 연안의 자연 상태를 측정·기술(記述)하는 학문.

수록[1]【水鹿】 명 『동』 물사슴.

수록[2]【手錄】 명 손수 기록함. 또, 그 기록. 수기(手記). ——-하다 타여불

수록[3]【收錄】 명 ①기록해서 담아넣음. ②책이나 잡지에 싣는 일. ——-하다 자타여불 「타여불

수록[4]【蒐錄】 명 수집(蒐集)하여서 기록하거나 수록(收錄)함. ——-하다

수록 대:부【綏祿大夫】 명 『역』 조선 시대 문산계(文散階)의 하나. 의빈(儀賓) 정 1 품 상계(上階)의 관계명.

수록-지【手漉紙】 명 『역』 공구를 써서 손으로 뜬 종이. 기계 녹지(機械漉紙)와 상대되는 것으로, 우리나라의 한지(韓紙), 중국의 한지(漢紙), 일본의 화지(和紙)가 이에 속함.

수:론【數論】 명 『수』 정수(整數)·유리수(有理數)·복소수(複素數) 등 각종 수의 성질에 관하여 연구하는 수학의 한 분야. *정수론(整數論).

수:론-송【數論頌】 명 『불교』 삼키아 카리카(sāmkhya kārika).

수:론 학파【數論學派】 명 『불교』 삼키아 학파(sāmkhya 學派).

수롱【水礱】 명 수력(水力)을 이용하는 맷돌.

수뢰[1]【水雷】 명 『군』 폭발약을 튼튼하게 만든 용기(容器) 속에 가뜩 쟁이어 물 속에서 폭발시키어 적함(敵艦)을 파괴시키는 장치의 병기(兵器). 공격용(攻擊用)의 어형(魚形) 수뢰와, 방어용(防禦用)의 기계(機械) 수뢰로 대별됨. 수뢰화(水雷火).

수뢰[2]【收賂】 명 '수뢰(受賂)'의 법전 상(法典上)의 용어. 「자여불

수뢰[3]【受賂】 명 뇌물(賂物)을 받음. 수회(收賄). ↔증뢰(贈賂). ——-하다

수뢰 구축함【水雷驅逐艦】 명 『군』 구축함(驅逐艦).

수뢰 모:함【水雷母艦】 명 『군』 수뢰정(水雷艇)이 먼 거리를 항해할 때, 이에 대한 보급과 또는 수뢰정을 갑판(甲板)에 실어 목적지까지 운반하는 일을 맡은 특수 군함.

수뢰 발사관【水雷發射管】[—싸—] 명 『군』 어형 수뢰(魚形水雷)를 발사하는 병기(兵器). 대포의 포신(砲身)과 비슷한데 수상(水上)에서 사용하는 것은 선회식(旋回式)이고, 수중(水中)에서 사용하는 것은 고정식(固定式)임. 발사관(發射管).

수뢰 발사기【水雷發射機】[—싸—] 명 『군』 어형 수뢰(魚形水雷)를 발사하는 병기(兵器). 수뢰 발사관보다 간단하여 수뢰정(水雷艇)이나 비행기 등에 장치함.

수뢰 방어【水雷防禦】 명 『군』 수뢰정(水雷艇)의 습격이나 수뢰의 부설(敷設)을 방어하는 일. 또, 수뢰를 부설하거나 수뢰정에 대비시켜서 해안을 방비하는 일. ——-하다 자타여불

수뢰 방어망【水雷防禦網】 명 『군』 적의 어뢰(魚雷)의 습격을 막기 위하여 군함의 함측(艦側)에 장치한 강철제(鋼鐵製)의 그물.

수뢰-술【水雷術】 명 『군』 수뢰를 발사하는 기술.

수뢰-장【受賂章】[—짱] 명 『악』 용비 어천가 제 52장의 이름.

수뢰-정【水雷艇】 명 『군』 수뢰 발사기(水雷發射機)를 장치하여 적함(敵艦)을 습격 격침시키는, 속력이 빠른 작은 배. 평상시에는 수뢰 모함(水雷母艦)의 갑판(甲板) 위에 싣고 다님.

수뢰-죄【收賂罪】[—쬐] 명 『법』 공무원 또는 중재인(仲裁人)이 그 직무에 관하여 뇌물을 수수(收受)·요구 또는 약속하는 죄. 수회죄(收賄罪). *증뢰물 전달죄(贈賂物傳達罪).

수뢰 포함【水雷砲艦】 명 『군』 경포(輕砲)를 탑재(搭載)하여 적의 수뢰정(水雷艇)을 포격하는 것을 주된 임무로 하는 군함. 수뢰정보다 흘수(吃水)가 얕고 속력이 빠름.

수뢰-화【水雷火】 명 『군』 수뢰(水雷).

수료[1]【水潦】 명 ①큰 비. 대우(大雨). 큰물. 홍수. ②빗물.

수료[2]【水蓼】 명 『식』 여뀌[1].

수료[3]【受療】 명 치료를 받음. ——-하다 자여불 「하다 타여불

수료[4]【修了】 명 일정한 과정(課程)을 다 배워 마침. ¶ ~식/~증. ——-

수료-법【水療法】[—뻡] 명 광천(鑛泉)에서 솟는 물을 마시거나, 그 물에 목욕을 하여 몸의 질병을 고치는 법.

수료-생【修了生】 명 일정한 과정(課程)을 다 배워 마친 학생.

수료-자【修了者】 명 일정한 과정(課程)을 다 배워 마친 사람.

수료-증【修了證】[—쯩] 명 수업 과정을 마친 사람에게 주는 증서.

수룡【水龍】 명 ①물과 용. ②옛 중국의 관명(官名)의 하나. ③수중(水中)의 용. ④옛 중국의 전선(戰船)의 하나. ⑤무자위.

수룡-음【水龍吟】 명 『악』 정재(呈才) 때에 아뢰는 풍류(風流)의 한 가지.

수루[1]【水樓】 명 물가에 세운 누각(樓閣).

수루[2]【戍樓】 명 적군의 동정을 망보려고 성 위에 만든 누각(樓閣).

수루[3]【垂淚】 명 눈물을 흘림. ——-하다 자여불

수루[4]【愁淚】 명 근심 걱정으로 흘리는 눈물.

수루루 부 ☞수르르. ¶ 나는 ~ 나무에서 미끄러져 내려왔다《鄭飛石 : 故苑》

수루취 명 〈방〉 『식』 수리치. 「I :15》.

수뤼 명 〈옛〉 수레. =술위. ¶ 바미 수뤼모라 나가(中宵驅車去)《重杜諺

수뤼-나무 명 『식』 〈방〉 수뤼나물.

수뤼-나물 명 『식』 흰털냉초.

수뤼취 명 『식』 〈방〉 수리취[1].

수류[1]【水流】 명 물의 흐름.

수류[2]【垂柳】 명 『식』 수양버들.

수류[3]【殊類】 명 딴것과 다른 종류. 특수한 종류. 이류(異類).

수류[4]【獸類】 명 포유류(哺乳類) 동물의 총칭. 피부에 털이 나고 네발은 모양이 거의 같으며, 온혈(溫血)로서, 태생(胎生)임. 짐승.

수류 부:채【隨類賦彩】 명 중국 남제(南齊)의 화가 사혁(謝赫)이 《고화 품록(古畫品錄)》에서 말한 육법(六法)의 하나. 대상(對象)의 종류에 따라 채색함.

수류 운공【水流雲空】 명 흐르는 물이나 하늘에 뜬 구름과 같다는 뜻으로, 지나간 일의 흔적 없이 허무함을 이르는 말.

수류 침식【水流浸蝕】 명 〔stream erosion〕 『지』 수로(水路)에 노출된 물질이 물의 흐름으로 제거되는 과정.

수류-탄【手榴彈】 명 『군』 근접 전투(近接戰鬪)나 참호전(塹壕戰)에 쓰이는 소형 폭탄의 하나. 손으로 투척(投擲)하여, 파편(破片)으로 적병을 살상(殺傷) 또는 적진지를 파괴하는 것인데, 인마(人馬) 살상용인 세열(細裂) 수류탄 외에 연막(煙幕) 수류탄·소이(燒夷) 수류탄·독가스 수류탄 등이 있음. 경우에 따라서는 소총의 총구 앞에 끼우게 된 수류탄 발사기(發射器)로 원거리에까지 발사하는 방법도 사용됨. 지열 수류탄의 유효 반경(有效半徑)은 10-15m임.

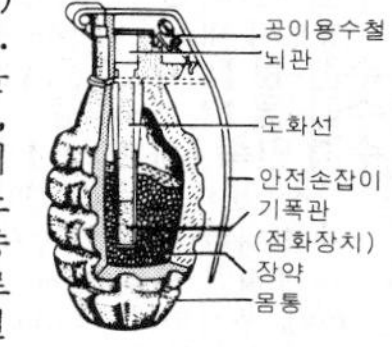

〈수류탄〉

수류 펌프【水流—】 〔pump〕 명 『물』 수도(水道)의 수류를 이용한 일종의 진공 펌프(眞空 pump). 수도전(水道栓)에 장치하여 물을 나오게 하고 그때에 생기는 압력의 감소를 이용하여 주위의 공기를 빨아 냄. 흔히 유리로 만든 소형(小型)의 것을 씀.

수류
공기
〈수류 펌프〉

수-륙【水陸】 명 ①물과 땅. 바다와 육지. ②수로(水路)와 육로(陸路). ¶ ~ 만리.

수륙-군【水陸軍】 명 수군(水軍)과 육군(陸軍).

수륙 도:량【水陸道場】 명 『불교』 수륙재(水陸齋)를 올리는 마당.

수륙 만:리【水陸萬里】[—말—] 명 바다와 육지를 사이에 두고 멀리 떨어짐.

수륙 병:진【水陸並進】 명 수군과 육군이 아울러 진출함.

수륙 분포【水陸分布】 명 『지』 지구 상의 바다와 육지의 분포 상태. 바다와 육지의 면적비(面積比)는 대체로 7 : 3의 비율이며, 위도(緯度)에 따라 분포 상태가 다름.

수륙 양:면 작전【水陸兩面作戰】[—냥—] 명 지상·해상 및 공군 부대가 협동하여 상륙·진격하는 작전.

수륙 양:서류【水陸兩棲類】 명 『동』 양서류. 「수 있는 일.

수륙 양:용【水陸兩用】[—냥—] 명 물 위에서나 육지에서나 다 활용할

수륙 양:용기【水陸兩用機】[—냥—] 명 수상기(水上機)나 비행정(飛行艇)에 바퀴를 달아, 수륙 양쪽에서 다 발착할 수 있는 비행기.

수륙 양:용 자동차【水陸兩用自動車】[—냥—] 명 물 위에서나 육상에서 다 사용할 수 있는 자동차.

수륙 양:용 작전【水陸兩用作戰】[—냥—] 명 〔amphibious operation〕 『군』 육해공군이 연합하여 행하는 상륙 작전. 수륙 양면 작전.

수륙 양:용 전:차【水陸兩用戰車】[—냥—] 명 『군』 추진기(推進機)를 갖추어 수륙을 함께 다닐 수 있게 만든 전차.

수륙 양:용 트랙터【水陸兩用—】[—냥—] 명 〔amphibious tractor〕 『군』 강행(強行) 상륙 작전 단계에서 함정(艦艇)에서 해안까지 부대나 화물을 이동시키기 위해 또는 육상(陸上)·수상(水上)에서 부대나 화물의 국지적(局地的)인 이동에 사용하는 차량.

수륙-재【水陸齋】 명 『불교』 불가(佛家)에서 수륙(水陸)의 잡귀(雜鬼)를 위하여 재(齋)를 올리며 경문(經文)을 읽는 일. 수륙회(會).

수륙-전【水陸戰】 명 수전(水戰)과 육전(陸戰).

수륙 진미【水陸珍味】 명 수륙에서 얻은 물건의 드물게 좋은 맛. 귀한 음식. 산해 진미(山海珍味).

수륙-회【水陸會】 명 『불교』 수륙재(水陸齋).

수륜[1]【水輪】 명 ①동공(瞳孔). ②『불교』 수미산(須彌山)을 받들고 있는 삼륜(三輪)의 하나. 광음천(光音天)에서 떨어지는 빗물이 모이는 곳. 곧

금륜(金輪)과 풍륜(風輪)의 사이에 있는 원륜(圓輪). ③〖불교〗 오륜(五輪)의 하나. 지륜(地輪)과 화륜(火輪)의 사이.

수륜[2] 【垂綸】 명 낚싯줄을 드리움. 낚시질을 함. ——-하다 자여불

수륜-원 【水輪院】 명 〖역〗 대한 제국, 광무(光武) 6년(1902)에 설치한 궁내부(宮內部)의 한 관아. 물방아나 관개(灌漑)에 관한 사무를 맡으며, 총재(總裁) 밑에 각 국장·과장과 감독·기사(技師)·주사(主事) 등이 있었음. 동 8년(1904)에 폐함.

수르나이 〔인 surnay〕 명 〖악〗 동양의 관악기. 원뿔꼴의 관(管)을 가진 오보에 계통의 겹혀 악기로, 소리구멍은 여덟 개, 아래쪽에 금속제 깔때기가 붙어 있음. 서(西) 아시아에서 발생하여 인도·동남 아시아·중국·우리 나라에까지 퍼짐. 인도에서는 수로나이 또는 사나이(sanai), 인도네시아에서 수르네이(surnay), 중국에서는 쇄납(瑣吶), 우리 나라에서는 태평소(太平簫), 일본에서는 차르멜라라 이름.

〈수르나이〉

수르르 부 ①뭉치거나 얽히거나 걸린 물건이 잘 풀리거나 흘러내리는 모양. ¶ 치마가 ~ 흘러내리다/실이 ~ 풀리다. ②부드러운 바람이 천천히 불어오는 모양. ¶ 바람이 ~ 불어오다. ③물이나 가루 같은 것이 부드럽게 새어 나가는 모양. ¶ 자루에 구멍이 뚫어져 밀가루가 ~ 새다. 1)-3):> 소르르.

수르바란 〔Zurbarán, Francisco de〕 명 〖사람〗 스페인의 화가. 명암(明暗)의 대조를 강조하는 세비야파(Sevilla 派)에 속함. 금욕적인 수도원 생활을 즐겨 그렸으며 토마스 아퀴나스를 다룬 연작(連作)이 대표작임. [1598-1644]

수:르 왕조 【一王朝】 〔Sūr〕 명 〖역〗 아프가니스탄 민족이 북인도에 세운 이슬람 왕조. 아프가니스탄계(系) 수르족(族)의 셰르 샤(Shēr Shah)가 무굴 왕조(Mughul 王朝)의 후마 윤(Humā yūn)을 격파하고 북인도의 지배권을 획득하여 건국함. 셰르 샤는 훌륭한 업적을 남겼으나 내분이 끊이지 않는 데다가 후마 윤에게 델리(Delhi)를 다시 빼앗겨 오대(五代)로서 멸망함. [1539-55]

수-릉[1] 【綏陵】 명 〖지〗 동구릉(東九陵)의 하나. 조선 순조(純祖)의 세자(世子) 문조(文祖)와 그의 비(妃) 신정 왕후(神貞王后)의 능. 건원릉(健元陵)의 왼쪽 언덕에 있음.

수릉[2] 【壽陵】 명 ①생전에 미리 만들어 두는 임금의 무덤. ②중국의 황제가 생전에 미리 조영(造營)하는 능. 리산(驪山) 산의 시 황제능(始皇帝陵)이 최대이고, 웨이수이(渭水) 강 북방의 전한(前漢)의 여러 능, 뤄양(洛陽) 부근의 후한(後漢)의 여러 능, 리촨 현(醴泉縣)의 당태종(太宗)의 소능(昭陵)이 유명함. *생광(生壙)·수역(壽域)·수혈(壽穴)·수당(壽堂).

수릉-관 【守陵官】 명 〖역〗 왕릉을 수호(守護)하던 관원(官員).

수릉-군 【守陵軍】 명 〖역〗 각 왕가(王家)의 능(陵)에 딸려 수릉관 아래에서 그 곳의 잡일을 맡아 보던 일꾼. 준 능군(陵軍).

수릉군-전 【守陵軍田】 명 〖역〗 여말 선초(麗末鮮初)에, 과전법(科田法) 시행에 따라, 수릉군을 위해서 설정한 제전(祭田)의 하나. 수릉군 1인에 2결(結)씩 지급함. 수릉군이 스스로 경작하고 국가에 세를 내지 아니하였음.

수리[1] 명 〖조〗 맷과(科) 수리속(屬)에 속하는 맹조(猛鳥)의 총칭. 대체로 몸은 대형(大形)이고, 부리가 크며, 날개의 폭은 넓고 끝은 둥근데 천천히 놀리어 낢. 몸에는 매류(類)와 달라서 암색의 종반(縱斑)과 횡반(橫斑)이 없으며, 산악·평야에 살며 주행성(晝行性)이고, 들쥐·토끼 등을 포식함. 흰죽지참수리·검둥수리·독수리·참수리·흰꼬리수리 등이 있음. *매[7].

수리[2] 명 〈방〉 숟가락(함경).

수리[3] 명 〈방〉 수퇘지(함경).

수리[4] 명 〈방〉〖조〗 독수리(강원·경남).

수리[5] 명 〈옛〉 단오(端午). ¶ 端午 俗名 戌衣《東國歲時記》.

수리[6] 【水利】 명 ①수상 운송(水上運送)의 편리. ②물을 이용함. 곧, 물을 음료수로 하거나 관개용으로 쓰는 일. ¶ ~ 사업.

수리[7] 【水理】 명 수맥(水脈)❷.

수리[8] 【手理】 명 손금.

수리[9] 【手裏】 명 수중(手中).

수리[10] 【受理】 명 소장(訴狀)·원서(願書)·사표(辭表) 같은 것을 받아서 처리 혹은 심리함. ——-하다 타여불

수리[11] 【首吏】 명 〖역〗 각 지방 관아(官衙)의 여섯 영리 아전(營利衙前) 중 으뜸이라는 뜻으로, 이방 아전(吏房衙前)을 일컫는 말.

수리[12] 【修理】 명 고장난 데나 허름한 데를 손보아 고침. ——-하다 타여불

수리[13] 【袖裏】 명 소맷 속.

수리[14] 【愁裏】 명 근심이 있음. 슬픈 기분임.

수리[15] 【竪吏】 명 얕은 벼슬아치. 하급 관리. 수신(竪臣). 소신(小臣).

수:리[16] 【數理】 명 ①수학(數學)의 이론이나 이치. ¶ ~ 통계학. ②계산의 이치. ¶ ~에 밝다.

수리가오 〔Surigao〕 명 〖지〗 필리핀 민다나오(Mindanao) 섬 북부의 해항(海港). 부근에 수리가오 철광상(鐵鑛床)이 있는데 매장량(埋藏量)이 5억 톤이라고 함. [100,000 명(1990)]

수리개 명 〈방〉〖조〗 소리개(함경).

수:리 경제학 【數理經濟學】 명 〖경〗 수학적 방법을 사용하여 구성되는 경제 이론. 가격·생산량·소득 등의 경제량 상호의 관계를 계측(計測)하여, 경제 변동을 양(量)에서 분명히 하고, 경제 현상의 분석·예측(豫測) 등에 응용함. 수리파(數理派) 경제학. ↔계량(計量) 경제학.

수리-계[1] 【水利契】 [一께] 명 수리 사업을 위해서 조직한 계.

수리-계[2] 【修理契】 [一께] 명 〖역〗 궁가(宮家)를 수리할 때에 돗자리·종이·기름·뜸 등을 공납(貢納)하기 위한 계(契).

수:리 계:획법 【數理計劃法】 명 〔mathematical programming〕 〖수〗 수학적인 계획법. 몇 개의 변수(變數)에 대하여 몇 가지 제약 조건이 주어진 경우, 그 변수들에게 주어진 함수를 최대 또는 최소로 하는 변수의 값 및 최대값·최소값을 구하는 수학적 방법. 선형(線形) 계획법·비(非)선형 계획법·동적(動的) 계획법 등이 있음.

수리 공장 【修理工場】 명 기계류(機械類)의 수리만을 취급하는 공장.

수리-권 【水利權】 [一꿘] 명 〖법〗 관개(灌漑)·수도(水道)·발전(發電) 등을 위하여 하천이나 호소(湖沼)의 물 또는 수면(水面)을 독점적 계속적으로 사용하는 권리.

수리 기상학 【水理氣象學】 명 〖기상〗 수문 기상학(水文氣象學).

수:리 기후 【數理氣候】 명 〔mathematical climate〕 〖기상〗 기후의 근원이 되는 태양 복사 에너지를 수리적(數理的)으로 취급하기 위하여 지구에 해륙 분포와 대기가 없고 표면이 고른 것으로 가정하였을 때에 출현할 기후 상태. 이 방법에 의한 지구의 초기의 기후 분류는, 여름이 없는 지대·중간대(中間帶)·겨울이 없는 지대로 대별되리라 생각됨. 태양 고도의 변화에만 관계함. 태양 기후. 천문 기후.

수:리 기후학 【數理氣候學】 명 〖기상〗 수리 기후를 응용하여 태양 복사에 관한 사항을 수리적으로 취급하는 기후학의 한 분야. 태양 고도의 변화, 주간(晝間) 시간, 태양 고도와 복사량(輻射量)의 관계, 하루와 일년 동안의 방사량, 계절(季節)의 길이 등의 문제를 다룸.

수리-나물 명 〈방〉〖식〗 수리취나물.

수리남 〔Surinam〕 명 〖지〗 남미(南美) 북부의 공화국. 북쪽은 대서양에 면하고 서쪽은 가이아나, 남쪽은 브라질, 동쪽은 프랑스령(領) 기아나와 국경을 접하고 있음. 국토의 90 %가 무인(無人) 지대로 북부의 해안 지대는 밀림이며 중·남부는 기아나 고지(高地)의 일부로 사바나(savanna) 및 숲으로 뒤덮인 산지(山地)임. 인종 구성이 복잡함. 해안의 저지대(低地帶)는 적도 우림(赤道雨林) 기후, 내륙은 사바나 기후임. 주산물은 보크사이트. 목재·쌀·설탕·바나나 등도 수출함. 1667년 네덜란드에 점령되어 '네덜란드령 기아나' 또는 '더치 기아나'로 불리다가 1954년에 자치권을 획득, 1975년 완전 독립국이 됨. 수도 파라마리보(Paramaribo). 정식 명칭은 '수리남 공화국(Republic of Surinam)'. [163,265 km^2 : 420,000 명(1995 추계)]

수리-년 【水理年】 명 수문년(水文年).

수:리 논리학 【數理論理學】 [一놀一] 명 기호 논리학.

수리대 명 〈심마니〉 오줌.

수리 대장 【水利臺帳】 명 수리 사용에 관하여, 수리 사용의 허가를 얻은 사람의 성명, 하천의 명칭, 사용 목적 등을 기재하는 공부(公簿).

수리-딸기 명 〖식〗 [*Rubus corchorifolius*] 장미과에 속하는 낙엽 활엽 관목. 전신에 가시가 드물게 나고, 잎은 달걀꼴 또는 세모 모양이며, 잎 뒤에 융모(絨毛)가 있음. 4-5월에 흰 꽃이 하나씩 정생하여 느려져 피고, 과실군(群)은 6월에 황홍색으로 익음. 산록 양지에 나는데, 전라도 및 일본·중국에 분포함. 과실은 식용함.

수리-먹다 자 밤·도토리 등의 열매의 일부분이 상하여 퍼슬퍼슬하게 되다.

수:리 물리학 【數理物理學】 명 〔mathematical physics〕 물리 현상(物理現象)을 나타내는 수학계(數學系)의 연구. 양자 역학(量子力學)·통계 역학·장(場)의 이론 등이 주가 됨.

수리 방해죄 【水利妨害罪】 [一쬐] 명 〖법〗 제방(堤防)이나 저수지의 수문(水門)을 파괴하는 등의 행동을 하여 수리를 방해함으로써 성립되는 범죄.

수리-봉 【守理峰】 명 〖지〗 충청 북도 단양군(丹陽郡)에 있는 산봉우리. [1,022 m]

수리-부엉이 명 〖조〗 [*Bubo bubo tenuipes*] 올빼밋과에 속하는 새. 날개 길이 41-48 cm, 부리 3-4 cm, 꽁지 22-28 cm이고 머리에는 7.5 cm 가량의 귀 모양의 털이 양쪽에 있음. 몸빛은 적갈색 또는 담갈색에 흑색 반점이 있고 가슴의 점반(點斑)은 넓음. 복부는 적갈색에 흑색의 종문(縱紋)이 있고 다리는 발가락까지 털로 덮임. 깊은 산속이나 암벽(岩壁) 같은 데에 사는데, 3-5월에 나무 구멍이나 매의 헌 집 같은 곳에 2-6개의 알을 낳음. 야간에 들쥐·산토끼·뇌조(雷鳥)·개구리·곤충 등을 잡아먹고, 괴상한 소리로 욺. 유럽·아시아·아프리카에 분포함. 수알치새. 각치(角鴟). 곡록응(轂轆鷹). 괴치(怪鴟). 모치(茅鴟). 치휴(鴟鵂).

〈수리부엉이〉

수리 사:업 【水利事業】 명 농작물의 생육에 필요한 토양·수분을 인위적으로 조절하기 위한 관개 시설 및 배수 시설 따위를 설치·관리하는 사업.

수리-산 【修理山】 명 〖지〗 경기도 안양시(安養市)와 군포시(軍浦市)·화성군(華城郡) 반월면(半月面) 경계에 있는 산. [474 m]

수:리 생물학 【數理生物學】 명 〔mathematical biology〕 〖생〗 수학, 컴퓨터 기술 및 양적(量的) 이론 등의 생물학 체계로의 적용과, 그 체계의 기초가 되는 방법론을 포함하는 학문.

수리-성 【一聲】 명 〖악〗 판소리 창법에서, 쉰 목소리와 같이 껄껄하게 나오는 소리.

수리-수리 부 열에 떠서 시력(視力)이 희미한 모양. ——-하다 형여불

수:리 심리학 【數理心理學】 [一니一] 명 〖심〗 수학 내지 수학적 사고(思考)를 적극적으로 사용하는 심리학적 연구의 총칭. 행동의 측정과, 수량화(數量化)가 중심인 것과 행동의 모델화(model 化)가 중심인 것이 포함됨.

수리아 〔Surya〕 명 〖신〗 인도 베다(Veda) 신화의 태양신(太陽神). 일곱 마리의 말이 끄는 마차로 하늘을 달리고, 밤의 암흑을 걷어 하계(下界)의 생물을 감시한다 함. 우샤스(uṣas)는 그의 연인임. 소리야(蘇利耶).

수리 안전답 【水利安全畓】 명 〖농〗 수리·관개 시설이 잘 되어 한해(旱害)를 입을 염려가 없는 논.

수:리 언어학 【數理言語學】 명 〖언〗 수리적인 견지(見地)에서 언어 구조나 언어 행동을 규명하는 학문. 일반적으로 음운 기호(音韻記號)·문

자·단어 등으로 성립된 기호열(記號列)로서의 언어를 형식적·대수적(代數的)인 방법으로 연구하는 형식 문법론을 가리킴.

수리 자:금【水利資金】명 수리 사업을 위한 자금.

수:리-적【數理的】명관 수리에 관한 모양. 수학 이론을 나타내는 모양. ¶ ~으로 따지다.

수:리적 위치【數理的位置】명『지』어느 지점의 경도(經度)와 위도(緯度)로 나타낸 위치. 또, 그것을 보는 방법. 서울은 동경 126°59′, 북위(北緯) 37°35′에 해당한다는 것 등.

수:리 정온【數理精蘊】명『수』중국 청(淸)나라의 수학 책. 하국종(何國宗)·매곡성(梅瑴成)·명안도(明安圖)·고진서(顧陳垿) 등이 편찬한 ≪율력 연원(律曆淵源)≫의 일부. 중국 산법(算法) 이외에 서양의 산술·대수(代數)·삼각법(三角法) 등의 설명이 큰 비중을 차지함. 이 책에서 비로소 조(兆) 이상의 대수(大數)의 단위가 네 자리마다 달라지게 됨. 강희(康熙) 61년(1722)에 이루어졌으며, 모두 53 권(卷)임.

수리 조합【水利組合】명 어느 지역 안의 토지 소유자 또는 토지 가옥 소유자가 모여 농지(農地)에 대한 관개용(灌漑用) 저수지·제방(堤防) 등의 축조(築造)·관리 및 수해 예방(水害豫防) 등에 관한 사업을 목적으로 조직된 법인체(法人體). 1961년 '토지 개량 조합(土地改良組合)'으로 바뀌었음.

수:리 지리학【數理地理學】명〔mathematical geography〕『지』우주(宇宙)에 있어서의 지구의 위치·달력·방위(方位) 및 지도(地圖) 등을 연구하는 지리학의 한 분과. 천문 지리학(天文地理學).

수리 지질도【水理地質圖】[—또] 명『지』지하수를 함유하고 있는 각 대수층(帶水層)의 분포 상태와 대수층에 들어 있는 지하수 유출입의 수리적(水理的)·화학적 성질 등의 특징적인 지하 수문학적(地下水文學的) 요소를 구분하여 지형도 위에 기입·작성한 도면. 수문(水文) 지질도.

수리 지질학【水理地質學】명 수문 지질학(水文地質學).

수:리 철학【數理哲學】명『철』수학의 원리(原理)와 여러 문제의 논리적·인식론적(認識論的) 근거를 연구하는 철학의 한 분과.

수리-청 명〈방〉『건』대청(大廳)(함경).

수리취 명『식』[*Synurus deltoides*] 국화과에 속하는 다년초. 줄기 높이는 80-100cm이고 경엽(莖葉)은 타원형에 톱니가 있고 뒷면에 흰 털이 있으며 근생엽(根生葉)은 꽃이 필 무렵에 말라 시듦. 9-10월에 자색 혹은 백색의 두상화(頭狀花)가 정생(頂生)하여 핌. 산이나 들에 나는데, 한국 각지 및 일본 등에 분포함. 어린 잎은 식용 또는 말리어서 부싯깃을 만듦. 구설초(狗舌草).

〈수리취〉

수리취-떡 명 수리취의 잎을 섞어서 만든 시루떡.

수리치[1] 명『식』☞ 수리취.

수리-치[2]【樹裏峙】명『지』전라 남도 순천시(順天市)에 있는 재. [224m]

수리-치기 명〈방〉수수께끼(경상).

수리코프〔Surikov, Vasili Ivanovich〕명『사람』러시아의 화가. 레핀(Repin, I.E.)과 더불어 러시아 리얼리즘 미술 운동의 주동 세력인 '이동파(移動派)'의 중심 인물. 역사화(歷史畫)에 뛰어남. 작품에 ≪예르마크(Ermak)의 시베리아 정복≫ 등이 있음. [1846-1916]

수:리 통:계학【數理統計學】명『수』우연 현상(偶然現象)으로부터 그 본질(本質)을 추출(抽出)해 내는 수학적 수단을 연구하는 수학의 한 분과. 기술(記述) 통계학과 추측(推測) 통계학으로 분류됨. 사회 조사·품질 관리 등에 널리 응용됨. 추계학. 추측 통계학. ↔사회 통계학.

수:리파 경제학【數理派經濟學】명『경』수리 경제학(數理經濟學).

수리-학[1]【水理學】명〔hydraulics〕주로 하천·운하 등에서의 수류(水流)를 연구하는 학문. 하천의 유로(流路), 유수(流水)의 기원(起源), 수량(水量), 지하수의 높이, 해수(海水)와 담수(淡水)와의 관계 등을 연구함. 광의(廣義)로는 지구 물리학의 한 부분임. 수형학(水形學).

수:리-학[2]【數理學】명 수학과 이학. 또는 수학.

수:리학-파【數理學派】명 경제학파의 하나. 수학적인 방법에 의하여 경제학의 원리·원칙을 서술하려는 학파. *수리 경제학.

수리 행위【受理行爲】명『법』다른 사람의 행위를 유효한 것으로서 받아들이는 행위. 각종 신청·신고서·원서·금전의 납부를 수령(受領)하 ᄂ는 행위 따위.

수리-향【首吏鄕】명『역』수리(首吏)와 수향(首鄕).

수림[1]【愁霖】명 근심을 일으키는 장마. 우울한 긴 장마. 고우(苦雨).

수림[2]【樹林】명 나무가 우거진 숲. ¶ ~ 지대.

수림-대【樹林帶】명 삼림대(森林帶).

수립[1]【竪立】명 꼿꼿하게 또 단단하게 고정시킴. ——-하다 타여불

수립[2]【樹立】명 사업이나 공(功)을 이룩하여 세움. ——-하다 타여불

수릿-날 명〈옛·방〉단오. ¶ 五月五일애 아으 수릿날 아춤 藥은 즈믄힐 長存ㅎ샬 藥이라 받즙노이다≪樂範 8 動動≫.

수릿빛-잎말이나방 명『충』[*Pandemis heparana*] 잎말이나방과에 속하는 곤충. 편 날개의 길이는 17-24mm이고, 머리·가슴·앞날개는 갈색이며 뒷날개는 회갈색임. 유충은 각종 나뭇잎을 말아 그 속에서 번데기 시기(時期)를 지내는데, 한국·일본·유럽 등지에 분포함.

수마[1]【水馬】명『동』해마(海馬)❶.

수마[2]【手馬】명 보병전(步兵戰)을 하기 위하여, 기마병(騎馬兵)이 내리고 타지 아니한 말.

수마[3]【水磨】명『고고학』물갈음. 「고 간 자리.

수마[4]【水魔】명 수해(水害)를 마(魔)에 비유해서 이르는 말. ¶ ~가 할퀴

수마[5]【睡魔】명 못 견디게 오는 '졸음'을 마력(魔力)에 비유하여 일컫는 ᄂ말. ¶ ~에 사로잡히다.

수마[6]【瘦馬】명 마른 말. 파리한 말.

수-마노【水瑪瑙】명『광』석영(石英)의 한 가지. 매우 아름다운 빛을 갖고 광택이 나는데 홍(紅)·흑(黑)·백(白)의 세 종류가 있음. 인재(印材)·문방구 등의 장식품을 만드는 데 씀. 수만호(水曼胡).

수마노-탑【水瑪瑙塔】명『불교』수마노(水瑪瑙)로 쌓은 탑. 충청 남도 공주시(公州市) 마곡사(麻谷寺) 법당(法堂) 앞에 있는 탑 같은 것.

수-마력【水馬力】명『물』일정한 양(量)의 물을 일정한 높이에 올리는 데에 필요한 동력(動力).

수마로코프〔Sumarokov, Aleksandr Petrovich〕명『사람』러시아의 극작가. 프랑스 고전주의(古典主義)를 익혀, 희곡·오페라·발레의 각본 등을 썼으며 상설 극장(常設劇場)을 창립함. 대표작에 비극 ≪호레프≫가 있음. [1717-77] 「된 돌.

수마-석【水磨石】명 물에 닳고 닳아서 서슬이 없어지고 반들반들하게

수마-잡이【手馬—】명 기병(騎兵)이 보병전을 할 때에 싸움에 참가하지 아니하고 수마(手馬)를 맡아 보살피는 병졸.

수마트라 섬〔Sumatra〕명『지』인도네시아 대순다(大Sunda) 열도의 서쪽 끝에 있는 세계에서 다섯째로 큰 섬. 14세기 초부터 이슬람 세력이 진출하고, 16세기 이후 포르투갈·영국·네덜란드가 진출한 뒤에 네덜란드령(領)이 되었다가 2차 대전 후 독립하여 인도네시아 연방 및 남수마트라·동수마트라의 두 자치국(自治國)으로 나뉘었으며, 1950년 인도네시아가 단일(單一) 공화국으로 될 때 이 정치 구획을 없앰. 서해안은 해안을 따라서 높은 산맥이 있는데 반하여 동해안에는 넓은 습원(濕原)이 있고, 산지는 깊은 삼림으로 덮여 있으며 화산호(火山湖)가 많음. 적도(赤道)의 바로 밑에 놓여 있어 온도가 높고 비가 많음. 주민은 여러 부족으로 되어 있어 분포가 복잡하며 주로 회교도(回敎徒)임. 담배·차·커피·고무·야자유 등의 농업이 행하여지며, 팔렘방(Palembang)을 중심으로 하는 석유·주석(朱錫)·보크사이트 등의 광산 자원도 있으나 미개지가 많음. 주요 도시로서 파당(Padang)·팔렘방 등이 있음. [433,800 km²: 20,801,600 명(1980)]

수막[1]【首幕】명『역』각 지방관(地方官)이나 사신(使臣) 또는 외직 무관(外職武官)에 딸린 여섯 비장(裨將) 중 이방 비장(吏房裨將)이 으뜸이라는 뜻으로 일컫는 말.

수:막[2]【繡幕】명 수(繡)를 놓아 장식한 막(幕).

수막[3]【髓膜】명『생』중추 신경, 곧 뇌와 척수를 싸고 있는 결합 조직성의 막. 뇌막과 척수막의 총칭임. 바깥쪽의 경막(硬膜), 중간의 거미막(膜), 안쪽의 유막(柔膜)의 세 겹으로 이루어짐. 뇌척수막(腦脊髓膜).

수막 구균성 수막염【髓膜球菌性髓膜炎】[—썽—념]『의』제2종 법정 전염병의 하나. 수막염 구균에 의해 갑자기 병이 나며, 두통·고열·의식 장애·헛소리·경련을 일으켜 갑자기 죽는 율이 높음. 나아도 신경 장애가 되기 쉬움. 뇌척수막염. 유행성 뇌척수막염. 수막염(髓膜炎). 뇌막염.

수-막새 명『건』'막새'로 된 수키와. ↔암막새. *막새.

수막-염【髓膜炎】[—념] 명『의』수막 구균성 수막염.

수막염 구균【髓膜炎球菌】[—념—] 명〔*Neisseria intrasellularis*〕『의』수막 구균성 수막염의 병원체(病原體). 1887년 오스트리아의 병리학자 바이크셀바움(Weichselbaum, Anton; 1845-1920)이 처음 분리하였음. 아포(芽胞)와 편모(鞭毛)가 없는 호기성(好氣性) 및 그람 음성(陰性)의 쌍구균(雙球菌)으로 타원형이며, 저항·증식력은 약함. 환자의 수액(髓液)이나 인후부(咽喉部)에서 검출되며, 건강한 사람의 인후에도 존재하는 수가 있음. 수막염균. 뇌척수막염균.

수막염-균【髓膜炎菌】[—념—] 명『의』수막염 구균.

수막-종【髓膜腫】명〔도 Meningiom〕『의』뇌 또는 척수에 발생하는 종양(腫瘍)의 한 가지. 수막의 표피(表皮) 세포나 결합 조직에서 발생하는데 일반적으로 양성(良性) 종양에 속하며 발육이 느림. 30세 이상의 사람에 많음.

수막 척수류【髓膜脊髓瘤】명〔meningomyocele〕『의』척주(脊柱)의 결함(缺陷)에 의한 척수 및 척수막의 탈출.

수:-만【數萬】수관 ①여러 만. 이삼만 또는 오륙만. ②썩 많은 수효. ¶ ~의 인파.

수만년-사【壽萬年詞】명『악』조선 중종 13년(1518), 대제학 남곤(南袞)이 영산 회상 불보살(靈山會相佛菩薩)의 가사 대신 부르게 하려고 새로 지어 올린 가사. 수만세가.

수만세-가【壽萬歲歌】명『악』수만년사(壽萬年詞).

수-만호【水曼胡】명『광』수마노(水瑪瑙).

수:-많다【數—】[—만타] 형 수효가 한없이 많다.

수:-많이【數—】[—만—] 부 수효가 한없이 많게. ¶ ~ 모인 사람들.

수-말[1] 명『동』말의 수컷. 모마(牡馬). ↔암말[2].

수말[2]【水沫】명 수포(水泡)❶.

수말[3]【首末】명 머리와 끝.

수망【首望】명『역』조선 시대 때, 관원(官員)을 서임(敍任)할 때 이조(吏曹)·병조(兵曹)가 올리는 삼망(三望) 중의 첫째. *장망(長望).

수망간-광【水—鑛】〔mangan〕명『광』망가나이트(manganite).

수매[1]【水媒】명『식』나사마름·자라마름 등의 수중 현화 식물(顯花植物)이 물의 매개에 의하여 화분(花粉)을 암꽃술에 수정(受精)하는 일.

수매[2]【收買】명 거두어 사들임. ¶ ~ 가격 / 추곡(秋穀) ~. ——-하다 타여불

수:매미 노리개【繡—】명 매미를 수놓은 꾸미개를 주체(主體)로 한 노리개.

수매-화【水媒花】명『식』물의 매개(媒介)에 의하여 수분(受粉)하는 꽃. 수초(水草)의 대부분으로 나사마름·자라마름의 꽃 같은 것. *풍매화(風媒花)·충매화(蟲媒花).

수맥【水脈】명 ①강이나 바다에서 배가 다니는 길. 수로(水路). ②땅 속에 흐르는 물의 줄기. 수리(水理). 「물구멍.

수멍 명 논에 물을 대거나 빼기 위하여 방축(防築) 같은 곳에 뚫어 놓은

수메 명 〈방〉 습베.

수메르 〔Sumer〕 명 〖역〗 기원전 27세기 이전에 메소포타미아의 남부에 살던 주민 또는 그 땅. 지금의 이라크 지방.

수메르 문명【一文明】〔Sumer〕 명 〖역〗 남부 메소포타미아 충적층(沖積層) 평야에 기원전 27세기 이전에 흥한 고대 초기 문명의 총칭. 4 기로 나누며, 설형(楔形) 문자·무채색(無彩色) 토기·벽돌·12진법(進法)·신전(神殿) 중심의 사회 체제 등이 특징임.

수메르-어【一語】〔Sumer〕 명 수메르 사람이 기원전 18세기경까지 쓴 언어. 설형 문자(楔形文字)로 쓰였음. 계통은 불명임.

수면[1]【水面】 명 물의 표면(表面). 물 위의 면. 물낯. 물위.

수면[2]【水綿】 명 〖식〗 해캄[1].

수면[3]【垂面】 명 수직(垂直)으로 된 면(面).

수면[4]【羞面】 명 부끄러움을 띤 얼굴.

수면[5]【愁眠】 명 걱정하면서 잠자는 일. 또, 그 잠. ——-하다 자 여불

수면[6]【睡眠】 명 ①자는 일. 정신적으로나 육체적으로, 일시적으로 피로할 때에 나타나는 일종의 무의식(無意識) 상태. 잠. ②활동을 쉬는 일의 비유. ¶ ~ 화산(火山). ——-하다 자 여불

수면[7]【瘦面】 명 수용(瘦容).

수면[8]【獸面】 명 ①짐승의 얼굴. 또, 그와 같이 흉하게 생긴 얼굴. ②짐승의 얼굴 모양을 본떠서 만든 탈이나 조각. 수두(獸頭).

수면-계【水面計】 명 증기관(蒸氣罐)에 딸리는 부속품의 하나. 관(罐) 속의 수면(水面)의 높이를 밖에서 알 수 있도록 만든 장치. 유리관으로 된 것과 광전지(光電池)·반사경(反射鏡) 등으로 된 것이 있음. 워터 게이지(water gauge). 준수계(水計). *수위계(水位計).

수면 계:좌【睡眠計座】 명 현재는 거래되고 있지 않으나 장차 부활하여 거래될 가망이 있는 계좌. 휴면(休眠) 계좌.

수면 광:구【睡眠鑛區】 명 〖광〗 매장되어 있는 광물이 알려지지 아니한 광구나 또는 이용되지 않고 있는 광구.

수면 마비【睡眠痲痺】 명 〔sleep paralysis〕 〖의〗 잠이 들었을 때나 또는 잠에서 막 깨었을 때에 일시적으로 일어나는 마비.

수면 매립【水面埋立】 명 강·바다·호수·늪 등의 공유(公有) 수면을 메워서 육지로 만드는 일.

수면 물질【睡眠物質】〔一찔〕 명 〖생〗 뇌 속에 있으며, 수면을 일으킨다고 믿어지고 있는 물질.

수면 발작병【睡眠發作病】〔一짝一〕 명 〖의〗 '나르콜렙시(Narcolepsy)'의 역명(譯名).

수면-병【睡眠病】〔一뼝〕 명 〔sleeping sickness〕 〖의〗 ①어떤 병이 원인이 되어 자꾸만 졸음이 오는 증상. ②서아프리카의 콩고 강(Congo 江)·남아메리카의 아마존 강(Amazon 江) 유역 등에 발생하는 전염성 풍토병. 트리파노소마 감비엔제(Trypanosoma gambiense)라고 하는 편모충류(鞭毛蟲類)가 체체(tsetse) 파리 따위의 매개로 인체의 혈액 속에 기생(寄生)함으로써 발생됨. 두통·수종(水腫)·뇌증(腦症)을 일으켜 수면 상태에 빠지고, 드디어 혼수 상태가 되어 사망하게 됨. 트리파노소마병.

수면 부족【睡眠不足】 명 수면이 부족함. 잠이 모자람.

수면 상태【睡眠狀態】 명 ①잠자고 있는 상태. ②사업·활동 등이 부진(不振)한 상태.

수면시 무호흡 증후군【睡眠時無呼吸症候群】 명 〖의〗 수면 장애의 하나. 하룻밤의 수면 중 10초간 이상의 호흡 정지가 30회 이상 나타나는 증상. 남성에 많으며 심하게 코를 골다가 무호흡 상태가 됨. 비만·고령(高齡) 등으로 설근(舌根)이 내려앉아 상기도(上氣道)를 막아서 생김. 발작이 반복되면 폐(肺)고혈압·부정맥(不整脈)·심부전(心不全)·뇌장애 등을 일으키며, 때로는 돌연사(突然死)에 이르기도 함. 무호흡 수면 증후군.

수면 앙배【睟面盎背】 명 밝고도 화평한 기운이 겉에 그대로 드러남.

수면-와【獸面瓦】 명 〖건〗 기와지붕의 사방 끝 모서리에 세우는, 짐승의 얼굴 모양으로 된 기와. 모든 악귀와 재화(災禍)를 물리친다 함.

수면 요법【睡眠療法】〔一뇨뻡〕 명 〔sleep therapy〕 〖의〗 정신병 환자에게 수면제(睡眠劑)를 먹여, 계속적으로 수면케 함으로써 치료하는 방법.

수면 운:동【睡眠運動】 명 〔nyctinasty〕 〖식〗 식물의 잎이나 꽃이 밤이 되면 오므라들거나 아래로 처지는 운동. 광도(光度)의 변화가 자극이 되어 세포의 활동에 변화가 오기 때문임. 민들레·괭이밥·강낭콩·땅콩 등이 대표적임. 취면 운동(就眠運動).

수면-제【睡眠劑】 명 〖약〗 잠을 자게 하는 약. 중추 신경계(中樞神經系), 특히 대뇌(大腦)의 기능이나 이상 흥분(異常興奮)을 억제시켜, 계속적으로 수면 상태에 들어가게 함. 부작용으로서는 습관성(習慣性)이 되는 수가 많고, 만성(慢性) 중독 상태에 있어서는 권태감(倦怠感)·환각(幻覺) 따위 증세가 일어남. 수약(睡藥). 최면제(催眠劑). 최면약.

수면 중추【睡眠中樞】 명 〔도 Schlafzentrum〕 〖생〗 뇌 속의 수면을 관장하는 부분. 시상 하부(視床下部)에 있는데, 이의 흥분(興奮)에 의하여 잠을 잠.

수면-파【水面波】 명 〔water wave〕 〖물〗 물 또는 그 밖의 액체의 표면이 상하동(上下動)을 하는 데 대하여 중력(重力)·표면 장력 등이 복원력(復元力)으로서 작용하여 일어나는 파동. 도수(跳水)는 수면파의 한 예임.

수면하 채:굴【水面下採掘】 명 〔subaqueous mining〕 〖광〗 채굴 광채(鑛體)가 지하수면 밑에 있어서, 물 속에서 광석을 채굴하는 따위의 노천굴(露天掘) 광산.

수면 학습【睡眠學習】 명 〔hypnopedia〕 잠이 막 들려 할 때나 수면중에 녹음된 교재(教材)를 들어 의식하(意識下)에서 흡수하여 학습하는 방법.

수면 화:산【睡眠火山】 명 〖지〗 휴화산(休火山).

수명[1] 명 〈방〉 수멍.

수명[2]【水明】 명 맑은 물이 햇빛에 비치어 똑똑히 보이는 일. ¶ 산자(山紫) ~. 「여불

수명[3]【受命】 명 ①명령을 받음. ②↗수명어천(受命於天). ——-하다 자

수명[4]【羞明】 명 〔photophobia〕 〖의〗 강한 빛에 대해 과민하여 눈이 시고 이것을 싫어하는 상태. 각막(角膜) 질환·홍채염(虹彩炎)·축성 시신경염(軸性視神經炎) 등에 흔히 일어남. 눈이 부시어 눈물을 흘리며, 때로는 안통(眼痛)을 일으킴.

수명[5]【壽命】 명 ①타고나서 부지해 가는 목숨. 준수(壽). ②물품이 사용에 견디는 기간. ¶ 이 시계의 ~은 5년이다. ③〔lifetime〕 〖물〗 소립자(素粒子)·방사성 원소·분자(分子) 등이 어떤 특정한 상태로 존재하는 시간. 보통, 평균 수명을 가리킴. ④〔life cycle〕 〖컴퓨터〗 프로그램에서 사용하는 변수·파일(file)·서브프로그램(subprogram) 등이 생성되어 소멸할 때까지의 시간. 기술적인 패턴의 경우에도 일컬음.

수명[6]【隨命】 명 운명을 따름. ——-하다 자 여불

수명-명【受明命】 명 〖악〗 ↗수명명무(受明命舞).

수명명-무【受明命舞】 명 〖악〗 정재(呈才) 때에 추는 춤의 한 가지. 당악(唐樂)이며 여악(女樂)임. 봉족자(奉簇子)·선모(仙母) 각 한 사람과 봉죽간자(奉竹竿子) 두 사람과 좌우협(左右挾) 각 네 사람이 출연하는데, 주악(奏樂)과 박(拍)에 맞추어 절차에 따라서 구호(口號)·치어(致語)·창사(唱詞)를 부르며, 여러 가지로 배열(排列)을 바꾸면서 춤을 춤. 준수명명(受命明). *수보록무(受寶籙舞).

수명명-사【受明命詞】 명 〖악〗 수명명무(受明命舞)를 출 때에 부르던 노래의 이름.

수명 법관【受命法官】 명 〖법〗 재판장으로부터 지정(指定)받고, 합의부(合議部)를 대표하여 여러 가지 소송 행위를 행하는, 합의부의 일원(一員)인 법관. 증거 조사·공판 준비·화해 권고·증인 심문 등을 행함. 구칭: 수명 판사.

수명-어천【受命於天】 명 천명(天命)을 받아 왕위(王位)에 오름. 수명(受命). 「우천(受命于天). 준수명

수명-우천【受命于天】 명 수명어천(受命於天).

수명 장수【壽命長壽】 명 수명이 길어 오래도록 삶. 어린애의 명이 아무쪼록 길어, 오래 살기를 비는 말.

수명-증【羞明症】〔一쯩〕 명 〖의〗 수명(羞明)의 병증.

수명-찬【受命撰】 명 왕의 명(命)을 받들어 책을 찬정(撰定)하는 일.

수명 판사【受命判事】 명 〖법〗 '수명 법관'의 구칭.

수명-학【壽命學】 명 어떤 일정 조건하에서의 평균 수명 및 건강 상태를 연구하는 학문.

수모[1]【手母】 명 주로 구식 혼인 때에, 신부(新婦)의 단장 및 그 밖의 일을 곁에서 거들어 주는 여자.

수모[2]【水母】 명 〖동〗 해파리.

수모[3]【受侮】 명 남에게 모멸(侮蔑)을 당함. ——-하다 자 여불

수모[4]【首謀】 명 ①주장이 되어, 나쁜 일·음모 등을 꾀함. ②↗수모자(首謀者). ——-하다 타 여불

수모[5]【獸毛】 명 짐승의 털.

수모[6]【鬚貌】 명 수염이 많이 난 얼굴.

수모[7]【誰某】 인대 아무개.

수모-결시【手母一】 명 수모(手母)를 따라다니면서 그의 일을 배우는 여자.

수모-법【隨母法】〔一뻡〕 명 〖역〗 고려 초기와 조선 시대를 내려오면서 평민(平民)과 여자 종 사이에 낳은 아이를 모두 어머니 신분을 따르게 하여 종으로 삼았던 제도.

수모-수모【誰某誰某】 인대 아무개 아무개. 수야 모야(誰也某也).

수모-시【壽母詩】 명 어머니의 생신(生辰) 때에 헌수(獻壽)하는 시.

수모-자【首謀者】 명 중심이 되어, 나쁜 일·음모 등을 꾀하는 사람. 발두인(發頭人). 준수모(首謀).

수모-형【水母形·水母型】 명 〖동〗 메두사형(medusa形).

수목[1] 명 낡은 솜으로 실을 켜서 짠 무명. 「비유한 말.

수목[2]【壽木】 명 장수(長壽)를 내린다는 나무. 또, 인간의 생명을 수목에

수:목[3]【數目】 명 낱낱의 수. 하나하나의 수효.

수목[4]【樹木】 명 ①살아 있는 나무. ②〖식〗 목본 식물(木本植物)의 총칭.

수목[5]【鬚目】 명 수염과 눈매.

수목 기후【樹木氣候】 명 〔tree climate〕 수목이 자랄 수 있는 기후. 열대 다우(多雨) 기후·온대 다우 기후 및 타이가(taiga) 기후를 포함함.

수목 농업【樹木農業】 명 〖농〗 수목(樹木)을 주된 농작물로 삼는 농업. 밤나무를 가꾸어 녹말을, 호두를 재배하여 단백질을 채취하는 일 따위.

수목 농장【樹木農場】 명 〖농〗 산림 경영(山林經營)을 집약화(集約化)해서 이용도를 높이는 농장. 트리 펌(tree firm).

수목 묘:사 검:사【樹木描寫檢査】 명 〖심〗 바움테스트(Baumtest).

수목-발【樹木一】 명 〈방〉 수림(樹林)(평안).

수목-송【樹木頌】 명 나무를 찬양하는 글.

수목 숭배【樹木崇拜】 명 〖종〗 수목을 신격화(神格化)하여, 종교심의 대상으로서 숭배하는 일.

수목-원【樹木園】 명 주로 목본성(木本性) 식물을 모아 재배하며 일반에게 공개도 하는 곳. 「형 여불

수목 참천【樹木參天】 명 수목이 하늘을 찌를 듯이 울창함. ——-하다

수목-학【樹木學】 명 〔dendrology〕 임학(林學)의 한 분야. 수목 및 수목상(狀) 식물의 분류·동정(同定)·분포 따위를 다룸.

수목 한:계선【樹木限界線】 명 〖지〗 고산(高山) 및 극지(極地)에 있어서, 수목이 생존할 수 있는 극한의 선. 곧, 기후가 한랭 또는 건조한 고지나 극지의 어느 지점으로부터 그 위나 극쪽은 큰 나무를 볼 수 없게 되는데, 이러한 지점을 연결한 선을 일컬음. 교목(喬木) 한계선.

수몰[1]【水沒】 명 ①물에 묻힘. 지상에 있던 것, 특히 건조물(建造物)이 물

속에 잠김. ¶ ~ 지구. ②〔filling〕〖광〗광산을 물에 잠그는 일. ──-하다 자타여불

수몰[2]【收沒】명 몰수(沒收)❶. ──-하다 타여불

수몽【愁夢】명 시름에 겨워 꾸는 꿈.

수묘【殊妙】명 아주 묘함. 절묘(絕妙). ──-하다 형여불

수무[1]【手―】명 ☞수모(手母).

수무[2]【首巫】명 수무당.

수무[3]【綏撫】명 편안히 하고 위무함. ──-하다 타여불

수무다 타〈방〉십다(경상·경기).

수-무당【首巫―】명 으뜸가는 무당. 우두머리격(格)의 무당. 수무(首巫).

수-무분전【手無分錢】명 '수무푼전'의 잘못된 말.

수무 족도【手舞足蹈】명 몹시 좋아서 날뜀. 도무(蹈舞). ──-하다 자여불

수-무지개 명 쌍무지개에서, 다른 하나보다 빛이 맑고 곱게 보이는 무지개. ↔암무지개.

수-무푼전【手無一錢】명 수중(手中)에 돈이 한 푼도 없음.

수묵【水墨】명 ①빛이 엷은 먹물. ②〖미술〗유묵(流墨) 무늬가 있는 그릇. 중국 청(淸)나라 건륭(乾隆) 때 당주요(唐州窯)의 산물임.

수묵(이) 지다 구 그림이나 글씨의 획이나 점 가장자리에 수묵이 어리어 나타나다.

수묵(을) 치다 구 잘못된 곳에 수묵을 발라 감추다. ¶ 여승지가 …도리어 괘씸히 여겨 펄펄 뛰어 야단야단하는 것을 구써가 연해 수묵을 쳐서 가로막으며 끌러놓더니…≪李海朝: 鳳仙花≫.

수묵 산수【水墨山水】명〖미술〗채색(彩色)을 쓰지 아니하고 산수 수석(山水樹石)을 모두 수묵만으로 그린 산수화.

수묵-색【水墨色】명 엷은 먹물의 빛깔.

수묵-화【水墨畫】명〖미술〗중국 당(唐)나라 중엽부터 시작된 동양화의 하나. 채색(彩色)을 쓰지 아니하고, 수묵의 짙고 옅은 조화(調和)로서 천인 일치(天人一致)의 초자연적(超自然的) 표현을 주로 하는 그림. 채색화보다 깊고 추상적(抽象的)이며, 정신적인 그림으로 동양의 정신 철학에 깊이 참여(參與)하고 있음. 송(宋)나라 때의 목계(牧溪)·옥간(玉澗) 등이 특히 유명함.

수문[1]【水文·水紋】명 ①수면(水面)에 일어나는 물결의 무늬. 물무늬. ②물결처럼 어른어른하여 잘고 고운 무늬.

수문[2]【水門】명〖토〗저수지나 수로(水路)에 설치하여 수량(水量)을 조절하는 문. 물문. 수갑(水閘).

수문[3]【手紋】명 손금[1].

수문[4]【守文】명 선대(先代)의 성법(成法)을 계승하여, 나라를 다스리어 백성을 편안히 함.

수문[5]【守門】명 문을 지킴. ──-하다 자여불

수문[6]【壽門】명 대대로 장수(長壽)하는 집안.

수:문[7]【繡紋】명 자수(刺繡)의 무늬.

수문 곡선【水文曲線】명〔hydrograph〕가로축(軸)에 시간 또는 날짜, 세로축(軸)에 유량(流量)을 잡아 하천(河川)의 어떤 관측 지점에서의 유량의 시간적·계절적 변화를 도시(圖示)한 곡선. 최고 수위와 최대 유량의 분석(分析)에 쓰임. 수위도(水位圖). 유량도(流量圖). 하이드로그래프.

수문-군【守門軍】명〖역〗각 궁문(宮門) 및 성문(城門)을 여닫고 통행인을 검속하던, 수문장(守門將) 아래의 병졸들.

수문 기상학【水文氣象學】명〔hydrometeorology〕〖기상〗응용 기상학의 한 분야. 강수(降水), 하천의 수위(水位), 유출(流出)과 저류(貯溜), 증발산(蒸發散), 지하수 등 물의 순환의 기구(機構) 및 수자원(水資源)의 개발과 이용, 홍수 조절 등에 관한 학문. 수리(水理) 기상학.

수문-년【水文年】명〔water year〕어떤 지역의 물의 수지(收支)를 다룰 때, 그 지역의 수문 자료에 의해 물의 수지 오차가 최소가 되도록 설정한 1년 단위의 기간. 하천의 유량(流量), 토양 수분이나 지하수 등의 물의 저장이 1년 중 최소가 되는 달을 경계로 잡음. 한국에서는 달력의 12월 1일이 수문년의 시작, 11월 말일이 수문년의 끝임. 일본은 4월 1일에서 3월 31일까지, 미국은 10월 1일에서 9월 31일까지임. 수리년(水理年).

수문 부장【水門部長】명〖역〗도성(都城)의 수문(水門)을 지키는 벼슬.

수문 수답【隨問隨答】명 묻는 대로 거침없이 대답함. ──-하다 자여불

수문식 운하【水門式運河】명 갑문식(閘門式)의 운하.

수문-장[1] 명〈방〉숨은장.

수문-장[2]【守門將】명〖역〗①궁문(宮門)이나 성문(城門)을 지키던 무관직(武官職). ②대문을 지키는 신장(神將)의 하나.

수문장-청【守門將廳】명〖역〗조선 시대 때 궁궐문의 수위(守衛)를 맡아 보던 관청. 영조(英祖) 때까지는 일정한 관직이 없고 무관 사품(四品) 이하를 윤번(輪番)으로 임명하였으나, 그 후에 정직(正職)을 삼아서 국왕으로부터 수점(受點)한 자를 임명하였음.

수문-전【修文殿】명〖역〗고려 인종(仁宗) 14년(1136)에 문덕전(文德殿)의 고친 이름. 충렬왕(忠烈王) 때에 폐하였다가, 공민왕(恭愍王) 5년에 다시 두고 21년에 폐하였음.

수문 지구 화학【水文地球化學】명〔hydrogeochemistry〕국지(局地) 지질학 및 광역(廣域) 지질학과 관련해서, 지하수나 지표수의 화학적 특성을 연구하는 학문.

수문-지기【水門―】명 수문을 지키는 사람.

수문 지질도【水文地質圖】[―또] 명〖지〗수리(水理) 지질도.

수문 지질학【水文地質學】명〔hydrogeology〕〖지〗지표수(地表水) 및 지하수의 양태(樣態)나 기원(起源), 움직임·침식·퇴적 등을 지질(地質)의 성격과 관련지어 연구하는 학문. 수리(水理) 지질학.

수문-청【守門廳】명〖역〗궁문(宮門)이나 성문에 수문장(守門將)이 있어, 수문군들의 본부로 되어 있던 곳.

수문-통【水門桶·水門筩】명 성(城)이나 방축 등의 수문의 물이 빠져 나오는 물통.

수문-품【守門品】명〖천주교〗칠품(七品) 중의 제1품급. 성당문을 여닫고 성당의 종을 치는 권한을 가짐.

수문하 시:중【守門下侍中】명〖역〗고려 때 중서 문하성(中書門下省)의 종일품 재신(宰臣). 공민왕 5년(1356)에 좌정승·우정승을 문하 시중과 수문하 시중으로 고쳤다가 11년(1362) 다시 첨의(僉議) 좌정승·첨의 우정승으로 바꿈.

수문-학【水文學】명〔hydrology〕〖지〗하천·호소(湖沼)·지하수·빙설(氷雪) 등의 형태로 육지에 존재하는 물의 상태를 연구 대상으로 하여, 그 기원·분포·순환, 물과 환경과의 상호 작용 등을 연구하는 분야.

수뭇져기 명〈옛〉숨바꼭질. ¶ 흔 녀름은 수뭇져기 ㅎ느니라(一夏裏藏昧昧)≪朴解 上 17≫.

수뮈-나물 명〈방〉〖식〗흰털냉초.

수미[1]【水味】명 물의 맛.

수미[2]【守眉】명〖사람〗조선 세조(世祖) 때의 왕사(王師). 속성은 최(崔). 호는 묘각(妙覺). 고랑주(古朗州) 사람. 선종 판사(禪宗判事)로 선교(禪敎)를 부흥시키고, 종문(宗門)·종풍(宗風)을 정돈하였으며, 왕명으로 대장경 50부를 박아 냈음.

수미[3]【收米】명 거두어 들인 쌀. 징수(徵收)한 쌀.

수미[4]【秀眉】명 아주 뛰어나게 아름다운 눈썹.

수미[5]【秀美】명 뛰어나게 아름다움. ──-하다 형여불

수미[6]【首尾】명 사물의 머리와 꼬리. 처음과 끝. 두미(頭尾). 시말(始末). 양단(兩端).

수미[7]【須彌】명〖불교〗↗수미산(須彌山).

수미[8]【愁眉】명 근심에 잠긴 눈썹. 곧, 근심스러운 기색. ¶ ~를 펴다.

수미[9]【粹美】명 순수하게 아름다움. ──-하다 형여불

수미[10]【壽眉】명 노인의 눈썹 중에서 가장 긴 눈썹.

수미[11]【鬚眉】명 수염과 눈썹.

수미-단【須彌壇】명〖불교〗절의 불전(佛殿) 안에, 부처를 모셔 두는 단.

수미-법【收米法】[―뻡] 명〖역〗대공(代貢) 수미법.

수-미분【水米粉】명 쌀을 물에 불리어, 매에 갈아 체에 밭치어 가라앉힌 앙금. 무리.

수미-산【須彌山】명〔범 Sumeru〕〖불교〗불교의 세계설(世界說)에서, 세계의 한가운데에 높이 솟아 있다고 하는 산. 꼭대기에는 제석천(帝釋天)이 살고 있고 중턱에는 사천왕(四天王)이 살고 있다 하는데, 그 높이는 물 위로 8만 유순(由旬)(1 유순은 400리)이고 물 속으로도 8만 유순이며 가로의 길이도 이와 같다 함. 금·은·유리(瑠璃)·파리(玻璃)의 사보(四寶)로 이루어져 북쪽은 황금, 동쪽은 백은(白銀), 남쪽은 유리, 서쪽은 파리인데, 달과 해가 그 주위를 회전하여 보광(寶光)을 반영(反映)시켜, 사방의 허공(虛空)을 물들이고 있다 함. 수미산 둘레에는 칠금산(七金山)이 이것을 위요(圍繞)하고, 수미산과 칠금산 사이에 칠해(七海)가 있으며, 칠금산 밖에는 함해(鹹海)가 둘러 있고, 함해 건너에 철위산(鐵圍山)이 둘러 있어, 수미 세계의 외곽(外郭)을 이룬다 함. 함해 속에 사대주(四大洲)가 있는데, 사대주 남쪽이 인도 대륙에 해당한다함. 묘고산(妙高山). 묘광산(妙光山). ㊟수미(須彌).

수미산-파【須彌山派】명〖불교〗신라 시대의 불교 선종 구산(禪宗九山)의 하나. 신라 효공왕(孝恭王) 15년(912)에, 중국 당(唐)나라에서 공부하고 돌아온 이엄(利嚴)이, 고려 태조(太祖) 15년(933) 해주(海州)에 광조사(廣照寺)를 짓고, 여기를 중심으로 하여 많은 제자를 육성하였는데, 이 이엄(利嚴)의 선풍(禪風)을 말함. 황해도 벽성군(碧城郡) 수양산(首陽山)에 그 터가 남아 있음.

수미 상응【首尾相應】명 서로 응하여 도와 줌. 양쪽 끝이 서로 응함. ──-하다 자여불

수미 상접【首尾相接】명 서로 이어 끊이지 아니함. 양쪽 끝이 서로 연접함. ──-하다 자여불

수미 완비【首尾完備】명 처음부터 끝까지 완전히 구비함.

수민[1]【水黽】명〖충〗소금쟁이.

수민[2]【愁悶】명 근심 걱정을 하여 마음이 답답하고 번거로움. 수심(愁心)에 싸여 번민(煩悶)함. ──-하다 형여불

수민-원【綏民院】명〖역〗대한 제국 광무(光武) 6년(1902) 궁내부(宮內府)에 소속되어 외국에 대한 여행권(旅行券)을 관장하던 관아. 당년에 폐지되었음.

수밀【水密】명〖물〗수조(水槽)·선복(船腹)·관(管) 따위, 액체에 대하여 격벽(隔壁)이 마련되어 있는 경우, 액체가 격벽의 빈틈으로 새지 아니하고 물의 압력에 견디어 내는 상태. 또, 그 작용.

수밀 격벽【水密隔壁】명〖해〗선박의 외부가 파괴되어 침수(浸水)할 경우에, 이를 일부분에만 그치게 하기 위하여 선박의 내부를 여러 구획(區劃)으로 갈라 막은 벽.

수밀 구획【水密區劃】명〖해〗수밀 격벽(隔壁)에 의하여 간막이된 배 안의 구획.

수밀-도【水蜜桃】[―또] 명 복숭아의 한 가지. 껍질이 얇고 살과 물이 많으며 맛이 닮. 중국 원산의 재배종인데, 꽃이 크고 담홍색이며, 상해 수밀도·천진(天津) 수밀도·토용(土用) 수밀도·이핵(離核) 수밀도·반도(蟠桃), 그 밖에 여러 품종이 있음.

〈수밀도〉

수밀-문【水密門】명〖해〗선박의 수밀 격벽(水密隔壁)의 출입구에 장치하여, 닫으면 물이 새지 못하도록 된 문. 수평 또는 수직으로 개폐(開閉)되는 것과 수동식(手動式)·전동식(電動式)·전동 수압식(電動水壓式) 등이 있음. 국제 항해에 종사하는 여객선(旅客船)에는 엄격한 규정이 있어 필요 불가결(不可缺)한 곳에만 설치하는데, 특히 선수(船首)·석탄고(石炭庫)·화물 저장소 등의 옆의 격벽에는 수밀문을 설치하지 못하도록 되어 있음.

수밀-병【酥蜜餠】명 밀가루와 꿀과 돼지 기름을 섞어서 반죽하여, 화로

불에 쇠판을 얹어 종이 한 겹을 깔고, 그 위에 놓아 구운 떡.

수밀 시험【水密試驗】명 용기(容器) 따위의 수밀(水密)을 검사하는 일. 용기에 물을 넣고 압력을 주어, 누수(漏水) 여부를 검사함.

수밀 콘크리:트【水密—】〔concrete〕명 수밀성(水密性)이 높은 콘크리트. 양질의 골재(骨材)를 쓰고 물과 시멘트의 비율이 작은 조밀한 것임. 또, 방수제를 혼합하여, 표면에 아스팔트나 콜타르 피치의 피막(被膜)을 만드는 방법이 있음. 수조(水槽)·자하벽(地下壁) 따위에 쓰임.

수바〔Suva〕명〖지〗피지의 수도. 피지 제도(Fiji諸島)의 주도(主島)인 비티 레부(Viti Levu) 남동안(南東岸)에 위치하는 항구 도시로, 사탕·코프라·바나나·금(金) 따위를 수출함. [73,000 명(1995 추계)]

수:-바늘【繡—】명 수를 놓을 때 쓰는 바늘.

수:박¹ 명〖식〗[*Citrullus vulgaris*] 박과(科)에 속하는 일년생의 만초(蔓草). 줄기는 길이 4-6 m, 잎은 호생하고 긴 삼각형이며, 우상(羽狀)에 3-4 쌍으로 깊게 째지는데 덩굴손은 분기(分岐)함. 자웅 동주(雌雄同株)로 여름에 담황색 단성화(單性花)가 피는데, 꽃부리는 윤상(輪狀)이고 다섯 갈래로 심렬(深裂)하며, 보통 줄기의 7-9 마디에 암꽃이 달림. 열매는 숙과(熟果) 모양으로 둥글고 크며, 뿌리가 덩굴보다 길게 벋고 씨는 검거나 붉음. 아프리카의 원산(原產)으로, 300여 년 전에 중국을 거쳐 우리 나라에 수입되었음. 열매 '수박'은 식용하는데, 물이 많고, 빛은 담홍색·홍색·크림빛 등 여러 가지이며 맛이 닮. 한방(漢方)에서는 대소변을 통하게 하는 데와, 신장염에 약으로 씀. 씨는 차(茶)로 쓰임. 서과(西瓜). 수과(水瓜).
[수박 겉핥기] 사물의 속 내용은 모르고 겉만 건드림을 이르는 말. [수박 흥정] 속을 들여다보지 못하고 하는 흥정이란 뜻.

〈수박¹〉

수박²【手搏·手拍】명 ①수격(手格). ②한국 전통 무예의 하나. 주로 손을 써서 상대를 공격하거나 수련을 함. 수벽타(手擗打). 수벽(手擗)치기.

수박³【囚縛·收縛】명 붙잡아 묶음. ——-하다 타여불

수:박-고누 명〈방〉우물고누.

수:박 깍두기 명 겉껍질을 벗긴 수박의 껍질로 담근 깍두기. 서과 홍저(西瓜紅菹).

수:박-단【—緞】명 비단의 한 가지.

수:박-등【—燈】명 ①초롱의 하나. 대오리나 나무오리로 얽어 수박 모양으로 만들고 겉에 종이를 발라 속에 촛불을 켜게 된 등. ②수박과 모양이 비슷한 커다란 전등(電燈). 외등(外燈) 따위로 사용함.

수:박-따기 명 '꼬리잡기'의 딴 이름.

수:박-색【—色】명 수박의 껍질처럼 짙은 초록색. ¶ ~ 저고리.

수:박 정:과【—正果】명 수박의 껍질을 겉껍질째 썰어서, 꿀이나 설탕에 조린 정과.

수:박-풀 명〖식〗①[*Hibiscus trionum*] 아욱과에 속하는 일년초. 줄기 높이 30-60 cm로, 잎은 호생하는데, 밑의 잎은 원형이고 갈라지지 않으며 위의 잎은 3-5 갈래로 깊게 째지고, 열편(裂片)은 선상(線狀) 또는 거꿀달걀꼴의 긴 타원형을 이룸. 7-8월에 담황색 꽃이 줄기 끝이나 가지 끝에 액생(腋生)하여 피고 삭과(蒴果)를 맺음. 밭에 남. 중부 아메리카 원산(原產)으로 세계 각지에 분포함. ②오이풀.

〈수박풀❶〉

수:박 화채【—花菜】명 수박의 붉은 속을 긁어 내어 저미고 씨를 발라 낸 뒤에 꿀에 재었다가 꿀물에 넣고 실백자(實柏子)를 띄운 화채.

수반¹【水畔】명 물가¹.

수반²【水飯】명 물에 만 밥. ↔건반(乾飯).

수반³【水盤】명 사기나 쇠붙이로 만든 바닥이 평평하고 넓으며, 운두가 낮은 그릇. 물을 담아 꽃을 꽂거나 또는 괴석(怪石) 등을 넣고 관상(觀賞)함.

수반⁴【首班】명 ①반열(班列) 가운데의 수위(首位). ②행정부(行政府)의 우두머리. ¶ 내각 ~.

수반⁵【隨伴】명 ①반려(伴侶)로서 붙어 따름. 거느리고 따름. ¶ ~자(者). ②어떤 일과 함께 일어남. 따름. ¶ 성공에는 언제나 고통이 ~된다/이 사건에 ~하는 문제들. ——-하다 자타여불

수반 관:개【水盤灌漑】명〖농〗과수원에서, 과수 두서너 그루마다 그 주위에 고랑을 파서, 물이 균일하게 돌아가도록 관개하는 방법. 수반법(水盤法).

수-반구【水半球】명〖지〗지구면(地球面)을 프랑스의 빌렌 강구(Vilaine 江口)를 극(極)으로 하는 반구(半球)와 뉴질랜드 남도(南島)의 동남해 앤티퍼디스(Antipodes) 제도 부근을 극으로 하는 반구로 2분할 때의 남반구. 전면적의 88.7%가 바다임. 독일의 지질학자 펭크(Penck, W.)가 명명함. 해반구. ↔육반구(陸半球).

〈수반구〉

수반-법【水盤法】[—뻡] 명〖농〗수반 관개.

수반 세:포【隨伴細胞】명〔satellite cell〕〖생〗말초 신경계의 신경 세포를 둘러싼 신경초(神經鞘) 세포의 일종.

수반 식물【隨伴植物】명〔companion plant〕〖식〗주된 작물이 재배되는 곳에서 항상 함께 볼 수 있는 야생형 또는 원시 재배형 식물. 예컨대 논의 벼에는 피, 조에는 강아지풀 따위. 주작물(主作物)과 자연 교배되어 유전자의 확산을 일으키는 경우도 있음.

수반-와【隨伴渦】명 뒷전소용돌이.

수반 증식【隨伴增殖】명〔sattelitosis〕〖의〗중추 신경계의 염증 및 퇴행 변성(變性) 질병에 따르는 상태. 신경 세포의 주변에 성상(星狀) 세포가 증식함.

수반-지【首班地】명〖불교〗말사(末寺) 가운데서 으뜸가는 절.

수반-토【水礬土】명〖화〗보크사이트(bauxite).

수반 행렬【隨伴行列】[—녈] 명〔adjoint of a matrix〕〖수〗각 요소를 그 전치(轉置) 요소의 켤레 복소수(複素數)로 환치할 수 있는 행렬.

수발¹ 명 신변(身邊) 가까이에서 여러 가지로 시중을 듦. ——-하다 타여불 수발(을) 들다 구 신변 가까이에서 여러 가지로 시중을 들다.

수발²【秀拔】명 뛰어나게 훌륭함. 우수(優秀)하고 탁발(卓拔)함. ——-하다 형여불

수발³【秀發】명 재지(才智)와 풍채(風采)가 뛰어남. ——-하다 형여불

수발⁴【受發】명 수령(受領)과 발송(發送). 받음과 보냄. ——-하다 타여불

수발⁵【垂髮】명 ①머리를 뒤로 길게 늘어뜨림. 또, 그러한 머리. ②머리를 뒤로 길게 늘어뜨리는, 여자들의 결발(結髮)의 한 가지. 불상(佛像)이나 신상(神像)에서 흔히 볼 수 있음.

수발⁶【鬚髮】명 수염과 머리털.

수발 황락【鬚髮黃落】[—낙] 명 늙어서 쇠약함. ——-하다 형여불

수방¹【水防】명 ①수해(水害)의 방지. ②홍수를 방지하기 위하여 하천의 제방(堤防)을 수축(修築)하는 작업. ¶ ~림(林)/~ 공사(工事).

수방²【守防】명 지키고 막는 일. 방위(防衛). ——-하다 타여불

수방³【守房】명〖민〗혼례(婚禮) 때 첫날밤의 신방(新房) 곁을 지키는 일. 보통, 가까운 연고자나 시비(侍婢)들이 하던 풍습임. ——-하다 자여불

수방⁴【首防】명 '수도 방위'의 준말. ¶ ~사(司).

수방⁵【殊邦】명 다른 나라. 외국(外國). 타국(他國).

수방⁶【搜訪】명 수색하고 탐방(探訪)함. ——-하다 타여불

수:방⁷【繡房】명〖역〗조선 시대 때, 궁중의 육처소(六處所)의 하나. 궁중에서 소요되는 흉배(胸背)·치마 등의 복식(服飾) 또는 베갯모·병풍 등 장식물(裝飾物)에 수를 놓는 직소. *세수간(洗手間).

수:방 나:인【繡房—】명〖역〗조선 시대 때, 궁중에서 수방(繡房)에 딸린 나인. *세수간 나인.

수방-단【水防團】명 수재(水災)를 막기 위한 단체. 홍수의 감시, 이재민(罹災民)의 구호, 위험 지구의 소개(疏開) 등을 맡아 봄.

수방-림【水防林】[—님] 명 수해 방비림(水害防備林).

수:-방석【繡方席】명 수를 놓아서 만든 방석. 꽃방석.

수배¹【手背】명 손등.

수배²【手配】명 ①갈라 맡아서 지킴. ②범인을 잡으려고 수사망(搜查網)을 폄. ¶ 지명(指名) ~. ——-하다 타여불

수배³【受配】명 배급을 받음. ¶ ~자(者). ——-하다 자여불

수배⁴【隨陪】명 ①〖역〗수령(守令)이 행차할 때 또는 전근될 때에 따라다니며 섬기는 아전. ②〖민〗수비¹.

수배-자【受配者】명 배급을 받는 사람.

수백¹【水伯】명 물귀신 ❶.

수:-백²【數百】수 여러 백. 곧, 이삼백 또는 사오백. 누백(累百). ¶ ~ 명의 인원.

수백 길경채【水白桔梗菜】명 생도라지를 물에 우리고 통째로 얇게 저미어, 설탕·기름·고춧가루·소금 등을 치고 무친 나물.

수:-백만【數百萬】수관 여러 백만. 이삼백만 또는 사오백만.

수-백분【水白粉】명 물분.

수백지-구【粹白之裘】명 순백(純白)의 호백구(狐白裘).

수:버니어〔souvenir〕명 기념품. ¶ ~숍.

수:-버선【繡—】명 수를 놓아 만든 젖먹이의 버선.

수번【首番】명 상여꾼의 우두머리.

수-번뇌【隨煩惱】명〖불교〗탐욕(貪慾) 등의 근본 번뇌(根本煩惱)에 수반하여 일어나는 번뇌. 방일(放逸)·해태(懈怠)·무참(無慚)·질투(嫉妬)·원한(怨恨)·수면(睡眠)·분노(憤怒) 등.

수-벌¹ 명 벌의 수컷. 웅봉(雄蜂). ↔암벌.

수벌²【受罰】명 벌을 받음. ——-하다 자여불

수-범¹ 명 범의 수컷. ↔암범.

수범²【首犯】명 ①맨 먼저 죄를 범한 사람. ②범인 중의 우두머리.

수범³【垂範】명 몸소 모범을 보임. ¶ 솔선 ~. ——-하다 자타여불

수법¹【水法】[—뻡] 명〖법〗광의(廣義)로는 해양·운하(運河)·호소(湖沼)·하천·상하수도 등 물에 관한 모든 법률. 협의(狹義)로는 그 중 공수(公水)에 관한 법률.

수법²【手法】[—뻡] 명 ①수단. 방법. ¶ 교묘한 ~/~이 비슷한 범죄. ②작품을 만들 때의 솜씨. 기법(技法). ¶ 뛰어난 ~.

수법³【守法】명 법을 준수함. 준법(遵法). ——-하다 자여불

수법⁴【受法】명〖불교〗밀교에서, 중이 관정단(灌頂壇)에 들어가서 스승에게 불법(佛法)을 받음. ——-하다 자여불

수법⁵【修法】명 ①수도(修道)하는 방법. ②〖불교〗밀교(密敎)에서, 단(壇)을 설치하고 본존(本尊)을 안치하여, 공양을 올리고 진언(眞言)을 외어 손에 인(印)을 맺고 마음에 불보살을 생각하며 법을 닦는 일. 식재(息災)·증익(增益)·경애(敬愛)·조복(調伏)의 4 종 기도법이 있음. 가지 기도법(加持祈禱法).

수:법⁶【數法】[—뻡] 명 셈하는 방법.

수법⁷【樹法】[—뻡] 명〖미술〗산수화나 수석화(樹石畫)에 있어서의 수목의 화법.

수:법⁸【繡法】[—뻡] 명 수놓는 방법.

수법-자【守法者】명 법을 잘 지키는 사람. 준법자(遵法者).

수:-베개【繡—】명 수를 놓아서 만든 베개. 수침(繡枕).

수베린〔suberin〕명〖식〗식물 세포벽(細胞壁)이 2 차적으로 변질하여 코르크화(化) 현상이 일어날 때 세포벽 중에 축적되는 물질. 코르크질(質). 보굿질. 목전질(木栓質).

수:-벡터【數—】〔vector〕명〖수〗몇 개의 수를 가로·세로로 배열한 것. n개(個)의 수를 가로로 배열한 것을 n차원(次元)의 행(行)벡터, 세

로로 배열한 것을 *n*차원의 열(列)벡터라고 함.

수벽[1]【手擗】[명] ①손바닥. ②두 사람이 마주 앉아서, 서로 손바닥을 마

수벽[2]【睡癖】[명] 잠잘 때의 버릇. 잠버릇. ⌊주치는 장난.

수벽-치기【手擗―】[명] 수박(手搏)❷.

수벽-타【手擗打】[명] 수박(手搏)❷.

수변[1]【水邊】[명] 물가[1].

수변[2]【綏邊】[명] 변경(邊境)의 백성을 편안하게 함. ――-하다 [자][여불]

수:변-증【數便症】[―쯩] [명] 〖의〗 '삭변증(數便症)'의 잘못 일컫는 말.

수별【水鼈】[명] 〖식〗 자라마름. 자라풀.

수병[1]【水兵】[명] 〖군〗 해군의 병사(兵士). 해군에서 함포(艦砲)·수뢰(水雷) 등의 발사, 함정의 운용, 전신 신호 등의 임무를 맡은 병사. 세일러

수병[2]【手兵】[명] ↗수하 친병(手下親兵). ⌊(sailor).

수병[3]【守兵】[명] 수비하는 군사. 수병(戍兵). 수인(戍人).

수병[4]【戍兵】[명] 수병(守兵).

수병[5]【受病】[명] 병을 얻음. ――-하다 [자][여불]

수병[6]【溲甁】[명] 요강[1].

수병[7]【銹病】[명] 〖농〗 녹병(病).

수:병[8]【繡屛】[명] 수를 놓은 병풍.

수병-복【水兵服】[명] 해군복(海軍服). ⌈작물병학.

수병-학【樹病學】[명] 〖식〗 수목의 병을 대상으로 하는 식물병학. *식용

수보[1]【修補】[명] 허름한 데를 고치고 덜 갖춘 데를 기움. 보수(補修). 중수(重修). ――-하다 [타][여불]

수보[2]【酬報】[명] 보답(報答). ――-하다 [자][여불]

수보[3]【蒐補】[명] 모아다가 불완전한 곳을 보충함. ――-하다 [타][여불]

수-보[4]【壽補】[명] 〖역〗 공주나 옹주(翁主)가 성년(成年)이 된 후에 가슴과 등에 다는 보(補). 수자(壽字)에 만자(卍字)를 곁들여 수놓음.

수:보[5]【繡褓】[명] 수를 놓은 보자기.

수-보다【數―】[자] 좋은 운수나 재수를 보다.

수-보록【受寶籙】[명] 〖악〗 ↗수보록무(受寶籙舞).

수보록-무【受寶籙舞】[명] 〖악〗 정재(呈才) 때에 추던 춤의 이름. 당악(唐樂)이며 여악(女樂)임. 봉족자(奉簇子)·보록(寶籙) 각 한 사람과 지선(地仙)·죽간자(竹竿子)·인인장(引人杖)·용선(龍扇)·봉선(鳳扇)·작선(雀扇)·미선(尾扇) 각 두 사람과 정절(旌節) 여덟 사람과 합하여, 스물 네 사람의 여기(女妓)가 주악(奏樂)과 박(拍)의 소리에 맞추어, 배열(排列)을 바꾸면서 절차를 따라 구호(口號)·치어(致語)·창사(唱詞)를 부르며 족도(足蹈)하고 춤을 춤. [준]수보록(受寶籙). *수명명무(受明命舞).

수보록-사【受寶籙詞】[명] 〖악〗 수보록무(受寶籙舞)를 할 때 쓰는 대사(臺詞).

수보리【須菩提】[명] 〔범 Subhūti〕 〖사람〗 인도의 유명한 중. 석가 십대 제자의 한 사람으로서 십육 나한(十六羅漢)의 한 사람. 사위(舍衛)의 장자(長者). 천성(天性)이 자비(慈悲)하여 출가(出家)하여서는 늘 선업(善業)을 하였음. 석가의 명을 받아 반야(般若)의 공리(空理)를 설교하여 해공 제일(解空第一)로 불림.

수복[1]【收復】[명] 잃었던 땅을 도로 찾음. ――-하다 [타][여불]

수복[2]【守僕】[명] 〖역〗 조선 시대에, 묘(廟)·사(社)·능(陵)·원(園)·서원(書院) 같은 데의 제사(祭祀)에 관한 일을 맡아 보던 사람. 청소를 담당하였음.

수복[3]【首服】[명] 〖법〗 친고죄(親告罪)의 범인이 고소권자(告訴權者)에게 자기의 범죄를 자백하고 그 처분에 맡기는 일. 자수(自首)와 같은 효력을 가짐. 자복(自服). ――-하다 [자][여불] ⌈함. ――-하다 [타][여불]

수복[4]【修復】[명] ①수리하여 본래의 모습과 같게 만듦. ②편지의 답장을

수복[5]【修福】[명] ①죽은 사람의 명복(冥福)을 빌어 불공을 드리는 일. ②복덕(福德)을 닦음. ――-하다 [자][여불]

수복[6]【壽福】[명] 오래 사는 일과 복을 누리는 일.

수복 강녕【壽福康寧】[명] 장수하고 행복하며 건강하고 평안함. ¶ ～을 빌다. ――-하다 [형][여불]

수복-도【壽福圖】[명] 수복 두 글자를 소재로 한 문자도. *효제도.

수복-민【收復民】[명] 수복 지구의 백성. 수복한 백성.

수복 재:생【修復再生】[명] 〖생〗 부상·인공 또는 실험적 수술 등 부자연스런 원인에 의하여 분리된 개체의 일부가 재생하여, 원상(原狀)을 회복(回復)하는 현상. 식물의 줄기를 끊어 심어도 뿌리와 싹이 나며 지렁이의 머리, 해면(海綿)의 세포, 불가사리의 몸을 분리하여도 다시 자라서 개체를 이루는 것 같은 현상. 파괴된 부분의 조직(組織)이나 신경(神經)에서 나오는 일종의 호르몬에 의하여 유발(誘發)되는 작용으로, 하등 동물일수록 그 기능이 강하며, 고등 동물은 어리고 젊을수록 강하고, 식물은 대체로 동물보다도 강함.

수복 지구【收復地區】[명] 잃었다가 되찾은 지역. ⌈곳.

수복-청【守僕廳】[명] 〖역〗 묘(廟)·능(陵) 같은 데에 수복(守僕)이 있는

수:-볶이【數―】[명] 소의 여기저기에 붙은 여러 가지 고기를 조금씩 베어 내어, 갖은 양념을 하여 한데 볶은 음식. 수초(數炒).

수본[1]【手本】[명] 〖역〗 공사(公事)에 관하여, 자필(自筆)로 상관(上官)에게 보고하던 서류(書類).

수:본[2]【繡本】[명] 수를 놓도록 본떠 놓은 바닥. ¶ ～ 위에 자수하다.

수봉[1]【水封】[명] 〖건·기〗 배수관의 트랩(trap)에 괴게 한 물로써 하수 가스나 작은 벌레 등의 실내 침입을 차단하는 일. *트랩(trap)❷.

수봉[2]【收捧】[명] ①세금을 징수함. 수쇄(收刷). ②남에게 빌려 준 돈을 거두어 들임. ――-하다 [타][여불]

수봉[3]【秀峰】[명] ①썩 아름다운 산봉우리. ②썩 높은 산봉우리.

수봉-관【守奉官】[명] 〖역〗 조선 시대에, 왕의 사친(私親)들의 산소인 원소(園所)를 수호(守護)하던 종9품의 관직.

수봉 패킹【水封―】[명] 〔water sealing packing〕 〖기〗 터빈축의 주위에 펌프와 같은 것을 붙여 축의 회전에 따라 물을 원심력으로 밀어 내어 기밀(氣密)을 유지하는 장치의 패킹.

수부[1]【水夫】[명] ①뱃사람. ②하급 선원(下級船員). ③〖역〗 수참(水站)에

수부[2]【水缶】[명] 〖민〗 물장구❶. ⌊딸린 조졸(漕卒).

수부[3]【水府】[명] ①해저(海底)에 있다는 수신(水神)의 궁전. ②〖역〗 조선 시대 때의 공조(工曹)의 별칭. 예작(例作).

수부[4]【手斧】[명] 손도끼.

수부[5]【囚俘】[명] 생포(生捕)된 포로.

수부[6]【首府】[명] ①수도(首都). ②〖역〗 한 도(道) 안에서 감영(監營)이 있

수부[7]【首部】[명] 처음의 부분. 두부(頭部). ⌊던 곳.

수부[8]【首富】[명] 첫째 가는 부자. 갑부(甲富).

수부[9]【壽府】[명] 〖지〗 '제네바(Geneva)'의 음역.

수부[10]【壽富】[명] 수명(壽命)이 길고 부유(富裕)함. ――-하다 [형][여불]

수부[11]【隨夫】[명] 〖민〗 수비[1].

수부 다남자【壽富多男子】[명] 오래 살고 부자로 살며 아들이 많음. ――-하다 [형][여불]

수부룩-하다 [형][여불] ☞수북하다.

수부-석【水府釋】[명] 〖민〗 무악(巫樂)에서, '수신(水神)'의 높임말.

수부 의정서【壽府議定書】[명] 제네바 의정서(Geneva 議定書).

수부-장【水夫長】[명] 〖해〗 갑판장(甲板長).

수부-전【水夫田】[명] 〖역〗 고려말·조선 초기에, 과전법(科田法)에 따라 수부(水夫)의 급료(給料)로 그 결세(結稅)를 주던 논밭.

수-부족【手不足】[명] ①사람의 손이 부족함. ②바둑·장기 등의 수가 부족함. ――-하다 [형][여불] ⌈하다 [자][여불]

수부종 [명] 〖농〗 못자리를 하지 아니하고 논에 직접 볍씨를 뿌림. ――

수부채 장단【水缶一長短】[명] 〖악〗 경상 남도 지방의 무악(巫樂) 장단의 하나. 2박과 4박자로 이루어짐. 각 거리의 끝에 연주됨.

수부타이〔速不臺〕[명] 〖사람〗 몽고 제국(蒙古帝國)의 공신. 일찍이 칭기즈 칸(Chingiz Khan)을 섬기어 전공을 쌓아 나중에는 쿠빌라이(Khubilai) 등과 함께 명장(名將)으로 불렸음. [1176-1248]

수부-희【水缶戱】[―히] [명] 〖민〗 음력 사월 파일 관등절(觀燈節) 때, 아이들이 못에 바가지나 부(缶)를 엎어 띄우고, 이것을 빗자루 등으로 두드리며 주악(奏樂) 또는 춤을 추며 노는 놀이.

수북-수북 [부] 낱낱이 모두 다 수북한 모양. >소복소복. ――-하다 [형]

수북-이 [부] 수북하게. ¶ 밥을 ～ 담다. >소복이. ⌊[여불]

수북-정【水北亭】[명] 〖지〗 충청 남도 부여(扶餘)에 있는 누각(樓閣). 백마강(白馬江)에 면하여, 부소산(扶蘇山)의 서남 자온대(自溫臺) 위에 있음.

수북-하다 [형][여불] 〔근대 : 수북ᄒᆞ다〕 ①물건이 많이 놓이어 있거나 쌓이어 있다. ¶ 책상 위에 먼지가 ～. ②살이 부어 두드러져 있다. ¶ 눈두덩이 ～. 1)·2):>소복하다.

수분[1]【水分】[명] 물기. ⌈어 두는 그릇.

수분[2]【水盆】[명] 물을 담고 그 속에 화초(花草)·괴석(怪石) 같은 것을 넣

수분[3]【水粉】[명] ①무리[3]. ②물분. ⌈[자][여불]

수분[4]【守分】[명] ①분수(分數)를 지킴. ②본분(本分)을 다함. ――-하다

수분[5]【受粉】[명] 〔pollination〕 〖식〗 현화 식물(顯花植物)에 있어서, 수꽃술의 꽃가루가 암꽃술의 주두(柱頭)에 붙어 열매를 맺게 되는 현상. 자화 수분(自花受粉)과 타화 수분(他花受粉)의 구별이 있음. 가루받이. 꽃가루받이. ――-하다 [자][여불]

수분[6]【授粉】[명] 〔pollination〕 〖식〗 암술에 수술의 꽃가루를 붙여 줌. ――-하다 [자][여불]

수분-각【隨分覺】[명] 〖불교〗 분별(分別)의 상(相)을 떠나서 증오(證悟)는 하였으나, 아직 원만한 지위에 이르지 못한 깨달음.

수분 검:사【水分檢査】[명] 면화(棉花)·양모(羊毛)·모사(毛絲)·면사(綿絲)·견사(絹絲) 등의 수분을 검사하여, 상품의 정량(正量)을 정하는 일.

수분-계【水分計】[명] 고체에 함유되어 있는 수분을 측정하는 장치.

수분-수【授粉樹】[명] 〖농〗 자화(自花) 불결실성(不結實性)의 과수(果樹)에 있어서, 타화 수분(他花受粉)을 하기 위하여 혼식(混植)하는, 품종이 다른 과실 나무.

수분-하【綏芬河】[명] 〖지〗 '쑤이펀허'를 우리 음으로 읽은 이름.

수분 함유량【水分含有量】[명] 〔moisture content〕 〖물〗 흙·오물 또는 체로 밭아 낸 무거리 따위의 부피 중에 함유된 수분의 양. 총량에 대한 수분의 중량 퍼센티지로 나타냄. 수분 함량(含量).

수불[1]【受拂】[명] 받음과 치름. 수입(受入)과 불출(拂出). ――-하다 [타][여불]

수:불[2]【繡佛】[명] 수놓은 부처. ⌈――-하다 [자][여불]

수-불석권【手不釋卷】[명] 손에서 책을 놓지 아니하고 늘 글을 읽음.

수브니르〔프 souvenir〕 [명] ①기억. 추억. ②기념품. 선물.

수블 [명] 〈옛〉 술[1]. ¶ 酒曰酥孛《雞類》.

수비[1] [명] 〖민〗 주신(主神)에 따라다니는 잡귀 잡신류(雜鬼雜神類). 서울·경기 지역의 옛 재수굿에서 본거리를 놀고 난 다음, 뒷전거리에서 다른 잡귀신과 함께 수비를 놀렸음. 또, 굿 첫머리에 굿판의 정화(淨化)를 위하여 진행되는 부정(不淨)거리의 한 종류를 가리킴. 수부(隨夫), 수배(隨陪).

수비[2]【水肥】[명] 〖농〗 액체로 된 비료. 액비(液肥).

수비[3]【水飛】[명] ①곡식 가루나 그릇 만들 흙 같은 것을 물 속에 넣고 휘저어서 잡물을 없앰. ②〖미술〗 그릇 만들 흙을 물 속에 넣고 휘저어서 잡물을 없애는 사람. ――-하다 [타][여불]

수비[4]【水霏】[명] 수면(水面)에 끼는 이내. 물 위의 남기(嵐氣).

수비[5]【守備】[명] 지키어 막음. ¶ ～군(軍) / ～망(網). ↔공격. *방어(防禦). ――-하다 [타][여불] ⌈할 무렵에 주는 추비(追肥).

수비[6]【穗肥】[명] 〖농〗 벼·보리 등의 이삭이 줄기 속에서 자라나기 시작

수비7 뷔〈옛〉쉽게. ¶수비 靈驗을 得ᄒᆞ리라(易得靈驗)≪法語 2≫.
수비-군【守備軍】명 수비를 그 주요 임무로 하는 군대. ↔공격군.
수비-대【守備隊】명 수비를 위하여 두는 군대. ↔공격대.
수-비둘기 명 비둘기의 수컷. ↔암비둘기.
수비-병【守備兵】명 수비하는 병졸.
수비-율【守備率】명〔fielding average〕야구(野球)에서, 어떤 선수의 보살(補殺)과 척살(刺殺)의 수의 합계를, 보살·척살 및 실책(失策)의 수의 합계로 나눈 백분율. *방어율(防禦率).
수비 점:령【守備占領】[-녕] 명〖군〗수비의 필요상 적국 또는 제삼국의 어떤 지역을 점령하는 일.
수비-진【守備陣】명 수비하는 편의 진. ¶철통 같은 ~. *방어진(防禦陣).
수비-질【水飛一】명 수비(水飛)하는 일. ——-하다 타여불
수비토〔이 subito〕명〖악〗'즉시로'·'곧'의 뜻.
수빈1【水濱】명 물가. 수애(水涯).
수빈2【鬚鬢】명 수염과 머리털.
수빙1【水氷】명 물이 얼어서 된 얼음. ↔설빙(雪氷).
수빙2【樹氷】명 어는점 이하로 냉각된 짙은 안개가 바람에 날려 한랭한 지물(地物), 특히 나뭇가지에 충돌, 응결하여 된 얇은 얼음의 층. 기포(氣泡)를 많이 함유하므로 희게 보임. *상고대.
수빙-림【樹氷林】[-님] 명 수빙(樹氷)이 온통 붙은 숲.
수-빠지다 자 말이나 행동에 실수하여 남에게 약점을 잡히다. ¶수빠지는 짓만 하다 / 정경부인으로 모든 데 수빠지지 않기도 쉽지 않겠지.
수비 뷔〈옛〉쉬이. 쉽게. =쉬비. ¶사롬마다 ᄒᆡ여 수비 니겨(使人人易習)≪訓諺 3≫/수비 아라(易曉)≪月序6≫.
수사1【水死】명 물에 빠져 죽음. ——-하다 자여불
수사2【水使】명〖역〗↗수군 절도사(水軍節度使).
수사3【水師】명〖역〗수군(水軍)❶.
수사4【水賜】명〖역〗무수리2.
수사5【水瀉】명〖식〗쇠귀나물.
수사6【手寫】명 ①손으로 직접 베끼어 씀. ②글을 손수 씀. ——-하다 「자타여불」
수사7【收司】명 옛날 중국에서 열 집을 한 조(組)로 하여, 그 중의 한 집이 죄가 있을 경우, 다른 아홉 집이 관아에 고발하던 일.
수사8【秀士】명 덕행(德行)과 아울러 학술(學術)이 뛰어난 선비.
수사9【垂死】명 곧 죽으려 함. 거의 다 죽게 됨.
수사10【首寺】명〖불교〗한 도(道)나 군(郡) 안에서 으뜸이 되는 절. 수찰「(首刹).」
수사11【洙泗】명 ①〖지〗'주쓰'를 우리 음으로 읽은 이름. 공자(孔子)의 고향에 가까움. ②전(轉)하여, 유교(儒教)를 말함. 사수(泗洙).
수사12【修士】명〖천주교〗수도원(修道院)에서 수도(修道)하는 남자. 독신으로서 청빈(清貧)과 정결(貞潔) 및 순종(順從)을 서약하여 지킴. 수도사(修道士). ↔수녀(修女).
수사13【修史】명 역사를 편수(編修)함. ——-하다 자여불
수사14【修辭】명 말이나 문장을 꾸며서 보다 묘하고 아름답게 하는 일. 또, 그 기술. ——-하다 자여불
수사15【殊死】명 ①목을 베어 죽임. 또, 그 형벌. ②죽기를 한하고 함. 죽음을 각오하고 결행(決行)함. ——-하다 자여불
수사16【捜査】명 ①찾아 다니며 조사함. ②범인(犯人)의 행방을 찾거나 증거를 모음. ③〖법〗형사 소송법상의 용어. 검사(檢事) 또는 사법 경찰관이 공소(公訴)를 제기(提起)·유지(維持)하기 위하여, 범인 및 범죄에 관한 증거를 발견하고 수집하는 활동. ¶~반장(班長). ——-하다 타여불
수사17【捜射】명〖군〗적이 잠복(潛伏)하고 있나 없나를 알기 위하여 하「는 사격. ——-하다 자여불」
수사18【愁死】명 지나친 걱정으로 인하여 죽음. ——-하다 자여불
수사19【愁思】명 근심 띤 생각. 수심(愁心)에 찬 생각.
수사20【遂事】명 이미 다 된 일.
수사21【壽詞】명 장수(長壽)를 축하하는 시가(詩歌)나 문장.
수:사22【數詞】명〖언〗품사의 하나. 수량이나 차례를 나타내는 말. *서수사(序數詞)·양수사(量數詞).
수사23〔Susa〕명〖지〗페르시아 만(Persia 灣) 북방에 있는 고대 도시의 유적(遺蹟). 기원전 20세기까지 엘람 왕국(Elam 王國)의 수도였음. 고대 페르시아 제왕(諸王)의 이궁(離宮) 소재지로서 번영하여 사산 왕조(Sasan 王朝) 시대에도 재건되었으나 사라센(Saracen)에 의하여 파괴됨. 19세기 이후 고고학적 대발굴(大發掘)이 행하여졌음.
수사-가【修史家】명 수사(修史)하는 사람.
수사-계【捜査係】명 범죄 수사를 임무로 하는 사무 분담의 한 계. 경찰「서 등에 둠.」
수사-관【捜査官】명 범죄 수사에 종사하는 관리.
수사 기관【捜査機關】명〖법〗범죄를 수사할 권한을 가진 국가 기관. 검사(檢事)·사법 경찰관 등의 총칭.
수-사납다【數一】형ㅂ불 운수가 나쁘다. ¶수사납게 일이 탄로되다.
수사-대【捜査隊】명 범인·용의자 따위를 찾아서 조사하는 일을 맡은「부대.」
수-사도【水使道】명〖역〗→수사또.
수-사돈【一査頓】명 사위 편의 사돈. ↔암사돈.
수사 두호【隨事斗護】명 일마다 두둔해 주는 일. ——-하다 타여불
수-사또【水使一】명〖역〗〔←수사도(水使道)〕'수사(水使)'의 높임말.
수사-류【垂絲柳】명〖식〗능수버들
수사-망【捜査網】명 수사관을 그물처럼 이리저리 배치하여 놓은 수사의 조직. ¶물샐틈 없는 ~을 뚫고 달아나다.
수사-법【修辭法】[-뻡] 명〖문〗수사에 관한 법칙. 또, 그 수법.
수사 보:고서【捜査報告書】명 사법 경찰관이 범죄 수사에 관한 보고를「기록한 서면(書面).」
수사-본【手寫本】명 손으로 베낀 책.
수사 본부【捜査本部】명 특이하고 중대한 범죄가 발생한 경우에 관할 경찰서 등에 설치되어, 그 수사의 지휘를 담당하는 본부.
수사 사:무관【捜査事務官】명 공안직(公安職) 국가 공무원 직급 명칭의 하나. 검찰 사무 직렬(職列)의 검찰 수사 직류(職類)에 속하며, 수사 서기관의 아래, 검찰 주사의 위로 5급 공무원임.
수사 서기관【捜査書記官】명 공안직(公安職) 국가 공무원 직급 명칭의 하나. 검찰 사무 직렬(職列)의 검찰 수사 직류(職類)에 속하며, 검찰 부이사관의 아래, 수사 사무관의 위로 4급 공무원임.
수사 신부【修士神父】명〖천주교〗수도 사제(修道司祭).
수-사영【垂射影】명〖수〗정사영.
수사-원【修士院】명〖천주교〗'수도원(修道院)'의 딴이름.
수사이【水賜伊】명〖역〗무수리2.
수사-자【水死者】명 물에 빠져 죽은 사람. 익사자(溺死者).
수사-장【洙泗章】[-짱] 명 용비 어천가(龍飛御天歌) 제124장의 이름.
수사-전【殊死戰】명 뜻을 정하여, 죽기를 한하고 하는 싸움. 결사전(決死戰). ——-하다 자여불
수사 제독【水師提督】명 ①〖역〗중국 청(清)나라 때, 해군을 통할한 무관. ②함대를 지휘하는 사령 장관.
수사-진【捜査陣】명 범죄를 수사하기 위하여 수사관들로 구성한 진용.
수사-학1【洙泗學】명 공맹(孔孟)의 학. 유학(儒學).
수사-학2【修辭學】명 독자에게 감동(感動)을 줄 수 있도록 글을 꾸미어, 가장 효과적이고 아름답게 표현하는 방법을 연구하는 학문. 미사학(美辭學). 레토릭(rhetoric).
수사-화【水梭花】명〖불교〗'물고기'의 변말.
수:삭1【數朔】명 몇 달. ¶잉태한 지 ~이 지나.
수삭2【痩削】명 수척(痩瘠). ——-하다 형여불
수삭3【髓索】명〔medullary cord〕①〖발생학〗배(胚)의 생식선의 상피(上皮)가 안쪽으로 증식해서 형성하는 삭상(索狀) 구조. 뒤에 고환망(網), 세정관(細精管) 또는 난소망(卵巢網)이 됨. ②〖해부〗림프절(節)의 수질(髓質)로서, 공동(空洞)에 의해서 갈라진 조밀 림프 조직.
수산1【水山】명〖사람〗이지함(李之菡)의 호(號).
수산2【水疝】명〖의〗불알이 붓고 아픈 병.
수산3【水産】명 해양(海洋)·하천(河川)·호소(湖沼) 등 물 속에서 나는 산물(産物). 어패(魚貝)·해조(海藻) 같은 것. ↔육산(陸産).
수산4【授産】명 무직자나 가난한 사람에게 살길을 열어 주기 위하여, 일자리를 마련하여 줌. ——-하다 자여불
수산5【蓚酸】명〖화〗'옥살산(酸)'의 구용어.
수산 가공업【水産加工業】명 수산 동식물을 원료로 하여, 식료·사료(飼料)·비료·유지(油脂)·가죽 등을 생산하는 공업.
수산 가공품【水産加工品】명 변질·부패를 막고 이용도를 높이기 위하여 수산물을 가공 처리한 제품. 냉동품·건제품(乾製品)·염장품(塩藏品)·통조림·조미(調味) 가공품·어분(魚粉)·어유(魚油)·수산 약용품 등이 있음.
수산 고등 학교【水産高等學校】명〖교〗수산에 관한 교육(教育)을 목적으로 설립한 실업 고등 학교. 준수산 학교.
수산 공해【水産公害】명 적조(赤潮)·기름 따위로 인한 해양 오염(海洋汚染)으로 말미암은 수산물의 피해.
수산 교:육【水産教育】명〖교〗어업·수산 제조·수산 증식(增殖) 등의「분야를 주로 하는 교육.」
수산 교:육과【水産教育科】명〖교〗대학에서, 수산 교육에 관한 학문을 전공하는 학과. *농업 교육과.
수산-국【水産局】명 ①수산청(廳)의 먼저 이름. ②〖역〗조선 시대 말, 고종(高宗) 31년(1894)에 농상 아문(農商衙門)에 딸려 설치한 한 국(局). 수산 및 염업(塩業)에 관한 사무를 맡아 봄. 이듬해 32년에 폐하였다가 융희(隆熙) 원년(1907)에 다시 설치하여 동 4년(1910)까지 있었음.
수산-굴【水山窟】명〖지〗제주도 남제주군 성산읍(城山邑) 수산리(水山里)에 있는 용암(熔岩) 동굴. 내부는 경사가 심한 곳이 많고 지형적 변화도 심함. 우리 나라에서는 빌레못 동굴·만장굴(萬丈窟)에 이어 세 번째로 길며, 세계에서 제 7 위에 해당하는 동굴. [4,675 m]
수산-기【水酸基】명〔hydroxyl group〕〖화〗히드록시기(hydroxy 基).
수산 기계【水産機械】명 수산업에 직접 이용되는 기계의 총칭. 어업(漁業) 기계, 수산 자원을 보호 증식하는 데 이용되는 증식(增殖) 기계, 수산물을 가공 제조하는 제조 기계로 분류됨.
수산 기상【水産氣象】명 어업 기상.
수산나〔Susanna〕명〖사람〗경외 성서(經外聖書)에 나오는, 고대 바빌론 사람 요아힘(Joachim)의 아내. 미모와 정숙으로 이름난 여인. 목욕을 할 때 두 노인의 욕정을 거부한 까닭에 간부(姦婦)로 고발되었으나, 다니엘의 증언으로 그 결백이 드러나고 그 노인들은 사형되었다 함.
수산 대학【水産大學】명〖교〗수산에 관한 이론과 기술을 교육시켜 그에 관한 기술자와 지도자를 배출할 목적으로 설립한 대학.
수산-물【水産物】명 어개류(魚介類)나 해조류(海藻類) 등과 같이, 바다·강·호수에서 나는 산물.
수산물 검:사법【水産物檢査法】[-뻡] 명〖법〗수산물을 검사함으로써 이의 품질 향상과 규격 통일을 기할 것을 목적으로 제정한 법률.
수산-보【首山保】명〖지〗'서우산바오'를 우리 음으로 읽은 이름.
수산 부:이사관【水産副理事官】명 수산직(水産職) 국가 공무원 직급 명칭의 하나. 수산 직렬(職列)에 속하며, 수산 서기관(書記官)의 위, 수산 이사관의 아래로 3급 공무원임.
수산 비:료【水産肥料】명 물에서 나는 동식물을 원료로 하여 제조한 비료.
수산 사:무관【水産事務官】명 수산직(水産職) 국가 공무원 직급 명칭의 하나. 수산 직렬(職列)에 속하며, 수산 주사(主事)의 위, 수산 서기관(書記官)의 아래로 5급 공무원임.
수산 산화철【蓚酸酸化鐵】명〖화〗'옥살산철(酸鐵)❷'의 구칭.

수산 서기【水產書記】 명 수산직(水產職) 국가 공무원 직급 명칭의 하나. 수산 직렬(職列)에 속하며, 수산 서기보(書記補)의 위, 수산 주사보(主事補)의 아래로 8급 공무원임.

수산 서기관【水產書記官】 명 수산직(水產職) 국가 공무원 직급 명칭의 하나. 수산 직렬(職列)에 속하며, 수산 사무관(事務官)의 위, 수산 부이사관(副理事官)의 아래로 4급 공무원임.

수산 서기보【水產書記補】 명 수산직(水產職) 국가 공무원 직급 명칭의 하나. 수산 직렬(職列)에 속하며, 수산 서기의 아래로 9급 공무원임.

수산-세【水產稅】[—쎄] 명 〖법〗 수산물의 산출량(產出量)에 따라 그 영업자에게 과하는 세금.

수산 세륨【蓚酸—】〔cerium〕 명 〖화〗 '옥살산(酸) 세륨'의 구칭.

수산 시험장【水產試驗場】 명 수산에 관한 시험·조사·분석·검사·감정·보급·지도를 목적으로 설립된 시험장.

수산 아산화철【蓚酸亞酸化鐵】 명 〖화〗 '옥살산철❶'의 구칭.

수산 암모늄【蓚酸—】〔ammonium〕 명 〖화〗 '옥살산 암모늄'의 구칭.

수산 양:식【水產養殖】[—냥—] 명 〔aquiculture〕 자연 육성에 맡기는 것보다 그 양과 질을 더욱 향상시키기 위하여, 인공적으로 수산물을 길러 번식하게 하는 일. 「에 관한 사업의 총칭.

수산-업【水產業】 명 수산물(水產物)의 어획(漁獲)·양식(養殖)·제조 등

수산업-법【水產業法】 명 〖법〗 수산업에 관한 기본 제도를 정하여 수산 자원을 조성(造成)·보호하며 수면(水面)을 종합적으로 이용함으로써 수산업의 발전과 어업의 민주화를 도모하기 위하여 제정된 법률.

수산업-자【水產業者】 명 수산업을 경영하는 사람.

수산업 협동 조합【水產業協同組合】 명 〖법〗 수산업 협동 조합법이 인정하는 어민 및 수산 가공업자의 협동 조합. 이들의 경제적·사회적 지위 향상과 수산업의 생산력의 증강을 도모함. 지구별·업종별 수산업 협동 조합, 수산물 제조 수산업 협동 조합과 수산업 협동 조합 중앙회가 있음. 어업권의 관리 외에, 신용·구매·보관·판매·이용·가공·공제(共濟)·후생 복리(厚生福利)·운송 등의 사업을 함.

수산-염【蓚酸塩】[—념] 명 〖화〗 '옥살산염'의 구칭.

수산 이:사관【水產理事官】 명 수산직(水產職) 국가 공무원 직급 명칭의 하나. 수산 직렬(職列)에 속하며, 수산 부이사관의 위, 관리관(管理官)의 아래로 2급 공무원임.

수산 이온【水酸—】〔ion〕 명 〖화〗 수산화(水酸化) 이온.

수산 자원【水產資源】 명 물 속에서 생산되는 천연 자원. 곧, 어류(魚類)·패류(貝類)·조류(藻類) 등의 자원의 총칭.

수산 자원 보:전 지역【水產資源保全地域】 명 국토 이용 관리법에 따라, 국토 이용 계획 심의회의 심의를 거쳐 건설부 장관이 결정 고시하는 용도(用途) 지역의 하나. 공유 수면(公有水面)이나 그에 인접된 토지로서 수산 자원의 보전을 위하여 필요한 지역. *개발 촉진 지역.

수산-장【授產場】 명 실업자(失業者) 또는 생활이 곤란한 자에게 기능 습득의 기회를 주어 취업하게 하는 보호 시설.

수산-제【守山堤】 명 〖역〗 삼한 시대(三韓時代)에 있었던 저수지의 하나. 경상 남도 밀양(密陽)에 있었음. 벽골제(碧骨堤)·의림지(義林池)와 함께 3대 저수지로 꼽힘.

수산 제:이철【蓚酸第二鐵】 명 〖화〗 '옥살산철❷'의 구칭.

수산 제:일철【蓚酸第一鐵】 명 〖화〗 '옥살산철❶'의 구칭.

수산 제:조업【水產製造業】 명 수산물을 원료로 하여, 각종의 식료품·사료·비료·어유(魚油) 또는 피혁 등을 제조하는 산업.

수산 조합【水產組合】 명 수산업(水產業)의 개량이나 발달 및 수산 동식물의 번식 보호, 어획물의 가공 및 판매 등에 관한 공동 이익을 도모하기 위하여, 일정한 지역의 관계 업자들이 행정 관청의 인가를 받아 설립한 사단법인(社團法人). 우리 나라에는 수산업 협동 조합이 있음.

수산 주사【水產主事】 명 수산직(水產職) 국가 공무원 직급 명칭의 하나. 수산 직렬(職列)에 속하며, 수산 주사보의 위, 수산 사무관(事務官)의 아래로 6급 공무원임.

수산 주사보【水產主事補】 명 수산직(水產職) 국가 공무원 직급 명칭의 하나. 수산 직렬(職列)에 속하며, 수산 서기(書記)의 위, 수산 주사의 아래로 7급 공무원임.

수산 진:흥 기금【水產振興基金】 명 수산업의 진흥을 위하여 정부·수산 단체(水產團體)나 개인의 출연금(出捐金)으로 조성되어 수산청장이 관리 운용하는 기금. 영어 자금(營漁資金), 양식 시설(養殖施設)·수산 제조 시설, 운영 기금, 수산용 기자재의 생산·판매 및 보관에 필요한 자금으로 융자함.

수산 진:흥법【水產振興法】[—뻡] 명 〖법〗 수산업의 건전한 발전을 위한 기본적인 시책을 촉진함으로써 수산물의 생산 및 수출을 증가시켜, 어민의 소득 향상에 기여함을 목적으로 제정된 법.

수산-청【水產廳】 명 전에, 농림 수산부 장관 소속 하의 중앙 행정 기관. 수산에 관한 정책 및 계획의 수립, 시설·자재의 관리, 어선·어항 및 어업의 지도에 관한 사무를 관장했음.

수산청-장【水產廳長】 명 전에, 수산청의 장(長).

수산 칼슘【蓚酸—】〔calcium〕 명 〖화〗 '옥살산 칼슘'의 구칭.

수산-학【水產學】 명 어로(漁撈)·수산 제조·양식(養殖)을 중심으로, 수산 기술과 수산 생물·수산 화학 등에 대하여 연구하는 응용 과학.

수산 학교【水產學校】 명 〖교〗 ①수산에 관한 이론과 기술을 교육할 목적으로 설립된 실업 학교. ②↗수산 고등 학교.

수-산호【水珊瑚】 명 〖동〗 도화색(桃花色)이 나는 산호.

수산-화【水酸化】 명 〖화〗 수산기(水酸基)와 결합하여 수산화물이 되는 화학 반응.

수산화 구리【水酸化—】 명 〔copper hydroxide〕 〖화〗 구리의 수산화물. 수산화동(銅). ①수산화 구리(Ⅰ). 수산화 제일 구리. 염화(塩化)구리의 차가운 수용액에 가성 소다를 작용시켜 얻는 누른 빛의 침전물(沈澱物). 열하면 서서히 적색의 산화 구리가 됨. [$Cu(OH)$]. ②수산화 구리(Ⅱ). 수산화 제이 구리. 염기성(塩基性) 구리염(塩)에 알칼리 용액을 작용시켜서 얻는 푸른 빛 결정성(結晶性)의 분말을 100℃에서 건조시켜 얻거나 또는 산화물의 암모니아 용액을 진한 황산(黃酸)이 든 건조기(乾燥器) 속에 넣어서 얻는 푸른 빛의 사방 정계(斜方晶系) 결정. 안료(顏料)나 강한 알칼리에 풀리어 자청색(紫靑色)의 용액이 됨. 벰베르크 인견사(Bemberg人絹絲)의 제조, 분석 시약(分析試藥) 등으로 쓰임. [$Cu(OH)_2$]

수산화-금【水酸化金】 명 〔gold hydroxide〕 〖화〗 금의 수산화물. ①수산화금(Ⅰ). 산화금(Ⅰ)의 겔(gel)로 생각되는 암자색(暗紫色) 침전물. 양쪽성 화합물로, 불안정함. [$AuOH$]. ②산화금(Ⅲ). 염화금(塩化金)에 알칼리를 작용시켜 만든 황적색 가루. 염기성(塩基性)보다는 산성(酸性)이 강하며, 물이나 묽은 산(酸)에 녹지 않음. 서서히 가열하면, 흑갈색 분말의 산화금(Ⅲ)이 됨. [$Au(OH)_3$]

수산화 나트륨【水酸化—】〔도 Natrium〕 명 〔sodium hydroxide〕 〖화〗 나트륨의 수산화물(水酸化物). 식염(食塩)의 수용액을 전해(電解)하여 얻는 백색의 취약(脆弱)한 무정형(無定形)의 결정체. 녹는점 318.4℃, 끓는점 1390℃. 대기 중에서 습기·이산화 탄소를 흡수하여 탄산 나트륨이 됨. 물에 녹으며 많은 열(熱)을 냄. 강한 염기(塩基)로, 비누의 제조·펄프 공업 등에 쓰이며, 일반 가정에서도 양잿물이란 이름으로 세탁에 널리 쓰임. 극약(劇藥)임. 가성 소다(苛性soda). [$NaOH$]

수산화-납【水酸化—】 명 〔lead hydroxide〕 〖화〗 납의 수산화물. 수산화납(Ⅱ). 납과 염(塩)의 용액에 알칼리를 가하여 얻는 흰 빛의 침전물(沈澱物). 물의 함유량이 일정하지 않으며 염기성(塩基性)의 강도(強度)는 암모니아수와 거의 같음. [$Pb(OH)_2$]

수산화-동【水酸化銅】 명 〖화〗 수산화 구리.

수산화 리튬【水酸化—】 명 〔lithium hydroxide〕 〖화〗 무색의 정방정계 결정(正方晶系結晶). 녹는점 450℃, 924℃ 이상에서 산화 리튬(Li_2O)이 됨. 1수화물은 무색의 단사 정계(單斜晶系)결정이며, 모두 강한 염기(塩基)임. 리튬 화합물의 제조 원료, 사진 현상약 등에 쓰임. [$LiOH$]

수산화 마그네슘【水酸化—】 명 〔magnesium hydroxide〕 〖화〗 마그네슘의 수산화물. 천연으로 수활석(水滑石)으로 산출되는 백색 육방 정계(六方晶系) 결정. 물에는 거의 용해되지 않음. 내화물용(耐火物用) 마그네시아 클링커(magnesia clinker)의 원료. 제산제(制酸劑)·설사약 등의 의약품으로 쓰임. [$Mg(OH)_2$]

수산화 망간【水酸化—】〔도 Mangan〕 명 〔manganese hydroxide〕 〖화〗 망간의 수산화물. 수산화 망간(Ⅱ). 망간염(塩)의 수용액(水溶液)에 알칼리를 가할 때 생기는 무색의 육방 정계(六方晶系) 결정. 공기 속에서 쉽게 산화되어 갈색의 수산화 망간(Ⅲ)이 됨. 수산화 제일 망간. [$Mn(OH)_2$]

수산화-물【水酸化物】 명 〔hydroxide〕 〖화〗 원자단(原子團) 'OH'를 함유하는 화합물의 총칭. 무기(無機) 화합물로는 주로 수산화 이온 OH^-의 화합물을 가리키며, 유기(有機) 화합물로는 알코올류(類) 등 $-OH$가 공유 결합(共有結合)을 이룬 것을 말함. 금속 원소의 수산화물은 짝염기(塩基)로서 무기 수산화물 중의 대표적인 예임.

수산화물-염【水酸化物塩】[—렴] 명 〔hydroxide salt〕 〖화〗 히드록시염(塩)

수산화 바륨【水酸化—】 명 〔barium hydroxide〕 〖화〗 바륨의 수산화물. 산화 바륨과 물과의 작용으로 생성하는 무색 무정형(無色無定形)의 분말(粉末). 수용액은 바리타수(baryta水) 또는 중토수(重土水)라고도 하며 강알칼리성(強alkali性)임. 중화 적정(中和滴定)의 알칼리 표준액, 이산화 탄소의 정량(定量) 등에 쓰이며, 바륨 비누 제조·유기 합성(有機合成) 등에도 쓰임. [$Ba(OH)_2$]

수산화 석회【水酸化石灰】 명 〖화〗 수산화 칼슘(水酸化 calcium).

수산화 아연【水酸化亞鉛】 명 〔zinc hydroxide〕 〖화〗 아연의 수산화물. 물에 잘 녹지 않는 무색 분말(無色粉末). 양쪽성으로, 산(酸)에도 알칼리에도 잘 녹음. 아연염(亞鉛塩)의 수용액에 수산화 알카리를 가하면 콜로이드상(狀) 침전으로 생성함. [$Zn(OH)_2$]

수산화 알루미늄【水酸化—】 명 〔aluminium hydroxide〕 〖화〗 알루미늄의 수산화물. 알루미늄염(塩)의 수용액에 암모니아수(水)를 가할 때 생기는 젤라틴 모양의 침전물(沈澱物). 양쪽성 화합물이며, 산이나 알칼리에 모두 녹음. 매염제(媒染劑)·흡착제(吸着劑)·제산제(制酸劑) 등에 쓰임. [$Al(OH)_3$]

수산화 암모늄【水酸化—】 명 〔ammonium hydroxide〕 〖화〗 저온(低溫)에서 암모니아수(水)로 만들어지는 무색(無色)의 육방정계 결정(六方晶系結晶). NH_4OH라는 화학식으로 표현되기도 하나 실제로 존재하는 것은 $NH_3 \cdot H_2O$의 조성(組成)으로 된 화합물임.

수산화 이온【水酸化—】 명 〔hydroxide ion〕 〖화〗 수산기(水酸基)의 음(陰)이온. OH^-로 표시함. 수산(水酸) 이온.

수산화 제:이 구리【水酸化第二—】 명 〔cupric hydroxide〕 〖화〗 수산화 구리❷.

수산화 제:이동【水酸化第二銅】 명 〖화〗 수산화 제이 구리.

수산화 제:이 주석【水酸化第二朱錫】 명 〖화〗 수산화 주석❷. 「❷.

수산화 제:이철【水酸化第二鐵】 명 〔ferric hydroxide〕 〖화〗 수산화철

수산화 제:일 구리【水酸化第一—】 명 〔cuprous hydroxide〕 〖화〗 수산화 구리❶.

수산화 제:일동【水酸化第一銅】[—똥] 명 〖화〗 수산화 제일 구리.

수산화 제:일 주석【水酸化第一朱錫】 명 〖화〗 수산화 주석❶.

수산화 제:일철【水酸化第一鐵】 명 〔ferrous hydroxide〕 〖화〗 수산화철❶.

수산화 주석【水酸化朱錫】명〔tin hydroxide〕〖화〗주석(朱錫)의 수산화물. ①수산화 주석(Ⅱ). 수산화 제일 주석. 담황색(淡黃色)·무정형(無定形)의 분말(粉末). 환원제(還元劑)로서 작용함. [$Sn(OH)_2$] ②수산화 주석(Ⅳ). 수산화 제이 주석(水酸化第二朱錫). 산화 주석(Ⅳ)의 수화물(水化物)로 봄이 옳음. 양쪽성 화합물로 주석산(朱錫酸)이라고도 함. [$SnO_2 \cdot nH_2O$]

수산화-철【水酸化鐵】명〔iron hydroxide〕〖화〗철의 수산화물. ①수산화철(Ⅱ). 수산화 제일철. 황산철(黃酸鐵)같은 2가(價)의 철염(鐵塩)에 공기를 차단하고 알칼리를 가하면 얻어지는 무색의 침전물. 물을 함유하고 있으며 공기를 만나면 산화하기 쉬움. 순수한 것은 육방 정계(六方晶系) 결정. 산(酸)에 녹으나 알칼리에는 안 녹음. 강한 환원제로서 작용함. [$F_2(OH)_2$] ②수산화철(Ⅲ). 수산화 제이철. 3가(價)의 철염에 알칼리를 가하여 얻는 침전물. 건조하면 물의 함유량이 일정하지 않은 무정형(無定形)의 고체가 되며 천연으로는 갈철광(褐鐵鑛)으로 산출함. 염기성(塩基性)으로 산(酸)에 녹기는 하나 약한 산성(酸性)을 사타냄. 침전(沈澱)된 것은 비소(砒素)의 해독제로 쓰임. [$Fe(OH)_3$ 또는 $Fe_2O_3 \cdot nH_2O$]

수산화 칼륨【水酸化—】〔라 kalium〕명〔potassium hydroxide〕〖화〗탄산 칼륨의 희박한 열용액(熱溶液)에 수산화 칼슘을 가하거나, 염화 칼륨 수용액의 전해(電解)에 의하여 만드는 백색 무정형(無定形)의 조해성(潮解性)이 강한 고체. 물에 용해하여 열을 발하며, 이산화 탄소·물을 흡수하는 성질이 강하며, 진한 용액은 동식물체를 심하게 부식시킴. 유기 화합물의 합성, 기타 화학 시약(試藥)으로 중요하며, 칼리 유리·연성(軟性) 비누 제조 등에 쓰임. 가성 칼리(苛性 kali). 수산화 포타슘(水酸化 potassium). [KOH]

수산화 칼슘【水酸化—】명〔calcium hydroxide〕〖화〗산화(酸化) 칼슘에 물을 가하여 만드는 백색의 가루. 물에 약간 녹음. 포화 수용액(飽和水溶液)을 '석회수(石灰水)'라고 함. 표백분(漂白粉), 모르타르 등의 건축 재료, 비료(肥料), 소독, 공업용 염기(塩基) 등에 쓰임. 소석회(消石灰). 가성 석회(苛性石灰). 분회(粉灰). 삭은 석회. 수산화 석회. [$Ca(OH)_2$]

수산화 포타슘【水酸化—】〔potassium〕명〖화〗수산화 칼륨(水酸化 kalium).

수산 회:사【水產會社】명 수산(水產)에 관한 사업을 하기 위하여 설립된 회사.

수살¹【水殺】명〖민〗시골 동네 어귀에 서 있는 돌 또는 나무. 동네를 수호하는 신성한 것으로, 전염병이 유행할 때 새끼줄을 쳐서 모시며, 또 병이 나으라고 환자의 옷을 걸어 놓기도 함.

수살²【愁殺】명〔살(殺)은 뜻을 강조하는 말〕매우 근심하고 슬퍼함. 또, 근심하게 함. 슬프게 만듦.

수살 막이 명〈방〉수구 막이.

수살 영산【水殺—】명〈방〉물귀신.

수-삼¹ 명 삼의 수포기. ↔암삼.

수삼²【水蔘】명 땅에서 캐내어 말리지 아니한 인삼. 생삼(生蔘). ↔건삼(乾蔘).

수:-삼배【數三杯·數三盃】명 술의 두서너 잔.

수:-삼차【數三次】명 두서너 차례.

수삽【羞澁】명 부끄러워 머뭇머뭇함. ¶ 차라리 저놈의 마음이나 푸근하게 하여 가며 성화를 바치리라 하고 ~한 말소리로…≪李海朝: 鬢上雪≫. ——하다 형여불

수삽-스럽다【羞澁—】형(ㅂ불) 보기에 수삽하다. 수삽-스레【羞澁—】부

수상¹【手上】명 손위. ↔수하(手下).

수상²【手相】명 ①손바닥에 나타난 금. 손금. ②손금의 모양·손의 형상·후박(厚薄) 등을 보고 그 사람의 운수(運數)·길흉(吉凶)을 판단하는 점.

수상³【水上】명 ①물의 위. ②흐르는 물의 상류(上流).

수상⁴【水象】명〔hydrogical phenomena〕〖기상〗기상(氣象) 또는 지진(地震)과 밀접한 관련을 갖는, 육수(陸水) 및 해양(海洋)에 일어나는 여러 가지 현상(現象). *기상(氣象)·지상(地象).

수상⁵【受傷】명 상처를 입음. ——하다 자여불

수상⁶【受像】명〖물〗영상 전파(映像電波)나 영상 광선(映像光線)을 받아서 상을 재현(再現)시킴. ↔송상(送像). ——하다 자여불

수상⁷【受賞】명 상을 받음. ¶ ~자(者). ——하다 자여불

수상⁸【首相】명 ①내각(內閣)의 우두머리. 국무 총리(國務總理). 내각 총리 대신(內閣總理大臣). ¶ ~ 관저(官邸). ②〖역〗영의정(領議政).

수상⁹【垂裳】명 옷소매를 늘어뜨리고 팔짱을 낀다는 뜻으로, 아무 일도 하지 아니함을 이르는 말. ——하다 자여불

수상¹⁰【殊狀】명 ①형상을 달리함. 모양이 다름. ②딴 것과 틀린 형상. 특별히 기이한 형상. 평상시와 다른 형상.

수상¹¹【殊祥】명 수상한 조짐.

수상¹²【殊常】명 보통과 달라 이상함. ¶ 거동이 ~하다. ——하다 형여불. ——히 부. ¶ ~ 여기다.

수상¹³【授賞】명 상을 줌. ¶ ~식(式). ——하다 타여불

수상¹⁴【愁傷】명 지나치게 걱정하여 몸을 상함. 몹시 슬퍼함. ——하다 자여불

수상¹⁵【樹上】명 나무의 위. ¶ ~ 생활.

수상¹⁶【樹相】명 수목의 형상.

수상¹⁷【樹狀】명 나무처럼 가지가 있는 형상.

수상¹⁸【樹霜】명 상고대.

수상¹⁹【隨喪】명 장사지내는 데 따라감. ——하다 자여불

수상²⁰【隨想】명 일정한 계통이 없이 그때그때에 떠오르는 생각이나 느낌. ¶ ~록(錄).

수상²¹【穗狀】명 곡식의 이삭과 같은 형상. ¶ ~ 꽃차례.

수:상²²【繡裳】명 수놓은 치마.

수:상²³【繡像】명 수를 놓아 만든 화상.

수상 경:기【水上競技】명 경영(競泳)·다이빙·수구(水球)·싱크로나이즈드 스위밍 등 물에서 하는 운동의 총칭.

수상 경:찰【水上警察】명 하천(河川)이나 운하 또는 항만(港灣)에서의 방범(防犯)·경비·선박의 교통 정리 또는 위험 방지·구호(救護) 등을 임무로 하는 경찰. 해상(海上) 경찰.

수상-관¹【水想觀】명〖불교〗십육관(十六觀)의 하나. 물이나 얼음의 청정한 모습을 생각함으로써 극락 정토의 대지(大地)를 관상(觀想)하는 방법. 수관(水觀).

수상-관²【受像管】명〖물〗텔레비전의 전기 신호(電氣信號)를 화상(畫像)으로 변환하는 것을 목적으로 하는 대형(大形)의 음극선관(陰極線管). 보통 브라운관(Braun管)을 말함.

수상-그르다【殊常—】형(르불) 좀 수상쩍다.

수상-기¹【水上機】명 ↗수상 비행기(水上飛行機).

수상-기²【受像機】명 방송된 텔레비전 전파(電波)를 받아서 영상(映像)을 만드는 장치. 검파(檢波)된 영상의 신호는 브라운관에서 전자선(電子線)의 강도를 바꿔 형광 물질(螢光物質)로 된 막에 명암이 생겨 영상이 나타남. ↔송상기(送像機).

수상-기³【殊常氣】[—끼] 명 수상스러운 기미.

수상기 모:함【水上機母艦】명〖군〗수상 비행기를 적재(積載)하는 항공 모함의 일종. 비행 갑판(飛行甲板) 없이 비행기는 캐터펄트(catapult)에 의하여 발함(發艦)하게 되어 있음.

〈수상꽃차례〉

수상-꽃차례【穗狀—】명〖식〗무한(無限) 꽃차례의 하나. 한 개의 긴 꽃대의 주위에 꽃자루가 없는 여러 개의 꽃이 촘촘히 붙어서 마치 이삭과 같은 형상으로 피는 꽃차례. 벼·보리·밀 따위. 수상 화서. 이삭꽃차례.

수상 돌기【樹狀突起】명〖생〗신경 세포가 갖는 돌기의 하나. 흥분(興奮)을 다른 것으로부터 받아들이는 작용을 하는 돌기로, 하나의 신경 세포에서 짤막짤막하게 수지상(樹枝狀)으로 분기(分岐)되어 있으며, 니슬과립(Nissl顆粒)이 그 안에 포함되어 있음. 원형질 돌기(原形質突起). ↔축삭 돌기(軸索突起).

수상-록【隨想錄】[—녹] 명 ①정해진 계통이 없이 그때그때 떠오르는 생각과 느낌을 기록한 책. ②〔프 Essais〕〖책〗몽테뉴(Montaigne, M. E.)의 저서. 자신의 정계(政界) 생활 중에 쓴 것으로, 자기 인생의 여러 양상(樣相)을 유머를 섞어 때로는 격언(格言) 형식으로 표현함으로써 스스로 지니고 있는 인간성의 완전한 모습을 밝히어 독자에게 인생의 의미를 깊이 생각하게 하였음. 1580년 간행. 1588년 증정(增訂).

수상-목【水上木】명 강의 상류에서 떼로 띄워 내려온 재목.

수상-문【隨想文】명 정해진 체계나 계통이 없이 그때그때 떠오른 생각을 적은 글.

수상 비행기【水上飛行機】명 플로트(float)로써 물 위를 활주(滑走)하여 발착(發着)하는 장치의 비행기. 하이드로플레인(hydroplane). ㊥수상기(水上機). ↔육상 비행기.

수상 삼원색【受像三原色】명 텔레비전 수신기에서 만드는 삼원색. 이것들을 적당한 비율로 혼합하면 필요한 색을 얻을 수 있음.

수상 생활자【水上生活者】[—짜] 명 물 위의 선박 등에 생활의 본거(本據)를 두고 있는 사람.

수상-선【水上船】명 물윗배.

수상-설【樹狀說】명〖언〗수지설(樹枝說).

수상 소방【水上消防】명 물 위에서의 재해(災害)를 대상으로 하는 소방 활동.

수상 수하【手上手下】명 손윗사람과 손아랫사람.

수상 수하간【手上手下間】부 손윗사람이든 손아랫사람이든간에 누구든지.

수상-술【手相術】명 손바닥의 금이나 그 배치(配置)를 보고, 그 사람의 운수·장래를 예언(豫言)하는 방술. 관장술(觀掌術).

수상-스럽다【殊常—】형(ㅂ불) 수상한 태도나 기미가 있다. 수상-스레【殊常—】부

수상 스쿠:터【水上—】〔scooter〕명 스쿠터를 타고, 하반신을 물에 잠근 채, 발로 키를 잡고 손으로 스피드를 조정하며 나아가는 수상 스포츠. 시속 8km 가량.

수상 스키:【水上—】〔ski〕명 모터 보트가 끄는 스키로, 수상을 활주(滑走)하는 스포츠. 워터스키.

수상 식물【樹上植物】명〖식〗건생 식물(乾生植物)의 하나로 나무 위에서 생장하는 식물. 지의류(地衣類) 따위.

수상 음악【水上音樂】명〖악〗수상의 음악.

수상의 음악【水上—音樂】[—/—에—] 명〔Water Music Suite〕〖악〗헨델 작곡의 모음곡. 1717년 헨델이 궁정 악장(宮廷樂長)으로 있을 때, 영국의 조지 1세를 위해 템스 강의 뱃놀이 때에 초연(初演)하여 이 이름이 있음. 수상 음악.

수상-자【受賞者】명 상을 받는 사람.

수상-장¹【水上章】[—짱] 명 용비어천가 제100장(章)의 이름.

수상-장²【樹上葬】명 나무 위에 장례지내는 장례 방법의 한 가지. 시체를 가마니로 싸거나 관(棺) 또는 항아리에 넣어서 나무 위에 올려 놓아, 자연히 살이 없어지기를 기다려 뼈를 주워 땅 속에 묻는 장사법. 옛날에, 가난한 천민(賤民)들이 묘지로 할 토지가 없거나 또는 유행 악질(惡疾)로 죽었을 때 행하였음. 수장(樹葬).

수상-전【手相戰】명 바둑에서, 단독으로 살지 못하고 있는 고립한 돌끼리 사활(死活)을 걸고 싸움을 벌이게 된 상황. 수싸움.

수상 지의【樹狀地衣】[—/—이] 명 지의류(地衣類) 중, 몸이 길게 뻗어 수상(樹狀)으로 가지가 갈라지는 것.

수상지-인【殊常之人】명 행색이 수상한 사람.

수상-쩍다【殊常—】형 수상하여 의심스러운 느낌이 있다. ¶ 수상쩍게 여기다.

수상 측량【水上測量】[—냥] 명 항만이나 하천(河川)·호소(湖沼) 등의 심

천(深淺)·조류(潮流) 또는 항로(航路)의 위치·방향 등에 대하여 측량하는 일.

수상 치:환【水上置換】명〖화〗수조(水槽) 안에서, 관(管)을 사용하여 기체를 들여보내어 거품으로 떠오르게 하고, 이것을 만수(滿水)된 도립 용기(倒立容器) 속에 포집(捕集)하는 방법. 수소·산소·질소 등, 물에 잘 용해되지 않는 기체를 포집할 때 사용함.

수상-판【受像板】명 텔레비전 수상기(受像機)의 영상(映像)을 나타내는 형광막(螢光膜)으로 된 판.

수상 항:공기【水上航空機】명 비행정(飛行艇).

수상-화【穗狀花】명〖식〗수상 꽃차례로 핀 꽃.

수상 화서【穗狀花序】명〖식〗수상 꽃차례.

수-새 명 새의 수컷. 웅조(雄鳥). ↔암새.

수새미 명〈방〉〖식〗수세미외(경상).

수색[1]【水色】명 물빛[1].

수색[2]【秀色】명 산과 들의 맑고 아름다운 경치.

수색[3]【殊色】명 여자의 뛰어난 용모.

수색[4]【羞色】명 부끄러운 기색.

수색[5]【搜索】명 ①더듬어서 찾음. 수구(搜求). ¶ 간첩 ~ 작전. ②〖법〗압수(押收)하여야 할 물건 또는 체포(逮捕)·구인(拘引)·구류(拘留)하여야 할 범인을 발견하기 위하여 사람의 신체·물건·가택(家宅)을 탐사(探査)하는 강제 처분(強制處分). 그 대상(對象)에 따라서 가택 수색·신체 수색·물건 수색으로 나뉘는데, 원칙적으로 현행범인 경우만을 제외하고는 법관이 발행한 수색 영장을 제시하며, 여자일 경우는 성년(成年) 여자의 입회를 필요로 하고 특별한, 기재(記載)가 없는 한, 해 돋기 전과 해진 후의 가택 수색은 금지되어 있음. ¶ 가택 ~. ——-하다 타 └여불

수색[6]【愁色】명 근심스러운 기색. ¶ ~이 가득한 얼굴.

수색-경【搜索鏡】명〖천〗큰 망원경(望遠鏡)에 부속하여, 찾아 보려는 천체(天體)의 위치를 수색하는 데 쓰이는 작은 망원경.

수색-권【搜索權】명〖법〗수색할 수 있는 권한(權限).

수색-대【搜索隊】명〖군〗적의 위치·병력·화력 등의 적정(敵情)을 수색하기 위하여 파견되는 군대. 「형여불

수색 만:면【愁色滿面】명 근심스러운 빛이 얼굴에 가득함. ——-하다

수색-망【搜索網】명 수색하기 위하여 각 방면으로 펼쳐 놓은 조직망.

수색-선【水色線】명 용산선(龍山線)의 서강(西江)에서 수색에 이르는 철도. [5 km]

수색 영장【搜索令狀】[—녕짱] 명〖법〗검사 또는 사법 경찰관 등이 수색하는 경우에 필요한 영장. 압수(押收)와 수색은 밀접한 관계에 있으므로, 그 영장은 '압수 수색 영장'이라는 공통된 영장을 쓰고 있음.

수색-원【搜索願】명 주로 잃어버린 사람이나 도망한 사람을 찾아 달라고 해당 기관에 제출하는 청원.

수색-조【搜索組】명〖군〗적정(敵情)을 수색할 임무를 띠고 파견되는 인원. 수색대보다 소규모임.

수색 표준액【水色標準液】명 바닷물·호수 등의 물빛을 비색법(比色法)에 의하여 숫자적(數字的)으로 간단하게 정하기 위하여 만들어진 것. 청색·녹색·황색 등 몇 가지 계급의 표준색을 제각기 가지고 일정한 순서로 배열된 용액(溶液)을 모아 놓은 것으로, 바닷물·호수 등의 물빛을 표준액과 비교하여 해당되는 액체의 번호를 읽어서 물빛을 논하게 됨.

수생【水生】명 물 속에서 생겨남. ——-하다 자여불

수생 곤충【水生昆蟲】명〖충〗수중 또는 수면 위에서 생활하고 있는 곤충의 총칭. 게아재비·물방개·물장군 따위. 호흡은 주로 수면 위에 떠올라서 함. 물살이곤충. 수서(水棲) 곤충.

수생-균【水生菌】명〖식〗물곰팡이.

수생 동:물【水生動物】명 [aquatic animals] 물 속에서 생활하는 동물의 총칭. 해산(海產) 동물·담수(淡水) 동물·기수(汽水) 동물로 분류됨. 처음부터 수중 생활을 계속하고 있는 종류를 1차 수생 동물, 수중에서 뭍에 올랐다가 다시 수중으로 되돌아간 고래와 수중 곤충 따위를 2차 수생 동물이라 함. 수서(水棲) 동물. 수중(水中) 동물.

수-생목【水生木】명〖민〗오행 운행(五行運行)에 있어서 수(水)가 목(木)을 도와 준다는 뜻.

수생 생물【水生生物】명 물 속에서 생활하는 동식물의 총칭.

수생 생물학【水生生物學】명 [hydrobiology] 수계(水界)에 생활하는 생물의 분류 및 생태(生態) 연구가 중심인 생물학.

수생 식물【水生植物】명〖식〗수중(水中) 식물.

수생 초원【水生草原】명 수중 초원(水中草原).

수서[1]【手書】명 손수 쓴 글이나 편지. 편지에 손아랫사람에게 대하여 쓰는 말. 수간(手簡). 수찰(手札). 수한(手翰). 수함(手函).

수서[2]【手署】명 손수 서명함. 자서(自署). ——-하다 자여불

수서[3]【殳書】명 고전(古篆) 팔체(八體)의 하나. 옛날에 병기(兵器) 위에 썼음.

수서[4]【水棲】명 물 속에서 삶. ↔육서(陸棲). ——-하다 자여불

수서[5]【水鼠】명〖동〗물쥐❷.

수서[6]【首鼠】명 [구멍에서 머리만 내밀고 엿보는 쥐라는 뜻] 진퇴·거취(去就)를 정하지 못하고 망설이는 모양을 비유하는 말. *수서 양단(首鼠兩端).

수서[7]【隋書】명〖책〗중국 이십오사(二十五史)의 하나. 당(唐)나라의 위징(魏徵)이 태종(太宗)의 칙명을 받들어 지은 수(隋)나라 시대의 역사 책. 본기(本紀) 5 권(卷), 열전(列傳) 50 권은 636 년에 완성되고 지(志) 30 권은 656 년에 완성되어 편입됨. 85 권.

수서[8]【愁緖】명 수심(愁心).

수서-계【受誓戒】명〖역〗나라에 대제(大祭)가 있기 이레 전에 조정의 백관(百官)이 임금 앞에서 맹세하는 일곱 가지 경계. 곧, 불음주(不飮酒)·불여훈(不茹葷)·부조상 문질(不弔喪問疾)·불청악(不聽樂)·불행형(不行刑)·불판서 형살 문서(不判署刑殺文書)·불예 예악사(不豫穢惡事)를 받음.

수서 곤충【水棲昆蟲】명〖충〗수생 곤충(水生昆蟲). 「두머리.

수-서기【首書記】명〖역〗지방 관아(地方官衙)에 속한 서기(書記)의 우

수서 동:물【水棲動物】명〖동〗수생(水生) 동물.

수서 양:단【首鼠兩端】명 머뭇거리며 진퇴(進退)·거취를 결정짓지 못하고 관망(觀望)하는 상태. '사기(史記)'의 무안후전(武安侯傳)에 나오는 말. *수서(首鼠).

수서-원【修書院】명〖역〗고려 때 서경(西京) 곧, 지금의 평양에 설치했던, 학교와 도서관을 겸한 기관. 6대 성종(成宗) 8년(989)에 개설, 역사 서적을 초사(抄寫)하여 소장(所藏)케 했음.

수석[1]【水石】명 ①물과 돌. ②물과 돌로 이루어진 자연의 경치. 곧, 산골짜기에서 흐르는 물의 경치를 평하는 데 쓰는 말. 천석(泉石). ③물 속에 있는 돌. ④수석(壽石).

수석[2]【首席】명 ①맨 윗자리. 으뜸가는 자리. 수좌(首座). ¶ ~ 연구원. ②성적 따위의 제1위. 수위(首位). ¶ ~으로 졸업하다. ↔말석(末席)❷. ③주석(主席)❷.

수석[3]【壽石】명 실내에 놓고 관상(觀賞)하는 자연석. 산수경석(山水景石) 또는 산수석(山水石), 물형석(物形石)·무늬석·색채석(色彩石)·추상석(抽象石)·전래석(傳來石) 등의 형식이 있음. 수석(水石). 분석(盆石).

수석[4]【樹石】명 나무와 돌. 목석(木石).

수석[5]【燧石】명 부싯돌.

수석 국무 위원【首席國務委員】명 대통령 중심제에 있어서의 수위(首位)의 국무 위원.

수석 대:주교【首席大主教】명〖천주교〗어떤 지역이나 국가에서 최초로 교구로 인정받은 지역의 관구장인 대주교.

수석 대:표【首席代表】명 우두머리가 되는 대표. ¶ 회담의 ~.

수석-도【壽石圖】명〖미술〗괴석도(怪石圖).

수석 사제【首席司祭】명〖천주교〗사제단의 대표로서 주교의 특별 대리자.

수-석척【水蜥蜴】명〖동〗영원(蠑螈)❶.

수선[1] 명 남의 정신을 어지럽게 하는 말이나 짓. ——-하다 형여불

수선(을) 떨:다 구 수선스러운 행동을 많이 하다. ¶ 수선 떨지 말아라.

수선(을) 부리다 구 행동을 수선스럽게 하다.

수선(을) 피우다 구 말이나 행동을 수선스럽게 하다.

수선[2]【手選】명〖광〗광석이나 석탄 따위를 손으로 골라 내는 일. ——-하다 타여불

수선[3]【水仙】명 ①물 속에 산다는 신선(神仙). ②↗수선화(水仙花).

수선[4]【水線】명 선박(船舶)의 흘수선(吃水線).

수선[5]【水蘚】명〖식〗'개구리밥'의 딴이름.

수선[6]【垂線】명〖수〗어느 직선 또는 평면에 수직으로 마주치는 직선. 수직선(垂直線).

수선[7]【受禪】명 임금의 자리를 물려받음. ——-하다 자여불

수선[8]【帥先】명 '솔선(帥先)'의 잘못. ——-하다 자여불

수선[9]【首善】명 ①모범. 본보기. ②모범되는 곳의 뜻으로 '서울'을 일컫는 말. *수선지지(首善之地).

수선[10]【首線】명〖수〗'시초선(始初線)'의 구용어.

수선[11]【修善】명 선행을 쌓음. 올바른 행동을 함. ——-하다 자여불

수선[12]【修禪】명〖불교〗선정(禪定)을 수행함. ——-하다 자여불

수선[13]【修繕】명 낡거나 허름한 것을 고침. ——-하다 타여불

수:선[14]【繡扇】명 수를 놓아 꾸민 부채.

수선-거【修船渠】명 건선거(乾船渠). 드라이 독(dry dock).

수선-거리다 자 ①정신이 어지럽게 떠들다. ②떠들썩하여 정신이 산란하여지다. 수선-수선 부. ——-하다 자여불

수선-공【修繕工】명 수선하는 일을 맡아 보는 직공.

수선-대다 자 수선거리다.

수선-법【手選法】[—뻡] 명〖광〗빛과 광택에 의해서 손으로 광석 중의 폐석(廢石)을 골라 내는 선광(選鑛) 방법.

수선-비【修繕費】명 낡은 물건을 고치는 데 드는 비용.

수선-사【修禪社·修禪寺】명〖불교〗고려 명종(明宗) 20 년(1190) 보조국사(普照國師)가 편성한 혁신 불교의 경향을 띤 신앙 단체 이름. 또, 그 사찰(寺刹)의 이름. 고려 말기에 송광사(松廣寺)로 개칭됨.

수선 속도【垂線速度】명〖물〗광파(光波)의 속도. *광선(光線) 속도.

수선-스럽다 형ㅂ불 수선한 느낌이 있다. 수선-스레 부

수선-장【修船場】명 배를 고치는 곳.

수선-쟁이 명 몹시 수선을 떠는 사람.

수선 전도【首善全圖】명 조선 시대 말엽의 한양(漢陽) 지도(地圖). 조선 순조(純祖) 24년(1824)에 김정호(金正浩)가 그려서, 목각(木刻)하였음.

수-선정【修禪定】명〖불교〗일심(一心)으로 법리(法理)를 생각하는 경지에 이름. 곧, 선정을 수행(修行)함. ——-하다 자여불

수선지-지【首善之地】명 다른 곳보다 나은 지위라는 뜻으로 '서울'이나 또는 옛 '성균관(成均館)'을 일컫는 말.

수선-창【水仙菖】명〖식〗수선화(水仙花).

수선 충당금【修繕充當金】명〖경〗건물·기계·선박 등의 장래 있을 대수선에 충당하기 위하여 미리 각 연도에 얼마씩 적립한 돈.

수선 치:명【首先致命】명〖천주교〗천주(天主)와 그 교회(敎會)를 위하여 제일 먼저 생명을 희생함. ——-하다 자여불

수선-화【水仙花】명〖식〗[*Narcissus tazetta* var. *chinensis*] 수선화과

에 속하는 다년초. 내한성(耐寒性)의 인경(鱗莖)을 갖는 구근(球根) 식물인데, 인경은 달걀꼴의 구형(球形)이고 그 외피(外皮)는 흑색이며 하부에는 백색의 많은 수근(鬚根)이 남. 잎은 총생(叢生)하고, 선형(線形)으로 두껍고 평행한 엽맥(葉脈)이 있음. 1-2월에 인경에서 20-30 cm 되는 꽃줄기가 나와, 그 끝에 백색·황색·등홍색의 꽃이 단생(單生) 또는 산형상(繖形狀)으로 피고, 열매를 결실하지 못하여, 인경의 조각인 소(小)인경으로 번식함. 따뜻한 지방의 해변에 나는데, 한국·일본·중국 중부·유럽·지중해 연안에 분포함. 관상용이고, 인경은 약제로 씀. 배현(配玄). 수선창(水仙菖). [준]수선(水仙).

〈수선화〉

수선화-과【水仙花科】[—꽈] [명]〖식〗[Leucojaceae] 단자엽(單子葉) 식물에 속하는 한 과. 전세계에 71속(屬) 750여 종. 열대(熱帶) 또는 아열대 지방에 나는데, 한국에는 문주란·상사화·수선화 등의 5종이 분포함.

수설【水泄】[명] 물찌똥.

수설 불통【水泄不通】[명] 경비(警備)가 대단히 엄중하여, 비밀이 새나지 못함. ——-하다 [자][여불]

수성¹【水性】[명] ①물의 성질. ②물에 녹기 쉬운 성질. 수용성(水溶性). ¶ ~ 페인트. ③〖민〗오행(五行)에서 수(水)를 사람의 생년 월일에 배정하여 일컫는 말.

수성²【水姓】[명]〖민〗오행(五行)의 수(水)에 해당한 성(姓). 성자(姓字)를 궁(宮)·상(商)·각(角)·치(徵)·우(羽)의 다섯 음에 나누어서 오행에 벌여 붙인 것임.

수성³【水星】[명] [Mercury]〖천〗행성(行星) 가운데 가장 작고, 태양에 가장 가까운 별. 해가 진 직후 또는 해 뜨기 직전, 몇 시간 동안만 보임. 크기는 직경이 지구의 0.38배(倍), 질량은 지구의 0.06배, 태양으로부터의 거리 57,909,000 km, 공전기(公轉期)는 88일, 자전 주기(自轉周期)는 58.65일이며, 궤도의 이심율(離心率)은 20.6%, 경사도는 7°임. 진성(辰星).

수성⁴【水聲】[명] 물 소리.

수성⁵【守成】[명] ①선군(先君)이 하던 정사(政事)를 그대로 잘 지켜 나감. ②부조(父祖)의 업을 지킴. ——-하다 [타][여불]

수성⁶【守城】[명] 성을 지킴. ——-하다 [자][여불]

수성⁷【垂成】[명] 어떤 일이 거의 이루어짐. 거의 성취됨. ——-하다 [자][여불]

수성⁸【首星】[명]〖천〗일반적으로 한 성좌(星座) 중에서 가장 밝은 항성(恒星). 거문고자리의 직녀성(織女星)이나 작은곰자리의 북극성 따위. 알파성(星).

수성⁹【修成】[명] 수정해서 성취시킴. 고치어 완성함. ——-하다 [타][여불]

수성¹⁰【修城】[명] 성(城)을 수리함. ——-하다 [자][여불]

수성¹¹【愁城】[명]〖역〗①경기도 수원(水原)의 옛이름. ②함경 북도 종성(鐘城)의 옛이름.

수성¹²【愁聲】[명] ①근심하여 탄식하는 소리. ②구슬픈 소리.

수성¹³【遂成】[명] 어떤 일을 다 해냄. 성수(成遂). ——-하다 [타][여불]

수성¹⁴【遂誠】[명] 성의(誠意)를 다함. ——-하다 [타][여불]

수성¹⁵【壽星】[명] ①남극성. 노인성. 수창(壽昌). ②'음력 팔월'의 이칭.

수성¹⁶【隨聲】[명]〖악〗수성 가락.

수성¹⁷【獸性】[명] ①짐승의 성질. ②인간이 지닌 동물적인 성질. 육체적 욕망 따위. ③야만적 성질. 잔인한 성질.

수성-가락【隨聲—】[명]〖악〗가곡(歌曲)이나 가사(歌詞) 또는 시조(時調)를, 피리나 대금·거문고 등으로 소리를 따라 반주하는 가락. 수성(隨聲). 수성조(隨聲調).

수성 가스【水性—】[명] [water gas]〖화〗백열(白熱)한 석탄에 수증기(水蒸氣)를 통하여 얻은 수소와 일산화 탄소(一酸化炭素)의 혼합 기체. 기체 연료이며, 수소 가스(水素 gas)의 제조 원료로 씀. 워터 가스.

수성 가스반:응【水性—反應】[명] [water gas reaction]〖화〗600°-1000°C에서 코크스나 석탄 위에 증기(蒸氣)를 통하게 한 후 일산화 탄소를 제조하는 방법.

수성 가스 코:크스【水性—】[명] [water-gas coke] 수성 가스를 제조할 때 쓰는 코크스. 회분(灰分)과 유황의 함량이 적음. 약 2500°F에서 연화(軟化)되는데, 크기는 5 cm 이상임.

수성 경과【水星經過】[명] 지구에서 볼 때, 수성이 태양의 전면을 하나의 소흑점(小黑點)으로 통과하는 일. 1631년 11월 7일, 가상디(Gassendi)에 의해 처음으로 관측됨.

수성 광:상【水成鑛床】[명]〖광〗물의 작용에 의해서 된 유용 광물(有用鑛物)의 집합체(集合體). 표사 광상(漂砂鑛床)·화학 침전 광상(化學沈澱鑛床)·유기 광상(有機鑛床)의 세 종류가 있음. 퇴적성(堆積性) 광상.

수성-군【守城軍】[명] 산성(山城)을 지키는 군사.

수성궁 몽:유록【壽聖宮夢遊錄】[명]〖책〗운영전(雲英傳).

수성 금:화 도감【修城禁火都監】[명]〖역〗수성 금화사.

수성 금:화사【修城禁火司】[명]〖역〗조선 시대 때, 궁성(宮城)·도성(都城)의 수축(修築)과 궁궐(宮闕)·공해(公廨)·방리 각호(坊里各戶)의 구화(救火)를 맡아 보던 관아. 세종(世宗) 8년(1426)에 성문 도감(城門都監)과 금화 도감(禁火都監)을 합쳐서 '수성 금화 도감(修城禁火都監)'으로 하였다가 뒤에 수성 금화사로 고침.

수성 내:행성【水星內行星】[명]〖천〗1966년과 1970년의 개기 일식(皆旣日蝕)의 사진 건판상에서 발견된 새 천체. 궤도 반경은 1천 5백만 km, 공전 주기는 20일로 추정. 본체(本體)의 직경은 800 km 이하이기 때문에 개기식 때가 아니면 관측이 곤란함.

수성 노:인도【壽星老人圖】[명] 수성의 화신(化身)인 백발 장두(長頭)의 수성 노인이 현록(玄鹿)을 데리고 있는 것을 그린 그림. 장수를 상징함.

수성-대다 [자] 수근거리며 웅성대다.

수성 도료【水性塗料】[명] 물을 매제(媒劑)로 하여 안료(顏料)를 잘 이겨 혼합한 무광택 도료. 특히 실내 도료로 쓰는데, 가루와 액체로 된 것이 있음. 수성 페인트.

수성-론【水成論】[—논] [명]〖지〗모든 암석은 바다 밑 속에 가라앉아서 된 수성암이라고 하는 설(說). 독일의 베르너(Werner, A.G.; 1750-1817)가 18세기말에 주장한 설. 주수설(主水說). 주수론(主水論). 범수론(汎水論). ↔화성론(火成論).

수성수성-하다 [자][여불] 수성대다. ¶ 늦게 들어온 사람들 때문에 수성수성하던 장내가 소리 하나 없이 조용해졌다《沈熏:常綠樹》.

수성-암【水成岩】[명] [aqueous rock] 암석이 부서진 알갱이나 점토(粘土) 알갱이, 생물의 유해(遺骸) 등이 물에 운반되어 퇴적·고결(固結)하여 생성된 암석. 퇴적암의 대부분을 차지함. 침전암(沈澱岩).

수성이-외 [명]〈방〉〖식〗수세미외.

수성 잉크【水性—】[ink] [명] 수용성 수지(水溶性樹脂)를 매체로 사용한 인쇄용 잉크. 독성과 냄새가 없어서 식품 포장 재료의 인쇄에 알맞음.

수성-장【守城將】[명]〖역〗산성(山城)에 주류(駐留)하여 수성군(守城軍)을 이끌고 성을 지키던 무관(武官)의 벼슬. 「넘하던 명절.

수성-절【壽成節】[명]〖역〗고려 희종(熙宗) 때, 임금의 탄일(誕日)을 기

수성-조【隨聲調】[—쪼] [명]〖악〗수성 가락.

수성-지【愁城誌】[명]〖문〗조선 선조(宣祖) 때의 시인 임제(林悌)가 지은 의인체(擬人體)의 작품. 마음의 세계를 의인화하여 왕조(王朝)의 흥망을 연대기적으로 기록한 작품.

수성지-업【垂成之業】[명] 자손에게 뒤를 이어 이루게 하는 일.

수성지-주【守成之主】[명] 창업(創業)의 뒤를 이어 그 기초를 굳게 지키는 군주(君主).

수성-천【輸城川】[명]〖지〗함경 북도 부령군(富寧郡) 서상면(西上面)에서 발원하여 부령(富寧)·수성(輸城)·청진(淸津) 등지를 지나서 청진만(淸津灣)으로 흘러 들어가는 큰 내. 유역은 콩의 농산물이 유명하고 축우(畜牛)가 성함. [67.4 km]

수성 페인트【水性—】[paint] [명] 수성 도료(塗料).

수성 평야【輸城平野】[명]〖지〗함경 북도 중부의 수성천(輸城川) 유역에 전개된 평야. 길주 평야(吉州平野)와 함께 함북 지방의 주요 미작(米作) 지대를 이룸. 평야의 동쪽 끝에 청진(淸津)이 있음.

수세¹ [명]〈방〉〖식〗수세미외(경상).

수세² [명]〖역〗[←휴서(休書)] 이혼(離婚)의 증서(證書). 남자가 여자에게 줌. 이연장(離緣狀).

수세 베:주다 [구]〖역〗옛날 하천자(下賤者)가 그 아내와 이혼할 때에, 수세 대신으로 옷고름을 베어 주다. 곧, 아내와 갈라지다.

수세³【水洗】[명] ①물로 깨끗이 씻음. ②사진술(寫眞術)에서, 음판(陰板) 인화(印畫) 등을 현상(現像) 밀착(密着)한 뒤에 막면(膜面)에 붙은 약액(藥液)을 씻어 버리는 일. ③〖천주교〗성수(聖水)로 씻는 세(洗) 방법의 한 가지. 성세 성사(聖洗聖事). ④↗수세식(水洗式). ——-하다 [타][여불]

수세⁴【水稅】[명] ↗보수세(洑水稅).

수세⁵【水勢】[명] 흐르는 물의 기세. 또, 그 형세.

수세⁶【收稅】[명] ①세전(稅錢)을 거둠. 세렴(稅斂). ②〖법〗조세(租稅)를 징수(徵收)함. ——-하다 [자][여불] 「물리다. ↔공세(攻勢).

수세⁷【守勢】[명] 적(敵)을 맞아 지키는 형세. 또, 그 군세(軍勢). ¶ ~에

수세⁸【守歲】[명]〖민〗음력 섣달 그믐날 제야(除夜)에 등촉을 집안 구석구석에 밝히고, 온 밤을 새우는 풍습. 이날 밤에 자면, 눈썹이 센다는 전설이 있음. 별세(別歲). 해지킴. ——-하다 [자][여불]

수세⁹【受洗】[명]〖기독교〗세례(洗禮)를 받음. ——-하다 [자][여불]

수세¹⁰【首歲】[명] 해의 처음. 세수(歲首).

수:세¹¹【嗽洗】[명] 양치질하고 세수함. ——-하다 [자][여불]

수:세¹²【數世】[명] 삼사 세(世) 또는 오륙 세.

수세¹³【樹勢】[명] 나무의 자라나는 기세.

수세¹⁴【隨勢】[명] 세상의 형편을 좇음. ——-하다 [자][여불]

수-세공【手細工】[명] 손끝으로 하는 세공(細工). 손으로 만드는 세공(細工). 「중앙 관리.

수세-관【收稅官】[명]〖역〗조세(租稅)를 걷기 위하여 지방에 파견하던

수세 관리【收稅官吏】[—괄—] [명]〖법〗직접 조세를 부과·징수할 임무를 맡은 관리. 내국세(內國稅)에 있어서는 세무서장 및 그의 보조 관리이고, 관세(關稅)에 있어서는 세관장(稅關長) 및 그의 보조 관리임. 수세리.

수세기 [명]〈방〉〖식〗수세미외(평안).

수세기-오이 [명]〖식〗〈방〉수세미외(평안).

수세-나무 [명]〈방〉〖식〗수세미외(경상). 「다.

수-세다【手—】[형] ①아주 세차다. ②바둑·장기 등의 수가 매우 강하

수세-리【收稅吏】[명] 수세 관리.

수세미 [명] ①설거지할 때에 그릇을 씻는 물건. 짚이나 수세미외의 열매 속으로 만듦. ②〈방〉〖식〗[근대 : 수세] 수세미외(경기·강원·충청·전라·경상).

수세미-외 [명]〖식〗[*Luffa cylindrica*] 박과에 속하는 일년생의 만초. 줄기는 권수(卷鬚)로서 다른 물건에 감아 올라가고, 잎은 장상 심렬(掌狀深裂)함. 여름에 황색 꽃이 자웅 동주(雌雄同株)로 피는데, 웅화(雄花)는 총상(總狀) 화서로 자화는 엽액(葉腋)에 한 개가 핌. 원통상의 액과(液果)는 길이 30-60 cm이고 녹색이며 옴쏙옴쏙한 몇 개의 세로 줄이 있음. 열대 아시아 원산으로 중국을 거쳐 한국·일본에 퍼져서 재배됨. 열매의 섬유로는 수세미를 만들고, 줄기의 절단면에서 나오는 액즙(液汁)은 화장수(化粧水)·기침약으로 씀. 사과(絲瓜).

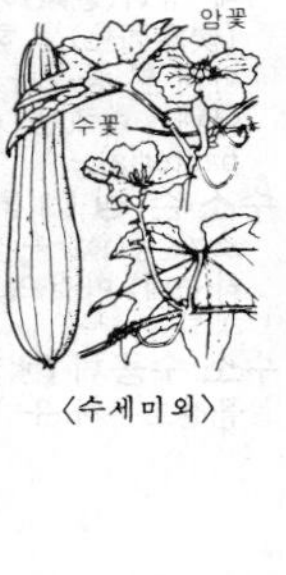

〈수세미외〉

수세-식【水洗式】명 변소에 급수(給水) 장치를 하여, 오물(汚物)이 맑은 물에 씻겨 내려가도록 처리하는 방식. ㊀수세(水洗).

수세식 변소【水洗式便所】명 급수(給水) 장치를 설비하여 오물(汚物)을 물로 씻어 흘러 내려보내는 방식의 변소. *재거식 변소.

수세-외 명 〈옛·방〉〖식〗수세미외. ¶ 수세외(絲瓜)≪瘟瘡方 4≫.

수:세인트마리 운하【—運河】명 〔Sault Sainte Marie Canal〕〖지〗미국과 캐나다 국경에 있는 운하. 슈피리어 호(Superior 湖)와 휴런 호(Huron 湖)를 연결하는 갑문식(閘門式) 운하로, 세인트마리 강에 설치되어 있음. 병행하는 두 개의 운하로 이루어지며 5대호 수운의 요로(要路)로, 연간 화물 통과량이 세계 최고임. 캐나다측은 1895년, 미국측은 1915년에 개통됨. 수 운하(Soo 運河).

수세 작전【守勢作戰】명 적(敵)의 기도(企圖)를 막기 위한 전략적(戰略的) 작전. ↔공세 작전(攻勢作戰). ——-하다 자여불

수세지-재【需世之才】명 세상에 등용(登用)될 만한 인재(人才).

수셍이 명 〈방〉〖식〗수세미외(강원·충북).

수셍이-외: 명 〈방〉〖식〗수세미외.

수-소[1] 명 소의 수컷. 모우(牡牛). 황소. ↔암소.

수소[2]【手疏】명 손수 써서 어떤 사정을 진술함. 또, 그 서장(書狀).

수소[3]【水素】명 〔hydrogen〕〖화〗빛과 냄새와 맛이 전혀 없는 기체 원소(氣體元素). 모든 물질 가운데서 가장 가벼운 원소로 다른 원소와 화합(化合)하여 널리 다량으로 존재함. 세 가지 동위체(同位體)가 있는데 질량수(質量數) 2의 것을 중수소(重水素), 질량수 3의 방사성 동위체는 삼중(三重) 수소라 하고 이에 대하여 질량수 1인 것을 경수소(輕水素) 또는 프로튬이라 할 때가 있음. 가연성(可燃性)이 높고 환원 작용(還元作用)을 일으키며 일반적으로 금속에 대하여 친화력(親和力)이 적음. 실험실에서는 아연(亞鉛)에 묽은 황산을 작용시켜 만드나, 공업적으로는 물을 전기 분해(電氣分解)하여 얻음. 암모니아·산수소염(酸水素焰)·염산(塩酸)의 원료 또는 각종 불포화 화합물의 수소 첨가제(水素添加劑) 및 기구 충전용(氣球充塡用) 등 공업상의 그 용도가 매우 많음. [1번:H:1.008]

수소[4]【守所】명 지키는 곳. ¶ 초병(哨兵)의 ～ 이탈.

수소[5]【受訴】명 소송(訴訟)을 수리(受理)함. ——-하다 자여불

수소[6]【愁訴】명 애타게 호소함. 사정을 털어놓고 동정을 구함. 또, 그러한 호소. ——-하다 자여불

수소 가스【水素—】〔gas〕명〖화〗기체상(氣體狀)의 수소. 무색·무미·무취(無臭)의 가장 가벼운 기체.

수소 결합【水素結合】명 〔hydrogen bond〕〖화〗화합 결합의 한 가지. 산소·플루오르·질소(窒素)와 같은 전기적(電氣的) 음성도(陰性度)가 큰 원자가 그와 결합하고 있는 수소 원자의 개재(介在)로 인하여 같은 분자내 또는 딴 분자의 음성 원자에 접근하는 현상. 얼음은 물분자 사이의 수소 결합으로 생긴 결정(結晶)임. DNA의 이중 나선 구조(二重螺旋構造)에서도 수소 결합이 중요한 역할을 함.

수소 공:여체【水素供與體】명〖화〗생체 산화 환원계(生體酸化還元系)에서 수소를 딴 물질에 공급하고 그 자신은 산화되는 물질. ↔수소 수용체(水素受容體).

수소 냉:각 동기기【水素冷却同期機】명 동기 조상기(同期調相機)나 동기 발전기의 바깥 상자를 기밀(氣密) 구조로 하여 내부에 수소를 채워서 냉각 효과를 증가시킨 동기기.

수소 당량【水素當量】[—냥] 명 〔hydrogen equivalent〕〖화〗산이나 염기(塩基)의 분자 중에, 치환(置換)이 가능한 수소 원자(原子)나 수산기(水酸基)의 수.

수소 메짐성【水素—性】[—썽] 명 〔hydrogen embrittlement〕〖화〗금속이 수소를 흡수하여 부스러지기 쉬워지는 현상. 예컨대, 구리를 수소 기류 속에 가열할 때 400℃쯤에서 부서지고, 온도가 오름에 따라 그 해(害)가 더욱 심해지는 현상. 수소에 의해 아산화(亞酸化) 구리가 환원(還元)되어 다공질(多孔質)이 되는 동시에 발생한 수증기가 팽창하여 균열(龜裂)이 생기기 때문임. 수소병(水素病). 수소 취성(水素脆性).

수-소문【搜所聞】명 세상에 떠도는 소문을 더듬어 살핌. ¶ ～해서 찾다. ——-하다 타여불

수소 박테리아【水素—】명 〔hydrogen bacteria〕〖생〗수소 세균.

수소 법원【受訴法院】명〖법〗소송을 수리한 법원. 수소 재판소.

수소-병【水素病】[—뼝] 명〖화〗수소 메짐성.

수소-산【水素酸】명 〔hydracid〕〖화〗산소 원자(酸素原子)를 전혀 포함하지 않은 산(酸)의 총칭. 염화 수소(HCL)·시안화 수소(HCN)·황화 수소(H_2S) 따위. *산소산(酸素酸).

수소-선【水素線】명 〔hydrogen line〕주파수 1420 MHz, 파장(波長)이 21cm인 중성 수소로부터 방출되는 스펙트럼선(線). 이 스펙트럼선에서의 방사는 은하계(銀河系)의 수소량과 속도를 연구하는 전파(電波) 천문학에서 이용됨.

수소 세:균【水素細菌】명 〔hydrogen bacteria〕〖생〗수소를 산화할 때 유리(遊離)하는 에너지를 사용하여 무기적(無機的)으로 탄산 동화(炭酸同化)를 하여 생활하는 세균. 1906년 처음으로 토양에서 분리된 이래 몇 종류가 발견되고 있음. 유기물 중에서도 생활할 수 있지만, 이때, 대개는 수소 이용능(利用能)을 상실함. 수소 박테리아(水素 bacteria).

수소 손:상【水素損傷】명 보일러 등에서 흔히 일어나는 부식(腐蝕). 수소가 강(鋼) 속에 확산(擴散)되고 탄소(炭素)와 반응해서 메탄을 발생하는데, 이것으로 국부적으로 응력(應力)이 축적되고 궁극적으로는 파괴되는 현상.

수소 수용체【水素受容體】명〖화〗탈수소 반응(脫水素反應)에서, 반응 물질로부터 유리(遊離)하는 수소와 결합하여 스스로 변화하는 물질. ↔수소 공여체(水素供與體).

수소 에너지【水素—】명 〔hydrogen energy〕〖화〗수소를 연소(燃燒)시키거나 하여 얻어지는 에너지. 1g당(當) 가솔린의 3배의 열을 냄.

수소 융합 반:응【水素融合反應】명 〔hydrogen burning〕〖물〗주계열(主系列)의 항성(恒星) 중심부에서 일어나는 열핵(熱核) 반응. 수소의 원자핵은 융합하여 헬륨 원자핵이 됨.

수소 이온【水素—】〔ion〕명〖화〗산성의 수용액 가운데에 있어서, 그것이 산성이 되는 원인을 이루는 일가(一價)의 수소 원자로 된 양이온(陽ion). [H^+]

수소 이온 농도【水素—濃度】명 〔hydrogen-ion concentration〕〖화〗용액(溶液) 가운데에 해리(解離)된 수소 이온의 농도. 보통, 수소 지수(指數) 페하(pH)로 표기(表記)하는데, 순수한 물은 중성(中性)으로 페하(pH)가 7임. 곧, 이 지수의 값이 커지면 커질수록 알칼리성이 강하여지며 작으면 작을수록 산성이 강하여짐.

수소 이온 농도 지수【水素—濃度指數】명〖화〗수소 이온 지수.

수소 이온 농도 지시약【水素—濃度指示藥】명 〔hydrogen-ion indicator〕〖화〗페하(pH)의 측정(測定)이나 중화 적정(中和滴定)에 쓰이는 지시약(指示藥). 메틸 레드(methyl red)·페놀 레드·니트로 페놀 등이 있음. 산염기 지시약(酸塩基指示藥).

수소 이온 지수【水素—指數】명 〔hydrogen ion exponent〕〖화〗이온 지수(ion指數)의 하나. 수소 이온 농도를 나타내는 수치(數値). 1 리터 중에 포함되는 수소의 그램 이온수의 역수(逆數)의 상용 로그(常用 log)임. 지수 6 이하 0 까지를 산성(酸性), 7을 중성(中性), 8 이상 14 까지를 알칼리성으로 함. 기호는 pH. 수소 이온 농도 지수. 수소 지수.

수소 이온 지시약【水素—指示藥】〔ion〕명 산염기 지시약.

수소 이탈【守所離脫】명〖군〗지휘관이나 초병(哨兵)이 적절한 사유 없이 근무지를 이탈하는 일.

수소 자동차【水素自動車】명 수소를 연료로 하는 자동차.

수소-장【愁訴狀】[—짱] 명 수소(愁訴)하기 위하여 제출하는 서장.

수소 재판소【受訴裁判所】명〖법〗수소 법원(受訴法院).

수소 전:극【水素電極】명 〔hydrogen electrode〕〖화〗기체 전극의 일종. 백금흑(白金黑)을 칠한 백금판(板)에 수소 가스를 흡착시켜서 수소 이온을 포함하는 수용액 속에 넣어 수소 이온 H^+에 대하여 가역적(可逆的)으로 작용시킨 것. *규정(規定) 수소 전극.

수소 정제법【水素精製法】[—뻡] 명 수소를 접촉시켜서 석유를 정제하는 방법인 수소 처리법의 딴이름.

수-소지【手小指】명 새끼손가락.

수소 지수【水素指數】명〖화〗수소 이온 지수.

수소 처:리법【水素處理法】[—뻡] 명 〔hydrotreating〕수소를 석유의 중간 생성물 등에 접촉시켜, 산소·황·질소 또는 불포화(不飽和) 탄화 수소 등의 불순물을 제거하는 석유 정제 접촉법. 수소 정제법(精製法).

수소 첨가【水素添加】명〖화〗수소화(水素化).

수소 취성【水素脆性】명〖화〗수소 메짐성.

수소-탄【水素彈】명 ↗수소 폭탄(水素爆彈).

수소 폭탄【水素爆彈】명 〔hydrogen bomb〕폭탄의 한 가지. 수소의 원자핵이 열핵 반응(熱核反應)에 의해서 융합(融合)하여 헬륨(helium) 원자핵을 만들 적에 방출하는 에너지를 이용하여 만든 폭탄. 기폭제(起爆劑)로서 우라늄(uranium) 또는 플루토늄(plutonium) 폭탄을 쓰고 그 둘레를 중수소 및 삼중 수소(水素)로 싸고 철이나 코발트로 외각(外殼)을 씌웠는데, 원리상(原理上) 수소량의 증가에 의하여 무제한으로 대형화(大型化)할 수 있음. 효과는 원자 폭탄의 수 천 배나 되며, 땅 위에 떨어진 경우 폭심(爆心)에서부터 반경(半徑) 35km 이내는 폭풍(爆風)에 의하여 남김 없이 파괴되고, 또한 고열(高熱)에 의하여 모두 타버린다고 함. 1952년 미국의 에니웨톡(Eniwetok) 섬에서 처음으로 실험하였음. 우라늄 폭탄·리튬 폭탄 등이 있으며, 레이저(laser) 광선을 기폭용(起爆用)으로 쓰는 폭탄도 개발중임. 헬륨탄. 에이치봄(H-bomb). ㊀수소탄(水素彈)·수폭(水爆).

수소-화【水素化】명 〔hydrogenation〕〖화〗분자 안의 불포화 결합(不飽和結合), 예컨대 탄소 원자 사이의 이중 결합·삼중 결합에 수소를 부가(附加)시키는 반응. 촉매로서 니켈·백금·팔라듐(palladium) 등을 사용함. 수소화 반응. 수소 첨가.

수소화 게르마늄【水素化—】명 〔germanium hydride〕〖화〗게르만(germane).

수소화 규소【水素化硅素】명 〔silicon hydride〕〖화〗실란(silane).

수소화 나트륨【水素化—】명 〔sodium hydride〕〖화〗회색의 입방 정계(立方晶界)의 이온 결정(結晶). 약 800℃에서 나트륨과 수소로 분해하며, 물과는 폭발적으로 반응하여 수소를 발생함. 환원성(還元性)이 강하며 금속 염화물(塩化物)에서 금속을 유리(遊離)시킴. 환원제로 쓰임. [NaH]

수소화 리튬【水素化—】명 〔lithium hydride〕〖화〗수소가스 속에서 리튬을 가열할 때 생기는 무색의 입방 정계(立方晶系)이온 결정(結晶). 물과 격렬하게 반응하여 수소를 발생함. 유기(有機) 화학에서 환원제(還元劑)로 쓰임. 녹는점 680℃. 상품(商品)은 백색 내지 회색 고체이며, 독성이 있음. [LiH]

수소화-물【水素化物】명 〔hydride〕〖화〗수소(水素)와 다른 원소(元素)가 결합하여 이룬 화합물(化合物). 가스 수소화물·염류형(塩類型) 수소화물·금속상(金屬狀) 수소화물 등이 있음.

수소화 반:응【水素化反應】명〖화〗수소화(水素化).

수소화 분해법【水素化分解法】[—뻡] 명 석유 정제 공정의 하나. 끓는점이 높은 중질(重質) 석유 유분(留分)을 수소와 함께 촉매상에 통하고,

고온 고압하에 분해해서 가솔린·경유 등을 양산(量産)하는 방법.
수소화 붕소【水素化硼素】명〔boron hydride〕〖화〗보란²(borane).
수소화 비:소【水素化砒素】명〔arsenic hydride〕〖화〗아르신(arsine)❶. 「❶.
수소화 안티몬【水素化—】명〔antimony hydride〕〖화〗스티빈(stibine)
수소화 알루미늄 리튬【水素化—】명〔lithium aluminium hydride; lithium aluminohydride〕〖화〗수소화 나트륨(NaH)과 알루미늄을 수소 기류(氣流) 속에서 반응시켜 합성하는 무색의 단사 정계 결정(單斜晶系結晶). 공기 속에서 마찰하면 연소(燃燒)하며, 물과 반응하여 수소를 발생함. 에테르에 녹기 때문에 무기(無機) 및 유기(有機)화합물의 환원(還元), 수소 첨가, 수소화물의 합성 등에 널리 이용됨. [$LiAlH_4$]
수소화-인【水素化燐】명〔phosphorus hydride〕〖화〗포스핀(phosphine).
수소화 주석【水素化朱錫】명〔tin hydride〕〖화〗스타난(stannane).
수소화 칼슘【水素化—】명〔calcium hydride〕〖화〗무색의 사방 정계(斜方晶系) 이온성 결정(ion性結晶). 600℃ 이상에서 칼슘과 수소로 분해됨. 물과 반응하여 수산화 칼슘과 수소를 발생함. 녹는점 816℃. 상품(商品)으로는 백색 내지 회색의 고체임. 휴대용 수소 발생원(水素發生源), 환원제, 유기(有機) 화학에서 탈수(脫水), 수소 첨가제로 이용됨. [CaH_2]
수소화 탈황【水素化脫黃】명〖화〗석유에 함유된 유해한 황화합물을 제거하는 정제법(精製法)의 하나. 나프타는 200-360℃, 등유(燈油) 및 경유(輕油)는 300-400℃, 모두 7-70 기압의 조건에서 수소화 처리를 하여 황화합물을 탄화 수소와 황화 수소로 분해하고, 동시에 산소나 질소 등의 화합물도 분해·제거함. 이 결과 정제유(精製油)의 빛깔·냄새·안정성(安定性)·연소성(燃燒性) 등이 개선됨.
수소 화합물【水素化合物】명〔hydrogen compound〕〖화〗널리 수소와 화합한 물질. 이 중에서 수소보다 전기 음성도(電氣陰性度)가 작은 원소를 함유하는 것으로는 메탄 등의 공유 결합형(共有結合型), 수소화(水素化) 칼슘 등의 이온형, 수소화 티타늄 등의 침입형(侵入型)이 있음. 수소 저장 재료로서 실용화된 금속 수소 화합물도 있음.
수소화 효소【水素化酵素】명〖화〗산화 환원 효소계(酸化還元酵素系)의 하나. 수소(水素) 페레독신 산화 환원 효소의 상용명(常用名). 질소 고정 세균·수소 세균·광합성 녹조(光合成綠藻) 등의 미생물 중에서 볼 수 있음. 히드로게나아제(hydrogenage).
수소 환원 분말【水素還元粉末】명〖야금〗금속의 산화물이나 화합물을 수소로 환원시켜서 만든 금속 가루.
수소 흡장 합금【水素吸藏合金】명 상온(常溫)에 가까운 상태에서는 기체 수소를 흡수하고, 가열하면 방출하는 성질이 있는 합금. 란탄(lanthan)-니켈, 티타늄-철, 마그네슘-니켈 등의 합금이 개발되어 있으며 이것을 이용하면 수소 저장에 봄베(Bombe)가 필요 없게 됨. 수소 저장 합금.
수속¹【手續】명 절차(節次). ¶ ~을 밟다. ——-하다 타여불
수속²【收束】명 ①모아서 묶음. ②거두어 들여 다잡음. ③〖수·물〗수렴(收斂)❻❼. ——-하다 타여불
수속³【收贖】명 죄인의 속전(贖錢)을 거둠. ——-하다 자여불
수속⁴【殊俗】명 ①특이한 풍속. 색다른 풍속. ②습관이나 풍속이 다른 나라.
수속⁵【隨俗】명 세상의 풍속을 좇음. ——-하다 자여불
수속-금【手續金】명 수속을 하는 데 납부(納付)하는 돈.
수속-법【手續法】명〖법〗절차법(節次法). ↔실체법(實體法).
수손¹【受損】명 손실(損失)을 입음. ——-하다 자여불
수손²【瘦損】명 수척(瘦瘠). ——-하다 형여불
수손 방지 소방차【水損防止消防車】명 소방차의 하나. 화재 현장에 선행(先行)하여, 펌프차가 방수(放水)하기 전에 상품이나 가재(家財)를 방수포(防水布)로 덮어 방수(放水)로 인한 손상(損傷)을 방지함.
수송【輸送】명 차나 배 또는 비행기 등으로 사람이나 물건을 실어 보냄. ——-하다 타여불
수송-감【輸送監】명〖군〗육군 본부의 수송감실의 장(長).
수송 감실【輸送監室】명〖군〗육군 본부의 한 실(室). 군수 물자와 병력(兵力)의 수송, 수송 장비의 수급(需給), 정비·조사 및 연구 기타 수송에 관한 사항을 분장함.
수송-관¹【輸送官】명〖군〗수송에 관한 기술 및 행정 사항을 담당하는 장교.
수송-관²【輸送管】명 기체나 액체 따위를 보내는 관.
수송-기【輸送機】명 사람이나 화물(貨物) 등의 수송을 목적으로 하여 만든 비행기의 총칭. 군용(軍用)과 민간용(民間用)으로 크게 나뉨. 여객기·화물 수송기·우편(郵便) 수송기 등이 있음.
수송 기관【輸送機關】명 운수(運輸) 기관.
수송-나물 명〖식〗[*Salsola komarovii*] 명아줏과에 속하는 일년초. 줄기 높이 40 cm 가량이고, 잎은 호생하며 육질(肉質)이고, 무병(無柄)에 선상(線狀) 원주형임. 7-8월에 담녹색 꽃이 액출(腋出)하여 피고, 과실은 포과(胞果)임. 해변의 모래땅에 나는데, 제주·경남·경기·함남·함북 및 일본 등지에 분포함. 어린 잎은 식용함.
수송 능력【輸送能力】[—녁] 명〔transport capacity〕정해진 조건하에서 어떤 수단에 의해 수송될 수 있는 인원수나 설비의 중량 또는 체적(體積).
수송-대【輸送隊】명 수송의 임무를 띤 부대.
수송-량【輸送量】[—냥] 명 온갖 교통 기관이 실어 나르는 인원(人員)이나 화물(貨物) 등의 양. 「는 힘.
수송-력【輸送力】[—녁] 명 교통 기관이 사람이나 물건을 수송할 수 있
수송-로【輸送路】[—노] 명 수송하는 길.
수-송병【水松餠】명 물송편❶.
수송-부【輸送部】명〖군〗①수송 참모부. ②모터 풀(motor pool).
수송-비【輸送費】명 물건 따위를 실어 나르는 데 드는 비용.
수송-선【輸送船】명 사람·화물 등의 수송을 목적으로 만들어진 배.
수송 선단【輸送船團】명 수송선의 일단(一團).
수송-업【輸送業】명 운수업(運輸業).
수송 원예【輸送園藝】명〖농〗대도시로부터 멀리 떨어진 지대에서 채소를 계획 재배하고 운송 기관을 이용하여 시장으로 공동 출하(出荷)하는 원예. ↔근교(近郊) 원예.
수송-자【輸送者】명 수송에 관한 일을 맡아 보는 사람.
수송 전:대【輸送戰隊】명〖군〗주로 수송 함선으로 구성된 기동 부대의 예하 편성체.
수송 차량【輸送車輛】명 사람이나 물건을 실어 나르는 데 쓰이는 차량.
수송 참모부【輸送參謀部】명〖군〗사령부의 한 참모 부서(參謀部署). 수송에 관한 사항을 분장함. 수송부.
수송 학교【輸送學校】명〖군〗↗육군 수송 학교.
수송 현:상【輸送現象】명〔transport phenomenon〕〖물〗물체 속의 물질의 구성이나 운동 상태에 관하여, 공간적 불균일성이 있을 때 그 불균일성을 해소시키려고 에너지·운동량·화학 조성분(組成分)·전기량(電氣量) 등이 이동하는 현상.
수쇄¹【手刷】명〖인쇄〗①목판(木版)을 한 장씩 손으로 박아 냄. 또, 그 박은 것. ②인쇄기(印刷機)를 손으로 움직이어 인쇄함. 또, 그 인쇄물. ——-하다 타여불 「히 ~하다.
수쇄²【收刷】명 ①수봉(收捧)❶. ②수습(收拾). ¶ 남의 눈에 띄울까봐 급
수쇄³【愁殺】명 몹시 슬프게 함. 시름에 잠기게 함.
수-쇠 명 ①맷돌의 아래 짝 가운데에 박은 뾰족한 쇠. ②자물쇠 안에 있는 뾰족한 쇠. ③수톨쩌귀. 1)·2):↔암쇠.
수쇼 명〈옛〉암소. ¶ 수쇼 고(牯)≪字會 下 7≫.
수수¹ 명〔중세 : 슈슈. 중 蜀黍?〕〖식〗〔*Andropogon sorghum*〕볏과에 속하는 일년생 재배초. 줄기 높이 1.5-3 m 이고, 곧고 10-13 마디가 있음. 잎은 넓은 선형(線形)으로 길이 60 cm 가량임. 7-9월에 줄기 끝에 길이 20-30 cm의 원추(圓錐) 화수가 피고, 소수(小穗)는 적갈색의 달걀꼴이며, 열매는 편평한 원형 또는 타원형이고 백색·황갈색·적갈색·흑색 등으로 가을에 익음. 밭에 재배하는데, 아프리카의 적도 부근 원산(原産)이라 하며, 한국·일본·중국 동북부·아시아 남서부·아프리카 등에 분포함. 오곡(五穀)의 하나로, 열매도 '수수'라 하며 식용·사료용으로 이용되고, 줄기는 건축재·비 등을 만듦. 고량(高粱), 노제(蘆穄), 촉서(蜀黍). 당서(唐黍). 촉출(蜀秫).

〈수수¹〉

수수²【手授】명 손수 주는 일. ——-하다 타여불
수수³【水手】명 뱃사람.
수수⁴【收受】명 ①거두어서 받음. ②〖법〗무상(無償)으로 금품을 취득하는 일. 형법상(刑法上), 수뢰죄(受賂罪) 및 장물죄(贓物罪)를 구성하는 요건(要件)이 됨. ——-하다 타여불
수수⁵【戍守】명 국경을 지킴. 또, 그 군사.
수수⁶【垂手】명 ①손을 드리움. ②손을 드리우고 하는 절. ——-하다 자여불
수수⁷【袖手】명 ①팔짱을 낌. ②어떤 일에 직접 나서지 아니하고 버려둠. ¶ ~ 방관(傍觀). ——-하다 자여불
수수⁸【授受】명 주는 일과 받는 일. 주고받음. 여수(與受). ——-하다 타여불
수수⁹【颼颼】명 바람이 솔솔 부는 소리.
수:수¹⁰【數數】관 아주 여러. ¶ ~ 백 번 읽었다.
수수¹¹【數數】부 '삭삭(數數)'의 잘못 읽는 말.
수수 개:떡 명 찰수수 가루와 갈분(葛粉)으로 만든 떡.
수수-겨끼 명〈방〉수수께끼.
수수-경단【—瓊團】명 찰수수 가루를 찬물에 반죽하여 둥글게 빚어 녹말을 묻히고, 삶아서 냉수에 건져 식힌 다음 꿀물에 넣은 음식.
수수-고둥 명〖조개〗기장달팽이.
수수-깡 명 ①수수의 줄기. ②수수나 옥수수의 줄기의 껍질 벗긴 심. 미술 세공(細工)의 재료로 쓰임.
수수꺼끼 명〈방〉수수께끼(전라·충청·평안).
수수께끼 명〔근대 : 슈지겻기〕① 어떤 사물에 대하여 바로 말하지 아니하고 빗대어서 말하여 그 사물의 뜻이나 이름을 알아맞히는 놀이. '앉으면 커지고 서면 작아지는 것이 뭔가' 따위. 미어(謎語). ② 실체(實體)를 알 수 없는 것. ¶ 영원한 ~/~의 인물.
수수꽃-다리 명〖식〗[*Syringa dilatata*] 물푸레나뭇과에 속하는 낙엽 활엽 관목. 잎은 넓은 타원형 또는 달걀꼴임. 4-5월에 적자색의 꽃이 묵은 가지 끝에 액생하여 원추(圓錐) 화서로 피고, 삭과(蒴果)는 9월에 익음. 산록 양지, 특히 석회암 지대에 나는데, 황해·평남·함남에 분포함. 꽃에 향기가 있어 관상용임.
수수-꾸다 타 실없는 장난 말로 남을 부끄럽게 만들다.
수수-돌 명〖광〗금분(金分)이 섞인 붉은 차돌.
수수-떡 명 찰수수 가루로 만든 떡.
수수러-지다 자 돛 같은 것이 바람에 부풀어 올라 둥글게 되다.
수수렁이 명〈방〉〖충〗수시렁이. 「수수로-이【愁愁—】부
수수-롭다【愁愁—】형ㅂ불 몹시 근심스럽다. 수심에 잠겨 있는 듯하다.
수수-료【手數料】명 ①어떠한 일을 돌보아 준 데 대한 보수. ②국가·공공 단체 또는 그 기관이 남을 위하여 행하는 공적 역무(公的役務)에 대하여 그 보상으로 징수하는 요금. 국가가 징수하는 수수료에는 법원이

행하는 소송 절차 또는 비송(非訟) 사건 절차에 대한 사법상의 수수료, 행정 기관이 징수하는 허가 또는 면허의 수수료와 같은 행정상의 수수료가 있음.

수수-목 [명] 수수 이삭의 목.

수수목-대 [명] 수수목을 이룬 줄기.

수수-무【垂手舞】[명]〖악〗족도(足蹈)하여 손을 떨어뜨리는 춤사위.

수수-미꾸리 [명]〖어〗[*Cobitis multifasciata*] 기름종갯과에 속하는 민물고기. 몸빛이 담황색 바탕에 암갈색의 세로 줄이 범 모양으로 되어 있는 고운 미꾸라지로, 머리에는 다수의 암갈색 점이 밀포됨. 입 수염은 고운 동황색이며, 몸길이는 10-13 cm 가량임. 낙동강 수계(洛東江水系)에서만 볼 수 있는 한국 특산어임. 수수미꾸라지.

수수 미음【一米飮】[명] 찰수수 가루로 쑨 미음.

수수미-틀 [명]〖농〗김맬 때, 흙덩이를 떠서 들다가 반을 꺾어 누이는 일.

수수-밥 [명] 찰수수로만 짓거나 수수쌀을 섞어서 지은 밥.

수수 방관【袖手傍觀】[명] 팔짱을 끼고 보고만 있다는 뜻으로, 직접 손을 내밀어 간여(干與)하지 아니하고 그대로 버려둠을 이르는 말. ——-하다 [타][여불]

수수-밭 [명] 수수를 심은 밭.

수수 부꾸미 [명] 수수 가루를 반죽하여 기름에 부친 부꾸미.

수수-비 [명] 이삭을 떨어 낸 수수의 목으로 맨 비.

수수 소주【一燒酒】[명] 수수를 누룩과 버무리어 만든 소주. 고량(高粱)소주.

수수-쌀 [명] 수수 열매의 껍질을 대끼어 벗긴 알. 당미(糖米).

수수 쌍불【垂水雙拂】[명]〖악〗춘앵전(春鶯囀)에서, 두 팔을 한일자(一字) 모양으로 벌리어서 장구의 북편 소리를 듣고 반쯤 내렸다가, 합장단(合長短)소리에 뒤로 뿌리는 춤사위.

수수-엿 [명] 수수로 고아 만든 엿.

수수 응이 [명] 찰수수를 곱게 바수어 가루로 만들고 이것을 펄펄 끓는 물에 풀어서 끓이고 설탕을 타서 먹는 음식.

수수-잡기 [명]〈방〉수수께끼.

수수-저끔 [명]〈방〉수수께끼(강원).

수수 전병【一煎餠】[명] 찰수수 가루로 만든 전병. 촉서(蜀黍)전병. 출전병(秫煎餠).

수수 팔단자【一團子】[명] 수수숫가루를 반죽하여 밤톨 크기로 둥글게 빚어서 삶아내어 붉은 팥고물을 묻힌 단자. 주로 첫 돌 때에 만듦.

수수 팥떡 [명] 수수 가루에 팥고물을 켜켜이 얹어 찐 시루떡.

수수 풀떡 [명] 소금으로 적당히 간을 맞춘 물에 팥과 검정콩을 삶다가 무를 때쯤에 가서 찰수수 가루를 넣고 버무리어 익히어서 꿀이나 설탕을 친 떡. 출호병(秫糊餠).

수수-하다[1] [형][여불] 시끄럽고 떠들썩하여 정신이 어지럽다.

수수-하다[2] [형][여불] ①옷차림이나 성질·태도 같은 것이 그저 무던하다. ②물건의 품질이 썩 좋지도 아니하고 나쁘지도 아니하며 그저 쓸 만하다.

수숙[1] [명]〈방〉〖식〗조[1](전라).

수숙[2]【手熟】[명] 손에 익숙함. ——-하다 [형][여불]

수숙[3]【嫂叔】[명] 형제의 아내와 남편의 형제.

수순[1]【手順】[명] 일을 진행하는 순서. 절차(節次). 차례. ¶ 바둑의 ～.

수순[2]【隨順】[명] 남의 뜻을 맞춤. 남의 뜻에 순종함. ——-하다 [타][여불]

수순 중:생【隨順衆生】[명]〖불교〗나쁜 사람 좋은 사람 할것 없이 여러 중생의 뜻에 순종함.

수-술[1] [명] 수꽃술. ↔암술.

수술[2] [명]〈방〉술[3](함경).

수술[3]【手術】[명] ①〖의〗치료(治療)의 목적으로 피부(皮膚)나 점막(粘膜) 기타의 조직을 의료 기계를 사용하여 자르거나 째거나 또는 어떤 조작(操作)을 가하여 고치는 일. 피를 내며 하는 관혈적 수술(觀血的手術)과 피를 내지 아니하고 하는 무혈적 수술(無血的手術)로 나눔. ②사물의 상태·성질 따위를 크게 바꿈. ——-하다 [타][여불]

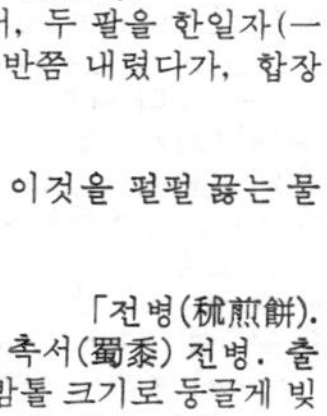
〈수술대²〉

수술-관【修述官】[명]〖역〗조선 시대 때 관상감(觀象監)에 속한 종구품(從九品) 벼슬.

수술-대[1]【一臺】[명]〖식〗수꽃술의 대. 꽃실. 화사(花絲). ↔암술대.

수술-대[2]【手術臺】[명] 수술을 하기 위하여 설비한 대. 자유로이 가동할 수 있음. 메스대(mes臺).

수술-료【手術料】[명] 수술비(手術費).

수술 머리 [명]〖식〗수꽃술의 맨 위 부분.

수술-비【手術費】[명] 수술하였을 때 지불하는 비용. 수술료(手術料).

수술 선숙【一先熟】[명]〖식〗한 꽃의 수술이 암술보다 먼저 성숙하는 현상. 동화(同花) 수정을 피하고 교잡(交雜) 수정을 하기 위한 것으로 생각됨. 국화·봉숭아·도라지·범의귀 같은 것. ↔암술 선숙.

수술-실【手術室】[명] 수술하기 위하여 모든 수술 기구를 구비해 놓은 의료실(醫療室).

수술-의【手術醫】[—/—이] [명] 수술을 담당한 의사.

수술-자【手術者】[—짜] [명] 수술을 받는 환자.

수숫-겨 [명] 수수를 찧어서 나는 겨.

수숫-대 [명] 수수깡.

【수숫대도 아래윗마디가 있다】무엇에나 상하(上下)의 구별이 있다.

수숫-묵 [명] 수수쌀을 갈아서 쑨 묵.

수숫잎-괭이 [—닙—] [명] 볼이 얇고 넓죽하며 자루 끼는 부분이 수수의 잎의 밑동 모양으로 생긴 괭이. [준]괭이.

수숫잎-덩이 [—닙—] [명]〖농〗논에 김맬 때 호미로 포기 사이를 길게 파서 당겨 수수의 잎과 같은 덩어리로 넘기는 흙.

수스텔〔Soustell, Jacques〕[명]〖사람〗프랑스의 정치가. 처음에 파리 인류(人類) 박물관장. 제2차 대전중 드골의 자유 프랑스 운동에 참가하여, 반독 비밀 공작을 지도하였음. 전후에 드골파의 중심 인물로서 정보상·식민지상 등을 역임하고 1958년에는 드골의 정계 복귀를 원조했지만, 후에 반대파가 되어, 1962년 이후 망명함. [1912-90]

수슬 [명]〈방〉술[3].

수슬로프〔Suslov, Mikhail〕[명]〖사람〗소련의 정치가. 제2차 대전 종결 이후 1947년부터 공산당 중앙 위원회의 서기(書記)로, 당 이론과 운영의 중추를 이루는 유력한 간부였음. [1906-82]

수슬-수슬 [부] 두창(痘瘡) 따위가 조금 마른 모양. ——-하다 [형][여불]

수습[1]【收拾】[명] ①어수선하게 흩어진 물건을 주워 거두어 정돈(整頓)함. 또, 어수선한 사태를 바로잡음. 수쇄(收刷). ¶ 사태를 ～하다. ②어지러운 마음을 가라앉히어 안정하게 함. ——-하다 [타][여불]

수습[2]【修習】[명] 배워 익힘. *견습(見習). ——-하다 [타][여불]

수습-공【修習工】[명] 수습을 통하여 기술을 익혀 가는 과정에 있는 공원(工員). 견습공(見習工).

수습 기자【修習記者】[명] 정식의 기자가 아니고 배워가는 과정, 곧 수습기(修習期)에 있는 기자. 견습 기자.

수습 법관【修習法官】[명]〖법〗사법 연수원(司法硏修院) 설치 이전에 사법관 시보(司法官試補)로 법관 실무를 수습하던 사람. 현재는 사법 연수원에서 소정의 과정을 마치게 되어 있음.

수습 변:호사【修習辯護士】[명]〖법〗사법 연수원 설치 이전에 고등 고시(高等考試) 사법과(司法科)에 합격한 자로서 변호사 업무를 수습하던 사람. 「견습 사원.

수습 사원【修習社員】[명] 정식의 사원이 아니고, 수습기에 있는 사원.

수습-생【修習生】[명] 실무를 수습(修習)하면서 일하는 사람. 견습생.

수습-위【修習位】[명]〖불교〗보살 수행(修行)에서의 네번째 계위(階位). 구경위(究竟位)의 위로, 공무아(空無我)의 진리를 깨닫는 통달위(通達位)에서 나아가 다시 수습하여 일체의 장애를 끊는 단계.

수습 인심【收拾人心】[명] 인심을 수습함. ——-하다 [자][여불]

수습-책【收拾策】[명] 사건을 수습하는 방책. ¶ ～을 논의하다.

수습 행정관【修習行政官】[명] 고등 고시 행정과 합격자로서 행정 실무를 수습하던 공무원.

수승[1]【水丞】[명]〖민〗연적(硯滴).

수승[2]【首僧】[명] 중의 우두머리.

수승[3]【殊勝】[명] ①가장 우수(優秀)한 일. 특히 뛰어난 일. ②〖불교〗기특(奇特)함.

수승[4]【隨乘】[명]〖불교〗이치에 따라 움직인다는 뜻으로, 불도를 깨닫는 지혜를 일컫는 말.

수시[1] [명]〈방〉〖식〗수수[1](전라·경상).

수시[2] [명]〈방〉〖식〗수세미외(경북).

수시[3]【水柿】[명] 감의 한 가지. 물기가 특히 많고 연하고 맛이 닮.

수시[4]【收屍】[명] 송장의 머리와 팔다리를 바로잡음. ——-하다 [자][여불]

수시 걷다 [구] 고복(皐復)이 끝난 뒤 시체가 굳기 전에, 송장의 손발을 반듯이 펴서 시신을 끈으로 대충 묶다.

수시[5]【守視】[명] 지키어 봄. ——-하다 [타][여불]

수시[6]【垂示】[명] 수교(垂敎). ——-하다 [자][여불]

수시[7]【隨時】[명][부] ①때를 따라 함. 임기(臨機). ②그 때 그 때. 때때로. 언제든지. ——-하다 [자][여불]

수-시계【水時計】[명] 물시계❶.

수시렁-벌레 [명]〈방〉〖충〗수시렁좀.

수시렁이 [명]〖충〗① 수시렁잇과(科)에 속하는 곤충의 총칭. 검정수시렁이·수시렁이·애알수시렁이·홍띠수시렁이·흰띠알락수시렁이 등이 있음. ② [*Dermestes cadaverinus*] 수시렁잇과에 속하는 갑충(甲蟲)의 하나. 몸길이 7-8 mm, 몸은 가늘고 둥근 편임. 몸빛은 암갈색에 촉각은 황갈색이며 전흉배(前胸背)와 날개에는 흰 털이 산재하는데, 날개의 일부와 경절(脛節)은 적갈색, 몸의 아래쪽에는 회백색 털이 있음. 누에·번데기 등의 건조한 동물질을 먹으며, 5-6 월에는 꽃에 모임. 전세계에 분포함. 굳은수시렁이. *애알수시렁이.

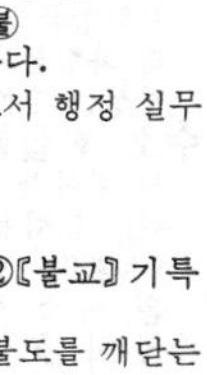
〈수시렁이❷〉

수시렁잇-과【一科】[명]〖충〗[Dermestidae] 딱정벌레목(目)에 속하는 한 과. 촉각(觸角)은 5-11절이고 곤봉형이며 앞가슴이 쑥 들어가 그 속에 촉각을 자유로 담고 머리는 신축을 함. 유충은 '수시렁좀'이라 하며 성충과 함께 모두 마른 고기·모피(毛皮)·누에고치·동물 표본(動物標本)·곡류(穀類) 등의 해충으로, 전세계에 550여 종이 분포함.

수시렁-좀 [명]〖충〗수시렁이의 유충(幼蟲). 몸 길이 10 mm 내외이고 빈대좀 비슷한데, 둥글고 온 몸에 적갈색의 광택 있는 털이 덮여 있음. 누에고치·모직물 또는 약재(藥材)·식품·동물 표본 등을 갉아 먹는 해충임. [준]좀.

수시-력【授時曆】[명]〖책〗중국 원(元)나라의 천문학자 곽수경(郭守敬) 등이 만든 역서(曆書) 및 그 역법. 농민에게 사시 팔절(四時八節)·이십사기(二十四氣) 등을 가르치기 위한 것으로, 우리 나라는 고려 충렬왕(忠烈王) 7년(1281)에 반포된 이래 공민왕 19년(1370) 명(明)나라의 대통력(大統曆)이 전래될 때까지 쓰이었음.

수시-로【隨時一】[부] 때때로. 때를 따라. ¶ 계획이 ～ 바뀌다.

수시미 [명]〈방〉〖식〗수세미외(경남).

수시미-외: [명]〈방〉〖식〗수세미외(경남).

수시 변:통【隨時變通】[명] 그때 그때마다 형편에 따라 일을 처리함. ——-하다 [타][여불]

수시 수처【隨時隨處】[명][부] '그때 그때 언제나 또 어디서나'의 뜻.

수시 순:응【隨時順應】[명] 무슨 일이든지 때와 형편에 맞추어 함. ——-하다 [타][여불]

수시 응:변【隨時應變】[명] 그때그때 변하는 대로 따라 함. ——-하다

수시-접기 [명]〈방〉수수께끼(강원).

수시 제:출주의【隨時提出主義】[—/—이] [명]〖법〗민사 소송법상 당사자가 공격 방어 방법을 구두 변론 중에 언제든지 제출할 수 있다고 하는 주의. 자유 서열주의(自由序列主義). ↔법정 순서주의(法定順序主義)·동시(同時) 제출주의.

수-시중【守侍中】[명]〖역〗고려 문하부(門下府)의 대신(大臣). 공민왕

(恭愍王) 5년(1356)에 좌우 정승(左右政丞)을 각각 시중·수시중이라 하고 11년에 다시 좌우 정승, 12년에 좌우 시중, 창왕(昌王) 때 또 시중·수시중으로 여러번 이름을 고침. 「——-하다 자 여불

수시 처:변【隨時處變】명 그때 그때 변하는 것을 따라, 일을 처리함.

수식[1]【水蝕】명 〖지〗 빗물이나 하천의 유수(流水) 또는 바다의 파도 등이 지표(地表)를 침식(浸蝕)하여 깎아 내는 현상(現象). ¶ ～ 작용.

수식[2]【首飾】명 여자의 머리를 치장하는 장식품. 비녀·장식빗·떨잠·뒤꽂이·댕기 따위.

수식[3]【修飾】명 ①겉 모양을 꾸밈. ②〖언〗 문법에서 체언(體言)과 용언(用言)에 종속(從屬)하여 그 뜻을 꾸밈. ——-하다 타 여불

수:식[4]【數式】명 〖수〗 수(數)나 양(量)을 나타내는 숫자(數字)나 문자(文字)를 계산 기호로 연결한 식. 수(數)나 함수(函數)처럼 대상(對象)을 나타내는 대상식과 어떤 관계를 나타내는 관계식, 곧 등식(等式)·부등식(不等式) 따위가 있음. 준 식(式).

수식[5]【樹植】명 ①초목을 심어 뿌리 박게 함. 식수(植樹). ②일의 기초를 세워 놓음. ——-하다 자 여불

수식-곡【水蝕谷】명 〖지〗 수식 작용(水蝕作用)으로 인하여 생긴 골짜기. 지질 구조(地質構造)와는 아무 관계도 없음. 침식곡. *빙식곡(氷蝕谷).

수:식-문[1]【數息門】명 〖불교〗 천태종에서 세운 여섯 가지 선관(禪觀)의 첫째 단계. 숨을 세면서 마음을 고요하게 하는 관문(觀門).

수식-문[2]【隨息門】명 〖불교〗 천태종의 여섯 가지 선관(禪觀)의 둘째 단계. 고요한 마음으로 숨을 들이쉬고 내쉬는 것을 의식하며, 마음이 산란해지지 않게 하는 관문(觀門).

수식-사【修飾詞】명 〖언〗 수식언.

수식-산【水蝕山】명 〖지〗 수식 작용(水蝕作用)에 의하여 형성된 산. 대부분의 산은 이에 속함. 침식산.

수식-어【修飾語】명 〖언〗 ①수식언. ②표현을 아름답고 강렬하게 또는 명확하게 하기 위하여 수식하는 말.

수식-언【修飾言】명 〖언〗 체언(體言)이나 용언(用言)을 수식하는 말. 활용하지 않음. 관형사와 부사가 이에 속함. '그 차는 매우 빠르다'의 '그'. '매우' 등. 수식어. 수식사(詞). 꾸밈말.

수신[1]【水神】명 물을 다스리는 신.

수신[2]【守臣】명 〖역〗 '수령(守令)'의 딴이름.

수신[3]【受信】명 ①우편물(郵便物)·전보(電報) 등의 통신문을 받음. ¶ ～인(人). ②전신·전화·라디오 방송·텔레비전 방송 등을 받음. 1)·2): ↔발신(發信)·송신(送信). ——-하다 자 여불

수신[4]【受信】명 〖경〗 금융 기관이 고객으로부터 받는 신용. ¶ ～ 업무. ↔여신(與信).

수신[5]【帥臣】명 〖역〗 병사(兵使)와 수사(水使)를 함께 일컫는 말.

수신[6]【修身】명 ①악을 물리치고 선(善)을 북돋아 심신을 닦는 일. ②〖일제〗 소학교·중학교의 교과목의 하나. 덕성(德性)을 함양(涵養)하고 도덕의 실천 지도(實踐指導)를 그 내용으로 하였음. *공민(公民). ——-하다 자 여불

수신[7]【晬辰】명 '생신(生辰)'의 글에 쓰는 말. 수일(晬日). 호신(弧辰).

수신[8]【瘦身】명 마른 몸. 수척한 몸. 「*초도일(初度日).

수신[9]【豎臣】명 얕은 벼슬아치. 하급 관리. 수리(豎吏). 소신(小臣).

수신[10]【隨身】명 ①따라감. 붙어 따름. ②뒤따르는 하인. 호위하는 사람. ③호신용으로 가지고 다니는 물건. ——-하다 타 여불

수:신[11]【襚神·隧神】명 〖역〗 고구려 때 동쪽에 있는 큰 구멍, 곧 수혈(襚穴)을 맡은 신. 고구려 사람들이 국토신(國土神) 또는 생산신(生産神)으로 받들었으며 시월에 이 신을 맞이하여 제사 지냈음.

수신[12]【獸身】명 짐승의 몸. ¶ 인두(人頭) ～.

수:-신[13]【繡一】명 수단(繡緞)으로 울을 한 마른 신. 수혜(繡鞋).

수신-관【受信管】명 라디오 및 텔레비전의 수신용 진공관(眞空管).

수신-기[1]【受信機】명 유선(有線) 또는 무선(無線)의 전신기(電信機)나 전화기에 있어서 외부로부터의 진동 전류(振動電流)나 전파(電波)를 받아 이것을 기계적인 진동(振動)으로 바꾸어 소리·문자 또는 부호로 나타내게 하는 장치. 라디오·TV 수상기·팩시밀리 따위. 세트(set). ↔송신기(送信機).

수신-기[2]【搜神記】명 〖책〗 중국 진(晉)나라 간보(干寶)가 지은 소설. 신기(神祇)·영이(靈異)·인물 변화(人物變化)·신선(神仙)·오행(五行)의 일을 썼음. 20권.

수신기 방:사【受信機放射】명 수신기 중의 발진기(發振器)가 방해 전

수신-닢 명 〈방〉 둥어리 막대. 「자파를 방사하는 일.

수신 동경가【壽辰同慶歌】명 〖문〗 1912 년 이황(李滉)의 후손가(後孫家)의 며느리가 지은 것으로 추측되는 규방 가사. 모두 196 구(句)로, 대부분이 사사조(四四調)로 됨. 동갑(同甲)인 친정 조부모의 회갑연에서 친척과 함께 경하(慶賀)하는 내용임.

수-신방【守新房】명 〖민〗 '신방지키기'의 한자말.

수신-사【修信使】명 〖역〗 조선 시대 말기에 일본에 파견한 외교 사절. 고종(高宗) 13년(1876)에 김기수(金綺秀)가, 다음 해 김홍집(金弘集)이 수신사로 일본에 다녀옴. 그 전 이름은 통신사(通信使)이었음.

수신-소【受信所】명 무선 통신에서 송신소의 전파를 수신하는 곳. 공전(空電)·잡음(雜音)을 피하기 위하여 교외나 송신소에서 떨어진 곳에 설치함. ↔송신소.

수신 신:앙【水神信仰】명 〖민〗 수신에 대한 제전(祭典)과 신앙 습속. 용신(龍神)에 대한 신앙과 통함.

수신 안테나【受信—】〔antenna〕명 무선 통신에서 전파를 수신하는 데 쓰이는 안테나.

수신 업무【受信業務】명 〖경〗 금융 기관이 사회의 신용을 받음으로써 이루어지는 업무. 예금을 받아들이는 일, 채권의 발행, 중앙 은행의 은행권 발행 등을 그 주요 내용으로 함. ↔여신(與信) 업무.

수신-인【受信人】명 ①통신(通信)을 받는 사람. ②전보·우편물을 받는 사람. 1)·2):수신자(受信者). ↔발신인.

수신-일【受信日】명 수신한 날짜. ↔발신일.

수신-자【受信者】명 수신인(受信人).

수신-전【守信田】명 〖역〗 고려 때, 과전(科田)을 받던 사람이 죽고 그 아내가 수절할 경우, 그에 지급되던 전지(田地). 유자(遺子)가 있으면 과전의 전부를, 없으면 그 반을 주었음.

수신 전:보【受信電報】명 특수 취급 전보의 하나. 전보의 발신인이 그 수신인에게 전보가 도달한 일시(日時)의 보고를 받을 수 있게 된 전보.

수신-제[1]【水神祭】명 물로 인한 재앙에서 보호 받기 위하여 지내는 제사. 보통 음력 보름에 냇가·냇둑에서 지냄.

수신-제[2]【襚神祭·隧神祭】명 〖민〗 고구려 때에, 조정 주관 하에 수신을 모시고 치르던 국가적 규모의 공동 제사 의식. 오늘날의 별신굿·도당굿 등 동제(洞祭)의 원형이 됨.

수신 제가【修身齊家】명 심신(心身)을 닦고 집안을 다스리는 일. ¶～치국 평천하(治國平天下). ——-하다 자 여불

수신-주의【受信主義】[—/—이] 명 〖법〗 격지자(隔地者)에 대한 의사 표시의 효과가 발생하는 시기는 그 표시가 상대방에게 도달한 때라고 하는 주의. 우리 나라 민법은 이 주의를 택하고 있음. 도달주의(到達主義). ↔발신주의.

수신-증【水腎症】[—쯩] 명 〖의〗 선천적 또는 후천적으로 요관(尿管)이 좁아지거나 막히어 방광으로 가야 할 오줌이 신장(腎臟)에 모여 신장이 붓는 병. 신장부에 둔통(鈍痛)이나 불쾌감을 느끼며 신장의 기능이 저하됨.

수신-탑【受信塔】명 수신 안테나를 장치한 철탑.

수-신판【水神判】명 〖역〗 용의자를 손발을 묶은 채 물 속에 일정한 시간을 잠가서, 견디어 내나 못견디고 죽나에 따라 곡직(曲直)을 판단하던 고대의 신판(神判) 방법의 하나. *칭(秤)신판.

수신-학【修身學】명 수신(修身)에 관한 학문(學問). 「한 통.

수신-함【受信函】명 보내 오는 우편물을 받기 위하여 대문 등에 설치

수신-형【瘦身型】명 ①몸이 야윈 형. ②〖의〗 독일의 정신병 학자 크레치머(Kretschmer, E.)가 정신병과 관련시켜 분류한 체격형의 하나. 분열증(分裂症)과 밀접한 관계가 있음.

수-신호【手信號】명 ①철도 신호의 하나. 사람이 손으로 기(旗) 또는 등불을 가지고 하는 신호. 빨강은 정지, 파랑은 진행을 나타냄. ②경찰관 등이 교통 정리할 때, 손으로 하는 정지·진행 등의 신호.

수실[1] 명 〈방〉 술[3].

수실[2]【壽室】명 살아 있을 때 미리 만들어 놓은 무덤. 수당(壽堂). 수역(壽域). 수장(壽藏). 수총(壽冢). 수혈(壽穴).

수:-실[3]【繡一】명 수를 놓는 색실. 자수실.

수:실-책【繡一冊】명 자수에 쓰는 색실을 빛깔별로 갈피에 끼워 정리하여 두는 책.

수심[1]【水心】명 호수·강(江) 등의 수면(水面)의 중심.

수심[2]【水深】명 물의 깊이.

수심[3]【守心】명 ①절조(節操)를 지키는 마음. ②지키려는 마음. 방비하려는 마음.

수심[4]【垂心】명 〖수〗 삼각형(三角形)의 각 꼭지점에서 대변(對邊)에 내린 세 개의 수선(垂線)의 공통 교점(交點).

A H B C

〈수심[4]〉

수심[5]【修心】명 마음을 닦음. ——-하다 자 여불

수심[6]【殊甚】명 매우 심함. ——-하다 형 여불

수심[7]【愁心】명 근심하는 마음. 또 근심함. 수서(愁緖). 수의(愁意). ¶ ～에 찬 얼굴. ——-하다 자 여불

수심(이) 지다 구 근심하는 빛이 어리다. ¶ 수심진 얼굴.

수심[8]【樹心】명 나무의 심재(心材). 나뭇고갱이.

수심[9]【獸心】명 짐승같이 사납고 모진 마음. ¶ 인면(人面) ～.

수심-가【愁心歌】명 〖악〗 곡조가 구슬픈 서도 민요(西道民謠)의 하나. 인생의 허무함을 한탄하는 사설(辭說)임.

수심-기【愁心氣】[—끼] 명 수심어린 기운. 근심스러운 기색.

수-심방【首—】명 제주도에서 수(首)무당의 일컬음.

수심-인【受審人】명 〖법〗 해난(海難) 심판에서 심판을 받는 사람. 해난 사고에 책임이 있다고 인정되는 해기사(海技士)와 도선사(導船士)가 해당됨.

수심 정:기【守心正氣】명 〖천도교〗 한울님 마음을 항상 잃지 아니하며 사특한 기운을 버리고 도기(道氣)를 길러 천인 합일(天人合一)을 목적으로 하는 천도교의 수련(修鍊) 방법.

수:십【數十】수 열의 두서너 갑절. 이삼십 또는 삼사십.

수:-십만【數十萬】수 십만의 두서너 갑절. 이삼십만 또는 삼사십만.

수시외 명 〈옛〉 〖식〗 수세미외. ¶ 수시외(絲瓜)《方藥 25》.

수-싸움【手—】명 수상전(手相戰).

수-쓰다 자 필요한 수단을 강구하다. 대처하기 위한 방책을 취하다.

수씨【嫂氏】명 형제의 아내.

수씨때 명 〈방〉 세수 대야(경북).

수수어리다 자 〈옛〉 떠들다. 수멀다. =수스다·수스워리다. ¶ 엇데져비 새 수수어리미 업스리오(寧無燕雀喧)《初杜諺 XXI:10》.

수스 명 〈옛〉 인끈. 인수(印綬). =수수. ¶ 수스 사다가 초리라(買將絛兒來帶他)《朴解 上 16》.

수스다 자 〈옛〉 떠들다. 수멀다. =수수어리다·수수다·수우다. ¶ 뿔짓는 버리 수스놋다(蜜蜂喧)《初杜諺 XXI:6》.

수스워리다 자〈옛〉떠들다. 수멀다. =수수어리다·수우어리다. ¶ 녀름지을 사르미 오히려 수스워리놋다(農尙嗷嗷)≪初杜諺 XII:10≫.
수슈 명〈옛〉인끈. 인수(印綬). =수스. ¶ 수슈(頭下垂藥曰蘇)≪四聲上 40 蘇字註≫/수슈 슈(綬)≪字會 中 23≫.
수슈다 자〈옛〉들레다. 떠들다. =수스다. ¶ 近間에 드르니 詔書ㅣ 느려 都邑에셔 수슈누니(近聞下詔喧都邑)≪初杜諺 XVII:29≫.
수아【秀雅】명 뛰어나고 우아한 모양. ──-하다 형여불
수아레〔프 soirée〕명 ① 저녁. 야회(夜會). ② 야회복.
수아레스〔Suárez, Francisco〕명〖사람〗스페인의 신학자·법철학자(法哲學者). 예수회(Jesus 會) 학파의 원 설립자. 또, 자연법과 여러 국가의 법과를 구별한 국제법학(國際法學) 수립자의 한 사람이기도 함. [1548-1617]
수아-주【─紬】명〔←수화주(水禾紬)〕품질이 좋은 비단의 한 가지. 수주(水紬).
수아헬리-어【─語】〔Suaheli〕명〖언〗아프리카 반투어(Bantu 語)의 한 분과. 동부 아프리카 탄자니아 해안의 원주민 사이에 쓰임.
수악¹【手握】명 손아귀❶.
수악²【水鶚】명〖조〗물수리.
수악³【首惡】명 악한 무리 가운데 우두머리. 원흉(元兇).
수악절 창:사【隨樂節唱詞】명〖악〗①어떤 악절을 따라 노래부르는 일. 또, 그 가사. ②장생 보연지무(長生寶宴之舞)를 추다가 보허자(步虛子) 1장과 2장 가락에 맞추어 부르는 노래의 이름.
수안¹【水眼】명〖미술〗잿물에 생긴 물거품 같은 잔 눈.
수안²【愁顔】명 수심에 잠긴 얼굴.
수안³【綏安】명 다스리어 평안하게 함. 다스리어 평안함. ──-하다 타여불
수안⁴【遂安】명〖지〗황해도 수안군(遂安郡)의 군청 소재지. 산간 분지에 있어서 콩·담배·소 등을 산출함. 부근에 수안 금광(金鑛)이 있음.
수안-군【遂安郡】명〖지〗황해도의 한 군. 관내 11면. 북쪽은 평안 남도의 성천군(成川郡)·강동군(江東郡), 동쪽은 곡산군(谷山郡)·신계군(新溪郡), 남쪽은 신계군·서흥군(瑞興郡), 서쪽은 서흥군과 평안 남도의 중화군(中和郡)에 접했음. 특히 금광(金鑛)으로 유명함. 명승 고적으로는 용담(龍潭), 언진산(彥眞山), 가토사(駕土寺), 함굴암(函窟庵), 영천사(靈泉寺), 대평면(大坪面)의 고분, 수안성지(城址) 등이 있음. 군청 소재지는 수안. [1,339.6 km²]
수안 금산【遂安金山】명〖지〗황해도 수안군 언진산(彥眞山) 부근에 있는 금산. 한국 유수 광산 중의 하나로 1937년까지 서양인이 경영하였고 8·15 까지는 일본인 회사가 경영하였음.
수안보 온천【水安堡溫泉】명〖지〗충청 북도 충주시(忠州市) 상모면(上茅面)에 있는 온천. 천질(泉質)은 단순 유황 라듐천으로 충북 유일의 온천임.
수안 분지【遂安盆地】명〖지〗황해도 동부 산지에 있는 산간 분지. 예성강(禮成江) 상류에 위치하며 분지의 중심은 수안.
수:안-아【繡眼兒】명〖조〗동박새.
수안-악【壽安樂】명〖악〗↗수안지악.
수안지-악【壽安之樂】명〖악〗조선 세종 7년(1425) 정월에 영녕전(永寧殿) 춘향(春享) 때 초헌례(初獻禮) 등가(登歌)에서 아뢰던 악명(樂名). ㊀수안악.
수알-치 명〈방〉수할치.
수알치-새 명〖조〗수리부엉이.
수암【水癌】명〔noma〕〖의〗괴저성(壞疽性) 구내염(口內炎)의 중증(重症). 구강 점막(口腔粘膜)이나 치근부(齒根部)에 수포(水疱)가 생기고, 이어 볼에 종양(腫瘍)이 생기며, 국소(局所)의 붕괴를 초래하여, 반 달 내지 한 달 만에 죽게 되는 수가 있음. 허약한 어린아이에게 가끔 발생함.
수압¹【手押】명 수결(手決).
수압²【水壓】명 물의 압력(壓力). 물이 물 속에 있는 물질이나 물의 각 부분 상호간에 미치는 압력. 수압력(水壓力). ¶ ~식(式).
수압³【收靨】명〖한의〗두창(痘瘡)이 말라서 생기는 딱지.
수압-계【水壓計】명〖물〗액체의 압력을 측정(測定)하는 계기(計器).
수압-관【水壓管】명 수력 발전소의 수조(水槽)와 발전기(發電機)의 수차(水車)를 잇는 관(管). 철관(鐵管)·철근 콘크리트관(鐵筋 concrete管) 등을 씀. 도수관(導水管). 펜스톡(penstock). 수압 철관.
수압-기【水壓機】명 물이나 기름의 압력을 이용하여 물건을 밀어 올리거나 압축하는 기계. 작은 피스톤에 작은 힘을 가하면 큰 피스톤에 큰 힘이 생기므로 단련기(鍛鍊機)·압착기·기중기 등에 널리 쓰임. 수압 프레스(press).

〈수압기〉

수압 기관【水壓機關】명 물의 압력을 이용하여 만든 발동기. 운동이 적확(適確)하고 원활(圓滑)할 뿐더러 진동(振動)과 조음(噪音)이 없으며, 특히 그의 시동(始動) 및 정지(停止)가 극히 정확한 것이 특징임. 윈치(winch) 등의 동력(動力)에 쓰임.
수압 단련기【水壓鍛鍊機】[─달─] 명 단련 기계의 한 가지. 강괴(鋼塊) 또는 단련이 끝난 커다란 강재(鋼材)에 큰 수압을 가하여 가공(加工)을 행하는 대형(大型)의 단조 기계(鍛造機械). 주요 부분은 상하 가구(上下架構)·기둥·충두(衝頭)·크로스 헤드(cross head) 등으로 이루어지고 부속 설비로서 수압 펌프·축열기(蓄熱機)·급수(給水) 탱크 등을 필요로 함.
수압-력【水壓力】[─녁] 명 수압(水壓).
수압 분리기【水壓分離機】[─불─] 명〔hydroseparator〕수압이나 액압(液壓)에 의해서 고체를 뜨게 한 후, 선회(旋回)시켜 분리하는 기계.
수압 시험【水壓試驗】명 관(管)·탱크·증기 보일러 등 압력을 받는 부분에 내부적으로 수압을 가하여 누수(漏水) 유무·변형(變形)·내압력(耐壓力) 등을 조사하는 일.
수압 신:관【水壓信管】명 수중 폭탄에 쓰이는 신관. 미리 조정된 깊이에서 수중 폭발을 하도록 만들어졌는데, 수중 폭탄이 가라앉으면서 수압에 의해 점화(點火)하게 되어 있음.
수압 주퇴기【水壓駐退機】명 탄환을 발사할 때, 그 반동으로 뒤로 물러나는 포신(砲身)을 액체(液體)의 압력으로 누르고 있게 하는 장치.
수압 철관【水壓鐵管】명 수압관.
수압 프레스【水壓─】〔press〕명 수압기(水壓機).
수압 플런저 엘리베이터【水壓─】명〔hydraulic plunger elevator〕〖기〗실린더 안의 플런저에 수압을 작용시켜 상승시키는 엘리베이터.
수압 회선 착정법【水壓回旋鑿井法】[─뻡] 명〖광〗회전식 천공(回轉式穿孔).
수애【水涯】명 물가. 수빈(水濱).
수액¹【水厄】명 ①물로 말미암은 재액(災厄). ②〔진(晉)나라 왕몽(王濛)이 차(茶)를 몹시 즐겨 모든 사람에게 억지로 마시게 했다는 고사(故事)에서〕차(茶)를 억지로 마시게 함. 또, 그 차.
수액²【水液】명 물. 액체.
수액³【數厄】명 운수에 관한 재액.
수:액⁴【數額】명 물건의 수효.
수액⁵【樹液】명 ①땅 속에서 나무의 줄기를 통하여 잎으로 향하는 액. 수분과 여러 가지 양분(養分)이 들어 있음. ②나무 껍질 등에서 분비되는 액. 고무나무의 유액(乳液) 따위.
수액⁶【輸液】명〖의〗쇼크·탈수증(脫水症)·영양 실조 따위에, 혈액과 등삼투압(等滲透壓)의 다량의 액체를 주입하는 일. 생리적 식염수(食塩水)·링거액(液), 기타 여러 전해질액(電解質液) 등이며, 영양 보급의 목적으로는 과당액(果糖液)·포도당액 따위가 쓰임.
수액⁷【髓液】명〖생〗뇌척수액(腦脊髓液).
수액료 작물【樹液料作物】[─뇨─] 명〖식〗식물체가 분비하는 수액을 이용할 목적으로 재배하는 작물. 파라고무나무·옻나무 등.
수야 모:야【誰也某也】인대 아무아무. 누구누구. 수모 수모(誰某誰某). 모야 모야(某也某也).
수약¹【水藥】명 물약❶.
수약²【睡藥】명〖약〗수면제(睡眠劑).
수-양¹【─羊】명 ☞숫양.
수양²【水楊】명〖식〗갯버들❶.
수양³【收養】명 남의 자식을 맡아서 제 자식처럼 기름. ──-하다 타여불
수양 가다 구 수양딸 또는 수양 아들로 남의 집에 가다.
수양 오다 구 수양 아들 또는 수양딸로 남의 집에 오다.
수양⁴【垂楊】명〖식〗↗수양버들.
수양⁵【修養】명 도(道)를 닦고 덕(德)을 기르는 일. 곧, 심신(心身)을 단련하여 지덕(知德)을 계발(啓發)함. ──-하다 자여불
수양⁶【睢陽】명〖지〗중국의 옛 지명. 춘추(春秋) 시대의 송(宋)나라 땅, 지금의 허난 성(河南省) 동부, 상추 현(商丘縣) 남쪽에 설치된 현. 775년 당(唐)나라 안녹산(安祿山)의 난에 장순(張巡)·허원(許遠)이 이 곳의 성(城)을 사수하여 적의 진출을 막은 곳으로 유명함.
수양개 유적【─遺蹟】명〖지〗남한강 상류의 강가인 충북 단양군(丹陽郡) 적성면(赤城面) 애곡리(艾谷里) 수양개에 있는, 구석기 시대에서 신석기 시대에 걸친 유적.
수양-골 명 쇠머리 속에 든 골.
수양-녀【收養女】명 수양딸.
수양 대:군【首陽大君】명〖사람〗조선 세조(世祖)의 등극하기 전의 군호(君號).
수양-등【水楊藤】명〖식〗인동덩굴.
수양-딸【收養─】명 데려다 기른 딸. 수양녀(收養女). 양녀(養女). 양딸.
[수양딸로 며느리 삼는다] 아무렇게나 일을 처리하여 자기 이익만 꾀한다는 말.
수양-매【水楊梅】명〖식〗큰뱀무.
수양-모【收養母】명 수양 어머니.
수양-버들【垂楊─】명〖식〗[*Salix babylonica*] 버드나뭇과에 속하는 낙엽 활엽의 작은 교목. 높이 10 m 가량에 가지가 가늘며 길게 늘어졌고, 잎은 선상(線狀) 피침형임. 꽃은 봄에 자웅 이가(雌雄異家)로 피는데, 수꽃은 황색이고 수술이 두 개, 암꽃이삭은 원기둥꼴이며, 삭과(蒴果)는 여름에 익고 솜털을 날림. 인가 부근이나 들에 나는데, 중국 원산(原産)으로 전남·경기 및 중국·유럽에 분포함. 풍치목(風致木)으로 심음. 사류(絲柳). 수류(垂柳). 버드나무. ㊀수양(垂楊). ＊능수버들.

〈수양버들〉

수양-부【收養父】명 수양 아버지.
수양 부모【收養父母】명 수양 아버지와 수양 어머니. 곧, 자기를 낳지 않았으나 데려다 길러 준 부모.
수양-산¹【水揚酸】명〖화〗살리실산(salicyl 酸).
수양-산²【首陽山】명〖지〗①황해도 해주시(海州市) 북서쪽에 있는 산. [899 m] ②서우양 산.
[수양산 그늘이 강동(江東) 팔십 리를 간다] 수양산 그늘이 진 곳에 강동의 아름다운 땅이 이루워졌다 함이니, 어떤 한 사람이 잘 되어 기세가 좋으면 친척이나 친구들이 그 덕(德)을 입음을 비유한 말.
수양산-가【首陽山歌】명〖악〗조선 시대 때의 십이 가사(十二歌辭)의 하나. 작자·연대는 미상. 중국 고대의 지명·인물·고사(故事)를 늘어놓은 끝에, 결국은 인생의 허무함을 이야기하고 살아서 풍류와 향락으로 일생을 즐기자는 내용임.

수양 산맥【首陽山脈】명〖지〗멸악 산맥(滅惡山脈)의 남부에 위치하는 지맥(支脈). 황해도 해주(海州)의 수양산에서 동으로 뻗어 내려 멀리 예성강(禮成江)을 건너 개성(開城)의 송악산(松嶽山)에 이름.

수양-수【垂揚手】명 격구(擊毬)하는 동작의 한 가지. 구을방울을 하고 공을 놓아 치기 전에 먼저 두세 번 귀견줌을 하고 손을 들어 놓아 치되 공이 장시(杖匙)에 담긴 채 손을 높이 쳐들고 장(杖)은 아래로 쳐뜨려서 흔들흔들 하는 동작.

〈수양수〉

수양 아들【收養一】명 데려다 기른 아들. 수양자(收養子).

수양 아버지【收養一】명 자기를 데려다 친자식같이 길러 준 아버지. 수양부(收養父). 의부(義父).

수양 아비【收養一】명 수양 아버지의 낮춤말.

수양-액【水樣液】명 ①물처럼 보이는 액체. ②〖생〗안구(眼球) 속의 각막(角膜)과 수정체(水晶體)·홍채(虹彩)와의 사이를 채우고 있는 무색 투명의 액체.

수양 어머니【收養一】명 자기를 데려다 친자식같이 길러 준 어머니. 수양모(收養母). 의모(義母).

수양 어미【收養一】명 수양 어머니의 낮춤말.

수양-자【收養子】명 ①수양 아들. ②〖역〗자손이 없고 또 형제간에도 자손이 없는 경우, 동성·이성(異姓)에 관계 없이 세 살 전의 기아(棄兒)를 거두어 길러 자기 성을 주어 삼은 양자. 고려 때는 양사자(養嗣子)의 지위가 주어졌으나 차츰 계사(繼嗣) 자격과 상속권을 상실하게 됨. ↔시양자(侍養子). ③〖민〗사내 아이의 출생 후 그 아이의 장래 액(厄)을 때울 양으로 흔히 점장이나 무당이 어버이가 되어 그 아이를 아들로 삼는 것. ——하다 타여불

수양-장【修養場】명 심신(心身)을 단련하고 수양(修養)을 쌓는 곳.

수-양제【隋煬帝】명〖사람〗중국 수(隋)나라의 제2대 황제. 이름은 광(廣) 또는 영(英). 소자(小字)는 아마(阿摩). 본성(本性)이 호화로워 토목을 크게 일으켰고, 특히 대군(大軍)을 보내어 고구려(高句麗)에 침입(侵入)하였다가 을지 문덕(乙支文德)에게 대패한 후 제웅(諸雄)의 봉기(蜂起)로 진중(陣中)에서 살해됨. 양제(煬帝). [569-618; 재위 604-618]

수양-회【修養會】명 심신을 닦아 지덕(知德)을 계발하기 위한 모임.

수양 명〈옛〉숫양. ¶수양(羝羊)《老集 下 1》.

수어¹【水魚】명 ①물과 물고기가 서로 떨어질 수 없듯이 서로 지극히 친밀한 것. 어수(魚水). ②지극히 가까운 군신(君臣) 사이를 이름. ③부부의 일컬음.

수어²【守禦】명 외환(外患)을 막음. ——하다 타여불

수:어³【秀魚】명〖어〗숭어.

수어⁴【狩漁】명 사냥과 고기잡이.

수어⁵【瘦語】명 은어(隱語).

수:어⁶【數語】명 두어 마디 말. 몇 마디의 말. ——하다 자여불

수:어-구【秀魚灸】명 숭어 구이.

수어-군【守禦軍】명 외적(外敵)에 대하여 수어하는 군사.

수어드〔Seward, William Henry〕명〖사람〗슈어드.

수:어-면【秀魚麵】명 숭어 국수.

수어-사【守禦使】명〖역〗조선 인조(仁祖) 때부터 있던, 남한산성(南漢山城)을 수호하기 위해 둔 수어청(守禦廳)의 으뜸 벼슬.

수어 시대【狩漁時代】명 어렵 시대(漁獵時代).

수:어 어채【秀魚魚菜】명 숭어 어채.

수:어-증【秀魚蒸】명 숭어찜.

수어지-교【水魚之交】명〔삼국지(三國志)의 촉지(蜀志) 제갈량전(諸葛亮傳)에 나온 말〕떨어질래야 떨어질 수 없는 썩 가까운 사이. 수어지친.

수어지-친【水魚之親】명〔두시(杜詩)에 나온 말〕수어지교(水魚之交).

수어-청【守禦廳】명〖역〗조선 시대 때 남한산성(南漢山城)을 수어(守禦)하고, 기좌(畿左)와 광주(廣州) 제진(諸陣) 군무를 절제(節制)하던 군영(軍營). 인조(仁祖) 4년(1626)에 설치, 고종(高宗) 21년(1884)에 폐함.

수:-억【數億】수 억(億)의 두서너 갑절 되는 수효. 즉, 이삼억 또는 삼사억. 수억만.

수:-억만【數億萬】수 수억(數億).

수엄 명〈방〉수염³(전남·경상).

수업¹ 명〈방〉식목(植木)(평안).

수업²【受業】명 제자가 스승으로부터 학예(學藝)의 가르침을 받음. ¶～ 태도. ——하다 자여불

수업³【修業】명 학업(學業)·기예(技藝) 등을 익히어 닦음. ——하다 자타여불

수업⁴【授業】명 학예(學藝)를 가르쳐 줌. ——하다 자여불

수업-료【授業料】[一뇨] 명 학교 같은 데에서 수업(授業)의 보수로 학생이 납부(納付)하는 돈.

수업-물【手業物】명〖역〗손수 만들어서 파는 물건.

수업-법【授業法】명 수업의 방법이나 기술. 교수법(敎授法).

수업 연한【修業年限】[一년一] 명 학술(學術)·기예(技藝) 따위를 습득하는 데 소요되는 기한(期限).

수업 일수【授業日數】[一쑤] 명〖교〗학교 교육에서, 일정 기간에 수업해야 할 것을 규정지은 일수.

수업-증【修業證】명 ↗수업 증서(修業證書).

수업 증서【修業證書】명 학술(學術)·기예(技藝) 등의 규정(規定)된 과정 또는 연한(年限)을 수료한 것을 인정하는 증서. ㊟수업증(修業證).

수업지-사【授業之師】명 학문을 가르치는 스승. *전도지사(傳道之師).

수-없다¹【數一】[一업一] 형 행운이 없다. 재수가 없다.

수:-없다²【數一】[一업一] 형 헤아릴 수 없이 많다.

수:-없이【數一】[一업씨] 부 여러 가지 셀 수 없이. 헤아릴 수 없이 많이. ¶～ 많다.

수에즈〔Suez〕명〖지〗이집트의 북동쪽에 있는 항구 도시. 수에즈 운하(Suez 運河)의 남단, 홍해(紅海)의 수에즈 만에 임함. 상업의 중심지로, 카이로·포트사이드에 철도가 통하며, 정유소(精油所)·화학 비료 공장이 있음. 16세기 오스만(Osman) 제국의 해군·무역의 근거지였으며, 수에즈 운하 개통으로 발전함. [265,000 명(1986 추계)]

수에즈 운하【一運河】〔Suez〕명〖지〗아시아와 아프리카의 경계인 수에즈 지협(Suez 地峽)을 뚫어 홍해(紅海)와 지중해(地中海)를 연결한 운하. 서유럽과 극동 사이의 단축(短縮) 통로임. 1858년 프랑스인 레셉스(Lesseps, F.M.)가 수에즈 운하 회사를 설립하여 프랑스·이집트의 공동 출자로 건설하여 1869년 개통을 봄. 1875년 영국이 지배권을 장악하고 1949-50년에 우회 운하(迂回運河)를 건설함. 1954년 영국과 이집트 사이에 수에즈 기지 협정(Suez 基地協定)이 성립되어 영국군이 철수하였고, 1956년 이집트는 수에즈 운하를 국유화하매 수에즈 동란이 일어났으며, 1967년 중동 전쟁으로 폐쇄된 이래 1975년에 재개됨. 길이 162.5 km, 폭 160-200 m, 수심(水深) 14.5 m 가량임. *수에즈 전쟁·중동 전쟁.

수에즈 운하 회:사【一運河會社】명〔프 Compagnie Universelle du Canal Maritime de Suez〕만국 수에즈 해양 운하 회사. 1854년 이집트 태수(太守)가 프랑스인 레셉스에게 준 이권(利權)에 의해 1858년, 수에즈 운하 개통을 위하여 설립된 이집트 회사로 1956년 수에즈 운하 국유화로 소멸됨.

수에즈 전:쟁【一戰爭】〔Suez〕명〖역〗이집트의 나세르 대통령(大統領)의 수에즈 운하(運河) 국유화(國有化) 선언에 따라 일어난 제2차 중동 전쟁(中東戰爭)의 일컬음. 1956년 수에즈 운하 국유화에 반대하는 영국·프랑스·이스라엘이 이집트를 공격하였으나, 국제 연합의 정전 결의(停戰決議)에 따라 이듬해에 외국군이 이집트에서 철수하여 종식됨.

수에토니우스〔Suetonius, Gaius Tranquillus〕명〖사람〗로마 제정(帝政)시의 전기 작가(傳記作家). 방대한 양의 저서가 있었다고 생각되나, 현존 작품은 시저에서 도미티아누스(Domitianus)까지의 《12황제전(皇帝傳)》과 《명사전(名士傳)》이 있음. [69?-140]

수여¹【受與】명 받는 일과 주는 일. ——하다 타여불

수여²【授與】명 증서·상장·상품 또는 훈장(勳章) 따위를 줌. ——하다 타여불

수여³【睡餘】명 잠이 깬 뒤.

수여리 명〖충〗꿀벌의 암컷.

수여-식【授與式】명 졸업장(卒業狀)·훈장(勳章)·상장 따위를 수여하는 예식(禮式).

수여의〈옛〉수여우의. ¶수여의 똥을 뮈우라(又方雄狐糞燒之去瘟疫)《救荒辟瘟 辟瘟 8》.

수역¹【水域】명 수면(水面)의 일정한 구역. ¶위험 ～.

수역²【水驛】명〖역〗역선(驛船) 따위를 갖춘 수로(水路)의 역참(驛站).

수역³【囚役】명 죄수(罪囚)에게 일을 시킴. 또, 그 일.

수역⁴【戍役】명 국경을 지키는 일. 또, 그 병사. 수자리.

수역⁵【首驛】명〖역〗각 관아(官衙) 또는 사신(使臣)에 속한 역관(驛官)의 우두머리.

수역⁶【殊域】명 멀리 떨어진 지방.

수역⁷【修譯】명 번역(飜譯).

수역⁸【壽域】명 ①딴 곳에 비하여 장수(長壽)하는 사람이 많이 사는 고장. ②오래 살았다고 할 만한 나이. ③수실(壽室).

수역⁹【獸疫】명 짐승의 돌림병.

수역-장【壽域章】명〖악〗악장(樂章)의 이름.

수-역학【水力學】명 액체(液體), 특히 물의 역학적(力學的) 성질을 공학(工學) 상에 응용할 목적으로 연구하는 학문.

수역학의 방정식【水力學一方程式】[一/一에一] 명 압력 구배(勾配)·마찰·지구의 항력(抗力)이나 중력 등이 지배하여 일어나는, 물의 운동을 나타내는 방정식.

수역 혈청【獸疫血淸】명 가축(家畜) 전염병을 예방하는 혈청.

수연¹【水煙】명 ①물방울이 퍼진 자욱한 물 연기. ②〖불교〗불탑의 구륜(九輪)의 윗 부분에 불꽃 모양으로 만든 장식. ③수연통(水煙筒).

〈수연¹❷〉

수연²【水鉛】명〖화〗몰리브덴(Molybdän).

수연³【垂涎】명 ①좋은 음식을 보고 침을 흘림. ②무엇을 탐내어 가지고 싶어함. ——하다 자여불

수연⁴【晬宴】명 생일 잔치.

수연⁵【愁然】명 ①걱정하는 모양. 수심(愁心)에 잠겨 있는 모양. ②얼굴빛이 변하는 모양. ——하다 형여불

수연⁶【壽宴·壽筵·壽讌】명 장수(長壽)를 축하하는 잔치. 하수연(賀壽宴).

수연⁷【粹然】명 사람의 얼굴이나 마음이 참되고 꾸밈이 없는 모양. 순수한 모양. ——하다 형여불. ——히 부

수연⁸【隨緣】명〖불교〗인연에 따라서 현상(現象)을 일으킴. 각양(各樣) 인연(因緣)에 따라 다른 상(相)을 나타냄. 또, 그 나타난 상.

수연⁹【燧煙】명 봉화(烽火)의 연기.

수연-강【水鉛鋼】명 몰리브덴강(Molybdän 鋼).

수연-대【水煙臺】명 수연통(水煙筒).

수연-병【壽筵屛】명 회갑 잔치에 둘러 쳐서 장식하는 병풍.

수연-시【壽宴詩】명 장수(長壽)를 축하하는 시.

수연-이나【雖然一】부 '그러하나'의 뜻의 접속 부사.

수-연장【壽延長】명〖악〗밑도드리의 아명(雅名). 수연장무(壽延長舞)와 수연장지곡(壽延長之曲)의 두루 일컬음.

수연장-무【壽延長舞】명〖악〗나라 잔치 때 추던 춤의 이름. 당악(唐樂)

에 딸림. 죽간자(竹竿子) 두 사람이 좌우로 갈라 서고 여기(女妓) 여덟 사람이 네 사람씩 가로 두 줄에 벌려 서서, 두 사람씩이 마주 대하여 주악(奏樂)에 맞추어서 추며 때때로 사(詞)를 부름. 남악·여악(女樂)이 다 있음. 고려 때에 시작됨. ㊀수연장(壽延長). *수명명무(受明命舞).

수연장지-곡【壽延長之曲】 명 〖악〗 수연장무(壽延長舞)에 아뢰는 관악 중심의 주악(奏樂). 조선 세조(世祖) 때, 보허자(步虛子)의 변주 형태로 창작한 '밑도드리'의 아명(雅名). ㊀수연장(壽延長). *하성조(賀聖朝).

수연-증【手軟症】[-쯩] 명 〖의〗 어린 아이의 손이 흐늘흐늘하고 힘이 없어지는 병.

수연 진여【隨緣眞如】 명 〖불교〗 진여(眞如), 곧 만유(萬有)의 본체(本體)가 여러 가지 인연(因緣)에 따라서 가지가지의 상이(相異)한 상(相)을 나타냄을 이르는 말. ↔ 불변 진여.

수연-통【水煙筒】 명 중국 사람들이 쓰는 담뱃대통의 하나. 타원형의 쇠붙이로 통을 만들어서 밑바탕을 삼았는데, 앞쪽에는 담배를 상비하여 두는 통이 끼였고 뒤쪽에는 물 담는 둥근 통이 끼였으며, 물통의 뒤쪽에는 길게 줄기를 뽑아서 빠는 부리가 있고, 앞쪽에는 붓두껍 비슷한 통이 있는데, 위는 담뱃대통으로 담배를 콩알 만큼 담게 되었고 아래 끝은 물에 잠기게 되어서 연기가 물속을 거치게 되었음. 수연(水煙). 수연대(水煙臺).

〈수연통〉

수:열【數列】 명 ①몇 개의 열. 3-4열 또는 5-6열 정도의 줄의 수를 막연하게 이르는 말. ¶ ~의 행렬. ②〖수〗 정해진 규칙에 따라 차례로 배열한 수의 계열. 하나씩의 수를 수의 항(項)이라 하며, n번째의 항을 a_n이라 표시하면, 수열 자체는 $|a_n|$ 또는 단지 $\{a_n\}$이라 표시함. 여기서 n은 1·2·3…. 항의 수가 유한(有限)이면 유한 수열, 무한이면 무한 수열이라 함. 등차(等差) 수열·등비(等比) 수열 따위. *급수(級數).

수염[1] 명 〖건〗 목조의 졸대 바탕에 붙여서 회반죽이 떨어지지 않게 대는 외(椳)의 하나. 주로, 삼실끈이나 종려(棕櫚)털을 씀.

수염[2] 명 〈방〉 헤엄(충남·전북).

수염[3]【水厭】 명 〖어〗 가물치.

수염[4]【鬚髥】 명 ①성숙(成熟)한 남자의 입가·턱·뺨에 나는 털. 나룻. ¶ 카이젤 ~. ②벼나 보리·옥수수 등의 낟알 끝에나 사이에 가늘게 난 가스랑이나 털 모양의 것. ③동물의 입 근처에 나는 긴 털. ¶ 고래 ~. ㊀염(髥).

[수염의 불 끄듯] 조금도 지체하지 못하고 후닥닥 서둘러 함을 이르는 말. ¶ 수염의 불 끄듯 다급하게 대들었다간 소동만 커지고 건질 건 없게 됩니다《金周榮 : 客主》. [수염이 대 자라도 먹어야 양반이다] 배가 불러야만 체면도 차릴 수 있다는 말.

수염-가래꽃【鬚髥―】 명 〖식〗 [*Lobelia chinensis*] 숫잔댓과에 속하는 다년초. 줄기는 땅 위로 벋고 길이는 20cm 내외이며 마디에서 뿌리가 나옴. 잎은 호생하고 무병(無柄)이며 긴 타원상 피침형임. 5-7월에 담자색의 꽃이 좌우 상칭(相稱)으로 액생(腋生)하여 핌. 논이나 못, 물이 작은 고랑에나 밭둑에 나는데, 제주·전남 지리산(智異山)·경남 마산·충남·경기도에 분포함.

수염-고치벌【鬚髥―】 명 〖충〗 잎말이고치벌.

수염굵은-하늘소【鬚髥―】[-굴근-쏘] 명 〖충〗 [*Pyrestes haematicus*] 하늘솟과의 곤충. 몸길이는 14-19mm이고 몸은 암홍색 내지 흑색이며 시초(翅鞘)는 홍색이고 촉각 제5절(節) 이하는 편평함. 전흉(前胸)의 배면(背面)에 축각(縮刻)이 움폭움폭 들어간 부분이 많고 다리는 짧으며 퇴절(腿節)은 방추형(紡錘形)임. 유충은 녹나무 등의 해충으로, 한국에도 분포함.

수염-날도래【鬚髥―】 명 〖충〗 수염치레강날도래.

수:-염낭【繡―】 명 수를 놓아 만든 염낭.

수염-대벌레【鬚髥―】 명 〖충〗 긴수염대벌레.

수염-덩굴【鬚髥―】 명 〖식〗 권수(卷鬚).

수염-마름【鬚髥―】 명 〖식〗 [*Trapella sinensis*] 참깻과에 속하는 다년생의 수초(水草). 줄기는 가늘고 길며 잎은 대생하고 장병(長柄)에 막질(膜質)이며, 밑의 잎은 피침형으로 물 속에 잠김. 6-7월에 누두형(漏斗形)의 화관(花冠)을 한 담홍색 꽃이 액생(腋生)하여 물 위에 나와 피고, 열매는 긴 원기둥꼴임. 연못의 물 속에 나는데, 경북·경기도·서울 및 일본·중국 등지에 분포함.

〈수염마름〉

수염-며느리밥풀【鬚髥―】 명 〖식〗 [*Melampyrum ciliare*] 현삼과에 속하는 반기생(半寄生)의 일년초. 줄기 높이는 30-35cm이고 잎은 대생하며 유병(有柄)이고 긴 달걀꼴 또는 난상 피침형임. 8-9월에 홍자색의 꽃이 수상(穗狀) 화서로 가지 끝에 피고, 열매는 삭과(蒴果)로 편편한 달걀꼴임. 산지에 나는데, 전남 매가도(梅加島) 및 일본의 홋카이도·규슈(九州) 등지에 분포함.

〈수염며느리밥풀〉

수염-발【鬚髥―】[-빨] 명 길게 길러서 늘어뜨린 수염의 치렁치렁한 채.

수염-뿌리【鬚髥―】 명 〖식〗 ① 원(元)뿌리나 받침뿌리에 난, 가늘고 수염 같은 뿌리. 수분과 영양의 흡수 및 부착 작용을 함. ②원뿌리와 받침뿌리의 구별이 없이 수염처럼 된 뿌리. 벼·보리 등의 뿌리. 수근(鬚根).

수염-상어【鬚髥―】 명 〖어〗 [*Orectolobus japonicus*] 수염상어과에 속하는 바닷물고기. 몸길이는 60cm 가량, 살이 쪘으며 머리와 주둥이는 폭이 넓고 평평한데 입가에 수염이 있음. 눈에 순막(瞬膜)이 없고 분수공(噴水孔)은 눈의 뒤 아래쪽에 위치함. 새공(鰓孔)은 몸 양쪽에 다섯 개씩 있음. 난태생(卵胎生)임. 한국 남부 특히 부산·제주도 근해 및 남일본·남지나해·오스트레일리아 등에 분포함. 식용종임.

수염상어-과【鬚髥―科】[-꽈] 명 〖어〗 [Orectolobidae] 악상어목(目)에 속하는 어류의 한 과. 수염상어·얼룩상어가 이에 속함.

수-염소 명 ☞ 숫염소.

수염-송곳벌【鬚髥―】 명 〖충〗 [*Urocerus antennatus*] 송곳벌과에 속하는 곤충. 암컷은 몸길이 22mm 내외이고 몸빛은 흑색에 다소 남색을 띠며 후두(喉頭) 양측의 큰 무늬와 제8복배절(腹背節)의 양측 반문 및 미절(尾節) 하면의 타원형 무늬는 황백색이고 수컷의 복배(腹背)는 전부 흑색임. 한국·일본·사할린·시베리아 등지에 분포함.

수염-수리【鬚鬚―】 명 〖조〗 [*Gypaetus barbatus altaicus*] 맷과(科)에 속하는 새. 날개 길이는 830-890mm이고 몸의 상면은 회흑색이며, 머리·목·몸의 하면은 등황색을 띤 백색이고 가슴에서 중단된 흑색의 띠가 한 개 있고, 부리 기부(基部)에는 흑색의 강모(剛毛)가 있음. 시베리아·만주·몽고·중국·한국에 분포함.

수염-수세【鬚髥―】 명 수염의 술.

수염-어【鬚髥魚】 명 〖어〗 쏨뱅이.

〈수염수리〉

수염우단-풍뎅이【鬚髥羽緞―】 명 〖충〗 긴수염우단풍뎅이.

수염 자리【鬚髥―】 명 수염이 난 자리. 수염이 나는 위치.

수염-줄벌【鬚髥―】 명 〖충〗 [*Eucera difficilis*] 꿀벌과에 속하는 곤충. 수컷은 몸길이 15mm 내외, 몸빛은 흑색이며 두부·흉부·복부의 기부(基部) 및 다리에 긴 털이 밀생(密生)하고 배면(背面)의 것은 회황색, 복면(腹面)은 백색에 가까움. 복부 제1-5절 후연(後緣)의 털은 회백색이며, 6-7절에는 갈색 털이 있음. 한국·일본 등지에 분포함.

수염치레-강날도래【鬚髥―江―】 명 〖충〗 [*Stenopsyche griseipennis*] 강날도랫과에 속하는 곤충. 몸길이는 12-22mm, 편 날개의 길이는 33-55mm이고, 두부(頭部)·흉부는 갈색에 회백색 털이 밀생하였고 복부(腹部)는 회갈색이며 각절(各節)의 후연(後緣)은 황갈색임. 촉각은 암황색이고, 각절 끝은 갈색이며, 앞날개보다 긺. 앞날개는 반투명(半透明)한 담갈색 또는 회백색에 그물 모양의 갈색 무늬가 있음. 한국에도 분포함. 수염날도래.

수염치레-깨다식하늘소【鬚髥―茶食―】[-쏘] 명 〖충〗 두릅나무깨다식하늘소.

수염-풍뎅이【鬚髥―】 명 〖충〗 [*Polyphylla laticollis*] 풍뎅잇과에 속하는 갑충. 몸길이는 35mm 내외. 몸빛은 다갈색(茶褐色)이며, 시초(翅鞘)에 백색의 작은 무늬가 흩어져 있음. 이름은 수컷의 촉각(觸角)이 길게 뻗어 있는 데에 연유함. 강가나 해안의 모래땅에 많고, 등화(燈火)에 모여드는 습성이 있음. 한국·일본 등지에 분포함.

수염-하늘소【鬚髥―】[-쏘] 명 〖충〗 단풍하늘소.

수엽【樹葉】 명 나무의 잎.

수엽-량【收葉量】[-냥] 명 뽕잎을 따들이는 양. ¶ 1단보의 ~.

수엽점-식【樹葉點式】 명 〖미술〗 동양화에서 수엽(樹葉)·점태(點苔)를 그리는 방식. 개자점(介字點)·송엽점(松葉點)·매화점(梅花點) 등 30여 가지의 묘법(描法)이 있음.

수영[1] 명 〖식〗 [*Rumex acetosa*] 마디풀과에 속하는 다년초. 지하경(地下莖)은 조금 비후(肥厚)하고 짧으며 황색인데 줄기는 원기둥꼴에 홍자색을 띠며 높이는 80cm 가량, 산미(酸味)가 있음. 근생엽(根生葉)은 총생(叢生)하고 장병(長柄)이며, 경엽(莖葉)은 호생하고 단병(短柄) 혹은 무병(無柄)임. 5-6월에 녹색 또는 담홍색 꽃이 원추(圓錐) 화서로 정생(頂生)하여 피고 자웅 이가(雌雄異家)이며, 길이 5mm의 수과(瘦果)는 세개의 날개가 있음. 들에나 길가에 나는데, 아시아 및 유럽의 온대 각지에 분포함. 어린 잎과 줄기는 식용하나 지나치게 먹으면 해로움. 뿌리의 즙액(汁液)은 피부병에 바름. 승아. 산모(酸模).

〈수영[1]〉

수영[2]【水泳】 명 사람이 재미로나 스포츠로서 물 속에서 헤엄치는 일. ――하다 자여불

수영[3]【水英】 명 〖식〗 미나리.

수영[4]【水營】 명 〖역〗 조선 시대 때 수군 절도사(水軍節度使)의 군영(軍營). 경기·충청·강원·평안에 각 하나, 경상·전라·영안(永安), 곧 지금의 함경에 각 둘이 있었음. *좌수영(左水營)·우수영(右水營).

수영[5]【秀英】 명 재능이 뛰어남. 또, 그 사람. ――하다 형여불

수영[6]【秀穎】 명 ①벼 이삭이 잘 여묾. ②재능이 뛰어남. ――하다 형여불

수영[7]【修營】 명 수선하고 건축함. ――하다 타여불

수영[8]【樹影】 명 나무의 그림자.

수영[9]【輸贏】 명 이김과 짐. 승부(勝負). 영수(贏輸).

수영 경:기【水泳競技】 명 수영을 기초로 하는 운동 경기. 경영(競泳)·다이빙·수구(水球)·싱크로나이즈드 스위밍(synchronized swimming) 경기를 가리키기도 하나 보통, 경영과 다이빙 경기를 이름. 경영은 평영(平泳)·배영(背泳)·접영(蝶泳)·자유형·릴레이 등의 종목이 있음.

수영 농청놀이【水營農廳―】 명 〖민〗 부산시 남구(南區) 수영동(水營洞)에 전승되어 오는 농요(農謠) 중심의 민속놀이. 농민들의 자치 단체(自治團體)인 농청(農廳)의 구성 농민들이 농악을 치고 농요를 부르며 농사짓는 과정을 놀이화(化)한 것임.

수영-도【水營道】 명 〖역〗 수영(水營)이 있는 곳.

수영-모【水泳帽】 명 헤엄칠 때 쓰는 모자.

수영-복【水泳服】 명 헤엄칠 때에 입는, 몸에 착 달라붙는 옷. 해수욕복.
수영-술【水泳術】 명 헤엄치는 기술.
수영 야:류【水營野遊】 명 〖민〗 부산 광역시 남구(南區) 수영동(洞)에 전승되고 있는 탈놀이. 모두 네 과장(科場)으로, 정월 대보름날 산신제(山神祭)와 함께 벌임. 중요 무형 문화재 제 43 호. *동래 야류.
수-영위【首領位】 명 〖역〗 조선 시대에, 육의전(六矣廛)의 도중(都中)의 셋째 임원(任員). 도원(都員)의 선거에 의해서 선출되는데, 대행수(大行首)의 아래, 부영위(副領位)의 위임. *부영위(副領位).
수영-장【水泳場】 명 헤엄치고 놀거나 수영 경기를 목적으로 설비한 곳. 수욕장(水浴場). 풀(pool). 유영장.
수영조 결막염【水泳槽結膜炎】 [—념] 명 〖의〗 수영장(水泳場)에서 감염(感染)하는 급성 결막염의 한 가지. 눈두덩이 몹시 붓고 결막이 충혈되는 것이 특징임.
수영-화【水泳靴】 명 헤엄칠 때 신는 신발. 발을 보호하며 헤엄치기에 편리함.
수예[1] 명 〈방〉 〖어〗 숭어.
수예[2]【手藝】 명 손으로 하는 기예(技藝).
수예[3]【樹藝】 명 곡식이나 나무 등을 심어 가꿈. 수종(樹種). 식예(殖藝). 식종(植種). ——-하다 타여불
수예-품【手藝品】 명 주로 손끝의 수련(修練)으로 만들어진 가정 공예품(家庭工藝品). 자수·편물 따위. *세공물.
수오【羞惡】 명 자기의 결점을 부끄러워하고 남의 나쁜 점을 미워함. ——-하다 타여불
수오미【Suomi】 명 '핀란드(Finland)'의 핀란드어 이름.
수오지-심【羞惡之心】 명 사단(四端)의 하나. 불의(不義)를 부끄러워하고, 불선(不善)을 미워하는 마음.
수옥[1]【水玉】 명 수정(水晶)의 별칭.
수옥[2]【水獄】 명 물을 넣은 감옥. 물에 독사(毒蛇) 따위를 넣어 옥중의 죄인을 괴롭혔음.
수옥[3]【囚獄】 명 뇌옥(牢獄).
수온[1]【水溫】 명 물의 온도(溫度).
수온[2]【受蘊】 명 〖불교〗 오온(五蘊)의 하나. 괴로움과 즐거움을 감수(感受)하는 정신 작용.
수온-계【水溫計】 명 물의 온도를 측정하는 계기. 바닷물을 측정하는 것은 특히 해온계(海溫計)라 함. 얕은 수층(水層)의 온도를 재는 데는 보통의 수은 온도계를 구리로 만든 틀 속에 넣은 것을 사용함.
수온 상:승제【水溫上昇劑】 명 〖농〗 논 따위에 뿌려서 물의 증발을 억제하고 물의 온도를 올려 작물의 성장을 촉진시키는 약제. 고급 알코올을 원료로 하며 냉해(冷害) 등을 막는 효과가 있음.
수온 약층【水溫躍層】 명 〔thermocline〕 〖지〗 바다나 호수에서 수온(水溫)이 연직(鉛直) 방향으로 불연속적으로 급변하는 층. 약층(躍層).
수와【睡臥】 명 드러누워 잠. ——-하다 자여불
수완【手腕】 명 ①손회목. ②일을 꾸미거나 치러 나가는 재간. 주변.
수완-가【手腕家】 명 수완이 있는 사람.
수왈 불가【誰曰不可】 명 옳지 아니하다고 말할 사람이 없음.
수왕【獸王】 명 사자(獅子)의 이명(異名).
수왕지-절【水旺之節】 명 〖민〗 오행(五行)에 수기(水氣)가 왕성한 절기. 곧, 겨울을 이름.
수요[1]【水曜】 명 ↗수요일(水曜日). 주의 주로 관형적(冠形的)으로 쓰임.
수요[2]【宿曜】 명 이십 팔 수(二十八宿)와 구요(九曜). 또, 그것으로 치는 점(占).
수요[3]【須要】 명 꼭 소용이 됨. 필요(必要). ——-하다 타여불
수요[4]【愁擾】 명 수란(愁亂). ——-하다 형여불
수요[5]【壽夭】 명 오래 삶과 일찍 죽음. 장수(長壽)와 단명(短命). 수요 장단(壽夭長短). 수단(脩短·壽短). 팽상(彭殤).
수요[6]【需要】 명 ①필요해서 얻고자 함. 소용됨. 상품을 사들이려고 하거나, 공급이나 시설(施設)을 바라는 심정. ②〖경〗시장에 나타나는 상품(商品)에 대하여 대가(代價)를 지불하는 것을 전제(前提)로 하는 욕망(欲望). 또, 그 총량. 양은 소득(所得)·상품 가치에 따라 좌우됨. 자유 시장에서는 수요와 공급에 따라 가격이 형성됨. 1)·2):↔공급.
수요[7]【竪窯】 명 세로로 높이 세운 솥의 총칭. 보통 벽돌이나 그 밖의 내화물(耐火物)로 만듦. 시멘트·석회의 소성(燒成) 및 도자기의 제조 등에 쓰임.
수요-가【需要家】 명 수요자(需要者).
수요-갭【需要—】〔gap〕 명 〖경〗 총공급과 실현된 총수요와의 차액(差額). 곧, 완전 고용 국민 총생산과 현실의 국민 총생산과의 차액을 이름.
수요 곡선【需要曲線】 명 〖경〗 수요 함수(函數)를 그래프로 나타낸 곡선.
수요 공:급의 법칙【需要供給—法則】 [—/—에—] 명 〖경〗 상품의 시장 가격은 그것에 대한 수요와 공급이 적합(適合)하는 수준에서 결정된다는 법칙(法則). 곧, 공급량에 비해 수요량이 많으면 상품의 가격은 등귀되고 반대로 공급량이 수요량에 비해 많으면 그 가격이 떨어진다는 법칙. 이것은 완전한 자유 경쟁(自由競爭)을 전제(前提)로 하여서만이 성립됨.
수요 과:점【需要寡占】 명 〖경〗 매주(賣主)는 다수이고 매주(買主)는 소수일 경우의 과점을 이름. ↔공급(供給) 과점.
수요 남극【壽曜南極】 명 〖악〗 취타(吹打) ❸의 딴 이름.
수요 독점【需要獨占】 명 〖경〗 매주(賣主)는 다수이고 매주(買主)가 한 사람인 경우의 독점을 이름. 배주(買主) 독점. ↔공급 독점.
수요-량【需要量】 명 〖경〗 수요의 크기를 나타내는 양.
수요-반【水澆飯】 명 물에 만 밥. 물말이.
수요 복점【需要複占】 명 〖경〗 매주(賣主)는 다수이고 매주(買主)는 두 사람인 경우의 복점을 이름. ↔공급 복점.
수요 예:측【需要豫測】 명 〖경〗 재화나 서비스의 장래 수요를 예측하기 위해 관련되는 적당한 변수를 골라 내어 그것들의 관계를 정식화하고 통계학적인 수법으로 추측하는 기술.
수요의 법칙【需要—法則】 [—/—에—] 명 〖경〗 가격(價格)이 높으면 수요(需要)는 줄고 가격이 낮으면 수요가 많아진다는 법칙. 이 법칙은 지극히 일반적인 타당성을 가짐.
수요 인플레이션【需要—】 명 〔demandpull inflation〕 〖경〗 통화 공급량의 팽창이 없이, 소비·투자·재정 지출·수출 초과 등의 총수요의 증대로 말미암아 초과 수요에 의한 물가 등귀(物價騰貴)를 가져오는 상태를 일컬음.
수요-일【水曜日】 명 칠요일(七曜日)의 하나. 일요일로부터 네째 되는 날. ㊥수요(水曜).
수요-자【需要者】 명 필요해서 얻고자 하는 사람. 수요가(家).
수요 장단【壽夭長短】 명 수요(壽夭).
수요-지【需要地】 명 수요자가 모인 곳. 상품을 필요로 하는 지방.
수요 카르텔【需要—】〔도 Kartell〕 명 〖경〗 기업자가 단결해서 기업 경영에 필요로 하는 기계·원료·보조 재료 등의 공동 구입 또는 노동자의 고용 조건에 관해서 복수의 기업이 협정을 맺는 기업 연합(企業聯合)의 형태.
수요 탄:력성【需要彈力性】 [—탈—] 명 〖경〗 상품의 가격 변화에 따른 수요 변화의 정도.
수요-표【需要表】 명 〖경〗 재화(財貨)의 수요량(需要量)과 가격과의 관계를 나타내는 표.
수요 함:수【需要函數】 [—쑤] 명 〖경〗 어떤 재(財)에 대한 수요량과 가격과의 관계를 나타내는 함수. 일반적으로 가격이 오르면 수요량은 감소하고 가격이 내리면 수요량은 증가하는데 재(財)에 따라서는 역(逆)으로 되는 수도 있음.
수욕[1]【水浴】 명 물에 미역을 감음. 탕욕(湯浴). ——-하다 자여불
수욕[2]【受辱】 명 남에게 모욕을 당함. ——-하다 자여불
수욕[3]【羞辱】 명 부끄럽고 욕되는 일.
수욕[4]【獸慾】 명 인간의 짐승과 같은 음란(淫亂)한 욕망. ¶ ~을 채우다. *육욕(肉慾).
수욕-장【水浴場】 명 수영장(水泳場).
수욕-주의【獸慾主義】 [—/—이] 명 기성(既成)의 도덕·윤리를 배척하고 오로지 자기의 관능에 따라서 동물적 욕망(動物的欲望)을 채우려는 주의. 애니멀리즘(animalism).
수용[1]【水茸】 명 말리지 아니한 녹용(鹿茸).
수용[2]【收用】 명 ①거두어들여 씀. ②〖법〗 공익(公益)을 위하여 특정물(特定物)의 소유권 또는 기타의 권리를 국가의 명령으로 강제 징수하여, 이것을 국가 또는 제삼자(第三者)의 소유로 이양(移讓)하는 처분(處分). ¶ 토지 ~법. ③〖역〗 어떤 관직(官職)에 있다가 추고(推考)나 파직(罷職)으로 실무(實務)가 없어졌던 관원(官員)을 다시 거두어 임용(任用)하는 일. ——-하다 타여불
수용[3]【收容】 명 ①거두어서 넣어 둠. 사람이나 물품을 일정한 장소나 시설에 넣어 둠. ②범법자(犯法者)나 그 밖의 특정한 사람을 교도소나 어떤 곳에 모아 가둠. ——-하다 타여불
수용[4]【受用】 명 받아 씀. ——-하다 타여불
수용[5]【受容】 명 ①받아들임. ¶ ~ 태세를 갖추다. ②감상(鑑賞)의 기초를 이루는 작용으로, 예술 작품 따위를 감성(感性)에 받아들여 즐김. ——-하다 타여불
수용[6]【羞容】 명 부끄러워하는 얼굴빛.
수용[7]【睟容】 명 임금의 화상. 어진(御眞).
수용[8]【愁容】 명 수심(愁心)어린 얼굴.
수용[9]【需用】 명 사물을 종요롭게 씀. 용도(用途)에 따라 씀. 또, 그 물건. ——-하다 타여불
수용[10]【瘦容】 명 마른 얼굴. 수척한 얼굴. 수면(瘦面).
수용-기【受容器】 명 〔receptor〕 〖생〗 동물체가 자극을 받아들이는 기관과 세포의 총칭. 외계의 자극을 받아들이는 외(外)수용기와 체내에서 생기는 자극을 느끼는 내(內)수용기가 있음. 섭수기(攝受器). 종래의 생물학 용어로서는 '감각기(感覺器)'에 해당됨. ↔실행기(實行器).
수용-력【收容力】 [—녁] 명 수용할 수 있는 능력. ¶ 인원이 ~을 초과하다.
수용-률【需用率】 [—뉼] 명 〖전〗 총설비 용량(總設備容量)에 대한 최대 부하(負荷)의 비.
수용-비【需用費】 명 전기·수도·가스·소모품 따위 일상 생활상 필요한 물건에 지출되는 비용. ¶ ~가 많이 책정되다.
수용 산출【水湧山出】 명 시문(詩文)을 짓는 데 재주가 썩 많음을 비유하여 일컫는 말. ——-하다 자여불
수용-성[1]【水溶性】 [—씽] 명 〖화〗 어떤 물질이 물에 용해(溶解)되는 성질. ¶ ~ 물질. ↔지용성(脂溶性).
수용-성[2]【受容性】 [—씽] 명 〔receptivity〕 〖철〗 다른 것으로부터 사물을 받아들이는 능력. 칸트에 의하면 감성(感性)의 본질로서, 사물 쪽에서의 촉발(觸發)에 의하여 표상(表象)을 받아들이는 능력. 감수성(感受性). ↔자발성(自發性).
수용성 비타민【水溶性—】〔도 Vitamin〕 [—씽—] 명 1915년 미국의 매콜럼(McCollum, Elmer Verner)이 처음 제창(提唱)한 비타민의 분류명(分類名). 발육 촉진 인자(因子)로서의 비타민이 우유의 버터부(部)에 포함되는 것과 유당부(乳糖部)에 포함되는 것이 있음을 증명하고, 전자(前者)를 지용성(脂溶性) A, 후자(後者)를 수용성 B로 명명(命名)한 데서 비롯됨. 무단백 탈지유(無蛋白脫脂油)·조제 유당(粗製乳糖)·배아(胚芽)·쌀겨·간(肝)·효모(酵母)·레몬즙(lemon汁) 따위에 많이 들어 있으며, 비타민 B·C·H·L·P 등 많은 종류가 있음. ↔지용성 비타민.
수용성 오일【水溶性—】 [—씽—] 명 〔soluble oil〕 물 속에서 유탁액(乳濁液)이나 콜로이드 모양의 액체를 쉽게 형성하는 기름.
수용성 절삭유【水溶性切削油】 [—씽—싹뉴] 명 물과 쉽게 혼합할 수

있는 유화제(乳化劑)를 함유한 절삭유. 금속 절삭 공구의 냉각제(冷却劑)로 사용됨.

수용-소【收容所】명 많은 사람을 집단적으로 한 곳에 가두거나 넣어 두어서 맡는 곳. ¶ 포로 ~.

수용소 군도【收容所群島】명 〔Arkhipelag GULAG〕〖책〗 R.I. 솔제니친의 소설. 자신의 체험을 바탕으로 소련의 강제 노동 수용소의 내막을 묘사하고, 그 곳에 수용된 사람의 인간성을 부각시켰음. 모두 3 권으로 1973-76 년 파리에서 간행되었음.

수용 시간【受容時間】명 감각 시간(感覺時間).

수용-신【受用身】명〖불교〗스스로 얻은 법락(法樂)을 수용(受用)하고, 또 다른 것에 법락을 수용시키는 불신(佛身).

수용-액【水溶液】명 물을 용매(溶媒)로 한 용액.

수용 유:희【受容遊戲】[—뉴히] 명 수동적으로 받아들이는 유희의 하나. 그림책을 보거나 음악을 듣거나 영화 구경 같은 것을 즐기는 것으로, 한 살 때부터 대여섯 살까지에 가장 왕성함. *구성(構成) 유희·모방 유희.

수용-자【需用者】명 구하여 쓰는 사람. 꼭 쓰는 사람.

수용 진지【收容陣地】명〖군〗수용(收容)의 목적으로 한때 점령한 진지(陣地).

수용-체【受容體】명 ①〖생〗세포 표면이나 내부에 존재하면서 세포 밖의 특정 물질인 호르몬·신경 전달 물질·바이러스 등과 특이적(特異的)으로 결합하여 세포의 기능에 영향을 주는 물질의 총칭. 바이러스 수용체·호르몬 수용체·빛 수용체·항원(抗原) 수용체 등이 있음. ②〖생〗동물체가 밖으로부터 자극을 받아들이는 세포. ③〖생〗수용기. ④〖물〗억셉터(acceptor).

수용-토【受用土】명〖불교〗삼불토(三佛土)의 하나.

수용-품【需用品】명 필요에 따라 꼭 써야 할 물품.

수우[1]【水牛】명〖동〗물소❶.

수우[2]【秀羽】명〖역〗공작우(孔雀羽)❶.

수우[3]【殊遇】명 특별한 대우.

수우[4]【樹羽】명〖악〗나무로 만든 공작(孔雀). 편종(編鐘)·편경 가자(編磬架子) 위에 꽂아 세움.

수우다 자〈옛〉떠들다. 수멀다. =수스다. ¶ 수우는 소리 萬方에 니엣도다(喧聲連萬方)《重杜諺 XX:20》.

수우-도[1]【水牛島】명〖지〗경상 남도의 남해상(南海上), 마산시(馬山市) 진동면(鎭東面) 요장리(蓼場里)에 위치한 섬. [0.32 km^2]

수우-도[2]【樹牛島】명〖지〗경상 남도 남해상(南海上), 통영시(統營市) 사량면(蛇梁面) 서쪽에 있는 섬. [1.51 km^2]

수우워리다 자〈옛〉떠들어대다. 수멀다. =수수어리다·수스워리다·슈어리다. ¶ 엇데 져비새 수우워리미 업스리오(寧無燕雀喧)《重杜諺 XXI:9》.

수우줌【愁憂—】명〈옛〉잠깐 사이의 가만하지 못한 시름겨운 잠. ¶ 萬古興亡이 愁憂줌에 숨이여늘《海謠 121》.

수우-피【水牛皮】명 물소의 가죽.

수우-하다【殊尤—】형여불 특별히 낫다.

수욱 명〈방〉시옷(함경).

수운[1]【水雲】명 ①물과 구름. 전하여, 대자연. ②구름과 물처럼 떠돎. 운수(雲水).

수운[2]【水雲】명〖사람〗최제우(崔濟愚)의 호(號).

수운[3]【水運】명 뱃길로 물건을 운반함. 주로, 강수(江水)에 이름. *해운(海運). ——하다 타여불

수운[4]【岫雲】명 바위 구멍에서 일어나는 것처럼 보이는 구름.

수운[5]【愁雲】명 수심에 찬 기색.

수운[6]【輸運】명 물건을 운반하는 일. 운수. ——하다 타여불

수운-교【水雲敎】명〖종〗수운(水雲) 최제우(崔濟愚)를 교조(敎祖)로 하는 동학(東學) 계통의 한 교. 곧, 천도교(天道敎)의 분파. 1923 년 창립.

수-운모【水雲母】명 〔hydromica〕 백(白)운모의 한 변종(變種). 운모보다 탄력성(彈力性)이 덜하며 진주(眞珠)와 같은 광택을 지님. 백운모보다는 칼륨이 적고 물기가 많음.

수운-창【水運倉】명〖역〗조선 시대 때, 강상 수송(江上輸送)을 담당하던 조창(漕倉). *해운창(海運倉).

수운 판:관【水運判官】명〖역〗조선 시대 때 세곡(稅穀)을 실어 올리는 등의 수운에 관한 사무를 맡아 보던 종오품(從五品) 벼슬.

수: 운하【—運河】〔Soo〕명〖지〗수세인트마리 운하〔Sault Sainte Marie 運河〕.

수울[1] 명〈옛〉술[1]. =수을[2]. ¶ 樓 우희셔 수울 먹고(樓頭喫酒)《杜諺 XIII:28》.

수울[2]【愁鬱】명 근심 걱정으로 인하여 우울함. ——하다 형여불

수원[1]【水原】명〖지〗경기도의 남서쪽에 있는 한 시로, 도청 소재지. 서울의 남쪽 41.7 km 지점에 있어, 옛날부터 서울을 지키던 사진(四鎭)의 하나인 성곽(城廓) 도시임. 경부선(京釜線)의 연변이며 서울까지 전철(電鐵)이 통함. 농과 대학·농촌 진흥청 등 농업 연구 기관이 집중하여 농업 연구의 중심을 이룸. 서호(西湖)·항미정(杭眉亭)·팔달문(八達門)·화령전(華寧殿)·화성장대(華城將臺)·연로대(燃爐臺)·화홍문(華虹門) 등의 명승 고적과 딸기로 유명한 푸른 지대가 있음. [746,006 명(1996)]

수원[2]【水源】명 물의 근원. 원류(源流). *수근(水根).

수원[3]【受湲】명 중국 경덕진(景德鎭)에서 쓰던 도자기(陶瓷器)의 원료가 되는 흙.

수원[4]【受援】명 원조를 받음. ¶ ~국. ——하다 자여불

수원[5]【修院】명〖천주교〗↗수도원(修道院).

수원[6]【愁怨】명 근심하고 원망함. ——하다 타여불

수원[7]【綏遠】명〖지〗①'쑤이위안'을 우리 음으로 읽은 이름. ②옛날 중국의 현(縣)의 하나. 지금의 지린 성(吉林省) 통장 현(同江縣)의 북동에 있으며, 시베리아와 인접해 있음. 러시아인은 '이리카' 라고 일컬음.

수원[8]【隨員】명 ①벼슬이 높은 사람을 따라다니며 수종(隨從)하는 사람. 수행원(隨行員). ②〖정〗외교 사절에 수행하는 사람. 정부에 의해서 공식으로 임명된 참사관·통역관·육해공군 무관(武官)·재무관, 사절의 사적 용무(私的用務)에 종사하는 비서·요리인 등, 사절의 가족 및 기밀 문서를 휴대하고 사절과 본국 정부 사이를 왕복하는 특별한 사람들이 이에 속함. ③〖역〗외국에 가는 사신(使臣)을 따라 가던 관원(官員).

수원 가톨릭 대학【水原—大學】명 경기도 화성군(華城郡) 봉담면(峰潭面) 왕림리(旺林里)에 있는 사립 단과 대학. 1984 년 천주교 수원 교구(教區)에서 설립했음. 신학과(神學科)가 있으며 1987 년 대학원이 병설됨.

수원-군【水原郡】명〖지〗'화성군(華城郡)'의 구명.

수원 대학교【水原大學校】명 경기도 화성군(華城郡) 봉담면(峰潭面) 와우리(臥牛里)에 있는 사립 종합 대학교. 1982 년 수원 대학으로 개교한 후 1988 년 종합 대학교로 개편됨.

수원 보:호【水源保護】명 상수도(上水道)에서, 원수(原水)가 더러워지지 아니하도록 수원을 지키고 보호하는 일.

수원 사:건【綏遠事件】[—껀] 명〖역〗쑤이위안 사건.

수원-사시나무【水原—】명〖식〗[*Populus glandulosa*] 버드나뭇과에 속하는 낙엽 활엽 교목. 잎은 난상(卵狀) 타원형 또는 넓은 달걀꼴이고 밑에 선체(腺體)가 있음. 4-5월에 자웅 이가(異家)로 된 꽃이 유제(葇荑) 화서로 늘어져 잎보다 먼저 피고, 삭과(蒴果)는 5-6월에 익음. 산록·들에 나는데, 경기도 수원에 분포함. 기구재로 씀.

수원-성【綏遠省】명〖지〗쑤이위안 성.

수원 수구【誰怨誰咎】명 남을 원망하거나 책망할 것이 없음을 이르는 말.

수원 숙우【誰怨孰尤】명 누구를 원망하고 탓할 수가 없음을 이르는 말.

수원 승도【隨院僧徒】명〖역〗고려 때, 사원(寺院)에 예속된 하급 승려. 일반 승려와 달리 군현(郡縣)의 일반 백성처럼 각자 생업(生業)을 가지면서 노역(勞役)에 종사하고, 토지를 소유했음. 또, 국난이 닥치면 징발되어 군대로 편성되었음.

수원-절【垂元節】명〖역〗①고려 원종(元宗) 때 태자(太子)의 탄일(誕日)을 기념하던 명절. ②고려 충렬왕(忠烈王) 때에 임금의 탄일을 기념하던 명절.

수원-지[1]【水源地】명 하천 등의 물이 흘러 나오는 근원지.

수원-지[2]【水源池】명 상수도(上水道)에 보낼 물을 모아 두는 곳.

수원 청동기【綏遠靑銅器】명 쑤이위안 청동기.

수원 함양림【水源涵養林】[—님] 명 수원(水源)의 고갈(涸渴)을 방지하고 홍수를 막기 위하여 꾸민 삼림(森林). 보안림(保安林)의 지정 대상이 됨.

수월[1]【水月】명 ①물과 달. ②물에 비친 달. ③만물(萬物)은 실체(實體)가 없는 공(空)임을 비유한 말.

수:월[2]【數月】명 두서너 달.

수월 관음【水月觀音】명〖불교〗삼십삼 관음(三十三觀音)의 하나. 관위(官位)·재물(財物)을 바라거나 또는 여행 중에 재난을 면하기 위하여 기원(祈願)하면 영검이 있다고 하는 관음. 그 상(像)은 해중(海中)의 바위 위에 앉아, 왼손에는 연화(蓮華)를 가지고, 오른손에는 여원(與願)의 인(印)을 쥐고서, 그 인에서 물을 방출(放出)하고 있음.

수월-내기 [—래—] 명 다루기 쉬운 사람.

수월-놀이 [—롤—] 명〖민〗↗수월래놀이.

수월래-놀이 명〖민〗'강강술래'의 춤과 노래를 하는 놀이. 준 수월놀이.

수월-수월 부 아주 수월하게. 모두 수월하게. ——하다 형여불

수월-스럽다 형ㅂ불 수월한 기미가 있다. **수월-스레** 부

수월 용:률【隨月用律】[—뉼] 명〖악〗국악에서, 그 달에 해당하는 주음(主音)의 곡조를 사용하는 일. 11 월의 절후(節候) 동지(冬至)에 황종(黃鍾), 12 월의 절후 대한에 대려(大呂), 1 월의 절후 우수 또는 경칩에 태주(太簇), 2 월의 절후 춘분에는 협종(夾鍾), 3 월의 절후 청명에 고선(姑洗), 4 월의 절후 소만에 중려(仲呂), 5 월의 절후 하지에 유빈(蕤賓), 6 월의 절후 대서에 임종(林鍾), 7 월의 절후 처서에 이칙(夷則), 8 월의 절후 추분에 남려(南呂), 9 월의 절후 상강에 무역(無射), 10 월의 절후 소설에 응종(應鍾)이 됨. 따라서, 동지 아악(冬至雅樂)은 황종궁(黃鍾宮)의 음악을 씀.

수월정-가【水月亭歌】명〖문〗조선 중종 때에 송인(宋寅)이 지은 가사(歌詞). 가기(歌妓)를 집에 두고 수월정에서 한가로이 지내면서 지었다는데, 내용은 알려지지 않음. 수월정사(詞)라고도 함.

수월정 청흥가【水月亭淸興歌】명〖문〗조선 인조 때의 선비 강복중(姜復中)이 산림(山林)에 묻혀 살면서 지은 연작 시조. 모두 21 수(首).

수월-찮다 [—찬타] 형 ↗수월하지 아니하다.

수월-찮이 [—찬—] 부 수월찮게.

수월-하다 형여불 힘이 안들다. 하기에 쉽다. **수월-히** 부

수위[1]【水位】명 강(江)·바다·호수(湖水) 또는 저수지(貯水池) 등의 수면(水面)의 높이. 주기적(周期的)으로 변하는데, 어느 기준점을 두어 그 높고 낮음을 표시함. 양수표(量水標)·수위계 등으로 잼. 물높이.

수위[2]【守衛】명 ①지키어 호위함. ②관청(官廳)·학교·공장(工場)·회사(會社) 등의 경비(警備)를 맡아 보는 사람. ¶ ~실. ——하다 타여불

수위[3]【戍衛】명 국경을 지킴. 또, 그 병사. 수자리.

수위[4]【秀偉】명 투철하고 위대함. ——하다 형여불

수위[5]【首位】명 우두머리 되는 지위(地位). 첫째 가는 지위. 수석(首席). 일위(一位). 주위(主位). ¶ ~를 차지하다.

수위-계【水位計】명〖기〗수위(水位)를 재는 계기(計器). 부표(浮標)를 띄우고, 그 오르고 내림을 지침(指針)에 전하여, 자동적으로 기록하는 것과, 물 밑에 관(管)을 가라앉혀, 물 밑에서의 압력을 지침 또는 자기 장치(自記裝置)에 전하도록 한 것이 있음. *수면계(水面計).

수위-관【守衛官】명〖역〗세자(世子)의 묘소(墓所)인 원(園)을 수위하는

종구품 벼슬.

수위-권【首位權】[—꿘] 명 〖천주교〗 주교 가운데 으뜸 지위인 교황의 권한. 「24》.

수위다 자 〈옛〉 쉬다[3]. ¶ 靑泥ㅅ 프른 홀기니 수윌 고디라《重杜諺 I :

수위단-회【首位團會】 명 원불교(圓佛敎)의 최고 의사(意思) 결정 기관. 교화(敎化)나 교단(敎團) 통치의 핵심 조직체임.

수위 사:자【收位使者】 명 〖역〗 고구려 후기(後期) 직제의 오품쯤 되는 벼슬. 욕사(褥奢). 발위 사자(拔位使者).

수위-실【守衛室】 명 수위가 있는 방.

수위-장【守衛長】 명 수위의 우두머리. 「의 차.

수위 진:폭【水位振幅】 명 일정 시간 동안의 최고 수위와 최저 수위와

수위 타:자【首位打者】 명 야구에서, 타격률(打擊率)이 가장 우수한 타자. 리딩 히터(leading hitter). 리딩 배터(leading batter).

수유[1]【水油】 명 채유(菜油).

수유[2]【受由】 명 말미. ¶ 신께 수일간만 ～ 주십사. 신 잘 생각하와 복계 하오리다《金東仁: 首陽大君》.

수유[3]【受遺】 명 유증(遺贈)을 받음. 유산 또는 유물을 받음. ¶ ～를 받다. ——하다 타여불

수유[4]【茱萸】 명 〖식〗 쉬나무의 열매. 적자색(赤紫色)인데, 기름을 짜서 머릿 기름으로 씀.

수유[5]【授乳】 명 어린 아이에게 젖을 먹임. ——하다 자여불

수유[6]【須臾】 ⊟ 명 잠시 동안. 잠시간(暫時間). ¶ 화색이 박두하고 사생이 ～에 있는 줄을 아는가 모르는가?《金敎濟: 地藏菩薩》. ⊟ 수 ①소수(小數)의 단위(單位)의 하나. 준순(逡巡)의 억분(億分)의 일, 순식(瞬息)의 억배, 곧 10^{-64}. ②소수의 단위의 하나. 준순의 십분의 일, 순식의 십배, 곧 10^{-15}.

수유[7]【酥油】 명 〖불교〗 밀교(密敎)에서, 호마(護摩) 때에 쓰는 기름.

수유-간【須臾間】 명 잠깐 동안. 「간임.

수유-기【授乳期】 명 유아(幼兒)에게 젖을 먹이는 기간. 출생 후 약 일년

수유 기름【茱萸—】 명 쉬나무의 열매로 짠 기름. 머릿 기름으로 씀. 수유유(茱萸油).

수유-나무【茱萸—】 명 〖식〗 쉬나무.

수유-녀【茱萸女】 명 중국의 당(唐) 시대의 풍속에서 음력 9월 9일에 수유를 띄운 술을 손님에게 권하는 여자.

수-유만사【雖有萬死】 명 비록 만 번 죽는 일이 있더라도의 뜻.

수유-유【茱萸油】 명 수유 기름.

수유-자【受遺者】 명 〖법〗 유증(遺贈)을 받을 것으로 유언 속에 지정되어 있는 사람.

수유-절【茱萸節】 명 〔옛날 중국에서, 이날 사람들이 머리에 수유의 송이를 꽂아, 사기(邪氣)를 물리친 데서〕 음력 9월 9일의 명절.

수육[1] 명 〔←숙육(熟肉)〕 삶아 익힌 쇠고기. 익은이.

수육[2]【受肉】 명 〖기독교〗 성육신(成肉身).

수육[3]【獸肉】 명 짐승의 고기. 「형여불

수윤【秀潤】 명 그림이 잘 그려져서 생동감(生動感)이 있음. ——하다

수율[1]【收率】 명 〔yield〕 화학적인 방법으로 원료 물질에서 목적 물질을 빼내려고 할 때, 이론적으로 빼낼 수 있는 예상량(豫想量)과 실제 빼낸 양과의 비율. 일반적으로 백분율로 나타냄.

수율[2]【輸率】 명 〔transport number〕 전해질 용액(電解質溶液)에 전류를 통하면, 용액 중의 양이온(陽ion)은 음극으로, 음(陰)이온은 양극으로 이동하여 전기를 운반하는데, 이때 유동한 전(全)전기량 중 각(各) 이온에 의해 운반된 전기량의 비율을 그 이온의 수율이라고 함. 산(酸)의 양이온의 수율은 크게 잡아 0.8 정도, 염기(塩基)의 양이온의 수율은 0.2 정도임.

수으다 자 〈옛〉 떠들다. 수떨다. ¶ 누른 새는 됴흔 소리롤 수으놋다(黃鳥喧嘉音)《重杜諺 I :46》.

수으리 〈옛〉 술이. '수을'의 주격형. ¶ 嘉州ㅅ 수으리 므겁고(嘉州酒重)《杜諺 Ⅷ:27》.

수으어리다 자 〈옛〉 떠들다. 수떨다. ¶ 黃牛ㅅ峽엣 므리 수으어리ᄂᆞ다(黃牛峽水喧)《重杜諺 Ⅺ:49》.

수은[1]【水銀】 명 〔mercury〕 〖화〗 상온(常溫)에서 액상(液狀)을 나타내는 유일한 금속. 빛은 은백색인데, 유리에는 부착(附着)하지 아니하며 빛나는 구슬이 되어 이리저리 구름. 356.7°C에서 끓으며 영하 38.35°C에서 고화(固化)함. 천연(天然)으로는 진사(辰砂)로 산출되며 유리 금속으로도 산출됨. 질산(窒酸)에 녹아 없어지며, 어느 금속과도 합금(合金)을 만들기 쉬움. 일가(一價)와 이가(二價)로 작용하는데, 금(金)의 정련(精鍊)·온도계·수은등(水銀燈), 기체의 실험 등에 쓰이고, 각종의 수은염(水銀塩)·화약(火藥)·안료(顔料) 등의 원료로 씀. [80번:Hg:200.6]

수은[2]【受恩】 명 은혜(恩惠)를 입음. ——하다 자여불

수은[3]【殊恩】 명 특별 은혜(恩惠). 수총(殊寵).

수은[4]【酬恩】 명 은혜를 갚음. 보은(報恩). ——하다 자여불

수은-갑【水銀甲】 명 〖역〗 갑옷의 한 가지. 대략 두 치 평방의 쇳조각에 수은을 올려, 그 미늘을 붉은 가죽 끈으로 얽어서 만듦.

수은 건전지【水銀乾電池】 명 〖전〗 수은 전지.

수은 경고【水銀硬膏】 명 〔라 Emplastrum cinereum〕 〖약〗 수은·정제 라놀린(精製 lanolin)·밀랍·단경고(單硬膏)를 섞어 만든 경고의 하나. 선병(腺病)·피진(皮疹)·매독성 궤양(潰瘍)의 자극 해소(刺戟解消) 등에 바름.

수은 공기 펌프【水銀空氣—】 명 〔mercurial airpump〕 〖물〗 공기 펌프의 한 가지. 토리첼리(Torricelli)의 진공의 원리에 의하여, 수은으로 기중(器中)의 공기를 빼는 장치임. 회전(回轉) 수은 펌프·확산(擴散) 펌프 등의 종류가 있음. ㊊수은 펌프.

수은-광【水銀鑛】 명 수은이 나는 광산.

수은 구내염【水銀口內炎】 명 〔mercurial stomatitis〕 〖의〗 수은제(水銀劑) 부작용의 하나. 가벼운 충혈성 변화에서 고도의 궤양성 또는 괴저성(壞疽性) 구내염에 이르기까지 여러 단계가 있음. 즉 잇몸이 붓고 조홍(潮紅)을 보이는 정도로부터 궤양을 형성하거나 그 회사(壞死)를 일으켜 큰 결손을 가져오는 것까지 있는데, 흔히 침을 흘리거나, 동통·구취를 수반함.

수은 기둥 명 〖물〗 수은주(水銀柱).

수은 기압계【水銀氣壓計】 명 〔mercury barometer〕 〖물〗 기압계의 한 가지. 수은을 길이 1m 정도의 유리관 속에 넣어, 바닥을 무두질한 가죽으로 만든 수은 단지 속에 거꾸로 세워 놓고, 그 중량과 기압이 균형을 이루게 하여 오르내리는 수은주의 높이로 측정함. 수은 청우계.

〈수은기압계〉

수은 농약【水銀農藥】 명 〖농〗 유기 수은을 함유하는 농약. 도열병(稻熱病) 방제(防除)에 페닐계(系) 수은, 종자 소독이나 토양(土壤) 병해(病害) 방제에는 알킬계(系) 수은이 쓰임. 쌀에 수은이 함유되므로 특수한 경우 이외에는 규제됨.

수은 단지【水銀—】 명 수은 온도계의 수은주 아래 끝에 있는 수은조(水銀槽).

수은-등【水銀燈】 명 〔mercury-vapor lamp〕 〖물〗 전극(電極)을 넣은 진공(眞空) 유리관 속에 수은 증기를 넣고 전압을 걸 때 발생하는, 수은 증기의 강렬한 빛을 이용한 방전관(放電管). 저압(低壓)의 것은 자외선이 매우 강하므로 살균 따위의 의료용으로, 고압(高壓)의 것은 조명용(照明用)으로, 초고압(超高壓)의 것은 백색광(白色光)이 되므로 탐조등이나 영화·사진 등의 전원(電源)으로 쓰임. 태양등(太陽燈).

수은 망극【受恩罔極】 명 입은 은혜가 한없음. ——하다 형여불

수은-법【水銀法】 [—뻡] 명 〖화〗 ①아말감법. ②〔mercury process〕 식염수(食塩水)를 전기 분해하여 수산화 나트륨·염소·수소를 제조하는 전해 소다법(電解 soda 法) 중 전해의 음극(陰極)에 수은, 양극에 탄소를 사용하는 방법. 이 방법은 폐기물 속의 수은이 환경을 오염시키므로 격막법(隔膜法)으로 전환되고 있음.

수은 보일러【水銀—】 명 〔mercury boiler〕 수은 증기 발생용의 특수 보일러.

수은-분【水銀粉】 명 경분(輕粉).

수은-상【水銀霜】 명 〖한의〗 백영사(白靈砂).

수은 압력계【水銀壓力計】 [—녁—] 명 〔mercury manometer〕 〖물〗 수은을 넣은 U자관의 두 끝에 압력을 가할 때 생기는, 두 액면(液面)의 높이의 차로 차압(差壓)을 재는 장치. 측정 범위는 10-2000mmHg 정도임.

수은 연:고【水銀軟膏】 [—년—] 명 〔mercurial ointment〕 〖약〗 수은(水銀)에 돼지 기름·쇠기름·라놀린(lanoline) 무수물 등을 혼합(混合)하여 만든 연고. 매독 치료에 도찰제(塗擦劑)로 사용되고 소염 흡수약(消炎吸收藥) 또는 사면발이 구제(驅除)하는 데에 사용함. 회백(灰白)연고. ＊수은 경고.

수은 온도계【水銀溫度計】 명 〔mercury thermometer〕 〖물〗 수은의 열팽창(熱膨脹)을 이용한 온도계의 하나. 가는 유리관 속에 수은을 넣고 봉한 다음, 온도의 변화에 따라 움직이는 수은주(水銀柱)의 눈금을 읽어 측정함. 수은 한란계.

수은 요법【水銀療法】 [—뇨뻡] 명 〖의〗 수은제(水銀劑)로 매독(梅毒)을 치료하는 방법. 도찰법(塗擦法)·주사법·내복법(內服法)·훈증법(燻蒸法) 등이 있음.

수은-자【受恩者】 명 은혜를 입은 사람.

수은 전:지【水銀電池】 명 〔mercury cell〕 〖전〗 음극은 아연(亞鉛), 양극은 산화 수은, 전해액(電解液)은 수산화 칼륨을 사용하는 전지. 단자 전압(端子電壓) 1.34 볼트로 소형(小型) 일차 전지(一次電池)로서는 방전(放電) 성능이 가장 우수하여 시계·카메라·보청기 등에 널리 쓰임. 인공 위성 스푸트니크 일호(Sputnik 1號)는 이 전지를 사용하였음. 수은 건전지.

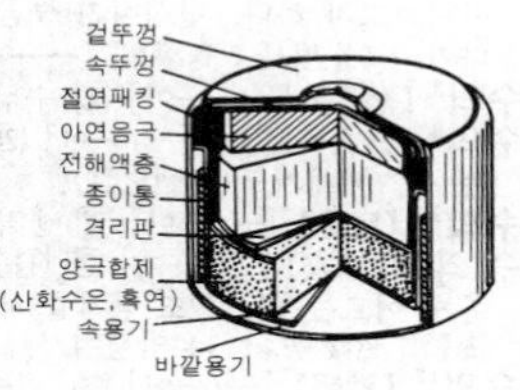

〈수은 전지〉

수은 정:류기【水銀整流器】 [—뉴—] 명 〔mercury rectifier〕 〖물·전〗 정류기의 한 가지. 진공(眞空) 속의 수은 호광(弧光)이 한쪽으로만 전류(電流)를 통과시키는 특성을 이용하여 교류(交流)를 직류(直流)로 변경시키는 장치. 수은 호광 정류기(水銀弧光整流器). 수은 증기 정류기.

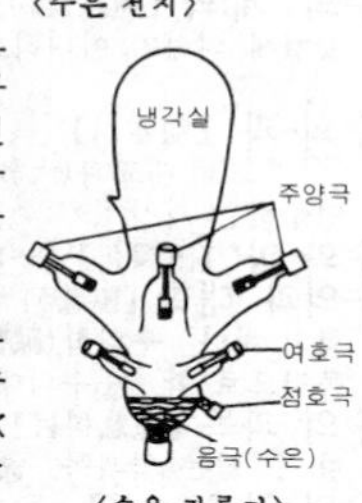

〈수은 정류기〉

수은-제[1]【水銀劑】 명 〖약〗 수은이 가지고 있는 살균 작용을 이용한 약제의 총칭. 수은 살균 주사제와 수은 경고(水銀硬膏)·수은 연고(水銀軟膏)·수은 이뇨제(水銀利尿劑) 등의 외용제(外用劑)가 있음.

수은-제[2]【酬恩祭】 명 〔peace offering〕 〖성〗 구약(舊約) 시대 모세가 이스라엘의 백성이 지켜야 할 율법(律法)으로서 정해 놓은 제사. 하느님의 은혜를 감사하기 위하여 행하여졌음. 사은제(謝恩祭).

수은-주【水銀柱】 명 〔mercury meter〕 〖물〗 수은 온도계나 수은 기압계의 유리 대롱의 수은으로 채워지는 부분. 수은 기둥.

수은주 밀리미:터【水銀柱—】 〔millimeter〕 명 압력의 단위. 기호 mm

Hg. 13595.10 kg/m³의 밀도를 갖는 1 mm 높이의 액주(液柱)가, 가속도의 크기가 9.80665 m/S²의 중력하에서 액주의 저면(底面)에 미치는 압력. 1 mm Hg=1.333224 밀리바, 760 mm Hg가 1기압(氣壓)임.

수은 중독【水銀中毒】명〔mercurialism〕〖의〗 수은제(水銀劑)를 내복(內服) 혹은 외용(外用)하였을 때 또는 수은의 증기(蒸氣)를 장기간에 걸쳐 들이마셨을 때 일어나는 병증. 급성(急性)·만성(慢性) 등이 있는데 심장과 혈관의 마비에 의한 허탈(虛脫)·신장 장애·위(胃)카타르·궤양성 대장염·구강염·신경염 등이 일어남.

수은 증기 정:류기【水銀蒸氣整流器】[—뉴—] 명〖전〗 수은 정류기.

수은 지연선【水銀遲延線】명〔mercury delay line〕〖컴퓨터〗 순환 기억 장치에서, 초음파의 전파 매질(傳播媒質)로 수은을 사용한 음향형(音響型) 지연선. 수은 지연 선로.

수은 지연 선로【水銀遲延線路】[—설—] 명 수은 지연선.

수은-진【水銀疹】명〔Mercurial eruption〕〖의〗 수은제 사용에 의한 피부진(皮膚疹)의 하나. 모낭(毛囊)에 일치해서 좁쌀알 같은 홍색 구진(丘疹)이 생기는데, 종종 농양화(膿瘍化)함. 내복이나 주사에 기인하는 것은, 그 정도에 따라 각기 경증 수은진, 열성(熱性) 수은진 및 악성 수은진의 세 형으로 구분함.

수은 청우계【水銀晴雨計】명〖물〗 수은 기압계.

수은 탱크【水銀—】명〔mercury tank〕 수은 지연선(遲延線)에 쓰이는, 양쪽 끝에 한쌍의 변환기(變換器)가 있는 수은 용기(容器).

수은 펌프【水銀—】〔pump〕 명〖물〗↗수은 공기 펌프.

수은 한란계【水銀寒暖計】[—할—] 명〖물〗 수은 온도계.

수-은행나무【—銀杏—】명〖식〗 수꽃만 열리고 열매를 맺지 않는 은행나무. ↔암은행나무.

수은 호광 정:류기【水銀弧光整流器】[—뉴—] 명〖전〗 수은 정류기.

수은 확산 펌프【水銀擴散—】〔pump〕 명〖물〗 기체 분자(氣體分子)와 수은 증기 분자(蒸氣分子)가 서로 확산하는 특성을 이용해서 고도의 진공을 만드는 펌프. 보통의 수류(水流) 펌프와는 아주 달라서, 주요부는 수은 증류부(蒸溜部)와 수은 증기 분출부(噴出部)로 이루어짐. 확산 펌프.

수을[1] 명〈방〉 술[1].

수을[2] 명〈옛〉 술[1]. =수울. ¶친히 수을 자바 붓고(親執酒酌之爲古)《呂約 25》.

수을-토【水乙土】명〖공〗 경상 남도 하동(河東)에서 나는, 도자기(陶瓷器)의 원료가 되는 흙.

수음[1]【手淫】명 자기의 손 따위로 생식기를 자극하여 성적 쾌감(快感)을 얻는 짓. 자위(自慰). 마스터베이션. ＊용두질.

수음[2]【秀吟】명 훌륭한 시가(詩歌).

수음[3]【殊音】명〖악〗 가락이 특수(特殊)한 음.

수음[4]【愁吟】명 시름에 겨워 웅얼댐. 또, 그 소리. ——-하다 자여불

수음[5]【樹蔭】명 나무 그늘. 목음(木蔭).

수읍【首邑】명 그 지방에서 중심이 되는 마을.

수응【酬應】명 남의 요구에 응함. ——-하다 자여불

수의[1]【水衣】[—/—이] 명〖식〗 해캄[1].

수의[2]【囚衣】[—/—이] 명 죄수가 입는 옷. 죄수옷. 수인복. 옥의(獄衣).

수의[3]【守義】[—/—이] 명 의(義)를 지킴. ——-하다 자여불

수의[4]【垂衣】[—/—이] 명 천하를 다스림. 또, 천자(天子).

수의[5]【首醫】[—/—이] 명〖역〗 조선 시대 때, 내의원(內醫院)에 속한 내의(內醫) 중의 수석(首席).

수의[6]【授衣】[—/—이] 명 ①겨울 옷 준비를 함. 겨우살이 준비를 함. ②'음력 9월'의 별칭.

수의[7]【遂意】[—/—이] 명 뜻을 이룸. ¶나도 세상을 잊어 아모 근심도 아니하고자 하나, 단심이가 줄곧 따라다니는 고로 이때까지 ～치 못하였다가…《崔瓚植：春夢》. ——-하다 타여불

수의[8]【愁意】[—/—이] 명 수심(愁心).

수의[9]【壽衣·襚衣】[—/—이] 명 염습(殮襲)할 때에 시체(屍體)에 입히는 옷. 세제지구(歲製之具).

수의[10]【隨意】[—/—이] 명 생각나는 대로 좇아 함. 자기의 의사대로 함.

수:의[11]【繡衣】[—/—이] 명 ①수를 놓은 옷. ②〖역〗 암행 어사를 영화롭게 이르는 말. ¶또 탐지를 하니, 강원도 ～를 하였다 하는지라…《李海朝：昭陽亭》. ＊암행어사.

수의[12]【獸醫】[—/—이] 명 ↗수의사(獸醫師).

수의 계:약【隨意契約】[—/—이—] 명 경쟁(競爭)이나 입찰(入札)의 방법에 의하지 아니하고 상대자를 선택하여 수의(隨意)로 체결하는 계약.

수의-과[1]【隨意科】[—꽈/—이꽈] 명 ①〖교〗 수의 과목(隨意科目). ②〖불교〗 대교과(大敎科)를 이수한 후에 뜻에 맞는 전문 경전(經典)을 연구하는 과정.

수의-과[2]【獸醫科】[—꽈/—이꽈] 명〖교〗 수의학과.

수의과 대학【獸醫科大學】[—꽈—/—이꽈—] 명〖교〗 단과(單科) 대학의 하나. 수의학(獸醫學)을 전문으로 하며 수의사(獸醫師)의 양성을 목적으로 함. 준수의대(獸醫大).

수의 과목【隨意科目】[—/—이—] 명〖교〗 학생이 임의(任意)로 수업할 수 있는 학과목. 준수의과(隨意科). ↔필수 과목.

수의-근【隨意筋】[—/—이—] 명〔voluntary muscle〕〖생〗 척추 동물(脊椎動物)에서 의지(意志)에 따라 자동적으로 신축(伸縮)하는 근육. 횡문근(橫紋筋) 섬유로 이루어진 근육으로, 골체(骨體)를 둘러싸고 있음. 손발의 근육은 이에 속함. 맘대로근. 골격근(骨格筋). ↔불수의근.

수의-대【獸醫大】[—/—이—] 명〖교〗↗수의과 대학.

수의 도위【守義徒尉】[—/—이—] 명〖역〗 조선 시대 때, 서반(西班) 무관의 종칠품 토관직(土官職). 관계(官階) 직위는 부여정(副勵正)에 해당함. 분용(奮勇) 도위의 위, 돈의(敦義) 도위의 아래.

수의 변:이【隨意變異】[—/—이—] 명〖언〗 자유(自由) 변이.

수의 부:위【修義副尉】[—/—이—] 명〖역〗 조선 시대 때, 서반(西班) 무관의 종팔품 무관 품계(品階). 경관직(京官職)의 부사맹(副司猛)·봉사(奉事) 및 토관직(土官職)의 부여맹(副勵猛)이 이에 해당함. 효력(效力) 부위의 위, 승의(承義) 부위의 아래.

수의 부:이사관【獸醫副理事官】[—/—이—] 명 농림직(農林職) 국가 공무원 직급 명칭의 하나. 수의 직렬(職列)에 속하며, 수의 서기관(書記官)의 위, 수의 이사관의 아래로 3급 공무원임.

수의-사【獸醫師】[—/—이] 명 가축(家畜)의 병을 진찰·치료하는 의사. 수의사 국가 시험에 합격하여 농림수산부 장관의 면허를 받은 자라야 함. 수의(獸醫) ＊우의(牛醫).

수:의 사:도【繡衣使道】[—/—이—] 명〖역〗→수의 사또.

수:의 사:또【繡衣—】[—/—이—] 명〖역〗〔←수의 사도(繡衣使道)〕 '어사또'를 영화롭게 이르는 말.

수의 사:무【隨意事務】[—/—이—] 명〖법〗 자유 재량(自由裁量)에 의하여 결정 처리할 수 있는 사무. 고유 사무는 원칙적으로 수의 사무임.

수의 사:무관【獸醫事務官】[—/—이—] 명 농림직(農林職) 국가 공무원 직급 명칭의 하나. 수의 직렬(職列)에 속하며, 수의 주사(主事)의 위, 수의 서기관(書記官)의 아래로 5급 공무원임.

수의사-법【獸醫師法】[—뻡/—이—뻡] 명〖법〗 수의사의 기능과 수의의 업무에 관하여 필요한 사항을 규정함으로써 축산업의 발전과 공중 위생의 향상에 기여하려는 법.

수의 서기【獸醫書記】[—/—이—] 명 농림직(農林職) 국가 공무원 직급 명칭의 하나. 수의 직렬(職列)에 속하며, 수의 서기보(書記補)의 위, 수의 주사보(主事補)의 아래로 8급 공무원임.

수의 서기관【獸醫書記官】[—/—이—] 명 농림직(農林職) 국가 공무원 직급 명칭의 하나. 수의 직렬(職列)에 속하며, 수의 사무관(事務官)의 위, 수의 부이사관(副理事官)의 아래로 4급 공무원임.

수의 서기보【獸醫書記補】[—/—이—] 명 농림직(農林職) 국가 공무원 직급 명칭의 하나. 수의 직렬(職列)에 속하며, 수의 서기(書記)의 아래로 9급 공무원임.

수의 소:작【隨意小作】[—/—이—] 명〖농〗 지주와 소작인 사이에 소작 기간에 대하여 아무런 결정도 없이, 지주의 일방적 의사로 소작지를 도로 찾을 수 있는 소작 제도.

수:의 야:행【繡衣夜行】[—/—이—] 명 영광스러운 일을 남에게 알리지 아니함.

수의-업【獸醫業】[—/—이—] 명 가축의 병을 진찰·치료하는 업무.

수의 예과【獸醫豫科】[—꽈/—이—꽈] 명〖교〗 수의과 대학에서, 교과 과정의 예비 지식을 교수하는 예과. ＊의예과(醫豫科).

수의 운동【隨意運動】[—/—이—] 명〖생〗 척추 동물에서, 대뇌 피질(大腦皮質)에 생긴 신경의 자극에 의하여 행하여지는 운동, 보통, 골격근(骨格筋)에서 볼 수 있음.

수의 원:시【隨意遠視】[—/—이—] 명〖의〗 조절력이 원시의 정도보다 크고, 또한 원시의 정도가 강하지 아니하여, 두 눈으로써 외계(外界)를 똑똑히 볼 수 있는 정도의 원시. ↔상대 원시·절대 원시.

수의 이:사관【獸醫理事官】[—/—이—] 명 농림직(農林職) 국가 공무원 직급 명칭의 하나. 수의 직렬(職列)에 속하며, 수의 부이사관(副理事官)의 위, 관리관(管理官)의 아래로 2급 공무원임.

수의 조건【隨意條件】[—껀/—이—껀] 명〖법〗 성취의 여부가 오로지 채무자의 의사에만 달려 있는 조건. 이러한 조건을 붙인 행위는 법률적 구속력을 인정할 필요가 없으므로 무효가 됨.

수의 주사【獸醫主事】[—/—이—] 명 농림직(農林職) 국가 공무원 직급 명칭의 하나. 수의 직렬(職列)에 속하며, 수의 주사보의 위, 수의 사무관(事務官)의 아래로 6급 공무원임.

수의 주사보【獸醫主事補】[—/—이—] 명 농림직(農林職) 국가 공무원 직급 명칭의 하나. 수의 직렬(職列)에 속하며, 수의 서기(書記)의 위, 수의 주사의 아래로 7급 공무원임.

수:의-천【繡衣薦】[—/—이—] 명〖역〗 조선 시대 때, 암행 어사가 지방민을 관원(官員)의 후보로 천거하는 일. 준수천(繡薦).

수의-학【獸醫學】[—/—이—] 명〔veterinary medicine〕 가축 질병(家畜疾病)의 치료 및 위생(衛生)·사육(飼育)·관리·경영(經營) 등에 관한 학문.

수의학-과【獸醫學科】[—/—이—] 명〖교〗 수의학을 전공으로 하는 교과(敎科)의 하나. 수의과 대학·농과 대학 등에 둠. 수의과.

수의 행위【隨意行爲】[—/—이—] 명 무의식적(無意識的) 또는 강박적(強迫的)으로 일어나는 행위에 대하여, 어떠한 일정한 목적 표상(目的表象)으로서 규정되어 있는 행위.

수이[1]【秀異】명 딴것보다 매우 뛰어남. 또, 그 모양. ——-하다 형여불

수이[2]【殊異】명 유별나게 다름. 보통과 아주 틀림. ——-하다 형여불

수이[3]【輸移】명 수출입(輸出入)에 의하여 화물을 여기저기 옮김. ——-하다 타여불

수이[4] 부 ☞쉬이[2].

수이 보다 타 ☞쉬이 보다.

수이 여기다 타 ☞쉬이 여기다.

수이-입【輸移入】명 수입(輸入)과 이입(移入).

수이-전【殊異傳】명〖문〗 고려 문종 때, 박인량(朴寅亮)이 지었다는 설화집. 우리 나라 최초의 설화집으로 책은 전하지 않고 다만 이 책에 기록되었던 설화 중 몇 개만이 《삼국 유사》 등에 전함. 고본 수이전(古本殊異傳).

수이-출【輸移出】명 수출(輸出)과 이출(移出).

수이커우 산【—山】〔水口〕 명 중국 후난 성(湖南省) 창닝 현(常寧縣)에 있는 납·아연의 광산.

수익[1]【收益】명 ①이익을 거두어 들임. 또, 그 이익. ②〖법〗천연(天然) 또는 법정(法定)의 과실(果實)을 거두어 가짐.

수익[2]【受益】명 이익을 얻거나 받음. ——-하다 자여불

수익 가치【收益價值】명〖경〗화폐 수익에 의한 재물의 평가(評價) 가치. 가령, 한 평의 땅 값을 1000 원이라 하면, 그 당시의 시장 이율(市場利率)을 연 5%로 환산하여 1000÷0.05, 곧 2만 원이라고 평가하는 따위.

수익-권【受益權】명 ①이익을 받는 권한. ②〖법〗국가로부터의 특정한 이익(利益)의 제공을 요구함을 내용으로 하는 국민의 공권(公權). 균등한 교육을 받을 권리, 근로권(勤勞權), 근로자의 이익 분배 균점권(均霑權), 노령·질병자의 보호를 받을 권리, 청원권(請願權), 재판 청구권, 보상(補償) 청구권 등이 있음.

수익-금【收益金】명 사업 따위에서 얻은 이익금.

수-익다 자 손에 익거나 익숙하여지다.

수익-력【收益力】[—녁] 명 기업이 수익을 올릴 수 있는 능력

수익-률【收益率】[—뉼] 명〖경〗기업 재무(企業財務)나 증권 투자 등에서, 투자액에 대한 수익의 비율. 일반적으로 일정 기간의 최초의 투자 원금(元金)에 대한 수익의 비율로 나타냄. ¶실질(實質) ~.

수익 사채【收益社債】명〖영〗기업 이익에 따라 이자가 지급되는 사채.

수익-설【受益說】명〖경〗이익설.

수익-성【收益性】명〖경〗동산이나 부동산이 이윤(利潤)을 낳는 성질. 이익성(利益性).

수익-세【收益稅】명〖법〗조세(租稅) 분류상의 한 항목. 곧, 수익을 객체(客體)로 하여 부과하는 조세. 재산세·영업세(營業稅)·소득세 따위.

수익-자【受益者】명 ①국가나 지방 자치 단체가 행하는 사업에서 직접적으로 이익을 받는 사람. ②〖경〗신용장의 이익을 향수(享受)할 자격이 있는 자. 신용장에 따라 어음을 발행할 권한이 있는 자.

수익자 부:담【受益者負擔】명〖경〗국가 또는 공공 단체가 공익(公益)을 위한 어느 특정 사업의 경비로 충당하기 위하여, 그 사업으로 인하여 직접적으로 이익을 받는 사람에게 지우는 부담. 「課金).

수익자 부:담금【受益者負擔金】명〖경〗수익자가 부담하는 공과금(公

수익 자:산【收益資産】명〖경〗①수익을 낳는 자산. 주식·공채·사채(社債) 등에 투자하여, 배당(配當)·이자 등의 수익을 낳는 자산. ②은행의 수익 원천(收益源泉)이 되는 할인(割引)·대부(貸付)·유가 증권(有價證券) 등의 총칭. 「政財産).

수익-재【收益財】명〖경〗①수익의 근본이 되는 재산. ②재정 재산(財

수익 재산【收益財産】명〖경〗수입을 얻는 것을 주목적으로, 국가 또는 지방 자치 단체가 보유하는 재산. 동산과 부동산의 두 가지가 있음. 재정 재산.

수익적 수입【收益的收入】명〖경〗한 사업 경영에서 발생하는 이익금의 수입. 보통 상인의 상품 매매 이익금, 은행업자의 이자, 운수업자의 운임, 제조업자의 상품 판매 이익금 및 그 밖의 모든 이익금이라고 간주되는 수입을 포함함.

수익적 지출【收益的支出】명 사업 경영에 필요한 비용 중 그 사업의 이익이 되는 지출. 자본을 증가시키는 생산 또는 판매에 쓰이는 비용임. *자본적 지출.

수익 증권【受益證券】[—꿘] 명〖경〗광의(廣義)로는, 신탁 증서를 증권으로 한 것. 협의(狹義)로는, 증권 투자(投資) 신탁 및 대부(貸付) 신탁의 운용(運用)에서 생긴 이익 배당을 받을 권리를 표시한 증권.

수익-질【收益質】명〖법〗채권자(債權者)가 질물(質物)을 점유(占有)·유치(留置)할 뿐 아니라, 이를 사용하여 수익을 얻을 수 있는 질권(質權).

수익 참가 사채【收益參加社債】명〖경〗주식 회사의 이익 배당에 참여할 수 있는 사채.

수익 체감【收益遞減】명〖경〗일정한 생산물의 생산에 있어서, 다른 생산 요소(生産要素), 즉 토지나 자본을 고정(固定)시켜 놓고, 한 생산 요소, 즉 노동만을 증가(增加)시킬 때 그 생산 요소의 한계 생산력(限界生産力)이 상대적으로 점점 체감(遞減)하는 현상(現象). *수확 체감(收穫遞減). ——-하다 자여불

수인[1]【手刃】명 칼을 가지고 손수 베어 죽임. ——-하다 타여불

수인[2]【手印】명 ①손 모양을 찍어 증거로 삼는 일. ②전하여, 자기가 한 서명. 또, 자필의 문서. ③〖불교〗제불 보살(諸佛菩薩)과 제천 선신(諸天善神)이 그 깨달은 내용을 양쪽 손가락으로 나타내고 있는 모양. 84,000 가지가 있어 그 모양에 따라 깨달은 내용이 상이하다 함. 계인(契印).

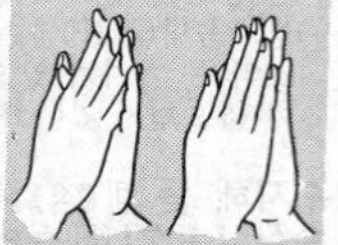

〈수인[2]③〉

수인[3]【囚人】명 ①옥에 갇힌 사람. ②〖법〗법령에 의하여 교도소에 구금되어 있는 기결수(既決囚)와 미결수(未決囚). 재소자(在所者). 죄수.

수인[4]【戍人】명 성새(城塞)·요새(要塞) 등을 지키는 사람. 수병(戍兵).

수인[5]【狩人】명 사냥꾼. 엽사(獵師).

수인[6]【修因】명〖불교〗선악(善惡)의 인(因)을 닦음. ——-하다 자여불

수인[7]【愁人】명 근심이 있는 사람. 「일.

수인[8]【酬因】명〖불교〗서원(誓願)하고 행한 수행(修行)이 보답을 받는

수:인[9]【數人】명 두서너 사람 또는 대여섯 사람.

수인 감:과【修因感果】명〖불교〗선악(善惡)의 인(因)을 행함에 따라서 고락(苦樂)의 과보(果報)를 감득함. ——-하다 자여불

수인 노동【囚人勞動】명 죄수에게 과하는 강제 노동.

수인-복【囚人服】명 수의(囚衣).

수-인사【修人事】명 ①늘 하는 인사. 일상(日常)의 예절. ②인사를 닦음. ——-하다 자여불

수인사 대:천명【修人事待天命】명 사람으로서 할 바를 다하고, 천명(天命)을 기다림. ——-하다 자여불

수인-선【水仁線】명〖지〗경부선 수원역(水原驛)에서 갈라져 서쪽 강화만(江華灣) 연안의 소래(蘇萊)·남동(南洞)·군자(君子) 등의 염전(塩田) 지대를 달리어, 인천시 송도(松島)에 달하는 철도선. 협궤임. 1937년 8월 6일 개통. [52 km]

수인성 전염병【水因性傳染病】[—쌩—뼝] 명〖의〗물·음식물에 들어 있는 세균에 의하여 전염되는 질환. 이질·장티푸스·콜레라 따위.

수인-씨【燧人氏】명 중국 고대의 삼황제(三皇帝)의 한 사람. 전설적 인물로, 복희씨(伏羲氏) 이전의 사람인데, 불의 기술을 가르쳤고 음식물의 조리법을 전했다고 함. *복희씨·신농씨(神農氏).

수인 자치제【囚人自治制】명 수형자(受刑者) 자치제.

수인 한:도【受忍限度】명 환경권(環境權)의 침해(侵害)나 공해(公害) 소송 등에서, 피해의 정도가 사회 통념상(通念上) 참을 수 있는 범위.

수일[1]【秀逸】명 빼어나게 뛰어남. ——-하다 형여불

수일[2]【晬日】명 생일. 수신(晬辰).

수:일[3]【數日】명 이삼일 또는 대엿 새.

수일[4]【讎日】명 부모가 돌아간 뒤에 달마다 또는 해마다 돌아오는 그날을 원망스럽게 이르는 말.

수:일-간【數日間】명 이삼일 사이 또는 대엿 새 동안.

수-읽기【手—】[—일끼] 명 바둑이나 장기에서, 착수(着手)나 변화를 └궁리하는 일.

수임[1]【水荏】명〖식〗들깨. 백소(白蘇).

수임[2]【受任】명 ①임명이나 임무를 받음. ②〖법〗위임 계약에 의하여, 위임 사무를 처리할 의무를 짐. ——-하다 자타여불

수임[3]【授任】명 임무나 위임(委任)을 줌. ——-하다 자타여불

수임 교:위【修任校尉】명〖역〗조선 시대 때, 서반(西班) 무관의 정육품 잡직(雜職)의 품계. 경관직(京官職)으로 사과(司果) 좌우 익자(左右翊贊) 및 외관직(外官職)으로, 각 도의 병마 평사(兵馬評事)가 이에 해당함. 현공 교위(顯功校尉)의 위. *봉임(奉任) 교위.

수임-국【受任國】명〖정〗제1차 세계 대전 후, 국제 연맹의 위임에 의하여 위임 통치지(委任統治地)의 통치를 맡은 국가. 국제 연합에서는 신탁 통치국(信託統治國)이라고 함.

수임 독재【受任獨裁】명〖정〗위임적(委任的) 독재.

수임 사:항【受任事項】명 수임한 사항.

수임-자【受任者】명〖법〗법률 행위나 그 밖의 사무의 처리를 위탁받은 자. ↔위임자(委任者).

수임 재치권【受任裁治權】[—꿘] 명〖천주교〗성직자 개인이나 단체가 직무와는 관계 없이 교회법(敎會法) 또는 교회 장상(長上)의 의사 표시에 의하여 위임받은 범위 안에서 교회를 다스리는 권한. *상례적(常例的) 재치권.

수입[1]【收入】명 ①금품이나 곡물(穀物) 따위를 거두어 들이어 자기 소유로 함. 또, 그 금품. ②소득(所得). ③〖경〗개인·단체·국가 등이 합법적으로 수납·획득하는 일정액(一定額)의 화폐. 경상(經常) 수입과 임시 수입으로 나뉨. 1)-3):↔지출(支出). ——-하다 타여불

수입[2]【輸入】명 ①물건을 실어서 들여옴. ②외국에서 나는 물건을 사들여 옴. 1)·2):↔수출(輸出). ——-하다 타여불

수입 결제 어음【輸入決濟—】[—쩨—] 명〖경〗수입 무역 어음.

수입 과징금【輸入課徵金】명 [import surcharge]〖경〗수입 제한의 수단으로 수입품에 부과하는 관세(關稅) 이외의 특별 부가세.

수입 관:리【輸入管理】[—괄—] 명 국제 대차(國際貸借)의 균형 및 화폐의 대외 가치(對外價値)를 유지하기 위하여, 정부가 법령(法令)에 따라 수입품의 종류 및 수량을 제한하는 일. 수입 통제.

수입 관세[1]【收入關稅】명 재정(財政) 관세.

수입 관세[2]【輸入關稅】명〖경〗수입세. ↔수출 관세.

수입-권【輸入權】명〖경〗수입 관리가 실시되고 있는 경우에, 수출한 자가 수입에 필요한 외화를 우선적으로 할당받는 권리. ↔수출권.

수입권 제:도【輸入權制度】명〖경〗수출입 링크제(link 制)의 한 방법. 일정한 수출을 한 자에게 수입의 권리를 주어, 수출 장려·수입 억제를 도모하는 제도. *수출 의무 제도·수출권 제도.

수입-금【收入金】명 수입(收入)한 돈.

수입 금:제품【輸入禁制品】명〖법〗법률로써 수입(輸入)이 금지 또는 제한된 물품. ↔수출 금제품(輸出禁制品).

수입 금:지 품목【輸入禁止品目】명 법령으로 수입이 금지된 물품의 종목(種目).

수입금 출납 공무원【收入金出納公務員】[—랍—] 명 출납 공무원의 하나. 조세나 그 밖의 세입금(歲入金)을 수납(收納)하는 공무원.

수입 담보【輸入擔保】명〖경〗수입 보증금.

수입 담보 제:도【輸入擔保制度】명〖경〗투기적인 수입을 막고 수입의 이행을 확실하게 하기 위하여, 수입업자에게 일정한 원화액(貨額) 담보를 외국환 은행에 적립(積立)시켜, 수입 승인을 신청케 하는 제도.

수입 대:체 산:업【輸入代替産業】명 [import replacing industry]〖경〗수입 상품을 국내에서 생산하는 산업. 수입은 무역 수지면에서 감소 요인이 될 뿐 아니라 소득 및 고용면(雇傭面)에서도 여러 부정적 요소를 지니는데, 특히 무역 수지 역조(逆調)하에 있는 나라에서는 무역 수지 개선을 위한 소극적 방안으로서 이러한 산업의 육성을 강조하고 있음. 이렇게 함으로써 외화(外貨) 사용을 절약할 수 있을 뿐 아니라 수출 진흥책에 못지 않은 효과를 가져오기 때문임.

수입-률【輸入率】[—뉼] 명〖경〗한 나라의 연간(年間) 수입액(輸入額)의 국민 소득(國民所得)에 대한 비율(比率). ↔수출률.

수입-면【輸入面】명 수출을 제외한 수입의 일반적인 면(面). ↔수출면.

수입 면:장【輸入免狀】[—짱] 명 세관에서, 수입 신청자에게 발행하는

수입 허가서(許可書). ↔수출 면장.

수입 무:역【輸入貿易】명 외국 상품을 국내 시장에 수입하는 무역.

수입 무:역 어음【輸入貿易—】명〖경〗수입업자가 수입 어음 결제에 필요한 외화 매입(外貨買入) 자금을 조달하기 위하여, 거래 은행 앞으로 발행하는 어음. 또, 수입 대금 결제를 위해, 해외의 수출업자에 의해 발행된 어음. 수입 결제 어음. ↔수출 무역 어음.

수입 문학【輸入文學】명 제 나라 제 민족 고유의 문학이 아니고, 외국이나 타민족에서 들어온 문학.

수입-물【輸入物】명 수입품(輸入品).

수입 보:급금【輸入補給金】명〖경〗수입 보상(輸入補償).

수입 보:상【輸入補償】명〔import indemnity〕〖경〗국내 필수 물자 또는 수출품 원재료의 수입 가격을 인하할 목적으로 지급되는 보급금(補給金). 수입 보급금.

수입 보증금【輸入保證金】명〖경〗투기적인 수입을 막고, 수입의 실행을 확실히 하기 위하여, 외국환 은행이 수입 신청이 있을 때, 수입업자에게 적립시키는 보증금. 수입 담보. *수입 담보 제도.

수입-부【收入簿】명 수입을 기입하는 장부.

수입 부:가세【輸入附加稅】명〖경〗특정 품목의 수입에 대해 특혜 관세율(特惠關稅率)·최혜국(最惠國) 관세율에 더하여 과(課)하는 세금. 1962년 캐나다에서 처음 제정했음.

수입-상【輸入商】명 외국품(外國品)을 수입하는 장사. 또, 그 상인. ↔수출상.

수입 생활 시간【收入生活時間】명 생활 시간 가운데, 어떤 수입을 얻기 위해 필요한 시간. 노동 시간과 통근 시간으로 이루어짐. *생리적 생활 시간.

수입 선행주의【輸入先行主義】[—/—이] 명〖경〗자국의 수출을 활발하게 하기 위하여, 우선 상대국으로부터의 수입이 선행되어 상대국의 경제 상태를 윤택하게 만들어 놓아야 한다는 무역 경제의 주의. *만복 수출(滿腹輸出).

수입 성:향【輸入性向】명〔propensity to import〕〖경〗국민 소득(國民所得) 중 수입 상품을 구매하는 데 소요(所要)되는 부분의 비율.

수입-세【輸入稅】명 ①수입품에 부과(賦課)하는 관세. 과세 방법에 따라 종가세(從價稅)와 종량세(從量稅), 목적에 따라 재정 관세와 보호 관세로 나뉨. 수입 관세. ②수입품에 부과하는 관세와 내국(內國) 소비세의 총칭. 1)·2): ↔수출세.

수입 수정【水入水晶】명〖광〗안에 액체나 기포(氣泡)가 있는 수정(水晶).

수입 승수【輸入乘數】[—쑤] 명〖경〗수입이 국민 소득에서 차지하는 정도를 나타내는 배수(倍數).

수입 신고서【輸入申告書】명〖경〗외국에서 화물을 수입하려는 자가 세관에 제출하는 서류. 세관은 이것과 화물을 대조·검사하여 수입세를 매김. ↔수출 신고서.

수입 신:용장【輸入信用狀】[—짱] 명〖경〗수출 신용장을 수입업자의 입장으로 보았을 때의 일컬음. ↔수출 신용장.

수입-액【收入額】명 수입된 액수(額數). ↔지출액(支出額).

수입 어음【輸入—】명〖경〗①수출 어음을 지급인인 수입상측에서 부르는 말. ②환(換)거래에서, 대금 지급의 목적으로 수입상(商)이 사들이는 어음. ↔수출 어음.

수입 어음 결제 시세【輸入—決濟時勢】[—쩨—] 명〖경〗억셉턴스 레이트(acceptance rate).

수입-원【收入源】명 수입이 되는 원천.

수입 유:전스【輸入—】〔usance〕명〖경〗수입 물자의 대금 지급을 일정 기간 연장하는 일.

수입 의존도【輸入依存度】명〖경〗한 나라의 경제가 수입에 의존하고 있는 정도 및 그 지표. 일반적으로는 국민 소득이나 국민 총생산 중에서 차지하는 수입액의 비율로 나타냄. *수출 의존도.

수입 인지【收入印紙】명〖법〗국고(國庫)의 수입이 되는 수납금(收納金)을 징수하기 위하여, 정부가 발행하는 일종의 증표(證票). 인허가·등록·등기·증명 등의 수수료나 비용 등의 납부에 관한 규정에 의하여 붙임. 인지(印紙).

수입 인플레이션〔inflation〕【輸入—】명〖경〗외국의 인플레가 파급하여 국내 물가의 상승을 가져오는 일. 해외의 인플레 때문에 국내의 유효 수요가 늚과 동시에, 외화 유입이 증대함으로써 통화(通貨)가 증발(增發)되는 것과, 해외의 인플레로 말미암아 수입 원자재 가격이 상승함으로써 제품 코스트가 높아져서, 제품 가격이 오르는 것의 두 가지 경로가 있음.

수입 자동 승인제【輸入自動承認制】명〖경〗〔automatic approval system: 약칭 AA제〕수입 통제 방식의 하나. 할당한 외화 자금(外貨資金)의 범위 안에서 특정 품목의 수입을 자유롭게 승인하는 제도.

수입 자유화【輸入自由化】명〖경〗무역 자유화를 위하여, 수입품의 금액·수량 등에 대한 제한을 없애어 수입 활동을 자유롭게 하는 조치를 취하는 일.

수입 전표【收入傳票】명 수납 전표(收納傳票).

수입-점【輸入點】명〖경〗외국 물품을 수입하여, 이익이 남을 수 있는 한계(限界)가 되는 점. *정화(正貨) 수입점.

수입 제:한【輸入制限】명〖경〗외국에서의 물자의 수입에 제한을 가하는 일. 직접 수입 금액 또는 수량에 한도를 설정하는 경우와 관세의 부과에 의해 간접으로 제한하는 경우가 있음. 수입 관리. 수입 통제.

수입 조합【輸入組合】명〖경〗수입업자들이 수입에 관한 조사 알선, 수입 가격이나 품질의 개선 등을 목적으로 설립한 조합. ↔수출 조합.

수입-죄【輸入罪】명〖법〗아편(阿片) 같은 금제품(禁制品)을 수입함으로써 성립되는 죄.

수입-지【輸入地】명 수입해 들이는 곳.

수입 초과【輸入超過】명〖경〗어떤 기간 동안에, 어떠한 나라의 수입품의 총액수가 그 나라의 수출품의 총액수를 초과한 상태. ㊂입초(入超). ↔수출 초과(輸出超過).

수입 쿼:터제【輸入—制】〔quota〕명〖경〗수입 할당 제도.

수입 통:제【輸入統制】명〖경〗수입 관리(輸入管理).

수입 특인 품목표【輸入特認品目表】명〖경〗포지티브 리스트.

수입-품¹【收入品】명 외부(外部)로부터 거두어 들인 물품.

수입-품²【輸入品】명 다른 나라로부터 수입한 물품. 수입 화물. 수입물(輸入物). ↔수출품.

수입 피:해【輸入被害】명〖경〗어떤 산업이나 그 제품이, 외국으로부터의 동종(同種) 물품의 수입의 급증으로 인하여 타격을 받는 일.

수입 할당 제:도【輸入割當制度】[—땅—] 명〔import quota system〕〖경〗수입 관리(管理)의 하나. 정부가 국내 산업의 보호를 위해, 일정한 상품에 대하여 미리 그 수입 총량(總量)과 각국별 할당량을 결정하여, 그 한도내에서 수입을 승인하는 제도. 수입 쿼터제.

수입-항【輸入港】명 외국 화물을 수입하는 항구. ↔수출항(輸出港).

수입 허가제【輸入許可制】명〖경〗수입을 함에 있어서 정부 또는 정부 기관의 허가를 받도록 하는 제도.

수입 화:물【輸入貨物】명 수입되는 화물. 수입품(輸入品).

수입-환【輸入換】명〖경〗①수출 어음을 지급인인 수입상(輸入商)이 부르는 말. ②수입품에 대한 대금(代金) 지급의 목적으로, 수입상이 사들이는 환어음.

수-있다¹ 형 수단이나 방법이 있다.

수-있다²【數—】형 좋은 운수나 재수가 있다.

수자¹【守者】명 지키는 사람.

수자²【首字】명 제일 앞에 쓴 글자.

수:자³【數字】명 두서너 글자. ㊂수(數).

수:자⁴【數字】[—짜] 명 → 숫자.

수자⁵【豎子】명 ①더벅머리². ②미숙자(未熟者). ③남을 경멸하여 일컫는 말.

수자⁶【樹子】명 적자(嫡子).

수:자⁷【繡刺】명 수를 놓음. ——-하다 자여불

수자⁸【繻子】명〔satin〕새틴(satin).

수자⁹【鬚髭】명 입 언저리에 난 수염.

수:자¹⁰〔Sousa, John Philip〕명〖사람〗미국의 작곡가·지휘자. 미국 해병대(海兵隊) 군악대장을 지냄. 뒤에 취주악단(吹奏樂團)을 조직하여 여러 행진곡(行進曲)을 작곡·연주하였으며, '행진곡의 왕'으로 일컬어짐. 그 중 《성조기(星條旗)여 영원하라》·《워싱턴 포스트 마치(Washington Post March)》 등이 유명함. 수자폰(sousaphone) 등을 발명하였음. [1854-1932]

수자-기【帥字旗】[—짜—] 명〖역〗진중(陣中)·영문의 뜰에 세우던 대장(大將)에 딸린 기. 열 두 폭으로 되었는데, 빛은 드림을 위시하여 모두 누르며 '帥'자를 검은 빛으로 썼음. 혹은 붉은 바탕에 흰 '帥'자를 쓰기도 함. ㊂수기(帥旗).

수자리 명〔근대: 슈(戍)자리〕국경(國境)을 지키는 일. 또, 그 민병(民兵). 위수(衛戍). 수역(戍役). 수위(戍衛). ——-하다 타여불

수-자원【水資源】명 농업·공업·발전용 따위의 자원으로서의 물. 토지 자원·광물 자원과 더불어 기초 자원의 하나임. 비가 지표수(地表水)·지하수(地下水)의 형태로 주된 공급원(供給源)이 되며, 그 밖에 하수 처리수(下水處理水)와 같은 회수(回收)물과 담수화(淡水化)된 바닷물이 이에 속함. ¶ ~ 개발.

수자-직【繻子織】명 직물의 삼원 조직의 하나. 날줄과 씨줄이 서로 얽혀 짜이지 않고 일정하게 몇 올을 떼어서 짜는 직조법의 하나. 또 그 방법으로 짠 직물. 표면이 매끄럽고 윤이 남. 양단·공단 등이 이 방법으로 짠 것임. *평직·능직.

〈수자직〉

수자 직물【繻子織物】명 수자 조직으로 된 직물. 수자직.

수자-폰〔sousaphone〕명〖악〗[발명자 수자(Sousa)의 이름에서 유래] 금관 악기의 한 가지. 관신(管身)은 둥굴게 말려져 있으며, 끝이 위로 퍼진 것이 특색임. 음역(音域)에 따라 중(中)베이스와 대(大)베이스의 두 가지가 있으며 낮은 음보표를 사용함. 음색이 넓으면서 깊이가 있음. 댄스 밴드·군악대 등에 쓰임.

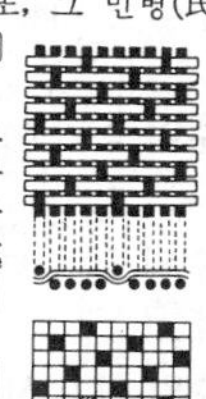

〈수자폰〉

수자해-좆 명〖식〗천마(天麻)❶.

수작¹【手作】명 손으로 만듦. ——-하다 타여불

수작²【授爵】명 작위(爵位)를 줌. ——-하다 자여불

수작³【酬酌】명 ①술잔을 서로 주고받음. ②말을 서로 주고받음. 또, 그러한 말. ¶ ~을 걸다. ③남의 언행(言行)을 얕잡아 일컫는 말. ¶ 못된 ~. ——-하다 자여불

수작-식【授爵式】명 작위(爵位)를 수여하는 의식.

수작-질【酬酌—】명 수작하는 짓. ——-하다 자여불

수:-잠 명 깊이 들지 아니한 잠. 겉잠.

수잡【水閘】명 →수갑(水閘).

수-잡가【首雜歌】명〖악〗시조(時調) 창법(唱法)의 하나. 초장(初章)은 지름 시조, 초장 끝과 중장(中章)은 잡가로 부르다가, 종장(終章)에 가서 시조로 되돌려 부름. 엇엮음 시조. 언편 시조(言編時調).

수-잡이【首—】명〖악〗국악에서, 우두머리 연주자.

수장¹【水漿】명 마실 것. 음료.

수장²【水葬】명 죽은 사람을 물 속에 장사함. ——-하다 타여불

수장³【手掌】명 손바닥.

수장[4]【守長】명 수졸(守卒)의 장(長).

수장[5]【守藏】명『역』조선 때, 교서관(校書館)에 딸린 잡직(雜職)의 하나. 주자(鑄字)를 감수하였음.

수장[6]【戍將】명『역』변방(邊方)을 지키던 장수.

수장[7]【收藏】명 거두어서 깊이 간직함. ——하다 타 여불

수장[8]【受章】명 훈장 등을 받음. ——하다 자타 여불

수장[9]【受贓】명 훔친 물건을 받음. 뇌물을 받음. ——하다 자 여불

수장[10]【首長】명 ①주재(主宰)하는 사람. 통솔하는 장(長). 우두머리. ②쿠웨이트·카타르·오만 등, 20세기 후반에 영국의 보호로부터 독립한 아라비아 반도 동안(東岸)의 이슬람 제국의 군주.

수장[11]【首將】명 여러 장수 중에서 가장 우두머리가 되는 장수.

수장[12]【狩場】명 사냥하는 곳.

수장[13]【袖章】명 고급 군인이나 군속·경찰관 들이 정복의 소매에 달아 관등(官等)이나 기타를 표시하는 표장. 흔히 금줄 또는 검은줄로 함.

수장[14]【修粧】명 집이나 기구 등을 수리(修理)하고 단장함. ——하다 타 여불

수장[15]【授章】명 훈장 등을 줌. ——하다 자타 여불

수장[16]【愁腸】명 근심하고 슬퍼하는 마음.

수장[17]【樹葬】명 수상장(樹上葬).

수장[18]【壽藏】명 수실(壽室).

수:장[19]【繡帳】명 수놓은 휘장.

수:장[20]【繡腸】명〔수놓은 창자라는 뜻에서〕시문(詩文)의 재능이 풍부함. 풍부한 시정(詩情).

수-장구【首—】명『악』농악대에서, 장구가 여럿일 때 맨 앞에 서서 치는 장구나 그 장구잡이. *끝장구. 부장구. 목장구. 설장구.

수장-국【首長國】명 토후국(土侯國).

수장 기둥【修粧—】[—끼—] 명『건』처음부터 주춧돌 위에 세우지 아니하고, 수장하기 위하여 임시로 세우는 기둥. 수장주(修粧柱).

수장 도리【修粧—】명『건』벽 속으로 들어가는 도리.

수장-령【首長令】[—녕] 명『역』영국 국왕을 영국 교회의 최고 수장으로 하는 법률. 1534년 헨리 8세 때에 제정된 것으로, 이에 의하여 영국 교회는 교황(敎皇)으로부터 독립되었음. 메리(Mary) 1세 시대에 폐지되었다가 1559년 엘리자베스 여왕에 의하여 다시 제정되었음.

수장-목【修粧木】명『건』집을 수장하는 데 쓰는 재목의 총칭.

수장-열【手掌熱】[—녈] 명『한의』손바닥에 열이 있어 화끈거리는 병.

수장원【水長元】명『지』제주도 북제주군(北濟州郡)에 있는 산봉우리. 한라산의 측화산(側火山)의 하나. [962m]

수장-재【修粧材】명『건』건축물의 안팎을 치장하는 데 쓰는 목재·석재 등의 재료.

수장-절【收藏節】명『종』유태인의 추수 경축절. 후에 광야 방랑(廣野放浪)에서의 하느님의 인도를 기념하는 명절이 되었음. 초막절(草幕節).

수장-주【修粧柱】명『건』수장 기둥.

수장-주의【首長主義】[—/—이] 명『정』행정 조직의 정형(定型)의 하나. 의결 기관으로서의 의회(議會)와 집행 기관으로서의 수장이, 다 같이 직접 민의(民意)에 기초를 둔 선거민의 대표 기관으로서 각각의 직책을 분리해서 대립하고, 각각의 직무 권한에 관하여 각자가 국민에 대해서 책임을 지는 주의. 대통령제와 지방 자치 단체의 장을 직접 선거하고, 지방 의회에서 불신임할 수 없도록 된 제도는 이 주의를 따른 것임. *대통령제.

수장-판【修粧板】명『건』①흙벽 대신에 나무 벽에 쓰는 얇은 널. ②집을 짓는 데에 쓰는 얇은 널의 총칭.

수재[1] 명〈방〉숟가락(전라).

수재[2]【手才】명 손재주.

수재[3]【水災】명 홍수의 재해(災害). 큰물로 인한 재앙. 수화(水禍).

수재[4]【收載】명 거두어 적어 둠. ——하다 타 여불

수재[5]【守齋】명『천주교』단식재(斷食齋)와 금육재(禁肉齋)를 지킴. ——하다 자 여불

수재[6]【秀才】명 ①뛰어난 재주. 또, 그 사람. ②미혼 남자에 대한 존칭. ¶여보게 ~ 이것을 지니고 가다가 만일 위험한 일이 있거든 몸을 보호하게≪李海朝: 巢鶴嶺≫. ③『역』관리 등용 시험(登用試驗)의 과목(科目)의 하나. 무재(茂才).

수재[7]【首材】명 선박을 만들 때, 그 맨 앞에 물을 두 쪽으로 가르기 좋게 세우는 거대한 재목.

수재[8]【殊才】명 특수한 재주. 색다른 재주.

수재-식【樹栽式】명『농』농업 방식의 하나. 동일한 밭에 여러 해를 두고 같은 작물(作物), 곧 차(茶)·뽕나무·과수(果樹) 등을 재배하는 방식.

수재-아【秀才兒】명 재주가 빼어난 아이.

수저[1] 명 ①숟가락을 점잖게 일컫는 말. ②숟가락과 젓가락. 시저(匙箸).

수저[2]【水底】명 물밑❶.

수저-선【水底線】명 물 밑에 부설한 전신선(電信線)이나 전화선(電話線).

수저-통【—筒】명 수저를 꽂아 두는 통. 저통(箸筒).

수적[1]【手迹】명 손수 쓴 글씨나 손수 만든 물건의 형적.

수적[2]【水賊】명 해적(海賊).

수적[3]【水滴】명 ①물방울. ②연적(硯滴).

수적[4]【水積】명『한의』물 같은 음료를 지나치게 많이 먹음으로써 생기는 병. 증세는 가슴이 조이고 땡기고 아프며, 허벅다리가 부어 오름.

수적[5]【囚籍】명 죄수(罪囚)의 이름을 기록하는 장부.

수적[6]【垂迹】명『불교』부처가 중생(衆生)을 제도(濟度)하기 위하여, 임시로 신기(神祇)의 몸을 출현(出現)하는 일. *본지(本地)❷.

수적[7]【殊績】명 뛰어난 공적(功績). 수공(殊功).

수:적[8]【數的】[—쩍] 명관 숫자상(數字上)으로 보는 일. 수에 관한 모양. ¶~으로 열세에 놓이다.

수적[9]【讎敵】명 원수.

수적-질【水賊—】명 수적(水賊) 노릇을 하는 짓. ——하다 타 여불

수전[1]【水田】명 논. 무논. 진논. ¶~ 지대(地帶).

수전[2]【水電】명『전』↗수력 전기(水力電氣).

수전[3]【水戰】명 물 위에서 하는 전쟁. 해전(海戰). 주전(舟戰). ——하다 자 여불

수전[4]【手顫】명『한의』↗수전증.

수전[5]【守戰】명 쳐들어 오는 적을 막아 싸움. ——하다 자 여불

수전[6]【收錢】명 여러 사람에게서 돈을 거둠. ——하다 자 여불

수전[7]【受電】명 ①전신·전보를 받는 일. ②보내진 전력을 받는 일.

수전[8]【袖傳】명 편지 따위를 몸소 가지고 가서 친히 전함. ——하다 타 여불

수전-노[1]【守錢奴】명 돈을 모을 줄만 알고, 쓸 줄을 모르는 사람을 낮게 이르는 말. 수전로(守錢虜). 유재 아귀(有財餓鬼).

수전-노[2]【守錢奴】명〔프 L'Avare〕『책』프랑스의 극작가 몰리에르(Molière)가 지은 희극. 5막(幕). 1668년 간행됨. 수전노가 돈을 위하여 아들딸들을 희생시키려다가 스스로 궁지에 빠지게 된다는 줄거리.

수전 동맹【守戰同盟】명 두 나라 이상이 서로 협력하여, 다른 나라의 공격을 막고자 하여 맺는 동맹.

수전-로【守錢虜】[—절—] 명 수전노[1].

수전 양:어【水田養魚】명 논을 이용하여 물고기를 양식(養殖)하는 일. 흔히, 잉어·붕어·은어·미꾸라지 등을 기름.

수전-작【水田作】명 논농사.

수전 전:력【受電電力】[—전절—] 명『전』수용가(需用家)에 공급되는 전력. ↔송전(送電) 전력.

수전-증【手顫症】[—쯩] 명『한의』물건을 잡을 때, 손이 떨리는 증세. 준수전(手顫).

수전-패【受田牌】명『역』조선 시대 초기의 병종(兵種)의 하나. 과전(科田)을 받은 3품(品) 이하의 한량관(閑良官)이 충용(充用)됨. 승추부(承樞府)에 속하여, 거경 시위(居京侍衛)의 의무를 짐. 세조(世祖) 초기에 혁파(革罷)됨. *무수전패(無受田牌).

수절[1]【守節】명 ①절의(節義)를 지킴. ②정절(貞節)을 지킴. 1)·2)↔변절(變節)·훼절(毁節)·실절(失節). ——하다 자 여불

수절[2]【秀絶】명 썩 뛰어나고 훌륭함. ——하다 형 여불

수절[3]【殊絶】명 다른 것보다 뛰어나게 훌륭함. ——하다 형 여불

수절[4]【愁絶】명 대단히 근심함. ——하다 자타 여불

수절 과:수【守節寡守】[—꽈—] 명 개가하지 않고 정절을 지키는 과부.

수절 사:의【守節死義】[—/—이] 명 절개를 지키고 의(義)롭게 죽음. 곧, 죽음을 무릅쓰고 절의(節義)를 지킴. ——하다 자 여불

수절 원사【守節冤死】명 절개를 지키다 원통하게 죽음. ——하다 자 여불

수점【受點】명『역』임금에게서 낙점(落點)을 받는 일. ——하다 자 여불

수점 입직【受點入直】명『역』조선 시대 때, 국왕이 점찍어 지정한 자를 숙직(宿直)하게 하는 일.

수접【酬接】명 찾아온 손을 맞아 대접함. ——하다 타 여불

수접다 형〈방〉수줍다(경상).

수젓-집 명 수저를 넣어 두는 주머니.

수정[1]【水亭】명 물 위나 물가에 지은 정자(亭子).

수정[2]【水程】명 물길.

수정[3]【水晶】명〔rock crystal〕『광』석영(石英)의 한 가지. 육방 정계(六方晶系)의 결정(結晶)으로 광택이 있고, 육각주상(六角柱狀)인데, 주면(柱面)에 많은 횡조(橫條)가 있는 것이 특색임. 화학 성분은 무수규산(無水硅酸)이어서, 본래 빛이 없고 투명(透明)하나 불순물이 섞임에 따라 자수정(紫水晶)·흑수정(黑水晶)·황수정·홍수정 등이 됨. 인재(印材)·장식품·광학(光學) 기계 등에 쓰임. 우리 나라에서는 금강산 등지에서 산출됨. 수옥(水玉). 수정(水精). 파리(玻璃). 크리스털.

수정[4]【水精】명 ①물의 정령(精靈). 물 속에 사는 요정(妖精). 님프(nymph). ②'달'의 별칭(別稱). ③'수정(水晶)'의 별칭.

수정[5]【守貞】명『천주교』동정(童貞)을 지킴. ——하다 자 여불

수정[6]【受精】명〔fertilization〕①『동』두 개의 생식 세포, 곧 난세포(卵細胞)와 정자(精子)가 하나로 합치는 현상(現象). 보통 하등 동물(下等動物)은 몸 밖에서, 고등 동물은 몸 안에서 각각 합치어 새로운 개체(個體)를 이룸. ②『식』웅성 배우자(雄性配偶子)와 자성(雌性) 배우자가 합체하여 한 몸이 되는 현상. 수분(受粉)한 뒤에 꽃가루 안의 웅정핵(雄精核)과 자방(子房) 안의 난핵(卵核)이 합체(合體)하여 배유(胚乳)를 형성함. 정받이.

수정[7]【修正】명 문장·의견 등의 잘못 된 점을 바로잡음. ——하다 타 여불

수정[8]【修訂】명 정정(訂正). ——하다 타 여불

수정[9]【修整】명 ①고치어 정돈함. ②사진술(寫眞術)에서, 인화(印畫)를 선명(鮮明)하게 하거나 또는 수식(修飾)할 목적으로, 음화(陰畫)에 수정(修整) 니스를 칠하여 연필로 화상(畫像)을 수정(修正)하는 일. ③복제(複製)할 적에 복제를 선명하게 할 목적으로, 원도(原圖)에 에어브러시(air-brush)를 써서 수정(修正)하는 일. ——하다 타 여불

수정[10]【授精】명 정자(精子)를 난자(卵子)에 결합시키는 일. 매정(媒精).

수정[11]【綏定】명 국가를 안정(安定)시킴. ——하다 자 여불

수정[12]【綏定】명『지』'쑤이딩'을 우리 음으로 읽은 이름.

수정[13]【綏靖】명 나라와 백성을 편안하게 함. ——하다 자 여불

수정[14]【輸情】명 ①자국(自國)의 내정(內情)을 적국에 알려 줌. ②죄인이 범죄 사실을 남김없이 실토(實吐)함. ——하다 자 여불

수정 결정【水晶結晶】[—쩡] 명〔quartz crystal〕『전자』자연 또는 인공적으로 성장시킨 압전(壓電) 결정. 실리콘 과산화물로 이루어졌는데, 이것을 얇게 베어 내어 잘 연마해서 수정 진동자로서 사용함.

수-정과【水正果】명 물에 생강을 넣고 달인 뒤에, 설탕이나 꿀을 타고 곶감을 담가, 잣·계피 가루를 넣어서 만든 음료.

수정-관【輸精管】명〔도 Ductus deferens〕『생』웅성 생식기(雄性生殖

器)의 하나. 정소(精巢)에서 만든 정충(精蟲)을 정낭(精囊)으로 보내는 관(管). 정관(精管).

수정-구【受精丘】 명 〖생〗 수정 돌기(受精突起).

수정-궁【水晶宮】 명 ①수정으로 만든 화려한 궁전. ②〔Crystal Palace〕 1851년 제1회 만국 박람회(萬國博覽會) 때, 그 회장(會場)으로서 런던 교외에 철근(鐵筋)과 유리로 만든 건물. 세계 최초의 철골(鐵骨) 건물임. 1936년에 타서 없어짐.

수정-낭【受精囊】 명 〔seminal receptacle〕 〖동〗 연충(蠕蟲)·연체 동물(軟體動物)·절지 동물(節肢動物) 등의 암컷의 생식 기관의 하나. 수컷으로부터 받은 정충(精蟲)을 저장(貯藏)하는, 주머니 모양으로 생긴 기관.

수정-능【受精能】 명 자웅(雌雄)의 생식 세포(生殖細胞)가 결합할 수 있는 능력.

수정 단추【水晶一】 명 수정으로 만든 단추.

수정 돌기【受精突起】 명 〖생〗 해산(海產) 무척추 동물이 수정(受精)할 때, 정자(精子)가 들어간 난자(卵子) 부분에 생기는 원형질의 돌기. 수정구(受精丘). 영접 돌기(迎接突起).

수정-란【受精卵】 〔一난〕 명 〔zygote〕 〖생〗 정충(精蟲)을 받아들여 수정을 한 난자(卵子). 보통, 개체(個體) 발생을 시작함. ↔무정란(無精卵).

수정란-풀【水晶蘭一】 〔一난一〕 명 〖식〗 〔*Monotropastrum globosum*〕 수정란풀과의 다년생의 기생초(寄生草). 전체적으로 희고 꽃줄기는 높이 8-15 cm 가량됨. 줄기에는 비늘 모양의 잎이 다수 호생(互生)함. 7-8월에 은백색의 꽃이 하나씩 정생(頂生)하여 피고 삭과(蒴果)를 맺음. 산지의 음지에 나는데 제주·경기·평남·평북 등지에 분포함. 수정초(水晶草).

수정란풀-과【水晶蘭一科】 〔一난一꽈〕 명 〖식〗 〔Monotropaceae〕 쌍자엽 식물 합판화류에 속하는 한 과.

〈수정란풀〉

수정-렴【水晶簾】 〔一념〕 명 수정 구슬을 꿰어 꾸민 발.

수정 마르크스주의【修正一主義】 〔Marx〕 〔一／一이〕 명 〖정〗 수정파 사회주의(修正派社會主義).

수정-막【受精膜】 명 〔fertilization membrane〕 〖생〗 난세포(卵細胞)가 수정(受精)한 직후 그 주위에 형성(形成)되는 막. 수정을 하지 않았을 때는 알의 표면(表面)에 얇고 부드러운 난막을 가지고 있으나, 수정한 후에는 이 막이 표면에서 분리(分離)하여 딱딱하고 강한 막으로 됨. 난할(卵割)로부터 포배기(胞胚期)의 무렵까지 알을 보호하고, 각 세포의 상호 위치를 유지하는 역할을 함.

수정-모【受精毛】 명 〔trichgyne〕 〖식〗 홍조(紅藻) 식물이나 자낭균(子囊菌) 식물 따위의 조란기(造卵器)에서 생기는 모상(毛狀)의 돌기(突起). 보통, 정자가 부착하여 수정을 도움. 수정사(受精糸).

수정-목【壽庭木】 명 〖식〗 〔*Damnacanthus major*〕 꼭두서닛과에 속하는 상록 활엽 관목. 줄기와 가지에 가시가 있고, 잎은 대생하며 타원형 또는 달걀꼴의 타원형임. 초여름에 백색 꽃이 액생(腋生)하여 피고, 핵과(核果)는 가을에 적색으로 익음. 산의 음지(陰地)에 나는데, 제주도와 일본 등지에 분포함. 관상용임.

수정 묵주【水晶默珠】 명 〖천주교〗 수정으로 만든 묵주.

수정-반【水晶盤】 명 ①수정으로 만든 반(盤). ②'명월(明月)'의 미칭(美稱).

〈수정목〉

수정 발진기【水晶發振器】 〔一찐一〕 명 〔quartz oscillator〕 〖전〗 수정편(水晶片)의 공명 진동(共鳴振動)을 이용하여, 그 고유 진동수와 같은 전파(電波)를 발진시키는 장치. 주파수의 안정도가 매우 높아, 통신·방송용의 주발진기(主發振器)와 수정 시계 등에 쓰임.

수정-배【水精杯】 명 〖역〗 조선 성종(成宗) 때 독서당(讀書堂)에 하사한 수정(水晶) 술잔. ＊선도배(仙桃杯).

수정-봉【水晶峰】 명 〖지〗 강원도 고성군(高城郡)에 있는 산봉우리. 웅장한 외금강(外金剛) 중의 기봉(奇峰)임. [800 m]

수정-사【受精絲】 명 〖식〗 수정모(受精毛).

수정 사격【修正射擊】 명 〖군〗 사격 제원(諸元)을 판단하여 수정하기 위해 하는 사격.

수정 사:회주의【修正社會主義】 〔一／一이〕 명 수정파 사회주의.

수정성 한:진【水晶性汗疹】 〔一썽一〕 명 〔라 Miliaria crystallina〕 〖의〗 피부병의 한 가지. 보통의 땀띠와는 달리 고열(高熱)이 있은 후 열이 내리며, 다량의 땀을 흘려서 건강한 피부의 한선공(汗腺孔)이 폐색(閉塞)되어, 수정같이 맑은 물집이 생김.

수정-소【受精素】 명 〔fertilizin〕 〖생〗 성게·갯지렁이·불가사리의 미수정란(未受精卵)에서 분비되는 콜로이드 모양의 물질. 이것의 작용으로 정자(精子)가 난자(卵子)에 교착(膠着)함.

수정 손목 시계【水晶一時計】 명 〔crystal quartz wristwacth〕 초소형(超小型)의 수정 발진기(水晶發振器)를 넣어 만든 손목 시계. 정확도가 태엽식의 약 30 배로, 오차는 1 개월에 5~15 초 정도임.

수정 시계[1]【水晶時計】 명 〔quartz clock〕 수정의 극히 안정된 압전성(壓電性)을 이용한 수정 발진기(水晶發振器)를 사용하여 만든 시계. 매우 정확하므로, 방송국의 시보(時報)는 이 시계로 함.

수정 시계[2]【修正時計】 명 정확한 모시계(母時計)로부터 보내지는 신호 전류(信號電流)에 의하여, 하루에 한 번 또는 두 번 자시계(子時計)를 수정하는 시계. 자시계로 전기 시계를 사용할 경우는 전자석(電磁石)으로 바늘의 위치를, 기계 시계를 사용할 경우는 진자(振子)의 주기(周期)를 조정함.

수정-안【修正案】 명 원안(原案)의 잘못된 곳을 수정한 의안.

수정-연【水晶硯】 명 수정을 깎아 만든 벼루.

수정 연령【受精年齡】 〔一널一〕 명 〔fertilization age〕 〖의〗 의학상(醫學上) 수정한 때를 기점(基點)으로 하여 셈하는 연령(年齡). 이것은 대개 불가능하므로 월경 연령(月經年齡)에 의함.

수정 염:주【水晶念珠】 〔一념一〕 명 수정으로 만든 염주.

수정-영【水晶纓】 명 수정 구슬을 꿰어 만든 갓끈.

수정 예:산안【修正豫算案】 〔一네一〕 명 〖법〗 정부가 예산안을 국회에 제출한 후에, 부득이한 사유(事由)로 인하여 그 내용의 일부를 수정한 정부 예산안. 국무 회의의 심의를 거치고 대통령의 승인을 얻어 국회에 내야 함.

수정 유리【水晶琉璃】 〔一뉴一〕 명 크리스털 글라스(crystal glass).

수정 육분의 고도【修正六分儀高度】 〔一뉵一／一뉵一이一〕 명 지시 오차(指示誤差)·안고(眼高)·시차(視差)·굴절 등을 보정(補正)한 육분의 고도.

수정 응:시【水晶凝視】 명 서양에서 행하여지는 점치는 방법의 하나. 수정 구슬이나 물이 든 컵 따위를 응시하여 주의를 집중시키면 나타나는, 각가지의 환각(幻覺)으로 점을 침. 수정 환시(水晶幻視).

수정 자:본주의【修正資本主義】 〔一／一이〕 명 〖사〗 실업·공황 등의 자본주의의 제모순(諸矛盾)을 국가 권력의 개입(介入)으로 완화(緩和)하여, 경제의 민주화·사회화를 꾀하려는 사상 또는 정책 원리. 제1차 대전 이후의 독일의 민주화 현상이나 미국의 뉴 딜 정책(New Deal 政策) 같은 것. 신자본주의.

수정-장【水晶杖】 명 〖역〗 의장(儀仗)의 하나.

〈수정장〉

수정 제:어【水晶制御】 명 〔crystal control〕 〖전자〗 수정 결정 진동자(水晶結晶振動子)에 의한, 발진기 주파수의 제어.

수정 제:어 발진기【水晶制御發振器】 〔一찐一〕 명 〔crystal-controlled oscillator〕 〖전자〗 동작 주파수가 수정진동자에 의해 제어되는 발진기.

수정-주의【修正主義】 〔一／一이〕 명 ①19세기말 독일에서 마르크스주의 혁명 이론을 비판하고, 의회에 의한 점진적 개혁을 주창한 베른슈타인 등의 입장. 수정 마르크스주의. 수정파 사회주의. ②1956년 소련 공산당 제20회 대회에서 흐루시초프가 피력한 비(非)스탈린화(化) 정책, 즉 대외적으로는 미국과의 공존, 대내적으로는 각종 경제 개혁을 포함한 일련의 자유화 조치 따위를 주장한 입장.

수정 진:동자【水晶振動子】 명 초음파(超音波)를 내기 위하여 수정 발진기의 그리드 회로(grid 回路)에 삽입하는 수정 조각. 수정의 압전(壓電) 현상을 이용한 것으로 해심(海深)의 측정, 빙산(氷山)·고기 떼의 탐지, 배와 배와의 통신 등에 쓰임.

수정-체【水晶體】 명 〔crystalline lens〕 〖생〗 안구(眼球)의 한 부분. 동공(瞳孔)의 뒤에 붙어 있으며, 두 개의 볼록 렌즈 모양으로 되었으나 뒷면은 더 굽어 있음. 그 적도부(赤道部)에는 모양체(毛樣體)로부터 오는 진대(Zine 帶)가 부착되어 있음. 우무 정도의 경도(硬度)이며 황색 투명하고 탄력성이 있음. 거리의 원근(遠近)에 따라 표면의 곡률(曲率)을 가감하여 가면서 눈에 들어온 광선을 적당한 각도로 굴절시키어, 망막(網膜)에 물체의 실상(實像)을 만드는 역할을 함.

수정체-포【水晶體胞】 명 〖생〗 눈이 형성되는 과정에서, 외배엽(外胚葉)의 세포가 안포(眼胞)의 접촉으로 인하여 활발하게 성장하여 안쪽으로 함몰·분리되어 이루는 조직. 나중에 수정체로 변함.

수정-초【水晶草】 명 〖식〗 수정란풀.

수정 초자【水晶硝子】 명 크리스털 글라스(crystal glass).

수정파 사:회주의【修正派社會主義】 〔一／一이〕 명 〔도 Revisionismus〕 〖사〗 독일의 사회 민주당에서 마르크스주의를 수정하여, 사회 개량주의(社會改良主義)를 표방(標榜)하고 의회주의를 강조한 일파의 경향. 19세기말에 베른슈타인(Bernstein)이 제창하였음. 리비저니즘. 수정 마르크스주의. 수정주의. 수정 사회주의. ↔정통파 마르크스주의.

수정 평균 주가【修正平均株價】 〔一까〕 명 〔adjusted stock price average〕 〖경〗 신주락(新株落) 등 권리락(權利落)에 의해 발생하는 주가(株價)의 단층(斷層)을 수정하여, 연속성을 갖게 한 평균 주가. ＊다우 존스(Dow-Jones) 평균 주가.

수정혼-식【水晶婚式】 명 결혼 기념식의 하나, 결혼 15주년이 되는 날을 축하하여, 부부가 수정 제품을 선물로 주고받아 기념함. ＊도(陶)혼식.

수정 환:시【水晶幻視】 명 수정 응시(水晶凝視).

수제[1] 명 〈방〉 수저(경상·전라).

수제[2]【手製】 명 ①손으로 만듦. ②↗수제품(手製品). ——-하다 타여불

수제[3]【水際】 명 물가.

수제[4]【水劑】 명 〖약〗 물에 녹이거나 혼합(混合)한 약제(藥劑).

수제[5]【首題】 명 ①편지·통지서 등의 첫머리에 쓰는 제목. ②〖불교〗 경(經)의 제목(題目).

수제비 명 〔근대：슈져비〕 밀가루 또는 찹쌀 가루를 반죽하여 맑은 장국이나, 미역국에 적당한 크기로 떼어 넣어 익힌 음식. 박탁(餺飥).
〔수제비 잘하는 사람이 국수도 잘한다〕 한 가지 일에 능한 사람은 그와 비슷한 다른 일도 잘한다는 말. ＊국수 잘하는 솜씨가 수제비 못 하랴.
수제비(를) 뜨다 구 ㉠반죽한 밀가루를 조금씩 떼어, 끓는 장국에 넣어 수제비를 만들다. ㉡↗물수제비뜨다.

수제비 태견 명 어른에게 버릇없이 함부로 덤벼드는 말다툼. ——-하다 타여불

수-제사【水祭祀】 명 〈방〉 기우제(祈雨祭).

수-제자【首弟子】 명 여러 제자 가운데에서 가장 뛰어난 제자(弟子). 으뜸가는 제자.

수제 조적【獸蹄鳥跡】 명 〔짐승의 굽과 새의 발자취의 뜻〕 세상이 매우 어지러워 금수가 설치고 다님을 이름.

수제지-건【首題之件】 〔一껀〕 명 '수제에 관하여'란 뜻으로, 전에 공문서(公文書) 본문(本文)의 첫머리에 쓰던 말. 표제지건.

수제-천【壽齊天】 명 〖악〗 아악(雅樂)의 하나. 관악(管樂)으로, 궁중의 중

요한 연례(宴禮) 및 무용에 연주하였음. 내용은 국가의 태평과 민족의 번영을 구가한 것으로, 모두 4장. 신라 시대에 창작된 것임. 정읍(井邑).
수제-품【手製品】명 손으로 만든 물품(物品). ㉥수제(手製).
수져 명 〈옛〉 수저. ¶ 그어긔 수져 섯드러 잇고 《月釋 XXIII:74》.
수조[1]【手爪】명 손톱.
수조[2]【水曹】명〖역〗고려초에 공관(工官)에 딸린 관아. 성종(成宗) 14년(995)에 공관을 상서 공부(尙書工部)로 고치면서 수조도 상서 수부(尙書水部)로 고치었다가 뒤에 폐합.
수조[3]【水鳥】명 물새❶.
수조[4]【水槽】명 물을 담아 두는 큰 통.
수조[5]【水操】명〖역〗수군(水軍)을 조련함. ——하다 자타 여불
수조[6]【水藻】명 물 속에 나는 마름.
수조[7]【手詔】명 제왕(帝王)이 손수 쓴 조서(詔書).
수조[8]【守操】명 지조(志操)를 지킴. ——하다 자 여불
수조[9]【受弔】명〖역〗왕이 사신(使臣)을 통하여 중국 황제의 조례(弔禮)를 받던 일. ——하다 자 여불
수조[10]【受胙】명〖역〗제사를 지낸 뒤에 제관(祭官)이 번육(膰肉)의 분배(分配)를 받던 일. ——하다 타 여불
수조[11]【垂釣】명 낚시를 물 속에 드리움. ——하다 자 여불
수조[12]【修造】명 수선하거나 제조함. ——하다 타 여불
수조[13]【輸曹】명〖역〗공조(工曹)❸.
수조-관【收租官】명〖역〗궁방(宮房)의 추수를 보러 가는 사람.
수-조기 명〖어〗[*Nibea albiflora*] 민어과에 속하는 바닷물고기. 길이 30 cm 내외로 몸 모양은 민어에 가까운데 비늘이 작고, 몸빛이 황적색이며 위턱이 아래턱보다 길. 한국 서남 연해·동남 중국해·일본 서남해에 분포함. 우리 나라 조기 무리에서 참조기·보구치 다음으로 많이 잡히며 맛이 좋음.
수조-선【水槽船】명 다른 배에 공급하기 위하여 물을 싣고 다니는 배.
수조-안【收租案】명〖역〗감사(監司)가 가을에 그 도(道) 안의 결세(結稅) 예정액(豫定額)을 호조(戶曹)에 보고하던 부책(簿册).
수족[1]【手足】명 ①손발. ¶ ~이 차다. ②손발과 같이 마음대로 부리는 사람. ¶ ~이 되어 일하다. ③형제나 자식의 비유. ¶ 슬하에 ~이 없다. 수족(을) 놀리다 구 손발을 움직여 활동하다.
수족[2]【水族】명 물 속에 사는 동물의 족속.
수족[3]【首足】명 머리와 발.
수족 곡선【垂足曲線】명 〔pedal curve〕〖수〗정점(定點)으로부터 한 곡선상(曲線上)의 각 점(各點)의 접선에 수선을 내리그었을 때, 접선과 수선이 만나는 점이 이루는 곡선. 페달 곡선.

〈수족 곡선〉

수족-관【水族館】명 수서 동물(水棲動物)을 사육(飼育)·진열(陳列)하여, 사람들에게 그들의 생태(生態)·습성(習性) 등을 견학시키는 시설(施設).
수족 군열【手足皸裂】명〖한의〗손발이 얼어 터지는 병.
수족 만망【手足縵網】명〖불교〗32상의 한 가지. 손가락과 발가락 사이에 물갈퀴가 있는 상.
수족 삼각형【垂足三角形】명〖수〗삼각형의 각 꼭지점에서 그 대변(對邊)에 수선을 내리그었을 때, 그 수선과 각 변과 만나는 점이 이루는 삼각형.

〈수족 삼각형〉

수족 탄:탄【手足癱瘓】명〖한의〗반신 불수(半身不隨).
수족-한【手足汗】명〖한의〗손바닥과 발바닥에 땀이 많이 나는 병.
수졸[1]【守卒】명 수비하는 병졸(兵卒).
수졸[2]【守拙】명 ①세태(世態)에 적응하지 않고 우직(愚直)한 태도를 고집함. ②바둑에서, 기력(棋力)의 단계를 나타내는 말의 하나. 겨우 지킬 줄 안다는 뜻으로, 초단(初段)을 이르는 말. *약우(若愚). ——하다 자 여불
수졸[3]【戍卒】명〖역〗북방 변경(邊境)에서 수자리 사는 군사. 수갑(戍甲).
수종[1]【水宗】명 물마루.
수종[2]【水腫】명〖의〗신체(身體)의 조직 간격(組織間隔)이나 체강(體腔) 안에 림프(lymph)·장액(漿液)이 많이 괴어 있어 몸이 붓는 병. 원인은 신장성(腎臟性)·심장성(心臟性)·영양 장애성 등이 있음. 물종기.
수종[3]【首從】명 ①수창자(首唱者)와 수종자(隨從者). ②주범(主犯)과 종범(從犯).
수:-종[4]【數種】명 몇 종류. 두서너 가지.
수종[5]【隨從】명 ①따라다님. ②따라다니며 심부름하는 하인(下人). ③→시중. ——하다 타 여불
수종[6]【樹種】명 ①수예(樹藝). ②수목(樹木)의 종류.
수종 공신【隨從功臣】명〖역〗고려 후기에 국왕이 원(元)나라에 갈 때 수종한 공으로 책봉되던 공신. 충렬왕 7년(1281)에 처음으로 봉해졌음. 수종 공신 책봉은 고려 후기 사회에서 국왕 중심의 새로운 정치 세력을 창출시켰음. 시종 공신(侍從功臣). 호종 공신(扈從功臣). 친종 행리 공신(親從行李功臣).
수종-다리【水腫—】명〖의〗→수중다리.
수-종도【首宗徒】명〖천주교〗그리스도 열두 사도의 으뜸인 베드로. 종도(宗徒)는 사도(使徒)의 구용어임.
수종-들다【隨從—】자 ☞시중들다.
수종 불분【首從不分】명 수창자(首唱者)와 수종자(隨從者) 또는 주범(主犯)과 종범(從犯)을 가리지 아니하고 같은 죄에 처벌함. ——하다 자 여불
수종-사【水鐘寺】명〖불교〗경기도 남양주시 조안면(鳥安面) 송촌리(松村里) 운길산(雲吉山) 중턱에 있는 사찰. 봉선사(奉先寺)의 말사(末寺)로 창건 연대는 세종(世宗) 이전인 듯함. 조선 세조 4년(1458)과 1939년에 중건된 후 6·25 전쟁 때 불타 버린 것을 1974년에 일부 중건함. 1939년 석조 부도(浮屠)를 중수할 때 보물 제259호인 수종사 부도 내(內) 유물이 발견되었고, 1957년 경내의 8각 5층 석탑 해체 때 금동불(金銅佛) 18구가 나와 국립 박물관에 보존되고 있음.
수종-쇠 명〖민〗[←首從手] 두레패·굿중패·걸립패·농악대 따위에서 상쇠 다음가는 이.
수종 협책【隨從挾册】명〖역〗조선 시대 때, 과거(科舉) 제도의 팔폐(八弊)의 하나. 과거를 볼 사람이 시험장에 책을 끼고 들어가는 일.
수좌[1]【首座】명 ①수석(首席). ②〖불교〗'국사(國師)'의 존칭. ③〖역〗고려 때, 승려의 법계(法階)의 하나. 교종(教宗)에서 승통(僧統)의 아래, 삼중 대사(三重大師)의 위.
수좌[2]【隨坐】명 연좌(連坐)함. ——하다 자 여불
수좌 대:주교【首座大主教】명〖천주교〗그 나라의 으뜸가는 대교구(大教區)의 장(長)인 대주교.
수죄[1]【受罪】명 죄를 받음. ——하다 자 여불
수죄[2]【首罪】명 ①범죄 중에서 제일 중한 죄. ②공범자 중의 수모자(首謀者). 주범(主犯).
수:죄[3]【數罪】명 ①여러 가지 범죄. ②범죄(犯罪) 행위를 세어 들추어 냄. ¶ 그 며느리를 위로하여 산정으로 보내고, 사랑에 있는 자기 남편을 청하여 앉히고 ~를 한다《崔瓚植: 海岸》. ——하다 타 여불
수:죄 구발【數罪俱發】명 한 사람이 저지른 두 가지 이상의 죄가 한꺼번에 드러남. ——하다 자 여불
수주[1]【水主】명〖역〗신라의 고판가전(古官家典)과 월지 악전(月池嶽典)의 벼슬. 제지(堤池)의 관리를 맡았던 것으로 추측됨.
수주[2]【水柱】명 기둥처럼 솟는 물. 물기둥.
수주[3]【手珠】명 여러 개의 나무 구슬을 끈에 꿰어서 고리 모양으로 만든 물건. 노인이 손에 들고 연해 돌려서 손의 뻣뻣한 증을 더는 데 씀.
수주[4]【水紬】명 ↗수화주(水禾紬).
수주[5]【守株】명 〔송(宋)나라의 한 농부가 나무 그루에 토끼가 부딪쳐서 죽는 것을 보고, 농사를 팽개치고 나무 그루에 토끼가 나타나기를 기다렸다는 고사에서〕 구습(舊習)을 고수(固守)하여 변통할 줄 모름을 이름. 또, 진보가 없음의 비유. 주수(株守). 수주 대토(守株待兎).
수주[6]【受注】명 주문을 받음. 특히, 생산업자가 제품의 주문을 받는 일. ↔발주(發注). ——하다 자타 여불
수주[7]【隋珠】명 중국 고대, 수(隋)나라의 국보였던 구슬.
수주[8]【壽酒】명 장수(長壽)를 축하하는 술.
수:주[9]【數珠】명〖불교〗염주(念珠).
수주[10]【樹州】명〖사람〗변영로(卞榮魯)의 호(號).
수주 대:토【守株待兎】명 수주(守株).
수:-주머니【繡—】명 수를 놓아 만든 비단 주머니. 수낭(繡囊).
수주 미:터【水柱—】〔meter〕의명 압력의 단위. 999.972 kg/m^3의 밀도를 갖는 1 m 높이의 액주(液柱)가, 가속도의 크기 9.80665 m/s^2의 중력(重力)하에서 액주의 저면(底面)에 미치는 압력(壓力). 기호 mAq. 1 mAq=98.0665 mb.
수주 산:업【受注產業】명 수요처(需要處)로부터 주문을 받아 생산하는 산업. 산업 기계(產業機械)·조선(造船)·건설 등이 대표적 업종임. *시황(市況) 산업.
수주-정【壽酒亭】명〖역〗나라 잔치 때에 술 그릇을 올려 놓는 탁자.
수죽【脩竹】명 가늘고 긴 대.
수준【水準】명 ①사물의 표준. 레벨. ¶ 생활 ~이 높다. ②↗수준기.
수준 거:표【水準據標】명〖토〗수준 측량(水準測量)에서, 지점(地點)의 높고 낮음을 정밀히 측정(測定)·산출(算出)하기 위하여 설치한 일정 불변(一定不變)의 높이를 가진 측표(測標).
수준-기【水準器】명 〔level〕〖토〗수평선(水平線) 또는 수평면(水平面)을 결정하기 위한 기계. 두 끝을 봉(封)하고 큰 원호(圓弧)의 일부를 이룬 유리관(管) 속에 일정한 기포(氣泡)를 남겨 두고 에테르나 알코올을 넣은 것. 기계를 수평(水平)으로 놓았을 때의 기포의 위치를 0으로 하는 눈금이 새겨졌음. 수평기(水平器). 손수평기. 레벨. ㉥수준(水準). *기포(氣泡) 수준기.

〈수준기〉

수준 기면【水準基面】명 물체의 높낮이를 기산(起算)하기 위하여 선정한 수평면(水平面). 흔히, 평균 해수면(海水面)을 이용함.
수준기-자리【水準器—】명 〔라 Norma〕〖천〗남천(南天)에 있는 별자리. 전갈자리의 남쪽에 있고, 한여름의 저녁에 지평선상에서 남중(南中)함.
수준 기표【水準基標】명 벤치 마크(bench mark).
수준-면【水準面】명 어떤 면(面) 위의 어느 점에서나 중력(重力)의 방향 곧 연직선이 항상 면의 법선(法線)과 일치하는 곡면(曲面). 어떤 한 점을 지나는 수준면은 단 하나임.
수준-선【水準線】명 표준이 되는 높이. 일정한 레벨.
수준 원점【水準原點】[—쩜] 명 수준점의 높이를 재는 기준이 되는 원점.
수준-의【水準儀】[—/—이] 명〖토〗수준기를 장치한 망원경. 지점의 높낮이를 측량하는 데 씀.

〈수준의〉

수준-작【水準作】명 일정 수준에 이른 작품. ¶ ~은 된다.
수준-점【水準點】[—쩜] 명 측량할 지역에 거의 일정한 간격으로 묻는 표지(標識). 높이가 정확히 재어져 있음. 벤치 마크.
수준 조:척【水準照尺】명 수준 측량에서, 수준의(水準儀)와 함께 사용되는 긴 상자처럼 된 자. 나무로 만든 직육면체(直六面體)로 대·중·소의 세 개로 되어 있으며, 필요에 따라 길이 약 5 m까지 늘일 수 있음. 이것을 수직으로 세우고, 수준의로 보아 높이를 잼.

수준 측량【水準測量】[—냥] 명 〔levelling〕〖토〗 지구상의 어느 지점의 평균 해면(平均海面)으로부터의 높이 또는 두 지점간의 높이의 차(差)를 측정하는 일. 직접 수준의(水準儀)를 써서 측정하는 방법이 보통이며, 이 밖에 거리 및 고저각(高低角)에 의하여 계산하여 비고(比高)를 구하는 방법이 있음. 고저 측량.

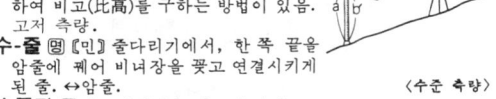

〈수준 측량〉

수-줄 명 〖민〗 줄다리기에서, 한 쪽 끝을 암줄에 꿰어 비녀장을 꽂고 연결시키게 된 줄. ↔암줄.

수줍다 형 부끄러워하는 태도가 있다.

수줍어-하다 자(여불) 부끄러워하다. ¶ 수줍어하는 새댁.

수줍음 명 수줍어하는 일. ¶ ~을 잘 타다.

수중[1]【水中】명 물 가운데. 물 속. ¶ ~ 촬영.

수중[2]【手中】명 ①손안. ¶ ~에 넣다. ②자기가 권력을 부릴 수 있는 범위. 손아귀. 장중(掌中).

수중[3]【睡中】명 잠이 든 가운데.

수중[4]【樹中】명 나무 숲 속.

수중-경【水中莖】명 〖식〗 물속줄기. 준수경(水莖).

수-중계【受中繼】명 한 방송국이 다른 방송국의 중계 화면을 받아서 그대로 내보내는 일. ——-하다 자(여불)

수중 고고학【水中考古學】명 물 밑에 가라앉은 유적·유물의 조사 연구를 하는 고고학의 새로운 한 분야.

수중 고혼【水中孤魂】명 익사자(溺死者)의 외로운 넋. ¶ ~이 되다.

수중-근【水中根】명 물 속에서 나는 뿌리. 근모(根毛)·근관(根冠)이 없음.

수중-다리 명 〖의〗 [←수종(水腫) 다리] 병으로 퉁퉁하게 부은 다리. 중추(重腿).

수중다리-꽃등에 명 〖충〗 [*Tubifera virgatus*] 꽃등엣과에 속하는 곤충. 몸길이 12-14mm이고, 몸빛은 흑색이며 흉배(胸背)는 담황갈색의 털로 덮이고 한 쌍의 종선(縱線)과 측연(側緣)은 등색(橙色) 또는 황적색임. 복부(腹部) 각 마디에 황색의 횡대(橫帶)가 있고, 다리는 후퇴절(後腿節)이 굵으며 하연(下緣)은 짧은 강모(剛毛)가 밀생함. 한국·일본·중국 등지에 분포함.

수중다리-꽃하늘소 [—쏘] 명 〖충〗 [*Oedecnema dubia*] 하늘솟과(科)에 속하는 곤충. 몸길이 10.5-19mm이고 시초(翅鞘)는 황색이며, 각 시초에 5개의 흑색 원문(圓紋)이 있음. 몸은 칠흑색(漆黑色)에 황색을 띤 빛깔의 털이 밀생함. 암컷의 후퇴절(後腿節)은 곤봉(棍棒) 모양이고 후경절(後脛節)은 만곡(彎曲)함. 노상(路上)의 꽃에 모이며, 한국에도 분포함.

수중다리-송장벌레 명 〖충〗 [*Necrodes nigricornis*] 송장벌렛과에 속하는 곤충. 몸길이 19mm이고 몸은 전신이 흑색이며 촉각(觸角) 제4절(節) 이하의 각절 기부(各節基部)는 적갈색이고, 시초(翅鞘)에는 세 개의 종융기(縱隆起)가 있음. 다리는 흑갈색이며 부절(跗節)은 적갈색임. 새나 짐승의 시체에 모임. 한국·일본·중국에 분포함.

수중다리잎벌-과【—科】[—꽈] 명 〖충〗 [Cimbicidae] 벌목(目)에 속하는 한 과. 몸은 금속빛 또는 선명색이며, 촉각은 곤봉상임. 뒷다리 부절(跗節)에 털이 있음. 유충은 낙엽수에 기식(寄食)함. 전세계 온대 지방에 29종이 분포함.

수중다리좀벌-과【—科】[—꽈] 명 〖충〗 [Chalcididae] 벌목(目)의 한 과(科). 몸길이는 0.2-5.0mm가 보통이지만 16mm에 달하는 종류도 있음. 단안(單眼)은 3개가 일직선상 또는 삼각형으로 배치되고, 촉각은 6-13마디로 되어 있음. 다리의 앞 마디는 보통 두 부분으로 갈라지며 부절(跗節)은 2-5마디임. 복부(腹部)는 무병(無柄) 또는 유병(有柄)임. 여러 곤충에 기생함.

수중 대수중 미사일【水中對水中—】〔missile〕 명 〖군〗 잠수함이 수중에서 발사하여 적의 수중 목표물을 공격하는 미사일. 유 유 엠(U.U.M.).

수중 대지 미사일【水中對地—】〔missile〕 명 〖군〗 유 에스 엠(USM).

수중 동:물【水中動物】명 〖동〗 수생 동물(水生動物).

수중 발레【水中—】[프 ballet] 명 싱크로나이즈드 스위밍(synchronized swimming).

수중 발파【水中發破】명 물 속에 있는 암석(岩石)에 구멍을 뚫고 폭약을 장치하여 폭파하는 일. 위험한 돌출 부분을 제거하거나 수로(水路)를 깊게 할 목적으로 행함.

수중-보【水中洑】명 강 속에 물에 잠기게 설치한, 수량(水量) 유지를 위한 보.

수중-승【水中丞】명 〖공〗 연적(硯滴).

수중 식물【水中植物】명 〔aquatic plants〕 〖식〗 물 속에서 나고, 식물체의 전부 또는 일부가 물 속에 잠겨 있는 식물의 총칭. 부유(浮遊) 식물·부표(浮漂)식물·부엽(浮葉) 식물·추수(抽水) 식물 등이 있음. 수생(水生) 식물.

수중 안:경【水中眼鏡】명 물 속에서 볼 수 있도록 만든 안경. 물안경.

수중 안테나【水中—】명 〔underwater antenna〕 물 속에 설치하고 사용하는 안테나.

수중 오리엔티어링【水中—】〔orienteering〕 명 잠수 장비를 갖추고 나침반을 이용하여 일정 거리의 삼각 코스를 돌아 출발 지점으로 돌아오는 수중 스포츠. 수중 독도(讀圖) 게임.

수중 유행【睡中遊行】[—뉴—] 명 자다가 별안간 일어나 반수 반성(半睡半醒) 상태로 여러 가지 행동을 함. *몽유병. ——-하다 자(여불)

수중-익【水中翼】명 선체(船體) 하부에 장치한 날개. 항행(航行)중, 날개로 말미암아 발생하는 양력(揚力)에 의해 선체를 부상(浮上)시켜, 물의 저항을 감소시키는 구실을 함.

수중익-선【水中翼船】명 수중익(水中翼)을 구비한 선박. 속도가 빠르고 안정성도 좋으나, 파도의 물보라·소음·진동 등이 심함. 주로 관광용 여객선·순시선(巡視船) 등에 적합함. 하이드로포일(hydrofoil).

수중 전:화【水中電話】명 전송(傳送) 수단으로 수중 음파(音波)를 사용하는 음성(音聲) 통신의 방법. 전선(電線)에 전도(傳導)되는 전기 신호 대신, 수중 음파에 의한 에너지가 전송되는 것을 제외하면 보통의 전화와 같음.

수중지-월【水中之月】명 물 속에 비친 달.

수중 청:음기【水中聽音器】명 〖군〗 추진기(推進機)에서 나는 음파(音波)의 전파(傳播)로 잠수함(潛水艦)의 내습(來襲)을 알아내는 기계. 각종 함정(各種艦艇) 및 망루(望樓) 같은 곳에 설비하며, 심해 측정(深海測定)에도 쓰임. 하이드로폰(hydrophone).

수중 초원【水中草原】명 식물의 뿌리 부분 또는 몸 전체가 수중에 있는 식물에 의해 이루어진 초원. 추수(抽水) 초원·침수(沈水) 초원 따위로 구별됨. 수생(水生) 초원.

수중 초음파 기기【水中超音波機器】명 〖기〗 수중에 초음파를 보내어 그 반사파(反射波)의 크기·방향·전파(傳播) 시간을 측정하여 해저(海底)의 상태, 어군(魚群)의 수량·종류, 물체의 존재·위치 등을 아는 장치의 총칭. 사용 목적에 따라 음향 측심기(音響測深機)·어군 탐지기·탐신의(探信儀) 등으로 분류되는데, 모두 초음파 전기 진동 발생기·송파기(送波器)·수파기(受波器)·수신 증폭기·기록기 등으로 구성됨.

수중-총【水中銃】명 수중(水中)에서 쏠 수 있도록 된 총.

수중 축대【隨衆逐隊】명 자기의 주견 없이 여러 사람의 틈에 끼어 덩달아서 행동함. ——-하다 자(여불)

수중 카메라【水中—】〔camera〕 명 수중에서 촬영할 수 있게 수밀 기구(水密機構)를 장치한 사진기. 보통의 사진기를 방수(防水) 케이스에 넣어 조작하는 것과, 사진기 자체가 방수 기구를 갖춘 것이 있음. 필름을 감는 일 또는 셔터·플래시 들을 수중에서 조작할 수 있음.

수중 콘크리:트【水中—】〔concrete〕 명 수중에 직접 타설(打設)하는 콘크리트. 물의 영향으로 재료가 분리되기 쉽기 때문에, 부득이한 경우 외에는 이용되지 않음. 상단(上端)에 누두상 수구(漏斗狀受口)가 있는 관(管)을 통하여 콘크리트를 수저(水底)로 낙하시켜 타설하는데, 최근에는 콘크리트 펌프에 의한 직접 압송(直接壓送), 프리팩트(prepact) 콘크리트의 이용 등, 공법(工法) 개량이 행하여지고 있음.

수중 텔레비전【水中—】〔television〕 명 〖물〗 공업용 텔레비전의 하나. 텔레비전 카메라를 수밀 구조(水密構造)로 하여 물 속에서 촬영할 수 있게 한 것. 수중 장면 촬영이나 해저(海底) 조사 따위에 쓰임.

수중 텔레비전 카메라【水中—】〔television camera〕 명 수밀 구조(水密構造)로 하여 수중 촬영이 가능하게 된 텔레비전 카메라. 수중 신(scene)의 촬영이나 해저 조사 등에 쓰임.

수:중 통신【數重通信】명 〖물〗 다중 통신(多重通信).

수중 파:괴반【水中破壞班】명 〖군〗 해안 정찰 및 수중 장애물의 파괴·제거의 임무를 수행하도록 편성되고 장비된 해군(海軍) 부대. 유 디 티(U.D.T.).

수중 패러슈:트【水中—】〔parachute〕 명 항해 중에 있는 배가 장애물을 만났을 때, 수중에서 패러슈트를 펼쳐 효과적으로 브레이크를 걸게 하는 일. 또, 그 패러슈트.

수중-폐【水中肺】명 애퀄렁(aqualung).

수중 폭기 장치【水中曝氣裝置】명 저수지 내의 상층수와 하층수를 인공적으로 강제 순환시켜 층별로 수온의 차이가 나는 것을 방지하고 용존(溶存) 산소를 공급하는 장치.

수중 폭탄【水中爆彈】명 물 속에 낙하하여 일정 깊이에 이르렀을 때 터지는 폭탄.

수중 하키【水中—】〔hockey〕 명 길이 25m의 풀에서, 물갈퀴·다이빙 마스크 등을 부착한 6명의 선수가 한 팀이 되어, 길이 25cm가량의 나무 스틱으로 납덩이 팩을 몰고 가 상대편의 골에 넣는 수중 경기. 1951년 영국 해군에서, 수중 폭파원의 훈련을 위해 개발한 것임.

수중 핵폭발【水中核爆發】명 〖군〗 수면(水面) 밑에 폭발 중심이 있는 원자 무기(原子武器)의 폭발.

수중-혼【水中魂】명 물에 빠져 죽은 사람의 넋.

수-쥐 명 ☞숫쥐.

수-즉다욕【壽則多辱】명 오래 살면 욕되는 일이 많음. ¶ ~이라더니 별 변괴를 다 보는군.

수즙【修葺】명 집을 고치고 지붕을 새로 이는 일. ——-하다 타(여불)

수증[1]【受贈】명 선물을 받음. 증여(贈與)를 받음. ¶ ~자(者). ——-하다 타(여불)

수증[2]【修增】명 수리하여 넓힘. ——-하다 타(여불)

수증-계【水蒸鷄】명 닭 백숙(白熟).

수-증기【水蒸氣】명 물이 증발하여 된 기체. 이 때의 팽창률(膨脹率)은 원체적의 1,700배가 되고 강대한 압력이 생기는데 이것을 이용한 것이 증기 기관(蒸氣機關)임. 또, 일반적으로는 그 기체가 공기 중에서 응결(凝結)하여 물의 잔 알갱이가 된 김도 가리킴. 준증기(蒸氣).

수증기 밀도【水蒸氣密度】[—또] 명 일정한 체적의 공간이 포함할 수 있는 수증기의 양(量).

수증기-압【水蒸氣壓】명 〔water vapor pressure〕 〖기상〗 대기(大氣) 중의 수증기 분자(分子)가 나타내는 압력. 단위는 mm나 mb. 또한, 어떤 용적 중에 함유된 수증기량을 수증기압으로 표시하기도 함.

수증기 증류【水蒸氣蒸溜】[—뉴] 명 〖공〗 증류하고자 하는 물질 속에 수증기를 불어 넣어서 수증기와 같이 유출(溜出)하는 물질의 증기를 냉각하여 물과 혼합물을 분리하는 일. 식물 정유(植物精油)의 채취(採取)에 이 방법이 널리 이용됨.

수증기 폭발【水蒸氣爆發】명 〖지〗 마그마 속의 수증기나 지하수가 지하 깊은 곳의 고열부(高熱部)에 도달하여 고열의 수증기가 되어 점차 축

적되면서, 압력이 높아지면서 지표의 암석을 파괴하고 폭발하는 분화(噴火) 활동.
수증기 흡수【水蒸氣吸收】 명 대기 중의 수증기에 의해서 적외 방사(赤外放射)의 파장(波長) 부분이 흡수되는 일.
수지[1]【一紙】 명 ☞휴지(休紙).
수지[2]【手指】 명 ①손가락. ②〈궁중〉 손.
수지[3]【收支】 명 수입과 지출. 입출(入出).
수지(가) 맞다 구 이익을 보다. 이익이 되다. ¶ 수지맞는 장사.
수지[4]【守志】 명 지조(志操)를 지킴. ——하다 자 여불
수지[5]【受持】 명 〖불교〗 경전(經典)을 받아 항상 잊지 아니하고 머리에 새기어 가짐. ¶ ~ 독송(讀誦). ——하다 타 여불
수지[6]【殊智】 명 뛰어난 슬기.
수지[7]【須知】 명 모름지기 알아야 함.
수지[8]【樹枝】 명 나뭇가지.
수지[9]【樹脂】 명 나무의 진. 복잡한 유기산(有機酸) 및 그 유도체(誘導體)로 된 무른 고체 또는 반(半)고체로, 물에 녹지 않으며, 알코올·에테르 등에 잘 녹음. 흔히 침엽수(針葉樹)에서 분비되며 셸락(shellac)·송진·호박(琥珀) 등이 있음. 니스의 제조, 전기 절연(絶緣) 재료, 비누의 혼화제(混和劑) 등으로 쓰임. 합성 수지와 구별하여 천연(天然) 수지라고도 함. 나뭇진. *진(津).
수지[10]【獸脂】 명 짐승의 기름.
수지 가공【樹脂加工】 명 직물(織物) 끝손질 방법의 하나. 섬유(纖維) 및 섬유 제품을 합성(合成) 수지로 가공하여 방축성(防縮性)·탄력성(彈力性)·방추성(防皺性)을 높이고 습윤(濕潤)시의 강도(強度)를 증가시킴.
수지 결산【收支決算】[—싼] 명 〖경〗 일정한 기간의 수입과 지출의 결산.
수지 계:산【收支計算】 명 수입과 지출의 계산.
수지 광택【樹脂光澤】 명 광물 광택의 한 가지. 누른 빛의 수지를 칠한 것 같은 광택. 단백석(蛋白石)·황색 섬아연광(黃色閃亞鉛鑛)·황(黃) 등에서 볼 수 있음.
수지-구【樹脂溝】 명 〖식〗 수지(樹脂)의 분비도(分泌道)가 되는 세포의 틈새. 수지도(樹脂道).

〈수지구〉

수지-국【收支局】 명 〖역〗 조선 시대 때, 영흥부(永興府)·함흥부(咸興府)·평양부(平壤府)·영변 대도호부(寧邊大都護府)·경성 도호부(鏡城都護府)에 두었던 토관(土官)의 동반(東班) 종칠품 아문.
수-지니【手一】 명 ①손으로 길들인 매나 새매. 수진(手陳). ↔산지니·날진. ②'수진매'를 쉽게 일컫는 말.
수지 대야【手指一】 명 〈궁중〉 손을 씻는 대야.
수지-도【樹脂道】 명 〖식〗 수지구(樹脂溝).
수지-두【手指肚】 명 손가락 끝의 손톱의 반대쪽의 지문이 있는 도도록한 곳.
수지 망태【一紙一】 명 ☞휴지 망태.
수지 부기【收支簿記】 명 〖경〗 복식 부기의 한 형태. 영업상 발생하는 모든 거래를 현금 수지로 환원하여 기록하는 부기법.
수지 분비【樹脂分泌】 명 〖식〗 병에 걸린 식물이 세포가 붕괴되어 고무와 같은 분비물을 배출하는 일.
수지비 명 〈방〉 수제비(경기·충남·전라·경상).
수지 비누【樹脂一】 명 정제(精製)한 송진 등의 수지를 수산화 나트륨 또는 탄산 나트륨의 수용액(水溶液)과 함께 끓여 만든 비누. 종이의 잉크 번짐 방지 가공이나 세탁 비누의 혼화제(混和劑)로 씀.
수지-상【樹枝狀】 명 나뭇 가지처럼 여러 가닥으로 벋은 모양.
수지상 배:전선【樹枝狀配電線】 명 전력을 수용가(需用家)로 보내는 배전선 배치의 한 형식. 본선에서 가지를 치는 듯이 연장하여 나가는 방법으로 일반적으로 널리 쓰이고 있음.

〈수지상 배전선〉

수지상 정간 부:식【樹枝狀晶間腐蝕】 명 〖야〗 아직 가공이 안 되었거나 조금 가공한 합금의 수상 결정(樹狀結晶)의 인접 부분에 선택적으로 일어나는 부식. 농도 구배(濃度勾配)에 의해서 일어남.
수지새 명 〈옛〉 수키와. =수디새. ¶ 숫 굽은 수지새(勾頭)≪漢清 XII:11≫.
수지-석【樹脂石】 명 지질 시대의 나무의 진이 땅 속에 묻혔다가 딱딱하게 변질된 광물. 호박(琥珀) 따위.
수지-설【樹枝說】 명 〔Pedigree theory〕 〖언〗 친족어(親族語)의 발생 과정을 마치 나뭇 가지가 분지(分枝)해 가는 것과 같이 설명하는 학설. 수상설(樹狀說). *파상설(波狀說).
수지-성【樹脂性】[—썽] 명 나무의 진과 같은 성질.
수지성 결정【樹枝性結晶】[—썽—쩡] 명 수지상(狀) 또는 물고기의 가시 모양으로 엉키어 성장한 결정의 집합체. 비교적 급속히 성장했을 때에 일어남.
수지 세:포【樹脂細胞】 명 수지를 포함한 식물의 분비(分泌) 세포.
수지-시【隨至施】 명 〖불교〗 여덟 가지 시(施), 곧 보시(布施)의 하나. 자기와 가까운 사람에게 베푸는 보시.
수-지오지자웅【誰知烏之雌雄】 구 까마귀의 암수를 분간 못하듯이 옳고 그름을 가릴 수 없음을 이르는 말. '시경(詩經)'의 소아(小雅) 정월편(正月篇)에 나오는 말임. *미지 숙시(未知孰是).
수지-유【樹脂油】 명 〖화〗 수지를 건류(乾溜)하여 얻은 기름. 석회 비누를 만들고, 차축유(車軸油)에 혼합하며, 유연(油煙) 원료·도료(塗料) 등에 사용함.
수지 일람표【收支一覽表】 명 수입과 지출의 일람표.
수지 전:기【樹脂電氣】 명 〖전〗 수지를 마찰하였을 때 생기는 전기. *유리 전기.
수지청-즉무어【水至淸則無魚】 명 수청 무대어(水淸無大魚).
수지-침【手指鍼】 명 〖한의〗 손가락·손바닥·손등에 퍼져 있는 345개의 경혈(經穴)에 길이 1cm 가량의 침을 1-3mm 정도의 깊이로 꽂아 치료하는 침술(鍼術). 1971-75년에 우리 나라에서 개발되었는데, 원래 명칭은 고려(高麗) 수지 침술임.
수지-톱【手指一】 명 〈궁중〉 손톱.
수지톱(을) 가시다 구 〈궁중〉 손톱을 깎으시다.
수지형 입식【樹枝形立飾】 명 〖고고학〗 '맞가지 장식'의 구용어.
수직[1]【手織】 명 손으로 짬. 또, 그 물건. ¶ ~ 넥타이. ——하다 타 여불
수직[2]【守直】 명 맡아서 지킴. ¶ ~ 당번. ——하다 타 여불
수-직[3]【守職】 명 〖역〗 품계는 낮고 관직(官職)은 높은 경우의 그 관직. 그 관직 앞에 '守'자를 붙임. ↔행직(行職). *수[28](守).
수직[4]【垂直】 명 ①반듯하게 드리움. 또, 그 상태. ¶ 막대를 지면에 ~으로 세우다. ②〖수〗 직선과 직선, 직선과 평면, 평면과 평면이 만나서 직각을 이룬 상태.
수직[5]【受職】 명 〖역〗 외국인으로서 조정으로부터 임관(任官)의 사령서(辭令書)를 받는 일. 실무(實務)에는 관계하지 아니하였음. ¶ ~ 왜인(受職倭人). *명예직(名譽職).
수직[6]【首職】 명 우두머리의 벼슬.
수직[7]【壽職】 명 〖역〗 조선 시대에 해마다 정월에 80세 이상의 관원(官員)과 90세 이상의 서민(庶民)에게 은전(恩典)으로 주던 벼슬.
수직 감:염【垂直感染】 명 〖의〗 모체내에서 직접 태아에게 감염되는 태내 감염(胎內感染)의 딴이름.
수직-갱【垂直坑】 명 〖광〗 사갱(斜坑)·수평갱(水平坑) 등에 대하여 수직으로 파내려간 갱도. 곧은바닥. 수갱(竪坑). 수직 갱도. ↔ 수평갱.
수직 거:리【垂直距離】 명 수직선상에 투영(投影)된 두 점간의 거리.
수직-관【守直官】 명 〖역〗 조선 시대 때 승문원(承文院)·성균관(成均館)의 관원이 각각 한 사람씩 겸임(兼任)하던 기로소(耆老所)의 벼슬.
수직 관:정【授職灌頂】 명 〖불교〗 전교 관정(傳敎灌頂).
수직-권【垂直圈】 명 〖천〗 천정(天頂)을 통하여 지평선에 수직을 이루는 천구(天球)상의 대권(大圈). ↔등고도원(等高度圓).
수-직기[1]【手織機】 명 〖공〗 기계력(機械力)에 의하지 아니하고 손발로 짜는 직기. ↔기계 직기.
수직-기[2]【垂直鰭】 명 〖어〗 수직 지느러미. ↔대기(對鰭).
수직 꼬리날개【垂直一】 명 〖항공〗 비행기의 꼬리날개의 하나. 동체(胴體)의 뒤쪽에 수직으로 세워 놓은 날개. 수직 안정판(安定板)과 방향(方向)키의 두 부분으로 이루어짐. 수직 미익(尾翼) ↔ 수평(水平) 꼬리날개.

〈수직 꼬리날개〉

수직 단:면【垂直斷面】 명 〖수〗 원기둥·각기둥 등의 기둥체(體)를 그 측면에 수직한 평면으로 자를 때 생기는 면. 직절구(直截口). 직절면(面). 직단(直斷)면.
수직 단:층【垂直斷層】 명 〔vertical fault〕 〖지〗 단층의 하나. 지층이 갈라진 틈을 위아래로 움직여 단층면이 수직으로 된 단층 *정(正)단층·역(逆)단층.
수직-랑【修職郞】[—낭] 명 〖역〗 고려 문관의 한 계급. 칠품(七品). 공민왕(恭愍王) 5년에 정하였는데, 11년에 폐하였다가 18년에 다시 둠. 승사랑(承事郞)의 위, 선덕랑(宣德郞)의 아래. *종사랑(從事郞).
수직-면【垂直面】 명 ①〖지〗 연직면(鉛直面). ②〖수〗 하나의 직선 또는 평면과 직각으로 만나는 면.
수직 미익【垂直尾翼】 명 수직 꼬리날개. ↔수평(水平) 미익.
수직 분업【垂直分業】 명 수직적 국제 분업(垂直的國際分業).
수직 분포【垂直分布】 명 고도(高度)의 높낮이의 차에 따라 변하는 분포. 특히, 토지의 고도(高度)나 물의 깊이의 관계에서 본 생물의 분포. ↔수평(水平) 분포.
수직 사고【垂直思考】 명 수평 사고(水平思考)에 대해서, 종래의 사고의 형식을 구별해서 말하는 호칭. 즉, 어떤 문제를 설정했을 때에, 지배적인 어떤 아이디어의 테두리 안에서 생각하는 일. ↔수평 사고.
수직-선[1]【垂直線】 명 ①중력(重力)의 방향의 직선(直線). 연직선(鉛直線). ②수선(垂線).
수:-직선[2]【數直線】 명 〖수〗 직선상의 기점(基點) 0의 양쪽에 같은 간격의 눈금을 적고, 각 점마다 하나씩 실수(實數)를 대응시킨 직선.
수직-성【水直星】 명 〖민〗 아홉 직성(直星)의 하나. 아홉 해에 한 번씩 돌아오는 좋은 직성인데, 남자는 열두살에, 여자는 열세살에 처음으로 돌아옴. *직성(直星).
수직 안정판【垂直安定板】 명 비행기의 수직 꼬리날개의 일부. 고정되어 있어 동체(胴體)의 꼬리 부분의 좌우 요동(搖動)을 방지함. *방향(方向)키.
수직 왜인【受職倭人】 명 〖역〗 조선 시대 때, 조선의 관직(官職)을 얻어 우대를 받은 일본 사람. *흥리(興利) 왜인·향화(向化) 왜인.
수직 이:등분선【垂直二等分線】 명 〖수〗 평면상(平面上)에서 어느 선분(線分)을 수직으로 이등분하는 직선.
수직 이착륙기【垂直離着陸機】[—뉵—] 명 〔vertical take-off and landing aircraft〕 지표면과 수직으로 이착륙할 수 있으며, 수평 비행 중에는 고정(固定) 날개에 의하여 양력(揚力)을 얻는 형식(型式)의 비행기. 이륙시(離陸時)에 추력(推力)을 얻는 방법으로는 제트 추진 장치로부터의 지상(地上)에의 분사 따위가 있음. 브이톨(VTOL).
수직 자기 기록【垂直磁氣記錄】 명 〖컴퓨터〗 자기(磁氣) 기록 매체에 정보를 기록할 때, 디스크·테이프 등 기록 트랙의 면(面)에 수직 방향

으로 기록하는 일. 이전의 수평 방향 기록에 비하여 고밀도(高密度)의 기록이 가능함. 수직 기록·수직 자화(磁化) 기록.

수직적 국제 분업【垂直的國際分業】명 〔vertical international specialization〕『경』 선진 공업국의 공업 제품과 발전 도상국의 1차 산품(產品)의 교환으로 나타나는 국제 분업. 수직 분업. 산업간 분업. ↔ 수평적(水平的) 국제 분업.

수직 한:계【垂直的限界】명 〔vertical line〕 고지에서의 인류 거주의 고도적(高度的) 한계. 일반적으로 저위도 지역에서 높고 고위도 지역에서 낮은 것은 기온적 제약이 원인임. 히말라야 산맥의 4,600 m, 에티오피아 고원의 3,900 m 고지에 인간의 거주지가 있음.

수직 전:위【垂直轉位】명 『지』 암층(岩層)의 일부가 중력(重力)에 의하여 수직적(垂直的) 운동을 일으키어 그 위치를 바꾸는 상태.

수직 지느러미【垂直—】명 『어』 등지느러미·뒷지느러미·꼬리지느러미 등과 같이 몸의 정중선(正中線) 위에 하나씩 있는 지느러미.

수직 지름【垂直—】명 『수』 타원·쌍곡선·포물선의 편평도(偏平度)를 나타내는 선분(線分). 타원·쌍곡선에 있어서는 하나의 초점을 통과, 두 초점을 연결하는 직선에 수직한 직선이 이들 직선에 의하여 잘리는 부분을 말하며, 또 포물선에서는 초점을 지나 축(軸)에 수직한 직선이 포물선에 의하여 잘라낸 선분을 이름. 통경(通徑).

수-직첩【收職牒】명 『역』 죄를 범한 관리로부터 직첩을 빼앗아 거두어들임. 탈고신(奪告身). ——하다 자여불

수직-추【垂直錘】명 연직선이나 수평면 등을 결정할 때 쓰는, 가는 줄에 매단 작은 추.

수직 충돌【垂直衝突】명 『물』 ①궤도(軌道)와 직교(直交)하는 평면에서의 충돌. ②발사체(發射體)의 비행 방향과 직교하는 면에 발사체가 충돌하는 일.

수직 통:합【垂直統合】명 〔vertical integration〕『경』 같은 제품에 대하여 서로 다른 생산·유통 단계로 된 복수(複數)의 기업을 합병하여 하나의 경영 관리 조직 하에 두는 일.

수직 투광기【垂直投光器】명 금속과 같이 불투명한 물질의 표면을 관찰하기 위한 현미경의 부속 장치. 시료(試料)의 표면을 수직 광선으로 관찰할 수 있도록, 대물(對物) 렌즈를 통하여 시료 위에 빛을 대는 기구(機構)를 갖추고 있음.

수직 투형도【垂直投形圖】명 『수』 입면도(立面圖).

수직 포위【垂直包圍】명 『군』 공중에서 투하되거나 헬리콥터 따위로 착륙한 부대가 적군을 차단(遮斷) 또는 포위하여 후방이나 측방을 공격하는 일.

수직 항:력【垂直抗力】[—녁] 명 『물』 역학(力學)에서, 물체의 접촉면에 수직 방향으로 작용하는 항력.

수진¹【手陳】명 수지니❶.

수진²【水盡】명 물의 흐름이 끊어짐. 물이 다 떨어짐. ——하다 자여불

수진³【收塵】명 연무질(煙霧質)을 기체(氣體)로부터 분리하여 제거(除去)하는 일. 제진(除塵). ——하다 자여불

수진⁴【受診】명 진찰을 받음. ——하다 자여불

수진⁵【袖珍】명 수진본(袖珍本).

수진-개【手陳—】명 『조』 수지니인 매. 수진매.

수진-궁【壽進宮】명 『역』 칠궁(七宮)의 하나. 조선 예종(睿宗)의 둘째 아들 제안 대군 현(齊安大君琄)의 사저(私邸). 그 뒤 어려서 죽은 대군·왕자·공주·옹주 및 무후(無後)한 후궁(後宮)들의 제사를 지내는 궁이 됨. 지금의 종로구 수송동, 전의 종로 초등 학교 북동방의 일부에 해당함.

수-진랍【水眞臘】[—질—] 명 8-9세기경 인도차이나 반도 메콩 강 하류에 있었던 크메르인(人)이 세운 나라의 중국 이름. 6세기경, 진랍(眞臘)이 부남(扶南)에서 독립하여, 그 것이 8세기초에 육(陸)진랍과 수진랍으로 분열하여 성립했음.

수진-매【手陳—】명 『조』 수진개.

수진-본【袖珍本】명 소매 안에 넣고 다닐 수 있을 정도로 작은 책. 포켓형의 책. 수진(袖珍).

수진 상전【壽進床廛】명 장구(葬具)를 팔던 가게. 지금의 장의사(葬儀社)에 해당.

[수진 상전에 지팡이를 짚기 쉽겠다] 오래지 않아 죽겠다는 뜻으로 쓰는 말.

수질¹【水疾】명 뱃멀미.

수질²【水蛭】명 『동』 거머리❷.

수질³【水質】명 물의 물리학적·화학적 및 세균학적 품질. ¶ ~ 검사.

수질⁴【首絰】명 상복(喪服)을 입을 때에 머리에 두르는, 짚에 삼 껍질을 감은 테두리.

수질⁵【髓質】명 『생』 실질성 기관(實質性器官)의 내부를 차지하는 조직. 뇌의 백질(白質) 따위. ↔피질(皮質).

수질 검:사【水質檢査】명 물의 좋고 나쁨·음료수로서의 적부(適否)를 조사하여 판정하는 일. 이화학적(理化學的) 시험·세균학적 시험·생물학적 시험의 세 가지가 있음.

수:질 구궁노【繡質九弓弩】명 『역』 고려 정종(靖宗) 6년(1040)에, 서면 병마 도감사(西面兵馬都監使) 박원작(朴元綽)이 만든 활. 동서 변진(東西邊鎭)에 비치시켰음. 천조노(千釣弩)라고도 함.

수:질 노뢰【繡質弩雷】명 『역』 고려 덕종(德宗) 원년(1032)에 상사 봉어(尙舍奉御) 박원작(朴元綽)의 주청으로 만든 활의 일종. 실체는 전하지 않음.

수질 보:전【水質保全】명 수질 오염을 방지하는 일.

수질 오:염【水質汚染】명 어떤 장소의 물이 하수(下水)나 산업 폐수(產業廢水)로 인하여 인간의 보건(保健)에 실제적인 위해를 가할 정도로 더러워진 상태.

수질 오:탁【水質汚濁】명 어떤 장소의 물이 하수(下水)나 산업 폐수(產業廢水)로 인하여 인간 보건(保健)에 실제적 위해는 아닐지라도 불합리한 영향이나 손해를 입힐 정도로 된 상태.

수질 환경 보:전법【水質環境保全法】[—뻡] 명 『법』 수질 오염으로 인한 국민 건강 및 환경 상의 위해(危害)를 예방하고 하천(河川)·호소(湖沼) 등 공공 수역의 수질을 적정하게 관리·보전함으로써 모든 국민이 건강하고 쾌적한 환경에서 생활할 수 있게 함을 목적으로 하는 법률.

수집¹【收集】명 거두어 모음. ——하다 타여불

수집²【粹集】명 정수(精粹)한 것만 골라 모음. ——하다 타여불

수집³【蒐集】명 여러 가지 재료를 찾아 모음. ¶ 자료 ~/우표 ~. ——하다 타여불

수집⁴【蒐輯】명 여러 가지 재료를 찾아 모아서 편집(編輯)함. ——하다 타여불

수집-가【蒐集家】명 수집을 전문적으로 하는 사람. ¶ 고서(古書) ~.

수집-광【蒐集狂】명 〔collect mania〕 귀중한 것뿐만 아니라 쓸데없는 것까지 수집하려고 드는 병적인 버릇. 또, 그런 사람. 컬렉트 마니아.

수집다 형 ☞수줍다.

수집-벽【蒐集癖】명 수집하기를 대단히 즐기는 버릇.

수집 본능【蒐集本能】명 어떤 물건을 모으고자 하는 선천적인 경향(傾向).

수집-상【蒐集商】명 고서(古書)·희서(稀書)·골동품 따위를 모아 파는 장사. 또, 그 장수.

수집-증【蒐集症】명 귀중한 것뿐만 아니라 쓸데없는 것까지 수집하려 하는 증상.

수징【壽徵】명 오래 살 징조.

수-짝 명 돌쩌귀처럼 암수 두 쪽으로 된 것의 수가 되는 짝.

수-짠지 명 정월 차례나 특별한 손님을 접대할 때 쓰는 고급 음식. 꿩이나 닭고기를 작고 납작납작하게 썰어 기름에 볶은 것과, 절여 둔 오이를 썬 것과, 달걀의 흰자·노른자를 따로따로 부쳐 썬 것 들을, 쇠고기를 난도하여 끓인 맑은 장국에 넣어 만듦.

수쩌께 명 〈방〉 숫제.

수-쪽 명 어음의 오른편 조각. 채권자(債權者)가 가짐. ↔암쪽.

수차¹【水車】명 ①물레방아. ②무자위.

수차²【收差】명 〔aberration〕『물』 한 점(點)으로부터 나온 빛이 렌즈나 거울에 의해서 상(像)을 만들 때, 물체와 완전히 상사(相似)한 상이 되지 아니하는 현상(現象). 구면 수차(球面收差)·색수차(色收差) 등이 있음. ¶ ~가 적은 렌즈.

수차³【袖箚】명 『역』 임금을 뵙고 직접 바치는 상소(上疏).

수:차⁴【數次】명 두서너 차례. 몇 차례. ¶ ~에 걸친 회담.

수차 발전기【水車發電機】[—쩐—] 명 『전』 수력 발전소에서 수차(水車)에 의하여 구동(驅動)되는 발전기.

수차 방사【水車紡絲】명 수차 방적(紡績)으로 자은 무명실.

수차 방적【水車紡績】명 수류(水流)를 이용하는 간단한 방적 기계로 명마·재치실 등을 굵고 특수한 실로 만드는 방법.

수착¹【收着】명 〔sorption〕『화』 다공질(多孔質)의 고체(固體)와 접촉(接觸)하는 기체(氣體)나 증기가 고체의 표면에 흡착(吸着)됨과 동시에 고체 속에 흡수 용해(吸收溶解)되는 일.

수:착²【繡錯】명 ①색실로 알록달록하게 짠 자수(刺繡). ②뒤섞여진 여러 가지 빛깔.

수찬【修撰】명 ①서책(書册)을 편집하여 찬술(撰述)함. ②『역』 고려 예문 춘추관(藝文春秋館)의 정칠품 벼슬. 주부(注簿)의 위, 공봉(供奉)의 아래. ③『역』 고려 예문관(藝文館)과 춘추관(春秋館)의 정팔품 벼슬. 주부(注簿)의 위. 공봉(供奉)의 다음. ④『역』 조선 시대 때 홍문관(弘文館)의 정육품 벼슬. 부수찬(副修撰)의 위, 부교리(副校理)의 아래. ——하다 타여불

수찬-관【修撰官】명 『역』 ①고려 국초의 사관(史館)의 벼슬. 한림원(翰林院)의 삼품(三品) 이하의 벼슬아치가 겸임(兼任)함. 수국사(修國史)·동수국사(同修國史)의 아래. ②조선 시대 초에, 예문 춘추관(藝文春秋館)의 정팔품 벼슬. ③조선 시대 때, 춘추관(春秋館)의 정삼품 벼슬. 승지(承旨)가 겸임함. 편수관(編修官)의 위, 동지춘추관사(同知春秋館事)의 아래.

수찰¹【手札】명 수서(手書).

수찰²【水察】명 『역』 경기도(京畿道) 관찰사(觀察使)의 별칭. 기찰(畿察).

수찰³【水鶩】명 『조』 농병아리.

수찰⁴【首刹】명 『불교』 수사(首寺).

수참¹【水站】명 『역』 조선 시대에 전라도·경상도·충청도 등 세 도(道)의 세곡(稅穀)을 서울로 조운(漕運)할 때 중로(中路)에서 배가 쉬던 곳.

수참²【羞慚】명 매우 부끄러움. ——하다 형여불

수참³【愁慘】명 매우 처참함. 매우 슬픔. ——하다 형여불

수참-선【水站船】명 『역』 조운선(漕運船)의 수난(水難)을 막기 위하여 수로(水路)에서 앞장서서 인도하는 작은 배.

수창¹【水倉】명 배 안에 물을 저장해 두는 곳.

수창²【水脹】명 『의』 신장병(腎臟病)으로 몸이 붓는 병.

수창³【水瘡】명 『의』 피부병의 하나. 진물이 생기는 작은 부스럼.

수창⁴【守倉】명 『역』 사창(社倉)의 일을 맡아보던 사람. 조선 고종(高宗) 3년(1866)에 두었음.

수창⁵【首唱】명 ①두목이 되어 주창함. ②좌중(座中)에서 맨 먼저 시(詩)를 읊음. ——하다 타여불

수창⁶【首創】명 맨 먼저 창설함. ——하다 타여불

수창⁷【酬唱】명 시가(詩歌)를 불러 서로 주고 받음. ——-하다 타여불

수창⁸【壽昌】명 ①오래 살며 창성(昌盛)함. ②수성(壽星)❶.

수창-자【首唱者】명 수창(首唱)하는 사람.

수-창포【水菖蒲】명〖식〗붓꽃.

수채¹ 명〔근대 : 슈치, 슈채〕집안에서 쓰는 허드렛물을 버려 흘러 나가게 한 시설. ¶ ~ 통.

수채²【水彩】명 채료(彩料)를 물에 풀어 채색하는 일. ¶ ~화.

수채³【水蠆】명〖충〗잠자리의 유충(幼蟲).

〈수채³〉

수채⁴【收採】명 ①거두어 들임. ②인재를 등용함. ——-하다 타여불

수채⁵【受采】명 신랑 집에서 보내는 납채(納采)를 신부 집에서 받음. ——-하다 자여불

수채⁶【睡菜】명〖식〗조름나물.

수채-엽【睡菜葉】명〖한의〗조름나물의 잎. 건위제로 씀.

수:-채우다【數一】자 ①일정한 수효에 이르도록 보태다. ②수효가 모자라서 임시로 비슷한 것으로 대봉치다.

수:-채움【數一】명 ①일정한 수효에 이르도록 보태는 일. ②임시로 대봉침. ㊟수챔. ——-하다 자여불

수채-통【一筒】명 수챗물이 흘러 가도록 땅 속에 묻은 통. 흔히 철관(鐵管)이나 토관(土管)을 씀. 하수관(下水管). 하수통(下水筩).

수채-화【水彩畫】명〖미술〗서양화(西洋畫)의 한 가지. 채료(彩料)를 물에 풀어서 그린 그림. 수회(水繪). ¶ ~가(家). *유화(油畫).

수채화-구【水彩畫具】명 수채화를 그리는 도료(塗料)나 화구(畫具).

수책¹【水柵】명 물 속에 세운 울타리.

수책²【收責】명 ①대금(貸金) 따위를 강제 수단을 써서 받아냄. ②죄를 떠맡음. 스스로 책임을 짐. ——-하다 자여불

수:-챔【數一】명 ↗수채움. ——-하다 자여불

수챗-구멍 명 수채의 허드렛물이 빠져 나가는 구멍.

수:처【數處】명 두서너 곳. 몇 군데.

수척¹【水尺】명〖역〗무자리. 양수척(楊水尺).

수척²【瘦瘠】명 몸이 여위고 파리함. 수삭(瘦削). 수손(瘦損). ¶ 병으로 ~해지다. ——-하다 형여불

수척-류【水蜴類】[—뉴] 명〖동〗[Hydrosauria] 뱀강(綱)에 속하는 아강. 이 유에 속하는 동물은 물에 사는 것과 물 속에 들어가기를 좋아하는 것의 두 종류가 있는데, 표피가 변한 비늘과 진피(眞皮)가 골화(骨化)된 굳은 갑(甲)이 있음. 거북목(目)·악어목(鰐魚目)의 두 목(目)으로 분류함. *인척류(鱗蜴類).

수척-형【瘦瘠型】명 여윈 몸매. 수척한 체형.

수천¹【水天】명 물과 하늘. 물에 비친 하늘.

수천²【水天】명〔범 Varunah〕〖불교〗12 천(天)의 하나. 물 속에 살면서 물을 다스리며, 서방(西方)을 수호하는 신(神). 모양은 오른손에 칼을, 왼손에 용삭(龍索)을 잡고, 거북을 타고 물 속에 있는 것과, 연화(蓮華) 잎사귀 위에 앉아, 오른손에 용삭을 잡고, 왼손은 주먹을 쥐어 허리에 두며, 온몸에서 빛을 내는 것이 있음.

〈수천²〉

수천³【水喘】명〖한의〗심장병·신장병(腎臟病) 등으로 인해 숨이 찬 병.

수천⁴【守薦】명〖역〗새로이 무과(武科)에 급제한 사람 가운데서 수문장(守門將)이 될 만한 사람을 천거하던 일. 신분이 낮은 사람이나 서족(庶族)으로 채움.

수천⁵【垂天】명 구름 따위가 드리워져 하늘을 가림. 또, 그 하늘.

수:천⁶【繡薦】명〖역〗↗수의천(繡衣薦).

수:천⁷【數千】㊀ 천의 여러 배 되는 수효.

수천-공【水天供】명〖불교〗수천(水天)을 공양하는 법. 기우(祈雨)를 위해서 행함.

수:-천만【數千萬】㊀ ①여러 천만(千萬). 몇 천만. ②이루 헤아릴 수 없이 썩 많은 수효. ¶ ~의 군사.

수천 방:불【水天彷彿】명 바다 멀리 수면(水面)과 하늘이 서로 맞닿아 그 한계(限界)를 지을 수 없음을 이르는 말.

수천 일벽【水天一碧】명 바다 멀리 수면(水面)과 하늘이 맞닿아서 그 경계(境界)를 알 수 없을 만큼 한 가지로 푸름. 수천 일색(水天一色).

수천 일색【水天一色】[—쌕] 명 수천 일벽(水天一碧).

수:-천재【數千載】명 여러 천년(千年). 까마득하게 아주 오랜 세월.

수철【水鐵】명〖광〗무쇠❶.

수철-계【水鐵契】[—께] 명〖역〗나라에 무쇠를 공물로 바치던 계.

수철-장【水鐵匠】명 경공장(京工匠)의 하나. 내수사(內需司)에 속하는 공장(工匠)으로, 아직 풀무에 들어가지 않은 무쇠를 가지고 제기(祭器)·가마솥 따위 쇠그릇을 만드는 장인(匠人).

수첩¹【手帖】명 ①몸에 지니고 다니며 수시(隨時)로 여러 가지 일을 적어 두는 썩 작은 책. 필첩(筆帖). ¶ ~에 메모를 하다. ②증명이나 여러 가지 수칙(守則) 따위를 모아서 엮은 썩 작은 책. ¶ 예비군 ~.

수첩²【受牒】명 통첩을 받음. ——-하다 자여불

수첩 군관【守堞軍官】명〖역〗조선 시대 때, 수어청(守禦廳)·총리영(摠理營)·총융청(摠戎廳)에 딸린 군관(軍官).

수청¹【守廳】명〖역〗①높은 벼슬아치 밑에서 분부대로 수종하는 일. ②청지기.

수청(을) 들다 ㉮ ㉠높은 벼슬아치 밑에서 분부대로 수종하다. ㉡관기(官妓)가 벼슬 있는 관원(官員)에게 잠시 몸을 바치다.

수청²【隨廳】명〖역〗종친부(宗親府)의 대군(大君)·군(君)과 의정부(議政府)의 의정(議政)·찬성(贊成)·참찬(參贊)과 기타 육조(六曹) 등 여러 관아의 고관(高官)에게 각각 녹사(錄事)·서리(書吏) 몇 사람을 배속(配屬)해서 사무를 보조하게 하되, 그 중 한 사람은 집사(執事)라 하여 사저(私邸)에서 공무를 보게 하고 다른 사람은 상관이 근무하는 관청에서 사무를 보게 하였는데, 위의 관청에서 사무를 보는 일을 수청이라 함.

수청-기【守廳妓】명〖역〗수청드는 관기(官妓).

수청 녹사【隨廳錄事】명〖역〗조선 시대 때, 각 관아에 소속되어 문서 취급·등사(謄寫) 등 실무 행정에 종사하는 녹사. ↔배녹사(陪錄事).

수청-목【水青木】명〖식〗물푸레나무.

수청 무대어【水清無大魚】명 '후한서(後漢書)' 반초전(班超傳)에 나오는 말로, 물이 너무 맑으면 큰 고기가 없듯이 사람도 너무 엄격하면 친할 수가 없다는 뜻. 수지청즉 무어(水至清則無魚).

수청-방【守廳房】명〖역〗청지기가 거처하는 방.

수청 서리【隨廳書吏】명〖역〗조선 시대 때, 서리 가운데 각 관청에 딸려 문서 처리·등사(謄寫)·연락 사무를 맡은 이속(吏屬). ↔배서리(陪書吏).

수청이 명〈심마니〉도끼.

수체¹ 명〈방〉수채¹(경기·강원·충청·전북·경상).

수:체²【數遞】명 '삭체(數遞)'를 잘못 읽는 말.

수:체³【數體】명〖수〗각 요소가 실수·유리수를 포함하여 복소수(複素數)로 이루어진 체(體).

수체-구녁 명〈방〉수채¹(경기).

수체-구녕 명〈방〉수채¹(경기·강원).

수체-구먹 명〈방〉수채¹(경기).

수체-구멍 명〈방〉수채¹(강원).

수체-구영 명〈방〉수채¹(경북).

수초¹【手抄】명 손수 추리어 씀. 또, 그 기록. ——-하다 타여불

수초²【水草】명 ①물과 풀. ②〖식〗물 속이나 물가에서 자라는 풀. 물풀.

수초³【垂髫】명 어린 아이의 늘어뜨린 머리. 전(轉)하여, 어린 아이. 동자(童子).

수초⁴【遂初】명 ①벼슬살이를 그만두고 야인(野人)으로 돌아가고자 하는 숙망(宿望)을 이룸. ②당초의 뜻을 이룸. ——-하다 자여불

수:초⁵【數炒】명 수볶이.

수초⁶【樹杪】명 나무 끝.

수초⁷【髓鞘】명〖생〗신경 섬유에서 중축(中軸)을 이루는 축삭(軸索)의 둘레를 싸고 있는 칼집 모양의 부분. 미엘린(myelin)이 주성분(主成分)임. 축삭을 지나는 신경의 흥분을 주위와 절연(絕緣)시키는 것으로 여겨지고 있음. *유수(有髓) 신경 섬유.

수초 낚시【水草一】명 수초가 있는 데서 하는 낚시.

수-초자【水硝子】명〖화〗물유리.

수촉【手燭】명 양초를 켜서 꽂아 들고 다니기 위하여 짧은 자루를 붙인 촛대.

수촌¹【手寸】명〖역〗노비(奴婢)의 수결(手決). 왼손의 가운뎃손가락의 첫째와 둘째 마디 사이의 길이를 재어 그림을 그리어서 도장 대신으로 씀. 좌촌(左寸).

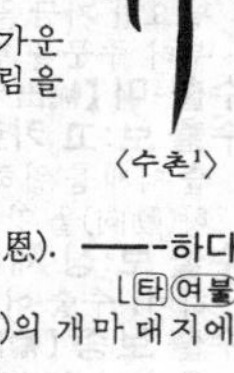

〈수촌¹〉

수촌²【水村】명 수곽(水廓)❶.

수총¹【手銃】명 권총(拳銃).

수총²【殊寵】명 특별히 귀여워함. 특별한 총애. 수은(殊恩). ——-하다 타여불

수총³【壽冢】명 수실(壽室).

수최목-산【秀最木山】명〖지〗함경 북도 무산군(茂山郡)의 개마 대지에 있는 산. 위가 평탄함. [1,520 m]

수추【首秋】명 음력 칠월의 별칭(別稱).

수축¹【收縮】명 ①오그라짐. 오그라듦. ¶ 근육이 ~하다. ②물체의 부피가 줄어듦. 1)·2) : ↔팽창. ——-하다 자여불

수축²【修築】명 집·방축 따위의 헐어진 데를 고쳐 쌓음. 보수(補修)하여 튼튼히 지음. ¶ 축대를 ~하다. ——-하다 타여불

수축³【隨逐】명 뒤를 좇아 따라감. ——-하다 타여불

수축⁴【樹畜】명 뽕나무를 가꾸고 가축을 기름. 곧, 농업을 경영함. ——-하다 자여불

수축⁵【獸畜】명 ①짐승을 기름. 마소나 개 따위를 기름. ②야수와 가축. ③단지 사랑할 뿐, 존경은 하지 않음의 비유.

수축-공【收縮空】명〔shrinkage cavity〕〖야금〗수축에 의해 주물(鑄物) 속에 생기는 공동(空洞). 수축소(收縮巢).

수축-색【收縮色】명 후퇴색(後退色).

수축-설【收縮說】명〖지〗지구의 수축이, 압축 습곡 운동(壓縮褶曲運動)이나 충상(衝上) 운동의 원인이라고 하는 설.

수축-소【收縮巢】명〖야금〗수축공(收縮空).

수축-수【收縮數】명〖물〗대류(對流)의 연구에 쓰이는 무차원수(無次元數). 유체(流體)의 점성 계수(粘性係數)와 열확산율(熱擴散率)의 곱을 교란(攪亂)이 없을 때의 표면 장력(表面張力)과 층(層)의 두께의 곱으로 나눈 것.

수축-포【收縮胞】명〖동〗일정한 율동(律動)으로 수축·확장을 하여 배설(排泄)과 호흡 작용을 행하는 담수생(淡水生) 원생 동물의 작은 세포.

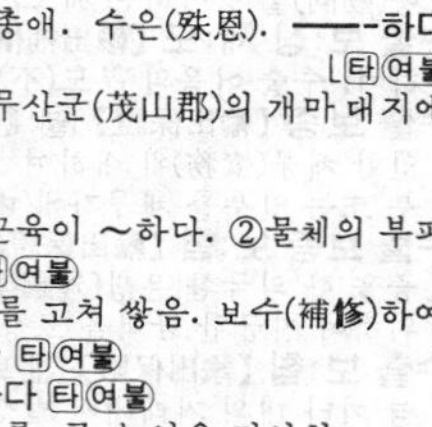

〈수축포〉

수축 포장【收縮包裝】명 플라스틱으로 포장하는 기술. 온도를 올려서 플라스틱 필름을 부드럽게 만들어서 제품에 씌워 수축 밀착시킴.

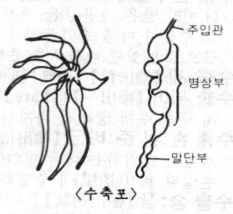

수춘【壽春】명〖지〗강원도 춘천(春川)의 옛 이름.

수춘-부【壽春部】명〖역〗태봉(泰封) 때의 한 관아. 후의 예부(禮部)에 해당함.

수출¹【秀出】명 빼어남. 뛰어남. ——-하다 형여불

수출²【搜出】명 찾아냄. 수사(搜查)하여 알아냄. ——-하다 타여불

수출³【輸出】명 ①물건을 실어서 내보냄. ②국내 상품이나 기술을 외국

으로 팔아 내보냄. ¶ 인력 ~. 1)·2):↔수입(輸入). ——-하다 타여불

수출 검:사【輸出檢査】명〖법〗수출품에 대한 검사.

수출 공업【輸出工業】명〖경〗수출 상품을 주로 제조하는 공업.

수출 과징금【輸出課徵金】명〔border tax〕〖경〗무역 수지(貿易收支)의 균형을 잡기 위하여 수출에 부과하는 과징금. 수출 억제책의 하나로, 과중한 무역 흑자를 내는 경우에 실시함.

수출 관세【輸出關稅】명〖경〗국내 희소(稀少) 물자의 해외 유출 방지를 기하고 또, 특산품에 대하여 재정 수입을 확보하기 위해 외국에 수출하는 물품에 과하는 특별한 관세. 수출세(輸出稅). ↔수입 관세.

수출-권【輸出權】[—꿘]명〖경〗수출 관리가 실시되고 있는 경우에, 특정 지역에 대한 수출이 인정된 권리. ↔수입권.

수출권 제:도【輸出權制度】[—꿘—]명〖경〗수출입 링크제의 한 방법. 일정한 수입을 행한 자에 대하여 특정 지역의 수출 권리를 인정하여 줌으로써 수출 억제·수입 촉진을 꾀하는 제도. *수출 의무 제도·수입권 제도.

수출 규제【輸出規制】명 국내 산업의 보호를 강화하고 있는 나라의 수입 억제 정책을 완화시킬 목적으로, 수출입 양국간의 협의하에 수출국이 자주적으로 그 수출 수량을 규제하는 긴급 조치의 수출 방식.

수출 금융【輸出金融】[—/—늉] 명 ①수출 상품의 제조·가공·집하(集荷) 등을 쉽게 할 수 있도록 하는 금융면의 지원. ②외국 수입 상인으로부터 신용장을 수령한 수출업자, 수출 상품을 생산하는 생산업자, 수출용 원자재 생산업자를 대상으로 한 금융.

수출 금융 보:험【輸出金融保險】[—/—늉—]명〖경〗수출자에 대하여 수출 금융을 한 은행이 수출 또는 수출 대부금 회수가 불가능하게 되었을 때, 대부금의 반제(返濟)를 못 받아서 생긴 손해를 전보하는 수출 보험의 하나. *해외 광고 보험.

수출 금:제품【輸出禁制品】명〖법〗법률로써 수출이 금지 또는 제한「된 물품. ↔수입 금제품.

수출 드라이브【輸出—】명〔export drive〕〖경〗국내 시장의 불경기로 팔다 남은 과잉 생산물의 판로(販路)를 해외 시장에 구하여 무리(無理)하게 행하는 수출.

수출-률【輸出率】명〖경〗한 국가에 있어서 한 해의 수출액의 국민 소「득에 대한 비율. ↔수입률.

수출 면:세【輸出免稅】명〖법〗외국에 수출하는 과세 물품에 대하여 물품세의 납세 의무를 면제하는 일.

수출 면:장【輸出免狀】[—짱]명〖경〗세관에서 발급하는, 수출을 허가하는 서장. ↔수입 면장.

수출 무:역【輸出貿易】명 국내의 화물(貨物)을 외국 시장으로 수출하「는 무역.

수출 무:역 어음【輸出貿易—】명〖경〗수출품의 생산과 집하(集荷)에 필요한 자금을 은행에서 차입(借入)하기 위하여 수출업자 또는 그들로부터 주문을 받은 제조업자가 발행하는 어음. ↔수입 무역 어음.

수출-미【輸出米】명 수출하는 쌀.

수출 보:고 카르텔 제:도【輸出報告—制度】〔도 Kartell〕명〖경〗수출 억제를 위하여, 업자에게 수출 수량이나 금액을 보고시켜서 수출 동향(動向)을 감시하는 제도.

수출 보:상 제:도【輸出補償制度】명〖경〗수출의 진흥을 도모하기 위하여, 수출 어음의 부도(不渡)에 의한 손해를 보상하는 제도.

수출 보증【輸出保證】명〖경〗수출 계약의 입찰(入札)이나 계약으로 인한 채무(債務)에 대하여 그 입찰 또는 계약의 상대방에게 채무의 전부 또는 일부를 채무자에 대신하여 이행하기로 하는 보증.

수출 보증 보:험【輸出保證保險】명〖법〗수출 보험의 하나. 수출 보증을 한 외국환 은행(外國換銀行)이 보증 채무(保證債務)를 이행하기 위하여 지급한 금액을 보상하기 위한 보험.

수출 보:험【輸出保險】명 보통의 보험으로는 구제할 수 없는 수출 무역 기타 대외 거래에서 발생하는 재산상의 손실을 전보(塡補)하기 위한 보험. 상공자원부 장관이 사업을 관장하되, 한국 수출입 은행이 대행. 일반 수출 보험·수출 금융 보험·수출 어음 보험·중장기(中長期) 연불 수출 보험·위탁 판매 수출 보험·해외 투자 보험·해외 건설 공사 보험·수출 보증 보험 등이 있음.

수출 보:험 기금【輸出保險基金】명〖경〗정부에서 수출 보험 사업의 효율적 달성을 위하여 정부 예산으로 조성한 기금.

수출-불【輸出弗】명 물자의 해외 수출에 의해서 획득한 불화(弗貨).

수출 산:업【輸出產業】명〖경〗수출을 중요한 판로(販路)로 하는 산업. ↔내수(內需) 산업.

수출 산:업 공업 단지【輸出產業工業團地】명〖법〗수출 산업을 위하여 개발한 공업 단지.

수출-상【輸出商】[—쌍]명 국내 상품을 수출하는 장수 또는 장사. ↔「수입상(輸入商).

수출 선수금【輸出先受金】명〖경〗수출하기 전에 외국 수입 회사로부터 미리 받은 신용장을 제시하여 얻은 수출 금융 대출금(貸出金). 실제로 수출한 다음 수입국에서 물건을 받고 대금을 은행에 지불하면 선수금으로 받았던 대출액은 은행에 갚으면 됨.

수출-세【輸出稅】[—쎄]명〖법〗수출 관세. ↔수입세(輸入稅).

수출 셰어【輸出—】〔share〕명 세계 무역에서, 한 나라의 수출액이 세계 수출 총액 중에서 차지하는 시장 점거율.

수출 손:실 준:비금【輸出損失準備金】명〖경〗수출·군납(軍納)·관광 사업을 영위하는 내국 법인(內國法人)이 그 사업에 관하여 발생하는 손실의 보전(補塡)에 충당하기 위하여 적립하는 준비금.

수출 송:장【輸出送狀】[—짱]명〖경〗수출품의 품목·수량·중량·가격 등을 기록하여 수출품에 첨가하여 보내는 송장.

수출 승수【輸出乘數】[—쑤]명〔export multiplier〕〖경〗수출 증가로 인한 국민 소득의 증가의 비율. 수입 성향의 역수로 표시됨. 가령 수입 성향 20%, 수출 증가 1억 달러라고 하면 수출 승수는 1÷0.2, 곧 5억 달러임.

수출 신고서【輸出申告書】명〖경〗수출 허가를 얻기 위하여, 세관에 제출하는 서류. ↔수입 신고서.

수출 신:용 보:상 제:도【輸出信用補償制度】명〖경〗수출 무역의 진흥을 꾀하기 위하여 정부가 상대국의 무역 제한이나 전쟁·내란 따위와 같은, 보통의 보험으로는 구제할 수 없는 수출 거래상의 위험을 담보하고 수출업자나 융자 은행의 손실을 보상하려는 제도.

수출 신:용장【輸出信用狀】[—짱]명〖경〗국제간의 수출입 결제를 위하여 개설된 상업 신용장을 수출지(輸出地)의 입장으로 보아 일컫는「말. ↔수입 신용장.

수출-액【輸出額】명 수출한 상품의 금액.

수출 어음【輸出—】명〖경〗수출상이 외국 수입상으로부터의 송금을 기다리지 아니하고 수입상이나 또는 그가 지정한 은행 앞으로 발행하는 어음. 기한은 보통 30일 내지 6개월임. ↔수입 어음.

수출 어음 보:험【輸出—保險】명〖경〗수출 어음을 사들인 은행이 그 어음의 부도(不渡)로 입는 손해를 전보(塡補)하는 수출 보험.

수출업-자【輸出業者】명 수출을 업으로 삼는 사람.

수출 오퍼【輸出—】〔offer〕명 수출업자가 외국의 매주(買主)에게 가격·품명·수량·선적기(船積期)·지불 조건 등 수출 조건을 제공하는 것.

수출 원가【輸出原價】[—까]명〖경〗수출 상품의 재료 구입 원가와 제조비 및 선적(船積)까지의 모든 비용에 이윤을 가산(加算)한 수출 상품의 가격.

수출의 날【輸出—】[—/—에—] 명 수출 진흥과 증대를 도모하고 기업인들의 사기를 증진시키기 위하여 제정된 날. 1987년에 '무역(貿易)의 날'로 바뀜.

수출 의:무 제:도【輸出義務制度】명〖경〗수출입 링크제의 방법. 일정한 수입을 인정하는 대신 그에 대응할 일정 비율의 수출을 의무적으로 요구하여, 수입을 억제하고 수출을 촉진하려는 제도. *수입권 제도·수출권 제도.

수출 의존도【輸出依存度】명〖경〗한 나라의 경제가 수출에 의존하고 있는 정도 및 그 지표(指標). 보통, 국민 총생산 또는 국민 총생산에서 차지하는 수출액의 비율로 나타냄. 수출 성향(性向)이라고도 함.

수-출입【輸入】명 수출과 수입.

수출입 금융 채:권【輸出入金融債券】[—꿘/—늉—꿘] 명〖경〗한국 수출입 은행이 발행하는 금융 채권.

수출입 링크제【輸出入—制】〔link〕명〖경〗일정한 수출과 수입을 수량·금액 등의 면(面)에서 관련시켜, 업자에게 수입을 허가하는 무역 제도. 수출입 연계 제도. 링크 제도(link 制度).

수출입 연계 제:도【輸出入連繫制度】명〔link system〕〖경〗수출입「링크제.

수출입 은행【輸出入銀行】명 ①〔Export-import bank〕〖경〗중·장기 신용에 의한 수출입과 해외 투자에 관한 금융을 주로 다루는 특수 은행. ②↗한국 수출입 은행. *외환 은행(外換銀行).

수출입 조합【輸出入組合】명〖경〗동일 또는 동종(同種) 물품의 수출입 질서를 확립하기 위하여, 이를 다루는 수출입 업자가 조직하는 수출 조합과 수입 조합.

수출입 카르텔【輸出入—】〔도 Kartell〕명 수출입 업자의 난립(亂立)으로 인한 과당 경쟁을 피할 목적으로, 수출입 품목의 규격·가격 등에 관하여 협정하는 일. 또, 그 협정. 무역 카르텔.

수출입-품【輸出入品】명 수출품(輸出品)과 수입품(輸入品).

수출입 회전 기금【輸出入回轉基金】명〖경〗무역을 위하여 설정한 기금으로, 원료를 수입할 때 찾아 쓰고 그 제품을 수출하여 받는 대금으로 도로 보충하는 기금. ㊟회전 기금.

수출 자유 지역【輸出自由地域】명 외국에서 원료를 수입하여 제품을 만들어서 그것을 전부 해외에 수출하는 것을 목적으로, 정부에서 일정한 지역을 정해 면세(免稅) 등의 혜택을 주는 지역. 우리 나라에는 마산(馬山)과 이리(裡里)에 있음. *보세 구역.

수출 자유 지역 설치법【輸出自由地域設置法】[—뻡] 명〖법〗바다에 임한 특정 지역에, 수출 자유 지역을 설치하여 외국인의 투자를 유치함으로써 수출 진흥·고용 증대 및 기술의 향상을 기하여 국민 경제의 발전에 기여함을 목적으로 제정된 법.

수출 자주 규제【輸出自主規制】명 어떤 나라가 국내 산업의 보호를 위하여 수입품을 제한하는 따위의 사태가 생겼을 경우에, 그 조치를 완화시킬 목적으로 수출국이 자주적으로 수출품의 수량이나 가격을 규제하는 일.

수출 장:려금【輸出獎勵金】[—녀—]명〖경〗특정한 화물의 수출을 장려하기 위하여, 정부에서 수출상에 주는 보조금.

수출 전대 어음【輸出前貸—】명〖경〗수출업자 또는 제조업자로부터 발주(發注)를 받은 생산자가 그 수출 상품을 사거나 또는 제조 가공하기 위하여 필요한 자금 조달의 목적으로 발행하는 어음. 보통, 금융 기관 앞으로의 단명(單名) 어음임.

수출 제:한【輸出制限】명 외국에 수출하는 수출품의 품목·수량 따위에「제한을 가하는 일.

수출 조합【輸出組合】명〖경〗수출업자가 수출 과당 경쟁·불량품의 수출·부당(不當)한 매입(買入) 등 공정(公正)하지 못한 거래(去來)의 방지 및 자금(資金)의 융통 등을 위하여 설립하는, 비영리(非營利)의 사단 법인(社團法人). ↔수입 조합.

수출 지원 자:금【輸出支援資金】명〖경〗수출을 지원할 목적으로 금융 기관이 수출업자에게 대출하는 자금.

수출 체화【輸出滯貨】명〖경〗수출하기 위하여 생산한 상품으로서 수출 계약을 체결하지 못하고 있는 화물.

수출 초과【輸出超過】명〖경〗어느 기간(期間)을 두고, 한 나라의 수출품의 총가격이 수입품의 총가격을 초과하는 일. ㊟출초(出超). ↔수입 초과(輸入超過).

수출 카르텔【輸出—】〔도 Kartell〕명 수출 안정(安定)의 증진을 목「적으로 하는 수출업자의 기업 연합.

수출 클레임【輸出一】〔claim〕 명 〖경〗 수출에 관하여 붙여진다는 뜻에서 '클레임'을 똑똑히 일컫는 말.
수출 탄:력성【輸出彈力性】〔一탈一〕 명 〖경〗 수출 가격 변화율에 대한 수출량 변화율의 비율. 또, 국민 소득 변화율에 대한 수출량 변화율의 비율을 가리키기도 함.
수출-품【輸出品】 명 외국으로 수출되는 물품. ↔수입품.
수출-항【輸出港】 명 국내의 화물을 외국에 수출하는 항구. 수입품보다 수출품을 더욱 많이 취급하는 항구. ↔수입항. *무역항(貿易港).
수출항 선측 인도【輸出港船側引渡】 명 〖경〗 에프 에이 에스(FAS).
수출 허가제【輸出許可制】 명 특정 상품 또는 모든 상품의 수출에 있어 사전(事前)에 정부의 허가를 받게 하는 제도.
수출-환【輸出換】 명 〖경〗 수출상이 수출 상품의 대금을 외국 수입상으로부터 받을 목적으로, 외국 수입상을 지불인으로 하는 어음을 발행하여 환은행에 그 매수(買收)를 의뢰하는 환어음.
수충【水蟲】 명 물에 있는 벌레.
수취[1]【收取】 명 거두어 들여 가짐. ——-하다 타여불
수취[2]【收聚】 명 거두어 모음. ——-하다 타여불
수취[3]【受取】 명 받아 가짐. ——-하다 타여불
수취-서【受取書】 명 수취 증서(受取證書).
수취식 수표【受取式手票】 명 발행인으로부터 지급인에게 넘어간, 수취 증서의 형식을 지닌 수표. ↔위탁(委託) 수표.
수취 어음【受取一】 명 받을어음.
수취 어음 계:정【受取一計定】 명 받을어음 계정.
수취-인【受取人】 명 ①서류나 물건을 받는 사람. ②어음·수표 등의 발행자로부터 어음·수표를 교부받아 제 1 의 소지인이 되는 사람.
수취 증서【受取證書】 명 〖법〗 채권자가, 채무자의 채무 이행을 증명하는 증거로서 채무자에게 교부하는 증서. 수취서(受取書).
수층【水層】 명 물로 된 층. 물의 층.
수-치[1] 명 소금에 절이어 말린 민어(民魚)의 수컷. ↔암치❶.
수치[2]【修治】 명 〖한의〗 법제(法製)❷.
수치[3]【修峙】 명 〖지〗 황해도 옹진군(甕津郡)에 있는 고개. [62 m]
수치[4]【羞恥】 명 부끄러움. 수괴(羞愧).
수:치[5]【數値】 명 〖수〗 ①계산하여 얻은 값. ②값.
수치[6]【繡幟】 명 대통령이 장군의 지휘도에 감아 주는 수놓은 장식. 준장에게는 없고 소장(少將)에서 대장(大將)까지 진급할 때마다 대통령이 수치만 바꾸어 달아 줌. 분홍색 바탕에 직위, 이름, 날짜, 대통령 이름 등이 검정 글씨로 차례로 수놓여 있음.
수치-감【羞恥感】 명 부끄러운 느낌.
수:치 계:산【數値計算】 명 〖수〗 실제로 수치를 대입(代入)하여 행하는 계산.
수:치 계:산법【數値計算法】〔一뻡〕 명 사칙산(四則算)이 혼합된 복잡한 수식(數式)을 신속 정확하게 계산하고, 또한 그것에 의하여 여러 가지 문제를 푸는 방법.
수치-도【水雉島】 명 〖지〗 전라 남도의 서해상(西海上), 신안군(新安郡) 비금면(飛禽面) 수치리(水雉里)에 위치한 섬. [2.14 km²: 510 명 (1984)]
수:-치레【數一】 명 좋은 운수나 재수를 몸에 받음. ——-하다 자여불
수치-스럽다【羞恥一】 형ㅂ불 부끄러운 느낌이 있다. 수치-스레【羞恥一】 부
수치-심【羞恥心】 명 부끄러움을 느끼는 마음이나 기분.
수:치 예:보【數値豫報】 명 〖기상〗 일기 예보 방식의 하나. 대형 컴퓨터를 사용하여 대기(大氣)의 운동, 기온의 변화, 수증기량의 변화 등 기상 관측값을 기초로 복잡한 연립 방정식을 수치 계산하여 예상 일기도(日氣圖)를 만듦으로써 일기를 예측하고 예보하는 방식.
수치 요법【水治療法】〔一뻡〕 명 〔hydrotherapy〕 〖의〗 물리 요법의 하나. 냉수·온수(溫水)·증기 등의 온도와 자극을 이용하여, 질병을 치료하는 방법. 세척(洗滌)·좌욕(坐浴)과 같은 것.
수치-인【受置人】 명 〖법〗 임치 계약(任置契約)에 의하여 임치인으로부터 목적물(目的物)의 보관을 위탁(委託)받은 사람.
수:치 적분【數値積分】 명 〔numerical integration〕 함수 $f(x)$의 $x=a$에서 b까지의 정적분(定積分) $I=\int_a^b f(x)dx$의 근사치를 수치 계산에 의하여 구하는 방법.
수:치 제:어【數値制御】 명 〔numerical control〕 자동 제어의 한 방식. 주로 공작 기계에 관한 것으로, 제어 신호에 디지털 신호(digital 信號)를 사용함. 고정도(高精度), 소량 생산의 방식으로서 널리 쓰임.
수:치 제:어 공작 기계【數値制御工作機械】 명 가공에 필요한 공구의 작동을 코드화(cord 化)하여 수치 제어 형식으로 자기(磁氣) 테이프 등에 기록, 이 정보에 의하여 운전(運轉)이 자동 제어되는 공작 기계.
수:치 지적부【數値地籍簿】 명 토지의 경계점(境界點)을 좌표(座標)로 표시한 지적 공부(地籍公簿)의 하나. 토지의 소재지·지번(地番)·좌표 등을 등록함.
수-치질【一痔疾】 명 〖의〗 항문(肛門) 밖으로 콩알이나 엄지손가락만큼씩 한 것이 하나나 두서너 개가 두드러져 나오는 치질. 증상은 치질과 같음. 모치(牡痔). 외치(外痔). ↔암치질.
수:치 테이프【數値一】 명 〔numerical tape〕 공작(工作) 기계를 제어하는 컴퓨터가 필요로 하는 테이프.
수:치 해:석【數値解析】 명 〔numerical analysis〕 〖수〗 수학 문제의 해법에 구체적인 수치 계산을 사용하는 근사법(近似法)의 연구와 응용.
수칙[1]【守則】 명 행동·절차에 관하여 지켜야 할 사항을 정한 규칙. ¶ 안전 ～.
수칙[2]【守則】 명 〖역〗 조선 시대, 세자궁(世子宮)에 딸린 궁인직(宮人職)으로, 종육품 내명부(內命婦)의 품계.
수칙[3]【修飭】 명 몸을 닦고 언행을 삼감. ——-하다 자여불

수침[1]【水沈】 명 물에 가라앉음. 물에 잠김. ——-하다 자여불
수침[2]【水枕】 명 고무나 방수포로 만들어, 물을 넣어 베는 베개. 물베개.
수침[3]【水浸】 명 ①물에 담금. ②침수(浸水). ——-하다 자타여불
수침[4]【受鍼】 명 침을 맞음. ——-하다 자여불
수:침[5]【繡枕】 명 수를 놓은 베개. 수베개.
수침 건조법【水浸乾燥法】〔一뻡〕 명 목재 건조법의 하나. 목재를 물에 담갔다가 그 속의 가용성(可溶性) 물질을 제거한 뒤 건조시키는 법.
수침-령【水砧嶺】〔一녕〕 명 〖지〗 평안 북도 위원군(渭原郡) 숭정면(崇正面)에 있는 산. [1,409 m]
수침-산【水砧山】 명 〖지〗 함남 장진군(長津郡) 중남면(中南面)과 신흥군(新興郡) 동상면(東上面) 사이에 있는 산. [1,938 m]
수침 화:소【水浸火燒】 명 물에 잠기고 불에 탐. ——-하다 자여불 *풍마 우세(風磨雨洗).
수칭【水秤】 명 〖물〗 아르키메데스(Archimedes)의 원리를 이용하여 만든, 비중을 재는 장치.
수카르노〔Sukarno, Achmed〕 명 〖사람〗 인도네시아의 정치가. 1927년 국민당을 조직, 독립 운동을 주도하던 중 수차 투옥되고, 2차 대전 중 일본에 협력하였으며, 1949년 공화국 성립과 함께 대통령이 되었음. 1963년 종신 대통령이 되었으나, 점차 좌경하여, 1965년 9월 30일 사건으로 실각, 1968년 대통령에서 해임당함. 교도(敎導) 민주주의를 제창하였음. [1901-70]
수-캉아지 명 강아지의 수컷. ↔암캉아지.
수-캐 명 개의 수컷. ↔암캐.
수-캐미 명 ☞ 수개미.
수캥이 명 〈방〉 수키와.
수-커미 명 ☞수거미.
수-컷 명 동물의 남성. ↔암컷. *수놈.
수-케 명 ☞수게.
수-코양이 명 ☞수고양이.
수코타이〔Sukhothai〕 명 〖지〗 타이 중부의 고도(古都). 13-14세기 수코타이 왕조의 수도로서 번영하여, 당시의 유적이 많음. 또, 13-16세기 타이의 제도(製陶)의 중심이기도 했음.
수코타이 왕조【一王朝】〔Sukhōthai〕 명 〖역〗 13 세기 중엽, 타이 북부 지방에 타이족이 세운 왕조. 중국의 문물을 받아들여 문화가 번영하였으며, 타이 문자(文字)가 제정된 것도 이 왕조 때였음. 14 세기 후반에 아유타야 왕조에 멸망됨. [1256-1350]
수코타이-파【一派】〔Sukhothai〕 명 수코타이 왕조 시대의 불교 미술로서, 청동불(青銅佛)이 중심임. 반가(半跏)의 불상이 많고, 길쭉한 얼굴이나 눈·입 등 타이족의 특징이 잘 나타나 있음.
수-콤 명 ☞수곰.
수-콫 명 〈방〉 수꽃.
수-쾡이 명 ↗수코양이. ↔암쾡이.
수-쾨 명 〈방〉 수고양이.
수-쿠렁이 명 ☞ 수구렁이.
수-퀑 명 ☞수꿩[2].
수크〔Suk, Josef〕 명 〖사람〗 체코슬로바키아의 바이올리니스트. 드보르자크의 증손. 수크 삼중주단의 주재자이며, 보헤미아 바이올린 악파의 계승자임. 같은 이름의 음악가(1874-1935)의 손자임. [1929-]
수:크레[1]〔Sucre, Antonio José de〕 명 〖사람〗 남미의 혁명가. 베네수엘라에서 태어나, 1811년 독립 운동에 참가함. 볼리바르(Bolivar)의 참모로서 군사적 천재를 발휘하여 스페인군을 격파, 남미 북부를 해방시킴. 1826년에 볼리비아 대통령이 되었고, 1828년 대통령직을 사임한 후, 에콰도르에서 정치가로서 활동하다가 암살됨. [1795-1830]
수크레[2]〔Sucre〕 명 〖지〗 볼리비아의 헌법상의 수도이며 추키사카(Chuquisaca) 주의 주도(州都). 최고 재판소가 있음. 행정의 중심은 라파스에 있음. [90,000 명(1990 추계)]
수크령 명 〖식〗 [*Pennisetum purpurascens*] 볏과(科)에 속하는 다년초. 뿌리는 억세고 줄기는 총생(叢生)하며 높이 60 cm 가량임. 잎은 빳빳하며 협선형(狹線形)으로 길고 끝이 뾰족함. 9월경에 잎 사이에서 원기둥꼴 이삭이 길게 솟아 나는데, 빛은 흑자색이고 가시랭이와 털이 빽빽이 남. 들이나 제방의 양지바른 풀밭에 나며, 가야산 및 경북·강원·경기·평남에 분포함.

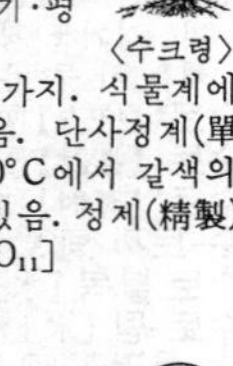
〈수크령〉

수크로오스〔sucrose〕 명 〖화〗 이당류(二糖類)의 한 가지. 식물계에 널리 있는데, 특히 고구마·사탕무·사탕수수 등에 많음. 단사정계(單斜晶系)의 결정으로, 160°C에서 녹아 엿같이 되고, 200°C에서 갈색의 캐러멜(caramel)이 됨. 물에 잘 녹으며 감미(甘味)가 있음. 정제(精製)하여 조미용(調味用) 사탕을 만듦. 자당(蔗糖). [$C_{12}H_{22}O_{11}$]
수클 명 ☞수글.
수-키와 명 두 암키와 사이에 엎어 놓는 기와. 속이 빈 원기둥을 세로 반으로 쪼갠 것과 같이 생겼음. 동와(童瓦). 모와(牡瓦). 부와(夫瓦). ↔암키와.

언강
미구
〈수키와〉

수타 부 〈방〉 숱하게.
수타 국수【手打一】 명 손으로 빼낸 국수. ↔기계 국수.
수타-사【壽陀寺】 명 〖불교〗 강원도 홍천군(洪川郡) 동면(東面) 덕치리(德峙里) 공작산(孔雀山) 기슭에 있는 절. 신라 33대 성덕왕 7년(708)에 창건. 임진 왜란 때 불탄 것을 인조(仁祖) 때 수축을 시작하여, 숙종 9년(1683)에 완성됨. 1364년에 만든 종과 기단부(基壇部)와 옥개석(屋蓋石)만이 남아 있는 고려 말기의 3층 석탑이 있고, 월인 석보(月印釋譜) 1책(册)(제 17·18권)의 원본이 있음.

수탁[1]【手拓】명 탁본(拓本)을 뜸. 또, 그 탁본. ——-하다 타여불
수탁[2]【受託】명 위탁·촉탁(囑託)·부탁을 받음. ——-하다 타여불
수탁 계:약 준:칙【受託契約準則】명〖법〗증권 거래법상 증권 거래소의 거래원(去來員)이 매매 거래의 수탁(受託)에 관하여 준수하지 않으면 안 될 준칙.
수탁 공:동 판매【受託共同販賣】명〖경〗공동 판매 기관이, 가맹한 각 기업의 위탁을 받고 자기 명의로 판매하는 공동 판매 방식. *중개 공동 판매·매수 공동 판매.
수탁 능력【受託能力】[—녁] 명〖법〗신탁 능력.
수탁 매매【受託賣買】명〖경〗위탁을 받아 하는 매매. 자기 이름으로 매매하지만 일정한 수수료를 받음에 그치고 계산은 물품의 임자가 함.
수탁-물【受託物】명 수탁을 받은 물건.
수탁 법관【受託法官】명〖법〗수탁 판사.
수탁 법원【受託法院】명〖법〗다른 법원으로부터 소송 사건의 촉탁을 받아 그 관할내에 있는 증거(證據)의 조사·신문(訊問)·송달 등을 하는 법원.
수탁 사:물【受託事物】명 수탁을 받은 사물.
수탁-인【受託人】명 수탁자(受託者). ↔위탁인(委託人).
수탁-자【受託者】명〖법〗①수탁을 받은 사람. 수탁인. ↔위탁자. ②신탁(信託)에서 신탁 재산의 관리나 처분을 맡은 당사자. 수탁인.
수탁 판매【受託販賣】명〖경〗다른 사람으로부터 위탁(委託)을 받아 위탁자의 계산으로 하되, 자기의 명의로 물품을 판매하는 일. 맡아팔기.
수탁 판사【受託判事】명〖법〗다른 법원의 적법(適法)한 촉탁을 받고 자기 소속 법원의 관할 안에서 검증·증인 신문 등 특정한 소송 행위를 하는 판사. 수탁 법관. 「인수 회사(引受會社).
수탁 회:사【受託會社】명〖경〗신탁이나 위탁의 수탁자가 되는 회사.
수탄[1]【愁嘆】명 근심하고 탄식함. ——-하다 타여불
수탄[2]【獸炭】명〖화〗동물의 피·가죽·고기·뿔·뼈·털 등의 동물질(動物質)을 건류(乾溜)하여 얻는 탄소질 물질(炭素質物質)의 총칭. 원료에 의하여 혈탄(血炭)·골탄(骨炭)이라 함. 탈색용(脫色用)으로 씀.
수탈【收奪】명 강제로 빼앗음. ¶ ~자. ——-하다 타여불
수탈 계급【收奪階級】명〖사〗착취 계급. 「를 빼앗음.
수탈 법계【收奪法階】명〖불교〗범죄의 경중에 따라 법계(法階)의 증서
수-탉[—탁] 명 닭의 수컷. 웅계(雄鷄). ↔암탉.
수탐【搜探】명 수사(搜查)하고 탐지함. 수토(搜討). ——-하다 타여불
수탕【髓湯】명 골탕(湯)❶.
수-탕나귀 명 당나귀의 수컷. ㈜수나귀. ↔암탕나귀.
수태[1]【水苔】명〖식〗해캄[1].
수태[2]【受胎】명 아이를 뱀. ¶ ~ 조절. ——-하다 자여불
수태[3]【羞態】명 부끄러워하는 태도. 수치스러워하는 태도.
수태[4]【愁態】명 수심에 찬 자태. 근심하는 모양.
수태[5]【樹苔】명 나무에 난 이끼.
수태[6]【樹態】명 수목(樹木)의 상태.
수태[7] 부〈방〉많이(평안).
수태 고:지【受胎告知】명〖기독교〗천사 가브리엘(Gabriel)이 성령(聖靈)에 의한 임신을 마리아(Maria)에게 알려 준 일. 이것은 중세 이래 자주 종교화(宗敎畫)로 표현되고 있음. 성고(聖告).
수태 고:지절【受胎告知節】명〖기독교〗수태 고지를 기념하는 날. 3월 25일임. 천주교에서는 성모 영보(聖母領報) 대축일.
수태 조절【受胎調節】명 [conception control]〖의〗피임법을 써서 일시적으로 수태를 제한하는 일. 모체의 건강, 악질적인 유전성 질환, 경제적인 이유 등으로 행함. 버스 컨트롤(birth control).
수택[1]【水澤】명 물이 괸 못.
수택[2]【手澤】명 ①오래 갖고 있는 동안에 물건에 묻는 손때. ②옛 사람이 자주 손떈 흔적으로 물건에 남아 있는 손때.
수택-본【手澤本】명 ①먼저 사람이 되풀이하여 읽어서 손때가 묻은 책. ②유애(遺愛)의 서책(書册). ③어떤 사람이 여러 가지 것을 참고로 써 넣은 책.
수택-사【水澤瀉】명〖식〗물택사.
수택 식물【水澤植物】명〖식〗습지에 나며 뿌리는 물 속에, 식물체의 윗부분은 물 위에 나타나 있는 식물. 가래·질경이택사·왕골 등.
수털 명〈방〉숫돌(경상).
수토[1]【水土】명 ①물과 흙. 물과 땅. ②도자기의 원료가 되는 흙의 한 가지. 경기도 광주(廣州)에서 남. ③〖불교〗사대(四大) 중의 물과 흙. 육체는 이 두 가지로 된다고 함.
수토[2]【守土】명 국토를 지킴. 토지를 지킴. ——-하다 자여불
수토[3]【搜討】명 수색(搜索). 수탐(搜探). ——-하다 타여불
수토[4]【蒐討】명 모아서 조사함. ——-하다 타여불
수-토끼 명 토끼의 수컷. ↔암토끼. 「상함. ——-하다 자여불
수토 불복【水土不伏】명 풍토(風土)나 물이 몸에 맞지 아니하여 위장이
수토-탕【水土湯】명〖한의〗어린아이의 감질(疳疾)에 쓰는 탕약.
수-톨쩌귀 명 문짝에 박아서 문설주에 있는 암톨쩌귀에 꽂게 되어 있는, 촉이 달린 돌쩌귀. 수쇠. ↔암톨쩌귀.
수-통[1]【水桶】명 물통❶. 「병.
수통[2]【水筒】명 물을 담아서 차거나 메고 다니게 된, 병처럼 된 물건. 빨
수통[3]【水筩】명 ①물을 통하게 하는 관(管). ②〖토〗상수도(上水道)의 물을 직접 따라 쓰는 고동과 작은 관으로 된 장치. 땅 속에 박힌 원통(圓筒) 속에 작은 관(管)이 있어 그 끝이 급수관(給水管)에 통하여서, 고동을 틀면 마개가 열려 물이 올라오게 됨. 수도전(水道栓). ③수도(水道).
수통[4]【垂統】명 ①좋은 전통을 자손에게 전함. ②사업을 수세(數世)에 전함. ——-하다 자여불
수통[5]【羞痛】명 부끄럽고도 분함. ¶ 박씨의 투기를 아는지라. 섣불리 하다가는 모양만 ~하여 큰 망신만 하고 일도 아니 될지라≪作者未詳 : 恨月≫. ——-하다 자여불
수통[6]【愁痛】명 근심하고 가슴 아파함. ——-하다 타여불
수:통[7]【數筒】명 산통(算筒).
수통-박이【水筩—】명 길거리에서 상수도의 수통이 박히어 있는 곳.
수통-스럽다【羞痛—】형ㅂ불 부끄럽고도 분한 마음이 있다. ¶ 내 몰골 사납고 수통스러운 꼴이 나고 안 나고는 순전히 자네에게 달렸으니 그리 알게≪金周榮 : 客主≫. **수통-스레**【羞痛—】부
수-통인【首通引】명〖역〗지방 관아(官衙)에 딸린 통인(通引) 중의 우두머리.
수-톹 명〈방〉수퇘지.
수-퇘지 명 돼지의 수컷. 저공(豬公). ↔암퇘지.
수투[1]【水套】명〖기〗내연 기관이나 공기 압축기의 기통(氣筒) 또는 기통 머리의 고온부(高溫部)를 외부에서 덮고 있는 방. 내부에 찬물이 통하여 기통을 냉각시킴. 워터 재킷(water jacket).
수투[2]【殊鬪】명 필사의 각오로 싸움. ——-하다 자여불
수:-투전【數鬪牋】명 노름 제구의 한 가지. 사람·물고기·새·꿩·노루·별·말·토끼를 그린 여든 장의 투전. 팔대가(八大家). 팔목(八目).
수툴 명〈방〉숫돌(전남).
수퉁 명〈방〉독(전북).
수퉁-니 명 [←수퉁이]〖충〗크고 굵고 살찐 이.
수퉁-다리 명〈방〉〖의〗수중다리(평안).
수퉁아리 명〈방〉항아리(전북).
수퉁-하다 형〈방〉흉하다. 「형여불
수특【殊特】명 특별히 다름. 특이함. 특별히 뛰어남. 특수. ——-하다
수틀[1] 명〈방〉숫돌(경상). 「가장자리를 끼는 틀. 자수틀.
수:-틀[2]【繡—】명 수를 놓을 때, 헝겊을 팽팽하게 하기 위하여 헝겊의
수틀레지 강【—江】[Sutlej] 명〖지〗인도의 인더스 강(Indus江)의 한 지류(支流). 티베트(Tibet)에서 발원하여 서쪽으로 흘러 시믈라(Simla) 부근을 지나 남서쪽으로 흘러서 본류(本流)에 들어감. [1,500 km]
수-틀리다 자 마음에 맞갖잖다.
수-틀리면 부 잘 나가리라 예상했던 것이 틀어져서, 일이 뜻대로 되지 않으면. ¶ ~ 가만 안 둘테다.
수티새 명〈옛〉수키와. ¶ 수티새(瓶瓦)≪四聲 上 2≫.
수:틴[Soutine, Chaim] 명〖사람〗리투아니아(Lithuania) 출생의 유태계 프랑스 화가. 샤갈(Chagall)·모딜리아니(Modigliani) 등과 친교를 맺음. 독자적인 성격으로 선열(鮮烈)한 색채와 데포르메(déformer)에 특징이 있으며, 특히 초상화에 뛰어남. 작품에 ≪광녀(狂女)≫ 등이 있음. [1894-1943]
수팅이 명〈방〉독(경남).
수톩 명〈옛〉수탉. ¶ 남지ᄂᆞᆫ 암톩ᄆᆞ로코 겨지븐 수톩ᄆᆞ로 ᄒᆞ라(男雌女雄)≪救方 上 5≫.
수파[1]【水波】명 물결❶.
수파[2]【水播】명〖농〗직파(直播)의 하나. 볍씨를 무논에 직접 뿌리는 일. *건파(乾播). ——-하다 타여불
수파[3]【首帕】명 목걸이❶.
수파[4]【搜爬】명 휘저어 찾음. ——-하다 타여불
수파[5]【穗波】명 바람에 흔들려 물결치는 많은 이삭을 파도에 비유한 말.
수파누봉[Souphanouvong] 명〖사람〗라오스의 정치가. 왕족(王族) 출신으로 푸마 수상(首相)의 이복 동생임. 1945년 반(反)프랑스 운동을 지도하여, 1950년 파테트 라오 항전(抗戰) 정부의 수상에 취임, 1959년에 반역(反逆)에 관련되어 체포(逮捕)되었다가 1960년에 탈옥하여, 1972년 푸마 연합(聯合) 정부에 좌파(左派)로서 부수상, 1974년 민족 정치 자문 평의회 의장, 1975년 왕정(王政)을 폐하고 인민 민주 공화국의 대통령이 됨. 1991년 대통령직 사임함. [1912-]
수-파람 명〈방〉휘파람.
수파-련【水波蓮】명〖역〗잔치 때에 장식으로 쓰이는, 종이로 만든 연꽃. *일층 소수파련(一層小水波蓮)·이층 중수파련(二層中水波蓮).
【수파련에 밑동자】남자로 기골이 약하고 얼굴이 곱게만 생긴 사람의 비유.

〈수파련〉

수파-충【水爬蟲】명〖충〗물장군과에 속하는 곤충의 총칭.
수판[1]【手板】명 홀(笏)❶.
수판[2]【受判】명〖역〗조선 시대 때, 왕에게 상신(上申)하여 국왕의 판단을 얻은 교지(敎旨).
수판[3]【壽板】명 ①판재(板材). ②수의(壽衣)와 관곽(棺槨).
수:판[4]【數板】명 중국·한국·일본 등지에서 셈을 놓는 데에 쓰는 제구. 장방형(長方形)의 작은 틀에 위로 치우쳐 간(間)을 막고, 가는 철사나 대오리를 여러 개 내리 꿰어 동글납작하고 작은 나무나 뼈알을 윗 간에는 하나 또는 둘, 아래 간에는 넷 또는 다섯 개를 꿰어 위의 알은 한 개를 다섯으로, 아랫 알은 하나로 셈을 쳐서 십진법(十進法)에 의하여 계산함. 중국에서 발명되어 송(宋)말부터 쓰기 시작하였음. 셈판. 산판(算板). 주판(珠板).

〈수판[4]〉

수:판-셈【數板—】명 수판으로 하는 셈. 주산(珠算).
수:판-알【數板—】명 수판셈을 하는 단위가 되는 동글납작하고 작은 알맹이. 보통, 뼈나 나무로 만듦. 산판알. 주판알.
수판알을 튀기다 구 ㉠수판을 놓아 셈하다. ㉡이해 타산을 따지다.
수:판-질【數板—】명 ①수판을 다루는 일. ②어떤 일에 대하여 이해 득실을 따지는 짓. 주판질. ——-하다 자타여불
수팔-련 명〖역〗☞ 수파련(水波蓮).
수-팔십【壽八十】[—씹] 명〖불교〗석가가 팔십을 살았다는 말.

수패[1]【水敗】명 ①수해(水害). ②물로 인한 실패.
수패[2]【獸牌】명〖역〗겉면에 사자(獅子)·호랑이 따위, 짐승의 얼굴을 그린 방패(防牌).
수-펄 명 ☞수벌[1].
수-펌 명 ☞수범. ↔암펌.
수펑이 명〈방〉수풀.
수편【隨便】명 편한 것을 따름. ——-하다 타여불
수-편물【手編物】명 손뜨개질.
수-평[1] 명 ↗수평아리. ↔암평.
수평[2]【水平】명 ①잔잔한 수면처럼 평편한 상태. 형평(衡平). *지평. ②〖수〗지구 위에서 지구의 중력의 방향과 직각(直角)으로 만나는 방향에 있는 상태. ③↗수평기(水平器). ④↗수평봉(水平棒).
수평[3]【水萍】명 물 위에 떠 있는 개구리밥.
수평-각【水平角】명〔horizontal angle〕〖수〗각(角)의 두 변이 다 수평면 위에 있는 각. 올려본각·내려본각에 대한 말.
수평-갱【水平坑】명〖광〗사갱(斜坑)·수직갱(垂直坑) 등에 대하여, 땅속에 수평으로 파들어간 갱도. 횡갱(橫坑). 수평 갱도. ↔수직갱.
수평 거:리【水平距離】명〖수〗수평면 위에 있는 두 점 사이의 거리.
수평-경【水平鏡】명〔horizon glass〕선박용(船舶用) 육분의(六分儀)의 수평선을 관측하는, 반면(半面)이 투시용(透視用)으로 된 거울.
수평 곡선【水平曲線】명〖지〗등고선(等高線).
수평-기【水平器】명〖물〗수준기(水準器). 준수평.
수평 기관【水平機關】명〔horizontal engine〕〖기〗실린더가 수평(水平)으로 행정(行程)을 행하는 기관.

〈수평 꼬리날개〉

수평 꼬리날개【水平—】명〖항공〗비행기 꼬리날개의 하나. 동체(胴體)의 꼬리 부분 좌우에 수평으로 달아 놓은 날개. 수평 안정판과 승강(昇降)키의 두 부분으로 이루어짐. 수평 미익(尾翼). ↔수직(垂直) 꼬리날개.
수평 단층【水平斷層】명〖지〗지층이 갈라진 틈을 경계로 하여 양쪽의 지반이 수평으로 이동한 단층.
수평-동【水平動】명〖지〗지진(地震)으로 인한 지동(地動)에 있어서, 수평의 방향으로 움직이는 진동(震動).
수평-뛰기【水平—】명 기계 체조에서, 궁굴음발뛰움을 하고, 몸을 높이 띄워 수평에 가깝게 유지하면서 뜀틀을 뛰어넘는 운동.
수평-뜀【水平—】명 수평뛰기.
수평-류【水平流】〔—뉴〕명〖기상〗이류(移流).
수평류 가:설【水平流假說】〔—뉴—〕명〖기상〗이류 가설.
수평류 뇌우【水平流雷雨】〔—뉴—〕명〖기상〗이류 뇌우.
수평류 안:개【水平流—】〔—뉴—〕명〖기상〗이류 안개.
수평류-층【水平流層】〔—뉴—〕명〖기상〗이류층.
수평-면【水平面】명 ①정지(靜止)한 물의 표면. 또, 그와 평행하는 평면. ②〔horizontal plane〕〖수〗연직선에 수직되는 평면.
수평 무:역【水平貿易】명〖경〗선진 공업국간에 서로의 자본량(資本量)·노동력·기술 수준 등의 생산 요소나 생활 양식·풍토·상품의 기호(嗜好)에 따라 생산된 동일 종류의 공업 제품을 서로 교환하는 무역의 한 형태. 수평 무역의 측정 척도(測定尺度)로서는 동일 상품 그룹의 양국간 수출량의 차(差)를 양국의 총수출량으로 나눈 '수평 무역도(貿易度) 계수'를 사용해서 계수가 적을수록 수평적이라고 판정함.
수평 미익【水平尾翼】명 수평 꼬리날개. ↔수직(垂直) 미익.

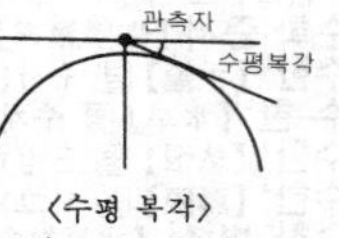

〈수평 복각〉

수평-반【水平盤】명 어떤 면이 수평인가 아닌가를 검사하는 기구.
수평 복각【水平伏角】명〔dip of horizon〕관측자로부터 보아 실제의 수평선의 방향이 연직선(鉛直線)에 직각인 면과 이루는 각.
수평-봉【水平棒】명 평행봉(平行棒). 준수평(水平).
수평 분업【水平分業】명〔horizontal division of labor〕〖경〗수평적 국제 분업. ↔수직 분업.
수평 분포【水平分布】명〖생〗육상(陸上)이나 해양(海洋)에서 수평 방향으로 나타나는 생물 분포. 육상 식물군(群)의 분포가 두드러짐. 기온의 차(差)와 건조도(乾燥度)의 차에 의해 변함. ↔수직 분포. 「일.
수평 비행【水平飛行】명 항공기가 일정한 고도를 유지하면서 비행하는
수평 사고【水平思考】명 어떤 문제를 해결함에 있어서, 종래 생각되어 온 한 가지만의 수단에 구애되지 아니하고 다른 여러 가지 각도에서 결론을 내리려고 하는 사고 방식. 주로 광고업계(廣告業界)에서 중시되었음. ↔수직 사고.
수평-선【水平線】명 ①수평면 위의 직선. ②〖수〗지구 위에서 중력의 방향에 수직(垂直)이 되는 직선. ③바다 위에 있어서 물과 하늘이 맞닿
수평-실【水平—】명 수평을 알기 위하여 표준틀에 맨 실. 「은 경계선.
수-평아리 명 병아리의 수컷. 준수평. ↔암평아리.
수평 안정판【水平安定板】명〖항공〗비행기의 수평 꼬리날개의 일부. 고정되어 동체의 미부(尾部)의 상하 요동을 방지함. *승강(昇降)키.
수평 암층【水平岩層】명〖지〗대지(臺地)를 이룬 암석의 지층.
수평 운:동【水平運動】명〖사〗형평(衡平) 운동.
수평-의【水平儀】〔—/—이〕명 항공기의 자세(姿勢)를 조종자에게 보여 주는 계기(計器). 항공기의 지구에 대한 전후 좌우의 경사를 나타내는 소위 절대 경사계(絕對傾斜計)로, 팽이와 작은 진자(振子)로 되어 있음.
수평-자국【水平—】명〖수〗정투영법(正投影法)에서, 직선과 평화면(平畫面)과의 교점(交點). 또, 평면과 평화면과의 교선(交線).
수평 자기력【水平磁氣力】명〔horizontal magnetic intensity〕〖물〗지구 자기력의 수평 분력(分力). 지구는 하나의 큰 자석(磁石)으로서, 지표(地表)에 가까운 곳은 모두 그 자기장(磁氣場)이 되는 고로, 지표 가까이에 하나의 자침(磁針)을 놓으면 자침의 방향은 그 지점의 자기장의 방향을 가리키고, 일반적으로 수평선에 대하여 어떤 각도를 이루는 데, 자침이 이렇게 운동하는 지구 자기력의 수평 분력을 말함.
수평적 국제 분업【水平的國際分業】명〔horizontal international specialization〕〖경〗선진 공업국 사이에서 각기 자본량·기술 수준·노동력 등이 비슷한 산업의 제품을 교환하는 형식의 국제 분업. 자동차·반도체·기계류 등에서 두드러지게 나타남. 수평 분업. 산업내(産業內) 분업. ↔수직적 국제 분업.
수평 중방【水平中枋】명〖건〗표준 말뚝에 가로막아 수평에 맞춘 나무.
수평 지느러미【水平—】명〖어〗가슴지느러미·배지느러미 등과 같이 몸쪽 양쪽에 있어서 수평으로 쌍을 이루는 지느러미. 고등 포유 동물의 사지(四肢)에 해당함. 대기(對鰭). ↔수직 지느러미.
수평 진:자【水平振子】명〔horizontal pendulum〕〖물〗연직선(鉛直線)에 가까운 방향을 향한 고정축(固定軸)으로써 진동시키는 진자(振子). 진자의 진동면이 수평에 가깝고 진동 주기(周期)가 대단히 길기 때문에 지진계(地震計)에 이용됨.
수평-파【水平派】명〔Levelers〕〖역〗영국에서 청교도(淸敎徒) 혁명이 철저하지 못하다고 주장하여 소농(小農)·직공(職工)들을 중심으로 하여 일어난 급진적인 당파(黨派). 릴번(Lilburne, J.; 1614?-57)의 지도하에 토지 분배, 신앙의 자유, 보통 선거의 실시 등을 주장하여 1649년에 반란을 일으켰으나 크롬웰에게 탄압되어 소멸함. 평등파(派).
수평 폭격【水平爆擊】명 폭격기 등이 수평 비행을 하면서 하는 폭격.
수평 회유【水平回遊】명〖어〗남북 방향으로 이동하는 회유. 대개 표층(表層)·중층(中層)의 유영(游泳) 어류가 이에 속함. ↔심천(深淺) 회유.
수폐[1]【水肺】명〔water lung〕〖생〗해삼류의 체내에 있는, 나뭇가지 모양의 세관(細管)을 갖는 독특한 호흡 기관. 호흡수(呼吸樹).
수폐[2]【授幣】명 헌관(獻官)이 전폐(奠幣)할 때 헌관의 오른쪽에서 대축(大祝)이 폐백을 받들던 일.
수폐[3]【瘦斃】명 옥중에서 야위어 죽음. ——-하다 자여불
수포[1]【水泡】명 ①물거품. 수말(水沫). ②전(轉)하여, 헛된 결과(結果)의 비유. 덧없음. 물거품. ¶모든 일이 ~로 돌아가다.
수포[2]【水疱】명〔bulla〕〖의〗살가죽이 좁쌀이나 파리 또는 달걀만큼 부풀어 올라 속에 장액(漿液)이 잡힌 것. 잡힌 장액 속에 피가 섞인 것을 혈포(血疱), 고름이 섞인 것을 농포(膿疱)라 함. 물집.
수포[3]【收捕】명 체포함. ——-하다 타여불
수포[4]【搜捕】명 찾아내어 잡음. ——-하다 타여불
수포[5]【愁怖】명 근심하고 두려워함. ——-하다 타여불
수포-군【守鋪軍】명〖역〗밤에 궁궐(宮闕) 문을 지키던 군사.
수-포기 명 수꽃이 피는 포기. 웅주(雄株). ↔암포기.
수포-석【水泡石】명〖광〗속돌.
수포성 가스【水疱性—】〔gas〕〔—썽—〕명 독가스(毒gas)의 한 가지. 신체에 접촉 침입하면 피부에 수포가 생김. *미란성 가스.
수포성 각막염【水疱性角膜炎】〔—썽—념〕명〖의〗각막(角膜) 위에 궤양(潰瘍)이 생겨서 동공(瞳孔) 안을 침범하여, 시력(視力)을 해하는 고치기 어려운 병. 막입 수륜(膜入水輪).
수포성 기종【水疱性氣腫】〔—썽—〕명〔bullous emphysema〕〖의〗폐(肺)의 급성 과팽창(過膨脹). 기관지 폐색(閉塞)에 대처해서 숨을 극단으로 들이쉬는 데 기인함.
수포성 동:상【水疱性凍傷】〔—썽—〕명〖의〗정도가 약간 심한 동상. 커다란 수포가 생겨 터지며 피부가 문드러짐. *회저성(壞疽性) 동상·홍반성(紅斑性) 동상.
수포-음【水泡音】명〖의〗기관지나 폐 따위에 질환(疾患)을 일으킨 환자의 폐부에서 들려 오는 잡음. 호흡할 때, 기관지 속에 있는 액체를 공기가 밀어제치고 나가므로 이 소리가 남. 건성 라셀(Rassel)에 속함. *라셀. 「액(漿液)이 괴는 발진.
수포-진【水疱疹】명〖의〗좁쌀·콩알·호두알만하게 표피가 융기하여 장
수포-화【水泡化】명 ①물거품이 됨. ②헛됨. ——-하다 자타여불
수폭【水爆】명 ↗수소 폭탄(水素爆彈).
수표[1]【手票】명〖경〗일정 금액의 지급을 발행인이 제3자에게 위탁하는 형식의 유가 증권. 은행의 당좌 예금(當座預金) 또는 우편 대체(郵便對替)의 수표 계좌 등을 가지고 있는 사람이 일정한 금액을 그 소지인(所持人)에게 지급하여 줄 것을 은행 또는 우체국 등에 위탁함. 체크(check). ¶~를 발행하다/~를 떼다. *횡선(橫線) 수표·보증 수표.
수표[2]【手標】명 대차(貸借)·임치(任置) 등을 할 때에 주고받는 증서. 수
수표[3]【水豹】명〖동〗바다표범. 「기(手記).
수표[4]【水標】명 ↗양수표(量水標). 「이 수를 적은 표.
수:표[5]【數表】명〔mathematical table〕〖수〗로그표나 함수표 등과 같
수표 계:약【手票契約】명 발행인이 지급인, 곧 은행에 대하여 자기의 예금으로부터 수표의 지급을 행할 것을 위탁하는 계약.
수표 계:좌【手票計座】명 우편 대체(郵便對替) 가입자가 지급 행위로서 수표를 발행하기 위하여 개설(開設)하는 계좌.
수표-교【水標橋】명〖지〗조선 세종(世宗) 때에 청계천에 놓은 다리. 원래 서울 종로(鍾路) 수표동에 있었으나 1958년 청계천 복개 공사로, 장충단(奬忠壇) 공원에 옮겼다가 1973년 다시 세종대왕 기념관으로 옮겨 보관 중임. 육각형의 큰 화강암 석재로 된 다리 기둥 위에 길게 모난 횃대를 걸치고, 돌을 깐 매우 진기한 수법의 다리임. 돌기둥에 새긴 경·진·지·평(庚辰地平)의 수위표(水位標)로 물 깊이를 재어 홍수에 대

비했다 함.
수표 문구【手票文句】[―꾸] 명 그 증권이 수표임을 표시하는 문구. 이 문구가 없는 수표는 수표로서의 효력이 없음.
수표-법【手票法】[―뻡] 명 〖법〗 수표의 발행과 방식 등을 규정한 법.
수표 보:증【手票保證】명〖법〗타인의 채무를 보증하는 수표상의 행위. 수표의 지급은 보증에 의하여 그 금액의 전부 또는 그 일부가 담보되며, 지급인을 제외한 제3자가 할 수 있음.
수표-액【手票額】명 수표에 적힌 액수(額數).
수표-장【手票帳】[―짱] 명〖경〗수표 용지를 철한 장부(帳簿). 은행 등에서 당좌 예금자에게 교부함. 수표책(手票冊).
수표-책【手票冊】명〖경〗수표장(手票帳).
수표 청구서【手票請求書】명 수표장을 대리인을 시켜 청구할 때, 제출한 인감대로, 기명 조인하여 제출하는 청구서.
수풀 명〔중세 : 수플〕①나무가 무성한 곳. ㊀숲. ②풀·나무·덩굴이 한데 엉킨 곳.
[수풀엣 꿩은 개가 내몰고 오장엣 말은 술이 내몬다] 술이 들어가면 마음 속에 있는 것을 모두 말해 버리게 된다는 말.
수풀-가 [―까] 명 수풀의 변두리.
수풀-땅 명 숲이 우거진 땅.
수풀떠들썩-팔랑나비 명〖충〗[*Ochlodes venata*] 팔랑나빗과에 속하는 곤충. 편 날개의 길이는 35 mm 내외이고, 암컷의 날개 표면은 농갈색이며 앞날개에는 11-12개, 뒷날개에는 대여섯 개의 황색 반문(斑紋)이 있음. 수컷의 날개 표면은 암등황색(暗橙黃色)이고 앞날개에는 8개의 등황색 반문이 있으며 뒷날개에는 너덧 개의 황색 반문이 있음. 한국에도 분포함.

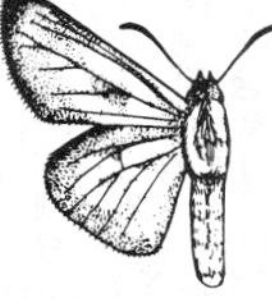
〈수풀떠들썩팔랑나비〉

수풀-띠 명〖지〗'삼림대(森林帶)'의 풀어쓴 말.
수품¹【殊品】명 훌륭한 물품.
수:품²【繡品】명 수를 놓은 물품.
수풍 발전소【水豐發電所】[―쩐―] 명〖지〗압록강(鴨綠江) 하류 평안북도 삭주군(朔州郡) 청수읍(靑水邑) 수풍리(水豐里)에 있는 수력 발전소. 1937-44년에 축조됨. 둑 높이 곤, 낙차는 106 m, 둑 길이 약 900 m, 유효 저수량(有效貯水量) 76억 m³, 넓이 4,450 km²의 대저수지를 만들어서 낙차(落差)를 얻어 발전하는 언제식(堰堤式) 발전소로, 유량(流量)이 풍부하므로 최대 발전량 700,000 kW의 출력을 가진 동양 굴지의 발전소임. 6·25 전쟁으로 크게 파괴되었으나 당시 소련의 원조로 복구되고 1960년부터 소·중 압록강 수력 발전 회사를 설립, 북한이 중국과 공동으로 운영하고 있음.
수:프〔soup〕명 서양 요리의 일종의 국물. 고기 또는 야채 등을 끓여 낸 즙(汁)에 조미(調味)한 것으로, 맑은 것을 콩소메(consommé), 진한 것을 포타주(potage)라고 함. 서양 요리의 순서로 맨 처음에 나옴.
수플 명〈옛〉수풀. =숩². ¶수플 나모와 못괘(林木池沼)≪楞嚴 Ⅵ:47≫.
수:플로〔Soufflot, Jacques Germain〕명〖사람〗프랑스의 건축가. 신고전주의 건축의 대표자. 처음 리옹에서 활동하다 파리로 초빙되어, 1776년 왕실 건축 총감독이 됨. 루브르궁(Louvre宮)의 건축을 담당함. [1713-80]
수피¹【樹皮】명 수목의 줄기·가지 등의 형성층의 바깥 쪽에 있는 조직으로서 오래 되면 코르크(cork) 조직으로 변하여 벗겨지기도 함. 나무껍질.
수피²【獸皮】명 짐승의 가죽.
수-피둘기 명 ☞수비둘기.
수피즘〔Sufism〕명〖종〗이슬람교의 한 종파(宗派). 9세기경에 일어났는데, 금욕(禁慾)·고행(苦行)을 중시하고 청빈(淸貧)한 생활을 이상으로 하며, 신비주의적 경향을 가짐.
수피-포【樹皮布】명 수피(樹皮)를 늘여서 만든 베. 의복의 가장 원시적인 재료로서 수피(獸皮)와 같이 사용되었다고 생각되며, 지금도 남태평양권(南太平洋圈)의 일부에서는 사용되고 있음.
수필¹【手筆】명 자필(自筆).
수필²【水筆】명 붓촉을 항상 물에 담가 두어서, 물기를 말리지 아니하고 쓰는 붓. 만년필·펜·털붓 등.
수필³【隨筆】명〖문〗어떤 양식에도 해당되지 아니하는 산문(散文) 문학의 한 부문. 인생과 자연에 대한 수상(隨想)·수감(隨感)·단상(斷想)·논고(論考)·잡기(雜記) 등이 포함되며, 생각나는 대로, 붓 가는 대로 형식(形式)이 없이, 보통 1-2 페이지 또는 30 페이지 가량 되게도 씀. 개성적(個性的)·관조적(觀照的) 또는 인간성(人間性)이 내포되게, 위트(wit)·유머(humour)·예지(叡智)·기지(機智)로써도 표현함. 만문(漫文). 산록(散錄). 상화(想華). 에세이.
수필-가【隨筆家】명 수필을 쓰는 것에 일가(一家)를 이룬 사람.
수필-집【隨筆集】[―찝] 명〖문〗수필을 모은 책.
수하¹【水下】명 내의 하류(下流).
수하²【手下】명 손아래. ↔수상(手上).
수하³【垂下】명 아래로 늘어짐. ――하다 자여불
수하⁴【首夏】명 초여름. 맹하(孟夏). 초하(初夏).
수하⁵【樹下】명 나무의 아래. 나무 밑.
수하⁶【誰何】㊀ 인대 누구. ¶∼를 막론하고. ㊁ 명 누구냐고 불러서 물어 보는 일. ¶보초가 ∼하다. ――하다 타여불
수-하다【壽―】자여불 오래 살다.
수하르토〔Soeharto〕명〖사람〗인도네시아의 군인·정치가. 서(西)이리안 해방군 방면 사령관, 전략 예비대 사령관을 역임하였으며, 1965년 9월 30일, 수카르노 대통령의 친위대원이 일으킨 쿠데타 미수 사건 후, 육군 장관, 육군 사령관으로서 사건 처리의 중심 인물이 되고, 1967년 대통령 대행, 1968년 정식으로 대통령이 되었고, 1988년에 5선(選)됨. [1921?-]
수하 석상【樹下石上】명 불도(佛道)를 닦음. 수하(樹下)는 십이 두타행(十二頭陀行)의 하나.
수하-인【受荷人】명 운송 계약에서, 운송품이 목적지에 도달했을 때 운송품의 인도를 받는 사람. ↔송하인(送荷人).
수하-자【手下者】명 손아랫사람.
수하-좌【樹下座】명〖불교〗불타가 나무 밑에 앉아 수심(修心)한 일.
수하 친병【手下親兵】명 ①자기에게 직접 딸린 졸병. ¶∼50기를 거느리고. ②자기의 수족(手足)과 같이 쓰는 사람. ㊀수병(手兵).
수학¹【水學】명 물의 현상(現象)에 관하여 연구하는 학문.
수학²【受學】명 학문(學問)을 배움. ¶동문 ∼. ――하다 타여불
수학³【修學】명 학업을 닦음. ――하다 타여불
수학⁴【粹學】명 순수한 학문.
수학⁵【瘦鶴】명 여윈 학.
수:학⁶【數學】명〔mathematics〕〖수〗수(數)·양(量) 및 공간(空間)의 도형(圖形)에 있어서의 여러 관계에 관하여 연구하는 학문. 즉, 산수(算數)·대수학(代數學)·기하학(幾何學)·삼각법(三角法)·해석학(解析學)·미분학(微分學)·적분학(積分學) 등과 이들 응용(應用)의 총칭. ㊀수(數).
수:학-과【數學科】명〖교〗대학에서 수학을 전공하는 학과.
수:학 교:육【數學敎育】명〖교〗수학적인 사고력과 계수적(計數的)인 처리 능력을 기르는 교육.
수학-기【修學期】명 수학을 하는 기간. 학업을 닦는 시기.
수:학 기초론【數學基礎論】명 수학의 기초에 관한 이론. 집합론(集合論)에서 발생한 역리(逆理)를 해결하기 위한 노력의 집적(集積)으로서, 금세기 초두에 성립됨. 이 이론의 성과는 수학뿐 아니라, 응용 수학, 컴퓨터의 기초 이론 등에도 영향을 미치고 있음.
수:학 모델【數學―】〔model〕명 현실의 문제를 수학적으로 표현한 체계. 자연 과학·공학(工學)·사회 과학상의 문제를 수학적으로 해결하려는 경우에 쓰임.
수학 여행【修學旅行】[―녀―] 명〖교〗학생들이 실지로 보고 들어서 지식을 넓히기 위하여 학습 활동의 일환(一環)으로 교사의 인솔하에 행하는 여행.
수학-원【修學院】명〖역〗대한 제국 때, 왕족·귀족을 교육하던 학교. 광무(光武) 10년(1906)에 두어 융희(隆熙) 4년(1910)까지 있었음.
수:학-자【數學者】명 수학을 전문적으로 연구하는 사람.
수:학적 구조【數學的構造】명〖수〗연산(演算)·관계(關係) 등의 정하여진 집합(集合)의 형(型). 대수적(代數的) 구조·위상(位相) 구조·순서(順序) 구조 따위가 있음.
수:학적 귀납법【數學的歸納法】명〔mathematical induction〕〖수〗수학에서, 증명법의 하나. 수학의 어떤 자연수 n에 대한 명제(命題)가, (1) $n=1$일 때 성립하고, (2) 임의의 자연수 k에 대해서 그 명제가 성립한다고 가정하면, $k+1$일 때도 성립한다는 것, 이 두 가지가 증명되면 이 명제는 모든 자연수에 대해서도 성립한다는 원리를 이용한 증명법임.
수:학적 논리학【數學的論理學】[―놀―] 명〖논〗형식(形式) 논리학의 한 체계. 언어(言語)의 다의(多義) 모호함을 피하고, 기호적(記號的) 표현 방법을 써서 사유(思惟)의 제 법칙(諸法則)을 표현·전개함. 실용주의와 함께 현대 미국 철학의 주류가 됨. 기호(記號) 논리학.
수:학적 확률【數學的確率】[―늘] 명〔mathematical probability〕〖수〗확률의 하나. 여러 단순 사상(事象)이 일어날 것이 확실시되는 경우, 어떤 사상이 일어나는 경우의 수(數)를 모든 경우의 수로 나눈 값을, 그 사상의 수학적 확률이라 함. 선험적(先驗的) 확률.
수학 증서【修學證書】명 어느 학문을 습득하고 끝난 것을 증명하는, 학교에서 주어지는 서류.
수한¹【手翰】명 수서(手書).
수-한²【水旱】명 수재(水災)와 한재(旱災). 장마와 가뭄.
수한³【愁恨】명 근심하며 원망함. ――하다 타여불
수한⁴【壽限】명 타고난 수명의 한정.
수한 병:식【水旱竝食】명 장마와 가뭄의 영향 없이 해마다 농사를 지어 먹음. *전천후 농업.
수한 충박상【水旱蟲雹霜】명 장마로 인한 큰물·가뭄·충해(蟲害)·우박(雨雹)·이른 서리 등 다섯 가지의 농사 재앙.
수할-치 명 매사냥하는 사람.
수함¹【手函】명 수서(手書).
수함²【獸檻】명 짐승을 넣는 우리.
수합¹【收合】명 거두어 합함. ――하다 타여불
수합²【守閤】명〖역〗의정(議政)이 급한 일로 임금에게 뵙기를 청한 뒤에, 하답(下答)이 있을 때까지 편전(便殿)의 문을 떠나지 아니하는 일. ――하다 자여불
수합-해【水蛤醢】명 물조개젓.
수항¹【受降】명 항복을 받음. ――하다 자여불
수:항²【數行】명 글의 두서너 줄.
수항-단【受降壇】명〖역〗병자 호란(丙子胡亂) 때, 인조(仁祖)가 청(淸) 태종(太宗)에게 항복했던 단(壇). 지금의 서울 특별시 강동구(江東區) 한강 연변에 있음. 인조 15년(1637)에, 삼전도(三田渡) 남쪽에 9층탑을 쌓고 황막(黃幕)과 황산(黃傘)을 세우고, 청나라 군사들이 포위한 가운데 삼배(三拜) 구고두(九叩頭)의 예로 항복했음. 청 태종이 기념으로 세우게 한 송덕비(頌德碑)가 이 자리에 남아 있음. *삼전도한비(三田渡汗碑).
수항-도【首項島】명〖지〗전라 남도의 남해상(南海上), 여수시(麗水市) 남면(南面) 유송리(柳松里)에 위치한 섬. [0.05 km²]
수해¹【水害】명 홍수로 인한 해. ¶∼를 입다. ↔한해(旱害).
수해²【受害】명 해를 입음. ――하다 자여불

수해[3]【嗽咳】명〖의〗해수(咳嗽).

수해[4]【樹海】명 숲의 바다. 울창한 삼림(森林)의 광대(廣大)함을 바다에 비유하여 일컫는 말. ¶한없이 넓은 ~.

수해 방비림【水害防備林】명 홍수가 일어났을 때 사력(砂礫)의 폭류(暴流)나 급격한 수위(水位)의 상승을 막고 또는 제방의 결궤(決潰) 방지에 소용되도록 설정한 삼림. 수방림(水防林).

수해 의:연금【水害義捐金】명 수해를 당한 사람에게 주는 의연금.

수해 효소【水解酵素】명〖화〗가수 분해 효소.

수행【修行】명 ①행실·학문·기예 등을 닦음. ②〖불교〗깨달음을 얻기 위하여 특정한 종교 행위를 하고, 부처님의 가르침을 실천함. 불도(佛道)에 힘씀. ③관능적 욕구(欲求)를 금하고 정신·육체를 훈련함으로써 정신의 정화, 신적(神的) 존재와의 합일 등을 얻으려는 종교 행위. ——-하다 자여불

수행[2]【遂行】명 계획한 대로 해냄. ¶임무를 ~하다. ——-하다 타여불

수행[3]【隨行】명 ①일정한 임무를 띠고 따라서 감. 근종(跟從). ¶~원(員). ②따라서 실행함. ——-하다 타여불

수행[4]【獸行】명 ①짐승과 같은 행실. ②수욕을 채우려는 행위.

수행-문【修行門】명〖불교〗사문(四門)의 하나. 남문(南門)을 말함. 밀교(密敎)에서는, 발심(發心)·수행·보리(菩提)·열반(涅槃)의 사문을 수행의 단계로 하여 동·서·남·북으로 나눔. *열반문·보리문(菩提門).

수행-원【隨行員】명 높은 지위에 있는 사람을 따라다니며, 그 사람을 돕거나 신변을 보호(保護)하는 사람. 수원(隨員).

수행-자【修行者】명 ①도를 닦는 사람. ②무예를 닦는 사람.

수향[1]【水鄕】명 수곽(水廓)❶. ¶~의 경치.

수향[2]【受香】명〖역〗제관(祭官)이 제장(祭場)에 임할 때에, 임금에게서 향(香)과 제문(祭文)을 받는 일. ——-하다 자여불

수향[3]【首鄕】명〖역〗'좌수(座首)'의 별칭.

수향[4]【殊鄕】명 다른 곳. 이향(異鄕).

수향[5]【睡鄕】명 잠잘 때, 마음이 가 있는 곳. 꿈나라.

수향-기【睡鄕記】명〖문〗생육신(生六臣)의 한 사람인 남효온(南孝溫)이 지은 몽유록계(夢遊錄系)의 한문 작품. 작자가 꿈의 세계에서 유람하면서 시성(詩城)·취향(醉鄕)을 구경하고 수향(睡鄕)에 이르러 각처를 돌면서 역대 고사(故事)에 나오는 몽유인(夢遊人)을 만나 보고 돌아와서 천군(天君)에게 복명하였다는 이야기.

수:-향낭【繡香囊】명 향을 넣은 수주머니.

수향-리【水香梨】[—니] 명 황해도의 봉산(鳳山)과 함경도의 함흥(咸興) 등지에서 나는 배의 한 가지.

수험[1]【受驗】명 시험을 치름. ¶~ 자격/~ 준비. ——-하다 자여불

수험[2]【搜驗】명 수검(搜檢). ——-하다 타여불

수험-료【受驗料】[—뇨] 명 시험을 치르는 사람이 내는 요금. 시험료.

수험-생【受驗生】명 입학 시험 같은 것을 치르는 학생.

수험-일【受驗日】명 시험을 치르는 날.

수험 자:격【受驗資格】명 시험을 치를 수 있는 자격.

수험-표【受驗票】명 수험하는 사람임을 증명하는 표.

수혁【獸革】명 약품으로 처리하여, 썩지 아니하고 연하여 탄력성(彈力性)이 있도록 만든 짐승의 가죽.

수혈[1]【竪穴】명 세로 판 구멍. 곧, 아래로 파 내려간 구덩이.

수혈[2]【壽穴】명 수실(壽室).

수혈[3]【嗽血】명〖의〗가래에 피가 섞이어 나오는 병. 폐(肺)결핵·폐디스토마·후두 카타르 또는 후두·기관·폐 같은 곳의 외상(外傷)으로 인하여 생김.

수혈[4]【樹穴】명 커다란 나무에 뚫린 구멍.

수혈[5]【輸血】명〔blood transfusion〕〖의〗빈혈(貧血)이나 그 밖의 치료의 목적으로, 건강한 사람의 혈액을 환자의 혈관내에 주입하는 일. 외상(外傷) 또는 수술로 인한 실혈(失血)·위장 출혈·백혈병 등의 경우에 실시함. ↔채혈(採血). ——-하다 자여불

수혈 간:염【輸血肝炎】명〖의〗혈청 간염.

수혈-로【輸血路】명〖군〗고립(孤立)한 군대 등에게 식량·탄약 등을 보내는 길.

수혈 반:응【輸血反應】명〔도 Bluttransfusionsreaktion〕〖의〗동일 혈액형의 수혈로 일어나는 반응. 알레르기 반응과 용혈(溶血) 반응으로 대별됨.

수혈성 황달【輸血性黃疸】[—썽—] 명〖의〗①B형 간염(肝炎). ②부적합 수혈 또는 이미 용혈(溶血)한 혈액의 수혈로 일어나는 황달. 극히 드문 일이나, 매우 위독한 상태가 됨.

수혈-식【竪穴式】명〖고고학〗구덩식.

수혈 주:거지【竪穴住居址】명〖고고학〗움집터.

수혈-증【水血症】[—쯩] 명〔hydremia〕〖의〗혈액 속에 수분(水分)이 늘어가는 증상. 흔히 사구체 신염(絲球體腎炎)의 부종(浮腫) 발생기나 부종의 소실(消失) 초기(初期)에 일어남.

수혐【讎嫌】명 원수같이 여기어 미워함. ——-하다 타여불

수협【水協】명 ↗수산업 협동 조합.

수협-관【搜挾官】명〖역〗과장(科場)에서 책을 가진 사람이 있는가 없는가를 검사하던 임시 벼슬.

수협-자【搜挾子】명〖충〗집게벌레.

수형[1]【手形】명〖경〗'어음'의 구칭.

수형[2]【水刑】명 물을 덮어 씌우거나 콧구멍에 넣어 고통을 주는 형벌.

수형[3]【受刑】명 형벌을 받음. ——-하다 자여불

수:형[4]【數型】명〖심〗어떤 숫자(數字)를 생각할 때에 표상(表象)되는 어떤 형태. 공감각(共感覺) 현상의 한 가지로 생각되고 있음.

수형[5]【獸形】명 짐승 모양.

수형[6]【樹形】명 수목(樹木)의 전체적인 모양새.

수형-도【樹形圖】명〔tree diagram〕〖언〗생성 변형(生成變形) 문법 등에서 문장의 구절 구조(句節構造)를 나무 모양으로 도시한 것.

수-형리【首刑吏】[—니] 명〖역〗조선 시대 때, 지방 관아(官衙)에 딸린 형리(刑吏) 중의 우두머리. 삼공형(三公兄)의 하나로 불렸음.

수형 선반【竪型旋盤】명〖기〗보통의 선반에 대하여 축(軸)이 수직인 선반. 수평으로 회전하는 테이블(table) 위에 물건을 놓고, 수직으로 장치된 칼로 평면을 깎음. 주로, 직경이 큰 물건을 깎는 데 사용됨. 터닝밀(turning mill).

수형인 명부【受刑人名簿】명〖법〗검찰청과 검찰청 지청에서 형이 확정된 사람에 대하여 작성해 두는 명부. 범죄인 명부(犯罪人名簿). 전과부(前科簿).

수형-자【受刑者】명 징역형·금고형 등을 받아 복역(服役)중인 사람.

수형자 자치제【受刑者自治制】명 교도소 안에서의 수형자의 생활에 자치를 인정하는 수형자 처우 제도. 수인 자치제.

수형 피아노【竪型—】〔piano〕명〖악〗업라이트 피아노(upright piano).

수형-학【水形學】명 수리학(水理學).

수혜[1]【秀慧】명 준혜(俊慧).

수혜[2]【受惠】명 은혜를 입음. 혜택을 받음. 덕을 봄.

수혜[3]【修慧】명〖불교〗삼혜(三慧)의 하나. 선정(禪定)을 닦고 얻은 지혜. *문혜(聞慧).

수:혜[4]【繡鞋】명 수신[13].

수혜 균등【受惠均等】명 혜택을 다 같이 골고루 받음. ¶~의 원칙(原則).

수혜-자[1]【水鞋子】명〖역〗비 올 때에 신던 무관(武官)의 장화(長靴). 수화자(水靴子).

〈수혜자[1]〉

수혜-자[2]【受惠者】명 혜택을 받는 사람.

수호[1]【水狐】명〖동〗물여우.

수호[2]【守護】명 지키고 보호함. ¶~신(神). ——-하다 타여불

수호[3]【首號】명 제1호. 초호(初號).

수호[4]【修好】명 사이 좋게 지냄. ¶한미 ~ 조약. ——-하다 자여불

수호 동:물 숭배【守護動物崇拜】명 동물 숭배의 한 형태. 동물을 수호의 신령(神靈)으로서 숭배하는 원시 종교의 습속(習俗).

수호-부【守護符】명 몸을 지키는 부적. 마스코트.

수호 성:인【守護聖人】명〖천주교〗나라·마을·교구(教區)·성당·개인을 각각 보호하여 주는 성인. 주보(主保) 성인.

수호-신【守護神】명 수호하여 주는 신.

수호-전【水滸傳】명 수호지(水滸誌).

수호 조약【修好條約】명〖법〗국제법상의 제 원칙을 완전히 준수할 수 없는 나라와 교통할 때에, 미리 일정한 규약(規約)을 명시하여 준수할 것을 서약하는 조약. 문명 정도가 낮거나 혹은 혁명(革命) 때문에 외국인의 생명·재산을 확실히 보증할 수 없는 나라 사이에 맺음.

수호-지【水滸誌】명〖책〗중국의 장편 소설. 사대 기서(四大奇書)의 하나. 저작 연대는 원(元)시대와 명(明)시대라는 두 가지 설이 있고, 작자는 나관중(羅貫中) 또는 시내암(施耐庵)이라는 설이 있으나 명확하지 아니함. 송말(宋末)의 ≪선화 유사(宣和遺事)≫에서 딴 것으로, 송(宋)나라의 휘종(徽宗) 때, 군도(群盜) 송강(宋江) 이하 108인의 호걸이 산동 성(山東省)의 량산포(梁山泊)에 회집하여 큰 사건을 일으킨 사적(事跡)을 그린 소설임. 수호전.

수호 천사【守護天使】명〖천주교〗사람을 착한 길로 이끌어 보호할 사명을 맡은 천사. '호수 천신(護守天神)'의 고친 말.

수혹【修惑】명〖불교〗탐(貪)·진(瞋)·치(癡)와 같은 타고날 때부터 갖는 번뇌(煩惱). 도를 닦음으로써 끊을 수 있는 것이기에 사혹(思惑)이라고도 함. ↔견혹(見惑).

수홍-색【水紅色】명 회색빛 나는 핑크색(pink色). 회색빛을 띤, 여린 홍색.

수홍-화【水紅花】명〖식〗들쭉나무.

수-화[1]【水火】명 ①물과 불. ②물에 빠지고 불에 타는 고통. 극심한 고통. ③서로 상극이 됨. 사이가 매우 나쁨. 수화 빙탄(水火氷炭). ④일상 생활에, 필요 불가결한 것의 비유. ⑤홍수와 화재. 또, 그처럼 기세가 대단함의 비유.

수화[2]【水化】명〔hydration〕〖화〗물질이 물과 화합(化合) 또는 결합하여 수화물(水化物)을 생성하는 일. ——-하다 자타여불

수화[3]【水花】명〖광〗속돌.

수화[4]【水和】명〔hydration〕〖화〗①물 속에 분산하고 있는 입자(粒子)나 수용액(水溶液) 중의 용질 분자(溶質分子)·이온(ion)·콜로이드(colloid) 분자가 용매(溶媒)인 물 분자와 결합하는 경우 또는 강한 상호 작용을 하고 있는 현상. 수화 작용(水和作用). ②겔상(Gel狀)이 될 수 있는 젤라틴(gelatine)·녹말(綠末) 따위가 겔상이 되어, 겔 내부의 물이 거의 모두 결합 상태에 있는 일. ③불포화 결합(不飽和結合)에 물이 부가하는 반응. 예컨대, 에틸렌에 물을 부가하여 에틸 알코올이 되는 반응.

수화[5]【水畫】명 옛날, 중국의 범양 상인(范陽上人)이 술(術)을 써서 물 위에 그렸다는 그림.

수화[6]【水禍】명 수재(水災).

수화[7]【手話】명 언어(言語) 표현 양식의 하나. 주로 농아(聾啞)들이 구화(口話)를 대신하여 손을 써서 표현하는 말. 지화(指話). ↔구화(口話). *수화법(手話法).

수화[8]【受話】명 전화를 받음. ——-하다 자여불

수화[9]【綏化】명〖지〗'쑤이화(綏化)'를 우리 음으로 읽은 이름.

수화[10]【燧火】명 ①횃불. ②부시를 쳐서 낸 불.

수:화[11]【繡花】명 도자기의 몸에 수놓은, 꽃과 같이 도드라지게 한 무늬.

수:화[12]【繡畫】명 수를 놓아 만든 그림.

수화-기【受話器】명 전화기·무선기의 일부로서, 보내 온 전기 에너지를 음향 에너지로 바꾸어, 말을 들을 수 있게 만든 장치.

수화-물[1]【水化物】명〔hydrate〕〖화〗물과 다른 분자가 결합하여 생성된 화합물. 물은 분자의 형태로 포함됨. 비교적 쉽게 물의 분자를 제거할 수 있음. 물 분자의 수에 따라 일수화물(一水化物)·이수화물이라 부르는데, 결정수(結晶水)를 갖는 물질에도 성립됨. 염(塩)의 경우에는

함수염(含水塩)이라고도 하며 일수염(一水塩)·이수염(二水塩) 따위로 부름. 함수 화합물(含水化合物).

수화-물²【水和物】명〔hydrate〕〖화〗 포함되어 있는 물의 양(量)이 일정하지 않은 경우의 수화물(水化物)의 일컬음.

수-화물³【手貨物】명 여객이 여행에 필요한 것으로 휴대하는 물품. 휴대 수화물과 탁송(託送) 수화물로 구분되며, 탁송 수화물은 원칙적으로 여객과 같은 열차로 운송됨.

수화물 억제제【水化物抑制劑】명〔hydrate inhibitor〕〖화〗 기체의 흐름에 첨가(添加)하여, 저온계(低溫系)에서 기체 수화물의 생성이나 동결(凍結)을 막는 물질. 알코올이나 글리코올 따위.

수화-반【水和飯】명 물에 만 밥. 물말이.

수화 방:송【手話放送】명 청력 장애자(聽力障礙者)를 위한 수화 통역(手話通譯)을 곁들인 텔레비전 방송.

수화-법【手話法】[—뻡] 명〖교〗 농아(聾啞) 교육에 있어서의 언어 교수의 한 방법. 구체적 및 추상적인 언어에 대하여 손짓으로 각국 국어의 어법에 맞추어 정리·체계화한 것으로 통화(通話)의 수단임. 지화법(指話法).

수화 불통【水火不通】명 친교(親交)를 끊음. ——하다 자여불

수화 빙탄【水火氷炭】명 수화¹(水火)❸.

수화 상극【水火相克】명 ①물과 불이 서로 용납하여 공존할 수 없는 일. ②서로 원수같이 지냄을 가리키는 말.

수화 석회【水化石灰】명〈속〉수산화 칼슘(水酸化 calcium).

수화 셀룰로오스【水化—】명〔hydrocellulose〕 셀룰로오스와 물의 반응으로 생기는 젤라틴상(gelatin狀)의 물질. 셀룰로오스를 가루로 만들어 물과 섞는 방법 또는 고농도(高濃度)의 염용액(塩溶液)·산·알칼리로 셀룰로오스를 처리하는 방법 등으로 얻을 수 있음. 레이온과 같은 인조섬유, 마르셀 가공면(Marcel加工綿), 종이, 벌칸 파이버 등의 제조에 쓰임.

수화-수【水和水】명〔water of hydration〕〖화〗 일정량의 화합물로 결합하여 수화물(水和物)을 형성하고 있는 물. 가열(加熱)에 의해서 화합물의 조성(組成)을 바꾸지 않고 제거할 수 있음.

수화 에너지【水和—】명〔hydration energy〕 1 몰의 이온이나 분자가 이온(ion)이 수화 작용(水和作用)을 할 때 흡수 또는 발생하는 열량. 수화열(水和熱). 「물(水化物)로 될 때 생기는 열량(熱量).

수화-열¹【水化熱】명〔heat of hydration〕〖화〗 무수물(無水物)이 수화

수화-열²【水和熱】명〔heat of hydration〕〖화〗 수화 에너지.

수화 이:성질 현상【水化異性質現象】명〔hydration isomerism〕〖화〗 물의 분자(分子)를 함유(含有)하는 착염(錯塩)에 있어서 동일한 분자식(分子式)을 가지면서 그 물 분자의 결합 위치를 달리하는 현상(現象).

수화-인【受貨人】명 수하인(受荷人).

수화-자¹【水靴子】명〖역〗 수혜자(水鞋子).

수화-자²【受話者】명 전화를 받는 사람. ↔송화자(送話者).

수화 작용【水和作用】명 ①〖광〗 암석(岩石)이 풍화(風化)할 때, 광물(鑛物)이 물을 흡수하여 함수 광물(含水鑛物)로 변하는 작용. 적철광(赤鐵鑛)이 물과 결합하여 갈철광(褐鐵鑛)이 되는 것 등. ②〖화〗 수화⁴(水和) ⌊❶.

수화-주¹【水禾紬】명 →수아주. ⓔ수주(水紬).

수화-주²【水花硃】명 은주(銀珠).

수화지-재【隋和之材】명 [수(隋)는 수후지주(隋侯之珠), 화(和)는 화씨지벽(和氏之璧)] 훌륭한 인물을 가리키는 말.

수화 폐:월【羞花閉月】명 꽃은 부끄러워하고, 달은 숨는다는 뜻으로 여자의 얼굴이 극히 아름다움을 이르는 말.

수화 황제【水和黃劑】명〖약〗 황(黃)의 가루를 물 속에 현탁(懸濁)하여 살포(撒布)하는 수화성(水和性)과 고착성(固着性)을 부여(附與)한 농업용 살균제. 엷은 황백색 또는 회백색의 가루로서, 주로 보리·과수·야채류에 사용됨.

수확¹【水廓】명 [←수곽(水廓)]〖생〗 동공(瞳孔).

수확²【收穫】명 ①곡식을 거두어 들임. 또, 그 소출(所出). ②전(轉)하여, 소득을 거둠. ¶여행에서 얻은 ~. ——하다 타여불

수확-고【收穫高】명 수확한 농작물의 수량.

수확-기¹【收穫期】명 농작물을 거두어 들일 시기.

수확-기²【收穫機】명 농작물의 수확에 쓰는 농기구.

수확-량【收穫量】[—냥] 명 수확고.

수확-물【收穫物】명 거두어 들인 농작물.

수확 보:험【收穫保險】명 수해·풍해·한해(旱害)·충해(蟲害) 따위로 뜻하지 않은 재해로 수확물이 현저히 피해를 입었을 때, 그 손해를 보전 ⌊하는 보험.

수확-제【收穫祭】명 농작물의 수확을 축하하는 제사.

수확 체:감【收穫遞減】명〖경〗 토지에 있어서의 수확은 그 면적과 산물의 시장 가격이 일정할 때, 이에 투자(投資)한 자본·노력에 비례하여 어느 정도까지는 증대하나, 그 정도를 지나면 총수확은 증가하되, 단위 비용에 대한 수확은 투입한 자본·노동과는 상대적으로 점감(漸減)하는 현상. 공업 생산에 있어서도 적용됨. ¶~의 법칙. *수익 체감.

수환¹【水患】명 수해(水害)로 인한 우환.

수환²【隨宦】명 부형(父兄)이 타향에 벼슬하러 갈 때, 자제(子弟)가 함께 임지로 따라감. ——하다 타여불

수환³【獸患】명 맹수(猛獸)의 피해로 인한 근심. 「여불

수활【手滑】명 일에 숙달하여, 하는 일이 가볍고 재빠름. ——하다 형

수-활석【水滑石】[—썩] 명〔brucite〕〖광〗 광석의 하나. 육방 정계(六方晶系)로, 사문암(蛇紋岩) 중에서 산출됨. 빛깔은 백색 내지 회색·녹색·황색으로, 투명 또는 반투명이며 판상(板狀)이나 엽편상(葉片狀)임. 마그네시아 내화물(magnesia 耐火物) 등의 원료로 쓰임. [$Mg(OH)_2$]

수황【殊荒】명 오랑캐가 사는 먼 나라.

수황-증【手荒症】[—쯩] 명 남의 물건을 훔치는 병적인 손버릇.

수회¹【水繪】명 수채화(水彩畫).

수회²【收賄】명 뇌물을 받음. ¶~죄. ↔증회. ——하다 자여불

수회³【羞悔】명 부끄러워하여 뉘우침. ——하다 타여불

수회⁴【愁懷】명 근심하는 회포.

수회⁵【綏懷】명 평안히 하여 따르게 함. ——하다 자여불

수:회⁶【數回】명 여러 번. 두서너 번.

수:회 우:상 복엽【數回羽狀複葉】명〖식〗 우상 복엽의 잔잎이 또다시 각각 여러 차례 깃꼴로 된 겹잎.

수:회 장:상 복엽【數回掌狀複葉】명〖식〗 장상 복엽의 잔잎이 또다시 각각 여러 차례 손꼴로 된 겹잎.

수회-죄【收賄罪】[—쬐] 명〖법〗 수뢰죄(收賂罪).

수효¹【水鴞】명〖조〗 갈매기❷.

수효²【殊効】명 ①수공(殊功). ②특효(特効).

수:효³【數爻】명 사물(事物)의 수.

수후-산【藪後山】명〖지〗 강원도 삼척군(三陟郡)에 있는 산. [1,060 m]

수후지-주【隋侯之珠】명 옛날, 수(隋)나라 임금이 크게 상처를 입은 뱀을 구해 준 은혜로 뱀으로부터 얻었다는 보배로운 구슬.

수후줌에숨 명〈옛〉 남가 일몽(南柯一夢). ¶萬古興亡이 수후줌에 숨이여늘≪古時調≫.

수후줌자다 자〈옛〉 잠깐 눈 붙이다. ¶방알픠셔 수후줌 자며 안부를 뭇더라(仍假寢閤前承候安否)≪二倫 15 楊氏義讓≫.

수훈¹【受勳】명 훈장을 받음. ¶~자(者). ——하다 자여불

수훈²【垂訓】명 후세에 전하는 교훈. ¶산상(山上) ~.

수훈³【首勳】명 첫째 가는 큰 공훈.

수훈⁴【殊勳】명 특수한 공훈(功勳). 뛰어난 공훈. ¶~자(者)/~을 세우「다.

수훈⁵【樹勳】명 공훈을 세움. ——하다 자여불

수훼 수보【隨毁隨補】명 훼손(毁損)하는 대로 곧 보충함. ——하다 타「여불

수희¹【水戲】[—히] 명 고려 예종(睿宗) 이후 성행한, 물에서 하던 놀이의 한 가지. 많은 배를 곱게 단장하고 풍악을 울리며 가무 잡희(歌舞雜戲)를 연출하였음.

수희²【隨喜】[—히] 명 (범 anumodanā)〖불교〗 기쁘게 귀의(歸依)함. 마음 속으로부터 고맙게 여기어 기뻐함. ——하다 자여불

수희 공덕가【隨喜功德歌】[—히—] 명〖문〗 고려 광종(光宗) 때의 중 균여 대사(均如大師)가 지은 보현 십원가(普賢十願歌) 중의 하나. 십구체(十句體)이며, 이두문(吏讀文)으로 ≪균여전(均如傳)≫에 실려 있음.

수히 부〈방〉 쉬이.

수흔〈옛〉 수컷은. '수'의 절대격형. ¶수흔 느라 머리 바볼 求ᄒᆞ거놀(雄飛遠求食)≪杜諺 XVII:7≫.

숙:¹ 명〈방〉 속¹.

숙²【叔】명 성(姓)의 하나. 우리 나라에는 현존(現存)하지 아니함.

숙가【宿痾】명 '숙아(宿痾)'의 잘못 읽는 말.

숙-가대 명〈방〉 ①숫구멍. ②정수리.

숙감【宿憾】명 오래 된 원한.

숙-갑사【熟甲紗】명 ↗숙소 갑사(熟素甲紗).

숙객¹【宿客】명 머무는 나그네.

숙객²【熟客】명 잘 알고 있는 손님. 숙지(熟知)의 객. 단골 손님.

숙경¹【淑景】명 ①자연의 맑은 경치. ②봄의 경치.

숙경²【肅敬】명 삼가 존경함. ——하다 타여불

숙계¹【叔季】명 ①끝의 형제. ②막내 동생. 말제(末弟).

숙계²【宿契】명 전세(前世)의 약속.

숙계³【肅啓】명 삼가 아뢴다는 뜻으로 편지의 첫머리에 쓰는 말. 숙백「(肅白). 숙정(肅呈).

숙계⁴【熟計】명 깊이 생각하여 계략(計略)을 짜 내는 일. 또, 그 계략. ——하다 타여불

숙고【熟考】명 곰곰이 잘 생각함. 깊이 고려함. 감고(勘考). ¶심사(深「思) ~. ——하다 타여불

숙-고사【熟庫紗】명 숙사(熟絲)로 짠 고사(庫紗). ¶~ 치마 저고리. ↔생고사(生庫紗).

숙공¹【宿工】명 오래 익혀서 숙달된 일.

숙공²【熟供】명 익은 음식을 공여(供與)함. ——하다 자여불

숙과【熟果】명 ↗숙실과(熟實果).

숙관【宿館】명 여관(旅館).

숙구¹【叔舅】명 ①외숙(外叔). 외삼촌. ②임금이 이성(異姓)의 제후(諸侯)를 말할 때 쓰던 말.

숙구²【宿構】명 시문(詩文) 따위를 오래 전부터 구상함. ——하다 타「여불

숙군【肅軍】명 군부에 어떤 부정이나 불상사가 있는 경우에 일련의 인사 이동을 단행하여 군을 숙정(肅正)하는 일. ——하다 자여불

숙궁【稤宮】명〖역〗 궁방(宮房)의 일을 맡아 보던 서리(書吏).

숙-궁기 명〈방〉 ①숫구멍. ②정수리.

숙근【宿根】명 ①〖불교〗 전세(前世)에서부터 이미 정하여진 기근(機根). ②〖식〗 가을에 지상경(地上莖)은 말라 죽고 지하경만 남았다가 이듬해 봄에 다시 살아나는 풀의 뿌리. 여러해살이뿌리. ③〖식〗 ↗숙근초.

숙근 식물【宿根植物】명〖식〗 숙근초(宿根草).

숙근-초【宿根草】명〖식〗 겨울에 땅 위의 줄기는 말라 죽고 뿌리만 남았다가 그 이듬해 봄에 다시 움이 돋는 풀. 숙근 식물. 숙초(宿草). ⓔ숙근(宿根).

숙금¹【宿芩】명〖한의〗 황금(黃芩)의 묵은 뿌리. 거죽은 희읍스름하고 안은 검으며 속이 빔. 부장(腐腸). 편금(片芩).

숙금²【熟金】명 잘 정련(精鍊)된 금.

숙기¹ 명〖식〗〈방〉 옥수수(함경).

숙기²【夙起】명 아침에 일찍 일어남. 숙흥(夙興). ——하다 자여불

숙기³【宿耆】명 늙은이. 노인.

숙기⁴【淑氣】명 ①새봄의 화창한 기운. ②자연(自然)의 맑은 기운.

숙기[5]【熟期】명 성숙기(成熟期).

숙-김치【熟一】명 늙은이가 먹을 수 있도록 무를 삶아서 담근 김치. 숙저(熟菹).

숙-깍두기【熟一】명 늙은이가 먹을 수 있도록 무를 삶아서 담근 깍두기. 숙홍저(熟紅菹).

숙낙【宿諾】명 승낙만 하고 실행하지 아니함. ——-하다 타여불

숙녀【淑女】명 ①교양과 예의와 품격을 갖춘 점잖은 여자. 레이디(lady). ②상류 사회의 여자. ③여자의 경칭. 1)-3):↔신사(紳士).

숙-녀진【熟女眞】명〖역〗'숙여진(熟女眞)'의 잘못 쓰는 말.

숙년【宿年】명 오래 된 햇수. 다년(多年).

숙념【宿念】명 숙원(宿願).

숙-녹피【熟鹿皮】명 ①부드럽게 만든 사슴의 가죽. ②유순(柔順)한 사람을 두고 이르는 말.

숙녹피 대:전【熟鹿皮大典】명 숙녹피가 아주 부드러움에 비유하여 성질이 너무 부드러워 줏대가 없는 사람을 이르는 말. *녹비에 갈 왈자.

숙-능어지【熟能禦之】명 능히 막기 어려움. ——-하다 형여불

숙다 자 ①앞으로 기울어지다. ②기운이 줄어지다.

숙달[1]【叔達】명〖사람〗당(唐)나라의 도사(道士). 고구려 보장왕 2년(643) 노자의 ≪도덕경(道德經)≫을 가지고 고구려에 와 도교(道教)를 전함.

숙달[2]【熟達】명 익숙하고 통달함. ↔미숙(未熟)❷. ——-하다 자여불

숙담【熟談】명 ①이야기를 주고받으며 자세히 상의(相議)함. ②잘 숙의(熟議)하여 서로 타협(妥協)을 지음. ——-하다 자타여불

숙당[1]【肅黨】명 정당이 내부의 부패를 바로잡는 일. ¶~ 작업을 벌리다. ——-하다 자여불

숙당[2]【塾堂】명 숙사(塾舍).

숙덕[1]【宿德】명 ①오래 된 덕망(德望). ②〖불교〗전세(前世)에서 쌓은 복덕(福德). 숙복(宿福). ③학덕이 높은 노인.

숙덕[2]【淑德】명 ①선미(善美)한 덕행. ②정숙하고 단아한 여성의 미덕(美德).

숙덕-거리다 자타 여럿이 모여서 연해 은밀하게 수군거리다. ㅆ쑥덕거리다. >속닥거리다. **숙덕-숙덕** 부. ——-하다 자타여불

숙덕-공론【一公論】[一논] 명 남 몰래 숙덕거리는 의논. ——-하다 자타여불

숙덕-대다 자타 숙덕거리다.

숙덕-이다 자타 여럿이 모여서 은밀하게 이야기하다. ㅆ쑥덕이다. >속닥이다.

숙덜-거리다 자타 여럿이 모여 번번히 주위를 살펴 가면서 가만가만 이야기하다. ㅆ쑥덜거리다. >속달거리다. **숙덜-숙덜** 부. ¶떠드는 소리가 가까와 오더니 우리집 대문 밖에 와서 뚝 끊치고 ~하는 소리가 들렸는데도…≪作者未詳 : 訪花隨柳亭≫. ——-하다 자타여불

숙덜-대다 자타 숙덜거리다.

숙도[1]【熟度】명 과일 따위의 익은 정도.

숙도[2]【熟圖】명 숙사(熟思). ——-하다 타여불

숙-도배 명 〈방〉 공부(함경).

숙독【熟讀】명 ①익숙하게 읽음. ②글의 뜻을 잘 생각하면서 읽음. 미독(味讀). ¶명작을 ~ 완미(玩味)하다. ——-하다 타여불

숙두[1]【塾頭】명 도강(都講)❷.

숙두[2]【熟頭】명〖불교〗반찬을 장만하는 사람.

숙란[1]【熟卵】[一난] 명 돌알[2].

숙란[2]【熟爛】[一난] 명 난숙(爛熟). ——-하다 자여불

숙람【熟覽】[一남] 명 눈여겨 살펴봄. 자세히 봄. ——-하다 타여불

숙랭【熟冷】[一냉] 명 ①숭늉. ②제사 때 올리는 냉수.

숙량-흘【叔梁紇】[一냥一] 명〖사람〗중국 춘추 시대의 노(魯)나라 사람. 공자(孔子)의 아버지. 안씨(顏氏)의 딸인 징재(徵在)를 아내로 맞아 이구산(尼丘山)에 기도를 올리어 공자를 얻고, 공자가 세 살 때 죽음.

숙려【熟慮】[一녀] 명 곰곰 잘 생각함. 숙사(熟思). ——-하다 타여불

숙려 단:행【熟慮斷行】[一녀一] 명 곰곰히 생각한 후에 마음먹고 실행함. ——-하다 타여불

숙련【熟練】[一년] 명 연습(練習)을 많이 하여 숙달하게 익힘. 조련(調鍊). ¶~된 솜씨. ——-하다 자여불

숙련-가【熟鍊家】[一년一] 명 어떤 일에 숙련된 사람.

숙련-공【熟練工】[一년一] 명 기술(技術)이 숙련된 직공(職工). 숙련 노동자.

숙련 노동【熟練勞動】[一년一] 명 몇 해 동안의 양성 훈련 기간을 거쳐서 비로소 제 구실을 하는 노동자가 될 수 있는 노동.

숙련 노동자【熟練勞動者】[一년一] 명 숙련공(熟練工).

숙련-자【熟練者】[一년一] 명 그 일에 능숙한 사람.

숙로[1]【宿老】[一노] 명 경험이 많고 사물을 잘 헤아리는 노인.

숙로[2]【熟路】[一노] 명 익숙하게 잘 아는 길. ↔ 생로[2](生路).

숙료【宿料】[一뇨] 명 ↗숙박료(宿泊料).

숙류【宿留】[一뉴] 명 ①체재(滯在)함. 정체(停滯)함. ②마음에 두고 잊지 아니함. ——-하다 자타여불

숙률【熟栗】[一뉼] 명 삶은 밤.

숙-릉【淑陵】[一능] 명〖역〗조선 태조(太祖)의 증조모(曾祖母)인 정숙 왕후(貞淑王后)의 능. 함경 남도 문천군(文川郡)의 동쪽 초한사(草閑社)에 있음.

숙마[1]【熟馬】명 ①길이 잘 든 말. ②〖역〗벼슬아치의 공로에 대하여 내리는 상사(賞賜)의 한 가지. '숙마 일필 하사(熟馬一匹下賜)'라고 적은 첩지(帖紙)인데, 받은 사람이 어느 때든지 공사(公事)로 어디를 가려고 할 때, 그것을 역에 내밀어 숙마 한 필을 얻어서 타게 됨. *반숙마(半熟馬)·아마(兒馬).

숙마[2]【熟麻】명 누인 삼 껍질.

숙마-줄【熟麻一】명 숙마를 꼬아서 만든 줄.

숙망【宿望】명 ①오래 전부터 지니고 있는 희망. ¶~을 이루다. ②오랜 명망(名望).

숙매【叔妹】명 시누이.

숙맥[1]【宿麥】명 보리. 보리는 가을에 심어 이듬해에 익기 때문에 숙(宿)자를 붙여 부름.

숙맥[2]【菽麥】명 ①콩과 보리. ②↗숙맥 불변(菽麥不辨).
[숙맥이 상팔자] 모르는 것이 마음 편하다는 말.

숙맥 불변【菽麥不辨】명 콩인지 보리인지를 분별하지 못한다는 뜻으로, 사물을 잘 분별하지 못하는 어리석은 사람을 비유하는 말. ㊟숙맥(菽麥).

숙면[1]【熟面】명 익숙하게 잘 아는 사람. 관면(慣面). ↔생면(生面)❶.

숙면[2]【熟眠】명 잠이 깊이 듦. 또, 그 잠. 숙수(熟睡)·숙와(熟臥). ¶~을 취하다. ——-하다 자여불

숙면[3]【熟麪】명 밀가루에 파와 천초(川椒)를 썰어 넣고, 국수를 만들어 말린 다음 삶아 익힌 국수. 온면을 만들거나 비비어 먹음.

숙명【宿命】명 날 때부터 정해진 운명. 선천적으로 타고난 운명. 운명(運命). 숙분(宿分). 숙운(宿運). ¶~의 대결.

숙명-관【宿命觀】명 세계 및 인생의 일체의 사상(事象)은 숙명으로 확정되어 있어 어찌 할 수 없는 것이라고 보는 견해.

숙명-론【宿命論】[一논] 명〖철〗운명론(運命論).

숙명론-자【宿命論者】[一논一] 명 숙명론을 믿고 또, 주장하는 사람.

숙명-설【宿命說】명〖철〗운명론(運命論).

숙명 여자 대학교【淑明女子大學校】명 사립 여자 종합 대학의 하나. 1908년, 재단 법인 숙명 학원(淑明學院)을 시초로, 1938년, 숙명 여자 전문 학교, 1948년 숙명 여자 대학, 1955년 3월 종합 대학교로 승격함. 서울 특별시 용산구(龍山區) 청파동(青坡洞) 2가에 위치함.

숙명-적【宿命的】명관 타고난 운명인 모양. 숙명에 관한 모양. 운명적.

숙명-통【宿命通】명 〔범 pūrvanivāsānusmṛtijñāna〕〖불교〗오신통(五神通)의 하나. 자타(自他)의 숙세(宿世)에 있어서의 선악(善惡)의 소행(所行)을 자재(自在)로 안다는 신통력(神通力). *신여의통(身如意通).

숙모[1]【叔母】명 숙부(叔父)의 아내. 작은어머니.

숙모[2]【宿謀】명 전부터의 모계(謀計).

숙목【肅穆】명 조심성이 많고 공손함. ——-하다 형여불

숙무【宿霧】명 전날 밤부터의 안개.

숙묵【宿墨】명 벼루에 갈아 둔 후 하룻밤을 지낸 먹물.

숙문【宿問】명 오래 전부터의 의문 또는 문제.

숙미【熟米】명 잘 익힌 쌀.

숙박【宿泊】명 여관이나 주막에 들어 밤을 자고 머무름. ¶~료. ——-하다 자여불

숙박-계【宿泊屆】명 숙박 신고.

숙박-료【宿泊料】[一뇨] 명 여관이나 주막에서 숙박한 값으로 주는 요금. ㊟숙료(宿料).

숙박-부【宿泊簿】명 '숙박자 명부'의 통칭.

숙박-소【宿泊所】명 숙박하는 곳.

숙박 신고【宿泊申告】명 여관 같은 데서 숙박인의 명부를 관할(管轄) 경찰에 신고함. 또, 그 서류. 숙박계(屆). ——-하다 자여불

숙박-업【宿泊業】명 여관·호텔 등과 같이 손님을 숙박시키고 요금을 받는 영업.

숙박-인【宿泊人】명 여관·주막·호텔 등에서 숙박하는 사람.

숙박자 명부【宿泊者名簿】명 숙박인의 성명·주소 등을 적은 책.

숙방【宿坊】명 ①절에 찾아온 손이 머무는 방. ②머무는 집. 머무는 방.

숙배【肅拜】명 ①삼가 절한다는 뜻으로, 윗사람에게 하는 편지의 끝에 쓰는 말. ②〖역〗서울을 떠나 임지(任地)로 향발하는 관원(官員)이 임금에게 작별을 아뢰는 일. 하직(下直). ——-하다 자여불

숙-백[1]【叔伯】명 아우와 형. 형제.

숙백[2]【肅白】명 숙계(肅啓).

숙번【熟蕃】명 조금 개화된 번족(蕃族). 특히, 대만의 개화된 번족. ↔생번(生蕃).

숙범【淑範】명 부인의 올바른 모범. 숙덕(淑德)의 규범.

숙변[1]【宿便】명 장(腸) 속에 오래 머물러 있는 변.

숙변[2]【熟苄】명〖한의〗숙지황(熟地黃).

숙병【宿病】명 숙환(宿患).

숙보【宿報】명〖불교〗숙세(宿世)의 과보(果報). 전세의 선악업(善惡業)으로 인한 현세의 과보.

숙-보다 타 〈방〉 업신여기다(평안).

숙복[1]【宿福】명〖불교〗전세의 복덕(福德). 숙덕(宿德).

숙복[2]【熟復】명 몇 번이고 반복하는 일. 자세히 반복하는 일. ——-하다 타여불

숙복[3]【熟鰒】명 삶아 익힌 전복(全鰒). ↔생복(生鰒).

숙부[1]【叔父】명 아버지의 동생. 작은아버지. 숙숙(叔叔).

숙-부[2]【熟否】명 익음과 익지 아니함. 성숙함과 미숙함.

숙-부드럽다 형ㅂ불 ①품행이 얌전하고 점잖다. ¶참하고 숙부드러운 몸가짐. ②마음씨가 뻣뻣하지 아니하고 부드럽다.

숙-부모【叔父母】명 아버지의 동생의 내외. 곧, 작은아버지와 작은어머니.

숙-부인【淑夫人】명〖역〗조선 시대 때, 정삼품(正三品) 당상(堂上)의 문무관(文武官)의 아내의 봉작(封爵). 고종(高宗) 2년(1865)부터 문무관과 종친(宗親)의 아내의 봉작으로 병용(並用)하였음. 숙인(淑人)의 위, 정부인(貞夫人)의 아래.

숙분[1]【宿分】명 숙명(宿命).

숙분[2]【宿憤】명 오래 전부터 마음 속에 쌓인 울분.

숙-불환생【熟不還生】명〔한 번 익힌 음식은 날것으로 되돌아갈 수 없어 그대로 두면 소용없다는 뜻〕남에게 음식을 권할 때 쓰는 말.

숙-붙다 자 ↗도숙붙다.

숙비【淑妃】명〖역〗고려 초의 내명부(內命婦)의 정일품(正一品) 품계.

숙사[1]【叔師】명〖불교〗사숙(師叔).

숙사[2]【宿舍】명 숙박(宿泊)하는 집.

숙사[3]【肅謝】명 ①정숙하게 사례함. 숙은(肅恩). ②〖역〗숙배(肅拜)와 사은(謝恩). ——-하다 자여불

숙사[4]【塾舍】명 ①교실과 숙사(宿舍)를 겸한 사설(私設) 서당. ②숙생(塾生)의 기숙사. 숙당(塾堂).

숙사[5]【塾師】명 사숙(私塾)의 스승.

숙사⁶【熟思】명 깊이깊이 잘 생각함. 숙려(熟慮). 숙도(熟圖). ——-하다 타여불

숙사⁷【熟絲】명 삶아 익힌 명주실.

숙살【肅殺】명 쌀쌀한 가을 기운이 풀이나 나무를 스쳐 말리어 죽임. ¶ ~한 기운이 다시 온 나라에 가득 찼다. 산 사람도 떨고 죽은 귀신도 떨었다≪朴鍾和：錦衫의 피≫. ——-하다 타여불

숙살지-기【肅殺之氣】명 가을의 쌀쌀하고 매서운 기운.

숙상【肅霜】명 된서리.

숙생¹【宿生】명 노학자(老學者).

숙생²【塾生】명 사숙(私塾)에서 배우는 서생(書生).

숙석¹【夙昔】명 좀 오래 된 옛날.

숙석²【宿夕】명 하룻밤. 하룻저녁.

숙석³【宿昔】명 멀지 아니한 옛날.

숙석⁴【宿碩】명 옛부터 명망이 높은 대학자.

숙석⁵【熟石】명 인공으로 다듬은 돌.

숙선【宿善】명 〖불교〗 전세(前世)에서 닦은 선근(善根). 숙세(宿世)의 선근.

숙설¹【宿雪】명 작년에 내려 아직 녹지 아니한 눈. 녹다 남은 눈. 잔설(殘雪).

숙설²【熟設】명 잔치 때 음식을 만듦. ——-하다 타여불

숙설-간【熟設間】[—깐] 명 잔치 때에 음식을 만들기 위하여 베푼 곳. 과방(果房). 숙수간(熟手間). 숙수방(熟手房).

숙설-거리다 자타 말소리를 낮추어 숙덕거리다. ¶ …라느니 별별 말이 다 많았다. 워낙 숙설거리니 송아지의 귀에도 그 말이 들어가지 않을 리 없었지만…≪金東里：산화≫. ㅆ쑥설거리다. >속살거리다. **숙설-숙설** 부. ——-하다 자타여불

숙설-대다 자타 숙설거리다.

숙설-소【熟設所】명 〖역〗 숙설청(熟設廳).

숙설 차지【熟設次知】명 잔치 때, 음식의 조리(調理)를 주관하는 사람.

숙설-청【熟設廳】명 〖역〗 나라의 잔치 때 음식을 만드는 곳. 숙설소.

숙성¹【夙成】명 ①어린 나이에 이미 학예(學藝) 등을 성취함. 조성(早成). ↔만성(晩成). ②나이에 비하여 일찍이 지각이 들거나 키가 큼. 조숙(早熟). ¶ 어린 놈이 ~하다. ——-하다 자형여불

숙성²【淑性】명 얌전하고 착한 성질. 숙질(淑質).

숙성³【熟成】명 ①익어서 충분하게 이루어짐. ②〔ripening〕〖화〗 물질을 적당한 온도로 오랜 시간 내버려 두어서, 그 사이에 서서히 발효(醱酵)시키거나 콜로이드 입자(colloid粒子)를 생성(生成)시키거나 그 밖의 화학 변화를 일으키게 하는 일. ③동물체의 단백질·지방·글리코겐(glycogen) 등이 효소(酵素)나 미생물의 작용에 의하여 부패함이 없이 적당히 분해(分解)되어 특수한 향미(香味)를 내는 일. ——-하다 타여불

숙성⁴【熟省】명 잘 돌이키어 반성(反省)함. 깊이 반성함. ——-하다 타여불

숙세¹【夙世】명 전세(前世)❶.

숙세²【叔世】명 말세(末世)❶.

숙세³【宿世】명 〖불교〗 ①전생(前生)의 세상. 과거의 세상. ¶ ~의 업. ②전세부터의 인연. 숙연(宿緣).

숙세⁴【宿歲】명 저물어가는 해. 모세(暮歲).

숙세⁵【熟歲】명 곡식이 잘 여문 해. 풍년(豐年). 유년(有年). ↔흉세(凶歲).

숙소¹【宿所】명 머물러 묵는 곳. 숙박하는 곳. 숙처(宿處). ¶ ~를 정하다.

숙소²【宿素】명 ①평소부터의 소원(所願). ②늙어서 중망(重望)이 있는 일. 일찍부터 위망(威望)이 있는 일.

숙소³【宿訴】명 오래 전부터 계속된 소송. 몇 년째 계속되는 소원(訴願).

숙소⁴【熟素】명 ↗숙소 갑사(熟素甲紗).

숙소 갑사【熟素甲紗】명 누인 실로 짠 갑사(甲紗). 준숙소(熟素)·숙갑사(熟甲紗).

숙소-참【宿所站】명 〖역〗 조선 시대 때, 중앙 관리의 공사(公事) 출장(出張)을 위하여 길 옆에 베풀어서 머물러 자게 하던 집. 준숙참(宿站).

숙-속【菽粟】명 콩과 조. 곧, 곡류(穀類).

숙속지-문【菽粟之文】명 세상에 널리 통하는 아주 쉬운 글.

숙손-통【叔孫通】명 〖사람〗 중국 전한(前漢)의 유자(儒者). 기원전 3-2 세기경의 사람으로, 호(號)는 직사군(稷嗣君). 진(秦)나라의 박사(博士)로, 한 고조(漢高祖)·혜제(惠帝)를 섬기어 진나라의 의식 명호(儀式名號)를 전하고 한(漢)의 의법(儀法)을 제정했음.

숙송¹【宿訟】명 오랫동안 결판이 안 나는 소송. *숙소(宿訴).

숙송²【熟誦】명 정성들여 잘 읽음. ——-하다 타여불

숙-수¹【菽水】명 콩과 물. 곧, 변변하지 못한 음식을 두고 이르는 말.

숙수²【熟手】명 ①잔치 때에 음식을 만드는 사람. 또, 그 일을 업으로 삼는 사람. 조리사(調理士). ②음식을 잘 만드는 사람.

숙수³【熟睡】명 깊이 든 잠. 충분히 잘 잠. 감와(酣臥). 숙면(熟眠). 숙와(熟臥). ——-하다 자여불

숙수-간【熟手間】[—깐] 명 숙설간(熟設間).

숙수그레-하다 형여불 여러 개의 물건이 별로 크지도 작지도 아니하고 거의 고르다. ㅆ쑥수그레하다. >속소그레하다.

숙수그르르-하다 형 〈방〉 숙수그레하다.

숙-수단【熟手段】명 아주 익달한 수단. ¶ 나로 말하면 그 일에는 ~이 아닌가≪金周榮：客主≫.

숙수-방【熟手房】[—빵] 명 숙설간(熟設間).

숙수 연:단【熟手鍊鍛】명 잘 단련되고 숙달한 사람.

숙수지-공【菽水之供】명 가난한 중에도 부모를 잘 섬기는 일.

숙수지-환【菽水之歡】명 가난한 중에도 부모를 잘 섬겨 그 마음을 기쁘게 함.

숙숙¹【叔叔】명 숙부(叔父).

숙숙²【宿宿】명 ①하룻밤을 묵음. ②이틀밤을 묵음. 재숙(再宿). ——-하다 자여불

숙숙-하다【肅肅—】형여불 ①고요하고 쓸쓸한 듯하다. ②고요하고 엄숙하다. **숙숙-히**【肅肅—】부

숙습¹【宿習】명 ①예로부터의 풍습. ②〖불교〗 전세로부터 훈습해 온 번뇌의 습기(習氣).

숙습²【熟習】명 ①익숙하여 몸에 젖은 습관. ②익숙하도록 잘 익힘. ——-하다 타여불

숙습 난당【熟習難當】명 만사에 숙달한 사람을 당해 내기 어려움.

숙습 난방【熟習難防】명 몸에 밴 습관(習慣)은 고치기 어려움.

숙시¹【熟柹】명 나무에 달린 채 무르녹게 잘 익은 감.

숙시²【熟視】명 눈여겨 자세히 봄. 눈 익히어 잘 봄. ——-하다 타여불

숙시 숙비【孰是孰非】명 시비(是非)가 분명하지 아니함. ¶ 후원에서 추행이 있다는 말도 ~를 알 수 없는 바이오…≪崔瓚植：桃花園≫.

숙시-주의【熟柹主義】[—/—이] 명 숙시(熟柹)가 저절로 땅에 떨어지듯 호기(好機)가 오기를 앉아서 기다리는 주의.

숙식¹【宿食】명 ①자고 먹음. 침식(寢食). ¶ ~ 제공. ②먹은 뒤 밤이 지나도록 삭지 아니하는 음식물. ——-하다 자여불

숙식²【宿殖·宿植】명 〖불교〗 전세(前世)에 선근(善根)을 심는 일. 전세에서 선행(善行)을 하는 일.

숙식³【熟食】명 불에 익힌 음식. 음식을 불에 익히어 먹음. ——-하다 타여불

숙식⁴【熟息】명 충분히 휴식함. ——-하다 자여불

숙식⁵【熟識】명 ①잘 앎. 익히 앎. 숙지(熟知). ②친한 벗. 면식(面識)이 두터움. ——-하다 타여불

숙신【肅愼】명 〖역〗 여진(女眞)·말갈(靺鞨)의 전신으로, 일찍부터 만주 목단강(牧丹江) 유역과 연해주(沿海州) 방면에 퍼지어 살던 퉁구스족(Tungus族). 식신(息愼). 주신(珠申). 직신(稷愼).

숙신-산【—酸】명 〔succinic acid〕〖화〗 호박(琥珀)이나 갈탄(褐炭)을 건류(乾溜)하거나, 알코올 발효(醱酵) 등에서 얻는 무색의 주상(柱狀) 또는 판상 결정(板狀結晶)의 유기산(有機酸). 냉수·알코올·에테르 등에 조금 녹으며 조미료로 쓰임. 녹는점은 188℃. 호박산. $[HOOC \cdot (CH_2)_2 COOH]$.

숙실【熟悉】명 충분히 다 앎. 숙지(熟知). ——-하다 타여불

숙-실과【熟實果】명 유밀과(油蜜果)를 실과(實果)에 견주어 일컫는 말. 준숙과(熟果).

숙심【宿心】명 숙지(宿志).

숙씨【叔氏】명 남의 형제에 대한 존칭의 하나. 곧, 남의 셋째 형이나 셋째 아우를 일컫는 말로, 형제가 다섯 사람 이상일 때에는 첫째 숙씨·둘째 숙씨라 함.

숙아【宿疴·宿痾】명 숙환(宿患).

숙아-채【菽芽菜】명 콩나물.

숙악¹【宿惡】명 ①이전에 저지른 악행. 구악(舊惡). ②〖불교〗 전세(前世)에서 범한 악업.

숙악²【宿萼】명 〖식〗 꽃잎이 진 뒤에도 남아 있는 꽃받침. 완두·감·나팔꽃 같은 것의 꽃받침.

숙안¹【宿案】명 미리부터 생각하여 두었던 안(案).

숙안²【熟案】명 깊이 생각함. 골똘히 생각함. 숙고(熟考). ——-하다 자여불

숙안-악【肅安樂】명 ↗숙안지악.

숙안지-곡【肅安之曲】명 〖악〗 고려 때 원구(圜丘)·선농(先農) 제향(祭享)에서 변두(籩豆)를 물릴 때 연주하던 곡.

숙안지-악【肅安之樂】명 〖악〗 나라에서 제사지낼 때 연주한 악곡(樂曲)의 하나. 주로 천신(天神)·지신(地神)·인신(人神) 등의 제사나 전폐례(奠幣禮)에 연주됨. 준숙안악.

숙야¹【夙夜】명 ①이른 아침과 깊은 밤. ②이른 아침부터 밤 늦게까지. 주야(晝夜).

숙야²【宿夜】명 〖불교〗 장례식 전날 밤. 체야(逮夜).

숙약【宿約】명 오래 전에 한 약조.

숙어【熟語】명 〖언〗 ①두 가지 이상의 단어가 합하여 하나의 뜻을 나타내어 마치 하나의 단어처럼 쓰이는 말. *복합어·합성어. ②특유한 뜻을 나타내는 성구(成句). 관용어. 익은말. ¶ ~ 사전.

숙어-지다 자 ①앞으로 기울어지다. ②기운이 줄어지다.

숙업【宿業】명 〖불교〗 숙세(宿世)의 인업(因業). 선업(先業).

숙-여진【熟女眞】[—녀—] 명 〖역〗 만주(滿洲) 서남부에 있어 요(遼)나라에 잘 복종하던 여진족(女眞族). ↔생여진(生女眞).

숙연¹【宿緣】명 〖불교〗 숙세(宿世)의 인연(因緣). 숙인(宿因). 숙세(宿世).

숙연²【肅然】명 ①삼가 두려워하는 모양. ②고요하고 엄숙한 모양. ¶ ~한 자세/신계(神戒) ~. ——-하다 형여불. ——-히 부

숙열【熟閱】명 잘 분별함. 충분히 검열함. ——-하다 타여불

숙영【宿營】명 군대가 병영(兵營)을 떠나 숙박하는 곳. 또, 그 일. 사영(舍營)·노영(露營)·촌락 노용(村落露營) 등이 있음. 숙진(宿陣).

숙영낭자-전【淑英娘子傳】명 〖책〗 작자·창작 연대 미상의 조선 후기 소설. 조선 세종(世宗) 시대를 배경으로 백선군(白仙君)과 숙영 낭자와의 사랑을 그렸음. 도선적(道仙的) 신선관(神仙觀)을 배경으로 한, 6회의 장회(章回) 소설임.

숙영낭자-타:령【淑英娘子打令】명 〖악〗 판소리 열두 마당의 하나. ≪숙영낭자전≫을 일컫기도 함.

숙영-지【宿營地】명 숙영하는 장소.

숙예【淑譽】명 정숙(貞淑)하다는 소문.

숙오【夙悟】명 숙성하여 영리함. 어릴 때부터 영리함. ——-하다 형여불

숙와¹【宿臥】명 숙박함. ——-하다 자여불

숙와²【熟臥】명 숙수(熟睡). 숙면(熟眠). ——-하다 자여불

숙완【淑婉】명 정숙하고 유순함. ——-하다 형여불

숙용【淑容】명 〖역〗 조선 시대 때, 종삼품(從三品) 내명부(內命婦)의 품계. 소원(昭媛)의 위, 소용(昭容)의 아래.

숙우¹【宿雨】명 ①지나간 밤부터 오는 비. ②계속하여 여러 날 내리는 비.

숙우²【宿憂】명 오랫동안의 근심.

숙우³【熟盂】 명 다도(茶道)에서, 끓인 물을 식히는 대접.
숙우-장【宿于章】[-짱] 명 용비 어천가 제67장의 이름.
숙운【宿運】 명 숙명(宿命).
숙원¹【宿怨】 명 오래 된 원망. 숙한(宿恨). ¶ ~을 풀다.
숙원²【宿願·夙願】 명 오래 된 소원. 숙념(宿念). ¶ ~을 이루다.
숙원³【淑媛】 명〖역〗조선 시대 때, 종사품(從四品) 내명부(內命婦)의 품계. 소원(昭媛)의 아래.
숙위【宿衛】 명 숙직(宿直)하여 지킴. ──하다 타여불
숙유【宿儒】 명 학덕(學德)이 높은 늙은 선비. 학식이 많은 선비. 숙학(宿學). 노유(老儒).
숙육【熟肉】 명 → 수육¹.
숙은【肅恩】 명 은혜를 정숙하게 사례함. 숙사(肅謝). ──하다 자여불
숙은-노루오줌 명〖식〗[*Astilbe koreana*] 범의귓과에 속하는 다년초. 높이는 60cm 가량, 잎은 호생하며 꼭지가 길고 소엽(小葉)은 달걀꼴 또는 넓은 타원형임. 6-7월에 엷은 홍색의 꽃이 정생(頂生)하여 원추(圓錐) 화서로 피고, 삭과(蒴果)를 맺음. 산지에 나는데, 경남·강원·경기·함북 등지에 분포함.
숙의¹【宿衣】[-/-이] 명 잠옷.
숙의²【宿意】[-/-이] 명 숙지(宿志).
숙의³【淑儀】[-/-이] 명〖역〗조선 시대 때, 종이품(從二品) 내명부(內命婦)의 품계. 소용(昭容)의 위, 소의(昭儀)의 아래.
숙의⁴【熟衣】[-/-이] 명 따뜻한 옷. 난의(暖衣).
숙의⁵【熟議】[-/-이] 명 충분히 의논함. ¶ ~에 ~를 거듭하다. ──하다 타여불
숙이다 타 숙게 하다. ¶ 부끄러운 듯이 머리를 ~.
숙인¹【淑人】 명〖역〗조선 시대 때, 정삼품(正三品)의 당하관(堂下官) 및 종삼품(從三品)의 종친(宗親)·문무관(文武官)의 아내의 품계. 영인(令人)의 위, 숙부인(淑夫人)의 아래.
숙인²【宿因】 명〖불교〗숙연(宿緣).
숙인³【熟人】 명 숙친한 사람. 자주 상종하는 사람.
숙자¹【淑姿】 명 숙녀(淑女)의 덕스러운 자태.
숙자²【熟字】 명 두 자 이상의 한자(漢字)가 합하여 한 뜻을 나타내는 글자. 임(林)·삼(森)·명(明) 같은 글자.
숙-자부【叔姊夫】 명 시누이의 남편.
숙잠【熟蠶】 명 자랄 만큼 다 자라서 고치를 짓기 시작하려 하는 누에. 뽕 먹는 것을 중지하며 몸체가 투명하고 실을 토하면서 고치 지을 장소를 찾아 활발히 이동함.
숙장¹【叔裝】 명 채비를 차림. ──하다 자여불
숙장²【宿將】 명 늙고 공로가 많은 장수. 병사(兵事)에 노련한 장수.
숙장³【塾長】 명 학숙(學塾)이나 의숙(義塾)의 우두머리. 숙두(塾頭).
숙-장아찌 명 무·두부·다시마 등을 잘게 썰어서 쇠고기를 섞고 간장에 조린 뒤에 양념을 한 반찬.
숙저【熟菹】 명 숙김치.
숙적¹【宿賊】 명 오랜 동안 못된 짓을 한 도적.
숙적²【宿敵】 명 오래 전부터의 원수. 연래(年來)의 적수. ¶ ~을 물리치다.
숙전【熟田】 명 해마다 농사지어 먹는 밭.
숙정¹【宿情】 명 본디부터의 마음.
숙정²【宿酲】 명 숙취(宿醉).
숙정³【肅正】 명 엄격히 바로잡음. ¶ ~ 작업/관기(官紀)를 ~하다. ──하다 타여불
숙정⁴【肅呈】 명 삼가 드린다는 뜻으로 편지 첫머리에 쓰는 말. 숙계(肅啓).
숙정⁵【肅整】 명 행동 거지가 단정함. 정숙(整肅). ──하다 형여불
숙정⁶【肅靜】 명 정숙(靜肅). ──하다 형여불
숙정-대【肅正臺】 명〖역〗신라 경덕왕(景德王) 때 사정부(司正府)의 고친 이름.
숙정-문【肅靖門】 명〖지〗서울 사대문의 하나로 북정문(北正門). 태조(太祖) 4년(1395)에 건립함. 지금의 삼청 공원(三淸公園) 뒤에 있음. 문루가 없고 암문(暗門)으로 되어 있음. 풍수설(風水說)에, 북문을 열어 놓으면 음풍(淫風)이 서울 장안에 들어온다 하여 항상 닫아 두었으며, 옛 세시 풍속(歲時風俗)에 정월 보름 이전에 부녀자들이 이 문까지 세 번 다녀오면 그 해의 액운(厄運)이 없어진다고 하여 왕래가 빈번하였으나 순조(純祖) 때 폐문되었음. 북청문(北淸門). 숙청문(肅淸門).
숙정-패【肅靜牌】 명〖역〗조선 시대 때, 군령(軍令)으로 사형(死刑)을 집행할 때 떠들지 못하게 하기 위하여 '肅靜' 두 자를 써서 세우던 나무패.
숙제¹【叔弟】 명 막내 아우.
숙제²【叔齊】 명〖사람〗중국 은(殷)나라 말기의 처사(處士). 고죽국(孤竹國)의 공자(公子). 백이(伯夷)의 아우. 성(姓)은 묵태(墨胎), 이름은 지(智), 자(字)는 공달(公達). 주(周)나라 무왕(武王)이 은(殷)나라 주왕(紂王)을 치려고 하였을 때 형 백이(伯夷)와 함께 간하였으나, 받아들여지지 않고 주(周)의 천하가 되자 수양산(首陽山)에 숨어 살다가 굶어 죽음. 형과 함께 백이 숙제로 병칭됨.
숙제³【淑弟】 명 착한 아우.
숙제⁴【宿題】 명 ①학교에서 미리 내주어서 지어 오게 하거나 또는 답을 하여 오게 하는 과제. ¶ ~를 내다. ②두고 생각하여 볼 문제. 또, 처리할 문제. ¶ 오랜 ~로 남은 문제.
숙제⁵【肅制】 명〖악〗조선 세종 때의 정대업(定大業) 15곡 중 열넷째곡. 한문 가사 3언 12구로 되어 있음.
숙조【宿鳥】 명 잠자고 있는 새.
숙-조부【叔祖父】 명 작은할아버지.
숙조 투림【宿鳥投林】 명 잘 새가 숲에 듦. ──하다 자여불
숙족【熟足】 명 삶아 익힌 소의 족.
숙존【宿存】 명〖식〗꽃받침·섬모(纖毛) 따위가 꽃이 진 후나 성장 후에도 떨어지지 않고 남는 일.
숙존-악【宿存萼】 명〖식〗꽃이 시들어 떨어진 후에도 고사(枯死)하지 않고 남아 있는 꽃받침.
숙종¹【肅宗】 명〖사람〗중국 후한(後漢) 제3대 황제. 성(姓)은 유(劉), 이름은 달(炟), 장제(章帝)의 묘호(廟號). 명제(明帝)의 정치를 개혁하고 천성(天性)이 관용하여 유학(儒學)을 즐기고 예악(禮樂)을 존중하였음. [재위 76-88]
숙종²【肅宗】 명〖사람〗중국 동진(東晉)의 제2대 황제. 성(姓)은 사마(司馬), 이름은 소(紹), 명제(明帝)의 묘호(廟號). 성품이 관용하고 문무의 재간이 뛰어났음. [재위 323-325]
숙종³【肅宗】 명〖사람〗중국 북위(北魏) 제8대의 황제. 성(姓)은 원(元), 이름은 후(詡), 효명제(孝明帝)의 묘호(廟號). 재위 중 섭정(攝政)인 모후(母后) 호태후(胡太后)의 전횡(專橫)을 미워하다가 결국 태후에게 독살(毒殺)당함. [재위 515-528]
숙종⁴【肅宗】 명〖사람〗중국 당(唐)나라의 제7대의 황제. 성(姓)은 이(李), 이름은 형(亨)임. 안녹산(安祿山)의 난(亂)을 맞아 남쪽으로 피신하고 이듬해 현종(玄宗) 대신에 제위에 올라 양경(兩京)을 수복하였음. [711-762; 재위 756-762]
숙종⁵【肅宗】 명〖사람〗고려 제15대 왕. 조카인 헌종(獻宗)을 폐위시키고 즉위함. 화폐 제도를 시작, 고려의 황금 시대를 이룸. [1054-1105; 재위 1095-1105]
숙종⁶【肅宗】 명〖사람〗베트남 후려조(後黎朝) 제7대 왕. 단세농(段世儂) 등의 난(亂)을 평정하였음. 1504년 재위 7개월로 몰(沒)함.
숙종⁷【肅宗】 명〖사람〗조선 제19대 왕. 숙종의 재위(在位) 때 조정에는 당파 싸움이 가장 치열하였는데, 특히 남인(南人)과 서인(西人)의 싸움이 심했고, 희빈 장씨(禧嬪張氏)를 중심으로 왕비 민씨(閔氏)를 쫓아내는 사건이 일어났었음. [1661-1720; 재위 1675-1720]
숙종 실록【肅宗實錄】 명〖책〗조선 숙종의 재위 46년간의 실록. 영조(英祖) 4년(1728)에 찬수(纂修)하고 실록청(實錄廳)에서 편집·발행함. 모두 65권 73책. 인본(印本).
숙죄【宿罪】 명 ①〖불교〗전생(前生)에 지은 죄. ②〖기독교〗오래 전부터 내려오는 죄란 뜻으로 원죄(原罪)를 일컫는 말.
숙죄-론【宿罪論】 명〖기독교〗하나님은 인간을 원래 신의 형자(形姿)로 창조하였으나 인류의 시조(始祖) 아담이 타락한 결과, 죄악에 향하는 성향(性向)을 가지고 있다는 기독교 신학설(神學說). 이 설은 로마 말기의 종교가 아우구스티누스(Augustinus)가 주장한 것이며, 중세(中世)를 통하여 타력 구제(他力救濟)의 기초론이 되었음. 원죄설(原罪說).
숙주¹ 명 ↗숙주 나물❶.
숙주²【宿主】 명 (host)〖생〗기생(寄生) 생물이 기생하는 생물. 종세(終世)의 숙주를 종숙주(終宿主), 발육의 도중에 기생하는 숙주를 중간 숙주(中間宿主)라 함. 기주(寄主). ¶ 중간 ~.
숙주³【宿酒】 명 숙취(宿醉).
숙주⁴【熟紬】 명 누인 실로 짠 깁.
숙주-나물 명 ①녹두를 물에 불리어 싹이 나게 한 나물. 녹두채. 준숙주. ②숙주를 양념에 무친 반찬.
숙주나물-국 [-꾹] 명 숙주나물로 끓인 국.
숙증【宿症】 명 숙환(宿患).
숙지¹【宿志·夙志】 명 일찍부터 품은 뜻. 숙심(宿心). ¶ ~를 달성하다.
숙지²【熟地】 명 여러 번 다녀서 지리(地理)에 환한 땅.
숙지³【熟知】 명 익숙하게 앎. 잘 앎. 숙실(熟悉). 통지(洞知). 투지(透知). ──하다 타여불
숙지⁴【肅志】 명 뜻을 삼감. ──하다 자여불
숙지 감:정【熟知感情】 명〖심〗과거의 경험을 눈 앞에 보거나 상기하였을 때, 이것은 과거에 경험한 것과 같은 것임을 깨닫는 느낌.
숙지근-하다 형여불 불꽃같이 맹렬하던 형세가 줄어져 가다.
숙지다¹ 자 어떤 현상이나 기세 따위가 차차 줄어지다. ¶ 선선한 바람기는 생기었건만 더위가 채 숙지지 아니한 때다.
숙-지다²【熟-】 형 ☞ 숙성하다.
숙-지황【熟地黃】 명〖한의〗생지황(生地黃)을 술에 넣고 여러 번 찐 약제. 성질은 약간 온(溫)하고 보혈(補血)·보음(補陰)하는 공효가 많아서 여러 가지 허손증(虛損症)과 통경(痛經)·강장제로 쓰임. 숙변(熟苄). 숙하(熟苄). ↔생지황(生地黃).
숙직【宿直】 명 관청(官廳)·회사(會社) 등의 직장에서 교대로 숙박하면서 밤의 번(番)을 서는 일. 또, 그 사람. 상직(上直). 직숙(直宿). *일직(日直). ──하다 자여불
숙직-실【宿直室】 명 숙직하는 사람이 자는 방.
숙직-원【宿直員】 명 숙직하는 사람.
숙진【宿陣】 명 숙영(宿營).
숙질¹【叔姪】 명 아저씨와 조카.
숙질²【宿疾】 명 숙병(宿病). 숙환(宿患). 숙아(宿痾).
숙질³【淑質】 명 선량한 성질. 숙성(淑性).
숙질-간【叔姪間】 명 아저씨와 조카 사이.
숙집【宿執】 명 ①〖불교〗전세부터의 집념(執念). 예로부터의 인과(因果). ②예로부터의 친구.
숙집 개발【宿執開發】 명〖불교〗전세에서의 인연이 현세에서 결실(結實)하는 일.
숙찰¹【熟察】 명 익히 살펴봄. 자세히 관찰함. ──하다 타여불
숙찰²【肅察】 명 삼가 살핌. ──하다 타여불
숙참【宿站】 명〖역〗↗숙소참(宿所站).
숙창【肅唱】 명 엄숙히 소리 높여 부름. ──하다 타여불
숙채¹【宿債】 명 ①묵은 빚. 구채(舊債). ②〖불교〗전세(前世)부터의 부채(負債).
숙채²【熟菜】 명 익힌 나물.
숙처【宿處】 명 숙소(宿所).
숙천【肅川】 명〖지〗평안 남도 평원군(平原郡)에 있는 경의선(京義線)의 요역(要驛). 동북 쪽에는 구릉(丘陵) 당산(唐山)이 있으며 앞에는 최령강(崔令江) 유역의 평야가 있어 농산물이 풍부함.
숙천 난봉가【肅川-歌】 명〖악〗평안 남도 숙천 지방에서 불리던 난봉

가. ＊긴난봉가.

숙철【熟鐵】명 시우쇠. 정철(精鐵).

숙청¹【淑淸】명 성품과 행동이 정숙하고 깨끗함. ——하다 형여불

숙청²【肅淸】명 ①엄중(嚴重)히 다스리어 혼란·부정을 제거하고 세상을 바로잡는 일. 숙정(肅正). ¶관기(官紀) ～. ②정치 단체나 비밀 결사의 내부 또는 독재 국가 등에서, 정책·조직의 일체성(一體性)을 지키기 위해, 반대자를 추방·처형 등으로 배제하는 일. ¶반대파를 ～하다. ——하다 타여불

숙청³【熟淸】명 찌끼를 없앤 맑은 꿀.

숙청 궁금【肅淸宮禁】명 대궐 안에 잡인(雜人)의 출입을 금함. ——하다 자여불

숙청-문【肅淸門】명〖역〗숙정문(肅靖門).

숙체【宿滯】명〖한의〗묵은 체증.

숙초¹【宿草】명〖식〗숙근초(宿根草).

숙초²【熟綃】명 연사(練絲)로 짠 사(紗)의 한 가지.

숙추【淑湫】명 쓸쓸함. ——하다 형여불

숙취¹【夙就】명 일찍이 성취(成就)함. ¶승상 자제 김생은 인물이 준수할 뿐 아니라, 문장이 ～하여 일세에 압두할 이 없고…≪金榮漢: 芙蓉軒≫. ——하다 타여불

숙취²【宿醉】명 ①이튿날까지 깨지 아니하는 취기(醉氣). ②술을 과음한 다음날의 두통·위통·토기(吐氣) 등의 중독 증상.

숙취³【熟醉】명 술이 대단히 취함. 숙정(宿酲). 숙주(宿酒). ——하다 자여불

숙치【宿恥】명 그 전에 받은 수치(羞恥). 여러 해의 치욕(恥辱).

숙친【熟親】명 정분이 아주 가까움. 또, 그러한 친분. ¶그와는 ～한 사이다. ——하다 형여불

숙-친왕【肅親王】명〖사람〗중국 청조(淸朝)의 왕족(王族). 이름은 선기(善耆). 의화단(義和團)의 난(亂)에 어전 대신(御前大臣)이 되고, 이어 민정부 상서(民政部尙書) 등을 역임함. 1911년 신해(辛亥) 혁명 때 선통제(宣統帝) 퇴위를 저지하려는 강경론(強硬論)을 폈으나 이루지 못하고 은퇴함. [1866-1922]

숙칠【熟漆】명 베어낸 옻나무를 불에 그슬려서 끓어오르는 진액(津液)을 받은 칠. 질이 생칠만 못함. ↔생칠(生漆).

숙통【熟通】명 잘 통달하여 있음. 썩 자세히 알고 있음. 정통(精通). 숙지(熟知). ——하다 타여불

숙특【淑慝】명 선행(善行)과 악행(惡行). 선악(善惡).

숙폐【宿弊】명 오래 된 폐단. 오래 전부터의 폐해(弊害).

숙포¹【宿抱】명 오래 전부터 품고 있던 생각.

숙포²【熟布】명 표백(漂白)한 마포(麻布).

숙피【熟皮】명 다루어서 만든 가죽. 다룸가죽.

숙피-장【熟皮匠】명〖역〗경공장(京工匠)의 하나. 제용감(濟用監)에 속하는 공장(工匠)으로, 숙피(熟皮)를 다스리던 장인(匠人).

숙하【熟芐】명〖한의〗숙지황(熟地黃). 숙변(熟芐).

숙학【宿學】명 전부터 경력이 많고 인망이 있는 학자. 숙유(宿儒).

숙한【宿恨】명 숙원(宿怨).

숙항【叔行】명 아저씨 뻘이 되는 항렬(行列).

숙행【淑行】명 ①정숙한 행실. ②여자의 참한 행실.

숙향-전【淑香傳】명〖문〗조선 후기의 한글로 쓴 소설. 작자·연대 미상. 내용은 송(宋)나라의 김전(金銓)이라는 사람의 딸 숙향이 난리 때 아버지를 잃고 이리저리 고생하고 돌아다니다가 아버지도 만나고 이선(李仙)(나중에 초(楚)나라 왕이 됨)과 결혼하여 정렬 부인(貞烈夫人)이 되었다는 이야기.

[숙향전이 고담이라] 여자의 운명이 평탄치 못하여 고생만 하다가 끝내 좋은 때를 만나지 못한다는 말.

숙헌【叔獻】명 처음으로 드림. ——하다 타여불

숙혐【宿嫌】명 오래된 혐의(嫌疑).

숙혜【夙慧】명 어려서부터 지혜가 있음. ——하다 형여불

숙호【宿好】명 ①오래 전부터의 기호(嗜好). ②옛날부터의 친분(親分).

숙호 충비【宿虎衝鼻】명〔자는 범의 코를 찌른다는 뜻〕스스로가 불리(不利)를 자초(自招)한다는 말.

숙홀【倏忽】명 →홀홀(忽忽).

숙-홍저【熟紅菹】명 숙깍두기.

숙환【宿患】명 ①오래 묵은 병환(病患). 숙증(宿症). 숙질(宿疾). 근고(根痼). 숙아(宿痾). 숙병(宿病). ②이전부터의 근심.

숙황【熟荒】명 풍년으로 쌀값이 내리어, 농민이 도리어 곤궁해지는 일. ——하다 자여불

숙황-장【熟黃醬】명 볶은 콩과 밀가루로 만든 메주로 담근 장.

숙회¹【宿懷】명 오래 전부터의 회포(懷抱). 전부터의 염원(念願).

숙회²【熟膾】명 생선을 얄팍얄팍 떠서, 녹말을 입혀 끓는 물에 데치거나 솥에 찐 음식.

숙흥【夙興】명 숙기(夙起). ——하다 자여불

숙흥 야:매【夙興夜寐】명 아침에 일찍 일어나고 밤에 늦게 자며 부지런히 일함. ——하다 자여불

순¹【旬】명 ①한 달을 셋으로 나눈 열흘 동안. ¶상～/하～. ②10년을 1 기로 한 이름. ¶칠～ 노인.

순²【巡】명 ①↗순행(巡行). ②돌아오는 차례. ③활 쏘는 경기에서 각 사람이 각각 화살 다섯 대까지 끝나는 한 바퀴.

순³【純】명 옛날 서당(書堂)에서 송독(誦讀) 성적의 하나로, 순(純)·통(通)·불(不)의 3급(級)의 첫째 등급.

순⁴【荀】명 성(姓)의 하나. 현재 우리 나라에는 홍산(鴻山)·임천(林川)·등 네 개의 본관이 있음.

순⁵【筍·笋】명 길게 자란 식물의 싹. ¶대나무 ～.

순:⁶【順】명 성(姓)의 하나. 본관은 미상임.

순⁷【舜】명〖사람〗중국 전설상의 성천자(聖天子). 성은 요(姚), 이름은 중화(重華). 부모에 효성스럽고 형제간에 우애가 있어 효덕(孝德)이 천하에 알려졌음. 요(堯)를 도와 천하를 잘 다스리고 선위(禪位)를 받아 나라 이름을 우(虞)라 일컫고, 뒤에 우(禹)에게 선위함. 요와 함께 요순(堯舜)으로 병칭됨. 우순(虞舜).

순⁸【舜】명 ①성(姓)의 하나. 현재 우리 나라에는 파주(坡州)와 임천(林川) 등의 본관이 있음.

순⁹【錞】명〖악〗악기의 하나. 요(鐃)나 탁(鐸)을 자루 없이 거꾸로 놓은 모양에 ∩형의 쇠로 만든 손잡이가 있고, 동설(銅舌)이 있어 흔들면 소리가 남. 아악(雅樂)의 문무(文舞)가 끝나고 무무(武舞)가 들어올 때 흔들어 춤의 진퇴(進退)를 인도하였음.

순¹⁰【簨】명〖악〗편종(編鐘)과 편경 가자(編磬架子)의 횡목(橫木).

순¹¹【鶉】명〖악〗신라(新羅)의 이문(泥文)이 지은 가야고 곡(曲)의 이름.

순¹² 관 욕할 때 '아주'의 뜻으로 쓰는 말. ¶에라 이 ～ 못된 놈.

순¹³【純】관 ①순전한. 틀림없는. ¶～ 거짓말. ②자연 그대로의 거짓이 없음. 순박함.

순-【純】부 잡물이 섞이지 아니한. 순전한. 순수한. ¶～금/～이익.

-순【順】미 어떤 말 밑에 붙어 차례를 나타내는 말. ¶가나다～/선착～.

순각¹【楯桷】명〖건〗폿집의 불벽(佛壁)과 첨차(檐遮) 사이 또는 첨차와 첨차 사이의 공간을 막은 판자. 순각판.

순각²【瞬刻】명 순간(瞬間).

순각-류【盾脚類】[—뉴] 명〖동〗지네강(綱).

순각 반자【楯桷—】명〖건〗반자틀에다가 상사를 치고, 반자 구멍에 낀 널조각. 대개 마루에 만듦.

순각 천장【楯桷天—】명〖건〗공포(貢包)의 사이사이에 길게 된 천장.

순각-판【楯桷板】명〖건〗순각(楯桷).

순간¹【旬刊】명 열흘마다 간행함. 또, 그 간행물(刊行物). ——하다 타여불

순간²【旬間】명 ①음력(陰曆) 초열흘께. ②열흘 동안.

순간³【瞬間】명 ①잠깐 동안. 삽시간(霎時間). 순각(瞬刻). 전순(轉瞬). ¶～의 실수는 평생의 후회 / 역사적 ～. ②어떤 일이 일어난 바로 그 때. 찰나. ¶일어나려는 ～ 넘어졌다.

순간 노:출기【瞬間露出器】명 셔터(shutter)의 일종. 순간적으로 물건을 보이게 하는 기계 장치. 순간시(瞬間視)의 실험에 사용됨.

순간 대:전류 발생 장치【瞬間大電流發生裝置】[—절—쌩—] 명〖물〗콘덴서에 모은 전기를 100만분의 1초 정도의 짧은 시간에 한꺼번에 방출해서 대전류(大電流)를 발생시키는 장치. 고온(高溫)·고밀도(高密度)의 플라스마를 발생시키는 데 필요함.

순간-력【瞬間力】[—녁] 명〖물〗격력(擊力).

순간 변:화율【瞬間變化率】명〖수〗함수(函數) $y=f(x)$에 관하여 자변수(自變數)가 임의(任意)의 크기 x로부터 한없이 조금씩 변하면, 이에 따라 그 평균 변화율(平均變化率)의 극한(極限)이 어떻게 되는가를 고찰할 때에, 그 극한을 x에 대한 y의 순간 변화율이라고 함. 도함수(導函數). 준변화율(變化率).

순간 사진【瞬間寫眞】명〖물〗고속도 현상(高速度現象)의 임의의 순간에 있어서의 상황을 촬영하는 데 쓰이는 사진법. 촬영의 노출(露出) 시간은 백만 분의 일초 정도이며, 고속도 촬영과는 달라 하나의 현상에 관하여 하나의 사진밖에는 얻을 수 없으나 노출 시간이 매우 짧기 때문에 사진이 선명함.

순간 살균【瞬間殺菌】명〔flash pasteurization〕살균법의 하나. 우유처럼 열에 불안정한 액체를 극히 짧은 시간 동안 110°C의 온도로 살균하는 일.

순간-시【瞬間視】명〖심〗자극 대상(刺戟對象)을 극히 단시간(短時間) 동안 제시한 경우에 생기는 시지각(視知覺). 자극 대상이 여러 가지로 변형(變形)되어 지각되는데 그 변형에는 단순화·규칙화·상칭화(相稱化)·완전화(完全化)의 경향이 있음. 순간 제시(瞬間提示)에는 보통 순간 노출기(露出器)가 사용됨.

순간 온수기【瞬間溫水器】명 관(管) 속의 물이 흐름과 동시에 가스 버너에 점화(點火)되어 수통에서 온수가 나오게 된 기구.

순간-적【瞬間的】명관 순간인 모양.

순간 접착제【瞬間接着劑】명 바른 후 몇 초 안에 물건을 붙이는 강력한 합성 수지 접착제.

순간-주의【瞬間主義】[—/—이] 명 찰나주의.

순간 중심【瞬間中心】명〔instantaneous center〕도형(圖形)의 공간 운동은 미소(微小)한 시간에서 보면 어느 한 점의 주위의 미소 회전(回轉)에 의해서 표시할 수 있는데, 이 때의 회전 중심을 이름.

순간 최:대 풍속【瞬間最大風速】명〖기상〗순간적으로 강해지는 최대의 풍속. 풍속이 수초(數秒)-수십초의 변동 주기 동안에 최대가 되는 것으로, 평균 풍속의 약 1.5배 정도에 해당함.

순간 풍속【瞬間風速】명〖기상〗어떤 시각에 있어서의 풍속. ↔평균 풍속.

순감¹【巡監】명〖역〗↗순청 감군(巡廳監軍).

순감²【純減】명〖경〗시간의 경과에서 순수(純粹)하게 감소한 몫을 이름. 일정 기간내에 감소한 몫에서 증가한 몫을 뺀 나머지. ↔순증(純增).

순강¹【旬講】명 열흘마다 선생 앞에서 외는 강. ＊망강(望講)·월강(月講).

순강²【巡講】명 여러 곳으로 돌아다니면서 강의나 강연을 함. 또, 그 강의나 강연. ——하다 자여불

순:강³【順講】명 차례차례로 강의함. 윤강(輪講). ——하다 타여불

순갱 노회【蓴羹鱸膾】명 순채(蓴菜)국과 농어회. 중국 진(晉)나라의 장한(張翰)이 고향의 명물인 순채국과 농어회를 먹으려고 관직을 사퇴하고 고향에 돌아간 고사(故事)에서, 고향을 잊지 못하고 생각하는 정을 이름. 준순로(蓴鱸).

순거【鶉居】명 메추라기가 집이 없이 떠다니는 것처럼, 사람의 주거(住居)가 정하여 있지 아니함을 비유하는 말.

순검【巡檢】명 ①순찰하여 검사함. ②〖역〗밤마다 순청(巡廳)에서 맡은 구역 안을 이경(二更) 이후 오경(五更)까지 순행(巡行)하여 통행을 감

시하던 일. 순포(巡捕). ③〖역〗 조선 시대 말 내부(內部) 경무청(警務廳)에 속한 경리(警吏). 지금의 순경(巡警)과 같음. 각 지방 관아에 30명씩 두었음. ——-하다 [타][여불]
순검-막【巡檢幕】[명]〖역〗 순청(巡廳)에서 순검하던 조그마한 집. 지금의 파출소(派出所)와 같음. 교번소(交番所). 순포막(巡捕幕). 순포청. 순검청.
순검-청【巡檢廳】[명]〖역〗〈속〉 순검막(巡檢幕).
순견¹【巡見】[명] 경계(警戒)·감독을 위해 돌아다니며 봄. 순회(巡廻)하며 견학함. ——-하다 [타][여불]
순견²【純絹】[명] 순 명주실로만 짠 명주. 본견(本絹).
순결【純潔】[명] ①잡된 것이 섞이지 아니하고 깨끗함. 또, 그 모양. 순수(純粹). ¶~한 물. ②사욕(私慾)·사념(邪念)이 없고, 마음이 결백함. 또, 그 모양. ¶~한 마음. ③이성(異性)과의 성적인 관계가 없고, 마음과 몸이 깨끗함. 또, 그 모양. ¶처녀의 ~. ——-하다 [형][여불]
순결 교:육【純潔教育】[명]〖교〗 청소년에게 올바른 성지식(性知識)을 주어 남녀간의 도덕을 확립함을 목적으로 하는 교육. *성교육(性教育).
순결 무구【純潔無垢】[명] 순결하여 조금도 더러운 티가 없음. ——-하다 [형][여불]
순결-미¹【純潔味】[명] 마음이나 몸가짐이 아주 깨끗하고 잡심(雜心) 같은 것의 섞임이 없는 맛.
순결-미²【純潔美】[명] 순결에서 오는 아름다움.
순결-성【純潔性】[ㅡ썽] [명] 순결한 성질.
순경¹【巡更】[명] 밤에 도둑·화재 등을 경계하기 위하여 돌아다님. ——-하다 [자][여불]
순경(을) 돌:다 [구] 밤에 도둑·화재 등을 경계하며 돌아다니다.
순경²【巡警】[명] ①돌아다니며 경계함. ②경찰 공무원 계급의 하나. 경장(警長)의 아래. ——-하다 [타][여불]
순경³【荀卿】[명]〖사람〗 순자(荀子).
순:경⁴【順境】[명] 마음먹은 일이 뜻대로 잘 되어 가는 경우. 또, 순조로운 환경. ↔역경(逆境).
순경-꾼【巡更ㅡ】[명] 밤에 순경(巡更) 도는 사람.
순경-음【脣輕音】[명]〖언〗 입술을 거쳐 나오는 가벼운 소리. 훈민 정음 제정 당시에 쓰인 자음의 일종. 순음(脣音) 'ㅂ·ㅍ·ㅁ'에 'ㅇ'을 이어 쓴 것. 곧, ㅸ·ㆄ·ㅱ·ㅹ 등. 순음보다 가볍게 발음함. 입술가벼운소리.
순경음 미음【脣輕音ㅡ】[명]〖언〗 가벼운 미음.
순경음 비읍【脣輕音ㅡ】[명]〖언〗 옛 자음 'ㅸ'의 이름.
순계¹【純系】[명] (pure line)〖생〗 대대로 같은 유전 형질(遺傳形質)을 가진 것끼리만 생식(生殖)을 계속하여 온 계통. 개체(個體)에 의한 차(差), 곧 방황 변이(彷徨變異)는 있어도, 그 차(差)는 유전하지 아니함.
순계²【純計】[명]〖경〗 예산의 계산에서 세입·세출의 각기 중복된 분을 제한 순수한 총계.
순계 도태【純系淘汰】[명]〖생〗 생물의 품종 개량법의 하나. 유전적(遺傳的)으로 불순(不純)한 생물의 한 품종으로부터 순수한 것을 선출(選出)해 나가는 일. 그 방법으로는 자가 수정(自家受精)과 도태(淘汰)를 계속하는 방법을 씀. 순계 분리(純系分離).
순계-류【鶉鷄類】[명]〖조〗 닭목(目).
순계 분리【純系分離】[ㅡ불ㅡ] [명]〖생〗 순계 도태(純系淘汰).
순계-설【純系說】[명] (pure-line theory)〖생〗 덴마크의 유전학자 요한센(Johannsen, Wilhelm Ludwig; 1857-1927)이 제창한 유전학상의 설. 집단(集團)이 수종(數種)의 순계(純系)의 혼합(混合)이면, 선택(選擇)으로 변이(變異)를 일정한 방향으로 향하게 할 수 있으나, 순계가 되어 버리면 선택은 무효(無效)가 되고, 환경의 영향에 의한 변이만 남는다고 하는 설. 근대(近代) 유전학에 큰 영향을 줌.
순계-액【純計額】〖경〗[명] 어느 수입액(收入額)에서 그 수입을 얻는 데 소용된 경비를 뺀 것.
순계 예:산【純計豫算】[명]〖경〗 수입·지출 등을 모두 계상(計上)하지 않고, 세입(歲入)의 수입(收入)에 필요한 경비를 빼고 계상하는 예산. ↔총계 예산(總計豫算). *예산 순계.
순계 예:산주의【純計豫算主義】[ㅡ/ㅡ이] [명]〖경〗 수입(收入)·지출의 모든 것에서 세입(歲入)의 수입(收入)에 소요되는 경비를 빼고 계상(計上)하는 예산 편성상의 입장. ↔총계(總計) 예산주의.
순고¹【純固】[명] 순수하고 견고함. ——-하다 [형][여불]
순고²【淳古】[명] 옛날 사람과 같이 순박함. ——-하다 [형][여불]
순공¹【巡功】[명] 순수(巡狩). ——-하다 [자][타][여불]
순공²【殉公】[명] 공사(公事)를 위해 한 몸을 희생하는 일. ——-하다 [자][여불]
순공업 도시【純工業都市】[명] 순전히 공업으로써 발달된 도시.
순과【旬課】[명] 조선 때, 성균관 유생(儒生)들에게 열흘마다 글의 제목을 주어 제술(製述)시키던 일.
순관【巡官】[명]〖역〗 조선 때, 도성 안의 경수소(警守所) 및 각 성문을 순찰하던 벼슬.
순:광【順光】[명] 사진에서, 카메라의 뒤쪽에서 피사체(被寫體)를 향해 비추는 광선. ↔역광(逆光).
순교¹【巡校】[명]〖역〗 조선 시대 말 각 부(府) 및 제주목(濟州牧)에 속한 하급 경리(警吏). 주사(主事)의 다음. 각 관아에 여덟 명씩 있었음.
순교²【巡教】[명] 순석(巡錫). ——-하다 [자][여불]
순교³【殉教】[명] 모든 억압과 박해(迫害)를 물리치고, 자기가 신앙하는 종교를 위하여 목숨을 바치는 일. ——-하다 [자][여불]
순:교⁴【順教】[명] 가르침에 따름. ——-하다 [타][여불]
순교-도【殉教圖】[명] 그리스도교(教) 회화(繪畫)의 주제의 하나. 순교자를 그 순교의 장면에서나 또는 그 광경을 방불하게 하는 소품(小品)과 함께 그린 것.
순교-자【殉教者】[명] 순교(殉教)한 사람.
순:교자 성:월【殉教者聖月】[명]〖천주교〗 한국의 순교 성인·성녀를 특별히 공경하는 달. 9월.
순구【鶉灸】[명] 메추라기 구이.
순국¹【巡國】[명] 나라 안을 순시함. ——-하다 [타][여불]
순국²【殉國】[명] 나라를 위하여 목숨을 바침. ——-하다 [자][여불]
순국민 생산【純國民生產】[명]〖경〗 국민이 일정 기간 생산한 생산물의 가치에서 생산에 사용된 원재료를 제한 것. 순국민 소득. 국민 순생산.
순국민 소:득【純國民所得】[명]〖경〗 순국민 생산.
순국 선열【殉國先烈】[명] 나라를 위하여 목숨을 바친 선조(先祖)의 열사(烈士). 애국 선열.
순국 열사【殉國烈士】[ㅡ널싸] [명] 나라를 위해 목숨을 바친 열사.
순국 의:거【殉國義擧】[명] 나라를 위하여 죽고, 정의를 위하여 거사(擧事)하는 일.
순국 장:병【殉國將兵】[명] 나라를 위하여 목숨을 바친 장교와 사병.
순군【巡軍】[명]〖역〗 ①조선 시대 의금부(義禁府)의 별칭. ②↗순군 만호부(巡軍萬戶府).
순-군락【純群落】[ㅡ굴ㅡ] [명]〖식〗 동일(同一) 종류의 식물(植物)로 이루어진 군락(群落).
순군 만:호부【巡軍萬戶府】[명]〖역〗 ①고려 때 포도(捕盜)와 금란(禁亂)을 맡아 보던 관아. 충렬왕(忠烈王) 때 설치하여 공민왕(恭愍王) 18년(1369)에 사평 순위부(司平巡衛府)로 고치었다가 우왕(禑王) 때에 다시 본이름으로 함. ②조선 초기에 죄인의 옥(獄)을 다스리던 관아. 태조(太祖) 원년(1392)에 설치하여 태종(太宗) 2년(1402)에 순위부(巡衛府)로, 동 3년에 의용 순금사(義勇巡禁司)로, 동 14년(1414)에 의금부(義禁府)로 고치었음. [준]순군(巡軍)·순군부(巡軍府). *의용 순금사.
순군-부¹【巡軍府】[명]〖역〗 ↗순군 만호부(巡軍萬戶府).
순군-부²【徇軍部】[명]〖역〗 고려 초에 군사(軍事)를 맡아 보던 관아. 광종(光宗) 11년(960)에 군부(軍部)로 고쳤다가 뒤에 폐함. *군부(軍部).
순:권【順權】[명] 권력에 좇음. ——-하다 [타][여불]
순:귀【順歸】[명] 돌아옴. ——-하다 [자][여불]
순:귀-마【順歸馬】[명] 돌아오는 인편(人便)에 오는 말.
순:귀-편【順歸便】[명] 돌아오는 인편(人便). [준]순편(順便).
순근¹【純謹】[명] 순수하고 조심성이 많음. ——-하다 [형][여불]. ——-히 [부]
순근²【醇謹】[명] 성품이 순량(醇良)하고 근실(謹實)함. 순박하고 조심스러움. ——-하다 [형][여불]
순금【純金】[명] 다른 금속이 섞이지 아니한 황금. 정금(正金). 본금(本金). 진금(眞金). 이십사금(二十四金).
순금-량【純金量】[ㅡ냥] [명] 함유(含有)된 순금의 양(量).
순-금-박【純金箔】[명] 순금(純金)으로 만든 금박(金箔).
순-금속【純金屬】[명]〖화〗 단일(單一)한 원소(元素)로 이루어진 금속. 홑원소 금속(金屬).
순:기【順氣】[명] ①풍작(豐作) 등이 예상되는 순조로운 기후. ②도리에 맞는 올바른 기질(氣質). ③기후에 순응함. ④순조로운 기분.
순:나【順那】[명]〖역〗 순노(順奴).
순난【殉難】[명] 국난(國難)을 위하여 목숨을 버림. 공공(公共)의 위난(危難)을 위하여 몸을 희생함. ——-하다 [자][여불]
순난-자【殉難者】[명] 국가·사회·종교상의 위난(危難)을 위하여 목숨을 버린 사람.
순내-음【脣內音】[명]〖언〗 삼내음(三內音)의 하나. 비음(鼻音)과 같이 입술을 조절점(調節點)으로 하여 내는 소리.
순년【旬年】[명] 십 년(十年).
순:노【順奴】[명]〖역〗 순노부(順奴部). 순나(順那).
순:노-부【順奴部】[명]〖역〗 고구려 오부(五部)의 하나. 동부(東部). 좌부(左部).
순다 열도【ㅡ列島】(Sunda)[ㅡ또] [명]〖지〗 말레이 제도 중, 인도네시아에 속하는 도서군(島嶼群). 대(大)순다 열도·소(小)순다 열도·몰루카 제도(Moluccas諸島) 등으로 구성됨. 좁은 뜻으로서의 순다 열도는 대·소의 순다 열도를 가리킴. 세계적인 화산 지대(火山地帶)임.
순다-인【ㅡ人】[명] (Sundanese)〖인류〗 자바 섬 서부에 거주하는 인종. 키는 작은데 코는 가늘고, 눈은 수평하며, 얼굴은 난형(卵形)인 자바 힌두형(Java Hindu型)과 자바 말레이형으로 나뉨. 16세기 이후부터 이슬람교를 믿었으며, 쌀·커피·차 등을 재배하며, 직물·납염포(蠟染布) 등의 공예품 제작에도 뛰어남. 인도네시아어에 속하는 순다어를 씀.
순다 해:구【ㅡ海溝】(Sunda) [명]〖지〗 인도양 북동부, 자바섬의 남쪽에 있는 해구. 인도양 유일의 해구로 최심부는 중앙부인데, 남위 10°21′, 동경 110°6′로 깊이는 7,455 m임. 해구나 호상 열도(弧狀列島)에 대한 최근의 성인론(成因論)은 이 곳을 모델 케이스로 하여 생겼음.
순다 해:협【ㅡ海峽】(Sunda) [명]〖지〗 인도네시아 서부, 자바와 수마트라와의 사이의 해협. 폭 26-110 km. 수심은 깊고 여러 곳에 등대가 설치되어 항행은 안전함.
순-담배【筍ㅡ】[명] 담배의 순을 따서 말린 담배.
순당¹【巡堂】[명]〖역〗 조선 시대 성균관(成均館) 재생(齋生) 가운데 과거에 새로 급제한 사람이, 문묘(文廟)에 알성(謁聖)한 후, 급제 복색 차림으로, 식사 전에 식당 서쪽 문으로 들어와 식당 안을 한 바퀴 돌아서 동쪽 문으로 나가던 관습.
순:당²【順當】[명] 도리상 당연함. 마땅히 그리 되었어야 할 일. ——-하다 [형][여불]
순대 [명] 돼지의 창자 속에 두부·숙주나물·파·표고버섯 등을 이겨서 양념한 것을 넣고, 양쪽 끝을 동여 매고 삶아 익힌 음식.
순대-찜 [명] 순대를 삶지 아니하고 쪄서 익힌 음식. 술안주로 먹음. 저장증(豬腸蒸).
순댓-국 [명] 돼지를 삶은 국물에 순대를 넣고 끓인 국.
순더분-하다 [형]〈방〉 수더분하다.
순덕¹【淳德】[명] 순후(淳厚)한 덕.
순덕²【純德】[명] ①순수한 덕. ②빠짐없이 도덕을 행하는 일.
순:덕³【順德】[명] ①순당(順當)한 도리에 따르는 덕(德). 도의(道義)에 어긋나지 아니한 덕. ②덕에 따름. ——-하다 [자][여불]

순:덕4【順德】[명]〖지〗'형대(邢臺)'의 구명(舊名).

순도1【純度】[명] 품질의 순수(純粹)한 정도. 보통, 중량 퍼센트로 나타냄. ¶～99%의 금(金).

순도2【殉道】[명] 도의(道義) 또는 종교(宗敎)를 위하여 목숨을 바침. ¶～자(者). ——-하다 [자][여불]

순:도3【順刀】[명] 양쪽에 날이 선 칼.

순:도4【順道】[명] ①정도(正道). 순당(順當)한 길. ②순정한 도리.

순:도5【順道】[명]〖사람〗중국 전진(前秦) 오호 십육국(五胡十六國) 시대의 중. 고구려 소수림왕(小獸林王) 2년(372)에 진(秦)나라 왕 부견(苻堅)의 명에 의하여 불상과 불경을 가져 왔음. 우리 나라 불교 전래(傳來)의 효시(嚆矢)임.

순독【醇篤·純篤】[명] 순량하고 인정이 두터움. 순후(醇厚). ——-하다 [형][여불]

순-돈수【純噸數】[—쑤] [명] 〔net tonnage〕'순톤수'의 취음.

순동【純銅】[명]〖광〗잡것이 섞이지 아니한 구리. 99.98% 이상의 순도(純度)의 구리.

순:-되다【順—】[—뙤—] [형] 순직(順直)하고 진실하다. ¶알고는 싶으면서도 그렇게 되지 않기를 바라는 마음! 어리고 순된 까닭에 더욱더 하다≪朴鍾和 : 錦衫의 피≫.

순두【脣頭】[명] 입술의 끝.

순-두부【—豆腐】[명] 눌러서 굳히지 아니한 두부. 수두부(水豆腐).

순두부 찌개【—豆腐—】[명] 순두부를 넣고 끓인 찌개. 젓국물에 달걀을 풀어서 고기와 파를 이기어 넣고, 후춧가루를 쳐서 순두부를 넣어 끓인 찌개.

순:-둥이【順—】[명] 성격이 순한 아이. ¶착한 우리 ～.

순-따주기【筍—】[명] 순지르기. 적아(摘芽).

순-뜯이 [—뜨지] [명] 〈방〉 순담배.

순라【巡邏】[술—] [명] ①〖역〗↗순라군. *정라(偵邏). ②→술래.

순라-곡【巡邏曲】[술—] [명] 〔이 patrol〕〖악〗군대(軍隊) 등의 행진이 점점 가까워지고 다시 멀어지는 것을 묘사한 곡(曲). 패트롤(patrol).

순라-군【巡邏軍】[술—] [명]〖역〗도둑·화재 등을 경계하기 위해 봄·여름에는 오후 여덟 시, 가을·겨울에는 오후 일곱 시부터 도성 안의 통행을 금지시키고 순행하던 군사. 궁성(宮城) 안은 오위장(五衛將)과 부장이 군사 5명씩 거느리어 순시하고, 궁성 밖은 훈련 도감(訓練都監)·금위영(禁衛營)·어영청(御營廳)에서 군사를 냄. 졸경군. [준]순라.

순라-선【巡邏船】[술—] [명] 순찰(巡察)·경계(警戒)하는 배.

순란【純爛】[술—] [명] 아주 찬란(璨爛)함. ——-하다 [형][여불]

순람【巡覽】[술—] [명] 사방으로 돌아다니며 봄. ¶명소 고적을 ～하다. ——-하다 [타][여불]

순량1【純良·醇良】[술—] [명] 성질이 순량하고 선량(善良)함. 소박하고 순진함. ——-하다 [형][여불]

순량2【純量】[술—] [명] 〔net weight〕 총량(總量)에서 포장물·용기(容器) 그 밖의 불순물의 양을 뺀 순수한 양. 정미(正味).

순량3【淳良】[술—] [명] 성질이 순박(淳朴)하고 선량(善良)함. ¶～한 백성. ——-하다 [형][여불]

순:량4【順良】[술—] [명] 성질이 유순(柔順)하고 선량(善良)함. ¶～한 사람. ——-하다 [형][여불]

순량5【循良】[술—] [명] 고을 원(員)의 어진 정사(政事).

순량6【馴良】[술—] [명] 짐승이 길이 들어서 온순함. ¶～한 말. ——-하다 [형][여불]

순려【純麗】[술—] [명] 정(精)하고 고움. 순수하고 아름다움. ——-하다 [형][여불]

순력【巡歷】[술—] [명] ①각처로 돌아다니며 구경함. 편력(遍歷)함. ②〖역〗감사가 도내(道內)의 각 고을을 순회함. ——-하다 [타][여불]

순령【純靈】[술—] [명]〖천주교〗물질을 겸하지 않고 순전히 영적(靈的)임. ¶～한 조물. ——-하다 [형][여불]

순령-수【巡令手】[술—] [명]〖역〗대장(大將)의 전령(傳令)과 호위(護衛)를 맡고 또는 순시기(巡視旗)·영기(令旗)를 드는 군사. 기수(旗手).

순례1【巡禮】[술—] [명]〖종〗종교의 발생지, 본산(本山)의 소재지, 성인(聖人)의 묘(墓)·거주지(居住地) 등을 종교적(宗敎的)인 목적으로 차례로 방문하여 참배(參拜)함. 그리스도 교도(敎徒)의 팔레스타인 순례, 이슬람교의 메카 순례 따위. *성지 순례(聖地巡禮). ——-하다 [타][여불]

순례2【循例】[술—] [명] 관례(慣例)를 좇음. ——-하다 [자][여불]

순:례3【順禮】[술—] [명] 예법(禮法)을 따름. ——-하다 [자][여불]

순례4【醇醴】[술—] [명] ①진한 술과 단술. ②진한 단술.

순례-자【巡禮者】[술—] [명] 성지(聖地)를 순례하는 사람.

순례 행기【巡禮行記】[술—] [명] 순례한 기행문(紀行文).

순:로1【順路】[술—] [명] ①평탄(平坦)한 길. ②사물의 순조롭고 거북하지 않은 길. ↔역로(逆路).

순로2【蓴鱸】[술—] [명] ↗순갱 뇌회(蓴羹鱸膾).

순록【馴鹿】[술—] [명]〖동〗[*Rangifer trandus*] 사슴과의 짐승. 다른 사슴과 달라 암컷에도 작은 뿔이 있고, 어깨 높이는 1-1.3m, 몸길이는 1.8m 가량이며, 여름 털은 암갈색, 겨울 털은 회색임. 다리가 크고 억세어 일을 잘 하므로 길러서 부리기도 함. 가을철에 교미하여 7개월 만에 한두 마리의 새끼를 낳음. 주로 지의류(地衣類)를 먹고 사는데, 북극(北極) 지방에 분포하고 가을철에 남방 삼림 지대에 떼지어 옮김. 고기와 젖을 식용함. 토나카이(tonakai). *고라니.

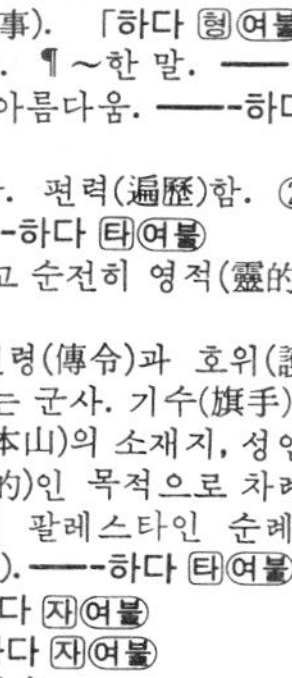
〈순록〉

순-뢰【巡牢】[술—] [명]〖역〗순령수(巡令手)와 뇌자(牢子).

순료【醇醪】[술—] [명] 무회주(無灰酒).

순:류【順流】[술—] [명] ①물이 제 순로(順路)를 따라 흐름. ②물이 흐르는 쪽으로 좇음. 전하여, 세상 추이에 따름. ③〖불교〗번뇌 생사의 흐름에 따라 더욱 흘러가 열반의 깨달음에서 멀어짐. 1)-3):↔역류(逆流). ——-하다 [자][여불]

순릉1【巡陵】[술—] [명] 임금이 여러 능에 순행(巡幸)함. ——-하다 [타][여불]

순릉2【純陵】[술—] [명]〖지〗조선 태조(太祖)의 조모인 경순(敬純) 왕후 박씨(朴氏)의 능. 함경 남도 함주군(咸州郡)에 있음.

순:릉3【順陵】[술—] [명]〖지〗①조선 성종 원비(成宗元妃) 공혜 왕후(恭惠王后) 한씨(韓氏)의 능. 경기도 파주시(坡州市) 조리면(條里面) 봉일천리(奉日川里) 공릉(恭陵)의 남쪽에 있음. ②고려 혜종(惠宗)의 능. 경기도 개성시 고려동(高麗洞) 탄현문(炭峴門) 밖 경덕사(景德寺) 북쪽 계곡에 있음.

순리1【巡吏】[술—] [명] 순시(巡視)하는 관리.

순리2【殉利】[술—] [명] 이익(利益)만을 바라고서 몸을 망침. ↔순명(殉名). ——-하다 [자][여불]

순리3【純利】[술—] [명] ↗순이익(純利益).

순리4【純理】[술—] [명] ①순수(純粹)한 학리(學理) 또는 이론(理論). ②칸트(Kant)의 '순수 이성(純粹理性)'의 뜻.

순리5【循吏】[술—] [명] 규칙을 잘 지키며 열심히 근무하는 관리.

순:리6【順利】[술—] [명] ①이익을 좇음. ②순조로움. ——-하다 [자][여불]

순:리7【順理】[술—] [명] 도리(道理)에 순종함. 또, 순조로운 이치. ¶～대로 처리하다. ——-하다 [자][여불]

순-리8【醇醨】[술—] [명] ①진한 술과 묽은 술. ②인정이나 풍속의 두터움과 엷음. ——-하다 [형][여불]

순리-론【純理論】[술—] [명]〖철〗오성론(悟性論).

순:리-롭다【順理—】[술—] [형][ㅂ불] 무리가 없고 도리(道理)에 맞다. **순:리-로이**【順理—】[부]

순:리-적【順理的】[술—] [명][관] 이치(理致)에 순종함. 순조로운 이치에 의한 모양. ¶～으로 해결하자.

순린1【純鱗】[술—] [명] 비늘 같은 무늬가 있는 사(紗). 빙사(氷紗).

순린2【楯鱗】[술—] [명] 방패 비늘.

순림【純林】[술—] [명] 단순림(單純林).

순막【瞬膜】[명]〖생〗척추 동물에 있는 눈의 보호 기관. 눈꺼풀의 안에 있는 반투명의 막으로서 상하의 눈꺼풀의 사이를 신축(伸縮)하여 눈알을 덮음. 조류·파충류·무미(無尾) 양서류에 가장 잘 발달되었으며 포유류가 그 다음이고, 어류(魚類)에는 교류(鮫類)에만 있음. 사람에게는 흔적만 남아 있음. 제삼 안검(眼瞼).

순:만【順娩】[명] 순산(順産). ——-하다 [타][여불]

순망【旬望】[명] 음력 초열흘과 보름.

순망-간【旬望間】[명] 음력 초열흘부터 보름까지의 사이.

순망 치한【脣亡齒寒】[명] 입술이 없으면 이[齒]가 시리다는 뜻으로, 썩 친밀하고 이해 관계(利害關係)가 깊은 두 사람 중에 한 사람이 망하면 다른 사람도 또한 위험하게 됨을 이르는 말.

순-맥반【純麥飯】[명] 보리쌀로만 지은 밥. 꽁보리밥.

순면【純綿】[명] ↗순면직물(純綿織物).

순-면직물【純綿織物】[명] 순전히 면사(綿絲)만으로 짠 직물(織物)을 혼방 면직물(混紡綿織物)에 상대하여 일컫는 말. [준]순면(純綿).

순명1【殉名】[명] 명예를 위하여 목숨을 버림. 명예를 손상시키지 않기 위하여 죽음. ↔순리(殉利). ——-하다 [자][여불]

순명2【純明】[명] 성실하고 현명함. 순진하고 공명(公明)함. 순정 명민(純正明敏)함. ——-하다 [형][여불]

순:명3【順命】[명] ①명령에 복종함. ②천명(天命)에 순종함. ——-하다 [타][여불]

순명-다래나무 [명]〖식〗[*Lonicera coreana*] 인동과에 속하는 낙엽 활엽 관목. 수(髓)는 백색이고 잎은 대란상(帶卵狀) 타원형 또는 타원형임. 5월에 황백색 꽃이 액생(腋生)하여 피고, 장과(漿果)는 가을에 익음. 삼림의 나무 밑에 나는데, 전북 백양산(白羊山), 경기도의 가평(加平) 및 충북 등지에 분포함.

순모【純毛】[명] 아무것도 섞이지 아니한 순수한 털실. 또, 그 모직물.

순모 첨동【詢謀僉同】[명] 여러 사람의 의견이 일치(一致)함.

순-무1 [명]〖식〗[*Brassica rapa* var. *depressa*] 겨잣과에 속하는 1-2년초. 무의 하나로 뿌리는 비대하며 원형 또는 장형(長形)이고 빛은 백색·적색·자색임. 봄에 황색 꽃이 총상(總狀) 화서로 핌. 각지에서 재배함. 잎과 뿌리는 식용함. 만청(蔓菁). 무청(蕪菁). 제갈채(諸葛菜).

〈순무1〉

순무2【巡撫】[명] ①각처로 순회(巡回)하면서 백성들을 위무(慰撫)함. ②무원(撫院). ——-하다 [타][여불]

순무 대:장【巡撫大將】[명]〖역〗'순무사(巡撫使)❷'의 별칭.

순무루 상속【純無漏相續】[명]〖불교〗번뇌가 없는 깨끗한 마음만이 계속되는 상태. 보살이 수행하는 계위(階位) 중, 10지(地)의 제8지 이상에 이를 때 이런 상태가 생김.

순무-밤나방 [명]〖충〗[*Euxoa segetis*] 밤나방과에 속하는 곤충. 편 날개의 길이 37-45mm이고 몸빛은 회갈색에 앞 날개에는 갈색 점문(點紋)이 산재(散在)하고, 두 개의 횡선(橫線)이 물결 모양으로 그어졌으며 뒷날개는 백색이고 전연(前緣)과 외연(外緣)은 암갈색임. 유충은 순무·배추 등의 겨자과 식물 및 오이·콩·파·담배 등 여러 작물의 해충임. 한국에도 분포함.

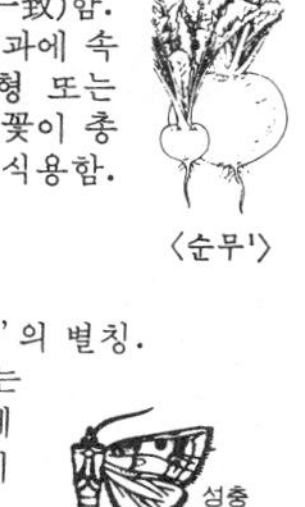

〈순무밤나방〉

순무-사【巡撫使】[명]〖역〗①고려 충렬왕(忠烈王) 2년(1276)에 안무사(按撫使)의 고친 이름. 백성의 질고(疾苦)와 수령(守令)의 근무 성적을 살피던 외관직(外官職). ②조선 시대에, 전시(戰時)의 군무(軍務)를 맡아 보던 벼슬. 별칭:순무 대장(巡撫大將).

순무-씨 [명]〖한의〗만청자(蔓菁子).

순무 어:사【巡撫御使】[명]〖역〗조선 시대의 임시 관직. 왕명으로 지

방에 변란(變亂)이나 재해(災害)가 있을 때 순행하며 진무(鎭撫)하던 특사(特使).

순무-영【巡撫營】명〖역〗조선 영조(英祖) 4년(1728)에 베푼 순무사(巡撫使)의 임시 군영(軍營).

순무-채【一菜】명 순무를 채쳐서 만든 생채.

순문¹【脣吻】명 입술.

순문²【詢問】명 하순(下詢). ——-하다 타여불

순문-사【巡問使】명〖역〗절제사(節制使)❷.

순-문학【純文學】명〔pure literature〕〖문〗①철학·사학(史學) 등의 학문을 포함하는 광의(廣義)의 문학에 대하여 특히 미적 정조(美的情操)에 호소하는 문학. 시가(詩歌)·소설·희곡·평론 등. 미문학(美文學). ②감동적으로 순수한 상태에 있는 문학. 문학의 전기능에 의한 구극적(究極的)인 순수성을 추구하며, 사회적 및 사상적인 색채가 없이 작가의 순수한 예술적 욕구(慾求)로써 형성됨. 또, 흥미 본위의 대중 문학에 대하여 신성하게 문학적 인간 탐구를 지향하는 문학. 본격(本格) 문학. ¶ ~ 잡지. ↔통속 문학·대중 문학. ＊순수 문학.

순-물 명 순두부를 누를 때에 나오는 물.

순-물질【純物質】[—찔] 명〖화〗홑원소 물질 또는 화합물(化合物)이 단독(單獨)으로 존재(存在)하고 있을 때, 혼합물(混合物)과 구별하기 위하여 쓰는 말. 순수 물질(純粹物質).

순미¹【純味】명 다른 맛이 조금도 섞이지 아니한 순수한 맛.

순미²【純美】명 ①섞인 것 없이 깨끗하고 아름다움. 순수한 미(美). ②〖철〗미적 정조(美的情操)만을 불러 일으키는 미(美). ——-하다 형여불

순미³【淳美·醇美】명 풍속이 순후(淳厚)하고 아름다움. ——-하다 형여불

순미⁴【醇味】명 지닌 그대로의 순수하고 진한 맛.

순:민¹【順民】명 순하고 착한 백성. 교화(敎化)에 잘 따르는 백성.

순민²【舜民】명 ①순(舜)임금 때의 백성(百姓). 순(舜)적 백성. ②태평성대(太平聖代)에 사는 백성.

순:-민심【順民心】명 민심(民心)을 좇아 순응함. ——-하다 자여불

순박【淳朴·淳樸·醇朴】명 꾸밈이 없고 소박함. 인정이 두텁고 순량(淳良)함. ¶ ~한 시골 청년. ——-하다 형여불

순발-력【瞬發力】명 체력(體力)의 요소(要素)의 하나. 근육(筋肉)이 빠르게 수축(收縮)하는 능력. ¶ ~이 좋은 선수.

순발 신:관【瞬發信管】명〖군〗조그마한 충격에도 곧 터지는 신관. 에이치 이탄(HE 彈)·가스탄 등에 장착(裝着)함.

순방¹【巡房】명 각 방을 순시함. ——-하다 자여불

순방²【巡訪】명 차례로 방문(訪問)함. ¶ ~ 외교(外交). ——-하다 타여불

순방³【詢訪】명 상의(相議)함. 자문(諮問)함. ——-하다 타여불

순:-방향【順方向】명〔forward direction〕〖전〗반도체(半導體) 다이오드에서, 일정한 직류 전류가 흐르기 쉬운 방향.

순:방향 전:류【順方向電流】[—절—] 명〖전〗정류 소자(整流素子)를 순방향으로 흐르게 한 전류.

순배【巡杯·巡盃】명 주석(酒席)에서 술잔을 차례로 돌림. 또, 그 술잔. 주순(酒巡). ——-하다 자여불

순-배양【純培養】명〖생〗순수 배양.

순백¹【純白】명 ①섞임이 없이 순수하게 흼. 정백(精白). ②자연(自然) 그대로 티없이 맑고 깨끗함. ③↗순백색(純白色). ¶ ~의 유니폼. ——-하다 형여불

순백²【醇白】명 ①순수함. 아주 깨끗함. ②샛하얌. ——-하다 형여불

순-백색【純白色】명 순수한 흰 빛. 새하얀 빛. 준순백(純白).

순-백자【純白瓷】명 무늬가 없는 백자.

순:번【順番】명 차례를 따라 갈아 드는 번. 또, 그 순서(順序). 윤번(輪番). ¶ ~에 따라 쉬다.

순변-사【巡邊使】명〖역〗조선 시대에, 왕명으로 군무(軍務)를 띠고 변경을 순찰하던 특사(特使).

순보【旬報】명 ①열흘마다 한 번씩 내는 보고(報告). ②순간(旬刊)의 신문·잡지 등.

순-보험료【純保險料】[—뇨] 명〖경〗생명 보험료 가운데, 보험금 지급에 돌려지는 부분.

순:복¹【順服】명 따름. 순순히 잘 복종함. ——-하다 자여불

순복²【馴服】명 길들어서 잘 따름. ¶ 야생마(野生馬)를 ~시키다. ——-하다 자여불

순:봉【順奉】명 준봉(遵奉). ——-하다 타여불

순:부【順付】명 돌아오는 인편(人便)에 부침. ——-하다 타여불

순:부정-업【順不定業】명〖불교〗4업 가운데 하나. 현세에서 지은 행위 중 그 과보를 받을 삶이 아직 정해지지 않은 것을 이름.

순분【純分】명 금은화(金銀貨)나 또는 지금(地金)에 들어 있는 순금은(純金銀)의 분량.

순분 공차【純分公差】명〖경〗법정 화폐의 순분(純分)과 실제 주조(鑄造) 화폐의 순분과의 차.

순비기-나무 명〖식〗[*Vitex rotundifolia*] 마편초과에 속하는 낙엽 활엽 관목. 줄기는 땅 위로 벋으며 여기서 잔 가지가 직립(直立)하여 높이 30-60cm가 됨. 잎은 원형 또는 거꿀달걀꼴의 혁질(革質)인데, 여름에 짙은 자색 꽃이 취산(聚繖) 화서로 정생(頂生)하여 피고, 핵과(核果)는 가을에 익음. 해변의 모래땅에 나는데, 한국 중부 이남 및 일본·중국·대만 등지에 분포함. 과실은 한방(漢方)에서 '만형자(蔓荊子)'라 하여 약재로 씀. 만형(蔓荆).

〈순비기나무〉

순-뽕【筍一】명 새 순이 돋아 핀 부드러운 뽕잎.

순사¹【巡使】명〖역〗↗순찰사(巡察使).

순사²【巡査】명〖일제〗경찰관 계급의 최하. 순사 부장의 아래. 지금의 순경에 해당함.

순사³【殉死】명 ①나라를 위하여 자살함. 순절(殉節). ¶ ~자(者). ②죽은 사람의 뒤를 이어 따라서 죽음. ——-하다 자여불

순사⁴【循私】명 사사 정분을 좇아서 공도(公道)를 돌아보지 아니함. ——-하다 타여불

순:사⁵【順事】명 ①사물의 정상(情狀)에 따라 일을 처리함. ②고분고분히 섬김. ③일에 따름. ——-하다 타여불

순사-기【馴獅旗】명〖역〗의장기(儀仗旗)의 하나.

〈순사기〉

순-사도【巡使道】명〖역〗→순사또.

순-사또 명〖역〗〔←순사도(巡使道)〕감사(監司)를 높이어 이르는 말.

순사 부장【巡査部長】명〖일제〗경찰관 계급의 하나. 경부보(警部補)의 아래, 순사의 위.

순삭【旬朔】명 ①초열흘과 초하루. ②열흘 동안.

순산¹【巡山】명 산림(山林)을 순찰(巡察)함. ——-하다 자여불

순:산²【順産】명 아무 탈 없이 순조(順調)롭게 아이를 낳음. 순만(順娩)·안산(安産). ¶ ~을 기원하다. ——-하다 타여불

순:산이나 하였으니 다행하지요 구 딸을 낳았을 때, 옆엣사람이 그다지 반기지 않으면서 하는 말.

순상¹【巡相】명〖역〗'순찰사(巡察使)'의 별칭.

순:상²【順喪】명 늙은 사람이 젊은 사람보다 먼저 죽는 일. ↔악상(惡喪). ＊호상(好喪).

순상³【楯狀】명 순형(楯形).

순상-엽【楯狀葉】명〖식〗방패 모양의 잎. 방패엽(防牌葉). 순형엽(楯形葉).

순상-지【楯狀地】명〖지〗옛 지질 시대에 지각 운동을 받아 뭉쳐진, 대륙의 중앙부를 형성하는 방패 모양의 땅덩이. 특히 선캄브리아대(先Cambria 代)의 기반 암류(基盤岩類)가 광대하게 노출(露出)되어 저평(低平)하되 중앙부에서 주변 쪽으로 완만하게 경사진 지역을 이름. 캐나다 순상지가 대표적임.

순상 화:산【楯狀火山】명〖지〗화산의 형태(形態)에 의한 분류의 하나. 용암의 점성(粘性)이 적어 폭발적인 활동이 일어나지 아니하며 용암이 평탄하게 흘러 내려 경사가 심하지 아니한 화산(火山). 방패(防牌) 모양으로 생겼으며 폭발로 인한 쇄설물(碎屑物)은 극히 적음. 아스피테(aspite).

순상 화:산 원추구【楯狀火山圓錐丘】명〔shield cone〕〖지〗용암의 연속적인 유출로써 생성되는 원뿔형 또는 반구형(半球形)의 화산.

순상 화:산 현무암【楯狀火山玄武岩】명〔shield basalt〕대규모이거나 밀집된 순상 화산에서 분출하여, 광대한 면적에 누적된 연무암질 용암(熔岩).

순새-류【楯鰓類】명〖동〗전새류(前鰓類).

순색【純色】명 순수한 빛깔. 그 색상(色相)에서 더 이상 채도(彩度)를 높일 수 없는 가장 깨끗하고 선명한 색. 포화색.

순:생-보【順生報】명〖불교〗삼보(三報)의 하나. 현세(現世)에서 지은 선악(善惡)에 의하여 받는 내생(來生)의 과보(果報). 순생업(順生業). 순차보(順次報).

순-생산물【純生産物】명〖사〗중농주의(重農主義)에 있어서, 농업 생산물에서 그 생산에 소요되는 모든 비용을 제외하고 남는 잉여(剩餘) 생산물.

순-생산액【純生產額】명〖경〗총생산액에서 그 생산에 쓰인 모든 비용을 뺀 액수.

순:생-업【順生業】명〖불교〗순생보(順生報).

순:서¹【順序】명 정해 놓은 차례. 열차(列次). 애차(挨次). 윤서(倫序). 순서(順敍). 서열(序列). 오더. 프로그램. ¶ ~를 밟다.

순:서²【順敍】명 순서(順序).

순:서-도【順序圖】명〔flow chart〕〖컴퓨터〗처리하려는 문제를 분석하여 그 처리 순서를 단계화하여 상호 간의 관계를 약속된 기호와 흐름선을 사용하여 알기 쉽게 나타낸 그림.

순:서 부동【順序不同】명 순서가 일정한 기준에 의하지 아니함. 여러 사람의 이름 등을 죽 쓸 때에 단서(但書)로서 붙이는 말. ——-하다 형여불

순:서-수【順序數】명〖언〗서수(序數).

순:서 수:사【順序數詞】명〖언〗서수사(序數詞).

순:서 집합【順序集合】명〖수〗순서가 정해진 집합.

순석【巡錫】명〖불교〗〔석장(錫杖)을 가지고 순행(巡行)한다는 뜻〕중이 각지를 돌아다니면서 수행(修行)·교도(敎導)하는 일. ——-하다 자여불

순선【脣腺】명〖생〗사람의 위아래 입술에 흩어져 있는 점액 분비샘.

순설【脣舌】명 ①입술과 혀. ②수다스러움. 말이 많음. 말을 잘함.

순성¹【巡省】명 돌아다니며 두루 살핌. 순시(巡視). ——-하다 타여불

순성²【巡城】명 ①성(城)의 주위를 돌아다니며 경계(警戒)함. ②성을 두루 돌아다니며 구경함. ——-하다 자여불

순성³【純誠】명 순수한 정성. 지극한 정성.

순성⁴【馴性】명 ①사람에게 길이 잘 드는 짐승의 성질. ¶ ~이 좋은 소. ②남이 하자는 대로 잘 따라 하는 성질.

순성⁵【脣聲】명〖언〗순음(脣音).

순:성⁶【順成】명 순조(順調)롭게 잘 이룸. ——-하다 타여불

순:성⁷【順性】명 성질에 좇음. 본성(本性)에 따름. ——-하다 자여불

순:세【順勢】명 세력에 좇음. ——-하다 자여불

순:세-파【順世派】명〔범 Lokāyata〕〖종〗불교 이전부터 있던 인도 유물론(唯物論)의 일파(一派). 지(地)·수(水)·화(火)·풍(風)의 사대(四大)만을 내세우고 정신의 독립과 영혼의 존재는 인정하지 아니하며, 감각론(感覺論)의 입장에 서서 오관(五官)에 의하여 알려진 것만을 참다운

것이라 하고, 현세주의(現世主義)·쾌락주의를 주장하며, 제식주의(祭式主義)나 업설(業說)을 부정하는 파. 「여불

순소【淳素】명 순량하고 소박함. 순박(淳朴). 소박(素朴). ——-하다 형

순-소득【純所得】명 〖경〗 ①총소득에서 비용을 제한 순수(純粹)한 소득. ②사회를 위한 생산물의 가치로 된 국민 소득의 한 부분.

순-소수【純小數】명 〖수〗 0과 1 사이의 소수. 곧 정수(整數) 부분이 없는 소수.

순속[1]【淳俗·醇俗】명 ①순박한 풍속. ②순일(純一)함과 잡박(雜駁)함.

순속[2]【循俗】명 풍속(風俗)을 좇음. ——-하다 자여불

순:속[3]【順俗】명 시속(時俗)에 따름. ——-하다 자여불

순-속반【純粟飯】명 강조밥.

순:손【順孫】명 조부모를 잘 받들어 모시는 손자.

순-손해【純損害】명 판 돈에서 원금을 빼고 순전히 축이 난 손해. ↔ ⌊순이익(純利益).

순수[1]【巡守】명 순수(巡狩). ——-하다 자타여불

순수[2]【巡狩】명 임금이 나라 안을 순행(巡行)하는 일. 순행(巡幸). 순수(巡守). 순공(巡功). ¶ ～비(碑). ——-하다 자타여불

순수[3]【純水】명 〖물〗 불순물이 아주 적은 물. 보통, 이온 교환 수지(ion 交換樹脂)에 의하여 탈염(脫塩)한 것임. 증류수에 비하여 약 10-100배쯤 순도(純度)가 높음. 화력 발전소·석유 화학 공장 등에서 대량으로 사용함.

순수[4]【純粹】명 ①조금도 잡것이 섞이지 아니함. 순결(純潔). ¶ ～한 우리 말. ②마음에 사념(邪念)이나 사욕(私慾)이 없음. 수(粹). ¶ ～한 호의(好意). ③완전함. 완비(完備)함. ④잡(雜)스러운 지식이 들어 있지 아니함. 수(粹). ⑤학문상, 경험적 내용이나 응용을 배제하고 형식만을 취급하는 이론적 부문. 이를테면 순수 과학(純粹科學) 등. 순정(純正). ——-하다 형여불

순수[5]【循守】명 좇아서 지킴. 준수(遵守). ——-하다 타여불

순:수[6]【順守】명 도리를 따라 지킴. ——-하다 타여불

순:수[7]【順受】명 순순히 받음. ——-하다 타여불

순:수[8]【順修】명 〖불교〗 미혹(迷惑)을 버리고 진리(眞理)에 맞도록 수행(修行)하는 일. ↔역수(逆修).

순:수[9]【順數】명 차례대로 셈. ——-하다 타여불

순수 감:정【純粹感情】명 〔도 reines Gefühl〕〖철〗 모든 경험적 내용에 좌우되지 아니하며 어디까지나 자발적인 힘으로서, '의식의 근원'으로부터 미적(美的) 내용을 생산하는 선험적(先驗的)인 감정.

순수 개:념【純粹槪念】명 〔도 renier Begriff〕〖철〗 칸트 철학에서, 경험에서 추상(抽象)한 것이 아니고 내용상(內容上), 오성(悟性)에서 나온 개념.

순수 경제학【純粹經濟學】명 〖경〗 근대(近代) 경제학의 한 분야. 경제 이론을 추상화(抽象化)하고, 경제의 근본 원리·원칙만을 연구 대상으로 하는 경제학. 복잡한 경제적 경험으로부터 경제의 모형(模型)을 구성하고, 이것에 의하여 경제 현상의 본질적 구조와 그 변동 법칙을 탐구함. 순정 경제학(純正經濟學). 이론(理論) 경제학.

순수 경험【純粹經驗】명 〔pure experience〕〖철〗 어떤 것의 매개 및 지배도 받지 아니하고, 아직 주관과 객관으로 나누어지지 아니하며, 직접적으로 주어진 사유 이전(思惟以前)의 가장 근원적(根源的)인 경험. 제임스(James, W.)의 '의식(意識)의 흐름'이나 베르그송의 '순수 지속(純粹持續)' 등.

순수 관심【純粹關心】명 〔pure interest〕〖철〗 도덕법(道德法)에 대한 존경(尊敬)을 동기(動機)로 한 관심.

순수 기하【純粹幾何】명 〖수〗 현실의 물체를 대상(對象)으로 하지 않고 공리(公理)와 공준(公準)의 관점에서 연구된 기하.

순수 논리학【純粹論理學】[—놀—] 명 〖논〗 논리학의 심리주의적·경험론적 해석을 배척하며, 논리(論理)를 주관(主觀)의 사유 작용(思惟作用)으로부터 분리하여, 순수한 논리적(論理的)인 것 그 자체를 연구하는 객관적 논리학.

순수리 명 ☞살담배. ¶ ～ 담배를 대통에다 눌러 담다.

순수 문학【純粹文學】명 〖문〗 어떤 정치적이나 계몽적 동기에서 이루어진 공리주의적(功利主義的) 또는 대중 문학·통속 문학에 대하여 순수한 예술적 충동에서 형성한 문학. ↔대중 문학. *순문학.

순수 물질【純粹物質】[—찔] 명 〖화〗 순물질.

순수 민주제【純粹民主制】명 〖정〗 직접 민주제.

순수 배:양【純粹培養】명 〖생〗 다른 종류와 섞지 아니하고 하나의 생물만을 배양하는 일. 미소 생물(微小生物)의 동정(同定), 성질 및 생리 작용의 검색(檢索)을 행하는 데 필요함. 순배양.

순수 법학【純粹法學】명 〖법〗 법을 정치적·윤리적 평가나 사회적 관심으로부터 엄격히 분리하여 법규범(法規範) 그 자체의 실증적(實證的) 탐구를 사명으로 하는 법학. 켈젠(Kelsen)에 의하여 제창되었음.

순수-비【巡狩碑】명 〖역〗 임금이 순수한 곳을 기념하여 세워 둔 비석. ¶ 진흥왕(眞興王) ～.

순수 사유【純粹思惟】명 〔도 reines Denken〕〖철〗 칸트 철학에서, 대상(對象)의 형식적면(形式的面)에만 관계하는 사고(思考)의 선천적 한정 작용(先天的限定作用)의 전체를 이름. 경험의 근저(根底)에 놓여 있고 그 형식에 따라서 가능한 경험의 대상을 인식시킴.

순수-성【純粹性】[—썽] 명 순수한 성질. ¶ ～을 잃다.

순수 소:설【純粹小說】명 〖문〗 본질적(本質的)으로 소설에 속해 있지 아니한 모든 요소(要素)를 빼어 버린 소설. 프랑스의 작가 지드(Gide, André)가 처음으로 주장함.

순수-시【純粹詩】명 〔프 poésie pure〕〖문〗 시의 용어(用語). 역사·전설·도덕·일화(逸話)·철학 등의 산문적(散文的)인 요소를 내포하지 아니하고 순수하게 정서(情緖)를 자극(刺戟)하는 표현적 기능만을 활용하여 짓는 시. 프랑스의 시인 발레리(Valéry, Paul)가 처음으로 주장함. ↔목적시(目的詩).

순수-아【純粹我】명 〖철〗 의식 일반(意識一般)을 형이상학화(形而上學化)한 그 자신(自身). 아무 제약도 받지 아니하는 절대 자유의 우주(宇宙) 원리임.

순수 어음 중개【純粹一仲介】명 〖경〗 기업이 발행한 어음을 단자사(短資社)의 중개로 기업 또는 금융 기관 등의 투자자가 직접 매입하는 어음 중개 방식. 이때 금리는 기업과 투자자 간에 자율적으로 결정되며 단자사는 발행가액의 1.5%의 수수료를 받게 됨.

순수 영화【純粹映畫】명 〖연〗 1925-29년경 무성(無聲) 영화의 후기에 프랑스에서 일어난 전위 영화(前衛映畫). 반상업적(反商業的)이며 스토리 중심주의와 스타 시스템(star system)을 배격하고, 순수하게 영화의 이미지(image) 자체와 몽타주(montage)에 의한 표현에 중점을 두는 것이 특징임. *절대 영화.

순수 예:술【純粹藝術】명 순수한 예술적 동기에 의하여 창조된 예술. 예술의 절대적 독립성을 주장하며 오로지 예술을 위하여서만이 존재하여야 한다고 하는 예술 지상주의적인 예술. 절대 예술.

순수 운:동 실어증【純粹運動失語症】[—쯩] 명 〖의〗 운동성 실어증의 한 가지. 언어 이해가 완전하고, 서자(書字) 장애도 없으나 말을 할 수 없는 실어증. 모방(模倣) 언어도 불능(不能)함. 피질하(皮質下) 운동 ⌊실어증.

순수-음【純粹音】명 〖물〗 순음(純音).

순수 의:식【純粹意識】명 〖철〗 경험으로부터 독립하여 그 지배를 받지 아니하는 선천적 의식.

순수 의:지【純粹意志】명 ①〔도 reine Wille〕〖철〗 칸트 철학에서, 모든 경험적 동기(動機)를 떠나 전연 선천적 원리(先天的原理)에 의하여 규정되는 자율적·도덕적 의지(意志). 감각적 자극에 의하여 규정되지 아니하고 이성에 의하여 규정되며 현실적 자연의 의지가 아니고 이상적·과제적(課題的) 의지의 성격을 띰. ②〖심〗 도덕적 가치(道德的價値)를 자기의 내면(內面)으로부터 생산 전개(生産展開)하는 것. 곧, 그 이상 자신의 의지에 있어서 자기를 실현하는 창조적인 활동.

순수 이:성【純粹理性】명 〔도 reine Vernunft〕〖철〗 칸트 철학에서, 경험 또는 인식(認識)을 가능하게 하는 선천적 인식 능력. 오성(悟性)의 가공(加工)을 받은 것을 통일화하고 체계화하여 가는 작용을 함. ↔실천 이성(實踐理性).

순수 이:성 비:판【純粹理性批判】명 〔도 Kritik der reinen Vernunft〕〖책〗 칸트가 지은 철학서. 이성이 인식의 한계를 넘어 마음대로 추리(推理)하여 형이상학(形而上學)을 만드는 데에 반대하고, 인식의 한계를 명확히 하며, 이성의 능력을 비판함. 《실천 이성 비판》·《판단력 비판》과 더불어 칸트의 세 비판서(批判書)로 불리며, 근대에 있어서의 비판주의 인식론을 확립한 고전적 철학서임. 1781년에 제1판(版) ⌊이 간행됨.

순-수익【純收益】명 순익(純益).

순수 일원론【純粹一元論】[—논] 명 〖철〗 만물의 근저(根底)에는 물질과 정신 곧, 에너지를 속성(屬性)으로 하는 오직 하나의 실체가 있어, 세상의 모든 현상을 에너지 항존(恒存)의 원리 이를테면 동시에 진화(進化)의 원리에 의하여 지배(支配)한다고 하는 독일의 동물학자 헤켈(Haeckel, Ernst Heinrich)의 일원론.

순수 자아【純粹自我】명 〖철〗 순수아(純粹我).

순수-주의【純粹主義】[—/—이] 명 〔프 purisme〕〖미술〗 제1차 세계 대전 후, 르 코르뷔지에(Le Corbusier)와 오장팡(Ozenfant)이 주창한 추상(抽象) 미술 운동의 하나. 기하학적 조형(造形)을 근간(根幹)으로 형(形)과 색(色)을 기계적으로 조립해서 제작하려는 것. 색과 형의 간략화와 순수화를 목적으로 하였음.

순수 지속【純粹持續】명 〖철〗 의식에 직접으로 주어지는 절대적인 질(質)이 여러 가지 불가분(不可分)으로 말미암아 서로 삼투(滲透)하여 지속(持續)하는 유동적(流動的) 과정. 지적(知的) 추리나 언어 표현의 편의로 지성(知性)이 가정한 공간적 영상(空間的映像)인 시간과는 달리, 직접 직관(直觀)에 의하여서만 포착되며, 이 세계야말로 인간의 영역이며 또한 생명 그 자체라고 함. 프랑스의 철학자 베르그송(Bergson, Henri Louis) 철학의 근본 개념임. 내면적(內面的) 지속. 내적(內的) 지속. 현실적 지속.

순수 지주 회:사【純粹持株會社】명 〖법〗 지주 회사 중 그 본래의 경제적 기능 곧, 주식 보유만을 목적으로 하고 부수적으로 생산 또는 상업을 영위하지 아니하는 회사.

순수 직관【純粹直觀】명 〖철〗 칸트의 용어(用語)로서, 시간과 공간을 감성적 여건(感性的與件)의 선천적 종합 형식으로 보는 직관 형식.

순수 천연림【純粹天然林】[—님] 명 벌채(伐採) 따위로 황폐(荒廢)되지 아니한 천연림.

순수 철학【純粹哲學】명 〔도 reine Philosophie〕〖철〗 순정 철학(純正哲「學).

순수 체조【純粹體操】명 율동적이고 미적(美的)인 체조.

순수 통:각【純粹統覺】명 〖철〗 의식 일반.

순수-화【純粹化】명 순수하게 됨. 순수하게 함. ——-하다 자타여불

순숙[1]【純淑】명 순수하고 좋음. 썩 좋음. ——-하다 형여불

순숙[2]【純熟】명 아주 익음. ——-하다 자여불

순숙[3]【醇熟】명 술이 잘 익음. ——-하다 자여불 「여불

순순[1]【恂恂】명 ①신실(信實)한 모양. ②두려워하는 모양. ——-하다 형

순순[2]【淳淳】명 흘러 되돌아가는 모양. ——-하다 부형여불

순순언-히【諄諄焉—】부 '순순히[2]'의 강조어(強調語).

순:순-하다[1]【順順—】형여불 ①성품(性品)이 아주 온순(溫順)하다. ②음식맛이 거세지 아니하고 순하다. 순:순-히[1]【順順—】부

순순-하다[2]【諄諄—】형여불 타이르는 태도가 다정하고 친절하다. 순순-히[2]【諄諄—】부. ¶ 천부의 자애를 ～ 말함에 수일의 금후 처신함

을 염려함이 아니라…≪趙重桓 : 長恨夢≫.

순순환 소:수【純循環小數】[명]〖수〗소수점(小數點)의 다음 자리의 숫자부터 순환하는 순환 소수. ↔혼순환 소수(混循環小數).

순시[1]【旬試】[명]〖역〗옛날 중국에서, 열흘마다 한 번씩 대학(大學)의 유생(儒生)들에게 보이던 시험(試驗). 첩시(帖試).

순시[2]【巡視】[명] 경계·감독하기 위하여, 돌아다니며 시찰함. 또, 그 사람. 순성(巡省). ——-하다 [타][여불]

순시[3]【瞬時】[명] 삽시간(霎時間).

순시[4]【瞬視】[명] 눈을 깜짝거리며 봄. ——-하다 [타][여불]

순시-기【巡視旗】[명]〖역〗군중(軍中)에서 작간(作奸)하여 범과(犯科)하는 자를 순찰(巡察)하여 잡아 올 때에 쓰던 기. 제도(制度)가 영기(令旗)와 같은데, '巡視'라고 붉게 새겨 붙였음. *영기(令旗)·홍순시기.

순시-선【巡視船】[명] 해상(海上)에 있어서의 범죄의 예방과 진압, 범인의 수사 및 체포 혹은 해난(海難)의 구조 등 해상의 안전과 치안의 확보 등에 관한 업무를 맡아 보는 특수선.

순시 회전계【瞬時回轉計】[명]〖물〗액체를 용기(容器) 속에 넣고 회전할 때 액체의 표면에 나타나는 곡면(曲面)의 형상에 의하여 순간적인 회전수를 아는 계기(計器).

순식【瞬息】[一][명] 순식간. [二][수] ①소수(小數)의 단위(單位)의 하나. 수유(須臾)의 억분(億分)의 일, 탄지(彈指)의 억 배, 곧 10^{-72}. ②소수의 단위의 하나. 수유의 십분의 일, 탄지의 십 배, 곧 10^{-16}.

순식-간【瞬息間】[명] 눈을 한번 깜짝하거나 숨을 한번 쉴 만한 극히 짧은 동안. 전순간(轉瞬間). 순식(瞬息). 돌차간(咄嗟間).

순신【純臣】[명] 순실한 신하.

순실[1]【純實】[명] 순직하고 진실함. ——-하다 [형][여불]

순실[2]【淳實】[명] 순박하고 진실함. ——-하다 [형][여불]

순:심【順心】[명] 순한 마음.

순안【巡按】[명] 순행(巡行)하며 안찰(按察)함. ——-하다 [타][여불]

순:안-악【順安樂】[명]〖악〗순안지악(順安之樂).

순:안지-곡【順安之曲】[명]〖악〗고려 때 태묘(太廟)의 관창(祼鬯)의 악명(樂名). 등가악(登歌樂)으로 협종궁(夾鐘宮)을 연주함.

순:안지-악【順安之樂】[명]〖악〗조선 시대 말기에, 사직단 대제의 영신(迎神)과 송신(送神)에 연주하던 곡. 순안악.

순:암【順菴】[명]〖사람〗안정복(安鼎福)의 호(號).

순:압【順壓】[명] [barotropy]〖물〗등밀도면(等密度面)이 등압면(等壓面)과 일치하는 유체(流體)의 상태. 곧, 경압성(傾壓性)이 영(零)인 상태를 이름.

순애[1]【純愛】[명] 순수한 사랑. 순결한 사랑. ¶ ~를 바치다.

순애[2]【殉愛】[명] 사랑을 위하여 제 몸을 바침. ——-하다 [자][여불]

순애-물【純愛物】[명] 영화·연극·소설 따위에서, 순수한 애정을 주제로 한 작품.

순애-보【殉愛譜】[명]〖책〗1939 년 간행(刊行)된 박계주(朴啓周)의 장편소설. 그의 데뷔작. 한 여성의 헌신적인 사랑을 그린 것으로, 지순한 사랑의 추구가 당시 독자층 요구와 부합되어 열렬한 대중적인 반응을 불러일으켰음.

순액【純液】[명] ①다른 것이 섞이지 않은 순수한 즙액(汁液). ②전국[1].

순양[1]【巡洋】[명] 해양(海洋)을 순찰함. ——-하다 [타][여불]

순양[2]【純陽】[명] ①순연(純然)한 양기(陽氣). ②여자와 아직 성적 관계가 없는 총각의 양기. ↔순음(純陰).

순양[3]【馴養】[명] 길들이어서 기름. 순육(馴育). ——-하다 [타][여불]

순양 전:함【巡洋戰艦】[명]〖군〗전함(戰艦)과 함께 주력함(主力艦)에 속하는 전투함. 전함의 포력(砲力)과 순양함(巡洋艦)의 고속력(高速力)을 가졌으나, 방어력(防禦力)은 전함보다 못함. 정찰·초계·전투·함대 지휘 등에 이용됨.

순양-함【巡洋艦】[명]〖군〗고속(高速)으로 항속력(航續力)이 크며 배수량(排水量)이 많은 군함(軍艦). 공방력(攻防力)은 전투함보다 못하나 구축함보다는 크며, 기동력이 구축함보다는 못하나 전투함보다 우수하여, 평시(平時)·전시(戰時)를 막론하고 일반 임무를 다 수행하는 만능함(萬能艦)임. 중순양함(重巡洋艦)·경순양함(輕巡洋艦)·대순양함(大巡洋艦)의 3 종으로 구분함.

순엄【純嚴】[명] 순수하고도 엄정(嚴正)함. ——-하다 [형][여불]

순업【巡業】[명] 각처로 돌아다니며 연극 같은 것을 흥행함. ——-하다 [타][여불]

순여【旬餘】[명] 열흘 남짓한 동안.

순:-역【順逆】[명] ①공순(恭順)과 반역(反逆). ②〖불교〗순연(順緣)과 역연(逆緣). ③순리(順理)와 역리(逆理). ④정도(正道)를 좇는 일과 거스르는 일. 역순(逆順). [여불]

순연[1]【巡演】[명] 각지를 순회하면서 상연함. 순회 공연. ——-하다 [타]

순연[2]【純然】[명] 섞인 것이 조금도 없는 모양. 본디 그대로 순전한 모양. 순호(純乎). ——-하다 [형][여불]. ——-히 [부]

순:연[3]【順延】[명] 순차대로 연기함. ¶ 우천(雨天)에는 ~함. ——-하다 [타][여불]

순:연[4]【順緣】[명]〖불교〗①늙은 사람부터 차례로 죽는 일. ②자식이 어버이를, 어린 사람이 나이 많은 사람을 조상하는 일. ③착한 일을 하는 것이 불도(佛道)로 들어가는 인연이 되는 일. 1)-3):↔역연(逆緣).

순연[5]【恂然】[부] 별안간. 갑자기.

순:연-혼【順緣婚】[명] [sorrate marriage]〖법〗혼인의 한 형태. 남편과 죽은 아내의 자매 사이의 혼인. 혼인 형식의 가장 낡은 형태의 하나이며, 현재에도 미개 민족 사이에는 일반적으로 행하여지고 있음.

순열[1]【巡閱】[명] 돌아다니며 검열(檢閱)함. ——-하다 [타][여불]

순열[2]【殉烈】[명] 충렬(忠烈)을 위하여 목숨을 버림. 또, 그 사람. ——-하다 [자][여불]

순-열[3]【荀悅】[명]〖사람〗중국 후한(後漢) 말기의 학자. 허난 성(河南省) 사람. 12 세에 춘추(春秋)에 통달하였음. 조조(曹操)에게 불리어 황문시랑(黃門侍郞)이 되었고, 헌제(獻帝)에 강의하였음. 저서는 ≪신감(申鑒)≫·≪한기(漢紀)≫ 등. [148-209]

순:열[4]【順列】[명] [permutation] ①순서 바르게 늘어 놓은 열(列). ②〖수〗주어진 몇 개의 물건 가운데에서 둘 이상의 물건을 집어 내어 어떤 순서로 배열하는 방법. 곧, n개의 물건 중에서 r개의 물건을 집어 내면 그 순열의 수는 $_nP_r=n(n-1)(n-2)\cdots(n-r+1)=n!/(n-r)!$ 로 표시됨. 같은 종류의 물건의 중복을 허락하는 중복(重復) 순열과 허락하지 아니하는 비중복(非重復) 순열이 있음. 어레인지먼트.

순열-사【巡閱使】[—싸] [명]〖역〗①대한 제국의 임시 관직(官職). 광무(光武) 6년(1922)에 정비된 새 관제(官制)에서 원수부(元帥府)에 소속된 차관급(次官級)의 칙임관(勅任官). 각 군문(軍門)을 순시·검열하는 일을 맡아 보았음. ②중국의 북양 군벌(北洋軍閥) 정권 시대의 관명. 몇 개의 성(省)의 군무를 통할하는 군정 장관(軍政長官)을 말함.

순영【巡營】[명]〖역〗감영(監營).

순영 중군【巡營中軍】[명]〖역〗조선 시대에, 순찰사(巡察使)에 속한 정삼품 벼슬.

순오-지【旬五志】[명]〖책〗조선 효종(孝宗) 때, 학자 홍만종(洪萬宗)이 지은 책. 정철(鄭澈)·송순(宋純)의 시가와 중국의 서유기(西遊記)에 대하여 평론(評論)하였고 130여 종의 속담(俗談)을 수록(收錄)함. 저자가 병들어 누워 있으면서 15일 동안에 완성한 것이라 함.

순원 왕후【純元王后】[명]〖사람〗조선 순조(純祖)의 비(妃). 성(姓)은 김(金). 안동 사람. 영안 부원군(永安府院君) 조순(祖淳)의 딸. 헌종에서 철종까지 대왕 대비(大王大妃)로서 수렴 청정(垂簾聽政)을 하여 안동 김씨의 세도를 결정에 이르게 하였음. [1789-1857]

순월【旬月】[명] ①열흘이나 한 달 가량. ②열 달.

순:위【順位】[명] 순서를 나타내는 위치나 지위(地位). 반위(班位).

순위-관【巡衛官】[명]〖역〗고려 때의 사평 순위부(司平巡衛部)의 벼슬. 참상관(參祥官)의 다음 벼슬임.

순위-도【巡威島】[명]〖지〗황해도 옹진군(甕津郡)에 있는 섬. 유리의 원료인 규사(硅砂)가 많이 산출됨. 넓은 간석지는 패류(貝類) 및 김의 양식지임. [26.483 km²]

순위-부【巡衛府】[명]〖역〗조선 태종(太宗) 2년(1402)에 순군 만호부(巡軍萬戶府)를 고친 이름.

순:위-제【順位制】[명]〖동〗동물의 무리를 이루는 개체간(個體間)에 순위가 정해져, 그것에 의하여 무리 전체의 질서가 잡혀지는 일. 순위(順位)는 개체 상호간의 투쟁의 결과로 정해짐.

순유[1]【純儒】[명] 순수한 학자. 진짜 학자.

순유[2]【巡遊】[명] 각처로 돌아다니며 놂. 역유(歷遊). ¶ 북유럽을 ~하다. ——-하다 [자][여불]

순유[3]【醇儒】[명] 결백하고 정직한 유교의 선비.

순유 박사【諄諭博士】[명]〖역〗①고려 성균관(成均館)의 종칠품 벼슬. ②조선 초기의 성균관(成均館)의 종칠품 벼슬.

순육[1]【馴育】[명] 길들여서 기름. 순양(馴養). ——-하다 [타][여불]

순육[2]【鶉肉】[명] 메추라기의 고기.

순율【恂慄】[명] 무서워서 떪. ——-하다 [자][여불]

순은【純銀】[명] 다른 잡쇠가 섞이지 아니한 순수한 은. 정은(正銀).

순음[1]【純音】[명]〖물〗단순음(單純音). 순수음(純粹音). ↔복합음.

순음[2]【純陰】[명] ①더럽혀지지 아니한 순연한 음기(陰氣). ②숫처녀의 음기. ↔순양(純陽).

순음[3]【脣音】[명]〖언〗두 입술 사이에서 발음되는 소리. ㅂ·ㅃ·ㅍ·ㅁ 등. 양순음(兩脣音). 순성(脣聲). 입술 소리.

순-음악【純音樂】[명]〖악〗음악 이외의 예술의 표상이나 관념의 도움 없이, 음의 구성면(構成面)에 중점을 두는 음악. 절대 음악. ↔표제 음악.

순음-화【脣音化】[명] [labialization]〖언〗①어떤 음이 동시 조음(同時調音)으로써 원순성(圓脣性)을 동반하게 되는 현상. ②어떤 언어의 역사에서 원순음이 아니던 음이 원순음으로 변화하는 현상.

순:응【順應】[명] ①순순히 잘 따름. ②환경에 좇아서 그것에 잘 적응(適應)함. ¶ 대세에 ~하다. ③[adaptation]〖생〗생물에 같은 자극(刺戟)이 변화 없이 지속적(持續的)으로 주어질 때에 그것에 적응할 수 있도록 감각 작용(感覺作用)이 변화하는 현상. 눈의 명암(明暗) 순응 따위. ——-하다 [자][여불]

순:응-력【順應力】[—녁] [명] 생물의 생활이 외계(外界)의 상태에 적응하여 변화할 수 있는 능력.

순:응-성【順應性】[—썽] [명] 생물의 생활이 외계의 상태에 적응하여 변화하는 성질.

순:응-장【順應章】[명]〖악〗종묘 제례악의 하나. 정대업지무(定大業之舞)를 출 때 분웅장(奮雄章) 다음에 아뢲. 이 때에 무기(舞妓)가 동쪽으로 향하여 염수(斂手)하고 섰다가 박(拍)을 치면 춤을 추고 또, 염수족도(斂手足蹈)함. 정대업(定大業) 11 곡 중 7 악장임.

순:응 하천【順應河川】[명] 지층(地層)의 주향(走向)과 평행(平行)으로 흐르는 하천.

순의[1]【殉義】[—/—이] [명] 의(義)를 위하여 죽음. ——-하다 [자][여불]

순:의[2]【順義】[—/—이] [명] ①도의(道義)에 따르는 일. 정의를 좇는 일. ②세상에 대한 의리. ——-하다 [자][여불]

순의[3]【鶉衣】[—/—이] [명] 군데군데 기운 옷. 낡은 옷. 폐의(敝衣).

순:의 대:부【順義大夫】[—/—이—] [명]〖역〗조선 시대에, 종이품의 의빈(儀賓) 품계.

순-이익【純利益】[—니—] [명] 총이익(總利益) 중에서 영업비·잡비 등 총비용을 빼고 남은 순전한 이익. 순수익(純收益). [준]순리(純利)·순익(純益). ↔순손해.

순-이론【純理論】[—니—] [명] 정밀(精密) 과학 중의 수학 사용 부분의 이론. 직관(直觀)의 내용과 전혀 관계 없이, 형식만을 문제로 삼는 이론.

순이익-금【純利益金】[—니—] [명] 순이익의 돈. [준]순익금.

순-이자 【純利子】[—니—] 명 〖경〗 일정 기간 자금의 공급을 받은 자가, 자금 이용에 대한 참된 대가(代價)로서 자금의 공급자에게 지불해야 하는 것.
순익 【純益】 명 ↗순이익(純利益).
순익-금 【純益金】 명 ↗순이익금(純利益金).
순익-률 【純益率】[—뉼] 명 〖경〗 결산기에 있어서 순익금(純益金)과 자본 계정(計定)과의 비율.
순:인 【順人】 명 〖역〗 조선 시대에, 정육품 종친(宗親)의 처(妻)의 품계. 온인(溫人)의 아래.
순일[1] 【旬日】 명 음력 초열흘.
순일[2] 【純一】 명 ①다른 것이 섞이지 아니하고 전일(專一)함. ②거짓이나 꾸밈이 없고 한 가지로 순수함. ——-하다 형 여불
순일 예:보 【旬日豫報】[—녜—] 명 〖기상〗 열흘 가량의 일기(日氣)를 미리 예보하는 일.
순-임금 【舜—】 명 중국 태고의 천자 '순(舜)'을 임금으로서 똑똑히 일컫는 말. 주의 예전에는, '순님금'으로 발음했음.
순-잎 【筍—】[—닢] 명 순이 돋아 올라 핀 잎.
순자[1] 【笋子】 명 〖건〗 장부[1].
순자[2] 【荀子】 명 〖사람〗 중국 전국 시대의 유학자. 이름은 황(況). 예의를 강조한 공자의 제자인 자하(子夏)의 학파에 속하며 맹자의 성선설(性善說)에 대하여 성악설을 제창하였음. 형명법술(刑名法術)을 대성한 한비(韓非)는 그의 문하생임. 저서로는 《순자(荀子)》가 있음. 순황(荀況). 순경(荀卿). 손경(孫卿). [298?-238? B.C.]
순자산 비:율 【純資產比率】 명 〖경〗 투자 신탁의 신탁 재산에서 부채(負債)나 평가손(評價損) 등을 공제한 순재산액(純財產額)을 시가(時價)로 나타낸 금액이 순자산 총액 가운데서 차지하는, 그 잔존 원본(殘存元本)에 대한 비율.
순작 명 〈방〉 〖조〗 메추라기(제주).
순작-선 【巡綽船】 명 〖역〗 조선 시대에 해안을 순찰하던 배.
순장[1] 명 바둑판의 네 변으로부터 각 넷째 줄을 6 등분한 5 개의 점. 모두 16 점.
순장[2] 【旬葬】 명 죽은 뒤 열흘 만에 지내는 장사.
순장[3] 【巡將】 명 〖역〗 조선 시대의 순청(巡廳)의 임시 벼슬. 정삼품 당상(堂上) 문무관으로 하였음.
순장[4] 【殉葬】 명 〖역〗 ①임금이나 남편의 장사에 신하나 아내를 산 채로 함께 장사지냄. ②고대에 있어서 종자(從者)를 주군(主君)의 묘역(墓域)에 생매장하거나 혹은 종자를 죽여 묘역에 매장하던 일. ——-하다 타 여불
순:장 바둑 【順丈—】 명 우리 고유의 재래식 바둑. 17 개의 화점(花點)에 각각 8개씩 배석(配石)하고, 가운데의 화점인 장점(丈點)에 판마다 흑백(黑白)이 번갈아 가며 두기 시작하는 바둑. 따 낸 돌은 아무 소용이 없고, 계가(計家)할 때 단수(單手)가 안 되는 곳의 돌은 모두 들어낸 다음에 집수를 세는 것이 특징임.
순장 정:과 【蒓杖正果】 명 들쭉 정과.
순장-패 【巡將牌】 명 〖역〗 순패(巡牌).
순-재생산율 【純再生產率】[—뉼] 명 어느 세대(世代)의 어머니가 다음 세대에, 얼마만큼의 어머니를 낳아 남기는가를 나타내는 총재생산율(總再生產率)에 임신 기간이 끝날 때까지의 여자의 사망감(死亡減)을 고려하여 수정을 가한 것. 장래 인구의 증감을 나타내고, 그것이 1보다 크면 인구는 늘고, 1보다 작으면 주는 것으로 생각됨.
순:적 【順適】 명 ①사물이 고르고 순조로움. ②거스르지 아니하고 좇음. 마음에 들도록 함. ——-하다 형 자 여불. ——-히 부
순적 백성 【舜—百姓】[—쩍—] 명 ①중국의 순(舜)임금 때의 백성. 순민(舜民). ②전(轉)하여, 착하고 선량한 백성을 두고 이르는 말.
순-전[1] 【—前】 명 개자리 앞.
순-전[2] 【旬前】 명 음력 초열흘 전.
순전[3] 【純全】 명 순수하고 완전함. 다른 것이 섞이지 아니하고 고스란함. ¶ ~한 사기. ——-하다 형 여불. ——-히 부
순전[4] 【脣前】 명 무덤의 계절(階節) 앞.
순:전[5] 【順轉】 명 〖기상〗 저기압 통과 전후에, 바람이 올바른 제 방향, 즉 북반구에서는 오른쪽으로 남반구에서는 왼쪽으로 옮겨 가는 일. 지구의 자전(自轉) 때문에 일어나는 현상임. ——-하다 자 여불
순절 【殉節】 명 ①충절(忠節)을 위하여 목숨을 버림. 순사(殉死). ②정절(貞節)을 지키어 죽음. ——-하다 자 여불
순-점프 【純—】〔jump〕 명 스키에서, 복합(複合) 경기의 하나인 점프와 구별하여, 점프 경기에서 하는 점프를 가리키는 말.
순:접 【順接】 명 〖언〗 두 개의 문장 또는 구(句)가 양립할 수 있는 관계에서 접속하는 일. '…므로'·'…에서' 따위의 뜻으로 나타내어지는 접속 관계. ↔역접(逆接).
순정[1] 【巡靖】 명 인심(人心)을 달래서 편하게 함. ——-하다 자 여불
순정[2] 【純正】 명 ①순수하고 올바름. 순결하고 정직함. ②미적(美的)인 면이나 이론(理論)을 주로 하고 응용(應用) 또는 실리(實利)를 등한히 함. 순수(純粹). ¶ ~ 화학. ↔응용(應用). ——-하다 형 여불
순정[3] 【純情】 명 ①자연 그대로의, 거짓이나 꾸밈이 없는 인정(人情). ②사심(邪心)이 없는 순진한 정애(情愛).
순:정[4] 【順正】 명 ①도리(道理)를 좇아 올바름. ②차례가 바름. ——-하다 형 여불
순정[5] 【醇正】 명 순수하고 바름. ——-하다 형 여불
순정 경제학 【純正經濟學】 명 〖경〗 순수 경제학(純粹經濟學).
순정 과학 【純正科學】 명 응용적 과학(應用的科學)에 대하여 오로지 과학의 이론적·원리적 방면만을 연구하는 과학. ↔응용 과학(應用科學).
순정-률 【純正律】[—뉼] 명 〖악〗 순정조(純正調).
순정 부품 【純正部品】 명 차량·공작 기계 따위의 설계·제작을 하는 메이커가 특히 그 전용(專用)으로서 제작한 부분품.
순정 수:학 【純正數學】 명 〖수〗 응용보다도 이론을 주로 연구하는 수학. ↔응용 수학.
순정 식품 【純正食品】 명 착색제(着色劑)·방부제(防腐劑)·표백제(漂白劑) 등의 첨가물(添加物)을 쓰지 아니한 순수한 식품.
순정-적 【純情的】 명 관 순정 그대로인 모양. 순정인 모양.
순정-조 【純正調】[—쪼] 명 〖악〗 자연 배음(自然倍音)의 진동수비(振動數比)에 따라, 악률(樂律)을 물리적으로 구성한 음정의 조율. 각 음 사이의 진동수 비를 2 분의 3 으로 하는 피타고라스의 방법 등이 있음. 평균율(平均律)에 비하여 음정(音程)이나 화음(和音)이 완전히 융합함. 순정률(純正律). 순정 조율(純正調律).
순정조 오르간 【純正調—】〔organ〕[—쪼—] 명 〖악〗 순정조에 따라 연주할 수 있도록 만든 오르간. 한 옥타브에 20개의 건반이 있음. 보통의 오르간이나 피아노는 12개임.
순정 조율 【純正調律】 명 〖악〗 순정조.
순정 철학 【純正哲學】 명 〔metaphysics〕 〖철〗 실재(實在)에 관한 구극문제(究極問題)를 체계적으로 연구하는 철학. 순수 철학. ＊형이상학.
순정 화:학 【純正化學】 명 〖화〗 응용보다도 그 순수한 원리(原理) 원칙을 주로 연구하는 화학. 공학적(工學的)인 화학 기술에서 독립한 학문으로서의 화학의 의미로 쓰임. ↔응용 화학(應用化學).
순정 효:황후 【純貞孝皇后】 명 〖사람〗 대한 제국 마지막 황제인 순종(純宗)의 황후. 성은 윤씨, 본관은 해평(海平). 1910 년 국권(國權)이 일본에게 강점될 때, 병풍 뒤에서 친일파 각료들에 의해 순종이 합방 조약에 날인할 것을 강요당하는 것을 듣고 이를 저지하고자 치마 속에 옥새(玉璽)를 감추고 빼앗길 때까지 내놓지 않았다고 함. 만년에는 불교에 귀의, 낙선재(樂善齋)에서 살다가 심장 마비로 타계함. [1894-1966]
순제[1] 【旬製】 명 〖역〗 ①성균관(成均館)에서 열흘마다 거재 유생(居齋儒生)에게 보이던 시문(詩文)의 시험. ②승문원(承文院)의 벼슬아치에게 열흘마다 보이던 이문(吏文)의 시험.
순:제[2] 【順帝】 명 〖사람〗 중국 후한(後漢) 제8대의 황제. 안제(安帝)의 아들. 성은 유(劉), 이름은 보(保). 영녕(永寧) 초에 태자가 되고, 후에 폐위되어 제양왕(濟陽王)이 되었으나, 안제의 붕어(崩御) 후 즉위했음. [115-144 ; 재위 126-144]
순:제[3] 【順帝】 명 〖사람〗 중국 원(元)나라 최후의 황제. 명제(明帝)의 아들. 주원장(朱元璋)의 장수 서달(徐達) 등이 대군(大軍)으로 쳐들어왔으므로 상도(上都) 화림(和林)으로 도망하였으나 응창(應昌)에서 죽었음. [1320-70 ; 재위 1333-70]
순조[1] 【純祖】 명 〖사람〗 조선 제23대 왕. 휘(諱)는 공(玜). 자는 공보(公寶), 호는 순재(純齋). 안동 김씨 김조순(金祖淳)이 이 시대에 세도하고, 원년(1801)에 천주교 박해의 신유 사옥(辛酉邪獄)이 났으며, 11년(1811)에 홍경래(洪景來)의 난(亂)도 일어났음. [1790-1834; 재위 1801-34]
순:조[2] 【順調】 명 아무 탈 없이 일이 잘 되어 가는 상태.
순:조[3] 【順潮】 명 조수(潮水)의 흐름을 좇음. ——-하다 자 여불
순:조-롭다 【順調—】 형 ㅂ불 예정대로 잘 되어 아무 탈이 없다. ¶ 첫 출발이 ~. **순:조-로이** 【順調—】 부 순조롭게. ¶ ~ 나아가다.
순조 실록 【純祖實錄】 명 〖책〗 조선 제 23대 임금 순조의 재위 34년간의 실록. 헌종(憲宗) 4년(1838) 무술(戊戌) 윤사월(閏四月)에 이상황(李相黃) 등이 찬수(撰修)하였음. 34 권 36 책.
순졸 【巡卒】 명 밤에 순경(巡更) 도는 군졸.
순:종[1] 【順宗】 명 〖사람〗 고려 제12대 왕. 초명은 걸(杰). 휘(諱)는 훈(勳). 문종의 맏아들. 문종 37년(1083)에 즉위하였으나, 그 해 죽었음. 시호는 선혜(宣惠). [1046-83]
순:종[2] 【順從】 명 ①순순히 복종함. 종순(從順). ¶ 부모님 말씀에 ~하다. ②〖성〗 하느님의 의지(意志)에 복종한다는 뜻에서 신앙(信仰)을 일컫는 말. ——-하다 자 여불
순종[3] 【純宗】 명 〖사람〗 조선 제27대의 마지막 임금. 휘(諱)는 척(坧). 일본의 보호 정치하에 새로운 정치를 하려다가 뜻대로 되지 아니하여 실패하고, 1910년에는 드디어 일본에 통치권을 빼앗겼음. [1874-1926; 재위 1907-10]
순종[4] 【純種】 명 〖생〗 딴 계통과 섞이지 아니한 순수한 종(種). ¶ 진도(珍島)개의 ~.
순종[5] 【脣腫】 명 〖의〗 입술에 나는 부스럼.
순종 실록 【純宗實錄】 명 〖책〗 조선 순종(純宗)의 재위 4 년간(1907-10)과 퇴위 후 17 년 간(1910-26)의 역사를 기록한 책. 원명은 '순종 황제 실록'임. 22 권 8 책.
순좌 【楯座】 명 〖천〗 방패자리.
순:-죄업 【順罪業】 명 〖불교〗 죄업(罪業)의 응보(應報)가 순차로 찾아온다는 말.
순:주[1] 【順走】 명 〖해〗 돛배가 순풍(順風)을 받아 달리는 일. ——-하다 자 여불
순주[2] 【醇酒】 명 무회주(無灰酒).
순-주정 【純酒精】 명 불순물(不純物)이 섞이지 아니한 순수한 주정(酒精).
순중 명 〈방〉 고뿔(함경).
순증 【純增】 명 ↗순증가(純增加). ↔순감(純減).
순-증가 【純增加】 명 순전한 증가. 준 순증(純增).
순지[1] 【純至】 명 불순한 마음이 조금도 없음. ——-하다 형 여불
순지[2] 【脣脂】 명 입술을 붉게 칠하는 연지(臙脂). 입술 연지.
순-지르기 【筍—】 명 곁순을 잘라 내는 일. 순지름. ——-하다 자 여불
순-지르다 【筍—】 타 르불 초목의 곁순을 잘라 내다. 순치다.
순-지름 【筍—】 명 순지르기. ——-하다 자 여불
순직[1] 【純直】 명 마음이 순진하고 곧음. ——-하다 형 여불

순직[2]【殉職】명 직무(職務)를 위하여 목숨을 잃음. ——하다 자여불

순:직[3]【順直】명 온순하고 정직함. ——하다 형여불

순진【純眞】명 마음이 꾸밈이 없고 참됨. 사념(邪念)이나 사욕(私慾)이 없음. ¶ ~한 시골 처녀. ——하다 형여불

순:진적 논증【順進的論證】명〖논〗전진적(前進的) 논증.

순:진적 연쇄식【順進的連鎖式】명〖논〗형식 논리학에서, 최후의 결론을 제외하고, 결론이 모두 생략된 생략 삼단 논법으로 되는 복합 삼단 논법의 특수형으로, 최초의 전제(前提) 후에 나오는 새로운 전제가 모두 다음 삼단 논법의 대전제로 되고, 중간의 결론이 모두 소전제로 되는 연쇄 추리(推理). 전진적(前進的) 연쇄식.

순-집다【筍一】타〈방〉순지르다.

순쯔〔중 順子〕명 마작(麻雀)에서, 동일종(同一種)의 수패(數牌)가 수의 순위(順位)대로 셋이 이어진 것. 예를 들면 이만(二萬)·삼만(三萬)·사만(四萬)처럼 짝맞추어진 것.

순차[1]【循次】명 차례를 좇음. ——하다 자여불

순:차[2]【順次】㊀명 돌아오는 차례. ㊁부 차례차례. ¶ ~ 발표하여 가다.

순-차례【巡次例】명 활쏘기에서, 순이 돌아가는 차례.

순:-차무사【順且無事】명 아무 일이 없이 잘 되어 감. ——하다 형여불

순:차-보【順次報】명〖불교〗순생보(順生報).

순:차식 컬러 텔레비전【順次式一】명〔sequential color television〕화상(畫像)이 삼원색으로 분해되며 이것이 순차적으로 전송(傳送)되는 컬러 텔레비전의 방식. 선순차식(線順次式)·점(點)순차식·필드(field) 순차식 등의 세 가지 기본형이 있음.

순:차 왕:생【順次往生】명〖불교〗현세의 생애를 마친 뒤에 곧 정토에 왕생함을 이르는 말.

순:차 운송【順次運送】명〔successive carriage〕〖법〗동일한 운송물에 대하여, 몇 사람의 운송인이 시간적·공간적으로 연속하여 운송하는 일. 그 형태에는 부분 운송(部分運送)·하수 운송(下受運送)·연대(連帶) 운송·동일(同一) 운송 등이 있음.

순:차-적【順次的】명관 순서대로인 모양. 차례가 지켜진 상태.

순:차 접근 기억 장치【順次接近記憶裝置】명〔sequential access storage〕〖컴퓨터〗기억된 정보가 기억 매체 상(上)에 차례로 저장되어 기억된 정보 전부를 원하든지 혹은 일부를 원하든지 간에 기억된 순서대로만 접근이 가능한 보조 기억 장치. 자기(磁氣) 테이프 기억 장치가 그 대표적임.

순:차 접근 방식【順次接近方式】명〔sequential access method〕〖컴퓨터〗①정보가 입력된 항목들에 저장된 순서대로 접근하는 방법. 일반적으로 연속된 대량의 자료에 접근하고자 할 때 이용됨. ②데이터를 기억 장치에 입력시키거나 기억 장치로부터 판독할 때, 입력이나 판독이 되는 기억 장소에 이어지는 다음 기억 장소에 입력 또는 판독을 할 수 있도록 하는 방법.

순:차 제:어【順次制御】명〔sequential control〕〖컴퓨터〗일정한 순서에 따라서 제어 단계가 순차적으로 이루어지는 자동 제어의 하나. 이의 응용은, 전기 세탁기·전기 보온 밥솥·자동 판매기 등의 일상 생활 용품과 각종 공작 기계·공업 프로세스 등에 폭넓게 이용되고 있음.

순:차 진:행【順次進行】명〔conjunctive motion〕〖악〗'차례가기'의 구용어.

순:차 처:리【順次處理】명〔sequential process〕〖컴퓨터〗미리 주어진 키(key) 순서에 의해 데이터 필드 내의 레코드를 처리하는 일.

순:차 처:리 장치【順次處理裝置】명〔serial processor〕〖전자〗각각의 단원(單元)으로써 데이터를 순차 처리하는 계산기.

순:차 파일【順次一】명〔sequential file〕〖컴퓨터〗레코드들이 하나 또는 그 이상의 키 필드값에 따라서 순차적으로 연속되게 저장하는 방법. 모든 컴퓨터에 쉽게 적용할 수 있는 가장 대중적인 방법으로, 대량의 정보를 가진 파일을 용이하게 만들기 위해 사용함.

순찰【巡察】명 순행하여 사정을 살핌. ——하다 타여불

순찰 곤봉【巡察棍棒】명 술찰대원들이 지니는 곤봉.

순찰-대【巡察隊】[—때] 명 순찰할 목적으로 조직된 부대나 경찰대.

순찰-병【巡察兵】명 순찰 임무를 맡은 병사.

순찰-사【巡察使】[—싸] 명〖역〗①병란(兵亂)이 있을 때 왕명으로 지방의 군무(軍務)를 순찰하던 임시 벼슬. ②조선 시대 때, 도(道) 안의 군무를 순찰하는 벼슬. 각 도의 관찰사(觀察使)가 겸임함. 별칭 : 순상(巡相). ㊥순사(巡使).

순찰-선【巡察船】[—썬] 명 순찰을 도는 배.

순찰-차【巡察車】명 헌병·경관 등이 타고 범죄나 사고의 방지 등을 위하여 순회하는 자동차.

순찰-함【巡察函】명 군데군데의 경비상(警備上) 중요한 길목의 벽이나 담에 달아 놓고 순찰하는 사람의 도장을 찍는 카드나 기타 순찰하였다는 표적을 넣는 상자.

순창[1]【淳昌】명〖지〗전라 북도 순창군(淳昌郡)의 군청 소재지로 읍(邑). 섬진강 상류 소백 산맥 기슭 분지에 있는데, 농산물의 집산지이며 목기(木器)·참빗·부채 등의 가내 공업이 성함. [11,034명(1996)]

순창[2]【脣瘡】명〖의〗입술이 갈라지는 병.

순창-군【淳昌郡】명〖지〗전라 북도의 한 군. 관내 1읍 10면. 북은 정읍시(井邑市)와 임실군(任實郡), 동은 임실군과 남원시(南原市), 남은 전라 남도의 곡성군(谷城郡)과 담양군(潭陽郡), 서는 정읍시와 전라 남도의 장성군(長城郡)에 접함. 자수 제품(刺繡製品)과 죽세공품(竹細工品)의 산출이 많으며, 명승 고적으로는 강천산(剛泉山)·강천사(剛泉寺)·삼인대(三印臺)·대모산성(大母山城)·귀래정(歸來亭) 등이 있음. 군청 소재지는 순창(淳昌). [495.43 km² : 39,733명(1996)]

순채【蓴菜】명〖식〗[*Brasenia schreberi*] 수련과에 속하는 다년생의 수초(水草). 줄기는 원뿔꼴이고 물 속에 잠겨 있음. 길이 10cm 내외의 타원상 방패 모양의 잎은 어긋나고 물 위에 떠 있는데, 상면은 녹색, 하면은 자색을 띰. 7-8월에 암홍자색의 꽃이 잎 사이에서 나온 긴 줄기 끝에 달리어 물 위에 피고, 과실군(群)은 숙존악(宿存萼)을 갖고, 혁질(革質)이며 달걀꼴이고, 물 속에서 익음. 연못에 나는데, 한국 중부 이남·일본·중국 남부 등지에 분포함. 어린 잎은 식용함.

〈순채〉

순채-차【蓴菜茶】명 순채 잎을 오미자의 국물에 넣고 꿀을 탄 차.

순채-탕【蓴菜湯】명 순챗국. 「건져 내어 초장에 찍어 먹는 회.

순채-회【蓴菜膾】명 순채의 연한 잎을 잠깐 데쳐서 찬 물에 담갔다가

순챗-국【蓴菜一】명 순채의 어린 잎으로 끓인 국. 순채탕.

순:천[1]【順川】명〖지〗평안 남도 대동강(大同江) 중류에 있는 평원선(平元線)의 요역(要驛). 농산물의 집산지이고, 밤·담배의 산지이며, 화학 공업 지대임.

순:천[2]【順天】명 천명을 따름. 천명에 순종함. 순천명(順天命). ＊지천(知天). ——하다 자여불

[순천자(者)는 존(存)하고 역천자(逆天者)는 망(亡)한다] 천명(天命)에 순종하는 사람은 번영과 생존을 누릴 것이요 천명을 거역하면 망한다는 뜻.

순천[3]【順天】명〖지〗전라 남도 남동부의 한 시(市). 1읍(邑) 10면(面) 16동(洞). 북쪽은 곡성군(谷城郡)·구례군(求禮郡)과 광양시(光陽市), 남쪽은 여수시(麗水市)·보성군(寶城郡)과 바다, 서쪽은 보성군과 화순군(和順郡)에 접함. 주요 산물은 농산물과 공산·임산·축산 등이며, 명승 고적으로는 선암사(仙巖寺)·송광사(松廣寺)·신성포(新城浦) 등이 있음. 1995년 1월, 승주군과 통합, 개편됨. [907.32 km² : 250,966명(1996)]

순:천-군【順川郡】명〖지〗평안 남도의 한 군. 북은 개천군(价川郡)과 성천군(成川郡), 남은 성천군과 강동군(江東郡)과 대동군(大同郡), 서는 평원군(平原郡)과 안주군(安州郡)에 접함. 주요 산물은 농산·임산·축산 등이고, 명승 고적으로는 담담정(澹澹亭)·자모산성(慈母山城)·안국사(安國寺)·고구려 고분 등이 있음. 군청 소재지는 자산(慈山).

순:천-군【順天郡】명〖지〗'승주군(昇州郡)'의 구명. └[1,244km²]

순:천 대학교【順天大學校】명 국립 대학교의 하나. 1935년 설립된 순천 공립 농업 학교를 모체로 1979년 순천 전문 대학, 82년 4년제 순천 대학. 91년 순천 대학교로 교명을 바꿈. 1992년 현재 농과 대학·사범 대학·인문 사회과 대학·공과 대학·자연 과학 대학의 5개 대학이 있음. 소재지는 전라 남도 순천시 매곡동(梅谷洞).

순:천-만【順天灣】명〖지〗전라 남도 남해안에 돌출된 여수(麗水) 반도와 고흥(高興) 반도 사이에 있는 만. 많은 섬이 있으며 산란장(産卵場)으로 봄과 여름에는 난해성 어족(暖海性魚族)이 모여듦. 해안선(海岸線)의 길이는 58.7km.

순:-천명【順天命】명 순천[2](順天). ——하다 자여불

순:천향 대학교【順天鄕大學校】명 사립 대학교의 하나. 1978년 순천향 병원을 모체로 학교 법인 동은 학원(東隱學園)이 설립되고 곧이어 순천향 의과 대학으로 개교(開校)함. 1980년 순천향 대학, 1990년 순천향 대학교로 교명을 바꿈. 1992년 현재 인문 과학 대학·경상 대학·법과 대학·자연 과학 대학·공과 대학·의과 대학의 6개 대학이 있음. 소재지는 충청 남도 아산시 신창면(新昌面) 읍내리(邑內里).

순-철【純鐵】명〖화〗불순물이 전혀 섞이지 아니한 철. 전자기·진공관·합금 등의 재료 및 내식판(耐蝕板)·촉매(觸媒) 등으로 쓰임.

순청[1]【巡廳】명〖역〗야간 순찰을 맡아보던 관아. 조선 초에 베풀어서

순-청[2]【純靑】명 ↗순청색(純靑色). └고종 31년에 폐지함.

순청 감군【巡廳監軍】명〖역〗조선 시대 때 순청의 한 벼슬. 선전관(宣傳官)과 낭관(郎官) 들이 번갈아 보았음. ㊥순감(巡監).

순청 당상【巡廳堂上】명〖역〗조선 시대 순청(巡廳)의 으뜸 벼슬. 종일품부터 당상(堂上) 정삼품의 군직(軍職)이 있는 사람으로 시킴.

순청-색【純靑色】명 순수한 푸른색. ㊥순청(純靑).

순-청자【純靑瓷】명 상감이나 다른 재료에 의한 장식이 없는 푸른 자기. 청자 중 맨 먼저 만든 것인데 고려 말엽까지 쓰임.

순:체【順遞】명 순조로이 교체(交遞)함. 중요한 관직을 과실 없이 원만히 갈마들임. ——하다 타여불

순초【巡哨】명 돌아다니면서 적의 정세를 살핌. ——하다 타여불

순초-군【巡哨軍】명 적정을 탐지하기 위하여 돌아다니는 군사.

순충【純忠】명 사욕(私慾)이 없는 순수한 충의(忠義). 성충(誠忠). 충성(忠誠). 「계를 비유할 때 쓰는 말.

순치[1]【脣齒】명 ①입술과 이빨. ②입술과 이빨처럼 서로 밀접한 어떤 관

순치[2]【馴致】명 ①짐승을 길들임. ②차차로 어떠한 목표의 상태에 이르게 함. ——하다 타여불

순:치[3]【順治】명〖역〗중국 청(淸)나라 세조의 연호. [1644-61] 「르다.

순-치다【筍一】자 발육을 좋게 하기 위하여 식물의 순을 자르다. 순지

순치 보:거【脣齒輔車】명 순망 치한(脣亡齒寒)과 보거 상의(輔車相依). 곧, 둘 사이의 관계가 극히 밀접함을 이르는 말.

순치-새끼 명〈방〉수수께끼.

순치-성【脣齒聲】명〖언〗순치음. 「의 'v'·'f' 등. 순치성. 치순음.

순치-음【脣齒音】명〖언〗아랫입술과 윗니 사이에서 나는 소리. 영어

순:치-제【順治帝】명〖사람〗중국 청(淸)나라 제3대 황제. 묘호(廟號)는 세조(世祖). 휘는 복림(福臨). 명(明)나라를 항복시키고, 재위 18년간은 청나라가 비로소 중국을 지배하게 된 초창기로, 도읍을 성경(盛

京)에서 북경(北京)으로 옮김. [1638-61; 재위 1643-61]

순치지-국【脣齒之國】명 순치(脣齒)의 사이인 나라. 곧, 이해 관계가 밀접한 두 나라.

순치지-세【脣齒之勢】명 서로 의지하고 돕는 형세.

순-친왕【醇親王】명〖사람〗①중국, 청말(淸末)의 황족. 이름은 혁현(奕譞). 도광제(道光帝)의 제7자. 광서제(光緖帝)의 아버지. 서태후(西太后)의 실매(實妹)가 비(妃)였으며, 염직(廉直)하여 정치에 흥미가 없었고, 광서 10년에 잠시 국정에 참여한 정도였음. [1840-91] ②중국, 청말(淸末)의 황족. 이름은 재풍(載灃). 순친왕 혁현(奕譞)의 제5자. 선통제(宣統帝) 푸이(溥儀)의 아버지. 광서제(光緖帝)의 배다른 동생. 의화단 사건(義和團事件)의 대독 사죄 사절(對獨謝罪使節)로 베를린에 감. 귀국 후 서태후(西太后)의 친정(親政)을 보좌하고, 선통제 즉위와 더불어 섭정왕(攝政王)이 됨. 위안 스카이(袁世凱)를 군기처(軍機處)에서 추방하는 등의 개혁(改革)을 행하고, 만인 지배 체제(滿人支配體制)를 확립함. 신해 혁명(辛亥革命)으로 은퇴하였음. [1883-1951]

순:탄【順坦·純坦】명 ①성질이 까다롭지 아니함. ②길이 험하지 아니하고 평탄함. ¶ ~한 반생. ──-하다 형여불. ──-히 부

순-톤수【純一數】[-쑤] 명〔net tonnage〕배의 용적을 나타내는 톤수의 하나. 총(總)톤수 중에서 선원실·해도실(海圖室)·기관실·물탱크 등, 배의 운항(運航)에 직접 쓰이는 장소를 제외한 부분의 용적을, 총톤수와 같은 단위로 나타낸 톤수. 세금이나 수수료를 정하는 표준이 됨. 등부(登簿) 톤수. 취음: 순돈수(純噸數). *재화 용적(載貨容積) 톤수.

순통[1]【純通】명 책을 외우고 그 내용에 통달함. ──-하다 타여불

순:통[2]【順通】명 일이 순조롭게 잘 통함. ──-하다 자여불

순판[1]【脣瓣】명 순형 화관(脣形花冠).

순판[2]【楯板】명 방패 모양으로 된 판. ¶ 소(小)~.

〈순패〉

순패【巡牌】명〖역〗순장(巡將)이 밤에 거리를 순회(巡廻)할 때 차고 다니던 둥근 모양의 패. 한 면(面)에는 '巡牌', 다른 한 면에는 신 '信'자를 새기었음. 순장패(巡將牌).

순:편【順便】명 ①↗순귀편(順歸便). ②거침새 없이 편함. 순조롭고 편리함. ¶ 그만큼 욕두 많이 했으니 이제 좀 ~한 얼굴루 대해 주시지 《崔貞熙: 녹색의 문》. ──-하다 형여불. ──-히 부

순:평【順平】명 성질이 온순하고 화평함. ──-하다 형여불. ──-히 부

순포【巡捕】명〖역〗〈속〉순검(巡檢)❷.

순포-막【巡捕幕】명〖역〗〈속〉순검막(巡檢幕).

순포-청【巡捕廳】명〖역〗〈속〉순검청(巡檢廳).

순폭【殉爆】명 어느 한 곳에서 화약이 폭발하였을 때, 그것에 유발(誘發)되어 그 장소로부터 떨어진 곳에 있는 화약도 폭발하는 일. 감응 폭발(感應爆發). 유폭(誘爆).

순풍[1]【淳風】명 순박한 풍속.

순:풍[2]【順風】명 ①순하게 부는 바람. ②배가 가는 방향(方向)으로 부는 바람 또는 바람이 부는 쪽으로 배가 감. ¶ ~에 돛을 달고. 1)·2):↔역풍(逆風).

순풍 미속【淳風美俗】명 인정이 두텁고 아름다운 풍속·습관. 특히 부모에 효도하고 형제가 우애하고 부부 상화(相和)하는 일가(一家) 단란의 가족 도덕(家族道德)을 말함.

순피【筍皮】명 죽순의 껍질.

순-하다[1]【殉一】자여불 목숨을 바치다.

순:-하다[2]【順一】형여불 ①성질이 사납지 아니하고 부드럽다. ¶ 순한 사람. ②맛이 독하지 아니하다. ¶ 이 술은 ~/순한 담배. ③일이 까다롭지 아니하다. ¶ 일이 순하게 풀려 간다.

순:합【順合】명〖천〗외합(外合).

순항【巡航】명 배로 여러 곳을 항해하여 다님. ──-하다 자여불

순항 고도【巡航高度】명〔cruising altitude〕〖군〗일정한 고도를 유지해야 할 한 지점과 다른 지점간의 계속적인 비행에 대하여 해발 피트(海拔 feet)로 측정한 고도.

순항 미사일【巡航一】명〔cruise missile : CM〕〖군〗컴퓨터 제어에 의한 제트 추진의 유익(有翼)·무인(無人) 미사일. 초저공(超低空)으로 비행하므로 목표물에 대한 명중률이 매우 높고, 우회(迂廻) 항행할 수 있기 때문에 레이더에 의한 포착이 어려움. 공중 발사 순항 미사일(ALCM), 지상 발사 순항 미사일(GLCM), 해상·잠수함 발사 순항 미사일(SLCM)로 분류됨.

순항-선【巡航船】명 내해(內海) 따위의 섬들을 정기(定期) 또는 부정기로 순회하는 배.

순항 속도【巡航速度】명 배·항공기의 성능을 나타내는 지수(指數)의 하나. 배·항공기가 경제적으로 안전하게 장거리 또는 장시간 정상 비행할 때의 속도. 고속 순항·표준 순항·장거리 순항·최장 내공(耐空) 순항 등이 있음. 순항 속력.

순항 항:속 거:리【巡航航續距離】명 ①항공기가 주어진 상황 아래에서 순항할 수 있는 최대 거리. 연료 탱크에 연료를 가득 채우고 출발한 후 귀로(歸路)에 도착할 때까지의 거리. ②항공기나 선박이 연료를 보급 받지 않고 순항 속도로 항행할 수 있는 거리.

순해-선【巡海船】명 바다를 순찰하는 경비선.

순행[1]【巡行】명 여러 곳으로 돌아다님. 순행(循行). ㊣순(巡). ──-하다 자여불

순행[2]【巡幸】명 순수(巡狩). ──-하다 자타여불

순:행[3]【順行】명 ①순차대로 감. ②거스르지 아니하고 행함. ③〖천〗↗순행 운동. 1)·2):↔역행(逆行). ──-하다 자여불

순행[4]【循行】명 여러 곳으로 돌아다님. 순행(巡行). ──-하다 자여불

순행[5]【馴行】명 착한 행실.

순:행 동화【順行同化】명〖언〗동화(同化)를 받는 음이 앞에 오는 음에 영향을 받는 경우. 예컨대, '일년(一年)→일련'·'종로(鐘路)→종노' 등으로 동화되는 경우를 이름. ↔역행 동화. *상호 동화.

순:행 운:동【順行運動】명〖천〗①태양 쪽에서 보아 지구(地球)의 운동과 같은 방향으로 일어나는 천체(天體)의 운동. ②지구 쪽에서 보아 서쪽으로부터 동쪽을 향하여 천구(天球) 위를 이행(移行)하는 천체의 시운동(視運動). ㊣순행. ↔역행 운동.

순:향 억제【順向抑制】명〖심〗유사(類似)한 두 개의 사실을 학습함에 있어서 먼저 학습한 사실이 뒤에 학습한 사실을 방해 억제하여 그 상기(想起)를 곤란하게 하는 일. *소향 억제(溯向抑制).

순-허수【純虛數】명〖수〗실수부(實數部)가 0인 복소수(複素數).

순헌 황귀비【純獻皇貴妃】명〖사람〗조선 고종(高宗)의 계비(繼妃). 흔히, 엄비(嚴妃)로 불림. 1895년 을미 사변으로 명성 황후(明成皇后)가 죽은 뒤, 고종의 계비가 됨. 1897년 고종의 제3자 은(垠)을 낳음. 여성의 근대 교육에 특별한 관심을 가져 1906년에 숙명(淑明) 여학교와 진명(進明) 여학교를 설립하였음. [1854-1911]

순:현-보【順現報】명〖불교〗삼보(三報)의 하나. 현세에서 지어 현세에서 받는 선악업(善惡業)의 과보(果報).

순:현-업【順現業】명〖불교〗현세에서 지어 현세에서 그 과보를 받게 되는 선악의 업.

순혈【純血】명 다른 종족의 피가 섞이지 아니한 순수한 혈통(血統). 깨끗한 피. ↔혼혈(混血).

순형[1]【脣形】명 ①입술 모양. ②〖식〗식물의 꽃 형태를 나타내는 말. 합판 화관(合瓣花冠) 중에서 화관의 상부가 상하로 크게 찢어진 형. ¶ ~엽(葉).

순형[2]【楯形】명 방패와 같은 형상. 순상(楯狀).

순형-엽【楯形葉】명〖식〗순상엽(楯狀葉).

순형-화【脣形花】명〖식〗순형 화관으로 된 꽃.

순형 화관【脣形花冠】명〖식〗합판 화관(合瓣花冠)의 한 가지. 위에는 두 개의 화판이 윗입술을 이루고, 아래는 세 개의 화판이 아랫입술을 이루는 화관. 광대수염·소엽 등의 꿀풀과 식물이 이에 속함. 입술꽃부리.

순호[1]【純乎】명 순연(純然). ──-하다 형여불

순-호[2]【筍湖】명〖지〗함경 북도 부령군(富寧郡) 부거면(富居面)에 있는 호수.

순-홍【純紅】명 ↗순홍색(純紅色).

순-홍색【純紅色】명 순수한 다홍색. ㊣순홍(純紅).

순:화[1]【巡化】명〖불교〗중이 설교하며 돌아다님. ──-하다 자여불

순화[2]【純化】명 불순한 분자를 덜어 버림. 순수하게 함. ──-하다 자타여불

순화[3]【淳和】명 순박하고 온화함. ──-하다 형여불

순:화[4]【順化】명〖지〗'위에(Hue)'의 한자 이름.

순:화[5]【順和】명 순탄하고 화평함. ──-하다 형여불

순화[6]【馴化】명〔acclimation〕〖생〗기후가 다른 토지에 옮겨진 생물이 점차로 그 환경에 적응하는 체질로 변하는 일. ¶ ~ 동물. ──-하다 자여불

순화[7]【舜花·蕣花】명 무궁화.

순화[8]【醇化】명 ①정성어린 가르침의 감화(感化). ②잡스런 것을 떼어 버리고 계통 있고 순수한 것으로 만듦. ¶ 언어의 ~. ③〖미술〗재료를 취사 선택하여 쓸 데 없는 분자를 제거하는 일. ──-하다 타여불

순화[9]【鶉火】명〖천〗남방에 있는 성수(星宿)의 이름.

순화각-첩【淳化閣帖】명〖책〗중국 송(宋)의 태종(太宗) 순화(淳化) 3년(992)에, 내부(內府)에 소장(所藏)되어 있던 역대의 명적(名蹟)을 내어 한림 대서(翰林待書) 왕저(王著)에게 명하여 새기게 한 법첩(法帖). 전부 10권으로 되어 있는데 1권은 역대 제왕 법첩(帝王法帖), 2-4권은 역대 명신(名臣) 법첩, 5권은 제가 고법첩(諸家古法帖), 6-8권은 진(晉)의 왕희지(王羲之), 9-10권은 왕헌지(王獻之)가 실리어 있음.

순화 동:물【馴化動物】명 순화된 동물. 길든 동물.

순:화-롭다【順和一】형ㅂ불 순탄(順坦)하고 평화(平和)롭다. 순:화-로이【順和一】부

순화 미생물【馴化微生物】명 온도 변화나 산소 및 가스량(量)의 변화 같은 환경 변화에 적응할 수 있는 미생물.

순화-어【醇化語】명〖언〗어려운 한자말, 권위적이고 위화감을 주는 말, 일본어투의 말, 외국어 등을 규범적이면서 알기 쉽게 또 고운 우리말로 순화한 말.

순환【循環】명 ①쉬지 아니하고 연해 돎. 돌고 돌아 제자리로 되돌아옴. 윤환(輪環). ②돈을 내돌림. ③〖생〗생물이 영양물(營養物)을 몸의 각 부분에 운반하는 일. ④〖생〗↗혈액 순환(血液循環). ⑤〖컴퓨터〗루프. ⑥일련의 변화 과정을 되풀이함. ¶ 물의 ~ / 대기의 ~. ──-하다 자타여불

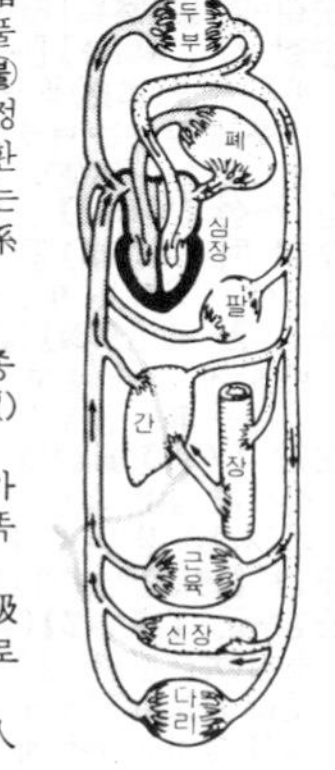

〈순환계〉

순환-계【循環系】명〖생〗심장에서 나온 피가 정맥·동맥·모세 혈관 등을 통하여 온 몸으로 순환하여 영양분을 공급하며, 또 노폐물을 수송하는 일련(一連)의 순환기의 계통. 순환 계통(循環系統).

순환 계:통【循環系統】명〖생〗순환계.

순환-고【循環高】명〖경〗증권 거래소에서, 업종 또는 종목이 바뀌어 가면서, 차례로 주가(株價)가 등귀(騰貴)하는 현상.

순환 과:정【循環過程】명〔cycle〕물체의 상태가 어떤 변화를 일으킨 후, 또다시 원래의 것과 똑같은 상태로 되돌아올 때의 일련(一連)의 과정.

순환 급수【循環級數】명〖수〗무한 급수(無限級數)의 하나. 일정한 수효의 항(項)이 같은 차례로 되돌아 나오는 급수.

순환-기[1]【循環期】명 자연 현상 또는 인위적(人爲的) 기일(期日)의 순환하는 기간.

순환-기[2]【循環器】명〖생〗혈액을 순환시키어서 섭취한 영양분·산소 등을 몸의 온갖 조직에 운반

하고 또 노폐물을 몸의 각부로부터 모아서 배설하기 위하여 운반하는 관상(管狀)의 기관. 척추 동물에서는 심장·혈관·림프관 등을 말함. 맥관계(脈管系). 혈행기(血行器).

순환 기질【循環氣質】 명 『심』 독일의 정신 의학자 크레치머(Kretchmer)의 체질 성격학(體質性格學)에 있어서의 성격 유형(性格類型)의 하나. 일반적으로 사교적이고 친절하며 온화하고 정미(情味)가 있는 것이 공통적인 기본 특징인데, 한편으로는 조용하고 우울한 기분이 공존(共存)하여 그 두 기분 사이를 완만하게 동요함. 조울병자(躁鬱病者)의 근친(近親)에 잘 나타나며 비만형(肥滿型)에 많음. 순환성 기질. ↔분열(分裂) 기질.

순환 논법【循環論法】[—뻡] 명 『논』 순환 논증.

순환 논증【循環論證】 명 〔vicious circle〕 『논』 논증(論證)되어야 할 명제를 논증의 근거(根據)로 하는 잘못된 논증. 곧, 결론(結論)의 진리(眞理)와 전제(前提)의 진리가 서로 의존하여 논증의 형식을 가지고 있으나 실지로 논증되어 있지 아니한 논증. '그는 정직(正直)하다. 왜냐하면 그는 사람을 속이지 아니하기 때문이다'와 같은 것. 순환론. 순환 논법. 페티티오 프린키피(petitio principi).

순환 도:로【循環道路】 명 일정한 지역을 순환할 수 있도록 닦아 놓은 도로. ¶ 남부 ～.

순환-론【循環論】[—논] 명 『논』 순환 논증.

순환-마디【循環—】 명 『수』 순환 소수(循環小數)에서 같은 차례로 되풀이되는 몇 개의 숫자 마디. 3.141414…의 14나, 0.123123123…의 123과 같은 것. 구용어:순환절(循環節).

순환 변:동【循環變動】 명 『경』 경제 현상을 시간적 변화로 관찰할 때에 수년간의 간격을 두고 오르내리는 파동. 내용면으로 보면 경기 순환(景氣循環)이 이에 상당함.

순환 병:질【循環病質】 명 『심』 체질 성격학(體質性格學)에 있어서의 유형(類型)의 하나. 순환 기질과 동질(同質)의 성격 특징이 병적 성격(病的性格)에까지 이른 성격 유형. ＊순환 기질.

순환-선【循環線】 명 기차·전동차·전차 등이 한 바퀴 돌아 그 출발점에 와서 다시 돌게 된 선로.

순환성 기질【循環性氣質】[—썽—] 명 『심』 순환 기질(循環氣質).

순환 소:수【循環小數】 명 『수』 무한(無限) 소수의 하나. 소수점 이하의 어떤 자리 다음부터 약간의 같은 수가 같은 순서로 무한히 반복되는 소수. 3.1414…, 0.123123…, 5.201010… 등. 혼(混)순환 소수.

순환-수【循環水】 명 기권(氣圈)·수권(水圈)·암권(岩圈)의 사이를 순환하는 물. 지표(地表)를 흐르는 물이, 그 일부는 땅 속으로 배어 들어가 지하수(地下水)가 되어 샘으로 다시 솟아오르며, 다른 일부는 증발하여 수증기가 되었다가 비가 되어 다시 내려오는데, 지표수나 지하수의 거의 전부는 이와 같은 순환수임. ↔처녀수.

순환 자원【循環資源】 명 용도가 끝나 폐기되는 자재(資材) 가운데 재생 이용할 수 있는 자원. ↔비(非)순환 자원.

순환 장애【循環障礙】 명 『의』 혈액의 순환을 막는 장애. 심장병·신장병·동맥 경화증 및 만성 과로 등이 그 원인이 되며, 심계 항진(心悸亢進)·호흡 집박·과뇨(寡尿) 등을 일으키고 전신 수종(水腫)을 발생함.

순환적 정:의【循環的定義】[—／—이] 명 『논』 전제와 거의 같은 개념의 말로 정의되는 허위적(虛僞的) 정의. '입헌 정치란 헌법에 의하여 행하여지는 정치이다'와 같은 것. 순환 정의.

순환-절【循環節】 명 『수』 '순환마디'의 구용어.

순환 정:의【循環定義】[—／—이] 명 『논』 순환적 정의.

순환 조절 실조【循環調節失調】[—쪼] 명 『의』 외적 환경의 변화나 신체적 활동 등에 대응한 신체의 순환기계(循環器系)의 체조(體調) 조절이 실조된 상태. 걸핏하면 상기(上氣)되고 몸이 차지며, 울렁증·현기증·귀울음 등을 호소(呼訴)함.

순환지-도【循環之道】 명 금전(金錢)을 이리 저리 변통하여 돌려 내는 길.

순환지-리【循環之理】 명 사물(事物)이 성하고 쇠하여짐이 서로 바뀌어 도는 이치. 흥망 성쇠가 순환하는 이치.

순환-패【循環霸】 명 바둑에서, 패의 모양은 아니면서, 패의 원리(原理)와 동일하게 펼쳐진 기형(奇形). 패쓸 필요가 없으며, 피차간에 양보할 수 없을 때는 무승부로 함.

순환 형식【循環形式】 명 〔circle form〕 『악』 몇 개의 악장이 서로 연관과 통일을 유지하면서 하나의 통합된 전체를 형성하는 다악장(多樂章)의 악곡 형식. 주로 소나타에서 모든 악기를 특정의 악상(樂想)에서 통일하는 것처럼 작곡된 것임. 다악장 형식.

순-황[1]【荀況】 명 『사람』 순자(荀子)의 본이름.

순-황[2]【純黃】 명 ↗순황색(純黃色).

순황[3]【鶉黃】 명 개구리의 한 가지. 앞다리는 크고 뒷다리가 작으며 점이 있음.

순-황색【純黃色】 명 순수한 누른빛. ㊌순황(純黃).

순회【巡廻】 명 여러 곳으로 돌아다님. ¶ 지방(地方) ～. ——하다 자여불

순회 강:연【巡廻講演】 명 여러 곳으로 돌아다니면서 하는 강연.

순회 공연【巡廻公演】 명 여러 곳으로 돌아다니면서 하는 공연. 순연(巡演).

순회-구【巡廻區】 명 『기독교』 설교자(說敎者)의 순회 교구(敎區).

순회 대:사【巡廻大使】 명 일정한 나라에 주재하지 않고 특별한 사명을 띠고 여러 나라를 순회하는 대사. 임무를 마치면 그 직위에서 물러남. 이동 대사(移動大使).

순회 도서관【巡廻圖書館】 명 도서관이 없는 지방의 사람들을 위하여 일정한 기간 동안 그 지방에 와서 도서의 대출(貸出)을 하는 소규모의 도서관. 이동 도서관(移動圖書館). 순회 문고(巡廻文庫).

순회-로【巡廻路】 명 순회하는 길.

순회 문고【巡廻文庫】 명 순회 도서관.

순회 병:원【巡廻病院】 명 의사와 간호원으로 된 조직체가 의료 혜택을 못 받는 곳을 순회하면서 환자에게 진료를 베푸는 병원.

순회 설교사【巡廻說敎師】 명 여러 곳으로 순회하면서 설교하는 사람.

순회 신:용장【巡廻信用狀】[—짱] 명 『경』 여행자(旅行者) 신용장.

순회 심판【巡廻審判】 명 『법』 ①즉결 심판. ②민사 사건에 있어서, 지방 법원장이 정하는 순회 판사가 간단한 절차로 행하는 재판. 화해(和解)·독촉(督促) 및 조정(調停)에 관한 사건과 5백만 원 이하의 소액 사건에 이를 인정하고 있음.

순회 심판소【巡廻審判所】 명 『법』 '시군(市郡) 법원'의 전신(前身).

순회 재판【巡廻裁判】 명 『법』 '순회 심판'의 통칭.

순회 재판소【巡廻裁判所】 명 『법』 ①순회 심판소. ②영미(英美)에 있어서 재판관(裁判官)이 주재하지 아니하는 관할 구역내에, 재판관이 순회하며 개정(開廷)하는 재판소. ③민사 사건에서 제일심 관할권(第一審管轄權)을 가지고 있던 미국 연방 재판소(美國聯邦裁判所). 1911년에 폐지되어 지방 재판소에 그 관할이 병합되었음.

순회 전도자【巡廻傳道者】 명 여러 곳을 순회하면서 전도(傳道)하는 사람.

순회-지【巡廻地】 명 순회(巡廻)하는 곳.

순회 판사【巡廻判事】 명 『법』 ①지방 법원장(地方法院長)의 지시를 받아 필요한 지역을 순회하면서 화해·독촉 및 조정에 관한 사건과 5백만 원 이하의 소액 사건 등 민사 사건을 심판하는 판사(判事). ②10만 원 이하의 벌금·구류 또는 과료에 처할 범죄 사건(犯罪事件)을 즉결 심판하는 판사(判事).

순회 폭격【巡廻爆擊】 명 〔shuttle bombing〕 『군』 두 기지(基地)를 이용하여 목표물을 폭격하는 일. 어떤 폭격 편대가 그의 표적을 폭격하고 제2의 기지로 가서 재적재(再積載), 다시 원기지로 귀환(歸還)하면서 필요하면 다시 표적을 강타(強打)하는 일.

순효[1]【純孝】 명 순수한 효심(孝心).

순:효[2]【順孝】 명 부모에게 순종하여 효도를 다함. ——하다 자여불

순후[1]【旬後】 명 음력 초열흘이 지난 뒤. 열흘 뒤.

순후[2]【淳厚·醇厚】 명 온순하고 인정이 두터움. 순박하고 후함. 순독(醇篤). ——하다 형여불

순후 무비【淳厚無比】 명 견줄 것이 없을 만큼 온순하고 인정이 많음. ——하다 형여불

순:후-보【順後報】 명 『불교』 삼보(三報)의 하나. 이 세상에서 지은 죄를 삼생(三生) 뒤에 받는 선악업의 과보(果報).

순:후-업【順後業】 명 『불교』 이 세상에서 지은 죄를 삼생(三生) 뒤에 받는 선악업(善惡業).

순-흑【純黑】 명 ↗순흑색(純黑色).

순-흑색【純黑色】 명 순수한 검은빛. ㊌순흑(純黑).

숟-가락 명 밥이나 국물을 떠먹는 기구. 은·백동·놋쇠·스테인리스 따위로 만듦. ㊌숟갈.

[숟가락을 멀리 잡으면 시집을 멀리 간다] 숟가락을 너무 멀리 잡으면 좋지 않다고 경계시키는 말.

숟가락(을) 놓다 ㉿ '죽다'의 완곡한 표현.

숟가락-질 명 숟가락을 써서 음식물을 떠먹는 일. ——하다 자타여불

숟가락-집 명 『불교』 '수젓집'을 절에서 일컫는 말.

숟가락-총 명 숟가락의 자루. ㊌숟갈총.

숟간나히 명 〈옛〉 숫처녀. ¶ 숟간나히가 니믈리기가(女孩兒那後婚)≪朴解 上 45≫.

숟-갈 명 ↗숟가락.

[숟갈 한 단 못 세는 사람이 살림은 잘한다] 여자가 좀 어수룩한 듯해야 딴 생각 없이 꾸준히 살림을 잘한다는 말.

숟갈-총 명 ↗숟가락총.

숟두어리다 자 〈옛〉 떠들어대다. ¶ 숟두어릴 훤(喧)≪倭解 上 21≫.

숟막 명 〈옛〉 주막(酒幕). ¶ 숟막 뎜(店)≪倭解 上 34≫.

술[1] 명 알코올 성분이 있어서 마시면 취하는 음료의 총칭. 흔히는 곡물(穀物)에 누룩을 넣어 빚은 것으로, 막걸리·청주·맥주(麥酒)가 있고, 다시 증류(蒸溜)하여 만든 소주·고량주와, 화학적으로 만들어진 위스키·브랜디 등 합성주(合成酒), 향료나 약재를 넣어 빚은 약술·매실주·국화주·오가피주(五加皮酒)·포도주 등이 있음. 모두가 당분화(糖分化)시키는 원리로 제조함. 광약(狂藥). 두강(杜康). 호중물(壺中物). 화천(禍泉). 홍우(紅友).

[술과 안주를 보면 맹세도 잊는다] 술을 좋아하는 사람은 술을 보면 안 먹고 못 배긴다는 말. [술 담배 참아 소 샀더니 호랑이가 물어 갔다] 돈은 모으기만 할 것이 아니라 쓰기도 해야 한다는 뜻. [술 덤벙 물 덤벙] 덤벙은 부랑(浮浪)을 형용하는 말로, 물과 술을 가리지 않고 부랑한다는 말. 곧 모든 일에 경거 망동(輕擧妄動)한다는 말. [술 먹여 놓고 해장 가자 부른다] 일은 망쳐 놓고 그 뒤에 도와 주는 체한다는 뜻. [술 받아 주고 뺨 맞는다] 제 돈 써 가며 남에게 후하게 해 주고 도리어 해를 입는다는 말. 빚 주고 뺨 맞는다. [술 샘 나는 주전자] 전혀 바랄 수 없는 것을 바랄 때 이르는 말. [술은 괼 때 걸러야 한다] 일은 기회를 놓치지 말라는 뜻. [술은 아무리 독해도 먹지 않으면 취하지 않는다] 실지로 하지 않으면 아무 결과도 나타나지 않는다는 말. [술은 첫물에 취하고 사람은 막물에 취한다] ㉠술은 처음 마실 때부터 취하기 시작하나, 사람은 오래 사귀어야 친해진다는 말. ㉡전처보다 후처에 더 혹(惑)한다는 말. [술을 먹으면 사촌한테 기와집도 사 준다] 술을 먹으면 마음이 너그러워진다는 말. [술 익자 체장수 간다] 일이 공교롭게 잘 맞아감을 이르는 말. [술취한 놈 달걀 팔 듯] 일하는 솜씨가 거칠고 어지러운 모양.

술에 술 탄 듯, 물에 물 탄 듯 ㉿ ㉠일이 극히 무미한 모양. ㉡아무리 가공을 하여도 본바탕은 조금도 변화하지 않음을 이름.

술이 술을 먹는다 ㉿ 취할수록 술을 더 많이 마신다는 말.

술[2] ㊀명 ①〈옛·방〉 숟가락. ¶ 金ㅅ수렛 藥을 슬허셔ㅂ라노라(悵望金匕藥)≪杜諺 Ⅸ:2≫/술 비(匕), 술 시(匙)≪字會 中 11≫. ②〖농〗↗쟁깃술. ㊁의명 한 숟가락의 분량. ¶ 몇 ~ 뜨다 말다.

술:[3] 명 가마·띠·끈·여자의 옷 같은 것에 장식으로 다는 여러 가닥의 실.

술:[4] 명 책이나 종이나 피륙 등의 포갠 부피.

술[5] 명 〈옛〉 거문고 타는 술대. ¶ 검은고 술 ㅿ자녹코 호엿이 낫잠 든제 ≪古時調 金昌業 海謠≫.

술[6]【戌】명 〖민〗 ①십이지(十二支)의 열한째. 엄무(閹茂). ②↗술시(戌時). ③↗술방(戌方)

술[7]【術】명 술수(術數)❶. ¶ ~을 쓰다.

-술【術】미 어떠한 명사에 붙어 그 재주를 나타내는 말. ¶ 사교~/마(馬)~/최면~.

술가【術家】명 음양(陰陽)·복서(卜筮)·점술(占術)에 정통한 사람. 술객(術客). 술사(術士).

술가리 명 〈방〉 언저리(평안).

술간【述干】명 〖역〗 신라 때 외위(外位)의 둘째 등급. 경위(京位)의 사찬(沙飡)에 해당함. 주다(酒多).

술-값 [—깝] 명 ①술의 대금(代金). 주가(酒價). ¶ ~을 치르다. ②〈속〉 약속된 품삯 이외에 더 주는 돈. 행하. ¶ 나머지는 ~이나 하시오.

술개 명 〈방〉 소리개(함남).

술객【術客】명 술가(術家).

술계【術計】명 일을 도모하는 꾀. 술책(術策).

술-고래 명 〈속〉 술을 많이 마시는 사람. 호대(戶大). ¶ ~끼리 사귀다.

술구 명 〈방〉 수레(평안).

술-구기 [—꾸—] 명 독이나 항아리에서 술을 푸는 데 쓰는 도구.
술구기를 들다 구 술장사를 하다. ¶ 장거리에서 술구기를 들 줄이야.

술-구더기 [—꾸—] 명 걸러 놓은 술에 뜬 밥알. 녹의(綠蟻). 주의(酒蟻).

술-국 [—꾹] 명 술집에서 안주로 주는 토장국. 주탕(酒湯).

술국-밥 [—꾹—] 명 밥을 만 술국. 주가 탕반(酒家湯飯).

술기[1] 명 〈방〉 수레(함경).

술-기[2]【—氣】[—끼] 명 술이 취한 기운. 주기(酒氣). ¶ ~가 돌아 몸이 노곤해지다.

술-기운 [—끼—] 명 술에 취함으로써 생기는 기운. ¶ ~을 빌어 큰소리치다.

술기-청【—廳】명 〈방〉 〖건〗 대청(大廳)(함경).

술-김 [—낌] 명 술에 취한 김. ¶ ~에 다 털어놓다.

술까락 명 〈방〉 숟가락(함경).

술-꾸러기 명 ☞술고래.

술-꾼 명 ①술을 먹으러 모여드는 사람. ¶ ~으로 붐비다. ②술 먹기를 잘하는 사람. 주배(酒輩). 주도(酒徒). 주당(酒黨). 주객(酒客).

술-끊다 [—끈타] 자 마셔 오던 술을 안 마시기로 하다. 단주(斷酒)하다. 금주하다.

술-내 [—래] 명 술의 냄새. 주취(酒臭).

술-내기 [—래—] 명 술을 걸고 하는 내기. ——-하다 자여불

술년【戌年】[—련] 명 〖민〗 태세(太歲)의 지지(地支)가 술(戌)로 된 해. 갑술(甲戌)·병술(丙戌)·무술(戊戌) 등.

술대[1] [—때] 명 〈방〉 심술(心術).

술-대[2] [—때] 명 〖악〗 단단한 대로 만든, 거문고나 향비파(鄕琵琶)를 타는 채. 보통, 길이 24 cm, 지름 7 mm인데, 끝이 뾰족하게 후리었음.

술-대접【—待接】명 술로 하는 대접. ¶ ~을 받다.

술-도가【—都家】[—또—] 명 술을 만들어 도매하는 집. 양조장(釀造場). 양주장(釀酒場). 주장(酒場). 주조장(酒造場).

술-도깨비 명 〈속〉 주정꾼.

술-독[1] [—똑] 명 ①술을 담그거나 담는 독. ②술을 많이 마시는 사람을 놓으로 일컫는 말.

술독[2] 명 〈방〉 숫돌(전북).

술-독[3]【—毒】[—똑] 명 술중독으로 얼굴에 나타나는 붉은 점이나 빛. 주독(酒毒). ¶ ~이 오른 딸기코.

술둘 명 〈방〉 숫돌(전북).

술-등【—燈】[—뜽] 명 선술집에서 문 밖에 장대를 세우고 내달아 두는 유지로 만든 초롱.

술떡 명 ☞증편.

술뚝 명 〈방〉 숫돌(충남·전북).

술:-띠 명 두 끝에 술을 단 가는 띠.

〈술띠〉

술라웨시 섬 〔Sulawesi〕 명 〖지〗 셀레베스(Celebes) 섬.

술라웨시 해【—海】〔Sulawesi〕 명 〖지〗 셀레베스 해.

술라이만 산맥【—山脈】〔Sulaiman〕 명 〖지〗 파키스탄(Pakistan) 서부의 산맥. 힌두 쿠시(Hindu Kush) 산맥의 동단부에서 남쪽으로 갈라져 인도와 발루치스탄(Baluchistan) 지방과의 경계를 이룸. 동쪽은 급경사이고 서쪽은 경사가 완만함. 소나무와 올리브(olive)를 산출함.

술라-잡기 명 〈방〉 술래잡기.

술라 제도【—諸島】〔Sula〕 명 〖지〗 인도네시아 동부에 있는 섬들. 거의가 산악(山岳)이며, 이슬람 교도인 술라족(Sula族)이 거주하는데, 인구의 3분의 2는 사나나(Sanana) 섬에 집중해 있음. 쌀·사고 야자(Sago 椰子)·옥수수 따위가 재배되고, 전반적으로 미개(未開)함.

술:라:주〔Soulages, Pierre〕 명 〖사람〗 프랑스의 화가. 14세경부터 독학으로 그림을 그리기 시작했는데, 로마네스크 미술을 좋아하고, 그 힘찬 구성에서 많은 것을 배웠음. 검정과 갈색을 바탕으로 힘차고 당당한 추상화를 그려, 파리 화단에서 추상화의 대표적 작가로 꼽힘. 스테인드글라스 등의 작품도 있음. [1919-]

술래[1] 명 〔←순라(巡邏)❷〕 술래잡기에서, 숨은 아이들을 찾아 내는 아이.

술래[2] 명 〈방〉 그네(경상).

술래-노름 명 〈방〉 술래잡기(평안).

술래바쿠 명 〈방〉 바퀴[1](평안).

술래-잡기 명 아이들 놀이의 한 가지. 여럿 가운데 한 아이가 술래가 되어 숨은 아이들을 찾아 내는데, 그에게 잡힌 아이가 다음에 술래가 되고, 잡지 못한 때는 계속 술래가 됨. ——-하다 자여불

술렁-거리다 자 무슨 변이 생겨 세상 인심이 안정되지 않고 떠들썩하다. ¶ 온 마을이 술렁거린다. **술렁-술렁** 부. ——-하다 자여불

술렁-대다 자 술렁거리다.

술렁-이다 자 어수선하게 설레다. 마음이 들떠서 설레다.

술레[1] 명 〖식〗 배나무의 한 가지.

술레[2] 명 〈방〉 수레(평안).

술레이만〔Suleiman〕 명 〖사람〗 오스만 투르크의 제10대 술탄. 몇 차례의 원정으로 아시아·유럽·북아프리카에 걸쳐 영토를 확장, 제국의 황금 시대를 이룩했음. [1494-1569]

술루 제도【—諸島】〔Sulu〕 명 〖지〗 필리핀 남서부, 민다나오 섬과 북(北) 보르네오 사이에 산재하는 약 400개 섬들로 이루어지는 제도. 주민은 이슬람 교도인 모로족(Moro族)이며, 용감한 항해자로 알려짐. 진주(眞珠) 조개, 기타 해산물이 풍부함. [2,813 km²]

술-마당 명 술잔치가 베풀어진 마당.

술-막【—幕】명 ☞주막(酒幕).

술말【戌末】명 〖민〗 ①십이시(十二時)의 열한째의 끝. 곧, 밤 아홉시에 가까운 무렵. ②이십사시(二十四時)의 스물한째의 끝. 곧, 건시(乾時)에 가까운 저녁 여덟시 반 무렵.

술-망나니 명 술주정이 심한 사람을 낮게 일컫는 말.

술-망태기 명 〈방〉 술고래(평안).

술먹은-개 명 술에 취해서 정상인으로서는 차마 못할 짓을 하는 사람을 욕하는 말. ¶ ~라니, 탓해 뭣 하랴.

술명-하다 형여불 그저 수수하고 훤칠하게 걸맞다. **술명-히** 부

술믿 명 〈옛〉 술밑. ¶ 술믿 미(酶)≪字會 中 21≫.

술-밑 명 쌀을 쪄서 식힌 뒤에 누룩을 섞어 버무린 지에밥. 술을 만드는 원료임. 주모(酒母).

술-바닥 [—빠—] 명 쟁기에 보습을 대는 넓적하고 삐죽한 부분.

술-밥[1] [—빱] 명 ①술을 담글 때에 쓰는 지에밥. ②쌀에다가 술·간장·사탕 등을 섞어 지은 밥. 주반(酒飯).

술-밥[2] 명 술과 밥. 주식(酒食). ¶ ~ 잔뜩 시켜 먹고 외상이라니.

술방【戌方】명 〖민〗 이십 사 방위의 하나. 신방(辛方)의 다음인데 서쪽에서 조금 북쪽에 가까운 방위. 서북서쪽. 준술(戌).

술-배 [—빼] 명 ①술을 마시는 배. ¶ ~ 따로 있고 밥배 따로 있다/~가 크다. ②술을 마셔서 나온 배. ¶ 월급쟁이 3년에 ~만 나왔다.

술법【術法】[—뻡] 명 〖민〗 음양(陰陽)과 복술(卜術)에 관한 이치. 또, 그 실현 방법. 술수(術數).

술-벗 [—뻗] 명 술을 같이 마시는 친구. 술로 사귄 벗. 술친구. 주붕(酒朋).

술-병【—病】[—뼝] 명 술을 많이 마시어서 일어난 병.

술-병【—甁】[—뼝] 명 술을 담는 병의 총칭. 주병(酒甁).

술병[3]【戌兵】명 수병(守兵).

술-보 [—뽀] 명 ☞술고래.

술부【述部】명 〖언〗 문장을 구성하는 데 있어, 주부(主部)를 설명하는 부분. 술어(述語)와 수식어(修飾語)로 이루어짐. 풀이조각. 설명부(說明部). ↔주부(主部).

술-부대【—負袋】명 ☞술고래.

술비-소리 명 〖악〗 거문도(巨文島) 뱃노래의 하나. 출항 전에 풍어를 비는 뜻으로 배에 쓸 밧줄을 꼬면서 부르는 노래.

술-비지 명 ☞재강.

술-빚 [—삧] 명 주채(酒債).

술사【術士】[—싸] 명 ①술가(術家). ②술책(術策)을 잘 꾸미는 사람. 책사(策士).

술-살 명 술을 먹고 찐 살. ¶ ~이 오르다.

술-상【—床】[—쌍] 명 술과 안주를 차려 놓은 상. 주안(酒案). 주안상(酒案床).

술생【戌生】[—쌩] 명 〖민〗 난 해의 태세(太歲)의 지지(地支)가 술(戌)로 된 사람.

술서【術書】[—써] 명 술법(術法)에 관한 책.

술수【術數】[—쑤] 명 〖민〗 ①음양(陰陽)·복서(卜筮) 등에서 길흉(吉凶)을 점치는 방법. 술(術). 술법(術法). ②술책(術策). ¶ 권모 ~.

술:술 부 ①물·가루 등이 잇대어 새거나 흘러 나오는 모양. ¶ 자루에서 쌀이 ~ 샌다. ②가는 비가 조금씩 가볍게 내리는 모양. ¶ 비가 ~ 내린다. ③바람이 천천히 부드럽고도 시원하게 불어 오는 모양. ¶ 바람이 ~ 분다. ④말이 막힘없이 잘 나오는 모양. ¶ 말이 청산 유수같이 ~ 나온다. ⑤문제나 얽힌 실 같은 것이 잘 풀려 나오는 모양. ¶ 일이 ~ 풀리는군. 1)-5): >솔솔.

술술이 부 〈옛〉 순순히. ¶ 오놀은 싱각 밧긔 술술이 모ㅎ니 大慶이ᄋᆞ도쇠≪新語 Ⅳ:5≫.

술시【戌時】[—씨] 명 〖민〗 ①십이시(十二時)의 열한째. 저녁 일곱시부터 아홉시까지의 시각. 유시(酉時)와 해시(亥時)의 사이. ②이십사시(二十四時)의 스물한째. 저녁 일곱시 반부터, 여덟시 반까지의 시각. 신시(辛時)와 건시(乾時)의 사이. 준술(戌).

술-시중 [—씨—] 명 술을 마시는 사람의 곁에서 들어주는 시중. ¶ ~ 들다.

술-쌀 명 술을 만들 쌀.

술-아비 명 술 파는 남자.

술-안주【—按酒】명 술을 마실 때에 곁들여 먹는 음식. 주효(酒肴). 안주.

술알 명 〈방〉 수란(水卵).

술-애비 명 ☞술아비.

술어[1]【述語】명 ①풀이말. 서술어. ②〖논〗 판단(判斷)이나 명제(命題)

에 있어서 주사(主辭)에 관하여 긍정(肯定) 또는 부정(否定) 등의 입언(立言)을 하는 개념. 이를테면, '인간은 이성적 동물이다'에서의 '이성적 동물'이 술어임. 1)·2):↔주어(主語).
술어²【術語】명 ↗학술어.
술어 논리【述語論理】[—놀—] 명 기호 논리학(記號論理學)의 한 분야. 수학의 이론을 완전히 기호화하고, 수학에서 쓰이고 있는 논리를 조감적(鳥瞰的)으로 연구하려는 것.
술-어미 명 ☞주모(酒母)❷.
술어-절【述語節】명〖언〗술어의 역할을 하는 절(節). 풀이마디. ↔주어절(主語節).
술업【術業】명 음양(陰陽)·복서(卜筮) 등의 일에 종사하는 업.
술업-가【術業家】명 음양(陰陽)·복술(卜術) 같은 일을 업으로 삼는 사람.
술-예【術藝】명 ①기술과 문예. ②학문. 역수(曆數). 복서(卜筮)에 관한 재주.
술월【戌月】명〖민〗월건(月建)의 지지(地支)가 술(戌)로 된 달. 곧, 갑술(甲戌)·병술(丙戌)·무술(戊戌) 등.
술위 명〈옛〉수레. =수뤼. ¶술위와 물와ᄅᆞᆯ ᄒᆞ야ᄇᆞ리거든(妨損車馬)《楞嚴 V:68》.
술위띠 명〈옛〉수레바퀴. ¶輪은 술위띠니《月序 4》.
술위살 명〈옛〉바퀴살. ¶술위살 복(輻)《類合 下 52》.
술위자곡 명〈옛〉수레 자국. ¶술위자곡 텰(轍)《類合 下 58》.
술윗ᄀᆞ뭇 명〈옛〉수레의 넓이. ¶술윗ᄀᆞ뭇 궤(軌)《類合 下 36》.
술윗ᄂᆞ롯 명〈옛〉멍에. ¶술윗ᄂᆞ롯(車轅)《老乞 下 32》.
술윗란간 명〈옛〉수레 위에 싣는 상자(箱子). 물레방아. ¶술윗란간 번(轓俗呼車箱又水車曰轓)《字會 中 26》.
술윗띠 명〈옛〉수레바퀴. ¶모샛 蓮花ㅣ 킈 술윗띠 ᄀᆞᆮᄒᆞ더(池中蓮華 大如車輪)《阿彌 8》.
술윗바회 명〈옛〉수레바퀴. ¶무틔 술윗바회만 靑蓮花ㅣ 나며《月釋 Ⅱ:31》.
술윗박회 밧도리 명〈옛〉수레바퀴의 바깥 둘레. ¶술윗박회 밧도리 해야디거다(折了車輞子)《老乞 下 32》.
술의 명〈옛〉수레. =술위. ¶輿는 술의라《三綱 烈女 17》.
술일【戌日】명〖민〗일진(日辰)의 지지(地支)가 술(戌)로 된 날. 곧, 갑술(甲戌)·병술(丙戌)·무술(戊戌) 등.
술-자리 [—짜—] 명 술상을 베푼 자리. 술을 마시며 노는 자리. 주석(酒席). 주연(酒筵). 술좌석.
술자지-능【述者之能】[—짜—] 명 ①문장(文章)의 잘 되고 못 됨은 쓴 사람의 글 재주에 달렸다는 말. ②일의 잘 되고 아니 됨은 그 사람의 수단에 달렸다는 말.
술작【述作】[—짝] 명 책 같은 것을 저술함. ——-하다 타여불
술-잔【—盞】[—짠] 명 ①술을 따라 마시는 그릇. 나무·사기·쇠붙이 등으로 만들되, 그 크기와 모양이 여러 가지임. 주잔(酒盞). 주치(酒卮). 주배(酒杯). 준잔(盞). ②몇 잔의 술. ¶~이나 마신 모양이지.
술잔-거리【—盞—】[—짠꺼—] 명 술잔이나 사 먹을 만한 적은 돈.
술-잔치 명 술을 마시며 즐기는 간단한 잔치. 주연(酒宴).
술-장【—場】[—짱] 명 ☞술마당.
술-장사 명 술을 파는 영업. ——-하다 자여불
술-장수 명 술장사를 하는 사람.
술-적심 명 밥을 먹을 때에 숟가락을 적신다는 뜻으로, 국·찌개 등의 국물이 있는 음식을 가리키는 말. ¶~도 없는 밥을 먹었다.
술정【戌正】[—쩡] 명〖민〗술시(戌時)의 한가운데. 곧, 오후 여덟 시.
술-좌석【—座席】[—쫘—] 명 술자리.
술좌 진향【戌坐辰向】[—쫘—] 명〖민〗술방(戌方)을 등지고 진방(辰方)을 향한 좌향. 곧, 서북서(西北西)에서 동남동으로 향한 좌향.
술주엄 명〈옛〉술재강. =숤주여미. ¶糟粕은 술주여미라《圓覺 序 68》.
술-주자【—酒榨】[—쭈—] 명 술을 거르거나 짜내는 틀. 주자(酒榨). 주조(酒槽).
술-준【—罇】[—쭌] 명 ☞준(罇)❷.
술중【術中】[—쭝] 명 남의 꾀 속.
술즈의 명〈옛〉지게미❶. ¶술즈의 조(糟), 술즈의 박(粕)《類合 下 61》.
술지【術知】[—찌] 명 꾀를 잘 쓰는 슬기.
술-지게미 명 주자(酒滓).
술-지에 [—찌—] 명 ☞술밥.
술직【述職】[—찍] 명 ①중국에서, 제후(諸侯)가 천자(天子)를 뵙고 직무의 상황(狀況)을 아뢰던 일. ②제후가 천자에게 조회(朝會)하는 일. ——-하다 타여불
술-질 명 음식을 먹을 때 숟가락을 쥐고 놀리는 일. ——-하다 자여불
술-집 [—찝] 명 술을 파는 집. 주사(酒肆). 주가(酒家). 주점(酒店). 주포(酒鋪).
술-찌겡이 명〈방〉지게미❶(경상).
술-찌기미 명〈방〉지게미❶.
술-찌끼 명 재강.
술책【術策】명 일을 꾀하는 방술(方術)과 계책(計策). 술계(術計). 술수(術數).
술책-가【術策家】명 권모가.
술-청 명 선술집에서 술을 따라 놓는 곳. 주로(酒壚).
술초【戌初】명〖민〗①하루를 12시로 나눈 열한째의 술시(戌時)의 첫머리. 곧, 하오 일곱 시가 지난 무렵. ②하루를 24시로 나눈 스물한째의 술시의 첫머리. 곧, 하오 일곱 시 반이 지난 무렵.
술-총 명〈방〉숟가락총.
술-추렴【—出斂】명〔←출렴〕①술값을 여럿이 분담하여 내는 추렴. 갹음(醵飮). 거음. ②차례로 돌아가며 내는 술.
술-친구【—親舊】명 술로써 사귄 친구. 또, 늘 같이 술을 마시는 친구. 주붕(酒朋).
술-타령【—打令】명 만사(萬事)를 제쳐놓고 술만 마시는 일. ¶밤낮 ~만 한다. ——-하다 자여불
술탄〔Sultan〕명〖역〗중세 이슬람교국(Islam敎國) 최고의 정치적 칭호. 곧, 이슬람교국(國)의 군주(君主). 후에, 오스만 투르크의 황제(皇帝)도 술탄이라고 일컬었음.
술-탈【—頉】명 술로 인하여 생긴 탈.
술-탐【—貪】명 술을 많이 마시려는 욕심. ¶~이 많다.
술-통【—桶】명 술을 담아 두는 큰 통. 주준(酒罇).
술-틀 명 ①술을 만드는 데 쓰이는 틀. ②〈방〉술주자.
술파구아니딘〔sulfaguanidine〕명〖약〗술폰아미드제의 한 가지. 백색 침상(針狀)의 결정성 분말로, 주로 세균성의 장내(腸內) 질환이나 적리(赤痢)에 쓰임.
술파닐아미드〔sulfanilamide〕명〖화〗'술파민'의 화학명.
술파다이아진〔sulfadiazine〕명〖약〗술폰아미드제의 한 가지. 백색 또는 약간의 황색을 띤 결정성 분말로, 폐렴 구균·연쇄상 구균 등의 세균성 질환에 효과가 있으며, 부작용도 적음. 준다이아진.
술-파리 명 여름에 술독에서 생기어서 거기에 살고 있는 썩 가늘고 작은 파리.
술파마이드〔sulfamide〕명〖화〗술폰아미드.
술파메티졸〔sulfamethizole〕명〖약〗술파제(sulfa劑)를 개량하여 만든 항균성(抗菌性)의 물질. 각종 감염증, 특히 요로(尿路) 감염증에 쓰이게 되었음.
술파민〔sulfamine〕명〖약〗①술폰아미드제의 한 가지. 백색의 결정 또는 가루로, 폐렴·화농성 질환·임질 및 여러 세균성 감염 질환에 유효함. ②'술폰아미드제'의 일반 명칭.
술파-제【—劑】명〔sulfa drug〕〖약〗술폰아미드제(劑) 및 술폰기(基)를 갖는 화학 요법제의 총칭. 전자에 술파민·술파티아졸·술파다이아진, 후자에 프로민·프로미졸 등이 있음. 화농성 질환을 비롯하여 거의 모든 세균성 질환에 유효함. 술폰아미드.
술파타아제〔sulfatase〕명〖화〗유기 황산 에스테르에서 무기 황산을 유리(遊離)하는 효소의 총칭.
술파티아졸〔sulfathiazole〕명〖약〗술폰아미드제의 일종. 백색 결정으로, 폐렴·임질 등의 치료제로 쓰였음.
술파-피리딘〔sulfapyridine〕명〖약〗술폰아미드의 하나. 이전에는 각종의 감염증 치료에 쓰였으나, 독성이 강해서, 현재는 포진상(疱疹狀) 피부염의 억제제로만 사용됨.
술-판 명 술자리가 벌어진 판. 술을 마시는 판. ¶~을 벌이다.
술-패 명 ☞술꾼.
술:-패랭이꽃 명〖식〗[*Dianthus superbus*] 너도개미자릿과에 속하는 다년초. 높이 30-60cm, 잎은 대생하며 선상(線狀) 피침형임. 9월에 홍자색 꽃이 피고, 열매는 삭과(蒴果)임. 산과 들에 나는데, 한국 각지에 분포함. 관상용임.

〈술패랭이꽃〉

술페기 명〈방〉수풀.
술폰-산【—酸】명〔sulfonic acid〕〖화〗술폰기(sulfone基)를 함유하는 유기 화합물. 유기 합성 특히 색소(色素) 합성에 중요함. *술폰화(化).
술폰산-기【—酸基】〔sulfone〕명〖화〗술폰산의 작용기(作用基) $HOSO_2-$를 말함. 강산성(強酸性)의 원자단(原子團)의 하나.
술폰아미드〔sulfonamide〕명〖화〗술파제(sulfa劑).
술폰아미드-제【—劑】〔sulfonamide〕명〖약〗프론토실(Prontosil)에 기원하는 술파닐아미드 유도체의 총칭. 술파민·술파티아졸·술파다이아진·술파메라진·호모술파민 등이 있으며, 화농성 질환 등에 유효함. *프론토실.
술폰-화【—化】명〔sulfonation〕〖화〗수소 또는 그 유도체에 황산을 작용시켜서 핵(核)의 수소를 술폰기로 치환(置換)하는 반응. *술폰산. ——-하다 자타여불
술-푸대 명 ☞술부대.
술푸라타-멧새〔sulphurata〕명〖조〗무당새.
술푸렁 명〈방〉수풀(평안).
술-푼주 명 술을 담아 놓는 푼주.
술풀집 명〈옛〉술 파는 집. ¶술 풀 지븨 수를 사라 가고신던《樂詞 雙花店》.
술-하다 자여불 ①술을 담그다. ¶술하고 떡해서 제사 모시고. ②술을 마시다.
술학¹【述學】명〖책〗중국 청대(淸代)의 문장론. 왕중(汪中)의 저(著). 한(漢)·위(魏)·육조(六朝) 3대의 학제(學制), 문자의 훈고(訓詁), 제도 문물의 학문에 관한 것을 분류 저술하여, 변려체(騈儷體)의 문장의 자료로 한 것. 6권, 외편(外編) 3권.
술학²【術學】명 ①예술과 학문. ②학문.
술-항아리 명 술을 담아두거나 담그는 항아리.
술해-방【戌亥方】명 이십사 방위에서 술방(戌方)과 해방(亥方)을 함께 이르는 말.
술-화주【—火主】명 동제(洞祭)에서, 술빚는 일을 맡은 사람.
술회【述懷】명 마음 속에 품고 있는 회포(懷抱)를 말함. 또, 그 말. ——-하다 자여불
술후【術後】명〖의〗수술을 받은 뒤. ¶~의 경과.
술후 요폐【術後尿閉】명〖의〗하복부(下腹部)나 골반(骨盤)내의 수술 후에 오줌이 마렵긴 하나 마음대로 배뇨(排尿)가 되지 않는 상태. 방광부(膀胱部)의 긴만감(緊滿感)과 통감(痛感)을 일으킴.
술후 장관 마비【術後腸管痲痺】명〖의〗개복 수술(開腹手術) 후에 장관의 운동이 감약(減弱)되거나 정지하는 상태. 복부(腹部)가 팽만(膨滿)되며 방귀가 나오지 않음. 24-48시간내에 자연히 회복됨.
숤주여미 명〈옛〉술 재강. =술주엄. ¶숤주여미(酒糟)《救簡 Ⅵ:65》.
숨¹ 명〈심마니〉물.
숨:² 명 ①사람이나 동물이 코 또는 입으로 공기를 들이마시고 내쉬는 기운. ¶~을 크게 쉬다/~막히는 순간. ②채소 같은 것의 생생하고

빳빳한 기운. ¶ 배추에 소금을 쳐서 ～을 죽이다.
[숨은 내쉬고 말은 내하지 말라] 말은 입밖에 내기를 조심하라는 말.
숨:이 턱에 닿:다 [구] 몹시 숨이 차다.
숨:-가쁘다 [형] ①힘에 겨워서 숨쉬기가 어렵고 괴롭다. 숨이 차다. ②어떤 상황이 급박한 상태이다. ¶ 숨가쁘게 돌아가는 사태.
숨:-거두다 [자] 마지막으로 숨을 쉬다. 죽다. [준]숨걷다.
숨:-걷다 [자] ↗숨거두다.
숨:-결 [—껼] [명] ① 숨쉬는 속도. 숨을 쉴 때의 그 높낮이. ¶ ～이 거칠다. ②사물 현상의 어떤 기운이나 느낌을 생물체에 비유하여 이르는 말. ¶ 나뭇잎 새순에서 봄의 ～을 느낀다.
숨:-고다 [자] 숨이 막히다. 질식(窒息) 상태에 빠지다.
숨:-골 [—꼴] [명] 『생』 연수(延髓).
숨:-관 【—管】 [명] 『생』 숨통. 기관(氣管).
숨:관 가지 【—管—】 [명] 『생』 '기관지(氣管支)'의 풀어 쓴 용어.
숨:관 아가미 【—管—】 [명] 『생』 물 속에 사는 곤충의 애벌레·번데기 및 드물게 성충(成蟲)에서 볼 수 있는 호흡 기관. 모양은 잎사귀·자루·실 모양 등으로 복부(腹部)나 꼬리 부분에 있음. 하루살이의 애벌레 같은 것은 물 속에서 숨관만으로 호흡하기가 어렵기 때문에 숨관 아가미가 발달됨.

〈숨관 아가미〉

숨구다 [타] 〈방〉 심다(강원·전라·경상).
숨:-구멍 [—꾸—] [명] ①숨을 쉬는 구멍. ②숫구멍. ③『충』 기공(氣孔). 기문(氣門).
숨구지 [부] 〈옛〉 심술궂게. ¶ 놉이야 숨구지 녀긴들 난화 볼줄 이시랴≪古時調 金光煜≫.
숨굴막-질 [명] 〈방〉 숨바꼭질. ——하다 [자]
숨그다 [타] 〈방〉 심다(경상).
숨:-근 【—筋】 [—끈] [명] 『생』 호흡근(呼吸筋).
숨:-기 【—氣】 [—끼] [명] 숨을 쉬는 기운. ¶ ～를 죽이고 숨다.
숨기-내기 [—끼—] [명] 〈방〉 숨바꼭질(평안). ——하다 [자]
숨기다 [타] 남이 모르게 보이지 않는 곳에 감추다. 드러나지 않게 하다.
숨기-마중 [—끼—] [명] 〈방〉 숨바꼭질. ——하다 [자]
숨기-새기 [—끼—] [명] 〈방〉 숨바꼭질. ——하다 [자]
숨:-기척 [—끼—] [명] 숨을 쉬는 기척.
숨:-길 [—낄] [명] 〈방〉 숨결(경상).
숨김-없:다 [—업—] [형] 숨기는 일이 없다. ¶ 숨김없는 사실.
숨김-없이 [—업씨] [부] 숨기는 일이 없이. 있는 그대로 모두. ¶ ～ 털어놓다.
숨김-표 【—標】 [명] 『언』 안드러냄표의 하나. 공공연히 쓰기 거북한 말 대신에 그 자리에 넣는 부호. 대개 ○○ 또는 ××, □□ 등으로 나타냄. ①금기어(禁忌語)나 드러내어 쓰기 어려운 비속어(卑俗語)의 경우, 그 글자 수만큼 씀. ¶ 개 같은 ○○들. ②비밀을 유지해야 할 경우에 그 글자 수만큼 씀. ¶ 김○○씨 집 딸.
숨깨 [명] 〈심마니〉 웅덩이.
숨:-끊다 [—끈타] [자] ①목숨을 끊다. ②숨을 거두다. 죽다. ¶ 숨끊은 지 세 시간 만에 되살아나다.
숨:-넘기다 [자] 숨지다. 죽다.
숨:-넘어가다 [자] 숨지다. ¶ 숨넘어가는 소리를 해서 돈을 빌려 주었더니….
숨:다[1] [—따] [자] 〔중세 : 숨다〕 ①보이지 않게 몸을 감추다. ¶ 숨어 살다/인파 속에 ～. ②벼슬을 하지 않고 야(野)에 묻히다. ¶ 숨은 인재.
[숨다 보니 포도청 집이라] 공교롭게 낭패를 본다는 말.
숨:다[2] [—따] [타] 〈방〉 심다(경상).
숨:대 [—때] [명] 〈방〉 숨통.
숨:-돌리다 [자] ①가쁜 숨을 가라앉히다. ②바쁜 중에 잠시 휴식을 취하다. ¶ 숨돌릴 사이 없이 바쁘다.
숨뚜두끼 [명] 〈방〉 숨바꼭질. ——하다 [자]
숨막질 [명] 〈옛〉 숨바꼭질. ¶ 녀름내 숨막질ᄒᆞᄂᆞ니(一夏裏藏藏昧昧)≪朴解 上 18≫.
숨:-막히다 [자] 숨이 막히거나 또는 숨이 막힐 정도로 긴장하다.
숨:-문 【—門】 [명] 『생』 기문(氣門).
숨바꼭-질 [명] ①아이들의 놀이의 한 가지. 여럿 가운데 한 아이가 술래가 되어 숨은 아이를 찾아내는 것인데, 그에게 들킨 아이가 다음 술래가 됨. ②헤엄칠 때에 물 속으로 숨는 짓. [준]숨박질. ——하다 [자][여불]
숨바꼭질-꾼 [명] 〈방〉 잠수부.
숨바와 섬 〔Sumbawa〕 [명] 『지』 인도네시아 중남부, 소(小)순다 열도(Lesser Sunda Is.)에 속하는 섬. 파상(波狀)의 탁상지(卓狀地)로 이루어짐. 화산이 많고, 북해안은 복잡한 만입(彎入)을 나타냄. 쌀·옥수수·담배·면 등을 산출하며, 말의 산지로도 유명함. 주도(主都)는 라바(Raba). [14,740 km^2 : 408,000 명(1981)]
숨박-질 [명] ↗숨바꼭질. ——하다 [자][여불]
숨-방귀 [명] 미역감을 때 숨을 삼키고 물 속에 잠기는 일.
숨:방귀 들다 [구] 미역감을 때 숨을 삼키고 물 속에 잠기다.
숨비 소리 [명] 바다 위에 떠오른 해녀(海女)가 참고 있던 숨을 내쉬는 휘파람 같은 소리.
숨:-뿌리 [명] 『식』 '기근(氣根)'의 풀어 쓴 말.
숨숟다 [형] 〈옛〉 심술궂다. 음흉하다. ¶ 夕陽에 숨ᄉᆞᆺ든 거믜ᄂᆞᆫ 그믈 밋고 엿ᄂᆞᆫ다≪永言 361≫.
숨숯다 [형] 〈옛〉 심술궂다. 음흉하다. ¶ 놉이야 숨ᄉᆞᆺ지 녀긴들 난화 볼줄 이시랴≪永言 149≫.
숨:-소리 [—쏘—] [명] 숨을 쉬는 소리. ¶ ～를 죽이다.
숨숨 [부] 얼굴에 마맛자국 같은 것이 듬성듬성 있는 모양. >솜솜. ——하다 [형][여불]
숨:-쉬기 [명] ①호흡(呼吸). ②숨을 쉬는 운동. 호흡 운동.
숨:쉬기 계:통 【—系統】 [명] 『생』 '호흡기 계통(呼吸器系統)'의 풀어 쓴 말.
숨:-쉬다 [자] 숨을 내보냈다 들이마시었다 하다. 호흡하다.
숨:쉴 사이 없:다 [구] 조금도 쉴 만한 시간적 여유가 없다. ¶ 일에 쫓겨 ～.
숨:-운동 【—運動】 [명] 『생』 '호흡 운동(呼吸運動)'의 풀어 쓴 말.
숨은-가기 [명] 『악』 같이가기에서, 두 성부(聲部)가 완전 1도나 5도 또는 8도 음정으로 가는 것.
숨은고-장식 【—裝飾】 [명] 경첩의 한 가지. 몸이 문짝과 기둥에 한 쪽씩 속으로 들어가 박히는 장식.
숨은-공 【—功】 뒤에서 남 모르게 돕는 공. 음공(陰功).
숨은 그:림 [명] 그림 속에, 얼핏 보아 알 수 없게 다른 그림을 그려 넣은 것.
숨은-눈 [명] 〔latent bud〕 『식』 보통 때는 자라지 않고 있다가 가지나 줄기를 자르면 비로소 성장(成長)하기 시작하는 눈. 잠아(潛芽). 잠복아(潛伏芽).
숨은-덕 【—德】 [명] 남이 모르게 숨어서 베푸는 덕행. 음덕(陰德).
숨은 바위 [명] '암초(暗礁)'의 풀어 쓴 말.
숨은 상:침 【—上針】 [명] 바늘땀이 드러나지 않게 박는 바느질. 겹옷의 아귀나 가장자리에 박음.
숨은-선 【—線】 [명] 제도에서, 물건의 보이지 않는 부분을 나타내는 선. 파선(破線)으로 나타냄.
숨은 싸움 [명] 암투(暗鬪). ——하다 [자][여불]
숨은-여 [명] 숨은 바위. 암초(暗礁).
숨은-열 【—熱】 [—녈] [명] 〔latent heat〕 『물』 고체가 융해하거나 기체가 기화할 때 쓰이는, 밖으로 드러나지 않는 열. 온도 상승의 효과를 나타내지 아니하고 단순히 물질의 상태를 바꾸는 데 쓰임. 잠열(潛熱).
숨은 오:도 【—五度】 [명] 〔hidden fifth〕 『악』 띄어가기하는 음정(音程)의 두 성부(聲部)가 같이가기에 의해서 완전 오도 음정의 음으로 옮겨가는 일. 은복 오도(隱伏五度).
숨은-이 [명] 숨어서 사는 사람. 겉으로 드러나지 않고 숨어 있는 사람. 은둔자(隱遁者). 은서자(隱棲者). 은자(隱者).
숨은 이야기 [—니—] [명] 세상에 알려지지 않은 이야기. 일화(逸話). ¶ ～의 주인공.
숨은 자물쇠 [—쐬] [명] 자물쇠는 드러나지 않고 열쇳구멍만 겉으로 뚫린 자물쇠. 흔히 서랍이나 문짝에 장치함.
숨은-장 [명] 『건』 은혈(隱穴)을 파서 겉에 보이지 않게 쐐기를 지른 못.
숨은 장부촉 【—鏃】 [명] 『건』 다른 목재(木材)에 감추어지게 끼는 장부촉.
숨은-흠 [명] 목재의 속에 있어 겉에 드러나지 않은 흠.

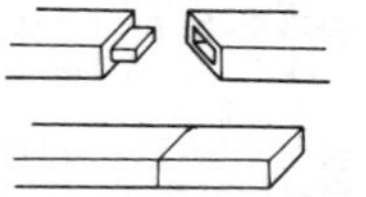
〈숨은 장부촉〉

숨을-내기 [명] 〈방〉 숨바꼭질(평안). ——하다 [자]
숨:-죽다 [자] ①초목이 시들어서 생기(生氣)를 잃다. ②소금 따위로 절인 야채가 싱싱한 기운을 잃다.
숨:-죽이다 [자] ①숨을 멈추다. ②숨소리가 들리지 않게 조용히 하다. ③소금 따위로 야채의 싱싱한 기운을 잃게 하다. ¶ 숨죽인 배추.
숨:-지다 [자] 마지막 숨이 끊어지다. 목숨이 끊어져 죽다. 운명(殞命)하다. 숨거두다.
숨:진-옷 [명] ①사람이 운명할 때 입었던 옷. ②『민』 사람이 살아서 입은, 초혼할 때 쓰는 옷. ③망인(亡人)의 장례를 치를 때까지 지붕 위에 얹어 놓은 그 망인의 저고리.
숨:-질 [—찔] [명] 〈방〉 숨결(경상).
숨:-차다 [자] 숨쉬기가 어렵고 아주 급하다. ¶ 숨차서 헐떡거리다.
숨:탄-것 [명] '숨을 불어 넣음을 받은 것'이란 뜻으로 동물을 통틀어 이르는 말.
숨:-통 【—筒】 [명] 『생』 기관(氣管)❶.
숨:통을 끊다 [구] 〈속〉 숨통을 끊어서 숨을 못 쉬게 하다. 곧, 죽게 하다.
숨:-트이다 [자] ①숨통이 열리다. ②살길이 생기다.
숨:-틀 [명] 『생』 '호흡기(呼吸器)'의 풀어 쓴 말.
숨ᄐᆞ다 [자] 〈옛〉 숨쉬다. 생명이 있다. ¶ 衆生ᄋᆞᆫ 一切世間앳 사ᄅᆞ미며 하ᄂᆞᆯ히며 긔ᄂᆞᆫ 거시며 ᄂᆞᄂᆞᆫ거시며 므렛 거시며 무틧 거시며 숨ᄐᆞᆫ 거슬 다 衆生이라 ᄒᆞᄂᆞ니라≪月釋 Ⅰ:11≫.
숨틔오다 [사동] 〈옛〉 숨쉬게 하다. ¶ 숨틔오다(活套)≪字會 下 20 套字註≫.
숨:-표 【—標】 [명] 〔breathing mark〕 『악』 악보에서, 쉼표가 없는 곳에서 숨을 쉬라는 표. 기호는 ' , ' 또는 '∨'.
숨풀 [명] 〈방〉 수풀(전라).
숩[1] [명] 〈방〉 수[1].
숩[2] [명] 〈옛〉 수풀. 숲. =수플. ¶ 숩 수(藪)≪字會 上 7≫.
숩:다 [형] 〈방〉 쉽다(경상).
숩-말 [명] 〈방〉 수말.
숩-소 [명] 〈방〉 수소.
숩-쌀 [명] 〈방〉 술쌀.
숫[1] [명] 〈옛·방〉 숯. =숬. ¶ 爐ㅅ수서(爐炭)≪楞嚴 Ⅷ:97≫.
숫[2] [명] 〈방〉 윷❷(전라).
숫-[1] [두] 명사 위에 붙어서 다른 것이 섞이거나 더럽혀지지 아니하고, 본디 생긴 그대로라는 뜻을 나타내는 말. ¶ ～총각/～처녀/～음식.
숫-[2] [두] 일부 'ㅇ·ㅈ'으로 시작되는 생물 이름에 붙어 수컷임을 나타내는 말. ¶ ～양 / ～염소 / ～쥐.
숫:-가비 [명] 〈방〉 산가지.
숫:-가지 [명] 〈방〉 산가지.
숫-간 【—間】 [명] 몸채 뒤에 나지막이 지은 광 또는 객실. 대개, 시골집에 많음.
숫:-값 【數—】 [—갑] [명] 『수』 값❸.

숫-강아지 명 ☞수캉아지.

숫-개 명 ☞수캐.

숫-개비 명〈방〉산가지(평안).

숫-것[1] 명 ☞수컷.

숫-것[2] 명〈방〉①숫음식(飮食). ②☞수컷.

숫겅 명〈방〉숯(경상).

숫-곡【一穀】명〈방〉햇곡.

숫구 명〈방〉숯(함경).

숫구락 명〈방〉숟가락(전라).

숫-구멍 명 갓난아이의 정수리가 아직 굳지 아니하여 숨쉴 때마다 발딱발딱 뛰는 곳. 숨구멍. 신문(囟門). 정문(頂門).

숫-국 명 숫보기로 있는 사람이나 진솔대로 있는 물건.

숫그리다 타〈옛〉두려워하다. 공경하여 좇다. ¶터리 숫그려 날 보고 怒ᄒ야(竪毛怒我)≪杜諺 Ⅳ:11≫.

숫-글 명〈방〉수글.

숫기[1] 명〈방〉숯(함경).

숫-기[2]【一氣】명 활발하여 부끄럼이 없는 기운.
숫기(가) 좋:다 구 부끄러워하는 기색이 없다. 수줍은 태도가 없다.

숫기-없다【一氣一】[一업一] 형 숫기가 없어 부끄럼을 잘 타다.

숫기-없이【一氣一】[一업씨] 부 숫기없게.

숫-기와 명 ☞수키와.

숫-꿩 명 ☞수꿩.

숫-나사【一螺絲】명 ☞수나사.

숫-놈 명 ☞수놈.

숫-눈 명 눈이 와서 쌓인 채 그대로의 눈.

숫눈-길 [一낄] 명 눈이 와서 덮인 후에 아무도 아직 지나지 않은 눈길.

숫다 자〈옛〉떠들다. ¶길헤셔 숫어 놀애 브르리 하니(喧喧道路多謳謠)≪杜諺 V:22≫.

숫-닭 [一닥] 명 ☞수탉.

숫-당나귀 명 ☞수탕나귀.

숫:-대【數一】명〈방〉산가지.

숫:대-집【數一】명 산가지로 하는 놀이. 처음에, 많은 산가지를 한목 손에 쥐어 서로 겹쳐지도록 방바닥에 뿌린 뒤에, 한 사람씩 차례대로 한 개의 산가지로 바닥의 산가지가 흔들리지 아니하게 들어내어, 다 없어지면 다음에 차례대로 네 개의 산가지를 집이라 하여, 그 가지를 방바닥에 떨어뜨려서 서로 얽히어 구멍이 나면, 그 집이 흔들리지 아니하게 산가지를 넣었다가 내면 상대 쪽에서 그만한 수효를 내게 됨. 이와 같이 하여 모두 빼앗긴 사람이 짐.

숫-돌 명 칼 따위 연장을 갈아서 날을 세우는 데 쓰는 돌. 여석(礪石). 지석(砥石). 지려(砥礪).

숫돌-물 명 숫돌에 물을 치며 날붙이를 갈 때에 나오는 쇳가로와 돌가루가 섞인 물.

숫돌-바퀴 명〔기〕연마반(研磨盤)에 장치해서 연마 작업을 하는 숫돌.

숫-돌쩌귀 명 ☞수톨쩌귀.

숫-돼지 명 ☞수퇘지.

숫-되다 형 순진하기만 하여 물정을 잘 모르고 어수룩하다. ¶숫된 처녀.

숫두버리다 자〈옛〉떠들어대다. 수얼거리다. ¶외外뽑道삼三흑億먼萬이 왕王ㅅ 알ᄫᅴ 드라 말이 재야 숫두버리더니≪月印 上 58≫.

숫두어리다 자〈옛〉떠들어대다. 수멀다. ¶숫두어리다(鬨然)≪語錄 16≫.

숫두워리다 자〈옛〉떠들어대다. 수멀다. ¶員의 뜰안핸 숫두워려 블로미 업도다(太守庭內不喧呼)≪杜諺 Ⅸ:31≫.

숫뒹이 명〈방〉숯(경상).

숫뚜 명〈방〉숯(경북).

숫띠 명〈방〉숯(함북).

숫-막【一幕】명〈방〉주막(酒幕).

숫-배기 명 ☞숫보기.

숫-백성【一百姓】명 거짓을 모르는 순박한 백성.

숫-병아리 명 ☞수평아리.

숫:-보【繡一】명 수를 놓아 꾸민 보. ¶집에 돌아가면 문득 ~가 덮인 책상이 눈에 뜨인다≪李無影 : 제 1 과 제 1 장≫.

숫-보기 명 ①숫된 사람. ②숫총각이나 숫처녀.

숫블 명〈옛〉숯불. ¶ᄉᆞᄆᆞᆺ 블근 숫브를 저 업게 불오(通紅炭吹去灰)≪救方 下 35≫.

숫-사돈【一查頓】명 ☞수사돈.

숫-사람 명 거짓이 없고 숫된 사람.

숫-색시 명 남자와 한 번도 성교섭이 없는 여자. 숫처녀.

숫-소 명 ☞수소[1].

숫:-실【繡一】명 수놓는 데 쓰는 실.

숫-양【一羊】[一냥] 명 양의 수컷. ↔암양.

숫어리다 자〈옛〉떠들다. 수멀다. ¶짐즏 서르 숫어리ᄂᆞ다(故相喧)≪重杜諺 X:6≫.

숫-염소 [一념一] 명 염소의 수컷. ↔암염소.

숫워리다 자〈옛〉떠들어대다. ¶峽ㅅ 가온ᄃᆡ셔 숫워려 붑 치놋다(峽中喧擊鼓)≪杜諺 Ⅻ:41≫.

숫-은행나무【一銀杏一】[숟一] 명 ☞수은행나무.

숫-음식【一飮食】[숟一] 명 만든 채 고스란히 있는 음식.

숫:자【數字】명 ①수를 나타내는 글자. 1, 2 3… 또는 一, 二, 三, … 따위. ¶아리비아 ~/로마 ~. ②금전, 통계 등 수(數)로 표시되는 사항. 수량적인 사항. ¶~에 밝은 사람.

숫:자-기【數字旗】명 국제 신호기의 하나. 여러 가지 색과 무늬로 숫자를 표시함.

숫:자-보【數字譜】명〔악〕약보(略譜).

숫:자 암:호【數字暗號】명 숫자로 하는 전신(電信) 암호. 숫자의 조합(組合)에 미리 뜻을 정해 놓고 문자나 어구(語句) 대신 사용함.

숫:자-요【數字謠】명〔악〕숫자를 자지고 엮어 나가는 노래. 흔히 두 가지 형태로 나뉘는데, 하나는 숫자를 늘어놓고 그 숫자의 연상에 의하여 말을 엮어 나가는 것이고, 다른 하나는 숫자를 제시하고 이에 따른 상황과 낱말을 거듭 되풀이하는 것임. 즉 '일 일본놈의 / 이 이등박문이가 / 삼…'; '하나로구나 / 날 버리고 가는 님은 / 캄캄한 길로 / 캄캄한 길로 / 둘이로구나 / …' 따위.

숫:자 표시 시계【數字表示時計】명 디지털 시계.

숫:자표 저:음【數字標低音】〔figured bass〕명〔악〕17-18 세기 서양 음악에서, 건반 악기의 파트가 악보에 표시된 저음 위에 즉흥(卽興)의 화음(和音)을 덧붙이어, 반주 성부(伴奏聲部)를 완성시키는 기법(技法). 또, 그 저음부. 저음부의 각 음의 위 또는 아래에 아라비아 숫자로 화음을 지정하였으므로 이 이름이 있음.

숫-잔대 명〔식〕[*Lobelia sessilifolia*] 숫잔댓과에 속하는 다년초. 높이 1m 가량이고, 잎은 호생(互生)하며 무병(無柄)에 피침형을 이룸. 7-8월에 벽자색 꽃이 총상 화수(總狀花穗)를 이루어 핌. 산이나 들의 습지에 나는데, 한국 전역에 분포함. 약재로 씀.

〈숫잔대〉

숫저웁다 형〈방〉숫접다.

숫저이 부〈방〉숫제.

숫저히 부〈방〉숫제.

숫-접다 형 ㅂ불 순박하고 진실한 데가 있다.

숫제 부 ①무엇을 하기 전에 차라리. 아예. ¶하기 싫거든 ~ 오지도 말라. ②거짓이 아니고 참말로. ¶~ 굶겠다지 뭐야.

숫-쥐 명 쥐의 수컷. ↔암쥐.

숫-지다 형 약삭빠르지 아니하여 순박하고 후하다.

숫-처녀【一處女】명 남자와 성적 관계를 갖지 아니한 처녀. 동정녀(童貞女). 숫색시. ↔숫총각.

숫-총각【一總角】명 여자와 성적 관계를 갖지 아니한 총각. 동정남(童貞男). ↔숫처녀.

숫투 명〈방〉숯(함경).

숫티 명〈방〉숯(함경).

숫-하다 형 여불 순박하고 어수룩하다. ¶숫한 사람이라 남에게 잘 속는다.

숬 명〈옛〉숯. =숫[1]. ¶숫글 沐浴ᄒ야(沐浴其炭)≪楞嚴 Ⅶ:16≫.

숭 명〈방〉흉(평안·경상).

숭가 명〈방〉흉가(凶家).

숭가 왕조【一王朝】〔Sunga〕명〔역〕인도의 옛 왕조(王朝). 갠지스 강 중류 지방에서 일어나 기원전 187 년 마우리아 왕조를 무너뜨리고 세워 인도 북부를 지배하였음. [187-76 B.C.]

숭감 명〈방〉고뿔(함경).

숭검【崇儉】명 검약함을 숭상함. ——-하다 자 여불

숭겸의 난:【崇謙一亂】[一/一에一] 명〔역〕고려 원종 12 년(1271) 정월에 개경에서 관노(官奴) 숭겸과 공덕(功德) 등이 무리를 모아 몽고에 대한 적개심과 자신들의 신분 해방을 목표로 일으키려던 모반 사건. 몽고의 다루가치(達魯花赤)와 고려의 관리들을 죽이고 진도(珍島)의 삼별초와 합세하려 하였으나 송사균(宋思均)의 고발로 실패하였음.

숭경【崇敬】명 숭배하고 경모함. ——-하다 타 여불

숭고[1]【崇古】명 옛적의 문물·사적을 숭상함. ——-하다 자 여불

숭고[2]【崇高】명 ①뜻이 드높고 존엄한 일. ②〔미술〕인간의 보통 이해력으로써는 알 수 없는 경이(驚異)·외경(畏敬)·위대(偉大) 등의 느낌을 주는 것. 숭고미(崇高美). ——-하다 형 여불

숭고[3]【崧高】명 산이 높음. ——-하다 형 여불

숭고-미【崇高美】명〔미술〕숭고(崇高)❷.

숭구다 타〈방〉심다(전라·경상·강원·함경).

숭굴숭굴-하다 형 여불 ①성질이 너그럽고 원만하다. ¶숭굴숭굴한 사람이라 친구가 많다 / …도련님이 가끔 덤벼들어 품에 꼭 껴안고 뺨을 깨물어 뜯는 그 꼴이 숭굴숭굴하고 밉지는 않았으나…≪金裕貞 : 시골 나그네≫. ②얼굴의 생김새가 귀염성 있고 덕성스럽다.

숭그다 타〈방〉심다(경상).

숭내 명〈방〉흉내(경상·함경·전라·충청).

숭년【一年】명〈방〉흉년(경상·전라·충청·경기·강원).

숭늉 명 밥을 지은 솥에서 밥을 푼 뒤에 물을 붓고 데운 물. 구수한 맛이 있고, 흔히 식사 후에 마심. 숙랭(熟冷). 취탕(炊湯).
숭늉에 물 탄 격 구 변함이 없이 밍밍한 모양.

숭능 명〈방〉숭늉(함경).

숭님 명〈방〉숭늉.

숭대【崇臺】명〔높은 전각처럼 보이는 데서〕큰 암석(岩石).

숭덕【崇德】명〔역〕중국 청(淸)나라 태종 때의 연호. [1636-43]

숭덕 대:부【崇德大夫】명〔역〕조선 시대 때, 종일품(從一品) 의빈(儀賓)의 품계. *광덕(光德) 대부.

숭덕-전【崇德殿】명〔역〕경상 북도 경주시(慶州市) 탑동(塔洞)의 오릉(五陵) 경내에 있는, 신라 시조 박혁거세(朴赫居世)의 묘우(廟宇). 조선 경종(景宗) 3년(1723)에 숭덕전이라 사액(賜額)하고 박씨(朴氏)로 참봉(參奉)을 두어 봉수(奉守)케 함.

숭덩-숭덩 부 ①연한 물건을 굵고 거칠게 빨리 써는 모양. ②바느질할 때 거칠게 호는 모양. 1)·2):ㅆ쑹덩쑹덩. >송당송당.

숭람【菘藍】[一남] 명〔식〕[*Isatis tinctoria*] 겨잣과의 2년초. 높이 60-90cm, 잎은 아래쪽의 것은 배춧잎 비슷한데, 거꿀달걀꼴로 유병(有柄), 위쪽의 것은 밑이 화살촉 모양으로 무병(無柄)임. 봄에 노란 사판화(四瓣花)가 총상(總狀) 화서로 피고, 편평하고 길쭉한 시과(翅果)를 맺음. 유럽 원산(原產)으로, 줄기와 잎은 파랑 물감의 원료(原料)로 씀.

숭려【崇麗】[一녀] 명 높고 화려함. ——-하다 형 여불

숭렬-전【崇烈殿】[一녈쩐] 명〔지〕경기도 광주(廣州)에 있는 백제 온

조왕(溫祚王)을 모신 사당. 본래는 조선 세조(世祖) 10년(1464)에 충청도 직산(稷山) 북동쪽에 창건한 것이, 선조(宣祖) 30년(1597) 정유 재란(丁酉再亂) 때 소실되어, 동왕 36년(1603)에 개건(改建)하였음.

숭령【崇嶺】[—녕] 명 높은 고개.

숭령-전【崇靈殿】[—녕—] 명 『지』 평양에 있는 단군(檀君)과 동명왕(東明王)을 모신 사당. 조선 영조(英祖) 원년(1725)에 사액(賜額)됨.

숭례-문【崇禮門】[—녜—] 명 『지』 서울 사대문(四大門)의 하나. 남쪽에 있는 정문(正門)의 이름. 조선 태조(太祖) 4년(1395)에 착공, 7년에 준공함. 현재의 건물은 세종(世宗) 29년(1447)에 개축, 1963년에 중수(重修)한 것임. 규모가 광대하며, 국보 제1호임. 남대문(南大門).

숭록 대:부【崇祿大夫】[—녹—] 명 『역』 ①고려 때 문관(文官)의 품계. 충렬왕(忠烈王) 24년(1298)에 종일품으로 정했다가 동 34년에 폐하고, 공민왕(恭愍王) 18년(1369)에 정이품(正二品)의 하(下)로 정함. ② 조선 시대 때 종일품 문무관(文武官)의 품계. 고종(高宗) 2년(1865)부터 문무관·종친(宗親)·의빈(儀賓)의 품계로 병용(並用)하였음. *정헌 대부(正憲大夫).

숭루【崇樓】[—누] 명 높은 전각(殿閣). 준루(峻樓). 위루(危樓). 고루(高樓).

숭-릉【崇陵】[—능] 명 『지』 동구릉(東九陵)의 하나. 조선 현종(顯宗)과 현종비 명성 왕후(明聖王后)의 능. 지금 경기도(京畿道) 구리시(九里市) 인창동(仁倉洞)에 있음. 건원릉(健元陵)의 남서쪽에 위치함.

숭-말 명 〈방〉 수말.

숭명-도【崇明島】 명 『지』 충밍 섬.

숭명-주의【崇明主義】[—/—이] 명 중국 명(明)나라의 문화와 문물 제도를 숭상하는 주의.

숭모【崇慕】 명 우러러 사모함. ——-하다 타 여불

숭문【崇文】 명 ①글을 숭상함. ②문관(文官). ——-하다 자 여불

숭문-관【崇文館】 명 『역』 관아(官衙)의 이름. 고려 국초에 재학(才學)이 있는 문신(文臣)을 뽑아, 이 관아의 직임(職任)을 겸대(兼帶)하고, 왕을 시종(侍從)케 함. 성종(成宗) 14년(995)에 홍문관(弘文館)으로 고치고, 뒤에 폐하였다가 충렬왕(忠烈王) 24년(1298)에 다시 두고, 29년에 또다시 폐지함.

숭문-당【崇文堂】 명 조선 시대에, 창경궁의 명정전(明政殿) 서쪽에 있던 집. 학문을 숭상하고 글을 배우고 닦던 곳.

숭물 명 〈방〉 흉물(凶物)(함경).

숭물-당쥐기 명 〈방〉 멍청이(함경).

숭물-아재비 명 〈방〉 멍청이(함경).

숭미【崇美】 명 숭고하고 아름다움. ——-하다 형 여불

숭미-탕【菘尾湯】 명 배추 꼬랑잇국.

숭반【崇班】 명 높은 지위. 높은 벼슬. 숭위(崇位). 고위(高位).

숭배【崇拜】 명 우러러 공경함. ——-하다 타 여불

숭배-자【崇拜者】 명 숭배하고 있는 사람. ¶ 그는 충무공의 ~다.

숭보【崇報】 명 은덕(恩德)을 갚음. ——-하다 타 여불

숭-보다 타 〈방〉 흉보다(경상·충청·전라·경기).

숭봉【崇奉】 명 숭배하여 받듦. ——-하다 타 여불

숭불【崇佛】 명 부처·불교(佛敎)를 숭상(崇尙)함. ——-하다 자 여불

숭사[1]【崇事】 명 숭배하여 섬김. ——-하다 타 여불

숭사[2]【崇祀】 명 숭배하여 제사지냄. ——-하다 타 여불

숭-산【嵩山】 명 『지』 쑹산.

숭상【崇尙】 명 높이어 소중히 여김. ¶ 불교를 ~하다. ——-하다 타 여불

숭석【崇昔】 명 아주 오랜 옛날. 태고(太古).

숭수【崇秀】 명 높고 빼어남. ——-하다 형 여불

숭숭[1]【崇崇】 명 높은 모양. ——-하다 형 여불

숭숭[2] 부 ①물건을 듬성듬성 빨리 써는 모양. ②조금 큰 구멍이 많이 뚫린 모양. 1)·2):> 송송.

숭신[1]【崇信】 명 존중하여 믿음. ——-하다 타 여불

숭신[2]【崇神】 명 신(神)을 숭상함. ——-하다 자 여불

숭신-전【崇信殿】 명 『지』 경상 북도 경주시(慶州市)에 있는 신라 석탈해왕(昔脫解王)의 사당(祠堂). 조선 고종(高宗) 30년(1893)에 국비로 세움.

숭실 대학교【崇實大學校】 명 사립 종합 대학의 하나. 1897년 10월에 미국인 선교사가 평양(平壤)에 숭실(崇實) 학교를 설립, 1938년 일제의 신사 참배(神社參拜) 강요에 반대하여 자진 폐교하였으나, 1954년 4월 서울에서 숭실(崇實) 대학으로 재발족함. 1971년 대전 대학과 통합하여 숭전(崇田) 대학으로 되었으나, 1987년 대전(大田) 캠퍼스가 한남(韓南) 대학교로 분리 독립하게 되자 교명을 다시 숭실 대학교로 환원함. 서울 특별시 동작구(銅雀區) 상도동(上道洞)에 있음.

숭실 학교【崇實學校】 명 1897년 미국 북장로교(北長老敎)의 미국 사람 선교사 배위량(裵緯良)이 평양에 창설한 미션계(系)의 사립 학교. 대학 과정은 1930년 숭실 전문 학교로서 독립함. 1938년에 일제(日帝)의 신사 참배(神社參拜) 강요에 반대하여 자진 폐교(閉校)함.

숭심-증【菘心蒸】 명 배추 속대찜.

숭심-탕【菘心湯】 명 배추 속댓국.

숭심-포【菘心包】 명 배추 속대쌈.

숭아 명 〈방〉 『어』 숭어(경기·황해).

숭악 명 〈방〉 흉악(경상). ——-하다 형

숭악 하령【崇岳遐齡】 명 『미술』 [하령(遐齡)은 연년(延年)·장명(長命)의 뜻] 화제(畫題)의 하나. 아침에 돋는 해에 소나무와 학을 그림.

숭안지-곡【崇安之曲】 명 『악』 고려 때 태묘 제향에서, 문무(文舞)가 물러가고 무무(武舞)가 나올 때에 연주하던 악곡.

숭앙【崇仰】 명 공경하여 우러러봄. ——-하다 타 여불

숭애 명 〈방〉 『어』 숭어(강원·전남·경남).

숭양【崇陽】 명 『사람』 장지연(張志淵)의 호(號).

숭양 서원【崧陽書院】 명 『지』 개성(開城)에 있는, 정몽주(鄭夢周)를 향사(享祠)하는 서원. 조선 선조(宣祖) 3년(1570)에, 경력(經歷) 구변(具忭)의 발기로 개성 사족들이 정몽주가 살고 있던 옛 집터에 사당을 세웠으며, 선조 8년에 사액(賜額)됨. 포은(圃隱)의 화상(畫像)도 봉안됨.

숭:어 명 『어』 [*Mugil cephalus*] 숭엇과에 속하는 물고기. 몸길이는 70 cm 내외로 길고 측편(側扁)하며, 등은 거의 직선형인데 배 쪽은 완만한 만곡을 이룸. 머리는 비교적 작고 폭이 넓으며 머리 위가 평평하고, 아래턱은 위턱보다 짧은데, 눈에 노란 점이 있고 두꺼운 지검(脂瞼)으로 덮여 있음. 몸빛은 등 쪽이 회청색, 배 쪽은 은백색임. 태평양(太平洋)·대서양(大西洋)의 열대·온대 및 인도양(印度洋)·지중해(地中海)·대만 연해 등 담함 양역(淡鹹兩域)에 널리 분포함. 우리 나라는 전(全)연해 및 제주도와 각 하천 어귀에 분포하고, 특히 영산강(榮山江)·청천강(清川江) 부근에서 가을과 겨울철에 많이 잡힘. 맛이 좋음. 수어(秀魚). 치어(鯔魚). 주의 '崇魚'로 씀은 취음(取音).

〈숭어〉

[숭어가 뛰니까 망둥이도 뛴다] 제 분수나 처지는 생각하지 않고, 잘난 사람을 덮어놓고 따르려고 한다는 말.

숭:어 구이 명 숭어를 토막쳐서 양념하여 구운 음식. 수어구(秀魚炙).

숭:어-뜀 명 땅재주의 한 가지. 손을 땅에 짚고 연거푸 거꾸로 뛰어넘음. * 살판[2].

숭어리 ㊀ 명 꽃이나 열매 같은 것의 큼직한 낱개가 한데 모여 달린 덩어리. ㊁ 의존 꽃·열매 같은 것이 한데 모여 달린 덩어리를 세는 단위. >송아리.

숭:어-목【—目】 명 『어』 [Mugilida] 경골 어류(硬骨魚類)에 속하는 한 목. 색줄멸과·숭엇과·꼬치고깃과 등이 이에 속함.

숭:어-알 명 숭어의 알.

숭:어 어채【—魚菜】 명 숭어를 토막쳐서 녹말을 묻히어 끓는 물에 삶아 만든 어채. 수어 어채(秀魚魚菜).

숭:어 저:냐 명 숭어를 저미어 밀가루를 묻히고 달걀을 씌워서 지진 저냐.

숭:어-찜 명 숭어의 내장을 빼내고 두 쪽으로 쪼개어 밀가루를 묻히고 달걀을 씌워 갖은 양념을 한 쇠고기와 함께 끓인 음식. 수어증(秀魚蒸).

숭:어-회【—膾】 명 숭어를 얼린 뒤에 껍질을 벗기고 잘게 저미어서 만든 회. 동치회(凍鯔膾).

숭얼-숭얼 부 ①숭어리가 여러 개 엉킨 모양. ②큰 거품이 방울방울 엉킨 모양. 1)·2):> 송알송알.

숭엄【崇嚴】 명 숭고하고 존엄함. ——-하다 형 여불

숭업다 형 〈방〉 흉업다. ¶ 나모냥 너무 커두 숭업지만 키가 그래두 커야 멋있지《崔貞熙 : 녹색의 문》.

숭:엇-과【—科】[—꽈] 명 『어』 [Mugilidae] 숭어목(目)에 속하는 어류의 한 과. 이 과에 속하는 것으로 알숭어·가숭어·등줄숭어·숭어 등이 있음.

숭연 명 〈방〉 흉년(경상·함경).

숭외【崇外】 명 다른 나라를 우러러봄. ——-하다 자 여불

숭위【崇位】 명 숭고한 지위. 숭반(崇班).

숭유【崇儒】 명 유교(儒敎)를 숭상(崇尙)함. ——-하다 자 여불

숭의-전【崇義殿】[—/—이—] 명 『지』 경기도 연천군(漣川郡) 미산면(嵋山面)에 있는 고려 태조(太祖) 이하 태종(太宗)·혜종(惠宗)·정종(定宗)·광종(光宗)·경종(景宗)·성종(成宗)·목종(穆宗)·현종(顯宗)의 위패(位牌)를 모신 사당.

숭의전-감【崇義殿監】[—/—이—] 명 『역』 고려 때, 숭의전(崇義殿)을 맡아 수호하던 종육품(從六品)의 벼슬.

숭의전-전【崇義殿田】[—/—이—] 명 『역』 조선 때, 숭의전의 비용 조달을 위해 마련된 제전(祭田)의 하나. 12결(結)로, 면세지(免稅地)임.

숭이 명 ☞ 송이[1].

숭인-전【崇仁殿】 명 『지』 평안 남도 평양(平壤)에 있는, 기자(箕子)를 모신 사당.

숭-잡다 타 〈방〉 흉잡다(경상·충청·전라).

숭-잡히다 피동 〈방〉 흉잡히다(경상·충청·전라).

숭적-산【崇積山】 명 『지』 평안 북도 위원군(渭原郡) 숭정면(崇正面)과 강계군(江界郡) 화경면(化京面) 사이에 있는 산. [1,994 m]

숭전 대학교【崇田大學校】 명 1971년 1월, 서울의 숭실 대학과 대전(大田) 대학이 통합하여 이루어진 대학. 1971년 12월, 종합 대학으로 승격되었으나 1987년 3월 숭실 대학교와 한남 대학교로 분리됨. *숭실 학교.

숭절-사【崇節祠】[—싸] 명 『역』 성균관(成均館) 근처에 있는 사당. 불의에 항거하여 높은 기개를 편 중국의 태학생(太學生)인 서진(西晉)의 동양(董養), 당(唐)나라의 하번(何蕃), 송(宋)나라의 진동(陳東) 및 구양철(歐陽澈)을 모심. 조선 영조(英祖) 원년(1725)에 건립함.

숭정[1]【崇情】 명 고상한 마음.

숭정[2]【崇禎】 명 『역』 중국 명(明)나라의 마지막 임금 의종(毅宗) 장렬제(莊烈帝)의 연호. [1628-44] 주의 조선 후기에, 청(淸)나라 연호(年號)를 쓰기를 꺼려, '숭정 기원 후(崇禎紀元後) 몇 주갑(周甲) 무슨 해'와 같이 썼음.

숭정 대:부【崇政大夫】 명 『역』 조선 시대에 종일품(從一品) 문무관(文武官)의 품계. 고종(高宗) 2년(1865)부터 문무관·종친(宗親)·의빈(儀賓)의 품계로 병용(並用)하였음. *자헌 대부(資憲大夫).

숭정 역서【崇禎曆書】[—녁—] 명 『책』 중국 명말(明末)에, 서광계(徐光啓)가 중심이 되어, 중국 재류(在留)의 기독교 선교사 샬(Schall, A.) 등의 손으로 편집된 서양 천문학의 총서(叢書). 숭정(崇禎) 4년(1631)부터 4년간에 걸쳐 완성되었는데, 전부 135권임. 내용은 대개 지동설(地動說) 출현 이전의 서양 천문학에 관한 것임. 대통력(大統曆).

숭정-전【崇政殿】 명 〖역〗 경희궁(慶熙宮) 안에 있던 정전(政殿). 임금이 신하들의 조하(朝賀)를 받던 곳.

숭조[1]【崇祖】 명 조상을 숭앙함. ――하다 자 여불

숭조[2]【崇朝】 명 새벽부터 아침밥 때까지의 사이. *종조(終朝).

숭조 상:문【崇祖尙門】 명 조상을 숭배하고 문중을 위함. ――하다 자 여불

숭준【崇峻】 명 높음. 고준(高峻). ――하다 형 여불

숭중【崇重】 명 받들어 존중함. ――하다 타 여불

숭증【一證】 명 ☞흉증.

숭증(을) 부리다 구 ☞흉증(을) 부리다.

숭증-스럽다 형 〈방〉 흉증스럽다.

숭채【菘菜】 명 〖식〗 배추.

숭칙 명 〈방〉 흉측(凶測)(경상). ――하다 형

숭칙-스럽다 형 〈방〉 흉측스럽다(경상).

숭품【崇品】 명 〖역〗 종일품(從一品) 품계의 별칭.

숭하【崇廈】 명 높고 큰 집. 대하(大廈).

숭-하다 형 〈방〉 흉하다(평안). ¶보기 숭한 얼굴.

숭하적 명 〈방〉 흉하적. ¶여편네들이 서로 만나면…남의 집 ~이든지 제 집 말이든지 된 소리 아니 된 소리 으레 하는 거다《作者未詳 : 恨月》.

숭-허물 명 〈방〉 흉허물.

숭헌 대:부【崇憲大夫】 명 〖역〗 조선 시대 때 정이품(正二品) 종친(宗親)의 품계.

숭-헙다 형 〈방〉 흉업다(충청·경기).

숯 명 나무를 숯가마에 넣어서 구워 낸 검은 덩어리의 연료. 목탄(木炭). 【숯은 달아서 피우고 쌀은 세어서 짓는다】 몹시 인색한 성미를 이르는 말. 【숯이 검정 나무란다】 자기 흉은 생각지 않고, 남의 허물을 들추어 냄을 이름.

숯-가루 명 숯의 부스러기. 탄말(炭末).

숯-가마 명 목재를 구워 숯을 만들어 내는 장치.

숯-감 명 숯의 재료. ¶~이나 될 나무.

숯-거멍 명 〈방〉 숯검정.

숯-검댕 명 〈방〉 숯검정.

숯-검뎅이 명 〈방〉 숯검정(평안).

숯-검디양 명 〈방〉 숯검정.

숯-검장 명 〈방〉 숯검정.

숯-검정 명 숯의 그을음.

숯-구덩이 명 ☞숯가마.

숯-굴 명 〈방〉 숯가마(경상).

숯-내 명 숯불에서 나오는 가스의 냄새. 숯에 들어 있는 탄소(炭素)의 불완전 연소에 의하여 생기는데 사람에게 유해(有害)함.

숯-등걸 명 숯가마에서 숯이 타고 난 나머지의 굵은 조각. 불을 피우면 연기가 남.

숯-막【一幕】 명 숯을 굽는 곳에 지은 움막.

숯-머리 명 숯내를 맡아서 아픈 머리.

숯-먹 명 소나무의 철매를 기름에 개어 만든 먹. 송연묵(松烟墨). ↔참먹.

숯-불 명 숯이 타는 불. 탄화(炭火).

숯불 갈비 명 음식점에서, 프로판 가스 불이 아닌 숯불에 구운 쇠갈비를 이르는 말.

숯불 고기 명 음식점에서, 프로판 가스 풍로를 사용하지 않고, 숯불에 구운 불고기를 이르는 말.

숯-섬 명 숯을 넣거나 넣은 섬.

숯-자동차【一自動車】 명 목탄차(木炭車).

숯-장수 명 ①숯을 파는 일로 업을 삼는 사람. ②얼굴이 검은 사람의 별명. 연탄 장수.

숯-장이 명 숯을 굽는 일에 종사하는 사람.

숱 명 물건의 부피나 분량. ¶머리 ~이 많다.

숱-지다 형 숱이 많다. ¶숱진 눈썹에 숱진 머리.

숱-하다 형 여불 ①물건의 부피나 분량이 많다. ¶숱한 사람들/숱하게 벌었다. ②흔하다. ¶숱하게 볼 수 있는 물건.

숱-해 부 숱하게.

숲 명 ↗수풀❶. ¶소나무~.

【숲 속의 호박이 잘 자란다】 늘 보는 것은 자라는 줄 모르나, 한창 자랄 때의 사람이나 생물은 오랫만에 보면 몰라볼 만큼 쑥쑥 자란다는 말. 【숲이 깊어야 도깨비가 나온다】 제게 덕망이 있어야 사람들이 따르게 된다는 말. 【숲이 짙으면 범이 든다】 깊은 속에는 반드시 무슨 위험이건 내포되어 있는 것이니 주의하라는 말.

숲-길 명 수풀 속으로 난 길.

숲-섬 명 〖지〗 삼도(森島).

숲 속의 생활【一生活】 [ㅡ/ㅡ에ㅡ] 명 〔Walden, or Life in the Woods〕 〖책〗 미국의 작가 소로(Thoreau)가 1854년에 지은 수필집. 매사추세츠 주(州)에 있는 월든 호수(Walden湖水) 가에서의 2 년여의 사색 생활의 기록임.

숲-정이 명 마을 근처에 있는 수풀.

숲-종다리 명 〈방〉 〖조〗 홍뚱새.

숴: 감 닭이나 참새 같은 것을 쫓을 때 하는 소리. 숴이.

숴:이 감 숴.

쉼: 명 〈방〉 수염[3](경북).

쉐:-가다 자 〈방〉 쉬어 가다.

쉐미[1] 명 〈방〉 열음지치기.

쉐:미[2] 명 〈방〉 수염[3](평안·함경·강원·경상).

쉐산 〔雪山〕 명 〖지〗 타이완(臺灣)의 신가오(新高) 산맥에 있는 봉우리. 대(大)쉐산과 소(小)쉐산의 두 봉우리가 있음. 실비아(Sylvia) 산. 설산. [3,600 m]

쉐수 명 〈방〉 세수(洗水)(함경). ――하다 자

쉐시[1] 명 〈방〉 세수(洗水)(평안). ――하다 자

쉐시[2] 명 〈방〉 씨아(강원).

쉐시-소랭이 명 〈방〉 대야[1](평안).

쉐시-풍지 명 〈방〉 대야[1](평안).

쉐싯-대 명 〈방〉 대야[1](평안).

쉐줄 명 〈방〉 쇠줄(경북).

쉐테비 명 〈방〉 보시기(함경).

쉐-통【一桶】 명 〈방〉 구유(강원).

쉠: 명 〈방〉 수염[3](평안·경북).

쉠:지 명 〈방〉 수염[3](경북).

쉬[1] 명 〈방〉 쇠[1](경북).

쉬[2] 명 ①〈옛〉 곡식이 열리는 풀. ¶쉬 화(禾)《字會 下 3》. ②〈방〉 〖식〗 수수(평안·함경).

쉬[3] 명 파리의 알. ¶파리가 ~를 슬다.

쉬:[4] 〈소아〉 ㊀ 명 어린 아이가 오줌을 누는 일. 쉬야. ――하다 자 여불 ㊁ 감 어린 아이에게 오줌을 누라고 옆에서 부추기는 소리.

쉬[5] 〔Sue, Eugène〕 명 〖사람〗 프랑스의 소설가. 빈민 생활의 비참함을 묘사하고 신문 소설가로서 대중적 인기를 얻음. 대표작 《방랑하는 유태인》·《파리의 비밀》. [1804-57]

쉬:[6] 부 ↗쉬이.

쉬:[7] 감 떠들지 말라거나 큰 소리를 내지 말라고 할 때 내는 소리. ¶~ 조용히 해라.

쉬궁 명 〈옛〉 시궁. ¶쉬궁 구(溝), 쉬궁 거(渠)《字會 中 6》.

쉬-나무 명 〖식〗 [*Evodia danielii*] 운향과(芸香科)에 속하는 낙엽 활엽 교목. 높이 10 m가량이고 잎은 우상 복생(羽狀複生)하며 소엽(小葉)은 달걀꼴임. 여름에 녹백색의 꽃이 취산(聚繖) 화서로 정생(頂生)하여 피고, 삭과(蒴果)는 가을에 적자색으로 익음. 중국 원산(原產)으로 인가 부근에 심는데, 거의 한국 각지 및 중국에 분포함. 과실은 제유용(製油用) 또는 새의 사료(飼料)로 함. 수유나무. *오수유.

〈쉬나무〉

쉬나믄히 명 〈옛〉 오십여 년. ¶城中에, 날 ㅂ리고 逃亡ᄒᆞ야 가 뷔듣녀 辛苦ᄒᆞ미 쉬나믄 히러니《月釋 XIII:29》.

쉬:논 명 〈방〉 수렁논.

쉬-누비 명 〈방〉 시누이(함경).

쉬:는 화:산【一火山】 명 〖지〗 휴화산(休火山).

쉬:다[1] 자 음식이 상하여 맛이 시금하게 되다.

쉬:다[2] 자 목청에 탈이 생기어 목소리가 흐려지다. ¶목이 쉬어 연설을 못 하다.

쉬:다[3] 자타 ①피로를 풀려고 몸을 편안히 두다. 휴양을 취하다. ②하던 일을 잠시 그만두다. ¶십 분간을 ~. ③결근 또는 결석하다. ¶학교를 열흘이나 ~. ④잠시 머무르다. ¶며칠 쉬어 가세. ⑤잠을 자다. ¶빔새 편히 쉬게.

쉬:다[4] 타 숨을 들이마시었다 내보냈다 하다. ¶숨을 ~.

쉬:다[5] 타 피륙의 빛을 곱게 하기 위하여 뜨물에 담가 두다.

쉬:땅 명 〈방〉 수수깡(평안·함경).

쉬때[1] 명 〈방〉 세수 대야(경상).

쉬때[2] 명 〈방〉 열쇠(경북).

쉬돌 명 〈방〉 숫돌(강원·전북).

쉬똥-솟숨 명 〈방〉 〖충〗 개똥벌레(경북).

쉬라 〈옛〉 수(數)이라. '수[19]'의 서술격형(敍述格形). ¶俱胝는 쉬라《靈驗 16》.

쉬러 〔Schürer, Emil〕 명 〖사람〗 독일의 프로테스탄트 신학자(神學者). 그리스도교 성립의 배경을 후기(後期) 유태교에서 찾고, 《그리스도 시대의 유태 민족사》 3권을 저술함. 잡지 '신학 평론'을 편집, 발행하였음. [1844-1910]

쉬:려【淬礪】 명 ①칼·도끼 따위의 날을 갊. ②힘씀. 쉬면(淬勉). 면려(勉礪). ――하다 자타 여불

쉬르-레알리스티크 〔프 surréalistique〕 명 초현실적(超現實的). ――하다 형 여불

쉬르-레알리슴 〔프 surréalisme〕 명 〖문〗 쉬르리얼리즘.

쉬르-리얼리즘 〔surrealism〕 명 〖문〗 초현실주의.

쉬르-죽다 자 〈방〉 시르죽다.

쉬망 〔Schuman, Robert〕 명 〖사람〗 프랑스의 정치가. 제2차 대전중에는 독일군에 체포되었다가 탈주하여 저항 운동에 가담하였음. 대전 후 인민 공화파에 속하여 재상(財相)·수상(首相)·외상(外相)을 역임하였음. 1950년 외상 시절에 쉬망 플랜을 제창하였으며, 1958-60년에는 EEC의 유럽 총회 의장을 지냈음. *쉬망 플랜. [1886-1963]

쉬망 플랜 〔Schuman Plan〕 명 1950년 프랑스 외상(外相) 쉬망이 제창한 프랑스·서독의 석탄·철강 공동 운영 계획. 실제의 입안자인 모네(Monet, J.)의 이름을 따서 모네 쉬망 플랜이라고도 함. 이 계획에 의하여 1951년 서유럽 6 개국의 유럽 석탄·철강 공동체가 창설되었음.

쉬:면【淬勉】 명 힘씀. 쉬려(淬礪). ――하다 자 여불

쉬미 명 〈방〉 수염[2](함경·경상).

쉬불 형 〈옛〉 쉬울. 쉬운. '쉽다'의 활용형. ¶易는 쉬불씨라《釋譜 序 6. 訓正註解》.

쉬비 부 〈옛〉 쉬. 쉽게. =수비. ¶옷밥 쉬비 어드니만 몯다 ᄒᆞ다가《月釋 XIII:13》.

쉬 샹첸 〔徐向前〕 명 〖사람〗 중국의 정치가·군인. 1926 년 공산당에 입당. 1949 년 인민 해방군 총참모장이 되고 원수(元帥)로 승진, 1965 년 전국 인민 대표 회의 상무 위원회 부위원장, 1978 년 국무원 부총리 겸 국방부 부장이 됨. 서향전. [1902-90]

쉬수 명 〈방〉 〖식〗 수수[1](황해·평안·경기).

쉬수께끼 명 〈방〉 수수께끼(평안).

쉬 수정 〔徐樹錚〕 명 〖사람〗 중국의 정치가. 안후이 파(安徽派)의 거물. 국회에 있어서 안푸 파(安福派)를 배후에서 조종하고, 서북 주변사(西北籌邊使)·서북 변방군 총사령관으로서 외몽고의 실지 회복에 성공하였으나, 1920 년 안즈 전쟁(安直戰爭)에 패배, 이후 실패를 거듭하다 피살됨. 서수정. [1882-1925]

쉬쉬 명〈방〉『식』수수¹(평안).
쉬쉬-저끔 명〈방〉수수께끼(함경).
쉬:쉬-하다 타여불 남이 알까 두려워하여 숨기다.
쉬 스창〔徐世昌〕명『사람』중국의 정치가. 1905년에 입헌제 시찰을 위하여 유럽에 감. 부총리 대신을 거쳐 민국 혁명 후에는 내각 수반이 되었고, 1918-22년에 대총통을 역임하였으나, 남북 통일에 실패, 하야(下野)함. 서세창. [1858-1939]
쉬-슬다 자 파리가 쉬를 깔기어 놓다.
쉬시 명〈방〉『식』수수¹(강원·전라).
쉬시-대이 명〈방〉세수대야(경북).
쉬아레스〔Suarés, André〕명『사람』프랑스의 시인·극작가·평론가. 섬세한 서정시적 경향으로 생명의 긍정을 노래하는 시인적 비평가로, 특히 위인의 전기(傳記)에 뛰어나 작품《삼인론(三人論)》은 그 중에서 특히 알려졌으며, 수도사(修道士)와도 같이 고고히 종신한 프랑스 문단의 한 이색적인 존재였음. [1868-1948]
쉬안청〔宣城〕명『지』중국 안후이 성(安徽省) 동남쪽에 있는 도시. 옛날부터 교통의 요지임. 부근에서는 쌀·차(茶)가 많이 생산되고, 수공업에 의한 붓·선지(宣紙) 등의 특산지임. 징팅 산(敬亭山) 등 육조(六朝) 이래의 명승(名勝)이 많음. 선성. [728,000명(1982)]
쉬안화〔宣化〕명『지』중국 허베이 성(河北省) 북서쪽에 있는 현. 장자커우(張家口) 남쪽에 있으며, 징바오(京包) 철도에 연하였고 지밍 산(鷄鳴山) 탄전의 석탄과 옌퉁 산(煙筒山) 철광 등에 의하여 룽옌 철창(龍煙鐵廠)의 제철업이 성함. 별칭: 무주(武州)·선부진(宣府鎭). 선화. [292,000명(1982)]
쉬야¹ 명〈방〉씨아.
쉬야²〈소아〉㊀명 어린 아이가 오줌을 누는 일. ——-하다 자여불 ㊁감 어린 아이에게 오줌을 누라고 부추기는 소리. 쉬.
쉬어 감 구령의 하나. '열중 쉬어'보다 편한 자세로서, 이 구령이 내리면 손을 풀고 오른발은 고정시켜 왼발과 몸은 움직일 수 있으나 말은 할 수 없음.
쉬어-빠지다 자 먹을 수 없게 몹시 쉬다.
쉬어-터지다 자 함빡 쉬어서 못쓰게 되다.
쉬엄 명〈방〉수염²(경기·강원·충북·경북).
쉬엄-쉬엄 부 쉬어 가면서 길을 가거나 일을 하는 모양. ¶～해도 된다/서둘지 말고 ～ 해라.
쉬에드〔프 suède〕명 새끼양·송아지의 속 가죽을 보드랍게 보풀린 가죽. 또, 그것을 모방하여 짠 직물. 구두나 장갑 따위에 쓰임.
쉬엠 명〈방〉수염²(강원·경북).
쉬여 감〈방〉쉬.
쉬염 명〈방〉①수염²(제주·전라·충청·경기·강원·경상). ②까끄라기(경기·강원·충청).
쉬영 명〈방〉수영.
쉬오다 타〈옛〉쉬게 하다. =쉬우다. ¶즘싱 쉬오더(歇住頭口着)《老乞 上 56》.
쉬우다 타〈옛〉쉬게 하다. =쉬오다. ¶權으로 쉬우샤몰 가줄비니라《月釋 XIII:19》.
쉬운 수〈방〉쉰(충남·전북).
쉬웁다 형〈방〉쉽다.
쉬웁-사리 부〈방〉쉽사리.
쉬윰 자타〈옛〉쉼. '쉬다³'의 명사형. ¶쉬윰 업스며 다윰 업스니라(無有休息無有窮盡)《圓覺 上 一之二 15》.
쉬은 수〈방〉쉰(전북).
쉬이¹ 명〈방〉『식』옥수수(함경).
쉬이² 부 ①쉽게. ②동안이 오래지 않아서. 가까운 장래에. ¶일이 잘 안 되거들랑 ～ 돌아오게. ㊥쉬.
　쉬이 보다 구 가볍게 또는 쉽게 보다.
　쉬이 여기다 구 쉽게 여기다.
쉬인 수〈방〉쉰(충북).
쉬저우〔徐州〕명『지』중국 장쑤 성(江蘇省) 북서쪽에 있는 도시. 교통의 요지로 진푸(津浦)·룽하이(隴海) 양(兩)철도의 교점(交點)이며, 잡곡·땅콩·삼·콩기름 등의 농산물의 집산지임. 부근의 바이윈 산(白雲山)·윈룽 산(雲龍山)은 경치가 좋고 과졘타이(掛劍臺)·왕링무(王陵母)의 묘·황러우(黃樓)·콰이짜이팅(快哉亭) 등의 명승 고적이 많음. 1948년에 국공(國共) 사이에 치열한 전투가 있었음. 서주. 구명은 동산(銅山). [약 1,000,000명]
쉬주기 명〈방〉수족(手足)(함경).
쉬지근-하다 형여불 조금 쉰 듯한 냄새가 나다. ¶숨을 들이쉴 때마다 콧속으로 들어오는 제 땀 냄새, 남의 땀 냄새, 쉬지근한 냄새…《李光洙: 흙》.
쉬창〔許昌〕명『지』중국 허난 성(河南省) 중부에 있는 교통·상업의 요지(要地). 부근에서 질 좋은 담배가 남. 주(周)나라로부터의 고도(古都)로서 조조(曹操)의 근거지였음. 허창. 구칭은 허주(許州).
쉬척지근-하다 형여불 몹시 쉰 냄새가 나다.
쉬천 명〈방〉그네(함경).
쉬 첸〔徐謙〕명『사람』중국의 정치가. 유럽에서는 조지 쉬(George Hsü)로 알려짐. 안후이 성(安徽省) 출생. 쑨 원(孫文)의 비서장을 거쳐 1918년 사법 부장, 1919년 파리 강화 회의에 참석. 1938년 국민 참정원(參政員)에 선출되었음. 서겸. [1871-1940]
쉬츠〔Schütz, Heinrich〕명『사람』독일의 작곡가. 이탈리아 음악을 독일화(化)함. 인문주의적인 합창곡집, 오라토리오, 수난곡(受難曲) 따위를 작곡하여 17세기의 프로테스탄트 종교 음악의 대표격이 됨. 또, 대위법(對位法)과 바로크의 교량 역할을 하고 바흐의 선구자로서 알려져 있음. [1585-1672]
쉬치근-하다 형여불 ☞쉬척지근하다.
쉬파람 명〈방〉휘파람(강원·평안).
쉬-파리 명『충』①쉬파릿과에 속하는 곤충의 총칭. ②[*Sarcophaga carnaria*] 쉬파릿과에 속하는 파리의 하나. 몸길이 10-15mm, 몸빛은 회색에 흉배(胸背)에는 세 개의 흑색 종선(縱線)이 있으며 복부에 황갈색의 망상(網狀) 무늬가 있고, 다리는 검음. 여름에 흔히 육류(肉類)의 음식물·부패 식물에 쉬를 스는데, 한국·일본 및 전세계에 분포함. 창승(蒼蠅). 왕파리. *애쉬파리. ③〈방〉금파리.
　[쉬파리 똥 깔기듯 한다] 무책임한 짓을 주책없이 저지른다는 말. [쉬파리 무서워 장 안 담을까] 마땅히 해야 할 일은 다소 방해물이 있더라도 하여야 한다는 뜻.
쉬파릿과【-科】명『충』[Sarcophagidae] 파리목(目)에 속(屬)하는 한 과(科). 이 과에 속하는 파리는 수컷이 암컷보다 작고 몸은 보통 회색이며, 중흉배판(中胸背板)에 암색(暗色)의 종반(縱斑)이 있고, 복배(腹背)에는 은색 반문(斑紋)이 있음. 복부에는 뒤쪽에만 가시털이 있음. 썩은 고기 또는 산 동물에 기생하는데, 쉬파리·애쉬파리 등 전세계에 천여 종이 분포함.
쉬페르비엘〔Supervielle, Jules〕명『사람』프랑스 시인. 우루과이 몬테비데오(Montevideo) 태생. 파리에 가서, 라포르그(Laforgue)의 영향으로 시작(詩作)을 시작하여, 《슬픈 유머(1919)》로 주목을 받음. 남미의 팜파스(Pampas)의 인상을 받아들인 조화 있는 세계관을 표현했음. 제2차 대전중에는 우루과이에 귀국. 작품《잔교(棧橋)》·《인력(引力)》외에, 희곡, 소설 등이 있음. [1884-1960]
쉬프레마티슴〔프 suprématisme〕명『미술』1913년에 러시아의 말레비치(Malevich, K. S.; 1878-1935)에 의하여 제창된 회화(繪畫)상의 절대주의. 곧, 회화에서의 모든 재현적(再現的) 요소를 제거하고, 단순하고 순수한 화면의 구성을 의도한 것임.
쉬:-하다 자여불〈소아〉오줌 누다. 쉬야하다. ¶쉬하고 자자.
쉬훈 수〈방〉쉰(충남·전북).
쉬흔 수〈방〉쉰(경기·전북·충남).
쉬힌 수〈방〉쉰(경기·충남).
쉰: 수관 오십(五十).
　[쉰 길 나무도 베면 끝이 있다] 아무리 복잡해 보이는 일이라도 시작하여 해 나가면 끝마칠 때가 있다는 말. [쉰 길 물 속은 알아도 한 길 사람 속은 모른다] 사람의 마음은 알아내기가 매우 어렵다는 말.
쉰:-나리 명『식』볏과에 속하는 피의 한 가지. 빛은 미백색(微白色)이고 까라기는 짧으며, 2월에 씨를 뿌리면 6월에 익음.
쉰-남은 ㊀관 '쉰 남짓한'의 뜻. ¶～ 사람이 모여. *스무남은·여남은. ㊁명 쉰 남짓한 수. ¶도합 ～은 될 것 같았다.
쉰:-내¹ 명 음식 같은 것이 쉬어서 나는 시금한 냄새. ¶～ 나는 음식.
쉰:-내² 명〈속〉『지』오십천(五十川).
쉰:-둥이 명 아버지나 어머니의 나이가 쉰에 난 아이.
쉰무우 명〈옛〉순무. =쉿무수·쉿무우. ¶또 쉰무우 줄기 닙 불희(又蔓菁取苗葉莖根)《救荒 8》.
쉰:바리 명〈방〉『동』노래기(경상).
쉰:-발이 명〈방〉『동』그리마.
쉰:-밥 명 쉬어서 쉰내가 나거나 맛이 시금하게 된 밥.
쉰양 강【-江】〔潯陽〕명『지』중국 장시 성(江西省) 북부의 주장(九江) 강 부근을 흐르는 양쯔 강의 다른 이름. 심양강.
쉰저우〔潯州〕명『지』중국 구이핑(桂平)의 옛 이름. 광시좡족(廣西壯族) 자치구 남부에 있는 도시임. 심주.
쉴리〔Sully, Maximilien de Béthune〕명『사람』프랑스의 정치가이며 온건파 신교도. 앙리(Henri) 4세의 즉위 후에 사실상의 재상으로서 재정 재건·농업 부흥·국내 교통망의 정비 등에 힘써 부르봉 왕조의 기초를 굳혔음. 국왕의 사후 은퇴함. 주저《왕국 경제 각서》. [1560-1641]
쉴리-프뤼돔〔Sully-Prudhomme, René François Armand〕명『사람』프랑스의 시인·문예 비평가. 처녀 시집《시장(詩章)》이래 낭만적 서정(抒情)과 고답파적인 무감동의 중간에 위치하였는데, 미술 평론에도 탁월하여《미술에 있어서의 표현에 관하여》로 1901년 노벨 문학상을 받았음. [1839-1907]
쉴:새-없이〔-쌔업씨〕부 잇대어 계속해서.
쉴:-손〔-쏜〕부 첩경(捷徑)㊁. ¶그렇게 들고 가다가는 ～ 깨뜨리지.
쉼: 명〈방〉수염³(강원·경상).
쉼:-터 명 사람들이 쉬는 곳. 휴식처.
쉼:-표【-標】명 ①〔rest〕『악』보표에서, 음이 멈추는 동안의 길이를 나타내는 기호. 배(倍)온쉼표·온쉼표·이분(二分) 쉼표·사분(四分) 쉼표 등이 있음. ②『언』문장 부호의 하나. 반점(半點)·모점·가운뎃점·쌍점(雙點)·빗금의 총칭. 보통, 반점과 모점만을 가리키기도 함. 휴지부(休止符).

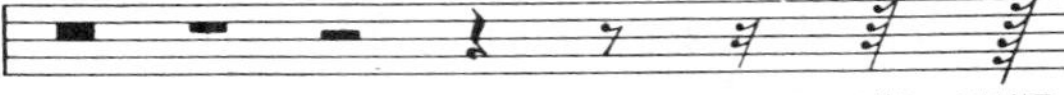

〈쉼표❶〉

쉽:다 형ㅂ불 ①어렵지 아니하다. 힘들지 아니하다. ¶병을 고치기가 매우 ～/풀기 쉬운 문제. ②가능성이 많다. ¶당선되기 ～/칼을 갖고 놀면 다치기 ～. 1)·2):↔어렵다❶.
　쉽:게 여기다 구 ㉠쉽게 생각하다. ㉡깔보다.
쉽:-사리 부 ①아주 쉽게. 빨리. ¶눕자마자 ～ 잠이 들다. ②힘들이지 아니하고 순조롭게. ¶누구하고든지 ～ 친해진다.
쉽살ᄒᆞ다 타〈옛〉쉽게 여기다. 만만히 보다. ¶어버이와 얼운을 봉양ᄒᆞ야 敢히 교만ᄒᆞ고 쉽살홈을 내디 말라(奉親長不敢生驕易)《小諺 V:22》.
쉽-싸리 명『식』[*Lycopus lucidus*] 꿀풀과에 속하는 다년초. 지하경(地下莖)은 희며 줄기는 사각형임. 높이 1m 내외이고 잎은 대생하고 거의 잎꼭지가 없으며, 넓은 피침형임. 6-8월에 자웅 이가(雌雄異家)로 백색의 작은 꽃이 엽액에 족생하여 윤산(輪繖) 화서로 피고, 열매는 수과(瘦果)임. 연못이나 물가에 나는데, 한국 각지에 분포함. 약재로 씀. 택란(澤蘭).

〈쉽싸리〉

쉽다 형〈옛〉쉽다. ¶易는 쉬블씨라《釋譜序 6》.

쉿굼 명 〈옛〉 숫구멍. 정문(頂門). ¶ 즉제 머리 쉿굼그로 드려 혈릭의 흐터디니 창졸에 약이 업거든 춤기름을 코긋테 딕고 즈치옴ᄒᆞ면 됴ᄒᆞ니라(卽上泥丸散入百脈轉 相傳染若倉卒無藥以香油扶鼻端又以紙撚鼻嚏之爲佳)《救荒辟瘟 辟瘟 3》.

쉿대 명 〈방〉 수수깡(평안).

쉿무수 명 〈옛〉 순무. =쉿무우·숫무우. ¶ 쉿무수(蘿葡)《痘方 13》/쉿무수 만(蔓)《字會 上 14》.

쉿무우 명 〈옛〉 순무. =쉿무우. ¶ 쉿무우(蔓菁)《老乞 下 34》.

쉽기다 타 〈방〉 숨기다.

쉽키막-질 명 〈방〉 숨바꼭질. ──하다 자

슈 〔Shu〕 명 『신』 고대 이집트 신화 중의 인물. 천지간의 대기(大氣) 또는 대공(大空)을 떠받치는 천주(天柱)의 신격화라 함.

슈거 〔sugar〕 명 설탕. 사탕.

슈건 명 〈옛〉 수건(手巾). ¶ 슈건 파(帕), 슈건 세(帨)《字會 中 23》.

슈고 명 〈옛〉 수고¹. ¶ 너 수고ᄒᆞ여라(生受你)《老乞 上 41》.

슈고르뵈욤 형 〈옛〉 수고로움. ¶ 福이 다아 衰ᄒᆞ면 受苦르빈요미 地獄두고 머으니《月釋 Ⅰ:21》.

슈고ᄅᆞ이 부 〈옛〉 수고롭게. ¶ 受苦ᄅᆞ이 修證홈거시(辛勤修證)《楞嚴 Ⅳ:71》.

슈구¹ 명 〈옛〉 시궁. ¶ 슈구 독(瀆)《類合 下 30》. 「上 63」.

슈구² 명 〈옛〉 수고¹. ¶ 미일 길 ᄃᆞᆫ녀 슈구ᄒᆞ고(每日走路子辛苦)《老乞

슈군다히다 자타 〈옛〉 수군거리다. ¶ 閻澤이부터 甘寧 향ᄒᆞ여 슈군다히니《三譯 Ⅵ:22》. 「ᄒᆞ시니(父母生兒 多少艱辛)《警民 36》

슈굴리ᄒᆞ다 자 〈옛〉 수고하다. ¶ 부모ㅣ 즈식을 나흐샤ᄃᆡ 얼머 슈굴리

슈나:벨 〔Schnabel, Artur〕 명 『사람』 오스트리아의 피아니스트. 베토벤 연주가로 유명함. 무조(無調)주의에 기초한 작품이 있음. [1882-1951]

슈나이더 〔Schneider, Reinhold〕 명 『사람』 독일의 가톨릭 작가. 나치스 지배하에서 출판이 금지되었으나, 종교 문서 등을 배포, 제2차 대전 말기에 반역죄로 투옥됨. 소설·시집 등 외에 평론도 많음. [1903-58]

슈나크 〔Schnack〕 명 『사람』 ①〔Anton S.〕 독일의 시인. 시류(時流)를 초월한 고아(高雅)함으로써 정적(靜寂)의 경지(境地)를 지킴. 1919년에 시집 《욕망의 노래》로 문단에 데뷔하여, 1936년의 《조우자(遭遇者)로부터의 소식》에서 낭만풍의 시경(詩境)을 개척하였음. [1892-1973] ②〔Friedrich S.〕 독일의 시인·소설가. ❶의 형(兄). 낭만적 시정(詩情)으로부터 사실적 산문으로 나아간 작가. 대표작 《불타는 사랑》. [1888-1977]

슈네데르 회:사 【一會社】 명 〔프 Schneider et Compagnie〕 1835년 창립한 프랑스의 대재벌 회사. 산하에 50여 사업 회사를 거느림. 철강·석탄·기계·조선으로부터 금융·상사(商事)에 이르기까지 다각화하여 현재는 전자·병기·원자력 등에까지 확충함.

슈노르헬 〔도 Schnorchel〕 명 〔저지(低地) 독일어로, 코를 뜻하는 방언〕 ①『군』 제2차 세계 대전 중 잠수함의 잠수 중에 디젤 기관을 운전하기 위하여 독일 해군이 고안하여 사용한 장치의 속칭. 곧, 두 개의 직립한 튜브에 의해서 일반 통풍(通風)과 기관의 배기(排氣)를 행하여, 장시간의 수중 항행을 가능하게 함. 전후(戰後) 여러 나라의 해군에서도 이를 채용하고 있음. *슈노르헬형 잠수함. ②물 속을 헤엄치면서 숨을 쉴 수 있게 만든, 입에 무는 J자(字)처럼 생긴 파이프.

슈노르헬-차 【一車】 〔도 Schnorchel〕 명 신장식(伸長式) 사닥다리의 선단(先端)에 주수(注水) 장치를 구비한 소방 자동차.

슈노르헬형 잠:수함 【一型潛水艦】 명 〔도 Schnorchel〕『군』 제2차 대전 말기에 독일 해군이 고안한 잠수함. 잠망경(潛望鏡)·전파 탐지기·안테나와 함께 통기관(通氣管)을 수면(水面) 위에 내놓아 함체(艦體)가 물 속에 잠긴 때의, 흡배기(吸排氣)가 자유로우므로 잠항시(潛航時)의 원동력(原動力)을 디젤 기관으로 사용할 수 있음. 레이더에 의한 탐지 거리가 크게 축소되며, 슈노르헬에 의한 항주(航走)는 주로 야간에 하고 축전지의 충전(充電)도 함. 시속 16-20노트(knot).

슈누레 〔Schnurre, Wolfdietrich〕 명 『사람』 독일의 작가. 영화·연극의 비평가로서 출발, 서정시·단편·에세이 등, 도회적 감각과 예리한 풍자에 특색이 있음. 시집 《암호 통신(暗號通信)》 등이 있음. [1920-]

슈니츨러 〔Schnitzler, Arthur〕 명 『사람』 오스트리아의 극작가. 본직은 의사인데, 희곡 《아나톨(Anatol)》로 작가 생활에 들어감. 프랑스 문학의 영향하에 있던 '젊은 위인파'의 대표자가 되었음. 19세기의 세기말적 자연주의를 뒷받침한, 새로운 낭만주의 수법으로 《연애 삼매(戀愛三昧)》·《엘제양(Else孃)》 등의 많은 걸작(傑作)을 남겼음. [1862-1931]

슈라 명 〈옛〉 수라(水剌). ¶ 슈라 셔실제(食上)《內訓 Ⅰ:36》.

슈라우드 〔shroud〕 명 『해』 요트의 마스트 꼭대기에서 양쪽 현(舷)에 매어 마스트를 꼿꼿이 서게 하는 와이어 로프(wire rope).

슈라이어 〔Schreier, Peter〕 명 『사람』 독일의 테너 가수·지휘자. 1959년 드레스덴 고등 음악원(高等音樂院) 졸업과 동시에 드레스덴 국립 오페라단에 들어가, 1961년 베토벤의 오페라 《피델리오》에서 제1수인(囚人)역으로 데뷔하여 인정을 받았으며, 이후 유럽 여러 나라에서 오페라 가수로서 활약함. [1935-]

슈레더 〔shredder〕 명 필요없게 된 서류·사진 등을 잘게 썰어 버리는 기계. 문서 절단기(文書截斷機).

슈레딩 방식 【一方式】 〔shredding〕 명 폐차(廢車)되는 차량(車輛) 전체를 잘게 부수어 금속만을 이용하는 방식.

슈레커 〔Schreker, Franz〕 명 『사람』 오스트리아의 작곡가. 빈(Wien) 왕립 음악 학교 교수, 베를린 고등 음악 학원장. 극(劇)음악에 뛰어나고 작품에 무용곡 《공주의 탄생일》, 가극 《보물(寶物) 파기》 등이 있음. [1878-1934]

슈렌크 〔Shrenk, Leopold Ivanovich〕 명 『사람』 러시아의 동물학자. 동부 시베리아, 특히 아무르 강(Amur江) 유역의 민족학적·지리학적 연구에 공헌하였음. [1830-94]

슈뢰더 〔Schröder, Friedrich Ludwig〕 명 『사람』 독일의 배우·연출가. 레싱·괴테 등의 독일 희곡을 사실주의적(寫實主義的)으로 상연하여 함부르크파(派)를 완성했음. 또, 셰익스피어를 독일에 정착시킨 공은 크며 그의 희곡의 주역을 맡은 대배우로 알려짐. [1744-1816]

슈뢰딩거 〔Schrödinger, Erwin〕 명 『사람』 오스트리아의 물리학자. 양자적(量子的)인 개념을 기초로 슈뢰딩거 방정식(方程式)을 발견하여 파동 역학(波動力學)을 수립. 저서에 《파동(波動)에 관한 연구》가 있음. 1933년 영국의 디랙(Dirac)과 함께 노벨 물리학상을 받았음. [1887-1961]

슈뢰딩거 방정식 【一方程式】 명 〔Schrödinger equation〕『물』 1926년 슈뢰딩거가 발견한 양자 역학(量子力學)의 기본이 되는 방정식. 입자계(粒子系)의 고전 역학(古典力學)의 에너지를 나타내는 표식(表式)인 해밀터니안(Hamiltonian) 중에서 운동량을 표시하는 부분을 미분 연산기호(微分演算記號)로 치환(置換)한 해밀턴(Hamilton)의 연산자(演算子)를 파동 함수(波動函數) ϕ에 작용시킨 것. 원자 구조 등을 푸는 기초가 되는 방정식임.

슈룬트 〔도 Schrund〕 명 설계(雪溪)나 빙하(氷河) 따위에 생기는 깊은 균열(龜裂).

슈룹 명 〈옛〉 우산. ¶ 슈룹爲雨繖《訓例》.

슈리퍼 〔Schrieffer, John R.〕 명 『사람』 미국의 물리학자. 1962년 펜실베이니아 대학 교수가 됨. 1972년 초전도(超傳導)의 이론, 이른바 BCS 이론의 확립으로 바딘·쿠퍼와 함께 노벨 물리학상을 수상함. [1931-]

슈링크 〔shrink〕 명 위축(萎縮)하는 일.

슈마허¹ 〔Schumacher, Fritz〕 명 『사람』 독일의 건축가. 브레멘(Bremen) 태생으로 드레스덴(Dresden) 공업 대학 교수를 역임 후, 함부르크와 쾰른의 토목 건축 감독으로서 공공 건축·도시 계획을 다루었음. 벽돌을 많이 쓰고 신양식을 시도하면서도, 독일의 전통을 견지(堅持)하였음. [1869-1952]

슈마허² 〔Schumacher, Kurt〕 명 『사람』 독일의 정치가. 제1차 대전 후, 독일 사회 민주당에 입당, 기관지의 편집장·국회 의원이 되었으나 나치스 정권하에서는 12년간 수용소에 구금되었으며, 전후 서독에서 당을 재건, 당수(1946-52)로서 반공 민주주의와 자주 외교를 주창함. 아데나워의 호적수이기도 했음. [1895-1952]

슈:만¹ 〔Schumann, Elisabeth〕 명 『사람』 독일의 소프라노 가수. 미모의 명가수로 알려짐. 빈(Wien) 국립 가극장(歌劇場)을 중심으로 활약하였으며, 종교 음악 따위의 가곡에 뛰어났고, 후에 나치즘을 피하여 미국에 귀화함. [1888-1952]

슈:만² 〔Schumann〕 명 『사람』 ①〔Robert Aleksander S.〕 독일의 작곡가. 철학·법률을 배운 후, 피아노를 전공하여 근대적 피아노 기술을 개척하였고, 뒤에 손을 다치자 작곡에 전념하여 가곡집 《여자의 사랑과 생애》, 합창곡 《천국과 베리(Bery)》·《피아노 협주곡》 등을 남겼음. 한편 문예 비평가로서 《음악 신보(新報)》를 발간, 음악의 향상을 위하여 쇼팽(Chopin) 등을 소개하였음. [1810-56] ②〔Clara S.〕 독일의 여성 피아니스트. ❶의 처. 소녀 시절부터 라이프치히, 빈 등에서 연주자로서 활약함. 남편의 사망 후, 그 작품을 중심으로 연주 활동을 계속, 피아노곡도 만듦. [1819-96]

슈:만³ 〔Schumann, Viktor〕 명 『사람』 독일의 물리학자. 자외선(紫外線)과 X선 중간에 속하는 원자외선(遠紫外線)인 슈만선(線)을 연구하고 또, 이 선에 감광(感光)하는 특수 건판(乾板)인 슈만 건판을 발명했음. [1841-1913]

슈:만-하잉크 〔Schumann-Heink, Ernestine〕 명 『사람』 오스트리아 태생의 미국의 알토(alto) 가수. 성량의 폭이 넓고 특히 리트(lied)의 해석에 뛰어난 당대 제일의 오페라 가수였음. [1861-1936]

슈말렌바흐 〔Schmalenbach, Eugen〕 명 『사람』 독일의 경영 경제학자·쾰른 대학 교수. 주저 《동적 대차 대조표론(動的貸借對照表論)(1919)》으로 재산 계산보다 손익 계산이야말로 대차 대조표의 목적이라는 학설을 전개하여, 근대 회계학을 확립하고 쾰른 학파의 원조(元祖)가 됨. 그 밖에 《원가 계산 가격 정책》·《주식 회사론》·《자본·신용·이자론》·《분권적(分權的) 관리론》 등이 있음. [1873-1955]

슈말칼덴 동맹 【一同盟】 〔Schmalkalden〕 명 『역』 1530년 신성 로마 제국 카를 5세에 대항하는 독일의 신교도 제후(新教徒諸侯)와 제국(帝國)의 여러 도시가 중부 독일 슈말칼덴에서 맺은 동맹. 트리엔트 공의회(Trient公議會)를 계기로 시작된 1546-47년의 황제와의 싸움; 곧 슈말칼덴 전쟁에서 패배하여 1547년에 붕괴함.

슈몰러 〔Schmoller, Gustav von〕 명 『사람』 독일의 경제학자, 후기 역사학파의 대표자. 베를린 대학 교수를 지냄. 경제 생활은 윤리적 가치 실현을 지향하는 문화 생활이고, 경제학은 도덕적 학문이어야 한다고 주장함. 주저(主著)는 《국민 경제학 원론》. [1838-1917]

슈미네 〔프 cheminée〕 명 벽난로(壁煖爐).

슈미즈 〔프 chemise〕 명 여성(女性) 양장의 속옷의 한 가지. 소매가 없고 어깨끈이 달렸으며, 길이는 허벅지까지 내려옴. 보온 및 땀 흡수용임. *슬립.

〈슈미즈〉

슈미트¹ 〔Schmidt, Adolf〕 명 『사람』 독일의 지구자기(地球磁氣) 학자. 베를린 대학 교수. 자기 폭풍 따위를 연구하는 데 쓰는 슈미트식 자력계를 고안함. [1860-1944]

슈미트² 〔Schmidt, Arno〕 명 『사람』 독일의 작가. 언어에 관하여 극히 직접적인 실험을 시도하고 있는 전위 작가로서, 단편집 《레비아탄(Leviathan)》 외에 많은 소설 및 낭만파(派)의 작가 푸케(Fouqué)에 관한 전기(傳記)가 있음. [1910-]

슈미트³ 〔Schmidt, Ernst〕 명 『사람』 독일의 약학자. 알칼로이드 화학의

연구자. 할레 대학 교수, 마르부르크 약학·화학 연구소장 등을 역임. 주저(主著)에 ≪제약 화학≫이 있음. [1879-1921]

슈미트[4] 〔Schmidt, Helmut〕 명 〖사람〗 서독의 정치가. 2차 대전 중에는 방공 부대(防空部隊) 근무. 1946년 사회당에 입당하여 53년에 연방 의원이 되고, 이어 67년에 원내 총무, 69년 국방상, 72년 경제상·재무상 등을 역임. 74년 수상이 됨. 당내 군사 전문가의 한 사람임. [1918-]

슈미트[5] 〔Schmidt, Isaak Jakob〕 명 〖사람〗 독일계(系) 러시아의 동양어(東洋語) 학자. 몽고어·몽고사(史)에 정통하며, 러시아 동양학 및 몽고학의 창시자로서 알려져 있음. 저서에 몽고어, 티베트어의 문법 사전이 있음. [1779-1847]

슈미트[6] 〔Schmidt, Julius August Fritz〕 명 〖사람〗 독일의 경제학자. 프랑크푸르트 대학 교수. 경영 회계에 관한 강좌를 담당함. 독일의 인플레이션 시대에 실질 자본 유지의 회계 이론을 전개하여 유명해짐. 대표적 저서는 ≪유기적 대조표 학설(有機的對照表學說)≫. [1882-1950]

슈미트[7] 〔Schmidt, Wilhelm〕 명 〖사람〗 오스트리아의 민속학자·언어학자·종교학자·인류학자. 정신적·종교적 요소를 중심으로 하면서 사회 조직과 경제 양식(樣式)을 기준으로 해서 문화권(文化圈)과 문화층(文化層)의 개념을 명백히 하고, 그것에 의해서 인류 문화의 공간적 범위 및 역사를 재구성하려 했음. 각지의 목사를 거쳐 빈 대학 교수를 역임함. 빈학파의 대표. 저서에 ≪민족과 문화≫가 있음. [1868-1954]

슈미트[8] 〔Schmitt, Carl〕 명 〖사람〗 현대 독일 헌법학의 중진. 베를린 대학을 비롯하여 각 대학에서 교편을 잡음. 공법 이론에 있어서, 법실증주의(法實證主義)를 배격하고 의회 제도를 통렬히 비판함으로써 나치스 전제(專制)의 이론적 기초를 주었으므로 이로 인하여 전후 한때 투옥됨. 그 후 다시 학계에 복귀하여 국제법·사상사 분야에서 활약함. 주저는 ≪헌법론≫. [1888-1985]

슈미트[9] 〔Schmitt, Florent〕 명 〖사람〗 프랑스의 오페라 작곡가. 인상파(印象派)의 기교 위에 야성적이고 활력 넘치는 다수의 작품을 발표함. 국제 현대 음악 협회의 창립자임. [1870-1958]

슈미트 네트 〔Schmidt net〕 명 구면상(球面狀)에서의 등면적(等面積)이 평면(平面) 네트 위에 등면적으로 되어 투영(投影)되게끔 고안된 등면적망(等面積網)의 하나. 3차원의 방향에 관한 통계에 쓰임. 슈미트(Schmidt, W.; 1925-)가 구조 암석학(構造岩石學)의 연구에 쓴 이래, 암석의 구성 광물의 결정학적(結晶學的) 방위(方位)의 해석(解析)이나 습곡(褶曲)이나 단층(斷層)의 통계적 해석 등에 널리 쓰이게 되었음.

슈미트-로틀루:프 〔Schmidt-Rottluff, Karl〕 명 〖사람〗 독일의 표현주의 화가·판화가. 표현주의의 그룹 '브뤼케(Brüke)'의 창립 위원의 한 사람. 구축적(構築的)이며 원시적 창조성이 강한 작품을 만듦. 나치스에 의하여 '타락된 작품'이란 선고를 받았으나, 대전후 플라스틱 아트 연구소의 교수로 지명됨. [1884-1976]

슈미트 망:원경 【一望遠鏡】 〔Schmidt〕 슈미트 카메라를 장치한 천체 「망원경.

슈미트본 〔Schmidtbonn, Wilhelm〕 명 〖사람〗 독일의 시인·소설가. 자연주의와 신낭만주의(新浪漫主義)의 전환점에 위치하여, 자연에의 친근감과 소박한 인간애에 바탕을 둔 작품들을 남김. 저서에 ≪세계의 들≫, 자서전 ≪강변에서 태어나서≫ 따위가 있음. [1876-1952]

슈미트 카메라 〔Schmidt camera〕 명 천체용 카메라의 하나. 구면 반사경(球面反射鏡)에 보정(補正) 렌즈를 단 것으로, 시야는 밝고 넓은 범위를 선명하게 촬영할 수 있음. 별자리·혜성(彗星)·인공 위성의 촬영이나 추적(追跡) 등에 쓰임. 1931년 독일의 천문 광학가(光學家) 슈미트(Schmidt, B.)가 발명함.

슈바 〔러 shuba〕 명 방한용의 털외투.

슈바넨게장 〔도 Schwanengesang〕 명 〖악〗 백조(白鳥)의 노래.

슈바르츠[1] 〔Schwartz, Melvin〕 명 〖사람〗 독일 태생의 미국 물리학자. 중성 미자(中性微子)와 경입자(輕粒子)의 이중 구조(二重構造)를 실증(實證)함으로써, 1988년 레더먼(Lederman, L.)·스타인버거(Steinberger, J.)와 함께 노벨 물리학상을 받음. [1932-]

슈바르츠[2] 〔Shvarts, Evgeny Lvovich〕 명 〖사람〗 소련의 극작가. 풍자 희극·아동극으로 유명하며 대표작으로는 ≪벌거벗은 임금님≫·≪그림자≫·≪드래곤≫ 등이 있음. [1896-1958]

슈바르츠발트 〔Schwarzwald〕 명 〖지〗 독일 남서부, 라인 강 상류를 따라 남북으로 달리는 삼림 산지(森林山地). 길이 약 160 km, 폭 22-60 km. 최고봉은 펠트베르크 산(1,493 m). 목축업·시계 공업이 성하며, 온천·호수 등이 많고 기후가 온난하여 관광 휴양지로 알려짐.

슈바르츠실트 〔Schwarzschild, Karl〕 명 〖사람〗 독일의 천문학자·물리학자. 괴팅겐(Göttingen) 천문대장·포츠담(Potsdam) 천문대장을 역임하였으며, 제1차 대전 때 종군하여 전사함. 항성(恒星)의 사진 광도(光度) 측정·태양의 방사 평형론(放射平衡論)·통계 천문학·항성 운동 등 다방면으로 연구함. 수학·이론 물리학에서도 업적이 큼. [1873-1916]

슈바르츠코프 〔Schwarzkopf, Elisabeth〕 명 〖사람〗 독일의 소프라노 가수. 베를린 음악원 졸업. 1938년 베를린 국립 가극장(歌劇場)과, 1942년에는 빈 국립 가극장과 계약, 각지 음악제 등에서도 가극·가곡으로 활약함. [1915-]

슈바베 〔Schwabe, Heinrich Samuel〕 명 〖사람〗 독일의 아마추어 천문학자·약제사. 1826년부터 태양 관측을 계속하여, 1943년 태양 흑점의 증감(增減)에 약 10년의 주기가 있음을 발표했음. [1789-1875]

슈바베의 법칙 【一法則】 [一/一에一] 〔Schwabe〕 명 〖경〗 독일의 경제학자 슈바베(Schwabe, H.)의 '사람은 가난할수록 그의 소득 중에서 거주비에 지출하는 비율이 총지출액에 대해서 점점 커진다'라고 하는 법칙. 1867년에 발표함.

슈바벤 〔Schwaben〕 명 〖지〗 독일, 바이에른 주(Bayern 州)의 남서부, 도나우 강의 지류인 레히(Lech) 강 이서(以西)의 지구. 서쪽으로부터 바덴뷔르템베르크(Baden-Württemberg) 주에 걸쳐 슈바벤 알프스의 산지가 뻗고 있으며 아우크스부르크 시(Augsburg 市)를 중심으로 금속·섬유 공업이 성함.

슈바벤 도시 동맹 【一都市同盟】 〔Schwaben〕 명 1376년 남서 독일의 슈바벤 지방 울름(Ulm)을 중심으로 하는 14개의 제국(帝國) 도시가 결성한 동맹. 최성기(最盛期)에는 32개 도시에 달하였다고 하며, 1381년 라인 도시 동맹과도 제휴하여 합스부르크가(Habsburg 家)의 독재화를 견제함. 1388년 제후(諸侯) 연합 세력에 격파되어, 다음해에 해체함. 중세 독일 도시 동맹의 대표적 존재로 꼽힘.

슈바이처 〔Schweitzer, Albert〕 명 〖사람〗 알자스 태생의 독일계 프랑스 철학자·의사·음악가. 1913년에 목사 및 의사로서 아프리카로 건너간 후, 가봉(Gabon)에서 원주민의 의료와 전도에 헌신하였음. 저서 ≪문화 철학≫은 '생(生)의 외경(畏敬)'을 말한 주저(主著)임. 한편 바흐(Bach)의 연구가이기도 한데 오르간의 연주가로서도 저명하며, 1952년 노벨 평화상을 받았음. [1875-1965]

슈바이처 병:원 【一病院】 〔Schweitzer〕 명 적도 아프리카, 가봉(Gabon) 공화국 람바레네(Lambaréné)에 있는, 슈바이처 박사가 세운 원주민을 위한 병원. 오고우에 강(Ogooué 江)에 면한 언덕에 세워졌으며, 치료비와 입원비를 일체 받지 않는 것이 특징임.

슈바이츠 〔Schweiz〕 명 〖지〗 '스위스(Suisse)'의 독일어명.

슈박 명 〈옛〉 수박. ¶ 슈박(西苽)≪痘方 13≫/슈박(西瓜)≪老乞下 34≫.

슈반 〔Schwann, Theodor〕 명 〖사람〗 독일의 생물학자. 소화 효소 펩신(pepsin)을 발견하였으며, 슐라이덴(Schleiden)과 협력하여 동물의 세포설(細胞說)을 확립하였음. [1810-82]

슈반-초 【一鞘】 〔Schwann〕 명 〖생〗 신경 섬유(神經纖維)의 외부를 싸는 세포성의 얇은 막. 수초(髓鞘)의 밖을 둘러싸고 있음.

슈발리에[1] 〔프 chevalier〕 명 프랑스의 칭호 또는 작위의 하나. 원래는 기사(騎士)의 뜻. 처음에는 널리 쓰이었으나, 1629년에 남용(濫用)이 금지되어, 차차 가장 하위의 작위로서 정착(定着)되었음. 또한, 아직 작위를 갖지 않은 젊은 귀족의 자제에게 이 칭호가 주어지기도 함.

슈발리에[2] 〔Chevalier, Maurice〕 명 〖사람〗 프랑스의 영화 배우·샹송 가수·코메디언. 파리의 빈민가에서 태어나 여러 직업을 편력하였음. 파리 번화가의 서민의 마음을 코미컬한 연극과 노래로 표현했음. 후일 할리우드에 수많은 영화에 출연, 인기를 모았음. [1888-1972]

슈발베 〔Schwalbe, Gustav〕 명 〖사람〗 독일의 해부학자·인류학자. 직립 원인(直立猿人) 등을 연구하는 인류학에 자연 과학적 방법을 도입했음. [1814-1917]

슈베르니크 〔Shvernik, Nikolaj Mikhailovich〕 명 〖사람〗 소련의 정치가. 젊어서 공산당원이 되어, 1917년 혁명 당시는 전러시아 포병 공장 노동자 위원회 의장(全 Russia 砲兵工場勞動者委員會議長). 후에 제1회 소련 최고 회의 민족 회의 의장·최고 간부회 의장(1946-52)·당 중앙 위원회 의장(1957-61)을 역임함. [1888-1970]

슈:베르트[1] 〔Schubert, Franz Peter〕 명 〖사람〗 오스트리아의 작곡가. 빈곤과 허약한 몸 때문에 독신으로 지냈으며, 풍부한 시적(詩的) 감정과 간소한 우미(優美)로서 표현된 600여의 가곡(歌曲) 및 교향곡·피아노곡 등을 지었음. 그는 베버(Weber)와 함께 독일 낭만주의 음악의 개조(開祖)가 되며, 참다운 예술적 가곡(歌曲)을 확립함으로써 근대 독일 가곡의 창시자로 일컬어짐. [1797-1828]

슈:베르트[2] 〔Schubert, Gotthilf Heinrich von〕 명 〖사람〗 독일의 자연과학자·철학자. 셸링의 영향 밑에서 출발하여 후에 신비주의적 경향을 띠게 되었음. 뮌헨 대학 자연 과학 교수를 지냄. [1780-1860]

슈벵크펠트 〔Schwenkfeld, Kaspar〕 명 〖사람〗 독일의 종교가. 신비주의 사상을 주창(主唱)하고, 후에 루터 등의 종교 개혁을 반대하였음. [1489-1561]

슈붕 〔도 Schwung〕 명 스키에서, 회전(回轉).

슈비:유 〔프 cheville〕 명 〔복사뼈의 뜻〕 미디보다 길고 맥시보다는 짧은 복사뼈가 보일 정도의 스커트 길이.

슈쓰다 자 〈옛〉 수(繡)놓다². 수 뜨다. =슈뜨다. ¶ 네 슈쓴 거시 고비 돌히 올마 잇ᄂᆞ니(舊繡移曲折)≪杜諺 Ⅰ:6≫.

슈뜨다 자 〈옛〉 수(繡)놓다². 수 뜨다. =슈쓰다. ¶ 슈ᄹᅳᆫ 바ᄂᆞᆯ일 빅ᄇᆞᆯ(繡針一百帖)≪老乞下 61≫.

슈:-샤인 〔shoeshine〕 명 구두닦기. ──하다 자여불

슈:샤인 보이 〔shoeshine boy〕 명 구두 닦는 소년.

-슈셔 어미 〈옛〉 -소서. =-쇼셔. ¶ 公藝 조히와 붇과 쥬슈셔 ᄒᆞ야(公藝請紙筆)≪飜小Ⅸ:97≫.

슈슈 명 〈옛〉 수수¹. ¶ 슈슈(蜀黍)≪字會 上 12 黍字註≫.

슈어[1] 명 〈옛〉 숭어. ¶ 슈어(梭魚)≪四聲 上 14 鯔字註≫.

슈어[2] 〔sure〕 명 야구에서, 타격 따위가 확실성이 높고 날카로운 일.

슈어드 〔Seward, William Henry〕 명 〖사람〗 미국의 정치가. 상원 의원·국무 장관을 지냄. 노예제 폐지를 주창하고 남북 전쟁 완수에 진력하였으며, 러시아에서 알래스카를 사들이는 등의 여러 가지 문제에 외교 수완을 발휘함. 미국 팽창주의 정책의 대표적 인물. [1801-72]

슈어리다 자 〈옛〉 떠들어대다. 수떨다. =수우워리다. ¶ 모다 맛당이 슈어려 ᄯᅮ지즈라(衆宜詬毒)≪警民 38≫.

슈얼 〔Sewell, Anna〕 명 〖사람〗 영국의 여류 작가. 저서 ≪흑마(黑馬) 이야기≫는 소년 문학의 고전적 작품으로서 유명함. [1820-78]

슈워츠네거 〔Schwarzenegger, Arnold Alois〕 명 〖사람〗 오스트리아 출신의 미국 영화 배우. 왕년의 보디빌딩 미스터 유니버스였음. 1968년 미국으로 건너가, 70년대 중반에 영화에 데뷔, 84년의 ≪터미네이터≫, 85년의 ≪코만도≫ 등에 주연(主演)하여 늠름한 근육으로 대활약을 하는 액션으로 인기를 얻음. [1947-]

슈워츠코프 〔Schwarzkopf, Norman H.〕 명 〖사람〗 미국의 군인. 뉴저지 주 출생. 1956년 육군 사관 학교를 졸업. 베트남 전쟁 때에는 보병 부대 지휘관, 1983년 그레나다 침공(侵攻) 작전의 부지휘관, 91년 걸프전 때 중동 파견 다국적군 총사령관으로서 '사막의 폭풍 작전'을 지휘하여 완승(完勝)함. [1934-]

슈윙거 〔Schwinger, Julian S.〕 명 〖사람〗 미국의 물리학자. 컬럼비아 대학을 졸업하여 1947년부터 하버드 대학 교수가 됨. 1965년 소립자론(素粒子論)에 광범위한 영향을 미친 양자 전기 역학 분야의 기초 연구에 대한 업적으로 일본의 도모나가 신이치로(朝永振一郎) 및 미국의 리처드 파인먼과 함께 노벨 물리학상을 수상함. [1918-]

슈어 명 〈옛〉 승어. ¶ 슈어 츼(鰌)《字會 上 20》.

슈져비 명 〈옛〉 수제비. ¶ 슈져비(麪飥)《四聲 上 61 飥字註》.

슈:즈 〔shoes〕 명 구두. 신. 단화(短靴).

슈지 명 〈옛〉 수수께끼. ¶ 내 여러 슈지룰 니룰거시니(我說幾個謎子)《朴解 I:38》. 「謎)《朴解 上 36》.

슈지엣말 명 〈옛〉 수수께끼. ¶ 내 여러 슈지엣말 니룰 거시니(我說幾箇

슈지치 명 〈옛〉 수(繡) 놓는 일. ¶ 이 大紅에 五爪蟒龍을 슈지칠ᄒᆞ고(這的大紅綉五爪蟒龍)《朴解 上 14》.

슈:질 명 〈옛〉 수(繡)놓는 일. ¶ 슈질 슈(繡)《字會 下 19》.

슈체친 〔Szczecin〕 명 〖지〗 폴란드의 북서단(北西端) 오데르 강(Oder 江) 하구의 항구 도시. 베를린과 운하(運河)로 연결됨. 조선(造船)·기계·화학·식품 가공 등의 공업이 행해짐. 제2차 대전 후 폴란드령(領)이 됨. [396,000 명(1988 추계)]

슈: 크림 〔프 chou à la crème〕 명 얇게 구운 겉껍질 속에 크림을 넣어서 싼 서양 과자의 일종.

슈클로프스키 〔Shklovski, Viktor〕 명 〖사람〗 소련의 문예 학자. 1916년부터 시적 언어 연구회(詩的言語研究會)를 조직하여 형식주의 예술론(形式主義藝術論)의 기초를 닦아, 미래파(未來派) 등 여러 곳에 영향을 줌. 《방법으로서의 예술》·《도스토예프스키론(論)》·《긍정과 부정》 등을 지음. [1893-]

슈타르크 〔Stark, Johannes〕 명 〖사람〗 독일의 물리학자. 수소(水素) 스펙트럼의 '슈타르크 효과'를 발견, 양자(量子) 이론의 발견에 기여함으로써 1919년 노벨 물리학상을 받았음. [1874-1957]

슈타르크 효:과 【—效果】 〔Stark〕 명 〖물〗 강한 전기장(電氣場)에서 발생하고 있는 원자의 휘선(輝線) 스펙트럼의 각 선이 여러 가닥으로 나뉘는 현상. 1913년 슈타르크가 수소의 카날선(canal線)을 광원(光源)으로 하여 이를 확인하였음.

슈타미츠 〔Stamitz, Johann Anton〕 명 〖사람〗 보헤미아 태생의 독일 작곡가. 만하임 악파(樂派)의 중심적 작곡가로, 근대적 교향곡·협주곡의 형식의 기초를 마련함. 작품 《심포니아》 등. [1717-57]

슈타우딩거¹ 〔Staudinger, Franz〕 명 〖사람〗 독일 신칸트 학파의 철학자·사회주의자. 칸트가 목적한 왕국(王國)의 실현을 사회주의 사회의 실현과 동일시(同一視)하고, 칸트 윤리학과 사회주의를 결합하려 했음. 소비 조합 운동의 지도자로서도 알려져 있음. [1865-1923]

슈타우딩거² 〔Staudinger, Hermann〕 명 〖사람〗 독일의 화학자. 프라이부르크 대학 교수. 천연 고분자(高分子) 화합물(化合物)의 구조를 해명, 1953년 노벨 화학상을 받았음. [1881-1965]

슈타우트 〔Staudt, Karl Georg Christian von〕 명 〖사람〗 독일의 수학자. 종합(綜合) 기하학을 정력적(精力的)으로 추구(追求)하여, 사상(史上) 처음으로 사영(射影) 기하학의 공리계(公理系)로부터 구성(構成)을 시도한 것으로 유명함. [1798-1867]

슈타우피츠 〔Staupitz, Johann von〕 명 〖사람〗 독일의 가톨릭 신학자. 아우구스티노 수도회(修道會) 독일 관구장(管區長). 마르틴 루터를 친히 지도하여 그에게 큰 영향을 주었음. [1460-1542]

슈타이너 〔Steiner, Jakob〕 명 〖사람〗 스위스의 수학자. 베를린 대학 기하학 교수. 종합 기하학을 정력적으로 추구(追究)하여, 사영(射影) 기하학·대수(代數) 기하학에 큰 공헌을 했음. [1796-1863]

슈타이크-아이젠 〔도 Steigeisen〕 명 등산할 때 구두 밑에 덧신는 쇠로 만든 기구. 아이젠.

〈슈타이크아이젠〉

슈타인¹ 〔Stein, Karl Reichsfreiherr vom und zum〕 명 〖사람〗 독일의 정치가. 프로이센 개혁의 지도자. 틸지트(Tilsit)의 굴욕적인 강화 후에 수상(首相)으로서 국정을 담당, 이른바 프로이센 개혁에 앞장서서 그 근대화에 이바지함. 그 후 1819년 '고대 독일 사학회(史學會)'를 창설, 독일 중세 사료(史料) 편찬의 기초를 쌓음. [1757-1831]

슈타인² 〔Stein, Lorenz von〕 명 〖사람〗 독일의 정치학자·사회학자. 빈 대학 교수. 독일 행정학의 완성자. 사회 개량주의 입장을 취하여, 프랑스의 사회주의 운동을 독일에 소개함. [1815-90]

슈타인³ 〔Stein, William Howard〕 명 〖사람〗 미국의 생화학자. 1972년, 리보 핵산(核酸)의 분해 효소의 연구로, 안핀센(Anfinsen, C.B.), 무어(Moore, S.)와 공동으로 노벨 화학상을 수상함. [1911-]

슈타인만 견:인못 【—牽引—】 명 〔Steinmann's pin; 고안자인 스위스의 외과의 Fritz Steinmann(1872-1932)의 이름에서 유래〕 〖의〗 골격을 견인할 때 쓰는 못. 대퇴골이나 경골(脛骨) 등의 말단부에 넣는 외과용의 못.

슈타인하일 〔Steinheil, Carl August von〕 명 〖사람〗 독일의 물리학자. 뮌헨 대학 교수. 전신 기술의 발달, 광학 기계의 개량에 기여하고, 또 오스트리아·스위스의 전신 제도 창설에 진력함. [1801-70]

슈탈¹ 〔Stahl, Friedrich Julius〕 명 〖사람〗 독일의 정치학자·법학자. 그리스도교적 국가론(國家論)을 내세워, 독일 통일을 주창하는 보수주의의 대표적 사상가로서 알려짐. [1802-61]

슈탈² 〔Stahl, Georg Ernst〕 명 〖사람〗 독일의 의학자·화학자. 프로이센 궁정 시의(宮廷侍醫) 등을 역임함. 애니미즘 입장에서 영혼이 인간의 생명 기능을 관장한다 하고, 또 연소설(燃燒說)을 내세워 연소(燃燒)를 설명함. [1660-1734]

슈탐러 〔Stammler, Rudolf〕 명 〖사람〗 독일의 법철학자. 베를린 대학 교수. 칸트주의적 비판 철학의 입장에서 법리학(法理學)을 구명, 순수 법학(純粹法學)을 수립하였음. 저서 《유물 사관(唯物史觀)으로부터 본 경제와 법》 등. [1856-1938] 「잘하는 사람.

슈:터 〔shooter〕 명 농구 따위에서, 골을 향하여 슛하는 사람. 또, 슛을

슈테른¹ 〔Stern, Otto〕 명 〖사람〗 독일 태생의 미국 물리학자. 원자선(原子線)의 방법 개발과 양성자(陽性子)의 자기(磁氣) 모멘트를 발견함으로써 1943년 노벨 물리학상을 받음. [1888-1969]

슈테른² 〔Stern, William〕 명 〖사람〗 독일의 심리학자. 시청각의 연구에서 개성의 연구로 나아가 인격주의적인 입장에서, 차이(差異) 심리학·발달(發達) 심리학 및 교육(敎育) 심리학 등을 연구함. [1871-1938]

슈테른하임 〔Sternheim, Carl〕 명 〖사람〗 독일의 작가. 희곡 《팬티》·《속물(俗物)》 등으로 시민 계급의 속물성을 풍자함. 응축(凝縮)된 대사와 인형극풍의 인물 조작(操作)으로 많은 표현주의 작가에게 영향을

슈테린 〔도 Sterin〕 명 '스테롤'의 독일어명. 「끼침. [1881-1943]

슈테틴 〔Stettin〕 명 〖지〗 '슈체친(Szczecin)'의 독일어명.

슈테판¹ 〔Stefan, Josef〕 명 〖사람〗 오스트리아의 물리학자. 1863년 빈 대학 교수. 고온 물체(高溫物體)의 열방사를 측정하고 전(全)방사 에너지가 절대 온도의 4제곱에 비례함을 확인함. 전기·기체 분자 운동론 및 유체 역학(流體力學)도 연구함. [1835-93]

슈테판² 〔Stephan, Heinrich von〕 명 〖사람〗 독일의 정치가·우정(郵政) 개혁가. 우편 엽서의 창안자로 일컬어지며, 만국 우편 연합의 창설에 공헌하여 만국 우편 연합 조약을 기초함. [1831-97]

슈테판 볼츠만의 법칙 【—法則】 [—/—에—] 명 〔Stefan-Boltzmann's law of radiation〕 〖물〗 여러 가지 온도의 흑체(黑體)의 단위 표면적으로부터 단위 시간에 방출되는 방사 에너지의 총량은 절대 온도의 4제곱에 비례한다는 법칙. 슈테판이 발견하고 볼츠만이 이론적으로 증명함. 고온 측정(高溫測定)에 이용됨.

슈템 〔도 Stemm〕 명 스키에서, 스키의 선단(先端)을 붙인 채 후단(後端)을 V자형으로 벌리는 일. 회전(回轉)이나 속도 조절 따위에 씀.

슈템-베델른 〔도 Stemmwedeln〕 명 스키의 활주(滑走) 기술의 하나. 슈템에 의한 베델른, 곧 연속적 소회전(小回轉)을 말함.

슈템보:겐 〔도 Stemmbogen〕 명 스키에서, 회전과 사활강(斜滑降)의 수법을 번갈아 쓰는 회전법. 반제동(半制動) 회전.

슈템-크리스티아니아 〔도 Stemmkristiania〕 명 스키의 회전 기술의 하나. 회전할 때, 산(山) 쪽의 스키의 후단(後端)을 약간 벌리다가, 회전이 시작되면 양(兩)스키를 합쳐서 회전하는 방법. 제동 회전.

슈토름 〔Storm, Theodor〕 명 〖사람〗 독일의 소설가·시인. 북(北)독일의 암울한 풍토에 밀착한 섬세하고 감각적인 표현으로, 독일 서정시의 역사에 중요한 자리를 차지하며, 그의 소설은 19세기 독일의 리얼리즘을 대표함. 소설로는 《호반》·《바다 저편에서》·《백마의 기수》·《후견인 카르시텐》 등이 있으며, 시집 한 권이 있음. [1817-88]

슈토스 〔Stoss, Veit〕 명 〖사람〗 독일 후기 고딕의 대표적 조각가·화가. 조각은 목조(木彫)를 장기(長技)로 하며, 인물의 극적인 동감(動感)과 내면의 표현 등에 능함. 고딕 조각 최후의 대작이라고 하는 크라쿠프(Kraków)의 마리아 성당의 제단(祭壇)이 대표작임. [1440?-1533]

슈토크 〔도 Stock〕 명 스키의 막대기. 선단에 바퀴, 끝에는 송곳이 달렸는데, 두 손에 쥐고 밀어 나아가는 데 쓰임.

슈톡하우젠 〔Stockhausen, Karlheinz〕 명 〖사람〗 독일의 현대 음악 작곡가. 전자 음악의 제1인자. 1953년 전위적 작품 《콘트라풍크테》로 각광을 받고, 이후 쾰른 방송국 전자 음악 스튜디오에서 창작을 개시, 《습작 Ⅰ·Ⅱ》에 이어 전자음과 인성(人聲)에 의한 《소년의 노래》 등 전자 음악의 여러 걸작을 발표함. [1928-]

슈투름 운트 드랑 〔도 Sturm und Drang〕 명 〔질풍 노도(疾風怒濤)의 뜻〕 〖문〗 18세기 후반, 독일에서 일어난 혁신적 문학 운동. 종래의 합리주의와 계몽주의의 반동(反動)으로서, 개성(個性)의 존중, 감정의 자유 및 천재주의를 부르짖고 국민 문학의 창조에 노력하였음. 하만 등을 선구(先驅)로 하고, 젊은 괴테·실러 등이 그 중심이 되었음.

슈투트가르트 〔Stuttgart〕 명 〖지〗 독일 남부, 바덴뷔르템베르크 주(Baden-Württemberg 州)의 주도. 네카어 강(Neckar 江)가에 있는 항구 도시로 교통의 요지이며 산업·문화의 중심지임. 전기(電機)·자동차·광학 기계·섬유 등의 공업과 출판이 성함. [565,486 명(1987)]

슈투트가르트 실내 관:현악단 【—室內管絃樂團】 [—래—] 〔Stuttgart〕 명 독일의 실내악단. 1945년에 슈투트가르트에서 창설되었으며, 특히 바흐 연주로 정평이 있음.

슈툼프 〔Stumpf, Carl〕 명 〖사람〗 독일의 심리학자·철학자. 심적 기능과 현상을 구별하고, 전자를 심리학의 대상, 후자를 현상학(現象學)의 대상으로 삼음. 실험 현상학의 선구자로 불리는데 지각이나 감각에 관한 저술이 많고, 특히 《음향 심리학》은 유명함. [1848-1936]

슈:트¹ 〔shoot〕 명 야구에서, 투수가 던진 속구(速球)가 타자(打者) 앞에 와서 커브를 이루는 일. 또, 그 공. ＊슛. 「웃과 스커트로 된 여성복 한 벌.

슈:트² 〔suit〕 명 ①의복. 양복. ②신사복 한 벌 또는 웃

〈슈트²❷〉

슈트라스부르거 〔Strasburger, Eduard〕 명 〖사람〗 독일의 식물학자. 조직학·발생학(發生學)의 연구 방법을 대성함. 특히 식물의 수정(受精) 과정·수정 기관(器官)·세포 핵분열을 연구하였음. 주저에 ≪수정 및 세포 분열≫·≪현화(顯花) 식물의 수정 과정≫이 있음. [1844-1912]

슈트라:스부르크 〔도 Strassburg〕 명 〖지〗 '스트라스부르'의 독일어명.

슈트라우스[1] 〔Strauss, David Friedrich〕 명 〖사람〗 독일의 종교 철학자. 헤겔 좌파(左派)의 지도자. 저서 ≪예수의 생애≫에서, '복음서(福音書)는 신화이며 민족적인 서사시'라 하여 물의(物議)를 일으켜, 헤겔 학파를 분열(分裂)로 이끌었음. [1808-74]

슈트라우스[2] 〔Strauss, Johann〕 명 〖사람〗 ①오스트리아의 작곡가·지휘자. '왈츠의 아버지'라고 불림. 19세기 전반 빈에서 악단을 조직하여 인기를 얻었으며, 이른바 '빈 왈츠'의 양식(樣式)을 확립함. ≪라디츠키 행진곡≫ 등 약 150곡의 왈츠곡이 있음. [1804-49] ②작곡가. ❶의 아들. 빈 왈츠를 예술의 경지로 대성시켜, '왈츠의 왕'으로 불리며, 500여 편의 작품을 발표, 그 중 ≪아름답고 푸른 도나우≫·≪빈 숲속의 이야기≫·≪황제 왈츠≫·≪남국의 장미≫·≪예술가의 생애≫ 등이 유명함. [1825-99]

슈트라우스[3] 〔Strauss, Richard〕 명 〖사람〗 독일의 작곡가·지휘자. 브람스(Brahms)·바그너(Wagner)·베를리오즈(Berlioz)의 영향을 받아, 표제 음악적 경향의 대곡(大曲)을 만듦. 1833년 이래 지휘자로서도 활약하였음. 대표작으로 오페라 ≪장미의 기사(騎士)≫·≪살로메(Salomé)≫ 등이 유명함. [1864-1949]

슈트레제만 〔Stresemann, Gustav〕 명 〖사람〗 독일의 정치가. 국민 자유당·인민당의 당수로 1923년 수상(首相)에 취임, 로카르노(Locarno) 조약을 체결하고 국제 연맹에 가입하는 등 평화에 힘써, 1925년 노벨 평화상을 받음. [1878-1929]

슈트로펜리:트 〔도 Strophenlied〕 명 〖악〗 두 개 이상의 절(節)을 갖는 시(詩)에 대하여, 각 절을 동일한 선율로 반복하여 노래하도록 된 가곡.

슈트로하임 〔Stroheim, Erich von〕 명 〖사람〗 미국의 영화 감독·배우. 오스트리아 태생. 무성(無聲) 영화 시대에는 리얼리즘 작품을 연출, 토키 이후는 개성이 강한 배우로서 활약함. [1885-1957]

슈:트-케이스 〔suitcase〕 명 여행용 소형 가방.

〈슈트케이스〉

슈티르너 〔Stirner, Max〕 명 〖사람〗 독일의 철학자. 여학교 교사로 근무하면서 명저 ≪유일자(唯一者)와 그 소유≫를 저술, 철저한 자기주의(自己主義)의 철학을 수립하여 포이어바흐(Feuerbach) 등과 논쟁함. 멸시와 빈곤 속에 죽음. [1806-56]

슈티뭉 〔도 Stimmung〕 명 기분. 감정. 정조.

슈티펠 〔Stifel, Michael〕 명 〖사람〗 독일의 수학자. 문자 기호를 본격적으로 사용, 또 지수(指數)·로그의 개념(槪念)을 도입(導入)하여, 처음으로 루트 기호(√‾)를 사용함. 주저에 ≪유리(有理) 수학≫이 있음. [1487-1567]

슈티프터 〔Stifter, Adalbert〕 명 〖사람〗 오스트리아의 작가. 빈 대학에서 공부하고 화가(畫家)를 지망했으나, 단편 ≪콘도르(Kondor)≫로 인정을 받아 작가가 됨. 인간 형성의 과정을 도드라지게 묘사, 대표작으로 ≪만하(晩夏)≫가 있음. [1805-68]

슈틸 〔도 Stil〕 명 ①양식. ②문체(文體).

슈:팅 〔shooting〕 명 구기(球技)에서, 골이나 바스켓에 공을 차거나 던져서 넣는 일. ——하다 자타여불

슈:팅 스크립트 〔shooting script〕 명 〖연〗 콘티뉴이티(continuity).

슈:퍼 〔super〕 명 ①다른 것보다 특별히 뛰어남을 나타내는 말. ②↗슈퍼헤테로다인 수신기(superheterodyne受信機). ③↗슈퍼임포즈. ④↗슈퍼마켓. ⑤↗슈퍼스토어.

슈:퍼-레이디 〔superlady〕 명 꿋꿋하게 자기의 길을 개척하여 나아가는 여장부.

슈:퍼 롱 루크 〔super long look〕 명 1974년 등장한 루크. 롱 스커트와 롱 풀오버(long pullover)로 한 벌을 이룬, 세로로 긴 이미지를 강조하고 헐겁게 디자인한 스타일.

슈:퍼 리얼리즘 〔super realism〕 명 〖미술〗 팝 아트(pop art) 이후의 미국 미술의 새로운 경향의 하나. 사진과 똑같이 표사하는 것을 특색으로 하고 있음.

슈:퍼-마:켓 〔supermarket〕 명 식료품계에 발달한 연쇄 시장. 판매원이 거의 없고 대금은 계산대에서 지불되는 형식임. ㊟슈퍼.

슈:퍼-맨 〔superman〕 명 초인(超人)❶.

슈퍼-바이저 〔supervisor〕 명 슈퍼비전 업무를 담당하는 특정한 사람.

슈:퍼 밴텀급 【—級】 〔—끕〕 〔super bantam〕 명 '주니어 페더급'의 더블유 비 시(WBC)에서의 일컬음.

슈:퍼-버그스 〔superbugs〕 명 유전 공학에서 개발된 것으로, 일반 자연계에서 발견되는 미생물들이 갖지 못한 특수한 능력을 갖는 미생물군. 특히 유전자 조작 형질 접합을 통하여 탄생한 슈퍼버그스에는 공해 물질 분해 능력이 있어 환경 복원을 위한 이용이 기대됨.

슈:퍼 볼: 〔Super Bowl〕 명 미국의 프로 미식 축구의 왕좌 결정전.

슈:퍼-비전 〔supervision〕 명 ①〖교〗 교사의 직능적 자질의 향상과 교육 목표·교재·학습 지도의 방법·평가 방식 등에 관하여 교직원을 원조하고, 수업 개선을 위하여 조직된 교육 행정관의 활동. ②〖사〗 사회 복지 기관(社會福祉機關)의 종사자가 업무를 수행하는 데 그 지식과 기능(技能)을 최대로 활용하고, 그 능력을 향상하여 최대의 효과를 올리게 하기 위하여 특정한 스태프의 원조와 지도.

슈:퍼 삼백일조 【—三百一條】 〔—쪼〕 명 〔Super 301 Article〕 〖경〗 1974년 미국 통상법 제 301조를 개정하여 불공정 무역 관행국에 대한 보복 조치와 그 발동 절차를 규정한 것. 가장 보호주의적 색채가 짙은 조항임.

슈:퍼-세션 〔super-session〕 명 록(rock)·포크(folk)·포플러(poulpar) 계통의 콘서트에서, 일류 연주자와 가수가 협력, 공연(共演)하는 일.

슈:퍼-세이버 〔supersaber〕 명 미국의 최신형 공군 전투기의 하나. 표시는 F 100으로서, F 86보다 그 속력이 두 배나 됨. 수평 속도(水平速度)에서 음속을 초과하며, 후퇴각(後退角)이 특히 현저함.

슈:퍼-소닉 〔supersonic〕 명 초음속(超音速)의 뜻. 공기 속을 전파(傳播)하는 음파보다도 빠른 속도의 뜻으로 사용되는 말.

슈:퍼 수신기 【—受信機】 〔super〕 명 〖전〗 ↗슈퍼헤테로다인 수신기.

슈:퍼-스코:프 〔superscope〕 명 〖연〗 새로운 와이드 스크린 영화(映畫). 1954년에 미국에서 완성된 것으로, 시네마스코프용 렌즈의 확장률을 1-2.5 배까지 연속적으로 변경할 수 있고, 또한 프리즘 효과를 이용한 점 등이 새로움.

슈:퍼-스타 〔superstar〕 명 거물급의 배우·가수·운동 선수 등. 초대형(超大型) 스타.

슈:퍼스테인리스-강 【—鋼】 〔superstainless〕 명 혹심한 환경에도 견딜 수 있는 소재로서 개발된 고성능 스테인리스강. 종래의 스테인리스보다 크롬이나 몰리브덴의 양을 늘린 것임. 해수(海水)로부터 식수를 만들 때에 가열하는 고온의 해수에서도 내구력이 강하며, 성형(成形) 가공이나 용접도 용이함.

슈:퍼-스토어 〔superstore〕 명 잡화·식료품을 중심으로 판매하는 대규모적인 소매점(小賣店). ㊟슈퍼.

슈:퍼-스페셜 〔superspecial〕 명 〖연〗 영화 등의 초특작품(超特作品).

슈:퍼-임포:즈 〔superimpose〕 명 〖연〗 〔위에 겹친다는 뜻〕 영화 자막을 화면에 밀착시키는 일. ㊟슈퍼.

슈:퍼-차:저 〔supercharger〕 명 〖기〗 과급기(過給器).

슈:퍼-컴 명 ↗슈퍼컴퓨터.

슈:퍼-컴퓨터 〔supercomputer〕 명 과학 기술 계산 전용(專用)의 초고속·초대형 컴퓨터. 종래의 범용(汎用) 대형 컴퓨터의 10-1000 배의 계산(計算) 속도를 가짐. ㊟슈퍼컴.

슈:퍼-탱커 〔supertanker〕 명 대형 유조선. 보통 30,000 톤 이상.

슈:퍼파:킹 시스템 〔superparking system〕 명 철골 엘리베이터식 주차 설비. 구동 횟수와 구동 거리를 대폭 단축하여 기존 방식보다 입출고(入出庫) 시간을 줄일 수 있음.

슈:퍼포:즈-법 【—法】 〔superpose〕 〔—뻡〕 명 변사 시체가 인상(人相)이 확실하지 아니한 경우에 그 골격 사진을 찍어서 행방 불명자 등의 해당자라고 인정되는 사람의 몇 장의 인체(人體) 사진을 하나하나 이중 밀착(二重密着)하여 그 대조로부터 시체의 신원을 알아 내는 방법.

슈:퍼-포:트리스 〔superfortress〕 명 〖군〗 하늘의 요새(要塞). B 29 또는 B 52와 같은 중폭격기를 이름.

슈퍼 플라이급 【—級】 〔super fly〕 〔—끕〕 명 '주니어 밴텀급'의 더블유 비 시(WBC)에서의 일컬음.

슈:퍼-필름 〔superfilm〕 명 〖연〗 초특작 영화(超特作映畫).

슈:퍼 하이 드래프트 〔super high draft〕 명 〖기〗 고성능 정방기(精紡機). 능력은 종래 기계의 100-300 배임.

슈:퍼 헤비급 【—級】 〔—끕〕 명 레슬링·역도 등에서, 체중에 따라 분류한 등급의 하나. 아마추어 국제 경기의 경우, 레슬링에서는 100 kg급 이상, 역도에서는 110 kg급 이상임.

슈:퍼헤테로다인 수신기 【—受信機】 〔superheterodyne〕 명 〖전〗 수신 회로에서 어느 특정한 주파수의 고주파를 발생시키어 입사(入射) 전파에 가하여 그로 인한 전파의 주파수의 차(差)를 만들어서 이를 증폭·검파(檢波)하는 방식의 수신기. ㊟슈퍼·슈퍼 수신기.

슈:퍼 화요일 【—火曜日】 명 〔super Tuesday〕 미국 대통령 선거를 위한 후보자 지명 전반전(前半戰)의 최대 고비인 3월의 둘째 화요일. 각 당이 지명 후보를 정하는 것은 여름의 전국 대회인데, 대회 대의원은 주(州) 단위의 예비 선거나 당원 집회를 통하여 선출되므로 그것이 집중되는 슈퍼 화요일이 그만큼 중요함.

슈:퍼 휘:트 〔미 Super Wheat〕 명 〖농〗 미국에서 개발된 26.5%의 단백질(蛋白質)을 함유하는 신품종의 밀. 미주리 대학의 위스텔 교수가 와일드 엠마 밀과 염소풀을 교배(交配)하여 만듦. 이삭이 약해 낟알이 쉽게 떨어지는 것이 단점임.

슈:퍼-히:터 〔superheater〕 명 〖기〗 과열기(過熱器).

슈페너 〔Spener, Philipp Jakob〕 명 〖사람〗 독일의 프로테스탄트 신학자. '경건(敬虔)주의의 아버지'라고 불림. ≪충심(衷心)≫ 등 저서가 있음. [1635-1705]

슈페만 〔Spemann, Hans〕 명 〖사람〗 독일의 동물학자. 영원(蠑螈)의 알을 이용하여 동물의 배아(胚芽) 성장에 관한 유도 작용을 발견함으로써 1935년 노벨 생리 의학상을 받음. [1869-1941]

슈펜더 〔도 Spender〕 명 수혈(輸血)을 위하여 혈액을 공급하는 사람. 급혈자(給血者).

슈펠트 〔Shufeldt, Robert W.〕 명 〖사람〗 미국의 해군 제독(提督). 1882년 미국 전권 위원으로서 군함 스와타라(Swatara) 호(號)를 타고 청나라의 마건충(馬建忠)·정여창(丁汝昌) 등과 함께 인천 앞바다 호도(虎島)에 정박, 조선의 전권 대관(全權大官) 신헌(申櫶), 부관 김홍집(金弘集)과 제물포에서 조미(朝美) 수호 통상 조약을 조인함. [1822-95]

슈펭글러 〔Spengler, Oswald〕 명 〖사람〗 독일의 역사가·철학자. 주저(主著) ≪서양의 몰락≫은 문화를 유기체(有機體)로 보고, 생성(生成)·번영·쇠퇴·몰락의 과정을 밟는 것인데, 서유럽의 문명이 바로 위기(危機)에 처해 있다고 주장하여, 제1차 세계 대전 후의 사상계에 커다란 영향을 끼침. 그 외의 저서 ≪결단의 해≫ 등. [1880-1936]

슈폐ᄒᆞ다 자 〈옛〉 폐 끼치다. 해(害)롭게 하다. ¶므슴 슈폐ᄒᆞᆫ 곳이 이시리요(有甚麼定害處)≪老乞 上 39≫.

슈포어 〔Spohr, Louis〕 명 〖사람〗 독일의 작곡가·바이올리니스트. 카셀

(Kassel)의 궁정악장으로 활약함. 오페라 ≪파우스트≫ 등은 독일 국민 오페라 성립에 공헌했음. 교향곡·바이올린 협주곡·실내악곡 등 다수가 있음. [1784-1859]

슈푸어 〔도 Spur〕 명 스키에서, 미끄러져 간 자국.

슈:프 〔도 Schub〕 명 〖의〗 한때 회복한 폐결핵이 돌연 재발하는 일.

슈프랑거 〔Spranger, Eduard〕 명 〖사람〗 독일의 철학자·교육학자. 튀빙겐(Tübingen) 대학 교수. 딜타이의 영향으로 우선 생(生)의 유형(類型)의 사고로부터 출발, 문화 현상의 형이상학적인 이해를 시도하였고, 또 이 관점에서 정신 과학적 심리학도 주장하였음. 주저(主著) ≪생(生)의 여러 형식(形式)≫·≪문화와 교육≫ 등. [1882-1963]

슈프레히코:어 〔도 Sprechchor〕 명 〖연〗 시나 대사(臺詞)를 합창의 형식으로 연호(連呼)하는 일. 슬로건 등을 호소(呼訴)하는 데 효과적임.

슈프렝겔 〔Sprengel, Christian Konrad〕 명 〖사람〗 독일의 식물학자. 식물의 수분(受粉)·수정(受精)이 곤충(昆蟲)에 의해 매개(媒介)되는 것을 처음으로 지적하였고, 또 꽃의 구조에 의한 식물 분류를 표시했음. 주저 ≪꽃의 구조와 수정에서 밝혀진 자연의 신비≫ 등. [1750-1816]

슈프룽 〔Sprung, Adolf Friedrich Wichard〕 명 〖사람〗 독일의 기상학자. 포츠담 기상 지자기(氣象地磁氣) 관측소장. 정밀한 자기 기압계(自記氣壓計)를 고안했음. [1848-1909]

슈프링거[1] 〔Springer, Anton〕 명 〖사람〗 독일의 미술사가(美術史家). 본 및 라이프치히 대학 교수를 역임. 총괄적(總括的)인 기술 방법으로 실증(實證)주의의 미술사를 확립하여 미술사학에 큰 영향을 끼침. 주저(主著)에 ≪미술사 전서(全書)≫ 등이 있음. [1825-91]

슈프링거[2] 〔Springer, Axel Cäsar〕 명 〖사람〗 서독 최대의 신문·잡지 기업 경영자. 함부르크를 본거로, 제2차 대전 후 급속히 사업을 발전시켜 서독 최대의 대중지·고급지·주간지 등을 발행함. 발행 부수의 자국내 점거율은 신문 40%, 잡지 10%(1969)에 달함. [1912-]

슈플뤼겐 고개 〔Splügen〕 명 〖지〗 스위스·이탈리아 국경의, 알프스를 넘는 고개. 스위스 남동부의 슈플뤼겐과 이탈리아의 코모 호(Como湖) 북안에 이르는 계곡을 잇는 노상(路上)에 있음. 고대 로마 시대부터 이용되었으며 19세기에 근대적인 도로가 건설됨. [2,113 m]

슈피:겔 명 〔Der Spiegel〕 서독의 대표적 보도 전문 주간지. 1947년 창간. 자유와 민주주의의 입장에 서서, 예리한 정부 비판의 논조로 알려짐. 1962년 나토군의 기밀 누설 기사를 게재하여, 편집 책임자가 체포된 사건은 언론 자유의 문제에서 정치적 대립으로 발전하여, 내외에 커다란 반향을 불러일으켰음.

슈피리 〔Spyri〕 명 〖사람〗 스위스의 여류 아동 문학 작가. 1870년경부터 어린이들을 위한 작품을 쓰기 시작하여, 활발하며 종교적 감정이 깃들인 많은 작품을 남김. ≪어린이와 어린이를 사랑하는 사람들을 위한 이야기≫ 중 ≪알프스의 소녀≫는 아동 문학의 고전격(古典格)임. [1827-1901]

슈피리어 호 【一湖】 〔Superior〕 명 〖지〗 미국 5대호의 가장 서쪽에 있는 최고 수위(水位)의 호수. 호안(湖岸)에서 철광(鐵鑛)을 산출하며 어획(漁獲)도 많고 수운(水運)이 편리함. 서안(西岸)에는 섬이 많고 풍광(風光)이 아름다움. 세계 제2의 대호(大湖). [84,131 km²]

슈피어리오리티 콤플렉스 〔superiority complex〕 명 〖심〗 우월 복합(優越複合). 우월감.

슈피텔러 〔Spitteler, Carl〕 명 〖사람〗 스위스의 시인·작가. 회의적인 철학 사상을 지니고 생(生)의 신화(神話)를 구성하려 하였으며, 서사시 ≪올림피아의 봄≫으로 1919년 노벨 문학상을 받았음. [1845-1924]

슈피:트호프 〔Spiethoff, Arthur August Caspar〕 명 〖사람〗 독일의 경제학자. 본 대학(Bonn大學) 사회 경제학 교수. 주저(主著)에 ≪경기 이론(景氣理論)≫이 있음. [1873-1957]

슈푸롬 명 〈옛〉 휘파람. =푸롬. ¶슈푸롬 쇼. 우소후구(嘯)≪倭解 上 43≫.

슉기 명 〈방〉 〖식〗 옥수수(함경).

슌 명 〈옛〉 순채(蓴菜). ¶슌 슌(蓴)≪字會 上 14≫.

슐라긴트바이트 〔Schlagintweit, Emil〕 명 〖사람〗 독일의 동양학자. 탐험가인 세 명의 형(兄)들이 가져온 티베트 지방의 문헌 자료를 정리함. 주저에 ≪티베트의 불교≫가 있음. [1835-1904]

슐라긴트바이트 형제 【一兄弟】 〔Schlagintweit〕 명 〖사람〗 독일의 탐험가이며, 동양학자인 형제. 곧, 헤르만(Hermann; 1826-82), 아돌프(Adolf; 1829-57), 로베르트(Robert; 1883-85)의 삼형제. 이들 세 사람은 영국 동인도 회사의 의뢰를 받고, 1854-57년에 히말라야·카라코람(Karakoram) 산맥·쿤룬(崑崙) 산맥·서부 티베트 등을 탐험했으며 아돌프는 더 나아가 시베리아로 가는 도중, 원주민에게 살해됨. 이 탐험으로 얻은 막대한 자료를 동양학자인 막내 에밀(Emil)이 정리함.

슐라이덴 〔Schleiden, Matthias Jakob〕 명 〖사람〗 독일의 세포학자(細胞學者). 교수로 여러 곳을 전전하였으며 친구인 슈반(Schwann, T.)과 함께 세포설(細胞說)의 발전에 공헌함. [1804-81]

슐라이어마허 〔Schleiermacher, Friedrich Ernst Daniel〕 명 〖사람〗 독일의 철학자·신학자. 베를린(Berlin) 대학의 창립에 헌신하고 동 대학 교수로 있으면서 그의 종교 강연에서 종교의 본질을 '무한자(無限者)에 대한 절대적 의존의 감정'이라 규정, 근대 신학의 아버지로 불리며, 그의 신학상의 공적은 철학상의 칸트(Kant)와 비교됨. [1768-1834]

슐라이허 〔Schleicher, Kurt von〕 명 〖사람〗 독일의 군인·정치가. 국방군을 배경(背景)으로 제1차 세계 대전 후의 독일 정계에서 활약, 국방상에 이어 수상까지 지냈음. 군부 독재를 시도하다 실패, 실각 후 나치스에게 암살당함. [1882-1934]

슐라프자크 〔도 Schlafsack〕 명 등산 용구로, 주머니같이 만든 이불. 침낭(寢囊). 슬리핑 백.

슐레겔 〔Schlegel〕 명 〖사람〗 ①〔August Wilhelm von S.〕 독일의 문학자·비평가. 독일 낭만파(浪漫派)의 이론적 지도자로, 동생과 함께 잡지 '아테네움(Athenäum)'을 중심으로 활동함. 주저(主著)로 ≪극예술 및 문학에 관한 강화≫ 외에 셰익스피어(Shakespeare)의 독역(獨譯)은 그의 큰 공적임. [1767-1845] ②〔Friedrich von S.〕 독일의 철학자·역사가·작가. ❶의 동생. 형과 함께 낭만파 운동에 종사, 소설 ≪루친데(Lucinde)≫는 낭만주의 세계관을 그린 작품이며, ≪문학 대화(文學對話)≫는 낭만파 문학 이론의 지침이 되었고, 이 밖에 인도어의 연구가 있음. [1772-1829]

슐레스비히 〔Schleswig〕 명 〖지〗 ①독일 슐레스비히홀슈타인 주(州)의 북반부(北半部), 덴마크와 국경을 접한 지역. 유틀란트(Jutland) 반도의 남부에 해당함. 낙농·어업이 행하여지고, 조선(造船)·식품 가공업이 있음. 1386년 홀슈타인과 합체(合體), 1460년 덴마크와 동군(同君) 연합, 19세기에 그 귀속을 둘러싸고 슐레스비히홀슈타인 문제가 야기됨. ②서부 독일 슐레스비히홀슈타인 주의 도시. 어항으로 피혁 공업의 중심지. 옛 성과 12세기의 주교 성당이 있음. [30,000 명(1981)]

슐레스비히-홀슈타인 〔Schleswig-Holstein〕 명 〖지〗 독일의 서북부(西北部)의 주(州). 유틀란트(Jutland) 반도 기부(基部)의 저습지(低濕地)로, 농업·목축업이 주임. 주민은 대부분이 독일 사람임. 원래는 슐레스비히와 홀슈타인의 두 공국(公國)이었으나 관리 문제로 1866년에 프로이센과 오스트리아 사이에 전쟁이 있은 뒤에 모두 프로이센에 합병되었다가 1920년 북부 슐레스비히는 덴마크의 영토가 됨. 1949년에 주(州)로 승격. 주도는 킬(Kiel). [15,720 km² : 2,616,000 명(1981)]

슐레자크 〔Slezak, Leo〕 명 〖사람〗 독일의 테너 가수. 바그너·베르디의 오페라와 독일 가곡을 즐겨 불렀으며 구미(歐美) 각지에서 활약하였음. [1873-1946]

슐레지엔 〔Schlesien〕 명 〖지〗 유럽 중북부 오데르 강(Oder江)의 상류 지방. 폴란드 남서부가 주요 지역으로, 인접한 체코·독일 동부의 일부를 이룸. 비옥한 농업 지대인데 동부에는 석탄·아연·납·철 등의 광산물이 많아 철강(鐵鋼)·화학·제당(製糖)·기계·유리·직물·종이 등의 대공업 지구임. 1919년경에는 대부분 독일령(領)의 한 주였으나 1945년 포츠담 선언과 더불어 대부분이 폴란드령(領)이 되었음. 중심 도시는 브로츠와프(Wrocław). 폴란드 명은 슐롱스크(Śląsk). 영어명은 실레지아(Silesia). [50,000 km²]

슐레지엔 전:쟁 【一戰爭】 〔Schlesien〕 명 〖역〗 슐레지엔을 둘러싼 오스트리아·프로이센 사이의 세 차례에 걸친 전쟁. 오스트리아 계승 전쟁의 일부를 이룸. 1차전은 1740-42년, 2차전은 1744-48년, 3차전은 1756-63년에 있었음. 실레지아 전쟁.

슐레지엔-파 【一派】 〔도 Schlesien〕 명 〖문〗 17세기 독일의 슐레지엔 지방에서 일어난 문학 운동. 30년 전쟁 후, 외국 문학의 모방이 범람하자 자국의 문화와 언어를 앙양(昂揚)하게 하고자 한 운동이었으나, 크게 발전하지 못하였음.

슐레징어 〔Schlesinger Jr. Arthur M.〕 명 〖사람〗 미국의 역사학자·교육가. 하버드 대학 졸업. 1954년 하버드 대학 역사학 교수, 66년 뉴욕 시립 대학 교수를 역임하고, 61-64년에 케네디 및 존슨 대통령의 특별 보좌관을 지냄. 저서에 ≪잭슨 시대≫·≪케네디 1000일≫·≪루스벨트 시대≫ 등이 있음. [1917-]

슐로서 〔Schlosser, Julius von〕 명 〖사람〗 오스트리아의 미술사가(美術史家). 빈(Wien) 대학 교수, 빈 미술사 박물관장. 미술사의 문헌적 연구에 공헌했음. [1866-1938]

슐룬트 〔도 Schlund〕 명 〖등산〗 얼음이나 눈과 바위 사이의 간극(間隙).

슐뤼터[1] 〔Schlüter, Andreas〕 명 〖사람〗 독일 바로크의 조각가·건축가. 함부르크 태생. 1694년 프로이센의 궁정 건축가가 되어 베를린 왕궁 등을 조영(造營)함. 페테르부르크에 옮겨 표트르 대제(Pyotr大帝)에 봉직하였음. 이탈리아·프랑스의 영향을 받아들이면서 독일적인 격렬한 표현성을 나타냈음. [1664-1714]

슐뤼터[2] 〔Schlüter, Otto〕 명 〖사람〗 독일의 지리학자. 비텐베르크(Wittenberg) 태생. 헤트너(Hettner, Alfred; 1859-1941)와 더불어 독일 지리학계의 지도적 지위에 있었음. 지리학에 있어서의 경관(景觀)의 연구의 중요성을 강조, 문화 경관의 형태학(形態學)을 수립하였음. 주저에 ≪인문 지리학의 목적과 방법≫이 있음. [1872-1959]

슐리:렌-법 【一法】 〔一뻡〕 명 〔도 Schlieren-Methode〕 〖물〗 투명한 매질(媒質) 속에서, 굴절률이 조금씩 서로 다른 부분이 있을 때, 빛의 진행 방향의 변화를 이용하여 그 부분이 뚜렷하게 눈에 보이게 하는 광학적 방법. 공기 중의 음파(音波)의 진행 상황, 불꽃에 의한 기류 상승, 광학 렌즈의 결함 따위를 관찰할 수 있음. 1864년 퇴플러(Toepler, A.J.I.)가 고안했음.

슐리:만 〔Schliemann, Heinrich〕 명 〖사람〗 독일의 고고학자(考古學者). 호메로스(Homēros)의 ≪일리아드(Iliad)≫에서 힌트를 얻어 세 차례에 걸쳐 트로이(Troy)의 발굴을 행하고 다음 미케네(Micaene)·티린스(Tyrins)를 발굴하여 에게 문명(Aege文明) 해명에 공헌하였음. 저서에 ≪트로이의 고대≫·≪미케네≫ 등이 있음. [1822-90]

슐리크 〔Schlick, Moritz〕 명 〖사람〗 독일의 철학자. 빈 학단(學團)을 대표하는 한 사람. 마흐(Mach, Ernest; 1838-1916)의 감각론적 실증주의(感覺論的實證主義)를 계승하고, 물리학의 인식론적(認識論的) 연구에 종사, 이론 물리학에 기초를 두는 실증적 철학을 제창했음. 저서에 ≪현대 물리학에 있어서의 공간과 시간≫·≪일반 인식론≫·≪윤리학의 문제≫ 등이 있음. [1882-1936]

슐리:펜 〔Schlieffen, Alfred von〕 명 〖사람〗 독일의 군인. 육군 참모 총장. 1905년 러시아·프랑스와의 동시 양면 전쟁에 있어서 소위 슐리펜 플랜(Schlieffen Plan)이라는 작전 계획을 입안하였음. 이것은 우선 군의 주력으로 벨기에·네덜란드를 통하여 프랑스군을 급습, 포위·섬멸하고 그 후 즉시 주력을 동쪽으로 돌려 러시아군을 치는 계획임. 제1차·제2차 양대전에서도 거의 이 작전을 답습하였음. [1833-1913]

슐체[1] 〔Schultze, Max Johann Sigismund〕 [명] 〚사람〛 독일의 세포학자. 베를린 대학에서 뮐러(Müller, J.)의 지도를 받음. 할레(Halle) 대학을 거쳐 본(Bonn) 대학 교수를 지냄. 원형질 개념(原形質槪念)을 확립함. [1825-74]

슐체[2] 〔Schulze, Gottlob Ernst〕 [명] 〚사람〛 독일의 철학자. 회의론적 입장에서 칸트의 인식론에 대립했음. [1761-1833]

슐체-델리치 〔Schulze-Delitzsch, Franz Hermann〕 [명] 〚사람〛 독일의 사회 운동가. 협동 조합의 창설자. 국회 의원으로서 협동 조합법의 제정에 진력했음. [1808-83]

슐츠 〔Schultz, Theodore William〕 [명] 〚사람〛 미국의 농업 경제학자(農業經濟學者). 1943년 이후 시카고 대학 교수. 농무성(農務省)·상무성의 고문, 경제 개발 위원회 위원, 국제 연합의 미개발국 조사 위원 등을 겸임(兼任)함. 경제 발전에서 차지하는 인간 자본(人間資本)의 중요성을 강조하고, 통계적 분석에 의해 미국 농업 경제의 실태를 해명함. 1979년 노벨 경제학상을 탐. 저서로는 ≪인간 자본론≫·≪경제 구조와 농업≫ 등이 있음. [1902-]

슐츠찰:턴 시험 【―試驗】 [명] 〔Schultz-Charlton test〕 〚의〛 성홍열(猩紅熱) 진단에 쓰이는 피부 시험. 사람의 성홍열 면역 혈청을 피내(皮內)에 주사하면, 양성 반응은 주사 부위의 발진(發疹)이 없어지고 둥글게 파란 부위가 생김. 독일의 의사 슐츠와 공동 연구자 찰턴이 함께 1918년에 발견하였음.

슐트헤스 〔Schulthess, Emil〕 [명] 〚사람〛 스위스의 사진 작가. 잡지의 편집자였으나, 2차 대전 후 사진 작가가 됨. 남극·아프리카·중국 등지로 취재하여, 스케일이 큰 중후한 보도 사진을 발표함. [1913-]

슘페터 〔Schumpeter, Joseph〕 [명] 〚사람〛 오스트리아 출생의 미국 경제학자. 1932년 미국에 귀화함. 한계 효용(限界效用)학파의 완성자로, 수리적(數理的) 균형 개념을 이에 도입하였음. [1883-1950]

슛: 〔shoot〕 [명] ①발사(發射). 투척(投擲). ②구기에서, 바스켓이나 골을 향하여 공을 던지거나 차는 일. ③장미 등의 뿌리에서 돋는 새 순이나 줄기. ④〚연〛 영화 촬영에서 촬영을 시작하는 일. *슈트. ――-하다

슛무우 [명] 〈옛〉 순무. =쉿무수. ¶ 슛무우(蔓菁)≪方藥 36≫. [자타][여불]

슝년 【―年】 [명] 〈방〉 흉년(경상).

스가노 마미치 〔菅野眞道 : すがのまみち〕 [명] 〚사람〛 일본에 귀화한 백제의 학자. 근구수왕(近仇首王)의 후예. 간무(桓武) 천황의 칙명으로 나라(奈良) 시대의 정사(正史)인 편년체(編年體) 사서 ≪속일본기(續日本紀)≫ 40권을 수찬(修撰)함. [741-841]

스가랴 〔Zechariah〕 [명] 〚성〛 기원전 6세기 후반의 히브리의 예언자. 구약 성서의 스가랴서(書)는 그의 예언서임.

스가랴-서 【―書】 〔Zechariah〕 [명] 〚성〛 구약 성서의 12 소예언서(小豫言書)의 하나. 스가랴의 예언서로서, 회개(悔改)를 권하고, 실생활에 있어서의 사랑과 진실, 평화를 설득하는 제1부와, 이방인 문제와 평화로운 메시아상(像)에 대해 말한 제2부로 나뉘었음. 즈가리야서.

스공자크 〔Segonzac, André Dunoyer de〕 [명] 〚사람〛 프랑스의 화가. 한때 세잔 등에 흥미를 가졌으나, 신고전주의로 전향하여, 풍경이나 인체를 힘찬 필치로 그리고, 어두운 화면을 구성함. 현대 프랑스에서는 가장 전통적인 화가의 한 사람임. [1884-1974]

스굴 [명] 〈옛〉 시골. ¶ 셔울 스굴히(華野)≪永嘉 下 113≫.

스마볼 [명] 〈옛〉 시골. ¶ 스마볼 軍馬롤 이길씨(克彼鄕兵)≪龍歌 35章≫.

스마올 [명] 〈옛〉 시골. ¶ 辭狀ᄒᆞ고 스마올 갯더니≪三綱 龔勝推印≫.

스까락 [명] 〈방〉 숟가락(경북).

스나 [명] 〈방〉 사내. 남편(함경).

스나이 [명] 〈방〉 사내. 남편(함경).

스나이더 〔Snider〕 [명] 미국의 발명가 스나이더(Snider, J. ; 1820-66)가 발명한 소총. 후장총(後裝銃)임.

스나이프-급 【―級】 〔―끕〕 [명] 〔snipe class〕 요트의 선급(船級)의 하나. 이인승(二人乘)으로, 길이 4.7 m, 나비 1.5 m, 돛의 넓이 10.5 m².

스나죄 [명] 〈방〉 사내아이(함남).

스나-중이 [명] 〈방〉 사내아이(함경).

스나:크 〔Snark〕 [명] 〚군〛 미국 공군의 지대지(地對地) 대륙간 제트 미사일. 길이는 22.2 m, 무게는 16-17 t, 속도는 음속의 0.8배, 사거리(射距離)는 8,000-10,140 km임. 추진 기관은 터보제트로, 천측 항법(天測航法)에 의해 유도되며 원자 폭탄·수소 폭탄의 장치가 가능함.

스내치 〔snatch〕 [명] 역기(力技)에서, 인상(引上).

스낵 바: 〔snack bar〕 [명] 간단히 먹고 마시고 할 수 있는 간이 식당.

스낵 식품 【―食品】 〔snack〕 [명] 포테이토 칩이나 팝콘 등 간식용의 가벼운 식품.

스냅 〔snap〕 [명] ①고리쇠. ② ↗ 스냅 파스너. ③움직이는 물체를 급속히 사진으로 찍는 일. 또, 그 사진. 스냅숏. 스냅 사진. 속사(速寫). ④〚연〛 보통의 사진기로 현장의 촬영 상황을 찍은, 선전용의 스틸(still). 감독, 기타의 제작자 스태프(staff)가 함께 촬영되어 있는 것이 스틸과 다름. ⑤야구에서, 손목의 힘을 이용하여 공을 빠르게 던지는 일. ⑥미식 축구에서, 센터가 백 필드에게 공을 뒤로 던져 주는 일.

스냅 게이지 〔snap gauge〕 [명] 한계(限界) 게이지의 한 가지. 게이지의 입을 공작물에 대고, 원통형·구형(球形)의 지름 또는 입방체의 두께 등을 측정하는 데 씀.

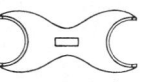

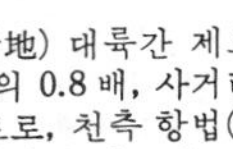
〈스냅 게이지〉

스냅 사진 【―寫眞】 〔snap〕 [명] 움직이는 물상(物像)을 썩 빠른 속도로 찍는 사진. 스냅숏 사진.

스냅-숏 〔snapshot〕 [명] ①속사(速射). ②스냅. 속사(速寫). ③〚연〛 영화에서 시사적(時事的)인 인물이나 사진을 촬영한 사진.

스냅숏 사진 【―寫眞】 〔snapshot〕 [명] 스냅. 스냅 사진.

스냅 위성 【SNAP 衛星】 〔스냅은 system for nuclear auxiliary power의 약칭〕 [명] 미국의 원자력 전원(電源) 개발 계획인 스냅 계획에 의하여 개발된 원자력 보조 전원을 실은 미국의 인공 위성.

스냅 파:스너 〔snap fastener〕 [명] 똑딱단추. [준]스냅.

스너프 〔snuff〕 [명] 콧구멍에 끼워서 향기를 맡는 가루 담배. 코담배.

스네이크 강 【―江】 〔Snake〕 [명] 〚지〛 미국 북서부의 강. 컬럼비아 강의 지류. 옐로스톤 국립 공원에서 발원(發源)하여 워싱턴 주 남동부에서 본류와 합류함. 많은 수력 발전 댐이 건설되고 있음. [1,670 km]

스네이크-우드 〔snakewood〕 [명] 〚식〛 〔*Piratinera guianensis*〕 뽕나뭇과에 속하는 나무. 브라질 원산(原産)으로 재목은 단단하고 겉면에 뱀 같은 무늬가 있음. 단장(短杖)의 재료 및 그 밖의 장식용으로 쓰임.

스넬[1] 〔Snell, George〕 [명] 〚사람〛 미국의 의학자. 메인 주 바하버(Bar Harbor)의 잭슨 연구소 연구원. 유전자의 연구로 면역학 분야에 끼친 공로에 의해 1980년 노벨 생리 의학상을 수상함. [1903-]

스넬[2] 〔Snell, Willebrord〕 [명] 〚사람〛 네덜란드의 수학자. 1616년 레이덴 대학 교수. '굴절(屈折)의 법칙'을 발견함. [1591-1626]

스넬의 법칙 【―法則】 〔―/―에―〕 〔Snell〕 [명] 〚물〛 굴절의 법칙.

스노:[1] 〔snow〕 [명] 눈. 강설(降雪). 적설(積雪).

스노:[2] 〔Snow, Charles Percy〕 [명] 〚사람〛 영국의 소설가·물리학자. 과학과 예술의 관계를 고찰한 논문 ≪두 개의 문화와 과학 혁명≫, 기술 사회 속의 지식인을 그린 연작(連作) 소설 ≪남과 형제(1940)≫로 알려짐. 기타 ≪과학과 정부≫ 외에 탐정 소설 등이 있음. [1905-80]

스노:[3] 〔Snow, Edgar Parks〕 [명] 〚사람〛 미국의 신문 기자. '뉴욕 선'·'데일리 헤럴드(Daily Herald)'지(紙) 등의 특파원으로 중국을 비롯하여 세계 각지를 전전, 취재 활동을 폈으며, 1936년 옌안(延安)의 중공(中共) 지역에 최초로 들어갔음. 저서 ≪중국의 붉은 별≫ 등. [1905-72]

스노:-드롭 〔snowdrop〕 [명] 〚식〛 갈란투스(galanthus).

스노:든 〔Snowden, Philip〕 [명] 〚사람〛 영국의 정치가. 노동당의 재정통(財政通)으로서 알려져, 제1·2차 맥도널드 내각의 재무상을 지냄. 오랫동안, 노동당이 자유 무역주의를 고집해 온 것은 그의 주장에 의하는 바가 큼. 1932년 거국 일치 내각 재무상 때, 보호 무역 정책의 채용을 반대하여 사직함. [1864-1937]

스노:든 산 【―山】 〔Snowdon〕 [명] 〚지〛 영국 그레이트브리튼(Great Britain) 섬의 남서부에 있는 웨일스의 최고봉. 표고 1,085 m, 산마루는 다섯 봉우리로 나뉨. 빙식 지형(氷蝕地形)과 정상의 전망이 뛰어나 경승지로 널리 알려져 있고, 부근 일대는 국립 공원으로 되어 있음. 등산 철도가 있음.

스노: 로:더 〔snow loader〕 [명] 도로용 제설기(除雪機)의 하나. 도로상에서 제거된 눈을 운반용 트럭에 싣는 것을 주목적으로 함.

스노:리 스툴루손 〔Snorri Sturluson〕 [명] 〚사람〛 아이슬란드의 정치가·시인·역사가. 북유럽 신화에 정통하며 시학(詩學) 입문서로 ≪산문의 에다(Edda)≫를 편찬. 또, 노르웨이 왕조사(王朝史) ≪헤임스크링글라(Heimskringla)≫를 씀. 정치적 음모로 암살됨. [1178-1241]

스노:-맨 [명] 〔abominable snowman〕 설인(雪人). 예티(yeti).

스노:-모:빌 〔snowmobile〕 [명] 앞바퀴 대신 썰매를 단 눈자동차.

스노:볼 〔SNOBOL〕 [명] 〔String Oriented Symbolic Language의 약칭〕 〚컴퓨터〛 1964년경 미국의 벨 연구소에서 문자열 조작, 패턴 인식 등을 위해 개발한 고급 프로그래밍 언어. 인공 지능(人工知能)이나 컴파일러를 위한 문자열의 조작에는 편리하나 제어(制御) 구조, 데이터 구조가 좋지 못해 실용화되지 못했음.

스노브 〔snob〕 [명] 신사(紳士)인 체하는 속물(俗物). 사이비 신사.

스노:-브리지 〔snowbridge〕 [명] 못 또는 빙하·계곡 등에 다리를 걸친 것같이 잔설(殘雪)이 양언덕에 걸쳐져 있는 것. 설교(雪橋).

스노: 블로:어 〔snow blower〕 [명] 〚기〛 도로 표면 등에서 눈을 제거하는 기계. 스크루형(screw 型)의 날개를 사용하여 눈을 기계 속으로 끌어 넣고, 멀리 떨어진 곳에 눈을 분출(噴出)시킴.

스노비즘 〔snobbism〕 [명] 속물 근성(俗物根性).

스노:클 〔snorkel〕 [명] '슈노르헬(Schnorchel)'의 영어명.

스노: 타이어 〔snow tire〕 [명] 눈길 주행용(走行用)으로 만들어진 타이어. 노면(路面)과의 접촉면에 홈이 많고 깊어서, 보통 타이어에 체인을 달았을 때보다 진동·소음이 적을 뿐만 아니라, 제동(制動) 거리가 짧고, 옆으로 미끄러지는 위험이 적음.

스노:-플라우 〔snow-plough〕 [명] 배설기(排雪機). 제설차(除雪車).

스노:-홀: 〔snow-hole〕 [명] 노숙(露宿)하기 위하여, 눈 속을 파서 만든 굴. 설동(雪洞). 설혈(雪穴).

스느비 [명] 〈방〉 시누이(함경).

스니:커 〔sneaker〕 [명] 바닥은 고무창을 대고 즈크지(地)로 만든 운동화. 실내 경기장에서나 테니스 따위의 야외 스포츠에 쓰임.

스님[1] [명] 〚불교〛 ①중이 그 스승을 부르는 말. 사승(師僧). ②'중'의 존대말. 사주(師主).

스님[2] [명] 〈방〉 여승[1](女僧)(경기).

스다[1] [자] 〈방〉 서다(전라·경상).

스다[2] [자] 〈옛〉 스러지다. ¶ 무지게 스다(虹消)≪同文 上 2, 漢淸 1 : 13≫.

스다[3] [타] 〈옛〉 쓰다[1]. ¶ 져믄 나해 글 스기와 갈 쓰기와 비호니(壯年學書劍)≪杜諺 Ⅶ : 15≫ / 슬 사(寫)≪類合 下 39≫.

스다[4] [타] 〈옛〉 쓰다[2]. ¶ 즈식이 갇 스며 아돌 나ᄒᆞ며(初生子旣長而冠)≪呂約 26≫ / 冠冕을 노피 스고(峩冕)≪杜解 Ⅳ : 21≫.

스당 〔Sedan〕 [명] 〚지〛 프랑스 북동부 아르덴 주(Ardennes州)의 도시. 벨기에와의 국경 부근, 뫼즈 강(Meuse江) 연안에 있음. 모직물·야금(冶金) 등의 공업이 성함. 1870년 프로이센 프랑스 전쟁의 격전지였음. [24,535명(1982)]

스당의 싸움 〔Sedan〕〔―/―에―〕 명 『역』 프로이센·프랑스 전쟁의 승패를 결정한 싸움. 1871년 나폴레옹 3세는 스당에서 프로이센군의 포로가 되어 10만 병사와 함께 항복함. 파리에서는 민중이 들고 일어나, 제2제정(帝政)이 무너지고 제3 공화정이 시작되었음.

스데반 〔Stephen〕 명 『성』 그리스도교 최초의 순교자. 예루살렘 교회가 빈민을 구제하기 위하여 선출한 일곱 집사(執事) 중의 한 사람. 성전 예배를 비판하고 예수가 메시아임을 주장하였으므로, 모세의 율법을 어겼다는 죄목으로 처형되었음.

-스라 어미 〈옛〉 -구나. 감탄(感歎)과 청원(請願)의 뜻을 나타냄. ¶ ᄆᆞ을 사ᄅᆞᆷ들아 올흔 일 ᄒᆞ쟈스라《海謠 77》/兄弟야 이 ᄠᅳᆮ을 알아 自友自恭 ᄒᆞ쟈스라《海謠 235》.

스라소니 명 ①『동』〔중세 : 시라손. 여진어 šilasun. 몽 šlü'üsün〕 [*Lynx lynx cervaria*] 고양잇과에 속하는 짐승. 살쾡이 비슷한데 크고 몸길이 1 m, 어깨 높이 50 cm, 꼬리 길이 20 cm 가량임. 몸빛은 회적갈색 또는 회갈색에 암색의 반점(斑點)이 있고 하면(下面)은 흼. 앞발보다 뒷발이 긴데 앞발은 발가락이 다섯 개, 뒷발은 네 개임. 귀는 크고 길며 뾰족한데 검은 털이 많고, 꼬리는 끝이 뭉툭하며 짧음. 여름에는 갈비 쪽과 다리에 검은 무늬가 있고 등에는 끝이 검은 털이 더 부룩하게 나며, 겨울에는 빛이 엷고 무늬가 뚜렷하지 않음. 5-6월에 두세 마리의 새끼를 낳음. 깊은 삼림이나 험준한 바위 틈에 서식하며, 나무에 잘 오르고 헤엄을 잘 침. 토끼·노루·사향노루·양 따위를 잡아먹음. 한국 북부·만주·몽골·사할린·시베리아·중국·중앙 아시아·북아메리카 및 알프스 이북의 유럽 등지에 분포함. 만연(獌狿)·추만(貙獌). 토표(土豹). ②〈속〉 약하고 어리석고 주변없는 사람을 일컫는 말.

〈스라소니〉

스라소니-거미 명 『동』 [*Oxyopes sertatus*] 스라소니거밋과에 속하는 거미의 하나. 몸길이 10 mm 내외, 배갑(背甲)은 담황갈색에 담회색 줄무늬가 있음. 복부 윗부분은 젖빛에 회색 십장형의 얼룩무늬와 검은 사점 측반(斜點側斑)이 있고 아랫면은 중앙에 자흑색 줄무늬가 있음. 초목(草木)의 잎사귀 위에 살며, 거미줄을 치지 않고 작은 나방 따위의 곤충을 잡아 먹음. 한국·일본·대만 등지에 분포함.

스란 명 ①꽃·용·봉(鳳)·전자(篆字) 등의 무늬를 놓고 너비 약 20 cm로 짠 치맛단용의 천. ②스란치마.

스란-치마 명 단에 스란을 단 긴 치마의 하나. 비빈(妃嬪) 등 귀부인이 입었었는데, 입으면 발이 보이지 않을 만큼 길. 스란.

스러디다 자 〈옛〉 스러지다. ¶ 消ᄂᆞᆫ 스러딜 씨라《月序 25》/믈읫 스러디며 길며 ᄀᆞᄃᆞᆨᄒᆞ며 뷔윰 잇ᄂᆞᆫ거시(凡有消長盈虛者ㅣ)《金三 Ⅱ:6》.

스러ᄇᆞ리다 타 〈옛〉 쓸어 버리다. 없애 버리다. ¶ ᄃᆞ온 欲ᄋᆞᆯ 스러ᄇᆞ리고(消其愛慾)《楞嚴 Ⅰ:17》.

스러스트 〔thrust〕 명 펜싱에서, 공격의 한 가지로, 찌르는 동작.

-스러우- 간 '-스럽-'의 불규칙 어간. ¶ 고생~ㄴ 일.

-스러-이 미 '-스럽-'에 '-이'가 붙어서 변한 말로, 부사를 만드는 접미사. '-스럽게'의 뜻임. ¶ 한심~.

스러죽다 자 〈옛〉 죽어 없어지다. ¶ 스러주거(銷殞)《楞嚴 Ⅱ:4》.

스러지다 자 나타난 형체가 차츰 희미하여지면서 없어지다. ¶ 두드러기가 ~. <사라지다.

-스럼:-하다 미 〈방〉 -스름하다.

-스럽- 미 명사형의 어근(語根)에 붙어 '그럴 만하다'라는 뜻의 형용사를 만드는 어간 형성 접미사. ¶ 영광~다/불안~다. *-롭-.

스:럽다 형 〈방〉 서럽다(충청·전북·경남).

-스럽다 미 ㅂ불 어간 형성 접미사 '-스럽-'과 어미를 이루는 접미사 '-다'가 합친 말. ¶ 한심~. *-롭다.

-스레 미 '-스럽게'의 뜻.

스레셔형 잠수함 【―型潛水艦】 명 〔Thresher-type submarine〕 『군』 미국의 공격용으로서는 최신형의 원자력 잠수함. 총톤수 3,750톤.

스레-하다 타 〈방〉 싫어하다(함경).

-스레-하다 미 여불 -스름하다.

스로: 〔throw〕 명 ①던짐. ②공을 앞으로 던짐. ――-하다 타 여불

스로:-오프 〔throw-off〕 명 핸드볼에서, 경기를 시작할 때 전위(前衛)나 중위(中衛)에 의하여 행하여지는 처음 투구(投球). 이는 심판의 경기 개시 신호(信號) 후, 3초 이내에 행하여지지 않으면 안 됨.

스로:-인 〔throw-in〕 명 축구에서, 아웃라인 밖에 나간 공을 두 손으로 들고 경기장(競技場) 안으로 던져 넣는 짓. 아웃을 시킨 편의 상대편의 선수 한 사람이 아우트 라인에서 던짐. ――-하다 타 여불

스로:잉 〔throwing〕 명 던지기 경기. 곧, 투원반(投圓盤)·투창(投槍)·투해머·투포환의 총칭.

스로틀 〔throttle〕 명 『기』 통로의 면적을 여러 가지로 변화시킴으로써 흐르는 유체(流體)를 제한하는 판(瓣). 특히, 내연 기관(內燃機關)의 기화기(氣化器)에 붙어 흡입 공기량(吸入空氣量)을 조절하는 것 또는 증기 기관에 붙어 증기량을 조절하는 것을 일컬음.

스로: 포:워드 〔throw forward〕 명 럭비에서, 공을 자기보다 앞으로 던지는 일.

스루: 〔through〕 명 테니스에서 네트의 그물 눈 사이로 빠져 나간 공. 실점(失點)으로 됨.

스루다 타 ①쇠붙이를 불에 달구어 센 기운을 덜다. ②풀이 센 다듬이감을 잡아당기어 풀을 죽이다.

스루: 더 그린 〔through the green〕 명 골프에서, 티잉 그라운드(teeing ground)·해저드(hazard) 및 퍼팅 그린(putting green)을 제외한 골프 코스의 전역(全域).

스루: 패스 〔through pass〕 명 축구에서, 상대방 선수들 사이로 공을 패스하는 일. 수비를 종(縱)으로 돌파할 때에 사용됨.

스르르¹ 부 ①맺거나 뭉친 것이 저절로 풀리는 모양. ¶ 허리띠가 ~ 풀어지다. ②쌓인 눈이나 얼음이 저절로 녹는 모양. ¶ 눈이 ~ 녹다. ③마음에 맺힌 원한이나 노여움이 힘없이 저절로 풀어지는 모양. ¶ 불같은 노염이 ~ 풀리다. ④잠이 오려 할 때, 눈이 힘없이 감기는 모양. ¶ 눈이 ~ 감기다. ⑤슬며시 소리없이 움직이는 모양. 1)-5): >사르르.

스르르² 부 〈옛〉 살살². ¶ ᄀᆞᅀᆞᆳ ᄇᆞᄅᆞ미 ᄒᆞ마 스르르 부놋다(秋風已颯然)《杜諺 Ⅸ:24》.

스르르히 부 〈옛〉 살살히. ¶ 하ᄂᆞᆳ ᄠᅳ도 스르르히 ᄇᆞᄅᆞᆷ부놋다(天意颯風颸)《初杜諺 XXⅣ:63》.

스르-죽다 자 〈방〉 시르죽다.

-스름- 미 (접미사 '-하다'가 뒤에 덧붙어) 빛깔이나 형상을 나타내는 말의 어근(語根)에 붙어, 빛이 좀 엷다 또는 형상이 비슷하다란 뜻의 형용사 어근(語根)을 이루는 말. ¶ 거무~하다/둥그~하게.

스름스름 부 슬금슬금. ¶ 늙은 개 한 마리가 ~ 다가와 사내가 쏟은 술의 찌꺼기를 핥았다《崔仁浩 : 황진이(Ⅰ)》.

-스름-하다 미 여불 접미사 '-스름-'과 '-하다'가 합친 말. -스레하다. ¶ 거무~/둥그~.

-스름-히 미 형용사 어근에 형성 접미사 '-스름-'에 '-히-'가 붙은 부사 형성 접미사. ¶ 둥그~/붉그~.

스리 명 음식을 먹다가 볼을 깨물어 상한 상처.

스리나가르 〔Srinagar〕 명 『지』 인도 북서부 카슈미르 주(Kashmir州)의 주도. 옛날 무굴(Mughul) 제국의 수도였음. 젤룸 강(Jhelum江)이 관류(貫流)하고 있으며, 캐시미어직(cashmere織)의 집산지로 유명함. [586,038명(1991)]

스리-랑카 〔Sri Lanka〕 명 『지』 인도 반도의 남동쪽에 있는 섬으로 된 공화국. 기원전 6세기경에 신할리즈(Sinhalese) 왕조가 세워졌고, 기원전 3세기에 불교가 전래되어 남방 불교의 중심지가 되었음. 주민은 70%가 신할리즈족이며 그 대부분이 불교도임. 공용어(公用語)는 신할리즈어이며, 영어·타밀어(Tamil語)도 쓰이고 있음. 농업을 주로 하고 있으며, 차·고무·쌀·코코넛 등을 산출함. 포르투갈 및 네덜란드의 척식(拓植)을 거쳐, 1796년 이래 영국의 직할 식민지로 있다가, 1948년에 영연방 자치국으로 되었음. 1972년 5월 22일 실론(Ceylon)을 지금의 이름으로 바꿈. 수도는 스리 자야와르데네푸라 코테(Sri Jayawardenepura Kotte). 정식 명칭은 '스리랑카 민족 사회주의 공화국(Democratic Socialist Republic of Sri Lanka)'. 중국의 옛이름으로는 사자국(獅子國). 실론. 석란(錫蘭). [65,600 km² : 18,350,000명(1995 추계)]

스리: 런 〔three run〕 명 야구에서, 타자(打者)를 포함한 세 사람의 러너(runner). 또, 이에 의한 득점(得點).

스리런 호:머 〔미 three-run homer〕 명 야구에서, 타자(打者)를 포함하여 한꺼번에 3점을 득점케 하는 홈런.

스리:마일 섬 〔Three Mile〕 명 『지』 미국 동부, 펜실베이니아 주(州) 해리스버그 시(Harrisburg 市)의 서스쿼해나 강(Susquehanna江)에 있는 섬. 1979년 3월, 출력 959,000 kW의 원자로(原子爐)에서 사고가 발생하여 수백만 내지 1천만 퀴리의 방사능을 방출하여 문제가 되었음.

스리:-배거 〔three-bagger〕 명 스리베이스 히트(three-base hit).

스리: 번트 〔three bunt〕 명 야구에서, 타자가 투 스트라이크 이후에 하는 번트. 파울의 경우 타자는 아웃이 됨.

스리:베이스 히트 〔three-base hit〕 명 야구에서, 삼루타(三壘打). 스리배거(three-bagger).

스리비자야 〔범 Śrivijaya〕 명 『역』 7-11세기에 걸쳐, 수마트라의 팔렘방을 중심으로 번영한 나라. 샤일렌다르(Shailendar) 왕조에 의해 지배되었는데 당(唐)나라 때에는 남해(南海)에 부강(富強)을 떨쳤음. 대승 불교를 신봉하고, 인도 문화가 많이 침투하였음. 당나라에서는 실리불서(室利佛逝), 송대(宋代)에는 삼불제(三佛齊)라고 칭하였음.

스리:-섬 〔threesome〕 명 『골프』 ①1인 대 2인으로 하는 경기. 2인의 편은 한 개의 공을 번갈아 가며 쳐서 연결시킴. ②전하여, 세 사람이 한 조가 되어 골프를 하는 일.

스리: 세컨드 룰: 〔three second rule〕 명 농구에서, 공격측 경기자가 프리 스로 라인 안에서 3초 이상 머무르면 바이얼레이션으로 인정하는 규칙.

스리:스피:드 플레이어 〔three-speed player〕 명 SP·EP·LP 판을 모두 사용할 수 있는 레코드 플레이어(record player).

스리:시: 〔C³〕 명 〔Command, Control and Communication〕 『군』 군대의 행동을 규제하는 지휘(指揮)·통제(統制) 및 통신(通信)의 기능.

스리: 아:르스 〔three R's〕 명 〔reading, writing, arithmetic의 세 R〕 『교』 읽기·쓰기·셈의 일컬음. 초등 교육의 기초로서 중시되어, 이과(理科)·사회과 등의 내용(內容) 교과에 대하여, 용구(用具) 교과라고 불림.

스리: 에이 〔three A〕 명 미국의 마이너 리그(Minor League) 중 최상위의 계급을 말함. 이에 속하는 리그로서 아메리칸 어소시에이션(American Association)을 비롯한 네 리그가 있음.

스리: 엠 〔three M〕 명 미국의 가정용·공업용 접착제, 테이프, 자기 테이프, 필름, 플라스틱 렌즈 등을 생산하는 대(大)메이커. 셀로판 테이프를 세계 최초로 개발함. 정식 이름은 미네소타 마이닝 앤드 매뉴팩처링 회사(Minnesota Mining & Manufacturing Co.). 1929년 설립되었으며 본사는 미네소타 주(州)의 세인트 폴(St. Paul)에 있음.

스리: 웨이 스피:커 〔three way speaker〕 명 하이파이 재생용 스피커의 하나. 음성·악음(樂音) 등의 저음부·중음부·고음부를 각각 저음용 스피커·중음용 스피커·고음용 스피커가 담당하게 만든 것.

스리 자야와르데네푸라 코테 〔Sri Jayawardenepura Kotte〕 명 『지』 스리랑카의 새 수도. 옛수도 콜롬보의 남동쪽 11 km 지점에 위치

하며, 1985년 행정상 수도 콜롬보에서 이전하였음. 콜롬보의 베드 타운이었으나 이제는 스리랑카의 정치·행정의 중심지로서 급속히 변모하였음. [130,000명(1995)]

스리-죽다 [자] 〈방〉 시르죽다.

스리: 쿠션 [three cushions] [명] ①당구에서, 흰 공 두 개와 붉은 공 하나를 사용해서 하는, 경기법의 하나. 제 공을 쳐서 나머지 두 공을 맞히되, 그 사이에 3회 이상 쿠션에 닿아야만 득점이 됨. ②보통의 경기법에 의한 당구에서, 마지막 3점을 따는 데, 제 공을 쳐서 붉은 공 두 개를 맞히되, 그 사이에 세 번 이상 쿠션에 닿아야만 하는 일.

스리:-쿼:터 [three quarter] [명] ①지프(jeep)와 트럭(truck)의 중간형(型)의 자동차. 적재량(積載量)이 3/4톤(ton)이어서 이 이름이 있음. ②↗스리쿼터 백 (three-quarter back).

스리:쿼:터 백 [three-quarter back] [명] 럭비에서, 스탠드오프(stand-off)의 뒤에 자리하는 네 사람. 좌우(左右)를 윙(wing), 중앙을 센터(center)라고 하며, 어느 것이나 공격을 주요한 임무로 함. [준]스리쿼터.

스리:킹스 제도 【一諸島】 [Three Kings] [명] 〖지〗 뉴질랜드의 북서단에 있는 세 개의 무인도. 암석이 많으며, 조류(鳥類)의 보호 금렵 구역임. [약 7.5km²]

스리:푸트 라인 [three-foot line] [명] 야구에서, 3피트 선(線). 본루(本壘)와 1루 선상 중간에서 밖으로 이 선과 평행하게 길이 48피트, 폭 3피트의 직사각형으로 그린 선. 1루에의 송구나 타구에 대한 수비를 방해하지 못하도록 타자 주자는 이 선 안을 달려야 함.

스리:-피:스 [three-piece] [명] 세 가지로 갖추어진 한 벌의 양복. 남자용은 조끼·슈트(suit)의 상의·바지, 여자용은 앙상블의 상의·스커트·블라우스로 됨.

스릴 [thrill] [명] 간담을 서늘하게 하거나 아슬아슬한 느낌. 특히, 영화·연극·소설 등으로 일어나는 오싹오싹 소름끼치는 느낌. 전율(戰慄). ¶~ 만점의 괴기 영화.

스릴러 [thriller] [명] 〔스릴을 주는 것의 뜻〕 연극·영화 및 소설 등에서, 기괴하고 스릴이 있는 작품.

스릴러-극 【一劇】 [thriller] [명] 〖연〗 극히 일상적인 환경에서 공포 심리(恐怖心理)를 추구하여 다룬 극작품(劇作品). 스릴러의 본령(本領)은 제재(題材)나 주제(主題)보다도 오히려 그 표현에 있음.

스릴러 소:설 【一小說】 [thriller] [명] 〖문〗 사건(事件)의 전개(展開)·해결을 제일의적(第一義的)으로 하지 아니하고, 인물의 행동이나 환경 묘사에 의하여 스릴과 서스펜스와 쇼크를 주는 작품. 탐정 소설·범죄 소설 같은 것.

스릴링 [thrilling] [명] 스릴을 느끼게 하는 모양. 오싹 소름이 끼치는 모양. 공포감·쾌감·전율이 쫙 온 몸에 퍼지는 모양.

스마랑 [Semarang] [명] 〖지〗 ☞ 사마랑(Samarang).

스마일 [smile] [명] 미소. 웃음.

스마일스 [Smiles, Samuel] [명] 〖사람〗 영국의 저널리스트·사회 개량가. 스코틀랜드 출생으로 런던에서 사회 개량에 종사함. 저서에 《자조(自助)》·《인격론》 등이 있음. [1812-1904]

스마:트 [smart] [명] 몸가짐이 단정하고 말쑥함. 모양이 경쾌하고 말쑥함. ¶~한 청년 신사. ——-하다 [형][여불]

스마:트 빌딩 [smart building] [명] 인텔리전트 빌딩.

스마:트 폭탄 【一爆彈】 [명] [smart bombs] 미군이 보유하고 있는 초정밀도를 자랑하는 공중 투하 폭탄. 전자 조사(照射) 장치, 레이더, 적외선 렌즈 등의 도움을 받아 앞 부분에 내장된 컴퓨터로 목표물에 정확히 유도되어 파괴함. 스마트탄.

스매시 [smash] [명] 탁구·정구·배구 등에서, 공을 네트 너머로 세게 내려 꺾어 치는 일. ——-하다 [타][여불]

스매싱 [smashing] [명] 스매시하는 일. ——-하다 [타][여불]

스맥 [smack] [명] ①입맛을 다심. ②향기로운 맛.

스머더 태클 [smother tackle] [명] 럭비에서, 상대편을 공과 함께 잡아 안아 패스를 못 시키게 하는 태클. ——-하다 [타][여불]

스머츠 [Smuts, Jan Christiaan] [명] 〖사람〗 남아프리카의 정치가·군인. 남아프리카 연방의 성립에 진력하여 국방상·수상 등을 역임함. [1870-1950]

스멀-거리다 [자] 살갗에 작은 벌레가 기어 가는 것같이 근질거리다. 스멀-스멀 [부]. ¶사추리 밑을 ~ 기는 이(虱)는 설거지하기에도 바빴다 《金周榮 : 客主》. ——-하다 [자][여불]

스멀-대다 [자] 스멀거리다.

스메 [명] 〈방〉 습베.

스메들리 [Smedley, Agnes] [명] 〖사람〗 미국의 여성 저널리스트. 1928년 중국으로 건너가 중공군에 종군하여, 중일(中日) 전쟁 및 혁명의 양상을 선전 보도하였음. 그 후, 미국 정부로부터 스파이 혐의를 받고 영국에 망명, 병사했음. 주저(主著)는 《위대한 길》, 자서전 《도터 오브 어스(Daughter of Earth)》 등이 있음. [1894-1950]

스메타나 [Smetana, Bedrich] [명] 〖사람〗 보헤미아(Bohemia)의 작곡가·피아니스트. 보헤미아 독특의 민족 음악 부흥을 위해 힘쓰고, 그 지도적 역할을 하였음. 1862년 프라하(Praha)의 국민 가극장(歌劇場) 창립에 참가하고, 그 지휘자로 오페라 《팔려간 신부》와 교향시 《나의 조국》을 작곡하여 크게 성공, 체코 최대의 작곡가로서 평론 등 여러 면으로 활약하였음. [1824-84]

스멜로-비전 [smello-vision] [명] 냄새가 나는 획기적인 새 영화 방식. 1960년 1월 미국에서 제작함. 색채 70mm의 광폭(廣幅) 필름을 쓰며 스위스에서 발명된, 스크린 위에서의 동작과 냄새를 동조(同調)시키는 방식을 취하는 점이 특색임. 스멜 필름. 유취(有臭) 영화.

스멜리 [Smellie, William] [명] 〖사람〗 영국의 산부인과 의사. 정상 분만의 기구(機構)를 해명했고, 태아를 안전하게 분만시키기 위하여 '스멜리 겸자(鉗子)'·'스멜리 가위' 등의 산과 기기를 발명 했음. [1679-1763]

스멜-필름 [smellfilm] [명] 스멜로비전.

스며-들다 [자] ↗스미어 들다. ¶살속까지 스며드는 추위.

스면 [명] 〈옛〉 분탕(粉湯). 당면(唐麪). 국수. ¶스면과 상화롤 ᄒᆞ면(粉湯饅頭)《朴解 上 7》.

스모: 〔일 相撲·角力 : すもう〕 [명] 일본의 정통적인 씨름. 두 명의 씨름꾼이 씨름판에서 맞붙어 상대편을 씨름판 밖으로 밀어내거나 넘어뜨려서 승부를 겨룸.

스모그 [smog] [명] 〔연기(smoke)와 안개(fog)의 뜻〕 대도시의 장동차 배기 가스와 공장 밀집 지대의 연기가 안개와 같은 상태를 이룬 것. 매연·배기(排氣) 따위를 핵(核)으로 하여 공기 중의 수증기가 한데 엉겨 생기며 공해 문제를 일으킴. *연무(煙霧).

스모그 경:보 【一警報】 [smog] [명] 스모그의 농도(濃度)가 짙어져서, 환경 위생에 영향이 생길 우려가 있을 경우에, 매연(煤煙)의 배출을 규제하기 위하여 내는 경보.

스모그 현:상 【一現象】 [smog] [명] 매연·배기(排氣) 가스 가운데 몇 가지가 빛을 받아 산화되는 과정에서 대기 속의 수증기와 결합되어 짙은 안개처럼 되는 현상. 안개와는 관계없이 매연이나 배기 가스가 자욱하게 낀 것도 이름. *스모그.

스모르찬도 [smorzando] [명] 〖악〗 '차차 꺼져 가는 듯이'의 뜻. 기호는 smorz.

스모:크 [smoke] [명] ①연기. 내. ②담배 피우는 일. 흡연(吸煙). ③〖연〗 무대 효과로서 연기나 안개 등으로 쓰이는 초연(硝煙). ——-하다 [자][여불]

스모:크 볼: [smoke ball] [명] 야구에서, 연기처럼 눈에 띄지 않을 정도로 빠른, 투수의 투구.

스모킹 [smocking] [명] 스목(smock)❷.

스모:킹 룸: [smoking room] [명] 흡연실.

스목 [smock] [명] ①아동·여성·화가(畫家) 등이, 보통 옷에 덧입는 느슨한 오버올(overall). 주로 작업할 때에 입음. ②수예(手藝)의 한 가지. 천의 주름을 잡아 얽어서 여러 가지 무늬를 놓는 일. 스모킹.

〈스목❶〉

스몬-병 【SMON病】 [一뼝] [명] [subacute myelo-optico neuropathy의 약어] 〖의〗 복부 증상을 수반하는 뇌척수염증. 주로 청·장년층에 일어나며 설사·복통이 3일-1주간 계속되다가 그칠 무렵, 발끝에 쥐가 나서 차츰 하반신까지 마비가 퍼지며 보행이 곤란해지고, 실명(失明)하는 일도 있음. 일본에 특유한 병임. 원인은 키노포름제(劑)의 다용(多用)으로 인한 중독이라고 함.

스몰: [Small, Albion Woodbury] [명] 〖사람〗 미국의 사회학자. 시카고학파의 중심 인물. 사회 과정(社會過程)을 중심으로 소위 종합 사회학(綜合社會學)의 수립에 노력하는 한편, '미국 사회학 잡지'를 주재하였음. [1854-1926]

스몰: 그룹 [small group] [명] 서로 접촉하는 가족·친구·이웃 사람·직장의 인포멀 그룹(informal group) 등의 작은 집단. 근년(近年)의 사회학의 중요한 연구 대상임. 소집단(小集團).

스몰렌스크 [Smolensk] [명] 〖지〗 모스크바 서방의 도시. 드네프르강(Dnepr江)의 선박 항로의 종점이며, 철도의 요지(要地)임. 직물·기계·식품 등의 공업이 성함. 공항(空港)·대학·방송국 등이 있음. 1812년 나폴레옹에 의하여 파괴된 바 있었음. [352,000명(1993)]

스몰렛 [Smollett, Tobias George] [명] 〖사람〗 영국의 작가. 내시(Nash, T.), 데포(Defoe, D.)와 더불어 피카레스크(picarésque) 소설로 명성을 얻음. 대표작 《험프리 클링커(Humphry Clinker)》는 유머가 넘치는 서한체 소설임. 그 밖에 소설 《로데릭 랜덤(Roderik Random)》 등이 있음. [1721-71]

스몰루코프스키 [Smoluchowski, Marian von] [명] 〖사람〗 폴란드의 물리학자. 렘베르크(Lemberg) 대학·크라카우(Krakau) 대학 교수를 역임함. 브라운 운동(Brown運動)의 고찰이나 액체 내의 요동 현상, 단백광(蛋白光)의 성인(成因)의 연구 등의 업적이 있음. [1872-1917]

스몰: 보어 라이플 경:기 【一競技】 [small bore rifle] [명] 라이플 사격 경기 종목의 하나. 라이플총을 사용하며 사거리(射距離)는 50m임. 엎드려쏴·무릎쏴·서서쏴의 세 가지 자세(姿勢)와 엎드려쏴만의 경기가 있으며 고정 표적으로 행함.

스몰:트 [smalt] [명] 청색 안료(青色顏料)의 하나. 청색의 유리 실리카와 탄산 칼륨을 산화 코발트와 함께 용융시켜서 만듦. 유리·도자기 도료용(塗料用)의 안료(顏料)·물감 등에 쓰임.

스무 [관] 스물을 나타내는 관형사. ¶~ 마리/~ 사흘.

스무-고개 [명] 〔미국의 'Twenty Questions'를 번역한 말〕 그 사물이 구성한 요소를 동물성·식물성·광물성으로 나누어 문제를 내놓고, 스무 번의 질문으로 사물이나 사람의 이름 또는 형상을 알아맞히게 하는 오락 방송 프로. 또, 그런 오락.

스무-나무 [명] 〖식〗 [*Hemiptelea davidii*] 느릅나뭇과에 속하는 낙엽 활엽 교목. 높이 20m 가량이고 가지에 가시가 있으며 잎은 긴 타원형 또는 타원형이고 호생하며 톱니가 있음. 자웅 잡가(雌雄雜家)인데 5월에 엷은 황색 꽃이 피고, 시과(翅果)는 6월에 익음. 산록 양지 및 개울가에 나는데, 충남·함북을 제외한 한국 각지 및 중국·만주에 분포함. 조림용이며, 목재는 기구·신탄재로 쓰고 어린 잎은 식용함. 자유(紫楡).

스무-날 [명] ①열흘의 갑절. ②초하룻날부터 스무 번째 날. 염일(念日).

스무-남은 [一] [관] '스물 남짓한'의 뜻. ¶~ 살 먹은 총각/~ 채의 집. [二] [명] 스물 남짓한 수. ¶모인 회원이 ~은 되었다.

스무:드 [smooth] [명] ①미끄러운 모양. ②원활(圓滑)한 모양. 유창(流

暢)한 모양. ¶계획대로 ~하게 진행되다. ③테니스에서, 경구용(硬球用) 라켓의 장식 거트(gut)가 달려 있지 아니한 면(面). 1)-3):↔러프.

스무-째 수 첫째에서 세어서 스물이 되는 차례. └——-하다 형여불

스물 ㊀수 열의 갑절. ㊁명 스무살의 나이. ¶갓 ~.

스물-거리다 자 ☞스멀거리다. 「9》.

스므 관 〈옛〉 스무. ¶董卓이 뎡 一百과 뵈 스므匹로 聘ᄒᆞ니《三綱 烈女

스므닷쇄 명 〈옛〉 스무 닷새. ¶네 이 스므닷쇄날 나가되(伱只這二十五日起去)《老乞 下 65》. 「諺 XIII:14》.

스므시 부 〈옛〉 방불(髣髴)하게. ¶스므시 鮫人을 알오(仿像識鮫人)《杜

스믈 수 〈옛〉 스물. ¶스믈살 마치시니(廿發盡獲)《龍歌 32章》.

스믈헤 〈옛〉 스물에. '스믈'의 처격형(處格形). ¶스믈헤 소리 빗나도다(二十聲輝赫)《杜諺 VIII:19》.

스믓ᄒᆞ다 형 〈옛〉 의구(依舊)하다. ¶賈傅의 우므리 스믓호ᄆᆞᆯ 기리 ᄉᆞ랑ᄒᆞ노라(長懷賈傅井依然)《杜諺 XI:13》. 「會 上 10》.

스믜나모 명 〈옛〉 스무나무. ¶黃ㅣ樹 느릅나모 刺ㅣ樹 스믜나모《字

스믜-나무 명 〈옛·방〉 스무나무. ¶스믜나무(樞)《詩諺 物名 10》.

스믜다 자 〈옛〉 스미다. ¶스믤 민(泯)《字會 下 35》.

스믠쉬궁 명 〈옛〉 수채[1]. ¶스믠쉬궁(陰溝)《字會 中 6》.

스미-나무 명 〈방〉 『식』 스무나무.

스미다 자 〔중세 : 스믜다〕 ①물이나 기름 같은 액체가 배어 들다. ¶물이 옷에 ~/그들의 마음은 모래 사장에 물이 스미듯 서로 통했다. ②기체·바람 따위가 안으로 흘러들다. ¶옷소매로 스미는 차가운 바람. ③마음에 사무치다. ¶뼛속 깊이 스미어 오는 선생님의 말씀.

스미다 강 【一江】 〔隅田:すみだ〕 명 『지』 일본 도쿄 도(東京都)를 관통하여 도쿄 만(東京灣)으로 흐르는 강.

스미르나 〔Smyrna〕 명 『지』 터키의 에게 해(Aegae海)에 면한 항만 도시 '이즈미르(Izmir)'의 옛이름.

스미스[1] 〔Smith, Adam〕 명 『사람』 영국의 경제학자·윤리학자. 고전파 경제학의 비조(鼻祖). 글래스고(Glasgow) 대학 교수 및 총장을 역임함. 1767년부터 9년간 고향에서 경제학의 최대 고전(古典)으로 간주되는 《국부론(國富論)》의 저술을 완성하였음. 중상주의적(重商主義的) 보호 정책을 비판하고, 자유 방임주의의 입장에 입각한 자유주의적 경제학을 주장하였으며, 국부의 원천을 노동 일반에 구하고 산업 혁명의 이론적 기초를 세웠음. 이 밖에 저서로 《도덕 정조론(道德情操論)》 등이 있음. [1723-90]

스미스[2] 〔Smith, Francis Pettit〕 명 『사람』 영국의 발명가. 스크루 프로펠러의 개량과 보급에 노력하였음. [1808-74]

스미스[3] 〔Smith, Henry John Stephen〕 명 『사람』 영국의 수학자. 처음엔 기하학을 연구하다가 후에 수론(數論)을 전문으로 연구함. 1859-65년 《수론에 관한 연구 보고서》에 그 연구 성과가 발표됨. [1826-83]

스미스[4] 〔Smith, Michael〕 명 『사람』 영국 태생의 캐나다 화학자. 맨체스터 대학에서 박사 학위를 취득하고 1970년부터 캐나다의 브리티시 컬럼비아 대학의 생화학 교수가 됨. 1978년 DNA의 특정 부위(部位)만을 돌연 변이시키는 '스미스 기법(技法)'을 창안하여 유전 공학 발전에 큰 획을 그음. 1993년 그 공로로 미국의 멀리스(Mullis, Kary)와 공동으로 노벨 화학상을 수상함. [1932-]

스미스[5] 〔Smith Theobald〕 명 『사람』 미국의 병리학자. 하버드 대학 교수. 전염병·기생충병에 있어서의 비교 병리학 및 혈청학(血淸學)의 선구자임. 많은 동물의 전염병의 병원체 및 그 매체(媒體)를 발견하였음. [1859-1934]

스미스[6] 〔Smith, William〕 명 『사람』 영국의 지질학자·고생물학자. 영국의 지층(地層)을 연구함. 1815년에 《영국 지층도(地層圖)》, 1817년에 《화석과 지층》을 발표하였음. [1769-1839]

스미스[7] 〔Smith, William Robertson〕 명 『사람』 영국의 신학자·동양학자. 구약 성서를 비교 종교학적으로 연구함. 주저(主著)에 《유태 교회에 있어서의 구약 성서》 등이 있음. [1846-94]

스미스소니언 박물관 【一博物館】 〔Smithsonian〕 명 스미스소니언 협회(協會)에서 관장하는 미국 국립 박물관.

스미스소니언 체제 【一體制】 명 〔Smithsonian Monetary System〕 『경』 1971년 미국 워싱턴의 스미스소니언 박물관에서 열린 미국 등 선진 10개국 재무 장관 회의에서 정한 새로운 통화 제도(通貨制度). 달러의 절하(切下)와 그에 대한 각국 통화 가치의 조정 및 변동폭(變動幅)의 확대 등에 의해서 통화 제도를 안정시키려 한 것임. 이 체제는 오래 계속되지 못하고, 1973년에 다시 달러가 10% 절하되고, 각국 통화의 달러에 대한 가치는 변동 환율제로 옮겨졌음.

스미스소니언 협회 【一協會】 명 〔Smithsonian Institution〕 영국의 화학자·광물학자 스미스슨(Smithson, James; 1765-1829)의 유지(遺志)에 따라 지식의 증진(增進)과 보급을 도모하기 위해, 1846년에 미국 워싱턴 시(市)에 설립된 학술 기관. 미국 대통령을 위원장으로 하고 관민(官民)의 유력자로 구성되는 위원회가 주관하는 준(準)정부 기관으로, 연구 조사·전시(展示)·출판·정보 제공 등 광범한 기능을 가지며, 국립 박물관·천문 물리학 관측소·프리어(Freer) 미술관·항공 박물관·국립 동물원·국립 미술관·도서관·미국 민족학부(民族學部) 등 기구를 가짐.

스미어 테스트 〔smear test〕 명 『의』 자궁경암(子宮頸癌)의 조기 발견법. 질원개(膣圓蓋)나 자궁경부 표면의 분비물의 도말 표본(塗抹標本)을 만들어 현미경에서 암세포의 유무를 조사함.

스미:턴 〔Smeaton, John〕 명 『사람』 영국의 토목·기계 기술자. 에디스톤(Eddystone) 등대 개수 때 수경성(水硬性) 시멘트를 개발함. 동력 기관을 개량하고 정밀 기계 공업의 선구를 이룸. [1724-92]

스바냐 〔Zephaniah〕 명 『성』 기원전 7세기 후반에 나타난 예언자. 구약 성서의 《스바냐서(書)》는 그의 예언에 기초를 둔 것임.

스바냐-서 【一書】 〔Zephaniah〕 명 『성』 구약 성서의 한 책. 12 소(小)예언서에 속함. 스바냐의 예언에 의거하여 유다의 타락, 외국 미신의 채용 따위를 경고하고, 주(主)의 위대한 날이 가까움을 주장함. 스바니

스바니야-서 【一書】 〔Zephaniah〕 명 『성』 스바냐서. └야서.

스발바르 제도 【一諸島】 〔Svalbard〕 명 『지』 북극해의 동경 10°-35°, 북위 74°-81°에 있는 노르웨이의 속령. 세계 최북의 정주(定住) 지역임. 대부분이 표고 300-600m의 대지(臺地)로, 90%는 빙하에 싸여 있음. [62,000 km²]

스베:덴보리 〔Swedenborg, Emanuel〕 명 『사람』 스웨덴의 철학자·신비주의자. 처음 수학·자연 과학을 배우고, 1747년 이래 영적(靈的) 생활에 들어가 천사나 신령과 접하고, 천계(天界) 및 지계(地界)의 상세한 설명을 시도하였다 함. [1688-1772]

스베:드베리 〔Svedberg, Theodor〕 명 『사람』 스웨덴의 화학자. 콜로이드(colloid) 화학의 기초 연구에 공헌이 있고, 초원심기(超遠心機)에 의한 고분자(高分子) 화합물의 분자량(分子量) 결정에 성공하여 1926년 노벨 화학상을 받았음. [1884-1971]

스베르드루프 〔Sverdrup, Harald Ulrik〕 명 『사람』 노르웨이 해양 물리학자·기상학자. 1917-25년의 아문센의 북극 탐험에 참가, 여러 가지의 지구(地球) 물리학적 관측을 하였으며, 1931년 재차 북극을 탐험하고 1936년 미국의 해양 연구소장에 취임함. 현대 해양학의 최대의 지도자로 꼽힘. 저서에 《해양》이 있음. [1888-1958]

스베르들롭스크 〔Sverdlovsk〕 명 『지』 러시아의 우랄 산맥 동쪽 기슭의 공업 도시. 기계·야금(冶金)·화학·직물 등의 공업이 성함. 1722년 요새(要塞) 도시로서 건설되어 18세기 이래 광업(鑛業)의 중심지이며, 시베리아 철도의 개통(開通) 후 발전하였음. 볼셰비키 혁명 때 니콜라스 2세 일가(一家)가 감금되었다가 처형당한 곳임. [1,367,000명(1989)]

스베일링크 〔Sweelinck, Jan Pieterszoon〕 명 『사람』 네덜란드의 작곡가. 부친의 뒤를 이어 1580년경부터 암스테르담의 교회 오르간 연주자로 일하였으며, 죽은 뒤에는 그의 아들이 이어받았음. 초기 바로크를 대표하는 오르간곡 외에 샹송·모테토(motetto) 등을 작곡하였고, 문하생에 많은 독일 오르간 연주자가 있음. [1562-1621]

스사로 부 〈방〉 스스로.

스산-하다 형여불 ①쓸쓸하고 어수선하다. ¶스산한 가을 풍경/기분이 ~/최미자의 얼굴에서 갈대꽃을 보는 것처럼 스산한 애상을 느꼈다《柳周鉉 : 강건너 정인들》. ②☞산산하다.

스새다 타 〈방〉 시새우다(평안).

스샘 명 〈방〉 시새움(평안). ——-하다 타

스성 명 〈방〉 무당[1](황해).

스숙 명 〈방〉 『식』 조[1](충남·전북).

스스럼-없다 [一업一] 형 스스러운 마음이 없다.

스스럼-없이 [一업씨] 부 스스럼없게.

스스럽다 형ㅂ불 ①정분이 두텁지 아니하여 조심스럽다. ¶스스럽게 생각 말고 말하게/아이에게는 인간 사회가 스스러웠다. 생활이 스스러웠다. 모두가 서먹서먹할 뿐이었다《李箱 : 날개》. ②부끄러운 생각이 있다. ¶혼자 찾아가기는 ~.

스스로[1] ㊀부 ①저절로. ¶꽃은 ~ 핀다. ②자진하여. ¶~ 공부하다. ③자기 힘으로. ¶그런 일은 ~ 할 일이다. ㊁명 자기 자신. ¶~가 ~에

스스로[2] 【自以】 부 〈이두〉 스스로[1]. └게 물어 보라.

스스로자-부 【一自部】 명 한자 부수(部首)의 하나. '臭'나 '鼽' 등에서

스슥 명 〈방〉 『식』 조[1](충청·전북). └'自'의 이름.

스승[1] 명 자기를 가르쳐 주는 사람. 사부(師傅). 함장(函丈). 선생. 사(師).

스승[2] 명 〈방〉 무당[1](함경·평북).

스승-님 명 '스승[1]'의 존대말.

스승의 날 [一/一에一] 명 교권(敎權) 존중의 사회적 풍토를 조성하고 스승에 대하여 공경하는 마음을 다짐하기 위하여 정한 날. 5월 15일.

스승이 명 〈방〉 무당[1](함북).

스승 항아님 【一姮娥一】 명 '늙은 상궁'의 궁중말.

스숭 명 〈옛〉 ①스승[1]. ¶水天을 스숭 사마샤(師水天)《楞嚴 V:74》. ②무당[1]. ¶네 님구미 스숭ᄉᆞ로ᄆᆞᆯ 삼가시고(前聖愼焚巫)《杜諺 X:25》.

스싀 부 〈옛〉 스스로. =스싀로. ¶스싀 奉養호미(自奉)《內訓 III:57》.

스싀로 부 〈옛〉 스스로. =스싀·스ᄉᆞ로. ¶龍ᄋᆡ 삿기ᄂᆞᆫ 스싀로 샹녯사ᄅᆞᆷ과 다ᄆᆞᆺ 다ᄅᆞ니라(龍種自與常人殊)《杜諺 VIII:2》. 「다리《樂範 動動》.

스싀옴 부 〈옛〉 스스로. ¶슬ᄒᆞᆯ ᄉᆞ라온뎌 고우닐 스싀옴 녈셔 아으 動動

스시 〔일 壽司:すし〕 명 일본 음식의 하나. 뱀장어·메기·도미·전복·새우 같은 것을 소금에 절여서 발효(醱酵)시킨 다음 식초·소금·설탕으로 간을 한 밥을 싸서 만든 음식. 또, 김에 싼 밥을 가리키기도 함. 초밥.

스ᄉᆞ로 부 〈옛〉 스스로. =스싀로. ¶네 스ᄉᆞ로 내 말대로 ᄒᆞ나흘 두어 방 보게 ᄒᆞ라(伱自依着我 留一箇看房子)《老乞 上 30》.

스와니 강 【一江】 〔Suwannee〕 명 『지』 미국 조지아 주 남동부에서 발원하여 플로리다 주를 거쳐 멕시코 만으로 흘러드는 강. 이 강은 포스터의 가곡 《스와니 강》으로 널리 알려짐. [약 400 km]

스와데시 〔Swadeshi〕 명 『정』 인도 독립 운동의 한 경향. 영화(英貨)의 배척을 주장하는 것으로, 간디(Gandhi)의 비협력 국민 운동의 주요 강령임. *스와라지. 「애용 운동. 영국 제품 사용 반대 운동.

스와데시 운:동 【一運動】 〔Swadeshi〕 명 간디에 의해서 주창된 국산품

스와라지 〔힌두 swaraji〕 명 『정』 〔자치(自治)라는 뜻〕 인도 독립 운동의 한 경향. 영국인을 내쫓고 인도인이 스스로 인도를 통치하는 일. 또 국민 회의파 중 이 입장을 취한 일파. *스와데시. 「독립 운동.

스와라지 운:동 【一運動】 명 〔swarajism〕 『정』 간디가 주창한 인도의

스와메르담 〔Swammerdam, Jan〕 명 『사람』 네덜란드의 비교 해부학

자. 곤충의 해부를 행하여 분류의 기초를 세움. 또, 최초로 적혈구의 모양을 조사하여 발표하였음. [1637-80]

스와지-족【一族】〔Swazi〕 명 〖인류〗 남아프리카의 반투(Bantu)족의 한 종족. 줄루(Zulu)족에서 갈려나와 스와질란드에 거주함. 부권적(父權的) 대가족·연령 계제제(階梯制) 등 고유의 관습을 가짐. 약 28만 명에 이르며, 수수·옥수수 등을 재배하고 목축(牧畜)도 함.

스와질란드〔Swaziland〕 명 〖지〗 아프리카 남부, 남아프리카 공화국과 모잠비크와의 경계에 있는 작은 왕국. 내륙국(內陸國)으로 서부는 산지(山地), 동부로 갈수록 저지(低地)임. 주민의 대부분은 스와지족(族)이고, 공용어는 영어·스와지어(語). 농업·목축업이 주이며 사탕수수·옥수수·쌀·면화·담배 등을 산출하고 석면(石綿)을 비롯하여 철·금·석탄 등 광산 자원도 풍부함. 전통적인 수장(首長)을 추대하는 왕국으로 의회는 양원제. 영국의 보호령을 거쳐 1968년 영연방의 일원으로 독립함. 수도는 음바바네(Mbabane). [17,363 km² : 910,000 명(1995 추계)]

스와프〔swap〕 명 〖경〗 체인지 오버.

스와프 거:래【一去來】〔swap〕 명 〖경〗 외국환(換) 거래에서, 환 매매 당사자가 현물환(現物換)과 선물환(先物換)을 동시에 같은 액수로 매매하는 일. 환자금(換資金) 및 소유 환액(所有換額)의 조절에 쓰임.

스와프 협정【一協定】〔swap〕 명 〖경〗 2개국의 중앙 은행이 일정액의 자국 통화를 일정 기간 서로 상대방에게 예금하는 것을 정하는 협정. 이에 의하여 취득한 상대방 통화는 주로 환평형(換平衡) 자금으로 사용됨.

스와핑〔swapping〕 명 부부 교환 파티.

스와 호【一湖】〔諏訪:すわ〕 명 〖지〗 일본 나가노 현(長野縣)의 중앙, 스와 분지(諏訪盆地)의 북부에 있는 부영양호(富營養湖). 겨울에는 결빙(結氷)하고 어획물이 많은 것이 특징임. 서안(西岸)의 톈류 강(天龍江)의 원류(源流)를 이룸. [14.1 km²]

스와힐리-어【一語】〔Swahili〕 명 반투 어족(Bantu 語族)에 속하는 동(東)아프리카 해안 지대 및 우간다의 비(非)반투어 구역과 케냐·탄자니아·콩고 등부에 분포하는 언어. 반투 어족 중에서 최대의 세력을 가지며, 18세기경부터 아라비아 문자로 쓰여진 문학 작품을 볼 수 있음. 현재는 잔지바르 방언이 표준어임.

스완〔swan〕 명 〖조〗 백조.

스완즈컴-인【一人】 명 〔Swanscombe man〕 〖인류〗 영국의 켄트 주(Kent 州) 스완즈컴에서 발견된 부분적인 두골(頭骨). 현대인의 초기 단계를 나타내는데, 수직인 측두(側頭) 부분과 둥근 후두부의 윤곽이 현대인과 다름.

스완지〔Swansea〕 명 〖지〗 영국 웨일스 만(Wales 灣)에 임한 해항(海港). 부근에 웨일스 탄전이 있어 철·구리·주석의 제련(製鍊)이 성함. [175,172 명(1981)]

스왜거 코:트〔swagger coat〕 명 〔사치한 외투라는 뜻〕 풍신하게 만든 여성용 외투. 주로 엷은 감으로, 옷 길이보다 짧게 만듦.

스워바츠키〔Słowacki, Juliusz〕 명 〖사람〗 폴란드의 시인. 미케비치·크라신스키와 더불어 폴란드의 삼대 애국 시인의 한 사람임. 대표작은 연애시 《스위스에서》, 시극 《코르디안》 등. [1809-49]

스월: 스커:트〔swirl skirt〕 명 에스카르고 스커트.

스웨덴〔Sweden〕 명 〖지〗 유럽 서북부 스칸디나비아 반도 동반(東半)의 왕국. 노르웨이 국경에 연한 산지와 보트니아 만안(Bothnia 灣岸)의 좁은 해안 평야의 사이는 구릉상(丘陵狀)의 대지(臺地)이고, 남부의 3분의 1은 저지(低地)로 호수가 많으며, 북부의 하천은 급류(急流)이어서 수력 발전과 목재 반출에 이용됨. 전토의 50%가 삼림이라 제재·펄프·제지(製紙)가 성하고, 철강·기계·조선 등의 공업과 해운업이 발달되었음. 농경지는 남동부에 집중하고 농업 기계화가 진전되었는데, 주요 농산물은 밀·보리·감자 등임. 1인당 국민 소득이 높으며, 사회 보장 제도가 완비되어 있음. 6-9세기경에는 부족(部族) 국가가 있었으며 14세기 이후에 국가를 형성, 20세기 초에는 노르웨이가 분리 독립함. 주민(住民)은 주로 스웨덴족(族)이고, 공용어는 스웨덴어(語)임. 기독교 신교(新敎)를 국교(國敎)로 하며, 입헌 군주제(立憲君主制)이고 의회는 양원제임. 7-8년간의 의무 교육(義務敎育)을 실시함. 수도는 스톡홀름(Stockholm). 정식 명칭은 '스웨덴 왕국(Kingdom of Sweden)'. 서전(瑞典). [449,964 km² : 8,830,000 명(1995 추계)]

스웨덴 릴레이〔Sweden relay〕 명 육상 경기의 트랙 종목에서, 메들리(medley) 릴레이의 한 가지. 1,000 m의 거리를, 4명의 주자(走者)가 100 m·200 m·300 m·400 m의 순으로 계주(繼走)함.

스웨덴-어【一語】〔Sweden〕 명 인도 유럽 어족(語族) 게르만 어파(語派) 북(北)게르만 어군(語群)에 속하는 언어. 스웨덴과 핀란드의 남서 해안, 에스토니아의 북서 해안 등지에서 사용됨. 특유의 악센트와 음조(音調)를 지녔으며 음악적인 언어라 일컬어짐. 사용 인구는 약 800만.

스웨덴-족【一族】〔Sweden〕 명 〖인류〗 스웨덴 주민의 99.7%를 차지하는 민족. 북유럽 게르만족 중에서 가장 순혈(純血)을 가진 종족으로, 평균 신장 170.9 cm이며, 피부는 백색, 두발은 금발(金髮), 눈은 청록색임.

스웨덴 체조【一體操】〔Sweden〕 명 스웨덴의 생리학자 링(Ling, Pehr Henrik; 1776-1839)이 1810년경에 시작한 체조. 해부·생리학에 근거하여 연령 능력별로 그 강도(強度)·방법·규격을 달리하는 체조임. 형식에 따라 교육 체조·의료 체조·병식(兵式) 체조·미적(美的) 체조로 나뉨.

스웨덴 폴란드 전:쟁【一戰爭】 명 〔War between Sweden and Poland〕 1655-60년에 있었던 전쟁. 발트(Balt) 해 연안의 권익을 둘러싼 전쟁으로, 국력을 소모한 폴란드에 대하여, 당시 세력이 강대했던 스웨덴의 카를(Karl) 10세가 침입하였음. 스웨덴군은 폴란드를 대부분 점령했지만, 농민의 완강한 저항을 받고 철퇴하여 프랑스의 중재로 화평을 맺고, 전쟁 이전의 국경선으로 복귀하였음.

스웨덴 학파【一學派】〔Sweden〕 명 북유럽 학파.

스웨드〔suede〕 명 새끼양·새끼소의 속가죽을 보드랍게 보풀린 가죽. 또, 그것을 모방하여 짠 직물. 구두나 장갑 따위에 쓰임.

스웨이〔sway〕 명 ①골프에서, 공을 칠 때 몸의 축(軸)이 이동하는 일. ②사교 댄스에서, 회전할 때 몸이 기울어지는 일.

스웨이슬링-배【一杯】 명 〔Swaythling Cup〕 세계 탁구 선수권 대회의 남자 단체의 우승국에 주어지는 상배(賞杯). 1927년의 제1회 선수권 대회에 영국의 스웨이슬링 남작 부인(男爵夫人)이 기증한 것임.

스웨잉〔swaying〕 명 권투에서, 상대방의 타격을 피하기 위하여 상체(上體)를 전후 좌우로 젖히는 기술.

스웨터〔sweater〕 명 털실로 두툼하게 짠 재킷. 오버 스웨터.

스웨트〔sweat〕 명 땀.

스웨팅 시스템〔sweating system〕 명 〖사〗 고한 제도(苦汗制度).

스위밍〔swimming〕 명 수영. ——-하다 자여불

스위밍 풀:〔swimming pool〕 명 수영장.

스위밍 풀:형 원자로【一型原子爐】〔swimming pool〕 명 〖물〗 우라늄 235를 9%까지 농축시킨 원자 연료를 쓰는 농축 우라늄 불균형질 원자로.

스위스〔Suisse〕 명 〖지〗 〔통속적으로 사용하는 Swiss는 스위스의 뜻의 형용사임〕 유럽 중부의 연방(聯邦) 공화국. 북서부에는 쥐라 산맥(Jura 山脈), 남·동부에는 알프스 산맥이 있으며 3분의 2가 산지임. 양 산맥 사이에 중앙 고원이 있고 레만(Leman)·뇌샤텔(Neuchâtel)·취리히(Zürich)·보덴제(Bodensee) 등 여러 호수가 있음. 산악성 기후(山岳性氣候)로 풍광(風光)이 아름다워 관광지(觀光地)로서 유명함. 곡류(穀類)의 산출은 적어 식량의 자급(自給)이 불가능하나 여러 가지 과실과 질이 좋은 낙농 제품(酪農製品)을 산출함. 공업 인구는 44%이며 풍부한 수력(水力)을 이용하여 시계·면포·견(絹)·기계·화학 약품 등을 산출하며 시계·기계·염료(染料) 등을 수출하고 곡류·양모·철·석탄 등을 수입함. 알프스를 중심으로 하는 관광 수입도 중요한 재원이 됨. 철도는 대부분이 전기화(電氣化)되어 있음. 행정상 23칸톤(canton)으로 구분되어 있고 대통령은 정부의 일곱 각료(閣僚) 중에서 임기 1년의 윤번제(輪番制)로 되고 의회는 양원제로, 간접 민주제의 전통이 있음. 영세 중립(永世中立)이며 국제 연합에는 가입하지 않았음. 공용어(公用語)로 독일어, 프랑스어, 이탈리아어, 레토로만(Réto-Roman)어를 사용함. 수도는 베른(Bern). 정식 명칭은 '스위스 연방(Swiss Confederation)'. 슈바이츠(Schweiz). 스위철란드(Switzerland). 서서(瑞西). [41,293 km² : 7,040,000 명(1995 추계)]

스위스 민법【一民法】〔Suisse〕 〔一뻡〕 명 〖법〗 1907년의 스위스 민법과 1911년의 채무법(債務法)의 총칭. 후자는 상법적 규정을 포함하는 대법전임. 개인 본위·권리 중심의 사상을 시정하고, 재판관의 자유재량을 크게 인정함. 고유법이 적용되는 여지를 크게 남기고, 관습을 존중하는 등의 특색이 있음. 그 후의 민법학에 크게 영향을 미쳤음.

스위스 민요【一民謠】〔Suisse〕 명 스위스 지방의 독특한 민요. 특히 요들(Jodel)을 이름.

스위스 은행【一銀行】〔Suisse〕 명 스위스 최대의 상업 은행. 1872년 바젤(Basel) 은행으로 창립되었으며, 후에 취리히 은행 등을 합병하여 현재의 이름으로 개칭함. 1920년 이후 세계적인 정치 및 통화 가치의 동요로 다액의 외자(外資)가 유입(流入)하여 현저히 발전함. 국내외에 113개의 지점이 있으며, 일반 은행 업무 전반을 취급함.

스위스 프랑〔프 Suisse franc〕 명 스위스의 현행(現行) 통화 단위의 하나. 안정된 통화로 알려져 있고, 또 스위스는 자유 통화국이므로 각국의 통화와 시가(時價)로 자유롭게 교환할 수 있음. 1스위스 프랑은 100상팀(centime).

스위스 형법【一刑法】〔Suisse〕 〔一뻡〕 명 〖법〗 1937년 12월 21일에 공포되고, 이듬해 7월 3일의 국민 투표에서 채택되어 1942년 1월 1일부터 시행된 스위스 연방의 통일 형법전. 슈토스(Stoss, Carl)의 노력에 의하여 '형벌의 개별화'를 인정하고 보안 처분의 규정을 삽입한 점 등 현대 형법전의 하나의 전형이 되어 있음. 1950년 연방 법률에 의하여 개정됨.

스위:지〔Sweezy, Paul Marlor〕 명 〖사람〗 미국의 마르크스주의 경제학자. 근대 경제학의 내재(內在)적 비판에 의하여, 마르크스 경제학에 케인스 이론의 개념을 섭취하여, 자본주의 특히 독점 자본의 분석으로 독자적인 견해를 나타냄. 1934년 이후 대학을 떠나 잡지 《먼슬리 리뷰(Monthly Review)》를 주재(主宰)함. 주저(主著)로 《자본주의 발전의 이론》·《독점 자본》 등이 있음. [1910-]

스위철란드〔Switzerland〕 명 〖지〗 '스위스(Suisse)'의 영어명.

스위치〔switch〕 명 ①〖전〗 전기 회로를 개폐하는 장치. 개폐기. 전환기(轉換器). 전기 개폐기. 점멸기. 안전기. ②철도의 전철기(轉轍器). ③레슬링에서, 공방(攻防)의 태세나 전술을 일전하여 바꾸는 일. ④야구에서, 경기 중 부진한 투수를 바꾸는 일.

스위치 무:역【一貿易】〔switch〕 명 스위치 트레이딩.

스위치-백〔switchback〕 명 ①기차가 급경사 길을 갈짓자형으로 오르는 일. 또, 그 노선. ②오르내리는 경사를 서로 한 번씩 섞어 만들어 놓고 내리쏠리는 힘을 이용하여 오르는 일. ——-하다 자여불

스위치-보:드〔switchboard〕 명 〖전〗 배전반(配電盤).

스위치 아웃〔switch out〕 명 〖연〗 일시에 조명을 어둡게 하는 일. 약칭:에스 오(S.O.). ↔스위치 인. ——-하다 자여불

스위치 인〔switch in〕 명 〖연〗 일시에 조명을 넣는 일. 약칭:에스 아이(S.I.). ↔스위치 아웃. ——-하다 자여불

스위치 트레이딩〔switch trading〕 명 〖경〗 제3국의 통화(通貨)를 결제

(決濟) 수단으로 사용하고, 다른 통화 지역으로부터 수입(輸入)하는 삼각 무역의 하나. 제3국에 지불하는 중개(仲介) 수수료만큼 값이 비싸지는데, 제3국에 대월 잔액(貸越殘額)이 많을 때 이용됨. 스위치 무역.

스위치-히터 〔switch-hitter〕 명 야구에서, 공을 오른손으로나 왼손으로나 마음대로 치는 타자(打者).

스위트[1] 〔suite〕 명 〖악〗 '모음곡'의 영어명.

스위:트[2] 〔sweet〕 명 ①맛이 닮. ②사랑스러움. ③즐거움. 유쾌함. ④〖악〗 재즈에서, 느린 템포로 달콤하게 연주하는 일. ——-하다 형여불

스위:트[3] 〔Sweet, Henry〕 명 〖사람〗 영국의 음성학자·언어학자. 영어사(英語史) 및 일반 음성학을 연구하여 영어학의 기초를 세움. 저서에 ≪영어 음성의 역사≫ 등이 있음. [1845-1912]

스위:트 가스 〔sweet gas〕 명 황화(黃化) 수소나 메르캅탄(mercaptan) 등의 부식(腐蝕) 성분을 함유하지 않은 석유 천연 가스.

스위:트 걸: 〔sweet girl〕 명 예쁜 소녀. 친절한 처녀.

스위:트 멜론 〔sweet melon〕 명 〖식〗 노랑참외.

스위:트 설탄 〔sweet sultan〕 명 〖식〗 〔*Centaurea moschata*〕 국화과에 속하는 초본. 높이 70 cm 가량 되고 잎은 우열(羽裂)되며 꽃은 백색·홍색 등으로 핌. 터키의 원산(原產)인데 향기가 좋아 관상용으로 재배함.

스위:트 아:몬드 〔sweet almond〕 명 살구의 감미 품종(甘味品種)으로 열매로써 생식하며 또, 과자의 재료로 쓰임. 「유.

스위:트 원유【—原油】 명 〔sweet crudes〕 황(黃)을 함유하지 않은 원

스위:트 콘: 〔sweet corn〕 명 옥수수의 일종으로 감미종(甘味種)의 것을 이름.

스위:트 포테이토 〔sweet potato〕 명 ①〖식〗 고구마. ②고구마를 쪄서 껍데기를 벗기고 으깨어서 체에 걸러 설탕·우유·계란 따위를 넣고 이겨 오븐에 구운 양과자.

스위:트 피: 〔sweet pea〕 명 〖식〗 〔*Lathyrus odoratus*〕 콩과(科)에 속하는 일년초. 줄기는 높이 1-2 m이고 잔털이 났으며 잎은 우상(羽狀) 복엽이고 뒷면은 백색임. 2-4개의 담홍색·백색·자색의 반점이 있는 나비 모양의 꽃이 화경 끝에 피고, 완두와 비슷한 협과(莢果)는 원형이고 담색·갈색·회갈색으로 익음. 시칠리아 섬의 원산(原產)으로 영국·네덜란드를 비롯하여 전세계에서 관상용으로 재배함.

〈스위트 피〉

스위:트-하:트 〔sweetheart〕 명 애인(愛人). 연인. 특히, 여자 애인. *러버(lover).

스위:트 홈: 〔sweet home〕 명 즐거운 가정. 사랑의 보금자리. 특히 신혼 가정을 일컬음.

스위:퍼 〔sweeper〕 명 ①축구에서, 백(back)과 키퍼 사이에 위치하는 선수. ②볼링에서, 핀을 옆에서 쓸어내듯 넘어뜨리는 볼.

스위프트【SWIFT】 명 〔Society for Worldwide Interbank Financial Telecommunication의 약칭〕 1973년 벨기에에서 발족한 국제 은행간 통신 협회. 각국의 주요 은행 상호 간의 지급·송금 업무 등을 위한 데이터 통신을 하는 것을 목적으로 하는 비영리 법인으로, 유럽과 북아메리카의 주요 은행이 가맹하고 있음.

스위프트[2] 〔swift〕 명 야구에서, 속구(速球). 스위프트 볼(swift ball).

스위프트[3] 〔Swift, Jonathan〕 명 〖사람〗 영국의 작가·성직자(聖職者). 영국의 소설 초창기에 풍자 소설을 남김. 휘그(Whig)·토리(Tory) 양당(兩黨)의 정쟁(政爭) 때 논객으로 활약하였으며, 더블린의 파트릭 교회의 주교로 있었음. 그 대표작에 ≪걸리버 여행기(Gulliver旅行記)≫ 등이 있음. [1667-1745]

스위프트 볼: 〔swift ball〕 명 스위프트[1].

스위프트 회:사【—會社】 명 〔Swift & Co.〕 미국의 종합 식품 제조 회사. 1885년 창업, 시카고에 본거를 두고, 동부에의 냉동육 수송의 성공으로 발전한, 가공·유통 합리화의 선구자임. 각종 통조림·유지(油脂)·사료 등으로 경영을 다각화함.

스윈번: 〔Swinburne, Algernon Charles〕 명 〖사람〗 영국의 시인·평론가. 무신앙의 공화주의자로, 주로 영국사에서 취재한 사극(史劇)을 발표하였음. 작품 ≪시와 발라드(ballade)≫·≪칼리돈(Calydon)의 아탈란타(Atalanta)≫ 등이 저명함. [1837-1909]

스윔 〔swim〕 명 〖악〗 트위스트·서핑에 이어서 미국에 생긴 록조(rock調)의 댄스 리듬. 상반신의 움직임에 평영(平泳)이나 배영(背泳)의 스타일을 취한 것이 특징임.

스윙 〔swing〕 명 ①흔드는 일. 진동. ②권투에서, 옆으로 강타(強打)하는 일. ③〖악〗 1935년경부터 미국의 베니 굿맨(Benny Goodman) 악단이 연주하기 시작한 재즈 음악의 한 스타일. 또, 그에 맞춰서 추는 댄스. 강렬한 리듬과 새로운 화성(和聲)을 특징으로 함. ④야구에서, 배트(bat)를 휘두르는 일. ¶ ~ 아웃. ⑤〖공〗 선반(旋盤)이 깎아 낼 수 있는 최대 직경. 보통 중심 높이의 약 2배이나 구조에 따라 이보다 클 경우도 있음. ⑥〖경〗 두 나라 사이의 무역 지불 협정에 있어서 협정국이 서로 부여하는 신용의 한도. 만약 양국 간에 500만 달러로 스윙이 결정되면 500만 달러 이내의 대차는 이를 결제하지 않고, 초과 부분만 결제함. ⑦스키에서, 활주(滑走)하면서 방향을 바꾸든가 정지하든가 하는 묘기의 일종.

스윙 아웃 〔swing out〕 명 야구에서, 투 스트라이크일 때, 배트를 휘둘렀으나 공을 때리지 못하여 스리 스트라이크로 아웃이 되는 일. *스트럭 아웃(struck out).

스윙 어카운트 〔swing account〕 명 〖경〗 오픈 어카운트의 보완(補完) 협정. 상호 간에 일정 한도의 크레디트(credit)를 서로 공여(供與)하는 일.

스윙 플레이 〔swing play〕 명 럭비에서, 공을 종횡으로 이동하여 상대를 혼란시켜 그 틈에 트라이를 얻는 전법적(戰法的) 플레이.

스이 수 〈방〉 셋(강원·전북).

스이다 피동 〈옛〉 쓰이다. ¶ 다 갓곤 미ᄂᆞᆯ ᄡᅧ 그그ᄐᆡ 스이라(俱用倒鉤冠其抄)≪武藝諸譜 21≫.

스자좡 〔石家莊〕 명 〖지〗 중국 허베이 성(河北省) 남서부의 도시. 원래는 정딩 현(正定縣)의 작은 고을이었으나 징한(京漢)·스타이(石太)·스더(石德) 세 철도의 교차점으로, 철도 개통 후 급격히 상공업이 발달하여, 제면·제철·기계·화학·공업이 성함. 석가장. [약 100만명(1987)]

스주니 타 〈옛〉 씻으니. 닦으니. '슷다'의 활용형. ¶ 눈므를 스주니 옷기제 젓ᄂᆞᆫ 피오(拭淚霑襟血)≪初杜諺 Ⅷ:28≫.

스즈니 타 〈옛〉 씻으니. 닦으니. '슷다'의 활용형. ¶ 눈므를 스즈니 ᄇᆞᄅᆞ미 슬허 우더라(雪涕風悲鳴)≪初杜諺 XXIV:19≫.

스즈키 우메타로 〔鈴木梅太郎:すずきうめたろう〕 명 〖사람〗 일본의 농예 화학자(農藝化學者). 스위스와 독일에 유학하고 도쿄 대학 교수로 있으면서 1909년 쌀겨로부터 오리자닌(oryzanin)을 분리하였음. [1874-1943]

스쭈이 산 〔石咀山〕 명 〖지〗 중국 닝샤후이 족(寧夏回族) 자치구 북쪽에 있는 도시. 황허 수운의 중심지로 바오란 철도(包蘭鐵道)가 통하며 자치구 북부, 내몽고 방면의 양모(羊毛)·피혁·농산물의 중요 집산지임. 근래에 발견된 대탄전(大炭田) 지대에 있으며, 신흥 공업 도시로 알려짐. 석저산(石咀山). 석취산(石嘴山). [237,763명(1987)]

스쳐-보다 타 곁눈질을 하여 슬쩍 보다.

스춤 타 〈옛〉 상상함. 생각함. '스치다[3]'의 명사형. ¶ 업슨ᄃᆞᆺ ᄒᆞᄃᆡ 업디 아니ᄒᆞ미 스춤 아뇨미 아니라(非想非非想處)≪月釋 I:36≫.

스츄니 자타 〈옛〉 생각하니. '스치다[3]'의 활용형. ¶ 이제 니르ᄃᆞ록 ᄭᅮ메 스츄니(至今夢想)≪杜諺 IX:6≫.

스츠다 타 〈옛〉 시치다. ¶ 아직 더 스츰이실 가져다가 다 스츠라(且將那水線來都引了着)≪朴解 中 55≫.

스치다[1] 자 ①서로 살짝 닿으면서 지나가다. ¶ 새가 수면을 스치며 날아가다/얼굴을 스치는 찬바람. ②어떤 생각이 퍼뜩 떠올랐다가 이내 사라지다. 또, 무엇이 언뜻 나타났다가 이내 사라지다. ¶ 퍼뜩 어머니의 얼굴이 머리 속을 스치었다/눈앞을 스쳐 가는 검은 그림자. ③시선이 어디를 훑으며 지나가다. ¶ 날카로운 시선이 그의 얼굴을 스쳤다.

스치다[2] 타 〈방〉 시치다.

스치다[3] 타 〈옛〉 상상하다. 생각하다. ¶ 도라올 ᄢᅳ데 오히려 온가짓 시르믈 스쳐 보노라(想見歸懷尙百憂)≪杜諺 XXI:32≫.

스치미 명 〈방〉 시치미.

스침 명 〈방〉 시침.

스카: 〔scar〕 명 잠수함이 잠항(潛航)한 채 태양·달·별 등 천체를 보고 배의 위치 등을 측정할 수 있게 된 장치.

스카게라크 해:협【—海峽】 〔Skagerrak〕 명 〖지〗 북유럽 스칸디나비아 반도와 덴마크의 유틀란트(Jutland) 반도와의 사이의 서반부(西半部) 해협. 북해(北海)와 발트 해(Balt海)를 연결하는 서쪽 해협으로 동반부는 카테가트(Kattegat) 해협이라 함.

스카라무슈 〔프 scaramouche〕 명 〖연〗 이탈리아 즉흥 희극 중의 익살꾼의 역(役). 거짓말과 호언 장담하기를 즐기며 검은 옷을 입음.

스카라베 〔프 scarabée〕 명 〔본디는 말똥구리의 뜻〕 고대 이집트에서, 태양신(太陽神) 케페라(Khepera)를 상징하여 만든 갑충형(甲蟲形)의 인장(印章)·부적(符籍). 자수정(紫水晶)·벽옥(碧玉) 등으로 만들었는데 일반적으로 잡신(雜神)을 쫓는 부적이나 장식품으로 쓰였음.

스카롱 〔Scarron, Paul〕 명 〖사람〗 프랑스의 시인·소설가. 17세기 전반의 현실파 가운데서 모든 것을 해학화(諧謔化)하는 소설 작가의 제일인자였음. [1610-60]

스카른 〔도 Skarn〕 명 〖광〗 고온 교대 광상(高溫交代鑛床)의 맥석(脈石)으로서, 특유의 검푸른 광물 집합체를 구성하는 규산염 광물. 규회석(珪灰石)·석류석(柘榴石)·투휘석(透輝石) 따위.

스카를라티 〔Scarlatti〕 명 〖사람〗 ①〔Alessando S.〕 이탈리아 가극의 작곡가. 로마와 나폴리에서 활약하고 궁정·성당의 악장을 지냄. 소위 나폴리 악파(Napoli樂派)의 창시자로, 100곡 이상의 가극과 기타 600곡 이상의 독창 칸타타·오라토리오·미사곡·실내악도 작곡하였음. [1659-1725] ②〔Domenico S.〕 이탈리아의 작곡가. 쳄발로 주자(奏者). ❶의 아들. 오페라 작곡가로서 출발한 후에 교황청(敎皇廳)의 예배당 악장, 포르투갈의 궁정 악장을 역임하고 많은 쳄발로 곡을 쓰고, 그라비아 소나타에의 발전의 길을 열었음. 바로크(baroque) 음악에서 로코코(rococo) 음악에의 양식의 변천을 나타내는 그의 소나타는 지금도 피아노곡으로 즐겨 연주되고 있음. [1685-1757]

스카블라 〔노르웨이 skavla〕 명 센 바람 때문에 설면(雪面)이 물결 모양으로 굳어진 현상. 파상설(波狀雪).

스카비오사 〔scabiosa〕 명 〖식〗 〔*Scabiosa atropurpurea*〕 산토끼꽃과에 속하는 일년초. 간혹 이년초가 되기도 함. 남(南)유럽에 자생(自生)하는데, 키는 60 cm 가량이고, 잎은 달걀 모양이며 뿌리 부분으로부터 나와서 방사상(放射狀)으로 넓어짐. 두상화(頭狀花)는 줄기의 선단(先端)에 붙어 있으며, 개화기에 구형(球形)이 됨. 원예종(園藝種)으로서, 여러 가지 변종(變種)이 있고, 청(靑)·자청(紫靑)·홍(紅)·홍갈색(紅褐色)·분홍색·백색 등 각종의 빛깔이 있음. 가을에 씨를 뿌리면 다음해 6-10월에 개화(開花)함.

스카시【SCSI】 명 〔Small Computer System Interface〕 〖컴퓨터〗 컴퓨터에서, 주변 장비를 연결하는 데 쓰는 직렬 인터페이스. 전송 속도가 빠르고, 장치의 연결과 분리가 쉬움.

스카우트 〔scout〕 명 ①〖군〗 척후병(斥候兵). 수색병(搜索兵). ②각지를

돌아다니며 우수한 운동 선수 또는 배우·특수 기술자 같은 인재를 물색하고 찾아 내는 것을 업으로 삼는 사람. 또, 그 일. ③↗보이 스카우트(boy scout)·걸 스카우트(girl scout). ④미국의 소형 위성 발사용 로켓. 고체 연료를 쓰는 4단식으로 비용이 저렴한 것이 특징임.

스카우트 활동【一活動】〔scout〕〔一똥〕 명 스카우트 교육 방법에 의하여 청소년 및 소녀의 품성을 도야하고 체력을 증진시키며, 유용한 기능을 체득하게 하여 사회에 헌신하는 봉사 정신을 배양함으로써 국가 발전에 공헌하고, 나아가서는 세계 인류의 친선 증진에 기여하려는 활동.

스카이〔sky〕 명 하늘. 천공(天空).

스카이-네트〔Skynet〕 명 영국의 군사용 통신 위성. 1호는 1969년 11월 21일 미국의 델타 로케트에 의해서 케이프케네디 기지로부터 쏘아 올려졌음. 위성의 중량은 240 kg. 인도양 상공의 정지(靜止) 궤도에 올려짐. 미국의 제1차 군사 통신 위성 계획을 보완하기 위해 미국 국방성과 협정을 맺고 있음. 2호는 1970년 8월에 쏘아 올렸으나 실패함.

스카이 노이즈〔sky noise〕 명 〖천〗 별에서 오는 전파(電波) 에너지에 의해서 생기는 잡음.

스카이-다이버〔skydiver〕 명 스카이다이빙을 하는 사람.

스카이-다이빙〔skydiving〕 명 항공 스포츠의 일종. 항공기에서 낙하하여, 지상 700 m쯤에서 낙하산을 펴고, 정해진 목표 지점에 착지함.

스카이 라운지〔sky+lounge〕 명 고층 빌딩의 맨 위층에 베푼 휴게실(休憩室).

스카이-라이트〔skylight〕 명 천장에 낸 채광창(採光窓).

스카이-라인〔skyline〕 명 ①지평선(地平線). ②산·건물 등이 하늘과를 구획(區劃)하는 윤곽.

스카이-래브〔Skylab〕 명 〔sky laboratory의 약어〕 1973년 5월 14일, 미국에서 발사한 소형 우주 정거장. 우주 생활의 의학적 조사, 태양 관측 등 여러 가지 실험에 이용됨. 1979년 7월 12일에 궤도에서 추락, 소멸하였음.

스카이래브 계:획【一計劃】 명 〔Skylab project〕 미국의 유인(有人)우주 실험실 계획. 1973년 5월 15일 1차, 1973년 9월 28일 2차, 1974년 1월 6일 3차로 발사함. 사용 완료된 스카이래브는 점점 궤도의 고도가 내려가 1983년 지상에 낙하할 예정이었으나 태양 활동 등의 영향 때문에 1979년 7월 대기권에 돌입, 다수의 파편이 오스트레일리아 남서부에 낙하하였음. 인명 등의 피해는 없었으나, 우주 물체의 지상 낙하에 대한 위험성이 크게 논의되었음.

스카이-레이〔Skyray〕 명 〖군〗 항공 모함 함재기(艦載機)의 하나. 단발(單發)·복좌(複坐)·초음속의, 제한된 전천후(全天候) 제트 전투기. 적기(敵機)의 요격과 파괴의 임무를 띰.

스카이-레이더〔Skyraider〕 명 〖군〗 항공 모함 함재기(艦載機)의 하나. 단발(單發) 왕복 기관의 공격기로, 비교적 장거리에서 저공으로 핵(核) 또는 비(非)핵무기를 투발(投發)할 수 있으며, 기뢰의 부설과 정찰, 어뢰 발사 및 지상군을 지원할 수 있는 능력이 있음.

스카이 블루:〔sky blue〕 명 하늘 색.

스카이-사인〔skysign〕 명 ①야간에, 높은 곳에 베푼 전광(電光)으로 문자나 그림을 나타내는 장치의 광고. ②비행기가 날면서 유색(有色) 연막을 뿌리며 글자를 나타내는 광고. 공중 광고(空中廣告).

스카이 서:브〔sky+serve〕 명 탁구에서, 공을 공중 높이 던졌다가 탁구대에 떨어지기 직전에 쳐 넣는 서비스.

스카이-스크레이퍼〔skyscraper〕 명 마천루(摩天樓).

스카이-십〔sky-ship〕 명 1975년 영국에서 개발된 비행 접시 모양의 비행선(船). 직경 214 m, 무게 800 t, 터보 프롭 엔진 10기(基)를 비치(備置)하여, 시속 160 km로 항행(航行)하며, 차량 100여 대, 물자 100 t을 운반할 수 있음.

스카이-워리어〔Skywarrior〕 명 〖군〗 항공 모함 함재기(艦載機)의 하나. 핵(核) 또는 비(非)핵무기의 발사와 정찰·기뢰 부설의 능력을 가지고 있는 쌍발 터보제트 엔진의 전술용 전천후(全天候) 공격기. 공중 급유를 받을 수 있으며 승무원은 4명임.

스카이-웨이〔skyway〕 명 산마루를 연하여 난 관광 도로.

스카이-잭〔skyjack〕 명 비행기의 공중 납치. 하이잭.

스카이 커버〔sky cover〕 명 〖기상〗 구름이나 안개 등의 엄폐(掩蔽) 현상이 하늘을 덮는 양(量). 엄폐 현상이 전혀 없는 하늘의 전역(全域)을 10으로 하고 비율을 나타냄.

스카이 카이트〔sky kite〕 명 모터 보트가 끄는 연에 매달려 공중에 떠오르는 수상(水上) 스포츠. 300 m 쯤 떠오름.

스카이 파:킹〔sky parking〕 명 입체식 주차장.

스카이-호:크〔Skyhawk〕 명 〖군〗 〔'하늘의 매'의 뜻〕 항공 모함 함재기(艦載機)의 하나. 핵(核) 또는 비(非)핵무기를 투발(投發)할 수 있고 지상군의 지원 및 정찰 능력을 가진 단발 터보제트 엔진 공격기. 공중에서 급유(給油)를 받을 수 있으며, 제한된 전천후(全天候) 공격 능력을 보유함. 미비(未備)된 단거리 활주로에서도 작전이 가능함.

스카이-훅〔skyhook〕 명 〖항공〗 바람의 상태나 고층 대기에 관한 데이터를 측정하기 위해 쓰이는 플라스틱으로 만든 대형의 기구(氣球).

스카치〔Scotch〕 명 ①스코틀랜드 남부 지방에서 나는 면양(緬羊)의 털 및 털실. 또, 이를 사문 조직(斜紋組織)으로 짠 모직물. 스코치. ②↗스카치 위스키(Scotch whisky).

스카치 에그〔Scotch egg〕 명 영국의 대표적인 요리. 다진 고기에 양파 썬 것을 섞어서 삶은 달걀을 싸고 빵가루를 입혀서 기름에 튀긴 음식.

스카치 위스키〔Scotch whisky〕 명 스코틀랜드산(產)의 위스키. ㉠스카치.

스카치 테리어〔Scotch terrier〕 명 애완용 개의 하나. 스코틀랜드 원산의 테리어종(種). 몸 높이 약 25 cm. 동체(胴體)가 길고 사지(四肢)는 비교적 짧음. 귀는 작고 세워졌으며 털은 길고 거칢. 스코치 테리어.

스카치 테이프〔Scotch tape〕 명 접착용 '셀로판 테이프'의 상품명.

스카폴라이트〔scapolite〕 명 〖광〗 정방 정계(正方晶系)의 규산염 광물. 유리광(光) 또는 진주광이 있으며, 무색·백색·황회색 등의 여러 종류가 있음. 주석(柱石).

스카:프〔scarf〕 명 ①주로 여성이 쓰는 목도리의 하나. 방한용으로 목에 감거나 머리에 쓰는 외에, 장식용으로 옷깃 언저리에 약간 내놓거나 또는 벨트 대신 매거나 함. ②〖군〗 견대(肩帶).

〈스카프❶〉

스칸듐〔scandium〕 명 〖화〗 희토류 원소(稀土類元素)의 하나. 1879년 스웨덴의 화학자 닐슨(Nilson, Lars Fredrik; 1840-99)에 의하여 발견되었음. 담회백색의 금속으로, 녹는점 1539° C, 끓는점 2727°C. 산(酸)에 녹고 3가(價)의 염(塩)을 만듦. [21번 : Sc:44.9559]

스칸디나비아 반:도【一半島】〔Scandinavia〕 명 〖지〗 유럽 북부에 있는 반도. 서쪽은 대서양, 북쪽은 북극해(北極海), 동쪽은 보트니아 만(Bothnia灣)과 발트 해(Balt海)임. 가운데에 스칸디나비아 산맥이 뻗었는데, 서쪽은 경사를 이루어 육지가 좁고 남동쪽은 평탄하여 호수가 많음. 반도의 동부는 스웨덴, 서부는 노르웨이, 일부분은 핀란드에 속함. 길이는 약 1,800 km, 폭은 370-750 km임. [800,000 km²]

스칸디나비아 산맥【一山脈】〔Scandinavia〕 명 〖지〗 스칸디나비아 반도의 약간 서편을 남북으로 뻗은 산맥. 습곡(褶曲)한 고생층(古生層)으로 이루어진 고원상(高原狀)의 산지(山地)로서, 빙하(氷下)·피오르드 지형(fiord 地形)이 발달하여, 삼림(森林)·철(鐵) 자원이 풍부함. 높이 1,000-2,000 m, 연장 1,800 km, 폭 250 km임. 최고봉(最高峰)은 2,469 m의 갈회피겐 산(Galdhöpiggen山). 스칸디나비아 산지(山地).

스칸디나비아 산지【一山地】〔Scandinavia〕 명 〖지〗 스칸디나비아 산맥.

스칸디나비아 삼국【一三國】〔Scandinavia〕 명 덴마크·노르웨이·스웨덴의 삼국. 이 세 나라는 인종적으로나 언어적으로 혈연 관계가 깊음.

스칸디나비아 제국【一諸國】〔Scandinavia〕 명 유럽 북부의 스웨덴·노르웨이·덴마크·아이슬란드 4개국의 총칭. 아이슬란드를 제외하고 핀란드를 포함하는 수도 있음.

스칸디나비아 항:공【一航空】〔Scandinavia〕 명 에스 에이 에스.

스칼드〔skald〕 명 북유럽의 시인을 이름. 특히, 기교적인 서정시·풍자시를 낳은 고대의 궁정 시인.

스칼라〔scalar〕 명 〖수·물〗 하나의 수치(數值)만으로 완전히 표시되는 양(量). 벡터(vector)·텐서(tensor) 등과 같은 유방향량(有方向量)에 대하여 방향의 구별이 없는 수량. 이를테면 질량(質量)·에너지·밀도·전기량 같은 것. *벡터(vector).

스칼라 곱 명 〔scalar product〕 〖수〗 내적(內積).

스칼라 극장【一劇場】〔Scala〕 명 〖연〗 이탈리아의 밀라노에 있는 국립 가극장. 세계 최고급의 오페라의 전당(殿堂). 1778년에 개장(開場)함.

스칼라-량【一量】〔scalar〕 명 방향을 가지지 아니하는 양(量). 부피·질량(質量)·시간·온도 따위.

스칼라피노〔Scalapino, Robert A.〕 명 〖사람〗 미국의 정치학자. 캘리포니아 대학 졸업. 미국 유수의 극동 문제 전문가로 꼽힘. 저서로 《현대 일본의 정당과 정치》 등이 있음. [1919-]

스칼러-십〔scholarship〕 명 ①학문. 학식. 박학(博學). ②〖교〗 장학금. 급비(給費).

스칼리제:르〔Scaliger, Joseph Justus〕 명 〖사람〗 프랑스의 고전학자(古典學者). 《카탈레타(Catalecta)》의 편집에서 비평의 기준을 확립, '역사적 비평(歷史的批評)의 아버지'로 불림. [1549-1609]

스칼:릿〔scarlet〕 명 ①진홍색. ②홍색(紅色) 콜타르 물감.

스캐너〔scanner〕 명 ①〖컴퓨터〗 입력 장치의 하나. 그림이나 사진의 화상(畫像)을 읽어들이거나 문자·바코드를 판독하는 장치. ②텔레비전의 주사기(走査機). ③인쇄에서 색도 분해기의 일종. ④통신에서 주사 공중선(走査空中線). ⑤시티(C.T.) 스캐너.

스캐닝〔scanning〕 명 〖컴퓨터〗 리스트 내의 전 항목이나 파일 내의 전 레코드를 빠르게 검색하는 일.

스캐러브〔scarab〕 명 스카라베(scarabée).

스캐브〔미 scab〕 명 〖사〗 동맹 파업에 참가하지 않거나 또는 이를 파괴하는 사람. 블랙레그(blackleg).

스캐파-플로:〔Scapa Flow〕 명 〖지〗 영국 스코틀랜드 북부, 오크니(Orkney) 제도의 포모나(Pomona)·호이(Hoy) 등의 섬에 둘러싸인 수역(水域). 동서 24 km, 남북 13 km. 북해와 대서양을 연락하는 요지로, 제1차·제2차 대전 당시 영국 해군의 근거지였음.

스캔들〔scandal〕 명 ①추문(醜聞). ②의옥(疑獄).

스캔런 플랜〔Scanlon plan〕 명 미국의 경영학자 스캔런(Scanlon, J.N.)이 고안한 생산성 향상 성과의 분배 방법. 생산 판매 가치에 과거 수년간의 임금 총액과 생산 판매 가치의 비율을 곱하여 기준 임금 총액을 산정, 이 액수에서 실제 지불 임금을 공제하고, 회사 25%, 종업원 75%로 나눠 후자를 각인의 실동(實動) 시간 기본급에 비례하여 상여금(賞與金)으로서 분배함.

스캘럽〔scallop〕 명 소맷부리나 옷자락 같은 데에 베푸는 장식으로, 부채꼴이나 물결 모양으로 죽 이어낸 가장자리.

스캠프〔scamp〕 명 망나니. 부랑자. 악한(惡漢).

스캡【SCAP】 명 〔Supreme Commander for the Allied Powers의 약칭〕 제2차 세계 대전 후에 일본(日本) 점령 중의 연합군 총사령관. 또, 연합군 총사령부.

스캣〔scat〕 명 〖악〗 재즈 따위에서, 가사의 일부에 의미없는 후렴을 넣어서 부르는 법. 또, 그런 노래.

스커드〔Scud〕 명 〖군〗 소련의 전술 핵(核)미사일. 액체 연료를 사용하

며, A, B, C의 세 형(型)이 있음. A·B형은 핵·비핵용, C형은 핵탄두용으로, 전장(全長) 12.75m, 직경 1.05m, 사정 거리는 700km임.

스커:트 〔skirt〕 명 여성 양복의 치마. 타이트·플레어·프리츠 등의 여러 가지 형(型)이 있음. ¶ 미니 ~/플레어 ~.

스커퍼 〔scupper〕 명 배 갑판(甲板) 위의 양현측(兩舷側)에 있는 배수(排水) 구멍.

스컬 〔미 scull〕 명 ①좌우 양쪽의 노를 한 사람이 젓게 된 스포츠용의 좁고 긴, 가벼운 보트. 보통 1인 또는 2인이 탐. 또, 그 노. ②스컬을 사용하는 보트 레이스. 올림픽 종목임.

스컹크[1] 〔skunk〕 명 〔동〕 [*Mephitis mephitica*] 족제빗과에 속하는 동물. 어깨 높이 2피트 가량이고 온 몸은 긴 털로 덮였으며 꼬리의 털은 특히 길. 몸빛은 흑색에 후두부에는 큰 안장(鞍裝) 모양의 백색부가 있는데 등에서 두 개로 갈라짐. 꼬리의 하면과 선단은 백색임. 땅 속 구멍에 서식하고, 야간에 활동하며 곤충 및 소형 동물을 포식함. 항문에서 독한 자극성의 악취가 나는 액체를 분비하여 외적(外敵)을 막음. 북아메리카 원산(原產)임. 모피는 방한용(防寒用)으로 씀.

〈스컹크¹〉

스컹크[2] 〔미 skunk〕 명 야구 또는 그 밖의 경기에서, 영패(零敗)를 뜻하는 말. 셧아웃(shutout).

스케르찬도 〔이 scherzando〕 명 〔악〕 '익살스럽게'의 뜻.

스케르초 〔이 scherzo〕 명 〔악〕 익살스러우며 빠르고 경쾌한 기악곡. 흔히 소나타·심포니 등의 한 악장(樂章)을 이룸. 해학곡(諧謔曲).

스케르초소 〔이 scherzoso〕 명 〔악〕 '익살스러운'의 뜻.

스케이터 〔skater〕 명 스케이팅을 하는 사람. 특히, 잘 하는 사람을 일컬음.

스케이터스 왈츠 〔skater's waltz〕 명 왈츠의 하나. 19세기 중반경에 주로 귀족들이 많이 추던, 회전이 빠른 춤.

스케이트 〔skate〕 명 ①운동구(運動具)의 하나. 구두 바닥에 쇠날을 대어 붙이고 얼음 위를 지치는 기구. ②스케이팅(skating). ——-하다 자여불

스피드용

피겨용

〈스케이트❶〉

스케이트 경:기 【—競技】 〔skate〕 명 스케이트로 행하는 운동 경기. 스피드 스케이팅·피겨 스케이팅·아이스 하키 같은 것의 총칭.

스케이트-보:드 〔skateboard〕 명 위에 올라서서 언덕 따위를 미끄러져 내리며 노는, 바퀴 달린 판자.

스케이트-장 【—場】 〔skate〕 명 스케이팅을 위한 설비를 갖춘 곳. 아이스 링크(ice rink). 스케이팅 링크. 빙기장(氷技場).

스케이팅 〔skating〕 명 스케이트를 신고 얼음 위를 지치는 일. 스케이트. 빙활(氷滑). 빙기(氷技). ——-하다 자여불

스케이팅 링크 〔skating rink〕 명 스케이트장(skate場).

스케이프-고:트 〔scapegoat〕 명 〔고대 유태에서 속죄일에 많은 사람의 죄를 씌어 황야에 놓아 쫓은 양의 뜻〕 욕구 불만에서 생기는 파괴적 충동을 직접 그 원인이 되고 있는 것에 향하게 하는 것이 아니고, 다른 대상에 전가하여 불만의 해소를 도모할 경우의 그 대상을 이름. 그 대상에는 사회적 약자가 선택되는 경우가 많으며, 나치스 정권하의 유태인이나 미국의 흑인 등은 그 예임. 대중 조작(大衆操作)의 한 수단으로 쓰이는 경우도 많음.

스케일 〔scale〕 명 ①치수나 도수(度數)의 눈을 매긴, 측정하기 위한 기구. 자 같은 것. ②저울 눈. 자 눈. 척도(尺度). ③천칭(天秤)의 접시. ④규모(規模)❷. ¶ ~이 크다. ⑤〔악〕 음계(音階). ⑥〔화〕 관석(罐石). ⑦〔야금〕 금속 산화물의 두꺼운 피막(被膜). 금속을 공기 중에서 가열할 으로써 생김.

스케일러 〔scaler〕 명 〔물〕 계수 장치(計數裝置).

스케일링 〔scaling〕 명 ①〔의〕 치석 제거(齒石除去). ②〔공〕 금속 표면에서 더러운 것을 제거하는 일. ③생선 따위에서 비늘을 긁어내는 일.

스케줄 〔미 schedule〕 명 ①시간표. 일정표(日程表). ②운동 경기의 순서나 경기 일정. 예정표(豫定表). ③목록(目錄). 일람표(一覽表). 명세서(明細書). ④〔경〕 주요한 자산·부채·자본·손익의 각 항목에 관하여 그의 증감·변화를 상세히 표시하는 동적(動的)인 명세표(明細表). 상법(商法) 상의 계산 서류·부속 명세서가 이에 해당함. 따라서 정태적(靜態的)인 명세표로서의 재산 목록과 대립됨.

스케처 〔sketcher〕 명 스케치하는 사람.

스케치 〔sketch〕 명 ①〔미술〕 사생(寫生). 사생화. 또, 연필이나 콩테(conté) 등으로 단시간에 대강의 모양을 그리는 일. 또, 그 그림. 소묘(素描). ②줄거리나 내용에 작위성(作爲性)이 적은 단편(短篇)·단문(短文). 또, 짧은 묘사. 사생문. 촌묘(寸描). ¶ 그의 인품을 ~하다. ③〔악〕 작곡에 앞서서, 악상(樂想)이나 주제의 대강의 줄거리를 소묘적(素描的)으로 적는 일. 특히, 그와 같은 기악곡(器樂曲)이나 묘사(描寫) 음악을 말함. ——-하다 타여불

스케치 맵 〔sketch map〕 명 지형·지경(地境) 등의 개략(槪略)의 형상이나 위치 관계를 나타낸 지도.

스케치-북[1] 〔sketchbook〕 명 사생첩(寫生帖).

스케치 북[2] 〔Sketch Book〕 명 〔문〕 미국의 작가 어빙(Irving)의 문집(文集). 1919-20년 간행. 기행문(紀行文)·이야기·회상기·단편 소설 등 30여 편으로 엮어진 것으로 아름다운 문체와 기지가 넘치는 구성으로 미국 단편 소설의 선구가 됨.

스케치-판 【—板】 〔sketch〕 명 〔미술〕 유화(油畫)를 그리는 데 쓰는 화판.

스켈리턴 〔skeleton〕 명 ①건물·선박의 골격. ②가스 난로의 가스관(管).

스켈턴 〔Skelton, John〕 명 〔사람〕 영국의 시인. 헨리 8세 때 계관 시인(桂冠詩人)이 되었으나 타고난 성격 때문에 웨스트민스터 성당의 수도사로 종신. 대표작으로 《콜린 클라우트(Colyn Cloute)》 등이 있음. [1460?-1529]

스켑티시즘 〔scepticism〕 명 회의론(懷疑論).

스켑틱 〔sceptic〕 명 ①회의적(懷疑的). ②회의론자.

스코리아 〔scoria〕 명 ①〔지〕 다공상(多孔狀)이며 암색(暗色)의 화산암의 찌꺼기. 암재(岩滓). ②금속을 용융(溶融)하거나 광석을 환원시킨 후에 남는 폐물(廢物).

스코벨레프 〔Skobelev, Mikhail Dmitrievich〕 명 〔사람〕 러시아의 장군. 러시아·터키 전쟁 및 중앙 아시아 정복에 활약하여 영웅이 됨. [1843-82]

스코어 〔score〕 명 ①경기의 득점(得點) 또는 득점표. ¶ 타이 ~. ②〔악〕 모음 악보. 총보(總譜).

스코어러 〔scorer〕 명 ①채점자(採點者). 득점 기록계. ②득점자(得點者).

스코어링 〔scoring〕 명 ①스코어를 올리는 일. ②〔악〕 스코어에 쓰는 일. ——-하다 자여불

스코어링 페이퍼 〔scoring paper〕 명 경기 점수를 기록하는 종이. 저지 페이퍼.

스코어링 포지션 〔scoring position〕 명 야구에서, 득점이 가능한 위치를 이름. 한 개의 안타로 주자가 홈에 들어올 수 있는 위치. 2루와 3루를 이르나, 흔히 2루를 가리킴.

스코어-보:드 〔scoreboard〕 명 득점 게시판. 스코어판.

스코어-북 〔scorebook〕 명 경기 용어로서, 득점표 또는 시합 경과 기록장.

스코어 위성 【—衛星】 〔Score〕 명 1958년 12월 8일 미국이 아틀라스 로켓으로 쏘아 올린 최초의 통신 위성.

스코어-판 【—板】 〔score〕 명 스코어보드.

스코치 〔Scotch〕 명 스카치❶.

스코치 테리어 〔Scotch terrier〕 명 스카치 테리어.

스코토포빈 〔scotophobin〕 명 미국 휴스턴 대학의 J. 앵거 박사가 쥐에서 추출(抽出)한 기억 물질(記憶物質). 쥐에게 전기 충격(電氣衝擊)을 주어 어두운 곳을 무서워하도록 한 다음, 이 쥐의 뇌에서 끄집어낸 물질로서, 이것으로 정상적인 쥐에 주사를 놓아 주면 어둠을 좋아하는 성질과는 반대로 어두운 곳을 겁낸다고 함. 그러나 이 물질의 화학 구조(化學構造)는 불명임.

스코틀랜드 〔Scotland〕 명 〔지〕 영국의 그레이트 브리튼(Great Britain) 섬의 북서부를 차지한 땅. 동쪽은 북해, 서쪽과 북쪽은 대서양에 면함. 33군(郡)으로 본토의 4할을 넘는 넓이임. 중부는 비옥한 평야이고, 남부는 700-800m의 구릉(丘陵)임. 북쪽에서 해안 쪽으로 섬이 많으며 속도(屬島)는 모두 788개. 농업은 성하지 못하고 조방(粗放)한 목양(牧羊)·수산업이 행하여지며, 글래스고(Glasgow)를 중심으로 하여 조선(造船)·화학·기계·제유·제지 등 각종 공업이 행하여짐. 주민은 신교도가 많으며 11세기에 통일 왕국을 세웠었으나 1707년에 영국에 병합됨. 주도는 에든버러(Edinburgh). 사객란(斯客蘭). 소격란(蘇格蘭). [78,749km²: 5,035,000명(1981)]

스코틀랜드 무:곡 【—舞曲】 〔Scotland〕 명 〔악〕 스코틀랜드에서 일어난 무곡. 폴카(polka)와 비슷함. 쇼티셰(Schottische).

스코틀랜드 민요 【—民謠】 〔Scotland〕 명 스코틀랜드 지방에서 발달한 민요. 아일랜드 민요와 더불어 세계적으로 유명하며, 오음 음계(五音音階)와 교회 선법(敎會旋法)에 의한 것도 상당수임.

스코틀랜드 야:드 〔Scotland Yard〕 명 〔1829년 창설 때부터 1890년까지 스코틀랜드 왕궁 자리에 있었던 데서 유래〕 영국 런던에 있는 수도 경찰청의 별칭. 영국 유일의 국가 경찰임. 런던 및 주변 지구의 경찰 사무를 담당하는 외에, 전국 경찰의 범죄 기록·자료 등을 보관하고 자치체(自治體) 경찰의 요청으로 어려운 사건의 수사에도 관여함.

스코틀랜드-인 【—人】 〔Scotland〕 명 〔인류〕 스코틀랜드의 주민. 본래의 스코틀랜드인은 켈트계로서 일찍이 스코틀랜드 서북부에 정착함. 5세기 이래 새로이 들어온 앵글로색슨인과 대항, 1707년 합동법에 의하여 스코틀랜드·잉글랜드 두 왕국은 합방하여 대브리튼 왕국을 형성하였음. 언어는 본래 켈트말인데, 일찍이 영어화하였으나 방언이 심함.

스코파스 〔Skopas〕 명 〔사람〕 고대 그리스의 조각가·건축가. 격렬한 정서(情緖)의 표현에 능하고, 테게아(Tegea)의 아테나 아레아 신전(Athena Area 神殿)의 재건에 종사하였음. [396?-350? B.C.]

스코페 〔Skopje〕 명 〔지〕 마케도니아 공화국(Macedonia共和國) 수도. 철도의 요지로, 농산물 거래의 중심지임. 피혁·식품·목재 공업이 성하고, 또 대학이 있음. 14세기 이후 1878년까지 터키령이었음. 1963년 7월 대지진으로 사망자가 약 1,000명에 이르렀음. [550,000명(1991)]

스코폴라민 〔scopolamine〕 명 〔약〕 동공 산대(瞳孔散大)·신경 마비·분비 억제 등의 작용이 있는, 아트로핀(atropine)과 유사한 품질. 무도병(舞蹈病) 등의 진정, 불면증 등의 최면용으로 쓰임. [$C_{17}H_{21}O_4N$]

스코:프 〔scope〕 명 ①안계(眼界). 시야(視野). 범위. 영역(領域). ②〔교〕 시퀀스와 더불어 커리큘럼 편성의 한 기준. 곧, 교육 과정에 있어서 교육 목표를 능률적으로 달성하기 위하여, 아동·학생의 학습 활동을 일정한 영역에 한하게 하고 그 집중(集中)을 꾀하는 필요로부터 정하여진 범위. *시퀀스.

스코:피언 요격기 【—邀擊機】 〔Scorpion〕 명 〔군〕 〔scorpion은 전갈(全蠍)의 뜻〕 쌍발 터보제트(turbojet) 엔진 전천후 요격기. 핵(核) 및 비(非)핵 탄두·공대공(空對空) 미사일을 장비함.

스코필:드 〔Schofield, Frank W.〕 명 〔사람〕 영국의 의학자·선교사. 1916년에 세브란스 의학 전문 학교 교수로 내한하여, 3·1 운동 때에 이에 적극 협력한 탓으로 일제에 의해 강제로 귀국당했음. 1958년에 재차 내한함. 한국식 이름은 석호필(石好必). [1888-1970]

스콜: 〔squall〕 명 『기상』 갑자기 불기 시작하였다가 곧 그치는 강풍(強風). 뇌우(雷雨)를 수반하는 경우가 많음. 보통, 열대 지방 특유의 세찬 소낙비를 이름.

스콜라 〔라 schola〕 명 ①중세에 있어서 가톨릭 교회나 수도원에 부속된 학교. 「~ 철학. ②학자. 고전 학자.

스콜라이트 〔scolite〕 명 『지질』 암석 중에 있는 작은 관(管)의 하나. 벌레가 만든 구멍이 화석화(化石化)된 것이라고 생각됨.

스콜라-적 【—的】 〔라 schola〕 명관 〔스콜라학의 방법이 번쇄(煩瑣)한 데서〕 번쇄하고 무용(無用)한 이론을 논하는 모양.

스콜라-주의 【—主義】 〔라 schola〕 〔— / —이〕 명 『철』 〔본디 중세 기독교 교회의 학(學)을 뜻함〕 사변적(思辨的)이고 번쇄(煩瑣)한 조직을 갖는 데서, 이같은 것을 나쁜 의미로 이르는 말.

스콜라 철학 【—哲學】 〔라 schola〕 명 〔scholastic philosophy〕 『철』 8-17세기에 걸친 유럽 중세기의 신학(神學) 중심의 철학의 총칭. 서방 가톨릭 교회에 속하는 여러 학교에서 교회 교리의 학문적 근거를 체계적으로 확립하기 위하여 이루어진 기독교 변증(辯證)의 철학으로, 고대 철학의 전통적인 권위(權威)에 의존하여 주로 아리스토텔레스 및 플라톤의 철학을 채용하였으며, 뒤에 토마스 아퀴나스(Thomas Aquinas)가 대성하였음. 또, 계시(啓示)와 이성(理性), 신학과 철학의 구별과 조화(調和)가 중심적 문제로서, 특히 아주 세밀한 개념(概念)의 구별을 짓는 형식적인 논법을 발달시킨 것이 그의 뚜렷한 특색임. 초기의 대표자는 안셀무스(Anselmus)·아벨라르(Abélard)·에리우게나(Eriugena) 등이고, 성기(盛期)는 보나벤투라(Bonaventura)·알베르투스 마그누스(Albertus Magnus)·토마스 아퀴나스 등이며, 후기는 둔스 스코투스(Duns Scotus)·오캄(Occam) 등이고, 마지막으로 수아레스(Suarez)·몰리나(Molina) 등임. 이후 근세 철학의 발흥과 더불어 붕괴하였으나 19세기에 이르러 신스콜라 학파가 일어났음. 스콜라학. 번쇄 철학.

스콜라-학 【—學】 〔schola〕 명 『철』 〔scholasticism; schola는 학교란 뜻〕 중세의 교회나 수도원 부속의 학교 또는 대학에서 연구·교수한 학문. 그 범위는 거의 모든 영역에 걸쳤으나, 철학과 신학이 중심이어서 스콜라 철학의 동의어(同義語)로도 쓰임. *신스콜라 철학.

스콥 〔네 schop〕 명 ①가루·모래·덩어리 등을 담아 올리거나 또는 섞는 데 쓰는 숟가락처럼 생긴 삽. ②소형의 삽. ③가마에 석탄을 퍼 넣을 때의 한 삽의 분량.

스콧[1] 〔Scott, Robert Falcon〕 명 『사람』 영국의 탐험가. 해군 대령. 1912년, 아문센(Amundsen)보다 1개월 늦어 남극에 도달, 귀로에 조난당하여 죽음. [1868-1912]

스콧[2] 〔Scott, Walter〕 명 『사람』 영국 낭만파의 시인·소설가. 법관으로 있으면서 민요·전설을 수집하였고, 마침내 《마미온(Marmion)》·《호반(湖畔)의 미인》으로 이름을 떨쳐, 계관 시인(桂冠詩人)의 영예를 얻음. 또, 역사 소설 《아이반호(Ivanhoe)》·《탈리스만(Talisman)》 등이 저명함. [1771-1832]

스콸렌 〔squalene〕 명 『화』 심해성(深海性) 상어류의 간유(肝油) 등에 들어 있는 무색의 기름. 끓는점 240-242℃, 녹는점 −75℃, 스피나센(spinacene)이라고도 함. 흡수성이 좋아 건강 식품·화장품·의약품으로 쓰임. [$C_{30}H_{50}$]

스쿠:너 〔schooner〕 명 둘 내지 네 개의 돛대를 가진, 세로 돛을 장치한 서양식의 범선.

〈스쿠너〉

스쿠:버 〔scuba〕 명 잠수용 수중(水中) 호흡기. *애퀄렁.

스쿠:버 다이빙 〔scuba diving〕 명 수중에서 호흡할 수 있는 스쿠버를 등에 지고 하는 잠수(潛水).

스쿠타리 〔Scutari〕 명 『지』 ①지중해 알바니아(Albania) 북부의 상공도시. 스쿠타리 호의 남동안에 있음. 직물·시멘트·담배 등을 산출함. 고대에는 일리리아국(Illyria國)의 수도였음. 알바니아 이름으로는 슈코더르(Shkodër). [65,000명(1981)] ②위스퀴다르(Üsküdar)의 구명(舊名).

스쿠:터 〔scooter〕 명 ①한 발을 올려 놓고 한 발로 땅을 차며 달리는 아이들의 장난감 탈것. 좁고 긴 판자에 바퀴 셋이 달리고 앞에 핸들이 붙어 있음. 씽씽이. ②두 발을 나란히 놓고 올라타는 소형 오토바이. 원동기를 좌석 밑에 두며, 작은 두 바퀴가 달렸음. 모터 스쿠터(motor scooter).

〈스쿠터❷〉

스쿠:프 〔scoop〕 명 ①신문·잡지의 기자가 남을 앞질러서 특종(特種)을 찾아내는 일. 또, 그 특종 기사. ②스콥(schop)❷. ——-하다 타여불

스쿨: 〔school〕 명 ①학교(學校). ②학파(學派). 유파(流派). 화파(畫派).

스쿨:-걸: 〔schoolgirl〕 명 여학생.

스쿨: 댄스 〔school dance〕 명 중학교·고등 학교에서 건강·체육의 향상을 목적으로 행하여지는 체육 댄스.

스쿨: 데이스 〔school days〕 명 학생 시절. 학교 시절.

스쿨:링 〔schooling〕 명 교실(教室) 수업. 특히 통신 교육에서, 일정한 시간 수의 면접 교육을 받는 일.

스쿨:-마스터 〔school master〕 명 학교장.

스쿨:-메이트 〔schoolmate〕 명 학우(學友). 동학(同學). 동창.

스쿨: 버스 〔school bus〕 명 통학 버스.

스쿨:-보이 〔schoolboy〕 명 남학생. 학동(學童).

스쿨: 컬러 〔school colour〕 명 ①교풍(校風). ②학교를 상징하는 것으로 정해진 색. 유니폼이나 교기 따위에 쓰임.

스쿨: 피겨 〔school figure〕 명 피겨 스케이팅에서, 어떤 규정된 도형(圖形)을 따라 지치는 일. 초등 과정 도형과 고등 과정 도형의 두 가지로 대별됨.

스쿼시 〔squash〕 명 과즙(果汁)을 소다수로 묽게 하고 설탕을 넣은 음료(飮料). 레몬 스쿼시 같은 것.

스쿼커 〔squawker〕 명 중음역용(中音域用)의 스피커.

스퀘어 〔square〕 명 ①사각(四角). 정사각형. ②네모진 광장(廣場)이나 소공원(小公園).

스퀘어 댄스 〔square dance〕 명 여덟 사람이 둘씩 짝지어 사각(四角)을 이루면서 추는 단체 댄스. *포크 댄스.

스퀴데리 〔Scudéry, Madelein de〕 명 『사람』 프랑스의 여류 작가. 17세기의 살롱의 모습이나 사랑 등을 독특한 설화조(說話調)로 묘사함. 작품에 《그랑 시뤼스(Le grand Cyrus)》·《클렐리(Clélie)》가 있음. [1607-1701]

스퀴브 〔squib〕 명 『공』 미세한 흑색(黑色) 화약을 채운 작은 관(管). 점화(點火)에 의하여 발화(發火) 연소하여, 로켓처럼 불꽃을 내면서 화약을 장전(裝塡)한 구멍으로 타 들어감. 기폭관(起爆管).

스퀴:즈 〔squeeze〕 명 ↗스퀴즈 플레이(squeeze play).

스퀴:즈 번트 〔squeeze bunt〕 명 야구에서, 스퀴즈 플레이를 위해서 하는 번트.

스퀴:즈 플레이 〔squeeze play〕 명 야구에서, 3루(壘)의 주자를 타자의 번트(bunt)로 생환(生還)시키는 공격법. ㊊스퀴즈.

스큐: 기어 〔skew gear〕 명 『기』 평행이 아니고 또 상교(相交)하지 않는 두 축(軸) 사이에 회전력(回轉力)을 전달하는 톱니바퀴. 그 회전 수는 톱니수(數)에 반비례함. *베벨기아.

스크래치 〔scratch〕 명 ①골프·볼링에서, 핸디캡을 붙이지 아니하는 일. 곧, 핸디 제로를 말함. 또, 핸디 없이 경기하는 일. ②야구나 당구에서, 요행으로 맞는 일. ③『미술』 크레파스나 유화 물감 같은 것을 색칠한 다음 송곳·칼 같은 것으로 긁어서 바탕색이 나타나게 하는 일.

스크래치 노이즈 〔scratch noise〕 명 레코드판과 바늘의 마찰로 생기는 잡음. 침음(針音).

스크래치 플레이어 〔scratch player〕 명 골프에서, 파(par) 또는 그 이하로 플레이할 수도 있는 골퍼.

스크랜턴[1] 〔Scranton〕 명 『사람』 ①〔Mary S.〕 미국 북감리파(北監理派)의 여자 선교사. 조선 고종 22년(1885) 조선에 들어와, 그 이듬해 이화학당(梨花學堂)을 세움. [1834-1909] ②〔William Benton S.〕 미국 감리교회의 선교사·의사. ❶의 아들. 1878년 예일 대학 졸업, 1882년 뉴욕 의과 대학 졸업. 어머니와 함께 조선에 들어와 다음해 병원을 지어 고종(高宗)으로부터 시병원(施病院)이라는 이름을 하사(下賜)받음. 성서 번역에도 힘씀. [1856-1922]

스크랜턴[2] 〔Scranton〕 명 『지』 미국 펜실베이니아 주 북동부에 있는 광공업 도시. 무연탄 광업이 중심이며 섬유 공업이 성함. [81,805명(1990)]

스크램블 〔scramble〕 명 『군』 방공 식별권내(防空識別圈內)에 국적 불명의 항공기가 침입한 경우, 지체 없이 요격기(邀擊機)가 발진(發進)하는 일. 긴급 발진(緊急發進).

스크램블 교차점 【—交叉點】 〔scramble〕 〔—쩜〕 명 차량에 대한 신호를 전부 '정지'로 한 후, 보행자가 자유롭게 건도록 한 교차점. 대각선으로 횡단하는 것도 허용됨.

스크램블 방:송 【—放送】 〔scramble〕 명 영상 신호를 복잡한 규칙으로 바꾸어서 방송 위성으로부터 그 전파를 송출하는 방송. 시청자는 방송회사와 계약을 맺고 제공되는 디코더(해독기)를 방송 위성 조정기와 텔레비전 사이에 넣으면 이 프로그램을 시청할 수 있음.

스크램블드 에그 〔scrambled egg〕 명 버터나 우유를 섞고 저으면서 볶은 달걀 요리.

스크랩 〔scrap〕 명 〔본디 조각·파편·부스러기의 뜻〕 ①신문·잡지 등에서 도려 낸 조각. ②철제품 따위의 폐품. 철설(鐵屑). 고철. ——-하다 타여불

스크랩-북 〔scrapbook〕 명 신문·잡지 등의 기사를 오려내어 붙이는 책.

스크랩 앤드 빌드 〔scrap and build〕 명 능률이 좋지 않은 탄광을 버리고, 장래성이 있는 좋은 탄광을 조성함.

스크랴빈 〔Skryabin, Aleksandr Nikolaevich〕 명 『사람』 러시아의 작곡가·피아니스트. 신비적 종합 예술의 의상(意想)을 터득하고 음과 색채의 결합을 시도하여 '색채 피아노'를 연구, 한때 세계의 이목(耳目)을 집중시켰음. 대표작으로 《프로메테우스(Prometheus)》 등이 있음. [1872-1915]

스크럼 〔scrum〕 명 ①〔↗스크러미지(scrummage)〕 럭비에서, 양편의 선수가 어깨를 맞대고 그 사이로 굴려 넣은 공을 자기편 쪽으로 빼내어 돌리는 일. 쌍방의 전위(前衛)로써 짜는 타이트(tight) 스크럼과 편을 가리지 않고 수시로 짜는 루스(loose) 스크럼의 두 가지가 있음. ②여럿이 팔을 꽉 끼고 뭉치는 일. ¶ ~을 짜고 행진하다.

스크럼 리:더 〔scrum leader〕 명 럭비에서, 포워드의 리더가 되는 사람.

스크럼 워:크 〔scrum work〕 명 럭비에서, 포워드가 스크럼을 짜고 있을 때의 동작, 플레이를 이름.

스크럼 트라이 〔scrum try〕 명 럭비에서, 스크럼 속에 공을 둘러싼 채로 인골(in-goal) 안으로 밀고 들어가 얻는 트라이.

스크럼 하:프 〔scrum half〕 명 럭비에서, 공을 스크럼 속으로 넣는 하프백.

스크레이퍼 〔scraper〕 명 ①기계로 깎거나 줄질한 다음에 그 면(面)을 다시 정밀하게 다듬는 데 쓰이는 칼의 한 가지. ②토사(土砂)를 절삭(切削)하여 운반하는 토목 공사용 차량.

〈스크레이퍼❶〉

스크롤: 〔scroll〕 명 『컴퓨터』 컴퓨터 따위에서 모니터의 화면에 나타난 내용이 상하 또는 좌우로 움직이는 일.

스크루: 〔screw〕 명 ①나사. ②나사선 프로펠러(螺絲線 propeller).

스크루:-드라이버 〔screwdriver〕 명 나사 돌리개.
스크루: 볼: 〔screw ball〕 명 야구에서, 투수가 던지는 변화구의 하나. 공이 나사 모양으로 회전하면서 타자의 앞에 와서 뚝 떨어지는 공.
스크루 캡 〔screw cap〕 명 나사식으로 돌려서 여닫게 된 병마개.
스크루: 컨베이어 〔screw conveyer〕 명 반원통(半圓筒) 속에서 스크루 프로펠러가 달린 축(軸)을 회전시키면서 물건을 나르는 컨베이어. 곡물·시멘트 등 분립체(粉粒體)나 당밀·아스팔트 등 반유동성(半流動性)의 것에 사용함. 나사 콘베이어.
스크루: 킥 〔screw kick〕 명 럭비에서, 공에 회전을 걸어 탄환처럼 나르게 하는 킥.
스크루: 프레스 〔screw press〕 명 나사 장치로 물건을 압착하는 기구. 나선 압착기.
스크뤼펄 〔네 scrupel〕 의명 약량(藥量) 단위의 하나. 1 스크뤼펄은 약 1,296g에 해당함.
스크리미르 〔Skrimir〕 명 『신』 북유럽의 신화에 나오는 거인족(巨人族)의 왕(王).
스크리:브 〔Scribe, Augustin Eugène〕 명 『사람』 프랑스의 극작가. 희극·사극 등 350편의 다작(多作)을 남겼으며, 줄거리가 흥미롭고 말의 표현이 경묘하여 통속극으로 뛰어남. 작품에 《정략 결혼》·《유태인》·《예언자》 등이 있음. [1791-1861]
스크린: 〔screen〕 명 ①영화를 투영시키기 위한 백색 혹은 은색의 막(幕). 영사막(映寫幕). 은막(銀幕). 에크랑. ②영화의 화면. 또, 영화의 세계. 영화계(映畫界). ③인쇄 제판(印刷製版)에서, 망판(網版)의 제판에 사용되는 유리판(板). ④등사판 인쇄기의 위틀에 붙인 눈이 거친 천. ⑤농구에서, 상대편과 몸을 대지 않고 상대 편이 가려고 하는 것을 지연시키거나 막는 합법적인 방법.
스크린: 그리드 〔screen grid〕 명 『물』 가리기 그리드.
스크린: 스타: 〔screen star〕 명 『연』 인기(人氣) 있는 영화 배우.
스크린: 인쇄 【—印刷】 〔screen〕 명 실크 스크린 인쇄(silk screen 印刷).
스크린: 쿼터 〔screen quota〕 명 영화의 상영 시간 할당제(上映時間割當制). 국산 영화의 보호·육성책으로 정부가 전상영(全上映) 시간 중, 일정한 시간을 국산 영화 상영에 충당토록 규제한 조치를 이름.
스크린: 프로세스 〔screen process〕 명 『연』 영화·텔레비전의 트릭 촬영의 하나. 배경을 미리 촬영한 다음, 이것을 배경으로 하여 연기를 하고, 그 배경과 연기를 동시에 촬영함으로써 실제 현지와 같이 보이게 하는 방법.
스크린:-플레이[1] 〔screenplay〕 명 영화 각본.
스크린: 플레이[2] 〔screen play〕 명 농구에서, 한 사람 또는 몇 사람을 방패로 하여 상대방의 방어를 방해하고 노마크 숏을 할 수 있도록 하는 공격법.
스크린:-화 【—化】 〔screen〕 명 영화화(映畫化). **——하다** 자타여불
스크립스 하워드계 【—系】 〔Scripps-Howard〕 명 미국 신문계의 한 계통. 1878년 스크립스(Scripps, Edward Wyllis; 1854-1926)와 맥레(Mcrae, Milton Alexander; 1858-1930)가 공동 창립하고, 1923년 하워드(Howard, Roy Wilson; 1883-1964)가 이에 참가함. 지방 신문을 점차로 합병하여 체인 경영(chain 經營)을 시작하였으며, 1930년대에는 일간지 총발행 부수의 5.1%를 지배하기에 이름. 1964년 현재 일간지 17, 일요지 6, 방송국 7, 텔레비전 방송국 3을 경영하고 있음. 흥미와 속보 본위가 특징.
스크립터 〔scripter〕 명 영화에서, 촬영의 진행 내용을 세밀히 기록하는 사람. 기록담당자.
스크립트 〔script〕 명 『연』 ①영화나 방송의 대본. 각본(脚本)이나 방송 원고. ¶ ～ 라이터. ②스크립터가 적은 기록. ③구문 활자(歐文活字)의 한 서체(書體). 필기체 같은 서체로 의례적(儀禮的)인 인쇄물에 사용됨.
스크립트 걸: 〔script girl〕 명 스크립터에 관한 일을 맡아 보는 여자.
스크립트 라이터 〔script writer〕 명 기획 담당자의 기획에 의거하여 방송용 대본(臺本)을 쓰는 사람.
스키: 〔ski〕 명 눈 위를 지치는 데 쓰는, 가늘고 썩 긴 판상(板狀)의 기구. 또, 이를 가지고 하는 눈 위의 운동. **——하다** 자여불
스키: 경:기 【—競技】 〔ski〕 명 스키를 신고 하는 경기의 총칭. 거리·릴레이·점프·복합·활강·회전·대회전 경기와 활강·회전·대회전의 신(新)복합 경기가 있음.

〈스키〉

스키너 상자 【—箱子】 〔Skinner〕 명 『심』 미국 심리학자 스키너(Skinner, Burrhus, F.; 1904-90)가 고안한 상자. 상자 내부에 지렛대가 있어, 이 안에 든 흰 쥐가 이를 누르면 자동 판매기식의 구조에 의해 먹이나 물이 나오게 된 상자. 이의 빈도수(頻度數)를 기록함으로써 쥐의 학습 과정·요구 상태 등을 연구할 수 있음. 비둘기용의 상자도 고안되고 있음. 이 스키너 상자의 고안에 의해서 간헐 보강(間歇補強) 등의 새로운 학습 실험의 형식이 생겼음.
스키: 데포 〔프 ski dépôt〕 명 겨울의 등산에서, 스키 사용이 가능한 한계점(限界點)에 스키를 일시 맡겨 두는 곳.
스키드 〔skid〕 명 급브레이크를 밟았을 때 자동차가 옆으로 미끄러지는 일.
스키아파렐리 〔Schiaparelli, Giovanni Virginio〕 명 『사람』 이탈리아의 천문학자. 밀라노 관상대장을 지냄. 행성의 표면을 직접 관측하여 많은 발견을 함. 화성 운하설(火星運河說), 화성인 서식설(棲息說) 등을 주장하기도 함. [1835-1910]
스키야키 〔일 すきやき〕 명 쇠고기·닭고기 등과 채소를 기름·설탕·간장·조미료 등으로 조미하여 끓인 음식. 전골.
스키:어 〔skier〕 명 스키하는 사람.
스키오-그래프 〔skiograph〕 명 X선의 강도(強度)를 측정하는 데 쓰이는 장치.
스키:잉 〔skiing〕 명 스키를 타고 눈 위를 지치는 일. **——하다** 자여불
스키타이 〔Scythai〕 명 『인류』 기원전 6-3세기에 걸쳐 흑해(黑海)·카스피 해의 연안 지방을 중심으로 활약한, 이란계(系)의 유목(遊牧) 기마 민족. 매우 호전적이어서 기원전 4세기경에는 강대한 왕국을 이루었으나 뒤에 사르마트인(Sarmat人)에게 쫓겨 쇠퇴함.
스키타이 문화 【—文化】 〔Scythai〕 명 고대 유목 민족인 스키타이인이 세운 문화. 금·은·청동 등의 금속기를 가지는 문화로, 유목 생활을 반영하여 동물 의장(意匠)을 기조로 하는 독특한 미술을 낳음. 일찍이 그 조형 미술의 양식은 유라시아 내륙에 널리 퍼져, 중국·우리 나라·일본의 미술에 영향을 끼침.
스키:트 사격 【—射擊】 〔skeet〕 명 클레이 사격(clay 射擊) 경기에서, 사수(射手)의 좌우에 있는 높고 낮은 두 곳에서 동시에 방출되는 하나 또는 두 개의 클레이 피전(clay pigeon)을 명중시키는 경기. 사수는 정해진 여덟 곳의 사격대(射擊臺)를 차례로 옮겨 가면서 쏘아, 명중시킨 클레이 피전의 수에 따라 그 순위가 결정됨.
스키파 〔Schipa, Tito〕 명 『사람』 이탈리아의 테너 가수. 이탈리아·남아메리카 등지에서 성공하고, 1932년 뉴욕 메트로폴리탄(Metropolitan)에 데뷔하여, 훌륭한 가창과 당당한 무대 연출로 당대 최고 가수 중의 하나로 꼽히었음. [1889-1965]
스키퍼 〔skipper〕 명 ①요트 같은 작은 배의 선장. 정장(艇長). ②운동 경기에서, 팀의 주장. ③〔뛰는 사람의 뜻〕 호텔의 무전 숙박 투숙객(投宿客).
스키피오 〔Scipio, Publius〕 명 『사람』 ①고대 로마의 장군. 속칭 대(大) 스키피오. 제2 포에니(Poeni) 전쟁에서 한니발(Hannibal)을 격파하여 이를 복종시켰음. [237-183 B.C.] ②❶의 양손(養孫). 고대 로마의 장군. 속칭 소(小)스키피오. 기원전 146년 카르타고(Carthago)를 쳐서 제 3 포에니 전쟁을 종결하였음. [185-129? B.C.]
스키핑 스텝 〔skipping step〕 명 기본 스텝의 한 가지. 한 박자 사이에 오른발을 앞에 내고 가볍게 뛰면서 왼 무릎을 굽혀서 앞으로 올리는 스텝.
스킨 〔skin〕 명 피부. 살갗.
스킨 다이빙 〔미 skin diving〕 명 무거운 잠수복을 입지 않는, 스포츠로서의 잠수. 보통 수중 안경을 쓰고 발에는 고무로 된 물갈퀴를 끼며 등에 수중 자동 호흡기를 멤.
스킨 로:션 〔skin lotion〕 명 화장품의 하나. 중성(中性)인 화장수(化粧水)로서 피부 보호에 쓰임.
스킨-십 〔skin+ship〕 명 피부의 상호 접촉에 의한 애정의 교류를 이름. 어버이와 자식과의 관계가 중심이나, 유아의 보육(保育)이나 저학년의 교육에 있어서는 교사와 어린이 사이에서도 이의 중요성이 강조됨.
스킨 푸드 〔skin food〕 명 지방을 유화(乳化)한 화장수. 곧, 유액(乳液).
스킬라 〔그 Skylla〕 명 『신』 그리스 신화에 나오는 여자 괴물. 머리는 여섯이고, 하체는 뱀 모양을 하고 있음. 메시나(Messina) 해협에 살면서 이곳을 지나는 뱃사람들을 잡아먹었다 함.
스킬 자:수 【—刺繡】 〔skill〕 명 갈고리 자수. 일정한 길이로 자른 털실을 망사에 걸어 놓는 자수. 방석·벽걸이 등에 쓰임.
스킴 밀크 〔skim milk〕 명 탈지 분유(脫脂粉乳). 탈지유.
스킵[1] 〔skip〕 명 한쪽 발로 두 번씩 번갈아 뛰면서 앞으로 나가는 일. **——하다** 자여불
스킵[2] 〔skip〕 명 석탄·광원·자재 운반용의 대형 바구니. 광산·채석장 등에서 씀. 버킷.
스타: 〔star〕 명 ①별. ②인기 있는 배우나 가수·운동 선수. 또, 일반적으로 인기 있는 사람. ③〈속〉 장성(將星). ¶ 투 ～.
스타: 가이드 〔star guide〕 명 우주 비행사가 사용하는 별자리 지도. 궤도 비행은 자동 조작으로 행하나 우주선의 안정을 바로잡을 때, 혹은 먼 천체로 비행할 때, 항해시의 해도(海圖)와 같이 요긴하게 쓰임. 아폴로 비행에도 쓰였음.
스타:-급 【—級】 [—끕] 명 〔star class〕 요트의 선급(船級)의 하나. 2인승(人乘)으로 길이 6.9 m, 나비 1.73 m, 돛의 넓이 26.5 m^2 임.
스타난 〔stannane〕 명 『화』 주석(朱錫)의 수소화물. 무색의 기체로 녹는점 −150℃, 끓는점은 −52℃. 가열하면 급속히 분해하여 금속 주석이 생김. 물에는 녹지 않으나 진한 알칼리나 진한 황산에는 분해됨. 질산은(窒酸銀) 수용액과 반응하여 은과 주석으로 분해함. 수소화 주석. [SnH_4]
스타노보이 산맥 【—山脈】 〔Stanovoi〕 명 『지』 시베리아 남동부를 동서로 뻗은 산맥. 오호츠크 해로 흐르는 아무르 강(Amur 江)과 북극해로 흐르는 레나 강(Lena 江)과의 분수계(分水界)를 이룸. 길이 4,500 km 임.
스타니슬랍스키 〔Stanislavski, Konstantin Sergeevich〕 명 『사람』 소련의 배우·연출가. 단첸코(Danchenko)와 함께 모스크바 예술 극장을 창립, 사실주의적 예술 연기 방법인 소위 스타니슬랍스키 시스템(Stanislavskii system)을 확립하였음. [1863-1938]
스타니슬랍스키 시스템 〔Stanislavski system〕 명 『연』 소련의 스타니슬랍스키가 주창하고 단첸코(Danchenko)에 의하여 지지(支持)된 연기 창조(演技創造)의 과학적 체계. 배우의 무대에서의 존재를 확립시키려 한 것으로, 창조의 근원에 있는 배우의 의식 내면을 중히 여기는 동시에 연극은 생활의 진실을 반영하는 사실적(寫實的)인 연기·연출이어야 한다는 것임.
스타: 더스트 〔star dust〕 명 ①『천』 우주진(宇宙塵). 소성단(小星團). ②매력. 황홀.
스타:-덤 〔stardom〕 명 인기 있는 스타의 지위, 또는 신분.
스타디움 〔라 stadium〕 명 ①고대 그리스에서, 반원형(半圓形)으로 둘레에 관람석을 둔 경기장. ②관람석이 있는 육상 경기장·야구장 등

의 총칭. 「비.

스타 루비 〔star ruby〕 명 연마(硏磨)하면 여섯 줄의 별빛을 내쏘는 루

스타바트 마테르 〔라 Stabat Mater〕 명 『악』 원래 천주 교회에서 제정된 의식용(儀式用)의 노래. 십자가에 못 박힌 예수를 보고 슬픔에 잠긴 성모를 노래한 독송(讀誦). 또, 이와 같은 가사(歌詞)에 의한 곡. 성모 애상(聖母哀傷).

스타:보:드 택 〔starboard tack〕 명 『해』 우현(右舷)으로 바람을 받으면서 달리고 있는 배의 상태. 「쏘는 사파이어.

스타 사파이어 〔star sapphire〕 명 연마(硏磨)하면 여섯 줄의 별빛을 내

스타센 〔Stassen, Harold Edward〕 명 『사람』 미국의 정치가. 미네소타 주지사(州知事), 국제 연합 창립 총회의 미국 대표. 대통령 특별 보좌관 등을 역임함. [1907-]

스타: 시스템 〔star system〕 명 『연』 인기 있는 배우를 중심으로 하여, 그 배우의 인기로 관객 동원을 노리는 연출. 또, 그러한 흥행 방법.

스타우트 〔stout〕 명 ①건장함. ②영국의 강렬한 흑맥주(黑麥酒). 시고 쓴 맛이 있음. ——-하다 형여불

스타: 워:스 〔Star Wars〕 명 『군』 미국의 전략 방위 구상 에스 디 아이(SDI)의 별칭. 1993년에 폐기됨. 별들의 전쟁.

스타이미 〔stymie〕 명 골프에서, 볼과 홀 사이에 다른 플레이어의 볼이 있는 일. 또, 그 장애가 되는 볼.

스타인[1] 〔Stein, Gertrude〕 명 『사람』 미국의 여류 작가. 유태인. 파리에 정주, 피카소 등 화단(畫壇)의 천재들과 사귀며 어감을 중시한 실험적인 시와 단편집을 내고, 소설 《세 인생》 등으로 심리적 리얼리즘을 확립하였음. [1874-1946]

스타인[2] 〔Stein, Mark Aurel〕 명 『사람』 영국의 고고학자·동양학자·탐험가. 독일·영국에서 동양학을 수학하고 인도에 건너감. 중앙 아시아와 중국 등지를 여행, 1907년 둔황(敦煌)에서 방대한 고서적을 발견하였고, 그 밖에 동양 문화에 대한 수다한 저작이 있음. [1862-1943]

스타인[3] 〔Stein, William Haward〕 명 『사람』 미국의 화학자. 1972년 록펠러 대학 교수가 됨. 동년 리보 핵산의 분해 효소 연구로 무어(Moore)·안핀센(Anfinsen)과 공동으로 노벨 화학상을 수상함. [1911-]

스타인메츠 〔Steinmetze, Charles Prateus〕 명 『사람』 독일 태생의 미국 전기 공학자. 유도(誘導) 조정기·금속 전극 아크 램프 등을 발명하고 전기 공학의 이론적·실험적 논문을 다수 발표함. [1865-1923]

스타인버:거 〔Steinberger, Jack〕 명 『사람』 독일 출신의 미국 물리학자. 시카고 대학 졸업, 컬럼비아 대학 교수. 뉴트리노의 발견과 연구로 M. 슈바르츠 등과 공동으로 1988년 노벨 물리학상 수상. [1921-]

스타인버:그[1] 〔Steinberg, Saul〕 명 『사람』 미국의 만화가. 루마니아 출신. 1941년 미국의 잡지 《뉴요커》에 기고하고서부터 인정되어, 익년부터 뉴욕에서 활동. 주로 펜화에 의한 한 커트짜리 만화를 그리고, 1958년에는 브뤼셀 만국 박람회의 미국관 벽화를 제작함. [1914-]

스타인버:그[2] 〔Steinberg, William〕 명 『사람』 독일 출생의 미국 지휘자. 쾰른 음악 학교를 나와, 클렘페러의 문하생(門下生)이 됨. 프라하 오페라단 및 베를린 교향악단을 지휘, 토스카니니의 권유로 미국으로 망명하여 피츠버그 교향악단을 24년 동안 지휘함. [1899-1978]

스타인벡 〔Steinbeck, John Ernst〕 명 『사람』 미국의 소설가. 노동 계급에 깊은 동정을 품고, 처음 《생쥐와 인간》으로 명성을 올린 이래, 《분노(憤怒)의 포도》·《진주》·《에덴의 동쪽》·《바람난 버스(bus)》·《불만의 겨울》 등 사실적인 묘사 속에 낭만적인 경향을 나타내었음. 1962년 노벨 문학상을 받음. [1902-68]

스타인웨이 〔Steinway〕 명 〔Steinway & Sons〕 미국의 피아노 제작 회사. 또, 그 상품명. 독일인 슈타인베크(Steinweg; 1797-1871)가 1853년 뉴욕에 창립하였으며, 유럽에 지점·공장을 둠.

스타일 〔style〕 명 ①자태. 풍채. 태도. ②『문』 문체. 필치(筆致). ③화풍. ④건축의 양식. 형(型). 형태. ⑤유행 복장(服裝) 양식. ¶ 뉴 ～. ⑥형식. 격식. 체재. ¶ 아메리칸 ～.

스타일리스트 〔stylist〕 명 ①스타일을 중시하는 사람. 빼는 사람. 치장이 심한 사람. ②예술 상의 양식(樣式)주의자. ③패션 비지니스 가운데, 제조·판매·선전 등의 분야에서, 복식(服飾)의 스타일에 대하여 자신의 비전에 의한 판단이나 조언을 하는 사람.

스타일링 〔styling〕 명 인더스트리얼 디자인에 있어서, 제품의 기구(機構) 부분을 그대로 두고, 외부의 스타일만을 바꾸는 일.

스타일-북 〔stylebook〕 명 ①유행되는 복장 또는 그 양식을 사진·그림으로 모아 엮은 책이나 잡지. ②인쇄소·출판사·신문사 등에서 활자·글씨·글 쓰는 법 따위에 관한 사항을 모아 엮은 편람(便覽).

스타카:토 〔이 staccato〕 명 『악』 한 음표(音標) 한 음표씩 끊어서 연주하는 일. 또, 그 기호. 음표의 위나 아래에 '·'을 찍음. 그 음표의 반의 길이로 짧게 끊어서 연주하고 나머지는 쉼. 끊음음. 끊음표. 단음(斷音). *스피카토.

♩ ♩ ♩ ♩ = ♪𝄾 ♪𝄾 ♪𝄾 ♪𝄾

〈스타카토〉

♩ ♩ ♩ ♩ = ♪𝄾 ♪𝄾 ♪𝄾 ♪𝄾

〈스타카티시모〉

스타카티시모 〔이 staccatissimo〕 명 『악』 음을 아주 짧게 끊어서 하는 연주.

스타킹 〔stocking〕 명 ①목이 긴 여성용 양말. ¶ 팬티 ～. ②바닥이 없이 발바닥에 조금 걸치게만 되고, 목이 길고 튼튼한 양말. 야구·축구 또는 등산할 때에 쓰임.

스타:터 〔starter〕 명 ①경주·경영(競泳)·보트 레이스 등에서, 출발 신호를 하는 사람. 출발계(出發係). ②엔진 따위 기계의 시동(始動) 장치. ③〈속〉 글로 스타터. 점등관(點燈管).

스타:트 〔start〕 명 출발. 출발점. ¶ ～ 라인. ——-하다 자여불

스타:트-대 【一臺】 〔start〕 명 경영(競泳)의 배영(背泳)을 제외한 경기에서, 스타트의 다이빙용으로 설치된 대. 높이는 수면에서 30 cm 이상 70 cm 이하로 규정됨. 「쑥 내닫는 일.

스타:트 대시 〔start dash〕 명 단거리 경주에서, 출발 직후에 앞으로

스타:트 라인 〔start line〕 명 경주(競走) 따위에서, 출발선.

스타:팅 〔starting〕 명 출발. ¶ ～ 포인트.

스타:팅 게이트 〔starting gate〕 명 경마(競馬)에 있어서, 발마기(發馬機)의 한 가지. 말 한 필씩 들어가게 된 박스가 있고, 전면(前面)에 좌우로 개폐(開閉)할 수 있는 문이 달려 있어, 스타트와 동시에 열려 발마(發馬)하게 하는 장치. 모든 말이 늦고 빠름이 없이 같은 조건, 같은 태세로 스타트할 수 있는 장점이 있음. 「번째 연주되는 곡.

스타:팅 넘버 〔starting number〕 명 방송의 경음악 프로그램 등의 첫

스타:팅 멤버 〔starting member〕 명 선수 교대를 할 수 있는 단체 경기에서, 처음에 출장하는 선수. 선발(先發) 멤버.

스타:팅 블록 〔starting block〕 명 육상 경기의 단거리 경주에서, 스타트할 때, 구멍을 파지 아니하고 발을 걸치게 하는 기구. 진행을 원활히 하고 주로(走路)를 보호하기 위한 것임.

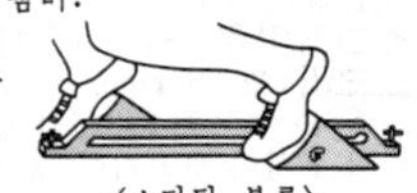

〈스타팅 블록〉

스타:팅 피처 〔starting pitcher〕 명 야구에서, 개시 전에 양팀이 교환한 순표에 기재되어 있는 투수. 선발(先發) 투수.

스타펠리아 〔stapelia〕 명 『식』 [*Stapelia grandiflora*] 박주가릿과의 한 속(屬)인 다년생 원예 화초. 선인장류에 근사한, 잎이 없는 왜성(矮性)이고 다육의 다년초인데, 줄기는 무더기로 나며 직립이고, 네 모서리에 날카로운 돌기(突起)가 있으며 높이 20 cm 내외, 폭 3 cm 가량임. 전체가 회록색인데 매우 가는 털이 빽빽이 나며 1.5-2 cm 간격으로 안쪽으로 구부러진 소형의 톱니가 있음. 꽃은 줄기 기부에 1-3송이가 달리는데, 5개의 화판으로 되었으며 직경 12 cm 가량, 암자색 같은 빛깔의 털이 있고 가에만은 백색의 털이 있음. 꽃은 악취를 풍기며 개화기는 7-10월. 열대 아프리카 원산으로 1912-45년에 우리 나라에 도입됨.

스타: 플레이어 〔star player〕 명 인기 있는 운동 선수.

스타하노프 운:동 【一運動】 〔러 stakhanov〕 명 [1935년, 소련 우크라이나 지방의 탄광부 스타하노프가 새로운 기술과 열성으로 보통의 14배를 채탄하였다는 데서 유래된 말] 소련의 노동 생산력 증대 운동.

스타: 현:상 【一現象】 〔star〕 명 『물』 1억 전자(電子) 볼트 이상의 고(高)에너지 입자(粒子)에 의해서 원자핵(原子核)이 파괴되어 많은 핵(核) 파편(破片)이 방출되는 현상. 다량의 에너지가 방출됨.

스탄케비치 〔Stankevich, Nikolai Vladimirovich〕 명 『사람』 러시아의 시인·사상가. 19세기 초에 시와 철학에 관하여 크게 웅성하였던 스탄케비치회(會)의 지도자. 그 운동에서 벨린스키·바쿠닌 등의 지식인이 배출됨. 저서에 《바실리 슈이스키》 등이 있음. [1813-40]

스탈리나바드 〔Stalinabad〕 명 『지』 '듀샨베(Dushanbe)'의 구칭.

스탈리노 〔Stalino〕 명 『지』 '도네츠크(Donetsk)'의 구칭.

스탈린[1] 〔Stalin〕 명 『지』 ①'바르나(Varna)'의 구칭. ②'브라쇼브(Brasov)'의 구칭.

스탈린[2] 〔Stalin, Iosif Vissarionovich〕 명 『사람』 소련의 정치가. 1898년 이래 혁명 운동에 투신, 1924년부터 소련 공산당 중앙 위원회 서기장을 지내고, 레닌(Lenin)의 사후 사회주의 건설을 지도, 헌법을 제정하였음. 1930년대 후반부터 그에 대한 개인 숭배 풍조가 나타나고, 1936-38년의 대숙청으로 많은 고참 당원을 처형하였음. 1941년 수상에 취임, 제2차 세계 대전 중 원수(元帥), 죽을 때까지 소련 최고의 지도자였음. [1879-1953]

스탈린그라드 〔Stalingrad〕 명 『지』 '볼고그라드(Volgograd)'의 구칭.

스탈린그라드 전:투 【一戰鬪】 〔Stalingrad〕 명 『역』 제 2 차 세계 대전 중 1942년 11월에서 이듬해 1월까지 스탈린그라드(현 볼고그라드)에 침입한 독일 군을 소련이 포위 섬멸한 전투. 「구칭.

스탈린 봉 【一峰】 〔Stalin〕 명 『지』 '코무니즘 봉(Pik Kommunizm)'의

스탈린 비:판 【一批判】 〔Stalin〕 명 『정』 1956년 당시의 소련 수상 흐루시초프가 소련 공산당 제20회 대회에서 행한 보고(報告)를 계기로 시작된 스탈린의 정치 노선에 대한 비판. 개인 숭배, 당내(黨內) 민주주의의 침범, 지나친 숙청, 당의 관료주의화, 다른 공산주의 국가에 대한 대국주의적 태도 등이 비판의 대상이 되어 스탈린을 격하(格下)시킴.

스탈린스크 〔Stalinsk〕 명 『지』 '노보쿠즈네츠크'의 구칭.

스탈린 운하 【一運河】 〔Stalin〕 명 『지』 '백해 발트 해 운하(白海 Balt 海運河)'의 구칭.

스탈린-주의 【一主義】 〔Stalin〕 [－/－이] 명 스탈린에 의하여 승계·발전된 공산주의. 곧, 마르크스 레닌주의의 왜곡(歪曲) 및 도그마화(dogma化)와 무자비한 독재 권력의 추구를 의미함.

스탈린 헌:법 【一憲法】 〔Stalin〕 [－뻡] 명 『법』 스탈린을 기초 위원장으로 하여 1936년 개정(改正), 그 이듬해에 시행한 소련의 신헌법. 13장 146조로 되었음. 소비에트 연방 헌법.

스탈:링 〔Starling, Ernest Henry〕 명 『사람』 영국의 생리학자. 런던 대학 교수. 생리 과정의 물리 화학적 해명(解明)에 노력함. 또, 심장에 관한 '스탈링의 법칙' 등의 연구가 있음. [1866-1927]

스탈:링의 심장 법칙 【一心臟法則】 [－/－에－] 명 [Starling's law of the heart; 영국의 생리학자 스탈링(Starling, E.H.)의 이름에서 유래] 심장 수축에 관련된 에너지는, 확장기에 있어서의 심근 섬유(心筋纖維)의 길이와 비례한다는 법칙.

스탈: 부인 【一夫人】 〔Staël〕 명 『사람』 프랑스의 여류 문학자. 남작 부인. 정식 이름은 Anne Louise Germaine. 남편과 사별, 혁명과 나폴레옹을 찬양하였으나, 후에 그 과격한 전제에 반항하여 추방되었고, 이래 《코린(Corinne)》·《독일론》 등을 발표하여 정열적인 문체를 가

진 작가로서 알리어졌음. [1766-1817]

스탕달 〔Stendhal〕 [명] 『사람』 프랑스의 소설가·문예 비평가·외교관. 본명은 Marie Henri Beyle. 나폴레옹의 원정군에 참가하였다가 그의 몰락 후에 밀라노(Milano)에 정주하며 자신의 정열적인 생활 원리를 실천하고, 7월 혁명 후 각국의 외교관을 역임. 이 사이에 현실적인 행동을 내포한 정확·정밀한 심리 소설을 썼고, 이후 발자크(Balzac)와 더불어 근대 소설의 개조(開祖)로 불림. 작품에 ≪연애론≫·≪적(赤)과 흑(黑)≫·≪파르므(Parme)의 승원≫ 등이 있음. [1783-1842]

스태그-플레이션 〔stagflation〕 [명] 〔stagnation+inflation〕 『경』 일반적인 경기 침체 아래에서도 물가가 떨어지지 아니하고 계속 오르는 현상. 불황 하(不況下)의 물가고(物價高).

스태미나 〔stamina〕 [명] 정력. 근기. 내구력. 인내력. 지구력. ¶ ~ 부족.

스태빌 〔stabile〕 [명] 철사·금속판 따위로 만들어진 움직이지 않는 추상 조각(抽象彫刻). 움직이는 조각인 모빌(mobile)에 대해서 이름.

스태빌라이저 〔stabilizer〕 [명] ①배·비행기·자동차 등에서 지나친 동요(動搖)를 막고 자세를 안정시키는 장치. ②음향 기기(音響機器)에서, 아날로그 오디오의 턴테이블(trmtable), 디지털 오디오의 콤팩트 디스크 플레이어(compact disk player) 등 고속 회전체에 발생하는 동요를 방지하여 음질(音質)의 안정성을 갖게 하는 기구. 대개, 디스크 위에 얹음으로써 무게를 주어 동요를 막음.

스태추 〔statue〕 [명] 『미술』 입상(立像). 조상(彫像).

스태커 〔stacker〕 [명] 『기』 창고 등에서 짐을 높은 곳에 쌓아 올리거나, 또는 반대로 내릴 적에 쓰는 설비. 구조는 이동 가능한 대차(臺車)에 틀을 붙이어, 이 틀을 따라서 짐을 받은 대(臺)가 아래위로 움직이게 되어 있음.

스태킹 〔stacking〕 [명] 『항공』 비행장에 착륙하려는 항공기가 기다리기 위해서 계속 선회(旋回)하는 일.

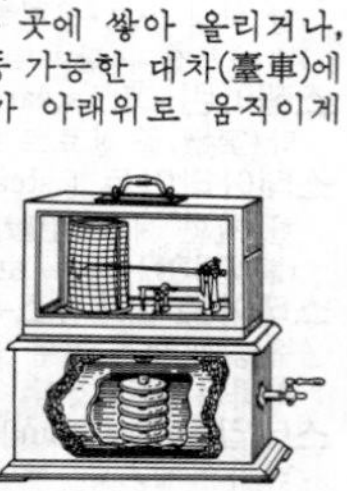
〈스태터스코프〉

스태터-스코:프 〔statoscope〕 [명] 『기상』 기압의 사소한 변화를 자동적으로 기록하는 기계. 처음에 빈 통 안에 공기를 넣고 마개를 막으면, 외(外)기압의 사소한 변화가 이 빈통의 부품에 변화를 주고, 이것을 차동(差動) 장치에 의하여 종이에 기록하게 되어 있음.

스태프 〔staff〕 [명] ①직원(職員). 부원(部員). 간부(幹部). 진용(陣容). ¶ 편집 ~. ②『군』 참모(參謀). 막료(幕僚). ③『연』 하나의 연극·영화를 제작할 때에, 그에 따르는 배우 이외의 예술가. 곧, 원작·제작·각색·감독·음악·조명 등을 담당하는 사람. 스탭.

스택 〔stack〕 [명] ①『건』 지붕 위에 삐죽이 나와 있는 굴뚝 부분. ②『항공』 착륙하기 위하여 기다리고 있는 항공기에 별도로 고도(高度)를 할당(割當)하는 일.

스탠더:드 〔standard〕 [명] 표준. 모범.

스탠더:드 넘버 〔standard number〕 [명] 『악』 경음악에서, 유행에 관계없이 어느 시대에나 늘 연주되는 곡목. 오랜 기간에 걸치어 많은 재즈(jazz) 악단이나 연주자가 즐기어 연주하여 온 곡. 스탠더드 송.

스탠더:드 석유 회:사 【一石油會社】 〔Standard〕 [명] 『경』 미국 뉴저지에 있는 세계 최대의 석유 회사. 1862년 록펠러가 설립하고 채유(採油)·수송·정제(精製)·판매의 각 부분에까지 진출하여 석유업에 있어서의 종합적 경영을 확립하였음.

스탠더:드 송 〔standard song〕 [명] 『악』 스탠더드 넘버.

스탠더:드 테스트 〔standard test〕 [명] 『교』 검사(檢査)의 시행법을 세밀히 규정하고, 평가의 기준을 세워서, 그 기준에 비교하여 개인의 성적을 해석할 수 있도록 하는 검사. 지능 검사나 어치브멘트 테스트의 기준에는 연령·학년·백분율 순위 및 표준 편차(標準偏差)에 의한 기준 등 여러 가지가 있음.

스탠드 〔stand〕 [명] ①곧바로 섬. ②정지. ③물건을 세우는 대(臺). ¶ 잉크 ~. ④↗램프 스탠드. ⑤드레스 폼. ⑥경기장의 관람석. ¶ ~를 메운 관중. ⑦파는 곳. 매점. ¶ 가솔린 ~. ⑧↗스탠드 바.

스탠드 레슬링 〔stand wresting〕 [명] 레슬링에서, 서서 상대방을 넘기는 수. 경기 시작과 동시에 반드시 행하여지는 것으로, 상대방을 메어쳐 폴라링 폴을 시키면 승부가 결정됨.

스탠드 바: 〔stand bar〕 [명] 선 채로 마시는 서양식 선술집. 바텐더와 손님이 카운터를 사이에 두고 상대하는 술집. [준]스탠드.

스탠드-바이 〔stand-by〕 [명] 스탠바이.

스탠드 보이 〔stand boy〕 [명] 드레스 폼. 「볼륨이 필요할 때 씀.

스탠드업 컬: 〔stand-up curl〕 [명] 모발을 높게 일어서게 하는 핀 컬.

스탠드-오프 〔stand-off〕 [명] 럭비에서, 하프 백(half back)의 별명.

스탠드-인 〔stand-in〕 [명] 『연』 ①배우의 대역. ②영화·텔레비전의 촬영 전에 배우 대신에 소정 위치에 서 있는 사람. 배우와 키·모습이 비슷한 사람이 함.

스탠드 칼라 〔stand+collar〕 [명] 옷깃 양식의 한 가지. 옛 남학생복의 깃이나 중국 옷의 깃처럼 목둘레를 따라 세워진 칼라.

스탠드-포인트 〔standpoint〕 [명] 입각점(立脚點). 입장. 관점(觀點).

스탠드 플레이 〔stand play〕 [명] 관중을 의식한 과장된 연기.

스탠딩 〔standing〕 [명] 야구에서의 잔루(殘壘).

스탠딩 스타:트 〔standing start〕 [명] ①육상 경기에서, 중·장거리의 스타트에 이용되는 직립 발주법(發走法). ↔크라우칭 스타트. ②자동차 경기에서, 자력(自力)으로 스타트하는 방법.

스탠리[1] 〔Stanley, Henly Morton〕 [명] 『사람』 영국의 탐험가. 아프리카에서 조난당한 리빙스턴(Livingstone)을 구출하기 위하여 1871년 탐험을 떠나 그와 상봉하였으며, 또 빅토리아 호·탕가니카 호(Tanganyika 湖)를 탐험하고 에드워드 호(Edward 湖)를 발견하였음. [1841-1904]

스탠리[2] 〔Stanley, Wendell Meredith〕 [명] 『사람』 미국의 생화학자(生化學者). 1935년, 담배 모자이크병(病)의 바이러스(virus)를 결정(結晶)으로서 빼내는 데 성공하여 노벨 화학상을 받았음. [1904-]

스탠리-빌 〔Stanleyville〕 [명] 『지』 '키상가니(Kisangani)'의 구칭.

스탠리 폭포 【一瀑布】 〔Stanley〕 [명] 『지』 아프리카 중부 자이르(Zaire) 공화국의 콩고 강 상류의 폭포. 7단(段)으로 나누어졌으며 낙차(落差)의 합계는 70 m, 최대 폭은 800 m에 이르러, 이 사이는 항행(航行)이 불가능하기 때문에 철도로 연결되고 있음. 1877년 탐험가 스탠리에 의해 발견됨.

스탠-바이 〔stand-by〕 [명] ①『해』 입항·출범 때에 선장 등이 외치는 '준비'의 뜻의 명령. ②무선 전신에서 조정을 하고 발신·수신을 기다림. ③예정된 방송 프로그램이 취소될 때의 임시 프로그램. 스탠드 바이.

스탠바이 크레디트 〔stand-by credit〕 [명] 『경』 클린(clean) 신용장의 하나. 무역 신용의 보증을 목적으로 환 관리 은행이 발행하며, 주로 재외 상사의 채무를 보증하게 됨.

스탠바이 패신저 〔stand-by passenger〕 [명] 『관광』 공항(空港) 등에서 빈 자리가 나기를 기다리는 여객.

스탠스 〔stance〕 [명] 골프·야구에서, 공을 치거나 투수가 공을 던질 때의 두 발의 위치나 벌린 폭. ¶ 오픈 ~.

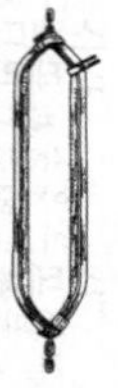
〈스탠천〉

스탠자 〔stanza〕 [명] 『문』 시의 절(節)·연(聯). 일정한 운율(韻律) 구성을 갖는 시행(詩行)의 한 무리. 보통 4-8 행으로 됨.

스탠천 〔stanchon〕 [명] 소를 외양간 안에 매어 두는 목걸이. 쇠로 길쭉하게 만들어 목이 닿는 데만 나무를 대었음.

스탠턴 〔Stanton, Elizabeth〕 [명] 『사람』 미국의 여성 운동가. 남녀 평등권을 주장, 미국 부인회 회장을 지냈음. [1815-1902]

스탠퍼드 대학 【一大學】 〔Stanford〕 [명] 미국 캘리포니아 주 샌프란시스코 남쪽 교외의 팔로알토(Paloalto)에 있는 사립 대학. 1885년 설립됨.

스탬퍼드 〔Stamford〕 [명] 『지』 미국 코네티컷 주(Connecticut 州) 남서단에 위치한 도시. 1641년 식민에 의해 개척됨. 기계 공업이 성함. [108,056 명(1990)] 「념 스탬프❷.

스탬프[1] 〔stamp〕 [명] ①소인(消印). ②도장. ③인지(印紙). ④우표. ⑤↗기

스탬프[2] 〔Stamp, Laurence Dudley〕 [명] 『사람』 영국의 지리학자. 랭군(Rangoon) 대학·런던 대학 교수를 역임함. 1952-56년 국제 지리학 연합(IGU)의 회장으로 재직. 영국의 토지 이용에 관한 과학적 연구가 가장 두드러진 업적이고 그 외에 아시아·아프리카의 지지(地誌)를 다룬 것이 많음. 만년(晩年)에는 의학 지리학(醫學地理學)의 저서도 냈음. [1898-1966]

스탬프 머니 〔stamp money〕 [명] 『경』 화폐면에 유통 기한을 기재하거나 또는 인지를 첨부하여 가치를 감소시키는 일. 일부(日附) 화폐.

스탬프 방식 【一方式】 〔stamp〕 [명] 『의』 비 시 지 접종법(B.C.G 接種法)의 하나. 스탬프를 찍듯이 살갗에 접종함.

스탬프 잉크 〔stamp ink〕 [명] 고무 도장 따위에 쓰는 잉크.

스탬프 해머 〔stamp hammer〕 [명] 단조기(鍛造機)의 한 가지. 상하 한 짝으로 된 금형(金型)에 가형물(可型物)을 넣고, 공기 또는 증기의 힘으로 피스톤을 움직여서, 임의의 높이로부터 망치 대가리를 낙하시켜 형(型) 단조를 함.

스탭 〔staff〕 [명] 스태프.

스터빌리티 〔stability〕 [명] 안전(安全). 공고(鞏固).

스터컨버:그 〔Stuckenberg, John Henry〕 [명] 『사람』 미국의 사회학자. 기독교 사회주의 영향 아래 출발하여, '사회력(社會力)'의 개념을 사회학에 도입하였음. 주저(主著) ≪사회 문제≫·≪인간 사회의 학문으로서의 사회학≫ 등. [1835-1903] 「일.

스터프 〔stuff〕 [명] ①재료. 원료. ②서양 요리에서 내용물을 채워 넣는

스터핑 박스 〔stuffing box〕 [명] 『공』 피스톤·플런저(plunger) 등의 드나드는 곳에서 증기 또는 물이 새는 것을 막는 장치. 상자 속에 패킹(packing)을 넣고 뭇으로 죄었음.

스턴:[1] 〔Stern, Isaac〕 [명] 『사람』 러시아 태생의 미국의 바이올리니스트. 15세로 데뷔한 이래 각국에서 연주 생활을 전개, 실내악 면에서도 정력적으로 활동하고 있음. [1902-]

스턴:[2] 〔Stern, Otto〕 [명] 『사람』 독일 태생의 미국 실험 물리학자. 분자선(分子線)의 연구 및 프로톤(proton)의 자기 모멘트(磁氣 moment)의 측정으로 1943년 노벨 물리학상을 받음. [1888-1969]

스턴 건 〔stun gun〕 [명] ①미국에서 개발된 호신용 고전압총(高電壓銃). 상대방을 기절시킬 수 있는 전류가 흐름. ②모래 주머니나 고무탄을 발사하는 폭동 진압용 총.

스턴트 〔stunt〕 [명] 곡예.

스턴트 맨 〔stunt man〕 [명] 영화나 텔레비전에서, 위험한 장면에서 배우의 대역을 하는 사람.

스턴트 카 〔stunt car〕 [명] 자동차에 의한 곡예(曲藝) 쇼. 1933년 미국에서 발상(發祥)함.

스털론: 〔Stallone, Sylvester Enzio〕 [명] 『사람』 미국의 영화 배우·감독. 1973 년부터 영화에 출연, ≪로키≫의 히트로 스타가 됨. 주요 출연 작품으로는 ≪로키 Ⅱ≫·≪로키 Ⅲ≫·≪코브라≫·≪람보≫·≪람보 Ⅱ≫ 등. [1946-]

스털:링 〔sterling〕 [명] 『경』 ①영국 정화(正貨)의 순도(純度)의 표준. ②영국 화폐. 스털링 파운드.

스털:링 블록 〔sterling block〕 [명] 『경』 스털링 지역. 파운드 블록.

스털:링 엔진 〔sterling engine〕 [명] 공기·수소·헤륨 등을 압축한 뒤에 버너로 가열하여 그 팽창력을 이용하는 방식의 엔진.

스털:링-은 【一銀】 [명] 〔sterling silver〕 일정한 표준 순도(純度)를 가진 은의 합금. 은 92.5%에, 나머지 7.5%는 구리로 되었음.

스털:링 지역【一地域】〔sterling〕[명] 〖경〗 영국 본토와 캐나다를 제외한 영국의 자치령·속령(屬領) 등, 금융·경제상 영국 화폐를 기초로 하여 단결한 지역. 파운드 지역. 스털링 블록.

스털:링 파운드〔sterling pound〕[명] 〖경〗 스털링❷.

스테고돈〔라 stegodon〕[명] 〖동〗 [*Stegodontinae*] 장비류(長鼻類) 코끼릿과에 속하는 화석(化石)의 코끼리. 동남 아시아의 특산인데, 현재의 코끼리와 마스트돈(mastdon)의 중간형으로, 그 종류가 많으며, 제 3기(紀) 마이오세 중기부터 제 4 기(紀) 중기에까지 걸쳐 번성하였음.

〈스테고돈〉

스테고사우루스〔라 stegosaurus〕[명] 〖동〗 고생물(古生物)의 하나. 검룡(劍龍).

스테노〔Steno, Nicolaus〕[명] 〖사람〗 덴마크의 지질학자·해부학자·신학자. 코펜하겐 태생. 암스테르담·레이덴·파리 등에서 해부학을 전공하고, 1665년부터는 이탈리아의 페르난도 2세(Fernando Ⅱ)의 시의(侍醫)가 됨. 지질학의 근본 법칙인 누중(累重)의 법칙을 밝히고 결정(結晶)이 면각 안정(面角安定)의 법칙에 상당하는 사실을 발견했음. [1638?-87]

스테디〔미 steady〕[명] 한 사람만 상대하는 데이트. 또, 그 상대.

스테라디안〔steradian〕[의명] 〖물〗 입체각의 크기를 나타내는 단위. 구(球)의 중심을 정점으로 하고, 그 구의 반지름을 한 변으로 하는 정사각형의 면적과 같은 면적을 구의 표면 상에서 절취한 입체각임. 전구면이 중심에 대하여 갖는 입체각은 4π sr임. 국제 단위계의 보조 단위로, 기호는 sr.

스테레오〔stereo〕[명] ①↗스테레오타입(stereotype)❶. ②두 개 이상의 스피커를 써서 입체감(立體感)을 낼 수 있게 한 음향 방식. 또, 그 장치. ¶ ~ 방송/~ 라디오.

스테레오 고무〔stereo+네 gom〕[명] 〖화〗 화학 구조면에서 입체적 규칙성(規則性)이 극히 높은 합성 고무. 천연 고무와 유사한 성질을 가지며 탄성(彈性)·내마성(耐磨性)·내후성(耐候性)·내열성(耐熱性)이 뛰어남.

스테레오 녹음【一錄音】〔stereo〕[명] 입체(立體) 녹음. 흔히 2채널의 스테레오 재생 장치로 재생함을 전제로 하나, 녹음할 때에는 6채널로 하며, 이에 조작을 가하면서 2채널로써 최량의 효과를 얻을 수 있도록 하는 경우도 많음. 좌우 채널의 음량차(音量差)를 중시하면 위치감(位置感)이 강하여지고, 시간차를 중시하면 임장감(臨場感)이 강하여짐.

스테레오-라디오〔stereoradio〕[명] 스테레오 방송을 듣기 위하여 만든 라디오.

스테레오 레코:드〔stereo record〕[명] 입체 음향(立體音響)을 재생(再生)할 수 있는 레코드. 좌우(左右) 두 개의 마이크로 집음(集音)한 음(音)을 한 줄의 홈의 양측에 각각 다른 각도로 녹음한 레코드로 두 개의 스피커로 재생함. 입체 레코드.

스테레오 방:송【一放送】〔stereo〕[명] 입체 방송(立體放送).

스테레오 사진【一寫眞】〔stereo〕[명] 입체 사진.

스테레오-스코:프〔stereoscope〕[명] 입체 영화 또는 입체 투사(投射) 사진을 보기 위한 안경. 입체경(立體鏡).

스테레오 재:생 장치【一再生裝置】〔stereo〕[명] 스테레오 레코드·스테레오테이프·스테레오 방송 등을 재생, 입체 음향을 재현하는 장치.

스테레오-카메라〔stereocamera〕[명] 〖연〗 두 대의 카메라를 두 눈의 간격과 같은 거리에 고정하고, 약간 차이지는 각도에서 두 장의 사진을 동시에 촬영하는 사진기. 이것으로 촬영한 사진을 6-7 cm 떨어진 두 개의 렌즈로 들여다보면 입체적으로 보임.

스테레오-타입〔stereotype〕[명] ①스테레오판의 원말. [준]스테레오. ②〔고정적인 연판(鉛版) 인쇄의 비유에서〕 고정적·선입적인 사회적 태도. 또, 상투적인 형식.

스테레오-테이프〔stereotape〕[명] 스테레오 음향의 녹음·재생에 쓰는 자기(磁氣) 테이프. 각 트랙이 독립되어 있으므로 스테레오 레코드에 비해 좌우(左右)의 음의 분리가 좋음.

스테레오 투영【一投影】〔stereo〕[명] 〖수〗 구면 상(球面上)의 점을 평면상에 투영하는 투영법의 하나. 투영면을 적도면(赤道面)으로 잡고, 일방의 극(極)(시점(視點)) N 또는 S에서 구면 상의 점 A 또는 B를 적도면에 투영하는 방법이며, 이의 특성은 구면 상의 원은 원으로 투영되고 구면 상의 두 개의 대원 간(大圓間)의 교각(交角)의 크기는 도면 상의 크기와 같다는 두 점임. ＊평사 도법.

스테레오-판【一版】〔stereo〕[명] 〖인쇄〗 연판(鉛版). →스테로판.

스테레오포닉 사운드〔stereophonic sound〕[명] 입체 음향(立體音響).

스테로 [명] ↗스테로판(版).

스테로이드〔steroid〕[명] 〖화〗 시클로펜타노히드로페난트렌 고리를 가지는 물질의 총칭. 즉, 탄소 6 원자로 이루어진 고리 구조 3개와 탄소 5 원자로 된 고리 구조 1개를 함유하는, 화학식 $C_{17}H_{28}$을 기본 골격으로 하는 유기 화합물의 총칭임. 실제의 화합물에는 이것에 곁고리·치환기(置換基) 또는 이중 결합이 있으며, 성(性)호르몬·빌산 등이 이에 속함. 주로 동식물체에서 얻어지고, 중요한 생리 작용을 함.

스테로이드-제【一劑】〔steroid〕[명] 화학적으로 스테로이드핵(核)을 가지는 약품의 총칭.

스테로이드 호르몬〔steroid hormone〕[명] 화학 구조상 스테로이드핵(核)을 갖는 호르몬의 총칭. 남성 호르몬, 여성 호르몬, 부신피질(副腎皮質) 호르몬 등 척추 동물에 중요한 물질을 함유함.

스테로-판【一版】[명] 〖인쇄〗 ←스테레오판(stereo版). [준]스테로.

스테롤〔sterol〕[명] 〖화〗 스테로이드핵(核)을 갖는 알코올의 총칭. 탄소수(炭素數) 27-29의 것이 많고 C_3의 위치에 히드록시기를 가짐. 보통 중성의 무색 결정이며 물에 녹지 않고 유기 용매(有機溶媒)에 녹음. 척추 동물의 콜레스테롤, 균류(菌類)의 에르고스테롤 등.

스테:르〔프 stère〕[의명] 장작·재목의 부피를 나타내는 미터법에 의한 단위. 1 스테르는 1 입방 미터. 약호는 st.

스테빈〔Stevin, Simon〕[명] 〖사람〗 플랑드르(Flandre)의 수학자·물리학자·기술자. 출생지인 브루게(Brugge) 시청에 근무하다, 후에 네덜란드군(軍)의 경리 총감이 됨. 1585년 십진 소수(十進小數)의 이치를 역설하고 그의 보급에 노력함. 힘의 합성(合成)의 법칙을 확립하여 '힘의 평행 사변형의 법칙'을 밝히고, 액체 내의 압력이 액면(液面)으로부터의 깊이만으로 정해진다는 것을 발견함. 이밖에 기술 상의 발명도 있음. [1548-1620]

스테시코로스〔Stesichoros〕[명] 〖사람〗 시칠리아 태생의 그리스 시인. 본명은 테이시아스(Teisias). 대규모의 장편시를 많이 썼으나 단편만이 현존함. [630?-550? B.C.]

스테아르-산【一酸】[명]〔stearic acid〕〖화〗 포화 고급 지방산의 하나. 백색 단사 정계(單斜晶系)의 엽상(葉狀) 결정. 우지(牛脂)를 비롯한 많은 동식물 유지 중에 글리세린과의 에스테르로서 함유됨. 알코올·에테르 등에 녹음. 양초·비누·계면 활성제(界面活性劑)·연고(軟膏)·좌약(坐藥) 등의 원료임. $[CH_3(CH_2)_{16}COOH]$

스테아린〔stearin〕[명] 〖화〗 ①글리세롤이 함유하는 세 개의 수산기 중의 수소를 스테아르산기(酸基)로 치환(置換)한 구조를 갖는 흰 가루. 지방(脂肪)의 성분을 이룸. $[C_3H_5(O\cdot C_{18}H_{35}O)_3]$ ②지방유(油)를 냉각할 때에 응고·침전하는 부분의 속칭. ③상품으로서의 스테아린은 스테아르산과 팔미트산과의 혼합물을 말하며, 양초의 원료임.

스테아린-초〔stearin〕[명] 스테아르산(酸)이 주원료인 초. 천연의 밀랍(蜜蠟)을 원료로 한 초보다 희고 그을음도 적으며 밝음.

스테아타이트〔steatite〕[명] 활석(滑石)을 주성분으로하여 소결(燒結)한 절연 재료(絶緣材料)의 상품명. 기계적 강도(強度)가 크며 유전율(誘電率)이 작음. 고주파용(高周波用) 절연체로 널리 쓰임.

스테아토파이거스-상【一像】〔steatopygous〕[명] 그리스 선사 시대의 유방·엉덩이 등을 과장한 여인 나체상. 풍요(豐饒)와 다산(多産)을 기원하기 위한 것임.

스테압신〔steapsin〕[명] 〖화〗 이자에 들어 있는 지방 분해 효소. 췌장 리파아제.

스테이〔stay〕[명] ①머묾. 체재(滯在). ②〖공〗 강도가 부족한 부분에 보강하는 것. 공업용 솥을 구성하는 각 판(板)을 보강하기 위한 철골 따위. ③선박의 마스트를 고정하고 있는 밧줄.

스테이션〔station〕[명] ①정거장. 역(驛). ②기지(基地).

스테이션 브레이크〔station break〕[명] 라디오 용어로, 방송의 프로와 프로 사이의 30 초쯤의 짧은 시간에 각 방송국이 자국의 콜 사인이나 국명·광고 등을 방송하는 일.

스테이션 왜건〔station wagon〕[명] 승용차 차체의 한 형(型). 차내의 뒷부분에 화물(貨物)을 실을 수 있도록 후면에 도 문이 달려 있음.

〈스테이션 왜건〉

스테이어〔stayer〕[명] ①스태미나가 생명인 장거리 선수. ②경마에서, 2,000 m 이상의 장거리용 경주마. 「度).

스테이지〔stage〕[명] ①무대(舞臺). 연단(演壇). ②단계(段階). 정도(程

스테이지 댄스〔stage dance〕[명] 사교(社交) 댄스에 대하여, 흥행적인 무대 위의 댄스. 무대 무용(舞臺舞踊). 「예의 범절.

스테이지 매너〔stage manner〕[명] 연기자가 무대 위에서 갖추어야 할

스테이지 매니저〔stage manager〕[명] 〖연〗 무대 감독(舞臺監督).

스테이지 세트〔stage set〕[명] 〖연〗 스테이지 안에 세운 세트.

스테이지 소사이어티〔Stage Society〕[명] 영국의 연극 단체. 문학적 희곡을 감상하는 조직으로서 1899년 런던에서 발족, 쇼(Shaw)·피란델로(Pirandello)·콕토(Cocteau) 등의 반상업주의적 희곡을 소개하여 영국 극단(劇壇)에 자극을 줌. 1939년까지 활약했음.

스테이지 쇼:〔stage show〕[명] 〖연〗 무대(舞臺) 위에서 관객에게 보이는 쇼.

스테이츠-맨〔statesman〕[명] 정치가. 경세가(經世家). 「이크.

스테이크〔steak〕[명] ①서양 요리의 한 가지. 구운 고기. ②↗비프 스테

스테이크스〔stakes〕[명] 경마에서, 마주(馬主)가 지불한 출마 등록료가 상금에 가산되는 특별 레이스.

스테이터〔stator〕[명] 〖전〗 고정자(固定子).

스테이터스〔status〕[명] ①사회적 지위. 신분. ¶ ~심벌(사회적으로 높은 지위의 상징으로 치는 별장·고급 자가용차 등). ②상태.

스테이트먼트〔statement〕[명] 성명서(聲明書).

스테이트 아마추어〔state amateur〕[명] 국가에서 보조·육성하는 아마추어 운동 선수.

스테이플러〔stapler〕[명] 스테이플(staple)이라고 하는 'ㄷ'자 모양의 철사를 써서 서류를 철하는 연모. 호치키스.

스테이플 파이버〔staple fibre〕[명] 인조 섬유를 짧게 자르고 적당히 컬(curl)을 한 인조 견사. 또, 이 섬유로 짠 옷감이나 실. 모직물의 대용으로 씀. [준]스프.

스테인드 글라스〔stained glass〕[명] 색유리를 쓰거나 색을 칠하여 무늬나 그림을 나타내는 판(板)유리. 교회 등의 창 유리에 쓰임.

스테인리스-강【一鋼】〔stainless〕[명] 합금강(合金鋼)의 하나. 니켈·크롬 등을 많이 넣어 녹슬지 않고 약품에도 부식되지 않도록 한 강철. 스테인리스 스틸. 불수강(不銹鋼).

스테인리스 스틸:〔stainless steel〕[명]〔녹슬지 않는 강철의 뜻〕 스테인리스강(鋼).

스테판슨〔Stefansson, Vilhjalmur〕[명] 〖사람〗 캐나다의 북극 탐험가.

1905년 아이슬란드의 고고학적 답사를 위한 하버드 박물관의 원정대에 참가, 뒤이어 마켄지 삼각주의 에스키모들의 민족학적 연구를 위한 탐사에 활약하고 1913년에서 1918년까지 캐나다 및 알래스카의 북극 지역 조사대의 대장(隊長)으로 활약했음. 저서에 ≪나의 에스키모와의 생활≫·≪정다운 북극≫ 등이 있음. [1879-1962]

스테핑 전:동기【一電動機】〔stepping〕 명 전기 펄스의 1 회마다 일정한 각도만 회전하는 전동기. 수치 제어 전동기에 쓰임. 펄스 전동기.

스텐실〔stencil〕 명 ①물건 모양을 본뜬 종이의 그림 부분을 잘라 내어 구멍을 내고, 이 위에 롤러(roller)로 눌러서 그림을 만드는 일. ②↗스텐실 페이퍼.

스텐실 페이퍼〔stencil paper〕 명 등사용 원지(謄寫用原紙). 준스텐실.

스텐카 라진〔Stenka Razin〕 명 ①러시아의 카자흐 수장. 본명은 Stepan Timofeyevich Razin. 1667 년 볼가 강 하류 지방에서 농민 반란을 지도하다가 70 년 정부군에 패하여 모스크바에서 처형당함. 전설·민요에 그의 이름이 전해지고 있음. 〔1630 ? -1617〕 ②스텐카 라진을 읊은 러시아의 민요 및 교향시.

스텔라이트〔stellite〕 명〖공〗특수 합금(特殊合金)의 하나. 코발트 40-55%, 크롬 15-35%, 텅스텐 10-20%, 탄소 2-4%, 철 5% 이하를 주성분으로 하는 초경합금(超硬合金)으로, 단단하고 내마모성(耐磨耗性)이 뛰어나 공구 등에 사용되고, 내열(耐熱) 합금으로도 중요하여 내연 기관에 쓰임. 특히, 질산(窒酸)에 대한 내식성(耐蝕性)이 높아 레용 공업에서도 사용함. 생산가가 비싸고, 단조(鍛造)를 할 수 없는 흠이 있음.

스텔스 기술【一技術】〔stealth〕 명〖군〗레이더·적외선 센서(赤外線 sensor) 등에 의한 항공기·미사일·함정(艦艇) 등의 조기 발견(早期發見)을 어렵게 하는 기술. 날개·동체(胴體) 등에 페라이트(ferrite)를 발라 전파를 흡수하여 반사율을 낮추는 방법, 전파 투과성(透過性)이 높은 복합 재료를 사용하는 방법, 기체(機體)의 모양을 바꾸는 방법 등이 있음. 미공군의 B_2폭격기·F 22 및 F 117 A 전투기 등에 이 기술을 베풂.

스텝¹〔step〕 명 ①계단. ②보조(步調). ③기차·전차·버스 등의 승강구의 발판. ④빙하·눈 골짜기 등의 급사면을 오르내리기 위하여 파 놓은 계단. ⑤댄스에서, 동작의 단위(單位)가 되는 발과 몸의 한 움직임. ¶ ~을 밟다.

스텝²〔steppe〕 명〖지〗유럽 러시아의 동남부나 시베리아 서남부 등에 보이는 나무가 자라지 않는 온대 초원 지대. 건조한 계절에는 불모지(不毛地)이고 강우 계절에는 푸른 들로 변함. 초원(草原). 초원대(草原帶). *사바나·팜파스.

스텝 기후【一氣候】〔steppe〕 명〖기상〗주로 중위도(中緯度) 지방의 사막이나 사바나 기후에 인접하여 분포하는 건조 기후. 연중 강수량(降水量)은 약 250-500 밀리이며, 사막보다는 많고 사바나보다는 적음. 초원 기후.

스텝다운 트랜스 명〔step-down transformer〕강압(降壓) 변압기.

스텝업 트랜스 명〔step-up transformer〕승압(昇壓) 변압기.

스텝 커팅〔step cutting〕 명 컷 스텝.

스토:〔Stowe, Harriet Beecher〕 명〖사람〗미국의 여류 작가. 그리스도교적인 인도주의의 입장에서 흑인 노예의 참상을 그린 ≪엉클 톰스 캐빈(Uncle Tom's Cabin)≫으로 노예 해방을 주장하였으며, 그 외에 ≪목사의 구혼≫ 등이 있음. [1811-96]

스토:니〔stony〕 명〖건〗시멘트에 특수한 약품을 조합하여 경화 응결시킨 것. 경도(硬度)가 높고 물·불·산(酸)에 잘 견디는 성질이 있는 금속 대용품으로서, 건축 재료·금고·냉장고·금속제 미술품 등에 쓰임. 모조 대리석.

스토:리〔story〕 명 ①이야기. 소설. ②소설·각본·영화 등의 내용과 줄거리. 또, 그 책자. ③플롯(plot).

스토:브〔stove〕 명 난로(暖爐).

스토:브 리:그〔stove league〕 명 ①스토브 주위에 둘러앉아 하는 야구(野球) 잡담. ②야구 시즌 오프에 행하여지는 프로 야구 선수 쟁탈.

스토아〔stoa〕 명 고대 그리스의 도시 국가에서, 아고라의 주변의 일부 또는 대부분에 만들어진 열주랑(列柱廊). 시민의 집회장으로 이용되었음.

스토아-주의【一主義】〔Stoa〕〔—/—이〕 명〖윤·철〗①스토아 학파의 교설(敎說). 특히, 그 도덕관. ②스토아풍의 극기·금욕. 자기 할 일을 다하는 엄격한 의무감. 감정에 사로잡히지 않고, 쾌고(快苦)에 동요하지 않으며, 의연한 자세로 운명을 받아들이는 처세 태도. 스토이시즘(Stoicism).

스토아 철학【一哲學】〔Stoa〕 명〖철〗스토아 학파의 철학.

스토아 학파【一學派】〔Stoa〕 명〖철〗〔창시자인 키프로스(Kypros)의 제논(Zenon)이 아테네 스토아 포이킬레(stoá poikílē: 벽에 그림이 있는 주랑(柱廊)의 뜻)에서 처음 강의한 데서〕키니코스(Kynikos) 학파의 윤리설을 계승하여 헤라클레이토스(Herakleitos)의 로고스설(Logos說)을 발전시킨 철학 상의 한 파(派). 유기적 유물론 또는 범신론의 입장을 취하여 신(神)은 우주 이성·우주 정신으로서 우주 만물에 편재하며, 일체는 필연성에 의하여 생멸하나, 이 필연성은 동시에 합목적적인 섭리를 의미한다 하였음. 도덕설로는 자연에 따라 내심(內心)의 이성에 따른 현인(賢人)의 생활(아파테이아(apatheia): 태연 자약한 심경)만이 진실한 행복에의 길이라 하였으며, 준엄한 도덕주의와 엄격한 의무의 준수를 역설하였음. 그리스에서 후기 로마에도 들어와 세네카(Seneca) 등이 이를 대성함. 극기파(克己派). 「절을 일컬음.

스토어〔store〕 명 가게. 상점. 영국에서는 백화점, 미국에서는 흔히 상

스토이시즘〔Stoicism〕 명〖철〗스토아주의.

스토익〔stoic〕 명 ①스토아 학파의 철학자. ②스토아 학파의 주장을 신봉(信奉)하는 사람. ③금욕적. 극기적(克己的).

——-하다 형여불

스토:커〔stoker〕 명 ①화부(火夫). ②석탄을 자동적으로 노(爐) 안에 공급하는 장치. 급탄기(給炭機).

스토케시아〔stokesia〕 명〖식〗〔*Stokesia laevis*〕국화과에 속하는 다년초. 높이는 60 cm 가량이며, 가지가 많고 잎은 넓은 피침형임. 늦은 봄부터 이른 가을에 걸쳐 자백색(紫白色)의 큰 꽃이 피는데, 꽃잎은 햇빛을 받으면 피고, 저녁에는 안으로 오므라지며, 날이 흐리면 잘 피지 않음. 북아메리카 원산인데, 관상용으로 재배함.

〈스토케시아〉

스토코프스키〔Stokowski, Leopold Antoni Stanislaw〕 명〖사람〗런던 태생의 폴란드계 미국의 교향악단 지휘자. 1949년 이래 뉴욕 필하모니(philharmony) 교향 악단의 지휘자로서 현대 미국의 대표적 지휘자의 한 사람임. [1887-1977]

스토:크스¹〔stokes〕 의명 점성도(粘性度)의 CGS 단위. 밀도가 $1g/cm^3$로 점성률(粘性率)이 1 p의 유체(流體)의 성점도. $1\,s=1\,p/(g/cm^3)=1cm^2/s$.

스토:크스²〔Stokes, George Gabriel〕 명〖사람〗영국의 수학자·물리학자. 케임브리지 대학 교수, 영국 왕립 협회 회장을 역임하고, 미적분(微積分) 방정식을 연구, 그 밖에도 유체(流體) 역학·광학·음향학 등에 공헌이 있음. [1819-1903]

스토:크스³〔Stokes, William〕 명〖사람〗영국의 내과의. 더블린 대학 교수·대영 의학 협회 회장을 역임. 저서에 ≪청진기의 사용≫·≪흉부 질환≫ 등이 있음. [1814-78]

스토:크스의 법칙【一法則】〔—/—에—〕 명〔Stokes law〕〖물〗①형광을 내기 위해 형광체를 비추는 빛은 그로부터 나오는 형광보다 그 파장이 짧아야 한다는 법칙. ②반경 a인 구(球)가 점성률(粘性率) μ의 유체 속을 속력 v로 운동할 때 구(球)가 받는 저항의 크기는 $R=6\pi\mu av$와 같다는 법칙.

스토팅카:〔stotinka〕 의명 불가리아의 통화 단위의 하나.

스토퍼¹〔stoper〕 명 광산용 착암기(鑿岩機)의 일종. 갱내에서 위로 파낼 때나 터널을 만들 때에 씀.

스토퍼²〔stopper〕 명〖해〗배를 멈추는 데에 쓰는 밧줄. 「이름.

스토피지〔stoppage〕 명 아이스하키에서, 각 피리어드의 시합 종료를

스톡¹〔stock〕 명 ①재고품. ②주(株) 또는 주금(株金). ③자본. ④〖경〗한 시점(時點)에 존재하는 것으로서 크기를 잴 수 있는 양(量). 예컨대, 국부(國富)는 한 시점에 존재하는 한 나라의 재화(財貨)의 총액을 나타내는 스톡임. ↔플로.

스톡²〔stock〕 명〖식〗〔*Matthiola incana*〕겨자과에 속하는 다년생 초본. 줄기 높이는 30-60 cm 정도로 직립(直立)하고, 때로 분지(分枝)해서 기부(基部)는 흔히 목화(木化)하여 관목상(灌木狀)이 됨. 잎은 호생(互生)하고 장타원형(長楕圓形) 또는 도피침형(倒披針形)으로 길이 10 cm 정도이고 회백색(灰白色)의 부드러운 짧은 털이 밀생(密生)함. 꽃은 적자(赤紫)·담홍(淡紅)·백(白)·담황(淡黃) 등 여러 가지이고, 아름답고 향기가 좋음. 과실은 길이 4-7 cm, 종자에는 날개가 있음. 지중해(地中海) 연안 원산임.

〈스톡²〉

스톡 론:〔stock loan〕 명〖경〗거래소의 파는 쪽의 회원이 결제일(決濟日)에 유가 증권을 인도할 수 없을 때 임시로 빌려서 결제가 되게 하는 주식. 대주(貸株). 대여주(貸與株).

스톡 옵션〔stock option〕 명〖경〗자사 주식 매입 선택권. 회사가 임직원에게 일정 기간이 지난 후 일정 수량의 자사 주식을 매입 또는 처분할 수 있도록 부여한 권리(임직원의 근무 의욕을 북돋우고 우수한 인력 확보 및 기업의 활성화를 위한 수단으로 이용함).

스톡 인플레이션 명〔stock inflation〕〖경〗스톡, 즉 자산(資産)으로 볼 수 있는 토지·주식(株式)·주택·귀금속 등 품목의 전반적인 가격 상승(上昇). ↔플로 인플레이션.

스톡턴〔Stockton〕 명 미국 캘리포니아 주의 중앙부에 있는 상업 도시. 샌프란시스코 만(灣)과의 사이에는 대형 선박이 항행할 수 있는 운하가 통해 있으며, 농산물 적출항(積出港)으로서 발전함. 〔191,440 명(1988)〕

스톡 파일링〔stock piling〕 명 ①부족에 대비하여 원료나 식량을 저장 축적하는 일. ②특히, 미국 정부에 의한 전략 물자 저장 계획.

스톡홀름〔Stockholm〕 명〖지〗스웨덴(Sweden)의 남동부 발트 해안에 있는 항구 도시로 스웨덴의 수도. 조선(造船)·기계·전기 기구·자동차·고무 공업 등이 성함. 왕궁(王宮)·노벨 연구소·국립 박물관 등이 있음. 13세기 중엽에 건설한 도시로 요새(要塞) 도시임. 중세 이래로 상업·교통의 중심지로 발전하였음. 두 차례의 세계 대전 중에는 중립국의 수도로서 중요한 구실을 함. 〔670,000 명(1991 추계)〕

스톡홀름 국제 평화 문:제 연:구소【一國際平和問題硏究所】 명〔Stockholm International Peace Research Institution; SIPRI〕1966년에 스웨덴 정부의 출자(出資)로 스톡홀름에 설립된 연구 기관. 주로, 군비 관리·군축 문제를 연구 대상으로 함.

스톡홀름 학파【一學派】〔Stockholm〕 명〖경〗북유럽 학파.

스톤 서:클〔stone circle〕 명 거석(巨石) 기념물의 하나로 자연석 등을 환상(環狀)으로 줄세워 놓은 신석기 시대의 유구(遺構). 유럽의 대서양 해안의 유적지에 많고, 태양 숭배에 관계가 있는 종교적 유구라

고 하는데, 분묘(墳墓)에도 관계가 있는 것으로 생각됨. 환상 열석(環狀列石).

스톤:-헨지 〔Stonehenge〕 명 영국의 솔즈베리(Salisbury) 근교에 있는 스톤 서클. 둑을 친 직경 약 115미터의 해자(垓字)로 둘러싸인 맨 중앙에 제단석(祭壇石)이 놓여지고, 이를 둘러싸고 말굽 모양으로 석주가 늘어서며 그 바깥쪽에 높이 2-7미터의 주상석(柱狀石)이 삼중(三重)의 환상 열석(環狀列石)을 이룸. 기원전 1900-1500년경 세 시기(時期)에 걸쳐 구축된 것으로 추측됨.

〈스톤헨지〉

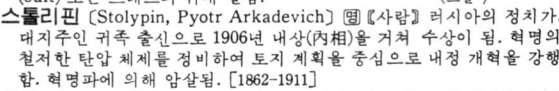

스톨:[1] 〔stall〕 명 ①비행기가 비행 중, 대기 속도(對氣速度)의 감소(減少)나 상승 각도의 증대 등으로 인하여 양력(揚力)을 잃는 현상. 실속(失速). ②자동차 따위가 급격히 속력을 더할 때, 엔진이 순간적으로 일시 정지하는 현상.

스톨[2] 【STOL】 명 에스톨.

스톨:[3] 〔stole〕 명 여성용의 긴 숄(shawl). 본시 종교적 의식 때에 입는 긴 웃옷이었으며, 슈트(suit) 또는 드레스의 위에 걸침.

〈스톨[3]〉

스톨리핀 〔Stolypin, Pyotr Arkadevich〕 명 『사람』 러시아의 정치가. 대지주인 귀족 출신으로 1906년 내상(內相)을 거쳐 수상이 됨. 혁명의 철저한 탄압 체제를 정비하여 토지 계획을 중심으로 내정 개혁을 강행함. 혁명파에 의해 암살됨. [1862-1911]

스톰: 〔storm〕 명 ①폭풍. 폭풍우. *허리케인(hurricane). ②기숙사 같은 데서 밤에 여럿이 갑자기 소란하게 발을 구르고 왕래하는 일.

스톱 〔stop〕 명 ①그치는 일. 정지(停止). ↔고(go). ②사진기의 조리개. ③『악』 오르간 따위의 음색 또는 음넓이를 바꾸기 위한 마개. 건반 위쪽의 빼고 넣게 된 스톱은 음색과 음률을, 무릎으로 조절하는 스톱은 셈여림을 조절함. 음전(音栓). ④↗스톱 볼. ——-하다 자타여불

스톱 모:션 〔stop motion〕 명 영화에서, 어떤 동작의 순간을 정지시키는 장면.

스톱 발리 〔stop volley〕 명 테니스에서, 라켓을 세게 쥐고, 상대방의 타구(打球)가 땅에 떨어지기 전에 쳐서 되돌려 보내는 일. 흔히, 네트 가까이에서 함.

스톱 밸브 〔stop valve〕 명 『공』 ①밸브의 한 가지. 접시 모양이며, 나사를 위아래로 움직여 여닫게 되어 있음. ②기체·액체의 역류(逆流)를 자동적으로 방지하게 제조된 밸브. 증기 또는 수력 기계 등에 쓰임.

스톱 볼: 〔stop ball〕 명 배구·탁구 등에서, 공의 구세(球勢)를 약하게 하여 상대편의 코트에 얕게 반구(返球)하는 일. 준스톱(stop). ——-하다 자여불

스톱 앤드 고: 〔stop and go〕 명 『경』 〔go는 성장(成長) 정책, stop은 긴축(緊縮) 정책을 뜻함〕 제2차 세계 대전 후의 영국 정책을 비꼰 말. 성장 정책을 취하면 국제 수지(收支)의 벽(壁)에 부딪쳐 빈번히 성장 정책과 긴축 정책을 되풀이함.

〈스톱 워치〉

스톱 워치 〔stop watch〕 명 초(秒)보다 더 세밀한 단위까지 계산하는 시계. 흔히 운동 경기에서, 임의로 스위치를 눌러서 시동 또는 정지시켜 어떤 시각을 잼. 기초(記秒) 시계. 시초(示秒) 시계. 타임 워치.

스투코 〔이 stucco〕 명 석회(石灰)·석고(石膏)를 주재(主材)로 하고 접착제·섬유질 등으로 보강한 내장용(內粧用) 회반죽. 서양에서는, 옛날부터 벽·천장·주두(柱頭)의 부조(浮彫)·장식 따위에 사용됨.

스투파 〔범 stupa〕 명 『불교』 솔도파(窣堵婆). 솔도파(率都婆). 솔탑파(率塔婆).

스툴: 〔stool〕 명 등받이와 팔걸이가 없는 의자.

스튜: 〔stew〕 명 서양 요리의 한 가지. 쇠고기·돼지 고기·닭고기 등에 버터와 조미료·잘게 썬 감자·당근·마늘 등을 섞어 푹 끓인 음식.

스튜:던트 〔student〕 명 학생. 특히 대학생.

스튜:던트 파워 〔student power〕 명 학원의 쇄신·사회 참여 등에 작용하는 학생의 집단 세력.

스튜:디오 〔studio〕 명 『연』 ①사진사·미술가·공예가 등의 작업장. ②영화의 촬영소. ③방송국의 연주실.

스튜:디오 방식 【-方式】 〔studio〕 명 『건』 아파트 등에서, 부엌과 욕실이 딸린 거실과 침실 겸용의 방 하나로 이루어진 간살.

스튜어디스 〔stewardess〕 명 ↗에어스튜어디스.

스튜어트[1] 〔Stewart, James〕 명 『사람』 미국의 배우. 선량한 호인형(好人型)으로 인기가 있음. 출연작은 《밤길》 등. [1903-]

스튜어트[2] 〔Stewart, Sir James Denham〕 명 『사람』 영국의 경제학자. 최종 단계기(最終段階期)의 중상(重商)주의 경제학의 체계화를 시도함. 스미스(Smith, A.)의 선행자(先行者)로, 정치 경제학이란 표제를 처음으로 사용했음. 주저(主著) 《정치 경제학 원론》. [1712-80]

스튜어트 왕조 【-王朝】 〔Stuart〕 명 『역』 영국 및 스코틀랜드 왕조의 하나. 1371년 이래 스코틀랜드를 지배하고, 튜더(Tudor) 왕조를 계승하여 1603-88년에 영국에 군림하였음. 공화정 시대·명예 혁명 등을 거쳐서 입헌 군주제의 성립기까지 계속되었으며, 1714년에 이 계통의 하노버공(公)이 왕위를 계승함으로써 현 왕조의 조상이 되었음.

스트라디바리 〔Stradivari, Antonio〕 명 『사람』 이탈리아 크레모나(Cremona)의 바이올린 제작자(製作者). 그의 일가(一家)에서 만든 바이올린은 '스트라디바리우스'라 일컬어지며 명기(名器)로 진중(珍重)됨. [1644-1737]

스트라디바리우스 〔Stradivarius〕 명 『악』 17-18세기에 이탈리아의 바이올린 제작자인 스트라디바리 일가(一家)가 제작한 바이올린. 명기(名器)로 진중(珍重)됨.

스트라본 〔Strabon〕 명 『사람』 기원전 1세기의 그리스 지리학자·역사학자. 세계 각지를 여행, 지형·기후·산물 등에 관하여 상세히 관찰하고, 《지리지(地理誌)》 17권을 씀. 생몰년 미상.

스트라빈스키: 〔Stravinski, Igor' Fyodorovich〕 명 『사람』 러시아 태생의 미국 작곡가. 루빈시테인(Rubinshtein)·림스키코르사코프(Rimski-Korsakov)에 사사(師事), 댜길레프(Diaghilev)의 발레단과 함께 《불새》·《봄의 제전》 등 혁명적인 발레 음악을 작곡하여, 세계를 놀라게 하였음. 프랑스를 거쳐 미국에 귀화하여, 현대 최대의 작곡가의 하나로 꼽힘. [1882-1971]

스트라스부:르 〔Strasbourg〕 명 『지』 프랑스의 북동쪽에 있는 상공업 도시. 라인 강 지류(支流)에 있어서, 프랑스·독일·스위스의 무역의 중심지임. 탄전(炭田)의 중심이 되고, 기계·기관차·섬유·화학 공업이 성함. 1567년에 세운 대학과 고딕식(Gothic式) 사원(寺院)이 있음. 1681년 이래 프랑스 영토였으나 1870-1918년 동안, 독일에 귀속되었다가, 다시 프랑스령으로 돌아감. [247,068명(1982)]

스트라스부:르 대:성당 【-大聖堂】 〔Strasbourg〕 명 프랑스 스트라스부르에 있는 천주교 성당. 1176년(일설에는 1190년) 기공. 중세의 고딕식 교회당의 대표적 건물의 하나임.

스트라이드 〔stride〕 명 보폭(步幅)이 큼. 특히 육상 경기의 중·장거리 달리기에서, 달리는 보폭이 넓음. 또, 그 보폭.

스트라이드 주법 【-走法】 〔stride〕 [-뻡] 명 스피드 스케이트에서, 피치를 낮추고 긴 스트라이드로 미끄러지는 방법.

스트라이샌드 〔Streisand, Barbra〕 명 『사람』 미국의 여자 대중 가수·영화 배우. 뉴욕 출신. 18세 때 아마추어 콩쿠르에서 우승. 1964년 뮤지컬 《퍼니 걸(Funny Girl)》에 출연하여 대스타가 됨. 최고 히트곡은 《피플(People)》이며, 대표적인 출연 영화는 《스타 탄생》 등이 있음. [1942-]

스트라이커 〔striker〕 명 축구·배구에서, 득점 능력이 있는 선수.

스트라이크 〔strike〕 명 ①동맹 파업. ②동맹 휴교. ③야구에서, 투수가 타자에 대해 던진 공이 스트라이크 존을 통과하는 일. ④볼링에서, 제1구(球)로 열 개의 핀을 모두 쓰러뜨리는 일. *스페어.

스트라이크 브로:커 〔strike broker〕 명 자기가 이득을 볼 목적으로 파업을 선동하는 사람.

스트라이크 존: 〔strike zone〕 명 야구에서, 투수(投手)가 던진 공이 「스트라이크로 판정되는 범위.

스트라이킹 서:클 〔striking circle〕 명 하키 경기에서, 골라인 앞에 그어 놓은 반원형의 선. 이 밖에서 숫하여 넣은 것은 득점으로 치지 않음.

스트라이프 〔stripe〕 명 줄무늬.

스트래토비전 〔stratovision〕 명 『텔레비전』 중계 설비를 실은 대형 비행기가 800m 가량의 상공에서 전파를 받아서 다른 장(場)으로 중계 방송하는 대양(大洋) 원거리 텔레비전 중계 방식.

스트래토-크루:저 〔Stratocruiser〕 명 〔성층권을 비행하는 비행기라는 뜻〕 미국 보잉(Boeing) 회사의 여객기 이름.

스트래퍼:드 〔Strafford, Thomas Wentworth〕 명 『사람』 영국의 정치가·백작. 권리 청원의 제출에 노력, 이후 찰스 1세의 전제(專制)에 협력했기 때문에 1640년 의회의 탄핵을 받고 사형됨. [1593-1641]

스트랫퍼:드-온-에이번 〔Stratford-on-Avon〕 명 『지』 영국 잉글랜드 중부의 세번 강(Severn江) 지류 에이번(Avon) 강변에 있는 소도시. 경공업(輕工業)이 행하여지며 셰익스피어(Shakespeare)의 고향으로, 그의 생가(生家) 외에 자료 도서관·로열 셰익스피어 극장 등이 있어 이 곳을 찾는 사람이 많음. [21,000명(1981)]

스트러글 〔struggle〕 명 투쟁. 갈등.

스트럭 아웃 〔struck out〕 명 야구에서, 스리 스트라이크가 선고되어 아웃되는 일. 삼진(三振). ——-하다 자여불

스트레사 회:의 【-會議】 〔Stresa〕 [-/-이] 명 『역』 1935년 독일의 재군비(再軍備) 선언에 대항하여 영국·프랑스·이탈리아 3국 수뇌가 이탈리아 북부의 스트레사에서 개최한 회의. 독일의 위협과 그것을 둘러싼 유럽의 국제 관계에 대하여 검토, 3국 연합의 계획도 토의되었음. 그러나 동년 10월 이탈리아가 에티오피아 전쟁을 개시함으로써 이 계획은 무너지고, 거꾸로 독일·이탈리아의 접근이 시작되었음.

스트레스 〔stress〕 명 ①『의』 몸에 해로운 육체적·정신적 자극이 가해졌을 때, 그 생체(生體)가 나타내는 반응. ¶ ~를 해소하기 위해 술을 마시다. ②『언』 어세(語勢). 강세(強勢). 억양. 악센트. ③『물』 물체가 외력의 작용에 저항하여 원형을 보존코자 하는 힘. 변형력(變形力). ④『물』 물체 내부의 각 부분의 상호간에 미치는 합력(合力). *스트레인.

스트레이치 〔Strachey, Lytton〕 명 『사람』 영국의 전기(傳記) 작가. 빅토리아 왕조의 인습을 통렬히 비판한 《빅토리아 여왕의 명사들(1918)》이 대표작. 그 외에 《프랑스 문학의 도표》 등. [1880-1932]

스트레이트 〔straight〕 명 ①곧장. 일직선. 특히, 테니스에서 코트의 사이드 라인에 나란한 방향. ②운동 경기 등에서, 연승 또는 연패(連敗). ¶ ~로 이기다. ③야구에서, 투수가 타자에 대해 연속하여 네 개의 볼을 던지거나, 세 개의 스트라이크를 빼앗음. ¶ ~ 4구(球). ④↗스트레이트 볼. ⑤권투에서, 팔을 곧장 뻗쳐서 치는 타격. 직격(直擊). ⑥양주(洋酒) 등에 물 따위 다른 것을 타지 않고, 그냥 마심. ⑦재수(再修)하지 않고 상급 학교에 입학하는 일.

스트레이트 본드 〔straight bond〕 명 외채(外債)의 일종으로서, 보통 사채(社債)를 이름.

스트레이트 볼: 〔straight ball〕 명 야구에서, 직구(直球). 준스트레이트.

스트레이트 수신기【一受信機】〔straight〕 명 수신 전파를 그대로의 주파수로 증폭(增幅)하여 검파(檢波)하도록 만든 수신기. 감도(感度)·선택도(選擇度)가 그다지 좋지 않으므로 현재는 거의 사용되지 않음.

스트레이트 스커:트〔straight skirt〕 명 히프 라인으로부터 아랫단에 걸쳐, 일직선으로 된 실루엣(silhouette)을 가진 스커트.

스트레이트 아스팔트 〔straight asphalt〕 명 석유(石油) 아스팔트로, 원유(原油)를 건류(乾溜) 또는 증류(蒸溜)한 찌꺼기를 정제(精製)한 것. 접착력이 강하고 방수성이 좋으나 연화점(軟化點)과 내구성(耐久性)이 천연 아스팔트보다 떨어지므로 주로 지하 방수 재료, 도로 포장의 모르타르용, 방수지 침투용 등 내산(耐酸) 방수 재료로 쓰임. ＊블론 아스팔트.

스트레이트 파:마 명〔straight permanent〕 머리카락을 곧게 하는 파마.

스트레이트 재킷 〔straight jacket〕 명 광포성(狂暴性)이 있는 정신병자나 죄수에게 입히는, 양손이 자유롭지 못하게 만든 튼튼한 웃옷.

스트레이트 코:스 〔straight course〕 명 직선으로 된 육상 경주로(競走路). 직주로(直走路).

스트레이트 히팅 〔straight hitting〕 명 야구에서, 공격할 때 번트(bunt)를 대든가 하지 않고, 계속 쳐서 강공(強攻)하는 공격법을 이름.

스트레인〔strain〕 명 ①물체의 왜곡(歪曲). 비틀림. ②〖물〗물체가 외력의 작용을 받았을 때에 생기는 형태. 부피의 변화. ③〖물〗물체가 외력을 받았을 때에 생기는 변형의 양을 이때의 외력으로 제한 값. ＊스트레스(stress).

스트레인저 〔stranger〕 명 ①외국인. 이방인(異邦人). 에트랑제(étranger). ②여행하는 사람. ③문외한(門外漢). 「하는 양(量).

스트레인지니스〔strangeness〕 명〖물〗소립자(素粒子)의 상태를 규정

스트레치〔stretch〕 명 ①경마에서, 특히 최후의 직선 코스. ¶홈 ~. ②보트의 한 번 젓는 거리. 일범주(一帆走) 거리. ＊스트로크[1].

스트레치 부:츠〔stretch boots〕 명 신축성이 있는 합성 피혁을 사용한 장화. 천연 피혁에 비해서 잘 늘어나므로 지퍼(zipper) 등이 필요 없고 양말처럼 발에 꼭 맞게 신을 수 있음.

스트레치 실: 〔stretch〕 명 합성 섬유사(絲)의 열가소성을 이용하여 굴곡을 지니게 하여 신축성·탄력성이 있게 한 실. 양말·수영복·스키복 등에 쓰이는 신축성 있는 천을 짜는 데 씀.

스트레치 직물【一織物】〔stretch〕 명 신축성이 있는 옷감의 총칭. 고무사(絲)·합성 가공사(絲)를 짜 넣은 것으로, 스키 바지·속옷·양말 등으로 사용됨.

스트레치 체조【一體操】〔stretch〕 명 건(腱)이나 근육을 신전(伸展)시키는 체조. 전에 준비 운동을 하던 유연 체조를 여러 모로 고안·개발한 것임.

스트레치-형【一型】〔stretch〕 명〖항공〗항공 수송 수요의 급격한 신장(伸張)에 응하기 위해, 재래형의 제트 여객기의 동체(胴體)를 약간 연장하여 설계한 기종(機種).

스트레토〔이 stretto〕 명〖악〗①푸가(fuga)의 도중, 어느 성부(聲部)의 주제가 끝나기 전에, 다른 성부에도 겹쳐 나타내어 긴박감(緊迫感)을 자아내는 기법(技法). 클라이맥스에서 많이 씀. ②푸가 이외에도, 곡의 마지막에 이르러 템포를 올리고 긴박감을 돋우어 가는 일.

스트렙토-마이신〔streptomycin〕 명〔'구부러진 균'이란 뜻〕 1944년에 미국의 왁스먼(Waksman)에 의하여, 땅 속에 있는 방선균(放線菌)의 일종인 스트렙토미세스 그리세우스(Streptomyces griseus)로부터 분리된 항생 물질의 일종. 폐렴·결핵·임질 등 세균성 질환에 유효하고, 특히 결핵의 치료약으로 많이 이용됨. 준마이신.

스트렙토-바리신〔streptovaricin〕 명 결핵 치료용의 새 항생 물질.

스트로: 〔straw〕 명 ①밀대. 밀짚. ②〔밀대로 만든 데서 유래〕음료를 빨아 올려서 마시는 데 쓰이는 가는 관(管). 밀대나 종이로 만듦. 빨대.

스트로가노프-가【一家】 명〔Stroganov〕 제정 러시아의 부호 집안. 16세기 중반, 이반 4세의 신임을 얻고서부터 융성함. 광대한 직할령, 제염·제철 등의 특권을 부여받고, 사병(私兵)·요새의 소유도 인정받았음. 시베리아 개척에 공헌, 19세기에는 로마노프 왕가에 버금가는 명문이 되었음.

스트로:-급【一級】〔straw〕〔一끕〕 명 프로권투의 '미니멈급'의 세계 권투 평의회(WBC)에서의 일컬음.

스트로마 〔stroma〕 명〖생〗①적혈구를 증류수로 용혈(溶血)시켜 원심 분리하면 얻어지는, 물에 녹지 않는 회백색 찌꺼기. ②엽록체 속에서 티라코이드를 싸고 있는 무색의 기초 물질. 물·단백질·효소·리보솜·RNA·DNA 등을 함유함.

스트로마이어라이트〔stromeyerite〕 명〖광〗청색 표면 변색(變色)을 나타내는 금속 광택의 사방 정계(斜方晶系) 광물. 은 및 구리의 황화물(黃化物)로 되어 있음. [CuAgS]

스트로:-베리 〔strawberry〕 명 양딸기.

스트로보 〔Strobo〕 명 ①일렉트로닉 플래시의 상품명. 사진을 찍을 때에 쓰는 플래시(flash)의 한 가지. 크세논 가스를 봉입(封入)한 방전관에 전류를 통하여, 셔터를 누름과 동시에 발광(發光)시키는 장치로, 연속 사용이 가능함. 섬광(閃光) 시간이 순간적이며 광색(光色)은 태양 광선에 가까움. ②↗스트로보스코프.

스트로보 라이트〔strobo light〕 명 광량(光量) 부족시의 사진 촬영 등에 사용되는 섬광 광원(閃光光源). 섬광 시간은 1/1000-1 / 50000 초(秒)이며, 광색(光色)은 태양 광선에 가까움. 항공 등대 등에도 이용됨.

스트로보-스코:프〔stroboscope〕 명〖물〗①운동체의 여러 상태를 그린 종이를 붙인 원반(圓盤)을 회전시키고, 원반 주위의 구멍으로부터 들여다보면 그림이 움직이는 것처럼 보이는 장치. ②회전체의 회전 속도 등을 측정하는 장치. 매초(每秒)에 몇 번 규칙적으로 점멸(點滅)하는 광원으로 비추고, 회전 운동 또는 진동의 주기(周期)를 계산하고, 또한 회전 중의 물체의 모양을 관측하는 장치. 조명의 횟수와 회전수가 일치하면, 회전체는 정지한 것처럼 보임. 준스트로보.

〈스트로보스코프의 회전원반〉

스트로보-액션 〔strobo-action〕 명 모션트레이서.

스트로부스-소나무 〔strobus〕 명〖식〗〔*Pinus strobus*〕 소나뭇과에 속하는 상록 침엽 교목(針葉喬木). 잎은 다섯 잎이 속생(束生)하고 꽃은 자웅 동가(雌雄同家)이며, 수꽃이삭은 달걀꼴에 황록색이고 암꽃이삭은 타원형으로 5월에 피고, 과실은 구과(毬果)인데, 다음해 10월에 익음. 정원 및 산지에 심음. 북아메리카 원산으로서 한국 각지에 분포함. 건축재·기구재로 씀.

〈스트로부스소나무〉

스트로빌라 〔strobila〕 명〖동〗해파리류의 생활사(生活史) 중에 나타나는 유생기(幼生期)의 한 시기. 수정란에서 부화한 플라눌라(planula) 유생(幼生)은 해조(海藻)나 바위에 붙어서 폴립(polyp)을 이루며, 자라면 꼭대기에 가까운 부분부터 옆으로 갈라져서 아래위로 여러 겹이 되는데, 그 하나하나를 스트로빌라라 함. 이것이 나중에 하나하나 떨어져 충분히 자라면 해파리가 됨. ＊에피라(ephyra).

스트로:크[1] 〔stroke〕 명 ①보트 레이스에서, 오어(oar)의 한 번 젓기 또는 일정한 시간 안의 오어의 운동 횟수 및 조정(調整). 또, 정조수(整調手). ②골프에서, 클럽으로 공을 치는 일. ③테니스에서, 라켓으로 공, 특히 한 번 땅에 떨어진 공을 치는 일. 타구(打球). ④수영에서, 크롤의 경우 팔로 물을 끌어당기는 동작. ⑤〖기〗왕복 운동 기관에서 피스톤이 기통 안의 한 끝에서 다른 끝까지 이동하는 동작 및 그 거리. 행정(行程).

스트로:크[2] 〔stroke〕 명〖육아〗스킨십(skinship)의 하나로, 어린아이를 쓰다듬거나 어루만지는 일. ——하다 타여불

스트로:크 플레이〔stroke play〕 명 골프에서, 1라운드의 플레이 중 가장 적은 타수(打數)를 겨루는 경기.

스트로판투스 〔라 strophanthus〕 명〖식〗협죽도과(夾竹桃科)에 속하는 상록 만성(蔓性) 관목. 동아프리카 열대 지방의 원산인데, 잎은 타원형으로 대생(對生)하며, 꽃은 그 빛이 곱고 화관(花冠)의 끝은 실 모양으로 아래로 늘어졌음. 과실은 삭과(蒴果)이고 씨는 유독(有毒)한데, 심장의 강장제나 이뇨제로 쓰임.

스트로판투스-제【一劑】〔strophanthus〕 명〖약〗스트로판투스의 씨로 만든 약제. 갈색을 띤 누런 액체로, 투명하고 쓴맛이 있으며, 팅크 또는 주사약으로서 강심제·이뇨제로 쓰임.

스트로풀루스 〔라 strophulus〕 명〖의〗첫여름에 발생하는, 소아(小兒)에 특유한 피부 질환. 사지(四肢)나 때로는 몸통에, 콩알이나 팥알만하게 발갛게 부어 오르며, 그 중앙부에 좁쌀만한 딱지나 물집이 생김.

스트로: 해트 〔straw hat〕 명 맥고 모자(麥藁帽子).

스트론튬 〔strontium〕 명〖화〗은백색의 연한 금속 원소. 알칼리 토금속(土金屬)의 하나. 천연으로 유리(遊離) 상태로는 산출되지 않으며, 천청석(天靑石) 등에서 소량으로 산출함. 녹는점 797°C, 끓는점 1639±5°C. 탈산제(脫酸劑)·특수 합금·염색 반응(焰色反應)에서 심홍색을 나타내므로 적색 불꽃을 만드는 데 쓰임. [38번: Sr: 87.62]

스트론튬 구십【一九十】〔strontium〕 명〖화〗스트론튬의 방사성 핵종(放射性核種) 가운데서 가장 수명이 긴 핵종. 원자로·원자 폭탄·수소 폭탄 등의 핵분열 때 생김. 반감기(半減期) 29년에 베타 붕괴(β崩壞)를 하고 이트륨(ytrium) 90이 됨. [^{90}Sr]

스트론튬 전:지【一電池】〔strontium〕 명 전지의 하나. 방사성 동위 원소(同位元素)인 스트론튬 90은 그 스스로가 내는 방사선 때문에 자신의 온도가 올라가는데, 이 열을 열전기쌍(熱電氣雙)에 유도하여, 전기를 일으키게 한 것.

스트롬볼리 〔Stromboli〕 명〖지〗①지중해 중부 티레니아 해(Tyrrhenian 海)에 있는 리파리 제도(Lipari 諸島) 북단의 화산도. 스트롬볼리 화산이 있으며, 포도 재배·염소·산양 등의 방목 등이 행하여짐. [13 km²: 470명] ②스트롬볼리 섬에 있는 활화산. 표고 927m. 해저로부터의 높이는 2,000m에 달함. 한두 시간의 간격을 두고 가스나 용암을 분출하는 특징 있는 화산 활동으로 알려지고 있으며, 밤에는 멀리서 바라볼 수 있어 지중해의 등대로 불림.

스트롬볼리식 분:화【一式噴火】〔Stromboli〕 명〖지〗화산의 분화 형식의 하나. 비교적 소규모의 폭발로, 반고결상(半固結狀)의 용암편(熔岩片)이 되풀이해서 규칙적으로 방출됨. 마그마가 밑에서 유리 상승(遊離上昇)하는 가스의 압력으로 부풀어 올라, 파열해서 용암(熔岩)을 분출함. 스트롬볼리 화산이 전형적인 것임.

스트롱 〔Strong, Anna Louise〕 명〖사람〗미국의 여성 저널리스트. 1921년 소련에 건너가, 이후 여러 통신사의 모스크바 특파원을 지냄. 1949년 스파이 혐의로 송환되었으나 무혐의로 끝나고, 1958년 이후 중국에 체재함. 주저 《중국의 민중》·《소비에트의 세계》·《중국에서의 편지》. [1885-1970]

스트루:브 〔Struve, Otto〕 명〖사람〗미국의 천문학자. 러시아에서 태어나, 1950년 캘리포니아 대학 교수. 1959년 국립 전파 천문대 초대 대장을 지냄. 천체 분광학(分光學)을 연구하여, 성운(星雲)의 상태, 항성(恒星)의 대기(大氣)·진화, 특이성(特異星), 분광학적 연성(連星) 등의 문제로 업적을 남겼음. [1897-1963]

스트리콤【STRICOM】명〖군〗〔Strike Command의 약칭〕 미국 본토에 대기하는 전략 출격 군단(戰略出擊軍團). 상시 임전 태세로 대기하여, 세계 어느 분쟁 지점에나 공수 또는 해상 수송에 의하여 급파됨.

스트리크닌〔strychnine〕명 취어초과 식물의 줄기·껍질·씨 등에 함유되어 있는 알칼로이드. 백색 결정성의 쓴맛이 있는 유독물로, 미소량은 신경 자극제로 유효하나 양을 지나치면 심한 독성으로, 중추 신경의 마비·근육 강직·경련 등을 일으켜 죽음. [$C_{21}H_{22}O_2N_2$]

스트리:킹〔streaking〕명 ①텔레비전의 영상 증폭기(映像增幅器)의 회로 장애 등으로 말미암아, 화면(畫面)에 나오는 물체의 윤곽이 뚜렷하지 않고 길게 꼬리를 빼는 현상. ②벌거벗고 대로(大路) 위를 질주하는 짓. 전하여, 나체 질주. 공중 앞에서 옷을 벗는 짓. 1974년 초에 미국에서 처음 생김.

스트리:트〔street〕명 가로(街路). 시가(市街).

스트리:트-걸:〔street＋girl〕명 가창(街娼).

스트리퍼〔미 stripper〕명 스트립 쇼에 출연하는 여자.

스트리:프〔Streep, Meryl〕명〖사람〗 미국의 영화 배우. 셰익스피어 극에서 시작, 뮤지컬·영화 등에 출연함. 1980년 《크레이머 크레이머》로 아카데미 조연 여우상을 받고, 1982년 《소피의 선택》으로 아카데미 주연 여우상을 받음. [1949-]

스트리핑 반:응【一反應】명 핵 반응에서의 직접(直接) 반응의 일종. 입사 중양성자(入射重陽性子)가 원자핵의 표면을 가까이 지날 때, 중성자만이 포획(捕獲)되고 양성자는 그대로 지나게 되는 경우의 중양성자와 양성자의 반응 따위.

스트린드베리〔Strindberg, Johan August〕명〖사람〗 스웨덴의 극작가·소설가·평론가. 자연주의(自然主義)의 대표적 작가로, 처음 사회에 대한 관심에서 니체류(流)의 개인주의 사상에 영향받아, 만년에 신비주의적인 작품을 내었음. 생활과 사상에 모순이 많고, 특히 여성에 대한 증오는 유명. 작품으로 《치인(癡人)의 고백》·《지옥》 등의 소설과 《영양 줄리(令孃 Julie)》·《죽음의 무도(舞蹈)》 등 희곡이 있음. [1849-1912]

스트린젠도〔이 stringendo〕명〖악〗 '음을 차츰 빠르게'의 뜻.

스트림:-라인〔streamline〕명 유선형(流線型).

스트립〔strip〕명 ①벌거벗음. ②↗스트립 쇼.

스트립 라이트〔strip light〕명〖연〗 무대 조명 장치. 2m 내외 길이의 금속제 통 안에 한 줄로 전구를 끼운 것. 산광(散光) 조명을 위하여 씀.

스트립 쇼:〔미 strip show〕명 여자가 음악에 맞추어 춤을 추면서 차례로 옷을 벗고, 최후로 발가벗는 선정적인 쇼. ㊌스트립.

스트립 캐스팅〔strip casting〕명 액체 상태의 쇳물을 단 한 번에 수 mm의 철판으로 만드는 제철 기술. 보통 용광로에서 나오는 쇳물을 수십 cm 두께의 철판으로 만들고, 이를 육중한 압연기로 눌러서 수 mm의 철판으로 늘리는 과정을 거치는데, 그 과정에 필요한 설비가 600 m에 이르는 데 반하여 이 기술은 초정밀의 제어 기술과 재료 과학을 통하여 단 한 번 압연기를 통과시켜 얇은 철판으로 만듦.

스트링〔string〕명 ①실. ②현악기의 줄. ③현악기 연주자.

스트링 오:케스트라〔string orchestra〕명 현악 합주. 현악단.

스트링 쿼:텟〔string quartet〕명 현악 사중주. 또, 그 악단.

스티렌〔styrene〕명〖화〗 방향족(芳香族) 탄화 수소의 하나로, 자극적인 냄새가 있는 무색의 액체. 석탄 및 석유 유분(溜分)의 열분해 생성물 가운데에 소량 존재하며, 에틸 벤젠으로부터 탈수소 반응을 일으켜 제조함. 빛·가열 또는 각종의 중합(重合) 개시제(開始劑)에 의하여 중합되어 스티렌 수지(樹脂)가 됨. 폴리스티렌의 제조 원료, 합성 고무·도료(塗料)·건성유(乾性油)·폴리에스테르 수지·이온 교환 수지 등 제조에 널리 쓰임. [$C_6H_5CH{=}CH_2$]

스티렌 고무 플라스틱 명〔styrenerubber plastic〕〖화〗 플라스틱과 고무의 혼합물. 50 % 이상의 스티렌계(系)의 수지를 고무와 결합시켜 각종의 첨가제를 가해서 만듦.

스티렌부타디엔 고무 명〔styrene-butadiene rubber〕〖화〗 스티렌과 부타디엔을 약 1 : 3의 비율로 혼성 중합(混成重合)시킨 합성 고무. 탄성·내열성·내노화성이 있는 고무이므로 가장 많이 이용됨. 에스 비 아르(SBR).

스티렌 수지【一樹脂】명〔styrene resin〕〖화〗 합성 수지의 한 가지. 스티렌의 중합체(重合體)로, 무색 투명하며 70°C에서 연화(軟化)하는 대표적인 열가소성(熱可塑性)임. 전기 절연성(絕緣性)이나 약품에 대한 저항이 강함. 전기 기구·화학 기구·장신구, 발포(發泡)시켜서 단열재(斷熱材), 포장 재료 등에 쓰임. 폴리스티렌.

스티렌 페이퍼〔styrene paper〕명 스티렌 수지(樹脂)로 만든 합성지(合成紙).

스티로폴〔도 Styropor〕명 발포 스티렌 수지(樹脂)의 독일 상표명.

스티로폼〔Styrofoam〕명 발포(發泡) 스티렌 수지(樹脂)의 영어 상표명.

스티롤〔styrol〕명〖화〗 스티렌(styrene). ¶발포 ~.

스티:븐스[1]〔Stevens, George〕명〖사람〗 미국의 영화 감독. 처음은 촬영 기사였음. 영화 《젊은이의 양지》로 아카데미 감독상을 받았으며, 중후(重厚)·견실한 작풍(作風)으로 알려짐. [1905-75]

스티:븐스[2]〔Stevens, John〕명〖사람〗 미국의 발명가. 처음은 변호사였으나, 1784년 이후 증기 기관·배 등의 연구를 하여, 배에 쓰이는 다관(多管) 보일러 등을 발명함. 1808년 뉴욕-필라델피아 간에서 증기선에 의한 첫 해양 항행(海洋航行)에 성공했음. [1749-1838]

스티:븐스[3]〔Stevens, Wallace〕명〖사람〗 미국의 시인. 보험 회사의 변호사로 근무하면서 시를 썼는데, 처녀 시집 《하머니엄》은 43세 때 쓴 것임. 신선한 이미지와 기지로 미(美)를 추구하고, 현대를 통찰했음. 퓰리처 상을 수상한 《현삼(玄蔘)》 외에 《푸른 기타를 든 사나이》·《시집(1954)》 등과 희곡·수필도 있음. [1879-1955]

스티븐스 사살 의거【一射殺義擧】〔Stevens〕명〖역〗 재미 애국 지사 전명운(田明雲)·장인환(張仁煥)이 1908년 3월 23일 미국인 스티븐스를 오클랜드 역에서 사살한 사건. 일본 통감부의 외교 고문 스티븐스(Stevens, D.W.)는 미국의 반일 감정을 무마하기 위해 미국에 파견되어, '일본의 한국 지배는 정당하며 한국 국민은 일본의 보호 정치를 찬양한다'는 망언을 신문에 보도하는 등으로 한국인들의 격분을 샀었음.

스티:븐슨[1]〔Stephenson〕명〖사람〗 ①〔George, S.〕 영국의 발명가(發明家). 1814년 실용 증기(蒸氣) 기관차를 발명. 1830년에 최초의 증기 철도를 맨체스터(Manchester)와 리버풀(Liverpool) 사이에 부설했음. [1781-1848] ②〔Robert, S.〕 영국의 토목 기술자. ❶의 아들. 아버지를 도와 철도의 발달에 공헌함. 뒤에 영국 및 다른 여러 나라의 철도·철도교(鐵道橋)를 설계·건설했으며, 교량 공학 상의 지도자적 활약을 수행했음. [1803-59]

스티:븐슨[2]〔Stevenson, Adlai Ewing〕명〖사람〗 미국의 정치가. 민주당의 간부로, 일리노이 주(Illinois州) 지사를 거쳐 1952·1956년 양차에 걸쳐 대통령에 입후보하였으나 낙선되었음. 1961년에 미국의 유엔 주재 대사를 지냄. [1900-65]

스티:븐슨[3]〔Stevenson, Robert Louis Balfour〕명 스코틀랜드 출생의 영국의 소설가·수필가·시인. 강건(剛健)한 공상적 모험담과 청신한 문체가 그 특색인데, 《보물섬》·《지킬 박사와 하이드씨》 등 작품이 특히 유명함. 보통 R.L.S.로 약칭됨. [1850-94]

스티비도어〔stevedore〕명 미국 선박 내의 하역(荷役) 청부업자. 선박 회사 또는 하주(荷主)에게 전속하든가 또는 일정한 계약 하에 인부를 사용하여 선적(船積)이나 양륙(揚陸) 작업을 함.

스티빈〔stibine〕명〖화〗 안티몬의 수소화물. 수산화 안티몬(Ⅲ). 무색의 기체로 유독함. 녹는점 −88℃, 끓는점 −17.1℃. 200℃ 이상에서 수소와 안티몬으로 분해됨. 물에는 녹지 않고 유기 용매(有機溶媒)에 녹음. 반도체에 이용됨. [SbH_3]

스티어링 로크〔steering lock〕명 자동차 도난 방지용 장치의 하나. 스티어링 컬럼(steering column)에 엔진 시동 장치를 함께 설치하는 것으로, 열쇠를 잠근 위치에서 빼면 시동이 걸려도 핸들이 잠겨서 돌아가지 않게 되어 있음.

스티치〔stitch〕명 바늘로 뜨고, 짜고 꿰매는 모든 방법. 또, 그 땀.

스티커〔sticker〕명 ①선전 광고 또는 안표(眼標)로 붙이는, 풀칠되어 있는 라벨. ②빨간딱지❹.

스티:플-체이스〔steeplechase〕명 3천 미터 장애물 경주(障礙物競走).

스틱〔stick〕명 ①지팡이. 단장. ②인쇄 용구의 하나. 활판의 식자공이 손에 들고서 활자를 필요한 길이대로 늘어놓는 데에 쓰임. 놋쇠 또는 쇠로 만들며 직사각형 모양을 하였음. ③하키·아이스하키 경기에 쓰이는 타구봉(打球棒). ④기름으로 처리하면 즉석(卽席) 튀김이 되는 냉동 반제품(冷凍半製品). ⑤스키용의 지팡이.

〈스틱❷〉 〈스틱❸〉

스틱스〔Styx〕명 ①그리스 신화에 나오는, 명부(冥府)에 흐르는 삼도(三途)내. ②〖군〗 소련 해군의 함대함(艦對艦) 미사일. 유익형(有翼型)으로 삼각 미익(尾翼)이 장치됨. 사정 거리 약 24 km.

스틸:[1]〔steal〕명 야구에서, 도루(盜壘).

스틸:[2]〔steel〕명 강철.

스틸:[3]〔Steele, Richard〕명〖사람〗 영국의 수필가·정치가. 1709년 '태틀러(Tatler)'지를 창간, 이어 친구 애디슨(Addison)과 함께 '스펙테이터(Spectator)'지를 창간하였고, 특색있는 수필을 썼음. [1672-1729]

스틸:[4]〔still〕명 영화 중의 한 장면을 확대 인화한 사진. 선전용으로 쓰임.

스틸[5]〔프 style〕명 ①양식(樣式). 스타일. ②문체(文體).

스틸: 기타:〔steel guitar〕명〖악〗 미국의 경음악용 기타의 일종. 흔히 전기로 소리를 증폭함. 특히, 웨스턴(Western) 음악이나 하와이안(Hawaiian) 음악의 연주에 쓰임. 왼손으로 강철제 원통 막대기를 쥐어 강철 현을 누르고, 오른손에 피크(pick)를 끼고 튀겨서 연주함. 하와이안 음악의 경우에는 특히 하와이안 기타라 부름.

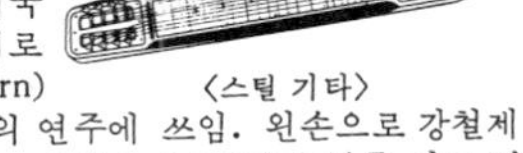

〈스틸 기타〉

스틸바이트〔stilbite〕명〖광〗 속비석(束沸石).

스틸-병【一病】〔一뼝〕명〔Still's disease; 영국의 의사 (Sir George Frederic Still; 1868-1941)의 이름에서 유래〕〖의〗 내장(內臟)의 병변(病變)이 심한 어린이의 관절 류머티즘.

스틸브〔stilb〕의명 휘도(輝度)의 단위. 1 cm^2 당(當) 1 칸델라의 광도를 갖는 광원(光源)의 휘도. 기호 sb.

스틸: 새시〔steel sash〕명 강철제의 창틀. 목제(木製)에 비하여 경쾌·견고하여, 내화(耐火) 건축의 창·출입문·미닫이 등에 쓰이며, 용도에 따라 모양과 종류가 여러 가지임.

스틸:-에지〔steel-edge〕명 스키의 밑면 가장자리에 강철판을 댄 것. 스키의 앞 구부러진 부분이 닳아짐을 방지하고, 또한 눈에 대한 각도를 예민하게 하기 위한 것임.

스틸: 카메라〔still camera〕명 정지(靜止) 사진을 찍는 보통의 카메라. ↔시네 카메라.

스틸:-캐스팅〔steel-casting〕명〖공〗 강철을 용해하여 주형(鑄型)에 넣어 만든 주물(鑄物). 보통 주물에 비하여 장력 충격(張力衝擊)에 강하나 응고할 때에 수축이 심하고, 또한 얇게 만들기 힘든 점이 결점임. 차량·광산 기계 등 그 용도가 넓음.

스틸: 테이프 〔steel tape〕 명 측량용의 강철제 자의 한 가지. 띠 모양인데, 둥근 가죽 케이스 속에 말아 넣게 되었음.

스틸: 포일 〔steel foil〕 명 철의 얇은 박(箔). 두께는 0.05 mm. 식품(食品)을 조리(調理)할 때나 포장 등에 널리 쓰임.

스팀: 〔steam〕 명 ①김. 증기. ②증기 난방 장치. 증기 히터. 증기 난로.

스팀: 난:방【一煖房】〔steam〕 명 증기 난방(蒸氣煖房).

스팀: 세퍼레이터 〔steam separator〕 명 기수 분리기(汽水分離器).

스팀슨 〔Stimson, Henry Lewis〕 명 『사람』 미국의 정치가. 육군 장관·필리핀 총독을 거쳐 국무 장관(1929-33)이 됨. 1931년 일본의 만주 침략에 반대하여 스팀슨주의라 이르는 부전 조약 위반 조항(不戰條約違反條項)의 불승인(不承認) 정책을 주창(主唱)했음. 제2차 대전 중에는 육군 장관을 지냈음. [1867-1950]

스팀: 아이론 〔steam iron〕 명 증기(蒸氣) 다리미.

스팀: 엔진 〔steam engine〕 명 증기 기관.

스팀: 캐터펄트 〔steam catapult〕 명 항공 모함에서, 증기의 힘으로 비행기를 발함(發艦)시키는 장치. 발함 갑판 밑에 길고 가느다란 실린더를 설치하고, 증기를 보내어 피스톤에 접속한 사출봉(射出棒)으로 비행기를 밀어 냄. 증기 캐터펄트.

스팀: 터:빈 〔steam turbine〕 명 『공』 증기 터빈.

스팀: 트랩 〔steam trap〕 명 『공』 증기 트랩.

스팀: 파이프 〔steam pipe〕 명 증기(蒸氣)가 통하는 관(管).

스팀: 해머 〔steam hammer〕 명 『공』 증기 망치. 증기 해머.

스파게티 〔이 spaghetti〕 명 국수 모양의 이탈리아 음식. 가늘고 구멍이 없는 것이 마카로니(macaroni)와 다름.

스파게티 라켓 〔spaghetti racket〕 명 거트(gut)를 이중으로 친 테니스용의 라켓. 세계 테니스 연맹에서는 사용을 금지함.

스파르타 〔Sparta〕 명 『역』 그리스 라코니아 주(Lakonia州)의 주도. 고대 그리스 최강의 도시 국가(都市國家). 지금의 펠로폰네소스 반도(Peloponnesus半島)의 에우로타스 강(Eurotas江)가에 위치함. 기원전 1,100년경에 그리스 반도에 침입한 도리아(Doria) 민족이 나라를 세우고, 귀족 정치를 실시하여 본토인을 노예화하고, 자국민에게는 군국주의식 교육을 베풀어 근검(勤儉)·상무(尙武)의 기풍을 길러 오다가 기원전 5세기에 펠로폰네소스 전쟁에서 아테네(Athene)를 격파하여, 그리스의 패권(霸權)을 잡았음. 그러나 행정이 너무 난폭하여 기원전 371년에 반란군 테베(Thebae)에 패하고, 기원전 221년에는 마케도니아에 패한 다음 기원전 146년에 로마에 정복당함. 현재의 스파르타 시(市)는 옛날의 유지(遺趾) 부근임. [16,000 명(1981)]

스파르타 교:육【一敎育】〔Sparta〕 명 ①고대 스파르타에서 행하여진, 극히 엄격한 국가주의적 교육. 남자는 7세가 되면 가정을 떠나 공육소(公育所)로 들어가 조의(粗衣)·조식(粗食)을 익히며, 오로지 용감한 전사(戰士)를 양성한다는 목적 밑에서 교육되었음. ②『교』 스파르타의 엄격한 교육을 본뜬 교육 방법의 총칭. 스파르타식 교육.

스파르타쿠스 〔Spartacus〕 명 『사람』 고대 로마의 투사(鬪士). 노예 출신으로, 노예 해방 전쟁을 일으켜 3년간 항쟁하였으나, 크라수스(Crassus)에게 패하여 죽음. [?-71 B.C.]

스파르타쿠스-단【一團】〔Spartacus〕 명 『역』 독일 사회 민주당의 좌익으로, 뒤에 독일 공산당의 중심을 이룬 과격파 단체. 1916년 리프크네히트(Liebknecht, Karl)·로자 룩셈부르크(Rosa Luxemburg) 등에 의하여 결성되어, 비전론(非戰論)과 프롤레타리아 독재를 부르짖고, 1919년 무장 혁명을 일으켰으나 곧 실패하였음.

스파르탄 〔Spartan〕 명 『군』 미국의 에이 비 엠(ABM) 시스템 중의 대기권외(大氣圈外) 요격용(邀擊用) 미사일. 전장(全長) 약 16.6 m, 지름 약 1m, 사정 거리는 400 km. 대형의 탄두를 장비하는 3단식으로, 고체 연료을 사용함. *스프린트(Sprint).

스파르테인 〔sparteine〕 명 『화』 콩과 식물 금작화(金雀花) 등에 함유되어 있는 알칼로이드. 백색 결정 또는 결정성 분말인데, 냄새가 없고 쓰며, 강심제·진통 촉진제로 쓰임. [$C_{15}H_{26}N_2$]

스파:링 〔sparring〕 명 권투에서, 헤드기어를 쓰고 경기 형식으로 하는 연습.

스파스크-달리니 〔Spassk-Dal'nii〕 명 『지』 러시아 연방의 동부, 프리모르스키(Primorskii) 지구 서부의 신흥 공업 도시. 극동(極東)에 있어서 러시아 제1의 시멘트 제조지로서 유명함. [59,000 명(1979)]

스파이 〔spy〕 명 ①간첩(間諜). ②비밀한 수단을 써서 경쟁 업체의 기술·영업 등 각종 비밀 정보를 탐지하는 일. 또, 이런 정보를 관계 업체에 보수를 받고 넘기는 사람. 산업 스파이.

스파이럴 〔spiral〕 명 ①나선상(螺旋狀). ②나선형(形).

스파이럴-선【一線】〔spiral〕 명 『토』 기울기가 심한 곳에 쓰이는 나선상으로 올라간 철도. 또, 그러한 철도 부설법(敷設法).

스파이럴 슈:트 〔spiral chute〕 명 건물의 기둥을 중심으로 하여, 나선상(螺旋狀)으로 만든 하물(荷物)의 이동 장치. 위층에서 물건을 투입하면 스스로의 무게로 밑으로 내려감.

스파이럴 스커:트 〔spiral skirt〕 명 에스카르고 스커트.

스파이럴 스프링 〔spiral spring〕 명 얇고 긴 띠 모양의 스프링강(鋼)을 나선상(螺旋狀)으로 감은 스프링. 시계나 완구 등의 태엽에 많이 쓰임.

스파이럴 프로펠러 〔spiral propeller〕 명 스크루 프로펠러의 날개의 수를 늘리는 대신, 두 장의 날개를 뒤로 연장하여 1/2 회(回) 선회(旋回)시킨 것.

스파이 링 〔spy ring〕 명 스파이망(spy網).

스파이-망【一網】〔spy〕 명 스파이의 조직망. 간첩망. 첩보망(諜報網). ㄴ스파이 링.

스파이스 〔spice〕 명 향신료(香辛料). 양념.

스파이 위성【一衛星】〔spy〕 명 정찰 위성.

스파이-전【一戰】〔spy〕 명 적대(敵對) 관계에 있는 자들이 서로 스파이를 보내어 상대방의 정보(情報)를 탐지하는 일. 첩보전(諜報戰).

스파이커 〔spiker〕 명 배구에서, 스파이크를 하는 사람.

스파이크 〔spike〕 명 ①구두 밑창에 박는 뾰족한 징이나 못. ②야구에서, 경기(競技) 중에 스파이크 슈즈로 상처를 입히는 일. ③↗스파이크 슈즈. ④킬(kill). ⑤배구에서, 네트의 바로 앞에 높이 오른 공을, 점프해서 상대편 코트에 세게 쳐 넣는 일.

스파이크 슈:즈 〔spiked shoes〕 명 바닥에 스파이크를 박은 운동화(運動靴). 러닝 슈즈. ㊕스파이크.

〈스파이크 슈즈〉

스파이크 타이어 〔spike+tire〕 명 얼음 위나 눈길을 주행할 때 사용하는 자동차 타이어. 스노 타이어의 표면에 스파이크를 심은 것.

스파:크¹ 〔Spaak, Paul Henri〕 명 『사람』 벨기에의 정치가. 제2차 대전 중 런던에서 망명 정부의 수상이 됨. 전후(戰後)에 외상·수상을 역임. 유럽 통합 운동의 중심적 추진자로서, 유럽 경제 협력 기구·유럽 회의의 의장, 나토(NATO) 사무 총장 등을 지냄. 이 이 시(EEC) 창설에 공헌함. [1899-1972]

스파:크² 〔spark〕 명 ①불꽃. 불똥. 섬광(閃光). ②『물』 방전(放電)할 때의 불꽃. 전기 불꽃.

스판덱스 〔spandex〕 명 고무와 비슷한 탄성(彈性)을 지닌 폴리우레탄(polyurethan) 합성 섬유. 잘 늘어나고 가볍고 질겨서, 여성용 하의(下衣)·해수욕복·양말·스포츠 의류(衣類) 등에 쓰임.

스팔:란차니 〔Spallanzani, Lazzaro〕 명 『사람』 이탈리아의 박물학자. 영원(蠑螈)의 재생(再生) 실험 및 개구리·개의 인공 수정(受精)에 성공하여 실험 생물학의 원조(元祖)로 불림. [1729-99]

스패너 〔spanner〕 명 『기』 너트(nut)·볼트(bolt) 등의 머리를 물어 죄거나 푸는 공구(工具). 모양에 따라 개구형(開口型)·폐구형(閉口型)·상자형(箱子型)·열쇠형 및 가동형(可動型) 등으로 나뉘며 종류로는 양구(兩口) 스패너·폐구(閉口) 스패너·멍키 스패너 등이 있음. 주의 미국에서는 주로, 렌치(wrench)로 일컬음.

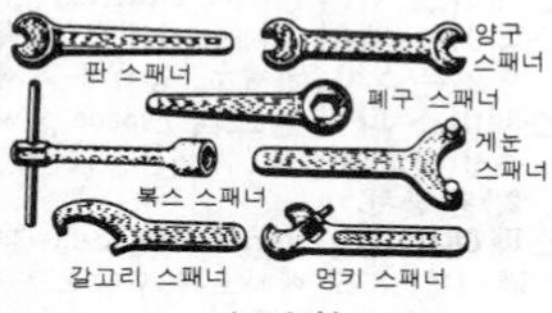

〈스패너〉

스패니시 〔Spanish〕 명 ①스페인 사람. 스페인어(語). ②스페인풍(風).

스패니얼 〔spaniel〕 명 개의 한 품종. 소형종(小形種)인데, 귀는 길게 쳐지고, 체모(體毛)는 긴 견모상(絹毛狀)이며, 사지(四肢)는 비교적 짧음. 스페인 원산이라 함.

스패로: 〔Sparrow〕 명 『군』 미국의 공대공(空對空) 미사일의 일종. 사정(射程) 2.5 km의 접근전용(接近戰用)과 사정 50-100 km의 장거리용의 두 종류가 있음. 탄두는 고성능 화약임.

스패츠 〔spats〕 명 단화용(短靴用)의 짧은 각반. 먼지를 막고 발목을 보호하는 데 씀.

스팬 〔span〕 명 ①『토』 교량(橋梁)·홍예(虹霓) 등의 지주(支柱)에서 지주까지의 간격. 경간(徑間). ②『항공』 비행기의 한쪽 날개 끝에서 다른 한쪽 날개 끝까지의 폭.

스팽글 〔spangle〕 명 ①빛을 받아 반짝반짝 빛나는 금속·플라스틱의 작은 단추 모양의 얇은 장식 조각. 무대 의상(舞臺衣裳)이나 야회복(夜會服) 또는 광고 간판(廣告看板) 등에 꿰매어 붙임. ②스트리퍼의 젖꼭지를 가리는 은종이.

스퍼: 기어 〔spur gear〕 명 『기』 이축 평행(二軸平行)의 경우에 쓰이는 가장 대표적인 원통(圓筒) 톱니바퀴. 평치차(平齒車).

스퍼:트 〔spurt〕 명 경조(競漕)·경주(競走) 등에서, 어떤 지점에서부터 전속력을 내는 일. 역주(力走). 역조(力漕). ¶ 라스트 ～.

스펀지 〔sponge〕 명 ①해면(海綿). ②해면상(海綿狀)의 물질. 특히, 때를 미는 데 또는 쿠션 등에 쓰는 고무·합성 수지로 만든 해면상의 물질. ③↗스펀지 볼.

스펀지 그리:스 〔sponge grease〕 명 섬유상(纖維狀)·해면상의, 소다를 기제(基劑)로 하는 그리스.

스펀지 라켓 〔sponge racket〕 명 탁구에서, 표면에 스펀지 고무를 붙인 라켓. 1959년부터 사용이 금지됨.

스펀지 볼: 〔sponge ball〕 명 연구(軟球). ㊕스펀지.

스펀지-철【一鐵】 명 〔sponge iron〕『야금』 다공질(多孔質) 또는 분말상의 철. 철광석을 환원성의 가스나 목탄(木炭)으로 녹는점 이하에서 가열하여 제조함.

스펀지 케이크 〔sponge cake〕 명 해면상(海綿狀)으로 된 양과자. 곧, 카스텔라 같은 것의 총칭.

스페란스키¹ 〔Speranski, Aleksei Dmitrievich〕 명 『사람』 소련의 병태 생리학자(病態生理學者). 파블로프의 공동 연구자임. 실험 의학 연구소의 부장 등을 지냄. 병적 과정(病的過程)에 있어서의 신경계(神經系)의 역할을 중시, 병리학의 발전에 기여함. [1887-1961]

스페란스키² 〔Speranski, Mikhail Mikhailovich〕 명 『사람』 러시아의 정치가. 알렉산더 1세의 신임을 얻어 자유주의적인 국가 개혁안을 작성, 그 일부를 실현했음. 일시 추방되었으나, 관계(官界) 복귀 후는 법률 편찬에 임함. [1772-1839]

스페로-미터 〔spherometer〕 명 『물』 구면계(球面計).

스페르마틴 〔spermatin〕 명 『약』 동물의 불알이나 전립선(前立腺)으로부터 추출(抽出)되는 호르몬제(劑).

스페리 〔Sperry, Roger〕 명 『사람』 미국의 생리학자. 하버드 대학을 졸업, 캘리포니아 공대(工大) 교수를 지냄. 1960년대 초부터 대뇌 반구(大腦半球)의 연구에 몰두, 그 공적으로 1981년도 노벨 생리 의학상을 수상함. [1913-]

스페릭스 〔spherics〕 명 『물』 공중 전기(空中電氣). 공중 전기의 발생원을 탐지하는 기술 또는 이에 사용하는 방향 탐지 장치를 일컫기도 함.

스페셜 〔special〕 명 특별(特別). 특수(特殊). 각별(各別). ——-하다 형여불

스페셜리스트 〔specialist〕 명 전문가. 전문의(專門醫).

스페어 〔spare〕 명 ①예비품(豫備品). 여분(餘分). ¶ ~ 타이어. ②볼링에서, 두 번째 던진 공으로 10 개의 핀을 전부 쓰러뜨리는 일. *스트라이크.

스페어 시:트 〔spare seat〕 명 극장·자동차 등에서 손님이 많을 때 쓰는 간편한 의자. 보조석. 보조 의자.

스페어 운전사 【—運轉士】〔spare〕 명 원 운전사의 유고시(有故時)에 대비한 예비 운전사.

스페어 캔 〔spare can〕 명 자동차에 예비로 달고 다니는 휘발유통. 5갤런들이의 납작하고 네모진 통.

스페우시포스 〔Speusippos〕 명 〖사람〗 기원전 4세기의 그리스 철학자. 플라톤의 조카. 플라톤이 죽은 후, 그의 후계자로서 초대 아카데미아 학두(學頭)가 되었음. 그의 관심은 다분히 경험적인 지식 범위에 있었음. 생물학에 대한 단편이 남아 있음. 기원전 339년에 60세 정도로 사망함.

스페이드 〔spade〕 명 〔삽의 뜻〕 트럼프 패의 하나. 하트형의 나뭇잎이 그려져 있는 카드.

〈스페이드〉

스페이스 〔space〕 명 ①우주(宇宙). 공간(空間). 장소(場所). ②신문·잡지·원고 등의 여백(餘白)의 지면(紙面). ③〖악〗 악보(樂譜)의 선과 선의 사이. 선간(線間). ④〖인쇄〗 조판(組版)할 적에, 활자 사이에 끼우는 쇳조각. 보통 활자의 한 자(字)분보다 폭이 약간 좁음.

스페이스 셔틀 〔space shuttle〕 명 우주 왕복선. 우주 버스.

스페이스 체어 〔space chair〕 명 특수 염화 비닐로 만든, 공기를 넣어서 쓰는 의자. 가볍고, 공기를 빼서 접어 둘 수 있어 편리함.

스페이스 파워 시스템 〔space power system〕 명 〖항공〗 인공 위성·우주선(宇宙船)에서, 전기 에너지의 발생 및 공급을 하기 위하여 탑재(搭載)된 장치.

스페예르 〔Speyer, Alexei de〕 명 〖사람〗 러시아의 외교관. 건양(建陽) 1년(1896) 베베르의 후임으로 러시아 공사로 부임, 친로파(親露派)인 이범진(李範晋)과 짜고 아관 파천(俄館播遷)에 성공함.

스페인 〔Spain〕 명 〖지〗 에스파냐.

스페인 감:기 【—感氣】〔Spain〕 명 〖의〗 제1차 세계 대전 당시, 스페인에서 발생, 세계 각국에 퍼진 감기. 전염력이 강하고 악성(惡性)이며, 곧잘 급성 폐렴을 일으켜 사망률이 높았음. 세계(世界) 감기.

스페인 계:승 전:쟁 【—繼承戰爭】〔Spain〕 명 〖역〗 에스파냐 계승 전쟁.

스페인 교향곡 【—交響曲】〔Spain〕 명 〔Symphonie Espagnole〕 〖악〗 에스파냐 교향곡.

스페인 내:란 【—內亂】〔Spain〕 명 〖역〗 에스파냐 내란.

스페인 독립 전:쟁 【—獨立戰爭】〔Spain〕〔—닙—〕 명 반도 전쟁. 에스파냐 독립 전쟁.

스페인령 사하라 【—領—】〔—녕—〕 명 〔Spanish Sahara〕 〖지〗 '서(西)사하라'의 구칭.

스페인-어 【—語】〔Spain〕 명 〖언〗 에스파냐어.

스페인-인 【—人】〔Spain〕 명 에스파냐인.

스페큘럼 〔speculum〕 명 금속 필름을 사용한 유리 또는 연마 금속(研磨金屬)의 광학 기계용 반사기(反射器).

스페큘레이션 〔speculation〕 명 ①사색(思索). 사변(思辨). 추측(推測). ②〖경〗 투기(投機). ③트럼프에서, 스페이드의 에이스(ace). ④트럼프 놀이의 한 가지. 상대방에게 카드를 팔며 행함.

스펙터클 〔spectacle〕 명 ①장대(壯大)하고 인상적인 광경. 장관. 또, 그러한 장면. ②〖연〗 연극·영화에서, 대규모의 로케이션이나 호화로운 세트(set)·대군중(大群衆) 등을 쓴 장대한 장면. 또, 그 작품.

스펙터클 영화 【—映畫】〔spectacle〕 명 〖연〗 호화스러운 의상(衣裳)과 세트(set), 대규모의 트릭(trick), 다수의 엑스트러(extra) 등을 쓴 장대(壯大)한 화면이 많은 영화.

스펙테이터 〔Spectator〕 명 영국의 주간지(週刊誌). 불편 부당(不偏不黨)의 입장에서, 국내외(國內外)의 중요한 여러문제(問題)를 권위 있게 해설·비판·논평하고 있음. 1828년에 창간됨.

스펙트럼 〔spectrum〕 명 〖물〗 ①가시 광선(可視光線) 또는 그 밖의 방사선이 분광기에 의하여 분해되었을 때의 성분(成分). 파장(波長)에 따라 굴절률이 다르므로 분산(分散)을 일으키는데, 이들을 한 면(面)에 받아 파장의 순서로 배열됨. 스펙트럼의 띠의 상태에 따라, 연속·휘선(輝線)·대상(帶狀) 스펙트럼으로 또는 방출·흡수 스펙트럼 등으로 분류됨. 여러 가지 원자나 분자에서 발하는 빛이나 엑스선(X線)은 저마다 독특한 스펙트럼을 가지므로 이의 연구는 원자 분자의 구조 구명(構造究明)에 극히 중요함. ②넓은 뜻으로는 복잡한 조성(組成)을 가지는 현상이나 물질을 단순 성분으로 분해하고, 성질을 특징짓는 양(量)의 대소순(大小順)으로 배열한 것. 음향·자기(磁氣)·질량(質量)·에너지 스펙트럼 같은 것. ③〖수〗 한 함수(函數)를 합(合) 또는 적분(積分)의 형(型)으로 분해한 것. 또, 선형 연산자(線型演算子)의 고유(固有)값. 스펙트르.

스펙트럼 계:열 【—系列】〔spectrum〕 명 휘선(輝線) 스펙트럼이나 흡수(吸收) 스펙트럼에서, 파장(波長) 또는 그 역수(逆數)인 파수(波數)가 일정한 관계식으로 나타나는 일군(一群)의 스펙트럼선.

스펙트럼 광도계 【—光度計】〔spectrum〕 명 〖기〗 스펙트럼 각부의 빛에 대해 따로따로 빛의 강도(強度)를 비교·측정하는 장치.

스펙트럼 분석 【—分析】〔spectrum〕 명 〖물〗 물질의 분말(粉末)을 고온(高溫)의 불 속에 넣고, 그 발광(發光)하는 스펙트럼으로 함유되어 있는 원소를 분석하는 방법을 이름.

스펙트럼-선 【—線】〔spectrum〕 명 〔spectral line〕 〖물〗 스펙트럼을 이루고 있는 하나하나의 빛깔의 띠.

스펙트럼선 변:화도 【—線變化圖】 명 〔line profile〕 천체의 스펙트럼선의 강도(強度)가 파장(波長)에 의해서 어떻게 변화하는가를 나타낸 곡선.

스펙트럼 영역 【—領域】〔spectrum〕 명 〔spectral regions〕 엑스선(X線)·자외선·가시 광선·적외선·전파 따위와 같이, 여러 가지 파장의 전자기파를 검출하거나 만드는 데 필요한 선원(線源)의 형태에 따라서, 전자기파의 스펙트럼을 구분한 영역.

스펙트럼의 양자론 【—量子論】〔—/—에—〕 명 〔quantum theory of spectrum〕 원자·분자 또는 원자핵은 어떤 허용된 에너지 상태에서만 존재할 수 있으며, 다른 상태로 변화할 때 에너지를 방사(放射) 또는 흡수하고, 그것에 따른 전자기적(電磁氣的) 방사의 진동수는 두 상태의 에너지차(差)를 $h/2\pi$로 나눈 것과 같다는 생각에 따른 스펙트럼의 현대적 이론.

스펙트럼 이행로 【—移行爐】〔spectrum〕〔—노〕 명 〔spectral-shift reactor〕 원자로의 하나. 제어(制御) 등의 목적으로, 중성자 스펙트럼을 감속재(減速材)의 성질이나 양을 변화시켜서 조정(調整)함.

스펙트럼-형 【—型】〔spectrum〕 명 〔spectral type〕 〖천〗 별의 온도 등의 물리적 상태를 스펙트럼에 의하여 분류한 형(型). 보통 B,A,F,G,K,M의 여섯 기본형으로 나뉘는데, B,A는 성장기(成長期)이고, 그 이하는 순차로 노쇠(老衰)한 것임.

스펙트로그래프 〔spectrograph〕 명 〖기〗 분광 사진기(分光寫眞機).

스펙트로그램 〔spectrogram〕 명 〖언〗 음파 분석기(音波分析器)에 의한 음파의 스펙트럼을, 사진으로 찍은 것을 이름.

스펙트로-스코:프 〔spectroscope〕 명 〖기〗 분광기(分光器).

스펙트르 〔프 spectre〕 명 〖물〗 스펙트럼.

스펜더 〔Spender, Stephen Harold〕 명 〖사람〗 영국의 시인·비평가. 오든(Auden, W.H.) 등과 더불어 1930년대의 진보파를 대표함. 스페인 내란(內亂)에도 참가했으나 훗날 자유주의로 전향(轉向)함. 시집 《조용한 중심》, 평론 《창조적 요소》·《자유주의에의 진전》, 자서전 《세계 속의 세계》 등이 알려짐. [1909-95]

스펜서[1] 〔Spenser, Edmund〕 명 〖사람〗 영국의 시인. 처음 《목인(牧人)의 달력》을 내어 엘리자베스 왕조(Elizabeth王朝) 일류 시인의 지위를 획득, 이래 정계에 관계하면서 명작 《선녀왕(仙女王)》을 내어 그 운율미(韻律美)와 회화미로써 낭만파 시인의 모범이 되었음. [1552-99]

스펜서[2] 〔Spencer, Herbert〕 명 〖사람〗 영국의 철학자·사회학자. 베이컨(Bacon) 이래의 영국 경험론(經驗論)의 전통에 입각하여, 생물학적 진화상을 원리로 하는 10권의 《종합 철학 대계(綜合哲學大系)》를 저작, 성운(星雲)의 생성으로부터 인간 사회의 도덕적 원리의 전개에까지 모두 진화(進化)로서 일관 설명하였으며 철학은 모든 과학의 최종 종합이라 하고, 본체(本體)의 문제에서는 불가지론(不可知論)을 주장하였음. [1820-1903]

스펜서 재킷 〔spencer jacket〕 명 〖복식〗 기장이 짧은 재킷.

〈스펜서 재킷〉

스펠 〔spell〕 명 〔spelling의 준말〕 철자(綴字).

스펠링 〔spelling〕 명 유럽어의 철자. 또, 철자법. 맞춤법. 스펠.

스펠만 〔Spellman, Francis Joseph〕 명 〖사람〗 미국의 가톨릭 성직자. 전 교황 피오(Pio) 12세의 비서를 거쳐, 1939년 뉴욕의 대주교(大主教), 1946년에 추기경(樞機卿)이 되었음. [1889-1967]

스포로시스트 〔sporocyst〕 명 〖동〗 낭상충(囊狀蟲).

스포르차-가 【—家】〔Sforza〕 명 〖역〗 15-16세기에 북이탈리아 밀라노 공국(公國)을 지배한 가계(家系). 용병(傭兵) 대장에서 밀라노공(公)이 된 프란체스코 때에 가장 융성했음.

스포르차토 〔이 sforzato〕 명 〖악〗 스포르찬도.

스포르찬도 〔이 sforzando〕 명 〖악〗 '특히 그 음을 세게'의 뜻. 약호(略號)는 '*sf*·*sfz*'. 스포르차토.

스포이트 〔네 spuit〕 명 잉크·액즙(液汁) 등을 옮겨 넣을 때에 쓰는, 고무 주머니가 달린 유리관(管). 액즙 주입기(液汁注入器).

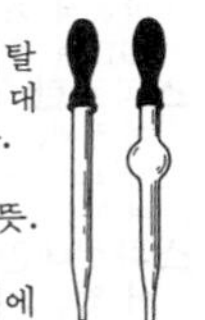
〈스포이트〉

스포일 〔spoil〕 명 해치거나 상하게 함. 나쁘게 하거나, 못 쓰게 함.

스포일러 〔spoiler〕 명 항공기의 주날개 위쪽의 경첩으로 세워 놓은 판. 양력(揚力)의 발생을 저해하며 비행 고도나 강하율을 변화시킴.

스포일 시스템〔spoil system〕 명 〖정〗 엽관(獵官) 제도.

스포:츠 〔sports〕 명 육상 경기·야구·테니스·수영·보트 레이스 등으로부터 등산·사냥에 이르기까지의 유희(遊戱)·경쟁·육체적 단련의 요소(要素)를 지니는 운동의 총칭.

스포:츠 뉴:스 〔sports news〕 명 운동 경기에 관한 뉴스.

스포:츠 드레스 〔sports dress〕 명 여성용의 운동복.

스포:츠-맨 〔sportsman〕 명 운동가. 운동 선수.

스포:츠맨-십 〔sportsmanship〕 명 스포츠맨으로서의 인격과 정신. 곧, 정정 당당하고 공명하게 전력을 다하여 경기하는 운동가 정신. 운동 정신.

스포:츠 문학 【—文學】〔sports〕 명 〖문〗 운동 경기를 취급하거나, 체육 사상을 고취(鼓吹)한 문예 작품.

스포:츠 센터 〔sports center〕 명 ①여러 가지 운동 시설이 모여 있는 곳. ②온갖 스포츠를 할 수 있게 꾸민 실내(室內) 대체육관.

스포:츠 심장 【—心臟】〔sports〕 명 스포츠맨과 같이, 장기(長期)에 걸쳐 심한 육체 운동을 계속하는 사람들에게서 볼 수 있는 좌우(左右)에 비대(肥大)한 심장. 심장 근육의 비대에 의해 운동시에 필요에 따른 대량(大量)의 혈액을 내보내므로, 기능적으로 우수한 것으로 여겨짐.

스포:츠 예:술 【—藝術】〔sports〕 명 올림픽 종목(種目)의 하나. 1912년의 제5회 올림픽 대회부터 시작된, 제재(題材)를 스포츠에서 취재

(取材)한 문학·회화·조각·건축·음악의 다섯 가지 예술 경기. 1950년부터는 경기를 전람(展覽)으로 고치고, 또 사진(寫眞) 종목을 더 첨가하였음.

스포:츠-웨어 〔sportswear〕 명 운동복, 체육복. 레저용의 활동적인 옷도 포함됨.

스포:츠 의학 【一醫學】〔sports〕 명 《의》 스포츠가 인체에 미치는 영향, 경기자의 건강 관리 등을 연구하는 의학.

스포:츠 카: 〔sports car〕 명 고속(高速) 성능·가속(加速) 성능·조종 성능에 중점(重點)을 두고 설계한, 운전을 즐기기 위한 자동차. 또, 경주용 소형 자동차.

스포:츠 클라이밍 〔sports climbing〕 명 바위나 인공 암벽을 맨몸으로 오르는 종합 스포츠. 인공 암벽은 빌딩·주택가 등 장소에 구애없이 설치할 수 있고 수시로 연습할 수 있으며 손잡이인 홀드와 발을 디디는 스탠스(stance)를 조절하면 좁은 공간에서도 다양한 코스를 즐길 수 있음.

스포:츠 테스트 〔sports test〕 명 각종 스포츠에 대하여 체력을 측정하는 일정한 규준(規準)을 정하고, 이에 의하여 스포츠의 장려·보급을 기하기 위해 만들어진 검사.

스포캔 〔Spokane〕 명 《지》 미국 워싱턴 주(州) 동부의 공업 도시. 컬럼비아 고원(高原)의 중심지이며, 서쪽에 그랜드 쿨리 댐(Grand coulee dam)이 건설되어 그 전력을 이용한 알루미늄 정련 공장이 있음. 철도의 요지. [177,196 명(1990)]

스포:크 〔spoke〕 명 바퀴의 살.

스포:크스맨 〔spokesman〕 명 정부·단체 등의 대변인(代辯人).

스포:크 커터 〔spoke cutter〕 명 림(rim)의 안쪽에 나오는 스포크의 끝을 자르는 공구.

스포:큰 타이틀 〔spoken title〕 명 《연》 대화(對話)를 적은 자막(字幕).

스포트-라이트 〔spotlight〕 명 ①《연》 극장 무대의 어떤 한 개소(箇所) 또는 한 인물을 특히 밝게 조명하는 국부(局部) 광선. ②비유적으로, 세인(世人)의 주목(注目)·주시(注視).

스포:티 〔sporty〕 명 복장 따위가 경쾌함. 활동적임. ¶ ~한 차림새. ＊ 드레시(dressy). ——하다 형 여불

스폰서 〔sponsor〕 명 ①사업의 자금을 대어 주는 사람. 출자자(出資者). 후원자(後援者). ②《연》 상업 방송에서, 라디오·텔레비전 등에 프로를 제공하는 광고주(廣告主).

스폰서드 프로그램 〔sponsored program〕 명 《연》 상업 방송국에서 광고주(廣告主)의 의뢰를 중심으로 하여 편성하는 방송 프로그램. ¶~이 아닌 자국(自局) 프로그램. ↔서스테이닝(sustaining) 프로그램.

스폰티니 〔Spontini, Gasparo Luigi Pacifico〕 명 《사람》 19세기 전반의 이탈리아의 오페라 작곡가. 대표작은 《라 베스탈레(La vestale)》. [1774-1851]

스폿 〔spot〕 명 ①점. 흑점(黑點). ②지점. 장소. 현장(現場). ③흠. 오점(汚點). ④얼룩. 반점(斑點). ⑤당구(撞球)에서, 공을 놓는 흑포점(黑布點). ⑥↗스폿 볼. ⑦스폿 볼을 가지는 사람. ⑧↗스폿아나운스.

스폿 가격 【一價格】〔spot〕 장기 계약이 아닌, 1회마다의 계약으로 거래가 이루어지는 시장 가격. 특히 원유 가격에 대하여 말하는 경우가 많음.

스폿 거:래 【一去來】〔spot〕 명 《경》 장기 계약에 의하지 않은, 당용 매입(當用買入)의 원유 거래.

스폿 뉴:스 〔spot news〕 명 방송 프로 중간에 하는 아주 짧고 간단한 뉴스.

스폿 볼: 〔spot ball〕 명 당구에서, 스폿에 놓는 공. 검은 점(點)이 있는 흰 공. 준스폿.

스폿 시:장 【一市場】〔spot〕 명 실물(實物) 시장. 스폿은 실물·현장을 뜻함. 선물(先物) 시장에 대해 매매 계약과 동시에 실물을 주고 받는 시장.

스폿 아나운스 〔spot announce〕 명 라디오·텔레비전에서, 프로와 프로 사이에 끼워서 하는 짧은 뉴스나 광고 방송.

스폿 애드 명 〔spot advertisement〕 극장·영화관 등에서 막간을 이용해서 환등(幻燈) 등으로 하는 광고.

스폿 용접 【一鎔接】〔spot〕 명 《공》 대표적인 전기 저항 용접. 금속판을 겹치고 아래위에 전극(電極)을 끼운 다음, 전류를 통하여 한 점부분만을 용접하는 일. 간편하고 강도(強度)가 상당히 큼. 점용접.

스폿 원유 【一原油】〔spot〕 명 《경》 장기 구입 계약에 의한 안정적인 원유 공급 루트 외에, 임시적·응급적인 목적으로 사들이는 원유.

스푸마토 〔이 sfumato〕 명 《미술》 〔'그스른'·'흐린'의 뜻〕 그림 속 물건의 가장자리를 풀어 흐리게 그리는 방법. 레오나르도 다빈치와 그 한 파의 그림에서 볼 수 있음.

스푸트니크 〔러 Sputnik〕 명 〔위성(衛星)의 뜻〕 국제 지구 관측년 계획의 일환(一環)으로, 소련에서 제작·발사한 일련(一連)의 인공 위성의 명칭. 1957년 10월 4일, 세계 최초로 스푸트니크 제1호를 발사, 동년 11월 3일 우주견(宇宙犬) 라이카를 실은 제2호, 그 이듬해 5월 15일 대형(大型) 위성 제3호를 각각 발사하는 데 성공, 대기 조성(大氣組成)·자기장(磁氣場)·태양 방사선 등 공간 관측을 하고 1960년 4월 소멸함.

스푼: 〔spoon〕 명 ①주로 양식(洋食)에 쓰는 숟가락. 수프 등을 떠먹는 데 쓰는 큰 테이블 스푼, 과실·과자 등에 쓰는 중간치의 디저트(dessert) 스푼, 홍차·커피 등에 쓰는 작은 티 스푼 등이 있음. 양숟가락. ②골프에서, 대가리가 숟가락 모양으로 된 골프 채.

스푼: 레이스 〔spoon race〕 명 숟가락 모양의 물건에 공을 올려놓고, 떨어뜨리지 않게 하면서 달리는 경주.

스풀 명 〈방〉 숲(함경).

스프 명 ↗스테이플 파이버(staple fibre).

스프래그 〔Sprague, Frank Julian〕 명 《사람》 미국의 전기 기술자. 1884년 스프래그 전기 철도 회사를 일으켜 전동기의 제작을 시작, 1887년 리치먼드에 트롤리식(trolley式) 시가 전차를 건설함. 전차의 복식 제어 방식·고압 직류 방식·자동 신호기·자동 브레이크 등의 발명·개량도 하여, 전기 철도의 아버지로 불림. [1857-1934]

스프레드 뉴:스 〔spread news〕 명 계속되고 있는 사건의 계통을 다룬 뉴스.

스프레이 〔spray〕 명 《기》 분무기(噴霧器).

스프레이 건 〔spray gun〕 명 도료(塗料)·모르타르 등을 분무상(噴霧狀)으로 내뿜는 피스톨 모양의 도장 용구(塗裝用具).

스프레이어 〔sprayer〕 명 《기》 분무기(噴霧器).

스프레이 컬러 〔spray color〕 명 분무기(噴霧器)에 넣은 물감을 뿜어서 하는 머리의 염색. 일시적인 것으로, 금색·은색을 비롯한 각색이 있음. 야회용(夜會用)·무대용으로 쓰임.

스프레이 페인트 〔spray paint〕 명 분무기를 사용하여 칠하는 페인트.

스프롤: 현:상 【一現象】〔sprawl〕 명 도시의 급격한 발전과 지가(地價) 급등으로 도시 주변이 무질서하게 택지화(宅地化)되어 가는 현상.

스프린터 〔sprinter〕 명 ①단거리 경주 선수. 단거리 선수. ②경마에서, 1200-1400 m의 단거리 경주용 말.

스프린트[1] 〔sprint〕 명 단거리 경주(短距離競走).

스프린트[2] 〔Sprint〕 명 《군》 미국의 에이 비 엠(ABM) 시스템 중의 대기권내 13-30 km 에서의 요격(邀擊) 핵탄두 미사일. 전장(全長) 8.2 m, 직경 약 1.4 m. ＊스파르탄(Spartan).

스프링 〔spring〕 명 ①봄. ②샘. 수원(水源). ③도약(跳躍). 탄력(彈力). ④탄력이 풍부한 양질(良質)의 강철을 나선상(螺旋狀)·와상(渦狀)으로 감거나 구부러뜨려 만든 탄성체(彈性體). 충격의 완화, 기계에 생기는 불필요한 에너지를 흡수 또는 축적하는 작용을 함. 태엽 같은 것. 용수철. ⑤↗스프링 코트.

스프링-보:드 〔springboard〕 명 도약판(跳躍板).

스프링 에어 라이플 경:기 【一競技】〔spring air rifle〕 명 라이플 사격 경기 종목의 하나. 스프링식(式) 에어 라이플을 사용하며, 사격 거리는 300 m이고 고정 표적(固定標的)으로 행하여짐.

스프링 카메라 〔spring camera〕 명 《기》 휴대용 사진기의 하나. 단추를 누르면 스프링의 장력(張力)으로 기계의 몸체가 촬영 상태로 위치하게 되는 식의 것. 속사(速寫)에 편리함. 대개 롤 필름을 사용함.

스프링 캠프 〔spring camp〕 명 야구 등에서, 춘계 합숙 훈련.

스프링 코:트 〔spring coat〕 명 봄·가을에 입는 가벼운 외투. 준스프링.

스프링클러 〔sprinkler〕 명 ①천장에 설비한 자동 소화(消火) 설비. 실내 온도가 70°C 내외로 상승함에 따라, 자동적으로 살수(撒水)되어 소화(消火)함. ②관개용(灌漑用)의 살수(撒水) 장치.

스프링필:드 〔Springfield〕 명 《지》 ①미국 일리노이 주의 주도. 생거먼강(Sangamon江)에 임하는 교통의 요지로, 옥수수 생산 지대에 있으며, 농산물의 집산지임. 남(南)일리노이 탄전의 한 중심으로, 농업 기계·식품 가공·섬유 공업이 행하여짐. 1837년부터 20여 년간, 링컨이 이 땅에 살았고 그의 묘지가 있음. [105,227 명(1990)] ②미국 매사추세츠 주 남서부의 공업 도시. 각종 군수 공장 외에 기계·인쇄 공업이 성함. 1636년 청교도가 정주하였던 고도(古都)임. [156,983 명(1990)]

스플래셔 〔splasher〕 명 자동차·자전거 따위의 흙받기.

스플래시 〔splash〕 명 보트 경기에서, 노를 물 속에 넣을 때 또는 빼낼 때, 실수로 물보라가 일어나는 일.

스플리트 〔Split〕 명 《지》 크로아티아(Croatia) 공화국의 달마티아(Dalmatia) 해안의 항구 도시. 조선·통조림·시멘트 공업을 행하며, 관광·보양지로도 알려짐. 로마 시대의 디오클레티아누스(Diocletianus) 궁전의 유적이 있음. [169,322 명(1981)]

스플릿 스타일 〔split style〕 명 역도에서, 앞뒤로 두 발을 벌리고, 클린 스내치를 하는 자세. 바벨을 지면에서 들어올리는 거리를 짧게 하기 위한 자세로서, 전후 개각형(前後開脚型)이라고도 함. 스플릿.

스피너 〔spinor〕 명 《물》 물리량(物理量)을 나타내는 기본적인 양(量)의 하나. 벡터(vector)의 반분(半分)과 같은 양. 또, 두 개의 양으로 벡터를 만들 수 있는 양.

스피넬 〔spinel〕 명 《광》 알루미늄·마그네슘의 산화물로 등축 정계(等軸晶系) 팔면체의 결정. 색채는 무색 또는 적·청·녹·황·갈·흑색 등임. 열변성(熱變性) 작용을 받은 입상(粒狀) 석회암 중에 생기며 또는 염기성·초염기성(超塩基性)의 화성암에 들어 있음. 순수한 것은 보석으로 쓰임. 첨정석(尖晶石).

스피넬 구조 【一構造】〔spinel〕 명 《광》 산화물 등에서 볼 수 있는 결정(結晶) 구조의 한 형식. 등축 정계(等軸晶系)에 속함. 자성(磁性)·전기전도성(傳導性) 등, 특수한 성질을 나타내는 것이 많음.

스피넷 〔spinet〕 명 《악》 건반(鍵盤)이 달린 발현 악기(撥絃樂器)의 한 가지. 건반에 의해 재크를 움직여서 연주함. 작은 하프시코드라 할 수 있는 것으로, 16-18세기경에 많이 쓰이었음.

〈스피넷〉

스피노자 〔Spinoza, Baruch〕 명 《사람》 네덜란드의 철학자. 유태인. 1656년 무신론자라 하여 유태 교단에서 파문(破門)된 이래, 빈곤과 고독 중에 저술에만 전념함. 데카르트(Descartes)의 합리주의에 입각하여, 물심 평행론(物心平行論)을 제창, 개개의 사물을 실체(實體)인 신(神)의 여러 가지 양상으로 보고, 신에의 지적애(知的愛)에 의하여 신의 자기 자신에의 사랑과 합일(合一)하는 범신론(汎神論)을 제창함. 주저 《윤리학》·《신학 정치론(神學政治論)》·《지성 개조론(知性改造論)》 등. [1632-77]

스피노자-주의 【一主義】〔Spinoza〕〔—/—이〕 명 《철》 스피노자의 철학에 공명(共鳴)하여 스피노자를 선구자로 보고, 그 특색을 발전시켜

나가려는 입장. 스피노자의 범신론(汎神論)에 공명한 괴테, 기계론(機械論)에 공명한 마르크스주의자, 또 합리주의에 주목한 프랑스의 알랭(Alain)의 입장 따위.

스피놀라 〔Spinola, Cristobal Rojas de〕 명 『사람』 에스파냐 가톨릭 신학자. 독일 황제 레오폴트 1 세에게 신사(臣事)하여 외교 사절로서 활약함. 가톨릭과 프로테스탄트를 일치시키려고 노력함. 〔1626-95〕

스피:도-미터 〔speedometer〕 명 속도계(速度計).

스피:드 〔speed〕 명 신속(迅速). 속력(速力). 속도(速度).

스피:드 건 〔speed gun〕 명 운동하는 물체의 속도를 측정하는 기계. 미국 경찰이 자동차의 속도 위반을 단속하기 위해 개발. 야구에서 투수가 던진 공의 속도를 재는 데도 씀. 마이크로파가 반사하는 파장의 변화에 의해 속도를 측정함. 측정 가능 속도는 30~290 km, 물체와 건의 거리는 최대 240 m.

스피:드 다운 〔speed down〕 명 ①속도를 줄임. ②일의 능률이 떨어짐.

스피:드 스케이팅 〔speed skating〕 명 일정 거리의 스케이트 활주 경주. 500 m의 타원형 트랙을 2인 1조로 활주하는 세퍼레이트 코스가 정식임.

스피:드 스프레이어 〔speed sprayer〕 명 과수원 등에서 사용되는 약제 살포기(藥劑撒布機)의 일종. 송풍기로 바람을 보내어 약제를 널리 살포함.

스피:드 시대 【一時代】〔speed〕 명 무슨 일에나 빠르고 손쉽고 간편한 것을 존중하는 세상(世相)을 이르는 말.

스피:드-업 〔speed-up〕 명 ①속도를 올리는 일. ②일이나 생산의 능률을 올리는 일. 능률 증진.

스피:드 케이스 〔speed case〕 명 가방의 한 가지. 위에서 옆까지 척(chuck)이 달림.

스피:디 〔speedy〕 명 일이나 동작이 빠르게 진행하는 모양. 민첩(敏捷). ——-하다 형여불

스피라-마이신 〔spiramycin〕 명 『약』 항생 물질로, 에리스로마이신과 비슷한 작용을 하는 새로운 약. 개량품으로는 아세틸 스피라마이신이 있음. 폐렴·임질 등의 치료약임.

스피로지라 〔spirogyra〕 명 『식』 수면(水綿).

스피로헤타 〔spirochaeta〕 명 『식』 가늘고 길며, 나선상(螺旋狀)으로 말린 미생물군(微生物群)의 일반적인 총칭. 분류학상, 원충(原蟲)과 세균 중의 어느 것에 속하는지 의론이 구구하며, 또 그 중간이라고도 일컬어짐. 일반적으로 편모(鞭毛)와 핵이 없으며 몸을 비틀어 운동함. 비병원성(非病原性)인 것도 있으나 병원성의 것으로, 매독·바일병(Weil 病)·회기열(回歸熱) 등의 병원체가 있음.

스피로헤타 팔리다 〔라 spirochaeta pallida〕 명 『식』 〔*Treponema pallidum*〕 명 스피로헤타목(目) 트레포네마속(Treponema 屬)에 속하는 매독의 병원체. 몸길이 6-15 미크롱(μ)이며 10-12의 굴곡(屈曲)이 있는 사상(絲狀)의 세균. 1905년 독일의 샤우딘(Schaudinn)과 호프만(Hoffmann)에 의하여 발견되었음.

스피룰리나 〔라 Spirulina〕 명 『생』 나선형의 남조류(藍藻類). 현미경적인 작은 것으로부터 육안으로 보일 정도의 것까지 세계에 약 30 종이 있음. 엽록소(葉綠素)와 피코시안 색소(phycocyan 色素)를 가지고 있어 광합성(光合成)을 하며, 단백질의 함유량이 많음. 멕시코나 아프리카산(產)은 대량 배양(培養)하여 사료·식량으로 쓰려고 하고 있음.

스피리추얼 〔spiritual〕 명 영적(靈的). 정신적(精神的).

스피리추얼리즘 〔spiritualism〕 명 『철』 유심론(唯心論). 정신주의(精神主義).

스피리추얼스 〔spirituals〕 명 흑인 영가(黑人靈歌).

스피리토:소 〔이 spiritoso〕 명 『악』 '힘차게'의 뜻.

스피릿 〔spirit〕 명 ①정신(精神). 심령(心靈). 영혼(靈魂). ②생기(生氣). 활기(活氣). 원기(元氣). ③주정(酒精). 알코올.

스피릿 검 〔spirit gum〕 명 『연』 배우들이 수염이나 털 등을 붙일 때에 쓰는 일종의 고무풀.

스피츠 〔spitz〕 명 『동』 개의 한 품종(品種). 짧고 뾰족한 얼굴에 귀가 위로 솟고, 온 몸에 긴 털이 덮였으며, 꼬리는 말려 있음. 몸빛은 순백(純白)의 것이 많음. 폴란드 포메라니아 지방 원산(原產)으로, 번견(番犬)·애완용으로 기름.

〈스피츠〉

스피츠베르겐 제도 【一諸島】〔Spitsbergen〕 명 『지』 노르웨이 북극해(北極海) 안의 제도(諸島). 스칸디나비아 반도 북단 640 km의 해상에 있으며, 세 개의 주도(主島)와 많은 소도(小島)로 이루어짐. 세계 최북(最北)의 정주(定住) 지역. 석탄을 산출함. 1925년에 공식(公式)으로 노르웨이령(領)이 되었음. 〔62,900 km²:2,897 명(1974)〕

스피:치 〔speech〕 명 ①연설(演說). 이야기. ②화술(話術). 언어 능력(言語能力). ——-하다 자여불

스피카토 〔이 spiccato〕 명 『악』 바이올린 등의 현악기(絃樂器)에서, 손목을 교묘히 움직여서 활을 현 위에 튀게 하여 음을 가늘고, 짧게 끊는 연주법. ＊스타카토(staccato).

스피:커 〔speaker〕 명 ①연사(演士). 발언자. ②의장(議長). ③↗라우드 스피커(loudspeaker).

스피:커 유닛 〔speaker unit〕 명 『오디오』 상자에 장착(裝着)하지 않은 스피커.

스피:커-폰: 〔speaker-phone〕 명 스피커가 부착되어 있어서, 수화기를 갖지 않고도 2-3 m 떨어진 장소에서 통화가 가능한 전화. 송화(送話) 목소리는 마이크를 통하여 커짐.

스피크 〔Speke, John Hanning〕 명 『사람』 영국의 아프리카 탐험가. 버턴(Burton, R.F.)과 함께 1854년 소말릴란드(Somaliland)를 탐험, 1857-59년에는 동아프리카를 탐험하여 탕가니카 호를 발견했음. 후에 단독으로 탐험을 계속하여, 빅토리아 호가 나일 강의 수원(水源)임을 확인했음. 〔1827-64〕

스핀 〔spin〕 명 ①회전(回轉). 선회(旋回). ②나선식 강하(螺旋式降下). ③『물』 소립자(素粒子)의 기본적 성질의 하나. 전자(電子)의 자전 운동(自轉運動). 1924년 파울리(Pauli)가 원자 스펙트럼 및 주기율(週期律)을 설명하기 위하여, 최초로 전자(電子)가 자전(自轉) 운동을 하고 있다는 가정(假定) 아래 도입(導入)하였으며, 뒤에 디랙(Dirac)의 전자론에 의해 이론적으로 설명됨.

스핀들 〔spindle〕 명 주축(主軸).

스핀들-유 【一油】〔spindle〕〔一류〕 명 『화』 윤활유(潤滑油)의 한 가지. 점성(粘性)이 낮고 투명하며 불순물이 들어 있지 아니한 순광유(純鑛油). 경하중(輕荷重)의 고속도(高速度) 기계에 쓰임.

스핀 로켓 〔spin rocket〕 명 대형 로켓이나 우주선을 선회(旋回)시키는 소형의 로켓.

스필버:그 〔Spielberg, Steven〕 명 『사람』 미국의 영화 감독. 1969 년부터 TV 영화 감독으로 데뷔, 《격돌(激突)》로 유명해짐. 1974 년부터 극영화에 진출, 《조스》·《레이더스》·《E.T.》·《인디애나존스》 등으로 흥행 기록을 경신함. 〔1947- 〕

스핏-볼: 〔spitball〕 명 야구의 투구(投球)의 한 가지. 공의 일부에 침을 바른 공. 예기치 못하는 변화구(變化球)가 되어 위험하므로, 현행 규정에서는 금지되고 있음.

스핑크스 〔sphinx〕 명 『신』 ①고대 오리엔트 신화에 나오는 인두 사신(人頭獅身)의 괴물(怪物). 이집트에서는 왕자(王者)의 권력을 상징하여 왕궁·신전·분묘 등의 입구에 석상(石像)으로 세웠으며, 시리아·페니키아·바빌로니아·페르시아 등지에서도 일찍부터 만들어 세웠음. ②그리스 신화의 괴마(怪魔). 상반신은 여자의 모습에 하반신은 날개가 돋친 사자의 형상. 테베 시(市) 부근의 바위에 자리잡고 행인(行人)에게 '아침에는 네 발, 낮에는 두 발, 저녁에는 세 발인 것이 무엇이냐'란 수수께끼를 던져 이를 풀지 못한 자는 죽였으나, 영웅 오이디푸스가 '그것은 인간이다'라고 답하여 풀자 바다에 몸을 던져 죽었다 함. ③스핑크스 같은, 정체 불명의 괴물. 수수께끼의 인물.

슥: 관 〈방〉 석[12](전라).

슨 의명 〈옛〉 것은. ¶ 아마도 것 희고 속 거물슨 녀쑨인가 ᄒᆞ노라 《古時調》.

-슨다 어미 〈옛〉 -냐. -ㄴ가. ¶ 어와 더 白鷗야 므슴 슈고ᄒᆞᄂᆞ슨다 《古時調》.

슫도외다 형 〈옛〉 슷되다. ¶ 슫도욀 박(朴) 《類合 下 2》.

슬 【瑟】 명 『악』 아악기(雅樂器)에 속하는 발현(撥絃) 악기의 하나. 앞을 오동나무로, 뒤를 엄나무로 만들어, 스물 다섯 줄을 매어서, 양손으로 탐. 길이 210 cm, 폭 24 cm로, 현존 현악기 가운데 가장 크며, 앞판에 구름과 나는 쌍학(雙鶴)을 그리고, 앞뒤 머리에는 비단 모양을 그렸으며, 사면의 변두리를 검게 칠함. 붉게 물들인, 한복판 곧 제13현(絃)은 윤현(閏絃)이라 하여, 사용하지 않음. 고래로, 금(琴)과 함께 연주됨.

〈슬〉

슬가배 명 〈방〉 시기(함경).

슬갑 【膝甲】 명 추위를 막기 위하여 무릎까지 내려오게 입는 옷. 바지 위에 껴입으며 앞 쪽에 끈을 달아 허리띠에 걸쳐 맴.

슬갑다 형 〈방〉 슬겁다[1].

슬갑 도적 【膝甲盜賊】 명 남의 시문(詩文)의 글귀를 따다가 고치어서 글을 짓는 사람을 이르는 말. 문필(文筆) 도적. ＊표절(剽竊).

슬개-건 【膝蓋腱】 명 『생』 대퇴 사두근(大腿四頭筋)의 하퇴(下腿)의 경골(脛骨)에 붙는 부분의 건. 안에 슬개골이 있음. 슬개 반사(反射)를 관찰할 때에 대표적으로 사용되는 일이 많음.

슬개건 반:사 【膝蓋腱反射】 명 무릎 반사.

슬개-골 【膝蓋骨】 명 『생』 슬관절(膝關節) 앞 쪽에 있는 어린애 주먹만 한 작은 뼈. 슬개건(膝蓋腱)으로 둘러싸여 있는데 슬관절을 보호하고, 그것이 굴신(屈伸)할 때 사두 고근(四頭股筋)의 운동을 원활하게 함. 종지뼈. 슬골(膝骨). 슬명(膝皿).

슬개 반:사 【膝蓋反射】 명 무릎 반사.

슬거움 형 〈옛〉 슬기로움. '슬겁다²'의 명사형. ¶ 도국과 슬거오미 몬계오(先器識) 《飜小 X:11》.

슬겁다[1] 형ㅂ불 ①집이나 세간들이 겉으로 보기보다는 속이 너르다. ②마음이 너그럽고 미덥다. ¶ 눈치 빠르고 속 슬거운 수목이가 진주집 말하는 것을 알아듣고…《金宇鎭 : 花上雪》. 1)·2):> 살갑다.

슬겁다[2] 형 〈옛〉 슬기롭다. ¶ 믈오라비 客卿인 민첩ᄒᆞ고 슬겁더니(母兄客卿敏慧) 《內訓 Ⅱ:34》.

슬골 【膝骨】 명 『생』 슬개골(膝蓋骨).

슬공 명 〈방〉 시렁[1](평북).

슬-관절 【膝關節】 명 『생』 대퇴골(大腿骨) 하단(下端)과 경골(脛骨) 및 비골(腓骨)의 상단(上端)과의 사이에 있는 관절. 주위로부터 여러 가지의 근육(筋肉)·심줄 및 인대(靭帶)의 보호를 받으며, 무릎의 굴신 작용(屈伸作用)을 가능하게 함. 무릎 마디.

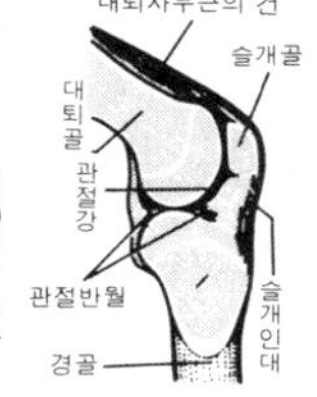

〈슬관절〉

슬관절 강직 【膝關節強直】 명 『의』 슬관절 경직.

슬관절 결핵 【膝關節結核】 명 『의』 슬관절에 일어나는 결핵. 고관절(股關節) 다음으로 일어나기 쉬운 곳임. 연령으로 보아 청소년에게 많은데, 만성(慢性)이 되면 종창(腫脹)과 동통(疼痛)을 가져옴. 결핵성 육아(肉芽) 조직이 증식(增殖)하면 관절 전체가 헐고, 대퇴부(大腿部) 근육의 위축(萎縮)이 일어나므로 슬관절은 방추상(紡錘狀)을 이루고, 피부

는 창백(蒼白)해짐. *백종(白腫).

슬관절 경직【膝關節硬直】명〖의〗의상(外傷)이나, 염증(炎症)으로 슬관절이 움직이지 않는 일.

슬관절 탈구【膝關節脫臼】명〖의〗슬관절이 탈구되는 일. 선천성(先天性)의 것과 후천성(後天性)의 것이 있는데, 선천성의 것은 경골(脛骨)이 앞으로 나와서 슬관절은 반대로 휘며, 후천성의 것은 외상(外傷)으로 말미암는 일은 비교적 적고, 흔히 골절(骨折)을 일으킴. 병적(病的)인 것은 골수염(骨髓炎)이나 결핵(結核) 등 관절 염증에 의하여 뼈나 관절낭(囊)이 파괴되어서 일어남.

슬괵【膝膕】명〖생〗무릎의 뒤쪽에 움폭 팬 곳. 오금.

슬괵-근【膝膕筋】명〖생〗슬관절(膝關節)의 뒤쪽에 있는 근육.

슬괵-부【膝膕部】명〖생〗슬관절(膝關節)의 뒤쪽. 피하(皮下)에 지방(脂肪)이 있어 피부가 연함.

슬괵-와【膝膕窩】명〖생〗슬괵부에 있는 마름모꼴의 오금. 상퇴(上腿)·하퇴(下腿)의 근육으로 둘리어 있고, 슬괵 동정맥과 경골 신경(脛骨神經)이 그 속을 통해서 하퇴(下腿)에 이름. ㉰슬와(膝窩).

슬그니 부 ①혼자 마음 속으로 은근히. ¶ ~ 그 여자를 사랑했다. ②바쁘거나 활발하지 못하고 가만히. ¶ ~ 들어가서 앉았다. 1)·2): >살그니.

슬그망이 부 〈방〉슬그머니(함경).

슬그머니 부 남이 모르게 넌지시. ¶ 아무도 모르게 ~ 놓고 갔다. ㉰슬그미. >살그머니.

슬그미 부 ↗슬그머니.

슬근-거리다 자 물건과 물건이 서로 맞닿아 가볍게 비비다. >살근거리다. 슬근-슬근 부. ——-하다 자여불

슬근-대다 자 슬근거리다.

슬금-슬금 부 남의 눈치를 살펴 가면서 아무도 모르게 가만가만 하는 모양. ¶ ~ 훔쳐 넣다/~ 도망가다. ㉰슬슬. >살금살금.

슬금-슬쩍 부 남이 모르게 슬그머니 얼버무려서 슬쩍 넘기는 모양. ¶ 잘 모르는 대목에서는 ~ 넘어간다.

슬금-하다 형여불 속으로 슬기롭고 너그럽다. ¶ 색시가 사람이 얼마나 슬금하우.

슬긔 명 〈옛〉슬기. ¶ 슬긔 지(智)≪類合 下 13≫.

슬기[1] 명〔근대 : 슬긔〕①사물의 이치를 밝히고 시비(是非)와 선악(善惡)을 판별하는 능력. 지혜(智慧). ②사물을 처리하는 재능. ¶ ~가 있다.

슬기[2] 명 〈방〉삵(함경).

슬기둥 명〖악〗거문고 문현(文絃)을 세게 친 다음, 곧 술대에 힘을 빼며 유현(遊絃)을 넘는 순간 다시 술대에 힘을 주어 대현(大絃)의 정해진 음을 내려탈 때의 구음법(口音法).

슬기로운 생활【—生活】명 초등 학교 1학년용 교과서의 하나. 종전의 산수·자연을 한데 묶은 것.

슬기-롭다 형ㅂ불 슬기가 있다. ¶ 슬기로운 아내. 슬기-로이 부

슬노라 타 〈옛〉슬퍼하노라. '슳다[2]'의 활용형. ¶ 도라가눈 期約을 슬노라(惜歸期)≪杜諺 XXII:18≫.

슬논밸시 구 〈옛〉슬퍼하는 바일새. 슬퍼하는 바이므로. ¶ 사라셔 여희요믄 베브터 슬논밸시(生別古所嗟)≪初杜諺 VIII:7≫. *슳다[2].

슬다[1] 자 ①푸성귀 등이 진딧물 같은 것에 못견디어 누렇게 죽어 가다. ¶ 배춧잎이 ~. ②몸에 돋았던 부스럼이나 소름의 자국이 없어지다. ¶ 소름이 모두 ~.

슬다[2] 자 〈옛〉사라지다. 스러지다 ¶ 윗사람에게 대한 억울한 한은 봄눈 슬듯 스러져 버리고…≪朴鍾和 : 錦衫의 피≫.

슬다[3] ⊟ 자 ①곰팡이가 생기다. 곰팡이가 널리 나 있다. ②쇠붙이에 녹이 생기다. ¶ 녹이 ~. ⊟ 타 벌레나 물고기 등이 알을 깔기어 놓다. ¶ 벌레가 잎에 알을 ~.

슬다[4] 타 풀이 센 빨래를 손질하여 풀기를 죽이다.

슬다[5] 타 〈옛〉슬퍼하다. =슳다[2]. ¶ 左右ㅣ 슬쌋바(左右傷止)≪龍歌 91章≫.

슬대〔—때〕명 〈방〉술대[2].

슬도【瑟島】〔—또〕명〖지〗전라 남도의 서남 해상, 진도군(珍島郡) 조도면(鳥島面) 독거도리(獨巨島里)에 있는 섬. [0.27 km² : 75 명(1984)]

슬두【膝頭】〔—뚜〕명〖생〗넓적다리와 정강이의 사이에서 굽혀지는 마디의 앞 쪽. 무릎.

슬:따 형 〈방〉서럽다(전북·경북).

슬라보니아〔Slavonia〕명〖지〗크로아티아 공화국 동부, 사바 강(Sava 江)과 드라바 강(Drava 江) 사이의 지역.

슬라보필〔Slavofil〕명 '슬라브주의자'의 뜻.

슬라브〔Slav〕명〖인류〗슬라브족(族).

슬라브 어:파【—語派】명〔Slavic language〕〖언〗인도유럽어(語)에 속하는 어파(語派). 중부 유럽 및 동부 유럽·시베리아의 광대한 지역에 분포함. 현대어로서는 대러시아어·우크라이나어·벨로루시어·체크어·폴란드어·불가리아어 등을 포함하며, 동(東) 슬라브 어군(語群), 서(西) 슬라브 어군, 남(南) 슬라브 어군의 3개 어군으로 나뉨. 발트 제어(諸語)에 극히 가까워 '발트슬라브어'란 이름으로 병칭하기도 함. 슬라브어.

슬라브-족【—族】〔Slav〕명〖인류〗유럽의 동부 및 중부에 사는 아리안계 민족의 총칭. 5-7세기에 발칸·보헤미아·남(南)알프스에 이주(移住), 인종적으로는 백색 인종에 속하고 성질은 대체로 소박(素朴)·강건(剛健)하며 인내심이 강함. 주로 농경 생활에 종사하고 종교는 그리스 정교·가톨릭교 등을 신봉함. 현재 동(東)슬라브(러시아인·우크라이나인·벨로루시인 등)·서(西)슬라브(폴란드인·체크인·슬로바키아인 등)·남슬라브(슬로베니아인·세르비아인·크로아티아인·불가리아인)로 크게 나뉨. 총수 약 2억 3천만 명. 슬라브.

슬라브-주의【—主義】〔Slav〕〔—/—이〕명〖사〗19세기 중엽 러시아 지식 계급의 일파가 주장하던 사상. 내셔널리즘의 풍조와 독일 철학의 영향을 받아, 유럽 문명의 결함을 지적하고, 그리스 정교에 의거한 러시아의 장점을 주장하였고, 서구주의자와 대립하여 러시아 전래의 공동체에 따른 독자적인 발전의 길을 강조하고, 한편으로는 농노제(農奴制)를 지지하였음. ↔서구주의.

슬라브주의-자【—主義者】〔Slav〕〔—/—이—〕명 슬라브주의를 신봉하던 일파. 또, 그 사람. ↔서구주의자.

슬라이댁〔slidac〕명〖기〗전압 조정기의 한 가지. 다이얼을 돌림으로써 보통 1차 전압 100 볼트에 대해, 2차 전압 0—120 볼트 정도의 범위에서 필요한 전압이 얻어짐.

슬라이더〔미 slider〕명 야구에서, 투수의 투구(投球)의 하나. 타자(打者) 가까이 와서 미끄러지듯 바깥쪽으로 빠지는 공.

슬라이드〔slide〕명 ①미끄러지는 일. ②환등기에 쓰는 필름 또는 유리 원판(原板). 환등판(幻燈板). ③현미경 등의 검경판(檢鏡板). ④〖연〗원판(原板)을 옆에서 밀어 넣게 된 환등기(幻燈機). 현재는 보통 35 mm의 양화(陽畫) 필름을 씀. ⑤〖악〗음의 높이를 바꾸기 위하여 신축(伸縮)하는 트롬본의 활주관(滑走管). ⑥↗슬라이딩 스케일.

슬라이드 글라스〔slide glass〕명 현미경에서, 조사하려는 것을 올려 놓는 투명한 유리. 깔유리. 검경판(檢鏡板). 슬라이드. ↔커버 글라스.

슬라이드 룰:〔slide rule〕명〖수〗계산척.

슬라이드 밸브〔slide valve〕명〖기〗활판(滑瓣).

슬라이드 저:항기【—抵抗器】〔slide〕명〖물〗절연 원통(絶緣圓筒)의 원통에 니크롬선(線)·양은선(洋銀線) 등의 저항선을 서로 닿지 아니하게 둘둘 말아, 그 윗부분에 붙인 금속봉(金屬棒)과의 사이에 스프링 장치로 코일에 닿으면서 활동(滑動)하는 접촉기를 장치한 저항기.

슬라이드-제【—制】〔slide〕명〖경〗슬라이딩 시스템. 에스컬레이터 조항.

슬라이드 캘리퍼스〔slide calipers〕명 버니어 캘리퍼스.

슬라이드 파:스너〔slide fastener〕명 척(chuck). 지퍼(zipper). ㉰파스너(fastener).

슬라이딩〔sliding〕명 ①활주(滑走). 미끄러짐. 굴신 자재(屈伸自在). ②야구에서, 미끄러지면서 베이스를 밟는 일.

슬라이딩 보:트〔sliding boat〕명 슬라이딩 시트가 달린 보트의 한 가지. 활석정(滑席艇)

슬라이딩 스케일〔sliding scale〕명 ①〖수〗계산척(計算尺). ②〖경〗슬라이딩 시스템. ㉰슬라이드.

슬라이딩 스케일 제:도【—制度】〔sliding scale〕명〖경〗종가 임금법. 슬라이딩 시스템.

슬라이딩 시스템〔sliding system〕명〖경〗일정한 임금(賃金) 베이스를 바탕으로 하여, 그때그때의 물가 지수(指數)나 생계비 지수의 변동에 따라서 임금을 증감하는 제도. 굴신 계산 제도(屈伸計算制度). 슬라이딩 스케일.

슬라이딩 시:트〔sliding seat〕명 조정(漕艇)에서, 조수(漕手)의 동작에 따라 레일 위에서 앞뒤로 움직이는 좌석. 활석(滑席). 슬라이딩.

슬라이딩 태클〔sliding tackle〕명 축구에서, 상대편이 가진 공을 빼앗기 위해, 미끄러져 들어가는 동작.

슬라이밍〔sliming〕명 바다 밑에 있는 구조물(構造物)에 해조(海藻)의 미끈미끈한 피막(皮膜)이 생기는 일.

슬라이버〔sliver〕명 방적(紡績) 공정에서, 중간 제품의 하나. 일반적으로, 소면기(梳綿機) 등에서 뽑아 낸, 꼬이지 아니한 로프상(rope狀)이 된 섬유의 집합체를 이름.

슬라이스〔slice〕명 ①식품 따위를 얇게 자르는 일. 또, 그 얇은 조각. ②골프에서, 곡타(曲打)하는 일. ③테니스·탁구에서, 공을 깎듯이 쳐서 아래로 회전시키는 타법(打法). ④조직 박편(組織薄片).

슬라이스 볼:〔slice ball〕명 골프에서, 오른쪽으로 호(弧)를 그리며 나는 타구(打球).

슬라임〔slime〕명 광니(鑛泥).

슬라프코프〔Slavkov〕명〖지〗아우스터리츠.

슬랄롬〔노르웨이 slalom〕명 스키 기술의 한 가지. 사형(蛇形)을 그리면서 좌우로 회전(回轉)하는 활강(滑降). 경기(競技)로서는 기문(旗門)을 세워서 소요(所要) 시간을 다툼. *회전 경기.

슬래그〔slag〕명〖광〗금속을 용융(熔融)·제련(製鍊)할 때 용광로나 평로(平爐)에서 나는 비금속성 찌끼. 석회(石灰)·마그네시아·무수 규산(無水珪酸)·알루미나 등이 그 성분임. 벽돌·시멘트의 재료로 쓰임. 광재(鑛滓). 용재(鎔滓). 클링커(clinker).

슬래그 벽돌【—甓—】〔slag〕명 슬래그에 석회를 넣어 만든 벽돌. 보통 벽돌보다 흡수율이 낮으며 강도가 높음.

슬래그 브릭〔slag brick〕명 슬래그 벽돌.

슬래그 시멘트〔slag cement〕명 고로(高爐)의 슬래그(slag)를 빻아 석회(石灰)·포틀랜드 시멘트 또는 구운 석고와 섞어 만든 시멘트. 수중(水中) 공사 등에 쓰임. 고로(高爐) 시멘트. 광재(鑛滓) 시멘트.

슬래그 울:〔slag wool〕명 광재면(鑛滓綿).

슬래브〔slab〕명 ①압연 강재(壓延鋼材)의 한 가지. 단면(斷面)이 직사각형임. ②건축에서, 바닥이나 지붕을 한 장의 바위처럼 콘크리트로 부어 만든 구조. ¶ ~ 지붕. ③등산에서, 평평한 큰 바위.

슬래브 궤:도【—軌道】〔slab〕명 자갈·침목·레일을 일체화(一體化)한 콘크리트 직결 궤도(直結軌道)의 일종. *노반(路盤). 콘크리트 도상(道床)의 위에, 철근 콘크리트제(製)의 슬래브를 깔고 그 사이를 시멘트 아스팔트로 굳히는 방식. 폴리 모르타르나 시멘트 아스팔트의 주입(注入)에 의한 하부 구조(下部構造)의 침하 대책(沈下對策)이 용이하므로 보수비(保修費)가 적게 듦.

슬래브 오일〔slab oil〕명 석유계(系)의 양질(良質)의 기름. 과자 제조업이나 빵 제조업에서 캔디나 빵을 구울 때 쓰임.

슬랙스〔slacks〕명 여성용의 느슨한 바지. 주로 스포츠용임.

슬랩스틱 코미디〔slapstick comedy〕명 배우의 연기·동작을 과장한

희극. 1910년대의 미국 영화의 초기에 이루어진 것으로, 채플린(Chaplin)이 대표적인 배우임.

슬랭 [slang] [명] 비어(卑語). 속어(俗語).

슬러: [slur] [명] 〖악〗 이음줄.

슬러거 [미 slugger] [명] 야구에서, 강타자(強打者). 장타자(長打者).

슬러리 수송 【一輸送】 [slurry] [명] 미세한 분체(粉體)를 수송하는 방법의 하나. 시멘트나 석탄 가루 등의 분체를 현탁액(懸濁液)으로 하여 파이프로 수송함.

슬러리 폭약 【一爆藥】 [slurry] [명] [슬러리는 유체(流體)에 곤죽 모양의 물질이 현탁(懸濁)되어 있는 상태] 질산 암모늄에 TNT, 그 밖의 폭약(爆藥) 분말·알루미늄 분말 등을 섞어 물을 가하여 곤죽 모양으로 만든 폭파약. 1958년 미국에서 발명되어 각국에서 사용되고 있음. 안정성이 높고 발파(發破) 효과가 큼. 함수 폭약(含水爆藥).

슬러브 [slub] [명] 방적(紡績) 공정 중에 장력(張力)을 가했다 풀었다 해 가면서 실에 만든 마디 부분.

슬러시 방수유 【一防銹油】 [명] [slushing oil] 불건성유(不乾性油)의 하나. 금속면의 방수(防銹)에 쓰이는데, 강한 부착력이 있음.

슬러지 [sludge] [명] ①증기 보일러 안에 생긴 침전물(沈澱物). ②석유의 산처리 후에 남는 찌꺼기. ③화학적인 처리 공정(工程)에서 나오는 반(半)고체의 폐기물.

슬럼 [slum] [명] 도시의 빈민굴. 빈민가(貧民街).

슬럼-가 【一街】 [slum] [명] 슬럼.

슬럼 클리어런스 [slum clearance] [명] 도시 재개발(都市再開發).

슬럼프 [slump] [명] ①갑자기 오는 권태. 원기의 소침(銷沈) 상태. ②〖경〗 물가(物價)·주가(株價) 등의 폭락(暴落). 사업 등의 부진(不振) 상태.

슬럼프 시험 【一試驗】 [slump] [명] 〖공〗 콘크리트의 경점성(硬粘性), 곧 굳지 않은 콘크리트의 물의 배합 비율에 따른, 부드러운 정도를 측정하는 시험. 윗지름 10 cm, 밑지름 20 cm, 높이 30 cm의 금속제 원뿔대 모양의 틀에 콘크리트를 채우고 틀을 제거하였을 때의 콘크리트 원뿔대의 내려앉은 높이를 cm 단위로 측정하여 슬럼프 몇 cm로 이름. 도로 포장용에는 슬럼프 5 cm, 철근(鐵筋) 구조물용에는 20 cm 정도의 콘크리트를 씀.

슬레이브 [slave] [명] 노예(奴隸).

슬레이크 [slake] [명] 면포(綿布)의 일종. 평직(平織) 또는 능직(綾織)으로 짠 것임. 얇고 질기며 광택이 있음. 양복의 안감 등으로 쓰임.

슬레이터 [Slater, John Clarke] [명] 〖사람〗 미국의 물리학자. 1930년 매사추세츠 공과 대학 교수. 분자 구조·원자 스펙트럼·자성체(磁性體)·반도체·강유전체(強誘電體) 등을 연구함. 제2차 대전 중에는 마이크로파 전자 공학을 연구함. 이론 물리학의 입문서도 많이 썼음. [1900-76]

슬레이트 [slate] [명] 지붕을 덮는 데 쓰는 석판(石板). 천연(天然) 슬레이트는 규산질(珪酸質) 점판암(粘板岩)의 얇은 판으로서, 대개 푸르스름한 회색 및 흑색이며 질(質)은 치밀하고 박리성(剝離性)이 풍부함. 인조(人造) 슬레이트는, 시멘트와 석면(石綿)을 물로 섞어서 평판상(平板狀)으로 가압 성형(加壓成型)한 것임. 최근에는 벽판(壁板)으로도 많이 쓰임.

슬렌더-로리스 [slender loris] [명] 〖동〗 [*Loris tardigradus*] 의후류(擬猴類) 늘보원숭이과에 속하는 로리스의 일종. 몸길이 25 cm 쯤 되는데, 귓바퀴가 작고 사지는 가늘고 길. 동공은 고양이처럼 수축하고, 꼬리는 없으며, 얼굴은 올빼미 비슷함. 등은 회색 또는 갈색이며 배는 희고 눈 주위는 흑색 내지 흑갈색임. 인도 남부와 스리랑카의 삼림에 살며 야행성(夜行性)임. 동작이 느리며 곤충·개구리·쥐 등을 잡아먹음. *슬로로리스.

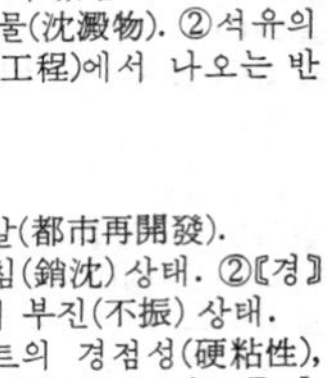

〈슬렌더로리스〉

슬렌탄도 [이 slentando] [명] 〖악〗 '차차 느리게'의 뜻.

슬로: [slow] [명] ①속도나 동작이 느린 모양. 완만한 모양. ②사교 댄스에서, 두 퀵(quick) 템포의 스텝.

슬로:건 [slogan] [명] 표어(標語). 강령(綱領). 모토(motto).

슬로그 [slog] [명] 권투에서, 강하게 난타(亂打)하는 일.

슬로:-다운 [slowdown] [명] ①속도를 늦추는 일. ②〖사〗 작업의 능률을 떨어뜨리는 노동 전술.

슬로:-로리스 [slow loris] [명] 〖동〗 [*Bradicebus tardigradus*] 의후류(擬猴類) 늘보원숭이과에 속하는 로리스의 일종. 몸길이 32-37 cm이고, 몸빛은 적색을 띤 은회색(銀灰色)임. 밤에만 활동함. 말레이 제도·필리핀 등지에 분포함. *슬렌더로리스.

슬로:-모:션 [미 slow-motion] [명] ①느린 동작. ②〖연〗 고속도 촬영에 의한 영화에서, 피사체(被寫體)의 움직임이 실제의 속도보다 느리게 보이도록 영사하는 일. 또, 그 완만한 동작. 트릭 및 동작의 분석(分析) 등에 쓰임.

슬로 바이러스 감:염증 【一感染症】 [명] [slow virus infection] 체내에 장기간 잠복해 있으면서 어떤 계기로 생체(生體)에 병변(病變)을 일으키는 진행성 바이러스에 의한 감염증.

슬로바키아 [Slovakia] [명] 〖지〗 유럽 중동부의 공화국. 주민은 슬로바키아인(人)으로 슬로바키아어(語)를 사용함. 농업을 주로 하며 철·구리·암염(岩塩)을 산출함. 1918년 인종·언어적으로 가까운 체코와 합병에 성공, 체코슬로바키아 연방을 구성하는 공화국에 포함되었다가 1993년 연방 분리로 독립 공화국이 됨. 수도는 브라티슬라바(Bratislava). 정식 명칭은 '슬로바키아 공화국(Slovac Republic)'. [49,032 km²: 5,300,000 명(1991 추계)]

슬로바키아-어 【一語】 [Slovakia] [명] 〖언〗 슬라브어에 속하는 언어. 체코어와 유사함. 카르파티아 산맥 남쪽에 분포, 세 방언으로 나뉨.

슬로바키아-인 【一人】 [Slovakia] [명] 〖인류〗 서(西)슬라브계의 인종. 슬로바키아에 거주하며 슬로바키아어를 사용함.

슬로베니아 [Slovenia] [명] 〖지〗 1991년 구(舊) 유고슬라비아 연방으로부터 분리 독립한 공화국. 이탈이아와 접함. 주민은 남(南) 슬라브족의 하나인 슬로베니아인으로 슬로베니아어를 씀. 석유·납·아연·수은·등의 광산물이 풍부하고 철강·알루미늄·기계 등의 공업이 성함. 수도 류블랴나(liublijana). 정식 명칭은 '슬로베니아 공화국(Republic of Slovenia)'. [20,251 km²: 1,980,000 명(1991 추계)]

슬로베니아-어 【一語】 [Slovenia] [명] 인도유럽 어족(語族) 슬라브어파(Slav 語派). 남(南)슬라브 어군(語群)에 속하는 언어. 슬로베니아 공화국 외에 오스트리아의 일부와 이탈리아 일부에서 사용됨.

슬로: 볼: [slow ball] [명] 야구에서, 투수(投手)가 던지는 스피드가 없는 느린 공.

슬로: 비디오 테이프 [명] [slowmotion video tape] 텔레비전 방송에서, 빠른 속도의 운동을 느린 동작의 화면으로 바꾸어 재생하는 자기 녹화(磁氣錄畫) 테이프. 또, 이와 같은 방식이나 장치.

슬로: 커:브 [slow curve] [명] 야구에서, 투수의 투구가 느린 속도로 커브하는 일.

슬로: 크랭킹 [slow cranking] [명] 〖연〗 영화에서, 표준 속도 이하의 속도로 촬영하는 일. 이를 표준 속도로 영사하면, 장면의 움직임이 빨라지므로 과학 영화·만화 영화 등에 응용됨.

슬로터 [slotter] [명] 〖기〗 공작물의 수직 평면·홈 등의 절삭용(切削用) 공작 기계. 공작물은 움직이지 아니하고 바이트만이 상하 운동(上下運動)하는 것이 특징임.

슬로팅 머신 [slotting machine] [명] 주축(主軸)을 수직으로 한 선반. 수평으로 회전하는 테이블에 공작물(工作物)을 붙여 쇠붙이를 자르거나 깎음.

슬로:프 [slope] [명] ①비탈. 사면(斜面). 경사지(傾斜地). ②경사(傾斜). 기울기.

슬롯 [slot] [명] ①공작물 따위에 판 홈. ②자동 판매기·공중 전화 등의 요금을 넣는 구멍. ③↗슬롯 날개. ④〖컴퓨터〗 롬(ROM) 카세트나 확장 보드(board)를 끼워 넣는 구멍.

슬롯 날개 [slot] [명] 비행기의 주익(主翼) 전연(前緣)에 장치한 가동 소익(可動小翼). 주익 상면에 소용돌이가 생겨 양력(揚力)을 잃었을 때에, 이 날개와 주익의 틈새에 공기를 내보내어 소용돌이를 소산(消散)시킴. [준]슬롯.

슬롯 머신: [slot machine] [명] [작고 좁은 구멍에 주화를 투입하면 작동하는 기계] ①자동 판매기. ②주화를 넣고 무게를 다는 자동 체중 측정기 ③주화나 그 대용품을 사용하는 도박 기계.

슬뤼테르 [Sluter, Claus] [명] 〖사람〗 네덜란드의 조각가. 궁정(宮廷) 조각가 마르뷔르에게 사사함. 부르고뉴파(Bourgogne派)의 창시자로 사실주의에 입각한 힘찬 조각 양식은 회화에도 영향을 미침. 대표작 《모세의 샘》. [?-1406]

슬-류 【蝨類】 [명] 〖충〗 이목(目).

슬리버 [sliver] [명] 방적(紡績) 공정에서, 중간 제품의 하나. 올이 굵은 띠 모양의 섬유인데, 이것으로 실을 만듦.

슬리:브 [sleeve] [명] 소매.

슬리:브리스 [sleeveless] [명] 소매가 없는 의복. 노 슬리브.

슬리커 [slicker] [명] 반드러운 고무를 입힌 레인 코트의 한 가지. 모양은 싱글로서 길고 느슨하며, 깃의 바깥쪽 및 소매 끝에 가죽끈을 달고 앞은 클립(clip)으로 여미게 되었음.

슬리:크 [sleek] [명] 면직물의 하나. 능직 또는 평직의 표면이 미끄럽고 광택이 나며, 양복 안감 등으로 쓰임.

슬리:크 스타일 [sleek style] [명] [슬리크는 매끄럽게 한다는 뜻] 곡선(曲線)을 쓰지 아니하고 직선으로 꾸민 머리. 젊은이들의 쇼트 헤어로, 커트를 살린 스타일에 많음.

슬리퍼[1] [slipper] [명] 실내에서 신는, 발끝만 꿰고 뒤축이 없는 신.

슬리:퍼[2] [sleeper] [명] ①철도의 침목(枕木). ②특히, 미국에서 아이들의 잠옷.

슬리핑 [slipping] [명] 권투에서, 얼굴이나 상체를 전후 옆으로 약간 비켜서 상대편의 타격을 피하는 방어법.

슬리:핑 백 [sleeping bag] [명] 솜·모피(毛皮)·깃털·방수포(防水布) 등으로 만든 자루 모양의 침구(寢具). 천막 생활·등산 등에 사용하고, 특히 눈 속에서는 필수품임. 침낭(寢囊).

〈슬리핑 백〉

슬림 [slim] [명] 가느다란 모양. 호리호리하고 날씬한 모양.

슬림 스커:트 [slim skirt] [명] 통이 썩 좁은 스커트.

슬립 [slip] [명] ①미끄러짐. 특히 자동차 같은 것이 노면(路面)에서 미끄러짐. ②여성 양장의 속옷의 하나. 위는 가슴 아래, 밑은 드레스보다 짧은데 리본이나 가는 끈을 달아 어깨로부터 걸쳐 입음. *슈미즈. ③전표(傳票).

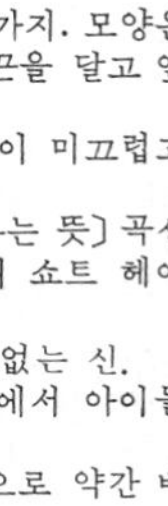

〈슬립❷〉

슬립 다운 [slip down] [명] 권투에서, 자기 스스로 미끄러져 넘어지는 일. 다운으로 인정하지 않음.

슬립 링 [slip ring] [명] 전동기·발전기의 회전자 권선에 전류를 공급하거나 끌어내는 금속제 고리.

슬릿 [slit] [명] ①광선 또는 입자선(粒子線)의 나비를 제한하기 위하여, 두 장의 날을 나란히 마주보게 하여 만든 좁은 틈. 세극(細隙). ②포켓·옷단 따위에 튼 아귀. 스커트나 코트의 아랫단 등에 운동량(運動量)을 주기 위한 것임.

슬릿 카메라 〔slit camera〕 명 경기의 사진 판정 등에 사용되는 특수한 사진기.

슬링 〔미 sling〕 명 진·브랜디·위스키 등에 과즙(果汁)·설탕·향료 등을 넣고 얼음에 채운 음료(飮料).

슬링 펌프스 〔sling pumps〕 명 끈으로 묶어 매는, 뒤축이 낮은 슬리퍼식의 구두.

슬며시 부 아무도 모르게 슬그머니. ¶ 문틈으로 ～ 편지를 밀어 넣다/～ 일러주다. >살며시. 준슬몃.

슬몃 부 ↗슬며시. ¶ ～ 겁이 났다.

슬몃-슬몃 부 연해 슬며시. >살몃살몃.

슬명 【膝皿】 명 〖생〗 슬개골(膝蓋骨).

슬무:시 부 〈방〉 슬며시.

슬뭇-슬뭇 부 〈방〉 슬몃슬몃.

슬뮙다 형 〈옛〉 싫고 밉다. ¶ 보거든 슬뮙거나 못 보거든 잇치거나 《古時調 靑丘》.

슬믜다 형 〈옛〉 싫고 밉다. ¶ 보수ᇝ 사ᄅᆞ미 슬뮗 ᄲᅮᆫ 모ᄅᆞ며 《月釋 Ⅱ:59》/슬뮐 염(厭) 《類合 下 10》.

슬믜욤 형 〈옛〉 '슬믜다'의 활용형. 싫고 미움. =슬믜윰. ¶ 여ᄉᆞᆫ 貪이니 가지고 졋ᄆᆞᅀᆞ미 슬믜욤 업수미오 《妙蓮 Ⅰ:23》.

슬믜윰 명 〈옛〉 '슬믜다'의 명사형. 싫고 미움. =슬믜욤. ¶ 境을 조차 슬믜윰 업서ᄠᅳ믈 엿의 나ᄆᆞᆯ(逐境無厭伺隙而出) 《妙蓮 Ⅱ:123》.

슬미죽죽-하다 형 〈방〉 슬미지근하다.

슬미지근-하다 형여불 비위를 거스르게 미지근하다. ¶ 그 사람은 언제나 ～. 슬미지근-히 부

슬보 【蝨甫】 명 〖충〗 이[3]❷.

슬-봉 【瑟峰】 명 〖지〗 함경 북도 회령군(會寧郡) 창두면(昌斗面)과 부령군(富寧郡) 서상면(西上面)·부거면(富居面) 사이에서 군계(郡界)·면계(面界)를 이루고 있는 산봉우리. [1,048m]

슬상 내:휘 【膝上內揮】 [―쌍―] 명 〖춤〗 정대업지무(定大業之舞)에서, 허리를 구부리고 두 손을 모아 무릎 위에서 안으로 둘러 어깨 아래로 놓은 사위.

슬슬[1] 【瑟瑟】 명 매우 쓸쓸함. 적막(寂寞)함. ――하다 형여불

슬:슬[2] 부 ①천천히 가볍게 움직이는 모양. ¶ ～ 기어오다/～ 떠날 시간이다. ②눈이나 설탕 같은 것이 모르는 사이에 녹는 모양. ¶ ～ 녹다. ③남을 슬그머니 속이거나 꾀거나 달래는 모양. ¶ ～ 꾀다/～ 속여먹다. ④바람이 부드럽게 부는 모양. ¶ 바람이 ～ 불다 / 꽃이 차차 피어나서 ～ 동풍에 고운 빛을 자랑하며 한들한들 흔들리니…《作者未詳：雪中梅花》. ⑤가만가만 문지르거나 슬몃슬몃 긁는 모양. ¶ 상처를 ～ 문지르다. ⑥슬쩍슬쩍 눈치를 보는 모양. ⑦↗슬금슬금. 1)-7):> 살살[2].

슬ᄊᆞ바 타 〈옛〉 슬퍼하와. '슳다[2]'의 활용형. ¶ 左右 슬ᄊᆞ바(左右傷止) 《龍歌 91章》.

슬ᄊᆞᄫᆞ매 타 〈옛〉 슬퍼하옴에. '슳다[2]'의 활용형. ¶ 셜버 슬ᄊᆞᄫᆞ매 이셔 ᄃᆞ욜바ᄅᆞᆯ 아디 몯ᄒᆞ다니(痛言在疚 罔知攸措) 《月序 10》.

슬ᄲᅧ기다 타 〈옛〉 비비다❶. ¶ 잇다감 좀나 ᄀᆞ려운제 슬ᄲᅧ져 볼가ᄒᆞ노라 《永言 494》.

슬양 소배 【膝痒搔背】 명 무릎이 가려운데 등을 긁는다는 뜻으로, 토의(討議) 같은 것이 이치에 닿지 아니함의 비유.

슬엥 명 〖악〗 양금 신보(洋琴新譜)와 유예지(遊藝志)의 거문고 연주법에서, 술대로 문현(文絃) 소리를 내고 유현(遊絃)을 거쳐 대현(大絃)에서 짚은 소리를 내는 법의 구어(口語).

슬와 【膝窩】 ↗슬괵와.

슬우다 사동 〈옛〉 사라지게 하다. ¶ 大地옛 衆生위 어드우믈 슬우시놋다(大地衆生消黑暗) 《眞言勸供 供養文 43》. *슬다[2].

슬인 【瑟人】 명 가얏고를 타는 사람.

【슬인 춤에 지게 지고 엉덩춤 춘다】 남이 하니까 영문도 모르고 따라 하는 어리석음을 이르는 말.

슬전 【膝前】 [―쩐] 명 무릎 앞.

슬쩍 부 ①남이 모르는 사이에 재빠르게. ¶ ～ 감추다. ②힘들이지 아니하고 능숙하게. ¶ 일을 ～ 해치우다. ③심하지 아니하게 약간. ¶ ～ 스치고 지나가다. 1)-3):> 살짝.

슬쩍-궁 부 '슬쩍'의 힘줌말. ¶ 남몰래 ～ 만나다.

슬쩍-슬쩍 부 ①남의 눈을 피해 가면서 연해 재빠르게 하는 모양. ¶ ～ 집어 먹다. ②힘들이지 아니하고 능숙하게 하는 모양. ¶ ～ 일해도 남의 세 갑절을 한다. 1)·2):> 살짝살짝.

슬쭉-하다 형여불 ☞ 실쭉하다.

슬치 명 알을 슬고 나서 뱃속에 알이 없는 뱅어. ↔알치.

슬커시 부 〈옛〉 실컷. 싫도록. =슬ᄏᆞ지. ¶ 金樽에 가득ᄒᆞᆫ 술을 슬커시 거우르고 《古時調 鄭斗卿 永言》.

슬커장 부 〈옛〉 싫도록. =슬ᄏᆞ장. ¶ 金樽에 ᄀᆞ득ᄒᆞᆫ 술을 슬커장 거후르고 《稀本永言 鄭斗卿》.

슬ᄏᆞ장 부 〈옛〉 싫도록. 실컷. ¶ 長松 울흔소개 슬ᄏᆞ장 펴뎌시니 《松江 關東別曲》.

슬ᄏᆞ지 부 〈옛〉 실컷. 싫도록. ¶ 벼개예 히즈러 슬ᄏᆞ지 쉬여보쟈/萬頃澄波의 슬ᄏᆞ지 容興ᄒᆞ쟈 《古時調 尹善道》.

슬ᄏᆞᆷ 부 〈옛〉 실컷. ¶ 내 각색 혜미 다 잇ᄉᆞ와 슬ᄏᆞᆷ 먹노이다 《內簡 鄭澈 「慈堂安氏」》.

슬타 타 〈옛〉 슳다. =슳다[4]. ¶ 발슬타(𥼺米) 《譯語上 48》.

슬탈ᄒᆞ다 타 〈옛〉 비탄(悲歎)하다. ¶ 궁ᄒᆞᆫ 집의셔 슬탈ᄒᆞᆫ들 장ᄎᆞᆺ 또 엇디 밋츠리오(悲歎窮廬將復何及也) 《小諺 Ⅴ:16》.

슬퇴 【膝退】 명 무릎을 꿇은 채 뒤로 물러감. ――하다 자여불

슬퍼-하다 타여불 슬프게 여기다. 슬픔을 느끼다. 슬픈 마음이 되다.

슬프다 형 〔중세：슬프다〕 서러워서 눈물이 나오거나 한숨이 나오며, 마음이 아프고 괴롭다. 불쌍하고 원통한 느낌이 있다. ¶ 슬픈 이야기/슬픈 소식. ↔기쁘다.

슬픐업시 부 〈옛〉 슬픔 없이. ¶ 놀애ᄅᆞᆯ 노외야 슬픐업시 브르ᄂᆞ니(歌莫哀) 《初杜諺 XXV:53》.

슬픔 명 슬픈 느낌. 또, 그 정도. ¶ ～에 잠기다. ↔기쁨.

슬피 부 슬프게. ¶ ～ 울다.

슬하 【膝下】 명 무릎 아래. 곧, 어버이의 따뜻한 사랑 아래. 어버이의 곁. ¶ 부모 ～에서 곱게 자라나다.

슬한-증 【膝寒症】 [―쯩] 명 〖의〗 무릎이 시리고 아픈 병. 늙은이에게 많음.

슬행 【膝行】 명 무릎으로 걷는 일. 무릎걸음을 침. ――하다 자여불

슬행 돈:수 【膝行頓首】 명 〔'頓首'는 본래 중국의 예법으로, 머리를 땅에 붙이고 경의를 표하는 일〕 무릎으로 걸어가서 머리를 깊이 숙이고 경례를 함.

슬허 타 〈옛〉 슬퍼하여. ¶ 슬허 울오 《月釋 Ⅰ:45》.

슬허ᄒᆞ다 타 〈옛〉 슬퍼하다. ¶ 疚ᄂᆞᆫ 슬허ᄒᆞᄂᆞᆫ 病이라 《月序 10》.

슬홈 형 〈옛〉 싫음. ¶ 잇버 슬홈 업슨 젼ᄎᆞ로(無疲厭故) 《圓覺 下一之二 32》.

슬훔 명 〈옛〉 슬픔. ¶ 峽中에 냐그내 ᄃᆞ외야셔 슬후미여(峽中爲客恨) 《杜諺 XXI:32》.

슬흐다 타 〈옛〉 슬퍼하다. ¶ 哀慼은 슬흘씨라 《月序 14》.

슬희여 타 〈옛〉 싫어하여. '슬희여ᄒᆞ다'의 활용형. ¶ 生死ᄅᆞᆯ 슬희여 여희오 涅槃ᄋᆞᆯ 向ᄒᆞ야 求홈 펴니ᄅᆞ니(宣說厭離生死 趣求涅槃) 《圓覺 上一之二 18》.

슬희여ᄒᆞ다 타 〈옛〉 싫어하다. ¶ 쳐ᄌᆞ식이 가장 슬희여ᄒᆞ더니(妻子頗厭) 《二倫 34 樓護養呂》.

슬희여홈 타 〈옛〉 싫어함. '슬희여ᄒᆞ다'의 명사형. ¶ 風塵을 슬희여홈이야 네오 너오 다르랴 《古時調 靑丘》.

슬희욤 타 〈옛〉 싫어함. 싫음. '슬희여ᄒᆞ다'의 명사형. ¶ 잇버 슬희욤 업슬시(無有疲厭) 《圓覺 上 一之二 106》.

슬히[1] 부 〈옛〉 슬피. ¶ 女人 모ᄆᆞᆯ 슬히 너겨 《月釋 XXI:86》.

슬히[2] 부 〈옛〉 싫게. ¶ 藥을 주어늘 먹돌 슬히 너기니 《月釋 XVII:20》.

슬히너기다 타 〈옛〉 싫게 여기다. 싫게 생각하다. ¶ 女人이 골 업고 더러보며 病하ᄆᆞᆯ 슬히 너겨 《月釋 XXI:87》.

슬히다 형 〈옛〉 시리다. ¶ ᄇᆞᄅᆞᆷ마자 힘과 ᄲᅧ왜 슬혀 범븨오(中風筋骨風冷頑痺) 《救簡 Ⅱ:12》.

슬ᄒᆞ다 타 〈옛〉 싫어하다. ¶ 그 내 더러우믈 슬ᄒᆞ야(嫌其臭穢) 《楞嚴 Ⅷ:5》.

슳다[1] 자 〈옛〉 닳다. ¶ ᄆᆞᆯ굽 슬ᄒᆞᆫ ᄀᆞᄅᆞ 두 량을(馬蹄屑二兩) 《瘟疫方 5》.

슳다[2] 타 〈옛〉 슬퍼하다. ¶ 悲ᄂᆞᆫ 슬흘씨오 《月釋 Ⅱ:22 之 1》.

슳다[3] 타 〈옛〉 싫어하다. ¶ 三塗苦ᄅᆞᆯ 슬ᄒᆞ야(厭三塗苦) 《金剛 上 21》.

슳다[4] 타 〈옛〉 쓿다. ¶ 이 ᄡᆞᆯ이 구즈니 가져가 다시 슬흐라(這米麤將去再䉤一䉤) 《朴解 中 7》.

습거옴 형 〈옛〉 싱거움. '습겁다'의 명사형. ¶ 져기 습거옴이 잇다(微微的有些淡) 《老乞 上 20》.

습겁다 형 〈옛〉 싱겁다. ¶ 습거울 담(淡) 《字會 下 14》.

습굶다 형 〈방〉 싱겁다.

습벅 부 눈꺼풀을 한번 움직여 눈을 감았다 뜨는 모양. ㅆ씁벅. ――하다 자타여불

습벅-거리다 자타 ①눈꺼풀을 움직여서 연하여 눈을 감았다 떴다 하다. ②눈이나 살 속이 자꾸 찌르는 듯이 시근시근하다. >삽박거리다. 1)·2): ㅆ씁벅거리다. 습벅-습벅 부. ――하다 자타여불

습벅-대다 자타 습벅거리다.

습벅-이다 자 눈꺼풀을 움직여 눈을 감았다 뜨다. ㅆ씁벅이다.

습베 명 칼·호미·괭이·낫·살촉 따위의 자루 속에 들어간 부분.

습베-찌르개 명 〖고고학〗 창이나 화살에 습베를 만들어 꽂아서 쓰는 찌르개.

습:-새 명 〖조〗 [*Puffinus leucomelas*] 슴샛과에 속하는 물새. 날개 길이 330mm 가량, 몸빛은 머리와 얼굴은 백색에 많은 갈색 반문(斑紋)이 있고, 등쪽 및 꽁지는 갈색, 그 깃의 가장자리는 회색이며, 몸의 아랫부분은 순백색을 이룸. 바다 위·섬에 사는데, 한국·일본·중국·호주 등지에 분포함. 섬새.

〈슴새〉

습:새-목 【―目】 명 〖조〗 [Procellariida] 새강(綱)에 속하는 한 목(目). 크고 작은 바다새로, 모두 앞을 향한 3발가락 사이에 물갈퀴가 있음. 신천옹과(信天翁科)·슴샛과·바다제빗과 등이 이에 속함. 콧구멍이 부리 위에 관상(管狀)으로 열려 있으므로, 전에는 관비목(管鼻目)이라 불렀음. 바다제비목.

습:샛-과 【―科】 명 〖조〗 [Puffinidae] 슴새목(目)에 속(屬)하는 한 과(科). 중형 또는 소형의 조류로서, 콧구멍은 부리의 기부에 있는 관상물(冠狀物) 속을 통하고, 좌우가 한 곳에서 열린 것과 그렇지 않은 것이 있음. 번식기에는 섬에 모여 땅 속 깊이 구멍을 파고 한 개의 알을 낳음. 해상에서 군서 생활(群棲生活)을 하는데, 전세계에 80여 종이 분포함.

습습-하다 형 〈방〉 심심하다[1].

습습ᄒᆞ다 형 〈옛〉 심심하다[1]. 싱겁다. ¶ 습습ᄒᆞᆫ 젼국(淡豆鼓) 《救簡 Ⅲ:64》.

습의 명 〈방〉 심의(深衣).

습[1] 【拾】 명 활 쏠 때, 왼팔 소매를 걷어 매는 띠.

습[2] 【濕】 명 〖한의〗 하초(下焦)의 습기(濕氣).

습감 【習坎】 명 육십사 괘(六十四卦)의 하나. 곧, 감하(坎下)·감상(坎上). 험준(險峻)한 것이 중첩(重疊)한 상(象)임.

습개[1] 【拾芥】 명 ①티끌을 줍는 일. ②명예·부귀 따위를 쉽게 얻는 것의 비유.

습개[2] 【濕疥】 명 〖한의〗 옴에 급성 습진(急性濕疹)이 함께 나는 병. 진옴.

습격【襲擊】명 갑자기 적을 덮치어 공격함. ¶불시에 ~하다. ──-하다 타여불

습격-대【襲擊隊】명 습격하는 부대.

습곡【褶曲】명〔fold〕〖지〗퇴적(堆積)될 때에는 원래 평평하였던 지층(地層)이 횡압력(橫壓力)으로 인하여 파상(波狀)으로 주름잡힌 현상. 습벽(褶襞).

습곡-곡【褶曲谷】명〖지〗지각(地殼)의 습곡으로 인하여 생긴 골짜기.

습곡 산맥【褶曲山脈】명〔folded mountains〕〖지〗습곡 작용(褶曲作用)으로 말미암아 지층(地層)이 물결 모양으로 주름잡히어 습곡상을 이룬 산맥. 지층은 대부분 얕은 바다 밑에 침적한 수성암(水成岩)임. 로키 산맥·히말라야 산맥·알프스 산맥·안데스 산맥 같은 세계의 큰 산맥은 모두 이에 속함.

습곡 산지【褶曲山地】명〖지〗지층(地層)이 습곡으로 되어 있는 산지.

습곡 운:동【褶曲運動】명〖지〗지층(地層)에 파도 같은 만곡(彎曲)이 생기는 운동.

습골【拾骨】명 뼈를 모음. ¶화장이 끝나고 ~까지 마치었다. ──-하다 자여불

습공【襲攻】명 갑자기 적을 쳐들어감. ──-하다 타여불

습과【濕果】명 액과(液果).

습관【習慣】명 ①버릇. ②어느 나라·지방·단체 등에서, 그 사람들이 당연한 일로서 행하는 일이나 방법. 사회적·공동체적(共同體的)인 관례. 풍습. 관례. 관습. 염습(染習). ③〔habit〕〖심〗어떤 자극과 그에 대한 반응과의 계열(系列)이 여러 번 반복된 결과 생긴 자극과, 반응과의 자동적 연합(自動的聯合). 반응은 빨리 나타나고 또한 비교적 불변성(不變性)을 지님.

습관-법【習慣法】[—뻡] 명〖법〗관습법(慣習法).

습관-성【習慣性】[—썽] 명 ①익혀 온 성질. ②〖물〗관성(慣性).

습관성 구토증【習慣性嘔吐症】[—썽—쯩] 명〖의〗유아(乳兒)가 항상 젖을 먹은 직후나, 한 시간 가량의 사이에 젖을 토하는 병증. 생후 6개월 후면 토하지 아니하게 됨.

습관성 의약품【習慣性醫藥品】[—썽—] 명 계속 사용하면 대상 기능(代償機能)이 생기고 약효가 점차 줄어서 용량(用量)을 늘려야 하며, 중독되기 쉬운, 습관 작용이 있는 의약품. '향정신성(向精神性) 의약품'의 구용어.

습관성 탈구【習慣性脫臼】[—썽—] 명〖의〗보통으로는 일어나지 아니할 정도의 외력(外力)에도 쉽게 탈구를 일으키는 현상.

습관 유산【習慣流産】[—뉴—] 명〖의〗한 여자에게 있어서 두 번 이상 여러 차례에 걸쳐, 습관적으로 유산이 반복되는 일.

습관-음【習慣音】명〖언〗어법(語法)에는 어긋나는 일이지만 습관적으로 이루어진 말소리. '수탉'을 '수탉', '암돼지'를 '암퇘지'라 하는 것 따위. 버릇 소리.

습관-적【習慣的】명관 버릇이 되어 있는 모양. 또, 그 상태.

습관-화【習慣化】명 버릇으로 되어 버림. 또, 버릇이 되게 함. ──-하다 자타여불

습구【濕球】명〖물〗건습구 습도계에서, 젖은 헝겊으로 수은조(水銀槽)를 싸 놓은 습구 온도계의 구부(球部). ↔건구(乾球).

습구 온도계【濕球溫度計】명〖물〗건습구 습도계(乾濕球濕度計)에 쓰이는 건구·습구 한 쌍의 온도계 중에서 구부(球部)를 헝겊으로 싸서 그 끝을 물에 담근 온도계. ↔건구(乾球) 온도계.

습궐【濕厥】명〖한의〗비를 맞은 습기로 머리가 어지럽고 아픈 병증.

습급【拾級】명 계급(階級)이 한 등급 오름. ──-하다 자여불

습기¹【濕氣】명 축축한 기운. 습한 기운. ¶~ 찬 방.

습기²【襲器】명 염습(殮襲)할 때에 향탕(香湯)을 담는 질그릇. 습자배기.

습기-계【濕氣計】명〖물〗습도계(濕度計).

습기 역전【濕氣逆轉】명〔moisture inversion〕〖기상〗공기 중의 수분이 높이와 함께 증대하는 일. 특히, 이 증가가 일어나는 층 또는 증가가 시작되는 높이를 가리킬 때도 있음.

습기 인자【濕氣因子】명〔moisture factor〕〖기상〗강수 효율(降水效率)의 간단한 척도의 하나. 습기 인자=P/T. 여기서 P는 문제의 기간에 있어서의 cm 단위의 강수량, T는 기온(°C).

-습늰다 [—닌—] 어미 받침 있는 어간에 붙어 '하오'·'합쇼'할 자리에 진리나 으레 있을 사실을 일러 줄 때 쓰이는 종결 어미. ¶제일 많~. *-ㅂ늰다.

-습니까 어미 받침 있는 어간에 붙어, '하오'·'합쇼'할 자리에서 물음의 뜻을 나타내는 종결 어미. ¶높~ / 작~. *-ㅂ니까.

-습니다 어미 받침 있는 어간에 붙어, '하오'·'합쇼'할 자리에 현재의 동작이나 상태를 나타내거나 긍정적인 서술로 쓰이는 종결 어미. ¶같~. *-ㅂ니다.

습:다¹ 형〈방〉서럽다(충남·전북·경남).

습다² 보형〈방〉싶다(강원).

습담【濕痰】명〖한의〗습기로 인하여 생기는 담.

습답【襲踏】명 답습(踏襲). ──-하다 타여불

습도【濕度】명〔humidity〕〖물〗대기(大氣) 가운데에 있어서의 공기의 건습(乾濕)의 정도. 대기 중에 실제로 함유되는 수증기의 양(量)과 그 대기가 그 온도에 함유할 수 있는 최대 한도의 수증기의 양과의 비(比). 보통, 백분율로 표시함.

습도-계【濕度計】명〔hygrometer〕〖물〗대기 중의 습도를 재는 계기. 습기의 차이로 말미암은 모발(毛髮)의 신축(伸縮)을 이용한 모발 습도계(毛髮濕度計), 물의 증발의 다소를 재는 건습구(乾濕球) 습도계, 이슬점을 재는 이슬점 습도계 등이 있음. 검습기(檢濕器). 습기계(濕氣計).

습도 인디케이터【濕度—】명〔humidity indicator〕〖화〗주위의 습도 변화에 따라서 색이 변하는 코발트 염(鹽). 함수(含水) 때는 핑크 색으로, 무수(無水) 때에는 녹청색(綠靑色)으로 변화함.

습도 콘덴서【濕度—】〔condenser〕명〔humidity capacitor〕〖전〗용량(容量)의 변화를 검출해서 상대 습도를 측정하는 장치.

습도 혼:합비【濕度混合比】명〔humidity mixing ratio〕〖기상〗대기 중의 수증기의 질량과 수증기를 뺀 나머지 건조 공기의 단위 질량에 대한 비(比). 보통 공기 1kg에 대한 수증기의 그램 수(數)로 나타냄.

습독¹【習讀】명 ①글을 익혀 읽음. ②〖역〗↗습독관(習讀官). ──-하다 타여불

습-독²【濕—】〔dock〕명 계선(繫船) 독.

습독-관【習讀官】명〖역〗조선 시대 때, 훈련원(訓鍊院)의 종구품 무관직(武官職). 준습독(習讀).

습득¹【拾得】명 주워서 얻음. ──-하다 타여불

습득²【拾得】명〖사람〗중국 당나라 때의 중. 텐타이 산(天台山)의 국청사(國淸寺)에 있었으나, 친구 한산(寒山)과 함께 한암(寒巖)에 숨어 세월을 보냈음. *한산(寒山) 습득. 사수(四睡).

습득³【習得】명 배워 앎. 익혀서 얻음. ¶기술을 ~하다. ──-하다 타여불

습득 관념【習得觀念】명〔acquired idea〕〖철〗경험으로 얻을 수 있는 관념. 영국의 철학자 로크(Locke)는 데카르트의 본유 관념설(本有觀念說)에 반대하여, 일체의 관념이 습득적임을 주장하였음. ↔생득 관념(生得觀念)·본유(本有) 관념.

습득-물【拾得物】명 ①주워서 얻은 물건. ②〖법〗타인(他人)이 유실(遺失) 또는 유기(遺棄)한 것을 주워 얻은 물건.

습득-자【拾得者】명 유실물(遺失物)을 습득한 사람.

-습디까 어미 받침 있는 어간에 붙어 '하오'·'합쇼'할 자리에 지난 일을 돌이켜 묻는 뜻을 나타내는 종결 어미. ¶많~. *-ㅂ디까.

-습디다 어미 받침 있는 어간에 붙어 '하오'·'합쇼'할 자리에 지난 일을 돌이켜 말하는 뜻을 나타내는 종결 어미. ¶영화가 좋~ / 사람이 많~. *-ㅂ디다.

-습딘다 어미 받침 있는 어간에 붙어 '하오'·'합쇼'할 자리에 존대하여 과거에 원칙적으로 있었던 일을 돌이켜 회상하여 말하는 뜻을 나타내는 종결 어미. ¶저와 같~. *-ㅂ딘다.

습란【濕爛】[—난] 명〖의〗피부가 서로 접촉하는 부분에 생기는, 습진(濕疹) 모양의 피부염(皮膚炎). 피부가 서로 마찰되거나 땀의 침윤(浸潤) 등으로 자극되어 국부가 벌개지며 진무름. 여름에 많으며 어린이나 뚱뚱한 사람의 목·겨드랑이·사타구니 따위에 발생함.

습래【襲來】[—내] 명 습격하여 옴. 엄습하여 옴. 내습(來襲). ¶적군이 ~하다/한파(寒波) ~. ──-하다 자여불

습랭【濕冷】[—냉] 명〖한의〗습기로 인하여 허리 아래가 차게 되는 병. 한습(寒濕)

습량【濕量】[—냥] 명 ①공기 가운데 함유된 수증기의 양(量). ②화물(貨物)의, 수분(水分)을 머금은 채로의 중량(重量).

습련【習練】[—년] 명 연습(練習). ──-하다 타여불

습렴【襲殮】[—념] 명 염습(殮襲). ──-하다 타여불

습례【習禮】[—녜] 명 예식(禮式)을 미리 익힘. ──-하다 자여불

습리【濕痢】[—니] 명〖한의〗헛배가 부르고 몸이 무거우며 검붉은 진액이 섞인 똥을 싸는 병.

습법【濕法】명〖화〗①용액(溶液)을 써서 하는 화학적 조작(操作). ②시료(試料) 및 시약(試藥)을 수용액으로 만들어서 하는 분석(分析).

습벽¹【習癖】명 버릇¹.

습벽²【褶襞】명〖지〗습곡(褶曲).

습보¹【習步】명 걸음을 연습함. 걷는 연습. ──-하다 자여불

습보²【襲步】명 마술(馬術)·경마 따위에서, 말이 최대 속력으로 달리는 일. 모둠발로 달림. ──-하다 자여불

습복【慴伏】명 두려워 엎드림. 황송하여 엎드림. ──-하다 자여불

습봉【襲封】명 제후(諸侯)가 영지를 이어받음. ──-하다 타여불

습비【濕痺】명〖한의〗습기로 인하여 뼈마디가 저리고 쑤시는 병.

습사【習射】명 활쏘기를 연습하는 일. ──-하다 자여불

습사-원【習射員】명 활쏘기를 연습하는 사람.

습살【襲殺】명 습격해서 죽임. ──-하다 타여불

습생【濕生】명 ①〖불교〗사생(四生)의 하나. 습한 곳에서 삶. 또, 그 곳에서 사는 동물. 뱀·개구리 같은 것. ②〖식〗식물이 축축한 곳에서 자라남. ¶~ 식물. ──-하다 자여불

습생 동:물【濕生動物】명〔hygrocoles〕〖동〗땅 속이나 낙엽 밑 따위 습한 곳에서 사는 동물. 지렁이·거머리·달팽이·괄태충(括胎蟲) 따위. 피부가 습윤(濕潤)하고, 흔히는 체내에 수분 증발에 대한 방호 기구가 불충분한 것임. 밤이나 비가 올 때에는 밖으로 나옴.

습생 식물【濕生植物】명〔hygrophyte〕〖식〗연못가나 열대 강우림(熱帶降雨林)처럼 공기나 토양(土壤)이 항상 습윤(濕潤)한 장소에서 자라는 식물의 총칭. 갈대·골풀 따위.

습생 잡초【濕生雜草】명 습윤(濕潤)한 논밭·무논·습지 따위에 난 잡초. 일반적으로 건습에 대한 저항성은 약하나, 줄기와 잎으로부터 뿌리에로의 통기계(通氣系)가 발달하여 산소가 적은 곳에서도 잘 자람.

습석【襲席】명 염습(殮襲)할 때에 까는 돗자리.

습선【濕癬】명〖한의〗피부병의 한 가지. 대개 얼굴 같은 데에 나고 상처를 터뜨리면 진물이 흐르는 버짐. 진버짐.

습-선거【濕船渠】명 계선(繫船) 독.

습설¹【濕舌】명〖기상〗천기도(天氣圖)에서, 수분이 많은 기단(氣團)이 설상(舌狀)으로 얽혀 침입한 부분. 혀모양 습윤역(濕潤域).

습설²【濕泄】명〖의〗장마 때, 습기로 인하여 생기는 설사병. 유설(濡泄).

습성¹【習性】명 ①버릇이 되어 버린 성질. ¶못된 ~. ②동물의 행동에 나타나는, 그 종(種)에 특유(特有)한 성질. ¶딱따구리는 부리로 나무를 쪼는 ~이 있다.

습성[2]【濕性】 명 공기 중에서 잘 마르지 아니하고 누기찬 성질. ↔건성(乾性).

습성 가스【濕性—】 명 〔wet gas〕〖화〗 가연성(可燃性)의 천연(天然) 가스 중 프로판(propane) 등 중탄화 수소(重炭化水素)를 함유하고 있어, 압축·흡수 등의 방법으로 가솔린을 채취할 수 있는 가스. ↔건성가스(乾性gas).

습성 늑막염【濕性肋膜炎】[—념] 명 〔exudative pleurisy〕〖의〗 늑막강(肋膜腔) 안에 삼출성(滲出性) 액체가 괴는 늑막염. 젊은 남자에게 많이 발생하는데, 삼출액은 장액성(漿液性)의 것, 출혈성(出血性)의 것, 혹은 화농성(化膿性)의 것으로 구분됨. 보통 오한(惡寒)·발열(發熱)로 시작되어 가슴에 동통(疼痛)이 일어남. ↔건성(乾性) 늑막염.

습성 찜질【濕性—】 명 온찜질의 하나로, 수건이나 거즈 등을 더운 물에 적셔서 하는 찜질. ＊건성 찜질.

습성 천:이【濕性遷移】 명 〔hydrarch succession〕 호수나 늪 등이 육지로 변하면서 일어나는 천이 과정. 제일 먼저 식물성 플랑크톤이 살게 되고 다음에 부유 식물, 수생 식물 등의 순서로 번성하게 됨. 시간이 흐르면 초원을 이루게 되며 초원에서부터의 변화는 건성 천이와 거의 같음. ↔ 건성 천이.

습성-학【習性學】 명 행동 생물학(行動生物學).

습성 해수【濕性咳嗽】 명〖의〗 기관지염(氣管支炎)·기관지 폐렴(肺炎)·폐농양(肺膿瘍) 등의 후기에 일어나는 기침. 담이 나옴. ＊건성 해수.

습성-화【習性化】 명 습성이 됨. 또, 습성이 되게 함. ——-하다 자타

습소【濕笑】 명 억지로 웃음. ——-하다 자여불

습속【習俗】 명 ①예로부터 내려오는 습관들이 생활화된 풍속. ②〖법〗 관습(慣習) 중 특히 생활 양식에 관계되는 것을 가리킴. 이를테면 풍속 같은 것.

습속 규범【習俗規範】 명〖법〗 습속(習俗)으로서 행해지고 있는 사회 규범(社會規範). 도덕(道德) 규범과 함께 법률 발전의 근원적 요소이지만 그 자체는 법률적 구속력이 없음.

습수【襲受】 명 뒤를 이어받음. ——-하다 타여불

습숙【習熟】 명 배워 익히어 숙달(熟達)함. ——-하다 타여불

습숙 견:문【習熟見聞】 명 보고 들어서 익히 앎. 「여불

습습 장지【什襲藏之】 명 귀중한 물건을 잘 간직하여 둠. ——-하다 타

습습-하다[1] 형여불 사내답게 활발하다. ¶ 그 친구는 습습해서 좋다 / 미목이 청수한 젊은 남자 이차돈의 습습하고 아름다운 풍채≪李光洙 : 異次頓의 死≫.

습습-하다[2]【習習—】 형여불 바람이 산들산들하다. 습습-히【習習—】 부

습승【襲承】 명 물려받음. ——-하다 타여불

습식[1]【濕式】 명 용액(溶液)이나 용제(溶劑) 같은 액체를 쓰는 방식. ↔건식(乾式).

습식[2]【濕蝕】 명 〔wet corrosion〕〖야금〗 수용액과 접촉함으로써 생기는 부식(腐蝕).

습식 냉:각탑【濕式冷却塔】 명 〔wet cooling tower〕〖기〗 물을 기류 중에 분무하여 냉각시키는 장치. 열은 기화(氣化)되어서 제거됨.

습식-로【濕式爐】[—노] 명 가장 원시적인 광석 용융로(鎔融爐). 광석을 용해할 용기(容器)와 그 밑에 풀무를 갖추어, 숯을 때서 광석을 녹임.

습식 밀【濕式—】 명 〔wet mill〕〖기〗 고체 물질을 액체와 섞어서 빻는 분쇄기(粉碎機).

습식 방사【濕式紡絲】 명 〔wet spinning〕 화학 섬유의 방사법의 한 가지. 방사 원액을 노즐(nozzle)을 통하여 응고액 중에 보내어, 섬유로 만들어 감음. 비스코스 레이온·구리 암모니아 레이온·비닐론·폴리아크릴계 섬유 등에 널리 사용됨. ↔용융 방사·건식 방사.

습식-법【濕式法】 명 〔wet process〕 습식 정련.

습식 분석법【濕式分析法】 명〖화〗 시험물의 용액을 만들어서 그 화학 성분을 조사하는 분석법. 주로 이온 반응을 이용함. ↔건식(乾式) 분석법.

습식 분쇄【濕式粉碎】 명 〔wet grinding〕 ①물 또는 다른 액체 속에서 물질을 분쇄하는 일. ②연삭 공정(硏削工程)을 쉽게 하기 위하여 공작물과 숫돌에 냉각제를 공급하는 방법.

습식 선:별【濕式選別】 명〖광〗 테이블 선광법.

습식 수소 폭탄【濕式水素爆彈】 명 원자 폭탄으로 생긴 고온(高溫)으로 중수소(重水素)와 삼중수소(三重水素)의 혼합물에 반응을 일으키게 하고, 여기서 생기는 초(超)고온으로 액상(液狀) 중수소에 열핵 반응(熱核反應)을 일으키게 한 수소 폭탄. ↔건식(乾式) 수소 폭탄.

습식 시:금【濕式試金】 명〖광〗 용액(溶液)을 써서 행하는 금(金)·은(銀)의 정량 분석(定量分析). ↔건식 시금.

습식 연:삭【濕式硏削】 명 〔wet grinding〕〖기〗 습식 분쇄.

습식 인쇄【濕式印刷】 명 다색(多色) 인쇄에서, 앞에 찍은 색이 마르지 아니한 상태에서 다음의 색을 그 위에 찍는 인쇄 방식의 일컬음.

습식 정련【濕式精鍊】[—년] 명 액체에 용출(熔出)시켜 정련(精鍊)하는 방법. 습식법.

습식 제:련법【濕式製鍊法】[—뻡] 명 전기 분해나 그 밖의 방법으로 용액에서 금속을 석출해 내는 제련법. ↔건식 제련법.

습식 폭탄【濕式爆彈】 명 중수소나 삼중수소를 쓰는 수소 폭탄. 액체 수소의 상태로 장치를 꾸미므로 운반 및 취급이 곤란함.

습-신【襲—】 명 염습(殮襲)할 때에 시체에 신기는 신.

습악【習樂】 명 음악이나 풍류를 배움. ——-하다 자여불 「여불

습업[1]【習業】 명 학업(學業)·예술·기술 등을 배워 익힘. ——-하다 타

습업[2]【襲業】 명 가업(家業)을 계승함. ——-하다 타여불

습업 계:약【習業契約】 명〖법〗 기능의 습득을 목적으로 하는 근로자와 사용자간의 근로 계약. 습업과 노무 제공의 양면이 있어 여러 가지 폐단이 생기기 쉬우므로, 근로 기준법은 특히 기능 습득의 한 장(章)을 두어 이의 방지를 꾀하고 있음. 「다 자여불

습-여성성【習與性成】 명 습관이 오래 되면 마침내 천성이 됨. ——-하

습연【襲沿】 명 전에 행해진 일을 받아 함. ——-하다 타여불

습열【濕熱】 명〖한의〗 습증(濕症)에 나는 열(熱).

습열-법【濕熱法】[—뻡] 명 뜨거운 증기를 이용하여 통조림이나 병조림 속의 식품을 살균하는 방법.

습염【習染】 명 버릇이 고칠 수 없게 깊이 감염(感染)됨. ——-하다 자여불

습용【襲用】 명 그 전대로 그냥 씀. ——-하다 타여불

습운【濕雲】 명〖기상〗 습기를 함유한 구름.

습원【濕原】 명 〔muskeg〕〖지〗 저온(低溫)이나 과습(過濕) 따위의 원인으로 고사체(枯死體)의 분해(分解)가 진행되지 아니하여, 토탄(土炭)이 퇴적(堆積)한 위에 발달한 초원(草原).

습유[1]【拾遺】 명 ①빠진 글을 뒤에 보충함. 습유 보궐. ②잃은 물건을 주움. ——-하다 타여불

습유[2]【拾遺】 명〖역〗 ①고려 때 중서 문하성(中書門下省)의 종육품 벼슬. 예종(睿宗) 11년(1116)에 정언(正言)으로 고침. ②조선 초기의 문하부(門下府)의 낭사(郎舍) 벼슬. 정육품. 태종(太宗) 원년(1401)에 낭사를 사간원(司諫院)으로 독립시킬 때 정언으로 고침.

습유 보:과【拾遺補過】 명 임금을 보필하여 그 결점을 바로잡음. 습유 보궐(拾遺補闕). ——-하다 타여불

습유 보:궐【拾遺補闕】 명 ①빠진 것을 보충함. 습유. ②습유 보과(拾遺補過). ——-하다 타여불

습윤【濕潤】 명 젖어서 질척질척함. ——-하다 형여불

습윤 강도【濕潤強度】 명 〔wet strength〕 ①물로 포화(飽和)된 재료의 강도. ②습윤(濕潤) 강도를 더하는 첨가제나 수지(樹脂) 완성제로 강화된 물질의 내수성(耐水性).

습윤 강력지【濕潤強力紙】[—녁—] 명 멜라민 수지(melamine樹脂)·요소(尿素) 수지·염화 비닐(塩化 vinyl) 수지 등으로 가공하여, 젖어도 잘 찢어지지 아니하게 만든 종이. 제2차 대전 중에 군용 지도 용지(地圖用紙)로서 만들어짐.

습윤 공기【濕潤空氣】 명 ①〔moist air〕〖기상〗 건조 공기와 수증기가 섞인 공기. ②〔damp air〕〖기상〗 습도가 높은 공기.

습윤 기후【濕潤氣候】 명〖기상〗 강우량(降雨量)이 증발량(蒸發量)보다 많은 기후. ↔건조 기후(乾燥氣候).

습윤 단:열 감:률【濕潤斷熱減率】[—뉼] 명 〔moist-adiabatic lapse rate〕〖물〗 수증기에 의해 포화한 기괴(氣塊)가 단열 변화하면서 상승할 때, 기괴의 습도가 하강하는 비율. 100m 당 0.6°C 정도씩 내림. ＊건조 단열 감률.

습윤 단:열 변:화【濕潤斷熱變化】 명 〔moist-adiabatic change〕〖물〗 포화 상태에 있는 공기의 단열 변화. 수증기의 응결을 수반함.

습윤-도【濕潤度】 명 습기를 띤 물체의 축축한 정도.

습윤-성【濕潤性】[—썽] 명 〔wettability〕〖화〗 고체 표면이 액체와 접촉하여 축축해지는 일. 액체의 표면 장력(表面張力)이 감소하고 액체가 표면에 퍼지는 일.

습윤-제【濕潤劑】 명 〔humectant〕〖화〗 수분을 흡수하거나 보전시키는 물질. 과자나 건조 과실의 제조에 쓰이는데, 글리세롤·프로필렌글리콜·소르비톨 등이 있음.

습윤 포:화 증기【濕潤飽和蒸氣】 명 건조한 포화 증기가 식어서 그 일부가 응결(凝結)한 것. 수분을 가지고 있으므로 흰빛이 남.

습의[1]【習儀】[—/—이] 명〖역〗 나라의 길흉(吉凶)의 의식(儀式)을 미리 배워 익힘. ——-하다 자여불

습의[2]【襲衣】[—/—이] 명 장례(葬禮) 때에 송장에 입히는 옷.

습인【襲因】 명 ①이어받음. ②좇음. ——-하다 타여불

습자【習字】 명 글씨 쓰는 것을 배워 익힘. 특히, 붓 글씨를 연습하는 일. 임지(臨池). ＊서도(書道). ——-하다 자여불

습-자배기【襲—】 명 염습(殮襲)할 때에 향탕(香湯)을 담는 질그릇. 습기(襲器).

습자-지【習字紙】 명 습자에 쓰이는 얇은 종이.

습자-첩【習字帖】 명 ①습자의 초지(草紙). ②습자의 본보기 책.

습자-필【習字筆】 명 습자에 쓰는 붓.

습작[1]【習作】 명 회화(繪畫)·조각·음악·문학 등의 예술가가 아직 일정한 수준에 이르기 전에 연습을 위해 만든 작품. 또, 그 작품을 만드는 일. ——-하다 자여불

습작[2]【襲爵】 명 승습(承襲). ——-하다 자여불

습작-기【習作期】 명 습작하는 시기 또는 기간.

습작-품【習作品】 명 연습삼아 지은 작품.

습장【濕葬】 명 시체를 습하게 처리하는 장법의 하나. 매장(埋葬)이나 수장(水葬) 같은 것. ↔건조장(乾燥葬).

습저【濕沮】 명 땅이 낮아서 축축함. 또, 그 땅. ——-하다 형여불

습전【濕田】 명 배수(排水)가 잘 되지 아니하여 항상 물기가 많은 논. ↔ 건전(乾田).

습-전지【濕電池】 명 〔wet cell〕〖물〗 전해액(電解液)을 사용하는 전지(電池). ↔건전지(乾電池).

습종【濕腫】 명〖한의〗 다리에 나는 헌데. 아프지도 잘 아물지도 아니하며, 살찐 사람에게 흔히 남. 습창(濕瘡).

습종-성【習種性】 명〖불교〗 득도(得道)하는 소질. 소성(素性) 가운데서 후천적인 수행(修行)에 의한 것을 이름.

-습죠 어미 ↗-습지요. ¶ 제가 갔~ / 달빛이 꽤 밝~. ＊-ㅂ죠.

습중 인경【襲重鱗莖】 명〖식〗 인경의 한 형. 각 인편엽(鱗片葉)의 폭이 넓고 여러 층으로 겹쳐져 있는 것. 양파가 그 전형임.

습증【濕症】 명〖한의〗 습기로 인하여 나는 병.

습-증기【濕蒸氣】명 미세한 물방울이 떠 있어서 보얗게 눈에 보이는 증기. 더운 김이나 이내 같은 것. ↔과열(過熱) 증기.
습지¹【習知】명 배워서 앎. ——-하다 타여불
습지²【濕地】명 축축한 땅. 저택(沮澤).
습지³【濕紙】명 도배할 때에 풀칠한 종이를 붙이고 잘 붙도록 그 위를 문지르는, 축축하게 물에 적신 종이.
습지 개척촌【濕地開拓村】명〔도 Marschhufendorf〕〖지〗북해(北海)·발트 해(海) 연안의 습지를 간척(干拓)하여 이룩한 부락. 제방(堤防) 위에 집들이 줄지어 있고, 그 양쪽에 경지(耕地)가 있게 되었음. 습지촌(濕地村).
습-지대【濕地帶】명 습지가 퍼져 있는 지대.
습지 식물【濕地植物】명〖식〗습지에 나는 식물의 총칭. 뿌리를 다습(多濕)한 땅에 뻗고 잎은 비후(肥厚)함. 끈끈이주걱·여뀌·미나리·방동사니 같은 것. 진펄 식물. *습초(濕草).
-습지요 어미 받침 있는 용언의 어간에 붙어, '합쇼'할 자리에서, 어떤 사실을 베풀어 말하거나 물음을 나타내는 종결 어미. ¶ 제가 기다리고 있~/강물이 꽤 깊~/그 말을 믿~. 준-습죠. *-ㅂ지요.
습지 초원【濕地草原】명〔marshy meadow〕토양(土壤)이 습윤(濕潤)한 곳에 발달한 초원. 수택(水澤)이 매몰되어 지하수가 표면 부근에 있는 곳.
습지-촌【濕地村】명 습지 개척촌(濕地開拓村).
습직【襲職】명 직무를 이어 맡음. ——-하다 자여불
습진¹【習陣】명 진법(陣法)을 연습함. 추격(追擊). ——-하다 자여불
습진²【濕疹】명〔eczema〕〖의〗살갗에 개선충 등에 의해 생기는 염증(炎症). 머리·얼굴·몸의 굴측부(屈側部)에 발생하며, 벌개져서 붓고 열이 오르며 가려움. 좁쌀알만큼씩 한 작은 융기(隆起)가 수없이 돋아나고 그 끝에 작은 물집이나 고름 주머니가 생겨 이를 긁으면 물이나 고름이 나오는데, 늘 환부(患部)가 축축함. 진버짐.
습집【拾集】명 주워 모음. ——-하다 타여불
습창【濕瘡】명〖한의〗습종(濕腫).
습처【濕處】명 습한 곳에서 삶. ——-하다 자여불
습철【拾掇】명 주워 거두어 들임. ——-하다 타여불
습초【濕草】명 습한 곳에서 자라는 풀. *습지 식물.
습취¹【拾取】명 주워서 가짐. ——-하다 타여불
습취²【襲取】명 느닷없이 엄습하여 빼앗음. ——-하다 타여불
습토【濕土】명 습기가 많은 땅.
습파【濕婆】명〖신〗시바(Siva)
습판【濕板】명〔wet plate〕사진의 감광판(感光板)의 하나. 유리판의 한 면에 콜로디온(collodion)액과 요오드화물(化物)의 혼합액을 바르고, 질산은(窒酸銀)의 용액에 담갔다가 건조하기 전에 카메라에 넣어 촬영하는 것. 문서의 복사·도면의 촬영 등에 쓰임. ↔건판(乾板).
습-편포【濕片脯】명 진편포.
습포【濕布】명〖의〗염증(炎症) 치료에 쓰이는 방법. 헝겊이나 거즈 같은 것을 냉수나 더운 물, 혹은 알코올·약물 등으로 축이어서, 환부(患部)에 대고 찜질하는 일. 또, 그 헝겊. ——-하다 자여불
습풍【濕風】명 습기를 머금은 바람.
습-하다¹【襲—】타여불 송장을 씻기고 수의(壽衣)로 갈아입히다.
습-하다²【濕—】형여불 축축하다.
습학【習學】명 배우고 익힘. 학습(學習). ——-하다 타여불
습합【習合】명 철학·종교 등에서, 서로 다른 학설이나 교리(敎理)를 절충함. ——-하다 타여불
습해【濕害】명 습한 것으로 인한 여러 가지 해(害).
슷 명〈옛〉사이. ¶ 하ᄂᆞᆳ 風流ㅣ 그츯 슷 업스니《月釋 Ⅶ:58》/슷간(間)《字會 下 34》.
슷다¹ 타〈옛〉씻다. ¶ 스슬 말(抹)《字會 下 20》/상 스러라(抹卓兒)《老乞 上 55》.
슷다² 타〈옛〉시치다. ¶ 시침실을 슷다(引了水線)《譯語 下 6》.
슷무수 명〈옛〉순무. ¶ 슷무수 즛두드린 즙(蕪菁汁)《瘟疫 4》.
슷봇다 타〈옛〉씻어 훔치다. 씻어 닦다. ¶ 그 뼈 仙人이 그 ᄯᅳ니믈 어여비 너겨 草衣로 슷봇고 뫼ᅀᆞᄫᅡ다가 果實ᄠᅡ 머겨 기르ᅀᆞᄫᅡ니《釋譜 Ⅺ:25》.
슷이다 형〈옛〉떠들썩하다. ¶ 李德武의 겨집 裴氏 孝道ᄒᆞᄂᆞ다ᄒᆞ야 ᄆᆞ올히 슷이더니 (李德武妻 裴字淑英 安邑公矩之女 以孝聞鄕黨)《三綱 烈女 淑英斷髮》. *숫다.
슷치다 자타〈옛〉생각하다. ¶ 그 婆子ㅣ 宋江의 ᄠᅳ들 슷치고《水滸誌》.
승¹【升】명〖민〗↗승괘(升卦).
승²【升】의명 되.
승³【升】의명 새¹².
승⁴【丞】명〖역〗①신라 사정부(司正府)의 벼슬. 효성왕(孝成王) 때 좌(佐)로 고침. 위계는 대나마(大奈麻)에서 나마(奈麻)까지. ②고려 국자감(國子監)·비서성(秘書省)·봉상시(奉常寺)·전중성(殿中省)·위위시(衛尉寺)·대복시(大僕寺)·예빈성(禮賓省)·사온서(司醞署)·사선서(司膳署)·사설서(司設署)와 기타 여러 관아의 벼슬. 품질은 정오품에서 정구품까지. ③조선 초(初)의 봉상시(奉常寺)·전중시(殿中寺)·사농시(司農寺)·사온서(司醞署)·사선서(司膳署)·풍저창(豐儲倉)·도염서(都染署)·전옥서(典獄署)와 기타 여러 관아의 벼슬. 품질은 종오품에서 정구품까지.
승⁵【昇】명 성(姓)의 하나. 현재 우리 나라에는 창평(昌平)·남원(南原)의 두 본이 있음.
승⁶【承】명 성(姓)의 하나. 현재 우리 나라에는 연일(延日) 단본임.
승⁷【乘】명〖수〗①↗승법(乘法). ②'곱하기'의 구용어. ——-하다 타여불
승⁸【乘】명〖불교〗불교의 교의(敎義). 중생(衆生)을 태워서 생사(生死)의 고해(苦海)를 떠나, 열반(涅槃)의 피안(彼岸)에 이르게 한다는 뜻. 대승(大乘)과 소승(小乘)의 구별이 있음.
승⁹【乘】명 성(姓)의 하나. 본관 미상.
승¹⁰【勝】명 성(姓)의 하나. 본관은 부윤(富潤)·연일(延日)의 두 본이 있음.
승¹¹【勝】의명 일부 명사 아래 쓰이어 '승리'의 뜻을 나타내는 말. ¶ 5~1패(敗)/10전 10~.
승¹²【僧】명〖불교〗①중. ②신중¹.
승¹³【僧】명 성(姓)의 하나. 본관은 청주(淸州)·경주(慶州)·밀양(密陽)·함안(咸安)·영산(靈山)의 5 본임.
승가¹【僧伽】명〔범 samgha〕〖불교〗중.
승가²【僧家】명 ①중의 집. ②중들이 사는 사회. ③중들이 모이어 산다는 뜻으로, 절을 이르는 말.
승-가기【勝佳妓】명 잉어·조기로 도미 국수와 같이 만든 음식. 충청남도 공주(公州)의 명물임.
승가난제【僧伽難提】명〖사람〗불교 17대 조사(祖師). 석가의 제17대 제자. 실라벌(室羅伐) 사람. 나후라다(羅睺羅多)에게서 전발(傳鉢)을 받고 가사사다(伽邪舍多)에게 전의하고 입멸함. [?-74]
승가람【僧伽藍】명〖불교〗↗승가람마(僧伽藍摩).
승가람마【僧伽藍摩】명〔범 samgharama〕〖불교〗승려(僧侶)가 살면서 불도(佛道)를 닦는 곳. 절에 딸린 집들을 이름. 준가람(伽藍)·승가람(僧伽藍).
승가리【僧伽梨】명〔범 samghāti〕〖불교〗삼의(三衣)의 하나로 구조(九條) 이상의 옷. 승려가 입는 붉은빛의 큰 예복. 중복의(重複衣).
승가-사【僧伽寺】명〖지〗서울 특별시 종로구 구기동(舊基洞) 북한산(北漢山)의 비봉(碑峰) 밑에 있는 절. 대한 불교 조계종 직할 교구 본사인 조계사의 말사(末寺). 신라 경덕왕 15년(756)에 수태(秀台)라는 중이 서역(西域)의 승가 대사(僧伽大師)를 추모하여, 이 곳에 굴을 파고 돌로 승가 대사의 모양을 새겨 놓으며 창건. 불당(佛堂)은 6·25 때 소실(燒失)된 것을 중건(重建)한 것임.
승가사 석조 승가 대:사상【僧伽寺石造僧伽大師像】명 서울 특별시 종로구 구기동(舊基洞) 승가사 승가굴(僧伽窟)에 있는 고려 시대에 만든 화강암제 승상(僧像). 승가 대사는 인도의 고승으로 중국 당(唐) 나라에 전도했음. 좌상(坐像)인데 높이 76 cm, 광배(光背) 높이 1.3 m인 등신대(等身大)로 보물 제 1,000 호.
승간【乘間】명 승극(乘隙). ——-하다 자여불
승감【升鑒】명 '드리오니 보아 주시오'라는 뜻으로, 편지 겉봉의 받을 사람의 이름 밑에 쓰는 말.
승강¹【昇降·陞降】명 ①오르고 내림. 등강(登降). ¶ ~기(機). ②음양(陰陽)의 기(氣)의 오르고 내림. ③성함과 쇠함. 성쇠(盛衰). ④〈속〉서로 제 주장을 고집하여 굽히지 아니함. 시애(撕捱). ——-하다 자여불
승강²【乘降】명 기차·자동차 따위를 타고 내림. ——-하다 자여불
승강³【僧綱】명〖불교〗삼강(三綱)❷.
승강-계【昇降計】명 승강 속도계.
승강-교【昇降橋】명〖토〗승개교(昇開橋).
승강-구【昇降口】명 층계의 오르내리는 출입구.
승강-기【昇降機·陞降機】명 고층 건물(高層建物) 같은 데서 사람이나 물건을 위아래로 운반하는, 동력(動力)으로 움직이게 된 장치(裝置). 엘리베이터(elevator). 리프트(lift).
승강-률【昇降率】[—뉼] 명〖항공〗항공기가 위아래로 이동하는 속도의 율. 보통 일 분간의 승강률은 500 피트 정도임.
승강-석【陞降石】명 섬돌.
승강 속도계【昇降速度計】명〖물〗항공기의 승강 속도를 재는 데 쓰는 계기(計器). 모세관(毛細管)을 통해서, 밀폐(密閉)한 상자 속의 공기가 서서히 빠져 나가는 원리를 이용함.
승강-이【昇降—】명 서로 자기 주장을 고집하여 옥신각신함. ¶ ~를 벌이다. ——-하다 자여불
승강이-질【昇降—】명 승강이를 하는 짓. ——-하다 자여불
승강-장【昇降場·乘降場】명 정거장 또는 정류소의 차를 타고 내리는 곳. 플랫폼(platform).
승강-키【昇降—】명 비행기의 승강(昇降)이나 안정을 위한 조종에 쓰이는 키. 꼬리날개의 안정판(安定板) 뒤에 붙어 있어서 움직이게 되어 있음. 승강타. *방향키·수평 안정판(板).
승강-타【昇降舵】명 승강키.
승개【勝塏】명 경치 좋은, 높고 밝은 곳.
승개-교【昇開橋】명〖토〗가동교(可動橋)의 하나. 양쪽 끝에 철탑(鐵塔)을 만들어 교체(橋體)가 오르내리게 만든 다리. 하천(河川)·운하(運河) 같은 데서 선박의 통행을 위하여 만듦. 승강교(昇降橋). *도개교(跳開橋)·선개교(旋開橋).

〈승개교〉

승객【乘客】명 차·배 또는 비행기 등을 타는 손님.
승객 명부【乘客名簿】명 항공기·선박 등에 비치하여, 승객의 성명·주소·연령 등을 기입하는 장부.
승건【僧巾】명 중이 쓰는 건(巾).
승건-김치 명〈방〉성건지(함경).
승검-초【—草】명〖식〗[*Angelica uchiyamana*] 미나릿과에 속하는 다년초. 애당귀와 비슷한데, 높이 1 m 가량, 잎은 대생하며 우상복엽(羽狀複葉)이고, 열편(裂片)은 길이 30 mm 가량의 긴 타원형 또는 달걀꼴을 이룸. 8월에 포(苞)가 많은 흰 꽃이 산형(繖形) 화서로 피고, 길이 7 mm 가량의 열매를 맺는데 등자나무 껍질과 비슷한 향기가 남. 산지(山地)의 서늘한 곳에 나는데, 한국 중부와 북부의 특산임. 뿌리는 '당귀(當歸)'라 하여 중요한 한약재임. 취음: 신감채(辛甘菜).

〈승검초〉

어류의 한 과. 시끈가오리 하나가 알려져 있음.

시끈-하다 형여불 ☞시큰하다. ¶눈시울이 시끈해지다.

시끌-벅적 부 시끄럽고 어수선할 만큼 벅적거리는 모양. ——하다 형 여불

시끌벅적-거리다 자 시끄럽게 벅적거리다.

시끌벅적-대다 자 시끌벅적거리다.

시끌시끌-하다 형여불 ①이일 저일이 얽히어 정신이 어지럽다. ②정신이 어지럽도록 시끄럽다.

시끌짝-하다 형여불 ☞시끌시끌하다.

시끼댕이 명 〈방〉 새끼¹(경북).

시끼-저름 명 〈방〉 수수께끼(경상).

시끼-저리 명 〈방〉 수수께끼(경상).

시:끽 【試喫】 명 담배 개발 과정에서, 현재 개발 중인 시제품과 시중의 특정 담배를 번갈아 피워 자극성, 맛과 향기, 빨리는 정도 등을 비교·평가하는 일. ——하다 타여불

시나고그 〔synagogue〕 명 『종』 유태인의 종교상의 집회 및 예배 장소로서의 회당(會堂). 유태교 회당.

시나노 강 【一江】 〔信濃: しなの〕 명 일본의 중앙부를 흐르는 강. 나가노 현(長野縣)과 니가타 현(新潟縣)의 물이 모여서 동해(東海)로 흘러듦. 일본에서 가장 긴 강임. [367 km]

시나리오 〔scenario〕 명 『연』 영화·텔레비전의 각 장면이나 그 순서, 배우의 대사(臺詞)·동작 등을 적은 대본(臺本). 제작상의 기교(技巧)를 염두에 두고 플롯(plot)을 구체적이고 극적으로 구성하며 특수한 용어를 써서 배우의 회화나 동작을 규정함. 각본(脚本). 영화 각본.

시나리오 라이터 〔scenario writer〕 명 『연』 영화·텔레비전 등의 각본을 쓰는 사람. 스크립트 라이터. 각본가.

시나리오 문학 【一文學】 〔scenario〕 명 『문』 시나리오는 문자로 씌어지므로, 영화를 위하여 씌어졌다 하더라도 희곡(戲曲)이 문학인 것같이, 문학으로서 독립할 수 있다고 하는 주장에서 이르는 말.

시나몬 〔cinnamon〕 명 향신료(香辛料)의 하나. 녹나뭇과(科) 육계속(肉桂屬)에 속하는 나무, 특히 실론(Ceylon) 육계의 말린 나무 껍질 또는 그 가루. 자극적인 독특한 향기가 있음. 육계(肉桂). 계피(桂皮).

시나므로 부 〈방〉 시나브로.

시나브로 부 ①알지 못하는 사이에 조금씩 조금씩. ¶모아둔 돈을 ~ 다 쓰다/ 병이 ~ 낫다. ②다른 일을 하는 사이사이에. ¶~ 다 해치우다.

시나위 명 『악』 속악(俗樂)의 하나. 향피리·대금(大笒)·해금(奚琴)·장구로 편성되는 합주로, 남도(南道)의 무악(巫樂)임. *산조(散調).

시나이 명 〈방〉 사나이(황해).

시나이 문자 【一文字】 〔Sinai〕 〔一짜〕 명 시나이 반도에서 1904-35년에 걸쳐 발견된 약 50개의 비문(碑文)의 문자. 표음 문자로, 기원전 18-15세기의 것이라고 추정(推定)되며 이집트의 상형 문자(象形文字)와 셈 자모(Sem字母)의 중간 단계를 나타내는 것임.

시나이 반:도 【一半島】 〔Sinai〕 명 『지』 이집트의 북동쪽 끝 지중해 연안을 밑변으로 하고 홍해(紅海)에 돌출한 정점(頂點)을 갖는 삼각형의 반도. 아라비아 반도와 아프리카 대륙을 연결함. 지형은 사막·구릉(丘陵)이 많고 유목민(遊牧民)이 거주함. 통일 아랍 공화국 영토였으나, 1967년 6월 중동 전쟁 이후 이스라엘이 점령한 후, 1979년 2월 이스라엘과 이집트·아랍 공화국 간에 평화 조약이 조인되어 시나이 반도로부터 이스라엘군이 전면 철수하였고 1982년 이집트에 반환됨. [59,570 km²] *시내산.

시나이 사본 【一寫本】 〔Sinai〕 명 〔Codex Sinaiticus〕 『성』 1884년 시나이 반도에 있는 성카타리나 수도원(聖Catharina 修道院)에서 발견된 사본. 신구약 성서와 몇 개의 경외전(經外典)이 그리스어로 씌어져 있음. 4세기경의 것으로 추측되며, 현재 런던의 대영(大英) 박물관에 있음.

시나중이 명 〈방〉 사내아이(함남).

시나트라 〔Sinatra, Frank〕 명 『사람』 미국의 가수·영화 배우. 여러 밴드(band) 가수를 거쳐 1942년에 독립, 감미로운 목소리로 스타의 지위를 굳힘. 1953년에는 영화 《지상에서 영원으로》에서 아카데미 조연상(助演賞)을 획득함. [1915-]

시난-고난 부 병이 점점 더 심하여 가는 모양. ¶지아비란 자는 오래 전부터 마목에 들어 울 밖에 초막을 치고 ~ 숨만 붙어 있는 처지라고 합디다요《金周榮: 客主》.

시난-아이 명 〈방〉 사내아이(황해·평안).

시난트로푸스 〔라 Sinanthropus〕 명 ↗시난트로푸스 페키넨시스.

시난트로푸스 페키넨시스 〔라 Sinanthropus pekinensis〕 명 『인류』 베이징인(北京人). 베이징 원인(北京原人). 준시난트로푸스.

시난 파 【一派】 〔중 西南〕 명 『정』 중국의 민국(民國) 이후에 주로 광둥(廣東)·광시(廣西) 두 성(省)을 근거지로 하여, 후 한민(胡漢民)·친지탕(陳濟棠) 등을 영수(領袖)로 한 군벌 정치 세력(勢力). 서남파.

시:납 【施納】 명 『불교』 절에 시주로 금품 따위를 바침. ——하다 타여불

시낫 명 〈방〉 세 개(경상).

시낭 【詩囊】 명 시의 원고를 넣어 두는 주머니.

시:내¹ 명 산골짜기나 평지에서 흐르는 그리 크지 아니한 내.

시:내² 【市內】 명 도시(都市)의 안. 시의 구역 안. ¶~ 구경. ↔시외(市外). *부내(府內).

시:내 버스 【市內一】 〔bus〕 명 어떤 시내에서 일정한 구간(區間)을 운행하는 버스. ↔시외 버스.

시내-산 【一山】 〔Sinai〕 명 『성』 구약 성서의 《출애급기(出埃及記)》에 나오는 산. 고대 이스라엘 백성이 모세에 인솔되어 이집트를 탈출, 가나안 땅으로 돌아가려고 표박(漂泊)하였던 땅임. 모세는 이곳에서 여호와 신(神)으로부터 십계명(十誡命)을 받았다고 함. 시나이 반도의 중남부에 있는 높이 2,285 m인 제벨무사 산(Gebel Musa山)이라고도 함.

시:-내(:)암 【施耐庵】 명 『사람』 중국 원말(元末)에서 명초(明初)에 걸친 소설가. 화이안(淮安) 사람. 이름은 자안(子安). 내암은 그의 자(字). 《수호지(水滸誌)》의 작자로 전해짐. 《삼수평요전(三遂平妖傳)》·《지여(志餘)》 등도 저술하였다고 함. 행적과 생몰 연대는 불명.

시:내 전:화 【市內電話】 명 동일(同一)한 가입 구역내의 전화국에 수용된 전화. ↔시외 전화.

시:내-판 【市內版】 명 주로 시내(市內)에서 발생한 일을 편집하여 시내에만 배부하는 신문. ↔지방판(地方版).

시내해 〈옛〉 시내에. '시내¹'의 처격형(處格形). =시내헤. ¶浣花ㅅ 시내해 藥을 싯노라(洗藥浣花溪)《杜諺 XV:21》.

시내헤 〈옛〉 시내에. '시내¹'의 처격형(處格形). =시내해. ¶프른 시내헤 몬져 蛟龍이 굼기 잇ᄂᆞ니(青溪先有蛟龍窟)《杜諺 XV:20》.

시내히 〈옛〉 시내가. '시내¹'의 주격형(主格形). ¶시내히 뷔니 구루미 고지 바랏도다(溪虛雲傍花)《初杜諺 XV:19》.

시내ᄒᆞ로 〈옛〉 시내로. '시내¹'의 향진격형(向進格形). ¶시내ᄒᆞ로 므리 ᄃᆞ라 브엣ᄂᆞ티 녀놋다(溪行水奔注)《重杜諺 XII:40》.

시내ᄒᆞᆫ 〈옛〉 시내는. '시내¹'의 절대격형(絶對格形). ¶ᄆᆞ룸과 시내ᄒᆞᆫ 돌 불휘와 다뭇 ᄒᆞ얏도다(江溪共石根)《杜諺 X:44》.

시냅스 〔synapse〕 명 『생』 신경 세포의 신경 돌기가 딴 신경 세포에 접합하는 부위(部位).

시냅스 혹 〔synapse〕 명 『의』 종말 버튼.

시:냇-가 명 시냇물이 흐르는 그 가의 땅. 시내의 가. 계변(溪邊). 계수변(溪水邊). ¶~의 버드나무.

[시냇가 돌 닳듯] 시련(試鍊)을 받는 모양.

시냇-강변 【一江邊】 명 〈방〉 시냇가.

시:냇-물 명 시내에 흐르는 물. 계수(溪水).

시냐크 〔Signac, Paul〕 명 『사람』 프랑스의 근대 화가. 쇠라(Seurat)와 함께 디비조니슴(divisionnisme)의 화풍을 구성하였고, 신인상파(新印象派)의 작가 및 이론가로 활약하였음. 앵데팡당 전(indépendants展) 창립에 참여하고 회장을 역임. [1863-1935]

시너 〔thinner〕 명 『화』 도료(塗料), 특히 래커에 넣는 희석제(稀釋劑). 보통 아세트산(酸) 에틸·아세트산 부틸(butyl)·아세트산 아민·부탄올(butanol) 따위의 혼합물이 쓰임. 인화성(引火性)이 강하여 화재의 원인이 되기 쉬움. 페인트를 묽게 하거나 얼룩을 빼는 데 쓰임.

시네라리아 〔cineraria〕 명 『식』 [*Senecio cruentus*] 국화과에 속하는 일년생 또는 이년생 초본. 높이 30-50 cm이고, 흰 면모(綿毛)로 덮였는데 잎은 달걀꼴 또는 삼각형에 파상(波狀)의 톱니가 있음. 초여름부터 초가을에 걸쳐 홍색·자색·남색·백색 등의 두상화(頭狀花)가 방상(房狀)으로 핌. 카나리아(Canaria) 섬의 원산(原産)으로, 온실 등에서 관상용으로 재배함.

〈시네라리아〉

시네라마 〔Cinerama〕 명 『연』 와이드 스크린(wide screen) 방식에 의한 영화. 또, 그 상표. 세 개의 렌즈를 가진 특수 카메라로 세 개의 필름에 촬영한 것을 석 대의 영사기로 폭 51피트, 높이 25피트의 요면(凹面) 스크린에 영사하는데, 입체 녹음을 병용함. 이후 한 대의 촬영기로 촬영하여 한 대의 영사기로 영사하는 방식이 개발됨.

시네마 〔cinema〕 명 『연』 ①영화(映畫)❶. ②영화관(映畫館). ③↗시네마토그래프.

시네마 드라마 〔cinema drama〕 명 『연』 영화극(映畫劇).

시네마 베리테 〔프 cinéma vérité〕 명 프랑스에서, 누벨 바그(nouvelle vague)에 이어 일어난 새로운 영화 운동. 진실(眞實)을 있는 그대로 표현하는 것이 그 골자로, 카메라를 숨겨 찍거나 텔레비전의 가두 녹화(街頭錄畫)와 같은 수법(手法)을 존중함.

시네마-스코:프 〔Cinema-Scope〕 명 『연』 와이드 스크린 방식의 한 영화. 또, 그 상표. 보통의 영사기에 특수 렌즈를 사용하여 보통의 필름에 넓은 범위를 압축·촬영하고 같은 렌즈를 써서 다시 확대하여 영사함. 화면의 종횡(縱橫)의 비율은 보통의 것이 1:1.33인데 비(比)하여 1:2.55이며 이와 아울러 음향의 입체화(化)가 그 특징임. 1953년 미국에서 개발되었음. 준시네스코.

시네마토그래프 〔cinematograph〕 명 『연』 ①영사기(映寫機). 영화 촬영기. ②영화. 키네마(kinema). 준시네마.

시네마-투르기 〔cinema+도 turgie〕 명 『연』 영화의 작극법(作劇法). 영화를 한 개의 극형식으로 생각하고 그 극적 구성을 추구하는 이론.

시네-미러클 〔cine-miracle〕 명 와이드 스크린 방식의 한 가지. 석 대의 카메라로 촬영하여 한 영사실에서 석 대의 영사기로 영사(映寫)하는 영화. 스크린의 크기와 화상(畫像)의 효과도 시네라마와 거의 같음.

시네스코 명 『연』 ↗시네마스코프.

시네스테지 〔도 Synästhesie〕 명 『심』 공감각(共感覺).

시네아스트 〔프 cinéaste〕 명 『연』 영화 예술가. 영화인(映畫人).

시네-카메라 〔cinecamera〕 명 영화 촬영기.

시네-컬러 〔cinecolor〕 명 『연』 천연색 영화의 한 가지. 이색(二色) 또는 삼색 감색법(三色減色法)에 의함. 테크니컬러에 비하여 색채 효과는 떨어지나 경비(經費)가 비교적 적게 듦.

시네-코닥 〔Cine-Kodak〕 명 미국의 이스트먼 코닥 회사에서 만들어 파는 16밀리 영화 촬영기.

시네-포엠 〔프 ciné-poème〕 명 『문』 영화의 수법(手法)으로 나타낸 시(詩). 영화시(映畫詩).

시:녀 【侍女】 명 ①궁녀(宮女). 여관(女官). ②가까이 있어 시중드는 여자 종. 시비(侍婢).

시:녀 상궁 【侍女尙宮】 명 『역』 조선 시대에, 지밀(至密)에서 모시며,

서적·문서에 관한 일이나, 시위(侍衛)·전도(前導)에 관한 일 등을 담당하는 상궁. *보모 상궁.
시:노¹【侍奴】명 시중을 드는 종.
시노²【柴奴】명 땔나무를 하는 머슴.
시노님〔synonym〕명〖언〗동의어(同義語). ↔안토님.
시-노비【寺奴婢】명〖역〗조선 시대에, 사섬시(司贍寺) 등 중앙 각 사(司)에 속한 노비.
-시노소니 어미〈옛〉-시니. -시오니. ¶西方애 聖人이 나시노소니《月釋Ⅱ:49》.
-시노소이다 어미〈옛〉'-시노라'의 겸양체(謙讓體). ¶오놀 또 우업슨 킃 큰 法輪을 옮기시노소이다(今乃 復轉無上最大法輪ㅎ시노소이다)《妙蓮Ⅱ:47》.
시노티베트 어:족【一語族】명〔Sino-Tibetan Languages〕서쪽으로는 인도의 카슈미르에서 티베트와 중국 대륙을 지나 동쪽의 타이완에 이르고, 북쪽으로는 중앙 아시아에서부터 남쪽의 동남 아시아에 이르는 넓은 지역에 분포하는 어족. 이 어족에 속하는 언어는 약 300종. 전에는 인도차이나 어족이라고 일컬어졌었음.
시노폴리〔Sinopoli, Giuseppe〕명〖사람〗이탈리아의 지휘자. 1978년 베르디의 《아이다》를 지휘, 성공을 거두어 오페라 지휘자로서 명성을 굳힘. 오페라뿐 아니라 브람스·말러의 합창곡, 교향곡 지휘에도 인기가 높음. [1946-]
-시논 어미〈옛〉-시는. ¶訓民正音은 百姓 ᄀᆞᄅᆞ치시논 正훈 소리라《訓諺》.
시놀로지〔sinology〕명 중국학(中國學).
시뇌-악【詩腦樂】명〖악〗사뇌악(詞腦樂).
시-뇨【屎尿】명 똥과 오줌.
시뇨렐리〔Signorelli, Luca〕명〖사람〗이탈리아의 움브리아(Umbria)파의 화가. 동적(動的)이고 힘있는 나체 묘사(裸體描寫)에 능하고, 인체의 운동이나 포즈를 통하여 내면적·정신적인 것의 표현에 성공함. 대표작에 오르비에토(Orvieto) 성당에 있는 벽화 《최후의 심판》이 있음. [1441?-1523]
시누【媤一】명 ↗시누이.
[시누 하나에 바늘이 네 쌈] 흔히, 시누이가 올케에게 심하게 군다는 말.
시누-대 명〈방〉〖식〗식대.
시-누렇다[一러타]형ㅎ불 ☞ 싯누렇다.
시-누레 준 ☞ 싯누레.
시-누레지다 자 ☞ 싯누레지다.
시누스-샘 명〔sinus gland〕〖생〗갑각류(甲殼類)의 내분비선(內分泌腺). 탈피(脫皮)를 조절하는 호르몬을 분비함. 혈동선(血洞腺).
시누아즈리〔프 chinoiserie〕명 서유럽의 로코코 미술(rococo美術)에서 성행(盛行)한, 중국풍의 장식 모티프(裝飾motif) 또는 그것을 사용한 미술 공예품. 16세기 후반 이후 서유럽에 수입된 중국의 미술 공예품 특히 도자기의 애호 수집(愛護蒐集)의 풍조에서 생겼음.
시누 올케【媤一】명↗시누이 올케.
시-누이【媤一】명 남편의 누이. 소고(小姑). 숙매(叔妹). 준시뉘·시누.
시누이 올케【媤一】명 시누이와 올케. 준시뉘올케·시누올케.
시뉘【媤一】명 ↗시누이.
시뉘 올케【媤一】명 ↗시누이 올케.
시늉 명 어떠한 모양이나 움직임을 흉내내는 짓. ¶죽는 ~을 하다. ——하다 자여불
시늉 글자[一짜]명 상형 문자(象形文字).
시늉-말 명 흉내말.
시늠-시늠 부 ☞ 시름시름.
시니슴〔프 cynisme〕명 시니시즘(cynicism).
시니시즘〔cynicism〕명 ①키니코스 학파(Kynikos學派)의 입장. 견유주의(犬儒主義). ②냉소주의(冷笑主義). 냉소벽(冷笑癖).
시니어¹〔senior〕명 ①연장자. 선배(先輩). ②상급생. ↔주니어(junior).
시니어²〔Senior, Nassau William〕명〖사람〗영국의 경제학자. 제욕설(制慾說)을 주창(主唱)하여, 후의 이윤 학설(利潤學說)에 영향을 끼쳤음. 저서에 《경제학 강요(經濟學綱要)》 등이 있음. [1790-1864]
시니어 하이 스쿨:〔미 senior high school〕명〖교〗미국의 중등 학교에서 6·3·3제(制) 과정의 10-12년급(年級)에 해당되는 학교. 우리 나라의 고등 학교에 해당함.
-시니이다 어미〈옛〉-셨습니다. -시니이다. -셨사옵니다. ¶聖孫올 내시니이다(聖孫出兮)《龍歌 8章》.
시니컬〔cynical〕명 시닉❶. ——하다 형여불
시니피앙〔프 signifiant〕명〖언〗언어 기호에 의해 표현되는 음향 심상(音響心象). 스위스의 언어 학자 소쉬르(Saussure, F.de)에 의해 규정된 용어로, 의미(意味)하는 개념을 '시니피에(signifie)'라고 일컫는 데 대한 말.
시니피에〔프 signifié〕명〖언〗언어 기호에 의해서 의미되는 개념. 소쉬르(Saussure, F. de)의 용어. ↔시니피앙.
시닉〔cynic〕명 ①키니코스 학파적(Kynikos學派的)임. 견유적(犬儒的). 냉소적(冷笑的). 시니컬. ②키니코스 학파에 속하는 사람. 빈정대는 사람. ——하다 형여불
시님 명〈방〉〖불교〗①스님. ②여승(女僧)(경기·강원).
시닝〔西寧〕명〖지〗중국 칭하이 성(青海省)의 주도(主都). 오지 교역(奧地交易)의 중심지임. 한족(漢族)·헌두족·몽고족·티베트족이 혼주(混住)하는데, 양모·피혁·식염(食塩)을 집산함. 서남의 타얼 사(塔爾寺)는 황교 개조(黃教開祖) 총카파(Tsongkha-pa)의 탄생지임. 서녕. [518,816명(1987)]
-시ᄂᆞ니 어미 -시느니. ¶民瘼을 모ᄅᆞ시면 하ᄂᆞᆯ히 ᄇᆞ리시ᄂᆞ니《龍歌 116章》.
-시ᄂᆞ닝잇고 어미〈옛〉-시나이까. -십니까. ¶길분이 닐오ᄃᆡ 주글 죄슈를 엇뎨 갈홀 벗기시ᄂᆞ닝잇고 ᄒᆞ야ᄂᆞᆯ(⿰弗聽曰 死囚豈可滅乎)《三綱 吉⿰》.
시다¹ 자타〈방〉쉬다³(전라·경상).
시:다² 타〈방〉세다²(전라·경상·충청·강원). ¶사람을 ~.
시다³ 타〈방〉쓰다⁴(경상).
시다⁴ 타〈방〉켜다(경북).
시다⁵ 형 ①맛이 초의 맛과 같다. ②눈이 강한 빛을 받아 슴벅슴벅 찔리는 듯하다. ③뼈마디가 삐어서 시근시근하다. ④하는 짓이 눈에 벗어나 비위에 맞지 않다.
【시거든 떫지나 말고 얽거든 검지나 말지】사람이 못났으면 착실하기나 하고 재주가 뛰어나지 못하면 소박하기나 했으면 좋을 것이라는 뜻으로, 아무 짝에도 쓸모가 없는 사람을 이르는 말.【시기는 모과 잔등이다; 시기는 산(山) 개미 똥구멍이다】㉠음식의 맛이 몹시 실 때 이르는 말. ㉡사람의 행동이 몹시 눈에 거슬리어 증오심이 일어날 때 하는 말.
시다⁶ 형〈방〉세다⁴(경상·전라). ¶힘이 ~.
시다리다 자타〈방〉시달리다.
시:다-림【尸陀林】명〖불교〗①인도 마가다국(Magadha國) 왕사성(王舍城) 북쪽 교외에 있던 숲. 성문(城門) 안 사람의 묘지(墓地)였음. ②새로 죽은 사람에게 마지막으로 하는 설법. ——하다 자여불
시:다림 법사【尸陀林法師】명〖불교〗죽은 사람에게 최후로 설법하는 법사.
-시다소이다 어미〈옛〉-시더이다. '-시도다'의 겸양체(謙讓體). =-시다ᄉᆞ이다. ¶小乘을 일운 聲聞弟子ㅣ라 니ᄅᆞ시다ᄉᆞ이다(成就小乘 聲聞弟子ㅣ라 ᄒᆞ시다ᄉᆞ이다)《妙蓮Ⅱ:246》.
-시다ᄉᆞ이다 어미〈옛〉-시더이다. =-시다소이다. ¶世尊ㅅ 다시 아니시다ᄉᆞ이다(非世尊也ㅣ시다ᄉᆞ이다)《妙蓮Ⅱ:5》.
시닥-나무 명〖식〗[*Acer tschonoskii*] 단풍나뭇과에 속하는 낙엽 활엽의 작은 교목. 잎은 대생하고 장상(掌狀)에 3-5 갈래로 째지고 열편(裂片)은 톱니가 있으며, 잎대는 홍색을 띠고 잎 뒤 주맥(主脈)에는 갈색의 털이 났음. 6-7월에 황색 꽃이 자웅 일가(雌雄一家)로 된 총상(總狀) 화서로 피고, 시과(翅果)는 10월에 익음. 높은 산의 숲 속에 나는데, 거의 한국 각지 및 만주에 분포함. 정원수로 심음.

〈시닥나무〉

시닥채-나무 명〈방〉〖식〗신나무²(황해).
시단¹【翅端】명〖충〗날개끝.
시단²【詩壇】명 시인들의 사회.
시:달【示達】명 ①상부에서 하부로 명령·통지 등을 문서로 전달하는 일. ②〖법〗행정 상의 지휘 감독권의 발동으로서 맡은 바 업무에 관하여 행하는 지시(指示)·주의(注意) 등의 행위. 훈령·통달·통첩(通牒) 등의 형식으로 함. ③관청에서 일반 국민에게 문서로 알리는 말. ——하다 타여불
시달리다 ⊟ 자 괴로움을 당하다. 휘달리다. ¶더위에 ~/압정(壓政)에 ~. ⊟ 타 괴롭게 굴다.
시:담¹【示談】명 ①싸움을 화해 붙이는 말. ②〖법〗민사 상(民事上)의 분쟁을 재판 이외에 당사자간에 해결하는 일. 또, 그 화해 계약. 이는 순연(純然)한 사법 상(私法上)의 행위임. 이 말은 우리 나라에서는 쓰이고 있지 않음.
시담²【詩談】명 시화(詩話)❶.
시답-잖다[一잔타]형 ↗시답지 않다. ¶거, 무슨 범절없는 말씀이오? 근력도 시답잖게 뵈는 젊은이가?《金周榮:客主》.
시답지-않다[一안타]형 보잘 것 없어 마음에 차지 아니하다. 준시답잖다.
시:당【市黨】명 행정 단위로서의 시(市)를 한 단위로 한 정당(政黨)의 조직. ¶대구 ~. *도당(道黨).
시당-나무 명〈방〉〖식〗신나무²(강원·황해·함남·평안).
시-당숙【媤堂叔】명 남편의 당숙.
시:대¹【屍臺】명〖고고학〗'주검받침'의 구용어.
시대²【時代】명 ①일정한 표준에 의하여 구분된 기간. 상당히 오랜 시간에 걸친 기간. ¶청년 ~/우주 ~. ②어떤 사물이 기년상(紀年上)에서 차지하는 위치. 연대(年代). ③그 당시. 당대(當代). ¶~의 총아/~상(相). ④세상. ¶~가 변했다. ⑤시간이 경과하여 고색이 창연한 것. ¶~ 소설.
시대 감:각【時代感覺】명 시대의 특성(特性)을 느낄 수 있는 감각. ¶~이 뛰어난 작가.
시대 고증【時代考證】명 영화·연극 등에서, 제재(題材)로 된 시대의 의상·도구·장치 등을 바르게 나타내기 위하여 조사하는 일.
시대 구분【時代區分】명 역사의 발전 과정을 파악하기 위하여 편의상 설정된 시간적 구분. 왕조(王朝)·정체(政體)·문화상의 중요 경향을 기준으로 하며 흔히 고대·중세·근세 등으로 구분함.
시대-극【時代劇】명〖연〗역사상의 어떤 시대의 사건을 가지고 꾸민 연극 또는 극영화(劇映畫). ↔현대극(現代劇).
시대극 영화【時代劇映畫】[一녕一]명〖연〗역사적인 제재(題材)를 다룬 극영화의 총칭.
시대기-나무 명〈방〉〖식〗신나무²(황해).
시대-나무 명〈방〉〖식〗신나무²(함경).
시대리다 자타〈방〉시달리다.
시대-물【時代物】명 역사 상의 사건 등에서 취재·각색한 시대 소설·시대극 따위. ↔현대물.
시대-병【時代病】[一뼝]명 시대 풍조(時代風潮)에 따라 일어나는 건전하지 못한 폐해 또는 유행병. 세기병(世紀病).
시대 사:상【時代思想】명 어떤 시대의 사회 일반에 널리 통하는 사상.
시대 사조【時代思潮】명 한 시대의 일반 사회에 주류(主流)나 특색을 이루는 사상(思想).
시대-상【時代相】명 ①어떤 시대의 되어 가는 모든 형편. 한 시대의 사회상(社會相). ¶~을 반영한 작품. ②어떠한 시대 사상(思想)의 경향.
시대-색【時代色】명 그 시대 특유한 경향이나 특징. 그 시대의 특색.
시대-성【時代性】[一썽]명 어떤 시대의 특유한 사회적 성격.
시대 소:설【時代小說】명 과거의 어떤 한 시대를 배경으로 하여 쓴 소

시례 고:가【詩禮故家】명 시(詩)와 예(禮)가 여러 대로 이름 있는 집.

시례지-훈 【詩禮之訓】명 〔백어(伯魚)가 아버지인 공자(孔子)로부터 시와 예를 배워야 하는 까닭을 들었다는 고사에서〕 아버지가 아들에게 주는 교훈.

시로미 명〖식〗[*Empetrum nigrum*] 시로밋과에 속하는 상록의 작은 관목(灌木). 줄기는 땅으로 벋는데 길이 60-90cm이고, 잎은 선형(線形)에 가장자리가 뒤로 젖혀짐. 5-7월에 자색의 삼판화(三瓣花)가 액생(腋生)하여 자웅이가(雌雄異家)로 피고, 직경 5-6mm의 장과(漿果)는 가을에 흑색으로 익음. 높은 산에 군생(群生)하는데, 전남·함남·함북 및 일본·홋카이도·사할린·만주 등지에 분포함. 관상용이고 과실은 식용함. 암고란(岩高蘭).

〈시로미〉

시로밋-과【一科】명〖식〗[Empetraceae] 쌍자엽 식물 이판화류(離瓣花類)에 속하는 한 과. 전세계에 너덧 종, 한국에는 시로미 한 종류가 분포함.

시로세트 가공【一加工】〔Csiro-set〕명 〔시로는 발명자인 오스트레일리아 연방 과학 산업 연구 기구의 약자〕 모직물에 영구적인 주름을 잡는 가공. 과거에는 티오글리콜산(thioglycol酸) 암모니아액(液)을 사용하여 증기(蒸氣) 프레스하였으나 현재는 모노에탄올아민의 아황산염 또는 산성 아황산염을 사용함. 바지·스커트에 이용됨.

시로코 〔이 scirocco〕명 아프리카 북부에서 발생하여 남이탈리아·시칠리아 섬, 그 밖에 지중해 주변 지방에 몰아치는 열풍(熱風). 지중해(地中海)상에서 동진(東進)하는 저기압의 난역(暖域)에서 발생함. 종종 사막의 모래 먼지를 몰고 옴.

시로코 선풍기【一扇風機】〔이 scirocco〕명 '다익 팬(多翼 fan)'의 통칭.

시:록【尸祿】명 하는 일 없이 녹(祿)만 받아 먹는 일. 시위 소찬(尸位素餐).

시:록-림【施鹿林】〔一님〕명 녹야원(鹿野苑).

시론¹【時論】명 ①한 시대의 여론(輿論). 당시(當時)의 세론(世論). ②그때그때 일어나는 시사(時事)에 대한 평론·의론(議論). ③〖역〗조선 정조(正祖) 때, 벽론(僻論)과 맞서던 시파(時派)의 당론(黨論).

시론²【詩論】명 시 일반의 본질·양식에 관한 이론. 아리스토텔레스의 ≪시학≫, 유협(劉勰)의 ≪문심 조룡(文心雕龍)≫ 등이 시론으로서 유명함. 시학(詩學).

시:론³【試論】명 ①〔essay의 역어(譯語)〕 소론(小論). ②시험삼아 해 보는 의론(議論).

시:롱 반:락【始弄返樂】〔一발一〕명 〖악〗 국악에서 계면조(界面調)인 농으로 시작하여 중간에서 평조(平調)로 변조하여 우락(羽樂)으로 넘어가는 일.

시뢰¹【豕牢】명 ①돼지 우리. ②뒷간.

시뢰²【恃賴】명 믿고 의지함. 의뢰(依賴). 시빙(恃憑). ——하다 타여불

시:료¹【施療】명 무료(無料)로 치료를 베풂. ——하다 타여불

시료²【詩料】명 시를 읊거나 짓는 재료. 시재(詩材).

시:료³【試料】명 시험·검사·분석 등에 쓰이는 물질 또는 생물. 시험 재료(試驗材料). 검체(檢體).

시:료 환:자【施療患者】명 가난하여 무료로 치료를 베풀어 주는 환자.

시루 명 〔중세: 시르〕 떡이나 쌀 등을 찌는 데 쓰는 둥근 질그릇. 모양이 자배기 같고 바닥에 구멍이 예닐곱개 뚫려 있음. 요즘에는 알미늄이나 스테인리스로 네모나게 만든 것이 주로 쓰임. 증(甑).

[시루에 물 퍼붓기] 많은 비용을 들이고 수고를 하여도 효과가 없는 일.

시룻방석
시루
시룻번
솥

〈시루〉

시루다 타 〈방〉 ①겨루다. ②켕기다(경상).

시루-떡 명 떡가루에 콩·팥 등을 섞은 것으로 켜를 안치어 시루에 찐 떡. 증병(甑餠).

시루-맙다 형 〈방〉 (눈이) 시다(충청). ¶해가 부셔 눈이 ~.

시루-편 명 〈방〉 시루떡.

시룸 〈옛〉 실음. '싣다'의 명사형. ¶地는 싸히니 ᄡᅡ해 지븐 것 시루미 술위예 시루미 ᄀᆞᄐᆞᆯᄊᆡ ≪月釋 I:38≫.

시룻-밑 명 가는 새끼·댕댕이덩굴의 줄기 등으로 떠서 만든, 시루의 밑에 까는 제구. 시룻 구멍을 가려서 그 안의 물건이 새지 못하게 함.

시룻-방석【一方席】명 짚으로 둥글고 두껍게 틀어 만든, 시루를 덮는 제구.

시룻-번 명 시루를 솥에 얹을 때, 그 틈에서 김이 새지 않게 하기 위해 바르는 물건. 흔히, 쌀무거리나 밀가루를 반죽하여 씀. 준번.

시룽-거리다 자 점잖지 못한 언행으로 보기 싫게 실떡거리다. >새롱거리다. 시룽-시룽 부 ¶가까이 가서 ~ 말을 건 것도 그리 어색하지 않고 자연스러웠다≪李孝石: 들≫. ——하다 형여불

시룽-대다 자 시룽거리다.

시룽-새룽 부 싱숭생숭. ——하다 형여불

시룽-쟁이 명 〈방〉 실없쟁이.

시류【時流】명 그 시대의 풍조(風潮). 당시의 경향(傾向). ¶~를 타다.

시:륙【弑戮】명 시살¹(弑殺). ——하다 타여불

시르 명 〈옛〉 시루. ¶시르 증(甑)≪字會 中 10≫/시르(甑)≪老乞 下 30≫.

시르다리야 강【一江】〔Syr Dar'ya〕명〖지〗 중앙 아시아의 톈산 산맥(天山山脈) 서쪽에서 발원(發源)하여 카자흐스탄 공화국을 가로지르고 아랄 해(Aral 海)로 흘러 들어가는 강. 고래로 하도(河道)의 변천이 많은 것으로 유명하며, 여러 군데에 수력 발전소가 있으며 관개(灌漑)와 주운(舟運)의 편이 좋음. [2,204km]

시르며 타 〈옛〉 시름하며. '시름다'의 활용형. ¶네 저긔 鮑照를 兼ᄒᆞ니 시르며 업드르리로다(才兼鮑照愁絶倒)≪初杜諺 XV:39≫.

시르믿 명 〈옛〉 시룻밑. ¶시르 믿(甑箄兒)≪四聲 上 15 箄字註≫.

시르-죽다 자 ①기운을 못 차리다. ②기를 펴지 못하다.

[시르죽은 이] 몰골이 초췌하고 초라한 행색(行色)을 놀려 이르는 말. ¶생기가 연년이 줄어서 지금도 시르죽은 이같이 되었소≪洪命憙: 林巨正≫.

시름¹ 명 늘 마음에 걸리는 근심과 걱정. ——하다 타여불

시름² 명 〈옛〉 씨름. ¶우리 둘히 시름호되(咱兩箇捽)≪朴解 中 50≫.

시름-겹다 형ㅂ불 감당하지 못할 정도로 시름이 많다.

시름다 타 〈옛〉 시름하다. ¶ᄒᆞ다가 眞妄ᄋᆞᆯ 니저도 또 시르물 시르미니리라(若妄眞妄更愁人)≪南明 上 72≫.

시름답다 형 〈옛〉 근심스럽다. ¶辱ᄃᆞᄫᆡᆫ 일와 슬픈 일와 시름다ᄫᆞᆫ 이리다와댓거든≪釋譜 IX:8≫.

시름도왼 형 〈옛〉 근심된. 시름된. '시름ᄃᆞ외다'의 활용형. ¶긴 젓소리ᄂᆞᆫ 뉘 能히 시름도왼 ᄠᅳ들 亂히오ᄂᆞ니(長笛誰能亂愁思)≪重杜諺 XI:7≫. 「(鬼神沈幽愁之苦)≪圓覺 序 13≫.

시름ᄃᆞ외다 형 〈옛〉 시름없다. ¶귀신은 어드워 시름ᄃᆞ왼 苦애 잠겻고

시름-맞다 형 매우 시름에 겹다. ¶시름맞을 때나 외로울 때나 속이 상할 때면…≪李鳳九: 갑사≫.

시름-시름 부 〔←시늠시늠〕 병세가 더하지도 않고, 또 썩 낫지도 아니하면서 오래 끄는 모양. ¶~ 앓다 끝내 죽고야 말았다. 「다.

시름-없다 〔一업一〕 형 ①근심·걱정으로 맥이 없다. ②아무 생각이 없

시름-없이 〔一업씨〕 부 ①근심·걱정으로 맥없이. ②아무 생각 없이.

시름ᄒᆞ다 타 〈옛〉 시름하다. 근심하다. ¶큰 德을 새오ᅀᆞᄫᅡ 앉디 몯ᄒᆞ야 시름ᄒᆞ더니≪月印 上 9≫.

시:릉【侍陵】명 능을 모시는 일. ——하다 자여불

시:릉-관【侍陵官】명〖역〗 국상(國喪) 기간중에 능(陵) 옆에 여막(廬幕)을 짓고 능을 돌보던 환관(宦官).

시리¹ 명 〈방〉 시루(전라·경상·제주).

시:리²【市利】명 상업상의 이익.

-시리 어미 〈옛〉 -시리요. -시리이까. -실 것인가. ¶畏天之心애 긔 아니 ᄠᅳ디시리≪龍歌 116章≫.

시리다 형 몸의 어느 부분에 찬 기운을 느끼다. ¶손발이 ~.

-시리라스이다 어미 〈옛〉 -시리로소이다. '-시리라'의 겸양체(謙讓體). ¶ 大乘法을 니ᄅᆞ시리라스이다(說大乘法ᄒᆞ시리라스이다) ≪妙蓮 II:231≫.

시리아 〔Syria〕명〖지〗 ①서아시아에 있는 공화국. 정식 명칭은 '시리아 아랍 공화국(Syrian Arab Republic)'. 서쪽은 지중해, 남서쪽은 레바논에 접하고 북쪽은 터키, 동쪽은 이라크, 남은 요르단·이스라엘에 접함. 대체로 고원상(高原狀)이고, 기후는 온화하여 농업·목축 등이 성함. 주요 산물은 밀·면화·올리브·양모(羊毛) 등이며, 공업은 시멘트·설탕·면직물 등을 생산함. 주민은 아랍인이 대부분이고 이슬람교가 성함. 16세기 이래 터키령이었으나 1922년 프랑스 위임 통치령, 1946년 완전 독립, 1958년 이집트와 합방하여 통일 아랍 공화국을 이루었다가, 1961년 9월말의 군사 혁명으로 분리 독립을 선언함. 공용어는 아랍어임. 수도는 다마스쿠스. [185,180km²: 12,990,000명(1992)] ②넓은 뜻으로는, 서남 아시아의 지중해 동안(東岸), 아라비아 북방, 유프라테스 강 서방의 지역. 성서에 나오는 아람(Aram)의 땅. 제1차 세계대전 후 분할되어 영국·프랑스의 위임 통치령이 되었다가, 제2차 대전 후 시리아·레바논·이스라엘·요르단으로 나뉘고 각각 독립하였음.

시리아 문자【一文字】〔Syria〕〔一짜〕명〖언〗 셈(Sem) 문자의 하나. 아람(Aram) 문자의 지류(支流)로서 팔미라(Palmyra) 문자가 발달한 것으로 간주됨. 보통 우좌(右左)로 횡서하나 때로는 상하로 내려 쓰기도 함.

〈시리아 문자〉

시리아 사막【一沙漠】〔Syria〕명〖지〗 시리아·이라크·요르단·사우디아라비아의 여러 나라에 걸친 방대한 사막. 넓은 뜻으로는, 아라비아 사막에 속하며 북위 30° 이북을 말하나 명확한 경계는 없음. 지형은 남서부가 높고 그 일부에 드루즈 산지(Druz 山地)가 있고 동으로 향하여 경사를 이루고 있음. 강우량이 적고 주로 모래밭으로 되어 있음. 동부에는 유프라테스 강(Euphrates 江)이 흐르고 있으며, 이라크와 사우디아라비아 방면에서 송유관이 각처로 벋어 있음. [324,000km²]

시리아 아랍 공:화국【一共和國】명 〔Syrian Arab Republic〕〖지〗 시리아 공화국의 정식 이름.

시리아-어【一語】〔Syria〕명〖언〗 셈 어족(Sem 語族)에 속하는 언어의 하나. 원래는 2세기 이래 에데사(Edessa)를 중심으로 사용된 아람어(Aram 語)의 한 방언으로서, 후에 시리아와 서부 메소포타미아 지방의 기독교도의 언어가 되었음. 13세기경 아라비아어(Arabia 語)의 세력에 눌리기까지 여러 가지 문학을 낳았는데, 이 중에 특히 ≪페시타≫라 일컫는 성서 번역은 불후의 걸작임. 현대화된 신(新)시리아어는 오늘날에도 근동(近東)의 기독교도 일부에 의해 사용되고 있음. 전체로서의 시리아어는 그리스어로부터의 차용어(借用語)가 많음.

시리아 왕국【一王國】〔Syria〕명〖역〗 알렉산드로스 대왕의 부장(部將)이었던 셀레우코스(Seleukos) 1세가 창건한 왕국. 시리아를 중심으로, 소아시아·인도에까지 그 세력을 떨쳤으나, 셀레우코스의 아들 안티오코스(Antiochos) 1세에서 안티오코스 4세에 이르기까지 극심한 내우외환(內憂外患)을 겪어 국력이 쇠퇴하여져, 기원전 63년 폼페이우스

(Pompeius)에게 정복되어 로마의 속주(屬州)가 되었음. [132-63 B.C.]

시리우스-성【一星】〔Sirius〕 명 『천』 큰개자리의 α성(星). 온 하늘에서 가장 밝은 백색(白色) 별로, 절대 광도(光度)는 태양의 48배이며, 거리는 8.7광년(光年), 실시 등급(實視等級)은 －1.5 등, 질량(質量)은 태양의 2.3배, 반지름은 태양의 1.8배임. 쌍성(雙星)을 이루고 있으며, 오리온자리에 이어서 겨울 하늘을 장식함. 고대 이집트에서 태양력이 생겨난 기준이 된 항성(恒星)으로서 유명함. 천랑성(天狼星). 늑대별.

-시리이다 어미 〈옛〉 -시겠읍니다. ¶ 聖神이 니ᅀᆞ샤도 敬天勤民ᄒᆞ샤사 더욱 구드시리이다《龍歌 125章》.

-시리잇가 어미 〈옛〉 -시리이까. -시겠읍니까. ¶ 天下蒼生ᄋᆞᆯ 니ᄌᆞ시리잇가《龍歌 21章》. *-ᄋᆞ시리잇가.

-시리잇고 어미 〈옛〉 -시리이까. -시겠읍니까. ¶ 몃間ᄃᆞ지븨 사ᄅᆞ시리잇고《龍歌 110章》.

시리:즈〔series〕 명 ①연속. 한 조(組). ②문고(文庫). 총서(叢書). ③『연』 일련의 공통 인물을 주인공으로 한 두 편 이상의 영화. ④야구에서, 차례를 따라 계속하여 행하는 시합. ¶ 아메리칸 ～/월드 ～.

-시릴썩 어미 〈옛〉 -실 것이므로. ¶ 赤帝 니러나시릴씨(赤帝將興)《龍歌 22章》.

시:림[1]【始林】 명 『지』 계림(鷄林)❶.

시:림[2]【施林】 명 『불교』 사장(四葬)의 하나. 시체를 삼림(森林)에 방치하여 금수의 먹이가 되게 하는 장법(葬法). 임장(林葬). 야장(野葬).

시림[3]【詩林】 명 시를 모은 책.

시:립[1]【市立】 명 자치 단체인 시(市)의 경비로 설립·유지하는 일. ¶ ～ 병원/～ 도서관.

시:립[2]【侍立】 명 웃어른을 모시고 섬. ——하다 자 여불

시링샤〔西陵峽〕 명 『지』 중국 후베이 성(湖北省) 이창(宜昌) 북서쪽에 있는 협곡. 양쯔 강(揚子江)에 있는 취탕샤(瞿塘峽)·우샤(巫峽)와 함께 싼샤(三峽) 중의 하나로 예로부터 험한 곳으로 유명함. 뉴간마페이(牛肝馬肺) 등의 경승지가 있음. 서릉협.

시링크스〔syrinx〕 명 고대 그리스의 악기의 하나. 신화(神話)에 나오는 목양신(牧羊神)이 쓰던 피리로서 세계에서 가장 오래된 목관 악기(木管樂器)임. 세 개에서 아홉 개의 통으로 되었고, 파이프 오르간의 기초가 되었음.

시ᄅᆞ 명 〈옛〉 시루. ¶ 시ᄅᆞ(甑兒), 시ᄅᆞ밋(甑箅兒)《譯語 下 14》.

시ᄅᆞᆷ 명 〈옛〉 시름[1]. ¶ 人生은 有限ᄒᆞᆫ더 시ᄅᆞᆷ도 그지업다《松江 思美人曲》.

시마[1] 명 '동남풍(東南風)'의 뱃사람 말.

시마[2]【詩魔】 명 ①작시(作詩)의 염(念)을 불러일으키는 일종의 마력(魔力). ②시(詩)가 마도(魔道)에 떨어져서 시상(詩想)이 야비하고 바르지 못한 것.

시마[3]【緦麻】 명 상복(喪服)의 하나. 가장 가는 누인 베로 만들어, 종증조(從曾祖)·삼종형제(三從兄弟)·중증손(衆曾孫)·중현손(衆玄孫)·외손(外孫)·내외종(內外從) 등의 상사(喪事)에 석 달 동안 입는 복. 시마복.

시마[4]〔sima〕 명 『지』〔포함된 주요 원소가 규소(Si)와 마그네슘(Mg)이기 때문에 일컫는 말〕 지구 내부에서 시알(sial)의 밑, 곧 지하 수십 km로부터 약 1,200 km 깊이에 이르는 층(層). 칼슘이나 알루미늄을 다량 함유한 현무암질(玄武岩質) 물질로 이루어짐. *시알(sial).

시마네 현【一縣】〔島根：しまね〕 명 『지』 일본 혼슈(本州) 서단의 북쪽, 일본해에 면한 현. 8시 12군. 대부분이 산지(山地)로서 농산물은 적으나 임산물·수산물이 풍부하고 목축이 성하며, 특산물로는 특수강(特殊鋼)·농기구(農機具)·포도가 있음. 현청 소재지는 마쓰에 시(松江市). [6,626.2 km²：778,022 명 (1992)]

시마노프스키〔Szymanowski, Karol〕 명 『사람』 폴란드의 작곡가. 베를린에서 수학(修學)하고, 슈트라우스(Strauss)·드뷔시(Debussy)의 영향을 받았지만, 후에 현대적 기법(技法)으로 민족적인 작품을 씀. 오페라 《하기트(Hagith)》, 《로제 왕(Le Roi Roger)》 외 교향곡·바이올린 협주곡 등이 있음. [1882-1937]

시마리 명 『민』 굿패의 구성원. 시마리꾼.

시마-복【緦麻服】 명 시마(緦麻).

시마자키 도:손〔島崎藤村：しまざきとうそん〕 명 『사람』 일본의 작가. 시집 《와카나슈(若菜集)》에서 낭만주의적 시풍(詩風)을 보이고, 이어 소설 《파계(破戒)》를 발표하여 자연주의 문학의 선구자가 됨. 자서전적 작품이 많으며, 특히 《동트기 전》은 필생의 대작임. [1872-1943]

시마즈 요시히로〔島津義弘：しまづよしひろ〕 명 『사람』 일본 전국시대의 무장(武將)으로 규슈(九州)의 호족(豪族). 임진 왜란 때 제4진(陣)으로 내침, 강원도로 진출함. 정유 재란에는 동래·울산·사천(泗川)·전주(全州) 등지를 공략, 5백여 척의 해군을 이끌고 노량(露梁)을 습격했다가 이순신(李舜臣)에게 대패, 50여 척의 배를 거두어 퇴각함. [1535-1619]

시마-친【緦麻親】 명 『법』 유복친(有服親)의 하나. 오복(五服) 중에서 시마의 복(服)에 따라서 인정되는 친족(親族). 팔촌에 해당함.

시막 명 〈방〉 『충』 사마귀.

시:말【始末】 명 처음과 끝. 시종(始終). 수미(首尾).

시:말-서【始末書】[一써] 명 잘못하여 일을 저지른 사람이 사건의 전말(顚末)을 자세히 적은 문서(文書). 전말서(顚末書). 세말서.

시:망【諡望】 명 『역』 공신(功臣)에게 시호(諡號)를 내릴 때에 미리 세 가지 다른 시호를 의정(議定)하여 왕에게 상주(上奏)하는 일. 이 중에서 왕이 하나를 골라 완정(完定)함.

시:망-스럽다 형 ㅂ불 몹시 짓궂다. 시:망-스레 부

시-매기다【時一】 타 서로 시간을 정하든지 제한하다. ¶ 계집과 시매기고 난 뒤 한식경이나 흘렀을까, 멀리서 닭이 홰치는 소리가 들려왔다《金周榮：客主》.

시맥[1]【翅脈】 명 『충』 곤충의 날개에 무늬처럼 있는 맥. 날개맥. 횡맥.

시맥[2]【詩脈】 명 시의 맥락(脈絡). 시의 내용의 줄기.

시맨틱스〔semantics〕 명 『언』 의미론(意味論).

시:맹[1]【尸盟】 명 맹주(盟主).

시맹[2]【詩盟】 명 시인(詩人)들의 모임. 시의 동인(同人).

시머〔Symmer, Robert〕 명 『사람』 영국의 물리학자·왕립 학회 회원. 전기(電氣)에 플러스 및 마이너스의 두 종류가 있다는 이류체설(二流體說)을 제창함. [? -1763]

시머트리〔symmetry〕 명 『미술』 대칭❹.

시먹 명 ①『미술』 먹으로 가는 획을 그어서 두 가지의 계선(界線)을 표시하는 줄. 취음(取音)：세묵(細墨). ②『건』 단청(丹靑)을 그릴 때, 물감 칠을 한 뒤에 무늬의 윤곽을 먹으로 그리는 일. 취음：시묵(始墨). ——하다 자 여불

시먹다 형 버릇이 못되어 남이 이르는 말을 듣지 아니하다.

시먼스〔Symons, Arthur〕 명 『사람』 영국의 시인·비평가. 보들레르(Baudelaire)·베를렌(Verlaine) 등의 영향을 받아 영국 상징파의 대표자가 되었음. 시집으로 《밤과 낮》·《런던의 밤》, 평론으로 《상징파의 문학 운동》 등이 있음. [1865-1945]

시먼즈〔Symonds, John Addington〕 명 『사람』 영국의 시인·비평가. 방대한 시집 《여러 가지 기분(氣分)》 외에, 《이탈리아 문예 부흥사》, 《단테 연구 서설》, 《그리스 시인 연구》 등의 저서가 있음. [1840-93]

시먼즈-병【一病】〔Simmonds〕[一뼝] 명 『의』 뇌하수체의 혈행 장애(血行障礙)·결핵·매독·종양 따위가 원인이 되어 일어나는 내분비 질환. 체모(體毛)가 줄고, 몸이 여위며, 여자는 월경 폐지, 남자는 고환 위축 등의 증세가 나타남. 보통, 여자에게 많으며, 남자에게는 드묾. 1914년 독일의 의사 시몬즈(Simmonds, Morris; 1855-1925)가 발견함.

시멘〔프 cymène〕 명 『화』 장뇌(樟腦)를 오산화인(五酸化燐)과 함께 가열할 때 생성하는, 방향(芳香) 있는 액체. 여러 가지 식물의 방향유(芳香油) 중에 존재함.

시멘타이트〔cementite〕 명 『화』 고온(高溫)에서 강(鋼) 속에 생기는 탄화철(炭化鐵)의 금상학(金相學)상의 명칭. 현미경으로 보면 흰색으로 모양은 층상(層狀)·입상(粒狀)·망상(網狀)·침상(針狀)을 이루고 있음. 강철 속에서 탄소는 이 형태로도 존재하며, 시멘타이트가 많을수록 굳고 강해짐.

시멘테이션〔cementation〕 명 ①금속의 표면 처리법의 하나. 금속 표면의 경도(硬度)·내식성(耐蝕性)·내열성(耐熱性) 등을 높이기 위해서 딴 원소(元素)를 부착하여 내부에 침투·확산시킴으로써 피복층(被覆層)을 만드는 일. 침탄법(浸炭法)이 가장 알려져 있음. 금속 침투법. ②『토』 연약 지반(軟弱地盤)의 보강(補強) 및 갱도 굴착(坑道掘鑿) 중에 나오는 물을 막기 위하여, 시멘트를 주입(注入)하는 공법(工法).

시멘트〔cement〕 명 토목·건축 재료로서 사용하는 접합제(接合劑). 보통, 진흙이 섞인 석회석(石灰石)을 주원료로 하여 높은 온도에서 화학 반응을 일으킴으로써, 시멘트 클링커(cement clinker)를 만든 다음 약간의 석고(石膏)를 넣어 곱게 부순 것인데, 물에 개면 곧 응결하나 마른 뒤에는 물에 침해되지 아니함. 양회(洋灰). 인조 석분(人造石粉).

시멘트 건〔cement gun〕 명 모르타르 또는 콘크리트를 벽면에 분접(噴接)시켜서 완공(完工)시키는 기계. 시멘트 따위 재료를 건조 상태로 혼합해서 압축기(壓縮機)에 의하여 이것을 필요한 곳의 벽면에 분접하는데, 건축물의 벽의 완성, 터널·갱도 내면의 풍화·탈락(脫落)의 방지, 저수지·수로의 누수 방지(漏水防止), 수도관의 피복(被覆) 등에 이용함.

시멘트 공업【一工業】〔cement〕 명 석회암·점토·석고 등을 원료로 하여 시멘트를 제조하는 공업.

시멘트 공예【一工藝】〔cement〕 명 시멘트를 재료로 한 공예. 시멘트를 사용한 조소(彫塑)·인조석·정원용 장식품 따위를 말하며, 주로 시멘트의 건축과 관련해서 사용됨.

시멘트 기와〔cement〕 명 시멘트·모래·석면(石綿) 등을 배합(配合)하여 만든 기와.

시멘트 도료【一塗料】〔cement〕 명 시멘트에 충전제(充塡劑)·응결제(凝結劑)·탈수제(脫水劑)를 첨가한 혼합물. 물로 이겨서 돌쌓기·벽돌쌓기·콘크리트 등에 사용하면 내수성(耐水性)의 피복(被覆)이 생김.

시멘트 모르타르〔cement mortar〕 명 시멘트와 모래를 혼합하여 만든 접합제. 벽돌이나 돌을 쌓는 데 따위에 쓰임.

시멘트 벽돌【一甓一】〔cement〕 명 벽돌의 한 가지. 시멘트와 모래를 섞어 가압(加壓) 성형(成形)하여 굳힌 것으로, 벽체(壁體)의 내용재 따위로 쓰임.

시멘트 사일로〔cement silo〕 명 『공』 건조한 대량의 시멘트를 저장하기 위해서 쓰이는 사일로형의 저장고.

시멘트 운반선【一運搬船】 명〔cement carrier〕 시멘트를 포장하지 않은 채 선적(船積)하는 배. 시멘트의 분말을 파이프로 하역(荷役)하기 때문에 흔히 공기 혼합 장치를 설비함.

시멘트-질【一質】〔cement〕 명 치근(齒根)의 표면을 싸고 있는 백색의 골조직(骨組織)의 층. 백악질(白堊質).

시멘트 콘크리:트〔cement concrete〕 명 시멘트를 골재(骨材)와 혼합한 콘크리트.

시멘트 타일〔cement tile〕 명 바닥 깔이용(用)의 모르타르판(mortar 板). 모르타르를 가압(加壓) 또는 진동 성형(振動成形)에 의해서, 두께 1-5 cm로 성형한 것. 표면에 착색(着色)을 베푼 것이 있음.

시:면【一麵】 명 〈방〉 실국수.

시:멸【示滅】 명 『불교』 중생이 도(道)를 닦지 않으므로 중생을 위하여 석가가 돌아간 사실.

시:명¹【示明】명 일반에 널리 알리도록 자세히 포고(布告)함. ——-하다 타여불

시:명²【示命】명 훈시(訓示)와 명령. 훈시하거나 명령하는 일.

시:명³【市名】명 시(市)의 이름.

시명⁴【詩名】명 시를 잘 지어서 얻는 명예. 시인(詩人)으로서의 명예.

시명 다식【詩名多識】명 〖책〗 조선 정조(正祖) 때에 정학상(丁學祥)이 지은 책. 초(草)·곡(穀)·목(木)·채(菜)·조(鳥)·수(獸)·충(蟲)·어(魚) 등 여덟 문(門)에 나누어서 박물(博物)에 관한 연구를 기록함. 4권 2책.

시:명-장【侍命章】[—짱] 명 〖악〗 도망장(逃亡章).

시:명지-보【施命之寶】명 교명·교서·교지에 찍는 왕의 금도장.

시모【媤母】명 시어머니.

[시모에게 역정(逆情)나서 개의 옆구리 찬다] 노여움이나 분풀이를 다른 것에 함을 이르는 말.

시-모녀【媤母女】명 시어머니와 며느리.

시모노세키〔下関:しものせき〕명 〖지〗 일본 야마구치 현(山口縣) 서남단의 도시. 간몬 해협(関門海峽)을 사이에 두고 기타큐슈 시(北九州市)와 마주 대함. 교통·상업의 요지(要地)일 뿐만 아니라 원양 어업(遠洋漁業)의 근거지임. 조선(造船)·화학·금속 정련 등의 공업도 성함. 규슈(九州)와는 해저(海底) 터널·연락선으로 통하고 있음. 하관(下關). [220.82 km²: 255,896 명 (1992)]

시모노세키 조약【—條約】〔下関:しものせき〕명 〖역〗 1895년 4월, 청일(清日) 전쟁 후, 청국의 이홍장(李鴻章)과 일본의 이토 히로부미(伊藤博文)가 일본 시모노세키에서 맺은 강화 조약. 이 조약에서 청국은 조선의 독립을 확인하고 군비(軍費) 2억 냥(兩)을 배상하며, 랴오둥 반도(遼東半島)와 대만·펑후(澎湖)제도를 일본에 할양(割讓)하였는데, 이 결과로 우리 나라에는 청나라 대신 일본 세력이 대거 진출하게 되었음. 마관 조약(馬關條約). 하관(下關) 조약.

시모노프〔Simonov, Konstantin〕명 〖사람〗 소련의 시인·소설가·극작가. 2차 대전 중 시인으로 인정되고, 희곡《러시아 사람들》·소설《낮이나 밤이나》 등으로 전후 6회에 걸쳐 스탈린 상을 받음. [1915-79]

시모니데스〔Simonides〕명 〖사람〗 고대 그리스의 서정 시인. 페르시아 전쟁 때 조국의 전몰 용사를 찬양한 시를 지음. 대표작으로 《테르모필레(Thermopylae)의 전몰 용사의 비》 등이 있음. [556?-468? B.C.]

시:-모스〔CMOS〕명 〔complementary MOS〕〖컴퓨터〗 채널이 다른 모스(MOS) 트랜지스터를 짜맞추어 논리 회로를 구성하는 방식. 동작 속도는 늦은 편이나 집적도(集積度)가 높고 소비 전력이 매우 적어서 전자 손목 시계·휴대용 컴퓨터 등에 이 방식의 반도체가 쓰임.

시목¹ 명 〈방〉 식목(植木)(평안).

시목²【柴木】명 땔나무.

시목-전【柴木廛】명 장작을 파는 가게.

시:목-치【柹木峙】명 〖지〗 전라 남도 장흥군(長興郡) 장동면(長東面)에 있는 고개. [221m]

시몬¹〔Simon〕명 〖성〗 ①〔S. Petrus〕 베드로의 이름. ②〔S. Magos〕 사마리아의 요술쟁이. 마술사(魔術師)로 불리어지는 이단자임.

시몬²〔Simon, Franz〕명 〖사람〗 독일 태생의 영국 물리학자. 1933년 영국으로 건너가, 1945년 옥스퍼드 대학 교수. 저온(低溫)의 실험적 연구, 상전이(相轉移)의 실험 및 열역학적(熱力學的) 연구로 유명함. 또, 단열 팽창(斷熱膨脹)을 이용한 헬륨의 액화(液化) 장치를 발명함. [1893-1956]

시몰라이트〔cimolite〕명 〖광〗 백색·회색 또는 적색의 광물. 함수(含水) 알루미늄 규산염(珪酸塩)으로 됨. 부드러운 점토상(粘土狀)의 덩어리로서 존재함.

시몽¹〔Simon, Jules François〕명 〖사람〗 프랑스의 철학자·정치가. 절충 학파(折衷學派)에 속하는 철학자로 유심론적 경향이 농후하였음. 종신(終身) 상원 의원으로 수상(首相)을 지냄. [1814-96]

시몽²〔Simon, Richard〕명 〖사람〗 프랑스의 성서 비평가. 신구약 성서의 연구에 종사하여 성서에 나오는 전설(傳說)을 입증하고, 성서의 신성을 주장하였음. 성서 비평가의 아버지로 일컬어짐. [1638-1712]

시몽³〔Simon, Claude〕명 〖사람〗 프랑스의 소설가. 누보 로망의 대표자의 한 사람으로 1985년 노벨 문학상을 받음. 대표작에 《풀》 《프랑드르로 가는 길》 등이 있음. [1913-]

시:묘【侍墓】명 부모의 거상(居喪) 중에, 그 무덤 옆에서 막을 짓고 3년 동안 사는 일. ——-하다 자여불

시:무¹【始務】명 ①어떤 일을 맡아 보기 시작함. ②관공서 등에서 연초(年初)에 근무를 시작하는 일. ¶ ~식(式). ↔종무(終務). ——-하다 자여불

시무²【時務】명 ①시급한 일. ②그 시대에 중요한 정무(政務)나 사무(事務). 당세(當世)의 급무.

시:무³【視務】명 사무를 봄. ——-하다 자여불

시무⁴ 관 〈방〉 스무(경상).

시-무간【時無間】명 〖불교〗 오무간(五無間)의 하나. 무간 지옥(無間地獄)에 빠져 일겁(一劫) 동안 끊임 없이 죄의 응보를 받게 되는 일.

시무구지 명 〖민〗 세 벌 논매기를 끝내고 머슴들이 노는 놀이의 한 가지.

시무-굿 명 ☞ 사자굿.

시무-나무 명 〈방〉 스무나무.

시:무늬-밤나방【C—】[—니—] 명 〖충〗 [*Agrotis C-nigrum*] 밤나방과의 곤충. 편 날개 길이 40-49 mm, 몸빛은 갈색에 복부는 회갈색, 앞날개는 자갈색이며 갈색을 띤 흰 고리 무늬가 있고, 그 둘레에 흑색 전두리를 두름. 뒷날개는 백색에 전외연(前外緣)은 암갈색임. 유충은 각종 작물의 해충임. 한국·일본 등지에 분포함.

시무다 타 〈방〉 심다(강원·경북).

시무룩-이 부 시무룩하게. 쓰씨무룩이. ＞새무룩이.

시무룩-하다 형여불 마음에 불만스러워 부루퉁하여 말이 없다. 쓰씨무룩하다. ＞새무룩하다.

시:무-식【始務式】명 시무할 때 행하는 의식. ↔종무식.

시:-무외【施無畏】명 〖불교〗〔범 Abharanda: 무외(無畏)를 베푼다는 뜻〕 부처나 보살이 중생을 보호하여 두려운 마음을 없게 하는 일.

시:무외-인【施無畏印】명 〖불교〗 부처가 중생에게 무외를 베푸는 인상(印相). 팔을 들고, 다섯 손가락을 펴서 손바닥을 밖으로 향하여 물건을 주는 모양을 한 것임.

시:무-일¹【始務日】명 시무하는 날.

시:무-일²【視務日】명 사무를 보는 날.

시무주룩-하다 형여불 ☞ 시무룩하다. ¶ 좀 다시 보면 무슨 노여움을 가져 시무주룩한 것도 같다《朴鍾和: 錦衫의 피》.

시무-책【時務策】명 시무에 대한 계책(計策). 시무의 방책.

시:묵【始墨】명 〖건〗 '시먹'의 취음(取音).

시:문¹【市門】명 시(市)의 입구가 되는 문.

시문²【時文】명 ①그 시대에 쓰이는 글. 또, 현재 통용하는 글. ②중국 명대(明代)에, 과거(科擧)의 답안(答案)에 쓰이던 문체(文體), 즉 팔고문(八股文)과 청말(淸末)에서 민국(民國)에 걸쳐, 관청의 공문서나 신문에 쓰이던 문체. *고문(古文). ③중국의 현대문.

시문³【柴門】명 사립문.

시-문⁴【詩文】명 시가(詩歌)와 산문(散文). 사(詞).

시:문⁵【試問】명 ①↗시험 문제. ②시험하여 물음. ——-하다 타여불

시문:⁶〔simoon〕명 아라비아나 아프리카의 사막에서, 봄·여름에 일어나는, 모래가 섞인 아주 건조한 열풍(熱風).

시문 경:작 대:회【詩文競作大會】명 백일장.

시:문-구【施文具】명 〖고고학〗 무늬새기개.

시-문-서-화【詩文書畫】명 시가(詩歌)와 산문(散文)과 글씨와 그림.

시문-집【詩文集】명 문림(文林)❷.

시-문학【詩文學】명 ①시가(詩歌)에 관한 문학. ②1930년에 창간된 동인지(同人誌)의 이름. 박용철(朴龍喆)·김영랑(金永郎) 등이 중심이 됨. 통권(通卷)은 3호이나, 순수 문학을 옹호한 모태(母胎)가 되었고, 시를 언어의 예술로 자각한 참된 현대시의 시발점이 되었다고 할 수 있음.

시물¹【時物】명 절기(節期)에 따라 나오는 산물(產物).

시:물²【施物】명 〖불교〗 시주(施主)하는 재물.

시:물³【視物】명 눈으로 물건을 봄. ——-하다 타여불

시물⁴ 수 〈방〉 스물(경상·전남).

시물-거리다 자 ①입술을 약간 실그러뜨리며 소리 없이 자꾸 웃다. 쓰씨물거리다. ＞새물거리다. ②한데 어울리지 않고 능청스럽게 굴다. 시물-시물 부. ——-하다 자여불

시물-대다 자 시물거리다.

시물-새물 부 입 언저리를 몹시 오물거리며 무어라 지껄이는 모양. 쓰씨물쌔물. ——-하다 자여불

시뮐타네이슴〔프 simultanéisme〕명 〖미술〗 시간과 공간의 상호 연관적인 변화상(變化相)을 동시에 표현하고자 하는 미술상의 주의. 동시주의(同時主義).

시뮬레이션〔simulation〕명 어떤 현상(現象) 또는 성질을 모형(模型)에 의해서 실험(實驗)하고, 그 본질을 포착(捕捉)하려는 일. 공학적(工學的)인 문제로는 항공기의 풍동(風洞) 실험 등 오래 전부터 모형 실험이 행해져, 많은 문제 해결의 실적을 올려 왔음. 근래(近來), 컴퓨터의 출현으로, 사회 현상이나 경영의 문제에 대해서도 실험적 방법을 쓰는 시뮬레이션이 가능해졌음. 모의 실험.

시뮬레이터〔simulator〕명 항공기·우주선·원자로 따위의 조종 훈련, 운전 실험, 시험 연구를 위하여 실물과 같은 조건을 재현할 수 있도록 만들어진 모의 장치(模擬裝置). 실물에서는 기술적·경제적으로 곤란한 조건을 자유로이 몇 번이고 재현할 수 있으며, 위험 상태나 실패 따위도 모의적으로 나타낼 수 있음.

시므다 타 〈옛·방〉 심다(함경·평안·제주). =시므다. ¶ 德 열본 사ᄅᆞ미 善根을 시므디 아니ᄒᆞ야《月釋 17》.

시:미¹【試味】명 시험삼아 맛을 봄. ——-하다 타여불

시미²【詩味】명 그 시가 나타내고 있는 정취(情趣). 또, 시적(詩的)인 분위기.

시:미 매매【試味賣買】명 시험 매매❷.

시미앙〔Simiand, François Joseph Charles〕명 〖사람〗 프랑스의 사회학자·경제학자. 뒤르켐파(Durkheim派)의 사회주의에 입각하여 경제 현상을 집합 표상(集合表象)으로서 파악함. 저서로는 《임금·사회 진화·화폐》(전 3 권 1932) 등이 있음. [1873-1935]

시:민【市民】명 ①도시의 주민(住民). 시인(市人). ②〖정〗〔citizen〕 국정(國政)에 참여할 지위에 있는 국민. 공민(公民). ③'부르주아'의 역어(譯語). ④〖역〗 서울 백각전(百各廛)의 상인들.

시:민 계급【市民階級】명 서양 봉건 시대의 제3 계급이었던, 도시의 상공(商工) 시민. 귀족·성직자로부터 정치적 권력을 빼앗고 산업 혁명 이후는 이른바 근대 부르주아로서 자본가 계급을 자칭하게 되었음. 부르주아지(bourgeoisie).

시:민 교:육【市民教育】명 자유·평등한 개인의 종합체(綜合體)로서의 근대 시민 사회의 주민(住民)을 육성하기 위한 교육. 학교 교육에서는 사회과(社會科)가 중심이 되어 추진하며, 성인(成人)에 대해서는 사회 교육으로서 공기관(公機關)에서 계획 추진되는 것과 민간 단체에서 수행되는 것이 있음.

시:민-권【市民權】[—꿘] 명 〖정〗 ①인민 또는 국민의 권리. 인권(人權) 또는 민권(民權)·공권(公權)과 같은 뜻으로 쓰임. ②시민으로서의 행동·재산·사상·신앙의 자유가 보장되며, 주거(住居)하는 지역·국가의 정치에 참여할 수 있는 권리.

시:민-극【市民劇】명 〖연〗 시민 계급의 발흥(勃興)을 배경으로 삼고,

시민을 주인공으로 하여 계급 의식과 문화를 명료하게 반영시키는 연극. 18세기에 영국·프랑스·독일에서 유행하였음.

시:민 대:회【市民大會】 명 시민 대중(大衆)의 운동을 목표로 뜻있는 시민이 모이는 큰 모임.

시:민 문학【市民文學】 명 〖문〗 근대 시민 의식을 반영한 문학. 자본주의 사회의 성립에 따라 발생한 것으로, 새로 대두(擡頭)한 부르주아 계급의 문제를 취급함. 19세기 문학의 주류이었음. 부르주아 문학. *프롤레타리아 문학.

시:민-법【市民法】[一뻡] 명 〖법〗 ①〔라 jus civile〕 로마 시대에 로마 시민권을 가진 사람에게만 적용하던 법. ↔명예법(名譽法)·만민법(萬民法)·자연법(自然法). ②〔프 droit de bourgeoisie〕 근대 시민 사회에 있어서 구체적으로 시민의 개인적인 지위 보장을 위하여 주로 사법(私法)을 중핵(中核)으로 한 법의 전체. 공법(公法)상의 선거권·피선거권, 사법(私法)상의 계약 자유의 원칙이 그 중심임. ↔사회법(社會法). *근대법(近代法).

시:민 사회【市民社會】 명 〔도 bürgerliche Gesellschaft〕 〖정〗 자유 경제에 기초를 둔 법치 조직(法治組織)의 사회. 곧, 자유·평등·박애를 도덕적 이상으로 하고 시민 혁명(市民革命)을 통해 이룩된 시민 계급의 사회. 근대 사회. 자본주의 사회. 부르주아 사회.

시:민 여자【視民如子】 명 백성을 아들처럼 여김. ——-하다 자여불

시:민 전:쟁【市民戰爭】 명 시민이 자유를 얻기 위하여 일으키는 국내 전쟁. 내란(內亂).

시:민-증【市民證】[一쯩] 명 그 시에서 사는 시민임을 증명하는 증명서. 주민 등록에 관한 법률이 제정되기 전에 있었음. *도민증(道民證).

시:민 혁명【市民革命】 명 절대제(絶對制)를 타도하고 법률상 자유·평등한, 시민 계급이 지배하는 사회를 건설하는 혁명. 정치적으로는 입헌 정치(立憲政治)의 성립, 경제적으로는 산업 자본(産業資本)의 승리로 나타남. 청교도 혁명·프랑스 혁명이 그 전형적인 것임. *부르주아 민주주의 혁명.

시밀레〔이 simile〕 명 〖악〗 '먼저 부분과 같은 연주를 반복'하라는 뜻.

시ᄆᆞ다 타 〈옛〉 심다. ═시므다. ¶어즈러운 桃李ㅅ 가지ᄅᆞᆯ 곧마다 다 能히 옮겨 시므ᄂᆞ니(紛紛桃李枝處處總能移)《初杜諺 XVIII:2》.

시바〔Siva〕 명 〖신〗 인도교(印度教)의 파괴신(破壞神). 일면(一面) 또는 오면(五面)을 가지고, 과거·현재·미래를 투시하는 세 눈을 가졌음. 시바파(Siva派)는 이것을 주신(主神)으로 받들며, 불교에서는 대자재천(大自在天)으로 불림. 습파(濕婆).

〈시바〉

시바스〔Sivas〕 명 〖지〗 터키 북부, 키질이르마크 강(Kizil Irmak江) 상류에 있는 도시. 표고 1,270 m. 면포·모직물을 산출함. 교통의 요지로 각지와 철도로 연락됨. 13세기에 건설된 학교는 소(小)아시아의 이슬람 예술의 면모를 잘 간직하고 있음. [197,266 명(1985)]

시:박【市舶】 명 장사하는 배. *무역선·상선(商船).

시:박-사¹【市舶司】 명 〖역〗 중국 당(唐)나라 때부터 관세 징수(關稅徵收) 등 외국 무역에 관한 모든 사무를 맡아 보던 관아.

시:박-사²【市舶使】 명 〖역〗 시박사(市舶司)의 장관. 「하다 자여불

시:반¹【侍飯】 명 어른이 식사하는 데 곁에 모시고 섬. 시식(侍食). ——-

시:반²【屍斑】 명 〖생〗 사람이 죽은 뒤, 6-12시간이 지나서, 피부 조직에 생기는 자주빛의 반점(斑點). 혈액 침강 및 혈색소의 분산에 의하여 생 ㄴ김.

시반³【時半】 명 반시(半時)❶.

시반⁴【詩伴】 명 서로 함께 시를 짓는 벗. 시붕(詩朋). 시우(詩友).

시:-반경【視半徑】 명 〖천〗 시반지름.

시:-반지름【視半一】 명 〖천〗 천체(天體)의 반지름을 관측자가 본 각도. 같은 크기의 것일지라도, 그 거리에 따라서 실시(實視)의 크기가 다르므로, 실체의 반지름을 재는 데 사용됨. *시지름.

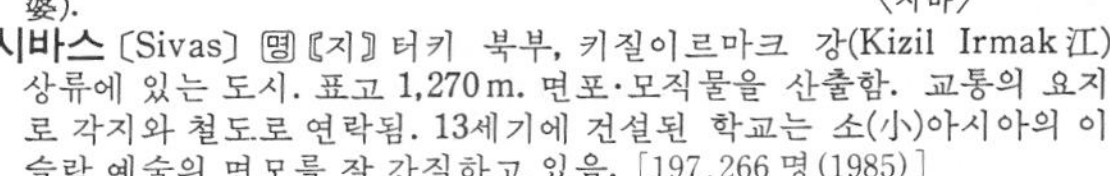

〈시반지름〉

시반-문【翅斑蚊】 명 〖충〗 학질모기.

시:발【始發】 명 맨 처음 출발 또는 발차(發車)함. ¶ ~점/~역(驛). ↔종발(終發). ——-하다 자여불

시:발 기뢰【視發機雷】 명 〖군〗 기뢰(機雷)의 하나. 부설(敷設) 위치에 적함(敵艦)이 접근하였을 때에 육상 감시소(陸上監視所)가 조준(照準)하여 전기 착화(電氣着火), 폭발시키는 기뢰(機雷). *감응(感應) 기뢰.

시:발-역【始發驛】[一력] 명 열차 운전의 한 계통에 있어서 기점(起點)이 되는 역. 경부선(京釜線)의 서울역 같은 것. ↔종착역(終着驛).

시:발-점【始發點】[一쩜] 명 첫 출발을 하는 지점.

시방¹【†十方】 명 〖불교〗 사방(四方)·사우(四隅)·상하(上下)의 총칭. 십 ㄴ방(十方).

시방²【時方】 명부 지금(只今). 금시(今時).

시:방³【試放】 명 총·대포(大砲) 등을 처음으로 시험삼아 쏘아 보는 일. *시사(試射). ——-하다 타여불

시방⁴【猜謗】 명 시기하여 비방함. ——-하다 타여불 「世界).

시방-공【†十方空】 명 〖불교〗 아무 것도 없이 비어 있는 시방 세계(十方

시방-당【†十方堂】 명 〖불교〗 ①사방으로부터 모여 오는 중들이 사는 곳. ②시방 사람들이 수행(修行)하는 곳.

시:방-서【示方書】 명 순서를 적은 문서. 특히, 제품 또는 공사에 필요한 재료의 종류·품질·조합(調合)·사용처·시공 방법·납기(納期) 또는 공사의 완공기 따위를 기록한 문서. 설계 도면에 나타내기 어려운 사항 등을 명확히 나타냄.

시방 세:계【†十方世界】 명 〖불교〗 온 세계.

시방 왕:생【†十方往生】 명 〖불교〗 시방 제불(十方諸佛)의 정토(淨土)에 왕생하는 일.

시방 정토【†十方淨土】 명 〖불교〗 시방에 무량 무변(無量無邊)히 있는 제불(諸佛)의 정토(淨土).

시방-찰【†十方刹】 명 〖불교〗 시방에 있는 세계.

시배¹ 명 〈방〉 세배(歲拜)(전라·충청). 「하다 타여불

시:배²【侍陪】 명 곁에 따라다니며 시중 드는 일. 또, 그 하인(下人). ——-

시배³【時輩】 명 ①당시(當時)의 사람들. 또, 그 당시의 현자(賢者). ②시류(時流)를 타고 명리(名利)만 좇는 사람들.

시-배분【時配分】 명 시분할(時分割).

시:백¹【視白】 명 〖생〗 시황(視黃)의 일부가 생체적(生體的) 환원(還元)을 받아서 비타민 A와 단백질로 분해되어 빛깔이 하얗게 된 물질. 간장(肝臟)을 통해서 재합성하여 다시 시홍(視紅)이 됨.

시백²【詩伯】 명 ①시로써 일류(一流)를 이룬 사람. 한시(漢詩)의 대가(大家). ②시인에 대한 경칭(敬稱).

시버뵈다 구 〈옛〉 싫어 뵈다. ¶예셔 보매 잔을 남기는가 시버뵈니 이 잔으란 브티 자ᄋᆞ소《新語 Ⅲ:5》.

시: 버:스〔sea berth〕 명 대형 오일탱커를 위해 수심이 비교적 깊은 앞바다에 계류 시설을 설치하고, 여기서부터 육상의 저유(貯油) 탱크까지 해저(海底)에 설치한 파이프라인을 통하여 펌프 압송하는 장치를 갖춘 시설. 오프쇼 버스(off-shore berth).

시:버트〔sievert〕 의명 인체가 방사선을 쐬었을 때에 받는 영향의 정도를 나타내는 국제 단위계의 단위. 방사선은 같은 흡수선량일지라도 방사선의 종류와 인체의 부위에 따라 인체에 미치는 영향의 정도가 다르므로 시버트는 방사선의 흡수선량에 두 가지 변수를 감안하여 산출함. 기호 : Sv

시:벌【施罰】 명 벌을 줌. 벌을 가함. ——-하다 자여불

시벌-거리다 자타 〈방〉 시부렁거리다(함남).

시벌리〔chivalry〕 명 기사도(騎士道).

시벌-시벌 부 ☞ 시부렁시부렁. ¶정신 잃은 여편네하고 이야기하듯이 ~ 지껄이는 중에…《洪命憙 : 林巨正》.

시:범【示範】 명 모범(模範)을 보임. ¶ ~ 경기. ——-하다 타여불

시:범-적【示範的】 명관 모범을 보이는 모양.

시:범 주:택【示範住宅】 명 새로운 자재(資材)나 시공 기술(施工技術)에 의해, 건축 비용의 절감(節減)을 기한 공법(工法)의 보기로서, 건설업자가 지어 일반에게 공개하는 주택.

시:범 학교【示範學校】 명 〖교〗 특정한 교육을 계획적으로 실시하여, 타교의 모범 또는 연구의 대상이 되는 학교. 모범 학교. 모델 스쿨.

시법¹【時法】[一뻡] 명 시간에 관한 규정. 하루의 시간을 나누어, 여기에 한 시간마다 이름을 붙이는 규정. 세계시·표준시·지방시 따위.

시법²【詩法】[一뻡] 명 시를 짓는 방법. 시작법(詩作法).

시:법³【謚法】[一뻡] 명 시호(諡號)를 의정(議定)하던 규칙.

시베리아〔Siberia〕 명 〖지〗 우랄 산맥에서 베링 해에 이르는 북아시아 지역. 범위는 남북 약 3,500 km, 동서 약 7,000 km이며, 러시아 연방(Russia聯邦)에 속하고 3자치 공화국, 6주로 나누어짐. 극지형(極地型)의 대륙성 기후임. 19세기말 시베리아 철도가 부설된 후 개척이 진전되어, 혁명 후에는 급속히 발전하였으며, 석탄·석유·천연 가스·철광·비철 금속(非鐵金屬) 등의 자원이 풍부하여 광공업(鑛工業)의 중심 기지(中心基地)로 되었음. 서백리아(西伯利亞). 서비리아(西比利亞). *시비르 한국(汗國). [12,765,900 km² : 30,008,000 명(1984)]

시베리아 고기압【一高氣壓】〔Siberia〕 명 〖기상〗 주로 동계(冬季)에 시베리아 대륙에 나타나는 한랭(寒冷)한 고기압. 세계 최대의 것으로, 엄한기(嚴寒期)에는 직경 5,000 km에 이르는 일도 있음. 한국을 위시하여 동아시아(東Asia)의 겨울 기후는, 이 고기압의 소장(消長)에 좌우되어, 이것이 발달하면 우리 나라에는 북서 계절풍이 강하게 불기 시작하며 기온도 내림. 이 고기압을 형성하는 대륙성 한대 기단(大陸性寒帶氣團)을 시베리아 기단(氣團)이라고 함.

시베리아 기단【一氣團】〔Siberia〕 명 〖기상〗 겨울철에 시베리아 및 중국 동북부에서 발생하는 건조 한랭한 대륙성 기단. 이 기단의 하층은 차고 상층은 따스하고 안정되어 일기가 좋음. 일본·한국 그 밖에 태평양 연안에 큰 영향을 끼침.

시베리아 철도【一鐵道】〔Siberia〕[一또] 명 〖지〗 우랄 산맥의 동쪽 기슭의 첼랴빈스크(Chelyabinsk)로부터 아시아 대륙을 횡단해서 블라디보스토크까지 이르는 철도. 1892년 착공, 1916년 완공하였음. 1960년 유럽 쪽에서 이르쿠츠크(Irkutsk)까지 전화(電化)함. [7,416 km]

시베리아 출병【一出兵】〔Siberia〕 명 〖역〗 1918-22년 체코 군대 구원을 구실로, 혁명 러시아인에 대한 시위(示威)를 목적으로 미(美)·영(英)·불(佛)·일(日) 등의 여러 나라가 시베리아에 출병한 사건.

시베리아 특급【一特急】 명 〔Siberian Express〕 1981년 연말부터 이듬해 1월에 걸쳐 북극 기단(北極氣團)의 영향으로 시베리아의 한랭(寒冷)한 고기압(高氣壓)이 몰아 온 미국 동부와 유럽 각지의 혹한(酷寒)의 별명(別名). 1세기 만의 한파(寒波)로, 기온이 영하 35°까지 내려가 폭설(暴雪)과 강풍(強風)이 따랐음.

시벡스〔civex〕 명 핵무기의 원료가 되는 순수(純粹) 플루토늄의 생산을 방지하기 위하여 핵연료를 증식로(增殖爐)에서 재처리하는 시스템.

시벨리우스〔Sibelius, Jean Julius Christian〕 명 〖사람〗 핀란드의 작곡가. 고전 정신(古典精神)을 기저로, 민족적 특색이 짙은 둔중(鈍重)한 독자적인 작풍을 수립, 현대 최대의 작곡가로 꼽힘. 작품으로 교향곡 7, 바이올린 협주곡, 교향시 《핀란디아(Finlandia)》·《밤의 기행(騎行)》 등이 있음. [1865-1957] 「서 그 사람 특유의 괴벽(怪癖).

시벽【詩癖】 명 ①시 짓기를 좋아하는 성벽(性癖). ②시를 짓는 데 있어

시:변¹【市邊】명 ①시가지(市街地)의 변두리. ②장변(場邊).
시변²【時變】명 시세(時世)의 변화. 그 때의 변사(變事). ¶ ~이라 인력(人力)으론 할 수 없는 것이네《吳有權 : 방앗골 혁명》.
시:-별가【試別駕】명〖역〗고려 때 중추원(中樞院)의 이속(吏屬).
시:병¹【侍病】명 병자(病者) 곁에서 시중 드는 일. 간병(看病). 시탕(侍湯). ——-하다 자여불
시:병²【柿餠】명 감편.
시병³【時病】명 ①계절에 따른 유행병. 시질(時疾). 시환(時患). ②그 시대의 병폐(病弊). 당시의 나쁜 풍습. 시폐(時弊).
시병⁴【豉餠】명 된장떡.
시보¹【時報】명 ①때때로 알리는 보도(報道). ②그 지방의 표준시(標準時)를 전신(電信)이나 그 밖의 방법으로 널리 알리는 일. 또, 그 신호.
시:보²【試補】명 ①어떤 관직(官職)에 임명되기까지 관청의 사무(事務)를 실제로 종사하며 연습하는 일. 또, 그 직(職). ②↗사법관 시보.
시:보³【謚寶】명〖역〗임금의 시호(謚號)를 새긴 어인(御印).
시:보:귬〔Seaborgium〕명〖화〗6족(族)에 속하는 인공 방사성 원소의 하나. 칼리포르늄(californium) 249와 산소 ^{18}O의 핵융합 반응으로 얻어짐. 반감기(半減期)는 약 1초. 미국의 물리학자 시보그(Seaborg, G. T.)의 이름에서 유래. [106번 : Sg : 263]
시:보:그〔Seaborg, Glenn Theodore〕명〖사람〗미국의 물리·화학자. 원자핵 반응의 연구에서 맥밀런(McMillan, E.M.; 1907-)과 더불어 아메리슘(Americium) 등 일련(一連)의 많은 원소를 만드는 데 공헌하였음. 1951년 이들 초(超)우라늄 원소의 발견으로 맥밀런과 함께 노벨 화학상을 받았음. [1912-]
시보-기【時報機】명 시각을 알리는 기계 장치.
시보레〔Chevrolet〕명 미국 제너럴 모터스(General Motors) 회사의 생산의 반을 차지하는 주된 차종(車種). 단독 모델(單獨 model)로 세계 최다 생산(最多生産)의 표준형 대중차(大衆車) 외에, 콤팩트 카(compact car)·스포츠 세단(sports sedan)·대형 스포츠 카 등이 있음.
시:복¹【矢服·矢箙】명 화살을 넣는 통. 가죽이나 대나무 따위로 만들고 뚜껑이 있음. 화살집. 전동.
시:복²【施福】명〖불교〗시주(施主)가 많이 들어오는 복.
시복³【時服】명 ①철에 맞는 옷. 시의(時衣). ②〖역〗입시(入侍)할 때나 공무(公務)를 볼 때에 관원들이 입는 옷. 단령(團領)에 흉배(胸背)가 없고 빛이 붉음.
시복⁴【緦服】명 석 달 동안 입는 상복(喪服).
시:복⁵【謚福】명〖천주교〗죽은 후에, 그 거룩한 생애 또는 순교(殉教) 사실이 인정되어 교황이 복자(福者)라는 칭호로 공경할 수 있다고 선언하는 일. 곧, 복자품(福者品)에 올리는 일. ——-하다 타여불
시:복-식【謚福式】명〖천주교〗복자품(福者品)에 올릴 때 행하는 의식.
시:봉【侍奉】명 부모를 모시어 받듦. 봉시(奉侍). ¶ ~ 과세(過歲). ——-하다 자여불
시:봉 체후【侍奉體候】명 어버이를 모시는 몸. 편지에 부모를 모시고 있는 사람에게 쓰는 말.
시부¹【媤父】명 시아버지.
시부²【詩賦】명 시와 부.
시부러기 부〈방〉시부저기.
시부렁-거리다 자 실없는 말을 주책없이 함부로 지껄이다. 준시렁거리다. 쓰씨부렁거리다. >사부랑거리다. 시부렁-시부렁 부. ——-하다 자여불
시부렁-대다 자 시부렁거리다.
시부룩:-하다 형〈방〉시무룩하다.
시-부모【媤父母】명 남편의 부모. 곧, 시아버지와 시어머니. 고구(姑舅). 구고(舅姑).
시부저기 부 별로 힘들이지 않고 거의 저절로. ¶ ~ 한 일이 마침 잘 됐다. >사부자기.
시부적-시부적 부 연해 시부저기. >사부작사부작. ——-하다 형여불
시:분 명 ①〖미술〗분(粉)으로 가늘게 그어서 계선(界線)을 표시한 것. ②〖건〗단청(丹青)할 때 물감칠을 한 뒤에 무늬의 윤곽을 분으로 그리는 일. 주의 '始粉'으로 씀은 취음(取音). ——-하다 자여불
시-분할【時分割】명〔timesharing〕〖컴퓨터〗컴퓨터가 복수(複數)의 일을 일정한 질서에 따라 일정 시간 안에 처리하는 일. 타임셰어링. 시배분(時配分).
시분할 다중 채널【時分割多重―】명〔time-derived channel〕〖통신〗시분할 다중화(多重化)에 따라 만들어진 통신로(通信路).
시분할 다중 통신【時分割多重通信】명 하나의 통신 회선을 사용하여 다중 통신을 구성하는 방법의 하나. 시간적으로 각 통화로(通話路)를 분할(分割)하여서 보내는 통신.
시분할 변:조【時分割變調】명 전기 통신의 변조 방식의 하나. 반송파(搬送波)를 충격파(衝擊波)로 변조하여, 어떤 짧은 시간만 충격파상(狀)의 반송파를 내보내어 통신하는 방법.
시분할 시스템【時分割―】명〔timesharing system〕〖컴퓨터〗고속 처리 기능을 시계열(時系列)에 따라 배분(配分)하여, 복수(複數)의 처리를 병행하는 것과 동등한 효과를 내는 방법. 한 대의 컴퓨터를 복수의 이용자가 이용하는 경우나 다중(多重) 통신에 응용함. 타임셰어링 시스템. 티 에스 에스(TSS).
시-불가실【時不可失】명 때는 한 번 가면 두 번 다시 돌아오지 아니하므로, 때를 놓쳐서는 안 된다는 말.
시-불재래【時不再來】명 한 번 지난 때는 다시 오지 아니한다는 말.
시붕【詩朋】명 한데 어울려 시를 짓는 벗. 시반(詩伴). 시우(詩友).
시브다 보형〈옛〉싶다. ¶ 일명 二番 特送이 오는가 시브니《新語 I : 10》.
시: 브이 아:르【CVR】명〔cockpit voice recorder의 약칭〕〖항공〗조종실 음성 기록 장치.
시: 브이 에스【CVS】명〔convenience store의 약칭〕편의점(便宜店).
시: 브이 케이블〔CV cable〕명〔crosslinked polyethylene vinyl sheath cable〕가교용(架橋用) 케이블의 기술을 응용한, 폴리에틸렌 절연(絶緣)의 초고압 전력용 케이블.
시: 브이 티:【CVT】명〔continuously variable transmission〕〖자동차〗새로운 자동 변속 장치(automatic transmission)의 일종. 도로 상황에 따라 가장 연비(燃比)가 좋은 속도를 택하므로, 종래의 것보다 30%의 연비 효율의 향상을 가져옴. 연속 무단(連續無段) 변속기.
시붓다 타〈옛〉씻다. ¶ 미실 바루터든 니러 ㄆ 시붓고(每日打罷明鐘起來洗臉)《朴解 上 49》.
시:비¹【尸毗】명〖불교〗시비가(尸毗迦).
시:비²【市費】명 시(市)에서 부담하는 비용. 시의 경비(經費).
시:비³【侍婢】명 곁에 모셔 시중드는 계집종. 시녀(侍女).
시:비⁴【是非】명 ①시와 비. 잘잘못. 당부(當否). 흑백(黑白). 이비(理非). ¶ ~를 가리다. ②옳으니 그르니 하는 말다툼. ¶ ~를 걸다. ——-하다 자여불
시:비⁵【施肥】명 논밭에 거름을 주는 일. 거름주기. ——-하다 자여불
시비⁶【柴扉】명 사립문.
시비⁷【詩碑】명 시를 새긴 비석.
시: 비:⁸【CB】명〔convertible bond의 약칭〕전환 사채(社債).
시:비-가【尸毗迦】명〖불교〗〔범 Sivi〕석가(釋迦)가 전생에 임금이었을 때의 칭호(稱號). 매에 쫓긴 비둘기를 위해서 자기의 살을 베어서 매에 줌으로써 비둘기를 구조(救助)했다고 함. 시비(尸毗). 시비가왕(尸毗迦王). 시비 대왕(尸毗大王).
시:비가-왕【尸毗迦王】명〖불교〗시비가(尸毗迦).
시:비 곡직【是非曲直】명 옳고 그르고 굽고 곧음. 시비 선악(是非善惡).
시:비-기【施肥機】명〖기〗비료를 논밭에 살포하는 농업 기계.
시:비 대:왕【尸毗大王】명〖불교〗시비가(尸毗迦).
시:비-량【施肥量】명 거름을 주는 양.
시비르-족【―族】〔Sibir〕명〖인류〗지금의 시베리아 토볼스크(Tobol'sk) 부근에 살던 부족(部族). 중국 원(元)나라 전성 시대의 실필아족(失必兒族).
시비르칸 국【―國】〔Sibir-Khan〕명〖역〗시비르 한국(Sibir 汗國).
시비르 한국【―汗國】〔Sibir〕명〖역〗서부 시베리아의 토볼스크 부근의 시비르(Sibir)를 중심으로 1556-98년까지 존속하였던 나라. 1556년 부하라 한국(Bukhara 汗國)의 왕족 쿠춤칸(Kucum-Khan)이 우즈베크인(Uzbek 人)을 주체로 하여 세웠으나, 러시아와 시베리아의 지배권을 다투다 패사(敗死)하여 멸망하였음. 시베리아의 이름은 이 시비르에 유래한다고 함. 시비르칸 국(Sibir-Khan國).
시:비 선:악【是非善惡】명 시비와 선악. 시비 곡직(是非曲直).
시: 비: 시:【C.B.C.】명〔Canadian Broadcasting Corporation의 약칭〕1936년 캐나다 방송법에 의거하여 설립된 특수 법인. 캐나다 전토에 걸친 직할국(直轄局)과 가맹 사설국 방송망에 대하여 공공·상업 양프로를 보내며, 또 '캐나다의 소리(Voice of Canada)'로서의 국제 방송을 담당하고 있음. 본부는 오타와에 있음. 캐나다 방송 협회.
시: 비: 아:르 무:기【C.B.R.武器】명〖군〗〔Chemical, Biological and Radioactive Weapons의 약칭〕화학, 생물학 및 방사능 병기.
시: 비: 아:르 전:쟁【C.B.R.戰爭】명〖군〗〔Chemical, Biological and Radioactive Warfare의 약칭〕화학, 생물학 및 방사능 전쟁. 에이 비 시 전쟁(A.B.C.戰爭). 화생방전(化生放戰).
시비어 스톰:〔severe storm〕명〖기상〗파괴적인 폭풍. 강한 뇌우(雷雨)·우박을 동반한 폭풍·토네이도(tornado) 등, 국지적인 폭풍우를 이르는 경우도 있음.
시: 비: 에스【C.B.S.】명 ①〔Columbia Broadcasting System의 약칭〕미국의 컬럼비아 방송 회사. 1927년에 설립된, 라디오·텔레비전의 민간 회사의 하나임. 네트워크·영업 성적이 미국내 제1위임. 본부는 뉴욕에 있음. ②〔Christian Broadcasting System의 약칭〕한국 기독교방송.
시:비-왕【尸毗王】명〖불교〗시비가(尸毗迦).
시:비-장【是非場】명 시비 총중(是非叢中).
시:비-조【是非調】〔―조〕명 트집을 잡아 시비하는 듯한 투. ¶ 말마다 ~다.
시:비지-단【是非之端】명 시비가 일어나는 꼬투리.
시:비지-심【是非之心】명 사단(四端)의 하나. 시비를 가릴 줄 아는 마음. 시비(是非)는 지(智)의 단(端)임.
시:비 총중【是非叢中】명 시비가 분분하여 말썽이 많은 속. 시비장(是非場).
시:비-판【是非判】명 시비를 판단하여 가림. ——-하다 자여불
시빅 트러스트〔civic trust〕명 주민이나 기업이 자금을 출자, 도시의 환경 정비를 꾀하는 제도. 1957년 영국에서 시작된 것으로, 역사적인 건물의 벽을 수리하거나 보도(步道)에 벤치를 설치하는 등의 비교적 소규모 사업을 하는 것이 특징임.
시빌라〔그 Sibylla〕명〖신〗본래 그리스 신화에서, 아폴론(Apollon)의 신탁(神託)을 고하는 무녀의 이름이었으나, 그리스·로마 시대에 신들린 상태로 예언을 전한 여자. 바빌로니아·이집트·그리스 등 각지에 흩어져 있었다고 함. 아폴론으로부터 장수(長壽)를 보장받았으나, 동시에 영원한 젊음을 요구하지 않았기 때문에 여위다가 죽음을 원한 쿠메의 시빌라의 이야기가 유명함.
시빌라이즈드〔civilized〕명 도회적인 감각. 전원풍(田園風)·민속풍(民俗風)·앙뉘(ennui) 등의 무드에 대하여 쓰이는 말.
시빌리언〔civilian〕명 ①군인·성직자에 대한 일반 시민. 민간인(民間人). ②군대 가운데서, 비전투원이나 군속을 이름. ③문관(文官).
시빌리언 컨트롤〔civilian control〕명 직업 군인 이외의 문관(文官)이 무관에 대하여 우위(優位)에 서는 일. 문관 우위(文官優位).
시빌 미니멈〔civil+minimum〕명〖사〗근대 도시가 주민을 위하여 당연히 갖추지 않으면 안 될 생활 환경의 최저 기준. 내셔널 미니멈 개

념을 도시에 응용한 것으로 볼 수 있음. *국민적 최저한.

시:빗-주비【是非一】명 ①시비가 일어나는 데에 관여하는 패. ②걸핏하면 남의 시비를 잘 듣는 사람의 별명.

시:빙【恃憑】명 시뢰(恃賴). ——-하다 타여불

시뻐-하다 타여불 시쁘게 여기다. 못마땅하게 생각하다. ¶그날 밤부터 태수는 그새까지 시뻐하던 장가를 급작스레 들겠노라고 중매를 서 달라고 김씨를 졸랐다≪蔡萬植 : 濁流≫.

시-뻘게 준 '시뻘겋어'가 줄어 변한 말. ¶~서. >새빨개.

시뻘게-지다 자 시뻘겋게 되다. >새빨개지다.

시-뻘겋다 [—거타] 형ㅎ불 더할 수 없이 뻘겋다. 몹시 뻘겋다. >새빨

시뿌듬-하다 형여불 ☞ 시쁘둥하다. └갛다.

시-뿌옇다 [—여타] 형ㅎ불 아주 뿌옇다. >새뽀얗다.

시-뿌예 준 '시뿌옇어'의 줄어 변한 말. ¶~서. >새뽀얘.

시뿌예-지다 자 아주 뿌옇게 되다. >새뽀얘지다.

시쁘다 형 ①마음에 차지 아니하다. 시틋하다. ¶유씨는 ~는 듯이 돋보기 너머로 남편을 넘겨다본다≪蔡萬植 : 濁流≫. ②껄렁하여 대수롭지 않다.

시쁘둥-하다 형여불 매우 시쁜 듯한 기색이다.

시쁘장-스럽다 형ㅂ불 보기에 시쁘장하다. ¶시쁘장스러운 소리라 옥쇄장이가 사람이 부처님의 중간 토막이라도 골이 안 날 수 없었다≪洪命憙 : 林巨正≫. **시쁘장-스레** 부

시쁘장-하다 형여불 조금 시쁘다.

시쁫-하다 형여불 시쁜 듯하다.

시:사[1]【示唆】명 미리 그 뜻을 암시(暗示)하여 일러 줌. ¶감원(減員)을

시:사[2]【市肆】명 시전(市廛)❶. └~하다. ——-하다 타여불

시:사[3]【侍史】명 ①옆에 모시어 문서(文書)를 맡는 사람. ②〔시사(侍史)를 통하여 올린다는 뜻〕편지 겉봉에 받는 이를 공경하는 뜻으로, 그 이름 아래에 쓰는 말. ③〖역〗↗감찰 시사(監察侍史). ④↗사헌(司憲) 시사. ⑤〖역〗조선 시대 초에, 사헌부(司憲府)의 정사품 벼슬. 태종(太宗) 원년(1401)에 장령(掌令)으로 고침.

시:사[4]【侍師】명 스승을 모심.

시:사[5]【侍射】명〖역〗임금이 활을 쏠 때에 곁에 모시어 활을 쏨. 또, 그 신하. ——-하다 자여불

시:사[6]【施捨】명 은덕(恩德) 등을 베풀어 줌. ——-하다 타여불

시사[7]【時仕】명 이속(吏屬)이나 또는 기생(妓生)이 그 매인 마을에서 맡은 일을 치르는 일. ——-하다 자여불

시사[8]【時祀】명 시향(時享). 시제(時祭).

시사[9]【時事】명 ①그 당시에 일어난 일. ②작금(昨今)에 생긴 사실. 현대의 사회 사상(社會事象). ¶~ 용어(用語)/~ 해설.

시:사[10]【視事】명 임금이 정사를 보는 일. ——-하다 자여불

시사[11]【詩史】명〖문〗①사실(史實)이나 개인의 전기(傳記) 등을 서술한 시. 사시(史詩). ②시를 연구의 대상으로 한 역사. 곧, 시의 발생 과정·변천 상태·발달 형식 등의 역사적 저술. ¶근세 ~ 연구.

시사[12]【詩社】명 시인(詩人)들이 조직한 문학적 단체.

시사[13]【詩思】명 작시(作詩)의 흥취(興趣). 시흥(詩興). 시정(詩情).

시:사[14]【試射】명 ①활이나 총 등을 시험적으로 쏨. ②〖군〗사격의 제원(諸元)을 검토·결정하기 위한 총포(銃砲)의 사격. ③〖역〗활을 잘 쏘는 사람을 시취(試取)하는 일. ——-하다 타여불

시:사[15]【試寫】명 영화를 공개하기에 앞서, 심사원·비평가·관계자 등에게 영사(映寫)하여 보임. ¶~회. ——-하다 타여불

시:-사과【柿沙菓】명 감사과(甘沙菓).

시사 교:육【時事教育】명〖교〗사회적 관심이나 사회 문제의 해결 능력 및 시사적(時事的) 지식의 비판적 섭취 등을 목표로 하는 교양 교육.

시사 군도【—群島】〔西沙〕명〖지〗중국의 하이난(海南)섬 위린 항(楡林港)에서 동남으로 233 km 지점에 있는 20 여의 산호초(珊瑚礁) 군도. 환초(環礁)가 많음. 열대성 식물·구아노(guano)·산호·대모(玳瑁)를 산출하며, 원양 어업의 기지임. 현재 중국·베트남·필리핀이 서로 영유권을 주장하고 있음. 서사(西沙) 군도. 파라셀(Paracel) 군도. *난사(南沙) 군도.

시사-담【時事談】명 시사에 관한 이야기. 시사를 서로 담론(談論)하는 일. ——-하다 자여불 「관 품계. 계사랑(啓仕郎)의 아래.

시:사-랑【試仕郎】명〖역〗조선 시대의 종구품 토관직(土官職)의 문

시사 만:평【時事漫評】명 당시에 생긴 여러 가지 세상 일을 생각나는 대로 한 비평.

시사 만:화【時事漫畫】명 현재의 사회적 관심거리를 해학과 풍자로 그리는 만화의 일종.

시사 문:제【時事問題】명 시사에 관한 문제.

시사-물【時事物】명 시사에 관한 기사물(記事物).

시사 보:도【時事報道】명 시사에 관한 보도.

시:사-복【視事服】명 임금이 집무할 때에 입는 옷. 「격.

시사-성【時事性】[—썽] 명 시사가 내포하고 있는 시대적·사회적 성

시:사 식물【C_4植物】명〔C_4 plant〕〖식〗C_3식물과 달리, 광합성(光合成) 때에 공기 중의 이산화 탄소를 일단 탄소 원자 4 개를 가진 화합물 형태로 고정시킨 후에, 칼빈 회로에 탄소를 보내는 반응계(反應系)를 갖는 식물. C_3 식물보다 높은 생산성을 보이는 일이 많음. 사탕수수·옥수수 등이 이에 해당함. 시포(C_4) 식물.

시:사-실【試寫室】명 영화를 시사하기 위하여 마련한 특별실.

시:사 여귀【視死如歸】명 죽음을 두려워하지 않고 고향에 돌아가듯이 여김. ——-하다 자여불

시사 영화【時事映畫】명 시사 문제 등에 관한 기록 영화.

시사 용:어【時事用語】명 시사에 관한 용어.

시:사-터【試射一】명 주로 궁술(弓術)을 연마하거나 겨루는 장소.

시사 통신사【時事通信社】명 통신사의 하나. 1951년 5월 21일 창설되어, 1980년 11월 언론 기관 통폐합으로 '연합 통신사'에 합병됨.

시사 해:설【時事解說】명 국내·국제의 중요 시사 문제를 일반 대중을 상대로 알기 쉽게 풀어 설명함. ——-하다 자여불

시:사-회【試寫會】명 영화 시사를 위하여 모이는 회.

시:산【試算】명 ①시험적으로 하는 계산. ②계산에 틀림이 있고 없음을 검산하는 일. ——-하다 타여불

시:산-도【矢山島】명〖지〗전라 남도의 남해안(南海岸), 고흥군(高興郡) 도양읍(道陽邑)에 속하는 섬. 고흥 반도(高興半島) 서남쪽에 있음. [3.65 km^2 : 790 명(1987)]

시:산 송:장【試算送狀】[—짱] 명〖경〗①화물을 수출입하기 전에, 손익(損益)의 예산을 세우기 위하여, 그때의 가격과 여러 가지 비율의 추정액(推定額)과를 계산해서 임시로 작성한 송장. ②물품의 구입 위탁을 하기 전에 위탁자가 수탁자(受託者)나 도매상에게 소요 화물의 가격을 문의했을 경우, 수탁자가 조사한 후에 위탁자에게 보내는 매입 견적서(見積書). 「산제(山祭).

시:산-제【始山祭】명 산악인(山岳人)들이 해마다 연초 상순에 지내는

시산-파【—派】〔西山〕명〖역〗중국에서 제1차 국공 합작(國共合作)에 반대한 국민당 우파에 속하는 일파(一派). 1925년 11월 북경 교외 시산(西山)에서 회동하고 반소·반공을 결의함. 후에 국민당의 원로적 지위를 확보함. 서산파.

시:산-표【試算表】명〖경〗복식 부기에서, 분개장(分介帳)으로부터 원장(元帳)에로의 전기(轉記)의 정부(正否)를 검산하기 위하여 원장 각 계정(計定)의 대차(貸借)의 각 합계액 또는 대차 차감(差減) 잔액을 계정명과 함께 기입한 표. 차변과 대변의 합계가 일치했을 때 원장의 기록에 틀림이 없음을 알 수 있음. 「이 흐른다는 말.

시:산 혈해【屍山血海】명 사람의 시체가 산같이 쌓이고, 피가 바다같

시:살[1]【弑殺】명 부모나 임금을 죽임. 시역(弑逆). 시해(弑害). 시군(弑君). ——-하다 타여불 「하게 함. ——-하다 타여불

시살[2]【廝殺】명 ①싸움터에서, 서로 죽임. ②그 세(勢)를 갈라서 쇠(衰)

시:삼 식물【C_3植物】명〔C_3 plant〕〖식〗칼빈 회로(Calvin回路)에 의해 광합성(光合成)을 하는 식물. 이산화 탄소를 흡수하여 생기는 최초의 탄수화물이 탄소 원자 3 개를 가진 3 탄당(三炭糖)이므로, C_3 식물이라고 불림. 벼·콩·민들레 등 많은 초본(草本) 식물과, 거의 모든 목본(木本) 식물이 여기 해당함. 시스리(C_3) 식물. *시사(C_4) 식물.

시-삼촌【媤三寸】명 남편의 삼촌.

시삼촌-댁【媤三寸宅】[—땍] 명 ①시삼촌의 집. ②시삼촌의 아내.

시:삽【柿澁】명 감에서 짜낸 즙(汁). 감물.

시:상[1]【市上】명 시장(市場)❶.

시:상[2]【屍床】명 ①〖고고학〗주검받침. ②시상판(屍床板).

시:상[3]【柿霜】명 시설(柿雪).

시:상[4]【施賞】명 상품이나 상금을 줌. 상사(賞賜). ——-하다 타여불

시상[5]【時狀】명 그때의 세상 형편. 「재(時宰).

시상[6]【時相】명 ①〖언〗시제(時制). ②〖역〗그 당시의 정승(政丞). *시

시:상[7]【視床】명〖생〗간뇌(間腦)의 대부분을 차지하고 있는, 큰 회백질(灰白質)의 덩어리. 지각 계통(知覺系統)의 대중심을 이루며, 정신 작용의 일부, 특히 감정적 요소는 이 곳에서 일어난다고 함. 시구(視丘). 시신경상(床). *체지각령(體知覺領).

시상[8]【詩想】명 ①시작(詩作)의 근본이 되는 착상. 시의 구상(構想). ¶~을 가다듬다. ②시에 나타난 사상(思想). ③시적인 생각이나 상념(想念). ¶~이 떠오르다.

시:상-뇌【視床腦】명〖생〗간뇌(間腦)의 대부분을 이루는 부분. 시상(視床)·시상 후부(後部)·시상 상부(上部)의 3부로 되어 있음.

시:상 상:부【視床上部】명〖생〗시상뇌의 한 부분. 시상의 후상부(後上部) 사이에 있는 부분으로 송과체(松果體) 및 취삼각(臭三角)·후교련(後交連) 등으로 되어 있음.

시-상수【時常數】[—쑤] 명〔time constant〕〖전〗계기(計器)·제어용 기기(制御用機器)의 전기 회로(回路) 등의 입력(入力)의 변화에 따라서, 출력(出力)에 응답이 나타나는 시간을 보기 쉽게 하는 상수.

시:상-식【施賞式】명 시상할 때 베푸는 의식(儀式).

시:상-판【屍床板】명 입관(入棺)하기 전에 시체를 얹어 놓는 긴 널.

시:상 하:부【視床下部】명〖생〗간뇌(間腦)의 일부로서, 제3 뇌실(腦室)의 측벽(側壁)의 배 쪽 부분과 밑바닥을 이루고 있는 부분. 주로 회백질(灰白質)로써 이루어졌는데, 뇌하수체(腦下垂體)와 깊은 관련을 가지며 자율(自律) 신경 작용의 중추(中樞)임.

시:상 화석【示相化石】명〔facies fossil〕〖지〗생존 당시의 환경을 아는 단서가 되는 화석. 생활 환경이 크게 제약(制約)받았던 생물의 화석으로, 조초(造礁) 산호·유공충(有孔蟲) 따위. *표준 화석.

시:상 후:부【視床後部】명〖생〗시상뇌의 한 부분. 시상의 뒤쪽에 있는 부분으로 청각과 시각의 중간 중추(中間中樞)를 이루고 있음.

시:새[1] 명 ←세사(細沙).

시새[2] 명〈방〉새암[1](경북).

시새:다 타 ↗시새우다.

시새우다 타〔근대 : 싀(猜)새오다〕①저보다 나은 이를 투기하다. ¶자기네가 신 벗고 따르려 따를 수 없는 그 뛰어난 재주를 까닭없이 시새웠던 것이다≪玄鎭健 : 無影塔≫. ②서로 남보다 낫게 하려고 다투다. ¶시새워 공부하다. 준시새다. 「하다 타여불

시새움 명 시새우는 일. 또, 그러한 마음. ¶~을 내다. 준시샘. ——-

시:색[1]【柿色】명 감의 빛. 다갈색(茶褐色). 감빛.

시색[2]【時色】명 시대의 추세(趨勢).

시샘 명 ↗시새움. ——-하다 타 여불

시:생【侍生】인대〔당신을 모시고 있는 소생(小生)이란 뜻〕웃어른에게 대하여 자기를 낮추어 일컫는 말.

시:생-대【始生代】명〔Archaeozoic Era〕〖지〗지질 시대 중의 최초의 시대. 선(先)캄브리아대(代)에서 원생대(原生代) 이전의 시대. 지구 탄생 이후 약 25억 년 전까지의 시대로 바닷속에 유기물이 생기고, 이것이 하등(下等) 식물로 진화함. 남조(藍藻)·세균의 화석이 발견됨. *원생대.

시:생-대층【始生代層】명〖지〗시생대(始生代)에 생성된 지층(地層). 화석(化石)이 극히 드물게 포함되어 있음.

시:생멸-법【是生滅法】[—뻡] 명〖불교〗만물은 변전(變轉)하고 생멸하는 것으로, 불변의 것은 하나도 없다는 말.

시서[1]【時序】명 돌아가는 시절의 순서.

시서[2]【詩書】명 ①시와 글씨. ¶~에 능하다. ②시경(詩經)과 서경(書經).

시서늘-하다 형 여불 음식이 식어서 차다.

시-서-례【詩書禮】명〖책〗시경(詩經)과 서경(書經)과 예기(禮記).

시-서모【媤庶母】명 남편의 서모.

시-서-역【詩書易】명〖책〗시경(詩經)과 서경(書經)과 주역(周易). 곧, 삼경(三經).

시:-서예【試書藝】명〖역〗고려 때 중서 문하성(中書門下省)의 이속(吏屬).

시-서조모【媤庶祖母】명 남편의 서조모.

시:석【矢石】명 옛날 전장(戰場)에서 쓰던 화살과 돌.

시:선[1]【始線】명〖수〗극좌표(極座標)를 택할 때에, 기준으로 택하는 반직선(半直線).

시:선[2]【施善】명 좋은 일을 베풂. ——-하다 자 여불

시:선[3]【視線】명 ①눈이 가는 길. 눈의 방향. 눈길. ¶~이 마주치다/~이 집중되다. ②안구(眼球)의 중심점과 외계의 주시점(注視點)과를 맺는 직선. ③〖수〗투시 화법(透視畫法)에서 시점(視點)과 물체의 각 점을 잇는 직선.

시:선[4]【視膳】명 아침 저녁으로 부모님의 진짓상(床)을 돌보는 일. ——-하다 자 여불

시선[5]【詩仙】명 ①선풍(仙風)이 있는 천재적인 시인. 시의 대가(大家). 시성(詩聖). 적선(謫仙). ②작시(作詩)에만 몰두하여 세상일을 잊은 사람. ③두보(杜甫)를 시성(詩聖)이라 한 데 대한 이백(李白)의 경칭.

시선[6]【詩選】명 시를 뽑아 모은 책. ¶한국 ~.

시:선[7]【試選】명 시험을 행하여 선발함. ——-하다 타 여불

시선[8]【廝禪】명〖불교〗〔시(廝)는 종·천부(賤夫)의 뜻〕남이 한 말을 외고 옮기면서, 그것을 선(禪)으로 알고 설도(說道)함을 이름.

시:선 속도【視線速度】명〖천〗천체(天體)가 시선 방향에 가까워지거나 또는 멀어지는 속도. 스펙트럼선의 편위(偏位)로써 측정할 수 있음.

시:설[1]【柹雪】명 곶감 거죽에 돋은 하얀 가루. 시상(柹霜).

시:설[2]【施設】명 어떤 목적을 위하여 건조물 따위를 만들어 설비하는 일. 또, 그 설비. 설시(設施) ¶공공 ~/아동 복지 ~. ——-하다 타 여불

시:설-감【施設監】명〖군〗시설감실의 장.

시:설감-실【施設監室】명〖군〗군의 시설에 관한 사항을 분장하는 한 실(室). 해군 본부와 공군 본부에 둠.

시설-거리다 자 싱글싱글 웃으면서 재미있게 지껄이다. >새살거리다·새실거리다. **시설-시설** 부. ——-하다 자 여불

시설-궂다 형 매우 시설스럽다. >새살궂다·새실궂다.

시설-대다 자 시설거리다.

시:설 대:여업【施設貸與業】명 시설·기계 기구와 이에 관련된 부동산 및 재산권의 장기 대여 및 보증 업무를 취급하는 영업. *시설 대여 회사.

시:설 대:여 회:사【施設貸與會社】명 재무부 장관의 인가를 받아 시설 대여업을 영위하는 회사. *시설 대여업.

시설-떨다 자 시설스럽게 행동하다. >새살떨다·새실떨다.

시:설 부:이사관【施設副理事官】명 시설직(施設職) 국가 공무원 직급 명칭의 하나. 토목 직렬(土木職列)에 속하며, 시설 서기관(書記官)의 위, 시설 이사관의 아래로 3급 공무원임.

시:설 서기관【施設書記官】명 시설직(施設職) 국가 공무원 직급 명칭의 하나. 토목 직렬(土木職列)에 속하며, 토목 사무관(事務官)의 위, 시설 부이사관의 아래로 4급 공무원임.

시설-스럽다 형 ㅂ불 성질이 온순하지 못하고 실없이 수선 부리기를 좋아하다. >새살스럽다·새실스럽다. **시설-스레** 부

시:설 이:사관【施設理事官】명 시설직(施設職) 국가 공무원 직급 명칭의 하나. 토목 직렬(土木職列)에 속하며, 시설 부이사관의 위, 관리관(管理官)의 아래로 2급 공무원임.

시:설 자재【施設資材】명 생산 시설을 설비하는 데 소요되는 자재. ↔원자재(原資材).

시:설 제공 이:적죄【施設提供利敵罪】명〖법〗군대·요새(要塞)·진영(陣營) 그 밖의 장소·설비·건조물이나 또는 군용의 비행기·선박·병기·탄약 등을 적국(敵國)에 제공함으로써 성립하는 죄.

시:설 파:괴 이:적죄【施設破壞利敵罪】명〖법〗적국을 이롭게 하기 위하여 군대·요새(要塞)·진영, 그 밖의 장소·설비·건조물이나 군용의 비행기·선박·병기·탄약 등을 파괴함으로써 성립하는 죄.

시섭 명〈방〉시접.

시성[1] 명〈방〉시아주버니(함경).

시:성[2]【市城】명 ①도시와 성. ②도시를 가운데 두고 둘러싼 성(城).

시성[3]【詩性】명 시로서 본디 가지고 있는 성질. 시에 공통되는 듯한 성질.

시성[4]【詩聖】명 ①고금(古今)에 뛰어난 위대한 시인. 시선(詩仙). ②이백(李白)을 시선(詩仙)이라 경칭(敬稱)한 데 대한 두보(杜甫)의 일컬음.

시:성[5]【諡聖】명〖천주교〗성인이라는 칭호를 붙여 공경할 만한 사람으로 인정되는 복자(福者)를 성인품에 올리는 일. ——-하다 타 여불

시성그러-하다 형〈방〉시서늘하다.

시:성 분석【示性分析】명〔ratinal analysis〕〖화〗각 원소(元素)의 함량(含量)을 알아 내고, 또한 각 원소의 결합 양식을 나타내기 위한 화학 분석.

시성-산【柴星山】명〖지〗함경 남도 풍산군(豐山郡) 풍산면(豐山面)과 안산면(安山面) 사이에 있는 산. [1,542 m]

시:성-식[1]【示性式】명〔rational formula〕〖화〗유기(有機) 화합물의 특성을 나타내는 원자단(原子團) 곧 작용기(作用基)의 존재를 나타내는 식. 예컨대 분자식 $C_2H_4O_2$의 아세트산의 시성식은 CH_3·COOH임.

시:성-식[2]【諡聖式】명〖천주교〗성인품(聖人品)에 오를 때 드리는 예식.

시:-세[1]【市稅】명〖법〗시(市)가 부과·징수하는 지방세의 하나. 보통세에 주민세 부가세·취득세 부가세 등과, 목적세에 도시 계획세·공동 시설세 등이 있음.

시:세[2]【市勢】명 ①시의 인구 및 산업·재정·시설 등의 종합적인 상태. ¶~ 조사. ②〖경〗경제계에 있어서 수요(需要)·공급(供給)의 관계가 원활한 정도.

시세[3]【時世】명 그 때의 세상.

시세[4]【時勢】명 ①그 때의 형세. 세상의 형편. 시대의 추세(趨勢). ②시가(時價).

【시세도 모르고 값을 놓는다】물건의 귀천도 알지 못하면서 평가한다는 말.

시세(가) 닿:다 구 값이 시세에 맞다.

시세-꾼【時勢—】명 증권 거래에서, 시세 등락에 의한 차익 취득(差益取得)을 노리는 사람.

시:-세(:)륜【施世綸】명〖사람〗중국 청(淸)의 명신. 자는 문현(文賢), 호는 남당(南堂). 타이저우(泰州)·양저우(楊州)의 장관이 되어 선정을 베풀고, 중앙에 소환되어 좌부 도어사(左部都御史)에서 호부 시랑(戶部侍郞)에 누관(累官)하여 조운(漕運)을 감독함. [?-1772]

시세션〔secession〕명〖미술·건〗〔본디, 분리·이탈의 뜻〕건축·미술·공예 상의 일종의 양식(樣式). 1897년 빈(Wien)에서 화가·건축가·조각가·공예가 등이 '인습으로부터의 분리'를 부르짖고 새 세대의 예술을 의도하여 일으킨 혁신 운동에서 비롯됨. 그 근본 정신은 '예술을 지배하는 것은 오직 필요뿐'이라는 표어로서, 형태 및 색채의 단순화를 모토로 하고 직선 위주의 간단 명료한 것을 기조(基調)로 하여 번잡함이 없이 아주 새롭고도 산뜻한 느낌을 줌. 이론적으로도 진보적이며 근세 조형 미술의 지도적 입장에 있었음. 분리파(分離派). 제체시온.

시세-없다 형〈방〉실없다(함경).

시세 예:측【時勢豫測】명 과거와 현재의 시세 변동(時勢變動)을 통계적(統計的)으로 관찰하여 그 장래를 미루어 알아보는 일.

시세 조작【時勢操作】명〖경〗부정한 수단으로, 증권 거래소가 개설하는 유가(有價) 증권 시장의 시세를 인위적으로 올리고 내리는 행위.

시:-세포【視細胞】명〖생〗동물의 감각 세포의 한 가지. 빛의 자극을 받아 시각을 일으킴. 하등(下等) 동물에서는 단독으로 산재(散在)하는 경우와, 모여서 시각기(視覺器)를 이루는 경우가 있음. 척추 동물에서는 집합하여 망막(網膜)을 만들며, 간상 세포(桿狀細胞)와 원추(圓錐) 세포로 분화되어 있음.

시세-표【時勢表】명〖경〗증권 거래소가 그 유가 증권 시장에 상장(上場)되어 있는 유가 증권의 매일의 최고·최저와 최종 가격을 표시한 표.

시:소[1]【尸素】명 ↗시위 소찬(尸位素餐).

시:소[2]【試所】명〖역〗과시(科試)를 치르는 곳. 시원(試院).

시:소:[3]〔seesaw〕명 긴 널판의 한가운데를 괴어, 그 양쪽 끝에 사람이 타고 서로 오르락내리락 하는 놀이.

〈시소[3]〉

시:소: 게임〔seesaw game〕명 어떤 경기에서, 두 편의 득점이 서로 번갈아 올랐다 내렸다, 쫓았다 쫓겼다 하는 접전(接戰). 곧, 일진 일퇴(一進一退)의 백열전(白熱戰).

시소공지-찰【緦小功之察】명 부모의 상복(喪服)보다 시마(緦麻)·소공(小功)을 더 중하게 여긴다는 뜻. 곧, 대국(大局)을 살피지 아니하고 작은 일에만 골몰함을 비유하는 말.

시소러스〔thesaurus〕명〔본디는 '창고'의 뜻〕①분류체(分類體) 사전을 이름. 중국의 ≪이아(爾雅)≫ 등이 이에 속함. ②컴퓨터 따위의 정보 검색(情報檢索)에 쓰이는 인덱스(index)로서, 널리 동의어(同義語)·유의어(類義語) 등을 분류·정리한 것.

시속[1]【時俗】명 그 시대의 풍속. ¶성인(聖人)도 ~을 좇다.

시속[2]【時速】명 속도를 표시하는 방법의 하나. 한 시간을 단위(單位)로 하여 측정한 속도. ¶~ 50마일. *분속(分速).

시:속[3]【視束】명〖생〗시신경(視神經).

시:속 교차【視束交叉】명〖생〗시신경 교차.

시:속-염【視束炎】[—념] 명〖의〗시신경염(視神經炎).

시:속 위축【視束萎縮】명〖의〗시신경 위축.

시:-솔【侍率】명 위로 어른을 모시고, 아래로 수하자(手下者)를 거느리는 일.

시수[1] 명〈방〉세수(전라).

시:수[2]【矢數】명 과녁에 맞은 화살의 수효.

시:수[3]【侍豎】명 귀인(貴人)의 옆에서 시중하는 동자(童子).

시:수[4]【屍水】명 추깃물. 시즙(屍汁).

시수[5]【柴水】명 땔나무와 마실 물. 신수(薪水).

시수[6]【時囚】명 그 당시 옥(獄)에 갇히어 있는 죄인(罪人).

시수[7]【時羞】명 제사에 쓰이는, 그 철에 나는 음식물.

시수[8]【詩藪】명〖책〗중국 명(明)나라 때 호응린(胡應麟)이 쓴 시론(詩論). 내편(內編) 6권, 외편(外編) 6권, 잡편(雜編) 6권, 속편(續編) 2권, 도합 20권으로 되었는데, 시의 각 체(體)와 역대(歷代)의 시 및 시인에 관하여 평론한 것임.

시:수-꾼【矢數—】명 관사(官射) 과녁에 화살 열 순, 곧 50개를 쏘아서 25시(矢) 이상을 맞히는 사람. *소(小)살판·대(大)살판.

시수-대 명〈방〉세수 대야(전남·경남).

시수 대야 명〈방〉세수 대야(충남·경북).

시수 대양 명〈방〉세수 대야(전북).

시:수 사이클【示數—】〔cycle〕명〖기상〗대기 환류(大氣環流)의 주기적 변동의 하나. 대기 환류에서, 동서 시수(東西示數)의 평균적 변동 주기인 6주간의 주기로 변동하는 현상. *동서 시수.

시수이〔浉水〕명〖지〗중국 허난 성(河南省) 서남부를 흐르는 강의 이름. 서부의 루스 현(盧氏縣)에 수원(水源)을 두고, 단수이(丹水) 강과 합하여 한수이(漢水) 강으로 흐름. 석수.

시숙【媤叔】명 남편의 형제. 소구(小舅). *시아주버니.

시:술【施術】명 의술·최면술 등의 술법(術法)을 베푸는 일. ——-하다 자타여불

시스럽다 형〈방〉스스럽다.

시:스루: 룩〔see-through look〕명〖복식〗투명(透明) 또는 반투명(半透明)의 갑이나 레이스를 소재로 한 의상. 누드 룩.

시:스리:아이【C³I】명〔command, control; communication and intelligence〕〖군〗지휘·통제·통신 및 정보의 약칭으로, 군대에서 인체의 오감(五感)·신경에 해당하는 기능을 총칭한 것. 무기의 진보·다양화, 군사 기술의 복잡화와 더불어 고도의 전자 기술을 도입한 시스템으로서 운용되고 있음. '시큐빅아이'라고도 읽음.

시스마〔라 Schisma〕명〖종〗교회 분열. 교회 조직상의 분열로서, 교리상의 분리를 뜻하는 이단(異端)과는 구별됨.

시스몽디〔Sismondi〕명〖사람〗스위스의 역사가·경제학자. 본명은 Jean Charles Léonard Sismonde de. 프랑스 고전학파 최후의 대표자임. 처음에는 스미스(Smith, A.)의 신봉자로 자유주의 경제학을 주장하였으나 뒤에 주저(主著)《경제학 신원리》를 내어 이를 비평, 공동체적인 개량주의를 부르짖어 강단(講壇) 사회주의의 시조로 일컬어짐. 대저술 《프랑스사(史)》로 유명함. [1773-1842]

시:-스카우트〔sea-scout〕명 해양 소년단. *보이 스카우트.

시스카이〔Ciskei〕명 아프리카 남동부 인도양안(岸)의 공화국. 남아프리카 공화국의 항구 도시 이스트런던과 엘리자베스 사이의 지역으로, 주민은 흑인. 1968년 남아프리카 공화국의 자치구(自治區)가 되고, 1981년 독립은 하였으나 국제적으로 인정되지는 않고 있음. 수도는 비쇼(Bisho). [345 km²:200만 명]

시스터〔sister〕명 ①자매(姉妹). 누이. 또, 누이 동생. ②〈속〉여학생간의 동성애(同性愛)의 상대. 준에스(S). ③〖천주교〗수녀(修女).

시스테인〔cysteine〕명〖화〗아미노산의 한 가지. 백색의 결정(結晶). 불안정한 화합물로서, 공기에 의해 산화되면 시스틴(Cystin)이 됨. 단백질에 포함되고 있어 효소(酵素) 작용에 관계함. 염산염(塩酸塩) 또는 온화한 환원제(還元劑)로서 쓰임. 납·카드뮴 등의 중금속 중독, 방사선 장애의 치료 또 방어에 유효하다고 함. [$HSCH_2CH(NH_2)COOH$]

시스템〔system〕명 ①어떤 목적을 위한 질서 있는 방법·체계·조직. ¶관리 ～. ②〖컴퓨터〗필요한 기능을 실현하기 위하여 조직화된 구성 요소들의 집합체.

시스템 공학【—工學】명〔system engineering〕〖공〗시스템을 구성하는 각각의 작용·기기(機器) 등을 분석하여 가장 적합한 시스템을 설계하는 공학의 한 분야. 공학 상(工學上)의 문제, 입지(立地), 공정(工程) 관리, 노동 따위를 현재에서 장래까지 종합적으로 검토하기 위하여 이용되며, 기타 경제나 경영 등에도 응용됨. 시스템 엔지니어링.

시스템 다이내믹스〔system dynamics〕명 시간과 함께 변동(變動)하는 사회의 상태를 모형화(模型化)하여 분석하는 수법.

시스템 라이프 사이클〔system life cycle〕명〖공〗구상(構想)에서부터 처리까지의 여러 단계의 시스템의 연속.

시스템 분석【—分析】명〔system analysis〕〖공〗어떤 행위·수단·방법·기술·업무 등의 분석. 필요한 작업을 어떻게 잘 수행할 것인가를 결정하기 위해서 행함.

시스템 분석가【—分析家】〔system〕명 시스템 애널리스트.

시스템 산:업【—産業】명〔system industry〕다수의 산업이나 기업을 유기적(有機的)으로 재편성하여 체계화한 복합적인 산업. 우주 개발·해양 개발·정보 산업 따위.

시스템 설계【—設計】명〔system design〕유효(有效)한 구성 성분을 어떤 특정한 방법으로 이용하게끔 시스템을 구성하는 기술.

시스템 소프트웨어〔system software〕명〖컴퓨터〗컴퓨터 시스템 운영에 필요한 기본적인 소프트웨어. 응용 프로그램의 기초가 되며 그 위에서 응용 프로그램을 개발하거나 사용할 수 있도록 해줌(운영 체제, 각종 언어의 컴파일러, 어셈블러, 라이브러리 프로그램, 텍스트 에디터 따위).

시스템 신:뢰성【—信賴性】[—실—썽] 명〔system reliability〕〖공〗지정된 환경 조건에서, 어떤 시스템이 특정(特定)한 작용을 정확하게 행하는 가능성.

시스템 안전성【—安全性】[—썽] 명〔system safety〕〖공〗시스템의 최적(最適) 안전성. 시스템 안전 공학을 시스템 전역에 적용함으로써 생기는 조업 효율(操業効率)·시간(時間)·원가(原價) 등의 제약 범위 안에서의 최적의 안전성을 이름.

시스템 애널리스트〔system analyst〕명 시스템 설계를 목적으로 하여 문제에 대한 방법론의 설정, 관련 사항의 세분화(細分化), 현상 조사 등의 분석을 행하는 사람. 시스템 분석가.

시스템 엔지니어〔system engineer〕명 컴퓨터 업무의 현상을 조사 분석하고 새로운 시스템을 설계·도입(導入)하는 정보 처리 전문 기술자.

시스템 엔지니어링〔system engineering〕명 시스템 공학(工學).

시스템 컨버:터〔system converter〕명 표준 방식 변환기(變換器).

시스템 키친〔system kitchen〕명 싱크대(臺)·가스대·조리대 등을 방의 크기에 따라 또는 사용하기 편리하도록 자유롭게 조립하여 선택할 수 있는 부엌 세트.

시스템 프로그램〔system program〕명 데이터 등을 처리할 수 있게 하기 위한 프로그램을 만드는 일. 또, 프로그램의 취급을 용이하게 하기 위한 프로그램을 일컬음.

시스템 플래너〔system planner〕명 컴퓨터 시스템의 시스템 프로그램의 설계에 즈음하여, 현상(現狀)의 분석, 문제점의 파악·해석 방법·점검 방법, 그 외의 처리 방법 등의 룰(rule)을 설정하는 사람.

시스템 하우스〔system house〕명 시스템의 설계나 소프트웨어의 개발뿐 아니라 마이크로 컴퓨터나 부품(部品) 등 하드웨어를 써서 실제의 시스템 조립(組立)도 하는, 새로운 형태의 소규모 정보 관련 기업.

시스티나 성:당【—聖堂】〔Sistina〕명 로마 바티칸 궁전에 있는 교황의 대성당. 교황 식스투스(Sixtus) 4세의 명(命)으로 1473-81년에 걸쳐 세워졌음. 당(堂) 안에는 르네상스 때의 유명한 화가들의 벽화·천정화(天井畫)가 많은데, 미켈란젤로의 '최후의 심판' 벽화가 특히 유명함. 이곳에서 교황 선출이 이루어짐.

시스티매틱〔systematic〕명 조직적. 계통적. 체계적. ——-하다 형여불

시스틴〔도 Cystin〕명〖화〗아미노산의 한 가지. 천연(天然)의 것은 무색의 침상정(針狀晶)임. 케라틴(keratin) 같은 단백질에 많이 포함되고 있어, 이것을 가수(加水) 분해하거나 또는 시스테인을 산화시키어 얻음. 환원하면 쉽게 시스테인이 됨으로 생체(生體)내에서의 산화 환원(酸化還元)에 중요한 역할을 함.

시슬레〔Sisley, Alfred〕명〖사람〗프랑스의 화가. 모네(Monet) 등과 친교를 맺고, 주로 온전한 조형 감각(造形感覺)과 산뜻한 서정성이 깃들인 풍경화를 그렸는데, 인상파의 대표적 화가로 꼽힘. [1839-99]

시슴ᄃᆞ시 부〈옛〉씻은 듯이. ¶발ᄋᆞᆯ 시슴ᄃᆞ시 ᄒᆞ더시다(足躍如也)《小諺 238》.

시습[1]【時習】명 배운 것을 때때로 복습함. ——-하다 타여불

시습[2]【詩什】명 ①열 편(編)씩 모은 시집(詩集). 《시경(詩經)》의 아(雅)가 열 편을 한 권으로 한 데서 온 말. ②시편(詩編). 시고(詩稿).

시승[1] 명〈방〉스승.

시:승[2]【市升】명〖역〗옛날 시장에서 쓰이던 되. 10 작(勺)을 한 홉, 10 홉을 한 되, 10되를 한 말, 녀 말을 한 섬으로 하였음. 이의 한 되는 오늘날의 한 되 서 홉 다섯 작임. 장되. *관승(官升)·식승(食升).

시:승[3]【侍丞】명〖역〗↗감찰 시승(監察侍丞).

시:승[4]【施僧】명 중에게 재물이나 음식을 베풀어 줌. ——-하다 타여불

시:승[5]【試乘】명 시험적으로 타 봄. ——-하다 타여불

시승[6]【詩僧】명 시에 능한 중. 시(詩)중.

시시[1]【時時】명 시각마다. ¶～로.

시:시[2]【試詩】명 시첩시(試帖詩).

시: 시:[3]【C.C., cc】명〔cubic centimeter의 약칭〕입방 센티미터(立方 centimeter). 1cc=1cm³=1/1000 리터.

시시 각각【時時刻刻】명부 시각마다. 일각 일각(一刻一刻).

시시 각각으로【時時刻刻—】부 시간의 흐름에 따라 시각마다. 자꾸자꾸.

시시-거리다 자 ↗시시덕거리다.

시시껄렁-하다 형여불 시시하고 꼴답지 않다.

시시껍절-하다 형여불 ☞시시껄렁하다.

시: 시:-단【CC團】명〔C는 Chen(陳)의 머리 글자〕중국에서 1930년 전후에, 천 궈푸(陳果夫)·천 리푸(陳立夫) 형제가 조직한 국민당 소장 분자의 단체. 반국민당 사상의 억압이 주된 임무였음.

시시-담【時時曇】명 날씨가 갰다가 때때로 흐림. *시시청.

시시-대다 자 시시거리다.

시시덕-거리다 자 실없이 잘 웃고 몹시 지껄이다. ¶재우쳐 조르는 동궁 연산의 말에 제안의 시시덕거리던 얼굴 빛은 별안간 점잖게 고쳐졌다《朴鍾和:錦衫의 피》. 준시시거리다.

시시덕-대다 자 시시덕거리다.

시시덕-이 명 시시덕거리기를 잘하는 사람의 별명.

【시시덕이는 재를 넘어도 새침데기는 골로 빠진다】언뜻 보기에 떠드는 사람보다 겉으로 점잔을 빼는 사람이 때로는 더 악한 마음씨를 품고 있음을 이르는 말.

시: 시: 디:【CCD】명〖전〗'전하 결합 장치(電荷結合裝置)'의 약칭.

시시때 명〈방〉세숫대야(경북).

시시 때때로【時時—】부 '때때로'의 힘줌말.

시:시력-표【試視力表】명 시력 검사표(視力檢査表).

시시-로【時時—】부 때때로.

시시-부지 부 ①일을 어름어름하여 아무렇게나 해 넘기는 모양. ¶～하지 말고 단단히 꾸며라. ②우물쭈물하는 사이에 저절로 없어지거나 희미해지는 모양. ¶많은 돈이 ～ 없어지다. ——-하다 형여불

시:시-비비【是是非非】명 ①여러 가지의 잘잘못. ②여러 가지로 서로 옳고 그름을 따지며 다투는 일. ——-하다 자여불

시:시비비-주의【是是非非主義】[—/—이] 명 중립적인 입장에서 옳은 것은 옳고 그른 것은 그르다고 시비를 명확히 가리는 주의.

시: 시: 시:【C.C.C.】명〔Commodity Credit Corporation의 약칭〕미국의 상품 금융 회사. 1933년 재무성과 부흥 금융 공사의 공동 출자에 의하여 농산물 가격을 유지하거나, 판매 통제상 필요한 금융의 편의를 줄 것을 목적으로 설립된 농무성 직할의 특수 기관.

시: 시: 아이 아:르【CCIR】명〔프 Comité Consultatif International des Rediocommunication의 약칭〕국제 무선 통신 자문 위원회.
시시 종종【時時種種】명 때때로 있는 갖가지. 여러 가지.
시시-청【時時晴】명 날씨가 흐렸다가 때때로 갬. *시시담.
시시-콜콜 부 ①시시하여 고리고 배린 모양. ②시시하고 배릴 정도로, 미주알 고주알 따지고 캐는 모양. ——-하다 형여불. ——-히 부
시: 시: 티: 브이【CCTV】명〔closed circuit television의 약칭〕폐회로(閉回路) 텔레비전.
시시포스〔Sisyphos〕명〖신〗그리스 신화 중의 인물. 코린토스(Korinthos)의 왕으로, 제우스(Zeus)를 수차 속인 죄로 사후 지옥에서 돌을 산정(山頂)에 끌어올리면 다시 굴러 떨어져, 이를 한없이 되풀이하는 영겁(永劫)의 형벌을 받음.
시시풍덩-하다 형여불 시시하고 실(實)답지 않다. 준시풍덩하다.
시시-하다 형여불 ①비웃거나 업신여길 만큼 변변하지 못하다. 신통한 점이 없다. ②어떤 일의 끝장이 흐지부지하다. 「자여불
시:식[1]【侍食】명 웃어른을 모시고 음식을 먹음. 시반(侍飯). ——-하다
시:식[2]【施食】명〖불교〗음식으로 보시(布施)함. ——-하다 자여불
시식[3]【時食】명 시절에 따라 나는 음식. 그 시절에 알맞은 음식.
시:식[4]【視息】명 눈뜨고 살아 있는 목숨.
시:식[5]【試食】명 맛이나 요리 솜씨를 보기 위하여 시험적으로 먹어 봄. ——-하다 타여불 「타여불
시:식[6]【試植】명 새로운 품종의 식물 등을 시험적으로 심음. ——-하다
시:식[7]〔seasick〕명〔↗seasickness〕뱃멀미.
시:식 권:공 언:해【施食勸供諺解】명〖책〗불공(佛供)에 필요한 진언권공(眞言勸供)과 삼단시식문(三壇施食文)을 번역한 책. 조선 시대, 연산군(燕山君) 2년(1496) 인수 대비(仁粹大妃)의 명으로 400부를 간행했다 함. 국어사(國語史) 및 서지학(書誌學) 연구에 귀중한 자료임. 목판본 2권 1책.
시:식-대【施食臺】명〖불교〗시식돌.
시:식-돌【施食—】명〖불교〗영혼의 천도식(薦渡式)을 마치고 마지막으로 문밖에서 잡귀에게 음식을 베풀어 주며 경문(經文)을 읽는 곳. 시식대(施食臺). 시식석(施食石). 헌식(獻食)돌.
시:식-석【施食石】명〖불교〗시식돌.
시식-잖다〔—잔타〕형 같잖고 되잖다.
시:식-회【試食會】명 시식(試食)하기 위하여 모이는 회.
시:신[1]【侍臣】명 임금을 가까이 모시는 신하(臣下). 측근(側近)의 신하. 근신(近臣).
시:신[2]【屍身】명 송장. 시체.
시신[3]【柴薪】명 땔나무.
시:-신경【視神經】명〔라 nervus opticus〕〖생〗안구(眼球)의 망막(網膜)으로부터 뇌로 시각(視覺)을 전달하는 신경. 대뇌(大腦)의 시신경 교차(交叉)에서 나온 제이 뇌신경(第二腦神經)으로, 안구 속으로 들어가 망막에 분포되어 망막의 자극을 시중추(視中樞)에 전달하여 광각(光覺)을 일으킴. 시속(視束). 보기 신경. 안신경(眼神經). ¶ ~ 마비/~염(炎).

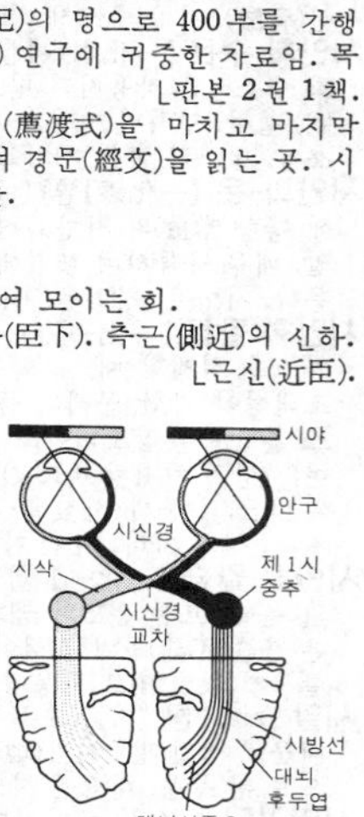

〈시신경 교차〉

시:신경 교차【視神經交叉】명〔optic chiasma〕〖생〗좌우의 시신경이 뇌에서 나와 눈의 망막(網膜)에 이르는 도중에서 교차하는 부분. 시속 교차. 옵틱 키아스마.
시:신경 마비【視神經痲痺】명〖의〗시신경이 마비되어 약시(弱視)나 흑내장(黑內障)이 일어나는 뇌신경 마비의 하나. *동안 신경 마비.
시신경-상【視神經床】명〖생〗시상(視床). 시구(視丘).
시:신경-염【視神經炎】〔—념〕명〔라 neuritis optica〕〖의〗시신경에 일어나는 염증. 시신경 유두(乳頭)가 충혈·혼탁·종창(腫脹)하고, 경계가 불선명해지며 망막 정맥(網膜靜脈)은 노장(怒張)·우곡(紆曲)하여 일반적으로 시력을 감퇴시킴. 주요한 원인은 매독·신염(腎炎)·뇌막염 등임. 시속염(視束炎). *구후(球後) 시신경염.
시:신경-엽【視神經葉】명〔optic lobe〕〖동〗시엽(視葉). 중뇌(中腦).
시:신경 위축【視神經萎縮】명〔optic atrophy〕〖의〗어떤 원인에 의하여 시신경 섬유(纖維)가 위축하는 일. 시력이 점점 쇠퇴하여 안저(眼底)의 유두(乳頭)가 흔히 창백해짐. 단순(單純) 시신경 위축·염성(炎性) 시신경 위축·망막성(網膜性) 시신경 위축·축성(軸性) 시신경 위축·녹내장성 시신경 위축의 다섯 가지로 구별함. 시속(視束) 위축.
시:신-세【始新世】명〖지〗'에오세(世)'의 구칭.
시:실【屍室】명 시체가 있는 방. 시체실.
시실-거리다 자 실없이 자꾸 웃거나 쓸데없이 헤식게 굴다. 시실대다.
시실-대다 자 시실거리다.
시실리〔Sicily〕명〖지〗'시칠리아(Sicilia)'의 영어명.
시실-시실 부 실없이 웃거나 쓸데없이 짓궂게 구는 모양. 준실실. >새실새실. ——-하다 자여불
시:심[1]【矢心】명 마음 속으로 맹세함. ——-하다 자여불
시심[2]【豕心】명 돼지 같은 마음. 곧, 염치 없고 허욕이 많은 마음.
시:심[3]【始審】명〖법〗제일심(第一審).
시:심[4]【視心】명〖미술〗투시 화법(透視畫法)에서 투시면(透視面)에 수직으로 된 시선(視線)과 같은 면과의 교점(交點).
시심[5]【詩心】명 시흥(詩興)이 돋는 심경(心境). 시정(詩情). ¶ ~이 일다.
시:심마【是甚麼】명〖불교〗인생의 모든 생활 현상에 관한 근본적 의문(疑問). 선종(禪宗)에서 불법(佛法)을 연구하는 공안(公案).
시:심 시:불【是心是佛】명〖불교〗사람은 번뇌로 인하여 마음이 더러워지나, 본심은 불성(佛性)으로서 중생(衆生)의 마음이 곧 부처의 마음이라는 뜻. 즉심 시불(卽心是佛). 즉심 즉불(卽心卽佛).
시:심 작불【是心作佛】명〖불교〗중생(衆生)은 불성(佛性)을 갖추고 있으므로 관상(觀想)이 성취될 때 중생은 그대로 부처가 된다는 뜻.
시:심적 쟁송【始審的爭訟】〔—쩍—〕명〖법〗법률 관계의 형성 또는 존부(存否)에 관한 최초의 행정 행위가 쟁송(爭訟)의 형식을 거쳐 행하여지는 경우의 절차(節次). 행정 행위의 재심사를 목적으로 하는 절차로서의 복심적 쟁송(覆審的爭訟)에 대립되는 개념. 행정 쟁송에서 인정되는 경우는 드묾.
시아 교:파【—敎派】〔Shiah〕명〖종〗〔'시아'는 아랍어로 당파(黨派)의 뜻〕이슬람교의 이대 종파(二大宗派)의 하나. 마호메트가 죽은 뒤, 그의 후계자를 둘러싸고 마호메트의 사위 알리(Ali)와 그의 아내의 자손만을 이슬람 교단(敎團)의 정통(正統)의 주재자로 삼고, 역대의 칼리프(Caliph)의 정통을 부인하여 갈라져 나온 파. 다시 이 파로부터 많은 극단파가 나왔음. 수니 교파와 대립하여 분리파·이단파(異端派)라고도 불리는데, 신도는 이슬람 교도의 1할이 못 되며, 이란에 많음. ↔수니(Sunni) 교파. *이슬람교.
시:-아귀【施餓鬼】명〖불교〗음식을 아귀(餓鬼)에게 베풀어 준다는 뜻으로, 무연(無緣)의 망자(亡者)의 혼령을 위로하여 독경(讀經)·공양(供養)하는 일.
시-아기 명〈방〉새아기.
시아노겐〔cyanogen〕명〖화〗시안(cyan).
시아노-기【—基】명〔cyano group〕〖화〗1가(價)의 기(基) -CN의 일컬음. 「명.
시아노-코발라민〔cyanocobalamine〕명 비타민 비 트웰브(B_{12})의 화학
시아누르-산【—酸】명〔cyanuric acid〕〖화〗보통의 것은 2수화물(水化物)로서 주상 결정(柱狀結晶). 100℃에서 무수물(無水物)이 되고 300℃ 이상에서 분해되어 이소시안산(酸)(HNCO)이 됨. 세 분자의 이소시안산의 중합(重合) 등으로 만듦. [$C_3H_3N_3O_3$]
시아누크〔Sihanouk, Norodom〕명〖사람〗캄보디아의 정치가. 1941년 캄보디아 국왕에 즉위. 1955년 왕위를 아버지에게 양도한 후, 인민 사회주의 공동체(人民社會主義共同體)를 결성하고 총선거를 거쳐 수상(首相)이 됨. 1960년 부왕(父王) 사후, 국민 투표로 국왕이 됨. 그의 좌경적(左傾的)인 중립 외교 정책으로 1970년 3월 쿠데타가 일어나 론놀이 정권을 잡아 크메르 공화국을 세우자, 외유중(外遊中) 베이징(北京)에 망명 정부를 세움. 1975년 크메르가 적화(赤化)되자 돌아와 국가원수(元首)가 되었다가 실각. 1979년 베트남 지원하의 헨 삼린 정권 수립 후에는 베이징·평양 등지에서 반(反)베트남 투쟁을 전개하고, 1982년 삼파(三派) 연합 정부 수립으로 그 대통령에 취임했으나 1988년 7월 대통령직을 사임. 파리로 망명했다가 1991년 다시 귀국. [1922-]
시아닌〔cyanine〕명〖화〗①장미·달리아 등의 배당체(配糖體)로 안토시안(anthocyan)의 일종. 녹는점 205℃. [$C_{27}H_{31}O_{16}Cl$] ②시아닌 색소 중에서 가장 간단한 것의 일컬음.
시아닌 색소【—色素】명〔cyanine dye〕〖화〗퀴놀린(quinoline) 물감에 속하는 감광성 색소(感光性色素)의 하나. 등색(橙色)·적색에 대하여 증감 작용(增感作用)을 가지므로 사진용 감광 색소로서 널리 연구되고 있음.
시: 아:르 생산【CR生産】명〖경〗〔clean and recirculation production의 약칭〕폐기물을 내지 않고 폐기물을 자원으로 하여 다시 이용하는 따위의 생산 방식. 배출되는 폐기물·제품이 그대로 폐기물로서 집적(集積)되어 생기는 공해·오염을 제거하기 위하여 유럽 공동체의 맨스홀트 보고(Manshalt 報告)가 제창한 것임.
시: 아:르 에스【CRS】명〔Computer Reservation System의 약칭〕항공권 자동(自動) 예약 시스템.
시: 아:르 티: 디스플레이【CRT display】명〖컴퓨터〗〔CRT는 cathode-ray tube의 약칭〕브라운관(管)에 문자(文字)나 도형(圖形)을 나타내는 컴퓨터 단말(端末) 장치. 문자 표시 장치(character display)와 도형 표시 장치(graphic display)의 두 종류가 있음.
시아리다 타〈방〉헤아리다(충청).
시-아버님【媤—】명 '시아버지'의 존칭.
시-아버지【媤—】명 남편의 아버지. 시부(媤父).
[시아버지 죽으라고 축수했더니 동지 섣달 맨발 벗고 물 길을 때 생각난다] 싫어하고 미워하던 것도 막상 없어지고 보면 아쉽게 생각난다는 말.
시-아비【媤—】명 '시아버지'의 비칭(卑稱).
시: 아이 디:【C.I.D.】명〖군〗〔Criminal Investigation Detachment의 약칭〕군사 범죄 수사대(軍事犯罪搜査隊).
시: 아이 시:【C.I.C.】명〖군〗〔Counter Intelligence Corps의 약칭〕방첩(防諜) 부대. 특무 부대(特務部隊).
시: 아이 에이【C.I.A.】명〔Central Intelligence Agency의 약칭〕미국의 중앙 정보국. 1947년 대통령 밑에 설치된 국가 안전 보장 회의(國家安全保障會議)의 한 부국(部局)으로, 세계 각국의 정치·군사·경제에 관한 정보 수집을 목적으로 하는 비밀 기구임. 실질적으로는 독립 기관이며, 그 예산도 방대한데, 그 용도(用途)는 의회의 승인을 받을 필요가 없음.
시: 아이 에프【C.I.F.】명〖경〗〔Cost, Insurance and Freight의 약칭〕무역 용어(貿易用語)로, 상품의 수출 원가에 도착항(到着港)까지의 운임과 보험료를 합산한 가격으로 정하는 매매 계약. 또, 그 가격을 말함. 운임 보험료 포함 가격. 시프(CIF). *에프 오 비(F.O.B.).
시: 아이 오:【C.I.O.】명〖사〗〔Congress of Industrial Organization의 약칭〕미국의 산업별 노동 조합 조직. 1935년에 미국 노동 총동맹(AFL)의 직업별 노동 조합주의에 반기(叛旗)를 들고 탄갱부(炭坑夫) 조합 이하 11개 조합이 탈퇴하여, 1938년 정식으로 발족한 노동 단체. 산업별 조합주의를 내걸고, 숙련·미숙련 노동자를 광범위하게 포섭하

여, 급속히 발전하였으며, 진보적 경향을 띰. 1955년 AFL-CIO로 통합될 때까지 36조합, 600만 명이 가맹하고 있었음. 미국 산업별 노동 조합 회의. *에이 에프 엘(A.F.L.).

시: 아이 이: 표색계【CIE表色系】명〖물〗〔CIE는 Commision Internationale de l'Eclairage의 머리 글자〕아이 시 아이(I.C.I) 표색계.

시: 아이 큐:【C.I.Q.】명〔Customs, Immigration, Quarantine의 세 머리 글자〕출입국 때 반드시 밟지 않으면 안 되는 세관·출입국 관리(管理)·검역의 세 가지 절차를 이르는 말.

시-아자비【媤—】명〈방〉시아주비(평안).

시-아주버니【媤—】명 남편의 형. 「(卑稱).

시-아주비【媤—】명 ①남편의 아우. 시동생. ②'시아주버니'의 비칭

시아-파【—派】〔Shiah〕명〖종〗시아 교파.

시:악【恃惡】명 자기의 악성(惡性)을 믿음. ——-하다 자여불

시:악(을)쓰다 구 화가 몹시 나서 있는 악을 다 쓰다.

시-악아 감〈방〉새악아.

시악 화성【詩樂和聲】명〖책〗조선 정조(正祖) 4년(1780) 왕명에 의하여 규장각(奎章閣)에서 편성한 음악에 관한 책. 전 10권.

시:안[1] 명〈방〉세안. 겨울(전라·충남).

시:안[2]【試案】명 시험적으로 만든 안(案). 임시로 만들어 본 계획이나 의견.

시안[3]【詩眼】명 ①시(詩)를 볼 줄 아는 안식(眼識). ②오언시(五言詩)의 잘 되고 못 됨을 결정짓는 중요한 한 글자. 구중안(句中眼).

시안[4]〔cyan〕명〖화〗수은·은 또는 금의 시안화물(Cyan化物)을 적열(赤熱)하면 생기는 무색·유독한 기체. 특이한 냄새가 있으며 점화하면 보랏빛의 불꽃을 내며 타서 탄산 가스와 질소로 유리(遊離)됨. 군사용 독가스로 쓰임. 청소(青素). 시아노겐. [$(CN)_2$]

시안[5]〔西安〕명〖지〗중국 산시 성(陝西省)의 수도(主都). 관중 평야(關中平野)의 중심부에 있어, 웨이허(渭河)의 남쪽, 중난(終南)의 북쪽이 됨. 주(周)의 호경(鎬京), 한(漢)·수(隋)·당(唐)의 장안(長安)은 모두 여기였음. 명(明)·청(淸) 때에는 서안부(西安府)라 했는데 지금은 부(府)를 폐하고 장안 현(長安縣)을 둠. 서안(西安). [2,277,000명(1984)] *장안(長安).

시안 가리【—加里】〔cyan〕명〖화〗시안화 칼륨.

시안 공해【—公害】〔cyan〕명 도금(鍍金) 공장 등에서 배출되는 시안으로 말미암은 수산물 피해 및 식수(食水) 오염.

시안 비림【—碑林】〔중 西安〕명 중국 산시성 시안(西安) 시 산시성 박물관 안에 있는 당송(唐宋) 이래의 석비(石碑)·법첩(法帖)의 석각(石刻)을 보존하는 곳. 서안 비림(碑林).

시안 사:건【—事件】〔중 西安〕[—껀] 명〖역〗1936년 12월 12일 공산군 토벌을 위하여 시안에 주둔하고 있던 장 쉐량(張學良) 휘하(麾下)의 구 동북군(舊東北軍)이, 난징(南京)으로부터 독전(督戰)하러 온 장 제스(蔣介石)를 감금한 사건. 장 쉐량은 용공 정책(容共政策)의 부활, 대일 선전(對日宣戰), 만주 실지 회복(失地回復) 등을 주장했으나, 쑹쯔원(宋子文) 등의 주선으로 타협하여, 국공 양당(國共兩黨)의 합작에 의한 항일 민족 통일 전선(抗日民族統一戰線)을 결성하기에 이름. 서안 사건.

시안-산【—酸】명〔cyanic acid〕〖화〗유기산(有機酸)의 하나. 시아누르산(酸)을 이산화 탄소 기류(氣流) 속에서 가열하여 여기에서 생기는 기체를 급랭(急冷)하여 얻음. 보통 시안산(HO-C≡N)과 이소시안산(HN=C=O)의 호변 이성 혼합물(互變異性混合物)임. 0°C 이하에서는 안정된 액체로서, 휘발하기 쉬우며 질산과 같은 냄새가 있음. 0°C 이상에서는 매우 불안정하여 시아멜리드(cyamelide)라고 부르는 흰 빛의 물질로 굳어짐. 이 산의 염류를 시안산염(cyan酸鹽)이라고 부름. [HCNO]

시안 수소산【—水素酸】〔cyan〕명〖화〗시안화 수소산.

시안아미드〔cyanamide〕명〖화〗칼슘 시안아미드에 아세트산(酸)을 가하여 24시간 동안 방치하면, 가수 분해되어 생기는 무색의 침상 결정(針狀結晶). 물·알코올·에테르 등에 잘 녹으며, 유기(有機) 합성의 원료로서 사용됨. [$N{\equiv}CNH_2$]

시안 에틸화【—化】명〔cyanoethylation〕〖화〗반응성(反應性) 수소를 가지는 화합물에 아크릴로니트릴(acrylonitrile)이 부가(附加)되는 화학 반응.

시안-은【—銀】〔cyan〕명〖화〗시안화은(cyan化銀).

시안치 명〈방〉송아지(경남).

시안-화【—化】명〔cyanidation〕〖화〗화합물에 시안기(cyan基)를 치환 도입하는 화학 반응.

시안화 구리【—化—】명 ①〔cyanide copper〕〖야금〗구리와 시안기의 착염(錯鹽)을 함유하는 전해액(電解液). ②〔cynide copper〕〖야금〗전해에 의하여 앞의 ❶의 용액에서 석출(析出)시킨 구리. ③〔cupric cyanide〕〖화〗물에 녹지 않는 녹색 분말. 철의 구리 도금(鍍金)에 쓰임. 청화동(青化銅). [$Cu(CN)_2$]

시안화 나트륨【—化—】명〔도 Natriumcyanid〕〖화〗조해성(潮解性)을 가지는 무색·입방체의 맹독성(猛毒性) 결정(結晶). 공업적 제법은 300-400°C로 열한 용융(鎔融) 나트륨에, 암모니아를 작용시켜 나트륨아미드(Natriumamid)를 만들고 이것을 탄소와 함께 700°C로 가열하여 만듦. 금·은의 야금, 살충제 등으로 쓰임. 청산 소다(青酸soda). [NaCN]

시안화 메틸【—化—】명〔methyl cyanide〕〖화〗아세토니트릴.

시안화-물【—化物】명〔cyanide〕〖화〗①시안화 수소산의 염(鹽). 알칼리·알칼리 토류 금속의 염은 물에 녹고, 수용액(水溶液)은 가수 분해하여 알칼리성을 나타냄. 중금속염(重金屬鹽)은 물에 녹지 않는데 어느 것이나 맹독성(猛毒性)임. 공기 중의 이산화 탄소에 의하여 서서히 분해되며, 산을 가하고 가열하면 시안화 수소를 발생시킴. ②니트릴(nitrile)❶.

시안화물 광:니【—化物鑛泥】명〔cyanide slime〕〖야금〗시안화물 용액에서 석출(析出)된 귀금속의 미립자. 광석에서 귀금속을 추출(抽出)할 때 쓰임.

시안화물 펄프【—化物—】명〔cyanide pulp〕〖야금〗금·은의 광석을 분쇄(粉碎)한 후, 귀금속 성분을 시안화 나트륨 용액 중에 녹임으로써 얻어지는 혼합물.

시안화-법【—化法】[—뻡] 명〔cyaniding〕〖공〗금·은(金銀)의 대표적 습식 제련법(濕式製鍊法). 광석을 분쇄하고, 시안화 나트륨 등의 시안화 알칼리 수용액으로 용해시키고, 아연분(亞鉛粉)을 가하여 금·은을 침전시켜 얻음. 실수율(實收率)은 금은 90% 이상, 은은 70-80% 정도임. 청화법(青化法). 청화(青化) 제련법.

시안화 수소【—化水素】명〔hydrogen cyanide〕〖화〗시안화 칼륨이나 페로시안화 칼륨에 황산을 가하고 증류하여 얻는 무색의 액체. 순수한 것은 특이한 냄새가 있으며 점화하면 연분홍 불꽃을 내며 연소하여 질소와 이산화 탄소가 됨. 물·알코올·에테르에는 임의의 비율로 혼합하며, 용액은 약산(弱酸)이며, 수용액은 시안화 수소산이라 함. 극히 유독(사람의 치사량 0.06g)하여 생체(生體)의 호흡 작용을 저지시킴. 살충제나 유기물(有機物)의 합성 등에 이용됨. 청산(青酸). [HCN]

시안화 수소 레이저【—化水素—】명〔hydrogen cyanide laser〕파장(波長) 311 및 337μm의 적외광(赤外光)을 방출하는, 시안화 수소를 사용한 가스 레이저.

시안화 수소산【—化水素酸】명〔hydrocyanic acid〕〖화〗시안화 수소의 수용액(水溶液). 약한 일염기산(一塩基酸)으로서 탄산보다 약함. 청산(青酸). 시안 수소산. [HCN]

시안화 수은【—化水銀】명〔mercury cyanide〕〖화〗산화 수은과 시안화 수소산을 작용시켜 만드는 유독성(有毒性)의 무색 투명한 주상(柱狀) 결정. 열하면 수은과 시안으로 분해됨. 의약(醫藥), 시안의 제조에 쓰임. 청화홍(青化汞). [$Hg(CN)_2$]

시안화-은【—化銀】명〔silver cyanide〕〖화〗질산은(窒酸銀)의 수용액에 당량(當量)의 시안화 알칼리를 가하여서 얻는 무미·무취·백색의 분말. 매우 유독하며 햇빛에 의하여 암색(暗色)이 됨. 의료·은도금에 이용됨. 시안은. 청화은(青化銀). [AgCN]

시안화 칼륨【—化—】〔도 Kalium〕명〔potassium cyanide〕〖화〗석탄 가스를 정제할 때, 산화철에 흡수되어 생긴 시안화물로부터 만드는, 조해성이 강한 무색의 등축 정계 결정. 공업적으로는 탄산 칼륨과 탄소 혼합물을 암모니아 기류(氣流) 속에서 가열하여 만듦. 매우 유독하며(사람의 치사량 0.15g), 물에 잘 녹고 알코올에는 조금 녹음. 금·은의 야금, 살충제·사진술·분석 시약 등에 이용됨. 청산(青酸) 가리. 청산칼리. 청화 가리. 시안 가리. [KCN]

시안화 칼슘【—化—】명〔calcium cyanide〕〖화〗순품(純品)은 백색의 분말. 보통 온도의 공기 중에서 시안화 수소를 발생함. 공업용의 것은 불순(不純)하며 흑색이나 회색(灰色)의 작은 조각 모양임. 살충제·살서제(殺鼠劑)로 사용됨. [$Ca(CN)_2$]

시알〔sial〕명〖지〗〔포함된 주요 원소가 규소(Si)와 알루미늄(Al)이기 때문에 생긴 말〕지각(地殼)의 최상층에 주로 화강암질(花崗岩質) 암석으로 된 부분. 대륙은 시알로써 이루어짐. *시마(sima).

시알리다 타〈방〉헤아리다(경상).

시알코트〔Sialkot〕명〖지〗명 파키스탄 북동부의 도시. 철도의 요지로 상업의 중심지임. 직물·자전거·운동구·의료 기구 등의 공업이 성함. [308,000명(1981)]

시알크 유적【—遺跡】〔Sialk〕명 이란 고원(高原) 중앙부, 테헤란 남쪽 시알크에 있는, 신석기 시대부터 금속기 시대에 걸치는 유적. 남북 2개의 구릉(丘陵)으로 되어 있는데, 북쪽 구릉에는 석기·채문 토기(彩文土器)가 많고, 남쪽 구릉에는 구리의 주조물 및 녹로(轆轤)로 만든 토기가 출토됨.

시암[1] 명〈방〉샘[2](전라·충남).

시암[2] 명〈방〉새암[1](충남·전라).

시암[3]【詩庵】명〖사람〗김정희(金正喜)의 호(號).

시암[4]〔Siam〕명〖지〗'타이(Thai)'의 옛 이름.

시:압-계【示壓計】명 내연 기관내의 압력 변화를 측정하는 압력계. 시압선도(示壓線圖)를 그릴 때에 사용함.

시앗 명〔근대：싀앗〕남편의 첩(妾).

【시앗 싸움에 요강 장수】시앗 싸움에서 정을 뗀다 하여 흔히 요강을 깨므로 두 사람의 싸움에 딴 사람이 이익을 본다는 말. 【시앗을 보면 길가의 돌부처도 돌아 앉는다】남편이 첩을 얻으면 부처님같이 점잖은 부인도 시기한다는 말. 【시앗이 시앗 꼴을 못 본다】시앗이 제 시앗을 더 못 본다는 말. 【시앗 죽은 눈물만큼; 시앗 죽은 눈물이 눈 가장자리 젖으랴】평소에 시기하던 첩의 죽음에 대하여 흘리는 본처(本妻)의 눈물이라 함이니, 그 양이 극히 적음을 이르는 말.

시앗(을) 보다 구 남편이 첩을 얻다. 시앗이 생기다.

시앙 명〈방〉생강(전북).

시앙치 명〈방〉송아지(전남).

시애【撕捱】명 자기 주장을 서로 고집하여 결정짓지 못함. ——-하다 타여불

시-애기 명〈방〉새아기.

시애-도【柴艾島】명〖지〗평안 북도 정주군(定州郡)의 남쪽 해상에 위치한 섬. [$0.308\,km^2$]

시애틀〔Seattle〕명〖지〗미국 워싱턴 주 중서부 태평양 연안의 항구 도시. 수륙 교통의 요지로서 대륙 횡단 철도의 종점이며, 알래스카와 아시아에의 항로(航路)의 기점(起點)임. 항공기·식품 가공·조선·제재 등

상공업과 무역이 성하며, 또 근해 및 연안 어업의 중심지임. [516,259 명(1990)]

시액【詩額】명 시를 써서 거는 현판(懸板).

시: 앤드 에어 방식【一方式】명〔sea and air system〕항공기편과 선박편을 아울러 이용하는 화물(貨物)의 수송 방식.

시: 앤드 에프〔C.& F.〕명〔Cost and Freight〕외국 무역에서의 거래 조건의 하나. 본선(本船)에 선적하기까지의 가격에 도착항(到着港)까지의 운임을 합산하는 가격 조건임. 또, 그 가격. 곧, 운임 보험료 포함 가격인 시 아이 에프(C.I.F.)에서 보험료만을 뺀 것. *시 아이 에프(C.I.F.).

시: 앵커〔sea anchor〕명 소형 선박의 비품(備品)의 하나. 심한 비바람으로 배가 표류하는 경우에, 횡파(橫波)를 받는 것을 방지함과 아울러 표류를 적게 하기 위해 사용하는 닻. 물닻.

시야[1]【時夜】명 ①닭이 울어 밤의 때를 알림. 또, 그 때. ②'닭'의 별칭.

시:야[2]【視野】명 ①한 점을 응시(凝視)하였을 때에 보이는 외계(外界)의 범위. 또, 시력(視力)이 미치는 범위. 이 범위는 외계의 각 점(點)이 시선과 이루는 시각(視角)으로 측정함. 단안 시야(單眼視野)·양안 시야(兩眼視野)·주시야(注視野)가 있음. 시야는 시력(視力)의 좋고 나쁨에는 관계가 없음. 시계(視界). ¶ ~를 가리다. ②현미경·망원경·사진기 등의 렌즈로 볼 수 있는 범위. ③지식·관찰·사려(思慮) 등이 미치는 범위. 식견(識見). ¶ ~가 넓은 사람.

시:야 결손【視野缺損】[一쏜] 명〖의〗여러 가지 질환에 의해서 시야에 발생하는 결손, 즉 보이지 않는 부분. 결손 상태에 따라 협착(狹窄)과 암점(暗點)으로 대별(大別)함. 전자는 주변이 결손되어 시야가 좁아진 것이고, 후자는 시야 내부의 섬 모양의 결손으로 생긴 시력 장애. 이 밖에 주시점(注視點)을 경계로 하여 시야의 우반부(右半部)·좌반부가 결손되는 반맹(半盲)이 있음.

시:야-계【視野計】명〖물〗시야를 측정하는 계기(計器). 시야 결손 등의 시야 이상을 검사하는 데 쓰임. 페리미터(perimeter)와 평면(平面) 시야계의 두 가지가 있음.

시:야 비야【是也非也】명 옳고 그름을 말함. 왈시 왈비(曰是曰非). 「——-하다 타여불

시:야 상실【視野喪失】명〔whiteout〕①극지(極地) 등지에서, 눈보라·안개 따위로 시야가 흐려져 사방을 분간할 수 없는 상태. ②등산에서, 산 위에 쌓인 눈 표면에 짙은 안개가 덮이어, 시야가 막히고 원근감(遠近感)이 없어지는 상태. 백시(白視).

시:야 장:반【是夜將半】명 그날 한밤중. ¶울음 소리는 여전히 지척 불원인 듯 더듬더듬 찾아볼 차로 배회 주저하노라니 ~이라 사고적막한데 …《作者未詳 : 貨水盆》.

시:야 투쟁【視野鬪爭】명〔binocular rivalry〕〖심〗시야는 보통 좌우 양쪽 눈 각각의 시야가 융합하여 이루어지는데, 때때로 두 눈 사이에 우열(優劣)이 일어나서 서로 다른 두 종류가 순간적으로 교체(交替)하여 보이는 현상.

시:약[1]【示弱】명 약점(弱點)을 드러내 보임. ——-하다 자여불

시:약[2]【施藥】명 무료로 약을 지어 줌. 또, 그 약. ——-하다 자여불

시약[3]【時藥】명〖불교〗사약(四藥)의 하나. 중에게 허용되는 네 가지 음식 중 오전 중에 먹어도 좋은 것.

시:약[4]【試藥】명〔reagent〕〖화〗화학 분석(化學分析)에서 물질을 검출(檢出)·정량(定量)하는 데 쓰이는 약품. 무기(無機) 시약과 유기(有機) 시약으로 대별됨. 시제(試劑). 시험약. *시험액.

시:약-병【試藥甁】명〖화〗화학 약품을 넣는 병. 약품의 종류에 따라 아가리가 넓은 것과 좁은 것이 있음. 유리 또는 플라스틱제(製)임.

시:-약불견【視若不見】명 보고도 보지 못한 체함. *시이불견(視而不見). ——-하다 타여불　「하게 봄. ——-하다 타여불

시:-약심상【視若尋常】명 흥분하거나 충동을 일으키지 아니하고 심상

시:약-청【侍藥廳】명〖역〗임금이 환후(患候)가 계실 때에, 임시로 베푸는 직소(職所). 내의원(內醫院) 도제조(都提調) 이하 모든 관원이 번(番)들어서 약쓰는 일을 맡음. 의약청(議藥廳).

시:-약초월【視若楚越】명 서로 멀리하고 돌아보지 아니함. ——-하다 타여불

시얌[1] 명〈방〉샘[2](충남·전라).

시얌[2] 명〈방〉새암[1](충남·전라).

시앙[1] 명〈방〉〖식〗새앙(충남·전북).

시앙[2] 명〈방〉사양(辭讓)(전라). ——-하다 타

시:양[3]【侍養】명 시중 들며 봉양함. ——-하다 타여불　「한 일.

시양[4]【廝養】명 군중(軍中)에서, 나무를 해 오거나 밥을 짓거나 하는 천

시:양-자【侍養子】명 양자(養嗣子)를 할 목적이 아니고 동성(同姓)·이성(異姓)임을 가리지 않고, 세 살 넘어서 수양(收養)하는 양자(養子). ↔수양자(收養子)❷. ——-하다 타여불

시양-털 명〈방〉생철(평안).

시:어[1]【市語】명 장사치끼리만 통하는 말.

시:어[2]【侍御】명〖역〗조선 시대 말 궁내부(宮內府)의 시종원(侍從院)에 딸린 벼슬. 좌시어(左侍御)와 우시어(右侍御)가 있으며, 주임관(奏任官) 직위로 각 한 명, 판임관(判任官) 직위로 합 9명 있었음. *시종(侍從).

시어[3]【詩語】명〖문〗①시에 있는 말. ②시에 쓰는 말.

시어[4]【鰣魚】명〖어〗준치.

【시어(鰣魚)는 뼈가 많고, 자미(子美)는 문(文)에 능하지 못하고, 자고(子固)는 시(詩)가 변변하지 못하였다】준치는 맛이 좋은 물고기지만 뼈가 유달리 많은 것이 결점이고, 두보(杜甫)는 대시인(大詩人)이언마는 산문(散文)에는 능하지 못하였고, 증공(曾鞏)과 같은 문장이 운문(韻文)에는 변변하지 못했음은 유감이 아닐 수 없다는 말.

시어[5]〔shear〕명 ①큰 가위. 전단기. ②전단(剪斷). 전단 응력(剪斷應力).

시어 다골【鰣魚多骨】명 준치는 맛은 좋되 뼈가 많다는 뜻으로, 좋은 일의 한편에는 나쁜 일이 있음을 이르는 말. 호사 다마(好事多魔).

시어러〔Shearer, Moira〕명〖사람〗영국의 발레리나. 새들러스 웰스(Sadlers Wells) 발레단의 프리마 돈나로 활약, 영화 《분홍신》·《한여름 밤의 꿈》 등으로 유명함. [1926-]

시어리〔theory〕명 ①이론(理論). 학설(學說). ②공론(空論).

시어리스트〔theorist〕명 ①이론가(理論家). ②공론가(空論家).

시어링〔shearing〕명 ①전단기(剪斷機)에 의한 가공. ②직물 마무리 공정(工程)의 하나. 포면(布面)의 털깎기. 전모(剪毛).

시-어머니【媤一】명 남편의 어머니. 시모(媤母). ↔친정 어머니.

시-어머님【媤一】명 '시어머니'의 존칭.

시-어미【媤一】명 '시어머니'의 비칭.

【시어미가 오래 살다가 며느리 환갑날 국수 양푼에 빠져 죽는다】너무 오래 살다가 못할 일을 함을 이르는 말. 【시어미가 죽으면 안방은 내 차지】권리를 잡았던 사람이 없어짐으로 인하여 그 다음 차례의 사람이 대신 권리를 잡게 됨을 이르는 말. 【시어미 미워서 개 옆구리 찬다; 시어미 역정에 개 밥그릇 찬다】웃어른에게 꾸지람을 듣고, 화풀이는 다른 곳에다 함을 비유하는 말.

시:-어사【侍御史】명〖역〗고려 때 국초의 사헌대(司憲臺)를 어사대(御史臺)로 고치면서 설치한 종오품 벼슬. 그 뒤 명칭이 바뀌면서 두기도 하고 폐지하기도 함.

시:어 사헌【侍御司憲】명〖역〗고려 때, 사헌대(司憲臺)의 벼슬.

시어서커〔seersucker〕명 서커(sucker).　「宮). 시좌소(時座所).

시-어소【時御所】명〖역〗그 당시에 왕이 거처하는 궁전. 시좌궁(時座

시어스 로:벅 회:사【一會社】명〔Sears, Roebuck & Co.〕미국 시카고에 본거를 둔 세계 최대의 통신 판매 회사. 1886년 창립자인 시어스(Sears, Richard W. ; 1863-1914)가 통신 판매를 시작한 후 1893년 로벅(Roebuck, Alvah C. ; 1864-1948)과 제휴하여 설립함. 우편과 카탈로그 등의 통신으로 시계를 비롯한 귀금속·도구·가구·자동차·의복 등 각종 상품을 판매하며, 국외에도 진출함.

-시어요 어미 선어말 어미 '-시-'와 어말 어미 '-어요'가 합친 종결 어미. ¶잡수~ / 어서 오~ / 집에 계~. 준-셔요.

시:-어의【侍御醫】[一/一이] 명〖역〗고려 목종(穆宗) 때의 상약국(尙藥局)의 종육품 벼슬. *시의(侍醫).

시어터 길드〔Theatre Guild〕명〖연〗미국의 일류 연극 단체. 워싱턴 스퀘어 플레이어즈(Washington Square Players)의 후신으로, 1919년 직업적 연극 단체로서 발족하였음. 상업 극장이 잘 상연하지 않으려는 예술 작품을 회원 제도에 의해 상연함을 목적으로 하고, 구미(歐美)의 우수한 작품을 소개 상연하여, 미국 극계(劇界)에 새로운 예술적 자극을 던져 주었음.

시어터 아:츠〔Theatre Arts〕명〖연〗미국에서 발간되는 월간 연극 잡지. 세계 대도시의 상연 기록이 실려 있으며, 뉴욕의 브로드웨이(Broadway)에서 상연되는 무대 및 배우에 관한 기사가 주체가 되고 있음. 계간(季刊)에서 월간으로 바뀌면서부터 논문과 연구를 위주로 하였으나, 점차로 통속적인 경향으로 흐르고 있음.

시어 핀〔shear pin〕명 기계에 과대한 힘이 가해졌을 경우, 중요한 부분이 파손되지 아니하도록 힘의 전달부가 파단(破斷)되어도 괜찮은 핀으로 결합하여 두는 일. 이 핀이 절단되어도 파손이 딴 부분에 미치지 아니함.

시:언【矢言】명 맹세하여 언약한 말.

시: 언어〔C言語〕명〔C-language〕〖컴퓨터〗컴퓨터의 프로그램 언어의 하나. 간결한 표현 형식, 풍부한 제어(制御) 구조·데이터 구조·연산자(演算子)가 특징임. 오퍼레이팅 시스템이나 그 밖의 소프트웨어 개발용(用)으로 널리 이용되고 있음.

시언-하다 형〈방〉시원하다.

시업[1] 명〈방〉수염[3](전라·경북).

시업[2] 명〈방〉혜엄(전남).

시:업[1]【始業】명 영업·학업(學業) 등을 시작함. ——-하다 자여불

시:업[2]【施業】명 업무를 베풀어 행함. ——-하다 타여불

시:업-림【施業林】[一님] 명 일정한 목적을 위하여 인위적으로 만든 삼림(森林). 공용림(供用林). 인공림. ↔천연림(天然林).

시:업-식【始業式】명 ①시업(始業)하는 의식. ②〖교〗학교에서 수업을 시작하는 학기초에 전학생과 교사가 모여서 하는 의식. ↔종업식.

시에나〔Siena〕명〖지〗이탈리아 중부, 토스카나 지방, 피렌체의 남쪽 약 50km 지점에 있는 역사적 도시. 유리·방적·제당·화학 비료 등의 공업이 행하여지며 부근에서 포도·대리석을 산출함. 13세기 이탈리아의 대학·미술 학교가 있으며 중세(中世) 시에나파(派)의 중심지였음. [61,349 명(1983)]

시에나 성:당【一聖堂】〔Siena〕명〖지〗시에나에 있는 이탈리아 고딕식 건축의 대표작의 하나. 1229년에 착공하여 1317년에 완공. 내부의 기둥과 벽은 흑대리석과 백대리석을 교대로 쌓아올렸으며, 성당의 정면은 백대리석을 주로 하여 적(赤)대리석과 흑대리석을 사용하고, 정교한 조각으로 장식되어 있음.

시에나-파【一派】〔Siena〕명〖미술〗피렌체파와 더불어 14세기를 대표하는 이탈리아의 한 화파(畫派). 두치오(Duccio di Buonisegna)를 그 시조로 하는데 피렌체파의 사실적이고 강한 취미와는 달리, 경건한 종교적 심정에 의한 신비적 화풍이 특징이며 우아·섬세하고 색채가 아름다움. 르네상스기에 들어가서 쇠미하여졌음.

시에라네바다 산맥【一山脈】〔Sierra Nevada〕명〖지〗①서남 유럽, 이베리아 반도, 스페인 남부의 산맥. 전장 100km. 시에라네바다는 '눈의 산맥'을 의미하며, 설선(雪線) 3,100m를 넘은 산이 많으며 지중해 해안에 평행하여 달리는 신기(新期) 습곡 산맥으로 최고봉은 3,478m의 물라센 산(Mulhacén山)임. ②미국 서부 산지의 서연(西緣)을 이루는 신기 경동 지괴 산맥(新期傾動地塊山脈). 고준(高峻)한 빙식 지형(氷

蝕地形)으로서 전장 700 km. 주봉인 4,418 m의 휘트니 산(Whitneyd 山)을 비롯하여 고산이 많음. 요세미티(Yosemite)·세쿼이아(Sequoia)·킹즈캐넌(King's Canyon) 공원 등 세 곳의 국립 공원은 유명함. 입목 벌채(林木伐採)가 성함.

시에라-리온 〔Sierra Leone〕 명 〖지〗 아프리카 서부의 공화국. 중앙부는 대지(臺地)이며, 해안부는 고온 다습(高溫多濕)한 평야임. 소수의 기독교도와 회교도 외는 대부분이 애니미즘을 신봉함. 농업·목축이 주요 산업으로, 쌀·옥수수가 산출되며, 수출 작물로 커피·코코아·야자핵(椰子核)이 있음. 광산(鑛産)이 풍부하여 다이아몬드·철광을 수출하며, 공업은 소규모임. 18세기 말경부터 해방 노예들의 거주지이며, 1808년 이래 영국 식민지였는데, 1961년에 독립함. 공용어(公用語)는 영어. 호초 해안(胡椒海岸). 수도는 프리타운(Freetown). 정식 명칭은 시에라리온 공화국 'Republic of Sierra Leone'. [71,740 km²: 4,300,000 명 (1991 추계)]

시에라마드레 산맥 【一山脈】 〔Sierra Madre〕 명 〖지〗 멕시코 중앙부의 고원(高原)을 에워싸는 산계(山系). 동(東)시에라마드레·서(西)시에라마드레·남(南)시에라마드레로 되어 있음. 남부에는 화산 고봉(火山高峰)이 많음. 최고봉은 표고 5,699 m의 시틀랄테페틀 산(Citlaltépetl 山)임.

시에라-마에스트라 〔Sierra Maestra〕 명 〖지〗 쿠바 섬 남부의 산맥. 전장 170 km. 쿠바 혁명 때는 카스트로의 게릴라 부대 근거지였음.

시에라모레나 산맥 【一山脈】 〔Sierra Morena〕 명 〖지〗 스페인의 남부, 포르투갈과의 국경에서 메세타(Meseta) 남연(南緣)을 동서로 달리는 산맥. 연장 400 km, 표고 500~1,000 m의 고원상 산지로 구리·납·아연·수은 등의 광산물이 많음.

시에예스 〔Sieyès, Emmanuel Joseph〕 명 〖사람〗 프랑스의 정치가. 프랑스 혁명의 지도자이며, 혁명 초기의 이론가. 국민 의회를 설립, 1791년 헌법에 크게 기여하였으며 후에 제이 집정(第二執政)이 됨. 왕정 복고로 인하여 네덜란드에 망명(亡命)하였으나, 칠월 혁명(七月革命)으로 귀국함. 저서로는 유명한 《제삼 신분(第三身分)이란 무엇인가》가 있음. [1748~1838]

시: 에이 디: 【CAD】 명 〖컴퓨터〗 〔computer aided design의 약칭〕 컴퓨터 보조(補助) 설계.

협조처(民事協助處).

시: 에이 시: 【C.A.C.】 명 〔Civil Assistance Command의 약칭〕 민사

시: 에이 아이 【CAI】 명 〖컴퓨터〗 〔computer aided instruction의 약칭〕 컴퓨터 보조 교육.

시: 에이 저:장 【CA 貯藏】 명 〔controlled atmosphere storage〕 청과물(青果物) 저장법의 하나. 저장실 안의 탄산 가스 농도·산소 농도 따위 공기 조성(組成) 및 습도·온도를 조절하여, 신선도(新鮮度)와 품질이 장기간 유지되도록 함.

「공 회사.

시: 에이 티: 【C.A.T.】 명 〔Civil Air Transport〕 중화 민국의 국제 항

시: 에이 티: 브이 【CATV】 명 〔cable television의 약칭〕 소규모의 TV 방송 송수신 장비를 갖춘 국(局)과 가입자 자택 사이를 동축(同軸) 케이블 등으로 연결·구축한 텔레비전 망. 원래는 산간 지방 등의 난시청 지구 해소를 목적으로 개발되었으나 근래에는 독자적인 방송 프로그램을 송출하거나, 나아가서는 여러 가지 정보 서비스를 매체로 사용되는 종합 유선 방송도 시행됨. 유선 텔레비전.

시: 에프[1] 【CF】 명 〔commercial film〕 광고 선전용의 텔레비전 필름.

시: 에프[2] 【cf.】 명 〔↗라 confer〕 '비교하라·참조(參照)하라'의 뜻.

시: 엔 디: 【CND】 명 〔Campaign for Nuclear Disarmament의 약칭; 핵무기 폐기 운동의 뜻〕 핵군비의 폐기를 지향하는 영국의 시민 조직. 1958 년 2 월 설립. 본부는 런던.

시: 엔 엔 【CNN】 명 〔Cable News Network〕 미국의 케이블 뉴스 방송망. 24 시간 뉴스만 방송하는 점이 특징임. 1980 년 6 월에, 조지아 주(州) 애틀랜타에서 개국(開局)함.

시:엔-율 【CN率】 〔一뉼〕 명 〔C는 탄소(carbon), N은 질소(nitrogen)의 뜻〕 〖식〗 식물 또는 토양 속의 부식물 등에 함유되어 있는 탄소와 질소의 비율. C가 크면 생식(生殖) 성장이, N이 크면 영양(營養) 성장이 왕성하여짐.

시엔키에비치 〔Sienkiewicz, Henryk〕 명 〖사람〗 폴란드의 소설가. 가톨릭적·보수적 경향을 견지, 애국적인 역사 소설로 명성(名聲)을 획득하였으며, 《쿠오 바디스(Quo Vadis)》로 1905년 노벨 문학상을 받음. [1846~1916]

시엔푸에고스 〔Cienfuegos〕 명 〖지〗 쿠바 중남부의 항구 도시. 카리브 해(Caribbean Sea)에 면한 천연적(天然的)인 양항(良港)으로, 설탕의 수출항임. [235,000 명 (1981)]

「송.

시: 엠 【C.M.】 명 〔commercial message의 약칭〕 커머셜 메시지. ¶ ~

시엠-레아프 〔Siem Reap〕 명 〖지〗 캄보디아 북서부의 도시. 부근에는 앙코르 와트(Angkor Wat)의 유적이 있어 관광의 기지(基地)가 됨.

시:엠 셀룰로오스 【CM cellulose】 명 〖화〗 카르복시메틸 셀룰로오스(carboxymethyl cellulose)의 약칭.

시:엠 송 〔CM song〕 명 상업 광고 방송에 나오는 노래. 시엠(CM)에 곡을 붙여 노래로 만든 것임.

시: 엠 시: 【CMC】 명 〖화〗 〔carboxymethyl cellulose의 약칭〕 카르복시메틸 셀룰로오스.

시: 엠 탤런트 【CM一】 〔talent〕 명 〖방송〗 텔레비전·라디오의 선전 광고에서 상품을 소개하는 출연자.

「하다 타여불

시:여[1] 【施與】 명 남에게 거저 물건을 줌. 사여(賜與). 구여(救與). ──

시여[2] 【詩餘】 명 시의 한 체(體). 악부(樂府)가 변한 것. 전사(塡詞).

시여[3] 조 호격 조사(呼格助詞) '여'의 높임말. ¶ 어버이~ / 어머니~. * 이시여.

시:여-물 【施與物】 명 남에게 베풀어 주는 물건.

시여지다 자 〈옛〉 축다[1]. ¶ 그려 사지 말고 차하리 시여져셔 《古時調 青丘》.

시역[1] 명 힘이 드는 일.

시:역[2] 【市域】 명 시(市)의 구역(區域).

시:역[3] 【始役】 명 공사(工事)를 시작함. 역사(役事)를 시작함. ──하다

시역[4] 【時疫】 명 시절에 따라 생기는 질병. 유행병. 「타여불

시:역[5] 【弑逆】 명 부모나 임금을 죽이는 일. 시해(弑害). 시살(弑殺). ──하다 타여불

시:역-법 【市易法】 명 〖역〗 중국 북송(北宋)의 왕안석(王安石)의 신법(新法)의 하나. 1072년에 실시되었음. 소상인(小商人)을 호상(豪商)의 착취로부터 보호하기 위하여 중요한 도시에 시역무(市易務)를 설치하고 소상인이 팔지 못한 물건을 사 주거나 또는 이를 저당으로 하여 자금을 융통하여 준 법.

「──하다 자여불

시:연[1] 【侍宴】 명 대궐 안의 잔치에 모든 신하가 배석(陪席)하는 일.

시:연[2] 【施緣】 명 〖불교〗 시주(施主)의 연분.

「다 타여불

시:연[3] 【試演】 명 연극 등을 시험적으로 상연(上演)함. 리허설. ──하

시:연-장 【侍宴章】 〔一짱〕 명 용비 어천가 제91장(章)의 이름.

시염[1] 명 〈방〉 수염[3](충남·전라·경상).

시:염[2] 명 〈방〉 헤엄(강원·충남·전라).

시:엽 【視葉】 명 〖생〗 중뇌(中腦).

시:영[1] 【市營】 명 지방 자치 단체인 시의 사업으로서 경영(經營)하는 일. 또, 그 사업. ¶ ~ 아파트.

시:영[2] 【始映】 명 극장에서 영화를 상영하기 시작함. ──하다 자타여불

시영[3] 【詩詠】 명 시를 읊음. 또, 그 시.

「타여불

시:예 【試藝】 명 재예(才藝)를 시험하여 보는 일. 시재(試才). ──하다

시오 【猜惡】 명 시기하고 미워함. ──하다 타여불

시오노-미사키 【潮岬: しおのみさき】 명 〖지〗 일본 와카야마 현(和歌山縣) 기이 반도(紀伊半島) 남단의 육계도(陸繫島). 융기 해식 대지(隆起海蝕臺地)이며 폭풍 일수는 연 63일임. 측후소(測候所)·등대가 있음.

시오니스트 〔Zionist〕 명 시오니즘을 신봉하는 사람. 시온주의자.

시오니즘 〔Zionism〕 명 종교상 또는 민족 정책상 유태인이 그들의 고지(故地)인 팔레스티나에 조국(祖國)을 재건하려는 운동. 1897년에 스위스에서 회의를 갖고, 1948년에 이스라엘 공화국을 세움으로써 그 염원(念願)을 달성하였음. 시온주의. 시온 운동. 유태주의. * 유태인.

시: 오: 디: 【C.O.D.】 명 〔chemical oxygen demand의 약칭〕 화학적 산소 요구량. 하천(河川)의 오염 정도를 나타내는 수치. 물 속의 유기물 등 오염원(汚染源)이 되는 물질을 산화제로 산화하는 데에 소비되는 산소의 양을 ppm으로 표시함.

시오러 【紘如】 〈이두〉 계속하여. …의 결과로. …에 의하여.

시오-리 【†十五里】 명 십 리에 오 리(五里)가 더한 거리.

시:오-법 【施誤法】 〔一뻡〕 명 〖교〗 시행 착오❶.

시오스 【CIOS】 명 〔프 Conseil International pour l'Organisation Scientifique〕 〖경〗 국제 과학적 경영 관리 협의회(國際科學的經營管理協議會). 1934년에 창립됨. 세계의 산업인·경영자·과학자가 서로 정보를 교환하고 경영의 과학적·합리적 개선을 촉진하여 산업을 발달시키는 데 목적이 있음. 1974년 현재 가맹국은 41 개국임. 본부는 제네바.

시: 오: 에이 갤럭시 〔C5A Galaxy〕 명 미국 록히드사(Lockheed 社)가 개발한 세계 최대의 제트 수송기. 완전 무장한 병사 700명, 또 소형 차량은 일시에 100대 공수가 가능함.

시오지-심 【猜惡之心】 명 시기하고 미워하는 마음.

시옥 명 〈옛〉 전(氈). 전방석(氈方席). =시욱·시옭. ¶ 안졸 소니 치워도 시욱도 업도다(坐客寒無氈) 《重杜諺 XIX:47》.

시온 〔Zion, Sion〕 명 〖지〗 〔상징적으로 하늘에 있는 신도(神都)의 뜻〕 ①예루살렘 부근의 언덕 이름. 기원전 10세기경, 다윗이 거성(居城)을 건설하였으며, 그의 아들 솔로몬이 여호와의 장대(壯大)한 궁전을 건설한 곳임. 사이언. ②'예루살렘'의 별칭. 사이언.

시:온 도료 【示溫塗料】 명 특정한 온도에 달하면, 일정한 변색을 하는 도료(塗料). 온도계 등을 사용하기가 곤란한 기계 장치의 가동(可動) 부분이나 넓은 면적의 표면 온도 따위를 쉽게 재는 데에, 이 도료를 칠하여 씀. 카멜레온액(液) 같은 것. 측온(測溫) 도료.

시온 운:동 【一運動】 〔Zion〕 명 시오니즘(Zionism).

시온-주의 【一主義】 〔Zion〕 〔一/一이〕 명 시오니즘(Zionism).

시온주의-자 【一主義者】 〔Zion〕 〔一/一이一〕 명 시오니스트.

시옭 명 〈옛〉 전(氈). =시옥·시욹[2]. ¶ 흰 부드러운 시옭청에(白絨氈襪上) 《朴解 上 24》.

시옷 명 〖언〗 한글의 자모(字母) 'ㅅ'의 이름.

시옹 【詩翁】 명 '늙은 시인'의 높임말.

시와게리나 〔라 Schwagerina〕 명 고생대(古生代)의 석탄기(石炭紀)·이첩기(二疊紀)의 석회암(石灰岩) 속에 화석(化石)으로서 발견되는 방추충(紡錘蟲).

시와 진실 【詩一眞實】 명 〔도 Dichtung und Wahrheit〕 〖책〗 괴테(Goethe)의 자전적(自傳的) 작품. 유년 시대부터 청년기, 곧 시인으로서의 자각을 얻기까지의 자기 성장 과정을 그렸음. 1811~31년에 걸치어 집필하였으며, 4 부 20장으로 되었음.

시왕 【†十王】 명 〖불교〗 저승에 있다고 하는 십대왕(十大王). 곧, 진광 대왕(秦廣大王)·초강 대왕(初江大王)·송제 대왕(宋帝大王)·오관 대왕(伍官大王)·염라 대왕(閻羅大王)·변성 대왕(變成大王)·태산 대왕(泰山大王)·평등 대왕(平等大王)·도시 대왕(都市大王)·오도 전륜 대왕(五道轉輪大王)의 총칭. 중유(中有)의 망자(亡者)가 저승에 들어가서 초칠일(初七日)에 진광 대왕의 거소(居所)에 이르고 이하 순차로 27일·37일·47일·57일·67일·77일·100일·1 주년(周年)·3 주년에 각 왕(各王)의 거소를 거쳐, 사바(娑婆) 세계에서 저지른 죄의 재단(裁斷)을 받고 그 결과

에 의하여 내세(來世)의 생소(生所)가 정해진다고 함. 십대왕(十大王). 십왕(十王).

시왕(을) 가르다 구 〖민〗 죽은 사람의 명복(冥福)을 빌기 위하여 무당이 굿을 하다. 지노귀새남하다.

시왕-가름【↑十王―】명 〖민〗 시왕가르는 일. 지노귀새남.

시왕-맞이【↑十王―】명 〖민〗 제주도 무당굿 중 맞이굿의 하나. 시왕(十王)을 맞아들여 기원하는 굿. 중환자의 병을 고치기 위한 경우와 죽은 영혼의 생시 죄보(生時罪報)를 사(赦)하여 저승의 좋은 곳으로 보내 주도록 빌기 위한 경우가 있음. ――하다 자 여불

시왕-봉【↑十王峰】명 〖지〗 강원도 금강산의 한 산봉우리. [1,147 m]

시왕-전【↑十王殿】명 〖불교〗 시왕(十王)을 모신 법당(法堂). 곧 명부전(冥府殿)의 딴이름.

시왕-청【↑十王廳】명 〖불교〗 ①시왕이 저승에 거처하는 곳. ②저승. 명부(冥府).

시왕 탱화【↑十王幀畫】명 〖불교〗 명부(冥府)의 시왕(十王)을 그린 족자(簇子).

시:외¹【市外】명 시의 구역 밖의 근접한 지역. ¶ ~ 버스. ↔시내(市內).

시외²【猜畏】명 미워하고 두려워함. ――하다 타 여불

시-외가【媤外家】명 남편의 외가.

시:외 버스【市外―】〔bus〕명 어떤 시내에서 특정한 시외 노선으로만 운행하는 버스. ↔시내 버스.

시-외삼촌【媤外三寸】명 남편의 외삼촌. 시외숙(媤外叔).

시-외삼촌댁【媤外三寸宅】[―땍] 명 ①시외삼촌의 집. ②시외삼촌의 아내.

시-외숙【媤外叔】명 시외삼촌.

시:외 전:화【市外電話】명 일정한 가입 구역 밖의 전화 교환국에 수용된 전화. ↔시내 전화.

시:외 전:화국【市外電話局】명 시외 전화 교환기를 갖추고 시외 전화를 취급하는 전화국. 서울·부산·대구·광주 등에 소재함.

시-외조모【媤外祖母】명 남편의 외할머니.

시-외조부【媤外祖父】명 남편의 외할아버지.

시-외편【媤外便】명 ①남편의 외가(外家) 쪽. ②남편의 외족(外族).

시요¹【柴窯】명 중국, 오대(五代) 주(周)나라 때 현덕 연중(顯德年中)의 어요(御窯). 후주(後周)의 태조의 성(姓)이 시(柴)였으므로 나라 이름을 시주(柴周)라고도 하였으며 그 때 그릇을 구웠기 때문에 '시요'라 이름. 일설(一說)에는 그릇을 만든 사람의 성(姓)이 시(柴)였기 때문에 이 이름이 있다 함. 당시는 어요(御窯)라 불리었으며 송나라 때 '시요'라 이름 붙인 것임.

시요²【詩謠】명 시와 가요(歌謠).

시요-호【柴窯戶】명 〖공〗 중국 징더전(景德鎭)에서 소나무만 때어서 그릇을 만드는 가마를 경영하는 가호(家戶).

시:용¹【施用】명 베풀어서 사용함. ――하다 타 여불

시용²【時用】명 그 시대에 소용됨.

시:용³【試用】명 시험적으로 사용하여 봄. ――하다 타 여불

시용 무:보【時用舞譜】명 〖책〗 일무(佾舞)를 그림으로 설명한 책. 조선 시대 세조 이후에 사용되던, 종묘에 제향(祭享)할 때 추는 보태평지무(保太平之舞) 및 정대업지무(定大業之舞)의 도해(圖解)와 곡목(曲目)이 실려 있음. 편자·연대 미상. 1권 사본.

시용 향악보【時用鄕樂譜】명 〖책〗 옛 가사와 악보가 함께 기재된 향악보. 조선 시대 중종(中宗) 이전에 간행된 것으로 추측되는데, 악보에 따라, 26 편의 가사를 실었거니와 그 중 16 편은 새로 발견된 옛 노래이며, 나머지 10 편은 후세의 가집(歌集)에 재록(再錄)된 것이기는 하나 그 원형이 보존되어 있어 어문학상 귀중한 자료임. 편자·연대 미상.

시우¹【時雨】명 철을 맞추어 오는 비.

시우²【詩友】명 시를 같이 짓거나 공부하는 벗. 시붕(詩朋). 시반(詩伴).

시우가리 명 〈방〉 언저리(함경).

시우다드-트루히요〔Ciudad Trujillo〕명 〖지〗 '산토도밍고(Santo Domingo)'의 구명.

시우다드-후아레스〔Ciudad Juárez〕명 〖지〗 멕시코 북부 미국과의 국경에 있는 도시. 리오그란데 강을 사이에 두고 미국의 엘패소(EL Paso)와 마주 대하고 있음. 해발 1,133 m의 고원에 위치하며 부근에서 생산되는 목화의 집산지임. 또, 미국과의 중계(中繼) 무역지이기도 함. [625,000 명(1979)]

시우대 명 〈옛〉 '시울'에 '대'가 합하여 된 말. 'ㄹ' 소리가 'ㄷ' 소리 위에서 탈락됨. 현악기(弦樂器)를 일컫는 것으로 여겨짐. ¶ 樂音은 풍륫 소리니 붑 티는 모디며 시우대롤 니르니라《釋譜 XIII:9》.

시우-쇠 명 무쇠를 불려서 만든 쇠붙이의 한 가지. 숙철(熟鐵). 정철(正鐵). 유철(柔鐵). ↔무쇠 ❶.

시우전 명 〈방〉 시울².

시욱 명 〈옛〉 전(氈). 전방석(氈方席). =시옥. 시욹. ¶ 시욱 젼(氈)《字會 中 30》/시욱 담(毯)《類合 13》.

시욱지 명 〈방〉 〖어〗 복¹.

시운¹ 명 〈방〉 수은(水銀)(경상·충청).

시운²【時運】명 그 때의 운수. 시대의 운수. ¶ ~을 잘 타고 났다.

시운³【詩韻】명 ①시의 운율(韻律). 시의 운치. ②시의 운자(韻字).

시운⁴ 수 〈방〉 쉰(전라·충청).

시:-운동【視運動】명 〔apparent motion〕〖천〗 지구상에서 본 여러 천체(天體)의 외관 운동(外觀運動). 일주 운동(日週運動)을 제외한 천체의 천구(天球)에 대한 운동으로, 해와 달이 각각 황도(黃道)·백도(白道)를 운행하는 것 등임.

시운-목【詩韻目】명 시를 지을 때 쓰는, 같은 운자(韻字)인 두 글자 혹은 세 글자의 숙어.

시운 불행【時運不幸】명 시대의 운수가 불행함. ――하다 형 여불

시:-운전【試運轉】명 기차·선박(船舶)·자동차 또는 그 밖의 기계 등을 사용하기 전에 운전 상태를 시험하여 보는 일. ――하다 타 여불

시:운전 속력【試運轉速力】[―녁] 명 〖해〗 선박의 최고 능력을 나타내는 속력. *항해 속력·경제(經濟) 속력.

시울¹ 명 눈·입 등의 언저리. ¶ 눈~에 눈물이 어리다.

시울² 명 〈옛〉 ①시위¹. ¶ 시울 현(弦)《字會 中 28》. ②줄¹. ¶ 슬픈 시우 러 白雪曲이 버므렛└니(哀絃繞白雪)《杜諺 Ⅶ:30》.

시울-질 명 물고기의 식욕을 북돋우려고 줄로 미끼를 움직이는 일. ――하다 자 여불

시욹¹ 명 〈옛·방〉 시위¹. 줄¹. ¶ 이 활과 시욹음(這弓和弦)《老乞 下 29》.

시욹² 명 〈옛〉 전(氈). =시옥·시욹·시욱. ¶ 프른 부드러운 시욹쳥에(靑絨氈襪上)《朴解 上 27》.

시웅 명 〈방〉 시중.

시:원¹【始原】명 처음. 원시(原始).

시:원²【始源】명 태소(太素).

시:원³【試院】명 〖역〗 시소(試所).

시:원⁴【試員】명 〖역〗 고려 때 감시(監試)를 보이던 관원. 삼품 이하의 벼슬아치로 시킴.

시원⁵【詩苑】명 〖책〗 시 전문지(詩專門誌). 오일도(吳一島) 주재로 1935 년에 창간. 예술 지상(至上)의 유미적(唯美的) 경향을 나타낸 것으로 제5호까지 나왔음.

시:원-기【始原期】명 최초의 시기.

시:원-대【始原代】명 〖지〗 시생대(始生代)와 원생대(原生代)의 총칭. 선캄브리아대(先 Cambria 代). 태고대(太古代).

시:원-림【始原林】[―님] 명 원시림. 원생림(原生林).

시:원 생물【始原生物】명 〔archaeorganism〕〖생〗 지구상에 최초로 출현한 생물의 원시적(原始的) 조상으로 생각되는 생물.

시원섭섭-하다 형 여불 한편으로는 시원하면서도 다른 한편으로는 섭섭하다.

시:원 세:포【始原細胞】명 〔initiating cell〕〖생〗 고등 식물의 생장점(生長點)의 선단(先端)을 형성하는 일군(一群)의 세포. 세포간에 수정란(受精卵)과 같은 분화(分化)는 볼 수 없고 항상 분열을 계속하여 세포를 신생(新生)함.

시원-스럽다 형 ㅂ불 시원한 태도나 느낌이 있다. 시원-스레 부

시원시원-하다 형 여불 하는 말마다 또는 하는 일마다 모두 매우 시원스럽다. 시원시원-히 부

시원씩씩-하다 형 여불 시원스럽고 씩씩하다.

시원-임【時原任】명 〖역〗 시임(時任) 벼슬아치와 원임(原任) 벼슬아치. 곧, 현임(現任)과 선임(先任).

시원-찮다 [―찬타] 형 시원하지 아니하다. ¶ 대답이 ~. 준션찮다.

[시원찮은 국에 입가 데인다] 대단치 않은 일에 해를 당한다는 말. [시원찮은 귀신이 사람 잡아간다] 미련하고 못난 것같이 보이는 자가 도리어 큰일을 저지른다는 말.

시원칠칠-하다 형 여불 하는 짓이 시원하고 칠칠하다. ¶ 그 안해는 … 붙임성이 좋고 일이 시원칠칠하여 이집 저집에 일을 해 주고 음식도 얻어오고…《洪命憙 : 林巨正》.

시원-하다 형 여불 〔중세 : 싀훤ᄒᆞ다〕 ①덥거나 춥지 않고 알맞게 선선하다. ¶ 시원한 가을 날씨. ②더운 때에 신선한 바람이 불어 와서 몸이 서늘함을 느끼다. ¶ 바닷바람이 ~. ③답답하거나 아픈 느낌이 없어져 마음이 상쾌하다. ¶ 그 소식을 들으니 속이 다 시원하구나. ④언행이 활발하고 명랑하다. ¶ 시원한 성격. ⑤음식의 국물 맛이 탑탑하지 않다. ¶ 시원한 냉면 국물. ⑥지저분하지 않고 깨끗하다. ¶ 거리 청소가 시원하게 잘 되었다. ⑦앞이 막힌 데 없이 틔어 있어 답답하지 않다. ¶ 고속 도로가 시원하게 뚫려 있다. 준션하다. 시원-히 부

시월【↑十月】명 〔←십월〕 일 년 가운데 열째 되는 달. 즉, 구월(九月)의 다음 달.

시:-월【是月】명 이 달.

시월 막사리【↑十月―】명 시월 그믐께.

시월 상:달【↑十月上―】[―딸] 명 〖민〗 신곡(新穀)을 신(神)에게 드리기에 가장 좋은 달. 시월을 예스럽게 일컫는 말. 준상달.

시월 유신【↑十月維新】[―류―] 명 〖정〗 1972 년 10 월 17 일의 정변(政變)을 일컫는 말. 박정희(朴正熙) 대통령에 의하여 행해진 일종의 초(超) 헌법적인 헌법 침해 조치로, 이로 인하여 이른바 유신 체제라 불리는 강력한 권위주의 체제가 성립됨. *유신 헌법.

시월 전:쟁【↑十月戰爭】명 〖역〗 1973-74년의 제4차 중동 전쟁. 1973년 10월에 이집트는 시리아와 함께 실지 회복(失地回復)을 노려 이스라엘을 공격, 후반에 와서 이스라엘의 수에즈 운하(運河) 침입을 허용했으나, 군사적·정치적 승리를 거둬, 아랍의 위신(威信)을 회복함. 국제 연합의 정전(停戰) 결의에 따라, 1974년 1월 18일 이집트와 이스라엘의 병력 격리(隔離) 협정이 성립됨.

시월 혁명【↑十月革命】명 〖역〗 1917년 11월 7일, 곧 러시아력(曆)으로는 10 월 25일에 러시아에서 일어난 프롤레타리아 혁명. 레닌의 지도 밑에, 좌익파 볼셰비키가 주동이 되어, 당시의 수도 페테르부르크(Peterburg)에서 무장 봉기하여 전국에 파급되었음. 그 결과 케렌스키 임시 정권이 붕괴되고 세계 최초의 사회주의 국가인 소비에트 정권이 성립하였음. 십일월 혁명.

시위¹ 명 ↗활시위.

시위² 명 ①비가 많이 와서 강물이 넘쳐 흘러 육지를 침범하는 일. 또, 그 물. *큰물. ②홍수(洪水)❶.

시위(가) 나다 구 비가 많이 와서 강에 큰물이 나다.

시:위³【尸位】명 ①시동(尸童)을 앉히는 자리. ②〔옛 중국에서 선조의 제사 때 그 혈통자를 신(神)의 대리로서 신위(神位)에 앉혔던 고사(故事)에서 나온 말〕 재덕(才德)이 없으면서 함부로 관위(官位)에 오르는 일. *시위 소찬(尸位素餐).

시:위⁴【示威】명 위력이나 기세를 떨쳐 보임. ¶ ~ 행진. ――하다 자 여불

시:위⁵【侍衛】명 임금을 모시어 호위함. 또, 그 사람. ――하다 타 여불

시:위⁶【施威】명 위엄을 베풀어 떨침. ――하다 자 여불

시:위⁷【施爲】명 어떤 일을 베풀어 이룸. 시행(施行).

시:위 공자【侍衛公子】명〖역〗고려 때 태자(太子)를 모시기 위하여 뽑은 소년들. 문종(文宗) 8년(1054)에 삼품 벼슬아치의 손자와 오품 이상 벼슬아치의 아들 20인을 뽑아 시켰음. 시위 급사(給使)의 윗벼슬임.

시:위-군【侍衛軍】명〖역〗조선 시대 초기의 병종(兵種)의 하나. 중앙에 번상(番上)하는 지방의 장정(壯丁). 세조(世祖) 5년(1459)에 정병(正兵)으로 개칭(改稱)됨. 시위패(侍衛牌).

시:위 급사【侍衛給使】명〖역〗고려 때 태자(太子)를 모시기 위하여 뽑은 소년들. 문종(文宗) 8년(1054)에 오품 벼슬아치의 손자와 칠품 이상 벼슬아치의 아들 열 사람을 뽑아 시켰음. 시위 공자(公子)의 아래임.

시:위-대[1]【示威隊】명 시위하는 무리. ¶ ~에 발포하다.

시:위-대[2]【侍衛隊】명〖역〗조선 시대 말 광무(光武) 원년(1897)에 왕의 호위를 위하여 조직된 군대의 한 연대(聯隊). 정·부령(正副領)의 지휘 아래 병력 각 1,000 명씩의 2 개 대대(大隊) 및 기병(騎兵) 대대와 군악대(軍樂隊)가 있었음. 융희(隆熙) 원년(1907)에 폐합.

시:위-부【侍衛府】명〖역〗신라 때, 왕궁(王宮)을 수호하던 군부(軍府). 으뜸벼슬인 장군(將軍) 6 명 아래 대감(大監)·대두(隊頭)·영(領)·졸(卒)의 군병이 있었음.

시:위 소리【侍衛—】명〖역〗왕이나 왕비·대군·공주 등이 행차할 때, 내관(內官)이 곁에 호위하고 좇아다니면서 부르는 소리. '시위, 시위' '옆장봐 시위' 따위.

시:위 소:찬【尸位素餐】명〔한서(漢書) 주운전(朱雲傳)에 나온 말〕재덕·공로가 없이, 직책을 다하지 못하면서, 한갓 관위(官位)만 차지하고 녹(祿)을 받아 먹는 일. 시록(尸祿). ㊟시소(尸素). *시위(尸位). ——-하다 자여불

시:위 운:동【示威運動】명 많은 사람이 공공연하게 의사(意思)를 표시하며 위력을 나타내는 일. 데먼스트레이션(demonstration). 데모.

시위적-거리다 자 일을 힘들이지 아니하고 되는 대로 천천히 하다. 시위적-시위적 부. ——-하다 자여불

시위적-대다 자 시위적거리다.

시:-위치【視位置】명〖천〗지구 위의 관측자와 천체(天體)와를 맺는 직선이 천구면(天球面)과 교차하는 점. 곧, 천구상에 있어서의 천체의 외관 운동(外觀運動)의 위치.

시:위-패【侍衛牌】명〖역〗시위군(侍衛軍).

시:위 행진【示威行進】명 사회적·정치적 위력을 보이기 위한 대중적인 행진. 데모 행진.

시:유[1]【市有】명 자치 단체인 시의 소유(所有). ¶ ~지(地).

시:유[2]【市乳】명 원유(原乳)를 적당한 분량으로 포장하여 시중에 파는 우유.

시:유[3]【施釉】명 도자기를 만들 때 잿물을 입히는 일. ——-하다 자여불

시유[4]【柴油】명 땔나무와 기름.

시:유-지【市有地】명 시(市)가 소유하는 토지.

시율【詩律】명 시의 율격(律格).

시:은[1]【市恩】명 득(得)을 보고자 남에게 은혜를 베푸는 일.

시:은[2]【市銀】명 ↗시중 은행(市中銀行).

시:은[3]【市隱】명 세상을 피하여 시중(市中)에서 숨어 사는 사람. 또, 비록 숨어 살지만 마음은 항상 산림(山林)에 있는 사람.

시:은[4]【施恩】명 ①은혜를 베풂. ②〖불교〗시주(施主)에게서 받는 은혜. ——-하다 자여불

시:음[1]【侍飮】명 웃어른을 모시고 술을 마심. ——-하다 자여불

시음[2]【詩吟】명 시(詩)를 가락을 붙이어 읊음. 시를 읊음. ——-하다 자여불

시음[3]【詩淫】명 시(詩) 짓기에만 지나치게 골몰하고, 생활에는 무관심한 일.

시:음[4]【試飮】명 술이나 음료수 등을 맛보기 위하여 시험삼아 마셔 봄. ——-하다 타여불

시:음 기호【C音記號】명〖악〗시(C)음으로 보표상의 음의 높이를 정하는 기호. 소프라노·알토·테너 등의 기호가 있음.

시:음-장【試飮場】명 술 따위를 시음하는 곳. ¶ 위스키 ~.

시:읍【試邑】명〖역〗조선 시대에 도(道)에서 향시(鄕試)를 보일 곳으로 정한 고을.

시:-읍-면【市邑面】명 시와 읍과 면.

시:읍면-장【市邑面長】명〖법〗시읍면의 장(長)으로서 시읍면을 통할(統轄)·대표하는 시읍면의 집행 기관. 동시에 소정의 국가 사무를 처리하는 권한을 가짐.

시:의[1]【示意】[—/—이] 명 남에게 보인 뜻. 남에게 제시한 의의(意義).

시:의[2]【市議】[—/—이] 명 ①↗시의회(市議會). ②↗시의회 의원.

시:의[3]【侍醫】[—/—이] 명 ①〖역〗고려 문종 때 상약국(尙藥局)의 종육품 벼슬. *시어의(侍御醫). ②궁내에서 임금·황족(皇族)의 진료를 맡은 의사(醫師).

시:의[4]【施意】[—/—이] 명 금품이나 물품을 조금이라도 주어서 자기의 성의만을 표시하는 일. ——-하다 자여불

시의[5]【時衣】[—/—이] 명 계절에 따라 입는 의복. 시복(時服).

시의[6]【時宜】[—/—이] 명 그때의 사정에 맞음. 시기에 적합함. 기의(機宜). 시중(時中). ¶ ~를 얻은 적절한 조치. ——-하다 형여불

시의[7]【時議】[—/—이] 명 그 당시 사람들의 의론. 그 시대의 의론.

시의[8]【猜疑】[—/—이] 명 남을 시기하고 의심함. ¶ ~심(心). ——-하다 타여불

시의[9]【詩意】[—/—이] 명 시의 뜻. 시의 의미.

시:의[10]【謚議】[—/—이] 명 중국 문체의 한 종류. 시호(謚號)를 내릴 때 시호를 의의(擬議)하여 기초한 문장.

시의-심【猜疑心】[—/—이—] 명 남을 시기하고 의심하는 마음.

시:-의원【市議員】명 ↗시의회 의원(市議會議員).

시:-의회【市議會】명〖법〗자치 단체로서의 시의 의결 기관. 시의회 의원으로써 조직하고 그 시의 자치(自治)에 관한 사항에 대하여, 그 의사를 결정하는 의결 기관임. ㊟시의(市議).

시:의회 의원【市議會議員】명〖법〗시의회의 구성원(構成員). 시민에 의하여 선출되며, 그 성질은 명예직으로 임기는 4 년임. ㊟시의(市議)·시의원(市議員).

시:이【葈耳】명〖식〗도꼬마리.

시:-이불견【視而不見】명 보기는 하나 보이지 않음. 시이불시. *시약불견(視若不見). ——-하다 타여불

시:-이불공【恃而不恐】명 믿는 곳이 있어서 두려워하지 아니함. ——-하다 자여불

시:-이불시【視而不視】[—씨] 명 시이불견(視而不見). ——-하다 타여불

시이 사:변【時移事變】명 시이 사왕(時移事往). ——-하다 자여불

시이 사:왕【時移事往】명 세월이 흐르고 사물(事物)이 변함. 시이 사변.

시: 이: 에이【CEA】명〔Council of Economic Advisers의 약칭〕1946 년에 설립된 미국 대통령의 경제 자문 위원회. 경제 문제에 관하여 대통령에게 조언(助言)하는 5인의 위원으로 이루어짐.

시:이즘〔theism〕명〖종〗① 유신론(有神論). ②유일신교(唯一神敎).

시익【翅翼】명 날개❶.

시인[1]【尸咽】명〖한의〗목구멍이 가렵고 아픈 병.

시:인[2]【市人】명 ①시에서 사는 사람. 시민(市民). ②상인(商人)❶.

시:인[3]【矢人】명〖역〗조선 시대에, 화살을 만드는 일을 업으로 하던 사람.

시:인[4]【矢刃】명 ①화살과 칼. ②무기(武器).

시인[5]【寺人】명〖역〗환관(宦官).

시:인[6]【侍人】명 시자(侍者)❶.

시:인[7]【是認】명 옳다고 인정함. ¶ 잘못을 ~하다. ↔부인(否認). ——-하다 타여불

시인[8]【時人】명 그 당시의 사람들.

시인[9]【猜忍】명 시기심이 강하고 잔인함. ——-하다 형여불

시인[10]【詩人】명 시를 짓는 사람. 시를 전문적으로 잘 짓는 사람. 시객(詩客). 시가(詩家). 소인(騷人). 음객(吟客).

시:인 거:리【視認距離】명 육안(肉眼)으로 물체를 알아볼 수 있는 거리. 약 4 km 정도임.

시인 부락【詩人部落】명〖책〗1935년에 발간된 시 동인지(同人誌). 주요 동인으로는 서정주(徐廷柱)·김 광균(金光均) 등이며, '생명파(生命派)'의 미적(美的) 이념을 남김. 2호까지 내고 맒.

시:인 소:설【市人小說】명〖문〗한문학에서, 서민 출신의 기예인(伎藝人)이 직업적으로 짤막한 이야기를 강설(講說)한 내용을 이름.

시인 옥설【詩人玉屑】명〖책〗중국 송(宋)나라의 위경지(魏慶之)가 편찬한 시화집(詩話集). 송나라 탁종(度宗) 때에 만들어졌는데, 모두 20 권임. 내용은 제가(諸家)의 시화를 모아서, 시변(詩辯)·시법(詩法)·시체(詩體)·구법(句法)·조어(造語) 등 56 문(門)으로 나누었음. 남송인(南宋人)의 시화를 많이 수록했음.

시인의 사랑【詩人—】[—/—에—] 명〖책〗슈만의 가곡집(歌曲集). 시는 하이네의 ≪노래의 책≫에서 취하고 16곡으로 됨. 1840년에 지음.

시:일[1]【侍日】명〖천도교〗천도교에서 일요일(日曜日)을 일컫는 말. 교당에 모여서 기도 의식을 행함.

시:일[2]【是日】명 이 날.

시일[3]【時日】명 때와 날. 날짜. ¶ ~이 경과되다.

시:일[4]【視日】명〖역〗①고려 때, 서운관(書雲觀)의 정팔품 벼슬. ②조선 시대 초 서운관의 정팔품 벼슬. 세조(世祖) 12년(1466)에 서운관을 관상감(觀象監)으로 고칠 때, 봉사(奉事)로 고침.

시:일 학교【侍日學校】명〖천도교〗일요일마다 회당에 모여서 천도교의 교리(敎理)를 가르치는 학교. *일요 학교.

시임[1] 명〈방〉수염(경상).

시임[2]【時任】명 ①현임(現任). ②현재(現在)의 관원. *원임(原任).

시:잉〔seeing〕명〖천〗천체(天體)를 관측할 때의 대기(大氣) 상태의 적성(適性). 10에서 1까지의 숫자로 나타내며, 천체상(像)이 움직이지 않고 정지(靜止)하여 보일 때를 10, 상이 흐트러져서 전혀 관측이 불능할 때를 1로 함.

시:잉 모:태【始孕母胎】명〖천주교〗↗무염 성모 시잉 모태.

시:자[1]【侍子】명 ①천자에게 입시(入侍)하는 제후(諸侯)나 속국의 임금의 아들. ②시봉(侍奉)하는 아들.

시:자[2]【侍者】명 ①귀인(貴人)을 모시고 시중드는 사람. 시인(侍人). ②〖불교〗설법사(說法師)를 모시는 사람.

시:자-법【示姿法】[—뻡] 명〖문〗수사법 중에서 비유법의 일종. 사물의 자태를 그 느낌이나 특징에 따라 묘사하는 방법. 때로 사물의 소리를 묘사하는 사성법(寫聲法)과 같이 쓰이기도 함. 의상법(擬狀法). 의태법(擬態法).

시:작[1]【始作】명 ①처음으로 함. 남상(濫觴). ②쉬었다가 다시 비롯함. ——-하다 타여불

【시작이 반(半)이라】무슨 일이든지 시작하기가 어렵지 일단 손만 대면 반이상 한 것이나 다름없다는 말로, 시작함을 권할 때나, 일의 되어 나감을 일컫는 말. ¶ 시작이 반이라 떠난 지 사흘 만에 서울로 들어갔는데≪李人稙: 鬼의 聲≫.

시작[2]【時作】명〖역〗↗시작인(時作人)❷.

시작[3]【詩作】명 시를 지음. 또, 그 시(詩). ——-하다 자여불

시:작[4]【試作】명 시험삼아 만들어 봄. 또, 그 작품. ——-하다 타여불

시작가풀 내:다【始作—】타〈방〉시작하다(함경).

시작-법【詩作法】명 시법(詩法).

시-작인【時作人】명 ①당시의 소작인(小作人). 현시의 소작인. ②〖역〗조선 시대 후기에, 소작인을 일컬은 말. ㊟시작(時作).

시:작-종【始作鐘】명 수업이나 작업 따위의 시작 시각을 알리는 종소리.

시-작품[1]【詩作品】명 시(詩)로 된 작품.

시:작-품[2]【試作品】명 시험삼아 만들어 본 작품.

시작ᄒᆞ다 타〈옛〉시작하다. ¶ 동의 브ᄉᆞ르미 시작ᄒᆞ야 독이 하 답답거든(發背始作毒盛煩悶)≪救簡 Ⅲ:38≫.

시:잠【視箴】명 사물잠(四勿箴)의 하나. 예(禮)가 아니어든 보지 말라는

규계(規戒). 비례물시(非禮勿視).

시장[1] 명 일시적으로 배가 고픔. ¶ 빵 한 조각으로 ～을 때우다. ——하다 형여불. 주의 '斷腸'으로 쓰은 취음.
[시장이 반찬] 배가 고프면 반찬이 없어도 밥맛이 달다는 말. 기갈(飢渴)이 감식(甘食).

시:장[2] 【市長】 명 ①한 시(市)의 행정을 맡은 장. ②〖법〗지방 자치 단체인 시(市)를 통할(統轄) 대표하는 장. *서울 특별시장.

시:장[3] 【市場】 명 〔market〕 ①매일 또는 정기적(定期的)으로 상인이 모여 상품 매매를 하는 장소. 장(場). 저자. 시상(市上). 장시(場市). ②동일한 건물을 구획하여 각종 점포를 만들어 물건을 팔게 한 시설. 마켓. ¶ 공설 ～. ③〖경〗세계 경제 또는 국내 경제에서, 각개 경제 주체 상호간에 맺어진 유통 경제적 관계 내지는 수요 공급 관계. ¶ 금융 ～/증권 ～/해외 ～.
시:장(을) 보다 구 시장에 가서 물건을 사다.

시:장[4] 【市葬】 명 시장(市長) 명의로 지내는 장례.

시:장[5] 【屍帳】 명 시체를 검안(檢案)한 증명서.

시:장[6] 【施裝】 명 포장(包裝)을 함. ——하다 자여불

시장[7] 【柴場】 명 ①나뭇갓. ②땔나무를 파는 장.

시장[8] 【詩章】 명 시의 장구(章句).

시:장[9] 【試場】 명 시험(試驗)을 보는 장소. 시험장(試驗場).

시:장[10] 【諡狀】 명 경상(卿相)이나 유현(儒賢)들의 시망(諡望)을 의논하여 상주(上奏)할 때, 그의 생존시에 한 일들을 적은 글발.

시장[11] 〔西江〕 명 〖지〗중국 광둥 성(廣東省)의 남부를 흐르는 주장(珠江) 강의 최대의 지류(支流). 서강. [1,790km]

시:장 가격 【市場價格】 [—까—] 명 〖경〗그 때 그 때 시장에 있어서 실제적으로 매매되어 현실적으로 성립하는 가격. 시장에 있어서의 수요(需要)와 공급(供給)의 관계에 의하여 결정됨. 시가(市價). 시치(市値). 현실 가격. 시금(市金). ↔정상 가격(正常價格).

시:장 가치 【市場價値】 명 〖경〗같은 종류의 상품에 대하여 시장이 성립될 때에, 그 낱낱의 상품의 개별 가치를 평균한 사회적 가치.

시장-갓 【柴場—】 [—갇] 명 ☞ 나뭇갓.

시:장 강:제 【市場強制】 명 모든 상품은 시장에만 운반되고 시장 안에서만 그 판매를 허가하는 일. 유럽 중세(中世)의 도시에서 성행했던 정책인데, 국왕 또는 봉건 제후도 이와 비슷한 정책을 썼음.

시:장 개척 【市場開拓】 명 상품 판매(商品販賣)의 지역(地域)을 새로이 더 넓히는 일.

시:장 경제 원리 【市場經濟原理】 [—월—] 명 〖경〗자유 경쟁에 입각하여 시장에서 가격이 형성되는 경제 원리. 가격이라는 메커니즘에 의해 시장에서 매매가 이루어지고 또 그것에 의해 생산과 소비가 조정되기 때문에 파탄 없이 운영됨.

시장-기 【—氣】 [—끼] 명 배가 고픈 느낌. 공복증(症). ¶ ～가 들다.

시:장 대:리인 【市場代理人】 명 〖경〗증권 회사의 직원으로서 증권 거래소의 승인을 얻어, 거래소 시장(去來所市場)에서 그 증권 회사의 매매 거래 업무를 행하는 사람.

시:장 바구니 【市場—】 [—빠—] 명 부인네들이 장보러 갈 때 들고 가는 그물 모양으로 엮은 바구니. 준장바구니.

시:장 분석 【市場分析】 명 〔market analysis〕 〖경〗 마케팅 조사의 한 방법. 특정 상품의 시장을 연구·분석함에 있어, 사내외(社內外)의 기존(既存) 자료를 수집·분석하는 조사 활동. 사내 자료로서의 분석의 대상으로는 주로 판매에 관한 여러 가지 기록이며, 사외 자료로서는 정부 간행물·기업 연합체 및 공동 단체의 간행물 등을 대상으로 함. *시장 조사.

시:장 생산 【市場生産】 명 〖경〗시장의 수요를 넘겨잡고, 생산자 스스로의 위험 부담에 의하여 행하는 생산. ↔주문 생산.

시:장-성 【市場性】 [—썽] 명 〖경〗가격이 안정되어 있어서, 용이하게 매매할 수 있는 유가 증권의 융통성. 유리성(有利性)·안전성(安全性)과 더불어 투자의 세 조건을 이룸.

시:장 세:분화 【市場細分化】 명 〔market segmentation〕 〖경〗고객의 자금력(資金力)·지역·기호·연령·직업 등 판매에 영향을 주는 모든 요인을 고려하여 시장을 세분화하고 각기 특성에 맞는 세심(細心)한 상품 정책으로 마케팅을 행하는 일.

시장-스럽다 형 〈방〉시들하다. ¶ 짝 바라진 여덟팔자 걸음으로 아장아장 걸어가는 맵시란 누구더러 보라고 해도 시장스런 꼴이다《蔡萬植：濁流》.

시장-시장 감 어린 아이를 시장질할 때에 부르는 소리.

시:장 실사 【市場實査】 [—싸] 명 〖경〗시장 조사의 한 방법. 기존(既存) 자료에 의하여서는 구할 수 없는 자료나 정보를 실태(實態) 조사에 의하여 획득·분석하는 조사 활동.

시:장 실험 【市場實驗】 명 〖경〗시장 조사의 한 방법. 가격이나 포괄(包括)의 변화가 구매(購買)를 어떻게 좌우하는가 하는 문제와 같이, 현상(現狀) 그대로의 실사만으로는 판명되지 않는 문제에 대하여, 어떤 규모의 실험을 시행(試行)하여서 해답을 추출(抽出)하는 조사 활동.

시:장 원예 【市場園藝】 명 〖농〗도시 근교(近郊)에서, 가장 가까운 시장을 대상으로 행해지는 원예. 주로 장시간 수송에 견디지 못하는 야채류·과채류(果菜類)·화훼류(花卉類)·근채류(根菜類)를 재배함.

시:장 원예 지대 【市場園藝地帶】 명 〖농〗도시 주변에 발달된 야채·화훼(花卉)·과수(果樹) 등을 재배하는 지대. *근교 농업.

시:장 이:론 【市場理論】 명 〖경〗상업학상, 매매 거래가 행하여지는 특정의 장소로서의 각종 시장의 제도·기구(機構)·운영 등에 관한 이론. 경제학상으로는, 일반적으로 상품 경제가 행하여지는 관계 자체, 곧 추상적 시장에 관한 이론.

시:장 이:자율 【市場利子率】 명 〖경〗현실의 시장에서 결정되는 실제의 이자율. 곧, 화폐 이자율.

시:장 점:거율 【市場占據率】 명 〖경〗시장 점유율.

시:장 점:유율 【市場占有率】 명 〖경〗경쟁(競爭) 시장에서 어떤 상품의 총판매량 중, 한 기업의 상품이 점유하는 비율. 생산량으로 본 생산 집중도와 거의 비례하지만 수입 의존도(依存度)가 높은 상품의 경우, 생산 집중도가 높아도 점유율이 낮은 경우도 있음. 마켓 셰어. 시장 점거율.

시:장제 사회주의 【市場制社會主義】 [—/—이] 명 〔market socialism〕 〖정〗중앙에서의 계획화는 최소한의 조정으로 한정하고, 시장으로 하여금 경제 활동의 주된 조정자 구실을 하게 하는 사회주의. 주로 지난날의 유고식(Jugo式) 사회주의를 이르는 말.

시: 장조 【C長調】 [—쪼] 명 〖악〗시(C)음을 기음으로 한 장조. 다 장조.

시:장 조사 【市場調査】 명 〖경〗마케팅 조사.

시:장 지배적 사:업자 【市場支配的事業者】 명 〖경〗어떤 상품 또는 용역(用役)의 시장 점유율이 높아 가격이나 공급량을 어느 정도 임의로 조절할 수 있는 독·과점 사업자. 경제 기획원 공정 거래 위원회는 1년간 국내 총공급액 3백억 원이 넘는 상품 또는 용역을 공급하는 업체를 대상으로 1개사 시장 점유율이 50% 이상이거나 3개사 이하 사업자의 시장 점유율 합계가 75%를 넘을 때 해당 사업자를 시장 지배적 사업자로 지정·고시함으로써 공급 가격을 임의로 올리거나 공급량을 조절하는 행위 등을 억제하고 있음.

시:장 지향성 공업 【市場志向性工業】 [—썽—] 명 〖경〗원료가 가볍고 제품 무게가 무거운 공업. 식료품·일용품·기계·인쇄·가구·의료·맥주·유리 공업 등.

시장-질 명 어린애를 운동시키기 위하여, 일으켜 세워 두 손을 잡고 앞뒤로 자꾸 밀었다 당기었다 하는 짓. *부라질. ——하다 자여불

시:장 질서 유지 협정 【市場秩序維持協定】 [—써—] 명 〔Orderly Marketing Agreement〕 〖경〗두 나라 또는 그 이상의 여러 나라의 정부 사이에 수출 무역에 관련하여 시장 질서 유지를 목적으로 맺어지는 협정.

시:장 집중 제:도 【市場集中制度】 명 〖경〗주식 시장에서, 주식의 모든 매매 주문(注文)을 거래소의 유통 시장을 통하여 집행하는 제도.

시:재[1] 【施財】 명 시물(施物)로서 재산을 바침. ——하다 타여불

시:재[2] 【施齋】 명 〖불교〗중에게 식사를 베풂. ——하다 자여불

시재[3] 【時在】 명 ①당장에 가지고 있는 돈이나 곡식. ②현재(現在)❶. ¶ ～ 당장 내게 오라를 씌워야겠소?《金周榮：客主》.

시재[4] 【時宰】 명 〖역〗그 당시의 재상(宰相). *시상(時相).

시:재[5] 【試才】 명 재주를 시험하여 봄. 시예(試藝). ——하다 타여불

시재[6] 【詩才】 명 시를 짓는 재능(才能). 시예(詩藝).

시재[7] 【詩材】 명 시료(詩料).

시재[8] 【詩齋】 명 〖역〗구재(九齋)의 하나. 조선 시대 초에 두었던, 성균관(成均館)에서 시전(詩傳)을 공부하는 한 분과(分科).

시재[9] 부 〈방〉지금. 현재(평안).

시재-궤 【時在櫃】 [—꿰] 명 수입·지출을 한 후 그 당시에 남아 있는 돈을 넣어 두는 궤.

시재-금 【時在金】 명 시잿돈.

시재-문 【時在文】 명 시잿돈.

시재-시재 【時哉時哉】 감 좋은 때를 만나 기뻐 감탄하는 소리. 시호시호(時乎時乎).

시재-액 【時在額】 명 시재금(時在金)의 액수.

시재-장 【時在帳】 [—짱] 명 현재 가지고 있는 돈이나 곡식의 수량을 적은 장부.

시재-전 【時在錢】 명 시잿돈.

시잿-돈 【時在—】 명 수입·지출이 끝난 뒤, 현재 남아 있는 돈. 시재금(時在金). 시재문(時在文). 시재전(時在錢).

시잿 〔프 sixain〕 명 ①프랑스의 시형(詩型)의 하나. 6 행(行)의 시구(詩句)로 이루어지며, 19세기에 유행하였음. ②육행시(六行詩) 또는 음악의 6박자(拍子)의 일컬음.

시:저[1] 【匙箸】 명 수저❷.

시:저[2] 〔Caesar, Gaius Julius〕 명 〖사람〗'카이사르'의 영어명.

시저끔 명 〈방〉수수께끼(함경).

시저스 〔scissors〕 명 〔가위란 뜻〕 ①↗시저스 패스. ②↗시저스 점프. ③레슬링에서, 상대의 머리 또는 몸을 두 다리로 조르는 일.

시저스 점프 〔scissors jump〕 명 가위뛰기. 준시저스.

시저스 패스 〔scissors pass〕 명 럭비에서, 상대편의 방어의 허점을 찌르기 위해 공격의 방향을 급히 바꾸어 보내는 패스. 준시저스.

시:저와 클레오파트라 명 〔Caesar and Cleopatra〕 〖문〗버너드 쇼(Bernard Shaw)작의 희곡. 오막(五幕). 1901년 발표. 시저의 영웅으로서 뿐만 아니라 인간으로서의 약점과 강점을 그린 작품임.

시:적[1] 【示寂】 명 〖불교〗보살(菩薩) 또는 높은 중의 죽음.

시적[2] 【詩的】 [—쩍] 명관 ①시의 흥취(興趣)가 있음. 사물이 시의 정취를 가진 모양. ¶ ～ 풍경. ↔산문적. ②현실(現實)을 떠나 감흥(感興)에 잠기는 모양. ¶ ～ 공상.

시적-거리다 자타 마음이 내키지 않아 억지로 말이나 행동을 하다. 시적-시적 부. ¶ 양주댁이 어렴풋이 그런 궁리를 더듬고 있는 새에 영감은 ～ 앞으로 가기 시작한다《康信哉：琉璃의 덫》. ——하다 자타여불

시적 공상 【詩的空想】 [—쩍—] 명 시의 경지에 들어선, 현실과는 먼 아름다운 공상.

시적-대다 자타 시적거리다.

시적 사실주의 【詩的寫實主義】 [—쩍—/—쩍—이] 명 〔도 der poetische Realismus〕 〖문〗독일 문학사상, 1930년대 이후에 활약한 사실주의자 일파의 경향. 사실주의에 입각하되 창작 태도에 있어, 자연주의자와 같이 기계적으로 다만 정밀한 묘사에만 그쳐서는 안 되며, 그렇다고 이상주의자와 같이 통일성에만 집중해서도 안 되는, 말하자면 양

자의 중간을 취하는 입장임. 헤벨(Hebbel, C.F.)·켈러(Keller, G.K.)·마이어(Meyer, K.F.)·루트비히(Ludwig, O.)·프라이타크(Freytag, G.) 등은 그 대표적 작가들임. 예술적 사실주의.

시적 조사법【詩的措辭法】[―쩍―뻡] 명 〔poetic diction〕〖문〗 시에서, 시어(詩語)를 선택하고 결합하는 방법.

시:전[1]【市典】 명 〖역〗 신라 때, 서울의 시장에 관한 일을 맡아 보던 관아. 동서남(東西南)의 세 곳에 두었음.

시:전[2]【市廛】 명 ①수도 및 도시의 상설적인 장거리의 가게. 시사(市肆). ②〖역〗 조선 시대에, 지금의 종로 네거리를 중심으로 설치된 시장. 개성에는 고려 때부터 내려오는 시전이 있었는데, 한양 천도 후 이를 모방하여 종로를 중심으로 행랑을 세워 상인들에게 세를 받고 빌려주어 상점을 열게 했음.

시전[3]【詩傳】 명 〖책〗 시경(詩經)의 주해서(註解書). 준시(詩). *시경(詩經).

시전[4]【詩箋】 명 시전지(詩箋紙).

시:전 도고【市廛都賈】 명 〖역〗 조선 시대 후기에, 서울의 육의전(六矣廛)을 비롯한 여러 시전(市廛)을 바탕으로 하여 성립된 관상(官商) 도고의 하나. *영저(營邸) 도고.

시: 전:원【C電源】 명 〖물〗 진공관의 바이어스(bias) 전압용의 전원.

시전-지[1]【詩箋紙】 명 시나 편지 등을 쓰는 종이. 화전지(花箋紙). 시전(詩箋).

시: 전:지[2]【C電池】 명 〖물〗 삼극·진공관(三極眞空管)의 그리드(grid) 전압을 주는 전지. *에이 전지(A電池).

시절[1]【時節】 명 ①철[1]. 풍후(風候). ②때[1]❷. ③사람의 일생을 구분한 한 동안. ¶청년 ~.

시절[2]【詩節】 명 〖문〗 시에서, 운율이나 억양 등의 특징에 따라서 구분한 몇 개의 시행(詩行)으로 이루어지는 절.

시절-가【時節歌】 명 ①시절을 읊은 속요(俗謠). ②시조(時調). ③내방가사(內房歌辭)의 하나. 작자와 연대는 미상임.

시절-병【時節病】[―뼝] 명 〖한의〗 시환(時患).

시:점[1]【始點】[―쩜] 명 ①일련(一連)의 동작·운동이 시작되는 점. 출발점. 기점(起點). ↔종점(終點). ②〖수〗 A에서 B로 가는 유향 선분(有向線分)에 있어서, A를 말함.

시점[2]【時點】[―쩜] 명 시간의 흐름 위의 어떤 한 점.

시:점[3]【視點】[―쩜] 명 ①〖생〗 눈으로부터 물체 위에 시력(視力)의 중심이 도달하는 점. 주시점(注視點). ②〖수〗 투시 화법(透視畫法)에서, 물체를 보는 단안(單眼)이 존재하는 점. ③〖미술〗 회화의 원근법(遠近法)에서, 화면과 직각인 시선(視線)이 화면과 교차하는 가정상의 한 점. 회화의 위에서 평행선이 한 점으로 되는 점임.

시점 수정【時點修正】[―쩜―] 명 〖법〗 재산의 감정 가격을 산정함에 있어서, 매매 사례(賣買事例) 자료의 거래 시점과 가격 시점이 시간적으로 일치하지 않아 가격 수준에 변동이 있는 경우, 매매 사례 가격을 가격 시점의 수준으로 일치시키는 일.

시:접[1] 명 속으로 접혀 들어간 옷솔기의 한 부분.

시:접[2]【匙楪】 명 제사지낼 때, 수저를 담는 놋그릇. 대접 비슷하게 생겼음.

〈시접[2]〉

시:정[1]【市井】 명 ①〔중국의 상대(上代)에 우물이 있는 곳에 사람이 모여 산 데 유래함〕 인가가 모인 곳. 거리. 가구(街衢). 시가(市街). ②↗시정아치.

시:정[2]【市政】 명 지방 자치 단체로서의 시의 행정(行政).

시정[3]【寺正】 명 〖역〗 조선 시대 때의 관아인 봉상시(奉常寺)·종부시(宗簿寺)·사복시(司僕寺)·군기시(軍器寺)·내자시(內資寺)·내섬시(內贍寺)·사도시(司導寺)·예빈시(禮賓寺)·사섬시(司贍寺) 및 사원(司院) 등에 딸린 벼슬인 정(正), 곧 정삼품(正三品) 벼슬.

시:정[4]【侍丁】 명 〖역〗 조선 시대에, 나이 많은 어버이를 봉양하는 사람으로 국역(國役)을 면제받던 사람. 공천(公賤)으로 나이 70 이상이면 그 아들 하나를, 90이면 그 자식 모두를 면제하였음.

시:정[5]【始政】 명 정치를 시작함. ――하다 자 여불

시:정[6]【是正】 명 잘못된 것을 바로잡음. ――하다 타 여불

시:정[7]【施政】 명 정치를 시행(施行)함. 또, 그 정치. ¶~ 방침/~ 연설. ――하다 자 여불

시:정[8]【施錠】 명 〔본디 일 'せじょう(施錠)'를 우리 음으로 읽은 말〕 자물쇠를 채워 문을 잠금. ――하다 자 여불

시정[9]【時政】 명 그 당시의 정사.

시정[10]【柴政】 명 땔나무에 관한 대책.

시:정[11]【視程】 명 ①대기(大氣)의 혼탁도를 나타내는 척도(尺度)의 하나. 육안으로 식별할 수 있는 최대 거리로, 방향에 의하여 수평·수직 두 시정으로 나뉘나 보통 수평 시정을 가리킴. ②〔range of visibility〕〖항공〗 목표나 등화(燈火) 따위를 시인(視認)할 수 있는 최대 거리.

시정[12]【詩情】 명 시적(詩的)인 정취(情趣). 시를 짓고 싶어지는 정회. 시취(詩趣). 시혼(詩魂). 시심(詩心). 시사(詩思).

시:정 개:선【施政改善】 명 정치를 좋게 고침. ――하다 자 여불

시:정-계【視程計】 명 시정(視程)을 측정하는 기계.

〈시정계〉

시:정-권【施政權】[―꿘] 명 신탁 통치 지역의 영역 및 주민에 대하여, 입법·행정·사법의 삼권을 행사하는 권한.

시:정권-자【施政權者】[―꿘―] 명 신탁 통치 지역에서 시정의 임무를 맡은 사람.

시정-기【時政記】 명 시정에 있어서 역사상 자료가 될 만한 것을 사관(史官)이 기록한 것.

시:정-도【視精度】 명 〖생〗 시력(視力).

시:정 무뢰【市井無賴】 명 시중의 부랑배. 시정 잡배.

시:정 방침【施政方針】 명 정치를 행함에 있어서의 방침.

시:정-배【市井輩】 명 시정아치.

시:정-비【施政費】 명 〖경〗 국가(國家)가 국민의 정신적·경제적 생활을 향상시키기 위하여 모든 시설과 방책을 강구함에 드는 비용.

시:정 소:설【市井小說】 명 〖문〗 중류 이하의 일반 시민의 생활상을 그린 소설.

시:정-아치【市井―】 명 시정의 장사치. 시정배(市井輩). 준시정(市井).

시:정-인【市井人】 명 시정(市井)의 일반 사람, 곧 서민.

시:정 잡배【市井雜輩】 명 시정 무뢰.

시:정 조사회【市政調査會】 명 시정을 전문적·과학적으로 조사 연구하는 기관. 주로 19세기말 이후 미국에서 발달한 것인데, 인사 행정·경비 절약·공익 사업의 특허·구매 방법·행정 조직의 개선 등에 공헌하여, 미국 행정 연구를 크게 발달시켰음.

시:-정-지【侍定知】 명 〖천도교〗 천도교 수도(修道)의 삼법제(三法諦). 시(侍)는 한울님을 모시는 것, 정(定)은 한울과 사람이 하나로 되는 것, 지(知)는 한울님의 지혜를 받는 것임.

시:정-책【是正策】 명 바로잡는 방책, 또는 정책. ¶~을 강구하다.

시:제[1]【市制】 명 ①지방 자치 단체로서의 시(市)의 구성·조직·권한·감독 등을 정한 법률. ②제도로서의 시(市).

시:제[2]【施濟】 명 구제를 배풂. ――하다 자 여불

시제[3]【時制】 명 〖언〗 동사·형용사 등이 나타내는 동작이나 상태의 시간적 위치(현재·과거·미래 등)를 표시하는 범주(範疇). 때매김. 시상(時相). 텐스(tense).

시제[4]【時祭】 명 ①일 년에 네 번, 철마다 지내는 종묘(宗廟)의 제사. ②시향(時享).

시:제[5]【試製】 명 시험삼아 만들어 봄. ¶~품. ――하다 타 여불

시제[6]【詩題】 명 시의 제목(題目). 시를 짓는 제재(題材).

시제-법【時際法】[―뻡] 명 〖법〗 법률의 시간적 효력 범위를 정하는 법률. 곧, 두 개의 법질서 또는 법규가 시간적으로 선후 관계를 가질 때, 어떤 법률 사실이 그 어느 법에 지배될지를 정하는 법률. 경과법(經過法).

시:제 생산【試製生産】 명 본격적인 생산에 앞서 시험삼아 만들어 보는 일. ――하다 타 여불

시:제-품【試製品】 명 시험삼아 만들어 본 제품.

시졀 명 〈옛〉 시절(時節). 때. ¶힘혀 유여히 갈 시졀이면(若能勾去時節)≪老乞 上 40≫.

시졀이 간난커놀 구 〈옛〉 흉년이 들거늘. ¶시졀이 간난커놀 겨지비 다티 살라 권ᄒᆞ며(荒饉妻勸其異居)≪二倫 26 君良斥妻≫.

시:조[1]【市朝】 명 시정(市井)과 조정(朝廷).

시:조[2]【始祖】 명 ①한 겨레의 맨 처음되는 조상. 비조(鼻祖). ②어떤 학문·기술 등의 길을 처음으로 연 사람. ¶천문학의 ~.

시:조[3]【始釣】 명 얼음이 풀린 뒤 처음으로 하는 낚시질.

시:조[4]【施助】 명 〖불교〗 시주(施主)❷. ――하다 타 여불

시조[5]【時鳥】 명 ①철따라 우는 새. 시금(時禽). ②소쩍새. ③두견이.

시조[6]【時調】 명 ①〖문〗 고려 말엽부터 발달하여 온 한국 고유의 정형시(定型詩). 보통 초장(初章) 3·4·3(4)·4, 중장(中章) 3·4·3(4)·4, 종장(終章) 3·5·4·3 등의 격조(格調)로 되었으나, 자수론(字數論)은 구구한 바가 있음. 그 형식을 따라, 평시조(平時調)·엇시조(旕時調)·사설(辭說) 시조의 셋으로 나뉨. 보통은 평시조를 가리킴. *평시조. ②〖악〗 시조에 곡(曲)을 얹어 부르는 느릿한 노래. 조선 시대 영조(英祖) 때의 가객(歌客) 이세춘(李世春)이 창시함. 평시조·중 허리 시조·지름 시조·사설 지름 시조·수잡가(首雜歌) 등으로 나뉨. 시절가(時節歌). 시조창(時調唱).

【시조 하라 하면 발뒤축이 아프다 한다】 무엇을 시키면 엉뚱한 핑계를 대면서 하지 아니한다는 뜻.

시조[7]【翅鳥】 명 하늘을 날아다니는 새.

시:조[8]【視朝】 명 조정에 나아가 정사를 봄. ――하다 자 여불

시조 규례【時調規例】 명 〖악〗 시조창(時調唱)을 할 때에 지켜야 할 열두 가지 규범.

시:조-기【示潮器】 명 검조의(檢潮儀)의 한 가지. 수중에 연직(鉛直)으로 세워 해수면의 높이를 측정함.

시-조모【媤祖母】 명 시할머니.

시-조부【媤祖父】 명 시할아버지.

시:조-새【始祖―】 명 〖조〗 〔*Archaeopteryx lithographica*〕 중생대 쥐라기(Jura紀)에 생존하였던 조류(鳥類)의 선조(先祖). 조류와 파충류(爬蟲類)의 중간위(中間位)의 것으로 간주되며, 쌍방에 공통된 형질(形質)을 구유함. 크기는 까마귀만하며 머리는 작고 눈이 큰데, 날개의 앞 끝에는 세 개의 발가락이 있고, 그 앞에는 예리한 발톱이 달려 있음. 꼬리는 파충류의 것과 비슷하며, 20개의 미추골(尾椎骨)로 되어 있는 등 오늘날의 새와는 매우 다름. 1860년 독일의 후기 쥐라기에 속하는 점판암(粘板岩) 속에서 발견된 화석 조류임. 유치조(有齒鳥). 시조조(始祖鳥). 조상새.

〈시조새〉

시조 유:취【時調類聚】 명 〖책〗 육당(六堂) 최남선(崔南善)이 편찬하여 발간한 시조집. 1928년에 발간된 이 책에는 1,405수(首)의 시조가 21개 부문으로 나뉘어 실림.

시조 장단【時調長短】 명 〖악〗 시조창(時調唱)을 위한 장단. 기본 장단으로 한 장단 4분의 5박자와 4분의 8박자의 두 가지 장단이 있음.

시:조-조【始祖鳥】 명 〖조〗 시조새.

시조-집【時調集】 명 시조를 모아 엮은 책.

시조-창【時調唱】 명 〖악〗 시조❷.

시조-하다【時調—】자 여불 ①시조를 부르듯이 언행(言行)을 느리게 하다. ②남의 말하는 것을 얕잡아 일컬는 말. ¶그만 시조하고 떠나자.

시:종¹【始終】㊀ 명 처음과 끝. 시말(始末). ¶～ 일관. ㊁ 부 처음부터 끝까지. ¶그들은 ～ 말없이 걷기만 했다.

시:종²【侍從】명 ①〖역〗↗시종신(侍從臣). ②〖역〗조선 시대 말 궁내부(宮內部)의 시종원(侍從院)에 딸린 주임관(奏任官) 벼슬. 모두 18 명으로, 왕에 근시(近侍)하여 어복(御服)과 어물(御物)을 분장(分掌)한 직분. *시어(侍御). ③〖천주교〗미사나 기타 예식에서 집전자(執典者)를 거드는 일을 하는 사람. 새 제도 아래서는 성직(聖職) 계열에 속하지 않음.

시종³【時鐘】명 '시계(時計)'의 구칭.

시종⁴【詩宗】명 ①많은 시인으로부터 존경받는 시인. 시단에서 권위 있는 시인. ②'시인'의 경칭.

시:종 공신【侍從功臣】명〖역〗수종 공신(隨從功臣).

시:종-관【侍從官】명〖역〗조선 시대 말 궁내부(宮內部) 황태자궁 시강원(皇太子宮侍講院)의 한 판임관(判任官) 벼슬. 시독관(侍讀官)의 아랫 직위로, 8 명이 있었음.

시:종 무:관【侍從武官】명〖역〗조선 시대 말 광무 8년(1904)에 두었던 궁내부(宮內部)의 시종 무관부에 딸려 왕을 호종(扈從)하던 무관.

시:종 무:관부【侍從武官府】명〖역〗조선 시대 말 광무 8년(1904)에 궁내부(宮內部)에 왕의 시위(侍衛)를 위하여 두었던 직소. 융희 4년(1910)까지 있었음.

시:종-신【侍從臣】명〖역〗①왕을 모셔 호종하는 신하. 종관(從官). ②왕에 항상 시종하는 신하. 곧, 조선 시대에 홍문관(弘文館)의 옥당(玉堂), 사헌부(司憲府) 또는 사간원(司諫院)의 대간(臺諫), 예문관(藝文館)의 검열(檢閱), 승정원(承政院)의 주서(注書)를 총칭하여 이름. ㊟시종(侍從).

시:종 여일【始終如一】명 처음부터 끝까지 변함없이 한결같음. 종시 여일(終始如一). ——-하다 형 여불

시:종-원【侍從院】명〖역〗궁내부의 한 마을. 임금의 비서(祕書)·어복(御服)·어물(御物)·진후(診候)·의약(醫藥)·위생(衛生) 등에 관한 일을 맡음. 고종 33년(1896)에 베풀어서 융희 4년(1910)까지 있었음.

시:종 일관【始終一貫】㊀ 명 처음부터 끝까지 한결같이 관철(貫徹)함. 종시 일관(終始一貫). ——-하다 타 여불 ㊁ 부 시종 일관하여.

시:종-장¹【始終章】[—짱] 명 용비 어천가 제79장의 이름.

시:종-장²【侍從長】명 임금을 곁에서 모시고 심부름하는 사람들의 우두머리.

시:종-직【侍從職】명〖천주교〗전에 천주교회의 소품(小品) 가운데 넷째 품. 새 제도에서는 성직(聖職) 계열에서 제외되면서 시종 직무(侍從職務)라고도 부름. *시종품.

시:종-품【侍從品】명〖천주교〗천주교회의 소품 가운데 넷째 번에 받는 품. 개혁된 현제도에서는 성직 계열에서 제외됨. *시종직(侍從職).

시:좌¹【侍坐】명〖역〗①웃어른을 모시고 앉음. ②정전(政殿)에 납신 왕을 세자(世子)가 모시어 앉음. ——-하다 타 여불

시:좌²【視座】명 ①지식 사회학(知識社會學)에서, 개인이 자기의 입장에서 사회를 보는 시점(視點)·좌표. ②사물을 보는 자세. 시점(視點).

시:좌³【諡座】명 시호(諡號)를 의논하여 정하기 위하여 모인 자리.

시:좌 구조【視座構造】명〖사〗만하임(Mannheim, K.)의 지식 사회학의 중심 개념의 하나. 사람이 사실을 인식할 때, 사회적 조건은 인식의 형성(形成) 과정만이 아니라 인식의 구조 그 자체까지 규정하고 있다는 것을 나타내는 개념.

시-좌궁【時座宮】명〖역〗시어소(時御所).

시-좌소【時坐所·時座所】명〖역〗시어소(時御所).

시주 명〈방〉소주⁵(경북).

시:주¹【尸疰】명〖민〗사람의 죽은 혼이 빌미가 되어 생기는 병. 죽은 사람이 3년 뒤에 귀신이 되어, 후림바람에 딴사람의 몸에 붙어서 병을 일으키게 한다 함.

시:주²【施主】명〖불교〗①중에게 또는 절에 물건을 베풀어 주는 사람. 단나(檀那). 단월(檀越). 화주(化主). ②중에게 또는 절에 물건을 베풀어 주는 일. 시조(施助). ¶～승(僧). ——-하다 타 여불

[시주(施主)님이 잡수셔야 잡수었나 하지] 일이 성사(成事)가 되어야 비로소 되었는가보다 하지 예측할 수는 없다는 말.

시:주³【試走】명 ①자동차 따위를 시승(試乘)함. ②경주에서, 뛰기 전에 컨디션을 시험함.

시주⁴【詩酒】명 시와 술.

시:주 걸:립【施主乞粒】명 중이 시주의 곡식이나 돈을 얻으려고 집집의 문 앞에서 하는 걸립. *걸립(乞粒).

시:주-서【施主書】명 시주의 이름을 적은 문서.

시:주-승【施主僧】명 시주 전곡(錢穀)을 얻으러 다니는 중.

시죽-시죽 부 ☞ 히죽히죽.

시:준【視準】명〖물〗①망원경에서 반사 또는 굴절광을 이용하여 두 개의 렌즈의 축을 일직선상에 놓는 일. 또, 평행되게 놓는 일. 콜리메이트(collimate). ②망원경의 축의 방향을 시준기를 사용하여 결정 또는 보정(補正)하는 일. *시준선(視準線).

시-준가【時準價】[—까] 명 당시의 가장 비싼 시세.

시:준-경【視準鏡】명 시준의(視準儀).

시:준-기【視準器】명 좁은 틈으로 넣은 광선을 렌즈계(lens系)에 의해서 평행 광선으로 만드는 장치. 콜리메이터(collimator).

시:준-면【示準面】명〔index plane〕〖지〗지질 구조를 결정할 때에 기준 위치로 사용하는 면.

시:준-선【視準線】명 망원경의 대물(對物) 렌즈의 광심(光心)과 대안 렌즈(對眼 lens)의 광심(光心)과를 잇는 직선. 시준축(視準軸).

시:준 오:차【視準誤差】명〔collimation error〕망원경의 시준선(視準線)과 십자선(十字線)이 일치하지 않을 때 생기는 오차.

시:준-의【視準儀】[—/—이] 명〖천〗자오환(子午環) 또는 자오의(子午儀) 등의 망원경의 시준선(視準線)을 바라보려는 물체에, 조절하기 위하여 쓰는 작은 망원경. 시준경(視準鏡). 콜리메이터.

시:준-축【視準軸】명 시준선(視準線). ㊟시축(視軸).

시:준 화:석【示準化石】명〔index fossil〕〖지〗표준 화석(標準化石).

시줄 명〈방〉쇠줄(경남).

시:줏-돈【施主—】명 시주하는 돈.

시중¹ 명〔←수종(隨從)❷〕옆에 있으면서 여러 가지 심부름을 하는 일. ¶잠자리 ～. ——-하다 타 여불

시중(을) 들다 구 옆에 있으면서 여러 가지 심부름을 하다. ¶환자의 ～.

시:중²【市中】명 도시의 안. ¶～ 은행.

시:중³【侍中】명 ①〖역〗중국 한(漢)나라 때 관직의 이름. 천자(天子)의 좌우에 있어, 여러 가지 일을 받들고 고문(顧問)에 응하는 사람. ②〖역〗중국 후위(後魏) 이후 문하성(門下省)의 장관. ③〖역〗신라 때 집사성(執事省)의 으뜸 벼슬. 국정(國政)을 총찰(總察)하던 대신(大臣). 위계(位階)는 이찬(伊飡)에서 대아찬(大阿飡)까지. ④〖역〗고려 때 광평성(廣評省)·내사 문하성(內史門下省)·중서 문하성(中書門下省)·문하부(門下府)의 으뜸 벼슬. 품질(品秩)은 종일품. 중찬(中贊)·정승(政丞)으로 고친 일이 있음. ⑤〖역〗조선 시대초 문하부의 으뜸 벼슬. 품질은 정일품. 태조 3년(1394)에 정승(政丞)으로 고치고, 태종 5년에 문하부를 폐함에 따라 의정부(議政府)에 붙였다가, 태종 14년(1414)에 아주 폐하였음.

시중⁴【時中】명 시의(時宜).

시-중⁵【詩—】명 시승(詩僧).

시:중⁶【試中】명 시험에 급제함. ——-하다 자 여불

시:중 금리【市中金利】[—니] 명〖경〗중앙 은행 이외의 금융 기관이 세우는 표준적인 콜 레이트(call rate) 및 할인율.

시중-꾼 명 윗사람의 곁에 있으면서 온갖 시중을 드는 사람.

시:중-대【侍中臺】명〖지〗관동 팔경(關東八景)의 하나. 강원도 통천군(通川郡) 흡곡면(歙谷面)에 있는 대. 동쪽에 큰 산이 우뚝 솟아 있고 3면은 모두 호수로 둘려 있음. 호수 가운데는 숲이 무성한 7개의 섬 곧, 천도(穿島)·묘도(卯島)·우도(芋島)·승도(僧島)·석도(石島)·송도(松島)·백도(白島)가 늘어서 있음.

시:중 예:탁【市中預託】[—네—] 명 지정 예금(指定預金).

시:중 은행【市中銀行】명 정부와 특별한 관계가 없는 일반 은행. 곧, 한국 은행·산업 은행 따위의 국책(國策) 은행 이외의 모든 은행. ㊟시은(市銀).

시:중 최공도【侍中崔公徒】명〖역〗문헌공도(文憲公徒).

시:중 판매【市中販賣】명 시장(市場)에서 일반에게 판매함. 시판(市販). ——-하다 타 여불

시즈리다 자〈옛〉드러눕다. 시지르다. =히즈리다. ¶시즈리다(歪靠)「≪漢淸 XII:35≫」.

시즈오카〔静岡: しずおか〕명〖지〗일본 시즈오카 현(靜岡縣) 중앙부의 시. 현청 소재지. 1889년에 시(市)로 되었음. 제차(製茶)·제재(製材)·가구·칠기·죽기(竹器) 등의 목공·제지업 등이 성함. [470,838 명(1991)]

시즈오카 현【—縣】〔静岡: しずおか〕명〖지〗일본 중부 지방 태평양 연안의 현. 차(茶)·귤을 산출하고 어업과 제지업이 성함. 현청 소재지는 시즈오카 시(静岡市). [7,779 km²: 3,679,660 명(1991)]

시:즌〔season〕명 ①철. 계절. ②호시기(好時期). 유행기(流行期). ¶등산 ～. ③〈속〉월경(月經)하는 시기.

시:즌 오프〔season+off〕명 제 철이 아닌 때. 철에 앞서거나 늦은 때. 오프 시즌. ¶프로 야구가 ～에 들어가다.

시:즌 티켓〔season ticket〕명 ①정기(定期) 승차권. ②정기 입장권.

시:즙【屍汁】명 추깃물.

시:지¹【屍脂】명 시랍(屍蠟).

시:지²【試紙】명〖역〗과시(科試)에 쓰이던 종이. 명지(名紙). 정초(正草).

시지근-하다 형 여불 음식이 쉬어서 조금 신맛이 있다. *쉬지근하다. ¶김치가 ～.

시지-령【柴芝嶺】명〖지〗평안 북도 후창군(厚昌郡) 동흥면(東興面)과 함경 남도 삼수군(三水郡) 삼서면(三西面) 사이에 있는 고개. [1,619 m]

시지르다 자 르불〈속〉졸다¹.

시:-지름【視—】명〔apparent diameter〕〖천〗천체(天體)의 외관 상의 지름. 시각(視角)으로 나타냄. 시직경(視直徑). *시반지름.

시지-부지 부〈방〉흐지부지(경상).

시: 지: 에스 단위【C.G.S.單位】명〖물〗시 지 에스 단위계.

시: 지: 에스 단위계【C.G.S. 單位系】명〖물〗단위계(單位制)의 하나. 기본 단위인 길이·질량·시간을 나타내는 데에 있어, 길이는 센티미터(centimeter), 질량은 그램(gram), 시간은 초(秒)(second)로써 나타냄. 1881년 국제 회의에서 켈빈(Kelvin)이 제창한 이래, 학술 상으로 관용(慣用)되었으나 현재는 '국제 단위계'가 널리 사용됨.

시:지 택틱스〔siege tactics〕명 등산에서, 비교적 긴 기간(期間)에 걸쳐 서서히 목적지를 포위하듯 하는 등반(登攀) 방법. 보통, 극지법(極地法)이 이용됨. 포위(包圍) 전법. ↔러시 택틱스.

시:-직경【視直徑】명〖천〗시(視)지름.

시:진¹【市塵】명 ①거리의 티끌과 먼지. ②거리의 혼잡(混雜).

시진²【時辰】명 시간. 시각.

시:진³【視診】명〖의〗육안(肉眼)으로 몸을 보고, 그 외부에 나타난 변화에 의하여 병상(病狀)을 진단하는 일. *외진. ——-하다 타 여불

시진⁴【澌盡】명 기운이 빠져 없어짐. 시철(澌綴). ——-하다 자 여불

시진-의【時辰儀】[—/—이] 명 ①'시계'의 구칭. ②크로노미터(chronometer).

시진 회멸【澌盡灰滅】명 사물이 다해서 그 흔적도 없이 없어짐.

시질【時疾】명〖한의〗시환(時患).

시집¹【時執】명〖역〗그 당시에 징수하는 결세(結稅)의 총수.

시-집²【媤一】명 남편의 집. 시부모가 있는 집. 시가(媤家). 구가(舅家). ¶ ~살이. ↔친정.
[시집 다른 데 없고 오뉴월 통시 다른 데 없다] 시집살이란 으레 고되게 마련이라는 말. [시집 밥은 살이 찌고 친정 밥은 뼈 살이 찐다] 시집살이보다 친정에서 살면 더 편하고 좋다는 말.

시집(을) 가다 구 여자가 결혼하여 남편을 맞이하다. 남의 아내가 되다. 출가(出嫁)하다. ↔장가들다.
[시집가는 데 강아지 따르는 것이 제격이다] 서로 어울리어 격에 맞는다는 말. [시집가 석달, 장가 가 석달 같으면 살림 못할 사람 없다] 결혼 당초처럼 애정이 계속된다면 살림 못 하고 이혼할 사람이 없을 것이라는 말. [시집갈 날 등창이 난다] 기다리던 때를 당하여 공교로운 일로 큰 낭패를 본다는 뜻. [시집도 가기 전에 기저귀 마련한다; 시집도 아니 가서 포대기 장만한다] 일을 너무 일찍 서두름을 이르는 말.

시집(을) 보내다 구 시집을 가게 하다. 남편을 얻어 주다. 출가시키다. ¶ 딸을 부잣집에 ~. ↔장가들이다. 「색시.

시집 오다 구 여자가 결혼하여 시집에 들어오다. ¶ 시골에서 시집온

시집³【詩集】명 여러 편의 시(詩)를 모아서 엮은 책. 시권(詩卷).

시집-살이【媤一】명 ①여자가 시집에서 하는 살림살이. 여자의 결혼 생활. ↔친정살이. ②〈속〉 남의 밑에서 그 감독·간섭을 받으면서 하는 고된 일의 비유. 흔히는 직장 생활을 이름. ——-하다 자여불
[시집살이 못 하면 동네 개가 다 업신여긴다] 여자는 시집살이를 하는 것이 당연하다는 말. [시집살이 못 하면 본갓(本家)집살이하지] 한 가지 일에 실패하더라도 다른 데에 희망을 둘 데가 있다는 말.

시집살이 노래【媤一】명〖문〗한국의 구전 민요의 하나. 남성 중심의 대가족 제도 아래에서 부녀자의 고된 시집살이를 노래한 것으로, 부요(婦謠)의 중심을 이루고 있음. 주로 고난(苦難)을 노래한 것이 대부분이고, 그 밖에 압박자에 대한 비난·반항·풍자·익살 등이 섞이어 있음.

시차¹【時差】명 ①〖천〗균시차(均時差). ②〖지〗지구 상의 각 지방에서 쓰는 표준시가 가리키는 시각 상호간의 차. 경도 15°마다 각 1 시간의 차가 생김. ¶ ~를 조절하다. ③시간의 차등. ¶ ~를 두고 출근시키다.

시:차²【視差】명 ①일반적으로 서로 다른 두 장소에서 동일한 물체를 보았을 때의 방향의 차. ②〔parallax〕〖천〗관측자(觀測者)의 위치에서 본 천체(天體)의 방향과 어떤 표준의 점에서 본 천체의 방향과의 차. 달·태양·행성(行星)의 관측에 있어서는 기준점을 지구의 중심에 취하여 지심(地心) 시차 또는 일주(日週) 시차라 하고, 항성(恒星)의 관측에 있어서는 기준점을 태양에 취하여 양심(陽心) 시차 또는 연주(年週) 시차라 함. 두 점 사이의 거리를 알면 시차에 의하여 천체까지의 거리를 산정(算定)할 수 있음.

시:차 궤:도【視差軌道】명〔parallactic orbit〕〖천〗별이 1 년에 한 번 순환(循環)하는 것처럼 보이는 궤도. 이 운동은 태양에 대한 지구의 궤도 운동에 의함.

시:차 부등【視差不等】명〔parallax inequality〕〖해〗지구로부터의 달의 거리가 끊임없이 변화하기 때문에, 조위(潮位) 및 조류(潮流) 속도가 변동하는 일.

시차-설【時差說】명〖경〗오스트리아의 뵘 바베르크(Böhm Bawerk)가 주창한 이자(利子) 이론. 즉, 동질 동량(同質同量)의 재화라도, 장차의 욕망을 충족시키는 장래재(將來財)보다 현재의 욕망을 충족시키는 현재재(現在財)가 높게 평가되는데, 이 교환 가치의 차가 이자로서 지불된다는 설.

시:차 압력계【示差壓力計】[—녁—] 명〖물〗'U'자관(字管)의 양끝에 있어서의 액면(液面)의 차로써 압력을 측정하는 장치.

시:차 열분석【示差熱分析】명〖물〗열분석의 한 가지. 시료(試料)와 열적 불활성체(熱的不活性體)를 동시에 전기로(電氣爐) 속에서 가열하여, 양자의 온도차에 의한 열전류(熱電流)를 검류계(檢流計)로 재는 원리에 의한 열분석.

시:차 운:동【視差運動】명〔parallactic motion〕〖천〗태양계(太陽系)의 공간 운동에 의하여 상대적으로 생기는 외관상의 천체(天體) 운동.

시차-제【時差制】명 교통의 혼잡을 덜기 위해 출근 시간을 달리하는 제도. 일반인의 출근 시간과 학생의 등교 시간에 차이를 두는 따위.

시:찬【試鑽】명〖광〗시추(試錐). ——-하다 타여불 「타여불

시:찰【視察】명 돌아다니며 실지 사정을 살펴 봄. ¶ 산업 ~. ——-하다

시:찰-관【視察官】명〖역〗조선 시대 말, 내부(內部)의 한 주임관(奏任官) 벼슬. 대신 관방(大臣官房)의 참서관(參書官) 다음가는 지위로, 네 명이 있었음.

시:찰-구【視察口】명 교도소에서, 재소자(在所者)의 동정을 살피기 위하여 감방 문에 만든 뚜껑이 달린 감시(監視) 구멍. 「美) ~.

시:찰-단【視察團】[—딴] 명 시찰을 목적으로 조직된 단체. ¶ 구미(歐

시참【詩讖】명 자기의 지은 시(詩)가 우연히 뒷일과 꼭 맞는 일.

시창¹ 명 배의 고물 머리에 놓은 작은 마루. 「하다 타여불

시:창²【始唱】명 ①처음으로 부름. ②학설 등을 처음으로 주창함. ——-

시:창³【視唱】명〖악〗보고 부르기. ↔청창(聽唱).

시:창⁴【視窓】명 감시창(監視窓).

시창⁵【詩唱】명〖악〗한시(漢詩)를 일정한 장단없이 긴 가락에 올려 부르는 노래.

시창⁶〔西昌〕명〖지〗중국 쓰촨 성(四川省) 남서부의 도시. 벼 및 각종 아열대 식물을 산출하며, 철·구리 등 지하 자원이 풍부함. 주민은 한족(漢族)이 3분의 2, 이족(彝族)이 3분의 1임. 서창(西昌). [157,000명(1984)]

시-찾다【時—】자 거의 죽게 되다.

시:채【市債】명〖정〗지방채(地方債)의 한 가지. 지방 자치 단체인 시(市)가 발행하는 채권(債券).

시:책¹【施策】명 정치가·행정 기관 등이, 계획을 실지로 행하는 일. 또, 그 계획. ¶ 정부 ~. ——-하다 타여불

시책²【時策】명 시국에 처할 정책.

시:책³【試策】명〖역〗옛날 중국의 국가 시험에서 시사(時事) 문제에 관한 시험의 고안(考案).

시:책⁴【謚册】명 시책문(謚册文)을 새긴 옥책(玉册)이나 죽책(竹册).

시:책-문【謚册文】명 제왕(帝王)이나 후비(后妃)의 시호(謚號)를 상주(上奏)할 때에, 그 생전의 덕행을 칭송하여 지은 글.

시:처【施處】명〖불교〗시주(施主)가 많이 사는 지방. 「사정.

시-처-위【時處位】명 때와 곳과 지위. 곧, 사람이 처하고 있는 형편이나

시척지근-하다 형여불 음식이 쉬어서 약간 역한 신맛이 있다. 준시치근하다. >새척지근하다. 「파의 하나.

시:천-교【侍天敎】명〖종〗이용구(李容九)를 교조로 하는 동학 계통 교

시:-천주【侍天主】명〖천도교〗내 몸에 한울님을 모셨다는 뜻으로, 곧 한울님은 항상 마음 속에 있다고 믿는 일. 「자여불

시철【澌綴】명 기력(氣力)이 다하여 없어짐. 시진(澌盡). ——-하다

시철-가【時一歌】명〈방〉시조(時調).

시철-하다 형〈방〉시장하다.

시:첩¹【侍妾】명 귀인의 시중을 드는 첩.

시:첩²【試帖】명 ①중국 당(唐)나라 때의 과거 제도에 있어서 수험생의 학습 도구. 경서(經書) 등의 어떤 페이지(page)의 좌우 양쪽 글을 모두 가리어 한 행(行)만 남기고, 문의(文義)를 묻기 위하여 붙이는 데에 쓰던 종이. 또, 그 과거 제도. ②시첩시(試帖詩).

시:첩-시【試帖詩】명 중국에서, 과거 때 고인(古人)의 시구(詩句)를 명제(命題)로 하여 짓게 하던 시체(詩體). 시시(試詩). 시첩(試帖).

시:청¹【市廳】명 지방 자치 단체인 시(市)의 행정 사무를 취급하는 곳. 또, 그 청사(廳舍).

시:청²【侍廳】명 승지(承旨) 등이 정청(政廳)에 나아가 왕을 섬기는 일. ——-하다 타여불

시:청³【視聽】명 눈으로 보는 일과 귀로 듣는 일. 눈으로 보며 귀로 들음. ¶ 텔레비전을 ~하다. ——-하다 타여불

시:청⁴【試聽】명 레코드 등을 시험 삼아 들어 봄. ——-하다 타여불

시:청-각【視聽覺】명 시각과 청각.

시:청각 교:실【視聽覺敎室】명 학교·도서관·교육 센터 등에서, 슬라이드·브이 티 아르(VTR)·레코드 등의 시청각 교재를 사용하는 교육 방법에 필요한 교실. 에이 브이 룸(AV room).

시:청각 교:육【視聽覺敎育】명〖교〗영화·슬라이드·라디오 등 시각·청각에 의한 교구(敎具)로써 행하는 교육. 현대 사회의 진보된 기술을 교육에 응용하여 추상적 이론적 인식을 감성적(感性的) 수단의 매개로 유효하게 학습할 뿐더러, 나아가서는 지식을 실천적으로 적용하는 능력을 부여하려는 계획적인 신교육 방법임. 에이 브이(AV) 교육. *시각 교육.

시:청각 교:재【視聽覺敎材】명〖교〗시청각 교육에서, 실물·실정을 아동·학생들에게 보이거나 설명하기 위한 교재. 모형·표본 등 외에 사진·괘도·슬라이드·영화·비디오 테이프 및 라디오·텔레비전의 학교 방송 프로가 이에 해당됨. 「할 권리.

시:청-권【視聽權】[—꿘] 명 텔레비전을, 수신 장애를 받지 않고 시청

시:청-료【視聽料】[—뇨] 명 텔레비전을 시청하면서 내는 요금.

시:청-률【視聽率】[—뉼] 명 어떤 텔레비전의 프로그램을 시청하고 있는 사람의 전체(全體)에 대한 비율. 상업 방송에서는, 광고 요금의 결정이나 광고 효과 측정에 중요한 요소(要素)가 됨. *청취율(聽取率).

시:청-자【視聽者】명 텔레비전의 방송 프로를 시청하는 사람. 청시자(聽視者).

시:청-회【試聽會】명 시청하기 위한 모임.

시:체¹【侍體】명 어버이를 모시고 있는 몸이란 뜻으로, 편지를 받을 사람의 안부를 물을 때에 쓰는 말. ¶ ~ 평안하신지요.

시:체²【柿蒂】명〖한의〗감의 꼭지. 딸꾹질을 멈추는 약으로 씀.

시:체³【屍體】명 송장. 사체(死體). 시구(屍軀). 시(尸).

시체⁴【時體】명 그 시대의 풍습(風習)과 유행. ¶ ~ 물건.

시체⁵【詩體】명 시를 짓는 격식(格式). 시의 체재(體裁).

시:체 검:안서【屍體檢案書】명 검안서❶.

시체드린〔Shchedrin〕명〖사람〗러시아의 작가. 본명은 Mikhail Evgrafovich Saltykov. 오랜 지방 관리 생활 끝에 혁명적 민주주의의 입장에 서서 활동하였으며, 풍자 문학의 걸작이 많음. 《현(縣)의 기록》·《어떤 시(市)의 역사》·《고로브료프가(家)의 사람들》·《벽지(僻地)의 구습(舊習)》 등에서 농노제(農奴制)와 관료주의 기구를 통격(痛擊)했음. [1826-89]

시체르바츠코이〔Shcherbatskoi, Fyodor Ippolitovich〕명〖사람〗소련 최대의 인도(印度) 철학자. 주저 《불교 철학 개론》·《대승 불교 개론》·《불교 논리학》 등이 있음. [1866-1942]

시:체-방【屍體房】[—빵] 명 시체를 모셔 놓는 방.

시체-병【時體病】[—뼝] 명 ①돌림병. ②그 시대에 유행하는 병.

시:체 분만【屍體分娩】명 사태 분만(死胎分娩).

시:체-실【屍體室】명 병원에서 시체를 수용하는 방. 사체실(死體室). 시실(屍室).

시:쳇-국【屍體一】명〈방〉추깃물.

시쳇-말【時體一】명 당대(當代)에 유행하는 말.

시:초¹【市草】명 품질이 낮고 굵게 썬 살담배.

시:초[2]【始初】명 ①맨 처음. 궐초(厥初). ②〔opening, opening session〕〖경〗증권 시장(證券市場)에서, 전장(前場) 또는 후장(後場)의 최초의 거래. 또, 그 거래에서 생긴 가격(價格).

시:초 잡다 구 ☞ 시작하다.

시초[3]【柴草】명 땔나무로 쓰는 풀.

시초[4]【翅鞘】명〖충〗갑충(甲蟲)의 겉날개. 매우 단단하여 속날개와 배를 보호하는 구실을 함. 딱지날개.

〈시초[4]〉

시초[5]【詩抄】명 ①시를 뽑아서 적은 책. ②시를 뽑아 적음. ——하다 자여불

시초[6]【詩草】명 초잡아 쓴 시. 시의 초고(草稿).

시:초[7]【蓍草】명〖식〗톱풀.

시:초-가【始初價】[—까] 명 〔opening price〕〖경〗증권 시장에서, 전장(前場) 및 후장(後場)의 처음 매매 입회에서 결정되는 주가. 시초가는 일정 시간 동안 동시 호가(呼價)로 접수하여 단일 가격으로 결정됨. 시가(始價). ↔종가(終價).

시:초가 주:문【始初價注文】[—까—] 명 〔order at the opening〕〖경〗증권 거래에서, 전장(前場) 또는 후장(後場)의 동시 호가(呼價) 시세 대로 매매(賣買)해 달라는 주문.

시:초-선【始初線】명〖수〗직선이 한 점의 주위를 회전할 때, 그 출발점의 위치를 정하는 일정한 직선. 구용어:수선(首線).

시:초 시계【示秒時計】명 스톱 워치(stop watch).

시:초-점【蓍草占】명〖민〗톱풀로 치는 점.

시:촉【矢鏃】명 화살촉. 살촉.

시:추【試錐】명〖광〗광상(鑛床)의 탐사 및 지질·지반(地盤)의 조사 또는 갱내(坑內)의 통기(通氣)·배수(排水)·양수(揚水) 등의 목적으로, 지상으로부터 땅 속 깊이 구멍을 파 보는 일. 보링(boring). 시찬(試鑽).

시:추-공【試錐孔】명 시추를 하기 위하여 뚫은 구멍.

시:추-기【試錐機】명〖기〗시추에 쓰는 기계. 강추(鋼錐)에 의해 암석을 분해한 후, 모래 펌프를 써서 그 암석을 떠내는 충격식(式)과, 금강석을 박은 강관(鋼管)의 보링을 선회시켜 암석을 막대기 모양으로 절취(截取)하는 회전식이 있음.

시추에이션〔situation〕명 ①위치. 입장. ②경우. 상태. 사태. 국면. 상황. ③〖문〗어떤 인물이나 또는 사건에 관하여, 그 주위의 사정과 관련(關聯)시켜 생각할 때의 그 관계. ¶ ~의 설정(設定). ④〖연〗일관(一貫)된 줄거리를 갖는 주위·흐름 속에서, 그 극중(劇中)의 인물이 그때 그때에 놓여지는 위치. 극적 경우(劇的境遇). ⑤〖연〗영화에서, 풍속 희극(風俗喜劇).

시추에이션 드라마〔situation+drama〕명 무대와 등장 인물은 고정적이면서 매회(每回) 새로운 소재를 다루는 방송 드라마. 단막극과 연속극의 중간 형태임.

시:축[1]【始蹴】명 킥오프. ——하다 타여불

시:축[2]【視軸】명 ↗시준축(視準軸).

시축[3]【詩軸】명 ①시를 적은 두루마리. ②↗시화축(詩畫軸).

시:충【尸蟲】명 시체에 생기는 벌레.

시:취[1]【屍臭】명 송장에서 나는 냄새. 시체가 썩는 냄새.

시:취[2]【試取】명 시험을 보아서 인재를 뽑음. ——하다 타여불

시취[3]【詩趣】명 ①시의 정취(情趣). 시정(詩情). ②시를 짓거나 감상하는 취미. 또, 시적(詩的)인 취미.

시:측【侍側】명 곁에 있으면서 웃어른을 모심. ——하다 자여불

시:-층【C層】명〖지〗토층(土層)의 한 가지. 토양(土壤) 형성에 직접 영향이 있는 하위(下位)의 층으로, 암석 또는 암석의 불완전한 풍화물(風化物)로 구성되나, 지표로부터의 부식(腐植)의 영향 등은 전혀 받지 않음. 시층위(C層位).

시: 층위【C層位】명〔C horizon〕〖지〗C층.

시:치[1]【市値】명 시가(市價).

시치[2]【時值】명 시가(時價).

시치근-하다 형여불 ↗시척지근하다.

시치다[1] 자 〈방〉 스치다[1](경상).

시치다[2] 타 바느질을 할 때 여러 겹을 맞대어 임시로 호다. ¶ 홑이불을 ~.

시치다[3] 타 〈방〉 씻다(전라).

시치름-하다 형여불 시치미를 떼고 태연한 기색을 꾸미다. >새치름하다. 준시침하다.

시치미[1] 명 매의 주인의 주소를 적어 매의 꽁지 위 털 속에다 매어 둔 네모진 뿔. 준시침.

시치미[2] 명 알고도 모르는 체하는 말이나 짓. 준시침.

시치미(를) 떼:다 구 알고도 짐짓 모르는 체하다.

시:친【屍親】명 살해를 당한 사람의 친척.

시칠리아나〔이 siciliana〕명〖악〗시칠리아노(siciliano).

시칠리아노〔이 siciliano〕명〖악〗이탈리아의 시칠리아 섬의 민속 무곡. 6/8 또는 12/8 박자의 느릿한 곡으로, 선율은 부드럽고 목가적(牧歌的)임. 17-18세기의 모든 조곡(組曲)에 채택되었음. 또, 이에 맞추어 추는 무용을 말하기도 함. 시칠리아나.

시칠리아 섬〔Sicilia〕명〖지〗지중해 중앙에 있는 이탈리아령 섬. 메시나 해협을 끼고 이탈리아 반도 돌단(突端)과 대하고 튀니스 해협을 사이로, 북아프리카와 마주함. 화산을 동반한 습곡 산지(褶曲山地)로 과수(果樹)·유황이 중요 산물임. 주도(主都)는 팔레르모(Palermo). 시실리(Sicily). [25,708 km² : 4,864,000 명(1981)]

시칠리아 왕국【—王國】〔Sicilia〕명 중세(中世), 남이탈리아의 시칠리아 섬을 중심으로 한 왕국. 1130년 대립 교황(對立敎皇) 아나클레투스 2세(Anacletus II)가 노르만인인 시칠리아백(伯) 로제르 2세에게, 교황 원조의 대상(代償)으로서 왕호(王號)를 허가한 것이 기원임. 그 후 신성 로마 제국령·앙주백령(Anjou 伯領)이었다가 두 왕국으로 분열, 1815년 스페인계 부르봉(Bourbon) 왕가가 흡수함.

시칠리아 해:협【—海峽】〔Sicilia〕명〖지〗튀니스 해협.

시침[1] 명 ①↗시치미[1]. ②↗시치미[2]. ¶ 딱 ~을 떼다. ③↗시침질.

시:침[2]【侍寢】명 임금을 모시고 잠. ——하다 자여불

시:침[3]【施鍼】명 몸에 침을 놓음. ——하다 타여불

시침[4]【時針】명 시(時)를 가리키는 시계의 짧은 바늘. 단침(短針). *분침(分針).

시침 바느질[—빠—] 명 양복 등을 지을 때 완성하기 전에 몸에 잘 맞는가를 시험하기 위하여 임시로 시쳐 하는 바느질. *가봉(假縫). ——하다 타여불

시침-질 명 바늘로 시치는 일. 준시침. ——하다 타여불

시침-하다 형여불 ↗시치름하다. >새침하다.

시칭【時稱】명 당시 사람들의 칭송(稱頌).

시카고〔Chicago〕명〖지〗미국 일리노이 주 북동부, 미시간 호반(湖畔)의 미국 제2의 대도시. 수륙 교통의 요지에 있어 미국 중앙부의 대물자(大物資) 집산지이며, 세계 최대의 곡물 시장·가축 시장·도살장이 있음. 이 밖에 육류의 가공업·전기 기구·농업 기계·철도 차량·철강 제품 등 각종의 공업도 성하여, 대공업 지대(大工業地帶)를 형성하고 있음. [592 km² : 2,783,726 명(1990)]

시카고 교향 관현악단【—交響管絃樂團】〔Chicago〕명〖악〗미국의 유명한 관현악단. 1891년 토마스(Thomas, Christian Friedrich Theodore; 1835-1905)에 의하여 창설되었음.

시카고 대:학【—大學】〔Chicago〕명 시카고에 있는 미국 유수(有數)의 남녀 공학 사립 대학. 1890년 설립. 듀이(Dewey, J.)의 부속 실험 학교, 허친스(Hutchins, R.M.; 1899-1977)에 의한 칼리지(college) 교육 등 특색있는 계획(시카고 플랜)으로 유명함. 교양학부와 학부·대학원 공통의 4 학부(생물 과학·인문 과학·자연 과학·사회 과학) 및 7개 전문 학부로 구성됨.

시카고 조약【—條約】〔Chicago〕명 국제 항공 조약.

시카고 트리뷴〔Chicago Tribune〕명 1847년에 창간된 미국 시카고의 최고 최대(最古最大)의 신문. 공화당계이며 보수적으로 알려짐.

시카고-파【—派】〔Chicago〕명〖건〗19세기말 시카고에서 활약한 미국의 근대 건축의 선구(先驅)를 이룬 건축가들의 한 파. 재래의 양식(樣式)주의적 건축과 달리 합리주의적·기능주의적 사상에 의거한 바, 철골 구조(鐵骨構造)를 채택하고 개구부(開口部)를 폭 넓은 유리창으로 하여, 단순한 벽면(壁面)을 구성함을 특징으로 하였음.

시카고 학파【—學派】〔Chicago〕명 ① 20세기초, 시카고 대학의 스몰(Small, A.W.)을 중심으로 형성된 사회학의 한 그룹. 사회 과정의 연구를 중시하고, 사회의 실태를 사례(事例) 연구법을 사용하여 조사함. ②경제 문제의 해결에 있어서 시장 기구(機構)의 유효성(有效性)을 전제로 하여, 정부 개입에 의한 방법을 극력 부정(否定)하는 경제학자들의 일컬음. 프리드먼(Friedman, M.)이 그 대표임.

시칼 명 〈방〉 식칼(평안).

시캉 성【—省】〔西康〕명〖지〗중국 시짱 자치구(西藏自治區) 동부에서 쓰촨 성(四川省) 서부에 걸쳐 있던 성. 제2차 세계 대전이 끝난 뒤인 1955년에 행정 구역을 개편하면서 시캉 성을 폐지하고 진사 강(金沙江) 동쪽을 쓰촨 성, 서쪽을 시짱 자치구에 편입시킴. 서강성.

시-커멓다[—머타] 형ㅎ불 더할 수 없이 꺼멓다. 쓰시꺼멓다. >새카맣다.

시-커메 준 '시커멓어'의 줄어 변한 말. 쓰시꺼메. >새카매.

시커메-지다 자 더할 수 없이 꺼메지다. 쓰시꺼메지다. >새까매지다.

시컨트〔secant〕명〖수〗삼각 함수의 하나. 직각 삼각형의 빗변과 한 예각(銳角)을 낀 밑변과의 비(比)를 그 각에 대하여 일컫는 말. 세크(sec). 정할(正割). 기호: sec. ↔코사인(cosine). *코시컨트.

시컨트 곡선【—曲線】명〖수〗$y=\sec x$의 그래프를 말함. 2π마다 같은 상태를 거듭함. 정할 곡선.

시컴-시컴 부 ①여럿이 모두 시커멓거나 여러 곳이 시커먼 모양. ¶ 턱의 면도자국이 ~하다. >새캄새캄. ②몹시 시커먼 모양. ——하다 형여불

시케이로스〔Siqueiros, David Alfaro〕명〖사람〗멕시코의 화가. 신(新)리얼리즘의 기법으로 혁명 정신을 벽화에 웅대하게 표현함. 오로스코(Orozko)·리베라(Rivera)와 함께 멕시코 삼대 혁명 화가의 한 사람임. [1896-1974]

시켈레〔Schickele, René〕명〖사람〗독일의 작가. 독일인 아버지와 프랑스인 어머니 사이에서 태어나, 독일과 프랑스 양국민의 상호 이해와 문화의 교류에 생애를 바쳤음. 《라인의 유산》 등의 소설·희곡·시 등이 있음. 표현주의 운동의 기수의 한 사람으로서 '백지(白紙)'지(誌) 등을 발행함. [1883-1940]

시-켠【假—】명 〈방〉 시집(함경).

시코르스키〔Sikorsky, Igor Ivan〕명〖사람〗러시아 태생의 미국 항공 기술자. 최초로 다발식 항공기를 발명하였고, 다시 헬리콥터(helicopter)를 만들었음. [1889-1972]

시코쿠〔四国:しこく〕명〖지〗일본 혼슈(本州) 남서쪽, 세토 나이카이(瀨戶內海)를 사이에 두고 있는 큰 섬. 또, 이에 속하는 471개 섬의 총칭. 행정 상으로는 네 현(縣)으로 구분됨. 섬은 시코쿠 산맥에 의하여 남북으로 나누어짐. 북부는 섬유·금속·화학 등의 공업이 행하여지고, 남부는 어업·농업이 주산업임. [18,256 km² : 4,230,000 명(1985)]

시콘-형【—型】〔Sycon〕명〖동〗사이콘 형.

시: 쾌【市儈】명 장주릅.

시쿠다[1] 타 〈방〉 시키다(전남).

시쿠다[2] 형 〈방〉 시다(함경).

시쿠삭〔sikussak〕명 표르드(fiord)에 있는 해빙(海氷). 강설(降雪)이나 바람에 날린 눈이 덩어리가 되어 만들어졌는데, 빙하빙(氷河氷)과 비

슷함.

시쿰-시쿰 [부] 여럿이 다 시쿰한 모양. 매우 시큼한 모양. ㅅ시굼시굼. >새콤새콤. ——-하다 [형][여불]

시쿰-하다 [형][여불] 웅숭깊게 시큼하다. ㅅ시굼하다. >새콤하다.

시:퀀스 〔sequence〕 [명] ①연속. 순서. 결과. 귀결(歸結). ②〖연〗 몇 개의 신(scene)으로 이루어지는 일련의 화면. ③〖교〗 학습하는 아동의 심리 발달에 바탕을 둔 단원(單元) 발전의 순서·계열. *스코프. ④트럼프에서, 수의 순서대로 연속한 동종(同種)의 석 장 이상의 카드.

시:퀀스 제:어 【一制御】 〔sequence〕 [명] 예정에 따라 차례로 이루어지는 자동 제어(自動制御). 자동 엘리베이터가 층수(層數) 지정에 따라 순서대로 운전되고, 자동 기계에 의하여 가공물(加工物)이 순차적으로 가공되는 따위. 공장의 자동화 시스템의 일환(一環)으로 널리 사용됨.

시: 큐: 【CQ】 [명] ①〖군〗 〔Charge of Quarters 의 약칭〕 야간 근무의 당번(當番). ②라디오에서, 일반 보도·공시(公示) 사항 등의 방송 개시 신호. ③아마추어 무선(amateur 無線)의 호출 부호.

시: 큐: 디: 【CQD】 [명] 〔customary quick despatch의 약칭〕 〖해〗 용선 계약(傭船契約)의 하역(荷役) 조건의 하나. 정박(定泊) 기간을 정하지 않고, 하역항(荷役港)의 관습에 따라 되도록 빨리 하역한다는 조건.

시크 〔프 chic〕 [명] 복장 등이 세련되어, 멋지고 품위가 있는 모양.

시크-교 【一敎】 〔Sikh〕 [명] 〖종〗 인도의 펀자브(Punjab) 지방에서 일어난 힌두교 개혁파의 하나. 15세기말, 나나크(Nanak)가 창시한 것으로, 화신설(化身說)·우상 숭배·고행(苦行)·계급 및 인종 차별 등을 배척하고 전지 전능의 유일신을 숭배하였음. 오랜 세월을 두고 반(反)이슬람교 투쟁과 반영(反英) 운동을 전개, 시크 전쟁을 일으킴. 신도수(信徒數) 약 400만 명.

시:크릿 〔secret〕 [명] ①비밀. 기밀(機密). ②비결(祕訣). 진의(眞義).

시:크릿 서:비스 〔secret service〕 [명] 〖정〗 미국에서, 현직·전직·차기 대통령, 현대통령의 가족, 부통령 등 국가 요인에 대한 비밀 경호관. 본디는, 위조 지폐 단속의 재무성 검찰부였음.

시크무레-하다 [형][여불] 조금 시큼하다. ¶ 시크무레한 땀냄새가 코에 배다.

시크 반:응 【一反應】 〔Schick〕 [명] 〖의〗 디프테리아에 대한 면역(免疫)의 정도, 더 나아가서 감수성(性)의 유무(有無)를 검사하는 반응. 오스트리아의 의사 시크(Schick, Béla; 1877-1967)가 처음 시행하였음.

시크 전:쟁 【一戰爭】 〔Sikh〕 [명] 〖역〗 시크교도(Sikh 敎徒)와 영국 식민지군 사이의 1845-46 및 1848-49년의 전후 2차에 걸친 전쟁. 시크교도는 번번이 패해, 그 결과로 영국은 펀자브(Punjab) 지방을 병합, 인도 전토의 정복을 완성하기에 이르렀음.

시크-족 【一族】 〔Sikh〕 [명] 〖인류〗 인도의 인더스 강 유역(流域), 주로 펀자브(Punjab) 지방에 사는 민족. 시크교를 믿음.

시큰-거리다 [자] 뼈마디의 신경이 계속하여 약간 저리다. ㅅ시근거리다. >새큰거리다. ¶ 뼈마디가 ~. **시큰-시큰** [부]. ¶ 팔다리가 ~ 아프다. ——-하다 [형][여불]

시큰-대다 [자] 시큰거리다.

시큰둥-이 [명] 시큰둥한 사람.

시큰둥-하다 [형][여불] 주제넘고 건방져 말이나 하는 짓에 아니꼬운 태도가 있다. ¶ 놈의 거동이 ~.

시큰-하다 [형][여불] 뼈마디가 매우 저리고 시다. ㅅ시근하다. >새큰하다.

시클라멘 〔cyclamen〕 [명] 〖식〗 [*Cyclamen persicum*] 앵초과에 속하는 다년초. 꽃줄기의 높이 15-20 cm이고, 굵은 괴경(塊莖)을 가진 구근(球根)의 표면은 코르크질(質)이며 편원형임. 잎은 구근에서 나고, 긴 잎자루가 있는 달걀꼴 또는 심장형인데, 표면은 은백색 반점이 있고 뒷면은 광택 있는 홍자색을 띰. 봄에 백색·자홍색·홍색·담홍색 등의 오판화(五瓣花)가 피고, 삭과(蒴果)는 원형(圓形)이며, 익으면 밑으로 늘어져 씨가 터져 나옴. 5-6월에 자라고 한여름에는 하면(夏眠)함. 그리스·시리아 원산(原産)으로, 온상·실내(室內)에서 재배함.

〈시클라멘〉

시:-클램프 〔C-clamp〕 [명] 〖공〗 'C' 자형으로 구부러진 주철(鑄鐵)이나, 강철제물(鋼鐵製物)에 나사를 장치한 바이스의 한 가지.

〈시클램프〉

시클로-바르비탈 〔cyclobarbital〕 [명] 〖약〗 지속 기간이 짧은 수면제·진정제. [$C_{12}H_{16}N_2O_3$]

시클로-부탄 〔cyclobutane〕 [명] 〖화〗 시클로알칸의 하나. 무색의 기체로 끓는점은 12.7℃.

시클로-알칸 〔cycloalkane〕 [명] 〖화〗 일반식 C_nH_{2n}으로 표시되는 포화(飽和) 고리 화합물의 총칭. 성질은 알칸과 비슷하며 석유 공업에서는 나프텐(naphthene)이라고 일컬음. 석유 중의 중요한 성분으로 시클로프로판·시클로부탄·시클로펜탄·시클로헥산 등이 이에 속함. 시클로파라핀. 시클로파라핀계 탄화 수소. *알칸.

시클로-알켄 〔cycloalkene〕 [명] 〖화〗 불포화(不飽和) 탄화 수소의 총칭. 탄소 간에 고리 모양의 이중 결합을 갖는 탄화 수소로 성질은 사슬 모양 탄화 수소인 알켄과 비슷함. 시클로부텐(C_4H_6)·시클로벤텐(C_5H_8)·시클로헥센(C_6H_{10}) 따위가 있음. 시클로올레핀. 시클로올레핀계 탄화 수소. 일반식 C_nH_{2n-2}. *알켄.

시클로-올레핀 〔cycloolefin〕 [명] 〖화〗 시클로올레핀계 탄화 수소.

시클로올레핀계 탄:화 수소 【一系炭化水素】 〔cycloolefin〕 [명] 〖화〗 시클로알켄.

시클로-파라핀 〔cycloparaffin〕 [명] 〖화〗 시클로알칸.

시클로파라핀계 탄:화 수소 【一系炭化水素】 〔cycloparaffin〕 [명] 〖화〗 시클로알칸.

시클로판 〔cyclopan〕 [명] 〖약〗 수면성(睡眠性) 마취약의 상품명. 단시간의 작은 수술에 쓰임. 주사 후, 곧 깊은 잠에 빠지기 때문에 중독자(中毒者)가 애용하는 경향이 있으며 오용하면 극히 위험함.

시클로-펜탄 〔cyclopentane〕 [명] 〖화〗 시클로알칸의 하나. 무색의 액체로 원유(原油) 속에 있음. 정제(精製)하는 도중에 가솔린의 안티녹성(antiknock 性)과 연소 성능을 개선하는 방향족(芳香族) 화합물로 전화(轉化)함. [C_5H_{10}]

시클로-프로판 〔cyclopropane〕 [명] 〖화〗 시클로알칸의 하나. 무색의 기체. 녹는점 −127.5°C, 끓는점 −32.7°C. 흡입 마취제로서 사용되는데, 인화·폭발의 위험성이 있음. [C_3H_6]

시클로-헥사논 〔cyclohexanone〕 [명] 〖화〗 강한 박하(薄荷) 냄새가 나는 무색의 액체. 끓는점 156.5°C. 시클로헥산올의 산화로 만들어짐. 공업용 용제(溶劑)로 쓰임. [$C_6H_{10}O$]

시클로-헥산 〔cyclohexane〕 [명] 〖화〗 시클로알칸의 하나. 무색의 액체. 녹는점 6.5°C, 끓는점 81°C. 석유 중에 소량이 함유되어 있으며, 나일론의 원료로서 중요함. [C_6H_{12}]

시클로헥실 술파민산 나트륨 【一酸一】 [명] 〔도 Natriumcyclohexylsulfamate〕 〖화〗 백색 결정의 인공 감미료의 한 가지. 단 맛이 사탕수수로 만든 설탕과 비슷하고, 사카린과 같은 쓴 맛도 없기 때문에 1944년 발견 이래 널리 사용되었으나, 염색체에 이상이 생긴다는 등 독성이 문제가 되어 1968년 사용이 금지됨. [$C_6H_{12}NNaO_3S$]

시클로 화합물 【一化合物】 〔cyclo〕 [명] 〖화〗 포화 탄화 수소(飽和炭化水素) 계열인 시클로알칸(cycloalkane)과 불포화(不飽和) 탄화 수소 계열인 시클로알켄(cycloalkene)의 총칭. 둘 다 고리 모양 화합물임.

시큼-시큼 [부] 여럿이 다 시큼한 모양. ㅅ시금시금. >새큼새큼. ——-하다 [형][여불]

시큼-하다 [형][여불] 매우 시다. ¶ 시큼한 김치. ㅅ시금하다. >새큼하다.

시키다 [타] ①하게 하다. ②〈속〉 '하다'의 뜻으로 잘못 쓰는 말. ¶ 거짓말을 ~.

-시키다 [미] ①어떤 명사 밑에 쓰이어, '하게 하다'의 뜻을 나타내는 말. ¶ 운동~/구경~/석방~. ②〈속〉 '하다'의 뜻으로 잘못 쓰는 말. ¶ 전깃줄을 연결~.

시킴 〔Sikkim〕 [명] 〖지〗 인도 북부의 한 주(州). 주민은 네팔인(Nepal 人)을 주로 하며 불교도가 많음. 티스타 강(Tista 江)의 지류 협곡(支流峽谷)으로 막혀 외부와의 교통이 어려움. 남부 협곡에서는 쌀·옥수수·수수 등이 남. 1950년 이래로 인도의 보호국이었으나, 1975년 국민 투표로 인도의 한 주로 편입됨. 주도 강토크(Gangtok). [7,299 km²: 316,000 명(1981)]

시킴-꼴 [명] 〖언〗 '명령형(命令形)'의 풀어 쓴 이름.

시킴-법 【一法】 [一뻡] [명] 〖언〗 '명령법'의 풀어 쓴 이름.

시킴-히말라야 〔Sikkim Himalaya〕 [명] 〖지〗 히말라야의 동단부, 인도의 시킴 주(州)에 있는 산맥. 최고봉은 세계 제3인 8,600m 의 칸첸중가 산(Kanchenjunga 山)임.

시타:르 〔페르시아 sitār〕 [명] 〖악〗 〔네 개의 현(絃)이란 뜻〕 페르시아의 발현(撥絃) 악기. 4현을 가진, 자루가 길고 동체(胴體)가 작은 류트(lute). 자루 위에 많은 프레트(fret)가 달렸음. 인도에 건너가서는 '비나(vina)'로 발달함. 세타르(sētār).

〈시타르〉

시탄¹ 【柴炭】 [명] 땔나무와 숯. 신탄(薪炭).

시탄² 【猜憚】 [명] 시기하여 꺼림. 시기하여 두려워함. ——-하다 [타][여불]

시탄-상 【柴炭商】 [명] 시탄을 파는 장사. 신탄상(薪炭商).

시탄-장 【柴炭場】 [명] 시탄을 파는 곳.

시:탐 【試探】 [명] 시험 삼아 찾아 봄. ——-하다 [타][여불]

시:탕 【侍湯】 [명] 어버이의 병환에 약시중하는 일. 시병(侍病). ¶ 그 모친의 병환이 위중하매 ~에 골몰하여 달장간 학교에를 못가다가…≪崔瓚植: 金剛門≫. ——-하다 [자][타][여불]

시태¹ [명] 소 등 위에 실은 짐.

시태² 【時態】 [명] 그 당시의 세태(世態).

시:-태양 【視太陽】 [명] 〔apparent sun〕 〖천〗 겉보기의 태양. 진태양(眞太陽)이 광행차(光行差)를 받은 것.

시:태양-시 【視太陽時】 [명] 〖천〗 시태양의 시각(時角)을 바탕으로 정한 시각(時刻) 또는 시법(時法). 해시계가 표시하는 시(時). 진태양시.

시:태양-일 【視太陽日】 [명] 〖천〗 시태양이 남중(南中)하였다가 다시 남중할 때까지의 시간을 일컬음. 진태양일.

시태-질 [명] 소에게 짐을 실리는 짓. ——-하다 [타][여불]

시-태후 【一太后】 〔西〕 [명] 〖사람〗 '서태후(西太后)'를 중국음으로 읽은 이름.

시: 턴 〔Seton, Ernest Thompson〕 [명] 〖사람〗 영국 출생의 미국 작가·화가. 1866-79년 캐나다의 원야(原野)에서 생활, 야생 동물을 그린 ≪내가 알고 있는 동물들≫ 등의 '동물기'가 유명함. 자서전으로 ≪화가·박물학자의 발자취≫가 있음. [1860-1946]

시테 섬 〔Cité〕 [명] 〖지〗 파리의 중앙부, 센 강(Seine 江) 가운데에 있는 섬. 파리의 발상지로, 이 섬을 중심으로 파리 시가가 형성됨. 법원·노트르담 대성당 등이 있음.

시-테크 【時一】 [명] 〖사〗 〔테크는 테크놀로지(technology)의 약어〕 정보화 사회의 시간 관리 기술. 정보 기술을 이용하여 적은 시간으로 많은 업무를 처리하고 여유 시간을 재충전(再充電)의 기회로 활용하는 일.

시:토 【SEATO】 [명] 〔South East Asia Treaty Organization 의 약칭〕 동남 아시아 조약 기구(條約機構).

시토신 〔cytosine〕 [명] 〖화〗 생체(生體) 내에 함유되어 있는 피리미딘 염기의 하나. 핵산(核酸)을 구성하는 성분의 하나로, DNA의 이중 나선(二重螺旋) 중에서는 구아닌(guanine)과 수소 결합하여 염기쌍을 만듦. [$C_4H_5N_3O$]

시토크롬 〔cytochrome〕 [명] 동식물계에 널리 분포되어 있고, 세포내의

산화 환원에 작용하는 색소(色素) 단백질.

시토-회【一會】〔Citeaux〕명〔라 Sacer Ordo Cisterciensis〕〖천주교〗 로마 카톨릭의 수도회(修道會)의 하나. 베네딕토회(會) 원시 회칙파(原始會則派)의 가장 중요한 한 파로, 1098년 프랑스 동부 시토에서 창설됨. 12-13세기에 전성기를 이룸. ＊트라피스트.

시:통¹【始痛】명 마마를 앓을 때, 두창(痘瘡)이 나기 전에 일어나는 신열과 그 밖의 증세.

시통²【詩筒】명 ①시객(詩客)이 한시(漢詩)의 운두(韻頭)를 얇은 대나무 조각에 써 넣어 가지고 다니던 조그마한 통. ②벗에게 주는, 시를 넣는 대로 만든 통.

시투【猜妬】명 시기(猜忌)하고 질투(嫉妬)함. ——-하다 타여불

시퉁그러-지다 형 ☞시퉁스럽다.

시퉁머리-터지다 형 매우 주제넘고 건방지다. ¶시퉁머리터진 짓 그만하고 방이나 쓸어라.

시퉁-스럽다 형ㅂ불 시퉁한 태도가 있다. 시퉁-스레 부

시퉁-터지다 형 ↗시퉁머리터지다.

시퉁-하다 형여불 주제넘고 건방지다.

시:트¹〔seat〕명 ①기차·자동차·극장 등의 자리. 좌석(座席). ②배구·야구 등에서, 수비 위치(守備位置).

시:트²〔sheet〕명 ①침대에 아래 위로 두 장 까는 흰 천. ②해를 가리거나 비를 막기 위하여 상점 등에서 처마 끝에 늘이는 텐트. ③화차·짐수레 등에서, 화물(貨物)을 씌우는 데 쓰는 방수(防水) 즈크제(製)의 덮개. ④한 장의 종이. ⑤금속 등의 썩 얇은 판자.

시:트 노크〔seat＋knock〕명 야구에서, 수비 위치에 선 야수(野手)들에게 포구(捕球)·투구(投球) 등 수비의 연습을 시키기 위하여 배트로 공을 쳐 보내는 일.

시트랄〔citral〕명〖화〗 테르펜 알데히드(terpene aldehyde)의 하나. 레몬향(lemon香)을 가지는 담황색(淡黃色)의 액체. 끓는점(點) 228°C. 레몬유(油)·레몬 그라스유(lemon grass 油) 등의 정유(精油) 속에 널리 존재함. 향료(香料) 및 이오논 합성 원료(ionone 合成原料)로서 중요함. $[C_{10}H_{16}O]$

시트로넬롤〔citronellol〕명〖화〗 테르펜 알코올(terpene alcohol)의 하나. 장미 향기가 나는 무색의 액체. 끓는점(點) 224°-225°C. 게라니올(geraniol)과 함께 장미유·시트로넬라유(citronella 油)·제라늄유(geranium 油) 등의 정유(精油) 속에 들어 있음. 중요한 향료(香料) 원료임. $[C_{10}H_{20}O]$

시트로엥〔Citroën〕명 ①〔Société Anonyme André, C〕 프랑스의 자동차 회사. 1919년 설립함. 대담한 첨단적 기술·스타일로 된 차를 발표하는 것으로 정평이 있음. ②❶에서 생산되는 승용차의 이름.

시트론〔citron〕명 ①〖식〗〔*Citrus medica*〕 운향과에 속하는 상록 활엽 교목. 가지에는 많은 가시가 있고 잎은 긴 타원형임. 자색 꽃이 취산(聚繖) 화서로 정생하여 피고, 장과(漿果)는 긴 달걀꼴 또는 구형(球形)으로 큰데, 과피(果皮)는 두껍고 향기가 남. 인도 원산(原產)으로 온대 남부 및 열대에서 재배함. 과실은 살이 희고 신맛·쓴맛이 있으며, 과피는 과자의 재료로 쓰임. ＊레몬. ②청량 음료의 한 가지. 정제한 음료수에 레몬즙·향료·색소 등을 넣어 만듦.

〈시트론❶〉

시트르-산【一酸】명〔citric acid〕〖화〗 레몬(lemon)이나 밀감(蜜柑) 등의 과실 속에 있는 염기성(塩基性)의 산. 무색 무취(無色無臭)의 결정체(結晶體)이며, 알코올과 물에 녹음. 청량 음료·의약·염색 등에 씀. 레몬산(lemon 酸). 구연산(枸櫞酸). $[C_3H_4OH(COOH)_3]$

시트르산 구리【一酸一】명〖약〗 녹색 결정성(綠色結晶性)의 가루약. 트라코마와 같은 눈병에 5-10%의 고약을 만들어 바름. 구연산 구리.

시트르산 나트륨【一酸一】명〔sodium citrate〕〖화〗 짠 맛이 있는 백색 분말로 의료용의 항응혈제(抗凝血劑)·청량 음료·치즈 제조·전기 도금(電氣鍍金)에 쓰임. 정염(正塩) 외에 시트르산 수소 나트륨도 있음. 구연산 나트륨.

시트르산-철【一酸鐵】명〖약〗 반투명(半透明)으로 된 적갈색의 나뭇잎과 같은 약. 맛은 쇠맛과 같음. 열을 가하면 이상한 냄새가 나고, 물에 넣으면 더디 용해되며, 산에는 반응함. 이뇨(利尿)에 효과가 있는 철제로서 빈혈증에 쓰임. 구연산철.

시트르산철 암모늄【一酸鐵一】명〔ammonium iron citrate〕〖화〗 무취(無臭)·투명(透明)·적갈색의 비늘 모양의 약. 결정으로 흡습성(吸濕性)이 강하며 빛에 의하여 환원되기 쉬움. 물에 잘 녹으며 그 물은 약한 산성이 됨. 완화성 철제(緩和性鐵劑)로서 빈혈증의 약이나 청사진 등에 쓰임. 구연산철 암모늄.

시트르산철-주【一酸鐵酒】명〖약〗 시트르산의 주제(酒劑). 포도주 등의 술에 시트르산철을 녹여 만든 약. 빈혈증에 쓰며 강장제(強壯劑)로도 씀. 구연산철주.

시트르산철 퀴닌【一酸鐵一】명〔quinine iron citrate〕〖약〗 철분·시트르산 철·황산 퀴닌·시트르산 가루 따위를 원료로 하여 만든 적갈색의 투명(透明)한 광택 있는 소엽편(小葉片). 맛은 쓰며 쇠맛이 있고 물이나 알코올에는 잘 녹음. 빈혈증(貧血症)과 쇠약증(衰弱症)에 쓰임. 구연산철 퀴닌.

시트르산 칼륨【一酸一】명〔potassium citrate〕〖화〗 짠 맛이 있는 무취(無臭)의 결정. 글리세롤에는 녹으나 알코올에는 녹지 않음. 의료(醫療)에 쓰임. 정염(正塩) 외에 시트르산 수소 칼륨도 있음. 구연산 칼륨.

시:트 바:〔sheet bar〕명〖공〗 주괴(鑄塊)를 열간 압연(熱間壓延) 처리하여 만든, 얇은 판상(板狀)의 강판. 두께는 8-20 mm 정도.

시:트 벨트〔seat belt〕명 안전 벨트.

시트웰〔Sitwell〕명〖사람〗 ①〔Edith, S.〕 영국의 여류 시인. 특이한 시재(詩才)를 나타내어 두 동생과 함께 '시트웰 삼남매'로 알려졌으며, 고도로 감각적·색채적인 시를 썼음. [1887-1964] ②〔Osbert, S.〕 ❶의 동생. 시인(詩人). 누이와 함께 신시(新詩) 운동에 참가하여, 특히 뛰어난 풍자시를 썼으며, 소설·평론도 많이 썼음. 자서전 ≪왼손, 오른손≫과 작품 ≪고상한 사람들≫ 등이 있음. [1892-1969] ③〔Sacheverell, S.〕 ❶❷의 동생. 시인(詩人). 시는 누이보다 지적(知的)이고, 수법은 한층 전통적임. 음악·미술의 애호가이기도 함. [1897-1988]

시:트 커버〔seat＋cover〕명 좌석의 등받이 덮개. 특히 자동차에서 시트의 청결을 유지하고 안락감을 더하기 위해 좌석에 덧씌우는 천이나 가죽.

시:트 파일〔sheet pile〕명〖공〗 토목·건축 공사(工事)에서, 흙이 무너지지 않도록 땅에 계속적으로 여러 장 박아, 흙을 둘러 막는 강철판 말뚝. 강판의 양측(兩側)은 결합에 편리하도록 되어 있음.

시틀랄테페틀 산【一山】〔Citlaltepetl〕명〖지〗 오리자바 산.

시틋-이 부 시틋하게.

시틋-하다 형여불 무슨 일에 물려서 싫증이 나다. ¶몸에 시틋한 피로감이 스며들 때면 시습은 절을 빠져나와 소풍 겸 여기저기를 거닐어 본다 ≪張德祚 : 狂風≫. ㄴ시뜻하다.

시티¹〔city〕명 ①도시(都市). ②시(市).

시티²〔City〕명〖지〗〔원래 City of London의 약어〕 영국의 수도 런던의 중심 지구. 템스 강의 북안에 있으며, 19세기까지는 이 지구가 런던이었음. 뉴욕과 더불어 세계 굴지의 금융 시장으로, 현재에도 자치 도시의 전통을 계승하는 독립된 행정구임.

시: 티:³【CT】명〔computed tomography〕〖의〗 X선 장치와 컴퓨터를 결합시킨 의료 기기(機器). 인체의 횡단면을 촬영, 각 방향에서의 상(像)을 컴퓨터로 처리함. X선 외에 입자선(粒子線)·초음파 등을 이용한 시티(CT)도 있음. 컴퓨터 단층 촬영. ¶～ 검사.

시티딘〔cytidine〕명〖화〗 피리미딘 누클레오시드(pyrimidine nucleoside)의 하나. 리보 핵산의 포름산(酸) 아미드 수용액을 가열해서 얻음. $[C_9H_{13}O_5N_3]$

시: 티: 스캐너【CT一】명〔computed tomography scanner〕〖의〗 컴퓨터를 사용하여 내장(內臟)의 단층(斷層) X선 사진을 찍어 내는 장치.

시: 티: 시:¹【C.T.C.】명〔Centralized Traffic Control〕 하나의 사령실(司令室)에서 전선(全線) 또는 일정 구간의 열차 운행을 집중적으로 제어하는 방식. 또, 그 장치. 열차 집중 제어 장치(列車集中制御裝置).

시: 티: 시:²【C.T.C.】명〔computer traffic control〕 열차의 컴퓨터 운전 제어 시스템. 이제까지의 열차 집중 제어 장치(Centralized Traffic Control; C.T.C.)에 컴퓨터를 직결하여 열차의 역통과(驛通過)·정차(停車)·연발착(延發着) 등을 자동화한 것임.

시: 티: 에스【C.T.S.】명 ①〔crude oil transshipment station〕 대형 유조선(油槽船)으로 실어 온 원유를 대량으로 저장하는 기지. 중앙 집유 기지(中央集油基地). ②〔cold type system〕〖인〗 콜드 타이프 시스템. ③〔computer type-setting system〕 전산 사식 조판(電算寫植組版) 시스템.

시: 티: 에스 방식【C.T.S.方式】명 원유(原油)를 30만 톤 이상의 초대형 탱커로 소비지 가까이의 중앙 집유(集油) 기지(Central Terminal Station)로 운반, 거기서부터 8-10만 톤의 소형 탱커로 목적지인 정유소(精油所)까지 운반하는 방식. 대형화 탱커의 경제성을 극한까지 이용하는 것이 목적임.

시:팅〔sheeting〕명 시트감, 즉 침대·좌석(座席) 따위에 까는 천으로 쓰이는 평직(平織) 무명.

시팅 룸:〔sitting room〕명 리빙 룸(living room).

시파¹ 명〈방〉〖식〗 실파.

시파²【柴杷】명〖농〗 곡식의 씨를 뿌리고 흙을 덮거나 또는 흙을 평편하게 고를 때에 쓰는 연장.

시파³【時派】명〖역〗 조선 시대 후기에 일어난 당파의 하나. 장헌 세자(莊獻世子), 곧 사도(思悼) 세자를 동정한 남인(南人) 계열로, 사도 세자를 무고하고 비방한 벽파(僻派)와 대립함. ↔벽파. ＊시론(時論).

시파-지【時波赤】명〖역〗 응방(鷹坊)에서 매를 기르는 일을 맡은 사람의 칭호. 고려 충렬왕(忠烈王) 때 베풂.

시:판¹【市販】명 시장에서 판매함. 시중 판매. ¶～ 가격. ——-하다 타여불

시판²【時版】명 시계의 시간을 나타내는 숫자나 기호를 그린 판.

시패¹【時牌】명〖역〗 묘시(卯時)부터 유시(酉時)까지의 시각을 적은 나무패. 근무 시간을 가늠하기 위해 궐내(闕內)·승정원(承政院)·홍문관(弘文館)·규장각(奎章閣)·선전 관청(宣傳官廳)·내병조(內兵曹) 등의 안에 세움.

시:패²【試牌】명〖역〗 과거(科擧)에서, 시관(試官)의 후보자(候補者)를 부르는 데 쓰던 나무패.

시패³【詩牌】명 한시를 지을 때, 여러 사람에게 일정한 수효로 글자를 나누어 주어, 각자 배당된 나무패에 새긴 글자를 써서 시를 짓는, 글자를 새긴 나무패.

시-퍼렇다〔一러타〕형ㅎ불 ①더 짙을 수 없이 퍼렇다. ②놀라거나 성을 내거나 춥거나 하여 몹시 질려 있다. ③위풍이나 권세가 당당하다. ¶서슬이 ～. 1)·2): >새파랗다.

시-퍼레 준 '시퍼렇어'의 줄어 변한 말. >새파래.

시퍼레-지다 자 시퍼렇게 되다. >새파래지다.

시퍼스 유:전스〔shipper's usance〕명〖경〗 유전스.

시퍼:트 은하【一銀河】명〖천〗〔Seyfert galaxy; 미국의 천문학자 시퍼트(Seyfert, Carl. K.; 1911-60)의 이름에서 유래〕 작고 밝은 중심핵이 있으며 폭발을 일으키는 것으로 생각되는 은하계 밖의 성운(星雲).

시펑커우〔喜峰口〕명〖지〗 중국 허베이 성(河北省) 첸안 현(遷安縣) 서

북쪽에 있는 관문. 만리 장성을 지나 동몽고(東蒙古)로 통하는 요충지로, 부근에 시펑커우 성(城)이 있음. 희봉구(喜峰口).

시편[1]【時便】명 시계에서, 시계 바늘을 돌아 가게 하는 장치의 부분. ↔종편(鐘便).

시편[2]【媤便】명 시가(媤家)의 편.

시편[3]【詩篇】명 ①시의 편장(篇章). ②시를 편찬한 책.

시편[4]【詩篇】명 〔Psalms〕『성』 구약 성서 중 150편의 종교시(宗教詩)를 모은 한 편(篇). 모세·다윗·솔로몬·에스라 등의 작품으로, 찬미·은혜·메시아에 관한 예언적 시 등의 내용임. 시(詩).

시평[1]【時評】명 ①그 당시의 비평 또는 평판. ②시사(時事)에 관한 평론.

시평[2]【詩評】명 시에 대한 비평(批評).

시폐【時弊】명 그 당시의 폐단. 시대의 폐습. 시병(時病). ¶ ~에 물들다.

시폰 〔chiffon〕 명 매우 얇고 매끄러운 직물(織物). 비단이나 인조견의 직물로, 옷감·베일·모자의 장식 등에 쓰임. 시퐁.

시폰 벨벳 〔chiffon+velvet〕 명 얇은 바탕에 보풀이 얕은 양질(良質)의 비로드.

시퐁 〔프 chiffon〕 명 시폰.

시표[1]【時表】명 '시계(時計)'의 구칭.

시:표[2]【視標】명 측량할 때 측점(測點) 위에 세우는 표적. 근거리에서는 말뚝이나 향간(向桿)을 세우고, 원거리에는 높은 망루(望樓)를 세워 놓음.

시푸다 보형 〈방〉 싶다(경기·충청·전라·경상).

시푸르뎅뎅-하다 형여불 매우 질게 푸르뎅뎅하다.

시푸르죽죽-하다 형여불 매우 푸르죽죽하다.

시품[1]【詩品】명 시의 품격. 시격(詩格).

시품[2]【詩品】명 『책』 중국 양(梁)나라의 종영(鍾嶸)이 지은 시론서(詩論書). 518년경에 나왔는데, 모두 3권으로 되어 처음에는 《시평(詩評)》이라 하였음. 고시(古詩) 19 수를 싣고, 한(漢)나라부터 양나라에 이르기까지의 시인 122명의 오언시(五言詩)를 평론하였는데, 시는 성정(性情)을 기본으로 하고 흥취(興趣)를 주로 하여야 한다고 주장하였음. 중국 문학 평론 사상 가장 중요한 위치를 차지하고 있는 책임.

시풍[1]【時風】명 ①철을 따라 부는 바람. ②시속(時俗).

시풍[2]【詩風】명 한 시인의 작품 속에 나타나는 독특한 기풍.

시프【CIF】명 『경』 시 아이 에프(C.I.F.).

시프다[1] 형 〈방〉 헤프다.

시프다[2] 보형 →싶다.

시프로테론 아세테이트 〔siproteron acetate〕 명 『생』 항(抗)남성 호르몬의 하나. 남성 호르몬의 작용을 중화·억제하고 정자(精子) 형성을 방해하므로, 남성을 수정(授精) 불능하게 함.

시:프-스킨 〔sheepskin〕 명 양가죽. 털을 제거한 후, 무두질을 하여 장갑이나 옷감으로 씀.

시프 시:약【—試藥】명 『화』 〔Schiff's reagent; 독일의 화학자 시프(Schiff, Hugo; 1834-1915)의 이름에서 유래〕 알데히드의 검출에 흔히 사용되는 시약. 무색이나 알데히드가 함유된 액체에 가하면 적자색이 됨. 요소·콜레스테린의 검출에도 이용됨.

시프트 〔미 shift〕 명 ①미식 축구에서, 스크럼의 플레이 개시 준비 완료 후, 공격측의 2명 이상의 선수가 동시에 행동을 일으키는 일. ②야구에서, 타자의 특성에 따른, 야수(野手)의 수비 위치 이동을 말함. 또, 그 수비 태세.

시프트 다운 〔shift down〕 명 커브 또는 고개를 올라갈 때, 자동차의 체인지 레버를 1단(段) 또는 2·3단 낮은 기어로 전환(轉換)하는 일.

시프트 드레스 〔shift dress〕 명 여름철에 입는 헐렁한 원피스.

시프트 플레이 〔미 shift plays〕 명 미식 축구에서, 공격측 선수 전원이 공격 개시 전에, 그 위치에서 발·머리·팔을 움직이지 않고 완전히 1초 이상 정지하는 일.

-시피 미 어미(語尾) '-다시피'를 이루는 접미사(接尾辭). ¶ 보다~/빌다~ 해서 돈을 꾸다.

시: 피:[1]【C.P.】명 『군』 〔Command Post의 약칭〕 지휘소.

시: 피:[2]【CP】명 〔commercial paper의 약칭〕 『경』 신종(新種)기업 어음.

시: 피:[3]【CP】명 『방송』 〔Chief Producer의 약칭〕 책임 프로듀서.

시: 피:[4]【c.p.】명 콘티넨털 플랜(continental plan)의 약칭.

시: 피: 아:르【C.P.R.】명 〔cost per response의 약칭〕 광고(廣告) 반응의 건당 비용. 이를테면, 어떤 잡지에 광고를 냈을 때, 그 매체 요금(媒體料金)과 그 광고 효과에 의한 반응 또는 주문 총량을 근거로 해서 반응·주문 건당의 비용을 계산해 낸 것.

시: 피: 아이【C.P.I.】명 『경』 〔Consumer's Price Index의 약칭〕 소비자 가격 지수(價格指數).

시: 피: 에스[1]【C.P.S.】명 『경』 〔Consumer's Price Survey의 약칭〕 소비자 가격 조사.

시: 피: 에스[2]【CPS】명 〔cycle per second의 약칭〕 매초(每秒) 마다의 사이클을 말함.

시: 피: 엑스【C.P.X.】명 『군』 〔Command Post Exercise의 약칭〕 지휘소 연습(指揮所演習).

시: 피: 유:【CPU】명 〔central processing unit의 약칭〕 『컴퓨터』 중앙 처리 장치.

시:필【試筆】명 글씨를 시험적으로 써 봄. 시호(試毫). ——-하다 타여불

시필리스 〔syphilis〕 명 『의』 매독(梅毒).

시:하[1]【侍下】명 부모나 조부모를 모시고 있는 사람. ¶ 층층 ~.

시하[2]【時下】명 '이때'·'요즈음'의 뜻으로, 편지에 쓰는 말.

시하-도【時下島】명 『지』 전라 남도 해남군(海南郡) 화원면(花源面) 주광리(周光里)에 위치한 섬. [0.09 km^2: 20 명 (1984)]

시:하-생【侍下生】명 부집 존장(父執尊長)인 어른에게 올리는 글월에 '당신을 모시는 몸'이라는 뜻으로, 자기 이름자와 함께 쓰는 말.

시:하-인【侍下人】명 시하(侍下)의 사람에게, 그 편지를 그가 모시고 있는 웃사람에게 전해 달라는 뜻으로, 편지 겉봉에 쓰는 말.

시 하일 〔도 Schi Heil〕 감 〔스키에 행운 있으라는 뜻〕 스키하는 사람 사이의 인사말.

시:학[1]【侍學】명 『역』 고려 공양왕 2년에 둔 동궁(東宮)의 벼슬. 삼품(三品)에서 육품(六品)까지 있었음.

시:학[2]【視學】명 ①학사(學事)를 시찰함. ②『일제』 지방 관청의 학무부(學務部)에 배속되어, 학사를 시찰하고 기타 교육에 관한 서무(庶務)를 집행하던 지방 관리. 지금의 '장학사'에 상당함. ——-하다 타여불

시학[3]【詩學】명 〔poetics〕『문』 시의 본질·형식·기법(技法) 등을 고구(考究)하는 학문. 유럽 문학사에 있어서는 아리스토텔레스·호라티우스 등의 시론(詩論)이 유명하며, 근대 이전의 문예 평론의 저류(底流)를 형성했음. 시론(詩論).

시학[4]【詩學】명 〔라 Poetica〕『책』 아리스토텔레스가 지은 책. 시인의 임무에 대하여 말하기를, '시인은 실제로 일어난 일을 쓰는 것이 아니고 일어날 일, 개연적(蓋然的)으로나 필연적으로 있어야 할 일을 쓰는 것이므로, 시는 역사보다 철학적으로 더 중요한 것이다'라고 하였음. 2권 중 한 권만이 남아 있음.

시:학-관【視學官】명 『일제』 학무국(學務局)에 속해 있던 고등관(高等官)의 하나. 관내(管內)의 학사 시찰을 맡아 보았음.

시한[1]【時限】명 기한을 정한 시각. 시간의 한계. ¶ ~ 폭탄.

시한[2]【猜恨】명 질투하고 원망함. ——-하다 타여불

시한 도:화선【時限導火線】명 불을 붙인 후 일정 시간 후에 폭발하게 된 도화선.

시한-부【時限附】명 시간의 한계를 붙임. ¶ ~ 조건 / ~ 인생.

시한부 스트라이크【時限附—】〔strike〕 명 미리 실시 시간을 한정(限定)하여 행하는 짧은 시간의 스트라이크. ↔무기한 스트라이크.

시한 스위치【時限—】〔switch〕 명 희망하는 시각에 스위치를 자동적으로 여닫게 하는 장치. 동력(動力)에는 용수철 따위가 쓰임. 타이머. 타임 스위치.

시한 신:관【時限信管】명 예정 시간이 지난 뒤, 작동(作動)하도록 조절할 수 있는 신관. 대공(對空) 사격 등의 탄환으로 쓰임.

시한 입법【時限立法】명 『법』 한시법(限時法).

시한 지뢰【時限地雷】명 일정한 시간이 지나거나 일정한 진동에 의하여, 저절로 폭발하도록 장치한 지뢰.

시한-탄【時限彈】명 시한 폭탄.

시한 폭탄【時限爆彈】명 일정한 시간 후 폭발하게 된 폭탄. 시한탄.

시-할머니【媤—】명 남편의 할머니. 시조모.

시-할아버지【媤—】명 남편의 할아버지. 시조부.

시합【試合】명 서로 재주를 겨루어 승부(勝負)를 다투는 일. ¶ 야간(夜間) ~. ——-하다 자여불

시합 몰수【試合沒收】[—쑤] 명 경기 몰수(競技沒收).

시합-장【試合場】명 시합하는 장소.

시합 정지구【試合停止球】명 경기 정지구.

시:항[1]【市巷】명 저잣거리.

시:항[2]【施項】명 『역』 죄인의 목에 칼을 채움. ——-하다 자여불

시:항[3]【試航】명 시험삼아 하는 항해(航海). ——-하다 자여불

시:해[1]【尸解】명 몸만 남기고 혼백(魂魄)이 빠져 나가서 신선(神仙)으로 화하는 일. 선화(蟬化). ——-하다 자여불

시:해[2]【弑害】명 시살(弑殺). ——-하다 타여불

시:행[1]【施行】명 ①실지로 베풀어 행함. 실시(實施)하여 행함. ②『법』 법령을 공포한 뒤에 그 효력을 발생시킴. ——-하다 타여불

시:행[2]【試行】명 시험적으로 행함. ——-하다 타여불

시:행 규칙【施行規則】명 『법』 특정한 법령의 시행에 관한 사항을 상세히 규정한 규칙. 보통, 대통령령의 시행령에 관하여 필요한 사항을 규정한 총리령 또는 부령(部令) 따위를 이름. 시행 세칙.

시:행 기일【施行期日】명 『법』 법령을 시행하는 처음 날.

시:행 기한【施行期限】명 『법』 법령 공포 후 시행되기까지의 기한.

시:행-령【施行令】[—녕] 명 『법』 어떤 법률의 시행에 필요한 모든 규정을 내용으로 하는 명령. 보통, 대통령령으로 제정됨. 교육법 시행령·건축법 시행령 따위. *시행법.

시:행-법【施行法】[—뻡] 명 『법』 어떤 법률의 시행에 필요한 모든 규정을 내용으로 하는 법률. *시행령.

시:행 세:칙【施行細則】명 『법』 시행 규칙.

시:행 시기【施行時期】명 법령이 실제로 그 효력을 발생하는 시기.

시:행 착오【試行錯誤】명 ①〔trial and error〕『교』 학습 양식(樣式)의 한 가지. 학습자가 새로운 과제(課題)에 당면하여서, 선천적 또는 후천적으로 알고 있는 여러 동작을 반복(反復)하다가 우연히 성공한 후, 되풀이하던 무익한 동작은 배제(排除)하게 되는 일. 1891년 모건(Morgan, Conway Lloyt; 1852-1936)이 논술하고 1898년 손다이크(Thorndike, E.L.)가 실험하여 제창했음. 시오법(試誤法). *미로(迷路). ②과제가 어려워 해결할 전망이 서지않을 때, 시도(試圖)와 실패를 반복하며 차츰 목적에 다가가는 일. 트라이얼 앤드 에러.

시향【時享】명 ①매년 음력 2월·5월·8월·11월에 가묘(家廟)에 지내는 제사. ②음력 10월에 5대 이상의 조상의 산소(山所)에 가서 드리는 제사. 묘사(墓祠). 시사(時祀). 시제(時祭).

시향-제【時享祭】명 시향(時享).

시허 〔西河〕 명 『지』 ①중국 허베이 성(河北省)의 쯔야 강(子牙河)·칭수이 강(淸水河) 및 동성(同省)의 중부에 있는 여러 강의 총칭. 하류는 합쳐서 톈진(天津)에서 바이허(白河)에 연결됨. ②황하의 일부. 산시(山西)·산시(陝西) 양성의 경계를 흐르는 부분. 서하.

시-허옇다 [—여타] 형ㅎ불 더할 수 없이 허옇다. >새하얗다.

시-허예 준 '시허옇어'의 줄어 변한 말. ¶ ~서. >새하얘.

시-허예지다 자 시허옇게 되다. >새하얘지다.

시헌 기요【時憲紀要】명 『책』 조선 시대 철종(哲宗) 때에 남병길(南秉

吉)이 지은 천문 역법서(天文曆法書). 2권 2책으로 되었음.

시헌-력【時憲曆】[一녁] [명] 중국 명(明)나라 숭정(崇禎)초에 독일의 선교사 탕약망(湯若望), 곧 아담 샬이 만든 역법(曆法). 태음력(太陰曆)의 구법(舊法)에 태양력(太陽曆)의 원리를 부합시켜, 24 절기(節期)의 시각과 하루의 시각을 정밀히 계산하여 만든 것으로, 우리 나라에는 조선 시대 인조(仁祖) 22년(1644) 김육(金堉)이 가져와 10년간 연구 끝에, 효종(孝宗) 4년(1653)부터 시행하였음.

시험[1] [명] 〈방〉 혜엄(전남).

시험[2]【恃險】[명] 험한 지형(地形)을 의지함. ——-하다 [자][타][여불]

시험[3]【猜險】[명] 시기하는 마음이 많고 음험함. 시극(猜克). ——-하다 [형][여불]

시험[4]【試驗】[명] ①어떤 사물의 성질·능력·정도 등에 관하여 실지로 증험하여 봄. ②〖교〗 이해의 확실성을 알아보고, 학업 성적의 우열(優劣)을 판정함. ③문제를 내어 해답을 구하거나, 조건을 정하여 실지로 시키어 보아서 급락(及落)·채부(採否)를 정함. ¶ 입학 ~/채용 ~. ——-하다 [타][여불]

시험 검:정【試驗檢定】[명] 〖교〗 시험에 의하여 검정하는 일. ↔무시험 검정.

시험 결혼【試驗結婚】[명] 〖사〗 양성(兩性)이 합의에 의하여 잠정적(暫定的)으로 동서(同棲)하고 일정 기간 후에, 서로 뜻이 맞으면 정식으로 혼인하는 결혼의 양식. 시험혼. *우애 결혼(友愛結婚).

시험 과목【試驗科目】[一꽈一] [명] 〖교〗 시험을 보는 학과목.

시험-관[1]【試驗官】[명] 시험장의 감독이나 시문(試問)을 하는 사람.

시험-관[2]【試驗管】[명] 〖화〗 길쭉한 원통형(圓筒形)으로, 한쪽 끝이 막힌 유리관(管). 화학 실험, 화학 분석·시험 따위의 용기구로 쓰임.

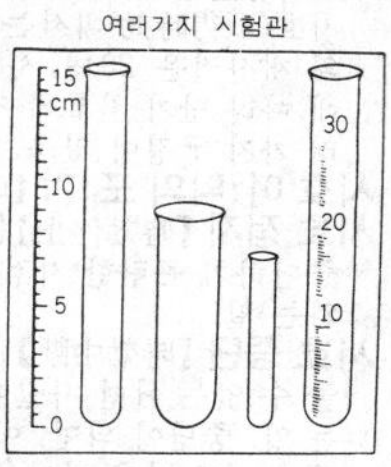

〈시험관²〉

시험관 아기【試驗管一】[명] [human embryos in the laboratory] 〖의〗 난자(卵子)를 몸 밖으로 꺼내어 유리 관(管) 안에서 수정(受精)시키고, 포배기(胞胚期)까지 배양(培養)시킨 배(胚)를, 다시 모체로 옮겨 자궁에 착상(着床)시켜 완전한 태아(胎兒)로 발육시킨 아기. 1978년 7월 26일 영국의 올드햄 병원에서 세계 최초의 시험관 아기가 탄생되었음.

시험-기[1]【試驗期】[명] 시험을 치르는 시기.

시험-기[2]【試驗器】[명] 시험하는 데 쓰이는 기구.

시험 논문【試驗論文】[명] 시험 답안(答案)으로 쓴 논문.

시험-대【試驗臺】[명] 시험을 하는 데 알맞도록 차려 놓은 대. 또, 비유적으로 시험하는 대상이 되는 것을 일컬음. ¶ ~에 오르다.

시험-뜨기【試驗一】[명] 뜨개질에서, 게이지를 내려고 시험삼아 떠보는 일. ——-하다 [타][여불]

시험-료【試驗料】[一뇨] [명] 시험을 위한 수수료. 수험료.

시험-림【試驗林】[一님] [명] 농과(農科) 대학·학술 단체 등에서, 시험용으로 기르는 숲.

시험 매매【試驗賣買】[명] 〖경〗 ①새로 나온 상품을 시장에 내놓아 시험적으로 매매하는 일. ②살 사람이 실제로 시험해 보고, 마음에 들면 산다는 조건하에 행하여지는 매매. 시미(試味) 매매.

시험 문:제【試驗問題】[명] 〖교〗 시험 보이기 위하여 내놓은 문제. [준]시문(試問).

시험 발진기【試驗發振器】[一찐一] [명] 〖전〗 전기 회로(回路)의 측정, 증폭기(增幅器)·수신기의 시험 등에 쓰이는 발진기. 보통은 가변(可變) 주파수로 출력 전압(出力電壓)의 조정이 가능하고, 가반형(可搬型)으로 만든 것이 많음.

시험-법【試驗法】[一뻡] [명] 물건의 성질이나 사람의 학력·능력 등을 시험하고 조사하는 방법. 시험하는 방법.

시험 비행【試驗飛行】[명] 비행기를 실제로 사용하기 전에, 시험적으로 날아 보는 일.

시험-삼아【試驗一】[부] 시험적으로. ¶ ~ 해보다.

시험-소【試驗所】[명] 시험장❷.

시험 수갱【試驗竪坑】[명] [trial pit] 〖광〗 얕은 부문에 있는 광물을 시험할 때나 지표(地表) 부근의 광상(鑛床)의 성질·두께 또는 기암반(基岩盤)의 깊이 등을 알려고 할 때에 파는 직경 60-90 cm의 얕은 구멍.

시험 수조【試驗水槽】[명] 유체 역학(流體力學)이나 선형학(船型學) 등의 실험에 쓰이는 수조. 곧, 실선(實船)에 의한 실험은 경비나 시간 관계로 불가능하므로, 선체(船體)·추진기(推進器) 등의 모형(模型)을 제작하여, 옥내(屋內)에서 실험하기 위한 큰 수조임.

시험-실【試驗室】[명] ①물건의 성질·능력, 또 병원균 등을 조사 내지 검사하기 위한 방. ②학력 등에 관한 시험을 행하는 방.

시험-액【試驗液】[명] ①〖화〗 시험용으로 쓰이는 액체. *시약(試藥). ②〖생〗 식물이나 또는 하등 동물(下等動物)을 시험적으로 기르는 데 쓰이는 액체.

시험-약【試驗藥】[一냑] [명] 〖화〗 시약(試藥).

시험 연:구림【試驗研究林】[一년一] [명] 〖농〗 각종 임업 시험 연구를 목적으로 하는 삼림. *제한림(制限林).

시험 연:구비【試驗研究費】[一년一] [명] 〖경〗 신제품 또는 신기술 발견의 목적으로 행하는, 시험 연구를 위하여 특별히 지출하는 비용.

시험 용:지【試驗用紙】[一농一] [명] 시험 보이는 데 쓰는 용지. 시험지.

시험 우물【試驗一】[명] 테스트 유정(油井).

시험 위원【試驗委員】[명] 시험 문제의 선정(選定), 답안의 채점 또는 급락(及落)·채부(採否)의 판정 등을 맡은 위원.

시험-장【試驗場】[명] ①학업의 시험을 행하는 장소. 시장(試場). ¶ 입학 ~. ②농업·공업 등에 있어서의 발명·개량에 관하여 실지로 시험하는 상설(常設)의 시설. 시험소(試驗所). ¶ 임업 ~.

시험-적【試驗的】[명][관] 시험삼아 행하는 모양. ¶ ~으로 하다.

시험 전:파【試驗電波】[명] 송신 설비의 조정이나 시청·청취 가능 지역의 조사 등을 위해, 시험적으로 발사하는 전파.

시험 절제【試驗切除】[一쩨] [명] 〖의〗 병리(病理) 조직학적 검색(檢索)의 목적으로, 종양(腫瘍)·궤양(潰瘍) 등 병변부(病變部) 조직의 일부를 절제하는 일. 진단을 확정할 수 없거나 조기(早期) 진단을 내릴 필요가 있는 경우, 특히 암(癌)과 같은 악성 종양에서 실시함. 진사 절채(診査切採).

시험-제【試驗制】[명] 시험 제도.

시험 제:도【試驗制度】[명] 학력 등의 우열(優劣)·급락(及落) 또는 사람의 채용 여부 등을 시험에 의해 결정하는 제도. 시험제(試驗制).

시험-조【試驗調】[一쪼] [명] 남을 시험하는 듯한 태도. ¶ ~로 질문하다.

시험-주【試驗酒】[명] 양조장이나 양조 시험소에서, 시험적으로 양조한 술.

시험-지【試驗紙】[명] ①시험 문제가 적힌 종이나 답안을 쓰는 종이. 시험 용지. ②〖화〗 시약(試藥)을 바른 종이. 주로 용액(溶液) 속의 물질의 존재를 확인하기 위해 쓰이는데, 리트머스(litmus) 시험지·요오드화(化) 칼륨 시험지·녹말 시험지 등이 있음.

시험 지옥【試驗地獄】[명] 응시자(應試者)가 너무 많아 그 합격이 곤란하여서, 심한 고통을 느끼게 됨을 지옥의 괴로움에 비유한 말.

시험 천:자【試驗穿刺】[명] 〖의〗 병증(病症)이 있다고 생각되는 곳을 주사침으로 찔러 흡인(吸引)하여, 그 내용을 세균학·생화학(生化學)·병리 조직학적으로 검사하여, 진단에 도움이 되게 하는 방법. 복수(腹水)·농양(膿瘍)·관절액(關節液) 등 액체 상태의 것은 물론, 간장(肝臟)·신장(腎臟)·골수(骨髓) 등의 실질 장기(實質臟器)에도 사용됨.

시험-침【試驗針】[명] 한 금속(金屬)에 다른 금속이 섞인 분량을 알아보기 위하여 쓰는 바늘.

시험-편【試驗片】[명] 재료의 강약 및 기계적 여러 성질을 측정하기 위하여, 그 재료와 똑같은 것으로 만든 시험용의 작은 조각. 테스트 피스(test piece).

시험-항【試驗杭】[명] 〖토〗 지지력(支持力)을 재기 위하여 시험적으로 박은 말뚝.

시험-혼【試驗婚】[명] 〖사〗 시험 결혼(試驗結婚).

시:현[1]【示現】[명] ①신불(神佛)이 영험(靈驗)을 나타내는 일. ②〖불교〗 석가모니가 중생(衆生)을 제도(濟度)하기 위하여, 그의 육신(肉身)을 이 세상에 나타내는 일.

시:현[2]【示顯·示現】[명] 나타내 보임. ——-하다 [타][여불]

시:현-탑【示現塔】[명] 〖불교〗 자연적으로 된 탑. 금강산의 수미탑(須彌塔) 등.

시혐【猜嫌】[명] 시기하여 싫어함. ——-하다 [타][여불]

시형[1]【媤兄】[명] 남편의 형수(兄嫂).

시형[2]【詩形】[명] 시의 형식.

시형-학【詩形學】[명] 〖문〗 시의 형태학(形態學). 곧, 시율(詩律)·시구(詩句)·압운(押韻)·시절(詩節)·율어(律語) 등을 밝히는 학문.

시:혜【施惠】[명] 은혜를 베풂. ——-하다 [자][여불]

시:혜-청【施惠廳】[명] 〖역〗 조선 시대 연산군 10년(1504)에 설치된, 후궁(後宮)의 집을 짓는 일을 맡던 관청. 연산군의 폐위와 함께 폐지됨.

시:호[1]【市虎】[명] 〔↗삼인 성시호(三人成市虎)〕 한 사람이 시중에 호랑이가 있다고 하면 아무도 믿으려 하지 아니하나, 두 사람·세 사람이 말하게 되면 곧이듣게 된다는 뜻으로, 무근(無根)의 풍설도 이를 퍼뜨리는 자가 많으면 끝내는 믿게 됨을 비유한 말.

시호[2]【時好】[명] 그 때의 유행. 속호(俗好). 유행.

시호[3]【柴戶】[명] 사립문. 모옥(茅屋).

시호[4]【柴胡】[명] 〖식〗 [*Bupleurum falcatum*] 미나릿과에 속하는 다년초. 줄기는 높이 1 m 가량이고 잎은 호생하며, 선형 또는 넓은 선형(線形)에 평행맥(平行脈)이 있음. 8-9월에 황색 오판화(五瓣花)가 복산형(複繖形) 화서로 줄기 끝이나 가지 끝에 정생(頂生)하며, 과실은 길이 3 mm의 타원형으로 9-10월에 익음. 산지나 들에 나는데, 거의 한국 각지 및 일본·중국·시베리아 등지에 분포함. 뿌리를 말린 것을 한방(漢方)에서 외감(外感)·학질(瘧疾) 등의 발한(發汗)·해열제로 씀.

〈시호⁴〉

시호[5]【豺虎】[명] ①승냥이와 호랑이. ②사납고 악독한 사람을 비유하여 일컫는 말.

시호[6]【豺狐】[명] 승냥이와 여우.

시:호[7]【試毫】[명] 시필(試筆). ——-하다 [타][여불]

시호[8]【詩豪】[명] 시로 일가(一家)를 이룬 대가(大家).

시호[9]【詩號】[명] 시인의 아호(雅號).

시:호[10]【諡號】[명] ①선왕(先王)의 공덕을 칭송하여 붙인 이름. ②경상(卿相)·유현(儒賢) 들이 죽은 뒤에, 그들의 행적(行跡)을 칭송하여 임금이 추증(追贈)하는 이름. 시(諡).

시호-굴【豺狐窟】[명] 승냥이·여우가 사는 굴.

시호-시호【時乎時乎】[감] 시재시재(時哉時哉).

시호시호 부재래【時乎時乎不再來】[명] 한 번 지난 좋은 시기는 두 번 다시 아니 옴.

시호테알린 산맥【一山脈】[Sikhote Alin] [명] 〖지〗 시베리아 동부의 연해주(沿海州) 지방과 하바로프스크 지방에 걸친 산맥. 동해와 우수리 강(Ussuri江) 및 아무르 강(Amur江) 하류부와의 사이에, 협곡으로 갈라진 여러 줄기의 산맥으로 됨. 해안은 벼랑으로 이루어졌으며, 석탄·주석·금 등이 매장됨. 길이 1,200 km, 폭 300 km, 최고봉은 2,078 m.

시:호 통신【視號通信】[명] 두 지점에서 수기(手旗)나 광선 같은, 서로 볼 수 있는 것을 써서 부호(符號)나 신호로 통신하는 방법.

시혹 [부] 〈옛〉 혹시(或是). ¶ 그 소싀예 시혹 仙人이 드외시며 《月釋 I:20》/시혹 淨土애(或在淨土)《圓覺 序 11》.

시혼【詩魂】[명] 시를 쓰는 마음. 시정(詩情).

시:홍【視紅】 명 〖생〗 로돕신(rhodopsin).

시:홍-소【視紅素】 명 〖생〗 로돕신(rhodopsin).

〈시화¹〉

시화¹ 명 〖식〗 [*Conandron ramondioides*] 시홧과에 속하는 다년초. 화경(花莖)의 높이 6-12 cm, 줄기는 몹시 짧으며 잎은 근생(根生)하는데, 두껍고 연하며, 타원형으로 담배 잎과 비슷함. 여름에 몇 개의 담자색 꽃이 화경 끝에 피며 열매는 삭과(蒴果)임. 산의 습지, 바위 위 등에 나는데, 일본·류큐(琉球)·대만·한국 남부 등에 분포함. 어린 잎은 식용하며 민간에서 위장약으로 씀. 고거(苦苣). 고매(苦蕒). 야거(野苣). 편거(編苣).

시화²【柴火】 명 섶나무에 붙인 불.

시화³【詩化】 명 시적(詩的)인 것으로 화함. 또, 시적인 것으로 화하게 함. ──-하다 자타 여불

시화⁴【詩話】 명 ①시나 시인에 관한 설화 및 일화(逸話). 시담(詩談). ②한문학에서, 시에 관한 논설·기사(記事)·법칙을 기술하고, 아울러 시인에 관한 고실(故實)을 적은 글이나 책. ③〖책〗 중국 명(明)나라 양신(楊愼)이 편찬한 시화서. 12권. 보유(補遺) 1권. ④중국 송인(宋人)이 찬한 평화(平話)를 이르는 말. 절(節)마다 설화 다음에 관계되는 시를 적었기 때문에 생긴 이름.

시화⁵【詩畫】 명 ①시와 그림. ②시를 곁들인 그림. ¶ ～ 전람회.

시:화-법【視話法】[─뻡] 명 발음할 때의 입술이나 혀의 움직임을 그림으로 나타내거나 또는 상대방의 입의 움직임을 보고 발음을 지각(知覺)하여, 발음법을 습득하게 하는 방법. 말더듬이 기타 발음의 이상(異常)을 교정하는 데 응용됨. 스코틀랜드의 벨 부자(Bell 父子)가 고안(考案)함.

시화 세:태【時和世泰】 명 사시(四時)의 기후가 순조롭고 세상이 태평함. ──-하다 형 여불

시화 세:풍【時和歲豐】 명 시화 연풍(時和年豐). ──-하다 형 여불

시화 연풍【時和年豐】 명 나라 안이 태평하고, 또 풍년이 듦. 시화 세풍. └──-하다 형 여불

시화-전【詩畫展】 명 ↗시화 전람회.

시화 전:람회【詩畫展覽會】[─절─] 명 시화를 전시하는 전람회. 준시화전.

시화 총:귀【詩話總龜】 명 〖책〗 중국 송(宋)나라의 완 열(阮閱)이 편찬한 시화집(詩話集). 1123년에 지은 것으로 전집(前集)은 48권, 후집은 50권임.

시화 총림【詩話叢林】[─님] 명 〖책〗 조선 후기의 학자 홍만종(洪萬宗)이 편찬한, 고려에서 조선 시대에 이르는 역대의 시화집(詩話集). 4권 4책임. 《역옹 패설(櫟翁稗說)》·《지봉 유설(芝峰類說)》·《어우 야담(於于野談)》 등에서 시화(詩話)를 뽑아 수록하였음.

시화-축【詩畫軸】 명 화면(畫面)의 위쪽 여백(餘白)에, 밑의 그림에 맞는 한시(漢詩)를 쓴 두루마리. 준시축(詩軸).

시환【時患】 명 〖한의〗 때를 따라 유행하는 상한(傷寒). 시기(時氣). 시령(時令). 시결병(時節病). 시병(時病). 시질(時疾). 염질(染疾).

시홧-과【─科】 명 〖식〗 [Gesneriaceae] 합판화류(合瓣花類)에 속하는 한 과. 열대 지방에 흔한데 초본(草本) 또는 드물게 목본(木本)으로, 전세계에 86속(屬) 1,100여 종이 분포함.

시:황¹【市況】 명 상품·주식(株式) 등의 매매·거래의 상황. 시장의 경기. └상황(商況).

시:황²【始皇】 명 〖사람〗 ↗시황제(始皇帝).

시:황³【視黃】 명 [visual yellow] 〖생〗 시홍(視紅)이 광선의 영향을 받아 분해되어, 빛깔이 노랗게 변화한 물질. 이 변화가 간상체(桿狀體) 세포를 자극하여 그 자극이 시신경(視神經) 세포로 전달되어 명암(明暗)을 식별하게 됨. 시황은 어두운 곳에서 다시 시홍(視紅)이 됨.

시:황 관련주【市況關聯株】[─괄─] 명 〖경〗 시중에서 상품 시세(時勢)가 서 있는 제품을 생산하는 회사의 주(株). 시황 산업주(産業株).

시:황 산:업【市況産業】 명 〖경〗 시장 수요를 예상하여 생산하는 산업. 기업 업적이 시황의 동향에 좌우되는 경향이 강한 산업으로, 철강·비철(非鐵)·석유·섬유·종이·펄프 등이 이의 대표적인 산업임.

시:황 산:업주【市況産業株】 명 〖경〗 시황 관련주.

시:황 상품【市況商品】 명 시장의 수급 관계에 따라 가격이 변동하는 정도가 심한 상품. 시황 산업의 제품과 고무·설탕·금 따위 상품.

시:-황제【始皇帝】 명 〖사람〗 중국 최초의 통일적 대제국(大帝國)을 세운 진(秦)나라의 제1대 황제. 장양왕(莊襄王)의 아들로서, 이름은 정(政). 13세에 진왕, 23세에 친정(親政), 이후 16년간에 열국(列國)을 멸하여, 기원전 221년에 천하를 통일하고, 스스로 시황제라 칭하였음. 군현제(郡縣制)를 채용하고, 도량형·통화·문자를 통일하는 등 중앙 집권을 확립하고, 분서 갱유(焚書坑儒)에 의한 사상 통제, 만리 장성(萬里長城) 증축 및 아방궁(阿房宮)의 건설 등으로 위세를 크게 떨치었음. 진시황(秦始皇). 준시황(始皇). [259-210 B.C.; 재위 247-210 B.C.]

시:황제 각석【始皇帝刻石】 명 〖지〗 중국의 진시황제가 천하를 통일한 후, 각지를 순행(巡幸)하고 세운 자신의 송덕비(頌德碑). 여섯 군데에 세웠다고 하나, 현존하는 것은 산둥 성(山東省)의 타이산(泰山) 산·랑셰(琅邪)의 두 개뿐이며, 《사기(史記)》의 '시황 본기(始皇本記)'에는 다섯 군데의 비문이 보임. 진(秦)의 각석.

시:황제-릉【始皇帝陵】 명 〖지〗 중국 산시 성(陝西省)에 있는 진(秦)나라의 시황제의 묘. 방분(方墳)이며 방(坊)이 약 350 m, 높이 약 50 m 로서, 수십만 명을 사역하여 완성하였음. 원래는 구리의 곽실(槨室)에 내부는 옻칠하고 주옥(珠玉)을 박았다 하는데, 항우(項羽)가 후에 도굴(盜掘)하였다 함.

시:황 조:판【始皇詔版】 명 〖역〗 중국 진(秦)나라 시황제의 조서(詔書)를 새긴 동판(銅版). 시황제가 기원전 221년에 천하를 통일하고 도량형의 기준을 표시하기 위하여, 저울의 분동(分銅)을 발행하면서 그 곳에 새기어 붙인 것으로 직사각형의 동판임. 글자는 모두 40자인데, 매우 힘찬 필법이 나타나 있음.

시회【詩會】 명 시인(詩人) 또는 시의 애호가들로써 구성하는 모임. 시에 대한 발표·강의·감상·토론·비평 및 연구를 목적으로 함.

시:효¹【是傚】 명 본받음.

시효²【時效】 명 ①〖법〗 어떤 사실 상태(事實狀態)가 일정한 긴 기간 계속하였을 때, 진실한 권리 관계에 합치하든지 아니하든지를 상관하지 아니하고 그 사실 상태를 존중하여, 권리 관계로 인정하는 제도. 사법(私法)상으로는 취득(取得) 시효와 소멸(消滅) 시효, 공법(公法)상으로는 공권(公權)의 취득 시효와 소멸 시효, 형사(刑事)상으로는 공소(公訴)의 시효와 형(刑)의 시효가 있음. ②[ageing] 〖화〗 적당한 온도로 합금을 유지(維持)함으로써 금속이나 합금(合金)의 성질 가운데, 어떤 것이 시간이 경과함에 따라 변화하여 가는 현상.

시효 경화【時效硬化】 명 [age hardening] 〖화〗 시효(時效)에 따라 합금이 단단하여지는 현상. 상온(常溫)에서 경화하는 것을 자연 시효, 가열(加熱)함으로써 경화되는 것을 인공(人工) 시효라 함.

시효 기간【時效期間】 명 〖법〗 시효의 완성을 위하여 필요한 기간. 취득 시효(取得時效)에서는 10-20년이고, 소멸 시효에서는 채권(債權) 이외의 재산권은 20년, 사법 상(私法上)의 채권은 10년이 원칙이나, 종류에 따라 단기 시효에 걸리는 것도 있음. 공소(公訴) 및 형의 시효는 여러 가지 규정이 있음.

시효 이:익의 포:기【時效利益─拋棄】[─/─에─] 명 〖법〗 시효 포「기.

시효 정지【時效停止】 명 〖법〗 시효 기간이 거의 만료될 무렵에 시효를 중단하기 곤란한 사정이 있을 때, 시효의 완성을 일정 기간 유예(猶豫)하는 일.

시효 중단【時效中斷】 명 〖법〗 시효의 기초가 되는 사실 상태를 그대로 둘 수 없는 어떤 사실이 생겼을 경우에, 시효 기간의 진행을 중단시키는 일. 중단이 되면, 이미 진행된 시효 기간은 전혀 효력을 잃게 되어 다시 새로 시효 기간을 기산(起算)함.

시효 포:기【時效拋棄】 명 〖법〗 시효의 이익을 받지 아니한다는 의사를 표시하는 일. 시효의 완성 전에 미리 이것을 포기하는 일은 인정되지 아니하지만, 완성 후에 포기하는 일은 무방하다고 함. 시효 이익의 포└기.

시후¹【時候】 명 춘하 추동 사시(四時)의 절후(節候).

시후²【西湖】 명 〖지〗 중국 저장 성(浙江省) 항저우(杭州)의 서쪽에 있는 호수. 명승 고적이 많고, 중국에서 이름난 명승지임. 고사호(高士湖). 둘레는 17km. 서호(西湖).

시:훈¹【示訓】 명 보여 가르침. 훈시(訓示). ──-하다 타 여불

시훈² 수 〈방〉 쉰(충남·전북).

시훼¹【豕喙】 명 ①돼지 주둥아리. ②전(轉)하여, 욕심이 많은 상(相).

시훼²【猜毁】 명 시기하여 헐담함. ──-하다 타 여불

시휘【時諱】 명 그 시대의 일반 사조에 용납되지 않는 언행.

시:흥¹【始興】 명 〖지〗 경기도의 한 시(市). 인천(仁川) 광역시 동남부에 있으며, 1989년 시흥군의 군포(軍浦)와 의왕(儀旺)의 두 읍(邑)이 시(市)로 승격함과 동시에 시흥군의 소래읍(蘇來邑)과 수암면(秀岩面)·군자면(君子面)을 통합, 시로 승격함. 염전(塩田)이 유명함. [124.72 km²: 139,180명(1996)]

시흥²【詩興】 명 시를 짓고 싶은 기분. 시에 도취되어 일어나는 흥취. 시└사(詩思).

시:흥-교【始興教】 명 〖불교〗 열반종(涅槃宗).

시:흥-군【始興郡】 명 〖지〗 전에 경기도의 한 군. 서울 남쪽, 경기도 서남부에 있었음. 광복 후 수도권 개발에 따라 과천(果川)·광명(光明)·군포(軍浦)·시흥(始興)·안산(安山)·안양(安養)·의왕(儀旺) 등 각 시(市)로 분할됨.

시:흥-종【始興宗】 명 〖불교〗 열반종(涅槃宗).

식¹ 명 〈방〉〖동〗 살쾡이(제주).

식²【式】 명 ①일정한 체재(體裁) 또는 전례(前例)·양식(樣式)·방식(方式)·형(型). ¶ 이런 ～으로 해라. ②↗의식(儀式). ¶ 결혼～/기념～. ③일정한 규정(規定)이 되는 표준. 규칙. ④정식(正式). 본식(本式). 모법. ⑤수학 또는 그 밖의 여러 과학에 있어서, 특수한 기호를 연결하여서 어떤 의미나 관계를 나타내는 데 쓰이는 것. 수학에 있어서의 수식(數式)·함수식(函數式), 화학에 있어서의 분자식(分子式)·구조식(構造式) 등과 같이 어떤 대상을 나타내는 대상식(對象式)과, 여러 가지 공식(公式)·방정식(方程式) 등과 같이 어떤 관계를 나타내는 관계식(關係式)의 두 가지가 있음. 산식(算式). ¶ X를 구하는 ～을 써라. ⑥〖논〗 [mood] 삼단 논법(三段論法)을 조직하는 판단의 종류. 곧, 각 격(格)에 있어서의 세 명제(命題)의 질(質) 및 양(量)이 서로 다름으로써 생기는 여러 가지 형식(形式). 논식(論式). ⑦중국에서, 수레의 앞에 댄 가로장. 수레 안에서의 경례는 이것에 기대어 하였음.

식³【食·蝕】 명 '일식(日蝕)·월식(月蝕)'의 통칭.

식⁴【識】 명 ①사물의 시비(是非)를 판단하는 작용. ②〖불교〗 오온(五蘊)의 하나. 사물을 인식·이해하는 마음의 작용.

식⁵ [thick] 명 양복바지 가랑이의 안쪽에 대는 바대.

식⁶【息】 의명 거리 단위의 하나. 30리.

식⁷ 부 좁은 틈으로 김이나 바람이 세차게 나오는 소리. 또, 그 모양. >색.

-식¹ 미 〈옛〉 -씩. ¶ 各各 흔 무리식 눈을 브르쁘고(各自 一火家睜着眼) └《朴解 下 48》.

-식²【式】 미 법식(法式)을 나타내는 말. ¶ 한국～.

-식³【式】 미 〈이두〉 -씩.

식가¹【式暇】 명 〖역〗 관원(官員)에게 주는 규정된 휴가(休暇).

식가²【食價】 명 먹은 음식의 값. 식대(食代).

식각¹【息角】 명 모래나 곡물·분말체(粉末體) 따위를 쌓아 올려 사면(斜面)을 이루었을 때 그 수평면과 무더기가 이루는 각도. 무너져 떨어지

지 아니하고 안정을 유지하는 최대의 각도를 말함. 휴지각(休止角).

식각²【蝕刻】[명]〖인쇄〗부각(腐刻). ——-하다 [타][여불]

식각-법【蝕刻法】[명]〖인쇄〗에칭(etching).

식각 요판【蝕刻凹版】[—뇨—] [명] 방식제(防蝕劑)를 바른 판재(版材)에, 조각 기계의 조각침(針)으로 묘화(描畫)하여 방식제를 벗어 버린 후, 약액(藥液)으로 부식시켜 만든 조각 요판의 하나. ↔직각 요판(直刻凹版). 「은 것에 조각한 그림.

식각 판화【蝕刻版畫】[명]〖인쇄〗약물(藥物)을 사용하여 유리·금속 같

식간【食間】[명] 식사와 식사와의 사이. ¶ ~ 복용.

식감¹【食疳】[명]〖한의〗비감(脾疳).

식감²【識鑑】[명] 감식(鑑識). ——-하다 [타][여불]

식객【食客】[명] 남의 집에 기식(寄食)하며 문객(門客) 노릇하는 사람. 기식자(寄食者). 「——-하다 [자][여불]

식거【植炬】[명]〖역〗밤의 거둥 때에 길 양쪽에 횃불을 죽 세우는 일.

식거비【食居費】[명] 주식비(住食費)로 지급한다는 뜻에서, 어부(漁夫)의 임금을 일컫는 말. 「고 산다.

식-걱정【食—】[명] 일상 생활에서 밥을 짓고 못 짓는 걱정. ¶ ~은 안 하

식겁【食怯】[명] 뜻밖에 놀라 겁을 먹음. ——-하다 [자][여불] 「유.

식견¹【息肩】[명] 어깨를 쉬게 한다는 뜻으로, 무거운 책임을 벗음의 비

식견²【識見】[명] 학식과 견문(見聞). 곧, 사물을 분별할 수 있는 능력. 지견(知見). 견식(見識). ¶ ~이 풍부한 사람.

식경¹【食頃】[명] 한 끼의 밥을 먹을 동안이라는 뜻으로, 조금 긴 시간을 이름. ¶ 한 ~ 지나서야 그는 의식을 회복하였다.

식경²【息耕】[명] 논밭의 면적을 어림으로 헤아리는 말. 곧, 한참에 갈 만한 넓이라는 뜻으로, 하루갈이를 여섯에 나눈 면적(面積).

식경³【寔景】[명] 매우 좋은 경치.

식경⁴【殖耕】[명]〖농〗재식경(栽殖耕).

식계【蝕溪】[명]〖지〗평시에는 물이 없다가 큰 비만 오면 물이 사납게 흐르며, 구배(勾配)가 몹시 급한 물길.

식고¹【食告】[명]〖천도교〗식사할 때에 한울님께 고하는 말. ——-하다 [자][여불]

식고²【食鼓】[명]〖역〗조선 시대에, 성균관의 동재(東齋) 맨 위쪽 방의 서창(西窓) 밖에 매달아 놓은 북. 식당(食堂)지기가 이 북을 쳐서 새벽의 기침(起寢)·세수(洗手)·식사 등의 일과(日課)를 알림.

식곡【息穀】[명] 갚을 때에 이식(利息) 붙이기를 약속하고 꾸는 곡식. *

식곤【食困】[명]〖의〗식곤증(食困症). ∟장리곡(長利穀).

식곤-증【食困症】[—쯩] [명]〖의〗음식을 먹은 뒤에, 몸이 느른하고 정신이 피곤하며 자꾸 졸음이 오는 증세. 식곤.

식공¹【食攻】[명] 적을 장기적으로 포위하여, 식량난으로 저절로 항복하도록 하게 하는 전법(戰法).

식공²【食供】[명] 음식을 제공함. ——-하다 [타][여불]

식과【式科】[명]〖역〗↗식년과(式年科).

식관【食管】[명]〖생〗'식도(食道)'의 이칭. 「교자.

식-교자【食交子】[명] 온갖 반찬과 국·밥 등을 차려 놓은 교자. ↔건(乾)

식구¹【食口】[명] ①한 집안에서 같이 살며 끼니를 함께 하는 사람. 식솔(食率). ¶ 대(大)~를 거느리다. ②한 단체나 기관에 딸려 함께 일하는 사람을 비유하는 말. ¶ 우리 부서에 한 ~가 늘었다.

식구²【食具】[명] 식사용의 기구. 식기(食器).

식-구덕【食舊德】[명] 선조(先祖)의 공덕으로 자손이 작위(爵位)를 누리

식구-멍 [명]〈방〉주발 뚜껑. ∟는 일. [준]식덕(食德).

식권【食券】[명] 일정한 식당 또는 음식점 등에 내면 음식물과 바꾸어 주기로 약속된 표. 「못하는 병.

식궐【食厥】[명]〖한의〗음식을 너무 많이 먹어서 갑자기 졸도하고 말을

식균【食菌】[명]〖생〗백혈구 따위가 체내(體內)의 해로운 균을 먹음. ——-하다 [자][여불]

식균 세:포【食菌細胞】[명]〖생〗식세포(食細胞).

식균 작용【食菌作用】[명]〖생〗식세포 작용. 「컬음. ②밥줄❶.

식근【食根】[명] ①먹을 거리가 나오는 근원이라는 뜻으로, '논밭'을 일

식금【食禁】[명] 먹는 것을 금기(禁忌)함. 또, 금기된 음식물.

식기¹【食器】[명] ①음식을 담는 그릇. 음식기(飮食器). 식구(食具). 밥그릇. ②주발(周鉢). ③주발 대접.

식기²【食旣·蝕旣】[명]〖천〗일식(日蝕)·월식(月蝕) 때, 해나 달이 완전히 이지러지는 일. 개기식(皆旣蝕).

식기-뎅【食器—】[명]〈방〉주발 뚜껑.

식기-박【食器—】[—빡] [명] →시겟박.

식기-장【食器欌】[—짱] [명] 식기를 넣어 두는 장.

식-나무 [명]〖식〗①[*Aucuba japonica*] 층층나뭇과에 속하는 상록 활엽 관목. 높이 2m가량. 잎은 대생하며, 길이 10-20cm의 긴 타원형을 이루고 녹색 광택이 나며 가에 톱니가 있음. 자웅이주(雌雄異株)로 4월에 암자색의 사판화(四瓣花)가 원추(圓錐) 화서로 정생하여 피고, 길이 15mm의 긴 타원형 핵과(核果)는 홍색·황색·백색으로 가을에 익음. 난지(暖地)의 산지에 나는데, 한국 남부 및 일본·대만·중국·인도 등지에 분포함. 관상용으로 정원에 심고, 지팡이·양산(洋傘)대를 만들며, 잎은 사료용으로 씀. ②참식나무.

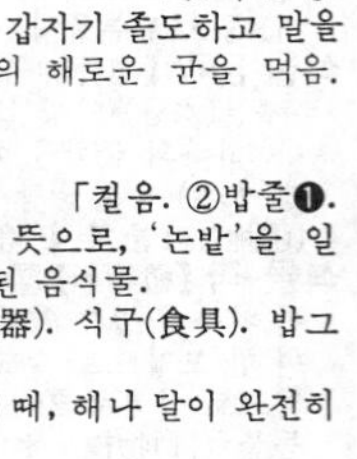

〈식나무❶〉

식년¹【式年】[명]〖역〗옛날 과거 보이는 시기로 정한 해. 곧, 태세(太歲)가 자(子)·묘(卯)·오(午)·유(酉)가 드는 해로, 3년마다 한 번씩 돌아옴. *식년과(式年科).

식년²【食年】[명]〖천〗태양이 황도(黃道)와 백도(白道)와의 교점(交點)을 통과하여 다시 그 교점에 돌아오기까지의 시간. 일식(日蝕)과 월식(月蝕)이 일어나는 주기(週期)로, 346.62일(日) 남짓함.

식년-과【式年科】[명]〖역〗옛날 식년마다 보이던 문과(文科)·무과(武科)·생원 진사과(生員進士科)·역과(譯科)·의과(醫科)·음양과(陰陽科)·율과(律科) 등 과거의 총칭. 동당(東堂). 식년시. [준]식과(式科). *식년(式年). 「년시(式年試)의 딴이름.

식년 대:비【式年大比】[명]〖역〗식년마다 보이는 대비과(大比科). 곧, 식

식년-시【式年試】[명]〖역〗식년마다 보이는 과거(科擧) 시험. 식년과 ∟(科).

식념【食念】[명] 음식을 먹고 싶은 생각.

식노【息怒】[명] 노여움을 가라앉힘. ——-하다 [자][여불]

식뇨【息鬧】[명] 소란(騷亂)이 그침. ¶ 원컨댄 대왕은 ~하옵소서《作者未詳 : 貨水盆》. ——-하다 [자][여불]

식능【食能】[명]〖동〗먹이에 관한 동물의 습성. 잡식성·육식성·초식성의 세 가지가 있음.

식다 [자] ①더운 기가 없어지다. ¶ 음식이 ~. ②열성이 줄다. 감정이 누그러지다. ③일이 때가 늦거나 싹수없이 되어 틀어지다.

식단¹【食單】[명] ①음식점에서 할 수 있는 음식의 종목과 가격을 적은 표. ②가정에서나 또는 식이 요법(食餌療法)상 필요한 음식의 종류 및 순서를 일정한 기간 계획하여 짠 표. 식단표(食單表). 식단자(食單子). 차림표. 음식 목록. 메뉴(menu). ¶ 일주간의 ~을 짜다.

식단²【食團】[명] 비빔밥을 완자처럼 둥글린 다음 밀가루를 묻히고 달걀을 씌워 지져서, 그냥 먹거나 장국에 넣어 먹는 음식.

식단-자【食單子】[명] 식단(食單)❷.

식단-표【食單表】[명] 식단(食單)❷. 「다 [형][여불]

식달【識達】[명] 식견(識見)이 있어서 사리(事理)에 통달(通達)함.——-하

식담【食痰】[명]〖한의〗소화기(消化器)의 기능(機能) 장애에 의해서 생기는 담병(痰病)의 한 가지. 소화 불량이나 어혈(瘀血)로 생기는 수도 있음. 식적담(食積痰).

식당【食堂】[명] ①식사를 하도록 설비되어 있는 방. 다이닝 룸(dining room). ②간단한 음식물을 만들어 파는 가게. ¶ ~에서 매식하다. ③〖역〗성균관(成均館) 안에 있던, 선비들이 식사하는 방.

식당-지기【食堂—】[명]〖역〗조선 시대에, 성균관(成均館)의 식당에서 유생(儒生)들에게 음식을 공궤(供饋)하던 사람. 식당직(食堂直).

식당-직【食堂直】[명]〖역〗식당지기.

식당-차【食堂車】[명] 식당의 설비를 갖춘 기차간. 다이닝 카(dining car).

식-대¹ [명]〖식〗해장죽(海藏竹).

식-대²【式臺】[명] 식(式)을 올리기 위하여 높이 만들어 놓은 대(臺).

식대³【食代】[명] ①먹은 음식값. 식비(食費). 식가(食價). ②공역(公役)을 치르는 사람이 순서대로 교대하여 밥을 먹는 일.

식대⁴【植代】[명]〖지〗지질 시대를 식물의 진화에 따라 구분하여 일컫는 말. 태고 식대(太古植代), 고식대(古植代), 중식대(中植代), 신식대(新植代)로 나눔.

식대⁵【飾帶】[명] 드레스의 허리나 모자 따위에 장식하는 띠. 새시(sash).

식-대령【食待令】[명] 당직(當直)하는 사졸(士卒)에게 식사할 틈을 주는

식덕¹【食德】[명] ↗식구덕(食舊德). ∟명령.

식덕²【識德】[명] 학식과 덕행.

식도¹【食刀】[명] 식칼.

식-도²【食島】[명]〖지〗전라 북도 서해상, 부안군(扶安郡) 위도면(蝟島面) 식도리(食島里)에 위치한 섬. [0.86km²: 396명(1985)]

식도³【食道】[명] ①병량(兵糧)을 나르는 도로. 양도. ②〖생〗고등 동물의 소화관의 일부. 인두(咽頭)에서 위(胃)에 이르는 긴 관(管)으로, 삼킨 식물(食物)이 지나는 통로임. 곧, 기관(氣管)의 뒤를 통하여 경부(頸部)를 거쳐 위의 분문(噴門)에 이르는데 점막·근막(筋膜)·외막(外膜)으로 되어 있음. 밥줄. 밥길. *내장.

식도⁴【識度】[명] 견식(見識)과 도량(度量). 식량(識量).

식도-경【食道鏡】[명]〖의〗의료 기구의 한 가지. 입으로부터 식도의 안으로 삽입하는 금속성의 곧은 관인데, 광원(光源)으로써 직접 조명하여 그 내벽(內壁)의 관찰, 이물(異物) 제거 등에 쓰이는 기구. *내시경(內視鏡).

확대 망원경
전원으로
램프삽입관
가래흡출관
램프

〈식도경〉

식도 경련【食道痙攣】[—년] [명]〖의〗식도 아랫 부분에 발작적으로 경련을 일으키는 증상. 원인은 식도의 궤양(潰瘍)이나 염증(炎症) 또는 광견병(狂犬病)·파상풍(破傷風)·뇌막염·신경 쇠약·담배 남용 등임.

식-도락【食道樂】[명] 여러 가지 음식을 두루 맛보며 먹는 일을 도락으로 삼는 일. ¶ ~가(家).

식도 발성【食道發聲】[—썽] [명]〖의〗후두를 적출(摘出)하여 낸 무후두자(無喉頭者)의 발성법. 즉, 트림을 이용한 것으로 공기를 식도내에 삼키거나 흡인하여 역행하게 할 때 식도 입구부가 진동하여 음을 발생하며, 이것을 인두(咽頭)·구강(口腔) 등의 부속 관강(附屬管腔)에 전달하여, 그 형상에 의하여 모음과 자음을 발성하여 회화를 함. 식도 음성.

식도 부:지【食道—】[bougie] [명]〖의〗식도에 삽입하여 협착(狹窄)의 유무(有無)를 조사하는 의료 기구.

식도-샘【食道—】[명] [esophageal gland] 식도의 점막(粘膜) 밑 조직 사이에 있는 소화(消化)샘. 주로 점액을 분비하는데, 식도를 미끄럽게 하는 작용을 함. 식도선(腺).

식도-암【食道癌】[명]〖의〗식도에 발생하는 암종(癌腫). 목에 무엇이 자꾸 걸리는 듯한 느낌이나 압박감 등의 증상을 시초로, 식도 협착·연하(嚥下) 장애 등이 일어남. 보통 50-70세의 남자에 많음.

식도 연:화증【食道軟化症】[—쯩] [명]〖의〗죽은 뒤에 산성(酸性)의 위액(胃液)이 역류(逆流)하여 식도 하부에 이르러, 연화(軟化)를 일으

키는 사후 증상(死後症狀)의 하나.
식도-염【食道炎】[명]『의』식도의 염증(炎症). 식도 안의 상처나 강산(強酸) 또는 알칼리 등의 화학적 자극으로 생기는데, 식도가 곪고 매우 아픔. 치료 후 보통 식도 협착(食道狹窄)을 일으킴.
식도 음성【食道音聲】[명]『의』식도 발성(發聲).
식도-치【食道齒】[명] [esophageal teeth]『동』뱀 따위의 후경추(後頸椎)에 있는 돌기. 식도 안에 이 모양으로 나와 있으며 알을 깨뜨리는 기능이 있음.
식도 카메라【食道―】[camera] [명]『의』식도 안의 상태를 검사하기 위한 소형의 의학용 카메라.
식도 협착【食道狹窄】[명]『의』식도의 일부가 좁아져서 음식물을 삼키기 곤란한 증상. 암종(癌腫)·매독·이물 연하(異物嚥下)나 밖으로부터의 압박 등에 기인(起因)함.
식-되【食―】[명] 가정에서 곡식을 될 때에 쓰는 작은 되. 식승(食升). 가승(家升).
식돌 [명]〈방〉숫돌(전남).
식-때【食―】[명]〈방〉끼니때(함북).
식량¹【式量】[―냥] [명] [formula weight]『화』하나의 화합물을 화학식으로 표시했을 때, 그 성분 원자(成分原子)의 원자량의 합을 말함. 염화 나트륨(NaCl)처럼 단독 분자(單獨分子)의 존재를 확인하기 어려울 때 분자량의 대신으로 사용됨.
식량²【食量】[―냥] [명] 음식을 먹는 분량. [준]양(量).
식량³【食糧】[―냥] [명] 양식(糧食). ¶ ～난(難).
식량⁴【識量】[―냥] [명] 식견(識見)과 도량(度量). 식도(識度).
식량-난【食糧難】[―냥―] [명] 흉작(凶作)·인구 과잉 등으로 식량을 구하기 어려운 일.
식량 농도【式量濃度】[―냥―] [명]『화』용액의 농도를 나타내는 방법의 하나. 용액 1리터 중에 함유된 물질의 그램 분자 또는 그램 식량으로 나타냄. 단위는 몰(mol ; M) 또는 포르몰(formol ; F).
식량 문:제【食糧問題】[―냥―] [명]『사』인구(人口)와 식량과의 상대적 관계에서 발생되는 문제. 곧, 매년 산출·수입되는 식량과 증가하는 인구와의 수급(需給) 문제.
식량 연도【食糧年度】[―냥년―] [명]『농』식량 농산물의 수확을 기준으로 정한 연도. 한국에서는 쌀을 기준으로 잡아, 11월 1일부터 이듬해 10월 31일까지의 1년 동안을 미곡 연도라고 하는데, 구미(歐美) 각국에서는 소맥(小麥)을 주로 하여 7월부터 이듬해 6월까지로 정하고 있음. *미곡 연도.
식량 자급률【食糧自給率】[―냥―늘] [명] 한 나라의 식량 총공급량 가운데 국내 생산으로 공급되는 정도를 나타내는 지표.
식량-품【食糧品】[―냥―] [명] 식량이 되는 물건.
식려¹【式閭】[―녀] [명] 현인(賢人)이 사는 마을을 지날 때, 차 위에서 예(禮)를 함. ――-하다 [자][여불]
식려²【息慮】[―녀] [명]『불교』사려 분별을 멈추고 망념 망상(妄念妄想)을 억제함.
식려³【識慮】[―녀] [명] 식견(識見)과 사려(思慮).
식려 응심【息慮凝心】[―녀―] [명] 망념(妄念)과 망상(妄想)을 버리고 흐트러진 마음을 고요하게 하여 한 곳에 모음.
식력【識力】[―녁] [명] 사물을 식별하는 능력.
식련-성【食連星·蝕連星】[―년―] [명]『천』식변광성(蝕變光星).
식례¹【式例】[―녜] [명] 전부터 정해 놓은 일의 전례(前例).
식례²【式禮】[―녜] [명] ①예의(禮儀). ②의식(儀式).
식록【食祿】[―녹] [명] ①녹봉(祿俸). ②녹을 받아 먹음. ――-하다 [자][여불]
식록-사【食祿史】[―녹―] [명]『역』고려 때 각 고을의 이직(吏職)의 하나. 부식록정(副食祿正)의 다음임.
식록-정【食祿正】[―녹―] [명]『역』고려 때 각 고을의 이직(吏職)의 하나. 구등 이직(九等吏職)의 넷째 등급인 호정(戶正)에 해당함.
식록지-신【食祿之臣】[―녹―] [명] 나라의 녹봉(祿俸)을 받는 신하.
식료【食料】[―뇨] [명] ①음식의 재료. ②식료품.
식료-품【食料品】[―뇨―] [명] 음식의 재료가 되는 물품. 보통 육류·야채류 등, 주식품(主食品) 이외의 것을 가리킴. 식료(食料). ¶ ～상(商). *식품.
식료품 공업【食料品工業】[―뇨―] [명] 농산·수산 및 축산 자원을 재료로 하여, 식용으로 할 목적으로 가공 제작하는 경공업의 하나.
식료품-상【食料品商】[―뇨―] [명] 식료품을 전문으로 파는 상업. 또, 그 가게나 장수.
식료 화장품【食料化粧品】[―뇨―] [명] 자연 재배한 야채나 과일에서 채취한 색소·라놀린·벌꿀 등으로 만든 화장품. 예를 들면, 요구르트로 만든 로션(lotion), 딸기로 만든 클렌징 크림(cleansing cream) 따위.
식리¹【殖利】[―니] [명] 이익을 늘림. 요리(要利). 이식(利殖). 흥리(興利). ――-하다 [자][여불]
식리²【飾履】[―니] [명]『역』장례(葬禮)에 쓰이는 장식용 신. 보통, 금동판(金銅板)으로 만들며, 정교한 무늬가 조각되어 있음. 신라 고분(古墳)에서 많이 출토됨.
식리-계【殖利契】[―니―] [명] 이자(利子)로 재물을 늘이기 위한 계.
식림【植林】[―님] [명] 나무를 심어 수풀을 만듦. *조림. ――-하다 [자][여불]
식면【食麵】[명] 식면포(食麵麭).
식-면포【食麵麭】[명] 식빵.
식멸【熄滅】[명] ①불이 꺼져 없어짐. ②흔적도 없이 없애 버림. ――-하다 [자][타][여불]
식모¹【式帽】[명] 의식(儀式) 때에 쓰는 예모(禮帽).
식모²【食母】[명] ①남의 집에 고용되어 부엌일을 맡아 해 주는 여자. 식비(食婢). *가정부·부엌데기. ②『역』관아(官衙)에 딸린 여자 종의 하나.
식모³【息耗】[명] ①이익과 손실. ②증식(增殖)과 손모(損耗). ③길흉(吉凶). ④음신(音信). 소식(息消).
식모⁴【植毛】[명] ①털을 옮겨 심음. 몸의 털이 없는 부분에 털을 심는 일. ②브러시(brush) 제조 공정(工程)의 하나로서, 브러시의 대(臺)에 털을 심는 일. ――-하다 [자][여불]
식모-술【植毛術】[명]『의』음부 무모증(陰部無毛症)·반흔성 탈모증(瘢痕性脫毛症)·한센(Hansen)병의 눈썹 탈락 등의 경우에, 머리카락을 모근(毛根) 째로 떼어다가 털이 없는 곳에 옮겨 심는 방법. 현재에 있어서는 자기 털의 이식만이 가능함.
식목¹【拭目】[명] 눈을 씻고 자세히 봄. ――-하다 [자][여불]
식목²【植木】[명] 나무를 심음. 또, 그 나무. 식수(植樹). ――-하다 [자][여불]
식목 도감【式目都監】[명]『역』고려 때 관아(官衙)의 하나. 국가의 주요한 격식(格式)을 의정(議定)하던 기관으로 문종(文宗) 때에 설치되었으며 소위 금문 구관(禁門九官)의 하나임.
식목 도감 부:사【式目都監副使】[명]『역』고려 때 식목 도감의 버금 벼슬. 삼품(三品) 이상의 관원으로 시킴.
식목 도감사【式目都監使】[명]『역』고려 때 식목 도감의 으뜸 벼슬. 재신(宰臣)이 겸하던 것인데, 충선왕(忠宣王) 2년(1310)에 지밀직(知密直) 이하로 하게 하였음.
식목-일【植木日】[명] 국민 식수(植樹)에 의한 애림(愛林) 사상을 높이고 산지(山地)의 자원화를 목표로 제정한 날. 매년 4월 5일임.
식무변처-천【識無邊處天】[명]『불교』모든 욕망을 버리고 정신적으로만 사는 무색계 사천(無色界四天)의 첫째 하늘.
식-문화【食文化】[명] 식생활에 관한 문화.
식물¹【食物】[명] 먹거리.
식물²【植物】[명] [plant] 생물계를 동물과 함께 둘로 구분한 생물의 한 부문. 동물과의 차이점은 하등(下等) 식물에서는 분명하지 않으나 대체로 세포막(細胞膜)이 있고, 엽록소(葉綠素)를 가지고 있어 광합성(光合成)에 의해 독립 영양 생활을 함. 생식(生殖) 기관으로서는 꽃·포자낭(胞子囊) 등이 있고, 뿌리·줄기·잎을 갖추고 있는 것이 보통임. 분류학상 원핵(原核) 식물과 진핵(眞核) 식물로 크게 구분되며 원핵 식물은 세균류(細菌類)·남조류(藍藻類), 진핵 식물은 점균(粘菌)·조균(藻菌)·진균(眞菌)·홍조(紅藻)·규조(硅藻)·갈조(褐藻)·녹조(綠藻)·차축조(車軸藻)·선태(蘚苔)·양치(羊齒)·종자(種子) 식물 등의 문(門)으로 구분, 세균 식물부터 양치 식물까지를 은화(隱花) 식물, 그 외의 식물을 현화(顯花) 식물이라 함. 전세계에 약 35만 종이 분포함. ↔동물. *뭍살이.
식물 검:역【植物檢疫】[명] 병균·해충 등이 딴 지방으로부터 침입함을 막기 위하여 국가 또는 지방 자치 단체가 식물을 검사하고 병해충의 유무를 조사하며 또는 위험성이 있는 식물의 이동을 금지하는 조치. ↔동물 검역.
식물-계【植物界】[명]『식』①식물이 생존하는 세계. ②동물·균(菌)·원생(原生) 생물·모네라(Monera)와 함께 생물 분류 상, 최대의 단위를 이룸. 식물의 총칭. 1)·2) : ↔동물계. *계(界).
식물 계:통학【植物系統學】[명] 식물학의 한 분야. 식물의 계통 발생을 연구하고, 식물의 진화(進化)의 과정이나 역사를 밝히는 학문.
식물 고사병【植物枯死病】[―뼝] [명]『식』사과·배 따위의 작물에 박테리아가 기생하여 잎·가지·줄기가 검게 타고, 꽃·과실이 말라 죽게 되는 병. 그 세력이 맹렬하고 전염성(傳染性)이 강함.
식물구-계【植物區系】[명] [floral region]『식』세계 각지에 생육(生育)하는 식물의 전종류를 비교하여, 특징을 지닌 지역으로 분류한 각 지역. 큰 쪽으로부터 순서대로 구계계(區系界)·구계구(區系區)·지방(地方) 등으로 분류함. ↔동물 지리구.
식물 군락【植物群落】[―굴―] [명] [plant community]『식』토질·수온·수분(水分)·일광(日光) 등, 같은 환경 밑에서 모여 사는 식물의 집단. 하나의 군락을 이루는 식물의 종류는 동일한 종류 뿐만은 아님. 수생(水生) 식물 군락·건생(乾生) 식물 군락·염생(塩生) 식물 군락·양지(陽地) 식물 군락·음지(陰地) 식물 군락 등으로 크게 나뉨.
식물-극【植物極】[명] [vegetal pole]『생』난세포(卵細胞) 중, 난황(卵黃)이 치우쳐 있는 쪽의 극(極). 곧, 대부분의 동물의 난세포에는 그 난황이 한 모양으로 분포되어 있지 아니하고 한편으로 몰려 있는데, 발생적으로 식물극 쪽은 내배엽(內胚葉)으로 분화(分化)됨. 정극(靜極). ↔동물극(動物極). *난세포(卵細胞)·단황란(端黃卵).
식물 기간【植物期間】[명] [plant period] 식물이 성장하는 온도 조건이 일평균(日平均) 기온 5℃ 이상인 데서, 그러한 날이 계속되는 일수(日數). 식물의 북한(北限)을 이 일수로 나타내기도 함. 예를 들면, 전나무는 식물 기간이 100일 이상, 사과나무는 170일 이상의 지역에서 볼 수 있음.
식물 기관학【植物器官學】[명] 식물학의 한 분야. 식물형태학의 한 분과로서 식물의 기관의 구조와 기관 상호의 관계에 관해서 연구하는 학문.
식물 기재학【植物記載學】[명] [descriptive botany]『식』식물을 계통대로 분류하여 일정하게 명명(命名)하는 식물학의 한 분과.
식물 기후【植物氣候】[명]『기상』식물이 살고 있는 지표(地表) 부근의 기후. 식물의 종류·소밀(疎密)의 정도·높이 및 시기에 따라 변화함.
식물-납【植物蠟】[―랍] [명]『생』식물의 수피(樹皮)·잎·열매 등에서 채취하는 납. 목랍(木蠟)·카르나우바납(carnauba蠟) 등이 있음. *동물납.
식물-대【植物帶】[명] [plant zone]『식』지구 상의 식물의 분포를 몇 부분으로 나눈 것으로 주로 수직 분포(垂直分布)의 경우에 일컬음. 산록대(山麓帶)·관목대(灌木帶)·고산대(高山帶) 등으로 나누며, 온도·위도(緯度)에 따라 나눌 때는 북대(北帶)·신열대(新熱帶)·구열대(舊熱帶)·

남대(南帶) 등이 됨.

식물 도감【植物圖鑑】명 일정한 식물구계(植物區系) 안의 모든 식물을 채집하여 그 형상(形狀)·생태(生態) 등을 따져 그려 놓고 설명을 붙인 책. 식물지(植物誌).

식물 독소【植物毒素】명〔phytotoxin〕〖화〗①식물에 대하여 유독한 독소. ②식물에 의해서 만들어진 독소.

식물-망【食物網】명〔food web〕〖생〗생물의 먹이 연쇄(連鎖)의 관계를 그물의 코 모양으로 나타낸 것. 또, 그 관계를 말함.

식물 명실 도고【植物名實圖考】명〖책〗중국 청(淸)나라의 오기준(吳其濬; 1789-1847)이 지은 중국 식물의 도감(圖鑑). 1848년에 간행됨. 본편(本編) 38권, 장편(長編) 23권.

식물 무늬【植物—】[—니] 명 식물을 도안화한 무늬. ＊동물 무늬·기하학적 무늬.

식물 바이러스병【植物—病】〔virus〕[—뼝] 명 농작물 따위 고등 식물에 바이러스가 기생하여 발생하는 병. 식물 바이러스는 현재 300종 이상이 알려져 있고 거의 모든 재배 식물에 기생하며, 앞으로도 상당수가 발견될 것으로 여겨짐. 이 병에 걸린 식물은, 잎이 농담(濃淡)이 있는 모자이크상(狀)으로 되거나 식물 전체가 위축(萎縮)됨. 영양 번식 식물에서는 다음 세대에도 전염하고, 토양·종자에 의해서도 전염되는 것이 특징임. 특효 농약은 아직 없고, 예방은 건전한 종묘(種苗)나 저항성 품종의 이용, 접촉 감염의 방지, 매개 곤충의 구제 등에 의하여 실시함.

식물 발생학【植物發生學】[—쌩—] 명〖식〗개체로서의 식물 발생 및 식물 전체의 발생 순서(順序) 관계를 그 연구 대상으로 하는 식물학의 한 분과.

식물 발효【植物醱酵】명〔plant fermentation〕〖화〗식물 대사(代謝)의 하나. 분자상(分子狀)의 산소의 소비 없이 탄수화물이 부분적으로 분해되는 현상.

식물 방역법【植物防疫法】명〖법〗수출입 식물과 국내 식물을 검역하고 식물에게 해를 끼치는 동식물을 구제(驅除)하며, 그 만연(蔓延)을 방지하여 농업 생산의 안전과 증진에 기여하는 것을 목적으로 하는 법.

식물 병:리학【植物病理學】[—니—] 명〔plant pathology〕〖식〗식물병학(學)의 한 분야. 식물의 병의 징후·경과·원인, 병든 식물의 형태·기능·생리의 변화, 유행의 원인 등을 검토하고, 그 예방 및 치료의 방법을 강구하는 학문. ＊방제학(防除學).

식물병-학【植物病學】[—뼝—] 명〖식〗식물의 병에 관한 학문의 총칭. 그 원인·경과·치료 등에 따라 식물 병리학·식물 치병학(治病學), 실용적으로는 그 대상에 따라 수병학(樹病學)·식용 작물병학(食用作物病學)·과수병학(果樹病學) 등으로 나뉘고, 혹은 병원(病原)에 따라 식물 바이러스병학(virus病學)·세균병학(細菌病學)·균류(菌類)병학·비전염병학 등으로 구별됨.

식물 분류학【植物分類學】[—불—] 명〔systematic botany〕〖식〗식물을 그 형태와 번식의 양식 등에 의해 구분하여 그 계통을 세우는 학문. 동물과 같이 문(門)·강(綱)·목(目)·과(科)·속(屬)의 계단의 단위를 둠.

식물 분포【植物分布】명〖식〗지구 상의 지역에 따라 식물이 널려 있는 일. 또, 그 상태. 주로 토지·기후·온도에 가장 관계가 깊음.

식물 분포학【植物分布學】명〖식〗식물 지리학(植物地理學).

식물 사회학【植物社會學】명〔plant sociology〕〖식〗식물의 군락(群落)을 연구하는 식물학의 한 분과. 군락의 조성(組成)·천이(遷移)·군락과 환경의 관계 등을 연구 내용으로 함.

식물-산【植物酸】[—싼] 명〖화〗식물체 속에 포함되어 있는 산(酸). 곧, 옥살 산(酸)·시트르산(酸)·유기산(有機酸) 등.

식물-상【植物相】[—쌍] 명〔flora〕〖식〗①어느 지역에 생육하고 있는 식물의 전종류 또는 그 지역 내의 식물의 종류·성질·분포 및 그 이용 등을 기술한 저서(著書). ②어느 시대나 또는 크게 나눈 분류군(分類群)의 식물의 종류 전체.

식물 상아【植物象牙】명〔vegetable ivory〕 열대 아메리카나 솔로몬 제도에서 나는 상아야자 열매의 배유(胚乳). 빛이 희고 단단하여 상아 비슷함. 단추·양산의 손잡이·기구 등에 사용됨.

식물 색소【植物色素】명〖식〗식물체 내에 포함되어 있는 유색(有色) 물질의 총칭. 카로티노이드(carotinoid) 색소·플라보노이드(flavonoid) 색소·색소 단백질 등이 있음.

식물 생리학【植物生理學】[—니—] 명〔plant physiology〕〖식〗식물을 대상으로 한 생리학. 식물체 내에서의 물질 대사·호흡·생장(生長) 따위 생리 현상 및 그 원인을 연구 대상으로 하는 생물학의 한 분과.

식물 생장소【植物生長素】명 옥신(auxin)❶.

식물 생장 호르몬【植物生長—】명〔plant growth hormone〕식물체 내에서 생산되고 식물체의 생장에 영향을 주는 물질. 천연 옥신(天然 auxin)을 일컬음.

식물 생태 지리학【植物生態地理學】명〖식〗식물의 분포와 환경과의 관계를 연구하는 식물 생태학의 한 부문. ＊개체(個體) 생태학·군락(群落) 생태학.

식물 생태학【植物生態學】명〔plant ecology〕〖식〗식물과 그 환경 및 공생자(共生者)와의 관계를 연구하는 식물학의 한 분과.

식물 생화학【植物生化學】명 생화학의 한 분야. 식물을 재료로 하여 생명 현상(生命現象)을, 주로 화학적 수단에 의하여 연구하는 학문.

식물 섬유【植物纖維】명〖식〗식물성 섬유(植物性纖維). 식물 올실.

식물 섬유판【植物纖維板】명〔composition board〕식물 섬유로 된 판상(板狀) 제품의 하나. 기계적·화학적으로 식물 섬유를 펄프화해서 롤러로 압축하여 만듦.

식물-성【植物性】[—썽] 명 ①식물에서만 볼 수 있는 특질. 식물질. ②식물에서 얻어지는 것. ¶～ 단백질. 1)·2):↔동물성·광물성.

식물성 관능【植物性官能】[—썽—] 명〖생〗생물의 생명 현상(生命現象) 가운데, 영양·생식·생장(生長) 작용을 총괄적으로 일컫는 말. 이러한 것들은 식물에서도 볼 수 있는 생리 작용이므로 일컬음.

식물성 기관【植物性器官】[—썽—] 명〔vegetal organ〕〖생〗생물에 공통된 영양·호흡·생식의 작용을 맡는 기관. 곧, 소화기·호흡기·발광기(發光器)·순환기·배설기·생식기 등을 이름. ↔동물성 기관.

식물성 기능【植物性機能】[—썽—] 명〔vegetative function〕〖생〗호흡·배설·순환·생식 등과 같이 식물이나 동물에 있어서의 공통적인 생리적 기능. ↔동물성 기능.

식물성 단백질【植物性蛋白質】[—썽—] 명 식물체에 존재하는 단백질. ↔동물성 단백질.

식물성 먹이【植物性—】[—썽—] 명 식물성 사료.

식물성 비:료【植物性肥料】[—썽—] 명 식물질 비료.

식물성 사료【植物性飼料】[—썽—] 명 식물계(界)에서 얻어지는 채소·곡물·풀뿌리·열매 등의 사료. 식물성 먹이.

식물성 섬유【植物性纖維】[—썽—] 명〖식〗식물로부터 얻어지는 섬유. 주성분은 섬유소(纖維素)이며 동물성 섬유보다는 열(熱)의 전도(傳導)와 흡습성(吸濕性)이 좋고 알칼리에 강함. 무명과 같이 열매에서, 대마(大麻)·아마(亞麻)와 같이 인피(靭皮)에서, 마닐라삼과 같이 잎에서 채취하는 것 등 여러 가지가 있음. 실·직물(織物)·종이 등의 원료가 됨. 식물 섬유. ↔동물성 섬유·광물성 섬유.

식물성 식품【植物性食品】[—썽—] 명 식물계에서 얻어지는 음식물. ↔동물성 식품.

식물성 신경【植物性神經】[—썽—] 명〖생〗자율 신경(自律神經).

식물성 신경계【植物性神經系】[—썽—] 명〔vegetative nervous system〕〖생〗인체의 내장근(內臟筋)·선(腺) 등의 신경 지배를 통하여, 순환(循環)·소화(消化) 등 식물성 기능의 통어(統御)·조절을 하는 자율(自律) 신경계의 일컬음.

식물성 염:료【植物性染料】[—썽—뇨] 명〔vegetable dye〕〖화〗식물의 꽃·잎·나무껍질·열매·뿌리 등에서 얻어지는 천연(天然) 물감. 쪽·꼭두서니 같은 것. 식물 염료. ↔동물성 염료·광물성 염료.

식물성-유【植物性油】[—썽뉴] 명 식물성 유지.

식물성 유지【植物性油脂】[—썽—] 명〔vegetable oil〕〖식〗식물의 씨·과실 등에서 짜낸 기름. 건성·반건성(半乾性)·불건성유(不乾性油)로 나누이며, 아마인유·동유(桐油)·참기름·올리브유·낙화생유·콩기름 등이 있음. 식용·등용(燈用)·도료(塗料) 기타 공업용으로 널리 쓰임. 식물성유(油). 식물유(植物油). 식물 유지(植物油脂).

식물성 착색료【植物性着色料】[—썽—뇨] 명 다량의 색소(色素)를 함유하는 식물의 뿌리·잎·열매 등을 물에 우린 즙을 응고(凝固)시켜 추출(抽出)한 것. 흔히 이것으로 식물성 물감을 만들어 냄.

식물성 카:본【植物性—】〔carbon〕[—썽—] 명〔vegetable black〕목재 등과 같은 식물질(植物質)의 불완전 연소나 건류(乾溜)에 의해 만들어진 탄소.

식물성 편모충류【植物性鞭毛蟲類】[—썽—뉴] 명〖동〗〔Phytoflagellata〕유편류(有鞭類)에 속하는 한 아강(亞綱). 가장 식물적(的)인 동물로 영양법(營養法)은 전혀 식물적이고 대개 입이 없음. 2-4개의 편모(鞭毛)가 있고 주로 민물에 사나 바다에 사는 것도 있음. 이 유(類)는 식물과 동물의 중간으로 계통이 아직 분명하지 않음. 식편류(植鞭類).

식물성 플랑크톤【植物性—】〔plankton〕[—썽—] 명〖식〗식물 플랑크톤(植物 plankton).

식물 세:포학【植物細胞學】명〔plant cytology〕〖식〗식물 해부학(解剖學)의 한 분과. 주로 식물 세포의 발생·조직을 연구함.

식물수[—쑤] 명〈방〉실물수(失物數).

식물 숭배【植物崇拜】명 식물 또는 수풀에 신령이 있다고 믿고, 이에 예배하고 신성시하는 만유신론(萬有神論)의 한 형태. ＊서낭.

식물 심장독【植物心臟毒】명〔plant heart poison〕〖약〗디기탈리스(digitalis) 등의 식물에 포함된 배당체(配糖體). 강심 작용(強心作用)이 있어 약으로 이용됨.

식물-암【植物岩】명〖광〗식물체의 퇴적(堆積)이나 변성(變性)으로 이루어진 암석(岩石).

식물 연쇄【食物連鎖】[—련—] 명〖생〗먹이 연쇄.

식물 염기【植物塩基】명〔plant base〕〖화〗①알칼로이드(Alkaloid). ②넓은 뜻으로는, 식물성 아민류(amine類). 알칼로이드·퓨린(purine) 염기 등이 있음.

식물 염:료【植物染料】[—뇨] 명〖화〗식물성 염료.

식물 올:실【植物—】명 식물 섬유(植物纖維).

식물-원【植物園】명 여러 가지 식물을 수집하여, 연구·보급·보호 또는 관람을 위해 재배하는 시설. 서울의 남산(南山) 식물원 따위.

식물-유【植物油】[—류] 명〖식〗식물성 유지(油脂). ↔동물유·광물유.

식물 유전학【植物遺傳學】명〖식〗식물의 유전 현상을 연구 대상으로 하는 식물학의 한 분과.

식물 유지【植物油脂】[—류—] 명 식물성 유지.

식물 인간【植物人間】명 대뇌의 상해(傷害)로 의식이나 운동성(運動性)은 없으나, 뇌간부(腦幹部) 이하에 이상이 없기 때문에 호흡이나 순환(循環)은 유지되는 환자. 뇌 기능은 고차(高次)의 기능과 저차(低次)의 원시적 기능으로 나누어지나, 그 중 전자(前者)가 상실된 상태. 최근, 의학과 사회 윤리상 '인간의 존엄성'에 관한 문제로서 주목되고 있음.

식물 조직학【植物組織學】명〖식〗내부 형태학(內部形態學).

식물 중독[1]【食物中毒】명〖의〗식중독(食中毒).

식물 중독[2]【植物中毒】명〖의〗유독 식물에 닿거나 또는 이것을 먹음으로써 일어나는 중독 증상. 옻에 살갗이 닿아 옻오르는 일, 독버섯을 먹고 중독되는 일, 볏과 식물(科植物)의 화분(花粉)으로 비성 천식(鼻性喘息)에 걸리는 일 등이 이 예임.

식물-지【植物誌】명 식물 도감(植物圖鑑).

식물 지리학【植物地理學】명〔plant geography〕『식』 지구 상의 식물 분포 상태를 연구하고 그 종류를 비교·분류하여, 전세계의 식물구계(植物區系)를 밝혀 그 성립 원인 등을 구명하는 학문. 식물 분포학.

식물-질【植物質】[─찔] 명 ①식품 중에서, 주로 식물 또는 그것을 가공하여 만들어진 것. ②식물성❶. ↔동물질.

식물질 비:료【植物質肥料】[─찔─] 명『농』 식물계에서 얻어지는 비료. 풋거름·깻묵·농산물의 찌끼·짚 따위. 질소·인산(燐酸)·칼륨 따위가 함유되어 있어, 토양(土壤)에 양분을 주며, 토성(土性)을 개량하는 성질이 있음. 식물성 비료. ↔동물질 비료·광물질 비료.

식물 채:집【植物採集】명『식』 학습·학술 상의 필요로, 들·산·바다의 식물을 채취(採取)하여 모음. ──-하다 자여불 「용 상자.

식물 채:집통【植物採集筒】명 함석 등으로 만든 야외에서의 식물 채집

식물-체【植物體】명 식물로서의 유기체(有機體). ↔동물체·광물체.

식물 특허【植物特許】명 농작물의 우수한 신품종(新品種) 또는 신계통(新系統) 따위의 육성의 권리의 보호나 보급을 도모할 목적으로 정해진 제도. 미국·이탈리아 등에도 같은 제도가 있음.

식물 표본【植物標本】명『식』 식물을 채집하여 계통적으로 분류하여 만든 표본. 「발생하는 병.

식물 풍토병【植物風土病】[─뺑] 명 특정 지역의 식물에 규칙적으로

식물 플랑크톤【植物─】명〔phytoplankton〕『생』 플랑크톤으로 되어 있는 식물. 엽록소(葉綠素) 기타의 색소(色素)를 갖는 조류(藻類)로, 광합성(光合成)에 의한 독립 영양(營養)을 영위(營爲)함. 수계(水界)에서, 제1차 생산자(生產者)로서 물질 순환상(循環上) 중요한 역할을 함. 식물성 플랑크톤.

식물-학【植物學】명〔botany〕『식』 동물학에 상대되는 생물학의 한 부문. 식물에 관한 모든 사항을 연구하는 자연 과학. 순정(純正) 식물학 및 응용(應用) 식물학으로 크게 나뉘고, 다시 식물 발생학·식물 형태학(形態學)·식물 생태학·식물 생리학·식물 유전학·식물 분류학(分類學)·식물 지리학(地理學)·고생(古生) 식물학 등의 여러 분과로 나뉨. ↔동물학(動物學). 「동물학과.

식물학-과【植物學科】명『교』 대학에서, 식물학을 전공하는 학과. *

식물 해:부학【植物解剖學】명〔phytotomy〕『식』 내부 형태학.

식물 형태학【植物形態學】명〔plant morphology〕『식』 식물학의 한 분야. 외부(外部) 형태학·내부(內部) 형태학으로 대별되는데, 보통은 전자(前者)만을 가리킴. 식물체 및 그 각 부분의 형상·특징·구성·변태(變態) 및 상호 관계를 상세히 연구하여 식물체에서 볼 수 있는 규칙성·법칙성을 밝히는 학문으로, 분류학의 기초가 됨.

식물 호르몬【植物─】명〔vegetable hormone〕『생』 식물의 체내에서 합성되어, 형태 형성 또는 생장 등을 촉진·억제하는 유기물. 생장 호르몬·상해(傷害) 호르몬(세포 분열 호르몬)·균 증식(菌增殖) 호르몬·개화(開花) 호르몬 등으로 나뉘며, 천연 옥신(auxin) 등이 있음. *동물 호르몬.

식물 화:석【植物化石】명〔phytolith〕 옛날에 살았던 식물의 유해(遺骸)가 광물질로 변해서 생긴 화석.

식물 화:석학【植物化石學】명『식』 식물의 화석을 모아 지층별로 구별하여 그 시대의 자연 환경과를 비교 연구함으로써, 식물의 기원 및 그 발달 상황을 캐는 학문. 고생(古生) 식물학. 「의 전신.

식물 환경 연:구소【植物環境硏究所】[─년─] 명 '농업 기술 연구소'

식미¹【式微】명 세력이 쇠퇴하여 미약함. ──-하다 형여불

식미²【食味】명 먹는 맛. 입맛. 「를 놓다.

식미³【食糜】명 밥과 죽이나 미음. 먹고 마시는 것. ¶ ~를 전폐하다/~

식민【植民·殖民】명 어떤 나라의 국민 또는 단체가 그 본국과 정치적 종속 관계에 있는 땅에, 자국민(自國民)이 영주(永住)의 목적으로 이주하여 경제적으로 개척·활동하는 일. 또, 그 이주민. ──-하다 자여불

식민-국【植民國】명 식민지를 가지고 식민 사업을 하는 나라.

식민-사【植民史】명『역』 세계 각국의 식민 운동에 관한 역사. 곧, 식민지의 획득·유지(維持)·발전·상실(喪失)에 관한 역사.

식민-시【植民市】명『역』〔그 Apoikia: 분리된 집의 뜻〕 고대의 도시국가가 식민의 목적으로 새로 건설한 도시. 고대 그리스 사람이 식민 시대에, 발칸 반도 남단(南端)을 비롯하여 서쪽으로 스페인·프랑스의 지중해 해안, 이탈리아 해안, 남쪽으로 아프리카 북안(北岸), 북쪽으로 흑해(黑海) 연안에 걸치는 각지에 건설한 해안 도시. 상업 거래의 거점이며, 모국(母國)에서 완전히 독립한 신국가이었던 것이 가장 큰 특색임.

식민 정책【植民政策】명 식민지의 통치(統治)·경영에 관한 정책. 식민지를 본국(本國)을 위해 유효(有效)하게 이용할 것을 목적으로 행하여 짐. 식민지 정책.

식민-주의【植民主義】[─/─이] 명〔colonialism〕『정』 한 민족의 발전·이동에 따라 그 경제적·정치적인 세력을 자국 외의 토지에 이민하고, 다시 이 토지와 정치적 종속 관계를 맺어 자국의 영토로 하려는 제국(帝國)주의적 침략 정책을 위주로 하는 사상. 식민지주의.

식민-지【植民地】명 본국 외에 있어 본국의 특수 통치를 받는 지역. 경제적으로는 본국에 대한 원료 공급지·상품 시장·자본 수출지가 되며, 정치적으로는 속령(屬領)이 되는데, 본국의 통치권에 대한 복종의 도(度)가 미약한 것을 반식민지라 일컬음.

식민지 정책【植民地政策】명『정』 ①인구의 자연 증가에 수반해서 민족이 신천지(新天地)를 찾아 행하는 이주(移住) 활동. ②식민 정책.

식민지-주의【植民地主義】[─/─이] 명『정』 ①식민 정책(植民政策). ②식민주의.

식민지 칠년 전:쟁【植民地七年戰爭】[─련─] 명『역』 칠년 전쟁과 관련하여 북미(北美)와 인도에서 일어난 영국과 프랑스 간의 식민지 쟁탈전. 북미에서의 전쟁은 특히 프렌치 인디언 전쟁이라고도 함.

식민 행정【植民行政】명『정』 식민지에서의 본국 정부의 통치 행정. 본국의 식민 정책에 따라 파견된 관리가 그 임무에 당함.

식민 회:사【植民會社】명 식민지의 개발·경영 및 무역을 목적으로 하는 상사 회사(商事會社). 영국의 동인도(東印度) 회사, 일본의 척식(拓殖) 회사는 그 대표적인 것이었음.

식반【食盤】명 음식을 올려 놓는 소반.

식변【飾辯】명 변설(辯舌)을 잘 꾸밈. ──-하다 자여불

식-변광성【食變光星·蝕變光星】명〔eclipsing variable〕『천』 주기적(周期的) 변광(變光)의 원인이 쌍성(雙星)의 주성(主星)과 반성(伴星)과의 식현상(食現象)에 의한 것이라고 생각되는 변광성. 식쌍성(食雙星). 식련성(食連星).

식별【識別】명 알아서 구별함. 분별하여 알아봄. 변별(辨別). ──-하다

식별-등【識別燈】명 항공기 등에 단 유색등(有色燈). └타여불

식별-력【識別力】명 알아서 구별하는 능력. 판별력.

식별-역【識別閾】[─력] 명『생·심』 빛·소리의 식별의 경우처럼 어떤 작용인(作用因)의 양적(量的) 차이의 자극 효과에 관한 역(閾). 자연 과학적으로 계산하는 것은 불가능하고, 물리량·화학량(化學量)으로 측정(測定)이 가능함. 변별역. *베버(Weber)의 법칙·역(閾).

식보【食補】명 좋은 음식을 먹고 원기를 보함. ──-하다 자여불

식복¹【食復】명『한의』 중병(重病)을 치르고 회복기에 이르러 음식을 잘못 먹어 병이 더치는 일. 또, 그 병.

식복²【食福】명 먹을 복. ¶ ~이 없다.

식봉【食封】명『역』 중국에서 공신(功臣)에게 내리던 채읍(采邑). 봉작(封爵)과 같이 자손에게 대대로 상속됨. 식읍(食邑). *허봉(虛封)·실봉(實封).

식부¹【息婦·媳婦】명 며느리. 「하다 타여불

식부²【植付】명『농』 ①나무나 풀을 심음. ②모내기. ¶ ~ 면적. ──-

식분【食分·蝕分】명〔phase of eclipse〕『천』 일식(日食) 또는 월식(月食) 때에 태양이나 달이 이지러진 정도. 태양 또는 달의 직경(直徑)에 대한 이지러진 부분의 폭(幅)의 비율.

식불【拭拂】명 깨끗이 닦고 씀. ──-하다 타여불

식-불감【食不甘】명 식불감미(食不甘味). ──-하다 형여불

식-불감미【食不甘味】명 근심 걱정으로 음식을 먹어도 맛이 없음. 식불감(食不甘). ──-하다 형여불

식-불언【食不言】명 음식을 먹을 때는 쓸데없는 말을 아니함.

식브다 보형 싶다. ¶ 쎠롤 쎠요니 미츄미 나 마장 우르고져 식브니(東帶 └發狂欲大叫)≪初杜諺 X:28≫.

식비¹【食婢】명 식모(食母)❶.

식비²【食費】명 식사의 비용. 식대(食代). 밥값.

식비³【植肥】명 모를 심을 때 주는 비료. 「식비(言足以飾非).

식비⁴【飾非】명 교묘한 말과 수단으로 잘못을 얼버무리는 일. *언족이

식빙【食氷】명 식용(食用)으로 하는 얼음.

식빵【食─】명 밀가루에 효모(酵母)를 넣고 반죽하여 구워 만든 주식용(主食用)의 빵. 식면포(食麪麭). 식면(食麪).

식사¹【式事】명 의식(儀式)의 행사(行事).

식사²【式辭】명 식장(式場)에서 그 식에 관하여 인사말을 함. 또, 그 말이나 글. ──-하다 자여불 「함. ──-하다 자여불

식사³【食事】명 음식을 먹음. 또, 그 음식. 보통, 끼니로서의 음식을 말

식사⁴【食思】명 식욕(食慾).

식사⁵【飾詐】명 남을 속이기 위하여 거짓을 꾸밈. ──-하다 자여불

식사⁶【飾辭】명 듣기 좋게 꾸며서 하는 말. 허식(虛飾)으로 하는 말.

식사-법【食事法】[─뻡] 명 식사하는 방법이나 예법.

식사성 당뇨【食事性糖尿】[─썽─] 명『의』 식이성(食餌性) 당뇨.

식산【殖産】명 ①생산물을 더욱 늘림. ②재산을 불리어 늘림. 식재(殖財). ──-하다 자여불

식산 포장【殖產褒章】명 산업의 개발 또는 발달에 기여하거나 실업(實業)에 정려(精勵)하여 그 공적이 뚜렷한 사람에게 수여하던 포장. '산업 포장'으로 바뀌었음.

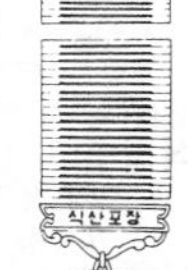

〈식산 포장〉

식산 흥업【殖産興業】명 생산을 늘리고, 산업을 일으킴. ──-하다 자여불

식상¹【式床】명 의식에 사용하는 상(床).

식상²【食上】명 밥을 먹는 그 당장.

식상³【食床】명 밥상.

식상⁴【食傷】명 ①『한의』 먹은 음식이 소화되지 아니하여 복통(腹痛)·토사(吐瀉) 등이 나는 병. ②같은 음식이나 사물의 되풀이로 물림. ──-

식상⁵【植桑】명 뽕나무를 심음. ──-하다 형여불 └하다 자여불

식상⁶【植傷】명 이식(移植)할 때 생기는 모의 상처.

식상⁷【蝕像】명〔etching figure〕『광』 부식산(腐蝕酸)을 광물의 결정면(結晶面)에 부을 때, 결정면에 생기는 고유한 부식상(像).

식색【食色】명 식욕(食慾)과 색욕(色慾)의 대상.

식생【植生】명〔vegetation〕『생』 어떤 구역에서 생활하고 있는 식물의 집단. 그 지역의 대표 식물에 의하여 분류하며, 조성(組成)·크기는 엄밀히 정해져 있지 아니함. 동일종의 식생을 순식생, 이종(異種)이 혼합한 것을 이종 식생이라고 함. 식피(植被).

식생-도【植生圖】명〔vegetation map〕『식』 일정한 단위로 분류한 식물 군락(植物群落)의 지리적(地理的) 분포를 지도 상에 나타낸 것. 군락도(群落圖). 「을 모체로 한 학문.

식생-학【植生學】명『식』 식물 지리학·식물 사회학을 가리키며 생태학

식-생활【食生活】명 먹고 사는 생활. ¶ ~ 개선 운동. 「幅).

식서【飾緖】명 피륙의 올이 풀리지 아니하게 짠 그 가장자리. 변폭(邊

식석【飾石】명 보석보다는 품질이 낮으나, 장식에 쓰이는 돌. 수정·호박·마노·월장석(月長石)·비취·벽옥(碧玉) 등.

식선【食膳】명 ①음식. ②상에 차린 음식.

식설【飾說】명 겉을 번드르르하게 꾸민 설(說).

식성【食性】명 ①음식에 대하여 좋아하고 싫어하는 성미. ②『동』동물의 섭식 상(攝食上)의 습성(習性). 초식성·육식성·잡식성(雜食性)·부식성(腐食性)·단식성(單食性)·다식성(多食性)·협식성(狹食性)·광식성(廣食性) 등으로 구별됨.

식-세포【食細胞】명〔phagocyte〕『생』혈액 또는 조직 안을 떠돌아다니면서 세균이나 이물(異物) 또는 조직의 분해물(分解物)을 포식(捕食)하는 세포. 백혈구·대(大)식세포 등. 세망 내피계(細網內皮系)의 세포처럼 유주(遊走)하지 아니하는 것을 포함하여 말하기도 함. 식균(食菌)세포. ＊식포(食胞).

식세포 작용【食細胞作用】명〔phagocytosis〕『생』메치니코프가 제창한 말로서, 병원 미생물(病原微生物)이나 이물(異物)을, 식세포(食細胞)가 자체의 포체(胞體) 안에 넣어서 무해(無害)한 것으로 처리하는 작용. 식균 작용(食菌作用). 식작용(食作用).

식세포 활동【食細胞活動】〔—똥〕명『생』식세포 작용.

식소【食素】명 식품(食品)에 필요 불가결(必要不可缺)한 단백질(蛋白質)·지방·탄수화물(炭水化物)·물·광물질의 다섯 가지를 일컬음.

식-소라 명 ☞밥소라. 주의 '食所羅'로 씀은 취음. 「여불

식소 사:번【食少事煩】명 먹을 것은 적고 할 일은 많음. ——-하다 형

식속【食粟】명 먹고 사는 살림 형편.

식솔【食率】명 집안에 딸린 식구(食口). 식구. ¶ 많은 ～을 거느리다.

식송【息訟】명 서로 화해하여 소송(訴訟)을 그침. ＊사화(私和). ——

식송 망:정【植松望亭】명 '솔 심어 정자'의 뜻. ㄴ하다 타여불

식수[1]【食水】명 식용(食用)으로 쓰는 물. 음료수(飮料水).

식수[2]【食數】명 뜻밖에 음식을 먹게 되는 재수. 「——-하다 자여불

식수[3]【植樹】명 나무를 심음. 또, 심은 나무. 식목(植木). 수식(樹植).

식수-난【食水難】명 식수의 부족으로 겪는 어려움.

식수-대【植樹帶】명 길거리나, 광장(廣場) 등에 나무를 심으려고 마련

식-수유【食茱萸】명『식』머귀나무❶. ㄴ한 터전.

식수-일【植樹日】명 미국의 식목일. 아버 데이(Arbor Day).

식수 조:림법【植樹造林法】〔—뻡〕명 묘목(苗木)을 심어서 수풀을 만

식수-통【食水桶】명 물통(桶)❶. ㄴ드는 방법.

식순【式順】명 의식(儀式)을 진행하는 순서. ¶～에 따라.

식순-이【食順—】명〈속〉식모(食母). 가정부. ＊공순(工順)이.

식스〔six〕수 여섯.

식스의 온도계【—溫度計】〔Six〕〔—/—에—〕명『물』〔'식스'는 발명자인 영국인 식스(Six, J.)의 이름〕수은과 알코올을 사용한 최고 및 최저 온도계의 한 가지.

식승【食升】명『역』옛날, 민가(民家)에서 곡물을 되던 되. 열 작(勺)을 한 홉, 열 홉을 한 되, 열 되를 한 말, 열 다섯 말을 소곡(小斛) 또는 평석(平石), 스무 말을 대곡(大斛) 또는 전석(全石)이라 하였음. 식(食)

식시【食時】명 끼니때. ㄴ되. 가승(家升). ＊시승(市升)·관승(官升).

식-시무【識時務】명 시무를 잘 앎. 「여불

식:식 부 숨을 매우 가쁘게 쉬는 소리. ㅆ씩씩. ＞색색[2]. ——-하다 자

식:식-거리다 자 숨을 연해 가쁘게 쉬며 식식 소리를 자꾸 내다. ㅆ씩씩

식:식-대다 자 식식거리다. ㄴ거리다. ＞색색거리다.

식신[1]【食神】명『민』음식을 맡은 귀신.

식신[2]【息愼】명『역』숙신(肅愼).

식신[3]【識神】명『불교』마음과 영혼. 「고 풀어서 정함.

식신-방【食神方】명『민』길한 방위의 하나. 사람의 생년(生年)을 가지

식심[1]【食甚·蝕甚】명〔maximum obscuration〕『천』일식·월식에 있어서, 식분(蝕分)이 가장 심한 때. 「식(八識)의 구별이 있음.

식심[2]【識心】명『불교』사물을 깨달아 아는 정신 작용. 육식(六識)과 팔

식-심통【食心痛】명『한의』음식(飮食)의 탈로 가슴과 배가 아픈 병.

식-쌍성【食雙星·蝕雙星】명〔eclipsing binary〕『천』주성(主星)과 반성(伴星)의 궤도면(軌道面)이 우리의 시선(視線)과 일직선(一直線) 상에 있으면서 식현상(食現象)을 일으키는 쌍성. 실시 광도(實視光度)가 변하는 변광성(變光星)임. 식(食)변광성.

식야【識野】명〔field of consciousness〕『심』어떤 순간에 있어서의 의

식양【息壤】명 식토(息土)❷. ㄴ식 경험의 전범위. 의식야(意識野)

식양-법【食養法】〔—뻡〕명『의』일정 시간 동안 식이(食餌)를 정지하였을 때 일어나는 기아(饑餓) 현상을, 질병 치료에 응용하는 방법. 당뇨병·소화 불량증 등에 행함.

식양-학【食養學】명『의』식이(食餌)에 의한 질병 치료법 및 건강 증진법의 이론과 실제를 연구하는 학문. 영양학(營養學)의 응용적 방면임.

식언【食言】명〔한번 입 밖에 낸 말을 도로 입 속에 넣는다는 뜻〕앞서 한 말이나 약속과 다르게 말함. 거짓말을 함. ¶ ～을 일삼다. ——-하다

식업【識業】명 견식(見識)과 학업(學業). ㄴ자여불

식역【識閾】명〔threshold of consciousness〕『심』어떤 의식(意識) 작용의 생기(生起)와 소실(消失)과의 경계. 무의식에서 의식에 이르거나 또는 의식에서 무의식에 이르는 경계에 있어서의 심리적 상태의 기준. 의식역(意識閾). ＊역(閾).

식역-증【食㑊症】명『한의』창자 안의 적열(積熱)로 말미암아, 음식을 많이 먹어도 몸이 파리하여지는 병.

식열[1]【食悅】명 먹고 싶은 것 또는 맛있는 것을 배불리 먹는 즐거움.

식열[2]【食熱】명 어린 아이가 과식(過食)하여 나는 신열.

식염【食鹽】명『화』식용(食用)의 소금. ＊소금.

식염-수【食鹽水】명 ①식염을 탄 물. 소금물. ②『약』↗생리적 식염수.

식염수 주:사【食鹽水注射】명『의』식염 주사.

식염-유【食鹽釉】〔—뉴〕명『공』가마에 그릇을 넣고 굽다가, 젖은 소금을 끼얹어, 양잿물의 작용을 기면(器面)에 일으키게 한 것. 타일·기와 등.

식염 주:사【食鹽注射】명『의』생리적 식염수(生理的食鹽水), 곧 멸균(滅菌) 소독한 0.85%의 식염수를 혈관 또는 피하(皮下)에 주사하는 일. 피의 대용이 되며, 허탈(虛脫)할 때 심장을 자극 흥분시키고, 콜레라·적리(赤痢) 등의 경우에는 수분·열(熱)의 보급이 되며, 중독(中毒)일 때는 혈액을 희박하게 하여 이뇨(利尿)와 해독(解毒)의 작용을 함. 식염수 주사. 염수(塩水) 주사.

식염-천【食鹽泉】명〔common salt springs〕물 1 kg 속에 1 g 이상의 식염의 고형분(固形分)을 함유하는 온천의 총칭. 욕용(浴用)으로는 만성 류머티즘·통풍·혈관 경화증 등에, 음용(飮用)으로는 만성 소화기병에

식예[1]【植藝】명 수예(樹藝). ㄴ유효함. 염천(塩泉).

식예[2]【識藝】명 견식과 재예(才藝).

식온【識蘊】명〔범 Vijnāna-skandha〕『불교』오온(五蘊)의 하나. 외계에 대하여 사물의 총상(總相)을 식별하는 마음의 본체.

식욕【食慾】명 음식을 먹고 싶은 욕망(慾望). 식사(食思). 밥맛.

식욕 부진【食慾不振】명 식욕이 줄어드는 상태. ——-하다 자여불

식욕 이:상【食慾異常】명『의』식욕에 대한 기욕(嗜慾)이 비정상인 상태. 다식증·탐식증 등의 식욕 증진(增進)과 퇴식증(退食症)·식욕 부진증(不振症) 등의 식욕 감퇴 및 식욕 도착증(倒錯症) 등으로 분류됨.

식용【食用】명 먹을 것에 씀. ¶ ～유(油)/～ 버섯. ——-하다 타여불

식용-개구리【食用—】명『동』〔*Rana catesbiana*〕개구릿과에 속하는 개구리의 하나. 몸길이 17-20cm이고, 수컷의 배면(背面)은 암녹색에 담흑색 반점(斑點)이 있고 복면은 백색, 목 밑은 담황색이며 암컷은 배면이 갈색에 흑색 반문이 있고 목 밑은 담흑색 반점(斑點)이 있음. 뒷다리에 물갈퀴가 발달하고 고막(鼓膜)이 크며, 5월에 나와 소와 비슷한 굵은 소리로 욺. 6-8월에 알을 낳는데 올챙이는 길이 10cm 가량임. 북미(北美) 원산. 고기 맛이 닭고기와 비슷하여 유럽 및 중국·일본 등에서 요리(料理)로 씀. 한국에서도 수입하여 사육함.

〈식용개구리〉

식용-균【食用菌】명 식용(食用)으로 하는 고등 균류(菌類). 석이(石栮)·송이(松栮)·송로(松露)·표고·싸리버섯 등. 식용 버섯.

식용-근【食用根】명『식』식용으로 하는 식물의 뿌리 또는 근경(根莖). 대개는 비대(肥大)하여 조직 중에 전분(澱粉)과 같은 영양(營養)물질을 저장하고 있음. 고구마·무·감자·토란 등.

식용 기름【食用—】명 식용유(食用油).

식용-달팽이【食用—】명『동』①식용으로 하는 달팽이. ②〔*Helix pomatia*〕식용으로 하는 달팽이의 하나. 껍데기의 높이 및 직경이 45 mm 가량이며, 구형(球形)을 이루고 담황색임. 프랑스에서는 포도밭에서 기르는데, 그 요리는 유명함.

식용 대:황【食用大黃】명『식』루바브(rhubarb).

식용 동:물【食用動物】명 동물 자원의 하나로 식용에 쓰이는 동물.

식용-물【食用物】명 식료품(食料品).

식용 버섯【食用—】명 먹을 수 있는 버섯. 식용균(菌).

식용-비둘기【食用—】명『조』고기를 먹을 목적으로 개량(改良)하여 사육하는 비둘기. 산비둘기보다 몸무게가 두 배나 무겁고 번식력이 강대하며, 자라는 기간도 빠름.

식용 색소【食用色素】명 음식물의 빛을 아름답게 하기 위하여 착색(着色)하는 데 쓰이는 색소(色素). 맛이 쓰지 아니하고, 인체(人體)에 해가 없으며, 향기가 있는 것으로 씀.

식용 식물【食用植物】명『식』사람이 식용할 수 있는 식물의 총칭. 주로 어린 잎·뿌리·줄기·꽃 등을 먹는데, 재배하는 농작물(農作物)을 비롯하여, 고사리·더덕·쑥·비름·물레나물·돌나물 등과 구황용(救荒用)의 피·강아지풀 등.

식용-유【食用油】〔—뉴〕명 15°C에서 완전한 액상(液狀)이 되는 식용의 기름. 올리브유·참기름·콩기름·낙화생 기름·야자유(椰子油) 등의 식물성 기름 외에, 경유(鯨油)·어유(魚油) 등의 동물성 기름이 있음. 식용 기름. 준식유. 「기·닭고기 등. 준식육.

식용-육【食用肉】〔—뉵〕명 식용으로 하는 고기. 곧, 쇠고기·돼지 고

식용 작물【食用作物】명 식용으로 하는 농작물. 곡식·채소·과일 등.

식용 작물병학【食用作物病學】〔—뼝—〕명 식용 농작물을 연구 대상으로 하는 식물병학. ＊수병학(樹病學).

식용-품【食用品】명 식료품(食料品). 「기개가 있음의 비유.

식우지-기【食牛之氣】명 ①소라도 삼킬 만한 기개. ②나이는 어리나 큰

식원-복【食遠服】명『의』밥을 먹은 뒤 한참 있다가 약을 먹는 일. ↔공심복(空心服). ＊식후복(食後服). ——-하다 타여불

식위【飾僞】명 거짓을 꾸밈. 꾸며 속임. ——-하다 자여불

식유【食油】명 ↗식용유(食用油).

식육[1]【食肉】명 ①물고기·새·짐승 등의 고기를 먹음. ②↗식용육(食用肉). ¶ ～점(店). ——-하다 자여불

식육[2]【瘜肉】명 궂은살.

식육-류【食肉類】〔—뉴〕명『동』〔Carnivora〕포유류에 속하는 한 목(目). 육식을 주로 하는데, 대개 이가 날카롭고 발톱과 견치(犬齒)가 발달하여 작은 포유류·조류 등의 고기를 물고 찢기에 적합함. 상악(上顎)의 구치(臼齒)는 삼각형으로 되었음. 갯과(科)·고양잇과·곰과·물갯과·족제빗과·바다코끼릿과 등이 이에 속함. 육식 동물.

식육 부:귀【食肉富貴】명 맛있는 고기만 먹고 지내면서 누리는 부귀.

식육-상【食肉商】명 식육을 전문으로 파는 장사. 또, 그 장수.
식육-성【食肉性】명 물고기·새·짐승 등의 고기를 먹는 성질. 더욱 넓은 뜻으로는 곤충 등을 포함해서 동물질의 고기를 먹는 성질을 뜻하기도 함. 육식성(肉食性). ↔초식성(草食性).
식육성 곤충【食肉性昆蟲】명 육식충.
식육 식물【食肉植物】명〖식〗벌레잡이 식물(植物).
식육 중독【食肉中毒】명〖의〗식중독(食中毒) 중에서, 고기 또는 그 가공품을 먹음으로써 생기는 급성 위장염(急性胃腸炎). 원인은 그 식물중에 존재하는 살모넬라 균(salmonella 菌)·포도상 구균(葡萄狀球菌) 등의 세균의 감염에 의함.
식으로【式以】〈이두〉-씩으로.
식은-땀 명 ①몸이 쇠약하여 덥지 아니하여도 병적(病的)으로 흘리는 땀. 냉한(冷汗). ②정신의 긴장으로 흐르는 땀. 곧 몹시 무안하거나 무섭거나 너무 정신을 써서 나는 땀. 정신성 발한(精神性發汗). *진땀.
식은-밥 명 ☞찬밥.
[식은밥이 밥일런가 명태 반찬이 반찬일런가] 음식 대접이 좋지 않음을 허물 잡는 말.
식은밥이 되다 구 효과나 효용 가치가 없어지다.
식은-죽【—粥】명 식어서 먹기 쉽게 된 죽. ↔더운죽.
[식은죽도 불어 가며 먹어라] 무엇이나 틀림없을 듯한 일도 잘 알아보고 조심해서 하라는 뜻. [식은죽 먹고 냉방에 앉았다] 덜덜 떨고 있는 사람을 놀리는 말. [식은죽 먹기] 하기에 극히 쉬운 일을 비유하는 말.
식은죽 먹듯 구 아주 쉽게 예사로 하는 모양. ¶거짓말을 식은죽 먹듯 하다.
식음【食飮】명 먹고 마심. 또, 그 일. ——-하다 타여불
식음 전폐【食飮全廢】명 음식을 전혀 먹지 아니함. ——-하다 자여불
식읍【食邑】명〖역〗옛날에, 국가에서 특히 공신(功臣)에게 내리어, 거두어 들이는 조세(租稅)를 개인이 받아 쓰게 한 고을. 식봉(食封).
식의【食醫】[—/—이] 명〖역〗①고려 때 상식국(尙食局)의 정구품 벼슬. ②조선 시대에, 사선서(司膳署)의 정구품 벼슬. 태조 1년(1392)에 고려 관직을 그대로 계승·설치한 것으로, 왕실의 음식물의 조사와 질병이 유행할 때 음식물의 좋고 나쁨을 감별하였음.
식이【食餌】명 ①먹을 것. 먹이. ②조리(調理)한 음식.
식이 반:사【食餌反射】명〔feeding reflex〕〖심〗실험(實驗) 동물이 식기(食器)의 소리를 듣거나 또는 사육자(飼育者)가 오는 것을 보고 반사적으로 군침을 흘리는 현상(現象). *조건 반사.
식이-성【食餌性】[—썽] 명 섭취하는 음식물이 병(病)의 원인이 되는 성질. ¶~ 변비(便祕).
식이성 당뇨【食餌性糖尿】[—썽—] 명〔alimentary glycosuria〕〖의〗건강인이라도 일시에 다량의 탄수화물을 섭취하면, 장내(腸內)의 당흡수(糖吸收)가 빠른 반면, 체내에서의 당처리(糖處理)가 늦어 초기(初期)에 일시적으로 나타나는 당뇨. 식사성 당뇨.
식이성 빈혈【食餌性貧血】[—썽—] 명〖의〗음식물 중의 철분(鐵分)의 부족으로 말미암은 빈혈. 생후 만 1 년이 넘은 유아(乳兒)에게 모유만을 줄 때에 일어나는데, 얼굴이 창백해지고 기운이 줄고 식욕이 없어지며 전염병에 걸리기 쉽게 됨.
식이성-열【食餌性熱】[—썽녈] 명〔alimentary fever〕〖의〗유아(乳兒)의 영양 장애(營養障礙) 중에서 순전히 식이의 영향만으로 일어나는 발열(發熱). 감염성(感染性)의 열과 구별하여 일컫는 말.
식이성 중독증【食餌性中毒症】[—썽—] 명〔alimentary intoxication〕〖의〗급성(急性)으로 일어나는 영양 장애(營養障礙)의 한 가지. 격렬한 위장 증상 외에 고열(高熱)·신경 증상·심장 쇠약 등이 급격히 오는 것이 어떤 중독 증상과도 비슷하므로 이렇게 일컬음. 주로 인공 영양아(兒)와 이유기(離乳期)의 유아에 많음. 소화 불량성 중독증.
식이성 중독진【食餌性中毒疹】[—썽—] 명〖의〗환절기(換節期), 특히 초가을에 고등어·다랑어·달걀 등을 먹고 식중독(食中毒)을 일으켜 생기는 피부 습진.
식이 실험【食餌實驗】명〔feeding experiment〕〖생〗특히 어떤 물질을 더하거나 뺀 식이를 동물에게 먹이고, 그 성분의 영양 작용을 조사하여 대사 경로(代謝經路)를 연구하는 실험.
식이 요법【食餌療法】[—뻡] 명〔dietary cure, dietetics〕〖의〗음식물(飮食物)의 품질·성분·분량 등을 조절하여서 직접 질병(疾病)을 치료하거나 예방하는 법. 당뇨병·위장병·신장병(腎臟病)·비타민 결핍증·순환기 및 호흡기 질환 등에 응용됨. 영양 요법.
식이 전염【食餌傳染】명〖의〗음식물을 섭취함으로써 일어나는 질병의 전염. 생우유에 의한 각종 소화기 전염병·성홍열(猩紅熱)·디프테리아·결핵, 굴에 의한 장티푸스, 담수어나 게에 의한 기생충병, 채소에 의한 회충증(蛔蟲症), 쥐의 오줌이 묻은 음식물에 의한 바일병(Weil病) 등이 주요한 예임.
식이 중독【食餌中毒】명〖의〗식중독(食中毒).
식인【食人】명 미개인의 관습의 하나. 사람의 고기를 먹는 일을 신성한 의식으로 행하는 일. 족내(族內) 식인과 족외(族外) 식인으로 구별됨.
식인-국【食人國】명 식인종(種)들의 나라.
식인-귀【食人鬼】명〖불교〗사람을 잡아먹는다는 귀신.
식인-종【食人種】명 사람을 잡아먹는 풍습이 있는 인종. 오스트레일리아 중부·남양(南洋)·중부 아프리카 등지에 있었음.
식일【式日】명 ①날마다. ②의식(儀式)이 있는 날.
식자[1]【植字】명〖인쇄〗활판(活版) 인쇄에 있어서, 문선공(文選工)이 채자(採字)한 활자를 원고에 지정되어 있는 체재(體裁)로 조판(組版)하는 일. 조판(組版). ——-하다 타여불
식자[2]【識字】명 글자를 아는 일.
식자[3]【識者】명 학식·견식 또는 상식이 풍부한 사람.
식자-공【植字工】명〖인쇄〗식자하는 직공.
식자-기【植字機】명〖인쇄〗인쇄용 문자 제판(文字製版)에서 식자 작업을 기계적으로 하는 장치. 모노타이프(monotype)·라이노타이프(linotype)·사진 식자기 등이 있음.
식자-대【植字臺】명〖인쇄〗손으로 식자할 때 쓰는 작업대.
식자-본【植字本】명 활자(活字)로 인쇄한 책.
식자 우:환【識字憂患】명 글자를 아는 것이 도리어 근심을 사게 된다는 말.
식자-판【植字版】명〖인쇄〗활판(活版).
식자-함【植字函】명〖인쇄〗식자할 때 쓰는, 바닥은 쇠로 되고 세 변만 운두가 높게 한 함.
식-작용【食作用】명 식세포(食細胞) 작용.
식작용 영양 생물【食作用營養生物】명〔Phagotroph〕〖생〗식세포 작용에 의해서 영양을 얻는 생물.
식장[1]【式場】명 식을 거행하는 장소. ¶결혼 ~.
식장[2]【飾粧】명 장식(粧飾). ——-하다 타여불
식재[1]【息災】명〖불교〗불력(佛力)으로 재난을 소멸함. ——-하다 자여불
식재[2]【植栽】명 초목을 심어 재배함. ——-하다 타여불
식재[3]【殖財】명 식산(殖産)❷. ——-하다 자여불
식재 연명【息災延命】명〖불교〗재난이 멎고 목숨이 연장됨. ——-하다 자여불
식재지-도【殖財之道】명 재산을 늘리는 방도.
식적【食積】명〖한의〗과식(過食)·소화 불량 등으로 음식이 위에 정체(停滯)되는 병. 체적(滯積).
식적-수【食積嗽】명〖한의〗식적(食積)으로 인하여 담(痰)이 생기고 기침이 나며 신물을 트림하는 병.
식전[1]【式典】명 의식(儀式). ¶기념 ~.
식전[2]【式前】명 식(式)을 거행하기 전(前).
식전[3]【食前】명 ①식사하기 전. ↔식후(食後). ②아침밥을 먹기 전이란 뜻으로, 이른 아침. ¶~에 떠났다.
[식전 개가 똥을 참지] 늘 하던 짓을 다시는 않겠다고 벼르는 사람을 비웃어 하는 말. [식전 마수에 까마귀 우는 소리] 매우 불길한 전조가 보인다는 말. [식전에 조양(朝陽)이라] 이미 제 때가 지났음을 이르는 말. [식전 팔십리(里)] 아침을 먹지 않고 돌아다녀 허기지고 기운이 없다는 뜻.
식전[4]【息錢】명 장리(長利)❶.
식전-바람【食前—】[—빠—] 명 아침밥을 먹기 전의 이른 때. ¶~에 찾아 갔다.
식전 방장【食前方丈】명 사방 열 자의 상에 잘 차린 음식이란 뜻으로, 호화롭게 많이 차린 음식을 이르는 말.
식전-복【食前服】명 공심복(空心服). ↔식후복(食後服). ——-하다 타여불
식전-잠【食前—】[—짬] 명 아침밥을 먹기 전에 자는 잠.
식전-참【食前站】명 ①아침에 일어나서 아침밥을 먹을 때까지의 사이. ②아침밥을 먹기 전에 도착할 수 있는 역참(驛站).
식정[1]【拭淨】명 말끔하게 씻어 깨끗이 함. ——-하다 타여불
식정[2]【食鼎】명 밥솥.
식정-수【食精水】명 밥물❷.
식종[1]【植種】명 수예(樹藝).
식종[2]【飾終】명 사자(死者)의 최후를 장식함. ——-하다 자여불
식-주인【食主人】명 나그네를 재우고 밥을 파는 집주인.
식-중독【食中毒】명〔도 Nahrungsvergiftung〕〖의〗음식물 중에 함유된 유독 물질의 섭취(攝取)로 생기는 급성 소화기 질환. 전신 부조(全身不調)·설사·복통·구토 등의 증상이 나타나며 또는 피부에 발진이 생김. 원인은 음식물의 부패에 기인하는 것이 대부분이나, 익지 않은 과일 또는 과식(過食)도 원인이 됨. 식이(食餌) 중독. 식품 중독.
식지[1]【食指】명 집게손가락. 인지(人指).
식지[2]【食紙】명 밥상과 음식을 덮는 데 쓰는 유지(油紙).
[식지에 붙은 밥풀] 작고 하찮은것이 그럭저럭 없어지고 만다는 뜻.
식지[3]【飾智】명 재지(才智)가 있는 것처럼 꾸밈. ——-하다 자여불
식차【息借】명 이자를 주고 돈을 빌림. ——-하다 자여불
식차마나【式叉摩那】명〔범 śikṣamāṇā〕18-19세의 사미니(沙彌尼). 육법계(六法戒)를 받아 배우며, 비구니의 생활을 견뎌 낼 수 있는지 여부를 검정(檢定)하는 기간 2년 동안의 여자 출가자(出家者)의 일컬음. 학계녀(學戒女).
식차마나-니【式叉摩那尼】명〖불교〗'식차마나'를 여승(女僧)으로서 똑똑히 일컫는 이름.
식차마나니-계【式叉摩那尼戒】명〖불교〗식차마나니가 받아서 배우는 여섯 가지 법계. 첫째는 애욕(愛慾)의 마음을 가지고 남자의 몸에 접촉하지 않음. 둘째는 4전(錢)이라 할지라도 훔치지 않음. 셋째는 축생(畜生)의 목숨을 빼앗지 않음. 넷째는 거짓말을 하지 않음. 다섯째는 끼니때 밖에 식사를 들지 않음. 여섯째는 음주하지 않음의 육법(六法).
식찬【食饌】명 반찬(飯饌)❶.
식채【食債】명 외상으로 음식을 먹고 갚지 못한 빚.
식척-전【食尺典】명〖역〗신라 때의 관아의 이름.
식천【息喘】명 숨이 가쁨. 숨이 참. ——-하다 형여불
식청【拭淸】명 ①말끔히 씻어 깨끗하게 함. ②악폐(惡弊)를 제거함. ——-하다 타여불
식체【食滯】명〖한의〗먹은 음식이 소화가 잘 되지 아니하는 병.
식초【食醋】명 식용(食用)으로 쓰는 초.
식초-산【食醋酸】명〖화〗아세트산(酸).
식충【食蟲】명 ①식충류 등이 벌레를 잡아먹는 일. ②식충이.
식충-류【食蟲類】[—뉴] 명〖동〗〔Insectivora〕 유태반류(有胎盤類)에 속하는 포유류의 한 목(目). 원시적인 포유류로 중생대(中生代)의 백악기(白堊期)에 출현하여, 오스트레일리아·남미(南美) 중남부를 제외한 세계 각지(各地)에 분포함. 몸은 대개 작고 주둥이는 뾰족하며 다섯 발가락에 모두 갈퀴 발톱을 갖추었음. 거개가 밤에 돌아다니면서 곤충을 포식하는데 지능은 낮고 물에 사는 것이 보통이나, 때로는 구멍 속

에 사는 것과 나무 위에 사는 것도 있음. 두더지 같은 것이 이에 속함.

식충 식물【食蟲植物】명 〖식〗 벌레잡이 식물.

식충-엽【食蟲葉】명 〖식〗 벌레잡이잎.

식충-이【食蟲—】명 밥 많이 먹고 미련한 사람의 별명. 식충. 밥벌레. 먹보. *밥보.

식치-술【植齒術】명 〔plantation of the teeth〕 〖의〗 이를 인공적으로 박는 방법. 빠진 이를 본디 자리에 도로 박는 재식술(再植術)과 자기 또는 남의 이를 자기의 딴 자리에 옮겨 박는 이식술(移植術)의 두 가지가 있음.

식-칼【食—】명 주로 부엌에서 음식을 만들 때에 쓰는 칼. 식도(食刀). 부엌칼. [식칼이 제 자루는 깎지 못한다] ㉠제가 제 일 하기는 어려운 경우를 이르는 말. ㉡제 허물을 제가 알아 고치기는 어렵다는 말.

식탁【食卓】명 식사용의 탁자.

식탁-보【食卓褓】명 식탁에 까는 널따란 보자기.

식탁-염【食卓塩】〔—념〕 명 식사 때, 각자 식성에 맞추어 간을 쳐서 먹게 하기 위하여 상 위에 놓아 두는 고운 식염(食塩).

식탈【食頉】명 먹은 음식이 잘못되어 생긴 병.

식탐【食貪】명 음식을 욕심 사납게 탐내는 일. ¶ ～도 많다.

식태【息駄】명 지세(地稅)를 실어 나르는 마바리.

식토[1]【息土】명 ①비옥한 땅. 기름진 땅. ②층층으로 융기(隆起)한 땅. 식양(息壤).

식토[2]【埴土】명 〖농〗 점토질(粘土質)을 50% 이상 함유한 흙. 점착력(粘着力)이 강하고 마르면 갈라져서 경토(耕土)로서는 좋지 못한데, 사토(砂土)를 적당히 섞어서 양토(壤土)로 바꿈. 치토.

식통【食通】명 요리의 맛에 관하여 정통함. 또, 그런 사람. ——하다 자 여불

식통-구【食通口】명 감방(監房) 안에 음식물을 넣는 구멍.

식편-류【植鞭類】〔—뉴〕 명 〖동〗 식물성 편모충류(鞭毛蟲類).

식포【食胞】명 〔food vacuole〕 〖동〗 포자충류(胞子蟲類)와 일부의 편모충류(鞭毛蟲類)와를 제외한 원생(原生) 동물의 체내에 일시적으로 형성되는 영양(營養) 소기관(小器官). 체표의 일부가 오목 들어가서 먹이를 싸고 이루어진 액포(液胞)로, 그 포벽(胞壁)을 통하여 효소(酵素) 등이 세포질로부터 식포 안으로 옮아가고, 그 속에서 소화 작용이 이루어진 다음, 영양분은 수용액으로서 세포질 속으로 흡수됨. 그 동안에 식포는 없어짐. *식세포(食細胞).

식품[1]【食品】명 사람이 일상 섭취하는 음식물의 총칭. *식료품(食料品).

식품[2]【食稟】명 먹음새❷.

식품 공업【食品工業】명 농(農)·축(畜)·수산물(水產物)을 원료로 하여 가공(加工) 식품 생산을 목적으로 하는 공업의 총칭. 소비재(消費財) 생산 부문에 속하며 경공업(輕工業)으로 분류됨. 제분업(製粉業)·양조업(釀造業)·제당업(製糖業)·유업(乳業)·제과업(製菓業)과 통조림·식용유지(食用油脂)·음료(飮料) 등의 제조업을 포함하고 있음.

식품 공학【食品工學】명 〔food technology〕 식품의 정제(精製)·제조·취급에 관한 과학의 응용과 기술에 대한 학문.

식품 공해【食品公害】명 〔food contamination〕 식품 제조 과정에서의 부주의, 기재의 고장 등으로 유해 물질이 섞이거나, 가공(加工)·보관(保管)·착색(着色)·조미료 등 첨가물의 독성, 비위생적인 포장 따위로 인하여 불특정 다수(不特定多數)가 입는 피해.

식품 구성탑【食品構成塔】명 일상(日常)에 섭취하는 식품을, 함유하고 있는 주요 영양 성분에 따라 탑 모양으로 분류한 것. 곡류(穀類) 및 녹말류(綠末類), 고기·생선·계란·콩류, 채소 및 과일류, 우유 및 유제품(乳製品), 유지(油脂) 및 당류(糖類)의 다섯 종류로 분류함. *기초 식품군.

식품 분석【食品分析】명 식품이 어떠한 영양소를 어떤 비율로 함유하고 있는가를 분석하는 일. 보통 100g의 시료(試料)에 대해 수분·단백질·지질(脂質)·회분(灰分)·섬유의 양을 달고, 잔량(殘量)을 당질로 함. 또, 단백질·지질·당질의 양에서, 그 식품의 칼로리를 계산하고, 철·칼슘·나트륨·인(燐) 등의 무기질이나 또, 그 외의 주요 비타민에 대하여도 각기 정량(定量)함. 이 결과로 식품 성분표가 작성됨.

식품 성분표【食品成分表】명 각종의 식품에 대하여 식품 분석을 한 결과를 도표로 나타낸 것.

식품 위생【食品衛生】명 음식에 기인하는 위생 상의 위해(危害)를 방지하기 위한 위생 활동. 식품의 채취(採取)·제조·가공·저장·포장·운반·판매·조리(調理)·소비 등의 여러 과정은 물론 식품에 접하는 기물·취급인·영업에 사용되는 설비·시설의 위생 관리 업무가 포함됨.

식품 위생 감시원【食品衛生監視員】명 식품의 제조·가공·판매 등의 영업을 하는 장소·사무소·창고·제조소·판매소 등에 임검(臨檢)하여 식품·첨가물(添加物)·기구와 용기(容器)·포장·시설 기타 물건(物件)을 검사하거나 식품 위생 관리인(衛生管理人)·조리사·영양사(榮養士) 등의 근무 상태 및 준수 사항 이행 여부 등을 확인하는 공무원.

식품 위생 관리인【食品衛生管理人】〔—괄—〕 명 유제품(乳製品), 화학적합성(合成)품인 첨가물, 기타 식품 및 첨가물의 가공 또는 제조를 위생적으로 관리하는 책임자. 식품 위생법에 의한 명령이나 처분에 위반되지 아니하도록 제조·가공에 종사하는 자를 지도·감독함.

식품 위생법【食品衛生法】〔—뻡〕 명 〖법〗 식품으로 인한 위생 상의 위해(危害)의 방지와 식품 영양의 질적 향상을 도모함으로써 국민 보건의 증진에 이바지함을 목적으로 제정된 법률.

식품 의약품 안전청【食品醫藥品安全廳】명 보건 복지부 장관에 소속된 중앙 행정 기관. 식품 및 의약품의 안전에 관한 사무를 관장함.

식품 의약품 안전청장【食品醫藥品安全廳長】명 식품 의약품 안전청의 장(長).

식품-점【食品店】명 각종 식품을 파는 가게.

식품 조:사【食品照射】명 〔food irradiation〕 살충·살균·발아 억제 등을 위하여 채소·과실 등의 식품에 방사선을 쐬는 일.

식품 중독【食品中毒】명 〖의〗 식중독(食中毒).

식품 첨가물【食品添加物】명 식료품의 기호(嗜好) 가치를 향상시키거나 부족한 비타민 등을 보충하여 영양 가치를 높일 목적으로 식료품을 가공할 때 첨가하는 화학적 합성 물질.

식피-술【植皮術】명 〔도 Hauttransplantation〕 〖의〗 외상(外傷)·화상(火傷)·수술·질병 등으로 말미암아 피부가 결손되었을 때, 자기 또는 남의 건강한 피부 조직을 그 결손부에 이식(移植)하는 방법.

식한【識韓】명 〔한(韓)은 중국 형주(荊州)의 태수 한조종(韓朝宗)을 이름〕 식형(識荊).

식해[1]【食害·蝕害】명 해충(害蟲)이 식물의 잎이나 줄기 등을 먹어 버리는 일.

식해[2]【食醢】명 생선젓❷.

식형【識荊】명 〔한 형주(韓荊州)를 안다는 뜻〕 귀인(貴人)이나 걸사(傑士)를 처음으로 만남. 남과 처음 대면함. 식한(識韓).

식혜【食醯】명 ①엿기름 가루를 우린 물을, 되직한 이밥이나 찰밥에 부어서 삭힌 음식. *단술. ②☞식해(食醢).
[식혜 먹은 고양이 상 같다] ㉠ 잔뜩 찌푸린 얼굴을 이르는 말. ㉡ 식혜를 몰래 훔쳐 먹다 들킨 고양이처럼, 겸연쩍고 불안해 하는 표정을 이름. [식혜 먹은 고양이 속] 제가 저지른 일이 탄로날까 두려워 근심에 가득찬 마음.

식혜 암:죽【食醯—粥】명 식혜를 익혀서 거른 암죽. 흔히, 젖먹이에게 먹임.

식혯-가루【食醯—】명 ☞엿기름 가루.

식혯-밥【食醯—】명 식혜를 담그기 위하여 되직하게 지은 이 밥이나 찰밥.

식화[1]【食貨】명 음식물과 재물.

식화[2]【殖貨】명 재화(財貨)를 늘리는 일. ——하다 자 여불

식화-부【植貨府】명 〖역〗 태봉(泰封)의 관아의 이름. 과수 재배(果樹栽培)의 일을 맡았음.

식-화산【熄火山】명 〖지〗 휴화산(休火山).

식-화주【食化主】명 〖민〗 걸립패·남사당패들의 한 직임(職任). 한 패의 식사(食事) 수발을 담당함.

식화-지【食貨志】명 〖책〗 중국 역대 정사(正史) 가운데에 포함되어 있는 경제에 관한 권(卷)의 이름. ≪사기(史記)≫에서는 '평준서(平準書)'로 되어 있음.

식후【食後】명 밥을 먹은 뒤. ↔식전(食前)❶.

식후-경【食後景】명 좋은 구경도 배가 불러야 구경할 맛이 있다는 말. ¶ 금강산도 ～이라.

식후-복【食後服】명 밥을 먹고 난 뒤에 약을 먹는 일. ↔공심복(空心服)·식전복(食前服). *식원복(食遠服). ——하다 타 여불

식희【飾喜】〔—히〕 명 부모의 경사에 잔치를 베풂. ——하다 자 여불

식히다 타 식게 하다. 더운 기가 없어지게 하다. ¶ 머리를 ～.

신[1] 명 발에 신고 걷는 데 쓰는 물건. 가죽·나무·헝겊·삼·짚·고무 등, 그 재료가 여러 가지이며 장화(長靴)·단화(短靴) 등 모양도 가지각색임.
[신 벗고 따라도 못 따른다] 온갖 힘을 다하여도 미치지 못한다는 말.
[신 신고 발바닥 긁기] 직접 요긴한 데에 미치지 못하여 시원하지 아니함을 이르는 말. *격화 소양(隔靴搔癢).
신을 거꾸로 신고 나가다 구 반가운 사람을 맞으러 허둥지둥 뛰어나감을 표현하는 말.

신[2] 명 좋은 일이 있거나 또는 어떤 일에 흥미와 열심이 생기어 으쓱해지는 기분. ¶ ～이 나서 춤을 추다.
[신에 붙잖다] 마음에 꼭 차지 아니한다는 말. ¶ 그 먹통의 마음에는 돈냥씩 주는 것이 신에 붙지 아니하여 어쩌면 그 집 재산을 통으로 먹어 볼까 하는 생각이 굴떡 같으나≪崔瓚植:金剛門≫. [신이야 넋이야 한다] 잔뜩 벼르던 것을 신이 나서 한다는 뜻.

신[3]【申】명 〖민〗 ①십이지(十二支)의 아홉째. 원숭이. ②↗신방(申方). ③↗신시(申時).

신[4]【申】명 성(姓)의 하나. 현재 우리 나라에는 평산(平山)·고령(高靈) 등 열 두 개의 본관(本貫)이 있음.

신[5]【辛】명 〖민〗 ①천간(天干)의 여덟째. ② ↗신방(辛方). ③ ↗신시(辛時).

신[6]【辛】명 성(姓)의 하나. 현재 우리 나라에는 영산(靈山)·영월(寧越) 등 두 개의 본관이 있음.

신[7]【臣】㊀명 신하. ㊁인대 신하(臣下)가 임금에게 대하여 쓰는 제일 인칭 대명사.

신:[8]【信】명 오상(五常)의 하나. 믿음성이 있고 성실(誠實)함.

신:[9]【信】명 성(姓)의 하나. 본관 미상임.

신[10]【神】명 ①인간의 종교심의 대상이 되는, 초(超)인간적 위력을 가지고 있는 존재. 명명(冥冥)한 중에 존재하며, 불가사의한 능력을 가지고 인류에게 화복(禍福)을 내린다고 믿어지는 신령. 곧, 종교상 귀의(歸依)하고 또 두려움을 받는 대상. ¶ ～의 조화. ②〖종〗하느님. ③↗귀신(鬼神). ④ ↗신명(神明). ⑤영묘 불가사의(靈妙不可思議)하여 인지(人智)로써는 헤아릴 수 없는 것. ⑥거룩하여 감히 침범할 수 없는 것.

신[11]【神】명 성(姓)의 하나. 우리 나라에는 현존하지 아니함.

신[12]【莘】명 성(姓)의 하나. 우리 나라에는 현존하지 아니함.

신[13]【新】명 〖역〗 중국의 한 국호. 전한(前漢)과 후한(後漢) 사이에 왕망(王莽)이 찬탈(簒奪)하여서 세운 나라. 광무제(光武帝)에게 멸망당함. [8-23]

신[14]【新】명 성(姓)의 하나. 본관 미상임.

신:[15]【腎】명 〖생〗 ①↗신장(腎臟). ②↗신경(腎莖).

신:[16]【愼】명 성(姓)의 하나. 현재 우리 나라에는 본관이 거창(居昌) 하나뿐임.

신[17] 〔Sin〕 명 〖신〗 고대 바빌로니아의 월신(月神). 지혜의 왕임.

신:[18] 〔scene〕 명 ①〖연〗 극·영화 등의 장면(場面). ¶ 라스트 ～. ②어떤 사건이나 소설 등의 무대(舞臺) 또는 정경(情景). ¶ 극적인 ～이 벌어지다. ③경치. 풍경.

신:[19] 수 〈방〉 쉰(경상).

신-【新】투 어떠한 명사 위에 붙이어 '새로운'의 뜻을 나타내는 말. 네오-(neo). ¶ ～시대(時代)/～기록/ ～사실주의. ↔구-(舊).

신가【身價】[─까] 명 몸값❶.

신-가량【新嘉量】명〖역〗중국의 신대(新代)에 도량형의 기준을 표시하기 위하여 구리로 만든 되. 이 하나로 곡(斛)·두(斗)·승(升)·홉(合)·약(龠)의 다섯 가지의 용적을 잴 수 있음.

〈신가량〉

신가 보:험【新價保險】[─까─] 명〖경〗보험의 목적인 신조달 가격(新調達價格)을 보험 가격으로 하는 보험. 시가(時價)를 기준으로 하는 통상의 손해 보험은, 손해를 받았을 때 수령하는 보험금으로는 보험의 목적과 동일한 것을 조달할 수 없는 일이 많기 때문에, 이것이 1920년대에 구미(歐美)에서 신설되었음. 정식 명칭(正式名稱)은 재조달(再調達) 가격 보험.

신-가정【新家庭】명 ①신혼 부부(新婚夫婦)의 가정. ②신시대(新時代)의 가정.

신가파【新嘉坡】명〖지〗'싱가포르(Singapore)'의 음역(音譯).

신간¹【身幹】명〖생〗구간(軀幹).

신간²【辛艱】명 신고(辛苦). ──-하다 자여불

신간³【新刊】명 ①새로 간행(刊行)한 도서(圖書). ②도서를 새로 간행함. ¶ ~ 서적. ↔구간(舊刊). ──-하다 타여불

신간⁴【新墾】명 토지를 새로 개간(開墾)함. ──-하다 타여불

신간 구:황 촬요【新刊救荒撮要】명〖책〗조선 시대에, 신속(申洬)이 ≪구황 보유(救荒補遺)≫ 1책을 지어 이를 명종(明宗) 때의 ≪구황 촬요≫와 합하여, 현종(顯宗) 원년(1660)에 간행한 책. 목판본. 1권.

신간-답【新墾畓】명 새로 개간(開墾)한 논.

신간 비:평【新刊批評】명 신간된 책에 대하여, 독자(讀者)가 신문 또는 잡지를 통하여 그 내용을 비평함. ㊂신간평(新刊評).

신간 서적【新刊書籍】명 새로 간행된 서적.

신간 소개【新刊紹介】명 신간 서적을 매스콤 등을 통하여 소개하는 일.

신간 증보 삼략 직해【新刊增補三略直解】[─냑─] 명〖책〗중국 명(明)나라의 유 인(劉寅)이 지은 ≪삼략 직해≫를 번역한 책. 조선 순조(純祖) 5년(1805)에 간행함. 목판본. 3권 1책.

신간-지【新墾地】명 새로 개간(開墾)한 땅.

신간-평【新刊評】명 ↗신간 비평(新刊批評).

신간-회【新幹會】명〖역〗1927년에 조직된, 민족주의에 입각한 우리나라 항일(抗日) 단체. 재래의 민족주의 운동에 세계 풍조에 따른 공산주의 운동이 들어와 상당한 알력이 있은 뒤, 항일 투쟁에 민족 단일 전선을 펼 목적으로 결성됨. 광주 학생 사건에 관여하는 등 많은 활약이 있었으나 내부 분열로 말미암아 1931년 해산됨. 한때, 회원수가 3만이 넘었으며 초대 회장은 이상재(李商在)이었음.

신갈-나무 [─라─] 명〖식〗[*Quercus mongolica*] 참나뭇과에 속하는 낙엽 활엽 교목. 잎은 거꿀달걀꼴 또는 긴 타원형이고 뒷면에는 털이 약간 있음. 꽃은 6월에 자웅 동가(同家)로 피는데 수꽃이삭은 늘어졌으며, 암꽃이삭은 단형(短形)이고, 견과(堅果)는 9월에 익음. 산 중턱의 토양(土壤) 깊은 비옥지에 나는데, 거의 한국 각지 및 일본·사할린·중국·만주·몽골·우수리·시베리아에 분포함. 철도 침목(枕木)·차량 및 기구재·표고의 원목(原木)·신탄재 등으로 쓰이고, 과실은 식용하며, 조림용으로 심음.

신-갈파진【新乫坡鎭】명〖지〗함경 남도 삼수군(三水郡)의 면소재지. 압록강 상류와 장진강(長津江)의 합류점에 있어서 압록강·장진강 상류에서 오는 뗏목의 집산지로 목재의 산출이 많음.

신감¹【申鑒】명〖책〗중국 후한(後漢)의 순열(荀悅)이 지은 유가서(儒家書). 정치의 향방(向方), 사물의 도리(道理) 등에 관해 기술했으며 헌제(獻帝)에게 바침. 당시의 정권이 조조(曹操)에게 이행(移行)함을 우려하여 지음. 명(明)나라의 황성회(黃省會)가 주석을 달고, 정체(政體)·속혐(俗嫌)·잡언(雜言) 상하(上下)의 4편 5권. ≪순자(荀子)≫에 대하여 ≪소순자(小荀子)≫라 일컬어짐.

신감²【神感】명 신의 감응(感應).

신감³【神鑒】명 영묘(靈妙)한 감식(鑑識).

신감⁴【宸鑒】명 ①임금의 감식(鑑識). ②임금이 봄.

신:감⁵【腎疳】명〖한의〗오한(惡寒)·발열(發熱)로 머리는 뜨거우나 다리는 차며 식욕(食慾)이 줄고 설사가 잦아서, 몸이 수척하여지는 병. 골감(骨疳).

신-감각파【新感覺派】명〖문〗문법과 상식을 넘어 참신하고 이상한 표현법을 쓰는 근대 도시적인 문예 상의 한 파. ¶ ~의 시인.

신-감기 [─깜─] 명 →신갱기. ㊂감기.

신감-채【辛甘菜】명〖식〗'승검초'의 취음(取音).

신강【新講】명 새로운 강의 ¶ 재정학 ~.

신강-성【新疆省】명〖지〗신장 성.

신강 유오이 자치구【新疆維吾爾自治區】명〖지〗신장웨이우얼 자치구.

신개¹ 명〈방〉승교(乘轎). 가마⁴(평안).

신-개²【申槩】명〖사람〗조선 세종(世宗) 때의 상신(相臣). 자는 자격(子格), 호는 인재(寅齋). 평산(平山) 사람. 야인(野人) 정벌을 주장하고, ≪고려사(高麗史)≫를 수찬(修撰)하였음. 만년에는 기로소(耆老所)에 들어갔음. [1374-1446]

신개³【新開】명 황무지를 새로 개간함. 또, 그 토지. ──-하다 타여불

신개-선【伸開線】명〖수〗평면 위의 곡선에 접(接)하는 직선을 곡선을 따라서 회전시킬 때, 직선 위의 한 정점(定點)이 그 평면 위에 그리는 곡선. 인벌류트(involute). 인벌류트 곡선. ＊축폐선(縮閉線).

신개-지【新開地】명 ①새로 개간한 토지. ②새로 개설한 시가(市街).

신개-호【新開湖】명〖지〗'싱카이 호(興凱湖)'의 별칭.

신:객¹【信客】명 신용이 있는 사람.

신객²【新客】명 새로 온 손님.

신-객관주의【新客觀主義】[─/─이] 명〖문〗신즉물(新卽物)주의.

신-갱기 [─깽─] 명〔←신감기〕신의 총갱기와 뒷갱기의 총칭. ㊂갱기.

신거【宸居】명 임금의 거처.

신:-거관【愼居寬】명〖사람〗조선 명종(明宗) 때의 명신. 거창(居昌) 사람으로 자는 율이(栗耳), 호는 독재(獨齋)임. 중종(中宗) 20년(1525)에 등제(登第)하고 을사 사화(乙巳士禍) 후 윤원형(尹元衡)에게 쫓겨났으나, 후에 방환(放還)되어 벼슬은 중추부사(中樞府事)에 이르렀음. 시호는 공간(恭簡). [1498-1564]

신건【新件】[─껀] 명 새로운 사건(事件) 또는 물건(物件).

신건-이 명 언행(言行)이 싱거운 사람의 별명. ¶ ~ 같은 사람.

신-건재【新建材】명 비교적 최근에 이르러 쓰이기 시작한 건축 재료의 총칭. 합성 수지를 재료로 한 것이 많은데, 단열재·벽·마루·가구(家具) 등에 쓰임. 프린트 합판·텍스 따위.

신검¹【身檢】명 ↗신체 검사(身體檢査).

신:검²【訊檢】명 검문(檢問). ──-하다 타여불

신검³【神劍】명 신묘(神妙)한 검.

신검⁴【神劍】명〖사람〗후백제의 제2대 왕. 견훤(甄萱)의 장자로, 자기 아버지가 제4자 금강(金剛)에게 양위하려는 기맥을 알게 되자, 부하 능환(能奐)과 공모하여 견훤을 금산사(金山寺)에 가두고 왕이 되었음. 1년 후 고려 태조에게 패하여 항복함. [? -976]

신검⁵【新劍】명〖역〗본국검(本國劍).

신검-스럽다 형ㅂ불 ☞영검스럽다. 신검-스레 부

신:겁【腎怯】명 사정(射精)하기 전에 음경(陰莖)이 위축(萎縮)되는 일.

신격【神格】[─껵] 명 신의 격식(格式). 신으로서의 자격. ↔인격.

신격-화【神格化】[─껵─] 명 어떤 대상을 신의 자격으로 만듦. ──-하다 타여불

신견【神譴】명 신이 꾸짖는 일. 신의 견책(譴責).

신:-결석【腎結石】[─썩] 명〖의〗↗신장(腎臟) 결석.

신:-결핵【腎結核】명〖의〗↗신장(腎臟) 결핵.

신-겸노복【身兼奴僕】명 집안이 가난하여 종이 할 일을 몸소 함을 이르는 말.

신-겸처자【身兼妻子】명 자기 몸이 처자를 겸하였다는 말이니, 홀로 있는 몸이 아니고 세 식구라는 뜻.

신경¹ 명〈방〉〖식〗싱경이.

신:경²【信經】명〖천주교〗천주교의 신조(信條)를 기록한 경문. 그레도. ¶ 사도 ~.

신경³【神經】명 ①〔nerve〕〖생〗중추(中樞)의 흥분을 몸의 각 부분에 전하고 또는 몸의 각 부분으로부터의 자극을 중추에 전도(傳導)하는 실 모양의 기관(器官). 구심성(求心性) 신경과 원심성(遠心性) 신경의 구별이 있음. ②사물을 감각하거나 생각하는 힘. ¶ ~이 날카로워지다.
신경(을) 쓰다 구 대수롭지 아니한 일에까지 몹시 세심하고 따지어 생각하다. ¶ 그까짓 일에 너무 신경 쓰지 마라.

신경⁴【神境】명 신선(神仙)의 경지. 선경(仙境).

신경⁵【新京】명 신도(新都).

신경⁶【新京】명〖지〗'신징'을 우리 음으로 읽은 이름.

신:경⁷【腎莖】명〖생〗자지. ㊂신(腎).

신:경⁸【腎經】명 ①〖한의〗신장(腎臟)의 경락(經絡). ②〖생〗신장(腎臟).

신경 가스【神經─】명〔nerve gas〕유기 인산 화합물계(有機燐酸化合物系)의 독가스. 1937년 독일에서 발견, 제2차 대전 때 대량으로 제조되어 아우슈비츠(Auschwitz) 등 강제 수용소에서 사용됨. 효력은 재래의 독가스의 수십 배로 알려져, 피부·점막에서 미량을 흡수하면 십여 분 이내에 사망함. 교감(交感) 신경계와 부교감 신경계의 균형을 상실하게 하는 작용을 하기 때문에 이 명칭이 있음.

신경-계【神經系】명〔nervous system〕〖생〗몸의 각 기관계(器官系)를 연락하여 하나의 유기체(有機體)로서 통일하는 한 계통의 기관. 뇌(腦) 및 척수(脊髓)로 된 중추(中樞) 신경계와 몸의 각 부분에 분포하는 신경절(節) 및 신경 섬유로 이루어진 말초(末梢) 신경계와의 구별이 있음. 신경 계통.

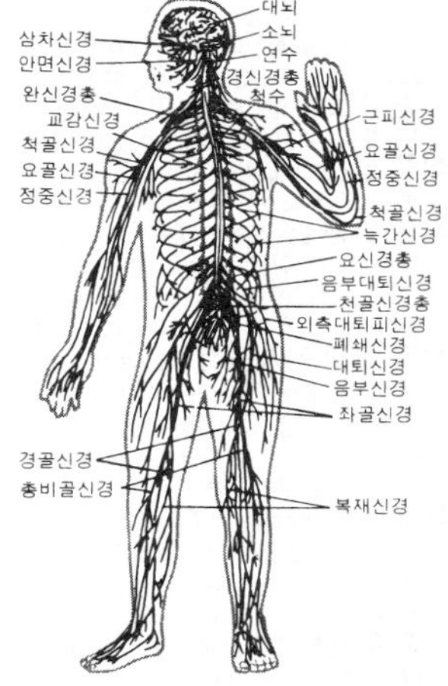

〈신경계〉

신경 계:통【神經系統】명〖생〗신경계(神經系).

신경-과【神經科】[─꽈] 명〖의〗정신과(精神科).

신경 과:민【神經過敏】명 사소한 자극에 대하여서도 쉽사리 감응(感應)하는 신경 계통의 불안정(不安定)한 상태.

신경 과:민증【神經過敏症】[─쯩] 명〖의〗신경이 병적으로 과민한 반응을 나타내는 증세.

신경-관¹【神經冠】명〔neural crest〕〖생〗척추동물의 발생중, 신경관(神經管)이 형성될 때 외배엽성 표피와 마지막에 분리되는 외배엽성 세포 집단. 신경제(神經堤)라고도 함.

신경-관²【神經管】명〔neural tube〕〖생〗척추동물 및 원삭(原索)동물의 발생 초기에 척삭(脊索)의 등쪽에 형성되는 관상체(管狀體). 수관(髓管)이라고도 하는데, 척추동물에서는 앞쪽은 뇌로, 뒤쪽은 척수(脊髓)로 분화(分化)하여 중추 신경계 및 눈을 형성함.

신경-교【神經膠】명〔neuroglia〕〖생〗뇌(腦)와 척수(脊髓)의 내부에

있어, 신경 조직의 결합 지지(支持) 및 영양 등의 작용을 하는 조직.

신경교-종【神經膠腫】명〔glioma〕〖의〗신경교 세포에서 발생한 종양(腫瘍). 뇌척수(腦脊髓) 종양의 대표적인 것으로, 아이들에게는 소뇌(小腦)에 많고 어른에게는 대뇌(大腦)에 많음.

신경 내:과【神經內科】[-꽈] 명〖의〗내과 중, 말초 신경·척추·뇌의 질환 등을 진료 대상으로 하는 임상 의학의 한 분야(分野).

신경 단위【神經單位】명〖생〗뉴런(neuron).

신경 돌기【神經突起】명〔neurite〕〖생〗수상 돌기(樹狀突起)와 함께 신경 세포(細胞) 중에 있는 두 가지 돌기 중의 하나. 흥분을 밖으로 향하여 전달하는 돌기로, 보통 한 개의 가늘고 긴 세포가 멀리 뻗어 신경 섬유의 축삭(軸索)으로 되어 있음. 축삭(軸索). 축삭 돌기(軸索突起).

신경 두개【神經頭蓋】명〖생〗척추 동물의 두개(頭蓋) 가운데, 뇌(腦)·후각기(嗅覺器)·시각기(視覺器) 등을 싸고 그것을 보호하는 부분.

신경-라【神經癩】[-나] 명〔라 Lepra nervorum〕〖의〗나병 중에서 피부의 지각(知覺) 장애, 신경의 비후(肥厚), 피부의 영양 장애를 주증(主症)으로 하는 병.

신경-류【神經瘤】[-뉴] 명〔라 Neurovaricosis〕〖의〗신경 섬유에서의 정맥류(靜脈瘤) 모양의 종창(腫脹)의 형성이나 그 형성된 것.

신경 림프종증【神經—腫症】[-쯩] 명〔neural lymphomatosis〕〖수의〗본래 좌골 신경을 침범하는 닭의 백혈병 증후군의 한 형태.

신경 마비【神經痲痺】명〖의〗뇌(腦) 또는 척수(脊髓)로부터 나온 신경이 그 말초 경로(末梢徑路) 중에서 전도 중절(傳導中絕)이 되어, 운동 또는 감각의 장애를 일으키는 일.

신경-망【神經網】명〔nerve net〕〖동〗신경 세포로 구성된 망상(網狀) 구조. 강장(腔腸) 동물이나 기타의 무척추 동물에서 볼 수 있음.

신-경매【新競賣】명〖법〗경매 절차에 착수하였으나 일정한 사유로 말미암아 그것이 완료되지 않았을 때, 다시 속행하는 경매 절차.

신경 매독【神經梅毒】명〔neurosyphilis〕〖의〗매독 병원체(病原體)가 신경 조직을 침범했을 때 일어나는 병의 총칭. 보통, 매독의 제3기, 제4기에 해당하는 것으로, 감염한 지 2-3 년 후에 나타남. 증상은 감염 부위(部位)에 따라 다르며, 감염 초기의 불완전한 치료가 그 원인이 됨.

신경-병【神經病】[-뼝] 명〖의〗신경 계통의 기질적(器質的) 질환 및 기능 장애의 총칭. 신경 계통에 해부학적으로 병변(病變)이 인정되지 않는, 소위 '신경증(神經症)'을 포함함.

신경 분비【神經分泌】명〔neurosecretion〕〖생〗신경 세포가 자극 또는 흥분을 전도하는 역할 외에 내분비적인 활동을 하는 생리적 현상.

신경 분비물【神經分泌物】명〖생〗신경 세포에서 분비하는 분비물. 과립상(顆粒狀) 또는 소적상(小滴狀)으로, 세포핵(核)의 주변에 나타나 세포질(質)의 흐름에 의하여 신경 세포의 돌기(突起)를 통하며, 혈액 속에 들어가 순환함. 이 분비물은 호르몬을 가지고 있는 것으로 생각됨.

신경 분비 세:포【神經分泌細胞】명〖생〗선신경 세포(腺神經細胞).

신경 분절【神經分節】명〔neuromere〕척추 동물의 배(胚)에 있는 뇌의 형성 부위의 중추 신경계(系)의 분절.

신경 블록법【神經—法】〔block〕명〖의〗신경에 주사를 놓아 신경의 작용을 중단시키는 방법. 이 방법이 행하여질 수 있는 범위는 신경의 말단에서 신경이 척수(脊髓)로 들어가는 부위까지임.

신경 생리학【神經生理學】[-니-] 명〖생〗생리학의 한 분야. 생물 개체의 전체적 운영의 일환(一環)으로서의 대뇌 신경계의 문제 및 개개의 신경 세포·신경 섬유의 물리적 메커니즘, 신경 단위의 결합으로 이루어지는 중추 신경 세포의 문제 등을 비롯한 모든 신경의 생리에 관한 것을 연구함.

신경 섬유【神經纖維】명〔nerve fiber〕〖생〗신경 세포의 돌기(突起) 부분에 있는 줄 모양 또는 실 모양의 섬유 물질. 말초 신경계는 이 신경 섬유의 집합으로 이루어진 것이며, 중추 신경계에 있어서는 특히 백질(白質)에 많이 모여 있음. 자극을 전달하는 기능을 맡음.

신경-성【神經性】[-썽] 명 어떤 병이나 증세가 신경 계통의 탈로 말미암아 일어나는 성질. ¶ ~위장병.

신경성 가스【神經性—】[-썽-]〔gas〕명〖화〗지가스(G-gas).

신경성 구토증【神經性嘔吐症】[-썽-쯩] 명〖의〗원래 신경질이 있는 학동기(學童期)의 소아(小兒)가 흥분하거나 불만이 있을 때 일어나는 구토증. 등교 전에 구토하는 아이는 학교 내에 불만의 원인이 있는 일이 많음.

신경성 궤:양【神經性潰瘍】[-썽-] 명〔neurotrophic ulcer〕〖의〗욕창성(褥瘡性)의 궤양. 구심성(求心性) 신경 섬유의 중단 또는 질환이 따르는 영양 장애 및 외상(外傷)의 인자에 기인함.

신경성 무식욕증【神經性無食慾症】[-썽-] 명〖의〗체중 조절(體重調節) 등을 위하여 지나치게 식사 제한을 해 가는 동안 어느 덧 완전히 식욕을 잃게 되는 신경성 질환. 젊은 여성들에게 많으며, 빈혈증·저지혈증(低脂血症)을 유발하고 월경 폐지를 초래하는 경우도 있음.

신경성 소:질【神經性素質】[-썽-] 명〔nervous diathesis〕〖의〗정신 변질 상태의 기초가 되는 소질. 정신의 발달이 불균형하여, 주로 감정·의지 방면의 발달에 결함을 볼 수 있음. 또, 소화 기능·순환 기능 등의 여러 장애도 나타남. 정신적 곤란이나 충격에 부닥치면 히스테리성 정신병, 조병상(躁病狀) 흥분 상태 등의 병증이 나타날 때도 있음.

신경성 쇼크【神經性—】[-썽-] 명〔neurogenic shock〕〖의〗혈관 확장에 기인하는 쇼크. 저혈압·정맥 환류(靜脈還流) 및 심박출량(心搏出量)의 극단적인 감소 현상을 수반함. 중추 신경계나 척수 마취 또는 반사 부전(反射不全)에 대한 상해(傷害) 등이 원인이 됨.

신경성 종양【神經性腫瘍】[-썽-] 명〖의〗신경 외배엽(外胚葉)에 유래하는 신경에 고유한 종양. 신경 세포·신경교(膠) 세포·신경초(鞘) 세포의 셋이 종양이 되는데, 신경교종으로 대표되는 뇌척수 종양과 신경초종으로 대표되는 말초 신경 종양으로 구분됨.

신경 세:포【神經細胞】명〔nerve cell〕〖생〗신경 조직을 구성하는 세포. 중추(中樞) 신경계에서는 회백질(灰白質)에 모여 있고, 말초(末梢) 신경계에서는 신경절(節)에 집합해 있으며, 그 외 여러 장기(臟器)의 내부 또는 그 부근에 여러 모양으로 무리를 지어 있음. 수상(樹狀) 돌기와 축삭(軸索) 돌기의 두 가지가 있음. 그 핵(核)은 둥글고 투명하므로, 그 속에 든 둥근 인(仁)도 뚜렷이 볼 수 있음.

신경 세:포체【神經細胞體】명〖생〗신경 단위(單位)에서 돌기(突起)를 제외한 부분. 흥분성 및 전달성이 있음. *뉴런.

신경 쇠약【神經衰弱】명 ①〔도 Neurasthenia〕〖의〗엄밀하게 말하면 급성 신경 쇠약, 즉 신경계의 피로에 의한 자극성 쇠약의 질환. 감정이 발작적으로 앙진(昂進)·격변(激變)하며, 끈기가 없어 곧 권태나 피로에 빠지고, 기억력 감퇴·불면증에 걸림. ②트럼프 유희(遊戲)의 하나. 카드를 모두 엎어 놓고 두 장 또는 넉 장씩 젖혀 숫자(數字) 맞추기를 겨루는 놀이. 신경이 조마조마해진대서 이 이름이 생김.

신경 쇠약성 신경증【神經衰弱性神經症】[-쯩] 명〔neurasthenic neurosis〕〖심〗신경성 장애의 하나. 피로·무기력·허약과 더불어 여기저기의 통증이나 고통을 호소하고, 끊임없이 불평을 하는 특징을 가짐.

신경 안정제【神經安定劑】명〖약〗신경 쇠약·정신 불안증·불면증 등의 신경증을 다스려 안정시켜 주는 약.

신경-액【神經液】명〖생〗신경 호르몬.

신경 액체설【神經液體說】명〔neuronumoralism〕〖생〗신경을 따라 충격이 전하여지고, 신경의 말단으로부터 화학 물질을 분비하여서, 실효 기관(實效器官)에 자극을 준다고 하는 학설.

신경 약리학【神經藥理學】[-니-] 명〔neuropharmacology〕〖의〗신경계에 대한 약리 작용을 다루는 과학.

신경-염【神經炎】[-념] 명〔neuritis〕〖의〗신경 섬유 또는 그 조직의 염증. 원인으로는, 외상(外傷)·류머티스·과로 및 냉각(冷却) 또는 전염병·중독·영양 장애 등이 있는데, 신경의 주로(走路)에 따라 동통(疼痛)·압통(壓痛)·이상 감각 및 운동 마비 등의 증상을 일으킴. 단발성(單發性)과 다발성(多發性) 신경염이 있음.

신경 외:과【神經外科】[-꽈] 명〔neurosurgery〕〖의〗신경 및 신경 조직을 주요 대상으로 하는 외과학. 뇌·척수 및 말초(末梢) 신경의 병을 수술적 처치로 치료하려는 학문임.

신경-원【神經元】명〖생〗뉴런(neuron).

신경-전【神經戰】명 적극적인 공격을 하지 아니하고, 모략·선전 등으로 천천히 적의 신경을 피로하게 만들어, 사기를 저하시키는 전법(戰法). 또, 그런 싸움.

신경-절【神經節】명〔ganglion〕〖생〗말초(末梢) 신경의 경과(經過) 중에 혹처럼 두드러진 부분. 반드시 신경 세포체(細胞體)가 들어 있는데, 지각(知覺) 신경에 속하는 것과 자율(自律) 신경에 속하는 것의 두 가지가 있음.

신경 제:거성 과:민【神經除去性過敏】[-썽-] 명〔denervation hypersensitivity〕〖생〗신경 지배의 제거나 중단으로부터 회복된 후에 기관(器管)이 과민성을 나타내는 증상.

신경제 정책【新經濟政策】명〖경〗네프(NEP).

신경 조직【神經組織】명〔nervous tissue〕〖생〗신경 세포와, 이것으로부터 나온 축삭 돌기(軸索突起)와 수상(樹狀) 돌기로써 이루어진 조직. 자극에 감응(感應)하며 다른 세포에 전달하는 작용을 함.

신경 종말 기관【神經終末器官】명〔nerve end-organ〕〖생〗지각성(知覺性)의 신경 섬유(纖維)가 피부 등에서 끝나는 곳에 있는 작고 특별한 기관.

신:-경준【申景濬】명〖사람〗조선 영조 때의 실학자. 자는 순민(舜民), 호는 여암(旅菴). 영조 46년(1770)에 《문헌 비고(文獻備考)》를 편찬할 때 여지고(輿地考)를 맡았고, 또 성음학(聲音學)에 조예가 깊어, 역학(易學)의 학설에 근거 삼아 《훈민 정음 운해(訓民正音韻解)》를 저술하여 한글 발전에 공헌했음. [1712-81]

신경 중추【神經中樞】명〖생〗신경 기관 중, 신경 세포가 집합되어 있는 곳. 자극을 받고 통제하며, 명령하는 작용을 함. 또 사람의 뇌와 같이 발달한 중추에 있어서는 정신 작용이 행하여지고 있는 것으로 생각됨. 줏대 신경. 중추 신경. ㊤중추.

신경-증¹【身硬症】[-쯩] 명〖한의〗뇌척수의 병으로 몸과 힘줄이 뻣뻣하게 되는 병. 어린 아이에게 있음.

신경-증²【神經症】[-쯩] 명〔neurosis〕〖의〗노이로제.

신경증 소질【神經症素質】[-쯩-] 명〖의〗여러 가지 신경증이 일어나기 쉬운 체질. 보통 기질(氣質)이 신경질인 수가 많음.

신경증적 인격【神經症的人格】[-쯩-껵] 명〔neurotic personality〕정상인(正常人)과 신경증 환자의 중간적인 증상이 나타나고 또는 그런 거동을 하는 사람.

신-경지【新境地】명 새로운 경지(境地).

신:-경진【申景禛】명〖사람〗조선 인조 때의 상신(相臣). 자는 군수(君受). 평산(平山) 사람. 인조 반정 때의 공으로 평성 부원군(平城府院君)에 봉군됨. 병조 참판·훈련 대장 등을 거쳐 인조 20년(1642)에 영의정이 됨. 후에 인조 묘정(廟廷)에 배향(配享)되었음. 시호는 충익(忠翼). [1575-1643]

신경-질【神經質】명〔도 Nervosität〕〖의〗①신경 기능(機能)의 과민(過敏) 또는 섬약(纖弱)을 특징으로 하는 심적(心的) 성질. 병리적 증후(病理的症候)가 모인 신경 쇠약과는 다르나, 흔히는 이 특질에 기인하여 발생함. *기질(氣質). ②사소한 일에까지 신경을 쓰는 성질. ¶ ~을 나다/~을 부리다.

신경질-아【神經質兒】명 신경질의 체질(體質)을 가진 아이.

신경질-쟁이【神經質—】명 신경질을 잘 내는 사람.

신경질-적【神經質的】[—쩍] 명 관 신경질을 부리는 성질이 있는 모양. ¶ ~이다 / ~ 반응을 보이다.

신경-초[1]【神經草】명〘식〙미모사(mimosa).

신경-초[2]【神經鞘】명〔neurilemma〕〘생〙말초 신경에서 신경 섬유를 덮고 있는 엷은 칼집 모양의 막(膜).

신경초-종【神經鞘腫】명〔neurinoma〕〘의〙신경초 세포로부터 발생하는 종양(腫瘍). 말초 신경성 종양을 대표하는 것으로, 결절(結節)을 이루어 신체 각부에 발생하는데, 대개 양성(良性)이므로 직접 생명에 위협은 주지 않음. 다발성(多發性)의 것은 유전성이 농후하여, 몇 대에 걸쳐 동일 가계(家系)에 발생하는 것이 특징임. *레클링하우젠병(Recklinghausen病).

신경-총【神經叢】명〘생〙무척추 동물에서는 해파리의 내산면(內傘面) 등에 보이는 신경 세포의 작은 집단. 척추 동물에서는 말초 신경 섬유가 서로 얽혀 만드는 망상(網狀) 구조.

신경-통[1]【神境通】명〘불교〙신족통(神足通).

신경-통[2]【神經痛】명〔neuralgia〕〘의〙일정한 감각 신경의 분포 구역에 극통(劇痛)이 발작적(發作的)으로 일어나는 병증. 흔히 삼차(三叉)·좌골(坐骨)·후두(後頭)·상박(上膊)·늑골(肋骨) 등에 많이 일어남.

신경-판【神經板】명〔neural plate〕〘생〙척추 동물의 발생 초기의 배(胚)의 등 쪽에 생기는 납작한 조직. 이것을 바탕으로 해서 중추 신경이 만들어짐.

신경 피로【神經疲勞】명 정신 피로(精神疲勞).

신경 피부염【神經皮膚炎】명〔neurodermatitis〕〘의〙피부염의 하나. 한국적(限局的)인 태선화(苔蘚化)를 볼 수 있는 피부 질환으로, 흔히 대칭성(對稱性)으로 가려움증이 따름. 신경질인 사람에게 나타남.

신경 피부증【神經皮膚症】[—쯩] 명〔neurodermatosis〕〘의〙심리적 요인에 기인한다고 볼 수 있는 피부 질환.

신-경향【新傾向】명 사상(思想)·풍속(風俗) 등이 구태(舊態)를 벗어나려고 하는 경향.

신경향-파【新傾向派】명〘문〙1920년 전후(前後)에 우리 나라 문단(文壇)에 등장한 사회주의 문학파. 백조파(白潮派)에 대한 비판과 반동으로서 일어났는데, 박영희(朴英熙)·김기진(金基鎭)·최학송(崔鶴松) 등이 주동이었음.

신경 호르몬【神經—】명〔neurohormone〕〘생〙신경 세포의 말단에서 분비되는 호르몬. 교감(交感) 신경에서 분비되는 아드레날린, 부교감 신경에서 분비되는 아세틸콜린이 대표적임. 신경액.

신:-경화증【腎硬化症】[—쯩] 명〘의〙↗신장(腎臟) 경화증.

신경 회로망【神經回路網】명〔neural network〕〘컴퓨터〙뇌의 신경 회로 등을 본뜬 회로망을 만들어 알파벳이나 숫자 등의 문자를 익히어 그 문자를 정확히 읽을 수 있는 컴퓨터.

신경 화학【神經化學】명〔neurochemistry〕신경계를 화학적으로 다루는 학문 분야.

신계[1]【申戒】명 말로써 훈계함.

신계[2]【身計】명 자기 일신(一身)의 일을 위하여 꾀하는 일. 자기 일신상에 관한 계획.

신계[3]【神啓】명〘악〙조선 세종(世宗) 때에 지은 춤음악 《발상(發祥)》의 11곡 중 다섯째 곡(曲)의 이름.

신계[4]【晨鷄】명 새벽을 알리는 닭.

신:계[5]【愼戒】명 삼가고 조심함. ——-하다 자여불

신계[6]【新戒】명〘불교〙①새로 사미계(沙彌戒)를 받은 젊은 중. ②차계(遮戒). ↔성계(性戒).

신계[7]【新界】명〔라 Negogaea〕〘동〙동물 지리구(區)의 3대 단위의 하나. 남아메리카 대륙을 포함하는 지역을 가리키며 북계(北界)·남계(南界)와 대립됨. 중세대 말(中世代末)에서 신생대(新生代)를 통하여 타대륙과의 거리가 멀었던 탓으로 동물상(動物相)의 특이성이 강해서, 신열대구, 신열대 아구(亞區)인 1구(區), 1아구(亞區)로 이루어짐.

신계[8]【新啓】명〘역〙조선 시대에, 사간원(司諫院) 또는 사헌부(司憲府)에서 죄인의 죄상(罪狀)을 들어 왕께 상주하던 문서.

신계[9]【新溪】명〘지〙황해도 신계군의 군청 소재지. 예성강(禮成江) 상류의 분지로, 홍적세(洪積世)의 현무암(玄武岩)이 분출하여 일부는 대지로 되어 있어서, 담배·콩 같은 농산물의 집산지임.

신계-군【新溪郡】명〘지〙황해도의 한 군. 관내 8면. 북은 수안군(遂安郡)과 곡산군(谷山郡), 동은 강원도 이천군(伊川郡), 남은 김천군(金川郡)과 평산군(平山郡), 서는 서흥군(瑞興郡)과 접함. 주요 산물은 농산물과 축산·임산·공산물 등이 있음. 명승 고적으로 고궁지(古宮址)·태봉비(胎峰碑)·양수암(兩水庵)·수림정(秀林亭) 등. 군청 소재지는 신계(新溪). [320 km²]

신계 분지【新溪盆地】명〘지〙황해도 동부의 산간 분지. 평남·황해 동부 지방의 산간에 이루어졌으며 중심지는 신계(新溪).

신계-사【神溪寺】명〘불교〙금강산(金剛山) 외금강(外金剛)에 있는, 유점사(楡岾寺)의 말사(末寺). 신라 법흥왕(法興王) 때의 창건이라고 하나 수차 화재로 훼손된 것을 재건했음.

신-계(:)영【辛啓榮】명〘사람〙조선 중기의 문신. 자는 영길(英吉), 호는 선석(仙石). 일본에 통신사(通信使)로 다녀와 기행시(紀行詩)를 남김. 벼슬이 전주 부윤(全州府尹)을 거쳐 지중추부사(知中樞府事)에 이름. 문집에 《선석 유고(仙石遺稿)》가 있음. [1557-1669]

신고[1] 명〈옛〉신의 코. ¶ 셸리 나 내 신고흘 미야라 《樂範 處容歌》.

신고[2]【申告】명 ①국민이 법률 상의 의무로서 행정 관청에 일정한 사실을 진술·보고하는 일. ¶ 출생 ~. ②〘군〙발령 및 어떤 임무에 임명되는 경우 등에 소속 상관·지휘관에게 인사로서 보고하는 일. ¶ 진급 ~. ——-하다 타여불

신고[3]【辛苦】명 어려운 일을 당하여 몹시 애씀. 또, 그 고생. 고독(苦毒). 신간(辛艱). ¶ 온갖 ~를 겪은 끝에 성공하다. ——-하다 자여불

신-고[4]【新古】명 새 것과 헌 것. 새로움과 낡음. 신구(新舊).

신-고고학【新考古學】명〔new archaeology〕최신의 통계·과학 기술 등 방법을 원용하여 연구하는 고고학.

신고 납부【申告納付】명〘법〙납세 의무자가 납부할 세금의 과세 표준액(課稅標準額) 및 세액(稅額)을 스스로 계산·신고하고, 그 신고액을 세금으로 납부하는 일.

신고 납세【申告納稅】명 일차적으로 납세자가 세액을 정하여 세무 행정 관서에 신고(申告)토록 하는 과세 방식. 신고가 없거나 그 신고가 적절치 못하다고 인정될 때에만 세무 행정 관서의 경정(更正) 또는 결정에 의하여 세액이 확정됨. ↔부과 과세(賦課課稅).

신고 납세 제:도【申告納稅制度】명〘법〙납세자의 신고에 의하여 과세 표준(課稅標準)을 확인하고, 그 세액(稅額)을 확정하는 제도. *예정 납세 제도.

신-고립주의【新孤立主義】[— / —이] 명 미국의 외교 정책 상의 원칙의 하나. 2차 대전 후, 과대한 국제 정치에의 관여나 대외적인 간섭 정책의 제한을 주장하는 것. 1950년대부터 나타났고, 고립주의의 계보(系譜)를 잇는 것이지만, 국제 정치의 주도권은 확실하게 장악해 두려 하는 점에서 고립주의와는 다름.

신고-법【申告法】[—뻡] 명 납세 의무자가 납세액을 정하기 위하여, 그의 소득·재산·직업 등을 소관 관청에 보고하게 하는 방법.

신고산-타:령【新高山打令】명〘악〙함경도 민요의 하나. 개화기(開化期)의 신문명에 대한 반발과, 시골 큰아기가 차차 새로운 물결에 물들어 들뜨게 된다는 내용임. 사설(辭說)이 '신고산이 우루루'로 시작됨. 어랑 타령.

신고 소:득【申告所得】명 납세자가 세금의 대상으로 자진 신고하여야 할 소득.

신고-스럽다【辛苦—】형ㅂ불 몹시 고생스럽다. **신고-스레**【辛苦—】부

신고 어업【申告漁業】명〘법〙지방 장관에게 신고를 하여 감찰을 교부받아 행하는 어업. 곧, 허가 어업·면허 어업 이외의 어업. 유효 기간은 3년 이내임.

신고-자【申告者】명 신고하는 사람.

신-고전주의【新古典主義】[— / —이] 명〔neo-classicism〕〘예〙①20세기 초에 자연주의 및 신낭만주의에 대한 반동으로서 독일에서 일어난 문학 사조(思潮). 고전 문학에 심취하여, 그 예술 전통과 양식으로의 복귀(復歸)를 지향한 민족 문화 본위의 새로운 고전주의. 에른스트·숄츠 등이 그 대표자임. ②18세기 중엽부터 19세기 전반에 걸쳐 바로크(baroque)와 로코코(rococo) 미술에 대한 반동으로 일어난, 고대 그리스·로마에의 회귀(回歸)를 기조(基調)로 한 전유럽적(全Europe的) 미술 운동. 이론가 빙켈만(Winckelmann, J. J.), 화가 다비드(David, J.L.), 조각가 카노바(Canova, A.) 등이 대표자임. ③20세기 초두 낭만주의에 의하여 상실한 간소한 형식미(形式美)의 재건을 지향한 음악가의 한 파.

신고전 학파【新古典學派】명〘경〙근대 경제학의 학파의 하나. 영국의 마셜이 창시자이며, 피구(Pigou, A.C.)·케인스(Keynes, J.M.)·로빈슨(Robinson, J.V.) 등이 그 대표적인 학자임. 영국 고전 학파의 전통·이론을 계승, 신시대의 요구에 적합한 실천적 경제학을 전개하여, 국민 소득의 분배, 만성적 실업, 독점 등의 문제를 국민 전체의 후생(厚生)이라는 관점에서 해결하려 함. 기본적으로는 자본주의를 옹호하는 입장임. 케임브리지 학파.

신:-고정술【腎固定術】명〔nephropexy〕〘의〙유주신(遊走腎)을 외과적으로 고정하는 일.

신곡[1]【神曲】명〘한의〙신국(神麴).

신곡[2]【神曲】명〔이 Divina Comedia〕〘책〙이탈리아의 시성(詩聖) 단테가 지은 웅장한 서사시(敍事詩). 인간의 영혼이 죄악의 세계로부터 회오(悔悟)와 정화(淨化)에 이르고, 다시 천국에로 향상 정진(向上精進)하는 경로를 묘사한 것으로, 단테의 인생관·종교관·우주관이 잘 나타나 있음. 그의 방랑 시대인 1304-08년에 지옥편(地獄篇), 1308-13년에 연옥편(煉獄篇), 그의 마지막 7년 간에 천국편(天國篇)의 3부로써 완성했는데, 삼위 일체의 '3'자를 인용하여 각각 33장(章)으로 하였고, 지옥편의 서장(序章) 1장을 합하여 모두 100장으로 되어 있음.

신곡[3]【新曲】명 새로 지은 곡. 신성(新聲). ↔구곡(舊曲).

신곡[4]【新穀】명 햇곡식. ¶ ~ 출하. ↔구곡(舊穀).

신곡-계【新穀契】명〘역〙해마다 햇곡식을 중앙에 공물(貢物)로 바치던 계.

신곡-머리【新穀—】명 햇곡식이 날 무렵.

신-골[—꼴] 명 신을 만드는 데에 쓰는 골. *짚신골.

신골 방망이[—꼴—] 명 신을 만들어 골을 칠 때에, 쓰는 둥글고 기름한 방망이.

신공[1]【身貢】명〘역〙조선 시대에, 노비(奴婢)가 신역(身役)으로 납부하는 세. 삼베 외에, 무명·모시 또는 동전으로도 대신 바침. ¶ ~ 포전.

신공[2]【神工】명 ①신묘하게 만든 물건. ②재주가 비상한 공장(工匠).

신공[3]【神功】명 ①신의 공덕. 신령(神靈)의 공덕. ②영묘(靈妙)한 공적. 불가사의(不可思議)한 공력(功力). ③〘천주교〙기도와 선공(善功).

신-공기[—꽁—] 명〈방〉신갱기.

신공 사뇌가【身空詞腦歌】명〘악〙신라 원성왕(元聖王)의 작품. 불교에 관한 노래로서, 인생 무상(無常)을 노래한 것인 듯함. 전하지 않음.

신공 포전【身貢布錢】명 신공(身貢)으로 바치던 포목이나 돈.

신-공화주의【新共和主義】[— / —이] 명〘정〙미국의 아이젠하워 대통령이 주장, 실천하던 기본 노선(路線). 곧 인플레이션을 억제하고, 국민의 복지 향상을 추진하여 나아가려는 것임.

신:과【愼果】명〘역〙조선 시대 장원서(掌苑署)의 종칠품 벼슬의 잡직(雜職). *신화(愼花).

신과학 대:화【新科學對話】명〘책〙종교 재판으로 연금 상태에 있던 갈릴레이가 1636년에 완성한 책. 한 과학자와 아리스토텔레스 체계(體系)에 정통한 한 철학자 및 베네치아의 한 시민의 세 사람에 의한 6일간에 걸친 대화의 형식을 통해서, 재료의 강약과 음(音)·진자(振子)·자

유 낙체(自由落體) 등등 새로운 과학적 사실들을 평이하게 기술함. '역학 대화(力學對話)'라고도 하고, 정식으로는 ≪기계학과 지상 운동에 관한 두 개의 신과학에 관한 대화와 수학적 증명≫이라 일컫는데, 과학 사상 최고의 고전의 하나임.

신관¹ 명 '얼굴'의 존칭. ¶～이 좋으십니다.

신:관²【信管】 명 작약(炸藥)을 기폭(起爆)시키기 위하여 탄두(彈頭)나 탄저(彈底)에 장치한 도화관. 공중 탄도(空中彈道)의 어느 한 점에서 탄환을 작렬시키는 시한(時限) 신관과 목표에 충돌하였을 때 탄환을 폭발시키는 착발(着發) 신관, 착발과 시한의 두 작용을 겸한 복동(複動) 신관, 필요에 따라 탄두 신관과 조합(組合)하여 사용하는 보조(補助) 신관 등으로 분류됨.

신관³【新官】 명 ①새로 임명된 관리. ②새로 부임한 관리. ¶～ 사또. ↔구관(舊官).

신관⁴【新館】 명 새로 지은 건물. ↔구관(舊館).

신:관⁵【腎管】 명 〔nephric tubule〕〖동〗 환형(環形) 동물의 각 체절(體節)에 한 쌍씩 있는 배설기(排泄器). 한 끝은 깔때기 모양으로 배설물을 받아들이는 구실을 하며, 다른 한 끝은 이웃한 체절의 표면에 열려 있음. 체절기(體節器).

신관 문자【神官文字】[―짜] 명 이집트 문자의 자체(字體)의 한 가지. 기원 전 2,500년경에 신성 문자(神聖文字)에서 나온 것으로, 속용 문자(俗用文字)와 같이 오른쪽에서 왼쪽으로 써 나가는 글자였음.

신광¹【身光】 명 〖불교〗 부처나 보살의 몸으로부터 비치는 빛. *후광(後光).

신광²【神光】 명 ①신불(神佛)의 몸에서 발하는 빛. 영광(靈光). ②이상한 빛.

신광³【晨光】 명 서광(曙光)❶.

신광-사【神光寺】 명 〖불교〗 황해도 해주(海州)에 있는 절. 고려 말기에 당시 왕위에 오르지 않았던 원(元)나라 순제(順帝)가 황해의 대청도(大青島)에 유배되어 이 곳을 지날 때에 풀 속에 한 부처가 있음을 보고, 왕이 되게 하여 주기를 빌었던 바, 그 후 귀국하여 왕이 되자 감격한 순제는 많은 재물과 건축가를 그 곳에 보내어 세운 절이라 함.

신-광수【申光洙】 명 〖사람〗 조선 영조(英祖) 때의 문신. 자는 성연(聖淵), 호는 석북(石北). 고령(高靈) 사람. 서화(書畫)에 뛰어나 문명(文名)이 자자했음. 탐라(耽羅)에 가서 그 곳의 풍토·산천·조수(鳥獸)·항해 등의 상황을 적은 ≪부해록(浮海錄)≫을 지었고, 연천 현감(漣川縣監)·우승지를 거쳐 돈령 도정(敦寧都正)에 이름. [1712-75]

신광-포【新光浦】 명 〖지〗 강원도 통천군(通川郡)에 있는 호수.

신-광한【申光漢】 명 〖사람〗조선 중종 때의 학자. 자(字)는 한지(漢之) 또는 시회(時晦), 호는 기재(企齋) 또는 낙봉(駱峰). 고령(高靈) 사람. 중종 5년(1510)에 등제한 후, 동 14년(1519)에 조광조(趙光祖) 일파로 몰려 여주에 퇴거하였다가, 다시 돌아와, 우참찬 겸 대제학이 되고 좌찬성·우찬성을 지냄. 시호는 문간(文簡). 저서에 ≪기재집≫ 등이 있음. [1484-1555]

신괴【神怪】 명 신비하고 괴상함. ――하다 형여불

신교¹【―轎】 명 ☞승교. ¶험한 길에 간간이 타시고 오시던 ～바탕을 가지고 오리다≪李海朝 : 巢鶴嶺≫.

신:교²【信教】 명 종교를 믿는 일. ¶～의 자유. ――하다 자여불

신교³【神巧】 명 신비롭도록 교묘함. ¶～한 기술. ――하다 형여불

신교⁴【神交】 명 정신적으로 사귐. ――하다 자타여불

신교⁵【神教】 명 신의 가르침.

신교⁶【新教】 명 〖기독교〗 프로테스탄트(Protestant). ↔구교(舊教).

신교 감독 교:회【新教監督教會】 명 〖기독교〗 프로테스탄트(Protestant) 감독 교회.

신교-도【新教徒】 명 신교를 신봉하는 교도. 프로테스탄트(Protestant). ↔구교도(舊教徒).

신-교육【新教育】 명 〖교〗 ①고래의 한학(漢學) 중심의 교육에 대하여 현대의 학교 교육. ②종래의 서적 중심의 형식적·획일적·주지적(主知的) 교육에 대하여, 새로 일어난 생활 교육. 개성 존중·자발적 학습·자치적 훈육·사회성·남녀 공학·인류애를 중시함.

신:교의 자유【信教―自由】[―/―에―] 명 〖법〗 종교의 자유.

신구¹【伸救】 명 죄 없는 사람을 사실대로 변명(辨明)하여 구원함. ――하다 타여불

신구²【身軀】 명 체구(體軀).

신:구³【信口】 명 말을 할 때에 주의하지 않고, 입에서 나오는 대로 함부로 함.

신:구⁴【愼口】 명 말을 삼감. 신언(愼言). ――하다 자여불

신-구⁵【新舊】 명 새 것과 헌 것. 신고(新古). ¶～ 세력의 교체.

신구-관【新舊官】 명 신관과 구관.

신구 교대【新舊交代】 명 ①새 것과 헌 것이 교대함. ②신관과 구관이 교체함. ――하다 자여불

신구 논쟁【新舊論爭】 명 〖문〗 17세기 말에서 18세기 초에 걸쳐, 프랑스에서 고대 문학(그리스 문학·로마 문학 등)과 근대 문학의 우열(優劣)에 대해 행하여진 문학 논쟁.

신구 동:물【新口動物】 명 〔라 Deuterostomia〕〖생〗 후구(後口) 동물.

신구 사:상【新舊思想】 명 새로운 사상과 낡은 사상.

신구-서【新舊書】 명 ↗신구 서적.

신구 서적【新舊書籍】 명 새 책과 헌 책. ㊣신구서(新舊書).

신구-세【新舊歲】 명 새해와 묵은 해.

신구 세:계【新舊世界】 명 ①〖지〗 신대륙과 구대륙. ②〖생〗 동식물의 분포학상 구분한 신세계와 구세계.

신구-식【新舊式】 명 신식과 구식.

신구-약【新舊約】 명 〖성〗 신약 성서와 구약 성서.

신구 양:역【新舊兩譯】 명 〖불교〗 신역(新譯)과 구역(舊譯)의 두 번역.

신-구:-의【身口意】 명 〖불교〗 행동과 언어와 정신. 곧, 일상 생활의 모든 행위.

신구 학문【新舊學問】 명 신학문과 구학문.

신국¹【神國】 명 〔라 Civitas Dei〕〖기독교〗 신이 지배·통치하는 영원·완전한 나라. 아우구스티누스(Augustinus)가 지상국(地上國)에 대하여 사용한 말.

신:국²【訊鞫】 명 죄상(罪狀)을 물어 조사하는 일. 국정(鞫正). ――하다 타여불

신국³【神麴】 명 〖한의〗 소화약(消化藥)으로 쓰는 누룩. 백면(白麪)·창이즙(蒼耳汁)·야료즙(野蓼汁)·청호즙(青蒿汁)·행인니(杏仁泥)·적소두(赤小豆) 등을 섞어 반죽하여서 만듦. 신곡(神曲).

신국⁴【新國】 명 새로 건설된 나라.

신국⁵【新麴】 명 햇누룩.

신국-론【神國論】[―논] 명 〔라 De Civitate Dei〕〖책〗 아우구스티누스가 이교도(異教徒)에 대하여 기독교(基督教)를 옹호하고 신관(神觀)을 창조(創造)·죄악·종말관(終末觀)의 개념으로 구명한, 대표작. 413-427년에 펴냄. 22권.

신-국면【新局面】 명 새로 벌어진 국면.

신군¹【神軍】 명 신병(神兵).

신군²【新軍】 명 〖역〗 청일 전쟁 뒤에, 중국에서 각 성(省)의 총독(總督)·순무(巡撫)가 농촌 자제를 징모하여 조직한 근대적 장비와 훈련을 갖춘 군대. 민국 혁명 후에 신군은 북양(北洋) 군벌과 지방 군벌로 갈라졌음.

신-굿【神―】 명 〈방〉 내림굿(제주).

신궁【神宮】 명 〖역〗 신라 시조(始祖)를 모신 사당. 소지왕(炤智王)이 내을(奈乙)에 창립함.

신권【神權】[―꿘] 명 ①신의 권위. 신의 권리. ②〔divine right〕〖역〗 신으로부터 부여된 신성한 권력. 유럽에서 군주 전제(君主專制)의 통치권의 구실로 쓰인 관념. ③〖천주교〗 성직자의 직권(職權).

신권-설【神權說】[―꿘―] 명 〖법〗 ↗제왕 신권설(帝王神權說).

신권 정치【神權政治】[―꿘―] 명 ①신에 의한 통치. 인간의 조직에 대한 신의 지배. ②정치 권력자가 종교 상의 최고 권위자를 겸하거나, 그 권위가 신(神)으로부터 발원한 것이라고 하여, 피지배자에게 절대적 복종을 강제하는 정치 체제의 총칭. 중세기 유럽의 교회 국가주의(教會國家主義)나 이스라엘 민족의 사제(司祭) 정치가 모두 이에 속함.

신궐【宸闕】 명 궁궐(宮闕).

신귀¹【神鬼】 명 귀신(鬼神).

신귀²【神龜】 명 신령스러운 거북. 영귀(靈龜). *거북.

신규【新規】 명 ①새로운 규모 또는 규정. ②완전히 새롭게 어떤 일을 하는 일. ¶～ 채용.

신규 등록【新規登錄】[―녹] 명 새로이 하는 등록.

신규 사:업【新規事業】 명 새로 경영하는 사업.

신규 상:장【新規上場】 명 새로운 종목의 유가 증권을 증권 거래소에 상장하는 일.

신-규식【申圭植】 명 〖사람〗 독립 운동가. 충청 북도 청원군 출신. 1900년 육군 무관(武官) 학교를 졸업, 임관하여 부위(副尉)에까지 진급함. 을사 조약 뒤 음독 자살을 기도하였다가 오른쪽 눈의 신경이 마비되어 호를 예관(睨觀)으로 함. 1911년 중국 상하이(上海)로 망명, 신해 혁명에 공헌함. 대한 민국 임시 정부 수립 후 법무 총장, 국무 총리 대리, 1921년에는 외무 총장까지 겸임함. 그 해 11월 특사로 중화 민국 정부의 쑨 원(孫文)을 만나 임시 정부 승인을 받음. 저서에 ≪한국혼≫과 시집 ≪아목루(兒目淚)≫가 있음. 상하이의 만국(萬國) 공원에 안장되었다가 1993년 유해가 봉환되어 국립 묘지에 묻힘. [1879-1922]

신극¹【宸極】 명 ①천자(天子)의 지위. 제위(帝位). ②천자의 거소. ③천제(天帝)의 거소. 전하여, 북극성.

신극²【新劇】 명 〖연〗 구극·신파극 등의 기성(既成) 연극에 대항하여 일어난 새로운 경향의 연극. 서양 근대극에 영향을 입고, 새로운 시대 감각을 불어 넣어, 현대인의 생활·사상·감정을 반영시키려는 연극. 1921년 홍해성(洪海星)·김수산(金水山)·마해송(馬海松) 일파에 의하여 조직된 '극예술 협회'가 선구가 되고, '토월회(土月會)'에 의하여 신극의 기반이 확립되었음.

신근¹【辛勤】 명 고된 일을 맡아, 부지런히 일함. 또, 고된 근무. ――하다 자여불

신근²【伸筋】 명 〖생〗 척추(脊椎) 동물에 있어서, 사지(四肢)를 뻗는 작용을 하는 근육의 총칭. 신장근(伸長筋). ↔굴근(屈筋).

신근³【身根】 명 〖불교〗 오근(五根)의 하나. 촉각 기관으로서의 피부. 또, 그 기능.

신:근⁴【信根】 명 〖불교〗 〔불도(佛道) 수행(修行)의 근본이 됨에 유래〕 오근(五根)의 하나. 부처의 가르침을 깊이 믿는 일.

신:근⁵【信謹】 명 믿음직하고 조심성이 많음. ――하다 형여불. ――히 부

신:근⁶【愼謹】 명 근신(謹愼). ――하다 자여불

신-근봉【臣謹封】 명 〔신이 삼가 봉한다는 뜻〕 임금에게 바치는 문서의 봉하는 곳에 쓰는 글자.

신:금¹【信禽】 명 〔통신용이라는 뜻에서 나온 말〕 기러기².

신금²【宸襟】 명 임금의 마음.

신:금³【愼禽】 명 〖역〗 조선 시대 장원서(掌苑署)의 정팔품 잡직(雜職)의 벼슬. 신과(愼果)의 아래.

신-금강【新金剛】 명 〖지〗 금강산 외금강의 남쪽과 내금강(內金剛)의 동쪽에 있는 골짜기. 금강산 중에 근래 발견된 부분으로, 십이 폭포(十二瀑布)가 있고 송림사(松林寺)·원통암(圓通庵) 등이 있음.

신금물 명 〈방〉 십부름. ――하다 자

신-금속【新金屬】 명 ①지구 상에서의 천연의 존재량이 적거나, 순수한 금속으로 빼내기가 어려운 희귀한 금속의 일컬음. 합금의 첨가 원료로서 새로이 각광을 받게 된 바륨, 베릴륨, 세륨, 갈륨, 게르마늄, 우라늄 등. ②여러 금속을 섞어 기존 금속의 능력을 훨씬 뛰어넘게 한 새로운 합금. 비정질(非晶質) 합금, 형상 기억 합금, 초합금 등.

신:급【迅急】 명 매우 급함. ――하다 형여불

신-급제【新及第】 명 〖역〗 과거에 새로 급제한 사람.

신긔 명 〈옛〉 신기(神奇). ¶지극 신긔ᄒᆞᆫ 효험이 잇ᄂᆞ니라(極有神效也)

≪救簡 Ⅲ:33≫.

신긔르윈 형 〈옛〉 신기로운.¶신긔르윈 가마괴는 춤츠놋다(舞神鴉)≪杜諺 Ⅱ:30≫.

신기¹【身氣】명 몸의 기력(氣力).

신기²【神技】명 신의 힘으로만 가능할 것 같은, 매우 뛰어난 기술이나 재주. ¶～에 가까운 솜씨.

신기³【神奇】명 신묘(神妙)하고 기이(奇異)함. 몹시 기이함.──하다 형여불

신기⁴【神祇】명 ↗천신 지기(天神地祇).

신기⁵【神氣】명 ①만물을 만들어 내는 원기(元氣). ②신비롭고 불가사의한 운기(雲氣). ¶～가 감돌다. ③정신과 기운. ¶～가 약하다.

신기⁶【神旗】명 ①〖역〗군기(軍旗)의 한 가지. 사람의 이목(耳目)을 어리게 하기 위하여, 말을 탄 신장(神將)의 화상을 기면(旗面)에 그렸는데, 방위를 따라서 오색(五色)으로 함. 삼층으로 진을 칠 때 가운데 층에 세워서 표함. ＊중오방기(中五方旗)·홍신기·황신기(黃神旗). ②〖민〗무녀(巫女)가 기도단(壇)을 설치할 때 쓰는 기. 이에는 오방기(五方旗)와 28장군기(將軍旗)의 두 가지가 있는데, 전자는 꽃무늬 있는 종이에 오방 장군(五方將軍)의 이름을 쓴 것으로, 방 안이면 천장에, 방 밖이면 대나무에 붙이어 세움. 후자는 좁고 긴 백지에 28장군의 신명(神名)을 쓴 것으로, 방 안에서만 쓰이어 제단의 둘레에 붙임. ＊혹신기.

신기⁷【神器】명 ①신령에게 제사를 올릴 때 쓰는 그릇. 대기(大器). ②임금의 보위(寶位).

신기⁸【神機】명 ①신묘한 계기(契機). ②헤아릴 수 없는 기략(機略).

신기⁹【晨起】명 새벽에 일어남. 아침 일찌기 일어남. 신흥(晨興). ──하다 자여불

신기¹⁰【新奇】명 새롭고 기이함. ¶～한 물건. ──하다 형여불

신:기¹¹【腎氣】명 ①자지의 정력. ②정력(精力). 사람의 활동하는 근원.

신:기¹²【愼機】명 기회를 소홀히 하지 아니함. ──-하다 자여불

신기-군【神騎軍】명〖역〗고려 숙종 때, 윤관(尹瓘)이 여진(女眞)을 정벌하기 위하여 조직한 별무반(別武班)의 기병(騎兵).

신기 누:설【神機漏泄】명 감추어져 있는 신묘한 계기를 누설함. 비밀에 속하는 일을 누설함. ──-하다 자여불

신기다〔─끼─〕사동 발에 신게 하다. ¶양말을 ～.

신기-답【新起畓】명 새로 일구어 만든 논. ＊신답(新畓).

신-기록【新記錄】명 종래의 기록보다 뛰어난 새로운 기록. ¶～을 세우다.

신기-롭다¹【神奇─】형ㅂ불 신묘하고 기이한 느낌이 있다. 신기-로이【神奇─】부

신기-롭다²【新奇─】형ㅂ불 새롭고 기이한 느낌이 있다. 신기-로이【新奇─】부

신기료 장수 명 헌 신을 깁는 일을 업으로 삼는 사람.

신:기-루【蜃氣樓】명 ①〔mirage〕대기의 밀도(密度)의 분포가 비정상적(非正常的)이어서, 광선이 굴절(屈折)하기 때문에 엉뚱한 곳에 물상(物像)이 나타나 보이는 현상. 사막·해상(海上), 그 밖에 공기가 국부적(局部的)으로 또는 층(層)을 이루어 온도차(差)를 가지는 곳에 흔히 나타나는데, 먼 곳의 육지·수목·가옥 등의 상(像)이 거꾸로 서거나 곧게 서서 아래쪽 또는 공중 높이 솟아 보임. 해시(海市). ㊀신루(蜃樓). ②공중 누각(空中樓閣).

신:기루 효:과【蜃氣樓效果】명〔mirage effect〕〖통신〗수증기나 온도 기울기의 수직 분포가 이상 기상(異常氣象)일 때, 전파가 굴절(屈折)되고, 기대하던 전달 거리를 훨씬 넘은 위치에서 수신(受信)되는 일.

신기-봉【神奇峰】명〖지〗평안 남도 영원군(寧遠郡) 영원면(寧遠面)과 영락면(永樂面) 사이에 있는 봉우리. [1,465m]

신기-스럽다¹【神奇─】형ㅂ불 ☞신기롭다¹. 신기-스레【神奇─】부

신기-스럽다²【新奇─】형ㅂ불 ☞신기롭다². 신기-스레【新奇─】부

신-기운【新機運】명 어떤 일이 진행되는 새로운 기운.

신-기원【新紀元】명 ①새로운 기원. ②획기적인 사실로 말미암아 전개되는 새로운 시대. ¶～을 이루다.

신기-전¹【神機箭】명 불놀이나 신호에 쓰던 화전(火箭). 기화전(起火箭). ＊야주(夜珠).

신기-전²【新起田】명 새로 일구어 만든 밭. ㊀신전(新田).

신-기질【辛棄疾】명〖사람〗중국 남송(南宋) 때의 문신(文臣). 자는 유안(幼安), 호는 가헌(稼軒). 산동 성(山東省) 리청(歷城) 출신. 벼슬은 추밀 도승지(樞密都承旨)에 이르렀고 당대의 사장(詞章)에 능하였음. 저서는 ≪가헌 장단구(稼軒長短句)≫ 등. [1140-1207]

신-기축【新機軸】명 종래에 있던 것과 판이한 새로운 방법. 또, 그 체제.

신:기-환【腎氣丸】명〖한의〗신장(腎臟)을 강하게 하는 약. 육미환(六味丸)에 오미자(五味子)를 섞었음.

신-끈 명 〈방〉 들메끈(경상).

신나〔thinner〕명〖화〗☞시너.

신-나다 자 흥이 일어나 기분이 아주 좋아지다. ¶신나게 떠들다/합격 통지서를 받고 신나서 야단이다.

신-나리다【神─】자 〈방〉 신내리다.

신-나무¹ 명 ☞신대.

신-나무² 명〖식〗〔*Acer ginnala*〕단풍나뭇과에 속하는 낙엽 활엽 교목. 높이 3m가량, 잎은 달걀꼴 또는 넓은 피침형이고, 대개가 세 갈래로 얕게 째졌으며, 큰 톱니가 있음. 6-7월에 담녹색 또는 홍록색 꽃이 자웅 일가(雌雄一家)로 산방상(繖房狀) 원추 화총(圓錐花叢)을 이루어 피고, 시과(翅果)는 9월에 익음. 개울가나 습지에 나는데, 한국 각지 및 일본·중국·만주·몽골에 분포함. 기구재·지팡이 재료, 잎은 물감용(用)으로 씀.

〈신나무²〉

신-날 명 짚신이나 미투리 바닥에 세로 놓은 날.

신:남【信男】명〖불교〗불교를 믿는 남자. ¶～ 신녀. ↔신녀(信女).

신남 군도【新南群島】명〖지〗'남사 군도(南沙群島)'를 일본이 영유권(領有權)을 주장하며, 2차 대전 직전에 붙였던 이름.

신남-산【─酸】명〔cinnamic acid〕〖화〗페루 발삼(balsam)·소합향(蘇合香) 등에서 추출되는 무색(無色)의 침상 결정(針狀結晶). 보통 트랜스형을 가리키며 시스형은 알로심남산이라고함. 트랜스형은 녹는점 133℃, 끓는점 304℃임. 인조 향료로서 화장품에 쓰임. 계피산. 육계산. [$C_9H_8O_2$]

신:납【信納】명 남의 말을 믿고 받아들임. ──-하다 타여불

신:낭【腎囊】명 불알. 음낭(陰囊).

신-낭구 명 〈방〉〖식〗신나무²(충북·경북).

신-낭그 명 〈방〉〖식〗신나무²(경북).

신-낭만주의【新浪漫主義】[─/─이] 명〔Neo-Romanticism〕〖문〗19세기 말기의 프랑스의 데카당스·상징주의를 선구(先驅)로, 20세기 초두에 걸쳐 독일·오스트리아를 중심으로 일어난 새로운 문학 경향. 자연주의 및 리얼리즘에 반항하여 일어나 예술 지상주의·유미(唯美)주의 내지 신비주의 등의 경향을 띰. 마테를링크(Maeterlinck)·호프만슈탈(Hofmannsthal, H.; 1874-1929)·게오르게(George) 등은 그 대표적 작가임. 네오로맨티시즘.

신-내각【新內閣】명 새로이 성립된 내각.

신-내리다【神─】자〖민〗무당에게 신이 접하다.

신냉이 명 〈방〉〖식〗냉이(경남).

신너벅지 명 〈방〉 넓적다리(경북).

신:녀【信女】명〖불교〗불교를 믿는 여자. ↔신남(信男).

신년¹【申年】명〖민〗태세의 지지(地支)가 신(申)으로 된 해. 갑신(甲申)·병신(丙申)·무신(戊申) 등. 원숭이해.

신년²【新年】명 새해. 이신(履新). ↔구년(舊年).

신년-사【新年辭】명 새해를 맞이하여 하는 공식적인 인사말. ↔송년사(送年辭).

신:념¹【信念】명 굳게 믿어 의심하지 않는 마음. 신조(信條). ¶～에 살다/～이 강하다.

신념²【宸念】명 임금의 마음. 또, 걱정. 신금(宸襟).

신노¹【宸怒】명 임금의 노여움.

신노²【神怒】명 신명(神明)의 진노(震怒).

신놀이 장단【神─長短】명 전라도 무악(巫樂) 장단의 하나. 2박(拍)과 3박(拍)의 혼합으로 이루어짐. 엇장단.

신농【神農】명〖사람〗신농씨.

신농 본초경【神農本草經】명〖책〗중국 최고(最古)의 본초서(本草書). 신농의 이름이 붙어 있지만, 2-3세기에 도사(道士)들에 의하여 편록(編錄)된 듯함. 4권에 365종의 약물(藥物)을 기재하고, 약효에 따라 상약(上藥)·중약·하약으로 분류함. 6세기초에 도홍경(陶弘景;452-536)이 증보(增補)·부주(附註)해서 ≪신농 본초경 집주(集註)≫ 7권을 만듦.

신농-씨【神農氏】명 중국의 전설 상의 제왕. 삼황(三皇)의 한 사람으로, 성(姓)은 강(姜), 형상은 인신 우수(人身牛首). 화덕(火德)으로써 염제(炎帝)라고도 하며, 농업·의료(醫療)·악사(樂師)의 신, 또 8괘(卦)를 겹쳐서 64괘를 만들어 역(易)의 신, 주조(鑄造)와 양조(釀造) 등의 신이 되고, 교역(交易)의 법을 가르쳐 상업의 신으로도 되어 있음. 재위(在位) 120년, 그 자손 8대, 520년 만에 황제(黃帝)의 세상이 되었다고 함. 신농(神農). ＊복희씨·수인씨.

신-농약【新農藥】명〖농〗화학 공업의 발달로 차례로 나타나는 새로운 농약. 식물의 병충해(病蟲害)에 대해서 각각 특효가 있으나, 한편 인체나 동물·어류에 대한 독성도 강해서, 식용 농축산물을 거쳐 인체에 흡수·축적되므로 그 해독이 문제가 됨.

신다〔─따〕타 신이나 버선 같은 것을 발에 꿰다. ¶양말을 ～.

신다리 명 〈방〉 넓적다리(평안·함경).

신-다:윈설【新─說】〔Darwin〕명〖생〗네오 다위니즘〔Neo-Darwinism〕.

신단¹【神丹】명 황금을 액화한 금액(金液)과 단사(丹砂)를 개어서 만든 금단(金丹)의 하나. 아홉 가지가 있으므로 구단(九丹)이라고도 함.

신단²【神壇】명 신령을 제사 지내는 단(壇). 제단(祭壇).

신단³【宸斷】명 임금의 재결(裁決). ──-하다 타여불

신단⁴【晨旦】명 아침. 신조(晨朝).

신-단백【新蛋白】명 동물질 단백에 대해서 콩·보리 등 식물질 단백으로 만든 식품의 총칭. 이것으로 빛깔·모양·냄새, 씹을 때의 감촉까지 꼭 고기와 같은 인공육(人工肉) 등 모조(模造) 식품을 만들 수 있음.

신단-수【神壇樹】명〖민〗단군 신화(檀君神話)에서, 환웅(桓雄)이 처음 하늘에서 그 밑에 내려왔다는 신령한 나무.

신단 실기【神壇實記】명〖책〗조선 시대 말에 김교헌(金敎獻)이 지은 책. 단군(檀君)의 사적(史蹟)과 고대 민족의 분파(分派)를 기록하고 끝에 송시(頌詩)를 수록하였음.

신:-단위【腎單位】명〖생〗네프론(nephron).

신달레 명 〈방〉〖식〗진달래(제주).

신답【新畓】명 새로 만들거나 새로 산 논. ＊신기답(新起畓).

신답-풀이【新畓─】명 새로 논을 푸는 일. ──-하다 자여불

신당¹【神堂】명 ①신령을 모신 집. ②〖역〗부군당(府君堂).

신당²【新黨】명 새로 조직한 당.

신당-낭구 명 〈방〉〖식〗신나무²(강원).

신-당서【新唐書】명〖책〗이십 오사(二十五史)의 하나. 당대(唐代)의 정사(正史)의 하나로, 구당서(舊唐書)를 개수(改修)한 것. 송(宋)나라 인종(仁宗)의 가우 연간(嘉祐年間)(1060년경)에 구양수(歐陽修)·송기(宋祁) 등이 칙령을 받들어 편찬함. 225권.

신-대〔─때〕명 베틀의 용두머리 중간에 박아, 뒤로 내뻗친 조금 굽은 막대. 그 끝에는 베틀 신끈을 달아 놓았음.

신-대륙【新大陸】명 ①새로 발견한 대륙. ②〖지〗〔콜럼버스의 발견에 의하여 처음으로 세상에 알려졌으므로 이렇게 일컬음〕'아메리카 주

(America洲)'의 이칭. ③〖지〗남북 아메리카 주 및 오스트레일리아를 가리킴. 신세계. 1)·2):↔구대륙(舊大陸).

신대-왕【新大王】명〖사람〗고구려 제8대 왕. 휘는 백고(伯固). 태조의 말제(末弟). 차대왕(次大王) 때 임금이 부덕하였으므로, 산에 숨었다가 차대왕이 피시(被弑)된 뒤 왕위에 오름. [재위 165-179]

신-대통령제【新大統領制】[—녕—] 명 〔new presidentialism〕〖법〗형식상 의회·내각·대법원 등 삼권이 분리되어 있지만, 헌법상의 여러 규정에 의하여 국가의 원수인 대통령이 다른 국가 기관보다 월등하게 우월한 권력을 장악(掌握)하는 국가 체제. 프랑스의 제5 공화정(共和政)이 이에 해당함.

신:덕1【信德】명〖천주교〗향주 삼덕(向主三德)의 하나. 천주와 그 교회에서 가르치는 신조를 꼭 믿는 덕.

신덕2【神德】명 신의 공덕.

신-덕린【申德鄰】[—닌] 명〖사람〗고려 충숙왕 때의 서화가. 자는 불고(不孤), 호는 순은(醇隱). 고명 사람. 필법(筆法)이 기절(奇絕)하고 또 간찰(簡札)을 잘 써서, '덕린체(德鄰體)'라 일컬었음. 생몰년 미상.

신덕-산【新德山】명〖지〗함경 남도 장진군(長津郡) 장진면(長津面)과 북면(北面) 사이에 있는 산. [1,584 m]

신덕-왕【神德王】명〖사람〗신라 제53대 왕. 성은 박(朴), 휘(諱)는 경휘(景暉). 아달라왕(阿達羅王)의 원손(遠孫)이며 헌강왕(憲康王)의 사위로, 효공왕(孝恭王)이 후사(後嗣) 없이 죽자, 백성의 추대를 받아, 왕위(王位)에 오름. 견훤(甄萱)과 궁예(弓裔)의 침입을 받아 싸움에 진력함. [?-917; 재위 912-917]

신데렐라〔Cinderella〕명 유럽 옛 동화(童話) 중의 여자 주인공. 계모와 그의 딸들에게 학대받던 소녀가 친어머니의 영혼의 도움을 받아, 유리 구두가 인연이 되어 어느 왕자와 결혼하게 된다는 이야기. 이와 비슷한 이야기는 세계에 널리 퍼지어 있음. 전(轉)하여, 무명(無名)의 신세에서 하루 아침에 명사나 스타가 된 사람의 비유.

신데렐라 콤플렉스〔Cinderella complex〕명〖심〗여성의 남성에 대한 잠재적인 의지심과 응석 심리. 곧, 여성에게는 왕자 같은 멋진 사나이가 나타나 자신을 행복하게 해 주기를 기대하는 심리가 있다고 하는 사고(思考). ＊피터 팬 신드롬.

신-도1【身島】명〖지〗①전라 남도의 남해상(南海上), 완도군(莞島郡) 금일읍(金日邑) 척치리(尺峙里)에 위치한 섬. [1.01 km^2]

신도2【身圖】명 일신 상(一身上)의 계획.

신도3【臣道】명 신하로서 마땅히 지켜야 할 도리.

신:도4【信徒】명 일정한 종교를 신앙하며 그 교단(敎團)에 속하여 있는 사람. 신자(信者). 종도(宗徒).

신:-도5【信島】명〖지〗인천 광역시(仁川廣域市) 옹진군(甕津郡) 북도면(北島面) 신도리(信島里)를 이루는 섬. [6.94 km^2]

신도6【神道】명 ①'귀신'의 존칭. ②영묘한 도리. 신의 도리. ③〖종〗일본 고유의 민족 종교. 일본 고래의 민간 신앙이 외래 종교인 유교·불교의 영향을 받아 성립, 이론화됨.

신도7【神道】명〖지〗전에 경기도 고양군(郡)의 한 읍, 현재는 고양시(市)에 속하는 신도동(神道洞)으로 됨.

신도8【新刀】명 새로 벼린 칼. 새 칼.

신도9【新都】명 새로 정한 도읍(都邑). 신경(新京). ↔구도(舊都).

신:-도10【蜃島】명〖지〗경상 남도 사천시(泗川市)의 앞바다에 있는 섬. 사천시 남양 2동(南陽二洞) 늑도리(勒島里)에 속함. [0.07 km^2]

신:-도11【愼到】명〖사람〗중국 전국(戰國) 시대 조(趙)나라의 학자·사상가. 현재 그의 저서 《신자(愼子)》 5 편만이 전할 뿐임. 신자(愼子). 생몰년 미상.

신-도12【薪島】명〖지〗①전라 남도의 서해상(西海上), 신안군(新安郡) 하의면(荷衣面) 능산리(陵山里)에 위치한 섬. [1.68 km^2] ②평안 북도 용천군(龍川郡)의 서해상에 위치하는 섬. [6.77 km^2]

신도-가【新都歌】명〖문〗조선 시대의 개국 공신 정도전(鄭道傳)이 지은 조선 시대 초기의 악장(樂章)의 하나. 새로 정한 도읍 한양(漢陽)의 형세를 찬양하고, 국운이 길이 빛나며 성주(聖主)의 덕을 칭송함. 《악장 가사(樂章歌詞)》에 실리어 있음. 모두 10행 단련(單聯)으로 됨.

신-도교【新道敎】명〖종〗도교의 하나. 중국 금(金)나라 때 왕중양(王重陽)이 도교의 혁신을 부르짖으며 전진교(全眞敎)를 창설한 이래, 이에 영향을 받아 일어난 각 파(各派)를 말함. 베이징(北京)의 백운관(白雲觀)을 본산으로 함.

신-도로【新道路】명 새로 난 한길.

신도-비【神道碑】명〖역〗옛날 종이품 이상의 관원의 무덤이 있는 근처 큰길가에 세우던 석비. 귀부(龜趺) 위에 비신(碑身)을 세우고 가담석(加擔石)이 있음.

신도 송편【新稻松—】명 추석에 햅쌀로 빚어 만든 송편.

〈신도비〉

신-도시【新都市】명 뉴 타운(new town).

신도-주【新稻酒】명 햅쌀로 빚은 술.

신독1【身讀】명〖불교〗경(經)을 입으로 읽을 뿐만 아니라 몸으로 행함. ——하다 자여불

신:독2【愼獨】명 홀로 있을 때에도 도리에 어그러짐이 없도록 삼감. ——하다 자여불

신:-독-재【愼獨齋】명〖사람〗김집(金集)의 호(號).

신-돈【辛旽】명〖사람〗고려 말기의 중. 본명은 편조(遍照). 자는 요공(耀空). 공민왕(恭愍王)에게 등용되어 권력을 한손에 쥐고 대담한 개혁 정책을 써서, 일시 성인이 나타났다고 백성들이 좋아하였으나 점차로 음란하고 오만하여져, 왕의 시해를 음모하다 미연에 발각되어 살해당하였음. [?-1371]

신돌 명〈방〉숫돌(제주).

신-돌(:)석【申乭石】명〖사람〗대한 제국 때의 의병장(義兵將). 경북 영덕(盈德) 출신. 본명은 태호(泰浩). 을사 조약이 맺어진 이듬해인 1906년 경북 울진군(蔚珍郡) 평해면(平海面)에서, 평민으로서 의병을 일으켜, 많은 일본군을 죽임. 현상금을 탐낸 고종(姑從)에 의해 도끼로 찍혀 죽음. [1878-1906]

신-돌이 명 신의 가장자리에 장식으로 댄 물건.

신동1【伸銅】명 구리·구리합금을 가공하여 판(板)·관(管)·봉(棒)·선(線) 등으로 만드는 일. 제품은 신동품이라 총칭함. 황동 제품이 가장 많고, 다음은 구리 제품이고, 이 밖에 청동·양은 제품 등이 있음.

신동2【神童】명 재주와 슬기가 남달리 썩 뛰어난 아이.

신동3【新東】명〖지〗강원도 정선군(旌善郡)의 한 읍(邑). 군의 남서쪽에 위치함. 함백선(咸白線)의 종점(終點)이며, 함백(咸白) 광산은 유수한 국영 탄광(炭鑛)임. [6,777 명(1996)]

신:동4【腎洞】명〖생〗신장 안의 큰 강소(腔所). 신장의 실질부에서 나온 오줌이 이곳에 괴어 있다가 요관(尿管)으로 인도됨.

신:-동맥【腎動脈】명〔renal artery〕〖생〗신장(腎臟)에 양분을 공급하는 동맥. 복부 대동맥(腹部大動脈)으로부터 좌우로 분지(分枝)하여 신장으로 들어감. ↔신정맥(腎靜脈).

신-동아【新東亞】명〖책〗종합 잡지 이름. 1931년 10월 주요섭(朱耀燮) 주간, 양원모(梁源模) 발행으로 창간됨. 제9권까지 발간되다가 1936년에 폐간당하였음. 1964년에 복간되어 현재에 이름.

신두-복숭아 명〈방〉〖식〗승도복숭아.

신둥머리-지다 형 신둥지다. ¶뒤따라오던 천행수가 신둥머리지게 매월의 말을 받았다《金周榮 : 客主》.

신둥-거리다 자 토라져서 빈정거리다. ¶최가는 주모의 치마 아래로 넌지시 한 손을 집어넣었다. 그 손을 쑥 빼내 던지면서 주모가 신둥거렸다《金周榮 : 客主》. **신둥-신둥** 부. ——하다 자여불

신둥-부러지다 형 지나치게 주제넘다. 신둥지다.

신:-둥이 명〈방〉센둥이(경상).

신둥-지다 형 신둥부러지다.

신-뒤축 [—뛰—] 명 신의 발꿈치가 닿는 곳.

신드롬〔syndrome〕명〖의〗증후군(症候群). ¶덤핑(dumping)~.

신드바드〔Sindbad〕명 《아라비안 나이트》에 등장하는 바그다드의 호상(豪商).

신득 재산【新得財産】명〖법〗파산 선고 후에 파산자에게 속하게 된 재산. 신득 재산은 그 재산의 취득 원인이 파산 선고 후에 존재하였는가 아닌가에 의하여 정하여짐. 우리 나라 파산법에서는 신득 재산은 법정 재단(法定財團)에 속하지 아니하고 이른바 자유 재산에 속함. 따라서 파산자가 자유로이 관리·처분할 수 있는 재산임.

신들-거리다 자 연해 시건드러지게 행동하다. **신들-신들** 부. ¶~ 웃음까지 흘리다/아내는 겸연쩍은 듯이 ~ 웃고 있었다《金東里 : 인간동의》. ——하다1 자여불

신-들리다【神—】자 신이 내리다. 초인적인 영적(靈的) 존재가 씌다. ¶무용수는 신들린 듯 추워댔다. 주의 열중도·기량 등이 남다를 때에 쓰임.

신-들매 명〈방〉들메끈.

신-들맹이 명〈방〉들메끈(평안).

신-들메 [—뜰—] 명 ☞들메끈.

신들신들-하다2 명여불 매우 시건드러지다.

신등1【神燈】명 신명(神明) 앞에 켜는 등불.

신등2【新等】명〈이두〉신등내(新等內).

신등3【臣等】인대 임금에 대한 여러 신하의 제일인칭 복수 대명사.

신-등계 명〈방〉왕겨(경북).

신-등기【新登記】명〖법〗독립 등기(獨立登記).

신등내【新等內】명〈이두〉신관(新官). 신임 수령(守令).

신 디: 디: 티:【新D.D.T.】명〖화〗디 디 티(D.D.T.)의 한 가지. 체내의 지방(脂肪)에 용해·축적되는 성질이 있어서, 중추 신경을 침범하거나 발암(發癌)의 위험성이 있음. 현재는 사용 금지됨.

신디칼리즘〔syndicalism〕명〖사〗'생디칼리슴(syndicalisme)'의 영어.

신디케이트〔syndicate〕명〖경〗①생산 할당(生産割當)이나 공동 판매 기능을 담당하는 카르텔 중앙 기관. 공동 판매 카르텔. ②공채·사채의 인수를 위하여 은행 기타의 금융업자에 의하여 조직된 증권 인수단. ③매춘(賣春)·폭력 등의, 대규모적인 범죄 조직. ¶마약 ~.

신디케이트 론:〔syndicate loan〕명〖경〗둘 이상의 은행이 해외의 사업 회사 등에 대하여, 공동으로 자금을 대출하는 국제적인 협조 금융.

신디케이트 은행【—銀行】〔syndicate〕명〖경〗공채·사채의 발행·차관(借款)에 즈음하여 모채(募債)의 인수를 행하는 은행의 연합체.

신-딩계 명〈방〉등겨(경북).

신-딸【神—】명 늙은 무당의 대를 잇는 젊은 무당. ↔신어미.

신-떡갈나무 [—라—] 명〖식〗〔*Quercus mongolico-dentata*〕참나뭇과에 속하는 낙엽 활엽 교목. 높이 10 m 가량, 잎은 거꿀달걀꼴이며 뒷면에 털이 없음. 꽃은 자웅 일가이고 6월에 수꽃이삭은 늘어져서, 암꽃이삭은 단형(短形)으로 피고, 견과(堅果)는 9월에 익음. 산기슭 양지에 나는데, 경기도의 광릉(光陵)과 황해도 장수산(長壽山)·구월산(九月山)과 평안 북도 선천(宣川) 등지에 분포함. 목재는 신탄재, 과실은 식용함.

신라【新羅】[실—] 명〖역〗우리 나라 삼국 시대의 한 나라. 박혁거세(朴赫居世)가 지금의 영남 지방을 중심으로 건국하였는데, 29대 태종 무열왕(武烈王) 때 백제와 고구려를 멸하여 삼국을 통일하고 신라 시대의 최성기(最盛期)를 이룩하였음. 뒤에 나라가 분열되고 내우 외환을 겪어,

경순왕 때 56 대 992 년 만에 고려의 태조(太祖) 왕건(王建)에게 망함. 찬란한 불교 문화와 예술이 동양(東洋)에서 빛났음. 도읍은 경주. 사라(斯羅). 사로(斯盧). 시라(尸羅). 신로(新盧). *서라벌.

신라-검 【新羅劍】[실—] 명〖역〗본국검(本國劍).

신라-관 【新羅館】[실—] 명〖역〗중국 당(唐)나라 때에 산둥 반도(山東半島)의 등주 도독부(登州都督府)에 마련했던 신라인을 위한 숙박소. 신라에서 중국에 가는 사신이나 유학승(留學僧)을 유숙시키고 접대하던 곳임. *신라방(坊).

신라국-기 【新羅國記】[실—] 명〖책〗중국 당(唐)나라 영호징(令狐澄)이 신라의 역사·풍습(風習)을 적은 책. 지금은 전하지 아니하며, 그 일문(逸文)이 제서(諸書)에 약간 남아 있는데 지나지 아니함.

신라-금 【新羅琴】[실—] 명〖악〗삼국 시대에 신라가 일본(日本)에 전한 가얏고.

신라-기 【新羅伎】[실—] 명〖악〗신라의 무악(舞樂)을 옛날의 중국에서 일컫던 말.

신라-도 【新羅道】[실—] 명〖역〗옛날 발해(渤海)에서 신라에 이르는 교통로. 지금의 북청(北靑)으로 여겨지는 발해의 남해부(南海府)에서 함흥(咸興)을 거치어 신라의 천정군(泉井郡)에 이르는 길.

신-라마르크설 【新—說】〔Lamarck〕 명〖생〗네오라마르키즘(Neo-La-marckism).

신라 문화제 【新羅文化祭】[실—] 명 찬란하였던 신라 천 년의 문화를 되새기려는 지방 예술제의 하나.

신라-방 【新羅坊】[실—] 명〖역〗통일 신라 때 중국과의 거래가 빈번할 무렵, 중국의 연안 지대에 설치되었던 신라인의 거류지. 중국과 거래하는 상인·유학승(留學僧) 등이 모이어 자치적으로 동네를 이룬 곳으로, 중국 산둥(山東)의 원덩 현(文登縣)에 있던 것이 대표적임.

신라 백지 묵서 대:방광불 화엄경 【新羅白紙墨書大方廣佛華嚴經】[실—] 명〖역〗국보 제 196 호인 '신라 사경(寫經)'의 정식 이름.

신라 불교 【新羅佛敎】[실—] 명〖불교〗신라 눌지왕(訥祗王) 때 고구려의 묵호자(墨胡子)를 통하여 들어와 성행하게 된 불교. 법흥왕 때 국가의 공인(公認)을 얻기에 이르렀고, 원효(元曉)·의상(義湘) 등의 명승이 배출되었음. 석굴암 불상(石窟庵佛像)·봉덕사종(奉德寺鐘) 등은 당시의 불교 융성을 말하여 주고 있음.

신라 사경 【新羅寫經】[실—] 명〖역〗신라 경덕왕(景德王) 13-14 년(754-5)에 이룩된 화엄경(華嚴經) 사경(寫經) 두루마리 2 축(軸). 변상도(變相圖)와 발문(跋文)이 곁들여 있음. 황룡사(皇龍寺)의 연기 법사(緣起法師)가 그의 부모를 위하여 발원(發願)하여 만든 것으로, 신역(新譯) 화엄경 제 44-50 권을 닥나무 백지에 붓글씨로 적은 것임. 그 중 1 축은 응고되어 풀어 보지 못하고 있음. 정식 이름은 ≪신라 백지 묵서(墨書) 대방광불 화엄경≫. 1977 년에 발견되어, 78 년 국보(國寶) 196 호로 지정됨.

신라 삼대 【新羅三代】[실—] 명〖역〗신라의 시대적 구분. 곧 상대·중대·하대의 총칭. 상대는 시조(始祖) 혁거세(赫居世)로부터 진덕왕(眞德王)까지, 중대는 무열왕(武烈王)부터 혜공왕(惠恭王)까지, 하대는 선덕왕(宣德王)부터 경순왕(敬順王)까지를 말함.

신라 삼보 【新羅三寶】[실—] 명〖역〗신라 때의 세 가지 보물. 곧, 장륙 금상(丈六金像)·구층탑(九層塔)·성제 옥대(聖帝玉帶).

신라 삼죽 【新羅三竹】[실—] 명〖악〗삼죽(三竹)을, 신라 때에 기원(起源)한다하여 일컫는 말.

신라 상:대 【新羅上代】[실—] 명〖역〗신라 시조 혁거세(赫居世)로부터 28 대 진덕(眞德) 여왕에 이르는 710 년간. [57 B.C.-A.D. 653]

신라-소 【新羅所】[실—] 명〖역〗통일 신라 때, 신라 사람이 중국 당(唐)나라의 신라방(新羅坊)에 설치한 자치적 행정 기관.

신라 수이전 【新羅殊異傳】[실—] 명〖책〗신라 때에 박인량(朴寅亮)이 쓴 설화집(說話集). 일설에는 최치원(崔致遠) 작이라고도 전함. 진기한 이야기를 한문으로 써서 실은 것으로, 원본은 남아 있지 아니하고 몇 편의 단편(斷片)이 전할 뿐임.

신라 십성 【新羅十聖】[실—] 명〖역〗신라 최초의 사찰인 흥륜사(興輪寺) 금당(金堂)에 소상(塑像)으로 모셔졌던 10 명의 신라 성인. 동쪽 벽에 아도(阿道)·이차돈(異次頓)·혜숙(惠宿)·안함(安含)·의상(義湘), 서쪽 벽에 표훈(表訓)·사복(蛇福)·원효(元曉)·혜공(惠空)·자장(慈藏)을 모셨음.

신라-악 【新羅樂】[실—] 명〖악〗신라 시대의 음악. 백제악·고구려악과 함께 일본에서는 삼한악(三韓樂) 중의 한 자리를 차지하였으며 가야금은 신라금(新羅琴)으로 일컬어짐. 악사(樂師)는 금사(琴師)·무사(舞師) 두 사람뿐이었고, 상하 신열무(上下辛熱舞)·사내무(思內舞)·한기무(韓岐舞)·소경무(小京舞)·미지무(美知舞) 등은 신라악에 속한다고 함. 악기로는 가야금(伽倻琴)을 위시하여 향비파(鄕琵琶)·향(鄕)피리·세(細)피리·대금(大笒) 등이 쓰이었음.

신라-어 【新羅語】[실—] 명〖언〗고대 신라의 언어. 본디 경주 지방의 작은 부족의 언어였던 것이 이 부족이 강력한 고대 국가로 발전함에 따라 신라 언어가 되고, 삼국 통일로 우리 나라의 유일한 언어로 발전하였음. 계통적으로는 한계(韓系)에 속하며 부여계(扶餘系)인 고구려어와는 멀었던 것으로 생각됨.

신라 오:기 【新羅五伎】[실—] 명〖민〗신라 때 서역(西域)과 중국에서 들어와 향악화(鄕樂化)한, 주로 다섯 가지 탈춤 놀이. 금환(金丸)·월전(月顚)·대면(大面)·속독(束毒)·산예(狻猊)로, 최치원의 ≪향악 잡영 5≫ (鄕樂雜咏) 5 수에 전함.

신라-원 【新羅院】[실—] 명〖역〗통일 신라 때, 신라 사람이 중국 당(唐)나라의 신라방(新羅坊)에 세운 사찰(寺刹)의 총칭.

신라 중대 【新羅中代】[실—] 명〖역〗신라 태종(太宗) 무열왕(武烈王)으로부터 혜공왕(惠恭王)에 이르는 126 년 동안. [654-779]

신라 태종 무열왕릉비 【新羅太宗武烈王陵碑】[실—능—] 명 경상 북도 경주시 서악동(西岳洞)에 있는 무열왕릉 앞의 비석. 통일 신라 초기의 것으로, 화강석(花崗石)으로 됨. 귀부(龜趺)와 이수(螭首)만 전하고 비신(碑身)은 없어졌으나, 우리 나라에 남은 이 종류의 조각(彫刻) 중 최대의 걸작임. 국보 제 25 호.

신라 하:대 【新羅下代】[실—] 명〖역〗신라 선덕왕(宣德王)으로부터 마지막 경순왕(敬順王)에 이르는 156 년 동안. [780-935]

신락 【神樂】[실—] 명〖기독교〗영혼의 기쁨.

신랄 【辛辣】[실—] 명 ①맛이 매우 쓰고 매움. ②수단이 매우 가혹함. 모지락스러움. ¶～한 논평. ——-하다 형여불 ——-히 부

신람 【宸覽】[실—] 명 천자(天子)가 보심. ——-하다 자여불

신랑 【新郞】[실—] 명 ①갓 결혼한 남자. 새서방. 새신랑. ②결혼하여 새서방이 될 남자.

【신랑 마두(馬頭)에 발괄한다】경위에 어그러진 망측한 행동을 한다는 말. ¶내게 정하는 것은 신랑 마두에 발괄이요 조마(調馬) 거둥에 격쟁(擊錚)이라≪春香傳≫.

신랑각시-놀이 【新郞—】[실—] 명 어린아이들의 소꿉놀이의 하나. 신랑과 각시의 흉내를 내며 노는 일.

신랑-감 【新郞—】[실—깜] 명 신랑이 될 만한 인물. 앞으로 신랑이 될 사람. 낭재(郎材). ↔신붓감.

신랑-다루기 【新郞—】[실—] 명 신랑 달기.

신랑-달기 【新郞—】[실—] 명〖민〗신랑이 신부 집에 갔을 때, 신부의 이웃 젊은이들이 신랑을 거꾸로 매달고 발바닥을 때리며 곤욕을 주어, 술과 음식을 강요하는 일. 신랑다루기.

신랑-상 【新郞床】[실—쌍] 명 옛 혼례(婚禮)에서, 신랑이 신부의 집에서 예식을 마치고 받는 큰 상. 이 음식은 그대로 신랑의 집에 보내어져 잔치를 베풂. *신부상.

신래 【新來】[실—] 명 ①새로 옴. 처음으로 도래(到來)함. ②〖역〗과거에 급제한 후 새로 임관(任官)되어, 처음 관아에 종사하는 사람. 신은(新恩).

신래 불리다 구 과거에 새로 급제한 사람을 불리다.

신래 진:퇴 【新來進退】[실—] 명 신래 침학(新來侵虐).

신래 침학 【新來侵虐】[실—] 명〖역〗관아에 새로 임관되어 온 신임자를 고참자 일동이 모욕 학대(侮辱虐待)하여 참기 어려운 치욕(恥辱)을 주던 일. 관료(官僚)의 근성을 보이는 한 관례로 되어 있었음. 신래 진퇴. 침신래(侵新來).

신래 환:자 【新來患者】[실—] 명 새로운 외래 환자.

신량 【新涼】[실—] 명 초가을의 서늘한 기운. 초량(初涼) ¶～지제(之際)에.

신량 역천 【身良役賤】[실—] 명〖역〗양인(良人) 신분으로 천역에 종사하던 무리. 고려 시대 이래 봉수간(烽燧干)·염간(塩干)·진척(津尺)·화척(禾尺)·양수척(楊水尺) 등 칭간(稱干)·칭척(稱尺)자를 이르던 말. 이들은 양인과 천인의 중간 신분으로 취급되었음.

신레 [실—] 명〖역〗신래(新來).

신려[1] 【宸慮】[실—] 명 임금의 뜻. 임금의 마음. 성려(聖慮). 신려(神慮).

신려[2] 【神慮】[실—] 명 ①신명(神明)의 마음. 신의(神意). 신사(神思). ②임금의 마음. 성려(聖慮). 신려(宸慮). ③마음.

신:려[3] 【愼慮】[실—] 명 신중하게 사려(思慮)함. ——-하다 자여불

신:력[1] 【信力】[실—] 명〖불교〗부처나 그 교법을 믿음으로 해서 생기는 힘. 신앙의 힘. 또, 신념의 힘.

신력[2] 【神力】[실—] 명 ①신의 위력(威力). ②신통한 도력(道力).

신력[3] 【新曆】[실—] 명 ①새 책력. ②태양력(太陽曆). ↔구력.

신련 【神輦】[실—] 명〖역〗인산(因山) 때에 임금의 신백(神帛)을 모시고 가는 연(輦). 혼련(魂輦).

신령 【神靈】[실—] 명 ①〖민〗풍습으로 섬기는 모든 신. ¶산(山) ～. 준영. ②신통하고 영묘함. ¶～하신 하느님의 조화. ——-하다 형여불

신령-님 【神靈—】[실—] 명〖민〗'신령❶'을 공대하여 일컫는 말. 검님.

신령 성:체 【神領聖體】[실—] 명〖천주교〗실제의 영성체가 아니고, 성체를 모시겠다고 간절히 바라는 일.

신령-스럽다 【神靈—】[실—] 형ㅂ불 신통하고 영묘하게 보이다. 신령-스레 【神靈—】[실—] 부

신령-체 【神靈體】[실—] 명 신령한 개체(個體).

신례[1] 【臣隷】[실—] 명 신복(臣僕).

신례[2] 【臣禮】[실—] 명 신하로서 지켜야할 예의(禮儀).

신례[3] 【新例】[실—] 명 새로운 예(例). ↔고례(古例).

신로[1] 【辛勞】[실—] 명 고로(苦勞).,

신로[1] 【新路】[실—] 명 새로 닦은 길.

신로[3] 【新盧】[실—] 명〖역〗신라(新羅).

신로 심불로 【身老心不老】[실—] 명 몸은 비록 늙었으되 마음은 늙지 않았다는 뜻.

신록[1] 【新綠】[실—] 명 늦은 봄이나 초여름의 초목에 돋은 새 잎의 푸른 빛. ¶～의 계절.

신록[2] 【新錄】[실—] 명〖역〗조선 시대에, 홍문관(弘文館)의 교리(校理)·수찬(修撰) 자리에 새로 뽑힌 사람.

신론 【新論】[실—] 명 새로운 의론(議論).

신론-당 【新論黨】[실—] 명〖역〗개화당(開化黨).

신:뢰[1] 【迅雷】[실—] 명 맹렬한 우레.

신:뢰[1] 【信賴】[실—] 명 믿고 의지함. 신용하여 의뢰함. ——-하다 타여불

신:뢰-감 【信賴感】[실—] 명 믿고 의지하는 마음. 신뢰할 수 있는 느낌.

신:뢰 구간【信賴區間】[실―] 명 통계학(統計學)에서, 모집단(母集團)의 평균이나 분산(分散)을 추정할 경우, 표본에서 얻을 수 있는 구간. 표본에서 추정할 값 C가 구간 I에 들어 있는 확률이 P임이 결론지어질 때, I를 신뢰도(信賴度) P의 신뢰 구간이라 함.

신:뢰-성【信賴性】[실―썽] 명 신뢰할 만한 성질. 믿음성.

신:뢰-심【信賴心】[실―] 명 믿고 의지하는 마음.

신료【臣僚】[실―] 명 ①모든 신하. ②신하의 동료.

신:루【蜃樓】[실―] 명 ↗신기루(蜃氣樓).

신-류【申瀏】[실―] 명 〖사람〗 조선 효종 때의 장군. 평산(平山) 사람. 무과에 급제하여 효종 9년(1658) 함경 북도 우후(虞侯)로 조총군(鳥銃軍) 2백 명을 거느리고 나선 정벌(羅禪征伐)에 참가, 헤이룽 강(黑龍江)에서 러시아 선대(船隊)를 전멸시킴. 뒤에, 삼도 수군 통제사(三道水軍統制使)·포도 대장을 역임함. 생몰년 미상.

신륵-사【神勒寺】[실―] 명 〖불교〗 경기도 여주군에 있는 절. 신라 시대 창건으로 추정됨. 전탑(塼塔)이 보물 226 호로 지정되어 있음.

신:릉-군【信陵君】[실―] 명 〖사람〗 중국 전국 시대 위(魏)나라의 정치가. 소왕(昭王)의 말자(末子). 이름은 무기(無忌). 신릉군은 그의 봉호(封號). 문하에 식객(食客) 삼천 명을 거느렸으며, 제(齊)나라의 맹상군(孟嘗君), 초(楚)나라의 춘신군(春申君), 조(趙)나라의 평원군(平原君)과 더불어 전국 말기(戰國末期)의 사군(四君)으로 일컬어짐. [?-244 B.C.]

「줌. ——-하다 타여불

신리【申理】[실―] 명 억울한 사람을 위하여 변명함. 해명(解明)하여

신리 대:전【神理大全】[실―] 명 〖책〗 나홍암(羅弘巖)이 지은 책. 한얼의 자리, 한얼의 도, 한얼의 사람, 한얼의 교를 간략하게 기록하였음.

신리듬-법【新―法】〔rhythm〕[―뻡] 명 〖의〗 경관 점액법(頸管粘液法)의 딴이름.

신린【臣隣】[실―] 명 한 임금을 보필하고 있는 신하끼리의 처지.

신림【宸臨】[실―] 명 천자가 그 자리에 왕림하심. ——-하다 자여불

신립¹【申立】[실―] 명 〖법〗 '신청(申請)'의 구용어. ——-하다 타여불

신-립²【申砬】[실―] 명 〖사람〗 조선 선조(宣祖) 때의 무장. 자는 입지(立之). 평산(平山) 사람. 벼슬은 온성 부사(穩城府使)·평안 병사(平安兵使)를 거쳐 한성부 판윤에 이름. 임진 왜란이 터지자, 도순변사(都巡邊使)로 충주의 달천(達川)에서 배수진(背水陣)을 치고 왜군을 막다가 장렬한 전사를 하였음. 시호는 충장(忠壯). [1546-92]

신마【神馬】 명 신령스러운 말.

신막【新幕】 명 〖지〗 황해도 서흥군(瑞興郡)의 군청 소재지. 경의선(京義線)의 요역으로 농산물의 집산지임. 이 부근은 석회암의 카르스트 지형(Karst 地形)으로 유명함.

「(前).

신말【申末】 명 〖민〗 신시(申時)의 마지막 시각. 오후 다섯 시의 바로 전

신-맛 명 식초와 같은 시큼한 맛. 산미(酸味). 산기(酸氣). 「다 타여불

신:망¹【信望】 명 믿고 바람. 믿음과 덕망. ¶ 세인의 ～을 얻다. ——-하

신망²【新網】 명 새 망건. ↔파망(破網). 「중 사랑이 으뜸이 됨.

신:-망-애【信望愛】 명 〖기독교〗 믿음·소망·사랑의 세 가지 덕. 그

신맨해튼 계:획【新―計劃】 명 〔New Manhattan Project〕 미국의 석유 대체 에너지 개발을 위한 국가 계획. 1980-90년의 10년 동안에 태양 에너지·석탄 액화·풍력(風力)·지열(地熱) 등에서 대체 에너지를 생산하여, 1990년에는 국내 석유 소비를 반감(半減)시키려는 계획임.

신-맬서스주의【新―主義】〔Malthus〕[―/―이] 명 〔Neo-Malthusianism〕 〖경〗 인구 증가의 압박에 의하여 필연적으로 일어나는 생활난(生活難)을 구제하는 방법으로서 금욕·조혼의 폐지 등을 주장한 맬서스주의의 입장에서 한걸음 더 나아가, 인공적 제한법(人工的制限法) 곧, 산아 제한(産兒制限)의 필요성을 주장하는 주의. 1822년 영국인 플레스가 창시(創始)하였음. 네오맬서시아니즘.

신-면목【新面目】 명 새로운 면목. ¶ ～을 보여 주다.

신:멸【燼滅】 명 몽땅 없애 버림. 남김없이 멸망시킴. ——-하다 타여불

신명¹ 명 흥겨운 신과 멋.

신명(이) 나다 구 흥겨운 신과 멋이 나다. ¶ 신명나게 놀다.

신명(을) 내:다 구 신명을 돋구어서 내다. ¶ 재미는 없어도 신명을 내

신명-지다 구 신나고 멋들어지다. 「서 하거라.

신명²【身名】 명 몸과 명예(名譽).

신명³【身命】 명 몸과 목숨. 구명(軀命). ¶ ～을 바쳐 싸우다.

신명⁴【神明】 명 하늘과 땅의 신령. ¶ 천지(天地) ～. 준신(神).

신명⁵【神命】 명 ①〖천주교〗 영성(靈性)의 생명. ②신의 명령.

신명⁶【神冥】 명 신의 명조(冥助). 신의 가호(加護).

신명⁷【晨明】 명 새벽녘.

신-명균【申明均】 명 〖사람〗 국어학자. 《조선 문학 전집》 간행을 계획, 시조집·가사집·소설집 등을 내었으며, 장지영(張志暎)·이윤재(李允宰)와 함께 '조선어 연구회'를 창립하였음. [1889-1941]

신명-기【申命記】 명 〔Deuteronomy〕 〖성〗 구약 성서 중의 하나. 저자 및 저작 연대 미상. 모세 5경 중 끝 권으로서 모세의 최후의 언행과 시(詩)와 축복이 기록되어 있음. 기원전 623년에 예루살렘 성전 수리 중에 발견되었음. 34장으로 됨.

신명-껏 부 신명을 다하여. 신명이 뻗치는 한. ¶ ～ 뛰놀다.

신명-떨음 명 신명나게 한바탕 설쳐댐. ¶ 뻣뻣드름한 것은 네놈이 용력을 믿고 우리와 ～이라도 해볼 작정이냐?《金周榮 : 客主》.

신-명(:)순【申命淳】 명 〖사람〗 조선 시대 말기의 무인. 자는 경명(景明). 평산(平山) 사람. 고종 초년에 형조 판서를 지내고 뒤에 대원군과 뜻이 맞지 않아 관계에서 물러났음. 성질이 엄정(嚴正)·청백(淸白)하였음. 시호는 정무(貞武). [1798-1870]

신명 초행【神命初行】 명 〖천주교〗 완덕(完德)에 나아가는 초보(初步)

신모¹【身貌】 명 용모(容貌). 「를 기록한 책.

신모²【身謀】 명 자기 몸을 위하는 꾀.

신모³【神謀】 명 신통한 꾀.

신-모범군【新模範軍】 명 〔New Model Army〕 〖역〗 영국의 청교도(淸敎徒) 혁명 당시인 1645년, 크롬웰이 편성한 국민군. 기왕의 의회군(議會軍)이 용병(傭兵)과 민병(民兵)으로 되어 있던 것을 개혁하여, 엄중한 훈련과 봉급의 정규적인 국가 지급을 실시하였으므로 질이 향상되고 전투력이 강화되었음. 장교는 신사층(紳士層)이 많고 사병은 상인·수공업자들로 구성되었음.

신목¹【申目】 명 〖역〗 왕세자(王世子)가 섭정(攝政)할 때에 판서(判書)·병사(兵使)·감사(監司) 들이 올리던 중요한 문서의 계목(啓目).

신목²【神木】 명 〖한의〗 복신(茯神).

신목³【神目】 명 〖천주교〗 영신(靈神)의 일을 보는 눈.

신목⁴【新木】 명 ①새 재목(材木). ②새로 짠 무명.

신목⁵【薪木】 명 ①잡초와 잡목(雜木). ②땔나무.

신묘¹【辛卯】 명 〖민〗 육십 갑자(六十甲子)의 스물여덟째.

신묘²【神妙】 명 신기하고 영묘함. ¶ ～한 꾀. ——-하다 형여불

신묘³【神廟】 명 조상의 신주(神主)를 모신 사당.

신묘⁴【新墓】 명 새로 생긴 묘. ↔구산(舊山).

신묘 삼간【辛卯三奸】 명 〖역〗 조선 시대 중종(中宗) 26년(1531) 신묘(辛卯)에, 정권을 다시 잡은 김안로(金安老)에 의하여 세 간신(奸臣)이라 하여 형사(刑死)된 심정(沈貞)·이항(李沆)·김극핍(金克愊)의 세 사람.

신무【神武】 명 뛰어난 무용(武勇). 「준삼간(三奸).

신무-문【神武門】 명 서울 경복궁의 북문(北門). 임금이 경무대에서 거행되는 과거장(科擧場)에 행차할 때에만 이 문을 열었음.

신무 시:위사【神武侍衛司】 명 〖역〗 조선 시대, 태조(太祖) 4년에 의흥친군(義興親軍)의 십위(十衛)의 하나인 금오위(金吾衛)를 고친 이름. 문종(文宗) 원년에 오위(五衛)를 두면서 파하였음.

신무-왕【神武王】 명 〖사람〗 신라 45대 왕. 휘(諱)는 우징(祐徵). 장보고(張保皐)·김양(金陽) 등의 도움으로, 839년 민애왕(閔哀王)을 죽이고 왕이 되었으나, 수개월 후에 자기의 반대파인 죽은 이홍(利弘)의 저주를 받아 사망하였다 함. [?-839]

신:묵【愼默】 명 삼가서 침묵을 지킴. ——-하다 자여불

신:문¹【囟門】 명 ①숫구멍. ②정수리.

신문²【神文】 명 신에게 서약하는 글. 신명(神明)의 이름으로 하는 서약

신문³【神門】 명 신명(神明)의 지경. 「서(誓約書).

신:문⁴【訊問】 명 ①캐어 물음. 따져서 물음. ②〖법〗 법원이나 기타의 국가 기관이 어떤 사건에 관하여 피고인·피의자·증인 등에게 구두(口頭)로 물어 조사하는 일. ——-하다 타여불

신문⁵【晨門】 명 새벽에 성문 여는 일을 맡은 문지기.

신:문⁶【腎門】 명 〖생〗 신장의 안쪽 가장자리 중앙에 있는 오목한 곳. 이곳에서 신정맥·신동맥·요관(尿管)이 출입하고 있음.

신문⁷【新聞】 명 ①새로운 소식. 새로운 견문(見聞). ②일반 사회 또는 특수 사회의 보도 기관으로서, 새로운 보도나 비판을 매일매일 또는 일정한 기간을 두고, 신속하고도 보편적으로 전달하는 정기 간행물. 그 기간에 따라 일간(日刊)·주간(週刊)·순간(旬刊)·월간(月刊)·계간(季刊) 등으로 분류됨. ③↗신문지.

신문-고【申聞鼓】 명 〖역〗 조선 태종(太宗) 2년(1402)부터 백성이 원통한 일을 호소할 때 치게 하여, 당부에서 이를 알도록 한 북. 대궐 문루(門樓)에 달아 두었음. *등문고(登聞鼓)·승문고(升聞鼓).

신문-관【新文館】 명 〖역〗 1912년 육당 최남선(六堂 崔南善)이 창설한 출판사의 이름. 우리 나라 최초의 근대적인 잡지인 '소년'·'청춘' 등을 발간하는 한편, 여러 가지 도서를 출판하여 신문학 및 신문화 운동

신문 광:고【新聞廣告】 명 신문지에 게재하는 광고. 「에 공헌함.

신-문교【新門敎】 명 〖천주교〗 ↗신문 교우(新門敎友).

신문 교:우【新門敎友】 명 〖천주교〗 ①영세(領洗)한 지 얼마 안 되는 교우. ②영세받기 원하는 예비 신자. 준신문교(新門敎).

신문 교:육【新聞敎育】 명 〖교〗 신문에 대한 학습, 신문으로부터 교재를 얻어 하는 학습, 학교 신문의 편집·발행 등의 활동을 지도하는 학습 교육 등의 총칭. 신문 학습.

신문 구독료【新聞購讀料】[―뇨] 명 신문을 구독하고 내는 요금.

신-문기【新文記】 명 논밭·집터 등에 대하여 새로 낸 문서.

신문 기자【新聞記者】 명 신문에 게재할 기사(記事)의 취재·수집·집필·편집에 종사하는 사람.

신-문명【新文明】 명 새 시대의 새로운 문명. 주로, 봉건 시대의 문명에 대하여 자본주의적 문명을 일컬음.

신문 방:송학과【新聞放送學科】 명 〖교〗 대학에서, 신문학·방송학을 전공하는 학과. 준신방과(新放科). *도서관학과.

신문 배:달원【新聞配達員】 명 신문을 집집에 배달하는 사람.

신문-사【新聞社】 명 신문을 발행하는 회사.

신문 사령【新聞辭令】 명 신문이, 관리들의 정식 발령(發令)이 있기 전에 그 임명(任命)을 예상하거나 대중쳐서 보도하는 일. 특히 소문만이고 임명되지 않았을 경우에 잘 쓰이는 말임. 신문 임명(任命).

신문-색【申門色】 명 〖역〗 고려 액정국(掖庭局)의 한 분장(分掌). 임금께 일을 아뢰는 역할을 맡음.

신문 소:설【新聞小說】 명 〖문〗 신문에 연재하는 소설. 흔히, 통속적인 장편 소설을 여러 회(回)에 나누어, 날마다 계속적으로 싣는데, 특히 독자의 흥미를 이어가도록 하는 것이 그 특징임.

신문-안【新聞眼】 명 보통 사람이 무심히 넘겨 버릴 곳에 착안하여 뉴스를 찾아 내는 기민한 안식(眼識).

신문-업【新聞業】 명 기업(企業)으로서의 신문을 제작·판매하는 사업.

신문 열람소【新聞閱覽所】 명 여러 신문을 한데 모아 놓고 자유로이 읽

도록 만들어 놓은 곳.

신-문예【新文藝】[명] 새로운 경향의 문학 예술. 흔히, 자연주의 이후의 문예를 이름.

신문-왕【神文王】[명]〖사람〗신라 제31대 왕. 왕 2년에 국학(國學)을 세워 중국 당(唐)나라의 학문을 배우게 하고, 관제(官制)를 다시 정리하는 등 신라의 황금 시대를 이룩하였음. [?-692; 재위 681-692]

신문 용:지【新聞用紙】[—뇽—] [명] 신문 인쇄에 사용되는 종이. 길게 연속된 종이를 종이나 나무 통에 말아 놓았음.

신문 윤리 강령【新聞倫理綱領】[—뉼—녕] [명]〖사〗신문의 자세(姿勢)를 천명(闡明)하고, 공공적(公共的) 사명(使命)을 다하기 위해 신문이 지켜야 할 윤리 기준을 표명한 강령. 신문인(新聞人) 자신에 의해 작성되고, 개개의 신문이 이에 자발적으로 동의 협력함을 특징으로 함. 1923년 미국 신문 편집인 협회에 의해 처음으로 전국적인 규모의 신문 윤리 강령이 채택되었으며, 우리 나라에서는 1957년 4월 7일에 한국 신문 편집인 협회가 제정하고, 1963년 한국 신문 발행인 협회가 추가 채택하여, 한국 신문 윤리 위원회의 강령으로 삼음.

신문 윤리 실천 요강【新聞倫理實踐要綱】[—뉼—뇨—] [명]〖사〗신문 윤리 강령(綱領)을 바탕으로 하여 그것을 실천하는 데 필요한 세부 요목(要目)을 조목별로 규정한 준칙(準則). 1961년 7월 30일에 한국 신문 편집인 협회가 제정하고, 1963년 한국 신문 발행인 협회가 추가 채택함.

신문 윤리 위원회【新聞倫理委員會】[—뉼—] [명] 한국 신문 편집인 협회가 채택한 신문 윤리 강령에 의거하여 신문의 윤리·기강을 자율적으로 확립하려는 기관. 1961년 9월 12일 창립.

신문의 날【新聞—】[— / —에—] [명] 신문의 사명(使命)과 책임 등을 자각하고 강조하기 위하여 신문인들이 설정한 날. 1896년 4월 7일에 독립 신문이 창간된 날을 기념하여, 1957년에 제정됨. 매년 4월 7일.

신문-인【新聞人】[명] 신문업(業)에 종사하는 사람.

신문 임:명【新聞任命】[명] 신문 사령(辭令).

신문-쟁이【新聞—】[명]〈속〉신문인.

신문 전:보【新聞電報】[명] 취재(取材) 기사를 신문에 실을 목적으로 국내 또는 외국의 신문사나 통신사로 치는 전보.

신문 정략【新聞政略】[—냑] [명] 정략을 목적으로 신문을 발행하거나, 신문사·신문 기자를 이용하여 자기에게 유리한 언설(言說)이나 보도를 게재하게 하는 정치적 책략(策略).

신:문 조서【訊問調書】[명]〖법〗신문을 받은 자의 공술(供述)을 주로 하여, 기타 신문의 전말(顚末)을 기록한 문서. 재판소 서기가 작성함.

신문 주간【新聞週間】[명] 신문의 날을 전후한 일주일간에 걸쳐, 신문의 사명·책임 등을 반성하고 계몽하기 위하여 설정한 주간.

신문-지【新聞紙】[명] ①신문 기사를 실은 종이. ②신문을 포장(包裝) 등 다른 용도에 사용할 적에 일컫는 말. [준]신문.

신문지-법【新聞紙法】[—뻡] [명]〖법〗구(舊) 대한 제국 법률 1호로서 제정된 신문에 관한 단속법. 일제 시대에 언론 자유를 억압하는 도구로 이용되어 오다가, 대한 민국 정부 수립 후에도 그 효력의 유효 여부로 논란이 거듭되던 중, 1952년 4월 법률 237호로서 폐지됨.

신문-철【新聞綴】[명] 여러 장의 신문을 철할 때에 쓰는 기구. 또, 그 철해 놓은 신문.

신문-체【新聞體】[명] 신문 기사의 문체(文體). 사실을 있는 그대로 주관(主觀)을 섞지 아니하고 간결하게 쓰는 문체.

신문-팔이【新聞—】[명] 거리에서 신문을 파는 사람. ¶ ~ 소년. ——하다 [자][여불]

신-문학[1]【新文學】[명]〖문〗19세기말, 특히 갑오 경장 이후, 서구 근대 문예 사조(思潮)에 입각하여 일어난 새로운 형식·내용의 문학과, 그 후의 현대 문학의 통칭. 일반적으로 언문 일치(言文一致), 문학에 대한 비(非)유희적 태도, 권선 징악(勸善懲惡)을 초월한 현실 묘사, 근대 사상의 표사 등을 그 특색으로 함.

신문-학[2]【新聞學】[명] 신문을 중심으로 한 매스 코뮤니케이션을 대상으로 하는 사회 과학. 신문의 편집·인쇄·판매 등에 관한 연구 외에, 라디오·텔레비전·잡지 등 널리 대중 전달(大衆傳達) 과정의 종합적 파악을 내용으로 하는 연구를 포함함.

신문학-과【新聞學科】[명]〖교〗신문학을 전공하는 대학의 한 과.

신문 학습【新聞學習】[명]〖교〗신문 교육.

신-문화【新文化】[명] 새로이 이루어진 문화.

신문화 운:동【新文化運動】[명]〖역〗오사(五四) 문화 혁명.

신문 활자【新聞活字】[—짜] [명] 일반적으로 사용되는 활자에 대하여, 특히 신문에만 사용되는 활자의 일컬음.

신-물[1] [명] ①〖생〗먹은 것이 체하여 트림할 때 나오는 시척지근한 물. 산패액(酸敗液). ¶ 속에서 ~이 올라온다. ②지긋지긋하고 진절머리가 나는 일.

신물(이) 나다 [구] 지긋지긋한 생각이 들다. 진절머리가 나다. 입에서 신물이 나다. ¶ 증권 소리만 들어도 신물이 난다.

신:물[2]【信物】[명] 신표(信標). ¶ 가약을 맺기로 하고 그 ~로서 거울을 쪼개어 반쪽씩 가졌다《李圭泰 코너》.

신물[3]【神物】[명] 영묘(靈妙)한 물건.

신물[4]【新物】[명] 처음으로 나오는 물건. 새로운 물건.

신:물[5]【贐物】[명] 먼 길 가는 사람에게 보내는 물건.

신미[1]【辛未】[명]〖민〗육십 갑자의 여덟째.

신미[2]【辛味】[명] 매운 맛.

신:미[3]【信眉】[명]〖사람〗조선 시대 세조 때의 중. 수미(守眉)와 함께 선도(禪道)를 널리 선양하고 세조의 신임이 두터웠음. 속리산 법주사(法住寺)에 그의 부도(浮屠)가 있음. 시호는 혜각 존자(慧覺尊者).

신:미[4]【信美】[명] 참으로 아름다움. 진미(眞美). ——하다 [형][여불]

신미[5]【新米】[명] 햅쌀. ↔고미(古米)·구미(舊米).

신미[6]【新味】[명] 새로운 맛. 새 맛.

신:미[7]【愼微】[명] 작은 일을 소홀히 하지 아니하는 일.

신미-도【身彌島】[명]〖지〗평안 북도 선천군(宣川郡)의 남쪽 해상에 위치하는 섬. 연평도(延坪島)와 함께 조기잡이의 근거지임. [52.827 km²]

신미-료【辛味料】[명] 매운 양념거리.

신미 양요【辛未洋擾】[명]〖역〗조선 고종(高宗) 8년(1871)에 미국 군함 5척이 강화(江華)해협에 침입하여 소동을 일으킨 사건. 앞서 대동강에서 불살라 버린 제너럴 셔먼호(General Sherman號) 사건에 대한 문책과 함께 한편으로는 우리 나라와 통상 조약을 맺고자 하였으나 곧 격퇴되었음.

신민【臣民】[명] 군주국(君主國)에 있어서의 관원(官員)과 백성. 군주국의 인민. 신서(臣庶). *국민·인민.

신민-당【新民黨】[명]〖역〗우리 나라의 보수 정당의 하나. 1967년의 대통령 선거에 즈음하여 당시에 야당이던 민주당과 신한당이 통합하여 성립된 것으로, 민주 공화당(民主共和黨)에 야당으로서 맞섬. 1980년 제5공화국 헌법의 발효로 해체됨.

신-민법【新民法】[—뻡] [명]〖법〗우리 나라에서 처음으로 공포된 민법전. 일본 구민법인 종전의 의용(依用) 민법을 폐지하고 1960년 1월 1일을 기하여 실시되었음. 대륙법계를 채택했으며 제1편 총칙, 제2편 물권, 제3편 채권, 제4편 친족, 제5편 상속으로 되어 있음. *구민법.

신민-부【新民府】[명]〖역〗1925년 만주 쑹장 성(松江省) 닝안 현(寧安縣)에서, 김좌진(金佐鎭)의 주창으로 여러 독립군 단체들이 통합·조직된 독립 운동 단체. 중앙 집행 위원장에 김혁(金赫), 군사부 위원장 겸 총사령관에 김좌진 등이 취임, 성동 사관 학교(城東士官學校)를 설립함.

신-민요【新民謠】[명]〖악〗조선 시대 말기 이후에 생긴 민요. 아리랑·사발가·태평가·오돌또기 따위가 있음. 근대요(近代謠).

신민-주의【新民主義】[— / —이] [명]〖사〗중국에서, 선자(善者) 곧, 우자(優者)가 천리(天理)의 명하는 바에 따라, 악자(惡者) 곧, 열자(劣者)를 이겨내어 인류를 향상시킨다고 하는 주의.

신-민주주의【新民主主義】[— / —이] [명]〖정〗1940년 마오 쩌둥(毛澤東)이 제창한 중공의 지도 원리. 반(半)봉건적·반식민지적인 중국 사회를 개혁하기 위해서는 구래(舊來)의 부르주아 민주주의 혁명과는 다른 새로운 형태의 민주주의 혁명, 즉 노동자 계급에 의하여 지도되는, 노농(勞農) 인민 연합에 의한 혁명이 아니면 안 된다고 하고, 이에 의하여 신민주주의가 탄생한다고 하였음.

신민-회【新民會】[명]〖역〗대한 제국 융희(隆熙) 1년 (1907)에 안창호(安昌浩)를 중심으로 이동녕(李東寧)·이갑(李甲)·이승훈(李昇薰)·김구(金九)·유동열(柳東悅)·양기탁(梁起鐸) 등이 조직한 배일(排日) 비밀 결사. 평양에 대성 학교(大成學校)를 세우고, 평양·대구·서울에 태극서관(太極書館), 경향 각지에 청년 수양 단체인 청년 학우회(青年學友會)를 설립하여 민족 의식과 독립 사상 고취에 힘썼으나, 1910년의 데라우치(寺內) 총독 암살 모의 사건으로 회원이 투옥되고 망명하는 바람에 자연 해체됨.

신밀[1]【身密】[명]〖불교〗①삼밀(三密)의 하나. 손에 인계(印契)를 맺고 위의(威儀)를 배우는 일. ②부처가 일신(一身)의 모양 그 자체에 비밀 불가사의(不可思議)의 현상을 나타내는 일.

신밀[2]【神密】[명] 매우 은밀함. ——하다 [형][여불]

신:밀[3]【愼密】[명] 신중하고 면밀함. ——하다 [형][여불]

신-바닥 [—빠—] [명] 신의 바닥.

신-바람 [—빠—] [명] 어깻 바람❷. ¶ ~이 난다.

신-바로크【新—】[명]〔도 Neubarock〕19세기 후반 유럽에서, 고전주의에 대신하여 일어난 미술이나 음악의 양식. 특히 건축 양식에서 밝고 단순한 형식에 대하여, 화려하고 변칙적인 경향이 성하였음.

신바빌로니아 왕국【新—王國】〔Babylonia〕〖역〗기원전 7세기말, 칼데아인(人)이 바빌로니아를 중심으로 세운 왕국. 기원전 6세기 전반 공전(空前)의 발전을 이룩하였으나 기원 전 539년에 페르시아 제국에 멸망됨.

신:박【信泊】[명] 중숙(中宿).

신반【新盤】[명] 새로 나온 음반(音盤).

신발 [명] '신'을 똑똑하게 또는 낮게 일컫는 말.

신발-값 [—깝] [명] 신발차.

신-발견【新發見】[명] 새로운 발견. 또, 새로 발견함. ——하다 [타][여불]

신-발명【新發明】[명] 새로운 발명. 또, 새로 발명함. ——하다 [타][여불]

신-발의【新發意】[— / —이] [명]〖불교〗새로 불문(佛門)에 들어온 사람.

신발-장【—欌】[—짱] [명] '신장'의 낮은 말.

신발-주머니 [—쭈—] [명] '신주머니'의 낮은 말.

신발-차 [명] 심부름을 해 주고 받는 돈. 신발값. ¶ 임자, ~나 벌었나?《金周榮 : 客主》.

신발-하다 [자][여불] 짚신 감발을 하다.

신방[1]【申方】[명]〖민〗이십사 방위의 열일곱째. 곧, 서남서(西南西). [준]신(申).

신-방[2]【申昉】[명]〖사람〗조선 영조 때의 문신. 자(字)는 명원(明遠), 호는 둔암(鈍庵). 평산(平山) 사람. 숙종 때 문과에 급제, 대사간(大司諫)·이조 참판(吏曹參判)을 역임하였음. [1685-1736]

신방[3]【辛方】[명]〖민〗이십사 방위(二十四方位)의 스무째. 곧, 서북서(西北西). [준]신(辛).

신:방[4]【信防】[명]〖건〗일각문 등의 기둥 밑 좌우 쪽에 받친 베갯목.

신방[5]【神方】[명] ①신효(神效)가 있는 약방문(藥方文). ②신기한 방술(方術). 신기한 도리.

신방[6]【神房】[명]〈방〉무당(제주).

신방[7]【神昉】[명]〖사람〗신라 중기의 중. 중국 당나라 현장 법사(玄奘法師)의 문하에서 불경을 번역하였으며, 저서에 《성유식론요집(成唯識論要集)》이 있음.

신:방[8]【訊訪】[명] 찾아봄. ——하다 [타][여불]

신방[9]【新方】[명] 새로운 처방(處方).

신방[10]【新房】명 신랑·신부를 위하여 새로 차린 방.
신방[11]【新榜】명〖역〗옛날 과거(科擧)를 보인 뒤 새로 급제한 사람의 성명을 써서 게시하는 방(榜).
신방-곡【神房曲】명〖악〗심방곡(心房曲).
신방-과【新放科】[—꽈] 명 ↗신문 방송학과(新聞放送學科).
신:방-석【信防石】명〖건〗일각문의 지대(址臺) 위에 기둥 및 용지판(龍枝板)을 받친 돌.
신-방안【新方案】명 새로운 방안.
신방 엿:보기【新房—】명〖민〗우리 나라 특유의 혼인 풍속의 한 가지. 혼인 첫날밤에, 신랑·신부가 자리에 들기를 전후하여, 신부의 친지들이 신방의 문창지를 찢고 방안을 엿보는 일. 신방 지키기.
신방 지키기【新房—】명〖민〗'신방 엿보기'를 점잖게 이르는 말. 수신방(守新房).
신백[1]【申白】명 사실을 자세히 아룀. ——-하다 타여불
신백[2]【神帛】명 빈전(殯殿)에 모시는, 베로 만든 신주(神主).
신백[3]【神魄】명 혼. 신혼(神魂).
신백[4]【新伯】명〖역〗신임 감사(新任監司).
신-백정【新白丁】명〖역〗백정(白丁)❸.
신:번【信旛】명 의장(儀仗)의 하나.

〈신번〉

신번 노:걸대【新飜老乞大】[—때] 명 청어(淸語) 노걸대.
신번 첩해 몽어【新飜捷解蒙語】명〖책〗몽고어의 학습서. 조선 정조(正祖) 14년(1790년)에 방효언(方孝彦)이 교정하고 김형우(金亨宇)가 사재를 들여 간행함. 원래는 영조 때의 사역원(司譯院) 이억성(李億成)이 전래하여 오던 책의 오류를 교정·간행한 것이 있으나 해가 거듭됨에 따라 진본(眞本)을 찾아보기 어렵게 되어 다시 간행한 것임. 4권 4책. 인본. 첩해 몽어(捷解蒙語).
신벌【神罰】명 신이 내리는 벌. 신에게서 받는 버력.
신법[1]【神法】[—뻡] 명〖철〗신(神)의 의사에 의거하는 법. 신정주의적(神政主義的) 법리학의 고유한 관념임. 구약 성서 및 신약 성서가 이의 주요 법원(法源)임.
신법[2]【新法】[—뻡] 명 ①새로 제정한 법. 신율(新律). ↔구법(舊法). ②새로운 방법. ③〖역〗중국 송(宋)나라 신종(神宗) 시대에 재상(宰相) 왕안석(王安石)이 부국 강병(富國强兵)의 정책으로서 제정한 법령.
신법-당【新法黨】[—뻡—] 명〖역〗중국 북송(北宋)의 신종(神宗) 초에 혁신 정치를 행하려던 왕안석(王安石) 등에 의해서 시작된 당파. 이 파에서 북송이 망할 때까지 정국을 담당하였으나, 왕안석이 죽은 후의 정책은 구법당과 별 차이가 없었음. ↔구법당(舊法黨).
신법 보:천가【新法步天歌】[—뻡—] 명〖책〗조선 철종(哲宗) 13년(1862)에 출판된 이준양(李俊養) 편의 천문학 책. 관상감(觀象監)에서 간행. 1책. 목판본.
신-벼나 명 신의 울과 바닥창을 잇대어 꿰맨 곳.
신벽-산【新僻山】명〖지〗평안 북도 후창군(厚昌郡)에 있는 산. [1,472m]
신변[1]【身邊】명 몸과 몸의 주위. ¶ ~ 보호.
신변[2]【神變】명 사람의 지혜로는 헤아릴 수 없는 신비로운 변화.
신변-륜【神變輪】[—별—] 명〖불교〗신통륜(神通輪).
신변-사【身邊事】명 신변에서 일어나는 일.
신변 소:설【身邊小說】명 자기 신변에 일어난 일을 주제로 하여 쓴 소설.
신변 시:도【神變示導】명〖불교〗부처가 중생을 교화(敎化)하기 위해 나타내는 세 가지 작용의 하나. 한 몸을 여러 몸으로 나타내거나, 또는 공중으로 천리를 달리는 등 생각할 수 없는 묘술(妙術)로 불도에 이끌어 들이는 일.
신변 잡기【身邊雜記】명 자기 한몸이 처해 있는 주위에서 일상 일어나는 여러 가지 일을 적은 수필(隨筆)체의 글.
신병[1]【身柄】명 보호의 대상으로서의 본인의 몸. ¶ ~ 확보.
신병[2]【身病】명 몸의 병. 신양(身恙).
신병[3]【神兵】명 신이 보낸 군사. 또는 신의 가호(加護)를 받는 군사. 신군(神軍).
신병[4]【神病】[—뼝] 명〖민〗장차 무당·박수가 될 사람이 걸리는 병. 이 병은 의약으로는 낫지 않으며 무당이 되어야 비로소 낫는다고 함. 학계에서는 '무병(巫病)'이라고도 함. *강신무(降神巫).
신병[5]【新兵】명 새로 입영(入營)한 병정. ¶ ~ 훈련소. ↔고병(古兵)·고참병(古參兵).
신보[1]【申報】명 ①고(告)하여 알림. ②[신(申)은 상하이(上海)의 속칭] 1872년 중국 상하이에서 영국인에 의해 창간된 중국 최고(最古)의 신문. 1949년 중공군에 접수당하였음. ——-하다 타여불
신:보[2]【信保】명 ↗신용 보험(信用保險).
신보[3]【神步】명〖역〗고려 때, 별무반(別武班)의 보졸(步卒).
신보[4]【神寶】명 신성(神聖)한 보물.
신보[5]【新報】명 ①새로운 보도. ②새로 나온 신문이나 잡지.
신보[6]【新譜】명 새로운 악보(樂譜). 새로운 곡의 레코드.
신보 수교 집록【新補受教輯錄】[—녹] 명〖책〗조선 숙종 때의《수교 집록》이후의 교령(敎令)을 모은 책. 영조 19년(1743)에 홍문관(弘文館)과 예문관(藝文館)의 제학(提學)이 왕명으로 편찬하였음. 숙종 때의《집록》에 빠진 것도 새로 보충 수록되어 있음. 2권 2책. 사본.
신-보수주의【新保守主義】[—/—이] 명 〔neo-conservatism〕 영국 보수당이 1951년 이후에 내건 정책 원리. 사회 복지나 분배의 평등화 등을 주장하고, 보수 반동에 빠지는 일 없이 전진적인 정책으로 임해야 한다고 하는 주의.
신복[1]【申復】명 같은 사실을 거듭하여 상신(上申)함. ——-하다 타여불
신복[2]【臣服·臣伏】명 신하가 되어 복종함. ——-하다 자여불
신복[3]【臣僕】명 신하(臣下).
신:복[4]【信服】명 믿고 복종함. ——-하다 타여불
신복[5]【神僕】명 [신의 종복(從僕)이란 뜻] 기독교의 남신도(男信徒)의 비칭(卑稱).
신복[6]【新服】명 새 옷. 새 의복(衣服).
신복-사【神福寺】명〖불교〗강원도 강릉시 내곡동(內谷洞)에 있던 절. 그 터에 삼층 석탑과 약왕 보살 석상(藥王菩薩石像)이 있음.
신복합 경:기【新複合競技】명 〔Alpine Combined〕 스키에서, 알파인 종목의 활강(滑降)·회전·대회전의 세 종목 또는 활강·회전의 두 종목에 동일 경기자가 출장(出場)하여, 소요 시간을 점수로 매기어 종합 득점으로 순위를 결정하는 경기.
신본[1]【申本】명〖역〗왕세자(王世子)가 섭정(攝政)할 때에 판서(判書)·병사(兵使)·감사(監司)·제조(提調) 등이 올리던 문서. 달본(達本).
신본[2]【新本】명 ①새 책. ↔고본(古本). ②새로 나온 책. 신간(新刊)의 서적. 구본(舊本).
신-볼[—뽈] 명 신의 볼. ¶ ~이 좁아서 발이 아프다.
신:봉[1]【信奉】명 믿고 받듦. ——-하다 타여불
신봉[2]【神鳳】명 중국에서, 영묘한 징조로 여기는 봉황(鳳凰).
신-봉[3]【新峰】명〖지〗함경 북도 회령군(會寧郡)과 부령군(富寧郡) 사이에 있는 봉우리. [1,145m]
신:봉-자【信奉者】명 신봉하는 사람. 믿는 이. ¶ 민주주의의 ~.
신-봉(:)조【辛鳳祚】명〖사람〗교육가. 강원도 정선 출생. 일본 도호쿠(東北) 대학 법문학부 졸업. 이화 여고 교장, 서울 예술고 교장, 상명 여대 이사장, 이화 학원 이사장, 연세대 부이사장 등을 역임함. [1900-92]
신:부[1]【信否】명 믿을 수 있는 일과 믿지 못할 일. ¶ ~ 양난(兩難).
신:부[2]【信部】명〖역〗발해(渤海)의 중앙 관제인 6부의 하나. 고려 시대 6부의 공부(工部)에 해당하는 관서로, 국가의 산과 못 및 토목(土木)에 관한 행정을 담당했음.
신:부[3]【信符】명〖역〗대궐에 드나드는 일정한 하례(下隸)에게 병조(兵曹)에서 내어 주던 나무 문표. *한부(漢符).
신부[4]【神父】명〖종〗천주교·성공회의 사목자(司牧者). 신품 성사(神品聖事)를 받은 성직자로서 부제(副祭)의 위이고 주교(主敎)의 아래임. *목사.
신부[5]【神符】명 부적(符籍).
신부[6]【新赴】명 새로 부임함. ——-하다 자여불
신부[7]【新婦】명 ①갓 결혼한 색시. 새색시. ②결혼하여 새색시가 될 여자.
신부-관【神父冠】명〖천주교〗성직자들이 의식을 행할 때 쓰는 관.
신부-나비【新婦—】명〖충〗[*Nymphalis antiopa*] 네발나비과에 속하는 곤충. 편 날개의 길이 50-70mm이고, 날개 표면은 자흑색이며 외연(外緣)에는 노랑 띠가 있고 그 안쪽에는 청색 무늬가 나란히 있음. 날개 뒷면은 흑갈색이고 외연의 띠는 황백색임. 한국에도 분포함.
신부-례【新婦禮】명 신부가 처음으로 시집에 와서 올리는 예식. ——-하다 자여불
신부-상【新婦床】[—쌍] 명 신부례(新婦禮)가 끝난 뒤에 새색시가 받는 큰상. *신랑상.
신:부 양:난【信否兩難】명 믿기도 어렵고 안믿기도 어려움. ¶ ~에 빠지다.
신:-부인【愼夫人】명〖역〗조선 시대에, 정삼품 당상관(堂上官) 종친(宗親)의 처(妻) 되는 외명부(外命婦)의 품계. 신인(愼人)의 위, 현부인(縣夫人)의 아래.
신:-부전【腎不全】명〖의〗어떤 원인으로 신장(腎臟)의 생리 기능이 상실되어, 생체(生體)를 유지하는 데 장애를 나타내고 있는 상태. 급성과 만성이 있음. 고혈압, 빈혈, 요소(尿素)·질소 등의 노폐물의 축적, 요(尿)의 비중의 저하 등을 나타냄.
신-북구【新北區】명〖동〗동물 지리 분포 상의 한 구분. 북아메리카·그린란드·멕시코 북부를 포함하는 지역. 북쪽은 북극, 남쪽은 사막이 있으므로 바이슨(bison)·스컹크(skunk)·퓨마(puma) 등 각각 특수한 동물이 많음. 또 북아메리카 점신기(漸新期)에 구대륙과 육지로 연결되어 있었으므로, 두더지·담비·여우·족제비·곰·사슴·소·다람쥐·토끼 등의 포유류, 굴뚝새·나무발바리·박새 같은 새 등은 구북구(舊北區)와 공통된 것이 살고 있음. 신북주. ↔구북구.
신-북주【新北州】명〖동〗신북구(新北區).
신분[1]【臣分】명 신하된 처지. 또, 그 한계.
신분[2]【身分】명 ①개인의 사회적인 지위 또는 계급. ¶ 학생의 ~. ②〖사〗중세의 사회 관계를 구성하는 서열(序列). 사회의 생산 관계에 유래하는 바, 제도상(制度上) 고정되어 사회적 지위·직업이 세습적이어서 다른 신분으로의 이행(移行)이 인정되지 아니하였음. 귀족·승려·자유민·농노, 혹은 사(士)·농(農)·공(工)·상(商) 같은 것. ③〖법〗법률상 사람의 일정한 지위나 자격. ¶ ~ 보장.
신분-권【身分權】[—꿘] 명〖법〗친족적 신분 관계에 기인하여 신분에 따라서 발생·소멸하는 사권(私權)의 하나. 친권(親權)·호주권(戶主權)·부권(夫權)·상속권(相續權) 등. *친족권(親族權).
신분 대:표【身分代表】명〖정〗중세 유럽의 사회 관계에 있어서 제도상 고정된 귀족·승려 및 시민 등의 각 신분을 대표하는 신분제 의회의 의원. 선출자의 지령에 구속을 받으며, 그에 위반하면 소환(召喚)됨. *직능(職能) 대표 의원·국민(國民) 대표.
신분 등록【身分登錄】[—녹] 명 사람의 출생에서 사망에 이르기까지의 법률상의 신분 관계를 증명하기 위하여 그 변동을 공적(公的)인 장부에 등록 시키는 제도. 호적(戶籍) 제도가 이것에 상당함.
신분-범【身分犯】명〖법〗일정한 신분이 범죄의 성립 요건 또는 형(刑)의 가감(加減) 요건으로 되어 있는 범죄. 직권 남용죄·수회죄 등.
신분-법【身分法】[—뻡] 명〖법〗신분 관계를 규율(規律)하는 법의 전체. 곧, 친족법(親族法)과 상속법(相續法). 가정 생활에 관한 권리·의무는 주로 이에 의하여 규정됨. ↔재산법. *가족법.
신분 보:장【身分保障】명 공무원이 형(刑)의 선고·징계 처분, 그 밖의 법이 정한 사유와 절차에 의하지 아니하고는 면직(免職) 기타의 신분상

불이익 처분을 당하지 아니하는 일. 헌법상 강력한 신분 보장을 받고 있는 법관을 비롯해서, 정도의 차는 있으나 모두 신분 보장을 받고 있는 것이 보통임. 「증하는 사람.

신분 보증인【身分保證人】명 신분이 틀림 없고 확실한 사람임을 보

신분-장【身分帳】[─짱] 명 교도소에서 직원 및 재소자(在所者)의 호적·이력·성적 따위를 모아 둔 장부. 한 사람에 대하여 한 책(冊)씩 되어 있음.

신분제 국가【身分制國家】명 절대제(絕對制) 국가의 전단계(前段階)로서, 중세 후반기의 유럽에 성립한 국가. 정치적 권력 질서의 의미로서의 봉건제(封建制)를 극복하고, 신분제 의회를 소유함에 그 기본적 특징이 있음. 15-18세기에 걸쳐 왕권(王權)의 확립과 더불어 절대제 국가로 전환되었음. 「된 계급 제도.

신분 제:도【身分制度】명 봉건 사회에 있어서 숙명적·세습적으로 고정

신분제 의회【身分制議會】명〖역〗중세 후반기의 유럽에 특징적으로 형성되어 절대 국가 성립 때까지 존재했던 의회. 성직자·귀족·시민의 신분별로 구성되었는데, 국왕에 의한 과세(課稅) 요구의 승인, 의회 출석자에 의한 각출신 지구 또는 단체에 대한 왕의(王意)의 전달이 그 주요 기능이었음. 근대 의회의 선구적(先驅的) 형태로서, 신분별 선거, 선거인과의 강제 위임 관계, 신분별 투표 등을 특징으로 함. 프랑스의 삼부회(三部會) 같은 것. 등족 회의(等族會議).

신분-증【身分證】[─쯩] 명 신분 증명서.

신분 증명서【身分證明書】명 여러 관청·회사·학교 등에서 각기 그 관리·직원·학생임을 증명하는 문서. 신분증. 아이 디(ID) 카드.

신분 행위【身分行爲】명〖법〗신분 상의 법률 효과를 내게 하는 법률 행위. 혼인, 비적출자(非嫡出子)의 인지(認知) 같은 것.

신:불[1]【信佛】명〖불교〗①부처를 믿음. ②믿고 있는 부처. 귀의(歸依)하

신-불[2]【神佛】명 신령과 부처. ㄴ고 있는 부처.

신불-도【新佛島】[─또] 명〖지〗인천 광역시 중구(中區) 영종동(永宗洞)에 위치한 섬. 영종도(永宗島)에서 남서쪽 7.4km 지점에 있음. [2.86 km²]

신불-산【神佛山】[─싼] 명〖지〗경상 남도 울산(蔚山) 광역시에 있는 산. 태백 산맥의 남단 부분에 솟아 있음. [1,209m]

신-불합장【辛不合醬】명〖민〗신일(辛日)에는 장 담그기를 꺼리는 일.

신-불해【申不害】명〖사람〗중국 전국 시대의 학자·정치가. 허난(河南) 출생. 형명(刑名)의 학으로 한(韓)의 소후(昭侯)의 재상이 되었고, 나라를 잘 다스려 부국 강병(富國強兵)을 꾀하고 외침(外侵)을 막았음. 저서에 《신자(申子)》 2 권. [? -337 B.C.]

신붓-감【新婦─】명 신부가 될 만한 인물. 앞으로 곧 신부가 될 처녀. ¶ 참한 ~. ↔신랑감.

신:붕【信朋】명 서로 믿는 벗.

신비【神秘】명 ①인지(人智)로써는 헤아릴 수 없는 영묘하고 불가사의한 비밀. ②보통의 이론이나 인식을 초월한 일. 또, 그 모양. ¶ 자연의 ㄴ~. ──-하다 형여불

신비-감【神秘感】명 신령스럽고 기묘한 느낌.

신비-경【神秘境】명 신비한 경지.

신비 경험【神秘經驗】명〖종〗강렬하고 특이하게 나타난 종교적 경험.

신비-극【神秘劇】명〖연〗성사극(聖史劇).

신비-롭다【神秘─】형ㅂ불 신비하게 느껴지다. **신비-로이**【神秘─】부

신비-설【神秘說】명 신비주의.

신비-성【神秘性】[─썽] 명 신비한 성질.

신비-스럽다【神秘─】형ㅂ불 보기에 신비하다. **신비-스레**【神秘─】부

신비 신학【神秘神學】명〖기독교〗인간의 영혼과 신과의 신비적인 교류(交流) 현상을 연구하는 신학의 한 부문.

신비-적【神秘的】명관 신비로운 모양. 미스틱(mystic).

신비-주의【神秘主義】[─/─이] 명 〔mysticism〕 순수한 내면적 직관과 직접적 체험에 의하여 최고 실재자를 인식하고 이와 교감(交感)하려고 하는 종교·철학·문예 상의 경향. 인격신과 인격적 감응에 의하여 지고 지성(至高至聖)의 경지에 도달하는 것을 인격적 신비주의라 하고, 추상적 명상에 의하여 법과 마음을 관찰하는 것을 명상적 신비주의라고 일컬음. 전자(前者)는 기독교적이며 후자는 불교적임. 신비설. 신비학. 미스티시즘.

신비주의 문학【神秘主義文學】[─/─이─] 명〖문〗인간 의식을 초월해, 인간의 추리나 능력이 미치지 못하는 불가지(不可知)한 영적 존재 또는 현실로 접촉할 수 없는 초(超)자연력 등에 신비성을 부여하고 이를 대상으로 하는 문학. 대표적 문학자는 위스망스(Huysmans)·마테를링크(Maeterlinck)·입센·투르게네프·안드레예프(Andreev) 등.

신비 체험【神秘體驗】명〖종〗신(神)과의 합일(合一) 또는 선(禪)의 깨달음 같은 선명한 종교 체험의 하나. 강렬한 감명을 주며 매력 있는 인상을 남김.

신-비판설【新批判說】명〖철〗신비판주의(新批判主義).

신-비판주의【新批判主義】[─/─이] 명 〔프 néo-criticisme〕〖철〗19 세기말 프랑스에 있어서, 유심론(唯心論)에 새로운 자극을 주고 다시 나아가서 이를 개척하려고 나타난 철학설. 칸트설을 전승하고, 당시의 실증론·직각설(直覺說) 등에 대항하려고 한 입장임. 르누비에·필롱(Pillon)·라슐리에 등이 그 대표자임. 신비판설.

신-비평【新批評】명 〔New Criticism〕 1930-1940년대에 주로 미국에서 생긴 비평(批評) 방법. 랜섬(Ransom, J.C.), 브룩스(Brooks, C.)가 그 중심 인물로, 새로운 언어 분석과 작품의 내부 구조를 명백히 하는 인식 이론을 무기로 하였음.

신비-학【神秘學】명 신비주의.

신비학-파【神秘學派】명 신비주의를 주장하는 학파.

신빈[1]【神貧】명〖천주교〗천주를 위하여 빈궁함을 참는 일. 성빈(聖貧).

신빈[2]【新賓】명 새 손님. 새로 초대된 손님.

신빈모-목【新貧毛目】명〖동〗지렁이목.

신:빙[1]【信憑】명 믿고 의거함. ¶ ~할 만하다. ──-하다 타여불

신빙[2]【神憑】명 신령이 사람 몸에 옮아 붙는 일. 신지핌.

신:빙-성【信憑性】[─썽] 명 자백·증언 등에 대하여 신용할 수 있는 정도. ¶ ~이 거의 없다.

신사[1]【辛巳】명〖민〗육십 갑자의 열여덟째.

신사[2]【臣事】명 신하로서 섬김. ──-하다 타여불

신:사[3]【迅駛】명 매우 빠름. ──-하다 형여불 「士). *신녀(信女).

신:사[4]【信士】명 ①신의(信義)가 두터운 선비. ②〖불교〗청신사(淸信

신:사[5]【信史】명 정확한 사적(史籍). 믿을 수 있는 사적(史籍).

신:사[6]【信使】명 ①정식(正式) 사자(使者). ②외국에서 온 사자(使者). 사절(使節).

신:사[7]【紳士】명 〔'진신(搢紳)의 사(士)'의 뜻〕 ①품행·예의가 바르고 학덕·기품을 갖춘 사람. ②지위와 재산이 있는 사람. 상류 사회의 남자. ③일반 남자에 대한 미칭(美稱). 젠틀맨. ¶ ~용(用) 지갑. ④〈속〉 양복으로 의젓하게 차려 입은 남자. ¶ 시골 ~. 1)-4):↔숙녀(淑女).

신사[8]【神事】명 ①신을 제사지내는 의식. ②신에 관한 일.

신사[9]【神射】명 뛰어난 사술(射術).

신사[10]【神思】명 ①신(神)의 마음. 신려(神慮). ②정신(精神)❶.

신사[11]【神祀】명 천신(天神)을 제사지내는 일.

신사[12]【神社】명 일본 황실(皇室)의 조상이나 일본인 고유의 신앙 대상인 신 또는 국가에 공로가 큰 사람을 신으로서 모신 사당.

신사[13]【神祠】명〖민〗신령을 모시는 사당.

신사[14]【神師】명〖천주교〗영신(靈神)의 스승이라는 뜻으로, 교황(敎皇)·주교(主敎)·신부(神父)를 이르는 말.

신사[15]【新史】명 새 역사. 새로 쓰여진 역사.

신사[16]【新寺】명 새로 지은 절. ↔고사(古寺).

신사[17]【新射】명 새로 활쏘기를 시작한 사람.

신:사[18]【愼思】명 신중히 생각함. ──-하다 자타여불

신:사[19]【愼辭】명 언사를 삼감. 말을 삼감. ──-하다 자여불

신-사군【新四軍】명 중일 전쟁 때, 양쯔 강 하류 지구에서 활동한 중국 공산당 군대. 1937년 제2차 국공 합작(國共合作)으로 새로 편성된 국민 혁명군 제4군의 약칭임. 이 군대의 기간이 된 것은 중공군의 대서천(大西遷) 때에 장시(江西)에 남았던 유격 부대였는데, 1941년 완난(皖南) 사건 때 국민 정부군에 의하여 큰 타격을 받았으나 천 이(陳毅)·류 사오치(劉少奇) 등이 이를 재건했음. 1946년 이 신사군을 기간으로 화동 야전군(華東野戰軍)이 편성되었고, 1948년 중국 인민 공화국 제3 야전군으로 개칭됨.

신사-기【神事記】명〖대종교〗대종교(大倧敎)의 경전 중의 하나. 한얼님이 누리를 만든 일과 인간을 가르친 일, 나라를 세우고 다스린 내용을 적은 것임.

신:사-도【紳士道】명 신사로서 마땅히 지켜야 할 도덕.

신:사-록【紳士錄】명 사회적 지위가 있는 사람들의 성명·주소·경력(經歷)·직업 등을 편찬한 문서(文書).

신-사륙판【新四六版】명〖인쇄〗보통 사륙판보다 조금 작은 책의 규격. 정확히는 171mm×121mm의 크기임.

신사 무:옥【辛巳誣獄】명〖역〗조선 중종 16년(1521)에 송사련(宋祀連)·정상(鄭常)이 안당(安瑭)의 아들 안처겸(安處謙)의 조객록(弔客錄)을 가지고 무고하여 안당의 일문(一門)을 살육한 일.

신:사-복【紳士服】명 신사가 입는 양복. 보통, 상의·조끼·하의의 세 가지가 한 벌을 이룸.

신-사상【新思想】명 새로운 사상. ↔구사상(舊思想).

신-사실주의【新寫實主義】[─/─이] 명 베르그송·오이켄(Eucken) 등의 철학에서 영향을 받아 사실주의를 더욱 철저화하여, 단순한 묘사(描寫)에만 그치지 아니하고, 인생의 내면적 진리를 파악하려고 하는 예술 상의 주의. 네오리얼리즘.

신-사업【新事業】명 새로운 사업.

신:사 유람단【紳士遊覽團】명〖역〗조선 고종(高宗) 13년(1876)에 일본과 강화(江華) 수호 조약을 맺고 개국(開國)한 뒤에 외국의 신문화를 받아들이기 위하여 고종 18년(1881)에 박정양(朴定陽) 등 신사(紳士) 10여 명으로 구성한 일본 시찰단.

신-사임당【申師任堂】명〖사람〗조선 시대 때의 유학자 율곡(栗谷)의 어머니. 호는 사임당(思任堂). 평산(平山) 사람. 어려서부터 경전(經傳)을 읽었고, 자수(刺繡)와 서화(書畫)에 능하였음. 안견(安堅)의 화풍의 영향을 받아 산수·포도·초충(草蟲)을 잘 그렸음. [1504-51]

신:사-적【紳士的】명관 신사다운 모양. 품격이 있고 예의가 바르고, 상대방의 입장을 존중하는 모양. ¶ ~인 태도.

신사-전【神祠田】명〖역〗조선 선조 초기에, 국가에서 주관하는 종묘(宗廟)·사직(社稷)·문묘(文廟)의 제사 및 악(嶽)·해(海)·독(瀆)·산천(山川)·성황(城隍) 등을 모시는 잡사(雜祠)의 제사에 드는 비용을 마련하게 하기 위해 설정된 제전(祭田)의 하나. 세종 27년(1445)에 없애고, 대신 국고(國庫)에서 비용을 지급하게 되었음.

신-사조【新思潮】명 새로운 사조. 새 사조.

신:사 협약【紳士協約】명 〔Gentlemen's agreement〕 ①비공식(非公式)의 국제 협정(國際協定). ②상호 간에 상대방을 신뢰하여 맺는 사적(私的)인 비밀 협정. 신사 협정.

신:사 협정【紳士協定】명 신사 협약. 「사람을 이름.

신삭【新削】명〖불교〗머리를 갓 깎았다는 뜻으로, 처음으로 중이 된

신산[1]【辛酸】명 ①맛이 맵고 심. ②세상살이의 쓰라리고 고된 일. 신고(辛苦). ¶ 온갖 ~을 맛보다. ──-하다 형여불

신산[2]【神山】[명] ①신을 받들어 모신 산. ②선인(仙人)이 산다는 산.
신산[3]【神算】[명] 신통한 꾀. 영묘(靈妙)한 계략(計略). 신책(神策).
신산[4]【新山】[명] 새로 쓴 산소.
신산-스럽다【辛酸―】[형][ㅂ불] 고생스럽고 을씨년스럽다. ¶ 이왕 지낸 말씀은 신산스러운데 다시 말씀하면 무엇하셔요?≪李海朝:彈琴臺≫.
신산-스레【辛酸―】[부]
신:-산통【腎疝痛】[명] 〔renal colic〕〖의〗 신결석(腎結石)·요관(尿管) 종양·혈액 응고 따위로 신장 부분에 느끼는 심한 통증.
신삼 구:사 의:삼【身三口四意三】[명]〖불교〗 십선(十善), 십악(十惡) 가운데에서 신업(身業)이 3, 구업(口業)이 4, 의업(意業)이 3임을 나타내는 말.
신-삼민주의【新三民主義】[―/―이―] [명]〖정〗 1924년 중국 국민당 개편 이후의 삼민주의의 일컬음. *삼민주의.
신-삼천당【新三千幢】[명]〖역〗 신라 때 군대의 이름. 문무왕(文武王) 때 우수주(牛首州)·내토군(奈吐郡)·내생군(奈生郡) 세 곳에 둠. 외삼천(外三千).
신상[1]【身上】[명] 일신 상(一身上)에 관한 일. 또, 몸 또는 처신(處身)에 관계된 모양. ¶ ～에 해롭다/～ 발언(發言).
신:상[2]【紳商】[명] 상류에 속하는 장사치. 점잖은 상인.
신상[3]【神像】[명] 신령의 화상이나 초상(肖像). 곧, 숭경(崇敬)의 대상으로서의 신의 형상을 조소(彫塑)·회화(繪畫)로 나타낸 것.
신상[4]【新上】[명]〖지〗 함경 남도 정평군(定平郡)에 있는 시장. 소·쌀·명태·콩 등의 집산지임.
신상[5]【新霜】[명] 새로 내린 서리. 초상(初霜).
신상 명세서【身上明細書】[명] 일신상에 관한 모든 경력과 상황을 자세히 적은 기록.
신상 발언【身上發言】[명] 일신상에 관하여 구두로 해명하거나 또는 의견을 진술하는 일.
신상 상담【身上相談】[명] 일신상에 관한 일을 남과 상담하는 일. 카운슬링.
신상 연합【身上聯合】[―넌―] [명]〖정〗 인적 동군 연합(人的同君聯合).
신상 조사【身上調査】[명] 일신상에 관한 조사.
신-상투【新―】[명] 관례를 행하고, 처음으로 상투를 짠 사람.
신:상 필벌【信賞必罰】[명] 상을 줄 만한 훈공(勳功)이 있는 자에게는 반드시 상을 주고, 벌할 죄과(罪科)가 있는 자에게는 반드시 벌을 주는 일. 곧, 상벌(賞罰)을 공정·엄중히 하는 일.
신:새[1]【信璽】[명] 표적으로 찍는 인새(印璽).
신새[2]【神璽】[명] 천자(天子)의 국새(國璽).
신-새벽 [명] ☞어둑새벽. ¶ 목자 사납게 생긴 수교놈이 ～부터 웬 메뚜기인가 싶어 뒤돌아보니…≪金周榮:客主≫/～에 집을 떠날 때에 그 만큼이나 신신 당부를 했으니,…≪鄭飛石:城隍堂≫.
신색[1]【身色】[명] 몸빛.
신색[2]【神色】[명] '안색(顔色)'의 존칭. ¶ ～이 좋습니다.
신:색[3]【愼色】[명] 여색(女色)을 삼감. ――하다 [자][여불]
신색 자약【神色自若】[명] 큰일을 당하여도 침착하여 안색이 변하지 아니하는 일. 또, 그 모양. ――하다 [형][여불]
신생[1]【申生】[명]〖민〗 신년(申年)에 난 사람을 이르는 말.
신생[2]【新生】[명] ①새로 생겨 남. ②새로 태어남. ③새로운 삶에 들어서는 일. ――하다 [자][여불]
신생[3]【新生】[명] 〔이 La Vita Nuova〕〖책〗 이탈리아의 시성(詩聖)인 단테의 작품. 31편의 운문(韻文)과 그 주석적(註釋的)인 산문으로 1294년에 나왔음. 단테가 아홉 살 때, 당시 여덟 살인 베아트리체(Beatrice)를 만난 일부터 시작되는 그의 자전적(自傳的) 연애 이야기를 내용으로 함.
신생 국가【新生國家】[명] 새로 독립한 국가.
신-생기론【新生氣論】[명] 〔neo-vitalism〕〖생·철〗 생물학 또는 생리학상의 생명관의 하나. 고전적(古典的)인 생기론과는 전혀 다른 입장에서 생명의 물리 화학적 설명을 일단 승인하고 들어가면서도, 그 한계를 넘어서·반(反)물리 화학적 원리를 설정하여 생명력을 상정(想定)하는 이원론(二元論)적 학설임. 독일의 생물학자 드리슈(Driesch, Hans, 1867-1941)가 그 대표적인 학자임. 신활력설. *생기론.
신생-대【新生代】[명] 〔Cenozoic era〕〖지〗 지질 시대(地質時代)를 대별(大別)한 중에서 가장 새로운 시대. 약 6천 5백만 년 전부터 현세(現世)까지의 기간으로, 보통 제3기(紀)와 제4기로 나뉨. 이 시대에는 지구 곳곳에서 심한 지각(地殼) 변동과 화산(火山) 운동이 있었고, 현화 식물(顯花植物)·유공충(有孔蟲)·연체 동물(軟體動物)·포유류(哺乳類) 등이 많이 살았으며, 제4기에는 인류도 나타났음. 특히 포유류는 이 시대를 특징짓고 있으며, 인류 생활에 있어서 가장 중요한 시대임. 근생대(近生代).
신생-대층【新生代層】[명]〖지〗 신생대(新生代)의 지질 계통(地質系統).
신-생면【新生面】[명] 새로운 방면. ¶ ～을 타개하다.
신-생명【新生命】[명] ①새로운 생명. ②정신적 개혁으로 새로워진 생명.
신생-아【新生兒】[명]〖생〗 생후 약 7일부터 1개월 가량의 기간의 어린 아이. 갓난아기. 갓난아이. 신산아(新産兒). 초생아(初生兒).
신생아 가:사【新生兒假死】[명]〖의〗 산아(產兒)의 심장의 박동(搏動)은 있으나 첫 울음 소리를 내지 아니하고 몸빛은 자색(紫色)이며, 축 늘어져 죽어 있는 것처럼 보이는 상태로 출산하는 일. 분만할 때의 태반(胎盤)의 혈행 장애(血行障礙) 등의 원인으로 일어남.
신생아-기【新生兒期】[명]〖의〗 유아기(乳兒期)의 한 부분으로 사람의 생후 28일 동안. 모체 안에서의 이상적인 생활 조건으로부터 기온·습도 등 급변(急變)한 환경으로 돌입하여 스스로의 힘으로 호흡하고 젖을 빨고 생명을 유지하기 시작하는 중요한 시기임.
신생아 농루안【新生兒膿漏眼】[―누―] [명]〖의〗 분만 때, 또는 분만 직후에 임균(淋菌)의 감염으로 말미암아 신생아에 일어나는 급성 결막염. 눈꺼풀과 눈알의 두 결막이 몹시 충혈·종창(腫脹)하는 동시에 다량의 고름이 나오는데, 점차 악화하여 눈이 머는 수도 있음.
신생아 멜레나【新生兒―】〔melena〕[명]〖의〗 신생아가 피를 토하거나, 혈변(血便)을 누거나 하는 병증. 갑자기 일어나는 수가 많으며 중하면 죽음. 비강(鼻腔)·잇몸·어머니의 유두(乳頭) 등으로부터의 출혈(出血)을 마셔서 일어나는 가성(假性) 멜레나와, 신생아의 위장관(胃腸管)에서의 출혈로 인한 진성(眞性) 멜레나의 두 가지가 있음.
신생아 부종【新生兒浮腫】[명]〖의〗 생후 며칠 된 신생아에 일어나는 부종(浮腫). 신생아의 간장(肝臟) 기능의 미숙으로 말미암은 저단백혈(低蛋白血)이 그 원인으로 생각되고 있음.
신생아 분만 외:상【新生兒分娩外傷】[명]〖의〗 분만 때의 강한 압박 또는 겸자(鉗子) 수술 등으로 말미암아 아체(兒體)가 받는 여러 가지 손상. 주로 연부(軟部) 골격 또는 내장, 특히 두부 및 사지(四肢)에 많음. 산류(產瘤)·두혈종(頭血腫)·안면 신경 마비·사지(四肢) 신경 마비·골절(骨折)·두개 내출혈(頭蓋內出血) 등이 그 주요한 것임.
신생아 일과성열【新生兒一過性熱】[―썽녈] [명]〖의〗 갈열(渴熱).
신생아 중이염【新生兒中耳炎】[명]〖의〗 분만 때에 양수(羊水)가 고실(鼓室)로 들어가서 일어나는 중이염. 보통 자연히 낫게 됨.
신생아 지방 괴:사【新生兒脂肪壞死】[명]〖의〗 난산(難產)으로 태어난 건강한 갓난아이에서 흔히 볼 수 있는 지방 조직의 국소적인 괴사.
신생아 황달【新生兒黃疸】[명]〖의〗 생후(生後) 2-5일 되는 아이에게 발생하여 수주(數週) 지나서 소실(消失)되는 용혈성(溶血性)의 황달. 주로 안면과 체간(體幹)에 나타나며, 오줌이나 똥에는 이상이 없음. 출산 전후에 일어나는 환경 변화에 대한 적응(適應) 현상으로서 일어남.
신-생활[1]【新生活】[명] 새로운 생활 윤리와 방식으로 영위하는 생활.
신-생활[2]【新生活】[명]〖책〗 1922년대에 창간된 우리 나라 최초의 순간지(旬刊誌). 신생활 운동을 계몽·선전하기 위한 잡지로, 가정의 살림살이로부터 여성 문제·예절 문제를 비롯하여 정치·사상 등 광범위하게 편집하였음. 국판 80면 내외로 발간됨.
신생활 운:동【新生活運動】[명] ①낡은 생활 양식을 개선하고 국민의 생활 의식을 높이려고 하는 사회 운동. 관혼상제(冠婚喪祭)의 간소화(簡素化), 의식주 생활의 개선·개량(改良) 등을 꾀함. ②〖역〗 1934년 장 제스(蔣介石)가 제창하고 국민 정부가 추진한 민족 의식 앙양(昂揚) 운동. 생활의 간소화, 예의·염치(廉恥)의 도덕 진흥(振興) 및 국어의 통일 등을 주장하였음.
신샹 〔新鄕〕 [명]〖지〗 중국 허난 성(河南省) 북부의 도시. 웨이허 항운(衛河航運)의 요충(要衝)으로 징광(京廣) 철도에 연하여 있으며 신자오(新焦) 철도의 기점이 됨. 허난 성 황허(黃河) 강 이북의 경제·문화·교통의 중심지. 농산물을 집산하고 방적·제지 공업 등이 활발함. 신향. 〔510,000명(1982)〕
신서[1]【臣庶】[명] 신하(臣下)와 서민(庶民). 또, 많은 신하. 신민(臣民).
신:서[2]【信書】[명] 특정인(特定人)이 특정인에게 의사(意思)를 전달하는 수단으로서의 문서. 편지. 서간(書簡). 서장(書狀). 서신(書信).
신:서[3]【信誓】[명] 성심으로 맹서함. 또, 성심으로 하는 맹서. ――하다 [타][여불]
신서[4]【神書】[명] 신이 지은 글.
신서[5]【神瑞】[명] 영묘(靈妙)하고 상서로운 조짐(兆朕).
신서[6]【宸書】[명] 천자(天子)가 직접 쓴 문서. 신한(宸翰).
신서[7]【新書】[명] ①새로 간행된 책. 신서적(新書籍). ↔고서(古書). ②↗신서판(新書判).
신서[8]【新書】[명]〖책〗 중국 한대(漢代)의 학자 가의(賈誼)의 저서. 10권 56편. 천자에 대한 상주문(上奏文)을 비롯하여 정치·도덕·학문·풍속 등에 관한 논설을 편찬한 것임.
신서[9]【新壻】[명] 새로 맞은 사위. 새사위.
신:서 개피죄【信書開披罪】[―쬐] [명]〖법〗 '비밀 침해죄'의 구형법(舊刑法) 상의 이름.
신-서란【新西蘭】[명]〖지〗 '뉴질랜드(New Zealand)'의 한자 이름.
신:-서-사【信書使】[명]〖역〗 조선 시대의 외교 사절의 하나. 정사(正使)의 수원(隨員)으로서 서신 전달의 임무를 맡아 봄. 「칭.
신:서의 비:밀【信書―秘密】[―/―에―] [명]〖법〗 '통신의 비밀'의 구
신-서적【新書籍】[명] 새로 간행된 서적. 신서(新書). ↔고서적.
신:-서-파【信西派】[명]〖역〗 조선 시대 후기에, 서교(西教)·서학(西學)의 신봉(信奉)을 묵인(默認)하는 세력. ↔공서파(攻西派).
신서-판【新書判】[명] 책의 판형(判型)의 하나. B6판보다 약간 작으며, 세로 182 mm, 가로 103 mm. 비교적 가벼운 읽을거리를 수록한 경장(輕裝)이면서 싼값의 총서(叢書)들이 이 판으로 제본됨. [준]신서.
신:석[1]【信石】[명]〖약〗 비상(砒霜).
신석[2]【晨夕】[명] 새벽과 저녁. 조석(朝夕). 단석(旦夕).
신:석[3]【腎石】[명]〖의〗 신장 결석(腎臟結石).
신석[4]【新釋】[명] 새롭게 해석함. 새로운 해석. ¶ 고어(古語) ～. ――하다 [타][여불]
신:석[5]【愼惜】[명] 신중히 다룸.
신-석구【申錫九】[명]〖사람〗 독립 운동가. 충청 북도 출생. 삼일 독립 선언 민족 대표 33인 중의 한 사람. 1919년 삼일 운동 기독교 대표로 참가하고, 해방 후에는 북한에서 기독교 민주당(基督敎民主黨)을 조직하여 활약하다가 총살당하였음. 〔1875-1950〕
신석기 시대【新石器時代】[명] 〔neolithic age〕 고고학 상(考古學上)의 구분에 의한 문화 발전 단계의 하나. 구석기 시대의 다음, 금속기(金屬器) 사용 이전의 시대로서, 석기(石器) 문화의 최성기(最盛期)임. 주로 마제(磨製) 석기를 사용하였으며, 수렵(狩獵) 이외에 농업·목축을 영위하는 한편, 토기(土器)도 만들고 거석(巨石)에 의한 주거(住居)·분묘(墳墓) 등의 건축도 행하기 시작하여, 씨족(氏族) 사회를 낳게 한 것이 특징임.

신석 노:걸대 언:해【新釋老乞大諺解】[—때—] 명 『책』 조선 시대 영조(英祖) 37년(1761)에 변헌(邊憲)이 《노걸대》를 신석하고, 다시 영조 39년(1763)에 한글로 번역한 책.

신석 박통사 언:해【新釋朴通事諺解】명 『책』 박통사 언해.

신석 소:아론【新釋小兒論】명 『책』 소아론.

신-석우【申錫雨】명 『사람』 언론인(言論人). 호는 우창(于蒼). 중국 상하이(上海)에 건너가 여운형(呂運亨)과 함께 고려 교민 친목회(高麗僑民親睦會)를 조직하고 임시 정부 교통 총장(交通總長)이 됨. 1924년 조선 일보사(朝鮮日報社)를 인수, 뒤에 사장이 됨. 광복 후 주중 대사(駐中大使)를 지냄. [1894-1953]

신-석정【辛夕汀】명 『사람』 시인. 본명은 석정(錫正). 전북 부안(扶安) 출생. 교편(教鞭) 생활을 거쳐 일생을 시작(詩作)으로 보냈으며 타고르(Tagore)의 영향을 받아 전원적 목가적(牧歌的)인 낭만주의 시를 많이 썼음. 작품에 《슬픈 목가(牧歌)》·《촛불》·《산의 서곡》 등이 있음. [1907-74]

신-석조【辛碩祖】명 『사람』 조선 세종(世宗) 때의 명신(名臣). 자는 찬지(贊之). 초명은 석견(石堅). 호는 연빙당(淵氷堂). 영산(靈山) 사람. 세종 때 집현전(集賢殿) 부제학(副提學)을 지내고 뒤에 대사헌(大司憲)이 되었음. 시호는 문희(文僖). [1407-59]

신:석-증【腎石症】명 『의』 신장 결석(結石).

신석 청어 노:걸대【新釋淸語老乞大】[—때] 명 『책』 청어 노걸대.

신-석초【申石艸】명 『사람』 시인. 본명은 응식(應植). 충남 서천(舒川) 출생. 카프(KAPF)의 맹원으로 가입했다가 탈퇴하였으며 동양의 노장 사상(老莊思想)을 바탕으로 한 고전적 작품을 많이 발표하였음. 한국 시인 협회장·한국 일보 논설 위원을 역임했는데, 작품에 《바라춤》·《적(笛)》·《석초 시집》 등이 있음. [1909-75]

신석 팔세아【新釋八歲兒】[—쎄—] 명 『책』 팔세아.

신석-현【申石峴】명 『지』 납돌고개.

신-석호【申奭鎬】명 『사람』 국사학자. 경북 봉화(奉化) 출생. 1929년 경성 대학 사학과를 졸업하여, 고려 대학 교수·영남 대학원장·국사 편찬 위원장·학술원 부회장 등을 역임함. 저서에 《한국 사료(史料) 해설집》·《국사 신강(新講)》 등이 있음. [1904-81]

신:-석회증【腎石灰症】[—쯩] 명 〔nephrocalcinosis〕 신장의 세뇨관(細尿管) 속에 칼슘염(塩)이 침착하는 일.

신선[1] 명 〈방〉 무당(평안).

신선[2]【神仙】명 선도(仙道)를 닦아서 도에 통한 사람. 선경(仙境)에 사는데 신변 자재(神變自在)하여 장생 불사한다고 함. 인선(人仙)·천선(天仙)·지선(地仙)·수선(水仙)의 구별이 있음. 선인(仙人). 선자(仙子). 선자(仙者). 어풍지객(馭風之客). 선객(仙客). 화인(化人). 선령(仙靈). 【신선 놀음에 도낏자루 썩는 줄 모른다】 아주 재미있는 일에 정신이 팔려 시간 가는 줄 모른다는 뜻. 【신선도 두루 박람을 해야 한다】 누구나 견식을 넓혀야 한다는 말.

신:선[3]【愼選】명 조심하여 고름. 선택을 신중히 함. ——-하다 타여불

신선[4]【新船】명 새로 만든 배.

신선[5]【新蟬】명 초여름에 우는 매미.

신선[6]【新選】명 새로 뽑음. 새로 선출함. ¶ ~ 의원. ——-하다 타여불

신선[7]【新鮮】명 새롭고 산뜻함. 생생하고 깨끗함. 싱싱함. ¶ ~한 공기/~한 채소. ——-하다 형여불

신선-도[1]【神仙圖】명 신선이 노니는 모양을 그린 그림.

신선-도[2]【新鮮度】명 신선한 정도. 준선도(鮮度).

신선-뜸【神仙—】명 〈속〉 불침.

신선-로【神仙爐】[—설—] 명 ①상 위에 놓고 열구자를 끓이는 그릇. 구리·놋·은 같은 것으로 대접 비슷이 만들었는데, 그 가운데에는 숯불을 담는 통이 있고, 통 둘레에 여러 가지 음식을 담아서 끓이게 되어 있음. ②열구자탕.

〈신선로〉

신선로모양-굽그릇【神仙爐模樣—】[—설—] 명 『고고학』 전형적인 굽그릇 안에 가운데가 비어 있는 원통형 관이 들어 있는 특이한 형의 그릇.

신선-미【新鮮味】명 새롭고 산뜻한 맛.

신선-봉【神仙峰】명 『지』 ①충청 북도 단양군(丹陽郡)에 있는 산봉우리. [1,389 m] ②강원도 인제군(麟蹄郡) 북면(北面)과 고성군(高城郡) 토성면(土城面) 사이에 있는 산봉우리. [1,183 m]

신선 부:귀병【神仙富貴餠】명 떡의 한 가지. 백출(白朮)·창포(菖蒲)를 말려서 가루를 만든 것과, 산약(山藥)을 말려서 가루를 만든 것을 밀가루와 함께 꿀물에 반죽하여 말려서 찐 떡.

신선-설【神仙說】명 옛날 중국에 널리 퍼졌던 민간 사상(民間思想). 신선의 존재를 믿고 장생 불사의 선향(仙鄕)에의 승천(昇天)을 구하여 봉래(蓬萊)·방장(方丈)·영주(瀛州) 등의 신선의 산이나 27계급의 선인을 상상하였음. 전국 시대에 비롯하여 진(秦) 및 한대(漢代)에 크게 유행된 바, 뒤에 노장(老莊) 사상과 맺어져 도교(道教)의 성립으로 발전되었음.

신선 여왕【神仙女王】[—녀—] 명 선녀왕(仙女王).

신선-초【神仙草】명 먹으면 신선이 된다고 하는 전설적인 풀.

신설[1]【伸雪】명 ↗신원 설치(伸冤雪恥). ——-하다 자여불

신설[2]【新雪】명 새로 내려 쌓인 눈.

신설[3]【新設】명 새로 설치함. ¶ ~ 관청/~ 기구. ↔구설(舊設). ——-하다 타여불

신설[4]【新說】명 ①새로운 학설 또는 의견. ↔구설(舊說). ②새로운 풍설.

신설[5]【晨泄】명 『한의』 날마다 새벽녘에 설사를 하는 병. 양설(瀼泄). 신설(腎泄).

신:설[6]【腎泄】명 『한의』 신설(晨泄).

신설 합병【新設合倂】명 『법』 회사의 합병 방식의 하나. 합병 당사 회사(當事會社) 전부가 소멸하여 신회사를 설립하고, 그 신설 회사가 소멸 회사의 재산과 사원을 승계(承繼) 수용하는 식으로 하는 합병. 설립 합병. ↔흡수 합병.

신:섭【愼攝】명 몸을 삼가 조섭함. ——-하다 타여불

신성[1]【辰星】명 『천』 ①시각(時刻)을 측정하는 기준이 되는 항성(恒星). 천랑성(天狼星). ②중국에서 수성(水星)을 일컫는 말.

신:성[2]【信誠】명 진심. 성의. 정성.

신성[3]【神性】명 ①신의 성격 또는 속성(屬性). ↔인간성. ②마음. 정신.

신성[4]【神聖】명 ①신과 같이 성스러운 일. 거룩하고 존엄하여 더럽힐 수 없는 일. ②〔프 sacré〕 『철』 뒤르켐(Durkheim)이 종교적 현상의 본질적인 특징으로 본 관념. 속세(俗世)의 비속(卑俗)한 존재와는 구별되며, 이것과의 교통(交通)은 특수한 절차가 필요하고 만일 침범·독성(瀆聖)하면 초자연적 제재를 받는 것으로 생각하는 것. 청정(淸淨)한 것과 부정(不淨)한 것의 두 가지 면(面)이 있다고 함. 신성 관념(觀念). *타부. ——-하다 형여불

신성[5]【晨星】명 샛별[1].

신성[6]【晨省】명 이른 아침에 부모의 침소에 가서 밤새의 안후(安候)를 살핌. ¶ ~지례(之禮). ↔혼정(昏定). ——-하다 타여불

신성[7]【新星】명 ①〔nova〕 『천』 전에는 희미하여 보이지 아니하다가 갑자기 환히 빛나 나타나는 별. 밝아지기 시작한 지 하루 이틀 만에 최대 광도(光度)에 달했다가 차차 희미해져서 수백일 또는 수년 후에 본디대로 보이지 않게 됨. 원인은 별의 폭발로 말미암아 가스가 분출하기 때문이며, 그 광도(光度)는 태양의 수만(數萬) 배에 이름. 은하계(銀河系)에는 1년에 몇 개 정도의 신성이 나타남. 일시성(一時星). *초(超)신성. ②사회, 특히 연예계에 새로 등장하여 인기를 모은 사람. ¶ 가요계의 ~.

신성[8]【新聲】명 새로운 가곡(歌曲). 신곡(新曲).

신성 가족【神聖家族】명 『천주교』 성가족(聖家族).

신:성 고혈압증【腎性高血壓症】[—썽—] 명 『의』 신장의 혈관 관계나 만성 신장염 때문에 일어나는 고혈압. 뇌출혈로 진행되는 외에, 신부전증(腎不全症)이 되기 쉬움.

신성 관념【神聖觀念】명 『철』 신성(神聖)❷.

신성 동맹【神聖同盟】명 〔Holy Alliance〕 『역』 1815년 빈 회의가 끝난 뒤, 러시아 황제 알렉산더 1세의 주창에 의하여 러시아·프러시아·오스트리아의 세 나라 왕을 주동으로 하여 동년 9월 26일 유럽 각국의 왕이 파리에 모여 체결한 동맹. 기독교의 정신인 정의·자애·평화의 격률(格律)을 바탕으로 하여 각 군주가 국제 및 국내의 정치를 행하자는 내용의 것이었으나, 사실 상은 아무런 성과를 거두지 못한 관념적 동맹에 불과하였음.

신성 로마 제:국【神聖—帝國】명 〔the Holy Roman Empire〕 962년 2월 2일 독일 왕 오토(Otto) 1세가 로마 교황의 손으로 대관(戴冠)된 뒤, 1806년 8월 6일 프란츠(Franz) 2세가 나폴레옹에게 패하여 제위(帝位)를 내놓기까지의 독일 제국의 정식 명칭.

신성 모독【神聖冒瀆】명 『천주교』 독성(瀆聖).

신성 문자【神聖文字】[—짜] 명 〔hieroglyph〕 이집트 문자 중의 최초에 있었던 상형(象形) 문자. 약 600자로 처음에는 위아래로 내려 썼으나, 나중에는 오른쪽에서 왼쪽으로 또는 왼쪽에서 오른쪽으로 가로 썼음. 뒤에 이 문자로부터 승용(僧用) 문자와 속용(俗用) 문자가 갈라져 생기었음.

신성 불가침【神聖不可侵】명 신성하여 가(可)히 침범할 수 없음. 특히, 17-8세기의 전제 군주(專制君主)에 있어, 군주는 그 행위에 대하여 법률 상의 책임이 문책되지 아니함을 이른 말.

신:성 소:인증【腎性小人症】[—썽—쯩] 명 〔renal dwarfism〕 『의』 신장의 여러 가지 만성 질환에 의해서 소아기에 일어나는 왜소 발육증.

신성-시【神聖視】명 신성하게 여기는 일. ——-하다 타여불

신성 전:쟁【神聖戰爭】명 『역』 고대 그리스의 인보 동맹(隣保同盟)의 결의(決議)에 따라, 델포이(Delphoi)의 아폴로 신역(Apollo 神域) 수호를 위하여 행하여진 전후 세 차례의 전쟁.

신성지-례【晨省之禮】명 이른 아침에 부모의 침소에 가서 밤 동안의 안후(安候)를 살피는 예절.

신세[1] 명 남에게 도움을 받거나 괴로움을 끼치는 일.
신세(를) 지다 구 남에게서 도움을 받다.

신세[2]【身世】명 한 몸의 처지. 흔히 가련하거나, 외롭거나, 가난한 경우를 이름. ¶ 가련한 ~/~를 망치다.

신세[3]【新歲】명 새해. 신년(新年).

신-세계【新世界】명 ①새로운 세계. 새로운 생활이나 활동을 벌이는 장소. ②신대륙(新大陸)❸. 1)·2):↔구세계(舊世界).

신세계 교향곡【新世界交響曲】명 『악』 보헤미아의 작곡가 드보르자크가 1893년에 작곡(作曲)한 교향곡. 아메리카 대륙을 주제(主題)로 한 것으로, 흑인의 민요가 삽입되었음. 지방색이 풍부하고 선율미와 구성미가 뛰어남. 원제목은 '신세계로부터 (Aus der Neuen Welt)'.

신-세기【新世紀】명 새로운 세기.

신-세대【新世代】명 새로운 세대(世代). ↔구(舊)세대.

신세리티〔sincerity〕명 성실. 성의. 정직.

신-세(:)림【申世霖】명 『사람』 조선 시대 중기의 화가. 이름을 인림(仁霖)이라고도 함. 관직은 전부(典簿)까지 지냈음. 석경(石敬) 이불해(李不害)·이상좌(李上佐) 등과 같은 시대의 사람. [1521-?]

신세 문:안【新歲問安】명 『역』 새해 문안.

신세 차례【新歲茶禮】명 『민』 새해 차례.

신세-타:령【身世打令】명 넋두리하듯이 자기 신세에 관하여 뇌까리는 일. 또, 그 이야기. ¶ ~이 절로 난다. ——-하다 자여불

신세-포【神稅布】명 『역』 조선 시대 초에, 무당들로부터 세금으로 받아들이던 포(布). 호당(戶當) 한 필의 포를 거둠. 이것이 점차 확대되어

일반 민가에까지 부과되어 백성들의 부담을 가중시켰기에 세종(世宗) 8년(1426)에 폐지함. 무격포(巫覡布).

신소¹【申訴】명 고소(告訴). ——-하다 타여불

신:소²【汛掃】명 물을 뿌리고 쓸어 냄. ——-하다 자여불

신:소³【哂笑】명 비웃음. 조소함. ——-하다 자여불

신소⁴【新疏】명〖책〗중국 당송(唐宋)의 십삼경 주소(十三經注疏)를 구소(舊疏)라 하는 데 대하여, 청조(淸朝) 고증가(考證家)의 신설(新說)에 의한 주석을 일컬음.

신-소리¹ 명 상대자의 말을 다른 말로 슬쩍 농쳐서 받아넘기는 말. 가령 '감사합니다' 하는 말에 '감만 사오지 말고 사과도 사오시오' 한다든지, '귀찮다'하는 말에 '가까운 턱을 차지 왜 먼 귀를 차'하고 받아넘기는 투의 말. *흰소리.

신-소리² [—쏘—] 명 신을 끌면서 걷는 발자국 소리.

신-소설【新小說】명 ①주제·형식 등이 새로운 소설. 또, 새로운 세대의 소설. ②〖문〗조선 시대 말기, 갑오 경장 이후의 개화기(開化期)를 시대 배경으로 하여 창작된 일군(一群)의 소설. 고대 소설과 현대 소설 사이의 과도기적 소설로서, 봉건 타파와 개화 계몽·자주 독립의 애국정신 강조, 서구(西歐)의 신사조 고취 등을 그 주요한 주제로 삼았음. 이인직(李人稙)의 ≪혈(血)의 누(淚)≫·≪귀(鬼)의 성(聲)≫, 이해조(李海朝)의 ≪자유종(自由鐘)≫ 등이 그 대표작들임. ↔구소설.

신-소재【新素材】명 금속이나 플라스틱 등과 같은 종래의 재료에는 없는 뛰어난 특성을 가진 소재(素材)의 총칭. 뉴세라믹스·비결정질(非結晶質) 금속 따위.

신:-소체【腎小體】명〖생〗말피기(Malpighi) 소체.

신-속¹【申涑】명〖사람〗조선 선조 때의 문신. 자는 호중(浩中), 호는 이지당(二知堂). 고령(高靈) 사람. 승지(承旨) 등 요직의 물망에 올랐으나, 외숙(外叔)인 김자점(金自點)이 역모(逆謀)로 처형당하자 양주·공주·청주의 목사(牧使) 등 외직(外職)으로 나가 크게 치적(治績)을 올렸음. [1600-61]

신속²【臣屬】명 신하로서 예속되는 일. 또, 그 신하. ——-하다 자여불

신:속³【迅速】명 날쌔고 빠름. 돈속(頓速). 민속(敏速). 신질(迅疾). 질속(疾速). ¶ ~ 정확/~한 처리. ——-하다 형여불. ——-히 부

신속⁴【神速】명 신기할 만큼 썩 빠름. ——-하다 형여불

신:속 배:치군【迅速配置軍】명 [Rapid Deployment Forces; RDF]〖군〗미군이 상주(常駐)하고 있지 않은 지역에서의 군사 분쟁에 대처하기 위해, 1980년에 편성된 미국의 육해공군 혼성 부대. 미국 플로리다 주에 사령부를 둠.

신:속-성【迅速性】명 매우 빠른 성질.

신송【新訟】명 새로운 소송.

신:쇄【汛灑】명 물을 뿌림. ——-하다 자여불

신수¹【身手】명 사람의 얼굴에 나타난 건강 상태의 빛. 용모와 풍채.
신수가 훤:하다 구 용모가 청아(淸雅)하고 풍채가 시원스럽다.

신수²【身首】명 몸과 목.

신수³【身數】명 한 몸의 운수. ¶ ~가 사납다. 「하다 자여불

신:수⁴【信手】명 일이 손에 익어서 손을 놀리는 대로 제대로 됨. ——

신:수⁵【信受】명 믿고 받아들임. ——-하다 타여불

신수⁶【神秀】명 숭엄(崇嚴)하고 빼어남. ——-하다 형여불 ¶ ~한 산악.

신수⁷【神秀】명〖사람〗중국 당나라 때의 북종선(北宗禪)의 시조. 성은 이씨. 카이펑(開封) 사람. 오조 홍인 선사(五祖弘忍禪師)에게 배워 심인(心印)을 받음. 그 후 장링(江陵)의 당양사(當陽寺)에 살면서 도예(道譽)를 사해에 떨치고, 측천 무후(則天武后)의 존숭(尊崇)을 받았음. 시호는 대통 선사(大通禪師). [?-706]

신수⁸【神授】명 신이 내리어 줌. 신전(神傳). ¶ 왕권(王權) ~설(說). ——-하다 타여불 「신목(神木).

신수⁹【神樹】명 신령이 깃들였다고 전해지는 나무. 영묘(靈妙)한 수목.

신수¹⁰【神粹】명 신묘(神妙)하고 순일(純一)함. ——-하다 형여불

신수¹¹【神髓】명 ①진수(眞髓). ②온오(蘊奧).

신수¹²【神獸】명 영묘(靈妙)한 짐승. 영수(靈獸).

신:수¹³【腎水】명 ①〖한의〗신장(腎臟)의 수기(水氣). ②〖생〗정액(精液). 신정(腎精). 「함. ——-하다 타여불

신수¹⁴【新修】명 ①책 같은 것을 새로 편수(編修)함. ②새로 수선(修繕)

신수¹⁵【新收】명 새로 거두어 들임. 또, 그 물건. ——-하다 타여불

신수¹⁶【新愁】명 새로운 근심.

신:수¹⁷【愼守】명 조심하여 지킴. ——-하다 타여불

신:수¹⁸【愼獸】명〖역〗조선 시대 장원서(掌苑署)의 정구품 잡직. 부신

신수¹⁹【薪水】명 ①봉급. ②시수(柴水). └금(副愼禽)의 아래.

신수-경【神獸鏡】명 거울의 등에 신수(神獸)를 육각(肉刻)한 중국 고대의 금속 거울. 후한(後漢) 중기 이후 삼국 육조 시대를 통하여 널리 행하여졌음.

신수-도【新樹島】명〖지〗경상 남도 사천시(泗川市)의 앞바다, 신수동(新樹洞)에 위치한 섬. [0.98 km²]

신수-비【薪水費】명 연료(燃料)와 식수(食水)에 드는 비용.

신수-설【神授說】명 왕권 따위를 신이 내려 준 것으로 보고, 신성하여 침범할 수 없다는 주장. ¶ 왕권 ~.

신수 신판【神水神判】명 악마의 상(像)을 담근 냉수를 마시게 하여 병이나 그 밖의 재해가 일어나나 어떤가를 보아서 진위(眞僞)를 판정하는 고대 인도의 신판(神判)의 하나. *작미(嚼米) 신판.

신수-점【身數占】[—쩜] 명〖민〗한 해 운수(運數)의 길흉(吉凶)을 알아보기 위해 정초(正初)에 치는 점.

신수지-로【薪水之勞】명 나무를 하고 물을 긷는 수고.

신:숙【信宿】명 이틀 밤을 머무름. 재숙(再宿). ——-하다 자여불

신-숙주【申叔舟】명〖사람〗조선 세조(世祖) 때의 명신(名臣). 자는 범옹(泛翁), 호는 보한재(保閑齋)·희현당(希賢堂). 고령(高靈) 사람. 집현전(集賢殿) 학사(學士)가 되어 훈민 정음을 제정할 때, 성삼문(成三問)과 함께 끼친 공이 많음. 단종(端宗) 손위(遜位) 때는 수양(首陽) 대군을 도왔음. 어명(御命)을 받들어 ≪세조 실록(世祖實錄)≫을 찬수, ≪동국 통감(東國通鑑)≫·≪오례의(五禮儀)≫를 산정(刪定)하였음. 시호는 문충(文忠). [1417-75]

신:순【信順】명 ①믿고 따름. 또, 진심으로 복종함. ②〖불교〗들은 불법을 신수(信受)하여 따름. ——-하다 타여불

신술¹【申述】명 진술(陳述)❶. ——-하다 타여불

신술²【神術】명 신기한 술법. 불가사의한 재주.

신술³【新術】명 새로운 술법.

신:숭【信崇】명 공경하고 우러러 받듦. ——-하다 타여불

신-숭겸【申崇謙】명〖사람〗고려의 개국 공신. 평산(平山) 신씨의 시조. 해주 사람. 처음부터 왕건(王建)의 부하로 배현경(裵玄慶)·홍유(洪儒) 등과 함께 왕건을 추대하여 왕으로 세우고 태조(太祖) 10년에 공산 동수(公山桐藪)에서 견훤(甄萱)의 군사와 싸우다가 전사함. 시호는 장절(壯節). [?-927]

신스콜라 철학【新—哲學】[schola] 명〖철〗19세기 후반에, 가톨릭 교회내에 일어난 교회 내외의 합리화·실증화(實證化)·주관화(主觀化) 등의 근대주의를 배척하고 전통적인 스콜라 철학, 특히 토마스 아퀴나스의 철학을 옹호하는 운동. 마리탱·프시와라 등이 중심이 되어 교황의 비호하에 중세 스콜라 철학의 부흥을 꾀하였음. 신토마스주의(新 Thomas主義). 신스콜라설(說). *스콜라학(schola學).

신승¹【辛勝】명 경기(競技) 등에서 간신히 이김. ¶ 한 골 차로 ~하다. ↔낙승(樂勝). ——-하다 자여불

신승²【神僧】명 신통(神通)된 중.

신-승³【新升】명 새로 나와 현재 사용되는 되. 용량은 2 리터. 납작되.

신시¹【申時】명〖민〗①십이시의 아홉째 곧, 오후 3시에서 5시까지. ②이십사시의 열일곱째 시. 곧, 오후 3시 반부터 4시 반까지. 준신(申).

신시²【辛時】명〖민〗이십사시의 스무째. 곧, 오후 6시 반부터 7시 반까지. 준신(辛).

신:시³【信施】명〖불교〗신앙심의 발로(發露)로 금전·곡식 따위를 절에 기부함. ——-하다 자여불

신시⁴【神市】명〖역〗환웅 천왕(桓雄天王)이 하느님의 뜻을 받들어 부하 3천 명을 거느리고 태백산(太白山)의 신단수(神壇樹) 아래로 내려와서 베푼 도시. 우리 나라 상고(上古) 시대의 신정 사회(神政社會)에 이룩된 최초의 도시임.

신-시⁵【新詩】명 ①새로 지은 시. ②〖문〗신체시(新體詩).

신시⁶【薪柴】명 장작과 섶나무. 「지. ↔구시가(舊市街).

신-시가【新市街】명 기존 도시에서 새로 벋어나가 발전한 시가. ¶ ~

신시내티〔Cincinnati〕명〖지〗미국의 오하이오 주 남서(南西) 지방에 있는 상공업 도시. 오하이오 강의 연안에 있어 육상·수상 교통의 요지이며 농산물·석탄의 집산지임. 식품 가공·기계·가구 제조 등의 공업이 성하고, 대학·도서관 등 문화 교육 시설이 많음. [364,040 명(1990)]

신시내티-히트〔Cincinnati-hit〕명 야구에서, 야수(野手)들이 쉽게 받을 수 있는 공을 서로 미루다가 놓쳐 안타(安打)가 된 히트.

신-시대【新時代】명 새로운 시대. ↔구시대(舊時代).

신시-도【新侍島】명〖지〗전라 북도의 서해상(西海上), 군산시(群山市) 옥도면(沃島面) 신시도리(新侍島里)에 위치한 섬. [4.20 km²]

신시사이저〔synthesizer〕명〖악〗전자 악기의 하나. 발진 회로(發振回路)에서 얻은 단음(單音)을 전자 회로에서 가공하여 여러 가지 음색(音色)을 만들어 냄. 대개 건반(鍵盤) 악기 모양임. 1959 년에 미국 RCA 사가 개발함.

신-시조【新時調】명〖문〗개화기 이후에 서유럽의 신시(新詩) 기법과 정신을 도입한 시조. 현대 시조.

신식¹【身識】명〖불교〗육식(六識) 또는 팔식(八識)의 하나. 신근(身根)에 의해서 외물(外物)을 지각(知覺)하는 작용을 말함.

신:식²【信息】명 음신(音信). ¶ ~을 아주 끊다.

신식³【新式】명 새로운 방식. 새로운 형식. ¶ ~ 사람. ↔구식(舊式).

신-식민지주의【新植民地主義】[—/—이] 명〖정〗정치적으로는 독립을 주면서도 경제적인 지배를 유지하려는 2차 대전 후의 식민지주의의 새로운 형태. 특히, 서구 제국(諸國)의 저개발국(低開發國) 원조 계획을 비판하여 쓰인 말. 네오콜로니얼리즘(neocolonialism).

신식 유서 필지【新式儒胥必知】[—찌] 명〖책〗조선 시대에, 이두문(吏讀文)의 서식 용례집(書式用例集)인 유서 필지(儒胥必知)를 증집(增集)한 책. 갑오 경장(甲午更張) 이후, 국한문(國漢文) 혼용체에 따른 신식 용례(新式用例)가 필요하여 편찬된 것임.

신:신¹【信臣】명 충근(忠勤)한 신하. 신뢰할 만한 신하.

신:신²【藎臣】명 충신(忠臣).

신신³【申申】부 부탁 같은 것을 거듭거듭 하는 모양. ¶ ~ 부탁하다.

신신 당부【申申當付】명 신신 부탁(申申付託). ¶ ~해서 보내다. ——-하다 타여불

신신 부:탁【申申付託】명 여러 번 되풀이하며 간절히 하는 부탁. 신신당부. 준신탁(申託). ——-하다 타여불

신신-하다 형여불 ①과실·푸성귀 같은 것이 새롭고 생기가 돌다. *싱싱하다. ②마음에 들게 시원스럽다. ¶ 들으면 병이고 아니 들으면 약이라고 무엇이 신신한 소리라고, 들으시면 무엇을 하셔요? ≪李海朝 : 鳳仙花≫.

신:실¹【信實】명 믿음직하고 착실함. ——-하다 형여불

신실²【神室】명 봉상시(奉常寺) 안의 신위(神位)를 모신 방.

신-실재론【新實在論】[—째—] [명] 〔new realism〕『철』 실용주의(實用主義) 및 관념론에 반대하여 일어난 영국·미국의 새로운 철학 경향. 종래의 유물론이나 실재론과는 달리, 세계는 관념의 밖에 존재하며 관념은 세계를 대표할 수 없다고 하는 객관주의의 입장에 섬. 1912년에 낸 공동 논집(共同論集)인 《신실재론(新實在論)》이 이 경향의 직접적 동기가 되었는데, 이에 기고한 홀트(Holt, E. B.)·마빈(Marvin, W. T.) 등이 그 대표자임.

신심¹【身心】[명] 심신(心身).

신:심²【信心】[명] ①옳다고 믿는 마음. ②종교를 믿는 마음. ¶ ~이 두텁다.

신:심 결정【信心決定】[—쩡] [명] 『불교』 부처의 구원을 믿는 마음이 확정되어 움직이지 않음.

신심-뇌【身心惱】[명] 『불교』 몸으로 받는 고통인 굶주림·춥고 더움·죽음 따위와, 정신의 고뇌가 되는 시비·득실(得失)·탐(貪)·진(瞋)·치(癡) 등.

신-심리주의【新心理主義】[—니—/—니—이] [명] 〔new psychologism〕『문』 20세기초, 정신 분석학(精神分析學)을 이용하여, 수법(手法)상·인간의 관찰상, 혹은 제재(題材) 상에 있어서 새로운 경지(境地)를 개척한 문학. 영국에서 일어나 로렌스·조이스 등이 그 선구자임.

신:심-명【信心銘】[명] 『책』 중국 선종(禪宗)의 제3대 조사(祖師) 승찬(僧璨)의 저서. 사언(四言) 146구 584자(字)의 단편인데, 지적(知的)인 분별 의식(分別意識)을 배척하고 선(禪)의 무분별적(無分別的) 세계를 풀었음.

신:심 미사【信心彌撒】[명] 『천주교』 특별한 간원(懇願)에 따라 축일(祝日)도 아니고 제정된 본미사가 없는 날에 드리는 미사. 허원(許願) 미사. 「[여불]

신:심 직행【信心直行】[명] 옳다고 믿는 대로 곧장 나아감. ——-하다 [자]

신심 탈락【身心脫落】[명] 『불교』 신심의 본래의 모습으로 되돌아가는 일.

신:심 환희【信心歡喜】[—히] [명] 『불교』 아미타불의 구원을 믿어 의심치 않고, 왕생(往生)할 것을 기뻐함.

신아¹【神我】[명] 『불교』 불교 이외의 외도(外道)에서, 영원히 존재한다고 여겨지는 실체적인 자아(自我).

신아²【新芽】[명] 새싹❶.

신아 일보【新亞日報】[명] 서울에서 발행되던 일간 신문. 1965년 5월 6일 창간되어, 1980년 11월 25일 폐간(廢刊)됨.

신악¹【神岳】[명] 신기(神氣)가 서린 산줄기.

신악²【晨岳】[명] 아침 해가 솟는 쪽의 산. 곧, 동쪽의 산.

신악³【新樂】[명] 새로운 음악. 곧, 서양 음악.

신-악부【新樂府】[명] 『악』 육조(六朝) 이전의 악부에 대한, 당대(唐代) 이후의 새로운 악부. 특히, 백거이(白居易)가, 악부는 민중의 소리를 대변하며 위정자의 참고가 되어야 한다는 주장 아래 50수(首)의 신악부를 만듦에 따라, 백성의 희로(喜怒)를 노래하고 시폐(時弊)를 풍자한 악부를 말함.

신악-작【身惡作】[명] 『불교』 몸으로 저지르는 악한 짓.

신안¹【神眼】[명] ①지술(地術) 또는 상술(相術)에 정통한 눈. ②귀신을 능히 보는 눈.

신:안²【腎岸】[명] 불두덩.

신안³【新案】[명] ①새로운 고안. ②새로 생각해 낸 안. 새로운 제안.

신안-군【新安郡】[명] 『지』 전라 남도의 한 군. 관내 1 읍(邑) 13 면. 830개의 섬만으로 이루어지며, 동으로 목포시(木浦市)·무안군(務安郡), 동남쪽은 진도(珍島)군, 북쪽은 영광군과 이웃함. 주민은 대개가 어업을 겸한 농업에 종사하며 주요 산물은 쌀·보리·마늘 따위 농산과 김·새우·굴 등 해산 및 임산·축산이 있음. 명소로는 천연물 보호 지역으로 지정된 홍도(紅島)와 하의(荷衣)·비금(飛禽)·임자(荏子) 등의 해수욕장이 있음. 군청 소재지는 목포시. [635.34 km² : 102,241 명(1991)]

신안 상인【新安商人】[명] 『역』 중국 안후이 성(安徽省) 휘주부(徽州府) 출신의 상인들. 독특한 인내력과 동향(同鄕)적 단결심으로, 명말(明末)부터 청초(淸初)에 걸쳐 널리 중국 국내의 상업계에서 크게 활동하였음.

신안 특허【新案特許】[명] ↗실용(實用) 신안 특허.

신안 해:저 문화재【新安海底文化財】[명] 『역』 1976년부터 1981년에 걸쳐 전라 남도 신안군(新安郡) 지도(智島) 앞바다에서 인양(引揚)된 유물(遺物)들. 중국 송(宋)나라 말기에서 원(元)나라 초기에 중국에서 구워낸 청백자(靑白磁)와 화폐·칠기·불상·거울 등 만여 점(點)에 이르는 문화재가 침몰된 원(元)나라 때의 무역선(貿易船)에서 발견되어, 도자기 발전(發展)의 연대, 원나라 때의 연안 무역 연구에 귀중한 자료를 제공함. 광주 국립 박물관에 전시(展示)되고 있음.

신알【晨謁】[명] 이른 아침에 사당에 뵙는 일. ——-하다 [자][여불]

신:앙【信仰】[명] ①믿고 받드는 일. ②〔faith〕『종』 종교 생활의 의식적(意識的)인 측면(側面). 곧, 초자연적인 절대자(絶對者)·창조자(創造者) 및 종교 대상(對象)에 대한 신자(信者) 자신의 태도로서, 신 또는 부처 등에 귀의(歸依)하는 일. *믿음·숭배. ——-하다 [타][여불]

신:앙 각성 운:동【信仰覺醒運動】[명] 『종』 기독교 역사에서 되풀이되어 온 신앙 부흥의 현상을 이름. 16세기 이후, 종교 개혁·경건주의(敬虔主義)·메서디스트 운동(Methodist運動) 등이 일어났으며 특히, 18세기 후반경의 에드워즈(Edwards, J.)·화이트필드(Whitefield, G.)의 전도로 미국을 중심으로 일어난 운동은 '대각성(大覺醒)'이라 불리어 유명함.

신:앙 개:조【信仰箇條】[명] 〔creed〕『기독교』 기성 교회가 공인(公認)하는 표준적 교의(敎義). 신앙의 요지(要旨)를 요약한 조목.

신:앙 고:백【信仰告白】[명] 〔confession〕『기독교』 성서의 말씀을 있는 그대로 받아들이고, 그리스도에 대한 자기의 신앙을 공적(公的)으로 나타내는 일. 특히 하느님의 말씀·계시(啓示)에 대한 응답, 영적(靈的)인 은총에 대한 복종과 찬미를 말함.

신:앙 부:흥【信仰復興】[명] 『기독교』 리바이벌(revival)❷.

신:앙 생활【信仰生活】[명] 신앙을 가지고 종교에 귀의(歸依)하는 영적 생활.

신:앙-심【信仰心】[명] 신이나 부처를 믿는 마음.

신:앙 요법【信仰療法】[—뇨뻡] [명] 정신 요법의 하나. 신앙의 힘으로써, 병자의 정신을 안정 또는 분기(奮起)시키어, 간접으로 육체에 좋은 결과를 주어, 병을 치료하는 방법. 크리스찬 사이언스나 미개 사회에 있어서의 주의(呪醫)에 의한 치료 같은 것.

신:앙의 자유【信仰—自由】[—/—에—] [명] 종교(宗敎)의 자유.

신:앙 재판【信仰裁判】[명] 『역』 천주교가 로마 제국의 국교(國敎)가 되었을 때, 이단설(異端說)에 대하여 하던 신문(訊問) 재판.

신:앙 철학【信仰哲學】[명] 『철』 주지설(主知說)에 반대하여, 감정으로써만 실재(實在)의 근저(根底)까지 들어갈 수 있다고 하는 감정 철학을 더 발전시키어, 신앙이나 직접적 지식으로서 실재를 파악할 수 있다고 주장하는 철학의 한 입장. 18세기말, 독일에서 계몽 사상의 한 반동으로서 일어났음. *감정 철학.

신:애【信愛】[명] 믿고 사랑함. 신의(信義)와 애정(愛情). ——-하다 [타][여불]

신-애긍【神哀矜】[명] 『천주교』 훈몽(訓蒙)·훈우(訓愚)·위환(慰患)·위수(慰愁)·관서(寬恕)·인모(忍侮)·애구(愛仇) 등 일곱 가지의 정신적 자선.

신액【宸掖】[명] 제왕의 궁전. 금액(禁掖). 궁액(宮掖).

신야【晨夜】[명] 새벽과 밤.

신약¹【身弱】[명] 몸이 허약함. ——-하다 [형][여불]

신:약²【信約】[명] 믿음으로써 약속함. ——-하다 [타][여불]

신약³【神藥】[명] 신효(神效)가 있는 약.

신약⁴【新約】[명] ①새로운 약속. 새로이 맺는 약속. ②『기독교』 하느님이 예수 그리스도를 통하여 신자들에게 행한 새 약속. 이 약속은 예수가 완성하고, 그의 죽음으로 구체화되었다 함. ↔구약(舊約). ③↗신약 성서(新約聖書).

신약⁵【新藥】[명] ①새로 제조·판매되는 약품. ②양약(洋藥).

신:약⁶【腎藥】[명] 정력(精力)을 증진하는 약.

신약 성:서【新約聖書】[명] 〔The New Testament〕『성』 기독교의 성서 중, 예수 탄생 후의 신(神)의 계시를 기록한 것. 신약(新約)이란 말은 예수 그리스도에 의한 새로운 구제 계약(救濟契約)이란 뜻으로, 예수 그리스도의 생애의 기록인 복음서(福音書) 4 부(部)와 그 제자들의 전도(傳道)의 기록인 사도 행전(使徒行傳) 및 사도들의 서간류(書簡類) 21부, 묵시록(默示錄) 등 모두 27권으로 되어 있는데, 전부 그리스어로 씌어졌음. 기독교의 정전(正典)이 되기는 4세기 말부터임. 신약 전서. [준]신약(新約). ↔구약 성서.

신약 시대【新約時代】[명] 『기독교』 예수가 세상에 난 때부터 재림(再臨)할 때까지의 시대. ↔구약 시대(舊約時代).

신약 외:전【新約外傳】[명] 『성』 아포크리파(Apocrypha).

신약 전서【新約全書】[명] 『성』 신약 성서(新約聖書).

신양¹【身恙】[명] 신병(身病).

신양²【新陽】[명] 신춘(新春).

신:양³【信陽】[명] 『지』 중국 허난 성(河南省) 남단에 있는 도시. 징광 철도(京廣鐵道)에 연한, 남쪽으로의 문호(門戶)로서, 무명·견직물·죽제품(竹製品) 등을 산출함. 후난 성(湖南省) 경계에 주리(九里)·핑징(平靖)·우성(武勝)의 세 관(關)이 있고 지궁 산(鷄公山)은 경치 좋은 피서지로 유명함. 구명(舊名) : 이양(義陽). [294,693 명(1987)]

신어¹【神語】[명] ①신의 말. ②영묘한 말. 신언(神言).

신어²【神御】[명] 임금의 어진(御眞).

신어³【新語】[명] 새로 생긴 말. 또, 새로 귀화(歸化)한 외래어. 새 말. ¶~ 사전.

신어⁴【新語】[명] 『책』 중국 전한(前漢)의 육가(陸賈)의 저서. 한 고조(漢高祖)가 천하를 평정했을 때, 저자가 유교를 바탕으로 치란 성패(治亂成敗)의 이치를 해설한 것. 2 권 12 편. 육가 신어(陸賈新語).

신-어미【神—】[명] 『민』 제자에게 신(神)의 계통을 전해 준 무당. ↔신딸.

신어 사전【新語辭典】[명] 신어만을 한데 모아서 풀이한 사전.

신언¹【神言】[명] 신어(神語)❷.

신:언²【愼言】[명] 말을 삼감. 신구(愼口). ——-하다 [자][여불]

신-언-서-판【身言書判】[명] ①중국 당대(唐代)의 관리 전선(銓選)의 네 가지 표준. 곧, 체모(體貌)의 풍위(豐偉), 언사(言辭)의 변정(辯正), 해법(楷法)의 준미(遵美), 문리(文理)의 우장(優長). ②사람이 갖추어야 할 네 가지 조건. 곧, 신수·말씨·문필(文筆)·판단력(判斷力).

신언-회【神言會】[명] 〔라 Societas Verbi Divini〕『천주교』 수도회의 하나. 1875년 얀센(Janssen, A.; 1837-1909)이 이교국(異敎國)에 대한 선교를 목적으로 네덜란드에 창설함.

신엄【申嚴】[명] 거듭 타이름. 더욱 더 엄하게 함. ——-하다 [타][여불]

신업【身業】[명] 『불교』 몸으로 지은 모든 죄업(罪業). 살생·투도(偸盜)·사음(邪淫) 등. ↔의업(意業)·구업(口業).

신여【神輿】[명] 『역』 종묘 제례(宗廟祭禮)에 쓰는 영여(靈輿).

신-여성¹【新女性】[—녀—] [명] ①신식 교육을 받은 여자. 신시대의 여성. ②〈속〉 양장(洋裝)한 여자. 1)·2):↔구여성(舊女性).

신-여성²【新女性】[—녀—] [명] 『책』 일제 치하 1924년에 개벽사(開闢社)에서 발간한 여성 교양 잡지. 여성의 계몽을 지향한 1920년대의 다른 여성 잡지와는 달리 개벽사의 정치적 노선을 그대로 반영, 사회주의적인 색채가 짙었음. 체제는 90면 가량으로 지령(紙齡)은 50여 호에 달했음.

신여의-통【身如意通】[—/—이—] [명] 『불교』 오신통(五神通)의 하나. 마음대로 어디든지 날아갈 수 있는 능도(能到), 뜻대로 모습을 바꿀 수 있는 전변(轉變), 외계(外界)의 육경(六境)을 뜻대로 할 수 있는 성여의(聖如意)의 세 가지 신통력(神通力). *천안통(天眼通).

신역[1]【身役】명 ①몸으로 치르는 노역(勞役)이나 고역(苦役). ¶ ~이 고되다. ②몸이 어떠한 관부(官府)나 권문(權門)에 딸려 있음.

신역[2]【神域】명 신불(神佛)이 있는 곳.

신역[3]【新役】명 새로 맡겨진 소임.

신역[4]【新譯】명 ①새로 번역함. 또, 그 번역. ②〖불교〗당나라 현장(玄奘) 이후에 번역한 경전을 일컫는 말. 1)·2) : ↔구역(舊譯). ——-하다 타 여불

신-역사학파【新歷史學派】[-녁-] 명〖경〗슈몰러(Schmoller)를 대표자로 하여 1870년대에 일어난 독일 역사학파 경제학의 한 파. 구역사학파의 방법론을 발전시켜 경제학을 윤리적·역사적 학문으로 규정, 심리학·윤리학에 바탕을 두어야 한다고 함. 또, 국민 경제의 역사적 특성을 중시, 사회 윤리적 입장에서 노사(勞使) 협조론과 사회 정책론을 제창함. 역사적 윤리적 학파(歷史的倫理的學派). ↔구(舊)역사학파.

신연[1]【宸宴】명 임금이 베푸는 주연(酒宴).

신연[2]【新延】명〖역〗도(道)나 군(郡)의 장교(將校)나 이속(吏屬)들이 새로 도임(到任)하는 감사(監司)나 수령(守令)을 그 집에 가서 맞아 오는 일. ——-하다 자 여불

신연 광:산【新延鑛山】명〖지〗평안 북도 삭주군(朔州郡) 구곡면(九曲面)의 구곡강(九曲江) 유역에 있는 금광.

신연-증【身軟症】[-쯩] 명〖한의〗뇌척수(腦脊髓)의 병으로 몸과 힘줄이 연약하여지는 어린 아이의 병.

신-연활자【新鉛活字】[-년-짜] 명〖인쇄〗신활자.

「준열(熱).

신열[1]【身熱】명 병으로 인하여 나는 몸의 열. 열기(熱氣). ¶ ~이 나다.

신열[2]【辛烈】명 [←신렬] 대단히 신랄함. ——-하다 형 여불

신:열[3]【腎熱】명〖한의〗손가락으로 살가죽을 가볍게 누를 때에는 더움을 느끼지 않으나 몹시 누르면 더움을 심히 느끼는 병.

신열대-구【新熱帶區】[-때-] 명 ①〖식〗식물구계(植物區系)의 하나. 미대륙(美大陸)의 열대에서, 멕시코 이남의 북아메리카·중앙 아메리카·남미(南美)의 중북부 등을 포함하는 지역. 선인장류·용설란·파인애플과 식물 등이 대표종임. 열대 강우림(降雨林) 외에 스텝(steppe)과 황야가 발달함. ②〖동〗동물 지리 분포구의 하나. 남미의 대부분과 중미(中美)를 포함하는 지역. 나무늘보·개미핥기·콘도르·아르마딜로 같은 것이 특색 있는 종류임. *남대(南帶)·신북구(新北區)·신계(新界).

신열-악【辛熱樂】명〖문〗신라 유리왕(儒理王) 때의 가요. 가사는 전하지 아니함. ≪삼국 사기≫ 악지(樂志)에 나옴.

신:염【腎炎】명〖의〗신장염.

신:염성 망막염【腎炎性網膜炎】[-썽-념] 명〖의〗만성 신장염의 경과 중, 특히 축신(縮腎)으로 이행(移行)하려 할 때에, 안저(眼底)의 후극부(後極部)에 망막의 혼탁·출혈·백반(白斑) 등이 나타나고, 시력이 저하되는 질환. 이 병은 악성 고혈압 환자의 혈액 속에 있는 불명(不明)의 독소(毒素)가 원인이 되므로, 만성 신장염 환자에게 이 병이 병발했을 때에는 악성 고혈압의 발생을 의미하는 것임.

신엽【新葉】명 새로 나온 초목의 잎. 새잎.

신영[1]【新迎】명 새로 맞이함. ——-하다 타 여불

신영[2]【新營】명〖역〗①조선 시대에, 창덕궁(昌德宮) 앞 서쪽에 있는 금위영(禁衛營)의 본영(本營). ②조선 시대에, 인의동(仁義洞)에 있는 어영청(御營廳)의 본영. ③조선 시대에, 창의문(彰義門) 밖에 있는 총융청(摠戎廳)의 본영. ④조선 시대에, 경희궁(慶熙宮) 정문(正門) 앞에 있는 훈련 도감(訓鍊都監)의 분영(分營).

신예[1]【呻囈】명 신음(呻吟). ¶ 여러 날 풍우에 ~하던 사람을 깨는 듯 금풍이 일어나며 편만하던 구름과 안개를 쓸어 버리니…≪作者未詳 : 雨中奇緣≫. ——-하다 자 여불

「가.

신예[2]【新銳】명 새롭고도 기세가 날카로움. 새로운 정예(精銳). ¶ ~ 작

신예-기【新銳機】명 새로이 제작된 성능이 좋은 비행기.

신-예술【新藝術】[-네-] 명〖예〗아르 누보(art nouveau).

신오【神奧】명 신비하고 오묘(奧妙)함. ——-하다 형 여불

신-오대사【新五代史】명〖책〗중국 후량(後梁)의 태조(太祖)로부터 후주(後周)의 공제(恭帝)에 이르는 시대의 사서(史書). 구양 수(歐陽修) 등이 춘추(春秋)의 필법(筆法)으로 편찬하였음. 75권.

신-오스트리아 학파【新—學派】[Austria] 명〖경〗빈(Wien) 학파.

신:옹【腎癰】명〖한의〗불두덩에 나는 종기.

신-완【申玩】명〖사람〗조선 숙종(肅宗) 때의 상신(相臣). 자는 공헌(公獻). 호는 경암(絅庵). 평산(平山) 사람. 숙종 29년(1703)에 영의정이 되고, 숙종 32년(1706)에 임부(林溥)·이잠(李潛)의 옥사에 관련되어 대죄(待罪)하던 중 죽었음. 시호는 문장(文莊). [1646-1707]

신외 무물【身外無物】명 몸밖에는 더 없다는 뜻으로, 무엇보다도 몸이 귀함을 이르는 말.

신:용[1]【信用】명 ①믿고 임용(任用)함. 신임(信任). ②믿어 의심하지 아니함. 현재의 행위에서 미루어, 앞으로 약속·의무를 이행(履行)할 것으로 믿음. ¶ ~이 없는 사람. ③평판이 좋고 인망(人望)이 있음. 신망(信望). ④[credit]〖경〗재화 및 화폐의 급부(給付)와 반대 급부 사이에 시간적인 차이가 있는 일반 교환(交換). 바꾸어 말하면, 지금의 연기(延期)인 바, 당사자 간에 채권·채무의 관계가 설정(設定)될 때에 성립함. 단기(短期) 신용·중기 신용·장기 신용 또는 상업 신용·자본 신용 혹은 개인 신용과 은행 신용 등, 보는 견지에 따라 여러 가지 종류로 나뉨. *신용 거래. ——-하다 타 여불

신용[2]【神勇】명 사람의 지혜로는 생각할 수 없는 용기.

신용[3]【神容】명 신과 같이 거룩한 용모.

신-용(:)개【申用漑】명〖사람〗조선 중종 때의 상신(相臣). 자는 개지(漑之). 호는 이락정(二樂亭). 고령(高靈) 사람. 강직한 성품이 연산군(燕山君)의 비위에 거슬려 갑자 사화(甲子士禍) 때 영광(靈光)에 유배되었으나, 중종 반정으로 좌의정에 올랐음. 시호는 문경(文景). [1463-1519]

신:용 거:래【信用去來】명〖경〗①매매·고용 등의 계약에 있어서, 화폐의 지급은 뒷날로 정하는 거래. ②주식 매매 거래 방법의 하나. 증권 회사가 고객으로부터 일정한 증거금을 받고, 고객에게 매수 대금 또는 매매 증권을 대부하여 결제하게 하는 거래. ↔론(loan) 거래. *신용(信用).

신:용 경제【信用經濟】명〖경〗화폐 경제(貨幣經濟)가 발달하여 신용이 경제 활동의 특징을 이루는 경제 조직. 곧, 재화의 유통은 전적으로 신용에 의하여 행하여지는 바, 상거래(商去來)에 있어서는 수표(手票)·환(換) 어음이 유통되고, 큰 자본에 있어서는 주식·사채(社債) 등이 사용됨.

신:용 공:여【信用供與】명〖경〗①신용을 주는 일. ②증권업자가 고객(顧客)으로부터 증권의 매매 주문을 받을 때, 매입(買入) 대금이나 매도(賣渡) 증권의 전부 또는 일부를 빌려 주는 일.

신:용 공:황【信用恐慌】명〖경〗신용 금융면(金融面)의 공황. 신용 거래가 광범위하게 결제 불능(決濟不能)에 직면하여, 어음 지급 불능이 되고, 파산(破産)이 일어나, 새로운 신용 거래는 불가능하게 되며, 은행이 파산·휴업하고 나아가서는 태환(兌換) 정지·불환 지폐(不換紙幣)의 증발(增發)에 의하여 국가 또는 본위(本位) 화폐의 신용이 없어지는 현상. 금융 공황. *은행 공황·화폐 공황.

신:용-권【信用券】[-꿘] 명〖경〗신용 증권(證券).

신:용 금고【信用金庫】명〖경〗↗상호 신용금고.

신:용 기관【信用機關】명〖경〗신용을 이용하여 금전의 융통을 행하는 기관. 자기 자금(資金)으로 남의 수요(需要)에 응하는 전당포·고리 대금 같은 급부 기관(給付機關)과 한쪽에서 받아들이어 보관한 자금을 다른 쪽으로 대부하는 은행·신용 조합(信用組合) 등 매개 기관(媒介機關)이 있음.

신:용 대:금【信用貸金】명 대주(貸主)가 차주(借主)를 신용하여, 무담보·무보증으로 금전을 대부하는 일. 또, 그 돈. *신용 대부.

신:용 대:부【信用貸付】명〖경〗대주(貸主)가 차주(借主)를 신용하여 무담보(無擔保)·무보증(無保證)으로 금전 또는 물건(物件)을 대부하는 일. ——-하다 타 여불

신:용 대:차 대:조표【信用貸借對照表】명〖경〗회사·일반 업체가 금융 기관으로부터 신용을 받으려고 할 때, 신용 판단을 위하여 회사가 금융 기관에 제출하는 대차 대조표.

신:용 디플레이션【信用—】[deflation] 명〖경〗신용의 과도한 수축(收縮)에 의하여 생기는 디플레이션.

신:용 보증【信用保證】명〖경〗기업이 부담하는 채무, 즉 자금의 대출·급부 등을 받음으로써 기업이 금융 기관에 대하여 부담하는 금전 채무 및 기업의 채무를 금융 기관이 보증하는 경우에, 그 보증 채무의 이행으로 인한 구상(求償)에 응하여야 할 금전 채무·기업의 사채(社債) 등 기업의 금전 채무를 신용 보증 기금이 보증함을 말함.

신:용 보증 기금【信用保證基金】명〖경〗신용 보증 기금법에 의거, 담보 능력이 미약한 기업이 부담하는 채무를 보증하게 하기 위해 설립된 법인. 기본 재산의 관리·신용 보증·기업에 대한 신용 조사와 경영 지도·구상권(求償權)의 행사·신용 보증 제도의 조사·연구 등의 업무를 행함.

신:용 보증 기금법【信用保證基金法】[-뻡] 명〖법〗신용 보증 기금을 설립하여 담보 능력이 미약한 기업이 부담하는 채무를 보증하게 함으로써 기업의 자금 융통을 원활히 하여 건전한 신용 질서를 확립하고, 균형 있는 국민 경제의 발전에 기여함을 목적으로 하는 법.

신:용 보증장【信用保證狀】[-짱] 명〖경〗신용장의 한 가지. 발행 은행이 그 은행앞 어음의 인수(引受) 또는 지급(支給)을 약속하지 않고 일정 수출상의 어음을 매수(買受)하도록 다른 은행에 위탁하는 일.

신:용 보:험【信用保險】명〖경〗채무자의 채무 불이행으로 말미암아 생기는 채권자의 손해를 전보(塡補)함을 목적으로 하는 손해 보험.

신:용 부:금【信用賦金】명〖경〗상호 신용 금고에서, 기간의 중도 또는 만료시에 부금자에게 일정한 금전을 급부함을 약정하고, 일정한 기간을 정하여 납입하게 하는 부금.

신:용 분석【信用分析】명〖경〗금융업자 등이 자금의 융통을 해 줄 때에 여신자(與信者)의 입장에서 융자(融資) 대상의 경영에 관하여 그 신용 능력 또는 지불 능력을 측정하기 위하여 재무 제표(財務諸表) 특히 대차 대조표를 중심으로 그 재정 내용을 판단하는 경영 분석.

신:용 사회주의【信用社會主義】[-/-이] 명〖경〗더글러스주의(Douglas主義).

신:용 순환설【信用循環說】명 [theory of credit cycles]〖경〗신용의 성쇠(盛衰)를 생물과 같이 유년기·장년기·노년기로 나누어 각각 3년씩 잡고, 유년기에는 신용이 점차로 발생하며, 장년기에는 사업이 번창하여 호경기(好景氣)를 이루게 되고, 노년기에는 신용이 쇠퇴해서 공황(恐慌)이 된다고 하는 학설. 영국의 밀(Mill, J.S.) 등이 주장한 설(說)임.

신:용 어음【信用—】명〖경〗무담보(無擔保)로 신용에 기초를 두는 어음. 상업 어음이나 무담보의 융통 어음 같은 것.

신:용 업무【信用業務】명〖경〗신용 대부에 관한 업무. 근래에는 흔히 은행 업무에서 볼 수 있음.

신:용 위임【信用委任】명〖경〗위임인(委任人)이 수임인(受任人)에게 수임인의 이름·계산으로 제삼자에게 신용을 줄 것을 위임하는 일. 예를 들면 을(乙)이 갑(甲)은행에게 병(丙)과 당좌 대월 거래를 하는 것을 위임하는 일 따위.

신:용 인플레이션【信用—】[inflation] 명〖경〗금융 기관이 예금액 이상으로 대량 대부(貸付)를 하여 신용 통화가 과다하게 유통함으로써

생기는 인플레이션. *통화 인플레이션·재정 인플레이션.

신:용-장【信用狀】[-짱] 명 〔letter of credit〕『경』은행이 특정한 사람에 대하여 일정한 기간내에 일정한 범위내의 금액을 자기 은행, 또는 자기가 지정한 은행 앞으로 어음을 발행하는 권한을 부여하는 보증장(保證狀). 수입업자(輸入業者)에 대해 발행하는 상업 신용장과 해외 여행자가 그 행선지(行先地)에서 필요한 외화(外貨)를 입수할 수 있도록 하기 위한 여행 신용장이 있음. 약어: L/C.

신:용 조사【信用調査】명『경』금전의 대부 등을 행할 때, 대부를 받는 사람의 신용, 곧 재산 또는 지불 능력을 조사하는 일.

신:용 조사업【信用調査業】명 영업소를 설치하고, 타인의 상거래(商去來)·자산(資產)·금융 기타 경제상의 신용에 관한 사항을 조사하여 의뢰자에게 알려 주는 업. '흥신업'의 고친 이름.

신:용 조합【信用組合】명『경』신용의 수수(授受)를 행할 것을 목적으로 하는 협동 조합. 소비자를 위한 것도 있으나, 주로 중소(中小) 생산자를 위한 산업 조합의 한 형태를 말함. 산업자를 위한 신용 조합에 있어서는 조합원이 갹금(醵金)하여 조직하며, 조합원에게 산업상 필요로 하는 자금을 대여(貸與)하고 저축(貯蓄)의 편의를 보아 주는 등 상호 구제를 목적으로 하는 금융 기관으로서 존재함.

신:용 증권【信用證券】[-꿘] 명『경』신용에 의하여 일반으로 사용되는 증권으로서, 뒷날 채무(債務)를 이행할 것으로 믿고 받는 증권. 곧, 환(換)어음·약속 어음·공채 증서(公債證書)·채권(債券)·태환 지폐(兌換紙幣)·수표(手票) 등. 신용권.

신:용 지시서【信用指示書】명『경』은행이 자기 은행의 본지점(本支店) 앞으로 발행하는 것으로 일정한 조건 밑에 수익자(受益者)가 발행한 어음을 사들이도록 지시한 증서. 보통 신용장과 달리 어음의 지급인이 발행 은행이 아니고 발행 의뢰인이지만, 실질적으로는 신용장과 다름없는 기능을 함. 어음 매입 수권서.

신:용 창:조【信用創造】명『경』은행이 대출(貸出)에 의하여 차측(借側)의 당좌 예금을 설정(設定)함으로써, 결과적으로 예금 화폐(預金貨幣)를 새로 만들어 내는 일.

신:용 출자【信用出資】[-짜] 명『경』자기의 신용을 자본으로서 회사에 제공하는 일. 무한 책임 사원에게만 허용됨. *노무(勞務) 출자·재산(財產) 출자.

신:용 카:드【信用一】〔card〕명『경』카드 회사와 가맹점(加盟店)이 제휴하여 행하는 신용 판매 제도. 또, 거기에 쓰이는 카드. 은행에 예금이 있는 고객은 카드 회사에서 카드를 받아 가맹점에 가면 현금 없이도 물건을 살 수 있음. 크레디트 카드.

신:용 카:드 가맹점【信用一加盟店】〔card〕명『경』신용 카드 업자와의 계약에 따라 신용 카드 회원에게 신용 카드에 의해 물품 또는 용역(用役)을 제공하는 가게.

신:용 카:드 검:색기【信用一檢索機】〔card〕명『경』신용 카드 회원의 신용 상태를 조회해 보기 위해 백화점·호텔·주유소 등 카드 가맹점에 설치해 놓은 소형 컴퓨터 단말기. 이 단말기는 전화 회선을 통하여 신용 카드사와 직접 연결되어 있음.

신:용 카:드업【信用一業】〔card〕명『경』신용 카드의 발행 및 관리, 신용 카드 이용과 관련된 대금(代金)의 결제, 신용 카드 가맹점의 모집 및 관리 등의 업무를 하는 영업.

신:용 통화【信用通貨】명『경』신용 화폐.

신:용 판매【信用販賣】명『경』외상으로 물품을 파는 일.

신:용 협동 조합【信用協同組合】명『경』조합 조직(組織)의 비영리(非營利) 금융 기관. 조합원으로부터의 출자금·예탁금 및 적금의 수입(受入), 조합원에 대한 대출, 조합원의 보험료 등의 대리 수납, 금융 기관·체신 관서 또는 연합회에의 예탁, 자금의 차입, 조합원의 경제적 사회적 지위의 향상을 위한 교육 및 지역 사회 개발, 조합원을 위한 보호 예수(預受) 업무 등을 행함.

신:용 화:폐【信用貨幣】명『경』액면(額面) 가격이 소재(素材) 가치보다 높은 통화(通貨). 본위 화폐(本位貨幣) 이외의 통화. 곧, 정부 지폐(紙幣)·은행권(銀行券)·수표(手票)·어음 등을 이름. 신용 통화. 대체(對替) 화폐. 기호(記號) 화폐. 표권(表券) 화폐. 예금 통화.

신:용 훼:손죄【信用毁損罪】[-죄] 명『법』허위의 사실을 유포하거나 기타 위계(僞計)를 써서 남의 신용을 훼손함으로써 성립되는 죄.

신:우[1]【迅羽】명 쏜살같은 날개를 가졌다는 뜻으로, '매'의 딴이름.

신:우[2]【迅雨】명 세차게 내리는 비.

신:우[3]【信友】명 믿고 사귀는 벗.

신우[4]【神佑】명 신의 도움. 신조(神助).

신우[5]【宸憂】명 임금의 근심.

신:우[6]【腎盂】명〔renal pelvis〕『생』척추 동물의 신장(腎臟) 안에 있는 빈 곳. 오줌은 세뇨관(細尿管)을 통하여 여기에 모였다가 다시 수뇨관(輸尿管)을 통하여 방광(膀胱)으로 빠짐.

신:우신-염【腎盂腎炎】명〔pyelonephritis〕『의』세균 감염에 의한 신우 및 신실질(腎實質)의 염증.

신:우-염【腎盂炎】명〔pyelitis〕『의』여러 가지의 병원체(病原體), 특히 대장균(大腸菌)에 의하여 생기는 신우의 염증(炎症). 오한이 나고 떨리면서 열이 높아지고, 신장부(腎臟部)에 동통(疼痛)이 일어나는데, 주로 여성에게 많은 병임.

신-우익【新右翼】명 뉴 라이트(New Right).

신운[1]【身運】명 운수(運數).

신운[2]【神韻】명 신비롭고 고상한 운치.

신-운명【新運命】명 새로운 운명.

신운-파【神韻派】명 한문 시단(詩壇)의 한 유파(流派). 중국 청(淸)나라 왕사정(王士禛)이 주창함.

신-울명 신의 울타리. ㊟울.

신원[1]【身元】명 일신상(一身上)의 관계. 곧, 개인의 신분·직업·성행(性行)·원적(原籍)·주소 등. ¶ ~을 알 수 없는 사람.

신원[2]【伸冤】명 원통한 일을 풀어 버림. ——-하다 자여불

신원[3]【新元】명 설날.

신원 보증【身元保證】명 ①사람의 신상(身上)·자력(資力) 등의 확실함을 보증하고 책임 지는 일. ②『법』고용 계약에 있어서, 피용자(被傭者)가 사용자(使用者)에게 손해를 끼칠 경우, 그 배상을 시킬 목적으로 일정한 금전을 담보로 내게 하거나 보증인을 설정하여 배상 의무를 지게 하는 일.

신원 보증금【身元保證金】명『법』신원 보증을 위하여 미리 담보로서 내는 돈 또는 유가(有價) 증권.

신원 보증 보:험【身元保證保險】명『경』피보증인이 고용주에게 준 손해를 신원 보증인이 신원 보증 계약에 의해서 변상(辨償)했을 때의 재산상의 손해를 전보(塡補)하는 신용 보험의 하나. 신원 보험.

신원 보증인【身元保證人】명『법』남의 신원을 보증하는 사람.

신원 보:험【身元保險】명『경』신원 보증 보험.

신-원사【新元史】명『책』중국의 정사(正史) 25사(史)의 하나. 1919년, 중국의 커 사오민(柯劭忞)이 엮음. 《원조 비사(元朝秘史)》 등, 몽고 자료와 유럽의 자료 따위를 참고로 하여 《원사(元史)》를 보정(補正)한 책임. 257권.

신원 설치【伸冤雪恥】명 원통함을 풀고 부끄러운 일을 씻어 버리는 일. 설분 신원(雪憤伸冤). ㊟신설(伸雪). ——-하다 자여불

신-원소【新元素】명『화』1940년 이후에 발견된 원자 번호 93 이상의 이른바 초우라늄(超uranium) 원소 및 재래의 원소표(表)에 공백으로 되어 있던 43·61·85·87번 원소의 총칭. 43 테크네튬(technetium)·61 프로메튬(promethium)·85 아스타틴(astatine)·87 프랑슘(francium)·93 넵투늄(neptunium)·94 플루토늄(plutonium)·95 아메리슘(americium)·96 퀴륨(curium)·97 버클륨(berkelium)·98 칼리포르늄(californium)·99 아인시타이늄(einsteinium)·100 페르뮴(fermium)·101 멘델레븀(mendelevium)·102 노벨륨(nobelium)·103 로렌슘(lawrencium)·104 러더포듐(rutherfordium)·105 더브늄(dubnium)·106 시보귬(seaborgium)·107 보륨(bohrium)·108 하슘(hassium)·109 마이트너륨(meitnorium) 등.

신-원적【新圓寂】명『불교』갓 죽은 이.

신원 조사【身元調査】명『법』국가 보안(保安)을 위하여, 어떤 사람의 국가에 대한 충성심·성실성 및 신뢰성을 조사하는 일. 공무원 임용 예정자·비밀 취급 인가 예정자·해외 여행을 하고자 하는 자 등을 대상으로 함.

신월[1]【申月】명『민』월건(月建)의 지지(地支)가 신(申)으로 된 달. 갑신(甲申)·무신(戊申) 등.

신월[2]【新月】명 ①초승달. ②『천』음력 초하룻날 보이는 달. 달과 태양이 같은 황경(黃經)이 되는 때의 달.

신-월리스선【新一線】명〔neo-Wallace's line〕『생』생물 분포의 경계선인 월리스선을 수정한 것. 필리핀의 식물학자 메릴(Merrill, E.D.)이 제창(提唱). 월리스선의 서측(西側)에 위치하는 필리핀 제도의 식물상(植物相)이 동측(東側)의 오스트레일리아구(區)의 성격을 지녔으므로 그 경계선을 필리핀 제도의 서측을 지나는 선으로 고쳤음.

신월-사【新月社】[-싸] 명『문』중국에서, 1928년, 후 스(胡適)·량 스츄(梁實秋)·쉬 즈웨이(徐志摩)·원 이둬(聞一多)·선 쭝원(沈從文) 등이 결성한 문학 결사. 신월 서점에서 월간지 '신월'을 발행하고, 순정(純正)한 사상이 인생 개조의 제일의 요구라고 하여, 건강과 존엄을 원칙으로 세워 일체의 주의와 파벌에 반대하는 예술 지상주의적 입장을 천명하였음.

신월-형【新月形】명 초승달과 같이 생긴 형상.

신-위[1]【申緯】명『사람』조선 시대 후기의 시인·서화가(書畫家). 자는 한수(漢叟). 호는 자하(紫霞). 평산(平山) 사람. 정조(正祖) 23년(1799) 등제, 벼슬이 도승지를 거쳐 이조 참판(參判)에 이름. 당시의 시·서·화 삼절(三絕)로 일컬어짐. [1769-1847]

신위[2]【臣位】명 신하의 등위(等位).

신위[3]【身位】명 신분과 지위.

신:위[4]【信委】명 믿고 위임함. ——-하다 타여불

신위[5]【神位】명 신령의 자리로서 설치된 것이나 장소. 지방(紙榜) 같은 것.

신위[6]【神威】명 신의 위엄.

신유[1]【申諭】명 되풀이하여 타이름. ——-하다 타여불

신유[2]【辛酉】명『민』육십 갑자(六十甲子)의 쉰여덟째.

신유[3]【宸遊】명 임금이 노는 일.

신유[4]【神癒】명 신(神)의 힘으로 병이 낫는 일. 신앙 요법(信仰療法)의 하나로 봄.

신유 교:난【辛酉教難】명『역』신유 박해(辛酉迫害).

신유 박해【辛酉迫害】명『역』조선 순조(純祖) 원년(1801)인 신유년에 있었던 천주교 박해 사건. 중국에서 세례를 받고 돌아와 전교하던 이승훈(李承薰)을 비롯하여 남인(南人)에 속하는 권철신(權哲身)·홍낙민(洪樂敏)·이가환(李家煥)·정약종(丁若鍾) 및 중국인 신부(神父) 주문모(周文謨) 등을 사형(死刑)에 처하고, 정약전(丁若銓)·정약용(丁若鏞) 등을 귀양 보냈으며, 이 참상을 베이징(北京)에 와 있던 주교(主教)에게 보고하려던 황사영(黃嗣永)을 참살(斬殺)하였음. 이 교난은 실상은 대왕 대비 김씨를 배경으로 하는 벽파(僻派)가 남인(南人)과 시파(時派)를 타도하려는 술책에서 나온 것이었음. 신유 교난. 신유 사옥(邪獄).

신유복-전【申遺腹傳】명『문』구(舊)소설의 하나. 연대·작자는 미상.

조선 영·정조(英·正祖) 시대 이전에 쓰인 것으로 추측됨. 고아가 되어 방랑하던 주인공 신유복이 경패(瓊貝)를 아내로 맞아들여, 그 아내의 힘을 얻어 병조 판서가 되고, 다시 원명 대원수(援明大元帥)가 되어 명나라를 침공한 호군(胡軍)을 평정하여 국위(國威)를 중원(中原)에까지 빛내고 돌아와서 부귀를 누렸다는 줄거리임. 「어.

신유 사옥【辛酉邪獄】명〖역〗'신유 박해'의 박해자측(迫害者側)의 용

신-유학【新儒學】[—뉴—] 명 〔neo-Confucianism〕 중국 송대(宋代)의 유학, 곧 성리학(性理學)을 서양이나 중국 등지에서 일컫는 이름.

신-유한【申維翰】명〖사람〗조선 시대 후기의 문장가. 자는 주백(周伯). 호는 청천(青泉). 영해(寧海) 사람. 숙종 45년(1719)에 제술관(製述官)으로 홍치중(洪致中)을 따라 일본에 다녀 와서 《해유록(海遊錄)》을 지었음. [1681-?] 「san).

신-육공육호【新六〇六號】[—뉵—] 명〖약〗네오살바르산(Neosalvar-

신-윤(:)복【申潤福】명〖사람〗조선 후기의 풍속화가. 자는 입부(笠夫), 호는 혜원(蕙園). 고령(高靈) 사람. 벼슬은 첨정(僉正)에 이름. 작품 내용은 주로 기녀(妓女)·무속(巫俗)·술집의 색정적인 장면 등을 그려 인간주의적인 욕망을 표현하려는 의도가 엿보임. [1758-?]

신율【新律】명 새로 제정된 율법. 새로 공포된 법률. 신법(新法).

신은[1]【神恩】명 신의 은혜.

신은[2]【新恩】명〖역〗과거(科擧)에 새로 급제한 사람. 신래(新來).

신음[1]【呻吟】명 병이나 고통으로 앓는 소리를 냄. 신예(呻囈). ——-하

신음[2]【新音】명 새로운 음조(音調). 「다 자여불

신음-성【呻吟聲】명 끙끙거리며 앓는 소리.

신읍【新邑】명 ①새로 생긴 읍(邑). ②새로 이사하여 삶. ——-하다 자

신응【新鷹】명 아직 사냥에 길들이지 않은 매. 「여불

신:의[1]【信倚】[—/—이] 명 신뢰하고 의지함. ——-하다 타여불

신:의[2]【信義】[—/—이] 명 믿음과 의리. ¶ ~를 지키다.

신:의[3]【信疑】[—/—이] 명 믿음과 의심. ¶ ~ 반반(半半).

신의[4]【宸意】[—/—이] 명 임금의 뜻. 신지(宸旨).

신의[5]【宸儀】[—/—이] 명 ①임금의 몸. ②천자(天子).

신의[6]【神意】[—/—이] 명 신의 뜻. 신의 의지(意志). 신려(神慮). ¶ ~에 거슬리다.

신의[7]【神醫】[—/—이] 명 귀신같이 병을 잘 고치는 의원(醫員).

신의[8]【新衣】[—/—이] 명 새 옷.

신의[9]【新義】[—/—이] 명 새로운 의미. 새로운 의의(意義).

신의[10]【新醫】[—/—이] 명 〈속〉 양의(洋醫). ↔구의(舊醫).

신:의[11]【贐儀】[—/—이] 명 전별(餞別)할 때 주는 금품.

신의-군【新義軍】[—/—이—] 명〖역〗고려 고종(高宗) 때 조직된 삼별초(三別抄)의 하나. 처음에 최우(崔瑀)가 몽고(蒙古)에 잡혀 갔다가 도망하여 온 자를 모아서 만든 군사. 야별초(夜別抄)의 좌우대(左右隊)와 합하였음.

신의-론【神義論】[—/—이—] 명〖철〗변신론(辯神論). 신정론(神正論).

신의-설【神意說】[—/—이—] 명 국가의 존립 근거(存立根據) 및 군주 권력(君主權力)의 근원은 신의 의사에 있다는 학설. 국가 신의설. *왕권 신수설.

신:의 성실의 원칙【信義誠實—原則】[—/—이—에—] 명〖법〗사람은 사회의 일원으로서, 신의에 합당하고 성실을 본지(本旨)로 행동하여야 한다는 사법(私法) 상의 원칙. 공서 양속(公序良俗)의 관념과 함께, 법과 도덕을 조화시키기 위한 원리임. 민법은 이 원칙을 채용, 권리의 행사와 의무의 이행은 이 원칙에 따르도록 규정하고 있음. ㊂신의칙(信義則). *사정 변경의 원칙.

신의신【臣矣身】[—/—이—] 인대 〈이두〉 임금에게 대한 신하의 자칭(自稱).

신-의주【新義州】명〖지〗평안 북도의 한 시로 도청 소재지. 압록강 어귀에 있어 대안(對岸)의 단둥(丹東)과 대립하는 국제 도시. 목재의 집산지인 관계로 제재·펄프·성냥 등과 그 밖에 방적 공업이 발달되었으며, 평양 다음가는 공업 도시로서 단둥(丹東)과의 국경 무역이 성함. 경의선(京義線)의 종점이고, 압록강 철교에 의하여 만주를 경유 중국·유럽에 이르는 국제 교통로의 관문임.

신의주 평야【新義州平野】명〖지〗압록강 하류에 전개된 평야. 하천의 운반 작용에 의하여 기름진 삼각주 평야가 해마다 확대되고 있음. 평안 북도 지방의 중요 미작(米作) 지대를 이루며, 그 밖에 조·콩·옥수수 등도 산출됨. 중심지는 신의주와 용암포(龍巖浦)임.

신의주 학생 사:건【新義州學生事件】[—껀] 명〖역〗1945년 11월 23일 평안 북도 신의주에서 일어난 학생들의 반공(反共) 투쟁 사건. 16일 용암포(龍巖浦)에서 열린 기독교 사회 민주당 지방 대회에 공산당이 난입 습격하자 이에 격분한 용암포 학생들이 공산당의 만행을 규탄하는 시위 운동을 벌이고, 23일에 신의주와 부근 학생 약 5,000명이 공산당 본부와 주요 기관을 습격하였음. 이 사건으로 50명이 사살당하고, 80여 명이 검거됨. 이 날을 '반공 학생의 날'로 정하고 있음.

신:의-칙【信義則】[—/—이—] 명〖법〗↗신의 성실(信義誠實)의 원칙.

신이[1]【辛夷】명〖식〗①백목련(白木蓮). ②'개나리'의 잘못된 말.

신이[2]【神異】명 신기하고 이상함. ——-하다 형여불

신이[3]【新異】명 새롭고도 기이함. ——-하다 형여불

신-이개 명 신을 삼다가 죄는 데 쓰는 기구.

신-이상주의【新理想主義】[—/—이] 명 〔프 néo-idéalisme〕 ①〖철〗19세기 중엽부터 20세기에 걸쳐 사상계의 주류(主流)가 되었던 자연주의·실증(實證)주의 및 유물론적 경향에 대항하여, 19세기 초기의 독일 관념론의 정신을 부활·발전시키려고 한 철학적 경향. 신칸트 학파·신피히테 학파·신헤겔 학파가 이에 속함. ②〖문〗퇴폐적(頹廢的)인 경향이 강하였던 자연주의의 반동(反動)으로서, 정신 전반(全般)의 경향을 띤 문예 상의 사조. 신낭만주의·상징주의·신비주의·인도주의 등이 이에 속함.

신이-포【辛夷苞】명〖약〗백목련(白木蓮)의 꽃봉오리. 안약(眼藥)으로

신이-화【辛夷花】명〖식〗'개나리꽃'의 잘못된 말. 「쓰임.

신익【神益】명 신령(神靈)한 이익. 「다.

신-익다【神—】[—닉—] 형 일에 경험이 많아서 신이 접한 듯이 익숙하

신-익희【申翼熙】[—히] 명〖사람〗정치가. 자는 여구(汝耉). 호는 해공(海公). 본관은 평산(平山). 경기도 출생. 1917년 보성 전문 학교 교수로 취임. 3·1운동 후, 상하이(上海)로 망명, 임시 정부의 외무부장·내무부장을 역임함. 광복 후 귀국하여 제헌 국회 의장. 제2대 국회 의장에 피선, 1956년, 민주당 공천 대통령 후보로 선거 유세 중 병사함. [1894-1956]

신:인[1]【信人】명 믿음성이 있는 사람. 신의(信義)가 두터운 사람.

신:인[2]【信印】명 거짓이 없음을 증거로 나타내는 표적.

신:인[3]【信忍】명〖불교〗①삼인(三忍)의 하나. 아미타불(阿彌陀佛)을 염(念)하여 구원함을 믿어 의심치 않음. ②오인(五忍)의 하나. 무루(無漏)의 진지(眞智)가 일어나는 동시에 삼보(三寶)를 믿는 마음이 일어남.

신:인[4]【信認】명 믿고 인정하여 의심치 않음. ——-하다 타여불

신인[5]【神人】명 ①신과 사람. ②신(神)과 같이 만능(萬能)한 사람. 신과 같이 숭고한 사람. 인신(人神). ③〖기독교〗〔라 deus homo; 사람의 모습이 된 신(神)의 뜻〕 기독교에서 예수 그리스도를 일컫는 말.

신인[6]【新人】명 ①새댁❸. ②예술계나 체육계 또는 어떤 사회에 새로 등장한 신진(新進)의 사람. 뉴페이스. 새 사람. ¶ ~의 작품/~ 음악회/~을 등용하다. ③새로운 사상, 탁월한 수완을 가지고 있는 사람. ④〔neanthropic〕〖인류〗현재의 인류와 동일종(同一種)인 호모 사피엔스에 속하는 화석(化石) 인류. 그리말디인(人)·크로마뇽인(人) 등이 이에 속함. 3만~1만 년 전 홍적세(洪積世) 후기에 나타나 눌러떼기법(法)에 의한 정세(精細)한 뗀석기(石器)를 만들고, 골각기(骨角器)를 비로소 사용하여 활과 화살, 투창(投槍)·작살 등으로 사냥하였으며, 그림·조각도 만들었음. *구인(舊人).

신:인[7]【愼人】명〖역〗조선 시대에, 정삼품(正三品) 종친(宗親)의 처(妻)되는 외명부(外命婦)의 품. 뒤에 숙인(淑人)으로 호칭을 바꿈. 혜인(惠人)의 위, 신부인(愼夫人)의 아래.

신인 공:노【神人共怒】명 천인 공노(天人共怒). ——-하다 자여불

신인 공:분【神人共憤】명 천인 공노. ——-하다 자여불

신-인도주의【新人道主義】[—/—이] 명 〔new humanism〕 20세기 초두(初頭), 미국의 배빗(Babbit, I.; 1865-1933)·모어(More, P.E.; 1864-1973) 등이 주창한 사상으로, 루소와 같은 자연 복귀(復歸)의 낭만주의를 배격하며, 전통적 권위·고전적 정신을 강조하는 새로운 입장의 인도주의. 엘리엇(Eliot, T.S.)에게도 영향을 끼쳤음. *인도주의.

신인 동형설【神人同形說】명 추상 무형(抽象無形)의 신(神)에게, 인류의 성질이나 인류와 유사(類似)한 성질을 부여하는 설.

신인-론【神人論】[—논] 명 러시아의 사상가 솔로비에프(Soloviëv)의 주요 사상. 인간의 자기 소외(疎外)를 신과 인간의 영적 합일(靈的合一)에서 해결하고자 하는 설(說).

신-인문주의【新人文主義】[—/—이] 명 〔Neo-Humanism〕〖문〗18세기 후반에 독일에서 일어난 문화·문예 사조의 하나. 계몽 정신이 지성에 편중되고 정서를 경시하는 데에 대한 반동으로 생긴 것으로, 고대 그리스의 이상(理想)을 부활시키고 이에 의해서 인격의 완전한 발달을 꾀하려는 사상. 괴테·헤르더(Herder, J.G.; 1744-1803)·하이네 등은 그 대표자임. 네오휴머니즘. 「내는 사람.

신-인물【新人物】명 ①새로 가입한 사람. ②새로 등장하여 두각을 나타

신-인상주의【新印象主義】[—/—이] 명 〔Neo-Impressionism〕〖미술〗인상파(印象派)의 수법을 더욱 과학적으로 추구하고자, 쇠라(Seurat)·시냐크(Signac) 등이 1886년경에 주창한 회화(繪畫) 경향. 색조(色調)의 분할(分割)에 철저하여 점묘법(點描法)을 특징으로 하며, 화면 구성을 존중하는 점이 인상파와 다름. 점묘주의(點描主義).

신-인상파【新印象派】명〖미술〗신인상주의를 신봉하는 화가의 일파. 점묘파(點描派).

신인-왕【新人王】명 ①프로 권투에서, 신인전(新人戰)에 우승한 선수. 또는 그 타이틀. ②프로 야구에서, 시즌 중 활약이 가장 눈부셨던 신인 선수에게 주는 타이틀.

신인 일체【神人一體】명〖천도교〗신과 사람을 한 몸으로 보는 견해.

신인-전【新人戰】명 신인들만으로 팀(team)을 조직해서 하는 경기.

신인-종【神印宗】명〖불교〗7종(宗) 12파(派)의 하나. 신라 선덕왕(善德王) 때에, 명랑 대사(明朗大師)가 개종(開宗)한 종파(宗派)로, 뒤에 중도종(中道宗)과 합하여 중신종(中神宗)이 되었음. 문두루종(文豆婁宗).

신인 협력주의【神人協力主義】[—녁—/—녁—이] 명〖기독교〗회개(悔改)하는 경우, 신의 은혜와 더불어 이에 협력해서 작용하는 인간의 의지가 필요하다고 하는 사고 방식.

신일[1]【申日】명〖민〗일진(日辰)의 지지(地支)가 신(申)으로 된 날. 갑신(甲申)·병신(丙申)·무신(戊申) 등.

신일[2]【辛日】명〖민〗일진(日辰)의 천간(天干)이 신(辛)으로 된 날. 신축(辛丑)·신묘(辛卯)·신사(辛巳) 등. 「날을 일컫는 말.

신:일[3]【愼日】명 근신(謹愼)하여 경거 망동을 삼가는 날이란 뜻으로, 설

신:임[1]【信任】명 믿고 일을 맡기는 일. ——-하다 타여불

신임[2]【新任】명 관직(官職) 같은 데에 새로 임명됨. ¶ ~ 인사. ↔구임(舊任). ——-하다 자여불

신임금 기금설【新賃金基金說】명〖경〗뵘바베르크(Böhm-Bawerk)에

의해 전재된 임금 결정론. 우회(迂回) 생산을 가능하게 하는 자본의 크기에 의해 생존(生存) 기본으로서의 임금이 규제(規制)된다고 함. 밀(Mill, J.S.)의 임금 기금설을 발전시킨 것임.

신:임 문:제【信任問題】명 ①국회의 내각(內閣)이나 각부 장관에 대한 신임 여부(與否)에 관한 문제. ②세상 사람들이, 어떤 사람을 신임하느냐 아니하느냐의 문제.

신임 사:화【辛壬士禍】명〖역〗조선 시대 경종(景宗) 원년(元年)(1721)부터 2년(1722)에 걸쳐 일어난 사화. 경종이 병이 잦고 세자(世子)가 없자, 노론(老論)의 사대신(四大臣) 이이명(李頤命)·김창집(金昌集)·이건명(李健命)·조태채(趙泰采) 등의 주장으로, 원년 8월에 왕제(王弟) 연잉군(延礽君), 곧 뒤의 영조(英祖)를 세제(世弟)로 책봉하고 다시 정무를 대리하게 되었는데, 소론의 조태구(趙泰耉)·유봉휘(柳鳳輝) 등은 이의 불가함을 상소하고, 또 김일경(金一鏡) 등은 목호룡(睦虎龍)으로 하여금 이들 사대신 등이 역변(逆變)을 도모한다고 무고(誣告)하게 하여 사대신은 극형을 당하고 이희지(李喜之) 외 100여 명이 사사(賜死)·원찬(遠竄)의 참화를 입었음. 신임 옥사.

신임 옥사【辛壬獄事】명〖역〗신임 사화(辛壬士禍).

신:임-장【信任狀】[—짱] 명〖정〗파견국(派遣國)의 원수(元首)나 외무장관이 정식으로 접수국(接受國)에 대하여, 특정한 사람을 외교 사절로 파견하는 취지를 통고하는 공문서.

신:임 투표【信任投票】명 ①〖정〗국민의 대표 기관인 국회가 그 당시의 정부를 신임하느냐의 여부를 결정하기 위해 행하는 투표. ②일반적으로 선거에 의해서 선출된 임원에 대한 신임 여부를 묻는 투표.

신입【新入】명 새로 들어옴. ¶ ~ 행원. ——-하다 자여불

신입 구:출【新入舊出】명 새 것이 들어오고 묵은 것이 나감. ——-하다 자여불

신입-례【新入禮】[—녜] 명 옛날, 새로 군대에 들어온 병사가 상관에게 드리는 예(禮).

신-입사【新入射】명 처음으로 사원(射員)이 되는 일. 사정 행수(射亭行首)를 거쳐 사두(射頭)의 승낙을 받음. ——-하다 자여불

신입 사원【新入社員】명 새로 입사(入社)한 사원.

신입-생【新入生】명 새로 입학한 학생.

신입 신:자【新入信者】명〖천주교〗새로 입교(入敎)하여 신자가 된 사람.

신입 야:귀【晨入夜歸】명 아침 일찍 출사(出仕)하고, 밤늦게 귀가(歸家)함.

신-입자【新粒子】명〖물〗광양자(光量子)·양성자(陽性子)·중성자 등 외에 최근 10년 동안에 발견된 소립자. 당초에는, 주로 우주선(線)의 관측에 의해서만 가능했으나, 최근 10년 동안은 거대 가속기(巨大加速器)의 정비로 인공적으로 만든 신입자의 실험이 크게 진보함.

신자[1]【申子】명 ①〖사람〗'신불해(申不害)'의 경칭. ②〖책〗❶의 저서인 법가의 사상서(思想書). 6 편.

신자[2]【臣子】명 신하(臣下). ↔군부(君父).

신:자[3]【信者】명 어떤 종교를 신앙하는 사람. 신도(信徒). ¶ 불교 ~.

신자[4]【神子】명〖천주교〗대자녀(代子女). ↔신친(神親).

신:자[5]【愼子】명 ①〖사람〗'신도(愼到)'의 경칭. ②〖책〗법가(法家)의 책. 중국 전국(戰國) 시대의 신도(愼到)가 지었음. 12 편(編) 중, 5 편은 현존(現存)함. 도가(道家)의 무위(無爲)의 뜻을 근본으로 하여 해설한 책.

신자[6]【新字】명 새로 만든 글자.

신자기 공학【新磁氣工學】명 자기 버블(磁氣 bubble)·자성 박막(磁性薄膜)·자성 반도체 따위 새로운 현상이나 새로운 물성(物性)의 응용기술을 기초로 하여 전개되는 신자성(新磁性) 재료 관련의 산업 기술.

신:자들의 기도【信者—祈禱】[—/—에—] 명〖천주교〗미사 중, '말씀의 전례' 때 신자들이 공동 지향(共同志向)으로 드리는 기도.

신:자들의 미사【信者—彌撒】[—/—에—] 명〖천주교〗신자 미사.

신:자 미사【信者彌撒】명〖천주교〗예비 신자들이 참례할 수 있는 예비 미사가 끝난 다음에 계속되는 제헌(祭獻) 미사. 이 미사에는 신자가 참례할 권리와 의무가 있음. ↔예비 미사.

신-자본주의【新資本主義】[—/—이] 명〖경〗수정(修正) 자본주의.

신자 성육【神子成肉】명〖기독교〗성육신(成肉身).

신-자유주의【新自由主義】[—/—이] 명 [Neo-Liberalism]〖정〗19 세기의 자유 방임적인 자유주의의 결함을 인정하여 국가에 의한 사회 정책 등의 필요를 승인하면서도 이상주의적 개인주의를 기조(基調)로 하여 자본주의의 자유 기업의 전통을 지키고 사회주의에 대항하려는 사상. 그린(Green, T.H.)·홉하우스(Hobhouse, L.T.) 등이 주창하였음.

신-자전【新字典】명〖책〗최남선(崔南善)이 유근(柳瑾)과 함께 지은 자전. 중국의 《강희 자전(康熙字典)》을 토대로 종래의 《전운 옥편(全韻玉篇)》을 보완, 실용에 맞게 한글로 자음과 새김을 달고 속자(俗字)·신자(新字)를 부록으로 엮음. 1915년 발간. 4권 1책.

신-작[1]【申綽】명〖사람〗조선 순조(純祖) 때의 고증학자(考證學者). 자는 재중(在中), 호는 석천(石泉). 평산(平山) 사람. 예조 참의(禮曹參議) 등의 벼슬을 사양, 향리에 묻혀 가장(家藏) 서적 4천 권으로, 시학을 연구하여 《시차고(詩次故)》·《역차고(易次故)》·《상차고(尙次故)》등을 저술함. [1760-1828]

신작[2]【新作】명 ①새로 지어 만듦. ②새로운 제작 또는 작품. ¶ ~을 발표하다. 1)·2):↔구작(舊作). ——-하다 타여불

신작[3]【新斫】명 새로 벤 장작.

신작-로【新作路】[—노] 명 옛날의 좁은 길에 대하여, 자동차가 다닐 수 있게 새로 낸 큰 길. ↔구로(舊路).

[신작로 닦아 놓으니까 문둥이가 먼저 지나간다] 애써 해 놓은 일을 엉뚱한 자가 그르쳐 보람없이 되었다는 말.

신-장[1]【—欌】[—짱] 명 신을 넣어 두는 장. ＊신발장.

신-장[2]【申檣】명〖사람〗조선 세종(世宗) 때의 대제학(大提學). 자는 제부(濟夫), 호는 암헌(巖軒). 고령(高靈) 사람. 숙주(叔舟)의 아버지. 유학(儒學)에 조예가 깊고 서예에도 능하였으며, 세종 때 공조 참판(工曹參判)이 되어 《남산지곡(南山之曲)》을 지었음. 서예에도 능하여 초서(草書)와 예서(隸書)를 잘 썼음. [?-1433]

신장[3]【身長】명 사람의 키.

신장[4]【伸長】명 길이·힘 따위를 길게 늘임. 길게 늘어남. ——-하다 자타여불

신장[5]【伸張】명 물체·세력 따위를, 늘이어 넓게 펴거나 뻗침. 늘어나 넓게 펴지거나 뻗음. ¶ 국력 ~. ——-하다 자타여불

신장[6]【伸葬】명〖고고학〗펴묻기. ↔굴장(屈葬).

신:장[7]【信章】명 도장. 인(印).

신:장[8]【訊杖】명 옛날에 죄인을 신문할 때에 매질하던 몽둥이. 형장.

신장[9]【神將】명 ①신병(神兵)을 거느리는 장수. ②신과 같은 장수. ③〖민〗장수격을 가진 귀신. ④〖불교〗↗화엄 신장(華嚴神將).

신장[10]【神漿】명 ①신에게 올리는 음료(飮料). ②영험(靈驗)이 있는 음료.

신장[11]【晨粧】명 식전(食前)에 하는 화장(化粧).

신장[12]【新粧】명 새로 단장함. ——-하다 타여불

신장[13]【新裝】명 ①새로 장치함. 또, 그 장치. ②새로운 복장. ——-하다 타여불

신:장[14]【腎腸】명〖생〗신장과 장. 콩팥과 창자.

신:장[15]【腎臟】명 [kidney]〖생〗동물의 오줌의 배설(排泄)을 맡는 기관. 사람에는 복강(腹腔) 뒷벽 상부에서 척추의 양쪽에 잠두(蠶豆) 모양을 이루어 좌우 한 쌍이 있는데, 피질(皮質) 및 수질(髓質)로 되고, 지방이 풍부한 결체 조직(結締組織)으로 싸여 있음. 혈액 중에서 오줌을 걸러 내어 방광(膀胱)으로 보내고 몸 밖으로 내보내는 작용을 함. 콩팥. 신경(腎經). ㊀신(腎).

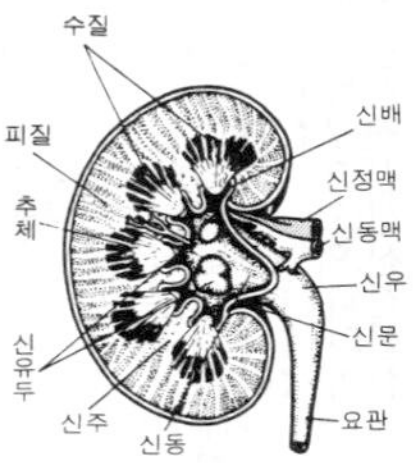

〈신장15〉

신장 개업【新裝開業】명 새로 꾸미어 영업을 시작하는 일. ¶ ~ 안내문을 돌리다.

신장 거리【神將—】명〖민〗무당의 굿의 한 거리. 무당이 구군복(具軍服) 차림으로 동서남북 사방의 잡귀를 몰아내는 신장(神將)을 대접하는 거리임.

신:장 결석【腎臟結石】[—썩] 명 [renal calculus]〖의〗신장에 오줌 속의 염류(塩類)의 결정(結晶) 또는 결석(結石)이 생기는 질환(疾患). 발작성의 복통이 때때로 일어나며, 혈뇨(血尿)·결석을 배설하게 됨. 육식(肉食)을 잘 하는 노인에게는 요산 염석(尿酸塩石)이, 채식(菜食)을 하는 어린 아이에게는 옥살산(酸) 염석이 흔히 발생함. 신석(腎石). 신석증. ㊀신결석(腎結石).

신:장 결핵【腎臟結核】명 [renal tuberculosis]〖의〗신장에 감염된 결핵. 주로 20-40세 때에 많이 걸리는데, 감염 경로는 혈행성(血行性)이 대부분이고, 그 밖에 림프성(lymph性)도 있음. ㊀신결핵(腎結核).

신:장 경화증【腎臟硬化症】[—쯩] 명〖의〗신장의 세소(細小) 동맥 경화로 말미암아 신장에 해부적 및 기능적 변화를 가져오고, 혈압 항진(亢進) 증상을 나타내는 질환. ㊀신경화증.

신장-근【伸長筋】명〖생〗신근(伸筋).

신장-단【神將壇】명〖불교〗신중단(神衆壇).

신장-대【神將—】[—때] 명〖민〗무당이 신장을 내릴 때에 쓰는 막대기 또는 나뭇가지.

신장리-지【新獐里池】[—니—] 명〖지〗함경 남도 영흥군(永興郡) 호도면(虎島面)에 있는 못. [0.688 km²]

신:장-병【腎臟病】[—뼝] 명 [nephropathy]〖의〗신장에 생기는 병의 총칭. 신장염(炎)·신장 결석(結石)·신장암(癌)·울혈신(鬱血腎)·네프로제(Nephrose)·신빈혈(腎貧血)·요독증(尿毒症) 등.

신:장 비:호식【腎臟庇護食】명 [도 Nierenschonungsdiät]〖의〗급성 또는 만성의 신장염에 있어서, 신장의 부담을 덜고 보호하기 위한 음식. 단백질(蛋白質)·식염·수분을 될 수 있는 한 적게 하여, 영양은 주로 탄수화물·지방에 의존함.

신장-성[1]【伸長性】[—썽] 명 길게 늘어나는 성질.

신장 성[2]【—省】[新疆] 명 [신장(新疆)은 새로운 땅의 뜻] 중국의 북서부를 차지하는 '신장웨이우얼 자치구(自治區)'의 구칭. 신강성.

신장-순【身長順】명 키순.

신:장-염【腎臟炎】[—념] 명 [nephritis]〖의〗신장에 생기는 염증(炎症). 급성(急性)·만성(慢性) 및 위축신(萎縮腎)의 세 가지가 있음. 급성 신장염과 만성 신장염은 수종(水腫) 및 오줌의 변화가 그 증후(症候)이며, 위축신은 요량(尿量)의 증가를 그 증후로 함. 신염(腎炎).

신장웨이우얼 자치구【—自治區】[新疆維吾爾] 명〖지〗중국의 북서부에 있는 성급(省級)의 자치구. 톈산(天山) 산맥과 그 북쪽의 중가르 분지, 남쪽의 타림 분지, 동쪽의 투르판(吐魯番) 분지로 이루어짐. 주민은 약 3분의 2를 차지하는 위그르 인(Uigur人) 외에, 카자흐·키르기스·몽고 등의 소수(少數) 민족이 있음. 예로부터 서역(西域)이라는 이름으로 알려져 있으며, 오아시스 농업과 목축이 행해지고, 금·은·철·석유·석탄 등 지하 자원이 풍부함. 1955년 10월 1일에 위구르족의 자치구로 되었으며, 자치구 정부 소재지는 우루무치(烏魯木齊). 신강 유오이(維吾爾). [1,646,700 km² : 14,260,000명(1988)]

신:장 이식【腎臟移植】명 [kidney transplant]〖의〗신장의 기능을 잃은 환자에게 건강한 사람의 신장을 이식하는 수술.

신-장정【新章程】명 새로 제정한 장정.

신:장-증【腎臟症】[—쯩] 명〖의〗네프로제(Nephrose).

신:장 척제술【腎臟剔除術】명〔nephrectomy〕『의』 좌우 어느 한 쪽의 신장이 고도의 병변(病變)으로 회복될 가망이 없을 때, 신장 전체를 없애 버리는 수술. 보통 신장의 동맥·정맥을 끊고 요관(尿管)의 일부와 함께 제거함.

신:장-형【腎臟形】명 신장과 같이 생긴 모양. 흔히, 잎사귀의 형태를 두고 말함. 콩팥꼴.

〈신장형〉

신:장 호르몬【腎臟—】〔hormone〕명 신장에서 만들어지고 혈액 속으로 방출되는 물질의 총칭. 혈압의 항진(亢進) 또는 조절에 중요한 역할을 함. 레닌(renin) 등이 있음.

신재[1]【神裁】명 신이 인간의 행위를 재결(裁決)하는 일. 신의 재단(裁斷).

신재[2]【新材】명 ①새 목재(木材). ②새로운 약재(藥材). ③처음으로 등장하는 새로운 인재(人材).

신-재(:)효【申在孝】명『사람』조선 고종 때의 판소리 작가. 자(字)는 백원(百源), 호는 동리(桐里). 평산(平山) 사람. 종래의 광대 소리를 통일, 체계를 세우고 판소리 사설 문학(辭說文學)을 대성하고 《춘향전》 등도 창극화(唱劇化)하였음. [1812-84]

신저【新著】명 새로 지은 책. 새로운 저술(著述).

신-적사암【新赤砂岩】명『지』영국에서, 석탄을 함유하는 고생층(古生層) 위에 발달한 후기 페름기(紀) 또는 트라이아스기(紀)의 역암(礫岩)이 많은 육성(陸成)의 붉은 사암.

신-전[1]【一廛】명 신을 파는 가게. 혜전(鞋廛).

신전[2]【申前】명 신시(申時)가 되기 전, 곧 오후 세 시 전.

신:전[3]【囟塡】명『한의』어린 아이의 정수리가 붓는 병. 많이 울거나 신열이 높을 때에 생김.

신전[4]【身前】명 죽기 전. 살아 있는 동안. ↔신후(身後).

신전[5]【伸展】명 늘이어 펼침. ¶ 국력의 ～을 도모하다. ——-하다 타 여불

신:전[6]【迅傳】명 신속하게 전함. ——-하다 타 여불

신:전[7]【信傳】명 확실하게 전함. ——-하다 타 여불

신:전[8]【信箭】명『역』임금이 교외(郊外)로 거둥할 때, 선전관(宣傳官)을 시켜서 각 영(各營)에 군령(軍令)을 전하는 데 쓰는 화살. 수효는 다섯, 살촉에 '令'자를 새기었고, 깃 아래에 '信'자를 쓴 삼각형의 각 색 비단 조각의 표(標)를 하나씩 나누어 닮. 병조(兵曹)와 훈국(訓局)과 단영(單營)에 대하여는 누른 빛, 금위영(禁衛營)에는 푸른 빛을, 어영청(御營廳)에는 흰 빛, 수어청(守禦廳)에는 붉은 빛, 총융청(摠戎廳)에는 검은 빛을 쓰다가, 뒤에 모두 누른 빛을 썼음. 모양이 영전(令箭)과 같고 꽂는 틀도 같음.

신전[9]【神前】명 신령(神靈)의 앞. 신의 앞.

신전[10]【神殿】명 신령을 모신 전각(殿閣). ¶ 파르테논 ～.

신전[11]【神傳】명 신으로부터 전하여 받음. 신수(神授). ——-하다 타 여불

신전[12]【神戰】명 ①신성한 싸움. ②신(神)에 관계되는 싸움. ——-하다 자 여불

신전[13]【新田】명 ①새로 산 밭. ②↗신기전(新起田).

신전[14]【新殿】명 새로 건조(建造)한 어전(御殿).

신전[15]【新錢】명 새로 주조(鑄造)한 돈. ↔구전(舊錢).

신전 반:사【伸展反射】명〔stretch reflex〕『생』골격근(骨格筋)을 지속적으로 뻗고 있으면, 그 뻗친 근육에 돌발적·반사적으로 수축이 일어나서 긴장이 항진(亢進)되는 현상.

신전 자:초방 언:해【新傳煮硝方諺解】명『책』화약(火藥) 제조법에 관한 책. 조선 숙종(肅宗) 24년(1698), 남구만(南九萬)의 건의로 역관(譯官) 김지남(金指南)이 중국에서 배운 '자초방'을 군기시(軍器寺)에서 간행함. 목판본 1책.

신전-장【伸展葬】명『고고학』펴묻기.

신전지-교회【神戰之敎會】명『천주교』영신(靈神)이 세상·악마·육신·죄악과 싸우는 곳이라는 뜻에서, 이 세상에 있는 교회를 말함. 신전지회. ＊단련지교회(鍛鍊之敎會)·개선지교회(凱旋之敎會).

신전지-회【神戰之會】명『천주교』신전지교회.

신절[1]【臣節】명 신하(臣下)가 지켜야 할 절개.

신:절[2]【信節】명 신의 있는 절조. 거짓 없는 징표.

신:절[3]【愼節】명 '남의 병(病)'의 존칭.

신:절-랑【愼節郎】명『역』조선 시대에 종오품 종친(宗親)의 품계. 근절랑(謹節郎)의 아래임. ＊집순랑(執順郎).

신점[1]【神占】명 신통한 점. 잘 알아맞히는 점.

신점[2]【新占】명 집터나 묏자리를 새로 잡음. ——-하다 타 여불

신접[1]【神接】명 귀신이 몸에 접함. ——-하다 자 여불

신접[2]【新接】명 ①새로 살림을 차리어 한 집안을 이룸. ②타향에서 새로 옮겨 와서 삶. ——-하다 자 여불

신접 살림【新接—】명 처음으로 차린 살림. ——-하다 자 여불

신접-살이【新接—】명 처음으로 차린 살림살이. ——-하다 자 여불

신정[1]【申正】명『민』신시(申時)의 한가운데. 곧, 오후 네 시.

신정[2]【申呈】명 아래 관원이 위 관원에게 글을 써서 올림. ——-하다 타 여불

신정[3]【神政】명〔theocracy〕『정』지배(支配) 권력이 신에게 있다는 원리(原理)로부터, 신의 대변자인 제사(祭司)가 지배권을 가지는 정치 형태. 고대 유태에서 볼 수 있었음. 신정치(神政治). 신정 정치.

신정[4]【新正】명 ①새해의 정월. 새해의 첫머리. ②양력 설. ↔구정(舊正).

신정[5]【新定】명 새로 정함. ——-하다 타 여불

신정[6]【新政】명 새로운 정치나 정령(政令). 정치나 정령을 새로이하는 일.

신정[7]【新訂】명 새로 정정(訂正)함. ¶ ～ 증보판. ——-하다 타 여불

신정[8]【新情】명 새로 사귄 정. ↔구정(舊情).

[신정이 구정만 못하다] 새로 사귄 사이보다는 오래 사귀어 온 정이 더 두텁다는 말.

신:정[9]【腎精】명 정력(精力) 또는 정액(精液). 신수(腎水).

신정 고:묘【一古墓】〔중 新鄭〕명 중국 허난 성(河南省) 신정 현(新鄭縣)에서 발굴된 묘(墓). 청동기(靑銅器) 등 수많은 유물이 발굴됨. 대체로 기원전 7세기에서 기원전 6세기의 것이라는 데는 일치함.

신정 국문【新訂國文】명 광무(光武) 9년(1905)에 지석영(池錫永)의 상소(上疏)로 인하여 밝혀진 한글 연구론. 한글의 전용, 병서(竝書)의 폐지, 자체(字體)의 개혁 등을 주장하였음.

신정-론【神正論】[—논] 명〔도 Theodizee〕이 세상에 악(惡)이나 화(禍)가 존재하기 때문에 신의 존재를 부인(否認)하는 의론에 대(對)하여, 신은 악이나 화를 보다 높은 목적을 위한 수단으로서 인정하고 또한 용납할 수 있다 하여, 신은 바르고 의로운 것이라는 주장. 변신론(辯神論). 신의론(神義論).

신:-정맥【腎靜脈】명〔renal vein〕『생』신장으로 통하여 있는 정맥. ↔신동맥.

신정-장【神定章】[—짱] 명『악』악장(樂章)의 이름. 정대업지무(定大業之舞)에 있어 방진(方陣)에서, 처음의 배열로 돌아가기까지의 동안에 아룀.

신정 정치【神政政治】명 신정(神政).

신정지-초[1]【新政之初】명 새로운 정치를 베풀어 얼마 되지 아니한 때.

신정지-초[2]【新情之初】명 새로 정이 들어 얼마 되지 아니한 때.

신정-체[1]【神政體】명 신정(神政)의 정체(政體).

신-정체[2]【新政體】명 새로운 정체(政體).

신-정치【神政治】명 신정(神政).

신-정(:)희【申正熙】[—히] 명『사람』조선 고종 때의 장군. 자는 중원(中元), 호는 향농(香農). 평산(平山) 사람. 어영 대장(御營大將)으로 인천(仁川)에 보(堡)를 쌓고 포대(砲臺)를 축조하였으며, 독판 내무부사(督辦內務府事)로서 일본 공사와의 내정 개혁안 협의가 결렬되자 일본군의 철병을 요구하였음. 뒤에 통위사(統衛使)를 지냄. 시호는 정익(靖翼). [1833-95]

신제[1]【新制】명 ①새로운 제도(制度). ②새로운 체제(體制). 1)·2):↔구제(舊制).

신제[2]【新帝】명 새로 즉위(卽位)한 황제.

신제[3]【新製】명 새로 제작함. 또, 그 제품. ——-하다 타 여불

신제[4]【新題】명 새로 낸 과제(課題).

신-제도【新制度】명 새로운 제도. ↔구제도.

신-제삼기【新第三紀】명『지』지질(地質) 시대의 신생대(新生代) 제삼기 후반(後半)의 시대. 약 2,400만 년 전에서 약 170만 년 전에 걸친 약 2,200만 년의 기간. 조산(造山) 운동·화산 활동 등이 활발하였으며, 특히 말·코끼리 따위 포유류(哺乳類)가 번성하고, 말기(末期)에는 영장류(靈長類)가 진화해 왔음. 또, 식물로는 낙엽수가 많아지기 시작하였음. 마이오세(世)와 플라이오세(世)로 구분함. ＊고(古)제삼기·제사기(第四紀).

신제 약정 악보【新制略定樂譜】명『악』조선 세조 실록(世祖實錄)에 전하는 악보의 하나. 세종(世宗)이 창제한 1행 32간의 정간보(井間譜)를 1행 16정간(井間)으로 고치고, 이를 다시 3·2·3·3·2·3간씩 크게 6개의 벼리로 나누었음. 약정(略定) 악보.

신-제품【新製品】명 새로운 제품. 새로 만든 물건.

신:조[1]【信條】명 ①신앙의 개조(箇條). 교의(敎義). ②굳게 믿고 있는 생각. 도그머(dogma). 신념(信念). ¶ 생활 ～.

신조[2]【神助】명 신의 도움. 신우(神佑). ¶ 천우(天佑) ～로 살아나다.

신조[3]【神造】명 신이 만든 것. ¶ ～지교(之巧).

신조[4]【晨朝】명 ①이른 아침. 조조(早朝). 신단(晨旦). ②『불교』아침에 행하는 근행(勤行).

신조[5]【新造】명 새로 만듦. 새로 제조함. ——-하다 타 여불

신조[6]【新調】명 새로 만듦. 또, 그 물건. 특히, 의복. ¶ ～의 양복. ——-하다 타 여불

신:조-서【信條書】명〔symbolical books〕『기독교』교리(敎理)·포교(布敎)·윤리(倫理)에 관한 신조를 모은 신앙 선언서.

신-조어【新造語】명 새로 만든 낱말. 새 말.

신:조-학【信條學】명『기독교』신학에서 교회의 신앙 개조를 연구 대상으로 하는 학문.

신-조형주의【新造形主義】[—/—이] 명『미술』몬드리안(Mondrian) 등에 의해 제1차 세계 대전 후에 네덜란드에서 일어난 미술 운동. 회화·조각·디자인·건축 등에 색채와 선에 의한 순수 추상적인 조형(造形)을 보임. 네오플라스티시슴(néo-plasticisme).

신:족[1]【信足】명 발 가는 대로 걸음을 맡김.

신족[2]【神足】명 신기할 정도로 빠른 발. 또, 그 걸음.

신족-통【神足通】명『불교』산·바다·하늘을 마음대로 빠른 속도로 날아 다니는 신통력(神通力). 신경통(神境通).

신종[1]【臣從】명 신하로서 따라 좇음. 또, 그런 사람. ——-하다 자 여불

신:종[2]【信從】명 믿고 따라 좇음. ——-하다 타 여불

신종[3]【神宗】명『사람』중국 북송(北宋) 제6대 황제. 왕안석(王安石)을 등용하고 신법(新法)으로 부국 강병책을 꾀하였으나, 내정 파탄과 외정(外征)의 실패로 뜻을 이루지 못하였음. [1048-85; 재위 1067-85]

신종[4]【神宗】명『사람』고려 제20대 왕. 휘는 탁(晫). 자(字)는 지화(至華). 인종(仁宗)의 다섯째 아들. 최충헌(崔忠獻)이 영립(迎立)한 왕임. [1144-1204; 재위 1197-1204]

신종[5]【神宗】명『사람』중국 명(明)나라 제13대의 황제. 장거정(張居正)을 등용하여 국력의 충실을 기했으나, 임진 왜란 때의 조선 출병(朝鮮出兵) 등 만력(萬曆)의 삼대정(三大征) 등으로 국력은 쇠하고, 가혹한 징세(徵稅)로 민심을 잃음. 만력제(萬曆帝). [1563-1620; 재위 1572-1620]

신종[6]【晨鐘】명 새벽에 치는 종.

신종[7]【新種】명 ①새로 발견된 생물의 종(種). ②새로운 종류. ¶ ～ 사기.

신:종[8]【愼終】명 상사(喪事)를 당하여 예절을 정중히 함. ——-하다 자 여불

신:종-계【愼終契】명 위친계(爲親契).

신-종교【新宗敎】명 기성 종교에 대하여, 새로 생긴 종교. ＊신흥 종교.

신종 기업 어음【新種企業—】명『경』기업의 단기(短期) 자금 조달을 쉽게 하려고 1981년에 새로 도입한 어음 형식. 고정(固定) 이율로 발행

되던 기업 어음과는 달리 기업과 투자자 사이의 자금 수급 관계 등을 고려, 금리를 자율 결정하는 점이 가장 큰 특징임. 시 피(CP).

신:종-록【愼終錄】[-녹] 명 초상이 났을 때, 상례(喪禮)의 절차를 맡은 사람의 이름과 거행 일시 및 절차에 따라 마련할 물품과 사용할 재화(財貨)의 목적과 수량 등을 적은 기록.

신좌[1]【申坐】명〖민〗집터·묏자리 등의 신방(申方)을 등진 좌(坐).

신좌[2]【辛坐】명〖민〗집터·묏자리 등의 신방(辛方)을 등진 좌(坐).

신좌 을향【辛坐乙向】명〖민〗신방(辛方)을 등지고, 을방(乙方)을 향한 좌향(坐向).

신-좌익【新左翼】명 기성 마르크스주의·사회주의 운동을 비판하고, 대중 사회에 있어서 새로운 좌익 혁명 운동을 지향하는 운동. 좁은 뜻으로는, 현상(現狀)을 고정적으로 포착하는 평화 공존 노선에 대항하여, 1960년 영국에서 창간된 《뉴 레프트 레뷰》에 참여하는 사람들의 운동을 가리킴. 이 정치 세력으로서의 신좌익은 1970년 중반에 그 모습을 감추었음. 뉴 레프트(New Left). 「좌향(坐向).

신좌 인향【申坐寅向】명〖민〗신방(申方)을 등지고, 인방(寅方)을 향한

신주[1]【申奏】명 임금님께 품함. 또, 그 서면. 상주(上奏). ——-하다 타

신:주[2]【迅走】명 질주(疾走). ——-하다 자여불 └여불

신주[3]【神主】명 죽은 사람의 위(位)를 베푸는 나무 패. 대개 밤나무로 만들되, 길이는 여덟 치, 폭은 두 치 가량이고, 위는 둥글고 아래는 모지게 되었음. 사판(祠版). 목주(木主).
【신주 개 물려 보내겠다】하는 것이 칠칠찮고 흐리터분한 경우의 비유.【신주 밑구멍을 들먹인다】조상들까지 들추어 내어 떠든다는 말.【신주 싸움에 팥죽을 놓지】㉠죽은 신주끼리 다툴 때 팥죽을 쑤어 공헌(貢獻)하면 무사하다는 뜻이니, 요란스러울 때를 놓으로 이르는 말. ㉡사람이 싸울 때, 먹을 것을 갖다 주면 서로 싸움을 그친다는 말.

〈신주³〉

신주 모:시듯 구 조심스럽고 정성스럽게 다루는 모양.

신주[4]【神呪】명 주문(呪文).

신주[5]【神酒】명 신령에게 올리는 술.

신주[6]【新主】명 새로운 주군(主君). 새 임금.

신주[7]【新注·新註】명 ①새로운 주석(注釋). ②중국 한(漢)·당(唐) 때의 훈고(訓詁) 상의 주석에 대하여, 송유(宋儒)의 경서(經書)에 관한 주석.

신주[8]【新酒】명 햅쌀로 담근 술. └1)·2): ↔고주(古注).

신주[9]【新株】명 주식 회사가 증자(增資)하기 위하여 새로 발행하는 주식. ↔구주(舊株).

신주[10]【新鑄】명 새로 주조함. ¶ ~ 화폐. ——-하다 타여불

신주-경【神呪經】명〖민〗신의 영험(靈驗)을 나타내기 위하여 외는 글.

신:주-골【腎主骨】명〖한의〗골절증(骨絕症).

신주-락【新株落】명 증권 시장에서, 증자 신주(增資新株)의 할당 기일이 지나 구주(舊株)에 할당되는 신주 취득의 권리가 없어진 상태.

신-주머니[-쭈-] 명 신을 넣어 들고 다니는 주머니. *신발주머니.

신주-보【神主褓】[-뽀] 명 독보(櫝褓).

신주부[1] 명〖민〗양주(楊州) 별산대놀이에 쓰이는 탈의 하나. 또, 그 탈을 쓰고 춤추는 사람.

신주-부[2]【新株附】명 증권 시장에서 증자 신주의 인수권(引受權)이 붙어 있는 구주(舊株).

신주 양:자【神主養子】명 죽은 사람을 양자로 삼아서 대를 잇는 일. 실질적으로는, 손자뻘 항렬(行列)의 양자. 백골 양자(白骨養子). 사당 양자(祠堂養子). 신주 출후(神主出後). ——-하다 타여불

신주-여【神主輿】명 신주를 모시고 가는 가마.

신-주인【新主人】명 새 주인. 새로운 주인. ↔구주인.

신주 인수권【新株引受權】[-꿘] 명〖경〗신주를 발행할 때, 우선적으로 신주를 인수할 수 있는 권리.

신주 인수권부 사채【新株引受權附社債】[-꿘-] 명〖경〗주식 매수(株式買受) 증서가 붙은 사채. 주식 매수 증서는 그 소유주에게 특정의 주식을 일정한 가격으로 매수할 수 있는 권리를 부여하는 것임.

신주 인수권 증서【新株引受權證書】[-꿘-] 명〖경〗증자(增資)할 때 기존 주주가 신주를 인수할 수 있는 권리를 따로 떼어 증서로 꾸민 것. 제3자에게 팔 수 있음.

신주-정【新州停】명〖역〗신라 때의 군영(軍營)이던 '한산정(漢山停)'

신-주주【新株主】명 새로 주권(株券)을 소유한 사람. └의 본이름.

신주 출후【神主出後】명 신주 양자(神主養子).

신주 치레【神主-】명 높은 벼슬 이름이 쓰인 신주를 특별히 융숭하게 모시는 일. ——-하다 자여불 「한다는 말.
【신주 치레하다가 제(祭) 못 지낸다】겉모양만 내다가 정작 할 일을 못

신:주평-도【信周坪島】명〖지〗평안 북도 서해상에 있는 섬. 연평도(延坪島)와 함께 조기가 많이 잡힘. [3.45 km²]

신준【神俊】명 특히 뛰어난 준재(俊才).

신줏-단지【神主-】명〖민〗호남 지방에서, 신주를 모시는 오지 항아리. 보통 장손의 집안에서 조상의 이름을 써 넣어 안방의 시렁 위에 모셔 두고 위함. 조상 단지.

신-중[1] 명〈속〉[←승중] 여승(女僧). 승(僧). 비구니.

신중[2]【身中】명 몸 속.

신중[3]【神衆】명〖불교〗화엄 신장(華嚴神將). 「히 부

신:중[4]【愼重】명 매우 조심스러움. 신후(愼厚). ——-하다 형여불. ——-

신-중간층【新中間層】명〖사〗자본주의가 고도화함에 따라 새로이 등장한 전문직 종사자·사무직 노동자·봉급 생활자로 대표되는 화이트칼라층.

신중-단【神衆壇】명〖불교〗신중(神衆)을 모시는 단. 신장단(神將壇). 중단(中壇).

신중산 계급【新中產階級】명 근대화(近代化) 과정에서, 특히 제2차 세계 대전 이후 새로 급속히 성장한 중산 계급에 속하는 집단군(集團群). 주로 도시에 생활 기반을 갖는 봉급 생활자가 이에 속함.

신-중상주의【新重商主義】[-/-이] 명 [Neo-Mercantilism]〖경〗외국과의 통상 무역을 개인의 활동에 맡기지 아니하고 관세(關稅) 정책에 의하여 수입을 제한하고 국내 수요(需要)를 억제함으로써 경제적 우위(優位)를 점(占)하려고 하는 주의. 네오머컨틸리즘.

신:중-성【愼重性】[-썽] 명 사물을 신중하게 다루는 성질.

신중심-주의【神中心主義】[-/-이] 명〖철〗신을 세계 및 모든 세계 현상의 중심이자 궁극의 목적으로 삼는 세계관(世界觀).

신중의 자연【神中-自然】[-/-에-] 명 [도 Natur in Gott]〖철〗독일 신비주의자 뵈메(Böhme, Jakob)가 처음으로 쓰기 시작하고, 독일의 유신론자 셸링(Schelling)이 그의 《인간적 자유의 본질》에서 악(惡)의 근원을 해명하기 위하여 부활 사용한 개념. 신(神)의 안에 있으면서도 신을 배역(背逆)하고, 신을 배역함으로써 오히려 신의 계시 창조(啓示創造)를 촉발(觸發)하는 숨은 원리. 「방(女僧房).

신중-절 명〖불교〗여승들이 사는 절. 이사(尼寺). 여승당(女僧堂). 여승

신중 탱화【神衆幀畫】명〖불교〗신장(神將)을 그리어 벽에 거는 족자.

신-즉물주의【新卽物主義】[-/-이] 명 [도 Neue Sachlichkeit]〖문〗사물의 본질에 대한 냉정한 관찰과 적확한 묘사를 의도하는 예술 운동. 제1차 세계 대전 후 독일 문단을 휩쓴 표현주의에 대한 반동으로 일어났으며, 건축·회화를 비롯하여 문예 방면에까지 파급되었음. 케스트너(Kästner)·레마르크(Remarque) 등이 대표임. 노이에 자할리히카이트(Neue Sachlichkeit). 신현실주의. 신객관주의.

신증[1]【申證】명 명확한 증거. 명백한 증거.

신:증[2]【信證】명 믿을 만한 증거.

신증 동국 여:지 승람【新增東國輿地勝覽】[-남] 명〖책〗조선 중종(中宗) 25년(1530)에 이행(李荇) 등이 어명(御命)을 받들어 《동국 여지 승람(東國輿地勝覽)》을 증보 개정(增補改正)한 책. 55권 25책.

신증 유합【新增類合】[-뉴-] 명〖책〗유희춘(柳希春)이 편찬한 책. 한자(漢字)를 의미에 따라 모아 유별(類別)한 한자 입문서(漢字入門書)인 《유합》을 증보 수정함. 2권 1책.

신지[1]【臣智】명〖역〗삼한(三韓)의 여러 부족 국가의 군장(君長)의 칭호. 견지(遣支). 진지(秦支). 숙지(踧支).

신:지[2]【伸志】명 뜻을 폄. ——-하다 자여불

신:지[3]【信地·汛地】명 목적지(目的地). ¶부두에서 부인 서 있는 곳이 얼마 멀지 아니하므로 그말 몇 마디 할 동안에 벌써 ~ 당도하였더라《李海朝: 雨中行人》.

신:지[4]【信地】명 ①〖역〗규정(規定)된 위치 또는 순행 구역(巡行區域). ②규정된 일정한 위치나 구역·범위.

신지[5]【宸旨】명 임금의 뜻. 신의(宸意).

신지[6]【神智】명 영묘(靈妙)한 지혜.

신지[7]【新知】명 새로 앎. 또, 서로 안 지 얼마 되지 아니한 사람.

신지[8]【新地】명 ①새로 개척한 땅. 신개지(新開地). ②새로 얻은 영지

신지[9]【新枝】명 새로 자란 나뭇가지. └(領地).

신지[10]【新祉】명 신희(新禧).

신지-교【神智敎】명〖종〗근세 인도에 있어서의 새로운 종교의 한 파. 대아(大我)를 주신(主神)으로 하고, 이것과 영통(靈通)하면 진지(眞智)

신지대 명〈방〉산신제(山神祭). └를 얻는다 함. 1882년에 창시됨.

신지-도【薪智島】명〖지〗전라 남도의 남해상(南海上), 완도군(莞島郡) 신지면(薪智面)에 위치한 섬. [30.99 km²: 9,987명(1984)]

신:지-무의【信之無疑】[-/-이] 명 꼭 믿어 의심하지 아니함. ——-하다 타여불

신-지식【新知識】명 진보된 새로운 지식. 「록 영(靈)이 통하다.

신-지피다【神-】자〖민〗신이 사람에게 내리어 모든 것을 알 수 있도

신지-학【神智學】명 [theosophy]〖철〗자연의 신비를 깊이 파들어가 학문적 지식이 아닌 직관에 의하여 신과 신비적 합일(合一)을 이루고, 그 본질을 인식하려고 하는 종교적 경향. 플로티노스(Plotinos)나 석가모니의 사상 같은 것.

신직【神職】명〖천주교〗교역(敎役)의 직분. 신관(神官).

신진[1]【新陳】명 ①새 것과 묵은 것. ②〖역〗그 해를 묵은 논밭. 결세(結稅)를 징수할 때에 쓰던 말.

신진[2]【新進】명 ①어떠한 사회에 새로 나아가는 일. 또, 그 사람. ¶~ 작가/~ 배우. ②새로 벼슬에 오름. 1)·2): ↔기성(既成). ——-하다 자여불

신진 기예【新進氣銳】명 새로 두각을 나타낸 신인(新人)으로서 의기(意氣)가 날카로움.

신진 대:사【新陳代謝】명 ①묵은 것이 없어지고 새 것이 대신 생기거나 들어서는 일. ②〖생〗물질 대사(物質代謝). 준대사(代謝). ——-하다 자여불

신진-도【新津島】명〖지〗충청 남도의 서해상(西海上), 태안군(泰安郡) 근흥면(近興面) 신진도리(新津島里)에 위치(位置)한 섬. [1.06 km²: 251명(1984)] 「여 새로이 등장한 세력. ↔기성 세력.

신진 세:력【新進勢力】명 사회의 일정한 분야에서, 기성 세력에 대하

신진 소:년【新進少年】명 새로 출세한 소년. 「성(既成) 작가.

신진 작가【新進作家】명 문단에 등장한 지 얼마 되지 아니한 작가. ↔기

신진 화:멸【薪盡火滅】명 기연(機緣)이 다하여 사물이 멸망함.

신:질【迅疾】명 빠르고 날쌤. ——-하다 형여불

신집【新集】명 ①새로 모음. ②시나 문장을 새로 모아 엮은 책. ——-하다 타여불

신징 〔新京〕 [명] 〖지〗 중국 지린 성(吉林省) '창춘(長春)'의 만주국(滿洲國) 시대의 이름. 신경.
신-짚 [一찝] [명] 신을 삼기 위하여 추려 놓은 짚.
신짝 [명] ①신의 한 짝. ②'신'을 홀하게 이르는 말.
신찐-나무 [명] 신대.
신찐-줄 [一쭐] [명] 베틀 신끈.
신차[1] 【神借】 [명] 신으로부터 차력(借力)함. 또, 그 힘. *약차(藥借). ──하다 [자] [여불]
신차[2] 【新車】 [명] 새로운 차. 특히, 새로운 자동차.
신차[3] 【新茶】 [명] 새싹을 따서 만든 차.
신착 【新着】 [명] 새로 도착함. 또, 그 물건. ──하다 [자] [여불]
신-착립 【新着笠】 [一닙] [명] 관례(冠禮)를 지낸 뒤 나이가 좀 많아져서 처음으로 초립을 벗고 갓을 쓰는 일. ──하다 [자] [여불]
신찬[1] 【神饌】 [명] 신령에게 올리는 음식물.
신찬[2] 【新撰】 [명] 새로 책을 찬수(撰修)함. 또, 그 책. ──하다 [타] [여불]
신찬 경제 속육전 【新撰經濟續六典】 [一늑一] [명] 〖책〗 조선 세종(世宗) 15년(1433)에 황희(黃喜) 등이 경제 속육전(經濟續六典)과 경제 신찬 육전(經濟新撰六典)을 정리·증보하여 만든 법전(法典). 지금은 전하지 않음. [준]신찬 속육전(新撰續六典).
신찬 벽온방 【新纂辟瘟方】 [명] 〖책〗 조선 광해군(光海君) 4년(1612)에 동의 보감(東醫寶鑑)의 찬자(撰者)인 명의(名醫) 허준(許浚)이 펴낸 의서(醫書). 당시 함경도에 유행하던 전염병의 치료법을 지시한 것임. 서울 대학교 도서관에 보존되어 있음. 1책.
신찬 속육전 【新撰續六典】 [一뉵一] [명] 〖책〗 ↗신찬 경제 속육전.
신찬 육전 【新撰六典】 [一뉵一] [명] 〖책〗 ↗경제 신찬 육전(經濟新撰六典).
신참 【新參】 [명] ①새로 들어옴. 또, 그 사람. ¶ ~자(者). ↔고참(古參). ②새로 벼슬한 사람이 처음으로 관청에 들어감. ──하다 [자] [여불]
신-창 [명] 신바닥의 창.
신창안-장 【新倉一場】 [一짱] [명] 〈속〉 지금의 서울 남대문 시장 중간쯤에 선혜청(宣惠廳) 창고가 있었으므로 일컫는 남대문 시장의 속칭.
신채[1] 【神采·神彩】 [명] ①정신과 풍채. ②신과 같은 풍채. 뛰어난 풍채.
신채[2] 【新債】 [명] 새로 진 부채(負債).
신채[3] 【薪採】 [명] 땔나무. 또, 땔나무를 하는 사람.
신-채(:)호 【申采浩】 [명] 〖사람〗 대한 제국의 언론인. 호는 단재(丹齋). 충청 북도 출생. 20여 세로 성균관 박사를 지냈고, 황성 신문(皇城新聞)과 대한 매일 신보(每日申報)의 논설 위원으로 새로운 지식과 독립 정신을 고취함. 저서에 《조선 상고사(朝鮮上古史)》·《조선사 연구초(朝鮮史研究草)》 등이 있음. [1880-1936]
신책 【神策】 [명] 신기한 계책. 영묘(靈妙)한 책략.
신챵 [명] 〈옛〉 신창. ¶ 신챵받다(允鞋)《四聲 下 42 允字註》.
신:천 【信川】 [명] 〖지〗 황해도 신천군의 군청 소재지로 읍(邑). 장연선(長淵線)의 요역(要驛). 재령(載寧) 평야의 농산물의 집산지이며 부근에 온천(溫泉)이 있음.
신천-간 【神天干】 [명] 〖역〗 가야국(伽倻國) 초기의 아홉 촌장(村長)의 하나. *구간(九干).
신:천-군 【信川郡】 [명] 〖지〗 황해도의 한 군. 관내 1읍 14면. 북은 은율군(殷栗郡)과 안악군(安岳郡), 동은 재령군(載寧郡), 남은 벽성군(碧城郡)과 송화군(松禾郡), 서는 송화군 및 은율군과 인접하였음. 주요 산물로는 농산물과 직물·목제품·제면·제분·식물질 비료 등의 공업 생산품이 있음. 명승 고적으로는 구월산 패엽사(九月山貝葉寺)·단군대(檀君臺)·삼반정(三泮亭) 등이 있고, 신천 온천(信川溫泉)·달천(達川) 온천·삼천(三泉) 온천 등이 있음. 군청 소재지는 신천읍. [792 km²]
신:천 온천 【信川溫泉】 [명] 〖지〗 황해도 신천군에 있는 온천. 무색 투명한 알칼리성 온천으로, 150년 전부터 일반 욕장으로서 이용되었음.
신:천-옹 【信天翁】 [명] 〖조〗 [*Diomedea albatrus*] 신천옹과에 속하는 바닷새. 날개 길이 56 cm, 편 날개의 길이 3 m 가량임. 몸은 거위보다 크고 살이 쪘는데, 날개와 꽁지는 검으며, 머리와 목 뒤는 황갈색, 다리는 회청색(灰青色), 주둥이는 황색, 그 외의 부분은 백색임. 비상력(飛翔力)이 강하여 장시간 날 수 있고, 지치면 바다 위에 떠서 쉼. 12월에서 이듬해 3월까지 번식기에만 육지에 올라와서 지상의 움푹 팬 곳에 알을 한 개 낳음. 태평양 북부의 평후 제도(澎湖諸島)·이오 섬(硫黃島)·하와이 부근에 분포함. 앨버트로스(albatross).

〈신천옹〉

신:천옹-과 【信天翁科】 [一꽈] [명] 〖조〗 [Diomedeidae] 슴새목(目)에 속하는 한 과.
신-천지 【新天地】 [명] 새로운 세상. 새 세상. ¶ ~가 열리다.
신철 【伸鐵】 [명] 〖공〗 강철 부스러기를 재료로 하여 가열·압연한 강철.
신철-업 【伸鐵業】 [명] 〖공〗 강철의 부스러기를 재료로 하여 가열·압연(壓延)하여 신철(伸鐵)을 만드는 공업.
신첩[1] 【申牒】 [명] 관청에서 문서로 통고함. 또, 그 문서. ──하다 [타] [여불]
신첩[2] 【臣妾】 [인대] 여자가 임금에게 대하여 말할 때에 쓰는 자칭 대명사. 보통, 왕비(王妃)가 씀.
신청[1] 【申請】 [명] ①신고하여 청구함. ¶ ~서/~자. ②〖법〗 한 사인(私人)이 국가 기관·법원 또는 공공 단체의 기관에 대하여 어떤 사항을 청구하기 위하여 그 의사를 표시하는 일. ──하다 [타] [여불]
신:청[2] 【信聽】 [명] 믿고 곧이들음. ──하다 [타] [여불]
신청[3] 【神廳】 [명] 〖민〗 무당이 도를 닦는 곳.
신청[4] 【新晴】 [명] 오랫동안 계속하여 오던 비가 새로 갬.
신-청년 【新青年】 [명] 신시대의 교육을 받아 사상이 새로운 청년.
신청부-같다 [형] ①근심 걱정이 너무 많아서 사소한 일은 좀처럼 돌아볼 겨를이 없다. ②사물이 너무 작거나 부족하여 마음에 차지 아니하다.
신청-서 【申請書】 [명] 신청하는 뜻을 나타내는 문서.
신청-인 【申請人】 [명] 신청하는 사람. 신청자.
신청-자 【申請者】 [명] 신청인.
신-청주 【新清酒】 [명] 첫가을에 햇곡식으로 새로 빚은 맑은 술.
신청-주의 【申請主義】 [一/一이] [명] 〖법〗 등기는 원칙적으로 당사자의 신청에 의하여 행하여지는 일. 예외로서 촉탁에 의하여 또는 직권으로 행해지는 경우도 있음. 또, 등기의 신청은 원칙적으로 등기 권리자와 등기 의무자가 공동으로 해야 하는데, 여기에도 예외로서 등기 권리자 혹은 등기 명의인(名義人)의 단독 신청이 인정되는 경우가 있음.
신체[1] 【身體】 [명] ①사람의 몸뚱이. 몸. ¶ ~를 단련하다. ②갓 죽은 송장의 존칭.
신체[2] 【神體】 [명] 신령을 상징하는 신성한 물체. 영체(靈體).
신체[3] 【新體】 [명] 새로운 체재(體裁). ↔구체(舊體).
신체 감:각 【身體感覺】 [명] 넓게는 피부 감각, 심부(深部) 감각, 평형 감각, 내장 감각을 통틀어 말하고, 좁게는 피부 감각과 심부 감각만을 합하여 일컫는 말.
신체 검:사 【身體檢査】 [명] ①건강 상태를 알기 위하여 신체의 각 부분을 검사하는 일. 체격 검사(體格檢査). [준]신검(身檢). ②소지품 또는 복장의 검사. ──하다 [자] [타] [여불]
신체-권 【身體權】 [一꿘] [명] 〖법〗 인격권(人格權)의 하나. 사람이 불법하게 그 신체에 상해(傷害)를 받지 아니하는 권리.
신체-령 【身體靈】 [명] 가장 원시적인 영혼 관념의 하나. 신체의 일부 또는 전체에 결합되어 몸에서 분리되지 않는 영혼. 생체(生體)·혈액·내장·머리털 등에 이상한 힘이 있다고 하는 것은 일종의 신체령의 관념에 속함. ↔유리령(遊離靈).
신체 발부 【身體髮膚】 [명] 몸이나 머리나 피부. 곧, 몸뚱이의 전체.
신체 변:공 【身體變工】 [명] 신앙·의례(儀禮) 또는 장식 등의 동기(動機)에서 비롯하여 자연 그대로의 신체의 일부에 변화를 주는 습속. 미개 민족에서 장신구를 달기 위하여 귀·코·입술·턱 등에 구멍을 뚫거나 허리·목·다리·팔 등을 인공적으로 가늘게 만들거나, 문신(文身)을 피부에 베푸는 일 등. 그 밖에 할례(割禮) 등이 이 예인데, 현대 문명 사회에서의 입술 연지·매니큐어·문신 등의 풍속도 이에 속한다고 볼 수 있음.
신체 부자유아 【身體不自由兒】 [명] 지체(肢體) 부자유아.
신체 손:해 배상 특약부 화:재 보:험 【身體損害賠償特約附火災保險】 [명] 〖법〗 특수 건물의 화재의 손실과 이로 인한 타인의 사망·상해에 대한 배상을 담보하는 보험. [준]특약부 화재 보험.
신체-시 【新體詩】 [명] 〖문〗 ①새로운 체제·형식·내용으로 된 시. ②중국의 수(隋)·당(唐) 이후에 확립된 오언(五言)·칠언(七言)의 율시(律詩)·배율(排律)·절구(絶句)의 총칭. ③우리 나라 신문학 운동 초창기의 새로운 체제의 시. 대체로 창가적(唱歌的)인 3·4 또는 4·4의 운조(韻調)를 가진 것으로, 최남선(崔南善)·이광수(李光洙) 등에 의해 발전되어 우리 나라 현대시의 연원(淵源)을 이루었음. 재래의 한시(漢詩)나 시조(時調)에 대하여 일컫는 말인데, 나중에는 그냥 '시(詩)'라고 불릴 정도로 일반화된 것임. 신시(新詩).
신체의 자유 【身體一自由】 [一/一에一] [명] 〖법〗 법률상의 절차에 의하거나 또는 정당한 이유 없이는 체포·감금·심문·처벌 또는 강제 노역(勞役)을 당하지 아니하는 자유. 대부분의 국가는 헌법에 의하여 이를 보장하고 있음. 인신(人身)의 자유.
신체 장애 【身體障礙】 [명] 신체에 손상이 있어 생활이나 노동을 하는 데 지장이 있는 상태. ¶ ~자.
신체 장애자 【身體障礙者】 [명] 태어날 때부터 또는 상병(傷病) 등으로 신체에 장애가 있는 사람. 불구자.
신체 적성 【身體適性】 [명] 각종 작업을 할 때의 개인의 신체적 능력.
신-체제 【新體制】 [명] 개혁(改革)이나 또는 재조직된 새로운 질서 및 편제(編制). ↔구체제.
신-체조 【新體操】 [명] 〔rhythmic sports gymnastics〕 리듬 체조.
신체 충실 지수 【身體充實指數】 [명] 그 때 그 때의 몸의 충실도(充實度)를 나타내는 지수. 체중을 신장으로 나누고 100을 곱한 수.
신체 허약자 【身體虛弱者】 [명] 〖교〗 선천적 또는 후천적 원인으로 말미암아 신체의 여러 기능이 이상(異狀)을 나타내고, 질병에 대한 저항력이 저하되며 또는 이러한 징후가 일어나기 쉬워서, 장기간 건강한 아이와 꼭 같은 교육을 하면 오히려 건강을 저해할 우려가 있는 정도의 어린이. 허약아(虛弱兒).
신체-형[1] 【身體刑】 [명] 〖법〗 범죄인의 신체에 대하여 고통을 주는 것을 내용으로 하는 형벌. 태형(笞刑)·경형(鯨刑) 같은 것. 오늘날에는 없으며 징역·금고(禁錮) 같은 자유형은 이와는 별종(別種)이나 흔히 포함하여 말하기도 함. [준]체형(體刑). *명예형·재산형.
신체-형[2] 【身體型】 [명] 〖심〗 활동적인 데다 투쟁을 좋아하며 충동을 억제하는 힘이 약한 대담·솔직한 기질 유형.
신초[1] 【申初】 [명] 〖민〗 신시(申時)의 처음. 곧, 오후 3시.
신초[2] 【辛楚】 [명] 〔신(辛)은 매운 맛, 초(楚)는 사람을 매질한다는 뜻〕 괴로움. 고초(苦楚).
신초[3] 【神草】 [명] 〖식〗 산삼(山蔘).
신초[4] 【新草】 [명] 그 해에 처음 난 담배. 햇담배. ↔진초(陳草).
신초[5] 【新梢】 [명] 햇가지.
신초[6] 【薪樵】 [명] 땔나무.
신-초리 [명] 베틀 신대.
신-총[1] [명] 짚신이나 미투리의 총.
신총[2] 【宸聰】 [명] ①임금의 귀. ②임금이 들음.
신추 【新秋】 [명] ①새 가을. 첫가을. ②음력 7월의 이칭.
신추-도 【新秋島】 [명] 〖지〗 전라 남도의 서해상(西海上), 신안군(新安郡) 증도면(曾島面) 병풍리(屛風里)에 위치한 섬. [0.02 km² : 9 명 (1984)]

신축[1]【辛丑】 명 〖민〗 육십 갑자의 서른 여덟째.
[신축년에 남편 찾듯] 사람이나 물건을 여기저기 찾아 다님을 이르는 말. 신축년에 대흉년이 들어, 가족이 흩어져서 부부도 서로 찾아다녔다는 데서 나온 말. 「여불」

신축[2]【伸縮】 명 늘고 줆. 또, 늘이고 줄임. 서축(舒縮). ——하다 자타

신축[3]【新築】 명 새로 건축함. 또, 그 건축물. ——하다 타여불

신축 관세【伸縮關稅】 명 관세율(關稅率)의 증감(增減)을 보통 일정한 한도내에서 국회의 동의(同意) 없이, 행정 관청의 권한으로써 행사하여, 외국 상품의 부당한 염가(廉價)에 대항하려고 하는 일. 또, 그런 목적의 관세.

신축-도【伸縮度】 명 늘고 주는 정도. 「정책.

신축-성【伸縮性】 명 ①늘어나고 줄어드는 성질. ②융통성. ¶ ~ 있는

신축 운:동【伸縮運動】 명 늘었다 줄었다 하는 운동.

신축 자재【伸縮自在】 명 마음대로 신축함. ——하다 형여불

신춘【新春】 명 ①첫봄. 새 봄. 신양(新陽). ②새 해. 음력으로 봄에 해당하므로 이렇게 이름. ¶ ~ 문예.

신출【新出】 명 ①새로 나옴. 또, 그 인물이나 물건. ②맏물. ¶ ~ 딸기. ③교과서 등에, 새로 나옴. ¶ ~ 한자(漢字). ——하다 자여불

신출 귀:몰【神出鬼沒】 명 귀신과 같이 홀연히 나타났다가 홀연히 사라짐. 자유 자재로 출몰(出沒)하여 그 변화를 헤아릴 수 없는 일. ——하다 자여불

신출 귀:물【新出貴物】 명 새로워서 드물고 귀한 물건.

신출-나기【新出—】[—라—] 명 ☞신출내기.

신출-내기【新出—】[—래—] 명 어떤 일에 처음 나서서 아직 익숙하지 않은 사람. 초(初)내기.

신충[1]【臣忠】 명 신하로서의 충의(忠義).

신:충[2]【信忠】 명 〖사람〗 신라 때의 대신. 효성왕(孝成王) 3년(739)에 이찬(伊飡)으로 중시(中侍)가 되고, 경덕왕 16년(757)에 상대등(上大等)에 오름. 뒤에 중이 되어 단속사(斷俗寺)를 짓고 효성왕의 명복을 빌었음. 생몰년 미상.

신충[3]【宸衷】 명 임금의 마음. 임금의 고충.

신:충[4]【腎蟲】 명 〖동〗 진선충목(眞線蟲目) 신충과(腎蟲科)에 속하는 대형의 기생충. 수컷의 몸길이는 13-40 cm이고 암컷의 길이는 20-100 cm로 매우 길며 몸빛은 선홍색(鮮紅色)을 띰. 개·원숭이 같은 가축이나 야수(野獸)의 신장(腎臟) 혹은 체강(體腔) 안에 기생함. 소·말·사람에게도 기생함.

신충-아기【神忠—】 명 〖민〗 제주도 무속(巫俗)에서, 몸이 허약한 15 세 미만의 귀한 집안 어린 아이의 명(命)과 복을 빌기 위해 당주(堂主) 곧 무당이 모시는 신단(神壇)에 입적(入籍)시킨 아이.

신:충-증【腎蟲症】[—쯩] 명 〖동〗 돼지의 신장 부근의 지방 조직·신우(腎盂)·수뇨관(輸尿管) 속 등에 신충이 기생함으로써 발생하는 돼지의 병. 이 기생충의 알이 오줌에 섞여서 체외로 나가는데, 딴 돼지가 이 알을 먹으면 체내에서 부화하고, 이것이 체내를 이행(移行)하여 흉부에서는 늑막염·심낭염(心囊炎)을, 복부에서는 복막염·간장염을 일으키며, 췌장에 들어가 농양(膿瘍)을 형성하는 수도 있음.

신취【晨炊】 명 새벽에 밥을 지음. ——하다 자여불

신칙【申飭】 명 단단히 타일러서 경계함. ¶몸조심할 것을 ~한 뒤에 집으로 돌려 보내다/백성을 ~하라≪구약 출애굽기 XIX : 21≫. ——하다 타여불

신친【神親】 명 〖천주교〗 대부모(代父母)와 대자녀(代子女) 사이의 친권(親權).

신친 당지【身親當之】 명 남에게 맡기지 않고 몸소 일을 맡음. ——하다 타여불

신친 장애【神親障礙】 명 〖천주교〗 결혼 당사자 사이가 대부모(代父母)와 대자녀(代子女) 사이면서 맺어지는 혼인의 경우에 생기는 혼인 장애.

신-카나마이신【新—】〔kanamycin〕 명 〖약〗 카나마이신 내성균(耐性菌)에 대하여도 효력을 가지는 카나마이신. 카나마이신의 개발자인 일본의 우메자와 하마오(梅澤浜夫)가 개발함. *카나마이신.

신칸-센〔新幹線 : しんかんせん〕 명 일본의 주요 도시를 고속으로 연결하는 새 철도. 또, 그 열차. 궤도 폭이 1.435 m로, 재래선(在來線)보다 넓고, 시속 200 km를 넘는 속도로 주행함. 1964 년 도카이도(東海道) 신칸센 개통을 시작으로 산요(山陽)·도호쿠(東北)·조에쓰(上越) 신칸센이 운행되고 있으며, 그 밖에 다른 노선도 계획 중임.

신칸트 학파【新—學派】〔Kant〕 명 〔도 Neukantianer〕 〖철〗 19세기 후반(後半)부터 20세기 초엽에 걸쳐 독일을 중심으로 하여 일어나 큰 영향력을 발휘했던 철학상의 학파. 형이상학(形而上學)·사변 철학(思辨哲學) 및 단순한 실증 과학적·유물론적 입장에 반대하여 칸트의 비판주의 정신을 부흥시키려고 한 것으로, 리프만·헬름홀츠·랑게·코헨·나토르프 등에 의하여 전개되었음. 그 중 논리주의적 경향을 띠고 수학 및 수학적 자연 과학의 기초 확립을 주요 과제로 삼은 마르부르크(Marburg) 학파와 문화 과학의 인식론적 기초 확립에 노력하고 가치 철학의 조직을 시도한 하이델베르크 학파, 일명 독일 서남 학파의 두 파가 가장 유력하였음. 「린 칼.

신-칼【神—】 명 〖민〗 무당이 굿할 때, 잡귀(雜鬼)를 쫓는 데 쓰는 신내

신칼-점【神—占】 명 〖민〗 굿에서 신칼을 가지고 치는 점. 제주도에서 특히 발달하였음.

신칼-춤【神—】 명 〖민〗 신칼을 들고 추는 무당춤의 하나. 제주도에서는 무당 한두 명이 칼 끝에 고리를 꿰어 들고 춤.

신 케이 에스 강【新 KS鋼】 명 〖공〗 자석강(磁石鋼)의 한 가지. 케이 에스 강(K.S.鋼)에 비해서 열(熱)처리가 용이함. 코발트·니켈·티타늄을 함유(含有)하고 있음.

신-코 명 신의 앞 끝의 뾰족한 곳.

신콤 위성【SYNCOM 衛星】 명 〔synchronous communication satellite〕 미국의 실험용 통신 위성. 정지(靜止) 위성으로서 적도 상공에 발사되어, 수신 전파를 증폭 중계(增幅中繼)함. 1호는 실패하고, 2호는 1963년 7월 케이프케네디에서 대서양 상에 쏘아 올려져, 구미간의 최초의 텔레비전 중계에 성공함. 본체는 원통형으로 측면에는 3,840개의 실리콘 태양 전지가 있고, 하부에는 궤도 조정용(調整用) 로켓의 노즐(nozzle)이 있음. 3호는 1964년 8월에 발사되어 도쿄 올림픽 대회의 미일간(美日間) 텔레비전 중계에 성공함.

신-쾌동【申快童】 명 〖사람〗 현대의 거문고의 명인(名人). 호(號)는 금헌(琴軒). 전라 북도 익산(益山) 출생. 어려서 한말(韓末)의 명률(名律) 백낙준(白樂俊)에게 거문고를 배워, 그 기법을 이어 받고, 거기에 중중모리·엇모리 등의 가락을 삽입해 거문고 산조(散調)의 기능 보유자로 지정되었으며, 거문고 병창(倂唱)을 창제함. 저서에 ≪현금곡 전집(玄琴曲全集)≫이 있음. [1910-78]

신타아제〔synthase〕 명 〖화〗 리가아제(ligase).

신탁[1]【申託】 명 ①↗신신 부탁(申申付託). ②신청하여 청탁(請託)함. ——하다 타여불

신:탁[2]【信託】 명 ①신용하여 위탁(委託)함. ②남에게 일정한 목적에 따라 재산의 관리와 처분을 맡기는 일. ——하다 타여불

신탁[3]【神卓】 명 신령을 모신 탁자.

신탁[4]【神託】 명 신이 사람을 매개자로 하여 그의 뜻을 나타내는 일. 신의 분부나 명령. 선탁(宣託).

신:탁 가격【信託價格】 명 신탁 재산의 가격.

신:탁 계:약【信託契約】 명 〖법〗 신탁법에 정해진 신탁 행위 가운데 계약에 의한 것을 말함. 특히, 담보부 사채(擔保附社債) 신탁법에서는 위탁(委託)업자와 신탁업자 사이에 담보부 사채의 신탁을 설정하는 행위를 가리킴.

신:탁 계:정【信託計定】 명 〖경〗 신탁 재산의 수입, 운용, 관리, 처분 따위의 거래로 나타나는 신탁 재산의 증감(增減) 상태를 기록 계산하는 계정. 신탁 회사의 재산 가운데 고정 재산의 계정과 구분됨.

신:탁 관리인【信託管理人】[—괄—] 명 〖법〗 신탁에 있어 수익자가 아직 확정되어 있지 않은 경우, 법원 또는 주무 관청에 의하여 설치되는 기관. 자기 명의로 신탁에 관한 재판상 또는 재판 외의 행위를 할 수 있음.

신:탁 귀속권【信託歸屬權】 명 〖법〗 신탁이 끝날 때 나머지 재산을 건네 받을 권리. 수익자(受益者)가 이 권리를 가지는 것이 원칙이지만, 그렇지 않을 때에는 위탁자(委託者) 또는 그 상속인에게 귀속됨.

신:탁 능력【信託能力】[—녁] 명 〖법〗 신탁의 수탁자(受託者)가 될 수 있는 자격. 수탁 능력.

신:탁 당사자【信託當事者】 명 〖법〗 신탁과 관계가 있는 위탁자(委託者)와 수탁자(受託者). 또는 유언자와 수탁자.

신:탁 등기【信託登記】 명 〖법〗 신탁 재산임을 공시하기 위한 재산권의 이전 등기.

신:탁-물【信託物】 명 신탁(信託)의 목적인 재물.

신:탁 배:서【信託背書】 명 〖법〗 추심(推尋)을 위임하거나 질권(質權)을 설정할 목적으로 한 양도(讓渡) 배서.

신:탁-법【信託法】 명 〖법〗 신탁에 관한 일반적인 사법적(私法的) 법률 관계를 규율한 법.

신:탁 사:업【信託事業】 명 〖경〗 신탁의 인수(引受)를 영업으로 하는 사업. 곧, 신탁 회사가 취급하는 사업. ㊂신탁업.

신:탁 수익권【信託收益權】 명 신탁의 수익자가 수탁자(受託者)로부터 신탁 행위에서 정한 목적에 따라 이익을 향수(享受)하는 권리 또는 그 밖의 이 기본적 권리를 보호하기 위해 수익자에게 인정된 모든 권리. 수탁자 해임권·신탁 서류 열람권 따위.

신:탁 약관【信託約款】 명 위탁자와 수탁자(受託者) 사이에 체결되는 신탁 계약의 바탕이 되는 약관.

신:탁-업【信託業】 명 〖경〗 ↗신탁 사업.

신:탁업-법【信託業法】 명 〖법〗 신탁업을 보호·감독하고 신탁 회사의 조직과 경영의 합리화를 기하여 수익자(受益者)를 보호하기 위하여 제정된 법률.

신:탁 예:금【信託預金】[—네—] 명 신탁 은행에서 취급하는 예금. 신탁 회사에 맡긴 금전(金錢) 신탁.

신:탁 원부【信託原簿】 명 〖법〗 신탁 등기의 신청서에 붙이는 서면. 위탁자·수탁자·수익자와 신탁 관리인의 성명·주소와 신탁의 목적, 신탁 재산의 관리 방법 등이 기록되어 있음.

신:탁 위반【信託違反】 명 〖법〗 수탁자(受託者)가 신탁의 목적에 따라 성실하게 신탁 재산을 관리하지 못한 일.

신:탁 은행【信託銀行】 명 〖경〗 신탁 업무와 보통 은행 업무를 겸무(兼務)하는 금융 기관.

신:탁-자【信託者】 명 〖법〗 신탁의 위탁자(委託者).

신:탁 자:금【信託資金】 명 신탁 재산에 딸리는 금전.

신:탁 재산【信託財産】 명 위탁자(委託者)에 의하여 정하여진 일정한 목적에 따라, 수탁자(受託者)가 관리 처분하는 재산.

신:탁 재산 관리인【信託財産管理人】[—괄—] 명 신탁자가 사임하거나 해임되어 신탁자가 없을 경우에 새 신탁자가 선임될 때까지 임시로 신탁 재산의 관리를 맡아 보는 사람. 그 선임은 법원이 직권으로 행함.

신:탁적 양도【信託的讓渡】 명 신탁 행위로 이루어지는 소유권 및 그 밖의 재산권의 이전.

신:탁적 행위【信託的行爲】 명 〖법〗 상대방을 신뢰하여 경제적 목적 이상의 법률적 지위를 주는 행위. 가령, 양도 담보(讓渡擔保)를 설정하는 행위는 담보라는 경제적 목적을 위하여 필요한 권리 이상으로 소유권을 주는 것이므로 이에 속함.

신:탁 증서【信託證書】 명 신탁 계약의 증서.

신:탁-질【信託質】[명] 양도(讓渡) 담보의 한 가지. 목적인 권리를 채권자에게 신탁적으로 양도하고, 또 점유를 이전하는 방법에 의한 담보권.
신:탁 창고【信託倉庫】[명] 창고업자가 유가 증권 및 기타 귀중품의 특별 보관(特別保管)을 위하여 설치한 창고.
신:탁 통:치【信託統治】[명]〖정〗제2차 세계 대전 후, 국제 연합의 신탁을 받은 나라가 일정한 비자치(非自治) 지역에서 행하는 통치 형태. 국제 연맹하의 위임 통치에 수정을 가한 것으로, 신탁 영토로는 국제 연맹 위임 통치 지역, 제2차 세계 대전의 결과로서 패전국으로부터 분리된 지역, 영유국이 자진해서 신탁 통치 아래 둔 지역의 세 가지가 있음. 국제 연합 신탁 통치 이사회가 감독함. *위임 통치.
신:탁 통:치 반:대 운:동【信託統治反對運動】[명]〖역〗1945년 12월 모스크바에서 열린 미·영·소 삼국의 외상(外相) 회의에서 결정된 한반도 신탁 통치안에 대하여 범국민적으로 전개했던 반대 운동.
신:탁 통:치 이:사회【信託統治理事會】[명]〖정〗국제 연합의 주요한 기관의 하나. 총회(總會)의 밑에서 신탁 통치에 관한 문제를 처리함. 1949년 12월에 설립되었음. 이사국은 신탁 통치 지역의 시정국(施政國), 시정국이 아닌 안전 보장 이사회의 상임(常任) 이사국, 3년의 임기(任期)로 국제 연합 총회에 의하여 선출되는 다른 가맹국(加盟國)의 세 부류로 이루어짐. 국제 연합 신탁 통치 이사회.
신:탁 행위【信託行爲】[명]〖법〗신탁을 설정하는 행위.
신:탁 회:사【信託會社】[명]〖경〗신탁 사업을 경영하는 회사.
신탄【薪炭】[명] 땔나무와 숯. 시탄(柴炭).
신탄-림【薪炭林】[—님] [명] 숯이나 장작의 생산을 목적으로 경영되는 삼림(森林). 상수리나무나 떡갈나무로 된 것이 가장 가치가 큼.
신탄-비【薪炭費】[명] 숯이나 장작의 구입에 지출되는 비용.
신탄-상【薪炭商】[명] 땔나무나 숯 같은 것을 파는 장사. 또, 그 가게나 장수. 시탄상(柴炭商).
신탄-재【薪炭材】[명] 숯을 굽거나 땔나무로 쓰일 나무.
신탄진【新灘津】[명]〖지〗충청 남도 대덕군(大德郡)의 군청 소재지였던 한 읍(邑). 1989년 1월 1일 대덕군이 대전(大田) 광역시로 편입되면서 대덕구(區) 신탄진동(洞) 등으로 됨. 경부선의 요역(要驛)으로 대규모의 담배 제조 공장·타이어 공장 등이 있음.
신탕-나무 [명]〈방〉신나무²(강원).
신탕-낭구 [명]〈방〉신나무²(강원).
신태그마〔syntagma〕[명] 문법에서, 중단됨이 없는 형태소의 연속체를 이름. 통합체(統合體).
신-태인【新泰仁】[명]〖지〗전라 북도 정읍시(井邑市)에 있는 한 읍(邑). 호남선의 요역(要驛)으로, 호남미(米)의 집산지임. [11,065명(1996)]
신:택¹【愼擇】[명] 신중히 가림. ——하다 [타][여불]
신택²【新宅】[명] 신축한 주택. 남의 새집을 이를 때 씀. ↔구택(舊宅).
신택스〔syntax〕[명]〖언〗단어를 맞추어 문장을 지을 때의 규칙. 또, 그것을 연구하는 문법론의 한 영역. 통사법(統辭法). 통사론(統辭論). 구문론(構文論). 문장론(文章論).
신테타아제〔synthetase〕[명]〖화〗합성 효소.
신-토마스설【新一說】〔Thomas〕[명]〖철〗네오토미즘(Neo-Thomism).
신토 불이【身土不二】[명] 사람의 육체와 그 사람이 태어난 고장의 토양(土壤)은 떼려야 뗄 수 없는 밀접한 관련이 있다는 말.
신통¹【神通】[명] ①모든 일에 헤아릴 수 없이 신기하게 통달함. ②이상하고 묘함. ¶ ~한 효과/~하게 잘 맞히다. ③약효가 신기하게 나타남. 신효(神效). ¶ 부스럼에 ~하게 잘 듣는 약. ④대견함. ¶ 고학을 하면서 장학생이 되었다니 참 ~하군. ⑤불교의 수행을 통하여 도달하는 무애자재(無礙自在)한 초인간적인 능력. 기적(奇蹟)에 해당되는 개념임. ——하다 [자][형][여불]. ——히 [부]
신통²【神統】[명] 신의 계통(系統).
신통³【新通】[명] 새로 벼슬에 임명될 수 있는 후보가 됨. ——하다 [자][여불]
신통-기【神統記】[명] 다신교(多神敎)에서 신들이 발생하여 온 계통을 명백히 하려는 가르침. 그리스의 시인(詩人) 헤시오도스(Hēsiodos)의 '신통기'는 그 대표적인 것임.
신통-력【神通力】[—녁] [명] 무슨 일이든지 해낼 수 있는 영묘(靈妙)한 힘. 통력(通力).
신통-륜【神通輪】[—뉸] [명]〖불교〗삼륜(三輪)의 하나. 부처님이 신통력으로써 영묘(靈妙)한 모양을 나타내어 중생(衆生)의 생각을 일깨워서 바른 신심(信心)을 내게 하는 일. 신변륜(神變輪).
신통방통-하다【神通—通—】[형][여불] 아주 신통하다. ¶ 그 녀석 신통방통한 짓만 골라서 하는군.
신통-스럽다【神通—】[형][ㅂ불] 신통한 느낌이 있다. **신통-스레**【神通—】[부]
신퇴【申退】[명]〖역〗벼슬아치가 신시(申時)에 관무를 마치고 관아에서 물러나오는 일. ——하다 [자][여불]
신-트림 [명] 신물이나 시큼한 냄새가 목구멍으로 올라오는 트림. ——하다 [자][여불]
신트 얀:스〔Geertgen tot Sint Jans〕[명]〖사람〗네덜란드의 화가. 레이덴(Leiden)에 태어나, 하를렘(Haarlem)에서 활동하였음. 초기 네덜란드 회화(繪畫)에 깊은 영향을 미친 화가로 내적 심정(內的心情)을 깊고 소박한 사실주의에 입각하여 인물·풍경을 우아하게 그렸음. 대표작에 《나사로의 부활》·《세례자 요한》 등이 있음. [1465?-95?]

<신틀>

신-틀 [명] 미투리나 짚신을 삼을 때에 신날을 걸어 놓는 틀.
신틀 아범 [명]〈방〉짚신 할아범.
신티그램〔scintigram〕[명]〖의〗감마선(γ線)을 방출하는 소량의 방사성 동위 원소(放射性同位元素)를 주사 또는 내복의 방법으로 환자에게 투여한 후 방사능 분포를 측정해서 얻은, 방사능 분포도. 혈류(血流) 및 장기의 기능 상태, 병변(病變)의 유무 등을 가려내는 데 씀.
신티스캐너〔scintiscanner〕[명]〖의〗몸 안에 투여되어, 특정 장기(臟器)에 분포하는 방사성 동위 원소에서 방출되는 감마(γ)선을 몸 밖에서 계측하여 그 장기의 형태 또는 장기 내의 병변(病變)의 유무를 진단하는 장치.
신티스캐닝〔scintiscanning〕[명]〖의〗방사성 동위 원소를 체내에 넣어 장기(臟器) 내에서의 분포 상태를 보고 그 장기의 형태를 몸 밖에서 파악하는 방법.
신티카메라〔scinticamera〕[명] [신틸레이션 카메라(scintillation camera)의 약칭] 생체 내에 투여되어 특정 장기(臟器)에 분포하는 방사성 동위 원소에서 방출되는 감마(γ)선을 체외 계측하여 주로 그 형태 진단을 하는 장치.
신틸레이션〔scintillation〕[명]〖물〗형광체(螢光體)에 방사선이 충돌하여 발광(發光)하는 현상이나 별이 반짝이는 현상을 말함.
신틸레이션 계:수관【—計數管】〔scintillation〕[명]〖물〗신틸레이션 카운터(scintillation counter).
신틸레이션 카운터〔scintillation counter〕[명]〖물〗방사성(放射性) 측정용의 계수관(計數管)의 하나. 방사선(放射線)이 형광체에 닿아서 발하는 형광(螢光)을 광전 증배관(光電增培管)으로 받아, 전류로 바꿔 증폭시켜서, 전기 신호로써 입사 입자수(入射粒子數) 또는 에너지를 계측하는 장치. 신틸레이션 계수관.
신파【新派】[명] ①새로운 유파(流派). ¶ ~ 구파(舊派)의 대립. ②〖연〗↗신파 연극(新派演劇). ¶ ~조(調)의 연극. 1)·2):↔구파(舊派).
신파-극【新派劇】[명]〖연〗↗신파 연극(新派演劇).
신파 극단【新派劇團】[명]〖연〗신파극을 상연하는 극단.
신파 비극【新派悲劇】[명]〖연〗신파극(新派劇)의 비극.
신-파산【新破産】[명]〖법〗강제 화의(強制和議)에 의한 파산 종결 후에 새로 파산 원인이 생겨 다시 개시(開始)되는 파산. 강제 화의의 효력을 받지 않는 신파산 채권자는 신파산의 신청을 할 수 있으나, 강제 효력을 받는 채권자는 종전의 채권에 관하여 신파산 신청을 할 수 없음. 신파산 신청과 강제 화의 취소 신청이 경합되는 때에는, 법원이 어느 한 편의 신청을 용인하면 다른 편은 기각해야 함.
신파 연:극【新派演劇】[명]〖연〗재래(在來)의 형식과 전통을 깨뜨리고, 창극(唱劇)의 테두리를 벗어나서 현대의 세상 풍속과 인정 비화(人情悲話) 등을 제재(題材)로 하는 통속적인 연극. 우리 나라에서는 1909년 이인직(李人稙)의 신소설 《설중매(雪中梅)》·《은세계(銀世界)》 등을 각색 상연한 것을 시초로, 윤백남(尹白南)·조중환(趙重桓) 등이 발전시켰음. [준]신파(新派)·신파극. ↔구파 연극. *신극(新劇).
신파-적【新派的】[명][관] 신파와 같은 모양.
신:판¹【迅辦】[명] 급하게 처리함. ——하다 [타][여불]
신판²【神判】[명] 점복(占卜)·탁선(託宣) 등에 의하여 얻은 결론을 신의(神意)로서 받아들이고 그에 따르는 일. 또, 그 신의로서의 징증(徵證).
신판³【新版】[명] ①새로운 출판. 또, 그 출판물. 신간(新刊). ↔구판(舊版)·고판(古版). ②도서의 내용·체재를 새롭게 한 판. ③기왕에 있던 어떤 사실이나 인물 또는 작품과, 그 성질·내용이 같은 새로운 사물이나 인물을 두고 이르는 말. ¶ ~ 돈키호테/~ 봉이 김선달. ↔고판.
신판-물【新版物】[명] 새로운 출판물. 신판 서적 따위.
신:패【信牌】[명] 증거로 삼기 위한 패.
신:편¹【信便】[명] 믿을 만한 인편(人便).
신편²【新編】[명] 새로운 편집(編輯). 또, 그 책.
신-평가【新平價】[—까] [명]〖경〗본위 화폐(本位貨幣)의 순금(純金) 분량을 변경하였을 때의 신화폐의 금가치(金價値).
신평가 금해금【新平價金解禁】[—까—] [명]〖경〗평가 절하(平價切下)를 행하여 금의 수출(輸出) 금지를 해제하는 일.
신포¹【身布】[명]〖역〗조선 시대 후기에, 평민의 신역(身役) 대신에 바치던 무명이나 베. 양포(良布)·장보포(匠保布)·신공포(身貢布)·선무 군관포(選武軍官布)·교생포(校生布) 따위.
신포²【新浦】[명]〖지〗함경 남도 함경선(咸鏡線)에 연한 항구. 마양도(馬養島)의 좋은 어장이 앞 바다에 있어서 명태의 산지로 유명함.
신포-세【神布稅】[명]〖역〗무당이 나라에 바치던 조세.
신:표【信標】[명] 뒷날에 보고 서로 표가 되게 하기 위하여 주고 받는 물건. 신물(信物).
신푸녕-스럽다 [형]〈방〉신청부같다.
신-풀이¹【神—】[명]〖민〗귀신 들린 사람을 위하여 푸닥거리를 하는 일. ——하다 [자][여불]
신-풀이²【新—】[명] 논을 새로 푸는 일. 또, 그 논. 논풀이. 개간답. ——하다 [자][타][여불]
신품¹【神品】[명] ①가장 신성한 품위(品位). ②아주 뛰어난 물품이나 작품. 일품(逸品). ③〖천주교〗↗신품 성사(神品聖事).
신품²【新品】[명] 새로운 물품.
신품-권【神品權】[—꿘] [명]〖천주교〗신품 성사(聖事)를 행하는 주교(主敎)의 권리.
신품 사:현【神品四賢】[명] 서화로 유명한 신라 때의 김생(金生)과 고려 때의 탄연(坦然)·최우(崔瑀)·유신(柳伸)을 이르는 말.
신품 성:사【神品聖事】[명]〖종〗천주교와 성공회에서, 칠성사(七聖事)의 하나. 주교와 신부(神父)와 부제(副祭)가 각기의 성무(聖務)를 완수하기 위하여 권한과 성총을 받는 성사(聖事). 성품(聖品). 성품 성사(聖品聖事). [준]신품(神品).
신품 장애【神品障礙】[명]〖천주교〗혼인 장애의 하나. 신품 성사(神品聖事)를 받은 사람은 혼인하지 못함.
신:풍¹【迅風】[명] 세차게 휘몰아치는 바람. 질풍(疾風).
신:풍²【信風】[명] ①북동풍(北東風). ②계절풍.

신풍[3]【晨風】명〖조〗쏙독새❷.

신풍[4]【新風】명 ①신선한 바람. ②새로운 유풍(流風).

신풍[5]【新豐】명〖지〗중국 산시 성 린퉁현(陝西省臨潼縣) 동북에 있던 한대(漢代)의 한 현. 한 고조(漢高祖)가 도읍인 장안(長安) 동쪽에 고향인 풍(豐)과 흡사하게 만든 마을. 술의 명산지.

신풍 광:산【新豐鑛山】명〖지〗함경 남도 단천군(端川郡) 북두일면(北斗日面) 신풍리에 있는 인회석(燐灰石) 광산. 1939년에 발견한 것으로 품질이 우량하고 매장량이 풍부함.

신풍-도【新風島】명〖지〗전라 남도의 서해상(西海上), 신안군(新安郡) 지도읍(智島邑) 어의리(於義里)에 위치한 섬. [0.04 km^2]

신풍-스럽다 형〈방〉신청부같다.

신-풍조【新風潮】명 새로운 풍조.

신 프로이트 학파【新一學派】〔Freud〕명〖심〗네오프로이디즘.

신-플라톤주의【新一主義】[一/一이]〔Platon〕명〔Neo-Platonism〕〖철〗로마 시대에 있어서의 그리스 철학의 한 학파. 단순한 플라톤 철학의 부흥이 아니고 종교적 신비 사상 특히 동방 유태 사상으로부터 영향을 받아 그것들을 절충한 철학적 경향으로, 신비적 직관과 신으로부터의 세계의 유출을 말하는 범신론적(汎神論的) 일원론(一元論)임. 암모니오스 사카스(Ammonios Sakkas)에서 시작하여 플로티노스(Plotinos)와 그의 제자 포르피리오스(Porphyrios)가 대성(大成)하였음. 네오플라토니즘. 신(新)플라톤 학파.

신 플라톤 학파【新一學派】〔Platon〕명〔Neo-Platonic school〕〖철〗신플라톤주의.

신-피질【新皮質】명〔neocortex〕〖생〗대뇌 반구(大腦半球)의 표면을 덮는 회백색의 층(層). 고등 동물 특히 인간에 발달되었으며 학습·정서(情緖)·사고 따위 정신 활동을 영위함.

신 피타고라스 학파【新一學派】〔Pythagoras〕명〔Neo-Pythagorean school〕기원전 1세기부터 2세기에 걸쳐 피타고라스 학파를 중심으로 동방의 종교 사상 및 플라톤·아리스토텔레스·스토아 학파 등의 여러 학설을 결합한 절충적 학설. 영육(靈肉) 이원(二元)의 대립에 있어서 금욕·수행(修行)을 도덕 상의 주의로 삼고 일종의 철인(哲人) 숭배를 주창하여 피타고라스를 신성시하였음.

신필[1]【宸筆】명 임금의 직필(直筆). 신한(宸翰).

신필[2]【神筆】명 아주 뛰어나게 잘 쓴 글씨. 영묘(靈妙)한 필적.

신하[1]【臣下】명 임금을 섬기어 벼슬하는 사람. 신자(臣子). 신복(臣僕). 예신(隸臣). 인신(人臣).

신하[2]【新荷】명 새로 입하(入荷)한 물품.

신하-봉【新河峰】명〖지〗평안 북도 강계군(江界郡)에 있는 산 봉우리. [1,427 m]

신:-하수증【腎下垂症】[一쯩]명〖의〗유주신.

신하신-부【臣下臣部】명 한자 부수(部首)의 하나. '臥'나 '臨' 등에서 '臣'의 이름.

신하이롄〔新海連〕명〖지〗롄윈강(連雲港)의 구명.

신학[1]【神學】명〔theology〕종교 특히 기독교의 교리(敎理) 및 신앙 생활의 윤리를 연구하는 학문.

신학[2]【新學】명 ↗신학문.

신학-과【神學科】명 신학(神學)을 연구 대상으로 하는 대학의 한 분과.

신-학교【神學校】명 신학을 가르치어 교역자(敎役者)의 양성을 목적으로 하는 학교.

신-학기【新學期】명 새 학기.

신학 대:전【神學大全】명 신학 총론(神學總論).

신학 대학【神學大學】명〖교〗신학에 관한 학문을 전문으로 하는 단과 대학.

신-학문【新學問】명 재래(在來)의 한학(漢學)에 대하여, 서양에서 들어온 새로운 학문. ㊂신학(新學). ↔구학문(舊學問).

신학 삼덕【神學三德】명〖천주교〗천주교에 있어서의 세 가지 덕(德). 곧, 믿음·소망(所望)·사랑. 향주(向主)의 삼덕.

신학-생【神學生】명 신학 대학에 다니는 학생.

신학의 시:녀【神學一侍女】[一/一에一]명〔라 ancilla theologiae〕〖철〗철학은 신학의 시녀이어야 한다는 뜻. 이탈리아의 성인(聖人)이며 스콜라 학자인 페트루스 다미아니(Petrus Damiani; 1007-1072)가 말한 것으로, 신앙에 있어서의 진리를 지키기 위하여 인간적인 과학은 성서(聖書)에 대하여 주인에 대한 시녀처럼 되어야 한다고 한 말.

신학-자【神學者】명 신학을 연구하는 사람.

신학 총:론【神學總論】[一논]명〔라 Summa theologica〕〖책〗중세의 스콜라 학자 토마스 아퀴나스의 대표적 저작. 1266-73년에 걸쳐 씌어진 것인데, 모두 3부로 됨. 제3부의 마지막은 피페르노의 레지날도(Reginaldo da Piperno)가 보유(補遺)한 것임. 초심자를 교도하기 위하여 성교(聖敎)를 해설하고, 신(神)에서 나와 신을 지향하는 만유(萬有), 특히 인간을 원리적으로 철저히 고찰한 철학적·신학적 책임. 제1부는 신과 그 피조물, 제2부는 지성적 피조물인 인간의 신으로 향하는 윤리, 제3부는 인간이 신으로 이르는 길인 그리스도를 취급하고 있음. 신학 대전(神學大全).

신학-회【神學會】명 신학에 관한 연구(研究)·토론(討論)을 목적으로 하는 모임.

신한【宸翰】명 임금이 친히 쓴 문서·편지. 신필(宸筆). 신서(宸書).

신한-법【申韓法】[一뻡]명〖역〗중국 전국 시대(戰國時代)의 형명가(刑名家) 신불해(申不害)와 한비자(韓非子)가 주장한 법. 엄한 법과 형벌로 나라를 다스리자는 법.

신한 은행【新韓銀行】명 국내에 진출하고 있는 재일(在日) 동포 실업인들이 출자하여 1982년에 세운 시중 은행(銀行)의 하나. 본점은 서울.

신한-첩【宸翰帖】명 왕이나 왕비가 쓴 편지를 모은 한글 서간집(書簡集). 현재까지 세상에 소개된 것으로는 ≪숙명 신한첩(淑明宸翰帖)≫이 있음.

신할리즈-어【一語】〔Sinhalese〕명〖언〗인도 유럽 어족(語族)의 근대 인도어(印度語)의 하나. 주로 스리랑카(Sri Lanka) 전역에서 사용되고 있음. 이 섬은 원래 드라비다어(Dravida語)의 영역으로, 현재도 북반부는 타밀어(Tamil語)를 쓰고 있으며, 예로부터 소승(小乘) 불교의 중심지로 팔리어(Pāli語)가 많이 쓰이고 있었으므로 이들 언어의 영향을 많이 받았겠지만, 모체는 인도 서부의 방언인 듯함. 팔리(Pāli) 문헌의 번역도 행해졌고, 우수한 문학 작품도 있으며, 14세기경부터 근대어로 이행(移行)하였음.

신할리즈-족【一族】〔Sinhalese〕명 실론(Ceylon) 섬의 총인구의 70% 이상을 점하고 있는 민족으로서 인도·이란계와 벱다(Vebda)계의 혼혈족. 기원전 6세기경에 인도로부터 내주(來住)하여 원주민을 정복, 신할리즈 왕조를 건립하였으나 19세기에 영국인에 멸망당함. 불교가 지배적 종교, 농업을 주로 함.

신-할멈 명〖민〗송파 산대놀이에 나오는 신할아비의 아내. 또, 그가 쓰는 흰 바탕에 눈과 입이 작은 탈.

신-할아비 명〖민〗①송파 산대놀이에서, 흰 바탕에 흰 수염과 눈썹이 달린 탈을 쓰고 등장하는 사람. 또, 그 탈. ②양주(楊州) 별산대놀이에 등장하는 백발 노인인 천한 사람. 또, 그가 쓰는 흰 바탕의 탈.

신:함【囟陷】명〖의〗몸의 쇠약, 소화 불량 등으로 인하여 어린 아이의 정수리가 움푹 들어가는 병.

신-합섬【新合纖】명 천연 섬유의 장점에다 합섬의 특성을 가미하여 촉감·광택·신축성 등은 천연 섬유와 유사하면서도 보다 특수한 기능과 질감(質感)을 갖게 한 폴리에스터 신소재. 신폴리에스터.

신해[1]【申解】명 설명(說明). ──하다 타여불

신해[2]【辛亥】명 육십 갑자의 마흔 여덟째.

신:해[3]【信解】명 ①신앙과 이해. ②〖불교〗불법(佛法)을 믿어서 진리를 터득하는 일.

신해 교:난【辛亥敎難】명〖역〗신해 박해(辛亥迫害).

신해 박해【辛亥迫害】명〖역〗조선 정조(正祖) 15년(1791) 신해년에 천주교를 사학(邪學)으로 단정하여, 천주교 서적의 수입을 엄금하고, 교도인 윤지충(尹持忠)·권상연(權尙然) 등을 사형(死刑)에 처한 최초의 천주교 박해 사건. 신해 교난(辛亥敎難). 신해 사옥(辛亥邪獄).

신해 사옥【辛亥邪獄】명〖역〗신해 박해(辛亥迫害)를 박해자측에서 일컫는 말.

신해 통공【辛亥通共】명〖역〗조선 정조(正祖) 15년(1791) 채제공(蔡濟恭)에 의해 시행된 통공 발매 정책(通共發賣政策)의 하나. 육의전(六矣廛)을 제외한 일반 시전이 소유하고 있던 금난전권(禁亂廛權)을 폐지하여 비시전계(非市廛系) 상인들의 활동을 용인한 상업 정책임.

신해 혁명【辛亥革命】명〖역〗중국 청(淸)나라의 선통(宣統) 2년(1911) 우창(武昌)을 중심으로 하여 일어난 중국 최초의 민주 혁명. 이로써 청나라는 망하고 이듬해 2월에 중화 민국 임시 정부가 수립되어, 쑨 원이 임시 대총통에 취임하고 공화 정체를 선언하였으나 세력을 떨치지 못하고, 후에 위안 스카이(袁世凱)가 총통직을 이어받음.

신행[1]【新行】명 혼행(婚行). ──하다 자여불

신:행[2]【贐行】명 먼 길을 떠나는 사람에게 주는 시문(詩文)이나 물건.

신:행 결사【信行結社】[一싸]명〖불교〗불교도들이 해탈(解脫) 및 극락 왕생(極樂往生)을 목표로 오랜 동안 한 곳에 모여 수행하고 정진하는 모임.

신행-길【新行一】[一낄]명 신행을 가는 길.

신-행동주의【新行動主義】[一/一이]명〖심〗왓슨(Watson, J.B.)의 행동주의에 대하여, 1930년 이후 성(盛)해진 심리학의 한 조류. 미국의 톨먼(Tolman, E.C.; 1886-1959), 헐(Hull, C.L.; 1884-1952) 등이 이론화했음. 특징은 왓슨과 같이 기계론적 견해가 아니고, 엄밀한 과학적 방법론에 따라 인간을 단순한 유기체로서가 아닌 복잡한 구조를 가진 특수한 것으로 보고, 그 행동의 메커니즘을 명백히 하려고 하는 데 있음.

신:행 역관【信行譯官】명〖역〗통신사나 사신을 따라가는 역관.

신향[1]【新鄕】명 타향에서 새로 이사하여 온 향족(鄕族).

신향[2]【新鄕】명〖지〗'신샹'을 우리 음으로 읽은 이름.

신:허【腎虛】명〖한의〗하초(下焦)가 허약하여 정신이 노곤하고 식은땀이 나며, 정수(精水)가 흐르는 병.

신:허 요통【腎虛腰痛】명〖한의〗과도한 방사(房事)로 인하여 일어나는 허리 아픈 증세.

신:허 화:동【腎虛火動】명〖한의〗음허 화동.

신-헌【申櫶】명〖사람〗조선 고종 때의 정치가. 자는 국빈(國賓), 호는 위당(威堂). 평산(平山) 사람. 판중추 부사(判中樞府事)로서 일본과의 강화 조약(江華條約), 미국과의 한미 수호 조약(修好條約)을 체결하였음. [1810-88]

신험【神驗】명 신의 영험(靈驗). 신비한 영험.

신-헤:겔주의【新一主義】〔Hegel〕[一/一이]명〔Neo-Hegelianism〕〖철〗20세기에 들어와서 헤겔주의를 부활시킨 사상. 이성적과 비이성적(非理性的), 자연과 역사, 기계관과 목적관 등의 종합을 목적으로 종합성(綜合性) 내지 변증법의 재파악을 달성하려는 주의. 빈델반트·딜타이 등이 그 대표자임.

신 헤:겔 학파【新一學派】〔Hegel〕명〖철〗19세기 독일의 헤겔 학파 붕괴 이래, 특히 20세기 전세계에서 헤겔 철학의 부흥에 힘쓴 학자의 총칭. 이탈리아의 철학자 크로체(Croce, Benedetto) 등이 대표적임.

신-현[1]【新峴】명〖지〗평안 남도 성천군(成川郡) 삼흥면(三興面)에 있는 고개.

신현[2]【新縣】명〖지〗경상 남도 거제시(巨濟市)의 군청 소재지로 읍(邑). 거제도(島)의 중북부에 위치함. [41,670명(1996)]

신-현실주의【新現實主義】[一/一이]명〖문〗신즉물주의.

신혈【新穴】명〖광〗광물을 캐어 가다가 새로 발견하여 낸 광맥.

신혈 뜨다 구 신혈을 발견하다.

신혈 먹다 구 신혈을 발견하여 큰 이익을 얻다.

신협【新協】명 1950년 국립 극장의 창립과 함께 그 전속 극단으로 설립된 신극 협의회(新劇協議會)의 약칭. 광복 후 좌익 연극에 대항하여 민국 연극의 수립을 목표로 조직된 극협(劇協: 극예술 협의회)의 후신임.

신형¹【神兄】명〖대종교〗대종교 신도들이 대종사(大宗師)를 부르는 존칭.
신형²【新型】명 새로운 형(型). ¶ ~ 자동차. ↔구형.
신형 전:환로【新型轉換爐】[—노] 명〖물〗원자로(原子爐)의 하나. 우라늄과 플루토늄의 혼합 연료를 써서 우라늄 238을 플루토늄 239로 전환하는 비율을 높여, 새 핵연료를 만들면서 발전(發電)할 수 있도록 설계한 것.
신혜【神惠】명 신의 은혜.
신:호¹【信號】명 ①서로 떨어져 있는 두 지점 사이에 일정한 부호(符號)를 써서 의사를 통하는 방법. 또, 그 부호. 부호로는 색채(色彩)·음향(音響)·형상(形象)·광휘(光輝) 등이 쓰임. ②특정한 내용이나 정보를 전달하기 위한 전파·전류 따위의 파형(波形). ¶ 교통 ~. ——-하다 자타여불
신호²【新戶】명 새로 늘어서 생긴 집.
신:호-기¹【信號旗】명 신호로 쓰는 기.
신:호-기²【信號機】명 열차(列車) 운전에 있어서 위해(危害)의 유무(有無)를 알리는 기계의 총칭. 출발 신호기·구내(構內) 신호기·구외(構外) 신호기 등이 있음.
신:호 나팔【信號喇叭】명 신호로서 부는 나팔.
신:호-등【信號燈】명 ①신호로서 켜는 등. ②교통이 혼잡한 네거리에 설치되어, 적(赤)·청(靑)·황(黃) 등의 색등(色燈)을 점멸함으로써 통행 차량이나 사람에게 정지·우회·진행 등을 지시하는 장치. ③항공기의 위험 구역을 표시하거나 항공기의 교통을 관제(管制)하기 위하여 쓰이는 등화. ④선박 상호간에 또는 선박과 육지 사이에서 모스 신호를 발신하기 위하여 쓰이는 등구(燈具).
신:호-병【信號兵】명〖군〗신호의 송수신(送受信)을 맡아보는 병사.
신:호 부자【信號符字】명 선박의 국적과 그 동일성(同一性)을 나타내기 위하여 선박에 붙이거나 선박 원부에 등록하는 신호 문자.
신:호-소【信號所】명 ①어떤 대상에게 신호를 보내기 위하여 시설해 놓은 곳. ②〖교〗상치(常置) 신호기를 취급하는, 지방 철도청 소속의 현업(現業) 기관.
신:호-수【信號手】명 신호원.
신:호 연막【信號煙幕】명 항공기와 선박 또는 지상(地上) 사이에 황(黃)·적(赤)·청(靑) 등 착색(着色) 연기를 사용하여 행하는 신호. 또, 그 연기.
신:호-원【信號員】명 신호하는 일을 맡아보는 사람. 신호수.
신호-위【神虎衛】명〖역〗①고려 때 육위(六衛)의 하나. 상장군(上將軍)과 대장군(大將軍)의 통솔 밑에 있었는데, 그 안에 일곱 영(領)의 군대가 있음. ②조선 시대의 의흥 친군(義興親軍)의 십위(十衛)의 하나. 상장군과 대장군이 통솔하는데 다섯 영(領)의 군대를 거느렸음. 태조 4년에 용기 순위사(龍騎巡衛司)로 고침.
신:호-장【信號場】명 열차의 교차 운행과 대피(待避)에 관한 업무를 분장하는, 지방 철도청 소속의 현업(現業) 기관.
신:호 전:보【信號電報】명〖해〗선박 통보(船舶通報)의 한 가지. 지정된 등대(燈臺)를 매개(媒介)로 하여 선박 소유자가 그 등대 연해(沿海)를 통과하는 선박의 선장과의 사이에 요건을 교환하는 전보.
신:호 정보【信號情報】명 통신 정보와 전자(電子) 정보를 아울러 이르는 말.
신:호 조:명탄【信號照明彈】명 조명용의 빛이나 신호용의 연기·빛·음향 등을 내기 위하여 사용되는 탄약.
신:호-주【信號柱】명 철도에서, 신호기가 달리어 있는 기둥.
신호지-세【晨虎之勢】명 굶주린 새벽 호랑이와 같은 맹렬한 기세.
신:호-총【信號銃】명 신호할 때 쓰는 특수한 총의 하나. 신호용 권총 따위.
신:호-탄【信號彈】명 군대에서 신호를 위하여 쏘는 탄환. ¶ 오성(五星) ~. *예광탄(曳光彈).
신:호-탑【信號塔】명 신호를 올릴 때 쓰이도록 만들어진 탑 모양의 구조물.
신:호-표【信號標】명 신호로 쓰는 표.
신:호 해:독【信號解讀】명 [decoding] 통신 공학(通信工學) 용어로서, 발신자(發信者)가 보낸 신호를 수신자(受信者)가 미리 정하여진 신호 체계에 의하여 해독하는 일.
신:호-화¹【信號化】명 [encoding] 미리 정하여진 일정한 기호 체계에 의하여 전달 내용을 기호로 바꾸는 일. 전보의 모스(Morse) 부호나 암호 따위. ——-하다 자타여불
신:호-화²【信號火】명 신호를 위하여 올리는 불. 봉화(烽火) 따위. 신홋불.
신혼¹【神魂】명 정신과 혼백(魂魄). 심혼(心魂).
신혼²【晨昏】명 새벽과 황혼.
신혼³【新婚】명 새로 혼인함. 갓 결혼함. ¶ ~ 살림. ——-하다 자여불
신혼 골수【神魂骨髓】[—쑤] 명 정신과 육체.
신혼 부부【新婚夫婦】명 갓 결혼한 부부.
신혼 설화【神婚說話】명 인간과 신선(神仙) 사이의 결혼을 이야기하는 설화(說話).
신혼 여행【新婚旅行】[—녀—] 명 예식을 마치고 신혼 부부가 함께 가는 여행. 밀월(蜜月) 여행. 허니 문(honey moon). ——-하다 자여불
신:홋-불【信號—】명 신호화(信號火).
신-홍식【申洪植】명〖사람〗삼일 운동 때 민족 대표 33인 중의 한 사람. 충북 청원(淸原) 출생. 목사임. [1872-1937]
신-홍저【新紅菹】명 해깍두기.
신화¹【身火】명 몸을 태우는 불이라는 뜻으로, 사람의 끝없는 욕심의 비유.
신화²【神化】명 ①신의 조화(造化). ②신기한 변화. ③신으로 화(化)함. ——-하다 자타여불
신화³【神火】명 도깨비불❷.
신화⁴【神話】명 [myth] ①예로부터 사람들 사이에서 말로 전해져 오는, 신을 중심으로 한 이야기. ②고대인·미개인이 우주·인간·문화의 기원 등을 비롯한 자연·사회 현상을 초자연적 존재의 간여의 결과로서 기초를 세워 설명한 설화. 신성한 진실로 믿어지며 일상 생활의 규범으로서 기능함. ③인간의 사유(思惟)와 행동을 비합리적으로 구속하고 좌우하는 이념과 고정 관념. ¶ 단시일에 수출 100억불 ~를 이룩하다.
신:화⁵【愼火】명〖식〗명 평의 비름.
신:화⁶【愼花】명〖역〗조선 시대 장원서(掌苑署)의 종육품 잡직(雜職) 벼슬. *신과(愼果)·별제(別提).
신화-극【神話劇】명 신화에서 취재한 연극.
신화-사【新華社】명 ↗신화 통신사(新華通訊社).
신화-설【神話說】명 신화(神話)에 관한 학설.
신화 시대【神話時代】명 신화에만 남아 있는 유사 이전(有史以前)의 시대.
신화적 사고【神話的思考】명 [도 Mythisches Denken]〖철〗신화에 지배(支配)되는 사고 방식(方式). 논리적인 문화인의 사고와 다른, 전논리적(前論理的)인 사고를 말함.
신화 통신사【新華通訊社】명 중국 공산당의 기관 통신사. 1938년 산시성(陝西省) 북부에서 창설되어, 중국 국민당계의 중앙 통신사(中央通訊社)와 대립하여 있다가, 중공이 본토를 차지하자 그 공식 통신 기관이 되었음. 준신화사(新華社).
신화-학【神話學】명 [mythology] 신화의 기원(起源)·성립·발전·분포·기능 및 그 의의 등을 연구하는 학문. 한 민족의 신화를 대상으로 하는 민족 신화학과 여러 민족의 신화를 대상으로 비교 연구하는 비교 신화학이 있음.
신환【新患】명 ↗신환자.
신-환자【新患者】명 새 환자. 준신환.
신-활력설【新活力說】명〖생·철〗신생기론(新生氣論).
신-활자【新活字】[—짜] 명〖인쇄〗대한 제국(大韓帝國) 무렵부터 사용되었던 근대의 신식 납활자. 송조체(宋朝體)·명조체(明朝體)·청조체(淸朝體)·고딕체·행서체(行書體)·초서체(草書體)·예서체(隸書體)·둥근고딕체 등이 있으며, 그 중 주체(主體)가 되는 것은 명조체임. 신식 납활자. 신연활자(新鉛活字).
신:회【燼灰】명 회신(灰燼).
신효【神效】명 신기한 효험(效驗). ——-하다 형여불
신후¹【申後】명〖민〗신시(申時)가 지난 뒤, 곧 오후 다섯 시 후.
신후²【身後】명 사후(死後). ↔신전(身前).
신:후³【信厚】명 신의(信義)가 있고 덕이 두터움. ——-하다 형여불
신:후⁴【腎候】명 '귀'의 이칭(異稱).
신:후⁵【愼厚】명 신중(愼重). ——-하다 형여불. ——-히 부
신:후⁶【愼候】명 병 중에 있는 웃어른의 안부. ¶ ~를 여쭈어 보다.
신후-계【身後計】명 ↗신후지계(身後之計).
신:-후(:)담【愼後聃】명〖사람〗조선 영조 때의 학자. 자(字)는 이로(耳老), 호는 하빈(河濱). 거창(居昌) 사람. 성호(星湖) 이익(李瀷)의 제자. 문예에 능하고 도가(道家)·병가(兵家)·불가(佛家)에 정통하였으며, 《서학변(西學辨)》을 지어 서양 학문을 배척하였음. [1702-61]
신-후리 명 고등어잡이하는 '후릿그물'을 강원도 통천(通川) 지방에서 일컫는 말.
신후-명【身後名】명 죽은 뒤의 명예. 사후의 명예.
신후-사【身後事】명 죽고 난 뒷일.
신후지-계【身後之計】명 죽은 뒤의 계획. 준신후계(身後計).
신후지-지【身後之地】명 생전에 미리 잡아 두는 묏자리.
신:훈【信訓】명〖천주교〗스물다섯 집 이상 포덕(布德)을 한 사람.
신휘【晨暉】명 아침의 햇빛. 조휘(朝暉).
신-흠【申欽】명〖사람〗조선 시대 인조(仁祖) 때의 상신(相臣). 자는 경숙(敬叔), 호는 상촌(象村) 또는 현옹(玄翁). 평산 사람. 선조(宣祖)의 유교 칠신(遺敎七臣)의 한 사람. 인조 원년에 영의정이 되었으며 후에 인조 묘정(廟庭)에 배향되었음. 시호는 문정(文貞). 저서에 《상촌집(象村集)》 등이 있음. [1566-1628] *사대가(四大家).
신흥¹【晨興】명 신기(晨起). ——-하다 자여불
신흥²【新興】명 새로 일어남. ¶ ~ 국가. ——-하다 자여불
신흥³【新興】명〖지〗함경 남도 함흥(咸興) 북부에 있는 신흥군의 군청 소재지. 부전강(赴戰江)이 성천강(城川江)으로 떨어지는 유로 변경식(流路變更式) 수력 발전소의 소재지로 유명함.
신흥 계급【新興階級】명 ①사회 정세나 재계(財界)의 변동으로 갑자기 경제 상태가 넉넉하게 된 계급. ②노동 계급의 특칭(特稱).
신흥 공업 경제 지역【新興工業經濟地域】명 니스³(NIEs).
신흥 공업국【新興工業國】명 [newly industrializing countries] 급속한 공업화(工業化)를 바탕으로 두드러진 발전을 이룩하고 있는, 한국·싱가포르·멕시코·브라질·대만(臺灣) 등을 이르는 말. 1988년 선진국 수뇌 회의에서 니스(NIEs)로 부르기로 하였음. 닉스(NICs). *니스·선진 개발 도상국(先進開發途上國).
신흥 국가【新興國家】명 새로 일어난 국가.
신흥-군【新興郡】명〖지〗함경 남도의 한 군. 관내 7면. 북은 장진군(長津郡)과 풍산군(豐山郡), 동은 북청군(北靑郡)과 홍원군(洪源郡), 남은 함주군(咸州郡), 서는 장진군과 함주군에 인접함. 명승 고적으로는 부전 고원·부전령 등이 있음. 군청 소재지는 신흥(新興).
신흥 도시【新興都市】명 새로 일어난 도시. 갑자기 발달하게 된 도시.
신흥 무:관 학교【新興武官學校】명〖역〗1919년 만주, 지금의 랴오닝성(遼寧省) 류허 현 싼위안바오(柳河縣三源堡)에 세워진, 서로 군정서(西路軍政署) 부속의 독립군 양성 기관. 교장에 이시영(李始榮), 교성대장(敎成隊長)에 지청천(池靑天), 교관에 이범석(李範奭)·오광선(吳光鮮) 등이 선정되어, 졸업생 2천여 명을 배출함. 1920년 폐교됨.
신흥 문학【新興文學】명〖문〗제1차 세계 대전 후, 새로 일어난 문학의 여러 유파(流派). 곧, 프롤레타리아 문학이나 미래파·표현파·초(超)현실파·신즉물주의(新卽物主義) 등의 문학의 총칭임.
신흥-사¹【神興寺】명〖불교〗강원도 속초시(束草市) 설악동에 있는 절. 신라 28대 진덕 여왕 7년(653)에 자장(慈藏)이 설악산 동쪽에 짓고 향성사(香城寺)라 이름지었는데, 뒤에 불타 버려, 32대 효소왕 10년(701)에 의상(義湘)이 중건하고 선정사(禪定寺)라 개칭하였으나 또 불타 버렸고, 그 후 조선 시대 16대 인조 22년(1644)에 옛 터에서 10리 떨어진

곳에 중건하고 다시 신흥사라 하였음. 대한 불교 조계종 제 3 교구 본사(本寺)임.

신흥-사²【新興寺】명〖불교〗①강원도 삼척시 근덕면(近德面) 동막리에 있는 절. 신라 44대 민애왕 1년(838)에 범일 국사(梵日國師)가 창건함. 옛 이름은 관운사. ②경상 남도 울산(蔚山) 광역시 강동면(江東面) 대안리에 있는 절. 신라 27대 선덕 여왕 4년(635)에 명랑(明朗)이 창건. 옛 이름은 건흥사(建興寺). ③전라 북도 임실군(任實郡) 관촌면(館村面) 상월리에 있는 절. 신라 23대 법흥왕 16년(529)에 진감(眞鑑) 국사가 창건하였음. ④흥천사(興天寺).

신흥사 경판【神興寺經板】명〖불교〗설악산(雪嶽山) 신흥사에 있는 불경(佛經)을 비롯한 불교 관계 문헌을 새긴 19종의 목판(木板). 강원도 유형 문화재 제 15호.

신흥-선【新興線】명〖지〗함흥(咸興)에서 부전 고원(赴戰高原)에 이르는 철도 선로. 1933년 9월 10일에 개통함. [171 km]

신흥 종교【新興宗敎】명〖종〗기성(旣成) 종교에 대하여 새로 성립된 종교. 계통적으로 볼 때에는 기성의 종교 단체에서 분파(分派)되어 나온 것이 많은데, 현실적·실리적인 경향을 띠는 것이 많음.

신희【新禧】[—히] 명 새해의 복. 신지(新祉).

신-희문【申喜文】[—히—] 명〖사람〗생존 연대·신원 미상. 자는 명유(明裕). <청구 영언(靑丘永言)>에 시조 14수가 전함.

싣 명〈옛〉신나무. ¶ 싣爲楓<訓例>/히룰 젯는 블근 시든 萬木이 ㅎ도다(背日丹楓萬木稠)<重杜諺 Ⅸ:38>.

싣나모 명〈옛〉신나무. ¶ 싣나모 풍(楓)<字會 上 10>/玉ㄱ툰 이스레 싣나못 수프리 뜯드러 히야디니(玉露凋傷楓樹林)<杜諺 Ⅹ:33>

싣:다 타ㄷ불 ①물건을 운반할 목적으로 배·수레·짐승의 등 같은 데에 얹어 놓다. ¶ 짐을 ~/배로 실어 나르다. ②출판물에 글이나 그림 같은 것을 나게 하다. ¶ 논문을 잡지에 ~. ③보나 논바닥에 물이 괴게 하다.

-싣브다 조동〈옛〉-싶다. ¶ 힝뎍은 모나 프러디디 말오져싣븐 거시라(行欲方)<飜小 Ⅷ:1>.

실:¹ 명〈옛〉시루. ¶ 남진은 가마와 실을 지고(夫負釜甑)<內訓 Ⅲ:63>.

실:² 명 ①고치·털·솜·삼 등을 가늘고 길게 자아 내어서 꼰 것. 피륙을 짜고, 바느질을 하는 데 쓰임. ¶ ~로 꿰매다. ②〖미술〗건물의 단청에서, 가늘게 그려 넣는 색깔 띠.
[실 가는 데 바늘도 간다] 둘이 반드시 같이 다니고 떨어지지 않는다는 말. [실 도랑 모여 대동강이 된다] 작은 것이 많이 모여 큰 것이 된다는 말. [실 엉킨 것은 풀어도 노 엉킨 것은 못 푼다] 잔 일은 간단히 해결되어도 큰일은 좀처럼 해결되기 어렵다는 뜻. [실이 와야 바늘이 가지] 베풂이 있어야 보답이 있다는 뜻.

실³【失】명 ①노름판에서 잃은 돈. ②손실. 잃음. ¶ 득(得)보다 ~이 많다.

실⁴【室】명 ①〖천〗↗실성(室星). ②관청·회사의 사무를 분담하여 처리하는 부서의 하나. ¶ 기획 조정~.

실⁵【實】명 ①실상(實相). 진실(眞實). ②본체(本體). 내용. ¶ ~은 아무것도 아닌데 떠든다. ③실의(實意). ④〖수〗피승수(被乘數) 또는 피제수(被除數). ⑤〖수〗실수(實數)❸. ↔허(虛).

실⁶【實】명 성(姓)의 하나. 우리 나라에는 현존(現存)하지 아니함.

실:⁷〔seal〕명 ①〖동〗바다표범·물개·강치 등의 범칭. ②↗실스킨(seal skin). ③봉인(封印). 또, 봉인의 표적으로 붙이는 종이. ④뒷면에 점착성(粘着性)의 풀이 칠해져 있고, 표면에 그림 또는 마크가 인쇄돼 있는, 종이 또는 얇은 플라스틱 조각. ¶ 크리스마스 ~.

실:-¹ 두 명사 앞에 붙어 '가는' '작은' '엷은'의 뜻을 나타냄. ¶ ~바람/~연기/~뿌리/~개천.

실-²【實】두 명사 앞에 붙어 '실제의'·'착실한'·'옹근'의 뜻을 나타냄. ¶ ~수입/~머슴/~농군/~생활.

-실¹ 미 땅 이름의 어간에 붙어 '골짜기' '마을'의 뜻을 나타냄. 한자(漢字)로는 흔히 '곡(谷)'자를 대체함. ¶ 방아~/새~/사기~/다리~.

-실²【室】미 명사 아래에 붙어 방을 나타내는 말. ¶ 침~/숙직~.

실가¹【室家】명 ①집. 주거(住居). ②가정. 일가(一家).

실가²【實家】명〖법〗친가(親家)❶.

실가³【實價】[—까] 명 에누리없는 값. 실제의 값. *매매 가격.

실가리 명〈방〉시래기(전남).

실가지¹ 명〈방〉살쾡이(경남).

실:-가지² 명 실같이 매우 가느다란 나뭇가지.

실가지-락【室家之樂】명 부부 사이의 화락. 의가지락(宜家之樂).

실각【失脚】명 ①발을 헛디딤. 실족(失足). ②처지(處地)를 잃음. 요로(要路)의 지위를 잃어버림. ——하다 자여불

실각-성【失脚星】명〖천〗전에 있었다고 하던 것이 이제 와서는 찾아볼 수 없게 된 별.

실:-갈기 명〈방〉실감개.

실감【實感】명 ①실물에 접할 때에 일어나는 감정. ②실제의 느낌. 진실한 감정. ¶ ~이 나는 묘사. ③실제로 느낌. ——하다 타여불

실:-감개 명 실을 감아 두는 물건.

실감-적【實感的】명관 실감에 가까운 모양. 실제로 느껴지는 바의 것.

실강 명〈방〉살강(전남·경북).

실개¹ 명〈방〉쏠개(경상·제주).

실:-개²【悉皆】명 모두. 다.

실:-개울 명 실개천.

실:-개천 명 작은 개천. 폭이 썩 좁은 개천. 실개울. 소류(小流).

실:-갯지렁이 명〖동〗[*Tylorrhynchus heterochaetus*] 갯지렁잇과에 속하는 환형(環形) 동물. 몸은 가늘고 길며 환절수(環節數)는 300개, 길이 200–250 mm, 폭 3–4 mm 임. 배면(背面) 전단부(前端部)는 녹갈색이고 중부(中部) 이후는 홍색이며, 머리의 배면 뒤쪽에 있는 두 쌍의 눈은 렌즈(lens)가 없고 항환절(肛環節)에 두 개의 촉수(觸手)가 있음. 민물이 흘러 들어가는 해변의 모래 진흙 속에 서식함. 낚싯밥으로 쓰임.

실:-갱기 명〈방〉실감개(강원·함경).

실갱이 명〈방〉살쾡이(경상).

실거【失據】명 거점(據點)을 잃음. ——하다 자여불

실거리-나무 명〖식〗[*Caesalpinia japonica*] 차풀과에 속하는 낙엽 활엽 관목. 덩굴져서 벋으며 줄기에 가시가 남. 잎은 재우상 복생(再羽狀複生)하고 소엽(小葉)은 긴 타원형이며 톱니가 없음. 초여름에 황색 꽃이 총상(總狀) 화서로 정생(頂生)하여 피며, 과실은 긴 타원형이고 가을에 익음. 산록 양지에 나는데, 한국의 전남 및 일본·류큐·중국·인도·마다가스카르에 분포함. 종자는 염주(念珠)를 만듦.

〈실거리나무〉

실:-거위 명〖동〗요충(蟯蟲).

실건 명〈방〉시렁¹(경상).

실검【實檢】명 물건의 실(實)·불실(不實)을 검사함. ——하다 타여불

실겁다 형〈방〉슬겁다(충청·강원).

실겅¹ 명〈방〉시렁¹(경기 이외).

실겅² 명〈방〉살강(전남·경상·함남).

실겅-새 명〈방〉동박새.

실:-겨우살이풀 명〖식〗소엽맥문동(小葉麥門冬).

실격【失格】[—껵] 명 ①격식에 맞지 아니함. ②기준 미달이나 기준 초과·규칙 위반 따위로 자격을 상실함. ③〖법〗법령의 규정 또는 행정 처분(行政處分)에 의하여 자격을 잃음. ——하다 자여불

실격 반:칙【失格反則】[—껵—] 명 운동 경기 등에서, 지나치게 난폭하고 고의적이어서 경기에 참가할 자격을 잃을 만한 반칙.

실격-자【失格者】[—껵—] 명 실격된 사람.

실격-패【失格敗】[—껵—] 명 운동 경기 등에서, 규칙을 어기어 패하는 일. ——하다 자여불

실견【實見】명 실제로 그 사물을 봄. ——하다 타여불

실결【實結】명〖역〗실지로 구실을 거두어 들인 결수(結數).

실경¹【失敬】명 실례(失禮). ——하다 자여불

실경²【實景】명 실제의 경치 또는 광경(光景). 진경(眞景).

실경 산수화【實景山水畫】명 고려 시대와 조선 초기·중기에 우리 나라의 자연 경관과 지역을 소재로 그린 산수화. 실경화(實景畫).

실계【失計】명 실책(失策)❶.

실고【失苦】명〖천주교〗지옥 또는 연옥(煉獄)의 벌의 한 가지. 지복(至福)을 직관(直觀)하는 능력을 상실함. ——하다 자여불

실:-고기 명〖어〗[*Syngnathus schlegeli*] 실고깃과에 속하는 바닷물고기. 몸은 길이 20 cm 내외로 몹시 가늘고 길며, 온 몸이 골판(骨板)으로 덮임. 몸빛은 담갈색 또는 암갈색인데 때로 작고 흰 점이 있음. 주둥이는 관상(管狀)으로 가늘고 길며 수컷에는 육아낭(育兒囊)이 항문 뒤에 있어 암컷이 그 속에다 낳은 알을 보호함. 산란은 여름철에 하며 한국·일본 전 연해의 해조(海藻) 사이에 서식함. 먹지 못함.

〈실고기〉

실:고기-목【—目】명〖어〗[Syngnathida] 어류에 속하는 한 목(目). 대칫과(科)·실고깃과 등이 있음.

실:고깃-과【—科】명〖어〗[Syngnathidae] 실고기목(目)에 속하는 어류의 한 과. 콧구멍이 양쪽에 두 개씩 있고, 등지느러미가 있을 때는 한 개인데 가시살과 배지느러미가 없으며 꼬리지느러미는 작거나 없고, 뒷지느러미가 있을 때는 흔적 정도임. 몸은 완전히 진피성 골판으로 싸임. 실고기·가시해마·해마 등이 이에 속함.

실:-고리 명 실로 만든 고리.

실:-고사리 명〖식〗[*Lygodium japonicum*] 실고사릿과에 속하는 양치류(羊齒類). 근경(根莖)은 가로 벋으며 흑색에 광택이 나고, 줄기는 만성(蔓性)임. 잎은 얇고 재삼 우상 복엽(再三羽狀複葉)이며 소엽(小葉)은 톱니가 있고, 하면 가장자리에 자낭군(子囊群)이 배열함. 난지(暖地)의 산야에 나는데, 제주·전남북·경남에 분포함. 한방(韓方)에서 황색 포자(胞子)를 '해금사(海金砂)'라고 하여, 임질(淋疾)의 약재로 씀. 해금사(海金砂).

〈실고사리〉

실:고사릿-과【—科】명〖식〗[Lygodiaceae] 진정 양치류(眞正羊齒類)에 속하는 한 과. 열대·온대에 90여 종, 한국에는 실고사리 1종이 분포함.

실:-고추 명 실과 같이 가늘게 썬 고추.

실:-골목 명 폭이 썩 좁은 골목.

실공¹ 명〈방〉시렁¹(함경).

실공²【實工】명 착실한 공부.

실공³【實功】명 실제의 공력(功力). 실효(實效).

실과¹【實果】명 ①먹을 수 있는 초목(草木)의 열매의 총칭. *과실(果實). ②열매로 된 과자. ↔조과(造果).

실과²【實科】[—꽈] 명 ①실질적 과목. 실제로 소용되는 것을 주안(主眼)으로 한 교과(敎科). ②국민 학교에 두는 학과. 학교·가정에서 실제로 다루어 이용·제작할 수 있는 교재를 내용으로 함. 누에치기·연모만들기·음식 만들기·채소 가꾸기 등. *직업 과정.

실과 나무【實果—】명 실과를 맺는 나무. 과수(果樹).

실과-즙【實果汁】명 과실즙.

실광 명〈방〉①시렁¹(경상·충청·강원). ②살강(경북).

실굉이 명〈방〉〖동〗살쾡이(경남).

실교【實敎】명〖불교〗대승(大乘)의 교법(敎法). 일승 소설(一乘所說)의

십원 진실(深遠眞實)한 교. ↔권교(權敎).

실-교우【實敎友】명〖천주교〗성실한 신자(信者).

실구【失口】명 실언(失言). ——하다 자여불

실:-구름 명 실과 같이 가늘고 긴 구름.

실국【失國】명 나라를 잃음. 나라를 빼앗김. ¶ ~한 백성. ——하다 자여불

실:-국수 명 ①발이 가는 국수. 가늘게 뽑아 낸 국수. 사면(絲麵). 세면(細麵). ②녹말을 냉수에 반죽하되 세 가지 빛깔로 하여 각기 묽은 풀과 같이 만든 다음에 여러 개의 구멍이 뚫린 열바가지에 부어서 만듦. 오미잣국을 탄 꿀물에 넣어 먹음. 서울의 명물임.

실:-굽 [—꿉] 명 그릇의 밑바닥에 가늘게 둘려 있는 받침.

실:굽-달이 [—꿉—] 명 실굽이 달려 있는 그릇.

실권[1]【失權】[—꿘] 명 ①권리를 잃음. ②권세를 잃음. ——하다 자여불

실권[2]【實權】[—꿘] 명 실제로 행사할 수 있는 권리 또는 권세. ¶ ~을 쥐다.

실권 약관【失權約款】[—꿘냐—] 명〖법〗채무자가 채무를 이행하지 않는 경우에, 채권자의 특별한 의사 표시가 없어도, 당연히 채무자가 계약상의 모든 권리나 또는 특정(特定)한 사물에 대한 권리를 잃는다는 취지를 계약에 덧붙여 정하는 약관(約款).

실권-자【實權者】[—꿘—] 명 실권을 쥐고 있는 사람.

실권 절차【失權節次】[—꿘—] 명 주식 회사의 설립에 즈음하여, 주식 인수인이 납입 기일까지 주금의 납입을 하지 않을 때, 발기인이 일정 기일을 정하여 실권 예고부(豫告付) 독촉을 하고, 그래도 납입하지 않을 경우에는 주식 인수인으로서의 지위를 상실하게 하는 절차.

실권-주【失權株】[—꿘—] 명〖경〗신주(新株) 인수권자(引受權者)가 청약 기일까지 청약하지 않아서 미인수(未引受)가 된 신주(新株).

실권-파【實權派】[—꿘—] 명〖정〗1966년의 문화 혁명을 전후하여 문혁파(文革派)와 대립한 중공의 한 파벌. 공산당의 당 기관 및 중앙·지방의 정부 기관과 기업·단체 등에서 정치 제도상·행정상의 권한을 장악하여 자본주의 방향을 지도하고 사회주의의 길에 반대하는 것으로 지목된 류 사오치(劉少奇) 일파(一派)의 일컬음. *주자파(走資派).

실궝 명〈방〉①시렁[1](강원·경상·충청·함경). ②살강(경북).

실:-궤【—櫃】[—꿰] 명 실을 넣어 두는 궤. *낭자궤.

실:-귀 명〖건〗귀를 가늘게 귀접이한 재목(材木). 사각(絲角).

실그 명〈방〉시루(함경).

실그러-뜨리다 타 한쪽으로 비뚤어지게 하거나 기울어지게 하다. ㅆ씰그러뜨리다. >샐그러뜨리다.

실그러-지다 자 한쪽으로 비뚤어지거나 기울어지다. ㅆ씰그러지다. >샐그러지다.

실그러-트리다 타 실그러뜨리다.

실그머니 부〈방〉슬그머니(경상).

실근[1] 명〈방〉시렁[1](경상).

실근[2]【實根】명〖수〗대수 방정식(代數方程式)의 근(根) 중에서 실수(實數)인 것. ↔허근(虛根).

실근-실근 부〈방〉슬근슬근.

실:-금[1] 명 ①그릇 따위에 가늘게 터진 금. ②실같이 가늘게 그은 금.

실:금(이) 가다 구 그릇 등이 깨어져서 가는 금이 생기다.

실:금(이) 나다 구 실금(이) 가다.

실금[2]【失禁】명 대소변을 참지 못하고 쌈. ¶ 요(尿)~. ——하다 자여불

실금-실금 부〈방〉①슬금슬금. ②힐끔힐끔(경상).

실긋-거리다 자타 한쪽으로 비뚤어지거나 기울어지게 자꾸 움직이다. ㅆ씰긋거리다. >살긋거리다·샐긋거리다. **실긋-실긋** 부. ——하다 자타여불

실긋-대다 자타 실긋거리다.

실긋-샐긋 부 실긋거리고 샐긋거리는 모양. ㅆ씰긋쌜긋. ——하다 자타여불

실긋-하다 형여불 물건이 한쪽으로 조금 비뚤어져 있다. ㅆ씰긋하다[2]. 「살긋하다·>샐긋하다.

실긍 명〈방〉시렁[1](경남).

실긔다 자〈옛〉실그러지다. ¶ 실긔다(歪着)/실긔여 기우다(歪斜)《漢淸 Ⅸ:78》.

실기[1] 명〈방〉시루(경북).

실기[2]【失氣】명 ①용기를 잃음. 의기 소침함. ②정신을 잃음. 기절함. ——하다 자여불

실기[3]【失期】명 일정한 시기를 어김. ——하다 자여불

실기[4]【失機】명 좋은 기회를 놓침. 기회를 잃음. ——하다 자여불

실기[5]【實技】명 실지로 행하는 기술·연기(演技). ¶ ~ 시험.

실기[6]【實記】명 실제에 있는 일을 적은 기록. ¶ 도왜(屠倭) ~.

실:-기둥 명 단추를 달 때, 앞단 두께만큼 세운 실. 이것을 실로 감으면 서 닮.

실기-떡 명〈방〉시루떡(함경).

실-기본【失其本】명 그 근본을 잃음. ——하다 자여불

실기죽-거리다 자타 한쪽으로 비뚤어지거나 기울어지게 잇따라 천천히 움직이다. ㅆ씰기죽거리다. >샐기죽거리다. **실기죽-실기죽** 부. ——하다 자타여불

실기죽-대다 자타 실기죽거리다.

실기죽-샐기죽 부 실기죽거리고 샐기죽거리는 모양. ㅆ씰기죽쌜기죽. ——하다 자타여불

실기죽-이 부 실기죽하게. ㅆ씰기죽이. >샐기죽이.

실기죽-하다 형여불 물건이 약간 실그러져 있다. ㅆ씰기죽하다. >샐기죽하다.

실:-깡기 명〈방〉실감개.

실-깨【實—】명 껍질을 벗긴 깨.

실:꼬리-돔 명〖어〗[*Nemipterus virgatus*] 실꼬리돔과(科)에 속하는 바닷물고기. 몸길이 40cm쯤, 몸빛은 황적색임. 몸의 측면에 여러 줄의 황색 무늬가 있어 아름다움. 꼬리지느러미는 두 갈래로 찢어지고 위끝은 실 모양으로 길며, 지느러미 가시도 깊. 40-100m 되는 진흙질의 해저에 살며, 5-6월에 산란함. 겨울에 맛이 좋고 담박하여 고급 요리로 쓰임. 한국·중국 남부·대만·일본 등지의 근해에 분포함.

실:꼬리돔-과【—科】[—꽈] 명〖어〗[Nemipteridae] 농어목에 속하는 어류의 한 과. 까치돔·실꼬리돔 등이 이 과에 속함.

실:-꾸리 명 둥글게 감아 놓은 실.

실:꾸리-고둥 명〖조개〗실패고둥.

실-꾼【實—】명 그 일을 능히 감당할 일꾼.

실:끝-매기 명 쉽게 실마리를 찾아서 실을 풀 수 있도록 속실과 겉실의 끝을 매어 놓는 일.

실-낙원【失樂園】[—락—] 명 [Paradise Lost]〖책〗영국의 밀턴(Milton, J.)의 서사시(敍事詩). 1667년 간행, 모두 12권. 아담과 이브의 낙원 추방의 설화(說話)를 성서에서 인용하여 청교도적(淸敎徒的) 세계관을 전개하면서, 천제(天帝)와 마왕(魔王)과의 싸움을 묘사하였음. 1671년에 간행된 《복낙원(復樂園)》은 이것의 속편(續篇)임.

실:-낚시 [—락—] 명 낚싯대나 찌가 없이 낚싯줄에 낚싯바늘을 단 낚시.

실:-낱 [—랃] 명 실의 올.

실:낱 같다 구 ㉠아주 가늘고 작다. ㉡목숨이 곧 끊어질 것 같다. ¶ 가련한 남정린의 실낱 같은 생명은 십 분을 못 지나서 세상을 하직할 모양이다《崔瓚植 : 능라도》.

[실낱 같은 목숨] 실낱 같이 가냘픈 목숨이란 뜻.

실내【室內】[—래] 명 ①방안. 옥내(屋內). ¶ ~ 체조. ↔실외(室外). ②남의 아내의 일컬음.

실내 경:기【室內競技】[—래—] 명 탁구·농구 등과 같이 실내의 경기장에서 행하여지는 운동 경기의 총칭. 옥내 경기. 인도어 스포츠(indoor sports).

실내 교향곡【室內交響曲】[—래—] 명 [도 Kammersinfonie]〖악〗실내악적(室內樂的) 소편성(小編成)에 의해서 연주되는 교향곡.

실내-극【室內劇】[—래—] 명〖연〗객석(客席)과 무대와의 사이에 친밀한 분위기를 이루기 위한 의도(意圖)를 가지는 소규모의 연극 및 희곡(戱曲).

실내 기후【室內氣候】[—래—] 명〖건〗건축물(建築物) 내의 기후 요소의 상태. 옥내(屋內) 기후. 환경 기후.

실내-등【室內燈】[—래—] 명 방안에 켜는 등불. ↔외등(外燈).

실내 디자인【室內—】[design] [—래—] 명 실내 장식.

실내-복【室內服】[—래—] 명 실내에서만 입는 옷. 방안 옷.

실내 빈혈【室內貧血】[—래—] 명〖의〗가성 빈혈(假性貧血).

실내-선【室內線】[—래—] 명 실내에 끌어 들인 정등선.

실내-악【室內樂】[—래—] 명〖악〗↗실내 음악(室內音樂).

실내악-단【室內樂團】[—래—] 명〖악〗실내악을 연주하기 위한 2-10명 정도로 조직되는 소악단. *실내악.

실내 오:락【室內娛樂】[—래—] 명 실내에서 할 수 있는 오락. *실내 유희.

실내 운:동【室內運動】[—래—] 명 실내에서 하는 운동. 농구·탁구 같은 것. 옥내 운동(屋內運動). ↔옥외 운동·호외 운동.

실내 유희【室內遊戱】[—래—히] 명 실내에서 하는 유희. 장기(將棋)·트럼프·당구(撞球) 같은 것. 옥내 유희. ↔호외 유희(戶外遊戱). *실내 오락.

실내 음악【室內音樂】[—래—] 명 [chamber music]〖악〗사실(私室)이나 작은 집회실에서 연주하기에 알맞은 음악. 지금은 한 악기로써 한 성부(聲部)씩 맡아서 합주하는 이중주곡(二重奏曲)·삼중주곡·사중주곡 내지 팔중주곡 등의 기악곡(器樂曲)을 말함. 체임버 뮤직. ㊣실내악(室內樂).

실내 잡음【室內雜音】[—래—] 명 [room noise]〖통신〗전화기의 주변에 존재하는 잡음.

실내 장식【室內裝飾】[—래—] 명〖건〗건축물의 내부에 대한 최종적 마무리로, 벽·바닥·천장 등의 재질(材質) 결정 등이 포함되는데, 주로 실내의 가구 배치나 물건의 레이아웃(layout) 등을 일컬음. 실내 디자인. 인테리어 디자인. ¶ ~가.

실내 조:명【室內照明】[—래—] 명 방 등의 내부를 밝게 비추는 일. 또, 그 설비. 태양 광선에 의한 자연 조명과 전등 따위에 의한 인공 조명이 있음.

실내 촬영장【室內撮影場】[—래—] 명 사진이나 영화를 방안에서 촬영할 수 있도록 장치해 놓은 방이나 건물.

실내-화[1]【室內畵】[—래—] 명〖미술〗실내의 장식품·인물(人物)·탁상 정물(卓上靜物) 등의 정경(情景)을 그린 회화. 17세기 네덜란드 회화에서 비롯된 주제임.

실내-화[2]【室內靴】[—래—] 명 실내에서만 신는 신.

실녀-궁【室女宮】[—려—] 명 처녀궁(處女宮).

실념[1]【失念】[—렴] 명 ①생각에서 사라짐. 잊음. 망각(忘却). ②〖불교〗정념(正念)을 잃음. ——하다 타여불

실념[2]【實稔】[—렴] 명 곡식이 익음. ——하다 자여불

실념-론【實念論】[—렴논] 명 [realism]〖철〗실재론(實在論)의 한 가지로서, 특히 중세의 스콜라 철학에 있어서의 개념 실재론. 유개념(類槪念)은 개물(個物)의 뒤에 있어서 명목만이 존재한 것이 아니라 개물보다 먼저 존재한 객관적 존재(客觀的存在)라고 주장하는 학설. ↔유명론(唯名論). *개념 실재론(槪念實在論). 실재론(實在論).

실:-노린재 [—로—] 명〖충〗[*Yemma exilis*] 실노린잿과의 곤충. 몸길이 6mm 가량. 몸빛은 담황록색. 촉각 길이 9.5mm 내외임. 산지의 낙엽 및 음지에 군서(群棲)하는데, 한국·일본에 분포함.

실:노린잿-과【—科】[—로—] 명〖충〗[Berytidae] 매미목(目)의 한 과. 몸이 가늘고 길며 다리와 퇴절(腿節)의 말단이 곤봉상(棍棒狀)인 것과 촉각의 말단이 방추상(紡錘狀)인 점에서 허리노린잿과와 구별됨. 작물(作物) 또는 수목의 해충임.

실농【失農】[—롱] 명 농사의 시기를 잃음. ——하다 자여불

실-농군【實農軍】[—롱—] 명 ①착실한 농군. ②실지로 농사를 지을 힘

이 있는 사람.
실:-눈 [—룬] 명 ①가늘고 작은 눈. ¶ ~을 가진 사람. ②가늘게 조금만 뜬 눈. ¶ ~을 뜨고 보다.
실:-눈썹 [—룬—] 명 썩 가는 눈썹.
실다¹【悉多】명〖불교〗실달다(悉達多).
실:다² [—따] 타 〈방〉 싣다.
실다³ 타 〈옛〉 얻다. ¶ 得은 시를 씨라《訓諺 35》/거즛 모딘 득명을 시러《呂約 35》.
실다ᄫᅵ 부 〈옛〉 실답게. 사실대로. 진실되게. ¶ 行이며 相이며 實다ᄫᅵ 알씨라《月釋 Ⅸ:20》. *-다ᄫᅵ.
실다 시의 사람들【—市—】〔도 Schilda〕[—/—에—] 명〖책〗독일 중세 말엽의 통속본(通俗本). 실다라는 가공(架空)의 도시 소시민(小市民)에 대한 우스갯이야기를 모은 책으로 1598년 간행. 시야가 좁은 시민의 우행(愚行)을 유머러스하게 과장해서 그림.
실다이 부 〈옛〉 실답게. 사실대로. 진실되게. ¶ 實다이 니르쇼셔(如實說)《妙蓮 Ⅰ:165》. *-다이.
실달【悉達】[—딸] 명〖불교〗실달다(悉達多).
실달다【悉達多】[—딸—]〔범 Siddhārtha〕명〖불교〗〔목적을 완성한 사람, 일체 사성(一切事成)의 뜻〕석가 여래가 정반왕(淨飯王)의 태자였을 때의 이름. 실다(悉多). 실달(悉達).
실달 태자【悉達太子】[—딸—] 명〖불교〗'실달다(悉達多)'의 높임말.
실담¹【失談】[—땀] 명 실수로 잘못한 말.
실담²【悉曇】〔범 siddam〕명〖언〗〔성취(成就)·길상(吉祥)의 뜻〕범자(梵字)의 자모(字母). 뜻이 바뀌어, 인도의 음성(音聲)에 관한 사항의 총칭. 넓은 뜻으로는 마다(摩多), 곧 모음 16자와 체문(體文), 곧 자음 35자를 통틀어 일컬으며, 음절(音節)과 같은 뜻으로 쓰이고, 좁은 뜻으로는 마다(摩多)의 12운(韻)만을 가리킴. 일찍이 불교의 전래와 더불어 중국·우리 나라·일본에 전하여졌음. 실담 자모. 브라흐미 문자.

〈실담²〉

실담³【實談】[—땀] 명 ①진실한 말. 거짓이 없는 말. ②실제로 있었던 이야기.
실담 문자【悉曇文字】[—짜] 명 실담(悉曇)을 문자로서 똑똑히 일컫는 말.
실담 자모【悉曇字母】명 실담(悉曇).
실담-장【悉曇章】명 실담(悉曇)의 자모표(字母表).
실-답다【實—】형여불 진실하고 미덥다.
실답지 않다【實—】[—안타] 형 착실하거나 미덥지 아니하다. 꾸밈이나 거짓이 있다. ¶ 실답지 않게 철없는 소린 그만두고 우리 다른 얘기나 하세《朴花城 : 고개를 넘으면》.
실당【失當】[—땅] 명 도리(道理)에 어그러짐. 이치에 맞지 아니함. 부당(不當). ——-하다 자여불
실-대승【實大乘】명〖불교〗↗실대승교.
실-대승교【實大乘敎】명〖불교〗대승교 가운데에 특별히 진실하여 도무지 방편(方便)을 떠지 아니한 교법(敎法). 천태(天台)·진언(眞言)·화엄(華嚴)·선(禪) 등. ㊇실대승(實大乘). ↔권대승교(權大乘敎).
실:-대패 명〖건〗가늘게 깎는 작은 대패.
실덕¹【失德】[—떡] 명 ①덕망을 잃음. 일덕(逸德). ②덕의(德義)에 어긋나는 행위를 함. 또, 그 행위. ③점잖은 사람의 허물. ——-하다 자여불
실덕²【實德】[—떡] 명 실제적으로 효과가 있는 은덕(恩德).
실:-도랑 명 작은 도랑. 폭이 아주 좁은 도랑.
실독-증【失讀症】[—똑—] 명〔Alexia〕〖의〗실어증(失語症)의 한 가지. 발성 기관에 이상은 없는데, 읽는 능력이 상실되는 병적 상태.
실-동력【實動力】[—녁] 명〔actual power〕〖기〗원동기의 출력축(出力軸)에서의 전달 마력(傳達馬力).
실동-률【實動率】[—똥뉼] 명 연간 일수에 대한 기계나 설비를 사용한 일수의 비율.
실동 시간【實動時間】[—똥—] 명 근무 시간 가운데 식사·휴식 시간 등을 빼고 실제로 근무하는 시간. ↔구속 시간(拘束時間).
실두 [—뚜] 명 〈방〉 슬두(膝頭).
실:-뒤 명〖건〗집 짓고 남은 뒷마당.
실:드〔shield〕명〔차폐(遮蔽)의 뜻〕①〖물〗어떤 공간 부분을 외부의 힘의 장(場)으로부터 차단하거나, 내부의 힘의 장(場)을 외부와 차단하는 일. 특히 정전기장의 도체(導體)로 둘러싸인 공간 및 자기장(磁氣場) 안의 강자성체로 둘러싸인 공간 등이 외부 전기장·외부 자기장으로부터 차단되는 경우에 일컬음. 자기(磁氣) 차폐. 정전기 차폐. ②실드 공법에서 쓰는 강철제(製) 원통.
실:드 공법【—工法】〔shield〕[—뻡] 명〖공〗터널 공법(tunnel 工法)의 한 가지. 지반(地盤)이 약한 곳에서 쓰임. 원통(圓筒)으로 된 실드를 잭(jack)으로 밀어 가며 굴진(掘進)함. 지하철 공사나 하수도 굴착에 흔히 쓰임.
실득【失得】[—뜩] 명 득실(得失).
실떡-거리다 자 실없이 웃고 쓸데없는 말을 자꾸 하다. 실떡-실떡 부. ——-하다 자여불
실떡-대다 자 실떡거리다.
실:-뚜기 명 〈방〉 실뜨기.
실뚱머룩-하다 형여불 마음에 내키지 아니하다. ¶ 관청에서 보내는 건 대개 세금 종이 아니면 호출장이게 마련이라 실뚱머룩하게 받아 보았더니…《金廷漢 : 山居族》.
실:-뜨기 명 실의 두 끝을 마주 매어 두 손에 건 다음에 두 쪽 손가락에 얼기설기 얽어 가지고 두 사람이 주고받고 하면서 여러 가지 모양을 만드는 장난. ——-하다 자여불

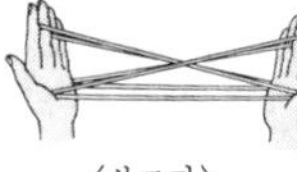
〈실뜨기〉

실:-뜯개 명 실을 뜯어 내는 갈고리 모양으로 생긴 기구.
실:-띠 명 실을 꼬거나 떠서 만든 띠.
실:-띠기 명 〈방〉 실뜨기(함경).
실란〔silane〕명〖화〗Si_nH_{2n+2} 조성(組成)을 가진 규소(珪素)의 수소화물(水素化物)의 총칭. 규소화 마그네슘(Mg_2Si) 등의 규소화물에 산(酸)을 작용시켜 얻음. 모노실란(SiH_4)·디실란(Si_2H_6)·트리실란(Si_3H_8)·테트라실란(Si_4H_{10}) 등이 있는데, 모두 공기 중에서 산화되고 분해하여 산화(酸化) 규소가 됨. 모노실란은 고순도(高純度) 실리콘의 제조 원료로 사용됨. 모노실란은 그저 실란이라고 할 때가 많음. 수소화 규소.
실란패〔Sillanpää, Frans Eemil〕명〖사람〗핀란드의 소설가. 향토의 농민 생활을 그린 작품 《인생과 태양》·《흐름의 저류에서》 등이 있으며 1939년 노벨 문학상을 받은 후, 장편 《인간의 미(美)와 비참》으로 뛰어난 재능을 보였음. [1888-1964]
실랑이 명 ↗실랑이질. ——-하다 자여불
실랑이-질 명 남을 못 견디게 굴어 시달리게 하는 짓. ㊇실랑이. ——-하다 자여불
실량【失亮】명〖공〗도자기가 땅 속에 오래 파묻혀 있는 탓으로 썩어서 그 광택을 잃는 현상.
실러¹〔Schiller, Ferdinand Canning Scott〕명〖사람〗독일 태생의 영국 철학자. 제임스(James, W.)의 영향을 받아 당시 융성(隆盛)한 헤겔 철학에 반대하여 프래그머티즘(Pragmatism)을 주장하고, 그것을 스스로 '휴머니즘'이라고 불렀음. 만년에는 미국에서 살았음. 저서는 《휴머니즘》·《형식 논리학》 등. [1864-1937]
실러²〔Schiller, Johann Christoph Friedrich von〕명〖사람〗독일의 시인·극작가·역사가. 슈투름 운트 드랑(Sturm und Drang) 운동의 혁명적 극작가로서 등장, 《군도(群盜)》·《음모(陰謀)와 사랑》 등을 내어 유명해졌고, 칸트 철학을 연구하여 그의 미학·윤리학을 발전, 괴테(Goethe)와 함께 고전주의 예술 이론을 확립함. 이 외에도 작품 《발렌슈타인(Wallenstein)》·《빌헬름 텔(Wilhelm Tell)》 등이 있음. [1759-1805]
실러블〔syllable〕명〖언〗음절(音節)❶.
실러캔스〔coelacanth〕명〖어〗경골 어류(硬骨魚類) 총기 아강(總鰭亞綱) 관추목(管椎目)에 속하는 어류의 한 계통의 총칭. 고생대 데본기(Devon紀)에서 중생대 백악기(白堊紀)까지의 바다에 번성했던 물고기로, 이전에는 화석(化石)으로서만 알려져 있었으나, 1938년에 마다가스카르 섬 근해에서 살아 있는 것이 한 마리 잡힌 이래, 오늘날까지 수십 마리가 포획되었음. 몸길이 1.6 m, 체중 80 kg에 달하고 몸빛은 암청색으로 흰 반점이 있음. 가슴지느러미와 배지느러미가 크고 몸은 약간 측편하며 김. 몸의 각부(各部)에 원시적인 구조가 나타나 있어, 동물학상 귀중한 물고기로 여겨짐. 척추골은 관상(管狀)으로, '실러캔스'라는 명칭도 이 특징에 기인함.
실렁 명 〈방〉 시렁¹(경기).
실렁-까리 명 〈방〉 시렁¹(경기).
실레노스〔그 Silēnos〕명 그리스 신화에서, 반인 반수(半人半獸)의 산야(山野)의 정(精). 술과 음악을 즐김.
실레지아〔Silesia〕명〖지〗'슐레지엔'의 영어명.
실레지아 전:쟁【—戰爭】〔Silesia〕명 슐레지엔(Schlesien) 전쟁.
실렉션〔selection〕명 ①선택❶. ②선발. ③〖생〗선택❷.
실렉터〔selector〕명〖전〗자동 교환기에 사용되고 있는 회전형 전자 스위치. 다이얼에 의해 발생한 펄스(pulse)를 받아 다이얼의 숫자에 상당하는 숫자를 선택함.
실려【失儷】명 배필(配匹)을 잃음. 실합(失合). 실우(失偶). ——-하다 자여불
실려-장【失驪章】[—짱] 명 용비 어천가 제18장의 이름.
실력¹【實力】명 ①실제의 역량(力量). 실제의 기능. 속힘. ¶ ~자(者). ②무력(武力)이나 완력(腕力) 등의 실지 행위로 나타내는 힘. ¶ ~을 행사하다.
실력²【實歷】명 실지로 겪어 온 일. 실제의 이력(履歷).
실력-가【實力家】명 실제로 역량이 있는 사람. 실력파.
실력 경:기【實力競技】명 실력을 시험하기 위하여 하는 운동 경기.
실력-굿 명〖민〗집안이 편안토록 하여 달라고 3년에 한 번씩 하는 굿.
실력-담【實歷譚】명 실제로 경험하여 온 이야기.
실력 대:결【實力對決】명 대화나 타협·설득 등 평화적 수단에 의하지 않고 힘으로 맞섬.
실력-범【實力犯】명 강력범(强力犯).
실력-설【實力說】명 국가의 기원은 약자(弱者)에 대한 강자(强者)의 정복·지배에서 비롯되었다고 하는 설.
실력-자【實力者】명 실제상의 권력이나 역량을 갖고 있는 사람. ¶ 정계의 ~.
실력-주의【實力主義】[—/—이] 명 능력주의.
실력-파【實力派】명 ①실력이 있는 파. 실력을 본위로 삼는 파. ②실력가.
실력 행사【實力行使】명 ①어떤 일을 성취하기 위해서, 설득(說得) 같은 평화적 수단에 의하지 아니하고, 무력(武力) 등을 쓰는 일. ②노동 쟁의(勞動爭議)에서 파업(罷業) 등을 하는 일. ——-하다 자여불
실련【失戀】명 →실연(失戀). ——-하다 자여불
실령 명 〈방〉 시렁¹(경기).
실례¹【失禮】명 ①언행이 예의에 벗어남. 예절에 맞지 아니함. 결례(缺禮). 무례(無禮). 실수(失手). 실경(失敬). ②감탄사적으로, 가벼운 기분으로 사과할 때 또는 헤어질 때의 인사 등에 쓰는 말. ¶ 잠깐 ~/이만 ~. ——-하다 자여불
실례²【實例】명 실제의 예. 사실의 예증(例證). ¶ ~를 들다.
실로¹【失路】명 ①길을 잃음. ②실의(失意)의 지위에 서는 일. ——-하다 자여불
실-로²【實—】부 참으로. ¶ ~ 위대한 인물이다.
실로³【實亦】부 〈이두〉 실로. 참으로.
실로네〔Silone, Ignazio〕명〖사람〗이탈리아의 작가·정치가. 본명 Secondo Tranquilli. 반(反) 파시스트 운동에 참여함. 처음에는 농민 운동에 참가한 후 공산당 창설에 참가했다가 망명 중에 탈당함. 지하 운

동의 경험을 쓴 ≪빵과 포도주≫는 그의 대표작임. 전향하여 반공 작가가 됨. [1900-78]

실:로미터 〔ceilometer〕 [명] 〖기상〗 지상에서 빛을 발하여, 구름에서 반사하는 빛을 포착, 그 구름까지의 거리·고도각을 측정하는 전자 장치. 운조등(雲照燈)을 개량한 것으로, 낮에도 측정할 수 있음. 이 거리나 각도로 운고(雲高)를 환산함.

실로스탯 〔coelostat〕 [명] 〖천〗 일주 운동(日周運動)하는 천체(天體)로부터의 빛을 거울에 받아, 그 반사하는 빛을 어떤 일정한 방향으로 보내기 위한 장치. 반사용의 두 개의 평면경(平面鏡)으로 됨. 천체의 장시간 촬영용임. *시데로스탯.

실로폰 〔xylophone〕 [명] 〖악〗 타악기의 하나. 대(臺) 위에 조율(調律)된 나무 토막을 음계(音階) 순서로 배열 장치하여, 끝에 소구(小球)가 달린 두 개의 채로 때리거나 비벼서 소리를 냄. 목금(木琴). 자일로폰. 크실로폰(Xylophone).

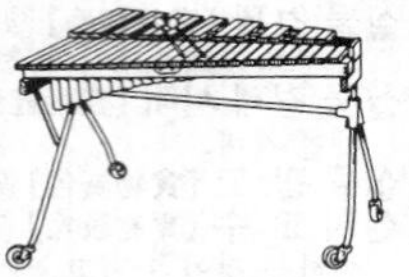

〈실로폰〉

실록 【實錄】 [명] ① 사실(事實)을 있는 그대로 적은 기록. ¶ 제2차 대전 ~. ②〖역〗 사체(史體)의 이름. 한 임금 일대(一代)의 사적(事蹟)의 기록. 그 임금이 세상을 떠난 뒤에 실록청(實錄廳)을 두고 시정기(時政記)를 거두어 찬수(撰修)함. ¶ 세종(世宗) ~. ③↗실록물(實錄物).

실록-물 【實錄物】 [명] 사실에 공상을 섞어서 그럴 듯하게 꾸민 흥미 본위의 소설. 실록체 소설(實錄體小說). [준]실록(實錄).

실록 수호 총:섭 【實錄守護摠攝】 [명] 〖역〗 조선 인조(仁祖) 때 창설(創設)된 중의 직명. 봉화(奉化)·무주(茂朱)·강화(江華)·강릉(江陵) 네 곳의 실록을 보관하고 있는 수호승(守護僧)에게 총섭이라는 직첩(職牒)을 주어 우대하였음. 「구리 주자(鑄字). 운각 활자(芸閣活字).

실록-자 【實錄字】 [명] 〖인쇄〗 조선 시대 역대의 실록을 박기 위하여 만든

실록-청 【實錄廳】 [명] 〖역〗 조선 시대에, 실록을 꾸밀 때마다 임시로 베풀던 관아. *일기청(日記廳).

실록체 소:설 【實錄體小說】 [명] 실록물(實錄物).

실론 〔Ceylon〕 [명] 〖지〗 '스리랑카(Sri Lanka)'의 옛 이름.

실론-차 【一茶】 〔Ceylon〕 [명] 실론 곧, 지금의 스리랑카에서 생산되는 홍차. 차의 품종은 아삼종(Assam 種). 스리랑카는 인도와 더불어 홍차의 세계적 주요 산지임.

실롱 〔Shillong〕 [명] 〖지〗 인도 동북부의 도시. 아삼 주(Assam 州)의 주도였다가, 주(州)의 분리로 1974년 메갈라야 주(Meghalaya州)의 주도가 됨. 실롱 고원 위에 있으며 보양지로 알려짐. [130,691명(1991)]

실루리아-계 【一系】 [명] 〔Silurian system〕 〖지〗 실루리아기의 지층(地層).

실루리아-기 【一紀】 [명] 〔Silurian period〕 〖지〗 지질 시대(地質時代)의 하나. 고생대(古生代) 중 오르도비스기(紀)의 다음, 데본기(紀)의 앞 시대. 약 4억 4천만 년 전부터 약 4억 2천만 년 전까지의 시대. 식물이 육상에 나타나기 시작하였고 동물은 산호충(珊瑚蟲)·필석류(筆石類)·두족류(頭足類)·완족류(腕足類) 등이 번성하였으며, 삼엽충류(三葉蟲類)는 쇠퇴하기 시작하였음. 고틀란드(Gotland)기.

실루민 〔silumin〕 [명] 〖공〗 규소(珪素) 약 10%와 미량(微量)의 구리·철(鐵)을 포함한 알루미늄 합금. 주조성(鑄造性)·내식성(耐蝕性)이 우수하여 금형(金型)·정밀 주물(精密鑄物) 따위에 쓰임. 알팍스(alpax).

실루엣 〔프 silhouette〕 [명] 〔18세기말 프랑스의 재무상(財務相) 실루엣이 재정 궁핍으로 인하여 극단적인 절약을 부르짖어 초상화도 검은 그림자만으로 충분하다고 주장한 데서 유래함〕 ①윤곽 안이 검은 화상(畫像). 검은 반면 영상(半面影像). 프로필. ②그림자 그림만으로 표현한 영화. ③〖복식〗 옷의 라인·스타일·룩과 함께 유행형(型)을 나타내는 말. 옷의 무드나 세부에 관계 없이 전체적인 외형을 가리킴.

〈실루엣❶〉

실루엣 표적 【一標的】 〔프 silhouette〕 [명] 사격의 실루엣 경기에 사용되는 높이 160 cm, 최대폭(最大幅) 45 cm의 흑색판(黑色板)의 인간 전신 입상(立像)의 표적.

실룩 [부] 근육의 일부분이 또는 일부분을 갑자기 움직이는 모양. ㅆ씰룩. >샐룩. ——하다 [자타][여불]

실룩-거리다 [자타] 연하여 실룩하다. 또, 연하여 실룩 움직이게 하다. ㅆ씰룩거리다. >샐룩거리다. **실룩-실룩** [부]. ——하다 [자타][여불]

실룩-대다 [자타] 실룩거리다. 「[타][여불]

실룩-샐룩 [부] 실룩거리면서 샐룩거리는 모양. ㅆ씰룩쌜룩. ——하다 [자]

실릐 〈옛〉 시루에. ¶ 처엄 병훈 사룸의 오솔 조히 ᄲᅡ라 실릐 ᄧᅵ면 뎐염티 아니ᄒᆞᄂᆞ니라(卽初病人衣服浣洗令淨飯甑中蒸之卽無傳染之患) 「≪救荒辟瘟, 辟瘟 3≫. *실¹.

실리¹ [명] 〈방〉 시루(경상).

실리² 【失利】 [명] 손해를 봄. ——하다 [자][여불]

실리³ 【實利】 [명] 실지로 얻은 이익. 실제의 효용(效用). 실익(實益). ¶ ~

실리⁴ 【實理】 [명] 실제상으로 얻은 도리(道理). 「를 따르다.

실:리⁵ 〔Seeley, John Robert〕 [명] 〖사람〗 영국의 역사가. 케임브리지 대학의 근대사(近代史) 교수. 주저 ≪영국 발전사론≫은 영국의 발전 과정을 예리하게 분석한 것으로, 제국주의의 시류를 타고 환영 받았음. [1834-95] 「었더라. ㊁ [사동] 글이나 짐을 싣게 하다.

실리다 ㊀ [피동] 글이나 짐이 실음을 당하다. ¶ 녀의 논문이 신문에 실리

실리-도 【實里島】 [명] 〖지〗 경상 남도의 남해상(南海上), 마산시(馬山市) 구산면(龜山面) 심리(深里)에 위치한 섬. [0.19 km²]

실리-론 【實利論】 [명] 아르타샤스트라.

실리 실득 【實利實得】 〔一뜩〕 [명] 실제의 이득. 실리 실익(實利實益).

실리 실익 【實利實益】 [명] 실제의 이익. 실리 실득(實利實得).

실리-적 【實利的】 [명][관] 현실의 이익이 되는 모양. 실제상의 이익을 얻으려고 하는 모양. 실제의 효용(效用)이 되는 모양. ¶ ~인 행동.

실리-주의 【實利主義】 〔一/一이〕 [명] ①〖윤〗 공리주의. ②〖법〗 형벌은 사회의 안녕·행복의 보전을 목적으로 하는 사회 방위의 수단으로, 사회의 필요와 실익(實益)에 기인(起因)한다는 법리상(法理上)의 주의. 목적주의(目的主義). ③바둑에서, 상대방의 말을 잡는 것보다, 귀나 또는 변(邊)에 자기의 집을 크게 만들려고 하는 주의.

실리카 〔silica〕 [명] '이산화 규소(二酸化珪素)'의 통칭.

실리카 겔 〔silica gel〕 [명] 무정형(無定形)의 규산(珪酸). 응집성 겔(凝集性 gel)로, 무색 내지 백색의 단단한 고체임. 암모니아 따위의 가스 또는 수증기·물 등에 대한 흡착성이 강하며, 탈수(脫水)·건조·흡착제 등으로 쓰임. 실리카겔. [$SiO_2 \cdot 2H_2O$]

실리카 시멘트 〔silica cement〕 [명] 포틀랜드 시멘트 클링커(Portland cement clinker)에 규산 백토·화산회 등의 실리카질(質) 혼합재를 첨가한 혼합 시멘트. 염가(廉價)이며 일반 공사용·댐 및 수로(水路)의 대괴(大塊) 콘크리트용으로 쓰임.

실리카 유리 【一琉璃】 〔silica〕 [명] 〖광〗 석영(石英) 유리.

실리칼리치트 〔러 silikal'cit〕 [명] 경량(輕量) 건축 재료의 하나. 모래와 석회를 주원료로 하고, 알루미늄 분말 등 발포제(發泡劑)를 첨가하여 의도한 모양으로 발포·성형(成形)한 것. 가볍고도 단열성(斷熱性)·내화성(耐火性)이 우수함. 소련에서 발명됨.

실리콘¹ 〔silicon〕 [명] 〖화〗 규소(珪素).

실리콘:² 〔silicone〕 [명] 〖화〗 〔본디 미국에서 만드는 규소 수지의 상품명이 일반화된 이름〕 규소 유기 화합물의 중합체(重合體)의 총칭. 300°C의 고온(高溫)이나 영하 60°C의 저온(低溫)에도 견디고, 전기를 절연(絕緣)하며, 또한 물을 잘 말리므로 응용 범위가 넓음. 실리콘 수지. 규소 수지(珪素樹脂). 「가공.

실리콘: 가공 【一加工】 〔silicone〕 [명] 물건에 실리콘을 바르거나 먹이는

실리콘: 고무 〔silicone+네 gom〕 [명] 고무상(狀) 탄성을 갖는 실리콘. 온도 변화에 대한 안정성이 좋으며, 전기 절연성(絕緣性)이 뛰어남. 고온 또는 저온에서의 탄성체(彈性體)·화학 공장의 내약품(耐藥品)·내열성(耐熱性) 패킹, 전기 절연체 따위에 쓰임. 규소(珪素) 고무.

실리콘 다이오드 〔silicon diode〕 [명] 〖전자〗 반도체로서 실리콘을 쓴 크리스털 다이오드. 극초단파(極超短波)와 센티미터파(波)의 회로 검파기(檢波器)로 사용됨.

실리콘 밸리 〔Silicon Valley〕 [명] 〖지〗 미국 캘리포니아 주 샌프란시스코만(灣) 남서 지구 일대의 광대한 분지(盆地)의 속칭. 실리콘 반도체(半導體)를 다루는 생산 업체가 많음.

실리콘: 수지 【一樹脂】 〔silicone〕 [명] 〖화〗 규소 수지(珪素樹脂).

실리콘: 오일 〔silicone oil〕 [명] 〖화〗 중합도(重合度)가 비교적 낮은 실리콘 수지(樹脂)로 유상(油狀)인 것을 말함. 윤활제·방수제·광택제 등으로 쓰임. 실리콘유(油).

실리콘 웨이퍼 〔silicon wafer〕 [명] 단결정(單結晶)의 실리콘 덩이를 얇게 잘라낸 판. 집적 회로 밀착에 쓰임.

실리콘:-유 【一油】 〔silicone〕 〔一뉴〕 [명] 〖화〗 실리콘 오일.

실리콘 정:류기 【一整流器】 〔一뉴一〕 [명] 〔silicon rectifier〕 〖전자〗 고순도(高純度) 실리콘 평판(平板)에 합금 접합(合金接合)함으로써, 정류 작용을 할 수 있는 금속정류기.

실리콘 제:어 정:류 소자 【一制御整流素子】 〔silicon〕 〔一뉴一〕 [명] 〖전〗 전류의 도통(導通) 또는 저지(阻止)를 제어할 수 있는 반도체 정류 소자의 총칭. 에스 시 아르(SCR).

실리콘 칩 〔silicon chip〕 [명] 단결정(單結晶)의 실리콘을 쓴 집적 회로(集積回路) 소편(小片). 「유(炭化珪素纖維).

실리콘 카:바이드 섬유 【一纖維】 〔silicon carbide〕 [명] 탄화 규소 섬

실리콘 트랜지스터 〔silicon transistor〕 [명] 규소(珪素)를 소재로 한 트랜지스터. 게르마늄 트랜지스터에 비하여 온도 특성이 좋으며 고온에도 잘 견딤.

실리토: 〔Sillitoe, Alan〕 [명] 〖사람〗 영국의 소설가. 처녀작 ≪토요일 밤과 일요일 아침≫에서 노동자 계급 출신의 분노하는 젊은이를 그려 주목받음. 단편집에는 ≪장거리 주자(走者)의 고독≫·≪쥐≫ 등이 있음. [1928-]

실린더 〔cylinder〕 [명] 내연 기관·증기 기관·수력(水力) 기관 등에서, 피스톤이 왕복 운동을 하는 원기둥꼴 부분. 이 원통 안에서 증기 기관이면 증기가 팽창하고 내연 기관이면 가스가 폭발·팽창함. 기통.

실린더 게이지 〔cylinder gauge〕 [명] 〖공〗 실린더와 피스톤 사이의 틈이나 간격을 측정할 때 사용하는 계기. 「盤).

실린더 그라인더 〔cylinder grinder〕 [명] 〖기〗 원통 연마반(圓筒硏磨

실린더 실루엣 〔cylinder silhouette〕 [명] 〖복식〗 튜뷸러 실루엣(tubular silhouette).

실린더 오일 〔cylinder oil〕 [명] 〖기〗 실린더유.

실린더-유 【一油】 〔cylinder〕 [명] 〖공〗 기계 구조에서 톱니바퀴를 장비한 부분에나 증기 기관의 기통(氣筒)을 윤활하게 하는 데 쓰는 기름. 광물성으로서 농도가 짙고 인화점이 높으며 불순물의 함유량이 적음. 실린더 오일.

실린더 헤드 〔cylinder head〕 [명] 〖기〗 왕복 기관·왕복 펌프·왕복 압축기 등의 피스톤실(室)의 단말에 인접한 머리 부분.

실립 실보 【失立失步】 [명] 〔abasia〕 〖의〗 걸을 때에 근육의 협력 작용이 결실(缺失)하는 일.

실:링¹ 〔ceiling〕 [명] ①천장. ②가격이나 임금의 최고 한계. ③↗실링 로제트. ④항공 기상 용어로, 구름량(量)이 6 또는 그 이상일 때, 구름의 높이가 장소에 따라 변하지 아니하는 경우는 그 높이, 구름의 높이가

장소에 따라 변하는 경우에는 낮은 구름에서 세어서 구름이 처음으로 6에 달하는 높이. 비행기의 이착륙에 중요한 기상 요소임.

실링[2] 〔Schilling〕 의명 오스트리아의 통화 단위. 1실링은 100그로셴(Groschen).

실링[3] 〔shilling〕 명 의명 영국 은화(銀貨)의 하나. 또, 영국·아일랜드의 화폐의 단위. 1실링은 1파운드의 20분의 1, 1페니의 12배이며, 21실링을 1기니(guinea)라고 함. 1971년 폐지됨.

실:링 관측 기구【—觀測氣球】〔ceiling〕 명 기상 측운 기구(測雲氣球).

실:링 로제트〔ceiling rosette〕 명 로제트❷. 준실링.

실:링-제【—制】〔ceiling〕 명〖경〗대출 한도제.

실:-마디 명 실에 생긴 마디.

실-마력【實馬力】 명 기관(機關)이 실제로 축(軸)을 회전시키는 출력(出力). 때로는 도시(圖示) 마력의 뜻으로 쓰이기도 함. 축마력.

실:-마루 명〈방〉실퇴.

실:-마리 명 ①실의 첫머리. ②일의 첫머리. 사건의 맨 첫머리. 단서(端緖). 두서(頭緖). ¶ 사건의 ~가 풀리다.

실마 치구【失馬治廐】 명〔말을 잃고 나서 외양간을 고친다는 뜻으로〕실패한 후에 뒤늦게 손을 씀을 비유하여 일컫는 말. *망양 보뢰(亡羊補牢).

실:-말 명〖식〗[*Potamogeton pusillus*] 가래과에 속하는 다년생의 수초(水草). 전체가 녹갈색이고 근경(根莖)은 백색이며 줄기는 가는 실 모양으로 길이 60cm에 달함. 잎은 호생하고 무병(無柄)인데 가는 선형(線形)으로 길이 7cm, 폭 2mm 내외임. 5-6월에 줄기 끝에서 길이 2cm 내외의 꽃줄기가 나와 그 끝에 담황갈색 꽃이 수상(穗狀) 화서로 정생(頂生)하며, 과실은 수과(瘦果)임. 연못이나 흐르는 물 속에 군생(群生)하는데, 제주·경남·평남북에 분포함. ——-하다 자여불

〈실말〉

실망【失望】 명 희망(希望)을 잃어버림. 실의(失意).

실망 낙담【失望落膽】 명 희망을 잃고 맥이 풀림.

실:-망초【—草】 명〖식〗[*Erigeron linifolius*] 국화과에 속하는 일년생 또는 이년생 초본. 줄기 높이는 30-60cm이고 잎은 무병(無柄)이며, 선형(線形)임. 8-10월에 황백록색 두화(頭花)가 반원상 달걀꼴의 원추(圓錐) 화서로 피고, 수과(瘦果)를 맺음. 황무지나 길가에 나는데, 한국 각지에 분포함. 남부 유럽 원산의 귀화종(歸化種)임.

〈실망초〉

실매【實妹】 명 친누이동생. 한 부모의 누이동생.

실매 가격【實賣價格】[—까—] 명〖경〗실세(實勢) 가격.

실:-매기 명 〔thread sewing〕 제본하기 위해서 접장(摺張)을 실로 꿰매는 방식. 손매기와 기계매기가 있는데, 현재는 손매기는 안 함.

실:-매듭 명 ①실을 잡아 매어 볼록해진 자리. ②실을 맺어서 만든 매듭.

실맥【實脈】 명〖한의〗세게 누르건 약하게 누르건 끊어지지 않고 힘이 있는 맥. *허맥(虛脈).

실:-머리동이 명 너비가 닷 푼 되는 색종이를 머리에 인 연.

실-머슴【實—】 명 상일을 세차게 꾸준히 하는 머슴.

실-머음【實—】 명〈방〉실머슴.

실며:시 부〈방〉슬며시(경상).

실면【實綿】 명 목화에서 아직 씨를 빼지 아니한 솜.

실면-증【失眠症】[—쯩] 명〖의〗불면증(不眠症).

실몃-실몃 부〈방〉슬몃슬몃(경상).

실명[1] 명〈방〉신명[1].

실명[2] 명〈방〉슬명(膝皿).

실명[3]【失名】 명 이름이 전하지 아니하여, 아는 사람이 없음. ¶ ~비(碑). *실명씨(失名氏). ——-하다 자여불

실명[4]【失明】 명 눈이 어두워짐. 소경이 됨. ¶ ~ 용사. *실청(失聽).

실명[5]【失命】 명 ①목숨을 잃음. 죽음. ②명령에 위반하는 일. 명령대로 되지 아니하는 일. ——-하다 자여불

실명[6]【實名】 명 통칭·가명(假名)·아호(雅號)·의명(擬名) 등에 대하여, 진짜 이름. 본명. ↔가명. ¶ ~제(制).

실명-나다 자〈방〉신명나다.

실명-씨【失名氏】 명 무명씨(無名氏). *실명(失名).

실명-자【失明者】 명 눈이 먼 사람. 장님. 소경.

실모【實母】 명 친어머니. 친모(親母).

실-모디 명〈방〉실꾸리(평안).

실몽【實夢】 명 사실과 부합하는 꿈.

실:-몽당이 명 실을 꾸려 감은 뭉치.

실무【實務】 명 실제의 사무. 실제로 취급하는 업무(業務). ¶ ~에 경험이 있다.

실무-가【實務家】 명 실무자(實務者).

실무:시 부〈방〉슬며시(경상).

실무-율【悉無律】 명 〔all-or-none law〕〖생〗생체(生體)의 반응은, 자극이 어떤 일정한 역치(閾値) 이하일 때는 전혀 나타나지 않고, 역치에 달하면 최대(最大)를 나타내며, 그 이상 자극을 강화해도 변화는 없다는 법칙. 1871년 미국의 생리학자 바우디치(Bowdich, Henry Pikering; 1840-1911)가 개구리의 심장의 실험에서 발견하였는데, 뒤에 신경 섬유·근섬유(筋纖維) 등의 단일 세포체에 한해서 이 법칙이 적용됨이 판명됨.

실무-자【實務者】 명 ①실지로 사무를 담당하는 사람. ②실무에 능숙한 사람. 당무자(當務者). 실무가(實務家).

실무-적【實務的】 명관 ①실무에 관계됨. ②실무에 익숙한 모양.

실무-주의【實務主義】[—/—이] 명 실무를 가장 중요시하는 주장·태도.

실문【實聞】 명 직접 자기 귀로 들음. 또, 실제로 들은 말. ↔허문(虛聞). ——-하다 자여불

실문법-증【失文法症】[—뻡—] 명〖의〗말을 문법적으로 조리 있게 하지 못하는 병증(病症). *실어증(失語症).

실물[1]【失物】 명 물건을 잃어버림. 또, 잃어버린 물건. ——-하다 자여불

실물[2]【實物】 명 ①실제로 있는 물건이나 사람. ¶ ~ 크기의 사진. ②주식(株式)이나 상품 등의 현품(現品). 현물. 원물(原物). ↔선물(先物).

실물 거:래【實物去來】 명〖경〗매매 거래 방법의 하나. 결제 기일 전에 반대 매매를 하지 아니하고, 결제일에 현실적으로 증권과 대금을 수수(授受)하는 거래. ↔선물 거래(先物去來).

실:-물결 [—껼] 명 가늘고 여린 물결. ¶ 실바람에 ~이 일렁인다.

실물 경제【實物經濟】 명〖경〗①자연 경제(自然經濟). ②이론이 아니라 실제의 동향으로서의 경제. ¶ ~에 밝은 사람.

실물 경제 시대【實物經濟時代】 명〖경〗자연 경제에 의한 경제 생활을 하던 시대.

실물 광:고【實物廣告】 명 실물의 일부 또는 전부를 공중(公衆)의 앞에 제시(提示)하여 행하는 광고.

실물 교:수【實物敎授】 명〖교〗추상적·개념적인 문자 및 언어에만 의존하는 것이 아니고, 구체적 사실·실물의 직관을 통해서 교수하는 방법. 직관 교수(直觀敎授).

실물 교:육【實物敎育】 명〖교〗실물과 구체적인 사실을 통하여 행하는 교육.

실물 교환【實物交換】 명 화폐를 쓰지 않고, 실물로 서로 교환하는 일.

실물 급여 제:도【實物給與制度】 명〖경〗트럭 시스템(truck system).

실물-대【實物大】 명 실물과 꼭 같은 크기. ¶ ~의 그림. *등신대(等身大).

실물-미【實物米】 명 정미(正米)❷.

실물 분석【實物分析】 명〖경〗경제 현상과 그 변화를 물질의 양적(量的)인 관계로 헤아려 밝히는 분석. *화폐 분석.

실물-세【實物稅】[—쎄] 명 화폐 이외의 물품으로써 납입하는 조세(租稅). 실물 경제 시대에 행하여졌음. 현물세.

실물-수【失物數】[—쑤] 명 물건을 잃어버릴 운수(運數).

실물 승수【實物乘數】[—쑤] 명〖경〗투자가 소득에 미치는 효과를 물질의 양적(量的) 관계로 헤아린 곱수.

실물 시:장【實物市場】 명〖경〗실제의 상품·주식을 매매하는 시장. 거래마다 결제(決濟)를 함. ↔청산 시장.

실물 임:금【實物賃金】 명〖경〗통화가 아닌 물건으로 급부되는 임금. 현물 급여.

실물 임:금 제:도【實物賃金制度】 명〖경〗실물로써 지불하는 임금 제도. ↔화폐(貨幣) 임금 제도.

실물 환:등기【實物幻燈機】 명 실물을 그대로 영사하는 환등 기계.

실:-뭉치 명〈방〉실몽당이.

실미【實米】 명 정미(正米)❷.

실미-도【實尾島】 명〖지〗인천 광역시 중구(中區) 용유동(龍遊洞)에 있는 무인도. [0.25 km²]

실미적지근-하다 형여불 ①음식이 조금 식어서 미지근하다. ②게을러빠져서 열성이 적다. 준실미지근하다.

실미지근-하다 형여불 ↗실미적지근하다. ¶ 싸움은 실미지근히 흐지부지되다.

실바누스〔Silvanus〕 명 고대 로마에서, 황야의 숲의 신. 파우누스(Faunus)나 판(Pān)과 동일시됨.

실:-바늘치 명〖어〗[*Aulichthys japonicus*] 실바늘칫과에 속하는 바닷물고기. 몸길이 10-15cm 가량, 몸빛은 암갈색인데 작은 주둥이가 대롱 모양으로 삐죽함. 다 자란 수컷은 외부 생식기를 구비함. 3월 하순부터 6월 상순에 걸쳐 멍게의 체강(體腔)에 산란함. 우리 나라의 동해안, 일본의 북쪽 바다에 분포하며 이용 가치가 없음.

실:바늘칫-과【—科】 명〖어〗[Aulorhynchidae] 큰가시고기목(目)에 속하는 바닷물고기의 한 과(科). 실바늘치만이 알려져 있음.

실:-바람 명 ①솔솔 부는 바람. ②〖기상〗풍력 계급의 하나. 초속 0.3-1.5m로 부는 바람. 구용어:지경풍(至輕風). *풍력 계급.

실:-반대 [—빤—] 명 뽑아 낸 고치실을 둥글게 사리어 놓은 뭉치.

실발항 시간【實發航時間】 명 〔actual time of departure〕 ①〖해〗특정한 지점을 출발한 시각. ②〖항공〗비행기가 실제로 이륙한 시각.

실:-밥 [—빱] 명 ①옷 등에 누벼져 있는 실. ②옷 따위를 뜯을 때에 뽑아 내는 실의 부스러기.

실백【實柏】 명 실백잣. ¶ 수정과에 ~을 띄우다.

실백 산:자【實柏糤子】 명 잣박산❶.

실백-자【實柏子】 명 실백잣.

실백-잣【實柏—】 명 껍데기를 까 버린 알맹이 잣. 실백(實柏). 실백자(實柏子). ↔겉잣.

실백-장【實柏醬】 명 실백잣을 진장에 넣어 두었다가 쓰는 장.

실:-뱀 명〖동〗[*Zamensis spinalis*] 뱀과에 속하는 파충의 하나. 몸길이 81-97cm. 몸은 사상(絲狀)으로 길며 꼬리는 몸의 4분의 1 가량임. 등 쪽은 감람갈색, 복부는 황백색을 띠고 등 쪽 중앙에 황백색 세로줄이 목에서 꼬리까지 이르며 두부에 몇 개의 흑색 반점이 있음. 한국·일본에 분포함.
【실뱀 한 마리가 온 바다를 흐리게 한다】 한 사람이 능히 전체에 나쁜 영향을 끼치게 한다.

실:-뱀장어【—長魚】 명 뱀장어의 새끼.

실:-뱅어 명〖어〗[*Noesalanx hubbsi*] 뱅어과에 속하는 한국 특산의 민물고기. 약간 투명한 몸은 길고 가늘며 약 20cm임. 서해로 흐르는 압록강·대동강·한강 등 큰 강 어귀에 서식함. 맛이 좋음.

실버〔silver〕 명 ①은(銀). ②은화(銀貨).

실버-그레이〔silver-grey〕 명 은회색(銀灰色).

실:-버들 명 가늘고 길게 늘어진 버들. 곧, '수양버들'의 이칭.

실버 산:업【—産業】〔silver〕 명 고령자층(高齡者層)을 대상으로 하는 산업.

실버 스크린 [silver screen] 명 은막(銀幕). 영사막(映寫幕).

실버 스트리:크 [silver streak] 명 고운 은가루를 기름이나 래커(lacquer)에 섞어 모발(毛髮)의 가느다란 부분에 붓으로 그려 액세서리적 효과를 내는 미용술.

실버 웨딩 [silver wedding] 명 은혼식(銀婚式). *골든 웨딩(golden wedding).

실버 타임 [silver time] 명 〖연〗 방송에서, 골든 아워(golden hour) 다음가는, 청취율이 높은 방송 시간.

실버톤 [silverton] 명 여러 가지 빛깔의 면양모(緬羊毛)와 금은사(金銀絲)를 섞어 짠 직물의 털을 세워서, 그 표면에 금빛이나 은빛의 서리 모양의 무늬를 나타낸 방모 직물(紡毛織物).

실범 【實犯】 명 〖법〗 실제로 범죄를 범하는 일. 또, 그 범인.

실법 【實法】 [—뻡] 명 〖불교〗 인연에 의하여 생긴 영원 불변의 실체적(實體的) 존재. 불교에서는 모든 현상적(現象的) 존재는 가법(假法)이며 실법이라 여기는 것은 중생(衆生)의 미집(迷執)이라 규정함.

실베스터 [Sylvester, James Joseph] 명 〖사람〗 영국의 수학자. 옥스퍼드 대학 교수, 영국 학사원(學士院) 회원을 역임함. 두 차례 미국에 건너가 버지니아 대학·존스 홉킨스 대학에서 수학을 교수함. 고등 수학, 특히 불변식론(不變式論)의 개척에 공을 세움. 체미(滯美) 중, '미국 수학 잡지'를 간행하여 미국의 수학계(數學界)에 커다란 자극을 주었음. [1814-97]

실:-베짱이 명 〖충〗 [*Phaneroptera falcata*] 여칫과에 속하는 곤충. 몸길이는 날개 끝까지 29-37 mm. 몸빛은 진한 녹색에 배면(背面)에는 암갈색의 가는 점이 산재함. 긴 사상(絲狀)의 촉각은 흑색으로 몸보다 길. 날개에는 암갈색의 점문(點紋)이 산재하고 앞날개는 몸의 두 배나 되며 각 시맥(翅脈)을 따라 양측에 점선을 이룸. 산란관은 짧고 낚시처럼 위로 만곡되었음. 8-9월에 나타나 낮에는 풀밭에 있다가 해질 무렵부터 활동하며 '찌찌찌'하고 욺. 등불에도 모여듦. 한국·일본·대만에 분포함. 등불여치. 실여치. *북방실베짱이.

〈실베짱이〉

실변수 함:수론 【實變數函數論】 [—쑤—] 명 〖수〗 실함수론.

실:-보무라지 [—뽀—] 명 실의 부스러기. 사설(絲屑).

실보-토 【實報土】 명 〖불교〗 과보토(果報土).

실-복마 【實卜馬】 명 무거운 짐을 실을 수 있는 튼튼한 말.

실본 【失本】 명 낙본(落本). ——-하다 자여불

실봉[1] 【實封】 명 〖역〗 봉읍(封邑) 안의 과호(課戶)가 바치는 조(租)를 실제로 취득할 수 있는 식봉. 진식읍(眞食邑). 진식(眞食). ↔허봉(虛封). *식봉(食封).

실봉[2] 【實捧】 명 ①실제로 수봉될 금액. ②빚을 꼭 갚을 사람.

실부[1] 【實父】 명 친아버지. *양부(養父)·계부(繼父).

실부[2] 【實否】 명 ①진실과 거짓. 사실과 사실이 아님. 허실(虛實). ②실상.

실부[3] 【實部】 명 〖수〗 복소수(複素數)를 실수(實數)와 순허수(純虛數)의 합(合)으로 나타냈을 때의 실수의, 본디의 복소수에 대한 일컬음.

실-부모 【實父母】 명 친부모(親父母).

실-불실 【實不實】 [—씰] 명 ①착실함과 착실하지 아니함. ②살림이 넉넉함과 넉넉하지 못함. 실부(實否).

실:-붙이 [—부치] 명 사류(絲類).

실:-비[1] 명 〈방〉 이슬비(전남).

실비[2] 【實費】 명 실지로 드는 비용. ¶ ~ 제공/~ 봉사.

실비 변:상 【實費辨償】 명 ①실비를 변상함. ②〖법〗 관리가 공무 집행을 위해서 필요한 비용을 자기가 지출했을 때, 국가가 이것을 보상하는 일. 비용 변상(費用辨償). ——-하다 타여불

실비아 산 【—山】 [Sylvia] 명 〖지〗 설산[3](雪山)❷.

실사[1] 【實事】 [—싸] 명 사실로 있는 일. 실제의 일. 사실(事實).

실사[2] 【實査】 [—싸] 명 실지에 대하여 검사함. 또, 실제상의 조사. *재물 조사(在物調査). ——-하다 타여불

실사[3] 【實寫】 [—싸] 명 실물(實物)·실경(實景)·실황(實況)을 그리거나 찍음. 또, 그 그림이나 사진. ——-하다 타여불

실사[4] 【實辭】 [—싸] 명 〖언〗 명사나 용언의 어간(語幹)처럼 실질적인 뜻을 나타내는 말. 개념어(槪念語). ↔허사(虛辭).

실사 구시 【實事求是】 [—싸—] 명 〖철〗 사실에 토대하여 진리를 탐구하는 일. 공론(空論)만 일삼는 양명학(陽明學)에 대한 반동으로서 청조(淸朝)의 고증학파(考證學派)가 내세운 표어(標語)로, 문헌학적(文獻學的)인 고증의 정확을 존중하는 과학적·객관주의적 학문 태도를 말함.

실사귀 명 〈방〉 실속[2]. ¶ 진상할 물건을 구하여 드릴 때마다 자기의 ~를 잊지 않아서 슬금슬금 뒤로 돌리는 것이 있건만…《洪命憙 : 林巨正》.

실:-사리 명 〖식〗 [*Selaginella rupestris*] 부처손과에 속하는 다년생 상록초(常綠草). 줄기는 가는 원기둥꼴이고 땅 위에 벋어 여러 갈래로 나뉘어 실 모양의 뿌리를 냄. 잎은 줄기에 밀생(密生)하고 선상(線狀) 피침형임. 꽃은 작은 이삭 모양을 이루어 담녹색으로 피고 화수(花穗) 속에 포자낭(胞子囊)이 있음. 높은 산에 나는데, 울릉도·관모봉(冠帽峰)에 분포함.

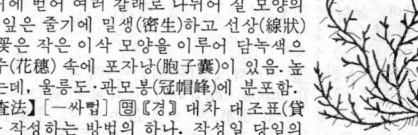

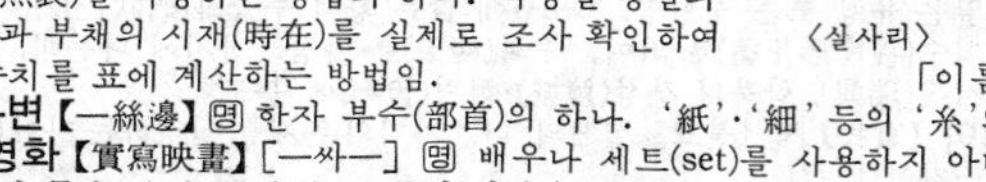

〈실사리〉

실사-법 【實査法】 [—싸뻡] 명 〖경〗 대차 대조표(貸借對照表)를 작성하는 방법의 하나. 작성일 당일의 자산과 부채의 시재(時在)를 실제로 조사 확인하여 그 수치를 표에 계산하는 방법임.

실:사-변 【—絲邊】 명 한자 부수(部首)의 하나. '紙'·'細' 등의 '糸'의 이름.

실사 영화 【實寫映畫】 [—싸—] 명 배우나 세트(set)를 사용하지 아니하고서 풍속·습관·풍경·뉴스 등의 실황을 찍은 영화. '뉴스 영화'·'기록 영화' 등의 구칭(舊稱)임.

실사 자산 【實査資産】 [—싸—] 명 〖경〗 재고 자산(在庫資産).

실:-사초 【—莎草】 명 〖식〗 [*Carex neo-filipes*] 방동사닛과에 속하는 다년초. 줄기는 총생(叢生)하고 높이 25 cm 가량, 잎은 호생하고 선형(線形)임. 꽃의 소수(小穗)는 두세 개인데 수술은 한 개가 정생(頂生), 암술은 한두 개가 측생(側生)하여 4-5월에 피며, 과낭(果囊)은 달걀꼴의 긴 타원형을 이룸. 산과 들의 풀밭에 나는데, 전남·경남·강원·경기·평남에 분포함.

실-사회 【實社會】 [—싸—] 명 실제의 사회. 실세간(實世間). ¶ 학교를 졸업하면 ~로 나간다.

실-살 【實—】 [—쌀] 명 겉으로 드러나지 아니한 실리(實利).

실살-스럽다 【實—】 [—쌀—] 형ㅂ불 겉으로 드러남이 없이 내용이 충실하다. 실살-스레 【實—】 [—쌀—] 부

실상[1] 【實狀】 [—쌍] ㊀ 명 ①실제의 상태. ②실제의 형상(形狀). ㊁ 부 실제로는. ¶ ~ 우리가 염려하는 것과는 딴판으로 잘 되고 있었다.

실상[2] 【實相】 [—쌍] 명 ①실제의 모양. ②〖불교〗 생멸 무상(生滅無常)의 상(相)을 떠난 만유(萬有)의 진상(眞相). 본체(本體). 진여(眞如). 진제(眞諦).

실상[3] 【實像】 [—쌍] 명 〖물〗 빛이 렌즈나 거울 등에서 굴절·반사한 다음 수렴(收斂)함으로써 생기는 상. 물체를 볼록 렌즈나 오목거울의 초점 밖에 놓을 때에 생김. 실영상(實映像). ↔허상(虛像).

실상-곡 【實想曲】 [—쌍—] 명 〖악〗 조선 세종(世宗) 12년(1430)까지 악보는 전하나 연주법과 가사를 잃은 거문고 13곡 중의 하나.

실상-관 【實相觀】 [—쌍—] 명 〖불교〗 만유(萬有)의 실상을 보는 견해. *이관(理觀).

실상-론 【實相論】 [—쌍논] 명 〖불교〗 만유(萬有)의 본체 또는 현상을 포착하여, 본체는 무슨 물건이며, 현상은 허망한가 진실한가를 궁구(窮究)하여 횡(橫)으로 연구한 교리. 성실종(成實宗)·삼론종(三論宗)·천태종(天台宗) 등이 이에 속함. ↔연기론(緣起論).

실상 무루 【實相無漏】 [—쌍—] 명 〖불교〗 우주 만상(宇宙萬象)의 진실한 체상(體相)은, 일체의 번뇌(煩惱)·염오(染汚)를 떠나서 청결함을 이르는 말.

실상 반야 【實相般若】 [—쌍—] 명 〖불교〗 삼반야의 하나. 불교의 궁극적인 지혜인 반야의 이체(異體). 곧, 모든 현상의 본체를 뜻함.

실상-사 【實相寺】 [—쌍—] 명 〖불교〗 전라 북도 남원군(南原郡) 산내면(山內面) 입석리(立石里)에 있는 금산사(金山寺)의 말사(末寺). 신라 흥덕왕(興德王) 3년(828)에 개산(開山)하였으며 개조(開祖)는 홍척 국사(洪陟國師)임. 신라 때 실상산파(實相山派)의 근본 도량(根本道場)이었음. 조선 시대에 거의 폐허화한 것을 숙종 7년(1681)에 벽암 대사(碧巖大師)가 중수(重修)하였음.

실상사 백장암 삼층 석탑 【實相寺百丈庵三層石塔】 [—쌍—] 명 전라 북도 남원군 산내면 대정리 실상사의 부속 암자 백장암에 있는 통일 신라 시대 9세기의 화강암(花崗岩)으로 된 탑. 신라 하대(下代)를 대표하는 미탑(美塔)의 하나임. 높이 5 m. 국보 제10호.

실상-산 【實相山】 [—쌍—] 명 〖불교〗 구산(九山)의 하나. 신라 흥덕왕(興德王) 때에 홍척 국사(洪陟國師)가 개산(開山)함. 현재의 실상사(實相寺)임.

실상산-파 【實相山派】 [—쌍—] 명 〖불교〗 신라 선종(禪宗) 구산(九山)의 한 파. 홍척 선사(洪陟禪師)에 의하여 실상산을 중심으로 널리 선풍(禪風)을 전하였음. 제2대는 그의 제자 수철(秀澈)임.

실상-신 【實相身】 [—쌍—] 명 〖불교〗 이신(二身)의 하나. 법성 법신(法性法身) 곧 진여(眞如)의 이체(理體)를 인격적으로 보는 불(佛). ↔위물신(爲物身).

실상 중도 【實相中道】 [—쌍—] 명 〖불교〗 진실의 상(相)과 중용(中庸)의 도(道).

실-상징 【失象徵】 명 〖의〗 뇌의 기능 이상으로 나타나는 증상의 하나. 일반적으로 쓰여지는 상징 즉 언어, 몸짓 등을 이해하지 못하게 되는 일.

실상-화 【實相花】 [—쌍—] 명 〖불교〗 온갖 법의 실상은 불교인들이 똑같이 연구하는 것인데 이것을 누구나 보려 하는 꽃에 비유한 말.

실:-새삼 명 〖식〗 [*Cuscuta chinensis*] 새삼과에 속하는 일년생의 기생 만초(寄生蔓草). 줄기는 황색이고, 길이 50 cm 내외의 실 모양이며 기주(寄主)에 감겨 올라감. 녹색 잎은 없고 가는 인편(鱗片)이 드물게 호생함. 7-8월에 백색 꽃이 가지 위에 취산(聚繖) 화서 또는 총상(總狀) 화서로 달리며, 과실은 삭과(蒴果)임. 들에 나는데, 거의 한국 각지에 분포함. 종자는 약용함.

실색 【失色】 [—쌕] 명 놀라서 얼굴 빛이 변함. ¶ 아연(啞然) ~하다. ——-하다 자여불

실:-샘 명 견사선(絹絲腺).

실생 【實生】 [—쌩] 명 〖식〗 씨가 싹터서 식물이 자람. 또, 그 식물. 씨나기. ↔접목(椄木). ——-하다 자여불

실생-림 【實生林】 [—쌩님] 명 심은 씨가 싹터 자라서 이루어진 숲.

실생-묘 【實生苗】 [—쌩—] 명 씨에서 싹터서 난 묘목 모. *종묘(種苗).

실생-법 【實生法】 [—쌩뻡] 명 〖농〗 종자로써 일반 식물 또는 작물(作物)을 번식시키는 방법.

실-생활 【實生活】 [—쌩—] 명 실제로 하는 생활. 실제의 일상(日常) 생활. ¶ ~에 응용하다.

실서-증 【失書症】 [—써쯩] 명 [도 Agraphie] 〖의〗 실어증(失語症)의 한 가지. 의식(意識)이나 운동 능력에는 장애가 없이, 올바른 문장을 쓰지 못하는 병증(病症).

실선 【實線】 [—썬] 명 제도에서, 점선(點線)에 대하여, 끊인 데가 없이 연속하고 있는 보통의 선.

실설 【實說】 [—썰] 명 ①정말 있었던 이야기. 참 이야기. ②〖불교〗 영원 불변한 진실을 설법한 것.

실섭 【失攝】 [—썹] 명 몸조섭을 잘 하지 못함. ¶ ~한 노인이 있으면 달걀줄을 들고 문병 갈 것을 잊지 않고 《吳有權 : 방앗골 혁명》. ——-하다 자여불

실성[1] 【失性】 [—썽] 명 정신에 이상이 생겨 본성(本性)을 잃어버림. 미

침. 실진(失眞). ¶ ~한 사람. ──-하다 자여불

실-성² 【室星】[—썽] 명 『천』 이십팔 수(二十八宿)의 열셋째 별. 실수(室宿). ㊥실(室).

실성³ 【實性】[—썽] 명 본성(本性).

실성⁴ 【失聲】[—썽] 명 너무 애끓게 울어 울음소리가 나오지 않음.

실성-거리다 【失性—】[—썽—] 자 실성하여 정신이 온전치 못한 것처럼 말하거나 행동하다. 실성대다. ¶ 생떼 같은 아들을 잃고 실성거리고 다닌다. 실성-실성 【失性失性】[—썽—썽] 부. ──-하다 자여불

실성-대다 【失性—】[—썽—] 자 실성거리다.

실성-기 【室星旗】[—썽—] 명 『역』 의장기(儀仗旗)의 하나. 삼각기(三角旗)로서, 노부(鹵簿)에 사용하였음.

실성-왕 【實聖王】[—썽—] 명 『사람』 신라 제18대 왕. 내물왕이 죽자 왕자가 어리므로, 백성들의 추대로 즉위, 일본·고구려와 수호(修好)를 맺었음. 내물왕의 아들 눌지(訥祗)를 시기하여 죽이려다가 도리어 피살되었음. [?-417; 재위 402-417]

〈실성기〉

실성-증 【失聲症】[—썽쯩] 명 『의』 고도의 발성 장애 증상. 성대가 진동하지 아니하기 때문에 성음(聲音)이 나오지 아니하게 된 상태.

실성 통:곡 【失性痛哭】[—썽—] 명 실성할 정도로 슬피 통곡함. ──-하다 자여불

실세¹ 【失勢】[—쎄] 명 세력을 잃음. ↔득세(得勢). ¶ ~를 만회하다.

실세² 【實勢】[—쎄] 명 ①실제의 세력. 또, 그 기운. ¶ ~는 더 크다. ②실제의 시세.

실세 가격 【實勢價格】[—쎄까—] 명 『경』 현금 정가(現金定價)와는 별도로, 소매점(小賣店)이 실지로 고객에게 파는 값. 실매(實賣) 가격.

실-세간 【實世間】 명 실제의 세상. 실사회(實社會).

실-세계 【實世界】 명 현실의 세계. 공상이 아닌 실제의 세계.

실세 레이트 【實勢—】〔rate〕[—쎄—] 명 『경』 실세 환율.

실세 예:금 【實勢預金】[—쎄—] 명 『경』 은행의 총예금에서 정부 관계 예금, 현재 보유하고 있는 어음, 수표 상당액 및 외화 예금액을 뺀 나머지 예금. 현금의 실세를 알아보기 위해 사용됨.

실세 환:율 【實勢換率】[—쎄—] 명 『경』 실제 그 나라의 화폐 가치가 나타내는 환율. ↔공정 환율(公定換率).

실소¹ 【失笑】[—쏘] 명 ①알지 못하는 사이에 웃음이 툭 터져 나옴. ¶ ~를 금할 수가 없다. ②참아야 할 자리에 툭 터져 나오는 웃음. ──-하다 자여불

실-소² 【實—】[—쏘] 명 농사용으로 부릴 수 있는 튼튼한 소.

실:-소금쟁이 명 『충』 [*Hydrometra albolineata*] 실소금쟁잇과에 속하는 곤충. 몸길이는 12-14 mm이고, 몸빛은 암갈색임. 두부는 길고 촉각은 가는 털 모양이며 날개가 없는 개체도 있음. 전흉배(前胸背)와 반시초(半翅鞘)에 흰 줄무늬가 있는 것이 많음. 물 위를 질주(疾走)하는 습성이 있음. 한국에도 분포함.

실:소금쟁잇-과 【—科】 명 『충』 [Hydrometridae] 매미목(目)에 속하는 한 과. 대체로 몸은 가늘고 긴데 몸의 하면(下面)은 은백색의 미모(微毛)로 덮이고 촉각은 4절임. 수서(水棲) 또는 반수서 곤충이며, 죽은 곤충을 먹음. 날개가 없는 종류도 있음.

〈실소금쟁이〉

실-소득 【實所得】 명 가처분 소득(可處分所得).

실속¹ 【失速】[—쏙] 명 ①〔stall〕 『항공』 비행기의 주익(主翼)의 올려본각(角)이 너무 커져서 양력(揚力)이 급감(急減)하는 현상. 대부분의 양력을 잃어, 급속히 기수를 내리고 강하(降下)하며 회복하기까지는 정상의 조종을 할 수 없게 됨. 스톨(stall). ¶ ~으로 추락하다. ②〔stall〕 『항공』 비행기가 속도를 잃고 앞을 위로 든 채 떨어지는 비행 상태. ③야구 등에서, 타구(打球)가 바람 등의 영향으로 구속(球速)이나 거리가 급속히 줄어드는 일.

실-속² 【實—】[—쏙] 명 ①실제로 들어 있는 속내용. ②겉으로 드러나지 아니한 이익. ¶ ~만 차리다.

실속³ 【實速】[—쏙] 명 ①실제의 속도. 실속도. ②『항공』 대지 속도(對地速度).

실속-각 【失速角】[—쏙—] 명 〔stalling angle, burble angle〕 『항공』 비행기가 비행할 때, 날개의 올려본각(角)이 일정한 각도보다 커지면, 날개의 양력(揚力)이 급격히 감퇴하는 각도. 이 각도를 넘으면 비행하지 못하고 추락(墜落)하게 됨.

실-속도 【實速度】 명 실제의 속도. 실제로 움직이거나 돌고 있는 속도. 실속(實速).

실속 반:전 【失速反轉】[—쏙—] 명 항공기를 실속 자세에서 기수를 급히 아래로 기울여 원래와 반대 방향으로 나는 일.

실손 전보 【實損塡補】[—쏜—] 명 『경』 보험 가액(價額)에 관계없이 보험 금액에 달할 때까지 실지 손해액을 지급하는 전보 방식. ↔비례(比例) 전보.

실솔 【蟋蟀】[—쏠] 명 『충』 귀뚜라미.

실:-솥 명 실을 켜기 위해 고치를 넣고 끓이는 솥. 냄비나 뚝배기를 씀.

실수¹ 【失手】[—쑤] 명 ①잘못하여 그르침. 또, 그 짓. ¶ ~ 없는 사람. ②실례. ──-하다 자여불

실수² 【室宿】[—쑤] 명 『천』 실성(室星).

실수³ 【實收】[—쑤] 명 ①실제의 수입(收入). 총수입에서 영업비·잡비 등을 빼어 낸 나머지의 수입. 실수입. ¶ ~ 10만 원. ②실제의 수확고(收穫高). ③〔recovery〕 『야금』 광석(鑛石)에서 얻을 수 있는 금속의 비율을 백분율(百分率)로 나타낸 것.

실수⁴ 【實需】[—쑤] 명 ↗실수요(實需要). ↔가수(假需).

실수⁵ 【實數】[—쑤] 명 ①실제의 계수(計數). 조사 등에 의하여 알려진 수. ②『수』 피승수(被乘數) 또는 피제수(被除數). ③『수』 '유리수(有理數)'와 '무리수(無理數)'의 총칭. ↔허수(虛數).

실수-고 【實收高】[—쑤—] 명 실제로 수입(收入)되거나 수집(收集)한 수량.

실수-금 【實受金】[—쑤—] 명 실제로 받은 돈.

실-수요 【實需要】 명 실제의 수요. 실제로 소비하기 위한 수요. ㊥실수(實需). ↔가수요(假需要).

실수요-자 【實需要者】 명 실제로 필요해서 얻고자 하는 자. 현재 시점(時點)에서의 실제의 소비자. ¶ ~ 증명서. ↔가수요자.

실수-율 【實收率】[—쑤—] 명 〔percentage extraction〕 『광』 매장량에 대해서 출광(出鑛)된 석탄이나 광석의 비율.

실-수익 【實收益】 명 실지의 수익.

실수 임:금 【實收賃金】[—쑤—] 명 〔real-earning〕 1주·1개월·1년 등, 일정 기간에 노동자가 실제로 받은 임금 수입액. *임률(賃率).

실-수입 【實收入】 명 실수(實收)❶.

실수-체 【實數體】[—쑤—] 명 『수』 실수로 이루어진 체. 더하기·빼기·곱하기와 0을 제외하고 나누기를 할 수 있으며 차례가 있는 수들의 집합임.

실수-축 【實數軸】[—쑤—] 명 〔real axis〕 『수』 가우스 평면의 실수를 나타내는 점의 전체로 된 직선. 가우스 평면을 통상의 좌표 평면이라고 보면 엑스축(x軸)임. 실축(實軸).

실:스킨 〔seal skin〕 명 스키를 신고 높은 곳에 올라갈 때, 뒤로 미끄러지지 않도록 스키의 뒷면에 붙이는 바다표범 가죽. ㊥실(seal).

실습 【實習】[—씁] 명 실지로 해 보고 익힘. 주로 실과(實科)에 관한 일을 현장이나 실험실 등에서 행하는 학습. ¶ ~생. ──-하다 타여불

실습-생 【實習生】[—씁—] 명 실습을 하는 학생. ¶ 교육 ~.

실습 수업 【實習授業】[—씁—] 명 가르치는 기능과 숙련을 갖기 위하여 교육 실습생이 받는 수업.

실습-실 【實習室】[—씁—] 명 실습하는 교실. *실습지. ¶ 가사 ~.

실습-지 【實習地】[—씁—] 명 실습하는 땅. 또, 그 곳. ¶ 원예 ~.

실시¹ 【失時】[—씨] 명 시기를 놓침. ──-하다 자여불

실시² 【實施】[—씨] 명 실제로 시행함. 실행(實行). ¶ 교육을 ~하다. ──-하다 타여불

실시간 시스템 【實時間—】〔system〕[—씨—] 명 『컴퓨터』 데이터가 발생할 때마다 곧바로 처리하여 결과를 출력하는 방식. 이 시스템에는 화학 공장 따위의 공정 제어(工程制御) 시스템, 은행의 온라인 거래 시스템, 비행기의 관제 시스템 등이 있음.

실시간 처:리 【實時間處理】[—씨—] 명 『컴퓨터』 데이터가 발생할 때마다 즉시 처리하고 그 결과를 출력하거나 요구에 대하여 응답하는 방식. 즉시 처리. 리얼타임 처리. *일괄 처리.

실시 규정 【實施規定】[—씨—] 명 법령 중, 실시에 필요한 세목적 사항(細目的事項)을 다른 법령으로 정한다고 규정하고 있는 경우에, 그 규정을 일컬음.

실시 등:급 【實視等級】[—씨—] 명 〔visual magnitude〕 『천』 육안(肉眼)이나 이와 같은 감도(感度)의 장치로 본 경우의 별의 광도(光度)의 등급. 겉보기 등급. *절대 등급(絶對等級).

실시 쌍성 【實視雙星】[—씨—] 명 〔visual binaries〕 『천』 망원경 등으로 그 궤도 운동을 실제로 관측할 수 있는 쌍성(雙星). 실시 연성. ↔분광 쌍성.

실시 연성 【實視連星】[—씨—] 명 『천』 실시 쌍성(實視雙星).

실시 지평선 【實視地平線】[—씨—] 명 〔visible horizon〕 『천』 대지와 하늘이 접하는 선 및 이 선의 천구(天球)에의 투영(投影).

실시 측광 【實視測光】[—씨—] 명 『천』 육안(肉眼)으로 망원경의 시야에 동시에 들어오는 표준 천체를 기준으로 하여, 어떤 천체의 광도를 평가하는 일. *사진(寫眞) 측광·열량(熱量) 측광·분광(分光) 측광·광전(光電) 측광.

실신¹ 【失身】[—씬] 명 실절(失節). ──-하다 자여불

실신² 【失信】[—씬] 명 신용을 잃음. ──-하다 자여불

실신³ 【失神】[—씬] 명 ①본 정신을 잃음. 상신(喪神). ②〔도 Ohnmacht〕 『의』 급격한 정신의 감동·공포·경악 등으로 또는 외상(外傷)·타격에 의하여 반사적(反射的)으로 뇌빈혈(腦貧血)을 일으켜서 일시적으로 의식을 잃는 일. ──-하다 자여불

실신-굿 【失神—】[—씬—] 명 『민』 살랑굿.

실:실 부 시실시실. ¶ 멋없이 ~ 웃기만 한다. >샐샐. ──-하다 자여불

실:실-이 부 실처럼 가는 가지마다. ¶ 춘당대(春塘臺) 영화당(映花堂) 가에는 수양버들이 ~ 푸르렀다《朴鍾和: 錦衫의 피》.

실심¹ 【失心】[—씸] 명 근심·걱정으로 마음이 산란하고 맥이 빠짐. 상심(喪心). ¶ 어머니는 … 말에 기운이 없었다. 피곤한 얼굴이었다. ~한 여인의 모습 그대로였다《朴榮濬: 颱風地帶》. ──-하다 자여불

실심² 【悉心】[—씸] 명 마음을 다함. ──-하다 자여불

실심³ 【實心】[—씸] 명 진심(眞心).

실심-스럽다 【實心—】[—씸—] 형ㅂ불 말이나 행실이 부지런하고 착실하다. 실심-스레 【實心—】[—씸—] 부

실싸귀 명 〈방〉 실속².

실싸퀴 명 〈방〉 실속².

실쌈-스럽다 형ㅂ불 뒤스럭스럽다. 실쌈-스레 부

실:-쑥 명 『식』 [*Filifolium sibiricum*] 국화과에 속하는 다년초. 줄기 높이 50 cm 가량, 근엽(根葉)은 총생(叢生)하며, 장병(長柄)인데 줄기잎은 유병 또는 무병임. 6-8월에 많은 황색 두상화(頭狀花)가 복산형 화수(複繖形花穗)로 피며, 수과(瘦果)를 맺음. 산지에 나는데, 황해의 서흥(瑞興), 함북의 경성(鏡城)·회령(會寧)에 분포함.

실아 【實我】 명 『불교』 실제의 '나'. 자기의 존재를 인정하는 자아(自我). ↔가아(假我).

실:-안개 명 ①엷게 낀 안개. ②〔dry fog〕 『기상』 낮은 습도에서 먼지·연기로 생기는 안개.

실암【實菴】 명 〖사람〗 권동진(權東鎭)의 호(號).
실액【實額】 명 실제의 금액. 「하지 못함. ——-하다 자여불
실어[1]【失語】 명 ①잘못 말을 함. ②말을 잊어버리거나 또는 바르게 말
실어[2]【實語】 명 〖불교〗 ①현교(顯敎)에서, 실지에 맞고 또한 실행과 상합한 말. ②밀교(密敎)에서, 진여(眞如)를 설명하는 말. 「나 써 버림.
실-어공중【失於空中】 명 〔공중에서 잃었다는 뜻으로〕 물건을 아무렇게
실어 발작【失語發作】 〔—짝〕 명 〔aphasic seizure〕 〖의〗 뇌의 언어 영역에서 이상 방전이 일어나서 일시적으로 말을 못 하게 되는 상태.
실어-증【失語症】 〔—쯩〕 명 〔aphasia〕 〖의〗 뇌질환(腦疾患)의 한 가지. 의미가 명확한 말을 사용하는 데나 혹은 말하여진 언어를 이해하는 데 장애를 일으키는 병증. 그 증후(症候)에 따라 운동성 실어(運動性失語), 곧 말하고자 하는 것은 알고 있으나 말로써 표현할 수 없는 병, 감각성 실어(感覺性失語), 곧 씌어진 글이나 들은 이야기를 이해할 수 없는 병과 두 가지의 혼합형(混合形)으로 나눔. 또, 넓은 의미에서 실독증(失讀症)·서자 불능증(書字不能症)을 포함시킬 때도 있음.
실언【失言】 명 실수하여 말을 잘못함. 또, 잘못한 말. 실구(失口). ¶ ~을 사과하다. ——-하다 자여불
실업[1]【失業】 명 ①생업(生業)을 잃음. 실직(失職). ¶ ~자(者). ②〔unemployment〕 〖경〗 노동자가 노동 능력과 그 의사를 가지고 있으면서도 노동할 기회를 얻지 못하거나 또는 이미 얻었던 일자리를 잃어버리는 일. 실직(失職). ↔취업(就業). ——-하다 자여불 「등을 하는 사업.
실업[2]【實業】 명 농업·상업·공업·수산업과 같은, 생산(生産)·제작·판매
실업-가【實業家】 명 상공업·금융업(金融業) 등의 사업을 경영하는 사
실업-계【實業界】 명 실업가의 사회. 실업의 범위. ㄴ람.
실업 고등 학교【實業高等學校】 명 〖교〗 고등 학교 중, 실업 교육을 위주로 하는 학교. 공업·교통·농업·상업·수산·체신 고등 학교 등이 있음. ㊁실업 학교. 「여러 과의 총칭.
실업-과【實業科】 명 교과(敎科)의 하나. 농업·공업·상업·수산업 등의
실업 교:육【實業敎育】 명 실업에 종사하려는 사람에게 필요한 지식과 기능을 숙련·체득시키는 교육. 직업 교육.
실업 구:제 사:업【失業救濟事業】 명 실업 대책 사업.
실업 기금 제:도【失業基金制度】 명 〔system of unemployment fund〕 〖사〗 정부가 시행하는 실업 대책의 한 가지. 정부가 평상시에 미리 매년 일반 회계 중에서 일정액의 실업 기금을 계속 적립함으로써, 공황·불경기에 대비하였다가 불경기로 인한 사기업의 부진·쇠침으로 실업자가 속출하는 경우, 이로써 공공 사업을 전개하여 실업자를 흡수하려
실업-난송이 명 〈방〉 실없쟁이. ㄴ는 제도.
실업-낫도깨비 명 〈방〉 실없쟁이.
실업 단체【實業團體】 명 〖사〗 실업계의 공동 목적을 유지 또는 개선하기 위하여 모여서 의결 또는 행동하는 실업가의 단체.
실업 대:책비【失業對策費】 명 국가 또는 지방 자치 단체가 실업자를 구제(救濟)하기 위하여 지출하는 경비.
실업 대:책 사:업【失業對策事業】 명 실업자에 대하여, 주로 공공(公共)의 토목 사업을 일으켜 고용(雇傭)의 기회를 만들고, 임금을 주어서 구제하는 기능을 발휘하려는 사업. 실업 구제 사업.
실업 대:책 위원회【失業對策委員會】 명 노동부 장관 소속하에, 실업 대책에 관한 사항을 조사·심의하는 위원회.
실업-률【失業率】 〔—뉼〕 명 노동력을 가진 인구에 대하여 실업자가 차지하는 비율.
실업 보:험【失業保險】 명 〖사〗 사회 보험의 한 가지. 평소에 정부나 지방 자치 단체·고용주·노동자가 일정한 비례로 기금(基金)을 적립(積立)해 놓고 노동자가 실직했을 경우, 어떤 기한 동안 일정한 금액을 실업자에게 주어서 그 생활을 구제하는 것을 목적으로 하는 보험. 임의적인 것과 강제적인 것의 두 가지가 있음.
실업 수당【失業手當】 명 〖사〗 실업 보험의 규약에 의하여 실업자에게 지급하는 수당.
실업의-아들 〔—/—에—〕 명 ☞시러베아들.
실업 이:론【失業理論】 명 〖경〗 고용(雇傭) 수준에 따라 경제 현상을 밝히어 풀이하는 이론.
실업 인구【失業人口】 명 노동할 의사와 능력을 가지고 있으나, 현실적으로는 취업(就業)하지 못하고 있는 인구.
실업-자【失業者】 명 〖사〗 실업한 사람.
실업 전문 학교【實業專門學校】 명 〖일제〗 실업 부문에 관하여 고등(高等) 학술과 기예를 교수하던 학교.
실업 통:계【失業統計】 명 〖사〗 실업에 관한 여러 가지 사실을 기술하는 통계. 실업의 상태·이유 등을 밝히고, 대책과 시설의 기초 자료를 제공함을 목적으로 함.
실업 학교【實業學校】 명 〖교〗 ①실업에 종사하려는 사람에게 필요한 교육을 시행하는 학교. ②↗실업 고등 학교.
실:없는-유카 〔—업—〕 명 〖식〗 〔*Yucca recurvifolia*〕 용설란과의 상록 소관목상(狀)의 다년초. 높이는 1.5 m 가량이고, 아래쪽에서 가지를 쳐서 큰 그루가 됨. 잎은 길이 60-90 cm, 폭 5 cm로, 잎 가에 실 같은 섬유가 없고, 잎이 뒤로 말리는 성질이 있음. 줄기 끝에서 길이 1 m의 꽃줄기가 나와, 작은 가지마다에 녹백색의 8 cm 내외되는 은방울꽃 모양의 꽃이 아래로 향해서 많이 달림. 미국 남부 지방 원산으로, 관상용으로 재배됨.
실-없다 〔—업—〕 형 말이나 짓이 실답지 못하다.
【실없는 말이 송사간다】 무심하게 한 말 때문에 큰 소동이 생긴다는 뜻.
【실없는 부채 손】 눈은 높아 좋은 것을 원하나 손은 무디어 이루지 못한다는 뜻. *시렁 눈 부채 손.
실-없이 〔—업씨〕 부 실답지 못하게.

실없-쟁이 〔—업—〕 명 실없는 사람의 별칭. 「諺 Ⅶ:6≫.
실에 명 〈옛〉 시렁. ¶ 실에를 바라 書帙을 マズ기ㅎ고(傍架齊書帙) ≪杜
실-여치 명 〖충〗 실베짱이.
실역【實役】 명 〖군〗 현역(現役)으로서 치르는 병역. 「한.
실역 정년【實役停年】 명 〖군〗 현역 군인의 진급(進級)에 관한 복무 연
실연[1]【失戀】 명 〔←실련(失戀)〕 연애에 실패함. 또, 이루지 못한 연애. ——-하다 자여불
실연[2]【實演】 명 ①실제로 연출함. ②〖연〗 영화 배우 등이 극장 무대에서 연기함. 극영화(劇映畫)에의 출연과 구별하여 일컫는 말. ——-하다 자타여불
실:-연기【—煙氣】 〔—련—〕 명 실처럼 가늘게 피어오르는 연기. ¶ ~가 오르다.
실연적 판단【實然的判斷】 명 〖논〗 판단의 확실성의 정도에서 본 판단의 구분(區分)의 하나. 주어(主語)와 술어(述語)와의 관계가 실제로 성립함을 나타내는 'A는 B이다'라는 형식의 판단. 확연적 판단(確然的判斷). 정연적 판단(正然的判斷). ↔개연적 판단(蓋然的判斷)·필연적 판단(必然的判斷). 「순조롭지 못한 병.
실열【實熱】 명 〖한의〗 몸이 더워지고 갈증(渴症)이 나며, 뒤와 오줌이
실-열량【實熱量】 명 〖화〗 화학 변화에서 발생 또는 흡수되는 열량. 보통, 칼로리로 나타냄.
실엽【實葉】 명 〖식〗 포자엽(胞子葉).
실-영상【實映像】 명 〖물〗 실상(實像).
실:-오라기 명 실오리. 「다.
실:-오리 명 한 가닥의 실. 실오라기. ¶ ~ 같은 희망/~ 하나 걸치지 않
실:오리-모 명 〖건〗 기둥 따위의 각재(角材)를 오목하게 줄이 지게 접은 모서리.
실온【室溫】 명 실내의 온도(溫度). ¶ 온도는 ~을 유지하다.
실와 호【—湖】 〔Chilwa〕 명 〖지〗 칠와 호.
실외【室外】 명 방 밖. ¶ ~ 체조. ↔실내(室內).
실외 경:기【室外競技】 명 실외에서 하는 경기. 「여불
실용【實用】 명 실제로 소용됨. 실제로 이용 또는 사용함. ——-하다 타
실용 단위【實用單位】 명 〔practical unit〕 〖물〗 기본 단위나 유도(誘導) 단위와는 별도로 실용상 습관적으로 쓰이는 단위. 마력(馬力)·옴(ohm)·볼트(volt) 따위.
실용-례【實用例】 〔—네〕 명 실제로 쓰이는 예.
실용-문【實用文】 명 실생활의 필요에 의하여 쓰는 글. 공문·통신문·서간문(書簡文) 등. ↔예술문. 「(規範文法).
실용 문법【實用文法】 〔—뻡〕 명 〔practical grammar〕 〖언〗 규범 문법
실용 미사일【實用—】 〔missile〕 명 군(軍)에서, 전술 또는 전략용으로 쓰기 위하여 채용한 미사일.
실용 법학【實用法學】 명 〖법〗 해석 법학.
실용-성【實用性】 〔—썽〕 명 실용에 맞거나, 실제로 쓰이는 성질.
실용 신안【實用新案】 명 산업에 이용할 수 있도록 물건의 모양·구조 또는 결합(結合)에 새로운 고안(考案)을 베푸는 일. 이를테면, 의자에 바퀴를 달아 구르게 한다든가 식탁을 접을 수 있게 하는 것 따위.
실용 신안권【實用新案權】 〔—꿘〕 명 〔도 Gebrauchsmusterrecht〕 〖법〗 산업 재산권의 한 가지. 실용 신안법에 의하여 실용 신안을 등록한 자가 독점적·배타적으로 가지는 지배권. 권리의 존속 기간은 10 년임. 이 동안 실용 신안권자는, 실용 신안권의 침해자에 대하여 손해 배상 청구권 외에 일종의 방해 배제 청구권(妨害排除請求權)을 가짐.
실용 신안 등록【實用新案登錄】 〔—녹〕 명 〖법〗 실용 신안권을 얻고자 하는 자가 특허청에 출원(出願)하여 등록 원부에 실용 신안권 설정의 등록을 하는 일.
실용 신안 등록 원부【實用新案登錄原簿】 〔—녹—〕 명 실용 신안권의 설정·이전, 전용 실시권(專用實施權) 또는 통상(通常) 실시권의 설정 등을 등록하는 원부. 특허청에 비치함.
실용 신안법【實用新案法】 〔—뻡〕 명 〖법〗 실용적인 고안(考案)을 보호·장려하고, 그 이용을 도모함으로써 기술의 발전을 촉진하여 산업 발전에 이바지하게 할 목적으로 제정된 법률.
실용 신안 특허【實用新案特許】 명 〖법〗 물품의 형상·구조 또는 결합에 관한, 실용적인 새로운 형(型)의 산업적 고안에 대한 권리의 특허. ㊁신안 특허(新案特許)·실용 특허.
실용-원【實用園】 명 관상(觀賞)을 목적으로 한 정원이 아닌, 채소밭이나 과수원 등의 일컬음.
실용 위성【實用衛星】 명 실용적 용도를 주요 임무로 하는 인공위성. 현재 통신 위성·기상 위성·항행(航行) 위성·자원 탐사 위성·방송 위성 등이 그 대표적인 것임.
실용 음악【實用音樂】 명 〔도 Gebrauchsmusik〕 〖악〗 내적(內的)인 사상·감정을 나타내는 것을 목적으로 하지 않고, 오로지 사회적 수요(社會的需要)에 기초를 두고 사람들을 즐겁게 하기 위하여 쓰인 음악. 19 세기의 낭만주의 음악에 대항하여 주로 힌데미트(Hindemith)·바일(Weill, K.) 등에 의하여 주장되었음.
실용-자【實用者】 명 실제로 필요한 사람. 실제로 사용하는 사람.
실용-적【實用的】 명관 실용에 알맞은 모양. 실제로 이용되는 모양. ¶ ~인 물건. ↔비실용적.
실용적 지능【實用的知能】 명 〖심〗 외계의 사상(事象)에 자기를 즉응적(卽應的)으로 적합하게 하며, 구체적 통찰력(洞察力)을 포함하는 행동 능력. ↔논리적 지능.
실용-주의【實用主義】 〔—/—이〕 명 〖철〗 지(知)와 행(行), 이론과 실천을 분리하지 않고, 인식을 행위의 한 가지로 또는 행위를 위한 도구로 보고, 실지로 베풀어서 유용한 것을 참(眞)이라고 생각하는 입장. 곧,

진리를 그 자체로서의 순이론적 가치로서가 아니고 인생에 대한 그 실용성·합목적성이란 근본적 견지에서 규정하는 입장임. 영국의 경험론, 공리주의(功利主義)에 근원을 두고 미국의 제임스(James, William)·듀이(Dewey, J.)에 의하여 완성을 보았음. 프래그머티즘(pragmatism). 실제주의(實際主義).

실용 특허【實用特許】명〖법〗↗실용 신안 특허.
실용-품【實用品】명 실용적 가치가 있는 물품.
실용-화¹【實用化】명 실제로 널리 쓰이게 됨. 또, 그렇게 함. ——-하다 자타여불
실용-화²【實用靴】명 일상 신는 실용적인 구두.
실우【失偶】명 실합(失合).
실-운동【實運動】명〔actual motion〕〖항〗지구를 기준으로 하는 항공기의 운동.
실원¹【室員】명 연구실·분실(分室) 등, '실(室)'자가 붙은 부서에 딸린 인원.
실원²【實員】명 실제의 인원수.
실위【室韋】명〖역〗6세기경에 만주 북쪽에 있었고, 당(唐)나라 시대에는 동몽고(東蒙古) 방면에 있었던, 계통이 불분명한 부족(部族). 몽골계(Mongol系) 또는 터키계라고 함.
실유【實有】명〖불교〗삼라 만상(森羅萬象)은 공(空)임에도, 중생(衆生)의 미망(迷妄)한 정으로, 이를 실재(實在)라고 하는 일. ↔가유(假有).
실-유불성【悉有佛性】[—썽] 명〖불교〗실대승가(實大乘家)에서 주장한 것으로 중생에게는 누구나 다 부처가 될 본성이 있다는 말.
실:-유카 명〖식〗[*Yucca filamentosa*] 용설란과에 속하는 상록 관목상의 다년초. 화경의 높이 1-3 m, 여름에 흰 빛의 꽃이 원추 화서로 탐스럽게 핌. 잎은 설상(舌狀)으로 길이 30-45 cm, 폭 2.5 cm쯤이고 뿌리로부터 총생함. 잎에서 섬유를 채취하여 직물의 원료로도 씀. 미국 남부 지방 원산의 원예 식물로 추위에 잘 견디며, 꽃이 아름다워 화단 등에 심어 가꿈.
실-은【實一】부 사실은. 실제로는. ¶ ~ 네 말이 옳다.
실음【失音】명〖한의〗목소리가 쉼. ——-하다 자여불
실의¹〈옛〉시루에. '시르'의 처소격형(處所格形). ¶ 드트른 萊蕪縣ㅅ 실의 ᄀᆞ득ᄒᆞ고(塵滿萊蕪甑)《杜諺 XXI·35》.
실의²【失意】[—/—이] 명 실망(失望). ¶ ~에 잠기다. ——-하다 자여불
실의³【失儀】[—/—이] 명 예의를 잃음. ——-하다 자여불
실의⁴【實義】[—/—이] 명 ①진심. 친절. 성의. ②진실한 의의(意義). 진실한 도리.
실의⁵【實意】[—/—이] 명 ①진실한 마음. 본심(本心). ②친절한 마음. 성실(誠實).
실의 노ᄂᆞᆫ 아ᄒᆡ 구〈옛〉사랑하는 아들. ¶ 실의 노ᄂᆞᆫ 아ᄒᆡ 아니환히 누워 안ᄒᆞᆯ ᄇᆞᆯ와 믜여ᄇᆞ리ᄂᆞ다(嬌兒惡臥踏裏裂)《杜諺 VI:42》. *일의 놀이ᄂᆞᆫ 아ᄒᆡ.
실익【實益】명 실제의 이익. 실리(實利).
실인¹【失認】명〔도 Agnosie〕〖의〗감각은 완전하지만, 대상(對象)의 사물에 대한 인식이 없는 정신 이상. 시각성(視覺性)의 이러한 인식 결여(認識缺如)를 정신맹(精神盲)이라 함. 실인증(失認症).
실인²【室人】명 자기의 아내를 일컫는 말.
실인³【實印】명 인감(印鑑) 증명을 내어서 관청에서 인정한 인장. 한 사람이 한 개만을 가질 수 있음.
실인⁴【實因】명 살해(殺害)를 당한 사람의 죽은 원인.
실-인심【失人心】명 인심을 잃음. ↔득인심. ——-하다 자여불
실인-증【失認症】[—쯩] 명〖의〗실인(失認).
실임【實任】명〖역〗조선 시대에, 육의전(六矣廛)의 하공원(下公員)의 하나.
실자¹【實子】[—짜] 명 자기가 낳은 아들. 친아들.
실자²【實字】[—짜] 명 한자(漢字)에 있어서, 형상(形象)이 있는 사물을 나타내는 글자. 천(天)·지(地)·초(草)·목(木)·인(人) 같은 것. ↔허자(虛字).
실자³【實姉】[—짜] 명 부모가 같은 친누이.
실-작인【實作人】명 ①착실하게 농사를 잘 짓는 소작인. ②실제의 경작자.
실-작자【實作者】명 믿을 만한 사람.
실:-잠자리 명〖충〗실잠자릿과에 속하는, 넓적다리실잠자리·노랑실잠자리·아시아실잠자리·끝빨간실잠자리 등의 총칭.
실:잠자릿-과【—科】명〖충〗[Coenagrioidae] 잠자리목(目)에 속하는 한 과. 시맥(翅脈)은 비교적 굵고 날개 기부(基部)는 가늘며, 모두 소형의 종류임. 대부분이 물 속에 산란(産卵)하나, 나뭇가지에 산란하는 종류도 있음. 보통, 연못 등에서 볼 수 있음.
실장【室長】[—짱] 명 그 방의 장. 일실(一室)의 장. ¶ 행정 ~.
실:-장갑【—掌匣】명 실로 뜬 장갑.
실-장정【實壯丁】명 힘깨나 쓰는 장정.
실재¹【實才】[—째] 명 ①글재주가 있는 사람. ②현실 문제를 처리할 수 있는 능력. 실용(實用)에 도움이 되는 재능(才能).
실재²【實在】[—째] 명 ①현실에 존재함. 또, 그것. ②〖철〗실제로 존재하는 사물·사상(事象)·사유(思惟) 혹은 체험. 주관으로부터 독립하여 객관적으로 존재하는 것. 객관적 자연(自然)에 속하는 것. 더욱 자연을 생멸 변화(生滅變化)의 현상계(現象界)로 볼 때는, 이러한 현상적 규정을 초월하는 영구 불변의 형이상학적(形而上學的) 실체·본체를 의미함. ↔가상(假象). ——-하다 자여불
실재-감【實在感】[—째—] 명〖미술〗그려진 물건이 일으키는 실재적 연상(實在的聯想).
실재-계【實在界】[—째—] 명 실재(實在)의 세계. 현상적 규정(規定)을 초월한 실재의 세계.
실재 계:정【實在計定】[—째—] 명〖부기〗계정 과목을 분류할 때, 실질적인 내용을 가진 구체적인 계정을 총괄하여 일컫는 말. 자산(資産)·부채(負債) 및 자본(資本) 계정이 이에 속함. ↔손익 계정(損益計定).
실재 과학【實在科學】[—째—] 명〖철〗실재적인 자연이나 사회 현상을 대상으로 하는 과학. ↔관념(觀念) 과학.
실재 근거【實在根據】[—째—] 명〖철〗존재 근거(存在根據).
실재-론【實在論】[—째—] 명〔realism〕〖철〗일반적으로 사물을 어떤 인식 주관(認識主觀)과도 독립하여 존재한다고 하는 입장. 관념론에 대하여 초주관적(超主觀的)인 실재성에 우위(優位)를 두는 사상 일반을 가리킴. 이 중 주요한 설을 열거하면, 첫째로 지각(知覺) 내용은 외계인 실재의 있는 그대로의 모사(模寫)라고 보는 자연적·상식적 입장을 취하는 '소박 실재론(素朴實在論)' 또는 '독단적 실재론', 둘째로 객관적 실재를 상정(想定)하면서도 그것이 인식될 수 있는가 없는가 곧, 사유(思惟)와 존재와의 일치 여하의 문제에 대하여 단정을 내리지 않는 입장을 취하는 '비판적 실재론', 셋째로 선험적(先驗的) 관념론과는 반대의 의미를 가지며, 객관의 개적 의식(個的意識)에의 의존이 아니고 의식 일반에의 의존을 말하고, 이 의미에서 경험적 관념론이나 모든 독재론적 경향에 서로 상반(相反)하는 '경험적 실재론' 등으로 구별됨. 리얼리즘. ↔관념론(觀念論). *실념론(實念論).
실재론-자【實在論者】[—째—] 명〖철〗실재론을 주장하거나 신봉하는 사람. 리얼리스트.
실재-설【實在說】[—째—] 명 ①〖철〗실재론의 학설. ②실재한다는 주장. ¶ 설인(雪人)의 ~을 믿다.
실재-성【實在性】[—째썽] 명〔reality〕〖철〗주관적 관념·상상(想像) 등으로부터 독립한 객관적·현실적 존재성. 현실성(現實性). ↔관념성(觀念性).
실재 이:유【實在理由】[—째—] 명 사물의 존재나 생기(生起)의 근거가 되는 원인·이유. 실재 근거. 존재 근거.
실재 재단【實在財團】[—째—] 명〖법〗파산 관재인(破産管財人)이 파산 재단으로서 현실로 점유 관리하는 총재산. 현유 재단(現有財團). 현실 재단. ↔법정 재단(法定財團).
실재-적【實在的】[—째—] 명관 실재하는 또는 실재로서의 특성이 있는 모양.
실적¹【失跡】[—쩍] 명 형적이 아주 없게 됨. ——-하다 자여불
실적²【實的】[—쩍] 명〖철〗순수한 의식 작용 안에 존재하는 것. 현상학에서 외계의 사물로 존재하는 것, 곧 '실재적'과 구별하여 씀.
실적³【實跡】[—쩍] 명 실제(實際)로 행하여진 형적. 확실한 형적(形跡).
실적⁴【實積】[—쩍] 명 실제의 용적 또는 면적. 알부피.
실적⁵【實績】[—쩍] 명 실제의 업적(業績) 또는 공적(功績). ¶ 수출 ~을 올리다.
실적 시간【實績時間】[—쩍—] 명〔actual time〕〖경〗주어진 작업을 완성시키기 위하여, 작업하는 사람이 실제로 소비한 시간.
실적-주의【實績主義】[—쩍—/—쩍—이] 명 실적을 기초로 임용(任用)·승진 등을 하는 주의. 시험 성적·근무 성적 및 기타 능력에 중점을 둠. 메리트 시스템(merit system).
실전¹【失傳】[—쩐] 명 묘지(墓地)·고적(古跡) 등 세전(世傳)의 사실이 알 수 없게 됨. ——-하다 자여불
실전²【實傳】[—쩐] 명 ①여러 가지 에피소드가 전하여지는 사람에 관한 전기. ②어떤 종교의 교의에 관한 전승(傳承). ③〖천주교〗사도(使徒)들로부터 실제로 전하여 내려옴.
실전³【實戰】[—쩐] 명 실제로 싸움. 또, 그 전쟁. ¶ ~담(談)/~의 경험/~을 방불하게 하는 훈련.
실:-전갱이 명〖어〗[*Alectis ciliaris*] 전갱잇과에 속하는 바닷물고기. 몸길이 20 cm 내외로 체고가 높고 심히 측편(側扁)함. 등지느러미 및 뒷지느러미의 연조(軟條)가 연장되어 실 모양으로 됨. 몸빛은 등 쪽이 청색, 배 쪽이 담색인데, 강한 은백색의 광택이 나며, 체측(體側)에 여섯 줄의 흑갈색 가로띠가 있음. 한국 중부 이남·일본 중부 이남·하와이·타이 및 인도양에 분포함.

〈실전갱이〉

실전-담【實戰談】[—쩐—] 명 실제로 겪은 전쟁 이야기.
실전 부대【實戰部隊】[—쩐—] 명 전투에 직접 참가하는 부대.
실절【失節】[—쩔] 명 절개를 지키지 아니함. 실신(失身). 실정(失貞). ↔수절(守節). ——-하다 자여불
실점【失點】[—쩜] 명 경기·시합 등에서 점수를 잃음. 또, 그 점수. ↔득점. ——-하다 자여불
실:-젓 명 베실의 타래.
실정¹【失政】[—쩡] 명 정치의 방법을 그르침. 또, 잘못된 정치. ——-하다 자여불
실정²【失貞】[—쩡] 명 ①동정(童貞)을 잃음. ②실절(失節). ——-하다 자여불
실정³【實定】[—쩡] 명 실제로 정함. 현실적으로 정립(定立)함. ——-하다 타여불
실정⁴【實情】[—쩡] 명 ①실제의 사정. 있는 그대로의 정황(情況). 실태(實態). ¶ ~을 모르는 이야기. ②진실한 마음. 진정(眞情).
실정-법【實定法】[—쩡뻡] 명〖법〗현실적으로 정립(定立)된 법. 입법 기관의 입법 작용이나 사회적 관습 또는 법원의 판례(判例) 등의 경험적·역사적 사실에 의하여 인식될 수 있는 법. 성법(成法). 실증법(實證法). 성문법(成文法). 인위법(人爲法). ↔자연법(自然法)·이성법(理性法).
실정법-학【實定法學】[—쩡뻡—] 명〖법〗실정법을 대상으로 하는 학문. 실정법에 대하여 목적론적 해석을 가하여 이것을 실제 사회의 요구에 맞고, 이론적으로 모순이 없는 규범(規範)의 체계로서 설명하려는 법해석학.
실제¹【實弟】[—쩨] 명 친아우. ↔실형(實兄).
실제²【實際】[—쩨] 명 ①실지(實地)의 경우. 또, 형편. 사실(事實). ¶ 이론과 ~/~로 경험하다. ②〖불교〗진여 실상(眞如實相)의 이성(理性).

실제[3]【實題】명 한시(漢詩)에서, 경적(經籍)이나 사서(史書)의 내용에 관한 제(題). 실생활에 관계가 없는 풍(風)·월(月)·화(花)를 제로 하는 허제(虛題)에 대하여 일컬음.

실제-가【實際家】[—쩨—] 명 실제적인 사람. 실제파.

실제 기체【實際氣體】[—쩨—] 명 [real gas]『화』실제로 존재하는 기체. ↔이상 기체(理想氣體).

실제 문:제【實際問題】[—쩨—] 명 공상이나 이론 속에서가 아니라, 실제의 장면에 직면하여 생기는 문제. 대단히 현실성이 강한 문제.

실:-제비쑥 명『식』[*Artemisia angustissima*] 국화과에 속하는 다년초. 줄기의 높이는 69cm 내외이고, 잎은 호생하며 설형(楔形)임. 8월에 담황색 두화(頭花)가 원추(圓錐) 화서로 핌. 산지에 나는데, 함남의 부전 고원·포태산(胞胎山) 등지에 분포함.

실제 원가【實際原價】[—쩨—까] 명 [actual cost]『경』제품이나 서비스 생산에 소요된, 실제의 원가 요소(原價要素)의 소비량에 의해 계산된 원가.

실제 원가 계:산【實際原價計算】[—쩨—까—] 명 재화(財貨)·용역(用役)의 실제 소비량에 의하여 계산된 원가로써 행하는 원가 계산. 실제 제조 원가 계산과 실제 판매비 및 일반 관리비 계산으로 나누어짐. 사후(事後) 원가 계산. *표준 원가 계산.

실제 이:지【實際理地】[—쩨—] 명『불교』진제(眞諦) 평등의 심리.

실제-적【實際的】[—쩨—] 명관 현실에 맞는 것을 존중하고, 공상적인 것을 배척하는 모양. 현실적.

실제-주의【實際主義】[—쩨—/—쩨—이] 명『철』실용주의(實用主義).

실제-파【實際派】[—쩨—] 명 실제가.

실조[1]【失措】[—쪼] 명 조치를 그르침. 처리를 잘못함. ——-하다 자여불

실조[2]【失調】[—쪼] 명 ①조화(調和)를 잃어버림. ¶ 영양 ~. ②가락이 맞지 않는 일. 부조화(不調和). ③단독의 근육에는 이상이 없으나, 일부의 근(筋)에 장애가 일어나 운동 협조가 잘 안 되는 일. 예를 들면, 물건을 집으려고 하다가 집지 못하거나, 걸으려고 하다가 비틀거리는 상태 등. 운동 실조.

실족【失足】[—쪽] 명 ①발을 잘못 디딤. 실각(失脚). ②행동을 잘못함. ③[scandalon]『성』사람을 죄에 빠지게 하고 멸망으로 이끄는 원인(原因). ——-하다 자여불

실존【實存】[—쫀] 명 ①인식이나 의식으로부터 독립하여 사물이 존재하는 일. ↔허무(虛無). ②[도 Existenz]『철』형이상학적으로는, 사물의 본질 및 본성과 구별 지어, 그 사물이 존재하는 그 자체를 나타내는 말. 곧, 본질이 가능적 존재인 데 반하여 현실적 존재를 뜻함. 현존(現存). ↔본질. ③[도 Existenz]『철』인간적인 현실 존재(現實存在) 또는 주체적·자각적 생존(自覺的生存)의 뜻. 대상적(對象的)으로 파악할 수 없는 구체적이며 근본적인 존재 방식으로서, 키르케고르가 존재 해명(解明)의 추축 개념(樞軸槪念)으로서 채용한 말. 자각 존재(自覺存在). ——-하다 자여불

실존 변:증법【實存辨證法】[—쫀—뻡] 명『철』키르케고르(Kierkegaard)의 용어. 헤겔의 변증법에 대하여 쓰는 말. 곧, 헤겔의 변증법은 매개 융회(媒介融會)를 일삼고 대립자를 '이것도 저것도'로 종합하는 데 반하여, '이것이냐 저것이냐'를 결정할 위기에 직면하여 결단하는 실존의 변증법. 질적(質的) 변증법. 역설 변증법.

실존 분석【實存分析】[—쫀—] 명 [existential analysis]『심』정신 요법의 하나. 정신적 장애를 자연 과학적 방법에 의하여, 분석적으로 이해하며 심적(心的) 메커니즘의 이상(異常)을 발견하여 치료하려는 종래의 방식에 불만을 느끼는 학자가, 정신 분석학이나 실존주의 등의 사상적 영향 아래 창안한 요법.

실존적 교제【實存的交際】[—쫀—] 명 [도 Existentielle Kommunikation]『철』야스퍼스(Jaspers)의 용어. 인간끼리 서로 자기의 실존을 실현하는 일과 상대자의 실존을 실현하는 일을 목적으로 하여, 서로서로 실현의 계기가 되지 않으면 안 된다는 관계. 야스퍼스는 이것을 사랑이라 일컬음.

실존-주【實存疇】[—쫀—] 명 [도 Existenzialien]『철』하이데거의 용어. 실존의 존재 방식을 규정한 범주(範疇). 곧, 실존적 범주.

실존-주의【實存主義】[—쫀—/—쫀—이] 명 [existentialism]『철』실존 철학에 기초를 두는 사상상(思想上)의 입장. 프랑스의 작가 사르트르의 작품을 통하여 선전되고 하나의 문학 운동으로 발전했음. 실존 철학·허무주의.

실존주의-자【實存主義者】[—쫀—/—쫀—이—] 명『철』실존주의를 신봉하고 주장하는 사람.

실존 철학【實存哲學】[—쫀—] 명 [도 Existenzphilosophie]『철』19세기의 합리주의적 관념론 및 실증주의에 대한 반동으로 일어나, 주체적 존재로서의 실존을 중심 개념으로 하는 철학적 입장. 일체의 사유(思惟) 형식을, 사유하는 사람의 존재 양식에 의존하는 것이라고 보고, 따라서 철학적 사색의 목표는, 추상적 개념에 의한 대상적(對象的)인 것에 대한 인식에 있는 것이 아니고, 오히려 의문을 갖는 사람 자신의 존재 양식을 질문하는 일, 다시 말하면 실존의 자기 해명(解明)이야말로 철학의 주요한 목표가 됨. 이러한 철학적 태도는 키르케고르(Kierkegaard)에 의해 시작되고, 뒤에 하이데거(Heidegger)·야스퍼스(Jaspers)·셰스토프(Shestov) 등에 의해서 철학 일반의 근본적 입장이 되기에 이르렀음.

실존 해:명【實存解明】[—쫀—] 명 [도 Existenzerhellung]『철』야스퍼스의 용어. 실존을 해명하는 것만 아니라 실존으로부터 해명하는 일. 실존은 주체(主體)로서의 자기 자신이며 대상 존재(對象存在)가 될 수 없으므로 과학과 같이 대상적으로 설명할 수 없으며, 또 자기 일신(自己一身)은 일반적이 아니므로 합리적으로도 설명할 수 없고, 다만 실존과 실존의 사이에서 공동(共同)의 경험과 자각에 의존하면서 각성적(覺醒的)으로 밝히는 수밖에 없음. 이 방법을 실존 해명이라고 함.

실종【失踪】[—쫑] 명 ①종적(蹤跡)을 잃음. 행방을 알 수 없음. ②『법』사람의 소재(所在) 및 생사(生死)가 불명하게 되는 일. ¶ ~ 신고. ——-하다 자여불

실종 선고【失踪宣告】[—쫑—] 명『법』일정한 기간, 곧 보통은 5년, 특별한 위험이 있었을 때는 1년 동안 소재(所在) 및 생사(生死)가 불명한 자를 이해 관계인의 청구에 의해서, 사망한 것으로 간주(看做)하는 가정 법원의 선고.

실종-자【失踪者】[—쫑—] 명 ①실종한 사람. ②『법』법원에서 실종 선고를 받은 자.

실주【實株】[—쭈] 명 주식(株式)의 현물(現物). 현주(現株). ↔공주(空株).

실죽【實竹】[—쭉] 명 속이 비지 아니한 대.

실:-줄고기 명『어』[*Podothecus thompsoni*] 날개줄고깃과에 속하는 바닷물고기. 머리는 폭이 넓고 정수리에 닭벼슬 모양의 돌기가 있으며, 촉수(觸鬚)는 비교적 가늘고 그 수가 적음. 배지느러미는 길고 다른 지느러미는 모두 작음. 우리 나라 동해안과 일본 니가타(新潟) 근해에 분포함.

실중【失中】명 ①『역』일부러 사실과 다르게 기록하는 일. ②중용(中庸)을 얻지 못함.

실-중력【實中力】명 실중힘.

실-중힘【實中—】명 센 활보다 약하고, 중힘보다 강한 활. 실중력(實中力).

실즉-허【實則虛】명 ①겉 보기에 충실하면 속은 비어 있음. ②『군』병법(兵法)에서 이르는 용병(用兵) 및 적정 판단(敵情判斷)의 한 가지. 곧, 굉장한 방비(防備) 태세를 노현(露現)시킨 곳에 실상은 적병이 없음. ↔허즉실(虛則實). ——-하다 형여불

실증【實證】[—쯩] 명 ①확실한 증거. 확증(確證). 또, 확실한 증거가 있는 사물. ②사실에 의하여 증명함. 실험(實驗). ③『한의』허(虛)·실(實)·음(陰)·양(陽)의 여러 증상이 있는데, 그 중, 실(實)로 진단하기에 족한 증후. 체내의 어딘가에 병독이 충만하여 있는 상태. ④『철』검증(檢證)❸. ——-하다 타여불

실증-론【實證論】[—쯩논] 명 [프 positivisme]『철』현상(現象)의 궁극적·형이상학적인 원인을 구하는 것과 같은 형이상학적 사변(思辨)을 물리치고, 사실을 근거로 하여, 관찰·실험에 의하여 이론을 확인하여 가는 철학상의 입장. 프랑스의 철학자 콩트(Comte, A.)에 의하여 체계화된 철학. 모든 현상을 신의 의지로 설명하는 신학적 단계를 지나, 모든 현상을 추상적인 형이상학적 본질로 설명하는 형이상학적 단계를 거친 다음에 겨우 이 학문의 최고 단계로서의 실증적 단계에 도달한다고 함. 실증주의. 실증 철학. 적극주의(積極主義). 포지티비즘. *감각론·경험론·관념론.

실증-법【實證法】[—쯩뻡] 명『법』실정법(實定法).

실증-성【實證性】[—쯩썽] 명 사실로써 증명할 수 있는 성질.

실증 신학【實證神學】[—쯩—] 명『천주교』성서·성전(聖傳)·교회 당국의 발표 등의 자료로부터 직접 계시 내용을 명확화(明確化)하려는 신학. 프로테스탄트에 있어서는, 교회 당국의 보수적 경향 또는 기성(既成) 종교를 일컬음. ↔사변(思辨) 신학.

실증-적【實證的】[—쯩—] 명관 단지 사고(思考)에 의하여 논증하는 것이 아니라, 경험적 사실의 관찰·실험에 따라 적극적으로 증명하는 모양.

실증-주의【實證主義】[—쯩—/—쯩—이] 명『철』실증론.

실증 철학【實證哲學】[—쯩—] 명『철』실증론. *적극 철학.

실증 철학 강:의【實證哲學講義】[—쯩—/—쯩—이] 명 [프 Cours de philosophie positive]『책』콩트가 저술한 철학서. 인간의 지식의 발전 단계를 신비적인 존재에 의해 해석하는 신학적 단계, 추측적인 공리(空理)로 해석하는 형이상학적 단계, 과학으로 진리를 추구하는 실증적 단계의 3단계로 나누어, 제3의 과학적·실증적 방법에 의하여 모든 학문을 통일하는 이론적 체계를 만들려고 하였음. 사회학을 최고의 학문으로 하는 실증 철학 체계를 제창한 저작임.

실지[1]【失支】명『역』고구려 후기의 직제인 '소형(小兄)'의 딴이름.

실지[2]【失地】[—찌] 명 잃어버린 땅. 적국에 빼앗긴 땅. ¶ ~ 회복.

실지[3]【失志】[—찌] 명 뜻을 잃음. 마음이 나갈 방향을 잃음. 또, 낙담함. ——-하다 자여불

실지[4]【悉地】[—찌] 명『불교』[범 siddhi; 성취의 뜻] 비법(祕法)을 배워서 진언(眞言)의 묘과(妙果)를 성취하는 일.

실지[5]【實地】[—찌] 명 ①실제의 처지. ¶ ~ 경험. ②실제의 장소. 현장(現場). ¶ ~ 답사.

실지[6]【實智】[—찌] 명『불교』진여 평등(眞如平等)의 이치를 비추어, 모든 법계(法界)는 공적(空寂)이라고 깨닫는 진실한 지혜. 근본지(根本智). ↔권지(權智).

실지 검:증【實地檢證】[—찌—] 명『법』현장 검증.

실지 경험【實地經驗】[—찌—] 명 실지로 하는 경험. ¶ ~을 쌓다. ——-하다 타여불

실지 답사【實地踏査】[—찌—] 명 현지(現地) 답사. ——-하다 타여불

실:-지렁이 명『동』[*Limnodrilus gotoi*] 환형(環形) 동물 실지렁잇과의 수생(水生) 지렁이. 하수도나 더러운 개천 등의 바닥 진흙 속에서 꼬리를 물 속으로 내고 흔들며 군생함. 몸길이 5-10cm. 실 모양이며 많은 환절(環節)이 있는데, 금붕어·열대어의 먹이로서 많이 양식되고 있음.

실지-로【實地—】[—찌—] 부 실제로.

실지 보리【實智菩提】[—찌—] 명『불교』삼보리(三菩提)의 하나. 실지(實智)가 곧 보리라는 말.

실지 시험【實地試驗】[—찌—] 명 실지로 하는 시험. ——-하다 타여불

실지 연:구【實地研究】[—찌—] 명 실제의 장소, 실제의 장면에서 연구하는 일. 또, 그 연구. ——-하다 타여불

실지 연:습【實地練習】[—찌—] 명 실지로 하는 연습. 실지에서 행하는 연습.

실지-적【實地的】[—찌—] 명관 실지와 같은 모양.
실지 천문학【實地天文學】[—찌—] 명〖천〗천문학의 실험적 및 실용적인 분과. 천체(天體) 관측 및 기계에 관한 이론·방법·관측치(値)의 계산법 등을 연구하는 학문. 특히, 항해 천문학·측지(測地) 천문학을 포함함. 「——-하다 자여불
실직[1]【失職】[—찍] 명 지금까지 가지고 있던 직업을 잃음. 실업(失業).
실직[2]【悉直】[—찍] 명 옛날, 강원도 삼척시(三陟市)에 있던 작은 나라 이름. 변진(弁辰)의 하나.
실직[3]【實直】[—찍] 명 성실하고 정직함. 직실(直實). ——-하다 형여불
실직[4]【實職】[—찍] 명 ①〖역〗문무 양반(文武兩班)만이 하는 벼슬. 정직(正職). 정임(正任). 현직(顯職). 현관(顯官). ↔잡직(雜職). ②실무에 당하는 실제(實際)의 관직. ↔겸직(兼職)·차함(借銜).
실직-록【實職祿】[—찍녹] 명〖역〗실직(實職)의 관원에 주는 봉록(俸祿).
실직-자【失職者】[—찍—] 명 실직하고 있는 사람.
실직-정【悉直停】[—찍—] 명〖역〗신라 때의 육정(六停)의 하나. 실직(悉直) 곧, 지금의 삼척(三陟)에 둠. 무열왕 5년(658)에 군영을 하서(河西) 곧, 지금의 강릉(江陵)으로 옮기고 하서정(河西停)으로 고침.
실진【失眞】[—찐] 명〖한의〗실성(失性). ——-하다 자여불
실질【實質】[—찔] 명 실제로 갖추어져 있는 성질이나 내용. 실체(實體).
실질 거:래【實質去來】[—찔—] 명〖경〗실제로 재산과 자본에 변화가 일어나는 거래.
실질 과세【實質課稅】[—찔—] 명 세법상의 공평 부담(公平負擔) 원칙의 하나. 권리 능력이 없는 사단(社團)·재단(財團)도 납세 의무의 주체로서 인정하거나, 불법 행위에 의한 소득(所得)도 과세 대상으로 삼는 등 실질에 입각하여 과세하는 일.
실질 관형사【實質冠形詞】[—찔—] 명〖언〗성상(性狀) 관형사.
실질 국민 소:득【實質國民所得】[—찔—] 명〖경〗물가(物價) 변동의 영향을 제거(除去)하기 위하여, 불변(不變) 물가로 나타낸 국민 소득. 생계비 지수(生計費指數) 또는 소비자 물가 지수 혹은 도매 물가 지수로 명목 국민 소득을 나누어 산출함. ↔명목 국민 소득·화폐 국민 소득.
실질 금리【實質金利】[—찔—니] 명 채권을 할인해서 발행하는 경우 또는 차입(借入)에 있어서 양건(兩建) 예금이 요구될 경우 등에 실질적으로 부담하는 금리. ↔표면(表面) 금리.
실질 단위【實質單位】[—찔—] 명〖경〗화폐(貨幣) 가치에 변동이 없는 일정한 값으로 재화나 용역을 셈하는 단위. 화폐 단위를 물가 지수로 나눈 값을 씀.
실질 도야【實質陶冶】[—찔—] 명 실질적 도야. ↔형식 도야.
실질-론【實質論】[—찔—] 명 실질주의(實質主義).
실질 명사【實質名詞】[—찔—] 명〖언〗자립(自立) 명사.
실질-범【實質犯】[—찔—] 명〖법〗결과범(結果犯). ↔형식범.
실질-법【實質法】[—찔뻡] 명〖법〗국제 사법상(私法上)의 용어로서, 법률 관계를 직접 규정하는 법. 저촉(抵觸) 규정 곧, 국제 사법 규정에 대하여 민법·상법·형법 등을 이름. *실체법(實體法)·형식법.
실질성-염【實質性炎】[—찔썽념] 명〖의〗변질성염.
실질 성장률【實質成長率】[—찔—뉼] 명〖경〗물가(物價)의 변동에 의한 영향을 수정한 실질(實質) 국민 소득 또는 실질 국민 총생산에 의해서 산출한 경제 성장률. 인플레가 심할 때일수록, 명목 성장률에 비해 그 수치가 낮아짐. *명목 성장률.
실질 예:금【實質預金】[—찔례—] 명 은행의 표면 예금액에서 은행이 예금으로서 받아들인 미결제의 타은행 지급의 어음·수표액을 뺀 것.
실질 임:금【實質賃金】[—찔—] 명〖경〗임금으로서 지불되는 화폐액을 생활 물자의 물가 수준으로 제하고, 실지의 구매력으로 환산한 임금. ↔명목(名目) 임금·화폐 임금.
실질 임:금 지수【實質賃金指數】[—찔—] 명〖경〗임금의 구매력의 변화를 나타낸 지수. 명목 임금 지수를 소비자 물가 지수로 나누어 구함.
실질-적【實質的】[—찔쩍] 명관 외견(外見)보다도 실지의 내용이 갖추어져 있는 모양. 또, 실질을 중히 여기는 모양. ↔형식적(形式的).
실질적 가치【實質的價値】[—찔쩍—] 명〖철〗독일의 철학자 셸러(Scheler)가 칸트의 형식적 가치에 대하여 사용한 말. 사실과 구별되어서, 그 자신이 객관적인 단계 질서(段階秩序)를 형성하고 있는 가치, 감득(感得)·선취(選取) 등의 본질 직관에 의해 생생하게 파악되는 쾌고(快苦)·행 불행 등의 가치.
실질적 가치 윤리학【實質的價値倫理學】[—찔쩍—율—] 명〔도 materiale Wertethik〕〖윤〗윤리적 가치는 본질의 한 영역으로서, 선험적(先驗的)으로 결해 있는 실질적 내용을 갖는다는 현상학적 입장의 윤리학. 셸러·하르트만의 학설. 준가치 윤리학.
실질적 감:자【實質的減資】[—찔쩍—] 명〖경〗결손(缺損)을 정리하고 재생산하기 위한 감자(減資). *감자(減資).
실질적 도야【實質的陶冶】[—찔쩍—] 명 일정한 교재(敎材)를 주어, 아동의 정신 내용을 풍부히 하는 도야(陶冶). 실질 도야. ↔형식 도야.
실질적 진리【實質的眞理】[—찔쩍질—] 명〔material truth〕〖철〗사유(思惟)와 대상(對象)이 일치하는 경우의 진리. ↔형식적 진리.
실질-주의【實質主義】[—찔—/—찔—이] 명〖철〗형식에 구애하지 않고 내용을 중히 여기는 주의. 실질론(實質論).
실질 지역【實質地域】[—찔—] 명〖지〗자연 또는 사회 현상의 연속성에 의하여 규정된 지역. 몬순 지역 같은 것. ↔형식(形式) 지역.
실질 판결【實質判決】[—찔—] 명〖법〗본안 판결(本案判決).
실질 형태소【實質形態素】[—찔—] 명〖언〗구체적인 대상이나 동작·상태와 같이, 실질적인 의미를 나타내는 형태소. 곧, '창수가 밥을 먹었다.'에서 '창수'·'밥'·'먹'을 가리킴. 실사(實辭). ↔형식(形式) 형태소.
실쭉 부 ①어떤 감정의 표현으로서 입이나 눈이 한쪽으로 실긋하고 움직이는 모양. ¶ ~ 웃다/입이 ~ 돌아가다. ②마음에 차지 않아 약간 고까워 하는 몸가짐을 하는 모양. 1)·2): ㅆ씰쭉. >샐쭉. ——-하다[1] 자타여불
실쭉-거리다 자타 ①물건이 한쪽으로 길쭉이 실그러진 형상으로 자꾸 움직이다. ②싫은 생각이 나서 얼굴을 자꾸 실그러뜨리다. 1)·2): ㅆ씰쭉거리다. >샐쭉거리다. **실쭉-실쭉** 부. ——-하다 자타여불
실쭉-대다 자타 실쭉거리다.
실쭉-샐쭉 부 실쭉거리며 샐쭉거리는 모양. ——-하다 자타여불
실쭉-하다[2] 형여불 ①한쪽으로 길쭉하게 실그러져 있다. ②싫어서 한쪽으로 비켜 나서려는 태도가 있다. ¶ 실쭉한 저녁을 조금 뜨다. 1)·2): >샐쭉하다[2].
실차【實差】명〖역〗나라에 중대한 일이 있을 때에, 임시로 두는 차비관(差備官)의 정임자(正任者).
실착【失錯】명 과실(過失)❶.
실책【失策】명 ①잘못된 계책. 실계(失計). 오계(誤計). ¶ ~을 범하다. ②야구에서, 포구(捕球) 또는 투구(投球)에 실패(失敗)함.
실천[1]【實踐】명 ①생각한 바를 실지로 행하는 일. 자기가 실지로 행하여 행위·동작에 나타내는 일. ¶ 신념을 그대로 ~하다. ②이론(理論)에 대하여, 행위·습관적 규칙적 행동 태도. ③인간이 행동에 의해, 주위의 세계에 작용하여서 환경을 의식적으로 변화시키는 일. 이 뜻에서의 실천의 기본적 형태는 물질적 생산 활동이며, 또 계급 투쟁·과학상의 실험(實驗) 등도 포함되며, 인식(認識) 또는 이론은 실천에 비추어서 검증(檢證)됨. 이를테면, 마르크스주의의 실천 또는 프래그머티즘(pragmatism)의 실천 따위. 1)·2):↔이론(理論). ——-하다 타여불
실천[2]【實薦】명〖역〗조선 시대에, 승정원(承政院)의 주서(注書)를 천거하던 일. ——-하다 타여불
실천-가【實踐家】명 할 일을 실천에 잘 옮기는 사람.
실천 과학【實踐科學】명 실제적으로 응용된 과학. 사회학에서는, 프라이어(Freyer, H.) 등이 사회학을 '주체적인 현실의 발전 과정을 파악하는 학'이라는 뜻에서 실천 과학이라고 역설했음. 이 경우에는, 단순한 응용만을 목적하는 미국의 실용 과학(practical science)과 구별됨.
실천 궁행【實踐躬行】명 실제로 몸소 이행함. ——-하다 타여불
실천-력【實踐力】[—녁] 명 신념이나 계획 등을 실천하는 능력.
실천-론【實踐論】[—논] 명〖책〗마오 쩌둥(毛澤東)이 지은 철학서. 변증법적 유물론의 입장에서 인식과 실천의 관계를 체계적으로 논한 것. 이론의 기초는 실천에 있으며 그것에 봉사하는 것이라는 관점에서, 인간을 주관적 능동성(能動性)으로서 파악했음. 1937년, 당시의 중국 공산당 내의 이론적 교조주의적(敎條主義的) 경향을 시정(是正)할 목적으로 썼음.
실천 비:평【實踐批評】명〖문〗구체적인 작품이나 작가를 주(主)대상으로 하는 비평. 이 비평의 주안점은 비평가가 실제의 작품 또는 작가에 대해 어떤 이해와 평가를 보이느냐 하는 것임.
실천 신학【實踐神學】명 교회의 실제적인 여러 가지 문제를 취급하는 기독교 신학의 한 분과. 설교학·목회학(牧會學)·예배학·기독교 교육학·종교 심리학·전도학(傳道學) 등을 포함함. 근대의 실천 신학은 심리학적·기술론적 경향이 강하였으나, 최근에 이르러서는 교의학적(敎義學的)·본질론적 경향이 강해졌음.
실천 윤리【實踐倫理】[—뉼—] 명〖윤〗윤리학의 한 영역(領域). 도덕 원리의 순수 이론적 연구의 일면에 대하여, 그 원리를 구체적으로 응용하고, 실천하는 다른 면을 주로 연구하는 학문. 실천 윤리학.
실천 윤리학【實踐倫理學】[—뉼—] 명〖윤〗실천 윤리(實踐倫理).
실천 이:성【實踐理性】명〔도 praktische Vernunft〕〖철〗도덕 법칙을 정립하여 의지 행동 곧, 행위를 규정하는 이성. 선(善)으로 인정한 것을 실현하려고 하는 도덕적 의지 규정(意志規定)의 능력. 특히, 칸트 철학에서는, 이론적으로는 인식하기 어려운 자유·영혼 불멸성·신(神)이라는 개념이 도덕성 때문에 실재성을 갖도록 요구하는 점에서, 실천 이성은 이론 이성보다 우위(優位)에 있다고 봄. ↔순수 이성(純粹理性). *도덕적 이성·사변적 이성.
실천 이:성 비:판【實踐理性批判】명〖책〗칸트의 세 비판서(批判書)의 둘째. 실천 철학에 있어서 비판주의의 고전적 저술(著述). 1788년 간행. 통칭: 제2 비판.
실천 이:성의 우위【實踐理性—優位】[—/—에—] 명〔도 Primat der praktischen Vernunft〕〖철〗칸트 철학의 근본 사상. 이론 이성(理論理性)이 그 권능에 있어서 유한적(有限的)이고, 현상계(現象界)에 관한 것에 지나지 않는 데 대하여, 실천 이성은, '물 자체(物自體)'의 본체계(本體界)에 관여하고, 이론 이성이 미치지 못하는 곳에 이르는 우승성(優勝性)을 갖고 있다고 하는 사상.
실천-적【實踐的】명관 인식이나 사고(思考)에만 관계하는 것을 '이론적(理論的)'이라고 하는 데 대해, 행동·행위에 관계하며, 행위를 지향하는 모양. ↔이론적(理論的)·관념적(觀念的).
실천적-애【實踐的愛】명〖윤〗의무적 관념으로 남에게 베푸는 친절.
실천적 이:념【實踐的理念】명〖철〗일반적으로, 실천할 때에 따라야 할 규범(規範), 실천에 의하여 실현되어야 할 가치(價値), 실천에 있어서 목적으로 하는 이상(理想)을 일컫는 말. 고전적인 예(例)로서, 플라톤의 선(善)의 이념, 칸트의 의지의 자유, 영혼의 불멸, 신의 존재 등의 이념 같은 것.
실천적 판단【實踐的判斷】명 실천이나 행위에 관한 판단. 곧, 어떤 행위를 행할 것인지 아니 할 것인지 또는 그것이 옳은 것인지 어떤지를 생각해서 판단하는 일.
실천 철학【實踐哲學】명〖철〗실천적인 것을 대상으로 하는 철학. 또, 실천을 사유(思惟)·이론의 근저(根柢)에 두는 철학. 좁은 의미에서는,

도덕론·윤리학과 일치하고, 넓은 의미에서는, 경제·법률·예술·기술 등 널리 인간의 사회적 현실 생활의 여러 단면(斷面)에 관한 철학적 고찰을 포함함. 또, 통속적인 의미에서는, 일상 생활상의 지침(指針)·각오(覺悟) 등을 줄 수 있는 철학을 이름. ↔이론 철학(理論哲學).
실천-화【實踐化】 명 실천에 옮김. 실천에 옮겨짐. ——하다 자타여불
실:-첩 명 여자의 손 그릇의 한 가지. 종이로 접어 만들어, 실이나 헝겊 조각 등을 담음.
「하다 자여불
실청【失聽】 명 청력(聽力)을 잃음. 귀머거리가 됨. *실명(失明). ——
실체[1]【失體】 명 체신을 잃음. 면목을 잃음. ——하다 자여불
실체[2]【實體】 명 ①사물의 본체(本體). 전하여, 진실의 깊은 도리. 실질(實質). 진형(眞形). 진리(眞理). ②〔도 Substanz〕〖철〗 근저(根柢)에 존재하는 것. 항상 불변의 본질적 존재. 여러 가지의 속성(屬性)과 변화를 갖추고 있으면서도, 그 자신은 항상 있고 변하지 않는 실재(實在). 관념론에서는, 변화하는 현상 속에서 변화하지 않는 정신을, 유물론에서는, 물질을 뜻하며, 다시 불변(不變)의 힘 또는 가변(可變)의 힘으로 해석되는 경우도 있음. 세계 내지 사물의 실체는 무엇이냐 하는 문제는, 고래로 철학의 중요 문제로 취급되었고, 특히 그리스 철학, 스콜라 철학, 데카르트 및 스피노자의 철학에 있어서 중심적 과제이며, 또 중심 개념이었음. ↔기능(機能)·현상(現象).
실체-감【實體感】 명 실체에 관한 느낌.
실체-경【實體鏡】 명 〔stereoscope〕〖물〗 약간 다른 각도에서 찍은 두 장의 실체 사진을 동시에 보이어 그 상(像)을 입체적으로 떠오르는 것 같이 보이게 하는 장치. 우안(右眼)에 맺어지는 상(像)과 좌안에 맺어지는 상이 조금씩 틀리는 것을 이용하여, 두 개의 렌즈를 써서, 좌우 양안으로 하여금 각각 다른 사진을 보아, 두 개의 상이 겹치게 하며 입체감을 갖도록 함. 입체경(立體鏡).
실체 계:정【實體計定】 명〖경〗 대차 대조표에 드는 자산·부채·자본에 속하는 여러 가지 계정. 이와 같은 계정은 대차 차액(差額)이 각종 자산·부채·자본의 실재고(實在高)를 나타내며, 차액은 결산에 있어서 잔액(殘額) 계정에 집계(集計)되어, 이것으로써 대차 대조표가 작성됨. 대차 대조표 계정. ↔명목(名目) 계정.
실체-권【實體權】〔—꿘〕 명〖법〗 물건을 점유하여 사용하는 권리. *가치권(價値權).
실체 도화기【實體圖化機】 명 도화기(圖化機).
실체-론【實體論】 명〖철〗 존재론(存在論).
실체-법【實體法】〔—뻡〕 명〖법〗 법규의 실현·확증을 위한 수단·형식을 규정하는 절차법·형식법에 대하여 주체(主體)간의 관계 그 자체를 규정하는 법규. 민법·상법 등. 주법(主法). ↔절차법(節次法). *형식법(形式法)·실질법(實質法).
실체 사진【實體寫眞】 명 입체(立體) 사진.
실체 생계비【實體生計費】 명 일반 가정에서, 실제로 지출한 금액을 산출한 생계비. ↔이론 생계비.
실체 자본【實體資本】 명〖경〗 화폐 및 화폐 채권(債權)을 포함한 실체적인 재화(財貨)의 존재로서의 기업 자본. 기업의 생산력으로 간주되는 자본임. ↔명목(名目) 자본.
실체 재판【實體裁判】 명〖법〗 형사 소송에 있어서, 사건의 실체를 판단하여 유죄 무죄를 가리는 재판. 항상 판결 형식으로 하며, 모두가 종국적 재판이 됨.
실체-적【實體的】 명관 실체·본체·본질을 갖추고 있는 모양.
실체 진:자【實體振子】 명〖물〗 복진자(複振子).
실체 철갑탄【實體徹甲彈】 명 〔monoblock projectile〕〖군〗 열처리(熱處理)를 한 강철로 만든 철갑탄.
실체-파【實體波】 명〖지〗 지진파(地震波) 중, 지구 표면을 전파(傳播)하는 표면파(表面波)를 제외하고, 진원지(震源地)에서 지구 내부를 전파해 오는 파동(波動). 종파(縱波)·횡파(橫波) 및 불연속면에서의 반사파(反射波)·굴절파(屈折波) 등으로 분류됨.
실체-화【實體化】 명〖철〗 단순한 속성(屬性) 또는 추상적 개념 내용을 객체화(客體化)하여 독립적 실체로 간주하는 일. 이를테면, 보편 개념을 독립의 존재로 하는 중세(中世) 실념론(實念論)의 사고(思考) 등.
실초【實礎】 명〖식〗 씨방.
실총【失寵】 명 총애(寵愛)를 잃음. ——하다 자여불
실추【失墜】 명 떨어뜨림. 잃음. ¶ 위신 ~. ——하다 타여불
실축【實軸】 명 〖수〗 실수축(實數軸).
「여불
실측【實測】 명 실지로 측량함. 답측(踏測). ¶ ~한 면적. ——하다 타
실측-도【實測圖】 명 실측한 결과를 그린 도면.
실:-치 명〖어〗 충남에서 상인들이 흰 빛을 띤 베도라치 새끼를 이르는 말.
실:치-포【—脯】 명 〈방〉 뱅어포.
실-친자【實親子】 명〖법〗 자연적인 혈연(血緣)에 의거(依據)하는 친자. ↔법정 친자(法定親子). *양친자(養親子)·계모자(繼母子)·적모(嫡母)·서자(庶子).
실:-칡범잠자리〔—칙—〕 명〖충〗〔*Anisogomphus melanopsoides*〕 부채장수잠자릿과에 속하는 곤충. 복부의 길이는 38-40 mm, 뒷날개는 35-38 mm임. 몸빛은 복부가 검고, 배면(背面)의 반문은 수컷이 엷은 녹색, 암컷은 황색임. 한국 특산종임. 산칡범잠자리.
실카장 부 〈방〉 실컷.
실컨 부 〈방〉 실컷(경상·평안·황해).
실컷 부 마음에 원하는 대로 한껏. 마음껏. ¶ 물을 ~ 마시다.
실켓 〔silkette〕 명 의견사(擬絹絲).
실켓 가공【—加工】〔silkette〕 명 머서(Mercer) 가공.
실:-켜다 자 누에고치에서 실을 뽑아 내다.
실:-코 명 실로 고리를 지어 만든 고.
실콤-하다 형 〈방〉 실큼하다.
실크 〔silk〕 명 ①생사(生絲). 명주실. ②명주천. 견직물(絹織物).
실크 글루: 〔silk glue〕 명〖화〗 세리신(sericin).
실크 로:드 〔Silk Road〕 명〖지〗 비단길.
실크스크린 인쇄【—印刷】〔silkscreen〕 명 공판(孔版) 인쇄의 일종. 눈이 성긴 명주를 틀에 붙이고, 인쇄하지 않을 부분을 아교나 형지(型紙)로 덮어 가리우고, 그 위에서 고무 롤러로 잉크를 눌러 인쇄함. 잉크를 두껍게 칠할 수 있어서, 색조(色調)가 뚜렷하게 나오고, 종이 이외의 것, 입간판(立看板)과 같이 큰 물체에도 인쇄할 수 있는 것이 특징임. 스크린 인쇄.

〈실크 해트〉
실크 울: 〔silk wool〕 명 날실로 명주실, 올실로 양털을 써서 짠 교직(交織).
「원피스.
실크 프린트 〔silk print〕 명 명주에 날염한 것. ¶ ~의
실크 해트 〔silk hat〕 명 남자가 쓰는 예장용(禮裝用)의 모자. 춤이 높고, 딱딱한 원통상(圓筒狀)인데, 겉은 깁에 새털을 박은 검은 바탕에 광택이 있음. 톱 해트(top hat).
실큰-실큰 부 〈방〉 흘근흘근(전라).
실큼-하다 형여불 마음에 싫은 생각이 나다.
실탄[1]【失彈】 명 〔lost〕〖군〗 관측자가 포(砲)나 박격포에서 발사된 탄환을 관측하지 못했음을 이르는 말.
「탄환.
실탄[2]【實彈】 명 총이나 대포 등에 재어 쏘아서 실제의 효력을 나타내는
실탄 사격【實彈射擊】 명 총포(銃砲)에 실탄을 장전(裝塡)하여 발사함. ——하다 자여불
「하다 자여불
실탄 연:습【實彈演習】〔—년—〕 명 실탄을 사용하며 하는 연습. ——
실:-태[1] 명 〈방〉 실테(평안).
「醉)하여 ~를 부리다.
실태[2]【失態】 명 ①본디의 면목을 잃음. ②볼성사나운 모양. ¶ 만취(滿
실태[3]【實態】 명 실제의 모양. 있는 그대로의 상태. 실정(實情). 본태(本態). ¶ 인구 분포의 ~를 조사하다.
실태 조사【實態調査】 명 실제의 상태·사정 등을 살펴 알아봄. 또, 그러한 조사. ——하다 타여불
실:-터 명 집과 집 사이에 남은 길고 좁은 빈 터.
실:-테 명 ①물레의 얼레에 일정하게 감은 실의 분량. ②실패에 감긴 실의 한 테.
실토【實吐】 명 거짓말을 섞지 않고 사실대로 말함. ¶ 심정(心情)을 ~하
실:-토리 명 〈방〉 실톳(평안).
「다. ——하다 타여불
실:-토생이 명 〈방〉 실톳.
실-토정【實吐情】 명 사실대로 진정을 말함. ¶ 이용익은 고초를 당하고 있는 모든 내막을 ~한 것이었다《金周棠 : 客主》. ——하다 타여불
실:-톱 명 ①실같이 가는 톱. 얇은 널빤지에 여러 가지 모양으로 도림질을 하는 데 쓰임. ②지그소(jigsaw).
실:-톳 명 방추형(紡錘形)으로 감아 놓은 실뭉치. 피륙을 짤 때에 북에 넣어서 쓰게 되었음.
〈실톱❶〉
실:-퇴【—退】 명〖건〗 몹시 좁게 놓은 툇마루.
실투[1]【失投】 명 야구 등에서 잘못 던지는 일. ——하다 자여불
실투[2]【失透】 명 〔devitrification〕〖화〗 용융(熔融) 유리를 냉각하거나 투명한 유리를 가열할 때에, 조성(組成)에 따라서 정해지는 어떤 일정한 온도 범위(溫度範圍)에서, 유리 속에 결정(結晶)이 석출(析出)하는 현상. 이 실투에 의하여 유리는 불투명해지고 깨지기 쉽게 됨.
「물.
실투-유【失透油】 명〖미술〗 도자기의 몸에 씌우는 투명하지 아니한 잿
실투 유리【失透琉璃】 명 〔devitrified glass〕 투명 유리가 제조 과정 중에 무른 결정체로 변한 유리.
「암석.
실트-암【—岩】〔silt〕 명 모래와 점토(粘土)의 중간 굵기인 흙으로 된
실:-파 명〖식〗 몸이 가느다란 파. 세총(細葱). 낙총(落葱).
실팍-지다 형 실팍한 모양이 있다.
실팍-하다 형여불 사람이나 물건이 보기에 매우 튼튼하다. ¶ 소 대신 쟁기를 끌어 무논을 갈아도 갈 만큼 실팍한 노예요《劉賢鍾 : 들꽃》.
실:-패[1] 명 실을 감아 두는 작은 나무쪽.
실패[2]【失敗】 명 일을 잘못하여 그르침. 일이 목적과는 달리 헛 일이 됨. 위실(違失). ¶ ~는 성공의 어머니. ↔성공(成功). ——하다 자타여불
실패[3]【失牌】 명 골패의 오관(五關) 등의 패를 잘못 짓는 일. ——하다 자여불
실:패 강정 명 실패같이 가운데가 잘록하게 된 강정.
실:패-고둥 명〖조개〗①실패고둥과(科)에 속하는 민실패고둥·큰실패고둥 등의 총칭. ②〔*Cirsotrema perplexum*〕 실패고둥과에 속하는 연체 동물의 하나. 패각(貝殼)은 높이 6 cm 가량의 실꾸리 모양인데 표면은 흰 바탕에 갈색 세로무늬가 있고 나탑(螺塔)은 다섯 층 내외임. 해안에 남. 실꾸리고둥.

〈실패고둥❷〉
실:패고둥-과【—科】〔—꽈〕 명〖조개〗〔Epitoniidae〕 전새류(前鰓類)에 속하는 한 과. 전세계에 75종이 알려져 있음.
실패-담【失敗談】 명 실패한 일에 관한 이야기.
실패-작【失敗作】 명 실패한 작품.
실포[1]【失捕】 명 잡았던 죄인이나 짐승 등을 놓침. ——하다 타여불
실포[2]【實包】 명 권총·소총·기관총·엽총 등 소구경(小口徑)의 화기에 사용되는 탄환. 약협(藥莢)이 함께 붙어 있는 일체탄(一體彈)임. ↔공포(空包).
실:-표【—標】 명 천을 맞대어 실로 뜬 다음 잘라서 바느질 자리를 표시한 실밥. ¶ ~ 뜨기.
실:-풀이 명〖민〗 망인(亡人)의 영혼을 저승으로 보내면서 이승에 맺힌

것이 없도록 한다는 뜻으로 하는 굿. 시룻구멍에 망인의 수저에다 실타래를 맨 것을 꿰어 빼냄. ＊고풀이.

실:-핏줄 명〖생〗모세 혈관(毛細血管).

실-하다¹【實―】타여불 떡고물로 쓸 깨를 물에 불려서 껍질을 벗기다.

실-하다²【實―】형여불 ①사람이나 물건이 튼튼하다. ¶실하게 생긴 아이. ②재산이 넉넉하다. ¶실한 집안. ③속이 옹골지다. ¶배추 속이 실하게 차다. ④믿을 수 있다. ¶실하게 일하다.

실학【實學】명 ①이론적 연구·기초적 연구에 대하여, 배운 지식이나 기술이 그대로 사회 생활에 소용되는 학문. 상학(商學)·공학(工學)·의학 따위. ②〖역〗조선 시대 중엽, 당시 지배 계급의 학문이던 성리학의 형이상학적 공리론(空理論)의 반동으로 일어난 실사 구시(實事求是)와 이용 후생(利用厚生)에 관하여 연구하던 학문. 그 영역은 실생활의 유익을 목표로 정치·경제·언어·지리·천문·금석 등에 널리 미쳤음.

실학 사:대가【實學四大家】명 실학파(實學派) 학자 네 사람. 곧, 이덕무(李德懋)·유득공(柳得恭)·박제가(朴齊家)·이서구(李書九) 등임.

실학-자【實學者】명〖역〗조선 시대 중엽에 일어난 실학을 주장한 사람.

실학-주의【實學主義】[―/―이] 명〔realism〕〖교〗현실의 사실과 실물의 직관(直觀)을 특히 중요시하는 교육상의 입장. 이 입장은, 형식화된 인문주의의 영향을 받은 언어 본위의 교육에 대한 반동(反動)으로서 16세기에 일어났으며, 다시 자연 과학 및 철학상의 경험론에 영향되어 17세기 이후에 세력을 얻었음.

실학-파【實學派】명〖역〗조선 시대 임진(壬辰)·병자(丙子)의 두 난을 겪은 뒤의 국민적 자각과, 중국 청나라를 통하여 들어온 서양 문명의 영향을 받고 일어난 실학을 주장한 일군(一群)의 학자들. 곧, 유형원(柳馨遠)을 비롯해, 이수광(李睟光)·한백겸(韓百謙)·이덕무(李德懋)·박지원(朴趾源)·정약용(丁若鏞)·김정희(金正喜)·신경준(申景濬)·이익(李瀷) 등이 이에 속함.

실학파 문학【實學派文學】명〖문〗조선 시대 때의 실학의 3파(派) 가운데 특히 이용 후생학파(利用厚生學派)가 창작한 문학. 신선한 구상과 평이(平易)한 사실적 수법으로 시(詩)와 산문을 창작했으며, 우리 나라의 속담 이언(俗談俚言)을 자유로이 표현하고, 풍자와 익살로 대담하게 서민적 정취를 섭취하여, 우리 나라 한문학상 새로운 한 유파를 형성함. 그 대표적 인물은 박지원(朴趾源)·박제가(朴齊家) 등임.

실함¹【失陷】명 어떤 장소를 공략당하여 잃음. ――하다 자여불

실함²【實銜】명 실제로 근무(勤務)하는 벼슬. ↔차함(借銜).

실-함수론【實函數論】[―쑤―] 명〖수〗미적분학(微積分學) 및 그 연장으로 실변수(實變數)의 함수에 관하여 논하는 해석학(解析學)의 한 분야. 르베그(Lebesgue, H.L.)에 의하여 창시되었음. 실변수 함수론(實變數函數論).

실합【失合】명 부부의 짝을 잃음. 실우(失偶). 실려(失儷). ――하다 자여불

실합-국【實合國】명 복수(複數)의 주권국이 조약에 기초하여 통치 기능의 일부, 특히 조약의 체결 기타 국제적 사항을 공동의 기구에 의해 처리하기로 한 국가의 결합체. 1867-1918년의 오스트리아·헝가리 등. 현재는 존재하지 않음. 정합국(政合國).

실해【實害】명 실제의 손해.

실행¹【失行】명 ①도의(道義)에 어그러진 좋지 못한 행동을 함. ②〖심〗의식과 운동 능력에는 장애가 없고, 소기(所期)의 운동의 일부 또는 전부가 실패 또는 불능에 빠지는 일. 실서증(失書症)은 글씨를 쓰는 운동에 관한 실행임. ――하다 자여불

실행²【實行】명 ①실제로 행함. 실시(實施). ¶～ 불가능한 일. ②〖법〗범죄의 구성 요건(構成要件)인 사실을 실현하는 행위를 함. ③〖컴퓨터〗컴퓨터를 프로그램에 따라 작동시키는 일. ――하다 타여불

실행-가【實行家】명 생각하고 있는 것을 그냥 내버려 두지 않고, 실행으로 옮겨 가는 경향의 사람. 실행자(實行者).

실행 감시 프로그램【實行監視―】명〔executive supervisor〕주어진 일의 순서(順序)·준비·실행 등을 제어(制御)하는 컴퓨터 시스템의 구성 요소(構成要素).

실행-기【實行器】명〖생〗동물체가 수용기(受容器)로부터 받은 자극에 따라, 외계에 직접 작용하는 세포나 기관의 총칭. 근육·선(腺)·섬모(纖毛)·편모(鞭毛)·발광 기관(發光器官)·전기 기관 등. ↔수용기.

실행 기록【實行記錄】명〔executive logging〕컴퓨터 시스템의 각종 구성 요소가 프로그램에 의해서 시간적으로 어떻게 사용되었는가를 자동적으로 기록하는 일.

실행-력【實行力】[―녁] 명 실행해 나아가는 능력.

실행 미:수【實行未遂】명〖법〗행위자가 범죄의 실행을 종료(終了)하였으나 예기(豫期)한 결과가 발생하지 않는 경우를 이름. 종료 미수(終了未遂). ＊착수(着手) 미수·중지(中止) 미수·장애(障礙) 미수.

실행 미:수범【實行未遂犯】명〖법〗결효 미수범. ＊착수 미수범.

실행 세:율【實行稅率】명〖경〗같은 물품에 대해 복수의 세율이 있을 때, 실제로 적용되는 관세율.

실행 예:산【實行豫算】[―녜―] 명 ①경제 안정 대책 또는 일시적인 세입 부족의 보전 등을 위하여 확정된 예산의 범위 안에서 행정부가 조정하여 시행하는 예산. ②〈속〉도급자(都給者)가 계약액(契約額)의 범위 안에서 실제 소요액으로 책정하여 현장 작업 책임자에게 지급하는 예산액.

실행-자【實行者】명 실제로 행하는 사람. 실행가.

실행 정:범【實行正犯】명〖법〗교사(敎唆)와 같이 범인의 의사를 통해서 범죄의 완성에 영향을 미치는 무형적 정범(無形的正犯)에 대하여, 직접으로 범죄를 완성하는 유형적(有形的) 정범.

실행 중지범【實行中止犯】명〖법〗범죄를 실행한 다음 그 결과가 생기지 않도록 그 자신이 방지한 범인.

실행-증【失行症】[―쯩] 명〔apraxia〕〖의〗스스로의 의지(意志)로는 운동이 불가능한 병증. 대뇌 피질(大腦皮質)에 있어서 운동 영역(領域)의 장애로 인하여 생기는 병으로서, 마비(痲痺) 그 밖의 운동 또는 감각적 장애는 따르지 아니함.

실행 행위【實行行爲】명〖법〗어떤 잠재 세력을 구체적으로 실현시키기 위한 일체의 행위.

실향【失鄕】명 고향을 잃음. 고향을 빼앗김. ――하다 자여불

실향-민【失鄕民】명 고향을 잃고 타향살이를 하는 백성.

실향 사민【失鄕私民】명 실향민.

실험【實驗】명 ①실제로 시험함. 또, 실지의 시험. ②실지의 경험. ③〔experiment〕자연 과학의 한 방법. 자연 현상(自然現象)에 인위(人爲)를 가하여 변화를 일으켜서 관찰을 용이하게 하고, 또 그릇된 관찰을 바르게 하는 목적에 이바지하는 일. 실증(實證). ――하다 타여불

실험-값【實驗―】[―깝] 명〔experimental value〕실험으로 얻어지는 수치. 또, 거기 따라 계산하여 얻어지는 수치. ↔이론값.

실험 계:획법【實驗計劃法】명 추계학(推計學)을 이용하여 실험 정도(精度)를 높이는 방법. 실험 효과를 본질적 요인량(要因量)과 우연량(偶然量)으로 분별시키는 것과 같은 실험 배치의 결정과, 그것을 토대로 한 실험 결과의 분산 분석법으로 구성됨. 농사 시험을 비롯하여 생산 관리 및 각종의 조사 등에 응용됨. 피셔(Fisher, R.A.)에 의하여 창시(創始)되었음.

실험 과학【實驗科學】명 실험을 연구의 주요한 방법으로 하는 과학. 사고(思考) 및 관찰만이 허용되는 수학과 천문학을 제외한 자연 과학의 태반 및 심리학의 범칭(汎稱). 실험만으로 성립되는 과학이 없으므로 엄밀한 호칭(呼稱)이 아님. ＊경험 과학.

실험 교:육학【實驗敎育學】명〖교〗20세기 초두에, 아동 심리학의 실험적 연구에 영향되어, 심신의 발달·생득 재능(生得才能)·피로(疲勞)·학습 태도 등의 심리학적 실험에 기초를 두고, 교육학을 수립하려고 한 학설. 독일의 라이(Lay, W.)·모이만(Meumann) 등이 주창하였음.

실험 극장【實驗劇場】명〖연〗영리(營利)를 떠난, 연구적(硏究的)·실험적인 연극 운동.

실험-대【實驗臺】명 ①실험의 대상물(對象物)이나 기구를 얹고, 그 위에서 실험하기 위한 대. ②실험의 대상물.

실험 대학【實驗大學】명 대학 교육의 질적인 향상을 위해 1973년부터 교육부의 주도하에 교육과 연구 과정에서의 개혁을 시도한 시범(示範) 대학.

실험 동:물【實驗動物】명 의학·약학·농학·생물학의 연구·검정(檢定)·제조에 쓰기 위하여 육종(育種)·사육(飼育)된 동물. 생쥐·기니피그(guinea pig)·토끼·햄스터(hamster)·개·원숭이 등 소형 포유동물이 많이 쓰이며, 목적에 따라 순계(純系)·근교계(近交系)·무균(無菌) 동물·질환(疾患) 모델 동물 등 특별한 것이 있음.

실험-론【實驗論】[―논] 명〖철〗실증주의(實證主義).

실험 물리학【實驗物理學】명〖물〗물리학의 한 부문. 주로 실험적 연구를 하며, 이론 물리학과 더불어 물리학의 연구를 완성함. 현상(現象)의 관측을 목적으로 여러 가지 실험을 행하며, 이를 토대로 법칙적 관계의 귀납(歸納)이나 이론의 검증(檢證) 등을 함. 실험 수단의 연구, 실험 기계 장치의 고안(考案), 측정 오차(測定誤差)의 검토, 단위(單位)의 제정 등도 그 연구 대상임.

실험 미학적 방법【實驗美學的方法】명〔도 Methode der Experimenteller Ästhetik〕〖심〗페흐너(Fechner, G.T.)에 의하여 도입된 일군(一群)의 실험 방법. 정신 물리적 측정법에 대하여 가치 판단을 내포하고 있는 방법이라고 하나, 현재는 평정법(評定法)에 통합(統合)되어 다만 역사적인 명칭으로 남아 있음에 불과함.

실험 발생학【實驗發生學】[―쌩―] 명〖생〗생물의 발생, 곧 형태 형성의 과정을 실험적 방법으로써 연구하는 학문. 종전의 발생학이 발생의 각 과정에 있어서의 구조(構造)의 변천에 관해서 기록함에 그친 데 반하여, 이러한 변천에 인과 관계(因果關係)를 수립하는 것을 목적으로 함. 발생 기구학.

실험 법칙【實驗法則】명 실험 결과의 규칙성에서 귀납(歸納)된 법칙. '옴의 법칙'이나 '케플러의 법칙'이 그 예(例)임. 이론적으로 도입(導入)된 이론 법칙에 상대하는 말.

실험 병:리학【實驗病理學】[―니―] 명〖의〗인체 질병의 의문점을 동물을 사용, 모형적으로 재현하여 연구하는 병리학의 한 분과.

실험 생태학【實驗生態學】명〖생〗생물과 환경 상호(相互)의 인과 관계를 물리적·화학적 실험 방법을 주로 사용하여 연구하는 학문 분야.

실험 소:설【實驗小說】명〔프 Le roman expérimental〕〖문〗작자의 상상이나 작위(作爲) 등을 제외하고, 작자 자신이 실험한 사실을 기초로 하여 구성하는 소설. 졸라(Zola)가 주장하였음.

실험 수조【實驗水槽】명 ①〖물〗수역학(水力學)의 실험을 할 수 있도록 만든 수조(水槽). ②비행정(飛行艇)이나 선박(船舶) 등의 모형을 실제로 물 위에 띄워서 실험할 수 있는 수조.

실험-식【實驗式】명〔empirical formula〕〖화〗①실험의 결과에서 화합물의 조성(組成)을 가장 간단하게 표시하도록 만든 화학식(化學式). 예컨대, 아세틸렌(C_2H_2)·벤젠(C_6H_6)도 그 실험식은 모두 CH임. ②실험(實驗)값에 맞도록 만든 여러 양(量) 사이의 관계식(關係式). ＊분자식(分子式).

실험 신경증【實驗神經症】[―쯩] 명〖의〗여러 가지 동물을 대상으로 하여, 실험적으로 설정된 상황(狀況) 하에서 관찰되는 이상(異常) 행동. 증상으로는 경련·발작·혼미(昏迷) 상태·맹목적인 반응·고집 경향·공격적 행동·활동성의 이상적(異常的)인 항진(亢進) 또는 감퇴·자율 신경계의 기능의 이상 등 여러 가지임.

실험-실【實驗室】명 과학 연구의 목적하에 실험을 행하는 방.

실험 심리학【實驗心理學】[—니—] 명〖심〗 심리학 연구의 한 입장. 생물체의 정신 현상 및 행동에 대해서 실험적 방법에 의하여 행하는 연구의 이론 및 기술론(技術論).

실험 안전차【實驗安全車】명 이 에스 브이(E.S.V.).

실험 암석학【實驗岩石學】명〔experimental petrology〕 암석학적 과정에서 생기는 현상을 실험실에서 재현시켜 연구하는 암석학의 한 분야.

실험용 원자로【實驗用原子爐】[—농—] 명〔experimental reactor〕〖물〗 새로운 원자로의 설계를 시험하기 위한 원자로.

실험 유전학【實驗遺傳學】[—뉴—] 명〖생〗 종전에는 오로지 이론적으로만 고찰하였던 유전의 기구(機構)에 대한 연구를 모두 실험에 의하여 명백히 하는 학문. 멘델 이후에 성행하였음.

실험 음성학【實驗音聲學】명〖언〗 음성의 물질적인 측면을 카이모그래프(kymograph)·오실로그래프·스펙트로그래프 등의 기기(機器)를 이용해서 자연 과학적으로 실증하는 음성학의 한 분야. 현재는 생리면에서의 실험도 하므로 일반적으로 음향(音響) 음성학이라고도 함.

실험 의학 서:설【實驗醫學序說】명〔프 Introduction à l'étude de la médecine expérimentale〕〖책〗 프랑스의 생리학자 베르나르(Bernard, Claude)가 지은 책. 1865년 파리에서 출판. 의학도 물리학이나 화학과 같이 실험의 단계에 달함으로써 진정한 과학이 된다는 신념을 토로하고, 생리학이 의학의 기초가 된다고 하였음. 졸라(Zola)의 실험 소설에 영향을 주었음.

실험-장【實驗場】명 실험을 행하는 장소. *실험실(實驗室).

실험-적【實驗的】명관 ①실지로 일을 해 보고, 그것을 관찰·관측하여 기록한다는 방법에 따르는 모양. ②어떻게 되는 것인지 시험삼아 하여 보는 모양.

실험적 경험론【實驗的經驗論】[—논] 명〔experimental empiricism〕〖철〗 미국의 철학자 듀이(Dewey)가 자기의 경험론을 지칭한 용어. 전통적 경험론이 경험을 정관적(靜觀的)·심리학적으로 해석하여 다만 감각 여건(感覺與件)에 돌리는 데 대하여, 그는 경험을 생물이 환경에 대한 행동적 교섭의 전과정이라고 하며, 인식도 정관적이 아니고 환경을 통제하려고 하는 행동의 방식이라고 함. 실험주의. 「경험론.

실험-주의【實驗主義】[—/—이] 명〔experimentalism〕〖철〗 실험적

실험 학교【實驗學校】명〔experimental school〕〖교〗 새로운 교육 방법을 실제로 시도(試圖)하기 위해서 설치된 연구적 학교.

실험 현:상학【實驗現象學】명〖심〗 심리학의 한 입장. 물리학적으로는 동일한 자극도 여러 가지 조건 아래에서 현상적으로 다른 시현 방식(示現方式)을 나타내는 점을 중시(重視)하여 현상을 분석·분류하고, 실험적으로 음미(吟味)·기술(記述)해서 여러 가지 관계나 조건을 밝힘.

실험 형태학【實驗形態學】명〖생〗 생물 일반의 체제의 형성·변화를 실험적 방법에 의하여 인과적(因果的)으로 연구하는 학문. *실험 발생학(實驗發生學).

실현다 자〈옛〉 실 켜다. ¶ 실혈 소(繅), 실혈 역(繹)《字會 下 19》.

실현【實現】명 실제로 나타남. 또, 실제로 나타냄. ¶ 소년 시절의 꿈을 ~시키다. ——하다 자타여불

실현-성【實現性】[—썽] 명 실현될 가능성. ¶ ~ 있는 이야기.

실현-화【實現化】명 실제로 나타나게 하는 일. ¶ ~의 단계에 있다. ——하다 자타여불 「자여불

실혈【失血】명 피가 자꾸 나서 그치지 아니함. 탈혈(脫血). ——하다

실혈-성【失血性】[—썽] 명〖의〗 출혈로 인해 어떤 증세가 나타나는 성질.

실혈-증【失血症】[—쯩] 명〖한의〗 피가 몸 밖으로 나오는 병의 총칭. 각혈(咯血)·육혈(衄血)·변혈(便血) 같은 것.

실형[1]【實兄】명 친 언니. ↔실제(實弟).

실형[2]【實刑】명 집행 유예(執行猶豫)가 아니라, 실제로 받는 체형(體刑).

실형[3]【實形】명 실제의 모양.

실혜【實惠】명 실지로 받은 은혜.

실혜-가【實兮歌】명〖문〗 신라 가요의 하나. 신라 진평왕(眞平王) 때 상사인(上舍人) 실혜는 하사인(下舍人) 진제(珍提)의 참소로 귀양을 가게 되었는데, 그 곳에서 임금에 대한 자기의 의롭고 충성된 심정을 노래한 것임. 가사는 전해지지 않고 유래만 《삼국 사기》 열전(列傳)에 전해짐. 연대는 미상.

실혼【失魂】명 몹시 두려워서 정신을 잃음. ——하다 자여불

실-혼처【實婚處】명 믿을 수 있는 혼처.

실홈 명〈옛〉 씨름. ¶ 실홈ᄒᆞ다(對撩跤)/실홈ᄒᆞᄂᆞᆫ 사ᄅᆞᆷ(撩跤人)《漢淸 Ⅳ:47》. 「——하다 자여불

실화[1]【失火】명 잘못하여 불을 냄. 또, 그 불. 화실(火失). ↔방화(放火).

실화[2]【失和】명 불화(不和)하게 됨. ——하다 자여불

실화[3]【實貨】명 정화(正貨).

실화[4]【實話】명 실제로 있었던 사실의 이야기. 또, 실지 있었던 일을 근거로 하여 쓴 읽을거리나 소설. 사실담(事實談).

실화 문학【實話文學】명 실화로서 예술적 가치보다 내용적 흥미를 앞세우는 종류의 문학.

실화-죄【失火罪】[—쬐] 명〖법〗 실화로 인하여 건조물(建造物)·차량·항공기·광갱(鑛坑)·함선 등을 소실(燒失)함으로써 성립되는 죄.

실화-집【實話集】명 실화만을 모은 책.

실황【實況】명 실제의 상황(狀況). ¶ ~ 중계 방송.

실황 방:송【實況放送】명 현실로 일어나고 있는 사상(事象)에 관하여, 그 상황을 현장으로부터 방송하는 일. ——하다 타여불

실효[1]【失效】명 효력을 잃음. 효력이 없어짐. ——하다 자여불

실효[2]【實效】명 실제의 효과. 확실한 효험. 실공(實功). ¶ ~ 없는 노력.

실효 가격【實效價格】[—까—] 명〔effective price〕〖경〗 국민이 생활에 필요한 물자를 구입할 때의 실제의 가격. 공정 가격 및 암매매 가격에 의한 소비 실수(實數)의 종합적 평균으로 산정(算定)함.

실효 금리【實效金利】[—니] 명〖경〗 금융 기관으로부터 대부를 받은 차주(借主)가 실질적으로 부담하는 금리. 곧, 대부받을 때 표면(表面) 금리 외에 관습적으로 강제되어 있는 정기 예금·담보 예금 등을 포함한 금리를 이름. 실질 금리(實質金利).

실효 면:적【實效面積】명〔effective area〕〖전〗 안테나의 지정된 방향에 있어서, 파장(波長)의 제곱과 그 방향에서의 전력 이득(電力利得), 곧, 지향성 이득(指向性利得)을 곱한 것을 4파이(π)로 나눈 수치.

실효 물가 지수【實效物價指數】[—까—] 명〖경〗 가격 통제(統制)가 행하여지는 경우의 특수한 물가 지수의 한 가지. 공정 가격과 암매매(暗賣買) 가격이 동일 품목에 병존(倂存)하는 경우, 각기의 가격에 의한 거래량(去來量)을 종합한 평균 가격. 곧, 실효 가격의 종합(綜合) 변동을 측정하기 위한 지수.

실효 반:감기【實效半減期】명〔effective half-life〕〖물〗 생물체 안에서의 방사성 동위 원소의 반감기. 방사성 붕괴와 배설 작용에 의함.

실효 보:호율【實效保護率】명〖경〗 관세 정책을 통해서 공업 생산품의 부가 가치(附加價值)에 대하여 가해지는 보호 효과. 국내 가격 표시 부가 가치의 차를, 국제 가격 표시 부가 가치에 대한 백분율을 표시한 것. 이것이 높을수록, 국내 산업의 생산품은 과잉 보호를 받고 있는 것이 됨. 「특성.

실효-성【實效性】[—썽] 명 실효가 있는 성질. 실제의 효력을 가지는

실효 세:율【實效稅率】명〖경〗 세법 상의 각종 공제가 되지 않은 상태의 소득에 대한 세액과 공제가 된 세액과의 비율. 실제의 조세(租稅) 부담률을 나타내는 지표가 됨.

실효 습도【實效濕度】명 습도를 나타내는 방법의 한 가지. 당일 습도 외에 전일(前日) 및 전전일(前前日)의 평균 습도를 고려에 넣어 정의(定義)한 것. 목재의 건조도를 나타내는 지표가 되며, 화재 예방에 쓰임.

실효 온도【實效溫度】명 사람이 느끼는 한란(寒暖)의 정도는 기온뿐만 아니라 습도·풍속·복사(輻射) 등이 관계함으로, 이들을 종합하여 고안해 낸 체감(體感)에 맞는 지표.

실효적 지배【實效的支配】명 국가가 토지를 유효하게 점유(占有)하고 구체적으로 국가 기능을 미치어 통치함으로써 지배권을 확립하는 일.

실효-치【實效値】명〖물〗 실횻값.

실횻-값【實效—】[—갑] 명〖물〗 교류 전압이나 교류 전류의 크기를 나타내는 일종의 평균값. 그 일주기(一週期)에 대한 순시(瞬時)값의 제곱을 평균한 값의 평방근. 사인(sine) 교류인 경우에는 전류·전압이 모두 그 최댓(最大)값의 $1/\sqrt{2}$, 즉 약 0.7배에 해당함. 실효치.

실혀다 자〈옛〉 실 켜다. 실 뽑다. =실혀다. ¶ 經綸은 실혈씨니 天下ㅅ 이를 經綸ᄒᆞ야 屯難ᄒᆞᆫ 時節을 거리츨 씨라《月釋 17》.

싫 명〈방〉 시루(함경).

싫다 [실타] 형 ①마음에 언짢다. ¶ 싫은 사람. ②마음에 하고 싶지 않다. ¶ 공부하기 ~.
[싫은데 선 떡] 마음이 도무지 내키지 않는다는 뜻. [싫은 매는 맞아도 싫은 음식은 못 먹는다] 무슨 짓을 하더라도 구미에 안 맞는 음식만은 먹을 수 없다는 말.

싫어-하다 [실—] 타여불 ①싫게 여기다. 미워하다. ¶ 싫어하는 사람. ②하기를 꺼려하다. ¶ 가기 ~. ③싫증을 내다. ¶ 일하기 ~.

싫여-하다 타〈방〉 싫어하다.

싫-증【—症】[실쯩] 명 ①몸서리 나도록 싫은 생각. ②반갑잖게 여기는 마음. 염증(厭症). ¶ 지루해서 ~이 나다. ㊈증(症).
싫증(이) 나다 구 싫은 생각이 나다. 싫어지다.
싫증(을) 내:다 구 싫은 생각을 나타내다.

심[1] 명 소의 심줄. *등심·안심.

심[2] 명 ①〈심마니〉 산삼(山蔘). ②〈옛〉인삼(人蔘). ¶ 이 심은 新羅ㅅ 심이라(這蔘是新羅蔘也)《老乞下 51》.

심[3] 명〈방〉 ①힘(평안·충청·전라·경상). ②수염(경북).

심[4] 명〈옛〉 심[6]. ¶ 죠히심(紙捻兒)《四聲 下 82 捻字註》.

심:[5] 명〈방〉 셈(강원).

심[6]【心】명 ①죽(粥)에 곡식 가루를 잘게 뭉치어 넣은 덩이. 팥죽의 새알심 같은 것. ②종기(腫氣) 구멍에다 약을 발라 찔러 넣는 헝겊이나 종잇조각. ③나무의 고갱이. ④무 같은 뿌리 속에 섞인 질긴 줄기. ⑤양복 저고리의 어깨나 깃 같은 데를 빳빳하게 하기 위하여 특별히 넣은 헝겊. ¶ 양복 깃에 ~을 넣다. ⑥속에 들어 있는 물건. ⑦↗촉심(燭心). ⑧↗심성(心星).

심:[7]【沈】명 성(姓)의 하나. 현재 우리 나라에는 청송(靑松)·풍산(豐山) 등의 여섯 개의 본관이 있음.

심[8]【尋】명 성(姓)의 하나. 우리 나라에는 현존하지 않음.

심:[9] [seam] 명 솔기.

심[10]【尋】의명 노끈이나 물 깊이 등을 재는 길이의 단위. 중국에서는 8척(尺)이며, 우리 나라에서는 6척임. 「포~/허영~.

-심【心】미 어떠한 명사(名詞) 밑에 붙이어, 그 마음을 표하는 말. ¶ 공

심각【深刻】명 ①마음에 깊이 새겨 두는 일. 크게 감동시키는 것이 있는 일. 또, 그 모양. ¶ ~한 사상/~한 묘사 표현(描寫表現). ②일을 깊이 파고들어 생각하거나 추구하는 일. 또, 그 모양. ¶ ~한 표정/~한 고민. ③사태가 절박하여, 중대한 일. 또, 그 모양. ¶ ~한 사태. ——하다 형여불. ——히 부

심간【心肝】명 ①심장(心臟)과 간(肝). ②깊이 감추어 둔 마음.

심감[1]【心坎】명 명치.

심감[2]【心疳】명〖한의〗 어린 아이 감병(疳病)의 한 가지. 열(熱)이 나고 얼굴이 붉어지며, 때때로 토사(吐瀉)를 하고 혓바닥이 헤지며, 깜짝깜

짝 놀라는 병증. 경감(驚疳). ⌐하다 자여불

심갱【深坑】명 깊은 구덩이.

심거[1]【深居】명 인가(人家)에서 멀리 떨어진 곳에 삶. 칩거(蟄居). ——-하다 자여불

심거[2] 타〈옛〉심어. '심다'의 활용어. ¶한 善根을 심거(種諸善根)≪金剛 上 32≫.

심:검【審檢】명 심사하여 검사함. ——-하다 타여불

심검-당【尋劍堂】명 절에서 선실(禪室) 또는 강원(講院)으로 사용되는 건물에 많이 붙이는 이름. 지혜의 칼을 찾는 집이라는 뜻.

심겁【心怯】명 마음이 약하여 대단하지 아니한 일에 겁을 잘 냄. ——-하다 형여불

심겁다 형〈방〉싱겁다.

심:결【審決】명〖법〗심판에서의 심리(審理)의 결정. 특히, 특허청의 공권적(公權的) 판단.

심경[1]【心經】명 ①〖한의〗심장에서 갈려 나온 경락(經絡). ②〖불교〗↗반야 심경(般若心經). ③〖책〗중국 송(宋)나라 진덕수(眞德秀)의 저서(著書). 성현(聖賢)의 마음을 논한 격언(格言)을 모으고, 여러 학자의 논설(論說)로써 주(注)를 베푼 것. 대지(大旨)는 정심(正心)으로써 근본을 삼음. 1권.

심경[2]【心境】명 마음의 상태. 마음의 지경. 의태(意態). ¶담담한 ~.

심경[3]【心鏡】명 마음. 특히, 흐리지 아니한 맑은 마음. 모든 것을 밝게 비춰주는 마음. 심월(心月).

심경[4]【心驚】명 놀람. 가슴이 두근거림. ——-하다 자여불

심경[5]【深更】명 심야(深夜).

심경[6]【深耕】명〖농〗깊이갈이. ——-하다 타여불

심경[7]【深境】명 깊은 경지(境地).

심경-기【深耕機】명 논·밭을 깊이 가는 기계.

심경 석의【心經釋疑】[—/—이] 명〖책〗중국 송나라 진서산(眞西山)이 지은 ≪심경(心經)≫의 해석서. 조선 숙종(肅宗) 때 간행된 것으로, 퇴계 이황(李滉)의 강의를 그의 문인(門人) 이덕홍(李德弘)·이함형(李咸亨) 등이 수기한 책임. 4권 1책. 심경 부주 석의(心經附註釋疑).

심경 소:설【心境小說】명〖문〗작자의 생활 기록을 제재(題材)로 하여 그의 솔직한 심경을 묘사한 소설. 사소설(私小說)의 일종으로, 개인주의 사상의 반영으로서 나타나, 개인의 심경을 묘사함으로써 인생의 진실을 나타내려는 것이나, 제재(題材)의 협소성(狹小性)에 제약을 받음. ↔본격(本格) 소설.

심경 언:해【心經諺解】명〖책〗반야 바라밀다 심경(般若波羅蜜多心經)의 언해본. 조선 세조(世祖)의 어명을 받들어, 한계희(韓繼禧) 등이 동왕 9년(1463)에 간행함. 1권 1책. 목판본(木板本)임.

심경-현【心頃峴】명〖지〗충북 중원군(中原郡)에 있는 고개. [225 m]

심계[1]【心界】명 ①마음의 세계. 마음의 범위. 정신계. ↔물계(物界). ②마음이 편하고 편하지 못한 형편.

심계[2]【心計】명 마음 속의 계산. 계획.

심계[3]【心契】명 ①마음 속으로부터 깊이 약속함. ②깊은 교우(交友) 관계. ——-하다 타여불

심계[4]【心悸】명 사람 몸의 왼편 가슴의 전면 제오륵(第五肋) 사이에서 감지(感知)할 수 있는 심장의 고동(鼓動). 흉계(胸悸).

심계[5]【深戒】명 깊이 경계(警戒)함. ——-하다 타여불

심계[6]【深計】명 깊은 계략.

심계[7]【深契】명 ①깊은 교제. 심교(深交). ②굳은 약속.

심계[8]【深溪】명 깊은 골짜기. 심곡(深谷). 심학(深壑).

심:계[9]【審計】명 자세히 헤아림. ——-하다 타여불

심:계-원【審計院】명 '감사원(監査院)'의 전신(前身).

심계 항:진【心悸亢進】명〖의〗정신적 흥분, 병약(病弱), 육체적 과로(過勞), 심장병 등에 의해서 심장의 동계(動悸)가 빠르고 또 세어지는 일.

심계호【深雞虎】명〖악〗휘파람 곡조 8곡 가운데의 하나.

심-고[1] 명 활의 시위를 양냥고자에 걸기 위하여 그 끝에 심으로 만들어 댄 고.

심고[2]【心告】명 ①〖천도교〗교인(教人)들이 어느 동작을 할 때마다 먼저 한울님께 마음으로 고(告)하는 일. ②〖원불교〗마음 속으로 진리 앞에 자기의 소회(所懷)를 고백하여 뜻과 같이 이루어지기를 비는 의식. ——-하다 타여불

심고[3]【深痼】명 ①난치(難治)의 병. ②고치기 힘든 고질화된 습성.

심:고[4]【審考】명 심사(審査). ——-하다 타여불

심곡[1]【心曲】명 간절하고 애틋한 마음. 정곡(情曲). 충곡(衷曲).

심곡[2]【深谷】명 깊은 골짜기. 심계(深溪).

심골【心骨】명 ①마음과 뼈. ②마음 속.

심공【心空】명〖불교〗①마음의 넓고 큼을 허공에 비유하는 말. ②온갖 장애가 다 없어진 공공 적적(空空寂寂)한 심경.

심:-괄【沈括】명〖사람〗중국 북송(北宋)의 정치가·학자. 자(字)는 존중(存中). 호는 몽계옹(夢溪翁). 벼슬이 한림 학사(翰林學士)에 올랐으나, 뒤에 수주(秀州)로 좌천됨. 천문(天文)·방지(方志)·율력(律曆)·음악·의약(醫藥)·복산(卜算) 등 많은 학문에 통달했음. 저서에 ≪몽계 필담(夢溪筆談)≫·≪장흥집(長興集)≫ 등이 있음. [1030-93]

심광【心光】명〖불교〗부처의 지혜가 만물의 진상을 밝히는 것을 광명에 비유한 말. 부처의 마음. 내광(內光).

심광 섭호【心光攝護】명〖불교〗부처의 심광으로 염불하는 사람들을 이끌어들여 보호함.

심광 체반【心廣體胖】명 마음이 너그러워서 몸에 살이 찜.

심교[1]【心巧】명 마음이 곰상스러움. ——-하다 형여불

심교[2]【心交】명 서로 마음을 터놓고 사귀는 벗.

심교[3]【深交】명 정분(情分)이 깊은 교제(交際). ——-하다 자여불

심구[1]【心垢】명〖불교〗번뇌(煩惱)를 마음에 끼인 더러운 때라는 뜻으로 이르는 말.

심구[2]【深究】명 깊이 연구함. ——-하다 타여불

심구[3]【深溝】명 ①깊은 도랑. ②깊이 판 해자(垓字).

심구[4]【尋究】명 찾아서 밝힘. ——-하다 타여불

심:구[5]【審究】명 자세히 조사함. ——-하다 타여불

심구다 타〈옛·방〉심다(충청). ¶손소 桃李롤 심구니(手種桃李)≪杜諺 X:7≫.

심굴【深窟】명 깊은 굴. 심동(深洞).

심궁[1]【心弓】명〖의〗흉부의 X선 사진에서, 좌우로 만입(彎入)된 활 모양을 띠고 나타나는 심장부의 음영(陰影). 오른쪽은 2궁(弓)으로 나뉘어 제1궁은 상행 정맥(上行靜脈)과 상행 대동맥, 제2궁은 우심방(右心房)의 영상이고, 왼쪽은 4궁으로 나뉘는데 제1궁은 대동맥궁(弓), 제2궁은 폐동맥궁(弓), 제3궁은 좌심이(左心耳), 제4궁은 좌심실(左心室)의 왼쪽 가의 영상임.

심궁[2]【深宮】명 깊고 그윽한 궁중(宮中). 중위(重闈).

심권【深眷】명 깊은 권고(眷顧). 깊은 은혜.

심규[1]【深閨】명 여자가 거처하는 집. 깊이 들어 있는 방.

심:규[2]【審糾】명 자세히 죄상(罪狀)을 조사하는 일. ——-하다 타여불

심그다 타〈옛·방〉심다. ¶뎌의 심근 벼(他牲來的稱子)≪朴解 下 37≫.

심:극【審克】명 죄상(罪狀)을 빠짐없이 조사함. ——-하다 타여불

심근[1]【心根】명 마음. 마음씨.

심근[2]【心筋】명〔cardiac muscle〕〖생〗심장(心臟)의 벽(壁)을 형성하는 근육. 척추 동물에서는 횡문근(橫紋筋)에 속하나, 불수의근(不隨意筋)으로 골격근(骨格筋)에 비하여 횡문이 얇음. 심장근(心臟筋).

심근 경색증【心筋梗塞症】명〔myocardial infarction〕〖의〗관상(冠狀) 동맥이나 그 분지(分枝)에 혈전(血栓)·전색(栓塞)·연축(攣縮) 등이 일어나 갑작스럽게 그 혈류(血流)가 감소하고 심근 전체의 경색 괴사(梗塞壞死)를 일으키는 질환. 중년 이후의 남자에게 많은데, 도가 심하면 갑자기 사망함. 원인으로는 육체적 과로(過勞)·심통(心痛)·놀람 등의 정신적 격동과 긴밀한 관계가 있음. 급작스러운 죽음의 공포감을 수반하는 흉통(胸痛)과 냉한(冷汗)·구토·안면 창백·혈압 저하·호흡수 증가 등의 증상이 나타남.

심근 고저【深根固柢】명 뿌리가 땅 속 깊이 번어 움직이지 아니한다는 뜻으로, 근본이 튼튼함의 비유.

심근 변:성증【心筋變性症】[—쯩] 명〔라 myodegeneratio cordis〕〖의〗주로 관상 동맥 경화·매독성 변화 또는 심장의 부담 과잉 등으로 심근에 생기는 영양(營養) 장애병. 40세 이상의 사람에 많은데, 협심증(狹心症) 및 심장 천식(喘息) 발작을 호소하며 순환 부전의 증상을 나타냄.

심근-성【深根性】[—썽] 명〖식〗뿌리가 땅속 깊이 번어 가는 특성. ¶~ 식물.

심근-염【心筋炎】[—념] 명〔myocarditis〕〖의〗여러 가지 전염병 또는 류머티즘 등에 뒤이어 생기는 심근(心筋)의 염증. 빈맥(頻脈)·심계항진(心悸亢進)·부정맥(不整脈)·심장부통(心臟部痛) 등의 증상이 일어나며, 중증인 때는 심부전(心不全)을 일으킴. 급성과 만성이 있음.

심근 조직【心筋組織】명〔cardiac muscular tissue〕〖생〗심장벽(心臟壁)의 대부분을 이루는 심근층(心筋層)을 형성하는 특이한 횡문근 섬유(橫紋筋纖維)로 된 조직. 핵(核)은 비교적 크고 타원형이며 섬유(纖維)의 중축에 있음.

심근-증【心筋症】[—쯩] 명〖의〗심근(心筋)에 주된 병변(病變)이 있는 질환(疾患)의 총칭. 심근 경색·협심증·고혈압성 심장 질환·판막 질환 등 특정(特定)할 수 있는 것을 제외하고, 일반적으로 원인이 분명하지 않은 특발성(特發性) 심근증과 동의(同義). 비대형(肥大型)과 확장형(擴張型)으로 크게 나뉘며, 20-40대에 증상이 나타나고, 종종 급사(急死)의 원인이 됨.

심근-층【心筋層】명〖생〗심장벽의 가운데 부분을 이루는 두꺼운 심근 조직.

심금[1]【心琴】명 외부의 자극을 받아 울리는 마음을 거문고에 비유하여 이르는 말. 금선(琴線)처럼 감수성이 예민한 마음. ¶~을 울리는 가락.

심금[2]【心襟】명 흉금(胸襟).

심:급[1]【甚急】명 심히 급함. 지급(至急). ——-하다 형여불

심:급[2]【審級】명〖법〗소송 사건(訴訟事件)을, 각기 계급을 달리하는 법원으로 하여금 반복 심판시킬 경우의 법원 사이의 심판 순서(順序)·상하(上下) 관계. 우리 나라 법원은 삼심급(三審級)의 제도를 채택하고 있으며, 원칙적으로는 지방 법원이 제1심, 고등 법원이 제2심, 대법원이 제3심이 됨.

심:급 관할【審級管轄】명〖법〗심급에서 본, 법원의 관할. 간이 법원의 제1심, 지방 법원의 제1심·제2심의 관할 따위.

심:급 대:리【審級代理】명〖법〗민사 소송에서, 소송 대리인의 대리권은 그 심급에만 한(限)한다는 결정 방법.

심기[1]【心氣】명 마음으로 느끼는 기분(氣分). ¶~가 울적하다.

심기[2]【心機】명 마음의 기능. 마음의 활동. ¶~ 일전(一轉).

심기다[1] 타〈방〉심다(충청).

심기다[2] 타〈옛〉주다. ¶上記 심기샤몰 得호리이다≪月釋 XXI:133≫/그스기 심기샤몰 브라숩더니(冀宜授)≪楞嚴 V:29≫/親히 심기디 말며(不親授)≪內訓 I:4≫.

심기다[3] ㊀사동 심게 하다. ¶그로 하여금 마당에 나무를 ~. ㊁피동 심음을 당하다. ¶화분에 심긴 소나무.

심기 망:상【心氣妄想】명〖심〗미소(微小) 망상의 하나. 자기가 중병(重病)에 걸리었다고 생각하는 일. *죄업(罪業) 망상·빈곤(貧困) 망상.

심기-병【心氣病】[—뼝] 명 심로(心勞)에서 일어나는 병.

심:-기원【沈器遠】명〖사람〗조선 인조(仁祖) 때의 상신(相臣). 자(字)는 수지(遂之). 청송(青松) 사람. 인조 반정의 공로로 정사 공신(靖社功臣)이 되고 좌의정으로 수어사(守禦使)를 겸했으나, 회은군(懷恩君) 덕

인(德仁)을 왕에 추대하려고 모의하다가 주살(誅殺)되었음. [?-1644]

심기 일전【心機一轉】[一쩐] 명 어떠한 동기(動機)에 의하여 이제까지 먹었던 마음을 뒤집듯이 확 바꿈. ——-하다 자여불

심기-증【心氣症】[一쯩] 명 (hypochondria)〖의〗 신경증(神經症)의 한 임상형(臨床型). 건강에 대한 자신(自信)의 결여(缺如)·상실(喪失)로 시작되어, 건강하면서도 병이 있는 것같이 생각하여 괴로워함. 두통·피로증·성능력 불능·불면증 등의 증상을 나타내며, 신경질·우울증이 있는 사람에 많음.

심꺼박-질 명 〈방〉 숨바꼭질.

심껏 부 〈방〉 힘껏.

심-나물 명 소의 심 마른 것을 물에 흠씬 불리어서 한 치 가량씩 잘라, 끓는 물에 데치어서 숙주나물에 넣어 먹는 음식. 우근채(牛筋菜).

심:난【甚難】명 심히 어려움. 매우 곤란함. 지난(至難). ——-하다 형여불

심낭【心囊】명〖생〗 심장(心臟)과 이에서 뻗어 나간 대혈관(大血管)의 기부(基部)를 싼 막성(膜性)의 주머니. 내외 양엽(內外兩葉)이 상단(上端)에서 연락하고, 외부와 통하지 아니하는 강(腔)을 그 사이에다 만들어, 양엽(兩葉)의 중간에 물과 같은 액(液)을 두어서 심장을 원활하게 운동시키는 작용을 함. 심막(心膜). 염통주머니.

심낭-염【心囊炎】[一념] 명〖의〗 심낭의 염증(炎症). 심낭의 내엽·외엽 어느 것이나 침범하고 때로는 한국성(限局性)이나, 보통은 범발성(汎發性)으로, 대부분 전신성(全身性) 질환의 부분증(部分症)으로 일어나나 혹은 다른 질환에 잇따라 발생하기도 함. 결핵성·류머티즘성·요독증성(尿毒症性) 등이 있음.

심내-막【心內膜】명〖생〗 심장 내부를 싸고 있는 막. 심장에서 나온 대혈관(大血管)의 내면과 같은 성질을 가지며 심장 안의 요철(凹凸) 또는 돌기(突起)·유두부(乳頭部) 등 내표면(內表面) 전부에 걸치어 있음. 이 심내막의 주름이 심장의 판막(瓣膜)을 이룸.

심내막-염【心內膜炎】[一념] 명〖의〗 심장의 내강(內腔)과 판막(瓣膜)을 싸고 있는 얇은 막처럼 된 조직층의 염증. 의사가 환자의 생전에 이 병을 정확히 진단하기는 거의 불가능하며, 죽은 후 해부(解剖)에 의하여서만 병명을 내릴 수 있음. 류머티즘열(熱)·매독 따위의 병으로 일어나는 것과, 세균(細菌)으로 인한 것이 있음. *심장 판막증.

심내성 잡음【心內性雜音】[一썽一] 명〖의〗 심잡음(心雜音)의 하나. 생리적으로 원활히 흘러야 할 혈액이 심내막(心內膜)·판막(瓣膜)·혈관벽(壁) 등의 기질적(器質的) 이상으로 말미암아 소용돌이가 생기어, 심장벽·판막·혈관벽 등을 이상적(異常的)으로 진동시킴으로 나는 잡음. ↔심외성(心外性) 잡음.

심념[1]【心念】명 ①생각. 사색(思索). ②마음 속에 생각함. ——-하다 타여불

심념[2]【深念】명 깊은 생각. 또, 깊이 생각함. 심려(深慮). ——-하다 자여불

심념 구:언【心念口言】명〖불교〗 심념 구칭(心念口稱).

심념 구:연【心念口演】명〖불교〗 심념 구언(心念口言).

심념 구:칭【心念口稱】명〖불교〗 마음 속에 불덕(佛德)을 염(念)하면서, 입으로 창명(唱名)함. 심념 구언. 심념 구연.

심념 불공과【心念不空過】명〖불교〗 관세음 보살을 마음 속으로 염(念)하면서, 시간을 헛되이 보내지 아니하도록 함.

심-녹색【深綠色】명 갈매 빛깔. 짙은 초록색.

심농 (Simenon, Georges) 명〖사람〗 벨기에 태생의 프랑스 소설가. 신문 기자를 지낸 후, 탐정 소설을 많이 썼으며, 특히 메구레 경감(警監)을 주인공으로 하는 메구레 시리즈가 유명함. 등장 인물의 성격화, 이상 심리의 추구, 분위기 표사는 극히 문학적이며 지드(Gide, André)의 격찬을 받음. [1903-89]

심-농가진【深膿痂疹】명〖의〗 처음부터 화농성 변화가 깊어 진피(眞皮)의 속 또는 피하(皮下)에까지 궤양(潰瘍)이 생기고 표면이 고름으로 싸이거나 딱지가 앉는 농가진. 농창(膿瘡).

심뇌【心惱】명 마음 속에 일어나는 번뇌(煩惱).

심님 명 〈방〉 여승(女僧)(경기).

심:다 [一따] 타 (중세 : 시므다) ①풀·나무의 뿌리를 땅 속에 파묻다. ¶ 나무를 ~. ②싹을 내려고 씨앗을 땅에 묻다. ¶ 씨를 심어야 싹이 나지. [심은 낡이 꺾어졌다] 오래 공들여 기대한 일이 그릇되어 허사가 되고 말았다는 말.

심달 죄:복상【深達罪福相】명〖불교〗 깊이 선악(善惡)의 근본에 통달하여 죄도 없고 복도 없는, 오직 실상(實相)뿐임을 깨닫는 일.

심담[1]【心膽】명 심지(心地)와 담력(膽力).

심담[2]【深潭】명 깊은 연못. 심연(深淵).

심당 명 〈방〉 심술(心術)(평안).

심-대[1]【心一】[一때] 명 수레바퀴나 팽이 등의 중심을 이루는 대. 축(軸).

심:대[2]【甚大】명 매우 큼. 심히 막대함. ¶ ~한 손실. ——-하다 형여불

심대[3]【深大】명 깊고도 큼. ——-하다 형여불

심덕【心德】명 너그럽고 착한 마음의 덕. ¶ ~이 좋아야 복을 받는다.

심:-덕잠【沈德潛】명〖사람〗 중국 청(淸)나라의 시인. 자는 확사(確士), 호는 귀우(歸愚). 장쑤(江蘇) 출생. 일흔이 넘어 진사(進士)가 되어, 건륭제(乾隆帝)에게 시재(詩才)를 인정받고, 진군(陳羣)과 함께 '동남(東南)의 이로(二老)'라고 불리었음. 작품 《고시원(古詩源)》·《당송팔대가 독본(唐宋八大家讀本)》 등. [1673-1769]

심도[1]【心到】명 마음이 글 읽는 데만 열중하고 다른 것은 생각하지 아니함.

심도[2]【深到】명 깊은 곳에 닿음. 또는 심오한 도리를 깨침. ——-하다 자여불

심도[3]【深度】명 깊은 정도.

심도(가) 있다 구 깊이가 있다. ¶ 심도 있는 음악 평론.

심도[4]【深悼】명 마음 속 깊이 슬퍼함. 깊이 애도(哀悼)함. ——-하다 자여불

심-도두개【心一】명 ☞심돋우개.

심독【心讀】명 마음 속으로 읽는 일. ——-하다 타여불

심독희 자부【心獨喜自負】[一히一] 명 일이 잘 될 것을 믿고 스스로 마음이 즐거움.

심-돋우개【心一】명 등잔의 심지를 돋우는 쇠꼬챙이.

심동[1]【心動】명 마음이 움직임. 마음이 흔들리어 들썽거림. ——-하다 자여불

심:-동[2]【沈彤】명〖사람〗 중국 청(淸)나라의 유학자. 자(字)는 관운(冠雲), 호(號)는 과당(果堂). 삼례(三禮) 및 일통지(一統志)의 편수(編修)에 참가함. 저서에 《주관록전고(周官祿田考)》·《의례 소소(儀禮小疏)》·《상서 소소(尙書小疏)》 따위가 있음. [1688-1752]

심동[3]【深冬】명 추위가 한창인 겨울. 썩 추운 겨울.

심동[4]【深洞】명 ①심굴(深窟). ②깊은 선동(仙洞).

심두【心頭】명 마음. 염두(念頭). 심중(心中).

심드렁-하다 형여불 ①마음에 탐탁하지 않으며 관심이 거의 없다. ¶ 심드렁한 표정 / 심드렁하게 대꾸하다. ②병이 급하지도 아니하고 낫지도 아니하면서 오래 끌다. 심드렁-히 부

심득【心得】명 ①마음 깊이 회득(會得)함. 충분히 이해함. ②마음에 깨달아서 간직하고 주의함. 또, 그 주의할 사항.

심-들다 자 〈방〉 힘들다.

심-떠깨 명 ↗쇠심떠깨.

심라 (Simla) 명〖지〗 인도 서북부, 히마찰프라데시 주(Himachal Pradesh 州)의 주도(主都). 히말라야 산 기슭에 있으며, 풍경이 좋고 고조냉량(高燥冷凉)하여 인도 제일의 피서지(避暑地)임. [70,604 명(1981)]

심란【心亂】[一난] 명 마음이 산란(散亂)함. 걷잡을 수 없이 마음이 어수선함. 심산(心散) ¶ ~한 마음. ——-하다 형여불

심람【深藍】[一남] 명 짙은 남빛.

심랭 분리【深冷分離】[一냉불一] 명 상온(常溫)에서는 기체인 혼합물을 냉각하여 액상(液狀)·고상(固狀)으로 하고, 다시 증류(蒸溜) 따위 방법으로 성분을 나누는 방법. 공기를 액화하여 산소 가스와 질소 가스로 나눈다든가, 천연 가스를 분리 정제(精製)하는 일 따위.

심랭 처:리【深冷處理】[一냉一] 명 서브제로 처리(subzero 處理).

심략【心略】[一냑] 명 마음의 움직임. 마음 속의 궁리.

심량[1]【深量】[一냥] 명 깊이 헤아림. 또, 깊은 사량(思量). ——-하다 타여불

심량[2]【深諒】[一냥] 명 깊이 양찰(諒察)함. ——-하다 타여불

심량 처:지【深諒處之】[一냥一] 명 깊이 헤아리어 처리함. ——-하다 타여불

심려[1]【心慮】[一녀] 명 마음 속의 근심. 마음으로 걱정함. ¶ ~를 끼쳐서 미안합니다. ——-하다 타여불

심려[2]【深慮】[一녀] 명 깊이 생각함. 또, 깊은 사려(思慮). ——-하다 타여불

심력【心力】[一녁] 명 ①마음과 힘. ¶ ~을 기울이다. ②마음이 미치는 힘. 정신의 활동력. 정신력.

심련【心蓮】[一년] 명〖불교〗 ①인간 본래의 마음이 깨끗한 것임을 연꽃에 비유한 말. ②진언 밀교(眞言密敎)에서, '심장(心臟)'을 이름.

심렬【深裂】[一녈] 명 ①깊이 터지거나 찢어짐. ②〖식〗 식물학에서, 잎이나 화판 따위가 거의 그 중축(中軸)이나 기부(基部)까지 깊이 째져 있는 것을 이르는 말. ——-하다 자타여불

심령【心靈】[一녕] 명 ①마음 속의 영혼. 정신. 심혼(心魂). ②〖철〗 육체를 떠나서 존재한다고 생각되는 마음의 주체(主體). 마음. ③〖심〗 정신 과학으로는 설명할 수 없는 신비하고 불가사의한 심적 현상.

심령-론【心靈論】[一녕논] 명 심령이 물질계에 작용하여, 신비적인 현상을 일으킨다는 설. 강신론(降神論).

심령 사진【心靈寫眞】[一녕一] 명 심령의 작용으로 먼 데 있는 사람이나 죽은 자를 촬영한다는 초현실적인 사진. 유령 사진 따위.

심령-술【心靈術】[一녕一] 명 심령과 교감(交感)하는 특수한 능력을 가졌다는 사람이, 심령 현상을 일으키는 여러 가지 술(術).

심령 연:구【心靈硏究】[一녕년一] 명 오늘날의 지식으로는 추측할 수 없는 초자연적인 현상. 텔레파시(telepathy)·투시(透視)·염력(念力) 따위 현상에 관하여 연구하는 학문.

심령 요법【心靈療法】[一녕뇨뻡] 명 신앙(信仰) 치료의 하나. 미개인·고대인에게서 볼 수 있는 주술적(呪術的) 치료 의례(儀禮)에 의하여 영혼을 불러들인다든가 물러가게 하여 병을 치료하는 일.

심령-학【心靈學】[一녕一] 명 육체를 떠나서 사후(死後) 등에도 존재하는 것으로 믿어지고 있는 영혼 현상 등에 대하여 연구하는 학문.

심령학-자【心靈學者】[一녕一] 명 심령학을 연구하는 사람.

심령 현:상【心靈現象】[一녕一] 명 과학으로 설명할 수 없는, 심령의 존재에 의하여 일어난다고 하는 불가사의한 정신 현상. 죽은 사람의 영혼과 산 사람이 교신하는 교령(交靈) 현상, 원거리에 있는 두 사람의 마음이 서로 통한다는 텔레파시 현상, 투시(透視)·예지(豫知) 따위의 천리안적(千里眼的) 현상, 염동(念動)·염사(念寫) 따위의 심령적 물리 현상(物理現象)의 총칭. *초능력(超能力).

심로【心勞】[一노] 명 ①마음을 수고스럽게 하는 일. 또 그 마음의 수고. ②마음의 피로. ——-하다 자여불

심록【深綠】[一녹] 명 갈매❷.

심료 내:과【心療內科】[一뇨一꽈] 명〖의〗 병을, 몸과 마음과 환자가 처한 사회 환경에 의하여 치료하려는 임상 의학의 한 분과(分科). 특히 심리적인 특징이 강한 병을 치료 대상으로 함.

심룡【尋龍】[一뇽] 명〖민〗 풍수 지리(風水地理)에서 용을 찾는 일.

심류【沁留】[一뉴] 명〖역〗 조선 시대에, 강화 유수(江華留守)의 별칭.

심:률【審律】[一뉼] 명〖역〗 조선 시대 형조(刑曹)의 율학청(律學廳)에 속한 종팔품 벼슬.

심리[1]【心理】[一니] 명 ①마음의 움직임. 의식의 상태와 그의 표출(表

出)된 행동. ¶ 사람의 ~만큼 알 수 없는 것은 없다 / ~ 묘사 / 군중 ~. ② ↗심리학(心理學).

심리[2] 【心裏】[―니] 명 마음 속. 심중(心中).

심:리[3] 【審理】[―니] 명 ①사실이나 조리(條理)를 자세히 조사해 처리함. ②〖법〗 재판의 기초가 되는 사실 관계 및 법률 관계를 명확히 하기 위해 법원이 조사를 하는 행위. ③〖역〗 옥수(獄囚)의 죄안(罪案)을 특지(特旨)로써 재심(再審)함. ――-하다 타여불

심리 검:사 【心理檢査】[―니―] 명 심리적 특성의 측정·평가를 목적으로 하는 검사의 총칭. 지능(知能) 검사·성격 검사 따위. 심리 테스트.

심리 공학 【心理工學】[―니―] 명 〖심〗 미국의 심리학자인 스키너(Skinner, B.F.) 등이 제창한 사고 방식. 인간의 행동은 외적(外的) 조건으로 제어할 수 있으며, 반응에 대한 보수는 그 반응을 촉진·강화하고 벌(罰)은 반응을 그치게 한다는 가정(假定) 아래, 가장 적합한 강화(強化) 방안을 짜 내려는 조작(操作)임. 교육 훈련·심리 요법·정치 활동 등 행동 과학 전반에 적용됨. 행동 공학(行動工學)

심리-극 【心理劇】[―니―] 명 〔psychodrama〕 〖심〗 사회적 부적응(不適應)이나 인격 장애(人格障礙)의 진단 및 치료를 목적으로 하는 방법으로서 하는 극. 환자를 무대(舞臺) 위에서 그 부적응에 관계가 있는 장면을 자발적으로 연기(演技)하게 함으로써, 억압된 정서(情緖)의 해소(解消)를 가져 오게 하고 심리적 장애를 제거함. 모레노(Moreno. J.L.)에 의하여 창시되었음. 사이코드라마.

심리 라마르크주의 【心理―主義】[―니―/―니―이] 〔Lamarck〕 명 〖생〗 프시코라마르키슴(Psycho-Lamarckisme).

심리 묘:사 【心理描寫】[―니―] 명 〖문〗 소설 등에서, 인물의 심리적 경과(經過)를 그리어 나타냄.

심:리 방해죄 【審理妨害罪】[―니―쬐] 명 〖법〗 법원 또는 법관의 직무 집행을 방해함으로써 성립되는 죄. 법정이나 그 밖에 법원이 직무를 행하는 장소에서 그 직무를 방해하는 자가 있을 경우 재판장이나 법관은 이의 퇴거나 그 밖에 필요한 명령을 내릴 수 있으며, 이를 어기면 심리 방해죄가 성립함.

심리 법학 【心理法學】[―니―] 명 법률의 성립 및 그 작용을 심리학적 입장에서 연구하려고 하는 학문.

심:리 부진 【審理不盡】[―니―] 명 〖법〗 소송법(訴訟法)상, 법원이 사실 인정(事實認定)에 관한 절차(節次)를 충분히 밟지 아니한 위법(違法).

심리 상태 【心理狀態】[―니―] 명 〖심〗 정신이나 의식(意識)이 놓여진 상태.

심리-설 【心理說】[―니―] 명 〖철〗 심리주의(心理主義).

심리 소:설 【心理小說】[―니―] 명 〖문〗 작품 속에 나타나는 인물(人物)의 심리적 경과를 자세히 분석 해부(分析解剖)하여 표사한 소설. 사건이나 행동보다 인물의 내면(內面) 심리를 표현함을 주로 하며, 근대 낭만주의의 반동으로서 일어났음.

심:-리스 〔seamless〕 명 뒤쪽에 솔기가 없는 스타킹. 같은 콧수로 원통상(圓筒狀)으로 짜되, 발끝만 별도로 짜서 열처리(熱處理)로 발의 형태로 만듦.

심리 언어학 【心理言語學】[―니―] 명 〖심〗 언어 심리학.

심리 요법 【心理療法】[―니―뻡] 명 〖의〗 정신(精神)요법.

심리 유보 【心裡留保】[―니―] 명 〖법〗 표의자(表意者)가 자기의 표시 행위가 내심(內心)의 의사와는 다른 뜻으로 해석될 것을 알면서 행하는 의사 표시. 예를 들면 농담으로 돈을 주겠다고 하였을 경우, 원칙으로 표시대로의 법률 효과가 발생함. 단독 허위 표시(單獨虛僞表示).

심리 작전 【心理作戰】[―니―] 명 상대국에 대하여, 자기 나라의 정책과 목표 수행을 위하여, 감정·태도·행위 등이 유리하게 조성되도록 전개하는 심리적 활동과 심리전(心理戰)에 관한 포괄적인 작전.

심리-적 【心理的】[―니―] 명 관 심리에 관한 모양. 내부적(內部的). ¶ ~ 갈등.

심리적 욕구 【心理的慾求】[―니―] 명 〖심〗 인격적·사회적으로 얻고자 하는 비생명적 욕구. 애정·안정감·소속·인정·성취욕 등.

심리적 책임론 【心理的責任論】[―니―논] 명 〖법〗 형사 책임의 실체를 행위자의 자기 행위에 대한 일정한 심리적 관계로 봄으로써 책임을 심리적인 측면에서 파악하려는 이론. 그 심리적 관계를 결과의 인식과 그 인식의 가능성으로 나누어 전자를 고의(故意), 후자를 과실(過失)이라 함.

심리적 쾌락설 【心理的快樂說】[―니―] 명 〔psychological hedonism〕 〖윤〗 사람이 쾌락을 욕구하는 것은 심리적 사실로서, 인류의 근본적 욕구이며, 또한 인류 행위의 최고 목적이라는 윤리설. 심리적 쾌락주의.

심리적 쾌락주의 【心理的快樂主義】[―니―/―니―이] 명 〖윤〗 심리적 쾌락설.

심리-전 【心理戰】[―니―] 명 ↗심리 전쟁.

심리 전:쟁 【心理戰爭】[―니―] 명 계획적인 설득이나 심리 유도(心理誘導) 등의 수단을 써서, 상대국의 군대나 국민의 전의(戰意)를 저하시키고, 혹은 자기편의 사기를 높여서, 전승(戰勝)에 기여하려는 것. 준 심리전(心理戰).

심리-주의 【心理主義】[―니―/―니―이] 명 〔psychologism〕 〖철〗 심리적 발생·과정·구조 등의 사실적 연구, 곧 넓은 뜻의 심리학이 일체의 정신 과학, 특히 논리학의 기초를 이루고, 논리적 연구는 근저에 있어서는 심리적 연구에 불과한 것으로 생각하며, 따라서 가치·논리·규범 등 그 자체로서의 존립을 인정하지 아니하는 철학적 입장. 일반적으로, 상대(相對)주의·경험론·생철학(生哲學) 등의 입장이 이에 속하며, 선험(先驗)주의·논리주의 등은 반대 입장에 섬. 심리설(心理說).

심리 철학 【心理哲學】[―니―] 명 〖심〗 정신의 본체 및 영혼 등에 관하여 연구하는 심리학의 한 분야.

심리-학 【心理學】[―니―] 명 〔psychology〕 〖심〗 생물체의 의식과 행동을 연구하는 학문. 예전에는 영혼 또는 정신에 관한 학문으로서 철학, 특히 형이상학(形而上學) 안에 포함되었으나, 19세기 이후 물리학·생물학·생리학의 실험 방법에 자극되어, 그들의 성과를 기초로 하고 과학적으로 조직되어 오늘날에는 실험 과학의 경향을 띰. 발달 심리·개인 심리·집단(민족·사회) 심리·변질(變質) 심리 등 여러 갈래로 나뉘며, 응용 방면도 군사·산업·교육 등 광범위함. 멘탈 필로소피. 사이콜로지. 준 심리(心理).

심리학-과 【心理學科】[―니―] 명 〖교〗 대학에서, 심리학을 전공하는 학과. *철학과.

심리학-자 【心理學者】[―니―] 명 심리학을 과학적으로 연구하는 사람.

심리학적 미학 【心理學的美學】[―니―] 명 〖철〗 미(美)를 하나의 경험적 사실로 보고, 의식의 경험적 법칙성으로 설명하는 미학.

심리학적 사회학 【心理學的社會學】[―니―] 명 〖사〗 인간의 심리 작용이 사회를 형성하는 것으로 생각하고, 사회를 심리학적으로 설명하는 것을 중요시하는 사회학. 워드(Ward L. F.)·타르드(Tarde, G.) 등으로 대표됨.

심리학적 측정 【心理學的測定】[―니―] 명 심리학에서의 측정 방법의 총칭. 정신 물리적 측정법·실험 미학적 측정법·기억 실험법·학습 실험법·사고 실험법·지능 검사법·성격 검사법·적성 검사법 등.

심리학적 환경 【心理學的環境】[―니―] 명 심리학에서, 문제로 삼는 사람이나 동물의 환경. *행동적 환경(行動的環境)·생할 공간(生活空間).

심리 환경 【心理環境】[―니―] 명 〖심〗 행동(行動) 환경.

심림 【深林】[―님] 명 초목이 무성한 깊은 수풀.

심마 【蕁麻】 명 〖식〗 〔←담마(蕁麻)〕 쐐기풀.

심-마니 명 산삼(山蔘)을 캐는 것을 생업으로 삼는 사람. 채삼(採蔘)꾼.

심마니-말 명 심마니들만이 서로 쓰는 말. 곧, '다리'를 '기둥저리', '산삼'을 '부리시리', '아이들'을 '소장만이', '쌀'을 '모새'라고 하는 것 등.

심마-바람 명 〈방〉 남풍(南風)(경남).

심마-진 【蕁麻疹】 명 〖의〗 두드러기.

심막 【心膜】 명 〖생〗 심낭(心囊).

심막-강 【心膜腔】 명 〖생〗 심낭(心囊)과 심장과의 사이의 빈 데.

심막-액 【心膜液】 명 〖생〗 심막강에 있어서 심장을 부드럽게 적시고 있는 소량의 장액(漿液).

심막-염 【心膜炎】[―념] 명 〖의〗 심장을 두 겹으로 싸고 있는 심막(心膜)에 일어나는 염증. 류머티즘·결핵 등에 잇따라 일어나는 일이 많으며, 심장부의 압박감, 동계(動悸)나 숨이 차는 등의 증상이 있음.

심만 의:족 【心滿意足】 명 마음에 흡족함. 준 만의(滿意). ――-하다 형여불

심-메 명 산삼을 캐러 산에 가는 일.

심메(를) 보다 구 산삼의 싹을 찾아 내다.

심메-꾼 명 ☞심마니.

심메-마니 명 ☞심마니.

심멘탈-종 【―種】 〔Simmental〕 명 스위스 원산의 소의 한 품종. 뼈대가 굵고 가축소 중에서 가장 큰 유용(乳用)·육용·역용(役用) 겸용종(兼用種). 털빛은 황색 또는 적색·백색의 얼룩. 젖의 양은 1년에 4,000kg, 고기의 율 59% 가량. 몸이 튼튼하고 힘이 세나, 늦게 자라고 많이 먹음.

심멱 【深覓】 명 찾음. 수색(搜索)함. ――-하다 타여불

심모 【深謀】 명 깊은 꾀. 심원(深遠)한 모책(謀策).

심모 원:려 【深謀遠慮】[―월―] 명 깊은 꾀와 먼 장래에 대한 생각.

심목[1] 【心目】 명 ①마음과 눈. ②〖건〗 기둥의 중심선(中心線).

심목[2] 【深目】 명 움쑥 들어간 눈.

심목[3] 【梣木】 명 〖식〗 물푸레나무.

심목 고준 【深目高準】 명 깊숙한 눈과 높직한 코.

심뫼 명 〈방〉 심메.

심-무소:주 【心無所主】 명 마음에 확실한 주견이 없음. ――-하다 형여불

심문[1] 【心門】 명 〖생〗 혈액(血液)이 심장(心臟)으로 출입하는 문. 염통문.

심문[2] 【尋問】 명 ①물어 봄. 질문함. ②심방(尋訪). ――-하다 타여불

심:문[3] 【審問】 명 ①자세히 따져서 물음. ②〖법〗 서면(書面) 또는 구술(口述)로 당사자 및 그 밖의 이해 관계인에게 개별적으로 진술(무방식(無方式)의 변론)의 기회를 주는 일. 결정 절차(決定節次)로서 구두 변론을 열지 아니하는 경우에는 법원의 재량으로 심문할 수 있는 것이 보통임. 구용어:심신(審訊). ――-하다 타여불

심:문-자 【審問者】 명 심문하는 사람.

심:문 조서 【審問調書】 명 형사 소송에서, 피고인·피의자·증인·감정인·통역인 등의 진술(陳述)과 심문의 전말을 기록한 문서.

심:미 【審美】 명 미(美)를 식별하는 일. 미추(美醜)를 궁구(窮究)하고, 미의 본질을 밝히는 일.

심:미-관 【審美觀】 명 아름다움을 살펴 찾아 내는 관점. ¶ ~에 따라 평가 기준이 달라진다.

심:미-론 【審美論】 명 심미에 관한 이론.

심:미 비:평 【審美批評】 명 〖문〗 주관적 문예 비평의 하나. 비평의 기준을 쾌감이나 미감(美感)의 추출(抽出)·분석 등에 둠.

심:미-안 【審美眼】 명 미(美)와 추(醜)를 식별하는 안력(眼力). 또, 그 능력.

심:미-적 【審美的】 명 관 미(美)를 밝히려는 모양. 미추(美醜)를 규명하려는 모양.

심:미-학 【審美學】 명 〖철〗 미학(美學).

심민 【深愍】 명 대단히 불쌍히 여김. ――-하다 타여불

심밀 【深密】 명 ①생각이 깊고 빈틈이 없음. ②깊이 무성함. ③〖불교〗 깊은 비밀(祕密). ――-하다 형여불

심바람 명 〈방〉 심부름.
심-바치 명 〈심마니〉 심밭.
심박【深博】명 학문이 깊고 넓음. ——하다 형 여불
심-박동【心搏動】명 〖생〗 심장이 주기적으로 줄었다 늘어났다 하는 운동. 심방(心房)과 심실(心室)의 신축(伸縮)에 의한 것임.
심발 지진【深發地震】명 〖지〗 진원(震源)의 깊이가 60-100km보다 깊은 지진으로, 맨틀(mantle) 상층부에 일어나는 지진. 일부에서는 깊이 200km 이상의 것을 심발 지진, 500km 이상의 것을 극심발(極深發) 지진이라 칭하기도 함. 지리적(地理的)으로 보아도 천발 지진과는 현저히 다른 분포를 나타내며, 거의 대부분이 환태평양 지진대(環太平洋地震帶)에서 일어나고 있음. ↔천발 지진(淺發地震).
심방[1] 명 〖건〗 일각 대문의 두 기둥을 세울 수 있게 가로 건너지른 도리 ㄴ같은 나무.
심방[2] 명 〈방〉 무당(제주).
심방[3]【心房】명 〖생〗 심장 가운데, 정맥과 직결되어 있는 부분. 심장의 내강(內腔)의 상반(上半)에 자리잡고 있는데, 우심방·좌심방의 둘로 나누어짐. 염통방. *심실(心室).
심방[4]【深房】명 깊숙이 안에 있는 방.
심방[5]【尋訪】명 방문하여 찾아 봄. 심문(尋問). ¶ 가정 ~. ——하다 타 여불
심방-곡【心方曲】명 〖악〗 중대엽(中大葉)의 속칭. 신방곡(神房曲).
심방-변【心傍邊】명 한자의 부수(部首)의 하나. '快'나 '怪' 등에서 '忄'의 이름.
심방 세:동【心房細動】명 〖의〗 심방이 정상 수축을 하지 아니하고, 심방근(筋)의 각 소부분(小部分)이 국부적으로 무질서하고 빈번히 섬유성 수축을 하는 상태. *심방 조동(心房粗動).
심방 조동【心房粗動】명 〖의〗 심방근(筋)이 전체로서 규칙적인 수축을 하나, 정상보다 빈삭(頻數)한 상태. 임상적으로 심방 세동(細動)으로 이행(移行)하는 수가 많음.
심방 중격 결손증【心房中隔缺損症】[—쏜쯩] 명 〖의〗 우심방과 좌심방 사이에 있는 심방 중격에 결손구(缺損口)가 있어 숨이 차고 동계(動悸)가 일어나는 증세. 선천성 심장 질환 중에서 빈도가 제일 높으며, 수술에 의한 치료는 비교적 용이함.
심방-청【—廳】명 제주도 심방의 조직 단체. 「嚴 Ⅷ:117」.
심방 명 〈옛〉 무당. 박수. ¶ 巫ᄂᆞᆫ 겨집 심방이오, 祝ᄂᆞᆫ 男人 심방이라《楞
심-밭 명 〈심마니〉 산삼이 무더기로 난 곳. 심바치.
심배[1] 명 〈방〉 승베.
심배[2]【深杯】명 큼직한 깊은 술잔.
심번뇌-장【心煩惱障】명 〖불교〗 삼장(三障)의 한 가지. 번뇌를 신체의 부분인 살갗·살·마음에 비유한 것으로서, 근본(根本) 무명(無明)을 이 ㄴ르는 말.
심벌〔symbol〕명 ①상징(象徵). 표상(表象). ②기호.
심벌리즘〔symbolism〕명 〖문〗 상징주의.
심벌 마:크〔symbol+mark〕명 어떤 단체나 정당 등이 방침·주장 또는 행사 따위를 상징하기 위하여 만든 표지(標識). *로고(logo)❷.
심벌즈〔cymbals〕명 〖악〗 타악기의 하나. 동양의 바라를 그대로 유럽에서 채용한 것으로, 요면(凹面)의 금속 원반(圓盤)을 마주 쳐서 소리를 냄. 피아티(piatti).
심법【心法】[—뻡] 명 ①〖불교〗 일체 제법(一切諸法)을 다섯으로 나눈 것 중의 하나. 또, 심(心)과 색(色)으로 나눈 심(心)의 작용의 총칭. ↔색법(色法). ②정신 수양의 방법.

〈심벌즈〉

심벽[1]【心壁】명 〖토〗 토언제(土堰堤) 등에서, 물이 밖으로 새어 나가지 못하도록 진흙 같은 재료로써 만들어, 그 심(心)에 넣는 벽체(壁體).
심벽[2]【深碧】명 아주 짙은 녹색. 심녹색(深綠色).
심병【心病】명 ①마음 속의 근심. ②〖의〗 극도로 흥분하면 까무러치는 ㄴ병. 심질(心疾).
심-보【心—】[—뽀] 명 마음보.
심복[1]【心服】명 ↗심열 성복(心悅誠服).
심복[2]【心腹】명 ①가슴과 배. ②마음 속. 생각하고 있는 일. 생각. 흉중(胸中). 심중(心中). ③진심. 성심. ④↗심복지인(心腹之人). 복심(腹心). ¶ ~이 되어 일하다. ⑤관계가 밀접하여 없으면 안 될 사물.
심복지-인【心腹之人】명 극히 친밀한 사람. 또, 마음 놓고 믿을 수 있는 둘도 없는 부하. ㊂심복(心腹).
심복지-질【心腹之疾】명 심복지환(心腹之患).
심복지-환【心腹之患】명 없애기 어려운 근심. 심복지질.
심복-통【心腹痛】명 〖한의〗 근심으로 생긴 가슴앓이.
심-봤다 감 〈심마니〉 심마니가 산삼을 발견했을 때 세 번 지르는 소리.
심부[1]【心府】명 마음이 있는 곳. 또는 마음.
심부[2]【深部】명 (표면에서) 깊은 곳. ¶ ~ 조직.
심부 감:각【深部感覺】명 〖생〗 〔피부보다 밑에 있다는 데서〕 근육·건(腱) 등에 있는 수용기(受容器)에 의하여 생기는 감각. 피부 감각과 함께 작용하여 위치각(位置覺)·운동각(運動覺)을 일으킴. 심부 지각(深部知覺).
심:부름 명 〔근대: 심브림〕 남의 시킴을 받아 하는 일. ——하다 자 여불
심:부름-꾼 명 심부름을 하는 사람.
심:부름 센터〔center〕명 수수료를 받고 남의 심부름을 해 주는 곳.
심:부림 명 〈방〉 심부름.
심부 배:양【深部培養】명 발효액(醱酵液) 속에 진탕(震盪) 배양한 종균(種菌)을 접종(接種)시켜, 액체를 휘저으면서 공기를 충분히 공급하여 호기성균(好氣性菌)을 배양하는 방법. 페니실린·스트렙토마이신·오레오마이신 같은 항생 물질은 이 방법으로 대량 생산됨. *표면(表面) 배양·진탕(震盪) 배양.
심-부전【心不全】명 〖의〗 대혈관을 통해서 심장으로 돌아오는 혈액을 심장이 충분히 박출(搏出)할 수 없는 상태. 장애 부위(部位)에 따라 좌심(左心) 부전·우심(右心) 부전·양측(兩側) 부전으로 분류됨. 급성의 경우에는 쇼크(shock) 증상이 일어나며, 만성인 경우에는 호흡 곤란·기침·심장성 천식(喘息)의 발작·부종(浮腫) 그 밖의 신경 증상을 나타냄.
심부 지각【深部知覺】명 심부 감각(深部感覺).
심불【心佛】명 〖불교〗 ①마음이 곧 부처인 일. 곧, 제 마음의 성스러운 본성. ¶ 견성(見性)이란, ~을 깨달음을 이름이라. ②심중(心中)에 나타나는 부처. ¶ ~의 광명. ③화엄경(華嚴經)에서, 행경 십종불(行境十種佛)의 하나. 보살이 수행의 완성에 의해 도달한 불과(佛果)를 그 덕(德)에 의하여 명명한 것. ④마음과 부처. ¶ ~ 일여(一如).
심비[1] 명 〈방〉 승베.
심비[2]【深祕】명 깊은 비밀.
심-빼:물다 자 〈방〉 힘빼물다.
심사[1]【心史】명 〖문〗 천군 본기(天君本紀).
심사[2]【心事】명 ①마음에 생각하는 일. ②마음에 생각하는 일과 실제의 사실(事實).
[심사는 좋아도 이웃집 불붙는 것 보고 좋아한다] 인정이 흔히 남의 불행을 행(倖)으로 여기는 야릇한 심리를 이름.
심사가 뒤틀리다 구 불쾌해지다. 마음이 언짢아지다.
심사[3]【心思】명 남이 하는 일에 방해하려는 고약한 마음보.
[심사가 꽁지벌레라] 심사가 좋지 못하여 남의 물품을 해치기를 좋아하는 사람의 비유. [심사가 놀부다] 본성이 아름답지 못하고 탐욕을 일삼는 사람의 비유.
심사(가) 나다 구 심사 부리고 싶은 생각이 들다. ¶ 이 야릇한 허술하고 갑갑하고 쓸쓸하고 심사 나는 마음《朴鍾和 : 錦衫의 피》.
심사(를) 놀:다 구 〈방〉 심사(를) 부리다(경상).
심사(를) 놓다 구 〈방〉 심사(를) 부리다.
심사(를) 부리다 구 고약한 마음보로 일부러 남의 일을 방해하다.
심사(가) 사:납다 구 마음보가 나쁘고 심술궂다.
심사[4]【深思】명 깊이 생각함. 또, 깊은 생각. 담사(潭思). ¶ ~ 숙고. ——하다 타 여불
심사[5]【深謝】명 성심으로 사례(謝禮)하거나 사죄(謝罪)함. ——하다 타 여불
심사[6]【尋思】명 마음을 가라앉혀 깊이 생각함. 심사(深思). *숙고(熟考). ——하다 타 여불
심사[7]【尋伺】명 〖불교〗 대상에 대하여 그 뜻과 이치를 대강 심구(尋求)하고, 한 걸음 더 나아가 세밀하게 분별하고 사찰하는 정신 작용.
심:사[8]【審査】명 ①자세히 조사함. 심의(審議)하여 사정(査定)함. ¶ ~ 위원/자격을 ~하다. ②〖법〗 사람의 자격 또는 물건의 성질·가격 등을 심의 사정하고, 이에 일정한 자격·성질·가격 등을 부여하는 행위. ——하다 타 여불
심:사-관【審査官】명 ①심사의 직무를 맡은 관리. ②〖역〗 대한 제국 때 제실 회계 심사국(帝室會計審査局)의 한 벼슬.
심사 광:상【深砂鑛床】명 〖광〗 딴 지층이나, 용암류(熔岩流)로 덮여 있는 오래된 지질(地質) 시대의 표사 광상(表砂鑛床). ↔천사(淺砂) 광상·해빈사(海濱砂) 광상.
심사 대:장【深沙大將】명 〖불교〗 불교 수호신(守護神)의 하나. 사막에서 위난(危難)을 구제함을 본서(本誓)로 하는 선신(善神)이며, 질병을 고치고 마사(魔事)를 물리친다 함. 분노(忿怒)한 얼굴에 왼손에는 푸른 뱀을 휘어 잡고 있으며, 온 몸이 붉은 빛깔임. 배에는 사람 얼굴이 그려 있고, 허리에 호피(虎皮)를 둘렀으며 오른쪽 팔꿈치를 구부린 채 손바닥을 쳐들고 있음. 두 발은 붉은 연꽃을 짚고 서 있음. 또 어떤 것은 두 손을 모아 흰 밥을 담은 바리때를 받들고 있는 것도 있음.

〈심사 대장〉

심사 도법【心射圖法】[—뻡] 명 〔gnomonic projection〕〖지〗 지도 투영법(地圖投影法)의 하나. 지구의(地球儀)의 중심에 광원(光源)을 놓고, 지구의상(地球儀上)의 임의의 점에서 접하는 평면에 경위선(經緯線)을 투영하는 방법. 대권 도법(大圈圖法).
심사 묵고【深思默考】명 고요히 깊이 생각함. ——하다 자 타 여불
심사 숙고【深思熟考】명 깊이 잘 생각함. ——하다 자 타 여불

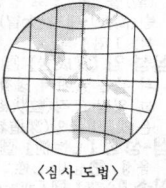

〈심사 도법〉

심:사-원【審査員】명 심사를 맡은 사람.
심:사-율【審査律】명 〖역〗 1673년에 영국 의회를 통과한 법. 국교도(國敎徒) 이외는 관리나 국회 의원이 되지 못함을 규정하였음. 1828년에 폐지(廢止)됨. 테스트 액트(Test Act).
심:사-장【審査場】명 심사를 하는 장소.
심:-사정【沈師正】명 〖사람〗 조선 시대 중기의 화가. 자는 이숙(頤叔). 호는 현재(玄齋). 청송(靑松) 사람. 겸재·단원(檀園) 등과 함께 조선 시대 중기 화단의 대표적 작가. 작품 《맹호도(猛虎圖)》 등. 〔1707-69〕
심:사 청구【審査請求】명 〖법〗 어떤 행정 행위(行政行爲)를 위법(違法) 또는 부당하다고 주장하고 그 취소·변경 등을 요구하여, 권한 있는 행정 기관에 대하여 재심사(再審査)를 청구하는 행위. 보통 소원(訴願)과

그 법률적 성질을 같이함.

심산[1]【心山】명〖사람〗김창숙(金昌淑)의 호(號).

심산[2]【心散】명 심란(心亂). ——-하다 형여불

심산[3]【心算】명 속셈❶.

심산[4]【心酸】명 마음이 몹시 고통스러움. ——-하다 형여불

심산[5]【深山】명 깊은 산.

심산 계곡【深山溪谷】명 높은 산과 깊은 골짜기.

심산 궁곡【深山窮谷】명 깊은 산 속의 험한 골짜기.

심산 맹:호【深山猛虎】명 깊은 산 속의 사나운 범.

심산 유곡【深山幽谷】[—뉴—] 명 깊은 산의 으슥한 골짜기. 심산 궁곡(深山窮谷).

심-살[1]【心—】[—쌀] 명〖건〗벽(壁) 속의 외(椳)를 든든하게 하기 위하여 상인방(上引枋)과 하인방 사이에 끼워 세우는 나무. 벽심(壁心).

심-살[2]【心—】[—쌀] 명〈방〉등심[1].

심살-꽂이【心—】[—쌀—] 명〈방〉심살[1].

심살-내리다 [—쌀래—] 자 잔 근심이 늘 마음에서 떠나지 아니하다.

심상[1]【心狀】명 마음의 상태.

심상[2]【心喪】명 ①상복(喪服)은 입지 아니하되 상제와 같은 마음으로 근신(謹愼)하는 일. 제자가 스승의 상(喪)에 복하는 경우 같은 것. ②상기(喪期)가 끝나서도 마음으로 슬퍼하여, 상중(喪中)에 있는 것같이 근신하는 일.

심상[3]【心象·心像】명 [image]〖심〗이전(以前)에 감각에 의해 얻은 것이, 심중(心中)에 재생한 것. 시각적·청각적·운동적 및 촉각적인 것으로 분류됨.

심상[4]【心想】명 마음 속의 생각.

심상[5]【心傷】명 마음이 상함. ——-하다 자여불

심상[6]【尋常】명 대수롭지 아니하고 예사로움. 범상(凡常). ¶ 사태(事態)가 ~하지 않다. ↔비상(非常). ——-하다 형여불

심:-상규【沈象奎】명〖사람〗조선 순조(純祖) 때의 상신(相臣). 자(字)는 치교(穉敎). 호는 두실(斗室) 또는 이하(彝下). 청송(靑松) 사람. 순조 34년(1834)에 영의정이 되어 삼조(三朝)에 역사(歷事)하였음. 독서를 즐기고, 척독(尺牘)을 잘 하였음. 저서 《두실 문고(斗室文稿)》. [1756-1838]

심상성 백반【尋常性白斑】[—썽—] 명〖의〗후천성으로 백반이 생겨, 만성적으로 그 형태나 수가 점점 커지는 피부병. 경계선이 분명한데, 백반 부분은 백도색(白陶色) 또는 담홍색(淡紅色)이며 그 부분에 있는 털은 흰 털이 됨. 원인은 불명이나, 자율 신경 장애·갑상선 및 뇌하수체의 내분비 이상에 관계된다고 함.

심상 소:학교【尋常小學校】명〖일제〗일제 강점기에, 한동안 현재의 초등 학교를 부르던 명칭. *소학교.

심상-엽【尋常葉】명〖식〗보통 식물에 있는 잎. 편평(扁平)하고, 녹색이며, 식물체(植物體)의 영양을 맡아 보는 가장 중요한 기관의 하나임. ↔변태엽(變態葉).

심상-인【心喪人】명 상제(喪制) 밖의 사람으로서 심상(心喪)하는 사람.

심색-단【深色團】명〖화〗물질의 빛깔을 짙게 만드는 발색단(發色團) 또는 조색단(助色團). 흡수대(吸收帶)를 단파장(短波長)으로부터 장파장(長波長)으로 이동시키는 작용을 하는 원자단(原子團).

심서[1]【心緖】명 심회(心懷).

심:서[2]【甚暑】명 심한 더위.

심:-석전【沈石田】명〖사람〗중국의 화가. 이름은 주(周). 자는 계남(啓南). 호는 석전(石田) 또는 백석옹(白石翁). 쑤저우(蘇州) 사람. 명(明)나라 중기의 남종화(南宗畫) 전성의 기초를 닦은 문인(文人) 화가로, 산수화·화조화(花鳥畫)에 능하였음. [1426-1509]

심선【心線】명 ①절연(絕緣) 전선·코드·케이블 등의 중심부에 있는 도선(導線). ②용접봉(鎔接棒)을 만드는 쇠줄.

심설【深雪】명 깊이 쌓인 눈.

심성[1]【心性】명 ①↗심성정(心性情). ¶ ~이 고운 아이. ②〖불교〗변하지 아니하는 참된 마음. 진심(眞心).

심성[2]【心星】명〖천〗이십팔 수(二十八宿)의 다섯째 별. 심수(心宿). 대화(大火). ㊀심(心).

심성[3]【深省】명 깊이 반성함. ——-하다 자타여불

〈심성기〉

심성-기【心星旗】명〖역〗의장기(儀仗旗)의 한 가지.

심성-론【心性論】[—논] 명 ①성리학(性理學)에서 심(心)·성(性)·정(情)을 중심으로 인간 존재의 양상을 다룬 유학 이론. ②조선 중기의 고승(高僧) 대지(大智)가 숙종(肅宗) 13년(1687)에 심성에 관하여 논술한 책. 1권 1책.

심성-암【深成岩】명〖광〗화성암의 한 가지. 마그마(magma)가 지하의 깊은 곳에서 냉각 응고하여 이루어진 것. 완전히 결정(結晶)되어 있고 입상 조직(粒狀組織)을 이룸. 화강암(花崗岩)·섬록암(閃綠岩)과 같은 것. 심조암(深造岩).

심-성정【心性情】명 마음과 성정(性情). 본디부터 타고난 마음씨. 마음성. ㊀심성(心性).

심소【心素】명 [라 animus]〖법〗어떤 법률 사실의 구성 요소로서 필요한 의사적(意思的) 요소. 점유(占有)에 관하여 가장 문제가 됨. ↔체소(體素).

심수[1]【心受】명 마음으로 받음. 곧, 깨달음. 납득(納得). ——-하다 타여불

심수[2]【心授】명 심법(心法)을 전수(傳授)함. ——-하다 자여불

심수[3]【心宿】명〖천〗심성(心星).

심수[4]【心髓】명 ①중심이 되는 골수(骨髓). ②중심. 중추(中樞). ③마음속.

심수[5]【深水】명 깊은 물.

심수[6]【深羞】명 심한 부끄러움. 큰 수치.

심수[7]【深愁】명 깊은 근심. 농수(濃愁). 심우(深憂). ——-하다 타여불

심수[8]【深邃】명 ①깊숙하고 그윽함. 유수(幽邃). ②학예(學藝) 등의 깊이가 있는 모양. ——-하다 형여불

심-수도【深水道】명〖지〗심해 수도.

심수만경-전【心隨萬境轉】명〖불교〗마음이 여러 가지 경우에 따라 「변전(變轉)한다는 말.

심수-병【心水病】[—뼝] 명 [heartwater disease] 소·양 및 염소의 패혈증(敗血症)의 전염병. 아프리카에 많음.

심순【滲脣】명〖한의〗견순(繭脣).

심술【心術】명 ①온당하지 못하고 고집스러운 마음. 계정. 성술(性術). ②〖철〗동기(動機)나 목적 관념을 도덕적으로 선택·결정하는 지속적인 의지 방향(意志方向). ③〈방〉샘[3] (강원·경북).

[심술만 하여도 삼 년 더 살겠다] 심술꾸러기에게 빈정대는 말. [심술이 왕골 장골(王骨張骨) 때라] 심사와 행위가 패악한 사람을 이름.

심술(이) 나다 구 심술궂은 기분이 솟구치다. 심술을 부리고 싶은 생각이 들다. ¶ 심술 난 김에 남의 장독대에 돌을 던진다.

심술(을) 내:다 구 심술을 부리기 시작하다.

심술(을) 놀:다 구〈방〉심술(을) 부리다(경상).

심술(을) 놓다 구〈방〉심술(을) 부리다.

심술(을) 떨:다 구 ☞심술(을) 부리다.

심술(을) 부리다 구 심술을 겉으로 나타내다. 심술궂은 짓을 하다.

심술(이) 사:납다 구 심술이 나쁘고 모질다.

심술(을) 피우다 구 심술을 이따금 내다.

심술-궂다【心術—】형 심술이 몹시 많다. ¶ 심술궂게 놀다.

【심술궂은 만을보(萬乙甫)라】 몹시 심술궂은 사람을 이르는 말.

심술-기【心術氣】[—끼] 명 심술이 나는 기운. ¶ 말투에 ~가 있다.

심술-꾸러기【心術—】명 심술이 많은 사람. 심술쟁이.

심술-꾼이【心術—】명〈방〉심술꾸러기.

심술 도:덕【心術道德】명 [도 Gesinnungsethik]〖윤〗도덕적 판단의 대상(對象)을 심술에 두고, 착한 심술을 모든 선(善)의 표준으로 한다는 설(說). 칸트·립스의 인격주의(人格主義). 심정 도덕(心情道德).

심술-딱지【心術—】명〈속〉심술(心術).

심술-머리【心術—】명〈방〉심술딱지.

심술-스럽다【心術—】형ㅂ불 심술이 있다. **심술-스레**【心術—】부

심술-장이【心術—】명 ☞심술쟁이.

심술-쟁이【心術—】명 심술꾸러기. ¶ ~ 영감.

심술-통이【心術—】명 ☞심술퉁이.

심술-퉁이【心術—】명 질투하여 심술을 잘 내는 사람.

심술-파다【心術—】자〈방〉심술내다.

심술-패기【心術—】명 심술이 있는 아이.

심슨 [Simson, Robert] 명〖사람〗영국 스코틀랜드의 수학자. 글래스고 대학의 수학 교수. 그리스 수학에 정통함. 그의 이름을 딴 심슨선(線)으로 유명함. [1687-1768]

심슨-선【—線】명 [Simson line]〖수〗삼각형의 외접 원주상(外接圓周上)의 한 점에서, 삼각형의 세 변 또는 그 연장선(延長線)에 그은 수선(垂線)의 발 셋이 이룬 일직선(一直線).

심슨의 정:리【—定理】[Simson] [—니 / —에—니] 명〖수〗삼각형 ABC의 외접 원주상에 임의의 일점 P를 취하고, P에서 세 변 BC, CA, AB 또는 그 연장선에 내린 수선의 발을 각각 D, E, F라고 하면, D, E, F는 일직선 상에 있다고 하는 정리.

심식[1]【深識】명 깊은 견식(見識). 깊은 지식.

심:식[2]【審識】명 잘 조사하여 앎. 잘 식별(識別)함. ——-하다 자여불

심신[1]【心身】명 마음과 몸. 정신과 신체. 신심(身心). 심체(心體). ¶ ~을 단련하다/~이 피로하다.

심신[2]【心神】명 마음과 정신.

심신[3]【深信】명 깊은 믿음. 꼭 믿음. ——-하다 타여불

심:신[4]【審訊】명 ①자세히 따져서 물음. ②〖법〗'심문(審問)'의 구민사소송법(舊民事訴訟法) 상의 용어. ——-하다 타여불

심:신[5]【審愼】명 언행을 조심하고 삼감. ——-하다 타여불

심신 모약【心神耗弱】명〖법〗'심신 미약(微弱)·심신 박약(薄弱)'의 구용어(舊用語).

심신 모약자【心神耗弱者】명〖법〗'심신 미약자·심신 박약자'의 구용어.

심신 미약【心神微弱】명〖법〗정신 상실보다는 정도가 가벼우나, 정신 기능이 쇠약하여 선악의 식별력이 극히 미약한 상태. 형법상 형이 감경(減輕)됨. *정신 박약.

심신 미약자【心神微弱者】명〖법〗심신 미약의 상태에 있는 사람.

심신 박약【心神薄弱】명〖법〗정신 상실보다는 정도가 가벼우나, 정신 기능이 쇠약하여 선악의 식별력이 극히 박약한 상태. 민법상 한정 치산(限定治産)의 원인이 됨. *심신 미약.

심신 박약자【心神薄弱者】명〖법〗심신 박약의 상태에 있는 사람.

심신 불안【心神不安】명 마음과 정신이 편하지 못함. ——-하다 형여불

심신 산:란【心神散亂】[—살—] 명 마음과 정신이 산란함. ——-하다 형여불

심신 상관【心身相關】명 심리(心理)와 생리(生理)와는 그 작용·활동이 직접으로 관계가 있는 일. 곧, 속으로 성을 내면 몸에도 그에 적응하는 상태가 나타나는 것과 같은 예(例).

심신 상실【心神喪失】명〖법〗정신 기능의 장애로 선악을 식별할 능력이 없거나 의사(意思)를 결정할 능력이 없는 상태. 민법상으로는 금치산(禁治産)의 원인이 되고, 형법상으로는 범죄 행위도 처벌되지 아니함.

심신 상실자【心神喪失者】[—짜] 명〖법〗심신 상실의 상태에 있는 사람.

심신 장애자【心神障礙者】명〖법〗정신 기능에 장애가 있는 자. 심신 상실자와 심신 미약자 또는 박약자로 나누어짐.

심신-증【心身症】[—쯩] 명 〖육아〗 심리적인 원인으로 일어나는 신체 증상(身體症狀)의 총칭. 정신 신체증(精神身體症).

심신 평행론【心身平行論】[—논] 명 〔psychophysical parallelism〕〖철〗 심신 관계의 문제를 해결함에 있어, 신체적 사상(事象)과 심적 사상과의 평행을 가지고 다루는 이론. 이 평행론의 사상은 형이상학이나 과학의 경우에도 다 같이 기계관적 세계관의 배경에서 성립함. 물심 평행.

심신 피로【心身疲勞】 명 마음과 몸이 피로함. ——-하다 형 여불

심신-환【心腎丸】 명 〖한의〗 ↗고암 심신환(古庵心腎丸).

심실[1]【心室】 명 〖생〗 심장(心臟) 가운데, 동맥과 직결되어 있는 부분. 근육질의 벽을 가지고, 그 수축(收縮)에 의하여 혈액을 몸 안으로 유출(流出)시킴. 조류(鳥類)와 포유류(哺乳類)에는 좌심실(左心室)과 우심실의 둘로 나뉘는데, 우심실은 우심방(右心房)에서 정맥혈(靜脈血)을 받아들여 이를 폐동맥(肺動脈)으로 보내고, 좌심실은 좌심방에서 동맥혈을 받아들여 이를 대동맥으로 보냄. 염통집.

심실[2]【深室】 명 ①깊숙한 데에 있는 방. ②옛날에, 죄인을 가두어 두던 방.

심실성 기외 수축【心室性期外收縮】[—썽—] 명 〖의〗 심장의 심실내의 자동(自動) 중추로부터 발생한 기외 수축. 기외 수축 다음의 정상 수축까지의 시간과 기외 수축 전의 정상 수축 시간까지의 시간의 합(合)이 정상 수축 시간의 두 배와 같음. 환자는 심장의 정지(停止)를 느끼고 불안에 빠지게 됨.

심실 세:동【心室細動】 명 〖의〗 심실근(心室筋)이 부분적으로 수축하는 상태. 심전도(心電圖)에 대소 부동(大小不同)의 불규칙한 파상선(波狀線)으로 나타남. 이 때, 혈액이 심장에서 박출(搏出)되지 아니하기 때문에, 순환 부전(循環不全)을 일으켜 사망함. 관부전(冠不全), 디기탈리스 중독(digitalis中毒) 또는 흉부 수술시 등에 일어남. 제세동기(除細動器)에 의해 전기 자극을 주어 치료하나, 약 5분 이내에 처치하지 아니하면 회복되지 못함. 심장사(心臟死) 등의 주요 원인.

심실 중격 결손증【心室中隔缺損症】[—쏜쯩] 명 〖의〗 심실의 격벽(隔壁)에 결손(缺損)이 있는 선천성 심장 질환의 하나. X선 검사로 우심실(右心室)의 비대·확장을 볼 수 있는데, 신체 발육 장애는 비교적 적으나 심내막염(心內膜炎)에 걸리기 쉬움.

심:심[1]【甚深】 명 매우 깊음. ——-하다 형 여불

심심[2]【深心】 명 〖불교〗 ①묘리(妙理)와 선도(善道)를 구하는 마음. ②깊이 신앙(信仰)하는 마음. 깊이 귀의(歸依)하는 마음.

심:심[3]【甚甚】 명 매우 깊고 심함. ¶ ～한 사의를 표함. ——-하다 형 여불. ——-히 부

심심[4]【深深】 명 깊고 깊음. ——-하다 형 여불

심심 거:리【心心距離】 명 두 개의 부재(部材)의 중심에서 중심까지의 거리.

심심 산곡【深深山谷】 명 아주 깊은 산골짜기.

심심 산천【深深山川】 명 아주 깊은 산천.

심심 상인【心心相印】 명 말없는 가운데 마음과 마음으로 뜻이 서로 통함. 이심 전심(以心傳心). ——-하다 타 여불

심심 소일【—消日】 명 심심풀이로 무슨 일을 함. 또, 그 일. ¶ ～로 양(羊)을 먹이다. ——-하다 자 여불

심심 장:지【深深藏之】 명 물건을 깊이깊이 감추어 둠. ——-하다 타 여불

심심-증【—症】[—쯩] 명 못 견디게 심심하여 안달이 나는 증세.

심심-찮다 [—찬타] 형 심심하지는 않을 만큼 사람의 내왕이나 일거리가 이어지다. ¶ 심심찮을 만큼 손님이 찾아 들었다.

심심-초【—草】 명 〈속〉 심심풀이로 피운다 하여, '담배'를 이르는 말.

심심 파:적【—破寂】 명 심심풀이.

심심-풀이 명 할 일 없어 심심함을 잊으려고 무엇을 함. 심심 파적(破寂). ——-하다 자 여불

심심-하다[1] 형 여불 맛이 조금 싱겁다. ¶ 심심하게 간을 하다. >삼삼하다.

심심-하다[2] 형 여불 〔중세 : 힘힘ᄒᆞ다〕 할 일도 없고, 재미 붙일 데도 없어서 시간을 보내기가 열적고 멋없다. 심심-히 부

[심심하면 좌수(座首) 볼기 때린다] 공연히 아랫사람이나 죄 없는 사람을 가지고 괴롭히는 짓을 말함.

심심ᄒᆞ다 형 〈옛〉 심란하다. ¶ 쇄적 도마옵히 져라도 티려ᄒᆞ다ᄒᆞᆫ 긔별도 이시니 더욱 심심ᄒᆞ야 ᄒᆞ노라≪諺簡集 11 宣祖諺簡≫.

심-쌀【心—】 명 죽에 넣는 쌀.

심ᄉᆞ 명 〈옛〉 심[6]❺. ¶ 뎐피 심ᄉᆞ애 쳥셔피 변ᄉᆞ앳 어치오(獐皮心兒藍斜皮邊兒的皮汗替)≪朴解 上 28≫.

심:악【甚惡】 명 ①심히 악함. ②가혹(苛酷)하고 용서함이 없음. ——-하다 형 여불

심:악-스럽다【甚惡—】 형 ㅂ불 심악한 태도가 있다. >사막스럽다. 심:악-스레【甚惡—】 부

심안[1]【心眼】 명 ①눈과 마음. ②사물을 관찰하고 식별(識別)하는 눈과 같은 마음의 작용(作用). 마음눈. ¶ ～을 뜨다. ↔육안(肉眼).

심:안[2]【審按】 명 자세히 살펴 조사함. 깊이 살펴 생각함. ——-하다 타 여불

심애【深愛】 명 깊이 사랑함. 또, 깊은 사랑. ——-하다 타 여불

심야【深夜】 명 깊은 밤. 심경(深更). ¶ ～ 방송.

심야 극장【深夜劇場】 명 자정 넘어 개관(開館)하여 손님을 받는 극장.

심야 다방【深夜茶房】 명 자정 넘어 이튿날 아침까지 계속 영업을 하는 다방.

심야-업【深夜業】 명 근로 기준법에서 말하는 오후 10시에서 오전 6시까지의 노동. 이 경우, 통상 임금의 100 분의 50 이상이 가산(加算)되며, 노동청장의 인가 없이는 여자와 18세 미만 남자의 근로는 금지됨.

심야의 태양【深夜—太陽】[—/—에—] 명 〔midnight sun〕〖천〗 한밤중에 볼 수 있는 태양. 고위도(高緯度)의 극권(極圈)에서 여름에 볼 수 있음.

심야 총서【深夜叢書】 명 〔프 Les Édition de Minuit〕〖책〗 프랑스의 문예 총서. 제2차 대전 중인 1942년에 창간. 나치스의 점령 하의 파리에서 비합법적으로 출판되었음. 모리아크(Mauriac)의 '검은 수첩' 등을 게재(揭載)하였음. 전 40권.

심약[1]【心弱】 명 마음이 약함. ¶ ～한 사람. ——-하다 형 여불

심약[2]【心藥】 명 도화선(導火線)·도폭선(導爆線) 따위의 불씨로 쓰이는 화약.

심:-약[3]【沈約】 명 〖사람〗 중국 남북조 시대의 학자. 자(字)는 휴문(休文). 송(宋)·제(齊)·양(梁)에 역사(歷事)하였음. 박학(博學)으로 시문(詩文)에 뛰어나고, 또 음운학(音韻學)의 태두로서 사성(四聲) 연구의 개조임. 저서로 ≪진서(晉書)≫·≪송서(宋書)≫·≪제기(齊紀)≫·≪사성운보(四聲韻譜)≫ 등이 있음. [441-513]

심:약[4]【審藥】 명 〖역〗 조선 시대에, 궁중(宮中)에 바치는 약재(藥材)를 감사(監査)하기 위하여 각 도(道)에 파견(派遣)하던 종구품 벼슬. 전의감(典醫監)·혜민서(惠民署)의 의원(醫員) 중에서 선임함.

심양[1]【潯陽】 명 〖지〗 ①중국의 당(唐)나라 때, 지금의 장시 성(江西省) 북부, 양쯔 강(揚子江) 연안(沿岸)의 주장(九江) 강에 설치되었던 군(郡) 및 현(縣)의 이름. 한(漢)·진(晉) 때에는 '尋陽'으로 썼음. ②심양강(潯陽江).

심양[2]【瀋陽】 명 〖지〗 '선양(瀋陽)'을 우리 음으로 읽은 이름.

심양-강【潯陽江】 명 〖지〗 쉰양 강.

심양-왕【瀋陽王】 명 〖역〗 중국 원(元)나라가 고려의 왕 또는 왕족(王族)에게 수여한 봉작(封爵). 충렬왕 34년(1308) 전왕(前王)인 충선(忠宣)이 봉작을 받은 것이 시초이며, 후에 심왕(瀋王)으로 개칭됨.

심양 팔포【瀋陽八包】 명 〖역〗 조선 숙종(肅宗) 12년(1686)에 팔포 무역(八包貿易) 대행(代行) 상인의 연경 무역(燕京貿易)을 억제하기 위하여 선양(瀋陽)에서만 무역하도록 한 일. 영조 4년(1728)에 폐지됨.

심어[1]【深語】 명 ①속 마음을 털어놓고 이야기함. ②남몰래 비밀히 이야기함. ——-하다 자 여불

심어[2]【鱘魚·鱏魚】 명 〖어〗 ①철갑상어❶. ②줄철갑상어.

심:엄[1]【甚嚴】 명 매우 엄함. ——-하다 형 여불

심엄[2]【深嚴】 명 심오(深奧)하고 엄함. ——-하다 형 여불

심역[1]【心易】 명 역점(易占)의 하나. 송(宋)의 소강절(邵康節)에 의해 시작됨. 점대를 사용하지 않고 어떤 문자의 획수·생년월일의 합계(合計) 따위에 의해 괘효(卦爻)를 정함.

심역[2]【尋繹】 명 찾아서 살피는 일. 연구하는 일. ——-하다 타 여불

심연【深淵】 명 ①깊은 못. 연담(淵潭). 준담(濬潭). 중연(重淵). ②좀처럼 헤어나기 힘든 깊은 구렁의 비유. ¶ 절망의 ～.

심연-에서【深淵—】 명 〔라 De Profundis〕〖문〗 영국의 작가 와일드(Wilde, Oscar)의 저서. 1896-97년 동안에 리딩(Reading) 감옥에서 집필하여, 1905년에 출판됨. 앨프레드 더글러스(Alfred Douglas)와의 남색 사건으로 투옥된 저자가 자기의 심경을 더글러스에게 보내는 서한의 형식으로 고백한 것임. 옥중에서의 고뇌와 비애를 통하여, 그리스도의 사랑으로 신생(新生)에 도달하였다고 말하고, 그리스도는 최고의 예술가·개인주의자라고 논한 것이 유명함.

심연 우:주【深淵宇宙】 명 지구 중력(地球重力)의 영향이 미치지 않는 우주 공간.

심열【心熱】 명 ①마음으로 무엇을 바라는 열망(熱望). ②울화로 일어나는 열.

심열 성복【心悅誠服】 명 즐거운 마음으로 성심을 다하여 순종함. 준심복(心服). ——-하다 자 여불

심열수성 광:상【深熱水性鑛床】[—쑤—] 명 〖광〗 마그마(magma)의 고결(固結)에 관계되는 광상으로, 1-10km의 깊은 지하에서 300°-500°C의 고온과 고압(高壓)으로 인해 생긴 것. 대부분의 주석 광맥(鑛脈), 텅스텐·몰리브덴 광맥, 전기석동(電氣石銅) 광맥 등이 이에 속함.

심엽【心葉】 명 〖식〗 벼·보리 등의 단자엽 식물(單子葉植物)에서 묵은 잎의 엽초(葉鞘)에 싸인 줄기의 생장점(生長點) 부분에 들어 있는 새 잎.

심영【沁營】 명 〖역〗 조선 시대에, 강화(江華) 진무영(鎭撫營)의 별칭.

심오【深奧】 명 아늑하고 웅숭깊음. 깊고 오묘함. ¶ ～한 교의(敎義). ——-하다 형 여불

심온【深穩】 명 깊고 고요함. ——-하다 형 여불

심옹【心癰】 명 〖의〗 젖가슴에 나는 종기.

심와【心窩】 명 〖생〗 명치.

심-왕【瀋王】 명 〖역〗 심양왕(瀋陽王).

심외【心外】 명 마음의 밖.

심외 무별법【心外無別法】 명 〖불교〗 우주(宇宙)의 모든 법(法)은 마음에 있는 것이요, 마음 밖에는 별로 법이 없다는 말.

심외성 잡음【心外性雜音】[—썽—] 명 〖의〗 심잡음(心雜音)의 하나. 심낭(心囊) 또는 심장 주위의 조직에서 나는 잡음. ↔심내성 잡음.

심우[1]【心友】 명 마음으로 사귄 벗. 마음이 서로 통하는 벗.

심:우[2]【甚雨】 명 억수같이 퍼붓는 비. 호우(豪雨).

심우[3]【深憂】 명 깊이 근심함. 또는 깊은 근심. ——-하다 타 여불

심우-가【尋牛歌】 명 〖문〗 고려 말의 고승 나옹 화상(懶翁和尙)이 지은 가사라고 하나 확실하지 아니함. 허무한 속사(俗事)에서 벗어나 불도(佛道)에 전념할 것을 권장하는 내용.

심우-도【尋牛圖】 명 〖불교〗 선종(禪宗)에서, 자신의 본심을 찾고 깨달음에 이르는 것을 소 찾기에 비유하여 그린 선화(禪畫)로, 선(禪)의 수행 단계를 소와 동자(童子)에 비기어 나타낸 그림임. 수행 단계를 십우(十牛) 곧, 심우(尋牛)·견적(見跡)·견우(見牛)·득우(得牛)·목우(牧牛)·기우 귀가(騎牛歸家)·망우 존인(忘牛存人)·인우 구망(人牛俱忘)·

반본 환원(返本還源)·입전 수수(入鄽垂手)의 10 단계로 하고 있어 십우도(十牛圖)라고도 함. 주로 사찰의 법당 벽화로 그림.

심울【心欝】명 마음이 울적함. ——-하다 타여불 「일컫는 말.

심원¹【心源】명〖불교〗〔마음은 만법(萬法)의 근원이라는 데서〕마음을

심원²【心猿】명 정욕·번뇌가 성하여 누를 수 없음을, 떠들어대는 원숭이에 비유해서 이르는 말.

심원³【心願】명 마음으로 바람. 또, 그 일. ——-하다 타여불

심원⁴【深苑】명 깊숙한 동산. 그윽한 동산.

심원⁵【深怨】명 깊이 원망함. 또, 그 원망(怨望). ——-하다 타여불

심원⁶【深遠】명 ①깊고 멂. 심장(深長)하고 원대(遠大)함. 또, 그 모양. 유원(幽遠). ↔비근(卑近). ¶ ~한 철리(哲理). ②〖미술〗 삼원(三遠)의 하나. 산수화(山水畫)를 그릴 때에, 바로 앞에서 산의 배후를 넘어다보는 방법. *삼원(三遠). ——-하다 형여불

심원 의:마【心猿意馬】명〖불교〗〔원숭이가 떠들고, 말이 뛰는 것을 억제하기 힘들다는 뜻〕번뇌와 정욕으로 마음이 어지러움을 누르기 힘듦을 이르는 말. 의마 심원(意馬心猿). ㊈심원.

심월【心月】명〖불교〗달과 같이 밝은 마음. 도(道)를 깨달은 마음을 달에 비유하여 이르는 말.

심위【深位】명〖불교〗수행(修行)을 많이 쌓은 높은 자리.

심유¹【尋幽】명 ①이름난 곳을 물어 찾음. ②깊은 도리(道理)를 구구(求究)함. ——-하다 자여불

심유²【深幽】명 깊고 그윽함. ——-하다 형여불

심:-유경【沈惟敬】명〖사람〗중국 명(明)나라의 사신(使臣). 저장(浙江) 사람. 본디 상인(商人) 출신. 임진 왜란 때에 조선에 들어와 일본군과 화평을 주장, 수차 일본에 왕래하여 교섭이 결렬되었는데도 거짓으로 화의(和議) 성립을 보고함. 정유 재란(丁酉再亂)이 일어나 사실이 탄로되어, 의령(宜寧)에서 명장(明將)에게 잡히어 사형됨. [?-1600]

심유정【心有定】명〖천도교〗한울님에 대한 심지(心志)가 굳어 흔들리지 않음.

심육【心肉】명 등심¹.

심윤【深潤】명 마음이 침착하고 온화함. ——-하다 형여불

심음【心音】명〖생〗심장을 청진(聽診)할 때, 심장의 수축기 및 확장기(擴張期)에 들리는 소리. 두 가지의 음이 한 단위를 이루는 바, 제1음은 심실(心室)이 수축할 때 일어나며 그 소리는 낮고 길. 제2음은 심실이 확장할 때에 일어나며 소리가 높고 짧음. ¶ ~ 부전(不全).

심음-도【心音圖】명〔phonocardiogram〕〖의〗심장 내의 혈액의 흐름이나 판막(瓣膜)의 개폐(開閉)에 따라 생기는 심음(心音)은 청진기로써 들을 수 있는데, 보다 객관적으로 기록하기 위하여 심음을 마이크로폰으로 전기 신호로 바꾸어 증폭(增幅)하여 기록한 것을 말함. 선천성 심질환(心疾患)·심장 판막증(瓣膜症) 등의 진단에 쓰임. *심전도.

심의¹【心意】[—/—이] 명 마음과 뜻.

심:-의²【沈義】[—/—이] 명〖사람〗조선 중종(中宗) 때의 문신(文臣). 자는 의지(義之). 호는 대관재(大觀齋). 풍산(豐山) 사람. 이조 좌랑(吏曹佐郎)·소격서령(昭格署令)을 지냈으며, 바보로 자처, 은둔 생활로 사화(士禍)를 면할 수 있었음. 한문 소설 ≪대관재 몽유록(夢遊錄)≫이 있음. [1475-?]

심의³【深衣】[—/—이] 명 높은 선비의 웃옷. 흰 베로 만드는데 소매를 넓게 하고 검은 비단으로 가를 두름. 상(裳)은 열두 폭으로 되어 있음.

심의⁴【深意】[—/—이] 명 깊은 뜻. 심오한 의미.

심:의⁵【審議】[—/—이] 명 상세하게 조사·검토하여 그 가부(可否)를 토의함. 또, 심사하여 평의(評議)함. ¶ 법안(法案)을 ~하다. ——-하다 타여불

심:-의(:)겸【沈義謙】명〖사람〗조선 선조 때의 문신(文臣). 자는 방숙(方叔). 호는 손암(巽庵). 청송(青松) 사람. 소장 학자 김효원(金孝元)과의 대립이 도화선이 되어 서인(西人)의 거두가 된 후 선조 8년(1575) 김효원과 같이 외관으로 내쫓기고 14년(1581)에는 파직됨. [1535-87]

심:의-권【審議權】[—꿘/—이꿘] 명〖법〗어떤 사항에 관하여 심의할 수 있는 권리.

심:의-회【審議會】[—/—이—] 명 행정 기관에 설치되어, 특정 사항을 심의하는 합의제(合議制)의 기관.

심이【心耳】명 ①마음과 귀. 또, 마음으로 들음. ②〖생〗심방(心房). ③〖생〗좌우 심방의 일부가 귀 모양으로 앞 쪽으로 툭 튀어나온 부분. 염통귀.

심인¹【心印】명〖불교〗선가(禪家)에서, 문자 언어에 의하지 아니한 불타(佛陀) 내심(內心)의 실증(實證).

심인²【心因】명 정신적·심리적인 원인. ↔내인(內因)·외인(外因).

심인³【尋人】명 사람을 찾음. 또, 찾는 사람. ¶ ~ 광고(廣告). ——-하다 자여불

심인 반:응【心因反應】명 ①심인(心因)으로 말미암아 일어나는 정신적·신체적인 기능(機能)의 이상(異常) 상태. ②심인성 반응.

심인성 건:망【心因性健忘】[—썽—] 명〖의〗정신적인 강한 충격을 받았을 때, 그 체험(體驗)을 전혀 기억할 수 없는 상태.

심인성 반:응【心因性反應】[—썽—] 명〖의〗심적 체험으로 말미암아 일어나는 질적·양적으로 이상한 심적 반응. 심인성 억울(抑鬱)·경악(驚愕) 반응·파라노이아(paranoia) 반응·과감성(過感性) 관계 망상(妄想) 등이 이에 속하는데, 복잡한 심인성 반응에는 그 동기로서 원망(願望)·기대·도피·방위 등의 여러 기제(機制)가 작용되고 있음. *신경증(神經症).

심인성 정신병【心因性精神病】[—썽—뼝] 명〖의〗생리적으로 지능의 발육 장애가 있는 정신 박약, 성격의 현저한 변이를 나타내는 정신병질, 그 밖에 강렬한 심리적·정신적 원인이 작용하여 형성되는 심인성 반응 등에 의하여 발생하는 정신병·신경증 같은 것. ↔내인성(內因性) 정신병·외인성(外因性) 정신병.

심입【深入】명 깊이 들어감. ——-하다 자여불

심-잡음【心雜音】명〖의〗심장부에서 청취되는 잡음. 심내성(心內性) 잡음과 심외성(心外性) 잡음의 두 가지가 있음.

심장¹【心腸】명 마음의 속내. 감정이 우러나는 속 자리.

심장²【心臟】명 ①〖생〗혈관 계통의 중추를 이루며, 신축(伸縮) 작용으로 혈액을 신체 각부에 순환시키는 복숭아 모양으로 된 근육질(筋肉質)의 대상(袋狀) 기관. 사람의 것은 수축(收縮)시에 주먹만한 크기로, 흉강(胸腔) 안의 전하부(前下部)에 자리잡고, 몸의 정중선(正中線)보다 약간 왼쪽으로 치우쳐 횡격막(橫隔膜) 위에 있음. 내강(內腔)은 격벽(隔壁)에 의하여 좌우로 나뉘고 그 좌우 양강(兩腔)은 판막(瓣膜)에 의해서 각각 상하로 구분되어 우심방(右心房)·우심실(右心室)·좌심방·좌심실의 네 강부(腔部)를 이룸. 모든 혈관은 이 곳에 모이고 벽의 신축과 판막의 작용에 의하여 정맥관(靜脈管)에서 돌아 온 혈액을 동맥관으로 내어보냄. 염통. ②사물의 '중심부'의 비유. ¶ 서울은 한국의 ~이다. ③뱃심을 두고 이르는 말. ¶ ~이 강하다.

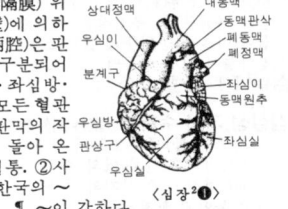

〈심장²❶〉

심장³【深長】명 ①깊고 길. ②심오(深奧)하고 함축(含蓄)이 있음. 또, 그러한 모양. ¶ 의미 ~하다. ——-하다 형여불

심장⁴【深藏】명 물건을 깊이 감추어 둠. ——-하다 타여불

심장 각기【心臟脚氣】명〖의〗순환기 계통에 나타나는 각기 증상의 속칭.

심장-경【心臟鏡】명〖의〗심장 외과에서, 수술할 때에 심장을 크게 절개(切開)하지 않고 내강(內腔)을 보기 위하여 사용하는 특수한 기계.

심장-근【心臟筋】명〖생〗심장을 이루고 있는 근육. 심근(心筋). 염통근.

심장 마비【心臟痲痺】명〖의〗심장이 마비되어 그 기능이 정지되는 일. 그 결과는 대개 죽게 됨. 심장 파열, 급격한 관동맥(管動脈)의 폐색(閉塞), 급성 전염병의 회복기, 미주 신경(迷走神經)의 심한 자극, 각기 충심(脚氣衝心) 같은 것에 의하여 흔히 발생함.

심장 마사:지【心臟—】〔massage〕명〖의〗쇼크 등으로 돌연 심장이 정지했을 때, 심장을 다시 움직이게 하는 구급 처치. 일반적으로, 심장 정지 후 수분 이내에 하지 않으면 구명할 수 없음. 환자의 흉벽 정중선상(胸壁正中線上)에 손을 대고, 자기 체중을 싣는 것처럼 해서 1분간 수십회씩 압박을 되풀이함. 개흉(開胸)해서 직접 심장을 손으로 마사지하는 방법도 취해짐.

심장-병【心臟病】[—뼝] 명〖의〗심장에 생기는 병의 총칭. 심장 내막염(內膜炎)·심장 실질염(實質炎)·심장 판막증(瓣膜症)·심장염(心臟炎)·심장 신경통(神經痛)·심장 파열(破裂) 같은 것.

심장-부【心臟部】명 ①염통이 있는 부분. ②중심이 되는 가장 중요한 부분. ¶ 적의 ~를 때리다.

심장 블록【心臟—】명〔heart block〕〖의〗심방(心房)으로부터 심실(心室)로의 자극 전달 장애 결과로 생기는 심장의 상태.

심장 비:대【心臟肥大】명〖의〗장기간 심장에 지나친 부담이 간 결과, 심근(心筋)이 두꺼워지고 심장이 커진 상태. 스포츠맨에게 볼 수 있는 건강한 것과, 각종 심질환(心疾患)에 의한 것이 있음.

심장-사【心臟死】명〖의〗심장병을 앓고 있던 사람이 급사(急死)하는 일. 또, 사인(死因)이 심장에 있다고 생각되는 사망. 심장 파탄(破綻), 관상 동맥의 폐색(閉塞), 자극 전도의 장애, 미주 신경(迷走神經) 자극 등이 원인으로 추정됨.

심장성 부종【心臟性浮腫】[—썽—] 명〖의〗심낭염·심장 판막증 등의 심장 질환이 있을 때에 심장의 부담이 커지고 순환 기능 부전(不全)을 일으켜 하지(下肢)·등·배 등에 생기는 부종.

심장성 천:식【心臟性喘息】[—썽—] 명〖의〗심장, 특히 좌심실의 부전(不全)으로 말미암은 발작성(發作性) 호흡 곤란. 과식(過食)·운동 등이 유인(誘因)이 되어 흔히 잠자는 사이에 일어남. 발작은 보통 20-30분으로 끝나는데, 장시간에 걸칠 경우에는 폐수종(肺水腫)이 됨.

심장 신경증【心臟神經症】[—쯩] 명〖의〗정신적 원인에 의하여 생기는 심장의 기능적 장애(障礙). 기관(器官) 신경증의 하나로서 자각적(自覺的)으로는 협심(狹心) 증상인 심장부의 동통(疼痛)이 있고, 타각적(他覺的)으로는 징후(徵候)를 결(缺)하는 일도 있고, 존재하는 일도 있음. 장기(臟器) 신경증.

심장-엽【心臟葉】[—녑] 명〖식〗심장형의 잎. 잎의 기부(基部)가, 잎꼭지가 나오는 부분에서 안쪽으로 굽어 들고, 전체가 심장의 종단면(縱斷面) 같은 모양을 한 잎.

〈심장엽〉

심장 외:과【心臟外科】[—꽈] 명〖의〗심장과 그 주위에 있는 굵은 혈관의 이상(異常)에 대하여 외과적 수술로 치료를 하는 의학의 한 분과. 실지로 임상(臨床)에 응용되기는 1945년 이후임.

심장의 법칙【心臟—法則】[—/—에—] 명〔law of the heart〕〖의〗심장의 활동에 관한 생리학적 법칙. 매분(每分) 심장으로부터 나오는 혈액의 양은 어느 정도까지 일정 불변한데, 정맥(靜脈)으로부터 유입(流入)되는 양이 증가하면 심근(心筋)의 수축력(收縮力)이 증대하며 따라서 심장으로부터 나가는 혈량(血量)도 증대함. 이를 심장의 법칙이라 함.

심장 이식【心臟移植】명〖의〗심장을 절제하여 그 자리에 다른 개체의 심장을 이식하는 일. 1967년 12월 남아프리카 공화국의 버너드(Bernard, C.)에 의해 행해진 것이 최초의 성공 예. 그러나 거부 반응(拒否反應) 때문에 생존율은 극히 낮고, 심장 제공자의 죽음에 대하여 커다

란 사회적·법률적 문제를 제기했음.

심장 자:극 전도계【心臟刺戟傳導系】명〖생〗심장의 수축을 자율적으로 규정(規正)하고 심방(心房)과 심실(心室) 간의 흥분 전도를 담당하는 특수한 근속(筋束). 「타여불

심장 적구【尋章摘句】명 옛 사람의 글귀를 따서 글을 지음. ——하다

심장 카테테르법【心臟—法】〔도 Katheter〕[—뻡] 명〖의〗주정맥(肘靜脈)으로부터 가느다란 카테테르를 넣어서 상대정맥(上大靜脈)을 거쳐 우심방·우심실 등으로 달하게 하는 검사 방법. 심박출량(心搏出量)·심내압(心內壓)·폐동맥압 등의 측정, 심실 중격 결손(心室中隔缺損) 유무의 탐지 등에 이용됨.

심장-통【心臟痛】명〖의〗흉골의 아래쪽, 특히 심장부에 생기는 격렬한 통증(痛症). 관상 동맥의 기능 부전의 결과로 일어나는 것과 단순히 신경성의 이상 감각의 두 가지가 있음.

심장 판막【心臟瓣膜】명〖의〗심장의 이완(弛緩)·수축에 따라 개폐(開閉)하여 혈액의 역류(逆流)를 막고 있는 판(瓣)의 총칭.

심장 판막증【心臟瓣膜症】명〖의〗심장의 판막에 이상이 생겨 일어나는 질환(疾患). 대동맥판(大動脈瓣) 폐쇄 부전(閉鎖不全), 승모판(僧帽瓣) 폐쇄 부전, 승모판 협착(狹窄) 등이 있으며, 동계(動悸)·피로감·호흡 곤란·부종(浮腫)·부정맥(不靜脈) 등의 증상이 나타남.

심장 페이스메이커【心臟—】〔pacemaker〕명〖의〗심장의 박동(搏動)이 비정상일 때, 체외(體外)에서 전기적 자극을 주어 박동을 정상으로 유지하게 하는 장치. 소형의 장치를 환자의 몸통 안에다 매입(埋入)하는 방법도 보급되고 있음.

심장 혈관 신경증【心臟血管神經症】[—쯩] 명〖의〗자각적(自覺的)으로는 심계(心悸) 항진·호흡 촉박·심장통(痛)·피로 등이 있으나 타각적(他覺的)으로 그에 상당하는 기질적 변화를 인정할 수 없는 신경증의 하나. 주로 젊은이에게 많은데 환자는 불안(不安) 상태 속에서 홍조(紅潮)·발한(發汗) 등의 증상을 나타냄. 치료는 정신 요법에 의하여 행함. 순환기(循環期) 신경증. 「통골.

심장-형【心臟形】명 심장과 같이 생긴 모양. 심상(心狀). 심형(心形). 염

심장 호르몬【心臟—】〔hormone〕명 심근(心筋) 또는 골격근(骨格筋)에서 추출(抽出)되는 물질. 아데노신 삼인산(Adenosin 三燐酸)에 가까운 물질임.

심재【心材】명 나무 줄기의 목질부(木質部)의 내층(內層). 곧, 수간(樹幹)의 연륜(年輪)이 해를 거듭하여, 홍(紅)·황(黃)·흑갈색(黑褐色)으로 된 부분. 수분(水分)은 변재(邊材)보다 적으며, 줄기를 지탱함. 적목질(赤木質). ↔변재(邊材).

〈심재〉

심재 좌:망【心齋坐忘】명 중국의 고대 사상가 장자(莊子)가 제창한 수양법. 심신 일체의 경지에서 마음의 일체의 더러움을 씻고 모든 것을 잊어버리어 허(虛)의 상태에서 도(道)와 일체가 되는 일.

심저【心底】명 마음의 깊은 속.

심적【心的】[—쩍] 명관 마음에 관한 모양. '마음에 관한'·'마음의'의 뜻. ¶ ~ 고민/~ 변화. ↔물적(物的).

심적 결정론【心的決定論】[—쩍—쩡논] 명〔psychic determinism〕〖심〗프로이트(Freud, S.) 심리학에서, 모든 정신 현상은 물리 현상의 경우와 같이 인과 관계(因果關係)에 의하여 결정된다고 하는 이론.

심적 측정【心的測定】[—쩍—] 명〖심〗심적 현상(現象)을 평가하는 일. 또, 관찰할 수 있는 여러 반응이나 정신적 소산(所産) 등에 대해서 스케일을 정하여 단정(斷定)하는 일. 특히, 정신 물리학적 연구 또는 멘탈테스트에 의한 개인차(差)의 연구 등에 쓰임.

심적 포:화【心的飽和】[—쩍—] 명〖심〗어떤 동작을 여러 번 되풀이하거나, 한 곳에 오래 머물러서 그 동작이나 장소에 매력을 느끼지 않게 되거나 또는 싫증이 나서 적극적 의욕을 잃게 되는 상태.

심적 현:상【心的現象】[—쩍—] 명 의식(意識)의 현상. ↔물적(物的)

심전¹【心田】명 심지(心地). ㄴ현상.

심전²【心田】명〖사람〗안중식(安中植)의 호(號).

심전-계【心電計】명〔electrocardiograph〕〖의〗심장의 활동 전류(活動電流) 내지는 전위(電位)의 시간적 변동을 파상으로 기록하는 장치의 총칭. 노출된 전완(前腕)·하퇴(下腿)·흉부에 유도 코드(誘導 cord)를 접속시켜서 기록함. 전류(電流) 심전계·전압(電壓) 심전계·브라운관(管) 심전계·벡터 심전계 등의 여러 종류가 있음. 「된 곡선.

심전 곡선【心電曲線】명〖의〗심전계(心電計)에 의하여 심전도에 기록

심:-전기【沈佺期】명〖사람〗중국 초당(初唐)의 시인. 허난 성(河南省)의 사람. 자(字)는 운경(雲卿). 송지문(宋之問)과 함께 칠언 율시(七言律詩)의 정형(定型)을 창시하여, 세상에서는 '심송(沈宋)'으로 병칭(並稱)됨. 송(宋)과 함께 675년에 진사(進士), 후에 둘이 다 같이 정치 사건에 연좌(連坐)하여 베트남 북부의 환주(驩州)에 좌천됨. [650?-714?]

심전-도【心電圖】명〔electrocardiogram〕〖의〗심장의 수축(收縮)에 따르는 활동 전류(活動電流)를 곡선으로써 기록한 도면(圖面). 보통 심전계를 사용하여 몇 개의 심전 곡선으로 나타냄. 임상상(臨床上) 심장병 진단에 소용되는 검사 항목의 하나임. 일렉트로카디오그램.

심절¹【心折】명 마음이 꺾임. ——하다 자여불

심절²【心絕】명 아주 절교(絕交)함. ——하다 타여불

심절³【深切】명 깊고 절실(切實)함. ——하다 형여불

심정¹【心情】명 마음과 정. 마음씨의 정황(情況). 마음씨. 「는 상태.

심정²【心旌】명 깃발이 바람에 날리는 것처럼 마음이 안정되지 아니하

심:-정³【沈貞】명〖사람〗조선 중종(中宗) 때의 상신(相臣). 자(字)는 정지(貞之). 풍산(豐山) 사람. 연산군 때 정국 공신(靖國功臣)으로 화천 부원군(華川府院君)의 봉군을 받았음. 지낭(知囊)으로 기묘 사화(己卯士禍)를 조성하였고 중종 때는 좌의정에 오름. 중종 26년(1531) 신묘(辛卯)에 형사(刑死)되어, 이항(李沆)·김극핍(金克愊)과 함께 신묘 삼간(辛卯三奸)으로 불리었음. [1471-1531]

심정⁴【深井】명 깊은 우물.

심정⁵【深穽】명 깊은 함정. 「——하다 자여불

심정⁶【深情】명 ①깊은 정. ②본심(本心)을 숨기고 남에게 알리지 않음.

심:정⁷【審正】명 자세하고 바름. ——하다 형여불

심:정⁸【審廷】명 소송(訴訟)을 심판하는 곳. 법정(法廷).

심:정⁹【審定】명 자세히 조사하여 정함. ——하다 타여불

심정 도:덕【心情道德】명〖철〗심술 도덕(心術道德).

심정-애【心情愛】명 남녀 간에 성립하는 동경(憧憬)·기대·열정 등과 같이 심정적(心情的) 체험을 통해서 우러나오는 사랑. 이 사랑의 밑바닥에 성애(性愛)가 흐름. 에로스애(eros 愛).

심제【心制】명 대상(大祥) 때부터 담제(禫祭)까지 입는 복.

심조¹【深阻】명 깊고 험함.

심조²【深造】명 깊은 조예(造詣). 깊이 연구함. ¶ ~ 자득(自得).

심조-암【深造岩】명〖광〗심성암(深成岩). 「는 병증(病症).

심조-증【心燥症】[—쯩] 명〖의〗정신의 과로로 마음이 번조(煩燥)하

심주¹【心柱】명 ①마음의 줏대. ②옥심 기둥.

심:-주²【沈周】명〖사람〗중국 명(明)나라의 문인·화가. 자(字)는 계남(啓南). 호는 석전(石田) 또는 백석옹(白石翁). 박학(博學)하여, 시(詩)는 백거이(白居易)·소식(蘇軾)을 본뜸. 시집에 《석전 시초(石田詩鈔)》 등이 있으며, 그림은 송(宋)의 동원(董源)이나 거원(巨源)의 흐름을 따르는 수묵 산수화(水墨山水畫)에 뛰어나 당인(唐寅)·문징명(文徵明)·구영(仇英)과 더불어 명의 사가(四家)로 일컬어짐. [1427-1509]

심주³【深州】명〖지〗중국 수대(隋代) 또는 청대(淸代)에 허베이 성(河北省)에 설치되었던 주(州). 수밀도의 산지로서 유명함.

심주⁴【潯州】명〖지〗'쉰저우(潯州)'를 우리 음으로 읽은 이름. 구이핑(桂平)의 옛 이름.

심-줄[—쭐] 명 ←힘줄. 「여인/~을 헤아리다.

심중¹【心中】명 마음의 속. 내심(內心). 의중(意中). 중정(中情). ¶ ~의

심중²【深重】명 마음이 깊고 무게가 있음. 침착하고 경망하지 아니함. ——하다 형여불. ——히 부

심중소:회【心中所懷】명 마음 속의 감회.

심중-인【心中人】명 의중지인(意中之人).

심중힘 명 센 활에 다음 가는 활.

심즉-리【心卽理】[—니] 명〖철〗중국 남송(南宋)의 육상산(陸象山)에 의하여 제창되고 명대의 왕양명(王陽明)에 의하여 계승된 학설로, 지행 합일(知行合一)·치양지(致良知)와 함께 양명학의 세 강령(綱領)의 하나. 사람은 선천적으로 도덕적 원리를 구유(具有)하고 있어, 주관(主觀)이야말로 일체의 규범이나 가치의 근거가 되는 것이니, 곧 마음과 천리(天理)가 하나임을 주장하는 말.

심증【心證】명 ①마음에 받는 인상(印象). ②〖법〗법관(法官)이 소송 사건의 심리에 있어서, 그 마음 속에 얻은 인식이나 확신. 민사 소송에서는 사실 관계에 관하여 변론의 취지 및 증거 조사의 결과에서 얻은 인식 또는 확신을 가리키며, 형사 소송에서는 유죄·무죄를 증거 판단에 의해서 결정하는 사실상의 인식을 가리킴. ¶ ~을 굳히다.

심:지¹ 명〈방〉수염³(경북).

심지²【心—】명 ①등잔·남포·초 따위에 실이나 헝겊을 꼬아서 꽂고 불을 붙이게 된 물건. 등심(燈心). ¶ ~를 올리다. ②상처 구멍 따위에 박기 위하여 솜이나 헝겊 따위로 만든 물건. ¶ 수술한 자리에 ~를 박다. ③〈방〉제비¹.

심지(를) 뽑다 구〈방〉제비(를) 뽑다(경상·함경).

심지³【深旨】명 깊은 뜻.

심지⁴【心地】명 마음의 본 바탕. 마음 자리. ¶ ~가 곱다.

심지⁵【心志】명 마음과 뜻. 마음에 지니는 의지. 속판. ¶ ~가 굳다.

심지⁶【心誌】명〔psychograph〕〖심〗인격을 구성한다고 생각되는 각종의 기본적 특성이나 기능을 한 표(表)에 종합하여 테스트나 평정(評定)에 의해서 밝혀진 각기의 정도를 적당한 단위로 바꾸어 적어, 개인별 프로필의 형태로 표현한 기록. 인격 프로필(人格 profile).

심지⁷【深知·深智】명 속 깊은 지혜. 「지 하다.

심:지어【甚至於】부 심하면. 심하게는. ¶ 넘어진 사람에게 ~ 주먹질까

심:-지원【沈之源】명〖사람〗조선 시대 중기의 문신. 자(字)는 원지(源之), 호는 만사(晩沙). 청송(靑松) 사람. 병자 호란 때 강화도를 지키다가 성이 함락되자 남한산성에서 왕을 호종(扈從)함. 벼슬이 영의정에 오름. 글씨에 능했음. [1593-1662]

심진-곡【尋眞曲】명〖문〗조선 정조·순조 때의 문신(文臣) 이기경(李基慶)이 지은 가사. 《벽위가(闢衛歌)》의 하나. 천주교를 역리(逆理)로 보고 냉소(冷笑)와 혹평을 하고, 오륜(五倫)이 천리(天理)임을 강조한 노래. 총 257구. 필사본.

심질【心疾】명〖의〗심병(心病).

심차-율【心差率】명〖수〗이심률(離心率).

심:찰【審察】명 자세히 살피어 조사함. ——하다 타여불

심창【深窓】명 깊숙히 있는 창. 깊숙한 방. ¶ ~의 가인(佳人).

심책【深責】명 깊이 책망함. 절책(切責). ——하다 타여불

심처¹【深處】명 깊숙한 곳. ¶ 구중 ~.

심:처²【審處】명 심리(審理).

심천¹【深川】명 깊은 내.

심천²【深圳】명〖지〗'선전(深圳)'을 우리 음으로 읽은 이름.

심천³【深淺】명 깊음과 얕음. 「線).

심천-도【深淺圖】명 심천 측량의 결과를 기록한 도면. *등심선(等深

심천 측량【深淺測量】[—냥] 명 수면(水面)을 이용할 목적으로, 수역의 깊이를 측량하는 일. 선박의 항로·정박지·방파제의 구축에 대한 적부(適否) 등을 조사하기 위한 것임. *심천도(深淺圖).

심천 회유【深淺回遊】명〖어〗봄·여름에는 연안(沿岸)의 얕은 곳으로, 가을·겨울에는 깊은 곳으로 이동하는 물고기의 회유. 일부 해저층(海底層)의 어류는 이에 속함. ↔수평(水平) 회유.

심첨【深檐】명 깊이 뻗어나온 추녀.

심첨 박동【心尖搏動】명〖의〗심장 수축기의 심첨부(心尖部)에 있어서의 흉벽(胸壁)의 융기(隆起).

심청[1] 명〈방〉심술(心術).
심청 궂다 형〈방〉심술 궂다(경상).

심:-청[2]【沈淸】명〖문〗고대 소설 심청전(沈淸傳)의 여자 주인공.

심청[3]【深靑】명 짙은 푸른 빛.

심:청-가【沈淸歌】명〖악〗≪심청전(沈淸傳)≫을 창극조로 엮은 판소리의 하나.

심:청-굿【沈淸—】명〖민〗①동해안 일대에서 무당들이 주제(主祭)하는 동제(洞祭)인 풍어제(豐漁祭). ②별신굿에서, 무녀(巫女)가 심청가를 창(唱)하면서 하는 굿. 동민들의 눈병을 없애 주고 눈망울을 맑게 해 달라는 뜻에서 함.

심:청굿 무:가【沈淸—巫歌】명〖민〗동해안 지역 별신(別神)굿의 심청굿거리에서 구연(口演)되는 서사 무가(敍事巫歌).

심:청-전【沈淸傳】명〖책〗조선 시대의 고대 소설의 하나. 작자 및 저작 연대 미상. 효녀 심청(沈淸)이 소경인 아버지 심학규(沈鶴圭)를 위하여 공양미 300석에 몸을 팔아 인당수 깊은 물에 몸을 던졌으나 상제(上帝)의 구함을 받고 다시 생을 얻어, 왕후가 되고, 심 봉사 또한 격한 반가움에 멀었던 눈이 번쩍 띄어졌다는 줄거리임.

심체【心體】명 마음과 몸. 심신(心身).

심추【深秋】명 깊은 가을. 만추(晩秋).

심축【心祝】명 마음으로 축복함. 진심으로 축복함. ——-하다 타 여불

심출-가【心出家】명〖불교〗몸은 속세(俗世)에 있으면서 마음으로는 출가(出家)한 보살.

심충【深衷】명 깊고 참된 속마음.

심:-충겸【沈忠謙】명〖사람〗조선 선조(宣祖) 때의 공신. 임진 왜란 때 병조 참판으로 선조를 평양에 호종(扈從)하였고, 분조(分朝)를 설치한 세자 호위의 명을 받았으며, 군량미의 조달에 큰 활약을 하여 병조 판서에 특진되었음. 시호는 충익(忠翼). [1545-94]

심취[1]【心醉】명 ①어떤 일에 깊이 빠져 마음이 도취함. ②어떤 사람에 감복(感服)하여 마음으로부터 존경함. 깊이 마음을 기울여 그 사람을 믿음. ——-하다 자 여불

심취[2]【深醉】명 몹시 취함. ——-하다 자 여불

심취[3]【深趣】명 깊은 아취. 깊은 취미.

심층【深層】명 속의 깊은 층. ¶～ 취재(取材).

심층 구조【深層構造】명〔deep structure〕〖언〗변형 생성 문법 이론에서 어떤 한 문장의 생성을 밑받침하고 있는 내부적인 특성의 총칭.

심층 대:순환【深層大循環】명 해양(海洋)의 심층수(深層水)에 있다고 추정되는 범(汎)지구적인 대순환.

심층-류【深層流】[—뉴] 명〖지〗국제 지구 관측 사업의 일환으로서 심해 연구(深海硏究) 관측에 의하여 확인된 심층 해수의 흐름. 종래에는 거의 움직이지 않는 것으로 생각되어 왔으나 심해정(深海艇) 등에 의하면 1초간에 수십 센치의 속도로 움직이고 있음이 알려졌음.

심층 면접법【深層面接法】명〔depth-interview〕〖심〗동기(動機) 조사에 있어서의 면접 기술의 하나. 보통 직접 질문으로는 포착할 수 없는 개인의 심부(深部)에 있는 동기를 찾아내는 방법의 하나.

심층-수【深層水】명 상층수(上層水)·중층수·저(低)층수를 제외한, 심해(深海)의 대부분을 차지하는 큰 수괴(水塊)를 말함. 일반적으로 고위도(高緯度) 지방에서 침강(沈降)한 것으로 1°-2°C의 저온으로 염분이 많고 밀도가 높으며 해면하(海面下) 1,000 m 이상의 심부(深部)를 흐름.

심층 심리학【深層心理學】[—니—] 명〔depth-psychology〕〖심〗정신의 의식적 부분에 대하여, 무의식적 부분의 기능을 다루는 심리학.

심층 지진【深層地震】명〖지〗지하 300 km 보다 깊은 곳에 진원(震源)을 둔 지진. 심발(深發) 지진.

심층 풍화【深層風化】명〖지〗지하수면 밑에서 이루어지는 풍화 작용. 물리적 풍화가 거의 없고, 화학적 풍화도 극히 완만한 것이 특징임.

심층 플랑크톤【深層—】명〔hypoplankton〕유영(遊泳) 능력이 플랑크톤과 넥톤의 중간쯤인 수중 생물. 보리새우류(類)·단각목(端脚目) 따위. 하이포플랑크톤.

심층 혼:합 공법【深層混合工法】[—뻡] 명 바닷속에 축조물을 세울 때, 암반이 나올 때까지 바닷속 흙을 걷어낼 필요 없이 해저의 토양에 약품을 주입하여 흙을 콘크리트화(化)한 후 그 위에 육지에서 건조한 콘크리트 덩어리를 빠뜨려 방파제나 방조제를 축조하는 공법. 시 디 엠 공법.

심침【深沈】명 ①매우 침착한 모양. 침착하여 쉽게 동(動)하지 않음. ②심오(深奧)함. 또, 깊숙하고 조용한 곳. ③깊이 가라앉음. ④일에 몰두함. ——-하다 형 자 여불

심탄-계【心彈計】명〖의〗사람을 번듯이 눕혀 놓고 심장에서 혈액이 동맥 안으로 분류(噴流)할 때마다 그 운동의 반작용으로 몸 전체가 머리와 발의 방향으로 움직이는 미소한 운동을 확대 기록하는 기계.

심탄-도【心彈圖】명〖의〗심탄계의 기록에 의해서 얻어진 도면(圖面). 순환 장애나 심장병의 진단에 이용됨.

심탐【深耽】명 깊이 탐닉(耽溺)함. ——-하다 자 여불

심태【心太】명 석화채(石花菜)를 삶아서 만든 음식. 경지(瓊脂).

심토【心土】명〖농〗표토(表土)의 하층의 토양(土壤). 경운(耕耘)하여도 갈아지지 않는 부분의 토양. 저토(底土).

심토리 명 땅을 깊이 갈려고 쟁기나 호리 따위에 덧붙이는 장치.

심-통[1] 명〖광〗여러 도막으로 끊어져 있는 광맥(鑛脈).

심통[2]【心通】명 언어·상태 이외에 포함되어 있는 의의(意義)를 마음 속으로 느껴 아는 일. ——-하다 자 여불

심통[3]【心統】명 마음 자리. ¶～이 사납다.
[심통이 놀부 같다] 놀부와 같이 마음이 불량하고 욕심이 많다는 말.

심통[4]【心痛】명 마음이 괴롭고 아픔. 또, 마음의 고통. ¶～한 표정(表情). ——-하다 형 여불

심통[5]【深痛】명 몹시 아픔. 몹시 슬퍼함. ——-하다 자 형 여불

심:판【審判】명 ①〖법〗무슨 사건을 심리(審理)해서 판단 또는 판결함. 소송 상의 심리·판결 외에, 특허 심판·해난(海難) 심판·가사(家事) 심판 등이 있음. ②경기(競技) 등의 반칙(反則)·승패(勝敗)를 판정함. 또, 그 사람. 심판원. ③〖기독교〗하느님이 사람이 행한 대로 선(善)과 악(惡)을 구별하여 의로운 자에게는 영원한 생명을 주고, 불의한 자는 지옥(地獄)으로 보내는 일. ¶최후의 ～. ④〔도 Der Prozeß〕〖책〗카프카(Kafka, F.)가 지은 미완성 장편 소설. 유고(遺稿)를 친구인 브로트(Brod, M.)가 정리하여 1925년에 간행함. 은행원인 요제프(Joseph, K.)가 어느 날 아침 갑자기 체포되어 정체 불명의 강권(強權) 속에서 점차 파멸의 길을 더듬어 가는 모양을 그림. 거대한 힘에 지배·농락당하는 인간의 비극을 표출함. ——-하다 타 여불

심:판-관【審判官】명 ①〈속〉심판원(審判員). ②〖법〗가정 법원에서, 가사 심판법에 정하는 사항을 처리하는 법관. ③〖법〗군사 법원에서, 재판관으로 임명된 군판사 이외의 장교. ④〖법〗행정 기관에 소속되어 특허(特許) 심판이나 해난(海難) 심판을 담당하는 관리.

심:판-권【審判權】[—꿘] 명〖법〗가정 법원이 가사(家事) 사건에 대하여 심판할 수 있는 권한.

심:판-대【審判臺】명 ①경기의 심판을 하는 데 있어서 심판원(審判員)이 앉거나 서서 편리하게 심판할 수 있도록 만든 대. ②선악(善惡)·가부(可否)·당락(當落) 등에 대한 판단이나 결정이 내려지는 자리. 또, 그 단계(段階). ¶～에 오르다.

심:판 방해죄【審判妨害罪】[—쬐] 명〖법〗법정 등에서, 법관의 명령에 위반하거나, 법원 또는 법관의 직무를 방해함으로써 성립되는 죄.

심:판 불가분의 원칙【審判不可分—原則】[—/—에—] 명〖법〗①형사 소송법상, 공소의 객체인 동일 사건의 전부에 걸쳐 불가분적으로 재판을 행하여야 하는 원칙. 범죄와 형벌을 분리하고 주형(主刑)과 부가형(附加刑)을 분리하고 형벌과 집행 유예를 분리하여 심판할 수는 없음. ②공소 불가분(公訴不可分)의 원칙.

심:판-석【審判席】명 심판원이 심판할 수 있도록 마련한 자리.

심:판-원【審判員】명 경기(競技)의 심판을 하는 사람. 심판. 심판관. 엄파이어(umpire). 레퍼리(referee).

심:판의 날【審判—】[—/—에—] 명〖기독교〗이 세상이 종말에 이르는 날. 하느님이 만민(萬民)을 재판·처벌한다는 날. *최후의 심판.

심:판 이혼【審判離婚】명〖법〗가정 법원의 심판에 의하여 이루어진 이혼. *조정(調停) 이혼·협의 이혼.

심:판-자【審判者】명 ①심판하는 사람. ②〖기독교〗최후의 심판을 주재하는 하느님을 가리키는 말.

심:판-장【審判長】명 심판원(審判員)의 장.

심퍼사이저〔sympathizer〕명 공산주의 운동에는 참가하지 않는 동조자(同調者). 동정자(同情者). 공명자(共鳴者).

심퍼시〔sympathy〕명 동정(同情). 동감(同感). 공명(共鳴).

심페로폴〔Simferopol'〕명〖지〗우크라이나 공화국 크림 반도 남부의 도시. 기계·직물·식품 등의 공업이 성함. 보양(保養)·관광의 중심지로 1784년에 창건됨. [344,000 명(1989)]

심:평 명〈방〉셈평. ¶그렇게 악착같이 일을 하걸랑 좀 ～이 펴는 맛두 있어얄 거 아니여? ≪李無影 : 農民≫.

심폐[1]【心肺】명 심장과 폐. 전하여, 마음.

심폐[2]【深弊】명 심한 폐단. 매우 폐가 되는 일.

심폐 계:수【心肺係數】명 신체의 여러 상황에서 맥박수를 측정하여 체력을 판정하는 지수(指數). 안정시의 맥박수, 체위를 변화시켰을 때의 맥박수, 운동 직후의 맥박수가 안정 상태에서의 맥박수로 돌아올 때까지 걸리는 시간 등을 측정하여 얻어짐.

심폐 기능【心肺機能】명〖생〗폐를 중심으로 하는 호흡계의 기능과 심장을 중심으로 하는 순환계 기능을 통틀어 일컫는 말.

심폐-사【心肺死】명〖의〗심장이 정지하고 호흡이 정지함으로써 판정(判定)되는 죽음. ↔뇌사(腦死).

심폐 이식【心肺移植】명〖의〗폐고혈압증(肺高血壓症) 등의 경우에, 심장과 폐를 함께 이식하는 일.

심포【心包】명〖한의〗심장을 싸고 있는 살 주머니. 기관(器管)과 기관 사이에서 마찰(摩擦)로 인한 탈이 생기지 아니하도록 하는 작용을 함.

심포-경【心包經】명〖한의〗침술의 경락(經絡)의 하나. 젖가슴 아래에서 약손가락 끝에 이르는 경락.

심포니〔symphony〕명〖악〗교향악(交響樂). 교향곡(交響曲).

심포니 오브 디 에어〔Symphony of the Air〕명〖악〗NBC 교향악단의 후신. 1954년에 토스카니니(Toscanini)의 은퇴와 동시에 NBC 방송망(放送網)과의 관계를 끊고 재출발, 1957년에 내한(來韓) 공연하였음.

심포니 오:케스트라〔symphony orchestra〕명〖악〗교향악단(交響樂團). 교향 관현악단(交響管絃樂團).

심포닉 발레〔symphonic ballet〕명 심포니의 반주로 출 수 있는 발레.

심포닉 재즈〔symphonic jazz〕명〖악〗원래 재즈의 요소를 가한 교향적 작품을 말하나, 1940년경부터 현악기 등을 동원하여 많은 인원으

로 연주하는 재즈를 말하게 되었음.

심포닉 포임〔symphonic poem〕 명 〖악〗 교향시(交響詩).

심포지엄〔symposium〕 명 두 명 또는 그 이상의 사람들이 한 가지 문제를 가지고 각각 다른 면에서 고찰한 바를 강연하여, 의견을 말한 후 청중 또는 사회자의 질문에 대하여 강연자가 답변하는, 토론의 한 형식.

심포지온〔그 symposion〕 명 심포지엄(symposium). ㄴ심포지온.

심:풍【甚風】 명 심한 바람. 강풍(強風).

심프슨¹〔Simpson, George Clarke〕 명 〖사람〗 영국의 기상학자. 영국 기상국장, 기상 학회 회장을 역임. 뇌운(雷雲)의 전기 현상을 연구함. [1878-1965]

심프슨²〔Simpson, James Young〕 명 〖사람〗 영국의 산부인과 의사. 마취를 분만(分娩)에 응용하였고, 산과용(産科用) 겸자(鉗子)의 고안(考案) 등, 산과 의술의 개량에 힘씀. [1811-70]

심프슨³〔Simpson, Thomas〕 명 〖사람〗 영국의 수학자. 수치 적분법(數値積分法)의 '심프슨 공식(公式)'으로 유명함. 저서에는 대수·기하·삼각법·미적분 등의 교과서와, 논문에 《신유분론(新流分論)》이 있음. [1710-61]

심프슨 부인【―夫人】〔Simpson〕 명 〖사람〗 영국 윈저공의 부인. 이름은 Wallis Warfield Simpson. 미국 태생. 재혼한 영국 선박업자 심프슨과 이혼, 1937년 당시의 영국왕 에드워드(Edward) 8세와 결혼하여 물의를 일으켰음. [1896-1986]

심프슨의 법칙【―法則】[―/―에―] 명 〔Simpson's rule〕 〖수〗 함수(函數) $f(x)$의 $x=a$로부터 b까지의 정적분(定積分) $\int_a^b f(x)dx$의 근삿값을 구하는 방법. 영국의 심프슨(Simpson, T.)이 발견함.

심플〔simple〕 명 단순(單純). 간단(簡單). 용이(容易). ¶~한 디자인. ――하다 형여불

심플 라이프〔simple life〕 명 간이 생활(簡易生活).

심플렉스-법【―法】〔simplex〕[―뻡] 명 〖경〗 선형 계획법(線形計劃法)에서 최적해(最適解)를 구하는 계획법의 하나. 단체법(單體法).

심플론 고개〔Simplon〕 명 〖지〗 스위스 남부의 론 강(Rhone江) 하곡(河谷)에서 이탈리아로 나가는, 알프스를 넘는 고개. 표고 2,005 m. 1800-07년 나폴레옹의 명령으로 차도(車道)를 건설함. 1906년에 고개의 북동쪽에 연장 19.80 km의 단선(單線)의 심플론 제1 터널이 개통하였으며, 1922년에 연장 19.82 km의 세계 최장의 제2 터널이 개통됨.

심플리파이〔simplify〕 명 단순화(單純化). 간소화(簡素化).

심피¹【心皮】 명 〖식〗 속씨 식물(植物)에 있어서 암술이 되는 잎. 한 개 나 수 개의 잎이 겉을 안쪽으로 몰아서 양편 가가 결합하여 밑씨를 싸는 씨방과 암술대와 암술머리를 이룸.

심피²【梣皮】 명 〖한의〗 물푸레나무의 껍질. 강장제(強壯劑)·안약으로 씀.

심:-하다【甚―】 형여불 정도에 지나치다. 심:-히【甚―】 부

심학【心學】 명 ①마음으로부터 배우는 일. ②중국의 철학자 육상산(陸象山)·왕양명(王陽明)의 학술 계통. 마음을 수양하고 실천에 의하여 성인(聖人)에 가까워지려는 사상. 양명학.

심한【深恨】 명 깊이 한(恨)함. 또, 깊은 원한. ――하다 타여불

심한 신전【心寒身戰】 명 〖천도교〗 정신이 아찔하고 몸이 마구 떨리는 일.

심항【深巷】 명 깊숙이 속에 박혀 있는 누항(陋巷).

심항-장【深巷章】[―짱] 명 용비어천가 제48장의 이름.

심해¹【深海】 명 ①깊은 바다. ②해면(海面) 밑 200 m 이상의 깊은 곳. 일광(日光)이 전혀 들어가지 않으며, 식물도 없음. 해양학(海洋學)에서는 보통 2,000 m 이상의 깊은 곳을 이름.

심해²【深解】 명 깊이 이해함. ――하다 타여불

심해-곡【深海谷】 명 〖지〗 해저곡.

심해 구:명정【深海救命艇】 명 구명·조사용의 소형 잠수정. 1,500 m 깊이에 침몰된 잠수함의 승무원을 구조하기 위해서 개발되었음.

심해 빙하 퇴적물【深海氷河堆積物】 명 〔delta moraine〕 〖지〗 곡사면(谷斜面)과 빙하빙(氷河氷)의 사이를 흐르는 하천(河川)이 이룩하는 퇴적물.

심해 산:란층【深海散亂層】[―살―] 명 바다 속에 생물이 층상(層狀)으로 살고 있기 때문에 음향이 산란되는 곳.

심해-선【深海線】 명 심해에 사용하는 해저 전선(海底電線).

심해 성층【深海成層】 명 〖지〗 태양 광선이 전혀 꿰뚫지 못하는 암흑의 심해 지층으로 깊이가 2,000 m 이상의 바다 밑. 부유(浮遊) 생물의 유해, 화산의 분출물, 천체(天體)로부터의 세진(細塵) 등으로 이루어짐.

심해 수도【深海水道】 명 〖지〗 해저곡(海底谷)의 한 가지. 심해의 해저에 생긴 얕은 골짜기. 심수도(深水道).

심해-어【深海魚】 명 깊이 200-1,000 m에 달하는 깊은 바다 속에 사는 어류. 천해어(淺海魚)에 비하여 현저하게 변형한 것이 많은데 연약하고 탄성(彈性)이 있는 뼈와 근육, 발달된 발광기(發光器)·촉각·수염, 이상하게 발달한 또는 퇴화한 눈, 큰 입, 단순한 몸빛 등이 특징임.

심해 어업【深海漁業】 명 깊이 200-800 m의 심해 해저에 사는 게르치·금눈돔 등의 심해어를 대상으로 하는 어업. 노력이 많이 들고 어획물의 경제적 가치가 적으므로 보통 딴 어업이 행하여지지 않는 겨울철에만 행하여짐. 「수함. 해저 조사용으로 이용됨.

심해 잠수함【深海潛水艦】 명 5,000 m 이상의 심해에 잠수 가능한 잠

심해-저【深海底】 명 〔deep seafloor〕 연안국의 관할권 하에 있는 대륙붕보다 바깥쪽의 해저 구역(해저와 그 지하). 1982년의 국제 연합 해양법 조약에 의해 그 자원은 '인류의 공동 유산'으로 됨.

심해 측심기【深海測深器】 명 〖기〗 심해의 수심(水深)을 재는 장치. 추(錘)를 매어 단 강선(鋼線) 또는 초음파(超音波)에 의한 반사(反射)를 이용하는 장치 등이 있음.

심해 탐구선【深海探究船】 명 〔bathyscaphe〕 사람이 타고 독항(獨航)할 수 있는 심해 탐사용 배. 하부(下部)에 구형(球形)의 방이 붙어 있음.

심해 퇴적물【深海堆積物】 명 깊이 2,000 m 이상의 심해에 퇴적한 물질. 플랑크톤의 유해(遺骸)나 광물(鑛物)의 세립(細粒) 따위가 얇게 퇴적한 연니(軟泥)나 청니(靑泥) 따위.

심해 투기【深海投棄】 명 방사성 폐기물의 처분 방법의 하나로, 특수한 용기에 밀봉하여 깊이 수천 미터의 바다 밑에 가라앉히는 방법.

심해 해:구【深海海丘】 명 〖지〗 높이가 2,000-3,000 피트, 폭(幅)이 수(數) 마일 되는, 심해에 있는 언덕.

심해 해:저 원칙 선언【深海海底原則宣言】 명 1970년 12월에 국제 연합 총회가 채택한 결의. 심해 해저는 어느 나라의 영유(領有)의 대상이 될 수 없으며, 전인류의 평화적 목적을 위하여 개발되어야 한다는 등 15 항목으로 이루어짐. 「――하다 타여불

심핵¹【深劾】 명 준엄히 탄핵(彈劾)함. 깊이 그 죄를 캐내어 조사함.

심:핵²【審覈】 명 일의 실상을 자세히 조사함. ――하다 타여불

심행 소멸【心行消滅】 명 〖불교〗 마음의 작용을 넘은 경지. 인간의 사고(思考)를 넘은 곳. 불교의 요체(要諦)가 사상이나 개념으로서는 파악할 수 없으리만큼 깊음을 이름.

심허¹【心許】 명 참 마음으로 허락함. ――하다 자타여불

심허²【心虛】 명 〖의〗 정신이 허약한 병증.

심험¹【心險】 명 마음이 음흉하고 험상궂음. ――하다 형여불

심험²【深險】 명 ①깊고 험함. ②마음이 매우 음험(陰險)함. ――하다 형여불

심현【深玄】 명 심오(深奧)하고 유현(幽玄)함. ――하다 형여불

심혈¹【心血】 명 ①심장의 피. ②가지고 있는 최대의 힘. 온 정신. ¶~ㄴ을 기울이다.

심혈²【深穴】 명 깊은 구멍.

심협【深峽】 명 깊은 산협.

심형¹【心形】 명 심장형. 염통꼴.

심형²【深刑】 명 엄한 형벌. 혹형(酷刑). ――하다 타여불

심-형광단【深螢光團】 명 〖화〗 형광단(螢光團)이 존재하는 어떤 분자(分子)에 들어가서 그 형광 스펙트럼의 휘대(輝帶)를 장파장(長波長)으로 옮기는 기(基). 아민기(amine基)·수산기(水酸基) 같은 것. ↔천형광단(淺螢光團).

심혜【深慧】 명 깊은 슬기. 깊이 감추어 둔 지혜.

심-호흡【深呼吸】 명 폐 속으로 될 수 있는 한 많은 공기가 드나들게 하는 호흡. 흉식(胸式)과 복식(腹式)이 있음. 구허 호흡(呴噓呼吸). 깊은숨. ――하다 자여불

심혼【心魂】 명 마음과 혼(魂). 마음과 정신. 신혼(神魂). ¶~을 기울이다 / ~을 바쳐 열애한 구원의 여상.

심홍¹【深泓】 명 깊은 못.

심홍²【深紅】 명 짙은 다홍빛.

심-홍색【深紅色】 명 심홍(深紅). 카디널(cardinal). 크림슨(crimson).

심화¹【心火】 명 ①마음 속에 일어나는 울화. ②〖한의〗 심중의 화기로 가슴이 아프고 번조(煩燥)하는 병. 심화병(心火病).

심화²【心花】 명 〖식〗 두상화(頭狀花)와 같이 밀집한 화서(花序)의 중심부에 있는 꽃. 국화과의 두상화의 중심부를 차지하는 통상화(筒狀花) 등으로, 수국(水菊)의 장식화(裝飾花) 안쪽에 있는 양성화(兩性花)를 가리키기도 함. 「일컬음.

심화³【心畫】 명 〔마음을 나타낸 그림이란 뜻〕 문자(文字)·필적(筆跡)의

심화⁴【深化】 명 깊어짐. 깊게 되어 감. ――하다 자여불

심화-병【心火病】[―뼝] 명 〖한의〗 심화(心火)❷.

심활【深豁】 명 깊고 넓음. ――하다 형여불

심황¹【―黃】 명 〖식〗 [*Curcuma longa*] 생강과에 속하는 다년초. 근경(根莖)은 황색이고 굵으며, 긴 잎은 수 개씩 근생(根生)하는데 폭 40-50 cm의 타원형임. 가을에 황색의 꽃이 잎에서 20 cm 가량의 화수(花穗) 끝에 담녹색의 포엽(苞葉) 사이에서 핌. 열대 지방에서 재배하는데, 근경(根莖)은 한방(韓方)에서 지혈제(止血劑)·건위제(健胃劑)로 쓰고, 건조한 근경의 분말(粉末)은 황색 물감으로 씀. 울금(鬱金).

〈심황¹〉

심황²【深黃】 명 짙은 누른 빛.

심황³【鱘鰉·鱏鰉】 명 〖어〗 철갑상어❶.

심황-산【―黃散】 명 〖한의〗 심황의 가루. 성질이 차고 매우며 혈적(血積)·하기(下氣)·혈림(血淋)·요혈(尿血)·금창(金瘡)·심통(心痛) 같은 병을 다스림. 울금분(鬱金粉).

심회¹【心灰】 명 식은 재처럼 어떤 일에도 괴로움을 받지 않는 냉정(冷靜)한 마음. 전(轉)하여, 욕정·정열이 식은 마음.

심회²【心懷】 명 마음 속의 회포. 심서(心緖).

심회³【深懷】 명 깊이 생각함. 또, 그 생각. ――하다 타여불

심회-가【心懷歌】 명 〖문〗 조선 시대에 내방의 부녀들이 읊은 가사. 영남 지방에서 많이 불려진 것으로 시집간 딸이 자기의 심회를 토로한 노래임. 지은이와 연대는 미상.

심획 십자 성:가【尋獲十字聖架】 명 〖천주교〗 예수가 못 박혔던 십자가(十字架)를 땅 속에서 발견한 일. 그 기념일은 5월 3일임.

심후【深厚】 명 깊고 두터움. ――하다 형여불

심:-훈【沈熏】 명 〖사람〗 소설가·영화인. 본명은 대섭(大燮). 호는 해풍(海風). 서울 출생. 1932년 중앙 일보(中央日報) 학예부장, 장편 소설 《직녀성(織女星)》·《영원의 미소》 등을 동지에 연재. 1934년에 동아 일보 현상 모집에 《상록수(常綠樹)》가 당선되었음. [1901-36]

심흉【心胸】 명 가슴 속의 마음.

심흑【深黑】명 짙은 검은 빛.

십【十】수관 열.

십각-목【十脚目】명〖동〗①십완목(十腕目). ②[Decapoda] 절지 동물(節肢動物) 연갑류(軟甲類)에 속하는 한 목(目). 두부(頭部)와 흉부(胸部)는 구분할 수 없게 아주 붙어 버렸고 배면(背面)은 두흉갑(頭胸甲)으로 씌워졌으며 그 양옆에 아가미가 있음. 새우·게 등이 이에 속하는데, 장미류(長尾類)·변미류(變尾類)·단미류(短尾類)의 세 아목(亞目)으로 분류함.

십각-형【十角形】명〖수〗열 개의 직선으로 둘러싸인 평면 도형(平面圖形).

십간【十干】명〖민〗갑(甲)·을(乙)·병(丙)·정(丁)·무(戊)·기(己)·경(庚)·신(辛)·임(壬)·계(癸)의 총칭. 천간(天干).

십간 십이 지【十干十二支】명〖민〗십간과 십이지.

십걸【十傑】명 어떤 분야에 뛰어난 열 사람의 인물. 대개 운동의 기록 등에서 상위 열 사람을 일컬음. ¶타격 ～.

십경【十經】명〖책〗유가(儒家)의 열 가지 경서. 곧, 주역(周易)·상서(尙書)·모시(毛詩)·예기(禮記)·주례(周禮)·의례(儀禮)·춘추 좌씨전(春秋左氏傳)·공양전(公羊傳)·곡량전(穀梁傳) 및 논어(論語) 효경(孝經)을 합친 것의 통칭. *십일경(十一經).

십계[1]【十戒】명〖불교〗①사미(沙彌)·사미니(沙彌尼)가 수지(受持)하는 10조목의 계율. 살생(殺生)·투도(偸盜)·사음(邪淫)·망어(妄語)·음주(飮酒)의 오계(五戒)에, 불도식향만계(不塗飾香鬘戒: 꽃다발·구슬 목걸이로 몸을 꾸미지 말며 향수를 바르지 말 것)·불가무관청계(不歌舞觀聽戒: 노래하고 춤추지 말며, 그것을 구경하지도 말 것)·불좌고광대상계(不坐高廣大牀戒: 높은 침대를 사용하지 말 것)·불비시식계(不非時食戒: 제 때가 아니면 먹지 말 것)·불축금은보계(不蓄金銀寶戒: 재물을 가지지 말 것)를 더한 것. 사미 십계(沙彌十戒). 사미계. 사미니계. ②↗십선계(十善戒). ③↗십중금계(十重禁戒).

십계[2]【十界】명〖불교〗불계(佛界)·보살계(菩薩界)·연각계(緣覺界)·성문계(聲聞界) 등 오계(悟界)의 네 세계, 곧 증오(證悟)의 세계인 사성(四聖)과, 천상계(天上界)·인간계(人間界)·수라계(修羅界)·축생계(畜生界)·아귀계(餓鬼界)·지옥계(地獄界) 등 미계(迷界)의 여섯 세계, 곧 미망(迷妄)의 경계인 육범(六凡)의 총칭.

십계[3]【十誡】명〖기독교〗↗십계명.

십계 대:만다라【十界大曼茶羅】명〖불교〗십계(十界)의 부처의 상(相)을 그리어 만든 큰 만다라(曼茶羅).

십계-도【十界圖】명 육도화(六道畫)의 한 가지. 십계(十界)를 그리어 정토교(淨土敎)의 사상을 표현함.

십-계명【十誡命】명 〔Decalogue, Ten Commandments〕〖기독교〗하느님이 시내 산(Sinai山)에서 모세에게 내렸다고 하는 십개조(十個條)의 계시(啓示). 곧, 다른 신(神)을 섬기지 말 것, 우상을 섬기지 말 것, 여호아의 이름을 망령되게 하지 말 것, 안식일(安息日)을 지킬 것, 어버이를 공경할 것, 살인하지 말 것, 간음하지 말 것, 도둑질 말 것, 거짓말 말 것, 탐하지 말 것 등의 열 가지임. 데칼로그. 준십계(十誡). *천주 십계.

십-고【十苦】명〖불교〗사람이 받는 열 가지 고통. 곧, 생(生)·노(老)·병(病)·사(死)·수(愁)·원(怨)·고수(苦受)·우(憂)·통뇌(痛惱)·생사 유전고(生死流轉苦)를 말함.

십고 십상【十考十上】명〖역〗관원의 성적을 매기는 등차(等差)의 하나. 경관(京官)은 각 청(廳)의 장관, 지방관은 감사(監司)가 해마다 두 번씩 그 근무 성적을 고사(考査)하여 상중하의 세 급으로 나눌 때 동일한 직(職)에 있는 사람이 다섯 해 동안 늘 상급(上級)의 성적을 얻었을 경우의 일컬음.

십구공-탄【十九孔炭】명 19 개의 구멍이 있는 연탄(煉炭). 준구공탄(九孔炭).

십구-사【十九史】명〖책〗중국에서 십팔사(十八史)에 원사(元史)를 더한 열아홉 가지의 사서(史書). *이십오사(二十五史).

십구사략 언:해【十九史略諺解】명〖책〗중국 명(明)나라 여진(余進)의 《십구사략 통고(十九史略通考)》 제1권을 번역한 책. 조선 시대 영조(英祖) 48년(1772) 간행. 2권. 준사략 언해.

십구세 출가【十九歲出家】명〖불교〗석가가 열아홉 살에 왕궁(王宮)을 떠난 일.

십국【十國】명〖역〗↗오대 십국(五代十國).

십규-증【十痓症】[—쯩] 명〖한의〗기규(氣痓)·노규(勞痓)·귀규(鬼痓)·냉규(冷痓)·식규(食痓)·시규(尸痓)·수규(水痓)·토규(土痓)·생인규(生人痓)·사인규(死人痓)의 총칭. 모두가 죽은 사람의 넋이 내리어서 일어나는 병으로, 미쳤다가 결국은 죽게 됨.

십-나찰【十羅刹】명〖불교〗↗십나찰녀.

십-나찰녀【十羅刹女】[—려] 명〖불교〗법화경을 수지(受持)하는 사람을 호지(護持)하는 열 명의 여자. 처음은 귀녀였으나, 나중에 법화 행자(行者)를 지키는 신녀(神女)가 됨. 곧, 남파(藍婆)·비남파(毘藍婆)·곡치(曲齒)·화치(華齒)·흑치(黑齒)·다발(多髮)·무염족(無厭足)·지영락(持瓔珞)·고체(皐諦)·탈일체 중생 정기(奪一切衆生精氣)를 일컬음. 준나찰녀.

십-년【十年】명 열 해.

[십년 과수로 앉았다 고자 대감을 만났다] 오래 공들인 일도 복이 없고 운수가 나쁘면 아무 짝에도 쓸데 없는 것이 되고 만다는 말. [십년 묵은 체증이 내리다] 그 일 때문에 더할 나위 없이 속이 후련함을 느낀다는 말. [십년 묵은 환자(還子)라도 지고 들어가면 그만이다] 오랜 빚이라도 갚아 주면 그만이라는 말. [십년 세도(勢道) 없고 열흘 붉은 꽃 없다] 부귀 영화가 오래 지속하지 못한다는 말. [십년을 같이 산 시어미 성(姓)도 모른다] ㉠사람은 흔히 가까운 것에는 관심이 적어 도리어 모르고 지낼 수 있다는 말. ㉡사람이 너무 무심하여 응당 알고 있을 만한 것도 모르고 지낸다는 뜻. [십년이면 산천(山川)도 변한다 ; 십년이면 강산도 변한다] 십년이 지나는 동안에는 세상에 변하지 않는 것이 없이 다 변한다는 말.

십년 감:수【十年減壽】명 수명에서 십 년이 줄어든다는 뜻으로, 심한 공포·위험 등을 겪고 하는 말. ¶얼마나 혼났는지 ～했다. ——하다 자여불

십년 공부【十年工夫】[—꽁—] 명 십 년 동안, 곧 오랜 세월을 두고 쌓은 공.

[십년 공부 나무 아미타불(十年工夫南無阿彌陀佛); 십년 공부 도로 아미타불] 오래 공 들인 일이 허사가 됨을 이르는 말.

십년 마일검【十年磨一劍】명 십년간 한 칼을 간다는 말이니, 곧 여러 해를 두고 무예(武藝)를 열심히 수련한다는 뜻.

십년 일득【十年一得】[—뜩] 명 홍수 또는 가물음을 타기 쉬운 논에 간혹 풍년이 듦을 가리키는 말.

십년지-계【十年之計】명 앞으로 십년을 목표로 한 원대(遠大)한 계획.

십년 지기【十年知己】명 오래 전부터 사귀어 온 친구.

십념【十念】명〖불교〗①↗십념 칭명(十念稱名). ②중이 나무 아미타불의 명호를 신자(信者)에게 주어 부처와 인연을 맺어 주는 일. ③불(佛)·법(法)·승(僧)·계(戒)·시(施)·천(天)·휴식(休息)·안반(安般)·신(身)·사(死)의 열 가지 일을 염(念)하여, 마음의 통일을 꾀하는 일. ——하다 타여불

십념 칭명【十念稱名】명〖불교〗나무아미타불의 명호(名號)를 열 번 욈. 준십념(十念).

십념 혈맥【十念血脈】명〖불교〗십념의 수수(授受)에 있어서 사자 상승(師資相承)하는 일.

십다[1] 타 〈옛〉 씹다. ¶맛이야 긴치아 니커니와 다시 십어보소서《永言》.

십:다[2] 형 〈방〉 쉽다(전남·경상).

-십다 미 〈옛〉 -싶다. ¶음식 먹고시븐 ᄆᆞ옴이 업서《太平廣記 I:49》.

십당【十幢】명〖역〗십정(十停).

십대【十代】명 ①십(十)의 세대(世代). ¶～째 서울에 살다. ②열 번째의 대(代). ③20살 안짝의 소년·소녀의 시대. 또, 그 사람. 틴에이저(teen-ager). ¶～ 소년의 범죄.

십-대가【十大家】명〖문〗중국 당송 팔대가(唐宋八大家)에다 당나라 때의 이고(李翺)·손초(孫樵) 두 사람을 더하여 일컫는 말.

십대 동:천【十大洞天】명 도가(道家)에서, 여러 신선(神仙)이 살고 있다는 열 군데의 동천.

십대-손【十代孫】명 십대의 자손.

십-대왕【十大王】명〖불교〗시왕(十王).

십대 제:자【十大弟子】명〖불교〗석가모니의 고제(高弟) 열 사람. 두타(頭陀)에 제일은 마하가섭(摩訶迦葉), 다문(多聞)에 제일은 아난(阿難), 지혜(智慧)에 제일은 사리불(舍利弗), 신통(神通)에 제일은 목건련(目犍連), 천안(天眼)에 제일은 아나율(阿那律), 해공(解空)에 제일은 수보리(須菩提), 설법(說法)에 제일은 부루나(富樓那), 논의(論義)에 제일은 가전연(迦旃延), 지율(持律)에 제일은 우바리(優婆離), 밀행(密行)에 제일은 나후라(羅睺羅).

십도【十道】명〖역〗고려 성종(成宗) 때 실시된 지방 제도. 관내(關內)·중원(中原)·하남(河南)·강남(江南)·영남(嶺南)·영동(嶺東)·산남(山南)·해양(海陽)·삭방(朔方)·패서(浿西)의 십도.

십동지수 회:일동【十洞之水會一洞】[—똥] 구 열 골 물이 한 곳으로 모인다는 뜻이니, 여러 사람이 범한 죄의 벌이나 또는 화(禍)나 재액(災厄)이 자기 혼자에게만 미침을 비유한 말.

십두드리다 타 〈옛〉 짓씹다. ¶십두드릴 쟉(嚼)《字會 下 14》.

십락【十樂】[—낙] 명〖불교〗극락 정토에서 맛볼 수 있는 열 가지의 기쁨. 성중 내영락(聖衆來迎樂)·연화 초개락(蓮華初開樂)·신상 신통락(身相神通樂)·오묘 경계락(五妙境界樂)·쾌락 무퇴락(快樂無退樂)·인섭 결연락(引攝結緣樂)·성중 구회락(聖衆俱會樂)·견불 문법락(見佛聞法樂)·수심 공양락(隨心供養樂)·증진 불도락(增進佛道樂)을 일컬음.

십량-주【十兩紬】[—냥—] 명 한 필의 무게가 열 냥쭝이 나가는, 중국에서 나는 좋은 명주.

십력【十力】[—녁] 명〖불교〗부처가 지니고 있는 열 가지의 지력(智力). 처비처 지력(處非處智力)·업이숙(業異熟) 지력·정려 해탈 등지 등지 발기 잡염 청정 지력(靜慮解脫等持等至發起雜染清淨智力)·근상하 지력(根上下智力)·종종계 지력(種種界智力)·종종 승해 지력(種種勝解智力)·편취행 지력(遍趣行智力)·숙주 수념 지력(宿住隨念智力)·사생 지력(死生智力)·누진 지력(漏盡智力)을 일컬음.

십력-교【十力敎】[—녁—] 명〖불교〗〔십력(十力)이 있는 부처의 교(敎)라는 뜻〕'불교'의 다른 이름.

십-리【十里】[—니] 명 열 리. 보통 4 km를 일컬음.

[십리가 모래 바닥이라도 눈 찌를 가시나무가 있다] 친한 벗 가운데에도 원수가 있다는 말. [십리 강변에 빨래 길 갔느냐] 얼굴이 까맣게 그은 사람을 보고 하는 말. [십리도 못 가서 발병(病) 난다] 무슨 일이 얼마 가지 않아서 탈이 난다는 말. [십리 사장 세모래가 정 맞거든] 실현될 가망이 없음의 비유. [십리에 장승 서듯] ㉠지키고 서 있기만 한다는 뜻. ㉡드문드문 서 있는 모양을 이르는 말.

십리 눈치꾸러기다 구 십리 밖에서도 눈치를 알아차릴 만큼 눈치가 아주 빠른 사람이다.

십리 반찬을 한다 구 〔'십리'는 오리 두 마리의 뜻〕 맛좋은 별미 반찬을 장만한다는 뜻의 신소리.

십리평-산【十里平山】[—니—] 명〖지〗평안 북도 후창군(厚昌郡) 후창면(厚昌面)에 있는 산. [1,260 m] 「대군(大軍).

십-만【十萬】수관 만(萬)의 열 배 되는 수효. ¶～에 달하는 군중 / ～

십만 억불토【十萬億佛土】명〖불교〗①이승에서 극락 정토(淨土)에 이르기까지에 있다고 하는 불토(佛土)의 총칭. ②극락 정토.

십맹 일장【十盲一杖】[—짱] 명 〔소경 열 사람에 지팡이 하나라는 뜻〕 여러 곳에 긴요하게 쓰이는 물건의 비유. 열 소경에 한 막대.

십모【十母】명 ①'십간(十干)'의 별칭. ②친모(親母)·출모(出母)·가모

(嫁母)·서모(庶母)·적모(嫡母)·계모(繼母)·자모(慈母)·양모(養母)·유모(乳母)·제모(諸母)의 총칭.

십목【十目】명〔열 사람의 눈이라는 뜻〕중인(衆人)의 눈. 중인의 관찰.

십목 소:시【十目所視】명 여러 사람이 보고 있는 바임. 곧, 세상 사람을 속일 수 없음을 가리키는 말.

십목 소:시 십수 소:지 (十手所指) 구 열 사람이 보고 열 사람이 손가락질하는 바. 곧, 많은 사람이 비판하는 바는 자못 엄정하여, 그 비판 앞에서는 자기의 행위·성질을 숨길 수 없음을 가리키는 말.

십목 십수【十目十手】명 열 사람의 눈과 열 사람의 손. *십목 소시 십수 소지.

십미 패:독탕【十味敗毒湯】명〖한의〗한방 처방의 하나. 가려운 피부병이나 화농성 종기 등에 유효.

십-바라밀【十波羅蜜】명〖불교〗보살(菩薩)이 수행(修行)하는 열 가지 행법(行法). 보시(布施)·지계(持戒)·인욕(忍辱)·정진(精進)·선정(禪定)·혜(慧)·방편(方便)·원(願)·역(力)·지(智).

십방【十方】명 →시방(十方).

십벌지-목【十伐之木】명 '열 번 찍어서 아니 넘어가는 나무가 없다'와 같은 뜻.

십보-가【十步歌】명〖악〗조선 고종(高宗) 때 신재효(申在孝)가 지은 가사의 하나. 열 걸음을 떼어 놓으면서 일(一)에서 십(十)까지의 숫자를 넣어 재미있게 말을 엮어 나간 노래임.

십분【十分】부 넉넉히. 아무 부족함이 없이. ¶ ~ 유의하다.

십분 무의【十分無疑】[―/―이] 명 조금도 의심할 바가 없음. ――하다 형여불

십분의일-세【十分一稅】[―/―에―] 명〖역〗십일조(十一租)❶.

십분 준:신【十分準信】명 아주 믿음. 꼭 믿음. ――하다 타여불

십사개조 평화 원칙【十四個條平和原則】명〖역〗1918년 미국 대통령 윌슨이 발표한 제1차 세계 대전 종결을 위한 화평 원칙. 비밀 외교 폐지, 해양(海洋)의 자유, 경제 장벽 철거, 군축(軍縮), 민족 자결, 무병합 무배상(無倂合無賠償), 국제 평화 조직 창설 등이 골자였음. 대전 종결과 베르사유 조약에 큰 영향을 줌. 우리 나라의 삼일 운동은 이 중의 제5조인 민족 자결의 원칙에 힘입었음.

십사 경락【十四經絡】[―낙] 명〖한의〗정경(正經) 열둘, 곧 십이 경락(十二經絡)에 독맥(督脈)·임맥(任脈)을 더하여 이름. *십이 경락.

십사-도【十四道】명〖지〗우리 나라의 지방 행정 구획으로서의 열네 도. 1946년 십삼도(十三道)에 제주도(濟州島)를 도(道)로 승격하여 더한 14도. *십삼도(十三道).

십사-처【十四處】명〖천주교〗예수 십자 행로(十字行路)의 열네 자리. 그 차례를 따라 '십자가의 길' 기도를 함.

십사행-시【十四行詩】명〖문〗소네트(sonnet).

십산화 사:인【十酸化四燐】명〖화〗오(五)산화인. [P_4O_{10}]

십삼-경【十三經】명〖책〗중국의 열세 가지 경서(經書). 역경(易經)·서경(書經)·시경(詩經)·주례(周禮)·의례(儀禮)·예기(禮記)·춘추 좌씨전(春秋左氏傳)·춘추 공양전(公羊傳)·춘추 곡량전(穀梁傳)·논어(論語)·효경(孝經)·이아(爾雅)·맹자(孟子)의 총칭. *십경(十經).

십삼경 주:소【十三經注疏】명〖책〗송말(宋末)에 지은 십삼경의 주석서(注釋書). 주역 정의(周易正義)·상서(尙書) 정의·모시(毛詩) 정의·예기(禮記) 정의·춘추 좌씨전(春秋左氏傳) 정의·주례(周禮) 정의·의례(儀禮) 정의·춘추 공양전(春秋公羊傳) 정의·춘추 곡량전(春秋穀梁傳) 정의·효경(孝經) 정의·논어(論語) 정의·이아(爾雅) 정의·맹자(孟子) 정의 등으로 모두 416권임.

십삼-도【十三道】명〖역〗조선 고종(高宗) 건양(建陽) 원년(1896) 지방 제도의 개정에 따라 구획된 열세 도. 전라 남도·전라 북도·충청 남도·충청 북도·경기도·경상 남도·경상 북도·황해도·강원도·평안 남도·평안 북도·함경 남도·함경 북도. *팔도(八道).

십삼-불【十三佛】명〖불교〗사람이 죽은 뒤 첫이렛날부터 삼십삼기(三十三忌)까지 13회에 걸쳐 공양 불사(供養佛事)하는 데 배당한 불보살(佛菩薩). 곧, 초이렛날은 부동불(不動佛), 이십칠 일은 석가불(釋迦佛), 삼십칠 일은 문수(文殊), 사십칠 일은 보현(普賢), 오십칠 일은 지장(地藏), 육십칠 일은 미륵(彌勒), 칠십칠 일은 약사(藥師), 백 일(百日)은 관음(觀音), 일 주기(一週期)는 세지(勢至), 삼 주기는 미타(彌陀), 칠 주기는 아축(阿閦), 십삼 주기는 대일(大日), 삼십삼 주기는 허공장(虛空藏).

십삼-사【十三史】명〖책〗중국의 열세 가지의 사서(史書). 당(唐)나라 때, 사기(史記)·한서(漢書)·후한서(後漢書)·삼국지(三國志)·진서(晉書)·송서(宋書)·남제서(南齊書)·양서(梁書)·진서(陳書)·후위서(後魏書)·북제서(北齊書)·주서(周書)·수서(隋書)를 일컬었음. *십칠사.

십삼-종【十三宗】명〖불교〗중국 불교의 열세 종파(宗派). 열반(涅槃)·지론(地論)·섭론(攝論)·성실(成實)·비담(毘曇)·율(律)·삼론(三論)·정토(淨土)·선(禪)·천태(天台)·화엄(華嚴)·법상(法相)·진언(眞言)의 총칭.

십상[1] ㊀명〔←십성(十成)〕썩 잘된 일이나 물건을 두고 이르는 말. ¶주머니칼로는 ~이다. ㊁부 꼭 맞게. 썩 잘 어울리게. ¶양복 감으로는 ~ 됐다/재떨이로 쓰기엔 ~좋다.

십상[2]【十常】명 ↗ 십상 팔구. ¶그렇게 급하게 먹다가는 체하기가 ~이다.

십상[3]【十霜】명 십 년. 십 년 세월. 십추(十秋).

십상 팔구【十常八九】명 열 가운데 여덟이나 아홉이 됨. 거의 다 됨을 가리키는 말. 십중 팔구. 준십상(十常).

십생 구사【十生九死】명 위태로운 지경을 겨우 벗어남. 구사 일생(九死一生). ――하다 자여불

십선【十善】명〖불교〗①십악(十惡)을 행하지 아니함. 곧, 불살생(不殺生)·불투도(不偸盜)·불사음(不邪淫)·불망어(不妄語)·불기어(不綺語)·불악구(不惡口)·불양설(不兩舌)·불탐욕(不貪慾)·불진에(不瞋恚)·불사견(不邪見)을 지키는 일. 십선업. ↔십악(十惡). ②전세(前世)에 십선을 행한 과보(果報)로 현세(現世)에 받는다는 천자(天子)의 지위.

십선-계【十善戒】명〖불교〗십선(十善)을 지키기 위한 계율(戒律). 준십계(十戒).

십선 만:승【十善萬乘】명〖불교〗〔십선의 덕(德)과 만승의 부(富)란 뜻〕「천자(天子)의 자리.

십선-업【十善業】명〖불교〗십선❶.

십선지-군【十善之君】명〖불교〗십선(善)을 행한 군자(君子). 곧, 천자(天子)를 일컫는 말. 십선지왕. 십선지주.

십선지-왕【十善之王】명 십선지군.

십선지-주【十善之主】명 십선지군.

십성[1]【十成】명 ①황금(黃金)의 품질을 십 등분한 제일등(第一等). ②→ㄴ십상[1].

십성[2]【十聖】명〖역〗신라 십성(新羅十聖).

십성-은【十成銀】명〖역〗천은(天銀).

십세 충년【十歲冲年】명 열 살의 아주 어린 나이.

십-수기일【十輸其一】명 열 가운데서 하나를 줌. 십분의 일을 줌.

십수-형【十手型】명 태껸 연습 동작의 하나. 무거운 동작으로 열 사람의 수법(手法)을 제뜰게 된다고 함.

십습【十襲】명〔열 겹의 뜻〕여러 겹으로 싸서 소중히 보관하여 둠을 이름. ――하다 타여불

십승 관법【十乘觀法】명〖불교〗천태종(天台宗)의 원돈지관(圓頓止觀)을 닦는 열 가지 관법. 관부사의경(觀不思議境)·발진정보리심(發眞正菩提心)·선교안심지관(善巧安心止觀)·파법변(破法遍)·식통색(識通塞)·도품조적(道品調適)·대치조개(對治助開)·지차위(知次位)·능안인(能安忍)·무법애(無法愛)의 열 가지임.

십승-법【十乘法】[―뻡] 명〖수〗십진법(十進法).

십승지-지【十勝之地】명 ①국내의 열 군데의 명승지. ②〖민〗술가(術家)가 일컫는 기근(饑饉)·병화(兵火)의 염려가 없다고 하는 열 군데의 땅. 곧, 공주(公州)의 유구(維鳩)와 마곡(麻谷), 무주(茂朱)의 무풍동(茂豐洞), 보은(報恩)의 속리산(俗離山), 부안(扶安)의 변산(邊山), 성주(星州)의 만수동(萬壽洞), 안동(安東)의 춘양면(春陽面), 예천(醴泉)의 금당동(金堂洞), 영월(寧越)의 정동 상류(正東上流), 운봉(雲峰)의 두류산(頭流山), 풍기(豐基)의 금계촌(金鷄村).

십시 일반【十匙一飯】명 열 사람이 한 술씩 보태면 한 사람 먹을 분량이 된다는 뜻. 여럿이 힘을 합하면 한 사람을 돕기 쉽다는 비유. 열에 한 술 밥.

십신[1]【十信】명〖불교〗보살의 수행 단계로 최초의 1위(位)로부터 제10위까지. 곧, 신심(信心)에서 원심(願心)까지. *십주(十住).

십신[2]【十神】명 문루(門樓)나 전각(殿閣)의 지붕 네 귀퉁이에 꾸미어 앉히는 대당 사부(大唐師傅)·손행자(孫行者)·저팔계(猪八戒)·사화상(沙和尙)·마화상(麻和尙)·삼살 보살(三殺菩薩)·이구룡(二口龍)·천산갑(穿山甲)·이귀박(二鬼朴)·나토두(裸土頭) 같은 잡상(雜像). 십신장ㄴ(十神將).

십-신장【十神將】명 십신(十神).

십신-탕【十神湯】명〖한의〗외감(外感)을 푸는 약.

십실 구공【十室九空】명 환란(患亂)으로 인하여 많은 사람이 뿔뿔이 흩어지거나 죽어 없어지는 일.

십악【十惡】명〖불교〗몸·입·뜻의 삼업(三業)으로 짓는 열 가지 죄악. 곧, 살생(殺生)·투도(偸盜)·사음(邪淫)의 신삼(身三)과, 망어(妄語)·기어(綺語)·양설(兩舌)·악구(惡口)의 구사(口四)와, 탐욕(貪慾)·진에(瞋恚)·사견(邪見)의 의삼(意三)의 총칭. ↔십선(十善)❶.

십악 대:죄【十惡大罪】명 대명률(大明律)에 정한 열 가지의 큰 죄. 곧, 모반(謀反)·모대역(謀大逆)·모반(謀叛)·악역(惡逆)·부도(不道)·대불경(大不敬)·불효(不孝)·불목(不睦)·불의(不義)·내란(內亂).

십악 오:역【十惡五逆】명〖불교〗십악과 오역의 죄. 극악(極惡)의 죄업(罪業).

십악-인【十惡人】명〖불교〗십악을 범한 사람. 전(轉)하여, 극악인(極惡人).

십양 구목【十羊九牧】명 열 마리의 양에 아홉 사람의 목자(牧者). 백성은 적고 벼슬아치는 많음의 비유.

십양-금【十樣錦】명〖식〗색비름.

십-억【十億】수 억(億)의 열 배가 되는 수효. ¶ ~ 재산.

십-업도【十業道】명〖불교〗열 가지의 악업(惡業)과 선업(善業).

십여【十餘】관명 여남은. ¶ ~ 개(個) / ~ 해가 지나다.

십-여시【十如是】명〖불교〗지옥계(地獄界)로부터 불계(佛界)에 이르기까지 일체 구유(一切具有)한 보편성(普遍性). 곧, 상(相)·성(性)·체(體)·역(力)·작(作)·인(因)·연(緣)·과(果)·보(報)·본말 구경(本末究竟).

십여-차【十餘次】명 여남은 차례.

십연자-포【十連子砲】명 조선 중기에 사용한 수철제(水鐵製) 유통식 화기(有筒式火器). 총신(銃身) 10정을 한 포가(砲架)에 설치하여 연속적으로 발사할 수 있음.

십오-야【十五夜】명 삼오야(三五夜). ¶ ~ 밝은 달.

십완-목【十腕目】명〖동〗[Decapoda] 연체 동물(軟體動物) 이새류(二鰓類)에 속하는 한 목(目). 10개의 발을 갖고 발에는 자루 있는 흡반(吸盤)이 있고 그 안쪽에 각소질(角素質)의 가락지가 있음. 제4의 발은 '촉각(觸脚)' 또는 '촉완(觸腕)'이라고 함. 오징어과(科) 등이 이에 속하는데, 개안류(開眼類)·폐안류(閉眼類)로 분류함. 십각목(十脚目).

십왕【十王】명〖불교〗→시왕(十王).

십왕-봉【十王峰】명〖지〗→시왕봉(十王峰).

십우【十雨】명 '열흘 만에 한 번 오는 비'라는 뜻으로, 알맞게 때를 맞춘 좋은 비를 이름.

십우-도【十牛圖】명〖불교〗심우도(尋牛圖).

십월【十月】명 →시월(十月).

십육-관【十六觀】[—뉵—] 명 〖불교〗 아미타 여래(阿彌陀如來)의 정토(淨土) 및 불신(佛身)을 보는 열여섯 가지의 법. 곧, 일상관(日想觀)·수상관(水想觀)·지상관(地想觀)·보수관(寶樹觀)·보지관(寶池觀)·보루관(寶樓觀)·화좌관(華座觀)·상관(像觀)·진신관(眞身觀)·관음관(觀音觀)·세지관(勢至觀)·보관(普觀)·잡관(雜觀)·상배관(上輩觀)·중배관(中輩觀)·하배관(下輩觀).

십육-국【十六國】[—뉵—] 명 〖역〗 중국 진(晉)나라 때 오호(五胡)가 세운 열여섯 나라. ＊오호 십육국(五胡十六國).

십육 국사【十六國師】[—뉵—] 명 〖불교〗 고려 때 전라도 송광사(松廣寺)에서 출현한 국사 열여섯 사람. 곧, 보조 지눌(普照知訥)·진각 혜심(眞覺慧諶)·청진 몽여(淸眞夢如)·진명 혼원(眞明渾元)·원오 천영(圓悟天英)·원감 충지(圓鑑冲止)·자정(慈靜)·자각(慈覺)·담당(湛堂)·혜감 만항(慧鑑萬恒)·자원(慈圓)·혜각(慧覺)·각진 복구(覺眞復丘)·정혜(淨慧)·홍진(弘眞)·고봉 법장(高峰法藏).

십육국 춘추【十六國春秋】[—뉵—] 명 〖책〗 중국 위(魏)나라 최홍(崔鴻)이 찬(撰)한, 진(晉)나라 때의 오호 십육국(五胡十六國)의 사적(事跡)을 기록한 책. 현행의 100 권본은 명대(明代) 도교손(屠喬孫)·항림(項琳)의 위작(僞作)이라 함. 전조록(前趙錄)·후조록(後趙錄)·전연록(前燕錄)·전진록(前秦錄)·후연록(後燕錄)·후진록(後秦錄)·남연록(南燕錄)·하록(夏錄)·전량록(前涼錄)·촉록(蜀錄)·후량록(後涼錄)·서진록(西秦錄)·남량록(南涼錄)·서량록(西涼錄)·북량록(北涼錄)·북연록(北燕錄)으로 이루어짐.

십육 나한【十六羅漢】[—뉵—] 명 〖불교〗 석가의 명령으로 일정한 기간을 세상에 재주(在住)하여 정법(正法)을 호지(護持)한다는 열여섯의 존자(尊者). 곧, 빈도라발라타사(賓度羅跋羅惰闍)·가락가벌차(迦諾迦伐蹉)·가락가발리타사(迦諾迦跋釐惰闍)·소빈타(蘇頻陀)·낙거라(諾距羅)·발타라(跋陀羅)·가리가(迦哩迦)·벌사라불다라(伐闍羅弗多羅)·수박가(戍博迦)·반탁가(半託迦)·나호라(羅怙羅)·나가서나(那伽犀那)·인게타(因揭陀)·벌나바사(伐那婆斯)·아시다(阿氏多)·주다반탁가(注荼半託迦).

십육 메가디:램【十六—】(mega DRAM) [—뉵—] 명 최첨단 반도체 제품의 하나. 엄지손톱 크기의 칩(chip) 속에 3 천 6 백만 개의 트랜지스터와 커패시티를 집적하여, 신문 128 쪽에 해당하는 정보량을 기억할 수 있음.

십육 밀리【十六—】(milli) [—뉵—] 명 폭 16 mm 의 필름. 또, 그 필름으로 찍은 영화. 대개 뉴스 영화에 쓰임.

십육 밀리 영화【十六—映畫】(milli) [—뉵—] 명 〖연〗 16밀리 필름으로 찍은 영화. 소형(小型) 영화의 대표적인 것임.

십육 방위【十六方位】[—뉵—] 명 동서 남북을 다시 16의 방향으로 나눈 방위. ＊방위.

〈십육 방위〉

십육분 쉼:표【十六分一標】[—뉵—] 명 (sixteenth rest) 〖악〗 쉼표의 하나. 온쉼표의 1/16 의 길이를 가지는 쉼표. 곧, '𝅀'. 십육분 휴지부(十六分休止符).

십육분 음부【十六分音符】[—뉵—] 명 〖악〗 십육분 음표.

십육분 음표【十六分音標】[—뉵—] 명 (sixteenth note) 〖악〗 온음표의 1/16이 되는 길이의 음표. 곧, '♬'. 십육분 음부.

십육분 휴지부【十六分休止符】[—뉵—] 명 〖악〗 십육분 쉼표.

십육-야【十六夜】[—뉵—] 명 음력 열엿샛 날 밤. 기망(旣望).

십육점박이-하늘소【十六點—】[—뉵—쏘] 명 〖충〗 [*Eutetrapha sedecimpunctata*] 하늘솟과에 속하는 곤충. 몸길이 14-18 mm 이고, 몸빛은 흑색에 온몸에는 회색을 띤 황갈색 털이 밀생함. 전배판(前背板)에는 네 개의 흑문(黑紋)이 있고 각 시초(翅鞘)에는 일곱 개의 흑문이 있음. 한국에도 분포함.

십육 정간보【十六井間譜】[—뉵—] 명 〖악〗 조선 세조(世祖) 때, 세종 대왕이 창안한 정간보(井間譜)의 32 간을 16 간으로 줄인 악보.

십육 지견【十六知見】[—뉵—] 명 〖불교〗 불교 이외의 인도의 여러 학파가 설득한 아(我)에 관한 설(說)을 열여섯 항목으로 정리한 것. 아(我)·중생(衆生)·수자(壽者)·명자(命者) 또는 지자(知者)·견자(見者) 등.

십육진-법【十六進法】[—뉵—뻡] 명 ①〖수〗 십진법이 10의 멱(冪)을 쓰는 것과 같이, 16의 멱에 의거한 기수법(記數法). ②십진법의 0에서 9까지의 숫자와, A, B, C, D, E, F로 표시되는 여섯 개의 지표(指標)를 사용한 16의 척도(尺度)의 표시법. 컴퓨터에 사용됨.

십육 회전 레코:드【十六回轉—】(record) [—뉵—] 명 1분 동안에 16⅔ 회전하는 12인치 레코드. 약 두 시간이나 연주할 수 있으나, 음질(音質)이 좋지 않은 것이 결점임.

십의【十義】[—/—이] 명 (《예기(禮記)》에 나오는 말) 인륜(人倫)의 지위에 따라 정해진 열 가지의 의리. 곧, 부(父)는 자(慈), 자(子)는 효(孝), 형은 양(良), 아우는 제(弟)(형을 잘 받듦), 부(夫)는 의(義), 부(婦)는 청(聽)(혼자 휘두르지 않음), 장(長)은 혜(惠), 유(幼)는 순(順), 군(君)은 인(仁), 신(臣)은 충(忠)이어야 하는 일.

십이-가사【十二歌詞】 명 〖문〗 가창 가사(歌唱歌詞) 중 12편을 가리키는 말. 곧, 《백구사(白鷗詞)》·《죽지사(竹枝詞)》·《어부사(漁父詞)》·《행군악(行軍樂)》·《황계사(黃鷄詞)》·《춘면곡(春眠曲)》·《상사별곡(相思別曲)》·《권주가(勸酒歌)》·《처사가(處士歌)》·《양양가(襄陽歌)》·《수양산가(首陽山歌)》·《매화 타령(梅花打令)》. 작자 미상. 다만 《어부사》만은 이현보(李賢輔) 작.

십이-객【十二客】 명 ↗명화 십이객(名花十二客).

십이 견통【十二牽通】 명 〖불교〗 십이 인연(十二因緣).

십이 경락【十二經絡】[—낙] 명 〖한의〗 침구학(鍼灸學)에 있어서의 수족의 열두 갈래의 경락. 수태음 폐경(手太陰肺經)·족태음 비경(足太陰脾經)·수양명 대장경(手陽明大腸經)·족양명 위경(足陽明胃經)·수소음 심경(手少陰心經)·족소음 신경(足少陰腎經)·수태양 소장경(手太陽小腸經)·족태양 방광경(足太陽膀胱經)·수궐음 심포경(手厥陰心包經)·족궐음 간경(足厥陰肝經)·수소양 삼초경(手少陽三焦經)·족소양 담경(足少陽膽經). 십이 정경(十二正經).

십이공-도【十二公徒】 명 〖역〗 십이도.

십이-광【十二光】 명 〖불교〗 아미타불(阿彌陀佛)의 광명의 열두 가지 공덕(功德). 곧, 무량광(無量光)·무변광(無邊光)·무애광(無碍光)·무대광(無對光)·염왕광(燄王光)·청정광(淸淨光)·환희광(歡喜光)·지혜광(智慧光)·부단광(不斷光)·난사광(難思光)·무칭광(無稱光)·초일월광(超日月光).

십이광-불【十二光佛】 명 〖불교〗 십이광(十二光)의 공덕(功德)이 있는 아미타불(阿彌陀佛)의 덕호(德號). 곧, 십이광의 각각 아래에 불자(佛字)를 붙인 명호(名號).

십이-국【十二國】 명 〖역〗 ↗오대 십이국(五代十二國).

십이-궁【十二宮】 명 ①〖천〗 황도 십이궁(黃道十二宮). ②〖민〗 사람의 생년(生年)·월(月)·일(日)·시(時)를 별자리에 배당한 것. 곧, 명궁(命宮)·형제궁(兄弟宮)·처첩궁(妻妾宮)·자궁(子宮)·재백궁(財帛宮)·질액궁(疾厄宮)·천이궁(遷移宮)·노복궁(奴僕宮)·관궁(官宮)·전택궁(田宅宮)·복덕궁(福德宮)·부모궁(父母宮). 또는 명궁·재백궁·형제궁·전택궁·남녀궁(男女宮)·노복궁·처첩궁·질액궁·천이궁·관록궁(官祿宮)·복덕궁·상모궁(相貌宮).

십이-기【十二忌】 명 동양화의 산수화법에 있어서 피하여야 할 열두 가지의 규칙. 중국 남송(南宋)의 요자연(饒自然)이 말한 것.

십이-단【十二端】 명 〖천주교〗 '주요 기도문'의 구용어.

십이 대:원【十二大願】 명 〖불교〗 십이 상원(十二上願).

십이-도【十二徒】 명 〖역〗 고려 때에 있었던 열두 사학(私學). 곧, 문헌공도(文憲公徒)·홍문공도(弘文公徒)·광헌공도(匡憲公徒)·남산도(南山徒)·서원도(西園徒)·문충공도(文忠公徒)·양신공도(良愼公徒)·정경공도(貞敬公徒)·충평공도(忠平公徒)·정헌공도(貞憲公徒)·서시랑도(徐侍郎徒)·구산도(龜山徒). 십이공도(十二公徒).

십이 동판법【十二銅板法】[—뻡] 명 (라 lex duodecim tabularum: 12장의 청동(靑銅)에 새겨져 공시(公示)된 데서 이 이름이 유래함) 〖역〗 기원전 451년 및 449년의 2회에 걸쳐 제정된 고대 로마의 기본법전. 기존(旣存)의 관습법을 확립하고 이에 다소의 개혁 규정을 가한 것으로 생각되는 바, 민사 소송법·사법(私法)·형법·제사법(祭祀法) 및 가족법·상속법 등 포괄적으로 집록(集錄)하고 있음. 최초의 성문법으로서 유명하며, 후세 법률의 기초가 되었음. 십이표법(十二表法).

십이-루【十二樓】 명 중국의 곤륜산(崑崙山)의 선인(仙人)의 거처에 있다는 열둘의 고루(高樓).

십이-목【十二牧】 명 〖역〗 고려 성종(成宗) 2년(983)에 둔 12 지방관. 곧, 황주(黃州)·해주(海州)·양주(楊州)·광주(廣州)·충주(忠州)·청주(淸州)·공주(公州)·전주(全州)·나주(羅州)·승주(昇州)·진주(晋州)·상주(尙州).

십이문-론【十二門論】[—논] 명 〖불교〗 삼론(三論)의 하나. 용수 보살(龍樹菩薩)이 지은 책. 일체 개공(一切皆空)의 종의(宗義)를 풂. 전 1 권.

십이미 지황탕【十二味地黃湯】 명 〖한의〗 사상 의학(四象醫學)의 소양인(少陽人) 체질의 이병증(裏病證)에서 나타나는 중풍(中風)·토혈(吐血)·음허 오열(陰虛午熱) 등의 증세를 치료할 목적으로 사용되는 처방.

십이 버꾸【十二—】 명 〖민〗 농악에서, 12 명의 버꾸잡이로 구성되는 경우의 맨 마지막 사람. 또, 그 버꾸.

십이부-경【十二部經】 명 〖불교〗 십이분경(十二分經).

십이-분【十二分】 부 적당한 정도를 넘는 모양. '십분(十分)'·'충분히'의 강조어. ¶ ~ 생각한 끝의 결단이오.

십이분-경【十二分經】 명 〖불교〗 모든 경전(經典)을 열둘로 나눈 일컬음. 곧, 수다라(脩多羅)·기야(祇夜)·가타(伽陀)·이타나(尼陀那)·이제왈다가(伊帝曰多伽)·사타가(闍陀迦)·아부타달마(阿浮陀達磨)·아파타나(阿波陀那)·우바제사(優婆提舍)·우타나(優陀那)·비불략(毘佛略)·화가라나(和伽羅那). 전자 셋은 경문(經文)의 형식에서, 후자 아홉은 경문의 내용에서 딴 명칭임. 십이부경(十二部經).

십이 사:도【十二使徒】 명 〖기독교〗 예수를 좇던 열두 사도. 열두 제자. ＊사도(使徒).

십이 사:화【十二士禍】 명 〖역〗 조선 단종 원년(1453)으로부터 경종 2년(1722)까지에 일어난 열두 사화. 곧, 계유 사화(癸酉士禍)·병자(丙子) 사화·무오(戊午) 사화·갑자(甲子) 사화·기묘(己卯) 사화·신사(辛巳) 사화·을사(乙巳) 사화·정미(丁未) 사화·기유(己酉) 사화·계축(癸丑) 사화·기사(己巳) 사화·신임(辛壬) 사화.

십이 상:원【十二上願】 명 〖불교〗 약사 여래(藥師如來)의 열두 서원(誓願). 곧, 광명 조요(光明照耀)의 원(願), 신여유리(身如瑠璃)의 원, 수용 무진(受用無盡)의 원, 대승 안립(大乘安立)의 원, 삼취 구족(三聚具足)의 원, 제근 구족(諸根具足)의 원, 중환 실제(衆患悉除)의 원, 전녀성남(轉女成男)의 원, 안립 정견(安立定見)의 원, 계박 해탈(繫縛解脫)의 원, 기근 안락(饑饉安樂)의 원, 의복 엄구(衣服嚴具)의 원. 십이 대원(十二大願).

십이 성좌【十二星座】 명 〖천〗 황대(黃帶)에 있는 열두 개의 별자리. ＊황도 십이궁(黃道十二宮).

십이-수【十二獸】 명 〖민〗 십이지(十二支)에 따른 열두 종류의 동물. 곧 쥐·소·범·토끼·용·뱀·말·양·원숭이·닭·개·돼지.

십이-승【十二升】 명 가는 실로 썩 곱게 짠 모시.

십이-시【十二時】명 하루를 열둘로 나누어 십이지(十二支)의 이름을 각각 붙이어 일컫는 열두 시.

십이-신【十二神】명〖민〗①열두 신장. ②구나(驅儺)할 때 쥐·소·호랑이·토끼·용·뱀·말·양·잔나비·닭·개·돼지의 형상의 탈을 쓴 나자(儺者)들.

십이 신장【十二神將】명〖민〗열두 신장.

십이 연기【十二緣起】명〖불교〗십이 인연(十二因緣).

십이 연문【十二緣門】명〖불교〗십이 인연(十二因緣).

십이 열국【十二列國】명〖역〗중국 춘추 전국 시대의 열두 나라. 곧, 노(魯)·위(衛)·진(晉)·정(鄭)·조(曹)·채(蔡)·연(燕)·제(齊)·진(陳)·송(宋)·초(楚)·진(秦).

십이-월【十二月】명 한 해의 열두째 달. *섣달.

십이월-가【十二月歌】명〖악〗조선 시대 때의 가사(歌詞). 남녀 간의 정(情)을 월별(月別)로 읊은 노래. 작자와 연대는 미상. 십이 월령가.

십이 월건【十二月建】명〖민〗십이지(十二支)를 일년 십이개월에 배당한 것의 총칭. 1월에는 인(寅)을, 그 다음부터는 순번에 따라, 2월은 묘(卯), 3월은 진(辰), 4월은 사(巳), 5월은 오(午), 6월은 미(未), 7월은 신(申), 8월은 유(酉), 9월은 술(戌), 10월은 해(亥), 11월은 자(子), 12월은 축(丑)을 짝지움. 단, 윤달이 있을 때는 차례를 위로 올림.

십이월-당【十二月黨】[一땅] 명〔러 Dekabrist〕〖역〗제정 러시아의 정치 결사(結社). 진보적인 장교·귀족 등으로 조직되어, 전제 정치와 농노제(農奴制)의 폐지를 목적으로, 1825년 12월 반란을 일으켰으나 실패하고 주모자들은 처형(處刑)되거나 유형(流刑)되었음. 데카브리스트.

십이 월령가【十二月令歌】명〖문〗십이월가.

십이 유:생【十二類生】명〖불교〗중생(衆生)의 열두 가지 종류. 곧, 난생(卵生)·태생(胎生)·습생(濕生)·화생(化生)·유색(有色)·무색(無色)·유상(有想)·무상(無想)·비유색(非有色)·비무색(非無色)·비유상(非有想)·비무상(非無想).

십이-율【十二律】명〖악〗동양 음계의 12음계로, 육률(六律)과 육려(六呂).

십이율-관【十二律管】명〖악〗악기의 하나. 오래 된 해죽(海竹)으로 만듦.

십이-음【十二音】명〖악〗한 옥타브 중에 있는 서로 다른 12개의 음. 곧, 반음계(半音階)를 구성하는 열두 음을 가리킴.

십이음 음계【十二音音階】명〖악〗반음 음계(半音音階).

십이음 음악【十二音音樂】명〔도 Dodekaphonie〕〖악〗조성적(調性的) 음악과 대치되는 개념으로서, 무조성(無調性)의 음악. 1924년 쇤베르크(Schönberg)가 확립한 작곡 양식. 한 옥타브 내의 12반음을 개방(開放)한 무조(無調)를 기초로 하여, 이에 다시 12음의 취급 방법을 철저히 이론화한 음악. *음렬.

십이음적 기법【十二音的技法】[一뻡] 명〔도 Zwölftontechnik〕〖악〗십이음 음악 특유의 기법(技法).

십이 인연【十二因緣】명〖불교〗과거에 지은 업(業)에 따라서 현재의 과보(果報)를 받으며 현재의 업(業)을 따라 미래의 고(苦)를 받는 열둘의 인연. 곧, 무명(無明)·행(行)·식(識)·명색(名色)·육근(六根)·촉(觸)·수(受)·애(愛)·취(取)·유(有)·생(生)·노사(老死). 십이지(十二支). 십이 견통(十二牽通). 십이 연문(十二緣門). 십이 연기(十二緣起).

십이-자【十二子】명〖민〗십이지(十二支)❶.

십이 잡가【十二雜歌】명〖악〗경기 잡가(京畿雜歌) 가운데 좌창(座唱)에 속하는 열두 가지 잡가. 곧, 유산가(遊山歌)·적벽가(赤壁歌)·제비가·소춘향가(小春香歌)·집장가(執杖歌)·형장가(刑杖歌)·평양가(平壤歌)·선유가(船遊歌)의 팔잡가(八雜歌)와, 달거리·십장가(十杖歌)·방물가(房物歌)·출인가(出引歌)의 잡잡가(雜雜歌)의 총칭. 긴잡가.

십이-장【十二章】명〖역〗고대 중국의 천자(天子)의 의복에 붙였던 일월(日月)·성신(星辰)·산(山)·용(龍) 등 열두 가지의 장식 무늬.

미분 종이 산 해 보 말 용 달 불 불 꿩 별

〈십이장〉

십이장-거리【十二帳一】명〖건〗열두 개로 된 부챗살 모양의 서까래.

십이 정:경【十二正經】명〖한의〗십이 경락(十二經絡).

십이 제국【十二諸國】명〖천주교〗이 세상에 있는 모든 나라.

십이 제:자【十二弟子】명〖기독교〗예수를 좇던 베드로 등의 열두 제자. 십이 사도(十二使徒). *사도(使徒).

십이-종【十二宗】명〖불교〗고려 후기에 있었던 불교 대소(大小) 종파의 총칭. 곧, 소승종(小乘宗)·계율종(戒律宗)·자은종(慈恩宗)·유가종(瑜伽宗)·신인종(神印宗)·지념종(持念宗)·분황종(芬皇宗)·화엄종(華嚴宗)·천태종(天台宗)·소자종(疏字宗)·법사종(法事宗)·조계종(曹溪宗).

십이-지【十二支】명 ①〖민〗열두 개의 지지(地支)의 총칭. 자(子)·축(丑)·인(寅)·묘(卯)·진(辰)·사(巳)·오(午)·미(未)·신(申)·유(酉)·술(戌)·해(亥). 십이자(十二子). 십이진(十二辰). ②〖불교〗십이 인연.

십이지-도【十二支圖】명 십이지의 열두 가지 동물을 그린 민화(民畫)의 하나.

십이지-상【十二支像】명 십이지 신상.

십이지 생초【十二支生肖】명 십이지 신상(神像).

십이지-석【十二支石】명〖건〗십이지신(十二支神)의 상(像)을 새긴 돌.

십이지 신상【十二支神像】명 십이지를 12종의 동물로 상징하여 각각 방향과 시간을 맡아 지키고 보호하는 수면 인신상(獸面人身像). 대략 같은 모양의 관복(官服)을 입고 머리만 각각 동물 모양을 하고 있음. 능묘(陵墓)의 호석(護石)에 조각하거나 현실(玄室) 내부에 벽화로 그려 분묘를 지키는 수호신의 구실을 함. 십이지상(像). 십이지 생초(生肖).

십이지-장【十二指腸】명〖생〗소장(小腸)의 일부로서, 위(胃)의 유문(幽門)에 접하며 소장(小腸)이 시작되는 부분. 12개의 손가락 너비를 합친 길이만 하다 하여 이름지어졌으나 실제의 길이는 25-30 cm인데, 전체로서는 'C'자 형으로 만곡되어 철측(凸側)은 오른쪽으로 향하고, 요측(凹側)은 왼쪽으로 향하여 췌장(膵臟)의 두부(頭部)를 둘러싸고 있음. 수담관(輸膽管)과 췌관(膵管)이 개구(開口)하여 소화 작용에 필요한 담즙(膽汁) 및 췌액(膵液)이 주입됨. 샘창자.

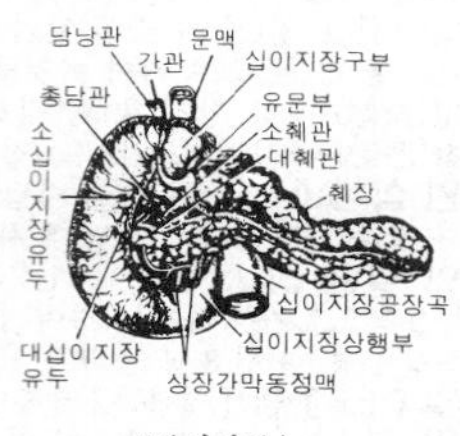

〈십이지장〉

십이지장 궤:양【十二指腸潰瘍】명〖의〗십이지장, 특히 그 위쪽 수평부의 유문(幽門)에 근접한 부분에 일어나는 궤양. 흔히, 주기적으로 일어나며, 증상은 식후 3-4시간이 지난 공복시(空腹時) 또는 밤중에 일어나는 윗배의 동통(疼痛)·가슴 쓰림·혈변(血便) 등임.

십이지장-선【十二指腸腺】명〖생〗십이지장의 점막(粘膜) 아래에 있는 조직에 많이 모여 있는 소화(消化)샘. 선체(腺體)의 일부는 점막 고유층(固有層)에 있음. 십이지장의 전부에 걸쳐 있는 것이 아니고 하반부(下半部)는 적으며 하단부는 거의 없음. 점막을 통하여 십이지장의 내면에 분비물을 냄.

십이지장 소식자【十二指腸消息子】명 십이지장 존데(十二指腸 Sonde).

십이지장 소식자법【十二指腸消息子法】[一뻡] 명〖의〗십이지장 존데를 입으로부터 식도·위·십이지장까지 넣어서 십이지장액(液)을 채취(採取)하는 방법. 간장(肝臟)·담도(膽道)·담낭(膽囊) 및 췌장(膵臟) 질환의 진단과 치료에 쓰임.

십이지장-염【十二指腸炎】[一념] 명〖의〗십이지장에 발생하는 염증. 위염에 뒤따라 발생하거나 다른 장염과 합병하여 발생하므로 단독 진단이 곤란함. 원인은 소화성(消化性)인 것, 자극성(刺戟性)인 것, 인접 장기의 염증으로 인한 것, 신경성(神經性)인 것 등이 있음.

십이지장 존데【十二指腸一】〔Sonde〕명〖의〗길이 약 1.5미터, 지름 5밀리미터의 가는 고무관의 앞 끝에 작은 구멍이 있는 금속성 통을 장치한 것. 십이지장액의 채취 또는 담석(膽石)·담낭염(膽囊炎) 등의 치료에 쓰임. 십이지장 소식자. *십이지장 소식자법.

십이지장-충【十二指腸蟲】명〖동〗[*Ancylostoma duodenale*]〔처음에 십이지장에서 발견되었으므로 이렇게 이름지었음〕선충류(線蟲類)에 속하는 기생충의 하나. 몸은 젖빛이며 약간 만곡되고, 몸길이는 암컷은 9-12 mm, 수컷은 7-10 mm임. 수컷은 꼬리 끝이 좌우로 퍼졌고 암컷은 뾰족함. 두 개의 갈고리 모양의 이빨로 장벽(腸壁)에 들러 붙어 점막(粘膜)을 통하여 피를 빨아 먹음. 알은 길이 60μ 가량의 타원형이고 똥과 함께 숙주(宿主)의 몸 밖에 나와 부화하여, 물 속 또는 습지에서 자라 채소·물과 함께 사람의 입이나 피부를 통하여 들어가서 혈관·림프관·간장·폐(肺)·심장·기관·후두·인두·식도·위를 거쳐 소장 특히 십이지장에서 성충이 되어 기생함. 채독벌레.

♂ 알 ♀

〈십이지장충〉

십이지장충-병【十二指腸蟲病】[一뼝] 명〔Ankylostomiasis〕〖의〗십이지장충이 소장(小腸)에 기생함으로써 일어나는 질병. 흡혈(吸血) 및 충체(蟲體)에서 분비하는 독물(毒物)의 중독(中毒)에 의한 것으로 보기도 하는데, 주된 증세는 빈혈(貧血)·식욕 부진·만복감(滿腹感)·이식증(異食症) 등이며 몸이 부어오르기도 함. 흔히, 인분을 준 채소를 생식하거나 인분이 몸에 닿아서 감염되는데, 민간에서는 보통 '채독(菜毒)'이라 함.

십이-진【十二辰】명 십이지(十二支)❶.

십이진-법【十二進法】[一뻡] 명〖수〗12를 기수(基數)로 쓰는 실수(實數)의 기수법(記數法).

십이집-산【十二輯山】명〖지〗평안 북도 강계군(江界郡) 종서면(從西面)과 곡하면(曲河面) 사이에 있는 산. [1,047 m]

십이-차[1]【十二次】명〖민〗열두거리❷.

십이-차[2]【十二次】명〖천〗예로부터 동양에서 적도를 따라 하늘을 30°로 구분한 12구역. 12차의 이름은 하늘을 서에서 동으로 세어 나가는데 붙인 것으로, 수성(壽星)·대화(大火)·석목(析木)·성기(星紀)·현효(玄枵)·취자(娵訾)·강루(降婁)·대량(大梁)·실침(實沈)·순수(鶉首)·순화(鶉火)·순미(鶉尾)의 차례임.

십이-처【十二處】명〖불교〗마음의 작용이 일게 하는 근거처(根據處)로서, 마음을 기르고 키우는 육근(六根)과 육경(六境).

십이-천【十二天】명〖불교〗인간을 수호(守護)하는 열두 신(神). 사방(四方)·사유(四維)의 팔천(八天)에 상·하의 2천(天) 및 일(日)·월(月)의 2천(天)을 더한 것. 곧, 동(東)에 제석천(帝釋天), 동남(東南)에 화천(火天), 남(南)에 염마천(焰摩天), 서남(西南)에 나찰천(羅刹天), 서(西)에 수천(水天), 서북(西北)에 풍천(風天), 북(北)에 비사문천(毘沙門天), 동북(東北)에 대자재천(大自在天), 상(上)에 범천(梵天), 하(下)에 지천(地天), 그리고 일천(日天)·월천(月天).

십이천-공【十二天供】명〖불교〗밀교(密敎)에서 단(壇)의 한 가운데에 팔 넷의 부동존(不動尊)을 안치(安置)하고 그 주위에 십이천(十二天)을 배치하여 행하는 수법(修法).

십이-초【十二抄】명〖역〗조선 시대에 승보시(陞補試)를 열두 번에 나누어 보이던 일. 음력 유월(六月)·칠월·동짓달·섣달은 빼고 나머지 여덟 달을 열두 번에 나누어 뵈었는데, 나중에는 시월에 한꺼번에 뵈었음.

십이표-법【十二表法】[—뻡] 명〖역〗십이 동판법(十二銅板法).

십익【十翼】명 공자(孔子)가 지었다고 전해지는 역경(易經) 가운데의 십전(十傳). 역(易)의 뜻을 알기 쉽게 설명한 책. 육십사 괘(六十四卦)의 본문을 경(經)으로 하여 이것을 보익(補翼)한다는 뜻. 상하(上下)의 단전(彖傳)·상하 상전(象傳)·상하 계사전(繫辭傳)·문언전(文言傳)·서괘전(序卦傳)·설괘전(說卦傳)·잡괘전(雜卦傳)의 10편임. *주역(周易).

십인 십색【十人十色】명 사람이 좋아하는 것이나 생각하는 바가 저마다 달라 가지각색이란 말. ¶ 사람의 얼굴은 ~이다.

십인 일단【十人一團】[—딴] 명〖원불교〗교도의 훈련 및 교단 통치를 능률적으로 수행하기 위하여 만든 조직체. 통솔자인 단장 1명, 그 밑에 중앙 1명, 단원 8명 등 모두 10명으로 구성되어 있음. 교화단(敎化團).

십일【十日】명 ①열흘. ②열흘날.

십일-경【十一經】명 중국의 열한 가지 경서(經書). 주역(周易)·서경(書經)·시경(詩經)·주례(周禮)·의례(儀禮)·예기(禮記)·춘추 삼전(春秋三傳)·효경(孝經)·이아(爾雅)의 총칭. *십삼경(十三經).

십일-기【十一技】명〖역〗조선 시대에 무과(武科) 시험에서 실시하던 무예(武藝) 과목. 초기에는 목전(木箭)·철전(鐵箭)·편전(片箭)·기사(騎射)·기창(騎槍)·격구(擊毬)의 여섯 과목이었으나, 후에는 과녁·유엽전(柳葉箭)·조총(鳥銃)·편추(鞭芻)·강서(講書)를 첨가하여 11과목이 되었음.

십일면 관세음【十一面觀世音】명〖불교〗칠관음(七觀音)이나, 육관음(六觀音)의 하나. 본체(本體) 외에 머리 위에 조그마한 얼굴 열한 개가 있어 자비(慈悲)·분노(忿怒)·대소(大笑) 등 가지가지의 상(相)을 하고 팔이 넷 있는 것, 둘 있는 것들이 있음. 특히, 아수라도(阿修羅道)를 구제(救濟)한다고 함. 경주(慶州) 석굴암(石窟庵)의 석불(石佛) 뒤에 이 관음의 상이 있음.

〈십일면 관세음〉

십일면 관세음법【十一面觀世音法】[—뻡] 명〖불교〗밀교(密敎)에서 십일면 관세음(十一面觀世音)을 본존(本尊)으로 하고 제병(除病)·제난(除難)·식재(息災)를 비는 수법(修法).

십일면 진언【十一面眞言】명〖불교〗진언 밀교(密敎)에서 십일면 관세음에 빌 때의 주문(呪文).

십일-세【十一稅】[—쎄] 명 십일조(十一租)❶.

십일-월【十一月】명 한 해의 열한째 달. *동짓달.

십일월 혁명【十一月革命】명〖역〗①시월 혁명(十月革命). ②제1차 세계 대전의 말기, 1918년 11월에 독일에서 일어난 혁명. 독립 사회 민주당(獨立社會民主黨)과 스파르타쿠스단(團)이 공화제(共和制)와 노동자 정부를 목표로 활동, 이어 다수파(多數派) 사회 민주당이 참가하여 공화제가 실시됨. 후에 다수파 사회 민주당은 반동화(反動化)하여 혁명 세력을 탄압하였음.

십일-제【十一除】[—쩨] 명 ①열에서 하나를 덜어 냄. ②〖역〗장색(匠色)이 일터에서 소용되는 물건을 주문하면, 그 물건을 파는 상인이 받은 물건 값에서 십분지 일을 심부름 온 사람에게 주는 일. 십일조(十一條)❶. ——하다 자여불

십일-조[1]【十一租】[—쪼] 명 ①〔tithes〕〖역〗중세 유럽의 교회가 교구민에게서 징수(徵收)한 세(稅). 토지 생산물·가축·수공업 생산물·광산물·소금 같은 것을 과세 대상(課稅對象)으로 하는데, 그 십분의 일의 비율로 부과함. 종교 개혁 후 폐지되었음. 십일세(十一稅). 십분의 일세. ②〖기독교〗십일조(十一條)❷.

십일-조[2]【十一條】[—쪼] 명 ①〖역〗십일제(十一除)❷. ②〖기독교〗교인들이 자기 수입의 10분의 1을 헌납함을 일컬음. 십일조(十一租).

십일-종【十一宗】[—쫑] 명〖불교〗고려 말 조선 초기에 있었던 불교 종파의 총칭. 곧, 조계종(曹溪宗)·총지종(摠持宗)·천태 소자종(天台疏字宗)·법사종(法事宗)·화엄종(華嚴宗)·도문종(道門宗)·자은종(慈恩宗)·중도종(中道宗)·신인종(神印宗)·남산종(南山宗)·시흥종(始興宗).

십일지-국【十日之菊】[—찌—] 명 국화의 명절인 구월 구일 다음 날인 십일 날의 국화는 벌써 때가 늦은 것이라는 뜻으로, 어떤 것이나 이미 때가 늦은 것을 말함.

십일 폭동 사:건【十一暴動事件】[—껀] 명〖역〗1946년 10월 1일 조선 공산당의 지령으로 대구(大邱) 지방에서 발생한 폭동 사건. 미군정(美軍政) 당국은 조선 공산당의 테러·파괴 활동을 막기 위해 동년 9월 7일 당수 박헌영(朴憲永) 및 간부인 이강국(李康國)·이주하(李舟河) 등에 대한 체포령을 내렸는데, 박헌영과 이강국은 월북하고 이주하만이 체포되었음. 공산당은 이에 대한 반발로 철도 등의 파업을 지령, 이날 대구 지방에서 폭도들이 관공서 습격·양민 학살·폭행·파괴를 자행했음. 사망자 민간인 43명, 경찰관 44명, 검거 인원 5,710명.

십자【十字】명 십(十)의 자형(字形).

십자-가[1]【十字架】명〔cross〕①옛날에 서양에서 죽일 죄인을 달아 놓고 못을 박아 죽이던 '十'자 모양의 형구. ②〖기독교〗기독교도가 위하는 '十'자형의 표. 예수가 못 박히어 죽은 기념이며, 존경·명예·희생·속죄·고난의 표상(表象)으로서, 예배의 대상, 그 밖에 장식으로도 많이 쓰임.

십자가를 지다 구 씻을 수 없는 큰 죄나 고난을 떠맡다.

십자-가[2]【十字街】명 십자 가두. 「로. 십자가(十字街).

십자 가:두【十字街頭】명 '十'자 모양으로 교차하는 거리. 네거리. 십자

십자가 사:건【十字架事件】[—껀] 명〖역〗1919년 3·1 운동 때 일본 경찰이 기독교인을 붙잡아 십자가에 결박(結縛)하고 잔인하게 고문한 사건.

십자가상 제:사【十字架上祭祀】명〖천주교〗예수가 십자가에서 자신을 희생함으로써 하느님께 바쳐진 제사.

십자가의 길【十字架—】[—/—에—] 명〖천주교〗예수가 사형 선고를 받아 십자가를 메고 골고다까지 가서 십자가에 못박혀 죽을 때까지의 열네 장면을 상기(想起)하며 드리는 행진(行進) 기도. 구용어:성로 선공. 「형벌.

십자가-형【十字架刑】명〖천주교〗죄인을 십자가에 못박아 죽이던 옛

십자-각【十字閣】명〖역〗서울 경복궁(景福宮)의 정문인 광화문(光化門)의 동서 양쪽에 있던 망루(望樓). 지금은 동쪽의 동십자각(東十字閣)만 남아 있음.

십자 고상【十字苦像】명〖천주교〗십자가에 못 박힌 그리스도의 수난(受難)을 묘사한 그림이나 조각상(彫刻像). 고상(苦像).

십자-공【十字孔】명〖악〗지(篪)와 적(篴)의 아래 끝 마디에 뚫은 '十'자 모양의 구멍.

십자-군【十字軍】명 ①〔Crusades〕〖역〗〔종군자(從軍者)가 십자의 기장(記章)을 단 데서 유래〕중세 서구(西歐) 제국의 기독교도가 회교도를 정벌하기 위해 일으킨 전쟁. 11세기 말(1096)부터 13세기 말(1291)에 이르기까지 전후 7회에 걸쳐 약 700만을 동원하여 거행한 원정(遠征)으로, 중세 최대의 영향을 아구(亞歐) 여러 나라에 끼쳤음. 그 목적은 성지(聖地) 팔레스티나, 특히 예수의 묘가 있는 예루살렘을 회교도의 손에서 빼앗아 기독교도의 영토로 삼아 순례자의 편리를 꾀하려는 데 있었으나, 또 다른 면으로는 경제적 이해 관계 및 이(異)민족 간의 분쟁 충돌로서, 전후 200년간에 200만 명 이상의 인명(人命)을 잃고 끝내 그 목적을 달성할 수 없었으나, 동방과의 교섭의 결과, 교통·무역이 발달하고 자유 도시의 발생을 촉진하였으며, 또 동방의 비잔틴 문화·회교 문화가 유럽인의 견문에 자극을 주어, 근세 문명의 발달에 공헌한 바가 많았음. ②전하여, 어떤 이상(理想)이나 신념에 의거한 집단적인 전투 행위. ¶ 평화의 ~. 「치장하는 무늬.

십자-금【十字錦】명〖건〗금문(錦紋)의 한 가지. 벽이나 천장 같은 데에

십자-길【十字—】명 네거리.

십자-꼴【十字—】명 십자형(十字形).

십자-꽃【十字—】명〖식〗십자형 꽃부리를 이룬 꽃. 배추·무 따위.

십자-꽃부리【十字—】명〖식〗↗십자형 꽃부리. ㄴ십자화(十字花).

십자 나사돌리개【十字螺絲—】명 십자 나사못을 돌려 박거나 틀어 빼는 데 쓰는 연장. 십자 드라이버.

십자 대:생【十字對生】명〖식〗대생(對生)하는 식물의 한 쌍의 잎과 다음 마디의 한 쌍의 잎이 위에서 보면 직각(直角)을 이루는 일. 자양화(紫陽花)·고추나물에서 볼 수 있음.

십자 도:립【十字倒立】명 십자 물구나무서기.

십자 드라이버【十字—】〔driver〕명 십자 나사돌리개.

십자-로【十字路】명 십자 모양으로 교차(交叉)한 도로. '十'자로 갈라진 길. 십자가(街).

십자 말:풀이【十字—】명 크로스 워드 퍼즐.

십자-맞춤【十字—】명〖건〗두 개의 재목을 '十'자 걸이로 하는 일.

〈십자맞춤〉

십-자매【十姉妹】명〖조〗[*Lonchura striata* var. *domestica*] 참새목에 속하는 작은 새의 하나. 참새와 비슷한데 몸길이 12cm, 날개 길이 5cm 가량임. 몸빛은 백색이나 보통 상면(上面)은 암갈색에 우축(羽軸)은 담색이며 하면(下面)의 복부와 꼬리는 백색인데, 가슴에는 갈색 띠가 있고 홍채(虹彩)는 적색임. 부리는 굵고 꽁지는 비교적 짧음. 한 배에 서너 개의 담백색 알을 낳고 포란 육추(抱卵育雛)를 잘 하며 봄·가을에 쉽게 번식하고 피·조·배추·냉이 등을 사료(飼料)로 함. 원종(原種)은 인도·말레이 반도·수마트라·대만·중국 남부에 나며 각국에서 그 개량종을 농조(籠鳥)로서 사육함.

〈십자매〉

십자 매달리기【十字—】명 체조에서, 링(ring) 종목 중의 기술의 한 가지. 팔을 세운 자세에서 팔을 옆으로 벌리면서 천천히 몸을 내리어 몸과 팔이 십자형이 되었을 때 정지하는 운동. 십자 현수(懸垂).

십자-목【十字木】명 물방아 굴대에 십자형(十字形)으로 박아서 굴대가 돌아가는 대로 방앗공이를 올리는 나무.

십자-못【十字—】명 머리에 '十'자 꼴의 홈이 파인 나사.

십자무늬-긴노린재【十字—】[—니—] 명〖충〗[*Lygaeus cruciger*] 긴노린잿과의 곤충. 몸길이 9-10mm이고 몸빛은 흑색에 홍색(紅色)의 반문(斑紋)이 있으며 짧은 황색 털이 덮여 있음. 전흉배(前胸背)의 주위와 정중선(正中線) 및 혁질부(革質部)의 주연(周緣)은 홍색이며, 정지하였을 때는 X자로 됨. 한국에도 분포함.

십자 물구나무서기【十字—】명 체조에서, 링(ring) 종목 중의 기술의 한 가지. 물구나무서기를 한 채 팔을 벌리면서 점차 몸을 내리어 팔을 수평선에서 멈추고, 몸과 팔이 십자형이 된 물구나무서기. 십자 도립(倒立).

십자-석【十字石】명〔staurolite〕〖광〗사방 정계(斜方晶系)에 속하는 기둥 모양의 결정으로 파리(玻璃) 또는 수지(樹脂) 광택을 갖는 적갈색·흑갈색의 불투명한 광물. 십자 모양의 투입 쌍정(透入雙晶)을 이룰 때가 있음. 화학 성분은 철·반토(礬土)·고토(苦土)와 같은 규산염(珪酸塩)에 물을 함유함. 취관(吹管)으로 불어도 녹지 않으나, 망간을 갖는 것에는 녹아서, 검은 자성(磁性)을 띤 유리가 됨. 운모 편암(雲母片岩) 같은 결정 편암 속에서 발견되며, 석류석(石榴石)·규록석(珪綠石)·남정석(藍晶石)과 함께 존재함.

십자 성:호【十字聖號】명〖천주교〗성삼위(聖三位)와 구속(救贖)의 두 도리를 표현하는 십자의 성호.

십자-수【十字繡】명 실을 십자형으로 엇갈리게 놓는 수. 크로스 스티치(cross-stitch).

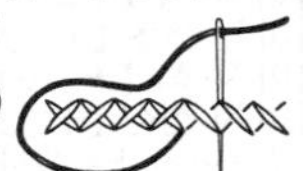

〈십자수〉

십자 쌍축 이음【十字雙一】 명 〖건〗 X자 모양으로 어긋매껴 내민 두 개의 축으로 잇는 방법의 하나.

십자 썰:기【十字一】 명 채소를 써는 방법의 하나. 감자·왜무 따위를 세로 십자(十字)로 썰고 다시 가로 써는 것으로, 감자 조림·찌개 등에 쓰임. *얄팍썰기·어슷썰기.

십자 유전【十字遺傳】 명 〖생〗 잡종(雜種) 제1대(代) 암컷에는 아비의 형질(形質)이 수컷에는 어미의 형질이 나타나는 유전 양식.

십자 조르기【十字一】 명 유도에서, 상대방과 마주 보는 위치에서 두 손으로 상대방의 두 옷깃을 잡아 두 팔을 엇걸어 십자형이 되게 하여, 목을 조르는 기술.

〈십자 쌍축 이음〉

십자-좌【十字座】 명 〖천〗 남십자(南十字) 자리.

십자-집【十字一】 명 〖건〗 지붕의 종마루가 십자로 된 집.

십자 포화【十字砲火】 명 십자화(十字火).

십자-표【十字表】 명 가로나 세로로 읽어도 다 말이 되는 그림표.

십자해파리-목【十字一目】 명 〖동〗 [Stauromedusae] 해파리강(綱)의 한 목(目). 이에 속하는 해파리는 우산대 같은 부분으로 거꾸로 붙어서, 죽을 때까지 고착 생활을 함. 해파리꼴뿐이고 폴립형(polyp 型)은 없음.

십자 행진【十字行進】 명 행진 운동의 한 가지. 십자형으로 행진함.

십자 현수【十字懸垂】 명 십자 매달리기.

십자-형【十字形】 명 한문 글자의 열십자꼴. 곧, '十'의 형상. 「준십자꽃부리.

십자형-꽃부리【十字形一】 명 〖식〗 십자형 화관(花冠).

십자형 화관【十字形花冠】 명 〖식〗 이판 화관(離瓣花冠)의 한 가지. 갈라져 난 넉 장의 화판(花瓣)이 십자형(十字形)을 이룸. 배추·무·냉이·평지 꽃 따위. 십자형꽃부리. 준십자 화관(十字花冠).

〈십자형 화관〉

십자-화[1]【十字火】 명 전후(前後) 좌우(左右)에서 놓는 포화(砲火). 서로 교차(交叉)하며 어지럽게 나는 총포화. 십자 포화(十字砲火).

십자-화[2]【十字花】 명 〖식〗 십자꽃.

십자 화관【十字花冠】 명 〖식〗 ↗십자형 화관(十字形花冠).

십장【什長】 명 ①인부(人夫)를 직접 감독·지시하는 두목. ②〖역〗 병졸 열 사람 가운데의 두목.
[십장 십년 하면 호랑이도 안 먹는다] 십장 일이 어렵고 고되다는 말.

십장-가【十杖歌】 명 〖악〗 경기 십이 잡가(京畿十二雜歌)의 하나. 판소리 춘향가(春香歌) 속에서 춘향이 매를 맞는 장면을 딴 노래.

십장-거리【十帳一】 명 〖건〗 열 개의 서까래로 이루어진 선자연(扇子椽).

십-장생【十長生】 명 장생 불사를 상징(象徵)하는 열 가지의 물건. 곧, 해·산(山)·물·돌·구름·소나무·불로초(不老草)·거북·학(鶴)·사슴.

십장생-도【十長生圖】 명 십장생을 주제로 한 그림으로 민화(民畫)의 한 가지. 그림에 나타난 장생물(長生物)의 숫자가 유동적이어서 그냥 장생도라고도 함.

십장생-문【十長生文】 명 장생 불사(長生不死)하는 열 가지 사물을 나타낸 장식 무늬의 하나. 곧, 십장생을 한꺼번에 산수화풍(山水畫風)으로 도안화한 문양으로, 조선 시대의 복식(服飾)·가구·도자기·민화(民畫) 등에 즐겨 쓰였음.

십장생수 이:층롱【十長生繡二層籠】 [一농] 명 조선 시대 후기의 십장생 무늬를 수놓은 전(氈)을 붙여 만든 농. 중요 민속 자료 제 59 호.

십장-제【什長制】 명 항만의 하역 작업·건설 작업 등에서, 십장을 중심으로 노동력 동원 및 통제가 이루어지는 하도급(下都給) 형태의 고용 구조.

십-재일【十齋日】 명 〖불교〗 한 달 가운데 제천왕(諸天王)이 사천하(四天下)를 안행(按行)·관찰(觀察)한다는 열 날. 그 날에 배정(配定)된 불명을 염(念)하면 죄를 덜고 복을 받는다 함. 곧, 하룻날에는 정광불(定光佛), 여드렛날에는 약사불(藥師佛), 열나흗날에는 현겁 천불(賢劫千佛), 보름날에는 아미타불(阿彌陀佛), 열여드렛날에는 지장 보살(地藏菩薩), 스무사흗날에는 세지 보살(勢至菩薩), 스무나흗날에는 관세음보살(觀世音菩薩), 스무여드렛날에는 비로사나불(毘盧舍那佛), 스무아흐렛날에는 약왕 보살(藥王菩薩), 삼십일에는 석가모니불(釋迦牟尼佛)을 염(念)함.

십-재자【十才子】 명 중국 명(明)나라 때의 열 사람의 시선(詩仙). 홍무(洪武)·영락(永樂) 연간에는 임홍(林鴻)·정정(鄭定)·왕포(王褒)·당태(唐泰)·고병(高棅)·왕공(王恭)·진양(陳亮)·왕칭(王偁)·주원(周元)·황원(黃元). 홍치(弘治)·정덕(正德) 연간에는 이몽양(李夢陽)·하경명(何景明)·서정경(徐禎卿)·변공(邊貢)·주응등(朱應登)·고인(顧璘)·진기(陳沂)·정선부(鄭善夫)·강해(康海)·왕구사(王九思) 등의 일컬음.

십전【十全】 명 ①모두가 갖추어져 전혀 결점이 없음. 완전(完全). ②조금도 위험이 없음. 안전(安全). ——-하다 형여불

십전 구도【十顚九倒】 명 칠전 팔도(七顚八倒). ——-하다 자여불

십전 대:보탕【十全大補湯】 명 〖한의〗 원기를 돕는 약. 팔물탕(八物湯)에다 황기(黃芪)·육계(肉桂)를 더함. 준대보탕(大補湯).

십전 총서【十錢叢書】 명 〖책〗 1909 년, 서울 '신문관(新文館)'에서 발행한 한국 최초의 교양 문고본. 소형(B 6 판)에 값이 쌌음(10 전). 제 1 권 ≪썰늬버 유람기≫(54 면), 제 2 권 ≪산수 격몽 요결(刪修擊蒙要訣)≫의 2 권으로 그치고, 이 뒤를 육전 소설(六錢小說)이 이었음.

십정【十停】 명 〖역〗 신라 때의 열 정(停). 곧, 음리화정(音里火停)·고량부리정(古良夫里停)·거사물정(居斯勿停)·삼량화정(參良火停)·소삼정(召參停)·미다부리정(未多夫里停)·남천정(南川停)·골내근정(骨乃斤停)·벌력천정(伐力川停)·이화혜정(伊火兮停). 기록에 진흥왕(眞興王) 5년(544)에 설치했다고 되어 있으나, 거사물정·미다부리정과 같이 백제 고지(故地)에 둔 것이 있는 것으로 보아 전체적으로는 통일 후의 전국적 군관구(軍管區) 조직이라고 봄이 타당함.

십제【十劑】 명 〖한의〗 약의 효능을 10 종으로 분류한 학설. 곧, 선제(宣劑)·통제(通劑)·보제(補劑)·설제(泄劑)·경제(輕劑)·중제(重劑)·활제(滑劑)·삽제(澁劑)·조제(燥劑)·습제(濕劑).

십-제자【十弟子】 명 〖불교〗 십대 제자(十大弟子).

십-종【十宗】 명 〖불교〗 화엄종(華嚴宗)을 크게 이룬 현수(賢首)가 석존 일대의 교설(教說)을 10 종으로 나눈 것. 곧, 아법 구유종(我法俱有宗)·법유 아무종(法有我無宗)·법무 거래종(法無去來宗)·현통 가실종(現通假實宗)·속망 진실종(俗妄眞實宗)·제법 단명종(諸法但名宗)·일체 개공종(一切皆空宗)·진덕 불공종(眞德不空宗)·상상 구절종(相想俱絕宗)·원명 구덕종(圓明具德宗).

십종 경:기【十種競技】 명 육상(陸上) 경기 남자 종목의 하나. 첫날에는 100 m·400 m 달리기·멀리뛰기·포환던지기·높이뛰기, 둘쨋날에는 110 m 장애물달리기·원반던지기·장대높이뛰기·창던지기·1,500 m 달리기의 열 가지 경기로, 혼자서 이틀에 하여 총득점으로 승부를 가림. 올림픽 종목임. 데카슬론(decathlon).

십종-곡【十種曲】 명 〖책〗 중국 청(淸)의 이어(李漁)가 지은 희곡집(戲曲集)의 이름. 모두가 희극풍(喜劇風)임.

십종 기본 운형【十種基本雲形】 명 〖기상〗 국제적으로 정해진 운형(雲形)의 분류 중 가장 기본적인 '유(類)'로서 정해져 있는 열 가지. 국제명(國際名)·국제 기호가 정해져 있음. 구름의 모양을 막상(幕狀)과 단괴상(團塊狀)으로 대별하고, 다음 구름이 출현하는 높이와 운립(雲粒)이 수적(水滴)인지 빙정(氷晶)인지에 따라 다음의 열 가지로 분류한 것. 권운(卷雲 : 털구름) Ci, 권적운(卷積雲 : 털쎈구름) Cc, 권층운(卷層雲 : 털층구름) Cs, 고적운(高積雲 : 높쎈구름) Ac, 고층운(高層雲 : 높층구름) As, 난층운(亂層雲 : 비층구름) Ns, 층적운(層積雲 : 층쎈구름) Sc, 층운(層雲 : 층구름) St, 적운(積雲 : 쎈구름) Cu, 적란운(積亂雲 : 쎈비구름) Cb.

십종 자재【十種自在】 명 〖불교〗 보살이 중생을 제도할 때에 쓰는 열 가지 자재(自在)한 힘. 곧, 명(命)·심(心)·자구(資具)·업(業)·수생(受生)·해(解)·원(願)·신력(神力)·법(法)·지자재(智自在)를 이름.

십주【十住】 명 〖불교〗 보살이 수행하는 계위(階位)인 52위(位) 가운데, 제 11위에서 제 20위까지. 십신(十信)을 지나서 마음이 진제(眞諦)의 이치에 안주(安住)하는 지위에 이르는 계위. 곧, 발심주(發心住)·치지주(治地住)·수행주(修行住)·생귀주(生貴住)·방편구족주(方便具足住)·정심주(正心住)·불퇴주(不退住)·동진주(童眞住)·법왕자주(法王子住)·관정주(灌頂住). *십행(十行).

십주-희【十柱戲】 [一히] 명 볼링(bowling).

십죽재 화:보【十竹齋畫譜】 명 〖책〗 중국 명(明)나라 말기의 호정언(胡正言)의 목판(木版) 화보. 화보와 과보(果譜)·영모보(翎毛譜)·묵화보(墨花譜)·난보(蘭譜)·죽보(竹譜)·매보(梅譜)·석보(石譜)의 여덟 책으로 되었음. 난보 이외의 그림에는 제시(題詩)가 있으며, 난보와 죽보에는 초보적인 묘법(描法)의 도해(圖解)가 있음. 그림은 대개 색쇄(色刷)로 되었음. 십죽재는 호정언의 호(號).

십-중금계【十重禁戒】 명 〖불교〗 보살(菩薩)이 지니는 가장 무거운 열 가지 계율(戒律). 곧, 불살계(不殺戒:살생하지 말라)·불도계(不盜戒:도둑질하지 말라)·불음계(不淫戒:음행하지 말라)·불망어계(不妄語戒:거짓말하지 말라)·불고주계(不酤酒戒:술팔지 말라)·불설사중과계(不說四衆過戒: 사부 대중의 허물을 말하지 말라)·불자찬훼타계(不自讚毀他戒: 나를 칭찬하고 남을 비방하지 말라)·불간계(不慳戒: 아끼지 말라)·불진계(不瞋戒:성내지 말라)·불방삼보계(不謗三寶戒:삼보를 비방하지 말라). 십중대계(十重大戒). 준십계(十戒).

십-중대계【十重大戒】 명 〖불교〗 십중금계(十重禁戒).

십중 팔구【十中八九】 명 십상 팔구(十常八九).

십지[1]【十地】 명 〖불교〗 보살이 수행하는 계위(階位)인 52위(位) 가운데, 제41위(位)로부터 제50위(位)까지. 불지(佛智)를 생성(生成)하고 온갖 중생을 짊어지고 교화하여 이롭게 하는 지위에 이르는 계위임. *오십이위(五十二位).

십지[2]【十指】 명 열 손가락.

십지 부동【十指不動】 명 열 손가락을 꼼짝 아니한다는 뜻으로, 게을러서 아무 일도 하지 아니한다는 말. ——-하다 자여불

십진 감:쇠기【十進減衰器】 명 전압이나 전류를 십진법으로 감소시킬 수 있도록 배치한 감쇠기.

십진 계:수기【十進計數器】 명 10 개의 입력 펄스(入力 puls)가 들어갔을 때, 한 개의 출력(出力) 펄스를 만드는 계수 회로 기기.

십진급-수【十進級數】 명 〖수〗 십진법(十進法)으로써 여러 가지의 단위로 헤아린 수. *대수(大數)·소수(小數).

십진-법【十進法】 [一뻡] 명 〖수〗 1·2·3·4·5·6·7·8·9를 기수(基數)로 하고, 9에 1을 더한 것을 10으로 하여 순차(順次)로 10배마다 새로운 단위, 곧 백(百)·천(千)·만(萬)·십만·백만·천만·일억(億)·십억·백억·천억·일조(兆) 등을 붙이는 법. 1 이하는 분(分)·리(厘)·모(毛)·사(絲)·홀(忽) 등. 십승법(十乘法).

십진 분류법【十進分類法】 [一불一뻡] 명 도서(圖書) 분류법의 하나. 미국의 듀이(Dewey, Melvil)가 창시했음. 10개의 기초류(基礎類), 곧 0 총기(總記), 1 철학, 2 역사, 3 사회 과학, 4 자연 과학, 5 공업, 6 산업, 7 예술, 8 어학, 9 문학으로 나누어, 그 아래에 10개의 강(綱)·목(目)을 두고 모든 것을 아리비아 숫자로 표기함.

십진-수【十進數】 명 〖수〗 십진법으로 나타낸 수.

십철【十哲】 명 〔철(哲)은 지(智)의 뜻〕 공자(孔子) 문하(門下)의 열 사람의 고제(高弟). 곧, 안회(顏回)·민자건(閔子騫)·염백우(冉伯牛)·중

궁(仲弓)·재아(宰我)·자공(子貢)·염유(冉有)·자로(子路)·자유(子游)·자하(子夏).

십체-서【十體書】[명] 한자(漢字) 10 종의 서체(書體), 곧 고문(古文)·대전(大篆)·주문(籀文)·소전(小篆)·팔분(八分)·예서(隸書)·장초(章草)·행서(行書)·비백(飛白)·초서(草書)를 이름.

십초 룰:【十秒—】〔rule〕[명] ①농구에서, 프리 스로(free throw)하는 사람이 공을 받았을 때부터 10초 안에 던져야만 된다는 규칙. ②농구에서, 한 팀이 그 백 코트(back court)에서 공을 잡았을 때에, 10초 이내에 프론트 코트(front court)로 공을 가져가야만 된다는 규칙.

십촌【十寸】[명] 같은 오대조(五代祖)의 자손.

십칠-사【十七史】[—싸] [명]〖역〗중국 태고로부터 오대(五代)에 이르기까지의 열일곱 가지의 정사(正史). 곧, 사기(史記)·한서(漢書)·후한서(後漢書)·삼국지(三國志)·진서(晉書)·송서(宋書)·남제서(南齊書)·양서(梁書)·진서(陳書)·후위서(後魏書)·북제서(北齊書)·주서(周書)·수서(隋書)·남사(南史)·북사(北史)·신당서(新唐書)·신오대사(新五代史). 이들에 대하여 논한 청(淸)나라 왕명성(王鳴盛)의 저서 ≪십칠사 상각(十七史商搉)≫ 100 권이 있음. *십팔사.

십칠사찬 고:금 통요【十七史纂古今通要】[—싸—] [명]〖책〗조선 태종(太宗) 연간(1412년경)에 간행된 역사 평론서. 중국 원(元)나라의 호일계(胡一桂)가 찬(撰)한 동서(同書)를, 계미 동활자(癸未銅活字)를 사용하여 간행한 것으로 추정됨. 권지십육(卷之十六)·권지십칠(卷之十七) 각 1 책이 전함. 국보 제148호.

십칠-첩【十七帖】[명]〖책〗중국 동진(東晉)의 왕희지(王羲之)의 편지를 모아 한 권으로 만든 중국의 법첩(法帖). 왕희지의 초서(草書)의 대표작으로서 중요시되고 있음.

십턴〔Shipton, Eric〕[명]〖사람〗영국의 등산가(登山家). 1935년과 1951년에 에베레스트 원정대장을 지내고 등산로(登山路) 개척에 이바지함. 설인(雪人)의 발자국을 발견했다고 하여 화제를 던지기도 함.[1907–]

십팔개국 군축 위원회【十八個國軍縮委員會】[명]〖정〗1961년 유엔 총회의 결정으로 설치된 군축 교섭 기구. 1960년에 열렸던 동서 양진영 각 5개국으로 구성된 10개국 군축 위원회에 8개 중립국이 참가하여 1962년부터 제네바(Geneva)에서 핵실험 중지·전면 군축 등을 토의했으나 별로 성과를 거두지 못하였음. 뒤에 참가국이 늘어 군축 위원회 회의로 개칭함. *국제 연합 군축 위원회.

십팔 경계【十八境界】[명]〖불교〗육근(六根), 곧 안근(眼根)·이근(耳根)·비근(鼻根)·설근(舌根)·신근(身根)·의근(意根)과, 육식(六識), 곧 안식(眼識)·이식(耳識)·비식(鼻識)·설식(舌識)·신식(身識)·의식(意識)과, 육진(六塵), 곧 안진(眼塵)·이진(耳塵)·비진(鼻塵)·설진(舌塵)·신진(身塵)·의진(意塵)이 현출(現出)하는 경계. 십팔계(十八界).

십팔-계【十八界】[명]〖불교〗십팔 경계(十八境界).

십팔-공【十八公】[명]〔송(松)의 해자(解字) 풀이〕소나무의 별칭.

십팔-금【十八金】[명] 순금(純金)의 금분(金分)을 24라고 하는 데 대하여, 금분 18을 가진 금.

십팔-기【十八技】[명] 조선 영조 35년(1759)에 중국에서 소조(小朝)가 전한 열여덟 가지의 무예(武藝). 곧, 무예 육기(武藝六技)에 죽장창(竹長槍)·기창(旗槍)·예도(銳刀)·왜검(倭劍)·교전(交戰)·월도(月刀)·협도(挾刀)·쌍검(雙劍)·제독검(提督劍)·본국검(本國劍)·권법(拳法)·편곤(鞭棍)의 열두 가지 무예를 더한 것임. 십팔반 무예.

십팔 나한【十八羅漢】[—라—] [명]〖불교〗십육 나한에다 경우 존자(慶友尊者)·빈두로 존자(賓頭盧尊者)를 더하거나 가섭 존자(迦葉尊者)·군도발탄 존자(軍徒鉢歎尊者)를 더한 열여덟 나한.

십팔-물【十八物】[명]〖불교〗대승(大乘)의 비구(比丘)가 항상 신변에 갖추어야 할 열여덟 가지 도구. 곧, 삼의(三衣)(대의(大衣)·칠조(七條)·오조(五條))·발(鉢)·석장(錫杖)·불(佛)·보살상(菩薩像)·경(經)·율(律)·화수(火燧)·향로(香爐)·승상(繩牀)·좌구(坐具)·여수낭(濾水囊)·병·수건·양지(楊枝)·조두(澡豆)·칼·족집게.

십팔-반【十八般】[명] ①비기(祕技)의 전부. ②↗십팔반 무예.

십팔반 무:예【十八般武藝】[명] 십팔기(十八技). [준]십팔반.

십팔-번【十八番】[명]〔일본의 유명한 가부키 배우 집안에 전해 오던 18종의 인기 연출 목록에서 온 말임〕가장 자랑으로 여기는 것이나 일. 장기(長技). ¶ 그의 ~은 육자배기다.

십팔-사【十八史】[—싸] [명]〖책〗중국에서 십칠사(十七史)에 송사(宋史)를 더한 열여덟 가지의 사서(史書). *십구사(十九史).

십팔사-략【十八史略】[—싸—] [명]〖책〗십팔사를 요약해서 초학자용으로 편찬한 책. 중국 원(元)의 증선지(曾先之)가 지음. 원간본(元刊本)은 2권, 명(明)의 진은(陳殷)의 음석본(音釋本)은 7권.

십팔-천【十八天】[명]〖불교〗삼십삼 천(三十三天) 중에서 색계(色界)에 있는 열여덟 천(天). 곧, 범중천(梵衆天)·범보천(梵輔天)·대범천(大梵天)·소광천(少光天)·무량광천(無量光天)·광음천(光音天)·소정천(少淨天)·무량정천(無量淨天)·편정천(徧淨天)·복생천(福生天)·복수천(福受天)·광과천(廣果天)·무상천(無想天)·무번천(無煩天)·무열천(無熱天)·선견천(善見天)·선현천(善現天)·색구경천(色究竟天). *색계(色界).

십편-거리【十片—】[명] 열 뿌리가 열엿 냥쭝 한 근이 되는 인삼.

십편 십의【十便十宜】[—/—이] [명] 동양화의 화제(畫題)의 하나. 중국 청초(淸初)의 문인 이어(李漁)가 루산(廬山) 산의 기슭에 별장을 짓고 살면서, 산거(山居) 생활의 편의(便宜)에는 십편과 십이의(十二宜)가 있다는 것을 읊은 십편 십이의시(十二宜詩)를 소재로 하여 그린 것.

십품-금【十品金】[명] 불려서 가장 좋은 십성(十成)의 금. *엽자금.

십풍 오:우【十風五雨】[명] 열흘에 한 번 바람이 불고 닷새에 한 번 비가 온다는 뜻으로 순조로운 날씨를 이르는 말.

십-플레인〔shipplane〕[명] ①함재기(艦載機). ②수상(水上)에서 이착(離着)할 수 있는 장치를 가진 비행기. 비행정(飛行艇).

십한 일폭【十寒一曝】[명] 열흘 춥고 하루 햇볕이 쬔다는 뜻으로, 일이 중간에 끊임이 많음을 가리키는 말. 일폭 십한.

십행【十行】[명]〖불교〗대승 보살(大乘菩薩)의 수행 계위(修行階位). 52위(位) 중의 21위로부터 30위 까지로 열 가지임. *십회향(十廻向).

십행 구하【十行俱下】[명] 열 줄의 글을 한 번에 읽어 내려간다는 뜻으로, 책 읽는 속도가 빠름을 이르는 말.

십현-문【十玄門】[명]〖불교〗화엄종(華嚴宗)에서, 일체 만유(萬有)가 서로 융통 무애(融通無礙)함을 설(說)한, 유수 심현(幽邃深玄)한 법문(法門)을 열 가지로 해설(解說)한 것. 고십현(古十玄)·신십현(新十玄)의 두 가지 문(門)이 있음. 십현 연기(十玄緣起).

십현 연기【十玄緣起】[—년—] [명]〖불교〗①십현문(十玄門). ②↗십현 연기 무애 법문(十玄緣起無礙法門).

십현 연기 무애 법문【十玄緣起無礙法門】[—년—] [명]〖불교〗화엄종에서, 일체 만유(萬有)가 십현문(十玄門)의 상(相)을 갖추어 무애(無礙)함을 설(說)하고, 법계 연기(法界緣起)의 상태를 보이는 법문(法門). [준]십현 연기(十玄緣起).

십황화 사:인【十黃化四燐】[명]〔tetrapospherus〕〖화〗황화인❷.

십-회향【十廻向】[명]〖불교〗보살이 수행(修行)하여야 할 열 가지 회향. 52위(位) 중의 31위(位)부터 40위까지. *십지(十地).

싯: [수]〈방〉셋(충청·전라·경북·제주).

싯- [부] 빛깔이 짙고 선뜻함을 나타내는 말. ¶ ~누렇다/~누레지다. >샛-. *시-[1].

싯가싀다 [타]〈옛〉씻고 가시다. ¶ 믈쁘려 뿔며 싯가싀고≪家禮 Ⅸ:19≫.

싯고다 [자]〈옛〉떠들다. 지껄이다. ¶ 네 엇디 이리 간대로 싯고ᄂᆞ뇨(你怎麼這歪厮纏)≪老乞 上 44≫.

싯구다 [자]〈옛〉다투다. ¶ 너희들히 싯구디 말고(你兩家休爭)≪老乞 下 52≫.

싯귀【†詩句】[명] 시구(詩句).

싯근 [형]〈옛〉시끄러운. ¶ 헛글고 싯근 文書 다 주어 후리티고≪古時調 金光煜≫. *싯고다.

싯기다 [피동]〈옛〉씻기다. ¶ 溫水 冷水로 左右에 ᄂᆞ리와 九龍이 모다 싯기ᅀᆞᄫᆞ니≪月印 上 Ⅷ, 月釋 Ⅱ:34≫.

싯-까스르다 [타] ☞ 쓸까스르다.

싯-꺼매 [준] ☞ 시꺼메.

싯-꺼매지다 [자] ☞ 시꺼메지다.

싯-꺼멓다 [—머타] [형][ㅎ불] ☞ 시꺼멓다.

싯나모 [명]〈옛〉신나무. =싣나모. ¶ 구룸ᄀᆞ튼 빗돗기 싯나모 수픐 서리로다(雲帆楓樹林)≪重杜諺 Ⅱ:26≫.

싯낡 [명]〈옛〉신나무. =싣나모. ¶ 두 싯남기 네 ᄒᆞ마 것드럿도다(雙楓舊已摧)≪重杜諺 Ⅱ:24≫.

싯-누렇다 [—러타] [형][ㅎ불] 더 짙을 수 없이 누렇다. 아주 누렇다. >샛노랗다. *시누렇다.

싯-누레 [준] '싯누렇어'의 줄어 변한 말. ¶ ~서. >샛노래.

싯-누레지다 [자] 싯누렇게 되다. >샛노래지다.

싯다 [타]〈옛·방〉씻다(제주). ¶ 발 시스시고(洗足已)≪金剛 上 序 4≫.

싯다르타〔범 Siddhārtha Gantama〕[명]〖불교〗석가가 출가(出家)하기 전, 태자(太子)이던 때의 이름. 실달다(悉達多). 고타마 싯다르타.

싯-다운〔sit-down〕[명]〖사〗↗싯다운 스트라이크.

싯다운 스트라이크〔sit-down strike〕[명]〖사〗농성 파업(籠城罷業). 농성 투쟁. [준]싯다운.

싯닷기 [명]〈옛〉씻고 닦기. ¶ 싯닷기ᄅᆞᆯ 잘ᄒᆞ라(掠飭的好着)≪朴解 下 44≫.

싯돌 [명]〈방〉숫돌(함경).

싯-멀겋다 [—거타] [형][ㅎ불] 빛깔이 매우 멀겋다. >샛말갛다.

싯-멀게지다 [자] 싯멀겋게 되다. >샛말개지다.

싯-발【詩—】[명] 시를 지을 때 다는 운자(韻字).

싯발 달다 [구] ㉠한시(漢詩)를 배우는 어린아이가 겨우 압운(押韻)을 깨치게 되다. ㉡시(詩)를 지을 때 운자를 달다.

싯봇기다 [타]〈옛〉씻어 닦게 하다. ¶ 父母ㅣ 놀라 두려 싯봇겨 오솔 더니표려 ᄒᆞ더니(父母驚惶欲洗沐加衣裳)≪內訓 Ⅱ 下 70≫. *슷봇다.

싯빗기다 [타]〈옛〉씻고 빗기다. ¶ 每日에 싯빗겨 글게질 ᄒᆞ기ᄅᆞᆯ 乾乾淨淨히 ᄒᆞ고(每日洗刷鉋的乾乾淨淨地)≪朴解 上 20≫.

싯-뻘개 [준] ☞ 시뻘게.

싯-뻘개지다 [자] ☞ 시뻘게지다.

싯-뻘겋다 [—거타] [형][ㅎ불] ☞ 시뻘겋다.

싯-퍼래 [준] ☞ 시퍼레.

싯-퍼래지다 [자] ☞ 시퍼레지다.

싯-퍼렇다 [—러타] [형][ㅎ불] ☞ 시퍼렇다.

싯-푸르뎅뎅하다 [형][여불] ☞ 시푸르뎅뎅하다.

싯-허얘 [준] ☞ 시허예.

싯-허얘지다 [자] ☞ 시허예지다.

싯-허옇다 [—여타] [형][ㅎ불] ☞ 시허옇다.

싱[1] [명]〈방〉형(兄)(경상).

싱:[2] [명]〈방〉여승(女僧)(경기·강원).

싱[3]〔Synge, John Millington〕[명]〖사람〗아일랜드의 극작가. 높은 기교를 구사한 작품으로 아일랜드 신극 운동의 지도적인 지위를 차지함. 대표작 ≪골짜기의 그늘≫·≪성자(聖者)의 샘≫ 등은 신비적·환상적인 아일랜드 문학의 특색을 가장 잘 나타냄. [1871–1909]

싱[4]〔Synge, Richard Laurence Millington〕[명]〖사람〗영국의 화학자. 페이퍼 크로마토그래피(paper chromatography) 등의 우수한 아미노산 미량 분석법(微量分析法)을 확립하고, 항균성 물질 그라미시딘

(gramicidin)의 아미노산 배열을 결정했음. 1952년 공동 연구자인 마틴(Martin)과 함께 노벨 화학상을 수상함. [1914-]

싱가포:르 [Singapore] [명] 『지』 ①동남 아시아 말레이 반도의 남단(南端)에 있는 섬. 거의 적도(赤道) 바로 밑에 있어 기후는 열대 해양성임. [543 km²] ②싱가포르 섬 및 그 부근의 크리스마스 섬, 코코스 군도(Cocos 群島) 등으로 구성된 공화국. 1819년 이래 영국령이었으나, 1959년 영연방내(英聯邦內)의 자치국, 1963년 말레이시아 연방의 한 주(州)가 되었다가 인종적·경제적 대립 때문에 1965년 분리 독립함. 기후는 열대 해양성으로 계절 변화가 적음. 공용어는 말레이어(語)·중국어·타밀어(Tamil 語)·영어. 원수는 대통령, 국회는 단원제임. 정식 명칭은 '싱가포르 공화국(Republic of Singapore)'. [618 km² : 2,760,000 명(1991)] ③싱가포르 섬 남동부에 있는 항구 도시로, 싱가포르 공화국의 수도. 태평양과 인도양의 중계 요점(仲繼要點). 군사·교통 상의 요지일 뿐만 아니라 상공업 특히 세계적인 중계 무역항으로서, 고무·주석 등을 수출하고 직물·식료·석유·티크재(材) 등을 수입·재수출함. 주민은 화교(華僑)가 4분의 3을 차지하며 경제의 실권을 쥐고 있음. 성항(星港). [80 km² : 2,674,000 명(1989 추계)]

싱가포:르 해협 【一海峽】 [명] [Singapore Strait] 『지』 말레이 반도 남단(南端), 싱가포르 섬과 인도네시아 소속의 링가 제도 사이의 해협. 서(西)는 말라카 해협, 동(東)은 남중국해를 연결하는 동서 해상 교통의 요지임. 길이 100 km, 평균 너비 16 km, 제일 좁은 곳 4 km.

싱각시 [명] 〈방〉 여승(女僧)(경북).

싱개 [명] 〈방〉 승교(乘轎). 가마(평안).

싱거웁다 [형] 〈방〉 싱겁다.

싱건-김치 [명] 김장할 때, 삼삼하게 담근 무 김치. 싱건지.

싱건-지 【一漬】 [명] 싱건김치.

싱검-쟁이 [명] 신건이.

싱검-초 [명] 〈방〉 승검초.

싱겁다 [형][ㅂ불] [중세 : 슴겁다] ①짠 맛이 제 정도에 차지 않게 얕다. ②술의 맛이 독하지 아니하다. ③말이나 하는 짓이 제 격에 어울리지 아니하고 멋적다. ¶ 키크고 싱겁지 않은 사람 없다. ④체격이 어울리지 아니하다. ¶ 키는 싱겁게 크다. 싱거-이 [부] 【싱겁기는 고드름 장아찌라; 싱겁기는 늑대 불알이다; 싱겁기는 홍동지(洪同知)네 세벌 장물이라; 싱겁기는 황새 똥구멍이라】 매우 멋적고 싱거운 사람을 두고 하는 말.

싱겅싱겅-하다 [형][여불] ①방이 차고 써늘하다. ② ☞ 싱둥싱둥하다.

싱겡이 [명] 〈방〉 싱경이.

싱경이 [명] 『식』 [*Enteromorpha compressa*] 청태과에 속하는 녹조류(綠藻類)의 하나. 속이 빈 관상(管狀)의 1층으로 된 세포로 형성되고 모양이 머리털 비슷함. 한대(寒帶)·열대의 외양(外洋)과 내만(內灣) 등에 분포함. 장조림·쌈·장아찌 등을 만들어 식용하거나 풀을 쑤는 데 사용함. 때로 선저(船底) 등에 부착하여 해를 끼침. 납작파래.

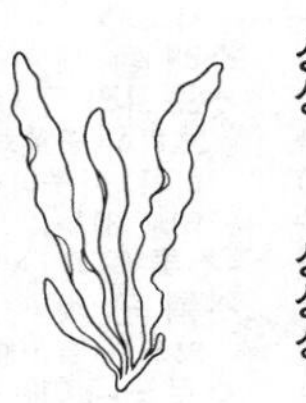
〈싱경이〉

싱구다 [타] 〈방〉 심다(경기·강원·충북·전라·경남).

싱귤래리티 [singularity] [명] 『천』 책력으로 보아 특정한 날 또는 그맘 때면 통계적으로 생기기 쉬운 특정의 기상 상태.

싱귤러리즘 [singularism] [명] 『철』 일원론(一元論). 단원론(單元論).

싱그다 [타] 〈방〉 심다(충남·전라).

싱그럽다 [형][ㅂ불] 싱싱하고 향기롭다. ¶ 싱그러운 5월의 신록.

싱그레 [부] 소리 없이 부드럽게 눈웃음치는 모양. ¶ ~ 웃다. ㅆ썽그레. >생그레. ——하다 [자][여불]

싱글 [single] [명] ①한 개. 단일(單一). 일인용(一人用). ②〈속〉 독신(獨身). 미혼자. ③『야구』 ↗싱글 히트. ④『테니스·탁구』 ↗싱글스. ⑤『골프』 ↗싱글 플레이어. ⑥↗싱글브레스트. 1)·4)·6):↔더블.

싱글-거리다 [자] 소리 없이 부드럽게 자꾸 눈웃음치다. ㅆ썽글거리다. >생글거리다. 싱글-싱글 [부]. ——하다 [자][여불]

싱글-대다 [자] 싱글거리다.

싱글-벙글 [부] 싱글거리고 벙글거리는 모양. ㅆ썽글뻥글. >생글뱅글. ——하다 [자][여불]

싱글 베드 [single bed] [명] 일인용의 작은 침대. ↔더블 베드(double bed).

싱글-브레스트 [명] [single-breasted] 남자의 양복 저고리나 외투의 앞이 외줄 단추로 되고, 겹치는 섶이 좁은 것. [준]싱글. ↔더블브레스트.

싱글스 [singles] [명] 테니스·탁구 따위에서, 1대 1로 하는 시합. 단식경기. ↔더블스.

싱글 스컬 [single scull] [명] 보트 경기에서, 한 사람이 양손에 노를 쥐고 젓는 종목(種目).

싱글 시:터 [single seater] [명] ①일인승(一人乘) 비행기. ②일인승 자동차.

싱글-폭 【一幅】 [single] [명] 양복지의 28인치 폭을 말함. ↔더블폭.

싱글 플레이어 [single player] [명] 골프에서, 핸디가 9 이하의 플레이어. [준]싱글.

싱글 핸드 [single+hand] [명] 야구에서, 글러브 또는 미트를 낀 한쪽 손으로 볼을 잡는 일.

싱글-히트 [single+hit] [명] 야구에서, 타자가 1루(壘)까지 갈 수 있는 안타(安打). 단타(單打). 원베이스 히트. [준]싱글.

싱금-초 [명] 〈방〉 『식』 시금치.

싱긋 [부] 정답게 얼핏 눈웃음치는 모양. ㅆ썽긋·싱끗·썽끗. >생긋. ——하다 [자][여불]

싱긋-거리다 [자] 소리 없이 연해 정답게 눈웃음치다. ㅆ썽긋거리다·싱끗거리다·썽끗거리다. >생긋거리다. 싱긋-싱긋 [부]. ——하다 [자][여불]

싱긋-대다 [자] 싱긋거리다.

싱긋-빙긋 [부] 싱긋거리면서 빙긋거리는 모양. ㅆ썽긋뻥긋·싱끗빙끗·썽끗뻥끗. >생긋뱅긋. ——하다 [자][여불]

싱긋-이 [부] 은근한 태도로 지그시 눈웃음치는 모양. ㅆ썽긋이·싱끗이·썽끗이. >생긋이.

싱긍-하다 [형][여불] ☞ 싱긋하다. ¶ 이 참판은 한참 듣다가 홀연 눈이 싱긍하여지며 기침을 한번 컥 하더니…《金敎濟 : 牧丹花》.

싱기다 [타] 〈방〉 심기다³(평안·충청·전라).

싱길-내기 [명] 〈방〉 숨바꼭질.

싱깅이 [명] 〈방〉 싱경이.

싱끗 [부] 소리 없이 정답게 얼핏 눈웃음치는 모양. ㅅ싱긋. ㅆ썽긋·썽끗. >생끗. ——하다 [자][여불]

싱끗-거리다 [자] 소리 없이 연해 정답게 눈웃음치다. ㅅ싱긋거리다. ㅆ썽끗거리다. >생끗거리다. 싱끗-싱끗 [부]. ——하다 [자][여불]

싱끗-대다 [자] 싱끗거리다.

싱끗-빙끗 [부] 싱끗거리면서 빙끗거리는 모양. ㅅ싱긋빙긋. ㅆ썽끗뻥끗. >생끗뱅끗. ——하다 [자][여불]

싱끗-이 [부] 은근한 태도로 지그시 눈웃음치는 모양. ㅅ싱긋이. ㅆ썽끗이. >생끗이.

싱낭-나무 [명] 〈방〉 『식』 신나무²(경기).

싱다니 [명] 〈방〉 여승(女僧)(경상).

싱당-이 [명] 〈방〉 여승(女僧)(경북).

싱둥싱둥-하다 [형][여불] ①기운이 줄지 아니하고 본디대로 아직 남아 있다. >생동생동하다. ② ☞ 싱겅싱겅하다.

싱둥-하다 [형][여불] 싱싱하게 생기가 있다.

싱룽 유적 【一遺跡】 [중 興隆] [명] 중국 허베이 성(河北省) 싱룽 현 수왕분(壽王墳) 지구의 산마을에서 발견된 철기(鐵器) 제작 유적. 가래·괭이·솥·도끼·끌·수레의 쇠장식 등 87개의 주형(鑄型)이 출토됨. 전국(戰國) 시대의 연(燕)나라의 유적으로 생각됨.

싱숭-생숭 [부] 마음이 들떠 어수선하고 갈팡질팡하는 모양. 시룽새룽. ¶ 봄철이 되니 마음이 ~한다. ——하다 [형][여불]

싱싱-하다 [형][여불] ①축나거나 썩지 아니하고 본디 그대로의 생기를 가지고 있다. ②빛이 맑고 산뜻하다. 1)·2):>생생하다. ③원기가 왕성하다. ㅆ씽씽하다.

싱아¹ [명] 『식』 ①[*Pleuropteropyrum polymorphum*] 마디풀과에 속하는 다년초. 줄기 높이 1 m 이상에 달하고 잎은 호생하며 유병(有柄) 혹은 무병(無柄)인데, 초상 탁엽(鞘狀托葉)은 막질(膜質)임. 6-8월에 백색 꽃이 원추상의 복총상(複總狀) 화서로 정생(頂生)하며 과실은 수과(瘦果)임. 산이나 들에 나는데, 거의 한국 각지에 분포함. 어린 잎과 줄기는 식용함. ②〈방〉 수영¹.

싱아² [명] 〈방〉 형(兄)(경북).

싱안링 [興安嶺] [명] 『지』 ①대싱안링(大興安嶺)과 소싱안링(小興安嶺)의 병칭(並稱). 이를 특히 내싱안링(內興安嶺)이라 이름. ②아무르 강 북방, 러시아 연방령 안의 스타노보이 산맥(Stanovoi 山脈)의 중국명. 이를 특히 외싱안링(外興安嶺)이라 함. 흥안령(興安嶺).

싱어¹ [singer] [명] 성악가. 가수(歌手).

싱어² [Singer] [명] ↗싱어 미싱.

싱어³ [Singer, Isaac Bashevis] [명] 폴란드 태생의 유태계(猶太系) 미국의 작가. 폴란드 수도 바르샤바 부근에서 율법 박사(律法博士)의 아들로 태어나, 언론인·문필가로 활동, 박해의 위협을 피해 1935년에 미국으로 이주하여 폴란드의 유태 문화 전통에 뿌리를 두고, 보편적인 인간의 조건을 감동적인 설화체(說話體)로 생생하게 표현한 작품을 발표하여, 1978년 노벨 문학상을 탐. 《장원(莊園)》·《모스카트가(家)》·《루블린의 마술사》·《노예》 등 장편 외에 2권의 단편집이 유명함. [1904-91]

싱어⁴ [Singer, Isaac Merrit] [명] 『사람』 미국의 발명가. 기계공으로 있으면서 자동 재봉틀을 발명. 1851년 공장을 설립하였음. [1811-75]

싱어⁵ [명] 『어』 [*Coilia mystus*] 멸칫과에 속하는 물고기. 몸은 길이 15-24 cm의 칼 모양이고 몸빛은 등 쪽이 백색이며, 배 쪽은 황색임. 하천의 기수(汽水)까지 소강(溯江)하여 산란하고 산란 후는 바다로 가서 죽는 것 같음. 한국 서남 연해에 분포하며 식용함.

싱어리스 [singeress] [명] 여류 성악가. 여가수(女歌手).

싱어 미싱 [명] [Singer's sewing machine] 『기』 미국 사람 싱어가 발명한 재봉틀의 상품 이름. 세계적으로 널리 사용되고 있음. [준]싱어.

싱어-송라이터 [singer-songwriter] [명] 『악』 작사 작곡가 겸 가수.

싱에 [명] 〈방〉 『식』 싱아¹(평안).

싱에-딱젱이 [명] 〈방〉 『충』 풍뎅이(평안).

싱이 [명] 〈방〉 형(兄)(경상).

싱카이 호 【一湖】 [興凱] [명] 『지』 중국 헤이룽장 성(黑龍江省) 동부, 러시아 연방 옌하이저우(沿海州)와의 국경의 호수. 대소 두 개의 호수로 나뉘며 호수의 3/4을 러시아가, 1/4을 중국이 차지함. 어류(魚類)가 많음. 러시아 연방에서는 '한카 호(Khanka 湖)'라 부름. 신개호(新開湖). 흥개호(興凱湖). [3,800 km² : 평균 깊이 4.2 m]

싱커 [sinker] [명] 야구에서, 투수가 던진 공이 타자(打者) 가까이 와서는 급히 내려앉듯이 떨어지는 변화구(變化球).

싱커페이션 [syncopation] [명] 『악』 '당김음'의 영어명.

싱켈 [Schinkel, Karl Friedrich] [명] 『사람』 독일의 건축가·화가. 1803-05년 이탈리아와 프랑스에 유학 후, 베를린에서 활약함. 처음에는 화가로서 풍경화 혹은 무대 장식에도 손을 댔으나, 1815년 베를린의 토목 총감독이 되어, 이 때부터 건축 활동을 시작, 독일 고전주의 건축의 대표적 작가로서 공병 및 포병 학교·구(舊)왕립 극장·구(舊)미술관 등 그리스 건축을 기조로 하여 순수한 고전적 건축물 들을 건조(建造)함으로써 커다란 업적을 남겼음. [1781-1841]

싱크 [sink] [명] 부엌의 설거지대(臺)의 수조(水槽) 부분. *더블 싱크.

싱크-대【一臺】〔sink〕[명] 싱크 장치가 붙은 개수대.

싱크로〔synchro〕[명] ①발신기와 수신기로 이루어지며, 회전축(回轉軸)을 전기적으로 접속하여 각위치(角位置)의 전달, 동기(同期) 운전 따위를 행하기 위하여 사용되는 회전기의 총칭. 정도(精度)·사용 목적에 따라 종류가 여러 가지임. ②↗싱크로나이즈.

싱크로나이즈〔synchronize〕[명] ①〖연〗〔동시에 한다는 뜻〕 영화에서, 촬영과 녹음을 서로 다른 필름에 수록하였다가 뒤에 이들을 한 필름에 모으는 일. 동시 녹음(同時錄音). ②사진을 찍을 때, 싱크로 장치로 플래시의 발광(發光)과 셔터의 개폐(開閉)를 동시에 행하는 일. [준]싱크로.

싱크로나이즈드 스위밍〔synchronized swimming〕[명] 수상 경기의 일종. 음악의 리듬에 맞추어 수영하면서 기술의 정확함과 표현의 아름다움을 겨룸. 유럽에서 시작되어 수중 쇼(水中show)로서 발달한 후 1945년 미국에서 경기화됨. 경기는 솔로·듀엣과 4-8인이 하는 팀의 3 종목이 있음. 수중(水中) 발레.

싱크로-리:더〔synchro-reader〕[명] 인쇄할 수 있는 자기 녹음(磁氣錄音) 재생 장치. 종이 표면에 문자를 인쇄하고 뒷면에 자기 녹음막(膜)을 붙여, 읽고 듣는 것을 동시에 할 수 있게 한 장치.

싱크로미즘〔synchromism〕[명] 미국의 1913년 화가 모건 러셀(1886-1953)과 맥도널드 라이트(1890-1973)가 시작한 색채를 중요시한 추상 회화 운동. 심포니(교향악)과 크롬(색채)을 따서 만든 이 조어(造語)에 대해 러셀은 '색채에 의한 교향악을 화면에서 연주한다는 뜻'이라고 밝힘. 미국에서의 근대 회화 운동의 선구를 이루었음.

싱크로-사이클로트론〔synchro-cyclotron〕[명]〖물〗 하전 입자(荷電粒子)의 주기적 가속 장치의 하나. 입자의 속도가 커지면 질량이 증가하므로 사이클로트론에서는 얻을 수 있는 속도에 제한이 생김. 이러한 결점을 없애기 위하여 사이클로트론의 자기장(磁氣場)을 만드는 고주파 전압에 주파수 변조를 준 것으로, 이에 의하면 사이클로트론의 경우보다 전력이 상당히 절약됨.

싱크로-셔터〔synchro-shutter〕[명] 셔터가 열리는 순간에 플래시가 빛을 발하는 회로가 있는 카메라의 셔터.

싱크로-스코:프〔synchroscope〕[명]〖물〗 고성능(高性能)의 브라운 관(管) 오실로스코프. 트리거 회로(trigger回路)를 이용하고, 시간축(時間軸)의 시동(始動)이 관측하고자 하는 현상에 자동적으로 동기(同期)하는 특징이 있음. 높은 주파수의 파형(波形) 관측을 할 수 있고, 진폭(振幅)과 시간의 정밀한 눈금을 갖춰, 펄스파(pulse波)의 측정에 빼놓을 수 없는 장치임.

싱크로 장치【一裝置】〔synchro〕[명] 피사체(被寫體)를 조명하기 위하여 셔터의 개폐(開閉)와 섬광 전구의 점멸(點滅)을 동시에 일으키게 하는 장치. 싱크로플래시.

싱크로 전:기【一電氣】〔synchro〕[명] 기계적으로 연결할 수 없는 두 축(軸)을, 전기적으로 회전시키는 장치. 지시(指示) 싱크로와 동력(動力) 싱크로로 크게 나뉨. 전자는 발신측(側)의 회전량을 지시해 보내면 수신측이 그에 따라 회전하는 것이고, 후자는 떨어진 장소의 두 대의 전동기를 같은 속도로 회전시키는 것임.

싱크로-트론〔synchrotron〕[명]〖물〗 원환상(圓環狀)의 입자 가속기. 원환에 수직으로 자기장(場)을 가하여, 원환 안을 달리는 하전(荷電) 입자가 그 속도에 의하여 원환 안을 달리도록 하고, 그 회전 주기에 동기(同期)시켜서 고주파 전기장으로 가속시킴. 1945년 미국의 맥밀런(McMillan, E.)과 소련의 벡슬러(Veksler, V.)가 각각 독립으로 이 원리를 발표함. 전자(電子) 싱크로트론·양성자(陽性子) 싱크로트론·에이지(AG) 싱크로트론 등이 있음.

싱크로트론 방:사광【一放射光】〔synchrotron〕[명]〖물〗 전자(電子)가 광속(光速)에 가까운 속도로 원운동(圓運動)하는 싱크로트론 운동을 하는 데 따라 발사된 빛.

싱크로트론 복사【一輻射】[명]〔synchrotron radiation〕〖물〗 하전 입자(荷電粒子)가 광속(光速)에 가까운 속도로 원운동(圓運動)할 때 방출하는 전자기파(電磁氣波)의 복사(輻射).

싱크로-플래시〔synchroflash〕[명] 싱크로 장치(synchro裝置).

싱크리티즘〔syncretism〕[명] 철학이나 종교에서, 여러 학파나 종파가 혼합·통합된 것. 알렉산드리아 학파에 있어서의 신(新)플라톤주의적 학설, 15세기 동서(東西) 가톨릭 교회의 합동 따위. 제설(諸說) 혼합주

싱크 탱크〔think tank〕[명] 두뇌 집단(頭腦集團). ⌊의. *절충주의.

싱클레어〔Sinclair, Upton Beall〕[명]〖사람〗 미국의 소설가·사회 비평가. 일찍이 사회주의자로서 노동 운동에 투신, 처녀작 《정글(Jungle)》로 압도적인 인기를 얻은 이래 《브라스 체크(Brass Check)》 등을 발표하고, 정계에도 관계하였음. 2차 세계 대전 직전부터 세계 현대사의 소설화로서 대작 《래니 버드 총서(Lanny Budd叢書)》에 착수하여, 그 중 《세계의 종언》 등이 나옴. [1878-1968]

싱타이〔邢臺〕[명]〖지〗 중국 허베이 성(河北省) 남부에 있는 도시. 구명(舊名)은 순더(順德). 징한 철도(京漢鐵道)에 따라 스자좡(石家莊)과 한단(邯鄲)의 중간에 있음. 다싱 산맥(大行山脈)의 산록(山麓)에 발달한 도시로, 밀·수수·면화 등을 산출하며 피혁(皮革) 가공을 함. 형대(邢臺). [300,000명(1975 추계)]

싶다 [타]〈방〉 씻다(평안).

싶다 [보형] ①동사 또는 서술격 조사 '이다'의 어미 '-고' 밑에 쓰이어, 그렇게 하고자 하는 뜻이 있음을 나타내는 말. ¶가고 ~/놀고 ~/훌륭한 가장이고 ~. ②동사 또는 형용사 '아니다' 및 서술격 조사 '이다'의 어미 '-면' 아래 쓰이어, 그렇게 되었으면 좋겠다는 뜻을 나타내는 말. ¶이겼으면 ~/그게 사실이면 ~/사실이 아니었으면 ~. ③용언이나 서술격 조사의 의문형과 서술형 어미 아래 쓰이어 그렇게 생각된다는 뜻을 나타내는 말. ¶꿈인가 생신가 ~/안 되겠다 싶어서. ④'듯'이나 '성'과 함께 쓰이어 추측을 나타내는 말. ¶될 성 ~/모레께나 갈 듯 ~.

싶-이 [부] 싶게. ¶제법 살았다 ~ 살다 갔다.

싶어-하다 [보동][여불] 어미 '-고'의 아래에 쓰이어, 하고자 하는 마음이 있음을 나타내는 말. ¶보고 ~/타고 ~.

-싶이 [미]〈방〉 -시피.

ᄉᆞ [의명]〈옛〉 것. 바. ¶法을 업시우며 ᄂᆞᄆᆞᆯ 업시울 ᄊᆞᆯ 닐오ᄃᆡ 憎上慢이라(以慢法慢人ᄒᆞᆯ ᄉᆞᆯ 曰憎上慢)《妙蓮 Ⅰ:72》.

ᄉᆞ과 [명]〈옛〉 사과(沙果). ¶인동채 ᄉᆞ과만 몬ᄒᆞ니 ᄉᆞ과ᄅᆞᆯ 달혀셔 사당빠 머기라《諺簡集 13. 宣祖諺簡》. 「友)《華解 下 11》.

ᄉᆞ괴다 [타]〈옛〉 사귀다. ¶天下 사ᄅᆞᆷ이 天下 벗을 ᄉᆞ괴되(天下人交天下

ᄉᆞ나희 [명]〈옛〉 사나이. =ᄉᆞ나ᄒᆡ. ¶우리 뎌긔 ᄉᆞ나희ᄂᆞᆫ 믈 깃디 아니ᄒᆞ고(我那裏男子漢不打水)《老乞 上 32》.

ᄉᆞ나ᄒᆡ [명]〈옛〉 사나이. ¶ᄉᆞ나ᄒᆡ(孩兒)《字會 上 32》.

ᄉᆞ다[1] [타]〈옛〉 쌓다. ¶ᄉᆞᆯ 튝(築)《字會 下 17》.

ᄉᆞ다[2] [타]〈옛〉 사다. ¶ᄉᆞ온 ᄒᆞᆫ낫 고기가 一尺나마 長이 되니(買來一條魚有一尺多長的)《華解 上 8》.

ᄉᆞ다[3] [형]〈옛〉 싸다. 비싸지 않다. ¶지븻 音書ᄂᆞᆫ 萬金이 ᄉᆞ도다(家書抵萬金)《初杜諺 X:6》.

ᄉᆞ당 [명]〈옛〉 사당(祠堂). ¶ᄉᆞ당 ᄉᆞ(祠)《字會 中 10》.

ᄉᆞ디 [타]〈옛〉 사르지. 'ᄉᆞᆯ다'의 활용형. ¶四念處ㅅ 브리 ᄒᆞ다가 勤ㅅ ᄇᆞᄅᆞᄆᆞᆯ 得ᄒᆞ면 ᄉᆞ디 아니ᄒᆞᆯ 곧 업스릴ᄉᆡ(四念處火 若得勤風 則無所不燒)《圓覺 上 二之二 114》.

-ᄉᆞ라 [미]〈옛〉 '-자꾸나'의 뜻. 권유형 어미. ¶너 ᄃᆞ려 말 뭇쟈 놀내디 마라ᄉᆞ라《蘆溪 莎堤曲》. *-쟈ᄉᆞ라. 「諺 Ⅵ:15》.

ᄉᆞ라가다 [자]〈옛〉 사라져 가다. ¶미레 현브리 ᄉᆞ라가놋다(蠟炬殘)《杜

ᄉᆞ라기 [명]〈옛〉 ①싸라기. ¶나ᄂᆞᆫ 도ᄐᆞ랏 羹애 ᄉᆞ라기도 섯디 아니ᄒᆞ야도 便安히 너기노니(吾安藜不糝)《杜諺 Ⅲ:15》. ②부스러기. ¶아ᄆᆞ커나 金 ᄉᆞ라기ᄅᆞᆯ 가져(試將金屑)《南明 上 71》.

ᄉᆞ라디다 [자]〈옛〉 사라지다. ¶火界增上力이 나면 비와 구룸괘 ᄉᆞ라디여 업슬 씨오《月釋 X:85》.

ᄉᆞ랑 [명]〈옛〉 사랑. ¶ᄉᆞ랑ᄉᆞ랑깁흔ᄉᆞ랑《찬양가 : 58》.

ᄉᆞ랑홉다 [형]〈옛〉 사랑스럽다. ¶ᄉᆞ랑홉다(可愛)《漢淸 Ⅵ:57》. *홉다.

ᄉᆞ랑 [명]〈옛〉 ①생각. ¶思ᄂᆞᆫ ᄉᆞ랑ᄒᆞᆯ 씨라《月序 11》. ②사랑. ¶ᄉᆞ랑 애(愛)《類合 下 3》.

ᄉᆞ랑ᄒᆞ다 [타]〈옛〉 ①생각하다. ¶思ᄂᆞᆫ ᄉᆞ랑ᄒᆞᆯ 씨라《月序 11》. ②사랑하다. ¶ᄉᆞ랑ᄒᆞ며 恭敬ᄒᆞᇙ 相잇ᄂᆞᆫ ᄯᆞᄅᆞᆯ 나케 ᄒᆞ며(愛敬有相之女)《楞嚴 Ⅵ:33》. 「南九萬》.

ᄉᆞ래 [명]〈옛〉 이랑. ¶재 너머 ᄉᆞ래 긴 바틀 언제 갈려 ᄒᆞᄂᆞ니《古時調

ᄉᆞ로리라 [타]〈옛〉 ①사뢰려고. 여쭈려고. ¶하ᄂᆞᆯ의 추미러 므ᄉᆞ 일을 ᄉᆞ로리라 千萬劫 디나ᄃᆞ록 구필 줄 모ᄅᆞᄂᆞᆫ다《松江 關東別曲》. ②사뢰리라. 여쭈리라. ¶그 밧긔 ᄯᅩ 셜운 이ᄅᆞᆯ ᄌᆞ세히 ᄉᆞ로리라《普勸文 海印板 31》. 「親)《初杜諺 XXI:15》.

-ᄉᆞ록 [어미]〈옛〉 -수록. ¶사괴ᄂᆞᆫ ᄠᅳ든 늘글ᄉᆞ록 ᄯᅩ 親ᄒᆞ도다(交情老更

ᄉᆞ롬 [타]〈옛〉 사라지게 함. 'ᄉᆞᆯ다[1]'의 명사형. ¶나그내 시르믈 ᄉᆞ로미 잇도다(有…銷客愁)《杜諺 Ⅶ:2》.

ᄉᆞᄅᆞᄂᆞ다 [자]〈옛〉 살아나다. ¶半月이나 되여 ᄯᅩ ᄉᆞᄅᆞᄂᆞ니(半天又活過來咧)《華解 上 31》. 「管的遠去怎麼)《朴解 下 39》.

ᄉᆞᄅᆡ야 [부]〈옛〉 함부로. =ᄉᆞᄅᆡ여. ¶그저 ᄉᆞᄅᆡ야 멀리 가 므슴ᄒᆞ리오(只

ᄉᆞᄅᆡ여 [부]〈옛〉 함부로. =ᄉᆞᄅᆡ야. ¶그저 ᄉᆞᄅᆡ여 긁빗기디 말라(不要只管的刮)《朴解 上 39》. 「手自右趨)《二倫 31》.

ᄉᆞ맛댱곳다 [자]〈옛〉 팔짱 끼다. ¶ᄉᆞ맛댱 곳고 웃녁크로 ᄃᆞ라나오니(拱

ᄉᆞ망 [명]〈옛〉 ①변덕. ¶ᄉᆞ망(造化), ᄉᆞ망 잇ᄂᆞᆫ이(有造化的), ᄀᆞ장 ᄉᆞ망 잇다(甚是造化)《漢淸 Ⅵ:14, 同文 下 27》. ②편의. ¶ᄉᆞ망 ᄇᆞ라다(討便宜)《漢淸 Ⅵ:51》. 「此旋)《杜諺 XXII:25》.

ᄉᆞ매 [명]〈옛〉 소매. =ᄉᆞᄆᆡ. ¶ᄉᆞ매ᄅᆞᆯ 글어 일로브터 도라 가놋다(解袂從

ᄉᆞ면 [명]〈옛〉 사면(四面). ¶ᄉᆞ면에 ᄇᆞᆯ로ᄃᆡ(塗四面)《救簡 Ⅲ:36》.

ᄉᆞ뮈약이 [명]〈옛〉 버마재비. ¶使令 갓튼 등에 어이 갈ᄯᅡ귀 ᄉᆞ뮈약이 셴 박휘 누른 박휘《古時調 永言》.

ᄉᆞᄆᆞ차 [자]〈옛〉 사무쳐. 'ᄉᆞᄆᆞᆾ다'의 활용형. ¶通은 智慧 ᄉᆞᄆᆞ차 마ᄀᆞᆫᄃᆡ 업슬씨라《月釋 Ⅱ:54》.

ᄉᆞᄆᆞ챗다 [자]〈옛〉 사무쳐 있다. 사무쳤다. 'ᄉᆞᄆᆞᆾ다'의 활용형. ¶ᄀᆞᄂᆞᆯᄒᆞᆫ 답사힌 믌 안해 ᄉᆞᄆᆞ챗고(陰通積水內)《初杜諺 Ⅵ:45》. 「諺》.

ᄉᆞᄆᆞᆾ다 [자]〈옛〉 사무치다. =ᄉᆞᄆᆞᆾ다. ¶流通ᄋᆞᆫ 흘러 ᄉᆞᄆᆞᄎᆞᆯ 씨라《訓

ᄉᆞᄆᆞᄎᆞᆫ [자]〈옛〉 사무친. 'ᄉᆞᄆᆞᆾ다'의 활용형. ¶ᄉᆞᄆᆞᄎᆞᆫ ᄠᅳᆮ과 몯 ᄉᆞᄆᆞᄎᆞᆫ ᄠᅳ들 잘 ᄀᆞᆯᄒᆞᆯ씨오《月釋 Ⅱ:37》.

ᄉᆞᄆᆞᆺ [부]〈옛〉 사뭇. 투철(透徹)히. ¶一切諸法을 ᄉᆞᄆᆞᆺ 아ᄅᆞ실 씨 佛이시다 ᄒᆞ니라《月釋 Ⅸ:12》.

ᄉᆞᄆᆞᆺ다 [자]〈옛〉 ①사무치다. ¶서르 ᄉᆞᄆᆞᆺ디 아니ᄒᆞᆯ씨(不相流通)《訓諺》. ②새다[1]. ¶바미 ᄉᆞᄆᆞᆺ도록 눈 우희 안잣다가 ᄒᆞᆫ가지로 어러 주그니라(達夜坐於雪上仍共凍死)《東國新續三綱 烈女圖 Ⅲ:21》.

ᄉᆞᄆᆞᆺ보다 [타]〈옛〉 뚫고 보다. 비쳐 보다. ¶소개 겨신 그르메 ᄉᆞᄆᆞᆺ 뵈더니《月釋 Ⅶ:55》.

ᄉᆞᄆᆞᆺ비취다 [타]〈옛〉 뚫고 비치다. ¶萬象ᄋᆞᆯ ᄉᆞᄆᆞᆺ비취며 大千을 ᄒᆞᆫ가지로 볼씨(萬象徹照大千一視)《妙蓮 Ⅵ:25》.

ᄉᆞᄆᆞᆺ알다 [타]〈옛〉 통달하다. 환히 알다. ¶十方ᄋᆞᆯ 머구머 ᄢᅳ렛ᄂᆞᆫ ᄃᆞᆯ ᄉᆞᄆᆞᆺ 알며(含裏十方)《楞嚴 Ⅲ:63》.

ᄉᆞᄆᆞᆾ다 [자]〈옛〉 사무치다. 통하다. ¶通은 智慧 ᄉᆞᄆᆞ차 마ᄀᆞᆫᄃᆡ 업슬씨라《月釋 Ⅱ:54》. *ᄉᆞᄆᆞᆺ다. 「調 李明漢》.

ᄉᆞᄆᆡ [명]〈옛〉 소매. =ᄉᆞ매. ¶울며 자븐 ᄉᆞᄆᆡ 뻘티고 가디 마소《古時

ᄉᆞᄆᆡᆺ뎡 [명]〈옛〉 팔짱. ¶ᄉᆞᄆᆡᆺ뎡 곳ᄂᆞ니(拱手)《金三 Ⅳ:24》.

-ᄉᆞᄫᅡ [어미]〈옛〉 -사와. 보조 어간 '-ᄉᆞᆸ-'과 어미 '-아'가 합친 것. =-

ᄉᆞᄫᅡ. ¶ 부텨 接引ᄋᆞᆯ 닙ᄉᆞᄫᅡ 不可議 神力ᄋᆞᆯ 어더《月釋 XXI:35》.
-ᄉᆞᄫᆞ- 보간 〈옛〉 -사오-. ¶ 釋迦 菩薩이 藥키라 가ᄇᆞᄉᆞᄫᆞ시고 깃ᄉᆞᄫᆞ며《月釋 Ⅰ:52》.
-ᄉᆞᄫᆞ니 보간 〈옛〉 -사오니. 보조 어간 '-ᄉᆞᆸ-'에 어미 '-ᄋᆞ니'가 합친 것. ¶ 諸天이 다 깃ᄉᆞᄫᆞ니《月釋 Ⅱ:8》.
ᄉᆞ셜 명 〈옛〉 사설(辭說). ¶ 내 ᄉᆞ셜 드러 보오《松江 續美人曲》.
ᄉᆞ시 명 〈옛〉 사이. ¶ 하ᄂᆞᆯ콰 ᄯᅡ콰 ᄉᆞ시예 것디 아니ᄒᆞᄂᆞᆫ ᄆᆞ리라《七大 4》. 「諺 Ⅵ:101》.
ᄉᆞᄉᆞ로옴 명 〈옛〉 사사로움. ¶ 公이 ᄉᆞᄉᆞ로옴이 잇ᄂᆞ냐(公有私乎)《小
ᄉᆞ시나모 명 〈옛〉 사시나무. ¶ ᄉᆞ시나모 겁풀(白楊)《方藥 32》.
ᄉᆞ싀 명 〈옛〉 사이. ¶ 도ᄌᆞ기 ᄉᆞ싈 디나샤(賊間是度)《龍歌 60章》.
ᄉᆞ싓히 명 〈옛〉 중년(中年). =ᄉᆞ잇히. ¶ ᄉᆞ싓히예 되ᄆᆞ리 골외니라(中年胡馬驕)《初杜諺 XXIV:55》. 「下 32》.
ᄉᆞ애 명 〈옛〉 주사위. =ᄉᆞ이. ¶ ᄉᆞ애(骰子), ᄉᆞ애 더지다(擲骰子)《同文
ᄉᆞ양 명 〈옛〉 새앙. ¶ 薑讀同訓皆云 ᄉᆞ양《雅言 卷一》.
-ᄉᆞ오니 어미 〈옛〉 -오니. ¶ 고지 피고 여름 여ᄉᆞ오니 처엄 바라오와 녈반을 듣ᄌᆞ오시고《地藏解 上 1》.
-ᄉᆞ올시 어미 〈옛〉 -사올새. -사오므로. ¶ 이 生애 堯舜 ᄀᆞᄐᆞ신 님그믈 맛나 잇ᄉᆞ올시(生逢堯舜君)《杜諺 Ⅱ:33》.
ᄉᆞ외 부 〈옛〉 ①깊이. 오래도록. ¶ 正히 안자 디ᄂᆞᆫ ᄒᆡ를 ᄉᆞ외 보아 ᄆᆞᅀᆞ믈 구디 머거《月釋 Ⅷ:6》. ②너무. 심히. ¶ 츤 긔운 ᄉᆞ외마ᄌᆞᆫ 병(中寒)《救簡 目錄 1》.
ᄉᆞ외보다 타 〈옛〉 체관(諦觀)하다. 응시하다. ¶ 경히 안자 디ᄂᆞᆫ ᄒᆡ를 ᄉᆞ외보아 ᄆᆞᅀᆞᆷ 구디머거(正坐西向諦觀於日令心堅住)《觀經 7》.
ᄉᆞ이 명 〈옛〉 사이. =ᄉᆞ싀. ¶ 거리예 가 셔실 ᄉᆞ이예(到街上立地的其間)《老乞 下 19》.
-ᄉᆞ이다 어미 〈옛〉 -옵시다. ¶ 堪任發菩提心 이샤ᄉᆞ이다 《妙蓮 Ⅶ:135》. 「67》.
ᄉᆞ이ᄒᆞ다 타 〈옛〉 중매(仲媒)하다. ¶ 媼은 ᄉᆞ이ᄒᆞᄂᆞᆫ 할미라《小諺 Ⅴ:
ᄉᆞ잇말 명 〈옛〉 말썽. 군말. ¶ ᄒᆞᆫ 집 안해 男女ㅣ 百口ㅣ나 ᄒᆞ더니 緦服 팔촌 복이라 형뎨이 ᄒᆞᆫ터셔 밥 지오ᄃᆡ 집 안히 ᄉᆞ잇말이 업더라(一家之內 男女百口 緦服同爨庭無間言)《小諺 Ⅵ:80》.
ᄉᆞ잇히 명 〈옛〉 중년. =ᄉᆞ싓히. ¶ ᄉᆞ잇히예 되ᄆᆞ리 골외니라(中年胡馬驕)《重杜諺 XXIV:55》.
ᄉᆞ익 명 〈옛〉 주사위. =ᄉᆞ애. ¶ ᄉᆞ익(骰子)《譯語補 47》.
ᄉᆞ족빅 명 〈옛〉 사족발이. ¶ ᄉᆞ족빅(四明馬)《譯語 下28》.
ᄉᆞ지 명 〈옛〉 사지(四肢). ¶ 항거슬 되ᄒᆞ야 주기면 발겨 ᄉᆞ지 갈라 주기고(謀殺則 凌遲處死)《警民編 14》. 「《月印 上 59》.
ᄉᆞᄌᆞ 명 〈옛〉 사자(獅子). =ᄉᆞ지. ¶ ᄉᆞ獅ᄌᆞ子ㅣ 나아 자바다 머그니
ᄉᆞ지 명 〈옛〉 사자(獅子). ¶ ᄉᆞ지 ᄉᆞ(獅), ᄉᆞ지 산(狻)《字會 上 18》.
ᄉᆞ태우 명 〈옛〉 사대부(士大夫). ¶ 이제 ᄉᆞ태위 居喪애 고기 먹으며(今之士大夫居喪食肉)《小諺 Ⅴ:49》.
ᄉᆞ회다 타 〈옛〉 사위다. ¶ ᄉᆞ회다(灰燼)《漢清 Ⅹ:51》.
ᄉᆞ희다 타 〈옛〉 사위다. ¶ ᄉᆞ희다(成燼)《同文 上 63》.
ᄉᆞᄒᆡ다 타 〈옛〉 사위다. ¶ ᄉᆞᄒᆡ디 아니케 ᄉᆞ라(燒留性)《救簡 Ⅵ:82》.
ᄉᆞᆫ[1] 명 〈옛〉 장정(壯丁). ¶ ᄉᆞᆫ 뎡(丁)《字會 中 2》.
ᄉᆞᆫ[2] 의명 〈옛〉 것은. ¶ 다토미 업슬ᄉᆞᆫ 다문 인가 너기로라 《蘆溪 陋巷詞》/아마도 變티 아닐ᄉᆞᆫ 바회뿐인가 ᄒᆞ노라《永言》. *ᄉᆞ.
-ᄉᆞᆫ다 어미 〈옛〉 -는 것인가. -ㄴ것인가. ¶ ᄆᆞᄉᆞᆷ 方便을 브터 三摩地예 드ᄉᆞᆫ다(從何方便ᄒᆞ야 入三摩地ᄒᆞᄉᆞᆫ다)《楞嚴 Ⅴ:31》.
ᄉᆞᆫ아ᄒᆡ 명 〈옛〉 사내. 사나이. ¶ ᄉᆞᆫ아ᄒᆡ 오좀(男兒尿)《救簡 Ⅰ:105》.
ᄉᆞᆫ지 부 〈옛〉 ①오히려. ¶ ᄉᆞᆫ지 일홀 사ᄅᆞ미로라 너길시(猶謂作人故)《圓覺 序 47》. ②아직도. ¶ 네 ᄉᆞᆫ지 아디 못ᄒᆞᄂᆞ다(汝尙不知) 《楞嚴 Ⅲ:81》. ③이내. ¶ 沙村앳 힌 누ᄂᆞᆫ ᄉᆞᆫ지 어르믈 머겟고(沙村白雪仍含凍) 《杜諺 Ⅸ:26》. 「(膚)《字會 上 28》.
ᄉᆞᆯ[1] 명 〈옛〉 살[1]. ¶ 骨肉은 뼈와 ᄉᆞᆯ콰니 《月釋 XXI:68》/ᄉᆞᆯ 긔(肌), ᄉᆞᆯ 부
ᄉᆞᆯ[2] 명 〈옛〉 쌀. =ᄡᆞᆯ. ¶ 祭ㅅ ᄉᆞ래 田디를 두라(置祭田)《家禮 Ⅰ:22》.
ᄉᆞᆯ[3] 의명 〈옛〉 것을. 줄을. 'ᄉᆞ'의 목적격형. ¶ 法을 업시우며 ᄂᆞᄆᆞᆯ 업시울 ᄉᆞᆯ 닐오ᄃᆡ 憎上慢이라(以慢法慢人호ᄆᆞᆯ 曰憎上慢이라)《妙蓮 Ⅰ:172》.
ᄉᆞᆯ[4] 의명 〈옛〉 살[6]. ¶ 다ᄉᆞᆺ ᄉᆞᆯ엣 아ᄒᆡ(五歲的小廝)《朴解 中 11》.
ᄉᆞᆯ가오니 명 〈옛〉 슬기로운 사람. ¶ ᄉᆞᆯ가오닐 求호ᄆᆞᆯ 許ᄒᆞᄂᆞ니(許求聰慧者)《初杜諺 XVII:37》.
ᄉᆞᆯ가옴 형 〈옛〉 슬기로움. 'ᄉᆞᆯ갑다'의 명사형. ¶ 聰明ᄒᆞ며 ᄉᆞᆯ가오ᄆᆞᆯ 눌와 다ᄆᆞᆺ 議論ᄒᆞ리오(聰慧與誰論)《初杜諺 Ⅷ:46》.
ᄉᆞᆯ갑다 형 〈옛〉 슬기롭다. ¶ 어리다 ᄉᆞᆯ갑다 ᄒᆞ리잇고(爲愚爲慧)《楞嚴
ᄉᆞᆯ고 명 〈옛〉 살구. ¶ ᄉᆞᆯ고 ᄒᆡᆼ(杏)《字會 上 11》. 」Ⅳ:37》.
ᄉᆞᆯ권당 명 〈옛〉 골육. 살붙이. ¶ 제녁 ᄉᆞᆯ권당(自家骨肉)《恩重諺 16》.
ᄉᆞᆯ기름 명 〈옛〉 살기름. 지방. ¶ ᄉᆞᆯ기름 지(脂)《類合 上 26》.
ᄉᆞᆯ다[1] 타 〈옛〉 사라지게하다. 없애다. =ᄉᆞᆯ에ᄒᆞ다. ¶ 邊方애 監臨ᄒᆞ얫ᄂᆞᆫ 王相國의 金甲을 즐겨 ᄉᆞᆯ오 ᄇᆞᆺ 녀름디이를 일 사마호ᄆᆞᆯ 져기 깃노라(稍喜臨邊王相國肯銷金甲事春農) 《杜諺 Ⅴ:46》. 「15》.
ᄉᆞᆯ다[2] 타 〈옛〉 사르다. ¶ 미례 현 브리 ᄉᆞ라가ᄂᆞ다(蠟炬殘) 《杜諺 Ⅵ:
ᄉᆞᆯ드리 부 〈옛〉 살뜰히. ¶ 주추리 삼대 ᄉᆞᆯ드리 날 소겨다《珍本永言》.
ᄉᆞᆯ리야 부 〈옛〉 오직. 다만. =ᄉᆞᆯ이여. ¶ 너희 둘히 ᄉᆞᆯ리야 짓궤디 말고(你兩家休只管叫喚)《老乞 下 11》. 「ᄉᆞᆯ바ᄂᆞᆯ《月釋 Ⅱ:43》.
ᄉᆞᆯ바ᄂᆞᆯ 타 〈옛〉 사뢰거늘. 여쭙거늘. 'ᄉᆞᆲ다'의 활용형. ¶ 靑衣 긔별을
ᄉᆞᆯ바리잇가 구 〈옛〉 사뢰겠습니까. 여쭙겠습니까. 'ᄉᆞᆲ다'의 활용형. ¶ 그낤 장莊엄嚴을 다 ᄉᆞᆯ바리잇가…그낤 쌍祥쉬瑞를 다 ᄉᆞᆯ바리잇가《月印 上 46》. 「져ᄒᆞᄂᆞ다 ᄉᆞᆯ바쎠《釋譜 Ⅵ:14》.
ᄉᆞᆯ바쎠 타 〈옛〉 사뢰시오. 'ᄉᆞᆲ다'의 활용형. ¶ 婆羅門이 닐오ᄃᆡ 내 보아
ᄉᆞᆯ보ᄃᆡ 타 〈옛〉 사뢰되. 여쭙되. 'ᄉᆞᆲ다'의 활용형. ¶ ᄉᆞᆯ보ᄃᆡ 情欲앳 이른 ᄆᆞᅀᆞ미 즐거ᄫᅳ사 ᄒᆞᄂᆞ니《月釋 Ⅱ:5》.
ᄉᆞᆯᄫᆞ리니 타 〈옛〉 사뢰리니. 'ᄉᆞᆲ다'의 활용형. ¶ 셰世존尊 ㅅ일 ᄉᆞᆯᄫᆞ리니《月印 上 1》.
ᄉᆞᆯᄫᆞ니 타 〈옛〉 사뢰니. 여쭈니. 'ᄉᆞᆲ다'의 활용형. ¶ 神物이 ᄉᆞᆯᄫᆞ니(神物復止)《龍歌 52章》. 「雖衆」《龍歌 13章》. *ᄉᆞᆲ다.
ᄉᆞᆯᄫᆞ리 명 〈옛〉 사뢸이. 여쭐이. =ᄉᆞᆯ오리. ¶ 말ᄊᆞᄆᆞᆯ ᄉᆞᆯᄫᆞ리 하ᄃᆡ(獻言
ᄉᆞᆯ씀 명 〈옛〉 살결. ¶ ᄉᆞᆯ씀 주(腠)《字會 上 28》.
ᄉᆞᆯ에ᄒᆞ다 타 〈옛〉 사라지게하다. =ᄉᆞᆯ다[1]. ¶ 도로혀 江漢앳 客의 넉스로 ᄒᆞ여 ᄉᆞᆯ에ᄒᆞᄂᆞ다(却敎江漢客魂銷)《杜諺 Ⅴ:22》. 「46》.
ᄉᆞᆯ오다[1] 타 〈옛〉 사뢰다. =ᄉᆞᆲ다. ¶ 富樓那 ᄉᆞᆯ오ᄃᆡ(富樓那言) 《圓覺 序
ᄉᆞᆯ오다[2] 타 〈옛〉 사르다. ¶ 블에 ᄉᆞᆯ오고 여러 열쇠를 다 형수의게 맛디고(付之火管鑰之屬悉以付焉)《五倫 Ⅳ:38》.
ᄉᆞᆯ오리 명 〈옛〉 사뢸이. 여쭐이. =ᄉᆞᆯᄫᆞ리. ¶ 말ᄉᆞᆷ올 ᄉᆞᆯ오리 하ᄃᆡ《樂範 Ⅴ:6》.
ᄉᆞᆯ와보다 타 〈옛〉 사뢰어 보다. 여쭈어 보다. ¶ 王皇의 ᄉᆞᆯ와보쟈 ᄒᆞ더니 다 몯ᄒᆞ야 오나다《古時調 尹善道》.
ᄉᆞᆯ읏 부 〈옛〉 사라지게. 죽도록. ¶ 고ᄫᆞᆫ 님 몯 보ᅀᆞᄫᅡ ᄉᆞᆯ읏 우니다니《月釋 Ⅷ:87》. *ᄉᆞᆯ하디다. 「니ᄌᆞ시니잇가《樂範 鄭瓜亭》.
ᄉᆞᆯ읏브다 형 〈옛〉 슬프다. 죽고 싶다. ¶ ᄉᆞᆯ읏브뎌 아으 니미 나ᄅᆞᆯ ᄒᆞ마
ᄉᆞᆯ의여 부 〈옛〉 함부로. ¶ ᄉᆞᆯ의여 긁빗기기 말라(不要只管的刮)《朴解 上 44》. 「《月釋 Ⅱ:71》.
ᄉᆞᆯ이다 피동 〈옛〉 살라지다. 타지다. ¶ 시혹 브레 드러도 아니 ᄉᆞᆯ이며
ᄉᆞᆯ이여 부 〈옛〉 오직. 다만. =ᄉᆞᆯ리야. ¶ ᄉᆞᆯ이여 힐후디 말라(休只管的纏張)《老乞 上 47》. 「19》.
ᄉᆞᆯ지니 명 〈옛〉 살진 것. ¶ ᄀᆞ장 ᄉᆞᆯ지니란 말고(休要十分肥的)《老乞 上
ᄉᆞᆯ지다 자 〈옛〉 살찌다. ¶ ᄉᆞᆯ질 팡(胖)《字會 上 29》/내 ᄉᆞᆯ지고 거므니(吾肥且黑)《三綱 翠哥》.
ᄉᆞᆯ콰 〈옛〉 살과. 'ᄉᆞᆯ[1]'의 공동격형(共同格形). ¶ 몸 우희 암근 ᄉᆞᆯ콰 갓괘 잇디 아니토다(身上無有完肌膚)《初杜諺 Ⅷ:2》. 「法 51》.
ᄉᆞᆯ펴보다 타 〈옛〉 살펴보다. ¶ 口皮邊으로 ᄉᆞᆯ펴 보리라(口皮邊照顧)《蒙
ᄉᆞᆯ피다 타 〈옛〉 살피다. =ᄉᆞᆲ피다. ¶ 사ᄅᆞᄆᆞ로 ᄒᆡ여 기픈 ᄉᆞᆯ표ᄆᆞᆯ 베프게 ᄒᆞᄂᆞ다(令人發深省)《杜諺 Ⅸ:27》/ᄉᆞᆯ필 셩(省)《類合 下 33》.
ᄉᆞᆯ하디다 자 〈옛〉 사라지다. ¶ 말 다ᄒᆞ시고 ᄉᆞᆯ하디여 우러 여희시니《月釋 Ⅷ:97》. 「Ⅱ:41》.
ᄉᆞᆯ히 〈옛〉 살이. 'ᄉᆞᆯ[1]'의 주격형. ¶ 머릿 뎡바기예 ᄉᆞᆯ히 내와다《月釋
ᄉᆞᆯᄒᆞᆯ 〈옛〉 살을. 'ᄉᆞᆯ[1]'의 목적격형. ¶ 歲月이 늣고 ᄇᆞᄅᆞ미 ᄉᆞᆯᄒᆞᆯ 헐에 ᄇᆞᄂᆞ니(歲晏風破肉)《杜諺 Ⅸ:29》.
ᄉᆞᆰ 명 〈옛〉 살쾡이. ¶ 여ᅀᆞ와 ᄉᆞᆰ과ᄂᆞᆫ 足히 論議티 몯ᄒᆞ리로다(狐狸不足論)《初杜諺 Ⅷ:12》/ᄉᆞᆰ 리(狸)《字會 上 19》.
ᄉᆞᇝ곰 타 〈옛〉 삶김. 'ᄉᆞᇝ다'의 명사형. ¶ 뭀되의 양지 ᄉᆞᇝ교매 나ᅀᅡ가리로다(群胡勢就烹)《初杜諺 XXIII:3》.
ᄉᆞᇝ기다 자 〈옛〉 삶기다. ¶ ᄆᆞ리 솟글혀 ᄉᆞᇝ기더니《月釋 XXIII:81》.
ᄉᆞᇝ다 타 〈옛〉 삶다. ¶ ᄉᆞᇝ믈 핑(烹)《字會 下 12, 石千 34》.
ᄉᆞᆲ다 타 〈옛〉 사뢰다. 여쭙다. =ᄉᆞᆶ다. ¶ 功德을 國人도 ᄉᆞᆲ거니(維彼功勳東人稱美), 功德을 漢人도 ᄉᆞᆲ거니(維我功德 漢人嘆服)《龍歌 72章》.
ᄉᆞᆲᄉᆞᆯ비 부 〈옛〉 깨닫게. ¶ 通達ᄒᆞ야 반ᄃᆞ기 ᄉᆞᆲᄉᆞᆯ비 홀씨니(通達當自惺惺)《蒙法 63》.
ᄉᆞᆲᄉᆞᆲ홈 명 〈옛〉 깨어난 모양. 깨달은 모양. 'ᄉᆞᆲᄉᆞᆲᄒᆞ다'의 활용형. ¶ 조ᄆᆞᄅᆞ비요미 ᄉᆞᆲᄉᆞᆲ호매 잇ᄂᆞ니(妙在惺惺)《蒙法 6》.
ᄉᆞᆲᄉᆞᆲᄒᆞ다 자 〈옛〉 깨닫다. ¶ ᄉᆞᆲᄉᆞᆲᄒᆞ면 곧 寂靜에 들리니(惺惺便入靜)《蒙法 39》.
ᄉᆞᆲ피다 타 〈옛〉 살피다. =ᄉᆞᆯ피다. ¶ 거긔셔 ᄉᆞᆲ피거ᄂᆞᆯ(那裏巡警)《老乞 上 26》. 「13章》.
ᄉᆞᆶ다 타 〈옛〉 사뢰다. =ᄉᆞᆲ다. ¶ 말ᄊᆞᄆᆞᆯ ᄉᆞᆯᄫᆞ리 하ᄃᆡ(獻言雖衆)《龍歌
ᄉᆞᆷᄞᅵᆷ 타 〈옛〉 삼킴. 'ᄉᆞᆷᄭᅵ다'의 명사형. ¶ 靑海ㅅ 녀글 ᄉᆞᆷᄭᅬᆷ 삼가 말며(愼勿呑靑海)《杜諺 Ⅴ:14》.
ᄉᆞᆷᄭᅵ다 타 〈옛〉 삼키다. =ᄉᆞᇝ기다. ¶ 긴 고래ᄂᆞᆫ 아홉 ᄀᆞ올ᄒᆞᆯ ᄉᆞᆷᄭᅵᄂᆞ다(長鯨呑九州)《杜諺 XXII:2》.
ᄉᆞᆷ줄 명 〈옛〉 탯줄. ¶ ᄉᆞᆷ줄 베히다(剪臍帶兒)《譯語 上 37》.
ᄉᆞᇝ교리라 타 〈옛〉 삼키리라. 삼키려고. 'ᄉᆞᇝ기다'의 활용형. ¶ 기픈 슬호ᄆᆞᆫ 吳ᄅᆞᆯ ᄉᆞᇝ교리라 호ᄆᆞᆯ 그르ᄒᆞ니라(遺恨失呑吳)《杜諺 Ⅴ:54》.
ᄉᆞᇝ기다 타 〈옛〉 삼키다. =ᄉᆞᆷᄭᅵ다. ¶ 소리를 내다가 너를 爲ᄒᆞ야 도로 ᄉᆞᇝ기노라(發聲爲爾呑)《杜諺 Ⅷ:7》.
-ᄉᆞᆸ- 보간 〈옛〉 -삽-. -사옵-. 경어법의 보조 어간. 어간 끝 음이 'ㄱ, ㅂ(ㅋ, ㅌ), ㅅ, ㅎ'이고 어미의 첫 음이 자음일 때 쓰임. ¶ 큰 罪를 닙ᄉᆞᆸ고《月釋 Ⅱ:72》/그 ᄢᅴ 王이 노ᄑᆞᆫ 床 노ᄊᆞᆸ고《月釋 Ⅶ:37》.
-ᄉᆞᇦ- 보간 〈옛〉 -사오-. 경어법의 보조 어간. 어미 첫음이 모음일 때 쓰임. ¶ 大耳兒ᄅᆞᆯ 臥龍이 돕ᄉᆞᄫᆞ니(大耳之兒臥龍丞之)《龍歌 29章》. *-ᄉᆞᆸ-.
ᄉᆞᆺ[1] 명 〈옛〉 새끼[1]. =ᄉᆞᇫ. ¶ 노히나 ᄉᆞᆺ출 가져(將繩索)《無寃錄 Ⅱ:17》.
ᄉᆞᆺ[2] 명 〈옛〉 사이[1]. ¶ 말숨홀제 ᄉᆞ시 그춤 업슨다(對人接話時無間斷麽)《龜鑑 上 21》. 「《月釋 Ⅷ:98》.
ᄉᆞᇫ 명 〈옛〉 새끼[1]. =ᄉᆞᆺ[1]. ¶ ᄉᆞᄎᆞ로 두 소ᄂᆞᆯ ᄆᆡ야와 長者ㅣ 손ᄃᆡ 닐어늘
ᄉᆡ 명 〈옛〉 동(東). ¶ 塞싱ᄂᆞᆫ 東녁 北녁 ᄀᆞᅀᅵ라《金三 Ⅱ:6》.
ᄉᆡ남 명 〈옛〉 지노귀 새남. ¶ 귀고리 腹疾ᄒᆞ여 죽은 날 밤에 金두텁 화랑이 즈노코 ᄉᆡ남 갈졔 靑 뫼쪽 계ᄃᆡ杖鼓 던더럭쿵 치ᄂᆞᆫ듸 《古時調 永言》.
ᄉᆡ다[1] 자 〈옛〉 새다[1]❶. ¶ ᄉᆡᆯ 셔(曙)《字會 上》.
ᄉᆡ다[2] 자 〈옛〉 새다[1]❷. ¶ 이 文이 ᄉᆡ야 闕ᄒᆞ야(此文漏闕)《妙蓮 Ⅵ:89》.
ᄉᆡ다[3] 형 〈옛〉 시다[5]. ¶ 밧바다해 ᄉᆡ요미 나ᄂᆞ니(足心酸起)《楞嚴 Ⅹ:79》.
ᄉᆡ별 명 〈옛〉 샛별. ¶ ᄉᆡ별(明星)《齊諧物名考天文類》.
ᄉᆡ삼 명 〈옛〉 새삼. ¶ ᄉᆡ삼씨(兎絲)《方藥 22》.

시악시 명〈옛〉색시. ¶ 시악시(女兒)《華語 25》.
시암물 명〈옛〉샘물. ¶ 더운 시암물(溫泉)《方藥 59》.
시오 명〈옛〉새우. ¶ 시오(鰕)《方藥 51》/시오 산것(鰕米)《華語 58》.
시오다 타〈옛〉새우다². 시기하다. ¶ 貧寒을 남이 웃고 富貴를 싀오ᄂᆞ듸《古時調 朱義植》.
시옴 명〈옛〉샘². ¶ 시옴을 차ᄌᆞ가서 點心 도슭 부시이고 《古時調》.
시자룜 형〈옛〉시고 떫음. 시고 깔깔함. ¶ 眞實로 시자료믈 受케 ᄒᆞᄂᆞ니(眞受酸澀)《楞嚴 X:80》.
싀싀ᄒᆞ다 형〈옛〉새롭다. ¶ 서리後에 싀싀ᄒᆞ도다(霜後新)《梵音集 14》.
신목곱다 자〈옛〉생목 오르다. ¶ 신목곱다(打醋心)《同文 上 19》.
신목씁다 자〈옛〉생목 오르다. ¶ 신목씁다(打醋心)《譯語 上 37》.
실별 명〈옛〉샛별. ¶ 실별 지고 종달이 ᄯᅥᆺ다 사립닷고 쇼 먹여라《海謠》.
심 명〈옛〉샘². ¶ 시미 기픈 므른(源遠之水)《龍歌 2章》/츄ᄒᆞᆫ것심에왓네 조촐케씻ᄉᆞ쇼셔《찬양가 : 36》.
심다 자〈옛〉샘 솟다. ¶ 옥 나ᄂᆞᆫ듸셔 심ᄂᆞᆫ 믈(玉井水)《湯液 一 水部》.
심밀 명〈옛〉샘 구멍. ¶ 源은 심미티오《月釋 XXI:33》.
싨믈 명〈옛〉샘물. ¶ 오히려 ᄃᆞᆫ 싨므를 브어 머그며(猶酌甘泉)《重杜諺 II:64》.
싱강 명〈옛〉새앙. ¶ 싱강(生薑)《牛方 12》.
싱금ᄒᆞ다 타〈옛〉생금(生擒)하다. ¶ 싱금ᄒᆞ다(搶人)《同文 上 46》.
싱양 명〈옛〉새앙. =싱앙. ¶ 싱양 강(薑)《石千 3》.
싱각 명〈옛〉생각. ¶ 싱각 ᄉᆞ(思)《類合 下 11》/져비ᄂᆞᆫ 녯 기세 도라오믈 싱각ᄒᆞᄂᆞ다(燕憶舊巢歸)《金三 II:6》.
싱각ᄒᆞ다 타〈옛〉생각하다. ¶ 내 앗가 싱각ᄒᆞ니(我恰尋思來)《老乞 下 12》.
싱깁 명〈옛〉생견(生絹). ¶ ᄆᆞᄅᆞᆫ 뵈어나 싱깁이어나《家禮 Ⅷ:12》.
싱동촐 명〈옛〉생동찰. ¶ 싱동촐 량(粱)《字會 上 12, 類合 下 28》.
싱디황 명〈옛〉생지황(生地黃). ¶ 싱디황(生地黃)《救簡 Ⅲ:52》.
싱명 명〈옛〉생명❶. ¶ 싱명도쥬의잇고 의식도 쥬의잇네《찬양가 : 12》.
싱복 명〈옛〉전복(全鰒). =싱포. ¶ 싱복 방(蚌)《類合 下 14》.
싱심이나 부〈옛〉감히. ¶ 엇디 싱심이나 허믈ᄒᆞ료(怎麼敢恠)《老乞 上 37》.
싱싱이 명〈옛〉성성이. ¶ 싱싱이 셩(猩)《字會 上 18》.
싱실 명〈옛〉생일. ¶ 네 어제 張千戶의 싱싈에(你昨日張千戶的生日裏)《朴解 上 66》.
싱앙 명〈옛〉새앙. =싱양. ¶ 싱앙 강(薑)《字會 上 14》.
싱전 명〈옛〉생전(生前). ¶ 셰샹사ᄅᆞᆷ보호ᄒᆞ샤 싱전ᄉᆞ후쥬관ᄒᆞ네《찬양가 : 7》.
싱포 명〈옛〉전복(全鰒). =싱복. ¶ 싱포 방(蚌), 싱포 복(鰒)《字會 上 20》.
싱피 명〈옛〉폐(肺). ¶ 肺ᄂᆞᆫ 싱피라《救簡 Ⅲ:75》.
ㅆ [쌍시옷]〖언〗'ㅅ'의 된소리. 목젖으로 콧길을 막으면서 숨길을 닫고, 혀 앞바닥을 윗 잇몸에 바짝 가깝게 올려 혓바닥으로 입천장 안의 공기를 갈라서 밀어 내는 무성음(無聲音). 종성(終聲)으로 그칠 때는 혀의 앞바닥이 입천장 앞바닥과 맞닿아 'ㄷ'과 같이 됨.
싸 타〈옛〉쌓아. 'ᄡᅡ다'의 활용형. ¶ 城 싸사리ᄅᆞᆯ 始作ᄒᆞ니라《月釋 I:44》.
싸가지 명〈방〉①싹수머리. ②소갈머리(전라).
  싸가지(가) 없:다 구〈방〉소갈머리 없다.
싸각 부 ①사과나 과자 따위를 씹을 때 나는 소리. ②갈대 따위가 마찰할 때 나는 소리. ㅅ사각. <써걱. ——-하다 자타여불
싸각-거리다 자타 ①사과나 과자를 씹을 때와 같은 소리가 계속 나다. 또, 그런 소리를 자꾸 내다. ②갈대 같은 것이 마찰하는 소리가 계속 나다. 또, 그런 소리를 자꾸 내다. 1)·2):ㅅ사각거리다. <써걱거리다. 싸각-싸각 부. ¶ ～하는 가윗소리. ——-하다 자타여불
싸각-대다 자타 싸각거리다.
싸갈-머리 명〈방〉싹수머리.
싸개 명 ①물건을 싸는 데 쓰이는 종이나 헝겊. ¶ 책～/ 발～. ②↗싸개통. ③↗갓싸개.
  싸개(가) 나다 구 싸개통이 벌어지다.
싸개-갓장이【一匠一】명 갓싸개하는 장색(匠色).
싸개-장이【一匠一】명 싸개질을 업으로 하는 사람.
싸개-종이 명 물건을 싸는 종이.
싸개-질 명 ①물건을 포장(包裝)하는 짓. ②의자나 침대 등의 앉을 자리를 헝겊이나 가죽으로 싸는 짓. ——-하다 자여불
싸개-통 명 ①여러 사람이 둘러싸고 다투며 승강이를 하는 통. ②여러 사람에게 둘러싸여 억울하게 욕먹는 일. ¶ ～에 걸려서 욕을 보았다.
싸개-판 명 싸개통이 벌어진 판.
싸게 부〈방〉빨리(전라·경상·충청).
싸고 돌:다 타 ①중심을 싸고 그 둘레에서 움직이다. ②힘써 주어 보호하다. 준싸돌다.
싸구려 ㊀감 장사치가 물건을 팔 때, 손님을 끌려고 싸다는 뜻으로 외치는 말. ㊁명 ①매우 값이 싼 물건. ②값 없는 낮은 물건. ¶ ～ 장사.
싸구려 장수 명 시가(時價)보다 물건을 싸게 팔거나 또는 값 없는 낮은 물건을 파는 장사치.
싸구려-판 명 물건을 시가(時價)보다 싸게 팔거나 또는 값 없는 낮은 물건을 파는 판.
싸그랑-비 명〈방〉가랑비. 이슬비(함경).
싸기 부〈방〉빨리(전북).
싸내기 명〈방〉〖동〗노래기¹(전남).
싸네기 명〈방〉〖동〗노래기¹(경남).
싸눈 명〈옛〉싸라기눈. ¶ 싸눈 션(霰)《倭解 上 2》.
싸느라 간 '싸느랗다'의 불규칙 어간. ¶ ～ㄴ/～면.
싸느랗다 [-라타] 형ㅎ불 ①날씨가 쌀쌀하게 차다. ②차가울이만큼 싸늘하다. ¶ 손이 ～. ③깜짝 놀란 때 마음 속에 찬 기운이 일어나는 것 같은 느낌이 있다. 1)-3):ㅅ사느랗다. <써느렇다.
싸느래-지다 자 싸느랗게 되다. ¶ 시체는 이미 싸느래져 있었다.
싸늘-하다 형여불 ①날씨 같은 것이 매우 산산하고 좀 추운 기운이 있다. ¶ 싸늘한 겨울 날씨. ②시체 같은 것이 차가운 느낌을 주다. 죽어서 체온이 내려가다. ¶ 시체는 벌써 싸늘해졌다. ③사람의 표정이나 태도가 차가운 느낌을 주다. 또, 마음 속에 차가운 기운이 일어나는 것과 같이 느껴지다. ¶ 어딘가 싸늘한 분위기/싸늘한 표정. 1)-3):ㅅ사늘하다. <써늘하다. 싸늘-히 부
싸니기 명〈방〉〖동〗노래기¹(전남).
싸다¹ 타 〔중세 : ᄡᅡ다〕①보자기나 종이 등으로 물건을 안에 넣고, 둘러 말아서 보이지 않게 하다. ¶ 이 물건을 싸 주시오. ②보살피며 두둔하다. 감싸다.
  [싸고 싼 사향(麝香)도 냄새 난다] ㉠아무리 숨기려고 노력하여도 그 일이 드러났을 경우에 이르는 말. ㉡재주와 덕망을 겸비한 인물은 스스로 구하지 않아도 널리 알려지게 마련이라는 뜻.
싸다² 타 불씨를 꾸러미 속에 넣어, 지를 자리에 놓다.
싸다³ 타 〔중세 : ᄡᅡ다〕①갓난애나 어린 아이가 기저귀나 요·이불 같은 데다 똥·오줌을 누다. ②똥·오줌을 참지 못하고 마구 누다. ¶ 바지에 똥을 ～.
싸다⁴ 형 ①입이 가볍다. ¶ 그 계집애는 입이 ～. ②걸음이 재다. ¶ 싸게 걷는다. ③물레 같은 것의 도는 것이 재빠르다. ¶ 싸게도 돈다. ④불꽃이 세고 빠르다. ¶ 장작불을 싸게 때어라/싼 불로 끓이다. ⑤성질 같은 것이 곧고 굳세다. ¶ 성깔이 너무 ～. ⑥물매의 경사가 급하다. ↔뜨다¹⁰.
싸다⁵ 형 ①물건의 값이 마땅한 값보다 적다. ↔비싸다. ②저지른 죄에 비추어서 받는 벌이 마땅하거나 또는 오히려 적다. ¶ 그놈 매 맞아 ～.
  [싼 것이 비지떡] 값이 싼 물건은 그 품질이 나쁘다는 말.
싸-다니다 자 갈 데나 아니 갈 데나 가리지 아니하고, 치신없이 마구 돌아다니다. ¶ 어디를 진종일 싸다녔느냐. 준싸대다.
싸-다듬이 명 매나 몽둥이로 함부로 때리는 짓. ——-하다 타여불
싸다리 명〈방〉사닥다리(경상).
싸-대다 자 ↗싸다니다.
싸-데려가다 자 신랑 쪽에서 모든 혼수(婚需)를 장만하여 가난한 신부와 혼인하다.
싸-돌다 타 ↗싸고 돌다.
싸-돌아다니다 자 싸다니다. ¶ 진종일 ～.
싸드락-싸드락 부〈방〉시위적시위적.
싸라기 명〔중세 : ᄡᆞ라기〕①쌀의 부스러기. ②↗싸라기눈. ¶ ～가 오다.
  [싸라기 쌀 한 말에 칠 푼 오리라도 오 리 없어 못 먹더라] 아무리 작은 돈이라도 우습게 여기지 말고 소중히 아껴 쓰라고 이르는 말.
싸라기-눈 명 빗방울이 내리다가 갑자기 찬 바람을 만나, 얼어서 떨어지는 싸라기 같은 눈. 준싸라기·싸락눈.
싸라기-밥 명 싸라기로 지은 밥.
  [싸라기밥을 먹었나] (싸라기는 반 토막 쌀이므로) 남에게 함부로 반말을 할 때 되쏘는 말.
싸라기 설탕【一雪糖】명 결정의 크기가 약 2mm 정도의 굵은 설탕. 또, 정제(精製)하지 않은 막설탕을 말하기도 함. 당분의 순도가 높아 제과용(製菓用)에 쓰임.
싸락-눈 명 ↗싸라기눈.
싸락-돌 명〖광〗선석(霰石).
싸락-비 명〈방〉가랑비. 이슬비(함경).
싸랑-문【一門】명〈방〉사립문(경북).
싸래기 명〈방〉싸라기(평안·경상·전라·충청).
싸래기-눈: 명〈방〉싸라기눈(경상·평안).
싸랭 명〖악〗금합자보(琴合字譜)의 거문고 연주법에서, 문현(文絃)을 먼저 세게 친 다음, 술대를 순간적으로 유현(遊絃)에서 멈추었다가 유현으로 넘어가면서 왼손바닥 끝으로 문현에 대어 그 소리를 막아 주는 법의 구음(口音).
싸루-문【一門】명〈방〉사립문(경기).
싸리 명〖식〗싸리나무.
  [싸리 밭에 개 팔자] 더운 여름에 서늘한 싸리밭에 누워 있는 개의 신세가 상팔자라는 말.
싸리-나무 명〖식〗[*Lespedeza bicolor* var. *japonica*] 콩과에 속하는 낙엽 활엽 관목. 줄기·가지가 월동중(越冬中)에 반 이상이 고사(枯死)함. 잎은 세 잎이 나오고 소엽(小葉)은 넓은 타원형 또는 둥근 거꿀달걀꼴이고 톱니가 없음. 7월에 짙은 자색 또는 홍자색 꽃이 총상 화서로 피고, 협과(莢果)는 10월에 익음. 산지에 나는데, 거의 한국 각지 및 일본·대만에 분포함. 나무는 신탄재, 잎은 사료로, 수피(樹皮)는 섬유용으로 씀. 싸리. 소형(小荊).

〈싸리나무〉

싸리-냉이 명〖식〗[*Cardamine impatiens* var. *typica*] 겨잣과에 속하는 월년초. 높이 40cm 가량. 잎은 호생하며, 유병(有柄)이고 긴 타원형인데 소엽(小葉)은 5-16개씩 달림. 6월에 달걀꼴 또는 타원형의 흰 꽃이 줄기 끝에 총상(總狀) 화서로 피고, 열매는 2cm 정도인데 익으면 두 각편(殼片)으로 째짐. 한국 및 일본에 분포함.
싸리-말 명〖민〗싸리를 결어 만든 조그마한 말. 마마에 걸린 지 열이틀 되는 날에 역신(疫神)을 내쫓을 때 씀.
  싸리말(을) 태우다 구 '쫓아내다'의 곁말. ¶ 불붙듯 하인을 재촉하여 그 며느리를 친정으로 ～을 태워 보내니…《作者未詳 : 홍도화》.
싸리-문【一門】명 ①싸리로 만든 문. ②☞사립문.
싸리 바자 명 싸리나무로 결은 바자. 채마밭 따위에 둘러침.
싸리-발 명 싸리나무로 만든 발.

싸리-버섯 명 〖식〗 [*Clavaria botrytis*] 싸리버섯과에 속하는 버섯. 높이와 폭은 15cm 가량이고 양배추의 화서(花序) 비슷함. 선단부(先端部)는 다수 세열(細裂)하고 돌기상(突起狀)이며, 가지 끝은 담자색 또는 자홍색에 다른 부분은 흰빛 또는 엷은 황백색임. 포자는 타원형에 회백색임. 산 속의 활엽수 숲 밑에 나는데, 전세계에 분포함. 가을에 식용함.

〈싸리버섯〉

싸리버섯-과 【—科】 명 〖식〗 [Clavariaceae] 진균류(眞菌類)에 속하는 한 과. 자실체(子實體)는 육질(肉質)·혁질(革質)·연골질(軟骨質) 또는 납질(蠟質)이고 원기둥꼴 또는 곤봉상(棍棒狀)으로 흔히 많은 가지로 갈라지며, 산호(珊瑚) 모양을 이룸. 9속(屬) 440여 종이 분포함.

싸리버섯-해:면 【—海綿】 명 〖동〗 [*Grantessa shimeji*] 헤테로피아과(Heteropia科)에 속하는 석회(石灰) 해면류의 하나. 몸은 싸리버섯 비슷한데 반구형(半球形)이고 회백색의 군체(群體)를 이루고 있으며, 그 지름 85mm, 높이 45mm 내외임. 각 개체의 상단(上端)은 단지처럼 위가 벌어진 것과 벌어지지 않은 것이 있고 체벽(體壁)은 석회질의 작은 다수의 골편(骨片)으로 형성되고 있음. 얕은 바다의 암초에 서식하는데, 한국·일본 등의 연안에 분포함.

〈싸리버섯해면〉

싸리-비 명 싸리로 묶어 만든 비.
싸리짝-문 【—門】 명 〈방〉 사립문(황해).
싸리-철 【—鐵】 명 기계로 가늘고 긴 원기둥꼴로 뽑아 낸 쇠.
싸린-문 【—門】 명 〈방〉 사립문(경기·전남).
싸립-문짝 【—門—】 명 〈방〉 사립문(황해).
싸립-문 【—門】 명 〈방〉 사립문(경기·충남).
싸릿-개비 명 싸리의 한 줄기나 쪼갠 한 토막.
싸릿-대 명 싸리의 줄기.
싸-매다 타 헝겊·짚·보자기 같은 것으로 둘러 말아서 꼭 매다. ¶ 붕대로 상처를 ～/수도관(水道管)을 짚으로 ～.
싸목-싸목 부 조금씩 조금씩 천천히 나아가는 모양. ¶ 이런 분함 저런 분함에 밤이면 잠을 잘 못 이룬 춘태는 이튿날 ～ 바람을 쐬러 나갔다 ≪吳有權 : 방앗골 혁명≫.
싸-문 【—門】 명 〈방〉 사립문(전북).
싸부랑-거리다 자 주책 없이 시시한 말로 방정맞게 지껄이다. ㅅ사부랑거리다. 〈써부렁거리다. **싸부랑-싸부랑** 부. ——-하다 자여불
싸부랑-대다 자 싸부랑거리다.
싸분 명 〈방〉 비누(경북).
싸심 명 〈방〉 〖동〗 사슴(경북).
싸얼후 산 싸움 【—山—】 〔薩爾滸〕 명 〖역〗 후금(後金)의 누르하치가 1619년 명군(明軍)에 대승(大勝)한 싸움. 싸얼후(薩爾滸)는 중국 동북부의 푸순(撫順)의 동쪽, 훈허(渾河) 강 남안(南岸)의 산 이름. 이 싸움이 명(明)·청(淸) 교체(交替)의 전기(轉機)가 되었음. 살이호산 싸움.
싸우 명 〈방〉 사위(함경·경상).
싸우다 자 ①말이나 힘으로 상대를 이기려고 다투다. ②군대를 풀고 무력을 써서 서로 상대편을 공격하다. 전쟁을 하다. ③장애·곤란 등을 극복하려고 하다. ¶ 가난과 싸워 가며 공부하다.
싸울 아비 명 무사(武士).
싸움 명 싸우는 일. 또, 전투(戰鬪). 융(戎). 준쌈. ——-하다 자여불
[싸움은 말리고 불은 끄랬다] 좋지 않은 일은 중지시키는 것이 좋다는 말. [싸움은 말리고 흥정은 붙이랬다] 무릇 어떠한 일에나 나쁜 일은 말리고 좋은 일은 권하는 것이 옳다는 말. ¶ 속담에 이른 말이 쌈은 말리고 흥정은 붙이랬으니, 상인이 되어서는 물건을 팔아야겠다 ≪鳳山탈춤≫. [싸움해 이(利)한 데 없고, 굿해 해(害)한 데 없다] 액을 쫓는 굿은 암만 해도 괜찮으나 싸움은 절대로 할 것이 아니라고 경계하는 말.
싸움-꾼 명 싸움을 잘하는 사람. 준쌈꾼.
싸움-닭 [—딱] 명 투계(鬪鷄). 준쌈닭.
싸움-발톱 명 싸움닭의 발달된 며느리발톱.
싸움-배 [—빼] 명 전함(戰艦). 준쌈배.
싸움-질 명 싸우는 짓. 싸우는 행동. 준쌈질. ——-하다 자여불
싸움-터 명 전투가 벌어진 곳. 전장(戰場). 전지(戰地). 전쟁터. 준쌈터.
싸움투-부 【—鬪部】 명 한자 부수(部首)의 하나. '鬪'나 '鬨' 등에서 '鬥'의 이름.
싸움-판 명 싸움이 벌어진 판. 준쌈판.
싸움-패 【—牌】 명 싸움을 일삼거나 싸움을 잘 하는 사람들의 한 무리. 준쌈패.
싸이 부 〈방〉 퍽.
싸이다[1] 피동 가운데에 들어서 둘러쌈을 당하다. ¶ 인파(人波)에 ～. 준쌔다.
싸이다[2] 사동 대소변을 싸게 하다. 준쌔다.
싸-잡다 타 그 가운데 함께 들게 하다. ¶ 몽땅 싸잡아서 팔아 치우다.
싸-잡히다 피동 싸잡음을 당하다. ¶ 함께 싸잡혀서 욕을 먹다.
싸장 【—醬】 명 찹기장을 장조림한 밑반찬. 평안 북도 강계(江界) 지방의 향토 음식임.
싸-장사 명 〈방〉 쌀장사.
싸-전 【—廛】 명 쌀과 그 밖의 곡식 등을 파는 가게. 미전(米廛).
[싸전에 가서 밥 달라고 한다] 성질이 몹시 급하다는 말.
싸전-시정 【—廛—】 명 〈방〉 싸전쟁이.
싸전-쟁이 【—廛—】 명 〈속〉 싸전을 내고 쌀을 파는 장수.
싸-쥐다 타 손으로 감싸 쥐다. ¶ 냄새가 고약 해서 코를 ～.
싸-지르다[1] 자르불 〈속〉 싸다니다.
싸-지르다[2] 타르불 〈속〉 싸다[2].
싸키 부 〈방〉 빨리(경북).
싸타 타 〈옛〉 쌓다. ¶ 積은 싸흘 씨라 ≪月釋 序 23≫.
싸퉁이 명 〈방〉 애꾸눈이(평안).
싸:-하다 형여불 혀나 목구멍에 아린 듯한 느낌이 있다.
싸호다 자 〈옛〉 싸우다. =사호다·ᄡᅡ호다. ¶ 請으로 온 예와 싸호샤(見請之倭與之戰鬪) ≪龍歌 52章≫/서로 ᄃᆞ토아 싸호면 ≪月釋 Ⅱ:6≫.
싸홈 명 〈옛〉 싸움. =사홈. ¶ 싸홈 젼(戰) ≪字會 下 15≫.
싸회 명 〈옛〉 사위. ¶ 싸회를 골ᄒᆞ야(擇壻) ≪續三綱 烈女圖 馬氏投井≫.
싸홀다 타 〈옛〉 썰다. ¶ 동녀ᄒᆞ로 향ᄒᆞᆫ 복숑아 가지를 줄게 싸흐라 믈 달혀 모욕ᄒᆞ라(又方東向桃枝細剉煮湯浴之) ≪救荒辟瘟, 辟瘟 5≫.
싸홀다 타 〈옛〉 썰다. ¶ 하나한 딥흘 언제 싸흘뇨(許多草幾時切得了), 이버다 네 싸ᄒᆞᄂᆞᆫ 딥히 너모 굵다(這火伴你切的草忒麤) ≪老乞 上 17≫.
싹[1] 명 ①씨앗에서 처음으로 터져 나오는 어린 잎이나 줄기. 싹눈. ②↗싹수.
  싹도 없:다 구 전혀 자취가 보이지 않다. ¶ 그 내숭스러운 것들이 제 자식을 언다 감추었는지 싹도 없이 볼 수가 없어요 ≪李海朝 : 鬢上雪≫.
  싹이 노:랗다 구 처음 나오는 싹이 노랗게 말라 버렸다는 뜻으로, 희망이 애초부터 보이지 않는다는 말. 싹수가 노랗다.
싹[2] 부 ①종이 등을 한 번에 베는 소리. 또, 그 모양. 〈썩. ②거침없이 밀거나 쓸어 나가는 모양. ¶ 불도저만 있으면 한꺼번에 ～ 밀어 치울 것을. 〈썩. ③조금도 남기지 아니하고 죄다. ¶ 얼굴의 핏기가 ～ 가시다. ④전연 책임을 회피하거나 모른 체하는 모양. ¶ ～ 돌아앉아서 모른 체하다. 1)-4):ㅅ삭.
싹-눈 명 싹[1]❶.
싹눈-바곳 명 〖식〗 [*Aconitum proliferum*] 성탄꽃과에 속하는 다년초. 줄기는 가늘고 굽었으며 높이는 약 1m 가량임. 잎은 호생하고 장병(長柄)이며 3-6갈래로 갈라졌고 톱니가 있음. 꽃은 피지 않고, 줄기 끝에 주아(珠芽)를 가져서 지면에 닿으며 새싹을 발생하여 번식하는 특성이 있음. 산지의 숲 속에 나는데, 충북 속리산에 나는 특산종임.
싹둑 부 연한 물건을 한번 토막쳐 자르는 모양. ¶ 무를 ～ 자르다. ㅅ삭둑. 〈썩둑.
싹둑-거리다 자타 연한 물건을 계속해서 토막쳐 자르다. ㅅ삭둑거리다. 썩둑거리다. 싹둑-싹둑 부. ——-하다[1] 자타여불
싹둑-대다 자타 싹둑거리다.
싹둑싹둑-하다[2] 형여불 글의 뜻이 토막토막 끊어져 문맥(文脈)이 통하지 않아 읽기가 어렵다. ㅅ삭둑삭둑하다.
싹뿔-이 명 〖민〗 동해안 별신굿에 쓰이는 탈의 하나. 또, 그 탈을 쓰고 춤추는 사람.
싹-수 명 앞길이 트일 징조. ¶ ～가 보인다. 준싹.
  싹수가 노:랗다 구 싹이 노랗다.
싹수 대가리 명 〈방〉 싹수 머리.
싹수 머리 명 〈속〉 싹수. ¶ ～ 없는 놈.
싹수-없다 [—업—] 형 장래성(將來性)이 없다. 준싹없다.
싹수-없이 [—업씨] 부 싹수 없게. 준싹없이.
싹수-있다 형 장래성(將來性)이 있다. 준싹있다.
싹싸기 명 〖민〗 굿할 때 손을 비비는 일을 대신 해 주는 사람. 손을 싹싹 비비는 사람이라는 뜻에서 나온 말임.
싹-싹[1] 부 ①여러 번 싹하는 모양. 또, 그 소리. ¶ 종이를 ～ 자르다. ②거침없이 밀거나 훑어 나가는 모양. 또, 남김 없이 죄다. ¶ 돈을 ～ 쓸어 가다. ③정성들여 깨끗이 쓸거나 문지르는 모양. ¶ ～ 쓸어라/～ 문질러라. 1)·3):ㅅ삭삭[1]. 〈썩썩[1].
싹싹[2] 부 손을 비비는 모양. 또, 비는 모양. ¶ 잘못했다고 ～ 빌다. ㅅ삭삭[2]. 〈썩썩[2].
싹싹-거리다 자타 싹싹 소리가 자꾸 나다. 또, 그런 소리를 자꾸 내다. ㅅ삭삭거리다. 〈썩썩거리다.
싹싹-대다 자타 싹싹거리다.
싹싹이 명 〈심마니〉 소금.
싹싹-하다 형여불 성질이 상냥하고, 또 사리를 재빨리 알아차려 남의 뜻을 잘 받들어 좋는 태도가 있다. 〈썩썩하다.
싹쓸-바람 명 〖기상〗 풍력 계급의 하나. 초속 32.7미터 이상의 바람. 태풍(颱風). *풍력 계급.
싹-쓸이 명 남김 없이 싹 쓸어 없앰. ——-하다 타여불
싹-없다 [—업—] 형 ↗싹수없다.
싹-없이 [—업씨] 부 ↗싹수없이.
싹-있다 형 ↗싹수있다.
싹장 명 〈방〉 사립문(경기).
싹-트다 자 어떠한 일의 기운(機運)이 열리다.
싹-틔우기 [—티—] 명 〖농〗 농작물의 종자를 뿌리기 전이나 알뿌리 같은 것을 심기 전에 인위적으로 적당한 온도·수분·산소 또는 빛을 주어서 미리 조금 발아(發芽)시키는 일. 어린 식물의 생육을 촉진하여 수확 시기를 이르게 할 목적으로 함. 최아(催芽).
싹-틔우다 [—티—] 타 싹트게 하다. ¶ 볍씨를 싹틔워서 뿌리다.
쌄 명 〈방〉 삯.
쌄-군 명 〈방〉 삯꾼.
싼-값 [—갑] 명 시세(時勢)에 비하여 헐한 값. 염가(廉價).
싼-거리 명 물건을 싸게 사는 일. 또, 그 물건. ——-하다 자타여불
싼두아오 〔三都澳〕 명 〖지〗 중국 푸젠 성(福建省) 북동부 싼사 만(三沙灣) 내의 싼두(三都)섬 남안에 있는 항구. 차(茶)·목재·담배 등의 수출 외에, 어항(漁港)으로서도 이용됨. 삼도오.
싼먼샤 〔三門峽〕 명 〖지〗 ①중국의 황허(黃河)강 중류, 허난 성(河南省)과 산시 성(山西省)의 경계에 있는 협곡(峽谷). 황허 강이 타이항 산맥

(太行山脈)과 샤오 산(崤山) 사이를 가로지르는 곳으로, 수중에 세 바위가 있어 런먼(人門)·구이먼(鬼門)·선먼(神門)의 세 격류로 갈라지는 데서 이 이름이 있음. 1961 년 이 곳에 싼먼샤 댐이 건설됨. ②허난성 서부의 싼먼샤 댐 건설 때에 설치된 도시. 삼문협(三門峽).

싼샤 〔三峽〕 [명] 〖지〗 중국 양쯔 강(揚子江)의 상중류(上中流)에 있는 세 협곡(峽谷). 파샤(巴峽)와 우샤(巫峽)와 밍웨샤(明月峽) 또는 우샤(巫峽)·시링샤(西陵峽)·구이샤(歸峽). 쓰촨(四川)·후베이(湖北)의 양 성(兩省)에 걸쳐 있는데 옛날부터 주행(舟行)이 어렵기로 유명함. 최근 이 곳에 발전용 대저수(大貯水) 댐의 건설이 추진되고 있음. 길이 204 km. 삼협(三峽).

싼샹 〔三湘〕 [명] 〖지〗 중국의 샹장(湘江) 강 유역의 통칭. 샹탄(湘潭)·샹샹(湘鄕)·샹인(湘陰)의 총칭이라고 함. 또, 샹장(湘江) 강을 셋으로 구분하여, 그 합한 것을 이르는 것이라고도 함. 삼상.

싼성 〔三省〕 [명] 〖지〗 만주 지린 성(吉林省)의 북부에 있는 개시장(開市場). 무단 강(牧丹江)과 쑹화 강(松花江)이 만나는 곳에 위치하는데, 잡곡·우피(牛皮)·목재 등을 집산(集散)함. 삼성(三省).

싼수이 〔三水〕 [명] 〖지〗 중국 광둥(廣東)성 중부의 도시. 시장(西江) 강과 베이장(北江) 강의 합류점에 있으며, 광싼(廣三) 철도의 종점임. 1897 년 개항(開港). 베이장 강 유역의 물산(物産)을 실어 냄. 삼수(三水).

싼위안 〔三原〕 [명] 〖지〗 중국 산시(陝西)성 중부의 현. 징훼이취(經惠渠)의 관개(灌漑)로 농업이 성함. 셴퉁 지선(咸銅支線)에 잇닿아 양모·면화·밀 등의 집산지임. 삼원(三原). [311,000 명(1982)]

싼-흥정 [명] 싼값으로 사고 파는 일. ↔비싼 흥정. ——하다 [자][타][여불]

쌀 [명] ①벼의 열매의 껍질을 벗긴 알맹이. 그 성분에 따라 멥쌀과 찹쌀, 도정(搗精) 방식에 따라 현미(玄米)와 백미(白米) 등이 있음. 미곡(米穀). 대미(大米). ②↗입쌀. ③볏과의 곡식의 껍질을 벗긴 알의 총칭. 보리쌀·좁쌀 등.
[쌀고리에 닭이라] 갑자기 먹을 것이 많고 복 많은 처지에 놓임을 이르는 말. ¶ 이도령 이른 말이 '내가 우연히 든 장가가 쌀고리에 닭이로다'≪古本 春香傳≫. [쌀 한 톨 보고 뜨물 한 동이 마신다] 작은 성과를 기대하여 노력이나 비용을 지나치게 많이 들인다는 말.
쌀에 뉘 [구] 어쩌다 하나씩 섞여 있는 것의 비유.

쌀-가게 [—까—] [명] 쌀 등의 곡물을 파는 가게. 싸전.

쌀-가루 [—까—] [명] 쌀을 빻아 만든 가루. 미분(米粉).

쌀가리 [명] 〈방〉〖동〗 살쾡이(전남).

쌀-값 [—깝] [명] 쌀의 가격.

쌀강-거리다 [자] 설익은 콩이나 밤 같은 것이 씹힐 때에 부서지는 소리가 계속해서 나다. 또, 그것을 씹을 때 입안에서 무르지 아니한 감을 연해 주다. ㅅ살강거리다. ㅆ쌀캉거리다. <썰겅거리다. **쌀강-쌀강** [부]. ——하다 [자][여불]

쌀강-대다 [자] 쌀강거리다.

쌀-강아지 [명] 털이 짧은 강아지.

쌀-강정 [명] 볶거나 튀긴 쌀로 만든 강정.

쌀개¹ [명] 방아 허리에 가로 맞추어서 방아가 걸려 있도록 마련한 나무 막대기.

쌀-개² [명] 털이 짧은 개.

쌀갱이 [명] 〈방〉〖동〗 살쾡이(경북).

쌀-겨 [—껴] [명] 쌀을 쓿을 때 나온 가장 고운 속겨. 미강(米糠). 속등겨. ↔왕겨.

쌀계 [명] 〈방〉 쌀겨(평안).

쌀-고치 [명] 희고 굵으며 야무지게 지은 좋은 고치. ↔무리고치.

쌀-골집 [—찝] [명] 돼지 창자에 돼지고기를 썰어 넣고 삶은 음식.

쌀-광 [—꽝] [명] 쌀을 넣어 두는 광.
[쌀광에 든 쥐] 부족함이 없고 만족한 처지를 말함. 쌀독에 앉은 쥐. ¶ 평양집은 큰집에서 먹을 것, 입을 것을 모두 대어주어 손가락 하나 꼼작이지 아니하고, 쌀광에 든 쥐, 팔자도 편히 지내나≪金宇鎭:花上雪≫. [쌀광에서 인심 난다] '쌀독에서 인심 난다'와 같은 말.

쌀구 [명] 〈방〉 살구(전남).

쌀-궤 【—櫃】 [명] ☞뒤주.

쌀-금 [—끔] [명] 쌀의 금새. 쌀값. ¶ ~이 올랐다.

쌀-금새 [—끔—] [명] 쌀의 사고 파는 금새.

쌀긋-거리다 [자][타] 한쪽으로 배뚤어지거나 끼울어지게 자꾸 움직이다. 또, 그리 되게 하다. ㅅ살긋거리다. >쌜긋거리다. <썰긋거리다. **쌀긋-쌀긋** [부]. ——하다 [자][타][여불]

쌀긋-대다 [자][타] 쌀긋거리다.

쌀긋-하다 [형][여불] 바르게 된 물건이 한쪽으로 일그러져 있다. ㅅ살긋하다. >쌜긋하다. <썰긋하다.

쌀-깃 [—낏] [명] 갓난 아이의 배냇저고리 아래에 옷 대신으로 싸서 입히는 헝겊 조각.

쌀깽 [명] 〖악〗 거문고 연주에서, 술대로 문현(文絃)을 먼저 세게 치고 유현(遊絃)에서 짚은 음까지 잇달아 치는 법의 구음(口音).

쌀-낟기 [명] 〈방〉 쌀알(경상).

쌀-누룩 [—루—] [명] 쌀가루를 약간 쪄서 단단히 밟아 솔잎에 싸서 띄운 누룩. 미국(米麴).

쌀-눈 [—룬] [명] 쌀의 배아(胚芽).

쌀-도적 【—盜賊】 [—또—] [명] 〖충〗 [*Temnochila japonica*] 쌀도적과에 속하는 소형(小形)의 갑충. 몸길이 10.5-16.5 mm이고, 몸은 직사각형(直四角形)에 몸빛은 칠흑색이며 촉각·다리·복부(腹部)는 흑갈색임. 시초(翅鞘)에는 각각 10 줄의 점각구(點刻溝)가 있음. 가문비나무 등의 수피(樹皮)에 있는 다른 곤충의 유충을 포식하나 쌀·보리 등의 곡류에도 서식하여 해를 끼침. 일본에 많으며 한국·사할린에도 분포함. *느치.

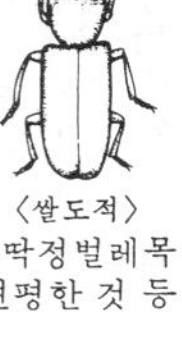
〈쌀도적〉

쌀도적-과 【—盜賊科】 [—또—] [명] 〖충〗 [Temnochilidae] 딱정벌레목(目)에 속하는 한 과. 몸은 긴 것, 가는 것, 원통상 또는 편평한 것 등 여러 가지이며, 촉각은 곤봉상에 11절임. 대부분이 다른 유충을 포식하는 육식성(肉食性)이며 나무 껍질 밑·버섯·곡류(穀類) 등에 서식함. 온대·아열대·열대 지방에 650여 종이 분포하는데, 느치·쌀도적 등이 이에 속함.

쌀-독 [—똑] [명] 쌀을 넣어 두는 독.
[쌀독에서 인심 난다] 부유(富裕)한 다음에야 비로소 남을 도와 줄 수도 있다는 말. 쌀광에서 인심 난다. [쌀독에 앉은 쥐] '쌀광에 든 쥐'와 같은 뜻.

쌀-되 [—뙤] [명] ①쌀을 되는 되. ②한 되 남짓한 쌀. ¶ ~나 주어서 보내라.

쌀-뜨물 [명] 쌀을 씻은 뜨물. 미감(米泔). 미감수(米泔水). 미즙(米汁). 백수(白水).

쌀-라면 〔중 拉麵〕 [명] 밀가루에 쌀을 섞어 만든 인스턴트 라면.

쌀랑-거리다 [자] ①좀 쌀랑한 느낌이 들 만큼 바람이 가볍게 불다. ②가볍게 팔을 저어 바람을 내면서 걷다. 1)·2):ㅅ살랑거리다. <썰렁거리다. **쌀랑-쌀랑** [부]. ——하다¹ [자][여불]

쌀랑-대다 [자] 쌀랑거리다.

쌀랑쌀랑-하다² [형][여불] 날씨가 쌀쌀하리 만큼 쌀랑거리는 상태에 있다. ㅅ살랑살랑하다². <썰렁썰렁하다².

쌀랑-하다 [형][여불] ①온도가 내려 차다. 공기가 싸느랗다. ¶ 쌀랑한 아침 공기. ②놀란 때 가슴이 갑자기 텅 비고 찬 바람이 도는 듯한 느낌이 있다. 1)·2):ㅅ살랑하다. <썰렁하다.

쌀래끼 [명] 〈방〉 쌀알(경상).

쌀래-쌀래 [부] 머리를 되게 가로 흔드는 모양. [준]쌀쌀. ㅅ살래살래. <썰레썰레.

쌀-막걸리 [명] 쌀로 빚은 막걸리.

쌀-명나방 【—螟—】 [명] 〖충〗 [*Aglossa dimidiata*] 명나방과(科)에 속하는 곤충. 편 날개의 길이는 26 mm 내외, 몸빛은 황갈색, 앞날개에 톱날 모양의 세 횡선(橫線)이 있고 뒷날개는 회갈색임. 유충은 쌀·보리 등의 곡류(穀類)의 해충임. 한국·일본·중국·인도 등지에 분포함.

쌀-목탁 【—木鐸】 [명] 〖불교〗 절에서 끼니 때에 밥쌀을 가져오라고 알리는 목탁. *쌀북.

쌀미-변 【—米邊】 [명] 한자 부수(部首)의 하나. '粉'이나 '糊' 등에서 '米'의 이름.

쌀-바늘 [명] 〈방〉 알바늘.

쌀-밥 [명] 입쌀로만 지은 밥. 이밥. 미반(米飯). 백반(白飯). 흰밥.

쌀-방개 [명] 〈방〉〖충〗 물방개❷.

쌀-벌레 [—뻘—] [명] ①쌀을 갉아 먹는 벌레. ②무위 도식(無爲徒食)하는 사람을 꼬집는 말.

쌀-보리 [명] ①〖식〗 [*Hordeum sativum* var. *vulgare*] 볏과(科)에 속하는 일년생의 재배초. 보리의 한 종류로, 수염은 짧고 껍질과 알이 딱 붙지 아니하여 쉽게 벗겨짐. 쉽게 자라고 비료를 많이 주어도 엎치지 않음. 밀보리. 나맥(裸麥). 청과맥(靑顆麥). ②껍질을 벗긴 보리. ↔겉보리. *보리¹.

〈쌀보리〉

쌀-부대 【—負袋】 [—뿌—] [명] 쌀을 담는 부대. 미포(米包).

쌀-북 [명] 〖불교〗 절에서 밥을 지을 때 여러 사람의 쌀을 모으기 위하여 치는 북. 미고(米鼓). *쌀목탁.

쌀-사다 [자] 가진 쌀을 내다. 팔아 돈으로 바꾸다. ↔쌀팔다.

쌀-새우 [명] 〖동〗 [*Pasiphaea sivado*] 쌀새웃과에 속하는 새우의 한 가지. 몸길이 7-8 cm이고 두흉갑(頭胸甲)은 20 mm 내외임. 몸은 좌우로 편평하고 약간 홍색을 띠나 무색 투명하고 광택이 나는데, 표본 및 건조한 것은 백색임. 제1·2 흉각(胸脚)은 겸각(鉗脚)이고 제1·2 각(脚) 장절(長節) 내면은 톱니 모양임. 300-400 m의 깊은 바다에 서식하는데, 한국의 서해·남해, 일본 등에 분포함. 말리어 식용함. 백하(白蝦). 미하(米蝦). 세하(細蝦).

〈쌀새우〉

쌀새웃-과 【—科】 [명] 〖동〗 [Pasiphaedae] 십각목(十脚目)에 속(屬)하는 한 과. 액각(額角)은 짧아서 작은 가지 모양으로 되고 제3 악각(顎脚) 이하의 다리에는 외지(外肢)가 있고, 또 제1·2 흉각(胸脚)은 겸각(鉗脚)으로 되었음.

쌀-소주 【—燒酒】 [명] 쌀로 담근 술을 증류하여 내린 소주.

쌀-수수 [명] 〖식〗 수수의 한 가지. 가시랭이가 없고 수수알은 희읍스름한데, 음력 팔월경에 익음.

쌀쌀¹ [부] ①짧은 다리로 가볍게 기어 다니는 모양. ②마음이 들떠서 쏘다니는 모양. ③↗쌀래쌀래. ④물이 재게 끓거나 온돌방이 끓듯이 따끈따끈한 모양. 1)·3)·4):ㅅ살살¹. 1)-4):<썰썰.

쌀:쌀² [부] 뱃속이 조금씩 쓰리면서 아픈 모양. ¶ 배가 ~ 아프다. <쓸쓸.

쌀쌀-거리다 [자] ①짧은 다리로 계속해서 가볍게 기어다니다. ②마음이 들떠서 줄곧 쏘다니다. ③머리를 계속해서 재게 흔들다. 1)·3):ㅅ살살거리다. <썰썰거리다.

쌀쌀-대다 [자] 쌀쌀거리다.

쌀쌀-맞다 [형] 따뜻한 정이나 붙임성이 없어 성질이나 행동이 여지없이 차갑다.

쌀쌀-하다 [형][여불] ①날씨가 으스스하게 차다. <쓸쓸하다. ②정다운 맛이 없고 냉정(冷情)하다. **쌀쌀-히** [부]

쌀-알 [명] 쌀의 낱 알. 미립(米粒). 낟알.

쌀알 무늬 【—니】 [명] 〖천〗 태양의 광구면(光球面)에 무수히 보이는 쌀알 모양의 빛나는 무늬. 수분 동안에 생겼다 없어지는데, 한 개의 크기는 대개 10^3km 정도임. 입상반(粒狀斑).

쌀-자루 [—짜—] [명] 쌀을 담는 자루. 쌀을 담은 자루.

쌀-장사 [명] 쌀을 매매(賣買)하는 영업. 미상(米商). ——하다 [자][여불]

쌀-장수 [명] 쌀장사하는 사람. 미상(米商).

쌀재 [명] 〈방〉 싸전쟁이(함경).

쌀-전 【—廛】 [명] 〈방〉 싸전(함경).

쌀-점 【—占】 [명] 쌀의 숫자를 세어 길흉(吉凶)을 판단하는 점법(占法).

쌀-죄:미 [명] 〈방〉〖충〗 바구미²(강원).

쌀-죽 【—粥】 [명] 입쌀로 쑨 죽.

쌀-책박 명 싸리로 엮어 만든 쌀을 담는 그릇.
쌀캉-거리다 자 설익은 콩이나 밤 같은 것이 씹힐 때에 부서지는 소리가 계속해서 나다. 또, 그것을 씹을 때에 입 안에서 무르지 아니한 감을 연해 주다. ㅅ살강거리다. ㅆ쌀강거리다. <썰컹거리다. 쌀캉-쌀캉 부. ㄴ——하다 자여불
쌀캉-대다 자 쌀캉거리다.
쌀-통 【一桶】 명 쌀을 넣어 두는 통.
쌀파도-풀 【一波濤一】 명 〖식〗 [*Omphalothrix longipes*] 현삼과에 속하는 일년초. 줄기는 높이 30cm, 잎은 대생하며 피침형, 무병(無柄)임. 꽃은 액출(腋出)하고, 화관(花冠)은 순형(脣形)이며 담홍백색으로 8-9 월에 핌. 과실은 삭과임. 깊은 산에 나는데, 평북·함남·함북에 분포함.
쌀-팔다 자 양식으로 할 쌀을 돈 주고 사다. ↔쌀사다.
쌀 포 【一包】 명 한자 부수(部首)의 하나. '勿'이나 '匍' 등에서 '勹' ㄴ의 이름.
쌀-풀 명 쌀가루로 쑨 풀.
쌂:다 타 〈방〉 삶다(경상).
쌈[1] 명 김·상추·배추 속대·취 등으로 밥과 반찬을 싼 음식.
쌈:[2] 명 ↗싸움. ——하다 자여불
쌈[3] 의명 ①바늘 스물네 개를 단위(單位)로 세는 말. ¶ 바늘 한 ~. ②피륙을 다듬기 알맞은 분량으로 싸 놓은 한 덩이. ¶ 빨랫감 한 ~. ③〖광〗 ㄴ금 백 냥쭝.
쌈-김치 명 ↗보쌈 김치.
쌈:-군 명 ↗싸움꾼.
쌈-노 명 나무 조각을 붙일 때 쓰는 노끈.
쌈:-닭 [一딱] 명 ↗싸움닭.
쌈박 부 잘 드는 칼에 쉽게 베어지는 모양. 또, 그 소리. ㅅ삼박. ㅆ쌈빡. 「<썸벅. ——하다 자여불
쌈박-거리다 자 눈이나 살 속이 자꾸 찌르는 듯하다. ㅅ삼박거리다. <썸벅거리다. 쌈박-쌈박[1] 부. ——하다[1] 자여불
쌈박-대다 자 쌈박거리다.
쌈박-쌈박[2] 부 ①잘 드는 칼에 계속해서 쉽게 베어지는 모양이나 소리. ②단단하고 물기가 조금 있는 음식이 잘 씹히는 모양이나 소리. 1)·2): ㅅ삼박삼박[2]. ㅆ쌈빡쌈빡. <썸벅썸벅. ——하다[2] 자형여불
쌈:박-질 명 ☞ 쌈질. ——하다 자여불
쌈:-배 [一빼] 명 ↗싸움배.
쌈빡 부 잘 드는 칼에 쉽게 깊이 베어지는 모양. 또, 그 소리. ㅅ삼박. ㅆ삼빡·쌈박. <썸뻑. ——하다 자여불
쌈빡-거리다 자 ☞쌈박거리다.
쌈빡-쌈빡 부 ①잘 드는 칼에 계속해서 쉽게 깊이 베어지는 모양. 또, 그 소리. ②단단하고 물기가 조금 있는 음식이 연하게 씹히는 모양. 또, 그 소리. 1)·2): ㅅ삼빡삼빡. <썸뻑썸뻑[2]. ——하다 자형여불
쌈-솔 명 한번 박은 것을 뒤집어 싸서 박은 솔기. 박아 짓는 홑옷에 많이 쓰임.
쌈싸기-소리 명 〖악〗 강원도 민요. 논의 김을 다 매어 갈 때 남은 부분을 둘러 싸 들어가며 부르는 노래.
쌈:-싸우다 자 ①서로 다투다. ②전쟁을 하다.
쌈-장 【一醬】 명 상추쌈 따위를 쌀 때 넣어서 싸는 양념한 고추장이나 된 「장.
쌈지 명 [↗담배 쌈지] 담배 또는 부시 등을 담는 주머니. 종이·헝겊·가죽 등으로 만들고 그 속에 사라지를 덧붙이기도 함.
[쌈짓돈이 주머닛돈; 쌈짓돈이 주머닛돈, 주머닛돈이 쌈짓돈] 쌈지에 든 돈이나 주머니에 든 돈이 다 한 가지라는 뜻으로, 그 돈이 그 돈이어서, 결국 구별 없이 마찬가지라는 말.
쌈:-질 명 ↗싸움질. ——하다 자여불
쌈:-터 명 ↗싸움터.
쌈:-판 명 ↗싸움판.
쌈:-패 【一牌】 명 ↗싸움패.
쌉 명 〈방〉 〖광〗 쌤.
쌉싸래-하다 형여불 쌉쌀한 듯하다. <씁쓰레하다.
쌉싸름-하다 형여불 쌉싸래하다.
쌉쌀-개 명 〈방〉 삽살개(경상).
쌉쌀-하다 형여불 조금 쓴 맛이 있다. <씁쓸하다.
쌍[1] 감 몹시 화가 나거나 남에게 심하게 욕할 때 막되게 내뱉는 소리. ¶ ~, 그냥 안 둘 테다.
쌍[2] 【雙】 명 ①둘씩 짝을 이룬 물건. ¶ 주발 대접 한 ~. ②암컷 하나와 수컷 하나의 짝. ¶ 비둘기 한 ~.
쌍[3] 【雙】 명 성(姓)의 하나. 본관은 미상임.
쌍가달-지다 【雙一】 자 〈방〉 쌍갈지다.
쌍-가락지 【雙一】 명 '가락지'를 분명하게 이르는 말.
쌍가락지-타:령 【雙一打令】 명 〖악〗 경상도와 전라도·충청도 지역에서 광범위하게 전승(傳承)되어 온 부녀요(婦女謠)의 한 곡명.
쌍-가마[1] 【雙一】 명 머리 위에 가마가 둘이 있는 가마. 쌍선모(雙旋毛).
쌍-가마[2] 【雙駕馬】 명 〖역〗 말 두 필이 각각 앞뒤 채를 메고 가는 가마. 감사(監司), 종2품 이상의 관원, 외국에 가는 사신(使臣), 승지(承旨)를 지낸 수령(守令), 의주 부윤(義州府尹), 동래 부윤(東萊府尹)이 탐. 도성(都城) 안에서는 타지 못함. 가교(駕轎). 쌍교(雙轎). 쌍마교(雙馬轎).
[쌍가마 속에도 설움은 있다] 사람은 누구나 저마다 걱정과 설움이 있다는 말.
쌍-가지 명 〈방〉 아귀쟁이.
쌍가지 소켓 【雙一】 [socket] 명 〖전〗 두 갈래로 갈라진 소켓. 이중(二重)으로 쓸 수 있음. 준쌍소켓.

〈쌍가지 소켓〉

쌍각 【雙脚】 명 두 다리. 양각(兩脚).
쌍각-류 【雙殼類】 [一뉴] 명 〖조개〗 패각(貝殼)이 두 짝 있는 조개의 총칭. 이패류(二貝類). *권패류(卷貝類).
쌍-간균 【雙桿菌】 명 두 개씩 연결된 간균(桿菌).
쌍-갈 【雙一】 명 〖건〗 인방(引枋) 머리를 두 갈래지게 바심하는 방법.
쌍-갈래 【雙一】 명 한 군데로부터 갈라진 갈래가 둘임. 두 갈래.
쌍갈랫-길 【雙一】 명 두 갈랫길.
쌍갈-지다 【雙一】 자 두 갈래로 갈라지다.
쌍-감 【雙一】 명 쌍시(雙柹).
쌍검 【雙劍】 명 ①↗쌍수검(雙手劍). ②〖역〗 십팔기(十八技) 또는 이십사반 무예(二十四般武藝)의 하나. 보졸(步卒)이 두 손에 짧은 요도(腰刀)를 하나씩 가지고 하는 검술. 여러 가지 자세가 있음. 「칼춤.
쌍-검기무 【雙劍器舞】 명 〖악〗 정재(呈才) 때, 두 패가 한꺼번에 추는
쌍견[1] 【雙肩】 명 양쪽 어깨. 두 어깨. ¶ 나라의 장래는 젊은 학도의 ~에 ㄴ달렸다.
쌍견[2] 【雙繭】 명 쌍고치.
쌍-결이 【雙一】 명 〈방〉 〖농〗 겨리.
쌍겹-눈 【雙一】 명 가선진 눈.
쌍경-류 【雙經類】 [一뉴] 명 〖동〗 쌍신경류(雙神經類).
쌍계[1] 【雙紒】 명 쌍상투.
쌍계[2] 【雙鷄】 명 한 개의 알에서 두 마리로 나온 병아리.
쌍계 가족 【雙系家族】 명 〖사〗 부계·모계 쌍방의 계통을 인정하면서 결합되는 가족. *부계(父系) 가족·모계(母系) 가족.
쌍계-사 【雙磎寺】 명 〖불교〗 ①경상 남도 하동군(河東郡) 화개면(花開面) 운수리(雲樹里)에 있는 25 교구 본사(敎區本寺)의 하나. 신라 문성왕 2년(840)에 혜소(慧昭)가 지은 것으로 처음에는 옥천사(玉泉寺)라 하였으며, 중국의 육조 혜능(慧能)의 두상(頭像)을 봉안했다는 탑이 금당에 세워져 있음. ②경기도 화성군(華城郡) 남양면(南陽面)에 있는 절.
쌍계사 진감 선사 대:공탑비 【雙磎寺眞鑑禪師大空塔碑】 명 〖역〗 경상 남도 하동군(河東郡) 화개면(花開面) 소재 쌍계사에 있는 비석. 비문(碑文)은 진성 여왕 1년(887)에 왕명으로 최치원(崔致遠)이 지은 진감 선사 혜소(慧昭)의 사적이 새겨졌음. 귀부(龜趺)와 이수(螭首)는 화강암(花崗岩)으로 만들고 비신(碑身)은 검은 돌을 썼음. 높이 3.63m, 비신 2.02m, 폭 1m. 국보 제47호.
쌍-고치 【雙一】 명 누에 두 마리가 같이 지은 고치. 공동견(共同繭). 동 「공견(同功繭). 쌍견(雙繭).
쌍곡 기하학 【雙曲幾何學】 명 〖수〗 비(非) 유클리드 기하학의 하나. 19세기 헝가리의 보여이(Bolyai, János; 1802-60), 러시아의 로바체프스키(Lobachevskii, Nikolai Ivanovich; 1793-1856) 등에 의해 창시되었음. 이 기하학에서는 1직선 외의 1점을 지나서 그 직선에 평행인 직선은 무수히 존재함.
쌍곡-면 【雙曲面】 명 〖수〗 ↗쌍곡선면(曲雙線面).
쌍곡-선 【雙曲線】 명 [hyperbola] 〖수〗 원뿔 곡선(曲線)의 하나. 기하학적(的)으로는 한 평면 위에서 두 정점(定點) F, F′로부터의 거리의 차(差)가 일정한 점의 궤적(軌跡). F 및 F′의 두 정점을 쌍곡선의 초점(焦點)이라 함. F, F′를 지나는 직선을 x축, 선분 FF′의 수직 이등분선을 y축으로 하는 직각 좌표축(直角座標軸)을 취하면 방정식(方程式) $\frac{x^2}{a^2}-\frac{y^2}{b^2}=1$로 표시됨.

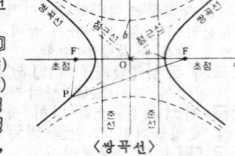

〈쌍곡선〉

쌍곡선-면 【雙曲線面】 명 [hyperboloid] 〖수〗 이차 곡면(二次曲面)의 하나. ①직각 좌표축(直交座標軸)을 써서 $\frac{x^2}{a^2}+\frac{y^2}{b^2}-\frac{z^2}{c^2}=1$(일엽(一葉) 쌍곡선면) 또는 $\frac{x^2}{a^2}-\frac{y^2}{b^2}-\frac{z^2}{c^2}=1$(이엽(二葉) 쌍곡선면)로서 표시되는 곡면(曲面). ②좁은 뜻으로는 쌍곡선을, 그 주축(主軸)의 하나를 축으로 하여 회전(回轉)시켜서 얻는 곡면. 준쌍곡면(雙曲面).

일엽쌍곡선면 이엽쌍곡선면
〈쌍곡선면❶〉

쌍곡선 함:수 【雙曲線函數】 [一쑤] 명 〖수〗 지수(指數) 함수를 사용하여 정의할 수 있는 쌍곡선 사인 함수($\sinh x=\frac{e^x-e^{-x}}{2}$)·쌍곡선 코사인 함수 ($\cosh x=\frac{e^x+e^{-x}}{2}$)·쌍곡선 탄젠트 함수($\tanh x=\frac{e^x-e^{-x}}{e^x+e^{-x}}$)·쌍곡선 코탄젠트 함수 ($\coth x=\frac{e^x+e^{-x}}{e^x-e^{-x}}$)·쌍곡선 시컨트 함수($\mathrm{sech}\ x=\frac{2}{e^x+e^{-x}}$)·쌍곡선 코시컨트 함수 ($\mathrm{cosech}\ x=\frac{2}{e^x-e^{-x}}$)의 여섯 함수의 총칭. 삼각 함수와 유사한 성질을 가짐.
쌍곡선 항:법 【雙曲線航法】 [一뻡] 명 2 정점(定點)에서의 동일 주파수의 전파를 수신할 때, 위상차(位相差)가 같은 점의 궤적(軌跡)은 2정점을 초점으로 하는 쌍곡선이 되는 원리를 응용한 전파 항법.
쌍곡 주면 【雙曲柱面】 명 〖수〗 도선(導線)이 쌍곡선인 주면. *포물(抛物) 주면·타원(楕圓) 주면.
쌍곡 포:물면 【雙曲抛物面】 명 〖수〗 2차 곡선의 한 가지. 적당한 직각 좌표계(直角座標系)에 의해 $\frac{x^2}{a^2}-\frac{y^2}{b^2}=2z$라는 형식의 방정식으로 표시되는 곡면. z축에 수직인 평면으로 끊은 절단구(切斷口)는 쌍곡선으로, x축 또는 y축에 수직인 평면으로 끊은 절단구는 포물선이 됨.
쌍골-죽 【雙骨竹】 명 줄기의 양쪽에 깊은 홈이 팬, 병든 대나무. 단단하기 때문에 대금(大笒) 따위의 악기를 만드는 데에 쓰임.
쌍-공후 【雙箜篌】 명 〖악〗 줄이 안팎으로 있어 양손으로 안팎 줄을 한꺼번에 타는 현악기의 하나.
쌍-과부 【雙寡婦】 명 두 과부.

쌍관【雙關】명〖문〗↗쌍관법.
쌍관-법【雙關法】[—뻡] 명〖문〗한시 작법(漢詩作法)의 하나. 상대되는 두 사물을 읊을 때에, 상하(上下)가 상대되는 글귀에 의하여 서로 대응(對應)시키면서 한 편(篇)이나 단(段)의 골자(骨子)를 구성하는 수사법(修辭法). 준쌍관(雙關).
쌍관-어【雙關語】명 한 단어가 두 가지의 뜻을 가지고 있는 말. '시골'이 벽촌(僻村)과 고향(故鄕)의 뜻을 가진 경우 등임.
쌍괄-식【雙括式】명〖문〗양괄식(兩括式).
쌍교【雙轎】명〖역〗쌍가마(雙駕馬).
쌍구【雙鉤】명 ①운필법(運筆法)의 한 가지. 엄지손가락과 집게손가락 및 가운뎃손가락으로 붓대를 걸치어 잡음. 당대(唐代)의 강욱(強旭)에서 비롯하였음. 쌍구법(雙鉤法). ↔단구(單鉤). ②남의 필적을 모사(模寫)할 때, 점획(點畫)의 가장자리를 돌려 가며 가는 선을 그어, 속은 비게 하고, 베끼는 일. ¶~ 전묵(塡墨). ③〖미술〗구륵(鉤勒).
쌍-구균【雙球菌】명〖의〗2개의 균체(菌體)가 짝을 이루어 연결된 구균. 폐렴 쌍구균·임균(淋菌)·유행성 뇌척수막염균 같은 것.
쌍구-법【雙鉤法】[—뻡] 명 쌍구(雙鉤)❶.
쌍구 전:묵【雙鉤塡墨】명 남의 필적(筆跡)을 그대로 베끼는 방법의 하나. 먼저 쌍구(雙鉤)를 그리고 다음에 쌍구 사이에 먹칠을 하여 글씨를 본떠 냄. 중국 육조(六朝) 이후 성했음.
쌍굴뚝-박이【雙—】명 굴뚝이 두 개 달린 기선(汽船).
쌍궁-미【雙弓米】명 ['粥'자의 파자(破字)에서 온 말] '죽'의 이칭.
쌍-권총【雙拳銃】명 한 손에 하나씩 쥔 두 개의 권총.
쌍귀-도【雙龜圖】명 한 쌍의 거북을 그린 그림.
쌍-그네【雙—】명 하나의 그네에 두 사람이 서로 마주 올라타고 앞뒤로 굴리어 뛰는 일. 「양이 보기에 매우 쓸쓸하다.
쌍그렇다 [—러타] 형ㅎ불 찬 바람이 불 때에 베옷 같은 것을 입은 모
쌍그레 부 소리 없이 귀엽게 눈웃음치는 모양. ㄴ상그레. <썽그레. ——-하다 자여불
쌍-극자【雙極子】명 [dipole]〖물〗양전기(陽電氣)와 음전기(陰電氣), 자석(磁石)의 남극과 북극과 같이 서로 양(陽)과 음(陰)의 관계에 있는 것이 어떤 거리를 가지고 마주 보고 있는 것을 이르는 말. 이중극.
쌍극자 모:멘트【雙極子—】[moment] 명〖물〗전기 쌍극자 모멘트와 자기(磁氣) 쌍극자 모멘트가 있는데, 보통은 전자를 가리킴. 전기 쌍극자를 특징짓는 벡터량(量)이며, 그 크기는 양전하(陽電荷)의 크기와 양·음전하 사이의 거리와의 곱과 같으며, 그 방향은 보통 음전하에서 양전하로 향하는 방향을 취함.
쌍극자 복사【雙極子輻射】명 [dipole radiation]〖전자〗진동하는 전기 쌍극자·자기(磁氣) 쌍극자에 의한 전자기파(電磁氣波)의 복사.
쌍글-거리다 자 소리 없이 계속해서 귀엽게 눈웃음치다. ㄴ상글거리다. <썽글거리다. **쌍글-쌍글** 부. ——-하다 자여불
쌍글-대다 자 쌍글거리다. 「——-하다 자여불
쌍글-빵글 부 쌍글거리면서 빵글거리는 모양. ㄴ상글방글. <썽글뻥글.
쌍글-하다 형〈방〉쌍그렇다. 「개가 달렸음.
쌍금-쇠【雙—】명〖공〗나무 같은 것에 금을 긋는 쇠. 칼과 같은 쇠 두
쌍긋 부 소리 없이 귀엽게 살짝 눈웃음을 치는 모양. ㄴ상긋. ㅆ쌍끗. <썽긋. ——-하다 자여불
쌍긋-거리다 자 소리 없이 계속해서 귀엽게 살짝 눈웃음 치다. ㄴ상긋거리다. ㅆ쌍끗거리다. <썽긋거리다. **쌍긋-쌍긋** 부. ——-하다 자여불
쌍긋-대다 자 쌍긋거리다.
쌍긋-빵긋 부 쌍긋거리면서 빵긋거리는 모양. ㄴ상긋방긋. ㅆ쌍끗빵끗. <썽긋뻥긋. ——-하다 자여불 「썽긋이.
쌍긋-이 부 다정하게 지긋이 눈웃음치는 모양. ㄴ상긋이. ㅆ쌍끗이. <
쌍-기둥【雙—】명 한 쌍으로 된 기둥. 「다 자여불
쌍-기마【雙騎馬】명 두 필의 말을 나란히 타는 일. ——-하
쌍-기역【雙—】명〖언〗한글의 합성 자모(合成字母) 'ㄲ' ㄴ의 이름.
쌍-까풀【雙—】명 ☞쌍꺼풀.
쌍-꺼풀【雙—】명 겹으로 된 눈꺼풀. 또, 그러한 눈. 눈꺼풀에 주름이 잡혀 겹으로 되어 있음. ¶~눈/~ 수술.
쌍꺼풀(이) 지다 구 눈시울의 가죽이 두 겹으로 주름이 잡히다.
쌍꼬리-부전나비【雙—】명〖충〗[*Spindasis takanonis*] 부전나빗과에 속하는 곤충. 편 날개 길이는 26-36mm이고 날개의 표면은 흑갈색, 뒷날개의 꼬리 모양의 2개의 돌기는 흑색, 끝은 백색임. 날개에는 등황색 무늬가 있고, 뒷면은 담황색이며, 무늬는 흑갈색임. 한국·중국·일본에 분포함.

뒷면
〈쌍꼬리 부전나비〉

쌍꼬리-하루살이【雙—】명〖충〗[*Siphlonurus sanukensis*] 쌍꼬리하루살잇과에 속하는 곤충. 몸길이 14mm, 앞날개는 14mm 내외이며 두부(頭部)와 흉배(胸背)는 흑갈색임. 복절(腹節)은 갈색에 흑갈색의 조반(條斑)이 있고 제1-7절은 반투명임. 날개는 무색 투명이며 선단(先端)은 호박색(琥珀色)이고, 시맥(翅脈)은 갈색임. 한국·일본에 분포함.
쌍꼬리하루살잇-과【雙—科】명〖충〗[Siphlonuridae] 하루살이목(目)에 속하는 한 과. 유충(幼蟲)은 흐르는 물 속에 서식하는데 머리는 작고 아가미는 큼. 미사(尾絲)는 유충은 세 개, 성충은 두 개임. 전세계에 분포함. 「——-하다 자여불
쌍끗 부 다정하게 얼핏 눈웃음 치는 모양. ㄴ상긋. ㅆ상끗·쌍긋. <썽끗.
쌍끗-거리다 자 다정한 태도로 계속해서 가볍게 눈웃음 치다. ㄴ상긋거리다. ㅆ상끗거리다·쌍긋거리다. <썽끗거리다. **쌍끗-쌍끗** 부. ——
쌍끗-대다 자 쌍끗거리다. ㄴ하다 자여불
쌍끗-빵끗 부 쌍끗거리면서 빵끗빵끗하는 모양. ㄴ상긋방긋. ㅆ상끗방끗·쌍긋빵긋. <썽끗뻥끗. ——-하다 자여불
쌍끗-이 부 다정하게 지긋이 눈웃음 치는 모양. ㄴ상긋이. ㅆ상끗이·쌍긋이. <썽끗이.
쌍-날【雙—】명〖고고학〗축을 중심으로 양옆에 이루어진 날. 양면에서 떼어낸 안팎날과 구별됨. 양날. 양쪽날. *안팎날.
쌍날 면:도【雙—面刀】명 두 개의 외날 면도칼이 나란히 포개어져 박혀 있는 안전 면도.
쌍날-석기【雙—石器】명〖고고학〗안팎뗀석기.
쌍날-찍개【雙—】명〖고고학〗안팎날찍개.
쌍날-칼【雙—】명 양쪽으로 다 날을 세운 칼.
쌍녀【雙女】명 쌍동딸.
쌍녀-궁【雙女宮】명〖천〗처녀궁(處女宮).
쌍-년[1] 명〈비〉쌍스러운 여자를 낮추어 일컫는 말. ㄴ상년.
쌍년[2]【雙年】명 나이가 짝이 맞는 해. 곧, 짝수로 된 해.
쌍녕-하다 형〈방〉상냥하다.
쌍노랑줄-잎벌【雙—】명〖충〗[*Jermakia sibirica*] 잎벌과에 속하는 곤충. 몸길이 14mm 내외이고 몸빛은 대체로 흑색임. 제1-5 복절(腹節) 배면(背面)의 대부분은 황색, 날개의 전연맥(前緣脈)과 연문(緣紋)은 황갈색이고 기타의 시맥은 대부분 흑갈색임. 중흉(中胸) 소순판(小楯板)은 피라미드(pyramid) 모양으로 융기(隆起)되었음. 한국에도 분포함.
쌍-놈 명〈비〉쌍스러운 남자를 낮추어 일컫는 말. ㄴ상놈.
쌍눈박이-강도래【雙—江—】명〖충〗[*Neoperla nipponensis*] 강도랫과에 속하는 곤충. 몸길이 8-12mm이고 몸빛은 담황갈색이며, 두부(頭部)의 액상(額上)에 한 개의 흑색 무늬가 있으며, 날개는 담황갈색에 황색 무늬가 두 개, 시맥의 기부(基部)에도 황색부(黃色部)가 있음. 한국·일본에 분포함.
쌍-니은【雙—】명〖언〗ㄴ을 겹쳐 쓴 옛 글자 'ㄴㄴ'의 이름.
쌍-다래끼【雙—】명 두 눈에 한꺼번에 난 다래끼.
쌍-다지 명〈방〉미닫이(경북).
쌍대의 원리【雙對—原理】[—월—/—에월—] 명 [duality principle]〖수〗공간 사영(射影) 기하학에 있어서, 점·직선·평면에 관한 하나의 명제 P에 대해 점과 평면을 서로 바꿔 놓고 '포함하다'라는 말을 '포함되다'로 바꿈으로써 얻어지는 명제 Q를, P의 쌍대 명제라 함. P가 '진실'이면 반드시 Q도 '진실'이라는 것이 공간 사영 기하학에 있어서의 쌍대의 원리임. 평면 사영 기하학에서는 점과 직선을 서로 바꾸어 놓음으로써 P로부터 Q를 만들면 역시 쌍대의 원리가 성립됨. 유클리드(Euclid) 기하학에서는 쌍대의 원리는 성립되지 않음. 예를 들면, 두 점(點)을 포함하는 직선은 항상 존재하지만 두 평면에 포함되는 직선은 두 평면이 평행(平行)일 때에는 존재하지 않음. 쌍대 정리.
쌍대 정:리【雙對定理】[—니] 명〖수〗쌍대의 원리.
쌍뎅이【雙—】명〈방〉쌍둥이(경상).
쌍도[1]【雙刀】명 ↗쌍수도(雙手刀). 「[0.323km²]
쌍-도[2]【雙島】명〖지〗함경 북도 부령군(富寧郡)의 동해상에 위치한 섬.
쌍도-배【雙桃杯】명 두 개의 복숭아를 붙인 듯한 형상으로 된 술잔.
쌍동[1]【雙童】명 쌍둥이.
쌍동[2] 부 작은 물건을 단번에 가볍게 베거나 자르는 모양. ¶머리 꼬리를 ~ 자르다. <썽동.
쌍-동가리 명〖어〗[*Neopercis sexfasciatus*] 양동미릿과에 속하는 바닷물고기. 몸은 길이 약 15cm에 길쭉한 원통 모양이고, 담회청색(淡灰靑色)을 띤 붉은 색이며, 옆구리에 네 줄의 'V' 모양의 암색(暗色) 가로띠가 있음. 우리 나라 남서 바다와 일본 중부 이남에 분포함. 식용함.
쌍동-거리다 타 작은 물건을 가볍게 연해 베거나 자르다. <썽둥거리다. **쌍동-쌍동** 부. ——-하다 타여불
쌍동-대다 타 쌍동거리다. <썽둥대다.
쌍동-딸【雙童—】명 한 태(胎)에서 둘이 출생한 딸. 쌍녀(雙女). 쌍생녀.
쌍동-밤【雙童—】명 한 껍데기 안에 두 쪽이 들어 있는 밤.
쌍동-선【雙胴船】명 갑판상(甲板上)에서 결합된 두 개의 선체를 동체(胴體)로 하는 배. 두 배가 일정한 간격을 두고 나란히 있기 때문에 그것을 결합하는 갑판 폭을 선체의 길이에 비해 넓게 할 수가 있음. 또한 안정성이 좋고 조파 저항(造波抵抗)을 줄일 수 있는 이점(利點)이 있음. 캐터머랜선(catamaran 船).
쌍동 아들【雙童—】명 한 태(胎)에서 나온 두 아들. 쌍생자(雙生子).
쌍-동이【雙童—】명 ☞쌍둥이.
쌍동 중매【雙童中媒】명 짝을 지어 다니며 직업적(職業的)으로 중매를 하는 사람. 또, 그 일. 「는 말.
[쌍동 중매(中媒)냐 똑같이 다니니] 둘이 같이 다니는 사람을 조롱하
쌍동-짝【雙童—】명 쌍둥이의 한쪽 사람.
쌍-되다 [—뙤—] 형 언행(言行)이 예의를 잃고 불순하여 천하게 보이다. ㄴ상되다.
쌍됭이【雙—】명〈방〉쌍둥이(충북). 「首). ②두 마리.
쌍두【雙頭】명 ①나란히 붙어 있는 두 개의 머리. 양두(兩頭). 양수(兩
쌍두-령【雙頭鈴】명〖고고학〗청동기 시대의 의기(儀器)인 동령(銅鈴)의 하나. 길이 15-20cm. 농경·수렵 및 샤머니즘과 관련된 제사 의식에 사용되었던 무구(巫具)로 생각됨.
쌍-두리【雙—】명 두 척의 배를 부리어 두릿그물이나 주머니그물을 둘러 치는 일. 또, 그렇게 잡는 고기잡이.
쌍두 마:차【雙頭馬車】명 말 두 마리가 끄는 마차. 양두(兩頭) 마차.
쌍두 멍에【雙頭—】명 마차를 끌거나 밭갈이할 때 두 마리가 같이 멜 수 있도록 만든 멍에.
쌍두-봉【雙頭峰】명〖지〗함경 북도 무산군에 있는 산봉우리. [1,562m]

쌍두-산【雙頭山】 명 『지』 평안 북도 자성군(慈城郡) 중강면(中江面)과 장토면(長土面) 그리고 이평면(梨坪面)의 세 면(面) 경계에 있는 산. [1,284m]
쌍두-치【雙頭齒】 명 『생』 앞어금니.
쌍-둥내【雙一】 명 〈방〉 쌍둥이(경기). 「자매.
쌍-둥이【雙一】 명 한 태(胎)에서 나온 두 아이. 쌍동(雙童). 쌍생아. ¶ ~
쌍둥이-강【雙一江】 명 『지』 한 지방에서 발원(發源)하여 중류(中流)에서 서로 갈라졌다가 하류(下流)에서 다시 합류하고 같은 바다나 호수로 흘러 가는 강. 쌍자강(雙子江). 쌍자하(雙子河).
쌍둥이 도시【雙一都市】 명 『지』 같은 정도로 큰 두 도시가 이웃에 발달하여 마치 한 도시처럼 된 도시. 함흥(咸興)과 흥남(興南) 같은 도시. 쌍자 도시(雙子都市).
쌍둥이-바람꽃【雙一】 명 『식』 [*Anemone rossii*] 미나리아재빗과에 속하는 다년초. 근경(根莖)은 가로 뻗고, 줄기는 높이 25cm 내외임. 근생엽은 잎자루가 길고 삼출(三出)하며 총포엽(總苞葉)은 줄기 끝에 삼출함. 5-6월에 백색 꽃이 포엽(苞葉) 중심에서 하나의 긴 꽃자루가 나와 자루 끝에 한 송이씩 달리며 화판(花瓣)이 없고, 과실은 수과(瘦果)임. 깊은 산에 나는데, 평북·함남·함북에 분포함.
쌍둥이-자리【雙一】 명 〔라 Gemini〕 『천』 황도(黃道) 12성좌 중의 제 4성좌. 마차부자리의 남쪽, 황소자리의 동쪽, 게자리의 서쪽에 있으며 일부는 은하(銀河)에 묻히고 3월 초순의 밤하늘에 남중(南中)함. 하지(夏至) 때에는 태양이 이 별자리 가까이 오게 됨. 약자 : Gem.
쌍둥이 화:산【雙一火山】 명 『지』 구조·형태·크기 및 암석(岩石)이 거의 같은 두 개의 화산체(火山體)로 된 화산. *화산(火山).
쌍-디귿【雙一】 명 『언』 한글의 합성 자모 'ㄸ'의 이름.
쌍-떡잎【雙一】 [一닢] 명 『식』 한 개의 배(胚)에서 나온 두 개의 떡잎. 복자엽(複子葉). 쌍자엽(雙子葉). ↔외떡잎.
쌍떡잎 식물【雙一植物】 [一닙一] 명 『식』 속씨 식물에 속하는 한 강(綱). 배(胚)에는 대생(對生)한 두 개의 떡잎이 있고, 줄기는 비대(肥大)하게 성장하며, 잎맥은 그물맥임. 잎은 잎새·잎자루·턱잎으로 되어 있고, 뿌리는 곧은 뿌리임. 꽃잎 상태에 따라 이판화류(離瓣花類)·합판화류(合瓣花類)로 분류함. 쌍자엽(雙子葉)식물. ↔외떡잎 식물.
쌍떡잎 씨앗【雙一】 [一닙一] 명 『식』 떡잎이 둘인 씨. 감·밤·완두 등이 있음. 쌍자엽(雙子葉) 종자. ↔외떡잎 씨앗.
쌍띠-밤나방【雙一】 명 『충』 [*Mythimna turca*] 밤나방과에 속하는 곤충. 편 날개 길이는 40-45mm. 몸과 날개는 갈색 바탕에 적갈색의 작은 점이 흩어져 있으며 앞날개의 내외 횡선(內外橫線)은 암갈색임. 뒷날개는 담홍색이며 다소 담갈색을 띠고 날개 뒷면은 적갈색임. 한국에도 분포함.
쌍란【雙卵】 [一난] 명 쌍알.
쌍란-국【雙蘭菊】 [一난一] 명 『식』 바곳[2].
쌍령 전투【雙嶺戰鬪】 [一녕一] 명 『역』 병자 호란(丙子胡亂) 때 쌍령에서 청나라 군대와 싸워 패한 싸움. 쌍령은 지금의 경기도 광주읍(廣州邑)에서 동쪽으로 16km 거리에 있는 크고 작은 두 개의 고개임.
쌍록-도【雙鹿圖】 [一녹一] 명 한 쌍의 사슴을 그린 그림. 장생 동락(長生同樂)을 상징함.
쌍료【雙遼】 [一뇨] 명 『지』 '솽랴오'를 우리 음으로 읽은 이름.
쌍룡【雙龍】 [一뇽] 명 한 쌍의 용. 두 마리의 용.
쌍룡-놀이【雙龍一】 [一뇽一] 명 『민』 전라 북도 김제시(金堤市) 부양면(扶梁面)과 강원도 영월군(寧越郡) 영월읍에 전승(傳承)되어 온, 두 용이 등장하는 민속 놀이.
쌍룡-문【雙龍紋】 [一뇽一] 명 용을 두 마리 그린 무늬.
쌍룡-자물쇠【雙龍一】 [一뇽一쐬] 명 두 마리의 용의 입에 줏대가 물려지게 만든 ㄷ자형 자물쇠의 하나.
쌍루【雙淚】 [一누] 명 두 눈에서 흐르는 눈물.
쌍륙【雙六】 [一뉵] 명 〔←상륙(象陸·雙六)〕 오락(娛樂)의 한 가지. 편을 갈라서 차례로 주사위 둘을 던져 나는 사위대로 말을 써서 먼저 궁에 들여보내는 내기.
쌍륙(을) 치다 구 쌍륙을 할 때에 주사위를 던지다.
쌍륙-판【雙六板】 [一뉵一] 명 〔←상륙판(象陸板·雙六板)〕 쌍륙의 말밭을 그린 판.
쌍륜【雙輪】 [一뉸] 명 ①앞뒤 또는 양쪽 옆에 달린 두 개의 바퀴. ②쌍륜차(雙輪車).
쌍륜-차【雙輪車】 [一뉸一] 명 바퀴가 둘이 달린 수레. 쌍륜
쌍리 공:생【雙利共生】 [一니一] 명 상리 작용(相利作用).
쌍림【雙林】 [一님] 명 『불교』 사라 쌍수(沙羅雙樹).
쌍림 수하【雙林樹下】 [一님一] 명 『불교』 사라 쌍수(沙羅雙樹)의 그늘.
쌍림의 입멸【雙林一入滅】 [一님一 / 一님에一] 명 『불교』 석가(釋迦)의 사라 쌍수(沙羅雙樹) 숲에서의 죽음을 일컫는 말.
쌍립【雙立】 [一닙] 명 ①양립(兩立). ②바둑에서, 한 줄을 사이에 두고 좌우 또는 아래위에 두 개씩 마주 붙어 선 같은 편 돌. 또, 그런 형세. 행마(行馬)에서 확실한 연락형(連絡形)임. ——-하다 자 여불
쌍마【雙馬】 명 ①두 필로 짝을 지은 말. ②장기·바둑 따위에서 두 개의 말. ¶ ~를 잡다.
쌍마-교【雙馬轎】 명 『역』 쌍가마(雙駕馬).
쌍마-재【雙馬才】 명 쌍마를 타고 부리는 재예(才藝).
쌍-마패【雙馬牌】 명 『역』 두 필의 말을 쓸 수 있게 관원에게 나라에서 발급했던 마패. 두 필의 말이 새겨져 있음.
쌍-말 명 쌍스러운 말. ⊥상말. ——-하다 자 여불
쌍-망이 명 『광』 광산에서 돌에 구멍을 뚫을 때, 정을 때리는 약간 길고 둥글게 생긴 쇠망치. 한 사람은 정을 잡고 한 사람은 두 손으로 쌍망이를 휘둘러 정을 때림.
쌍-메【雙一】 명 두 사람이 번갈아 치는 메.
쌍메-질【雙一】 명 쌍메로 번갈아 치는 일. ——-하다 자타 여불
쌍모【雙眸】 명 양안(兩眼).
쌍무[1]【雙務】 명 계약(契約)의 당사자 양쪽이 서로 의무를 지는 일.
쌍무[2]【雙舞】 명 둘이 쌍을 이루어 추는 춤.
쌍무 계:약【雙務契約】 명 『법』 계약의 당사자 쌍방이 서로 대가(對價)로서의 의무를 부담하는 계약. 매매(賣買)·임대차(賃貸借)·고용(雇傭) 등의 계약. ↔편무 계약(片務契約).
쌍무 계:정【雙務計定】 명 『경』 무역 상의 쌍무 협정이 체결된 두 나라 사이의 무역에 있어서의 수지 균형을 맞추기 위한 결제를 하는 계정.
쌍-무고【雙舞鼓】 명 『악』 정재(呈才) 때, 두 패의 무고(舞鼓)가 한꺼번에 추던 춤.
쌍무늬-바구미【雙一】 [一니一] 명 『충』 [*Eugnathus distinctus*] 바구밋과에 속하는 곤충. 몸길이 4-6mm. 몸빛은 흑색, 온 몸이 황록색 내지 녹색의 인모(鱗毛)로 덮임. 각 시초(翅鞘) 중앙 앞쪽에는 담색 무늬가 있고 10줄의 점각(點刻)이 있음. 성충은 칡잎의 해충임. 한국에도 분포(分布)함.
〈쌍무늬바구미〉
쌍-무덤【雙一】 명 『고고학』 두 개의 봉토가 서로 이어 붙어 있는 표주박 모양의 무덤. 쌍원분(雙圓墳). 표형분(瓢形墳).
쌍무 무:역【雙務貿易】 명 『경』 두 나라 사이의 쌍무 협정에 의한 무역. 무역의 결제를 일정한 지불기에 있어서의 청산 계정으로 행하고, 또한 일정 기간의 무역품의 품목·가격·수량 따위의 조건을 결정함. ↔편무역(片貿易). *다각 무역·삼각 무역.
쌍무-적【雙務的】 명 관 당사자 쌍방이 서로 의무를 지는 상태. 또, 그런 모양. ↔편무적(片務的).
쌍-무지개【雙一】 명 쌍을 지어 선 무지개.
쌍무 협정【雙務協定】 명 당사자 쌍방이 대등한 의무를 지는 협정.
쌍-문갑【雙文匣】 명 두 개 한 쌍이 짝을 이루게 된 문갑. ↔외문갑.
쌍문-주【雙紋紬】 명 중국에서 나는 비단의 한 가지.
쌍미[1]【雙眉】 명 좌우(左右)의 눈썹. 양미(兩眉).
쌍미[2]【雙美】 명 ①두 가지가 모두 아름다움. 두 가지가 다 뛰어남. ②두 사람의 미인.
쌍-미닫이【雙一】 [一다지] 명 두 짝을 좌우로 여는 미닫이.
쌍미닫이-창【雙一窓】 [一다지一] 명 쌍미닫이로 된 창.
쌍-바라지【雙一】 명 좌우로 열어 젖히고 닫으면 한 가운데에서 맞도록 두 짝으로 만든 덧문.
쌍박【雙拍】 명 『악』 양손으로 치는 박자.
쌍-반점【雙半點】 명 『언』 세미콜론(semicolon).
쌍-받침【雙一】 명 『언』 똑같은 자음이 겹쳐서 된, 된소리 종성(終聲). '볶다'·'있다' 등에 있어서 'ㄲ'·'ㅆ' 받침 등임. *겹받침.
쌍발【雙發】 명 ①발동기를 두 대 가짐. ¶ ~의 비행기. ②총탄이 나가는 구멍이 둘임. ¶ ~ 엽총(獵銃).
쌍발-기【雙發機】 명 발동기를 두 대 가지고 있는 비행기. 보통, 좌우의 주익(主翼)에 한 대씩 장치함. *단발기(單發機)·다발기(多發機).
쌍발-깨끼【雙一】 명 『민』 탈춤 등에서, 두 발 사이의 거리를 일정하게 하여 앞으로 나가는 사위.
쌍발-식【雙發式】 명 항공기 등에서, 발동기를 두 대만 장치한 양식. *단발식(單發式)·다발식(多發式).
쌍발 제기【雙一】 명 양발 제기.
쌍발-창【雙一槍】 명 날이 둘 달린 창.
쌍방【雙方】 명 대립하고 서로 관계하는 양방(兩方). 양쪽.
쌍방 과:점【雙方寡占】 명 『경』 매주(賣主)와 매주(買主)의 쌍방이 모두 소수인 경우의 과점.
쌍방 대:리【雙方代理】 명 『법』 동일인(同一人)이 한편으로는 갑(甲)을 대리하고, 다른 한편으로는 을(乙)을 대리하여 갑과 을 사이의 계약(契約)을 체결하는 일. 법률상 원칙적으로 허용되지 아니함. 「의.
쌍방 심리주의【雙方審理主義】 [一니一 / 一니一이] 명 『법』 쌍방 심문주
쌍방 심문주의【雙方審問主義】 [一 / 一이] 명 『법』 재판에 있어서, 소송 당사자의 쌍방의 신청 및 주장에 대하여 당사자 쌍방을 다같이 심문하여야 한다는 입장. 판결 절차에서의 변론은 쌍방의 심문 기회가 주어지는 가장 철저한 기회가 됨. 쌍방 심리주의. ↔일방 심문주의.
쌍방울-표【雙一標】 명 백분부(百分符) '%'의 이름.
쌍방적 상행위【雙方的商行爲】 명 당사자 쌍방에게 다 같이 상행위가 되는 행위. 도매상과 소매상과의 매매, 은행과 상인과의 금전 대차와 같은 것. ↔일방적 상행위.
쌍방 행위【雙方行爲】 명 『법』 법률 행위의 하나. 당사자(當事者) 쌍방의 의사(意思)의 합치에 의하여 성립하는 법률 행위. 계약(契約) 등. *단독 행위(單獨行爲)·합동 행위(合同行爲).
쌍방향 통신【雙方向通信】 명 현재의 방송처럼 일방적으로만 송신하는 것이 아니고, 쌍방이 각각 송수신이 가능한 방법. 텔레비전 전화·데이터 통신 등이 이 방법에 속함.
쌍벌 규정【雙罰規定】 명 『법』 양벌 규정(兩罰規定).
쌍벌-죄【雙罰罪】 [一쬐] 명 『법』 간통죄(姦通罪)에 있어서, 상간자(相姦者) 쌍방을 다 같이 벌한다는 뜻에서 간통죄를 이르는 말.
쌍벌-주의【雙罰主義】 [一 / 一이] 명 『법』 간통(姦通)에 있어서, 상간(相姦)한 자를 다같이 처벌한다는 입장.
쌍벽【雙璧】 명 ①두 개의 구슬. ②여럿 가운데에서 특별히 뛰어난, 우열(優劣)이 없는 둘. ¶ 화단(畫壇)의 ~을 이루다. 「——-하다 타 여불
쌍보【雙補】 명 『한의』 부부가 같이 약을 먹어 음양(陰陽)을 함께 보함.

쌍봉[1] 【雙峰】 [명] 둘이 가지런히 선 봉우리. 두 개의 산봉우리.
쌍-봉[2] 【雙峰】 [명] 〔지〕 함경 남도 풍산군(豐山郡)과 북청군(北靑郡) 사이에 있는 산봉우리. [1,857 m]
쌍봉-관 【雙鳳管】 [명] 〔악〕 두 관(管)을 합하여 12 율(律)을 정한 취주(吹奏) 악기. 관 끝에 두 개의 혀를 두고 봉황 모양으로 새겨 머리를 삼음. 좌우에 각각 네 구멍이 있는데, 왼쪽 관에서는 황종(黃鐘)에서 중려(仲呂)까지, 오른쪽 관은 유빈(蕤賓)에서 응종(應鐘)까지 소리를 냄.
쌍봉 금관 【雙鳳金冠】 [명] 쌍을 지은 봉황을 꾸며 만든 금관.
쌍봉-낙타 【雙峰駱駝】 [명] 〔동〕 [*Camelus bactrianus*] 낙타과에 속하는 짐승. 단봉낙타와 비슷하나 어깨 높이 2 m, 육봉(肉峰)이 한 쌍이고, 몸빛은 회갈색이며, 사지(四肢)는 굵고 짧으며 털은 길고 밀생하는 점이 다름. 콧구멍을 자유로 개폐(開閉)할 수 있으며, 또 냄새를 잘 맡아, 2-3 km 밖의 수원지(水源池)를 알아냄. 성질이 온순하며 한랭(寒冷)·기갈(飢渴)에 잘 견디고 초식(草食)함. 중앙 아시아·아프카니스탄·몽골·중국의 북부 등의 사막(沙漠)에 분포함. 사막의 교통·농경(農耕)에 쓰이며, 젖과 살은 식용, 털은 옷의 원료, 가죽은 유피용(鞣皮用), 똥은 연료(燃料)로 씀. 쌍봉약대. 쌍봉타. 쌍안타(雙鞍駝). 양봉타(兩峰駝). ＊단봉낙타.

〈쌍봉낙타〉

쌍봉-문 【雙鳳紋】 [명] 쌍봉의 무늬.
쌍봉-사 【雙峯寺】 [명] 〔불교〕 전라 남도 화순군(和順郡) 이양면(梨陽面) 쌍봉리(雙峯里)에 있는 송광사(松廣寺)의 말사(末寺). 신라 시대에 건립한 것으로 알려짐. 국보 제57호로 지정된 철감 선사탑(澈鑒禪師塔)과 보물 170호로 지정된 철감 선사 탑비, 그 밖에 대웅전과 명부전지(冥府殿址)·호성전(護聖殿)·승방(僧房)·윤씨 비각(尹氏碑閣) 등의 유적이 남아 있음.
쌍봉사 철감 선사탑 【雙峯寺澈鑒禪師塔】 [명] 쌍봉사에 있는 부도(浮屠). 신라 말기에 건립됨. 8각 원당 형식(圓堂形式)으로, 조각이 정교 세치(精巧細緻)하며, 높이 2.3 m 임. 국보 제57호.
쌍봉사 철감 선사 탑비 【雙峯寺澈鑒禪師塔碑】 [명] 쌍봉사에 있는 탑비. 신라 말기에 건립됨. 현재 귀부(龜趺)와 이수(螭首)만이 남아 있으며, 그 조각이 우아 정교함. 보물 제170호.
쌍봉 소:준 【雙鳳小尊·雙鳳小罇】 [명] 양귀에 봉황(鳳凰)을 새기거나 그린 술병.
쌍봉-약대 【雙峰─】 [─냑─] [명] 〔동〕 쌍봉낙타.
쌍봉-침 【雙鳳枕】 [명] 한 쌍의 봉황 모양을 수놓은 베개.
쌍봉-타 【雙峰駝】 [명] 〔동〕 쌍봉낙타.
쌍분 【雙墳】 [명] 같은 묏자리에 합장(合葬)하지 아니하고, 나란히 쓴 부부(夫婦)의 두 무덤.
쌍-분합문 【雙分閤門】 [명] 〔건〕 두 짝으로 여닫게 되어 있는 분합문.
쌍-불 【雙─】 [명] 두 눈에서 불이 날 정도의 열화. ¶ 두 눈에 ～을 켜고 덤비다.
쌍비 【雙飛】 [명] 한 쌍의 새가 나란히 날아 감. 또, 부부가 화합(和合)함의 비유.
쌍-비읍 【雙─】 [명] 〔언〕 한글의 합성 자모 'ㅃ'의 이름.
쌍-빼기 【雙─】 [명] 예전에 개성(開城)에서 관습적으로 행해지던 셈법. 소금이나 곡식 등 되로 되어서 파는 물품을 소매 상인에게 도매할 때, 2할(割)을 덤으로서 공제(控除)하여 셈에 계상(計上)하지 않는 일. ＊외빼기.
쌍사슬 고리 【雙─】 [명] 쇠사슬이 두 개 달린 문고리. 쌍사슬 원환(圓環).
쌍사슬 원환 【雙─圓環】 [명] 쌍사슬 고리.
쌍살-벌 【雙─】 [명] 〔충〕 [*Polistes erythrocerus*] 말벌과에 속하는 벌. 몸길이 약 2 cm, 빛은 황갈색이며, 머리는 크고, 광택(光澤)이 있는 짧은 털이 밀생(密生)하였음. 꼬리 끝에 갈고리 모양의 독침이 있고 한 번 쏘면 절단(切斷)됨. 나뭇가지나 처마 밑에 6각형의 방상(房狀) 집을 짓고 삶. 이 벌은 수피(樹皮) 및 과실에 상해(傷害)를 입힘.

〈쌍살벌〉

쌍-상투 【雙─】 [명] 옛날의 관례(冠禮) 때에, 머리를 갈라 두 개로 틀어 올린 상투. 쌍계(雙紒).
쌍생 【雙生】 [명] 동시에 두 아이를 낳음. 또, 두 아이가 태어남. ──하다 [자][타][여불]
쌍생-녀 【雙生女】 [명] 쌍동딸.
쌍생-아 【雙生兒】 [명] 쌍둥이.
쌍생-어 【雙生語】 [명] 〔언〕 쌍형어(雙形語).
쌍생-자 【雙生子】 [명] 쌍동 아들.
쌍서 【雙棲】 [명] 자웅(雌雄) 또는 부부가 같이 사는 일. ──하다 [자][여불]
쌍-선모 【雙旋毛】 [명] 쌍가마[1].
쌍성[1] 【雙性】 [명] 〔생〕 양성(兩性)❷. ↔홑성.
쌍성[2] 【雙星】 [명] 〔binary star〕 〔천〕 항성(恒星)이 서로 인력으로 관련되어 공동의 중심(重心)을 중심(中心)으로 하여 공전 운동을 하는 별. 이중성(二重星)의 대부분은 이것에 속하며 공전 주기는 11 년 반으로부터 1600 년까지 이른다 함. 실시(實視) 쌍성·분광(分光) 쌍성·식(蝕) 쌍성 등으로 분류됨. 물리적 이중성(物理的二重星). 연성(連星).
쌍성[3] 【雙城】 [명] 〔지〕 '상청(雙城)'을 우리 음으로 읽은 이름.
쌍성[4] 【雙聲】 [명] 한자(漢字) 두 자로 된 숙어(熟語)에 있어서, 각 글자의 최초의 자음(子音)이 같은 일.
쌍성[5] 【雙聲】 [명] 〔악〕 생황(笙簧) 연주법에서, 일자관(一字管)·이자관(二字管)과 오자관(五字管), 사자관(四字管)끼리, 삼자관(三字管)끼리, 오자관(五字管)끼리를 각각 동시에 내는 소리. 또는 그 연주법.
쌍성-꽃 【雙性─】 [명] 〔식〕 양성화. ↔홑성꽃.
쌍성 불이 【雙性─】 [명] 〔생〕 양성 생식. ↔홑성 불이.
쌍성 총:관부 【雙城摠管府】 [명] 〔역〕 고려 말기에, 원(元)나라가 화주(和州), 곧 지금의 영흥(永興)에 둔 관청. 고종 45년(1258)에 조휘(趙暉)·탁청(卓靑) 등이 동북 병마사를 죽이고 화주 이북의 땅을 들어 몽고에 항복하자, 몽고가 그 지역을 통치하기 위하여 설치함. 공민왕 5년(1356)에 고려가 동북 병마사 유인우(柳仁雨)를 시켜 탈환하여, 쌍성 총관부를 폐하고 화주목(和州牧)을 둠.
쌍-성화 【雙─】 [명] ①이리 해도 성화가 되고, 저리 해도 성화가 됨. ②한 가지 성화에 또 한 가지 성홧거리가 생김.
쌍-소리 [─쏘─] [명] 쌍스러운 말. 또, 쌍스러운 소리. ㅅ상소리.
쌍-소켓 【雙─】 〔socket〕 [명] ↗쌍가지 소켓.
쌍수[1] 【雙手】 [명] 두 손. ¶ ～를 들어 환영하다.
쌍수[2] 【雙袖】 [명] 양쪽 소매.
쌍수[3] 【雙數】 [명] ①〔dual number〕 특히 두 개 또는 한 쌍의 것을 나타내는 수. 양수(兩數). ②〔언〕 두 개의 수의 것을 두 개 이상의 복수(複數)와 구별하여 문법상 따로 취급하는 용어.
쌍수[4] 【雙樹】 [명] ①두 나무. 한 쌍의 나무. ②↗사라 쌍수(沙羅雙樹).
쌍수-검 【雙手劍】 [명] 양손에 한 자루씩 가지는 칼. 양도(兩刀). [준]쌍검.
쌍수-도 【雙手刀】 [명] ①군기(軍器)의 한 가지. 양손으로 쥐고 검술(劍術)을 익힘. 전체의 길이 129 cm, 자루 길이 30 cm, 칼날 99 cm. 호인(護刃)이 있기도 하고 없기도 함. ②무예 육기(六技)·십팔기 또는 무예 이십사반의 하나. 같은 이름의 칼을 양손으로 쥐고 하는 무예. 여러 가지 세(勢)가 있음. [준]쌍도(雙刀).
쌍숙 쌍비 【雙宿雙飛】 [명] 함께 잠자고 나란히 날아간다는 뜻으로, 남녀가 깊게 맺어 기거(起居)를 같이 함을 이름.
쌍-술 【雙─】 [명] 두 가닥의 술을 한데 묶은 술.
쌍-스럽다 [─쓰─] [형][ㅂ불] 언행(言行)이 천하고 기품(氣品)이 낮다. ㅅ상스럽다. **쌍-스레** [─쓰─] [부]
쌍승 【雙勝】 [명] ↗쌍승식(雙勝式).
쌍승-식 【雙勝式】 [명] 경마·경륜(競輪)·경정(競艇) 등에서, 1착과 2착을 동시에 적중(的中)시키는 형식의 투표권(投票券)으로, 1·2착의 착순(着順)을 착순대로 맞히는 방식. ＊단승식(單勝式)·복승식(複勝式)·연승식(連勝式). [준]쌍식·쌍승.
쌍승자 총통 【雙勝字銃筒】 [명] 〔역〕 조선 중기에 사용하던 청동제(靑銅製) 유통식 화기(有筒式火器). 이 총통은 한 병부(柄部)에 통신(筒身)이 쌍으로 주조되어 한 쪽 통신에 3발씩 동시에 장전할 수 있는 장점이 있음.
쌍시[1] 【雙市】 [명] 〔역〕 조선 시대에, 을(乙)·정(丁)·기(己)·신(辛)·계(癸)의 다섯 해에 회령(會寧)과 경원(慶源) 두 곳에서 열리던 북관(北關)의 개시(開市). ↔단시(單市). ＊북관 개시.
쌍시[2] 【雙柿】 [명] 속에 작은 감을 품고 있는 감. 쌍감.
쌍시-류 【雙翅類】 [명] 〔충〕 파리목(目).
쌍-시옷 【雙─】 [명] 〔언〕 한글의 합성 자모 'ㅆ'의 이름.
쌍식 【雙式】 [명] ↗쌍승식(雙勝式).
쌍신경-류 【雙神經類】 [─뉴] [명] 〔동〕 [Amphineura] 연체 동물의 한 강(綱). 연체 동물 중, 가장 원시적인 것으로 몸은 안팎이 모두 좌우가 상칭이고 소화계는 곧으며, 그 앞뒤 두 끝이 입과 항문으로 되어 있음. 촉각이나 별다른 감각 기관이 없음. 유판류(有板類)·무판류(無板類)의 두 목으로 나눔. 쌍경류(雙經類). 쌍신경색류(雙神經索類). 원연체류(原軟體類).
쌍신경색-류 【雙神經索類】 [─뉴] [명] 〔동〕 쌍신경류.
쌍-실 【雙─】 [명] 〔건〕 등밀이의 두 줄.
쌍-실버들 【雙─】 [명] 〔식〕 [*Salix bicarpa*] 버드나뭇과에 속하는 낙엽 활엽 관목. 키는 작고 갈라진 가지가 많음. 잎은 거꿀달걀꼴 또는 넓은 타원형, 잎 뒤에 견모(絹毛)가 남. 자웅 이가(雌雄二家)로, 봄에 꽃이 유제(葇荑) 화서로 피는데, 수술은 두 개. 삭과(蒴果)는 여름에 익음. 산꼭대기 부근에 나는데, 평남 낭림산(狼林山)의 특산종임. 관상용.
쌍-심지 【雙心─】 [명] ①한 등잔에 있는 두 개의 심지. ②몹시 성을 내어, 두 눈에 핏발이 서는 일을 두고 하는 말. ¶ 눈에 ～를 켜고 덤비다.
쌍심지(가) 나다 [구] 몹시 성을 내어 눈에 열화가 나다.
쌍심지(가) 서다 [구] 쌍심지(가) 나다.
쌍심지(가) 오르다 [구] 쌍심지(가) 나다.
쌍심지(를) 켜다 [구] 몹시 성을 내어 눈에 열화를 띠우다. ¶ '너는 아직도 밤낮 나돌아다니기만 하느냐?' 하고 눈에 ～를 켜고 큰 소리를 질렀다≪朴榮濬: 颱風地帶≫.
쌍십-절 【雙十節】 [명] 중화 민국(中華民國)에서, 1911년의 신해 혁명(辛亥革命)과 1912년의 중화 민국 정부 수립을 기념하는 축일. 10월 10일임. 국경절(國慶節).
쌍-쌍 【雙雙】 [一] [명] 둘 이상의 쌍. ¶ ～ 파티. [二] [부] ↗쌍쌍이.
쌍쌍-이 【雙雙─】 [부] 여럿이 둘씩둘씩 또는 암수가 각각 쌍을 지은 모양. [준]쌍쌍(雙雙).
쌍아[1] 【雙芽】 [명] 짝을 지어 나오는 식물의 싹.
쌍아[2] 【雙蛾】 [명] ①미인(美人)의 고운 두 눈썹. ②〔한의〕 ↗쌍유아(雙乳蛾).
쌍안 【雙眼】 [명] 양안(兩眼).
쌍안-경 【雙眼鏡】 [명] 두 개의 망원경의 광축(光軸)을 평행하게 나열하여 두 눈으로 동시에, 멀리까지 확대하여, 쉽게 바라볼 수 있게 한 광학 기계. 양안경(兩眼鏡). 필드글라스(fieldglass). ↔단안경(單眼鏡).
쌍안 사진기 【雙眼寫眞機】 [명] 완전한 입체적 영상(立體的影像)을 촬영하는 사진기.
쌍안-타 【雙鞍駝】 [명] 〔동〕 쌍봉낙타.
쌍안 현:미경 【雙眼顯微鏡】 [명] 〔물〕 경통(鏡筒)이 두 개 있어서 두 눈으로 동시에 검경(檢鏡)하게 된 현미경의 한 가지. 물체를 입체적으로 볼 수 있어, 미생물(微生物)의 외형(外形) 등을 검사하기에 편리함.
쌍-알 【雙─】 [명] 노른자 둘이 같이 들어 있는 새의 알. 복황란(複黃卵).
쌍알(이) 지다 [구] 두 사물이 겹치어서 상충(相衝)이 되다.
쌍알(을) 지르다 [구] 두 사물을 겹치게 하여, 상충(相衝)이 되게 만들다.

쌍알-대【雙—】[—때] 명 〈방〉 쌍열박이.

쌍알-모끼【雙—】명〖공〗창살 같은 데의 등밀이를 만드는 데 쓰는 대패. 날이 두 골로 서 있음.

쌍알-박이【雙—】명 〈방〉 쌍열박이.

쌍암사 승도의 난:【雙巖寺僧徒—亂】[—/—에—] 명〖역〗고려 신종(神宗) 6년(1203) 송생현(松生縣 : 지금의 경상 북도 청송) 쌍암사의 승려들이 무신(武臣) 정권에 항거하여 일으킨 반란.

쌍-앵키다【雙—】타 〈방〉 암구다.

쌍어【雙魚】명 ①두 마리의 고기. ②중국 청자(靑瓷)의 한 가지. 그릇에 한 쌍의 물고기의 무늬를 놓았음. ③편지. 신서(信書).

쌍어-궁【雙魚宮】명 〔라 Pisces〕〖천〗황도(黃道) 십이궁(十二宮)의 끝 궁(宮). 대부분 물병자리에 있으며, 동쪽 끝에 춘분점(春分點)이 있고 태양(太陽)은 2월 20일경부터 3월 21일경까지 이 궁에 있음.

쌍-언청이【雙—】명 윗입술이 두 줄로 찢어진 사람.

[쌍언청이가 외언청이 타령(打令)한다] 제 흉 열 가진 놈이 남의 흉 한 가지를 본다.

쌍-여닫이【雙—】[—녀다지] 명 좌우 양쪽에 문짝이 달린 여닫이.

쌍연-곡【雙鷰曲】명〖문〗고려 충렬왕(忠烈王)이 중국 원(元)나라에 갔을 때, 그 곳 황제와 주연을 즐기는 석상에서 대장군 송방영(宋邦英)과 송영(宋英) 등에게 지어 부르게 하였다는 시가(詩歌). 가사는 전하지 아니하고, 위와 같은 해설이 ≪동국 통감(東國通鑑)≫에 전함.

쌍연산 장치【雙演算裝置】[—년—] 명 〔twin arithmetic units〕〖컴퓨터〗컴퓨터에서, 산술 연산부(算術演算部)의 본질적인 부분이, 실질적으로 이중으로 된 계산기의 장치적 특질(特質).

쌍열-박이【雙—】[—녈—] 명 총열이 두 대로 이루어진 총.

쌍엽 곡선【雙葉曲線】명〖수〗떡잎 모양을 한 곡선. 적당한 직교(直交) 좌표계에 의하여, $(x^2+y^2)^2=x^2(ax+by)$라는 형식으로 표시되는 것.

쌍영-총【雙楹塚】명〖지〗평안 남도 용강군(龍岡郡) 해운면(海雲面) 진지동(眞池洞)에 있는 고구려 시대의 분묘. 구릉 위에 있는 봉토 원분(封土圓墳)으로, 현실(玄室)·전실(前室)의 둘로 축성되었고, 이 내부로 통하는 연도(羨道)가 있음. 현실과 전실이 연락되는 중간 통로의 좌우에는 초반(礎盤) 위에 주두(柱頭)가 있는 팔각형의 석주(石柱)가 서 있음.

쌍오【雙五】명〖민〗음력 5월 5일에 드는 단오(端午)의 이칭.

쌍오리 사위【雙—】명〖춤〗승전무(勝戰舞) 등에서, 두 사람씩 오른손은 상대방 어깨 위에, 왼손은 허리를 잡고 추는 사위.

쌍옥【雙玉】명 한 쌍의 구슬.

쌍올-실【雙—】명 두 올로 드려 꼰 실. 이겹실.

쌍욕【—辱】[—뇩] 명 쌍스러운 욕설.

쌍운 산:룡【雙雲狻龍】[—살—] 명 구름 속에서 사자와 용이 다투는 그림을 그린 도자기. 중국 명(明)나라 때의 융경요(隆慶窯)의 산물임.

쌍-원분【雙圓墳】명〖고고학〗쌍(雙)무덤.

쌍유-아【雙乳蛾】명〖한의〗양쪽의 편도선(扁桃腺)이 붓고 종기가 생기며 몹시 아프고 무엇을 삼키거나 입을 열기가 어렵고, 열이 나며 침을 흘리는 병. 감기·성홍열(猩紅熱)·마진(痲疹)·단독(丹毒)·매독(梅毒)·간헐열(間歇熱) 등으로 말미암아 생김. 준쌍아(雙蛾).

쌍이[1]【雙耳】명〖고고학〗쌍(雙)잡이.

쌍이[2] 부 〈방〉 몹시(함경).

쌍이극 진공관【雙二極眞空管】명 이극 진공관(二極眞空管)을 한 자루의 빈 그릇 안에 봉입(封入)한 구조의 진공관.

쌍-이응【雙—】명 훈민 정음 반포 당시에 쓰던 한글의 옛 자모(字母) 'ᅇ'의 이름.

쌍익【雙翼】명 좌우(左右)의 날개. 양쪽의 깃.

쌍일【雙日】명 ①〖민〗유일(柔日). ②짝이 맞는 날. 곧, 우수의 날. ↔편일(片日).

쌍자-강【雙子江】명 쌍둥이강.

쌍자-궁【雙子宮】명〖천〗황도(黃道) 십이궁(十二宮)의 셋째. 황경(黃經) 60°에서 90°까지. 5월 22일부터 1개월간 태양이 이 곳에 머무름.

쌍자궁-류【雙子宮類】[—뉴] 명〖동〗태생 포유류, 곧 수아강(獸亞綱)의 한 하강(下綱). 유대류(有袋類)의 한 목(目)만으로 이루어짐. 원시적이고 파충류에 가까운 구조를 가지는 태반(胎盤)의 발달이 나빠, 새끼는 발육 부전 상태로 태어나, 배에 있는 육아 주머니 속에서 키워지는 수가 많음. 캥거루·주머니쥐 등이 이에 속함. 후수 하강(後獸下綱). *단자궁류(單子宮類).

쌍자 도시【雙子都市】명 쌍둥이 도시.

쌍-자엽【雙子葉】명〖식〗쌍떡잎.

쌍자엽 식물【雙子葉植物】명〖식〗쌍떡잎 식물.

쌍자엽 종자【雙子葉種子】명〖식〗쌍떡잎 씨앗.

쌍자 승자 총통【雙字勝字銃筒】명〖역〗조선 전기에 사용하던 청동제 소화기(小火器)의 일종. 총구로 화약과 실탄을 장전하고, 불씨를 중약선(中藥線)에 점화하여 발사하는 이른바 유통식(有筒式)으로 승자 총통과 비슷함. 보물 제599호.

쌍자-하【雙子河】명 쌍둥이강.

쌍-작사리【雙—】명 쌍으로 만든 작사리.

쌍-잡이【雙—】명〖고고학〗그릇 양쪽에 하나씩 달려 있는 손잡이. 쌍이(雙耳).

쌍-장부【雙—】명〖건〗똑같은 두 개로 된 장부.

쌍장부-끌【雙—】명〖공〗쌍구멍을 파는 데 쓰는, 같은 치수의 날이 한 자루에 두 개 붙은 끌.

쌍-장붓구멍【雙—】명〖건〗두 갈래의 장부가 들어가서 끼이는, 쌍으로 된 구멍.

쌍-장애【雙—】명〖광〗썹에 괸 물을 뜰 때에, 곧은 수레바퀴를 이용하여서 한 쌍의 급수기(汲水器)를 달아 쓰게 된 장치.

쌍전【雙全】명 두 쪽이나 또는 두 가지 일이 모두 온전함. ——-하다 형 여불

쌍전 화:포【雙箭火砲】명 한꺼번에 두 개의 화살이 나가는 화포. 조선 세종(世宗) 14년(1432)에 발명하여, 오랑캐를 정벌하는 데 많이 이용했는데, 사정 거리는 약 2백 보(약 363 m)였음.

쌍점【雙點】명 ①두 개의 점. ②한 문장이 대체로 끝나면서 다음 문장과 의미상 연락됨을 보일 때 쓰는 구두점. 곧, 콜론(:). *종지부(終止符).

쌍점박이-납작맵시벌【雙點—】명〖충〗[*Apophua bipunctoria*] 맵시벌과에 속하는 곤충. 암컷의 몸길이 9 mm 가량. 몸빛은 대체로 흑색에 두순(頭楯)·위턱·소순판(小楯板)은 회황색임. 촉각은 적갈색, 날개는 투명하며, 산란관(産卵管)은 적갈색인데 복부보다 길. 한국·일본 및 유럽 각지에 분포함.

쌍점박이-매미충【雙點—蟲】명〖충〗[*Cicadula fasciifrons*] 매미충과에 속하는 곤충. 몸길이 4 mm 내외, 몸빛은 담회황색에 두정(頭頂)·소순판(小楯板)에 두 개의 흑색 원문(圓紋)이 있음. 볏과 식물의 해충으로, 한국·일본·중국·시베리아·북미 등지에 분포함. 두점박이강충이.

쌍점박이-장:님노린재【雙點—】명〖충〗[*Adelphocoris variabilis*] 장님노린잿과에 속하는 곤충. 몸길이 8 mm 내외이고 몸빛은 흑색, 촉각은 암갈색, 전흉배(前胸背)는 암황색임. 반시초(半翅鞘)에 세모(細毛)가 있으며, 그 주연(周緣)과 설상부(楔狀部)는 암황색이고, 다리는 흑갈색임. 한국·일본에 분포함.

쌍정【雙晶】명〖광〗두 개의 같은 종류의 결정 고체(結晶固體)가 어느 면(面) 또는 축(軸)에 대하여 대칭(對稱)의 관계를 가지고 상접(相接)하고 있는 물질.

쌍정-면【雙晶面】명〖광〗쌍정을 형성하는 두 개체 중, 한 개체가 그 면을 거울로 하여 딴 개체를 비춘 경상(鏡像)과 같은 관계가 되는 면.

쌍정-축【雙晶軸】명〖광〗쌍정에 있어서, 한 결정 개체가 딴 개체의 한 축의 둘레로 그 결정을 180° 회전한 관계에 있는 그 축. 쌍정면(面)과 수직(垂直)이 됨.

쌍제-류【雙蹄類】명〖동〗우제류(偶蹄類). ↔단제류(單蹄類).

쌍조-잠【雙鳥簪】명 한 쌍의 새를 머리에 아로새긴, 비녀의 한 가지.

쌍조-장【雙彫章】[—짱] 명 용비 어천가 제23장의 이름.

쌍주【雙紬】명 명주의 한 종류.

쌍줄-박이【雙—】명〖민〗경기 농악 판굿 등에서, 상쇠가 가운데로 나와서 덩더꿍이를 치면 버꾸잡이들이 두 줄로 세로로 서서 한 줄씩 번갈아 앉았다 섰다 하는 춤.

쌍줄 붙임표【雙—標】[—부침—] 명 세로쓰기에 쓰이는 접합부(接合符)인 '‖'의 이름.

쌍줄-표【雙—標】명 등호(等號) '='의 이름.

쌍줄-호리병벌【雙—葫—甁—】명〖충〗[*Discoelius japonicus*] 말벌과에 속하는 곤충. 암컷은 몸길이 17 mm 내외이고, 몸빛은 흑색임. 복부 제1절(節)은 복병상(腹柄狀)이고, 몸에는 회백색 단모(短毛)가 있으며, 날개는 회흑색을 띰. 한국·일본에 분포함.

쌍-지게질【雙—】명 한 사람이 두 지게의 짐을 동시에 나르는 짓. 두 지게에 각각 짐을 얹고, 먼저 지게 하나를 지고 가서 앞에 받쳐 놓고, 쉴 동안 되돌아 와서 다음 지게를 지고 가는 식으로 번갈아 지고 감. ——-하다 자 여불

쌍-지읒【雙—】명〖언〗한글의 합성 자모(合成字母) 'ㅉ'의 이름.

쌍-지팡이【雙—】명 ①두 다리가 성하지 못한 사람이 짚는 두 개의 지팡이. ②참견을 잘하는 사람을 비꼴 때 덧얹어 쓰는 말. ¶ 남의 얘기라면 ~ 짚고 나선다.

쌍진-굿【雙陣—】명〖민·악〗농악 십이차(十二次) 가운데, 두 진으로 나누어 치는 가락이나 동작. *쌍진풀이.

쌍진-풀이【雙陣—】명〖민〗경상 남도 삼천포 농악의 판굿 등에서, 농악대가 두 대로 장사진을 치고 춤추다가 맨 앞에서부터 다음 사람들 사이로 빠져 나오는 놀이. *상진굿.

쌍창【雙窓】명 문짝이 둘 달린 창문.

쌍창 미닫이【雙窓—】[—다지] 명〖건〗쌍창으로 된 미닫이.

쌍창-워라 명 엉덩이만 흰 가라말.

쌍-척후【雙斥候】명〖군〗2명씩 쌍으로 파견하는 척후.

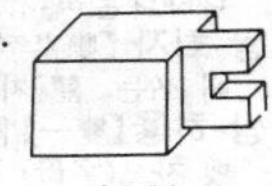
〈쌍촉〉

쌍철【雙鐵】명 복선(複線)인 철로(鐵路). *단철(單鐵).

쌍청【雙淸】명 동양화의 화제(畫題)의 하나. 매화(梅花)에 수선(水仙)을 배합한 그림. 청초한 아름다움으로 사랑을 받으며 문인 화가가 즐겨 그림.

쌍-촉【雙鏃】명〖건〗두 개로 된 장부촉.

쌍촉 연귀【雙鏃—】[—년—] 명〖건〗연귀를 짜 맞추는 방식의 한 가지.

쌍추 명 〈방〉 상추[1](경북).

쌍축 결정【雙軸結晶】[—쩡] 명〖광〗광축(光軸)을 둘 가지는 결정. 삼사 정계(三斜晶系)·단사 정계(單斜晶系)·사방 정계(斜方晶系)가 이에 속함. 광학적 이축성 결정(光學的二軸性結晶). 이축(二軸) 결정.

쌍축 타:원체【雙軸楕圓體】명 〔biaxial indicatrix〕〖광〗직교(直交)하는 세 축(軸)이, 쌍축 결정의 굴절률과 비례하는 타원체.

쌍친【雙親】명 양친(兩親).

쌍-칼【雙—】명 쌍수검(雙手劍). 또, 쌍수검을 쓰는 사람.

쌍-코【雙—】명 두 줄로 솔기를 댄 가죽신의 코.

쌍코-신【雙—】명 쌍코로 된 신. ↔외코신.

쌍코-줄변자【雙—邊子】명 신코 위에 좁은 가죽 조각 둘을 오려 대어 두드러지게 하고, 도리의 밑에 다른 빛깔의 가죽으로 한 줄의 변자를 돌려 댄 남자용 가죽신.

쌍태【雙胎】명 한 태 안에 태아(胎兒)가 둘 있음. 또, 그 두 태아.

【쌍태 낳은 호랑이 하루살이 하나 먹은 셈】 양은 큰데 먹은 것이 적다는 말.
쌍태 임:신【雙胎姙娠】 명 〖생〗 한 태 안에 태아(胎兒) 둘을 밴 임신(姙娠)의 한 형태.
쌍턱-걸지【雙—】 명 〖건〗 횡재(橫材)에 쌍턱을 따서 건너 걸친 것.

〈쌍턱걸지〉

쌍턱-장부촉【雙—鏃】 명 〖건〗 두 턱이 져서 이단(二段)으로 된 장부촉.

〈쌍턱장부촉〉

쌍판 명 〈비〉 얼굴. ⊥상판.
쌍-판대기 명 ☞상판대기.
쌍-패【雙覇】 명 바둑에서, 동시에 생긴 두 개의 패.
쌍패-빅【雙覇—】 명 바둑에서, 쌍패로 빅이 되는 형세. 흑백 어느 한쪽이 따내기 시작해도, 피차간에 잡을 수 없음.
쌍패 인력거【雙牌人力車】[—일—] 명 인력거꾼은 앞에서 끌고, 조수는 뒤에서 밀고 가는 인력거.
쌍편모-조류【雙鞭毛藻類】 명 와편모(渦鞭毛)조류.
쌍폐【雙斃】 명 ①양쪽이 모두 엎드러짐. ②남녀의 정사(情死). ——-하다 자여불
쌍-포구락【雙拋毬樂】 명 〖악〗 정재(呈才) 때에, 두 패의 포구락을 한꺼번에 하는 춤. 다만 죽간자(竹竿子)는 두 사람뿐임.
쌍폭¹【雙幅】 명 대폭(對幅).
쌍폭²【雙瀑】 명 좌우로 나란히 있는 두 개의 폭포. ＊연폭(連瀑).
쌍-피리【雙—】 명 〖악〗 대롱이 둘로 된 관악기의 한 가지.
쌍학-보【雙鶴補】 명 〖역〗 어린 공주·옹주(翁主)의 당의(唐衣)에 가슴과 등에 다는 보. 두 마리의 학을 수 놓음.
쌍학-산【雙鶴山】 명 〖지〗 강원도 통천군(通川郡) 고저읍(庫底邑)과 회양군(淮陽郡) 상북면(上北面) 사이에 있는 산. [1,021m]
쌍학 흉배【雙鶴胸背】 명 〖역〗 한 쌍의 학을 수놓은 흉배. 문관(文官)의 당상관(堂上官)이 붙임. ↔단학(單鶴) 흉배.
쌍-항아리【雙缸—】 명 조그만 두 개의 항아리를 연결한 항아리. 양념 등을 담는 데에 쓰임.
쌍향 안테나【雙向—】 명 [bilateral antenna] 〖전자〗 루프안테나와 같이 정확히 180° 떨어진 방향에서 최대 응답을 보이는 안테나.
쌍-허공잡이【雙虛空—】 명 〖민〗 줄타기에서, 두 발을 모아 붙이고 위로 뛰어 앞으로 나가는 재주.
쌍현¹【雙弦】 명 활을 당길 때 가슴에 힘을 주거나 하여 활이 흔들려 켕긴 시위가 두 가닥으로 나타나는 현상.
쌍현²【雙絃】 명 〖악〗 모양이 월금(月琴)과 같고 줄이 둘뿐인 악기의 한 가지.
쌍형-어【雙形語】 명 [프 doublet] 〖언〗 형태는 다르나 동일한 어원에서 변화된 한 묶음의 말. 쌍생어(雙生語). 이중어(二重語).
쌍-호구【雙虎口】 명 바둑에서, 양편이 마주 보고 있는 두 호구. 패 싸움이 생김.
쌍호 흉배【雙虎胸背】 명 〖역〗 네 발을 버티고 서로 반대 방향으로 서 있는 한 쌍의 호랑이를 수놓은 흉배. 무관(武官)의 당상관(堂上官)이 붙임. ↔단호(單虎) 흉배.
쌍-홍잡이【雙—】 명 〖민〗 줄타기에서, 줄을 타고 앉았다가 두 발로 줄 위에 올라서는 동작을 되풀이하는 재주.
쌍홍잡이-거중돌기【雙—】 명 〖민〗 쌍홍잡이에서와 같이 줄을 타고 앉았다가 줄의 탄력으로 공중에 떠서 한 바퀴 돌아 반대 방향으로 다시 줄을 타고 앉는 재주.
쌍-홍장【雙—欌】 명 부엌 안에 그릇을 넣어 두는 곳.
쌍화-점【雙花店】 명 〖악〗 고려 때의 속요(俗謠). 음탕한 노래로서, 충렬왕이 연락(宴樂)을 베풀 때 부르게 하였다 하는데, 작자는 미상임. ≪악장 가사≫에 전함. 상화점(霜花店).
쌍화-탕【雙和湯】 명 〖한의〗 백작약(白芍藥)·숙지황(熟地黃)·황기(黃芪)·당귀(當歸)·천궁(川芎) 등으로 조제한 탕약. 노역(勞役)·방사(房事) 등으로 인한 피로를 회복하고, 허한(虛汗)을 거두는 데 달여서 먹음.
쌍-활차【雙滑車】 명 두 개의 도르래를 결합시킨 도르래 장치.
쌍-흑점【雙黑點】 명 태양면(太陽面)에 한 쌍으로 되어 나타나는 흑점. 내부에 있어서 연관되어 있다고 봄.
쌍-희자【雙喜字】[—히짜] 명 그림이나 수(繡)놓는 데에 쓰는 '囍'자의 이름.

囍

〈쌍희자〉

쌍-히읗【雙—】 명 〖언〗 훈민 정음(訓民正音) 반포 당시에 쓰던, 한글의 옛 자모(字母) 'ㆅ'의 이름.
쌓다¹ [싸타] 타 ①여러 개의 물건을 겹겹이 포개어 놓다. 또, 무엇을 차곡차곡 포개어 얹어서 축조물을 이루다. ¶벽돌을 ~/둑을 ~. ②덕이나 공적을 여러 번 세우다. ¶공을 ~. ③기술·경험 등을 거듭하여 기르다. ¶수양을 ~/훈련을 ~.
쌓다² [싸타] 조동 〈방〉 동사의 어미 '-아·-어' 밑에 쓰이어, 동작의 정도가 심함을 보이는 말. ¶울어 ~/웃어 ~. ＊대다⁷.
쌓이다 [싸—] 피동 ①여러 개의 물건이 한데 겹치어지다. ②근심·걱정이 연달아 겹치어 많아지다. ③할 일이 자꾸만 들이닥치어 많이 밀리다. ¶쌓인 일을 하나씩 처리해 나가다. ④훌륭한 기술·경험을 얻게 되다. ㈜쌔다.
쌔¹ 명 〈방〉 새¹⁰(경북).
쌔² 명 〈방〉 억새(경상).
쌔³ 명 〈방〉 쇠¹(전남·경상).
쌔⁴ 명 〈방〉 혀¹❶(전남·경상).
쌔:⁵ 명 〈방〉 쉬³(전남).
쌔:⁶ 명 〈방〉 씨아(강원).
쌔게 부 〈방〉 빨리(충북).
쌔:고-버렸다 형 〈방〉 쌔고쌨다(경상).
쌔:고-버리다 형 〈방〉 쌔고쌨다(경상).
쌔:고-쌘 관 흔해 빠진. ¶~ 물건.
쌔:고-쌨다 형 매우 쌨다. 아주 흔하다.
쌔그랍다 형 〈방〉 시다(경남).
쌔근-거리다 자 숨이 가쁘거나 하여 숨쉬는 소리가 쌔근쌔근 거칠게 자꾸 나다. ⊥새근거리다¹. ＜씨근거리다. **쌔근-쌔근**¹ 부. ——-하다 자여불
쌔근-대다 자 쌔근거리다.
쌔근덕-거리다 자 쌔근거리고 헐떡거리다. 몹시 쌔근거리다. ⊥새근덕거리다. ＜씨근덕거리다. **쌔근덕-쌔근덕** 부. ——-하다 자여불
쌔근덕-대다 자 쌔근덕거리다.
쌔근-발딱 부 쌔근거리며 발딱발딱 숨을 돌이키는 모양. ⊥새근발딱. ㅆ쌔근팔딱. ＜씨근벌떡. ——-하다 자여불
쌔근발딱-거리다 자 쌔근거리며 할딱거리다. ⊥새근발딱거리다. ㅆ쌔근팔딱거리다. ＜씨근벌떡거리다. **쌔근발딱-쌔근발딱** 부. ——-하다 자여불
쌔근발딱-대다 자 쌔근발딱거리다.
쌔근-쌔근² 부 어린애가 곤하게 깊이 자는 모양. ＜씨근씨근². ——-하다 자여불
쌔근-팔딱 부 숨이 가빠서 쌔근쌔근하면서 몹시 할딱거리는 모양. ⊥새근발딱. ㅆ쌔근발딱. ＜씨근펄떡. ——-하다 자여불
쌔근팔딱-거리다 자 쌔근쌔근하면서 몹시 할딱거리다. ⊥새근발딱거리다. ㅆ쌔근발딱거리다. ＜씨근펄떡거리다. **쌔근팔딱-쌔근팔딱** 부. ——-하다 자여불
쌔근팔딱-대다 자 쌔근팔딱거리다.
쌔기¹ 명 〈방〉 씨아(경상).
쌔:기² 명 〈방〉 쐐기².
쌔기³ 부 〈방〉 빨리(경상).
쌔기 송꾸락 명 〈방〉 새끼손가락(전남).
쌔깡이 명 〈방〉 새끼².
쌔:다 ㊀ 피동 ①↗싸이다¹. ②↗쌓이다. ㊁ 사동 ↗싸이다².
쌔띠기 명 〈방〉 억새(경남).
쌔리 명 〈방〉 싸리.
쌔리다 타 〈방〉 때리다(전라·경상).
쌔무룩-이 부 쌔무룩하게. ⊥새무룩이. ＜씨무룩이.
쌔무룩-하다 형여불 잔뜩 못마땅하게 여기어 말이 없이, 뽀로통하다. ⊥새무룩하다. ＜씨무룩하다.
쌔물-거리다 자 이 빠진 노인이 입언저리를 연방 움직여 힘없이 웃다. ⊥새물거리다. ＜씨물거리다. **쌔물-쌔물** 부. ——-하다 자여불
쌔물-대다 자 쌔물거리다.
쌔:미 명 〈방〉 수염³(경남).
쌔:-버렸다 형 〈방〉 쌔고쌨다(경상).
쌔부랑-거리다 자 ☞싸부랑거리다. **쌔부랑-쌔부랑** 부. ——-하다 자여불
쌔-부루 명 〈방〉 황부루.
쌔불-거리다 자 ☞씨부랑거리다. ¶명랑하게 쌔불거리고 웃고 하는 데 섭슬려 탑삭부리 한 참봉도 정 주사도 따라 웃는다≪蔡萬植 : 濁流≫.
쌔비 명 〈방〉 새우(경상).
쌔비다 타 〈속〉 남의 물건을 몰래 훔치다. 얌생이 몰다.
쌔이다 ㊀ 피동 〈방〉 싸이다¹. 쌓이다. ㊁ 사동 〈방〉 싸이다².
쌔줄 명 〈방〉 쇠줄(경상).
쌔짝-래기 명 〈방〉 말더듬이(경북).
쌔:-하다¹ 형 〈방〉 하얗다(평안).
쌔:-하다² 형 〈방〉 싸하다(경상).
쌔:-허다 형 〈방〉 새하얗다(평북). ¶쌔헌 고무신, 순이 신을 고무신,…≪鄭飛石 : 城隍堂≫.
쌕 부 웃기를 꺼리어서 한 번 얼핏 눈웃음치고 그만두는 모양. ¶~ 웃고 부끄러워 돌아선다. ＜씩.
쌕쌔기 명 〖충〗 [*Conocephalus chinensis*] 여칫과에 속하는 곤충. 여치와 비슷한데 작아서 몸길이는 13-18mm이고, 앞날개는 매우 길어서 15-25mm임. 온 몸이 담녹색이며 두흉부 배면에 갈색 조문(條紋)이 있고 복부(腹部)는 원뿔꼴이며, 산란관(産卵管)은 짧음. 습기 있는 초원이나 논에 서식하는데, 한국·일본·만주·시베리아 등지에 분포함.
쌕:쌕 부 숨을 가늘고 세게 쉬는 소리. ¶~ 잠자다. ⊥색색². ＜씩씩. ——-하다 자여불
쌕쌕-거리다 자 숨을 계속해서 가늘고 세게 쉬다. 또, 쌕쌕하는 숨소리를 연해 내다. ⊥색색거리다. ＜씩씩거리다.
쌕쌕-대다 자 쌕쌕거리다.
쌕쌕-이 명 〈속〉 폭음이 없이 쌕쌕 소리를 내며 빨리 난다는 뜻으로, '제트기(jet機)'를 일컫는 말.
쌘: 관 흔한. ¶시장엔 ~ 물건이다.
쌘:-구름 명 〖기상〗 적운(積雲).
쌘:-비구름 명 〖기상〗 적란운(積亂雲).
쌜그러-뜨리다 타 쌜그러지게 하다. ⊥샐그러뜨리다. ＜쌜그러뜨리다.
쌜그러-지다 자 한쪽으로 빼뚫어지거나 갸울어지다. ⊥샐그러지다. ＜쌜그러지다.
쌜그러-트리다 타 쌜그러뜨리다.
쌜긋-거리다 자타 쌜그러지게 연해 움직이다. ⊥샐긋거리다. ＜쌀긋거리다·썰긋거리다. **쌜긋-쌜긋** 부. ——-하다 자타여불
쌜긋-대다 자타 쌜긋거리다.
쌜긋-하다 형여불 물건이 한 쪽으로 빼뚫어져 있다. ⊥샐긋하다. ＜쌀긋하다·썰긋하다.
쌜기죽-거리다 자타 쌜그러지게 연해 천천히 움직이다. ⊥샐기죽거리다. ＜썰기죽거리다. **쌜기죽-쌜기죽** 부. ——-하다 타자여불

쌜기죽-대다 [자][타] 쌜기죽거리다.

쌜기죽-이 [부] 쌜기죽하게. ㅅ샐기죽이. <썰기죽이.

쌜기죽-하다 [형][여불] 물건이 약간 쌜그러져 있다. ㅅ샐기죽하다. <썰기죽하다.

쌜룩 [부] 근육의 일부분이 또는 일부분을 갑자기 움직이는 모양. ㅅ샐룩. <썰룩. ——-하다 [자][타][여불]

쌜룩-거리다 [자][타] 연하여 쌜룩하다. 또, 연하여 쌜룩쌜룩 움직이게 하다. ㅅ샐룩거리다. <썰룩거리다. **쌜룩-쌜룩** [부]. ¶얼굴이 ~ 경련한다. ——-하다 [자][타][여불]

쌜룩-대다 [자][타] 쌜룩거리다.

쌜쭉 [부] ①어떤 감정을 나타내면서 입이나 눈이 쌜그러지게 움직이는 모양. ②마음에 차지 않아서 매우 고까워하는 태도를 나타내는 모양. 1)·2): ㅅ샐쭉. <실쭉. ——-하다 [자][타][여불]

쌜쭉-거리다 [자][타] ①어떤 감정으로 입이나 눈이 자꾸 쌜그러지게 움직이다. ②마음에 차지 않아서 매우 고까워하는 태도를 자꾸 나타내다. 1)·2): ㅅ샐쭉거리다. <씰쭉거리다. **쌜쭉-쌜쭉** [부]. ——-하다 [자][타][여불]

쌜쭉-대다 [자][타] 쌜쭉거리다.

쌤[1] [명]〖광〗수직(垂直)으로 통한 광혈(鑛穴). 곧은쌤.

쌤[2] [명]〖건〗↗쌤돌.

쌤:[3] [명]〈속〉↗쌤통.

쌤:[4] [명]〈방〉우물[1](경북).

쌤:-돌 [명]〖건〗창문 따위의 문얼굴 옆에 세로 세워 대는 돌. [준]쌤.

쌤:-통 [명]〈속〉남이 낭패를 보아, 고소하게 된 형세. ¶고거 ~이다. [준]쌤.

쌤-홈 [명]〖건〗바르는 재료가 잘 발리도록 벽체에 판 가는 홈.

쌨:다 [형] 쌓이어 있을 만큼 퍽 흔하다. ¶그런 것은 쌔고~.

쌩 [부] 세찬 바람이 나뭇가지 같은 데에 부딪쳐 나는 소리. <씽.

쌩그레 [부] 소리 없이 지긋이 눈웃음치는 모양. ㅅ생그레. <씽그레. ——-하다 [자][여불]

쌩글-거리다 [자] 소리 없이 눈만 움직여 계속해서 정답게 웃다. ㅅ생글거리다. <씽글거리다. **쌩글-쌩글** [부]. ——-하다 [자][여불]

쌩글-대다 [자] 쌩글거리다.

쌩글-빵글 [부] 쌩글거리면서 빵글거리는 모양. ㅅ생글뱅글. <씽글뻥글. ——-하다 [자][여불]

쌩긋 [부] 소리 없이 은근하게 얼핏 눈웃음 치는 모양. ㅅ생긋. ㅆ쌩끗. <씽긋. ——-하다 [자][여불]

쌩긋-거리다 [자] 소리 없이 계속해서 정답게 눈웃음 치다. ㅅ생긋거리다. ㅆ쌩끗거리다. <씽긋거리다. **쌩긋-쌩긋** [부]. ——-하다 [자][여불]

쌩긋-대다 [자] 쌩긋거리다.

쌩긋-빵긋 [부] 쌩긋거리면서 빵긋거리는 모양. ㅅ생긋뱅긋. ㅆ쌩끗빵끗. <씽긋뻥긋. ——-하다 [자][여불]

쌩긋-이 [부] 정답게 지그시 눈웃음 치는 모양. ¶~ 웃다. ㅅ생긋이. ㅆ쌩끗이. <씽긋이.

쌩끗 [부] 소리 없이 얼핏 은근하게 눈웃음 치는 모양. ㅅ생긋. ㅆ생끗·쌩긋. <씽끗. ——-하다 [자][여불]

쌩끗-거리다 [자] 소리 없이 연하여 정답게 눈웃음 치다. ㅅ생긋거리다. ㅆ생끗거리다·쌩긋거리다. <씽끗거리다. **쌩끗-쌩끗** [부]. ——-하다 [자][여불]

쌩끗-대다 [자] 쌩끗거리다.

쌩끗-빵끗 [부] 쌩끗거리면서 빵끗거리는 모양. ㅅ생긋뱅긋. ㅆ쌩긋빵긋·생끗뱅끗. <씽끗뻥끗. ——-하다 [자][여불]

쌩끗-이 [부] 소리 없이 얼핏 은근하게 웃는 모양. ㅅ생긋이. ㅆ생끗이·쌩긋이. <씽끗이.

쌩:쌩 [부] 세찬 바람이 나뭇가지 등에 잇달아 부딪쳐 나는 소리. ¶바람이 ~ 불다. <씽씽.

쌩쌩-하다 [형][여불] ①원기가 왕성하다. <씽씽하다. ②썩거나 축나지 아니하고 그대로 성하거나 생기가 있다. 1)·2): ㅅ생생하다.

쌩이-질 [명] ↗씨양이질. ¶계집애가 나물을 캐러 가면 갔지 남 울타리 엮는데 ~을 하는 것은 다 뭐냐≪金裕貞 : 동백꽃≫.

쌰 [감]〈방〉쌍놈의 것(평안). ¶~ 간나새끼.

써[1] [명]〈방〉혀[1]❶(전남).

써[2] [부] '그것을 가지고'·'그것으로 인하여'의 뜻의 접속 부사. ¶힘을 합하여 ~ 나라에 이바지하다.

써개 [명]〈방〉서캐(함경).

써거리 [명]〈방〉소쿠리(함경).

써걱 [부] ①사과나 과자 따위를 씹을 때 약간 웅숭깊게 나는 소리. ②갈대 따위가 약간 거칠게 마찰하는 소리. 1)·2): ㅅ서걱. >싸각. ——-하다 [자][타][여불]

써걱-거리다 [자][타] ①사과나 과자를 씹을 때와 같은 소리가 연하여 나다. 또, 그런 소리를 연해 내다. ②갈대 같은 것이 마찰하는 소리가 계속해서 나다. 또, 그런 소리를 연해 내다. 1)·2): ㅅ서걱거리다. >싸각거리다. **써걱-써걱** [부]. ——-하다 [자][타][여불]

써걱-대다 [자][타] 써걱거리다.

써기 [부]〈방〉빨리(경남).

써까래 [명]〈방〉서까래(전북).

써까레 [명]〈방〉서까래(경남).

써-내다 [타] ①어떤 글씨나 글월을 써서 내놓다. ¶논문을 ~. ②☞켜내다.

써-넣다 [-너타] [타] 기입(記入)하다. ¶주석을 ~.

써느러- [갈] '써느렇다'의 불규칙 어간. ¶~ㄴ/~면.

써느렇다 [-러타] [형][ㅎ불] ①기후가 신선하고 조금 춥게 느껴지다. ②물체의 온도가 찬 정도에 가깝다. ③갑자기 놀란 때, 마음과 몸이 찬 기운이 나는 것같이 느껴지다. 1)-3): ㅅ서느렇다. >싸느랗다.

써늘-하다 [형][여불] ①피부에 소름이 끼칠 정도로 추운 느낌이 있다. ¶써늘한 방. ②어떤 물건이 차갑게 식은 느낌을 주다. ③갑자기 놀란 때, 몸이 부르르 떨릴 정도로 추운 기운이 나는 것같이 느껴지다. 1)·3): ㅅ서늘하다. >싸늘하다.

써다[1] [一][자] 조수(潮水)가 빠지거나 괴었던 물이 새어서 줄다. [二][타] ☞켜다❶.

써다[2] [타]〈방〉쓰다[3](전남·경상).

써:래 [명]〈방〉써레.

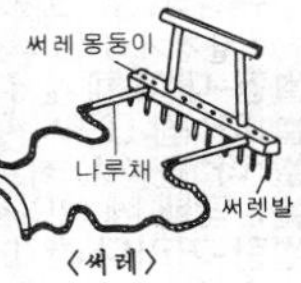

〈써레〉

써:레 [명]〖농〗갈아 놓은 논의 바닥을 고르거나 흙덩이를 잘게 하는 데에 쓰는 농구. 긴 각목(角木)에 둥글고 끝이 빤 살을 7-10개 박고 위에 손잡이를 대었으며, 각목 양쪽에 밧줄을 달아 소나 말이 끌게 되었음. 초파(耖耙).

써:레-꾼 [명] ↗써레질꾼.

써레다 [타]〈방〉써리다(경상).

써:레 몽둥이 [명]〖농〗써레의 몸이 되는 나무.

써:레-소리 [명]〖악〗써레질을 하면서 부르던 일노래의 하나.

써레-씻이 [명]〖농·민〗농가에서 음력 4월에 모내기를 끝내고 즐겁게 노는 일. ＊호미씻이.

써:레-질 [명]〖농〗써레로 논바닥을 고르거나 흙덩이를 깨는 일. ——-하다 [자][여불]

써:레질-꾼 [명] 써레질을 하는 사람. [준]써레꾼.

써렛-니 [명]〈방〉써렛발.

써:렛-발 [명] 써레 몽둥이에 박은, 끝이 뾰족한 나무. 땅을 고르거나 흙덩이를 바수는 일을 함.

써리[1] [명]〈방〉보습[1](경북).

써리[2] [명]〈방〉서리[1](전라·경상).

써:리[3] [명]〈방〉써레.

써:리[4] [명]〈방〉서리[1](경상).

써:리다 [타]〖농〗논바닥을 써레질하여 고르게 하다. [준]썰다.

써-먹다 [타]〈속〉활용(活用)하다.

써숙 [명]〈방〉조[1](경북).

썩[1] [부] ①거침없이 빨리. 급히. ¶~ 나가지 못할까/~ 들어서다. ②아주 뛰어나게. ¶~ 좋은 성적/~ 잘 한다.

썩[2] [부] ①칼·가위 등으로 종이 또는 연한 물건을 베는 소리 또는 모양. ②한 직선으로 거침없이 밀거나 쓸어 나가는 모양. ¶문을 ~ 열다. 1)·2): ㅅ석. >싹[2].

썩다 [자] 〔중세 : 석다〕①어떤 물질이 부패균의 작용으로 그 성질이 변하다. 부패하다. ②써야 할 물건이 갇히어 묵다. ¶남은 굶는데도 그의 집엔 쌀이 썩는다. ③좋은 재주나 능력이 있으면서 이를 발휘하지 못하다. ¶인재가 촌구석에서 썩는다. ④사상이 건전하지 아니하고 방탕하고 잡되다. ⑤나라의 정치가 문란하고 어지러워 구제할 수 없이 되다. ¶정치가 썩었다. ⑥분을 풀지 못하고 참아서 속이 상하다. ¶속이 푹푹 썩는다.

[썩어도 준치] 값지거나 좋은 물건은 낡거나 헐어도 어느 정도 본디의 값어치를 지니고 있다는 말. [썩은 고기에 벌레 난다] 좋지 못한 원인이 있으면 반드시 그 결과로서 좋지 않은 일이 생긴다는 말. [썩은 새끼도 쓸데가 있다] 아무리 소용 없는 폐물도 이용될 곳이 있다는 말. [썩은 새끼로 범 잡기] ㉠무슨 일을 너무 소홀히 한다는 말. ㉡하는 짓이 어림도 없다는 말. [썩은 새끼에 목을 맨다] 이러지도 저러지도 못하는 처지에서 억지로 하는 일이란 말.

썩덩-벌레 [명]〖충〗[*Allecula melanaria*] 썩덩벌렛과에 속하는 곤충. 몸길이 10-11 mm, 몸빛은 암적갈색, 입·촉각·다리는 적갈색임. 몸의 표면에는 갈색 털이 있고, 각 시초(翅鞘)에는 열 줄의 종구(縱溝)가 있음. 썩은 나무에 삶. 한국·일본에 분포함.

썩덩벌렛-과【一科】[명]〖충〗[Alleculidae] 딱정벌레목(目)의 한 과(科). 몸은 중형(中形)이고, 모양은 다소(多少) 연약(軟弱)한 긴 달걀꼴임. 몸빛은 대부분이 암색(暗色)이고, 드물게 선명색(鮮明色)이 있으며, 촉각은 실 모양이고 드물게 톱 모양인 것도 있음. 꽃에 모이는데, 전세계에 1,400여 종이 분포함.

썩-돌: [명]〈방〉푸석돌(경상).

썩둑 [부] 연한 물건을 한 번 토막쳐 자르는 모양. ¶~ 자르다. ㅅ석둑. >싹둑.

썩둑-거리다 [자][타] 연한 물건을 칼로 계속하여 토막 쳐서 자르다. ㅅ석둑거리다. >싹둑거리다. **썩둑-썩둑** [부]. ——-하다 [자][타][여불]

썩둑-대다 [자][타] 썩둑거리다.

썩박 [명] 채 덜 여문 박을 통째로 말려 타서 그릇으로 쓰는 바가지.

썩-버력 [명]〖광〗광산에서 갱내(坑內)에 버린 버력.

썩비리-노린재 [명]〖충〗[*Placosternum alces*] 노린잿과에 속하는 곤충. 몸길이 20-22 mm이고, 몸빛은 암갈색 내지 회갈색이며, 흑색 점각(點刻)이 불규칙한 반문(斑紋)을 이룸. 다리는 암황색에 흑색 점각이 있고, 경절(脛節) 끝과 부절(跗節)은 흑색임. 한국·대만에 분포함.

썩-썩[1] [부] ①종이나 헝겊 따위를 거침없이 가볍게 베어 나가는 모양. 또, 그 소리. ②정성들여 깨끗이 쓸거나 문지르는 모양. 거침없이 밀거나 쓸어 나가는 모양. 또, 그 소리. ¶~ 문질러라. 1)·2): ㅅ석석[2]. >싹싹[1].

썩:썩[2] [부] 사과(謝過)하거나 애걸(哀乞)할 때에 손으로 비는 모양. ¶~ 빌다. >싹싹[2].

썩썩-거리다 [자][타] 썩썩 소리가 자꾸 나다. 또, 그런 소리를 자꾸 내다. ㅅ석석거리다. >싹싹거리다.

썩썩-대다 [자][타] 썩썩거리다.

썩썩-하다 [형][여불] 태도가 부드럽고 활발하다. >싹싹하다.

썩어-빠지다 [자] 아주 못 쓰도록 썩다.

썩은-새 [명] 집을 인 지 오래 되어 썩은 이엉.

썩은-흙 [一흑] [명]〖농〗부식토(腐植土).

썩이다 [사동] 썩게 하다. ¶아까운 쌀을 ~.

썩-정이 [명] ①썩은 물건. ②☞삭정이.

썩-초【一草】[명] 빛깔이 검고 품질이 낮은 담배.

썩캐 [명]〈심마니〉〖동〗노랑가슴담비.

썩히다 [사동]〈방〉썩이다(평안·경상).

썬:-담배 [명]〈방〉살담배.

썰겅-거리다 [자] 설익은 콩이나 밤 등이 씹힐 때에 부서지는 소리가 자꾸 나다. 또, 그것을 씹을 때 입 안에서 무르지 아니한 감을 연해 주다. ㅅ설겅거리다. ㅆ썰컹거리다. >쌀강거리다. **썰겅-썰겅** [부]. ——-하다 [형][여불]

썰겅-대다 [자] 썰겅거리다.

썰:다[1] [타] 〔중세 : 써흘다〕 ①물건을 칼로 잘게 토막내어 베다. ②〖농〗 써리다.

썰:다[2] [타] 〈방〉 켜다❸(경상).

썰:-담배 [명] 〈방〉 살담배.

썰렁-거리다 [자] ①조금 서늘한 느낌이 생길 만큼 바람이 가볍게 계속해서 불다. ②팔을 가볍게 저어 바람을 내면서 걷다. 1)·2): ㅅ설렁거리다. >쌀랑거리다. **썰렁-썰렁** [부]. ——-하다[1] [자][여불]

썰렁-대다 [자] 썰렁거리다.

썰렁썰렁-하다[2] [형][여불] 바람이 썰렁거리는 상태에 있다. ㅅ설렁설렁하다[2]. >쌀랑쌀랑하다[2].

썰렁-하다 [형][여불] ①서늘한 바람이 불어 조금 춥다. ②갑자기 놀라 가슴 속에 찬바람이 도는 느낌이 있다. 1)·2): ㅅ설렁하다. >쌀랑하다.

썰레-놓다 [—노타] [타] 아니 될 일이라도 되도록 마련하다.

썰레-썰레 [부] 머리나 꼬리 따위를 좌우로 가볍게 흔드는 모양. ¶ 고개를 ～ 흔든다. ㊛썰썰. ㅅ설레설레. >쌀래쌀래.

썰:리다[1] [피동] 동강동강 베이다. 썲을 당하다.

썰:리다[2] [사동] 썰게 하다.

썰마-뇌 [명] 〈방〉 썰매놀이. ——-하다 [자]

썰매 [명] 〔←설마(雪馬)〕 ①눈 위나 얼음판에서 사람이나 짐을 싣고 짐승이나 사람이 끌고 다니는 기구. 여러 가지 모양이 있는데, 대개 휘우듬한 널조각을 양옆에 모제비로 세우고, 가롯대를 여러 개 건너지른 것이 보통임. ②아이들이 얼음 위에서 미끄럼 타는 제구. 양옆에 철사를 박은 나무나 쇠붙이를 대고, 그 위에 널빤지를 붙여 사람이 앉도록 되었음. ¶ ～를 타다.

썰매-놀이 [명] 얼음 위에서 썰매를 타고 노는 일. ——-하다 [자][여불]

썰매-뇌 [명] 〈방〉 썰매놀이. ——-하다 [자]

썰매-채 [명] 썰매의 주요부로서, 좌우로 두 개가 나란히 땅에 끌리는 휘우듬한 긴 나무.

썰-무 [명] 멍구럭에 담고 마소에다 싣고 팔러 다니는 무.

썰-물 [명] 〖지〗 조수(潮水)가 밀려나가서 해면(海面)이 낮아지는 현상. 또, 그 바닷물. 달의 인력으로 인한 바닷물의 주기적인 현상임. 고조(涸潮). 날물. 퇴조(退潮). 낙조(落潮). 저조(低潮). 귀조(歸潮). ↔밀물.

썰-소리 [명] 〖악〗 거문도(巨文島)의 뱃노래 가운데 만선(滿船)이 되어 항구로 들어오면서 부르는 소리. 앞소리와 뒷소리로 되었음.

썰썰 [부] ①긴 다리로 가볍게 기는 모양. ②마음이 들떠서 연해 돌아다니는 모양. ③↗썰레썰레. ④그릇에 담긴 좀 많은 양의 물이 재게 끓거나, 온돌방이 끓듯이 뜨끈뜨끈한 모양. ¶ 방바닥이 ～ 끓는구나. 1)·3)·4): ㅅ설설[2]. 1)-4): >쌀쌀[1].

썰썰-거리다 [자] ①긴 다리로 계속해서 가볍게 기어 다니다. ②마음이 들떠서 연해 쏘다니다. ③머리를 계속해서 세게 흔들다. 1)·3): ㅅ설설거리다. >쌀쌀거리다.

썰썰 기다 [자] 무섭거나 두려워서 기를 펴지 못하고 마음대로 행동하지 못하다. 오금을 못 펴다. ㅅ설설기다.

썰썰-대다 [자] 썰썰거리다.

썰썰-하다 [형][여불] 시장한 느낌이 있다.

썰:음-질 [명] 세톱으로 나무를 써는 일. ——-하다 [타][여불]

썰컹-거리다 [자] 설익은 밤이나 콩 같은 것이 씹힐 때 부서지는 소리가 계속해서 나다. 또, 그것을 씹을 때 입 안에서 잘 무르지 아니한 감을 연해 주다. ㅅ설겅거리다. ㅆ썰겅거리다. >쌀캉거리다. **썰컹-썰컹** [부]. ——-하다 [자][형][여불]

썰컹-대다 [자] 썰컹거리다.

썸: [명] 〈방〉 수염[3](강원).

썸벅 [부] 잘 드는 칼에 쉽게 베어지는 모양. 또, 그 소리. ㅅ섬벅. ㅆ썸뻑. >쌈박. ——-하다 [자][여불]

썸벅-거리다 [자] 〈방〉 씀벅거리다. **썸벅-썸벅**[1] [부]. ——-하다 [자]

썸벅-썸벅[2] [부] ①잘 드는 칼에 쉽사리 계속해서 베어지는 모양. 또, 그 소리. ②단단하고 물기가 조금 있는 음식이 연하게 씹히는 모양. 또, 그 소리. 1)·2): ㅅ섬벅섬벅[2]. ㅆ섬뻑썸뻑[2]. >쌈박쌈박[2]. ——-하다 [자][형][여불]

썸뻑 [부] 잘 드는 칼에 쉽사리 깊게 베어지는 모양. ㅅ섬벅. ㅆ섬뻑·썸벅. >쌈빡. ——-하다 [자][여불]

썸뻑-거리다 [자] 〈방〉 씀벅거리다. **썸뻑-썸뻑**[1] [부]. ——-하다 [자]

썸뻑-썸뻑[2] [부] ①잘 드는 칼에 쉽사리 계속해서 깊게 베어지는 모양. 또, 그 소리. ②단단하고 물기가 조금 있는 음식이 연하게 씹히는 모양. 또, 그 소리. 1)·2): ㅅ섬벅섬벅[2]. ㅆ섬뻑섬뻑·썸벅썸벅[2]. >쌈빡쌈빡. ——-하다 [자][형][여불]

썹-밤 [명] 〈방〉 도토리.

썽 [명] 〈방〉 성[1](경상).

썽그레 [부] 천연스럽고 크게 눈웃음 치는 모양. ㅅ성그레. >쌍그레. ——-하다 [자][여불]

썽글-거리다 [자] 소리 없이 눈만 움직여 계속해서 정답게 웃다. ㅅ성글거리다. >쌍글거리다. **썽글-썽글** [부]. ——-하다 [자][여불]

썽글-대다 [자] 썽글거리다.

썽글-뺑글 [부] 썽글거리면서 뺑글뺑글하는 모양. ㅅ성글벙글. >쌍글빵글. ——-하다 [자][여불]

썽긋 [부] 다정하게 얼핏 눈웃음 치는 모양. ㅅ성긋. ㅆ썽끗. >쌍긋. ——-하다 [자][여불]

썽긋-거리다 [자] 다정한 태도로 계속해서 가볍게 눈웃음 치다. ㅅ성긋거리다. ㅆ썽끗거리다. >쌍긋거리다. **썽긋-썽긋** [부]. ——-하다 [자][여불]

썽긋-대다 [자] 썽긋거리다.

썽긋-뺑긋 [부] 썽긋거리면서 뺑긋뺑긋하는 모양. ㅅ성긋벙긋. ㅆ썽끗뺑끗. >쌍긋빵긋. ——-하다 [자][여불]

썽긋-이 [부] 다정하게 지그시 눈웃음치는 모양. ㅅ성긋이. ㅆ썽끗이. >쌍긋이.

썽끗 [부] 다정하게 얼핏 눈웃음 치는 모양. ㅅ성긋·ㅆ성끗·썽긋. >쌍끗. ——-하다 [자][여불]

썽끗-거리다 [자] 다정한 태도로 계속해서 가볍게 눈웃음 치다. ㅅ성긋거리다. ㅆ성끗거리다·썽긋거리다. >쌍끗거리다. **썽끗-썽끗** [부]. ——-하다 [자][여불]

썽끗-대다 [자] 썽끗거리다.

썽끗-뺑끗 [부] 썽끗거리면서 뺑끗뺑끗하는 모양. ㅅ성긋벙긋. ㅆ성끗벙끗·썽긋뺑긋. >쌍끗빵끗. ——-하다 [자][여불]

썽끗-이 [부] 다정하게 지그시 눈웃음 치는 모양. ㅅ성긋이. ㅆ성끗이·썽긋이. >쌍끗이.

썽둥 [부] 큰 물건을 단번에 가볍게 베거나 자르는 모양. ¶ 굵은 무를 ～ 자르다. >쌍둥.

썽둥-거리다 [타] 큰 물건을 연해 가볍게 베거나 자르다. >쌍둥거리다. **썽둥-썽둥** [부]. ¶ 큼직하게 ～ 썰다. ——-하다 [자][여불]

썽둥-대다 [타] 썽둥거리다. >쌍둥대다.

쎄[1] [명] 〈방〉 서캐(경상).

쎄[2] [명] 〈방〉 혀[1]❶(전라·경상).

쎄[3] [명] 〈방〉 쇠[1](전남·경남).

쎄:[4] [부] 〈방〉 빨리(전남).

쎄게 [부] 〈방〉 빨리(경남).

쎄기[1] [명] 〈방〉 씨아(경남).

쎄기[2] [부] 〈방〉 빨리(경남).

쎄까래 [명] 〈방〉 서까래(전라·경상).

쎄때 [명] 〈방〉 열쇠(경남).

쎄때기 [명] 〈방〉 혀[1]❶(경북).

쎄수-대 [명] 〈방〉 세숫대야(경남).

쎄염 [명] 〈방〉 수염(경상).

쎄이 [부] 〈방〉 빨리(경남).

쎄주 [명] 〈방〉 소주[5](경상).

쎄-줄 [명] 〈방〉 쇠줄(경남).

쎄-훑개 [명] 〈방〉 서캐훑이.

쎅세기-판 [명] 〈방〉 진펄.

쎌물 [명] 〈방〉 썰물.

쎔: [명] 〈방〉 수염[3](경남).

쎵싸사리 [명] 〈옛〉 성(城)을 쌓아 가지고 사는 일. 축성 생활(築城生活). ¶ 쎵싸사리를 始作ᄒᆞ니라《月釋 Ⅰ:44》.

쏘가리 [명] 〖어〗 [*Siniperca scherzeri*] 농어과에 속하는 민물고기. 길이 40-50cm에 달하는데, 머리가 길고 입도 크며 아래턱이 좀 길. 머리와 등에 보라 회색 무늬가 많아 매우 곱게 보임. 한국 서남해에 흘러 드는 각 하천 중류·상류의 돌 많은 곳에 분포하며 만주 쑹화 강·중국 양쯔 강 수계(水系)에도 있음. 봄철에서 가을철에 걸쳐 특히 맛이 좋음. 관상용으로도 많이 기름. 궐어(鱖魚). 금린어(錦鱗魚). 수돈(水豚).

〈쏘가리〉

쏘가리 구이 [명] 쏘가리를 저미어서 양념을 발라 구운 반찬. 궐어자(鱖魚炙).

쏘가리 저:냐 [명] 쏘가리를 껍질을 벗기고 저며 소금을 뿌렸다가 밀가루를 묻히고 달걀을 씌워서 지진 음식. 궐전유화(鱖煎油花).

쏘가리 지짐이 [명] 고추장 물에나 장물에 쇠고기와 무와 파를 넣고 끓이다가 쏘가리를 넣고 흠뻑 끓인 음식. 궐어전(鱖魚腆).

쏘가리-탕 【一湯】 [명] 쏘가리를 넣고 양념을 풀어 얼큰하게 끓인 매운탕. 궐어탕.

쏘가리-회 【一膾】 [명] 쏘가리의 살로 만든 회. 궐어회(鱖魚膾).

쏘개-질 [명] 있는 일 없는 일을 얽어서 몰래 일러바치어 방해하는 짓. ¶ 모든 중간 ～을 꼭 곧이들으시고, 상감마마께서는 약사발을 내리셨구려《朴鍾和 : 錦衫의 피》. ——-하다 [자][여불]

쏘곤-거리다 [자][타] 낮은 소리로 속삭이듯 말하다. ㅅ소곤거리다. <쑤군거리다. **쏘곤-쏘곤** [부]. ——-하다 [자][타][여불]

쏘곤-대다 [자][타] 쏘곤거리다.

쏘구리 [명] 〈방〉 소쿠리.

쏘내기 [명] 〈방〉 소나기(강원).

쏘다[1] [자] 〈방〉 쑤시다[1](평안·함경).

쏘다[2] [타] 〔중세 : 쏘다〕 ①화살이나 총탄을 날아가게 하다. ②벌레들이 침으로 찌르다. ③쏘는 것처럼 날카로운 말투로 공격하다. ¶ 톡 쏘아 말하다.

【쏘아 놓은 살이요 엎지른 물이다】 한 번 저지른 일은 어찌할 수 없다든가 또는 다시 중지할 수 없는 일에 비유하는 말.

쏘-다니다 [자][타] 갈 데나 안 갈 데나, 일이 있으나 없으나 가리지 않고 채신없이 바쁘게 돌아다니다. ㊛쏘대다.

쏘-대다 [자][타] ↗쏘다니다.

쏘리라 [타] 〈옛〉 쌓으리라. ¶ 갑 받디 말오 쏘리라 ᄒᆞ야(不要功錢打)《朴解 上 10》. *ᄡᆞ다.

쏘-물다 [형] 〈방〉 배다(경상).

쏘삭-거리다 [타] ①연해 들추고 뒤지며 쑤시다. ¶ 화롯불을 쏘삭거리지 마라. ②가만히 있는 사람을 연해 꾀이거나 추기거나 하여 들썩이게 만들다. ¶ 공연한 사람을 쏘삭거려 바람나게 하다. 1)·2): <쑤석거리다. **쏘삭-쏘삭** [부]. ——-하다 [타][여불]

쏘삭-대다 [타] 쏘삭거리다.

쏘삭-질 [명] 남을 자꾸 꾀거나 부추기는 일. ——-하다 [자][여불]

쏘새기-질 [명] ☞쏘삭질. ¶ 주재소까지 가서 무어라고 ～을 하고 온 것만은 묻지 않아도 짐작할 수가 있었던 것이다《沈熏 : 常綠樹》.

쏘시개 [명] ↗불쏘시개.

쏘시개 나무 [명] 불쏘시개로 쓰는 나무.

쏘시랭이 [명] 〈방〉 회오리바람(경남).

쏘아 감 '사격하라'는 구령(口令). 준쏴.
쏘아-보다 타 날카롭게 노려보다. ¶쏘아보는 눈초리.
쏘아-붙이다 [—부치—] 타 쏘는 것처럼 날카로운 말투로 상대방을 공격하다. ¶톡 ~.
쏘이다[1] 타 쐬다[1].
쏘이다[2] 피동 쏨을 당하다. ¶벌에 ~. 준쐬다.
쏘주 명 〈방〉 소주[5](경기).
쏘-지르다 자 르불 〈속〉 쏘다니다.
쏘캐 명 〈방〉 솜(경남).
쏙[1] 명 〔동〕 [*Upogebia major*] 쏙과(科)에 속하는 게의 하나. 몸길이 90mm 내외이고, 액각(額角)은 짧으며 두흉갑(頭胸甲)은 위에서 보면 삼각형임. 액각의 양측 융기연(隆起緣)은 눈위의 종릉(縱稜)과 같이 이삭 알 모양의 돌기(突起)가 있고, 털로 덮였음. 연안의 모래 진흙에 사는데, 한국·일본 등지에 분포함.
〈쏙[1]〉
쏙[2] 부 ①약간 내밀거나 들어간 모양. ②얄이 또는 쉽게 밀어 넣거나 뽑아 내는 모양. ③말을 꺼리낌 없이 꺼내는 모양. ④마음에 꼭 드는 모양. ¶눈에 ~ 드는 며느릿감. ⑤꼭 닮은 모양. ⑥용모 등이 아주 매끈한 모양. ¶몸매가 ~ 빠진 여자아이. 1)·3): <쑥[4].
쏙-과【—科】 명 〔동〕 [Callianasiidae] 절지 동물(節肢動物) 십각류(十脚類)에 속하는 한 과.
쏙닥-거리다 자타 동아리끼리 연해 가만가만 쏙닥이다. ㅗ속닥거리다. <쑥덕거리다. 쏙닥-쏙닥 부. ——-하다 자타 여불
쏙닥-대다 자타 쏙닥거리다.
쏙닥-이다 자 동아리끼리 모여서 은밀히 이야기하다. ㅗ속닥이다. <쑥덕이다.
쏙달-거리다 자 동아리끼리 연해 주위를 살펴 가면서 비밀히 이야기하다. ㅗ속달거리다. <쑥덜거리다. 쏙달-쏙달 부. ——-하다 자 여불
쏙달-대다 자 쏙달거리다.
쏙대기 명 돌김으로 성기게 떠서 종이처럼 얄팍하게 만든 김. 보통, 나물을 해서 먹음.
쏙독-새 명 〔조〕 ①쏙독샛과에 속하는 새의 총칭. ②[*Caprimulgus indicus jotaka*] 쏙독샛과에 속하는 새. 날개 길이 20-23cm, 꼬리 11-15cm이고 구열(口裂)이 깊어서 입이 몹시 크고, 부리와 다리는 짧음. 몸빛은 회색이고, 온몸에 갈색·회색·담황색의 복잡한 반문(斑紋)이 있음. 부리 기부(基部)의 양측에 한 개의 백색 띠무늬가 있음. 회백색에 반점(斑點) 있는 알을 5-8월에 두 개를 낳음. 4-5월에 날아와서 10-11월에 날아가는데, 주로 삼림 속에 서식(棲息)하며 저녁 때와 해뜰 무렵에 나와서 날아다니는 작은 곤충을 잡아먹는 익조(益鳥)임. 동부 시베리아·만주·몽골·한국·일본의 삼림에서 번식하고, 아시아 남부·남양 제도(諸島)에서 월동함. 바람개비. 신풍(晨風). 토문조(吐蚊鳥). 신(鸇).
〈쏙독새❷〉
쏙독샛-과【—科】 명 〔조〕 [Caprimulgidae] 쏙독새목(目)에 속하는 한 과. 전세계에 분포함.
쏙살-거리다 자타 자질구레한 말로 쏙닥거리다. ㅗ속살거리다. <쑥설거리다. 쏙살-쏙살 부. ——-하다 자타 여불
쏙살-대다 자타 쏙살거리다.
쏙새 명 〈방〉 〔식〕 억새(경북).
쏙소그레-하다 형 여불 여러 개의 물건이 크지도 작지도 아니하고, 거의 고르다. ㅗ속소그레하다. <쑥수그레하다.
쏙소그르르-하다 형 〈방〉 쏙소그레하다.
쏙소리 명 〈방〉 상수리[1](충남).
쏙-쏙 부 ①여러 군데가 다 쏙 내밀거나 들어간 모양. ②연해 쏙 집어 넣거나 뽑아 내는 모양. ③말을 방정맞게 거리낌없이 해대는 모양. ④계속해서 찌르거나 쑤시는 모양. 1)·4): <쑥쑥.
쏜-살 명 쏜 화살.
쏜살-같다 형 쏜 화살과 같이 몹시 빠르다.
[쏜살같고 총알 같다] 배우 빠르게 내닫는 모양.
쏜살-같이 [—가치] 부 쏜 화살과 같이 빠르게. ¶ ~ 뛰어가다. *살같이.
쏜살-로 부 ☞쏜살같이.
쏟다 타 〔중세: 손다〕 ①그릇에 담긴 액체나 낱으로 된 물건을 한꺼번에 나오게 하다. ¶컵의 물을 ~. ②새거나 넘쳐서 떨어지게 하다. 흘리다. ¶피를 ~/누가 잉크를 쏟았니? ③마음을 기울여 열중하다. ¶정열을 ~/심혈을 ~. ④마음 속에 먹은 바를 모두 털어 놓다. ¶불평을 쏟아 놓다.
쏟-뜨리다 타 '쏟다'의 힘줌말. ¶물을 ~.
쏟아-지다 자 한꺼번에 많이 떨어지거나 몰려나오거나 생겨 나다. ¶비가 ~/극장에서 사람이 쏟아져 나오다/깨가 ~.
쏟-지르다 타 〈방〉 쏟뜨리다.
쏟-트리다 타 쏟뜨리다.
쏠 명 작은 폭포.
쏠개 명 〈방〉 〔조〕 소리개(전남).
쏠개미 명 〈방〉 〔조〕 소리개(충남).
쏠:다 타 쥐나 좀 등이 물건을 물어 뜯거나 갓섭어 구멍을 내다. ¶쥐가 찬장을 ~.
쏠리다 자 ①한쪽으로 치우쳐 몰리다. ¶집이 왼쪽으로 쏠렸다/시선이 그녀에게만 ~. ②솔깃하여 마음이 그곳으로 내키다. ¶마음이 ~.
쏠배-감펭 명 〔어〕 [*Pterois lunulata*] 양볼락과에 속하는 바닷물고기. 몸은 길이 30cm 정도로 쑥감펭과 비슷하고 몸빛은 담적색으로 다수의 흑갈색 가로띠가 있음. 가슴지느러미도 적색이고, 각 지느러미살에는 5-6개의 큰 흑갈색 무늬가 있음. 등지느러미 가시에 독선(毒腺)이 있어 찔리면 몹시 아픔. 식용함. 한국 남부·일본 중부 이남·동남 중국해에 분포함.

〈쏠배감펭〉

쏠쏠-하다 형 여불 품질·정도·수준 따위가 웬만하다. ¶쏠쏠한 것을 하나 골라라 / 제법 재미가 쏠쏠하겠소《金周榮 : 客主》. <쑬쑬하다. 쏠쏠-히 부
쏠-종개 명 〔어〕 [*Plotosus anguillaris*] 쏠종갯과에 속하는 바닷물고기. 몸길이 20-30cm로 메기 비슷한데, 몸빛은 청흑색으로 체측에 노란 세로 줄이 두 줄 있고 입가에 네 쌍의 수염이 있음. 제2 등지느러미와 뒷지느러미가 합쳐서 창(槍) 모양의 꼬리지느러미를 이루며, 제1 등지느러미와 가슴지느러미의 가시가 날카롭고 독선(毒腺)과 연결되어 찔리면 쑤시고 아픔. 또, 이 가시들로 소리를 냄. 식용함. 한국 중부 이남 및 일본 중부에서 남양 군도·인도양·홍해의 각 연안에 분포함.

〈쏠종개〉

쏠종갯-과【—科】 명 〔어〕 [Plotosidae] 잉어목(目)에 속하는 한 과.
쏨: 명 〈방〉 솜(경남).
쏨뱅이 명 〔어〕 [*Sebastiscus marmoratus*] 양볼락과에 속하는 바닷물고기. 전장 20cm 가량이고 몸은 쏘가리와 비슷하나 몸빛이 서식 장소에 따라서 변화가 심한데, 일반적으로 연안에서 사는 것은 적색이 적은 흑갈색, 좀 깊은 곳에 사는 것은 적색이 강하고 흑색이 약함. 연안의 암초 사이에 서식하며, 생후 13-14 개월에 무수히 태생어를 낳음. 겨울에 맛이 좋음. 연안성 어종으로 한국·일본 및 동중국해의 각 연안에 분포함. 수염어(鬚髯魚).

〈쏨뱅이〉

쏭당-쏭당 부 ①연한 물건을 좀 작고 거칠게 빨리 써는 모양. ②바느질을 할 때에 거칠게 호는 모양. ¶아무렇게나 ~ 꿰매다. 1)·2): ㅗ송당송당. <쑹덩쑹덩.
쏴:[1] 부 ①나뭇가지나 물건의 틈 사이로 세차게 몰아쳐 나오는 바람 소리. ¶바람이 ~ 하고 몰아친다. ②소나기가 내릴 때 세차게 나는 비바람 소리. ③물이나 액체가 급히 또는 세차게 흐르거나 밀려오는 모양. 또, 그 소리. 1)-3): ㅗ솨.
쏴[2] 감 ↗쏘아. ¶엎드려 ~.
쏴:-쏴 부 ①나뭇가지나 물건의 틈 사이로 몹시 세게 스쳐 부는 바람 소리. ②소나기가 세차게 내릴 때에 계속해서 나는 비바람 소리. 1)·2): ㅗ솨솨.
쐐[1] 명 〈방〉 쇠[1](경북·제주).
쐐:[2] 명 〈방〉 씨아(강원·황해).
쐐:[3] 부 ①나뭇가지나 물건의 틈 사이로 세차게 몰아쳐 부는 바람 소리. ②소낙비가 세게 몰아쳐 오는 소리. ③액체가 급히 또는 세차게 나오거나 흐르는 소리. ¶물이 ~ 하고 흐른다. 1)-3): ㅗ쇄.
쐐기[1] 명 〈방〉 씨아(경상).
쐐:기[2] 명 ①각도가 작은 끝을 갖추고 단면(斷面)이 'V'자형이 되게 나무나 쇠붙이로 깎아 만든 물건. 물건 사이나 틈새에 박아 사개가 물러나지 못하게 함. ②〔고고학〕 몸돌에서 돌날을 간접떼기 수법으로 떼낼 때 끝의 기능을 갖고 있는 연모. 후기 구석기 문화에 발달한 것으로 뼈나 뿔로 만든 것이 많음.
쐐:기(를) 박다; 쐐:기(를) 치다 구 ㉠ 쐐기를 두들겨서 박아넣다. ㉡뒤탈이 없도록 미리 단단히 다짐을 두다. ¶다시 그런 입정을 놀렸다간 처참을 면치 못할 거라고 쐐기를 박았지요《金周榮 : 客主》. ㉢남을 이간하기 위해서 방해를 놓다.
쐐:기[3] 명 〔충〕 ①쐐기나방의 유충. 안타깨비쐐기. ②↗풀쐐기.
쐐:기[4] 명 씨아의 가락과 장가락이 마주 붙어 돌아가도록 밑에서 받치는 나무.
쐐:기-꼴 명 '설형(楔形)'의 풀어 쓴 말.
쐐:기-나방 명 〔충〕 쐐기나방과에 속하는 곤충의 총칭. 노랑쐐기나방·파랑쐐기나방 등이 있음. 점사아(蛅蟖蛾).
쐐:기나방-과【—科】 [—꽈] 명 〔충〕 [Cochlidionidae] 나방 아목(亞目)에 속하는 한 과. 유충은 '쐐기'라고 하는데, 살에 닿으면 몹시 아프고 부어 오름. 전세계에 850여 종이 분포함.
쐐:기노린잿-과【—科】 명 〔충〕 [Nabidae] 매미목(目)에 속하는 한 과. 몸빛은 보통 회색·갈색·흑색·적색 등이며 촉각은 4-5절(節)이고, 단안(單眼)은 정상(正常) 또는 퇴화하였음. 장님노린재류를 포식하는 익충으로, 전세계에 350여 종이 분포함.
쐐:기-돌 명 〔토〕 축석(築石)의 틈 사이에 들어가 물리는 돌조각.
쐐:기-떼기 명 〔고고학〕 몸돌에 단단한 뿔·뼈·나무 들을 놓고, 이들을 쐐기같이 이용하여 그 위에 망치로 타격을 가하여 간접적으로 격지를 떼어내는 방법으로, 간접떼기의 일종임. 대개 얻어지는 격지는 돌날임. 쐐기 타격법.
쐐:기 문자【—文字】 [—짜] 명 〔cuneiform〕 〔언〕 기원전 3,500-1,000년에 바빌로니아·아시리아·고대 페르시아 등에서 쓰이던 문자. 진흙판 위에 골필(骨筆)이나 철필(鐵筆)로 새기듯이 썼으므로 자획(字畫)의 한 끝이 삼각형을 이루고 쐐기 형상으로 되어 이렇게 일컬음. 이집트의 상형 문자(象形文字)나 중국의 한자와 더불어 세계에서 가장 오래 된 문자임. 설형 문자(楔形文字). 설상(楔狀) 문자.

〈쐐기 문자〉

쐐:기-접【—接】 명 할접(割接).
쐐:기 타:격법【—打擊法】 명 〔고고학〕 쐐기떼기.
쐐:기-풀 명 〔식〕 [*Urtica thunbergiana*] 쐐기풀과에 속하는 다년초. 줄기 높이 1m 가량이고, 잎은 대생(對生)하며 장병(長柄)이고 달걀꼴임. 자웅 동가(雌雄同家)인데, 7-8월에 엷은 녹색 꽃이 수상(穗狀) 화서로 액출(腋出)하여 피고, 과실은 수과(瘦果)임. 전초(全草)에 독기 있는 털이 있어서 쏘이면 몹시 아픔. 산야의 숲 속에 나는데, 전남·경남·경북·경기 및 일본에 분포함. 잎은 식용함. 심마(蕁麻).

〈쐐기풀〉

쐐:기풀-과【一科】[—꽈] 명 『식』 [Urticaceae] 쌍떡잎 식물 이판 화류(離瓣花類)에 속하는 한 과. 전세계에 550여 종, 한국에는 모시풀·거북꼬리·물통이·쐐기풀 등 27종이 분포함.

쐬[1] 명 〈방〉 혀[1]❶(경상).

쐬[2] 명 〈방〉 쇠[1](강원·전라·경상).

쐬:[3] 명 〈방〉 씨아(경기·충북).

쐬:기 명 〈방〉 씨아(강원·충북·경상).

쐬:다[1] 타 ①바람이나 연기 같은 것을 몸이나 얼굴에 받다. ¶ 바람을 ~. ②자기 물건의 가치가 있고 없는 것을 남에게 평가 받아 보다. ¶ 신인(新人)의 작품(作品)일수록 남의 눈을 많이 쐬어야 한다. ③↗맞쐬다.

쐬:다[2] 피동 ↗쏘이다[2]. ¶ 쐐기에 ~.

쐬때 명 〈방〉 열쇠(경남).

쐬비 명 〈방〉 『동』 새우[1](경상).

쐬손 명 〈방〉 흙손(제주).

쐬아기 명 〈방〉 씨아(강원).

쐬주 명 〈방〉 소주[5](강원).

쐬줄 명 〈방〉 쇠줄(경상·제주).

쐐줄 명 〈방〉 쇠줄(경북).

쑤건 명 〈방〉 수건(手巾)(평안).

쑤군-거리다 자타 목소리를 낮추어 남이 알아듣지 못하게 비밀히 말하다. ¶ 쑤군거리는 말소리. ㅗ수군거리다. >쏘곤거리다. **쑤군-쑤군** 부. **——-하다** 자타여불

쑤군-대다 자타 쑤군거리다.

쑤군덕-거리다 자타 목소리를 낮추어 마구 쑤군거리다. ㅗ수군덕거리다. **쑤군덕-쑤군덕** 부. **——-하다** 자타여불

쑤군덕-대다 자타 쑤군덕거리다.

쑤기미 명 『어』 [*Inimicus japonicus*] 쑥칫과에 속하는 바닷물고기. 몸은 길이 20 cm 가량으로 조금 가늘고 길며, 앞 쪽은 종편(縱扁)하고 뒤쪽은 측편함. 몸에 비늘이 없고 피부는 탄성이 극히 풍부함. 입은 작고 위로 향하여 있음. 몸빛은 개체 변화가 심한데, 일반적으로 연안의 것은 흑갈색이고, 심해성 어종은 황색임. 등지느러미 가시에 독선(毒腺)이 있어 찔리면 몹시 아픔. 난해성(暖海性) 어종으로 해초가 무성한 근해의 암초 사이에 사는데 한국, 서남해·일본 중부 이남에 분포함. 아주 맛이 좋고, 알도 날것으로 먹을 수 있음.

〈쑤기미〉

쑤-깨 명 〈방〉 수캐(경상).

쑤꾹-새 명 〈방〉 『조』 뻐꾸기.

쑤다 타 죽이나 풀 등을 끓이어 익게 하다. ¶ 죽을 쑤어 먹다 / 풀을 ~. [쑨 죽이 밥 될까] 일이 이미 글렀음의 비유.

쑤돌 명 〈방〉 숫돌(경상).

쑤병이 명 〈방〉 수렁.

쑤서미 명 〈방〉 『식』 수세미외(충북).

쑤석-거리다 타 ①연해 들추고 뒤지며 쑤시다. ¶ 하루 종일 광 속을 ~. ②가만히 있는 사람을 추기거나 꾀어 충동시키다. 1)·2): >쏘삭거리다. **쑤석-쑤석** 부. **——-하다** 타여불

쑤석-대다 타 쑤석거리다.

쑤세 명 〈방〉 『식』 수세미외(경남).

쑤세기 명 〈방〉 『식』 수세미외(경기).

쑤세미 명 〈방〉 『식』 수세미외(경기·강원·충청·전라·경북).

쑤셔-박다 타 억지로 쑤셔 넣어 박다. ¶ 울타리 사이로 머리를 ~.

쑤셔-박히다 자 ①쑤셔박음을 당하다. ②곤바로 거꾸로 내리박히다. ¶ 개천에 ~.

쑤수 명 〈방〉 『식』 수수[1](경기·충청·전북).

쑤숙 명 〈방〉 『식』 조[1](충남).

쑤시[1] 명 〈방〉 『식』 수세미외(경남).

쑤시[2] 명 〈방〉 『식』 수수[1](전라·경상).

쑤시-개[1] 명 쑤시어 후비거나 닦아 내는 데에 쓰는 물건. ¶ 연통 ~.

쑤시개[2] 명 〈방〉 『식』 수세미외(경남).

쑤시개-질 명 ①쑤시개로 쑤시는 짓. ②있는 일 없는 일을 마구 들추어 남의 감정을 돋구는 짓. **——-하다** 자타여불

쑤시다[1] 자 바늘로 찌르듯이 아프다. ¶ 이가 ~.

쑤시다[2] 타 〔근대 : ᄲᅮ시다〕①구멍 같은 데를 막대기나 꼬챙이로 찌르다. ¶ 담뱃대를 ~. ②가만히 있는 것을 건드리어 버르집다. ¶ 벌집을 ~.

쑤시미 명 〈방〉 『식』 수세미외(경기·충남·전남·경남).

쑤씨 명 〈방〉 『식』 수수[1](경남).

쑤여미 명 〈방〉 『동』 수염어.

쑤염 명 〈방〉 수염[3](전라).

쑤이딩 〔綏定〕 명 『지』 중국 신장웨이우얼(新疆維吾爾) 자치구의 북서부 쑤이딩 현(縣)의 현청 소재지로, 시베리아와의 교통 요충지(要衝地)임. 옛날에는 이리(伊犁)라고 불렀음. 수정.

쑤이위안 〔綏遠〕 명 『지』 중국 내몽고 자치구의 수도인 후허하오터(呼和浩特)의 옛 이름. 1736 년에 건설되었으며, 구성(舊城)인 귀화(歸化)와 아울러 구이쑤이(歸綏)로 불리었음. 수원.

쑤이위안 사:건【一事件】[중 綏遠] [—껀] 명 『역』 1936 년 일본 관동군(關東軍)의 원조를 받은 내몽고의 덕왕(德王)이 내몽고 자치구 남쪽의 쑤이위안 성(省)에 침입한 사건. 쑤이위안의 적화(赤化)를 우려한 덕왕이 관동군의 도움으로 친일 괴뢰 정권 수립을 기도하였으나 1 주일 만에 중국군이 격퇴함. 이후 중국 전토의 항일(抗日) 운동은 더욱 활발해졌음. 수원 사건.

쑤이위안 성 【一省】 〔綏遠〕 명 『지』 1928 년 중국 북부 내몽고(內蒙古)에 설치한 성(省). 1954 년 내몽고 자치구에 병합되었으며, 현재 동(同) 자치구의 중남부(中南部)에 해당됨. 황허(黃河) 강 이남은 오르도스(Ordos), 이북은 인산 산맥(陰山山脈)을 횡단하고, 사막·초원·농경 지대로 나누어짐. 대륙성 기후이며 우량이 적음. 밀·조·고량(高粱) 등의 농산물 및 양·말·소·낙타 등의 각종 모피(毛皮), 석탄·소금·황(黃) 등이 많이 남. 주도는 현재의 후허하오터(呼和浩特)인 구이쑤이(歸綏). 수원성. [470,000 km^3]

쑤이위안 청동기【一靑銅器】[중 綏遠] 명 중국 북방(北方)의 쑤이위안 분지(綏遠盆地)를 중심으로 출토되는 고대 동기(古代銅器). 은 후기(殷後期) 기원전 1300 년경의 서주(西周)부터 기원전 200 년경의 한대(漢代)에 걸쳐서 만들어졌는데, 용기(容器) 이외에, 무구(武具)·장식구 등이 있으며, 유목 민족이 사용한 것으로 알려짐. 성행(盛行)한 것은 춘추·전국 시대이며, 사실적(寫實的)인 동물 무늬의 모티프(motif)가 특징임. 수원 청동기.

쑤이펀허 〔綏芬河〕 명 『지』 중국 헤이룽장 성(黑龍江省)의 남동부 둥닝 현(東寧縣)의 한 역(驛)을 중심으로 하는 소도시(小都市). 러시아와의 국경에 있고 철도도 통함. 부근에서 약간의 밀·담배·목재 등이 남. 청대(淸代)의 광서(光緖) 34 년(1908)의 청러 조약(條約)에 의한 개시장임. 국경 부근에 동명(同名)의 하천이 있음. 수분하. [21,000 명(1984)]

쑤이화 〔綏化〕 명 『지』 중국 헤이룽장 성(黑龍江省) 중부의 도시. 빈베이(濱北) 철도와 쑤이자(綏佳) 철도의 교점이며, 후란 평야(呼蘭平野)와 후란 강(呼蘭河) 유역의 풍부한 농산물의 집산지임. 수화(綏化). [205,115 명(1987)]

쑤저우 〔蘇州〕 명 『지』 중국 장쑤 성(江蘇省) 양쯔 강 남쪽에 있는 항도(港都). 시가는 웅장한 성(城)으로 둘러싸여 있고 상업이 성하며 견직물·금은(金銀) 세공물 등의 제조품이 생산됨. 사자림(獅子林)·유원(留園)·현묘관(玄妙觀)·보은사(報恩寺)·쌍탑사(雙塔寺)·한산사(寒山寺)·풍교(楓橋) 등의 명승 고적이 많음. 소주. [649,000 명(1988)]

쑤-캐 명 〈방〉 수캐(전남·경상).

쑥[1] 명 『식』 ①국화과에 속하는 참쑥·물쑥·약쑥·쑥 등의 총칭. ②[*Artemisia asiatica*] 국화과에 속하는 다년초. 줄기 높이 60-90 cm로, 잎은 호생하며 긴 달걀꼴이고 1-2회 우상 중렬(羽狀中裂)하며, 열편(裂片)은 타원형이고 표면은 푸르며 이면(裏面)은 젖빛의 솜털이 있고 향기가 남. 7-10월에 담홍자색 관상화(管狀花)로 된 두화(頭花)가 정생하여 피고 과실은 수과(瘦果)임. 들에 나는데, 아시아 각지에 분포함. 줄기·잎자루는 약용, 어린잎은 식용, 잎은 뜸쑥을 만듦. 또, 흰털은 긁어서 인주 만드는 재료로 씀. 다북쑥. 애초(艾草).

〈쑥[1]❷〉

쑥[2] 명 〔←숙맥(菽麥)〕너무 순하기만 하여, 우습고 어리석은 사람을 비유하여 일컫는 말. ¶ 알고 보니 영 ~이더군 / 이래도 그 ~(신현우)이 몸이 달아하지 않을까? ≪安壽吉 : 제 2 의 청춘≫.

쑥[3] 명 〈방〉 숯(평안).

쑥[4] 부 ①몹시 내밀거나 들어간 모양. ¶ ~ 들어가다. ②깊이 밀어 넣거나 길게 뽑아 내는 모양. 또, 쉽게 밀어 넣거나 뽑아내는 모양. ¶ ~ 뽑아내다. ③언행(言行)을 경솔히, 그리고 기탄없이 하는 모양. ¶ ~ 말을 꺼내다. ④갑자기 올라가거나 내려가는 모양. ¶ 성적이 ~ 올라가다. 1)-3): >쏙[2].

쑥-감펭 명 『어』 [*Scorpaenopsis cirrhosa*] 양볼락과에 속하는 바닷물고기. 길이 약 21 cm로 몸 모양이 쑤기미와 비슷한데, 몸빛은 자색을 띤 적색 바탕에 군데군데 암갈색 무늬가 산재하며 아래턱이 길. 한국 남부·일본 남부해·하와이·동인도 제도에 분포함.

쑥-갓 명 『식』 [*Chrysanthemum coronarium*] 국화과에 속하는 1-2년초. 높이 30-70 cm이고 털이 없으며, 잎은 호생하고 우상(羽狀)으로 깊이 째지며 녹색 다육질(多肉質)임. 5월에 담황색 혹은 백색 두상화(頭狀花)가 피는데 냄새가 향긋함. 비타민 A가 함유되어서 연할 때, 날것으로 또는 나물을 무쳐 먹음. 지중해 연안의 원산(原産)으로 봄·가을에 재배함. 동호(茼蒿).

〈쑥갓〉

쑥갓 강회【一膾】 명 쑥갓을 초고추장에 찍어 먹는 강회.

쑥갓 나물 명 쑥갓을 약간 데쳐서 초·기름·장·깨소금 등을 치거나 또는 따로 양념하여 볶은 고기를 넣어서 한데 주물러 무친 나물. 동호채(茼蒿菜). 애국채(艾菊菜).

쑥갓-쌈 명 쑥갓을 날것으로 밥을 싸 먹는 쌈. 동호포(茼蒿包).

쑥-경단【一瓊團】 명 찹쌀 가루에 쑥을 이기어 넣고 반죽하여 만든 경단. 애경단(艾瓊團).

쑥-고【一膏】 명 『약』 쑥 잎을 고아서 만든 약. 강장(強壯)·통경제(通經劑)로 씀. 애고(艾膏).

쑥과 명 〈방〉 쑥갓.

쑥구기 명 〈방〉 『조』 뻐꾸기.

쑥-구멍 명 〈방〉 숫구멍(평안).

쑥-국 명 어린 쑥을 끓는 물에 데치어 곱게 이긴 뒤에, 고기 이긴 것을 섞어 빚어, 달걀을 씌워서 펄펄 끓는 맑은 장국에 넣어 끓인 국. 애탕.

쑥국 먹었다 구 어떤 일에 크게 실패하여 골탕을 먹었다. 고배를 마셨다.

쑥국-새 명 〈방〉 『조』 뻐꾸기.

쑥-국화【一菊花】명〖식〗[*Tanacetum boreale*] 국화과에 속하는 다년초. 높이 70-180 cm, 잎은 우상 전열(羽狀全裂)하며 열편(裂片)은 선상(線狀)의 긴 타원형임. 6-7월에 황색 두화(頭花)가 다수 통상화(筒狀花)로 핌. 산·들에 나는데, 평북·함북에 분포함. 유럽 원산의 귀화(歸化) 식물임.

〈쑥국화〉

쑥-굴리 명 소를 넣은 쑥경단.

쑥다 형〈방〉쓰다[7](함남).

쑥-대 명 쑥의 줄기.

쑥-대강이 명 짧은 머리털이 마구 흐트러져 어지럽게 된 대강이. 봉두(蓬頭). 쑥대머리. 봉수(蓬首).

쑥대-김 명 돌김으로 종이 같이 만든 김.

쑥대-머리 명 쑥대강이.

쑥대-밭 명 ①쑥이 우거진 거친 땅. ②어떤 세력이 타격을 받아 몹시 쇠잔함을 이르는 말. ③폐허. 1)-3): ㈜쑥밭.
쑥대밭이 되다 구 폐허로 화하다.

쑥댓-불 명 쑥을 뜯어 말려서 길게 묶어서 만든 자루에 붙여 놓은 불.

쑥더리-공론【一公論】명〈방〉쑥덕공론.

쑥덕-거리다 자타 여럿이 모여서 연해 은밀하게 수군거리다. ㄴ숙덕거리다. >쏙닥거리다. 쑥덕-쑥덕 부. ——-하다 자타여불

쑥덕-공론【一公論】[-논] 명 남모르게 여럿이 쑥덕거리는 공론. ——-하다 자여불

쑥덕-대다 자 쑥덕거리다.

쑥덕-이다 자 여럿이 모여서 은밀하게 이야기하다. ㄴ숙덕이다. >쏙닥이다.

쑥덕-질 명 쑥덕거리는 짓. ㄴ숙덕질. >쏙닥질. ——-하다 자여불

쑥덕-치다 타〈방〉쑥덕거리다.

쑥덜-거리다 자 여럿이 모여 빈번히 주위를 살펴 가면서 가만가만 이야기하다. ㄴ숙덜거리다. >쏙달거리다. 쑥덜-쑥덜 부. ——-하다 자여불

쑥덜-대다 자 쑥덜거리다.

쑥-돌[1] 명〖광〗①애석(艾石). ②화강암.

쑥돌[2] 명〈방〉숫돌(경북).

쑥-돼지벌레 명〖충〗쑥잎벌레.

쑥드리-공론【一公論】명〈방〉쑥덕공론.

쑥-떡 명 쑥을 섞어 넣어서 만든 떡. 애고(艾糕).

쑥-말 명〈방〉수말. 말의 수컷.

쑥-밥 명 쑥을 넣어서 지은 밥.

쑥-방망이[1] 명 쑥떡을 만들 때, 쑥과 흰떡이 골고루 섞이게 하기 위하여 문질러 치는 방망이. 떡메와 같이 생겼으나 썩 작음.

쑥-방망이[2] 명〖식〗[*Senecio argunensis*] 국화과에 속하는 다년초. 줄기 높이 1 m 내외, 잎은 호생하며 1-2회 우열(羽裂)하고 열편(裂片)은 피침형임. 8-9월에 황색 두상화가 대형의 복총상(複總狀) 화서로 피고, 과실은 수과(瘦果)임. 산지에 나는데, 우리 나라 제주 및 중부·북부에 분포함.

쑥-밭 명 ↗쑥대밭.

쑥-버무리 명 쌀가루와 쑥을 한데 버무려서 시루에 찐 떡.

쑥-범 명 쑥으로 만든 범 모양의 노리개. 단옷날 궁중에서 대신에게 나누어 주었다고 함.

쑥-부쟁이 명〖식〗[*Aster lautureanus*] 국화과에 속하는 다년초. 지하경(地下莖)이 뻗어 번식하고 줄기는 높이 30-100 cm 이며 다소 자색을 띰. 잎은 호생하고 긴 타원상 피침형 내지 선형(線形)임. 담자색 꽃은 7-10월에 피는데, 두화(頭花)는 거의 총상(總狀) 화서를 이루고, 설상화(舌狀花)는 담자색, 중심의 관상화(管狀花)는 황색이며, 열매는 작음. 들에 나는데, 한국 중부 이남·일본에 분포함. 어린 잎은 봄에 뜯어 식용함.

〈쑥부쟁이〉

쑥-부지깽이 명〖식〗[*Erysimum cheiranthoides*] 겨잣과에 속하는 2년초. 높이 60 cm 내외이고 잔 털이 났으며, 잎은 호생하고 거의 무병(無柄)이며 모양은 선상(線狀) 피침형에 톱니가 있음. 5-6월에 황색 꽃이 총상(總狀) 화서로 정생(頂生)하며 장각과(長角果)는 길이 2.5 cm 내외임. 산과 들에 나는데, 황해도의 서흥·평안 남도의 평양·함경 남도 등지에 분포함.

쑥-새 명〖조〗[*Emberiza rustica latifascia*] 참샛과에 속하는 새. 날개 길이 8 cm, 꽁지는 5.7 cm 가량이고, 머리는 흑색, 배면(背面)은 흑갈색이며 몸의 하면(下面)은 백색임. 평지·얕은 산·풀밭·숲에 군생(群生)하여 풀씨·곤충 등을 먹고, 울 때는 두정(頭頂)의 깃을 곧추세우는 것이 특이함. 아시아의 동북부 지방에서 번식하고, 한국·만주·중국·몽골 등지에서 월동함. 수꾸머리새.

〈쑥새〉

쑥-색【一色】명 마른 쑥의 빛깔. 잿빛 바탕에 진한 녹색을 띠는데, 쑥떡의 빛깔이 됨. ¶～ 저고리.

쑥설-거리다 자타 수선스러운 말로 쑥덕거리다. ㄴ숙설거리다. >쏙살거리다. 쑥설-쑥설 부. ——-하다 자타여불

쑥-설기 명 쌀가루에 쑥을 잎째 켜켜이 두고 찐 떡.

쑥설-대다 자타 쑥설거리다.

쑥수그레-하다 형여불 여러 개의 물건이 별로 크지도 작지도 아니하고 거의 고르다. ㄴ숙수그레하다. >쏙소그레하다.

쑥수그르르-하다 형〈방〉쑥수그레하다.

쑥-스럽다 형ㅂ불 하는 짓이나 그 모양이 격에 어울리지 아니하여 어색하고 싱겁다. 쑥-스레 부

쑥-쑥 부 ①여러 군데가 다 쑥 내밀거나 들어간 모양. ②연해 쑥 밀어 넣거나 뽑아 내는 모양. ¶허영의 심장의 아픔이 ～ 순옥의 심장에도 울려 오는 것 같았다《李光洙 : 사랑》. ③함부로 거리낌 없이 말을 해 대는 모양. ④계속해서 살을 쑤시듯이 아픈 모양. 1)-4): >쏙쏙.

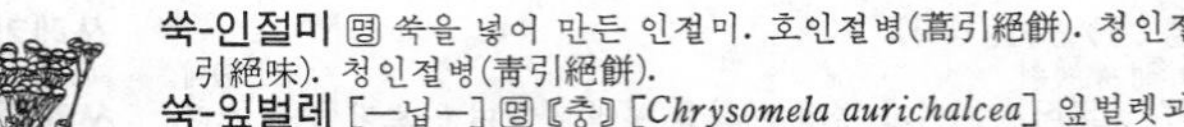

쑥-인절미 명 쑥을 넣어 만든 인절미. 호인절병(蒿引絕餠). 청인절미(靑引絕味). 청인절병(靑引絕餠).

쑥-잎벌레 [一닙一] 명〖충〗[*Chrysomela aurichalcea*] 잎벌렛과에 속하는 곤충. 몸빛은 흑람색(黑藍色)이고, 몸의 하면(下面)과 다리는 흑록색이며 겉날개에는 점각(點刻)이 많음. 주로 쑥잎을 갉아먹으며 때로 국화의 잎도 해침. 쑥돼지벌레.

쑥-전【一煎】명 쑥에 밀가루를 묻히어서 지진 전. 봉호전(蓬蒿煎).

쑥-탕【一湯】명 약(藥)쑥을 우린 물로 목욕하는 시설. 또, 그 물에 목욕을 하는 일.

쑥-호랑이【一虎狼一】명〖민〗옛날에 여자들이 단옷날에 이것을 머리에 이면 악귀를 물리친다 하여 만들던 호랑이의 형상(形像). 너비 서푼 가량, 길이 일곱 치쯤 되는 대쪽을 양쪽 가를 둥글리어 납작하게 깎고, 대강이는 창끝같이 뾰족하게 하여 길이의 1/3쯤 되는 곳부터 양쪽을 후리어 깎아 내려가 꼬챙이같이 됨. 몸뚱이를 대강이로부터 붉은 빛·푸른 빛·누른 빛의 푼사실을 곁들이어 조금 엇비슷하게 감고, 몸뚱이보다 조금 긴 창포잎의 한 끝을 몸뚱이 끝에 붙이고, 붉은 모시 조각으로 꽃판을 만들어 반(半)으로 척 접어서 꿰어 창포잎을 싸서 붙임. 애호(艾虎). 애화(艾花).

쑨 리런〔孫立人〕명〖사람〗중국의 군인. 안후이(安徽) 출생. 미국 버지니아(Virginia) 군사 학원을 졸업하고, 항일(抗日) 전쟁 중에는 미얀마·인도 작전에 참가하였음. 대만에 이전한 후, 훈련 총사령이 되고, 1950 년 국부군 총사령관, 육군 중장이 됨. 손입인. [1900-]

쑨 원〔孫文〕명〖사람〗중국의 정치가. 혁명의 지도자. 자는 이셴(逸仙), 호는 중산(中山). 광둥 성(廣東省) 출신. 삼민주의를 주장하고, 신해(辛亥) 혁명 후 중화 민국의 임시 대총통이 되었으나, 위안 스카이(袁世凱) 일파에게 실권을 빼앗긴 뒤에 국민당(國民黨)을 조직, 1924 년 제 1 차 국공 합작(國共合作)에 성공하고 북벌(北伐)을 단행하여 베이핑에 침입하였으나 목적을 이루지 못하고 병사하였음. 중국의 국부(國父)로 추앙됨. 저서 《삼민주의(三民主義)》 등. 손일선(孫逸仙). 손중산(孫中山). 손문. [1866-1925]

쑨 커〔孫科〕명〖사람〗중국 국민 정부의 정치가. 쑨 원(孫文)의 전처(前妻)의 적자(嫡子). 쑨 원에 협력하여 1921-26 년 광저우(廣州) 시장, 쑨 원의 사후에는 국민당 우파로서 요직들을 역임하였으며, 한때는 반(反) 장 제스(蔣介石)파가 되었으나 후에 화해하였고, 행정원장·입법원장·고시원장 등을 역임함. 손과(孫科). [1895-1973]

쑬개 명〈방〉쓸개(전라·충청·경기).

쑬쑬-하다 형여불 웬만하고 무던하다. >쏠쏠하다. 쑬쑬-히 부. ¶윤 주사는 남의 사정을 ～ 보아 주는 사람이면서도 …자선 사업 같은 데는 죽어라고 1 전 한 푼 쓰지를 않습니다《蔡萬植 : 太平天下》.

쑴다 형〈방〉쓰다[7](경상).

쑷검이 명〈방〉숯동강(함경).

쑷-말 명〈방〉수말. 말의 수컷.

쑹덩-쑹덩 부 ①연한 물건을 큼직큼직하게 빨리 써는 모양. ②바느질할 때 거칠게 호는 모양. 1)·2): ㄴ숭덩숭덩. >쏭당쏭당.

쑹 메이링〔宋美齡〕명〖사람〗중국 여류 정치가. 장 제스(蔣介石)의 부인. 쑹 쯔원(宋子文)·쑹 칭링(宋慶齡)의 동생. 미국 유학 후, 1927 년 장 제스와 결혼. 실업가로서도 활약하였으며, 특히 시안(西安) 사건에서는 장 제스 구출에 활약함. 제 2 차 세계 대전 후에는 대미(對美) 외교면에서 활약하였음. 송미령. [1901-]

쑹산〔崇山〕명〖지〗중국 오악(五嶽)의 하나인 중악(中嶽). 허난 성(河南省)의 북부, 덩펑 현(登封縣)의 북쪽에 있는 산. 숭산. [1,440 m]

쑹쑹-이 명 성질이 음험한 사람의 별명(別名).

쑹장〔松江〕명〖지〗중국, 화둥(華東) 지구 북부, 상하이(上海) 시 중부의 현(縣). 후항 철도(滬杭鐵道)에 연하여 있고, '쑹장(松江)의 농어'라고 할 만큼 담수어의 양어(養魚)로 유명함. 구명 : 화팅(華亭). 송강. [478,000 명(1982)]

쑹장 성【一省】〔松江〕명〖지〗중국 동북(東北)의 옛 성(省) 이름. 만주 쑹화 강(松花江) 유역의 성. 동쪽으로 창바이(長白) 산맥과 북쪽으로 소(小)싱안링(興安嶺)이 뻗어 산지를 이루고 그 외는 강에 연한 대평야이며 중국에서 가장 추운 곳의 하나임. 철도망(鐵道網)이 발달되었고 수운(水運)이 성함. 농산과 석탄·금이 많이 나서 근래 공업화했음. 최근까지 독립된 성(省)이었으나 1954 년 헤이룽장 성(黑龍江省)에 병합됨. 송강성.

쑹 쯔원〔宋子文〕명〖사람〗중국의 재정가(財政家)·정치가. 하이난 섬(海南島) 출생. 쑹 메이링(宋美齡)의 오빠. 1924 년 이래, 매형(妹兄) 쿵샹시(孔祥熙)와 국민 정부 재정 금융면을 장악, 1947-49 년에 광둥 성(廣東省)의 정부 주석, 1949 년에 미국에 망명함. 송자문. [1891-1971]

쑹 칭링〔宋慶齡〕명〖사람〗중국의 여류 정치가. 쑹 메이링(宋美齡)의 언니로, 쑨 원(孫文)의 부인. 쑨 원의 사후, 국민당 좌파를 이끌어 장 제스(蔣介石)와 대립함. 제 2 차 세계 대전 후에는 중공(中共)의 부주석(副主席), 1981년 명예 국가 주석이 됨. 송경령. [1890-1981]

쑹화 강【一江】〔松花〕명〖지〗중국 동북 지구에 있는 큰 강. 백두산 천지(天池)에서 발원하여 서북으로 흐르고, 후이파 강(輝發河)·이퉁 강(伊通河)·넌장(嫩江) 강·후란 강(呼蘭河) 등과 합류하여 헤이룽 강(黑龍江)에 합류함. 지방 경제의 중심지로, 연안에는 지린(吉林)·푸위(扶餘)·하얼빈(哈爾濱)·자무쓰(佳木斯) 등이 있는데 기선으로 연락하고 있음. 하얼빈에서는 11-4 월까지 결빙함. 송화강. [1,927 km]

쒐: 명〈방〉수염[3](경남).

쒜[1] 명〈방〉씨아(황해).

쒜[2] 감 ↗쒜쒜쒜.

쒜기 명〈방〉씨아(경북).

쒜미 명 〈방〉 수염[3](강원).
쒜:-쒜 감 쒜쒜쒜. 「㊥쒜.
쒜:쒜-쒜 감 어린 아이가 몸을 다쳤을 때에 만지며 위로해 주는 소리.
쉠 명 〈방〉 수염[3](강원).
쒸[1] 명 〈방〉 쇠[1](경북).
쒸:[2] 명 〈방〉 쉬[3](경남).
쒸시 명 〈방〉 〖식〗 수수[1](전남).
쒸야 명 〈방〉 씨아(황해).
쓰[1] 〔津:つ〕 명 〖지〗 일본 미에 현(三重縣) 동북부의 시. 현청 소재지로, 일본 삼진(三津)의 하나로 불리는 옛 항구임. 섬유·기계 공업 등이 행하여짐. [155,064 명(1991)]
쓰:[2] 명부 〈속〉 모스 부호의 긴 부호 '—'의 이름. 또, 그 부호를 송신할 때의 소리를 나타내는 말. ¶ ~ ~돈. *돈.
쓰[3] 〔중 四〕 수 '사(四)'의 중국음.
쓰가루 반:도【—半島】〔津軽:つがる〕 명 〖지〗 일본 아오모리 현(青森縣)에 있는 반도. 혼슈(本州) 북단에 돌출하여 동반부는 산지이고 서부에는 넓은 쓰가루(津軽) 평야가 전개되어 있음.
쓰가루 해:협【—海峽】〔津軽:つがる〕 명 〖지〗 일본 혼슈(本州)와 홋카이도(北海道)와의 사이에 있는 해협. 동서 약 100 km, 남북 20-50 km, 최협부가 18 km, 최심부는 449 m임.
쓰-강쯔〔중 四槓子〕 명 마작(麻雀)에서 쓰는 말. 강쯔(槓子)가 네 개 있 ㄴ는 것.
쓰개 명 머리에 쓰는 물건의 총칭.
쓰개-수건【—手巾】 명 머리에 쓰는 수건. 솜을 두어서 만들기도 함.
쓰개-치마 명 여자들이 외출할 때 머리로부터 몸의 윗 부분을 가리어 쓰던 치마. 지금은 거의 볼 수 없음.
쓰겁다 형 〈방〉 쓰다[7](함경). ¶ 꿈같은 로맨스도 많을 것이며 쓰거운 경험도 한두 가지가 아닐 것이다《金東里 : 旅愁》.
쓰굽다 형 〈방〉 쓰다[7](평원).
쓰기 명 ①글씨를 쓰는 일이나 법. ¶ 붓글씨 ~. ②글로 표현하는 일이나 법. ¶ 감상문 ~. *듣기·말하기·읽기.
쓰까스르다 타 〈방〉 쓸까스르다.
쓰다[1] 타 ①붓·펜 등으로 글씨를 그리다. ¶ 글씨를 ~. ②글을 짓다. 저술(著述)하다. ¶ 그 소설을 쓰는 데 5 년이 걸렸다.
쓰다[2] 타 ①모자 같은 것을 머리 위에 얹다. ¶ 면사포를 ~/수건을 ~. ②우산 같은 것을 머리 위로 받치어 들다. ¶ 양산을 ~. ③탈·방독면 따위로 얼굴을 덮거나 가리다. ¶ 가면을 ~. ④안경 따위를 코 위에 걸치다. ⑤먼지나 액체 따위를 온통 몸에 받다. ¶ 먼지를 ~. ⑥그 속에 들다. ¶ 양옥집을 쓰고 산다/칼을 쓸 놈. ⑦억울한 누명이나 당치 않은 죄를 입다. ¶ 누명을 ~.
쓰다[3] 타 ①이롭게 다루거나 합당하게 사용하다. ¶ 우리 국산품을 쓰자/곱게 써라/두 방을 쓰고 있다/빽을 ~/바른말을 ~. ②사람을 두어 부리다. ③고집 따위를 심하게 부리다. ¶ 억지를 ~. ④몸의 일부분을 놀리거나 움직이다. ¶ 수족을 못 쓴다. ⑤남에게 음식 따위를 대접하다. ¶ 한턱 쓰겠소. ⑥온 정신을 기울이다. ¶ 머리를 써서 일하다. ⑦힘이나 기술을 발휘하다. ¶ 나도 힘을 쓰겠다. ⑧돈을 들이거나 없애다. ¶ 많은 경비를 ~. ⑨물건을 만드는 데 연장을 사용하거나 원료로 사용하다. ¶ 빵을 만드는 데 설탕을 ~. ⑩약을 먹이거나 바르다. ¶ 양약
쓰다[4] 타 묏자리를 잡아 시체를 묻다. ¶ 뫼를 ~. ㄴ과 한약을 같이 ~.
쓰다[5] 타 윷놀이 같은 데에서, 말을 규정대로 옮기다. ¶ 말을 잘못 ~.
쓰다[6] 타 〈방〉 켜다(경기·강원·충청·전라·경상·함경).
쓰다[7] 형 ①맛이 소태의 맛과 같다. ¶ 이 약은 아주 쓰군. ②입맛이 없다. ③마음에 언짢은 느낌이 있다. 괴롭다. ¶ 쓴 웃음. 1)-3):↔달다.
[쓰다 달다 말이 없다] 아무런 반응이나 의사 표시가 없다는 말. [쓰면 뱉고 달면 삼킨다] '달면 삼키고 쓰면 뱉는다'와 같은 말. [쓴 것이 약] 당장은 싫거나 달갑지 않지만 실상은 그것이 도움이 되거나 좋은 교훈으로 됨을 일컫는 말. [쓴 외도 맛들일 탓;쓴 배도 맛들일 탓] 모든 일의 좋고 나쁨은 그 일을 하는 사람 자신의 주관(主觀)에 달리어 ㄴ있다는 말.
쓴 오이 보듯 구 기피하고 외면하는 모양.
쓰다듬다[—따] 타 〔중세 : 쓰다돔다〕 ①귀엽거나 탐스러워 손으로 쓸어 문지르다. ¶ 머리를 ~. ②성이 났거나 울고 있는 아이를 살살 달래어 가라앉히다.
쓰디-쓰다 형 ①몹시 쓰다. ②몹시 괴롭다. ¶ 쓰디쓴 경험.
쓰라리다 형 ①상한 자리가 쓰리고 아리다. ②마음이 몹시 괴롭다. ¶ 쓰 ㄴ라린 경험.
쓰라림 명 쓰라린 느낌이나 마음. 고초.
쓰래 명 〈방〉 쓸개(강원·충북·전남·경북).
쓰래기 명 〈방〉 시래기(경기).
쓰래기-눈: 명 〈방〉 싸라기눈.
쓰러-뜨리다 타 쓰러지도록 넘어뜨리다. 쓰러지게 하다.
쓰러-지다 자 〔근대 : 쓰러디다〕 ①한쪽으로 쏠리어 넘어지다. ¶ 나무가 ~. ②지쳐서 눕다. ¶ 과로로 쓰러졌네. ③죽다. ¶ 흉탄에 ~.
[쓰러져 가는 나무는 아주 쓰러뜨려라] 무너져 가는 일은 없애고 새 일을 용감하게 시작하라는 말. [쓰러져 가는 나무를 아주 쓰러뜨린다] 곤궁한 입장을 더 곤궁하게 만든다는 말.
쓰러-트리다 타 쓰러뜨리다. 「는 모양.
쓰렁-쓰렁 부 ①남이 모르게 비밀히 하는 모양. ②일을 정성껏 아니하
쓰렁쓰렁-하다 형여불 사귀던 정이 벌어져 서로의 사이가 쓸쓸하게 되 ㄴ다.
쓰레[1] 명 〈방〉 쓸개(강원·충북·전남·경북).
쓰:레[2] 명 〈방〉 써레(충남).
쓰레-그물 명 트롤망(trawl網). 저인망(底引網).
쓰레기 명 〔근대 : 쓸어기〕 비로 쓸어 내는 먼지나 그 밖의 못 쓰게 되어 버리는 잡된 물건의 총칭.
쓰레기 공해【—公害】 명 가정 폐기물(家庭廢棄物) 등의 증대·산란(散亂) 등으로 인한 악취·도로 오염 등의 환경 악화.
쓰레기 소각로【—燒却爐】[—노] 명 공장·가정 등에서 나온 쓰레기 중에서 가연물(可燃物)을 모아 소각하는 노(爐). 소각할 때 발생하는 열(熱)을 발전(發電) 또는 지역 난방(地域煖房)에 이용하기도 함.
쓰레기-장【—場】 명 쓰레기를 버려 두는 곳.
쓰레기-차【—車】 명 쓰레기를 모아서 싣고 내다 버리는 청소차(清掃車).
쓰레기 처:리【—處理】 명 공장·가정에서 나오는 쓰레기를 분류·매립(埋立)·소각(燒却)·재생(再生) 등의 처리를 하는 일.
쓰레기-통【—桶】 명 쓰레기를 담아 두는 통.
쓰레미 명 〈방〉 쓰레기(함경).
쓰레-바탕 명 〈방〉 써레몽둥이.
쓰레-받기 명 비로 쓴 쓰레기를 받아 내는 기구.
쓰레-장판【—壯版】 명 유지 장판으로 만든 쓰레받기.
쓰레-질[1] 명 비로 쓸어서 집안을 청소하는 것. ——하다 자여불
쓰:레-질[2] 명 〈방〉 〖농〗 써레질(충남). ——하다 자
쓰레-하다 형여불 쓰러질 것같이 한쪽으로 기울어져 있다.
쓰루가〔敦賀:つるが〕 명 〖지〗 일본 후쿠이 현(福井縣) 쓰루가 만(敦賀灣)에 임한 항구 도시. 임해(臨海) 공업 도시로서 어업·수산 가공 외에 인조견·화학 섬유·시멘트 공업이 성함. [65,691 명(1991)]
쓰르라미 명 〖충〗 [*Tanna japonensis*] 매밋과에 속하는 곤충. 몸길이 암컷은 25 mm, 수컷은 38 mm 내외이고, 날개 길이는 암컷 45 mm, 수컷 50 mm 가량임. 몸빛은 적갈색 또는 밤색이고, 녹색과 흑색의 반문(斑紋)이 있음. 성충은 6월 하순부터 8월에 걸치어 출현하며, 수컷에만 복부(腹部)에 큰 공명실(共鳴室)이 있어서 '쓰르람 쓰르람' 하고 욺. 일본 특산이며 한국·중국에도 분포함. 조진(蜩蟟). 한선(寒蟬). 저녁매미.

〈쓰르라미〉

쓰르람-쓰르람 부 쓰르라미의 우는 소리.
쓰르래미 명 ☞ 〖충〗 쓰르라미.
쓰르박 명 〈방〉 쓰레받기(평안).
쓰름-매미 명 〖충〗 [*Meimuna mongolica*] 매밋과에 속하는 곤충. 몸길이 30-35 mm, 날개 끝까지는 45 mm 가량이고, 몸빛은 암황록색에 흑색 반문(斑紋)이 있음. 중흉배(中胸背) 중앙에 있는 '八'자 무늬는 가늘며 복부(腹部)는 흑갈색이고, 배판(背板)과 제2 복절(腹節) 양측은 감람색임. 날개는 투명하고 적자색으로 광택이 남. 몸에 금색 털이 나기도 함. 7월에 출현하여 8-10월에 '쓰름쓰름' 하고 욺. 유충은 수년간 땅 속에 있다가 성충이 됨. 한국·중국·몽골·일본에 분포함.
쓰름-쓰름 부 쓰름매미의 우는 소리.
쓰리 명 잉어 같은 고기를 낚기 위하여 얼음을 끄는 쇠꼬챙이.
쓰리-꾼 명 〔일 掏摸 : すり〕 〈속〉 소매치기.
쓰리다 형 ①날카로운 것으로 찌르듯이 아프다. ¶ 상처가 ~. ②몹시 시장하여 뱃속이 허기지고 아픈 듯이 거북하다. ¶ 속이 ~.
쓰릿-하다 형여불 쓰린 듯하다. ¶ 아내의 울분의 행위를 볼 때는 눈시울까지 쓰릿해오고…《尹正奎 : 張三李四傳》.
쓰메-에리〔일 詰襟:つめえり〕 명 깃의 높이가 4 cm 가량 되게 하여, 목을 둘러 바싹 여미게 지은 양복. 학생복으로 많이 지음.
쓰바리견을안【用使內在良】〈이두〉 써 버리거들랑.
쓰바리고【用使內遣】〈이두〉 써 버리고.
쓰바리누온【用使內臥乎】〈이두〉 써 버리는. 써 버리니.
쓰보우치 쇼:요:〔坪内逍遥:つぼうちしょうよう〕 명 〖사람〗 일본의 소설가·극작가. 리얼리즘 문학을 개척하였으며 극계(劇界)의 향상에 힘쓰고, 또 《셰익스피어 전집》을 번역하였음. [1859-1935]
쓰수이〔泗水〕 명 〖지〗 중국의 산둥(山東)·장쑤(江蘇)의 양성(兩省)을 흐르는 강. 산둥 성 쓰수이 현(泗水縣) 동부의 페이웨이 산(陪尾山)에서 발원하여 주수이(洙水) 강 기타의 하류와 합쳐 두산 호(獨山湖)·자오양 호(昭陽湖) 등에 들어가고, 장쑤 성의 북부에서 대운하(大運河)에 합침. 쓰허(泗河) 강이라고도 함. 사수(泗水). [355 km]
쓰시마〔対馬:つしま〕 명 〖지〗 한국과 일본 규슈(九州) 사이에 있는 섬. 행정상으로는 나가사키 현(長崎縣)에 속함. 예로부터 일본과의 교통의 요지였으며, 임진 왜란 전까지 그 도주(島主)는 우리 나라의 봉작(封爵)을 받았음. 주로 임업·어업에 종사하며, 다이슈(対州) 광산에서 구리·아연을 산출함. 대마도. [698 km²: 49,000 명(1985)]
쓰시마 해:류【—海流】〔対馬:つしま〕 명 〖지〗 일본 해류의 한 지류(支流). 오키나와(沖繩)의 북쪽에서 갈라져 규슈(九州)의 서쪽을 지나 쓰시마 해협(対馬海峽)을 통하여 동해(東海)로 들어가 혼슈(本州)의 북쪽을 북상하여 타타르(Tatar) 해협에까지 이르는 난류. 대마 해류.
쓰시마 해:협【—海峽】〔対馬:つしま〕 명 〖지〗 일본 혼슈(本州) 서안(西岸), 규슈(九州) 북안(北岸)과 쓰시마(対馬) 사이의 해협. 가장 좁은 지역은 약 50 km, 최심부(最深部)는 130 m임. 대마 해협.
쓰-안커〔중 四暗刻〕 명 마작(麻雀)에서 쓰는 말. 안커가 네 짝이 맞춰지는 일. 이것으로 오르면 배만관(倍滿貫)이 됨.
쓰이다[1] ㊀ 자 글씨가 써지다. ¶ 그 편지에는 슬픈 내용이 쓰여 있다. ㊥씌다. ㊁ 사동 글씨를 쓰게 하다. ¶ 동생에게 쓰인 글씨.
쓰이다[2] 피동 ①씀을 당하다. 통용(通用)되다. ¶ 많이 쓰이는 물건. ②위에 얹히거나 덮이다. ¶ 모자가 작아서 내 머리에는 쓰이지 않는다.
쓰인-자국 명 〖고고학〗 돌·나무·뼈 따위로 만든 연장의 사용 부분에 마찰에 의해 닳거나 긁혀서 나타나는 자국. 이 쓰인자국을 현미경 등으로 관찰·분석하여 그 연장의 사용 기술·용도 등을 밝히는 데 이용됨. 사용흔(使用痕).
쓰임 명 어떤 일이나 살림을 하는 데 쓰이는 용도나 거기 드는 비용·물

건. ¶그 물건의 ~은 여러 가지이다 / ~이 많다. 「途).
쓰임-새 [명] ①쓰임의 수량이나 정도. ¶~가 많은 살림살이. ②용도(用
쓰적-거리다 [一] [자] 물건이 서로 맞닿아 부비어지다. [二] [타] 쓰레질을 대강대강하다. 쓰적-쓰적 [부]. ——-하다 [자][타][여불]
쓰적-대다 [자][타] 쓰적거리다.
쓰촨 분지 【—盆地】〔四川〕 [명] 〖지〗 쓰촨 성(四川省)의 중부를 차지하고 있는 큰 분지. 양쯔 강(揚子江)·민장(泯江) 강·자링 강(嘉陵江) 등이 흐르고, 산악·구릉이 많으며, 오직 청두(成都) 부근만이 큰 평야를 이루고 있음. 땅이 기름지고 기후가 따뜻하므로 쌀·잡곡·삼·면화(棉花) 등의 농산물이 풍부함. 사천 분지. 파촉 분지(巴蜀盆地). 면적 약 18만 km².
쓰촨 성 【—省】〔四川〕 [명] 〖지〗 중국 서부 양쯔 강 상류의 한 성(省). 중앙에 쓰촨 분지(四川盆地)가 있으며 온난 다우(溫暖多雨)하여 예로부터 보고(寶庫)라 불림. 삼국 시대에는 촉한(蜀漢)의 근거지였음. 교통은 양쯔 강과 지류(支流)의 수운(水運), 청위 철도(成渝鐵道)와 여러 공로(公路)가 있음. 1955년 시캉 성(西康省)을 병합하였음. 주도(主都)는 청두(成都). 촨 성(川省). 사천성. [568,966 km² : 99,713,310명(1982)]
쓰핑 〔四平〕 [명] 〖지〗 중국 지린 성(吉林省) 남부의 도시. 쑹허 평원(松河平原)의 중앙에 있고, 창다 철도(長大鐵道)와 쓰메이(四梅)·핑치(平齊) 양(兩) 철도의 연락지(連絡地)가 됨. 주변의 농산물과 내몽고(內蒙古) 북부의 농축산물(農畜産物)의 집산지를 이룸. 사평. 구칭 : 쓰핑제(西平街). [약 300,000명(1980) 추계)]
쓰핑제 〔四平街〕 [명] 〖지〗 '쓰핑(四平)'의 구칭(舊稱). 사평가.
쓰히다 [피동] ☞ 쓰이다.
쓱 [부] ①슬쩍 사라지는 모양. ¶~ 없어지다. ②척 내닫는 모양. ¶~ 뛰어나가다. ③빨리 지나가는 모양. ¶~ 지나가다. ④슬쩍 문지르는 모양. ¶~ 훔치다.
쓱싹 [부] 톱질이나 줄질을 할 때에 나는 소리. 「양. ¶~ 훔치다.
쓱싹-거리다 [자][타] 톱질이나 줄질을 할 때 쓱싹하는 소리가 계속하여 나다. 또, 그런 소리를 연해 나게 하다. 쓱싹-쓱싹 [부]. ——-하다 [자][타][여불]
쓱싹-대다 [자][타] 쓱싹거리다.
쓱싹-하다 [타][여불] ①잘못한 일을 입 밖에 내지 아니하고 흔적없이 감추어 버리다. ¶비행(非行)을 추궁하지 아니하고 쓱싹하여 버리다. ②갚아야 할 빚을 서로 맞비기어 버리다.
쓱-쓱 [부] ①연해 쓱 문지르거나 닦거나 비비는 모양. ¶손을 ~ 문지르다. ②일을 대충 거칠게 해치우는 모양. ——-하다 [타][여불]
쓴-나물 [명] 〈방〉 〖식〗 씀바귀(경상).
쓴-너삼 [명] 〖식〗 고삼(苦蔘)❶.
쓴-맛 [명] 금계랍이나 소태 따위의 맛과 같은 맛. 고미(苦味). ↔단맛.
[쓴맛 단맛 다 보았다] 세상의 괴로움과 즐거움을 다 겪었다는 말.
쓴-술 [명] 멥쌀술을 찹쌀술에 상대하여 일컫는 말.
쓴-웃음 [명] 시뻐서 웃는 웃음. 마지못하여 웃는 웃음. 고소(苦笑).
쓴-잔 【—盞】 [명] ①쓴 술잔. ②'들다·마시다' 등의 단어와 함께 쓰이어 '쓰라린 경험'의 비유. 고배(苦杯).
쓴잔을 마시다 [구] 고배를 마시다.
쓸 [명] 〈방〉 여울(함경).
쓸가지 [명] 〈방〉 〖동〗 살쾡이(전남·경남).
쓸개 [명] 〖생〗 쓸개즙(汁)을 일시적으로 저장·농축하는 얇은 막(膜)의 주머니로 된 내장. 가지 모양으로, 간의 우엽(右葉)의 밑에 있으며 위쪽은 간질(肝質)에 부착되고 아래쪽은 앞 배의 벽에 붙어 있음. 끝은 담낭관(膽囊管)이 되어 간관(肝管)과 합하여 수담관(輸膽管)을 이룸. 쓸개의 수축에 의하여 쓸개즙을 수담관으로 보내고 십이지장으로 배출함. 담(膽). 담낭(膽囊).

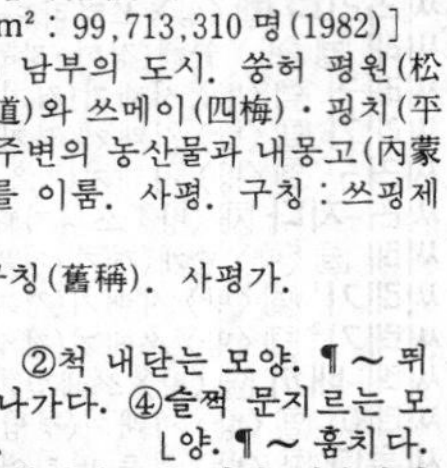

〈쓸개〉

[쓸개에 가 붙고 간에 가 붙는다] '간에 붙었다 쓸개에 붙었다 한다'와 같은 뜻. ¶쓸개에 가 붙고 간에 가 붙어 요리 조리 알씬알씬하는 사람 정말 밉기도 밉습니다《安國善 : 禽獸會議錄》.
쓸개 빠:지다 [구] 하는 짓이 줏대가 없음을 욕으로 하는 말.
[쓸개 빠진 놈] 제 정신을 바로 차리지 못한 사람의 비유.
쓸개 자루(가) 크다 [구] 담력이 커서 겁이 없다는 말. ¶산천 초목이 다 덜덜 떨고 있을 판인데, 조런 요망하고 쓸개 자루 큰 것이 어디 있어《朴鍾和 : 錦衫의 피》.
쓸개-관 【—管】 [명] 수담관(輸膽管).
쓸개-머리 [명] 소의 쓸개에 붙은 고기. 국거리로 씀.
쓸개-주머니 [명] 〖생〗 쓸개에서 나오는 쓸개즙을 일시적으로 담아 두는 얇은 막의 주머니. 간장 뒤의 아래에 달려 있음.
쓸개-즙 【—汁】 [명] 〖생〗 소화액(消化液)의 하나. 간(肝)의 간세포(肝細胞)로부터 분비되며, 일단 쓸개에 저장되었다가 수담관(輸膽管)을 통하여 십이지장(十二指腸)으로 감. 80%쯤은 수분(水分)이며 그 주성분은 담즙산(膽汁酸)·색소(色素)·무기 성분(無機成分)을 함유하고 있음. 사람과 육식(肉食) 동물의 것은 홍갈색, 초식(草食) 동물의 것은 녹색임. 맛은 몹시 쓴데 지방 효소(脂肪酵素)의 소화 작용 및 장의 연동 운동(蠕動運動)을 촉진시킴. 쓸개진. 쓸갯물. 담액(膽液). 담즙.
쓸개-진 【—津】 [명] 〖생〗 쓸개즙.
쓸갯-물 [명] 〖생〗 쓸개즙.
쓸게미 [명] 〈방〉 쓰레기.
쓸기 [명] 〈옛〉 쓸개. ¶쓸기 담(膽)《倭解 上 18》.
쓸까스르다 [타][르불] 남을 추겼다 낮췄다 하여 비위를 거스르다. ¶아침부터 ~ / 그랬더니 전주 인근 장돌림들은 실성한 놈들이 많은 게로구나 하고 쓸까스르는데 내 모가지가 자라모가지가 되었소《金周榮 : 客主》. [준]쓸까슬다.
쓸까슬다 [타] ↗쓸까스르다. ¶설희만 보면 쓸까슬고 꼬집고 비웃고 해서…《朴花城 : 고개를 넘으면》. 「르는 노래.
쓸다[1] [명] 〖악〗 범패에서, 간단한 가락에 가사를 촘촘히 넣어서 짧게 부
쓸다[2] [타] ①비 따위로 쓰레기 같은 것을 없애어 깨끗이 하다. ②손으로 가볍게 문지르다. ¶수염을 ~. ③질질 끌려서 바닥에 스치다. ¶긴 치맛자락을 쓸며 걸어간다. ④제앞일만 깨끗이 처리하다. ¶친구는 아무렇든 제 앞일만 ~. ⑤전염병이 널리 퍼지다. 또, 태풍·홍수 따위가 널리 피해를 입히다. ¶독감이 전국을 ~/태풍이 쓸고 간 자리. ⑥어떤 곳의 돈이나 물건을 혼자 독차지하다. ¶판돈을 몽땅 쓸어 가다. ⑦알에서 갓깬 애누에를 잠란지(蠶卵紙)에서 그러모아 다른 종이로 옮기다.
쓸다[3] [타] 줄 같은 것으로 물건을 문질러 닳게 하다. ¶줄로 톱을 ~.
쓸다[4] [타] 〈방〉 슬다[4].
쓸-데 [—떼] [명] 쓰일 곳. 쓰일 자리. 소용(所用). ¶~가 별로 없다.
쓸데-없다 [—떼업—] [형] 쓰일 곳이 없다. 필요 없다. 객쩍다. ¶쓸데없는 말이다.
쓸데-없이 [—떼업씨—] [부] 공연히. 객쩍게. ¶~ 지껄이다.
쓸리다[1] [자] 새 옷이나 풀이 센 곳에 쓰적거리어 살갗이 벗겨지다.
쓸리다[2] [자] 곡식이나 풀이 바람에 한 쪽으로 비스듬히 기울어지다. ¶벼가 ~/별이 쓸리는 밤이었다.
쓸리다[3] [피동] 비나 줄에 씀을 당하다. ¶낙엽이 바람에 ~.
쓸-모 [명] 쓸 만한 가치. 쓰이게 될 자리. ¶아무 ~도 없는 물건.
쓸모-없다 [—업—] [형] 쓸 만한 가치가 없다. ¶쓸모없는 인간.
쓸모-없이 [—업씨] [부] 쓸모 없게. ¶그 물건 ~ 되었다.
쓸-물 [명] 〈방〉 썰물.
쓸:쓸 [부] 뱃속이 조금 쓰리면서 아픈 모양. >쌀쌀[2].
쓸쓸-이 [명] 〈심마니〉 〖충〗 이[3].
쓸쓸-하다 [형][여불] ①날씨가 조금 차고 음산하다. >쌀쌀하다. ②외롭고 적적하다. 쓸쓸-히 [부]
쓸어-내리다 [타] ①수염 따위를 아래로 쓸면서 만지다. ¶하얀 수염을 ~. ②근심, 걱정 따위가 해결되어 마음을 놓다. ¶놀란 가슴을 ~.
쓸어-들이다 [타] 쓸어서 모아들이다.
쓸어 버리다 [타] 쓸어서 치워 버리다. ¶먼지를 ~.
쓸어-안다 [—따] [타] 마구 그러안다. ¶꽃가지 쓸어안고 휘파람을 불면서.
쓸어-지다 [자] 〈방〉 쓸리다[2·3]. 「의 '用'의 이름.
쓸용-부 【—用部】 [—룡—] [명] 한자 부수(部首)의 하나. '甫'나 '甬' 등
쓸음-질 [명] 줄로 쓰는 일. ——-하다 [자][여불]
쓸-치마 [명] 〈방〉 쓰개치마. 「끗하게 하다.
쓿다 [쓸타] [타] 쌀·조·수수 등을 절구에 넣고 찧어 속꺼풀을 벗기고 깨
쓿은-쌀 [쓰른—] [명] 쓿어서 곱게 된 쌀. 정백미(精白米).
씀바귀 [명] 〖식〗 [*Ixeris dentata*] 꽃상춧과에 속하는 다년초. 줄기 높이 30cm 내외임. 근생엽(根生葉)은 도피침형(倒披針形)이며 줄기잎은 달걀꼴임. 두화(頭花)는 보통 다섯 개의 작은 꽃으로 되어 있는데 소방상(疎房狀) 화서로 황색 빛을 띠고 5-7월에 피며, 과실은 수과(瘦果)임. 산이나 들 또는 원포(園圃)에 나는데, 경기·충남·전남·경남·평남에 분포(分布)함. 뿌리·줄기 및 어린 잎은 식용함. 고채(苦菜). 유동(遊冬).

〈씀바귀〉

씀바귀 나물 [명] 씀바귀 뿌리를 데쳐서 우리어 내서 무친 나물. 사나귀채(舍那貴菜). 도채(荼菜).
씀박위 [명] 〈옛〉 씀바귀. ¶게유목 좃다지와 씀박위 좌다귀라《海謠 390》.
씀배 [명] 〈방〉 씀바귀.
씀벅 [부] 눈꺼풀을 움직여 눈을 한 번 감았다 뜨는 모양. ㄴ슴벅.
씀벅-거리다 [자][타] ①눈꺼풀을 움직여서 연하여 눈을 감았다 떴다 하다. ②눈이나 살 속이 자꾸 찌르는 듯이 시근시근하다. >쌈박거리다. 1)·2):ㄴ슴벅거리다. 씀벅-씀벅 [부]. ——-하다 [자][타][여불]
씀벅-대다 [자][타] 씀벅거리다.
씀벅-이다 [자] 눈꺼풀을 움직여 눈을 감았다 뜨다. ㄴ슴벅이다.
씀베 [명] 〈방〉 슴베.
씀뻑-거리다 [자][타] ☞씀벅거리다. 씀뻑-씀뻑 [부]. ——-하다 [자][타][여불]
씀-새 [명] 쓰는 분량·정도·비용. 쓰임새. 씀씀이. ¶~가 크다.
씀씀-이 [명] 살림이나 일에 나날이 쓰는 비용. 용도(用度). ¶~가 많다.
씁다 [형] 〈방〉 쓰다[7](전남·경남·함북).
씁쓰레-하다 [형][여불] 맛이 조금 씁쓸한 느낌이 있다. >쌉싸래하다.
씁쓰름-하다 [형][여불] 씁쓰레하다.
씁쓸-하다 [형][여불] 맛이 조금 쓰다. >쌉쌀하다.
씌다[1] [씨—] [자] ↗쓰이다[1]❶.
씌다[2] [씨—] [자] 귀신이 접하다.
씌다[3] [씨—] [타] ↗씌우다.
씌어-대다 [씨—] [타] ①영감이 통하다. ②귀신의 시킴이 미치다.
씌우개 [씨—] [명] 덮어 씌우는 물건.
씌우다 [씨—] [타] ①머리에 쓰게 하다. ②허물을 남의 탓으로 돌리다. ¶누명을 ~. [준]씌다.
씌워-빼기 [씨—] [명] 뜨개질에서, 마무리할 때, 코를 바늘에 씌워 빼는 일. ¶대바늘 ~ / 코바늘 ~. ——-하다 [타][여불]
씨[1] [명] ①종자(種子). 씨앗. ¶~ 없는 수박. ②동물이 발생하는 근원. ¶~가 좋은 말. ③아버지의 혈통. 자손. ¶왕후 장상의 ~가 따로 있나.

④사물의 근본. ¶ 분쟁의 ～.
씨² 명 피륙의 가로 건너 짠 실. 위(緯). ↔날.
씨³ 명 〖언〗'품사(品詞)'의 풀어 쓴 말.
씨⁴ 명 〈방〉 혀¹❶(경상).
씨⁵ 명 〈방〉 쇠¹(경상).
씨:⁶ 명 〈방〉 쉬³(경북).
씨⁷【氏】 ㊀ 명 ①같은 성(姓)의 계통을 표시하는 일컬음. ②↗씨족(氏族). ㊁ 인대 이름 대신 높이어 일컫는 말. ¶ ～는 선량한 사람이다.
씨⁸ 의명 〈옛〉 것. 것이. 'ㄹ' 받침 밑에만 쓰임. ¶ 모든中에 이롤ᄆᆞᄉᆞᆸ 알씨라《月釋 Ⅷ:92》/記莂은 아호본 慢이니 分簡홀 씨니《月釋 Ⅷ:96》.
-씨【氏】 미 사람의 성(姓) 또는 이름 밑에 붙이어 존대의 뜻을 표시하는 말. ¶ 김～/영숙～.
씨-가름 명 〖언〗'품사 분류(品詞分類)'의 풀어 쓴 말.
씨가시 명 〈방〉 씨앗¹(전라).
씨가올 명 〈방〉 시골(경남).
씨-가지 명 〖언〗'접사(接辭)'의 풀어 쓴 말.
씨-갈 명 〖언〗'품사론(品詞論)'의 풀어 쓴 말.
씨-감자 명 씨로 쓸 감자.
씨갑 명 〈방〉 씨앗¹(경북).
씨값 명 〈방〉 씨앗¹(강원·충북·경북).
씨갓 명 〈방〉 씨앗¹(강원·경남·전라).
씨개 명 〈방〉 쓸개(경상).
씨개다 타 〈방〉 시키다(경북).
-씨개다 미 〈방〉 -시키다(경북).
씨겁다 형 〈방〉 쓰다⁷(강원·충북·경북).
씨-고기 명 종어(種魚).
씨-고치 명 종견(種繭).
씨구럽다 형 〈방〉 시다⁵(경북).
씨굽다 형 〈방〉 쓰다⁷(강원·충북·경북).
씨그둥-하다 형여불 귀에 거슬려 달갑지 않다.
씨근-거리다 자 몸이 비대하거나 배가 불러서 또는 분이 치밀어 숨을 계속해서 가쁘게 쉬다. ㅅ시근거리다¹. >쌔근거리다. **씨근-씨근¹** 부. ——-하다 자여불
씨근-대다 자 씨근거리다.
씨근덕-거리다 자 씨근거리며 헐떡거리다. 몹시 씨근거리다. ㅅ시근덕거리다. >쌔근덕거리다. **씨근덕-씨근덕** 부. ——-하다 자여불
씨근덕-대다 자 씨근덕거리다.
씨근-벌떡 부 흥분되었거나 배가 너무 불러 가쁘게 숨쉬는 모양. ㅅ시근벌떡. ㅆ씨근펄떡. >쌔근발딱. ——-하다 자여불
씨근벌떡-거리다 자 밥을 많이 먹었거나 흥분되어서 계속해서 씨근벌떡하다. ¶ 허영은 귀득을 어머니에게 맡기고 씨근벌떡거리며 영옥의 집을 찾았다《李光洙 : 사랑》. ㅅ시근벌떡거리다. ㅆ씨근펄떡거리다. >쌔근발딱거리다. **씨근벌떡-씨근벌떡** 부. ——-하다 자여불
씨근벌떡-대다 자 씨근벌떡거리다.
씨근-씨근² 부 어린 아이가 곤하게 잘 자는 모양. >쌔근쌔근².
씨근-펄떡 부 숨이 차서 씨근거리며 몹시 헐떡이는 모양. ㅅ시근벌떡·씨근벌떡. >쌔근팔딱. ——-하다 자여불
씨근펄떡-거리다 자 씨근씨근하면서 몹시 헐떡거리다. ㅅ씨근벌떡거리다. >쌔근팔딱거리다. **씨근펄떡-씨근펄떡** 부. ——-하다 자여불
씨근펄떡-대다 자 씨근펄떡거리다.
씨-금 명 〖지〗 위선(緯線). ↔날금.
씨기다 타 〈방〉 시키다(강원·경상).
-씨기다 미 〈방〉 -시키다(강원·경상).
씨까래 명 〈방〉 서까래(경남).
씨까스르다 타 〈방〉 쓸까스르다. ¶ 무슨 일인지 말도 아니하고 사람을 생으로 씨까스르기만 하네《李海朝 : 鳳仙花》.
씨깐나 명 〈방〉 '계집애'의 속된 말(평안).
씨깔래 명 〈방〉 쉬³(전남).
씨-껍질 명 〖식〗 종피(種皮).
씨-끝 명 〖언〗'어미(語尾)❷'의 풀어 쓴 말. ↔줄기.
씨끝-바꿈 명 〖언〗 어미 변화(語尾變化). ㊈끝바꿈.
씨-나기 명 〖식〗 실생(實生). ——-하다 자여불
씨-나락 명 〈방〉 볍씨(경상).
씨누 명 〈방〉 시누이(경상).
씨-눈 명 배(胚)❷.
씨눈-바위취 명 〖식〗 [*Saxifraga cernua*] 범의귓과에 속하는 다년초. 줄기 높이 7-17 cm이고, 근엽(根葉)은 족생(簇生)하며 장병(長柄)이고, 경엽(莖葉)은 호생하고 단병(短柄)이며 신장형(腎臟形) 또는 달걀꼴임. 7-8월에 백색 꽃이 총상(總狀) 화서로 정생(頂生)하여 핌. 높은 산의 중턱에 나는데, 평북에 분포함.

〈씨눈바위취〉

씨다¹ 타 〈방〉 쓰다²(강원·전남·경상).
씨다² 타 〈방〉 켜다(경상·제주).
씨다³ 형 〈방〉 시다(강원·전라·경상·평안).
씨다⁴ 형 〈방〉 쓰다⁷(경기·강원·충북·전남·경상·제주).
씨다듬다 [—따] 타 〈방〉 쓰다듬다(경상).
씨다리 명 〖광〗 사금(砂金)의 낟알.
씨-닭 [—닥] 명 씨를 받기 위하여 기르는 닭. 종계(種鷄).
씨-담그기 명 〖농〗 씨앗의 싹이 빨리 트게 하려고 물에 담가 불리는 일. 침종(浸種). ——-하다 자여불
씨-도【—度】 명 〖지〗 위도(緯度). ↔날도.
씨-도둑 명 한 집안에 대대로 내려오는 버릇·모습·전통에 따르지 않고 남을 닮는다는 뜻을 이름.
[씨도둑은 못 한다] ㉠지녀 온 내력은 아무도 없애지 못한다는 뜻. 부전 자전(父傳子傳)의 일컬음. ㉡아비와 자식은 얼굴이나 성질이 서로 비슷한 데가 많으므로, 유전 법칙은 속일 수 없다는 말.
씨-도리 명 ↗씨도리 배추.
씨도리 배:추 명 씨를 받기 위하여 밑동을 남기고 잘라 낸 배추. ㊈씨도리.
씨-돼지 명 씨를 받으려고 기르는 돼지. 종돈(種豚).
씨-드림 명 〖민〗〔씨드림이란 '씨를 뿌림'의 뜻〕 제주도의 풍신제(風神祭)인 영등굿놀이에서, 미역·소라·전복 등의 채취물이 많이 번식하기를 비는 뜻에서 해녀들이 바다에 들어가 좁쌀 씨를 뿌리는 일. ＊씨점(占).
씨때 명 〈방〉 열쇠(경남).
씨똘 명 〈방〉 숫돌(전남).
씨라구 명 〈방〉 시래기(경기·강원·충남).
씨라기 명 〈방〉 시래기(강원).
씨라리다 자 〈방〉 쓰라리다(경상).
씨래 명 〈방〉 쓸개(경기·강원·전라·경상·충청).
씨래귀 명 〈방〉 시래기(경기).
씨래기 명 〈방〉 시래기(경기·강원·충청·전북·경상).
씨러구 명 〈방〉 시래기(강원).
씨러-지다 자 〈방〉 쓰러지다(경상).
씨레 명 〈방〉 쓸개(경기·강원·충북·전라·경상).
씨레기¹ 명 〈방〉 시래기(경기·강원·경남·제주).
씨레기² 명 〈방〉 쓰레기(경상·강원).
씨레-배끼 명 〈방〉 쓰레받기(경상).
씨레이 명 〈방〉 시래기(경남).
씨루다 자 〈방〉 서로 버티어 겨루다(경상).
씨르라미 명 〈방〉 〖충〗 쓰르라미(경상).
씨르래기 명 〖충〗 여치.
씨르륵-베짱이 명 〈방〉 〖충〗 씨르래기.
씨르륵-씨르륵 부 씨르래기의 우는 소리.
씨름 명 ①두 사람이 샅바나 띠를 넓적다리에 걸어 서로 잡고 재주를 겨루어 먼저 땅에 넘어뜨리는 것으로 승부를 결정하는 우리 나라 고유(固有)의 운동. 각력(角力). 각저(角抵). 각희(角戲). 각희(脚戲). 상박(相撲). ②어떤 사물을 극복(克服) 또는 체득(體得)하기 위하여 노력하는 일. ¶ 책과 ～하다. ——-하다 자여불
[씨름은 잘 해도 등 허리에 흙 떨어지는 날 없다] 재간은 있으나 별수없이 일만하고 산다는 말.
씨름-꽃 명 〈방〉 〖식〗 오랑캐꽃.
씨름-꾼 명 씨름하는 사람.
씨름 잠방이 명 씨름할 때에 입는 짧은 고의.
씨름-판 명 씨름하는 판. ¶ ～이 벌어지다.
씨:리 부 〈방〉 모조리(경상).
씨리다 형 〈방〉 쓰리다(경상).
씨리-판【—板】 명 〈방〉 쓰레받기.
씨롬 명 〈옛〉 씨름❶. =시름². ¶ 칼을 더디고 씨롬ᄒᆞ야 ᄆᆞᄎᆞ라《武藝 34》.
씨-마르다 자르불 씨가 없어지다. 멸종(滅種)하다.
씨-말 명 종마(種馬).
씨-말리다 자 어떤 종류의 것을 전혀 남기지 아니하고 몽땅 없애다.
씨-먹다 자 앞뒷말이 조리가 닿고 실속이 있다. 진실성 있는 말로 믿어주게 되다.
씨명【氏名】 명 성명(姓名).
씨명-권【氏名權】 [—꿘] 명 성명권(姓名權).
씨-모 명 종묘(種苗)❷.
씨무룩-이 부 씨무룩하게. ㅅ시무룩이. >쌔무룩이.
씨무룩-하다 형여불 마음에 몹시 불만(不滿)스러워 골난 태도로, 별로 말이 없다. ㅅ시무룩하다. >쌔무룩하다.
씨물-거리다 자 연방 입 언저리를 오물거리며 소리 없이 자꾸 웃다. ㅅ시물거리다. >쌔물거리다. **씨물-씨물** 부. ——-하다 자여불
씨물-대다 자 씨물거리다.
씨물-쌔물 부 몹시 입 언저리를 오물거리며 무어라 지껄이는 모양. ㅅ시물새물. ——-하다 자여불
씨미 명 〈방〉 수염³(경남).
씨미:-하다 형 〈방〉 씨무룩하다.
씨-받기 명 채종(採種). ——-하다 자여불
씨-받다 자 동·식물의 씨를 거두어 마련하다.
씨-받이 [—바지] ①씨앗을 골라서 받음. 채종(採種). ②아내가 불임(不妊)일 때 딴 여성의 자궁을 빌려 수정(受精)케 하여 자식을 낳는 일. ——-하다 자여불
씨받이-밭 [—바지—] 명 채종(採種)밭.
씨-방【—房】 명 〖식〗 암술의 일부로서 암술대 밑에 붙은 통통한 주머니 모양의 부분. 밑끝은 꽃턱 위에 붙어 있으며, 속에는 밑씨가 들어 있어, 수정(受精) 후 씨 있는 열매가 됨. 꽃 속에서의 위치에 따라 상위(上位)·중위(中位)·하위(下位)로 나누어지며, 실(室)의 수에 따라 홑씨방·겹씨방의 구별이 있음. 자실(子室). 실초(實礎). 자방(子房).

〈씨방〉

씨-범꼬리 명 〖식〗 [*Bistorta vivipara*] 마디풀과에 속(屬)하는 다년초. 줄기는 총생(叢生)하고 곧으며 높이 30-40 cm이고 잎은 긴 타원형 또는 피침형이며 상면(上面)은 녹색, 하면은 흰 색을 띰. 7-8월에 백색 또는 담홍색의 꽃이 총상(總狀) 화서로 정생(頂生)하고 결실(結實)하지 않으나 주아(珠芽)가 땅에 떨어져 새싹이 남. 고산의 양지에 나는데, 한국 북부 지방에 분포함. 산범꼬리.

씨-벼 명 〖농〗볍씨. 종도(種稻).
씨보【氏譜】명 씨족(氏族)의 계보(系譜). 족보(族譜).
씨부렁-거리다 자 실없는 말을 주책없이 함부로 지껄이다. ᄼ시부렁거리다. >싸부랑거리다. **씨부렁-씨부렁** 부. ——-하다 자여불
씨부렁-대다 자 씨부렁거리다.
씨불-거리다 자 ↗씨부렁거리다. **씨불-씨불** 부. ——-하다 자여불
씨불-대다 자 씨불거리다.
씨불-이다 자타 실없는 말로 주책없이 함부로 지껄이다.
씨-뿌리 명 〖식〗식물의 씨가 발아(發芽)했을 때 처음으로 나오는 뿌리. 종근(種根).
씨-뿌리개 명 밭에 씨를 뿌리는 기구.
씨-뿌리다 자 ①논밭에 씨를 뿌리다. 파종(播種)하다. ②사물의 근원(根源)을 만들다.
[씨뿌린 자는 거두어야 한다] 원인을 지은 사람은 결과를 감수(甘受)해야 한다는 말.
씨서:리 명 〈방〉쓰레질[1](충청). ——-하다 자
씨석-거리다 자 〈방〉시시덕거리다.
씨-소 명 종우(種牛).
씨시 명 〈방〉〖식〗수수[1](전남).
씨식-잖다 [ㅡ잔타] 형 같잖고 되잖다. (준)씩잖다.
씨-실 명 피륙을 가로 건너 짜는 실. 위사(緯絲). ↔날실.
씨아 명 ①목화의 씨를 빼는 기구. 교거(攪車). 연거(碾車). ②〈방〉씨앗[1](경기).
[씨아 등에 아이를 업힌다] 일이 매우 바쁘고 급한 형편에 있다는 말.

〈씨아❶〉

씨아-손 명 씨아의 손잡이. 도괴(掉拐).
씨아시 명 〈방〉①씨아❶(전라·충청·경상). ②씨앗[1](충남).
씨아-질 명 씨아로 목화의 씨를 빼는 짓. ——-하다 자여불
씨 안 먹다 자 이치(理致)에 맞지 않다. 경위(經緯)에 어그러지다.
씨알[1] 명 〖낚시〗물고기의 크기. ¶ ~이 잘다.
씨-알[2] 명 ①조류(鳥類)의 번식(繁殖)을 위하여 얻는 알. 종란(種卵). ②곡식 등의 종자로서의 낱알. ③〖광〗광물의 잔 알맹이.
씨알-머리 명 남을 욕할 때 그의 혈통을 비양거리며 일컫는 말.
씨알머리-없다 [ㅡ업ㅡ] 형 존재도 없다시피 혈통이나 종자가 낮다. 비천하기 이를 데 없다.
씨암 명 〈방〉새암[1](전남).
씨-암컷 명 씨를 받을 암컷.
씨-암탉 [ㅡ탁] 명 씨를 받으려고 기르는 암탉.
[씨암탉 잡은 듯 하다] 집안이 매우 화락한 모양.
씨암탉 걸음 [ㅡ탁ㅡ] 명 아기작거리며 가만가만 걷는 모양.
씨-암퇘지 명 씨를 받을 암퇘지. 종빈돈(種牝豚).
씨앗[1] 명 곡식이나 채소의 씨. 종자(種子).
씨앗[2] 명 〈방〉씨아❶(충청·전라·경남).
씨앗 고:사【ㅡ告祀】명 〖민〗봄에 씨를 뿌리고 나서 풍년을 비는 고사.
씨앗-망태 명 씨앗을 넣는 망태기. 씨앗을 뿌릴 때 씀.
씨앙 명 〈방〉〖식〗생강(전북).
씨애 명 〈방〉씨아(강원·경북).
씨애기 명 〈방〉씨아(경상).
씨양이-질 명 한창 바쁠 때에 쓸데없는 일로 남을 귀찮게 구는 짓. (준)쌩이질. ——-하다 자여불
씨억씨억-하다 형여불 성질이 굳세고 활발하다.
씨엄지 명 〈방〉수염[3](경남).
씨염 명 〈방〉수염[3](충청·전남·경상).
씨오시 명 〈방〉기생매미.
씨-오쟁이 명 씨를 담아 놓는 오쟁이. ¶ 남이 장에 간다니까 ~ 지고 나선다.
씨우적-거리다 자 마땅치 않아 입 속으로 연해 불평스럽게 말하다. **씨우적-씨우적** 부. ——-하다 자여불
씨우적-대다 자 씨우적거리다.
씨월-거리다 자 ☞씨부렁거리다. ¶ …형보가 방정맞게 여럿이 듣는 데서 그런 말을 씨월거려 놔서 차마 열적어 선뜻 내닫지 못하는 눈치다《蔡萬植: 濁流》.
씨-은어【ㅡ銀魚】명 놀림낚시에서 딴 은어를 꾀어 들이기 위하여 낚시에 꿴 산 은어.
씨임지 명 〈방〉수염[3](경상).
씨-점【ㅡ占】명 〖민〗제주도의 풍신제(風神祭)인 영등굿놀이에서, 씨드림이 끝난 다음 제사 자리로 돌아와 으뜸 무당이 좁쌀 씨를 돗자리에 뿌려 그 흩어진 밀도(密度)를 보아 어느 쪽에 채취물이 풍성할 것인가를 알아보는 점.
씨-젖 명 〖식〗배(胚)젖.
씨-조개 명 씨를 받기 위해 기르는 조개. 종패(種貝).
씨족【氏族】명 [sib]〖사〗공동의 선조를 갖는 여러 가족의 성원(成員)으로 구성되어, 그 선조의 직계를 수장(首長)으로 하는 사회 집단. 부족 사회의 구성 단위로 대개는 족외혼(族外婚)의 습관에 의하여 성립됨. 원시 사회에서 많이 볼 수 있음. (준)씨(氏).
씨족 공:동체【氏族共同體】명 〖사〗씨족으로 이루어진 공동체.
씨족 공:산체【氏族共産體】명 〖사〗원시(原始) 공산체.
씨족내-혼【氏族內婚】명 〖사〗씨족의 성원 상호 간에 행하여지는 혼인. 대개의 경우, 금지되어 씨족외혼이 행하여짐.
씨족 사회【氏族社會】명 〖사〗씨족 제도를 근간(根幹)으로 하고 성립된 원시 사회(原始社會). *부족 사회.
씨족-신【氏族神】명 〖민〗각각의 씨족이 따로 모시어 숭배하던 신. 씨족의 수호신(守護神).
씨족외-혼【氏族外婚】명 〖사〗씨족의 성원이 딴 씨족의 성원과 혼인하는 일. 미개 사회에 널리 볼 수 있는 혼인 형태. 족외혼(族外婚).
씨족 제:도【氏族制度】명 〖사〗원시 시대에 씨족을 중심으로 하여 성립한 사회 제도(社會制度). 이 사회에서는 공동의 선조(先祖)를 받듦으로써 굳게 단결되고 각 씨족에는 수장(首長)이 있어 통솔(統率)하였음. *원시 공산체(原始共産體).
씨-종 명 대대로 전해 내려 가며 종 노릇을 하는 사람.
씨-주머니 명 〖식〗자낭(子囊).
씨-줄[1] 명 ①피륙의 씨. ②〖지〗위선(緯線). 1)·2):↔날줄.
씨-줄[2] 명 〈방〉쇠줄(경상).
씨-지다 자 ①대를 이을 씨가 하나도 없이 죄다 없어지다. ②비유적으로 쓰여, 전혀 없다. ¶ 집 안에 돈이라곤 씨가 졌다.
씨-짐승 명 씨를 받으려고 기르는 짐승. 종축(種畜).
씨키다 타 〈방〉시키다(경남).
-씨키다 미 〈방〉-시키다(경남).
씩[1] 명 〈방〉〖동〗살쾡이(경남).
씩[2] 부 웃기를 꺼리어서 한 번 입만 삥긋하여 얼핏 싱겁게 웃는 모양. ¶ 혼자서 ~ 웃다. >쌕.
씩[3] 조 ① 각각 같은 수효로 나누는 뜻을 나타내는 보조사. ¶ 세 개~ 나누어 주다. ② 수량 등을 나타내는 말 뒤에 붙어, '제각기'의 뜻을 나타내는 보조사. ¶ 하나~ 둘~ 떼를 지어 몰려가다 / 한 개에 얼마~ 합니까. ③ 크기나 정도를 나타내는 말 뒤에 붙어, 그와 거의 같음을 나타내는 보조사. ¶ 주먹만큼~ 한 돌멩이.
씩둑-거리다 자 공연한 말로 꼴사납게 지껄이다. **씩둑-씩둑** 부. ——-하다 자여불
씩둑-깍둑 부 ☞씩둑꺽둑.
씩둑-꺽둑 부 이런 말 저런 말로 씩둑거리는 모양. ¶ 익은 밥 먹고 선 소리를 ~하는데…《作者未詳: 浮碧樓》. ——-하다 자여불
씩둑-대다 자 씩둑거리다.
씩쉴-거리다 자 〈방〉씩둑거리다. **씩쉴-씩쉴** 부. ——-하다 자
씩:씩 부 숨이 가빠서 세게 쉬는 소리. ᄼ식식. >쌕쌕. ——-하다 자여불
씩:씩-거리다 자 숨을 가쁘게 계속해서 세게 쉬다. 또, 씩씩하는 숨소리를 자꾸 내다. ᄼ식식거리다. >쌕쌕거리다.
씩:씩-대다 자 씩씩거리다.
씩씩-하다 형여불 굳세고 위엄이 있다. 용감하다.
씩-잖다 [ㅡ잔타] 형 ↗씨식잖다.
씩퉁-이 명 〈방〉식충이(평안).
씪다 타 〈방〉씻다(경상).
씬-나물 명 〈방〉〖식〗씀바귀(경상).
씬냉이 명 〈방〉〖식〗냉이(경남).
씬당 명 〈방〉여승(女僧)(경남).
씬중 명 〈방〉신중[1](강원·전라·경상).
씰가리 명 〈방〉시래기(전라).
씰가지 명 〈방〉〖동〗살쾡이(전남·경남).
씰개 명 〈방〉쓸개(경기·강원·충청·전라·경상).
씰개이 명 〈방〉〖동〗살쾡이(경남).
씰갱이 명 〈방〉〖동〗살쾡이(경남).
씰굉이 명 〈방〉〖동〗살쾡이(경남).
씰그러-뜨리다 타 한쪽으로 삐뚤어지게 하거나 기울어지게 하다. 씰그러지게 하다. ᄼ실그러뜨리다. >쌜그러뜨리다.
씰그러-지다 자 한쪽으로 삐뚤어지거나 기울어지다. ᄼ실그러지다. >쌜그러지다.
씰그러-트리다 타 씰그러뜨리다.
씰긋-거리다 자타 씰그러질 듯이 계속해서 움직이다. 또, 씰그러지게 자꾸 움직이다. ᄼ실긋거리다. >쌀긋거리다·쌜긋거리다. **씰긋-씰긋** 부. ——-하다 자타여불
씰긋-대다 자타 씰긋거리다.
씰긋-쌜긋 부 씰긋거리고 쌜긋거리는 모양. ᄼ실긋샐긋. ——-하다 자타여불
씰긋-하다 형여불 물건이 한쪽으로 조금 삐뚤어져 있다. ᄼ실긋하다. >쌀긋하다·쌜긋하다.
씰기죽-거리다 자 씰그러지게 계속해서 천천히 움직이다. ᄼ실기죽거리다. >쌜기죽거리다. **씰기죽-씰기죽** 부. ——-하다 자여불
씰기죽-대다 자 씰기죽거리다.
씰기죽-쌜기죽 부 씰기죽거리고 쌜기죽거리는 모양. ᄼ실기죽샐기죽. ——-하다 자타여불
씰기죽-이 부 씰기죽하게.
씰기죽-하다 형여불 물건이 약간 씰그러져 있다. ᄼ실기죽하다. >쌜기죽하다.
씰다 타 〈방〉쓸다[1](경상).
씰룩 부 근육의 일부분이 또는 일부분을 갑자기 움직이는 모양. ᄼ실룩. >쌜룩. ——-하다 자타여불
씰룩-거리다 자타 연하여 씰룩하다. 또, 연하여 씰룩씰룩 움직이게 하다. ᄼ실룩거리다. >쌜룩거리다. **씰룩-씰룩** 부. ——-하다 자타여불
씰룩-대다 자타 씰룩거리다.
씰룩-쌜룩 부 씰룩거리면서 쌜룩쌜룩하는 모양. ᄼ실룩샐룩. ——-하다 자타여불
씰씨리 명 〈방〉〖충〗쓰르라미(함경).
씰씰-하다 형 〈방〉쓸쓸하다.
씰쭉 부 ①어떤 감정을 나타내면서 입이나 눈을 씰그러뜨리는 모양. ②마음에 차지 않아서 매우 아니꼬워하는 태도를 드러내는 모양. 1)·2): ᄼ씰쭉. >쌜쭉. ——-하다 자타형여불
씰쭉-거리다 자타 ①어떤 감정으로 입이나 눈이 자꾸 씰그러지다. ②마음에 차지 않아서 매우 아니꼬워하는 태도를 자주 드러내다. 1)·2): ᄼ실쭉거리다. >쌜쭉거리다. **씰쭉-씰쭉** 부. ——-하다 자타여불
씰쭉-대다 자타 씰쭉거리다.
씰쭉-쌜쭉 부 씰쭉거리고 쌜쭉거리는 모양. ᄼ실쭉샐쭉. ——-하다 자타여불
씰쭉-이 부 씰쭉하게.
씱 명 〈방〉〖동〗팽이.
씱팽이 명 〈방〉〖동〗살쾡이.
씸: 명 〈방〉수염[3](경남).

씸증 명 ☞심술. ¶~이 왈칵 나다.
씹 명 ①어른의 보지. ↔좆. ②〈속〉성교(性交). ——-하다 자여불
씹-거웃 명 여자의 씹두덩에 나는 털.
씹-구멍 명〈속〉씹❶.
씹는 담:배 명 씹어서 향기를 음미하는 담배. 압착하여 굳힌 담뱃잎에 향미·색깔 등을 넣고 과자 모양으로 만들었음.
씹다[1] 타 ①입에 넣어 이로 깨물어서 잘게 만들다. ¶밥을 잘 씹어 먹다. ②남을 헐뜯어 말하다. ¶동료 사원을 ~. ③같은 내용을 되풀이하여 말하다. ¶부탁의 말을 씹고 또 씹으며…. ④억지로 참고 견디다. ¶이맛살을 찌푸리고 침묵을 씹고 있었다.
씹다[2] 형〈방〉쓰다[7](전남·경상).
씹-두덩 명 씹 언저리의 두두룩한 곳.
씹-싸개 명〈방〉개짐.
씹어-뱉다 타 ①씹어서 뱉다. ¶껌을 ~. ②마땅치 않아서 말을 입 밖으로 밀어내듯이 하다. ¶씹어뱉듯이 한 마디 던졌다.
씹-조개 명〖조개〗펄조개.
씹히다 ㊀ 피동 ①씹음을 당하다. ②남에게 씹는 말을 듣다. ㊁ 사동 씹게 하다.
씻-가시다 타 씻어서 가시다. 그릇을 물로 깨끗이 씻어서 더러운 것이 없게 가시다. ¶상·하촌 대조적인 관습은 좀처럼 씻가시지 않았다 ≪吳有權: 방앗골 혁명≫.
씻기다 ㊀ 피동 씻음을 당하다. ㊁ 사동 씻게 하다.
씻기-병【一瓶】명〔wash bottle〕〖화〗화학 실험 세척(洗滌)을 위한 액(液)을 넣어서 시험 재료(試驗材料)에 용이하게 뿜을 수 있게 한 병. 입으로 뿜는 것, 고무공을 눌러서 뿜어 내는 것 등이 있음. 분석(分析) 화학에서 많이 쓰임. 세병(洗甁). 세척병.
씻김-굿 명〖민〗호남 지방에서, 죽은 사람의 영혼의 부정(不淨)을 깨끗이 씻어 주어 극락 왕생(極樂往生)하게 하고, 자손의 복을 비는 굿. 조왕(竈王)굿·성주굿·삼신(三神)굿·혼(魂)마중·영(靈)돌이·오귀(惡鬼)물림·손굿·큰넋·고(苦)풀이·씻김·길닦음·오방(五方)치기·거리굿의 열 세 거리로 이루어짐.
씻김 염:불【一念佛】[一념一] 명〖민〗씻김굿을 할 때 하는 염불.
씻다 타 ①물로 더러운 것을 없애어 깨끗하게 하다. ②물건에 묻은 것을 없어지게 닦아 내다. ¶얼굴의 땀을 ~. ③누명을 벗다. ¶오명(汚名)을 ~. ④원한 따위를 풀다. ¶원한을 ~.
[씻어 놓은 흰 죽사발 같다] 생김새가 허여멀쑥한 젊은이를 두고 하는 말. [씻은 배추 줄기 같다] 얼굴이 희고 키가 헌칠한 사람을 가리키는 말. [씻은 팥알 같다] 외양이 말쑥하고 똑똑한 사람을 이르는 말.
씻-부시다 타 그릇 같은 것을 씻어서 깨끗이 하다.
씻어 내:다 타 씻어서 더러운 것을 떨어버려 깨끗이 하다.
씻어 버리다 타 ①씻어서 깨끗하게 만들다. ②누명 따위를 벗어버리다.
씻은듯 부신듯 부 아무것도 남지 않은 모양.
씻은 듯이 부 아주 깨끗하게. ¶~ 먹어 버리다. *씻은듯 부신듯.
씽 부 나뭇가지나 전선(電線) 같은 것에 부딪치는 세찬 바람 소리. >쌩.
씽그레 부 은근한 태도로 부드럽게 눈웃음치는 모양. ㅡ싱그레. >쌩그레. ——-하다 자여불
씽글-거리다 자 은근한 태도로 연해 부드럽게 눈웃음치다. ㅡ싱글거리다. >쌩글거리다. 씽글-씽글 부. ——-하다 자여불
씽글-대다 자 씽글거리다.
씽글-뻥글 부 씽글거리고 뻥글뻥글하는 모양. ㅡ싱글벙글. >쌩글빵글. ——-하다 자여불 「>쌩긋. ——-하다 자여불
씽긋 부 은근한 태도로 가볍게 얼핏 눈웃음치는 모양. ㅡ싱긋. ㅆ씽끗.
씽긋-거리다 자 은근한 태도로 계속해서 가볍게 눈웃음치다. ㅡ싱긋거리다. ㅆ씽끗거리다. >쌩긋거리다. 씽긋-씽긋 부. ——-하다 자여불
씽긋-대다 자 씽긋거리다.
씽긋-뻥긋 부 씽긋거리면서 뻥긋뻥긋하는 모양. ㅡ싱긋빙긋. ㅆ씽끗뻥끗. >쌩긋뻥긋. ——-하다 자여불 「이. >쌩긋이.
씽긋-이 부 은근한 태도로 지그시 눈웃음치는 모양. ㅡ싱긋이. ㅆ씽끗
씽긔다 자〈옛〉찡기다. =삥긔다. ¶ᄂᆞᆺ치 근심ᄒᆞ고 눈섭이 씽긔여시면(面愁而眉皺)≪無寃錄 Ⅲ:33≫.
씽끗 부 은근한 태도로 가볍게 슬쩍 눈웃음치는 모양. ㅡ싱긋·싱끗·씽긋. >쌩끗. ——-하다 자여불
씽끗-거리다 자 은근한 태도로 계속해서 가볍게 눈웃음치다. ㅡ싱긋거리다·싱끗거리다·씽긋거리다. >쌩끗거리다. 씽끗-씽끗 부. ——-하
씽끗-대다 자 씽끗거리다. ㄴ다 자여불
씽끗-뻥끗 부 씽끗거리면서 뻥끗거리는 모양. ㅡ싱긋빙긋·싱끗빙끗·씽긋뻥긋. >쌩끗빵끗. ——-하다 자여불 「씽긋이. >쌩끗이.
씽끗-이 부 은근한 태도로 지그시 눈웃음치는 모양. ㅡ싱긋이·싱끗이·
씽:-씽 부 ①나뭇가지나 전선(電線) 같은 데에 계속해서 세게 부딪치는 바람 소리. >쌩쌩. ②씽씽매미의 우는 소리.
씽씽-매미 명〖충〗털매미.
씽씽-이 명 ①〈방〉씽씽매미. ②〈소아〉씽씽 달린다는 뜻으로, 아이들의 장난감 수레 스쿠터를 일컫는 말.
씽씽-하다 형여불 썩 생기가 왕성하다. ㅡ싱싱하다. >쌩쌩하다.
씽훼이 명〈방〉식충이(함경).
씾다 타〈방〉씻다(경기·충청·전라·경북). 「釋 Ⅰ:44≫.
ᄊᆞ다[1] 타〈옛〉쌓다. =ᄡᆞ다[2]. ¶瞻婆城을 ᄊᆞ니, 城ᄊᆞ사리ᄅᆞᆯ 始作ᄒᆞ니≪月
ᄊᆞ다[2] 형〈옛〉①비싸다. ¶빗 갑시 ᄊᆞ던가 디던가(布價高低麽)≪老乞 上 8≫. ②싸다[5]. ¶ᄯᅩ 바ᄅᆞᆯ 이려 又 旃檀香올 비ᄒᆞ니 이 香六銖ㅣ 갑시 娑婆世界 ᄊᆞ더니 부텨를 供養ᄒᆞ숩고≪月釋 ⅩⅧ:29≫.
ᄊᆞ다[3] 형〈옛〉빠르다. ¶소문에 굴오ᄃᆡ 겨집의 족 쇼음믹이 심히 ᄊᆞᄂᆞ니ᄂᆞᆫ ᄌᆞ식 빈 믹이라(素門曰婦人足少陰脈動甚者發姙子也)≪胎産集要 8≫. 「61章≫.
-ᄊᆞᆸ- 선어미〈옛〉-삽-. =-ᅀᆞᆸ-. ¶일후믈 저ᄊᆞᄫᅡ놀(旣畏名號)≪龍歌
ᅀ[1]〔반시옷〕옛 자음(子音)의 하나. 혀의 앞 바닥을 입천장의 앞 바닥에 마주 닿을락 말락 하게 올리는 동시에 목에서 나오는 소리가 입 안을 울리면서 혀 끝과 입 천장 사이로 갈아 나오려 할 때 나는 유성음. 받침으로 그칠 때에는 혀의 앞 바닥과 입천장의 앞 바닥이 아주 맞닿아서 숨길을 막는 소리로 'ㄷ'에 가까운 소리가 됨. 반치음(半齒音)으로, 'ㅅ'과 'ㅇ'의 중간으로 생각되며, 임진 왜란 이후 쓰지 않았음. ¶ᅀᆞᆫ 半니쏘리니 穰ᅀᅣᇰᄀ字ᄍᆞᆼ 처ᅀᅥᆷ 펴아나ᄂᆞᆫ 소리ᄀᆞᄐᆞ니라≪訓諺≫.
ᅀ[2] 조〈옛〉의. 소유를 나타내는 사잇소리. ¶英主ᅀ 알ᄑᆡ ≪龍歌 16章≫
ᅀᅡ 조〈옛〉야. 체언·조사·용언의 어미에 붙어 강세(強勢)를 나타냄. ¶네가ᅀᅡ ᄒᆞ리라커시ᄂᆞᆯ(汝必往哉)≪龍歌 94章≫.
ᅀᅡᆷ다 타〈옛〉삼다. ¶ᅀᅵᆫ졍ᅀᅡ마 가(做人情去)≪朴解 上 67≫.
ᅀᅥᆯᅀᅥᆯ 부〈옛〉설설. ¶活潑潑ᄋᆞᆫ ᅀᅥᆯᅀᅥᆯ 흐르는 믌겨레 비취ᄂᆞᆫ 비츨 닐온 마리니≪蒙法 43≫.
ᅀᅥᆷᅀᅥᆷ 부〈옛〉아른아른. 아물아물. ¶陽燄ᄋᆞᆫ 陽氣 ᅀᅥᆷᅀᅥᆷ 노ᄂᆞᆫ 거시니 거즛 거시라≪金三 Ⅴ:27≫.
-ᅀᆞᆸ고져 어미〈옛〉-옵고자. ¶나ᄅᆞᆯ 에엿비 너기샤 내 사로믈 비ᅀᆞᆸ고져 ᄒᆞ실ᄲᅮᆫ이언뎡(哀臣欲爲其生耳)≪飜小 Ⅸ:46≫.
-ᅀᆞᆸ디 어미〈옛〉-옵지. ¶ᄯᅩ 다시곰 소기ᅀᆞᆸ디 몯ᄒᆞᆯ 거시라 ᄒᆞ고(不可重爲欺罔也)≪飜小 Ⅸ:43≫.
ᅀᅭ 명〈옛〉요. ¶깁소옴ᅀᅭᄒᆞᆯ 가ᄌᆞᆯ불띠라(則譬繪纊褥)≪妙蓮 Ⅱ:243≫.
ᅀᅭᄒᆞ다 타〈옛〉용서하다. ¶願ᄒᆞᆫᄃᆞᆫ 우리 罪ᄅᆞᆯ ᅀᅭᄒᆞ샤 뎌와 겻구아 맛보게 ᄒᆞ쇼셔≪月釋 Ⅱ:70≫. 「≪三綱 孝子≫.
ᅀᅭᄒᆞᆯ 〈옛〉요를. 'ᅀᅭ(褥)'의 목적격형. ¶ᅀᅭᄒᆞᆯ 포 ᄭᆞᆯ오 안ᄌᆞ며(累裀而坐)
ᅀᅭᆨᄃᆞᄫᆡᆫ 형〈옛〉욕된. ¶忍辱ᄋᆞᆫ 辱ᅀᅭᆨᄃᆞᄫᆡᆫ 일 ᄎᆞᆷᄂᆞᆯ씨오≪月釋 Ⅱ:25≫.
ᅀᅲᇇ 명〈옛〉윷. ¶ᅀᅲᇇ 뎌(摴), ᅀᅲᇇ놀 탄(攤)≪字會 下 22≫. 「11≫.
ᅀᅵ십리 명〈옛〉이십리(二十里). ¶ᅀᅵ십릿 ᄯᅡ히니(二十里地) ≪朴解 上
ᅀᅵᆫᄉᆡᆨ 모ᄅᆞ다 자〈옛〉인사 불성(人事不省)되다. ¶과ᄀᆞ리 ᄇᆞᄅᆞᆷ마자 ᄎᆞ미 올아 다와텨 아독ᄒᆞ야 ᅀᅵᆫᄉᆡᆨ 모ᄅᆞ거든(卒中風涎潮昏塞不知人) ≪救簡 Ⅰ:4≫.
ᅀᅵᆫ졍 명〈옛〉인정(人情). ¶ᅀᅵᆫ졍ᅀᅡ마가(做人情去)≪朴解 上 67≫.
-ᅀᆞᄫᅡ 어미〈옛〉①-와. ¶我后를 기드리ᅀᆞᄫᅡ(徯我后)≪龍歌 10章≫. ②-사와. ¶ᄊᆡ를 金函애 담ᅀᆞᄫᅡ 塔 세여 供養ᄒᆞᅀᆞᆸ더라≪月釋 Ⅹ:14≫.
-ᅀᆞᄫᅡᄂᆞᆯ 어미〈옛〉-옵거늘. '-ᅀᆞᆸ-'과 '-아ᄂᆞᆯ'이 합한 것. ¶일후믈 놀라ᅀᆞᄫᅡᄂᆞᆯ(旣驚名號)≪龍歌 60章≫.
-ᅀᆞᄫᆞᆫ 어미〈옛〉-온. ¶부텨 몯 보ᅀᆞᄫᆞᆫᄃᆞ 오라더니≪釋譜 Ⅺ:10≫.
-ᅀᆞᄫᆡᆺ거늘 어미〈옛〉-와 있거늘. -옵거늘. '-ᅀᆞᆸ다'의 활용형. ¶天龍夜叉 人非人等 無量大衆이 恭敬ᄒᆞ야 圍繞ᄒᆞᅀᆞᄫᆡᆺ거늘≪釋譜 Ⅸ:1≫.
-ᅀᆞᄫᆡᆺ더니 어미〈옛〉-와 있더니. -옵더니. '-ᅀᆞᆸ다'의 활용형. ¶ᄒᆞᆫ ᄆᆞᅀᆞᄆᆞ로 부텨를 보ᅀᆞᄫᆡᆺ더니≪釋譜 ⅩⅢ:13≫. 「Ⅱ:17≫.
-ᅀᆞᄫᆞ- 보간〈옛〉-오-. -옵-. ¶占者ㅣ 判ᄒᆞᅀᆞᄫᆞᄃᆡ 聖子ㅣ 나샤≪月釋
-ᅀᆞᄫᆞ니 어미〈옛〉-오니. '-ᅀᆞᆸ다'의 활용형. ¶我聞ᄒᆞᅀᆞᄫᆞ니≪阿彌 1≫.
-ᅀᆞᄫᆞᄃᆡ 어미〈옛〉-옵되. '-ᅀᆞᆸ다'의 활용형. ¶아ᅀᆞᄫᆞᄃᆡ 나ᅀᅡ오니(知亦進當)≪龍歌 51章≫. 「더라≪月釋 Ⅱ:64≫.
-ᅀᆞᄫᆞ라 어미〈옛〉-오라. '-ᅀᆞᆸ다'의 활용형. ¶부텨ᄭᅴ 歸依ᄒᆞᅀᆞᄫᆞ라 ᄒᆞ
-ᅀᆞᄫᆞ리라 어미〈옛〉-오리라. '-ᅀᆞᆸ다'의 활용형. ¶우리도 眷屬 ᄃᆞ외ᅀᆞᄫᅡ 法 비호ᅀᆞᄫᆞ리라 ᄒᆞ고≪月釋 Ⅱ:24≫. 「Ⅷ:80≫.
-ᅀᆞᄫᆞᆷ 어미〈옛〉-옴. '-ᅀᆞᆸ다'의 활용형. ¶뫼ᅀᆞᄫᆞᄆᆞᆯ 請ᄒᆞ시니 ≪月釋
-ᅀᆞᄫᆞ- 보간〈옛〉-오-. -옵-. ¶모다 平等王ᄋᆞᆯ 셰ᅀᆞᄫᆞ니≪月釋 Ⅰ:45≫.
-ᅀᆞᄫᆞ니 어미〈옛〉-오니. '-ᅀᆞᆸ-'과 '-ᄋᆞ니'가 합한 것. ¶絶世英才ᄅᆞᆯ 邊人이 拜伏ᄒᆞᅀᆞᄫᆞ니≪龍歌 23章≫. 「ᅀᆞᄫᆞ니라≪月釋 Ⅰ:7≫.
-ᅀᆞᄫᆞ니라 어미〈옛〉-오니라. '-ᅀᆞᆸ다'의 활용형. ¶사ᄅᆞᆷ브려 쏘아 주기
-ᅀᆞᄫᆞ려 어미〈옛〉-오료. -올 것인가. '-ᅀᆞᆸ다'의 활용형. ¶四生ᄋᆞᆯ 거려 濟度ᄒᆞ신 功德을 어루 이긔여 기리ᅀᆞᄫᆞ려(濟四生 功德 可勝讚哉)≪月釋 序 9≫.
-ᅀᆞᄫᆞ리 어미〈옛〉-오리. '-ᅀᆞᆸ-'과 '-ᄋᆞ리'가 합한 것. ¶뉘 아니 ᄉᆞ랑ᄒᆞᅀᆞᄫᆞ리(孰不依思)≪龍歌 78章≫.
-ᅀᆞᄫᆞ며 어미〈옛〉-오며. '-ᅀᆞᆸ다'의 활용형. ¶차반 가져와 夫人ᄭᅴ 供養ᄒᆞᅀᆞᄫᆞ며≪月釋 Ⅱ:30≫.
-ᅀᆞᄫᆞ면 어미〈옛〉-오면. '-ᅀᆞᆸ다'의 활용형. ¶모딘 사ᄅᆞᆷ 보ᅀᆞᄫᆞ면 降服ᄒᆞ야 저ᅀᆞᆸ고≪月釋 Ⅱ:59≫.
-ᅀᆞᄫᆞ쇼셔 어미〈옛〉-오소서. -옵소서. '-ᅀᆞᆸ다'의 활용형. ¶귀예 듣논가 너기ᅀᆞᄫᆞ쇼셔≪月釋 Ⅰ:2≫.
-ᅀᆞᄫᆞ시고 어미〈옛〉-옵시고. -오시고. '-ᅀᆞᆸ다'의 활용형. ¶釋迦 菩薩이 藥 킈라 가 보ᅀᆞᄫᆞ시고≪月釋 Ⅰ:52≫.
-ᅀᆞᄫᆞᆫ 어미〈옛〉-온. -시온. '-ᅀᆞᆸ다'의 활용형. ¶各各 뫼ᅀᆞᄫᆞ니 보내샤 世尊ᄭᅴ 安否 묻ᄌᆞᄫᆞ시더니≪月釋 ⅩⅪ:9≫.
-ᅀᆞᄫᆞᆫᄃᆞᆯ 어미〈옛〉-온들. '-ᅀᆞᆸ-'과 '-ᄋᆞᆫᄃᆞᆯ'이 합한 것. ¶하리로 말이ᅀᆞᄫᆞᆫᄃᆞᆯ(沮以讒說)≪龍歌 26章≫.
-ᅀᆞᄫᆞᆯ 어미〈옛〉-사올. -사옵는. '-ᅀᆞᆸ다'의 활용형. ¶推戴ᄂᆞᆫ 님금 삼ᅀᆞᄫᆞᆯ 씨라≪三綱 忠臣 夢周隕命≫.
-ᅀᆞᄫᆞᆯ까 어미〈옛〉-올까. '-ᅀᆞᆸ다'의 활용형. ¶그려ᅀᅡ 아ᅀᆞᄫᆞᆯ까(豈待書識)≪龍歌 43章≫.
-ᅀᆞᄫᆞᇙ 어미〈옛〉-올. -옵는. '-ᅀᆞᆸ다'의 활용형. ¶讚歎ᄒᆞᅀᆞᄫᆞᇙ 소리 天地 드러치며 하ᄂᆞᆳ 香이 섯버므러≪月釋 Ⅱ:52≫.
-ᅀᆞ오니 어미〈옛〉-오니. '-ᅀᆞᆸ다'의 활용형. ¶拾遺로 일즉 두어 ᄌᆞᆷ 그를 올이ᅀᆞ오니(拾遺曾奏數行書)≪初杜諺 ⅩⅫ:13≫.
-ᅀᆞ오니라 어미〈옛〉-오니라. '-ᅀᆞᆸ다'의 활용형. ¶信受ᄒᆞ야 奉行ᄒᆞᅀᆞ오니라(信受奉行)≪圓覺 下 三之二 93≫.

-ᄉᆞ오ᄃᆡ 어미 〈옛〉-옵되. '-ᅀᆞᆸ다'의 활용형. ¶答ᄒᆞᄉᆞ오ᄃᆡ≪內訓 Ⅱ: 25≫.

「13≫.

-ᄉᆞ오리라 어미 〈옛〉-오리라. ¶如來ᄅᆞᆯ 보ᄉᆞ오리라 ᄒᆞ시니≪金剛 後序

-ᄉᆞ오리이다 어미 〈옛〉-올 것입니다. ¶世尊하 身相ᄋᆞ로 如來ᄅᆞᆯ 서리(시러) 보ᅀᆞᆸ디 몯ᄒᆞᄉᆞ오리이다 ᄒᆞ니라(不也世尊하 不可以身相으로 得見如來이다ᄒᆞ니라)≪金剛 上 30≫.

-ᄉᆞ오릴ᄊᆡ 어미 〈옛〉-올 것이므로. ¶ᄒᆞ다가 아릿 慧 업수면 讀誦호미 비록 하나 부텻 ᄠᅳᆮ 아디 몯ᄒᆞᄉᆞ오릴ᄊᆡ≪金剛 序 6≫.

-ᄉᆞ오며 어미 〈옛〉-오며. '-ᅀᆞᆸ다'의 활용형. ¶님금 셤기ᄉᆞ오며(事君)≪內訓 Ⅰ:3≫.

-ᄉᆞ오ᄆᆞᆫ 어미 〈옛〉-옴은. '-ᅀᆞᆸ다'의 활용형.¶묻ᄌᆞ와 詰難 ᄒᆞᄉᆞ오ᄆᆞᆫ 諸法을 ᄒᆞ마 ᄇᆞᆯ기면(問難者 諸法旣明)≪楞嚴 Ⅳ:65≫.

-ᄉᆞ오ᄆᆞᆯ 어미 〈옛〉-옴을. '-ᅀᆞᆸ다'의 활용형. ¶그듸의 能히 님금 ᄉᆞ랑ᄒᆞᄉᆞ오ᄆᆞᆯ 嗟嘆ᄒᆞ고(嘆君能戀主)≪初杜諺 XXIII:42≫.

-ᄉᆞ온 어미 〈옛〉 -온. '-ᅀᆞᆸ다'의 활용형. ¶牒ᄒᆞ야 詰難ᄒᆞᄉᆞ온 젼ᄎᆞ로(牒難故)≪楞嚴 Ⅳ:132≫.

-ᄉᆞ온대 어미 〈옛〉-온대. -오니까. -온즉. '-ᅀᆞᆸ다'의 활용형. ¶부텻긔 가ᄉᆞ온대 그ᄢᅴ 世尊이 金色 ᄇᆞᆯᄒᆞᆯ 펴샤≪靈驗 18≫.

-ᄉᆞ온ᄃᆞᆫ 어미 〈옛〉-온댄. '-ᅀᆞᆸ다'의 활용형. ¶ᄇᆞ라ᄉᆞ온ᄃᆞᆫ 和尙이 慈悲로 弟子ᄋᆡ 죠고맛 智慧 잇ᄂᆞᆫ 돌 뵈시ᄂᆞ니잇가(望和尙慈悲看弟子有少智慧否)≪六祖 上 19≫.

-ᄉᆞ온ᄃᆡᆫ 어미 〈옛〉-온댄. -오니까는. -온즉슨. '-ᅀᆞᆸ다'의 활용형. ¶願ᄒᆞᄉᆞ온ᄃᆡᆫ 慈悲로 어엿비 너기샤 드르쇼셔(唯願慈悲哀愍聽許)≪佛頂 上 1≫.

-ᄉᆞ올 어미 〈옛〉-올. '-ᅀᆞᆸ다'의 활용형. ¶福 비ᄉᆞ올 ᄯᅡᄒᆞᆯ 삼고져 ᄒᆞᅀᆞᆸ다소니(以爲祝釐之所)≪勸善≫.

-ᄉᆞ옴 어미 〈옛〉-옴. '-ᅀᆞᆸ다'의 활용형. ¶부텨 보ᄉᆞ옴도 ᄯᅩ 그러니라 ᄒᆞ시니라(觀佛亦然)≪圓覺 下 二之一 23≫.

-ᄉᆞ와 어미 〈옛〉-와. '-ᅀᆞᆸ다'의 활용형. =-ᄉᆞᄫᅡ. ¶부테 ᄠᅳ들 恭敬ᄒᆞᄉᆞ와 順ᄒᆞ샤≪妙蓮 Ⅴ:3≫.

-ᅀᆞᆸ- 보간 〈옛〉-옵-. 경어법의 보조 어간. 어간 끝음이 모음이거나 'ㄴ·ㅁ·ㄹ'이고, 어미 첫음이 자음일 때 쓰임. ¶赤島 안햇움흘 至今에 보ᅀᆞᆸᄂᆞ니(赤島陶穴 今人猶視)≪龍歌 5章≫.

-ᅀᆞᆸ고 어미 〈옛〉-옵고. '-ᅀᆞᆸ다'의 활용형. ¶弓劍 ᄎᆞᅀᆞᆸ고(常佩弓劍)≪龍歌 55章≫.

-ᅀᆞᆸ노니 어미 〈옛〉-옵나니. '-ᅀᆞᆸ다'의 활용형.¶三月安居ᄒᆞᅀᆞᆸ노니≪圓覺 下 三之二 36≫.

-ᅀᆞᆸ노이다 어미 〈옛〉-옵나이다. -옵니다. '-ᅀᆞᆸ다'의 활용형. ¶唯然世尊하 듣ᄌᆞᆸ고져 願樂ᄒᆞᅀᆞᆸ노이다(唯然世尊하 願樂欲聞ᄒᆞᅀᆞᆸ노이다)≪金剛 上 13≫.

「歌 5章≫.

-ᅀᆞᆸᄂᆞ니 어미 〈옛〉-옵느니. '-ᅀᆞᆸ다'의 활용형. ¶至今에 보ᅀᆞᆸᄂᆞ니≪龍

-ᅀᆞᆸᄂᆞᆫ 어미 〈옛〉-옵는. ¶唯然은 對答ᄒᆞᅀᆞᆸᄂᆞᆫ 마리오≪金剛 上 13≫.

-ᅀᆞᆸ다 어미 〈옛〉 -옵다. ¶至今에 보ᅀᆞᆸᄂᆞ니(今人猶視)≪龍歌 5章≫/아ᅀᆞᆸ고 믈러가니(識斯退歸)≪龍歌 51章≫.

-ᅀᆞᆸ더니 어미 〈옛〉-옵더니. '-ᅀᆞᆸ다'의 활용형. ¶侯國이 오ᅀᆞᆸ더니(侯國斯來)≪龍歌 66章≫.

-ᅀᆞᇦ- 보간 〈옛〉-오-. 경어법의 보조 어간. 어미 첫음이 모음일 때 쓰임. ¶天子ㅿ ᄆᆞᅀᆞᄆᆞᆯ 뉘 달애ᅀᆞᄫᆞ리(維帝之衷誰誘誰導)≪龍歌 85章≫.

ㅇ (이응) ①한글 자모(字母)의 여덟째 글자. ②〖언〗 자음(子音)의 하나. 음절(音節)의 첫소리로서는, 목구멍과 함께 콧구멍을 울리지 아니할 정도로 열어 장차 모음을 완전한 음절이 되게 내려는 흐린 음가(音價)이며, 음절의 받침에서는, 혀뿌리로 입천장의 뒤끝 목젖이 달린 곳을 막고, 목에서 나오는 소리를 콧구멍 안으로 보내어 거기서 울리는 탁음(濁音)임. 곧, 첫소리에서는 실제 음가가 없음과 같고, 받침에서는 'ㄱ'의 콧구멍 울림 소리가 됨. ③〈옛〉 첫소리에서나 받침에서나 다 목구멍과 콧구멍을 함께 열 때의 음가(音價). ¶ ㅇ는 목 소리니 欲욕字ᄍᆞᆼ처ᅀᅥᆷ 펴아나ᄂᆞᆫ 소리 ᄀᆞᄐᆞ니라 ≪訓諺≫.

-ㅇ 미 〈옛〉 성조(聲調)를 부드럽게 하기 위하여 붙이는 음(音). ¶ 뻬 만흔 골며기ᄂᆞᆫ 오명 가명 ᄒᆞ거든 ≪古時調 李滉≫.

아[1] 명 〖언〗 한글의 모음(母音) 글자 'ㅏ'의 이름.

아[2]【牙】 명 성(姓)의 하나. 우리 나라에는 현존하지 아니함.

아:[3]【我】 명 ①〖불교〗 내아(內我). ②나. 자신(自身).

아[4]【亞】 명 〖지〗 ↗아세아. ¶ ~주(洲).

아[5]【阿】 명 성(姓)의 하나. 현존하나 본관(本貫) 미상임.

아[6]【阿】 명 〖지〗 ↗아불리가(阿弗利加). ¶ 남~ 연방(南阿聯邦).

아:[7]【雅】 명 〖악〗 아악에서, 무무(武舞)의 장단을 짚어 주는 옛 북의 하나. 두 손으로 북의 허리 부분에 달린 끈을 쥐고 북으로 땅을 쳐서 춤 장단을 짚어 줌. 지금은 전하지 않음. 아고(雅鼓).

아[8] 감 ①놀람·당황·초조 등을 나타내거나 또는 급한 때에 내는 소리. ¶ ~, 깜짝이야/~, 알았다/~, 깜빡 잊었군. ②상대자의 주의를 일으키는 말에 앞서 내는 소리. ¶ ~, 이 사람아/~, 자네 좀 보세/~, 그래서야 되는가. ③ 기쁨·슬픔·칭찬·뉘우침·귀찮음 또는 절실한 느낌을 나타낼 때에 내는 소리. ¶ ~, 슬프도다/~, 세월도 잘 간다/~ 언제나 고향에 돌아갈 수 있을까. 1)-3): <어[7].

[아 해 다르고 어 해 다르다] 같은 내용의 이야기도 이렇게 말하여 다르고 저렇게 말하여 다르다는 말.

아[9] 조 받침 있는 명사 아래에 붙어 손아랫사람이나 물건·짐승 따위를 부를 때에 쓰는 호격 조사. ¶ 복동~/달~ 달~ 밝은 달~/바둑~, 이리 오너라. *야[7].

아[10] 조 〈옛〉 야. ¶ 쇠오ᄂᆞᆫ 거슨 이 거즛 거시오 갑ᄂᆞᆫ 거시아 이 실ᄒᆞ니라 (計的是虛還的是實)≪朴解 中 37≫. *ᅀᅡ.

아[11] 조 〈옛〉 의문(疑問)을 나타내는 조사. ㄴ가. 인가. ('가→아'의 현상은 어간의 말음(末音)이 ㄹ음이나 모음(母音)일 경우 'ㄱ'음이 묵음(默音)되는 현상임). =가[11]. ¶ 네네고 흘마ᄐᆞ라 香가 臭아≪楞嚴 Ⅲ:46≫/이ᄂᆞᆫ 賞가 罰아≪蒙法 53≫.

아:-【亞】 두 ①'다음 가는·차위(次位)·차류(次類)'의 뜻. ¶ ~열대(熱帶). ②생물(生物) 분류 계급(分類階級)에 부차적(副次的)으로 쓰는, 그 아래 계급과의 중간(中間)을 나타내는 말. ¶ ~강(綱)/~목(目). ③〖화〗 '무기산(無機酸)의 산소 원자가 첫번째로 적다'는 뜻. ¶ ~황산(黃酸). * 과(過)-.

-아[1]【兒】 미 ①'어린 아이'의 뜻을 나타내는 말. ¶ 신생(新生)~. ②'남자다운 씩씩한 남아'의 뜻. ¶ 풍운~/기린~.

-아[2] 어미 끝음절이 'ㅏ'·'ㅗ'로 된 어간에 붙어 쓰이는 어미. 'ㅏ'를 끝음절로 한 어간에 받침이 없을 때에는 줄어지는 것이 원칙임. (가아서→가서, 사아서→사서, 자아야→자야). ①부사형을 이루는 연결 어미. ¶ 살~ 가다/좁~ 보이다. ②동사 어간에 붙어, 서술·의문·청유(請誘)·명령을 나타내고, 형용사에 붙어 서술·의문을 나타내는 반말의 종결 어미. ¶ 나 책보~/어디 가~/함께 보~/어서 제비를 뽑~/아이 좋~/그렇게 차~. *-어[2]·-여[2].

-아[3]【良】 어미 〈이두〉 '보아'의 -아.

아가[1] 명 ①〈소아〉아기. ¶ ~야, 이리 온. ②시부모가 신혼인 며느리를 부르는 말. 새아가.

아:가[2]【雅歌】 명 〔song of songs〕 〖성〗 〔원명은 Shir hasshirim 으로, '노래 중의 노래'라는 뜻〕 구약 성서 중의 한 책. 남녀간의 아름다운 연애를 찬미한 노래로, 문답체(問答體)로 되어 있음. 기원전 2-3 세기간의 작품으로 추정됨.

아가:[3] 〔agar〕 명 한천[3](寒天).

아가로오스 〔agarose〕 명 〖화〗 거의 황산기(黃酸基)를 함유하지 않은, 우무의 주성분을 이루는 다당류(多糖類).

아가리 명 ①〈속〉 입. ②그릇 등의, 속의 물건을 넣고 내고 하는 데. ¶ 주머니의 ~/병~/멱서리 ~에 짚을 채우다. 준가리.

아가리(를) 놀리다 구 〈속〉 '말을 하다'의 낮은 말.

아가리(를) 벌:리다 구 〈속〉 ㉠'울다'의 낮은 말. ㉡'말을 하다'의 낮은 말.

아가리-질 명 〈속〉 ①말질[2]. ②악다구니. ——-하다 자 여불

아가리-홈 명 〖건〗 판자나 널빤지 등을 끼워 맞추기 위하여 개탕질을 하여 깊게 판 홈.

아가멤논 〔Agamemnon〕 명 〖신〗 그리스 신화 중의 미케네(Mycenae)의 왕. 그리스군의 총수(總帥)로 트로이(Troy) 전쟁에 출정하여 개선하였으나 아내와 아내의 정부(情夫) 아이기스토스(Aigisthos)에게 암살되었음.

아가미 명 〖동〗 수서(水棲) 동물, 특히 어류에 발달한 호흡기. 보통, 장관벽(腸管壁)이 돌출(突出)하고, 여기에 혈관이 많이 분포하여 물 속의 산소를 취함. 산소 섭취 표면적을 크게 하기 위하여 빗 모양으로 되었고, 조개 같은 것은 몸 양쪽에 막상(幕狀)으로 늘어져 있음. 연체(軟體) 동물·환형(環形) 동물·갑각류(甲殼類)에도 발달하였음. *조름.

〈아가미〉

아가미-구멍 명 〖어〗 아감구멍.

아가미-덮개 명 〖어〗 아감딱지.

아가미-뚜껑 명 〖어〗 아감딱지.

아가미-뼈 명 〖어〗 아감뼈.

아가배 명 ①〈방〉 아가위(전라·경상·충청). ②〈방〉 아그배(충남·경북).

아가베 명 〈방〉 아그배(충남·경북).

아:가 사창【我歌査唱】 명 〔내가 부를 노래를 사돈(査頓)이 부른다는 뜻〕 책망을 들을 사람이 도리어 책망한다는 말.

아가시 〔Agassiz〕 명 〖사람〗 ①〔Alexander A.〕 스위스 태생의 미국의 동물학자·해양학자. ❷의 아들. 해삼·해파리·불가사리·산호초(珊瑚礁) 등 주로 바닷속의 하등 동물 및 심해 동물을 연구, 해양 생물의 발생학·형태학에 공헌하였음. 남아메리카 서안(西岸)·멕시코 만·대서양·태평양을 조사 탐험하고, 백악기(白堊紀)에는 카리브 해가 태평양의 한 만(灣)이었다고 결론을 내렸음. [1835-1910] ②〔Louis A.〕 스위스 태생의 미국의 박물학자(博物學者). 빙하(氷河)와 해양(海洋)의 연구가. 어류·화석(化石) 어류의 연구로도 유명함. 1836년경부터 알프스 빙하를 연구, 빙하 지질학(氷河地質學)의 기초를 쌓았음. 1846년 도미(渡美), 1853년에 하버드 대학의 동물학(動物學)·지질학(地質學) 교수를 지냄. [1807-73]

아가씨 명 ①여자 아이 또는 젊은 여자를 대접해서 부르는 말. ②손아래 시누이를 가리키는 말. 소저(小姐). *형님.

아가야 〔Achaia〕 명 〖성〗 그리스의 남부에 두었던 로마의 주명(州名). 대표적 도시는 아테네(Athene)와 고린도. 한때는 그리스 전토를 가리키기도 하였으나, 때로는 주(州)내의 대표적 교회인 고린도 교회를 가리키는 경우도 있음.

아가외 명 〈옛〉 아가위. ¶ 아가외 당(棠), 아가외 톄(棣)≪字會 上 11≫.

아가우 명 〈방〉 아가위(함경·경상·강원).

아가위 명 산사(山査)나무의 열매. 둥글고 맛이 시며 껍질이 단단한 열매로, 식용 또는 약용함. 당구자(棠毬子). 산사(山査). 산사자(山査子). ¶ ~ 화채.

아가위-나무 명 〖식〗 산사(山査)나무.

아가치 〔몽고 aghachi〕 명 〖역〗 고려 때 관직의 하나. 중국 원(元)나라의 영향을 받은 몽고식 관직으로, 그 임무는 자세히 알 수 없으나 일종의 위병(衛兵)으로 추측됨. 중국명은 아가적(阿加赤).

아가타【阿伽陀】 명 〔범 agada〕 〖불교〗 〔무병(無病)·불사약·건강 등의 뜻〕 모든 병을 고친다는 인도의 영약(靈藥). 불법(佛法)에 일체의 번뇌를 없애는 영묘한 힘이 있다고 함. 아가타약.

아가타-약【阿伽陀藥】 명 〖불교〗 아가타(阿伽陀).

아가판투스 〔Agapanthus〕 명 〖식〗 〔*Agapanthus umbellatus*〕 백합과

에 속하는 다년초. 높이 50cm 내외, 꽃줄기는 40-60cm이며 굵고 곧은데, 6-7월경에 액생(腋生)하고 그 끝에 열은 자청색(紫靑色)·백색의 꽃이 10-50개씩 산형 화서(繖形花序)로 핌. 남(南)아프리카 원산. 분에 심어 온실에서 관상용으로 기름.

아가페 〔그 agape〕 명 ①〖종〗〔종교적 사랑의 뜻〕 신(神)의 사랑. 신이 죄인인 인간을 위해서 자기를 희생으로 하며 긍휼(矜恤)히 여김을 이르며, 예수의 사랑으로 집약(集約)할 수 있는, 신약 성서(新約聖書)에 나타나 있는 사상(思想)임. ↔에로스(eros). *사랑[1]. ②〖기독교〗 애찬(愛餐). 애연(愛宴).

아각 【亞角】 명 아자(亞字) 모양의 무늬가 있는 술잔.

아:간 【俄間】 부 아경(俄頃).

아:간-에 【俄間—】 부 아경(俄頃)에.

아갈-머리 명 〈속〉 입. ¶그놈의 ～ 좀 닥쳐라.

아갈-잡이 명 소리지르지 못하게 입을 헝겊이나 솜 따위로 틀어막는 짓. ——-하다 타 여불

[아갈잡이를 시켰다] 강제로 억눌러 행동을 자유로이 못 하도록 구속함을 이르는 말. ¶환도를 빼어버리고 품에서 긴 수건을 꺼내서 아갈잡이를 시키고 …《洪命憙 : 林巨正》.

아:-갈탄 【亞褐炭】 명 〖광〗 아탄(亞炭).

아:감 【雅鑑·雅鑒】 명 〔'보여 드립니다'라는 뜻〕 자기의 서화(書畫) 등을 남에게 증정할 때에 쓰는 말.

아감-구멍 〔—꾸—〕 명 〖어〗 물고기의 아감딱지 뒤쪽에 있는 열공(裂孔). 숨쉴 때 물이 드나들게 하는 기관. 새공(鰓孔). 아가미구멍.

아감-딱지 명 〖어〗 물고기의 머리의 양쪽에 있어 아가미를 덮어 보호하는 골질(骨質)의 얇은 판(板). 이것을 여닫아 물을 입 안으로 드나들게 하여 숨을 쉼. 아가미덮개. 아가미뚜껑. 새개(鰓蓋).

아감딱지-뼈 명 〖어〗 아감딱지를 이룬 뼈. 새개골(鰓蓋骨).

아감-뼈 명 〖어〗 물고기의 아가미 안에 있는 궁상골(弓狀骨). 아가미를 보호하는 역할을 함. 아가미뼈. 새골(鰓骨).

아감-젓 명 생선의 아가미로 담근 젓. 어시해(魚顋醢).

아감지 명 〈방〉 아가미(경상).

아감-창 【牙疳瘡】 명 〖한의〗 아구창(牙口瘡).

아:-강 【亞綱】 명 〔subclass〕 〖생〗 생물 분류학상의 한 단위. 강(綱)과 목(目)과의 사이에 둠. 곧, 곤충강(昆蟲綱)을 '무시(無翅) 아강'과 '유시(有翅) 아강'으로 나누는 것 등.

아강이 명 〈방〉 아가리(함경).

아:객[1] 【雅客】 명 ①귀여운 손님. ②마음이 바르고 품위(品位)가 있는 사람. ③〖식〗 '수선(水仙)'의 아칭(雅稱).

아객[2] 【衙客】 명 〖역〗 원(員)을 찾아와 지방 관아에 묵고 있는 손.

아갱이 명 〈방〉 아가리. ¶그것들 ～를 벙끗도 못하게 해놓아야 할 터인데《李海朝 : 鬢上雪》.

아갸 감 〈방〉 애개.

아:건 【雅健】 명 문장이 풍아(風雅)하고 건실함. 시문(詩文)이 품위가 있고 운율(韻律)이 강함. ——-하다 형 여불

아게라툼 〔ageratum〕 명 〖식〗 [*Ageratum conyzoides*] 국화과에 속하는 일년초. 줄기 높이는 30-60cm로 연모(軟毛)가 많음. 잎은 대생(對生)하나, 상부(上部)에서는 호생(互生)하며, 잎자루가 있음. 엽신(葉身)은 달걀꼴 또는 심장형에 가까우며, 가에 톱니가 있음. 여름에 가지 끝에 지름 4-8mm의 자색(紫色) 또는 백색 소두화(小頭花)가 산방상(繖房狀)으로 군생(群生)함. 열대 아메리카 원산인데, 화단(花壇) 또는 꽃꽂이용으로 재배함.

아:견 【我見】 명 자기의 견해. 자기의 편협한 견해.

아:결 【雅潔】 명 행동이 단아(端雅)하고 마음이 고결(高潔)함. ——-하다 형 여불

아:-경[1] 【亞卿】 명 〖역〗 경(卿)의 다음 벼슬. 곧, 육조(六曹)의 참판(參判), 좌우윤(左右尹) 등을 공(公)·정경(正卿) 등에 상대하여 이르는 말.

아:경[2] 【俄頃】 부 ①조금 있다가. ②아까. 아간(俄間).

아:경간 문:평안(俄頃間問平安) 구 헤어진 지 얼마 안 되더라도 만나면 안부를 물으라는 말.

아:경-에 【俄頃—】 부 ①조금 있다가. ②아까. 아간(俄間)에.

아계[1] 【牙械】 명 잇몸과 이가 이어진 부분. 잇몸.

아-계[2] 【阿桂】 명 〖사람〗 중국 청(淸)나라의 군인·정치가. 건륭제(乾隆帝)를 섬겼으며, 이리(伊犁)·미얀마·원난(雲南)을 평정(平定)하고 간쑤(甘肅) 회교도(回敎徒)의 반란(叛亂)을 진압(鎭壓)하였음. [1717-97]

아:계[3] 【雅契】 명 깨끗하고 점잖게 사귄 정분.

아계[4] 【鵝溪】 명 〖사람〗 '이산해(李山海)'의 호(號).

아:고 【雅鼓】 명 〖악〗 아(雅).

아고기크 〔도 Agogik〕 명 〖악〗 연주할 때 리듬을 기계적으로 다루지 않고 속도에 완급(緩急)을 주어 표현을 보다 풍부하게 하는 일. 속도법(速度法). 완급법(緩急法).

아고라 〔그 agora〕 명 〖역〗 〔사람이 모이는 장소란 뜻〕 그리스의 도시 국가에 있었던 시민의 생활을 상징하는 중심 시가(市街)의 중앙 광장(廣場). 주위에는 공공(公共) 건축물이 즐비하였고 시민들은 이 곳에서 즐겨 소일(消日)하면서 정치(政治)·학예(學藝) 등을 토론하였음. *포럼(forum).

아고배 명 〈방〉 ①아가위(충청). ②아그배(충남).

아:-고산대 【亞高山帶】 명 〖지〗 식물의 수직(垂直) 분포의 한 가지. 표고(標高)는 곳에 따라 다르나 1,500-2,500m 사이가 많음. 저온(低溫)·건조하여 침엽수를 주로 하며, 활엽수는 거의 없음. 이 위가 고산대이며, 이 경계를 삼림 한계(森林限界)라고 함. 수평 분포(水平分布)로는 아한대구(亞寒帶區)에 해당함.

아곤 〔agon〕 명 서양 장기의 한 가지. 91개의 정사각형이 있는 반상(盤上)에 백(白)·흑(黑) 7개씩의 말을 마주 대하여 놓고, 말의 하나를 여왕(女王), 나머지를 병졸(兵卒)로 하여 여왕을 반의 중앙(中央)에, 또 병졸(兵卒)을 그 둘레의 육각형(六角形)에 빨리 옮겨 놓는 편이 승자(勝者)가 됨.

아골 【鴉鶻】 명 〖조〗 난추니.

아골타 【阿骨打】 명 〖사람〗 '아구다'를 우리 음으로 읽은 이름.

아곱 수 〈방〉 아홉(전라·경북).

아:공 【我空】 명 〖불교〗 중생(衆生)의 신체나 정신은 인연의 법에 의하여 화합된 것이어서 따로 영구적(永久的)인 나의 몸이 없다는 뜻. ↔법공(法空).

아:공-관 【我空觀】 명 〖불교〗 아공(我空)의 진리(眞理)를 직관(直觀)한다는 뜻.

아:과 【亞科】 〔—꽈〕 명 〖생〗 동식물 분류상의 한 단위. 과(科)와 속(屬) 과의 중간에 둠.

아과스칼리엔테스 〔Aguascalientes〕 명 〖지〗 멕시코 중앙부의 도시. 해발(海拔) 1,884m에 있고 기후가 좋으며, 많은 온천이 있어 휴양지(休養地)로서 알려짐. 옥수수·과실·채소의 집산지. 지하(地下)에 건설자 불명(建設者不明)의 터널이 그물코같이 파져 있음. 1575년 창건(創建)됨. [440,425명(1990)]

아관[1] 【牙關】 명 입 속 구석의 윗잇몸과 아랫 잇몸이 맞닿은 부분.

아:관[2] 【亞官】 명 〖역〗 좌수(座首).

아관[3] 【俄館】 명 조선 말기(末期)에 있었던 러시아 공사관(公使館)의 일컬음. 노관(露館).

아관[4] 【峨冠】 명 고사(高士)의 관(冠).

아관 긴급 【牙關緊急】 명 〖한의〗 교근(咬筋)이 강직(強直)되어 입이 벌어지지 않는 상태. 교경(咬痙).

아:-관목 【亞灌木】 명 〖식〗 관목(灌木)과 초본(草本)의 중간에 있는 식물. 즉, 줄기와 가지는 목질(木質)이고 가지의 끝 부분이 초질(草質)로 된 식물. 싸리 같은 것. 반관목(半灌木).

아:관목-경 【亞灌木莖】 명 〔suffruticose〕 〖식〗 목본성(木本性)이면서 선단(先端)이 초본성(草本性)으로 분류되는 것과 같은 낮은 줄기.

아관 박대 【峨冠博帶】 명 고사(高士)의 의관(衣冠).

아관-석 【鵝管石】 명 ①〖동〗 해화석(海花石). ②〖광〗 속이 텅 빈 돌고드름. 석회(石灰) 동굴의 천장에 고드름 비슷하게 달려 있음.

아관 파:천 【俄館播遷】 명 〖역〗 조선 말기인 건양(建陽) 1년(1896) 2월 11일부터 약 1년간에 걸쳐 고종(高宗)과 태자가 러시아 공사관으로 옮겨서 거처한 사건. 을미 사변(乙未事變) 후 일본 세력을 배경으로 조직된 김홍집(金弘集) 내각과 그 배후에 있는 일본에 대한 국민의 분노가 폭발하여 마침내 의병(義兵)으로 나타나자, 이범진(李範晉)·이완용(李完用) 등 친로파(親露派)는 러시아 공사 베베르(Veber; 韋貝)와 결탁하여, 민비(閔妃) 사후 신변의 위험을 느끼고 있던 고종과 황태자를 정동(貞洞)의 러시아 공사관으로 옮겨 모시었음. 이와 동시에 총리 대신 김홍집 등이 난민에게 피살되면서 친일파 내각이 무너지고 박정양(朴定陽)을 중심으로 한 친로파 내각이 등장, 약 1년이 지난 후 내외의 권고와 압력으로 고종은 1897년 2월 25일 경운궁(慶運宮), 곧 지금의 덕수궁으로 돌아왔음.

아광-나무 명 〖식〗 [*Crataegus maximowiczii*] 능금나뭇과에 속하는 낙엽 활엽 교목. 잎은 달걀꼴 또는 넓은 타원형임. 5-6월에 백색 꽃이 정생(頂生)하여 산방(繖房) 화서로 피고, 이과(梨果)는 9-10월에 암적색으로 익음. 깊은 산의 골짜기에 나는데, 평남북·함남북에 야생하며, 일본·사할린·만주·시베리아에 분포함. 과실은 약용 및 식용하며 정원수(庭園樹)로 심음.

〈아광나무〉

아교[1] 【阿嬌】 명 ①여자. ②맵시 있는 여자. 미인.

아교[2] 【阿膠】 명 〔중국 산둥성 아현(山東省阿縣)에서 산출되는 갖풀에서 유래〕 갖풀.

아:-교목 【亞喬木】 명 〖식〗 교목과 관목(灌木)의 중간 식물.

아교-장 【阿膠匠】 명 〖역〗 경공장(京工匠)의 하나. 아교를 만드는 장인(匠人).

아교-주 【阿膠珠】 명 〖약〗 아교를 잘게 썰어서 불에 볶아 둥글둥글하게 만든 물건. 보제(補劑)·지혈제(止血劑) 등으로 쓰임.

아교-질 【阿膠質】 명 아교와 같이 끈적끈적한 성질. 또, 그런 물질.

아교 포수 【阿膠泡水】 명 지질(紙質)을 좋게 하기 위하여 끓인 아교물을 흰 종이에 바르는 일. 종이가 단단하여지며 투명하게 됨. ——-하다 자 여불

아교-풀 【阿膠—】 명 갖풀.

아구[1] 명 ☞ 아귀[1].

아구[2] 명 〈방〉 아가위(경상).

아구[3] 명 〈방〉 〖어〗 아귀[2].

아구[4] 명 〖식〗 아욱(경남).

아구[5] 【阿丘】 명 한 쪽이 높은 언덕.

아-구[6] 【亞歐】 명 아시아와 구라파.

아구다 〔Agūda〕 명 〖사람〗 중국 금(金)나라 태조의 이름. 여진족(女眞族) 완안부(完顔部) 부장으로 태어나 12세기 초에 여진을 통일하고, 1115년에 회령(會寧)에 도읍하여 국호를 대금국(大金國)이라 하였음. 뒤에 다시 군사를 이끌고 송(宋)과 요(遼)를 정복하는 도중에 죽었음. 아골타(阿骨打). 아쿠타. [1068-1123 ; 재위 1115-23]

아구대 명 〈방〉 아귀[1] ❶❷.

아구리 명 〈방〉 아가리(함경).

아구-만나 감 〈방〉 아이고머니. ¶～! 시집 올 때 웬 댕기래 있었나

머? ≪鄭飛石：城隍堂≫.

아구 맞다 [자] ☞아귀 맞다.

아구 맞추다 [자] ☞아귀 맞추다.

아구배 [명] 〈방〉 아그배(충북·전남·경남).

아구베 [명] 〈방〉 아그배(경북).

아구-사리 [명] 〈방〉〖식〗 새양나무.

아구장-나무 [명]〖식〗[*Spiraea pubescens*] 조팝나뭇과에 속하는 낙엽 활엽 관목. 잎은 거꿀달걀꼴이며, 뒷면에 견모(絹毛)가 밀포(密布)함. 5월에 백색 꽃이 산형(繖形) 화서로 피고, 골돌과(蓇葖果)는 8월에 익음. 깊은 산의 바위 틈에 나는데, 경북·충북 이북 및 만주·아무르·우수리·몽골·중국에 분포함.

아구-창【牙口瘡·鵝口瘡】[명] ①〖한의〗 어린애가 신감(腎疳)에 걸리어 입술과 잇몸이 헐어서 썩는 병. 아감창(牙疳瘡). ②소에 나는 병의 하나.

아구:티〔agouti〕[명]〖동〗〔*Dasyprocta aguti*〕 쥐목(目) 파카과(paca科)의 포유 동물. 쥐와 비슷하나 크기는 토끼만하여 몸길이 49-62 cm, 꼬리 길이 1-3.5 cm이며 몸빛은 올리브빛을 띤 다색(茶色)임. 주로 야행성(夜行性)인데, 나무 뿌리·열매 등을 먹고 삶. 남아메리카의 브라질·베네수엘라 등지에 분포함.

아국¹ [명] 〈방〉〖식〗 아욱(경상).

아:국²【我國】[명] 우리 나라. 아방(我邦). ↔타국(他國).

아국³【俄國】[명] 아라사(俄羅斯).

아군¹【牙軍】[명]〖역〗 중국의 당·오대(唐·五代) 때 번진(藩鎭)의 직할 군단.

아:군²【我軍】[명] ①우리 편의 군대. ②운동 경기(運動競技) 등에서의 우리 편. 1)·2):↔적군(敵軍).

아:군-기【我軍機】[명] 우군기(友軍機).

아굴라스 곶【一串】〔Agulhas〕[명]〖지〗 아프리카 최남단(最南端)의 곶. 희망봉(喜望峰)의 남동쪽 160 km 지점에 위치하고 대서양(大西洋)과 인도양(印度洋)을 분할함.

아굼지 [명] 〈방〉〖동〗 아가미(경상).

아궁 [명] ↗아궁이.

아:궁 불열【我躬不閱】[명] 내 한 몸도 용납 못할 처지에 다른 생각을 할 여지가 없음.

아궁 산【一山】〔Agung〕[명]〖지〗 인도네시아의 발리 섬 북동부에 있는 활화산(活火山). 발리 섬의 최고봉으로, 힌두교의 신앙의 대상이 되어 왔음. 1963년 3-5월에 대폭발을 일으켜 약 2,000명의 사망자를 내었음. [3,142 m]

아궁-쇠 [명] 아궁이에 다는 뚜껑이 달린 작은 쇠문.

아궁이 [명]〖건〗〔근대：아귀〕 가마나 방·솥·구덩이 같은 데에 불을 때기 위하여 꾸미어 만든 구멍. [준]아궁.

아궁지 [명] ☞아궁이.

아귀¹ [명] ①물건의 갈라진 곳. ¶손~/입~. ②두루마기나 여자 속곳의 옆을 터 놓은 구멍. [준]귀. ③씨의 싹이 트고 나오는 곳. ④활의 줌통과 오금이 닿은 오긋한 부분.

아귀(가) 무르다 [구] 마음이 굳세지 못하고 남에게 잘 굽히다. ↔아귀(가) 세다.

아귀(를) 새기다 [구] 〈방〉 새김질하다.

아귀(가) 세:다 [구] ㉠마음이 굳세어서 남에게 잘 휘어들지 아니하다. ↔아귀(가) 무르다. ㉡손으로 잡는 힘이 세다. 아귀차다.

아귀(가) 트다 [구] 씨의 싹이 나올 자리가 벌어지다.

아귀(를) 트다 [구] 두루마기나 속곳의, 손 들어갈 자리를 트다.

아귀² [명]〖어〗[*Lophiomus setigerus*] 아귓과에 속하는 바닷물고기. 몸길이 60 cm 가량으로 황아귀와 비슷한데 매우 측편(側扁)하고, 머리 폭이 넓으며, 입이 큼. 아래턱은 위턱보다 길고, 상하 양턱에는 극히 강장한 대소 부동의 빗 모양의 이가 밀생함. 비늘이 없이 피질 돌기로 덮였는데, 등 앞쪽에 촉수(觸手) 모양의 가시가 있어 이것으로 작은 물고기를 꾀어서 잡아먹는다고 함. 암초(岩礁) 또는 해조(海藻)가 있는 해저에 사는데, 한국 서남 및 동해 남부 연해에는 대형 아귀가 나며 제주도 근해의 것은 작음. 동중국해·대만·일본 남부 연해에도 분포함. 살은 탄력이 있고 맛이 좋음. 안강(鮟鱇). 안강어.

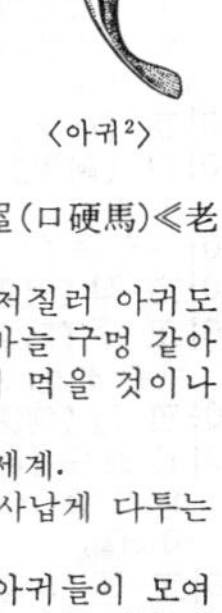

〈아귀²〉

아귀³ [명] 〈방〉 아퀴.

아귀⁴ [명] 〈옛〉 입. 입십. ¶아귀 므른 몰(口軟馬)/아귀 센 몰(口硬馬)≪老乞 下 8≫.

아:귀⁵【餓鬼】[명] ①〖불교〗 파율(破律)의 악업(惡業)을 저질러 아귀도(餓鬼道)에 빠진 귀신. 몸이 앙상하게 마르고 목구멍이 바늘 구멍 같아서, 식음(食飮)할 수 없어 늘 굶주린다고 함. ②염치없이 먹을 것이나 탐하는 사람의 비유. ③싸움을 잘하는 사람의 비유.

아:귀-계【餓鬼界】[명]〖불〗 십계(十界)의 하나. 아귀의 세계.

아귀-다툼 [명] ①〈속〉 말다툼. ②서로 헐뜯고 기를 쓰며 사납게 다투는 일. ——-하다 [자][여불]

아:귀-도【餓鬼道】[명]〖불교〗 삼악도(三惡道)의 하나. 아귀들이 모여 사는 세계로, 음식을 보면 불로 변하여 늘 굶주리고 항상 매를 맞는다고 함. 도도(刀途). *지옥도(地獄道)·축생도(畜生道).

아귀 맞다 [자] 여럿이 어울려서 대중을 잡은 표준에 들어맞다.

아귀 맞추다 [타] 여럿을 어울려서 대중을 잡은 표준에 들어맞게 하다. ¶돌을 더하여 아귀를 맞추다.

아귀 매운탕【一湯】[명] 아귀를 토막쳐서 콩나물을 넣고 끓인 고추장 찌개.

아귀-목【一目】[명]〖어〗[Lophiida] 경골어류(硬骨魚類)에 속하는 한 목. 아귓과(科)·씬벵잇과·부칫과 등이 이에 속하는데, 등지느러미 제1 가시가 있을 때는 그것이 머리에 있어 유인(誘引) 작용을 하며 가슴지느러미는 아주 크고 비늘은 없거나 미세한 가시와 소판상물(小板狀物)로 변화(變化)되어 있음.

아:귀-반【餓鬼飯】[명]〖불교〗 무연불(無緣佛)에 바치는 음식물.

아:귀-병【餓鬼病】〔一뼝〕[명] 〈속〉 ①음식을 삼키기 어려워 몸이 말라 붙는 병. ②항상 배가 고파하는 병.

아귀-성【餓鬼聲】[명]〖악〗 판소리 창법의 한 가지. 목청을 좌우로 젖혀 가면서 힘차게 내는 소리 *살세성.

아귀-아귀 [부] 욕심사납게 음식을 물어 씹는 모양. ¶~ 잘도 먹는다/상을 받은 최가는 술질이 ~였다≪金周榮：客主≫. <어귀어귀.

아기 장:수 설:화【一將帥說話】[명]〖문〗 가난한 평민의 집에 태어난 날개 달린 아기 장수가 꿈을 펴지 못하고 날개가 잘려 일찍 죽었다는 설화. 신이담(神異譚)에 속함

아귀-찜 [명] 아귀에 갖은 양념을 하여 된장을 풀어서 찐 요리.

아귀-차다 [형] ①입안에 가득 차서 입아귀를 움직일 수 없을 정도이다. ②아귀가 매우 세다. ③힘에 벅차다.

아귀-탕【一湯】[명] ↗아귀 매운탕.

아귀-탱이 [명] 〈방〉 아귀¹❶.

아귀-토【一土】[명]〖건〗〔←와구토(瓦口土)〕 기와집 지붕 가에 있는 수키와의 끝에 물린 흙 또는 회삼물(灰三物).

아귀-피【一皮】[명] 활의 줌통 아래위에 벚나무의 껍질로 감은 곳.

아귀-힘 [명] 손아귀에 잡고 쥐는 힘. 림힘. 악력(握力). ¶~이 세다.

아귓-과【一科】[명]〖어〗[Lophiidae] 아귀목에 속하는 한 과. 황아귀·아귀의 2종이 알려져 있음.

아그네스〔Agnes〕[명]〖사람〗 아녜스.

아그노스티시슴〔프 agnosticisme〕[명]〖철〗 불가지론(不可知論).

아그논〔Agnon, Shmuel Yoseph〕[명]〖사람〗 이스라엘의 작가. 유대 민족과 문화를 종교색 짙게 그려 국외에도 널리 알려짐. 1966년도 노벨 문학상 수상. 대표작에 ≪출가(出嫁)≫·≪공포(恐怖)의 날≫ 등이 있음. [1888-1970]

아그니〔범 Agni〕[명]〖신〗 인도의 베다(Veda) 신화 중의 불의 신. 암흑을 물리치고 부정(不淨)을 태워 없애며, 가정 및 사자(死者)의 수호신(守護神)으로 받들어짐. 불교에서는 호세팔천(護世八天)의 하나임. 취음：아기니(阿耆尼·阿祇儞).

〈아그니〉

아그라〔Agra〕[명]〖지〗 인도의 중부 뉴델리의 남쪽에 있는 도시. 수륙 교통의 요지로 농산물의 집산지임. 1566-1658년 무굴(Mughul) 제국의 수도였으며, 타지 마할(Taj Mahal)을 위시한 수많은 인도·사라센 건축의 명작이 남아 있음. [770,000명(1981 추계)]

아그람〔Agram〕[명]〖지〗 '자그레브(Zagreb)'의 독일 이름.

아그레 [명] 〈방〉 아흐레(전라).

아그레망〔프 agrément〕[명]〖정〗〔동의(同意)·승인(承認)의 뜻〕 특정한 사람을 외교 사절로 임명함에 있어, 파견될 상대국에서 사전(事前)에 동의하는 의사 표시.

아그리젠토〔Agrigento〕[명]〖지〗 이탈리아 남부 시칠리아 섬 남서부의 아그리젠토현의 현도(縣都). 구릉 사면에 있으며 황과 암염(岩塩)을 산출함. 그리스 시대의 식민지로 당시의 유적이 많음. [52,156명(1984)]

아그리콜라¹〔Agricola, Georgius〕[명]〖사람〗 독일의 야금(冶金) 및 광물학자. 광물의 형태적 분류를 처음 시행하여 야금학(冶金學)·광물학(鑛物學)·광산학(鑛山學)의 아버지로 일컬어짐. 본명은 Georg Bauer. [1494-1555]

아그리콜라²〔Agricola, Gnaeus Julius〕[명]〖사람〗 로마의 장군(將軍)·정치가(政治家). 타키투스(Tacitus)의 장인(丈人). 호민관(護民官)·집정관(執政官)을 역임한 후 브리타니아(Britannia) 총독(總督)이 되어 동지(同地)를 평정(平定)하고 로마화(化)를 꾀하였음. [37-93]

아그리콜라³〔Agricola, Rodolphus〕[명]〖사람〗 독일에서 활약한 네덜란드 태생의 인문주의자. 하이델베르크 대학을 중심으로 독일 인문주의를 진흥시킴. 스콜라적 논리에 반대하고 다양한 연구법을 설명, 고전적 지식을 중시하는 전인 교육(全人敎育)을 주장하였음. 주저(主著)에 ≪학습 형태론≫이 있음. 본명은 Reolof Huysmann. [1443-85]

아그리파〔Agrippa, Marcus Vipsanius〕[명]〖사람〗 로마의 장군·정치가. 천인(賤人) 출신으로 악티움(Actium)의 해전(海戰)에서 안토니우스와 클레오파트라의 연합군을 격파함. 뒤에 아우구스투스 황제의 사위가 되어 로마 시(市)의 미화(美化)에 진력, 수도(水道)·목욕장·판테온(Pantheon)을 신설하고, 또 로마 제국을 측량, 지리책을 내어 로마 제국의 세계 지도 작성의 기초를 만듦. [63-12 B.C.]

아그리피나〔Agrippina〕[명]〖사람〗 ①〔Julia A., the Minor〕 ❷의 장녀(長女). 아헤노바르부스(Ahenobarbus)와 결혼하여 네로(Nero)를 낳고 세 번째로 황제 클라우디우스(Claudius)와 결혼하여 이를 독살(毒殺)하고, 네로를 황제로 세움. 뒤에 네로의 명을 받은 해방 노예에게 죽음. [16-59] ②〔Vipsania A., the Major〕 로마의 귀부인(貴婦人). 아그리파의 딸. 게르마니쿠스(Germanicus)와 결혼(結婚)하였으나 티베리우스 황제(Tiberius 皇帝)가 자기 남편을 죽였다 하여 단식(斷食)하여 죽음. [14 B.C.-A.D. 33]

아그배 [명] 아그배나무의 열매. 배와 비슷한데 포도알만함. 먹을 수 있음.

아그배-나무 [명]〖식〗[*Malus sieboldii*] 능금나뭇과에 속하는 낙엽 활엽 교목. 높이 3 m 가량이고 잎은 타원형이며 날카로운 톱니가 있음. 5월에 담홍색 오판화(五瓣花)가 산방(繖房) 화서로 피며 이과(梨果)는 지름 6-7 mm의 구형(球形)이고 9월에 황색 또는 홍색으로 익고 오래 되면 흑색으로 변함. 보통 산록(山麓)에 나는데, 한국 중부 이남 및 일본에도 분포함. 열매는 '아그배'라 하여 아이들이 먹고, 관상용으로 심으며, 목재는 가구재 등으로 쓰임.

〈아그배나무〉

아그베 명〈방〉아그배(충남·전북·경상).

아그파 [Agfa] 명 ①[Aktiengesellschaft für Anilinfabrikation의 약칭] 독일의 화학 공업 회사. 1873년에 창립하였음. 1925년에 이 게 파르벤사(I.G. Farben 社)에 합병되었다가, 1952년 아그파 사진 공업 회사로서 재건되어 우수한 사진기와 감광(感光) 재료를 생산하고 있음. ②아그파 회사에서 나온 카메라의 상품명(商品名).

아그파 게바르트 회:사【—會社】[Agfa-Gevaert] 명 독일의 아그파사(社)와 벨기에의 게바르트사(社)가 1965년에 합병한 유럽 최대의 사진 재료 회사. 세계 25개국에 자회사(子會社)를 두고 제품의 3분의 2를 수출함.

아그파 컬러 [Agfa colour] 명 1936년 독일의 아그파 회사에서 완성한 컬러 필름. *천연색 사진.

아근 수〈방〉아흔(전남).

아근-바근 부 ①짝 맞춘 자리가 벌어져서 움직이는 모양. ②마음이 서로 맞지 아니하는 모양. 1)·2): <어근버근. ——-하다 형여불

아글루콘 [aglucone] 명〖화〗아글리콘.

아글리콘 [aglycone] 명〖화〗배당체(配糖體)의 비당(非糖) 부분. 곧 당 이외의 구조 부분. 아글루콘.

아금[1] 명〈방〉아귀[1]❶❷.

아금[2]【良尒】〈이두〉라고.

아금-니 명〈옛·방〉어금니(충청·전라·경상·함남). ¶上下 아금니 불휘 속뼈에 드러나되(上下牙根裏骨)≪無冤錄 Ⅰ:30≫.

아금-받다 형 알뜰하게 발밭다. ¶네가 일찍이 강단이 있고 아금받은 계집이란 것은 알고 있었다≪金周榮 : 客主≫.

아금-쟁이 명〈방〉사타구니.

아:-급성【亞急性】명〖의〗급성(急性)과 만성(慢性)과의 중간(中間)이 되는 성질(性質).

아:급성 척수 시:신경증【亞急性脊髓視神經症】[—쯩] 명〖의〗[subacut myeloopticoneuropathy] 스몬병.

아긋-아긋 [—극—] 부 물건의 각 조각이 이가 맞지 아니하여 끝이 조금씩 어긋나 있는 모양. <어긋어긋. ——-하다 형여불

아긋-이 부 아긋하게. ¶벽장문이 ～ 열려 있다/입술을 ～ 깨물고 분을 삼켰다. <어긋이.

아긋-하다 형여불 ①목적하는 점에 겨우 미치다. ¶아긋하게 두 자가 된다. ②틈이 조금 벌어져 있다. <어긋하다.

아기[1] 명 ①'어린 아이'를 귀엽게 이르는 말. ¶～를 업다. ②'나이가 어린 딸이나 며느리'를 귀엽게 이르는 말. ③남을 어리게 여기어 하는 말. 애기.

아기(가) 서다 구 아이를 배기 시작하다.

아기[2]【牙器】명 상아로 만든 그릇.

아기[3]【牙旗】명〖역〗임금이나 대장의 거소(居所)에 세우던 큰 기(旗). 대아(大牙). 대장기(大將旗).

아:기[4]【雅氣】명 ①맑은 기운. ②아담하고 교양이 있는 기품. ③풍류를 좋아하는 기질.

아기[5]【惟只】부〈이두〉다만.

아기[6]【良只】〈이두〉-였기.

아기-금매화【—金梅花】명〖식〗[*Trollius japonicus*] 성탄꽃과에 속하는 다년초(多年草). 줄기 높이 60 cm 내외이고, 잎은 호생(互生)하는데 근생엽(根生葉)은 장병(長柄)이고 경엽(莖葉)은 무병(無柄)임. 7-8월에 줄기 끝과 가지 끝에 여러 개의 꽃줄기가 나와, 그 끝에 백색 꽃이 한 송이씩 피고, 과실은 골돌(蓇葖)임. 높은 산에 나는데, 평북·함남·함북에 분포함.

〈아기금매화〉

아기 나:인 명〖역〗새앙각시.

아기나히 명〈옛〉아이를 낳는 일. ¶집지싀롤 처섬 호니 그제사 아기나히롤 始作호니라≪月釋 Ⅰ:44≫.

아기날도 [Aguinaldo, Emilio] 명〖사람〗필리핀의 독립 운동 지도자. 미서 전쟁(美西戰爭) 때에 혁명군 수령(首領)이었으며, 1899년 초대 대통령에 취임한 바 있으나 뒤에 미국의 영유화(領有化)에 반항하다가 굴복하였음. [1869-1964]

아기-낳이 [—나—] 명 아기를 낳는 일. 출산(出産). ——-하다 자여불

아기-누에 명〖농〗1령(齡), 곧 한잠에서 3령, 곧 석잠까지의 누에.

아기-능【—陵】명 어린 세자(世子)나 세손(世孫)의 묘.

아기니【阿耆尼·阿祇儞】명〖신〗'아그니(Agni)'의 취음.

아기-단풍【—丹楓】명〖식〗[*Acer micro-sieboldianum*] 단풍나뭇과에 속하는 낙엽 활엽 교목. 잎은 원형인데 손바닥 모양으로 째지고 열편(裂片)은 달걀꼴의 피침형으로 중거치(重鋸齒)가 있음. 꽃은 양성 동가(兩性同家)이며 5월에 정생(頂生)하여 산방(繖房) 화서로 피고, 시과(翅果)는 10월에 익음. 강원도 평강(平康)·함남 삼방(三防)에 야생함. 관상용으로 심고 도구재(道具材)로 쓰임.

아기 동지【—冬至】명 오동지[1].

아기디다 자〈옛〉아이 지다. ¶아기디다(半産)≪字會 上 33≫.

아기똥-거리다 자 ①키가 작은 사람이 몸을 좌우로 흔들면서 바라지게 걷다. ¶아기똥거리는 땅딸보 영감. ②말이나 짓을 자꾸 거만스럽게 하다. 아기똥대다. <어기뚱거리다. 아기똥-아기똥 부. ——-하다 자여불

아기똥-대다 자 아기똥거리다.

아기똥-하다 형여불 남달리 교만한 태도가 있다. ¶그는 너무 아기똥하게 굴어 따르는 사람이 없다. <어기뚱하다.

아기-별 명 '작은 별'의 미칭(美稱).

아기 보살【—菩薩】명〖불교〗아기처럼 작은 보살 부처.

아기-뿌리 명〖식〗땅 속에 처음 난 연한 뿌리.

아기빈다 자〈옛〉아이 배다. ¶아기밸 비(胚)≪類合 下 16≫.

아기ᄯᆞᆯ 명〈옛〉막내딸. ¶後漢ㅅ 明德馬 皇后ᄂᆞᆫ 伏波將軍援이 아기ᄯᆞ리시니라(後漢明德馬皇后 伏波將軍援之少女也)≪內訓 Ⅱ 上 40≫.

아기-살 명 살촉을 뺀 화살대의 길이가 여덟 치인, 짧고 작은 화살. 일천 보(步) 이상의 거리에 능히 이르며, 날쌔고 촉이 날카로워, 갑옷이나 투구도 뚫음. 가는대. 세전(細箭). 편전(片箭).

아기 상여【—喪輿】명 어린아이나, 상여를 쓸 형편이 못되는 사람의 유해를 운반하기 위한 조그마한 상여.

아-기수【兒旗手】명〖역〗군영(軍營)에서 장교가 부리던 아이.

아기시 명〈옛〉아기씨. ¶우리 업서도 아기시 즐기시던 실과나 명일이 어든 싱각호야 놋조와라≪癸丑日記 Ⅰ:121≫.

아기-씨 명 ①시집갈 만한 나이가 되거나 또는 갓 시집 온 색시에 대하여 아랫사람이 이르는 말. ②여자 아이에 대한 존대말. 작은 아씨. 소저(小姐). ③오라버니댁이 손아래 시누이를 높여 이르는 말.

아기-씨름 명 소년들이 벌이는 씨름. 흔히, 샅바를 사용하지 않음. ↔어른씨름.

아기아ᄃᆞᆯ 명〈옛〉막내아들. ¶給孤獨長者ㅣ 닐굽 아ᄃᆞ리러니 여슷 아ᄃᆞᆯ란 ᄒᆞ마 갓 얼이고 아기 아ᄃᆞ리 양지 곱거늘 各別히 ᄉᆞ랑ᄒᆞ야≪釋譜 Ⅵ:13≫.

아기-자기 부 ①여러 가지가 어울리어 예쁜 모양. ②잔재미 있고 오순도순한 모양. ¶～한 신혼 생활. ——-하다 형여불

아기작-거리다[1] 자 다리를 마음대로 놀리지 못하고 팔을 자주 놀리며 바라지게 더디 걷다. 준아깃거리다[1]. <어기적거리다[1]. 아기작-아기작[1] 부. ——-하다 자여불

아기작-거리다[2] 타 음식 같은 것을 천천히 아귀아귀 씹다. 아기작대다. 준아깃거리다. <어기적거리다[2]. 아기작-아기작[2] 부. ——-하다 타여불

아기작-대다 자타 아기작거리다[1·2]

아기-잠 명 누에의 첫 번 자는 잠.

아기-장【—欌】명 나지막하고 앙증스럽게 예쁘다 하여 버선장을 일컫는 딴이름.

아기족-거리다 자 다리를 마음대로 놀리지 못하고 약간 바라지게 억지로 겨우 걷다. <어기죽거리다. 아기족-아기족 부. ——-하다 자여불

아기족-대다 자 아기족거리다.

아기-집 명〖생〗자궁(子宮).

아기-태【—太】명 작은 명태.

아기-패【—牌】명 물주(物主)를 상대(相對)하여 승부(勝負)를 다투는 여러 사람의 패.

아기플 명〈옛〉애기풀. ¶葽今遠志아기플≪四聲≫.

아기플불휘 명〈옛〉애기풀 뿌리. ¶遠志아기플불휘≪濟衆 Ⅷ:5≫.

아깃-거리다 자타 ↗아기작거리다[1·2] 아깃-아깃 [—긷—] 부. ——-자타여불

아깃-대다 자타 아깃거리다.

아기 〈옛〉아기의. '아기[1]'의 소유격형(所有格形). ¶아기 일훔을 아ᄃᆞᆯ이 나거나 ᄯᆞᆯ이 나거나 엇데 ᄒᆞ리잇가≪月釋 Ⅷ:83≫.

아기깃 명〈옛〉아기의 깃옷. ¶今俗語褯子 아기깃≪四聲 下 2≫.

아까 ㊀부 조금 전에. 과경(過頃)에. 아경(俄頃)에. ¶～ 잠깐 만났다. ㊁명 조금 전. ¶～는 실례했습니다.

아까시-나무 명〖식〗[*Robinia pseudoacacia*] 콩과에 속하는 낙엽 활엽 교목. 높이 12-15 m이고 가시가 있으며, 잎은 우상 복생(羽狀複生)하는데, 9-19개의 소엽(小葉)은 달걀꼴 또는 긴 타원상의 달걀꼴임. 5-6월에 등꽃 모양의 백색 꽃이 총상(總狀) 꽃차례로 액생(腋生)하여 피고, 협과(莢果)는 선상(線狀)의 긴 타원형이며 10월에 익음. 북아메리카 원산으로 산이나 들에 나는데, 전세계에 분포함. 철도 침목·기구재 등으로 쓰이며, 잎은 사료 및 약용함. 개아까시아나무.

〈아까시나무〉

아까우- 감 아깝다의 불규칙 어간. ¶～ㄴ/～니.

아까워-하다 타여불 아까운 생각을 가지다. 아깝게 여기다.

아깝다 형ㅂ불 ①마음에 들어, 버리거나 잃기가 싫다. 손을 떼기가 아쉽고 섭섭하다. ¶버리기 ～/아이구 아까워라. ②사물을 사랑하는 나머지 애석한 느낌이 있다. ¶자기엔 아까운 밥이다/아까운 사람. ③함부로 할 수가 없다. 귀하고 소중하다. ¶청춘이 ～/목숨이 ～.

아깨 부〈방〉아까(함경).

아끼 명〈방〉아우 (함경).

아끼다 타 ①아깝게 여기다. ¶이재민에게 어찌 온정을 아끼리오. ②귀중히 여기어 함부로 쓰지 아니하다. ¶시간을 아끼어 써라/제 몸을 아낄 줄 알아라. ③마음에 들어 알뜰하게 여기다. ¶그이를 아끼며 사랑하는 마음.

[아끼는 것이 찌로 간다] 물건을 아끼고 쓰지 아니하면, 무용지물(無用之物)이 되고 만다는 말.

아낌-없다 [—업—] 형 주거나 쓰는 데 아끼는 마음이 없다.

아낌-없이 [—업씨] 부 아낌없게. ¶～ 할애하다/～ 주다.

아나[1]【猗儺】명 부드러움. 곧고 순함. ——-하다 형여불

아:나[2]【婀娜】명 아름답고 요염(妖艶)함. ——-하다 형여불

아나[3] 명 ①↗아나운서. ②↗아나키스트. ③↗아나키즘.

아:나[4] 감 ①'여봐라' 또는 '옜다'의 뜻으로 아이들에게 쓰는 말. ¶～ 이것 받아라. ②↗아나 나비야.

아:나 나비야 구 고양이를 부르는 소리. 준아나.

아나나스〔스 ananas〕 명 〖식〗 〔*Ananas comosus*〕 아나나스과에 속하는 상록 초본. 잎은 선형(線形)이고 뿌리에서 총생하는데, 길이 1m 가량이고 가에는 날카로운 톱니가 있음. 여름에 잎 사이로부터 솔방울 모양의 밀집한 자색의 꽃이 피고, 과실은 뒤에 길이 15cm 가량의 타원형으로 맺어, 초겨울에 대황적색(帶黃赤色)으로 익는데 이것을 '파인애플'이라 하여 식용함. 열대 및 아열대 지방에서 널리 재배함. 봉리수(鳳梨樹).

〈아나나스〉

아나나스-과【一科】〔一꽈〕〔ananas〕 명 〖식〗 〔Bromeliaceae〕 단자엽 식물(單子葉植物)의 한 과. 이 과에 속하는 식물은 보통 초본(草本)인데 교목(喬木)도 있음. 잎은 단엽(單葉)이며, 꽃은 양성(兩性)이고 화서(花序)는 총상(總狀)·두상(頭狀) 또는 원추상(圓錐狀)임. 화피(花被)는 꽃부리와 꽃받침으로 되어 있는데 화판(花瓣)과 악편(萼片)은 세 개씩임.

아나니 사:건【一事件】〔Anagni〕〔一껀〕 명 〖역〗 1303년 로마 동남방 50km의 아나니에서 교황(教皇) 보니파티우스(Bonifatius) 8세가 불법 감금된 사건. 1296년 이래 과세 문제(課稅問題)·주교 임명권(主教任命權) 등으로 교황과 대립하고 있던 프랑스 왕 필립 4세가 교황의 퇴위(退位)를 강요한 사건임.

아나돗〔Anathash〕 명 〖성〗 유태(猶太) 나라의 한 마을로, 선지자(先知者) 예레미아(Jeremiah)의 고향.

아나르코-생디칼리슴〔프 anarcho-syndicalisme〕 명 생디칼리슴에 있어서, 국가 또는 조합(組合)·계급에 의한 일체의 정치 권력을 부정하고, 노동자에 의한 생산 관리를 실현하려고 하는 입장. 1920년대에 스페인·프랑스·이탈리아 등지에서 잠시 동안 융성하였음. 노동 무정부주의(勞動無政府主義).

아나서 명 〖역〗 정삼품(正三品) 이하 보통 벼슬아치의 첩을 하인들이 이르던 말.

아나-스럽다 형 〈방〉 미안스럽다(함경).

아나스티그마트〔도 Anastigmat〕 명 〖물〗 아나스티그매틱 렌즈.

아나스티그매틱 렌즈〔anastigmatic lens〕 명 비점 수차(非點收差)를 보정(補正)한 렌즈. 소위 고급 렌즈는 대개 이것임. 아나스티그마트.

아나스피데스-목【一目】 명 〖동〗 〔Anaspidacea〕 절지 동물 연갑류의 한 목. 작은 동물의 하나로 가슴은 7-8절, 배는 7절로 되어 있으며, 민물에서 삶. 한국에는 아직 보이지 아니함.

아나우악 고원【一高原】〔Anahuac〕 명 〖지〗 멕시코 중앙부의 고원. 반건조(半乾燥) 지역으로 광산 자원(鑛產資源)이 풍부하며, 밀·옥수수·면화(棉花)·담배 등을 산출함. 남부는 고도 2,500m로 기온이 온화하여 농업이 성하고 인구 밀도(密度)도 크며, 북부는 고도 1,200m로 우량이 적고 광업·목축이 성함.

아나우 유적【一遺跡】〔Anau〕 명 〖지〗 투르크메니스탄(Turkmenistan)의 아슈하바트(Ashkhabad) 부근에 있는, 신석기(新石器)에서 철기(鐵器) 시대에 걸친 유적. 4층으로 된 구상(丘狀) 유적으로, 층마다 신석기·동석 병용(銅石併用)·동기(銅器)·철기(鐵器)의 4기(期)로 분류되어 있음. 1903-1904년 미국 학술 조사단(學術調査團)에 의하여 발굴(發掘) 됨.

아나운서〔announcer〕 명 ①라디오나 텔레비전에서 뉴스 보도·실황 방송·사회 등을 맡아 하는 사람. *뉴스캐스터. 앵커 맨. ②극장·경기장·역 등에서 안내 방송을 하는 사람. ㊕아나.

아나운스〔announce〕 명 극장·경기장·광장 등 대중이 많이 모이는 곳에서 확성기를 사용하여 전달 사항을 알리는 일. 또, 라디오·텔레비전에서 뉴스 따위를 보도하는 일.

아나율【阿那律】 명 〖사람〗 석가 모니의 십대(十大) 제자의 한 사람. 석가 모니의 사촌 동생. 철야(徹夜)·면려(勉勵)로 실명하였으나, 도리어 심안(心眼)이 열려 천안(天眼) 제일로 일컬어짐.

아나콘다〔anaconda〕 명 〖동〗 〔*Eunectes murinus*〕 보아(Boa)과에 속하는 큰 뱀. 길이 6m 가량, 몸빛은 암녹색에 배면(背面)에 흑색 원형의 떠 무늬가 있으며, 눈은 작고 콧구멍은 위로 향함. 태생인데 생후 곧 물에 들어가 머리만 물 위로 내놓음. 독은 없으나 힘이 세어 위험함. 중·남아메리카의 열대 지방에 분포함.

〈아나콘다〉

아나크레온〔Anakreon〕 명 〖사람〗 고대 그리스의 서정 시인(敍情詩人). 이오니아의 테오스(Teos)섬에서 출생. 풍자(諷刺)와 해학(諧謔)에 능(能)하였으나, 술과 사랑을 노래한 시작(詩作)이 두 편 전(傳)할 뿐임. [572?-488? B.C.]

아나크레온-풍【一風】〔Anakreon〕 명 〖문〗 아나크레온과 그의 모방자들의 특유한 작풍(作風). 로코코(rococo) 문학에 그 예가 많으며, 술과 사랑을 중심으로 생의 향락을 노래하였음.

아나크로니즘〔anachronism〕 명 ①시대 착오. 시대에 뒤떨어짐. ②시대나 연·월·일 등을 실제(實際)보다 더 이전으로 기록하는 일. 기시 착오(記時錯誤).

아나키〔anarchy〕 명 무정부 상태. 무질서.

아나키스트〔anarchist〕 명 무정부주의자. ㊕아나.

아나키즘〔anarchism〕 명 〖사〗 무정부주의(無政府主義). ㊕아나.

아나타한 섬〔Anatahan〕 명 〖지〗 사이판(Saipan) 섬 북쪽에 있는 남양 마리아나 제도(諸島) 중부의 한 섬. 섬 전체가 용암 대지(熔岩臺地)로 되어 있음.

아나톡신〔anatoxin〕 명 〖약〗 디프테리아(diphtheria)의 예방 주사약. 디프테리아 독소액(毒素液)에 소량의 포르말린(formalin)을 넣어 그 독성을 제거하고 항원성(抗原性)만을 있도록 한 것.

아나톨리아〔Anatolia〕 명 〖지〗 비잔틴 제국(Byzantine 帝國) 아래의 '소(小)아시아'의 호칭.

아나폴리스〔Annapolis〕 명 ①〖지〗 미국 메릴랜드 주(州)의 주도(州都). 체서피크 만(Chesapeake 灣)에 임한 항구로, 군사·주택 도시. 아나폴리스해군 사관 학교(海軍士官學校)의 소재지로 유명함. [33,187명(1990)] ②〖군〗 1845년에 아나폴리스 시(市)에 창립된 미국 해군 사관 학교의 딴이름. 수업 연한은 4년이고, 졸업하면 이학사(理學士) 학위를 받는데, 평시에는 졸업생의 거의 반수가 시민 생활로 돌아감.

아나필락시〔도 Anaphylaxie〕 명 〖의〗 아나필락시스.

아나필락시스〔anaphylaxis〕 명 〖의〗 알레르기(Allergie)의 한 형(型). 이종 단백(異種蛋白) 등의 항원성(抗原性)을 가진 물질을 접종하고 일정 기간을 두었다가 다시 이 항원을 주사하면 처음과는 달리 격심한 쇼크(shock) 증상을 일으키는 현상. 임상적(臨床的)으로 알레르기가 호흡기·피부·소화기 등의 국소성 반응임에 대하여 이는 전신성(全身性) 반응을 일으킴. 아나필락시.

아나함【阿那含】 명 〖불교〗 아나함과(阿那含果).

아나함-과【阿那含果】 명 〔범 anāgāmin〕 〖불교〗 〔불래(不來)·불환(不還)의 뜻〕 소승(小乘) 불교에 있어서의 수도자(修道者)의 제3 차위(次位). 아라한과(阿羅漢果)의 앞이며 죽은 뒤에 다시 욕계(慾界)에 돌아오지 아니하는 과위(果位). 아나함(阿那含).

아낙 명 ①부녀(婦女)가 거처하는 곳을 점잖게 이르는 말. 내간(內間). 내정(內庭). ②↗아낙네.

아낙 군:수【一郡守】 명 늘 집 안에만 들어박혀 있는 사람을 놓으로 이르는 말. *안방 샌님.

아낙-네 명 남의 집의 부녀(婦女)의 통칭. 내인(內人). ¶빨래하는 ~. ㊕아낙.

아낙사고라스〔Anaxagorās〕 명 〖사람〗 고대(古代) 그리스 이오니아 학파(Ionia學派)의 철학자·수학자. 이원론(二元論)의 비조(鼻祖). 만물의 생성(生成)은 이질적(異質的)인 무수한 원소 곧, 스페르마타(spermata : 종자)의 혼합에 의해 생기며, 이들 혼돈 상태에 누스(nous : 정신)가 질서와 운동을 가져온다고 주장했음. [500? -428? B.C.]

아낙시만드로스〔Anaximandros〕 명 〖사람〗 고대 그리스의 이오니아 학파(Ionia學派)의 자연 철학자. 만물의 아르케(arkhe : 근원·원리)는 불사 불멸(不死不滅)로 영원히 자기 운동을 하는 아페이론(apeiron : 무한한 것)으로 생각했음. 일식(日蝕)을 관찰하고 해시계·지도(地圖)를 발명했음. [610-546 B.C.]

아낙시메네스〔그 Anaximenes〕 명 〖사람〗 고대 그리스의 이오니아 학파(Ionia 學派)의 자연 철학자. 아낙시만드로스의 제자. 만물의 원질(原質)을 공기(空氣)라 생각하였음. [585-528? B.C.]

아난【阿難】 명 〖사람〗 ↗아난다(阿難陀).

아난다【阿難陀】 명 〔범 Ānanda〕 〖사람〗 석가 모니의 종제(從弟)로서 십대 제자(十大弟子)의 한 사람이며, 십육 나한(十六羅漢)의 한 사람. 석가의 상시자(常侍者)로서, 견문(見聞)이 넓고 기억력이 좋아 불멸(佛滅) 후에 경권(經卷)의 대부분은 그의 기억에 의하여 결집(結集)되었다고 함. 여인 출가(女人出家)의 길을 엶. 아난타.

아난 존자【阿難尊者】 명 〖불교〗 '아난다(阿難陀)'의 존칭.

아난타【阿難陀】 명 〖사람〗 아난다(阿難陀).

아날라이저〔analyzer〕 명 ①분석 장치(分析裝置). ②교육 기기(教育機器)로서 학급 아동의 반응을 수업자(授業者)에게 전달하고, 학습 작업의 달성도(達成度)를 분석하는 장치. ③〖물〗 검광자(檢光子).

아날로그〔analogue, analog〕 명 〖물〗 수치(數値)를 길이라든가 각도(角度) 또는 전류(電流)라고 하는 연속(連續)된 물리량(物理量)으로 나타내는 일. 문자판(文字板)에 바늘로 시간을 나타내는 시계(時計), 수은주(水銀柱)의 길이로 온도를 나타내는 온도계(溫度計) 따위는 이 방식임. *디지털(digital).

아날로그 시계【一時計】〔analogue clock〕 명 문자판에 바늘로 시간을 나타내는 시계. *디지털 시계.

아날로그 컴퓨:터〔analog computer〕 명 〖컴퓨터〗 수치(數値)를 연속적인 물리량(物理量) 곧, 길이나 전압(電壓)의 크기 따위로 변환하여 계산하는 컴퓨터. 일반적인 정보 처리 용도에는 잘 쓰이지 않으며, 공정제어(工程制御)나 물리량의 계측(計測)등에 쓰임. 연속형 전산기. *디지털 컴퓨터.

아날로그 회로【一回路】 명 〔analog circuit〕 〖컴퓨터〗 연속적으로 변환하는 전류(電流) 혹은 전압(電壓)을 다루는 회로. 전류나 전압의 미세한 변화도 정확히 반응을 일으킴.

아날로기〔도 Analogie〕 명 〖논〗 '아날로지(analogy)'의 독일어 이름.

아날로기아 엔티스〔라 analogia entis〕 명 〖철〗 〔스콜라 철학의 용어(用語)로 '존재의 유비(類比)'라는 뜻〕 신(神)과 만물(萬物), 상급 존재와 하급 존재간에는 유비성(類比性)이 있다고 하며, 신을 인식하는 방법은 이 존재의 유비성에 의한다고 함. 「推」❹.

아날로지〔analogy〕 명 ①〖논〗 유추(類推)❷. 유비(類比)❷. ②유추(類

아날리스트〔analyst〕 명 분석자. 특히, 증권(證券) 분석자·정신(精神) 분석자.

아날리시스〔analysis〕 명 분석(分析). 분해(分解).

아날사이트〔analcite〕 명 〖광〗 방비석(方沸石).

아날심:〔analcime〕 명 〖광〗 방비석(方沸石).

아남네:시스〔그 anamnesis〕 명 〖철〗 〔기억(記憶)·회상(回想)의 뜻〕 플라톤 전기(前期) 이념설(理念說)의 한 중심 사상. 진리의 인식은 우리들이 태어나기 전부터 주어진 이데아의 인식을 상기하는 것이라고 함. 상기(想起). *상기설(想起說).

아-남자【兒男子】명 사내아이.

아납 미사일〔Anab missile〕명〖군〗소련의 공대공(空對空) 미사일. 야크 28, 스호이 9 등의 표준 무장(標準武裝)으로, 전장(全長) 3.6 m, 사정(射程) 8-10 km임.

아내[1] 명 남자의 짝이 되어 사는 여자를 그 남자와의 관계로 일컫는 말. 처(妻). 처실(妻室). 가실(家室). ↔남편.
[아내가 귀여우면 처갓집 말뚝보고도 절을 한다] ㉠아내가 귀여우면 그의 주위에 있는 보잘것 없는 것까지 고맙게 보인다는 말. ㉡어떤 사람에게 혹하여 정신이 없으면 사리(事理)가 어두워져 실수를 한다는 말. [아내 나쁜 것은 백 년 원수, 된장 신 것은 일 년 원수] 아내를 잘못 맞으면 평생을 그르치게 된다는 말. [아내 없는 처갓집 가나 마나] 목적하는 것이 없는 데는 갈 필요도 없다는 말. [아내 행실은 다홍치마 적부터 그루를 앉힌다] 아내를 휘어잡으려면 다홍치마를 입은 새색시 적부터 버릇을 잘 가르쳐야 한다는 말.

아내[2]【衙內】명〖역〗당(唐)나라 때 궁성(宮城)을 지키던 군사.

아내-맞이 명 아내를 맞이함.

아냐 감 ↗아니야.

아:널드[1]〔Arnold〕명 ①〔Matthew A.〕영국의 시인·비평가. ❷의 장남. 거의 일생을 독학관(督學官)으로 보내었음. 시는 인생의 비평이며, 비평이란 곧 이 세상의 최선의 것을 알고 또 배우도록 하는 데 있다 하여 영국인의 세속성(世俗性)을 논란하고 교양의 가치를 역설함. 빅토리아조(Victoria 朝) 제일의 비평가(批評家)로 일컬어짐. 주저 ≪시집(詩集)≫·≪교양(敎養)과 무질서(無秩序)≫·≪문학(文學)과 독단(獨斷)≫ 등. [1822-88] ②〔Thomas A.〕영국의 교육가·역사가. 1827년 럭비 학교의 교장이 되어 기독교 정신에 입각한 교육 개혁(敎育改革)에 헌신하고 수학·근대어(近代語)·근세사(近世史)를 교과로 채택하는 등 영국 교육사상 큰 업적을 남겼음. 주저 ≪로마사(史)≫·≪교육(敎育)과 국가(國家)≫ 등. [1795-1842]

아:널드[2]〔Arnold, Edwin〕명〖사람〗영국의 시인·학자. 인도의 데칸(Deccan) 대학 학장(學長)을 역임하였으며, 동양(東洋) 연구가로 유명함. 1888년 나이트의 칭호를 받음. 작품에 ≪아시아의 빛≫ 등이 있음. [1832-1904]

아:넘-랜드〔Arnhem Land〕명〖지〗오스트레일리아 노던 주(Northern Territory) 북부를 차지하는 반도 모양의 대지(臺地). 오스트레일리아 원주민의 거주지였음.

아네[1] 명 〈방〉 아내[1](평안).

아네[2] 명 〈방〉 안[1](경북·충남).

-아네 어미 〈방〉 -아서(제주).

아네로이드〔aneroid〕명〖물〗아네로이드 기압계(aneroid 氣壓計).

아네로이드 고도계【一高度計】명〔aneroid altimeter〕아네로이드 기압계에 의하여 지시침(指示針)이 동작하는 고도계.

아네로이드 기압계【一氣壓計】〔aneroid〕명〖물〗기압계의 한 가지. 얇은 금속으로 된 진공(眞空)의 상자가 기압의 변화에 따라 신축(伸縮)하는 움직임을 지침(指針)에 전달하여 기압을 나타내도록 함. 휴대에 편리하며 눈금을 매기기에 따라 고도계(高度計)로도 씀. 아네로이드. 아네로이드 청우계. 공합(空盒) 청우계. 무액 기압계(無液氣壓計).

〈아네로이드 기압계〉

아네로이드 상자【一箱子】명〔aneroid capsule〕대기압(大氣壓)이나 가스압(gas 壓)에 따라 팽창(膨脹)·수축(收縮)하는, 흔히 금속으로 만든 얇은 원판 모양의 상자. 스프링으로 당겨지고, 부분적으로 진공(眞空)으로 되어 있으며, 각종 계기(計器)에 사용됨.

아네로이드 청우계【一晴雨計】〔aneroid〕명〖물〗아네로이드 기압계(aneroid 氣壓計).

아네르기〔도 Anergie〕명〖의〗생체에 항원을 주사하여도 조금도 반응을 일으키지 아니하는 상태. 항원에 의하여 감작(感作)되어 있지 아니하므로 알레르기 반응을 일으키지 않을 때는 절대적 아네르기, 감작되어 있어도 제감작(除感作)되어 있기 때문에 반응을 일으키지 않은 것을 양성(陽性) 아네르기라 함. ↔알레르기.

아네르센〔Andersen, Hans Christian〕명〖사람〗안데르센의 덴마크식 발음.

아네모네〔라 anemone〕명〖식〗[*Anemone coronaria*] 미나리아재빗과에 속하는 다년초. 줄기 높이 20 cm 가량, 잎은 가늘게 우상(羽狀) 분열하며 소열편(小裂片)은 긴 타원형 또는 피침형으로 톱니가 있음. 4-5월에 줄기 끝에 적색·자색·청색·백색 등의 꽃이 피는데 화관이 없고, 꽃받침이 화관처럼 보임. 지중해 연안 지방 원산의 원예 식물로, 내동성(耐凍性)의 구근(球根)이 있음. 관상용으로 재배함. ＊바람꽃[2].

〈아네모네〉

아네톨〔anethole〕명 대회향유(大茴香油)·아니스유(anise 油) 등의 정유(精油) 중에 포함되어 있는 향료 성분(香料成分). 과자나 음료수(飮料水) 등의 향료·건위제(健胃劑)·거담제(祛痰劑) 등에도 쓰임.

아녀[1]【兒女】명 ↗아녀자.

아녀[2]【阿女】명 딸.

아:-녀석 명 아이 녀석.

아녀 영웅전【兒女英雄傳】명〖책〗중국 청(淸)나라 때의 통속 장편 소설. 만주 귀족인 문강(文康) 곧, 연북 한인(燕北閒人)의 작이며, 전 40 회임. 무술과 재색 겸비한 협녀(俠女)를 중심으로 한 일종의 의협 소설(義俠小說)임.

아녀-자【兒女子】명 ①어린이와 여자. ②여자를 낮추어 평가하여 이르는 말. ¶～ 따위가 참견할 일이 아니다. ㊟아녀.

아녜스〔Agnes〕명〖사람〗로마 가톨릭의 동정 순교자(殉敎者). 303년 13세 때에 로마에서 순교하였다 하며, 1월 21일을 '성(聖) 아녜스의 밤'이라 하여 그 축일(祝日)로 하였음. 처녀들을 수호하는 성인으로 받들어지며, 이 밤에 장래 남편될 남자를 공개한다 함. 아그네스.

아노【衙奴】명〖역〗수령(守令)이 사사로이 부리던 사내종. ↔아비(衙婢).

아노님〔anonym〕명〖악〗작자 불명(不明)의 악곡.

아노락〔anorak〕명 후드(hood)가 달린 가볍고 짧은 외투. 주로 방한용(防寒用)이며, 특히 스키·등산(登山) 때에 입음.

〈아노락〉

아노말로-스코:프〔anomaloscope〕명 빛깔에 대한 시력(視力) 테스트용(用) 광학 기계(光學器械). 강도(强度)를 변화시킬 수 있는 황색광(黃色光)을 강도가 일정한 적색광(赤色光)과 녹색광(綠色光)에 겹치도록 되어 있음. ＊검안경(檢眼鏡).

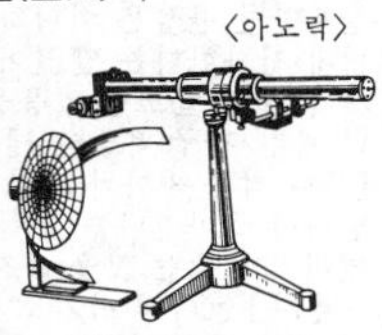
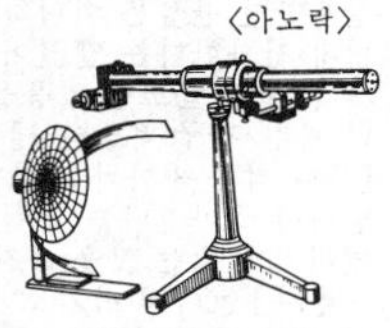
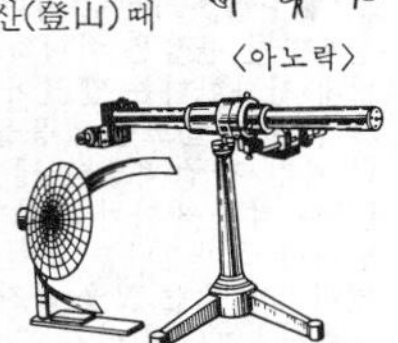
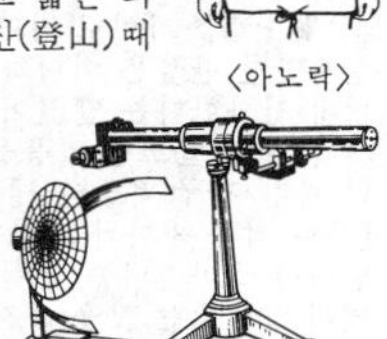

〈아노말로스코프〉

아노말로카리스〔anomalocaris〕명〖동〗약 5억 3천만 년전, 곧 캄브리아기(紀)에 바다 밑에서 서식했던 지구 최초의 육식(肉食) 동물로 여겨지는 생물. 새우 비슷하게 생겼으며, 입은 몸 앞쪽에 밑을 향하여 있는데, 원형으로 오므렸다 벌렸다 하면서 먹이를 잡아 먹었음.

아노미〔프 anomie〕명 ①〖사〗행위를 규제하는 공통의 가치나 도덕 기준을 잃은 혼돈 상태. ②〖심〗불안·자기 상실감(自己喪失感)·무력감(無力感) 등에서 볼 수 있는 부적응(不適應) 현상.

아노아〔anoa〕명〖동〗[*Anoa depressicornis*] 소목(目) 솟과(科)에 속하는 짐승. 셀레베스 섬 특산으로, 몸통은 작고, 뿔은 곧게 뻗었음. 소·물소·영양(羚羊)의 특징을 모두 갖추고 있음.

아노이리나아제〔도 Aneurinase〕명 티아미나아제(thiaminase). 「름.

아노이린〔도 Aneurin〕명〖화〗유럽에서의 '티아민(thiamine)'의 딴이

아농〔Hanon, Charles Louis〕명〖사람〗프랑스의 피아니스트·음악 교육가. 그의 저서 '아농 교칙본(敎則本)'은 피아노의 운지법(運指法)을 위한 연습곡집(集)으로 널리 알려짐. [1820-1900]

아뇌쿠메네〔도 Anökumene〕명〖지〗지구 위에서 인류가 정주(定住)할 수 없는 지역. 즉, 해양(海洋)·고산(高山)·극지(極地)·사막 따위. ↔외쿠메네(Ökumene).

아뇨 감 ↗아니오.

-아뇨 어미 〈옛〉 -습니까. -ㅂ니까. =-거뇨·-뇨. ¶如來ㅅ긔 현맛 衆生이 머리 좃ᄉᆞᄫᆞ뇨 ≪月釋 Ⅱ:48≫. ＊-어뇨.

아뇩 관음【阿耨觀音】명〖불교〗삼십삼 관음의 하나. 바위 위에 앉아서 바다를 바라본다 함. 불화(佛畫)에 그림.

아뇩다라 삼먁 삼보리【阿耨多羅三藐三菩提】명〔범 anuttara-samyak-sambodhi〕〖불교〗〔무상 정변지(無上正遍智)·절대 지자(絶對智者)의 뜻〕①부처의 깨달음. 진리를 깨달은 경지(境地). 일체의 진상을 모두 아는 부처의 지혜. 무상 정변지(無上正徧智). ②부처의 지덕(智德)을 칭송하는 한 칭호. ㊟아뇩 보리.

〈아뇩 관음〉

아뇩달 용왕【阿耨達龍王】〔범 Anavatapta-nāga-rāja〕〖불교〗팔대(八大) 용왕의 하나. 아뇩달지(池)에 살면서 동서 남북으로 물을 흘려 전 세계를 윤택하게 한다고 함.

아뇩달-지【阿耨達池】명〔범 anavatapta〕〖불교〗〔무열뇌(無熱惱)·청량(淸涼)의 뜻〕히말라야 산 북쪽에 있는 못으로 용왕이 산다고 하며 맑고 찬 물을 염부주(閻浮洲)로 흘려 보낸다고 함. 무열뇌지(無熱惱池). 무열지(無熱池).

아뇩 보리【阿耨菩提】명〖불교〗↗아뇩다라 삼먁 삼보리.

아누〔Anu〕명〖신〗고대 바빌로니아·판테온(Pantheon)의 최고신(最高神). 천계(天界)의 최고 왕으로, 신(神)들의 아버지이며 운명의 지배(支配)자임. 에아(Ea)·엔릴(Enlil)과 함께 삼체 일좌(三體一座)를 이룸.

아누라다푸라〔Anuradhapura〕명〖지〗스리랑카 북부의 옛 도시. 현존(現存)하는 세계 최고(最古)의 불탑(佛塔) 외에, 불교 전래(傳來) 이후의 많은 고적(古蹟)으로 유명함.

아누비스〔Anubis〕명〖신〗이집트 신화 중의 사자(死者)의 신(神). 늑대의 머리를 하였는데, 사자를 명계(冥界)로 인도하며 그 심장의 경중을 저울로 단다 함.

아누이〔Anouilh, Jean〕명〖사람〗프랑스의 극작가. 신랄한 유머로 영혼과 사회 현실의 충돌, 빈부(貧富)의 대립(對立), 죄의식(罪意識) 등을 즐겨 취급함. 대표작(代表作)에 ≪도둑들의 무도회≫·≪장밋빛 극작집≫ 등이 있음. [1910-87]

아뉴스 데이〔라 Agnus Dei〕명〖천주교〗①천주의 고양(羔羊). 곧, 예수 그리스도 또는 그리스도를 상징하는 천주의 고양의 상(像). ②'아뉴스 데이'의 말로 시작되는 미사의 기구문(祈求文). 또, 그 음악.

〈아누비스〉

아느작-거리다 자 부드럽고 길고 가느다란 나뭇가지나 풀잎 따위가 잇따라 춤추듯 흔들거리다. ㊟아늑거리다. 아느작-아느작 부. ——-하다 자여불

아느작-대다 자 아느작거리다.

아늑-거리다 자 ↗아느작거리다.

아늑-대다 자 아늑거리다.

아늑-하다 형여불 주위가 포근히 싸이듯 보드라운 느낌이 있고 조용하다. ¶아늑한 방/아늑한 산중의 옛 절. ＜으늑하다. 아늑-히 부

아늘-거리다 자 빠르고 가볍게 아느작거리다. 아늘-아늘 부. ——-하다 자여불

아늘-대다 자 아늘거리다.

아늠 명 불을 이루고 있는 고기.

아니[1] 부 ①용언 앞에 붙어서 부정 또는 반대의 뜻을 나타내는 말. ¶ ~ 먹다 / ~ 오다. 준안. ②앞에 말한 사실을 보다 강조하기 위하여 쓰이는 말. ¶ 공자(孔子)는 중국, ~, 세계의 위인이다.
[아니 되는 놈의 일은 자빠져도 코가 깨진다] 운수가 사나운 사람은 일마다 예측하지 못한 뜻밖의 재화(災禍)가 일어난다는 말. ¶ 아니 되는 놈은 자빠져도 코가 깨진다고, 정길이 점점 억척이 되느라고《李海朝:鬢上雪》. [아니 되면 조상 탓] ㉠자기가 잘못하거나 못나서 일에 실패하면 반성은 아니하고, 조상을 원망한다는 말. ㉡자기 잘못을 남에게 전가한다는 말. [아니 드는 칼로 목베기] 일을 저질러 놓고 짓뭉개며 질질 끌고만 있음을 이르는 말. [아니 땐 굴뚝에 연기 날까; 아니 때린 장구 북소리 날까] 어떤 결과에나 반드시 원인이 있다는 말. [아니 먹는 씨아가 소리만 난다] 쓸모없는 사람일수록 떠들썩하게 떠벌리며 돌아간다는 말. [아니 무너진 하늘에 작대기 받치자 한다] 공연히 쓸데없는 짓을 하자고 함을 이르는 말. [아니 밴 아이를 자꾸 낳으란다] ㉠아직 시기도 안 되었는데 무리하게 재촉한다는 말. ㉡이루지 못할 일을 억지로 바란다는 말.

아니[2] 감 ①그렇지 아니하다는 뜻을 대답으로 하는 말. ¶ 잠자니. ~. 안 자. ②말의 강조나 새삼스럽게 의심스러움을 나타낼 때에 쓰는 말. ¶ ~, 이게 어떻게 된 일이냐.

-아니 어미 〈옛〉-거니. -니. =-어니. ¶ 네 ᄒᆞ마 맛나ᄉᆞᄫᆞ니 前生ㄱ 罪業을 어루 버스리라《月釋 Ⅱ:62》.

아니꼬우- 감 '아니꼽다'의 불규칙 어간. ¶ ~니/~면/~ㄴ.

아니꼬이 부 아니꼽게. ¶ ~ 여기다.

아니꼽다 형ㅂ불 ①비위에 거슬리어 구역이 날 듯하다. ¶ 속이 ~. ②같잖은 언행에 불쾌함을 느끼다. 눈꼴이 사나워서 불쾌하다. ¶ 아니꼬워서 못 보겠다/아니꼬운 녀석.

아니꼽살-스럽다 형ㅂ불 매우 아니꼽다. ¶ 아니꼽살스럽지. 의관 벼슬에 청지기란 어디 당한 겐고!《李無影:農民》. **아니꼽살-스레** 부

아니나-다르랴 감 아니나다를까.

아니나-다를까 감 과연 미리 생각했던 바와 같다고 할 때 쓰는 말. 아니나다르랴. ¶ ~, 성적이 엉망이다.

아니다 ㊀형 사실을 부정할 때에, 잡아서 일컫는 말. 곧, '이다'를 부정하는 말. ¶ 고래는 어류가 ~/여기가 아니고 저기다/희망이 전혀 없는 것도 ~. ㊁감 해라할 자리에서, 그렇지 않다는 뜻으로 부정하는 말. ¶ ~, 죽어도 그것은 아냐.

아니대:도유나【阿尼大都唯那】 명 〖역〗 신라 때의 승직(僧職). 진흥왕이 처음으로 보량 법사(寶良法師)에게 이 벼슬을 주었음.

아니리 명 〖악〗 판소리 창에서 쓰이는 말. 판소리는 장단에 맞추어 부르는 노래와 이야기로서 줄거리를 가진 일정한 내용을 전달하는 경우가 있는데, 이 때 이야기하는 부분을 말함. 목을 쉬는 여유와 청중과 대화하는 기회를 가질 수 있음. *발림.

아니리-광:대 명 〖악〗 판소리에서 소리보다 아니리에 치중하는 광대. 소리는 짧고 사설이 많은 창자(唱者)를 가리킴. *소리광대.

아니마 〔anima〕 명 〔라틴어로 '혼(魂)'의 뜻〕 ①정신. 영혼. ②〖심〗 스위스의 심리학자 C.G. 융(Jung)의 말로서, 남성 속에 있는 여성적 요소. 여성 속에 있는 남성적 요소는 아니무스(animus : 아니마의 남성형)라고 했음.

아니마토 〔이 animato〕 명 〖악〗 '생기(生氣) 있게·활발하게'의 뜻. 벨렙트(Belebt).

아니솔 〔anisole〕 명 〖화〗 방향(芳香)이 있는 무색의 액체. 물에 녹지 아니하고 유기 용매(有機溶媒)에 녹음. 향료·유기 용제(溶劑)로 쓰임. 페놀(phenol)의 나트륨염(塩)에 황산(黃酸) 메틸을 반응시켜 만듦. 녹는점 −37°C, 끓는점 152° C. [$C_6H_5OCH_3$]

아니스 〔anise〕 명 〖식〗 [*Pimpinella anisum*] 미나릿과에 속하는 일년초. 높이 60cm 정도로 부드러운 털이 있음. 근생엽(根生葉)은 둥근 심장형에 불규칙한 톱니가 있으며, 경엽(莖葉)은 우상 복엽 또는 삼출 복엽(三出複葉)임. 8-10월에 줄기 끝에 복산형(複繖形) 화서로 황색을 띤 흰 꽃이 피고, 과실은 갈색의 달걀꼴인데 휘발성(揮發性)의 '아니스유(油)'가 들어 있음. 북아메리카 원산(原產)으로 그리스·이집트 등에서도 재배함. 건위(健胃)·거담약(祛痰藥) 또는 향미료(香味料)로 씀.

〈아니스〉

아니스-산【一酸】 명 〔anisic acid〕 〖화〗 아네톨(anethole)을 산화(酸化)시켜 얻는 무색(無色)의 결정(結晶). 석회(石灰)와 증류(蒸溜)하면 아니솔(anisole)이 됨.

아니스-유【一油】 명 〔anise oil〕 아니스의 종자를 증류하여 만든 무색 또는 황백색의 기름. 특수한 방향과 강한 단맛이 있음. 비누·화장품·리큐어 조향료(liqueur 調香料)로 쓰임.

아니시딘 〔anisidine〕 명 〖화〗 방향족(芳香族) 아민의 하나. o⁻, m⁻, p⁻의 3이성질체(異性質體)가 있으며 무색(無色)의 침상 결정(針狀結晶). 아조 물감 제조에 쓰임.

아니-야 감 부정(否定)의 뜻을 나타낼 때 쓰는 말. 준아냐.

아니오 감 하오할 자리에서 그렇지 않다는 뜻으로 하는 말. ¶ ~, 그렇지는 않소이다. 준아뇨.

아니오란요ᄉᆞ이 부 〈옛〉 저번. 며칠 전(前). ¶ 向은 아니 오란 요ᄉᆞ이라《月序 26》.

아니온 〔도 Anion〕 명 〖화〗 양극(陽極)으로 향하여 움직이는 이온. 곧, 음전기(陰電氣)를 띠고 있는 이온. 음이온(陰 ion).

아니옷 부 〈옛〉 아니 곧. 아니. ¶ 셜리 나 내 신고흘 미야라 아니옷 미시면 나리어다 머즌 말《樂範 處容歌》. *-옷.

-아니와 어미 〈옛〉 -거니와. =-야니와·-어니와. ¶ 五教ㅣ 한 詮에 뻬요믈 ᄒᆞ마 아라니와(已知五教貫於群詮)《圓覺 上 一之二 76》.

아니완ᄒᆞ다 형 〈옛〉 나쁘다. 악하다. 사납다. =아니환ᄒᆞ다. ¶ 아니완ᄒᆞᆫ 사람이 낫ᄂᆞ니라(出生歹人來)《老乞 上 24》.

아니-참 감 문득, 잊었던 일이 떠올랐을 때에 그 말 앞에 쓰이는 말. ¶ ~, 그 사람은 김(金)씨지.

아니-하다 보형보동여불 동사나 형용사의 '-지'꼴의 아래에 붙어 부정의 뜻을 나타내는 말. ¶ 먹지 ~/곱지 ~. 준않다.

아니한 관 〈옛〉 많지 않은. 적은. ¶ 어버ᅀᅵ 子息 ᄉᆞ랑호ᄆᆞᆫ 아니한 ᄉᆞᅀᅵ어니와《釋譜 Ⅵ:3》.

아니한덛 명 〈옛〉 잠시(暫時). 찰나(刹那). ¶ 목수미 아니한더데 이셔(命在須臾)《佛頂 下 9》.

아니한뻬 명 〈옛〉 잠시(暫時). ¶ 모ᄃᆞ락 흐트락 호미 또 아니한뻬로다(聚散亦暫時)《杜諺 XXⅡ:23》.

아니한ᄉᆞᅀᅵ 명 〈옛〉 잠깐. ¶ 아니한ᄉᆞᅀᅵ(少選之間)《楞嚴 Ⅸ:53》.

아니할-말로 부 말하기는 좀 무엇하지만. ¶ ~, 자기 아들만도 못한 사람이야. 준안할말로.

아니환히 부 〈옛〉 나쁘게. 사납게. 못되게. ¶ 실의 노ᄂᆞᆫ 아히 아니환히 누워 안흘 볼와 ᄢᅴ여 ᄇᆞ리ᄂᆞ다(嬌兒惡臥踏裏裂)《重杜諺 Ⅵ:42》.

아니환ᄒᆞ다 형 〈옛〉 나쁘다. 악하다. 사납다. =아니완ᄒᆞ다. ¶ 아니환ᄒᆞᆫ 소리ᄒᆞ고(惡聲)《救簡 Ⅰ:94》.

아니ᄒᆞ다 보형 〈옛〉 아니하다. ¶ 至極디 아니ᄒᆞᆫ딘《楞嚴 Ⅰ:13》.

아닌게-아니라 부 과연 그렇다는 뜻으로 긍정하려는 말 앞에 쓰는 말. 미상불(未嘗不). ¶ ~ 네 말이 옳다.

아닌 밤중【一中】【一쭝】 명 깊은 밤 뜻하지 아니한 때. 뜻밖의 때.
[아닌 밤중에 홍두깨] 별안간 불쑥 내놓는다는 말. [아닌 밤중에 찰시루떡] 뜻밖의 요행이나 횡재를 만났다는 말.

아닌-보살【一菩薩】 명 내전 보살. ——-하다 자여불 알고도 모르는 체하고 가만히 있다. ¶ 자쳐해 죽을 여편네두 있겠지만 ~하구 살 여편네가 더 많을걸《洪命憙:林巨正》.

아닗 명 〈옛〉 아님. ¶ 여러 劫ㅅ因이 아닗 아니며(莫非累劫之因)《六祖》.

아닐리드 〔anilide〕 명 〖화〗 아닐린의 아미노기(amino 基)의 수소 한 원자(原子) 또는 두 원자를 아실기(acyl 基)로 치환(置換)한 화합물의 총칭.

아닐린 〔aniline〕 명 〖화〗 방향족 아민(芳香族amine)의 하나. 니트로벤젠을 쇠붙이와 염산(塩酸)으로 환원시켜 만든 이취 무색(異臭無色)의 액체. 독성이 있어, 흡입(吸入)·피부 흡수 등으로 중독 증상을 나타냄. 일광이나 공기의 작용으로 황색에서 흑색으로 변함. 합성 물감·의약의 원료 등으로 쓰임. 녹는점 −6℃, 끓는점 183℃. [$C_6H_5NH_2$]

아닐린 블랙 〔aniline black〕 명 〖화〗 ①아닐린을 산화 축합(酸化縮合)시켜 만드는 흑색 물감. 1863년, 영국의 라이트풋(Lightfoot)이 공업적 제법을 발명함. 무명을 검게 염색할 때 쓰임. ②안료(顏料)의 하나. 아닐린을 산화하여 만든 흑색 분말로 그림 물감·고무 장화·합성 수지 성형품(成形品) 등에 쓰임.

아닐린 수지【一樹脂】 명 〔aniline resin〕 〖화〗 아닐린을 산성 또는 알칼리성 촉매(觸媒)로 포름알데히드와 중축합(重縮合)하여 얻는 열경화성(熱硬化性) 수지. 전기 절연 재료(電氣絕緣材料)·도료(塗料) 등으로 제품되고 있음.

아닐린-염【一塩】 〔aniline〕 [一념] 명 〖화〗 염화 아닐린.

아닐린 염:료【一染料】 〔aniline〕 [一념뇨] 명 ①아닐린을 원료로 한 물감의 총칭. ②19세기 중반 영국·프랑스·독일 등에서 아닐린을 합성 물감의 중요 원료(原料)로 사용하였기 때문에 생긴 말로, 널리 합성(合成) 물감을 이름.

아닐린 인쇄【一印刷】 〔aniline〕 명 〖인쇄〗 물감의 알코올 용액·수용액 또는 여기에 안료를 첨가한 아닐린 인쇄 잉크를 사용하는 인쇄의 한 가지. 고속 인쇄에는 적당하나, 정밀한 그림에는 부적당함. 플렉소그래피(flexography).

아닐린 중독【一中毒】 〔aniline〕 명 아닐린 제조 공장에서 보이는 직업병. 증기의 흡입에 의하거나 피부에서의 흡수로도 일어남. 허용 농도는 5 ppm. 급성 중독은 대부분 흡입성이며, 혈액의 헤모글로빈을 산화하여 메트헤모글로빈을 형성, 입술·귀·손끝 등에서 청색증을 볼 수 있음.

아닐비-부【一非部】 명 한자 부수(部首)의 하나. '靠'나 '靡' 등의 '非'의 이름.

아닙니다 감 윗사람에게 그렇지 않다고 부정하는 말. ¶ ~, 그것은 선생님의 착각이십니다.

아닝다 형 〈옛〉 아닙니다. 아니옵니다. ¶ 護彌 닐오ᄃᆡ 그리 아닝다《釋譜 Ⅵ:16》. *-니이다.

-아놀 어미 〈옛〉 -거늘. =-어놀. ¶ 黃檗이 百丈올 보아놀(黃檗見百丈)《蒙法 31》.

-아다 어미 〈옛〉 -았다. ¶ 내 보아다(我看了也)《老乞 下 7》. *-어다.

아다개【阿多介】 명 〈옛〉 털요. ¶ 與宴賜領事豹皮茵 俗名 阿多介《中宗實錄 XⅡ:44》.

아다나 〔Adana〕 명 〖지〗 터키 동부 아다나 주(州)의 주도(主都). 면화 무역의 중심지로, 주변의 평원에서 곡물·담배 등을 산출함. 방적·담배·비누·올리브유(油) 등의 공장이 있음. 히타이트(Hittite) 시대부터 알려졌으며, 한때는 로마의 식민시(植民市)였는데, 예로부터 군사상(軍事上)의 요지였음. 〔916,150 명(1990)〕

아다드〔Adad〕 명 〖신〗 바빌로니아·아시리아 등의 신(神). 뇌우(雷雨)·폭풍·홍수 따위 자연의 파괴력을 상징하는 기상신(氣象神)이며 신탁(神託)의 신.

아다마르〔Hadamard, Jacques Salomon〕 명 〖사람〗 프랑스의 수학자. 급수(級數)·해석 함수(解析函數)·변분학(變分學) 따위에서 많은 업적을 쌓고, 유체 역학(流體力學) 등도 연구하였음. 제2차 대전중 도미, 전후 귀국하였음. [1865-1963]

아다모프〔Adamov, Arthur〕 명 〖사람〗 러시아 태생의 프랑스 극작가. 초기에는 전위극(前衛劇) 작가로, 소외된 인간의 고독·불안을 초현실주의적 수법(手法)으로 묘사하였으나 뒤에 브레히트(Brecht)의 영향을 받아 사회주의적 서사시극(敍事詩劇)을 썼음. 대표작에 ≪핑퐁(Le Ping-pong)≫·≪1871 년의 봄≫·≪만일 여름이 돌아온다면≫ 등. [1908-70]

아다지시모〔이 adagissimo〕 명 〖악〗 '되도록 느리게'의 뜻으로, 아다지오(adagio)보다 느린 속도를 나타내는 말.

아다지에토〔이 adagietto〕 명 〖악〗 '아다지오보다 약간 빠르게'의 뜻.

아다지오〔이 adagio〕 명 〖악〗 ① '매우 느리게'의 뜻. 라르고(largo)보다는 조금 빠른 속도를 나타내는 말. ②소나타(sonata)·조곡(組曲) 등에 있어, 느린 악장(樂章)의 통칭.

아다지오 논 몰토〔이 adagio non molto〕 명 〖악〗 '느리게, 그러나 지나치지 않게'의 뜻.

아다지오 논 탄토〔이 adagio non tanto〕 명 〖악〗 '너무 느리지 않게'의 뜻.

아다지오 디 몰토〔이 adagio di molto〕 명 〖악〗 '아주 느리게'의 뜻.

아다지오 아사이〔이 adagio assai〕 명 〖악〗 '아주 느리게'의 뜻.

아다파〔Adapa〕 명 〖신〗 바빌로니아의 신화에 나오는 영웅. 남풍(南風)의 날개를 부러뜨려 신들의 노여움을 사나 에아(Ea)의 도움으로 벌을 모면함. 그러나 불사(不死)의 음식물을 죽음의 음식물로 잘못 생각하여 먹기를 거부, 영생(永生)의 기회를 잃었다고 함.

아닥-치듯 부 매우 심하게 말다툼하는 모양. ¶뭘 그리 ~ 다투느냐.

아단-단지 명 〖역〗 소이탄(燒夷彈)과 같이 된 폭발탄. 임진 왜란 때 이순신(李舜臣) 장군이 사용하였다 함.

아달 명 〈방〉 아들.

아달라-왕【阿達羅王】 명 〖사람〗 신라의 제8대 왕. 원명은 아달라 이사금(阿達羅尼師今). 왕 3년(156)에 계립령(鷄立嶺), 동 5년(158)에 죽령(竹嶺)의 길을 닦음. 동 12년(165)에 아찬(阿飡) 길선(吉宣)이 모반하다가 백제로 달아나 왕이 범인의 인도를 요구하였으나, 백제가 듣지 않으매 사이가 나빠졌음. [재위 154-184]

아달린〔도 Adalin〕 명 〖약〗 '브롬디에틸아세틸 요소(bromdiethylacetyl 尿素)'의 상품명. 약간 쓴 맛이 있는, 무취(無臭)의 백색 결정성 분말(結晶性粉末)로 수면제(睡眠劑)·진정제(鎭靜劑)로 쓰임.

아달바-폐:타【阿闥婆吠陀】 명 〖종〗 '아타르바베다'(Atharva-Veda)의 음역어(音譯語).

아달-월【一月】〔히 Adar〕 명 〖성〗 유태 나라의 교력(敎曆)으로 12월, 민력(民曆)으로 유월의 이름. 지금의 양력 2-3월쯤에 해당함.

아:담¹【雅淡·雅澹】 명 조촐하고 산뜻함. ¶~하게 꾸민 방. ——-하다 형여불. ——-히 부

아:담²【雅談】 명 고아(高雅)하고 조촐한 이야기.

아담³〔Adam〕 명 〖성〗 〔히브리어로 '사람'의 뜻〕 구약 성서에 나오는 인류의 선조. 하느님이 흙으로써 자기 형상대로 만들어 온 땅을 다스리게 하였음. 뱀의 유혹을 받은 아내 이브(Eve)의 권유로 선악(善惡)을 알게 되는 금단(禁斷)의 과실(果實)을 따먹어, 원죄(原罪)를 짓고 쫓겨났음.

아담⁴〔Adam, Karl〕 명 〖사람〗 독일의 가톨릭 신학자이며 신부(神父). 튀빙겐(Tübingen) 대학 교수를 지냄. 제2차 대전중 나치즘을 공격한 이유로 박해를 받았음. 저서 ≪가톨릭시즘의 본질(本質)≫은 유명함. [1876-1966]

아담샬〔Adam Schall〕 명 〖사람〗 샬 폰 벨.

아:담-성【雅淡性】〔—썽〕 명 아담스러운 귀인성.

아:담-스럽다【雅淡—】 형ㅂ불 아담하게 보이다. 보기에 아담하다. 아:담-스레【雅淡—】 부

아담스-물방개〔adams〕 명 〖충〗 〔*Graphoderes adamsi*〕 물방갯과에 속하는 곤충. 몸길이 13mm 내외. 배면(背面)은 황갈색이며 뒷머리 끝에 초승달 무늬, 전배판(前背板) 각 시초(翅鞘)에 그물 무늬가 밀포함. 연못·웅덩이에 사는데, 한국·일본에 분포함.

아담-창【鵝啗瘡】 명 〖한의〗 어린애가 태중에 모체(母體)로부터 독을 받아, 처음 낳았을 때는 돈짝만한 부스럼이 났다가 차차 번지어 썩어 들어가는 병.

아당¹【阿黨】 명 ①남의 마음을 사로잡기 위해서 알랑거리고 아첨함. 또, 그러한 무리. ¶~하기 잘하는 사람 / ~을 피우며 쪽쪽 울고 무슨 호소를 하느라고 또 여우짓을 하고 있니? ≪趙重桓 : 菊의 香≫. ②간사하고 공정하지 못함. ¶~한 사람. ③동료(同僚). 당류(黨類). ——-하다 자형여불

아:당²【我黨】 명 ①우리 당. ②우리 편.

아:당³【亞堂】 명 〖역〗 '참판(參判)'의 별칭.

아당⁴〔Adam, Adolphe Charles〕 명 〖사람〗 프랑스의 작곡가. 파리 음악원에서 부아엘디외(Boieldieu)에 사사(師事). 지젤(Giselle) 등 14곡의 발레와 ≪뉘른베르크의 인형(人形)≫ 등 39 편의 오페라 작품이 있음. [1803-56]

아당⁵〔Adam, Paul〕 명 〖사람〗 프랑스의 소설가. 리얼리즘의 수법(手法)을 써서 많은 서사시적(敍事詩的) 사회 소설을 남겼음. 대표작에 ≪시(時)와 생명≫ 4부작이 있음. [1862-1920]

아당 드 라 알〔Adam de la Halle〕 명 〖사람〗 프랑스의 음유 시인(吟遊詩人). 처음 아르투아(Artois) 백작 로베르(Robert) 2세에, 뒤에 시칠리아왕 앙주(Anjou) 백작을 섬김. 1285년경 그가 쓴 목가극(牧歌劇)은 현존하는 세속적(世俗的)인 음악극(音樂劇)의 가장 오래된 것으로 알려짐. [1240?-85?]

아당ᄒᆞ다 자 〈옛〉 아당(阿黨)하다. 아첨(阿諂)하다. ¶아당홀 텸(諂), 아당홀 유(諛) ≪字會 下 29≫.

아:-대륙【亞大陸】 명 〔subcontinent〕 〖지〗 ①대륙보다는 작지만 그린란드 정도의 크기를 가진 땅덩이. ②지질학적(地質學的)·지형학적(地形學的)인 대륙의 대분류(大分類). 인도 아대륙 따위.

아데나워〔Adenauer, Konrad〕 명 〖사람〗 서독의 정치가. 쾰른(Köln)의 시장(市長)이었다가 나치스에 의하여 투옥(投獄)되었으며, 제2차 대전 후 기독교 민주당을 이끌고 독일 연방 공화국 제헌 의회 의장·수상을 역임함. 서(西)유럽 여러 나라와의 유대를 굳건히 하고 서독의 지위를 높이는 데 기여함. [1876-1967]

아데나워 방식【—方式】〔Adenauer〕 명 〖정〗 통일 전, 서독이 소련과의 국교 정상화에 임해서 우선 대사(大使) 또는 공사(公使)를 교환하고, 그 후에 현안(懸案)을 해결하려던 방식. 1955년 9월에 아데나워가 소련 수상 불가닌(Bulganin)의 초청을 받아, 모스크바에 갔을 때에 이 방법으로 외교 관계를 수립하였음.

아데노바이러스〔adenovirus〕 명 〖의〗 인두 결막열(咽頭結膜熱)·유행성 각결막염(流行性角結膜炎) 등을 일으키는 DNA 바이러스. 1953년 인체(人體)에서 적출된 편도선(扁桃腺) 아데노이드에서 처음 발견된 후, 약 30 종이 알려져 있음.

아데노신〔adenosine; 도 Adenosin〕 명 〖화〗 리보 핵산(核酸)의 구성 성분으로 존재하며, 리보 핵산의 효소(酵素) 분해에 의하여 얻어짐. 녹는점 235°C의 침상 결정(針狀結晶). 인산(燐酸)과 결합하여 뉴클레오시드가 되어 생체(生體) 반응에 관여함. [$C_{10}H_{13}O_4N_5$]

아데노신 삼인산【—三燐酸】 명 〔adenosine triphosphate〕 〖화〗 에이티피(ATP).

아데노이드〔adenoid〕 명 〖의〗 편도선이 증식(增殖)하는 비대증(肥大症). 흔히, 어린 아이에게 많이 생기는데, 코의 발육이 불완전하게 되며 때때로 귀가 먹고 기억력이 감퇴됨.

아데노이드
비강
구강
혀
인두
식도
후두

〈아데노이드〉

아데닌〔adenine〕 명 〖화〗 핵산(核酸)의 일부로서 또는 동물의 조직이나 차(茶)의 잎에서 볼 수 있는 결정성(結晶性) 물질. [$C_6H_5N_5$]

아데르민〔adermin〕 명 〖화〗 비타민 B_6의 이름. 피리독신(pyridoxine).

아덴〔Aden〕 명 〖지〗 통일 전의 남예멘 인민 공화국의 수도. 홍해 입구에 있는 항구 도시로 무역 중심지임. 수에즈 운하 개통 후 급속하게 발달함. 1839년 동인도 회사에 의하여 점령된 이래 1967년까지 영국 직할 식민지로서 중요한 군사 기지이기도 하였음. 아덴 정유 공장은 연간 800만 톤의 원유를 처리함. [365,000 명(1991)]

아-도¹【兒島】 명 〖지〗 전라 남도의 남해안(南海岸), 동광양시(東光陽市) 태인동(太仁洞)에 위치하는 섬. [0.06 km²]

아도²【阿道】 명 〖사람〗 고구려의 중. 아버지는 중국 위(魏)나라의 아굴마(我堀摩). 다섯살 때 출가하여, 신라 미추왕(味鄒王) 2년(263)에 신라에 와서 절을 많이 지었다 함.

아:도³【餓倒】 명 배고파서 쓰러짐. ——-하다 자여불

-아도 어미 'ㅏ', 'ㅑ', 'ㅗ' 모음으로 된 용언(用言) 어간에 붙어, 그 사실을 인정하나 그 다음 말과는 상관이 없음을 나타내는 연결 어미. 'ㅏ'로 끝나는 어간에 붙을 때는 '아'가 생략됨. ¶물건이 많~ 쓸 것은 없다 / 네가 옳~ 참아야 한다 / 얇~ 질기다 / 빨리 가도 소용없다. *-어도.

아:도-간【我刀干】 명 〖역〗 수로왕(首露王) 신화에 나오는 가야(伽倻)의 구간(九干)의 하나.

〈아도니스〉

아도니스〔Adonis〕 명 〖신〗 그리스 신화에서, 여신 아프로디테(Aphrodite)의 사랑을 받은 미청년(美靑年). 사냥에서 멧돼지에 받혀 죽었을 때 그의 피에서는 아네모네가, 여신의 눈물에서는 장미가 피어났다고 함.

아도름〔도 Adorm〕 명 〖화〗 에틸 헥사 비탈 칼슘(ethyl hexa bital calcium)의 상품명. 물에 잘 풀리지 아니하는 백색 결정성 분말로 강력한 수면제(睡眠劑)임. 습관성이 있으며, 많이 먹으면 혈관 운동 중추·호흡 중추의 마비로 죽음에 이름.

아도-물【阿賭物】 명 〔중국 진(晉)나라·송(宋)나라의 속어(俗語)로 '이것'의 뜻인데, 진나라 왕연(王衍)이 돈을 기휘(忌諱)하여 이렇게 불렀으므로〕 돈.

아:동¹【我東】 명 ↗아동방(我東方).

아동²【兒童】 명 ①심신(心身)이 완전한 청년기(靑年期)에 달하지 아니한 사람. 대개 6-12세까지의 어린 아이. 어린이. ②국민 학교에서 배우는 아이. 학동(學童).

〔아동 판수 육갑 외듯〕 악성(惡聲)을 거듭하거나 고함(高喊)을 지름을 비유하는 말.

아동 공원【兒童公園】 명 어린이 놀이터와 같은 어린이 전용(專用)의 조그만 공원. 어린이 공원.

아동-관【兒童觀】 명 아동 본질에 대한 견해나 사고 방식. 시대에 따라 변화하며, 교육의 방향을 결정하는 기초가 됨.

아동 교:육【兒童敎育】 명 〖교〗 아동을 상대로 하는 교육.

아동-극【兒童劇】 명 〖연〗 ①어린이들이 하는 연극. 어린이가 그 창조 활동의 전부에 참가함으로써 지능의 계발(啓發)을 도모하고 심정(心情)을 도야(陶冶)하며, 아동 본능의 유희심(遊戲心)을 선도(善導)하여 교육과 오락의 융합도 목적으로 함. ②성인(成人)들이 아동들에게 보

이기 위하여 하는 연극. ㊀동극. *학교극(學校劇).

아동-기【兒童期】명 6-7세로부터 12-13세까지의 시기. 지적(知的) 발달이 현저한 시기로서, 차차 객관적 인식이 성립하고, 사회성도 점차로 발달하여, 집단 생활을 영위할 수 있게 되는 시기.

아동 노동【兒童勞動】명〖사〗13세 미만의 아동을 노동에 사용하는 일. 원칙적(原則的)으로 근로 기준법(勤勞基準法)에 의하여 금지(禁止)되고 있음.

아동 도서관【兒童圖書館】명 어린이 도서관.

아동 문학【兒童文學】명〖문〗①문학의 한 부문. 아동을 독자 대상으로 하여 교육성과 흥미를 고려하여 의식적으로 창작한 문학. 소년 소녀 소설·아동극의 각본 및 동화·동요·동시 등이 있음. ②아동들이 창작한 문학 작품.

아동 문화【兒童文化】명 아동을 대상으로 하고, 아동의 입장에서 계획되고 구성된 각종 문화재와 문화 활동의 총칭.

아동 박물관【兒童博物館】명 아동을 대상으로 하여 예술 및 과학 일반에 걸쳐 자연적인 흥미를 만족시키고 즐겁게 배울 수 있는 교육적인 목적으로 베푼 박물관.

아:-동방[1]【我東方·我東邦】명 예전에, 한국이 중국의 동쪽에 위치한 사실을 들어, 우리 나라 사람들이 본국을 가리키어 부르던 이름. ㊀아동(我東).

아동-방[2]【兒童房】명〖역〗조선 고종(高宗) 때에, 10세 이상 된 악공(樂工)의 자제(子弟)에게 기초적인 음악 교육을 베풀던 장악원(掌樂院)의 한 부서.

아동-병【兒童病】[一뼝] 명 주로 어린이가 잘 걸리는 병. 소아 마비·백일해·홍역 따위.

아동 보:호【兒童保護】명 [child welfare]〖사〗사회의 책임 아래 모든 아동을 보호하는 사회 정책. 보통 유아(幼兒)·학동(學童) 및 직업 아동 보호와, 고아(孤兒)·신체 장애 아동·불량아(不良兒) 등의 특수 아동 보호가 있음.

아동-복【兒童服】명 아이들이 입도록 만든 옷. 어린이옷.

아동 복지【兒童福祉】명 모든 아동을 다음 세대의 형성자(形成者)로서 건강하고 문화적으로 육성하여 그 생활을 보장하는 일.

아동 복지법【兒童福祉法】[一뻡] 명〖법〗아동이 건전하게 출생하여 행복하고 건전하게 육성(育成)되도록 그 복지를 보장(保障)함을 목적으로 제정된 법률.

아동 복지 시:설【兒童福祉施設】명 아동 및 임산부(妊産婦)의 복지를 위한 시설. 아동 상담소·영아 시설·육아 시설·아동 일시 보호 시설·아동 직업 보도 시설·조산(助産) 시설·아동 전용 시설·교호(敎護) 시설·아동 입양 위탁 시설·정서 장애아 시설·자립 지원 시설·탁아 시설 따위.

아동 복지 지도원【兒童福祉指導員】명〖법〗아동 복지에 관한 사항을 상담·지도하기 위해 아동 상담소에 두는 별정직 공무원.

아동 상담소【兒童相談所】명〖법〗아동 복지 시설의 하나. 아동 및 임산부의 복지에 관하여 그 가족 또는 관계인에 대한 상담, 가정 환경 조사, 전문적·기술적 지도가 필요한 때의 개별·집단 지도 등의 업무를 담당하는 곳.

아동 생계비【兒童生計費】명 어린이의 음식물비·피복비(被服費)·교육비·주거비·광열비(光熱費) 등을 포함한 생계비.

아동 심리학【兒童心理學】[一니一] 명〖심〗발달(發達) 심리학의 한 부문. 어린이의 정신 현상과 의식(意識) 발달을 비교 연구하는 심리학의 한 분과. 사춘기(思春期) 전까지의 아동의 정신 생활의 특이성을 기술(記述)·분석하거나 발생학적으로 연구함.

아동-어【兒童語】명 넓은 뜻으로는 아동의 언어 일반, 좁은 뜻으로는 아동에게 특유한 어휘(語彙). 어린이말.

아동-용【兒童用】[一뇽] 명 아동에게 소용되는 물건 또는 아동의 소용. 어린이용. ¶~의 제품.

아동 일시 보:호 시:설【兒童一時保護施設】[一씨一] 명〖법〗아동 복지 시설의 하나. 가출 아동·부랑 아동 기타 요보호(要保護) 아동을 일시 입소시켜 보호하고 아동의 성정(性情) 및 희망 등을 조사·감별(鑑別)하여 그 아동에 대한 장래의 양호 대책 기타 보호 조치를 하는 곳.

아동 입양 위탁 시:설【兒童入養委託施設】명〖법〗아동 복지 시설의 하나. 요보호(要保護) 아동을 일반 가정에 입양 또는 위탁하여 보육(保育)하게 하는 것을 목적으로 하는 시설.

아동 작가【兒童作家】명 아동을 위한 문예 작품(文藝作品)을 창작(創作)하는 작가.

아동 전용 시:설【兒童專用施設】명〖법〗어린이 공원, 어린이 놀이터, 아동 회관, 체육·연극·영화·과학 실험 전시 시설, 아동 휴양 숙박 시설, 야영장(野營場) 등으로서 아동에게 건전한 놀이·오락 기타 각종 편의(便宜)를 제공하여 심신의 건강을 유지·증진하고 정서(情緖)를 조장(助長)시키는 곳.

아동 주:졸【兒童走卒】명 철없는 아이들과 어리석은 사람들.

아동 중심주의【兒童中心主義】[一/一이] 명〖교〗'아동으로부터'를 모토(motto)로 하고, 교육의 목적·내용·방법의 일체를 아동의 입장에서 결정하려는 교육 방침. 독일·미국에서 주장됨.

아동 직업 보:도 시:설【兒童職業輔導施設】명〖법〗아동 복지 시설의 하나. 아동 복지 시설에 입소하고 있는 12세 이상의 아동과 빈곤한 가정의 아동에 대하여 자활(自活)에 필요한 지식과 기능(技能)을 습득시키는 곳.

아동-판수【兒童一】명 어린 소경 무당.

아동판수 육갑 외듯 구 알아듣지도 못할 소리를 연해 지껄이는 모양을 비유한 말. ¶입이 열이라도 한 마디 말 없어야 할 놈이 ~ 악성을 지르고 포달을 떨자…《金周榮 : 客主》.

아동 편사【兒童便射】명〖역〗동네마다 아이들만의 사원(射員)으로 편을 짜서, 활 쏘는 기예(技藝)를 비교하여 승부를 결정하던 일. 아이 때부터 궁술(弓術)을 장려하던 고대의 풍속임.

아동-학【兒童學】명 어린이의 심신(心身)의 성장(成長)·생태(生態)를 연구하여 어린이에 대한 도덕(道德)과 법률 등을 역사적(歷史的)으로 연구하는 학문.

아동학-과【兒童學科】명〖교〗대학에서, 아동학을 전공(專攻)하는 학과. *보육과(保育科).

아동 헌:장【兒童憲章】명 어린이 헌장(憲章).

아동-화[1]【兒童靴】명 어린이 신.

아동-화[2]【兒童畫】명 아동들이 그린 그림. 동화(童畫).

아두개【阿斗箇】명〖역〗왕이 늙은 대신(大臣)에게 특별히 사궤(賜几)하던 표범의 가죽으로 만든 긴 요.

아두래기 명〈방〉가지(함남).

아두와〔Aduwa〕명〖지〗에티오피아 중북부, 아디스아바바의 북쪽 약 700 km에 위치하는 도시. 1895-96년 멜레니크 2세가 이탈리아군을 격파하여 에티오피아가 승리한 고장임.

아둑시니 명 ☞청맹과니. ¶오랫동안 ~같이 눈이 어둡던 허생원도 요번만은 동이의 왼손잡이가 눈에 띄지 않을 수 없었다《李孝石 : 메밀꽃 필 무렵》.

아둔-망태 명〈방〉아둔패기.

아둔-패기 명〈속〉아둔한 사람. ㊀둔패기.

아둔-하다 형여불 영리하지 못하고 어리석다. ¶저렇게 아둔해서야 어디 쓰겠소.

아듀:〔adieu〕감 '안녕히'·'편안히'의 뜻. 헤어질 때 쓰는 인사말. 아디외. ¶자 그럼, ~/프랑스여 ~.

아드-님 명 남의 아들의 경칭. ↔따님.

아드득 부 ①이를 한 번 세게 가는 소리. ¶~ 이를 갈다. ②단단한 물건을 힘껏 깨물어 부서뜨리는 소리. ¶사탕을 ~ 깨물다. 1)·2): <으드득. ——-하다 자타여불

아드득-거리다 자타 자꾸 아드득 소리가 나다. 또, 자꾸 아드득 소리를 나게 하다. <으드득거리다. 아드득-아드득 부. ——-하다 자타여불

아드득-대다 자타 아드득거리다.

아드등-거리다 자 제 생각만 서로 고집하여 굽히지 아니하고 바득바득 우기며 다투다. ¶만나기만 하면 아드등거리는 두 사람. <으드등거리다. 아드등-아드등 부. ——-하다 자여불

아드등-대다 자 아드등거리다.

아드레날린〔adrenaline〕명〖화〗척추(脊椎) 동물의 부신 수질(副腎髓質)에서 분비되는 호르몬의 일종. 혈압 상승·심장 박동수(搏動數)의 증가·지혈(止血) 작용을 하며, 또 인슐린(insulin)과 길항적(拮抗的)으로 작용하여 혈당량(血糖量)을 조절함. [$C_9H_{13}O_3N$]

아드레날린 과:잉증【一過剩症】[一쯩] 명〔Hyperadrenalism〕〖의〗부신 수질(副腎髓質)의 기능 항진 상태. 예컨대 고혈압증·동맥 경화증·신염(腎炎) 및 만성 심장 판막증 등의 경우에, 부신 수질의 발육이 좋아지고 부신(副腎) 아드레날린의 양이 증가됨을 볼 수 있음.

아드레노-크롬〔adrenochrome〕명〖화〗부신 수질(副腎髓質) 호르몬의 아드레날린이 체내에서 산화(酸化)할 때 생기는 물질. 강한 지혈(止血) 작용을 하나 아드레날린처럼 혈압을 높이는 일은 없음. 모세(毛細) 혈관의 저항을 강화하기 때문에 위장 출혈·코피·각혈 따위의 지혈이나 수술용 지혈·뇌출혈 예방에 응용됨.

아드 리비툼〔라 ad libitum〕명〖악〗①'자유로·수의(隨意)로'의 뜻. ②일정한 속도에 구애됨이 없이 연주하는 일. ③합주곡에서 자유로이 빼거나 부가되는 성부(聲部) 또는 악기.

아드리아노플〔Adrianople〕명〖지〗'에디르네(Edirne)'의 옛 이름.

아드리아 해【一海】〔Adria〕명〖지〗이탈리아 반도와 발칸 반도로 둘러싸인 지중해의 지해(支海). 조수 간만의 차가 작고, 발칸측의 해안은 침강성(沈降性) 해안으로 복잡한 굴곡과 섬이 많음.

아득 부 ①작고 단단한 물건을 깨물 때 나는 소리. ②이를 가볍게 갈 때 나는 소리. <으득.

아득-거리다 자타 ①연해 작고 단단한 물건을 가볍게 깨무는 소리가 나다. ②연해 가볍게 이를 가는 소리가 나다. 1)·2): <으득거리다. 아득-아득[1] 부. ——-하다 자타여불

아득-대다 자타 아득거리다.

아득-령【牙得嶺】명〖지〗평안 북도 강계군(江界郡) 공북면(公北面)과 함경 남도 장진군(長津郡) 장진면(長津面)과의 경계(境界)에 있는 고개. [1,479 m]

아득-바득 부 몹시 고집을 부리거나 애를 쓰는 모양. ¶~ 우기다. ——-하다 자여불

아득-아득[2] 부 몹시 아득한 모양. ㅆ아뜩아뜩. <어득어득. ——-하다. 형여불

아득-하다 형여불〔중세 : 아득ᄒᆞ다〕①까마득할 정도로 매우 멀다. ¶아득한 수평선. ②들리는 것이 멀다. 들릴 듯 말 듯 소리가 아스라하다. ¶멀리서 아득하게 들려오는 종소리. ③시간이 까마득하게 오래다. ¶아득한 옛날. ④어떻게 하면 좋을지 막연하다. ¶혼자 살아가려니 아득하구나. ⑤정신이 흐리멍덩하다. ¶낙담이 되어 정신이 아득했다. 1)-5): <어득하다. 아득-히 부

아들 명〔중세 : 아ᄃᆞᆯ〕사내자식. 자(子). ↔딸.

[아들네 집 가 밥 먹고 딸네 집 가 물 마신다] 흔히, 딸의 살림살이를 아끼고 생각해 주는 부모를 두고 이르는 말. [아들 못난 건 제 집만 망하고 딸 못난 건 양사돈이 망한다] 여자가 못돼 먹으면 시가에 화를 미

치고, 친가에도 화를 미친다는 말.

아들-내미 [ㅡ래ㅡ] 명 〔←아들남(男)이〕 어린 아들을 귀엽게 일컫는 말. ¶내일은 우리 ~ 생일이다. ↔딸내미.

아들-놈 [ㅡ롬] 명 ①'아들자식'을 겸손하게 이르는 말. ②'아들'을 낮게 이르는 말. 1)·2):↔딸년.

아들-답다 형ㅂ불 부모를 잘 섬기어서 자식으로서의 도리를 다하는 태도가 있다.

아들-딸 명 아들과 딸. 자녀(子女).

아들러[1] 〔Adler, Alfred〕 명 『사람』 오스트리아의 정신 의학자. 개인 심리학이라 자칭하는 학설을 세워 프로이트(Freud, S.)의 성욕(性慾) 중심적인 설(說)에 반대하고, 리비도(Libido) 대신 권력 의지(權力意志)를 주장하였음. 주저(主著)에 ≪개인 심리학(個人心理學)의 이론과 연구≫ 등이 있음. [1870-1937]

아들러[2] 〔Adler, Dankmar〕 명 『사람』 오스트리아 출생의 미국 건축가. 건축의 구조와 기능을 중시하였고, 미국 근대 건축의 창시자의 한 사람이 됨. [1844-1900]

아들러[3] 〔Adler, Max〕 명 『사람』 오스트리아의 사회학자. 빈(Wien) 대학 교수. 칸트와 마르크스의 연결을 기도하여 수정적(修正的)인 입장에서 마르크스주의를 논하였음. [1873-1937]

아들-마늘 명 마늘종 위에 열리는 작은 마늘.

아들-메기 명 〈방〉 여드름.

아들-바퀴 명 쳇불을 메우는 데에 쓰는 두 개의 아주 좁은 테. 하나는 쳇불을 씌워서 겉 바퀴 아래쪽에 대고, 하나는 그 안쪽에 덧댐.

아들-벼 명 〈방〉 움벼.

아들-아이 명 남에게 자기 아들을 이르는 말. 준아들애. ↔딸아이.

아들-애 명 ↗아들아이. ↔딸애.

아들-이삭 [ㅡ리ㅡ] 명 벼의 곁 줄기에서 나는 이삭.

아들-자 명 〔vernier〕 『수』 길이나 각도를 잴 때에 가장 작은 눈의 끝수를 정밀(精密)하게 재는 데 쓰는 보조(補助) 자. 보통 어미자의 아홉 눈을 10등분하므로, 어미자 눈의 1/10까지 잴 수 있음. 부척(副尺). 버니어(vernier). ↔어미자.

〈아들자〉

아들자-변 【ㅡ子邊】 명 한자 부수(部首)의 하나. '孤'나 '孫' 등의 '子'의 이름.

아들-자식 【ㅡ子息】 명 남에게 대하여 자기 아들을 이르는 말. ¶~ 둘에 딸자식이 셋입니다. ↔딸자식.

아:등 【我等】 인대 우리. 우리들.

아등-거리다 자 기를 쓰고 아드등거리다. 몹시 으르렁거리다. 아등대다. <으등거리다. 아등-아등 부. ——-하다 자여불

아등그러-지다 자 ①빳빳하게 말라 배틀어지다. ②날씨가 점점 흐려서 음산해지다. 1)·2):<으등그러지다.

아등-대다 자 아등거리다.

아등-바등 부 몹시 악지스럽게 자꾸 애를 쓰거나 우겨대는 모양. ¶~ 우겨대다. ——-하다 자여불

아디[1] 명 아딧줄.

아디[2] 자 〈옛〉 알기. '알다'의 명사형. ¶아디 어려ᄫᅳᆫ 法을 브즈러니 讚嘆ᄒᆞ시ᄂᆞ니잇고 ≪釋譜 XIII:44≫. *-디.

아디-걸이 명 돛을 세운 다음 아딧줄을 매어 두는 곳.

아디놀 〔adinole〕 명 『광』 점토질(粘土質)의 암석(岩石)과 기성(基性)의 마그마(magma)와의 접촉 작용에서 생긴 암석. 보통, 담녹색(淡綠色)으로 반투명(半透明)임.

아디스-아바바 〔Addis Ababa〕 명 『지』 에티오피아의 수도. 해발 약 2,500 m 의 고원에 있으며 열대이지만 기후는 쾌적함. 지부티 공화국(Djibouti 共和國)과 철도로 연결되어 있으며, 정치(政治)·상업(商業)·공업(工業)의 중심지로, 1936-41년에는 이탈리아에 점령당하였었음. [1,410,000 명(1990)]

아디외 〔프 adieu〕 감 아듀.

아디제 강 【ㅡ江】 〔Adige〕 명 『지』 이탈리아 동북부의 강. 알프스의 라이티아(Raetia) 고개 부근에서 발원(發源)하여 베로나(Verona)에서 롬바르디아(Lombardia) 평야를 동류(東流), 아드리아 해(Adria 海)의 베네치아 만(Venezia 灣)으로 흐름. 전장(全長) 410 km 중 270 km 는 항행(航行)이 가능함.

아디티 〔Aditi〕 명 『신』 인도 신화의 여신(女神). 무박(無縛)·무한(無限)·자유라고 하는 추상 개념(抽象槪念)을 신격화(神格化)한 것. *아디티아(Aditya).

아디티아 〔Aditya〕 명 『신』 인도의 베다(Veda) 신화의 신(神). 단독의 신이 아니고 광명에 관계가 있는 7-12주(柱)의 군신(群神)을 가리킴. 주신(主神)은 바루나(Varuna), 모신(母神)은 아디티(Aditi).

아디프-산 【ㅡ酸】 명 〔adipic acid〕 『화』 나일론의 원료. 시클로헥산(cyclohexane)의 산화(酸化) 분해에 의하여 얻을 수 있는 무색(無色)의 결정성(結晶性) 고체. 합성 섬유·가소제(可塑劑)·합성 윤활유(潤滑油)의 제조 원료 등에 쓰임. [$HO_2C(CH_2)_4CO_2H$]

아디프산 디옥틸 【ㅡ酸ㅡ】 명 〔adipic acid dioctyl〕 『화』 옥틸 알코올(octyl alcohol)과 무수 프탈산(無水 phthalic acid)의 에스테르화(ester 化) 반응에 의해 얻어지는 무색의 액체. 비중 0.927, 끓는점 214°C. 염화 비닐 수지용 가소제(可塑劑)로서 특히 내한성을 필요로 할 경우에 사용함. 약칭:디 오 에이(D.O.A.).

아딧-줄 명 풍향(風向)을 맞추기 위하여 돛에 매어서 쓰는 줄. 준 앗줄.

아ᄃᆞ기 부 〈옛〉 아득히. 아득하게. 어둡게. ¶어리 迷惑ᄋᆡ 아ᄃᆞ기 ᄀᆞ료ᄆᆞᆯ 濟渡코져 ᄒᆞ시고(欲度…愚癡暗蔽) ≪妙蓮 II:84≫.

아ᄃᆞ기ᄒᆞ다 타 〈옛〉 어둡게 하다. 우매(愚昧)하게 하다. ¶뵈ᄧᆞᄂᆞᆫ 功을 구틔여 아ᄃᆞ기ᄒᆞ리아(敢昧織作功) ≪杜諺 XI:24≫.

아ᄃᆞ님 명 〈옛〉 아드님. =아ᄃᆞᆯ님. ¶아ᄃᆞ닚긔 袞服니피ᅀᆞᄫᆞ니(迺於厥嗣 袞服以御) ≪龍歌 25 章≫.

아ᄃᆞᆨ아ᄃᆞᆨᄒᆞ다 형 〈옛〉 까마아득하다. ¶시름 그티 날로 아ᄃᆞᆨ아ᄃᆞᆨᄒᆞ도다(愁緖日冥冥) ≪杜諺 III:36≫.

아ᄃᆞᆨᄒᆞ다 형 〈옛〉 아득하다. 어둡다. 우매(愚昧)하다. ¶아ᄃᆞᆨᄒᆞᆯ 묘(渺), 아ᄃᆞᆨᄒᆞᆯ 망(茫) ≪類合 下 53≫.

-아ᄃᆞᆫ 어미 〈옛〉 -거든. ¶ᄀᆞᆺ 눉두베 므거ᄫᅳᆫᄃᆞᆯ 아라ᄃᆞᆫ(纔覺眼皮重) ≪蒙法 2≫.

아ᄃᆞᆯ 명 〈옛〉 아들. ¶孝道ᄒᆞᆯ 아ᄃᆞᆯ 우루믈(孝子之哭) ≪龍歌 96 章≫/어비 아ᄃᆞ리 사ᄅᆞ시리잇가(父子其生) ≪龍歌 52 章≫.

아ᄃᆞᆯ님 명 〈옛〉 아드님. =아ᄃᆞ님. ¶아ᄃᆞᆯ님이 나샤 나히 닐구비어늘 ≪月釋 VIII:84≫. *아ᄃᆞᆯ.

아따 감 어떤 일이나 상태가 몹시 심하거나 못마땅할 때 내는 소리. ¶~, 춥다/~, 그만 울어라. <어따.

아뜩-수 【ㅡ手】 명 별안간 장기 짝을 움직이는 짓.

아뜩아뜩-하다 형여불 정신이 팽팽 내둘리어 자꾸 까무러질 듯하다. ¶금속성 소리와 먼지와 인부들의 얼굴이 뒤범벅이 되면서 아뜩아뜩한 느낌을 느끼게 했다≪尹正奎 : 오욕의 강물≫. <어뜩어뜩하다[2].

아뜩-하다 형여불 갑자기 머리가 팽 둘리어 까무러질 듯하다. ¶정신이 아뜩해지다. <어뜩하다. *아찔하다. 아뜩-히 부

아라 명 〈옛〉 아래. ¶東西南北과 네모콰 아라우히 다 큰 브리어든≪月釋 I:29≫.

-아라[1] 어미 ①'ㅏ'·'ㅗ' 모음으로 된 동사 어간에 붙어, 해라할 자리에서 명령하는 뜻을 나타내는 종결 어미(終結語尾). 'ㅏ'로 끝나는 어간에 붙을 때는 '아'가 생략됨. ¶이것을 받~/그것을 잘 보~/빨리 가라. *-어라·-으라·-거라·-너라. ②'ㅏ'·'ㅗ' 모음으로 된 형용사 어간(語幹)에 붙어서 감탄의 뜻을 나타내는 종결 어미. ¶아이 좋~/달도 밝~. *-어라·-여라.

-아라[2] 어미 〈옛〉 -거라. ¶이ᄂᆞᆫ 恩ᄋᆞᆯ 알아라 ᄒᆞ니야 恩ᄋᆞᆯ 갑가라 ᄒᆞ니야(是知恩耶報恩耶) ≪蒙法 31≫.

아라 가야 【阿羅伽倻】 명 『역』 신라 초(初)의 부족 국가이던 육가야(六伽倻)의 하나. 지금의 경상 남도 함안(咸安) 부근에 있었음.

아라고 〔Arago, Dominique François Jean〕 명 『사람』 프랑스의 천문학자·물리학자. 빛의 파동설(波動說)을 실증(實證)하였음. 또, 지구 자오선(子午線)의 길이를 측정(測定)하고 '아라고의 원판(圓板)'을 발견함. [1786-1853]

아라고나이트 〔aragonite〕 명 『광』 탄산 칼슘으로 된 광물. 화학 성분은 방해석(方解石)과 같으나 결정계(結晶系)가 사방 정계(斜方晶系)임. 빛깔은 보통 백색, 모양은 주상(柱狀) 또는 침상(針狀)이고, 굳기는 3.5-4 임. 선석(霰石). [$CaCO_3$]

아라고의 원판 【ㅡ圓板】 [ㅡ/ㅡ에ㅡ] 명 〔Arago's rating disc〕 『물』 맴돌이 전류를 보이는 실험 장치. 구리로 된 원판 위에 자침을 매단 것. 원판을 회전시키면 맴돌이 전류가 발생하여 자침을 잡아끌기 때문에 자침은 같은 방향으로 회전(回轉)함. 1824년 아라고(Arago, D.F.J.)가 고안(考案)하였음.

아라곤 강 【ㅡ江】 〔Aragón〕 명 『지』 스페인 북부, 중앙 피레네(Pyrénées) 산맥에서 발원(發源)하여 에브로(Ebro) 강에 합류(合流)되는 강. 수류(水流)는 인수용(引水用)의 운하(運河)나 수력 발전(水力發電)에 이용됨. [180 km]

아라곤 왕국 【ㅡ王國】 〔Aragón〕 명 『역』 중세(中世) 이베리아(Iberia) 반도의 에스파냐 북동부에 있었던 기독교 왕국. 1035년 라미로 1세(Ramiro I)가 건국. 이슬람교도를 쳐부수고 영토를 남방으로 확장, 시칠리아(Sicilia)·사르데냐(Sardegna)를 병합(倂合)함. 1479년 카스티야(Castilla) 왕국과 통합하여 스페인 왕국을 이룸.

아라공 〔Aragon, Louis〕 명 『사람』 프랑스의 소설가·시인·저널리스트. 처음 초현실주의에 참가하였으나 후에 공산주의로 전신, 제2차 대전 중에는 저항 운동에 가담함. 주저 ≪프랑스의 기상 나팔≫·≪공산주의자≫·≪엘사의 눈동자≫ 등. [1897-1982]

아라니아카 〔Aranyaka〕 명 『책』 인도의 베다 성전(Veda 聖典)의 부속 문헌. 제식(祭式)에 관한 설명서(說明書). 인적(人跡)이 없는 숲 속에서 전수(傳授)되어야 할 비의(祕義)를 설명한 것이기 때문에 '삼림서(森林書)'라 부르기도 함.

아라드 〔Arad〕 명 『지』 루마니아 서부, 헝가리와의 국경에 가까운 도시. 철도의 집중점으로 공작 기계·섬유·포도주·피혁 공업이 행하여짐. [178,000 명(1981 추계)]

아라들에 타 〈옛〉 알아듣게. 깨닫게. ¶부톄 여러 뵈샤 아라들에 ᄒᆞ시니라(佛開示皆令悟入) ≪圓覺 上 一之一 59≫.

아라라 선인 【阿羅邏仙人】 명 〔범 Ālāra Kālāma〕 『사람』 기원전 530년경의 인도의 수론파(數論派) 철학자. 그의 주의는 계율(戒律)에 의지하여 생사(生死)를 해탈(解脫)하는 데 있었으며, 석가 모니도 한때 그를 스승으로 삼아 배운 일이 있었으나 뒤에는 그가 도리어 석가의 제자(弟子)가 되었음.

아라라트 산 【ㅡ山】 〔Ararat〕 명 『지』 터키 동쪽 끝 아리(Ağri) 주에 있는 산. 노아(Noah)의 홍수(洪水) 뒤에 방주(方舟)가 처음 착륙(着陸)하였다는 곳. [5,164 m]

아라랏 산 【ㅡ山】 〔Ararat〕 명 『성』 ☞아라라트 산(山).

아라리 【阿喇唎】 명 〔범 alali〕 『불교』 ①넓은 들에 사람의 기척도 없는 지경. ②교만하여 남을 업신여기는 마음.

아라리 타:령 【ㅡ打令】 명 『악』 강원도 지역의 토속 민요. '강원도 아리랑' '정선 아리랑' 등의 원가락으로, 혼자 길을 걸을 때, 나무하러 다닐 때, 김맬 때, 저녁에 사랑방에서 놀 때 등에 부름. 세마치 장단의 느린

곡조임.

아 라 모드 〔프 à la mode〕 [명] 최신 유행(最新流行).

아라미드 섬유 【—纖維】 [명] 〔aramid fiber〕 방향족(芳香族)으로 된 폴리아미드 섬유. 강도·내열성·탄력성이 뛰어나 해중(海中) 케이블, 방탄 조끼 따위에 쓰임.

아라발 〔Arrabal, Fernando〕 [명] 〖사람〗 스페인령 모로코 태생의 프랑스 극작가. 유머와 사디즘과 몽상(夢想)을 적절히 배합, 묘사함. 대표작 희곡 ≪건축가와 아시리아의 황제≫ 등 외에 여러 편의 소설과 희곡이 있음. [1932-?]

아라베스크 〔프 arabesque〕 [명] ①〖미술〗 이슬람 미술 등에서 볼 수 있는 잎사귀·꽃·조수(鳥獸)·인물(人物) 등을 도식화한 무늬. 아라비아인(人)이 창안한 것으로 공예품·건축에서 볼 수 있음. ②〖문〗 아라비아적이라는 뜻에서, 다양성(多樣性) 있는 문예 작품을 이름. ③아라비아풍(風)의 화려한 장식이 많은 악곡. ④발레의 기본 자세의 하나로, 한쪽 다리로 서서 한쪽 다리를 곧게 뒤로 뻗친 자세. 인체(人體)가 형성하는 곡선을 최대한으로 길게 한, 가장 아름다운 자세라고 일컬어짐.

〈아라베스크❶〉

〈아라베스크❹〉

아라비노오스 〔arabinose〕 [명] 〖화〗 아라비아고무나 기타 식물에 존재하는, 고무질의 가수 분해(加水分解)에서 얻어지는 펜토오스, 곧 오탄당(五炭糖)의 일종. [$C_5H_{10}O_5$]

아라비스탄 〔Arabistan〕 [명] 〖지〗 '후지스탄(Khuzistan)'의 구칭.

아라비아 〔Arabia〕 [명] 〖지〗 아시아의 남서부에 돌출한 세계 최대의 반도. 페르시아 만(Persia 灣)·아덴 만(Aden 灣)·인도양·홍해로 둘러싸여 있으며 대부분이 사막임. 7세기초 마호메트가 이 지역을 통일한 후 이슬람 제국(帝國)으로 번영함. 16세기에는 터키의 지배 아래 놓였으나, 18세기 이후 민족 운동이 활발하여 사우디아라비아·쿠웨이트·예멘 등 여러 나라가 독립함. 매장량이 풍부한 유전 지대(油田地帶)가 있음. [약 3,000,000 km^2]

아라비아-고무 [명] 〔gum arabic〕 아라비아고무나무 등 아프리카산(産) 콩과(科) 아카시아속(屬) 식물의 수피(樹皮)에서 얻어지는 점액 모양의 분비물 및 이것을 말린 것. 약품·정제(錠劑)의 결합제(結合劑)·접착제 등으로 쓰임.

아라비아고무-나무 〔Arabia〕 [명] 〖식〗 콩과의 상록 교목. 높이 약 6m. 아카시아속(屬)의 한 가지로 북(北)아프리카 원산인데, 아라비아·인도 등에서도 재배함. 줄기에서 배어나오는 고무질(質)의 수지(樹脂)가 굳은 것이 아라비아고무임.

아라비아 만 【—灣】 〔Arabia〕 [명] 〖지〗 '페르시아 만'을 아랍 사람들이 일컫는 이름.

아라비아 만안 제국 【—灣岸諸國】 〔Arabia〕 [명] 〖지〗 아라비아 만 서안(西岸)에 있는, 쿠웨이트·바레인·카타르·아랍 에미리트 연방·오만의 여러 나라.

아라비아-말 〔Arabia〕 [명] 〖동〗 아랍종(Arab種)의 말. 동양종(東洋種) 말의 대표적인 것으로 온순·강건(強健)·영리하며 승용(乘用)으로 우수함. 아랍.

〈아라비아말〉

아라비아 문자 【—文字】 〔Arabia〕 〔—짜〕 [명] 〖언〗 아람 문자(Aram 文字)에서 발달한 표음 문자. 28개의 자음만 있고 모음은 문자의 위나 아래에 부호를 붙이어서 표시하며, 오른쪽에서부터 왼쪽으로 횡서(橫書)함. 아라비아어·말레이어·페르시아어 등에 사용됨. 라틴 문자 다음으로 널리 쓰임.

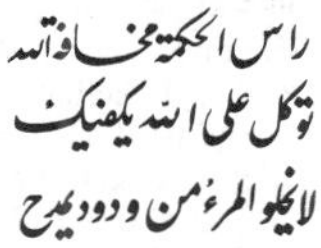

〈아라비아 문자〉

아라비아 사막 【—沙漠】 〔Arabia〕 [명] 〖지〗 ①아라비아 반도 북부의 시리아(Syria) 사막·중북부의 네푸드(Nefud) 사막·남부의 룹알할리(Rub 'al-Khali) 사막과 곳곳에 있는 암석(岩石) 사막의 총칭. 아라비아 반도의 1/3 이상을 차지함. [1,295,000km^2] ②이집트의 동부 나일 강(Nile 江)과 홍해(紅海) 사이에 있는 암석(岩石) 사막. 남단(南端)은 누비아(Nubia) 사막과 연결되며, 높이가 1,800 m가 넘는 산들도 있음. 별칭:동부(東部) 사막.

아라비아 숫:자 【—數字】 〔Arabia〕 [명] 〖수〗 보통 산수(算數)에서 쓰는 숫자. '0, 1, 2, 3, 4……' 등. 인도(印度)에서 처음 시작되었으나, 아라비아 사람들이 유럽에 전한 까닭으로 이 이름이 생김. 산용(算用) 숫자.

아라비아-어 【—語】 〔Arabia〕 [명] 〖언〗 셈어계(Sem 語系)에 속하는 언어의 하나. 본디 아라비아인들의 언어였으나, 아라비아·팔레스타인·시리아·메소포타미아·이집트와 북부 아프리카에서 사용됨. 각종 방언이 있으나 표기(表記)는 코란에 의하여 통일이 되어 있으며, 셈어족 중 가장 중요한 언어의 하나임.

아라비아 음악 【—音樂】 〔Arabia〕 [명] 사우디아라비아를 중심으로 한 서남 아시아의 아라비아 사람들의 음악. 단선율적(單旋律的)으로 독창이나 독주가 중요시되고 있으며, 종류가 많은 음계(音階)·선법(旋法)의 이론에 입각하고, 리듬도 섬세하며 주정적(主情的)임. 오늘날 서양에서 사용되고 있는 악기 가운데 아랍 세계에 본원(本源)을 둔 것이 많은 것을 보면 아리바아 음악의 영향이 유럽에도 많이 미쳤음을 알 수 있음.

아라비아-인 【—人】 〔Arabia〕 [명] 〖인류〗 셈족(Sem 族)의 하나. 아라비아·메소포타미아·홍해(紅海) 연안·페르시아 만 동쪽 및 아프리카 북쪽에 사는 인종(人種). 피부는 암흑색(暗黑色)이며 문화 수준은 대체로 원시적(原始的)임.

아라비아 철학 【—哲學】 〔Arabia〕 [명] 주로 7-13세기 사이에 아라비아 사회에서 발달한 철학. 그리스의 철학 사상을 받아들이고, 한편으로는 이슬람교의 교의(敎義)와 조화시키면서 이루어졌음. 뒤에 중세 유럽의 철학·신학에 큰 영향을 미쳤음.

아라비아-풀 〔Arabia〕 [명] 아라비아고무를 재료로 하여 만든 접착성(接着性)이 강한 풀.

아라비아 해 【—海】 〔Arabia〕 [명] 〖지〗 인도양 북부의 바다. 동은 인도 반도, 서는 아프리카의 동부, 북은 이란 및 아라비아에 접함. 염분(塩分)은 36.5-40 %로, 세계 해양 중에서 가장 염분이 많음.

아라비안 나이트 〔Arabian Night〕 [명] 〔Arabian Nights' Entertainment, the〕 〖문〗 페르시아에서 일어나 여러 세기간에 걸쳐서 이루어진 대중 문학 작품. 이 이야기는 페르시아·인도·이집트·바그다드 등의 전설(傳說)이나 이야기인데, 8-10세기에 이루어진 것도 포함하고 있으나 대부분은 15세기에 이집트에서 편찬되었다고 함. 저자는 알 수 없음. 천일야화(千一夜話).

아라비안 라이트 〔Arabian Light〕 [명] 〖경〗 사우디아라비아산(産) 원유(原油) 가운데 비중(比重) API 34.8도인 원유.

아라비 파샤 〔Arābi Pasha〕 [명] 〖사람〗 이집트의 민족 운동 지도자. 농민 출신으로 민족주의적 결사(結社)를 지도했고, 육군(陸軍) 대신이 된 다음 국내적으로는 정치 개혁을 단행하고, 대외적으로 강경책을 주장했음. 1882년 영국군과 싸웠으나 패배하여 실론 섬으로 유배되기도 함. 이집트 민족 운동의 국민적 영웅으로 추앙됨. [1841-1911]

아라사 【俄羅斯】 [명] 노서아(露西亞)의 구칭. 아국(俄國).
[아라사 병정 같다] 뚝뚝하고 험상궂은 사람을 이르는 말.

아라사-어 【俄羅斯語】 [명] 노서아어(露西亞語)의 구칭. [준]아어(俄語).

아라산 산맥 【—山脈】 〔阿拉善〕 [명] 〖지〗 중국 닝샤 성(寧夏省)에 있는 산맥. 암석만 노출된 산으로 황허(黃河)의 서안에 병행하여 남서·북동의 방향으로 뻗음. 길이 250 km.

아라성 소리 [명] 〖악〗 충청 북도 중원군(中原郡) 일대에서 불려지는 모심기 전의 모찌는 소리. 후렴구인 '아라성아'에서 붙여진 이름. 메나리토리 선율의 구성진 가락임.

아라야 【阿賴耶】 〔범 ālaya〕 〖불교〗 아뢰야식.

아라와크-족 【—族】 〔Arawak〕 [명] 남아메리카에서 가장 큰 어족(語族). 북은 서인도 제도로부터 남은 우루과이, 동은 아마존 강, 서는 안데스 산맥에 걸치는 지역에 산재하는 약 120의 부족을 포함함. 미분화(未分化)한 사회 계층, 단순한 종교 의례 등 소위 남아메리카 열대 강우림(降雨林) 문화를 가짐.

아라우[1] [명] 〈옛〉 아래위. ¶아라 우히 悠悠ᄒᆞ야(上下悠悠)≪南明 上 45≫.

아라우[2] 〔Arrau, Claudio〕 [명] 〖사람〗 칠레의 피아니스트. 1914년 베를린에서 데뷔, 1927년 제네바 국제 콩쿠르에서 우승하면서 착착 그 지위를 쌓음. 제2차 세계 대전 중에는 고국으로 돌아가 산티아고에 음악원을 세우고 후진 양성에도 힘썼음. [1903-91]

아라우칸-족 【—族】 〔Araucan〕 [명] 칠레 중앙부로부터 남쪽의 칠로에(Chiloé)섬·아르헨티나에 분포하고 있던 아메리칸 인디언의 하나. 수렵과 농경에 종사함. 잉카·스페인의 침입에 저항했으나 대부분은 혼혈화(混血化)하였으며, 남쪽으로 도망한 약 20만 명만이 전통 문화(傳統文化)를 유지함.

아라이사 〔Araiza, Francisco〕 [명] 〖사람〗 멕시코의 테너 가수. 촉망받는 차세대(次世代) 가수의 첫손가락으로 꼽힘. 대학에서는 경영학을 전공하면서 대학 합창단에서 활동. 한편으로 음악원에서 피아노와 오르간을 배움. 유럽의 오페라 극장에서 활동, 1980년 이후 카라얀 등 명지휘자들에게 기용되면서 차세대 가수로 유명해짐. 오페라에서 가곡(歌曲)·종교곡까지 레퍼토리가 다양함. [1950-]

아 라 카르트 〔프 à la carte〕 [명] 〔'식단(食單)에 따라서'라는 뜻〕 호텔이나 요리점 등에서 손님이 식성에 따라 한 가지씩 주문하는 요리. 일품 요리(一品料理). ↔타블 도트(table d'hôte).

아라칸 산맥 【—山脈】 〔Arakan〕 [명] 〖지〗 미얀마와 인도의 천연의 경계를 이루는 제3기의 습곡 산맥(褶曲山脈).

아라크네 〔Arachne〕 [명] 〖신〗 그리스 신화에 나오는 베짜기의 명수(名手). 아테네 여신(Athene 女神)에게 도전했다가 여신의 미움을 사서 거미가 됨.

아라키돈-산 【—酸】 [명] 〔arachidonic acid〕 〖화〗 분자내에 4개의 이중결합을 가진 불포화 지방산(不飽和脂肪酸). 상온에서는 액체. 끓는점 245℃. 동물계에 널리 분포하며 주로 포유류(哺乳類)의 인지질(燐脂質) 속에 존재하는데 필수 지방산의 하나임. [$C_{19}H_{31}COOH$]

아라파트[1] 〔Arafāt〕 [명] 〖이슬람〗 메카의 동쪽 약 10 마일에 있는 높이 50 m의 언덕. 순례(巡禮) 때 첫날밤을 여기서 새움. 마호메트가 마지막 순례 때, 이 곳에서 수만(數萬) 신도 앞에서 최후의 설교를 하였음.

아라파트[2] 〔Arafat, Yasser〕 [명] 〖사람〗 팔레스타인 해방 운동의 지도자. 1945년 난민(難民)으로서 이스라엘로부터 이집트 카이로로 이주(移住), 1948년 팔레스타인 전쟁에 종군하였으며, 1956년부터 조직 결성과 파괴 공작 준비에 전념하여 알파타를 결성하고, 1968년 팔레스타인 해방 기구(PLO)의 의장이 됨. 1994년 이스라엘과 평화 협정을 체결하는데 공헌하였다 하여, 노벨 평화상을 수상함. [1929-]

아라푸라 해 【—海】 〔Arafura〕 [명] 〖지〗 오스트레일리아와 뉴기니 섬 사이에 있는 바다. 대부분이 깊이 100 m 이내의 대륙붕(大陸棚)으로 각종 조개, 특히 진주조개가 많이 남.

아라한 【阿羅漢】 [명] 〔범 arhan〕 〖불교〗 ①소승 불교의 수행자 가운데 가

장 높은 지위. 온갖 번뇌를 끊고, 사제(四諦)의 이치를 밝히어 얻어서 세상 사람들의 공양을 받을 만한 공덕을 갖춘 성자(聖者)를 이름. ②열 가지 부처의 칭호 가운데의 하나. 생사를 이미 초월하여 배울 만한 법도가 없게 된 자리의 부처. 응진(應眞). 무생(無生). 대아라한(大阿羅漢). ㊅나한(羅漢).

아라한-과【阿羅漢果】명〖불교〗아라한으로서의 수행(修行)을 완성하여 도달한 지위. 곧, 소승 불교의 궁극(窮極)에 이른 성자(聖者)의 지위. 다시 생사(生死)의 세계에 유전(流轉)하지 않음.

아란【阿蘭】명 ①〖조〗만주뿔종다리. ②〖역〗엄채(奄蔡).

아란다 타〈옛〉알았는가. '알다'의 활용형. ¶能히 아란다 몰란다(能悟徹也)≪蒙法 21≫. *-ㄴ다³.

아란야【阿蘭若】명〔범 āranya〕〖불교〗촌락(村落)에서 멀리 떨어져 있어 수행(修行)하기에 알맞은 한적한 곳이란 뜻으로, 절을 이름.

아란야-법【阿蘭若法】명〖불교〗고요한 곳에서 도를 닦는 불교 수행 방법. 처음 도를 닦는 사람이 반드시 거쳐야 하는 것임.

아란티우스 정맥관【一靜脈管】〔Arantius〕명〖생〗이탈리아의 해부학자 아란티우스(Arantius, Julius Caesar; 1530-89)가 발견한 제(臍) 정맥과 하대(下大) 정맥과의 사이를 연결하는 정맥. 태아(胎兒)가 출생하여 문맥(門脈)이 활동을 개시하면 이 정맥관은 폐쇄(閉鎖)되고 그 흔적만 남음.

아랄해【一海】명〔Aral sea〕카자흐스탄(Kazakhstan)·우즈베키스탄(Uzbekistan) 두 공화국에 걸쳐 있는 염호(塩湖). 아무다리야 강(Amu Dar'ya江)과 시르다리야 강(Syr Dar'ya江)이 흘러 들어옴. 평균 수심은 15 m, 가장 깊은 곳이 68 m임. 여름철의 평균 수온은 30℃. 북안(北岸)의 아랄스크(Aral'sk), 남안(南岸)의 무이나크(Muynak) 사이에 항로가 개통되고 있음. 물이 흘러 나가는 곳이 없는 호수이므로 면적은 장기간에 걸쳐 변화가 없음. 겨울에는 동결(凍結)함. [66,460 km²]

아람¹ 명 밤이나 상수리 등이 저절로 충분히 익은 상태. 또, 그 열매. ¶~이 들다. *알밤.

아람(이) 벌:다 구 아람이 벌어지다.

아람² 명〈방〉아름¹.

아람³【阿藍】명〖조〗만주뿔종다리.

아람드리 명〈방〉아름드리.

아람 문자【一文字】〔Aram〕〔一짜〕명〖언〗기원전 7세기경부터 쓰이어서 셈어족(Sem語族), 곧 시리아어·헤브라이어·아라비아어 등의 문자의 기초가 된 문자.

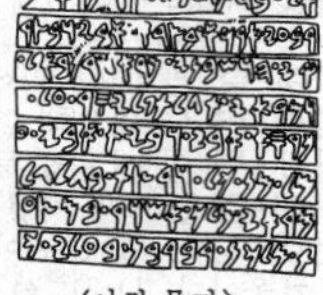
〈아람 문자〉

아람바【阿藍婆】명〔범 ratilambha〕〖불교〗약초(藥草)의 이름. 향산(香山)과 운산(雲山)에서 난다고 함. 즙약(汁藥)으로서 몸에 바르면 걱정과 악한 마음이 없어지고 즐거움을 얻는다고 함. 득희(得喜).

아람-어【一語】명〔Aramaic〕〖어〗가나안어(Canaan語)와 함께 북서 셈어에 속하는 언어의 하나. 기원전 7세기부터 기원전 4세기에 페르시아 왕국·메소포타미아·팔레스타인·이집트에서 공통 문화어로 쓰이었으나, 지금은 거의 쓰이지 않음. 구약 성서의 에스라서(Ezra書)나 다니엘서(Daniel書)에 있는 아람어는 '성서 아람어'라 함.

아람져【私亦】〈이두〉사사로이.

아람-족【一族】〔Aram〕명 셈족(Sem族) 유목 민족의 하나. 기원전 14세기 경부터 북시리아(北Syria)를 중심으로 널리 오리엔트에 분포했음. 많은 소왕국(小王國)을 건설했고 한때 남서 아시아의 상권(商權)을 지배하기도 했음.

아람-차다 형〈방〉아름차다.

아람-치 명 자기의 차지.

아람코【ARAMCO】명〔Arabian-American Oil Company〕아라비안 아메리칸 석유 회사. 사우디아라비아의 석유 개발을 위하여 1933년 미국 캘리포니아 스탠더드가 설립함. 그 후 텍사코(Texaco)·모빌(Mobil) 석유 회사 등이 참가함.

아랍〔Arab〕명 ①아라비아인(人). ②〖동〗아라비아 말.

아랍 게릴라〔Arab guerilla〕명 이스라엘 건국으로 팔레스타인에서 쫓겨난 아랍인들이 조직한 특공대 조직. 팔레스타인 해방 기구(P.L.O.)·팔레스타인 인민 해방 전선(P.L.F.L.P.)·팔레스타인 인민 민주 전선(P.D.F.L.P.) 등 30여 개 분파(分派)가 있음.

아랍 공:동 시:장【一共同市場】명〔Arab Common Market〕〖경〗1965년 1월에 발족한, 이집트·시리아·쿠웨이트·요르단·이라크 5개국의 경제 공동체. 사람과 통화(通貨)의 이동의 자유, 역내(域內) 무역·운수의 자유 등이 목적임. 1972년 요르단은 탈퇴함.

아랍 공:화국 연방【一共和國聯邦】〔Arab〕명〖지〗이집트·시리아·리비아 세 나라가 이룩하려던 연방. 1971년 9월에 국민 투표에 의해서 결성이 합의(合意)되었으나, 실현을 보지 못함. *통일 아랍 공화국.

아랍 석유상 회:의【一石油相會議】〔Arab〕〔一/一이〕명〖경〗아랍 석유 수출국 기구의 가맹국들이 총회 이외에 정유 정책을 결정하기 위하여 여는 석유상의 회의.

아랍 석유 수출국 기구【一石油輸出國機構】명〔Organization of Arab Petroleum Exporting Countries〕1968년 1월, 쿠웨이트·리비아·사우디아라비아 등 3개국에 의하여 창립된 석유 수출국 기구. 현재의 가맹국은 바레인·카타르·알제리·아랍에미리트·이라크·시리아·이집트(1979년 이후 자격 정지)·튀니지 등이 가담하여 11개국임. 가맹국 간의 석유 정책(石油政策) 조정, 상호 협력과 정보 교환으로 석유 산업 육성 등 실제적(實際的)인 업무를 수행함. 오아펙(OAPEC).

아랍쇼 감 '아야³'❶의 낮은 말. <어랍쇼.

아랍 수장국 연방【一首長國聯邦】〔Arab〕명〖지〗'아랍에미리트 연방'의 구용어.

아랍-에미리트〔Arab Emirates〕〖지〗〔에미리트는 에미르(emir) 곧 왕(王)의 나라의 뜻〕사우디아라비아의 동남부에 위치한 아라비아 만안 제국(Arabia 灣岸諸國)의 하나. 1853년 영국의 보호령이 되었다가, 1968년 영국이 1971년말까지 수에즈 이동(以東)으로 철수할 것을 결정한 것이 계기가 되어, 1971년 2월에 아부다비(Abu Dhabi)·샤르자(Sharjah)·아지만(Ajman)·두바이(Dubai)·움알카이와인(Umm al-Qaiwain)·푸자이라(Fujairah)의 6개 수장국(首長國)이 연방을 결성하여 독립한 후 이듬해 라스알카이마(Ras al-Khaimah)가 참가하여 7개 수장국이 됨. 주민은 유목민이 주가 된 아랍인임. 1960년대에 두바이·아부다비에서 석유(石油)가 발견되어 산유국(產油國)이 됨. 수도는 아부다비(Abu Dhabi). 아랍 수장국 연방. 정식 명칭은 아랍에미리트 연방(United Arab Emirates). [85,500 km²: 1,550,000 명(1990 추계)]. *트루셜 오만(Trucial Oman).

아랍 연맹【一聯盟】명〔the Arab League〕〖정〗1945년 3월에 이집트·시리아·레바논·이라크·요르단·사우디아라비아·예멘이 조직한 아랍 민족의 지역적인 협력 기구. 그 후 리비아·수단·모로코·튀니지·알제리 등이 가맹, 현재 가맹국은 22개국임. 아랍 민족의 독립과 주권의 확립, 평화와 안전, 경제 협력(經濟協力) 등을 목적으로 하고 본부를 카이로에 두었다가 1979년 4월 이집트와 이스라엘 평화 조약 체결에 반발, 이집트·수단·오만 등이 결석한 가운데 외상·경제상 회의를 열고, 이집트와의 국교 단절(國交斷絶)·연맹 자격 정지(聯盟資格停止) 등 이집트에 대한 제재(制裁)를 결정하고 본부(本部)를 튀니지(Tunisie)의 튀니스(Tunis)로 옮김.

아랍 연합 공:화국【一聯合共和國】명〔United Arab Republic〕〖지〗1958년 이집트와 시리아가 합병(合併)하였을 때의 국호(國號). 1961년 시리아가 탈퇴한 후에 이집트는 호칭을 계속 사용하다가 1971년 현재의 '이집트 아랍 공화국'으로 개칭함.

아랍-인【一人】〔Arabs〕명 아라비아 및 근동 지방에 사는 아라비아인(人)의 총칭. 아라비아어(語)를 쓰며 이슬람교(敎)를 믿음.

아랍 제국【一諸國】〔Arab〕명 아랍인(Arab人)들로 구성된 여러 나라. 이집트·사우디아라비아·레바논·시리아·쿠웨이트·이라크·요르단 등이 아라비아 반도를 중심으로 남서 아시아에 자리잡고 있음. 대부분 이슬람교를 믿음.

아랍-종【一種】〔Arab〕명〖동〗승용마(乘用馬)의 한 품종. 아라비아 반도 원산으로 키는 148-150 cm이고, 균형이 잘 잡힌 말. 내구력(耐久力)이 강하며 사막과 같은 곳에서도 잘 달림. *앵글로아랍종(Anglo-Arab種). 아라비아 말.

아랑¹ 명 소주를 곤 뒤에 남은 찌끼.

아랑²【阿娘】명 경상남도 밀양(密陽) 영남루(嶺南樓)에 얽힌 전설의 주인공. 밀양 부사(府使)의 딸이었는데, 억울하게 통인(通引)의 칼에 맞아 죽고 원혼(寃魂)이 되어 그 원한을 풀었다 하며, 지금도 영남루 밑에는 그의 혼백(魂魄)을 위로하는 아랑사(阿娘祠)가 있음. *밀양 아리랑.

아:랑³【餓狼】명 '굶주린 이리'라는 뜻으로, 탐욕(貪慾)한 사람의 비유(比喩).

아랑개비 명〈방〉아지랑이(경북).

아랑곳 명 남의 일에 나서서 알려고 들거나 참견하는 짓. ¶학교에 가거나 말거나 내가 ~할 바 아니다. ——하다 자여불

아랑곳-없다〔一업一〕형 남의 일을 알려고 들거나 참견할 필요(必要)가 없다. ¶정치 따위는 아랑곳없는 태도다.

아랑곳-없이〔一업씨〕부 아랑곳없게.

아랑-주¹【一酒】명 찌꺼기로 곤, 품질이 낮고 독한 소주. *아랑¹.

아랑-주²【一紬】명 날실은 명주실로, 씨실은 명주실과 무명실을 두 올씩 섞어서 짠 피륙. 반주(斑紬). ¶~ 치마.

아랑즈이 명〈심마니〉소주⁵.

아래¹ 명〔중세: 아래〕①기준으로 삼는 점보다 상대적으로 낮은 방향, 또는 위치. ¶다리 ~로 떨어지다/~에서 올려다보다/~채. ②사람 몸의 허리보다 낮은 부분. 하반신(下半身). ¶~에 바지를 입다. ③물건의 머리와 반대되는 쪽. ④조직·계통·지위·신분 따위의 낮은 쪽. ¶아랫사람/위로는 사장으로부터 ~로는 말단 직원에 이르기까지. ⑤수준·정도·질 등이 못한 쪽. ¶이건 질이 훨씬 ~구나/아랫길. ⑥수적으로 볼 때 적은 쪽. ¶그는 나보다 두 살 ~다. ⑦강·내의 물이 흘러가는 쪽. 하류(下流). ¶물 ~에 살다. ⑧성기(性器)를 가리키는 말. ¶~도 못 가리다/~를 내놓고 다닌다. 1)-7): ↔ 위.

[아래 사랑은 있어도 우에 사랑은 없다] '내리사랑은 있어도 치사랑은 없다'와 같은 뜻.

아래² 명〈옛〉①전일(前日). 이전. ¶아래 모딘 藥을 두어(曾置毒藥)≪佛頂 下 10≫. ②밑. ¶城아래 닐흔살 쏘샤(稚城之下矢七十發)≪龍歌 40 章≫.

아:래³ 명〈방〉아흐레(충남).

아:래⁴ 명 부〈방〉①접때. ②그저께(강원·충북·전북·경상).

아래기 명〈방〉아랑(전라·경상).

아래-끝 명〈방〉아랫목(평안).

아래-닿기〔一다키〕명 책상 서랍의 밑에 대는 나무.

아래-대 명 서울 안에서 동대문과 광희문(光熙門) 방면을 이르는 말. ↔ └우대.

아래-대동맥【一大動脈】명〖생〗하대동맥(下大動脈).

아래-대정맥【一大靜脈】명〖생〗하대정맥(下大靜脈).

아래댓-사람 명〖역〗아래대에 살던 군총(軍摠) 계급의 사람. ↔우댓사람.

아래-덧방 명〖농〗쟁기의 한마루에 내리 꿰어 앞머리가 보습 머리를 누르는 직사각형의 두꺼운 나뭇조각. 그 위로 한마루에 홀아비좆을 가

로 박아 흔들리지 못하게 함. ↔위덧방.

아래-뜸 명 아래쪽 마을. ¶~ 경 생원 댁에서부터 위뜸 이 서방네에 이르기까지의 모든 사람들이 이 사건을 굉장한 화제로 삼았다≪李文熙 : 온달의 밥≫. ↔위뜸.

아래-뻘 명 ↗손아래뻘.

아래-사침 명 〈방〉 위치마.

아래-아 명 〖언〗 옛 모음(母音) 'ㆍ'의 이름.

아래-아귀 명 활의 줌통 아래.곧, 활의 중심에서 아래쪽 부분. ↔윗아귀.

아래-알 명 수판의 가름대 밑부분의 4-5 개의 알. 한 알이 1을 표시함. ↔윗알.

아래-애 명 〖언〗 옛 모음(母音) 'ㆎ'의 이름.

아래-옷 명 아랫도리에 입는 옷. 아랫도리옷. 하의(下衣). ↔윗옷❷.

아래-위 명 아래와 위. 위아래. 상하(上下).

아래위-턱 명 ①아랫사람과 윗사람의 구별. ②옳고 그름과 급하고 아니 급함의 구별.

아래윗-간 【一間】 명 아랫간과 윗간.

아래윗-마기 명 아래윗벌.

아래윗-막이 명 물건의 양쪽 머리를 막은 부분.

아래윗-벌 명 옷의 아랫벌과 윗벌.

아래윗-집 명 아랫집과 윗집.

아래-짝 명 위아래로 한 벌을 이루는 물건의 아래의 짝. ↔위짝.

아래-쪽 명 ①아래를 가리키는 방향. 하방(下方). 하측(下側). ¶강의 ~. ↔위쪽. ②☞앞대.

아래-채 명 ①↗뜰아래채. ②여러 채로 된 집에서 아래쪽에 있는 집채. ↔위채.

아래-청 【一廳】 명 윗사람을 섬기고 있는 사람이 따로 잡고 있는 자리. ↔위청.

아래-층 【一層】 명 여러 층으로 된 물건의 아래에 있는 층. 밑층. 하층(下層). ¶~을 세주다. ↔위층.

아래-치마 명 갈퀴의 뒤초리 쪽으로 초리가 풀리지 않게 대나무를 가로 대고, 가는 새끼로 묶은 가장 짧은 고. ↔위치마.

아래-턱 명 턱의 아래쪽의 부분. 하악(下顎). ↔위턱.
[아래턱이 웃턱에 올라가 붙다] 상하의 계급을 무시하여 아랫사람이 윗자리에 앉을 수 없다는 뜻.

아래턱-끼움 명 〖건〗 목재(木材)의 옆 면에 내려 걸리게 끼우는 일. ——-하다 타여불

〈아래턱끼움〉

아래턱-뼈 명 〖생〗 아래턱을 이루고 있는 뼈. 하악골. ↔위턱뼈.

아래-통 명 아랫부분의 둘레. ¶~이 가늘다. ↔위통.

아래-팔 명 팔뚝. 전박(前膊). 전완(前腕). ↔위팔.

아래팔-뼈 명 아래팔을 이루는 뼈. 전박골(前膊骨). 전완골(前腕骨). ↔ 「위팔뼈.

아래-편짝 【一便一】 명 아래로 치우친 편짝.

아래-포:청 【一捕廳】 명 〖역〗 '좌포도청(左捕盜廳)'의 속칭(俗稱). ↔위포청(捕廳).

아랫 관 아래의. 아래에 있는. ↔윗.

아랫-간 【一間】 명 아궁이에 가까운 쪽의 칸. ↔윗간.

아랫강-여각 【一江旅閣】 [一녀一] 명 〖역〗 서울의 한강(漢江) 남안(南岸)에 있던 여각(旅閣). *윗강여각.

아랫-것 명 〈속〉 지체가 낮은 사람. 하인(下人).

아랫-고 【一庫】 명 〈궁중〉 내전(內殿)에 있는 별고(別庫)를 일컫던 말.

아랫고 상궁 【一庫尙宮】 명 〈궁중〉 부제조 산궁(副提調尙宮).

아랫-골 명 〈방〉 아랫목.

아랫-구멍 명 아래쪽에 뚫린 구멍. ↔윗구멍.

아랫-길 명 ①아래쪽에 있는 길. ②품질이 그보다 못한 물품. 또, 그 품질. 핫길. ¶그보다 ~의 물건. 1)·2):↔윗길.
[아랫길도 못 가고 윗길도 못 가겠다] 이도 저도 다 믿을 수 없고 어찌해야 할지 모르겠다는 말.

아랫-나룻 명 〈방〉 아랫수염.

아랫-나비 명 아래쪽의 나비. 하폭(下幅).

아랫-난 【一欄】 명 아래에 있는 난. 하란(下欄). ↔ 윗난.

아랫-녘 명 ①아래쪽. ②전라도·경상도를 이르는 말. ③앞대. 1)-3) : ↔윗녘.

아랫녘-장수 명 화류계(花柳界) 여자를 희롱하여 이르는 말.

아랫-놈 명 〈속〉 아랫사람.

아랫-누이 명 〈방〉 누이동생.

아랫-눈시울 [一씨一] 명 아래쪽의 눈시울. ↔윗눈시울.

아랫-눈썹 명 아래쪽의 속눈썹. ↔윗눈썹.

아랫-니 명 [←아랫이] 아래 잇몸에 난 이. 하치(下齒). ↔윗니.

아랫-다리 명 다리의 아랫부분.

아랫-단 명 옷의 아래 가장자리를 안으로 접어 붙이거나 감친 부분.

아랫-당줄 [一쭐] 명 망건의 편자 끝에 단 당줄. ↔윗당줄.

아랫-대 【一代】 명 후대(後代). ↔윗대.

아랫-덧줄 명 〖악〗 악보의 다섯 줄 아래에 붙는 덧줄. ↔윗덧줄.

아랫-도리 명 ①허리 아랫부분. 하체. ¶상큼한 ~. ↔윗도리❶. ②지위가 낮은 계급. ¶~에 씨가 있느냐. ③↗아랫도리옷. ↔윗도리❷.

아랫도리-옷 명 아랫도리에 입게 만든 옷. 아래옷. ㊟아랫도리.

아랫-돌 명 아래에 있는 돌.
[아랫돌 빼서 윗돌 괴고 윗돌 빼서 아랫돌 괴기] 일이 몹시 급할 때 임시 변통으로 이리저리 둘러맞추어 감의 뜻. 상하 탱석(上下撑石). 하석상대(下石上臺).

아랫-동 명 ↗아랫동아리.

아랫-동강 명 둘로 갈라진 아래쪽의 동강. ↔윗동강.

아랫-동강이 명 ☞종아리.

아랫-동네 명 아래쪽에 있는 동네. ↔윗동네.

아랫-동아리 명 ①물건의 아래쪽 동아리. ¶나무의 ~. ㊟아랫동. ↔윗동아리. ②〈속〉 아랫도리.

아랫-두리 명 〈방〉 아랫도리.

아랫-마구리 명 아래쪽의 마구리. ↔윗마구리.

아랫-마기 명 아랫도리에 입는 옷. 아래옷. ↔ 윗마기.

아랫-마디 명 ①아래쪽 마디. ②화살의 살촉에 가까운 쪽의 마디. ↔허릿간마디.

아랫-마을 명 아래쪽에 있는 마을. ↔ 윗마을.

아랫-막이 명 물건의 아래쪽 머리를 막은 부분. ↔윗막이.

아랫-머리 명 아래위가 같은 물건의 아래쪽 머리. ↔윗머리.

아랫-목 명 구들 놓은 방에서 아궁이에 가까운 쪽의 방바닥. ¶~에 좌정하다. ↔윗목.

아랫-몸 명 아랫도리.

아랫-묵 명 〈방〉 아랫목.

아랫-물 명 흘러가는 아래쪽의 물. ↔윗물.

아랫물-수 【一水】 명 한자에서 '氺'이나 '泉' 등의 '水'가 아래에 올 때의 이름. *물수부.

아랫-미:닫이틀 [一다지一] 명 〖건〗 장지나 미닫이 등을 끼어 여닫는, 홈을 판 문지방(門地枋). ↔윗미닫이틀.

아랫-바닥 명 물체의 밑바닥.

아랫-바람 명 ①물 아래쪽에서 불어 오는 바람. ②연 날릴 때 동풍(東風)을 이르는 말. 1)·2) : ↔윗바람❷❸.

아랫-바지 명 아랫도리에 입는다는 뜻으로서의 바지.

아랫-반 【一班】 명 ①아래 학년의 반. 하급반(下級班). ②등급이나 수준이 낮은 반. 1)·2) : ↔ 윗반.

아랫-방 【一房】 명 ①↗뜰아랫방. ②아궁이에 가까운 쪽의 방. ↔윗방.

아랫-배 명 배꼽 아래쪽의 배. 하복(下腹). ¶~에 힘을 주다/~가 쌀쌀 아픈 병. ↔윗배.

아랫-벌 명 아랫도리에 입는 옷. 한 벌로 된 옷의 아래옷. ↔윗벌.

아랫-변 【一邊】 명 〖수〗 밑변. ↔ 윗변.

아랫-볏 명 닭·꿩 등의 턱 아래쪽 볏.

아랫-볼 명 볼의 아랫 부분. ↔윗볼.

아랫-사람 명 ①손아랫사람. ②지위가 낮은 사람. ¶~의 말에 귀를 기울이다. 1)·2): ↔윗사람.

아랫-사랑 【一舍廊】 명 ①아래채에 있는 사랑. ↔윗사랑. ②작은 사랑.

아랫-사침 명 〈방〉 위치마.

아랫-세장 명 아래쪽 세장. ↔윗세장.

아랫-수 【一手】 명 하수²(下手). ↔윗수.

아랫-수염 【一鬚髯】 명 아래턱에 난 수염. ↔윗수염.

아랫-심 명 아랫도리로 쓰는 힘. ↔ 윗심. ¶~이 없어서 잘 뛰지 못하겠다.

아랫-알 [一래달] 명 ☞아래알.

아랫-입술 [一닙一] 명 아래쪽의 입술. 하순(下脣). ¶~을 깨물다. ↔윗입술.

아랫-잇몸 [一닌一] 명 아랫니가 나는 잇몸. ↔윗잇몸.

아랫-자리 명 ①아랫 사람이 앉는 자리. 하좌(下座). ②낮은 지위나 순위(順位). 하위(下位). ③낮은 곳의 자리. ④〖수〗 십진법(十進法)에서 어느 자리의 다음 자리. 1)-3) : ↔윗자리.

아랫-조각 명 아래쪽에 붙어 있는 조각. ↔윗조각.

아랫-중방 【一中枋】 명 하인방(下引枋).

아랫-집 명 바로 아래쪽에 이웃하여 있는 집. 또, 낮은 지대(地帶)에 있는 집. ↔윗집.

아:량 【雅量】 명 깊고 너그러운 도량(度量).

아:량-전 【亞兩箭】 명 호목(楛木)·쇠심·새의 깃·복숭아 껍질·아교 등 일곱 가지 재료로 만든 화살. 무게가 넉 냥쭝이 됨.

아:레¹ 명부 〈방〉 ①아래¹. ②접때. ③그저께(경상).

아:레² 명 〈방〉 아흐레(경기·강원·충청·전남).

아레겔리아 [Aregelia] 명 〖식〗 [*Aregelia spectabilis*] 아나나스과에 속하는 다년초. 잎은 여러 개가 겹쳐 족생(簇生)하며 잎 가장자리에는 톱니가 있으나 뚜렷하지 않고, 잎 끝에는 가시 모양의 작은 돌기가 있으며 홍색을 띠는데, 뒷면에는 하얀 얼룩점이 있어 아름다움. 꽃은 무더기로 난 잎 사이에 두상 화서로 빽빽이 나는데, 꽃잎은 엷은 남색임. 브라질 원산의 관상용 온실 식물임. 월동 온도 10°C 내외, 1958년 한국에 들어옴.

아레나 [라 arena] 명 〖역〗 고대 로마의 원형 극장 중앙에 모래를 깔아 놓은 투기장.

아레니우스 [Arrhenius, Svante August] 명 〖사람〗 스웨덴의 화학자·물리학자. 전리설(電離說)을 발표하여 1903년 노벨 화학상을 받았으며 반응 속도(反應速度)에 관한 '아레니우스의 식(式)'으로도 유명함. [1859-1927]

아레니우스의 식 【一式】 [Arrhenius' equation] [一/一에一] 명 화학 반응 속도와 온도와의 관계를 나타내는 식. 일부 고속(高速) 반응을 제외한 일반적인 화학 반응 외에 확산·점성(粘性) 등의 물질 이동 현상에 적용함.

아레스 [그 Ares] 명 〖신〗 그리스 신화 중의 군신(軍神). 호전적인 성격에 잔인하고 거만하였으나 풍채(風采)는 훌륭하였음. 제우스(Zeus)와 헤라(Hera)의 아들이며, 로마 신화 중의 마르스(Mars)에 해당함.

〈아레스〉

아레시:보 전파 관측소【電波觀測所】명 〔Arecibo Radio Observatory〕서인도 제도 푸에르토리코의 아레시보에 있는 전파 천문학·전리층(電離層) 연구를 위한 관측소. 1960～63년에 창설. 이곳의 천연 함몰지에 세계 최대인 지름 305 m의 고정 구면경(固定球面鏡 : 전파 망원경)이 설치되어 있음.

아레오파고스 회:의【一會議】〔Areopagos〕〔―/―이〕명 고대 아테네에 있던, 로마의 원로원에 해당하는 회의. 회의장이 아크로폴리스의 서쪽 '군신(軍神) 아레스의 언덕(Areios pagos)'에 있었던 데서 이 이름이 있음. 명문 출신의 아르콘(Archon)이 1년의 임기를 마친 다음 종신 회원이 되며, 이 회의에서는 살인죄, 방화죄의 심리와 일반 관리의 비위를 감독하는 권력을 가지고 있었음. 기원 전 5세기 중엽 이후 민주제의 발전과 함께 권위를 상실하였음.

아레오파지티카〔라 Areopagitica〕명〖책〗〔'대법관'의 뜻〕17세기 영국에 있어서 의회에 의한 출판물의 사전 검열·등록·허가 제도에 항의하기 위하여, 1644년 실낙원(失樂園)의 저자 밀턴(Milton, J.)이 무등록(無登錄)·무검열(無檢閱)로 출판한 팸플릿. 언론·출판의 자유를 주장한 유명한 고전(古典)임.

아레키:파〔Arequipa〕명〖지〗페루의 남부, 미스티 화산(Misti 火山) 기슭의 고원에 있는 상업 도시. 서남의 모옌도(Mollendo)를 외항(外港)으로 하고, 페루 남부의 물자 집산지(物資集散地)로서 중요한 위치를 차지함. 특히, 양모(羊毛)·알파카(alpaca)의 거래가 성함. 〔572,000 명(1991)〕

아레테〔그 arete〕명〖철〗덕(德). 사물이 갖추고 있는 탁월한 성질. 협의로는 인간의 도덕적 탁월성을 말하기도 함.

아레트〔프 arête〕명〖지〗좁고 험한 척릉(脊稜). 주로 빙하의 침식에 의하여 이루어짐.

아레프〔Aref, Abdul Rahman〕명〖사람〗이라크의 정치가·군인. 1941년의 반영 혁명, 1958년의 왕정 타도 혁명에 참가함. 1963년 참모장이 되고, 1966년 급사한 친동생 아레프의 뒤를 이어 대통령이 되었으나 1968년 쿠데타에 의하여 실각함. 〔1916- 〕

아렌스키〔Arenskii, Anton Stepanovich〕명〖사람〗러시아의 작곡가. 림스키코르사코프(Rimski-Korsakov)에 사사(師事)하여 오페라 ≪볼가강의 꿈≫·≪라파엘≫ 등을 작곡함. 〔1861-1906〕

아:려【雅麗】명 ①아담하고 고움. ②품(品)이 훌륭함. **――하다** 형여불

아련 부〈옛〉어리고 아름다운 모양. ¶올하 올하 아련 비올아 ≪樂詞≫.

아련-하다 형여불 ①정신이 희미하다. ¶아련한 기억을 더듬다. ②흐리마리하게 아렴풋이 보이다. **아련-히** 부. ¶안개 속에 ～ 떠오르는 여인의 모습.

아렴풋-이 부 아렴풋하게. <어렴풋이.

아렴풋-하다 형여불 ①기억이 똑똑하지 아니하다. ¶아렴풋한 옛날 생각. ②잘 보이거나 들리지 아니하다. ¶아렴풋한 불빛 / 멀리서 아렴풋하게 들려오는 포성. ③잠이 깊이 들지 아니하다. ¶새벽녘에야 든 아렴풋한 풋잠. 1)-3): <어렴풋하다.

아:령【啞鈴】명 운동 기구의 한 가지. 철제(鐵製) 또는 목제(木製)로, 양끝을 구형(球形)으로 만들었음. 두 개가 한 쌍이며, 한 손에 한 개씩 가지고 씀. 무게와 크기가 여러 가지임. 덤벨(dumbbell).

〈아령〉

아:령 체조【啞鈴體操】명 아령을 가지고 팔·다리·목·몸통 등의 운동을 하는 체조.

아령칙-이 부 아령칙하게. <어령칙이.

아령칙-하다 형여불 기억이 또렷하지 아니하다. ¶아령칙해서 기연미연하다. <어령칙하다.

아례【衙隷】명〖역〗지방 관아에서 부리던 하인. 아속(衙屬).

아:례-곡【我禮曲】명〖악〗경모궁 제례(景慕宮祭禮)의 송신례(送神禮) 때 연주하는 곡 이름. 경안지악(景安之樂)❷.

아로록-다로록 부 조금 성기고 연하게 여기저기 알록달록한 모양. ㅆ알로록달로록. <어루룩더루룩. **――하다** 형여불

아로록-아로록 부 조금 성기고 연하게 여기저기 알록알록한 모양. ㅆ알로록알로록. <어루룩어루룩. **――하다** 형여불

아로롱-다로롱 부 여기저기 드문드문 고르지 않게 아롱진 모양. ㅆ알로롱달로롱. <어루룽더루룽. **――하다** 형여불

아로롱-아로롱 부 여기저기 고르게 아롱진 모양. ㅆ알로롱알로롱. <어루룽어루룽. **――하다** 형여불

아로마라마〔Aromarama〕명 1959년말에 미국 뉴욕에서 공개한, 냄새도 풍기는 영화.

아로-새기다 타 ①재치 있고 공교하게 새기다. ②마음 속에 또렷하게 기억하여 두다. ¶마음에 ～.

아로와나〔arowana〕명〖어〗〔*Osteoglossum birrhosum*〕오스테오글로숨 목(目)의 담수어. 길이 약 1 m. 몸은 측편(側扁)하고 비늘이 큼. 입은 크고 비스듬히 위를 향하며, 끝에 두 개의 수염이 있음. 몸빛은 은빛인데 무지갯빛이 남. 관상용의 열대어. 남아메리카의 아마존 강 유역 등에 분포. 또 체형(體形)이 비슷한 레드아로와나·그린아로와나는 동남 아시아에 분포함.

아로와정【阿老瓦丁】명〖사람〗중국 원(元)나라의 세조(世祖)가 지원(至元) 연중(年中) 서역(西域)에서 초빙한 포장(砲匠). 성은 회회씨(回回氏). 동양 포술(砲術)의 개조로, 남송(南宋)을 토벌할 때 그가 만든 대포가 큰 구실을 하였음.

아록【衙祿】명〖역〗지방 수령에 딸린 식구들에게 주던 녹(祿).

아록-다록 부 밝고 연한 여러 빛깔의 무늬 따위가 고르지 않고 배게 박힌 모양. ㅆ알록달록. <어룩더룩. **――하다** 형여불

아록록【阿碌碌】명〖불〗이것저것 많기는 하나 쓸 만한 것이 없다는 뜻.

아록록지【阿轆轆地】명〖불〗사실과 이치(理致)가 원융(圓融)하여 막힘이 없음.

아록-전【衙祿田】명〖역〗①조선 시대 때 산물을 관아의 잡비로 쓰던 전지(田地). ②받아들이는 구실을 수령의 봉록(俸祿)으로 주던 논밭.

아론〔Aaron〕명〖성〗성서 중의 인물. 모세의 형으로 최초로 대제사장(大祭司長)이었던 사람. 레위 사람임. 이스라엘 민족의 이집트 탈출에 조력하였음.

아론맘비 호【一號】〔Aaron-Mamby〕명 〔선주(船主) Mamby와 기사장(技師長) Aaron 의 이름에서〕1821년 영국에서 건조된 세계 최초의 철제 기선(鐵製汽船). 길이 36.6 m, 폭 5.18 m, 총톤수 116 톤. 완성후 프랑스에 인도되어 센 강의 항행(航行)에 쓰임.

아롬 명〈옛〉앎. ¶微妙히 아로미 업스리라(無有妙悟) ≪蒙法 18≫.

아롬답다 형〈옛〉아름답다. =아름답다. ¶엇디 法이 아롬답디 아니홈이리오(豈法弗美也) ≪常訓 12≫.

아롱[1] 명 ↗아롱이. ㅆ알롱. <어롱.

아롱[2]〔Aron, Raymond〕명〖사람〗프랑스의 사회학자·저널리스트. 역사 철학적 고찰하에 과학적 지식을 종합하는 입장에 서서, 서(西)유럽 문명(文明)의 구제에는 그리스도교와 휴머니즘의 여러 가치(價値)를 재생(再生)하여야 할 것을 주장함. 1947년 이래 '피가로'지(紙)의 편집에 참획(參劃)하여 정교(精巧)하고 치밀한 산업 사회론(産業社會論)을 전개함. 주저에 ≪역사 철학 서설(序說)≫·≪대 논쟁(大論爭)≫ 등이 있음. 〔1905-83〕

아롱-가죽거미 명〖동〗〔*Scytodes thoracica*〕거미목(目) 가죽거밋과(科)에 속하는 거미. 몸길이 5-8 mm 가슴에는 황갈색 바탕에 복잡한 한 쌍의 암갈색 세로 무늬가 있음. 인가(人家)의 벽장이나 곳간 등 침침한 곳에 사는데, 알을 거미줄로 얽어 물고 다니며 보호함. 우리 나라를 비롯하여 전세계에 분포함.

〈아롱가죽거미〉

아롱-거리다 자 점이나 줄이 고르게 무늬져 아른거리다. ㅆ알롱거리다. <어룽거리다. **아롱-아롱** 부. ㅆ알롱알롱. <어룽어룽. **――하다** 형여불

아롱-꽃바구니고둥 명〖조개〗〔*Nerita japonica*〕꽃바구니고둥과에 속하는 고둥. 작은 말굽 모양이며, 패각(貝殼)은 지름 17 mm, 높이 15 mm 내외이고 나탑(螺塔)은 담갈색임. 껍데기의 빛은 변화가 많으나 대체로 흑색에 흰 반점이 있으며, 입은 반원형(半圓形)을 이룸. 하수(河水)의 영향을 받는 해변 암초(暗礁) 위에 서식하는데, 한국·일본 등지에 분포함.

아롱-다롱 부 점이나 줄이 여기저기 고르지 않게 아롱진 모양. ㅆ알롱달롱. <어룽더룽. **――하다** 형여불

아롱-대다 자 아롱거리다.

아롱-등에 명〖충〗대모등에붙이.

아롱 무늬〔―니〕명 점이나 줄로 이루어진 아롱아롱한 무늬.

아롱-범: 명〈방〉표범.

아롱-병【―病】〔―뼝〕명〖식〗반점병(斑點病).

아롱-사태 명 쇠고기 뭉치사태의 한가운데에 붙은 살덩이. *뭉치사태.

아롱-이 명 아롱진 점. 또, 그런 점이 있는 짐승이나 물건. ㅆ알롱이. <어롱이. ㈜아롱.

아롱이-다롱이 명 여기저기 고르지 않게 아롱진 무늬나 그런 무늬가 있는 물건.

아롱-지다 형 아롱아롱한 무늬가 있다. ㅆ알롱지다. <어룽지다.

아뢰다 타 ①〔근대 : 아뢰다〕윗사람 앞에서 풍악을 연주하여 드리다. ¶임금 앞에서 풍악을 ～. ②'알리다'의 경어. ¶웃어른께 ～.

아뢰야-식【阿賴耶識】명〔범 Ālaya vijñāna〕〖불교〗팔식(八識) 중의 하나. 사람의 심식(心識)의 근본으로서, 안으로는 온갖 물건의 씨를 갈무리하며, 만법 연기(萬法緣起)의 근본이 되는 것. 종자식(種子識).

아루쇠 명〈방〉다리쇠.

아루 제도【―諸島】〔Aru〕명〖지〗인도네시아 동부, 북쪽 아라푸라해(Arafura海)에 있는 여러 섬들. 근해는 대모갑(玳瑁甲)·진주조개의 산지로 유명함. 주민은 주로 파프아계(系) 종족(種族)임. 〔8,500 km²: 30,000 명(1981 추계)〕

아룽-아룽 부〈방〉아롱아롱.

아뤼다 타〈방〉아뢰다.

아:류[1]【亞流】명 ①무리[1]. ②둘째 가는 사람이나 사물. ③어떤 학설이나 주의의 뒤를 따르는 사람. ④어떤 사람의 모방만 하고 독창성이 없는 사람.

아-류[2]【蛾類】명〖충〗나방 아목(亞目).

아:류산【亞硫酸】명〖화〗'아황산(亞黃酸)'의 구칭.

아:류-주의【亞流主義】〔―/―이〕명 창조성이 없이 모방 또는 남의 사상이나 주의의 계승을 일삼는 경향.

아륜[1]【牙輪】명 톱니바퀴.

아륜[2]【蛾輪】명〖농〗누에의 암나방과 수나방을 교미시킨 뒤, 암나방이 산란할 때에 암나방을 덮어 두는, 양철로 만든 깔때기 모양의 용기(容器). 암나방이 산란 대지(臺紙) 위에 산란하는 경우, 한 마리씩의 나방이 규칙적으로 산란하도록 하기 위하여 씀.

아:르[1]〔R, r〕명 ①영어의 18째 자모(字母). ②고대 로마 숫자의 80.

아르[2]〔프 are〕의명 미터법에 의한 면적 단위. 100 m². 'a'로 표시함.

아르갈리〔argali〕명〔*Ovis ammon*〕〖동〗솟과의 포유동물. 야생(野生)의 양(羊) 중 최대이며, 어깨 높이 1.2 m, 수컷의 뿔은 굵고 말려 있는데, 1.8 m에 이름. 대체로 몸빛은 회색으로 중앙 아시아의 산악 지대에 분포함. 반양(盤羊).

아르겔란더〔Argelander, Friedrich Wilhelm August〕명〖사람〗프러시아의 천문학자. 1837년 초대 본(Bonne) 천문대장. 1862년 광도(光度) 9.5등 이상, 남위 2° 이북의 항성 약 324,000 개를 포함하는 본 성표(星表)를 만들어 출판함. 〔1799-1875〕

아르겔란더-법【一法】[一뻡]명〔Argelander method〕〖천〗〔천문학자 아르겔란더의 이름에서 유래〕변광성(變光星)의 광도(光度)를 개산(槪算)하는 법. 변광(變光)하지 않는 항성(恒星) 한 개 이상과 그 변광성과의 등급차(等級差)를 비교함.

아르고나우타이〔Argonautai〕명〖신〗그리스 신화에서, 인류가 최초로 만들었다고 하는 거선(巨船) 아르고호(號)에 탔던 50여 명의 영웅들. 이아손(Iason)과 함께 금모(金毛)의 양피(羊皮)를 구하려고 흑해안(黑海岸)의 콜키스(Colchis)로 원정하였음.

아르고스〔Argos〕명〖지〗그리스의 펠로폰네소스 반도(Peloponnesos 半島) 북동부의 그리스 최고(最古)의 도시. 지금은 농업의 중심지에 불과함. 고대의 유적(遺跡)이 많음. [18,966명(1971)]

아르고-자리〔Argo〕명〖천〗옛 별자리의 이름. 3월 중순의 저녁에 남쪽 지평선 상에 상부(上部)가 보이는 별자리. 현재는 고물자리, 돛자리, 나침반자리, 용골자리의 네 성좌로 분할(分割)되어 아르고자리는 쓰이지 않음.

아르곤〔argon〕명〖화〗공기 가운데 약 1% 포함되어 있는 무색·무취·무미의 희가스 원소(稀 gas 元素). 다른 물질과 화합하지 아니하며 영하 187°C에서 액화(液化)함. 적색 방전관(赤色放電管)·형광등·진공관·정류관(整流管) 따위의 충전 가스, 각종 금속 제련의 불활성(不活性) 가스로 등에 사용됨. [18번: Ar: 39.948]

아르곤 가스〔argon gas〕명〖화〗가스 상태의 아르곤.

아르곤 레이저〔argon laser〕명 이온화(ion化)한 아르곤을 사용한 가스 레이저. 적외선(赤外線) 외에 주로 488nm의 빛을 방출(放出)함.

아르곤 이온화 상자명〔argon ionization detector〕아르곤 가스로 채워진 이온화 상자.

아르광이명〈심마니〉소주⁵(평북).

아르군 강【一江】명〔Argun〕〖지〗시베리아와 중국 동북부(東北部) 국경을 흐르는 강. 헤이룽장 성(黑龍江省) 북단(北端)에서 실카 강(Shilka 江)과 만나 헤이룽 강(黑龍江)이 됨.

아르기나아제〔arginase〕명〖화〗아르기닌(arginine)을 요소(尿素)와 오르니틴(ornithine)으로 가수 분해하는 효소(酵素). 포유류·양서류(兩棲類)·거북류의 간장·신장·정소(精巢) 등에 함유되어 있음.

아르기닌〔arginine〕명〖화〗동물 단백질이 분해하여 생기는 염기성(塩基性) 아미노산의 하나. 간장(肝臟) 속의 아르기나아제(arginase)에 의하여 오르니틴(ornithine)과 요소(尿素)로 분해되어 생체(生體) 형성에 중요한 생리 작용을 함. [$C_6H_{14}N_4O_2$]

아르기닌 인산【一燐酸】명〔arginine phosphate〕〖화〗인원질(燐原質)에 크레아틴(creatine) 인산과 함께 함유되어 있는 물질. 무척추 동물의 근육 안에 널리 분포하며, 생체(生體) 안에서 에너지의 저장·운반체로서 중요한 역할을 함. ＊크레아틴 인산.

아르기브-파【一派】〔Argive〕명〖미술〗그리스의 가장 오랜 도시인 아르고스(Argos)의 건축 양식을 본뜬 미술상의 한 파.

아:르께명부〈방〉그저께. 그끄저께. 접때(전남).

아:르네〔Aarne, Antti〕명〖사람〗핀란드의 민속학자(民俗學者). 크론(Krohn, K.)과 함께 지리·역사적 방법에 의한 민속학을 대성함. 특히, 설화의 분류에 뛰어나, 저서에 ≪비교 메르헨(比較 Märchen) 연구≫, 톰슨(Thompson, S.)과의 공저(共著) ≪설화(說話)의 유형(類型)≫ 등이 있음. [1867-1925]

아르노〔Arnauld, Antoine〕명〖사람〗프랑스의 신학자·철학자. 포르 루아얄(Port Royal) 수도원을 중심으로 하는 장세니슴의 반 예수회 투쟁의 이론적 지주(理論的支柱)이며, 파스칼과 친교(親交)를 맺음. 니콜(Nicole, P.)과의 공저(共著) ≪포르 루아얄(Port Royal)의 논리학≫이 있음. [1612-94]

아르노 강【一江】〔Arno〕명〖지〗이탈리아 북서부의 강. 토스카나(Toscana) 지방의 아펜니노(Appennino) 산맥에서 발원(發源)하여 피렌체(Firenze)를 거쳐 피사(Pisa) 부근에서 리구리아 해(Liguria 海)로 흘러 들어감. 연안은 포도·올리브의 재배가 성함. 주운(舟運)이 가능한 거리는 100km임. [241km]

아르놀드손〔Arnoldson, Klas Pontus〕명〖사람〗스웨덴의 정치가·평화 운동가. 영세 중립과 평화주의를 주창하여 1908년 바이어(Bajer, Fredrik)와 함께 노벨 평화상을 수상함. [1844-1916]

아르누보〔프 art nouveau〕명〖미술〗〔새 예술의 뜻〕19세기 말에서 20세기 초에 걸쳐 프랑스·벨기에·영국에서 일어나 독일·오스트리아에 퍼진 건축·공예·회화(繪畫)·조각·풍속 등 여러 분야의 새로운 양식(樣式). 식물의 가지나 덩굴을 연상하게 하는 곡선의 흐름을 특색으로 함. 대표 작가로 벨기에의 벨데(Velde, V.), 오르타(Horta, V.), 영국의 모리스(Morris, W.), 스페인의 가우디(Gaudi, A.) 등이 있음. 누보식. 신예술(新藝術).

아르눌:〔Arnoul, Françoise〕명〖사람〗프랑스의 여배우. 영화 ≪파선(破船)≫에서 데뷔하여 발랄한 개성으로 여러 영화에 출연함. 출연 작품 ≪금단의 열매≫·≪행복에의 초대≫ 등. [1931-]

아르니카〔arnica〕명〖식〗[*Arnica montana*] 유럽 원산의 국화과에 속하는 다년초. 높이 약 30cm로 잎은 피침형임. 여름과 가을에 줄기 끝에 황색 꽃이 핌. 꽃을 말려서 신경계 병에 내복함.

〈아르니카〉

아르님〔Arnim〕명〖사람〗①〔Archim von A.〕독일의 시인·소설가·극작가. 후기 낭만파의 대표자. 시인 브렌타노(Brentano, C.)와 공편(共編)한 가요집 ≪소년의 요술 피리≫는 괴테가 극찬하였음. [1781-1831] ②〔Bettina von A.〕독일의 여류 작가. 브렌타노의 누이동생으로 ❶의 아내. 괴테에 대한 이상할 정도의 경애와 흥미에서 생겨난 서간(書簡) 소설 ≪한 어린이와 나눈 괴테와의 편지 왕래≫가 있음. 남편 사후 베를린으로 옮겨, 낭만파의 사상가나 작가에게 자극과 원조를 주고, 또 사회주의 사상에 접근하여 여성의 정신적·정치적 해방(政治的解放)에 노력하였음. [1785-1859]

아르데코〔프 art déco〕명〔1925년 프랑스 파리에서 열린 장식 미술전(裝飾美術展; Les Arts Décos)에서 유래〕1920년대에서 30년대에 걸쳐 프랑스를 중심으로 유럽에 유행한 장식 양식. 지그재그 무늬와 같은 직선(直線)과 소용돌이와 같은 입체(立體)를 많이 사용한 지적(知的)이고 정적(靜的)인 장식이 특징임. ＊아르 누보.

아:르 디: 에프【RDF】명〔Rapid Deployment Force〕신속 배치군.

아르덴 고지【一高地】명〔Ardennes〕〖지〗벨기에의 남동부에 있는 구릉성(丘陵性)의 고원. 동쪽은 라인 강 서안(西岸)의 고원에, 서쪽은 파리 분지(Paris盆地)에, 남쪽은 룩셈부르크에 연함. 골짜기는 소택지(沼澤地)의 경관(景觀)을 이루며 임업과 소·돼지·말 등의 목축업이 행하여짐. 제1차·제2차 세계 대전의 격전지였음.

아르랑 타:령【一打令】명〈방〉아리랑 타령.

아르렁부 짐승이 성내어 부르짖는 소리. 또, 그 모양. <으르렁. ──-하다 자여불

아르렁-거리다자 ①잇따라 아르렁 소리를 지르다. ②순하지 못한 말로 서로 자꾸 다투다. 1)·2): <으르렁거리다. **아르렁-아르렁**부. ──-하다 자여불

아르렁-대다자 아르렁거리다.

아르롱이명 아롱아롱한 점이나 무늬. <어르룽이.

아르르부 ①애처롭거나 아까워서 떨다시피 하는 모양. ②춥거나 아스스할 때 몸이 떨리는 모양. <으르르. ──-하다¹ 자여불

아르르-하다²형여불 조금 알알한 느낌이 있다.

아르마냐크-파【一派】명〔Armagnacs〕〖역〗백년 전쟁 후반기인 1392년 프랑스 국왕 샤를 6세의 발광 후, 전왕족·귀족간에 일어난 정권 다툼에서의 한 당파. 왕제(王弟) 오를레앙공(Orléans 公)을 당수로 했으나, 그가 암살당하자 아르마냐크 백작(伯爵)이 수령이 되어 부르고뉴(Bourgogne)파와 항쟁, 말기(末期)에는 왕태자 샤를 7세를 지지함.

아르마다〔스 Armada〕명 무적 함대❷.

아르마딜로〔armadillo〕명〖동〗[*Tolypeutes tricinctus*] 빈치목(貧齒目) 아르마딜로과에 속하는 짐승. 거북처럼 견고한 갑(甲)으로 싸여 있는데, 갑은 진피(眞皮)로 된 골질(骨質)의 사각 또는 다각형의 판이 줄지어서 이루어지고, 그 위를 표피(表皮)로 된 각질(角質)의 판이 덮고 있음. 어깨를 덮은 부분과 허리를 덮은 부분으로 나뉘고 그 중간에 2-13개의 가로띠가 있음. 앞발에는 강력한 발톱이 있어 이것으로 구멍을 팜. 이는 원뿔꼴이며 아주 작음. 야행성(夜行性)이고 개미·곤충·달팽이·지렁이·나무 뿌리 등을 먹음. 삼림(森林)·건조지(乾燥地) 등에 사는데, 중남미(中南美)에 분포함.

〈아르마딜로〉

아르망 조약【一條約】〔Harmand〕명〖역〗1883년 프랑스와 베트남의 구엔조(阮朝)와의 사이에 맺어진 조약. 이 조약으로 프랑스는 베트남에서 보호권(保護權)을 확립함.

아르메니아〔Armenia〕명〖지〗①터키와 카스피 해(海) 사이에 위치한 지역의 일반적인 명칭(名稱). 터키의 동부 산악 지대와 아르메니아 공화국이 포함됨. 고래(古來)로 동서 교통의 요지(要地)이어서 페르시아·로마·터키 등의 지배를 받았으며, 19세기에 남부 카프카스(Kavkaz)는 러시아에 병합됨. ②독립 국가 연합의 한 공화국. 1936년 소련의 한 공화국이 되었으나 1991년 독립함. 국토의 대부분이 고원(高原)으로 남부 국경과 수도 부근만이 농업 지대임. 주민의 9할이 기독교 계통의 아르메니아인(人)이며, 수력 자원·광업 자원(鑛業資源)이 풍부함. 근래에 화학·식품 공업(食品工業)도 일어남. 민족과 종교가 다른 인접 국가 아제르바이잔과는 민족·종교, 그리고 영토 문제로 1990년 이래 분쟁을 거듭하고 있음. 수도는 예레반(Erevan). [29,800km²: 3,169,000명(1982)]

아르메니아-어【一語】〔Armenia〕명 인도유럽 어족(語族)에 속하는 말. 기원전 6세기경부터 투르크 동쪽 반 호(Van 湖) 부근을 중심으로 사용됨. 근대어는 15세기 이후로, 동서(東西) 양방언으로 갈려, 동(東)은 소련의 아르메니아 공화국의 국어가 됨. 기원 불명(起源不明)의 특수한 알파벳을 사용함.

아르메니아-인【一人】〔Armenia〕명 인도 유럽 어족계(語族系)로 이란인의 일종. 단두(短頭)·흑발·검은 눈동자를 가짐. 기원전 6세기에 출현, 지금의 이란 북부, 터키 동부, 카프카스(kavkaz) 남부에 아르메니아 왕국을 건설하였으나 아랍·몽골·터키의 잇따른 침입으로 아주 쇠미(衰微)해짐. 고대 기독교의 한 파(派)인 아르메니아-그레고리오 정교(正敎)를 믿음. 총인구는 약 400만명 정도로 이란·터키·카프카스 등지에도 거주함.

아르메리아〔armeria〕명〖식〗[*Armeria vulgaris*] 갯질경잇과에 속하는 초본. 높이 15-20cm임. 4-5월에 담홍색의 작은 종상화(鐘狀花)가 핌. 화단에 관상용으로 재배하는 원예 식물로 동속(同屬)의 것이 50여 종 있는데, 중부 유럽·북미·칠레 등지에 분포함.

〈아르메리아〉

아르뮈르〔프 armure〕명 밭이랑 모양의 변형(變型)으로 짜낸 소모(梳毛) 직물. 복지(服地)·커튼 등에 널리 쓰임.

아르미니우스〔Arminius, Jacobus〕명〖사람〗네덜란드의 신학자. 제네바의 베즈(Beze) 문하에서 칼뱅(Calvin) 신학을 배움. 반(反)칼뱅주의자와의 논쟁에서 칼뱅의 예정설(豫定說)에 의문을 품고, 정통 칼뱅

파와 갈라져 인간의 의지의 작용을 인정하는 보다 자유로운 신학 사상을 주장했음. 그의 사상을 따르는 아르미니우스파(派)는 근대 프로테스탄트 신학에 커다란 영향을 끼쳤음. [1560-1609]

아르바이터 〔도 Arbeiter〕 명 근로자. 노동자.

아르바이트 〔도 Arbeit〕 명 〔일·노동·연구의 뜻〕 ①학문상의 노작(勞作). 특히, 연구 논문. ②학생이나 직업을 가진 사람의 부직(副職). ¶~로 학비를 벌다.

아르바이트 살롱 〔도 Arbeit+프 Salon〕 명 직업적인 호스테스가 아니고, 직장(職場) 근무의 여성이나 가정 주부 등이 부업으로 호스테스를 하고 있는 카바레 따위.

아르버 〔Arber, Werner〕 명 《사람》 스위스의 분자(分子) 생물학자. 1978년 제한 효소(制限酵素)의 발견과 분자 유전(遺傳) 공학에의 응용으로, 미국의 네이선스(Nathans, D.)·스미스(Smith, H.O.)와 함께 1978년도 노벨 생리·의학상을 수상함. [1929-]

아르벨라 〔Arbela〕 명 《지》 티그리스 강 상류의 촌락. 기원전 331년 봄에 알렉산더 대왕이, 이 곳과 가우가멜라(Gaugamela)와의 사이의 평야에서 페르시아왕 다리우스의 대군을 격파하여, 페르시아에 대한 지배권을 확립하였음.

아르벨라의 싸움 〔Arbela〕 〔─/─에─〕 명 《역》 가우가멜라(Gaugamela)의 싸움.

아르보-바이러스 〔arbovirus〕 명 《의》 절지 동물(節肢動物)이 매개(媒介)하여 척추(脊椎)동물에 전파되는 바이러스의 총칭. 여러 가지 형태의 뇌염(腦炎)을 일으킴.

아르보스 〔도 Arbos〕 명 《약》 장뇌(樟腦) 같은 냄새가 있는 누른 빛의 고체. 물에 잘 녹으며 소독제로 쓰임.

아르보스 비누 〔도 Arbos〕 명 아르보스를 섞어 만든 약용 비누의 하나. 물에 잘 녹으며 소독용·화장용으로 쓰임.

아:르 비: 이: 【RBE】 명 《물》 〔relative biological effectiveness의 약칭〕 방사선의 종류에 따라 흡수 선량(吸收線量)은 같을지라도, 생체 조직에 주는 생물학적 효과는 다르기 때문에 그 대소(大小)를 비교하는 데 쓰는 양.

아:르-산 【R 酸】 명 《화》 나프톨·술폰산(酸)의 일종. β나프톨의 술폰화(sulfon 化)에 의하여 만들어지며, 빛이 붉음. 물감 제조의 원료로서 중요함.

아르스 〔라 ars〕 명 〔기술(技術)·기법(技法)의 뜻〕 예술(藝術).

아르스 노바 〔라 ars nova〕 명 《악》 ①프랑스의 음악가 비트리(Vitry Ph. de)의 저서 제명(題名). ②14세기의 프랑스·이탈리아의 작곡 기술(作曲技術)을 13세기의 프랑스의 그것과 대치(對置)·구별하기 위하여 사용한 말로 신기법(新技法)의 의미. 이 작곡 기법에 의한 속음악(俗音樂)은 선율이 부드러우며 자연스럽고 리듬도 변화가 많으며, 또 육체적이고 화성(和聲)도 주로 3-6도를 쓰고 있으므로 중세 말기·초기 문예 부흥기의 현세적인 낙천주의 정신을 표현하고 있음. ↔아르스 안티콰.

아르스 아마토리아 〔Ars Amatoria〕 명 《책》 〔'사랑의 기술'이란 뜻〕 오비디우스(Ovidius; 43? B.C.-A.D. 17?)가 지은 시집. 기원전 2-1년에 발표. 성애(性愛)의 기교(技巧)를 주제로 한 것으로 3연작(連作)의 하나임. 전 3권.

아르스 안티콰 〔라 ars antiqua〕 명 《악》 〔고예술(古藝術)이란 뜻〕 12-13세기의 프랑스 음악 양식(音樂樣式). ↔아르스노바❷.

아:르 시: 에이 【RCA】 명 〔Radio Corporation of America의 약칭〕 미국의 전기 기계 회사. 1919년에 국제 라디오 전신 회사와 미국 마르코니 회사가 합병하여 창립됨. 미국 제일의 컬러 텔레비전 수상기 제조 회사로 연간 매출액 101억 달러(1984), 종업원은 10만 명을 넘음. 산하(傘下)에 미국 제3위의 텔레비전 네트 워크를 가진 엔 비 시(NBC), 미국 최대의 렌터카 회사인 헤르츠(Hertz), 레코드 회사, 보험 회사 등이 있음.

아르신 〔arsine〕 명 《화》 수소화 비소(水素化砒素) 및 유기 유도체(有機誘導體)의 총칭. ①수소화 비소. 비소와 수소의 화합물. 마늘 냄새가 나는 무색의 맹독성 기체. 녹는점 −117℃, 끓는점 −55℃, 300℃에서 비소와 수소로 분해됨. 반도체 공업(半導體工業)에 쓰임. 비소화 수소(砒素化水素). [AsH_3] ②수소화 비소의 수소 원자를 C_6H_5 등 탄화 수소기, Cl·Br·I 등의 할로겐 등으로 치환한 화합물의 총칭. 일반적으로 불쾌한 냄새가 있고, 맹독(猛毒)임. 일반식 : AsR_nX_{3-n}.

아:르 아:르 방식 【RR 方式】 명 〔rear engine, rear drive〕 엔진을 자동차의 후부(後部)에 장치하고 직접 뒷바퀴를 움직이는 방식. 중량이 후부에 걸리므로, 핸들이 잘 꺾이고 회전 반경은 작고, 눈길이나 진흙 길을 달릴 때 유리함. *에프 에프 방식.

아:르 아:르 센터 【RR—】 명 《군》 〔rest-recreation center〕 미군의, 휴가병(休暇兵) 휴양(休養) 시설.

아:르 아:르 아:르 폭탄 【RRR 爆彈】 명 〔RRR는 Reduced Residual Radiation의 약칭〕 잔류 방사능 저감 폭탄(殘留放射能低減爆彈).

아:르 아:르 합금 【RR 合金】 명 《화》 알루미늄 합금의 한 가지. 영국의 롤스로이스(Rolls-Royce) 회사에서 처음 사용하여 이 이름이 있으며, Y 합금을 개량한 것으로 고온(高溫)에 잘 견디어 실린더·피스톤 등에 쓰임.

아:르 앤드 디: 【R & D】 명 〔research and development〕 연구 개발(研究開發). 새로운 제품을 만들기 위한 기초 연구와 그 응용 연구.

아:르 앤드 비 【R&B】 명 〔rhythm and blues〕 《악》 흑인들의 블루스에서 발단한 춤곡. 리듬 앤드 블루스.

아:르 에스 시: 【RSC】 명 〔referee stop contest의 약어〕 권투에서, 선수가 부상하였거나 심신(心身)의 변조(變調)로 인하여 더 이상의 경기 속행이 불가능하다고 심판이 판단하였을 경우, 경기를 중단시키고 한쪽에 승리를 선언하는 일. 프로 권투에서의 티 케이 오(TKO)와 같음. 레퍼리 스톱 콘테스트. *닥터 스톱(doctor stop).

아:르 에이치 네거티브 〔Rh negative〕 명 《생》 아르 에이치 음성.

아:르 에이치 마이너스 〔Rh minus〕 명 《생》 아르 에이치 음성(陰性).

아:르 에이치-식 혈액형 【Rh式血液型】 명 《생》 〔Rh는 붉은털원숭이(rhesus monkey)의 머리 글자〕 1940년 미국의 란트슈타이너(Landsteiner, K.)등이 발견한 혈액형. 인간의 아르 에이치 인자 유무에 따라 계통 세워진 혈액형의 체계. 이에 의해 혈액형이 수십종으로부터 수만 내지 수백만 종으로 나눠졌음. *에이 비 오식 혈액형·엠 엔식 혈액형.

아:르 에이치 양성 【Rh 陽性】 명 《생》 아르 에이치 인자를 가지는 혈액형. 'Rh+'로 표시함. 아르 에이치 포지티브. 아르 에이치 플러스. ↔ 아르 에이치 음성.

아:르 에이치 음성 【Rh 陰性】 명 《생》 아르 에이치 인자를 가지지 않는 혈액형(血液型). 'Rh−'로 표시함. 아르 에이치 네거티브. 아르 에이치 마이너스. ↔아르 에이치 양성.

아:르 에이치 인자 【Rh 因子】 명 《생》 사람의 혈액 속에 있는 유전성인 응집소(凝集素)의 하나. 약 85%의 사람이 적혈구 속에 이것을 가짐. Rh 음성인 사람이 Rh 양성인 사람으로부터 거듭하여 수혈(輸血)을 받으면 수혈 반응이 일어나 사망할 우려가 있으며, Rh 음성인 여자가 Rh 양성의 태아를 임신하면 태아는 항원 항체 반응(抗原抗體反應)을 일으켜 생명이 위험하게 됨.

아:르 에이치 투: 【rH_2】 명 《화》 산화 환원 전위(酸化還元電位)를 가스 전극적(gas 電極的)으로 설명할 때에 쓰이는 지수(指數). 수소 전극의 값을 나타내는 수소(H_2)의 압력 Ph_2에 관해서 $-\log Ph_2$를 생각하고, 이를 rH_2로 나타냄.

아:르 에이치 포지티브 〔Rh positive〕 명 《생》 아르 에이치 양성.

아:르 에이치 플러스 〔Rh plus〕 명 《생》 아르 에이치 양성.

아:르 엔 에이 【RNA】 명 《화》 〔ribonucleic acid의 약칭〕 리보 핵산(ribo核酸).

아:르 엔 에이 생물 【RNA 生物】 명 《생》 〔RNA-organism; RNA는 ribonucleic acid의 약칭〕 리보 핵산을 유전 물질(遺傳物質)로서 가지고 있는 생물. 유전자(遺傳子) 속에서 리보 핵산만으로 단백질을 합성함. 인플루엔자·소아 마비의 바이러스 등 바이러스의 일부가 이에 속함. ↔디엔 에이 생물(DNA 生物).

아:르 엠 시: 【RMC】 명 지구 기상 중추(地球氣象中樞).

아:르 오: 케이 【ROK】 명 록(ROK).

아:르 오: 케이 에이 【ROKA】 명 《군》 로카(ROKA).

아:르 오: 티: 시: 【ROTC】 명 《군》 〔Reserve Officer's Training Corps의 약칭〕 ①예비 장교 훈련단. 대학생에게 군사 훈련을 베풀어 소정 과정을 마친 후 예비역 장교로 편입시키는 제도. ②대학·교육대학 및 사범대학의 2학년까지의 교육을 마친 학생에게 군사 교육을 실시하고 졸업하면 현역 장교로 임명하는 제도. 학생 군사 교육단. 통칭 : 학군단(學軍團).

아:르 인자 【R 因子】 명 〔R factor〕 세균(細菌)의 약제 저항능(藥劑抵抗能)을 전달하는 유전 인자(遺傳因子). 자기 증식능(自己增殖能)이 있으며, 접합(接合)의 경우 감염적(感染的)으로 하나의 세균(細菌)에서 다른 세균으로 전달됨. *에프 인자(F 因子).

아르자마:스 〔Arzamas〕 명 1815년 러시아의 작가 카람진(Karamzin)에 의하여 창설된 문학 단체. 서(西)유럽의 센티멘털리즘을 고취하여 고전주의(古典主義)에 대립함.

아르젠틴 〔Argentine〕 명 《지》 '아르헨티나(Argentina)'의 영어명.

아르치바셰프 〔Artsybashev, Mikhail Petrovich〕 명 《사람》 러시아의 현대파 극작가·소설가. 자유 연애·성애(性愛)의 해방을 주장함. 소설 ≪사닌(Sanin)≫ 등을 발표하고, 혁명 후 폴란드로 망명함. [1878-1927]

아르침볼디 〔Arcimboldi, Giuseppe〕 명 《사람》 이탈리아의 화가. 밀라노 태생으로 오스트리아에서 궁정 화가로 활약하여 기교주의(技巧主義) 화가 중에서도 특이(特異)한 자리를 차지함. 꽃·과일·동물 따위를 나무쪽 세공(細工)처럼 모아서 인물상(人物像)으로 완성한 작품이 많고 그 괴기성(怪奇性)·환상성(幻想性)에서 초현실주의의 선구자로 평가됨. [1527?-93]

아르카델트 〔Arcadelt, Jakob〕 명 《사람》 네덜란드의 작곡가. 파리·로마를 중심으로 가수로서도 활동함. 미사·마드리갈의 작품(作品)이 많고, ≪아베 마리아≫는 그의 세속(世俗) 가곡임. [1514?-67?]

아르카디아 〔Arcadia〕 명 《지》 그리스의 주(州). 펠로폰네소스 반도의 중앙, 해발 600m의 고원 지대에 있어 외부와의 접촉이 없었기 때문에 그리스 민족의 원시성을 길이 보존하고 있었음. 후세에 와서 이 명칭은, 특히 시가(詩歌)에 있어서, 목가적 행복(牧歌的幸福)의 이상향(理想鄕)을 의미하는 말로 사용됨. [4,419 km^2 : 108,000명(1981)]

아르카디우스 〔Arcadius〕 명 《사람》 동로마 제국의 초대 황제. 부왕(父王)인 테오도시우스(Theodosius) 1세가 죽은 후 아우인 호노리우스(Honorius)와 함께 로마 제국을 분리(分離) 통치하여 사실상의 동로마 제국의 개조(開祖)가 됨. [377-408; 재위 395-408]

아르카스 〔그 Arkas〕 명 《신》 그리스 신화 속의 인물. 제우스와 님프 칼리스토(Kallisto)의 아들. 곰으로 변한 어머니를 좇아 금지 구역인 제우스의 신역(神域)에 침입하여 죽게 된 것을 제우스의 자비로 어머니는 큰곰자리가 되고, 그는 목자자리의 별 아르크투루스(Arcturus)가 되었음.

아르카이슴 〔프 archaïsme〕 명 ①의고주의(擬古主義). ②고풍(古風). ③아르카이크 예술을 이상(理想)으로 하여, 의식적(意識的)으로 고졸(古拙)을 추구하는 입장·주의·경향. 고대 모방주의(古代模倣主義).

아르카이크 〔프 archaïque〕 명 ①고풍(古風)이 있음. 매우 오래 됨. 고졸(古拙). ②그리스 미술 초기의 세련되지는 않으나, 소박하고 힘찬 양식의 미술. 또, 그와 같은 것에 대한 일컬음. ──-하다 형여불

아르카이크 스마일 〔프 archaïque+영 smile〕 명 그리스의 아르카이크 조각에서 흔히 볼 수 있는 입가에 나타난 미소와도 같은 표정. 친밀성과 함께 신비감을 줌.

아르카이크 예:술 【—藝術】〔프 archaïque〕 명 단순·소박·고졸(古拙)하여 원시성·자연성을 아직 잃지 아니한 고전기(古典期) 이전의 예술. 특히, 고대 그리스 예술에 대하여 일컬음.

아르케 〔그 arkhe〕 명 ①근원. 원리. ②〖철〗 그리스 초기의 자연 철학에 있어서 우주의 근본이 되는 물질. 곧, 원질(原質)을 뜻함. 후에 아리스토텔레스는 이를 존재론의 제일 원리의 의미로 사용하였음.

아:르 케이 오: 【RKO】 명 〔Radio Keith Orpheum의 약칭〕 미국의 영화 제작 배급 회사. 1928년에 창립, 처음 무용 영화로 시작하여, 이색적인 소작품으로 특이한 활동을 함.

아르코 〔이 arco〕 명 〖악〗 현악기의 활. 궁주(弓奏).

아르코사이트 〔arkosite〕 명 〖지〗 장석질 암석(長石質岩石).

아르코스 사암 【—砂岩】 명 〔arkosic sandstone〕 〖지〗 25% 이상의 장석(長石)을 함유하는 사암. 석영(石英)과 장석이 80-98%를 차지하며 운모(雲母)도 섞여 있음. 화강암(花崗岩) 쇄설물(碎屑物)로 된 것, 육성(陸成)의 하천 퇴적물(河川堆積物) 또는 해성(海成) 퇴적물로 된 것 등이 있음. 장석질(長石質) 사암.

아르콘 〔그 archon〕 명 〖역〗 고대 그리스의 도시 국가의 집정관(執政官). 아테네가 가장 유명함. 아테네에서는 귀족 정치 초기에 나타나 처음에는 3명으로 종신적이던 것이 차츰 임기제로 되고 기원전 4세기 후로는 권능이 무력화(無力化)하였음.

아르크투루스 〔라 Arcturus〕 명 〖천〗 목자(牧者)자리의 알파성(α星). 지구에서의 거리는 30광년(光年). 지름은 태양의 24배. 0.1 등성임. 봄에서 여름까지, 남천(南天)의 밤하늘에 등색(橙色)으로 반짝임. 그리스 신화(神話)의 아르카스가 변했다는 별. 중국명: 대각(大角).

아르키메데스 〔Archimedes〕 명 〖사람〗 고대 그리스의 수학자·물리학자. 원(圓)·구(球)·타원·포물선 및 이들의 회전체의 구적법(求積法)과 '지레의 원리'·'아르키메데스의 원리' 등을 발견함. [287?-212 B.C.]

아르키메데스의 공리 【—公理】〔Archimedes〕 〔—니/—에—니〕 명 〖수〗 b를 임의의 실수(實數), a를 임의의 양(陽)의 실수로 할 때 $na>b$가 되는 자연수 n이 존재한다는 공리. 아르키메데스가 곡선으로 둘러싸인 도형(圖形)의 넓이를 계산하는 경우 같은 데 사용하였음.

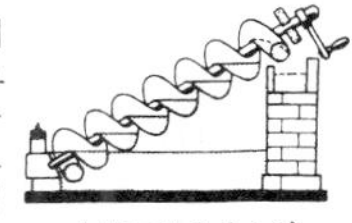

아르키메데스의 나사선 【—螺絲線】〔—/—에—〕 명 〔spiral of Archimedes〕 〖수〗 평면상의 곡선의 하나. 중심으로부터의 거리가 회전각(回轉角)에 비례하여 커져 가는 소용돌이선.

〈아르키메데스의 나사선〉

아르키메데스의 나선 양수기 【—螺旋揚水機】 〔Archimedes〕 〔—냥—/—에—냥—〕 명 나선으로 된 원통을 장치하고 회전하여 높은 데로 급수(給水)할 때에 이용하는 기계. 이 원리는 지금도 분체(粉體)·액체 운반에 이용되고 있음. 아르키메데스가 발명함.

〈아르키메데스의 나선 양수기〉

아르키메데스의 원리 【—原理】 〔—월—/—에월—〕 명 〔Archimedes' principle〕 〖물〗 물체의 일부 또는 전부가 유체(액체 또는 기체) 속에 있을 때, 물체가 밀어낸 양만큼의 유체의 무게와 같은 부력이 물체에 작용한다는 원리. 기원전 220년 경 아르키메데스에 의해 발견되었다고 전해짐. 액체·기체 또는 물체의 정지·운동에 관계 없이 성립함.

아르키타스 〔Archytas〕 명 〖사람〗 고대 그리스의 정치가·기술자·수학자. 뛰어난 군인이기도 한 그는 한번도 싸움에 진 적이 없었다고 하며 플라톤과도 가까이 지냈음. 기하학을 응용한 역학(力學)을 연구했는데, 하늘을 나는 목제(木製) 새를 만들어 보기도 했음. [400?-365? BC]

아르키펭코 〔Archipenko, Aleksandr〕 명 〖사람〗 1923년 미국에 귀화한 소련의 조각가. 처음 파리·베를린에서 입체파 운동에 참가하고 다시 추상 조각에로 진출하여 여러 실험적 작품을 냈음. [1887-1964]

아르킬로쿠스 〔Archilochus〕 명 〖사람〗 기원전 7세기의 고대 그리스의 시인. 파로스(Páros) 섬의 귀족의 사생아로 태어나 불우한 실의(失意)의 생애(生涯)를 보내고 용병(傭兵)이 되어 전사함. 특히, 이암보스조(Iambos調)의 운율(韻律)의 완성자로 유명하며, 격정(激情)에 넘치는 통쾌한 시를 남겼음.

아르타-샤:스트라 〔범 Arthaśāstra〕 명 〖책〗 범어로 쓰여진 정치·경제·군사·기술(技術) 등에 관한 문헌(文獻)의 총칭. 찬드라굽타 왕의 재상(宰相) 카우틸리아(Kautilya)의 작이라고 일컬어짐. 《카우틸리아 실리론(實利論)》 (15권)이 유명함. 실리론(實利論).

아르테미스 〔Artemis〕 명 〖신〗 그리스 신화 중의 신(神). 제우스(Zeus)의 딸. 들짐승·가축을 보호하며, 처녀신(處女神)으로서 여성을 수호하고 또한 달·수렵(狩獵)의 여신으로도 알려짐. 로마 신화 중의 다이애나(Diana)에 해당함.

〈아르테미스〉

아르테 포베라 〔이 arte povera〕 명 〖미술〗 〔가난한 미술의 뜻〕 흙덩이·나뭇조각·끈·쇳조각 등 잡동사니 소재를 이용한 입체적 미술 작품.

아르토 〔Artaud, Antonin〕 명 〖사람〗 프랑스의 시인·배우. 초현실주의 운동에 참가하여 산문시《신경의 저울》 등을 썼고, 또 새로운 연극을 지향하여 논문집 《연극과 그 분신(分身)》을 발표하여 반연극(反演劇)의 선구자가 되었음. [1896-1948]

아르퉁 〔Hartung, Hans〕 명 〖사람〗 프랑스의 화가. 라이프치히 태생으로 나치스를 피하여 프랑스에 정주(定住)함. 외인 부대에 들어가 한쪽 다리를 잃었으며, 1945년 프랑스에 귀화함. 1922년 이래 추상(抽象)을 시도하여, 긴장감에 넘치는 선묘(線描)의 추상화로 알려짐. [1904-89]

아르티스트 〔프 artiste〕 명 〖예〗 ①예술가. 미술가. ②문예·미술 비평에 흔히 쓰이는 말로서 시인·소설가·극작가·조각가·화가·건축가·작곡가 등의 총칭. ＊아르티장.

아:르 티: 오: 【RTO】 명 〖군〗 〔Railway Transportation Office의 약칭〕 군용 철도 수송 사무소.

아르티장 〔프 artisan〕 명 〖예〗 뛰어난 표현의 기교(技巧)를 가지면서도 그를 뒷받침하는 사상성·예술성을 결(缺)하는 까닭에 본격적 예술가가 되지 못하는 사람을 비판적으로 이르는 말. ＊아르티스트.

아르파 〔이 arpa〕 명 〖악〗 '하프(harp)'의 이탈리아어 이름.

아르페지오 〔이 arpeggio〕 명 〖악〗 '펼침 화음'의 이탈리아 말.

아르프 〔Arp, Hans〕 명 〖사람〗 독일 출생의 프랑스 화가·조각가. 다다이즘의 창시자였고 후에 쉬르레알리슴(surréalisme) 운동에 참가함. 추상적(抽想的)인 경향(傾向)이 강하여 특히 조각에 우수함. 저서도 많음. [1889-1966]

아:르 피: 브이 【RPV】 명 〖군〗 원격 조종기.

아:르 피: 엠 【r.p.m.】 의명 〔revolutions (rotations) per minute의 약칭〕 회전 속도의 단위. 일반적으로 1분간(分間)의 회전수를 나타냄. '매분…회전'. RPM으로도 표기함.

아:르피:-화 【RP畫】 명 〔reproduction parfait〕 〖미술〗 〔완전한 재현(再現)의 뜻〕 실물(實物)과 똑같은 복제화(複製畫). 실물과 같이 캔버스에 인쇄하고 거기에 화가가 붓을 댄 것임.

아르한겔스크 〔Arkhangelsk〕 명 〖지〗 러시아 연방의 북드비나 강(北Dvina江) 어귀, 백해(白海)에 면한 항구 도시. 5월 중순에서 10월 초순 사이 외에는 동결(凍結)되어 있음. [416,000명(1989)]

아르헤리치 〔Argerich, Martha〕 명 〖사람〗 아르헨티나의 여류(女流) 피아니스트. 뛰어난 기술로 여성다운 감성(感性)을 표현하는 데 능하며 쇼팽·라벨(Ravel, J.M.)의 곡을 잘 침. [1941-]

아르헨티나[1] 〔Argentina〕 명 〖지〗 남아메리카 대륙 남부 대서양 연안의 연방 공화국. 서는 안데스 산맥의 분수령으로부터 동은 브라질 산지(山地)까지 이름. 주민은 주로 스페인인(人)의 자손이며 스페인어를 사용함. 농업·목축업·식육 가공업이 발달함. 주산물은 쇠고기·밀·양모(羊毛) 등이며 쇠고기와 밀은 주요 수출품임. 남아메리카에서 문화 수준이 가장 높으며 사회 보장 제도가 잘 발달함. 정식 명칭은 아르헨티나 공화국(Argentine Republic). 수도는 부에노스아이레스(Buenos Aires). [2,766,889 km²: 32,320,000명(1990 추계)]

아르헨티나[2] 〔Argentina, La〕 명 〖사람〗 스페인의 여류 무용가. 본명은 Antonia Mercé. 스페인 무용을 부흥시켰으며, 구미(歐美) 각지에 순연(巡演)하여 성공함. [1890-1936]

아르헨티나 탱고 〔Argentina tango〕 명 19세기말 아르헨티나 부에노스아이레스를 중심으로 발달한 탱고 음악. 또, 그에 맞추어 추는 댄스. 2/4박자의 리드미컬한 음악임. ＊콘티넨털 탱고.

아른-거리다 자 ①무엇이 조금 보이다 말다 하다. ②그림자가 희미하게 움직이다. ¶어둠 속에 희미한 사람 그림자가 ~. ③물이나 거울에 비친 그림자가 흔들리어 안정되지 못하다. ¶강물 위에 아른거리는 달빛. 1)-3): 쓰알른거리다. <어른거리다. 아른-아른 부. ——-하다 자여불

아른-대다 자 아른거리다.

아:른-스럽다 형(ㅂ불) ①어른 아닌 사람이 어른인 체하는 태도가 있다. ②어린 아이의 언동(言動)이 깜찍하게 어른다운 데가 있다. <어른스럽다. 아:른-스레 부

아른트 〔Arndt, Ernst Moritz〕 명 〖사람〗 독일의 시인·저술가. 나폴레옹의 압제에 항거, 한때 스웨덴에 망명함. 저서 《포메른(Pommern)》·《뤼겐의 농노 제도사》는 스웨덴의 농노 해방에 기여한 바 크며, 프로이센을 위하여 열렬한 애국시·정치 논문 등을 발표하여 국민의 사기를 북돋우었음. 주저《시대 정신》. [1769-1860]

아른험 〔Arnhem〕 명 〖지〗 네덜란드 동부 헬데를란트 주(Gelderland 州)의 주도(主都). 라인 강 우안(右岸)에 있는 철도의 요지로 방적·피혁·차량 등의 공업이 성함. 성에우세비우스(聖 Eusebius) 교회, 고고학 박물관 등이 있음. [128,107명(1988)]

아를 〔Arles〕 명 〖지〗 프랑스의 남동부 론 강(Rhône江) 연안에 있는 부슈뒤론 주(Bouches-du-Rhône州)의 주도(主都). 고대 로마 시대부터 상업의 중심지로 번영했고 원형(圓形) 극장·투우장 등 당시의 유적이 많으며 성당과 박물관도 유명함. 많은 종교 회의의 개최지로 되고 있음. [37,000명(1981)]

아를랑 〔Arland, Marcel〕 명 〖사람〗 프랑스의 현대 소설가. 심리적 수법으로 현세기의 병적 생태를 취급하여 젊은 세대의 공명을 일으킴. 작품에 《타국 땅》·《질서》 등이 있음. [1899-1986]

아를레키노 〔이 arlechino〕 명 〖연〗 아를캥(arlequin)의 이탈리아 이름.

아를베르크 〔Arlberg〕 명 〖지〗 오스트리아 서부 라인 강과 도나우 강의 분수계(分水界)에 위치한 고개. 1884년에 개통한 철도는 최고점(最高點)이 1,310 m이고 길이 10.3 km의 터널을 지남. 부근은 스키의 국제적 중심지임. [1,793 m]

아를베르크 스키:술 【—術】〔Arlberg ski〕 명 슈나이더(Schneider, H.)를 중심으로 아를베르크 지방에서 만들어 낸 세계적 스키술. 앞으로 깊게 구부린 활강(滑降) 자세를 강조했으며, 알펜(Alpen) 경기를 만들어 내는 기초가 됨.

아를의 여인 【—女人】〔—/—에—〕 명 〔프 L'Arlésienne〕 ①〖책〗 1872년 프랑스의 도데(Daudet)가 쓴 희곡. 모두 3막. 젊은 농부의 비련

나 일설에는 기원전 1700년경이라고도 함. 산술·기하 등을 많이 다루어 구형이나 원의 면적 구하기도 실려 있으며, 원주율 π가 3.16이 됨을 암시하기도 함. 뒤에 영국의 이집트 학자 린드(Rhind)가 발견하였으므로 일명 린드 파피루스라고도 함.

아멘¹〔Amen〕[명]〘신〙고대 이집트의 주신(主神). 원래 테베(Thebes)의 지방신이었으나, 이집트가 통일되매, 그 숭배가 전 이집트에 미쳤고, 최고신 라(Ra)와 융합하여 '아멘라'로 불리었으며, '신들의 왕'이 됨. 머리에 한 쌍의 깃털 장식을 쓰고 아랫수염을 길렀으며, 사람의 형상임. 아몬(Amon).

〈아멘라〉

아:멘²〔그 amen〕[감]〘기독교〙기도나 찬송의 뒤에 그 내용에 찬동하거나 그것이 이루어지기를 바란다는 뜻으로 쓰는 말.

아멘-라:〔Amen-Ra〕[명] 고대 이집트의 주신(主神) 아멘이 최고신 라(Ra)와 융합하여 불리는 이름.

아멘티아〔라 amentia〕[명]〘의〙의식이 착란(錯亂)하여 몽롱한 증상(症狀). 정신 착란.

아멘호테프 사:세【一四世】〔Amenhotep Ⅳ〕[명]〘사람〙이집트 제18 왕조의 왕. 유일신 아톤(Aton) 신앙을 창도(唱導), 아몬 신전(Amon 神殿)을 폐쇄하여 신들에 대한 예배를 금하고, 자신은 이크나톤(Ikhnaton)으로 개명(改名)하고 도읍을 텔 엘아마르나(Tel el-Amarna)로 옮김. 진실과 사랑을 모토로 하는 그의 치세에, 특이하고 또한 단명(短命)했던 아마르나(Amarna) 예술이 탄생함. 그의 극단적 평화주의 때문에 이집트 세계 제국은 붕괴됨. 〔재위 1377-1358 B.C.〕

아멘호테프 삼세【一三世】〔Amenhotep Ⅲ〕[명]〘사람〙이집트 제18 왕조의 왕. 아멘호테프 사세의 아버지. 이집트 제국 번영의 절정기에 즉위, 카르나크(Karnak)와 룩소르(Luxor)에 대규모 조영(造營) 사업을 행함. 멤논(Memnon)의 거상(巨像)은 그의 좌상(坐像)임. 만년에는 평화주의 때문에 외국에 대한 위세(威勢)가 약화됨. 〔재위 1413-1377 B.C.〕

아명¹【兒名】[명] 아이 때의 이름. 유명(乳名). 소명(小名). ↔관명(冠名).

아:명²【雅名】[명] 풍아(風雅)한 이름. 아취(雅趣)있는 이름.

아모¹【阿母】[명] ①어머니. ↔아부(阿父). ②'유모(乳母)'의 별칭.

아:모²【亞母】[명]〔어머니에 버금가는 이의 뜻〕①길러준 어머니. 양모(養母). ②혈연 관계가 없는 어머니. 계모(繼母).

아모³ ㊀[인대]〈옛〉아무. ¶아모 사ᄅᆞ미나 이 良醫의 虛妄ᄒᆞᆫ 罪를 ≪月印 XⅦ:22≫. ㊁[관]〈옛〉아무. =아ᄆᆞ. ¶아모ᄃᆞ라셔 ≪月釋 Ⅱ:25≫.

아모거긔〈옛〉아무에게. ¶아모거긔도 제 무레 위두ᄒᆞᆫ 거슬 王이라 ᄒᆞᄂᆞ니라 ≪月釋 Ⅰ:24≫.

아모그에 [인대]〈옛〉아무개. ¶乎ᄂᆞᆫ 아모그에 ᄒᆞᄂᆞᆫ 겨체 쓰는 字ㅣ라 ≪訓諺 1≫.

아모듸 [지대]〈옛〉어디. 어느 곳. ¶온골에 杏花ㅣ 놀린이 아모듼 줄 몰래라 ≪海謠 161≫.

아모ᄃᆡ [지대]〈옛〉아무 데. 어떤 곳. ¶飮食이 自然히 오나ᄃᆞᆫ 夫人이 좌시고 아모ᄃᆞ라셔 온동 모ᄅᆞ더시니 ≪月釋 Ⅱ:28≫.

아모란 [관]〈옛〉아무런. 아무러한. =아므란. ¶아모란 ᄀᆞ만ᄒᆞᆫ 보람이 잇고 인은 업ᄂᆞ니(有甚暗記沒印) ≪朴解 下 55≫.

아모레〔이 amore〕[명]〘악〙'애정을 가지고 정서 있게'의 뜻. 아모로소.

아모로소〔이 amoroso〕[명]〘악〙아모레(amore).

아모르〔Amor〕[명]〘신〙로마 신화 중의 사랑의 신(神). 그리스의 에로스(Eros)에 해당함. 큐피드.

아모르 파티〔라 amor fati〕[명]〘철〙운명의 사랑이란 뜻. 특히, 니체(Nietzsche)가 사용한 말임.

아모만 [부]〈옛〉①얼마큼. ¶아모만도 다 긴티 아니ᄒᆞ니라(多少不打緊) ≪朴解 上 43≫. ②암만. 아무리. ¶多 셧달 바룸 비 눈 서리를 아모만 마즌들 푸러질 줄 아시랴 ≪古時調 李鼎輔≫.

아모스〔Amos〕[명]〘성〙기원전 8세기경의 유태 선지자(先知者). 본시 농부였는데 하늘의 계시(啓示)를 받고 베델에 이르러 하느님의 심판을 부르짖었으나 용납되지 않아, 이를 문서로 기록하여 소위 성문(成文) 선지자의 비조(鼻祖)가 되었음. *아모스서.

아모스-서【一書】〔Amos〕[명]〘성〙구약 성서 중의 한 편. 아모스에 의해 기록되었으며 이스라엘 범죄에 대한 하느님의 노여움과 종말에 대한 경고 등을 내용으로 함. *아모스.

아모이〔Amoy〕[명]〘지〙샤먼(厦門).

아모제 [명]〈옛〉아무 때. ¶아모 제라 업시(不揀幾時) ≪老乞 下 39≫.

아:목【亞目】[명]〘생〙동물 계통 분류의 한 단계. 목(目)을 다시 나누어 목(目)과 과(科)의 중간에 둠. 나비목에 '나비 아목'과 '나방 아목'을 두는 것 등.

아몬〔Amon〕[명]〘신〙아멘¹(Amen).

아:몬드〔almond〕[명]〘식〙①편도(扁桃). ②양과자에 쓰는 살구. ¶~ 초콜릿.

아:몬드 케이크〔almond cake〕[명] 누가(nougat).

아몽【阿蒙】[명]〔아(阿)는 친근하게 이르는 말. 몽(蒙)은 사람의 이름. 여몽(呂蒙)의 고사(故事)에서〕진보가 없는 인물. 학식이 없는 하찮것 없는 자(者). ¶오하(吳下)의 ~/~시(視)하다.

아:무 ㊀[인대] ①누구라고 이름을 지정하지 않는 대명사. 수모(誰某). 하모(何某). ¶~나 가거라. ②성(姓) 아래에 쓰이어, 이름 대신 누구를 지정하여 이르는 말. 모(某). ¶이 ~네 집. ㊁[관] ①어떤 사물이든지 꼭 지정(指定)하지 않고, 감추어 이르거나, 가정(假定)하여 이를 때 쓰는 말. 모(某). ¶~ 날 ~ 시에. ②'어떠한'·'아무런'의 뜻. ¶~ 생각 없이 갔었다/ ~ 말도 하지 않고 있다.

아무 강【一江】〔Amu〕[명]〘지〙↗아무다리야 강(Amu Dar'ya 江).

아:무-개 [인대] '아무'의 비칭. ¶김 ~ 집에 다녀왔지.

아:무개-아무개 [인대] '아무아무'의 비칭.

아:무-것 [대] 무엇이라고 꼭 지정하지 아니하고 이를 때 쓰이는 말. 어떤 것. ¶~이든 좋다.

아:무-닐 [명] '아무 일'의 잘못된 말.

아무다리야 강【一江】〔Amu Dar'ya〕[명]〘지〙중앙 아시아의 큰 강. 파미르 고원에서 발원하여 북서로 흘러 아랄 해(Aral 海)로 유입함. 수운(水運)이 편하고 하류는 특히 관개(灌漑)가 편리함. 옛 이름은 옥수스 강(Oxus 江). [준]아무 강. [2,540 km]

아:무 데 [지대] 아무 곳. ¶~도 안 갔다/ ~도 없다.

아:무 때 [명] 어떠한 때. ¶~나 와도 좋다.

〔아무 때 먹어도 김가가 먹을 것이다〕자기가 취할 이익은 언제나 자기가 가지게 된다는 말.

아:무래도 [준] ①아무러하여도. ¶그런 일은 ~ 좋다. ②아무리 하여도. ¶~ 영어론 너를 못 당하겠다.

아:무러나 [부]〈방〉아무려나.

아:무러면 [준] 아무러하면. ¶~ 그가 거짓말을 할까/웃이야 ~ 어떠냐.

아:무러문 [감]〈방〉아무려면(평안).

아:무러-하다 [형][여불] 아무 모양·아무 형편·아무 정도 또는 아무 조건으로 되어 있다. ¶아무러하든 그 일은 꼭 해야 한다. [준]아무렇다.

아:무런 [준] 아무러한. ¶~ 준비도 없이 시작하다/~ 대답 못 받았다.

아:무런들 [준] 아무러한들. ¶사람들이 ~ 어떠냐.

아:무렇거나〔—러커—〕[준] 아무러하거나. ¶~ 해 보세. [준]아뭏거나.

아:무렇게〔—러케〕[준] 아무러하게. ¶~도 생각하지 않는다.

아:무렇게나〔—러케—〕[준] 아무러하게나. ¶일을 ~ 하면 못 쓴다.

아:무렇다〔—러타〕[형][ㅎ불] ↗아무러하다. ¶아무렇지도 않은 듯이 질문하다.

〔아무렇지도 않은 다리에 침 놓기〕가만 두었더라면 아무 일도 없을 것을 공연히 건드려서 탈을 낸다는 뜻 *긁어 부스럼.

아무렇지도 않다 [구] ㉠이전의 모양·상태 그대로 변동 없이 있다. ¶길에서 넘어졌으나 아무렇지도 않았다. ㉡별다르지 않고 예사롭다. ¶그 문제를 아무렇지도 않게 생각하는 것 같다.

아:무렇든〔—러튼〕[준] 아무러하든. ¶복장 따위는 ~ 상관 없다.

아:무렇든지〔—러튼—〕[준] 아무러하든지. ¶~ 해 보는 것이 좋겠다.

아무레미 [명]〈방〉아지랑이(함남).

아:무려나 [감] 아무렇게나 하려거든 하라고 승낙하는 말. ¶~, 해 보렴.

아:무려니 [감] 그렇게 되지 않기를 바라면서 설마의 뜻을 나타내는 말. ¶~, 그 애가 그런 짓을 했을라고/~, 그럴라고.

아:무려면 [감] 말할 것 없이 그렇다는 뜻. 물론(勿論). ¶~, 그렇지 그래. [준]아무렴·암.

아:무렴 [감] ↗아무려면. ¶~, 가지요.

아무:르¹〔프 amour〕[명] 사랑. 애정. 연애.

아무:르²〔Amur〕[명]〘지〙헤이룽 강을 중심으로 한 지역.

아무:르 강【一江】〔Amur〕[명]〘지〙헤이룽 강(黑龍江).

아무:르-쇠딱따구리〔Amur〕[명]〘조〙〔*Dryobates nanus doerriesi*〕딱따구릿과에 속하는 새. 딴 딱따구리와 비슷하나 훨씬 커서 몸길이 18cm 안팎임. 등 아래로는 모두 흰 빛인데 가로 무늬가 없고 배 쪽은 엷은 갈색임. 한국, 시베리아의 우수리, 아무르에 분포함.

아무:르-장지뱀〔Amur〕[명]〘동〙〔*Takydromus amurensis*〕장지뱀과에 속하는 뱀의 하나. 몸길이 10cm 내외, 몸의 복면(腹面)은 백색이고 배면(背面)은 갈색을 띤 감람색에 흑색 반문이 산재하고 넉 줄의 세로 뻗친 융기(隆起)가 있으며, 비늘은 여덟 줄임. 한국 및 아무르 지방에 분포함. 네줄도마뱀.

〈아무르장지뱀〉

아:무리 [부] ①아무렇게. ¶~나 하려무나. ②↗제아무리. ¶~ 예뻐도 양귀비만 못하다/~ 돈이 많아도. ③암만 그렇다 해도 그럴 수는 없다는 말. ¶~ 오뉴월에 눈이야 올라구. ④자꾸 거듭. ¶~ 생각해도 그 이름이 생각나지 않는다.

〔아무리 바빠도 바늘 허리 매어 쓰지 못한다〕아무리 급한 일이라도 격식을 어기고는 행할 수 없다는 말. 〔아무리 쫓기어도 신발 벗고 가랴〕아무리 쫓기는 처지라도 체면 차릴 것은 차려야 한다는 말.

아무리다 [타]〈방〉마무르다.

아:무 말 [구] 어떠한 말. 무슨 말. [준]암말.

아:무 사:람 [명] 어떠한 사람.

아무-산【阿武山】[명]〘지〙함경 남도 혜산군(惠山郡) 보천면(普天面)과 함경 북도 무산군(茂山郡) 삼사면(三社面) 사이에 있는 산. [1,803 m]

아:무-아무 ㊀[인대] 한 사람 이상을 지정하지 않고 부르는 말. 아무와 아무. 모모(某某). ¶그런 일은 ~를 불러 시켜라/~는 이 사건과 무관하다. *모야 모야(某也某也). ㊁[관] 아무 또 아무. 모모(某某). ¶~ 시간에 가라고 이르게.

아:무-짝 [명] 아무 방면. ¶~에도 못 쓰겠다.

아:무-쪼록 [부] 될 수 있는 대로. 모쪼록. ¶~ 빨리 다녀오시오.

아무케나 [부]〈방〉아뭏거나(평안).

아무튼 [부] 아무러하든. 아무렇든. ¶~ 세상은 시끄럽게 되었다.

아무튼지 [부] 아무러하든지. 아무렇든지. ¶~ 합격은 해 놓고 봐야지.

아문¹【牙門】[명] 군문(軍門)❷.

아:문²【亞門】[명]〔subphylum〕〘생〙동식물 분류의 한 단위. 문(門)과 강(綱)의 중간에 둠. 곧, 강장 동물문(腔腸動物門)의 유포아문(有胞亞門), 척추 동물문의 유양막 아문(有羊膜亞門) 같은 것.

아:문³【雅文】[명] 우아(優雅)한 문장.

아:문⁴【衙門】[명]〘역〙①상급의 관청. ②관청의 총칭.

아:문 둔전【衙門屯田】[명]〘역〙조선 시대 후기의 둔전의 하나. 각 관아

에서 소유하는 둔토(屯土). *영문(營門) 둔전.

아문센 〔Amundsen, Roald〕 명 『사람』 노르웨이의 탐험가. 1903-06년 소범선(小帆船)으로 북서 항로의 첫 주항(周航)에 성공하고, 1911년 최초로 남극에 도달하였으며, 1926년에는 비행기로 북극 상공을 통과함. 1928년 노빌레 소장(Nobile 少將) 일행의 북극 탐험 비행선(飛行船)을 수색 비행중 조난 사망함. [1872-1928]

아문센 만 【―灣】 명 〔Amundsen Gulf〕 『지』 캐나다 북부 노스웨스트주(Northwest 州) 해안의 만(灣). 아문센의 북극 탐험의 루트에 해당함.

아문센 해 【―海】 명 〔Amundsen Sea〕 남극 대륙 마리버드랜드(Marie Byrd Land) 동북쪽, 남태평양의 일부를 이루는 해역(海域). 1929년 명명(命名)됨.

아물-거리다 자 ①눈이나 정신이 희미하여져서 아지랭이가 낀 것같이 느껴지다. ¶기억이 ~/눈이 ~. ②말이나 짓을 똑똑하지 아니하게 하다. 아물-아물 부. ――-하다 자형여불 ¶눈이 아물아물하다.

아물다 자 〔중세 : 아ᄆᆞᆯ다〕 부스럼이나 상처가 나아서 맞붙다. ¶상처가 ~.

아물-대다 자 아물거리다.

아물리다 타 ①부스럼이나 상처에 새 살을 내어 맞붙게 하다. ②셈을 끝막다. ③이리저리 벌어진 일을 잘 되도록 어우르거나 또는 잘 맞추다.

아뭏거나 [―무커―] 준 ↗아무러하거나·아무렇거나.

아뭏게나 [―무케―] 준 ↗아무러하게나. 아무렇게나. ¶~ 대답해라.

아뭏든 [―무튼] 부 ☞아무튼.

아뭏든지 [―무튼―] 부 ☞아무튼지.

아뭏지도 [―무치―] 준 ↗아무러하지도. 아무렇지도. ¶~ 않다.

아므 관 〈옛〉 아무. =아모[3]■. ¶아므 히 秋季月十五日에(某年秋季月十有五日) ≪朴解 下 12≫.

아므가히 인대 〈옛〉 아무개. ¶아므가히 이리 오라 ≪新語 I:1≫.

아므라벨 〔Amraphel〕 명 『성』 고대 수메르(Sumer)의 아카드왕(Akkad 王). 팔레스틴에 쳐들어간 기록이 있으며, 일반적으로 바빌론의 제1왕조 함무라비 왕(Hammurabi 王)으로 간주됨.

아므라타 부 〈옛〉 어떻다 할 바. =아ᄆᆞ라타■. ¶천만 의외예 상서 나오니 경통 참결ᄒᆞ오미 아므라타 업ᄉᆞ온 둥 ≪諺簡集 43≫.

아므란 관 〈옛〉 아무런. =아모란. ¶나도 아므란 흘인이 업고(我也沒甚麼幹的勾當) ≪朴解 中 32≫.

아므레미 명 〈방〉 아지랭이(강원).

아므리 부 〈옛〉 아무리. 비록. ¶아므리 ᄑᆞ로려 ᄒᆞ되 굿간ᄃᆡ를 몰래라 ≪永言 395≫.

아므-쇠 명 〈방〉 암소.

아미[1] 【阿㜷】 명 어미. 어머니.

아미[2] 【蛾眉】 명 누에나방의 눈썹처럼 아름다운 눈썹. 곧, 미인의 눈썹. 섬미(纖眉). ¶녹수는 ~를 다소곳하고 비파를 뜯기 시작했다≪朴鍾和 : 錦衫의 피≫.

아미[3] 〔프 ami〕 명 친구. 벗.

아:미[4] 〔army〕 명 ①군(軍). 군대. 군세(軍勢). ②골프에서, 전반(前半) 9홀(hole)의 성적에 의하여 핸디캡을 정하는 일.

아미노 〔amino〕 명 『화』 아미노기(amino 基).

아미노-기 【―基】 명 〔amino group〕 『화』 제 1 아민이나 아미노산(酸)에 함유된 기(基). 이것을 가진 화합물은 일반적으로 물에 잘 녹지 않으며, 특유한 냄새가 있음. 아미노. 기호 : $-NH_2$

아미노기 전:이 효소 【―基轉移酵素】 명 『화』 트랜스아미나아제(transaminase).

아미노-당 【―糖】 명 〔amino sugar〕 『화』 당(糖)의 수산기(水酸基)가 아미노기로 치환(置換)된 물질의 총칭. 천연(天然)의 아미노당은 주로 글루코사민(glucosamine)·갈락토사민(galactosamine)이며, 다당류(多糖類)의 구성 성분(構成成分)으로 발견됨. 글리코사민(glycosamine).

아미노 당뇨병 【―糖尿病】 [―뼝] 명 〔amino diabetes〕 『의』 선천성(先天性) 질환의 하나. 오줌 속에 지나치게 많은 양의 아미노산(酸)·포도당·인산염(燐酸塩)이 배출됨. 신장(腎臟) 가까이에 있는 요세관 곡부(尿細管曲部)의 흡수 결함(吸收缺陷)으로 말미암음.

아미노돈 〔Amynodon〕 명 『동』 지질 시대에 있었던 무소의 한 가지. 제3기 에오세(世)에 북아메리카와 동아시아에 분포하였으며, 일본에서도 발굴되었다 함. 몸집이 작고 뿔이 없으며 머리가 곰과 비슷하며 송곳니가 어금니처럼 발달하여 있음.

아미노벤조-산 【―酸】 명 〔aminobenzoic acid〕 『화』 가장 간단한 방향족(芳香族)의 아미노산의 하나. *o*-, *m*-, *p*-의 3종의 이성체(異性體)가 있는데, m-은 그다지 중요하지 않으나, *o*-아미노벤조산은 안트라닐산(anthranilic acid)이라 하여 인조(人造) 남색 물감의 합성 원료가 됨. *p*-아미노벤조산은 황적색의 침상 결정(針狀結晶)인데, 물감의 중간체로 쓰임. 아미노 안식향산(安息香酸). [$H_2NC_6H_4COOH$]

아미노-산 【―酸】 명 〔amino acid〕 『화』 한 분자 안에 아미노기($-NH_2$)와 카르복시기($-COOH$)를 갖는 유기 화합물의 총칭. 아미노기와 카르복시기가 동일한 탄소(炭素) 원자와 결합한 것을 α-아미노산이라 하고, 아미노기가 이웃한 탄소 원자에 순차적으로 옮김에 따라 β-, γ-, δ-아미노산이라 함. α-아미노산은 단백질의 주요 구성 성분으로서, 보통 아미노산이라 하면 이를 지칭하며, 아미노기와 카르복시기의 수(數)의 비율에 따라 중성(中性)·산성(酸性)·염기성(塩基性) 아미노산으로 분류함. 천연으로 존재하는 아미노산은 80 종 이상이나 단백질을 구성하는 것은 20 종이며, 널리 동식물계에 존재함. * 필수 아미노산.

아미노산 간장 【―酸―醬】 〔amino〕 명 콩깻묵이나 건어(乾魚)를 염산으로 끓여서 얻은 단백질을 아미노산으로 가수 분해하고, 수산화 나트륨으로 중화(中和)하여 만든 간장.

아미노산계 세:제 【―酸系洗劑】 〔amino〕 명 『화』 L 글루탐산·사르코신(sarcosine) 등의 아미노산과 지방산(脂肪酸)을 주원료로 한 표면 활성제(表面活性劑)를 함유(含有)하는 세제. 피부에 대하여 부드럽고, 배수(排水)중에 미생물에 의한 분해(分解)를 받기 쉬움.

아미노산 농약 【―酸農藥】 〔amino〕 명 『농』 아미노산과 지방산(脂肪酸)의 화합물을 사용한 농약. 도열병(稻熱病)에 대한 살균 효과와 예방 효과가 있음.

아미노산 발효 【―酸醱酵】 〔amino〕 명 〔amino acid fermentation〕 『화』 아미노산을 제조하는 데 이용되는 호기적(好氣的) 발효. 글루탐산 발효 따위가 있음.

아미노 수지 【―樹脂】 명 〔amino resin〕 『화』 아미노 화합물이나 아미노 화합물과 포름알데히드(Formaldehyd)를 축합(縮合) 반응하여 얻는 합성 수지의 총칭. 멜라민(melamine) 수지·요소(尿素) 수지·아닐린(aniline) 수지 따위.

아미노 안식향산 【―安息香酸】 명 〔amino〕 아미노벤조산(酸).

아미노페놀 〔aminophenol〕 명 『화』 페놀의 벤젠핵(核)에 붙은 수소원자를 아미노기(基)로 치환한 화합물. 해열 진통제·사진 현상액·염료 등의 중간체로서 광범위한 용도를 갖고 있음.

아미노피린 〔aminopyrine〕 명 『약』 해열 진통제(解熱鎭痛劑)의 하나로 백색의 가용성(可溶性) 분말. 1884 년 독일에서 처음으로 만들어졌는데, 피린계(系) 약제에 속하며, 발암(發癌) 물질을 생성하는 위험이 있어 지금은 쓰이지 않음. 상품명 : 피라미돈(pyramidon).

아미노-화 【―化】 〔amino〕 명 『화』 유기 화합물의 분자 중에 아미노기(基)를 도입시키어 아민(amine)·아미노 화합물을 만드는 반응. ――-하다 자타여불

아미노 화:합물 【―化合物】 명 〔amino compound〕 『화』 아미노기(基)를 갖는 화합물. 일반식 $R-NH_2$로 나타내는데, R가 방향족(芳香族) 또는 헤테로족(hetero族)일 때는 아미노 화합물, 지방족(脂肪族)일 때는 제 1 아민이라고 하는 경우가 많음. *아민.

아미 농악 【峨嵋農樂】 명 『민』 부산시 서구(西區) 아미동(峨嵋洞) 일대에 전승되어 오는 농악. 걸립굿 끝에, 농사풀이·등법고놀이·오방 쌍진(五方雙陣) 놀이·대북놀이 등으로 구성된 판굿이 이어짐.

아미다아제 〔amidase〕 명 『화』 산 아미드기(酸amide基)를 가수 분해(加水分解)하여 카르복시산(carboxylic acid)과 아민(amine) 또는 암모니아를 생기게 하는 반응을 촉매(觸媒)하는 가수 분해 효소(酵素)의 총칭. 글루타미나아제(glutaminase)·우레아제(urease) 따위가 이에 속함.

아미도 〔amido〕 명 『화』 아미도기(amido 基).

아미도-기 【―基】 명 〔amido group〕 『화』 아미노기(amino 基)의 하나의 수소(水素)를 아실 원자단(acyl 原子團)으로 치환(置換)한 기.

아미돌 〔amidol〕 명 『화』 사진 현상용 약품의 하나. 무색(無色)의 결정성 분말인데 알코올·에테르에 잘 녹지 않으며 고온 현상(高溫現像)에 적당함. 알칼리를 가하지 않아도 현상 능력이 있음.

아미드 〔amide〕 명 『화』 ①암모니아의 수소(水素) 원자를 아실기(acyl 基)로 치환(置換)한 화합물의 총칭. 수소 원자 1개를 치환한 경우는 제 1 아미드($RCONH_2$) 2,3 개의 경우는 제 2 아미드($(RCO)_2NH$), 제 3 아미드($(RCO)_3N$)라 함. 산(酸)아미드. ②암모니아 또는 아민(amine)의 수소원자를 금속 원자로 치환한 화합물의 총칭. 나트륨아미드($NaNH_2$), 칼륨아미드(KNH_2) 따위가 대표적임. 금속(金屬)아미드. ③아미노기($-NH_2$)가 산기(酸基)와 결합하여 $RCONH-$로 된 기(基). 아세트아미드(CH_3CONH-) 따위.

아:미-산[1] 【我眉山】 명 『지』 평안 북도(平安北道) 희천군(熙川郡)에 있는 산. [1,481 m]

아미-산[2] 【峨眉山】 명 『지』 '어메이 산'을 우리 음으로 읽은 이름.

아미산 울어리 【峨嵋山―】 명 『민』 경기도 연천군(漣川郡) 미산면(嵋山面) 지역의 민속 놀이의 하나. 가을 추수 전의 농한기(農閑期)에 마을 사람들이 모여 겨울 땔감을 공동으로 마련하기 위해 협동 작업을 벌이고 이어지는, 농요(農謠)를 곁들인 길놀이와 마당놀이.

아미아-류 【―類】 〔amia〕 명 『어』 [Halecomorphi] 조기류(條鰭類)에 속하는 한 아목(亞目)으로 경린어류(硬鱗魚類)의 하나. 경골질(硬骨質)의 골격을 가지고 살갗에는 둥근 비늘을 갖추었음.

아미앵 〔Amiens〕 명 『지』 프랑스 북부 솜 주(Somme 州)의 주도. 농산물의 집산지로, 섬유·식품 가공·기계 공업이 행하여짐. 아미앵 성당이 있고, 솜 강(Somme 江)의 수운(水運)을 이용하여 중세(中世)에 한자 동맹 도시(Hansa 同盟都市)로 번영함. 한때 스페인 점령하에 있었으나, 1597년 프랑스에 귀속함. [131,000 명(1981 추계)]

아미앵 성:당 【―聖堂】 〔Amiens〕 명 프랑스 북쪽의 도시 아미앵에 있는 성당. 프랑스의 고딕 성당 건축의 대표의 하나임. 1220년에 착공. 상승성(上昇性)을 강조하는 균형미(均衡美)를 자랑하고, 새로운 채광법(採光法)을 채용하였으며, 쌍탑(雙塔)을 가진 서쪽 정문의 조각군(彫刻群)이 유명함. 높이 43 m.

아미앵 조약 【―條約】 〔Amiens〕 명 『역』 1802년 3월 27일에 북프랑스의 아미앵에서 영국·프랑스·스페인·네덜란드 사이에 체결된 조약. 이것으로 프랑스 혁명 이래 계속된 영국·프랑스간의 전쟁은 일단 끝났으나, 평화는 1년 후에 다시 깨지고, 이 조약도 1803년 5월 20일에 파기되었음. 이 조약으로 프랑스는 1794년 이래 유럽에서 얻은 땅의 전부를 영토로 인정받았으며, 네덜란드는 실론 섬을 상실하였음. 나폴레옹은 이 1년 동안의 평화기에 국내 체제를 정비하였으며 크게 인망(人望)을 얻었음.

아미엘 〔Amiel, Henri-Frédéric〕 명 『사람』 스위스의 철학자·문학가. 유저(遺著)인 1847-81 년까지의 일기(日記)는 유명하며, 내성적이고 비행동적인 필자의 정신적인 충실한 기록으로서 독일 관념론의 영향이

두드러짐. [1821-81]

아미-월【蛾眉月】명 음력 초사흗날의 달.

아미-족【一族】명 〔Amis〕 타이완 동부 평지에 집단을 이루고 사는 고산족(高山族)의 하나. 본디 모계 친족 사회(母系親族社會)·연령 계급제 등을 이루고 있었으나 현대 문명의 발달에 따라 쇠퇴되고 있음.

아미타【阿彌陀】명 〖불교〗 아미타불(阿彌陀佛).

아미타-경【阿彌陀經】명 〖불교〗 중국 후진(後秦)의 구마라습(鳩摩羅什)이 한역(漢譯)한 경전(經典). 정토 삼부경(淨土三部經)의 하나로 전 1권. 아미타 명호(名號)의 공덕(功德)은 심원하며, 그 명호를 알아듣는 자만이 그 세계인 극락(極樂)에 태어날 수 있다고 역설한 경문. *관무량수경(觀無量壽經)·무량수경.

아미타경 언:해【阿彌陀經諺解】명 〖책〗 아미타경을 언해한 책. ①조선 세조(世祖) 10년(1464) 간경 도감(刊經都監)에서 간행·목판본. 본이름은 ≪불설(佛說) 아미타경 언해≫. ②광무(光武) 9년(1905)에 최석순(崔錫舜) 등이 번역하고, 융희(隆熙) 1년(1907)에 중 성월(性月)이 간행함.

아미타-당【阿彌陀堂】명 〖불교〗 아미타를 모신 당(堂).

아미타 만다라【阿彌陀曼荼羅】명 〖불교〗 아미타를 가운데 모시고 관음(觀音)·문수(文殊)·미륵(彌勒)·유마(維摩)의 네 보살을 배치하여 그린 그림.

아미타-법【阿彌陀法】명 〖불교〗 아미타불을 본존(本尊)으로 하여 식재(息災)·연명(延命)을 비는 법.

아미타-불【阿彌陀佛】명 〖불교〗 〔무량광(無量光)을 뜻하는 범어 Amitābha 또는 무량수(無量壽)를 뜻하는 Amitāyus의 준말 Amita의 음역(音譯). 아(阿)는 무(無), 미타(彌陀)는 양(量)의 뜻〕 서방 정토(西方淨土)에 있다고 하는 부처의 이름. 모든 중생을 제도(濟度)하겠다는 대원(大願)을 품은 부처로서, 이 부처를 염(念)하면 죽은 뒤에 극락 세계(極樂世界)에 간다고 함. 공덕장(功德藏)·무량불·무량광불(無量光佛). ㊀미타(彌陀)·아미타(阿彌陀).

〈아미타불〉

아미타 삼존【阿彌陀三尊】명 〖불교〗 아미타와 그의 협시(脇侍)인 대세지 보살(大勢至菩薩)과 관세음 보살.

아미타 여래【阿彌陀如來】명 〖불교〗 '아미타'의 경칭. 일불(一佛). 무량수(無量壽) 여래.

아미타 이:십오 보살【阿彌陀二十五菩薩】명 〖불교〗 아미타와 이십오 보살. 임종(臨終)할 때 염불(念佛)하는 사람에게 나타나, 극락 정토에 데리고 간다고 함. 그 광경(光景)을 그린 것을 아미타 이십오 보살 내영도(來迎圖)라 함.

아미타-전【阿彌陀殿】명 〖불교〗 아미타불을 모신 법당(法堂)인 극락전(極樂殿)의 딴 이름.

아미타 호마【阿彌陀護摩】명 〖불교〗 아미타를 본존(本尊)으로 하여 식재(息災)·연명(延命) 등을 기원(祈願)할 때에 쓰는 호마.

아:미티지〔Armitage, Kenneth〕명 〖사람〗 영국의 조각가. 추상화된 인물상으로서 알려짐. 무어(Moore, H.) 이후의 영국 조각계의 대표적 존재임. [1916-]

아민[1] 〔amine〕명 〖화〗 아민류(amine 類).

아민[2] 〔아랍 Amīn〕감 〖이슬람〗 '오, 주여 우리의 기원을 들어 주소서'의 뜻. 예배할 때 이맘(imām)이 쿠란을 낭송한 다음 교도가 일제히 창화(唱和)하는 말. 그리스도교의 '아멘'에 상당함.

아민-류【一類】〔amine〕〔一뉴〕명 〖화〗 암모니아의 수소 원자를 탄화 수소기로 치환(置換)한 화합물의 총칭. 단백질의 분해에 의하여 생기는 경우도 있음. 일반적으로 알칼리성이 강하며, 산과 작용해서 염(塩)을 만듦. 치환된 수소(水素) 원자의 수에 따라 제 1 아민(RNH_2), 제 2 아민(R_2NH), 제 3 아민(R_3H)으로 나뉨. 또 탄화 수소기의 성질에 따라 지방족(脂肪族) 아민·방향족(芳香族) 아민 등으로 분류함.

아밀-기【一基】〔amyl〕명 〖화〗 알킬기(alkyl基)의 하나. 탄소 5 원자와 수소 11 원자로 이루어진 일가(一價)의 원자단. 기호 Am으로 표시될 때도 있음.

아밀라아제〔amylase〕명 〖화〗 녹말·글리코겐(glycogen) 따위를 가수 분해(加水分解)하여 말토오스(maltose)·글루코오스(glucose) 따위를 만드는 효소(酵素)·반응에 따라 α-아밀라아제·β-아밀라아제·글루코아밀라아제로 분류함. 동물의 타액(唾液)·식물의 맥아(麥芽) 등 생물계에 널리 분포함. 녹말을 원료로 하는 식료품, 발효(醱酵) 공업에 널리 쓰이며 소화제(消化劑)로도 쓰임. *디아스타아제·다카디아스타아제.

아밀로오스〔amylose〕명 〖화〗 아밀로펙틴과 함께 녹말의 주성분의 하나. 녹말 성분의 20-25 %를 점함. 녹말의 푸른 빛 요오드 반응은 이것에 의한 것임. 다당류(多糖類)의 고분자 화합물.

아밀로이드〔amyloid〕명 ①셀룰로오스를 진한 황산에 녹이고 여기에 물을 가하면 백색으로 침전되는 물질. 요오드를 가하면 푸른 빛으로 변함. 황산지(黃酸紙)의 표면은 이 물질로 되었음. ②병리 해부학(病理解剖學)에서 쓰는 말. 형태상 반투명 무구조(無構造)의 딱딱하고, 탄성이 있는 유리 같은 단백질성의 물질. 광선을 강하게 굴절시킴. 이것이 몸에 침착(沈着)하면 아밀로이드 변성(變性)을 일으키며, 국소성(局所性) 및 전신성(全身性) 아밀로이드증(症)으로 나타남. 유전분(類澱粉).

아밀로이드 변:성【一變性】〔amyloid〕〔一썽〕명 〖의〗 신체의 일부 또는 전신에 아밀로이드가 침착(沈着)하여 나타나는 현상. 신진 대사 이상의 결과 혈관(血管) 주위에 침착하여 장기(臟器)를 비대(肥大)하게 하고, 기능(機能)의 황폐를 초래함. 유전분 변성(類澱粉變性).

아밀로이도시스〔amyloidosis〕명 〖의〗 아밀로이드증(症).

아밀로이드-증【一症】〔amyloid〕〔一쯩〕명 〔amyloidosis〕〖의〗 단백질 대사 장애로 말미암아 나타나는 질환. 비장(脾臟)·간장·신장 등의 간질 조직(間質組織)에 아밀로이드가 침착(沈着)하여 생김. 중배엽(中胚葉) 조직에 생기는 원발성(原發性)과 결핵·골수염(骨髓炎) 등과 같은 만성 질환에 생기는 속발성(續發性)등 여러 가지 가 있음. 유전분증(類澱粉症). 아밀로이도시스.

아밀로펙틴〔amylopectin〕명 녹말을 구성하는 주성분의 한 가지. 포도당이 분리하면서 다수(多數) 결합한 것. 요오드 전분 반응은 적색(赤色)이며, 물에 잘 녹지 않음. 일반적으로 녹말의 70-80%를 차지하며, 떡의 특성인 찰기를 이루는 물질임.

아밀롭신〔amylopsin〕명 〖화〗 췌장에서 분비하는 소화 효소(消化酵素)의 한 가지. 녹말을 가수 분해(加水分解)하여 엿당(糖)을 만듦.

아밀-알코올〔amyl alcohol〕명 〖화〗 지방족(脂肪族) 포화 알코올의 일종. 알코올이 발효할 때 아미노산의 분해에 의해 생김. 무색의 유상액(油狀液)으로 물에 잘 녹지 않으며 불쾌한 냄새와 독성이 있음. 나쁜 술은 이 성분을 포함하고 있음. 퓨젤유(fusel 油)의 주성분이며, 여덟 가지 이성체(異性體)가 있음. 펜탄올(pentanol). [$C_5H_{11}OH$]

아ᄆᆞ것 명 〈옛〉 아무것. ¶아ᄆᆞ거시 아ᄆᆞ만이오 아ᄆᆞ거시 아ᄆᆞ만이라 ᄒᆞ야 ᄡᅥ ≪家禮 Ⅳ:10≫.

아ᄆᆞ라타 ㊀ 형 〈옛〉 아무렇다. ¶菩薩이 ᄃᆞᆫ니시며셔 겨시며 안ᄌᆞ시며 누ᄫᅳ샤매 夫人이 아ᄆᆞ라토 아니ᄒᆞ더시니 ≪月釋 Ⅱ:26≫. ㊁ 부 〈옛〉 어떻다 할 바. =아므라타. ¶힝혀 텸샹ᄒᆞᄋᆞᆸ실가 념녀 아ᄆᆞ라타 업ᄉᆞ와 ᄒᆞ오며 ≪諺簡集 47≫.

아ᄆᆞ란 관 〈옛〉 아무러한. ¶아ᄆᆞ란 ᄆᆞᅀᆞᆯ히어나 자시어나 ≪釋譜 Ⅸ:40≫.

아ᄆᆞ례 부 〈옛〉 아무렇게. 어떠어떠하게. ¶付囑ᄋᆞᆫ 말ᄊᆞᆷ 브터 아ᄆᆞ례ᄒᆞ고라 請ᄒᆞᆯ 씨라 ≪釋譜 Ⅵ:46≫.

아ᄆᆞ리 부 〈옛〉 아무리. ¶則은 아ᄆᆞ리 ᄒᆞ면 ᄒᆞᄂᆞᆫ 겨체 ᄡᅳᄂᆞᆫ 字ㅣ라≪訓諺 12≫.

아ᄆᆞ리ᄏᆞ나 부 〈옛〉 아무렇게나. ¶아ᄆᆞ리ᄏᆞ나 니ᄅᆞ라(且道) ≪語錄 21≫.

아ᄆᆞ커나 부 〈옛〉 아무렇거나. =아마커나. ¶아ᄆᆞ커나 金ᄉᆞ라기ᄅᆞᆯ 가져(試將金屑) ≪南明 上 71≫.

아ᄆᆞᆯ다 자 〈옛〉 아물다. 여물다. 완전하다. ¶農器ᄂᆞᆫ 오히려 아ᄆᆞ라 구덧도다(農器尙穿固) ≪杜諺 Ⅰ:49≫.

아바[1] 명 〈방〉 아버지(경남).

아바[2] 〔Abba〕명 〖성〗 〔아람어(Aram 語)로 '아버지'의 뜻〕 신약에서 하느님의 일컬음. ¶~ 아버지.

아바[3] 〔Ava〕명 〖지〗 미얀마의 옛 도시. 만달레이의 남서 약 16 km 지점에 있음. 400여 년 전 아바 왕조(1364-1555)의 서울로 번영했었는데, 지금은 쇠퇴하여 불각당탑(佛閣堂塔) 등의 옛 건축이 남아 있을 뿐임.

아바나〔Havana〕명 〖지〗 쿠바 섬 북안 서부에 있는 쿠바 공화국의 수도. 천연의 양항(良港)으로 멕시코 만(灣)에 연한 서(西)인도 제도 최대의 항구 도시. 담배 공장이 많고, 담배·바나나·사탕은 대표적인 수출품임. [2,040,000 명(1990 추계)]

아바나 선언【一宣言】〔Havana〕명 〖역〗 1940년 아바나 회의에서 정한 여러 나라의 제휴(提携) 승인. 미주에서의 유럽 여러 나라의 속령(屬領)에 대하여 주권의 변경 또는 영토 교환의 위협이 발생할 경우에 미주 여러 나라가 임시로 관리할 것을 규정한 선언.

아바나 헌:장【一憲章】〔Havana〕명 〖경〗 국제 무역 기구(ITO)가 1948 년 쿠바의 아바나에서 채택하였다 하여 '국제 무역 헌장'을 이르는 말. *국제 무역 기구.

아바네라〔스 habanera〕명 〖악〗 하바네라.

아바니 명 〈방〉 아버지(전라).

아바님 명 〈옛〉 아버님. ¶아바님 지ᄒᆞ신 일훔 엇더ᄒᆞ시니(厥考所名果如何焉) ≪龍歌 90章≫.

아바단〔Abadan〕명 〖지〗 이란의 서남부, 이라크와의 국경에 있는 항구 도시. 아바단 섬에 있으며, 북쪽 유전 지대(油田地帶)를 배경(背景)으로 근대적 설비를 갖춘 이란 최대의 정유소(精油所)가 있어 주요 유전과 파이프 라인으로 연결되어 있으며, 석유 수출의 주요항이 되어 있음. [296,000 명(1981 추계)]

아바도〔Abbado, Claudia〕명 〖사람〗 이탈리아의 지휘자. 1960 년 스칼라 극장에서 데뷔하고, 1963 년 미트로풀로스 지휘자 콩쿠르에서 우승하여 유명해짐. 베르디의 오페라와 베토벤에서부터 브람스·말러에 이르는 교향곡, 그리고 현대 음악까지 레퍼토리가 다양함. [1933-]

아바돈〔그 abaddon〕명 〖성〗 ①멸망(滅亡)·사망(死亡)의 뜻. ②무저갱(無底坑).

아바르-족【一族】〔Avar〕명 5-9세기에 중앙 아시아·동유럽·중앙 유럽에서 활동한 몽고계의 유목 민족. 6세기에 터키계 민족의 압박을 받아 서진(西進)하여, 슬라브계의 여러 부족을 복속(服屬)시키고, 일시 엘베 강으로부터 흑해(黑海)에까지 그 세력을 떨쳤음. 7세기에 동(東)로마 제국에 의하여 분열됨.

아바림 산【一山】〔Abarim〕명 〖성〗 요단 강 동쪽에 있는 산.

아바-마마【一媽媽】명 〈궁중〉 임금이나 임금의 아들딸이 그 아버지를 이르는 말.

아바바 지옥【阿婆婆地獄】명 〔범 ababa〕 〖불교〗 팔한 지옥(八寒地獄)의 하나. 극한(極寒)으로 혀가 굳어져 확확 소리만을 내게 된다는 지옥.

아바스[1] 〔Abbās〕명 〖사람〗 마호메트의 삼촌(三寸). 이슬람교(敎)의 수사도(首使徒)의 하나이며, 아바스 왕조(王朝)의 조상임. 본명은 al'Abbas ibn-'Abd-al-Muttalib. [566?-652]

아바스² 〔Havas〕 명 1835년 아바스(Havas, C.; 1785-1858)에 의해 파리에 창설된 유럽에서 가장 오래된 근대적 민간 통신사. 제2차 대전시 페탱(Pétain) 정권에 일시 접수되었다가 대전 후 AFP로 개칭됨.

아바스 대:제 【一大帝】〔Abbās〕 명 아바스 일세(一世).

아바스 왕조 【一王朝】〔Abbās〕 명 〖역〗 서(西)아시아 및 북(北)아프리카를 지배한 이슬람 왕조. 750년 마호메트의 삼촌 아바스의 자손 사파(Saffāh)가 옴미아드 왕조를 멸망시키고 창시함. 대대로 문학·기예를 장려하였으므로 바그다드는 당시 문화의 중심지이었음. 뒤에 차차로 쇠퇴하여 1258년 중국 원(元)나라에 멸망됨. 수도는 바그다드. 대식(大食). 동칼리프(東 Caliph) 왕국. [750-1258]

아바스 일세 【一一世】〔Abbās Ⅰ〕〔一쎄〕 명 〖사람〗 페르시아의 사파비 왕조(Safavi 王朝)의 제5대 황제. 사파비 왕조의 전성기를 이룸. 아바스 대제(大帝). [1557-1628?; 재위 1587-1629]

아바이 명 〈방〉 ①할아버지. ②영감(令監)(함경). ③아버지(경상).

아바즈 〔Ahvāz〕 명 〖지〗 이란 남서부의 후지스탄 주(Khuzistan州)의 주도. 카룬 강(Karun江) 강변의 도시. 유전 개발과 동시에 발전하여 석유 거래의 중심지가 됨. 중세에는 설탕·쌀·비단 무역으로 번영했음. [724,653 명(1991)]

아바지 명 〈방〉 아버지(평안).

아바카 〔abaca〕 명 〖식〗 '마닐라삼'의 필리핀 토어(土語).

아 바투타 〔이 a battuta〕 명 〖악〗 '정확한 박자(拍子)로'의 뜻.

아박 【牙拍】 명 〖악〗 ①국악 타악기의 하나. 고려 시대에 시작된, 상아(象牙)나 고래뼈·소뼈·사슴뿔로 만든 작은 박(拍). 아박무(牙拍舞)에서, 무기(舞妓)가 두 손에 마주 잡고 춤의 절도에 따라 침. ②←아박무(牙拍舞).

아박-무 【牙拍舞】 명 〖악〗 무기(舞妓)가 아박을 손에 들고 추는 춤이라는 뜻으로 일컫는 동동무(動動舞)의 딴이름.

아반¹ 명 〈방〉 아버지(평안).

아반² 【兒斑】 명 〖의〗 ↗소아반(小兒斑).

아반-님 명 〈방〉 아버님.

아반도노 〔이 abbandono〕 명 〖악〗 '자유롭게'의 뜻.

아방¹ 명 〈방〉 아버지(제주).

아방² 명 〈방〉 〖식〗 아욱(경북).

아:방³ 【我方】 명 우리 쪽. 우리 편. ↔적방(敵方).

아:방⁴ 【我邦】 명 아국(我國). ↔이방(異邦).

아방⁵ 【兒房】 명 〖역〗 대궐 안의 장신(將臣)이 때때로 묵는 곳.

아:방⁶ 【亞房】 명 〖역〗 관아(官衙)의 사령(使令)이 있는 처소.

아방-가르드 〔프 avant-garde〕 명 ①전위대(前衛隊). 곧, 선두에 서서 나아가는 부대. ②20세기초, 기성(既成) 예술을 부정하고 나선 입체파·표현파·다다이즘·추상파·초현실파 등 시대의 첨단(尖端)을 가는 혁신적인 문예 사조를 일컬음. 전위파(前衛派). ③노동 운동의 선봉.

아방가르드 영화 【一映畫】〔프 avant-garde〕 명 전위(前衛) 영화.

아:방 강역고 【我邦疆域考】 명 〖책〗 조선 시대 정조(正祖) 때에 정약용(丁若鏞)이 지은 책. 우리 나라 옛날의 영토에 대한 역사적인 고증(考證). 4권 2책.

아방-게:르 〔프 avant-guerre〕 명 ①〖문〗 1차 세계 대전 전의 예술상의 모든 사조. 곧, 자연주의·현실주의·인상주의 등. ②2차 세계 대전 후 아프레게르에 대해 고풍적(古風的)이고 비민주적(非民主的)이며 시대에 뒤진 사상(思想)·생활 태도(生活態度) 등을 일컫는 말. 전전파(戰前派). ↔아프레게르.

〈아방 나찰〉

아방-궁 【阿房宮】 명 〖역〗 ①중국 진 시황(秦始皇) 35년, 상림원(上林苑)에 지은 궁전. 1만 명을 수용하였다 함. 유적은 산시 성(陝西省) 시안(西安)의 서쪽 약 100 km의 아방촌(阿房村)에 있음. ②매우 크고 화려한 집의 비유. ¶～ 같은 집.

아방 나찰 【阿房羅刹】 명 〔범 Avoraksa〕〖불교〗 지옥에 있는 옥졸(獄卒). 우두 인수(牛頭人手)의 괴물로 죄인을 쇠갈퀴로 꿰어 확(鑊)에다 집어넣는다 함.

아방-왕 【阿芳王】 명 〖사람〗 아신왕(阿莘王).

아방튀:르 〔프 aventure〕 명 ①의외의 사건. 춘사(椿事). ②모험성을 띤 연애 사건.

아배¹ 명 〈방〉 아버지(경상·함경·전라).

아:배² 【我輩】 명 우리들. 우리네. 오등(吾等).

아배³ 【兒輩】 명 ①아이들. ②남을 유치하게 취급할 때 쓰는 말.

아버니 명 〈방〉 아버지.

아버-님 명 아버지의 존칭. 부주(父主).

아:버 데이 〔Arbor Day〕 명 미국에서, 1865년경, 노드럽(Northrop) 박사에 의하여 창시(創始)된 식목일(植木日). 북부에서는 4-5월, 남부에서는 1-2월중에 행하여지며, 공휴일로 되어 있음. 우리 나라의 식목일과 같음. 식수일(植樹日).

아버지 명 ①자기를 낳은 어머니의 남편. 부친. ¶～께서는 글을 잘 쓰신다. ②자녀를 가진 남자를 자녀에 대한 관계로 일컫는 말. ¶영희 ～는 공무원이시다. ③자녀 이름 뒤에 쓰이어, 자기 남편을 부르거나 가리키는 말. ¶철수 ～는 출근했습니다. 1)-3) : ↔어머니. ④어떤 일을 처음 이룩한 사람. ¶미국 건국의 ～ 조지 워싱턴. ⑤〖성〗 삼위 일체 제일위인 '하느님'을 친근하게 일컫는 말. 천부(天父).

아버지와 아들 명 〔러 Ottsy i Deti〕〖책〗 1861년에 발표한 투르게네프의 장편 소설. 권위를 부정하고 타협을 거절하는 바자로프를 주인공으로 하여 아버지와 아들, 곧 구시대와 신시대의 갈등(葛藤)을 묘사한 작품. 이 소설에서 처음으로 '니힐리즘(nihilism)' 및 '니힐리스트(nihilist)'란 말이 쓰이었음.

아버지의 날 〔一/一에一〕 명 아버지에 대한 존경과 감사를 인식하고 표시하기 위한 날. 1910년 미국에서 시작되어 1925년 이후 널리 지키게 된 연중 행사의 하나. 우리 나라에서는 1974년 이후 5월 8일을 '어버이의 날'로 제정함.

아범 명 ①아버지의 낮춤말. ②윗사람이 자식 있는 아들이나 사위 등을 친근히 일컫는 말. ③자식 있는 여자가 웃어른에게 '자기 남편'을 낮추어 일컫는 말. ¶～은 곧 도착할 겁니다. ④늙은 남자 하인을 대접하여 이르던 말. 1)-4) : ↔어멈.

아베¹ 명 〈방〉 아버지(경상).

아베² 〔Abbe, Ernst〕 명 〖사람〗 독일의 광(光)물리학자·공업가. 칼 차이스(Karl Zeiss) 회사 사장. 프리즘 쌍안경을 완성하고, 굴절계(屈折計) 및 스펙트럼미터(spectrummeter) 등을 발견하였음. [1840-1905]

아베 굴절계 【一屈折計】〔一쩔一〕 명 〔Abbe refractometer〕〖물〗 액체·점성체(粘性體)의 굴절률(屈折率)을 측정하는 광학(光學) 기계. 1874년 아베가 고안한 것으로, 기지(既知)의 굴절률을 갖는 유리로 된 60° 프리즘의 일면과 시료(試料) 물질과의 사이에 생기는 전반사(全反射)의 임계각(臨界角)을 측정함으로써 시료 물질의 굴절을 잴 수 있음.

〈아베 굴절계〉

아베나리우스 〔Abenarius, Richard〕 명 〖사람〗 독일의 철학자. 마흐(Mach, E.)와 함께 경험 비판론(經驗批判論)의 대표자. 스피노자를 통하여 수학적 기호에 의한 철학의 구성을 생각, 현대의 논리 실증주의에 영향을 줌. 저서에 ≪순수 경험 비판≫·≪인간적 세계 개념≫ 등이 있음. [1843-96]

아베난마 제도 【一諸島】〔Ahvenanmaa〕 명 올란드(Åland) 제도.

아베날린 〔avenalin〕 명 〖화〗 귀리의 낟알로부터 추출(抽出)해 낸 글로불린(globulin).

아베 노부유키 〔阿部信行:あべのぶゆき〕 명 〖사람〗 일본의 군인·정치가. 육군 대장. 1939년 8월에 수상이 되었으나 5개월 만에 사퇴(辭退)함. 1944년 최후의 조선 총독(朝鮮總督)이 되어, 8·15 광복 때 서울에 진주(進駐)한 미군 사령관 하지(Hodge) 중장을 맞아 항복 문서에 조인(調印)함. [1875-1953]

아베로에스 〔Averroës〕 명 〖사람〗 스페인 출생의 아라비아의 철학자·의학자. 본명은 ibn-Rushd. 그의 철학설은 아리스토텔레스를 조술(祖述)한 것으로 중세 유럽에 큰 영향을 끼쳤음. [1126-98]

아베 마리아 〔라 Ave Maria〕 명 ①성모 마리아의 영광을 기리는 말. ②〖악〗 성모 마리아를 찬송하는 노래. *성모 찬가(聖母讚歌).

아베베 〔Abebe, Bikila〕 명 〖사람〗 에티오피아의 마라톤 선수. 황제 친위대 장교. 1960년 로마 올림픽에서 전코스를 맨발로 달려 우승, 다시 1964년 도쿄 올림픽에서도 우승, 역사상 초유의 마라톤 연승의 위업을 남김. 1969년 교통 사고로 반신 불수, 1973년 뇌출혈로 41세에 사망함. [1932-73]

아베-수 【一數】〔Abbe〕 명 〖물〗 분산능(分散能)의 역수(逆數).

아베스타 〔페르시아 Avesta〕 명 〖종〗 조로아스터교의 경전(經典). 송가·율법·의례(儀禮) 및 신화 등을 모아 놓았음. 그 일부는 변형되어 오늘날도 이란·인도의 교도 사이에 잔존함.

아베스타-어 【一語】〔페르시아 Avesta〕 명 〖언〗 고대 페르시아어(語)와 함께 이란어파(派)의 최고(最古)의 문헌 ≪아베스타≫를 표기한 언어로서, 인도의 베다어(Veda語)와 거의 같음. 표기는 오른쪽에서 왼쪽으로 씀. 인도 유럽 어족(語族)에 속함.

아베야네다 〔Avellaneda〕 명 〖지〗 〔1870년대의 아르헨티나의 대통령 아베야네다(Avellaneda, Nicolas; 1837-85)의 이름에서 유래〕 아르헨티나의 수도 부에노스아이레스와 이웃한 상공업 도시. 피혁·목재·통조림·방적 공업이 성함. [346,620 명(1991)]

아베오쿠타 〔Abeokuta〕 명 〖지〗 서(西)아프리카 나이지리아(Nigeria)의 오군 주(Ogun州)의 주도. 수도 라고스의 북쪽 96 km 지점에 있는 상업 도시로 카카오 재배 지대의 중심지임. 한때 노예 상인의 근거지였음. [406,500 명(1994)]

아베크¹ 〔Abegg, Richard〕 명 〖사람〗 독일의 화학자. 용액(溶液)의 빙점(氷點) 강하 및 얼음의 유전율(誘電率)에 대한 실험적 연구가 많음. 1903년 원자가(原子價)의 전자 이론(電子理論)을 제출함. [1869-1910]

아베크² 〔프 avec〕 명 〔'…와 함께'의 뜻〕 동반(同伴). 특히, 이성과의 동반. 또, 그 남녀. ¶～ 패트롤(patrol). ——-하다 자여불

아베크 송 〔프 avec+song〕 명 〖악〗 남녀가 주거니받거니 하며 부르는 가요(歌謠). 광복(光復) 전의 용어.

아:벤트 〔도 Abend〕 명 〔밤·저녁의 뜻〕 밤에 열리는 모임·연주회·강연회 등을 뜻하는 말. ¶베토벤 ～.

아벨¹ 〔Abel〕 명 〖성〗 아담의 둘째 아들. 목양자(牧羊者)로, 하느님이 즐겨하는 희생(犧牲)을 바치고, 형 가인(Cain)의 질투를 사서 맞아 죽음.

아벨² 〔Abel, Niels Henrik〕 명 〖사람〗 노르웨이의 수학자(數學者). 타원함수론(楕圓函數論)·적분 방정식·5차 방정식의 대수적 해법의 불가능을 증명하고, 특히 '아벨의 정리'를 발견하였음. [1802-29]

아벨³ 〔Abel, Othenio〕 명 〖사람〗 오스트리아의 고생물학자. 고생물의 생활 방법이나 환경에의 적응을 연구하는 학문 분야를 고생태학(古生態學)이라고 명명(命名)함. 고생물의 복원, 생흔(生痕)의 연구 등 커다란 업적을 남김. ≪전시대(前時代)의 생흔≫ 외 다수의 저서가 있음. [1875-1946]

아벨-군 【一群】〔Abel〕 명 〖수〗 가환군(可換群).

아벨라르 〔Abélard, Pierre〕 명 〖사람〗 중세기 프랑스 최고의 변증 신학자(辨證神學者). 예리한 논리로 많은 논쟁을 일으키고 정통파에 어긋

나는 언동으로 자주 파문(破門)의 위협을 당했음. 수녀(修女) 엘로이즈(Héloise)와의 연애 사건으로도 유명하며, 내면의 세계를 그린 ≪나의 불행한 이야기≫는 한때 온 유럽을 풍미하였음. 라틴명은 Petrus Abelardus. [1079-1142]

아벨 시험기【一試驗器】명〔Abel tester〕〖물·화〗〔영국의 화학자 Sir Frederick Augustus Abel (1827-1902)의 이름에 유래〕등유(燈油)나 비교적 인화점(引火點)이 낮은 휘발유의 인화점을 시험하는 실험 장치. 기름을 밀폐한 용기(容器) 안에 넣고, 아래쪽은 고정염(固定炎)으로, 위쪽은 가동염(可動炎)으로 가열(加熱)함.

아병【牙兵】명 군사의 한 종류. 대장(大將)을 수행하여 본진(本陣)에 있는 병사. 아병군.

아병-군【牙兵軍】명 아병(牙兵).

아병-보【牙兵保】명 아병의 요포(料布)를 부담하는 백성의 집.

아보¹【牙保】명〖법〗'장물(贓物)의 알선'의 구용어.

아:보²【雅步】명 고상하고 기품이 있는 걸음걸이.

아보가드로〔Avogadro, Amedeo〕명〖사람〗이탈리아의 화학자·물리학자. 토리노(Torino) 대학 교수. '아보가드로의 법칙'을 발표, 처음으로 분자(分子)의 개념을 도입하여 돌턴(Dalton) 원자설(原子說)의 결함을 보충함. [1776-1856]

아보가드로 상수【一常數】명〔Avogadro's constant〕아보가드로수(數).

아보가드로-수【一數】명〔Avogadro's number〕〖물〗화학·물리학에서의 기초 상수의 하나. 질량수 12인 탄소(炭素)의 동위체(同位體) 12g 중에 포함된 탄소 원자의 수. 즉, 1몰(mol)의 물질 속에 포함된 물질의 구성 입자의 수. 값은 $6.0221\times10^{23}mol^{-1}$. 기호는 N 또는 N_A. 로슈미트 수(Loschmidt數)라고도 불리었음. 그러나 일반적으로는 0℃ 1기압의 기체 1ml 속에 존재하는 분자수를 로슈미트수라고 불러 구별하고 있음. 아보가드로 상수(常數).

아보가드로의 법칙【一法則】[一/一에一] 명〔Avogadro's law〕〖물〗'모든 기체는 같은 온도와 압력 밑에서는 같은 부피 속에 같은 수의 분자를 포함하고 있다'라는 법칙. 1811년 이탈리아의 과학자 아보가드로가 가설(假說)로 제창, 실험적으로 증명되어 법칙으로서 인정되고 있음. 게이 뤼삭(Gay-Lussac)의 '기체 반응의 법칙'을 모순 없이 설명할 수 있어, 분자의 개념을 명백히 하는 기초가 됨. 기체 분자수의 법칙.

아보-그램〔avogram〕의명〖물〗질량(質量)의 단위. 1그램을 아보가드로수(Avogadro數)로 나눈 것.

아보-죄【牙保罪】[一쬐] 명 '장물 알선죄'의 구용어.

아보카:도〔avocado〕명〖식〗[*Persea americana*] 녹나뭇과에 속하는 상록 과수. 높이 15m 가량이고, 잎은 호생하며 길이 10-15cm의 타원형 또는 넓은 타원형이고, 표면은 선녹색으로 광택이 있으며 뒷면은 회백색임. 여름에 대녹색의 긴 타원상 피침형의 꽃이 핌. 과실은 자색 또는 다갈색의 장타원형 또는 구형으로 서양배 비슷하며 과육은 황색으로 물렁물렁하고 한 개의 종자가 있음. 열대 아메리카 원산(原産)임. 과실을 따서 3-10일간 저장하였다가 먹음.

〈아보카도〉

아볼로〔Apollos〕명〖성〗초대 교회(初代敎會)의 유력한 전도자(傳道者). 바울과 함께 고린도 교회에서 전도하였음.

아:부¹【亞父】명〔아버지 다음으로 존경하는 사람의 뜻〕①아버지처럼 존경하는 사람. ②임금이 공신(功臣)을 존경하여 부르던 말. 중국 초(楚)나라의 항우(項羽)가 범증(范增)을 존경하여 부른 말. ③혈연(血緣) 관계가 없는 아버지. 계부(繼父). ↔아모(亞母).

아부²【阿父】명 아버지. ↔아모(阿母).

아부³【阿附】명 남의 비위를 맞추고 알랑거림. ——-하다 자여불

아:부⁴【衙府】명 관아. 관청.

아:부⁵【雅部】명〖악〗아부 악기(雅部樂器).

아부:⁶〔Abu〕명〖지〗인도 북서부 라자스탄 주(Rajasthan 州) 아라발리 구릉(Aravalli 丘陵) 남단에 있는 도시. 아부 산(山) 산허리(1,200m)에 위치하는데 힌두교·자이나교(Jaina 敎)의 성지(聖地)로서 산 속에 많은 자이나교 사원(寺院)이 있으며, 기온이 낮고 초목으로 둘러싸여 있어 피서지로 알려짐. [43,993명(1981)]

아부니 명〈방〉아버지(전라).

아부-다비〔Abu Dhabi〕명〖지〗①아랍 에미리트 연방(Arab Emirates聯邦)의 수도로 페르시아 만 연안에 있는 항구 도시. [249,000명(1990년 추계)] ②아랍 에미리트 연방의 한 수장(首長) 국가. 수장이 지배하며, 1971년 2월 아지만(Ajman) 등 다른 6개 토후국과 연합, 현 아랍 에미리트 연방을 구성하고 있음. 면적과 산유량(産油量)이 연방의 7개 토후국 중 최대이며 아랍 에미리트 연방의 수도인 아부다비 시(市)가 있음 [67,250km²: 449,000명(1981추계)]

아부심벨 신전【一神殿】〔Abu Simbel〕명〖지〗이집트 나일 강 서안(西岸)의 아부심벨에 있는 고대 이집트의 암굴(岩窟) 신전. 기원전 1250년경 람세스(Ramses) 2세가 만든 것으로 하토르신(Hathor神)을 모심. 입구에는 람세스 2세의 거상(巨像) 4체(體)가 있고, 중앙 홀의 8개의 기둥에도 오시리스 신(Osiris神)을 본딴 람세스 2세의 입상(立像)이 있음. 아스완 댐 공사로 인한 수몰(水沒)을 면하기 위해 유네스코의 후원으로 유적과 함께 약 70m 위쪽으로 이동했음. 1812년에 발견.

아부씨 명〈방〉아버지(전라).

아:부-악【雅部樂】명〖악〗삼악(三樂)의 하나. 중국 주(周)나라 이전의 고전악. 이에 대하여 중국 당송(唐宋) 시대의 속악을 당부악(唐部樂)이라 함. ㊀아악(雅樂).

아:부 악기【雅部樂器】명〖악〗아악(雅樂)에 편성되는 악기. 특종(特鐘)·특경(特磬)·편종(編鐘)·편경(編磬)·건고(建鼓)·삭고(朔鼓)·응고(應鼓)·뇌고(雷鼓)·영고(靈鼓)·노고(路鼓)·뇌도(雷鼗)·노도(路鼗)·도(鼗)·절고(節鼓)·진고(晉鼓)·축(柷)·어(敔)·관(管)·약(籥)·화(和)·생(笙)·우(竽)·소(簫)·적(篴)·부(缶)·훈(塤)·지(篪)·금(琴)·슬(瑟)·순(錞)·탁(鐲)·응(應)·아(雅)·상(相)·독(牘)등이 있음. 아부(雅部). ＊당부(唐部) 악기·향부(鄕部) 악기.

아-부용【阿芙蓉】명 '양귀비꽃'의 이명(異名).

아부자〔Abuja〕명〖지〗나이지리아(Nigeria)의 수도. 이 나라의 중부(中部)에 위치함. 이전의 수도는 라고스였음. [30,000명(1995 추계)]

아부-적【阿附的】명관 아첨하여 좇는 모양. ¶~인 행위.

아부지¹ 명〈방〉아버지(경기·충청·경상·전라).

아부지² 명〈방〉〖식〗아욱(경북).

아부쿠마 산맥【一山脈】〔阿武隈:あぶくま〕명〖지〗일본 간토(關東) 지방의 동북으로부터 오우(奧羽) 지방의 남부에 걸쳐 남북으로 달리는 산맥. 대개 1,000m 이하의 고원성(高原性)의 산지로 동쪽에는 해안 평야가 전개되어 있음.

아부키르 만【一灣】〔Aboukir〕명〖지〗이집트 알렉산드리아 동방에 있는 만. '아부키르의 싸움'으로 유명함.

아부키르의 싸움〔Aboukir〕[一/一에一] 명〖역〗① 1798년 8월 1일, 이집트에 원정 중인 나폴레옹 함대가 아부키르 만에서, 넬슨이 지휘하는 영국 함대의 습격을 받아 거의 전멸한 해전. 이로 인해 나폴레옹군(軍)이 고립 상태에 빠지게 되었음. ② 1799년 7월 25일, 나폴레옹이 아부키르 만으로 상륙한 터키군을 격파한 싸움. 이 전투는 나폴레옹의 궁정 화가(宮廷畫家) 그로(Gros)의 작품으로도 유명함. ③ 1801년 3월 8일, 이집트에 남아 있던 1,600명의 프랑스군의 저항을 무릅쓰고 20,000명의 영국군이 아부키르 점령을 감행한 싸움.

아부한사단【亞富汗斯坦】명〖지〗'아프가니스탄(Afghanistan)'의 음역(音譯).

아북 명〈방〉아욱(경상·함경).

아:-북극【亞北極】명〔subarctic〕〖지〗북극권(北極圈) 부근의 지역. 또 북극과 같은 특성(特性)을 가진 지역(地域).

아불리가【阿弗利加】명 '아프리카'의 음역(音譯). ㊀아(阿).

아불리가-주【阿弗利加洲】명〖지〗'아프리카 주(Africa洲)'의 음역. ㊀아주(阿洲).

아불식-초【鵝不食草】명〖식〗피막이풀.

아붕이 명〈방〉아버지(전남·경남).

아브라함〔Abraham〕명〖성〗이스라엘 민족의 시조(始祖). 처음 아브람(Abram)으로 불리다가 하느님이 택한 '많은 사람들의 아버지'란 뜻으로 '아브라함'으로 고침. 갈대아에서 출생하여 가나안에 이주하였으며, 믿음이 깊은 그 인격으로 인하여 이스라엘의 전형으로 숭앙됨. 바울은 '신앙으로 말미암은 의(義)'의 모범으로 삼았음.

아브람〔Abram〕명〖성〗'아브라함'의 처음 이름.

아브루치〔Abrurzzi, Luigi Amedeo〕명〖사람〗이탈리아의 해군 군인·탐험가. 스페인 왕 아오스타공(公)의 아들. 제1차 세계 대전 중 이탈리아의 함대(艦隊) 사령관을 지냈으며, 1899-1900년의 북극 탐험에서 북위 86° 33'에 이르렀음. 1909년에는 히말라야 K_2봉을 등정하여 이름을 떨침. [1873-1933]

아브시스-산【一酸】명〔abscisic acid〕〖화〗식물(植物) 호르몬의 하나. 낙엽·낙과(落果) 등을 촉진하며 생장·발아(發芽) 등을 억제함. 또, 수분 대사(水分代謝) 조절에도 관계하여 수분이 결핍되면 숨구멍을 닫게 하는 작용을 함. '에이 비 에이(ABA)'라고 약기(略記)함.

아블라우트〔도 Ablaut〕명 모음 교체(母音交替). 인도 유럽 어족(語族)의 여러 말에서 볼 수 있는 현상의 한 가지.

아븨〈옛〉아비의. 아버지의. '아비'의 소유격형. =아비. ¶엇디 아븨 명을 져버리고(負父命)≪五倫 Ⅱ:75≫.

아븨누의 명〈옛〉고모(姑母). ¶아븨누의≪老乞 下 30≫.

아븨동싱누의 명〈옛〉고모(姑母). ¶아븨동싱누의(姑姑)≪老乞 下 31≫.

아븨동싱누의남진 명〈옛〉고모부(姑母夫). ¶아븨동싱누의남진(姑夫)≪老乞 下 31≫.

아븨몯형 명〈옛〉큰아버지. 백부(伯父). =몬아ᄌᆞ비. ¶아븨몯형(伯伯)≪老乞 下 30≫.

아븨아ᅀᆞ 명〈옛〉작은아버지. 숙부(叔父). =아ᄌᆞ비. ¶아븨아ᅀᆞ(叔叔)≪老乞 下 30≫.

아비¹ 명 ①〈옛〉아버지. ¶父는 아비오 母ᄂᆞᆫ 어미라《月序 14》. ②〈속〉아버지의 낮춤말. ¶그 ~에 그 아들. ③자식을 낳은 여자가 시부모나 친정 부모에게 자기 남편을 가리키는 말. ④남자가 장성한 자녀에게 자기 자신을 가리키는 말. ¶~가 되어서 제대로 못해 주어 미안하다. 1)-4): ↔어미.

[아비만한 자식이 없다] 자식이 아무리 훌륭히 되더라도 그 아비에 미치기 어려움을 이르는 말. [아비 아들 범벅 금 그어 먹어라] 아무리 친근한 사이라도 한계를 명확히 해야 한다는 말.

아비²【阿比】명〖조〗[*Colymbus stellatus*] 아비과에 속하는 바닷새. 갈매기만한데 몸은 메추라기 비슷하며 날개 길이는 27-30cm임. 부리는 날카롭고 발에는 물갈퀴가 있으며 꽁지는 짧고 머리와 목은 잿빛, 등은 암갈색에, 작고 흰 점이 산재하여 배는 희나 여름 깃은 등이 검고 목 앞에 밤색의 반점이 나타남. 약 8분 동안 물 속에 잠수할 수 있음. 고기떼를 보고 모여드는 습성이 있어 어업상 유리함. 여름에 북극 부근에서 번식하고 중국 남부·일본·한국·미국·남부 유럽 등에서 월동함.

〈아비²〉

아비³【衙婢】명〖역〗수령이 사사로이 부리던 계집 종. ↔아노(衙奴).

아비-과【阿比科】[一꽈] 명〖조〗[Colymbidae] 아비목(目)에 속하는

한 과. 중대형(中大形)의 조류(鳥類)로, 부리는 길고 뾰족하며 발은 좌우로 평평한데 물갈퀴가 있고 잠수력이 셈. 빛깔은 어린 것과 계절에 따라 변화가 심함. 여름이 되면 북극 부근에 가서 번식하는데, 전세계에 5종이 분포함.

아비 규환【阿鼻叫喚】명 ①『불교』아비 지옥(阿鼻地獄)의 고통을 못 참아 울부짖는 소리. ＊규환 지옥. ②심한 참상(慘狀)을 형용하는 말.

아비뇽〔Avignon〕명『지』프랑스 남부의 론 강(Rhône江) 입구 가까이에 있는 도시. 14세기에 로마 교황을 감금하였던 곳으로, 사적(史蹟)이 많고 상업의 중심지로 포도주의 거래·식품 가공·야금(冶金)·섬유 공업이 성함. [142,000 명(1981 추계)]. ＊아비뇽의 유수(幽囚).

아비뇽의 유수【—幽囚】〔Avignon〕[—/—에—] 명『역』1309년 교황 클레멘스(Clemens) 5세가 아비뇽으로 교황청을 옮긴 후, 1377년 그레고리우스(Gregorius) 11세가 로마로 돌아올 때까지 칠대(七代)의 기간, 교황권이 프랑스 왕권에 굴복했던 일을 유수(幽囚)에 비유한 말. 그 이후도 1417년까지 로마에 대항하여 아비뇽 교황이 존속되어 교회 분열 시대로 들어감.

아비 달마【阿毘達磨】명『불교』〔범 abhidharma; 대법(對法)·대법(大法)이라 번역하며, 법(法)의 연구·논(論)의 뜻〕경전 속의 논부(論部).

아비 달마 구사론【阿毘達磨倶舍論】명『불교』구사론(倶舍論).

아비 달마 대:비 바사론【阿毘達磨大毘婆沙論】명〔범 Abhidharma-mahāvibhāsāstāstra〕『불교』불교의 소승론부(小乘論部)에 속하는 불서(佛書). 200권. 불멸(佛滅)후 400년경에 카니시카 왕이 500 성자(聖者)를 모아 삼장(三藏)을 결집시켰을 때에 가다연니자(迦多衍尼子)의 ≪발지론(發智論)≫을 주석한 책으로 당(唐)의 현장(玄奘)의 한역이 있음. ㉥대비 바사론.

아비도스〔Abydos〕명『지』이집트 나일 강 중류의 고도(古都) 테베(Thebes)의 서북에 있는 고대 이집트의 유적. 오시리스 신(Osiris神) 숭배의 중심지이며 13세기에 번영. 람세스(Ramses) 2세의 신전(神殿)이 있음.

아비부-밑【—父—】명 한자 부수(部首)의 하나. '爹'나 '爺' 등의 '父'의 이름.

아-비산【亞砒酸】명〔arsenious acid〕『화』①삼산화 이비소(三酸化二砒素)의 수용액(水溶液) 속에 존재하는 3가(價)의 약한 산(酸). [H_3AsO_3] ②'삼산화 이비소(As_2O_3)'의 속칭.

아비산 구리【亞砒酸—】명『화』아비산 수소 구리. 선녹색(鮮綠色)의 유독성 분말이며, 물에는 녹지 아니함. 예로부터 녹색 안료(顏料)로서 알려졌으나 에메랄드 그린(emerald green)이 발견된 후로는 그다지 사용되지 아니함.

아비산 무수물【亞砒酸無水物】명〔arsenious anhydride〕『화』'삼산화 이비소(三酸化二砒素)'의 관용어. 구칭 : 무수(無水)아비산.

아비산 아연【亞砒酸亞鉛】명〔zinc arsenite〕『화』유독성(有毒性)의 백색 분말. 물에 녹지 않으나 알칼리에는 잘 녹음. 살충제와 목재(木材)의 방부제로 쓰임. [$Zn(AsO_2)_2$]

아비산-염【亞砒酸塩】[—념] 명〔arsenite〕『화』삼산화 이비소(三酸化二砒素)와 알칼리 수용액(水溶液)을 작용시키면 생기는 염. 아비산은(銀)·아비산 구리·아비산 납 등이 있는데, 일반적으로 독성이 강하며 의약·농약·살충제 등에 쓰임.

아비산 칼륨【亞砒酸—】명〔potassium arsenite〕『화』독(毒)이 있는 흡습성(吸濕性)의 백색 분말(粉末). 물에 녹으나 알코올에는 잘 녹지 않음. 공기 중에서 천천히 분해하는데, 의료(醫療)·거울·분석 시약(分析試藥) 등으로 사용됨. [$KH(AsO_2)_2$]

아비산 칼륨액【亞砒酸—液】〔kalium〕명『약』아비산과 중탄산(重炭酸)칼륨을 알코올 용액(溶液)에 녹인 액체. 향내가 좀 나며, 살결을 희게 하는 효과가 있음. 살바르산(Salvarsan)을 만드는 재료가 됨. 법수(法水).

아비 삼불타【阿毘三佛陀】명〔범 abhisambuddha〕『불교』부처가 깨달은 지혜. 현등각(現等覺). 아유삼불(阿惟三佛).

아비센나〔Avicenna〕명『사람』이븐 시나(Ibn Sina)의 영어명.

아비시니아〔Abyssinia〕명『지』'에티오피아(Ethiopia)'의 옛 이름.

아비시니아 고원【—高原】〔Abyssinia〕명『지』동(東)아프리카 에티오피아를 거의 차지하고 있는 고원. 평균 높이 2,000-2,300 m이며 호소(湖沼)가 많음. 에티오피아 고원.

아비장〔Abidjan〕명『지』아프리카의 서부(西部), 코트디부아르(Côted' Ivoire) 제일 가는 도시로 전(前) 수도. 기니 만(Guinea 灣) 연안(沿岸)의 바닷가 호수(湖水)에 면하고 있으며, 이 지역의 중요한 항구이고, 부르키나파소(Burkina Faso)의 수도 와가두구(Ouagadougou)로 가는 철도의 기점(起點)임. 주변에서 산출되는 커피·카카오 등을 수출함. [1,929,079 명(1988)]

아비지【阿非知】명『사람』백제의 명공(名工). 신라 선덕왕 12년(643)에 신라 삼보(三寶)의 하나인 황룡사(皇龍寺) 9층탑을 세움.

아비 지옥【阿鼻地獄】명〔범 Avici〕『불교』무간 지옥(無間地獄).

아비 초열 지옥【阿鼻焦熱地獄】명『불교』아비 지옥.

아비타숑〔프 habitation〕명 아파트식의 분양 주택.

아비〈옛〉아비의. '아비'의 소유격형. =아븨. ¶아ᄃᆞ리 아비 나해서 곱기곰 사라 ≪月釋 Ⅰ:47≫.

아비고마 명〈옛〉서모(庶母). 아버지의 후처(後妻). ¶아비 고마ᄅᆞᆯ 아랫옷 ᄲᆞᆯ이디 말며(諸母不漱裳)≪內訓 Ⅰ:4≫.

아비집 명〈옛〉아버지의 집. ¶아비 지븨 마초아 다ᄃᆞ라(遇到父舍)≪圓覺 序 47≫.

아빠 명 ①〈소아〉아버지. ②〈속〉'아기 아빠'의 뜻으로 젊은 아내가 자기의 남편을 일컫는 말.

아뿔까 감〈방〉아뿔싸(경상).

아뿔싸 감 잘못되거나 언짢은 일을 뉘우쳐 깨달았을 때 내는 소리. ¶~, 이건 낭패로군. ㅆ하뿔싸. <어뿔싸.

아뿔쌍 감〈방〉아뿔싸(경상).

아:사[1]【雅士】명 아담한 선비. 맑고 깨끗한 선비.

아:사[2]【雅事】명 아치(雅致) 있는 일.

아:사[3]【餓死】명 굶어 죽음. 기사(饑死). ¶~자(者). ——하다 자여불

아사[4]〔Asa〕명『사람』유태 왕국 제3대의 왕. 우상 예배(偶像禮拜)를 배격하고, 종교 개혁을 단행함. [915?-875? B.C.]

아사 감:광도【ASA 感光度】명〔ASA는 American Standards Association의 약칭〕미국의 표준국 아사(ASA)에서 제정한, 사진 감광 재료의 감광도를 나타내는 수치.

아사냐〔Azaña, Manuel〕명『사람』스페인의 정치가. 자유주의적 좌파의 지도자로서 왕정(王政) 폐지에 진력하여 공화정(共和政) 초대 수상(1931-33)이 됨. 1936년 인민 전선(人民戰線)의 승리로 수상, 이어서 대통령(1936-39)이 되었으나 스페인 내란에서 패하여 프랑스에 망명, 그 곳에서 객사함. [1880-1940]

아사노 나가마사〔浅野長政:あさのながまさ〕명『사람』일본 전국 시대의 무장(武將). 도요토미 히데요시(豊臣秀吉)의 동서(同壻). 임진 왜란 때, 아들 요시나가(幸長)와 함께 조선에 내침, 왜군의 군감(軍監) 일을 맡아 보았음. [1547-1611]

아사달【阿斯達】명『역』단군 조선 개국시의 국도(國都). 대체로 구월산(九月山)으로 전해지고 있으나, 오늘날에는 지금의 평양(平壤) 부근의 백악산(白岳山)으로 추정하는 설도 있음.

아사디〔Asadi, Tusi〕명『사람』11세기 전반의 페르시아의 시인. 다섯 편의 대립시, 곧 논쟁시가 전해지고 있음. 그의 아들 소(小)아사디도 시인임. [1020?-72?]

아사라 타〈옛〉빼앗아라. 꺼라. '앗다[2]❶'의 활용형. ¶ᄇᆞ람 분다 지게 다다라 밤들거다 불 아사라 ≪古時調 尹善道≫.

아사리【阿闍梨】명〔범 ācārya〕『불교』스승될 만한 덕이 높은 승려(僧侶)의 경칭. 규범사(規範師).

아사마 산【—山】〔浅間:あさま〕명『지』일본 나가노(長野)·군마 현(群馬縣)의 경계에 있는 삼중식(三重式) 활화산(活火山). 화산 활동의 예보·연구를 위한 화산 관측소가 있음. [2,542 m]

아:사선-상【餓死線上】명 아사지경(餓死之境).

아사세 태자【阿闍世太子】명〔범 Ajātaśatru〕『불교』고대(古代)의 중인도(中印度) 마가다국(Magadha國)의 임금 빈바사라(頻婆娑羅: Bimbisāra)의 아들. 석가 모니의 법적(法敵)인 제바달다(提婆達多)에게 귀의하여 그의 권고에 의하여 부왕을 죽이고 모후(母后)를 가둔 후, 왕위에 올라 마가다국을 인도 제일의 왕국으로 만듦. 뒤에 부처님의 감화로 참회하고 불교에 귀의함. [재위 491-459 B.C.]

아사셀〔Azazel〕명『성』유태의 황야(荒野)에 산다는 악령(惡靈). 속죄(贖罪)의 날에 제사장(祭司長) 아론(Aaron)은 백성들의 죄를 대신 진 염소를 그의 앞으로 보냈다고 전해짐.

아사신〔Assassin〕명 이슬람교 시아파(Shi'a派)에 속하는 이스마일파의 분파(分派)인 해시시아신, 곧 '흥분 마취제 해시시(hashish)를 쓰는 사람'의 통칭(通稱). 1090년부터 약 150년간 페르시아의 알라무트 산(Alamut 山)에 산채(山寨)를 구축, 모든 적을 암살한다는 방침 아래 셀주크 왕조(Seljuk 王朝)의 재상(宰相)·장군 등을 죽임. 십자군의 장병도 이 파의 수장(首長)들을 '산(山)의 장로(長老)'라고 불러 두려워했으나, 1256년 몽고군에 의해 멸망됨.

아사 신족【—神族】〔Asa〕명『신』북유럽 신화에 나오는 신(神)의 총칭. 이들 중 오딘(Odin)이 왕(王)으로, 그 아래에 여러 명의 아들과 형제들 외에 아내와 18명의 여신이 있으며, 아스가르드(Asgardh)에 거주하면서, 매일 회의를 열었다 함.

아사오다 타〈옛〉빼앗아오다. ¶아비 신톄를 아사 오나늘(得父屍而還)≪東國續三綱 孝子圖 延守劫虎≫.

아사이〔이 assai〕명『악』'더욱·극히'의 뜻. ¶알레그로 ~.

아:사-자【餓死者】명 아사한 사람. 굶어 죽은 사람.

아:사-장【我思章】[—짱] 명『악』용비어천가 제50장의 이름.

아:사지-경【餓死之境】명 굶어서 죽게 된 지경. 아사선상(餓死線上).

아사타-선【阿私陀仙】명『사람』인도의 성인. 석존이 강탄(降誕)하였을 때 태자의 상을 보고, 속세에 있게 되면 전륜 성왕(轉輪聖王)이 되고, 출가하면 불타(佛陀)가 될 것이라고 예언하였음.

아사히 신문【—新聞】〔일 朝日:あさひ〕명 일본에 있는 주요 신문의 하나. 1879년 오사카(大阪) 아사히 신문이 창간(創刊)되고, 1888년 도쿄 아사히 신문이 창간되었는데, 1940년 아사히 신문으로 통일됨.

아사히-카와〔旭川:あさひかわ〕명『지』일본 홋카이도(北海道) 중앙부 가미카와 분지(上川盆地)의 중심 도시. 펄프·주류(酒類) 등이 생산되고 전형적인 직교식 가로(直交式街路)와 근처의 아이누(Ainu) 부락으로 유명함. [364,310 명(1996)]

아삭 부 연한 과실 등을 깨물 때에 나는 소리. ㅆ아싹. <어석. ——하다 자타여불

아삭-거리다 자타 연해 아삭 소리가 나다. 또, 연해 아삭 소리를 내다. ㅆ아싹거리다. <어석거리다. 아삭-아삭 부. ——하다 자타여불

아삭-대다 자타 아삭거리다.

아산【牙山】명『지』충청 남도의 한 시. 1읍(邑) 10면(面) 6동(洞). 북쪽은 경기도 평택시(平澤市), 동쪽은 천안시(天安市), 남쪽은 공주시(公州市)와 예산군(禮山郡), 서쪽은 당진군(唐津郡)에 접함. 각종 농산업과 축산업·임산업·수산업·공산업 등이 성함. 명승 고적은 온양 온천·신정호(神井湖)·영괴대(靈槐臺)·도고(道高) 온천·현충사(顯忠祠)·김옥균묘(金玉均墓)·아산 방조제(防潮堤) 등이 있음. 1995년 1월, 온양시와 아산군을 통합, 아산시로 개편됨. [542.68 km²: 158,115 명

(1996)]
아산-군【牙山郡】명〖지〗충청 남도에 속했던 군. 1995년 1월, 온양시(溫陽市)와 통합하여 아산시로 개편됨.
아산-만【牙山灣】명〖지〗경기도 서남단과 충청 남도 서북단 사이에 위치하는 경기만 중의 좁고 긴 만의 하나. 조석 간만의 차가 심하고 부근 해안에서는 굴·조개 등 수산업이 성함. 또, 안성천(安城川)을 막아 만든 아산 방조제(牙山防潮堤), 삽교천(揷橋川)을 막아 만든 삽교 방조제, 발안천(發安川)을 막아 만든 남양(南陽)방조제 등은 새로운 관광 명소로 되고 있음.
아산-정【兒山停】명〖역〗'완산정(完山停)'의 오기(誤記).
아산화 구리【亞酸化—】명〖화〗산화 제일(酸化第一) 구리.
아산화 구리 정:류기【亞酸化—整流器】[—뉴—] 명〖화〗금속 정류기의 하나. 산화 제일 구리의 피막(皮膜)을 붙인 동판(銅板)을 반도체로 한 것. 미소 전류(微小電流)·저전압(低電壓)의 정류(整流)에 사용됨.
아산화-납【亞酸化—】명〖화〗일산화 이납.
아산화 질소【亞酸化窒素】[—쏘] 명〖화〗일산화 이질소.
아:살【餓殺】명 굶기어 죽임. ——-하다 타여불
아삼〔Assam〕명〖지〗인도 북동부의 주(州). 세계에서 강우량(降雨量)이 제일 많고, 차·쌀의 산출이 특히 많음. 1961년 동부 나갈랜드(Nagaland)가 분리됨. 주도는 디스푸르(Dispur). [78,523 km²: 19,903,000명(1981 추계)]
아-삼-륙〔중 二三六〕[—뉵] 명 ①골패의 '쌍진아'·'쌍장삼'·'쌍준륙'의 세 쌍. '쌍비연(雙飛燕)'이라 일컬어 끗수를 세 곱으로 침. ②서로 꼭 맞는 짝.
아삼-어【—語】〔Assam〕명〖언〗인도아리아(Indo-Arya) 언어 중의 하나. 벵골어(Bengal語)에 가까우며, 인도 북동부의 아삼 주(Assam 州)를 중심으로 분포함.
아삼 제족【—諸族】명〔Assam peoples〕인도 아삼 지방에 사는 여러 민족. 문화·언어·형질면(形質面)에서 인도·티베트·동남 아시아의 접촉점에 있으므로 구성이 복잡함. 인도 유럽 어족의 아삼인(人)·벵골인·타이 어족의 아홈족·카무치족, 티베트 버마어족의 나가족 등이 있음.
아삽【亞翣】명 '불삽(黻翣)'의 잘못 일컫는 말.
아:상¹【我相】명〖불교〗①망상(妄想)에 의하여 나타난 자기와 비슷한 모양. ②〖불교〗참다운 '나'가 있는 것으로 아는 잘못된 생각. ③자기의 학문이나 재산이나 문벌·지위 등을 자랑하여 다른 사람을 업신여기는 마음.
아:상²【亞相】명 재상에 버금한다는 뜻으로, '어사 대부(御史大夫)'의 이칭. 중국 한(漢)나라 때에 비롯되었음.
아상블라:주〔프 assemblage〕명〔수집·접합의 뜻〕기제품(既製品)이나 폐품을 모아서 미술 작품을 만드는 일. 미래파(未來派)나 다다이즘에서 그 원천이 엿보임. 제2차 대전 후에 성해졌음.
아:상지화 아상지화【我上之火兒上之火】구 급할 때면 아무리 친한 사이라도 제 일을 먼저 한다는 뜻. '내 발등의 불을 꺼야 아비 발등의 불을 끈다'와 같은 뜻.
아:-새끼 명 '아이'의 낮은 말.
아생【芽生】명〖식〗발아(發芽). ——-하다 자여불
아생-법【芽生法】[—뻡] 명〖식〗출아(出芽)에 의한 생식법(生食法). 출아법(出芽法). 발아법(發芽法). 아생 생식.
아생 생식【芽生生殖】명〖식〗출아법(出芽法).
아생 포자【芽生胞子】명〔blastospore〕〖식〗발아(發芽)에 의해서 생기는 균류(菌類)의 휴면(休眠) 포자. 아생 홀씨. 분아(分芽) 포자.
아생 홀씨【芽生—】명〖식〗아생 포자(芽生胞子).
아샨티-족【—族】〔Ashanti〕명 서(西) 아프리카 가나 공화국 중앙부에 사는 대표적 부족. 인구는 약 100만명으로 추정됨. 주로 농업을 영위하며 모계제(母系制) 집단을 이루고 20세기 초까지 연합 왕국을 형성하고 있었음.
아서¹ 명〈방〉애초.
아서² 감 ↗아서라. ¶~, 그런 짓 하면 안 돼.
-아서 어미 'ㅏ'·'ㅗ'의 모음으로 된 용언의 어간에 붙어서 까닭 또는 시간적 선후(先後) 관계를 나타내는 연결 어미. 'ㅏ'로 끝나는 어간에 붙을 때는 '아'가 생략됨. ¶돈이 많~/기회를 보~/빨리 가서 만나야지. *-어서·-여서.
아서-라 감 해라 할 사람에게 그리 말라고 금지하는 말. ¶~, 그럼 못 쓴다. ㊀아서.
아:서-왕【—王】〔Arthur〕명〖사람〗영국 켈트(Celt) 전설에 나오는 왕. 중세(中世) 기사(騎士)의 한 전형(典型)으로, ≪아서왕 이야기≫의 주인공(主人公)임.
아:서왕 이야기【—王—】〔Arthur〕명〔Arthurian Romance〕〖책〗6세기의 영국 왕 아서의 전설 및 그 기사(騎士)들의 모험과 연애를 주제로 하여, 중세기 이후 영국·프랑스·독일 등 여러 나라에서 만든, 운문(韻文) 또는 산문으로 된 일군(一群)의 소설.
아선-약【阿仙藥】[—냑] 명〖약〗열대 아시아 원산의 아카시아속(屬) 웅카리아나무(*Uncaria gambia*)의 심재(心材) 또는 꼭두서닛과(科) 식물의 잎 등에서 뽑아 만든 암갈색(暗褐色)의 덩이진 약제. 약간 쓰고 단맛이 나며 수렴제(收斂劑)·지혈제(止血劑)·청량제(淸涼劑) 또는 물감·무두질에 쓰임. 백약전(百藥煎). *카테큐(catechu).
아성¹【牙城】명 주장(主將)이 있는 내성(內城). 본거(本據).
아성²【牙聲】명〖언〗아음(牙音). *엄쏘리.
아성³【阿城】명〖지〗'아청(阿城)'을 우리 음으로 읽은 이름.
아:성⁴【亞聖】명 성인(聖人)의 다음 가는 현인(賢人). 곧, 대성 공자(大聖孔子)에 대하여 그 다음가는 맹자(孟子)를 이름.
아성⁵【兒聲】명 ①어린아이의 소리. ②유치(幼稚)한 말.
아:-성충【亞成蟲】명〖충〗곤충류 가운데 하루살이 목(目)의 유충에서만 볼수 있는 발생의 한 단계. 번데기와 성충 사이의 시기로 외형은 성충과 같되 생식기가 발달되어 있지 않음.
아:-성층권【亞成層圈】[—꿘] 명 대류권 계면(對流圈界面)보다 조금 아래로, 지상(地上)으로부터 8-12 km의 층(層). 기압은 400-250 mb이며, 기온은 -40°C에서 -60°C임.
아:성층권 비행【亞成層圈飛行】[—꿘—] 명 성층권(成層圈)의 저부(底部)에 가까운 아성층권을 비행하는 고공(高空) 비행의 하나.
아세¹【阿世】명 세상에 붙좇음. ——-하다 자여불
아:세²【亞歲】명 동지(冬至).
아세나프텐〔acenaphthene〕명 방향족(芳香族)의 탄화 수소(炭化水素)로 콜타르 중에 함유된 무색 결정. 물감의 합성 원료로 쓰임.
아세르〔Asser, Tobias Michael Carel〕명 네덜란드의 정치가·법학자. 1862-93년까지 암스테르담 대학 교수로 재직, 1904년 국무상(國務相)을 역임함. 헤이그(Hague) 국제 평화 회의 개최에 공헌하였고, 1911년 프리트(Fried, A.H.; 1864-1921)와 함께 노벨 평화상을 수상하였음. [1838-1913]
아세아【亞細亞】명〖지〗'아시아(Asia)'의 음역(音譯).
아세아 구제 연맹【亞細亞救濟聯盟】명 라라(LARA).
아세아 방:송【亞細亞放送】명 서울에 있는 민영 종교 방송의 하나. 기독교 복음 전도를 목적으로 한반도를 중심으로 한 중국·몽고·러시아 연방·일본 등 지역을 대상으로 하여 방송함. 1973년 설립. 주파수 1,566 kHz. 콜사인은 에이치 엘 에이 제트(HLAZ).
아세아-주【亞細亞洲】명 아시아 주. ㊀아주(亞洲).
아세안【ASEAN】명〔Association of Southeast Asian Nations의 약칭〕〖정〗1967년 8월에 타이·말레이시아·필리핀·인도네시아·싱가포르 5개국이 결성(結成)한 지역 협력 기구(地域協力機構). 동남 아시아 국가 연합.
아세탈 수지【—樹脂】명〔acetal resins〕합성 수지의 하나. 포름알데히드의 부가 중합(付加重合) 또는 트리옥산(trioxane)의 개환 중합(開環重合)으로 합성됨. 견고(堅固)한 플라스틱이기 때문에 금속(金屬)의 대용으로 쓰임.
아세테이트〔acetate〕명 ①↗아세테이트 인견(acetate 人絹). ②아세트산염 또는 아세트산 에스테르의 총칭.
아세테이트 견사【—絹絲】〔acetate〕명〖공〗아세틸 셀룰로오스의 인조 견사. 천연 견사와 비슷한 광택이 나며, 물에 젖어도 상하지 않음. 아세틸 인조 견사.
아세테이트 레이온〔acetate rayon〕명 아세틸셀룰로오스에 아세트산 무수물 황산을 작용시켜서 만든 반합성 섬유의 한 가지. 탄력성·내수성(耐水性)이 강하고 촉감이 부드러워 단독 또는 양모(羊毛)와 혼방(混紡)하여 각종 직물이나 모포를 만듦. 아세테이트 인견(人絹).
아세테이트-법【—法】[—뻡] 명〔acetate process〕〖화〗아세테이트 수지(樹脂)와 아세테이트 섬유(纖維)를 만드는 방법. 황산(黃酸)을 촉매(觸媒)로 하여 셀룰로오스와 아세트산(酸) 또는 셀룰로오스와 아세트산 무수물(無水物)의 아세틸화(化)로 이루어짐.
아세테이트 인견【—人絹】〔acetate〕명 아세테이트 레이온(acetate rayon). ㊀아세테이트.
아세테이트 필름〔acetate film〕명 아세트산 셀룰로오스 수지(樹脂)의 얇은 막(膜). 투명(透明)하고 위생적이며, 그리스·기름·먼지에 내성(耐性)이 있음. 사진용(寫眞用) 필름·자기(磁氣) 테이프·포장재(包裝材) 등으로 쓰임.
아세토-니트릴〔acetonitrile〕명〖화〗에테르(ether)와 같은 향기가 나는 무색(無色)의 액체. 아세트아미드(acetamide)를 오산화인(五酸化燐)과 함께 가열하고 탈수(脫水)하여 만듦. 가수 분해하면 아세트산과 암모니아가 생김. 유기 화학 공업의 원료로서 중요하며 각종 용제(溶劑)로 널리 쓰임. 시안화 메틸. [CH_3CN]
아세토아세트-산【—酸】명〔acetoacetic acid〕〖화〗대표적인 β-케톤산(ketone酸). 아세토아세트산 에틸의 비누화(化)에 의해 얻어지는데, 극히 불안정하여 이산화 탄소(二酸化炭素)를 잃고 아세톤(acetone)이 되기 쉬움. 아세토 초산(醋酸). [CH_3COCH_2COOH]
아세토아세트산 에틸【—酸—】명〔ethyl acetoacetate〕〖화〗방향(芳香)이 있는 무색의 액체. 끓는점 181°C. 물에 잘 녹지 않으며 유기 용매(有機溶媒)에 잘 녹음. 아세트산 에틸에 금속 나트륨을 작용시키어, 합성함. 여러 가지 유기 화합물을 합성하는 재료로서 널리 사용됨.
아세토-카:민〔acetocarmine〕명〖화〗아세트산 카민.
아세토-페논〔acetophenone〕명〖화〗특유한 방향이 있는 무색의 액체. 녹는점(點) 19.5°-20°C, 끓는점(點) 202°C. 물에 거의 녹지 않고 유기 용매(有機溶媒)에 녹음. 향료 기타 약품 제조 원료로 쓰임. 염화 알루미늄을 촉매로 하여 벤젠에 염화 아세틸(塩化 acetyl)을 작용시켜 얻음. [C_6H_5COOH]
아세톤〔acetone〕명〖화〗독특한 냄새가 나고 휘발성이 있는 무색 투명(無色透明)한 액체로 가장 간단하며 대표적인 케톤(ketone). 녹는점(點) −94.82℃, 끓는점(沸點) 56.3℃임. 목초산(木醋酸)에 들어 있으며, 혈액이나 오줌에도 미량(微量) 함유되어 있음. 아세틸렌·프로필렌을 원료로 하여 제조함. 용제(溶劑)로서 널리 쓰이는 외에 아세테이트 레이온·의약품의 원료로 쓰임. [CH_3COCH_3]
아세톤 발효【—醱酵】명〔acetone fermentation〕〖화〗대장균·고초균(枯草菌) 같은 보통의 세균을 배양할 때에 아세톤이 생성하는 발효.
아세톤부탄올 발효【—醱酵】명〔acetone butanol fermentation〕〖화〗주로 당질(糖質)을 반전(反轉)시켜 부탄올 및 아세톤을 생성하는 발효. 한때 아세톤 제조의 공업적 방법으로서 중요시되었었음.

아세톤-수【一數】[一쑤] 명 〔acetone number〕〖화〗 건성유(乾性油)와 같은 물질(物質)의 중합도(重合度)를 구하는 데 쓰이는 값. 건성유 100g에 아세톤을 더해 가면서 불용상(不溶相)이 생겼을 때의 아세톤 중량(重量)을 그램수(數)로 나타냄.

아세톤-체【一體】 명 〔acetone body〕〖화〗 생체(生體) 내에 지방과 단백을 흡수하여 분해하는 도중에 생기는 아세톤 및 아세톤류의 산(酸). 정상적인 체내에서는 이것이 다시 CO_2와 H_2O가 되지만 중증(重症) 당뇨병 환자는 오줌 속에 나옴.

아세톤 혈증【一血症】[一쯩] 명 〔acetonemia〕〖의〗 피 속에 다량(多量)으로 아세톤체(體)가 함유(含有)되어 있는 상태.

아세트-산【一酸】 명 〔acetic acid〕〖화〗 자극성 냄새와 산미(酸味)를 지닌 무색의 액체. 탄소·산소·수소 화합물로 약한 산성(酸性)의 일염기산(一塩基酸)임. 주류(酒類)가 발효하여 생기며, 이전에는 목재 건류액(木材乾溜液)에서 채취했으나, 지금은 아세트알데히드(acetaldehyde)의 산화(酸化)에 의해 합성함. 생체(生體) 내에서는 당(糖)·아미노산(酸)·지방산(脂肪酸) 등의 대사 산물(代謝產物)로 중요함. 공업상 중요한 원료로서 녹는점 16.6℃, 끓는점 117.8℃, 비중 1.0492(20℃). 식초산. 초산(醋酸). [CH_3COOH] ＊빙초산.

아세트산 구리【一酸一】 명 〔copper acetate〕〖화〗 아세트산 구리(Ⅱ). 산화(酸化) 구리나 염기성(塩基性) 탄산 구리를 아세트산에 용해한 용액에서 석출(析出)한 암녹청색(暗綠靑色)의 결정. 구충제(驅蟲劑)·의약(醫藥)으로 씀. 이 밖에 $Cu(CH_3COO)$를 아세트산 구리(Ⅰ)라 일컬을 때도 있음. [$Cu(CH_3COO)_2$]

아세트산-균【一酸菌】 명 〔acetic acid bacteria〕〖식〗 아세트산 발효(醱酵)를 일으키는 세균의 총칭. 그람 음성(Gram 陰性)·호기성(好氣性)의 간균(桿菌)임. 체내 효소(酵素)의 작용으로 알코올을 산화(酸化)시켜 아세트산을 만드는 성질을 가지는데, 한편 주류(酒類)를 산패(酸敗)시키는 유해균(有害菌)이기도 함. 식초는 이 세균에 의해 생산됨. 아세트산 박테리아.

아세트산 나트륨【一酸一】〔Natrium〕 명 〔sodium acetate〕〖화〗 탄산 나트륨을 아세트산으로 중화(中和)하거나 아세트산 칼슘에 황산 나트륨을 섞어 황산 칼슘을 걸러 내어 그 여액(濾液)을 증발시킨 무색(無色)·단사정계(單斜晶系)의 결정(結晶). 알코올에 잘 녹으며, 분석 시약(分析試藥)으로서 중요함. 녹는점 320℃. 초산 소다. 초산 소듐. [CH_3COONa]

아세트산-납【一酸一】 명 〔lead acetate〕〖화〗 ①아세트산납(Ⅱ). 일산화(一酸化) 납(PbO)을 아세트산 속에서 가열하여 얻은 말간 액(液)을 냉각하여 얻는 무색의 결정(結晶). 감미(甘味)가 있고, 물에 잘 녹으며 독이 있음. 의약·염색에 씀. 비중(比重) 3.25, 녹는점 280℃. 연당(鉛糖). [$Pb(CH_3COO)_2$] ②아세트산납(Ⅳ). 사산화(四酸化) 삼납(Pb_3O_4)을 더운 빙초산에 녹여 제조한 무색의 결정. 비중 2.228, 녹는점 175℃. [$Pb(CH_3COO)_4$]

아세트산 니켈【一酸一】 명 〔nickel acetate〕〖화〗 풍해성(風解性)의 녹색 결정(綠色結晶). 가열에 의해 분해되며, 알코올·물에 잘 녹음. 섬유(纖維) 염색 매염제(媒染劑)로 쓰임. [$Ni(CH_3COO)_2$]

아세트산 메틸【一酸一】 명 〔acetic methyl〕〖화〗 아세트산 에스테르(acetic ester)의 하나로 방향(芳香)이 있는 무색의 액체. 황산(黃酸)을 촉매로 메탄올(methanol)과 아세트산을 가열하여 만듦. 녹는점 −98℃, 끓는점 56.3℃, 니트로셀룰로오스의 용제(溶劑)로 쓰임. [CH_3COOCH_3]

아세트산 무수물【一酸無水物】 명 〔acetic acid anhydride〕〖화〗 아세트산의 산무수물(酸無水物). 염화(塩化) 아세틸과 아세트산 나트륨의 반응으로 생성하고 아세트산과 케톤(ketone)의 반응으로 제조됨. 무색(無色)의 악취가 나는 액체로 녹는점 −68℃, 끓는점 140℃임. 물과 서서히 반응하여 아세트산이 되며 피부에 닿으면 화상(火傷)을 일으킴. 아스피린·물감·향료(香料) 등의 중요한 합성 원료임. [$(CH_3CO)_2O$]

아세트산 박테리아【一酸一】 명 〔acetic acid bacteria〕〖식〗 아세트산균(酸菌).

아세트산 발효【一酸醱酵】 명 〔acetic fermentation〕〖화〗 산화(酸化) 발효의 한 가지. 아세트산균이 당(糖)이나 알코올을 산화(酸化)해서 아세트산으로 만드는 작용. 식초(食醋)의 제조에 이용됨. ＊아세트산균(酸菌).

아세트산 비닐【一酸一】 명 〔vinyl acetate〕〖화〗 달콤한 냄새가 나는 무색의 액체. 아세틸렌 또는 에틸렌과 아세트산으로 합성됨. 유화 중합(乳化重合)으로 열가소성(熱可塑性) 합성 수지로서 접착제임. 페인트·껌의 재료 등으로 쓰임. [$CH_2{=}CHOCOCH_3$]

아세트산 아밀【一酸一】 명 〔amyl acetate〕〖화〗 아세트산 이소아밀의 통칭으로 아세트산 에스테르의 하나. 바나나와 같은 특이한 향기가 있는 무색의 액체. 아밀 알코올에 진한 황산과 아세트산을 가하여 증류해서 만듦. 니트로셀루로오스 셀룰로이드 등을 녹이며, 래커·접착제 제조 등에 쓰임.

아세트산 알루미늄【一酸一】 명 〔aluminium acetate〕〖화〗 수산화(水酸化) 알루미늄을 아세트산으로 녹여 만듦. 물에 잘 녹으며 매염제(媒染劑)·방수제(防水劑) 등으로 쓰이는 백색의 분말. 또, 수용액(水溶液)은 소독제(消毒劑)·세정제(洗淨劑)·방부제(防腐劑) 등으로 이용됨. [$Al(CH_3CCOO)_3$]

아세트산 암모늄【一酸一】 명 〔ammonium acetate〕〖화〗 아세트산과 암모니아를 반응시키거나 아세트산 칼슘과 황산(黃酸) 암모늄의 복분해(複分解)에 의해 만들어지는 무색의 결정(結晶). 녹는점 114℃, 비중 1.073. 조해성(潮解性) 물질임. 수용액(水溶液)은 화학 분석에 많이 쓰임. [CH_3COONH_4]

아세트산 암모니아수【一酸一水】〔ammonia〕 명 〖약〗 무색 투명의 물약. 중성(中性) 혹은 약산성(弱酸性)의 반응을 나타냄. 15-16%의 순수 아세트산 암모니아가 들어 있으며, 거담(祛痰)과 발한(發汗) 작용이 있어서 신경통에 씀.

아세트산 에스테르【一酸一】 명 〔acetic ester〕〖화〗 아세트산과 알코올로 만든 에스테르의 총칭. 아세트산 에틸·아세트산 메틸·아세트산 아밀 등이 있으며 무색(無色) 중성(中性)의 액체임. 일반적으로 방향(芳香)을 가지기 때문에 인공(人工)의 과실(果實) 에센스로도 쓰임. [CH_3COOR]

아세트산 에틸【一酸一】 명 〔ethyl acetate〕〖화〗 아세트산 에스테르의 하나. 방향(芳香)이 있는 무색의 액체. 빙초산과 알코올과의 혼화물(混和物)에 짙은 황산(黃酸)을 가하여 증류해서 만듦. 용제(溶劑)·향료(香料)로 사용함. 녹는점 −83.6℃, 끓는점 76.8℃. [$CH_3COOC_2H_5$]

아세트산-염【一酸塩】[一념] 명 〔acetate〕〖화〗 아세트산의 수소 원자(水素原子)를 금속(金屬) 원자로 치환(置換)하여 얻어지는 염(塩). 주로, 무색(無色)의 수용성(水溶性)이지만, 예외도 많음.

아세트산 이소아밀【一酸一】 명 〔isoamlyl acetate〕〖화〗 아세트산 아밀.

아세트산 이온【一酸一】〔ion〕 명 〖화〗 아세트산염(塩)의 전기 분해에 의해 생기는 일가(一價)의 음(陰)이온인 CH_3COO^-의 일컬음.

아세트산 카:민【一酸一】 명 〔acetocarmine〕〖생〗 현미경 관찰용의 표본 작성에 흔히 쓰이는 핵(核) 염색체(染色體)의 고정(固定)·염색제. 시료(試料)는 아세트산으로 고정되는 동시에 카민으로 핵·염색체가 붉게 물듦. 아세토카민.

아세트산 칼륨【一酸一】〔kalium〕 명 〔potassium acetate〕〖화〗 아세트산을 수산화(水酸化) 칼륨 또는 탄산(炭酸) 칼륨으로 중화(中和)시켜 만드는 무색(無色)의 결정(結晶), 또는 분말. 이뇨제(利尿劑)·탈수제(脫水劑)·분석 시약(分析試藥) 등으로 씀. [CH_3COOK]

아세트산 칼슘【一酸一】 명 〔calcium acetate〕〖화〗 수산화(水酸化) 칼슘에 아세트산을 작용시켜 만드는 무색의 결정물(結晶物). 아세톤 및 아세트산의 원료가 됨. 녹는점 100℃. [$Ca(CH_3CO_2)_2$]

아세트산 테르피닐【一酸一】 명 〔terpinyl acetate〕〖화〗 가연성(可燃性)의 무색 액체. 물·글리콜(glycol)에 조금 녹음. 끓는점 220℃. 향료(香料)로 쓰임. [$C_{10}H_{17}OOCCH_3$]

아세트산 페닐 수은【一酸一水銀】 명 〔phenylmercuric acetate〕〖화〗 백색 침상(針狀) 혹은 엽상(葉狀)의 결정으로 무취(無臭). 농약으로서 종자(種子) 소독제로 쓰이며 피임약의 주제(主劑)로 젤리제(jelly劑)·정제(錠劑) 등 제약(製藥)의 원료로 쓰임. 끓는점 149℃. [$C_6H_5HgOCOCH_3$]

아세트-아닐리드〔acetanilide〕 명 〖약〗 아닐린과 아세트산 무수물(無水物)을 가열하여 만드는 무색(無色)의 판상 결정(板狀結晶). 녹는점 115℃, 끓는점 305℃. 안티페브린(antifebrine)의 이름으로 해열·진통제로 쓰였음. 의약·물감 등의 중요한 합성 원료임. [$C_6H_5NHCOCH_3$]

아세트-아미드〔acetamide〕 명 〖화〗 아세트산 암모늄을 가열하여 만드는 무색(無色)의 바늘 모양 결정(結晶). 녹는점 82℃, 끓는점 220.7~221℃. 가수 분해하면 아세트산과 암모니아로, 탈수(脫水)하면 아세토니트릴이 됨. 각종 용제(溶劑)에 쓰임. [CH_3CONH_2]

아세트-알데히드〔acetaldehyde〕 명 〖화〗 알데히드의 대표적인 화합물. 사슬 모양 알데히드의 하나로 휘발하기 쉬운 무색(無色)의 액체. 녹는점 −123.5℃, 끓는점 20.2℃. 독특한 자극취(刺戟臭)가 있음. 에틸알코올의 증기(蒸氣)를 금속 촉매(觸媒)로 산화시켜 만들거나 수은염(塩)을 촉매로 아세틸렌과 물을 반응시켜 만들기도 함. 산화하기 쉽고 환원성이 강함. 유기 화학 공업 제품의 원료가 되는 외에 아세트산 제조 원료로서 중요함. 에탄알(ethanal). ㊀알데히드. [CH_3CHO]

아세티시즘〔asceticism〕 명 ①금욕(禁慾)주의. 금욕 생활. ②〖종〗 고행(苦行)❶. ③〖천주교〗 수덕주의(修德主義).

아세틸-값[一깝] 명 〔acetyl value〕〖화〗 아세트산 무수물(無水物)로 아세틸화한 유지(油脂) 또는 납 1g을 비누화(化)하여 유리되는 아세트산을 중화하는 데 요하는 수산화(水酸化) 칼륨의 mg 수. 유지의 신선(新鮮) 여부를 결정하는 값이 됨.

아세틸-기【一基】 명 〔acetyl group〕〖화〗 아세트산(酸)에서 수산기(水酸基)를 빼어 낸 1가(價)의 원자단. 약호(略號): Ac. [CH_3CO-]

아세틸라아제〔도 Acetylase〕 명 〖화〗 아세트산(酸) 에스테르의 생성(生成)을 촉매(觸媒)하는 효소(酵素)의 총칭.

아세틸렌〔acetylene〕 명 〖화〗 아세틸렌계(系) 탄화 수소의 하나. 탄화칼슘에 물을 부어 만드는 폭발하기 쉬운 무색의 유독성(有毒性) 기체. 공업적으로는 석유의 열분해에 의해 만듦. 끓는점 83.6℃. 불순물이 섞여서 냄새가 나쁘지만 정제한 것은 냄새가 안 남. 강한 빛을 내며 연소(燃燒)하므로 등화용(燈火用)으로 쓰며, 산소와 혼합하여 철판의 용접(鎔接)·절단에 씀. 기타 합성 고무·인조 섬유·유기 화학 약품 등의 원료로 쓰이는 화학 공업의 중요한 기초 물질임. 아세틸렌 가스. 에틴(ethyne). [$HC{\equiv}CH$; C_2H_2]

아세틸렌 가스〔acetylene gas〕 명 〖화〗 아세틸렌.

아세틸렌계 탄:화 수소【一系炭化水素】〔acetylene〕 명 〖화〗 알킨(alkyne). ＊메탄계 탄화 수소·에틸렌계 탄화 수소.

아세틸렌-등【一燈】 명 〔acetylene torch〕 아세틸렌 가스를 등화(燈火)에 이용한 것. 카바이드를 넣은 용기에 물을 부어 아세틸렌 가스를 발생시켜서, 관(管) 끝에 점화하면 됨.

아세틸렌 용접【一熔接】 명 〔acetylene welding〕 산소와 아세틸렌 가스의 혼합 가스에 점화하여, 이것에서 생기는 산소 아세틸렌 불꽃으로 금속을 용접하는 일.

아세틸살리실-산【一酸】 명 〔acetylsalicylic acid〕〖화〗 살리실산(酸)

을 아세트산 무수물(無水物)로 아세틸화하여 얻는 백색 무취(無臭)의 판상(板狀) 또는 침상(針狀)의 결정체 분말. 녹는점(點) 135°C. 해열제(解熱劑) 등으로 쓰임. 상품명은 아스피린.

아세틸 셀룰로오스 〔acetylcellulose〕 명 〖화〗 셀룰로오스의 아세트산 에스테르. 셀룰로오스에 황산·염화 아연(塩化亞鉛)과 아세트산 무수물(無水物)을 작용시켜 만듦. 아세테이트 레이온(acetate rayon)·플라스틱·래커·전기 절연체·필름 등에 쓰임.

아세틸 인조 견사【一人造絹絲】〔acetyl〕 명 아세테이트 견사(絹絲).

아세틸-콜린 〔acetylcholine〕 명 〖약〗 맥각(麥角) 및 소·말의 지라 등에 함유되어 있는 무색의 유상(油狀) 액체. 염기성(塩基性) 물질로 신경의 흥분 전달에 관계하며 근수축(筋收縮)·기관(氣管) 수축·혈압 강하·동공 축소 등의 작용을 함. 약용(藥用)으로 부교감 신경(副交感神經) 자극제·고혈압 치료 등에 쓰임. $[CH_3COOCH_2N(CH_3)_3OH]$

아세틸콜린 에스테라아제 〔acetylcholine esterase〕 명 〖화〗 아세틸콜린을 콜린과 아세트산으로 분해하는 효소. 적혈구(赤血球)·신경 조직·시끈가오리의 전기기관(電氣器官) 등에 존재하며, 신경 조직에서 새로운 자극에 대응하는 능력을 재생시키는 역할을 함. 아세틸콜린 에스테르 가수 분해 효소. ㊀콜린 에스테라아제.

아세틸-화【一化】명 〔acetylation〕 아실화(acyl化)의 한 가지. 유기 화합물의 수산기(基) 또는 아미노기 등의 수소 원자(水素原子)를 아세틸기($-COCH_3$)로 치환(置換)하는 일. ——-하다 자타여불

아셀렌-산【亞一酸】명 〔selenious acid〕 〖화〗 조해성(潮解性)인 무색(無色)의 육방 정계(六方晶系) 결정(結晶). 물·에탄올(ethanol)에 잘 녹으며 독성(毒性)이 강함. 중위(中位)의 산화력(酸化力)을 가지며 분석 시약(分析試藥)으로 쓰임. $[H_2SeO_3; OSe(OH)_2]$

아셰트-사【一社】〔Hachette〕 명 프랑스의 출판사. 아셰트(Hachette, L. C.; 1800-64)가 1826년 자기 이름을 붙여 창립함. 고전(古典)의 출판으로 성공을 거두고, 잡지·사전 등을 출판함.

아소 감 〈옛〉 앗아라. 마소. ¶아소 님하 어마님ᄀᆞ티 괴시리 업세라 ≪樂詞 思母曲≫.

아:-소견【我所見】명 〖불교〗 자신에게 속한 모든 물건은 원래 일정한 소유주가 없는 것인데도 자기의 소유물이라고 고집하는 치우친 생각.

아소린 〔Azorín〕 명 〖사람〗 스페인의 소설가. 본명은 José Martínez Ruiz. 소위 1898년대를 대표하는 작가의 한 사람. 주요 작품에 ≪의지(意志)≫·≪스페인을 생각하면서≫ 등이 있음. [1873-1967]

아:-소모열【亞消耗熱】명 〖의〗 폐결핵 환자에 특유한 37-38°C 가량의 저온(低溫) 상승(上昇)의 열형(熱型). ＊소모열.

아소-산【一山】〔阿蘇:あそ〕 명 〖지〗 일본 규슈(九州)의 구마모토현(熊本縣)에 있는 2중식 활화산. 세계적인 대칼데라(大caldera)임. 아소 국립 공원을 이룸. [1,609m]

아소카-왕【一王】〔Asoka〕 명 〖사람〗 기원전 3세기경 인도 마가다국의 마우리아 왕조(王朝) 제3대 왕. 5천축(天竺)을 통일하고 불교를 보호·선전하여 세계적 종교로 만들고, 제3회 불전 결집(佛典結集)을 행하였음. 자선과 사회 사업을 많이 하여 그의 정치 사상은 후세에 커다란 영향을 주었음. 아육왕(阿育王). 아수가(阿輸迦). [재위 272-232 B.C.]

아소카왕 석주【一王石柱】〔Asoka〕 명 아소카왕이 각지의 불교 성지(聖地)에 세운 기념 석주. 네팔 국경 근처에 있는 석주가 원형(原形)을 남기고 있으나 부분적으로는 30개 정도가 남아 있음. 주두(柱頭)로서는 사자를 본뜬, 사르나트(sārnāth) 출토의 것이 가장 뛰어남.

아:속¹【亞屬】명 〔subgenus〕 〖생〗 속(屬)을 더 세분한, 생물 분류학 상의 한 단위.

아속²【啞俗】명 〖사람〗 김 교제(金敎濟)의 호(號).

아:-속³【雅俗】명 아담한 것과 속된 것.

아속⁴【衙屬】명 아례(衙隷).

아손¹【兒孫】명 자기의 아들과 손자.

아손²【阿飡】명 〖역〗 →아찬(阿飡).

아:-송【雅頌】명 시경(詩經) 중의 아(雅)와 송(頌)의 시(詩). 아(雅)는 정악(正樂)의 노래, 송(頌)은 조상의 공덕을 기리는 노래임.

아:송 문학【雅頌文學】명 한문학에서, 문학의 한 가지 성격을 나타내는 말. 귀족적이고 우아하고 형식적인 문학 작품을 가리킴.

아쉘 문화【一文化】〔프 Acheul〕 명 〖고고학〗 아슐리안 문화.

아쇼프 결절【一結節】〔一쩔〕 명 〖의〗 〔Aschoff's nodule; 이것을 기재(記載)한 독일의 병리학자 Karl Albere Ludwig Aschoff(1866-1942)의 이름에서 유래〕 류머티즘 결절.

아수¹ 명 〈방〉 아우¹(강원·충청).

아:수²【我修】명 〖불교〗 삼수(三修)의 하나. 불타의 몸인 법신(法身)이 진아(眞我)의 자유를 보는 법.

아수가-왕【阿輸迦王】명 〖사람〗 아소카왕(Asoka王).

아수돈【阿須頓】명 〖사람〗 '애스턴²'의 한자 표기.

아수라【阿修羅】명 〔범 asura〕 ①고대 인도의 선신(善神). 후에 전투를 즐기고 제석천(帝釋天)과 싸우는 귀신으로 육도(六道) 팔부중(八部衆)의 1인이 되었음. 아수라의 상(像)은 삼면(三面) 육비(六臂)이며, 2비는 합장(合掌)으로 되어 있음. ㊀수라(修羅). ②아수라왕(王). ③아수라도(道).

〈아수라〉

아수라-계【阿修羅界】명 〖불교〗 십계(十界)의 하나. 아수라도(阿修羅道).

아수라-궁【阿修羅宮】명 〖불교〗 아수라가 사는 궁전(宮殿).

아수라-녀【阿修羅女】명 〖불교〗 여자 아수라. 키가 크며, 해변이나 큰 바다 밑에 산다고 함.

아수라-도【阿修羅道】명 〖불교〗 육도(六道)의 하나. 교만심과 시기심이 강한 사람이 가는 악귀(惡鬼)의 세계. 아수라왕이 범천 제석(梵天帝釋)과 항상 싸우므로 전쟁이 그치지 아니함. 수라도(修羅道). 수라계(修羅界). 아수라계(阿修羅界).

아수라-왕【阿修羅王】명 〖불교〗 아수라도의 우두머리. 범천 제석(梵天帝釋)과 싸워서 정법(正法)을 멸하려는 악귀(惡鬼). 수라왕(修羅王). 아수라.

아수라-장【阿修羅場】명 수라장. ¶순식간에 ~으로 변하다.

아수롭다 형 〈방〉 아쉽다.

아수룩-하다 형여불 ①숫되고 후하다. ②되바라지지 아니하고 어리석은 듯하다. 1)·2):<어수룩하다.

아수르 〔Assur〕 명 〖지〗 아시리아 제국의 수도로, 기원전 2000년경부터 번영함. 그 폐허는 이라크 북부, 티그리스 강(Tigris江) 우안(右岸)에 있음. 1903-14년 독일 동양 학회의 콜데바이(Koldewey, K.C.) 등에 의하여 발굴됨.

아수 보다 자 〈방〉 아우 보다.

아수쿠러-하다 형 〈방〉 아리송하다. 희미하다(함경).

아수 타다 자 〈방〉 아우 타다.

아수-하다 형여불 〈방〉 아쉽다(평안). ¶어쩐지 하나의 일과를 빼놓은 것 같아 아수한 생각이 들었다≪朴榮濬 : 靑春病室≫.

아순¹【阿順】명 그 사람 마음에 들도록 비위를 맞추면서 순종(順從)함. ——-하다 자여불

아:순²【雅馴】명 ①말씨가 방정(方正)하고 필적(筆蹟)이 익숙한 모양. ②문장이 품이 높고 점잖은 모양. ——-하다 형여불

아순시온 〔Asunción〕 명 〖지〗 남미(南美) 파라과이 공화국의 수도(首都). 파라과이 강(江)에 임한 이 나라 제1의 무역항(貿易港)으로 수출입(輸出入)의 75% 이상을 차지하며, 피혁(皮革)·제분(製粉)·임산 가공(林產加工) 등의 공업도 발달함. 16세기 전반(前半)에 스페인 사람이 창건(創建)함. [500,000명(1995 추계)]

아숭쿠러:-하다 형 〈방〉 아리송하다. 희미하다(함경).

아쉬워-하다 타여불 필요할 때 모자라거나 없어서, 서운하고 만족하지 못하다. ¶이별을 ~/돈만을 아쉬워하는 세상.

아쉬-이 부 아쉽게. ¶~ 여기다.

아쉬-잡다 타 어쩔 수 없이 아쉬운 대로 잡다. ¶그 장담을 꼭은 믿을 수가 없었다. 그러나 한온이는 아쉬잡아 엄나무로 그 장담에 희망을 붙여서…≪洪命憙 : 林巨正≫.

아쉰-대로 부 〔↗아쉬운 대로〕 마음에 흡족하지 못하나 그대로. ¶그거면 ~ 쓰겠다.

아쉰 소리 명 〔↗아쉬운 소리〕 없거나 부족하여 남에게 달라고 또는 빌려고 사정하는 말. ¶이번엔 내가 ~를 해야겠다.

아쉽다 형ㅂ불 〔근대 : 아쉽다〕 ①필요할 때에 없거나 모자라서 마음에 만족하지 못하다. ¶요사이는 백 원이 ~/네가 아쉬워 부탁하지 않았니. ②아깝고 서운하다.

[아쉬운 감장수 유월부터 한다] 돈이 아쉬워서 물건답지 아니한 것을 미리 판다는 뜻. [아쉬워 엄나무 말뚝 아쉬워 엄나무 방석이라] 흡족하지 않으나 할 수 없이 쓰는 수단을 이르는 말. [아쉬워 잡아 엄나무] 아쉰 때는 가시 돋친 엄나무라도 잡는다는 뜻.

아슈르 〔Ashur〕 명 〖신〗 고대 아시리아(Assyria) 제1 왕국의 수호신. 원래 아슈르 시(市)의 수호신에서 군대·용맹 및 왕국의 수호신으로 추앙되었으며, 날개를 갖는 원반(圓盤)이나 소를 타고 뾰족한 모자에 활을 쏘는 자세를 하고 있음.

〈아슈르〉

아슈르바니팔 〔Ashurbanipal〕 명 〖사람〗 고대 아시리아(Assyria) 말기의 제왕(帝王). 이집트·시리아 등의 반란을 진압하여 대제국(大帝國)을 재건, 2만 장의 점토판(粘土板)에 아카드어(Akkad語)로 새긴 고문헌(古文獻)을 수집·정리하여 수도 니네베(Nineveh)에 큰 도서관(圖書館)을 건설함.

아슈바고샤 〔범 Aśvaghoṣa〕 명 〖사람〗 마명(馬鳴).

아슈케나지 〔Ashkenazy, Vladimir〕 명 〖사람〗 러시아 출신의 아이슬란드 피아니스트·지휘자. 엘리자베스 국제 콩쿠르, 차이코프스키 국제 콩쿠르 우승 등 화려한 수상(受賞) 경력의 소유자. 현대 최고 피아니스트의 한 사람이라는 평가를 얻음. 연주회와 레코드 녹음에 주력했으나 1975년 경부터는 지휘 활동도 함. 1989년에는 당시의 소련에서 대망의 콘서트를 실현함. [1937-]

아슈타르테 〔Ashtarte〕 명 〖신〗 페니키아(Phoenicia) 신화의 여신(女神). 신석기 시대부터 서아시아(西 Asia)에서 널리 숭배된 풍숙 다산(豐熟多產)을 나타내는 여신임. 바빌로니아 신화(Babylonia 神話)의 이슈타르(Ishtar)에 해당함.

아슈하바트 〔Ashkhabad〕 명 〖지〗 투르크메니스탄 공화국의 수도. 카라쿰 사막의 서쪽 이란 국경에 가깝고 트란스카스피안(Trans-Caspian) 철도 연선(沿線)의 요지(要地). 직물(織物)·제화(製靴)·유리 공업이 행하여짐. [411,000명(1995 추계)]

아슐리안 문화【一文化】〔Acheulean〕 명 〖고고학〗 아프리카·유럽·서아시아를 중심으로 전개된 전기(前期) 구석기 시대의 문화. 북 프랑스 아미앵 교외의 솜 강(Somme江) 단구(段丘) 위에 있는 생타쉘(Saint-Acheul)을 표준 유적으로 함. 100만년 전부터 6만년 전쯤까지 이어졌으며, 손도끼·박편 석기등을 공통적으로 가지고 있었음.

아스가르드 〔Asgardh〕 명 〖신〗 북유럽의 아사 신족(Asa 神族)이 모여 거처하던 곳. 하계(下界)와의 사이에 천교(天橋)를 놓았었다 함.

아스라-이 부 아스라하게.

아스라-하다 형여불 ①기억이 흐릿하고 아득하다. ¶아스라한 옛날. ②아슬아슬하게 높거나 가마득하게 멀다. ¶아스라한 남산 타워.

아스랗다 [—라타] 형 ㅎ불 ↗아스라하다.

아스랭이 명 〈방〉 아지랭이(충남).

아스러-뜨리다 타 덩어리를 깨뜨리어 부스러뜨리다. <으스러뜨리다.

아스러-버리다 타 ☞ 아스러뜨리다.

아스러-지다 자 ①덩어리가 깨지어 부스러지다. ②살이 깨지어 벗어지다. 1)·2): <으스러지다.

아스러-트리다 타 아스러뜨리다.

아스록 【ASROC】 명 〔anti-submarine rocket의 약칭〕〖군〗 미국 해군의 대(對)잠수함 자동 추격 어뢰(魚雷). 호위함(護衛艦)에 장비하는데, 어뢰를 공중으로 발사하면 어뢰는 목표 근처에서 낙하산을 펴고 착수(着水)한 다음 수중(水中)으로 들어가 호밍(homing) 어뢰처럼 목표를 추적함. 「拜).

아스르 〔아랍 'aṣr〕 명〖이슬람〗 시대(時代). 오후(午後). 오후 예배(禮

아스름-하다 형여불 ☞ 아슴푸레하다. ¶꿈은 있지만 잊어버린 옛날 꿈과 같은 아스름한 꿈이다≪洪性裕 : 사랑과 죽음의 세월≫.

아스마라 〔Asmara〕 명 〖지〗 에티오피아 에리트레아(Eritrea) 주의 주도. 해발(海拔) 2,330 m의 고지(高地)에 있으며, 65 km 떨어진 홍해(紅海) 연안의 항구 마사와(Massawa)와 철도로 연결됨. 19세기에는 이집트의 통치하에 있다가 1889년 이탈리아에 점령되어 제2차 세계 대전 후에는 영국 신탁 통치령이 되었으며, 1952년에 에티오피아령(領)이 됨. [474,000 명(1981 추계)]

아스만 〔Assmann, Richard〕 명 〖사람〗 독일의 기상학자. 1905년 린덴베르크 고층 기상대(氣象臺)의 초대 대장이 되어 많은 관측과 연구를 지도함. 프랑스의 테스랑 드 보르(Teisserenc de Bort)와는 별도로 성층권(成層圈)을 발견하고, 아스만 통풍 건습계(通風乾濕計)를 발명함. [1845-1918]

아스만 통풍 건습계 【—通風乾濕計】 명 〔Assmann psychrometer〕 아스만이 고안한 건습계. 건습 두 개의 수은 온도계의 구부(球部)에 용수철 장치의 회전 날개로 통풍하여, 5분 후에 눈금을 읽음. 햇빛 가리개도 있어, 야외 습도 측정에 알맞음.

아스베스토 〔ㅅ asbesto〕 명 〖광〗 아스베스토스(asbestos).

아스베스토스 〔asbestos〕 명 〖광〗 석면(石綿).

아스베스토스 시멘트 〔asbestos cement〕 명 석면과 시멘트를 혼합한 것으로, 열차단(熱遮斷)에 특효가 있으며 난방 배관(暖房配管) 등에 특히 많이 쓰임.

아스비에른센 〔Asbjörnsen, Peter Christen〕 명 〖사람〗 노르웨이의 자연과학자·민화(民話) 수집가. ≪노르웨이 민화집≫·≪노르웨이 요정담(妖精譚)과 구비(口碑)≫ 등을 출판하여 뒷날의 창작가(創作家)들에게 취재(取材)의 보고(寶庫)로 되어 있음. [1812-85]

아스세노스피어 〔asthenosphere〕 명 〖지〗 연약권(軟弱圈).

아스스 부 차고 싫은 기운이 몸에 사르르 일어나는 모양. <오스스·으스스. ——-하다 형여불

아스완 〔Aswan〕 명 〖지〗 나일 강 중류에 있는 이집트의 도시. 옛날부터 이집트 오지(奧地)와의 교통의 요지(要地)이며, 카이로와는 철도로 연결됨. 부근에 큰 댐(dam)이 있고 관광지이기도 함. 동계 보양지(冬季保養地). [145,000 명(1981 추계)]

아스완 댐 〔Aswan Dam〕 명 〖지〗 아스완에 있는 댐. 나일 강의 물을 조절하여 사막을 경지화(耕地化)할 목적으로 1902년에 완성하였고, 1907년·1912년·1933년에 개축(改築)·확장하였음. 길이 2,140 m, 높이 51 m, 저수량 55억 m^3임.

아스완 하이 댐 〔Aswan High Dam〕 명 이집트의 나일 강의 중류, 아스완 댐의 상류(上流) 7 km 지점(地點)에 건설된 관개·발전용의 댐. 높이 111 m, 길이 3,600 m, 저수량 1,549억 m^3로 세계 제1임. 1960년에 착공, 1971년에 완성됨. 발전량은 연간 100억 kW.

아스카 〔飛鳥 : あすか〕 명 〖지〗 일본 나라 현(奈良縣)에 있는 아스카 촌(明日香村) 부근 일대의 일컬음. 스이코(推古) 천황이 즉위(卽位)한 후 100여 년 동안 도읍하였던 곳으로, 야마토(大和) 조정의 정치·문화의 중심을 이루었음. 다치바나(橘) 절·다카마쓰총 고분(高松塚古墳)·마루야마(丸山) 고분 외에도 사적(史跡)이 많음.

아스카 시대 【—時代】 〔일 飛鳥 : あすか〕 명 〖역〗 ①일본 스이코 천황(推古天皇)으로부터 겐메이 천황(元明天皇)까지 백여 년간의 시대. 나라(奈良)의 남쪽 아스카 지방에 도읍을 정하고, 불교를 통해 대륙으로부터 새로운 문화를 받아들이고 수(隋)나라와의 국교 개시, 여러 제도의 신설·정비 등 중앙 집권 국가 건설이 활발했던 시대임. 아스카 지방에는 한국과 중국의 귀화인(歸化人)이 많아서 대륙 문명이 일찌기 수입되어 불교 미술이 발달하였음. [592-710] ②미술사(美術史)에서, 불교가 전래한 긴메이 천황(欽明天皇)으로부터 다이카(大化)의 개신(改新)까지, 쇼토쿠 태자(聖德太子)를 중심으로 한 시대. 일본 최고(最古)의 불교 문화가 찬란히 꽃피었던 시대임. [552-645]

아스케 〔Aske〕 명 〖신〗 북구(北歐) 신화의 주신(主神). 오딘(Odin)이 물푸레나무로 만든 최초의 남자. 오리나무로 만든 최초의 여자 엠프라와 함께 인류의 조상이 됨.

아스코르브-산 【—酸】 〔askorbic acid〕 명 〖화〗 수용성(水溶性) 비타민의 하나. L-아스코르브산은 '비타민 시(C)'라고도 함.

아스코르브산 나트륨 【—酸—】 명 〔sodium ascorbate〕 〖화〗 냄새가 없는 백색(白色)의 결정(結晶). 물에 잘 녹으나 알코올에는 녹지 않으며 218°C에서 분해(分解)함. 비타민 C 결핍증(缺乏症)의 치료(治療)에 쓰임. [$C_6H_7O_6Na$]

아스콘-류 【—類】 〔Ascon〕 〔—뉴〕 명 〖동〗 등강목(等腔目).

아스콘-형 【—型】 명 〔Ascon type〕 〖동〗 석회해면류(石灰海綿類) 중 구계(溝系)가 가장 간단한 형으로 모든 해면 동물이 발생 초기에 이 형의 구조를 보임. 단순한 원통(圓筒) 또는 항아리 모양을 하고 있으며, 물이 체벽(體壁)의 작은 구멍을 통하여 위강(胃腔)에 도달하여 여기에서 소화·흡수·호흡·배출이 이루어진 다음 위의 큰 구멍으로 나감. * 사이콘형·류콘형.

아스클레피오스 〔Asklepios〕 명 〖신〗 그리스 신화의 의술(醫術)의 신(神). 아폴론(Apollon)의 아들로 기사 회생(起死回生)의 술에 능하였음. 찾아드는 환자가 많아 신전을 세워 최초의 병원으로 하였음. 지상의 모든 것을 아는 뱀에게서 배운 약초와 최면술로 치료를 했다고 함. 로마에서는 아스클레피우스(Asclepius)로 일컬음.

아스클레피오스의 지팡이 〔Asklepios〕 〔— / —에—〕 명 뱀이 감긴 지팡이. 의술(醫術)의 상징임.

아스키 코:드 〔ASCII code〕 명 〔ASCII는 American Standard Code for Information Interchange의 약칭〕 미국 규격 협회가 제정한 정보 교환용 표준 코드. 정보 처리 시스템, 통신 시스템 및 이에 관련된 장치에서 정보를 교환하기 위해 쓰이는 부호화(符號化)한 문자 체계. 이소(ISO) 부호 등의 기초가 되었으며 컴퓨터의 표준 코드로서 가장 많이 보급됨. 미국 정보 교환 표준 코드.

아스타일 명 〖건〗 ↗아스팔트 타일.

아스타틴 〔astatine〕 명 〖화〗 할로겐족의 방사성 원소. 천연적으로 극소량이 존재하며, 1940년초 처음으로 핵반응(核反應)에 의해 인공적(人工的)으로 만들어졌음. 화학적 성질은 무거운 할로겐과 유사하고 벤젠에 녹으며 물에는 약간 녹음. 13개의 동위체가 있고 가장 긴 반감기(半減期)의 동위체의 질량수는 210. [85번 : At]

아스테로이드 〔asteroid〕 명 〖수〗 아스테로이드호(弧).

아스테로이드-호 【—弧】 〔asteroid〕 명 〖수〗 어떤 일정한 원에 그 원의 4분의 1의 반지름을 갖는 원이 내접하여 떨어지지 않고 굴러 갈 때, 그 원주상의 한 정점이 그리는 곡선. 아스테로이드.

〈아스테로이드호〉

아스테록실론 〔asteroxylon〕 명 〖식〗 데본기(紀) 중엽(中葉) 소택지(沼澤地)에서 자라다가 사라진 가장 오랜 육상(陸上) 식물인 프실로피톤류(Psilophyton類)에 속하는 식물. 줄기는 1-10 mm 가량의 가시 모양의 잎으로 덮였고 횡단면의 모양이 별 모양임. 가지 끝에 작은 포자낭(胞子囊)이 붙어 있고 잎은 비늘 모양임.

아스테어 〔Astaire, Fred〕 명 〖사람〗 미국의 무용가·영화 배우. 5세부터 춤을 추기 시작하였고, 1916년 브로드웨이에서 데뷔하여 경묘 쇄탈(輕妙洒脫)하고 기품(氣品) 있는 탭댄스로 최고의 지위(地位)를 차지함. 1933년 이래로 영화에도 출연(出演)하여 그 춤과 독특한 멋으로 인기(人氣)를 얻음. [1899-1987]

아스테카 왕국 【—王國】 〔Azteca〕 명 〖역〗 아스테크족이 세운 왕국. 12세기 중기(中期)에 멕시코 고원 중부에 진출, 14세기 중엽에 지금의 멕시코 시티를 건설했음. 판도(版圖)는 고원 일대에 미쳤는데, 마야(Maya)·톨테카(Tolteca)의 문명을 계승하여 군사적 정치적으로 뛰어난 조직을 가졌었음. 거대한 피라미드형(pyramid型) 건축 정상(頂上)에 있는 제단(祭壇)에서는 특이한 다신교를 기초로 한 종교 행사(宗敎行事)가 행하여졌음. 1519년경 스페인 사람 코르테스(Cortés)에게 정복당함으로써 멸망(滅亡)됨.

아스테크-족 【—族】 〔Aztec〕 명 〖인류〗 〔학(鶴)의 백성이란 뜻〕 멕시코 고원에 살던 인디언의 한 부족. 1220년경 통일을 이룩하고 멕시코시티를 건설하여 종교적 색채가 짙은 독특한 문화를 발달시켰으나, 1519년 스페인 사람 코르테스(Cortés)에게 정복당한 후 세력이 쇠퇴하여 스페인의 지배를 받게 되었음.

아스테크타노 대:어족 【—大語族】 〔Aztec-Tano〕 명 〖언〗 아메리카 인디언어(語)의 한 어족.

아스투리아스[1] 〔Asturias〕 명 〖지〗 스페인 북서부(北西部) 비스케이 만(Biscay 灣)에 면한 지방명. 중심지는 오비에도(Oviedo)이고 좁은 해안 평야의 배후에 칸타브리아(Cantabria) 산맥이 솟아 있음. 목축(牧畜)이 성하고 석탄·석유 자원도 풍부하며 제철 공업이 행하여짐. 8세기 경 이슬람교도를 쳐부수고 기독교도들의 국토 회복 운동의 거점(據點)이 되었음.

아스투리아스[2] 〔Asturias, Miguel Angel〕 명 〖사람〗 남미(南美) 과테말라의 시인·소설가·외교관. 전위(前衛) 시인으로 출발했으나, 1947년 ≪대통령 각하≫로써 사회 소설로 전향, ≪강풍(強風)≫·≪초록색의 교황≫·≪사자(死者)의 눈≫을 통해 사회의 모순을 날카롭게 비판함. 주불 대사(駐佛大使)로 있던 1967년 노벨 문학상을 수상하였음. [1899-1974]

아스트라한[1] 〔Astrakhan〕 명 〖지〗 카스피 해의 볼가 강구 삼각주 위에 있는, 러시아 연방 남서부의 아스트라한 주의 주도. 카스피 해의 해운(海運)·어업(漁業)의 중심지이고 조선(造船)·제재·제지 공업이 행하여지며 군사·상업의 요지임. [470,000 명(1981 추계)]

아스트라한[2] 〔astrakhan〕 명 ①러시아 연방의 아스트라한(Astrakhan) 지방에서 나는, 새끼 양의 검고 윤이 나며 꼬불꼬불 말린 털이 붙은 모피(毛皮). 아스트라한 모피. ②무명천에 꼬불꼬불하게 말린 긴 털을 짜넣은 직물(織物) 또는 아스트라한 모피 비슷하게 짠 벨벳의 일종. 외투지·목도리·모자를 만드는 데 씀. ③아스트라한 모피나 직물로 만든 모자. ④뜨개질에 쓰는 털실의 한 가지.

〈아스트라한[2]❸〉

아스트라한 모피 【—毛皮】 〔astrakhan〕 명 아스트라한[2] ❶.

아스트라한 한국 【—汗國】 〔Astrakhan〕 명 〖역〗 15세기 중엽 킵차크

(Kipchak) 한국 말기에 왕후 카심이 러시아 연방의 볼가 강 연변의 아스트라한을 중심으로 세운 나라. 한때 볼가 강·우랄 강 유역을 지배했으나 5대 만에 러시아의 이반 4세에게 멸망당함.

아스트롤라:베 〔도 Astrolabe〕 명 ①중세(中世)에 아라비아·유럽에서 사용한 천문 관측 기계. 둥근 고리에 눈금을 새기고, 천체의 위치를 가리키는 지침(指針)을 붙였음. ②천체의 고도를 측정하는 휴대형(携帶型) 기계. 아스트롤라비움.

아스트롤라비움 〔라 astrolabium〕 명 아스트롤라베.

아스트린젠트 〔astringent〕 명 ①수렴성(收斂性). 수렴제. ②수렴성이 많은 화장수(化粧水). 피지(皮脂)나 땀의 분비를 저하시키고, 피부를 탄력 있게 하는 효과를 가짐. 기초 화장, 특히 목욕 후에 땀을 막기 위해 바름. 아스트린젠트 로션.

아스트린젠트 로:션 〔astringent lotion〕 명 아스트린젠트❷.

아스파라거스 〔asparagus〕 명 『식』 〔*Asparagus officinalis*〕 백합과에 속하는 다년초. 잎은 퇴화하여 갈색의 인편(鱗片)처럼 되고, 가는 가지가 잎의 대용으로 되어 있으며, 자웅 이주(異株)로 곤 모양의 굵은 뿌리와 짧은 괴상근(塊狀根)이 있음. 초여름에 담황색의 작은 꽃이 피고, 장과(漿果)는 적색이며 흑색 씨가 있음. 어린 순(筍)은 서양 요리로 식용함. 유럽 원산(原產)인데, 관상용으로 많이 재배함. ＊토당귀(土當歸)·천문동(天門冬).

〈아스파라거스〉

아스파라기나아제 〔asparaginase〕 명 『약』 급성 백혈병(白血病)이나 악성 림프선종(腺腫)의 치료약. 본질(本質)은 다른 제암약(制癌藥)과는 달리 아스파라긴을 가수 분해하여 아스파르트산과 암모니아를 만드는 효소(酵素)임. 특히, 소아(小兒)의 급성 백혈병에 특효가 있는 것으로 높이 평가되고 있음.

아스파라긴 〔asparagine〕 명 『화』 α-아미노산(酸)의 하나. 처음 아스파라거스에서 발견되었음. 식물계(植物界)에 널리 분포되어 있으나, 특히 감자나 싹튼 콩류(類) 등에 많이 함유됨. 사방 정계 결정(斜方晶系結晶)으로 열탕(熱湯)에 녹으며 불쾌한 맛이 남. 생체 안에서 질소(窒素)의 저장 및 공급의 일을 함. [$C_4H_8O_3N_2$]

아스파르타아제 〔aspartase〕 명 『화』 푸마르산(fumaric acid)에 암모니아를 넣어 L-아스파르트산을 생성하는 가역 반응(可逆反應)을 촉매(觸媒)하는 효소(酵素). 어떤 종류의 세균·효모(酵母)에서 발견되며 공업적으로 아스팔트산을 만드는 데 이용됨.

아스파르테임 〔aspartame〕 명 『화』 아미노산으로부터 합성되는 인공 감미제(人工甘味劑). 냄새 없는 결정체로 물에는 약간 녹음. 달기가 설탕의 150-200배로 청량 음료·식탁용 감미료 외에 각종 식품에 저칼로리(低 calorie) 설탕 대용으로 쓰임. [$C_{14}H_{18}N_2O_5$]

아스파르트-산 【—酸】 명 〔aspartic acid〕 『화』 아스파라긴을 가수 분해하여 얻는 산성(酸性) 아미노산의 일종. 많은 단백질 속에 포함되어 생체(生體) 안의 세포의 대사(代謝)에 중요한 역할을 함. [$C_4H_7O_4N$]

아스팍[1] 【ASPAC】 명 〔Asian and Pacific Council의 약칭〕 아시아 태평양 이사회.

아스팍[2] 【ASPAC】 관 〔Asian-Pacific〕 아시아 태평양의. ¶～ 영화제(映畫祭).

아스팔트 〔asphalt〕 명 ①『화』 고체 또는 반고체의 역청질(瀝青質) 혼합물. 주성분은 복잡한 탄화 수소이지만 일반적으로 황과 약간의 질소 및 산소의 화합물을 포함하고 있으며 천연적으로 산출되는 것은 그 밖에 많은 무기물을 포함하고 있음. 석유(石油)가 지층 속에서 자연의 증류 작용을 받아 생기는 것과 석유를 정제할 때 잔류물로 얻어지는 것이 있는데, 전자를 천연 아스팔트, 후자를 석유 아스팔트라고 하며, 대부분 석유 아스팔트로 생산됨. 빛은 검거나 흑갈색이며 점착성·탄성·전성(展性)이 풍부하고 도로 포장·방수(防水) 및 방습(防濕) 등의 건축 재료와 전기 절연 등에 이용됨. 지역청(地瀝青). 토역청(土瀝青). ②아스팔트로 포장한 도로.

아스팔트-길 〔asphalt〕 〔—낄〕 명 아스팔트로 포장된 길.

아스팔트 도료 【—塗料】 명 〔asphalt paint〕 휘발성 용제(揮發性溶劑)에 아스팔트질(質)의 물질을 녹인 도료. 안료(顏料)·건성유(乾性油)·수지(樹脂) 등을 첨가하는 수도 있음.

아스팔트 문학 【—文學】 〔도 Asphalt〕 명 『문』 나치스가 문화 숙청을 단행하면서 반나치스적 문학에 붙인 명칭. 당시의 사회주의적 내지 코즈머폴리턴적(cosmopolitan的) 경향의 문학을 향토감·국가관이 결여되었다고 규정하여 금지했음.

아스팔트-유 【—油】 명 〔oil asphalt〕 석유(石油)를 증류(蒸溜)할 때, 타르를 제거(除去)하고 남는, 물에 녹지 않는 중질(重質)의 찌끼. 루핑·도장재(塗裝材)·피복재(被覆材) 등으로 쓰임.

아스팔트-지 【—紙】 명 〔asphalt paper〕 아스팔트로 피복(被覆)하거나 아스팔트를 먹인 종이. 루핑 등에 쓰임.

아스팔트 콘크리:트 〔asphalt concrete〕 명 아스팔트를 녹여 자갈이나 쇄석(碎石)을 섞은 것으로 도로 포장(鋪裝)에 쓰이는 물건.

아스팔트 타일 〔asphalt tile〕 명 『건』 석유 아스팔트·석면(石綿)·합성 수지(合成樹脂)·안료(顏料) 등을 가열, 혼합(混合)하여 얇은 판때기 모양으로 만든 건축 재료. 보통 두께는 3mm, 길이는 30cm로 접착제를 칠해서 바닥에 붙임. ㊥아스타일.

아스팔트 펠트 〔asphalt felt〕 명 종이 섬유나 동식물성 섬유를 섞은 종이에 스트레이트 아스팔트를 삼투시킨 것. 방수층(防水層)·지붕의 방습(放濕) 바탕·외벽 방습지 등으로 쓰임.

아스팔트 포장 【—鋪裝】 명 〔asphalt pavement〕 도로 바닥에 자갈 따위를 깔고 아스팔트 콘크리트로 표면을 포장하는 일. 또, 그 포장. ——-하다 타여불

아스팔트 포장 기계 【—鋪裝機械】 명 〔blacktop paver〕 토목·건설 기계의 하나. 도로(道路) 건설에서, 도로면(道路面)에 일정한 두께로 역청질(瀝青質)의 혼합물을 포설(鋪設)함.

아스팔트-피니셔 〔asphalt finisher〕 명 아스팔트 포장 기계의 하나. 운반되어 온 아스팔트 혼합물을 노반(路盤) 위에 정해진 폭과 두께로 깔아 다지는 기계.

아스페르길루스 니게르 〔Aspergillus niger〕 명 검은곰팡이.

아스페르길루스 오리제 〔Aspergillus oryzae〕 명 누룩곰팡이.

아스피레이터 〔aspirator〕 명 『물』 공기 또는 수증기를 빨아들이기 위한 장치. 간단한 공기 펌프 등을 이용하여 기류(氣流)를 발생시키거나 또는 공기를 회박하게 하여 빨아들임. 수류 펌프(水流pump)·흡입기(吸入器) 등이 있음. 흡기기(吸氣器) ＊기화기(氣化器).

아스피린 〔도 Aspirin〕 명 『약』 아세틸살리실산(Acetylsalicyl酸)의 상품명. 백색 결정성(結晶性)의 가루로, 거의 냄새가 없고 상온(常溫) 물에 약간 녹으며, 끓는 물·주정(酒精)·에테르에는 잘 녹음. 널리 해열제(解熱劑)로 쓰이며 진통제로서 관절(關節) 류머티즘·신경통(神經痛) 등에 쓰임.

아스피크 〔프 aspic〕 명 프랑스식(式)의 냉요리(冷料理)의 하나. 살코기·햄·생선·새우·야채 등을 배합하여 만든 콩소메(consommé) 수프에 젤라틴을 녹여 굳힌 젤리.

아스피테 〔도 Aspite〕 명 『지』 순상 화산(楯狀火山).

아슥아슥-하다 형여불 여러 개가 모두 한쪽으로 조금 비뚤어지다.

아슬랑-거리다 자 몸이 작고 키가 작은 사람이나 짐승이 맥을 놓고 아주 느리게 걷다. ＜어슬렁거리다. **아슬랑-아슬랑** 부. ——-하다 자여불

아슬랑-대다 자 아슬랑거리다.

아슬랑-이다 자 몸피가 작은 사람·동물이 급하지 않게 찬찬히 걸어다니다. ＜어슬렁이다.

아슬로 검:사 【ASLO檢査】 명 〔ASLO는 antistreptolysin-O의 약칭〕 『의』 류머티즘의 병원(病原)과 관계가 있는, 용혈성 연쇄 구균(溶血性連鎖球菌)의 균체(菌體) 성분인 스트렙톨리신(streptolysin) O 항체(抗體)를 검출하는 방법. 류머티즘 진단에 중요시되고 있음.

아슬-아슬 부 ①매우 위태한 고비를 당하여 몸에 소름이 끼치게 두려움을 느끼는 모양. ¶～한 묘기/～하게 살아나다. ②소름이 끼칠 듯이 연해 차가운 느낌이 드는 모양. ¶오후가 되면 ～ 오한이 들면서 열이 났습니다《崔貞熙 : 끝없는 낭만》. ＜오슬오슬·으슬으슬. ＊어슬어슬. ——-하다 형여불

아슴-아슴 부 〈방〉 아슴푸레하게. ¶금방 헤어지긴 했습니다만 ～ 기억이 납니다요《金周榮 : 客主》.

아슴찮다 형 〈방〉 고맙다(함경).

아슴츠레-하다 형여불 ☞아슴푸레하다.

아슴푸레 부 ①밝지도 어둡지도 않으면서 희미하게 흐린 모양. ②기억(記憶)이 잘 나지 않고 좀 흐리마리한 모양. ¶ ～한 기억을 더듬다. ③똑똑히 보이거나 들리지 않고 흐리고 희미한 모양. ¶～ 들려 오는 종소리. 1)-3) : ＜어슴푸레. ——-하다 형여불

아슴푸릇-하다 형 〈방〉 아슴푸레하다.

아습 명 소나 말의 아홉 살.

아승기 【阿僧祇】 ㊀ 명 〔범 asaṁkheya〕 『불교』 무한히 긴 시간. 무량(無量)의 대수(大數). 승기(僧祇). ㊁ 수 ①항하사(恒河沙)의 억 배(億倍), 나유타(那由他)의 억분(億分)의 일의 수. 곧, 10^{104} 또는 10^{64}. ②항하사의 만 배(萬倍). 나유타의 만 분(萬分)의 일의 수. 곧 10^{56}. 아증기(阿增祇). ＊대수(大數).

아승기-겁 【阿僧祇劫】 명 『불교』 무량겁(無量劫).

아승지 【阿僧祇】 수 〈속〉 아승기(阿僧祇).

아시[1] 명 〈방〉 ①아우[1](경기·강원·제주). ②애벌(제주·전라·경상·충청).
아시 갈다 구 〈방〉 애벌 갈다(경상).
아시 갈이 구 〈방〉 애벌 갈이(경상).

아시[3] 【阿氏】 명 '아씨'의 취음(取音).

아시[4] 부 〈방〉 애초(경상).

아시냐 지폐 【—紙幣】 〔프 assignat〕 명 『경』 프랑스 혁명 시절 (1789-96)에 발행된 불환 지폐(不換紙幣). 재정난 타개의 목적으로 발행했으나, 남발(濫發)로 인한 경제계의 혼란으로 1796년 총통 정부(總統政府)에 의하여 폐지됨.

-아시뇨 어미 〈옛〉 -았느뇨. ¶四祖ㅣ 便安히 몯 겨샤 현고돌 올마시뇨(四祖莫寧息幾處徙厥宅)《龍歌 110章》.

-아시니 어미 〈옛〉 -으시니. ¶빗근 남긔 누라 나마시니(于彼橫木 又飛越兮)《龍歌 86章》.

-아시니이다 어미 〈옛〉 -신 것입니다. ¶肇基朔方올 뵈아시니이다(肇基朔方實維趣只)《龍歌 17章》.

-아시놀 어미 〈옛〉 -시거늘. =-어시놀. ¶옷과 마리롤 路中에 펴아시놀 普光佛이 또 授記ㅎ시니 《月釋 Ⅰ:4》.

아시-덩게 명 〈방〉 왕겨(경남).

아시도시스 〔acidosis〕 명 『의』 산독증(酸毒症). ↔알칼로시스(alkalosis).

-아시든 어미 〈옛〉 -시거든. ¶사르믈 보아시든 몬져 말ㅎ시며 《月釋 Ⅱ:58》.

아시-등겨 명 〈방〉 왕겨(경상).

아시-등기 명 〈방〉 왕겨(경남).

아시-딩게 명 〈방〉 왕겨(경북).

아시랭이 명 〈방〉 아지랭이(충청).

아시르 〔Asir〕 명 『지』 사우디아라비아 남서부의 홍해(紅海)에 면한 지

방. 남북 약 320 km, 동서 약 280 km이며 중심 도시는 아브하(Abha)이고 해안부는 평야, 내륙은 산지(山地)로 기후도 좋음. [103.931 km²: 약 100만명]

아시르-곶 【一串】〔Asir〕 명 〖지〗 라스아시르곶.

아시리아 〔Assyria〕 명 〖역〗 아시아 서남부, 티그리스·유프라테스 강(江) 상류 지역의 옛 이름. 또, 여기서 일어난 셈계(sem系) 아시리아인(人)의 제국(帝國). 기원전 2,500년경에 아수르를 중심으로 도시 국가를 형성함. 기원전 7세기 니네베(Nineveh)를 수도(首都)로 하여 지중해 연안·소(小)아시아·이집트를 정복, 기원전 612년 메디아(Media)와 신(新)바빌로니아에 멸망함.

아시리아-어 【一語】〔Assyria〕 명 〖언〗 셈어족(Sem語族)에 속하는 언어. 고대 메소포타미아에서 쓰인 아카드어(Accad語)의 방언. 옛 아카드어가 둘로 갈리어 바빌로니아어(語)와 아시리아어가 됨. 아시리아어라는 이름이 아카드어 전체를 지칭한 적도 있음.

아시리아-학 【一學】〔Assyria〕 명 설형(楔形) 문자와 그것을 사용한 여러 민족의 언어·역사·문화 등을 연구하는 학문. 오리엔트 고대사 연구의 중요한 한 부문으로, 연구를 시작할 때 아시리아 지방을 중심으로 한 데서 이렇게 부름.

아시모프 〔Asimov, Isaac〕 명 〖사람〗 러시아 태생의 미국의 공상 과학 소설(空想科學小說) 작가·화학자. 보스턴 대학에서 교편(敎鞭)을 잡는 한편 공상 과학 소설을 집필. 로봇을 소재(素材)로 한 것과 대미래사(大未來史) 로망 ≪은하 제국(銀河帝國)의 흥망≫ 등 외에 각종 과학 계몽서(啓蒙書)도 많음. [1920-92]

아시 빨래 명 〈방〉 애벌 빨래(경상). ——-하다 자

아시시 〔Assisi〕 명 〖지〗 이탈리아 중부, 움브리아(Umbria) 지방의 도시. 성(聖)프란체스코의 고향. 치마부에(Cimabue)·지오토(Giotto) 등의 벽화로 유명한 성당과 성프란체스코 수도원이 있음. [24,000명(1981 추계)]

아시아 〔Asia〕 명 ①〖역〗 소아시아의 서부 해안 지방에 두었던 로마의 현명(縣名). 에베소와 같은 뜻으로 중심지는 에베소였음. ②〖지〗 아시아 주(Asia洲). 음역(音譯):아세아(亞細亞).

아시아 개발 기금 【一開發基金】 명 〔Asia Development Fund; ADF〕 아시아 개발 은행이 대부 조건이 좋은 장기 저리 차관(長期低利借款)의 자금을 마련하기 위하여, 1974년 발족시킨 기금. 선진(先進) 17개국이 21억 5천만 달러를 갹출하여 발전 도상 가맹국에 대하여 무이자, 연 1 %의 수수료, 10년 거치 40년 상환이라는 유리한 조건으로 개발 금융을 행함. 뉴 펀드(New Fund). 에이 디 에프.

아시아 개발 은행 【一開發銀行】 명 〔Asian Development Bank; ADB〕 아시아 지역의 개발을 위한 경제 협력 촉진을 목적으로 하는 국제 금융 기관. 1966년에 발족. 본점은 마닐라에 있음. 가맹국은 역내(域內) 35, 역외(域外) 16으로 모두 51개국. 우리 나라는 창립 회원국임. 에이 디 비.

아시아 경:기 대:회 【一競技大會】〔Asia〕 명 국제 올림픽 위원회가 공인(公認)하는 지역 경기 대회. 1978년까지는 아시아 경기 연맹(Asian Games Federation; AGF), 그 이후 아시아 올림픽 평의회(Olympic council of Asia; OCA)가 주최하여 4년마다 국제 올림픽 대회의 중간 해에 열림. 1951년 뉴델리에서 제1회 대회가 열렸으며, 그 후 회원 각국에서 돌려가며 개최하여 1986년 제10회 대회는 우리 나라에서 개최하였음. 아시아 올림픽 대회. 아시안 게임.

아시아 구:제 연맹 【一救濟聯盟】〔Asia〕 명 〖사〗 '라라(LARA)'의 역어.

아시아 극동 경제 위원회 【一極東經濟委員會】〔Asia〕 명 '아시아 태평양 경제 사회 위원회'의 전신. 에카페(ECAFE).

아시아 달러 〔Asia-dollar〕 명 〖경〗 싱가포르를 중심으로 홍콩·마닐라 등 동남 아시아 지역의 금융 시장에 모여 있는 비거주자(非居住者)의 달러 예금. *유러달러.

아시아 동:물 지리구 【一動物地理區】 명 〔Oriental zoogeographic region〕이란 반도로부터 동쪽으로 인도(印度)를 거쳐 인도네시아의 보르네오·필리핀까지를 포함하는 동물 지리구.

아시아-면 【一棉】〔Asia〕 명 아시아에서 재배하는 목화인 *Gossypium arboreum*, *G. nonking* 및 *G. herbaceum*의 통칭. 앞의 두 개는 중국·한국·일본 등지의 재래종(在來種)이고, 후자는 인도차이나 반도 이서(以西)에 분포함. 면모(棉毛)는 육지면보다 굵고 짧아 9-23 mm 내외이어서 방적용으로 부적합하며, 이불 솜으로 적당함.

아시아 방:송 【一放送】〔Asia〕 명 아세아 방송.

아시아 방:송 연합 【一放送聯合】〔一년一〕 명 〔Asian Broadcasters Union; ABU〕 아시아 태평양 방송 연맹.

아시아식 농업 【一式農業】〔Asia〕 명 〖농〗 동남 아시아에서 행하여지는 농업 형태. 주로 용수(用水)에 의하여 논을 경작하며 집약적이고 영세성을 벗어나지 못함.

아시아-실:잠자리 〔Asia〕 명 〖충〗 〔*Ischnura asiatica*〕 실잠자릿과에 속하는 잠자리. 배의 길이 21-24 mm, 뒷날개 길이 12-24 mm, 수컷의 눈 뒤에 있는 무늬는 작고 둥글며, 전견조(前肩條)는 매우 가늚. 배와 등은 흑색인데 제9절만 담청색임. 암컷에는 등색의 것과 녹색의 것이 있음. 한국에도 분포함.

〈아시아 실잠자리〉

아시아 아프리카 그룹: 명 〔Asian-African Group〕 주로 국제 연합을 무대로 활약하고 있는 아시아 아프리카 제국(諸國)의 통칭. 1950년말부터 활동을 시작한 아시아 아랍 그룹이 확대된 것으로, 소위 반둥 회의의 정신을 기본으로 하고 있음. 1960년대에 들어와 국제 연합내의 최대 그룹으로 됨. 약칭:에이 에이(AA) 그룹.

아시아 아프리카 회:의 【一會議】〔一/一이〕 명 〔Afro-Asian Conference〕 〖정〗 1955년 4월에 인도네시아의 반둥(Bandung)에서 개최된 아시아와 아프리카 제국의 국제 회의. 인도·파키스탄·인도네시아·버마·스리랑카 등 5개국이 주도하고 29개국이 참가하여 반제국주의·반식민지주의와 냉전(冷戰) 상황에서의 중립을 선언하고 각국 상호간의 주권 존중, 상호 불가침, 내정 불간섭, 평화 공존 등 세계 평화 강화를 내용으로 하는 10원칙을 결의했음. 아아(亞阿) 회의. 에이 에이(A.A.) 회의. 반둥 회의.

아시아 영화제 【一映畫祭】〔Asia〕 명 아시아 영화 제작자 연맹이 주최하는 동양의 국제적 영화제. 제1회 영화제는 1954년 일본 도쿄에서 열렸으며, 한국은 제4회 영화제 때부터 출품함.

아시아 올림픽 대:회 【一大會】〔Asia Olympic〕 명 '아시아 경기 대회'의 속칭(俗稱).

아시아 올림픽 평의회 【一評議會】〔一/一이一〕 명 〔Olympic Council of Asia〕 오 시 에이(OCA).

아시아 의원 연맹 【一議員聯盟】 명 〔Asian Parliamantarians Union〕 〖정〗 아시아의 자유 진영(自由陣營)에 속하는 여러 나라의 국회 의원이 정치·경제·문화면에서 협력하고 결속(結束)을 강화(強化)할 목적으로 결성된 연맹. 1965년 한국·일본·자유 중국 등 8개국으로 발족했으나 1981년 발전적으로 해체함. 이어 아세아 태평양 의원 연맹이 결성됨. 약칭: 에이 피 유(A.P.U.)

아시아-인 【一人】〔Asia〕 명 아시아 제국(諸國)의 민족.

아시아 인종 【一人種】〔Asia〕 명 〖인류〗 몽고 인종(蒙古人種).

아시아 인플루엔자 명 〔Asian Influenza〕 〖의〗 1957년에 유행한 A-2형(型) 인플루엔자 바이러스에 의한 급성(急性) 인플루엔자의 속칭.

아시아 재단 【一財團】〔Asia〕 명 아시아의 장기적 개발에 관심을 가진 미국의 사회 저명 인사들이 중심이 되어 만든 비영리(非營利) 단체. 샌프란시스코에 본부를 두고 1954년에 창설, 교육·법률과 행정·지역 협동·도시와 농촌 문제·기업 경영·인구 및 가족 계획 등 각 분야에 걸친 지원을 목적으로 함. 우리 나라에서도 도시 계획 자금 지원, 사회 각계층 인사들의 외국 시찰 후원, 학자들에 대한 연구비와 참고 자료 제공, 국제 회의 개최 지원 등 많은 기여(寄與)를 함.

아시아적 생산 양식 【一的生產樣式】〔Asia〕〔一냥一〕 명 〖경〗 아시아 여러 지역에 있어서의 사회 및 경제의 발전을 특징짓는 생산 양식. 촌락 공동체(村落共同制)의 옛 제도가 그대로 중심이 되어 대부분 집약적(集約的) 소규모 농업을 기본으로 하는 생산 양식을 말함.

아시아적 전제주의 【一的專制主義】〔Asia〕〔一/一이〕 명 〖정〗 공동체 사회(共同體社會)를 전제 군주(專制君主)가 절대 지배하는 체제(體制). 오랫동안 아시아 여러 나라에서 볼 수 있었음.

아시아적 정체성 【一的停滯性】〔Asia〕〔一썽〕 명 〖사〗 외부와의 유대가 끊어진 폐쇄적 사회에서 그 사회내에 이질적 요소(異質的要素)가 들어오지 못하여 주로 농목(農牧) 중심의 단순 재생산(單純再生產)만을 되풀이하여 특수한 진보를 볼 수 없는 현상. 자본주의 이입(移入)이전의 아시아 사회를 연관시켜 붙인 이름임.

아시아 주 【一洲】〔Asia〕 명 〖지〗 6대주의 하나. 유라시아 대륙의 대부분을 차지하여 동은 태평양, 북은 북극해(北極海), 남은 인도양(印度洋)에 면하고, 서는 유럽 및 아프리카에 접함. 동남부는 말레이 반도가 돌출(突出)하여 대양주(大洋洲)와 마주함. 지형은 복잡하여 파미르 고원(高原)으로부터 시작한 대산맥이 종횡(縱橫)으로 달리고 대부분이 대륙에 속하며 해안선은 적음. 지구 육지의 3분의 1, 세계 인구의 과반수를 차지하고 있으나, 아시아적 정체성(停滯性)에 기인한 후진성(後進性)을 면하지 못하고 있었는데, 20세기에 들어서 극동 지역을 중심으로 공업화를 이루어 가고 있음. 주민은 대부분이 아시아 인종임. 아시아. [44,300,000 km²]

아시아 태평양 경제 사회 위원회 【一太平洋經濟社會委員會】 명 〔Economic and Social Commission for Asia and the Pacific〕 국제 연합 경제 사회 이사회의 지역 경제 위원회의 하나. 1947년 3월에 아시아 극동 경제 위원회, 일명 에카페(ECAFE)로서 설치되어, 1974년 봄의 제30회 총회에서 지금 이름으로 고침. 아시아 태평양 지역 여러 나라의 경제 및 사회 개발 계획·조사·연구를 입안(立案)하고 보고함을 목적으로 함. 본부는 타이의 방콕. 역내(域內) 가맹국은 34개국, 역외(域外) 가맹국은 5개국, 준가맹국은 홍콩 등 10개국·지역. 매년 1회 가맹국 도시에서 총회를 엶. 한국은 1954년 10월에 가맹했고, 1991년 서울에서 제47회 총회가 개최되어 역내 산업 구조 재조정을 요구하는 '서울 행동 강령'을 채택했음. 약칭: 에스캅(ESCAP).

아시아 태평양 경제 협력 기구 【一太平洋經濟協力機構】〔Asia〕〔一녁一〕 명 〖정〗 아시아 태평양 지역의 지역 경제 협력을 목적으로 한, 경제 담당 장관·외무 장관 협의체(協議體). 1989년 11월 오스트레일리아의 수도 캔버러(Canberra)에서 오스트레일리아·미국·캐나다·일본·뉴질랜드·한국 및 아세안(ASEAN) 6개국 등 12개국이 제1회 회의를 개최하였으며, 상설(常設) 사무국을 싱가포르에 둠. 1993년 현재 15개국이 가입함. 에이펙(APEC). ㊟아태 경제 협력 기구.

아시아 태평양 방:송 연맹 【一太平洋放送聯盟】〔一년一〕 명 〔Asia-Pacific Broadcasting Union〕 아시아 태평양 지역 독립 국가들의 전국적 성격의 방송 기관들의 국제 조직. 1964년에 오스트레일리아 시드니에서 발족(發足)함. 방송 프로·기술·정보의 교환, ABU상(賞)의 결정 등을 주요 사업으로 함. 1992년 현재 76개국(局)의 회원 방송국이 있으며, 본부는 말레이시아의 콸라룸푸르. KBS는 창설 멤버의 하나임. 약칭:에이 비 유(ABU).

아시아 태평양 영화제 【一太平洋映畫祭】 명 〔Asia-Pacific Film esti-

val] 아시아 지역의 영화 산업의 진흥(振興)을 목적으로 개최하는 국제 영화제. 일본의 발의(發議)로 1954 년부터 해마다 아시아 회원국들이 돌아가며 개최함.

아시아 태평양 의원 연맹【一太平洋議員聯盟】 명 〔Asian Pacific Parliamentary Union ; APPU〕 1965 년 일본 도쿄(東京)에서 발족한 아시아 의원 연맹(APU)이, 1981 년 10 월 타이페이에서 열린 이사회에서 발전적으로 해체되고 새로 발족한 기구.

아시아 태평양 이:사회 【一太平洋理事會】 명 〔Asian and Pacific Council; ASPAC〕 아시아 태평양 지역에 있어서 참가 제국(諸國)의 사회·문화의 교류, 개발 도상국에 대한 기술·경제 원조 등 다각적(多角的) 협의를 통한 유대 강화를 목적으로 하는 국제 기구. 한국의 제의로 1966년 서울에서 제1차 회의가 열렸으며 1972년까지 제7차 회의가 열렸으나, 중공을 의식한 냉전 시대의 산물인 이 기구는, 중공의 유엔 가입이라는 시대 조류의 변화로, 1973 년 개최 예정이던 제 8 차 회의가 무기 연기됨으로써 사실상 해체됨. 아스팍.

아시아 태평양 통신사 기구【一太平洋通信社機構】 명 〔Organization of Asia-Pacific News Agencies〕 아시아와 태평양 지역의 통신사를 중심으로 하는 국제 조직. 1961년 창설되어, 3년마다 총회를 열며, 정책·기구·통신 등 세 개의 전문 위원회를 둠. 회원 회사는 1981년 현재 25개사(社). 우리 나라에서는 연합 통신(聯合通信)이 가입하고 있음. 약칭: 오 에이 엔 에이(OANA). 오아나.

아시아 터:키 명 〔Asiatic Turky〕 『지』 아시아의 서부, 소아시아 반도에 있는 터키 공화국의 주요부(主要部). 아시아와 유럽을 연결하는 요지(要地)임.

아시안 게임 〔Asian Games〕 명 '아시아 경기 대회(競技大會)'의 원어(原語).

아시안 달러 〔Asian dollar〕 명 『경』 아시아 달러.

아시엔다 〔스 hacienda〕 명 라틴 아메리카의 대농원(大農園). 특히, 17-18세기경 발전한 채무 노예를 노동력으로 하는 반봉건적(半封建的) 대농원을 가리키는 경우가 많음. 엔코미엔다(encomienda)에 대신하여 성립함. *엔코미엔다.

아시오 〔足尾: あしお〕 명 『지』 일본 도치기 현(栃木縣)에 있는 광산 도시. 1610년에 발견된 아시오 동산(銅山)을 중심으로 발달(發達)하였으나, 1973 년 구리 채굴을 중지하였음. [4,844 명(1990)]

아시우트 〔Asyūt〕 명 『지』 이집트의 중동부, 나일 강 중류 연변에 있는 도시. 이 근처에 1902 년에 완성된 댐이 있으며, 도자기·장신구(裝身具)·상아 세공(象牙細工)으로 유명함.

아시카가 막부【一幕府】〔足利: あしかが〕 명 『역』 무로마치 막부(室町幕府).

아식 축구【一式蹴球】 명 〔association football〕 '축구'를 전에 일컫던 말.

아신-왕【阿莘王】 명 『사람』 백제 제17대의 왕. 침류왕(枕流王)의 원자(元子). 고구려의 남하 정책(南下政策)에 대항해서 패수(浿水)·관미성(關彌城)·수곡성(水谷城)에서 싸웠으나 모두 패함. 왕 6년(397)에 왜국(倭國)과 화친(和親)하여 태자 전지(腆支)를 인질(人質)로 보냈음. 아방왕(阿芳王). [?-405; 재위 392-405]

아실-기 【一基】 명 〔acyl group〕 『화』 카르복시산(酸)(RCOOH)에서 수산기(水酸基)(OH)를 빼낸 원자단(原子團)의 총칭. 아세틸(acetyl)기·프로피오닐(propionyl)기·벤조일(benzoyl)기 등이 이에 속함. [RCO-]

아:심 여칭【我心如秤】[-녀-] 명 마음이 공평(公平)함을 이르는 말. ——-하다 형 여불

아심-찮다 형 〈방〉 안심찮다(함경·경상).

아ᅀᅩᆷ 타 〈옛〉 빼앗음. '앗다'의 명사형. =아솜. ¶그저긔 써 준 글을 올려보고 오래 성각다가 닐오ᄃᆡ 말이 바ᄅᆞ니 아ᅀᆞ미 가티 아니ᄒᆞ다 ᄒᆞ고 만히 주어 보내고《太平 Ⅰ:14》.

아싹 부 연한 과실 등을 깨물 때에 나는 소리. 스아삭. <어썩. ——-하다 자타 여불

아싹-거리다 자타 계속해서 아싹 소리가 나다. 또, 계속해서 아싹 소리를 내다. 스아삭거리다. <어썩거리다. **아싹-아싹** 부. ——-하다 자타 여불

아싹-대다 자타 아싹거리다.

-아쎠 어미 〈옛〉 -으시오. ¶그 뒷 아바니미 잇ᄂᆞ녓가 對答호ᄃᆡ 잇ᄂᆞ니이다 婆羅門이 닐오ᄃᆡ 내 보아져 ᄒᆞᄂᆞ다 술ᄫᅡ쎠《釋譜 Ⅵ:14》.

아쓱 부 갑자기 무섭거나 차가움을 느낄 때 몸이 움츠러지는 모양. <으쓱[1]. ——-하다 형 여불

아:씨 명 며느리 보기 전의 젊은 부인 또는 젊은 부녀자에 대하여, 그 아랫 계급의 사람이 부르는 말.

아ᅀᅡ 타 〈옛〉 빼앗아. 앗아. '앗다'의 부사형(副詞形). ¶主人이 잔을 아ᅀᅡ 친히 싯거든(主人取杯親洗)《呂約 24》.

아ᅀᆞᆯ 타 〈옛〉 빼앗을. '앗다[2]❶'의 활용형. ¶거더 아ᅀᆞᆯ더니라(徹去)《內訓 Ⅰ:55》.

아ᅀᅩᆷ 타 〈옛〉 빼앗음. '앗다'의 명사형. =아솜·아ᅀᅩᆷ. ¶드퇴 아ᅀᅩ미ᄒᆞ도다(爭奪繁)《初杜諺 XVI:4》.

아ᅀᆡ ᄯᆞᆯ 명 〈옛〉 아우의 딸. ¶주근 형이며 아ᅀᆡ ᄯᆞᆯ 둘홀(兄弟之孤女二人)《飜小 IX:36》.

아ᅀᅵ[1] 명 〈옛〉 애벌. 초벌. ¶아ᅀᅵ 멜 분(饋)《字會 下 12》.

아ᅀᅵ[2] 〈옛〉 아우가. '아ᅀᆞ'의 주격형(主格形). ¶두 아ᅀᅵ 또 山東애 잇도다(兩弟亦山東)《初杜諺 Ⅷ:38》.

아ᅀᅵ며 〈옛〉 아우며. '아ᅀᆞ'의 서술격형. ¶아ᅀᅵ며 누의를(弟妹)《飜小 IX:36》.

아ᅀᅵ져네 부 〈옛〉 초저녁에. ¶건나디 몬하야 ᄀᆞ새셔 자다니 아ᅀᅵ져네 과글이 비를 알하《月釋 X:24》.

아ᅀᆞ 명 〈옛〉 아우[1]. =아ᅌᆞ·앙. ¶나라ᄒᆞᆯ 아ᅀᆞ맛디시고《月釋 Ⅰ:5》/내 ᄒᆞ마 아ᅀᆞ와 누위를 ᄎᆞ자볼 지비 업수니(我已無家尋弟妹)《初杜諺 XXIII:46》.

아ᅀᆞ누의 명 〈옛〉 누이동생. =아ᅌᆞ누의. ¶妹ᄂᆞᆫ 아ᅀᆞ누의라《月釋 XXI:162》.

아ᅀᆞ라히 부 〈옛〉 아득히. 아스라이. =아ᄅᆞ라히·아ᅌᆞ라히. ¶다 아ᅀᆞ라히 듣ᄂᆞ니(悉遙聞)《梵音集 9》.

아ᅀᆞ라ᄒᆞ다 형 〈옛〉 아스라하다. =아ᅌᆞ라하다. ¶磊落ᄒᆞᆫ 衣冠ᄒᆞᆫ ᄧᅡ해 아ᅀᆞ라ᄒᆞᆫ 土木ᄀᆞᄐᆞᆫ 모미로다(磊落衣冠地蒼茫土木身)《杜諺 XX:40》.

아ᅀᆞ란 형 〈옛〉 아득한. =아ᅌᆞ란. ¶아ᅀᆞ란 南國에 旌旗ㅣ 하도다(杳杳南國多旌旗)《初杜諺 XXV:28》.

아ᅀᆞ로의다 형 〈옛〉 아우답다. 공손하다. ¶아ᅀᆞ로욀 데(悌)《字會 下 25》.

아ᅀᆞᄅᆞ외 부 〈옛〉 공손히. ¶비록 아ᅀᆞᄅᆞ외오져 ᄒᆞ돌(雖欲悌)《內訓 Ⅲ:39》.

아ᅀᆞᄅᆞ외다 형 〈옛〉 아우답다. 공손하다. ¶비록 아ᅀᆞᄅᆞ외오져 ᄒᆞ돌(雖欲悌)《內訓 Ⅲ:39》.

아ᅀᆞ샤 타 〈옛〉 빼앗으시어. '앗다'의 활용형. ¶東寧을 ᄒᆞ마 아ᅀᆞ샤(東寧旣取)《龍歌 42 章》.

아ᅀᆞ아ᄃᆞᆯ 명 〈옛〉 작은 아들. ¶몯아ᄃᆞ른 調達이오 아ᅀᆞ아ᄃᆞ른 阿難이라《月釋 Ⅱ:2》. *아ᄎᆞᆫ아ᄃᆞᆯ.

아ᅀᆞ아자비 명 〈옛〉 작은아버지. ¶아ᅀᆞ아자비 숙(叔)《字會 上 31》.

아ᅀᆞ와 〈옛〉 아우와. '아ᅀᆞ'의 공동격형(共同格形). ¶아ᅀᆞ와 아ᅀᆞ왜 먼 ᄧᅡ해 잇ᄂᆞ니(有弟有弟在遠方)《初杜諺 XXV:27》.

아ᅀᆞᆯ 타 〈옛〉 빼앗을. '앗다'의 활용형. ¶아ᅀᆞᆯ 탈(奪)/아ᅀᆞᆯ 샹(攘)《字會 下 25》.

아ᅀᆞᆷ 명 〈옛〉 친척(親戚). 골육(骨肉). =아ᅌᆞ❶. 아음. ¶外戚은 어미녁 아ᅀᆞ미라《內訓 Ⅱ:45》.

아-아[1]【亞阿】 명 아시아와 아프리카.

아아[2]【峨峨】 명 ①산이나 큰 바위 등이 험하게 우뚝 솟은 모양. ¶~한 청산과 양양한 유수가 모두 그 술잔 가운데 비치었다《崔瓚植 : 秋月色》. ②위엄이 있고 성(盛)한 모양. ——-하다 형 여불. ——-히 부

아-아[3] 감 ①뜻밖의 일을 당할 때 내는 소리. <어어. ¶~ 큰일 났군. ②떼를 지어 싸울 때에 기운을 내거나 돋우려고 하는 소리.

아아라 부 〈옛〉 겨우. =아야라. ¶이제 나히 아아라 열여닐구비니(只今年纔十六七)《重杜諺 Ⅷ:30》.

아아 용암【一溶岩】 명 〔하와이 a-a lava〕 『지』 점성(粘性)이 적은 현무암질(玄武岩質) 용암이 분출하여 굳어질 때, 표면에 광재(鑛滓)나 코크스를 깐 것 같은 무늬가 생긴 용암.

아아 회:의【亞阿會議】[-/-이] 명 『정』 아시아 아프리카 회의(會議).

아:악【雅樂】 명 ①『악』 옛날 궁정용(宮廷用)으로 쓰던 한국의 고전 음악. 아부악(雅部樂)·당부악(唐部樂)·향부악(鄕部樂)이 있음. 고려 예종(睿宗) 때, 중국 송(宋)나라에서 들어왔으나, 음률이 맞지 않아 거의 없어지듯 된 것을 조선 시대 세종(世宗)이 박연(朴堧)에게 명하여 새로 완성시킨 것임. 악기는 팔음(八音)이라 하여 그 모양·바탕에 따라 여덟 개로 대별(大別), 다시 75종으로 소별되어 있음. ↔속악(俗樂). ②↗아부악(雅部樂).

아:악-기【雅樂器】 명 『악』 아악에 쓰이는 온갖 악기.

아:악-보【雅樂譜】 명 『악』 아악의 곡(曲)을 적은 부호(符號). 또, 그 책.

아:악-서【雅樂署】 명 『역』 ①고려 때 아악을 익히기 위해 세운 관청. 공양왕(恭讓王) 3년(1391)에 둠. ②조선 시대 초기에 아악을 맡아 보던 관아. 태조(太祖) 원년(1392)에 설치하여 세조(世祖) 4년(1458)에 전악서(典樂署)에 합속(合屬)시켜 장악서(掌樂署)를 만들었음.

아안【鵝眼】 명 중국 남조(南朝) 송나라 때에 주조한 구멍이 있는 돈.

아알라【AALA】 명 〔Asia, Africa, Latin America〕 아시아·아프리카·라틴 아메리카의 약칭.

아-압【鵞鴨】 명 거위와 오리.

아야 감 갑자기 얻어맞거나 꼬집히거나 찔리거나 한 때에 아픔을 느끼고 내는 소리.

-아야 어미 ①'ㅏ'·'ㅗ'의 모음 어간(母音語幹)에 붙어서, 뒷말에 대한 어떤 조건이 꼭 필요함을 뜻하는 종속적 연결 어미(連結語尾). ¶마음이 맞~ 일을 하지/맛이 좋~ 사지/한 번은 가 보~ 한다. ②'ㅏ'·'ㅗ'의 모음으로 된 동사나 형용사 어간에 붙어 가정(假定)을 아무리 확대하여도 영향이 없음을 말할 때 쓰는 종속적 연결 어미. ¶아무리 많~ 소용이 있나. *-어야·-여야.

아야-가【阿也歌】 명 『악』 작자 연대 미상의 고려 시대 가요. 고려 충혜왕(忠惠王)이 중국 원(元)나라 순종(順宗)에 의하여 게양현(揭陽縣), 지금의 광둥 성 차오저우(廣東省潮州)로 귀양가다가 죽었을 때 고려에서 유행했다고 함.

아야라[1] 부 〈옛〉 겨우. =아아라. ¶虛空애 드러 아야라 漠漠ᄒᆞ더니(入空纔漠漠)《杜諺 XII:26》.

아야라[2]【粗也】 부 〈이두〉 애오라지. 겨우.

아야로시 부 〈옛〉 오로지. 겨우. ¶니븐 누비오시 아야로시 무루페 디날 만 ᄒᆞ도다(補綻纔過膝)《杜諺 Ⅰ:5》.

-아야만 어미 종속적 연결 어미 '-아야❶'의 힘줌말. *-어야만.

아야 소피아 〔Aya Sofia〕 명 『지』 터키의 이스탐불에 있는 초기 비잔틴 건축. 유스티니아누스(Justinianus,F.A.) 황제가 537년 헌당(獻堂)한 것으로 비잔틴의 여러 황제의 묘소이었으나, 15세기에 터키의 교당(敎堂)이 되고, 현재는 미술관임. 집중식 설계와 바실리카(basilica)식 설계의 융합을 특색으로 하고, 벽면은 다색(多色) 대리석과 금바탕 모자

이크(mosaic)로 장식되어 있음.
아야오ᄅᆞ시 뷔 〈옛〉 겨우. ¶아야오ᄅᆞ시 돌 돌만ᄒᆞ더니(僅容旋馬)≪內訓 Ⅲ:60≫.
-아야지 좀 ↗-아야 하지. ¶사람은 겪어 보~.
아야트 [아랍 Āyāt] 명 『이슬람』 코란의 구절. 코란 전체에 6320의 구절이 있음.
아약【兒弱】 명 아직 덜 자란 아이들. 열네 살 이하를 가리킴. 어린 아이들.
아약스 [Ajax] 명 『신』 아이아스(Aias)의 라틴명.
아얌 명 겨울에 부녀들이 나들이할 때 춥지 않게 머리에 쓰는 물건. 뒤에 아얌드림이 달림. 액엄(額掩).
아얌-드림 명 아얌 뒤에 댕기처럼 넓고 길게 늘어뜨린 비단.

〈아얌〉

아양[1] 명 여자나 아이들이 귀염을 받으려고 알랑거리는 짓.
아양(을) 떨:다 구 아양을 언행(言行)에 보이다. ¶손님에게 ~.
아양(을) 부리다 구 귀염을 받으려고 일부러 애교(愛嬌) 있는 태도나 말을 하다.
아양(을) 피우다 구 아양스러운 태도를 나타내다.
아양[2]**【啞羊】** 명 ['벙어리 양'의 뜻] 우자(愚者)를 비유하여 이르는 말.
아양[3]**【痾恙】** 명 병.
아양-스럽다 형 ㅂ불 아양을 부리는 태도가 있다. 교태(嬌態)가 있다. **아양-스레** 뷔
아양-승【啞羊僧】 명 [범 Edamuka] 『불교』 파계(破戒)는 안 하나 근본이 둔하고 어리석어 힘써 정진(精進)하지 않는 중. 양승(羊僧).
아양-피【兒羊皮】 명 새끼 양의 가죽.
아어[1]**【俄語】** 명 ↗아라사어(俄羅斯語).
아:어[2]**【雅語】** 명 바르고 좋은 말. 아담하게 쓰는 말. 아언(雅言). ↔속어(俗語)❶.
아:언【雅言】 명 아담한 말. 바르고 좋은 말. 아어(雅語). ↔속언(俗言).
아:언 각비【雅言覺非】 명 『책』 조선 시대 정조(正祖) 때 정약용(丁若鏞)이 지은 책. 우리 나라 속어(俗語)를 어원적(語源的)으로 고증(考證)하였음. 순조(純祖) 19 년(1819) 간행. 3 권 1 책.
아에기르 [Aegir] 명 『신』 북유럽 신화에 나오는 해신(海神). 흰 수염에 여윈 몸을 한 남신(男神)으로, 바다 위에 나타나 배를 뒤엎고 사람을 물 속에 끌어 넣는다 함.
아에로게네스-균【一菌】 명 『미생물』 [*Aerobacter aerogenes*] 널리 분포하는 대장균군(大腸菌群)의 한 가지. 사람의 요도(尿道)의 전염병과 관계가 있음.
아에로졸 [도 Aerosol] 명 에어로졸(aerosol).
아에타-족【一族】 [Aeta] 명 필리핀 군도 중 루손·민다나오·팔라완 등 섬의 산지(山地)에 사는 니그리토계(Negrito 系)의 왜소(矮小)한 흑인종. 원시적인 채집(採集)·수렵 생활(狩獵生活)을 영위함. 최근에 일부 반정착적(半定着的)인 원시 농경을 하는 집단도 나타남. 약 36,000 명 정도가 있으며 활의 사용은 독특한 것이 있음.
아에티우스 [Aëtius, Flavius] 명 『사람』 서로마 제국의 장군. 게르만 제족의 침입을 막고, 노예 반란을 진압하는 등 쇠퇴해 가는 로마 제국을 위해 분투함. [390?-454]
아여 뷔 〈방〉 아예.
아역[1]**【兒役】** 명 연극·영화 등에서, 어린이의 역. 또, 어린이역을 맡은 배우.
아역[2]**【衙役】** 명 『역』 아노(衙奴). 아속(衙屬).
아연[1]**【牙硯】** 명 상아(象牙)로 만든 벼루.
아연[2]**【亞鉛】** 명 [zinc] 『광』 딱딱하고 부서지기 쉬운 청백색 광택을 가진 금속 원소. 섬아연광(閃亞鉛鑛)·능아연광(菱亞鉛鑛)으로서 존재하며, 탄산 아연·산화 아연 등에도 포함되어 있음. 유리(遊離)해서 존재하지 않으나 지구 상에 널리 분포함. 녹는점 419.58℃, 끓는점 907℃이며, 전연성(展延性)이 좋아 100℃-115℃ 사이에서 늘였다 줄였다 할 수 있음. 주로 철판이나 강철의 산화(酸化)를 방지하는 도금(鍍金)에 많이 쓰이나 건전지의 전극(電極), 양은·유기(鍮器) 등의 합금에도 쓰임. [30 번: Zn: 65.39]
아연[3]**【俄然】** 명뷔 급작스러운 모양. ¶~ 긴장하다. **——-하다** 형여불. **——-히** 뷔
아연[4]**【啞然】** 명뷔 ①백 없이 웃는 모양. ②놀라 입을 벌리고 있는 모양. ¶다만 ~할 따름이었다. **——-하다** 형여불. **——-히** 뷔
아연[5]**【阿煙】** 명 ↗아편연(阿片煙).
아연-광【亞鉛鑛】 명 『광』 아연을 캐 내는 광산. 또, 그 광석.
아연 도:금【亞鉛鍍金】 명 철물의 산화(酸化)를 방지하기 위하여 아연을 그 표면에 얇게 올리는 일. 또, 그 방법. 용융(熔融) 아연 도금과 전기(電氣) 아연 도금 방법이 있음.
아연도 낭평판【亞鉛鍍浪平板】 명 골함석.
아연도 평판【亞鉛鍍平板】 명 함석철.
아연-말【亞鉛末】 명 『화』 분상(粉狀) 아연 85-90%와 아연화(亞鉛華) 8-13% 및 소량의 카드뮴의 혼합물. 증류법에 의해서 아연을 정련(精鍊)할 때에 침전하는 부산물로 얻을 수 있는데, 강력한 환원 작용이 있으므로 침전제·환원제 등에 쓰임.
아연-백【亞鉛白】 명 『화』 산화 아연(酸化亞鉛).
아연 보르도액【亞鉛一液】 [Bordeaux] 명 『약』 보르도액의 황산(黃酸) 구리 대신에 황산 아연을 사용한 농업용의 살균제(殺菌劑). 구리에 의한 약해(藥害)를 입기 쉬운 복숭아나무·살구나무·매화나무 등의 병해 방제(病害防除)나 밀감나무·사과나무의 아연 결핍증의 치료 예방에 씀.
아연 볼록판【亞鉛一版】 명 『인쇄』 사진 제판의 하나. 문자나 선화(線畫)를 찍은 원판(原版)을 글루 감광액(glue 感光液)을 칠한 아연판에 밀착시켜서, 다시 질산으로 부식(腐蝕)시켜 적당한 깊이로 만든 철판. 징크(zinc) 볼록판.
아연산-염【亞鉛酸塩】 [一념] 명 [zincate] 『화』 아연과 알칼리 금속 또는 암모니아의 반응 생성물(反應生成物). 아연산(亞鉛酸) 나트륨 따위.
아연-술【亞鉛術】 명 『인쇄』 ↗아연판술(亞鉛版術).
아연 실색【啞然失色】 [一쌕] 명 뜻밖의 일에 너무 놀라서 얼굴빛이 변함. **——-하다** 자여불
아연-액【亞鉛液】 명 아연이 녹은 용액.
아연 염화은 일차 전:지【亞鉛塩化銀一次電池】 명 [zinc-silver-chloride primary cell] 『전』 주수(注水)함으로써 활성화(活性化)하는 보존형(保存型) 1차 전지. 은·염화은·염화 암모늄·물·아연의 구성(構成)을 가짐. 활성 후에는 1 파운드당(當) 40 Wh 의 용량(容量)과 긴 수명(壽命)을 가질 수 있음.
아연 유고【亞鉛油膏】 명 『약』 아연화 연고(亞鉛華軟膏).
아연 육십오【亞鉛六十五】 명 [zinc-65] 『물』 아연의 방사성 동위 원소(放射性同位元素). β선 및 γ선을 방출하며, 반감기(半減期)는 245일. 합금(合金)의 마모(磨耗)를 조사하거나 인체(人體)의 신진 대사 연구용의 트레이서(tracer)로 쓰임.
아연-족【亞鉛族】 명 아연(亞鉛)·카드뮴(cadmium)·수은(水銀)의 3원소(元素)를 말함. 은백색(銀白色)의 부드러운 금속으로, 융점(融點)·비점(沸點)이 낮고 휘발(揮發)하기 쉬움. 원소의 주기율표(周期律表)에서 제2 B족(族)에 속함.
아연-철【亞鉛鐵】 명 『광』 함석.
아연철-광【亞鉛鐵鑛】 명 『광』 프랭클리나이트.
아연 첨정석【亞鉛尖晶石】 명 [gahnite, zinc spinel] 『광』 아연 및 알루미늄의 산화물(酸化物)로 이루어진 첨정석류(尖晶石類)의 광물. 흔히, 암녹색(暗綠色)인데, 때로 황색(黃色)·회색(灰色)·흑색(黑色)의 경우도 있음. 가나이트. [$ZnAl_2O_4$]
아연-판[1]**【亞鉛板】** 명 아연을 도금한 얇은 철판(鐵板). 보통, 두께 0.198-2.38mm. 대상(帶狀)의 철판을 연속적으로 전기(電氣) 도금하여 양산(量産)함. 함석판.
아연-판[2]**【亞鉛版】** 명 『인쇄』 인쇄판의 한 종류. 잘 간 아연의 면에 그림을 그리고, 타닌산(酸) 또는 인산(燐酸)과 아라비아 고무의 혼합액으로 부식시킨 다음에, 그 위에다 잉크를 발라서 인쇄함. 징크판(zinc 版).
아연판-술【亞鉛版術】 명 『인쇄』 반조색(半調色)을 갖지 않는 원도(原圖) 곧, 선화 원도(線畫原圖)로부터 사진법을 응용하여 인쇄판을 만드는 기술. 준아연술(亞鉛術). *아연 볼록판(版).
아연 평판【亞鉛平版】 명 『인쇄』 아연판을 판재(版材)로 하는 평판. 징크(zinc) 평판.
아연-화【亞鉛華】 명 『화』 '산화 아연(酸化亞鉛)'의 공업 원료·의약품·안료로서의 별칭. 의약용으로는 피부(皮膚)가 벗겨진 곳이나 습진(濕疹)·백선(白癬)·농가진(濃痂疹) 등의 처치에 외용제(外用劑)로 널리 이용됨.
아연화 녹말【亞鉛華綠末】 명 『약』 아연화와 녹말을 등량(等量)으로 섞어서 만든 백색 가루약. 수분(水分)·지방(脂肪)을 흡수하여 피부를 냉각하는 작용이 있으므로 피부병의 소염제(消炎劑)로 쓰임.
아연화 연:고【亞鉛華軟膏】 명 『약』 아연화와 라놀린(lanoline)을 섞어서 만든 백색 연고. 피부병·화상(火傷) 등에 쓰임. 산화 아연 유고. 아연 유고.
아연-황【亞鉛黃】 명 『화』 아연화를 물에 띄워 적당량의 황산을 넣어 녹인 다음, 여기에 과량(過量)의 중크롬산 나트륨을 가하여 만든 누른 빛의 도료. 주성분은 염기성(塩基性) 크롬산 아연(chrome 酸亞鉛). 인쇄 잉크·수성(水性) 페인트 등에 쓰임.
아연 흑망간광【亞鉛黑一鑛】 [도 Mangan] 명 『광』 헤테롤라이트.
아:열【亞熱】 명 『의』 체온(體溫)이 37.1-38.0°C의 열.
아:-열대【亞熱帶】 [一때] 명 [subtropic] 『지』 열대와 온대의 중간, 대체로 남북 위도(南北緯度) 각각 25-35° 사이의 지대. 대개는 고압대(高壓帶)에 해당하므로 전반적으로 강우량(降雨量)이 적고 건조(乾燥)하여 사막·반건조 지대가 많음. 여름에는 기온이 두드러지게 높으나 겨울은 한랭(寒冷)하여 계절적(季節的) 구별이 뚜렷한 아열대성 기후를 나타냄. ↔아한대.
아:열대 강:우림【亞熱帶降雨林】 [一때一] 명 아열대 우림(亞熱帶雨林).
아:열대 계절풍 기후【亞熱帶季節風氣候】 [一때一] 명 『기상』 계절풍의 발달기(發達期) 중의 아열대의 기후를 특히 부르는 말. 이 지역에서도 수전(水田) 경작의 발달은 온대 몬순 지역과 공통됨. 아열대 몬순 기후.
아:열대 고압대【亞熱帶高壓帶】 [一때一] 명 [subtropical high pressure zone] 『지』 대개 위도 30°-35° 근처에 존재하는 고기압대. 규모(規模)가 크고 정체성(停滯性)이 있으며 이 구역 안에서는 하강 기류(下降氣流)가 일어나서 쾌청(快晴)한 날이 많고 비가 매우 적음. 겨울에는 지구상을 띠 모양으로 둘러싸고 있으나, 여름에는 분리되어 인도양·태평양·대서양 등 해양(海洋)의 중앙부에 타원형(楕圓形)을 이루어 나타남.
아:열대 기후【亞熱帶氣候】 [一때一] 명 『기상』 1년의 평균 기온이 4-11개월 동안은 20°C 이상의 아열대 지방의 기후. 열대적(熱帶的)인 여름과 뚜렷한 겨울이 있음. 일반적으로 건조하지만 계절에 따라 계절풍이나 편서풍(偏西風)의 영향을 받음.
아:열대-림【亞熱帶林】 [一때一] 명 난대림(暖帶林).
아:열대 몬순: 기후【亞熱帶一氣候】 [monsoon] [一때一] 명 아열대 계

절풍 기후.

아:열대 무풍대【亞熱帶無風帶】[—때—] 명 〔horse latitude〕『기상』북위 및 남위 30°-35°의 해양(海洋) 위의 띠 모양의 구역. 바람이 가볍고 정온(靜穩)하며, 날씨는 무덥고 건조함.

아:열대-성【亞熱帶性】[—때썽] 명 아열대의 성질을 지님.

아:열대 수렴대【亞熱帶收斂帶】[—때—] 명『지』북적도(北赤道) 해류(海流)와 서풍(西風) 해류가 북태평양의 아열대 부근에서 대상(帶狀)으로 교류(交流)하는 부분. 남반구(南半球)의 해양에도 대칭적(對稱的)인 위치에 존재함. 아열대 수속선(收束線). 「帶).

아:열대 수속선【亞熱帶收束線】[—때—] 명『지』아열대 수렴대(收斂

아:열대 식물【亞熱帶植物】[—때—] 명『식』아열대구(亞熱帶區)에 적응하는 식물의 총칭. 열대성의 상록 식물에 비하여 잎이 작고, 내한성(耐寒性)이 뛰어남.

아:열대 우림【亞熱帶雨林】[—때—] 명 아열대의 다우(多雨) 지방에 생육(生育)하는 상록 삼림(常綠森林)을 말하며, 홍수(紅樹)·소철(蘇鐵) 따위가 자람. 아열대 강우림.

아:열대 저:기압【亞熱帶低氣壓】[—때—] 명『기상』대만(臺灣) 부근에서 열대 기류의 전선(前線)에 발생하는 저기압.

아열포【阿列布】명『식』'올리브(olive)'의 취음(取音).

아염소-산【亞塩素酸】명 〔chlorous acid〕『화』수용액(水溶液) 속에만 존재하는 무기산(無機酸)의 하나. 이산화 염소(二酸化塩素 : ClO_2)를 물에 녹일 때 염소산과 같이 생김. 산성(酸性)은 탄산(炭酸)이나 하이포아염소산보다 강하고 염소산보다 약함. [$HClO_2$]

아염소산 나트륨【亞塩素酸—】명 〔sodium chlorite〕『화』물에 잘 녹는 무색(無色)의 결정(結晶). 산화력(酸化力)이 강하여 표백분(漂白粉)의 4-5배. 산(酸)을 가하면 분해하여 이산화 염소(二酸化塩素 : ClO_2)가 생김. 섬유의 표백, 펄프·유지(油脂) 등의 탈색(脫色), 수돗물의 살균 등에 쓰임. [$NaClO_2$]

아염화-물【亞塩化物】명 염화의 정도가 다른 것보다 낮은 염화물.

아염화-석【亞塩化錫】명『화』염화 제일 주석(塩化第一朱錫).

아염화 수은【亞塩化水銀】명『화』염화 제일 수은(塩化第一水銀).

아염화 수은 유고【亞塩化水銀油膏】명『약』염화 제일 수은을 원료로 하는 고약.

아염화-철【亞塩化鐵】명『화』염화 제일철(塩化第一鐵).

아영【牙營】명 대장(大將)이 있는 본진(本陣). 본영(本營).

아예 부 ①애초부터. 처음부터. ¶안 될 줄 알았더라면 ~ 손도 대지 않았네/~ 문제도 되지 않는다. ②절대로. ¶나쁜 짓은 ~ 하지 마라/~ 믿지 말게.
[아예 팔자 험하거든 두 번 팔자 보지 마라] 여자가 첫 결혼에 실패하면, 재가(再嫁)해 봤자 좋은 팔자 얻기란 어렵다는 말.

아오 명〈방〉아우¹(경기·황해·충청).

아오-누의 명〈방〉누이동생.

아오로¹ 부〈옛〉아울러. ¶아오로 七章을 일우샤(摠成七章)《內訓跋 4》.

아오로²【竝以】부〈이두〉아울러. *갊.

아오먼〔澳門〕명『지』'마카오'의 중국 이름.

아오모리〔青森:あおもり〕명『지』일본 아오모리 현(青森縣)의 현청 소재지로 시(市). 예로부터 항구로서 발전하여 교통의 중심지이며, 근해·원양 어업의 근거지임. 제재(製材)·수산 가공이 성함. [292,458 명(1990)]

아오모리 현【—縣】〔青森:あおもり〕명『지』일본 혼슈(本州) 북단의 현. 8 시 8 군. 쌀·사과 산출이 많으며, 각종 수산물도 유명함. 관광지로서 아사무시 온천(浅虫温泉)·도와다 하치만타이(十和田八幡平) 국립 공원 등이 있음. 현청(縣廳) 소재지는 아오모리 시(市). [9,619 km²: 1,475,705 명(1991)]

아오자이〔A'ō dai〕명〔'아오'는 '옷', '자이'는 '긴'의 뜻〕베트남의 여성복. '콰'이라는 헐렁한 흰 비단 바지를 밑에 받쳐 입음. 중국 옷의 영향을 받아 양 옆을 튼 기다란 옷으로 남방 기후에 알맞음.

아오지【阿吾地】명『지』함경 북도 경흥군(慶興郡) 북부에 있는 두만강 연변의 한 읍(邑). 한국·중국·러시아 연방 국경 4 km 이내에 위치하고 있으며 우리 나라 제1의 무연탄광 지대로, 특히 석탄 액화(石炭液化) 공업이 알려짐.

아오지 탄:전【阿吾地炭田】명『지』함경 북도 두만강 연안의 함북 탄전(咸北炭田) 중에 있는 탄전. 석탄은 제3기층의 갈탄(褐炭)이며, 매장량은 1억 5천만 톤으로 추정됨. 이것으로 인조 석유를 제조하는 석탄 액화 공장이 있음.

아옥 명〈옛·방〉아욱(강원·충청·전라·경상·경기·황해). ¶아옥 바티 거츠시 내 미오져 ㅎ노라(葵荒欲自鋤)《杜諺 X:31》.

아올다 타〈옛〉아우르다. ¶兼은 아올씨라《月序 18》.

아옴 타〈옛〉빼앗음. '앗다²❶'의 명사형. =아숨. ¶모물 구버 旗 아오물ㅎ야 보노라(俯身試搴旗)《重杜諺 V:26》.

아옵 수〈방〉아홉(강원·전라·경북·제주).

아옹¹【阿翁】명 자기의 아버지.

아옹² 부 고양이의 우는 소리. ——-하다¹ 자여불

아옹³ 감 얼굴을 가리고 있다가 손을 떼면서 어린아이를 보며 어르는 소리. ——-하다² 자여불

아옹-개비 명 아이들에게 대하여 고양이를 이르는 말. ¶울지 말아라 ~ 온다.

아옹-거리다 자 ①소견 좁은 사람이 자기 뜻에 맞지 않아 투덜거리다. ②사이가 좋지 못하여 서로 투덜거리며 다투다. ③고양이가 자꾸 아옹아옹 울다. 아옹-아옹 부. ——-하다 자여불

아옹-다옹 부 조그마한 시빗거리로 서로 자꾸 다투는 모양. ——-하다 「자여불

아옹당-하다 자여불 ↗아옹다옹하다.

아옹-대다 자 아옹거리다.

아옹-하다³ 형여불 ①굴이나 구멍 등이 속이 비어 침침하다. 쑥 오므라져 들어가 있다. <어웅하다. ②속이 좁은 사람이 뜻에 덜 찬 모양이 있다. ¶왜 또 아옹해 있느냐.

아와지 섬〔淡路:あわじ〕명『지』일본의 효고 현(兵庫縣)에 속하는, 일본에서 제3위의 큰 섬. 1 시 2 군. 오사카 만(大阪灣)에 위치하여, 농업과 도자기 공업이 성하며 시코쿠(四国)의 나루토(鳴門)를 잇는 대교(大橋)가 건설중이어서 관광 산업(觀光產業)의 발전이 기대되고 있음. [593 km² : 168,000 명(1981 추계)]

아왕【鵝王】명『불교』거위처럼 손가락과 발가락 사이에 막(膜)이 있다고 하여 '부처'를 달리 이르는 말. 일설에는 거위처럼 걷는다고 하여 이렇게 부른다고도 함.

〈아왜나무〉

아왜-나무 명『식』[*Viburnum awabuki*] 인동과에 속하는 상록 활엽의 작은 교목. 잎은 도피침형 또는 타원형이고, 6월에 엷은 분홍색 또는 백색의 꽃이 원추(圓錐) 화서로 가지 끝에 정생(頂生)하여 피며, 핵과(核果)는 9월에 벽흑색(碧黑色)으로 익음. 산기슭의 낮은 곳에 나는데, 제주도 및 일본·대만·중국·인도에 분포함. 정원수·산울타리로 심음. 산호수(珊瑚樹).

-아요 어미 끝음절의 모음이 'ㅏ'·'ㅗ'인 동사 또는 형용사 어간에 붙어 예사 높임 또는 친근미가 담긴 서술·청원·의문·명령의 뜻을 나타내는 종결 어미. 'ㅏ'로 끝나는 어간에 붙을 때는 '아'가 생략됨. ¶오늘은 콩을 볶~/벌써 녹~/빨리 막~/어서 가요. *-어요.

아:욕【我慾】명 자기의 욕심. 자기 혼자만의 욕심. ¶~이 많은 인간/~을 버려라.

아용【阿容】명 관대함. 남을 받아들임. ——-하다 자형여불

아우¹〔중세 : 아ᅀᆞ〕㊀명 ①같은 항렬의 남자나 여자끼리에서 나이가 적은 이. ②동료 가운데서 나이가 적은 이. 1)·2):↔형·언니. ㊁ 인대 동료끼리 자기를 겸손하여 이르는 말.
아우(를) 보다 구 아우가 생기다. 아우가 늘다.
아우(를) 타다 구 어머니가 아이를 배었거나 또는 해산한 뒤에 젖이 줄어 젖먹이가 몸이 여위어지다.

아:우²【雅友】명 아담하여 점잖은 벗.

아우-거리 명『농』김맬 때에 흙덩이를 푹푹 파 넘기는 일.

아우구스투스〔Augustus〕명『사람』신성(神聖)이란 의미로, 기원전 27년 가이우스 옥타비아누스(Gaius Octavianus)가 로마 원로원에서 받은 존호(尊號). 카이사르의 후계자로 2·3차의 삼두(三頭) 정치를 조직하고, 후에 안토니우스를 악티움 전쟁에서 격파하고 지배권을 확립, 로마 제국 최초의 황제가 됨. 학술·문예를 장려하여 로마 문화의 황금 시대를 이루게 함. [63 B.C.-A.D.14]

아우구스티누스〔Augustinus, Aurelius〕명『사람』로마 말기의 종교가. 초기 그리스도 교회 최대의 사상가로, 교부 철학(教父哲學)의 대성자(大成者). 처음 마니교(摩尼教)를 배웠으나, 밀라노에서 암브로시우스(Ambrosius)로부터 세례를 받고, 후에 히포(Hippo)의 주교(主教)가 됨. 그의 신학의 핵심은 인간은 신의 절대적 은총에 의해서만 구제되며, 교회는 그 구제의 유일한 기관이고, 지상의 국가는 신국(神國)인 교회의 정치적 향도(嚮導)를 받아야 한다는 세 가지 점임. [354-430]

아우-누이 명〈방〉누이동생.

아우-님 명 '아우'의 존칭. 「나. 누른 빛의 무명 물감으로 중요함.

아우라민〔auramine〕명『화』누른 빛의 염기성 염료(塩基性染料)의 하

아우라지 명 두 갈래 물이 합쳐지는 곳.

아우랑가바드〔Aurangābād〕명『지』인도의 데칸 고원(Deccan 高原) 서부, 마하라슈트라 주(Maharashtra州)의 중북부(中北部)에 있는 도시. 아잔타(Ajanta) 석굴 관광의 근거지로 알려져 있으며, 근교(近郊)에 타지마할을 본뜬 '아우랑제브 왕비의 묘'가 있음. [316,244 명(1981)]

아우랑제브〔Aurangzeb〕명『사람』인도 무굴 왕조(王朝) 제6대 왕. 이슬람교에의 신앙이 두터워 이교도(異教徒)를 박해하였기 때문에 이교도들이 이반(離反)함으로써 무굴 왕조의 붕괴를 촉진하였음. [1618-1707; 재위 1659-1707] 「아울리게 되다. <어우러지다.

아우러-지다 자 여럿이 한 덩어리나 한 동아리를 이루게 되다. 저절로

아우렐리아누스〔Aurelianus, Lucius Domitius〕명『사람』로마 황제. 고트족(Goth族)·반달족(Vandal族)의 침입을 격퇴하고 제국을 재건하였으나, 페르시아 원정중 암살됨. 로마 시의 성벽을 수축(修築)하였음. [215-275 ; 재위 270-275]

아우렐리우스〔Aurelius〕명『사람』마르쿠스 아우렐리우스.

아우로라〔Aurora〕명『신』로마 신화에 나오는 여명(黎明)의 여신(女神). 두 필의 말이 끄는 전차(戰車)를 타고 태양의 선구(先驅)로서 하늘을 난다고 함. 그리스 신화의 에오스(Eos)에 해당함. 오로라.

아우르다 타르불 ①여럿으로 한 덩어리를 이루게 하다. ¶세 가지 아울러서 백 원. ②윷놀이에서 두 바리 이상의 말을 같이 합치다. ③여럿이 모여 조화를 이루게 하다. 1)-3): <어우르다.

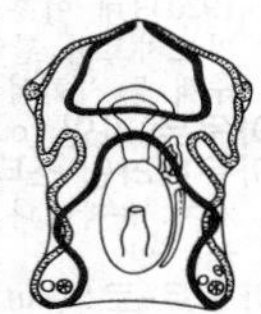
〈아우리쿨라리아〉

아우리쿨라리아〔Auricularia〕명『동』해삼류(海蔘類)의 유생(幼生). 알로부터 깨어나면 기묘한 형태가 되어 어미와는 그 모양이 전혀 달라짐. 몸 양측에 다섯 개의 짧은 뿔이 있고 중앙에 구상(球狀)의 부분, 뒤 끝에 별 모양의 골편(骨片)이 있으며 표면에 복잡

한 섬모(纖毛)가 있는 때가 있음.

아우상가테 산【一山】〔Ausangate〕 명 『지』 남미 페루(Peru) 동남부의 산. 잉카(Inca) 제국의 고도(古都) 쿠스코(Cuzco)의 동남동(東南東)에 위치함. 쿠스코의 수호신이 산다고 전해지고 있음. [6,384 m]

아우성 명 여러 사람이 기세를 올리며 악써 지르는 소리. 여러 사람의 뒤섞여 부르짖는 소리.
아우성(을) 치다 구 아우성을 지르다.

아우슈비츠 〔Auschwitz〕 명 『지』 폴란드 남부 크라코프(Krakow) 지방의 도시. 화학·금속 가공·피혁 공업이 행하여지고 제2차 대전중 독일에 점령된 후 교외에 거대한 강제 수용소가 설치되어 약 400만 명의 유태인 및 폴란드인이 학살됨. 폴란드 이름은 오슈비엥침(Oświęcim). [39,600명(1970)]

아우스게할텐 〔도 Ausgehalten〕 명 『악』 '음(音)을 보속(保續)하여'의 뜻.

아우스드룩스폴 〔도 Ausdrucksvoll〕 명 『악』 '표정(表情)이 풍부하게'의 뜻.

아우스터리츠 〔도 Austerlitz〕 명 『지』 체코슬로바키아 중앙부 모라비아 주(Moravia 州)의 도시. 아우스터리츠의 싸움으로 유명함. 현재의 이름은 '슬라프코프'(Slavkov).

아우스터리츠의 싸움 〔도 Austerlitz〕〔―/―에―〕 명 『역』 1805년 12월 2일 나폴레옹 1세가 러시아 황제 알렉산드르 1세와 오스트리아 황제 프란츠 2세의 연합군을 빈(Wien) 북방 아우스터리츠에서 격파한 싸움. 나폴레옹의 승전 중 최대의 것임. 삼제 회전(三帝會戰).

아우스트랄로피테쿠스 〔Australopithecus〕 명 오스트랄로피테쿠스.

아우어[1] 〔Auer, Leopold〕 명 『사람』 헝가리의 바이올리니스트. 한때 러시아 왕실 음악 학회 교향악단 지휘자였으나, 1918년 뉴욕으로 옮김. 많은 제자를 기르고, 그 중 하이페츠(Heifetz)·엘먼(Elman)·짐벌리스트(Zimbalist) 등이 유명함. [1845-1930]

아우어[2] 〔Auer, von Welsbach〕 명 『사람』 오스트리아의 무기(無機) 화학자. 빈(Wien) 태생으로, 희토류(稀土類) 원소의 산화물을 연구, 아우어등(燈)·오스뮴 백열 전등(白熱電燈)·아우어 합금(合金)의 발명자로서 알려짐. [1858-1929]

아우어-등【一燈】〔Auer〕 명 『화』 오스트리아의 화학자 아우어 폰 벨스바하(Auer von W.)가 1885년에 고안한 맨틀(mantle)을 사용하는 석탄 가스등. 적외선의 광원으로서 사용됨.

아우어바흐 〔Auerbach, Berthold〕 명 『사람』 독일의 유태계 소설가. 통속적 전원(田園) 소설로 명성을 얻음. 대표작 《슈바르츠발트(Schwarzwald)의 마을 이야기》가 있음. [1812-82]

아우어 합금【一合金】〔Auer〕 명 『화』 오스트리아의 화학자인 아우어(Auer von W.)가 발명한 발화 합금(發火合金)의 하나. 세륨 50%와 란탄·네오디뮴·프라세오디뮴 등 45%의 합금을 만들었음. 현용(現用)의 것은 철·세륨 각 35%, 란탄 24%임. 라이터·가스 점화기(gas 點火器) 등에 사용함.

아우엔브루거 〔Auenbrugger, Joseph Leopold〕 명 『사람』 오스트리아의 의학자(醫學者). 근대 의학사상 가장 중요한 물리적 진단법의 하나인 타진법(打診法)을 창시함. [1722-1809]

아우크스부르크 〔Augsburg〕 명 『지』 남부 독일 바이에른(Bayern) 주의 중심 도시. 교통·상업의 요지이며 섬유·금속·기계 공업이 발달하고 있음. 종교 개혁 시대에는 종종 제국 의회(帝國議會)가 열렸고, 30년 전쟁·스페인 계승 전쟁 때에도 전란(戰亂)의 중심지가 되어 역사상 유명함. [248,000명(1981 추계)]

아우크스부르크 동맹 전:쟁【一同盟戰爭】〔Augsburg〕 명 『역』 팔츠 전쟁.

아우크스부르크 신:앙 고:백【一信仰告白】〔라 Confessio Augustana〕 명 『역』 프로테스탄트 교회에서 가장 오랜 신앙 고백서(信仰告白書). 1530년 아우크스부르크에서 연린 독일 제국 의회에서 황제 카를 5세 앞에서 독일 프로테스탄트 교도에 의하여 이 신앙 고백서가 낭독되었음. 그 기초문은 루터의 근본 정신에 따라 주로 멜란히톤(Melanchton, P.)이 기초하였는데 종교 개혁의 주요 교리(教理)를 비교적 온건하게 표현하였음.

아우크스부르크 화의【一和議】〔Augsburg〕〔―/―이〕 명 『역』 종교 전쟁의 결과 1555년 9월 25일에 독일의 아우크스부르크에서 독일의 루터파(派)와 가톨릭파 사이에 맺어진 화약. 이 조약에 의하여 신구 양 교파의 싸움은 신교파의 승리로 돌아갔으며, 제후(諸侯)와 도시 당국(都市當局)은 영내(領內)의 신앙을 선택할 권리를 획득하였음. 그러나 개인의 신앙의 자유는 인정되지 않았음.

아우타르키 〔도 Autarkie〕 명 『경』 자급 자족주의(自給自足主義). 또, 자급 자족하는 나라.

아우토반: 〔도 Autobahn〕 명 독일의 자동차 전용 고속 도로(高速道路). 특히, 히틀러 정권 하에서 만들어진 독일의 자동차 도로망.

아우트 〔Oud, Jacobus Johannes Pieter〕 명 『사람』 네덜란드의 건축가. 구성주의적(構成主義的)인 건축을 하고, 1920년대 이후는 정통적인 유럽 기능주의(機能主義)의 지도자로서 활약함. 로테르담 시(Rotterdam市)의 집합 주택 등 사회적 의의가 있는 대작이 있음. [1890-1963]

아우트-라인 〔outline〕 명 윤곽(輪廓). 개략(概略).

아우트라인 스티치 〔outline stitch〕 명 자수(刺繡)의 한 가지. 윤곽이나 그림의 일부를 수실로 선상(線狀)으로 수놓는 일.

〈아우트라인 스티치〉

아우트-로: 〔outlaw〕 명 무법자(無法者). 무뢰한(無賴漢). 사회에서 버림을 받은 자.

아우트-룩 〔outlook〕 명 조망(眺望). 시야(視野).

아우트-리거 〔outrigger〕 명 경기용(競技用)의 보트에서, 뱃전으로부터 바깥 쪽으로 돌출(突出)하여, 선단(先端)에 노(櫓) 받침을 단 금속제(金屬製)의 지주(支柱). 또, 그것을 단 보트.

아우프-가:베 〔도 Aufgabe〕 명 ①과제(課題). ②『심』 '부여된 자극어(刺戟語)에 대한 상위 개념(上位概念)을 알아내라'고 하는 교시(教示)를 받은 피험자(被驗者)가 자극어의 제시를 기다리고 있는 준비적 시기에 체험하는 내용.

아우프-탁트 〔도 Auftakt〕 명 『악』 소절(小節)의 도중, 즉 약부(弱部)에서 시작되는 박자.

아우프-헤:벤 〔도 Aufheben〕 명 지양(止揚). 양기(揚棄). ――-하다 타여불

아우 형제【一兄弟】 명 〈속〉 형제(兄弟).

아욱 명 『식』 [*Malva verticillata*] 아욱과에 속하는 1년초. 높이 50-70 cm이고 잎은 넓은 달걀꼴이며 기각(基脚)은 뾰죽함. 여름에 백색 또는 담홍백색 오판화(五瓣花)가 취산(聚繖) 화서로 피고, 삭과(蒴果)는 모가 졌음. 습지의 밭에 재배하는데 한국 각지 및 아열대·온대에 분포함. 연한 줄기와 잎은 식용함. 동규(冬葵). 파루초(破樓草). 노규(露葵).

〈아욱〉

아욱-과【一科】 명 『식』 [Malvaceae] 쌍자엽 식물 이판화류에 속하는 한 과. 전세계에 900여 종이 분포함. 초본으로는 닥풀·어저귀·수박풀, 목본으로는 무궁화나무 등이 있음.

아욱-국 명 아욱을 토장국에 끓인 음식. 보리새우를 넣기도 함.

아욱-메풀 명 『식』 [*Dichondra repens*] 아욱메풀과에 속하는 다년생의 포복초(匍匐草). 잎은 장병(長柄)에 신형(腎形) 혹은 심상(心狀) 원형이며, 5-6월에 황색 꽃이 액생(腋生)하여 피고 과실은 삭과(蒴果)임. 산이나 길 가에 나는데, 제주도에 분포함.

아욱-쌈 명 아욱을 삶아서 만든 쌈.

아욱 장아찌 명 싱거운 아욱 장아찌라는 뜻으로, 싱거운 사람을 조롱하는 말.

아욱-제비꽃 명 『식』 [*Viola nipponica*] 제비꽃과에 속하는 다년초. 뿌리는 여러 줄기로 갈라지고, 잎은 근생(根生)하며 장병(長柄)에 심상 원형(心狀圓形) 또는 원신형(圓腎形)임. 4-5월에 담자색 꽃이, 잎 사이에서 나온 길이 6 cm 가량의 가는 화경(花梗) 끝에 좌우 상칭(左右相稱)으로 한 송이씩 피고, 과실은 삭과(蒴果)임. 산이나 들에 나는데, 경북의 울릉도에 분포함.

아욱-죽【一粥】 명 아욱의 잎과 껍질 벗긴 줄기를, 거른 된장이나 고추장과 함께 넣고, 고기와 새우를 두드려 넣어 기름을 치고, 쌀을 넣어 끓인 죽.

아운【兒暈】 명 『한의』 자간(子癇).

아울【訝鬱】 명 속으로 미심하여 답답함. ――-하다 형여불. ――-히 부

아울러 부 ①여럿을 한데 합하여. ②그것과 함께. ¶ ~ 건강을 빕니다.
아울러 가지다 구 바람직한 성질이나 속성(屬性) 따위를 양쪽 다 갖추고 있다.

아울로스 〔그 aulos〕 명 『악』 고대 그리스의 유황 관악기(有簧管樂器). 후(後)의 티비아(tibia)·칼라무스(calamus)·오보에·클라리넷 따위는 이 종류에 속함. 음색과 성능은 오늘의 오보에·클라리넷과 비슷하며 리드의 진동으로 음을 내는데, 매우 리드미컬하며, 디오니소스 제례(祭禮) 때의 음악으로 쓰였음.

아울리다 一 자 ①아우르게 되다. 아우러지다. ②한데 섞이어 조화되어 보이다. 격식에 맞다. ¶ 옷과 아울리는 모자. <어울리다. 二 피동 아우름을 당하다. <어울리다.

아웁 수 〈방〉 아홉(강원).

아웃[1] 〔out〕 명 ①테니스·탁구·축구·배구 등 구기에서, 일정한 선 밖으로 공이 나가는 일. ¶ ~을 선언하다. ↔인(in). ②야구에서, 타자나 주자가 공격할 자격을 잃는 일. ¶ 라이트 플라이로 ~되다. ↔세이프. ③골프에서, 18홀의 전반(前半) 9홀. 아웃코스. ↔인(in).

아웃[2] 의명 ☞ 가웃. *말아웃.

아웃-그룹 〔outgroup〕 명 『사』 외집단(外集團).

아웃-도어 〔outdoor〕 명 실외(室外). 옥외(屋外). 특히, 운동 경기에서 쓰임. ↔인도어.

아웃도어 세트 〔outdoor set〕 명 『연』 야외에 임시로 베풀어 놓은 무대 장치. 임시로 설치한 노천 극장.

아웃도어 스포:츠 〔outdoor sports〕 명 옥외(屋外)에서 행하여지는 운동. ↔인도어 스포츠.

아웃-드롭 〔outdrop〕 명 야구에서, 투수가 던진 공이 타자의 바깥 쪽으로 굽으면서 떨어지는 공. 아웃커브와 드롭의 혼합구.

아웃 바운즈 〔out bounds〕 명 골프에서, 플레이가 허용되지 않는 코스 밖의 지역.

아웃보:드 엔진 〔outboard engine〕 명 엔진이 선체(船體) 밖에 붙어 있음. 선외(船外) 엔진. ↔인보드 엔진.

아웃-복싱 〔out-boxing〕 명 복싱에서, 발을 놀리며 끊임없이 상대방과 일정(一定)한 거리(距離)를 유지하면서 싸우는 전법. ↔인파이트(in-fight).

아웃-사이더 〔outsider〕 명 ①어떤 일에 관해 전문적 지식이나 소양(素養)이 없는 사람. 국외자(局外者). 문외한(門外漢). 이단자(異端者). ②『경』 카르텔·트러스트 기타 특정한 협정에 가맹하지 아니한 동업자. ③경마에서 인기가 없는 말.

아웃사이더 조합【一組合】〔outsider〕 명 『경』 아웃사이더만으로 조직된 조합. ↔인사이더(insider) 조합.

아웃-사이드 〔outside〕 명 ①바깥 쪽. 외관(外觀). ②테니스·배구 등에서, 공이 일정한 경계선 밖으로 떨어지는 일. ③아웃 코너. 1)-3): ↔인

사이드(inside).

아웃사이드 슈:트 〔outside shoot〕 명 야구에서, 직구(直球)가 자연히 타자(打者)의 바깥 쪽으로 빗나가는 일. 또, 그 공.

아웃사이드 킥 〔outside kick〕 명 축구에서, 발의 바깥 쪽으로 공을 차는 일.

아웃-사이즈 〔outsize〕 명 특대(特大). 특대의 의복.

아웃-소:싱 〔outsourcing〕 명 〖경〗 기업 내부의 경리, 인사, 신제품 개발, 영업 등의 업무를 기업 외부에 위탁하여 처리하는 일. 핵심 사업에 주력하고, 부수적인 업무는 외주(外注)에 의존함으로써 경쟁력을 높이고자 하는 목적에서 행함.

아웃-슈:트 〔outshoot〕 명 아웃사이드 슈트.

아웃-오브-데이트 〔out-of-date〕 〔-욷-〕 명 시대나 유행에 뒤떨어지는 일. ↔업투데이트(up-to-date).

아웃-오브-바운즈 〔out-of-bounds〕 〔-욷-〕 명 ①농구·배구 등에서, 공이 경계선을 넘어서 코트(court) 밖으로 나가는 일. ②골프에서, 경기(競技)의 금지 구역에 공이 들어가는 일. ③미식 축구에서, 볼이 코트 밖에 나가, 경기가 일시 중지되는 일.

아웃-오브-패션 〔out-of-fashion〕 〔-욷-〕 명 철이 지난 유행(流行). 물러간 유행. 특히, 복장 유행에 대하여 일컬음.

아웃-오브-플레이 〔out-of-play〕 〔-욷-〕 명 노 플레이(no play).

아웃-커:브 〔outcurve〕 명 야구에서, 투수가 던진 공이 타자 앞에 와서 바깥 쪽으로 꺾이는 일. 또, 그런 공. 외곡구(外曲球). ↔인커브(incurve). *커브.

아웃-코:너 〔outcorner〕 명 야구에서, 타자로부터 보아서, 홈 베이스의 중앙부의 바깥쪽 부분. 외각(外角). ↔인코너(incorner).

아웃 코:스 〔out+course〕 명 ①야구(野球)에서 투수가 타자(打者)에게 던진 공이 타자의 전방(前方)의 홈베이스 중앙부의 바깥 쪽을 지나갔을 때의 그 투구(投球)의 통로(通路). ②육상 경기에서, 트랙의 중앙에서 바깥 쪽의 코스. ③골프 코스에서, 전반(前半)의 9홀. 1)·2:↔인코스.

아웃-투-아웃 〔out-to-out〕 명 〖경〗 외채(外債) 발행으로 조달(調達)한 자금을 해외(海外)에서 운용하는 방식.

아웃-투-인 〔out-to-in〕 명 〖경〗 외채(外債) 발행으로 조달(調達)한 자금을 국내에 들여와서 운용하는 방식.

아웃-파이팅 〔outfighting〕 명 아웃복싱.

아웃 포:커스 〔out+focus〕 명 〖연〗 영화에서 초점을 고의로 맞추지 아니하고 촬영하는 기교.

아웃-풋 〔output〕 명 ①어떤 산업 부문(産業部分)이 원자재(原資材), 노동력(勞動力) 등의 생산 요소(生産要素)를 투입(投入)하여 만들어낸 재화(財貨)나 서비스. 또, 그것의 총량(總量). ②전기 회로(電氣回路)의 출력(出力). ③컴퓨터에서, 데이터를 컴퓨터 밖으로 끄집어내거나 방출하는 일. 출력. 1)-3):↔인풋.

아웃-플레이어 〔outplayer〕 명 테니스에서, 서브를 받는 편 선수. ↔인플레이어.

아웃-필:더 〔outfielder〕 명 야구에서, 아웃필드를 지키는 선수. 외야수(外野手). ↔인필더.

아웃-필:드 〔outfield〕 명 야구에서, 내야(內野) 바깥 쪽에 파울 라인으로 제한해 놓은 곳. 외야(外野). ↔인필드.

아웅 명 〈방〉 〖식〗 아욱(전남·경북). 「——-하다 자타여불

아웅-다웅 부 대수롭지 않은 일로 서로 자꾸 다투는 모양. >아옹다옹.

아웅 산 〔Aung San〕 명 〖사람〗 미얀마의 정치가. 학생 때부터 독립 운동에 참가하고 제2차 대전중 대일(對日) 협력 정권의 국군 사령관·국방상(國防相)을 역임함. 후에 항일(抗日)로 바꾸어, 1944년 반(反)파시스트 인민 자유 연맹을 결성하고, 1946년 중간에 정부 부수석, 1947년 런던에서 독립 준비 협정(獨立準備協定)에 조인(調印)하였으나 귀국 후 암살됨. [1914?-47]

아웅산 사:건 【一事件】 〔Aung San〕 〔-껀〕 명 버마 암살 폭파 사건.

아워 〔hour〕 명 시간. 다른 말과 복합시켜 쓰임. ¶러시 ~.

아워글라스 실루엣 〔hourglass silhouette〕 명 〖복식〗 〔아워글라스는 모래 시계〕 모래 시계의 가운데가 잘룩하게 들어간 것을 웨이스트로 본뜬 실루엣.

아위[1] 【阿魏】 명 〖식〗 〔*Ferula scorodosma*〕 미나릿과에 속하는 다년초. 이란·아프가니스탄 원산(原産)인데, 줄기 높이 1m 가량이며 굵고, 황색 꽃이 복산형(複繖形) 화서로 피며, 열매는 편평한 달걀꼴임. 뿌리의 진은 특유한 냄새를 지닌 휘발유를 포함하는데, 거담·진경(鎭痙)·조경(調經)·구충·강장제 등으로 쓰임.

〈아위[1]〉

아위[2] 〔Haüy, René Just〕 명 〖사람〗 프랑스의 광물학자. 결정(結晶)의 규칙성에 주목하여 결정학의 기초 법칙의 하나인 '유리 지수(有理指數)의 법칙'의 기초를 세웠음. 나폴레옹 치하에서 과학 박물관의 광물학 교수를 지냈으며, 저서에 《광물학 개론》이 있음. [1743-1822]

아위왕 산 【一山】 〔阿育王〕 명 〖지〗 중국 저장 성(浙江省) 닝보 시(寧波市) 동쪽에 있는 산. 서진(西晉) 무제(武帝)의 태강(太康) 2년(1076)에 유살가(劉薩訶)가 아육왕의 8만 4천 탑의 하나로 믿어지는 고탑(古塔)을 여기서 발견하여 생긴 이름임. 아육왕산(阿育王山).

아유[1] 【阿諛】 명 아첨(阿諂). ——-하다 자여불

아:유[2] 【雅遊】 명 아취(雅趣)가 있는 놀이. ——-하다 자여불

아:유[3] 【雅儒】 명 바른 길로 행하는 학자. ↔속유(俗儒).

아유[4] 감 ①뜻밖에 일어난 일에 대한 놀라움을 나타내는 소리. ¶~ 깜짝이야. ②힘에 부치거나 피곤할 때 내는 소리. 1)·2): <어유. *아이고.

아유 경탈 【阿諛傾奪】 명 지위나 권세가 있는 사람에게 아첨하여 남의 지위를 빼앗음. ——-하다 자여불

아유 구:용 【阿諛苟容】 명 남에게 아첨하여 구차스럽게 굶. 또, 그 모양. ——-하다 자여불

아유브 칸 〔Ayub Khan, Mohammad〕 명 〖사람〗 파키스탄의 정치가. 1958년 무혈 혁명으로 수상이 되고, 미르자(Mirza, Iskander: 1899-1969) 대통령을 추방하고 대통령이 됨. 군부(軍部)를 배경으로 강대한 정치 지도력을 휘둘렀으나 1969년 반정부(反政府)·민주화 운동에 밀려 실각함. [1907-74]

아유 순:지 【阿諛順旨】 명 아첨하여 남의 뜻에 따름. ——-하다 자여불

아유-자 【阿諛者】 명 남에게 잘 보이려고 아첨하는 사람.

아유타야 〔Ayuthaya〕 명 〖지〗 타이의 방콕 북방 70km에 위치한 고도(古都). 메남 강(Menam 江)에 연한 도시로 14-18세기 아유타야 왕조의 소재지로서 번영했고, 쌀·목재의 집산지임.

아유타야 왕조 【一王朝】 〔Ayuthaya〕 명 〖역〗 타이의 옛 왕조의 하나. 수코타이 왕조(Sukhothai 王朝) 말기인 1350년 아유타야를 도읍으로 하고 일어난 왕조. 역대 왕들이 영토를 확장했으나, 16세기부터 버마와의 항쟁이 격화(激化)되어 한때 신속(臣屬)함. 17세기에는 유럽과도 국교를 열었으나, 1767년 왕의 계승 문제로 인한 내분 틈에 버마의 침공으로 멸망함.

아유티아 〔Ayuthia〕 명 〖지〗 아유타야. 「하다 자여불

아유 편파 【阿諛偏頗】 명 아첨하여 한쪽으로 치우침. 아편(阿偏). ——-

아육-왕 【阿育王】 명 〖사람〗 '아소카 왕(Asoka 王)'의 한자명(漢字名).

아육왕-산 【阿育王山】 명 〖지〗 아위왕 산(阿育王山).

아:윤 【亞尹】 명 〖역〗 조선 시대 한성부(漢城府)의 버금 판윤. 곧, 좌윤(左尹) 또는 우윤(右尹).

아으[1] 명 〈옛〉 아우[1]. ¶오라 아으야(來麼兄弟) 《朴解 上 23》.

아으[2] 감 〈옛〉 갑자기 심한 느낌에서 나오는 감탄의 말. ¶아으 熱病大神의 發願이샷다 《樂詞 處容歌》.

아으레 명 〈방〉 아흐레(경기·강원·충청·전라·경북).

아은 수 〈방〉 아흔(강원·충남·전라·경상·제주).

아음[1] 명 〈방〉 하품[1](전북).

아음[2] 【牙音】 명 〖언〗 훈민 정음에서 'ㄱ·ㄲ·ㆁ·ㅋ'의 일컬음. 아성(牙聲). 어금닛 소리. *엄쏘리. 「도. *천(遷)음속·초음속.

아:-음속 【亞音速】 명 〔subsonic speed〕 〖물〗 음속보다는 약간 느린 속

아:음속 비행 【亞音速飛行】 명 〔subsonic flight〕 대기(大氣) 속을, 비행기 따위가 음속 이하의 속도로 나는 일.

아:의[1] 【我意】 〔-/-이〕 명 나의 뜻.

아:의[2] 【雅意】 〔-/-이〕 명 아취(雅趣)가 있는 마음.

아이[1] 명 ①어린 사람. ②'아들·자식'의 속칭. 아자(兒子). ③아직 태어나지 않았거나 막 태어난 사람. 태아(胎兒). ④어린아이 같은 짓을 하는 사람을 놓으로 이르는 말. 준애.

〔아이 가진 떡〕 상대방이 약한 사람이라서 그 가진 물건을 쉽게 얻을 수 있음을 비유하는 말. 〔아이 낳는데 속옷 벗어 달란다〕 바쁜 가운데 부당한 청을 함을 말함. 〔아이는 칠수록 운다〕 아이를 치는 것보다는 달래는 편이 낫다는 말. 〔아이도 낳기 전에 포대기 장만한다〕 제 때가 되기 전에 너무 일찍이 서두른다는 뜻. 〔아이도 사랑하는 데로 붙는다〕 사람은 정이 많은 데로 따라간다는 뜻. 〔아이를 기르려면 무당 반(半) 어사(御史) 반〕 자식은 한편 귀여워하면서도 엄하게 기르라는 말. 〔아이를 사르고 대를 길렀나보다〕 사람이 너무 어리석은 것을 조롱하는 말. 〔아이말도 귀여겨 들으랬다〕 누가 무엇이라고 하든지 허수하게 여기지 말고 주의해서 들으라는 뜻. 〔아이말 듣고 배 딴다〕 철없는 어린 아이의 말을 잘 곧이 듣는 사람의 비유. 〔아이 발이 첫 발이라〕 비록 서투르게 시작되어도 결국 뒤에 뛰어난 경지에 이르는 시초가 된다는 말. 〔아이 밴 계집 배 차기〕 잔인하고 고약하며 심술 사나운 짓을 이르는 말. 〔아이 보는 데는 찬물도 못 먹는다〕 남의 흉내를 잘 함을 비유하는 말. 〔아이보다 배꼽이 크다〕 ㉠본체(本體)보다 부분이 더 많고 클 때 이르는 말. ㉡사리(事理)에 맞지 아니함을 이르는 말. 〔아이 보채듯 한다〕 몹시 졸라낸다는 말. 〔아이 싸움이 어른 싸움 된다〕 작은 일이 차차 커진다는 말. 〔아이 자라 어른 된다〕 불완전한 것이 차차 진보하여 완전한 것이 된다는 말. 〔아이 치레 송장 치레〕 아이들에게 호사스러운 옷을 입히는 것은 마치 송장에게 잘 입히는 것과 같이 아무 소용이 없다는 뜻으로, 자라는 아이는 아무렇게나 되는대로 입혀서 기르라는 말. 〔아이하고 여자는 길들일 탓〕 아이와 여자는 가르치고 길들이는 데 따라 착하게도 되고 악하게도 된다는 말.

아이(를) 배:다 구 뱃속에 아이를 가지게 되다. 잉태하다.

아이 보채듯 구 몹시 졸라대는 모양.

아이(가) 서다 구 아이가 자궁(子宮) 안에 생기기 시작하다. 준애서다.

아이(를) 지다 구 달이 차기 전에 태아(胎兒)가 죽어서 나오다. 준애지다.

아이(를) 지우다 구 낙태를 시키다. 유산하다.

아이[2] 명 〈방〉 아우[1](평북).

아이[3] 명 〈옛〉 시초(始初). 처음. ¶만일 아이예 訟官티 아니코(若初不訟官) 《無寃錄 Ⅰ:8》.

아이[4] 〔eye〕 명 눈. ¶매직 ~/카메라 ~.

아이[5] 〔I, i〕 명 ①영어 자모의 아홉째. ②〖논〗 특칭 긍정(特稱肯定)의 약호.

아:이[6] 부 〈방〉 아니(함경).

아이[7] 감 ①남에게 무엇을 조를 때 또는 마음에 선뜻 내키지 않을 때 귀염성 있게 내는 소리. ¶~ 빨리 줘요/~, 놀리지 마세요. ②↗아이고. ¶~ 깜짝이야.

아이[8] 〈옛〉 아우이. '아ᅀᆞ❷'의 서술격형. ¶아이며 며느리돌히(弟婦等) 《重內訓 Ⅲ:36》.

아이거 〔Eiger〕 명 〖지〗 스위스 남부 서(西)알프스 베르너 알펜(Berner

Alpen) 연봉(連峰) 중의 한 봉우리. 높이 1,800 m의 북쪽 암벽은 알프스에서 가장 어려운 3대 등정(登頂) 루트의 하나로 1938년에 첫 등정되었으며, 1979년 한국 산악대에 의해서도 정복되었음. [3,975 m]

아이게우스 [Aigeus] 명 『신』 그리스 신화에 나오는 판디온의 아들. 아테나이(Athenai)를 정복하여 왕이 됨. 트로이젠의 왕녀에게서 테세우스(Theseus)를 낳았으나, 후에 아들 테세우스가 크레타 섬에서 피살되었다고 지레 짐작하여 절망한 나머지 바다에 몸을 던져 죽었음. 그후부터 그 바다는 아이가이온 해. 곧, 에게 해로 불림.

아이겐 [Eigen, Manfred] 명 『사람』 독일의 물리 화학자. 용액내에 있어서의 이온 반응의 동역학적(動力學的) 연구를 함. 단시간 에너지 펄스(pulse)에 의한 평형(平衡) 상태 교란으로 초래되는 고속 화학 반응의 연구로 포터(Porter, G.)·노리시(Norrish, R.)와 함께 1967년 노벨 화학상을 수상하였음. [1927-]

아이고 감 ①아플 때, 힘들 때, 놀랄 때, 원통할 때, 기막힐 때 등에 부르짖는 소리. ¶~ 큰일 났구나. ㊀아이·애고. <어이구. *아유. ②우는 소리. 특히, 상중에 곡하는 소리. 부모의 상과 종손(宗孫)이 그 조부모의 상에 이렇게 욺.

아이고나 감 어린 아이의 묘한 재롱이나 착한 일을 함을 보고, 기특해서 내는 소리. ¶~ 너 혼자 이걸 다 치웠니. <어이구나.

아이고-매 감 ☞아이고머니

아이고-머니 감 '아이고' 보다 느낌이 더 깊고 간절할 때 내는 소리. ¶~ 이 일을 어쩌나. ㊀애고머니. <어이구머니.

아이고머니-나 감 '아이고머니'의 힘줌말.

아이고-멍아 감 〈방〉 아이고머니(제주)

아이고스포타모이 해:전【一海戰】[Aigos Potamoi] 명 『역』 펠로폰네소스 전쟁 말기의 해전. 트라키아(Thracia)의 케르소네소스(Chersonesos) 반도에 있는 아이고스포타모이 강 어귀 부근에서 기원 전 405년 리산드로스(Lysandros)가 지휘하는 스파르타 해군이 코논(Conon) 등이 이끄는 아테네 해군을 크게 무찌름으로써 스파르타의 승리가 확정되고, 이듬해에 아테네는 항복함.

아이구 감 ☞아이고.

아이기나 [Aigina] 명 『역』 그리스의 살로니카 만(Salonika 灣) 내의 동명의 섬에 있던 도시 국가. 기원 전 1000년경 도리스인(Doris 人)이 침입하여 건설하고 해상 교역(海上交易)을 활발히 하였음. 기원 전 7세기 중엽에 그리스 최초의 화폐(貨幣)를 주조하였음. 기원 전 6세기초 아테네에 대항, 쇠퇴함.

아이 기:생【一妓生】 명 동기(童妓).

아이기스토스 [Aegisthos] 명 『신』 그리스 신화에 나오는 인물. 티에스테스(Thyestes)와 그의 딸 펠로피아(Pelopia)와의 불륜의 자식. 버려져서 염소가 키움. 자라서 아르고스(Argos)로 돌아가 사촌 형수인 클리타임네스트라(Klytaimnestra)와 밀통해 사촌 형 아가멤논(Agamemnon)을 모살(謀殺)하였으나, 후에 아가멤논의 아들 오레스테스(Orestes)에게 피살되었음.

아이나【INAH】 명 [isonicotinic acid hydrazid] 『약』 '이소니코틴산 히드라지드'의 약칭.

아이네아스 [Aeneas] 명 『신』 아이네이아스(Aineias)의 라틴명.

아이네이스 [Aeneis] 명 『책』 로마의 시인 베르길리우스(Vergilius) 유작의 장편 서사시. 베르길리우스가 만년(晩年)의 11년 동안을 오직 여기에 바쳤으나 끝내 미완성으로 끝나, 임종의 유언으로 파기하려 했으나 아우구스투스 황제의 명령으로 초고를 정리하여 간행함. 내용은 트로야(Troja)의 영웅 아이네아스가 트로야 함락 후, 이탈리아에서 로마의 기초를 이룰 때까지의 고투를 읊음. 전 12권.

아이네이아스 [Aeneias] 명 『신』 그리스 신화에 나오는 인물. 안키세스(Anchises)와 아프로디테(Aphrodite)의 아들. 트로이(Troy)의 영웅으로, 트로이의 함락 후 여러 곳을 방랑하다가 이탈리아에 상륙하여 로마 건설의 터전을 닦았다 함. 라틴명 아이네아스(Aeneas).

아이넴 [Einem, Gottfried von] 명 『사람』 오스트리아의 작곡가. 십이음 기법(十二音技法)에 의한 ≪당통(Danton)의 죽음≫·≪심판≫과 기타 발레곡 등이 있음. [1918-]

아이-년 명 〈비〉 여아(女兒). 계집아이. ㊀애년.

아이노-각다귀 [aino] 명 『충』 꾸정모기.

아이-놈 명 〈비〉 사내아이. ㊀애놈.

아이누 [Ainu] 명 『인류』 현재 일본 홋카이도와 사할린·쿠릴 열도에 사는 한 종족. 인종학상으로는 유럽 인종의 한 분파에 몽고 인종의 피가 섞여 있음. 눈이 우묵하고, 광대뼈가 나왔으며 몸에 털이 많은데, 성질은 온화함. 수렵 생활에서 농업 생활로 들어가면서 많이 일본인화하였으며, 그 인구는 1만 7천명으로 추정됨.

아이누-어【一語】[Ainu] 명 『언』 아이누인의 언어. 과거에는 홋카이도(北海道) 방언·사할린 방언·쿠릴 방언 등이 있었으나, 현재는 소수의 옛 노인이 기억할 뿐이고 일상어로서는 절멸 직전에 있음. 형태학상 포합어(抱合語)에 속하며 계통은 분명하지 아니함.

아이다[1] 타 〈옛〉 빼앗기다. ¶내 兵이 볼셔 긔운을 아이ᄂᆞ니라(我兵已奪氣矣) ≪武藝諸譜 44≫

아이다[2] [Aïda] 명 『악』 베르디(Verdi)의 가극. 1871년 스웨즈 운하 개통을 기념하여 이집트 국왕의 의뢰에 의해 작곡한 것임. 사로잡힌 몸인 에티오피아 왕녀(王女) 아이다와 이집트의 용장(勇將) 라다메스(Radamès)의 비련(悲戀)을 그린 것임.

아이다호 주【一州】[Idaho] 명 『지』 미국 북서부의 주(州). 주의 대부분이 산지로 동부는 로키 산맥, 서부는 컬럼비아 고원의 일부를 이룸. 농업이 주이며 건조한 기후는 목축에 적당함. 주산물은 밀·감자·사탕무우 등 농산물이며, 북부에서는 은·납·아연도 산출함. 수도는 보이스(Boise). [213,449 km²: 1,006,749 명(1990)]

아이 더블유 더블유【I.W.W.】 명 [Industrial Workers of the World의 약칭] 1905년에 결성된 미국 최초의 전국적 산업별 조합 조직. 서부(西部)의 삼림(森林) 및 농업 이동 노동자와 동부(東部)의 섬유(纖維) 노동자를 기반으로 최성기(最盛期)에는 동맹원(同盟員) 10만을 결집하였음. 그러나 제1차 세계 대전중 반전(反戰) 활동을 행하여 심한 탄압을 받고 사실상 괴멸함. 세계 산업 노동자 동맹.

아이 더블유 에스【IWS】 명 [International Wool Secretariat] 국제 양모(羊毛) 사무국. 1937 년 설립. 본부는 런던에 있음.

아이덴티티 [identity] 명 『심』 동일성(同一性).

아이덴티파이 [identify] 명 동일한 것으로 봄. 동일시함.

아이도그라:프 [도 Eidograph] 명 제도 용구(製圖用具)의 하나. 도면을 축소 또는 확대하는 데에 쓰임.

아이도포어 [도 Eidophor] 명 ①텔레비전 영상(映像)을 대형 스크린에 확대·투사(投射)하는 장치. ②텔레비전 방송국 또는 이에 상당하는 시설에서 영화를 방송하면 프린트 하나만으로 동시에 넓은 지역의 많은 영화관에서 상영할 수 있는 방식.

아이드마의 원칙【AIDMA—原則】[—/—에—] 명 [attention(주의), interest(흥미), desire(욕망), memory(기억), action(행동)의 머리글자를 딴 말] 소비자가 상품을 살 경우의 심리 작용의 순서를 나타냄. 광고 제작상의 기본적 원칙임.

아이-들[1] 명 여러 아이.

아이들[2] [idol] 명 ①우상(偶像). ②그리워 마지아니하는 대상.

아이들링 [idling] 명 동력(動力)·기계·자동차의 엔진 따위에 본래 걸어야 할 부하(負荷)를 걸지 않고 움직이는 일. 겉도는 일.

아이들-보이 명 『문』 육당 최남선(崔南善)이 주재(主宰)하던 아동 잡지. 1913년 9월에 창간. 옛날 이야기·전설·이솝 우화·웃음 거리 등을 실었음. 누구나 알아 들을 수 있도록 쉬운 말을 골라 쓰기에 고심한 어문 일치(語文一致) 운동의 선구자 구실을 한 잡지.

아이들 시스템 [idle system] 명 『경』 공장에서 생산을 감소할 필요가 있을 경우 실업자를 내지 않기 위하여, 노동 시간의 단축·귀휴(歸休) 등의 수단으로 감산(減産)하여 임금(賃金)을 저하시키는 방법. 조업 단축(操業短縮).

아이들 코스트 [idle cost] 명 『경』 공장의 생산 설비나 노동력이 정상(正常)으로 이용되지 않음으로써 생기는 손실. 부동비(不動費).

아이들 타임 [idle time] 명 ①『경』 [유휴 시간(遊休時間)의 뜻] 작업의 지령을 기다리거나 작업중 기계 설비의 고장, 원료 인도의 지연(遲延) 또는 제조 과정 중에 발생한 불가피한 작업 정지 등으로 해서 생기는 시간의 낭비. ②『컴퓨터』 컴퓨터 내부에서의 계산 처리와 데이터의 입력(入力)·출력(出力) 시간차로 인한 조작 대기 시간.

아이디어 [idea] 명 ①관념. 생각. ②구상(構想). 착상(着想). ¶멋진 ~. ③『철』 이념(理念). 이데아(idea).

아이디어 맨 [idea man] 명 뛰어난 아이디어를 생각해 내는 사람. 자주 좋은 아이디어를 내는 이.

아이디얼 [ideal] 명 이상적. 전형적.

아이디얼리스트 [idealist] 명 ①이상가(理想家). 이상주의자. ②『철』 관념론자. 유심론자(唯心論者).

아이디얼리즘 [idealism] 명 ①이상주의. ②『철』 관념론. 유심론(唯心論). 이데알리스무스.

아이 디: 에이【IDA】 명 [International Development Association의 약칭] 국제 개발 협회.

아이 디: 카:드【ID—】 명 [Identification card의 약칭] 신분 증명서.

아이 디: 피: 시스템【IDP—】 명 [integrated data processing system] 『컴퓨터』 다수의 단말(端末) 장치와 중앙 처리 장치를 연결하여, 사람의 손을 거치지 않고 많은 사무·정보를 신속·정확하게 처리하는 장치. 은행·증권 회사 등이 이 시스템을 이용, 본점에서 각 지점(支店)으로부터의 데이터를 모아 본점 컴퓨터로 사무를 통합 처리하고 있음.

아이딜 [idyll] 명 『문』 전원(田園)의 사상(事象)을 읊은 짧은 시(詩). 소박한 자연에 대한 애정을 기조로 한 것임. 전원시(田園詩). 목가(牧歌).

아이 라이너 [eye liner] 명 아이 라인을 그리기 위한 화장품. 액체상(液體狀)으로 작은 붓과 함께 세트로 되어 있음.

아이 라인 [eye line] 명 눈을 크고 아름답게 보이기 위해 눈 가장자리에 칠하는 선.

아이래시 컬:러 [eyelash curler] 명 속눈썹을 말아 올리는 미용(美容) 기구. 마스카라를 바를 때 이것으로 속눈썹을 위로 말아올리면 눈이 크게, 또 윤곽이 또렷하게 보임.

아이러니 [irony] 명 ①풍자. 말의 복선. 반어(反語). 비꼼. ②[위장(僞裝)·가장의 뜻] 참다운 인식에 도달하기 위하여 소크라테스가 사용한 문답법. ③『논』 역설(逆說)에 상응하여 전하려는 생각의 반대되는 말을 써서 효과를 보는 수사법. ④의외의 결과. 또, 이로 인한 모순이나 조화롭지 않은 일. ¶역사의 ~.

아이로니컬 [ironical] 명 풍자적. 역설적. 아이러니의 속성이 있는 모양. ——-하다 형 여불

아이 로:션 [eye lotion] 명 눈의 세척제(洗滌劑). 세안용(洗眼用) 로션.

아이론 [iron] 명 ①다리미. ②헤어 아이론(hair iron).

아이리스 [iris] 명 『식』 ①붓꽃과(科) 아이리스속(Iris 屬)에 속하는 자생(自生) 또는 재배초의 총칭. 북반구(北半球) 온대 지방에 180여 종이 분포함. ②[*Irisgermanica*] 붓꽃과 아이리스속(屬)에 속하는 재배초의 하나. 높이 30-60 cm이고 잎은 넓은 선형(線型)임. 4-5월에 백색·자

〈아이리스❷〉

색·황색·청자색 등의 여러 가지 창포 비슷한 꽃이 피고 향기가 많음. 여러 가지 품종을 교배(交配)한 것 중의 하나임. ③〔눈의 홍채(紅彩)의 뜻에서〕 아이리스 조리개.

아이리스 아웃 〔iris out〕 [명] 〖연〗 영화면(映畫面)의 주위로부터 가운데로 둥글게 몰려 들어와서 차차 어두워져 사라지는 일. 약칭: 아이오(I.O.). ↔아이리스 인(iris in).

아이리스 인 〔iris in〕 [명] 〖연〗 어두운 영화면(映畫面)의 한가운데로부터 주위로 향하여 둥글게 확 퍼져 나타나는 일. 약칭: 아이 아이(I.I.). ↔아이리스 아웃(iris out).

아이리스 조리개 [명] 〔iris diaphragm〕 〖물〗 카메라의 렌즈계(系)에 달린 거의 원형(圓形)의 조리개. 조리개의 크기를 연속적으로 바꿀 수 있어 카메라의 필름면(面)에 이르는 광량(光量)을 조절함.

아이리시 공:화국 【一共和國】 〔Irish〕 [명] 아일랜드 공화국.

아이리시 스튜: 〔Irish stew〕 [명] 〖요리〗 양고기나 쇠고기에 양파·홍당무·순무 등을 넣은 걸쭉한 스튜.

아이리시 해 【一海】 〔Irish〕 [명] 〖지〗 잉글랜드(England)와 아일랜드 사이에 있는 바다. 너비 209 km. 평균 깊이 61 m. 제일 깊은 곳은 150 m. [114,000 km²]

아이링 〔Eyring, Henry〕 [명] 〖사람〗 미국의 이론 화학자. 멕시코 태생. 1912년 도미, 1935년에 귀화함. 1938년 프린스턴 대학 교수, 1946년 유타 대학 교수. 1935년 폴라니(Polányi, Mihály)와 함께 전이 상태법(轉移狀態法)에 의한 통계 역학적인 화학 반응 속도론(化學反應速度論)을 수립하고, 1941년 이 절대 반응 속도론에 의거한 점성 이론(粘性理論)을 주창함으로써 물리 화학·고분자(高分子) 화학 등의 분야에 천재적인 생각을 도입하였음. [1901-81]

아이링 분자계 【一分子系】 [명] 〖물〗 〔Eyring molecular; 미국의 물리학자 Henry Eyring의 이름에 유래〕 유체 역학에서, 액체의 성질에 관한 이론(理論). 각 액체 분자는 일정한 자유 체적(自由體積) 안을 자유로이 움직일 수 있다고 가정함.

아이링-식 【一式】 [명] 〔Eyring equation〕 〖화〗 화학 반응의 반응 속도를 통계 역학(統計力學)에 바탕을 두어, 활성화열(活性化熱)이나 활성화 엔트로피(entropy)·온도, 그밖의 여러 가지 상수(常數)로 나타낸 식(式).

아이마라 어:족 【一語族】 〔Aimara〕 [명] 〖언〗 아메리카 인디언의 한 어족(語族). 남미(南美) 페루의 남부와 볼리비아의 티티카카 호(Titicaca 湖) 인접 지역(隣接地域)에 약 60만명이 분포함.

아이마크 〔愛馬克; Aimak〕 [명] 몽골 지방 행정의 최고 단위. 원래는 일정한 유목지(遊牧地)를 공유하는 사회 집단의 명칭이었으나 행정 구획의 호칭으로 전칭(轉稱)되었음.

아이모 〔Eyemo〕 [명] 미국의 벨 앤드 하우엘(Bell and Howell) 회사에서 만든 35 mm 휴대용 영화 촬영기의 상품명. 1955년경까지 뉴스 촬영에 독점적 활약을 보임. 아이모 카메라.

아이바크 〔Aibak, Qutb al-Din〕 [명] 〖사람〗 인도에 군림한 최초의 이슬람 왕국인 노예 왕국의 창시자. 터키의 노예 출신으로, 인도 방면의 지사(知事)와 사령관을 겸하고, 독립하여 왕조를 세움. 문학·예술의 후원자로서도 유명함. [?-1210; 재위 1206-10]

아이반호: 〔Ivanhoe〕 [명] 〖책〗 영국의 낭만파 작가 스콧(Scott, W.: 1771-1832)이 지은 역사 소설. 영국의 사자왕(獅子王) 리처드(Richard)의 기사(騎士) 아이반호가 사자왕을 구출하는 이야기가 줄거리임.

아이 뱅크 〔eye bank〕 [명] 안구 은행(眼球銀行).

아이보리 〔ivory〕 [명] ①상아(象牙) 또는 상아 빛깔. ②상아 빛깔의 두껍고 광택 있는 서양지(西洋紙). 명함이나 그림 엽서 등으로 쓰임. 아이보리 페이퍼.

아이보리 블랙 〔ivory black〕 [명] 〖미술〗 상아를 태워 만든 흑색 안료.

아이보리 코:스트 〔Ivory Coast〕 [명] 〖지〗 '코트디부아르(Cote d'Ivoire) 공화국'의 영어명. 상아 해안.

아이보리 페이퍼 〔ivory paper〕 [명] 아이보리❷.

아이-볼트 〔eyebolt〕 [명] 한쪽 끝에 쇠줄을 낄 수 있을 정도의 구멍이 있는 볼트. 기계의 적당한 부분에 박아 넣고 구멍에 쇠줄 등을 꿰어 이동시킬 때 씀.

〈아이볼트〉

아이브라우 아:치 〔eyebrow arch〕 [명] 눈썹 모양을 다듬는 미용법.

아이브라우 펜슬 〔eyebrow pencil〕 [명] 미용 용구(美容用具). 속눈썹의 모양을 다듬기 위하여 사용하는 연필 모양의 눈썹 그리는 먹.

아이브스 〔Ives, Frederick Eugene〕 [명] 〖사람〗 미국의 발명가. 사진 제판술을 완성하고, 최초로 색채 사진을 시도하였으며, 사진 그라비야판을 발명하였음. [1856-1937]

아이비 〔ivy〕 [명] ①〖식〗 담쟁이덩굴. ②↗아이비 리그. ③↗아이비 스타일.

아이비 리:그 〔Ivy league〕 [명] ①브라운·컬럼비아·다트머스·코넬·하버드·프린스턴·펜실베이니아·예일 등 미국 동부의 명문 대학의 총칭. 아이비 칼리지. ②미국 동부의 8대학이 형성하는 축구 리그. [준]아이비.

아이비 스타일 〔Ivy style〕 [명] ①아이비 리그(Ivy league)에 가입되어 있는 대학 학생들의 전통적인 스타일. ②대표적인 미국의 대학생 스타일. 길쭉한 상의(上衣)에 단추가 셋 달려 있으며 전체적으로 홀쭉함. [준]아이비.

아이 비: 아:르 디: 【I.B.R.D】 [명] 〔International Bank for Reconstruction and Development의 약칭〕 국제 부흥 개발 은행.

아이 비: 에프 【IBF】 [명] 〔International Boxing Federation〕 국제 복싱 연맹.

아이 비: 엠 【IBM】 [명] 〔International Business Machines의 약칭〕 세계 최대의 미국 컴퓨터 및 관련 장비를 제조·생산하는 회사. 또 이 회사에서 개발·제조한 각종 컴퓨터 이름. 대형 컴퓨터에서 개인용 컴퓨터에 이르기까지 거의 모든 분야의 컴퓨터가 있음.

아이비 칼리지 〔Ivy college〕 [명] 아이비 리그❶.

아이 비: 피: 【IBP】 [명] 〔International Biological Programme의 약칭〕 국제 생물 과학 연합(國際生物科學聯合)이 주도하는, 기초 생물학에 관한 국제적 협력 활동. 육상(陸上)·해양 생물에 의한 생산(生產)의 과정을 밝혀, 생물 자원(生物資源)을 보호하고 인류에 미치는 환경 영향을 탐구(探究)함.

아이 빔: 〔I beam〕 [명] 아이형강(I形鋼).

아이-빨래 [명] 〈방〉 애벌 빨래(평안).

아이-사이트 〔eyesight〕 [명] 안계(眼界). 시각(視覺). 견해(見解).

아이산일 【向教是事】 [명] 〈이두〉 하실 일.

아이 샤이너 〔eye shiner〕 [명] 아래 속눈썹 안쪽으로 눈동자에 맞는 색을 칠해서, 눈에 매력적인 빛을 주는 화장품.

아이 섀도: 〔eye shadow〕 [명] 눈매를 돋보이게 하기 위하여 눈두덩에 바르는 화장품(化粧品)의 하나. [준]섀도.

아이-셰이드 〔eyeshade〕 [명] 햇빛을 가리기 위하여 모자처럼 쓰는, 차양만으로 된 물건. 선셰이드(sunshade).

아이소머레이트-법 【一法】 〔一뻡〕 [명] 〔isomerate process〕 〖화〗 석유 유분(石油溜分)에서 고(高)옥탄가(價) 성분을 제조하기 위해, 기상(氣相) 중에서 행하는 특수한 석유 이성질체화법(異性質體化法).

아이소메이트-법 【一法】 〔一뻡〕 [명] 〔isomate process〕 〖화〗 석유 유분(石油溜分)에서 고(高)옥탄가(價) 성분을 제조하기 위해, 액상(液相) 중에서 행하는 특수한 석유 이성질체화법(異性質體化法).

아이소스타시-설 【一說】 〔isostacy〕 [명] 〖지〗 지각 평형설(地殼平衡說).

아이소자임 〔isozyme〕 [명] 〖생〗 같은 기능을 갖고 있으나 단백질로서의 분자의 구조·조성(組成)을 달리하는 효소(酵素). 사람에게는 5종의 아이소자임이 알려짐. 이소침(Isozym).

아이소-타이프 〔isotype〕 [명] 〔international system of typographic picture education의 약칭〕 국제적인 그림 문자 언어. 각가지 지식을 조직적으로 시각화(視覺化)하려는 시도의 한 가지임. 1925년 오스트리아의 노이라트(O. Neurath)가 아동의 시각(視覺) 교재로 제창한 것. 상징적인 도형(圖形)이나 기호를 써서 같은 내용을 보다 시각적으로 전달하는 방식. 지도(地圖)·통계·각종 표지(標識)·심벌 마크 등으로 널리 쓰이고 있음.

아이소토:프 〔isotope〕 [명] 〖화〗 ①동위 원소(同位元素). ②방사성 아이소토프.

아이소토:프 요법 【一療法】 〔一뻡〕 [명] 〔isotope therapy〕 〖의〗 방사선 동위 원소를 이용한 치료법. 동위 원소를 직접 체내에 넣는 방법과, 방사선 따위의 조사(照射)로 하는 방법 등이 있음.

아이소토:프 전:지 【一電池】 〔isotope〕 [명] 원자력 전지.

아이소포스 〔Aisopos〕 [명] 〖사람〗 '이솝(Aesop)'의 그리스명.

아이솔레이터 〔Isolator〕 [명] 〖의〗 미국의 뒤퐁 회사가 개발한 세균 감염증(細菌感染症) 진단용의 임상 검사 시약(試藥). 사포닌계(系) 계면 활성제(界面活性劑)를 이용하여 용혈(溶血) 현상을 일으키게 함으로써 혈액 속에 있는 미량(微量)의 병원균을 분리 농축(濃縮)시킴.

아이솔리스 〔isolith〕 [명] 〖전〗 회로 소자(回路素子)가 한 실리콘판(silicon板) 위에 만들어져 있는 집적 회로(集積回路).

아이-쇼핑 〔eye+shopping〕 [명] 사지는 않고 상품을 구경만 하는 일. 눈요기. ──하다 [자] [여불]

아이스 〔ice〕 [명] 얼음.

아이스 대거 〔ice dagger〕 [명] 등산에서, 한 손으로 다룰 수 있게 손잡이가 달린 송곳 모양의 빙벽(氷壁) 등반(登攀) 용구.

아이스 댄싱 〔ice dancing〕 [명] 1976년의 인스브루크 동계(冬季) 올림픽에서부터 새로 채택된 스케이트 종목. 피겨 스케이팅의 하나로 음악 반주에 맞추어 추는 남녀 페어(pair) 스케이팅.

아이스 링크 〔ice rink〕 [명] 스케이트장(skate場).

아이스 물감 〔ice〕 〔一깜〕 [명] 냉염(冷染) 물감.

아이스-바인 〔도 Eisbein〕 [명] 대표적인 독일 요리의 하나. 돼지 족을 소금에 절인 것으로 살짝 삶아 머스터드를 발라 먹음.

아이스-박스 〔icebox〕 [명] 얼음을 넣어 쓰는 냉장고(冷藏庫). 플라스틱으로 이중 벽(二重壁)을 만들고 그 사이에 발포 스티롤(發泡styrol)을 넣어 외부로부터의 열을 차단함.

아이스-반: 〔도 Eisbahn〕 [명] 눈의 표면이 굳어서 얼음같이 된 상태. 또, 그런 산의 사면(斜面)이나 스키장.

아이스 백 〔ice bag〕 [명] 얼음 주머니. 빙낭(氷囊).

아이스버:그 〔iceberg〕 [명] ①빙산(氷山)❶. ②냉담한 사람.

아이스 쇼: 〔ice show〕 [명] 〖연〗 얼음판에서 스케이트를 타면서 여러 가지 곡예나 가벼운 연극·댄스 등을 관중에게 보이는 쇼.

아이스-스맥 〔ice-smack〕 [명] 아이스크림을 통상(筒狀)으로 한 것.

아이스 스케이트 〔ice skate〕 [명] 스케이트 구두를 신고 얼음 위를 활주하는 운동.

아이스 아틀라스 〔ice atlas〕 [명] 얼음의 지리적(地理的) 분포를 나타낸 일련의 유빙도(流氷圖). 흔히, 계절별(季節別)·월별(月別)의 것이 있으며, 항해용(航海用)으로 쓰임.

아이스 액스 〔ice axe〕 [명] 등산용 피켈(pickel). 얼음 깨는 도끼.

아이스 에이프런 〔ice apron〕 [명] 〖지〗 ①카르(Kar)의 벽(壁)에 붙어 있는 눈이나 얼음. ②고원(高原)의 기슭을 넘어서 빙원(氷原)에서 유동(流動)하는 얼음.

아이스 요트 〔ice yacht〕 [명] 풍력(風力)을 이용하여 얼음 위를 달리는 보트. 북유럽·미국 동부·캐나다 등의 호수·강에서 행해지는 겨울의 스

포츠임.
아이스 워터 [ice water] 명 얼음으로 차게 한 물. 얼음물.
아이스-캔디 [ice-candy] 명 과즙이나 우유·향료·설탕 등을 넣은 물을 얼려 얼음으로 만든 과자. 얼음 과자. ㊟캔디.
아이스 커피 [ice coffee] 명 얼음을 넣어 차게 한 커피.
아이스 케이크 [ice cake] 명 꼬챙이를 끼어 만든 아이스캔디.
아이스 콘: 명 [ice+cone] ↗아이스크림 콘.
아이스 크림: [ice cream] 명 우유·달걀·향료·설탕 등을 녹인 물을 크림 모양으로 얼린 과자. 향료에 따라 여러 가지가 있음. ㊟크림.
아이스크림: 선디 [ice-cream sundae] 명 아이스 크림에 과즙(果汁)이나 코코아를 얹은 음료. ㊟크림 선디.
아이스크림: 소:다 [ice-cream soda] 명 아이스 크림에 소다수를 섞은 청량(清涼) 음료.
아이스크림: 콘: [icecream cone] 명 아이스크림 따위를 담 〈아이스는, 곡식 가루로 만든 원뿔 모양의 용기(容器). ㊟아이스 콘. 크림 콘〉
아이스크림: 프리:저 [ice-cream freezer] 명 아이스크림 제조용 냉동기. 가정용은 한제(寒劑), 곧 소금과 얼음 속에 크림 재료를 넣은 용기(容器)를 회전시키는 장치이나, 최근에는 전기 냉장고 냉동실 속에서, 재료를 소형 모터로 교반(攪拌)하는 장치로 됨.
아이스키네스 [Aischines] 명 〖사람〗 고대 그리스 아테네의 정치가·웅변가. 친(親)마케도니아 정책을 고취하여, 당대의 대(大)웅변가인 데모스테네스(Demosthenes)와 논쟁을 벌였으나 패함. [389-314 B.C.]
아이스킬로스 [Aischylos] 명 〖사람〗 고대 그리스 아티카(Attica)의 비극 시인. 그의 작품은 주로 영웅의 숙명을 그리고, 종교미(宗敎味)와 철학적 색채를 띠고 있음. 웅대한 구상과 장대한 언어 사용은 타의 추종을 불허했고 사상적으로는 정의(正義)와 그 수호자로서의 신(神)의 관념을 추구했음. 작품 ≪결박(結縛)당한 프로메테우스≫·≪페르시아인(人)≫과 삼부작(三部作)인 ≪오레스테이아(Oresteia)≫ 등 일곱 편(篇)이 전함. [525-456 B.C.]
아이스-테크닉 [ice-technic] 명 등산에서, 눈 위나 얼음 위를 오르내리는 등산(登山) 기술.
아이스 티: [ice tea] 명 얼음에 차게 한 홍차(紅茶).
아이스-폴: [ice-fall] 명 [얼음의 폭포(瀑布)라는 뜻] 등산에서, 빙하(氷河)의 경사부(傾斜部)가 폭포처럼 벼랑이 된 곳.
아이스 푸딩 [ice pudding] 명 얼음 과자의 일종.
아이스 푸시 [ice push] 명 〖지질〗 ①호수나 후미에서 얼음이 녹을 때 물가 쪽으로 미치는 압력. ②얼음이 기온의 상승(上昇)으로 팽창할 때 생기는 횡압력(橫壓力).
아이스 픽 [ice pick] 명 칵테일용 얼음을 잘게 깨는 「송곳.
아이스-하:켄 [도 Eishaken] 명 등산에서, 빙설(氷雪) 사면에서 지점(支點)을 확보할 때에 박아 두는 기구.

〈아이스하켄〉

아이스 하키 [ice hockey] 명 빙상 경기(氷上競技)의 하나로, 북유럽에서 시작되어 캐나다에서 국기(國技)로서 발달한 운동 경기. 얼음판 위에서 아이스 하키용 스케이트를 신고, 스케이팅을 하는 6인조(人組)로 된 두 팀이 끝이 구부러진 긴 막대기를 쥐고 고무로 된 원반의 퍽(puck)을 얼음 위에서 서로 몰아, 상대방의 골에 넣는 것으로 승부를 겨룸. 경기는 20분씩 3회 하고, 10분씩 휴식함. 빙구(氷球). ㊟하키.
아이스 해머 [ice hammer] 명 빙벽(氷壁) 등반용 철제(鐵製) 해머.
아이슬란드 [Iceland] 명 〖지〗 북대서양의 유럽과 그린란드의 중간에 있는 섬으로 9세기부터 노르웨이령·덴마크령을 거쳐서 1944년 독립한 공화국. 빙하·화산·온천이 많고 높은 위도상에 있으나, 멕시코 만류의 영향으로 기온은 영하 3-4도를 내려가지 않음. 주민의 대부분은 목축과 어업에 종사하며 채소·과실 등의 원예 농업도 행하여짐. 수도는 레이캬비크(Reykiavik). 애사란(愛斯蘭). 빙주(氷洲). [103,000 km²: 270,000명(1995 추계)]
아이슬란드식 분화 【一式噴火】 [Iceland] 명 〖지〗 지표(地表)의 긴 균열에 따라 일어나는 화산(火山) 분화 형식의 하나. 현무암질(玄武岩質)의 용암(熔岩)이 대량으로 나옴. 균열성(龜裂性) 분화.
아이슬란드-어 【一語】 [Iceland] 명 인도유럽 어족(語族)의 북게르만 어군(語群)에 속하는 언어. 12세기경부터 신화 전설인 에다(Edda), 영웅 이야기로 된 사가(Saga), 궁정시(宮廷詩)인 스칼드시(Skald詩)와 같은 풍부한 문학을 가짐. 1500년경을 경계로 하여 고대어와 현대어로 나뉨. 지리적으로 고립하고 있기 때문에 다른 언어로부터의 영향이 적고 옛 형태를 간직하여, 고트어(Goths語)와 함께 게르만어 연구에 불가결의 자료임.
아이슬란드-인 【一人】 [Iceland] 명 아이슬란드 공화국의 주민(住民). 노르웨이인과 아일랜드인과의 혼혈(混血). 9세기에 노르만인에 의해 아이슬란드 섬이 발견된 이래 노르웨이인과 아일랜드인이 도래(渡來)하여 인종(人種)을 구성하였음.
아이 시: 【IC】 명 ①〖물〗 [integrated circuit의 약칭] 집적 회로(集積回路). ②[interchange] 인터체인지.
아이 시: 라디오 [IC radio] 명 〖전〗 IC, 곧 집적 회로(集積回路)를 조립(組立)해 넣은 라디오 수신기.
아이 시: 비: 엠 【I.C.B.M.】 명 [Intercontinental Ballistic Missile의 약칭] 대륙간 탄도 유도탄(大陸間彈道誘導彈).
아이 시: 시: 【I.C.C.】 명 〖경〗 [International Chamber of Commerce의 약칭] 국제 상업 회의소(國際商業會議所).
아이 시: 아:르 시: 【I.C.R.C.】 명 [International Committee of the Red Cross의 약칭] 적십자 국제 위원회.
아이 시: 아이 【ICI】 명 [Imperial Chemical Industries Ltd.의 약칭] 임피리얼 케미컬 회사. 1926년 영국의 4개 화학 회사가 합동하여 설립함. 석유 화학제품을 비롯하여 비료·화약·의약·물감·비철(非鐵) 금속을 제조, 듀 폰(Du pont) 다음가는 세계 제2의 화학 기업 회사임. 특히, 테릴렌·폴리에틸렌의 개발로 유명하며, 해외 약 40개국에 100개 이상의 계열 회사를 가짐.
아이 시: 아이 표색계 【I.C.I. 表色系】 명 [International Commission on Illumination system of colour-representation] 〖물〗 빛을 수량적으로 나타내기 위하여 국제 조명(照明) 위원회(I.C.I.)가 1931년에 정한 표색(表色) 방식. 삼자극치(三刺戟値) X·Y·Z 또는 삼색 계수 중의 $x \cdot y$와 명도(明度) Y를 사용함. 지금은 같은 위원회의 프랑스명 Commission Internationale de l'Eclairage (약칭 CIE)를 받아들여 시 아이 이(CIE) 표색계라고 함.
아이 시: 에스 유: 【I.C.S.U.】 명 [International Council of Scientific Union의 약칭] 국제 학술 연합 회의.
아이 시: 에이 【I.C.A.】 명 ①[International Co-operation Administration의 약칭] 에프 오 에이(F.O.A.)에 대신하여 1955년 미국 국무성 안에 설치된 대외 원조 운영(運營) 기관. 1961년 에이 아이 디(AID)에 흡수됨. 국제 협조처. ②[International Communication Agency의 약칭] '미국 국제 교류처(美國國際交流處)'의 원어(原語)의 약칭. * 유 에스 아이 에스(USIS).
아이 시: 에이 오: 【I.C.A.O.】 명 [International Civil Aviation Organization의 약칭] 국제 민간 항공 기구. 이카오.
아이 시: 에프 티: 유: 【I.C.F.T.U.】 명 〖사〗 [International Confederation of Free Trade Unions의 약칭] 국제 자유 노동 조합 연맹(自由勞動組合聯盟).
아이 시: 유: 【ICU】 명 〖의〗 [intensive care unit의 약칭] 집중 가료실(集中加療室).
아이 시: 제이 【I.C.J.】 명 [International Court of Justice의 약칭] 국제 사법 재판소.
아이 시: 카:드 [IC card] 명 [IC는 integrated circuit의 머리 글자] 메모리·마이크로 프로세서 따위의 집적 회로(IC)·대규모 집적 회로(LSI)를 내장(內藏)하고, 정보의 기억·처리 기능을 가진 카드.
아이 시: 컬러 텔레비전 [IC colour television] 명 트랜지스터 대신 IC, 곧 집적(集積) 회로를 사용한 컬러 텔레비전 수상기.
아이 시: 피: 오: 【I.C.P.O.】 명 [International Criminal Police Organization의 약칭] 국제 형사 경찰 기구. 인터폴.
아이 신:호 【I 信號】 명 [I signal] 〖전자〗 컬러 텔레비전에 있어서, 크로미넌스 신호(chrominance 信號)의 동상 성분(同相成分). 0-1.5 MHz의 대역폭(帶域幅)
아이 아:르 【I.R.】 명 [information retrieval의 약칭] 각종 정보를 축적해 두고 필요한 정보를 단시간에 도출(導出)해 낼 수 있게 만든 조직. 정보 검색(檢索).
아이 아:르 비: 엠 【I.R.B.M.】 명 〖군〗 [Intermediate Range Ballistic Missile의 약칭] 중거리 탄도(中距離彈道) 미사일.
아이 아:르 사:십이 【IR42】 명 〖농〗 필리핀의 국제 미작(米作) 연구소에서 1981년에 개발한 벼의 새 품종. 헥타르당(當) 60kg의 비료로 재배 가능하고, 병충해에 강하며 내한성(耐旱性)이 있어 '제3세계의 쌀'로 불림. 「자(赤十字).
아이 아:르 시: 【IRC】 명 [International Red Cross의 약칭] 국제 적십
아이 아:르 아이 【IRI】 명 〖농〗 필리핀의 마닐라 교외(郊外)에 설치된 국제 벼농사 연구소. '기적의 쌀'이라고 불리는 다수확 품종(多收穫品種)인 IR8를 개발해 냄.
아이 아:르 에이 【IRA】 명 [Irish Republican Army의 약자] 영국 북(北)아일랜드의 가톨릭계(系)의 과격파 조직. 남북 아일랜드의 무력 통일(武力統一)을 주장함.
아이 아:르 에이트 【IR8】 명 〖농〗 마닐라 교외에 설치된 국제 미작(米作) 연구소에서, 1966년에 만들어 낸 벼의 다수확 품종(多收穫品種). 대만(臺灣)과 인도네시아의 품종을 교배(交配)한 것으로, 재래종(在來種)의 최고 6배의 증수(增收)를 올리므로, '미러클 라이스(miracle rice)'곧, 기적(奇蹟)의 쌀로 불리어졌음. 통일(統一)벼는 이것의 개량종(改良種)임.
아이 아:르 에프 【I.R.F.】 명 [International Road Federation의 약칭] 국제 도로 연맹. 「국제 난민 기구.
아이 아:르 오: 【I.R.O.】 명 [International Refuge Organization의 약칭]
아이-아버지 명 ①자녀를 가진 남자. ②자식 있는 여자가 남에게 자기 남편을 일컫는 말. 1)·2): ㊟애아버지. ↔아이어머니.
아이-아범 명 ①아이아버지의 낮춤말. ②자녀를 둔 아들이나 사위를 부모들이 일컫는 말. ㊟애아범. ↔아이어멈.
아이-아비 명 아이아버지의 낮춤말. ㊟애아비. ↔아이어미.
아이-아빠 명 아이아버지를 친근하게 일컫는 말. ㊟애아빠. ↔아이엄마.
아이아스 [Aias] 명 〖신〗 그리스 신화 중 트로이(Troy) 전쟁 때의 거구(巨軀)의 맹장(猛將). 아킬레우스(Achilleus)의 투구가 오디세우스(Odysseus)에 전해짐을 보고 분하여 자살(自殺)하였음. 로마명은 아약스(Ajax).
아이-아이[1] [aye-aye] 명 〖동〗 [*Daubentonia madagascariensis*] 영장목(靈長目) 아이아이과에 속하는 원숭이. 다람쥐와 비슷한데 몸길이 40cm, 꼬리 55-60cm이고 온 몸에 흑갈색 또는 흑색의 긴 털이 밀생하며, 머리는 둥글고 눈과 귀는 큼. 앞발의 셋째 발가락은 가늘고 길며, 뒷발의 첫째 발가락에는 편평한 발톱이 있고 다른 발가락에는 갈퀴 모양의 발톱이 있음. 송곳니가 없고 앞니는 한 쌍임. 야행성(夜

行性)인데 숲 속이나 대숲 속에 살며, 곤충·새알·과실·수액(樹液) 특히 사탕수수의 수액을 즐겨 먹으며 나뭇 가지 사이에 마른 잎으로 크고 둥근 둥지를 지음. 마다가스카르 섬에 분포함. 마다가스카르손가락원숭이.

〈아이아이[1]〉

아이 아이²【I.I.】명〔iris in의 약칭〕아이리스 인.

아이 아이 시:【IIC】명〔International Institute of communication의 약칭〕각국의 방송인·사회 과학자·저널리스트 들이 개인 자격으로 참가하는 형식의 국제 기구. 1977년 기존의 세계 방송 기구를 개편, 방송 분야 이외에 신문·통신·전자 공학 산업 분야까지 포괄함. 세계 방송 통신 기구(世界放送通信機構).

아이아코카〔Iacocca, Lee A.〕명〖사람〗미국의 실업가. 포드 자동차 회사 사장·크라이슬러 회사 회장을 역임. 포드의 총지배인으로 있을 때 자동차 '무스탕'을 개발하여 히트함. 포드 2세 회장과의 불화로 1978년 해직, 같은 해 크라이슬러로 옮겨 회사 재건에 기여함. 자서전 ≪아이아코카≫는 세계적 베스트셀러가 됨. 〔1924- 〕

아이-아타【IATA】명〔International Air Transport Association의 약칭〕국제 항공 운송 협회.

아이어니제이션 체임버〔ionization chamber〕명〖물〗전리함(電離函).

아이어다인〔iodine〕명〖화〗'요오드'의 영어명.

아이-어머니 명 ①자녀를 가진 부인. ②자식 있는 남자가 남에게 자기 아내를 일컫는 말. ㊥ 애어머니. ↔아이아버지.

아이-어멈 명 ①아이어머니의 낮춤말. ②자녀를 둔 며느리나 딸을 부모들이 일컫는 말. ㊥애어멈. ↔아이아범.

아이-어미 명 아이어머니의 낮춤말. ㊥애어미. ↔아이아비.

아이언〔iron〕명 ①철. 쇠. ②↗아이언 클럽. ＊아이론.

아이언 레드〔iron red〕명〖화〗갖가지 산화철(酸化鐵)로 만들어 낸 적색 안료(赤色顔料)의 총칭.

아이언 로:〔iron law〕명 바꿀 수 없는 규칙. 철칙(鐵則).

아이언 커:튼〔iron curtain〕명〖정〗철의 장막(帳幕).

아이언 클럽〔iron club〕명 골프에서, 클럽 헤드를 금속재(金屬材)로 만든 클럽. 타면(打面)의 각도(角度)에 따라 1번에서 9번까지의 종류가 있음. ㊥아이언.

아이-엄마 명 아이어머니를 친근하게 일컫는 말. ㊥애엄마. ↔아이아빠.

아이에 부 ☞아예.

아이 에스 디: 엔【ISDN】명〔integrated service digital network의 약칭〕〖통신〗전기 통신의 장래의 발전된 한 형태로서, 이제까지 각기 시설되어 오던 전화·데이터 통신·팩시밀리 등의, 성격이 다른 다양한 서비스를 디지털 기술을 이용하여 하나의 네트워크로 종합하여 제공하는 서비스망. 종합 정보 통신망.

아이 에스 비: 엔【ISBN】명〔International Standard Book Number의 약칭〕국제 표준 도서 번호.

아이 에스 에이【ISA】명〔International Standard Atmosphere의 약칭〕국제 표준 대기(大氣).

아이 에스 에프【ISF】명〔International Sports Federation의 약칭〕국제 스포츠 연맹. 아이 에프(IF).

아이 에스 오:【I.S.O.】명〔International Standardization Organization의 약칭〕국제 표준화 기구. 이소.

아이 에스 오: 감:도【ISO 感度】명 이소 감도(ISO 感度).

아이 에스 오: 구천시리:즈【ISO 九千一】〔series〕명 국제 품질 보증 체제에 의한 규격 시리즈. 아이 에스 오(ISO), 곧, 국제 표준화 기구(國際標準化機構)에서 구매자를 대신하여 공업 제조 업체를 검사하여 그 업체가 본 시리즈에 어울리는 품질 시스템을 갖고 착실히 이행하는지를 확인하여, 합당하면 자격 증서를 수여하여 세계에 공표함. 이 시리즈에는 9000~9004의 다섯 가지 규격이 있음. ＊국제 표준화 기구.

아이 에스 오: 나사【ISO 螺絲】명 국제 표준화 기구(ISO)가 1958년에 제정한 삼각형 나사의 산(山). 나사 산의 각도는 60°. 미터 나사와 인치나사의 두 계열(系列)이 있음. 현재 세계 주요국의 규격에 도입(導入)되고 있음.

아이 에스 피: 법【ISP法】〔一뻡〕명〔ISP는 Imperial Smelting Process의 약칭〕아연과 납을 동시에 얻을 수 있는 제련법. 소결(燒結)한 아연·납의 혼합 정광(混合精鑛)을 코크스와 함께 용광로에 넣고, 가열한 다음 조연(粗鉛)은 용광로 바닥으로 흘러 나가게 하고, 용광로의 상부(上部)로 휘발(揮發)한 아연 가스는 용융연(熔融鉛)의 샤워 속을 통과하여 급랭(急冷), 납에 용해 흡수되어 냉각 후에 아연이 석출(析出) 분리되게 함.

아이 에이 디: 비:【IADB】명〔Inter-American Development Bank의 약칭〕미주(美洲) 개발 은행.

아이 에이 에스 와이【IASY】명〔International Active Sun Year의 약칭〕국제 활동 태양 관측년(觀測年).

아이 에이 에이【IAA】명〔indole acetic acid〕인돌 아세트산.

아이 에이 에프【IAF】명〔International Astronautical Federation의 약칭〕국제 우주 여행 연맹.

아이 에이 이: 에이【I. A. E. A.】명〔International Atomic Energy Agency의 약칭〕국제 원자력 기구.

아이 에프 시:【IFC】명〖경〗〔International Finance Corporation의 약칭〕국제 금융 공사(金融公社).

아이 에프 오:【IFO】명〔identifiable flying object의 약칭〕확인 비행 물체(確認飛行物體). ↔유 에프 오(UFO).

아이 에프 티: 유:【I.F.T.U.】명〔International Federation of Trade Union의 약칭〕국제 노동 조합 연맹(國際勞動組合聯盟).

아이 엔 에프【INF】명〔Intermediate-range Nuclear Force〕중거리 핵전력(中距離核戰力). 「약.

아이 엔 에프 폐:기 조약【INF 廢棄條約】명 중거리 핵전력 폐기 조

아이 엘 에스【ILS】명〖항공〗〔Instrument Landing System의 약칭〕계기(計器) 착륙 방식.

아이 엘 에스 기준점【ILS 基準點】〔一쩜〕명〔ILS reference point〕계기 착륙 장치(計器着陸裝置)가 설정(設定)한 활주로(滑走路) 중심선상의 지점(地點). 착륙하는 항공기를 위해 선정(選定)된 가장 이상적인 접지점(接地點)임. 「약칭〕국제 노동 기구.

아이 엘 오:【I.L.O.】명〖정〗〔International Labour Organization의

아이 엘 오: 조약【ILO條約】명 국제 노동 조약.

아이 엘 오: 헌:장【ILO 憲章】명 국제 노동 헌장❷.

아이 엠 시:【I.M.C.】명〖경〗〔International Material Conference의 약칭〕국제 원료 회의(國際原料會議). 「국제 통화 기금.

아이 엠 에프【I.M.F.】명〖경〗〔International Monetary Fund의 약칭〕

아이 엠 에프 대:기성 차:관【IMF 待機性借款】〔一썽一〕명〖경〗국제 통화 기금(IMF)이 가맹국에 대하여 포괄적(包括的)인 신용 한도를 정하고 일정 금액을 일정 기간 안에 언제든지 인출(引出)할 수 있도록 해 놓은 차관 제도.

아이 엠 에프 보:완 융자 제:도【IMF 補完融資制度】명〔Supplementary Financing Facility〕〖경〗현저한 국제 수지 적자국(國際收支赤字國)이나 석유 위기 또는 누적된 채무에 대응하도록 추가적인 자금을 공급하기 위한 IMF의 대부 제도.

아이 엠 에프 십사:조국【IMF 十四條國】명〖경〗국제 수지의 역조(逆調) 등으로 국제 통화 기금의 규약 제8조의 환(換) 제한 철폐의 의무를 지킬 수 없을 경우에, 제14조에 의해 과도기의 예외 조치로서, 그 의무를 면제하는 대신, 환(換) 제한 계속의 적부(適否), 환(換) 자유화의 노력의 유무에 관하여 매년 국제 통화 기금 당국과 협의할 의무를 지고 있는 가맹국. ＊아이 엠 에프 팔조국(八條國).

아이 엠 에프 차:관【IMF 借款】명〖경〗국제 통화 기금 가맹국의, 기금(基金)으로부터의 차입(借入). 각 출자액의 25%까지는 자유로 차입할 수 있으나, 그 이상은 IMF 이사회의 승인을 필요로 하며, 최고 차입 한도(借入限度)는 출자액(出資額)의 2배에서 자기 나라 통화 출자분을 뺀 액수가 됨.

아이 엠 에프 특별 인출권【IMF 特別引出權】〔一꿘〕명〖경〗종래의 IMF 자금과는 별도 계정(計定)으로 1970년 시작된 특별 인출권(약칭 SDR). 계획적으로 창출(創出)되어, IMF 출자 할당액에 따라 각국에 배분(配分)됨. 국제 수지 적자국은 SDR와 교환으로 외화 준비가 된 다른 가맹국의 통화로 인출할 수 있음. 금 가치(金價値) 보증은 있으나, 금과 태환(兌換)되지는 않음.

아이 엠 에프 팔조국【IMF 八條國】〔一쪼一〕명〖경〗국제 통화 기금의 규약 제8조에 의거, IMF의 동의 없이 경상적(經常的) 국제 거래를 위한 지급·자본 이전에 대해 제한할 수 없으며, 2국간의 환(換) 협정을 행할 수 없는 등의 의무를 지닌 가맹국. 대부분의 선진국이 가입되어 있음. ＊아이 엠 에프 십사조국.

아이 엠 에프 평:가【IMF 評價】〔一까〕명〖경〗IMF 가맹국의 통화의 국제 교환 비율. 금평가인 금(金) 또는 달러 평가인 미국 달러로 표시되어 왔으나 1973년 이후 주요국 통화의 고정환율제로부터의 이탈로 사실상 사문화됨.

아이 엠 에프 포지션〔IMF reserved position〕명〖경〗가맹국이 국제 통화 기금에 보유하고 있는 재정 계정. 언제나 인출할 수 있는 골드트랑슈(gold tranche)와, 국제 통화 기금이 가맹국에 대하여 반제(返濟)하기로 되어 있는 가맹국으로부터의 차입금의 합계. 가맹국의 대외 준비의 일부를 이룸.

아이 엠 오:【I.M.O.】명〔International Meteorological Organization의 약칭〕국제 기상 기구(國際氣象機構).

아이엠티:-이:천【IMT-2000】명〔International Mobile Telecommunications 2000의 약칭〕세계 어디에서나 이용할 수 있고 이동 전화는 물론 화상(畫像)이나 고속 데이터(高速data)의 전송(傳送)이 가능한 세계 공통의 차세대(次世代) 이동 통신 시스템. 2기가헤르츠대(GHz帶)의 주파수를 이용하여 유선 전화와 같은 고품질(高品質) 서비스, 세계 공통의 전화 번호, 어떤 기종(機種)도 서비스를 받을 수 있는 등의 기능을 가짐.

아이 엠 피:【IMP】명〔Interplanetary Monitoring Platform의 약칭〕행성간(行星間) 공간 관측 위성(空間觀測衛星). 원지점(遠地點)이 달 근처까지 뻗쳐 있는 관측 위성으로 미국에서 쏘아 올린 것으로는 1963년부터 익스플로러 18·21·28·35호(號)가 있음.

아이연정【亞爾然丁】명〖지〗'아르헨티나'의 취음.

아이예 부〈옛〉아예. 애당초. ¶만일 아이예 訟官티 아니코(若初不訟官)≪無寃錄 1 8≫.

아이 오:【I.O.】명〔iris out의 약칭〕아이리스 아웃.

아이 오: 시:【IOC】명〔International Olympic Committee의 약칭〕국제 올림픽 위원회(國際 Olympic 委員會).

아이 오: 시: 위원【IOC委員】명 국제 올림픽 위원회(IOC)를 구성하고 있는 멤버. 연 1회-2회 개최되는 총회에서 헌장 개정이나 신(新)위원의 승인 등 중요 사항을 협의함. 올림픽 개최국은 2명의 위원을 보낼 수 있음. 1991년 현재 위원수는 92명, 정년(停年)은 75세임.

아이 오: 시: 유:【I.O.C.U.】명〔International Organization of Consumer's Union의 약칭〕국제 소비자 동맹.

아이오와 주【一州】〔Iowa〕명〖지〗미국의 중앙, 미시시피(Mississip-

pi)·미주리(Missouri) 두 강에 싸인 주(州). 중앙은 아이오와 강과 데모인 강이 흐르는 파상 초원(波狀草原)이며 미국 제일의 농산·축산지임. 옥수수의 대생산지이고 연맥(燕麥)·목초의 생산도 많음. 주도(州都)는 데모인(Des Moines). [144,950 km²: 2,776,755 명(1990)]

아이 오: 유:【I.O.U.】 명 [I owe you.의 약칭]〖경〗차용증(借用證).

아이 오: 장치【—裝置】 명 [I/O unit; input-output unit] 입출력(入出力) 장치.

아이 오: 제이【I.O.J.】 명 [International Organization of Journalist의 약칭] 국제 저널리스트 기구.

아이온 [그 Aion] 명〖철〗시간의 계속을 뜻하는 말로, 영원 또는 시대를 일컬음.

아이올로스 [Aiolos] 명〖신〗그리스 신화에 나오는 풍신(風神)의 왕. 부도(浮島)에서 그의 여섯 아들과 여섯 딸들이 서로 결혼하여 아버지와 함께 살았음. 여러 가지 바람을 자루에 담아 두었다가, 계절에 맞게 바람을 내보낸다 함.

아이올리스-인【—人】 [Aiolis] 명 고대 그리스 민족의 한 분파(分派). 도리스인(Doris人) 침입 이전에 그리스에 와서 살았으며, 아이올리스 방언을 사용했음. 기원전 1,000년경, 보이오티아(Boiotia)·테살리아(Thessalia)로부터 레스보스(Lesbos) 섬, 소아시아 서안(西岸) 북부의 아이올리스 지방에 진출하였음.

아이 유:【I.U.】 명 [international unit의 약칭] 국제 단위(單位).

아이 유: 디:【IUD】 명 [intrauterine device의 약칭] 자궁내 피임 기구(子宮內避姙器具). *링.

아이유:브 왕조【—王朝】 [Ayyūb] 명〖역〗이집트를 지배하고 시리아·메소포타미아·아라비아도 영유(領有)했던, 이란계(系)의 살라딘(Saladin)이 건설한 수니파(Sunni派)의 이슬람 왕조. 1169년 시아파(派)의 파티마(Fātima) 왕조 다음 차츰 판도(版圖)를 넓혀, 시리아·팔레스타인·예멘 등도 지배하였고, 십자군을 격파하고 치적(治績)도 올렸으나 분할 상속(分割相續), 분권 정치(分權政治)로 인해 왕권은 동요하고 그 위에 노예 출신의 무장(武將)의 내란(內亂)에 의해 멸망함. 수도는 처음에 다마스쿠스, 후에 카이로. 맘루크 왕조(Mamlūk王朝). [1169-1252]

아이 유: 시: 엔【IUCN】 명 [International Union for Conservation of Nature and Natural resources의 약자] 국제 자연 보호 연합(國際自然保護聯合)의 약칭.

아이 유: 피: 에이 시:【IUPAC】 명 [International Union of Pure and Applied Chemistry의 약칭] 국제 순수 응용 화학 연합.

아이 유: 피: 에이 피:【I.U.P.A.P.】 명 [International Union of Pure and Applied Physics의 약칭] 국제 순수 응용 물리학 연합.

아이 이:【IE】 명 [industrial engineering의 약자] 인더스트리얼 엔지니어링.

아이젠 [도 Eisen] 명 슈타이크아이젠(Steigeisen).

아이젠멩거 증후군【—症候群】 [Eisenmenger] 명〖의〗극심한 폐고혈압증(肺高血壓症), 우심실 비대(右心室肥大), 잠재성 또는 명백한 청색증(靑色症)을 수반한 심실 중격(心室中隔)의 결손.

아이젠하워 [Eisenhower, Dwight David] 명〖사람〗미국의 군인·정치가. 원수(元帥). 2차 대전 당시 북아프리카 전선의 총사령관, 1942년 이후 유럽 파견 미군 최고 사령관, 유럽 연합군 최고 사령관, 1945년 육군 참모 총장 등을 역임하고 1948년에 퇴역하여 컬럼비아 대학 총장에 취임함. 1951년 나토군(NATO軍) 총사령관으로서 군에 복귀하였다가 1952년 공화당으로 출마하여 34대 대통령에 당선, 1956년에 재선되었음. 저서에 회고록 ≪유럽 십자군(十字軍)≫이 있음. 애칭(愛稱)은 아이크(Ike). [1890-1969]

아이-종 명 나이 어린 종. 가동(家僮).

아이 지: 와이【I.G.Y.】 명 [International Geophysical Year의 약칭] 국제 지구 물리 관측년.

아이징-글라스 [isinglass] 명 철갑상어 같은 물고기의 부레로 만든 순백색의 젤라틴(gelatine). 사이다·맥주 등의 청량제·과자 제조 원료 및 식용 젤라틴 대용으로 쓰이며, 특히 양질(良質)의 것은 보석의 접합(接合)에 쓰임.

아이-참 감 크게 원통할 때, 실망할 때, 초조할 때 또는 심란(心亂)할 때 내는 소리. ¶ ~ 속상해/~ 죽겠네.

아이 초라니 명〖역〗나례(儺禮)를 하는 나자(儺者)의 하나. 열두 살 이상 열여섯 살 이하의 사내 아이로 하는데, 탈을 쓰고 붉은 옷을 입고 붉은 건(巾)을 씀. 진자(侲子).

아이치 현【—縣】 [愛知:あいち] 명〖지〗일본 중부 지방 남서부의 현. 30시 15군. 섬유 공업과 요업(窯業)은 일본 제일이며 제철·자동차·기계·악기의 제조도 성함. 농업은 집약적 다각 농업이 성하고 나고야(名古屋)를 중심으로 국철·사철(私鐵)이 발달해 있음. 현청 소재지는 나고야 시(名古屋市). [5,144 km²: 6,748,789 명(1991)]

아이 카메라 [eye camera] 명 약한 빛을 눈의 각막(角膜)에 비추어 그 반사광(反射光)을 촬영함으로써 안구(眼球) 운동의 이동 경로·정지 위치·정지 시간 등을 기록하는 장치. 광고·디자인 연구, 시각(視覺) 심리 연구, 의학 분야 등에서 응용함.

아이-캐처 [eye-catcher] 명 어떤 광고에 항상 나타나서, 보는 사람으로 하여금 곧 그 회사명이나 상품명을 자연히 연상시키는 물건이나 사람. *캐치 프레이즈(catch phrase).

아이코노-그래피 [iconography] 명 도상학(圖像學).

아이코노-미터 [eikonometer] 명〖물〗현미경을 통해서 보이는 물체의 크기를 재는 데 쓰이는 기기(機器). 상(像)에 겹쳐서 보이기 때문에 보통, 접안경(接眼鏡)에 장착(裝着)함.

아이코노-스코:프 [iconoscope] 명 미국의 즈보리킨(Zworykin)에 의해 발명된 텔레비전의 송상 장치(送像裝置)의 일부 진공관(眞空管) 중에 있는, 모자이크상(mosaic狀)의 광전면상(光電面上)을 음극선(陰極線)이 주사(走査)하여 상의 각 부분을 차차 전류로 변화시키는 장치. 이것으로 전전자식(全電子式) 텔레비전 방식이 가능하게 되었음. *광전관(光電管).

아이코노-클래즘 [iconoclasm] 명 우상 파괴(偶像破壞).

아이코놀러지 [iconology] 명 도상 해석학(圖像解析學).

아이콘 [icon] 명 ①〖종〗그리스 교회에서 모시는 예수·성모·성도(聖徒)·순교자의 초상(肖像). ②컴퓨터에 내리는 지시·명령을 알기 쉽게 기호화(記號化)·문자화(文字化)한 도형(圖形).

아이쿠 감 몹시 얻어맞거나, 높은 데서 떨어지거나, 놀랐을 때 지르는 소리. <어이쿠.

아이-큐:【I.Q.】 명〖심〗[intelligence quotient의 약칭] 지능 지수(知能指數).

아이 큐: 에스 와이【IQSY】 명 [International Quiet Sun Year의 약칭] 국제 정온(靜穩) 태양 관측년.

아이크 독트린 [Ike Doctrine] 명〖역〗1957년 1월 5일에 미국 의회에 보낸 '중동 특별 교서(中東特別敎書)'에 표명된 아이젠하워 미국 대통령의 중동 정책. 중동에 대한 공산주의 침략에 대비하기 위하여 정부가 보다 광범위한 권한을 가지며, 요청이 있으면 군대를 파견하고 중동 각국의 독립을 위한 경제 원조 부여의 권한을 보유하는 것을 골자(骨子)로 함.

아이크슈테트 [Eickstedt, Egon Freiherr von] 명〖사람〗독일의 인류학자. 1929년 브레슬라(Bresla) 대학 교수, 1946년 마인츠(Mainz) 대학 교수, 1948년 독일 인류 학회 초대 회장을 역임함. 인종학·고대 인류학·민족학·심리학 등 극히 광범위한 연구를 행함. 주요 저서 ≪인류의 역사≫. [1892-1965]

아이태 산맥【亞爾泰山脈】 명〖지〗'알타이 산맥'의 취음(取音).

아이템 [item] 명 ①사항(事項). 항목(項目). 품목. ②〖컴퓨터〗자기 테이프(磁氣tape)에 기록되는 한 항목분의 데이터.

아이토프 도법【—圖法】 [Aitoff] [—뻡] 명〖지〗지도 투영법(投影法)의 하나. 정적 적도 평면 투영(正積赤道平面投影)을 개변(改變)한 편의(便宜) 도법. 딴 도법에 비하여 세계 지도의 모양이 덜 일그러짐. 1891년 러시아의 아이토프가 제창(提唱)한 것임.

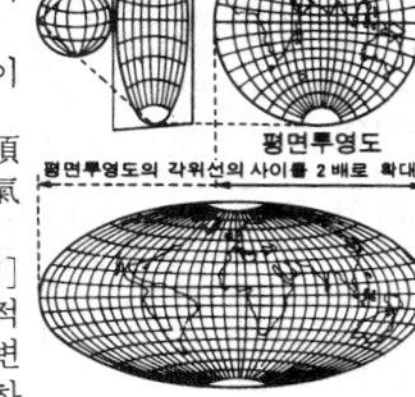

〈아이토프 도법〉

아이톨리아 동맹【—同盟】 [Aitōlia] 명 기원 전 4-2세기, 그리스 아이톨리아 지방을 중심으로 결성된, 아카이아(Achaia) 동맹과 함께 그리스 본토의 이대 도시 동맹(二大都市同盟)의 하나. 기원 전 220년경 중부 그리스를 지배하였음. 뒤에 마케도니아와 손을 잡은 아카이아 동맹과 싸우기 위하여, 로마와 공수(攻守) 동맹을 맺었다가 도리어 로마의 지배하에 들어갔음.

아이티 [Haïti] 명〖지〗히스파니올라(Hispaniola) 섬의 서부를 점유하는 흑인 공화국. 1804년에 독립하였으며 동부는 도미니카와 접하고, 북부는 산지이며 남부는 고온 다우(高溫多雨)함. 토지는 잘 경작되어 커피·면화·사탕을 산출함. 통용어는 프랑스어임. 주민의 태반이 흑인이고 가톨릭교도가 많음. 수도는 포르토프랭스(Port-au-Prince). [27,750 km²: 6,490,000 명(1990 추계)]

아이 티: 브이【ITV】 명 [industrial television] 공업용 텔레비전.

아이티 섬 [Haiti] 명〖지〗히스파니올라(Hispaniola) 섬.

아이 티: 아이【I.T.I.】 명〖연〗[International Theater Institute의 약칭] 국제 연극 협회.

아이 티: 에이【ITA】 명 [Independent Television Authority의 약칭] 1954년 영국의 상업 텔레비전 방송을 위해 설립된 공공 법인. 프로그램의 편성·내용·광고 등에 대한 규제 감독의 의무와 권한을 가짐.

아이 티: 오:【I.T.O.】 명 [International Trade Organization의 약칭] 국제 무역 기구.

아이 티: 유:【I.T.U.】 명 [International Telecommunication Union의 약칭] 국제 전기 통신 연합.

아이 티: 티:【ITT】 명 [International Telephone & Telegraph Corp.의 약칭] 1920년에 설립된 미국의 국제 전화 전신 회사. 통신 기기 메이커로서는 미국 제2위이나 복합 기업(複合企業)으로서는 세계 최대임. 주요 사업은 국제 전보·전신·텔렉스의 영업, 제빵, 체인 호텔, 손해 보험, 청량 음료, 출판 등 다양하며 미국 내보다 미국 외에서 활동이 더 활발함.

아이펠 고원【—高原】 [Eifel] 명〖지〗독일(獨逸) 서쪽 룩셈부르크(Luxemburg) 동북쪽에 접경하고 있는 약 400-500 m의 고원. 주로 고생층(古生層)이며 일부는 새로운 화산(火山)으로 이루어짐. 분화구(噴火口)에 생긴 많은 원형의 호수는 아름다운 경치를 이루고 있음. 목축과 석재(石材) 채취 등이 행하여짐.

아이 피: [IP] 명 [information provider]〖컴퓨터〗컴퓨터 통신으로 여러 가지 정보를 수요자에게 제공하는 사람이나 기업.

아이 피: 아:르【I.P.R.】 명 [Institute of Pacific Relations의 약칭] 태평양 문제 조사회(太平洋問題調査會).

아이 피: 아이【I.P.I.】 명 [International Press Institute의 약칭] 국제 신문인 협회(國際新聞人協會).

아이 피: 에스 에이【I.P.S.A.】 명 [International Political Science Association의 약칭] 국제 정치 학회.

아이 피: 유:【I.P.U.】 명 [Inter-Parliamentary Union의 약칭] 국제 의원 연맹.

아이 피: 주:소【IP住所】 명 〔internet protocol address〕 〖컴퓨터〗 인터넷에 연결된 컴퓨터의 주소. 0부터 255까지의 4개 숫자로 구성되며, 각 숫자들은 점 '.'으로 구분함. 그러나 이 숫자들을 기억하기가 어려운 점 등으로 지금은 영어 약자로 된 도메인 이름으로 바꾸어 쓰고 있음. 예를 들면 교육 인적 자원부의 IP 주소는 192.245.250.5이며 도메인 이름은 www.moe.go.kr임. *도메인 이름.

아이헨도르프 〔Eichendorff, Joseph von〕 명 〖사람〗 독일의 후기(後期) 낭만파 서정 시인·작가. 자연을 관조(觀照)하는 민요조의 소박하고 영롱한 시구(詩句)와 경건한 심정을 찬양한 작품(作品)으로 명성이 높음. 작품에 시(詩) ≪부서진 가락지≫, 소설 ≪게으름뱅이의 생활에서≫ 등. [1788-1857]

아이형-강【I 形鋼】 명 〔I-steel〕 〖공〗 단면(斷面)이 아이형(I形)인 강철. 구조용 강재(構造用鋼材)로서 제조되는 압연(壓延) 강재임. 아이빔(I beam).

아이형 염:색체【I 型染色體】 명 〔acrocentric chromosome〕 〖생〗 한쪽 끝에 동원체(動原體)를 갖는 염색체.

아이형 형교【I 型桁橋】 명 〖토〗 교체(橋體)의 중요한 부분을 아이 빔(I beam)으로 만든 교량.

아이훈 〔瑷琿〕 명 〖지〗 중국 동북부 헤이룽 강(黑龍江) 서안의 도시. 1858년의 아이훈 조약 체결지이며, 시베리아의 블라고베시첸스크(Blagoveshchensk)와 마주 대하고 있어 중국과 러시아 사이의 교통·무역의 요지임. 부근에서 금·목재를 산출함. 애훈(瑷琿).

아이훈 조약【—條約】 〔瑷琿〕 명 〖역〗 1858년 아이훈에서 맺은 중국 청(淸)나라와 러시아와의 조약. 태평 천국(太平天國)의 난에 허덕이던 청나라를 위협하여 맺은 조약으로, 헤이룽 강을 양국의 국경으로 하고 우쑤리 강 이동(以東)의 지역을 공동 관리 하에 두어, 러시아의 세력이 북만주에까지 뻗치게 되었음.

아이히만 〔Eichmann, Karl Adolf〕 명 〖사람〗 나치스 독일의 친위대 중령. 게슈타포의 유태인 담당 과장(課長)으로, 제2차 대전 중 600만의 유태인을 강제 수용소로 보내어 대량 학살을 한 장본인임. 제2차 대전 후 미군 포로 수용소에서 탈출, 1950년 아르헨티나에 잠입, 1960년 부에노스아이레스에서 이스라엘 비밀 경찰에 체포되어 이스라엘에서 처형됨. [1906-62]

아인[1]【牙人】 명 중국에서, 상거래의 중개인. 아행(牙行). 아자(牙子). 아쾌(牙儈).

아인[2]【俄人】 명 아라사 사람. 노서아 사람.

아:인[3]【雅人】 명 풍아(風雅)한 사람. 아취 있는 사람.

아:인[4]【雅人】 명 〖사람〗 김내성(金來成)의 호(號).

아인라이퉁 〔도 Einleitung〕 명 〖악〗 서곡(序曲).

아-인산【亞燐酸】 명 〔phosphorous acid〕 〖화〗 흡수성(吸水性)의 무색의 사방 정계(斜方晶系)의 결정(結晶). 에탄올과 물에 녹으며, 200°C에서 분해(分解)함. 분석 시약·환원제(還元劑)로 쓰임. [H_3PO_3]

아인산 무수물【亞燐酸無水物】 명 삼산화 인산(三酸化燐酸)의 통칭.

아인슈타인[1] 〔Einstein, Albert〕 명 〖사람〗 독일 태생인 미국의 이론 물리학자. 1905년에 특수 상대성 이론(特殊相對性理論)을 발표하여, 광양자설(光量子說)을 주장하고, 1916년 일반 상대성 이론을 완성하였음. 1919년 이 이론이 실증되어 1921년 노벨 물리학상을 수상함. 1929년 통일장(統一場) 이론을 제창했고, 1933년 미국에 망명하여 1940년 귀화하고 프린스턴(Princeton) 고등 연구소의 연구원으로 종신하였음. 이 외에 세계 정부(世界政府)를 제창하여 평화 운동(平和運動)에도 참가하였음. [1879-1955]

아인슈타인[2] 〔einstein〕 의명 〖물〗 광화학(光化學)에서 쓰이는 빛의 에너지 단위. 어떤 진동수(振動數)의 광자(光子)의 에너지에 아보가드로 수(數)를 곱한 것임.

아인슈타인 엘리베이터 〔Einstein elevator〕 명 〖물〗 엘리베이터 통로(通路) 안을 자유 낙하(自由落下)하고 있는 창(窓)이 없는 엘리베이터. 그 내부(內部)의 조건을 성간 공간(星間空間)에 비유하여, 등가 원리(等價原理)의 설명에 이용됨.

아인슈타인의 비:열식【—比熱式】 [—씩 / —에—씩] 명 〔Einstein's formula for specific heat〕 〖물〗 1907년 아인슈타인이 발표한 고체(固體)의 비열과 온도와의 관계를 나타낸 식. 이 식은 절대 영도(絶對零度)에 가까워지면 실제 측정값과 완전 일치가 안되나 간단하여 잘 쓰임. 이 식은 뒤에 디바이(Debye, P.J.W.)에 의해 개량됨.

아인슈타인의 우:주【—宇宙】 [— / —에—] 명 〔Einstein universe〕 〖천〗 미국의 물리학자 아인슈타인이 상대성 이론에 의해 생각한 우주(宇宙)의 모델. 반경(半徑)이 변하지 않으며 성운(星雲)의 분포 밀도(分布密度)도 일정한 정적(靜的)인 우주. 반경은 약 10억 광년(光年), 질량(質量)은 태양(太陽)의 10^{22}배(倍). 현실의 우주는 동적(動的)이어서 이 모델과 맞지 않는 것으로 봄.

아인슈타인-탑【—塔】 〔Einstein〕 명 〖물〗 아인슈타인의 만유 인력론의 결과로 일어나는 태양과 항성과의 스펙트럼의 적색 이동을 연구하기 위하여 1924년 포츠담에 건조한 탑 망원경.

아인시타이늄 〔Einsteinium〕 명 〖화〗 초(超)우라늄 원소의 하나. 1952년 태평양에서 행해진 열핵폭발 실험의 생성물(生成物)로부터 시보그(Seaborg, G.T.) 등이 발견, 물리학자 아인슈타인의 이름을 기념하여 명명(命名)함. 반감기(半減期)가 가장 긴 것은 ^{252}Es. [99번 : ^{252}Es]

아인자츠 〔도 Einsatz〕 명 〖악〗 끼어 넣음. 다성적(多聲的)인 악곡에 있어 새로운 주제로써 성음(聲音)이 끼어드는 것. 기타 일반적으로 음(音)이 끼어드는 것을 말함.

아인하르트 〔Einhard〕 명 〖사람〗 카롤링 왕조(Karoling 王朝) 프랑크(Frank)의 역사가. 카를 1세의 궁정(宮廷)에 들어가, 건축·외교 등에도 종사함. 주저 ≪카를 대제전(大帝傳)≫은 격조 높은 라틴어로 되어 있어, 카롤링·르네상스의 대표작으로 꼽힘. '에긴하르트(Eginhard)'라고도 불리어짐. [770?-840]

아일[1]【衙日】 명 〖역〗 임금과 여러 신하가 모여 조회를 하고 정사(政事)를 보던 날. 처음에는 매일(每日) 있었으나, 고려 중엽부터 조선 왕조 초엽까지는 육아일(六衙日) 혹은 양아일(兩衙日), 그 후로는 사아일(四衙日)이 됨.

아일[2] 〔aisle〕 명 기독교의 교회당 건축에서, 내부의 중앙부에 있는 몸채에 대하여 그의 양쪽에 있는 좁고 긴 부분. 여러 기둥으로 칸막이가 되어 평소에는 통로로 사용됨. 측랑(側廊).

아일다【阿逸多】 명 〔범 Ajita〕 〖사람〗 불제자의 한 사람. 옛날에는 미륵 보살(彌勒菩薩)의 이칭(異稱)으로 불렸음.

아일랜드 공:화국【—共和國】 명 〔Republic of Ireland〕 〖지〗 아일랜드의 대부분을 차지한 공화국. 12세기 이래 영국의 지배하에 있었으나, 1937년에 독립하여 국명을 에이레(Eire)로 고쳤다가 1949년 헌법을 개정하여 영연방으로부터 이탈하여 완전한 독립국으로 되고, 현재의 국명으로 개칭하였음. 국토의 4분의 3이 목장으로 낙농(酪農)을 주로 하는 농업국임. 주요 농산물은 감자·밀. 공업은 버터·치즈 등 식품 가공업과 담배, 제당이 주산물이며 가축·낙농 제품을 수출하고 석탄·석유·공업 제품을 수입함. 주민은 켈트(Celt)족으로서, 가톨릭교를 신봉하고 아일랜드어와 영어를 쓰며 독자적(獨自的)인 문화를 가지고 있음. 수도(首都)는 더블린(Dublin). 구칭 : 에이레(Eire). 애란(愛蘭). [70,284 km^2 : 3,500,000명(1990 추계)]

아일랜드 섬 〔Ireland〕 명 〖지〗 영국 본토의 서쪽에 있는 섬. 구조선(構造線)·빙하 작용 등으로 호소(湖沼)가 많고, 해안선이 복잡함. 영국령(領)인 북부 아일랜드와 아일랜드 공화국으로 나누임. [83,820 km^2]

아일랜드-어【—語】 〔Ireland〕 명 인도·유럽 어족 중 켈트 어파(Celt 語派)에 속하는 고유(固有)의 언어. 영어와 함께 아일랜드 공화국의 공용어(共用語)이나 점점 이 말을 사용하는 주민이 줄어 이의 부활에 힘쓰고 있음.

아일랜드 자유국【—自由國】 〔Ireland〕 명 〖역〗 1922년의 혁명에 의하여 성립한 아일랜드 공화국의 전신(前身).

아일랜드 키친 〔island kitchen〕 명 방의 중앙에, 싱크대·레인지·조리대를 설치한 부엌.

아일렘 〔ylem〕 명 〖물〗 우주의 기원(起源)에 관한 대폭발 기원론(大爆發起源論)에서, 화학 원소(化學元素)의 형성 전에 존재하였다고 하는 원시 물질.

아일로타이신 〔Ilotycin〕 명 〖약〗 에리트로마이신의 상품명.

아일릿 〔eyelet〕 명 사뜨는 자수(刺繡)의 한 가지. 단춧 구멍이나 장식에 응용됨.

〈아일릿〉

아:임계 원자로【亞臨界原子爐】 명 〔subcritical reactor〕 〖물〗 실효증배율(實効增倍率)이 1보다 작은 원자로. 자기 유지 연쇄 반응(自己維持連鎖反應)은 지속하지 못함.

아잇-적 명 어른이 되기 전. 아이 때.

아ᄋᆞ 명 〈옛〉 ①친척. 친족. =아ᅀᆞᆷ. ¶아ᄋᆞ 중애나 하고 어리니(族人長而賢者)≪二倫≫. ②아우. 동생. =아ᅀᆞ·앙. ¶횟도로 아자셔 말호ᄆᆞᆯ 아ᄋᆞ와 누위를 ᄉᆞ랑ᄒᆞ야(團圓思弟妹)≪杜諺 XI:10≫.

아ᄋᆞ누의 명 〈옛〉 누이동생. =아ᅀᆞ누의. ¶아ᄋᆞ누의(妹子) ≪老乞 下 30≫. 「31≫.

아ᄋᆞ누의남진 명 〈옛〉 매부(妹夫). ¶아ᄋᆞ누의남진(妹夫)≪老乞 下

아ᄋᆞ다 타 〈옛〉 빼앗다. ¶날로 되ᄆᆞᆯ 무를 아ᄋᆞ며(日收胡馬群)≪杜諺 V:31≫.

아ᄋᆞ라오다 형 〈옛〉 아득하다. =아ᅀᆞ라하다. ¶아ᄋᆞ라올쇼(逍) ≪千字 13≫.

아ᄋᆞ라히 부 〈옛〉 아득하게. 아스라히. =아ᅀᆞ라히. ¶아ᄋᆞ라히 녯셔울히 머니(漠漠舊京遠)≪重杜諺 II:22≫.

아ᄋᆞ라ᄒᆞ다 형 〈옛〉 아득하다. 아스라하다. =아ᅀᆞ라하다. ¶蒼茫은 荒寂ᄒᆞᆫ 니 아ᄋᆞ라ᄒᆞᆯ 시라≪重杜諺 I:1≫.

아ᄋᆞ란 형 〈옛〉 아득한. '아ᄋᆞ라ᄋᆞ다'의 활용형. =아ᅀᆞ란. ¶아ᄋᆞ란 東山애 漢人 女妓ᄅᆞᆯ 자바갯ᄂᆞ니≪重杜諺 VIII:15≫.

아ᄋᆞ리로다 타 〈옛〉 빼앗으리로다. '아ᄋᆞ다'의 활용형. ¶西京은 이로 이 아니 빠혀 아ᄋᆞ리로다(西京不足拔)≪重杜諺 I:8≫.

아ᄋᆞ아자비 명 〈옛〉 숙부. 작은 아버지. ¶아ᄋᆞ 아자비(叔父)≪老乞 下 3≫.

아ᄋᆞ아ᄌᆞ븨겨집 명 〈옛〉 숙모(叔母). 작은 어머니. ¶아ᄋᆞ 아ᄌᆞ븨 겨집(嬸子)≪老乞 下 3≫.

아올 〈옛〉 아우를. '아ᄋᆞ❷'의 목적격형. ¶노모ᄅᆞᆯ 셤기며 어린 아올 양휵ᄒᆞ여 ≪五倫 I:41≫.

아옴 명 〈옛〉 겨레. 친척(親戚). =아ᅀᆞᆷ·아ᄋᆞ. ¶열히ᄅᆞᆯ 아ᄋᆞ미 消息이 업도다(十年骨肉無消息)≪重杜諺 IV:32≫.

아자[1]【牙子】 명 ①〖한의〗 해독제(解毒劑)나 기생충 제거에 쓰이는 짚신나물의 뿌리. 견아(犬牙). 낭아(狼牙). 낭자(狼子). 낭치(狼齒). ②아인(牙人).

아자[2]【兒子】 명 아이.

아-자[3]【阿字】 [—짜] 명 〖불교〗 범어(梵語)의 12 모음의 첫째. 사물의 시초, 근본을 뜻함.

아자[4]【啞子】 명 벙어리. 아자(啞者).

아자[5]【啞者】 명 벙어리[1].

아자-관【阿字觀】 [—짜—] 명 〖불교〗 밀교(密敎)에서, 일체 만유(萬有)를 하나의 '아(阿)'자에 총괄(總括)하여, 본불생(本不生)의 이치를 관상

(觀想)하는 행법(行法).

아자 교란【亞字交欄】[—짜—] 명 『건』 아자(亞字)형으로 된 교란.

아자 교창【亞字交窓】[—짜—] 명 『건』 아자형(亞字形)으로 문살을 한 교창(交窓).

아자드〔Azad, Maulana Abu al-kalam〕 명 『사람』 인도의 정치가·학자. 국민 회의에 참가하여 독립 운동을 전개함. 인도 독립 후에는 네루 내각에서 교육 과학 연구상 등을 지냄. 인도·파키스탄의 분리 독립에 반대함. [1889-1958]

아자르〔Hazard, Paul〕 명 『사람』 프랑스의 문학사가(文學史家). 아카데미 프랑세즈 회원(會員). 주저(主著)에 ≪프랑스 문학사≫·≪유럽 의식(意識)의 위기(危機)≫ 등이 있음. [1878-1944]

아자마니 명 〈방〉 아주머니.

아자마-님 명 〈방〉 아주머님.

아자-문【亞字門】[—짜—] 명 『건』 문짝의 살대가 아자형(亞字形)으로 된 문.

〈아자문〉

아자미 명 〈방〉 아주미.

아자바니 명 〈방〉 아주버니.

아자바-님[1] 명 〈방〉 아주버님.

아자바님[2] 명 〈옛〉 아저씨. 숙부님. ¶아자바님내 의 다 安否ᄒᆞᄉᆞᆸ고≪釋譜 Ⅵ:1≫.

아자-방【亞字房】[—짜—] 명 『건』 방고래를 '亞'자형(形)으로 놓은 방.

아자버니 명 〈방〉 아주버니.

아자버이 명 〈옛〉 숙부모(叔父母). =아ᄌᆞ버이. ¶삼촌 아자버이를 ᄭᅮ지ᄌᆞ면(三寸叔父母罵言則)≪警民編 13≫.

아자 본불생【阿字本不生】[—짜—] 명 『불교』 밀교(密敎)의 근본 교의(根本敎義). 모든 법은 불생 불멸(不生不滅), 곧 공(空)임을 아자(阿字)가 상징한다는 말.

아자비 명 〈옛〉 아제비. 작은 아버지. ¶아자비ᄂᆞᆫ 블근 門의 사ᄂᆞᆫ 貴ᄒᆞ니오(叔父朱門貴)≪杜諺 Ⅶ:30≫.

아자-쇄문【亞字瑣門】[—짜—] 명 『건』 아자문(亞字門).

아자씨 명 〈방〉 아저씨.

아자-에【俄者—】 부 〈방〉 아까.

아-자제【衙子弟】[—짜—] 명 『역』 아버지를 좇아 지방 관아에 묵고 있는 원의 자제.

아자-창【亞字窓】[—짜—] 명 아(亞)자형 문살의 창.

아자 헌란【亞字軒欄】[—짜헐—] 명 『건』 아자형(亞字形)으로 장식(裝飾)된 헌란.

아자-형【亞字形】[—짜—] 명 '亞'의 형상 또는 무늬.

아작 부 연한 과실이나 무 같은 것을 단번에 씹을 때 나는 소리. 쓰아짝. <어적. ——-하다 자타여불

아작-거리다 자타 연해 아작 소리가 나다. 또, 연해 아작 소리를 나게 하다. 쓰아짝거리다. <어적거리다. **아작-아작** 부. ——-하다 자타여불

아작-대다 자타 아작거리다.

아작시오〔Ajaccio〕 명 『지』 코르시카 섬 서안(西岸)의 중심 도시. 아름다운 내만(內灣)에 연한 온천(溫泉)·피한(避寒)·관광지이며, 나폴레옹의 탄생지임. [47,000명(1981 추계)]

아잔[1]【阿殘】 명 『역』〔아라잔적(阿羅殘敵)의 뜻인 듯. 낙랑(樂浪)은 '아라'의 대역(對譯)으로 생각됨〕 진한인(辰韓人)의 낙랑인(樂浪人)에 대한 호칭.

아잔[2]〔아랍 azān〕 명 『이슬람』 예배 시각 고지(告知). 예배 시각에 교도를 불러 모으기 위해 큰 소리로 부르는 일.

아잔타〔Ajanta〕 명 『지』 인도 서부, 봄베이(Bombay) 동북방의 마하라슈트라 주(Mahārāshtra 州)에 있는 구릉지(丘陵地). 계곡에는 기원 전후부터 굽타(Gupta) 시대를 거치어 7세기경까지에 개굴(開掘)되어, 불교 설화를 그린 유채(有彩) 대벽화로 알리어진 석굴 사원군(石窟寺院群)이 있음.

아잔타 석굴【—石窟】〔Ajanta〕 명 인도의 데칸 고원의 북부, 봄베이 동북방의 아잔타 구릉(丘陵)의 계곡 벼랑에 있는 석굴. 무수한 불상 조각·벽화가 남아 있어, 중세(中世) 인도 예술의 일대 보고(一大寶庫)임. 그 제작은 굽타 왕조(Gupta王朝; 320-520)에서 시작하여 7세기경까지 이름. 불상 조각(彫刻)은 그 형식을 간다라식 수법에서 취하여 인도식으로 절충 섭취하였으며, 벽화는 특색 있는 인도화(印度畫)의 음영법을 사용하여, 동양 미술의 극치를 나타내고 있음. 모두 29개의 석굴이 있음.

아잠 형제【—兄弟】〔Asam〕 명 『사람』 독일의 화가·건축가 형제. 형(Cosmas Damian A. : 1686-1739)과 아우(Egid Quirin A. : 1692-1750)가 함께 로마에서 공부하고 귀국, 공동으로 바이에른 주(州)의 교회를 중심으로 이탈리아의 바로크 양식과 다른 독일적인 그림과 조각을 제작하였으며 특히, 뮌헨의 요하네스 네포무크 성당을 설계, 그림·조각 등 모든 것을 형제가 담당한 것으로 유명함.

아잣깨 명 앉을개. ¶아잣깨와 결남나개 호리라(做坐褥皮搭連) ≪朴解 上 31≫.

아장[1]【牙帳】 명 아성(牙城)의 장막(帳幕). 군중(軍中)에서 쓰는 장막. 옛날에 군문(軍門)에 세우는 기(旗)를 상아(象牙)로 꾸민 까닭에 이 이름이 생김.

아:장[2]【亞長】 명 『역』 ①사헌부(司憲府) 집의(執義)의 별칭. ②사간원(司諫院) 사간(司諫)의 별칭.

아:장[3]【亞將】 명 ①버금가는 장수. ②『역』 조선 시대 때 포도 대장(捕盜大將)·용호 별장(龍虎別將)·도감 중군(都監中軍)·금위 중군(禁衛中軍)·어영 중군(御營中軍)·병조 참판(兵曹參判)의 총칭.

아장[4] 부 몸집이 작은 사람이 차분히 걸음을 옮기는 모양. ¶~ 걸어 들어와…≪춘향전≫.

아장-거리다 자 ①어린 아이나 키 작은 사람이 얌전하게 천천히 걸어가다. 쓰아창거리다. ②일없는 태도로 거닐다. 1·2): <어정거리다. **아장-아장** 부. ¶~ 걷다. ——-하다 자여불

아장-걸음 명 아장아장 걷는 걸음.

아장-대다 자 아장거리다.

아장-바장 부 일 없이 이리저리 아장거리는 모양. <어정버정. ——-하다 자여불

아장-선【鵞掌癬】 명 『한의』 창병(瘡病)에 경분(輕粉)을 먹은 때문에 손바닥에 부스럼이 나고 허물이 벗는 병. 아장풍(鵞掌風).

아장이 명 〈방〉 가지[2](평안).

아장-풍【鵞掌風】 명 『한의』 아장선(鵞掌癬).

아재[1] 명 〈비〉 ①아저씨. ②아주버니.

아재[2] 명 〈방〉 아주머니(강원·함북).

아재미 명 〈방〉 아주미.

아재비 명 〈비〉 아저씨.

아재비-과줄나무[—라—] 명 『식』[*Gleditschia japonica*] 콩과의 낙엽 소교목(小喬木). 쥐엄나무와 비슷하나 협과(莢果)가 직립하고 가시가 편평한 점이 다름. 한국 북부에 분포함.

아재비-과질나무 명 〈방〉 『식』 아재비과줄나무.

아쟁【牙箏】 명 『악』 사부(絲部) 찰현(擦絃) 악기의 한 가지. 대쟁(大箏)과 비슷하나 그보다 작은 칠현(七絃)악기로서, 전면(前面)은 오동나무로 하고 후면(後面)은 밤나무로 만듦. 껍질 벗긴 개나리 나무에 송진을 칠한 활을 앞뒤로 문질러 소리를 냄. 우리 나라에는 고려 때 중국에서 들어옴. 소리는 낮고 거칠지만 장중함. 고려 때에는 당악(唐樂)에만 편성되었으나 조선 시대에는 당악과 향악(鄕樂)에 함께 사용되었음. 알쟁(戛箏).

〈아쟁〉

아쟁 산:조【牙箏散調】 명 『악』 아쟁으로 연주하는 산조.

아쟁쿠:르의 싸움〔Agincourt〕 명 『역』 백년 전쟁 중의 영불 간(英佛間)의 싸움. 센 강에 상륙한 헨리 5세의 영국군은 1415년 10월 25일, 아쟁쿠르에서 프랑스군을 무찔러 전멸시키었음. 이로 인해 우위에 선 영국군은 노르망디·파리를 손에 넣었고 영국왕이 프랑스 왕위를 계승할 것을 약속하는 트루아 조약(Troyes 條約)이 성립되었음.

아저【兒豬】 명 애저.

아저-구【兒豬灸】 명 애저 구이.

아저씨 명〔중세: 아자비〕 ①부모와 한 항렬의 남자. ②부모와 같은 또래의 남자를 정답게 부르는 말. 1)-2):↔아주머니.

[아저씨 못난 것 조카 장짐 지운다] 되지 못한 자가 제가 조금이나마 윗자리에 있는 유세로 저보다 낮은 지위에 있는 사람들을 마구 부려 먹는다는 뜻. [아저씨 아니어도 망건이 동난다] 저 역시 남이 가지고 있는 물건이 탐난다는 뜻으로 이르는 말. [아저씨 아저씨하고 길짐만 지운다] 겉으로는 그 사람을 좋게 대접하는 체하면서 그 사람을 이용함을 비유한 말.

아저-증【兒豬蒸】 명 애저찜.

아적[1] 명 〈방〉 아침(전남·경상·제주·황해·함남).

아적[2]【牙笛】 명 『악』 상아(象牙)로 만든 저의 일종. 고려 문종(文宗) 32년(1087)에 중국 송(宋)나라에서 들어옴.

아적[3]【蟻賊】 명 ①개미 떼같이 새까맣게 많이 모인 도둑의 무리. ②이루 헤아릴 수 없이 많은 수효.

아적[4] 부 〈방〉 아직.

아적-나잘 명 〈방〉 아침나절(함경·경상).

아전[1]【牙錢】 명 ①아행(牙行)이 받는 구전. ②구전(口錢). 수수료(手數料).

아:전[2]【亞銓】 명 『역』〔버금 전관(銓官)이라는 뜻〕 이조 참판(吏曹參判)의 별칭.

아:전[3]【雅典】 명 『지』 '아테네(Athenae)'의 취음.

아:전[4]【衙前】 명 『역』 조선 시대 때 서리(胥吏)의 딴이름. 그들의 사무청이 정청(正廳) 앞에 따로 있었으므로 이 이름이 있음. 경아전(京衙前)과 외아전(外衙前)으로 나뉨. 이서(吏胥). 인리(人吏). 소리(小吏). 원역(員役). 구실아치.

[아전의 술 한 잔이 환자(還子)가 석 섬이라고] 관리로부터 적은 신세를 지면 몇 곱으로 갚게 됨을 이르는 말.

아:전 인수【我田引水】 명 제 논에 물대기. 자기에게 이로울 대로만 함.

아:전 인수격【我田引水格】[—껵] 명 아전 인수하는 셈.

아접【芽接】 명 『농』 눈접. ——-하다 타여불

아접-도【芽接刀】 명 『농』 눈접칼.

아접-묘【芽接苗】 명 『농』 눈접모.

아정[1]【亞丁】 명 『지』 '아든(Aden)'의 취음.

아:정[2]【雅正】 명 아담하고 바름. ——-하다 형여불. ——-히 부

아:정[3]【雅亭】 명 『사람』 이덕무(李德懋)의 호(號).

아:정[4]【雅鄭】 명 아악(雅樂)과 정성(鄭聲). 곧, 바른 음악과 음란한 음악.

아제[1] 명 ①자매(姉妹)의 남편을 여자 쪽에서 부르는 말. ②〈속〉 아저씨.

아제[2]【阿弟】 명 동생을 친밀하게 이르는 말.

아제르바이잔[1]〔Azerbaidzhan〕 명 『지』 ①서남 아시아의 카프카스 산맥 남부, 카스피 해 서안(西岸) 지역의 총칭. 독립 국가 연합의 아제르바이잔 공화국과 이란령의 아제르바이잔 주(Azerbaijan 州)로 나뉨. ②독립 국가 연합을 구성하는 공화국의 하나. 북은 그루지야(Gruziya) 공화국, 동은 카스피 해, 남은 이란, 서는 아르메니아(Armenia) 공화국과 인접하고 영토의 일부가 떨어져 아르메니아 서남부와 이란 사이에 위

치함. 주민의 80%는 이슬람교를 믿는 아제르바이잔 족(族)인데, 서남부 아르메니아 공화국에 가까운 나고르노-카라바흐 자치구(Nagorno-Karabakh 自治區)에는 기독교 계통 종교를 믿는 아르메니아 인이 많아 인종적·종교적 분쟁이 끊이지 않음. 바쿠 부근은 석유 산지로 유명하며, 포도·차·면화 재배도 성함. 수도는 바쿠. 정식 명칭은 '아제르바이잔 공화국(Azerbaidzhan Republic)'. [86,600 km² : 7,137,000 명(1991)]

아제르바이잔[2] [Azerbaijan] [명] 〖지〗 이란의 옛 주(州). 현재는 동(東)·서(西) 아제르바이잔 주(州)로 나뉘어 있음.

아제르바이잔-어 【一語】 [명] [Azerbaijanian] 〖언〗 아제르바이잔족의 언어. 튀르크(Türk) 어족(語族)에 속하는 언어로서, 아제르바이잔 공화국과 이란 일부 지방에서 쓰임.

아제르바이잔-족 【一族】 [Azerbaijan] [명] 아제르바이잔어를 말하는 종족. 종족 형성은 여러 인종의 혼혈에 의하고, 7-15세기에 현재의 지역에 정착하였음.

-아져 [어미] 〈옛〉 -고자. ¶婆羅門이 닐오뒤 내보아져 ᄒᆞᄂᆞ다 솔바써≪釋譜 Ⅵ:14≫.

아젹 [명] 〈옛〉 아침. ¶아젹을 기드리더라(待朝)≪東國新續三綱 Ⅳ:28≫.

아젼 [명] 〈옛〉 아전(衙前). ¶아젼과 군ᄉᆞ돌히(吏將)≪小諺 Ⅹ:10≫.

아조[1] 【牙皁】 [명] 〖식〗 조협(皁莢).

아조[2] 【牙彫】 [명] 〖미술〗 조각법의 한 가지. 상아(象牙)를 재료로 하여 새기는 조각.

아조[3] 【兒曹】 [명] 아이들.

아:조[4] 【我朝】 [명] 〖역〗 우리 왕조(王朝)라는 말. 본조(本朝).

아조[5] 【鵞鳥】 [명] 〖조〗 거위.

아조[6] [azo] [관] 〖화〗 '질소(窒素)'란 뜻의 연결형(連結形). ¶∼ 화합물.

아조[7] [부] 〈옛·방〉 아주. ¶아조 슈(殊)≪類合 下 61≫.

아조-기 【一基】 [명] [azo group] 〖화〗 두 개의 질소(窒素) 원자로 이루어진 2가(價)의 원자단(原子團). [−N=N−]

아조레스 고기압 【一高氣壓】 [Azores] [명] 〖기상〗 북대서양의 아열대 고기압. 아조레스 제도 근해에 중심을 갖는 일이 있어 이 이름이 붙었으나, 딴 해역에 중심을 갖는 경우도 많음.

아조레스 제도 【一諸島】 [Azores] [명] 〖지〗 북대서양 상에 있는 포르투갈령 화산 제도. 아홉 개의 주도(主島)로 됨. 유럽의 보양지(保養地)로서 유명하며 제2차 대전 때는 연합군의 해공군 기지였음. 담배·파인애플·바나나·차·조기 야채(早期野菜) 같은 아열대성(亞熱帶) 기후의 산물이 많고, 목축·포경(捕鯨)도 행하여짐. 주된 항구는 폰타델가다(Ponta Delgada). [2,340 km² : 251,000 명(1981 추계)]

아조-벤젠 [azobenzene] [명] 〖화〗 물에 잘 녹지 않는 등적색(橙赤色)의 결정(結晶). 시스형(sis型)과 트랜스형(trans 型)의 기하 이성(幾何異性)이 있음. 트랜스형은 등적색(橙赤色)의 결정으로 녹는점 68°C, 끓는점 293°C. 물에 잘 녹지 아니하고 유기 용매(有機溶媒)에 녹음. 시스형은 상온(常溫)에서 서서히 트랜스형으로 됨. 녹는점 71°C. 아조 염료를 만드는 원료. [$C_6H_5N=NC_6H_5$]

아조 변:이 【芽條變異】 [명] 〖식〗 눈 돌연 변이.

아조 염:료 【一染料】 [azo] [−뇨] [명] 아조기(基)(-N=N-)를 갖는 염료의 총칭. 종류가 많고 합성 염료 중 많은 부분을 차지하는 중요한 염료군(染料群)임.

아조-자 【牙皁子】 [명] 〖한의〗 조협자(皁莢子).

아조토메트리 [azotometry] [명] 〖화〗 미량 화학 분석법의 하나. 검체(檢體)에 적당한 시약(試藥)을 작용시키어 정량적으로 질소 가스를 발생시키어 그 용적을 측정함으로써 그 물질의 양을 알아냄.

아조토미터 [azotometer] [명] 〖화〗 아조토메트리에서 질소 가스를 미량 측정하는 장치.

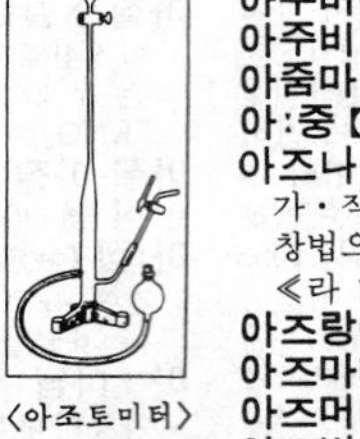

〈아조토미터〉

아조토박터 [Azotobacter] [명] 질소 고정 세균(窒素固定細菌)의 한 속(屬). 토양 중에서 독립 생활을 영위하며 공기 중의 질소를 단독으로 고정하는 기능을 가진 호기성(好氣性)의 세균류. 농업상 중요한 박테리아로 1910년 네덜란드의 미생물학자 베이에링크(Beijerink, Martinus Willem; 1851-1931)가 처음으로 순수 분리에 성공함.

아조프 해 【一海】 [Azov] [명] 〖지〗 흑해(黑海)의 북쪽 크림 반도 동북쪽에 있는 우크라이나 공화국 동남부의 내해(內海). 동서로 길이 약 360 km. 최심(最深) 14.5 m의 천해(淺海). 연안에서는 채염(採塩)이 행하여지고 각종 어류가 풍부함. [38,000 km²]

아조 화합물 【一化合物】 [명] [azo-compound] 〖화〗 아조기(azo 基)(−N=N−)가 탄화 수소기(炭化水素基)의 탄소 원자와 결합하고 있는 유기(有機) 화합물의 총칭. 대개 유색(有色)이며 염료 화학상 매우 중요함.

아:족 【亞族】 [명] 〖화〗 분족(分族).

아:졸 【雅拙】 [명] 성품(性品)이 단아(端雅)하되 변통성이 없음. ——-하다 [형][여불]

아종[1] 【阿從】 [명] 아첨(阿諂). ——-하다 [자][여불]

아:종[2] 【亞種】 [명] [subspecies] 〖생〗 생물 분류 상의 한 단위. 종(種)을 다시 세분(細分)한 것. 상이(相異)한 아종 사이의 잡종은 흔히 번식 능력이 있으나, 상이한 종 사이의 잡종은 보통 번식 능력이 없음.

아좌 태자 【阿佐太子】 [명] 〖사람〗 백제 위덕왕(威德王)의 아들. 597년에 일본에 건너가 쇼토쿠 태자(聖德太子)의 스승이 되고 그의 초상화를 그림. 호류사(法隆寺)에 그 그림이 전해오다가 1949년에 소실됨. 그의 화법은 일본 회화의 원천이 됨. 생몰 연대는 미상.

아주[1] 【牙籌】 [명] 상아(象牙)로 만든 주판.

아주[2] 【阿洲】 [명] 〖지〗 ↗아불리가주(阿弗利加洲).

아주[3] 【亞洲】 [명] 〖지〗 ↗아세아주.

아주[4] [부] ①다시 생각할 여지 없이. 매우. 썩. ¶∼ 잘 한다. ②영원히. 영영. ¶그 사람은 ∼ 가 버렸다. ③다시는 또 없이. 전연. 완전히. ¶그 일에 대해서는 ∼ 백지(白紙)다.

아주 멀쩡하다 [구] 그릇된 짓을 하고서도 예사로이 지냄을 이르는 말.
아주 뽕빠:졌다 [구] 큰 손해를 당하여 아주 거덜남을 이르는 말.

아:주[5] [감] 남의 잘하는 체하는 말이나 행동을 비웃는 말. ¶∼, 제법이야.

아주가루 [명] 〈방〉 〖식〗 아주까리(충청).

아주가리 [명] 〈방〉 〖식〗 아주까리(충남·전라·경상).

아주까루 [명] 〈방〉 아주까리(강원·충청·경북).

아주까리 [명] 〖식〗 ①피마자(蓖麻子). ②↗아주까리씨.

[아주까릿대에 개똥 참외 달리듯; 아주까릿대에 쥐참외 달리듯] ㉠가볍게 대롱대롱 매달린 모양의 비유. ㉡생활 능력이 없는 자가 분에 넘치게 계집을 많이 데리고 산다는 뜻. ㉢연약한 과부에게 큰 자식이 여럿 있음을 이르는 말.

아주까리 기름 [명] 피마자유(蓖麻子油).

아주까리-씨 [명] 피마자(蓖麻子)❷. [준]아주까리.

아주까리-콩 [명] 콩의 품종의 하나. 밥밑콩으로 쓰임.

아주-낮춤 [명] 인칭 대명사에서 가장 낮추어 이르는 말. 저·소인·너 따위. 극비칭(極卑稱).

아주-높임 [명] 인칭 대명사에서 가장 높게 이르는 말. 각하·폐하·어르신 따위. 극존칭(極尊稱).

아주 대학교 【亞洲大學校】 [명] 경기도 수원시(水原市)에 있는 사립 대학교. 1965년 한국·프랑스 양국 간의 문화 및 기술 협정 체결로 1972년 아주 공업 초급 대학으로 발족, 1973년 아주 공과 대학으로 승격, 1980년 종합 대학교가 됨.

아주라이트 [azurite] [명] 〖광〗 남동강(藍銅鑛).

아주마니 [명] 〈방〉 아주머니(함북·평안).

아주망이 [명] 〈방〉 아주머니(함경).

아주매 [명] 〈방〉 아주머니(전라·경북).

아주머니 [명] ①부모와 같은 항렬의 여자에 대한 호칭 또는 지칭. ②같은 항렬의 남자의 아내에 대한 호칭 또는 지칭. ③부인네를 높이어 정답게 부르는 말. 1)-2):↔아저씨.

[아주머니 떡도 싸야 사 먹지; 아주머니 술도 싸야 사 먹지] 어디든지 이익이 있어야 관계를 하게 된다는 뜻.

아주머님 [명] '아주머니'의 경칭.

아주-먹이 [명] ①이상 더 손을 댈 필요가 없을 만큼 정하게 쓿은 쌀. 정백미(精白米). 입정미(入鼎米). ②겹옷을 입을 때 솜을 두어 입는 옷.

아주멍이 [명] 〈방〉 아주머니(충북·전라).

아주-메기 [명] 〈방〉 아주먹이.

아주무니 [명] 〈방〉 아주머니(충남·전남).

아주미 [명] '아주머니'의 낮춤말. ↔아주비.

아주바니 [명] 〈방〉 아주머니(평안·함경).

아주바이 [명] 〈방〉 아주버니(함경).

아주버니 [명] 남편과 같은 항렬의 손위가 되는 남자, 곧 남편의 형, 남편의 손위 누이의 남편에 대한 호칭 또는 지칭. 시숙(媤叔). *서방님.

아주버-님 [명] '아주버니'의 경칭.

아주비 [명] '아저씨'·'아주버니'의 낮춤말. ↔아주미.

아줌마 [명] 아주머니를 홀하게 또는 친숙하게 일컫는 말.

아:중 【衙中】 [명] 〖역〗 지방 군아(郡衙)의 안.

아즈나부르 [Aznavour, Charles] [명] 〖사람〗 프랑스의 상송 가수·작사가·작곡가. 1953년 솔로 가수로 데뷔, 독특한 목소리에 재즈를 가미한 창법으로 인기를 얻음. 대표적 히트곡으로 ≪메케 메케≫·≪라 보엠≫·≪라 마마≫ 등이 있음. 영화에도 출연함. [1924-]

아즈랑이 [명] 〈방〉 아지랭이(충청).

아즈마니 [명] 〈방〉 아주머니(함북).

아즈머니 [명] 〈방〉 아주머니.

아즈버니 [명] 〈방〉 아주버니.

아즈테카 왕국 【一王國】 [Aztecas] [명] 〖역〗 ☞아스테카 왕국.

아즈텍-족 【一族】 [Aztec] [명] ☞아스테크족(族).

아즈하르 대학 【一大學】 [Azhar] [명] 이집트 카이로에 있는 세계에서 가장 오래된 대학의 하나. 970년 창립 이래, 이슬람 신학·법학의 연구 기관으로써 발전함. 나폴레옹의 이집트 원정 후, 프랑스의 영향으로 근대화하여 자연 과학도 중시하게 됨.

아즉[1] [명] 〈방〉 아침(경북).

아즉[2] [부] 〈방〉 아직.

아즉[3] 【先可】 [부] 〈이두〉 처음에. 좌우간. 당분간.

아즐가 [감] 〈옛〉 감탄하는 소리. ¶西京이 아즐가 西京이 셔울히 마르는≪樂詞 西京別曲≫.

아즐-아즐 [부] 강아지 같은 것이 꼬리를 휘두르며 비틀비틀 걷는 모양.

아증기 【阿增祇】 [수] 아승기(阿僧祇).

아지[1] [명] 〈방〉 가지(함경·평북).

아지[2] [명] 〈옛〉 아기. 짐승의 어린 것. ¶쇼아지 독(犢)≪字會 上 18≫.

아지[3] 【阿之】 [명] 〈궁중〉 유모(乳母).

아지[4] 【兒枝】 [명] 어린 나뭇가지. 새 순이 자라는 가지.

-아지 [미] 어떤 말 아래에 붙어서 새끼, 작은 것, 낮은 것의 뜻을 나타내는 말. ¶강∼/망∼/송∼/모가지(←목+아지).

아지게 [명] 〈방〉 아침(경남).

아지드화-물 【一化物】 [명] [azides] 〖화〗 원자단(原子團) N_3을 갖는 화합물의 총칭. 아지드화 수소(HN_3)의 수소 원자가 금속·할로겐 등으로 치환(置換)된 것으로, 일반적으로 불안정하며 대부분 폭발성이 있음. 특히, 은·수은·납 등 중금속(重金屬) 아지드화물은 폭발성이 강하여 뇌관(雷管)·신관(信管) 등 기폭제(起爆劑)로 쓰임.

아지드화 수소【一化水素】명〔hydrogen azide〕〖화〗플루오르화 수소와 비슷한 자극적인 냄새가 나며 폭발성이 있는 무색의 액체. 아지드화 알칼리의 수용액을 산으로 처리하든가, 히드라진(N_2H_4)과 아질산과의 반응으로 만듦. 녹는점 −80℃, 끓는점 37℃, 비중 1.12. 매우 불안정하고 폭발하기 쉬운데, 뜨거운 물체에 닿거나 진동하면 푸른 불꽃을 내며 격렬하게 폭발함. [HN_3]

아지라이 명〈방〉아지랑이(경북).

아지랑이 명 맑은 봄날 먼 공중에 아른거리는 공기 현상(空氣現象). 복사열(輻射熱)로 말미암아 공기의 밀도가 고르지 못하여, 빛의 진로가 불규칙하게 굴절되어 아른아른하게 보임. 부기(浮氣). 야마(野馬). 양염(陽炎). 유사(遊絲).

아지래기 명〈방〉아지랑이(경남).

아지래이 명〈방〉아지랑이(경상·황해).

아지랭이 명 ☞아지랑이.

아지레미 명〈방〉아지랑이(충남).

아지리딘〔aziridine〕명〖화〗부식성(腐蝕性)이 높은 투명 액체. 유기 용제(有機溶劑)나 물에 녹음. 연료유(燃料油) 제조의 중간체(中間體)·윤활유 정제(精製)·섬유(纖維)·제약(製藥) 등에 쓰임. [C_2H_4NH]

아지매 명〈방〉아주머니.

아지머니 명〈방〉아주머니(경상).

아지머님 명〈방〉아주머님(경상).

아지메 명〈방〉아주머니(경상).

아지메르〔Ajmer〕명〖지〗인도의 북서부, 라자스탄 주(Rajastan 州)에 있는 도시. 소금·면화(棉花)의 집산지. 이슬람교(敎)와 자이나교(Jaina 敎)의 유적들이 많음. [374,000명(1981)]

아지 못게라 감〈옛〉'알 수 없다'는 의미로 감탄하는 말. ¶아지 못게라 능히 知하신≪孟子 公孫丑 下≫.

아지미 명〈방〉아주미(전북·경상·함남).

아지버니 명〈방〉아주버니(경상).

아지버님 명〈방〉아주버님(경상).

아지-삐라 명〔agitation bill〕〖사〗선동을 목적으로 하는 삐라.

아지오네 사크라〔이 azione sacra〕명〖연〗이탈리아에 기원을 둔 종교적 음악극.

-아지이다 어미 끝 음절의 모음이 'ㅏ'나 'ㅗ'로 끝난 동사·형용사 어간 밑에 붙어서 기원(祈願)의 뜻을 나타내는 종결 어미. ¶좋~/나~. *-어지이다.

아지작 부 단단한 물건을 깨물어 바스러뜨릴 때 나는 소리. ¶과자를 ~ 깨물다. <으지적. ──-하다 자타여불

아지작-거리다 자타 자꾸 아지작 소리가 나다. 또, 자꾸 아지작 소리를 내다. ¶입 속에서 아지작거리며 씹히는 소리. <으지적거리다. 아지작-아지작 부. ──-하다 자타여불

아지작-대다 자타 아지작거리다.

아지직 부 짜여진 물건이 바스러져 깨어지거나 찌그러질 때 나는 소리. ¶나무 접시가 발에 밟혀 ~ 바서지다. <으지직. ──-하다 자타여불

아지직-거리다 자타 계속해서 아지직 소리가 나다. 또, 계속해서 아지직 소리를 나게 하다. <으지직거리다. 아지직-아지직 부. ──-하다 자타여불

아지직-대다 자타 아지직거리다.

아지키웨〔Azikiwe, Nnamdi〕명〖사람〗나이지리아의 정치가. 젊어서 도미(渡美), 고학하며 링컨 대학을 졸업, 동교 교수를 지냄. 귀국 후 나이지리아·카메룬 국민 회의를 결성, 1960년 독립과 동시에 총독(總督), 1963년 공화국 이행(移行)으로 초대 대통령에 취임하였으나, 1966년 혁명으로 실각함. [1904-]

아지타〔Ajita〕명〖사람〗기원전 6-5세기경의 인도의 사상가. 육사외도(六師外道)의 한 사람. 지수화풍(地水火風)의 4원소만이 참된 실재라 하고, 영혼의 존재를 부정한 감각적 유물론자.

아지타토〔이 agitato〕명〖악〗'격렬하게'·'격정적으로'·'급속히'의 뜻.

아지트 명〔agitation point〕〖사〗노동 쟁의 같은 것을 비밀히 지도하는 선동 지령 본부(煽動指令本部). 보통, 지하 운동자의 비밀 집회소나 지하 본부(地下本部)를 말함.

아지-프로 명〔agitating propaganda〕〖사〗선동을 목적으로 하는 선전(宣傳).

아지프로 문학【一文學】명 어떤 사회적인 그룹(group)이나 계급의 선동·선전을 위하여 쓰인 문학. *프롤레타리아 문학.

아직[1] 명〈방〉아침(함남·강원·전라·경상).

아직[2] 부 ①때가 되지 못한 뜻. ¶~ 안 왔다. *채[15]. ②이미 있던 일이 달라지지 아니한 뜻. ¶~ 비가 오고 있다.

[아직 신날도 안 꼬았다] 아직 시작도 아니하였다는 뜻. [아직 이도 나기 전에 갈비를 뜯는다] 제 힘도 모르고 턱도 없이 힘에 겨운 일을 하려고 한다는 뜻. 기지도 못하면서 뛰려고 한다.

아직-겟노리 명〈방〉아침밥.

아직기【阿直岐】명〖사람〗백제 근초고왕(近肖古王) 때, 사자(使者)로 일본에 건너간 학자. 경서(經書)에 능하여 일본 천황의 태자의 스승이 되고, 왕인(王仁)을 천황에게 추천, 한학(漢學)을 전하게 하였음. 생몰 연대 미상.

아직-까지 부 지금까지. ¶~ 소식이 없다.

아직-껏 부 아직까지. ¶~ 생각해 본 일이 없다.

아직-도 부 '아직'을 강조한 말. ¶~ 기억에 새롭다.

아진 명〈방〉초저녁(평안).

아진-에 부〈방〉①초저녁에. ②애초부터(평안).

아질개양 명〈옛〉새끼 양. ¶아질개양(羖羊)≪老乞 下 19≫. ｢19≫.

아질게모 명〔몽 ajïrγa〕〈옛〉망아지. ¶俗稱 兒馬 아질게몰≪字會 上

아질 문화【一文化】〔Azil〕명 서유럽, 특히 프랑스의 피레네 지방을 중심으로 하여, 북스페인에 분포하는 중석기 시대(中石器時代)의 문화. 1887년 프랑스의 마스 아질(Mas d'Azil)에서 삼각형 또는 자물쇠 모양의 작은 석기(石器), 사슴뿔로 된 작살, 적색 안료(赤色顔料)로 기하학적 무늬를 그린 조약돌 등을 발굴함.

아-질산【亞窒酸】[一싼] 명〔nitrous acid〕〖화〗무기산(無機酸)의 한 가지. 수용액(水溶液)으로서만 존재하는 약한 일염기산(一塩基酸). 아질산염(亞窒酸塩)의 희박한 수용액을 식히면서 산을 가하거나 또는 삼산화 질소(N_2O_3)를 물에 용해하여 얻음. 수용액(水溶液)은 불안정하여 급속히 분해되어 일산화 질소와 질산이 됨. [HNO_2]

아질산 가리【亞窒酸加里】[一싼一] 명〖화〗아질산 칼륨.

아질산-균【亞窒酸菌】[一싼一] 명〔nitrite bacteria〕토양 속의 암모니아를 아질산으로 변화시키는 세균. 질산균과 함께 식물(植物)에 중요한 질화 작용(窒化作用)을 함. 호기성(好氣性) 세균으로, 토양 표면 가까이에 많음. 아질산 박테리아. 암모니아 산화균(酸化菌). *질산균·질화(窒化) 세균.

아질산 나트륨【亞窒酸一】〔natrium〕[一싼一] 명〔sodium nitrite〕〖화〗질산 나트륨에 납을 가하고 용해하거나 또는 수산화(水酸化) 나트륨 수용액에 산화 질소를 흡수, 농축(濃縮)시켜 만든 무색 사방 정계(斜方晶系)의 결정(結晶). 물감 제조·염색(染色)·의학·유기 합성(有機合成) 등에 쓰임. [$NaNO_2$]

아질산 무수물【亞窒酸無水物】[一싼一] 명〖화〗삼산화 이질소(三酸化二窒素)의 통칭.

아질산 박테리아【亞窒酸一】〔bacteria〕[一싼一] 명 아질산균.

아질산 아밀【亞窒酸一】[一싼一] 명〔amyl nitrite〕〖화〗담황색의 투명한 액체로 특이한 냄새가 나는 아질산 에스테르의 한 가지. 상온에서 휘발하기 쉬우며, 흡입하면 혈관(血管)이 확장(擴張) 작용을 일으키므로 고혈압증이나 협심증(狹心症)의 치료제로 쓰임. [$C_5H_{11}ONO$]

아질산 암모늄【亞窒酸一】[一싼一] 명〔ammonium nitrite〕〖화〗조해(潮解)하기 쉬운 무색의 결정. 산화 질소(酸化窒素)와 암모니아 또는 탄산 암모늄을 반응(反應)시켜서 얻음. 가열(加熱)하면 물과 질소로 분해함. [NH_4NO_2]

아질산 에스테르【亞窒酸一】[一싼一] 명〔nitrous ester〕〖화〗아질산의 수소 원자를 탄화 수소기(炭化水素基) R로 치환(置換)한 화합물. 아질산 아밀·아질산 에틸·아질산 메틸 등이 있는데 일반적으로 물에 잘 녹지 않으며, 향기가 나고 휘발성(揮發性)이 강함. 삼산화 이질소(三酸化二窒素) 또는 아질산 칼륨과 황산(黃酸)·알코올을 작용시켜 만듦.

아질산 에틸【亞窒酸一】[一싼一] 명〔ethyl nitrite〕〖화〗아질산 에스테르의 한 가지. 독특한 향기가 있는 액체. 혈관 확장제(擴張劑)로 씀. 감초 석정(甘硝石精).

아질산-염【亞窒酸塩】[一싼념] 명〔nitrite〕〖화〗아질산 이온 NO_2^-의 화합물. 아질산의 수소를 금속이나 암모늄으로 치환(置換)하여 얻은 물질. 알칼리 금속·알칼리 토금속의 염, 은·수은·구리·카드뮴 등의 염이 알려짐.

아질산 칼륨【亞窒酸一】〔kalium〕[一싼一] 명〔potasium nitrite〕〖화〗아질산염의 한 가지. 질산 칼륨과 납과의 혼합물(混合物)을 가열하여 얻는 무색의 결정. 디아조(diazo) 물감의 제조에 사용됨. 아질산 가리. [KNO_2]

아질-아질 부 현기가 나서 자꾸 어지러워지는 모양. ㅆ아찔아찔. <어질어질. ──-하다 형여불

아짐 명〈방〉아주머니(전라).

아:집【我執】명 ①소아(小我)에 집착하여 자기만을 내세움. 자기의 의견에 사로잡혀 그것에만 쏠림. ¶~을 버리다. ②〖불교〗심신 가운데에 사물을 주재하는 상주 불멸(常住不滅)의 실체가 있다고 믿는 집착.

아ᄌᆞ마님 명〈옛〉아주머님. ¶아바닚긔와 아ᄌᆞ마닚긔와≪釋譜 Ⅵ:1≫/아ᄌᆞ마니몬 大愛道룰 니르시니≪釋譜 Ⅵ:1≫.

아ᄌᆞ믜〈옛〉아주머니의. '아ᄌᆞ미'의 소유격형. ¶이욱ᄒᆞ야 ᄒᆞᆫ 쳥의 아ᄌᆞ믜 말로 뎐ᄒᆞ야 닐오ᄃᆡ 최싱의 모 부인이 의심ᄒᆞ니 일이 맛당이 긋처 ᄇᆞ리고 서ᄅᆞ 보디 아념즉ᄒᆞ되≪太平 Ⅰ:48≫.

아ᄌᆞ미 명〈옛〉아주미. 아주머니. ¶아ᄌᆞ미를 저ᄒᆞ샤(載畏嬸氏)≪龍歌 99章≫/아ᄌᆞ미 수(嫂), 아ᄌᆞ미 고(姑)≪字會 上 32≫.

아ᄌᆞ반이 명〈옛〉아주버님. ¶嫂者兄妻也 東俗弟妻 亦謂之弟嫂 叔者夫弟 東俗夫兄亦謂之叔氏(呼之曰 阿自般伊)≪雅言 卷二≫.

아ᄌᆞ버이 명〈옛〉숙부모. =아자버이. ¶삼촌 아ᄌᆞ버이ᄂᆞᆫ(三寸叔父母)≪警民編 12≫.

아졸아졸히 부〈옛〉아질아질하게. 혼미(昏迷)하게. ¶머리 셰오 아졸아졸히 오직 醉ᄒᆞ야셔 ᄌᆞ오ᄂᆞ다(頭白昏昏只醉眠)≪杜諺 Ⅸ:27≫.

아졸히 부〈옛〉혼미(昏迷)하게. ¶괴외히 아졸히 住홀 씨라(閒爾昏住)≪永嘉 上 73≫.

아졸ᄒᆞ다 형〈옛〉아질아질하다. 어둡다. ¶겨그ᄃᆞ록 아졸ᄒᆞ야(終日冥冥)≪佛頂 上 3≫/아졸ᄒᆞ야 오래 머므디 몯ᄒᆞ리로다(惘然難久留)≪杜諺 Ⅰ:15≫.

아징 명〈옛〉아쟁(牙箏). ¶아징 징(箏)≪字會 中 32≫.

아짜 감〈방〉아차.

아짝 부 ①단단한 과실이나, 무·배추 등을 단번에 씹을 때 나는 소리. ②단단한 물건을 부수는 소리. 1)·2): ㅅ아작. <어쩍. ──-하다 자타여불

아짝-거리다 자타 자꾸 아짝 소리가 나다. 또, 자꾸 아짝 소리를 나게 하다. ㅅ아작거리다. <어쩍거리다. 아짝-아짝 부. ──-하다 자타여불

아짝-대다 자타 아짝거리다.

아:쭈 감 ☞아주[5].

아찔-아찔 부 갑자기 현기(眩氣)가 나서 어지러워지는 모양. ㅅ아질아

질. <어찔어찔. ——-하다 형여불

아찔-하다 형여불 갑자기 정신이 내어둘리다. ¶벼랑 밑은 정신이 아찔할 정도로 깊었다. <어찔하다. *아뜩하다.

아차¹【阿遮】명〔범 acala〕『불교』부동명왕(不動明王)의 딴이름.

아차² 감 잘못된 것을 깨달을 때에 선뜻 나오는 소리. ¶~ 잊었군/~ 하는 순간.

아차-도【阿此島】명『지』인천 광역시의 서해상(西海上), 강화군(江華郡) 서도면(西島面) 아차도리(阿此島里)에 위치한 섬. 주문도(注文島)의 북쪽 1km 지점에 인접함. [0.67km²]

아차산-성【阿嵯山城·阿且山城】명『역』백제가 광주(廣州)에 도읍하였을 때, 고구려를 막기 위해 쌓은 큰 성. 서울 광장동(廣壯洞) 한강 북안(北岸)에 있음. 처음 쌓은 연대는 확실치 않으나 286년에 중수(重修)했음. 백제가 웅진(熊津)으로 천도(遷都)한 뒤 고구려와 신라 간의 한강 유역 쟁탈전의 싸움터가 되었음. 일명 아단성(阿旦城).

아차아차-하다 형여불 몹시 위태로워서 아슬아슬한 느낌이 들다. ¶높다란 나뭇가지에 아차아차하게 매달려 있다.

아차 일예【阿遮一睨】명『불교』부동명왕(不動明王)이 한 눈을 흘겨 분노를 표시한 위덕(威德) 있고 용맹한 형상(形相).

아차차 감 몹시 당황하여 '아차'를 빠르게 거듭 내어 지르는 소리.

아찬【阿飡·阿粲】명〔←아손(阿飡)〕『역』신라 십칠 관등(十七官等)의 여섯째 등급. 대아찬(大阿飡)의 아래, 일길찬(一吉飡)의 위. 육두품(六頭品)이 오를 수 있음. 아척간(阿尺干).

아참¹ 명〈방〉아침.

아참²【衙參】명 관리들이 조석으로 참집함.

아창-거리다 자 키 작은 사람이 활기 있는 태도로 걸어 가다. ㄴ아장거리다. <어청거리다. 아창-아창 부. ——-하다 자여불

아창-대다 자 아창거리다.

아채기 명〈방〉가지¹(함경).

아:처〔Archer, William〕명『사람』영국의 연극 평론가(演劇評論家). 영국 근대극 운동의 선구자임. 작품은 희곡 《녹색의 여신》, 평론 《희곡 작법(戱曲作法)》 등임. [1856-1924]

아처롭다 형〈방〉애처롭다.

아척¹ 명〈방〉아침(전남·경북·경기).

아척²【阿尺】명『역』신라 때의 지방 관직 십 등급(十等級) 가운데 맨 끝 등급. 중앙의 조위(造位)에 해당함.

아척-간【阿尺干】명『역』아찬(阿飡).

아쳗다 타〈옛〉싫어하다. =아쳗다·아쳘다. ¶ᄒᆞ오사 셔야쇼믄 時節ㅅ 사ᄅᆞ미 아쳗논 배니(獨醒時所嫉)《初杜諺 XXI:35》/妄心으로 生死苦를 아쳗고(則令妄厭生死苦)《圓覺 上 二之一 37》.

아쳗브다 형〈옛〉싫다. ¶사ᄅᆞ미게 아쳗브디 아니호미(不厭於人)《內訓 I:13》.

아첨¹ 명〈방〉아침(경남).

아첨²【阿諂】명 남의 환심을 사거나 잘 보이기 위하여 알랑거림. 아유(阿諛). 아종(阿從). 미첨(媚諂). ¶~꾼. 준첨(諂). ——-하다 자여불

아첨-꾼【阿諂—】명 아첨을 잘하는 사람.

아첨-조【阿諂調】[—쪼] 명 아첨하는 말투·행동.

아청¹【鴉靑】명 검은 빛을 띤 푸른 빛. 야청. ¶나는 조곰이라도 간격을 두고 말을 하면 ~ 하늘에 벼락을 맞겠소《李海朝 : 鬢上雪》.

아청²〔阿城〕명『지』중국 헤이룽장 성(黑龍江省)에 있는 도시. 하얼빈 남동의 구읍(舊邑)으로 금(金)나라의 발상지임. 대규모의 제당(製糖) 공장이 있고, 부근의 아성허(阿升河)는 진주(眞珠)의 명산지임.

아체오트로피〔도 Azeotropie〕명『화』공비등 혼합물(共沸騰混合物).

아첸타토〔이 accentato〕명『악』'그 음에 힘을 주어서'의 뜻.

아첼레란도〔이 accelerando〕명『악』'점점 빠르게'의 뜻. 또, 그 악절(樂節)이나 연주법.

아쳐다 타〈옛〉싫어하다. =아쳗다. ¶네 ᄎᆞ딕룰 아쳐 아니커든(你不嫌冷時)《老乞 上 47》/成都애 나아가셔 占卜호믈 아쳐노니(厭就成都卜)《杜諺 II:2》.

아쳐라 타〈옛〉싫어하여. '아쳐다'의 활용형. =아쳐러. ¶苦와 樂과 둘흘 아쳐라(雙厭苦樂)《楞嚴 IX:15》. *아쳗다.

아쳐라ᄒᆞ다 타〈옛〉싫어하다. =아쳐러ᄒᆞ다. ¶이 녀매 더위옛 비ᄅᆞᆯ 아쳐라 ᄒᆞ노니(此行厭暑雨)《杜諺 I:56》/사ᄅᆞ미 내의 眞淳호ᄆᆞᆯ 아쳐라 ᄒᆞᆯ가 저헤니라(畏人嫌我眞)《初杜諺 XVI:69》.

아쳐러 타〈옛〉싫어하여. '아쳐다'의 활용형. =아쳐라. ¶귀 아쳐러 여희요려호ᄆᆞᆯ 내야(生大厭離)《楞嚴 V:34》/샹녜 아쳐러 여희오져 너기며(常懷狀離)《永嘉 下 40》. *아쳗다.

아쳐러ᄒᆞ다 타〈옛〉싫어하다. =아쳐라ᄒᆞ다. ¶센 머리예 고기 잡는 사ᄅᆞᆷ과 벋ᄒᆞ야 자ᄆᆞᆯ 아쳐러 ᄒᆞ노니(白頭厭伴漁人宿)《杜諺 I:44》/塞外예 와 甚히 뫼ᄒᆞᆯ 아쳐러 ᄒᆞ더니(塞外苦厭山)《杜諺 I:20》.

아쳐롬 타〈옛〉싫어함. '아쳗다'의 명사형. ¶므던히 너기며 아쳐로ᄆᆞᆯ 내디 아니ᄒᆞ며(不生輕厭)《金剛 上 35》.

아쳘다 타〈옛〉싫어하다. =아쳗다·아쳐다. ¶女人 모ᄆᆞᆯ 아쳘고(厭其女人身)《佛頂 上 4》/비호ᄃᆡ 아쳘디 아니호미(學之不厭)《永嘉 上 17》.

아쳘붐 형〈옛〉싫음. '아쳘브다'의 명사형. ¶欲의 어루 아쳘부믈 아라(知欲可厭)《圓覺 下 一之一 29》/이젠 欲ᄋᆡ 어루 아쳘부믈 알시(今知欲 可厭故)《圓覺 下 一之一 29》.

아쳘브다 형〈옛〉싫다. =아치얻브다. ¶믈읫 아쳘븐 相ᄋᆞᆯ 다 업고져 願ᄒᆞ샷다(凡可惡相願皆無之)《永嘉 下 136》/生死와 涅槃괘 어루 아쳘브며(生死涅槃可厭)《圓覺 上 二之二 169》.

아철다 타〈옛〉싫어하다. =아쳗다. ¶커아쳐러 여희요려 호ᄆᆞᆯ 내야(生大厭離ᄒᆞ야)《楞嚴 V:34》/므ᄉᆞ매 아쳗 求호ᄆᆞᆯ 니르왇ᄂᆞ니(心起厭求)《圓覺 下 一之二 20》.

아초¹【鵝醋】명 거위젓.

아초² 부〈방〉애초.

아-초산【亞硝酸】명『화』'아질산(亞窒酸)'의 구칭.

아총【兒塚】명 어린아이의 무덤. 애총.

아축【阿閦】명『불교』아축파(阿閦婆).

아축-불【阿閦佛】명『불교』아축파(阿閦婆).

아축 여래【阿閦如來】[—녀—] 명『불교』아축파(阿閦婆).

아축파【阿閦婆】명〔범 Akṣobhya〕『불교』동방(東方)에 선쾌 정토(善快淨土)를 세워서 설법하는 부처. 무관(無冠)으로 항마(降魔)의 인(印)을 띠고 연화 좌토(蓮華座土)에 앉아 있다 함. 서방(西方)의 아미타불(阿彌陀佛)에 대비되고 있음. 아축. 아축파불. 아축불. 아축 여래. *사방 사불(四方四佛).

〈아축파〉

아축파-불【阿閦婆佛】명『불교』아축파(阿閦婆).

아춤 명〈방〉아침(함남·경북).

아:취【雅趣】명 아담한 정취(情趣) 또는 취미. ¶~ 있는 풍경.

아츠럽다 형〈방〉애처롭다(함경).

아츠-조금 명 무수기를 볼 때, 이렛날과 스무이틀을 이르는 말.

아츤설날 명〈옛〉작은 설. 섣달 그믐. =아츤설. ¶아츤설날의 형과 아ᄌᆞ미를 청ᄒᆞ야 술 먹이며(除夕置酒邀兄嫂)《二倫 21》.

아츰 명〈방〉아침(평안·경상·함경·전라).

아치¹ 명〈방〉가지¹(강원·함경).

아치²【牙齒】명 ①어금니. ②어금니와 이.

아:치³【我癡】명『불교』아견(我見)·아만(我慢)·아애(我愛)와 함께 네 가지 번뇌의 하나. 아(我)의 진상을 알지 못하고 무아(無我)의 도리를 헤매는 번뇌(煩惱).

아치⁴【兒齒】명 늙은이의 이가 빠지고 다시 난 이. 오래 살 징조라 함.

아:치⁵【雅致】명 아담한 풍치.

아:치⁶〔arch〕명 ①『건』건축 상의 기법(技法)의 한 가지. 건축·교량 따위에 이용되는 호(弧) 모양의 구조체로 호에 작용해서 전해지는 압축력만으로 하중(荷重)을 떠받치는 것임. 양끝에 베푼 기초 또는 기둥 위에 돌·벽돌·콘크리트 등을 곡선형으로 쌓아서 만듦. ②홍예문(虹霓門). 공문(拱門). 녹문(綠門). ③궁형(弓形). 반원형(半圓形). 무지개 모양. ④야구에서, 홈런. ¶~를 그리다.

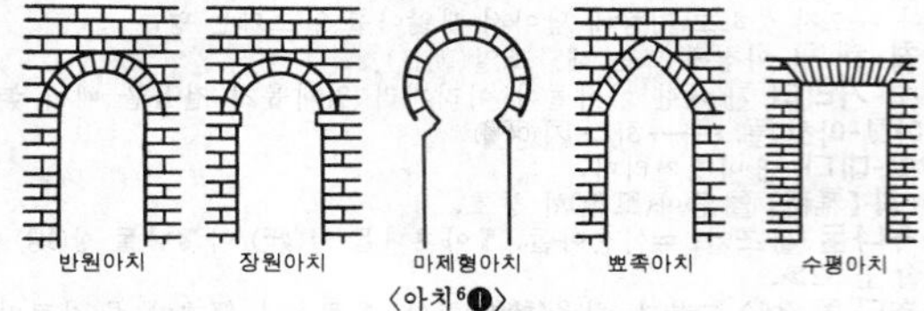

〈아치⁶❶〉

-아치 미 명사 밑에 붙어 그 일에 종사하는 사람을 홀하게 이르는 말. ¶벼슬~/동냥~/장사~.

아치게 명〈방〉아침(황해).

아:치 고절【雅致高節】명 아담한 풍치나 높은 절개.

아:치-교【—橋】〔arch〕명 구조(構造)의 주체가 아치로 구성되어 있는 다리. 들보가 아치 구조를 갖는 것, 다리 하면에 아치를 갖는 것, 상면에 철골제(鐵骨製) 아치를 갖는 것이 있음.

아:치 댐〔arch dam〕명 댐의 한 가지. 아치 모양의 곡선형으로 된 것으로, 콘크리트로 축조(築造)하여, 아치를 이용해서 수압(水壓)을 양안(兩岸)에서 버팀.

아치랑-거리다 자 거칠게 아슬랑거리다. <어치렁거리다. 준아칠거리다. 아치랑-아치랑 부. ¶그 뒤에 털이란 년이 ~ 따라가는 것도 보았는뎁시오《玄鎭健 : 無影塔》. ——-하다 자여불

아치랑-대다 자 아치랑거리다.

아:치 모:션〔arch motion〕명 장대높이뛰기에서, 바(bar)를 넘을 때, 복부에 중심을 놓고 몸을 활 모양으로 구부리는 동작.

아치얻브다 형〈옛〉싫다. =아쳘브다. ¶입시우리 드리디 아니ᄒᆞ며 웂디 아니ᄒᆞ며 디드디 아니ᄒᆞ며 헐믓디 아니ᄒᆞ며 이저디디 아니ᄒᆞ며 기우디 아니ᄒᆞ며 두텁디 아니ᄒᆞ며 크디 아니ᄒᆞ며 검디 아니ᄒᆞ며 믈읫 아치얻븐 야이 업스며《釋譜 XIX:7》.

아치장-거리다 자 키가 작은 사람이 기운이 빠져 느리게 걷다. <어치정거리다. 아치장-아치장 부. ——-하다 자여불

아치장-대다 자 아치장거리다.

아치정-아치정 부〈방〉①아장아장. ②아치랑아치랑. ——-하다 자

아칙¹ 명〈방〉아침(강원·전남·경상).

아:칙²【雅飭】명 성품이 아담하고 조심스러움. ——-하다 형여불

아칠-거리다 자 ↗아치랑거리다. <어칠거리다. 아칠-아칠 부. ——-하다 자여불

아칠-대다 자 아칠거리다.

아침 명〔중세 : 아ᄎᆞᆷ〕①날이 새어서 아침밥을 먹을 때까지의 동안. 날이 새고 얼마 안 된 때. '새 역사' 또는 '새 질서의 사회' 등을 뜻하는 상징어로도 쓰임. ¶새 ~이 밝아 오다. ②↗아침밥. ¶~을 먹다. 1)·2):↔저녁.

[아침 아저씨 저녁 소 아들] 농가에서 아침에는 머슴의 비위를 맞추느라 대접을 잘 하고, 일을 마치고 저녁에 돌아오면 대우는 커녕 함부로 부린다 하여 이르는 말. [아침 안개가 중대가리 깬다] 아침에 안개가 끼면, 그 날 낮에는 중의 머리를 깰 정도로 햇빛이 쨍쨍 비친다는 말. [아침에 까치가 울면 좋은 일이 있고, 밤에 까마귀가 울면 대변(大變)

이 있다] 아침에 까치가 울면 반가운 손이 오거나 기쁜 소식이 있고, 밤에 까마귀가 울면 좋지 못한 일이 생긴다 하여 이르는 말.

아침 거리 [—꺼—] 명 아침 끼니를 만들 거리. ↔저녁 거리.

아침-결 [—껼] 명 ①아침 기분이 사라지기 전. ②낮이 되기 전.

아침 곁두리 명 아침과 점심 사이에 먹는 곁두리.

아침 기도【—祈禱】명〔라 preces matutinae〕『천주교』 아침에 드리는 기도. 조과(早課).

아침 나절 명 아침밥을 먹은 뒤 한 나절. ↔저녁 나절.

아침-내 명 이른 아침부터 아침밥을 먹을 때까지의 동안.

아침-녘 명 아침때.

아침-노을 명 아침에 해가 떠오르는 하늘에 벌겋게 보이는 기운. 조하(早霞). 준아침놀.

아침-놀 명 ↗아침노을.

아침-때 명 ①아침인 때. ②아침밥을 먹을 시간.

아침-뜸 명 아침 무렵 해안 지방에서 해풍(海風)과 육풍(陸風)이 교체(交替)될 때 바람이 한동안 자는 현상. ↔저녁뜸.

아침 먹이 명 아침 끼니로 먹을 양식.

아침-메기 명〈방〉아침 먹이.

아침 문:안【—問安】명 아침에 드리는 문안.

아침-물 명 아침에 들어왔다 나가는 조수.

아침-밥 [—빱] 명 아침 때에 끼니로 먹는 밥. 조반(朝飯). 조식(朝食). 조식(早食). 준아침.

아침-볕 명 아침에 드는 햇볕.

아침-상【—床】[—쌍] 명 아침밥을 차려 놓은 상.

아침 상:식【—上食】명 아침에 올리는 상식. 조상식(朝上食).

아침-선반 명 일터에서 일꾼에게 아침밥을 먹고 쉬게 하는 시간.

아침-술 [—쑬] 명 아침에 마시는 술.

아침-쌀 명 아침밥을 지을 쌀.

아침-잠 [—짬] 명 ①아침에 자는 잠. 조침(朝寢). ②늦잠. ¶ ~이 많다.

아침 저녁 명 아침과 저녁. 조석(朝夕).

아침젯-노리 명〈방〉아침밥.

아침 진:지 명 '아침밥'의 경칭.

아침-참【—站】명 ①아침밥을 먹고 잠시 쉬는 동안. ②일할 때 아침 나절에 먹는 샛밥.

아침-통【兒枕痛】명『의』 임신 중에 태(胎) 옆에 있던 피가 해산할 때 다 나오지 못하고 자궁에 남아서 배앓이를 일으키는 병.

아침-해 명 아침에 뜨는 해. 조일(朝日).

아칫-거리다 자 어린 아이들이 이리저리 위태롭게 걸음을 떼어 놓다. 아칫-아칫 부. ——-하다 자여불

아칫-대다 자 아칫거리다.

아:칭【雅稱】명 풍아(風雅)한 칭호.

아ᄎᆞ나ᄃᆞᆯ 명 조카. =아ᄎᆞᆫ아ᄃᆞᆯ. ¶아ᄎᆞ나ᄃᆞᆯ 딜(姪)/아ᄎᆞ나ᄃᆞᆯ 싱(甥)《字會 上 32》.

아ᄎᆞᆫ다 형〈옛〉드물다. 희유(稀有)하다. ¶衆人이 怒ᄒᆞ며 믈 사ᄅᆞ미 믜여 두리 아ᄎᆞ니라(衆怒群猜鮮有存者)《內訓 I:33》.

아ᄎᆞᆫ〈옛〉까닭은. '앛'의 절대격형(絕對格形). ¶慈尊이 希有ᄒᆞ샨 아ᄎᆞᆫ(慈尊之所以希有者)《金三 Ⅱ:8》/그러혼 아ᄎᆞᆫ(所以然者)《金三 Ⅲ:34》.

아ᄎᆞᆫᄯᆞᆯ 명〈옛〉조카딸. 질녀(姪女). ¶동싱형데게 난 아ᄎᆞᆫᄯᆞᆯ(姪女)《老乞 下 31》. *아ᄎᆞᆫ아ᄃᆞᆯ.

아ᄎᆞᆫ설 명〈옛〉까치설. 작은설. 섣달 그믐. =아ᄎᆞᆫ설날·아ᄎᆞᆷ설. ¶아ᄎᆞᆫ설(暮歲)《譯語 上 4》/아ᄎᆞᆫ설날 ᄉᆞ경의(歲暮夕四更中)《瘟疫 4》.

아ᄎᆞᆫ설밤 명〈옛〉제야(除夜). 섣달 그믐날 밤. ¶아ᄎᆞᆫ설밤(除夜)《譯語 上 4》.

아ᄎᆞᆫ섯날밤 명〈옛〉제야(除夜). 섣달 그믐날 밤. ¶아ᄎᆞᆫ 섯날 바미(歲除夜)《瘟疫 6》.

아ᄎᆞᆫ아ᄃᆞᆯ 명〈옛〉조카. =아ᄎᆞ나ᄃᆞᆯ. ¶우리 아ᄎᆞᆫ아ᄃᆞᆯ 李朝ᄋᆡ 글수미 親近ᄒᆞ도다(吾甥李朝下筆親)《初杜諺 XVI:15》/아ᄋᆞ와 아ᄎᆞᆫ 아ᄃᆞᆯ왜 비록 이시나(弟侄雖存)《杜諺 XI:13》.

아ᄎᆞᆷ 명〈옛〉아침. ¶암ᄃᆞᆯᄀᆡ 아ᄎᆞᄆᆡ 우러(牝鷄晨鳴)《內訓 Ⅱ:16》/히東녀긔 이시면 아ᄎᆞ미오《月釋 Ⅱ:50》.

아ᄎᆞᆷ나조 명〈옛〉아침 저녁. 조석(朝夕). ¶아ᄎᆞᆷ나조ᄒᆡ 守護ᄒᆞ야(晨夕守護)《圓覺 下 三之二 88》/아ᄎᆞᆷ 나죄 侍衛ᄒᆞ야(朝夕侍衛)《圓覺 下 三之二 92》. 「補 3」.

아ᄎᆞᆷ설 명〈옛〉작은 설. 섣달 그믐. =아ᄎᆞᆫ설. ¶아ᄎᆞᆷ설밤(除夕)《譯語

아카데미〔academy〕명 ①『역』 그리스의 철학자 플라톤과 그 후계자들이 철학을 강의하던 곳. 아카데미 신원(神苑). ②『철』 6세기까지 계속한 플라톤 학파의 이름. ③학문·예술에 관한 공사(公私)의 지도적 단체. 학자 단체(學者團體). 한림원(翰林院). 학사원(學士院). 학술원(學術院). ④대학·연구소 등의 총칭.

아카데미 데 시앙스〔Académie des Sciences〕명 프랑스 학사원(學士院)의 한 기관. 1666년에 콜베르(Colbert)가 창설한 수학·자연 과학 분야에 걸친 종합적인 대표 기관임. 현재, 기하학·역학(力學)·광물학·의학 등 11개 부문(部門)이 있음.

아카데미-상【—賞】〔Academy〕명『연』 미국의 영화 예술 과학 아카데미가 해마다 영화계(映畫界) 각 부문(部門)의 최우수자(最優秀者)에게 주는 상. 1927년에 창립되어, 상품으로 트로피(trophy)를 줌. 오스카상(Oscar 賞).

아카데미션〔academician〕명 ①아카데미의 회원(會員). ②일반적으로, '학자'의 일컬음.

아카데미 신원【—神苑】〔그 academy〕명『역』 아카데미❶.

아카데미아〔라 academia〕명 아카데미(academy).

아카데미즘〔academism〕명 학문·예술 방면에서의 전통적 보수적 경향. 관학적(官學的)인 학풍(學風).

아카데미 프랑세:즈〔프 Académie Française〕명 프랑스 학사원(Institut de France)의 한 기관. 1635년 리슐리외(Richelieu)가 문예 일반의 중추 기관(中樞機關)으로서 창립하였으며, 프랑스어의 순화(純化)·통일을 기(期)하기 위하여, 사전·문법의 편찬을 주임무(主任務)로 하며, 매년 문학상·덕행상(德行賞)을 수여함. 정원(定員)은 40명임. 프랑스 한림원(翰林院).

아카데믹〔academic〕명 관학적(官學的). 학구적. 이론적. 비실제적. ——-하다 형여불

아카데믹 프리:덤〔academic freedom〕명 학문의 자유.

아카뎀고로독〔Akademgorodok〕명『지』 1958년에, 시베리아의 노보시비르스크 시(市) 교외에 건설된 학술 도시. 러시아 과학 아카데미 시베리아 지부의 관리 하에 있으며, 핵물리학·지질학 등을 비롯하여 고문서학(古文書學)까지 총 40개 이상의 연구 기관이 있어 시베리아 개발 연구의 중심지. 주민 약 5만 명 중 15,000명이 학자·기술자임.

아카드〔Akkad〕명『지』 메소포타미아의 한 도시. 기원전 2400 년경 메소포타미아를 통일한 셈족의 사르곤(Sargon) 1세가 왕조(王朝)를 세운 곳. 왕국 수립 후 남부 메소포타미아 북반부(北半部)를 이름.

아카드-어【—語】〔Akkad〕명『언』 고대 메소포타미아에서 쓰인 언어로 동방 셈어에 속하는 유일한 것. 북방의 아시리아어와 남방의 바빌로니아어의 이대(二大) 방언으로 나뉨. 대부분의 기록은 쐐기 문자로 기록되어 있음.

아카루스〔acarus〕명『동』 모낭충(毛囊蟲)❷.

아카바〔'Aqaba〕명『지』 요르단 남서부, 아카바 만 안쪽 깊숙한 곳에 있는 요르단의 유일한 항구 도시. 예로부터 이집트와 아라비아를 연결하는 중요한 길목이었음. [약 27,000명(1981)]

아카바 만【—灣】〔Aqaba〕명『지』 홍해(紅海) 북부, 이집트와 사우디아라비아에 끼인 폭 19-27km, 길이 약 160km의 해만(海灣). 북단에 요르단의 아카바 항(港)과 이스라엘의 에일라트 항(Eilat 港)이 있음. 이스라엘 이름으로는 에일라트 만이라고 함.

아카사니 감 무거운 물건을 들어 올릴 때 하는 소리. <이커서니.

아카시〔明石: あかし〕명『지』 일본 효고 현(兵庫縣) 남부, 고베(神戶)의 서쪽 하리마 해안(播磨海岸) 동단(東端)에 있는 항구 도시. 어항인 동시에 공업 도시이며, 부근 일대는 명승지로서 예로부터 유명함. 동경(東經) 135° 자오선 표주(標柱)가 있어 일본 표준시(時)의 기준지임. [272,369명(1990)]

〈아카시아❶〉

아카시아〔프 acacia〕명『식』 ①[*Acacia decurrens*] 콩과 아카시아속(屬)에 속하는 상록 활엽 교목. 잎은 우상 복엽(羽狀複葉)이거나 퇴화하여 된 단엽(單葉)임. 꽃과 열매는 자귀나무와 비슷한데 황색 또는 백색의 꽃이 핌. 이와 같은 종류가 오스트레일리아·아프리카에 500여 종 분포함. ②'아까시나무'의 통칭(通稱).

아카이아 동맹【—同盟】〔Achaia〕명 기원전 280년 펠로폰네소스 반도(Peloponnesos 半島) 북부의 아카이아 여러 도시에 의하여 결성된 동맹. 아이톨리아(Aitolia) 동맹과 더불어 그리스 본토의 이대(二大) 동맹의 하나. 여러 세력과 패권을 다투었으나 로마의 압박을 받아 기원전 146년에 해산함. 연방(聯邦) 형식을 취하고 각 시에서 인구에 따라 대의원을 선출했음.

아카이아-인【—人】〔Achaia〕명 기원전 2000년경, 그리스에 남하하여 테살리아(Thessalia)에서 펠로폰네소스 지방에 정주(定住)했던 그리스인. 미케네(Mycenae) 문명을 발달시킴.

아카지 명〈방〉가지[1](함남).

아 카펠라〔이 a cappella〕명『악』〔카펠라는 교회를 의미하는데 중세의 교회에서는 무반주 합창이 거의 대부분이었음에서 유래함〕반주(伴奏)가 없는 합창 또는 합창곡.

아카풀코〔Acapulco〕명『지』 멕시코 남부 태평양안의 항구 도시. 깎아지른 듯한 암석의 해안은 천연의 양항(良港)을 이루어 태평양 연안의 제일 오래된 항구로, 1550년에 개항하였으며, 스페인령(領) 때에 필리핀과의 중계 무역(中繼貿易)으로 번영했음. 이 나라 제일가는 관광(觀光) 보양지(保養地)임. 구미(歐美) 각국인이 봄과 겨울에 비행기 또는 멕시코시티에서 통하는 고속 도로로 많이 찾아옴. 호텔·오락 시설·산책로 따위가 완비(完備)되어 있음. [462,000명(1979 추계)]

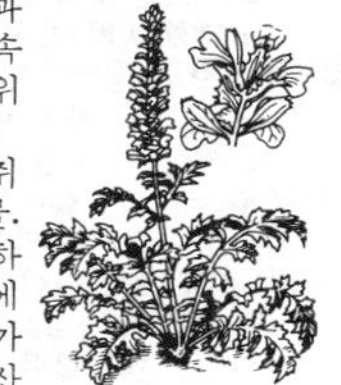
〈아칸서스〉

아칸서스〔acanthus〕명『식』[*Acanthus mollis*] 쥐꼬리망초과에 속하는 다년초, 또는 관목성의 식물. 잎은 대형인데 피침형으로 우상 심렬(羽狀深裂)하며 엽면(葉面)은 광택이 나고 고운 녹색임. 여름에 1m 내외의 화경(花莖)에 백색의 순형화(脣形花)가 수상(穗狀) 화서로 아름답게 핌. 지중해 연안 원산(原產)인데 세계 각지에서 재배함.

아칸서스 무늬〔acanthus〕[—니] 명『건』 아칸서스 잎 모양을 도안화(圖案化)한 주두(柱頭)의 무늬.

아:칸소 강【—江】명〔Arkansas〕『지』 미국의 강으로 미시시피 강의 지류. 콜로라도 주의 로키 산맥에서 발원(發源)하여, 남동으로 흘러 미시시피 본류와 합류함. 유역(流域)은 대농목(大農牧) 지대임. [2,330km]

아:칸소 주【—州】〔Arkansas〕명『지』 미국 남부의 한 주(州). 아칸소

강이 중앙부를 동쪽으로 흐르고 있음. 농산(農産)은 면화·귀리·밀·옥수수·콩 등이 있으며, 석유·석탄의 자원(資源)도 있음. 주도(州都)는 리틀록(Little Rock). [134,883 km²: 2,350,725 명(1990)]

아칸 호【一湖】[阿寒:あかん] 명 《지》 일본 홋카이도(北海道) 남동부에 있는, 아칸 화산의 용암에 의한 언지 화구호(堰止火口湖)인 담수호(淡水湖). 호면 표고(湖面標高) 419 m. 아칸 국립 공원의 일부를 이룸. [13 km²]

아캬 감 〈방〉 애캬.

아:케라이트 [arquerite] 명 《광》 은(銀)을 많이 함유(含有)하는 아말감의 한 가지. 부드러워 나뭇잎 모양으로 되기 쉬운 광물로, 약 87%의 은과 13%의 수은(水銀)을 함유함.

아케르나르 [Achernar] 명 [아라비아어로 '강의 끝'이란 뜻] 푸른 빛이 도는 흰 빛깔의 일등성(一等星). 에리다누스 강(Eridanus江) 자리의 알파성(α星)으로 실시(實視) 등급 0.1. 거리 80광년. 별자리의 남쪽 끝에 있기 때문에 적도(赤道) 가까이에서만 보임.

아케메네스 왕조【一王朝】[Achaemenes] 명 고대 페르시아 제국(帝國)의 왕조(王朝). 페르시아인의 족장 아케메네스의 손자 키루스(Cyrus) 2세가 기원 전 6세기 중엽에 제국을 창건 시조가 됨. 그 후 12대 약 230년 간의 치세(治世) 후, 기원 전 330년 다리우스 3세가 알렉산더 대왕에게 패하여 죽음으로써 멸망함.

아케우스-게 [Achaeus] 명 《동》 [*Achaeus japonicus*] 바다참겟과에 속하는 게의 일종. 배갑(背甲)은 길이 21 mm, 폭 16 mm 내외의 긴 이등변(二等邊) 삼각형임. 갑각(甲殼)과 다리는 약하며, 후연(後緣)은 다섯째 발에까지 이르지 못하고 노출하며, 보각(步脚)은 털이 드물게 났음. 해안 진흙에 서식하는데, 한국·일본에 분포함. 톱날게.

아:케이드 [arcade] 명 ①《건》 아치(arch)를 연속적으로 기둥 위에 가설한 것. 또, 그 공간. 그 기원은 매우 오래며, 이탈리아의 밀라노·나폴리, 헝가리의 부다페스트 등지에 대규모의 것이 있음. ②지붕이 있는 가로(街路) 또는 상점가(商店街). 아케이드 스토어.

〈아케이드❶〉

아:케이드 스토어 [arcade store] 명 아케이드❷.

아:케이즘 [archaism] 명 '아르카이슴(archaïsme)'의 영어명.

아:케익 [archaic] 명 '아르카이크(archaïque)'의 영어명.

아코니틴 [aconitine] 명 미나리아재빗과 바곳속(屬)의 식물에 들어 있는 알칼로이드. 백색 결정(結晶)으로서 혈액에 섞이면 지각(知覺)·운동·분비(分泌) 등의 신경을 흥분·마비시킴. 아이누 족이 독화살에 사용했었음.

아코:디언 [accordion] 명 《악》 악기의 하나. 주름 상자가 붙은, 네모진 상자 모양의 풀무에 피아노와 같은 건반 장치(鍵盤裝置)가 있어서 주름 상자를 신축시키며 건반을 다루어 연주하는 악기. 경음악에 쓰임. 손풍금. 아코르데옹. 핸드 오르간.

〈아코디언〉

아코:디언 도어 [accordion door] 명 아코디언처럼 접었다 폈다 하는 문. 흔히, 거실과 식당의 간막이로 사용됨. 아코디언 커튼.

아코:디언 커:튼 [accordion curtain] 명 아코디언 도어.

아코:르 [프 accord] 명 《악》 화음(和音).

아코르데옹 [프 accordéon] 명 《악》 '아코디언'의 프랑스어 이름.

아코스타 [Acosta, José de] 명 《사람》 스페인 예수회 선교사. 페루에서의 포교를 위해 1572년 로마에 도착, 그 후 1588년까지 남미 각국을 방문함. 귀국 후, 1590년에 《신대륙 자연 문화사(新大陸自然文化史)》 7권을 출판함. 신대륙의 자연과 문화를 과학적 태도로 기술·분석하고 있음. [1540-1600]

아콩카과 산【一山】[Aconcagua] 명 《지》 아르헨티나 서부 안데스 산맥에 있는 산. 남반구(南半球)의 최고봉. 4,500 m 이상은 만년설(萬年雪)과 빙하(氷河)로 덮여 있음. [6,960 m]

아쾌렁 [aqualung] 명 ☞애퀄렁.

아쾌【牙儈】명 거간꾼.

아쿠레이리 [Akureyri] 명 《지》 아이슬란드 북안(北岸), 에이야 피오르드(Eyja Fjord)에 임한 항구 도시(港口都市). 북아이슬란드의 중심지로 어업·수산 가공이 행하여짐. [13,000 명(1981 추계)]

아쿠아 [aqua] 명 《화》 물(H_2O)이 리간드(ligand)가 되었을 때의 이름.

아쿠아리움 [aquarium] 명 수생 동물을 사육하는 수조(水槽). 보통, 유리 수조를 많이 사용하며, 바닥에 모래·잔돌을 깔고 수초(水草)를 심음. 필요에 따라 정온(定溫) 장치, 교반(攪拌) 장치, 에어펌프를 장치함. 또, 수족관을 말할 때도 있음.

아쿠타 [A-Ku-Ta] 명 《사람》 아구다(Agūda).

아쿠타가와 류:노스케 [芥川竜之介: あくたがわりゅうのすけ] 명 《사람》 일본의 대표적 소설가. 도쿄(東京) 태생. 도쿄 대학 영문과 출신으로 나쓰메 소세키(夏目漱石)의 문하생(門下生). 26세 때 '코'로 문단에 데뷔함. 대표작에 《라쇼몽(羅生門)》·《톱니바퀴》·《어떤 바보의 일생》 《희작 삼매(戲作三昧)》·《지옥변(地獄變)》 등이 있음. 자살함. [1892-1927]

아퀴 명 어수선한 일의 갈피를 잡아 마무르는 끝매듭.

아퀴(를) 짓:다 구 일을 끝마무리하다. 일의 가부를 결정하다. ¶ 두 차례나 만났을 그때에 아주 당자끼리 아퀴를 지어버렸던들 차라리 나을 뻔하였다《玄鎭健: 無影塔》.

아퀴나스 [Aquinas, Thomas] 명 《사람》 이탈리아의 철학자·신학자. 중세 최대의 철학자로, 아리스토텔레스 철학을 가톨릭 세계관(世界觀)에 도입하여 체계화(體系化)시키는 데 큰 공헌을 하였음. 1323년 성인(聖人)의 열(列)에 올려짐. 주저(主著)에 《신학 대전(神學大全)》이 있음. [1225?-74]

아퀴-쟁이 명 가장귀가 진 나무의 가지.

아큐: 정:전【阿Q正傳】명 《책》 중국의 소설가 루쉰(魯迅)이 지은 중편 소설. 근대 문학에 있어서 획기적(劃期的)인 작품으로, 전형적(典型的)인 중국인이며 우둔한 아큐(阿Q)를 주인공으로 하여 신해 혁명(辛亥革命) 직후의 농촌 생활을 풍자적으로 묘사한 사실주의 작품임. 1921년에 발표됨.

아:크 [arc] 명 《물》 아크 방전(放電).

아:크 가열【一加熱】명 [arc heating] 전기(電氣) 아크로 발생하는 열(熱)에너지로써 물질(物質)을 가열하는 일. 대단한 고온(高溫)과 고밀도(高密度)의 열에너지를 얻을 수 있어 아크로(爐)·아크 용접 등에 이용됨.

아:크-등【一燈】[arc] 명 《물》 아크 방전(放電)을 이용한 전등. 두 개의 탄소봉(炭素棒)을 접촉시켜 여기에 강한 전류를 통하면서 조금씩 떼면, 불꽃이 그 사이를 날며 동시에 탄소봉은 백열화(白熱化)하여 강렬한 빛을 내게 됨. 영사기·인공(人工) 태양의 광원(光源) 등으로 쓰이고 있음. 호광등. 호등(弧燈). 탄소 호등. 아크 라이트. 아크 램프.

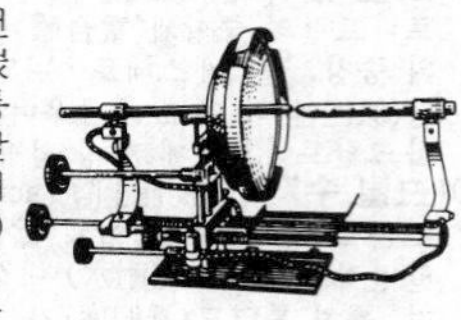
〈아크등〉

아크라 [Accra] 명 《지》 아프리카 가나(Ghana) 공화국의 수도. 근교(近郊)에 1961년 완성된 양항(良港) 테마(Tema)가 있어, 카카오·금·망간 등을 수출함. 1876년 영령(英領) 골드 코스트(Gold Coast)의 주도가 되어, 대(對)서유럽 무역의 거점(據點)이 됨. 가나 독립 후 근대적 시가(近代的市街)의 건설(建設)이 진행되고, 가나 대학 등이 있음. [1,000,000 명(1990 추계)]

아:크 라이트[1] [arc light] 명 《물》 아크등(燈).

아:크라이트[2] [Arkwright, Richard] 명 《사람》 영국의 발명가. 산업 혁명기에 방적기(紡績機)를 발명, 방적 공장을 건설하여 거부(巨富)를 쌓음. 1786년 나이트작(knight爵)을 받음. [1732-92]

아:크 램프 [arc lamp] 명 《물》 아크등(arc燈).

아:크-로【一爐】명 [arc furnace] 《공》 아크 방전(放電)에 의하여 생기는 고온도를 이용한 전기로(電氣爐)의 일종. 특수강·주강(鑄鋼)의 제조 등에 널리 이용됨.

아크로마이신 [acromycin] 명 《약》 테트라사이클린(tetracycline)의 상표명. 1953년 미국의 레타리 회사(Letary 會社)에서 개발(開發)한 항생 물질(抗生物質). 화학적 성상(性狀)·치료 효과 등 모든 것이 오레오마이신·테라마이신과 비슷하나, 안정도(安定度)·부작용(副作用) 등에 있어서 약간 우수함.

아크로메갈리 [acromegaly] 명 《의》 뇌하수체(腦下垂體) 전엽의 내분비(內分泌) 기능이 왕성하여짐으로써, 몸의 첨단부(尖端部), 곧 손·발·턱·코·귀 등이 비정상적으로 커지는 병. 말단 거대증. 선단 거대증.

아크로바트 [프 acrobate] 명 곡예사(曲藝師).

아크로바트 비행【一飛行】[프 acrobate] 명 곡예 비행(曲藝飛行).

아크로테리온 [그 akroterion] 명 그리스·로마 등의 건조물(建造物)의 박공(膊栱)의 꼭대기나 구석을 장식하는 조상(彫像). 대부분 대리석(大理石) 또는 테라코타제(terra-cotta製)로서 신(神)·인간(人間)·괴물(怪物) 등의 단신상(單身像) 또는 군상(群像)을 새김.

아크로폴리스 [그 akropolis] 명 '높은 도시'의 뜻으로, 고대 그리스의 도시 중심 또는 배후에 있는 언덕. 도시의 종교적·정치적 중심이 되는 장소. 그리스의 많은 도시의 아크로폴리스 가운데에서도, 파르테논 신전(Parthenon 神殿)이 있는 아테네의 언덕이 특히 유명하며, 단순히 아크로폴리스라 하면 이것을 가리킴.

아크로폴리스 미술관【一美術館】[Akropolis] 명 아테네의 아크로폴리스에 있는 국립 미술관. 고졸(古拙)한 박공(膊栱) 조각·돋을새김·소녀상(少女像) 등의 출토품(出土品)을 전시하고 있음.

아크롤레인 [acrolein] 명 《화》 대표적인 불포화(不飽和) 알데히드. 글리세린을 황화 수소(黃化水素) 등으로 탈수하여 얻음. 강렬한 자극성의 냄새를 갖는 무색 휘발성(無色揮發性)의 액체로 공기와 접촉하면 아크릴산(酸)이 됨. 유기 합성물(有機合成物)의 원료(原料)로 씀. 아크릴알데히드. [CH_2=CHCHO]

아크리놀 [acrinol] 명 《약》 살균(殺菌) 소독약(消毒藥). 아크리딘의 유도체(誘導體)의 하나. 황색(黃色)의 결정(結晶). 1,000배 액으로 하여 소독(消毒)·세척(洗滌)에 사용하는 외에 연고(軟膏)나 살포제(撒布劑)로도 씀.

아크리딘 [acridine] 명 《화》 특이한 냄새가 있는 녹는점 111°C, 끓는점 345°C의 약(弱)염기성 무색 침상 결정(針狀結晶). 용액은 푸르고 강한 형광(螢光)을 냄. 콜타르로부터 만든 안트라센(anthracene)에 소량(少量)으로 혼재(混在)하며 아크리딘 염료·살균제 항(抗)말라리아제의 기본 물질임. [$C_{13}H_9N$]

아크리딘 염료【一染料】[acridine] 명 《화》 분자내에 아크리딘 고리를 갖는 염기성(塩基性) 물감의 총칭. 형광을 내는 용액이 생기는 것이 특징임. 아크리딘 옐로·아크리딘 오렌지 등이 있음.

아크릴 [acryl] 명 ①↗아크릴산 수지(樹脂). ②↗아크릴계 섬유.

아크릴라이트 [acrylite] 명 아크릴 수지를 성형(成型)한 반투명의 합성 수지판. 백색판은 주로 조명 기구로 쓰임.

아크릴로-니트릴 [acrylonitrile] 명 합성 섬유(合成纖維)·합성 고무 원료(原料)의 하나. 특이(特異)한 냄새를 가진 무색(無色)의 액체(液體).

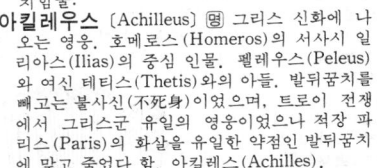

중합(重合)되기 쉽고 맹독(猛毒)이며 발암성(發癌性)이 있다고 함. 용제(溶劑)·살충제(殺蟲劑) 등에 쓰임. [CH_2=CHCN]

아크릴로니트릴 부타디엔 스티렌 섬유 【一纖維】 〔acrylonitrile-butadiene-styrene〕 [명] 에이 비 에스(ABS) 섬유.

아크릴로니트릴 스티렌 수지 【一樹脂】 [명] 〔acrylonitrile-styrene co-polymer〕 〖화〗 스티렌과 아크릴로니트릴의 공중합체(共重合體). 뛰어난 강성(剛性)·내약품성(耐藥品性) 및 뛰어난 강도를 가짐. 에이 에스 수지(AS樹脂).

아크릴-산 【一酸】 [명] 〔acrylic acid〕 〖화〗 아크롤레인(acrolein)을 산화(酸化)하면 생성되는, 자극적인 냄새가 나는 액체. 물에 녹으며, 공기 중에서 쉽게 중합(重合)함. 녹는점 14℃ 끓는점 141℃. 수용성 폴리머(水溶性 polymer)의 원료나 유기 합성(有機合成)의 재료로 쓰임. [CH_2=CHCOOH]

아크릴 섬유 【一纖維】 [명] 〔acrylic fiber〕 화학 섬유의 하나. 아크릴로니트릴의 중합체(重合體)를 용해(溶解)하여 방사(紡絲)한 합성 섬유의 총칭. 폴리에스테르·나일론과 함께 3대 합성 섬유의 하나로 보온성(保溫性)이 있고 가벼우며, 주름도 잘 안 잡히고 촉감도 좋음. 폴리아크릴로니트릴계 합성 섬유. [준]아크릴.

아크릴 수지 【一樹脂】 [명] 〔acrylic resin〕 〖화〗 아크릴산이나 메타크릴산 또는 그 유도체의 중합체(重合體)로부터 이루어지는 합성 수지의 총칭. 일반적으로 내수(耐水)·내산(耐酸)·내알칼리·내유성(耐油性)이 있으며, 특히 투명도(透明度)가 좋아 안전 유리의 중간막(中間膜)이나 건축 재료·장식품·간판 등에 쓰임. [준]아크릴.

아크릴 아미드 〔acryl amide〕 [명] 아크릴로니트릴의 가수 분해(加水分解) 등에 의해 얻어지는 무색(無色)의 결정(結晶). 중합체(重合體)는 접착제(接着劑)·도료(塗料)·합성 섬유에 사용됨. [CH_2=CHCONH$_2$]

아크릴-알데히드 〔acrylaldehyde〕 [명] 〖화〗 아크롤레인(acroleiu).

아크릴 유리 【一琉璃】 [一류一] [명] 〔acryl glass〕 아크릴 수지(樹脂)로 만든 유기(有機) 유리의 일종. 주로 건축용(建築用)으로 문짝이나 조명 기구(照明器具) 등에 쓰임.

아크메 〔프 acmé〕 [명] 오르가슴.

아크메이즘 〔러 akmeizm〕 [명] 〖문〗 1910년 대에 러시아에서 일어난 문예 사조(思潮). 현실성을 중시하며 객관적 사실주의를 지향한 예술 운동으로서, 근대 상징주의(象徵主義)를 극복하며 인간 능력의 최고의 발전을 주장함.

아크몰린스크 〔Akmolinsk〕 [명] 〖지〗 '첼리노그라드(Tselinograd)'의 옛이름.

아:크 방:전 【一放電】 [명] 〔arc discharge〕 〖물〗 기체(氣體) 방전이 절정에 이르러 전극 재료(電極材料)의 일부가 증발하여 기체가 된 상태. 직렬 저항(直列抵抗)을 통해 전원(電源)에 연결된 전극을 한 번 접촉시켰다가 떼어 놓으면 이 상태가 되며, 전극 부근의 전류 밀도(電流密度)가 커져 온도가 높아져서 강하고 밝은 빛을 냄. 아크(arc).

아:크 밸런스 〔arc ballance〕 [명] 〖공〗 검척기(檢尺機)로 감은 일정한 길이의 실의 무게를 재어 그 눈금을 읽어 실의 굵기를 데니어(denier)로 표시하게 된 기계. 번수계(番手計).

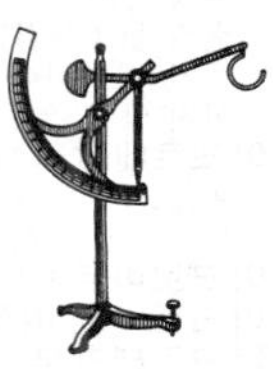
〈아크 밸런스〉

아:크 스펙트럼 〔arc spectrum〕 [명] 〖물〗 아크 광원(光源)에서 발하는 빛의 스펙트럼. 대부분이 중성 원자(中性原子)의 스펙트럼선(線)이어서, 중성 원자의 스펙트럼선을 아크 스펙트럼 선이라고 할 때가 많음. * 불꽃 스펙트럼.

아:크 스포트라이트 〔arc spotlight〕 [명] 〖연〗 아크등을 사용한 스포트라이트.

아:크열 로켓 【一熱一】 〔arc; rocket〕 [명] 우주 항행용(宇宙航行用)으로 구상되고 있는 비화학(非化學) 로켓의 한 가지. 아크 방전으로 생긴 고열(高熱)로 가열(加熱)한 수소를 노즐(nozzle)로부터 분출(噴出)시켜 추력(推力)을 얻음.

아:크 용접 【一熔接】 [명] 〔arc welding〕 전기 용접의 하나. 양전극간(兩電極間) 또는 전극과 공작물과의 사이에 아크 방전을 시켜, 그 열로 금속을 용접함. 전호 용접(電弧熔接).

아:크 절단 【一切斷】 [一딴] [명] 〔arc cutting〕 〖공〗 금속 절단법의 하나. 아크에 의해 생기는 고열(高熱)로 금속을 녹여 절단함.

아:크 제트 엔진 〔arc jet engine〕 [명] 비행(飛行)을 위한 동력(動力)으로 고온 플라스마(高溫 plasma)를 분사한 그 반동(反動)으로 추진력(推進力)을 얻는 엔진. 수소 암모니아가 추진제(推進劑)로 쓰이며 아크 방전(放電)으로 고온 플라스마가 발생함.

아:크틱 오:션 〔Arctic Ocean〕 [명] 〖지〗 북극양(北極洋).

아키노 〔Aqino〕 [명] 〖사람〗 ①〔Benigno A.〕 필리핀의 정치가. 1967년 상원 의원으로 당선되었으나 1977년 정부 전복 등 죄목으로 사형 판결을 받았음. 1980년 미국으로 망명하였다가 1983년 정치 활동 재개를 위하여 귀국하다가 마닐라 공항에서 암살당함. [1932-83] ②〔Corazon, A.〕 ❶의 처. 남편의 암살에 의해 반(反)마르코스 진영의 지지를 얻어 1986년 필리핀의 대통령에 취임. 1992년에 퇴임함. [1933-]

아키라 〔아랍 ākhirat〕 [명] 〖이슬람〗 내세(來世).

아키아브 〔Akyab〕 [명] 〖지〗 미얀마 서부의 해항(海港). 아키아브섬 위에 있으며 벵골 만(灣)에 연함. 아라칸 쌀의 수출지이며 정미(精米)의 중심지로서, 제1차 버마 전쟁 후, 소어촌(小漁村)에서 급속히 발전함. 주민은 주로 아키아브족(族). [86,000명(1981 추계)]

아키타 〔秋田:あきた〕 [명] 〖지〗 일본 아키타 현의 현청 소재지. 산업 도시로 지정되어, 제유·펄프·화학 비료 공업이 행하여짐. 부근에 유전(油田)이 있음. [299,871명(1990)]

아키타-개 〔秋田:あきた〕 [명] 〖동〗 개의 한 품종. 어깨 높이 68-73 cm, 일본 아키타 지방에서 개량된 대형의 개. 털은 짧고, 귀는 섰으며, 꼬리는 말려 있음. 투견(鬪犬)에나 번견(番犬)으로 쓰임.

아키타 현 【一縣】 〔秋田:あきた〕 [명] 〖지〗 일본 도호쿠(東北) 지방의 현. 9시(市), 9군(郡). 산물로는 쌀·삼·생사(生絲) 등이 있으며, 일본 제2위의 유전이 있음. 특히, 아키타 임해(臨海) 공업 지대에는 석유 화학·펄프·비료 공업이 성함. 최근 현 북부에서 세계 1급의 흑연 광상(黑鉛鑛床)이 새로이 발견되었음. 현청 소재지는 아키타 시. [11,607 km² : 1,243,715명(1990)]

아:키텍처 〔architecture〕 [명] 〖컴퓨터〗 컴퓨터 하드웨어의 논리적(論理的) 구조·구성 방식. 시스템 구조, 레지스터나 메모리의 번지 방식, 입출력 채널, 연산 제어 방식 등을 명확하게 나타내는 기본 구조. 같은 아키텍처의 컴퓨터는 소프트웨어의 호환성(互換性)이 있음.

아키텐 분지 【一盆地】 〔Aquitaine〕 [명] 〖지〗 프랑스 남서부에 있는 삼각형의 대분지. 북·동·남쪽은 마시프상트랄 산지(Massif Central 山地), 피레네 산맥 등으로 둘러싸였으며, 가론 강(Garonne江)이 중앙을 흐르고 있음. 교통이 편리하고 기후도 알맞아 농산물이 풍부하며 특히 포도·옥수수 재배 등이 성함. 하구에 가까운 이 지방의 중심지인 보르도(Bordeux)는 예로부터 포도주의 명산지로 유명함.

아키히토 〔明仁〕 [명] 〖사람〗 일본의 현 헤이세이(平成) 천황. 칭호는 쓰구노미야(継宮). 쇼와(昭和) 천황의 장남으로서, 1989년 히로히토(裕仁)의 사망으로 황위를 계승함. [1933-]

아킬레스 〔Achilles〕 [명] ①아킬레우스(Achilleus)의 영어명. ②〖천〗 화성(火星)과 목성(木星) 궤도 사이에 있는 소행성(小行星)의 하나. 1906년에 발견. 공전 주기 11.9년, 광도(光度) 14등.

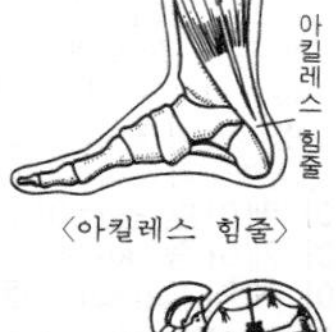

아킬레스-건 【一腱】 〔Achilles〕 [명] ①〖생〗 아킬레스 힘줄. ②〔아킬레스의 고사(故事)에서〕 약점(弱點). 위크 포인트(weak point).

아킬레스 힘줄 〔Achilles〕 [一쭐] [명] 〖생〗 〔아킬레스의 발뒤꿈치에서 유래〕 발뒤꿈치 위에 있어 비복근(腓腹筋)과 비목어근(比目魚筋)과를 종골(踵骨)에 부착시키는 건. 아킬레스건. 발꿈치힘줄.

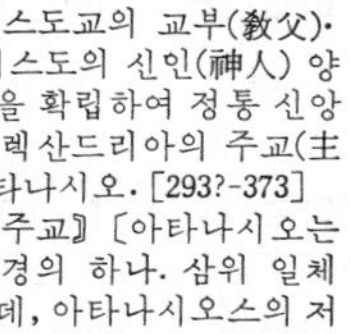

〈아킬레스 힘줄〉

아킬레우스 〔Achilleus〕 [명] 그리스 신화에 나오는 영웅. 호메로스(Homeros)의 서사시 일리아스(Ilias)의 중심 인물. 펠레우스(Peleus)와 여신 테티스(Thetis)와의 아들. 발뒤꿈치를 빼고는 불사신(不死身)이었으며, 트로이 전쟁에서 그리스군 유일의 영웅이었으나 적장 파리스(Paris)의 화살을 유일한 약점인 발뒤꿈치에 맞고 죽었다 함. 아킬레스(Achilles).

〈아킬레우스〉

아킬레우스의 논증 【一論證】 〔Achilleus〕 [一/一에一] [명] 제논(Zenon)의 역설(逆說)에서, 제논이 비유로 든 '아킬레우스는 앞서간 거북을 앞지르지 못한다'고 한 논증.

아킬레우스 타티오스 〔Achilleus Tatios〕 [명] 〖사람〗 300년경에 활약한 알렉산드리아 출신의 그리스 작가. 연애 소설인 ≪레우키페와 클레이토폰의 이야기(Ta kata Leukippen kai Kleitophonta)≫의 저자로 알려짐. 줄거리는 위 두 사람이 사랑하여, 여러 가지 역경(逆境)과 커다란 모험을 거쳐 드디어 맺어진다는 내용을 그린 것임.

아타나시오스 〔Athanasios〕 [명] 〖사람〗 초기 그리스도교의 교부(敎父)·성인(聖人). 아리우스 설(Arius說)에 반대, 그리스도의 신인(神人) 양성(兩性)의 일치를 주장하여 교회의 정통적 신앙을 확립하여 정통 신앙의 아버지, 교회의 주석(柱石)이라 불림. 이후 알렉산드리아의 주교(主敎)로서 그 독립 및 권위를 위해 노력하였음. 아타나시오. [293?-373]

아타나시오 신:경 【一信經】 〔Atanasio〕 [명] 〖천주교〗 〔아타나시오는 Athanasios의 이탈리아 말〕 천주교회의 4대 신경의 하나. 삼위 일체와 강생 구속(降生救贖)의 교리를 천명한 신경인데, 아타나시오스의 저서로 알려졌으나 실은 카이사리우스(Caesarius)의 저작으로 믿어짐. 저작 연대는 5-6세기. 아타나시우스 신조. *니케아 신경.

아타나시우스 〔Athanasius〕 [명] 〖사람〗 '아타나시오스'의 라틴어 이름.

아타나시우스 신:조 【一信條】 〔Athanasius〕 [명] 〖천주교〗 아타나시오 신경(Atanasio信經).

아타나시우스-파 【一派】 〔Athanasius〕 [명] 〖천주교〗 아타나시오스의 교의(敎義)를 신봉(信奉)하는 일파. 325년 니케아 공의회(Nicaea公議會)에서 승인되어 가톨릭교의 기초 교의로서 확립됨.

아타락시아 〔그 ataraxia〕 [명] 〖철〗 마음의 평정 부동(平靜不動)한 상태. 에피쿠로스(Epikuros)의 철학에 있어서는 행복의 필수 조건이며, 마음의 동요를 없애고 이와 같은 경지를 실현하는 것이 철학의 궁극의 목표라 함.

아타르바 베다 〔Atharva Veda〕 [명] 〖종〗 고대 인도의 바라문교 성전(聖典)의 하나. 리그 베다(Rig-Veda)·야주르 베다(Yajur-Veda)·사마 베다(Sama-Veda)의 3베다에 이어 제4의 베다로 일컬어짐. 치병(治病)·식재(息災)·조복(調伏) 등의 주법(呪法)에 관한 말을 수록한 것임. 처음 베다 성전(聖典)으로서의 권위를 인정받지 못하다가 후에 베다에 끼워졌음. 기원 전 10세기에서 기원 전 8세기경에 성립함. 아달바페타(阿闥婆吠陀). *베다.

아타만 〔ataman〕 [명] 카자흐(Kozakh)❷의 두목. 초기에는 선거로 선출되었으나 18세기 초부터 차르(Tsar)의 임명 또는 승인을 얻도록 하였음.

아타미 〔熱海:あたみ〕 [명] 〖지〗 일본 시즈오카 현(静岡縣)에 있는 일본 최대의 온천 도시(溫泉都市). 이즈 반도(伊豆半島)의 동안(東岸)에 있

음. [47,869 명(1990)]
아타셰 [프 attaché] 명 주로 대사관·공사관에 부속되는 관리. 특히, 외국 주재의 무관(武官). 무관(武官).
아타셰 케이스 [attaché+case] 명 트렁크를 얇고 소형으로 한 것 같은 네모 반듯한 직사각형의 손가방. 미국의 상용(商用) 업자 사이에 애용되어 널리 유행됨. 속칭 007 가방.
아타왈파 [atahualpa] 명 『사람』 잉카 제국 마지막 황제(皇帝). 부제(父帝)의 사후 이복형(異腹兄)과 싸워 그를 죽이고 전국토를 장악함. 뒤에 스페인의 침략자(侵略者) 피사로(Pizarro)에 의해 체포되어 처형당함. [1500?-33; 재위 1532-33]
아타카 [이 attacca] 명 『악』 악장(樂章)의 마지막 또는 박자가 변하는 곳에서 다음 악장 또는 부분으로 중단 없이 계속되는 일.
아타카마 사막 【—沙漠】 [Atacama] 명 『지』 칠레의 북부, 안데스 산맥(Andes山脈)과 해안 산맥 사이에 있는 남북으로 약 1,000 km, 동서로 약 30 km의 길쭉한 사막. 세계 제일의 칠레 초석(硝石)의 산지임. 근처에는 구리·은 등의 자원이 풍부함. [8,000 km²]
아타파스카-족 【—族】 [Athapaska] 명 나드네 대어족(Nadene大語族)의 아타파스카어를 사용하는 아메리칸 인디언의 한 부족. 미국의 남서부와 캐나다의 북서부·알래스카, 태평양 연안의 3 군(群)으로 나뉘어 살고 있음. 아파치족은 이에 속함.
아:탄 【亞炭】 명 『광』 갈탄의 일종. 탄화(炭化)의 정도가 낮은 저질의 석탄. 연료(燃料)로 씀. 아갈탄(亞褐炭).
아탈란테 [Atalante] 명 『신』 그리스 신화에 나오는 아름답고 준족(駿足)인 여자 사냥꾼. 칼리돈(Kalydon)의 멧돼지 사냥으로 유명하며, 계략에 걸려 경주에 패하고 경주자와 결혼했으나 둘이 모두 여신 아프로디테에게 불경(不敬)을 저질러 사자로 변신했음.
아탕 명 '사탕'의 아기말.
아태 【亞太】 명 ↗아시아 태평양(太平洋). ¶～ 지역 경제 협력.
아태 경제 협력 기구 【亞太經濟協力機構】 [—녁—] 명 ↗아시아 태평양 경제 협력 기구.
아:-태조 【我太祖】 명 ①아조(我朝)의 태조. ②대한 제국 이전에, 이성계(李成桂)의 경칭.
아테 [Ate] 명 『신』 그리스 신화에 나오는 유혹의 여신.
아테나 [Athena] 명 『신』 아테네.
아테나이 [Athenai] 명 『지』 '아테네(Athenae)'의 그리스어명.
아테나이오스 [Athenaios] 명 『사람』 2세기 말부터 3세기 초에 활약한 이집트 태생의 그리스의 산문 학자. 방대한 화제(話題)와 인용문으로 요리와 연회(宴會)에 관한 백과 사전적인 15 권의 대저(大著) ≪현자의 향연 또는 식통 대전(食通大全)(Deipnosophistai)≫을 남겨, 고대 그리스의 풍속·습관 연구에 귀중한 자료가 되고 있음.
아테네¹ [Athene] 명 『신』 그리스 신화 중 지혜·전쟁·공예·대기(大氣)의 여신(女神). 제우스(Zeus)의 머리에서 무장한 채로 태어났다는 처녀신(處女神)이며, 아테네 시(市)의 수호신(守護神)임. 로마 신화의 미네르바에 해당함.

〈아테네¹〉

아테네² [Athenae] 명 『역』 스파르타와 더불어 고대 그리스에서 발전한 도시 국가. 처음에 아티카(Attica) 지방에 몇 개의 소왕국(小王國)이 형성되었었으나 B.C. 8 세기 중반, 귀족들이 도시 국가를 형성하고, 아티카를 통일하여 귀족 지배의 공화(共和) 정치를 시작했으며 참주(僭主) 정치 등을 거쳐 B.C. 6 세기 말 민주 정치로 이행했음. B.C. 5 세기 초 페르시아 군을 격퇴하여 그리스 제일의 도시 국가가 됨. 이때부터 민주 정치가 발달하고 문화도 최성기(最盛期)를 맞았으나 펠로폰네소스 전쟁에서 스파르타에게 패하여 쇠망하기 시작했으며, B.C. 339 년 마케도니아와 싸워 대패하여 사실상 도시 국가는 끝남.
아테네³ [Athine] 명 『지』 아티카(Attica) 평야의 중앙부에 있는 그리스 공화국의 수도. 고대 그리스 문명의 중심지였으며 파르테논 신전(Parthenon 神殿)을 위시한, 수많은 유적과 고대 건축물이 있음. 성경상(聖經上) 바울의 전도로서 유명함. 시의 남동부에는 제1회 올림픽이 개최된 스타디엄이 있음. 아텐스. 아전(雅典). 아테나이. [3,030,000 명(1990 추계)]
아테로마 [atheroma] 명 『의』 아테롬.
아테롬 [도 Atherom] 명 『의』 동맥(動脈) 안쪽에 콜레스테롤 등이 모여 죽처럼 뭉친 덩이. 동맥 내강(內腔)을 좁히므로 동맥 경화(硬化)를 일으키게 함. 아테로마.
아테브린 [도 Atebrin] 명 『약』 아크리딘(acridine) 색소의 유도체(誘導體)의 하나로, 작용이 퀴닌과 비슷한 선홍색(鮮紅色)의 결정성 분말(結晶性粉末), 말라리아에 특효가 있음. 상품명에서 온 말.
아테토:시스 [athetosis] 명 『의』 대뇌 기저핵(大腦基底核)의 병변(病變)으로 신체의 한 쪽 또는 양쪽에 일어나는 불수의 운동(不隨意運動). 불규칙·지속적으로 머리나 손끝·발끝을 천천히 비트는 것처럼 움직임. 뇌성 마비에서 많이 볼 수 있음. 아테토제.
아테토:제 [도 Athetose] 명 『의』 아테토시스.
아 템포 [이 a tempo] 명 『악』 '본래의 속도로'의 뜻.
아 템포 프리모 [이 a tempo primo] 명 『악』 '최초의 속도로 곧, 아 템포와 같으나 악곡이 시작된 때의 속도로 되돌아감'의 뜻.
아텨롭다 형 싫다. ¶모딘 이로 더부러 아텨로온 일를 혼가지로ᄒᆞ면(與衆同惡) ≪三略 上 1≫.
아토- [그 atto] 早 미터법(法)의 여러 단위의 10^{-18} 배, 곧 1000 경(京)분의 1을 나타내는 말. 기호는 a.
아토니 [도 Atonie] 명 『의』 수축성(收縮性) 기관의 무긴장(無緊張). ＊위(胃)아토니.
아토미스티크 [도 Atomistik] 명 『물』 원자설(原子說).
아토미즘 [atomism] 명 『철』 ①원자설(原子說). ②원자설보다도 더 광범위하게, 일체의 사물이 각각 독립적인 여러 단위에 의하여 구성된다는 사유(思惟) 경향. 이 경향이 사회론(社會論)에 적용된 것이 개인주의(個人主義)임.
아토믹 [atomic] 명 '원자력의'의 뜻.
아토스 산 【—山】 [Athos] 명 『지』 그리스의 동북부 칼키디케(Khalkidike) 반도 동남단에 있는 산. 9 세기에 수도원이 건설된 이래, 그리스 정교회의 최대의 중심지가 되어 '성산(聖山)'이라고 불리어 왔음. 현재 21 개의 수도원이 있고, 약 1,000 명의 수도사가 거주하며, 그 대표에 의해 자치가 행해지며, 여인 금제(女人禁制)임. 옛 자료·예술품 등이 보존되어 있음. [2,033 m]
아:-토양 【亞土壤】 명 [subsoil] 『농』 암석의 분해가 충분하지 아니하여 흙과 암석의 중간에 있는 흙.
아:토타이프 [artotype] 명 『인쇄』 아교와 중(重)크롬산과의 혼합물의 감광성(感光性)을 응용한 사진판. 콜로타이프(collotype).
아토피성 체질 【—性體質】 [atopy] [—썽—] 명 『의』 아토피성 피부염을 일으키기 쉬운 체질. 소아 습진(小兒濕疹) 비슷한 증상으로, 습진이 만 1 살이 지나도록 낫지 않고 흔히 유아기(幼兒期)까지 미치는 체질을 가리킴. 특성은 피부가 두꺼워지고 균열이 지며, 가렵고 만성화하기 쉬움. 학령기에 이르면 대개 자연 치유됨.
아토피성 피부염 【—性皮膚炎】 [—썽—] 명 [atopic dermatitis] 『의』 유전적(遺傳的)으로 과민한 사람에게 일어나는 알레르기성(性)의 악성(惡性) 피부염. 유아기(幼兒期)에는 얼굴이나 목에 몹시 가려운 습진(濕疹)이 생기며, 나이를 먹으면 팔꿈치·오금·이마·목덜미 등에 태선상 병변(苔癬狀病變)을 나타냄. 종종 천식(喘息)·비염(鼻炎) 등을 수반함. 천식성 양진(痒疹).
아톤 [Aton] 명 『신』 고대 이집트의 태양신(太陽神). 아멘호테프 4 세의 종교 개혁에 따라 아멘(Amen) 대신 신앙의 중심이 됨. 아텐(Aten).
아톨 [프 atoll] 명 『지』 환초(環礁).
아톰 [atom] 명 ①『철』 [본디 그리스어에서 그 이상 분할 못하는 물건이란 뜻] 데모크리토스·에피쿠로스 등의 그리스 철학자들이 명명(命名)한, 사물 구성 최후의 미소(微小) 존재. 현상(現象) 세계의 다양성이 모양·크기·배치를 달리하는 아톰의 집합 이산(集合離散)에 기인한다고 하였음. 원자. ②『화』 원자(原子)❷.
아톰-설 【—說】 [atom] 명 『철』 원자설(原子說).
아:트 [art] 명 ①예술. 미술. ②신문·잡지의 삽화. ③기술. 술책. ④인공(人工). 기교(技巧).
아:트 디렉터 [art director] 명 ①『예』 연극·영화·텔레비전 무대·소품(小品)·배경(背景)·의상(衣裳) 등의 미술적 효과(美術的效果)를 지도하는 사람. 미술 감독. ②광고 제작에서 미술 부문을 통괄하는 사람.
아트레우스 [Atreus] 명 『신』 그리스 신화(神話) 중의 인물. 아가멤논(Agamemnon)의 아버지. 아내와 밀통(密通)한 아우 티에스테스를 제우스의 도움으로 추방함. 미케네(Mycenae) 왕이 되자, 아우의 자식 셋을 죽이고 잔치를 베풀어 그 고기를 티에스테스에게 먹임. 뒤에 아우의 아들 아이기스토스(Aigisthos)에 의해 살해됨.
아트로핀 [atropine] 명 『약』 가짓과 식물 미치광이풀·흰독말풀 등의 뿌리나 잎에 함유된 알칼로이드. 처음에는 중추 신경계(中樞神經系)에 자극적으로 작용하여 흥분·동공(瞳孔) 산대(散大)·환각 등을 일으키지만 나중에는 혼수(昏睡)·체온 강하·부정맥(不整脈)·호흡 마비 등에 빠지게 함. 진경제(鎭痙劑)·지한제(止汗劑) 등으로 쓰임.
아:트 록 [미 art rock] 명 예술성을 지향하였다 하여 '뉴 록'을 일컫는 딴이름.
아:트만 [범 ātman] 명 인도의 성전(聖典) 베다(Veda)에서, '호흡·영(靈)·자아(自我)'의 뜻. 심신 활동의 기초 원리임.
아:트 시어터 [art theater] 명 예술적·실험적 영화 작품을 가려 상영하는 극장. 1924년 프랑스에서 비롯됨.
아:트-지 【—紙】 [art] 명 용지의 한 면 또는 양면에 광물성 백색 안료(顔料)와 접착제를 섞어 바르고 건조시킨 후 광택(光澤)을 내게 한 다음 지면(紙面)을 치밀하고 매끄럽게 한 양지(洋紙). 사진판(寫眞版)·색도판(色圖版) 인쇄 용지로 널리 쓰임. 코티드 페이퍼. 아트 페이퍼.
아:트 타이틀 [art title] 명 『연』 영화의 자막(字幕).
아:트 페이퍼 [art paper] 명 아트지(紙).
아:트 포: 라이프 [art for life] 명 『예』 인생을 위한 예술. 예술에서 생활 태도나 모랄(moral)을 구하려는 입장. 휴머니즘·리얼리즘의 예술이 이에 속함. ＊아트 포 아트.
아:트 포: 아:트 [art for art] 명 『예』 예술을 위한 예술. 예술에 어떤 실용성을 인정하지 않고 예술의 절대성(絶對性)을 주장하는 예술 지상주의(至上主義)의 입장. 유미(唯美)주의·악마주의 등이 이에 속함. ＊아트 포 라이프.
아틀라스¹ [Atlas] 명 ①『신』 그리스 신화 중의 거인(巨人). 천계(天界)를 혼란하게 한 죄로 제우스(Zeus)에 의하여 아프리카 서북안(西北岸) 곧, 낮과 밤이 합치하는 지점에서 어깨로 하늘을 떠받치게 되었음. ②『지』 아프리카 서북부 튀니지·알제리·모로코에 걸친 지방. 아틀라스 산지를 주체(主體)로, 동·서·북은 바다에 싸이고 남은 사하라 사막에 접함. ③『지』 아틀라스 산맥. ④『군』 미국 공군이 1959년에 개발한 실용 대륙간 탄도 유도탄으로 세계 최초의 것. 액체 산소 등을 써서 대형 핵탄두를 12,000 km 까지 운반할 능력이 있었으나 구식화되어 군용(軍用)에서 물러나, 현재는 인공 위성 발사 로켓 등 우주용에 이용되고 있음. 액체 연료, 관성 유도(慣性誘導) 방식으로, D·E·F의 세 형이 있음.

〈아틀라스¹❶〉

아틀라스² 〔atlas〕 명 〔권두(卷頭)에 지구를 짊어진 아틀라스의 그림을 그린 데서 유래〕 지도책(地圖册).

아틀라스 산맥【一山脈】〔Atlas〕 명 〖지〗 아프리카 북서부 해안 가까이에 해안과 평행으로 모로코·알제리·튀니지에 걸친 산맥. 최고봉은 모로코의 투브칼 산(Toubkal山: 4,165 m). 아틀라스.

아틀란티스 〔Atlantis〕 명 〖신〗 그리스 전설 상의 한 섬. '아틀라스(Atlas)의 섬'이란 뜻. 대서양의 어느 곳에 있었다 하나 정설이 없으며, 플라톤은 높은 문화를 지닌 유토피아(Utopia)였다가 지진으로 멸망하였다고 말했음. 그 이래로 이상향(理想鄕)의 의미로 쓰임.

아틀란티스 도법【一圖法】〔Atlantis〕〔一뻡〕 명 〖지〗 지도 투영법의 하나.

〈아틀란티스 도법〉

아틀랑 〔Atlan, Jean Michel〕 명 〖사람〗 프랑스의 화가. 알제리 태생. 열대성의 환상적인 생물을 느끼게 하는 독특한 형태의 작품을 남김. [1913-60]

아틀리에 〔프 atelier〕 명 ①화가나 조각가가 작품 제작할 때 쓰는 작업실. 화실(畫室). 화방(畫房). ②사진관의 촬영실. 스튜디오. ③유력한 스승을 중심으로 형성된 예술가의 집단. 15-16 세기의 이탈리아와 북유럽에서 볼 수 있음.

아티샤 〔Atiśa〕 명 〖사람〗 인도의 고승(高僧). 왕자로 태어나 왕위를 계승하지 않고 불문에 들어가 그 오의(奧義)를 터득함. 1042년 티베트에 들어가 라마교를 개혁(改革)함. 그의 저서(著書) ≪보리 도등론(菩提道燈論)≫은 카담파(bkah-gdams-pa)의 근본 성전(聖典)으로 일컬어짐. [982-1054]

아티스 〔Attis〕 명 〖신〗 그리스 신화에 나오는 프리기아의 인물. 대지(大地)의 여신 키벨레가 사랑한 미소년. 아티스가 나무의 요정인 사가리디스를 사랑하는 것을 알게 된 키벨레는 요정이 살고 있는 나무를 베어버려서 그를 미치게 만들었으며 그는 광란 중에 남근(男根)을 잘라내고 스스로 죽음. 그의 혼은 소나무에 깃들고, 그의 피에서는 제비꽃이 피었다고 함. 해마다 부활하는 식물신(植物神)으로 로마에서 숭배를 받았음.

아:티스트 〔artist〕 명 ①미술가. 예술가. ②책략가(策略家).

아:티초:크 〔artichoke〕 명 〖식〗 〔*Cynara scolymus*〕 국화과에 속(屬)하는 다년초. 줄기는 비교적 높으며, 엉겅퀴나 뚱딴지와 비슷한데 잎은 심렬(深裂) 우상 복엽(羽狀複葉)으로 톱니가 있음. 꽃은 두상화(頭狀花)인데 많은 달걀꼴 또는 타원형의 덧잎으로 싸임. 속껍질과 육질(肉質)의 화탁(花托)은 꽃이 다 피기 전에 따서 서양 요리의 야채로 식용함. 지중해 연안 원산(原產)으로 남유럽에서 많이 재배함.

〈아티초크〉

아티카 〔Attica〕 명 〖지〗 그리스 중부의 남동으로 돌출한 반도에 있는 주(州). 고대 아테네(Athenae)의 영역(領域)으로 현 아테네 시(Athine市)를 포함함. 농경지는 적으나 은광(銀鑛)과 대리석(大理石)을 산출하는 광산이 있음. [2,497 km² : 342,093 명(1981)]

아:티피셜 〔artificial〕 명 ①인공적. 인조. ②부자연(不自然)함. ──-하다 형여불

아:티피셜 라이트 〔artificial light〕 명 인공 광선(人工光線). 흔히, 영화 촬영(映畫撮影)·실내 촬영(室內撮影) 등에서 천연 광선(天然光線)의 보조(補助)로 사용함.

아틸라 〔Attila〕 명 〖사람〗 중세 훈(Huns)족의 왕. 다뉴브 강 하류에서 일어나 게르만족을 누르고 중부 유럽에서 흑해(黑海)에 이르는 대제국을 건설하고 동서 로마에 침입하였음. 그의 사후(死後) 제국은 곧 와해됨. 유럽에서 공포의 대상으로 전해지며 중세의 전설에도 그 이름이 자주 나옴. [406?-453]

아파【牙婆】 명 방물 장수.

아:-파라밀【我波羅蜜】 명 〖불교〗 열반(涅槃)의 경지.

아파르 이사 〔Afars & Issas〕 명 〖지〗 지부티(Djibouti)가 1977년 7월 27일 독립하기 이전의 이름.

아파르트헤이트 〔네 apartheid〕 명 〖정〗 〔분리·격리(隔離)의 뜻〕 남아프리카 공화국의 극단적인 인종 차별 정책(人種差別政策)과 제도(制度)를 일컫는 말.

아파슈 〔프 apache〕 명 〔아파치족에서 유래〕 ①큰 도시의 무뢰한. ②밤도둑.

아파슈 당스 〔프 apache danse〕 명 댄스의 한 가지. 퇴폐적이며 난폭한 것이 특징임. 아파슈가 거리의 여자를 난폭하게 휘둘러 학대하는 것 같은 모양을 무용화(舞踊化)한 것이라고 하며, 한때 사교 댄스로까지 발전되었음.

아파시오나:토 〔이 appassionato〕 명 〖악〗 '정열적으로·열정적으로'의 뜻.

아파치-족【一族】〔Apache〕 명 〖인류〗 미국의 뉴멕시코와 애리조나 주에 거주하는, 아메리칸 인디언의 한 부족. 물고기와 물고기를 포식(捕食)하는 새를 안 먹고, 해·달·바람·식물·광(光)을 숭배하며, 가장 오랫동안 백인과 대결하여 용맹을 떨쳤음.

아파테이아 〔그 apatheia〕 명 〖철〗 〔파토스(pathos)가 없다는 뜻〕 격정(激情)이나 외계의 자극에 대하여서도 흔들리지 않는, 초연(超然)한 마음의 경지(境地). 스토아 학파는 이를 인간의 생활 이상(生活理想)으로 삼았음.

아파:트 명 〔apartment〕 아파트먼트 하우스.

아파:트먼트 〔apartment〕 명 아파트먼트 하우스.

아파:트먼트 하우스 〔apartment house〕 명 한 채의 건물 안에 여러 세대가 살게 된 분양용(分讓用)·임대용(賃貸用)의 건물로서, 4층 이상의 구조를 가진 건물. 건물 구조가 3층 이하인 것은 연립 주택이라 함. 아파트. 아파트먼트. *공동 주택.

아파:트형 공장【一型工場】 명 동일 건축물 안에 다수의 공장이 동시에 입주(入住)할 수 있는 다층형(多層型) 집합 건축물.

아파-하다 자여불 아픔을 느끼어 괴로워하다. ¶가슴 ~.

아패【牙牌】 명 〖역〗 상아로 만든 호패(號牌)의 한 가지. 이품(二品) 이상의 문무관이 가졌었음. 앞쪽에는 성명과 생년월일을, 뒤쪽에는 만든 연월일을 기록하였음.

아페르 〔Appert, Nicolas〕 명 〖사람〗 프랑스의 양조가. 통조림의 고안자(考案者). 열(熱)로 살균한 식품(食品)을 병조림하는 방법을 안출함. [1752-1841]

아페르토 〔이 aperto〕 명 〖악〗 '피아노의 페달을 밟고'의 뜻.

아페리티프 〔프 apéritif〕 명 ①식욕 증진제. 식욕을 증진시키기 위하여 식사 전에 마시는 술. 보통, 셰리(sherry) 따위의 포도주나 각종 칵테일을 마심. ②〖약〗 하제(下劑). 이뇨제. 발한제.

아페이론 〔그 apeiron〕 명 〖철〗 무한(無限). 생멸(生滅)이 없고 양(量)에 있어서도 무한함을 이름.

아페피 〔Apepi〕 명 〖신〗 고대 이집트 신화 속에 나오는 암흑의 신(神). 아포피스(Apophis)의 딴이름.

아펜니노 산맥【一山脈】〔Apennino〕 명 〖지〗 이탈리아 반도의 골격(骨格)을 이루는 산맥. 전장 약 1,300 km, 해발 1,500-2,000 m. 전반적으로 경사가 완만하여 1,000 m 부근까지는 농목(農牧)에 이용되고, 많은 철도·도로가 산맥을 횡단함. 대리석(大理石)의 산지로도 유명함. 최고봉은 몬테 코르노(Monte Corno: 2,914 m).

아펜젤러 〔Appenzeller〕 명 〖사람〗 ①〔Alice R.A.〕 미국의 여류 선교사·교육가. 서울에서 출생함. ❷의 딸. 1922년 이화 여자 고등 보통 학교 제6대 교장. 이화 여자 전문 학교를 신촌(新村)에 옮기고 교사를 신축, 교장이 되었음. 2차 세계 대전 후 다시 내한하여 동교 명예 교장에 취임하였다가 설교 중 순직하였음. [1885-1950] ②〔Henry Gerhart A.〕 미국의 선교사·교육가. 한국 최초의 감리교 목사로 내한하여 배재 학당(培材學堂)을 창립하고, 특히 한국 인쇄 및 성경 번역 등에 공헌이 큼. [1858-1902]

아펠 〔Appel, Karel〕 명 〖사람〗 네덜란드의 화가. 암스테르담 태생으로 1948년 북유럽의 추상 표현주의 운동 '코브라(Cobra)'의 창설에 참가함. [1921-]

아펠도:른 〔Apeldoorn〕 명 〖지〗 네덜란드 중부의 도시. 철도의 중심지로, 의약품·냉동 기계·제지 공업이 행해짐. 북쪽 교외의 헤트로(Het Loo)에 네덜란드 왕가(王家)의 여름 이궁(離宮)(1686년 건립)이 있음. [143,000 명(1981 추계)]

아펠레스 〔Apelles〕 명 〖사람〗 기원 전 4세기 후반에 활동한 그리스의 화가. 알렉산더 대왕의 궁정 화가를 지냈는데, 그 화풍은 우미(優美)·완려(婉麗)하였다 하나, 작품은 현존하지 않음. 생몰년 미상.

아편¹【阿片·鴉片】 명 〔opium〕 〖약〗 덜 익은 양귀비 껍질을 칼로 에어서 흘러 나오는 진을 모아 말린 갈색(褐色)의 물질. 진통제·마취제 또는 설사·이질(痢疾) 같은 병에 쓰며, 코데인·모르핀 등의 원료가 됨. 마약(痲藥). 오품. *생아편(生阿片).

[아편 침 두 대에 황소 떨어지듯] 독한 기운에 취하여 금세 의식을 잃은 모양을 이르는 말. ¶아편 침 두 대에 황소 떨어지듯 한두 잔에 노구라져 산 매장을 하더라도 모를 만하게 된 후에 ≪朴頤陽: 明月亭≫.

아편²【阿偏】 명 아유 편파(阿諛偏頗).

아편-굴【阿片窟】 명 많은 사람들이 아편을 먹고 피우고 주사 맞는 비밀 장소.

아편-꽃【阿片一】 명 〈방〉 양귀비꽃.

아편-상【阿片商】 명 아편을 팔고 사는 장사.

아편 알칼로이드【阿片一】 명 〔opium alkaloid〕 〖화〗 아편의 주성분이 되는 알칼로이드의 총칭. 코데인(codeine)·모르핀(Morphin)·테바인(thebaine)·나르코틴(narcotine)·파파베린(papaverine) 따위.

아편-연【阿片煙】 명 ①아편을 가미(加味)한 담배. ②아편을 피우는 연기. 준아연(阿煙).

아편-쟁이【阿片一】 명 〈속〉 아편 중독자.

아편 전:쟁【阿片戰爭】 명 〖역〗 1840-42 년, 청(淸)나라의 아편 금수(禁輸) 조치를 구실삼아 영국이 일으킨 청나라와 영국 사이의 전쟁. 청(淸)나라가 패하여 난징 조약(南京條約)을 맺고, 홍콩을 영국에 할양(割讓)했으며, 상하이(上海) 등 다섯 항구를 개항(開港)하여 중국의 반(半)식민지화의 기점이 됨.

아편 중독【阿片中毒】 명 아편을 흡음(吸飮)함으로써 생기는 중독 작용. 급성 중독인 경우는 오심(惡心)·구토(嘔吐)·현기증을 일으키고 혼수(昏睡)·호흡 마비에 이름. 만성 중독인 경우는 피부 창백·안광 둔화(眼光鈍化)·동공 축소(瞳孔縮小) 등을 초래하고 아편을 갈망하게 되며 끊으면 금단(禁斷) 증상이 나타남.

아편 중독자【阿片中毒者】 명 ①아편 중독에 걸린 사람. 마약 중독자. ②모르핀 중독자.

아포¹【芽胞】 명 〖식〗 포자(胞子).

아포²【鵝脯】 명 거위포.

아포레마 〔그 aporema〕 명 〖논〗 문제를 여러 방면으로 검토하여 그 난점을 이해하려는 변증적 방법.

아포리아 〔그 aporia〕 명 ①〖철〗 통로(通路)나 수단이 없다는 뜻으로, 사유(思惟)가 궁하여 해법(解法)이 없는 난관을 의미함. 방치할 수 없는 논리적인 난점(難點). ②일반적으로, 해결할 수 없는 어려운 문제.

아포리즘 〔aphorism〕 명 간결한 말 속에 깊은 체험적인 진리를 교묘히 표현한 짧은 글. '정의(定義)'를 의미하는 그리스어로부터 만들어진 말로서, 금언(金言)·격언(格言)·잠언(箴言)·경구(警句) 등은 이에 가까

운 뜻을 가졌음.

아포 산【一山】〔Apo〕 명 『지』 필리핀의 민다나오(Mindanao) 섬 남부, 다바오(Davao) 시(市)의 서남쪽에 있는 화산(火山). 필리핀의 최고봉(最高峰). [2,965 m]

아 포스테리오리〔라 a posteriori〕 명 『철』〔뒤의 것으로부터라는 뜻〕 인식의 본질상 또는 논리상 경험에 의존하는 또는 경험으로부터 나오는 것. 후천적. 귀납적. ↔아 프리오리(a priori).

아포스트로피〔apostrophe〕 명 생략(省略)·소유격(所有格)·복수 부호(複數符號)로서의 ' '의 이름.

아포-엽【芽胞葉】 명 『식』 포자엽(胞子葉).

아포자투라〔이 appoggiatura〕 명 『악』 앞꾸밈음.

아포-체【芽胞體】 명 『식』 포자체(胞子體).

아 포코〔이 a poco〕 명 『악』 '조금씩·차차'의 뜻.

아포크리파〔Apocrypha〕 명 경외 성서(經外聖書). 차경(次經). 신약 외전(新約外傳).

아포크린-샘 명〔apocrine gland〕『생』 땀을 분비(分泌)하는 샘의 일종. 겨드랑이 부분에 가장 많이 있고, 유두(乳頭)·외이도(外耳道)·항문(肛門) 주위·비익(鼻翼)·하복부(下腹部) 등 피부의 특정 부위에 있음. 사춘기에 잘 발달하여 그 활동이 왕성해지며 분비물에 고유한 냄새가 있는데 이것이 체취(體臭)임. 아포크린 한선(汗腺).

아포크린 한:선【一汗腺】〔apocrine〕 명 『생』 아포크린샘.

아포피스〔Apophis〕 명 『신』 고대 이집트 신화에서, 암흑을 지배한다는 거대한 괴사(怪蛇). 새벽과 저녁에 태양의 배를 전복시키려다가 피살되나 항상 되살아나며, 배를 뒤집는 데 성공하면 일식(日蝕)이 일어난다고 함.

아포필라이트〔apophyllite〕 명 『광』 어안석(魚眼石).

아포 효소【一酵素】 명〔apoenzyme〕『화』 조(助)효소 부분과 단백질 부분으로 이루어진 복합 단백질 효소에서, 저분자(低分子) 성분인 조효소 부분과 분리되었을 때의 단백질 부분의 이름.

아폴로〔Apollo〕 명 『신』 '아폴론(Apollon)'의 라틴어·영어명.

아폴로 계:획【一計劃】 명〔Project Apollo〕 미국 항공 우주국의 달 착륙 유인(有人) 비행 계획. 사령선(司令船)·기계선(機械船)·착륙선(着陸船)의 세 부분으로 된 우주선을 새턴 로켓으로 발사하여, 달 궤도에서 착륙선을 달에 착륙시키는 계획. 1961년에 계획이 결정되어, 1969년 7월 21일 아폴로 11호를 인류 최초로 달 표면에 착륙시키는 데 성공한 후, 1972년 12월에 여섯 번째로 달에 착륙한 아폴로 17호를 끝으로 계획이 완료됨.

아폴로 눈병【一病】〔Apollo〕〔一뼝〕 명 〈속〉 유행성 각결막염(流行性角結膜炎)의 일컬음. 1969년 처음으로 달에 착륙한 아폴로 11호 우주선이 지구로 돌아온 무렵에 이 병이 한창 유행했으므로 이르는 말. 최초의 발생지는 서(西)아프리카의 가나(Ghana).

아폴로니오스[1]〔Apollonios, Pergaeus〕 명 『사람』 고대 그리스의 수학자. 저서 ≪원뿔 곡선론(曲線論)≫ 전(全) 8권은 고대 최고의 과학서의 하나임. [262?-200? B.C.]

아폴로니오스[2]〔Apollonios, Rhodios〕 명 『사람』 알렉산드리아(Alexandria)의 서사 시인(敍事詩人). 장편시(長編詩) ≪아르고선(船) 이야기≫는 여러 시인의 시구(詩句)를 인용한 기교적(技巧的)이고 로맨틱한 작품임. [295?-225? B.C.]

아폴로니오스의 궤:적【一軌跡】〔Apollonios〕 명 『수』 아폴로니우스의 원.

아폴로니오스의 원【一圓】〔Apollonios〕〔一/一에一〕 명 『수』〔그리스의 수학자 아폴로니오스에 유래〕 평면 기하학에서, 두 정점(定點)에서의 거리의 비가 일정한 점의 궤적이, 그 두 정점을 연결하는 선분을 그 비로 내분(內分)하는 점과 외분(外分)하는 점을 직경의 양단으로 하는 원. 아폴로니우스의 궤적.

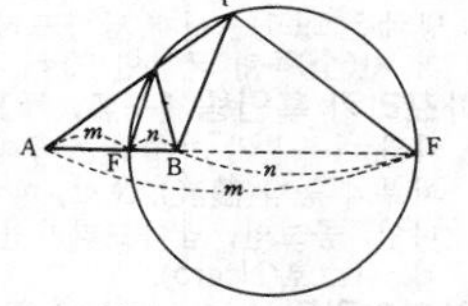

〈아폴로니오스의 원〉

아폴로니우스〔Apollonius〕 명 『사람』 '아폴로니오스(Apollonios)'의 라틴어·영어명.

아폴로도로스[1]〔Apollodoros〕 명 『사람』 기원전 2세기의 그리스의 문법학자(文法學者). 그리스인의 손으로 된, 유일한 그리스 신화의 집성(集成)인 ≪비블리오테케(Bibliotheke)≫의 저자로 일컬어지나 진상은 불분명함. 이 밖에도 ≪연대기≫가 있음.

아폴로도로스[2]〔Apollodoros〕 명 『사람』 2세기경에 활약했던 그리스의 건축가. 다마스커스 태생. 특히, 유명한 것은 그가 건설한 로마의 트라야눔 광장(Forum Trajanum)으로, 그 곳에 있는 거대한 트라야누스 기념주(記念柱)는 현존하고 있음.

아폴로 우:주선【一宇宙船】〔Apollo〕 명 아폴로 계획에서 달까지의 왕복에 쓰이던 우주선. 사령선과 기계선으로 이루어졌으며, 여기에 달 착륙선(13.6톤)을 결합하여 달까지 운반함. 사령선은 3명의 우주 비행사를 수용하는 높이 3.66 m, 저면(底面)의 직경 3.91 m, 무게 4.3톤의 원추형의 캡슐로서, 내부에 조종·통신·레이더·컴퓨터 등 여러 장치와 각종의 생명 유지 장치가 있고, 비행 중에는 순수 산소로 3분의 1 기압, 기온 24°C가 유지됨. 우주 항행 중의 추력(推力)은 모두 기계선(원통형, 23톤)의 로켓에 의존함. 전장 17 m. 인류 최초로 달 착륙에 성공한 우주선은 아폴로 11호.

아폴로-형【一型】〔Apollo〕 명 『예』 아폴론형.

아폴로형 소:행성【一型小行星】〔Apollo〕 명 『천』 1932년 발견된 소행성 아폴로처럼, 근일점(近日點)이 지구 궤도와 태양 사이에 있는 소행성.

아폴론〔Apollon〕 명 『신』 고대 그리스 신화 중 태양·예언·의료·궁술(弓術)·음악 및 시의 신(神). 제우스(Zeus)와 레토(Leto)의 아들로, 델피(Delphi) 신전(神殿)에서 아폴론이 내린 신탁(神託)은 그리스인의 생활을 규정할 만큼 유력하였음. 아폴로.

아폴론-적【一的】〔Apollon〕 명 관 『예』 아폴론형(型)인 모양.

아폴론-형【一型】〔Apollon〕 명 『예』 니체(Nietzsche)가 디오니소스형에 대비시킨, 예술에 있어서의 하나의 형(型). 아폴론형의 예술은 몽상적·정관적(靜觀的)이고, 단정(端正)·질서·조화를 구하며 따라서 개체적·주지적이라고 함. 조형 미술(造形美術)이나 서사시의 본질은 이러한 정신이라 함. 아폴로형. ↔디오니소스(Dionysos)형.

〈아폴론〉

아폴리네:르〔Apollinaire, Guillaume〕 명 『사람』 폴란드계(系)의 프랑스 시인·작가. 본명은 Wilhelm Apollinaris de Kostrowitsky. 제1차 대전 전후(前後) 프랑스를 무대로 상징주의에 쉬르레알리슴(surréalisme)을 가미하여 모더니즘의 선구자가 됨. 모험적인 분석과 구성으로 신선한 조형(造形)을 시도하였음. 저서는 시집 ≪알코올(Alcools)≫·≪칼리그람(Calligrammes)≫, 소설(小說) ≪이단(異端)의 근본(根本)과 그 일당≫ 등임. [1880-1918]

아표【餓莩】 명 굶어 죽은 송장.

아풀레이우스〔Apuleius, Lucius〕 명 『사람』 로마의 작가. 아프리카 태생. 전기(傳奇) 소설 ≪황금의 당나귀(Metamorphoses)≫ 외에 철학적 저작도 있음. [123?-180?]

아풀싸 감 〈방〉 아뿔싸(충청).

아프가니스탄〔Afghanistan〕 명 『지』 서남 아시아에 있는 공화국. 파키스탄과 이란 및 중국·독립 국가 연합의 우즈베키스탄·타지키스탄 공화국에 둘러싸여 있는 내륙국으로, 경지(耕地)가 적고 목축이 성함. 19세기부터 영국의 보호령(保護領)이었다가 1921년에 완전 독립, 1973년 쿠데타로 왕정에서 공화제로 바뀜. 그러나 1979년 소련이 침공(侵攻)하여 친소(親蘇) 정권을 수립, 이에 반대하는 게릴라군과 내전(內戰)이 일어남. 1989년 소련군이 철수했으나 친소 정부와 반정부군과의 전투는 계속되었고 1992년 반정부군이 승리, 정권을 장악함. 수도는 카불(Kabul). 정식 명칭은 '아프가니스탄 공화국(Republic of Afghanistan)'. 아부한사단(亞富汗斯坦). ㈜아프간. [652,090 km²: 20,140,000명(1995 추계)]

아프간[1]〔afghan〕 명 아프간 바늘을 써서, 대바늘뜨기와 코바늘뜨기의 기술을 혼합, 왕복 두 번의 동작을 되풀이해 가며 뜨는 입체적인 뜨개질 방식. 또, 이 방식으로 뜬 편물.

아프간[2]〔Afghan〕 명 『지』 ↗아프가니스탄.

아프간 바늘〔afghan〕 명 긴 대바늘의 한쪽 끝에 미늘이 달린, 한 개로 뜨게 된 뜨개바늘.

아프간 전:쟁【一戰爭】〔Afghan〕 명 『역』 영국과 아프가니스탄이 벌인 3차의 전쟁. 제1차 전쟁(1832-42)은 러시아의 남하 정책에 위협을 느낀 영국이 출병하였으나 국민의 반감을 사 영국이 패함. 제2차 전쟁(1878-80)은 아프가니스탄의 왕위 계승 분쟁에 영국이 개입하여 일으킨 싸움으로 영국이 승리, 아프가니스탄은 영국의 보호령이 됨. 제3차 전쟁(1919)은 아프가니스탄 왕이 국론 통일(國論統一)의 수단으로 영국과 싸움을 시작하였으나 참패하였음. 그러나 이로써 아프가니스탄은 독립을 인정받게 되었으며 1921년 완전 독립하게 됨.

아프간-족【一族】〔Afghan〕 명 넓은 뜻으로는, 아프가니스탄 국민을 구성하는 모든 종족·부족을 가리키나, 좁은 뜻으로는 아프가니스탄의 기간(基幹) 주민으로서, 전인구의 60%를 차지하는 이란계의 유목민을 이름. 머리는 검고, 코는 굽었음.

아프다 형 〔중세: 알ᄑ다〕 몸이나 마음에 고통이 있다. ¶다리가 ~/몸이 아파서 결근했다/그 말을 들으니 내 마음이 ~. [아픈 아이 눈 들어가듯 한다] 독의 쌀 따위가 쑥쑥 줄어 들어감을 이르는 말.

아프레〔프 après〕 명 〔'뒤에·후에'라는 뜻〕 ①↗아프레게르. ②↗아프레걸.

아프레-걸:〔프 après+girl〕 명 전후파적(戰後派的)인 여인(女人). ㈜아프레.

아프레-게:르〔프 après-guerre〕 명 〔전후(戰後)란 뜻〕 ①『예』 제1차 세계 대전 직후에 프랑스를 중심으로, 전전(戰前)의 문화에 대한 반동으로 일어난 문학·예술 상의 새로운 경향, 사조(思潮) 및 그 운동. 또, 그 파의 사람들. 제2차 세계 대전 후의 그와 같은 사항도 말함. 전후파. ②전후의 특징인 허무적·퇴폐적·육체적인 사상이나 경향·성격·생활 태도. 또, 그러한 사람들. 전후파. ㈜아프레. 1)·2): ↔아방게르(avantguerre).

아프-레코 명 ↗애프터 리코딩(after recording). ↔프리레코.

아프로디테〔Aphrodite〕 명 『신』 고대 그리스 신화에 나오는 미(美)와 사랑의 여신. 제우스(Zeus)와 디오네(Dione)의 딸 또는 바다 거품에서 태어났다고도 함. 헤파이스토스(Hephaistos)의 아내로 아레스(Ares)의 정부(情婦)였고 한때 아도니스(Adonis)를 사랑하였음. 아들이 에로스(Eros)임. 로마 신화 중의 비너스(Venus)에 해당함.

〈아프로디테〉

아프로-아시아〔Afro-Asia〕 명 아프리카와 아시아의 범칭(汎稱).

아프로아시아 어:족【一語族】〔Afro-Asia〕 명 『언』 북(北)아프리카에서 서남(西南) 아시아에 이르는 지역의 언어로, 서로 친근 관계가 있다고 생각되는 언어군(言語群)의 총칭. 함셈(Ham-Sem) 어족·튀니지어

(語)·알제리어(語) 등이 포함됨.

아프로-유라시아 〔Afro-Eurasia〕 명 아프리카·유럽·아시아 세 대륙(大陸)의 총칭.

아프로-큐:반 〔Afro-Cuban〕 명 〖악〗 〔아프리카식 쿠바식의 뜻〕 재즈의 새로운 발전의 한 방향으로서, 본래의 재즈 수법에 라틴아메리카 리듬을 가미한 것. 재즈 고유의 리듬에 복잡한 색채가 가미되어 폴리리듬이 된 것이 많음.

아프로큐:반 리듬 〔Afro-Cuban rhythm〕 명 재즈 고유의 리듬에 라틴아메리카 리듬을 가미한 것. *아프로큐반·라틴(Latin) 리듬.

아 프리오리 〔라 a priori〕 명 〔먼저의 것으로부터라는 뜻〕 ①생득적(生得的). ②〖철〗 인식의 본질상 또는 논리상, 경험으로부터 발생하거나 의존하거나 하지 않는 것. 선천적(先天的). 선험적(先驗的). ↔아 포스테리오리(a posteriori). ③〖수〗 가정(假定)된 공리(公理)나 자명(自明)하다고 생각되는 실험(實驗)과 대조(對照)하지 않아도 될 원리(原理)로부터 연역(演繹)되는 이유(理由)에 바탕을 두는 일.

아프리카 〔Africa〕 명 〖지〗 아프리카 주(洲).

아프리카 개발 기금 【一開發基金】 명 〔African Development Fund; AfDF〕 아프리카 개발 은행(開發銀行)의 융자 활동(融資活動)을 보조하기 위한 기금. 1972 년 설립, 1973 년에 업무를 개시함. 가맹국은 아프리카 개발 은행과 같으며 출자금은 666 억여 달러. 사무국은 아프리카 개발 은행 안에 있음.

아프리카 개발 은행 【一開發銀行】 명 〔Africa Development Bank; AfDB〕 아프리카 여러 나라의 경제 개발을 촉진하기 위한 융자 기관. 국제 연합 아프리카 경제 위원회의 알선으로, 1964년에 발족, 1966년에 개업함. 가맹국은 1990 년 현재 역내국(域內國) 50 개국(남아프리카 제외), 역외국(域外國) 25 개국임. 수권 자본(授權資本) 218 억 달러. 본부(本部)는 코트디부아르의 아비장(Abidjan).

아프리카-검은코뿔소 〔Africa〕 〔一쏘〕 명 〖동〗 〔*Diceros bicornis*〕 코뿔솟과에 속하는 짐승. 몸길이 3-3.75 m, 몸높이 1.4-1.5 m, 몸무게 1,000-1,800 kg으로, 코끼리 다음 가는 큰 짐승임. 인도코뿔소와 비슷하나 살가죽에 주름이 없으며, 콧등에 두 개의 뿔이 돋아 있는 점이 다름. 열대 아프리카 평원에 살며, 감각이 둔하고 온순한 초식(草食) 동물인데, 한번 성이 나면 저돌적으로 돌진하여 목적물을 뿔로 치거나 찔러 죽여서 멀리 던져 버림. 뿔은 예로부터 약재로 귀히 여겨짐. 아프리카무소. 아프리카코뿔소. *인도코뿔소.

〈아프리카검은코뿔소〉

아프리카 경제 위원회 【一經濟委員會】 명 〔Economic Commission for Africa; ECA〕 국제 연합 경제 사회 이사회의 하부 기관인 지역 경제 위원회의 하나. 1958년 4월 설치. 아프리카 여러 나라의 경제 사회 개발과 역내외(域內外)의 경제 교류를 촉진하기 위한 조사·권고를 행함. 본부는 에티오피아의 아디스아바바(Addis Ababa). 가맹국은 아프리카의 독립국(獨立國) 51개국이며, 영국(英國)·프랑스·스페인 및 그 식민지(植民地) 등 13개국이 준(準)가맹국임. 남아프리카 공화국은 국제 연합 경제 사회 이사회(國際聯合經濟社會理事會)에 의해 1963년 이후 자격 정지(資格停止) 당함.

아프리카계 미국인 【一系美國人】 〔Africa〕 명 미국의 흑인(黑人) 시민의 일컬음.

아프리카나이즈 〔Africanize〕 명 ①아프리카화(化)함. ②아프리카 흑인의 지배하(支配下)에 둠.

아프리카 난민 【一難民】 〔Africa〕 명 아프리카의 동부·중부·남부 지역의 장기적인 분쟁과 아프리카 여러 나라의 강권(強權) 정치 및 인종 차별 등의 인권(人權) 억압과 1980 년대 전반(前半)부터의 장기적이고도 광대한 지역에 걸친 한발(旱魃)로 인해 생긴 난민. 1991 년 현재 약 460 만 명임.

아프리카너 〔Afrikaner〕 명 아프리칸더.

아프리카니즘 〔Africanism〕 명 ①아프리카 사투리. ②아프리카적(的) 특색.

아프리카 대:지구 【一大地溝】 〔Africa〕 명 〖지〗 아프리카 동부에서 두 줄로 되어, 북은 에티오피아 고원에서, 남은 모잠비크 해협 남부에 이르는 남북 6,000 km, 폭 50 km, 깊이 2,000 m의 지구대(地溝帶). 빅토리아 호수(Victoria 湖水)를 비롯한 많은 호수와 활화산(活火山)이 있고, 지진이 많음. 여기를 중심으로 대륙이 동서 방향으로 분열(分裂)해 가고 있음. 인도양의 대양 중앙 해령(大洋中央海嶺)에 이어져, 세계 지구계(地溝系)의 일부를 이룸.

아프리카 모리셔스 공:동 기구 【一共同機構】 명 〔Organisation Commune Africaine et Mauricienne; OCAM〕 아프리카 마다가스카르 경제 협력 연합(UAMEC)의 후계 조직으로 설립된, 아프리카 온건파 제국의 경제 기구. 가맹국의 경제적·사회적·문화적·기술적 발전을 협력하며, 정치 문제에는 관여하지 않는 것이 원칙임. 가맹국은 1982년 현재 10개국.

아프리카-무소 〔Africa〕 명 〖동〗 아프리카검은코뿔소

아프리카 민족 회:의 【一民族會議】 〔Africa〕 〔一/一이〕 명 〔African National Congress; ANC〕 1912 년 남(南)아프리카 원주민 회의로 발족한 남아프리카 공화국의 인종 차별 정책 철폐를 목표로 하는 흑인 해방 조직. 1925 년, 현재의 명칭으로 바뀌었고, 초기에는 비폭력 노선을 취했으나 1960 년에 비합법화되고 그후 과격화되어 왔음. 1990 년 30 년 만에 비합법 조치가 해제되고 만델라(Mandela, N.R.) 의장이 석방되어 흑인 참정권을 전제로 한 다수 지배를 위해 정부와 예비 교섭을 하고 있음. 에이 엔 시(ANC).

아프리카-바늘두더지 〔Africa〕 명 〖동〗 호저(豪猪).

아프리카-봉선화 【一鳳仙花】 〔Africa〕 명 〖식〗 〔*Impatiens sultanii*〕 봉선화과에 속하는 화초. 아프리카 원산의 분재·화단용 다년초로, 원예 상으로는 1년초로 취급함. 잎은 끝이 뾰족한 달걀꼴이고 호생(互生)하며 뭉툭한 톱니가 있음. 여름에 한 송이 또는 두세 송이의 붉은 꽃이 액생(腋生)하는데 온실(溫室) 안에서는 겨울에도 꽃이 핌. 1961년 우리나라에 들어옴.

아프리카 사회주의 【一社會主義】 〔一/一이〕 명 〔Africa Socialism〕 〖정〗 제2차 대전 후, 아프리카 여러 나라에서 민족주의의 한 변종(變種)으로서 추구되고 있는 독자적인 사회주의. 사회 정의 또는 평등에 입각한 추상적인 면을 띰이 특색임.

아프리카 아시아 어:족 【一語族】 〔Africa-Asia〕 명 〖언〗 아프리카 북부에 분포하는 햄셈(Ham-Sem) 어족. 이집트어·튀니지어·알제리어·모로코어·에티오피아어 등이 포함됨.

아프리카의 뿔 〔Africa〕 〔一/一에一〕 명 〔Horn of Africa〕 인도양과 홍해(紅海)를 면한 아프리카 대륙 동부의 에티오피아·지부티·소말리아의 3 개국 지역. 복잡한 종족 구성과 기독교 및 이슬람교의 혼재(混在), 거기에 끊임없는 영토 분쟁 등으로 아프리카 난민(難民)의 발생을 촉발하고 있는 지역. 지형이 코뿔소의 뿔을 닮은 데서 나온 말임.

아프리카 인종 【一人種】 〔Africa〕 명 아프리카를 주거주지(主居住地)로 하는 인종.

아프리카 주 【一洲】 〔Africa〕 명 〖지〗 6 대주의 하나. 수에즈 지방에 의하여 아시아 주와 연결되어 있는 세계 제2의 대륙으로, 북부 해안 지대를 제외하고는 대부분이 사막과 열대 밀림 지대이며, 세계에서 가장 미개된 대륙임. 남아프리카 공화국·라이베리아·에티오피아·이집트를 제외한, 광대한 지역이 영국·프랑스·벨기에 등 유럽 제국(諸國)의 식민지로 분할되어 문화(文化)의 발달이 저해되고 암흑 대륙(暗黑大陸)으로 불리었으나, 최근에 이르러 대부분의 지역이 독립을 쟁취하였음. 아불리가주(阿弗利加洲). 아프리카. ㊂아주(阿洲). 〔30,305,000 km²: 610,000,000 명(1988 추계)〕

아프리카-코끼리 〔Africa〕 명 〖동〗 〔*Loxodonta africana*〕 코끼릿과에 속하는 대형의 코끼리. 인도코끼리보다 훨씬 커서, 어깨 높이 3.3 m 이상, 무게 6 t에 달함. 몸빛은 흑회색이며 귀는 둥글고 커서 어깨를 덮고 이마는 돌출하며 코끝에는 두 개의 손가락 같은 돌기가 있음. 등은 현저하게 높아 뒷다리가 길고 앞발에는 4개, 뒷발에는 3개의 발굽이 있으며 어금니는 길게 돌출하여 수컷은 길이 3 m, 무게 100 kg에 달함. 나뭇잎·뿌리를 먹으며 떼지어 생활하나, 노령(老齡)의 수컷은 혼자 삶. 인도코끼리보다 성질이 활발하며 사납고, 길들이기 어려움. 보통, 30 세에 성숙하며 수명은 90-120 세 가량임. 사하라(Sahara) 사막 이남의 아프리카 수림 지대에 널리 분포함. *인도코끼리.

〈아프리카코끼리〉

아프리카-코뿔소 〔Africa〕 〔一쏘〕 명 〖동〗 아프리카검은코뿔소.

아프리카 통:일 기구 【一統一機構】 〔Africa〕 명 〔The Organization of African Unity; OAU〕 아프리카 여러 나라의 통일과 단결, 국민의 생활 향상을 위한 상호 협력과 주권·영토·독립의 옹호 등을 목적으로 하는 세계 최대의 지역 기구. 수뇌 회의·외상 회의를 주로하는 각료 회의 외에 화해·조정 위원회 및 5개의 특별 위원회가 있음. 1963년 5월의 아프리카 수뇌 회의에서 창설. 사무국은 에티오피아의 아디스아바바. 가맹국은 1991년 현재 남아프리카 공화국과 모로코를 제외한 아프리카의 전(全)독립 국가인 50 개국임.

아프리카 흑인종 【一黑人種】 〔Africa〕 〖인류〗 사하라 이남의 아프리카의 대부분에 거주하는 흑색 인종. 거주 지역 및 신장의 고저(高低), 피부의 농담(濃淡), 모발, 안면적 특징(顔面的特徵)에 의해 수단인, 기니인, 콩고인, 남아프리카인, 나일인의 오 아인종(五亞人種)으로 분류됨. 니그로(Negro).

아프리칸더 〔Afrikander〕 명 남아프리카에서 태어난 네덜란드계·독일계의 백인(白人). 남아프리카에 살고 있는 백인의 60 %를 차지하고 있으며, 고집이 센 국수주의자(國粹主義者)들임. 종교는 네덜란드 개혁파교(改革派敎)로 현재 세계에서 인종 차별을 하고 있는 오직 하나의 종파임. 다른 식민지의 백인과는 달리, 유사시(有事時)에 도피할 조국이란 것이 없음. 아프리카너.

아프리칸:스-어 【一語】 〔Afrikaans〕 명 〖언〗 남아프리카 공화국의 네덜란드계 주민의 언어. 기본적으로는 네덜란드어의 한 방언. 1925년 이래, 영어와 함께 남아프리카 공화국의 공용어가 됨.

아프리칸트로푸스 〔Africanthropus〕 명 〔*Africanthropus njarasensis*〕 〖인류〗 1935년 동(東)아프리카의 탕가니카에서 발굴된 화석인골(化石人骨).

아프타 〔aphta〕 명 〖의〗 아구창(牙口瘡). ¶~성 구내염(口內炎).

아프테 〔도 Aphthe〕 명 〖의〗 아프타 (aphta).

아프트식 철도 【一式鐵道】 〔Abt〕 〔一또〕 명 19세기말 스위스의 아프트(Abt, Roman)가 발명한 특수한 철도. 레일 중간에 이가 있는 레일을 깔고 그 이와 기관차에 있는 톱니바퀴가 맞물려 가게 함으로써 기차가 급한 경사에서도 미끄러지지 않고 안전하게 오르내리도록 한 장치. 주로 등산 철도에 이용됨.

아플라나:트 〔도 Aplanat〕 명 〖물〗 애플러냇.

아플라톡신 〔aflatoxin〕 명 〖화〗 누룩곰팡이의 일종인 아스페르길루스 플라부스(Aspergillus flavus)의 대사 식물에 들어 있는 유독 물질. 자외선(紫外線)을 비추면 청색과 녹색의 형광(螢光)을 발하며 간장(肝臟) 장애를 일으키는 발암(發癌) 물질임.

아플리케 〔프 appliqué〕 명 자수의 한 가지. 천 위에 다른 천이나 가죽 같은 것을 여러 가지 모양으로 오려 붙인 다음, 그 둘레를 자수하는 간단한 수예(手藝).

아픔 명 육체적·정신적인 고통.

아피스 〔Apis〕 명 〖신〗 고대 이집트의 멤피스(Memphis)에서 숭배하던 공예·기술의 신(神)으로서의 성우(聖牛).

아피아 〔Apia〕 명 〖지〗 서남 태평양, 서(西)사모아의 수도(首都). 우폴루(Upolu) 섬 북안(北岸)에 위치, 이 나라 유일의 외국 무역항(貿易港)이지만 시설은 미비(未備)함. 코프라(copra)·바나나·카카오 등을 수출함. [34,000 명(1990 추계)]

아피아 가:도 【—街道】 〔Appia〕 명 〖지〗 고대 로마의 도로. 로마에서 남이탈리아로 뻗은 간선 도로로, B.C. 312 년에 로마의 켄소르(감찰관) 아피우스 클라우디우스 카에쿠스가 건설을 시작해서 그의 이름이 붙음. 돌로 포장되었고, 너비 8 m, 총길이 540 km에 이름.

아 피아체레 〔이 a piacere〕 명 〖악〗 '임의로'·'자유로'의 뜻.

아핀 기하학 【—幾何學】 명 〔affine geometry〕 〖수〗 유클리드 기하학에서 길이와 각도의 개념을 제외시킨 공리계(公理系)에 의해 구성되는 기하학.

아필 【牙筆】 명 상아로 만든 붓.

아푸다 형 〈옛〉 아프다. =알푸다. ¶허리뇰 아푸디 아니케 ᄒᆞᄂᆞ니(腰痛腰疼)≪馬經 上 53≫.

아하 감 미처 생각하지 못한 일을 깨달아 느낄 때에 내는 소리. ¶~ 깜빡 잊었구나. <어허.

아:-하다 【雅—】 형 여불 아담하다. 깨끗하고 맑다.

아하: 체험 【—體驗】 〔도 aha〕 명 〖심〗 사고(思考)의 도중에 문제의 해결이 별안간 얻어지는 경우 같은 때에 일어나는 '아하 그렇구나' 하는 체험.

아하하 감 일부러 지어서 몹시 우스운 듯이 자지러지게 웃는 소리. <어허허.

아한 【阿干】 명 〖역〗 신라 때 신하(臣下)의 일컬음. *한(干).

아:-한대 【亞寒帶】 명 〖지〗 온대와 한대와의 사이의 위도상으로 40°–66°30′ 부근까지의 기후대(氣候帶). 기온이 10°C 이상 되는 기간은 연중 4 개월 이하임. 침엽수의 원생림(原生林)이 대표적 경관(景觀)임. 북반구(北半球)에서는 러시아 연방·캐나다를 포함하며 겨울은 매우 추움. 냉대(冷帶). 냉온대(冷溫帶).

아:한대 고기압 【亞寒帶高氣壓】 명 〔subpolar high, subpolar anticyclone〕 특히, 북반구(北半球)에서, 겨울철에 아한대의 차가운 대륙면(大陸面) 위를 뒤덮는 고기압.

아:한대-구 【亞寒帶區】 명 식물의 수평 분포의 하나. 아한대에 위치하며 침엽수가 많음.

아:한대 기후 【亞寒帶氣候】 명 〔subarctic climate〕 〖지〗 아한대의 일반적인 기후. 겨울은 길고 적설(積雪)이 오래 가며, 여름은 짧지만 꽤 기온이 높음. 쾨펜(Köppen)의 기후 구분에 의하면 가장 추운 달의 평균 기온이 -3°C 이하이고, 가장 따스한 달은 10°C 이상(以上)이 되는 지역(地域).

아:한대-림 【亞寒帶林】 명 아한대의 특징적인 삼림(森林). 북반구(北半球)의 북위(北緯) 40°에서 67° 사이에서 볼 수 있으며, 가문비나무·낙엽송 등의 침엽수(針葉樹)를 주종으로 하는 삼림.

아:한대 저:압대 【亞寒帶低壓帶】 명 고위도(高緯度) 저압대.

아함-경 【阿含經】 명 〔범 agama〕 〖불교〗 ①석가모니의 언행록(言行錄). ②소승 불교 경전(經典)의 총칭.

아함-시 【阿含時】 명 〖불〗 천태종(天台宗)에서 말하는 세존(世尊) 일대 설법의 5 시기 중 두 번째 시기. 화엄시(華嚴時) 다음의 12 년 간으로, 세존이 녹야원(鹿野苑)에서 아함경을 설법했음. 녹원시(鹿苑時).

아해[1] 【兒孩】 명 아이. 동해(童孩).

아해[2] 【良中】 조 〈이두〉 에.

아해낫드러이견 【良中進叱有在】 〈이두〉 에 나아가는.

아해당하야견을안 【良中當爲在乙良】 〈이두〉 에 당하였으면.

아해두 【良中置】 조 〈이두〉 에도.

아해드대여 【良中導良】 〈이두〉 에 따라서.

아해사 【良中沙】 조 〈이두〉 에야.

아해-사리 명 〖식〗 피의 한 품종. 까끄라기가 없고 빛이 흼.

아해을안 【良中乙良】 조 〈이두〉 에는. 에 있어서는.

아해이누온 【良中有臥乎】 〈이두〉 에 있는.

아행 【牙行】 명 아인(牙人).

아:헌[1] 【亞獻】 명 제사 지낼 때에 두 번째로 술잔을 올리는 일. *초헌·종헌. ——-하다 자 여불

아헌[2] 수 〈방〉 아흔(경북).

아:헌-관 【亞獻官】 명 〖역〗 종묘 제향(宗廟祭享) 때에 아헌을 맡아 보던 임시직(臨時職). *초헌관·종헌관.

아:헌-례 【亞獻禮】 〔—녜〕 명 〖역〗 종묘 제향 때에 아헌관이 신위(神位) 앞에 두 번째 술잔을 올리는 예. *초헌례·종헌례.

아:헌-악 【亞獻樂】 명 〖악〗 종묘 제향 때에, 아헌을 올리면서 하는 음악. *초헌악(初獻樂)·종헌악(終獻樂).

아:헨 〔Aachen〕 명 〖지〗 독일 서부, 네덜란드와 벨기에의 접경(接境) 지대에 있는 공업 도시. 15세기 경부터 직물·금속 가공업 외에 제침(製針)·차량·기계 공업이 행해짐. 고대 로마 시대부터 온천으로 알려졌고 카를 1세의 프랑크 왕국의 수도였으며, 936–1531년까지 신성 로마 황제 대관(戴冠)의 땅임. [244,000 명(1981 추계)]

아:헨 성:당 【—聖堂】 〔Aachen〕 명 〔Aachener Münster〕 카롤링 왕조(王朝) 시대, 카를 1세에 의하여 아헨에 세워진 궁전(宮殿) 부속의 대성당(大聖堂). 루트비히 1 세 이후 1531 년까지 신성 로마 제국 황제의 대관식이 여기서 거행됨.

아:헨의 화약 【—和約】 〔Aachen〕 〔—/—에—〕 명 〖역〗 1748년 10월 18일, 오스트리아 계승 전쟁의 종결 조약. 오스트리아는 열국으로부터 마리아 테레사(Maria Theresa)의 제위 상속권 승인을 획득한 대신, 프로이센(Preußen) 기타에 영토를 할양함. 이후 프로이센과 오스트리아의 대립이 한층 격화함. *마리아 테레사.

아형[1] 【阿兄】 명 형을 친근하게 부르는 말. 글에서 쓰임.

아형[2] 【阿衡】 명 〖역〗 대신(大臣)❷.

아:형[3] 【雅兄】 명 남자 친구끼리 상대방(相對方)을 경애(敬愛)하여 부르는 경칭(敬稱).

아:호[1] 【雅號】 명 문인·학자·화가 등이 본명 외에 가지는 풍아(風雅)한 호(號).

아:호[2] 【鵝湖】 명 〖지〗 '어후(鵝湖)'를 우리 음으로 읽은 이름.

아호[3] 수 〈방〉 아홉(경상).

아호미-봉 【丫好尾峰】 명 〖지〗 평안 북도 초산군(楚山郡)과 운산군(雲山郡) 사이에 있는 산. [1,143 m]

아혹[1] 명 〈옛·방〉 아욱(강원). ¶아혹(葵菜) ≪朴解 中 33≫.

아혹[2] 【訝惑】 명 괴이하고 의심쩍음. ¶글쎄올시다. 그것은 이 사람도 대단히 ~한 바이올시다≪崔瓚植 : 春夢≫. ——-하다 형 여불

아혼 수 〈방〉 아흔(경북).

아홀 【牙笏】 명 〖역〗 조선 시대 때, 1 품에서 4 품까지의 벼슬아치가 가지는 서각(犀角)이나 상아(象牙)로 만든 홀(笏). *목홀(木笏).

아홉 수 관 여덟에 하나를 더한 수. 구(九).

아홉-동가리 명 〖어〗 [*Goniistius zonatus*] 다동가릿과에 속하는 바닷물고기. 몸길이 40 cm 가량인데, 측편하며 후두부가 솟고 입이 작음. 몸빛은 암회갈색 바탕에 아홉 줄의 짙은 흑갈색 띠가 있음. 꼬리지느러미는 회갈색 바탕에 백색이며 원점이 많이 있고 다른 지느러미는 황갈색인데 비늘은 둥긂. 근해 암초성(岩礁性) 어류로, 한국 서남부 및 제주도 연해·일본 중부 이남(中部以南)·동지나해(東支那海)에 분포함. *여덟동가리.

〈아홉동가리〉

아홉-무날 명 무수기를 볼 때에, 사흘과 열 여드레를 이르는 말.

아홉-수 【—數】 명 〖민〗 9, 19, 29, 39, 49 같이 아홉이 든 수. 남자 나이에 이 수가 들면 꺼림.

아홉줄-고누 명 가로세로 아홉 줄로 된 말밭에, 각각 아홉 개의 말을 놓고 노는 고누의 한 가지.

아홉-째 수 아홉을 차례로 셀 때의 맨 끝. 여덟째의 다음.

아환[1] 【丫鬟】 명 〖역〗 차환(叉鬟).

아환[2] 【兒患】 명 ①어린아이의 병. ②자기 자식의 병.

아환[3] 【鴉鬟】 명 검은 머리.

아환 선빈 【鴉鬟蟬鬢】 명 부녀(婦女)의 머리가 검고 아름다운 것을 이르는 말.

아황 【娥皇】 명 〖사람〗 중국 고대(古代)의 임금 요(堯)의 딸. 동생 여영(女英)과 함께 순(舜)에게 시집 가고, 순이 죽은 뒤에 상장(湘江) 강에 빠져 죽어 상군(湘君)이 되었다 함.

아-황산 【亞黃酸】 명 〔sulfurous acid〕 〖화〗 이산화황의 수용액(水溶液). 산성이 약하며 강한산(酸), 특히 황산을 가하면 분해되어 이산화황이 발생함. 산소와 화합하여 황산으로 되려는 경향이 강하며 환원제·표백제로 쓰임. [H_2SO_3]

아황산 가스 【亞黃酸—】 〔gas〕 명 〖화〗 이산화황 의 기체(氣體).

아황산 나트륨 【亞黃酸—】 〔Natrium〕 명 〔sodium sulfite〕 〖화〗 37℃ 이하에서 무색의 단사 정계 결정(單斜晶系結晶)인 7 수염(水塩)이 되고 33.4℃ 이상에서 무색의 삼방정계(三方晶系) 결정인 무수염(無水塩)이 되는 아황산염의 하나. 모두 강한 환원성(還元性)이 있으며 스스로 산화(酸化)하여 황산 나트륨이 됨. 무수염은 표백제·의약품·사진 현상제·비스코스 안정제·물감 제조 등으로 쓰임. 아황산 소다. [NA_2SO_3]

아황산 무수물 【亞黃酸無水物】 명 〖화〗 이산화황(二酸化黃)의 통칭.

아황산 소:다 【亞黃酸—】 〔soda〕 명 〖화〗 아황산 나트륨.

아황산 수소 나트륨 【亞黃酸水素—】 〔Natrium〕 명 〔sodium bisulfite〕 〖화〗 수산화(水酸化)나트륨이나 탄산(炭酸)나트륨의 냉포화(冷飽和) 수용액에 이산화황을 통하여 만든 수용액. 강한 환원성이 있으며 환원제·표백제·살균제·사진 현상제·각종 화학 약품 원료로서 중요함. 중아황산(重亞黃酸)소다. [$NaHSO_2$]

아황산-염 【亞黃酸塩】 〔—념〕 명 〔sulfite〕 〖화〗 아황산 이온 SO_3^{2-}의 화합물. 아황산(H_2SO_3)의 수소를 금속으로 치환하여 생긴 염(塩). 수용액(水溶液)은 알칼리성이며 강산(強酸)과 반응하여 이산화황을 만듦. 아황산 암모늄($(NH_4)_2SO_3-H_2O$)·아황산 수소칼슘($Ca(HSO_3)_2$)·아황산 칼륨(K_2SO_3) 등이 있는데 환원제·표백제·방부제 등으로 쓰임.

아황산 펄프 【亞黃酸—】 명 〔sulfite pulp〕 화학 펄프의 한 가지. 펄프 원료를 아황산염과 아황산과의 혼합 용액(混合溶液)으로 가압 가열(加壓加熱)하여 만든 펄프. 표백·정제(精製)가 용이(容易)하고 유연(柔軟)하여 상질지(上質紙)나 레이온(rayon)용 펄프·아세테이트(acetate)용 펄프 등에 쓰임.

아:회[1] 【雅會】 명 ①글을 지으려고 모이는 모임. ②풍아(風雅)스러운 모임.

아:회[2] 【雅懷】 명 풍아(風雅)한 마음. 아취가 있는 회포.

아후라-마즈다 〔Ahura-Mazda〕 명 〖신〗 〔아후라는 신(神), 마즈다는 지혜(智慧)의 뜻〕 고대 페르시아의 신(神). 하늘의 선신(善神)으로, 조로아스터교(Zoroaster 教)에서는 전지 전능(全知全能)한 최고 창조신(創

造神)으로 받들어짐. 마즈다(Mazda). 오르마즈드(Ormazd). ↔아리만(Ahriman).

아:후-창【鵝喉瘡】 명 〖한의〗 선라풍(旋螺風).

아훈[1]【兒暈】 명 〖한의〗 자간(子癎).

아훈[2] 수 〈방〉 아흔(전남).

아훔【阿吽·阿吰】 명 〔범 a-hum〕 〖불교〗 ①입을 벌리고 내는 소리 아(阿)와 다물고 내는 소리. 훔(吽). ②밀교(密教)에서의 일체 만법(一切萬法)의 시작과 끝. ③호기(呼氣)와 흡기(吸氣).

아홉 수관 〈방〉 아홉.

아흐레 명 ①아홉 날. 구 일(九日). ②↗아흐렛날.

아흐렛-날 명 ①아홉째의 날. ②↗초아흐렛날. 준아흐레.

아흐베난마 제도【—諸島】〔Ahvenanmaa〕 명 〖지〗 올란드(Åland) 제도.

아흐캄 〔아랍 aḥkām〕 명 〖이슬람〗 질서(秩序). 규칙. 법(法). 법률 상의 판결(判決). 알라 및 예언자의 심판(審判).

아흔 수관 열의 아홉 갑절. 구십(九十).

아흔-째 수 아흔을 차례로 셀 때의 맨 끝.

아희[1] 명 〈방〉 아이[1]❶.

아희[2]【兒戲】〔—히〕 명 아이들의 장난.

아희 원람【兒戲原覽】〔—히월—〕 명 〖책〗 조선 시대 순조(純祖) 때에 아이들을 위하여 장혼(張混)이 지은 책. 단권(單卷).

아힘사 〔범 ahimsā〕 명 〖종〗 〔불살생(不殺生)의 뜻〕 생명체를 살상(殺傷)하면 안 된다는, 인도의 종교적·도덕적 기초를 이루는 사상. 자이나교(Jaina教)·불교 등에 의해 예로부터 전승되어 왔으며 지금은 힌두교를 통해 인도 사람을 강하게 지배하고 있음. 지난날 간디(Ghāndhi)도 '비폭력'의 뜻으로 이를 강조하였음.

아ᄒᆞ래 명 〈옛〉 아흐레. ¶마ᄋᆞᆫ 아ᄒᆞ래 ≪月釋 Ⅸ:51≫.

아ᄒᆞᆫ 수 〈옛〉 아흔. ¶나히 아ᄒᆞᆫ 닐구비 니르러(年至九十七歲) ≪佛頂下 12≫/拏는 아ᄒᆞᆫ니라≪妙蓮 Ⅴ:116≫.

아ᄒᆡ 명 〈옛〉 아이. ¶兒ᄂᆞᆫ 아ᄒᆡ라 ≪月序 18≫/아ᄒᆡ돌히 俗客혀 드료ᄆᆞᆯ 佐異히 너기디 아니ᄒᆞ곡(休佐兒童延俗客)≪杜諺 ⅩⅪ:3≫/아ᄒᆡ ᄉᆞ(兒), 아ᄒᆡ 동(童)≪字會 上 32≫.

악[1] 명 있는 힘을 다하여 모질게 마구 쓰는 기운. ¶~을 바락바락 쓴다. 악에 받치다 구 악이 몹시 나다. ¶악에 받쳐 큰소리를 지르다.

악[2] 명 ↗아기. ¶~아 잘 자라.

악[3]【岳】 명 성(姓)의 하나. 우리 나라에는 현존하지 아니함.

악[4]【惡】 명 ①착하지 않음. 올바르지 아니함. 나쁨. ¶~의 길/~인상. ②〖윤〗 양심을 좇지 않고 도덕률을 어기는 일. ③〖철〗 가치 관념에 있어서 적극에 대한 소극의 의미. 곧, 유용(有用)에 대한 유해(有害), 쾌감에 대한 불쾌, 건강에 대한 병, 정의에 대한 부정, 평화에 대한 전쟁, 미(美)에 대한 추(醜), 지(知)에 대한 무지(無知) 등. 흔히 물적악(物的惡)·도덕악·형이상학적악 등으로 나눔. 1)-3):↔선(善).

〖악으로 모은 살림 악으로 망한다〗 정직하지 않게 번 재산은 주인을 갖가지로 괴롭히며 곧 흩어진다는 말.

악[5]【握】 명 검도(劍道)에서, 손에 끼는 가죽으로 만든 장갑.

악[6]【萼】 명 〖식〗 꽃받침.

악[7] 감 ①남이 놀라도록 갑자기 지르는 큰 소리. ②놀랐을 때에 무의식적으로 지르는 소리. ③상대편에 대항하여 지르는 소리.

악가【樂歌】 명 악곡(樂曲) 또는 악장(樂章)에 따라 부르는 노래. ↔속가(俗歌).

악각【顎脚】 명 〖생〗 절지 동물(節肢動物) 중, 주로 갑각류(甲殼類)의 입의 뒤쪽에 구기(口器)의 일부로서 발달한 기관(器官). 턱의 작용(作用)을 돕는 구실을 하는데, 등각목(等脚目)·단각목(端脚目) 등에 각 한 쌍, 십각목(十脚目)에는 세 쌍, 구각목(口脚目)에서는 다섯 쌍이 있음.

악간【嶽干】 명 〖역〗 신라의 외위(外位) 십등급(十等級) 중의 첫째. 경위(京位)의 일길찬(一吉飡)에 해당함.

악간-각【顎間角】 명 〖언〗 입을 벌리는 각도(角度).

악간-골【顎間骨】 명 〖생〗 간악골(間顎骨).

악간 부:목【顎間副木】 명 〖의〗 하악 골절(下顎骨折)에 쓰는 부목(副木)의 한 가지. 하악 골절부를 정상의 위치에 고정시키기 위한 것으로, 상치열(上齒列)도 이용하여 아래위턱 사이에 파라핀 또는 합성 수지로 만든 부목을 삽입하여서 정복(整復) 고정시킴.

악감【惡感】 명 ↗악감정(惡感情). ¶~을 품다. ↔호감(好感).

악-감정【惡感情】 명 ①좋지 않게 생각하는 감정. 나쁜 느낌. ②분하고 원통한 감정. 준악감(惡感). 1)·2):↔호감정(好感情).

악견【惡見】 명 〖불교〗 ①옳지 아니한 생각·견해. ②↗악견처(惡見處).

악견-처【惡見處】 명 〖불교〗 중합지옥(衆合地獄)에 딸린 16 개 소지옥(小地獄)의 하나. 준악견. ＊악도(惡道).

악경【樂經】 명 〖책〗 육경(六經)의 하나. 진시황(秦始皇)의 분서(焚書)로 망실되어 전해 오지 않은 것으로 생각되고 있음.

악계[1]【惡計】 명 옳지 못한 계책(計策). 흉계(凶計).

악계[2]【樂界】 명 음악 관계자의 세계. 음악인의 사회. 악단(樂壇).

악곡【樂曲】 명 〖악〗 음악의 곡(曲)의 일컬음. 성악곡·기악곡·관현악곡 등의 총칭. 준곡(曲).

악골【顎骨】 명 〖생〗 턱뼈.

악골 골절【顎骨骨折】〔—쩔〕 명 〖의〗 위턱뼈 및 아래턱뼈의 골절. 특히 아래턱뼈의 골절은 안면의 골절 때 흔히 일어나, 개구(開口) 불능·저작(咀嚼) 불능·피하 일혈(皮下溢血)·구강 내출혈·이의 열상 등을 가져옴. 위턱뼈의 골절은 이를 뺄 때나 타박을 입었을 경우에 돌기부(突起部) 또는 체부(體部)에 생김.

악골-궁【顎骨弓】 명 〖생〗 네 쌍의 내장궁(內臟弓) 가운데 제1 내장궁. 아래위 턱뼈 및 중이(中耳)의 망치뼈와 모루뼈가 이로부터 생겨나며, 삼차(三叉) 신경도 원래 이에 속함. 악궁(顎弓). ＊설골궁(舌骨弓)·새궁(鰓弓).

악공【樂工】 명 ①주악(奏樂)하는 사람. ②〖역〗 조선 시대 때 주악에 종사하던 장악원(掌樂院)의 잡직(雜職). 당악(唐樂)·향악(鄉樂), 곧 속악(俗樂)을 연주하며, 공천(公賤) 출신과 양인(良人) 가운데 지원(志願)하는 자로 취재(取才)를 거쳐 뽑음. 광희(廣熙). ＊악생(樂生). ③〖역〗 악호(樂戶).

악공-보【樂工保】 명 〖역〗 시골 백성에게서 받아들이는 악공(樂工)의 요포(料布).

악과【惡果】 명 〖불교〗 악사(惡事)에 대한 갚음. 나쁜 업보(業報). 악보(惡報). ↔선과(善果).

악관[1]【握管】 명 악관법.

악관[2]【樂官】 명 〖역〗 악사(樂師)❸.

악관-법【握管法】〔—뻡〕 명 서도(書道)에서 필법(筆法)의 하나. 붓을 네 손가락으로 쥐고, 엄지 손가락으로 붓의 위쪽을 누르면서 쓰는 방법(方法). 악관(握管).

악-관절【顎關節】 명 〖생〗 턱관절.

악관절 탈구【顎關節脫臼】 명 〖의〗 하악(下顎) 탈구.

악괄【惡聒】 명 입이 험하고 떠들썩함. ——-하다 형여불

악구[1]【惡口】 명 ①험구(險口). 험담(險談). ②〖불교〗 십악(十惡)의 하나. 남에게 악한 말을 하는 짓. 악설(惡說·惡舌). 악언(惡言).

악구[2]【惡狗】 명 질이 좋지 않은 개. 사람에게 덤비는 개.

악구[3]【樂句】 명 〖악〗 작은악절(樂節)을 가리키는 말로서, 2 소절(小節)에서 4 소절 정도까지의 어느 정도 뭉쳐진 작은 구분. 동기(動機) 같은 것도 포함하여 말함. 프레이즈(phrase). ＊악단(樂段)·악절(樂節).

악구-류【顎口類】 명 〖동〗 진정 요각류(眞正橈脚類).

악궁[1]【樂弓】 명 〖악〗 현악기(絃樂器) 연주용의 활.

악궁[2]【顎弓】 명 〖생〗 악골궁(顎骨弓).

악귀【惡鬼】 명 ①악한 귀신. 아주 몹쓸 귀신. ②악독한 짓을 하는 사람을 욕하여 이르는 말.

악극【樂劇】 명 〖연〗 ①〔music drama〕 오페라의 한 형식. 가극(歌劇)이 노래와 춤에 치우치는 것을 배격하고 음악을 극적 내용의 표현에 합치시킨 음악극. 독일의 바그너가 제창하였음. 뮤직 드라마. ＊가극(歌劇). ②가악(歌樂)과 연극.

악극-계【樂劇界】 명 ①악극의 영역(領域). ②악극에 종사하는 사람들의 사회.

악극-단【樂劇團】 명 〖연〗 악극을 상연할 목적으로 모인 단체. 악극을 상연하는 흥행(興行) 단체. 준악단(樂團).

악기[1] 명 〈방〉 아우[1](함북).

악기[2]【惡氣】 명 ①고약한 기운. 못된 냄새. ②악의(惡意).

악기[3]【惡器】 명 악을 행할 기재(器才).

악기[4]【樂記】 명 〖책〗 음악에 관한 사항을 기록한, 예기(禮記) 중의 한 편(篇)의 이름.

악기[5]【樂器】 명 〖악〗 음악을 연주하는 데 쓰이는 기구의 총칭. 종류가 극히 많으나 음악 형식의 성질상, 절주(節奏) 악기·선율(旋律) 악기 및 화성(和聲) 악기의 셋으로 또는 그 주법상(奏法上), 현악기·관악기 및 타악기의 셋으로 나뉨.

악기 도감【樂器都監】 명 〖역〗 조선 시대 세종 때, 음악을 맡아 보던 임시 관아. 그 후 관습 도감(慣習都監)에 합쳐졌다가, 세조 12년(1466) 장악서(掌樂署)에 통합되었음.

악-기류【惡氣流】 명 〖기상〗 순조롭지 못한 대기의 유동(流動).

악기-장【樂器匠】 명 한국의 전통 악기를 제작하는 일, 또 그 일을 하는 사람. 전통 악기 제작에 필요한 중요 재료로는 금(金)·돌(石)·실(絲)·박(匏)·흙(土)·가죽(革)·나무(木) 등 여덟 가지를 꼽는데, 이를 8 음이라 함. 중요 무형 문화재 제 42 호.

악기-점【樂器店】 명 각종 악기를 파는 상점.

악기 조:성청【樂器造成廳】 명 〖역〗 조선 시대 중엽의 임시 관아. 19대 숙종(肅宗) 8년(1682)에 악기를 만들기 위하여 설치함.

악녀【惡女】 명 ①성질이 모질고 나쁜 여자. ↔선녀(善女). ②용모가 흉악한 여자.

악념【惡念】 명 나쁜 생각. 모진 마음. 악상(惡想).

악다구니 명 ①서로 욕하며 성내어 싸우는 짓. ②버티고 겨룸. ——-하다 자여불

악다구니-질 명 악다구니를 부리는 짓. ——-하다 자여불

악다구니-판 명 악다구니를 하며 다투는 판.

악다귀 명 〈방〉 악다구니.

악단[1]【渥丹】 명 ①진한 붉은 빛. ②붉은 얼굴의 형용.

악단[2]【樂段】 명 〔period〕 〖악〗 선율(旋律)의 흐름이 리듬 위에서 끊어지는 곳 또는 단위(單位). 보통 큰악절(樂節)을 가리키며, 여덟 개의 센박을 지니는 것이 기본꼴임. ＊악구(樂句)·악절(樂節).

악단[3]【樂團】 명 〖악〗 ①음악을 합주하는 단체. 밴드(band). ¶관현 ~. ②↗악극단(樂劇團).

악단[4]【樂壇】 명 ①문화면에서의 음악의 분야(分野). ②음악 문화 활동에 종사하는 사람들이 의식적으로 구성하고 있는 직업 사회. 악계(樂界). ¶~의 거성(巨星).

악담【惡談】 명 ①남의 일을 나쁘게 말하는 짓. ②남이 잘되지 못하도록 저주하는 말. ——-하다 자여불

〖악담은 덕담이다〗 남을 저주하는 악담은 도리어 욕을 듣는 이에게 좋은 수를 끼친다는 말.

악당【惡黨】 명 ①악한 무리. 나쁜 도당. 흉당(兇黨). 악도(惡徒). ②악한(惡漢). ③〖역〗 중세에 장원(莊園) 안에서 반영주적(反領主的)인 행위를 하던 장민(莊民)과 그 집단.

악대[1] 명 〈방〉 〖동〗 약대.

악대[2] 명 〈옛〉 불깐 짐승. 거세(去勢)한 짐승. ¶악대 건(犍), 악대 개(犗) ≪字會 下 7≫.

악대[3] 명 ①↗악대소. ②불깐 황소처럼 미련하고 힘이 세며, 많이 먹는 자를 일컫는 말. 왁대.

악대[4]【樂隊】명 기악(器樂)의 연주를 하는 사람들의 집단. 주로 취주악대(吹奏樂隊)를 이름. 음악대(音樂隊).

악대돋 명 〈옛〉 불깐 돼지. ¶악대돋 분(豶) ≪字會 下 7≫.

악대-말 명 〔몽 arta〕 불깐 말. 거세(去勢)한 말. 거세마(去勢馬).

악대몰 명 〈옛〉 악대말. ¶악대 몰(騸馬) ≪老乞 下 8≫.

악대-소 명 불깐 소. 거세(去勢)한 소. 거세우(去勢牛). ㊟악대.

악대-양【一羊】명 불깐 양. 거세(去勢)한 양.

악대 양 명 〈옛〉 악대양. ¶악대양 갈(羯) ≪字會 下 7≫.

악대한 쇼 명 〈옛〉 악대소. ¶악대한 쇼(犍牛) ≪字會 下 7≫.

악대-현【岳大峴】명〖지〗경상 남도 산청군(山淸郡)에 있는 고개 이름. [98 m]

악덕【惡德】명 ①못된 마음씨. ②도덕(道德)에 위반됨. 또, 그러한 행위(行爲). 나쁜 짓. ↔선덕(善德)·미덕(美德). ¶~ 상인. ——-하다 형 여불. ——-히 부

악덕 기자【惡德記者】명 직업을 악용하여, 상대방의 약점을 찔러 금품 따위를 강요하는 등 본분을 망각한 신문·잡지 등의 기자.

악덕 상인【惡德商人】명 이익만을 추구하여 상도의를 저버린 상인.

악덕 신문【惡德新聞】명 폭로 기사나 날조 기사를 써서 상대방의 명예를 훼손하거나 또는 금전을 강요하려고 하는 등, 사회의 공기(公器)로서의 사명을 잃은 신문.

악덕의 번영【惡德一繁榮】[ㅡ/ㅡ에ㅡ] 명 〔프 Histoire de Juliette ou les Prospérités du Vice〕〖책〗사드(Sade, D.A.F.; 1740-1814) 작(作)의 장편 소설. 음탕과 악덕을 거듭하는 젊은 여성 쥘리에트를 통하여 인간의 본능이나 권력욕(權力慾) 등의 어두운 면과 자유(自由)의 문제(問題)와의 관련을 추구(追究)했음. 1797년 간행(刊行).

악덕-한【惡德漢】명 ①마음씨 사나운 사람. ②인륜(人倫)에 어그러진 짓을 하는 사람.

악도[1]【惡徒】명 악당(惡黨)❶.

악도[2]【惡道】명 ①나쁘고도 험한 길. 난로(難路). 험로(險路). ②〖불교〗현세에서 악업(惡業)을 저지른 결과 죽은 뒤에 가야 할 고통(苦痛)의 세계. 곧, 지옥도·아귀도·축생도·수라도(修羅道) 등의 악처(惡處). 악취(惡趣). ③방탕(放蕩)에의 길. 주색(酒色)에 빠지는 길.

악도리 명 모질게 덤비기 잘하는 사람이나 짐승. 영악한 싸움쟁이.

악독[1]【惡毒】명 마음이 흉악하고 독살스러움. ¶~한 계집. ——-하다 형 여불. ——-히 부

악독[2]【嶽瀆】명〖역〗국전(國典)으로 제사(祭祀) 지내던 오악(五嶽)과 사독(四瀆).

악독-스럽다【惡毒一】형 ㅂ불 마음이 흉악하고 독살스럽다. ——-스레【惡毒一】부

악동【惡童】명 ①행실이 나쁜 아이. ②장난꾸러기.

악두【岳頭】명 산의 맨 위. 산꼭대기.

악랄【惡辣】[ㅡ날] 명 매섭고 표독함. ¶~한 수단. ——-하다 형 여불. ——-히 부

악랄-성【惡辣性】[ㅡ날썽] 명 악랄한 성질.

악랑【樂浪】[ㅡ낭] 명〖역〗낙랑(樂浪).

악력【握力】[ㅡ녁] 명 손아귀로 무엇을 쥐는 힘.

악력-계【握力計】[ㅡ녁ㅡ] 명〖기〗손아귀 힘을 재는 기구. 둥근 모양의 쇠고리와 철축(鐵軸)과 문자반(文字盤) 및 바늘로 되어 있어, 이것을 쥐면 역량((力量)을 나타내는 바늘이 문자반 위를 돌아, 어떤 일정한 단위를 가리키도록 되어 있음. 검력기(檢力器).

〈악력계〉

악력 지수【握力指數】[ㅡ녁ㅡ] 명 좌우의 손의 악력을 합한 수(數)와 체중(體重)과의 비(比).

악령[1]【惡靈】[ㅡ녕] 명 사람에게 못된 재앙(災殃)을 내리는 사령(死靈). ¶~이 씌다.

악령[2]【惡靈】[ㅡ녕] 명 〔러 Besi〕〖책〗도스토예프스키가 지은 장편 소설. 무신론적(無神論的) 혁명 사상을 '악령'으로 보고 그것에 홀린 사람들의 파멸을 표현한 내용임. 실재하였던 네차예프 사건(事件)으로서, 소위 혁명가인 네차예프가 어느 전향자(轉向者)를 참살한 사건에서 취재한 것임. 1871-72년에 발표.

악례【惡例】[ㅡ네] 명 나쁜 전례(前例). ¶~를 남기다.

악로[1]【惡路】[ㅡ노] 명 ①나쁜 도로. 험악한 길. ②비유적으로 나쁜 경우나 처지. 사악(邪惡)한 세계.

악로[2]【惡露】[ㅡ노] 명〖한의〗오로(惡露).

악룡【惡龍】[ㅡ뇽] 명 ①사납고 악독(惡毒)한 용. ②날개가 있고 불을 토한다는 전설 상의 용.

악-류【鰐類】[ㅡ뉴] 명〖동〗악어목(鰐魚目).

악률[1]【惡律】[ㅡ뉼] 명 악법(惡法).

악률[2]【樂律】[ㅡ뉼] 명〖악〗①악음(樂音)의 음률(音律). 악조(樂調). ②악음(樂音)을 음률의 높낮이에 따라 이론적으로 정돈한 음렬(音列). 십이율(十二律). 평균율(平均律) 등임.

악률 전서【樂律全書】[ㅡ뉼ㅡ] 명〖책〗중국의 악서(樂書). 명(明)나라 때 주재육(朱載堉)이 편찬, 17세기초 간행함. 아악의 음려(音呂)·악론(樂論)·무보(舞譜) 등에 관하여 상술함. 총 42권 중, 율려 정의(律呂精義) 내외편(內外篇) 각 10권, 율학 신설(律學新說) 6권, 향음시 악보(鄕飮詩樂譜) 6권과 이 외의 권수를 가르지 아니한 7종만이 현존함.

악릉-호【鄂陵湖】[ㅡ능ㅡ] 명〖지〗어링 호.

악리【樂理】[ㅡ니] 명 음악의 이치.

악마[1]【惡馬】명 질이 좋지 않은 말.

악마[2]【惡罵】명 →악매(惡罵). ——-하다 타 여불

악마[3]【惡魔】명 ①〖불교〗마라(魔羅). ②〔Devil〕〖종〗악 또는 불의를 의인적(擬人的)으로 나타낸 요괴(妖怪). 신(神)의 적대자(敵對者)로서 사람을 유혹하고 죄를 저지르게 한다고 함. 기독교에서의 사탄(Satan) 등임. 마귀(魔鬼). 마신(魔神). ③남을 못살게 구는 아주 악독한 사람이나 악령(惡靈).

악마구리 명 '악머구리'의 잘못된 말.

악-마디【惡ㅡ】명 결이 몹시 꼬여서 모질게 된 마디.

악마의 트릴로【惡魔ㅡ】[ㅡ/ㅡ에ㅡ] 명 〔이 Il Trillo del Diavolo〕〖악〗이탈리아의 타르티니(Tartini; 1692-1770) 작곡의 바이올린 소나타 '사'단조(短調). 작곡자가 꿈 속에서 악마의 연주를 듣고 작곡하였다고 함. 1713년 작곡.

악마-적【惡魔的】명 관 악마와 같음. 악마의 요소를 갖춘 모양.

악마-주의【惡魔主義】[ㅡ/ㅡ이] 명 〔diabolism, satanism〕〖문〗19세기 말 서유럽에서 일어난 문예상 또는 사상 상의 한 경향. 즐겨 인생의 암흑면을 그려 추악·퇴폐·괴이·전율(戰慄)·공포 등이 가득찬 분위기 속에서 시미(詩美)를 찾아내려고 하였음. 근대 정신의 깊은 고뇌의 발현(發現)과 기계 문명에 대한 항거로서 나타남. 보들레르·포·와일드 등이 그 대표자들임. *탐미주의(耽美主義).

악마주의-파【惡魔主義派】[ㅡ/ㅡ이ㅡ] 명〖문〗악마파(惡魔派)❶.

악마-파【惡魔派】명〖문〗①악마주의를 신봉(信奉)하는 파. 악마주의파. ②영국 문학에서, 사우디(Southey, R.)가 그의 시 '심판의 환상(幻想)'의 서(序)에서 바이론(Byron, G.G.)·셸리(Shelly, P.B.) 등을 가리켜 부른 말.

악마-학【惡魔學】명 〔demonology, satanology〕 악마에 관한 일을 연구하는 학문.

악마 항복【惡魔降服】명〖불교〗불법의 힘으로 악마의 항복을 받음. 또 법적(法敵)의 자신(自信)을 분쇄하여 신복(信服)시킴.

악막【幄幕】명 진중(陣中)에 친 장막.

악매【惡罵】명 〔←악마(惡罵)〕 심한 꾸지람. 몹시 꾸짖음. 욕하며 꾸짖음. ——-하다 타 여불

악-머구리 명 참개구리를 잘 우는 개구리라는 뜻으로 일컫는 말. *머구리.

[악머구리 끓듯 한다] 알아들을 수 없이 소란하게 떠듦의 비유. ¶왜 이리 악머구리 끓듯 하냐.

악명【惡名】명 더럽고 나쁜 이름. 좋지 아니한 평판(評判). ¶~이 높은 사나이.

악명-외【惡名畏】명〖불교〗늘 나쁜 짓을 하면서 이것이 세상에 드러나 소문날 것을 두려워함.

악모[1]【岳母】명 장모(丈母).

악모[2]【惡毛】명 붓 속에 섞인 몽뚝한 털. 악치.

악목[1]【惡木】명 재목으로 쓰지 못할 나무. 쓸모 없는 나무. 또, 가지가 달렸거나 악취를 풍기는 나무.

악목[2]【握沐】명 악발(握髮).

악몽【惡夢】명 ①불길한 꿈. ②흉악한 꿈. 무서운 꿈. *흉몽(凶夢).

악무[1]【惡舞】명 서투른 춤. 보기 흉한 춤.

악무[2]【樂舞】명 음악과 무용. 노래와 춤.

악-무한【惡無限】명 〔도 schlechte Unendlichkeit〕〖철〗헤겔 철학 용어. 한없이 나아가는 운동 과정. 곧, 어디까지나 무한하게 접근하려고 하는 끝없는 진행임. 유한(有限)을 지양(止揚)하지 않는 점에서 진(眞)무한과 다름.

악문【惡文】명 서투르고 읽기 힘든 글. 문맥(文脈)이 서지 못하고, 난삽(難澁)하며 이해하기 힘든 문장.

악물【惡物】명 악종(惡種)❷.

악-물다 타 매우 성이 나거나 아플 때, 혹은 무엇을 단단히 결심할 때에 아래위의 이를 힘주어 잔뜩 마주 누르다. ¶이를 악물고 돈을 모으다. <옥물다.

악-물리다 피동 악묾을 당하다. <옥물리다.

악물-식【惡物食】[ㅡ씩] 명〖불교〗악식(惡食)❷.

악미【惡米】명 →앵미.

악바르 〔Akbar, Jalal-ud-Din Muhammad〕 명〖사람〗인도 무굴 제국 제3대 황제. 40여년간 인근을 침략하여 대제국을 건설하고, 법제(法制)·세제(稅制)·화폐 제도 등을 개혁하였으며, 여러 종교를 절충한 새 종교, 곧 '신성(神聖) 종교'를 창시함. [1542-1605; 재위 1556-1605]

악-바리 명 ①성미가 깔깔하고 고집이 세며 모진 사람의 별명. ②지나치게 똑똑하고 영악한 사람.

[악바리 악도리 악 쓴다] 무슨 일에나 악착같이 제 고집을 세우고 물러날 줄 모른다는 뜻.

악박-골 명〖지〗지금 서울 서대문구 현저동(峴底洞) 일대의 옛이름.

[악박골 호랑이 선 불 맞은 소리라] 본시가 사납고 무서운데 비위까지 틀어져 날뛰는 소리니 상종 못할 것이라는 뜻.

악발【握髮】명 악발 토포(握髮吐哺).

악발 토:포【握髮吐哺】명 〔주공(周公)이 현인(賢人)의 방문을 받았을 때에는 세발(洗髮) 중이라 하더라도 머리를 손으로 움켜쥔 채 나가서 만나고, 또 일단 입에 넣은 밥이라 하더라도 이를 뱉아 버리고 나가서 만났다는 고사(故事)에서〕 인재(人材)를 얻으려는 마음이 강렬함을 비유한 말. 악목(握沐). 악발. *삼고 초려.

악방 봉뢰【惡傍逢雷】[ㅡ뇌] 명 '죄 지은 놈 옆에 있다가 벼락 맞는다'와 같은 말. *죄.

악법【惡法】명 ①사회에 해독을 끼치는 법률. 악률(惡律). ②나쁜 방법.

옳지 못한 방법. ↔양법(良法).

악벽【惡癖】명 ①나쁜 버릇. 좋지 아니한 습관. 악습. ②『심』 개인의 습관적인 반응이 그 정도에서 일반인보다 심하거나, 그 성질에서 반사회성(反社會性)을 띠어, 개인이 소속한 사회의 일반적인 규준(規準)을 일탈(逸脫)한 인격 장애(人格障礙)의 한 현상. 예를 들면 가축 학대(家畜虐待)·불결(不潔)·도둑질·방화(放火) 등의 성벽(性癖).

악변【惡變】명 사태(事態)가 나쁜 방향으로 바뀜. ↔호전(好轉). ——하다 자여불

악병【惡病】명 악질(惡疾).

악보[1] 명 〈방〉 악바리.

악보[2]【惡報】명 ①불길한 소식. 흉보(凶報). ↔길보(吉報). ②『불교』 악과(惡果).

악보[3]【樂譜】명 『악』 음악에서 연주되는 음(音)의 배열(配列) 또는 그 주법(奏法)을 일정한 조직을 가진 문자(文字) 또는 기호로써 기록한 곡보(曲譜). 표음(表音) 보표식(譜表式)과 주법(奏法) 보표식으로 구분하며, 오선식(五線式) 보표를 널리 사용함. 곡보(曲譜). 보곡(譜曲). 음보(音譜). *오선보(五線譜).

악보-괘【樂譜罫】명 『인쇄』 오선괘(五線罫).

악본【樂本】명 『책』 신라 성덕왕(聖德王) 때, 김대문(金大問)이 지은 책. 지금은 전하지 않음.

악부[1]【岳父】명 장인(丈人).

악부[2]【惡父】명 나쁜 아버지.

악부[3]【惡夫】명 나쁜 지아비. 못된 남편.

악부[4]【握斧】명 〔hand-axe〕『고고학』 '주먹 도끼'의 구용어.

악부[5]【握符】명 천지(天地)의 부서(符瑞)를 잡은 높은 지위. 곧, 천자(天子)의 자리. 악부지존(握符之尊).

악부[6]【惡婦】명 ①성질이 나쁘고 부덕(婦德)을 갖추지 못한 부녀. 또, 그러한 며느리. ②보기 흉한 부녀.

악부[7]【樂府】명 ①한대(漢代)에 가사(歌辭)·악률(樂律)을 제정하기 위하여 설치한 관사(官司). 또, 여기에서 제정한 가요. ②전(轉)하여, 이 체제에 따라 지은 한시(漢詩)의 한 형식. 인정 풍속을 읊은 것으로 글귀에 장단(長短)이 있음. ③악장(樂章)❶.

악부지-존【握符之尊】명 악부(握符).

악-분자【惡分子】명 ①나쁜 분자. 좋지 못한 구성원(構成員). ②두통거리가 되는 인물.

악-비【岳飛】명 『사람』 중국 남송(南宋)의 충신. 자는 붕거(鵬擧). 허난 탕인(河南湯陰) 사람. 고종(高宗) 때 강회(江淮)의 반적을 토벌한 공으로 '정충 악비(精忠岳飛)'의 사자기(四字旗)를 하사(下賜)받음. 자주 금군(金軍)을 무찔러 공을 세웠으나 진회(秦檜)의 참소로 옥사함. 시집(詩集) ≪악무목집(岳武穆集)≫이 있음. [1103-41]

악사[1]【惡士】명 나쁜 인사(人士).

악사[2]【惡事】명 나쁜 짓. 흉악한 일.

악사[3]【惡師】명 좋지 않은 도(道)를 가르치는 스승.

악사[4]【樂士】명 악기로 음악을 연주하는 사람.

악사[5]【樂師】명 『역』 ①조선 시대 때 장악원(掌樂院)의 잡직(雜職)인 전악(典樂)과 부전악(副典樂). 육품(六品) 벼슬임. ②대한 제국 때 장악원(掌樂院)의 풍류를 아뢰는 소임의 벼슬. ③아악부(雅樂部)의 한 벼슬. 악관(樂官).

악사 시:장【樂士市場】명 〈속〉 카바레 등 밤무대(舞臺)에 일자리를 찾아 나선 각종 악사들과 이들을 구하는 술집 지배인들이 모이는 곳.

악사-장【樂師長】명 『역』 ①대한 제국(大韓帝國) 때 장례원(掌禮院)의 한 벼슬. 음악을 가르치고 연주(演奏)하는 일을 맡음. ②아악부(雅樂部)의 한 벼슬.

악사 천리【惡事千里】[—철—] 명 나쁜 일은 곧 세상에 널리 퍼져 알려진다는 말.

악삭【握槊】명 '쌍륙(雙陸)'의 딴이름.

악산【惡山】명 험악한 산.

악상[1]【惡相】명 ①흉측한 얼굴 모양. ②상서롭지 못한 상격(相格).

악상[2]【惡想】명 악념(惡念).

악상[3]【惡喪】명 젊어서 복(服) 없이 죽은 사람의 상사(喪事). ↔호상(好喪).

악상[4]【樂想】명 ①음악의 주제·구성·곡풍(曲風) 등에 관한 작곡 상의 착상(着想). ②음악 속에 표현되어 있는 사상(思想).

악-상어 명 『어』 [*Lamna ditropis*] 악상엇과에 속하는 바닷물고기. 몸은 방추형으로 길이 3m 내외인데, 눈에 순막이 없고 분수공이 미소하며 상하 양턱의 이는 삼각형임. 몸빛은 등쪽이 회청색이고, 체측 중앙부 이하는 백색이 선명함. 태생어인데, 성질은 사납고 송어 무리를 탐식함. 한대성 어종으로서 한국 제주도 이북·일본·알래스카·미국 캘리포니아 주의 연해 및 대서양 북부에까지 분포함.

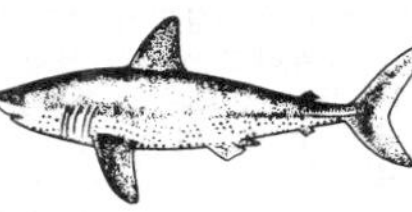
〈악상어〉

악상어-목【—目】명 『어』 [Lamnida] 판새류(板鰓類)에 속하는 한 목. 두톱상엇과(科)·수염상엇과·고래상엇과·귀상엇과·악상엇과·돌묵상엇과·환도상엇과·강남상엇과·참상엇과·행락상엇과 등이 이에 속하며, 특징은 뒷지느러미가 있고 등지느러미는 1기(基)인데, 가시가 없으며 아가미 구멍은 다섯 쌍임. *곱상어목(目).

악상엇-과【—科】[—꽈] 명 『어』 [Lamnidae] 악상어목(目)에 속하는 어류의 한 과. 백상아리·악상어·청상아리 등이 이에 속함.

악:새 명 〈방〉『식』 억새(전북).

악새-질 명 〈방〉 악다구니(함경).

악색【惡色】명 소행이 좋지 않은 미인. 음탕한 여인.

악생【樂生】명 『역』 조선 시대 장악원(掌樂院)의 잡직(雜職)의 하나. 아악(雅樂)을 연주하는데, 양인(良人) 출신으로 취재(取才)를 거쳐 뽑음. *악공(樂工).

악생-보【樂生保】명 『역』 시골 백성(百姓)에게서 받아들이는 악생의 요포(料布).

악서[1]【惡書】명 나쁜 책. 해를 끼치는 책. ↔양서(良書).

악서[2]【樂書】명 음악에 관한 책.

악서 고존【樂書孤存】명 『책』 조선 시대 정조(正祖) 때에 정약용(丁若鏞)이 지은 책. 성률(聲律)·악기 등에 대한 연구서로, 여유당집(與猶堂集)에 수록되어 있음. 12권 4책.

악-선전【惡宣傳】명 나쁘게 말하는 일. 남을 중상하기 위하여 나쁜 소문을 퍼뜨리는 일. 악의적인 선전. ——하다 타여불

악설【惡舌·惡說】명 ①나쁜 말. ②남을 해치려고 하는 음흉한 말. 악언(惡言). ③『불교』 악구(惡口). ——하다 자여불

악성[1]【惡性】명 ①모질고 악독한 성질. 나쁜 성질. ②『의』 사람의 생명(生命) 및 건강(健康)을 위태롭게 하는 상태. 「~ 종양.

악성[2]【惡聲】명 ①듣기 싫은 소리. 나쁜 발성(發聲). *삼악성(三惡聲). ②악평(惡評).

악성[3]【樂聖】명 음악계에서 성인(聖人)이라고 일컬을 정도로 뛰어난 음악인(音樂人). ¶ ~ 베토벤.

악성 고혈압증【惡性高血壓症】명 〔malignant hypertension〕『의』 고혈압증의 중증(重症). 진행성(進行性)의 심혈관 장애(心血管障礙) 및 신혈관 장애(腎血管障礙)를 일으켜 병세(病勢)가 급속히 악화됨.

악성 농포【惡性膿疱】명 〔malignant pustule〕『의』 정(疔)의 가장 일반적인 형(型). 피부 감염(皮膚感染)에 의하며, 괴사성(壞死性) 농포, 주위의 부종(浮腫), 황색(黃色)의 액체(液體)를 함유(含有)하는 수포(水疱)를 특징으로 함.

악성 림프종【惡性—腫】명 〔malignant lymphoma〕『의』 림프 조직에 생기는 악성 종양. 조직학적으로는 호지킨병(Hodgkin病)·림프 육종(肉腫)·세망 육종(細網肉腫) 등 3개 종류로 대별됨.

악성-병【惡性病】[—뼝] 명 질이 나쁜 병. 아주 고약한 병. 악질.

악성 빈혈【惡性貧血】명 『의』 만성적인 중증(重症) 빈혈. 일반적인 빈혈 증상 외에, 적혈구의 파괴가 심하고, 혈구의 조성이 태생기형(胎生期型)으로 되어, 특수한 혈액상(血液像)을 띠고, 위액 결핍증(胃液缺乏症)과 척수 장애(脊髓障礙)를 나타냄.

악성 인플레【惡性—】명 『경』 악성 인플레이션.

악성 인플레이션【惡性—】〔inflation〕명 『경』 화폐(貨幣)·공채(公債)의 증발(增發)로 인하여, 통화가 극도로 팽창하고, 화폐 가치가 폭락하며, 물가가 끝없이 앙등하는 경제 현상. 전형적인 예는, 제1차 대전 후의 독일의 마르크 인플레이션을 들 수 있음. 악성 인플레.

악성 종:양【惡性腫瘍】명 〔malignant tumor〕『의』 증식력(增殖力)이 강하고 빠르며, 주위 조직으로 침윤(浸潤)·전이(轉移)로 병소(病巢)를 확대하여 치명적(致命的)인 해를 주는 종양. 육종(肉腫)과 암종(癌腫)이 있음. ↔양성(良性) 종양.

악성 질환【惡性疾患】명 〔malignant disease〕『의』 단기간(短期間) 내에 사람의 생명(生命)을 위협하는 질환. 특히, 암(癌)을 이르는 말.

악성 카타르【惡性—】명 〔malignant catarrh〕『의』 바이러스가 원인으로 일어나는 소의 카타르성(性) 발열(發熱). 호흡기(呼吸器) 및 소화 기관(消化器官)의 급성 염증(急性炎症)과 수종(水腫)을 특징으로 함.

악성 흑색종【惡性黑色腫】명 〔malignant melanoma〕『의』 멜라닌 색소(色素)가 많은 피부·안구(眼球) 등에 생기는 악성 종양. 증식(增殖)·전이(轉移)가 빠르며 일반적으로 경과가 나쁨.

악세[1]【惡世】명 나쁜 세상. 죄악과 악한 일이 성행(盛行)하는 세상. 말세(末世).

악세[2]【惡歲】명 ①음양(陰陽)의 부조화(不調和)로, 많은 재앙(災殃)이 일어나는 해. 불길(不吉)한 해. ②흉년.

악-세다 형 ①악착스럽고 세차다. ②식물(植物)의 잎이나 줄기가 빳빳하게 세다. 1)·2):<억세다.

악세로프톨 〔axerophthol〕명 『화』 '비타민 에이'의 딴이름.

악센트 〔accent〕명 ①『언』 말 가운데의 어떤 음절 또는 글 가운데의 어떤 말을 강세(強勢)·음조(音調)·음의 길이 등의 수단으로 높이거나 힘주는 일. 또, 그 부호. ②어조(語調). 음조(音調). ③『악』 센 성부(聲部)의 억양법. 음절과 음절 사이의 셈여림 관계. 강세(強勢). ④복장·건축·도안 등의 디자인에 있어서, 전체의 조화를 어느 한 점에 의하여 강조하는 일. 또, 그 물건.

악셀 명 『기』 ←액셀러레이터(accelerator).

악소【惡少】명 성질이 고약하고 못된 짓을 하는 젊은이.

악-소년【惡少年】명 성질(性質)과 행동(行動)이 나쁜 젊은이. 불량 소년(不良少年).

악속【惡俗】명 악풍(惡風)❶.

악송【惡松】명 잘 자라지 못한 쓸모 없는 소나무. ↔양송(良松).

악-송구【惡送球】명 야구에서, 받기 어렵게 송구하는 일. ——하다 자여불

악쇼노프 〔Aksёnov, Vasilij Pavlovich〕명 『사람』 러시아의 작가. 카잔(Kazan) 태생. 레닌그라드 의과 대학 졸업. 스탈린 비판 후 신세대를 대표하는 작가. 소련 사회에서의 인간 회복문제를 테마로 단편의 연작(連作)을 계속함. [1932-]

악수[1] 명 물을 끼얹듯이 아주 세차게 쏟아지는 비. <억수.

악수[2]【握手】명 ①서로 손을 마주잡음. ②서양식 예법(禮法)으로서, 친애(親愛) 및 화해(和解)의 뜻을 나타내기 위하여 손을 마주잡는 일. 세

이크 핸드. ¶～를 교환하다. ③서로 화해(和解)하여 협력함. 제휴(提携). ——-하다 자여불

악수³【幄手】명 소렴(小殮) 때에 시체의 손을 싸는 헝겊.

악수⁴【惡水】명 ①마셔서 해로운 물. ②수질(水質)이 나쁜 음료수. ③부르튼 곳 같은 데에 괴는 진물.

악수⁵【惡手】명 바둑이나 장기에서, 부적당한 나쁜 수. ¶장고(長考) 끝에 ～. ↔호수(好手).

악수⁶【惡獸】명 흉악한 짐승.

악수⁷【樂手】명『악』①음악(音樂)에 종사(從事)하는 사람. 가수(歌手)에 대하여 기악(器樂)을 연주하는 사람. 악사(樂士). 악인(樂人). ②무당의 사니를 대접하여 일컫는 이름.

악수-례【握手禮】명 악수를 하는 예의.

악-순환【惡循環】명 ①순환이 좋지 않음. ②〔vicious circle〕 밀접하게 서로 관계가 있는 것은 갑(甲)이 악화되면 을에 악영향을 주게 되며, 그것이 다시 갑에 한층 나쁜 영향을 주는 일처럼 원인과 결과가 부단(不斷)히 반복되어 무제한(無制限)으로 악화되는 일. 인플레이션 말기(末期)에 있어서, 물가가 폭등하면 임금(賃金)이 인상되고, 따라서 통화가 증발(增發)되어 다시 물가의 폭등을 촉진하는 관계 등이 그 예임. ¶물가와 임금의 ～.

악숭이 명 알구지.

악쉬 명〈방〉아가리(함경).

악습【惡習】명 나쁜 습관. 못된 버릇. 악벽(惡癖).

악승【惡僧】명 ①계율(戒律)을 지키지 아니하고 불량한 행위를 하는 중. ②용맹한 중. 무예(武藝) 등에 뛰어난 중의 이칭(異稱).

악시¹【愕視】명 깜짝 놀라서 봄. ——-하다 타여불

악시²【惡詩】명 ①운(韻)이나 율(律) 등이 고르지 못한 서투른 시. 악운(惡韻). ②졸렬한 시.

악시옹 프랑세:즈〔프 action française〕명 1908년 창간된 프랑스의 일간 신문. 극우 왕정파(極右王政派)의 기관지로, 1930 년대를 정점(頂點)으로 프랑스의 정치·문화에 많은 자극을 주었으나, 2차 세계 대전 중 독일에 협력한 관계로 1944년 폐간됨.

악식¹【惡食】명 ①나쁜 음식. 맛없는 음식. 또, 그 음식을 먹음. 조식(粗食). ↔호식(好食)·미식(美食). ②『불교』육식(肉食)을 금하고 있음에도 불구하고 수육(獸肉)을 먹는 일. 악물식(惡物食). ③상식상 식용이 아닌 것을 먹는 일. ——-하다 자여불

악식²【樂式】명 〔musical form〕『악』악곡(樂曲)의 형식. 주로 리트(Lied) 형식·변주곡(變奏曲) 형식·론도(rondo) 형식·소나타(sonata) 형식·론도 소나타 형식·푸가(fuga) 형식의 여섯 가지가 있음.

악식-론【樂式論】[—논] 명〔도 Formenlehre〕『악』음악의 형식 또는 작곡의 경향에 관한 이론.

악신¹【惡臣】명 나쁜 신하. 나쁜 일을 꾀하는 신하.

악신²【惡身】명『불교』악업(惡業)의 업보(業報)인 괴로움에 찬 몸.

악신³【惡神】명 사람에게 재앙을 준다는 신. 화신(禍神).

악실¹【惡實】명『한의』우방자(牛蒡子).

악실²【樂室】명 음악(音樂)을 연주하는 방(房). 음악실(音樂室).

악심【惡心】명 ①악한 마음. 나쁜 일을 하려고 하는 마음. ②남에게 해(害)를 끼치려는 마음. 악의(惡意). ③불도에 정진하려는 것을 방해하는 마음. 1)-3):↔선심(善心).

악-쓰다 자 악을 내어 소리 지르거나 행동하다. ¶악쓰며 덤벼들다. *발악(發惡)하다.

악아 감 '아기야'의 뜻. *악².

악악¹【喔喔】명 닭 또는 새가 우는 소리. ¶원촌의 새벽 닭 우는 소리만 ～하더라≪作者未詳：水溢瀧≫. ——-하다 자여불

악악²【諤諤】명 거리낌 없이 바른 말을 하는 모양. ¶～하고 경우 밝은, 두려움 없는 말. ——-하다 형여불

악악-거리다 자타 불만이나 화가 나서 연해 소리치다.

악악-대다 자타 악악거리다.

악안 상대【惡顔相對】명 불쾌한 얼굴로 서로 대함. ——-하다 타여불

악액-질【惡液質】명〔cachexy〕『의』〔병의 본태(本態)를 체액(體液)의 변조(變調)로 보는 체액 병리학(體液病理學)에서 유래한 말〕암종(癌腫)·결핵·학질·내분비 질환 등의 경과 중(經過中) 특히 그 말기(末期)에 나타나는 특이한 쇠약 상태. 살갗은 누르스름한 창백색(蒼白色)이 되어 마르고 표정이 굳어짐.

악야【惡夜】명 ①폭풍우가 무시무시하게 휘몰아치는 밤. ②공포에 떨며 새우는 밤. ③무서운 꿈을 꾼 밤.

악약【惡藥】명 해로운 약. 독약.

악양【岳陽】명『지』'웨양(岳陽)'을 우리 음으로 읽은 이름.

악양-루【岳陽樓】[—누] 명『지』웨양루(岳陽樓).
[악양루도 식후경(食後景)이라] 우선 배가 불러야 정신에 여유가 생긴다는 말.

악양루-가【岳陽樓歌】[—누—] 명『문』작자·제작 연대 미상의 가사. 중국의 고사(故事)를 나열(羅列)하면서 악양루와 주위의 승경(勝景)을 읊은 노래. 총136구.

악어¹【惡語】명 들어서 해(害)가 되는 말. 못된 말.

악어²【鰐魚】명『동』①악어목에 속하는 파충(爬蟲)의 총칭. ②〔*Alligator sinensis*〕악어과에 속하는 파충의 하나. 몸길이 2 m 가량이고 몸빛은 암흑색에 불규칙한 회황색의 횡대(橫帶)가 있음. 8월 경에 강변에 낙엽 등을 몰아 직경 15 m 가량의 산더미를 만들고 그 안에 38개 내외의 알을 낳아 부식토(腐植土)의 발열(發熱)로 부화(孵化)시킴. 다른 지방의 악어에 비하여 성질이 온화함. 중국 남부·양쯔 강 등에 나는 중국 특산종임.

악어 가죽【鰐魚—】명 악어의 껍질. 흑갈색(黑褐色)으로 광택이 나며 긴 거북의 등딱지처럼 생김. 허리띠·지갑·핸드백·가방 따위를 만듦. 악피(鰐皮).

악어-과【鰐魚科】[—꽈] 명『동』〔Crocodilidae〕악어목(目)에 속하는 한 과. 파충류 중 가장 발달한 동물로서, 도롱뇽 비슷한데 몸길이 2-10 m에 달하며, 사지(四肢)와 억센 꼬리를 갖추고 발가락이 전지(前肢)는 다섯 개, 후지는 네 개임. 온 몸은 가로 줄을 이룬 많은 인편(鱗片)으로 덮이고 배면(背面) 정중선(正中線)은 지느러미 모양으로 융기하였음. 주둥이는 길쭉하고 끝에 비공(鼻孔)이 있으며 상하의 턱에는 강한 이가 줄지어 났음. 심장(心臟)은 2 심방(心房) 2 심실(心室)이며 모두 난생(卵生)임. 흉포하여 인축(人畜)에 피해를 주기도 함.

악어-목【鰐魚目】명『동』〔Crocodilia〕 뱀강(綱)에 속하는 한 목(目). 화석(化石)의 것으로 2 아목(亞目), 현존(現存)의 것을 1 아목으로 구분함. 현존의 것은 쥐라기(Jura紀) 이후에 출현한 것으로 악어·미시시피 악어 등 앨리게이터(alligator), 나일악어·아메리카악어 등 크로코다일(crocodile), 인도·말레이 등지의 가비알(gavial), 남미 등지의 카이만(caiman) 등이 각지에 분포함. 악어류(類). 악류(鰐類). *수척류(水蜴類).

악어 이시【惡語易施】명 못된 말은 하기 쉬움. 남의 잘못은 말하기 쉬움.

악언【惡言】명 ①악설(惡說)❶❷. ②『불교』악구(惡口).

악언 상가【惡言相加】명 듣기에 불쾌한 소리로 서로 꾸짖고 나무라는 짓. ——-하다 자여불

악언 상대【惡言相待】명 못된 소리를 주고받으며 서로 다툼. ——-하다 자여불

악업【惡業】명『불교』전세(前世)의 나쁜 행위. ↔선업(善業).
악업의 맹:화(猛火) 구 악업이 보리심(菩提心)을 잃게 하는 일을 맹화가 초목(草木)을 불사르는 데에 비유한 말.

악역¹【惡役】명 ①영화·연극 등에서 악인(惡人)으로 분장하는 배역(配役). 악인역(惡人役). ¶～을 맡다/～ 배우. ②전하여, 실제의 생활에서 미움을 받는 입장에 있는 사람.

악역²【惡疫】명〔pestilence〕『의』①유행성(流行性) 전염병의 총칭. ②페스트균(菌)에 의한 감염(感染)을 이르는 말.

악역³【惡逆】명 ①도리에 어긋나는 극악한 행위. ②중국 당(唐)나라 시대의 팔역(八逆)의 하나. 부모 및 조부모를 죽이려고 한 죄. 역악(逆惡). *대역(大逆).

악역 무도【惡逆無道】명 비길 데 없이 악독하고 도리에 어긋남. ——-하다 형여불

악연¹【愕然】명 깜짝 놀라는 모양. ¶영식은 정신없이 남의 이야기를 듣다가 ～히 가슴이 두근거린다≪沈天風：兄弟≫. ——-하다 형여불. ——-히 부

악연²【惡緣】명 ①『불교』좋지 못한 인연. 악인연(惡因緣). ②마음대로 되지 않는 남녀의 관계. 헤어지려야 헤어질 수도 없는 남녀의 인연. ③나쁜 결과를 가져올 좋지 않은 사이. 바람직스럽지 못한 인간 관계.

악연 실색【愕然失色】[—쌕] 명 깜짝 놀라 얼굴빛이 달라짐. ——-하다 자여불

악-영향【惡影響】명 나쁜 영향. ↔호영향(好影響).

악예【惡穢】명 더러움. 오점(汚點).

악옹【岳翁】명 장인(丈人).

악완【握腕】명 팔을 잡음. 친목(親睦)함을 이르는 말.

악용【惡用】명 ①잘못 씀. ②나쁘게 이용함. ¶지위를 ～하다. 1)·2):↔선용(善用). ——-하다 타여불

악우【惡友】명 행실이 좋지 아니한 동무. 나쁜 벗.

악운¹【惡運】명 ①사나운 운수. ↔호운(好運). ②악업(惡業)에 대한 보복을 받지 않고 번영하는 운수. ¶～이 세다.

악운²【惡韻】명 운(韻)이 고르지 못한 서투른 시(詩). 악시(惡詩).

악월【惡月】명 ①운(運)이 나쁜 달. ②음력 오월의 이칭(異稱). ③음양도(陰陽道)에서 말하는 흉월(凶月).

악월 담풍【握月擔風】명 풍월(風月)의 정취(情趣)를 즐김. ——-하다 자여불

악유¹【握有】명 어떤 물품을 현재 가지고 있는 일. 예를 들면, 주인의 짐을 지고 있는 머슴은 그 짐을 악유한다고 함. *점유(占有). ——-하다 타여불

악유²【幄帷】명 휘장.

악유³【惡莠】명 나쁜 풀. 잡초.

악은【渥恩】명 두터운 은혜.

악음【樂音】명〔musical sound〕『악』고른음. ↔조음(噪音)·비악음(非樂音).

악의¹【惡衣】[—/—이] 명 나쁜 옷. 너절한 옷. ↔호의(好衣).

악의²【惡意】[—/—이] 명 ①남을 해치려는 나쁜 마음. 악심(惡心). ¶～ 없는 사람. ②나쁜 뜻. ¶～로 해석하다. 1)·2):↔호의(好意). ③『법』법률 관계의 발생·소멸·효력에 영향을 미칠 수 있는 어떤 사정을 알고 있는 일. 도덕적으로 나쁘다는 뜻과는 별문제이며, 다만 예외적(例外的)으로 다른 사람을 해(害)치려는 의사(意思)를 가리키는 경우가 있음. 1)·3):↔선의(善意).

악-의³【樂毅】[—/—이] 명『사람』중국 전국(戰國) 시대의 무장(武將). 연(燕)나라 소왕(昭王)의 부름을 받고 장군이 되어, 제(齊)나라를 치고 임치(臨淄)를 함락시켜 창국군(昌國君)으로 봉(封)해졌으나, 소왕 사거(死去) 후 뒤를 이은 혜왕(惠王) 때 서로 불화하여 조(趙)나라로 달아나 그 곳에서 벼슬을 하며 살다가 죽음. 생몰(生沒)년 미상.

악의 꽃【惡—】[—/—에—] 명〔프 Les Fleurs du mal〕『책』현대시(現代詩)에 다대한 영향을 끼친 프랑스의 시인 보들레르(Baudelaire)의 대표적 시집(詩集). 1857년에 간행. 악마주의의 대표적 작품임.

악의-론【樂毅論】[一/一이一] 명 중국 삼국 시대 위(魏)나라의 하후현(夏侯玄)이 연(燕)나라의 명장 악의(樂毅)에 대해서 쓴 인물론(人物論). 348 년에 왕희지(王羲之)가 이것을 붓글씨로 썼는데, 그의 해서(楷書) 중 으뜸으로 꼽힘.

악의 악식【惡衣惡食】[一/一이一] 명 나쁜 옷과 맛없는 음식. 나쁜 옷을 입고 맛없는 음식을 먹음. 조의 조식(粗衣粗食). ↔호의 호식(好衣好食). ——-하다 자여불

악의 점:유【惡意占有】[一/一이一] 명〖법〗점유할 권리가 없음을 알고 있으면서, 하는 점유. ↔선의(善意) 점유.

악인[1]【惡人】명 나쁜 사람. 성질이 흉악한 사람. 악자(惡者). ↔선인(善人)·호인(好人).
[악인 갖다 성인(聖人) 만들려면 만들고 성인 갖다 악인 만들 수도 있다] 사람은 가르치는 데 따라 잘도 되고 나쁘게도 된다는 말.

악인[2]【惡因】명〖불교〗나쁜 결과를 가져오는 원인. 나쁜 원인. ↔선인(善因).

악인[3]【樂人】명 악사(樂師)·악공·악생(樂生)·가동(歌童) 등의 총칭.

악-인상【惡印象】명 나쁜 인상. 좋지 못한 인상. ↔호인상.

악인 악과【惡因惡果】명〖불교〗나쁜 일을 하면 반드시 나쁜 결과가 따라온다는 말. ↔선인 선과(善因善果).

악인-역【惡人役】[一녁] 명 악역(惡役)❶.

악-인연【惡因緣】명〖불교〗나쁜 인연. 악연(惡緣).

악일【惡日】명〖민〗불길(不吉)한 날. 운이 나쁜 날. 흉일(凶日). ↔길일(吉日).

악자[1]【惡子】명 ①성질이 좋지 않은 아이. ②불효(不孝)한 자식(子息).

악자[2]【惡者】명 악인(惡人). ↔선자(善者).

악자[3]【樂子】명〖역〗신라 때 감전(監典)의 한 벼슬.

악작[1]【惡作】명 ①[범 duṣ-kṛta]〖불교〗오편 칠취(五篇七聚)의 하나. 나쁜 행위. 신체(身體)에 의한 것을 말하며 입에 의한 '악설(惡說)'과 함께 가장 가벼운 죄로 여김. ②이미 저지른 행위에 대한 후회(後悔). 뉘우침. ③서투른 작품.

악작[2]【樂作】명 풍악을 시작함. ——-하다 자여불

악장[1]【岳丈】명 장인(丈人)의 경칭. 빙장(聘丈). 악부(岳父).

악장[2]【樂匠】명〖악〗음악에 통달한 사람. 음악의 스승.

악장[3]【樂長】명 ①콘서트 마스터. ②밴드 마스터.

악장[4]【樂章】명〖악〗①조선 초기에 발생한 시가(詩歌) 형식의 하나. 나라의 제전(祭典)·연례(宴禮) 때에 쓰는 주악(奏樂)을 기록한 가사(歌詞). 건국의 성업(聖業)과 선대의 위업(偉業)을 기리고, 금상(今上)의 만수와 자손의 번성을 송축(頌祝)한 것으로, 《용비 어천가(龍飛御天歌)》·《월인 천강지곡(月印千江之曲)》·《문덕곡(文德曲)》·《무공곡(武功曲)》 등이 있음. 악부(樂府). 악장문(樂章文). ②소나타(sonata)·교향곡(交響曲) 등과 같이 여러 개의 소곡(小曲)이 모여서 큰 악곡이 되는 경우의 각 소곡. 두 개 이상의 악절(樂節)로 구성됨. 자츠(Satz). ¶제 1 ~.

악장 가사【樂章歌詞】명〖책〗고려 시대부터 조선 시대 초기까지에 전해 오는 고려 가요·악장·경기체가를 수록한 가집(歌集). 편찬 연대와 편자(編者)는 미상이나, 대개 조선 시대 중종(中宗)·명종(明宗)간에 편찬된 것으로 추측됨. 《서경 별곡(西京別曲)》·《만전춘(滿殿春)》·《한림 별곡(翰林別曲)》 등 모두 26 편의 시가가 실려 있음. 단 한 책의 사본이 전할 뿐임. 국조 사장(國朝詞章).

악장-문【樂章文】명 악장(樂章)❶.

악장-치다 자 악을 쓰며 싸우다.

악재[1]【惡材】명 ↗악재료(惡材料). ↔호재(好材).

악재[2]【樂才】명 음악에 관한 재능.

악재기 명〈방〉겁장이(함경).

악-재료【惡材料】명〖경〗①나쁜 재료. ②거래소에서, 시세(時勢)를 하락시키는 원인이 되는 조건. 준악재(惡材). ↔호재료(好材料).

악전[1]【惡田】명 토질이 좋지 않은 전지(田地).

악전[2]【惡戰】명 고된 싸움. 고난(苦難)이 많은 전쟁. 또, 몹시 어렵게 싸움. ——-하다 자여불

악전[3]【惡錢】명 ①부정(不正)하게 얻은 돈. ②조악(粗惡)한 돈.

악전[4]【樂典】명〖악〗박자·속도·음정(音程) 등 악보(樂譜)에 사용하는 모든 규범을 설명한 책. 또, 그 규범.

악전 고투【惡戰苦鬪】명 죽을 힘을 다하여 몹시 싸움. 고전 악투(苦戰惡鬪). ——-하다 자여불

악절【樂節】명〖악〗보통 큰악절과 작은 악절의 둘로 나누는데, 큰악절은 보통 두 개의 작은 악절로 성립되어 하나의 악상(樂想)을 표현하는 구절(句節). 악절이 두 개 이상 모이어 악장을 구성함. 자츠(Satz).

악정[1]【惡政】명 백성을 괴롭히고 나라를 잘못되게 하는 나쁜 정치. 예정(穢政). 비정(秕政). ¶~에 시달리다. ↔선정(善政).

악정[2]【樂正】명〖역〗①고려 때 대악서(大樂署)의 풍류를 맡은 벼슬. ②고려 때 성균관의 종사품 벼슬. 뒤에 사예(司藝)로 고침. ③조선 시대 초에 성균관의 정사품 벼슬. 태종(太宗) 원년(1401)에 사예로 고침.

악제【惡制】명 나쁜 제도(制度).

악조[1]【惡阻】명〖의〗오조(惡阻).

악조[2]【樂調】명 음악의 곡조(曲調). 악률(樂律).

악-조건【惡條件】[一껀] 명 나쁜 조건(條件). 조건이 나쁨. ↔호조건(好條件).

악조-증【惡阻症】[一쯩] 명〖의〗입덧. 악조(惡阻).

악졸【惡卒】명 겁쟁이 병졸.

악종[1]【惡終】명 좋지 않은 최후.

악종[2]【惡腫】명 질이 나쁜 종기. 고치기 힘든 종기(腫氣).

악종[3]【惡種】명 ①나쁜 종류. ②성질이 흉악(凶惡)한 사람이나 동물. 악물(惡物). ¶천하(天下)의 ~.

악주[1]【岳州】명〖지〗'웨저우(岳州)'를 우리 음으로 읽은 이름.

악주[2]【鄂州】명〖지〗'어저우(鄂州)'를 우리 음으로 읽은 이름.

악주[3]【惡酒】명 품질이 나쁜 술.

악증【惡症】명 ①악질(惡疾). ②못된 짓. ¶김씨 부인과 봉룡 할멈이 한씨 부인의 승을 보고 별별 ~의 소리를 다 하다가…《金宇鎭: 榴花雨》.

악지[1] 명 잘 안될 일을 무리하게 해 내려는 고집. <억지.
악지(를) 부리다 구 무리한 고집을 부리다. ¶설령 파혼은 되더라도 경원이 고집에 악지를 부리면 그것은 어찌하나 하는 여러가지 걱정이더라《崔瓚植: 金剛門》. <억지 부리다.
악지(를) 빼:다 구 체벌(體罰)을 가(加)하여 악지스러운 마음씨를 뽑아 버리다.
악지(가) 세:다 구 무리한 고집을 부리는 힘이 세다. <억지 세다.
악지(를) 세우다 구 무리한 고집으로 끝내 버티다. <억지 세우다.
악지(를) 쓰다 구 무리한 고집을 수단으로 쓰다. <억지 쓰다.

악지[2]【惡地】명 사람이 살기에 적당하지 아니한 땅.

악지[3]【樂止】명 풍악이 그침. ——-하다 자여불

악지가리 명〈방〉아가리(평안·함경).

악지가리-질 명〈방〉악다구니(평안·함경).

악지-스럽다 형ㅂ불 악지가 센 듯하다. <억지스럽다. **악지-스레** 부

악-지식【惡知識】명〖불교〗사람을 그르치어 좋지 못한 곳으로 이끌어 가는 사람. ↔선지식(善知識)❶.

악지 악각【惡知惡覺】명〖불교〗불과(佛果)를 얻는 일을 방해하는 사악(邪惡)한 지식(知識).

악지 지형【惡地地形】명〖지〗메마른 땅으로 된 지형. 점토(粘土)·점판암(粘板岩)으로 되어서 빗물이 땅 속으로 스며들어가지 않고 땅 위를 씻어 내리기 때문에 토양(土壤)이 부스러지고, 많은 골짜기와 톱니 같은 소돌기(小突起)가 나타나는 지형(地形)을 이름. 미국 사우스다코타주 서부 화이트 강 유역 및 로키 산맥 동쪽에 널리 분포함. 배드랜드(badland) 지형.

악지-질 명〈방〉악다구니(함경).

악질[1]【惡疾】명 고치기 어려운 병. 고약한 병. 악증(惡症). 악병(惡病).

악질[2]【惡質】명 ①모질고 독한 성질. 또, 그러한 사람이나 동물. ¶~ 분자. ②좋지 못한 바탕. 1)·2):↔양질(良質).

악질-류【顎蛭類】명〖동〗턱거머리목.

악질 분자【惡質分子】명 악질적으로 행동하여 남이나 사회에 해독을 끼치는 사람.

악질-적【惡質的】명관 바탕이 좋지 않은 상태 또는 모양.

악짓-손 명 고집대로 해 내는 솜씨. <억짓손.

악징【惡徵】명 불길한 징조. ↔길징(吉徵).

악차[1]【堊次】명 상제가 시묘(侍墓)하면서 거처하는 뜸집.

악차[2]【幄次】명 임금이 거둥할 때 쉬도록 장막을 둘러친 곳.

악착【齷齪】명 ①도량이 썩 좁음. ②사소한 일에 끈기 있고 모짊. ③잔인하고 끔찍스러움. ¶단종 왕비의 머릿속에는 ~한 기쁨과 원수 갚은 상쾌한 맛보다는 정중하고 엄숙한 진리의 계시를 받는 것 같았다《朴鍾和: 錦衫의 피》. ——-하다 형여불
악착(을) 부리다 구 악착스럽게 일을 하다. <억척 부리다.

악착-같다【齷齪一】형 끈기 있고 모질다. 악착스럽다. <억척같다.

악착-같이【齷齪一】[一가치] 부 악착스럽게. 모질고 끈기 있게. ¶~ 돈을 벌다. <억척같이.

악착-꾸러기【齷齪一】명 매우 악착스러운 사람. <억척꾸러기.

악착-빼기【齷齪一】명 아주 악착스러운 아이. <억척빼기.

악착-스럽다【齷齪一】형ㅂ불 작은 일에 힘을 다하여 쉬지 아니하고 애를 쓰는 태도(態度)가 있다. 끈기 있고 모질다. <억척스럽다. **악착-스레**【齷齪一】부. ¶~ 모은 돈.

악찰【惡札】명 알아보기 어려운 서찰. 자기 수찰(手札)의 겸칭.

악창【惡瘡】명 고치기 힘드는 모진 부스럼.

악처[1]【惡妻】명 마음이 부정(不正)하고 부덕(婦德)이 없는 아내. ↔양처(良妻).

악처[2]【惡處】명 ①나쁜 장소. ②〖불교〗악도(惡道)❷.

악-천후【惡天候】명 몹시 나쁜 날씨. 비바람이 치거나 흐린 날씨. ↔호천후(好天候).

악첩【惡妾】명 성질이 흉악한 첩. *양첩(良妾).

악초【惡草】명 질이 나쁜 담배.

악-초구【惡草具】명 육미(肉味)는 조금도 없고 거칠어 맛이 없는 음식(飮食).

악초 악목【惡草惡木】명 발육(發育)이 좋지 못한 초목.

악충【惡蟲】명 이롭지 못한 나쁜 벌레. *해충(害蟲).

악취[1]【惡臭】명 불쾌한 냄새. 나쁜 냄새. ¶~가 코를 찌른다.

악취[2]【惡趣】명 ①〖불교〗악도(惡道)❷. ②악취미.

악취 가스【惡臭一】[gas] 명 [stinkdamp] 광산(鑛山)의 갱(坑) 안에서 발생하는 황화 수소(黃化水素).

악취 공해【惡臭公害】명 비료·석유 화학·양돈(養豚) 등에서의 암모니아, 펄프·의약품 등에서의 황화(黃化) 메틸, 수산 가공(水産加工)·축산(畜産) 등에서의 트리메틸아민 등 악취가 대기(大氣)에 배출됨으로써 일어나는 오염(汚染)·공해.

악-취미【惡趣味】명 ①좋지 못한 취미. ②괴벽스러운 취미. 악취(惡趣).

악취-샘【惡臭一】명〖생〗악취 물질을 분비하는 동물의 샘. 여러 가지 곤충 또는 스컹크 같은 동물의 몸에 있음.

악치【惡一】 명 ①악모(惡毛). ②좋은 것을 추려 내고 남은 찌꺼기.

악-치듯 부 〈방〉 악패듯.

악타 디우르나 〔라 Acta Diurna〕 명 〔'그 날 그 날의 의사(議事)'란 뜻〕 기원전 59년부터 로마 시대에 행하여진 신문 비슷한 일종의 관보. 유럽 신문의 기원이라고 함. 원로원·삼민회의 의사를 중심으로 법정 기사(法廷記事), 일반 시민의 출생·사망 등의 뉴스를 하얀 판자에 써서 로마 시민에게 매일 공시하였다고 함.

악타이온 〔Aktaion〕 명 『신』 그리스 신화에 나오는 사냥꾼의 이름. 민첩한 사냥꾼이었으나, 목욕 중인 여신 아르테미스(Artemis)의 나신(裸身)을 우연히 엿본 죄로 여신의 노여움을 사, 사슴으로 변신(變身)되어 자기의 사냥개에 물려 죽음.

악택【渥澤】 명 두터운 은택.

악통【樂通】 명 『책』 조선 시대 정조(正祖) 때에 우리 음악을 고악(古樂)으로 회복시키기 위하여 율려 정의(律呂正義)·신법 율수(新法律數)의 두 책을 주로 하고 역대의 악기를 참고하여 만든 책. 전 6 권.

악투【惡投】 명 야구에서, 수비자(守備者)가 자기 편이 못 받을 정도로 대중없이 공을 던지는 일. ——-하다 자 여불

악티노-마이신 〔actinomycin〕 명 『약』 방선균(放線菌)으로부터 얻는, 몇 가지의 항생 물질(抗生物質)의 총칭. 림프(lymph) 조직의 악성 종양(惡性腫瘍)에 유효(有效)하고, 상피성 암(上皮性癌)에는 무효(無效)하다 함.

악티노미코:제 〔도 Aktinomykose〕 명 『의』 방선균병(放線菌病).

악티노-우라늄 〔actinouranium〕 명 『화』 악티늄계(系) 붕괴 계열의 시발(始發)이라는 뜻으로 일컫는 우라늄 235의 딴이름.

악티노우라늄-계 【一系】 명 〔actinouranium series〕 『화』 악티노우라늄부터 시작된다는 뜻에서 일컫는 악티늄 계열(系列)의 딴이름.

악티노이드 〔actinoid〕 명 『물』 악티늄족 원소.

악티노트로카 〔actinotrocha〕 명 『동』 추충류(箒蟲類)의 유생(幼生). 몸길이 1-1.5 mm이고, 전체는 허수아비처럼 생겼으며 갓 형상(形狀)의 구전부(口前部)와 깊은 톱니부(部) 및 막대 모양의 줄기부(部)로 되어 있는데, 구전부와 줄기부에 있는 섬모(纖毛)로 수중(水中)을 헤엄쳐 다님. *비벌레.

〈악티노트로카〉

악티논 〔actinon〕 명 『화』 ①악티늄 계열에 속하는 기체의 방사성 핵종(放射性核種). 질량 수 219.01 임. 86번 원소 라돈의 동위 원소(同位元素) ^{219}Rn의 딴이름. 〔An〕 ②악티늄족 원소(元素).

악티늄 〔actinium〕 명 『화』 1899년에 프랑스의 드비에른(Debierne)이 발견한 방사성 원소. 악티늄족 원소의 하나로 가장 수명(壽命)이 긴 동위 원소는 ^{227}Ac로 반감기(半減期) 22년임. 천연(天然)으로는 $^{227}A_c$와 $^{228}A_c$가 존재하며 피치블렌드(pitchblende)에서 채취함.

악티늄 계:열 【一系列】 〔actinium〕 명 『화』 우라늄 235($^{235}_{92}$AcU)에서 시작하여 악티늄을 거쳐 납의 안정 동위 원소(安定同位元素) 악티늄 D($^{207}_{82}$AcD)로 끝나는 방사성 핵종(放射性核種)의 붕괴 계열(崩壞系列). 이 계열의 핵종의 질량수는 모두 4n+3(n은 정수(整數))가 되므로 4n+3계 또는 4n−1계라고도 함. 악티노우라늄계.

악티늄족 원소 【一族元素】 〔actinium〕 명 『화』 원자 번호 89의 악티늄에서 원자 번호 103번인 로렌슘(lawrencium)까지의 15개 원소 Ac·Th·Pa·U·Np·Pu·Am·Cm·Bk·Cf·Es·Fm·Md·No·Lr의 총칭. Ac를 제외할 때도 있음. 모두 방사성 원소이며, Np 이하는 인공 원소임. 악티노이드. 악티논.

악티늄 케이 〔actinium K〕 명 『화』 프란슘(francium)의 구용어.

악티니드 〔actinide〕 명 『화』 '악티늄족 원소(actinium 族元素)'의 구칭.

악티움 해:전 【一海戰】 〔Actium〕 명 『역』 그리스의 서북부 악티움 앞바다에서 기원전 31년 9월 2일에 옥타비아누스가 안토니우스와 클레오파트라의 연합군에 승리한 해전.

악-파듯 부 〈방〉 악패듯.

악판【顎板】 명 『동』 거머리 등의 인두(咽頭) 안에 있는 턱. 톱니 같은 잔이가 있어, 이것으로 다른 동물의 살을 할퀴어 피가 나게 함.

악-패듯 부 사정 없이 마구 험박하는 모양. <억패듯.

악편【萼片】 명 『식』 꽃받침의 조각.

악평【惡評】 명 나쁘게 말하는 비평. 나쁜 평판. 악성(惡聲). ↔호평(好評). ——-하다 타 여불

악-평등【惡平等】 명 무엇이든지 덮어놓고 평등하게 하는 일. 정당성을 잃은 평등.

악폐【惡弊】 명 나쁜 폐단.

악풍【惡風】 명 ①나쁜 풍습이나 풍조. 악속(惡俗). ¶ ~에 물들다. ↔미풍(美風)·양풍(良風). ②모진 바람.

악풍-증【惡風症】 〔一쯩〕 명 『한의』 오풍증(惡風症).

악피【鰐皮】 명 악어 가죽.

악필【惡筆】 명 ①잘 쓰지 못한 글씨. 서투른 글씨. ②품질이 나쁜 붓.

악-하다【惡一】 형 여불 ①성질이 흉악하다. ②독하고 모질다. ③『윤』 양심(良心)을 어기고 도덕률(道德律)에 벗어나다.

악하-선【顎下腺】 명 『생』 턱밑샘.

악학【樂學】 명 ①음악에 관한 학문. ②『역』 조선 초기 태종 6년(1406) 음악 이론을 학문적으로 다루고 음악에 관한 일을 관장하기 위해 설립한 기관. 세조 3년(1457)에 관습 도감(慣習都監)과 통합되어 악학 도감(樂學都監)이 됨.

악학 궤:범【樂學軌範】 명 『책』 조선 시대 성종(成宗) 때에 성현(成俔)·신말평(申末平)·유자광(柳子光) 등이 임금의 명을 받들어 편찬한 음악서. 조선 시대 때의 음악의 원리·악기 배열·무용 절차·악기·의물(儀物) 등이 서술되었으며, 한글로 ≪동동(動動)≫ 등 고려 가요가 실려 있음. 9권 3책.

악학 도감【樂學都監】 명 『역』 조선 초기 궁중 음악을 관장하기 위하여 예조(禮曹) 아래에 두었던 기관. 세조 3년(1457) 악학(樂學)과 관습 도감(慣習都監)을 통합하여 세움. 세조 13년(1466) 장악서(掌樂署)로 흡수됨.

악학 습령【樂學拾零】 〔一녕〕 명 『문』 조선 시대 영조 때의 문신 이형상(李衡祥)이 영조 8년(1732)에 편찬한 고려·조선 시대의 시조집. 174명의 시조 1,109 편을 수록함.

악한[1]【惡寒】 명 '오한(惡寒)'의 잘못.

악한[2]【惡漢】 명 몹시 나쁜 짓을 하는 남자. 악당(惡黨). 흉한(兇漢). 스캠프(scamp).

악행【惡行】 명 악독(惡毒)한 행위. 악행위(惡行爲). ¶ 갖은 ~을 자행하다. ↔선행(善行).

악-행위【惡行爲】 명 나쁜 행위. 악행(惡行).

악향【惡鄕】 명 풍기가 몹시 어지러운 고장. 풍기가 문란한 고장.

악혈【惡血】 명 ①부스럼에서 나오는 고름과 섞인 피. ②해산(解產)한 뒤에 나오는 궂은 피.

악형【惡刑】 명 잔인하고 혹독(酷毒)한 형벌(刑罰)에 처함. 또, 그 형벌. ——-하다 타 여불

악형-틀【惡刑一】 명 악형을 주기 위한 형구(刑具).

악호【樂戶】 명 『역』 중국 남북조(南北朝)로부터 수(隋)·당(唐) 때까지, 가무(歌舞)로써 궁정에 종사하던 국유의 예민(隷民). 악공(樂工).

악화[1]【惡化】 명 나쁘게 변함. 나빠짐. ↔호전(好轉). ——-하다 자 여불

악화[2]【惡貨】 명 나쁜 화폐. 지금(地金)의 가격이 법정 가격보다도 낮은 화폐. ↔양화(良貨). *그레셤의 법칙.

악화는 양화(良貨)를 구축(驅逐)한다 구 악화와 양화의 두 종류의 화폐가 유통(流通)될 때, 양화는 유통 범위에서 자취를 감춘다는 그레샴의 법칙(法則).

악희【惡戲】 〔一히〕 명 못된 장난.

안[1] 명 ①사물이 둘러싸인 가에서 가운데로 향한 곳이나 쪽. ¶ ~으로 들이다. *내부[3](內部). ② 겉으로 드러나 보이지 않는 곳. 속. ¶ 입~에 넣다. 1)·2):↔밖❶❷. ③어느 표준 한계를 벗어나지 않는 정도. 이내(以內). ¶ 일주일 ~에 마치다. ④집안에서 부인들이 거처하는 곳. 내실(內室). ¶ ~방. ⑤↗안찝. ⑥〈속〉 아내.

〔안 인심이 좋아야 바깥 양반 출입이 넓다〕 오는 사람의 대접을 잘 하여야 다른 데 가서도 대접을 잘 받는다는 말.

안에 들다 구 일정한 표준 한계를 벗어나지 않다. ¶ 합격선 안에 든다.

안[2] 명 〈옛〉 속. 마음. ¶ 아으 藥이라 먹논 黃花고지 안해 드니 ≪樂範 動動≫.

안[3]【安】 명 성(姓)의 하나. 현재 우리 나라에는 순흥(順興)·광주(廣州)·탐진(耽津)·죽산(竹山) 등 11 개의 본관(本貫)이 있음.

안[4]【岸】 명 육지가 바다나 강·호수에 접한 곳. ¶ 태평양(太平洋)~.

안[5]【晏】 명 성(姓)의 하나. 우리 나라에는 현존하지 않음.

안:[6]【案】 명 ①↗안건(案件). ¶ 첫 번째 ~부터 심의한다. ②앞을 막은 산이나 고개 또는 담이나 벽 등의 총칭. ③생각. 고안(考案). ¶ 좋은 ~이 있다.

안[7] 준 아니. ¶ ~ 사고 ~ 팔다/비가 ~ 온다.

안- 두 '여자'를 가리키는 말. ¶ ~주인/~사돈. *밭-.

안가[1]【安家】 명 집안 사람들이 모두 편안함. ——-하다 형 여불

안가[2]【安家】 명 정보 기관 따위가 정보 수집을 위해 비밀리에 관리하는 집. 안전 가옥(安全家屋).

안가[3]【安暇】 명 평안하고 한가함. ——-하다 형 여불

안가[4]【晏駕】 명 붕어(崩御). ——-하다 자 여불

안가 낙업【安家樂業】 명 안거(安居) 낙업.

안-가슴 명 ☞ 앙가슴.

안가 시:위【安駕侍衛】 명 『역』 대가(大駕)를 편안하게 모시라는 뜻으로, 봉도(奉導)에 쓰던 말.

안-가업【一家業】 명 안방에서 술이나 기타의 음식을 파는 일. ——-하다 자 여불

안:각【眼角】 명 윗눈까풀과 아랫눈까풀이 만나는 눈의 양쪽에 있는 각.

안-간힘 〔一깐一/一까님〕 명 불평이나 울분·고통이 있을 때, 속으로 참으려고 하되, 저절로 자꾸 나오는 간힘.

안간힘(을) 쓰다 구 불평이나 괴로움을 억지로 참다. ¶ 경기(競技)에 기려고 ~.

안-감[1] 〔一깜〕 명 ①안찝. ②물건의 안쪽에 대는 물건. ↔겉감.

안감[2]【安龕】 명 『역』 제사 때에 위패(位牌)를 내었다가 제사를 마치고 다시 본래 있던 자리에 안치하는 일. ——-하다 자 여불

안-감망【安敢望】 명 감히 바랄 수가 없음을 일컫는 말.

안-감생심【安敢生心】 명 언감생심.

안갑【鞍匣】 명 안장 위를 덮는 헝겊.

안강[1]【安康】 명 평안하고 건강함. 아무 탈이 없음. ——-하다 형 여불 ——-히 부

안강[2]【安康】 명 『지』 경상 북도 경주시(慶州市) 북부의 읍. 동해 남부선의 연변(沿邊)에 있으며, 부근에서 석탄이 남. 〔35,962 명(1996)〕

안강[3]【安康】 명 『지』 '안캉'을 우리 음으로 읽은 이름.

안강[4]【鮟鱇】 명 『어』 아귀[2].

안강-망【鮟鱇網】 명 조류(潮流)의 반대쪽 해저(海底)에 펴서 갈치·쥐치·젓새우 등 여러 가지 물고기를 잡는 데 쓰이는 원뿔형 또는 사각뿔형의 그물.

안강-어【鮟鱇魚】 명 『어』 아귀[2].

안갖은-그림씨 [명] 〖언〗 '불완전 형용사(不完全形容詞)'의 풀어 쓴 이름. ↔갖은그림씨.

안갖은-남움직씨 [명]〖언〗'불완전 타동사(不完全他動詞)'의 풀어 쓴 이름. ↔갖은남움직씨.

안갖은-움직씨 [명]〖언〗'불완전 동사(不完全動詞)'의 풀어 쓴 이름. ↔ 갖은움직씨.

안갖은-제움직씨 [명]〖언〗'불완전 자동사(不完全自動詞)'의 풀어 쓴 이름. ↔갖은제움직씨.

안갖춘-꽃 [명] 〔incomplete flower〕〖식〗꽃받침·꽃부리·수꽃술·암꽃술 중에서 어느 것 한 가지가 퇴화(退化)했거나 또는 발육(發育)이 불완전하여 없는 꽃. 오이 꽃·뽕나무 꽃 같은 것. 불완전화(不完全花). ↔갖춘꽃.

안갖춘-꽃부리 [명]〖식〗꽃잎의 모양과 크기가 고르지 못한 꽃부리. 곧 완두꽃 등. 부정제 화관(不整齊花冠). ↔갖춘꽃부리.

안갖춘-잎 [―닙] [명] 〖식〗잎몸·잎꼭지·턱잎 중의 어느 것을 갖추지 못한 잎. 오이·냉이 등의 잎. 불완전엽(不完全葉). ↔갖춘잎.

안갖춘-탈바꿈 [명] 〖동〗'불완전 변태(不完全變態)'의 풀어 쓴 이름. ↔갖춘탈바꿈.

안:-갚음 [명] ①어버이의 은혜를 갚음. ②반포(反哺). *안받음·앙갚음. ――-하다 [자][여불]

안:개 [명] 〔중세 : 안개〕 ①수증기가 찬 기운을 만나 미세한 물방울이 되어 지상에 가까운 대기 속을 연기처럼 부옇게 부유(浮遊)하는 것. *이내. ②〈방〉 아지랑이(제주).

안:개 경:보 【―警報】 [명]〖기상〗안개로 인하여 시정(視程)이 0.2km 이하로 심한 피해가 예상될 때에 발표하는 기상 경보.

안:개-구름 [명] ①〖기상〗층운(層雲)❷. ②〈속〉 성교(性交).
안:개구름 끼다 [구] 〈속〉 성교하다.

안:개-꽃 [명]〖식〗[*Gypsophila elegans*] 너도개미자릿과(科)에 속하는 1년초. 높이 30-45cm에 털이 없고, 잎은 대생(對生)인데 위쪽 것은 피침형(披針形)의 육질(肉質)이고 끝이 뾰족함. 많은 가지가 갈라져 여름에서 가을에 걸쳐 잘고 흰 꽃이 무리져 피는데, 꽃잎은 다섯 장, 끝이 오목함. 담홍색이나 선홍색(鮮紅色)의 품종도 있음. 카프카즈 원산(原産)으로, 화단 및 꽃꽂이용으로 재배함.

안:개-비 [명] ①안개처럼 뿌옇게 내리는 가는 비. 연우(煙雨). ②가랑비.

안:개-뿜이 [명] 분무기(噴霧器).

안:개 상자 【―箱子】 [명] 〔cloud chamber〕〖물〗전자(電子)·양성자(陽性子)·중간자(中間子) 등의 하전 입자(荷電粒子)의 경로를 직접 보기 위한 장치. 과포화 증기(過飽和蒸氣)가 입사선(入射線)에 의해 생긴 이온을 핵으로 하여 응결하는 현상을 이용한 것. 1897년 윌슨(Wilson, C. T.R.)이 발명함. 지금은 거의 쓰이지 않음. 안개함. 윌슨 무함(霧函).

안:개 주:의보 【―注意報】 [―/―이―] [명]〖기상〗안개로 인하여 시정(視程)이 1km 이하로 교통 기관 등에 다소의 지장이 예상될 때에 발표하는 기상 주의보.

안:개-집 [명]〖식〗자낭(子囊).

안:개-함 【―函】 [명] 안개 상자.

안거[1] 【安居】 [명] ①탈 없이 있음. 평안히 있음. ②〔범 vārsika〕〖불교〗〔우기(雨期)라는 뜻〕 중이 일정한 기간 동안 외출하지 않고 한데 모여 수행하는 일. 음력 4월 16일에 시작하여 7월 15일에 끝남. 겨울에도 행함. 우안거(雨安居). 하안거(夏安居). 하행(夏行). *동안거(多安居). ――-하다 [자][여불]

안거[2] 【安車】 [명] 앉아 갈 수 있게 만든 수레. 옛날 중국(中國)에서는 차에 서서 가게 되어 있었는데, 노인(老人) 등을 위하여 안좌(安坐)할 수 있게 한 것임.

안거 낙업 【安居樂業】 [명] 평안히 살면서 업(業)을 즐기는 일. 안가(安家) 낙업(樂業).

안거리 [명] 〈심마니〉 낫.

안거 방함록 【安居芳銜錄】 [―녹] [명] 〖불교〗결제(結制)할 때에 임원(任員)과 대중 인원(大衆人員)의 이름을 써 두는 책.

안거 위사 【安居危思】 [명] 평안할 때에 어려움이 닥칠 것을 잊지 말고 미리 대비해야 함을 일컫는 말.

안거 증서 【安居證書】 [명]〖불교〗결제(結制)할 때에 안거한 사실을 증명하는 문서.

안:건 【案件】 [―껀] [명] 토의하거나 조사해야 할 사실. 문제가 되어 있는 사실. [준]안(案).

안걸 【岸傑】 [명] 몸이 건장(健壯)함. ――-하다 [형][여불]

안-걸이 [명] 씨름에서, 다리로 상대자의 오금을 안으로 걸고 당기거나 밀어 넘어뜨리는 재주. ↔발걸이. ――-하다 [자][여불]

안:검[1] 【按劍】 [명] 칼을 빼려고 칼자루에 손을 댐. ――-하다 [자][여불]

안:검[2] 【按檢】 [명] 안찰(按察). ――-하다 [타][여불]

안:검[3] 【眼瞼】 [명]〖생〗눈꺼풀.

안:검 경련 【眼瞼痙攣】 [―년] [명]〖의〗안구근(眼球筋)에 경련이 일어나서 눈이 굳게 닫혀 뜨기 어려운 병증. 결막낭내 이물(結膜囊內異物)·각막 궤양(角膜潰瘍) 등의 자극에 인한 증후성(症候性) 안검 경련과 히스테리 환자에서 볼 수 있는 특발(特發) 안검 경련이 있음.

안:검 내:반 【眼瞼內反】 [명] 〔entropion of the eyelid〕〖의〗눈꺼풀이 안쪽으로 휘어든 상태. 속눈썹이 각막에 닿기 때문에 이물감(異物感)·유루(流淚)·눈부심 등이 일어나고 각막에 상처가 생기거나 시력 장애 등을 일으킴.

안:검 반:사 【眼瞼反射】 [명]〖생〗안검 폐쇄 반응.

안:검 상시 【按劍相視】 [명] 서로 원수같이 대함. ――-하다 [자][여불]

안:검연-염 【眼瞼緣炎】 [―념] [명]〖의〗눈시울에 생기는 염증. 눈썹의 모근(毛根)을 중심으로 작은 농포(膿疱)와 궤양 및 딱지가 많이 생기는 것과 눈썹 부근의 피부에 인설(鱗屑)과 지방이 생기는 것의 두 가지가 있음.

안:검-염 【眼瞼炎】 [―념] [명]〖의〗다래끼[2].

안:검 외:반 【眼瞼外反】 [명] 〔ectropion of the eyelid〕〖의〗눈꺼풀이 밖으로 뒤집히어 안구 결막이 바깥 쪽에 노출된 상태. 눈을 감을 수 없으며 충혈(充血)되어 시력 장애를 일으키기 쉬움.

안:검 폐:쇄 반:응 【眼瞼閉鎖反應】 [명]〖생〗무의식 중에 눈을 감는 반사 운동. 망막(網膜)에 갑자기 강한 빛이 닿는 순간이나 보이는 대상(對象)이 별안간 눈앞에 닥치는 순간 따위에 안구를 보호하기 위하여 반사적으로 눈을 감는 짓. 안검 반사.

안:검 하:수 【眼瞼下垂】 [명]〖의〗윗 눈꺼풀이 내려와서 눈꺼풀을 올리기가 곤란한 병. 동안 신경(動眼神經)이 지배하는 상안검 거근(上眼瞼擧筋)의 마비에 의하여 일어남. 선천성인 것과 노인성 및 안질·외상(外傷) 등으로 인한 것이 있음.

안-겉장 [명]〖인쇄〗속표지(表紙). [준]안장.

안겔루스 질레지우스 〔Angelus Silesius〕 [명]〖사람〗독일의 시인. 본명은 Johann Scheffler. 루터파의 의사로 1653년 가톨릭에 개종(改宗). 뵈메(Böhme) 등의 신비주의(神秘主義) 사상을 간결하게 표현한 시집 ≪방랑의 천사≫는 유명함. 이 밖에 ≪영혼의 성스러운 쾌락≫ 등이 있음. [1624-77]

안-견[1] 【安堅】 [명]〖사람〗조선 시대 초기의 화가. 자는 가도(可度) 또는 득수(得守), 호는 현동자(玄洞子) 또는 주경(朱耕). 지곡(池谷) 사람으로 특히 산수를 잘 그렸음. 대표작은 ≪몽유 도원도(夢遊桃園圖)≫·≪적벽도(赤壁圖)≫·≪청산 백운도(靑山白雲圖)≫ 등임. 생몰년 미상.

안:견[2] 【眼見】 [명] 눈으로 봄. 눈앞에 봄. ――-하다 [자][여불]

안경[1] 【安慶】 [명]〖지〗'안칭(安慶)'을 우리 음으로 읽은 이름.

안:경[2] 【眼境】 [명] 안계(眼界).

안:경[3] 【眼鏡】 [명] 눈에 씌워서 원시·근시·난시·노안 등 불완전한 시력을 돕거나, 바람·먼지·강한 햇빛을 가리는 제구. 안경알을 안경테에 끼워서 만듦. 근시안에 오목 렌즈, 원시안·노안(老眼)에 볼록 렌즈, 난시안(亂視眼)에는 원기둥 렌즈 등을 씀.
안:경(을) 쓰다 [구] ㉠있는 그대로 보지 않고, 어떤 선입감을 가지다. ㉡술을 한꺼번에 두 잔 받다.

안:경-곰 【眼鏡―】 [명]〖동〗[*Tremarctos ornatus*] 곰과에 속하는 작은 곰. 몸길이 150-180cm, 높이 76cm, 무게 85-145kg. 온 몸이 검고 눈 주위에 하얀 둥근 고리가 있음. 나뭇잎이나 초목의 뿌리, 과실 등을 즐겨 먹고, 더러 사슴 등도 덮쳐 잡아 먹음. 나무 위에 잔 가지로 큰 집을 짓고 산다고 함. 남아메리카 유일의 곰으로, 베네수엘라·콜롬비아·에콰도르·페루·파나마 등지의 산악 지대의 숲에 서식함.

안경공 추대 사:건 【安慶公推戴事件】 [―껀] [명]〖역〗고려 원종(元宗) 10년(1269) 임연(林衍)이 원종을 폐하고 원종의 동생 안경공 창(安慶公淐)을 옹립(擁立)하였다가 실패한 사건. 무신(武臣) 정권 종식의 계기가 되고 몽고의 영향력이 절대적인 것이 됨.

안:경 다리 【眼鏡―】 [―따―] [명] 안경테의 좌우(左右)에 달아서 귀에 거는 것.

안:경무늬-왕거미 【眼鏡―王―】 [―니―] [명]〖동〗[*Meta yunohamensis*] 호랑거밋과의 절지 동물. 몸길이, 암컷은 4.5-13mm, 수컷은 4-9mm임. 두흉부(頭胸部)는 황갈색에 흑갈색의 특수한 반문이 있고 복부에는 황색에 선명한 농갈색의 엽상(葉狀) 무늬가 있음. 물가에 서식하는데, 한국·사할린·대만 등지에 분포함.

안:경-방 【眼鏡房】 [―빵] [명] 안경을 만들거나 파는 가게.

안:경-사 【眼鏡士】 [명] 소정의 면허를 받아 안경 업소에서 시력 보정용 안경의 조제 및 판매를 업무로 하는 사람.

안-경수 【安駉壽】 [명]〖사람〗대한 제국 말의 문신(文臣). 자(字)는 성재(聖哉). 죽산(竹山) 사람. 고종 30년(1893) 전환국 협판(典圜局協辦)으로 일본에 건너가 서양식 화폐 주조(鑄造)를 시찰하고 돌아와 신화폐(新貨幣)를 주조함. 김홍집(金弘集) 내각의 탁지부 협판(度支部協辦)·군부대신(軍部大臣)을 지내고, 뒤에 독립 협회(獨立協會) 조직에 참여, 회장을 지냄. 광무(光武) 2년(1898)에는 고종(高宗)의 양위(讓位)를 음모하다가 발각되어 일본으로 망명하였으며, 동 4년에 귀국했다가 앞서의 이준용(李埈鎔)의 모역 사건(謀逆事件)을 알고도 고하지 않은 죄로 사형당함. 시호(諡號)는 의민(毅愍). [?-1900]

안-경(:)신 【安敬信】 [명]〖사람〗여성 독립 운동가. 평안 남도 강서(江西) 출신. 3·1 운동 때 피체(被逮)된 후, 같은 해 대한 애국 부인회(大韓愛國婦人會)의 조직을 주도함. 중국 상하이(上海)로 건너가 활약하다가 국내에 잠입(潛入), 평남 안주(安州)와 평양 등지에서 총기(銃器)와 폭탄으로 일제(日帝)에 항거하여 1921년 체포되어 사형 선고를 받고 이어 10년으로 감형(減刑)됨. [1895-?]

안:경-알 【眼鏡―】 [명] 안경테에 끼우는 유리나 수정으로 만든 렌즈.

안:경-원숭이 【眼鏡猿―】 [명]〖동〗안경원숭잇과(科)에 속하는 원시적인 원숭이. 몸길이는 12-15cm 정도로 작고, 꼬리는 21-24cm로 길며 눈이 매우 커서 안경을 낀 것 같음. 몸의 털은 부드럽고 회갈색, 머리는 적갈색, 배는 회백색임. 필리핀·인도네시아 등지의 숲에 단독으로 살며, 낮에는 나무를 안고 잠을 자다가, 밤이 되면 눈을 떠 개구리처럼 뛰면서, 갑충(甲蟲)·메뚜기·작은 도마뱀·도마뱀붙이 등을 포식(捕食)함. 한 배에 새끼 한 마리를 낳음. 필리핀안경원숭이(*Tarsius syrichta*)·말레이안경원숭이(*Tarsius bancanus*)·셀레베스안경원숭이(*Tarsius spectrum*)의 세 종류가 있음.

안:경원숭잇-과 【眼鏡猿―科】 [명]〖동〗[Tarsiidae] 영장목(靈長目) 원원류(原猿類)에 속하는 한 과.

안:경 자국【眼鏡―】[―짜―] [명] 안경테나 안경 다리가 닿아서 얼굴에 난 자국.
안:경-장이【眼鏡匠―】[명] 안경을 만드는 사람.
안:경-쟁이【眼鏡―】[명] 〈속〉 안경을 쓴 사람.
안:경-집【眼鏡―】[―찝] [명] 안경을 넣는 갑.
안:경-테【眼鏡―】[명] 안경알을 끼우는 테두리.
안:경형 반문【眼鏡形斑紋】[명] 〖동〗 일부 조류·파충류·포유류에서 볼 수 있는, 눈 주위의 빛깔이 있는 윤형(輪形)의 무늬.
안:계【眼界】[명] ①눈으로 바라볼 수 있는 범위. 시계(視界). ¶～가 흐리다. ②생각이 미치는 범위. 사물을 사고(思考)·판단하는 견식(見識).
안고¹【安固】[명] 안전하고 견고함. ――하다 [형][여불]
안:고²【案考】[명] 잘 생각하여 연구함. ――하다 [자][여불]
안-고경【顔杲卿】[명] 〖사람〗 중국 당(唐)나라 태종(太宗) 때의 충신(忠臣). 산둥 성(山東省) 린이(臨沂) 사람. 안진경(顔眞卿)의 종형(從兄). 안녹산(安祿山)의 인정을 받아 상산(常山)의 태수(太守)가 되었는데, 안사(安史)의 난(亂)에 안진경과 호응(呼應)하여 의병(義兵)을 일으켜, 고전(苦戰) 끝에 잡히어 참살(慘殺)됨. [692-756]
안:고-나다 [―꼬―] [자] 남의 책임을 대신하여 짊어지다.
안:고름 [―꼬―] [명] ↗안옷고름.
안:고 수비【眼高手卑】[명] 마음은 크고 눈은 높으나 재주가 없어 따르지 못한다는 뜻. 이상만 높고 실천이 따르지 않음. 비평(批評)은 능하나 창작력이 낮음. 안고 수저(眼高手低). ――하다 [형][여불]
안:고 수저【眼高手低】[명] 안고 수비(眼高手卑). ――하다 [형][여불]
안:고 지고 [―꼬―] [구] 품에 안고 등에 지고.
안:고-지기 [―꼬―] [명] 두 짝을 한데 붙이어 여닫는 문. 또, 두 짝을 한 쪽으로 몰아서 문턱째 열게 된 미닫이.
안:고-지다 [―꼬―] [자] 남을 해하려 하다가 도리어 해를 입다.
안곡【岸曲】[명] 후미¹.
안-골 [―꼴] [명] ①골짜기의 깊은 속. ②골짜기 안에 있는 마을.
안골포 해:전【安骨浦海戰】[명] 〖역〗 임진 왜란 때 안골포에서의 왜군과의 싸움. 선조 25년(1592) 7월 한산도(閑山島)에서 왜선(倭船) 73척을 무찌른 이순신은 그들을 구원하러 오는 왜군(倭軍)을 안골포, 곧 현재의 경남 진해시(鎭海市) 안골동(安骨洞)의 포구에서 다시 크게 격파하였음. 이 전과(戰果)로 이순신은 정헌 대부(正憲大夫)로 승진하였음.
안공¹ [명] 〖공〗 둘 이상의 나무를 붙이는 데 한꺼번에 물어 죄는 연장.
안:공²【眼孔】[명] ①눈구멍¹. ②견식(見識)의 범위.
안:공³【鞍工】[명] 말 안장을 만들고 수리하는 공장(工匠).
안:공-대【眼孔大】[명] 식견이 넓음.
안:공-소【眼孔小】[명] 식견이 좁음.
안:공 일세【眼空一世】[―쎄] [명] 세상 사람을 업신여김. 지나치게 교만을 부림. ――하다 [자][여불]
안과¹【安過】[명] 편안하게 탈없이 지냄. 또, 편안하게 탈없이 지나감. ¶이 곳은 모두 ～하오. ――하다 [자][타][여불]
안:과²【眼科】[―꽈] [명] 〖의〗 의학의 한 분과(分科). 눈병에 관한 일체의 예방·치료·연구를 하는 부문.
안:과³【眼窠】[명] 〖생〗 눈구멍¹.
안:과-의【眼科醫】[―꽈―/―꽈이] [명] 〖의〗 안과 전문 의사. 안의(眼醫).
안과 태평【安過太平】[명] 탈없이 태평히 지냄. 또, 탈없이 태평하게 지나감. ――하다 [자][타][여불]
안:과-학【眼科學】[―꽈―] [명] 〔opthalmology〕 〖의〗 안구(眼球) 및 그 부속 기관의 질병과 그 치료 방법·예방 등을 연구하는 의학의 한 분야.
안:광¹【眼光】[명] ①눈의 정기. 안채(眼彩). 눈빛. ②보는 힘. 관찰력(觀察力). ¶～이 날카롭다.
안:광²【眼眶】[명] 〖생〗 눈자위. ¶맨홀과 같이 움푹 파진 ～.
안:교【鞍橋】[명] 안장. 모양이 다리 비슷하므로 이름.
안-구¹【安絿】[명] 〖사람〗 조선 시대 숙종(肅宗) 때의 문신(文臣). 자(字)는 자유(子柔). 죽산(竹山) 사람. 경사(經史)에 밝고 문명(文名)이 높았음. 숙종 8년(1682) 진사시(進士試)에 합격, 숙종 15년(1869) 인현 왕후(仁顯王后)의 폐위(廢位)에 반대했음. 생몰년 미상.
안:구²【眼球】[명] 〖생〗 ①눈알. ②〔augen〕 〖광〗 큰 렌즈 모양이나 눈의 모양을 한 광물 입자. 또, 어떤 변성암(變成岩)에서 볼 수 있는 광물의 집합체.
안:구³【鞍具】[명] 말 안장에 딸린 여러 가지 기구.
안:구 건조증【眼球乾燥症】[―쯩] [명] 〖의〗 비타민 A의 결핍으로 일어나는 눈병의 하나. 결막(結膜)·각막(角膜)의 건조 및 비후화(肥厚化), 때로 특발 야맹증(特發夜盲症)·만성 결막염(慢性結膜炎)을 일으킴.
안:구-근【眼球筋】[명] 〖생〗 눈알 및 눈시울에 붙은 횡문근(橫紋筋)의 총칭. 좌우 각각 일곱 개씩 있으며, 눈을 돌리는 기능을 가짐. [준]안근(眼筋).
안:구 돌출【眼球突出】[명] 〖의〗 눈알이 비정상적으로 돌출한 상태. 안와(眼窩) 내용(內容)의 증가, 안구 자체의 팽창, 외안근(外眼筋)의 장력(張力)의 감소 등에 기인하며, 바제도병(Basedow 病)으로 일어나는 증상의 한 가지이기도 함.
안:구-마【鞍具馬】[명] 안장을 얹은 말. 안마(鞍馬).
안:구 백막【眼球白膜】[명] 〖생〗 각막에 잇대어 안구 외벽(外壁)을 이루고 있는 흰 빛의 막.
안:구상 구조【眼球狀構造】[명] 〔augen structure〕 〖광〗 일부 편마암(片麻岩)·화강암(花崗岩)에서 볼 수 있는, 타원형 또는 렌즈 모양의 구조. 특히, 운모(雲母)의 평행한 얇은 층(層)에 쌓이면 눈알과 닮은 구조가 됨.
안:구 은행【眼球銀行】[명] 각막(角膜) 이식 때, 이식용 각막을 제공하는 기관. 안구 제공 희망자의 등록, 그의 사후(死後)의 안구 적출(摘出)·보존·수송 따위를 행함. 각막 은행. 눈은행. 아이 뱅크.
안:구 진:탕【眼球震盪】[명] 〖의〗 눈알이 정지해 있지 않고 무의식 중에 흔히 수평 방향으로 진탕하는 질환. 머리·신체의 회전, 전류 등에 의한 자극, 외청도(外聽道) 고실(鼓室)의 기압의 증감(增減) 등의 원인으로 일어남.
안국【安國】[명] 나라를 편안히 다스림. 또, 그러한 나라.
안-국선【安國善】[명] 〖사람〗 신소설 작가. 서울 출생. 1907년에 《연설방법》을 발표하였고, 신소설로는 우화 소설 《금수 회의록(禽獸會議錄)》이 있음. [1854-1928]
안:궤【案几】[명] 궤안(几案).
안-귀 [―뀌] [명] 〖생〗 내이(內耳). ↔겉귀.
안-귀(:)생【安貴生】[명] 〖사람〗 조선 시대 초기의 화가. 도화서화원(圖畫署畫員)으로 단종 3년(1455) 《금강산도(金剛山圖)》를 그려 바쳤고, 세종비(世宗妃) 소헌 왕후(昭憲王后)·세조·예종의 초상화를 그렸음. 산수화에도 능했음. 생몰년 미상.
안-규홍【安圭洪】[명] 〖사람〗 대한 제국 말의 의병장(義兵將). 보성(寶城) 출신. 별명은 계홍(桂洪). 융희(隆熙) 2년(1908) 보성에서 의병을 일으켜 여러 번 일본군 수비대를 습격하여 왜군을 괴멸시켰으나 보성에서 체포되어 옥사함. [1879-1909]
안근¹【岸根】[명] 〖식〗 밤의 한 품종.
안:근²【眼筋】[명] 〖생〗 ↗안구근(眼球筋).
안:근 마비【眼筋痲痺】[명] 〖의〗 안근이 마비되어 안근 운동이 제한되며 복시(複視)가 일어나고, 마비성 사시(斜視)·현기증·위치의 오인 등이 일어나는 증세.
안-기¹【安岐】[명] 〖사람〗 조선 시대 영조 때의 서화 수집·감식가. 자(字)는 의주(儀周), 호는 녹촌(麓邨)·송천 노인(松泉老人). 중국에서 축재(蓄財)하여, 중국의 많은 서화를 수집하였음. [1683-?]
안기²【安驥】[명] 〖역〗 조선 시대 때 사복시(司僕寺)의 종육품 잡직(從六品雜職).
안기다 [一] [자] 남의 품속에 들다. ¶그의 품에 ～. [二] [타] ①안도록 하다. ¶아이를 ～. ②책임을 지게 하다. ③날짐승이 알을 품어 새끼를 까게 하다. ¶알을 ～. ④〈속〉 때리다. ¶그 녀석, 매를 안겨라.
안:기-려【雁岐鑢】[명] 환¹.
안기-부【安企部】[명] ↗국가 안전 기획부.
안긴 문장【―文章】[명] 〖언〗 성분절(成分節)로서 큰 문장. 곧 안은 문장 속에 안겨져 있는 문장. '향기가 맑음이 매화의 자랑이다'에서 '향기가 맑음이' 따위. ＊안은 문장.
안길-성【―性】[―썽] [명] 붙임성이 있고 고분고분해서 호감을 주는 성질.
안-길이 [―낄―] [명] 가옥·땅·방 따위의 앞에서 안 쪽까지의 거리.
안-깃 [―낃] [명] 저고리·두루마기 따위의 안자락으로 들어가는 깃. ↔겉깃.
안깃-선【―線】[―낃―] [명] 한복에서 안깃의 가장자리를 형성하는 선.
안ᄭᅵ [명] 〈옛〉 안개. ¶안ᄭᅵ ᄢᅵ이다(罩霧) 《齊諧物名考 天文類》.
안까니 [명] 〈방〉 계집아이(함경).
안깐 [명] 〈방〉 계집아이(함경).
안-껍데기 [명] 겉으로 드러나지 아니하고 안에 있는 껍데기.
안-꽃뚜껑 [명] 〖식〗 내화개(內花蓋). ↔겉꽃뚜껑.
안꾸-지기 [명] 〈방〉 안고지기.
안나바〔Annaba〕[명] 〖지〗 알제리 동북부, 지중해에 면한 항구 도시로, 항만 시설이 완비된 무역항. 철광석(鐵鑛石)·포도주 따위를 실어 내며, 제철소가 있음. 고대 로마 시대로부터의 도시로, 1832년 프랑스 점령 후, 근대적 도시로 건설됨. [256,000명(1981 추계)]
안나스〔Annas〕[명] 〖성〗 고대 유태의 대제사장(大祭司長). 아들 5형제와 사위 가야바가 모두 대제사장이 되었음. 공회에 중요직을 가지고 있어 예수의 포박과 심문 및 베드로·요한이 잡혔을 때 그 심문을 담당하였음.
안-나자프〔An Najaf〕[명] 〖지〗 이라크 중부, 유프라테스 강 우안(右岸)의 도시. 이슬람교 제4대 정통(正統) 칼리프(calif) 알리의 묘지(廟地), 황금의 모스크(mosque)가 있음. 케르벨라(Kerbela)와 함께, 시아파(Shiah派) 이슬람교 최대의 성지(聖地)로서, 이란을 위시한 각지로부터의 순례자가 많음. 나자프. [276,000명(1981)].
안나 카레:니나〔Anna Karenina〕[명] 〖책〗 톨스토이가 1873-1876년 사이에 쓴 장편 소설. 《전쟁과 평화》·《부활》과 같이 톨스토이의 3대 작품의 하나임. 남편의 관료 기질(官僚氣質)과 냉정한 인격에 권태감(倦怠感)을 느낀, 다정 다감한 안나가 정열적인 독신 장교 우론스키와의 열렬한 연애 끝에 귀족 사회의 지탄(指彈)을 받고 철도 자살을 한다는 줄거리임.
안나푸르나〔Annapurna〕[명] 〖지〗 네팔 히말라야 중앙부의 연봉(連峰). 다울라기리 산(Dhaulagiri 山)의 동쪽에 있으며, 여러 개의 봉우리로 됨. 최고봉은 8,078m. 1950년 프랑스 등반대가 첫 등정(登頂)함.
안-낚시 [명] ☞안걸이.
안난¹【安南】[명] 〖지〗 안남(安南)을 중국음으로 읽은 이름.
안난²【安難】[명] 곤란에 처하여도 피하려 하지 아니함.
안-날 [명] 바로 전 날. ¶그 일이 생긴 ～에 가 버렸다.
안남【安南 : Annam】[명] 〖지〗 ①베트남에 대하여 전에 중국인·프랑스인 등이 부르던 이름. 또, 베트남인이 이 땅에 세운 국가도 이름. 당(唐)나라가 설치한 안남 도호부(都護府)에서 유래함. ②베트남이 프랑스 식민지였던 시대에 행정 구획을 북·중·남부로 3분했을 때의 중부 지방의 일컬음.
안남 도호부【安南都護府】[명] 〖역〗 중국 당대(唐代)에 변경을 통치하

기 위하여 설치한 여섯 도호부의 하나. 지금의 하노이(Hanoi) 지방에 있었는데, 통킹(Tongking)에서 안남(安南) 북부에 걸쳐 설치한 주현(州縣)을 통할(統轄)하고, 남양(南洋) 여러 지방과 긴밀한 관계를 맺고 있었음.

안남-미【安南米】명 안남 지방에서 산출되는 쌀.

안남-어【安南語】명『언』베트남에서 가장 유력한 언어. 안남의 전부와 통킹의 대부분 및 캄보디아의 일부에서 안남인들간에 통용함. 중국어의 영향이 많아 한자 및 그와 비슷한 문자·로마자로 표기함. 베트남어.

안남-인【安南人】명 안남을 중심으로 인도차이나 반도의 동부에 거주하는, 약 1,700만 명의 남방계 몽고족의 한 분파. 베트남인(人).

안남지-략【安南志略】명『책』베트남의 역사책. 베트남 사람인 여즉(黎崱)이, 원(元)나라가 베트남을 경략(經略)했을 때에 항복하고 중국에 가서 1285-1339년에 썼는데, 20권이던 것이 19권만이 전함. 베트남 역사 연구의 중요한 사료로, 1884년에 상하이(上海)에서 간행됨.

안:낭【鞍囊】명 말 안장 앞 양쪽에 달린 군기(軍器)를 넣는 가죽 주머니.

안:내【案內】명 ①인도하여 일러 줌. ②주인에게 데려다 줌. ③↗안내서·안내인. ——-하다 타여불

안:내 광:고【案內廣告】명 신문·잡지의 일정한 난에 일괄적으로 게재되는 가장 간략한 광고. 대부분, 구인(求人)·구직(求職)·부동산 매매 등에 이용되고 있음.

안:내-기【案內記】명 그 고장의 지리·풍속 등을 기술한 책. 특히, 명소(名所)·고적 등을 설명하여, 관광 여행자의 길잡이가 될 수 있도록 한 것을 말할 때가 많음.

안:내 망:원경【案內望遠鏡】명〔guiding telescope〕적도의(赤道儀)의 주(主)망원경에 평행하게 덧단 작은 망원경. 시야를 넓게 하여 대상을 추적하기 쉽게 함.

안:내-서【案內書】명 안내하는 내용을 적은 책. 또, 그 글.

안:내-소【案內所】명 어떤 사물이나 장소에 부설되어 그 사물이나 장소에 대한 안내를 맡아 보는 곳.

안:-내압【眼內壓】명『생』안압(眼壓).

안:내-업【案內業】명 ①외국인의 국내 관광 및 제반 시설에 대한 안내·통역 등을 맡아 하는 직업. ②안내를 맡아 보는 직업.

안:내-인【案內人】명 ①안내하는 사람. 안내자(案內者). ②안내장을 내는 사람.

안:내-자【案內者】명 안내인.

안:내-장【案內狀】〔-짱〕명 ①어떤 사실을 알리는 글을 적은 서면. 통지서. ②초대장.

안:내-판【案內板】명 사람들에게 알릴 내용을 게시하는 판.

안네의 일기【-日記】〔Anne〕〔-/-에-〕명『책』유태인 소녀 안네 프랑크(Anne Frank; 1929-45)의 일기. 독일군 점령 하의 암스테르담에서 나치스의 박해를 피하여 은신처로 옮기면서부터의 생활이 묘사되었음. 안네는 독일의 수용소에서 사망했으나, 1947년에 출판되어 세계적인 베스트 셀러가 되었음.

안념【安念】명 안심. ——-하다 자여불

안녕【安寧】㊀명 ①'평안(平安)'의 경칭. ②안전하고 태평함. ㊁감 만나거나 헤어질 때의 인사말. ——-하다 형여불. ——-히 부

안녕 질서【安寧秩序】〔-써〕명 공공(公共)의 안녕과 사회의 질서.

안:노【雁奴】명 기러기가 떼지어 잘 때, 자지 않고 경계(警戒)하는 한 마리의 기러기.

안-노인【-老人】명 여자 노인.

안-녹산【安祿山】명『사람』중국 당(唐)나라 중기의 무장(武將). 현종(玄宗)의 총애를 받았는데 허둥 절도사(河東節度使)로 있을 때 군대의 증강과 사유화(私有化)를 도모하여, 중앙의 양국충(楊國忠)과 반목함. 755년에 범양(范陽), 곧 지금의 베이징(北京)에서 거병(擧兵)하여, 뤄양(洛陽)을 공략한 후 대연 황제(大燕皇帝)라 칭하였으나, 둘째 아들 경서(慶緖)에게 살해되었음. [705-757]

안니다 자〈옛〉돌아다니며 앉다. ¶곳나모 가지마다 간뒤족족 안니다가《松江 思美人曲》.

안다[1]〔安達〕명『지』중국 헤이룽장 성(黑龍江省) 남서부에 있는 안다 현(縣)의 신흥 산업 도시. 현재는 석유로 유명한 다칭(大慶) 시로 개칭되었는데, 안다 현과는 30 km 떨어져 있음. 교통의 요지임. 안달(安達).

안:다[2]〔-따〕타 ①두 팔로 끼어 가슴에 붙이다. 포옹하다. ¶품에 ~. ②안으로 들어오는 것을 손과 몸으로 바로 받다. ¶바람을 안고 가다. ③남의 일을 책임지고 맡다. ¶전세금을 안고 집을 사다 ④새·닭 따위가 알을 품다. ⑤생각으로서 지니다. ¶슬픔을 안고.
【안는 암탉 잡아먹기】㉠지각이 없거나 염치없는 행동을 비유하는 말. ㉡매우 아깝고 애석하기는 하지만 그렇게라도 하지 않을 수 없는 경우에 하는 말.

-안다 어미〈옛〉-았느냐. ¶모ᄃᆡ 杜撰ᄋᆞᆯ 마롫디디 아란다(切忌杜撰이니 會麽아)《蒙法 20》.

안-다리〔-따-〕명 씨름·유도 따위에서, 걸거나 후리거나 할 때의 상대방의 안 쪽 다리. ↔발다리.

안다리-걸기〔-따-〕명 씨름에서 상대를 앞 쪽으로 끌어당긴 다음 오른 다리로 상대의 왼 쪽 다리를 안 쪽으로 감아 끌어붙이고 어깨와 가슴으로 상대의 상체를 밀어 넘어뜨리는 재주. ↔발다리걸기.

안다만 도인【-島人】〔Andaman〕명 안다만 제도(諸島)에 사는 네그리토계(Negrito系)의 왜소(矮小) 흑인종. 아프리카의 피그미(Pygmy)와 형질이 유사하며, 사냥·어로생활(漁撈生活)을 영위함. 이전에는 스스로 고립된 생활을 하고 있었으나, 최근에는 문호(門戶)를 개방(開放)하고, 외부로부터 카누나 도기(陶器) 따위를 배우게 되었음.

안다만-어【-語】〔Andaman〕명『언』안다만 제도(諸島)의 원주민(原住民)이 쓰는 언어. 언어 구조가 매우 복잡하며, 북(北)·중(中)·남(南)의 세 방언(方言)으로 분류되나 소멸 직전에 있음. 계통 불명(系統不明).

안다만 제도【-諸島】〔Andaman〕명『지』미얀마의 남쪽 벵골 만 동부의 204개의 섬. 열대 밀림으로 덮여 있으며, 야자나무·커피·고무 등을 재배하나 주산물은 임산물임. 근년에 이르기까지 석기(石器)를 사용한 미개한 네그리토(Negrito) 계통의 원주민과 인도 이주민(移住民)이 살고 있음. 남쪽의 니코바르 제도와 함께 인도 연방 정부 직할령(直轄領)으로 되어 있음. 1858-1945년까지 유형지(流刑地)였음. 주도는 포트블레어(Port Blair). [8,249 km^2: 158,000명(1981)]

안:다미 명 안담(按擔). ——-하다 타여불

안:다미-로 부 담은 것이 그릇에 넘치도록 많이. 넘치게. ¶국수를 ~ 담다 / 입잔에다 ~ 탁배기를 따라부었다《金周榮 : 客主》.

안:다미-시키다 타 ☞안다미 씌우다.

안:다미 씌우다〔-씨-〕타 제가 담당할 책임을 남에게 지우다. ¶상인에게 ~. 준다미 씌우다.

안다미-조개 명『조개』꼬막.

안단테〔이 andante〕명『악』①'천천히'·'느린 속도로'의 뜻. 모데라토(moderato)와 아다지오(adagio)의 중간 속도. ②소나타 등의 느린 악장.

안단테 칸타빌레〔이 andante cantabile〕명 ①『악』'느린빠르기로 노래하듯이'의 뜻. ②차이코프스키의 현악 사중주곡 제1번의 제2 악장의 이름.

안단테 콘 모토〔이 andante con moto〕명『악』'안단테보다 조금 빠르게'·'느리게, 그러나 활발하게'의 뜻.

안단티노〔이 andantino〕명『악』①'안단테보다 빠르게, 조금 느리게'의 뜻. ②안단티노의 곡(曲).

안달[1] 명 조급하게 걱정하면서 속을 태우는 것. ¶~이 나서 견디지 못하다. ——-하다 자여불

안-달[2]〔-딸〕명 바로 전 달.

안달[3]【安達】명『지』'안다'를 우리 음으로 읽은 이름.

안달루시아〔Andalusia〕명『지』스페인의 최남단, 지중해에 면한 곡창 지대(穀倉地帶). 유럽에서 겨울이 가장 온화한 곳으로, 오렌지·포도·사탕수수·바나나·커피 등을 재배하며, 소수의 지주에 의한 대토지 소유제가 유명함. 중세 아라비아인의 스페인 지배의 근거지로, 많은 사라센 왕조가 흥망을 되풀이한 곳임.

안달루시안〔Andalusian〕명『조』스페인의 안달루시아 지방 원산인 난용종(卵用種) 닭의 일종.

안달-뱅이 명 ①걸핏하면 안달하는 사람. ②소견머리 좁고 인색한 사람. 준안달이.

안달복달-하다 자여불 매우 안달하다. ¶애가 타서 ~.

안달-이 명 ↗안달뱅이.

안-담[1]【安曇】명『사람』조선 시대 전기(前期)의 학자. 자(字)는 태허(太虛), 호는 송애(松厓). 광주(廣州) 사람. 조광조(趙光祖)의 문인(門人). 글씨를 잘 썼음.

안:담[2]【按擔】명 남의 책임을 맡아 짐. 안다미. ¶자네 까닭이라고 ~할 거 무어 있나, 탓하려면 일수 그른 탓이니 하지《洪命憙 : 林巨正》. ——-하다 타여불

안답씨다 형〈옛〉속이 답답하다. ¶그야ᄋᆞ로 여러 날 ᄉᆞ니 보낼씨 迦尸王이 안답껴 惑心ᄋᆞᆯ 니ᄅᆞ와다《月釋 Ⅶ:16》.

안-당[1]【-堂】〔-땅〕명『민』정당(正堂).

안-당[2]【安瑭】명『사람』조선 시대 전기의 문신. 자(字)는 언보(彥寶), 호는 영모당(永慕堂). 순흥(順興) 사람. 성종(成宗) 13년(1481) 문과에 급제, 사관(史官)이 되고, 대사간(大司諫)·이조 판서·우의정·좌의정에 오름. 중종 16년(1521) 신사 무옥(辛巳誣獄)에 사사(賜死)됨. 정몽주(鄭夢周)의 소릉(昭陵) 종사(從祀)를 복구하고, 김굉필(金宏弼)·정여창(鄭汝昌)에 대한 추증(追贈) 등을 건의했음. 시호(諡號)는 정민(貞愍). [1460-1521]

안:당[3]【雁堂】명 불상(佛像)을 안치(安置)하는 당(堂). 당이 안자형(雁字形)이므로 이름. 불당(佛堂).

안당 사:경【-堂四更】〔-땅-〕명『민』밤 사경(四更)에 하는 실력굿의 거리.

안:대[1]【案對】명 두 사람이 마주 대함. ——-하다 자여불

안:대[2]【眼帶】명『의』눈병에 걸렸을 때나 눈을 가릴 필요가 있을 때, 대고 눈을 가리는 가제 등의 천조각.

안-대문【-大門】〔-때-〕명 바깥채와 안채 사이에 있는 대문.

안-댁【-宅】〔-땍〕명 남의 부인에 대한 경칭.

안데르센〔Andersen, Hans Christian〕명『사람』덴마크의 동화(童話) 작가이며 시인인 '아네르센(Andersen)'의 영어식 이름. 서정적인 서술로 그려진 아름다운 환상의 세계와 인본주의적 인간애(人間愛)에 넘치는 수많은 걸작 동화를 내었음. 대표작에 《즉흥 시인》·《그림 없는 그림책》 등이 있음. [1805-75]

안데르센 넥쇠〔Andersen Nexö, Martin〕명『사람』넥쇠(Nexö).

안데르손〔Andersson, Johan Gunnar〕명『사람』스웨덴의 지질학자·고고학자. 중국 지질 조사소의 광정(鑛政) 고문으로 중국에 머무르면서 중국의 지질·고생물 연구에 종사, 특히 저우커우뎬(周口店) 동굴 유적의 발견, 양사오(仰韶) 주거터의 발굴, 간쑤(甘肅)·칭하이(青海) 방면에서의 채도(彩陶) 유적을 조사하는 등 선사(先史) 시대의 유적·유물 조사에 눈부신 업적을 쌓음. 저서에 《황토 지대(黃土地帶)》 등이 있음. [1874-1960]

안데스 공:동 시:장【-共同市場】〔Andes〕명〔Andean Common Mar-

ket; ACM〕〖경〗 콜롬비아·에콰도르·페루·볼리비아·칠레의 안데스 제국(諸國)에 의해서 1969년 10월에 발족한 지역적 경제 통합. 본부는 리마(Lima). 라틴 아메리카 자유 무역 연합이 역내(域內) 선진국인 아르헨티나·브라질·멕시코에 유리하다는 문제 의식에서 안데스 제국이 결속한 것임. 1973년에 베네수엘라가 가맹하고 멕시코도 준(準)회원국이 되었으나 1976년 칠레가 탈퇴함.

안데스 산맥【—山脈】〔Andes〕 명 〖지〗 남아메리카 대륙 서부에 있는 세계에서 가장 긴 산맥. 푸에고(Fuego) 섬에서 태평양안(太平洋岸)에 연하여 카리브 해안에 이르며, 파나마 지협에서 북미의 로키 산맥과 이어짐. 화산을 동반한 높은 산이 많고, 기후적으로는 고도차(高度差)가 심하지만 해발 3,000 m 지점에서는 농업·축산이 행해지고 주변에서는 구리·은·주석 등의 광산물도 많이 산출함. 최고봉은 6,960 m의 아콩카과 산(Aconcagua山).

안뎡 명 〈옛〉 기드림. ¶ 안뎡 유(綏)《類合 下 22》.

안-도[1]【安島】 명 〖지〗 전라 남도의 남해상(南海上), 여수시(麗水市) 남면(南面) 안도리(安島里)에 위치한 섬. 금오도(金鰲島)의 동남쪽에 있음. 김과 굴의 양식업(養殖業)과 수산 가공업(水産加工業)이 활발함. [3.96 km^2 : 1,777 명(1984)]

안도[2]【安堵】 명 ①사는 곳에서 평안히 지냄. ②마음을 놓음. ¶ ~의 한숨을 쉬다. ——-하다 자여불

안:도[3]【眼到】 명 주희(朱熹)의 독서 삼도(讀書三到)의 하나. 글을 읽을 때에는 눈을 집중시키는 일.

안도-감【安堵感】 명 편안한 느낌. 안심한 느낌. 안심감(安心感).

안도-권【安導券】[—꿘] 명 안전 통행증.

안도라〔Andorra〕 명 〖지〗 프랑스와 스페인의 국경, 피레네 산맥 가운데 있는 작은 공화국. 또, 그 수도. 28명으로 구성되는 총평의회가 입법권을 가지며, 외교권은 프랑스가 대행함. 연간 8백만을 넘는 관광객으로부터의 수입이 주요 재원임. 공용어는 카타로니아어(語)이며, 프랑스어와 스페인어도 쓰임. 군대가 없음. 정식 명칭은 '안도라 공국(公國)(Principality of Andorra)'. [453 km^2 : 70,000 명(1995 추계)]

안:독【案牘】 명 ①문안(文案)과 간독(簡牘). ②관청의 문서.

안-돈[1] [—똔] 명 여자들이 가지고 있는 소액(少額)의 돈.

안돈[2]【安敦】 명 〖사람〗 '안토니누스(Antoninus)'의 한자(漢字) 표기.

안돈[3]【安頓】 명 사물을 잘 정돈함. ——-하다 타여불

안-돈이【安敦伊】 명 〖사람〗 '다블뤼(Daveluy)'의 한국명.

안:-돌이 명 험한 벼랑길에 바위 같은 것을 안고 겨우 돌아가게 된 곳. ↔지돌이.

안:돌잇-길 명 안돌이로 된 길. ¶ 마을에서 곧장 샛길로 들어서지 말고 샛길 못 미쳐 ~로만 올라오면 감쪽같지요《金周榮 : 客主》.

안동[1]【安東】 명 〖지〗 경상 북도의 한 시(市). 1읍(邑) 13면(面) 18동(洞). 북쪽은 영주시(榮州市)와 봉화군(奉化郡), 동쪽은 영양군(英陽郡)과 청송군(靑松郡), 남쪽은 청송군과 의성군(義城郡), 서쪽은 예천군(醴泉郡)과 의성군에 접함. 고려에서 조선 시대에 걸쳐 지방 정치의 중심지였고, 대도호부(大都護府)가 설치되기도 하였음. 농산·공산·임산·축산 등이 있고 안동 삼베·안동 소주가 유명함. 명승 고적으로는 영호루(映湖樓)·칠층 전탑(七層塼塔)·임청각(臨淸閣), 오층 전탑, 삼층 석탑(石塔)·서악사(西嶽寺)·법룡사(法龍寺)·광흥사(廣興寺)·봉정사(鳳停寺)·제비원(院) 미륵(彌勒)·도연(陶淵) 폭포·선어대(仙魚臺)·도산 서원(陶山書院)·병산(屛山) 서원·학가산(鶴駕山) 5층 전탑(塼塔) 등이 있으며 하회(河回)탈은 유명함. 1995년 1월, 안동군과 통합, 개편됨. [1,517.77 km^2 : 192,472 명(1996)]

[안동읍(邑) 장(場)은 삼(三)껑이면 파한다] 안동말의 존대말, 물음끝어미는 '-꺼, -껑'으로 끝나는데, 장꾼들이 만나면 '왔니껑, 장 다 봤니껑, 이제 가니껑'의 세 '껑'으로 인사를 한다는 말.

안동[2]【安東】 명 〖지〗 '단둥(丹東)'의 옛 이름인 '안둥(安東)'을 우리 음으로 읽은 이름.

안:동[3]【眼同】 명 ①사람을 따르게 하거나 물건을 지니고 감. ¶ 계집종을 ~하고 시누이 문병을 가다. ¶ 노무의 장래가 유망한 줄 알고 재산 얼마까지 ~하여 노무에게 약혼을 하고…《隱菊散人 : 누구의 죄》. ②입회인(立會人). ——-하다 타여불

안동-군【安東郡】 명 〖지〗 경상 북도에 속했던 군. 1995년 1월, 안동시에 통합됨.

안:동 답답이【按棟沓沓—】 명 기둥을 안은 것처럼 가슴이 답답한 모양.

안동 대학교【安東大學校】 명 국립 종합 대학교의 하나. 1979년 3월에 설립됨. 소재지는 경상 북도 안동시 송천동.

안동 댐【安東—】〔dam〕 명 경상 북도(慶尙北道) 안동시(安東市) 상아동(象牙洞) 낙동강 본류(洛東江本流)에 위치하는 다목적 사력식(砂礫式) 댐. 높이 83 m, 저수량(貯水量) 12억 4천 800만 톤, 만수 면적(滿水面積) 51.5 km^2, 양수 겸용(揚水兼用)인 수력 발전소(水力發電所)는 시설 용량(施設容量) 9만 kW임. 낙동강 하류 지역의 홍수 조절과 용수 공급을 담당함. 1976년 10월 준공됨.

안동 도호부【安東都護府】 명 〖역〗 668년 고구려가 망한 뒤에, 그 영토를 다스리기 위하여 평양에 두었던 당(唐)나라의 통치 기관. 설인귀(薛仁貴)가 도호로 임명되어 약 2만의 병력을 주둔시켜 약 10년 동안 유지하였으나, 고구려 유민의 독립 운동과 신라의 통일 운동으로 위축하여 패퇴를 거듭하다가 신라 문무왕(文武王) 때 677년경 지금의 선양(瀋陽)으로 후퇴하였음. *구도독부(九都督府).

안:-동맥【眼動脈】 명 〖생〗 내경(內頸) 동맥으로부터 시(視)신경 구멍의 바깥 아래쪽으로 통하여 눈구멍 안으로 들어가서 퍼진 동맥.

안동 신세동 칠층 전탑【安東新世洞七層塼塔】 명 〖지〗 경상 북도 안동시(安東市) 신세동(新世洞)에 있는, 우리 나라에서 가장 크고 오래 된 탑. 높이 17 m로 통일 신라 때 건립됨. 본디 2층 기단(基壇) 위에 세워진 것인데, 하층 기단에 팔부 신장상(八部神將像)을 양각하고 각 층의 탑신은 회흑색 벽돌로 쌓았음. 조선 성종(成宗) 18년(1487)에 개축함. 국보 제16호.

안동 자:청【安東紫靑】 명 〖문〗 고려 가요의 하나. 작자·제작 연대 미상. 여자가 한 번 정절(貞節)을 잃으면 실이 잡색이 섞인 듯이 순결하지 못하다는 내용의 노래였다고 《고려사》 악지(樂志)에 기록되어 있는데, 원노래는 전하지 아니함.

안-동정 [—똥—] 명 안깃에 덧댄 동정.

안동-포【安東布】 명 경상 북도 안동 지방에서 나는 베.

안동 하회 마을【安東河回—】 명 〖지〗 경상 북도 안동시(安東市) 풍천면(豐川面) 하회리(河回里)에 있는 민속(民俗) 마을. 풍산 유씨(豐山柳氏)의 동족(同族)마을로, 조선 전기 이후의 가옥군(家屋群), 별신(別神)굿의 전승(傳承) 등으로 중요 민속 자료 122호로 지정되었음.

안-되다 ㊀ 자 ↗아니 되다. ㊁ 형 섭섭하거나 가엾고 애석한 느낌이 있다. ¶ 섭섭히 보내니 어찌나 안되었는지.

[안 되는 놈은 두부에도 뼈라] '계란에도 유골(有骨)이라'와 같은 뜻. [안 되는 놈은 뒤로 넘어져도 코가 깨진다] 운수가 사나운 사람은 갖은 일에 마(魔)가 낀다는 말. [안 되면 조상 탓; 안 되면 산소 탓] 제가 잘못하고도 반성하지 않고 남을 원망함을 이르는 말.

안:두【案頭】 명 책상 머리.

안두리 기둥 명 〖건〗 건물의 안둘레에 돌려 세운 기둥. 내변주(內邊柱).

안둥〔安東〕 명 〖지〗 '단둥(丹東)'의 옛 이름. 우리 음 : 안동.

안-뒤꼍 [—뛰—] 명 안채 뒤에 있는 뜰이나 마당 또는 밭.

안-뒷간【—間】[—뒫—] 명 안채에 딸린 부녀자용의 뒷간. 내측(內厠).

[안뒷간에 똥누고 안아가씨더러 밑씻겨 달라겠다] 염치 없고 채신 없음이 지나칠 정도로 심한 일을 두고 하는 말.

안드라 왕국【—王國】〔Andhra〕 명 〖역〗 인도의 왕국. 기원전 3세기 말에서 기원 3세기 전반에 데칸 고원(高原)을 지배했던 안드라인의 왕국. 아리안(Aryan)계의 마하라슈트리족(Mahārāshtri族)이 안드라인(人)을 정복하여 세웠다고도 함. 로마와의 무역이 성하고 불교 활동도 활발하여 유적(遺跡)이 많음. 왕조명(王朝名)은 사타바하나(Sātavāhana)라 일컬음. *사타바하나 왕조.

안드라-프라데시〔Andhra Pradesh〕 명 〖지〗 인도의 남동부, 벵골 만(灣)에 면한 주(州). 쌀·밀·면화의 산지임. 주도는 하이데라바드(Hyderabad). [278,810 km^2 : 53,404,000 명(1981)]

안드러【向立】 〈이두〉 하려고.

안-드러냄표【—標】 명 문장 부호(文章符號)에서, 숨김표·빠짐표·줄임표의 총칭. 잠재부(潛在符).

안드레〔Andreas〕 명 〖성〗 예수의 12 제자 중의 한 사람. 사도 베드로의 동생으로, 본디 갈릴리 바다에서 어부 생활을 했으나 예수의 감화로 제자가 되고, 형 베드로도 예수에게 인도했음.

안드레예프〔Andreev, Leonid Nikolaevich〕 명 〖사람〗 러시아의 소설가(小說家)·극작가. 처음에는 현실 생활에서 취재하였으나 후에 신비주의로 전환함. 주저는 소설 《붉은 웃음》, 희곡 《인간의 일생》 등임. 10월 혁명 후는 국외로 망명함. [1871-1919]

안드로겐〔androgen〕 명 〖화〗 남성 호르몬 및 그 화학 구조에는 관계없이 이와 같은 생리 작용을 갖는 물질의 총칭. 남성화 물질.

안드로마케〔Andromache〕 명 〖신〗 그리스 신화에 나오는 트로이 전쟁의 영웅 헥토르(Hector)의 아내. 트로이 전쟁에서 일족이 멸망하자 전리품으로서 네오프톨레모스(Neoptolemos)의 첩이 된 비극의 여성임. 에우리피데스(Euripides)·라신(Racine, J.B.) 등의 희곡으로 유명함.

안드로메다〔Andromeda〕 명 〖신〗 그리스 신화 중의 인물. 에티오피아의 왕녀. 케페우스(Cepheus)와 카시오페이아(Kassiopeia)의 딸. 바다의 신 포세이돈(Poseidon)의 노여움을 사서 바다의 괴물에 희생되기 위해 바위 절벽에 사슬로 매어달린 것을 페르세우스(Perseus)가 괴물을 죽이고 구하여 아내로 삼았음. 후에 별자리가 됨.

안드로메다-관【—管】 명 〔Andromeda tube〕 컬러 텔레비전용 수상관(受像管)의 하나. 형광체 선상(螢光體線上)을 주사(走査)하는 빔(beam)이 선(線)에서 벗어나는 것을 검지(檢知)하여 이를 귀환 제어(歸還制御)에 의하여 자동적으로 환원(還元), 발광색(發光色)이 가장 알맞도록 제어하는 것.

안드로메다 대:성운【—大星雲】〔Andromeda〕 명 〖천〗 '안드로메다 은하(銀河)'를 안드로메다 성운이라 불렀을 때 그 규모가 크다 하여 일컫던 이름.

안드로메다 성운【—星雲】 명 〔Andromeda Nebula〕〖천〗 '안드로메다 은하(銀河)'가 우리 은하에 속한 천체라고 생각했을 때의 이름.

안드로메다 은하【—銀河】 명 〔Andromeda Galaxy〕〖천〗 안드로메다자리 뉴성(ν星) 근처에서 볼 수 있는 소용돌이형(型) 은하. 태양계가 속해 있는 우리 은하계(銀河系)에서 비교적 가까운 약 230만 광년 거리에 있으며, 약 2,000억 개의 별들로 이루어짐. 육안으로 보이는데 크기는 우리 은하계와 거의 같으며 전체로서의 광도(光度)는 태양의 200억 배, 절대 등급은 −20 등임. 근처에 M 32 및 NGC 205의 두 외부(外部) 은하가 있는데, 이들과 우리 은하와 함께 국부 은하군(局部銀河群)을 이룸. 안드로메다 성운. 안드로메다 대성운. *국부 은하군.

안드로메다-자리〔Andromeda〕 명 〖천〗 북천(北天)에 있으며 초겨울의 저녁때 천정(天頂)에 오는 별자리. 알파성(α星)은 페가수스(Pegasus)의 사변형의 일각을 이루고 있음. 중간 부분에 안드로메다 은하가 보임. 그리스 신화의 안드로메다 공주의 이름에서 유래함. *안드로메다 은하.

안드로스 섬〔Andros〕 명 〖지〗 에게 해(Aegae海) 중부, 그리스의 키

클라데스(Kyklades) 제도 북단(北端)에 있는 섬. 산(山)이 대부분(大部分)으로 포도주를 산출(產出)함. 동안(東岸)에 안드로스 마을이 있음. [381 km^2 : 8,400 명(1980 추계)]

안드로스테론 〔androsterone〕 명 〖생〗 1931년 독일의 생화학자 부테난트(Butenandt, A.F.J.)가 남자의 오줌에서 추출한 남성 호르몬의 일종. 유고슬라비아 태생 스위스의 유기 화학자 루지치카(Ružička, L.)가 합성에 성공하였음. 내복·주사에 의하여 남성 형질(形質)을 강대하게 함. 녹는점 183°C. [$C_{19}H_{30}O_2$]

안드로이드 〔android〕 명 사람과 모습이 같고 우수한 전자 두뇌를 가져 행동도 같이 하는 로봇. SF 소설 등에 나옴. 그리스어 andrós(사람, 남성)의 합성어로, 휴머노이드 로봇(사람을 닮은 로봇)의 일종.

안드로포프 〔Andropov, Yuri V.〕 명 〖사람〗 소련의 정치가. 1939년 공산당 입당, 1954년 헝가리 대사(大使), 1962년 당 서기, 1973년 정치국원 겸 국가 안전 보장 위원회(KGB) 의장이 됨. 1982년 브레즈네프가 죽자 소련 공산당 서기장으로, 다음 해에 소련 최고 회의 간부 회의 의장 곧, 국가 원수로 선출됨. [1914-84]

안드리치 〔Andrić, Ivo〕 명 〖사람〗 유고슬라비아의 작가(作家). 보스니아(Bosnia) 독립 운동에 참가, 뒤에 외교관이 되어 이탈리아 등에 주재함. 제2차 세계 대전중에는 나치스 점령하의 베오그라드에서 고향 보스니아를 무대로 하는 삼부작(三部作)을 쓰고 전후에 발표함. 그 제1부에 해당하는 ≪드리나 강(Drina 江)의 다리≫로 1961년 노벨 문학상을 수상함. 주저는 ≪트라브니크 연대기(年代記)≫. [1892-1975]

안득 부 〈옛〉 아니. ¶월비又 안득 비(非)≪字會 下 29≫.

안-득불연 【安得不然】 명 어찌 그러하지 않겠느냐의 뜻.

안들[1] 명 〈방〉 아낙네들(경상).

안들[2] 【不多】 〈이두〉 아니.

안들고 【不多遣】 〈이두〉 하지 않고.

안들시견을안 【不多令是在乙良】 〈이두〉 시키지 않거든.

안들시기고 【不多令是遣】 〈이두〉 시키지 않고.

안들시기며 【不多令是旀】 〈이두〉 시키지 않으며.

안들얏다온견여 【不多行如乎在亦】 〈이두〉 하지 않았다니.

안들어 【向入】 〈이두〉 하려고.

안들어견을안 【向入在乙良】 〈이두〉 하려고 하거든.

안들을안 【不多乙良】 〈이두〉 하지 않으면.

안들을지즈로 【不多乙仍于】 〈이두〉 하지 않으므로.

안들이산이시고 【不多敎是遣】 〈이두〉 말씀하시지 않고.

안들제 【不多齊】 〈이두〉 하지 않는다.

안들하거나 【不多爲去乃】 〈이두〉 하지 않거나.

안들하거든 【不多爲去等】 〈이두〉 하지 않거든.

안들하견 【不多爲在】 〈이두〉 하지 않는.

안들하견은 【不多爲在隱】 〈이두〉 하지 않으면은.

안들하견을 【不多爲在乙】 〈이두〉 하지 않거늘.

안들하견을안 【不多爲在乙良】 〈이두〉 하지 않거들랑.

안들하견을안두 【不多爲在乙良置】 〈이두〉 하지 않더라도.

안들하견이시과 【不多爲在是果】 〈이두〉 하지 않는 것이라고. 하지 않은 것이라고.

안들하고 【不多爲遣】 〈이두〉 하지 않고.

안들하기암 【不多爲只爲】 〈이두〉 하지 않기로.

안들하누온바 【不多爲臥乎所】 〈이두〉 하지 않는 바.

안들하누온일싼 【不多爲臥乎事段】 〈이두〉 하지 않는 일은.

안들하며 【不多爲旀】 〈이두〉 하지 않으며.

안들하삽거든 【不多爲白去等】 〈이두〉 하지 않으시거든.

안들하삽빗곤 【不多爲白有昆】 〈이두〉 하지 않으셨으니.

안들하야 【不多爲】 〈이두〉 하지 않아서.

안들하야두 【不多爲良置】 〈이두〉 하지 않더라도.

안들하얏누온일 【不多爲行臥乎事】 〈이두〉 하지 않은 일.

안들하오되 【不多爲乎矣】 〈이두〉 하지 않되.

안들하온일 【不多爲乎事】 〈이두〉 하지 않은 일.

안들하온일싼 【不多爲乎事段】 〈이두〉 하지 않은 일은.

안들하온일이거이시견들로 【不多爲乎事是去有在等以】 〈이두〉 하지 않은 일이었으므로.

안들하올일 【不多爲乎事】 〈이두〉 하지 않을 일.

안들하올일싼 【不多爲乎事段】 〈이두〉 하지 않을 일은.

안들하올일이거이시견들로 【不多爲乎事是去有在等以】 〈이두〉 하지 않을 일이었으므로.

안들하이시과 【不多爲是果】 〈이두〉 하지 않는 것이라고.

안들하잇견을안 【不多爲有在乙良】 〈이두〉 하지 않았으면.

안들하잇고 【不多爲有遣】 〈이두〉 하지 않았고.

안들하잇다가 【不多爲有如可】 〈이두〉 하지 않았다가.

안들하잇다온견여 【不多爲有如乎在亦】 〈이두〉 하지 않았다니.

안들하제 【不多爲齊】 〈이두〉 하지 않는다. 하지 않기로 한다.

-안디 어미 〈옛〉 -ㄴ지. ¶出家 호ᄆᆞ로브터 涅槃經 보안디 열히 나모딕(自出家覽涅槃經十載有餘)≪六祖 中 84≫.

안디옥 명 〖성〗 안티오크(Antioch).

안디잔 〔Andizhan〕 명 〖지〗 우즈베크 공화국의 도시. 면화 재배의 중심지이며, 석유·천연 가스가 풍부함. [238,000 명(1981 추계)]

안딕 부 〈옛〉 가장. =안직·안족. ¶이는 眞實로 모딘 새거긔 안딕 훈거시니 (玆實鷙鳥最)≪重杜諺 XVII:8≫.

안-뜨기 명 편물에서, 대바늘 뜨기의 하나. 겉뜨기의 안쪽과 같은 것으로 실을 앞에서 뒤쪽으로 끌어내어 코를 만들며 뜨는데, 겉 표면이 두껍고 오톨도톨하게 됨. ↔겉뜨기.

안-뜰 명 집의 안채에 있는 뜰. 내정(內庭). 안마당. ↔바깥뜰.

안락 【安樂】 [알—] 명 마음과 기운이 평안하고 걱정이 없어 즐거움. 강락(康樂). ¶~한 생활. ——-하다 형여불

안락-경 【安樂境】 [알—] 명 〖불교〗 고통이 없고 평화로우며 안온한 곳. 또, 그와 같은 경지.

안락-국 【安樂國】 [알—] 명 〖불교〗 극락 정토(極樂淨土).

안락-사 【安樂死】 [알—] 명 〔euthanasia〕 〖법〗 도저히 살아날 가망이 없는 병자에 대하여 본인 또는 가족의 요구에 따라, 고통이 적은 방법으로 죽음에 이르게 하는 행위. 위법성(違法性)의 조각(阻却)에 관한 법적 문제가 야기되는 경우가 있음. 안사술(安死術). ㊟안사(安死). ＊동의(同意) 살인죄.

안락 세:계 【安樂世界】 [알—] 명 〖불교〗 극락 세계(極樂世界).

안락 의자 【安樂椅子】 [알—] 명 팔걸이가 있고 용수철과 푹신한 물질을 많이 넣으며 뒤에 기댈 수 있게 된 큰 의자. 주로 휴식용으로 씀.

안락 정토 【安樂淨土】 [알—] 명 〖불교〗 극락 정토(極樂淨土).

안:래-홍 【雁來紅】 [알—] 명 〖식〗 색비름.

안:력 【眼力】 [알—] 명 눈으로 사물을 보는 힘. 시력(視力). 목력(目力). 안총(眼聰). 안세(眼勢).

안련 【安連】 [알—] 명 〖사람〗 '알렌(Allen)'의 한국명.

안:렴-사 【按廉使】 [알—] 명 〖역〗 ①고려 때의 지방 장관. 충렬왕(忠烈王) 2년(1276)에 안찰사(按察使)를 고친 이름. ②조선 초의 지방 장관. 태조 2년(1393)에 도관찰 출척사(都觀察黜陟使)로 고치고 태종(太宗) 원년(1401)에 다시 이 이름으로, 2년에 또 도관찰 출척사로 고쳤음.

안롱[1] 명 〈옛〉 담요. ¶ 우희 안롱으로 덥고(上頭着扱氈盖着)≪老乞 下 41≫.

안:롱[2] 【鞍籠】 [알—] 명 ①수레나 가마 등을 덮는 우비의 한 가지. 두꺼운 유지로 만들어 한쪽에 사자를 그림. ②〖역〗 장악원(掌樂院)·사복시(司僕寺) 등 여러 관청의 구실아치.

안:롱-장 【鞍籠匠】 [알—] 명 〖역〗 수레나 가마를 덮는 우비를 만드는 공장(工匠).

안뢰 【安賴】 [알—] 명 안심하고 의뢰함. ——-하다 타여불

안료 【顔料】 [알—] 명 〔pigment〕 ①물·기름 등에 녹지 않는 백색 또는 유색(有色)의 미세한 가루. 유기(有機) 안료와 무기(無機) 안료로 대별(大別)됨. 도료(塗料)·인쇄 잉크·화장품의 원료, 플라스틱·고무 등에 넣는 착색제(着色劑)로 씀. ＊화장품. ②그림 물감. 도료.

안:류 【晏留】 [알—] 명 〖사람〗 고구려의 재상(宰相). 고국천왕(故國川王) 13년(191)에 추천을 받아 발탁되어 국정을 맡게 되었으나, 사양하고 을파소(乙巴素)를 천거·등용케 함. 생몰년 미상.

안-릉 【安陵】 [알—] 명 〖역〗 조선 시대 태조의 고조모(高祖母)인 효공왕후(孝恭王后)의 능. 소재지는 함경 남도 함흥(咸興)의 덕릉(德陵)의 한 경내(境內)임.

안릉-전 【安陵奠】 [알—] 명 왕의 시체를 장사 지낼 때에 매장이 끝난 뒤에 제물을 차리고 지내는 제사.

안:마[1] 【按摩】 명 손으로 몸을 두드리거나 주물러서 피의 순환을 도와주는 일. 마사지. ——-하다 타여불

안:마[2] 【鞍馬】 명 ①체조 경기의 한 종목. 또, 그 기구. 몸체 위에 알루미늄이나 나무로 만든 두 개의 손잡이를 달아, 그 위에서 손잡이를 잡고 선회(旋回)·물구나무서기 등의 운동을 함. 몸체의 높이 1.1 m, 폭 35 cm, 길이 160 cm. 남자만이 하는 경기임. ②안장을 얹은 말. 안구마(鞍具馬).

〈안마[2]❶〉

안-마당 명 안채 앞에 있는 마당. 안뜰. ↔바깥마당.

안:마-도 【鞍馬島】 명 〖지〗 전라 남도 서해상(西海上), 영광군(靈光郡) 낙월면(落月面) 월촌리(月村里)에 위치(位置)한 섬. 굴비가 유명함. [6.01 km^2 : 800 명(1984)]

안-마루 명 집안의 안채에 놓은 마루.

안:마-사 【按摩士】 명 의료법의 규정에 따른 자격을 인정받고, 안마·마사지 또는 지압, 전기 기구의 사용, 그 밖의 자극 요법에 의해 인체에 대한 물리적 시술 행위를 함을 업으로 하는 사람.

안:마-술 【按摩術】 명 안마의 기술.

안:마지-로 【鞍馬之勞】 명 먼 길을 달려 가는 수고.

안:막 【眼膜】 명 〖생〗 각막(角膜).

안:막 은행 【眼膜銀行】 명 〖생〗 각막 은행(角膜銀行).

안-말이 명 머리털을 안으로 컬(curl)한 스타일. 모양의 변화는 다소 있으나 유행을 초월한 헤어 스타일임.

안-맞각 【—角】 명 〖수〗 내대각(內對角).

안-맥[1] 명 〖건〗 서까래나 부연(婦椽)이 도리나 평교대 안으로 들어간 부분.

안:맥[2] 【按脈】 명 맥을 짚어 봄. 혈액(血液)의 순환(循環)을 진찰(診察)함. ——-하다 자여불

안:맹 【眼盲】 명 눈이 멂. ——-하다 자여불

안-맹(:)담 【安孟聃】 명 〖사람〗 조선 시대 초기의 서예가(書藝家). 자(字)는 덕수(德壽). 죽산(竹山) 사람. 세종(世宗)의 사위. 초서(草書)를 잘 쓰고, 음률(音律)·약물(藥物)에도 통달했음. 시호는 양호(良孝). [1415-62]

안-면[1] 【—面】 명 내면(內面).

안면[2] 【安眠】 명 편안히 잠을 잠. 안침(安寢·安枕). ¶~ 방해. ——-하다 자여불

안면[3] 【安眠】 명 〖지〗 충청 남도 태안군(泰安郡)의 한 읍(邑). 안면도(島)의 약 3/4을 차지함. [12,781 명(1990)]

안:면[4] 【晏眠】 명 아침 늦도록 잠을 잠. 늦잠을 잠. ——-하다 자여불

안면[5] 【顔面】 명 ①얼굴. 면(面). ②서로 알 만한 친분. ¶~이 넓다/~은 있다.

안면(을) 바꾸다 [구] 잘 알던 사람을 새삼스럽게 좋지에 짐짓 모른 체하다.

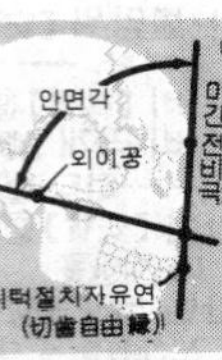

〈안면각〉

안면-각【顔面角】[명]〖생〗인류학이나 해부학에서 쓰이는 용어. 옆에서 본 얼굴의 턱의 돌출 상태를 수량적으로 표시하는 한 방법. 미간(眉間)에서 위턱에 이르는 직선과 코의 기저(基底)에서 이공(耳孔)의 중심에 이르는 직선이 이루는 각도로 그 대소에 의하여 지능 지수(知能指數)를 판단함. 유럽 사람은 85-90°, 몽고인은 75°, 흑인은 70-72°이며, 동물은 더욱 작음.

안면-골【顔面骨】[명]〖생〗얼굴을 형성하는 뼈의 총칭. 얼굴뼈.

안면-근【顔面筋】[명]〖생〗얼굴에 있는 근육의 총칭.

안면-도【安眠島】[명]〖지〗충청 남도 태안군(泰安郡)에 속하는 섬. 안면읍(邑)과 고남면(古南面)으로 이루어졌으며, 솔밭이 울창하여 경치가 아름답고, 연안에서는 어업이 성하여 갈치·새우·조기 등의 어획이 많음. 1974년 육교(陸橋)로 육지와 연결됨. [87.96 km²]

안면 두개골【顔面頭蓋骨】[명]〖생〗척추 동물의 머리 골격의 한 부분. 비강(鼻腔)·구강(口腔)·인두(咽頭)의 일부에 걸치는 뼈. 15개의 뼈가 봉합(縫合) 또는 관절에 의하여 결합되어 있음. 얼굴뼈. *뇌두개골(腦頭蓋骨).

안면 박대【顔面薄待】[명] 잘 아는 사람을 면대하여 푸대접함. ¶그 친구가 나를 ~하다니. ——하다 [타][여불]

안면 방해【安眠妨害】[명] 남이 잠잘 때에 요란스럽게 굴어서 잠을 방해하는 짓. ¶~죄. ——하다 [자][여불]

안면 백선【顔面白癬】[명]〖의〗안면에 생기는 백선. 곧, 버짐.

안면 부지【顔面不知】[명] 얼굴을 모름. 또, 그 사람. ¶그 사람과 나는 ~이다.

안면 시:수【顔面示數】[명]〖생〗관골궁 최대폭(顴骨弓最大幅)에 대한 안면 고경(高徑)의 백분율. 형태(形態) 안면 시수 84 미만은 광안(廣顔), 84-88은 중안(中顔), 88 이상은 협안(狹顔)임. 시수가 크면 클수록 얼굴이 길. 시수의 대소는 인종 형질(人種形質)의 특색의 일면을 나타냄. 안시수(顔示數).

안면 신경【顔面神經】[명]〖생〗뇌신경의 한 부분. 주로 안면근에 분포되어 안면근의 운동 및 침의 분비와 미각 등을 맡아 보는 운동신경임. 제7 뇌신경.

안면 신경 마비【顔面神經痲痺】[명]〖의〗안면 신경이 마비되어 한쪽 입술이 비뚤어지고 안면이 좌우 불균형을 이루어 한 눈을 감기가 어려워지거나 뜬 채로 닫지 못하게 되며, 미각 장애·눈물 또는 침의 분비 장애 등이 일어나는 뇌신경 마비의 하나. 감기·중이염(中耳炎)·매독·디프테리아 등에 의함. *청신경 마비·삼차(三叉)신경 마비.

안면 신경통【顔面神經痛】[명]〖의〗안면에 일어나는 신경통. 동통(疼痛)은 발작성으로 격심하며 후두부·견갑부(肩胛部)에 반사됨. 삼차 신경통(三叉神經痛). [준]안면통(顔面痛).

안:면 치레【顔面—】[명] 안면만 있는 사람에게 차리는 체면.

안면-통【顔面痛】[명]〖의〗↗안면 신경통(顔面神經痛).

안면 파:열【顔面破裂】[명]〖의〗태어나면서부터의 얼굴의 기형. 구강(口腔)을 중심으로 일정 부위(部位)에 일정한 방향으로 째진 것. 그 전형(典型)으로 언청이가 있음.

안명¹【安名】[명]〖불교〗선종(禪宗)에서 새로이 득도 수계(得道受戒)한 자에게 처음으로 법명(法名)을 부여하는 일.

안명²【安命】[명] ①천명(天命)을 따르고 지킴. 분수를 지키고 거조(擧措)를 조심함. ②몸을 안전하게 함. ——하다 [자][여불]

안-명근【安明根】[명]〖사람〗독립 운동가. 안중근(安重根)의 종제(從弟). 국권 피탈 후, 만주에 무관 학교(武官學校)를 세우려고 자금을 조달중에 체포되고, 1910년 데라우치 마사타케(寺內正毅) 총독을 암살하려다 실패, 10년 만에 출옥한 후, 만주로 망명함. 생몰년 미상.

안명-법【安命法】[—뻡][명] 난 시(時)와 생월(生月) 따위로 몸의 안전을 점치는 법. 안명 안신(安命安身).

안-명세【安名世】[명]〖사람〗조선 시대 전기의 문신. 자(字)는 경응(景應). 순흥(順興) 사람. 중종 39년(1544) 문과에 급제, 검열(檢閱)·주서(注書)·정자(正字)를 역임함. 명종 3년(1548), 을사 사화(乙巳士禍)의 정상을 빠짐없이 시정기(時政記)에 적어 넣은 것이 화가 되어 사형을 당함. [1518-48]

안:명 수쾌【眼明手快】[명] 눈썰미가 있고 손이 매우 잽. ——하다 [형][여불]

안명 안신【安命安身】[명] 안명법(安命法).

안-명(:)열【安命說】[명]〖사람〗조선 시대 중기의 서예가(書藝家)·역관(譯官). 자(字)는 몽리(夢賚), 호는 수심암(睡心庵). 순흥(順興) 사람. 글씨에 뛰어남. [1697- ?]

안모【顔貌】[명] 얼굴 모양. 얼굴의 생김새.

안목¹ [명] 집의 칸살이나 그릇의 안으로 잰 척수(尺數).

안:목²【眼目】[명] ①사물을 보고 분별하는 견식. 면안(面顔). ¶~이 높다. ②주안(主眼).

안:목 소:견【眼目所見】[명] 안목 소시(所視).

안:목 소:시【眼目所視】[명] 남이 눈을 집중시켜 보고 있는 터. 안목 소견(所見).

안-무¹【安武】[명]〖사람〗독립 운동가. 본명은 병호(秉鎬). 경성(鏡城) 출신. 대한 제국 진위대(鎭衛隊) 교련관(敎鍊官)으로 있다가 국권 피탈이 되자, 만주 간도(間島)로 망명, 독립군 사령부(獨立軍司令部)를 창설, 1920년에 봉오동(鳳梧洞)에서 일본군과 접전, 120명을 사살하는 승리를 거둠. 1923년 국민군 사령관으로 중국 베이징(北京)에서 열린 국민대표 회의에 참석, 이듬해 용정(龍井)에서 일본 경찰대의 습격을 받아 관통상을 입고 체포되어 죽음. [1883-1924]

안:무²【按撫】[명] 백성의 사정을 살펴서 위무함. ——하다 [타][여불]

안:무³【按舞】[명]〖연〗가곡·가요에 따르는 무용의 형(型)이나 진행을 창안함. 또, 그것을 연기자에게 가르치는 일. ——하다 [자][여불]

안:무-가【按舞家】[명] 안무에 종사하는 사람.

안-무릎 [명] 씨름할 때에 오른손으로 상대편의 오른쪽 무릎을 힘껏 밀어젖히어 중심을 잃게 해서 넘어뜨리는 재주.

안:무-사【按撫使】[명]〖역〗①조선 시대 때 함경 북도 경성(鏡城) 이북의 열 고을을 다스리던 외관직(外官職). 조선 시대 말 고종(高宗) 20년(1893)에 두었다가 곧 폐함. 북감사(北監司). ②지방에 변란이나 재난이 있을 때 왕명으로 파견되어 백성을 안무하던 임시직.

안:무-영【按撫營】[명]〖역〗안무사의 영문(營門). 조선 시대 고종(高宗) 때 함경 북도 경성(鏡城)에 있었음.

안-문¹【—門】[명] ①안으로 통(通)하는 문. ②안쪽의 창이나 문. 1)·2): ↔바깥문.

안:문²【按問】[명] 법에 의해 조사하여 신문함. ——하다 [타][여불]

안:문³【案文】[명] ①문장을 생각함. ②초잡아 쓴 문서. 또, 문서를 초안함. ——하다 [자][여불]

안:문⁴【雁門】[명]〖불교〗안왕(雁王)의 법문(法門), 곧 불문(佛門). 불가「(佛家).

안:문⁵【雁門】[명]〖지〗중국 산시성(山西省)에 있는 높은 산에 뚫린 구멍. 그 산이 너무 높아서 북쪽으로 가는 기러기가 넘지 못하는 고로 한가운데 구멍을 뚫어서 길로 삼았다는 전설이 있음.

안문젼 [명]〈옛〉문지방. ¶안문젼 곤(閫)《類合 下 38》.

안:문-탄【眼紋炭】[명] [eye coal] 작은 원형 또는 타원형의 눈 모양의 무늬가 있는 석탄. 이 무늬는 빛에 반사하며, 층리면(層理面) 또는 층리에 직교(直交)하는 면에 평행하게 배열하고 있음. 「밀방아.

안:-물방아 [명] 물레바퀴의 가운데쯤에 물이 떨어지게 된 물레방아. *

안민【安民】[명] 민심을 어루만져 진정시킴. 백성이 안심하고 편히 살게 함. ——하다 [자][여불]

안민-가【安民歌】[명]〖문〗신라 경덕왕 23년(764)에 충담사(忠談師)가 치국 안민(治國安民)의 도리를 읊은 향가(鄕歌)의 하나. 삼국 유사(三國遺事)에 전함.

안-민영【安玟英】[명]〖사람〗조선 시대 말기의 가인(歌人). 자는 성무(聖武)·형보(荊甫), 호는 주옹(周翁)·구포 동인(口圃東人). 산수를 좋아하고 운유(雲遊)를 즐기며 명리(名利)를 구하지 아니하였음. 고종 13년(1876)에 스승 박효관(朴孝寬)과 더불어 《가곡 원류(歌曲源流)》를 편찬함. 저서로 《주옹 만록(周翁漫錄)》이 있으며, 그의 개인 가집인 《금옥 총부(金玉叢部)》와 《가곡 원류》·《시조 유취(時調類聚)》 등에 시조 185수가 전함. [1816-?]

안-민학【安敏學】[명]〖사람〗조선 시대 전기의 문신. 자(字)는 이습(而習), 호는 풍애(楓厓). 광주(廣州) 사람. 안담(曇)의 아들. 이이(李珥)의 문인으로, 제자 백가(諸子百家)에 통달하고 필법(筆法)이 뛰어났음. 임진 왜란이 일어나자 소모사(召募使)가 되어 군량(軍糧)의 수송을 맡음. 시호는 문정(文靖). 생몰년 미상.

안밀【安謐】[명] 조용하고 평안함. ——하다 [형][여불]. ——히 [부]

안반 [명] 떡을 칠 때에 쓰는 두껍고 넓은 나무판.

안반 같다 [구] 안반처럼 두껍고도 넓적하다. ¶안반 같은 얼굴 / 안반 같은 엉덩짝.

안-반상【—飯床】[—빤—][명]〖역〗궁중에서 대비(大妃)·왕비·공주 또는 옹주(翁主)에게 드리는 음식상. ↔바깥 반상.

안반-질 [명]〈방〉다듬이질(제주).

안반-짝 [명] '안반'의 힘줌말. ¶엉덩판이 ~만하다.

안반짝 같다 [구] 크기가 안반짝과 같다. 안반 같다. ¶안반짝 같은 엉덩이를 내두르고….

안:-받다 [자] ①부모가 뒷날에 자식으로부터 안갚음을 받다. ②어미 까마귀가 그 새끼에게서 먹이를 받다. *반포(反哺).

안:-받음 [명] 자식이나 새끼에게 베푼 은혜에 대하여 뒷날 그로부터 안갚음을 받는 일. *반포(反哺).

안밧 [명]〈옛〉안팎. ¶안밧 大小佛殿과(內外大小佛)《朴解 上 61》.

안-방【—房】[—빵][명] ①집 안채의 부엌에 달린 방. ②안주인이 거처하는 방. 내방(內房). 규방(閨房). 주부실(主婦室). 1)·2): ↔바깥방. *건넌방·사랑방.

[안방에 가면 시어미 말이 옳고 부엌에 가면 며느리 말이 옳다] ㉠각자 일리(一理)가 있어 그 시비를 가리기 어렵다는 말. ㉡누구나 자기 처지에서만 따진다면 잘못이란 있을 수 없다는 말.

안방 구석【—房—】[—빵꾸—][명]〈속〉'안방'을 집 전체 또는 집 밖에 상대하여 좁은 공간이라는 뜻으로 일컫는 말.

안방 극장【—房劇場】[—빵—][명]〈속〉안방에 앉아서 구경한다는 뜻으로 텔레비전, 특히 텔레비전 방송 드라마를 일컫는 말.

안방 마:님【—房—】[—빵—][명] 안방에 거처하며 가사(家事)의 대권(大權)을 거머쥐고 있는 옛날의 양반집의 마님을 일컫는 말.

안방 물림【—房—】[—빵—][명] 시어머니가 일정한 연령에 달하면 며느리에게 살림을 내어 주고 안방을 물려 주는 일.

안방 샌:님【—房—】[—빵—][명] 늘 안방에 들어박혀 좀처럼 바깥 출입을 않는 남자를 두고 하는 말. *아낙 군수.

안방 술집【—房—】[—빵—찝][명] ☞내외 술집.

안-방준【安邦俊】[명]〖사람〗조선 시대 중기의 학자. 자(字)는 사언(士彦), 호는 은봉(隱峰)·우산(牛山). 죽산(竹山) 사람. 임진 왜란·정묘 호란(丁卯胡亂)·병자 호란(丙子胡亂) 등 국난(國難)을 당할 때마다 의병(義兵)을 일으켰음. 효종(孝宗) 때, 지평(持平)·공조 참의(工曹參議)를 역임함. 성리학(性理學)에 밝았으며, 정몽주(鄭夢周)와 조헌(趙憲)을

가장 숭배하여 그 호(號)를 한 자씩 빌어 자신의 호로 삼았음. 시호는 문강(文康). [1573-1654]

안방 출장【一房出張】[一빵一짱] 명 〈속〉 서류상으로만 출장을 간 것으로 하여 출장 여비만 타고 제 집 안방에서 소일하는 편법(便法) 출장. 앉은뱅이 출장.

안:배[1]【按排·按配】명 알맞게 잘 배치함. 적당히 처리함. ¶좌석을 ~하다. ——-하다 타여불

안:배[2]【眼杯】명〖생〗발생의 초기에 간뇌(間腦)의 일부가 돌출하여 술잔처럼 되는 좌우 한 쌍의 개체. 발생이 진행됨에 따라 이것이 망막(網膜)이 됨. *안포(眼胞).

안:백【雁帛】명 안신(雁信).

안-번지기 [一뻔一] 명 씨름 재주의 한 가지. 자기의 오른쪽 다리를 상대편의 앞에 가까이 내어 디디고 공세를 막는 짓. ↔밭번지기.

안-벽[1]【一壁】[一뼉] 명 안쪽의 벽. 내벽. ↔겉벽·바깥벽.

[안벽 치고 밭벽 친다] ㉠겉으로는 도와 주는 체하고 속으로는 방해함을 이르는 말. ㉡이 편에 가서는 이렇게 말하고 저 편에 가서는 저렇게 말하여 둘 사이에 이간을 부린다는 말.

안:벽[2]【岸壁】명 ① 깎아지른 듯이 험한 물가. ②선박을 육지에 접근시켜 짐이나 사람의 승강에 편하도록, 부두 또는 항안(港岸)을 따라서 시설한 계선안(繫船岸). ¶배를 ~에 대다.

안변[1]【安邊】명 변방(邊方)을 편안하게 함. ——-하다 자여불

안변[2]【安邊】명〖지〗함경 남도 안변군의 군청 소재지. 사과·배의 산지이며 전에는 경원선(京元線)과 동해 북부선의 분기점이었음. 고려 때에는 등주(登州)라 하였고 일시 요진(要鎭)을 두었음.

안:변[3]【眼邊】명 눈언저리. 눈가.

안변-군【安邊郡】명〖지〗함경 남도의 한 군. 북은 덕원군(德源郡)과 동해, 동은 강원도 통천군(通川郡), 남은 강원도 회양군(淮陽郡)과 평강군(平康郡), 서는 강원도 이천군(伊川郡)에 접함. 각종 농산과 임산·광산·공산·축산 등이 있고, 명승 고적으로는 석왕사(釋王寺)·삼방 약수(三防藥水)·지릉(智陵)·학가루(鶴駕樓)·학성산성(鶴城山城) 등이 있음. [1,159 km²]

안변 평야【安邊平野】명〖지〗함경 남도 안변의 남대천(南大川) 유역에 전개된 평야. 함경 남도 평야의 일부분으로 동북부 지방의 미작(米作) 지대의 일부를 차지함. 쌀 외에 콩과 사과·배의 과수 원예로 유명함.

안:병[1]【按兵】명 군대의 진군(進軍)을 누름. 군대를 한 곳에 멈추게 하고 발병(發兵)하지 않음.

안:병[2]【眼柄】명 [optic stalk]〖동〗눈자루❷.

안:병[3]【眼病】[一뼝] 명 안질(眼疾). 눈병.

안-병(:)소【安柄玿】명〖사람〗바이올리니스트. 서울 출신. 베를린 국립 음악 대학을 나와, 독주가로 활약했으며, 해방 후에 연악원(硏樂院)을 설립하여 후진을 양성함. [1911-79]

안-병(:)찬【安秉瓚·安炳瓚】명〖사람〗독립 운동가·변호사. 자는 치규(穉圭), 호는 규당(規堂). 순흥(順興) 사람. 을사 조약(乙巳條約)이 체결되자 의병(義兵)을 일으켜 옥고(獄苦)를 치름. 변호사가 되어, 융희(隆熙) 3년(1909) 안중근(安重根)의 공판(公判)에 무료로 변호를 담당하고, 3·1 운동 후 만주로 망명, 대한 청년단(大韓靑年團)을 조직, 총재(總裁)가 되었으나, 체포되어 평양으로 압송(押送)됨. 1920년 상하이(上海)로 가서 임시 정부 법무부 차장에 임명되고, 이듬해 공산당으로 전향(轉向), 모스크바의 레닌 정부(政府)로부터 독립 운동 자금을 원조받고 돌아오다가 반대파 공산당원에게 암살당함. [1854-1921]

안보[1]【安步】명 천천히 걸음. 조용조용히 걸음. ——-하다 자여불

안보[2]【安保】명〖정〗①↗안전 보장(安全保障). ¶~ 교육. ②↗국제 연합 안전 보장 이사회(國際聯合安全保障理事會).

안보[3]【安寶】명 임금이 옥새(玉璽)를 찍음. ——-하다 자여불

안:보[4]【雁報】명 안신(雁信).

안보-리【安保理】명 ↗안전 보장 이사회.

안보 이:사회【安保理事會】명〖정〗↗국제 연합 안전 보장 이사회.

안복【安福】명 안정되고 행복함. ——-하다 형여불

안-복사뼈 명 발목 안쪽에 자리한 복사뼈. ↔밖복사뼈.

안복-파【安福派】명〖역〗안푸 파.

안:본【贋本】명 위조한 책. ↔진본(眞本).

안-봉투【一封套】명 두 겹으로 된 봉투의 속에 든 얇은 봉투. ↔겉봉투.

안부[1]【安否】명 ①편안함과 편안하지 않음. 안전함과 위태로움. ¶그의 ~는 아직 알 수 없다. ②무사함과 무사하지 않음. 나아가서 일상(日常)의 동정(動靜)·소식을 말함. 또, 그에 대한 인사(人事). ¶~를 묻다. ——-하다 자여불

안:부[2]【眼部】명 눈이 있는 부위(部位).

안:부[3]【雁夫】명 혼인 때 신부 집으로 목안(木雁)을 가지고 가는 사람. ⌊기럭아비.

안:부[4]【鞍部】명 콜[3](col).

안-부모【一父母】[一뿌一] 명 늘 집안에 계신 부모라는 뜻으로 어머니를 일컫는 말. 안어버이. ↔바깥 부모.

안-부인【一婦人】[一뿌一] 명 남의 부인을 공대하여 일컫는 말.

안-부정문【一否定文】명〖언〗'이 아니다'·'-지 않다'·'안' 등에 의해서 성립된 부정문. *못부정문.

안북 도호부【安北都護府】명〖역〗중국 당나라의 육(六)도호부의 하나. 주로 외몽고의 유목(遊牧) 제부족(諸部族)의 진무(鎭撫)를 맡았음.

안분[1]【安分】명 평안한 마음으로 제 분수를 지킴. ——-하다 자여불

안:분[2]【按分】명 일정한 비율에 따라 나눔. 미리 정해진 대로 고르게 나눔. ——-하다 타여불

안:분 비:례【按分比例】명〖수〗비례 배분(比例配分).

안분 지족【安分知足】명 편한 마음으로 자기 분수를 지키며 만족할 줄 앎. 지족 안분(知足安分).

안-불망위【安不忘危】명 편안한 가운데서도 잊지 않고, 늘 스스로를 경계함. ——-하다 자여불

안:비【鞍轡】명 말의 안장과 고삐.

안:비 막개【眼鼻莫開】명 일이 분주하여 눈코 뜰 사이 없음. *눈코. ——-하다 형여불

안빈【安貧】명 가난한 가운데서도 안락(安樂)한 마음을 지님. ——-하다 자여불

안빈 낙도【安貧樂道】명 구차하고 가난한 중에서도 편안한 마음으로 도(道)를 즐김. ——-하다 자여불

안깨 명 〈옛〉 포의(胞衣). ¶조식 나흔 안깨(婦人胞衣)《湯液 卷一 人部》.

안쉽 명 〈옛〉 안을 받치는 비단. ¶小紅 드려 안쉽삼고(染做小紅裏絹)《老乞 上 12》.

안짜 자 〈옛〉 앉다. ¶안짜(坐的)《老朴 單字解 3》.

안사[1]【安肆】명 마음 편안하고 제 멋대로임. 멋대로 즐기며 예의(禮儀)를 돌보지 아니함. ——-하다 형여불

안:사[2]【雁使】명 안신(雁信).

안사[3]【顔私】명 안면이 있어서 생기는 사사로운 정리.

안-사고【顔師古】명〖사람〗중국 당나라 초기의 경학자(經學者). 이름은 주(籒)이고 사고(師古)는 자(字)임. 안지추(顔之推)의 손자. 고조(高祖)와 태종(太宗)을 섬겨, 마지막 벼슬은 비서감(祕書監)·홍문관 학사(弘文館學士)였음. 《한서(漢書)》를 보충·주석하고 남북의 학설을 절충하였으며, 공영달(孔穎達)과 함께 《오경(五經)》을 교정하여 《오경 정의(五經正義)》의 기초를 닦았음. [581-645]

안-사돈【一査頓】[一싸一] 명 사돈이 되는 여자. 즉, 딸의 시어머니나 며느리의 친정 어머니. ↔바깥 사돈.

안-사람 [一싸一] 명 〈속〉 아내.

안-사랑【一舍廊】[一싸一] 명 안채에 붙은 사랑.

안사르 [아랍 Anṣār] 명〖이슬람〗메디나 성천(聖遷) 때의 협조자. 마호메트와 그 일행을 원조한 메디나 교우(敎友)들.

안사-술【安死術】명 ①안락사(安樂死). ②안락사를 시키는 의술.

안사의 난:【安史一亂】[一/一에一] 명〖역〗중국 당(唐)나라 현종(玄宗) 말엽에 안녹산(安祿山)과 사사명(史思明)이 주동한 반란. 천보(天寶) 14년(755) 안녹산이 먼저 군대를 일으키고 사사명이 이를 계승하여 숙종(肅宗)의 광덕 원년(廣德元年)에 사사명의 아들 조의(朝義)가 죽을 때까지 전후 9년간이나 계속된 중국사상 유명한 큰 반란. 현종은 촉(蜀)나라에 망명하여 퇴위(退位)하고, 반란군도 내부 분열을 일으켜, 763년에 평정됨. 당의 중앙 집권제는 파탄에 빠지고 중국 고대 사회의 종말을 가져오는 전기(轉機)가 됨.

안삭-진【安朔鎭】명〖역〗고려 광종 때, 거란(契丹)에 대비하여 평안 북도 운산(雲山) 동북쪽에 베푼 진성(鎭城).

안산[1]【安山】명〖지〗경기도의 한 시(市). 북은 시흥시(始興市), 동과 남은 화성군(華城郡), 서는 황해(黃海)에 면함. 수도권 위성 도시의 하나로 1986년에 시로 승격함. 서울 특별시의 공장 분산의 일환책으로 공업 단지가 건설되었고 한양 대학 안산 캠퍼스가 있음. [56.21 km² : 252,157명(1990)]

안산[2]【安産】명 순산(順産). ——-하다 타여불

안:산[3]【案山】명〖민〗풍수(風水)에서, 주산(主山)과 조산(朝山) 사이에 있는 나지막한 산. 청룡·백호·주산(主山)과 함께 풍수학상으로 중요 요소의 하나이며, 여러 산이 중첩하여 있을 때에는 내안산·외안산으로 구별함. ↔주산(主山).

안:산[4]【鞍山】명〖지〗①강원도(江原道) 인제군(麟蹄郡) 북면(北面)에 있는 산. [1,430 m] ②서울 특별시 서대문구에 있는 산. 남쪽 기슭에 봉원사(奉元寺)가 있음. [260 m]

안산[5]〔鞍山〕명〖지〗중국 랴오닝 성(遼寧省)에 있는 성할시(省轄市). 명대(明代) 말 만주족에 대한 랴오둥(遼東) 방비를 위해 성(城)을 쌓았음. 러일 전쟁의 격전지였으며, 중국 최대의 공업 지대의 중심지임. [1,203,986명(1990)]

안산-수【安産樹】명〖식〗[*Anastatica hierochuntina*] 겨잣과에 속하는 1년생의 초본. 높이 20-30 cm이고, 잎은 작으며 별 모양의 솜털이 있음. 꽃은 잘고 흰 빛이며, 낙엽 후에도 경지(莖枝)가 남아 있어 건조하면 안으로 말리고, 습(濕)하면 먼저 모양으로 돌아감. 속설(俗說)에 해산에 앞서 이 풀 말린 것을 물에 담가 보아서 그 가지가 펴지면 안산한다 함. 시리아·이집트 등 열대의 건조한 곳에서 남.

안산-암【安山岩】명〖광〗화산암의 일종. 회흑색(灰黑色)으로 단단하며 내구력(耐久力)이 강함. 사장석(斜長石)·각섬석(角閃石)·흑운모·휘석(輝石) 등을 함유하며, 판상(板狀)·주상(柱狀)의 절리(節理)가 있음. 건축·토목에 사용함.

안산암-선【安山岩線】명〖지〗거의 대륙에 연(沿)하여 태평양을 둘러싼 안산암과 현무암(玄武岩)과의 분포 경계선(分布境界線). 이 선을 경계로 하여 태평양 내부는 현무암을 주로 하는 알칼리 암구(岩區)로 순상(楯狀) 화산이 많고, 환(環)태평양 지대는 안산암을 주로 하는 석회 알칼리 암구로 성층(成層) 화산이 많음.

안산암 유리【安山岩琉璃】[一뉴一] 명 [andestic glass]〖지〗천연 유리의 한 가지. 화학적으로는 안산암과 같음.

안:살【按殺】명 죄를 조사하여 죽임. ——-하다 타여불

안-살림 [一쌀一] 명 ↗안살림살이.

안살림-살이 [안쌀一] 명 안식구들에 의한, 집안에서 하는 살림살이. ⓟ「안살림.

안상[1]【安詳】명 성질이 찬찬하고 자세함. ¶일을 처리할 때에 민첩할 대로 민첩하고서도 ~한 구석이 있어서 일의 선후 도착되는 것이 없었다《洪命憙: 林巨正》. ——-하다 형여불. ——-히 부

안-상[2]【安瑺】명〖사람〗조선 시대 선조(宣祖) 때의 금사(琴師). 선조 5년(1572)에 《금합자보(琴合字譜)》를 발간하였는데, 이는 현존하는 합

자보 가운데 가장 오래된 것이며, 거문고 외에 비파와 장구의 보(譜)도 있음. 생몰년 미상.

안:상[3]【案上】명 책상 위. 궤상(几上).

안:상[4]【眼象】명〖건〗안상연(眼象緣) 안에 도려 내어 새긴 특수한 장식.

안:상[5]【眼狀】명 사람의 눈처럼 생긴 모양.

안:상[6]【鞍上】명 말의 안장 위.

안:상[7]【鞍傷】명 안장에 마찰되어 생긴 상처. 안장 상처(鞍裝傷處).

안-상산【顏常山】명〖사람〗상산 태수(常山太守)였던 중국 당(唐)나라 안고경(顏杲卿)의 일컬음.

안:상-연【眼象緣】명〖건〗소란(小欄)에 의하여 구획된 부분. ＊안상(眼象).

안:상 저:압부【鞍狀低壓部】명〖기상〗일기 해설도(日氣解說圖)에서 좌우는 저기압, 상하는 고기압에 둘러싸인 형태의 기압골. 이 지역에서는 일기가 고르지 못하고 뇌우(雷雨)가 생기기 쉬움.

안-상제【一喪制】[一쌍一] 명 여자 상제. ↔바깥 상제.

안색【顏色】명 얼굴에 나타나는 기색. 얼굴빛. 낯빛. ¶～이 나쁘다.

안색 점염법【顏色點染法】[一뻡] 명〖미술〗화훼(花卉)를 그리는 화법(畫法)의 하나. 중국 당(唐)나라의 등창우(滕昌祐)에 비롯됨. 윤곽을 그리지 않고 채색(彩色)해 가는 법.

안생[1]【安生】명 편안한 삶. 아무 탈 없이 삶. ——-하다 자여불

안:생[2]【眼生】명 눈에 섦. 생소함. ↔안숙(眼熟). ——-하다 형여불

안서[1]【安西】명〖지〗'안시'를 우리 음으로 읽은 이름.

안서[2]【安徐】명〖역〗잠시 보류(保留)함. ——-하다 타여불

안서[3]【安舒】명 마음이 편안하고 조용함. ——-하다 형여불

안:서[4]【岸曙】명〖사람〗김억(金億)의 호(號).

안:서[5]【雁書】명 먼 곳에서 소식을 전하는 편지. 안신(雁信). ＊계백서(繫帛書).

안서 도호부【安西都護府】명〖역〗중국 당(唐)나라 때, 변경 지대를 통치하기 위하여 두었던 여섯 도호부의 하나. 640년 투르판(Turfan) 지역의 고창국(高昌國)을 멸망시키고 설치함. 관하에 안서 사진(安西四鎭)을 두어 동투르키스탄(東Turkistan) 등 서역(西域) 지방을 통할하였음.

안-서럽다 형 〈방〉 안쓰럽다.

안서 사:진【安西四鎭】명〖역〗중국 당대(唐代)에 안서 도호부(都護府) 관하에 두었던 구자(龜玆)·허톈(和闐)·카슈가르(Kashgar)·카라샤르(Karashahr)의 네 도독부(都督府).

안-서(:)우【安瑞羽】명〖사람〗조선 시대 숙종·영조 때의 학자. 자는 봉거(鳳擧), 호는 양기옹(兩棄翁). 태안 군수(泰安郡守)·울산 부사(蔚山府事)를 역임. 《양기재산고(兩棄齋散藁)》에 시조 2수가 전함. [1664-1735]

안:석【案席】명 [←언석(偃席)] 앉을 때에 몸을 기대는 방석. 안식(案息).

〈안석〉

안:석궤-부【案席几部】명 한자 부수(部首)의 하나. '凡'이나 '凰' 등의 '几'의 이름.

안석-산【安石山】명〖지〗평안 북도 강계군(江界郡) 용림면(龍林面)에 있는 산. [1,362 m]

안-석주【安碩柱】명〖사람〗삽화가·영화인. 호(號)는 석영(夕影). 휘문(徽文) 고등 보통 학교 미술 교사·조선 일보 학예부장을 지냄. 1920년 동아 일보에 연재된 나도향(羅稻香)의 소설 《환희(幻戲)》의 삽화를 맡아, 삽화계의 선구자가 됨. 1922년 토월회(土月會)에 가담하여 신극 운동에 참여하고, 영화 《심청전(沈淸傳)》을 감독한 후 시나리오 작가·영화 감독으로 활약함. [1901-50]

안선【安禪】명〖불교〗좌선(坐禪).

안성【安城】명〖지〗경기도의 한 시(市). 12면(面) 3동(洞). 북쪽은 용인시(龍仁市)와 이천시(利川市), 동쪽은 이천시와 충청 북도 음성군(陰城郡), 남쪽은 충청 북도 진천군(鎭川郡)과 충청 남도 천안시(天安市), 서쪽은 평택시(平澤市)에 접함. 안성 평야에서 농산물이 많이 나고, 축산·임산·광산 등과 공산으로 유기(鍮器)가 있으며, 명승 고적으로는 산성대(山城臺)·안성천(安城川)·칠장사(七長寺)·석남사(石南寺)·기공루(紀功樓)·청룡사(靑龍寺)·덕봉 서원(德峰書院) 등이 있음. 1998년 4월, 안성군이 시로 승격함. [553.08 km²: 124,634 명(1996)]
[안성 피나팔(皮喇叭)] 남자의 양물(陽物)을 익살스럽게 일컫는 말.

안성-군【安城郡】명〖지〗경기도에 속해던 군. 1998년 4월, 안성시로 개편됨.

안성-맞춤【安城一】명 [경기도 안성에다 유기를 주문하여 만든것과 같다는 말] ①생각한 대로 튼튼하게 잘 된 물건을 일컫는 말. ¶은신처로는 ～이다. ②계제에 들어맞게 잘 된 일을 두고 하는 말. ¶자네에게 ～인 일이 있네.

안성-선【安城線】명〖지〗충청 남도 천안(天安)에서 안성 평야를 지나서 경기도 안성에 이르던 철도. 1925년 11월 1일 개통, 1982년 4월 30일 폐지됨. [28.4 km]

안성-천【安城川】명〖지〗경기도 용인시(龍仁市)에서 발원하여 안성(安城)·평택(平澤) 등지를 지나 황해(黃海)로 들어가는 강. [76 km]

안성 평야【安城平野】명〖지〗경기도 남부 지방의 용인 구릉(龍仁丘陵)을 경계로 서쪽의 안성천 및 지류인 진위천(振威川)·황구지천(黃口池川)의 유역 일대에 전개된 평야. 쌀을 비롯하여 보리·면화 등과 품질이 좋은 담배를 산출함.

안-섶 [一썹] 명 저고리의 안으로 들어간 섶.

안세[1]【安世】명 평화롭고 온화한 시대.

안:세[2]【眼勢】명 안력(眼力).

안-세(:)고【安世高】명〖사람〗고대 이란 북부에 있었던 안식국(安息國) 출신의 후한(後漢)의 고승(高僧). 이름은 청(淸), 세고는 자(字)임. 안식국의 왕자였으나 왕위를 아우에게 양위하고 출가(出家)하여 불법(佛法)을 연구함. 2세기 중엽에 중국에서 많은 불전(佛典)을 번역하여 최초의 본격적인 역경자(譯經者)로서 그 이름이 높이 평가됨. [?-170?]

안-세(:)환【安世桓】명〖사람〗독립 운동가. 평남 순안(順安) 출신. 평양에서 독립 운동과 종교 활동을 하다가, 3·1 운동 때 민족 대표 48인의 한 사람으로 이승훈(李昇薰)을 도와 활약하고 투옥되어, 출옥 후 정신 이상이 됨. [1887-?]

안셀무스 [Anselmus] 명〖사람〗이탈리아 출생의 영국 스콜라 철학자·캔터베리 대주교(大主敎). 스콜라 초기 철학의 대표자로, 신의 존재의 본체론적 증명 및 그리스도 속죄의 설명으로서의 만족설(滿足說)이 유명함. 저서에 《모놀로기움(Monologium)》·《프로슬로기움(Proslogium)》 등이 있음. [1033-1109]

안-소리 명 [middle voices]〖악〗다성(多聲) 악곡에서 안쪽의 성부(聲部). 혼성 사부에서는 알토와 테너임. 내성(內聲). ↔바깥소리.

안-소주방【一燒酒房】[一빵] 명〖역〗조선 시대에, 궁중에서 조석 수라를 장만하는 처소. 주식(主食)에 따른 찬을 만듦. ＊밧소주방.

안소주방 나:인【一燒酒房一】[一빵一] 명〖역〗조선 시대에, 안소주방에 딸린 나인. ＊밧소주방 나인.

안-손님 [一쏜一] 명 여자 손님. 내객(內客). 내빈(內賓). 여객(女客). ↔바깥 손님.

안:손-방【眼損方】명〖민〗이사할 때에 방위를 보는 구궁수(九宮數)의 하나. 불길한 방위임.

안:수[1]【按手】명〖기독교〗①목사나 장로가 기도를 받는 사람의 머리 위에 손을 얹는 일. ②감독이나 목사가 성직 후보자의 머리 위에 손을 얹는 일. ——-하다 자여불

안:-수[2]【晏殊】명〖사람〗중국 북송(北宋)의 정치가·문인. 장시 성(江西省) 린촨(臨川) 사람. 진종(眞宗)·인종(仁宗)을 섬기고, 재상이 됨. 문집(文集) 240권이 있었다고 하는데, 현존(現存)하는 것은 사집(詞集) 《주옥사(珠玉詞)》 1권뿐임. [991-1055]

안:수[3]【雁首】명 담뱃대의 대통.

안:수 기도【按手祈禱】명〖기독교〗목사나 장로가 안수(按手)하며 기도하는 일.

안-수길【安壽吉】명〖사람〗소설가. 호는 남석(南石). 함흥(咸興) 출생. 1924년 만주 간도(間島)로 이주, 그 곳에서 중학교를 마침. 1931년 일본 와세다 대학 고등 사범부에 입학하였으나 중퇴, 이후 문학에 전념, 1935년 단편 《적십자 병원장》으로 문단에 데뷔, 5부작 대하 소설 《북간도(北間島)》 외에 《제3 인간형》·《초련 필담(初戀筆談)》·《제2의 청춘》 등 1백 수십 편의 작품을 남김. 서라벌 예술 대학 교수·이화여대 강사·국제 펜클럽 한국 본부 부위원장 등을 역임하였으며, 아시아 자유 문학상·3·1 문화상 등을 수상함. [1911-77]

안:수-례【按手禮】명〖기독교〗①목사나 장로가 기도 받는 사람의 머리에 손을 얹어 축복하는 의례(儀禮). ②감독이나 장로가 성직 후보자의 머리에 손을 얹어, 성별(聖別)을 하는 성직 임명의 의례.

안수리움 [Anthurium] 명〖식〗천남성과의 한 속. 열대 아메리카에 500종 이상 있으며, 온실에서 재배함. 긴 꽃대 끝에 10 cm 남짓한 광택 있는 주홍색의 넓은 심장형 불염포(佛炎苞)가 생기고, 그 기부에 원주형의 육수 화서의 꽃이 달림. 꽃꽂이용·화분용의 작은 종류도 있음.

안:수 목사【按手牧師】명〖기독교〗안수를 맡아 보는 목사.

안숙[1]【安宿】명 편안히 잠을 잠. ——-하다 자여불

안:숙[2]【眼熟】명 눈에 익음. ↔안생(眼生). ——-하다 형여불

안순 [安順] 명〖지〗중국 남부 구이저우 성(貴州省) 서부에 있는 도시. 뎬첸 공로(滇黔公路)상의 요지로, 제혁(製革)·제차(製茶) 등의 수공업이 발달하고 부근의 농산물의 집산지임. 탑산(塔山)·화엄동(華嚴洞) 등의 명승이 있음. [212,000 명(1984)]

안-스럽다 형 ☞안쓰럽다.

안-슬프다 형 ☞안쓰럽다.

안-승【安勝】명〖사람〗고구려 보장왕(寶藏王)의 서자(庶子). 혹은 그 외손(外孫)이라고도 함. 4천 호(戶)를 데리고 신라에 귀순함. 신라는 그에게 보덕왕(報德王)을 봉하고, 신문왕(神文王) 뒤에 소판(蘇判)을 시키고 김씨(金氏)를 내림.

안:시[1]【按視】명 조사해 봄. 살펴 봄. ——-하다 타여불

안시[2] [安西] 명〖지〗중국 간쑤 성(甘肅省) 북서부, 차이다무(柴達木) 분지에 있는 도시. 일찍부터 동서(東西) 무역으로 번영함. 안서(安西). [73,000 명(1982)]

안:시 등급【眼視等級】명 [visual magnitude]〖천〗관측자의 육안(肉眼)으로 보이는 그대로의 천체 등급. 인간의 눈의 감도(感度)에 맞는 파장역(波長域)으로 본 밝기를 나타내는 것이며, 겉보기의 등급과는 다름.

안시-성【安市城】명〖역〗고구려 28대 보장왕(寶藏王) 4년(645) 6월 당(唐)의 태종(太宗)의 공격에 대하여, 성주 양만춘(楊萬春)이 고군 분투(孤軍奮鬪)하여 적군을 격파한 성. 지금의 만주 룽청쯔(榮城子) 부근에 있었음.

안-시수【顏示數】명 얼굴 전체의 모양을 수치(數値)로 나타낸 시수(示數). 안면 시수(顏面示數).

안식[1]【安息】명 편안하게 쉼. ——-하다 자여불

안식[2]【安息】명〖역〗안식국(安息國).

안:식[3]【案息】명 안석(案席).

안:식[4]【眼識】명 ①〖불교〗육식(六識) 또는 팔식(八識)의 하나. 눈으로 그 대상으로서의 색을 식별하는 작용을 갖는 것. ②사물의 선악·가치를 분별하는 안목과 식견. ¶～이 높다.

안식-각【安息角】명 토사(土砂)를 쌓아올릴 때 흙이 안전하게 안정을 이루는 경사(傾斜)의 각도(角度).

안식-교【安息敎】명 [Seventh Day Adventists]〖기독교〗토요일을 안식일로 삼고 예배를 보는 기독교의 한 파.

안식교-회 【安息敎會】 [명] 〖기독교〗 안식교에 속하는 교회.

안-식구 【—食口】 [—씩—] [명] ①한 집안의 여자 식구. ↔바깥 식구. ② 〈속〉 아내.

안식-국 【安息國】 [명] 〖지〗 한(漢)나라 때 지금의 이란에 있었던 파르티아(Parthia) 제국을 중국에서 일컫던 이름. 안식(安息).

안식-년 【安息年】 [명] ①〖종〗 유대 사람이 7년 만에 1년씩 안식하던 해. 이 해는 종에게 자유를 주고 부채(負債)를 탕감(蕩減)하여 주었음. ② 〖기독교〗 서양 선교사들이 7년 만에 한 번씩 쉬는 해.

안식-산 【安息酸】 [명] 〖화〗 ↗안식향산(安息香酸).

안식-소 【安息所】 [명] 안식하는 곳. 안식처(安息處).

안식-일 【安息日】 [명] [신(神)이 6일간에 만물을 창조하고 일곱째 날에 안식하였다는 창세기에서 유래] ①〖기독교〗 신자가 모든 일을 쉬고 종교적 헌신(獻身)을 하는 거룩한 날. 즉, 일요일. ②〖종〗 유대교의 성일(聖日)인 토요일.

안식-처 【安息處】 [명] 편히 쉬는 곳. 안식소(安息所). 휴식처.

안식-향 【安息香】 [명] ①〖식〗 [*Pterostyrax hispidum*] 때죽나뭇과에 속하는 낙엽 교목. 수피(樹皮)는 다갈색이며 어린 가지에는 갈색 털이 많고 잎은 달걀꼴에 끝이 뾰족함. 여름에 소형의 오판화(五瓣花)가 가지 끝에 달리어 총상(總狀) 화서로 핌. 천연 수지목(樹脂木)임. 말레이·타이·수마트라 등지에 분포함. ②안식향❶의 수피(樹皮)에서 분비(分泌)하는 수지(樹脂). 붉은 빛이나 갈색의 덩어리로 단맛이 있고, 그 안에 젖빛의 과립(顆粒)이 있으며 열을 가하면 강한 방향(芳香)이 있음. 훈향료(薰香料)·방부제(防腐劑)·소독용 등으로 쓰임.

〈안식향❶〉

안식향-산 【安息香酸】 [명] 〖화〗 '벤조산(酸)'의 구용어. [준]안식산.

안식향산 나트륨 【安息香酸—】 [명] 〖화〗 '벤조산 나트륨'의 구용어.

안신1 【安身】 [명] 몸을 편안하게 함. ——-하다 [자][여불]

안-신2 【安玑】 [명] 〖사람〗 조선 시대 선조 때의 학자. 자(字)는 대지(待之), 호는 오휴자(五休子). 광주(廣州) 사람. 예학(禮學)을 공부했음. 임진 왜란 때 동향(同鄕) 사람 김태허(金太虛)가 병마 절도사로서 울산(蔚山)에 주둔하자 그 휘하에 종군함. 전란 후, 후진을 위하여 ≪주자 가례(朱子家禮)≫를 대본으로 우리 나라 성현(聖賢)의 유범(遺範)을 절충하여 ≪관혼 상례(冠婚喪禮)≫ 4권을 저술하고, ≪오현전(五賢傳)≫과 ≪자해(字解)≫를 편찬하였음. 생몰년 미상.

안신3 【安信】 [명] 평안한 소식.

안:신4 【雁信】 [명] 먼 곳에서 소식을 전하는 편지. 편지(便紙). 서신(書信). 안서(雁書). 안백(雁帛). 안보(雁報). 안사(雁使).

안:-신경 【眼神經】 [명] 〖생〗 시신경(視神經).

안-심1 [명] 소의 갈비 안쪽에 붙은 고기. 부드럽고 연하여 전골에 쓰임.

안심2 【安心】 [명] ①걱정이 없이 마음을 편히 가짐. 방념(放念). 방심(放心). ¶～하고 말기다. ②〖불교〗 아미타불에 귀의하여 염불에만 전렴(專念), 극락에의 필지(必至)를 믿는 일. 신앙에 의하여 마음을 흔들리지 않게 하고 마음의 귀추를 정하는 일. ——-하다 [자][여불]

안심3 【安心】 [명] 〖지〗 전에, 경상 북도 경산군(慶山郡)의 한 읍(邑). 1981년에 대구 직할시로 편입됨.

안심-가 【安心歌】 [명] 〖문〗 조선 시대 25대 철종(哲宗) 11년(1860)에 최제우(崔濟愚)가 지은 가사. 부녀자들을 위한 노래로, 서양 세력의 침략을 규탄하고 위기에 놓인 시대를 살아나가기 위한 정신적 자세를 노래했음. ≪용담 유사(龍潭遺詞)≫에 실려 있음.

안심-감 【安心感】 [명] 안도감(安睹感).

안심 결정 【安心決定】 [—쩡] [명] 〖불교〗 확실한 안심을 얻어서 마음이 흔들리지 아니함.

안-심부름 [—씸—] [명] 집안 부녀자의 심부름. ↔바깥 심부름.

안심-살 [명] 안심쥐.

안심 입명 【安心立命】 [명] 〖불교〗 ①안심에 의하여 몸을 천명(天命)에 맡기고 생사 이해에 대하여 태연함. ②인사(人事)를 다하여 천운에 맡기고 의혹 외겁(疑惑畏怯)하지 아니함. ③생사의 도리를 깨달아 내세의 안심을 꾀하는 일.

안심-쥐 [명] 소의 안심에 붙은 고기의 한 가지. 전골에 씀. 안심살. *안「심.

안심-찮다 【安心—】 [—찬타] [형] ①남에게 폐를 끼쳐서 미안하다. ② 안심이 아니 되다. 딱하다.

안쌀-질 [명] 〈방〉 새암(평안).

안쏘부 [명] 〈방〉 보습1(경북).

안쓰럽다 [형][ㅂ불] 자기보다 약하거나 못한 사람에게 도움을 받거나 폐를 끼쳤을 때 또는 그런 사람이 힘에 겨운 일을 할 때 미안하고 딱하다. ¶어린 것이 고생하는 걸 보니 어찌나 안쓰러운지.

안씨 가훈 【顔氏家訓】 [명] 〖책〗 중국의 북제(北齊) 사람 안지추(顔之推)가 저술한 책. 입신 치가(立身治家)의 법을 기술하고 세속(世俗)의 잘못된 점을 지적하는 등 자손들에 대한 훈계를 목적으로 함. 육조사(六朝史) 연구에 귀중한 문헌이 되고 있음. 2권 20편.

안ᅀᆞ바 [타] 〈옛〉 안사와. '안다'의 활용형. ¶그저긔 四天王이 하ᄂᆞᆳ기ᄇᆞ로 안ᅀᆞ바 ≪月釋 Ⅱ:39≫.

안아-막기 [명] 태권도에서, 공격하여 오는 손을 두 손으로 붙잡아 겨드랑이에 끌어당기면서 공격하는 기술.

안아-맡다 [타] '안다❸'의 강조어(強調語).

안아-맹이 [명] 〖광〗 몸을 놀리기 편하도록, 남폿 구멍 뚫을 곳을 등 뒤에 두고 끝을 어깨 너머로 대고 망치를 안아 쳐서 만든 남폿 구멍.

안아-조르기 [명] 유도에서, 굳히기술(術)에 있어서의 조르기 기술의 한 가지. 상대가 앉아 있을 때 그 뒤에 접근하여 한쪽 손을 상대방 겨드랑이의 밑으로 넣고, 다른 한쪽 손을 상대방의 어깨 위로 잡아 넣어 상대의 양깃을 잡아 조르는 기술.

안아-치다 [자] 뒤로 돌아서서 어깨 너머로 망치질을 하다.

안악 【安岳】 [명] 〖지〗 황해도 안악군의 군청 소재지로 읍. 철의 산지로서 적철광(赤鐵鑛)을 주로 하여 석영(石英)·방해석(方解石)·중정석(重晶石)을 산출함.

[안악 사는 과부(寡婦)] 밤낮의 구별이 없음의 비유. *황해도 처녀.

안악-군 【安岳郡】 [명] 〖지〗 황해도의 한 군. 관내 1읍 8면. 북은 평안 남도 용강군(龍岡郡), 동은 황주군(黃州郡)과 봉산군(鳳山郡), 남은 재령군(載寧郡)과 신천군(信川郡), 서는 은율군(殷栗郡)에 인접함. 각종 농산과 축산·임산 등이 있고 철·석영·방해석·중정석 등의 광산물이 풍부함. 명승 고적으로는 연등사(燃燈寺)·고정사(高井寺)·수도암(修道庵)·안악(安岳) 온천·초정 냉천(椒井冷泉) 등이 있음. 군청 소재지는 안악읍. [851 km^2]

안악 온천 【安岳溫泉】 [명] 〖지〗 황해도 안악군에 있는 온천. 수온은 45°C 정도이며 라듐을 함유한 염류천으로 위장병·성병·피부병에 유효함.

안:압 【眼壓】 [명] 〖생〗 안구 내부의 압력(壓力). 안내 혈류량(眼內血流量), 안구근(眼球筋)의 장력(張力), 특히 방수(房水)의 상태에 따라 변동함. 녹내장(綠內障)에서 방수 유출 저항 증대로 압력이 이상(異常) 상승함. 정상인의 안압은 평균 16 mmHg이고, 이것이 21 mmHg보다 높아지거나 10 mmHg 이하로 낮아지면 안구에 이상이 생긴 것임. 안내압(眼內壓).

안:압-계 【眼壓計】 [명] [tonometer] 〖의〗 안압(眼壓)을 측정하는 장치.

〈안압계〉

안:압-지 【雁鴨池】 [명] 〖지〗 경상 북도 경주시(慶州市)의 동북쪽에 있는 못. 신라 문무왕(文武王) 때 임해전(臨海殿)이라는 궁전 앞에 판 못인데 그 모양이 신라 지도와 같이 되었음. 1974년부터 80년에 걸쳐 복원 공사(復元工事)를 베풀어, 15,000여 점에 달하는 신라 시대 유물(遺物)을 발굴함.

안:약 【眼藥】 [명] 눈병을 고치는 데 쓰는 약. 목약(目藥). 눈약.

안양1 【安養】 [명] 〖불교〗 ①마음을 편안하게 지니고 몸을 쉬게 함. ②↗안양 정토(安養淨土). ——-하다 [타][여불]

안양2 【安養】 [명] 〖지〗 경기도의 한 시(市). 서울 특별시 남부에 있으며 수도권 위성 도시의 하나. 경부선(京釜線)의 중요 역(驛). 수도권 인구 집중에 따라 많은 주택이 건립되었고 각종 공장도 많음. 위락 시설로 유원지가 있고 삼성산(三聖山)에는 삼막사(三幕寺)가 있음. [58.46 km^2 : 480,668 명(1990)]

안양3 〔安陽〕 [명] 〖지〗 중국 허난 성(河南省) 북부의 도시. 징한(京漢) 철도에 연하는 상업의 중심 도시임. 부근의 샤오툰(小屯)은 은허(殷墟)로 유명하고, 북서에는 시자오(西郊)의 대(大) 탄전이 있음. 장더(彰德). [300,000 명(1981 추계)]

안양-계 【安養界】 [명] 〖불교〗 극락 정토(極樂淨土).

안양 교:주 【安養敎主】 [명] 〖불교〗 아미타불(阿彌陀佛).

안-양반 【—兩班】 [—냥—] [명] 안주인의 경칭. ↔바깥 양반.

안양 보:국 【安養寶國】 [명] 〖불교〗 극락 정토(極樂淨土).

안양 세:계 【安養世界】 [명] 〖불교〗 극락 세계(極樂世界).

안양 왕:생 【安養往生】 [명] 〖불교〗 아미타불의 정토(淨土)인 안양계에 태어나는 일. ——-하다 [자][여불]

안양 정토 【安養淨土】 [명] 〖불교〗 극락 정토(極樂淨土). [준]안양(安養).

안:어 【眼語】 [명] 말 대신 눈짓으로 의사를 통함. 목어(目語).

안-어버이 [명] ①어머니를 늘 집안에서 일보는 어버이라는 뜻으로 일컫는 말. ↔발어버이. ②여자가 시집 어른에 대하여 친정의 어머니를 일컫는 말. 안부모.

안어울림-음 【—音】 [명] [dissonance] 〖악〗 둘 이상의 음(音)이 동시에 날 때 전체가 조화 융합하지 아니하여 불안정한 감을 주는 화음. 불협화음(不協和音). ↔어울림음.

안어울림 음정 【—音程】 [명] 〖악〗 서로 어울리지 않는 두 음 사이의 음정. 두 음의 진동수의 비(比)가 간단한 정수비(整數比)가 되지 않을 때 생김. 장·단 2도, 장·단 7도, 모든 증음정(增音程)과 감음정(減音程). 불협화 음정(不協和音程).

안업 【安業】 [명] 편안한 마음으로 업무에 종사함. ——-하다 [자][여불]

안:여 【晏如】 [명] 마음이 편안하고 침착함. 안연(晏然). ——-하다 [형][여불]

안-여닫이 [—녀다지] [명] 문짝이 안 쪽으로 여닫히는 문.

안-여반석 【安如磐石】 [명] 안여태산(安如泰山). 「(安如磐石).

안-여태산 【安如泰山】 [명] 태산같이 마음이 끄떡 없고 든든함. 안여반석

안:연1 【晏然】 [명] 안여(晏如). ¶지금 그 아들이 대역으로 몰리었사온대 그 애비 ～히 공신의 자리에 있을 수 없사오니…≪朴鍾和 : 錦衫의 피≫/적군이 ～히 있는 중에 기드온이 노바와 욕브하 동편 장막에 거한 자의 길로 올라가서 적군을 치니≪구약 사사기 Ⅷ : 11≫. ——-하다 L[형][여불]. ——-히 [부]

안:연2 【眼緣】 [명] 눈 가장자리. 눈가.

안-연3 【顔淵】 [명] 〖사람〗 안회(顔回)를 자(字)로 일컫는 이름.

안:-연고 【眼軟膏】 [명] 〖약〗 눈에 넣거나 바르는 연고.

안-연지 【顔延之】 [명] 〖사람〗 중국 육조 시대 송(宋)나라의 문인. 자는 연년(延年). 린이(臨沂) 사람. 고전(古典)의 언어를 구사(驅使)한 전아(典雅)한 작풍(作風)으로 사영운(謝靈運)과 함께 '안사(顔謝)'라 불리었으며, 유불(儒佛)에 통하여 '삼세 인과(三世因果)'의 설을 주장하여 자제에게 처세의 길을 닦아 주었음. 대표적인 작품으로는 ≪추호시(秋胡詩)≫·≪자백마부(赭白馬賦)≫ 등이 있음. [384-456]

안:염 【眼炎】 [명] 〖의〗 눈에 생기는 염증(炎症). 눈병.

안영1 【安榮】 [명] 일신이 평안하고 번성(繁盛)함. 또, 그 모양. ——-하다 [자][여불]

안:-영[2]【晏嬰】명〖사람〗중국 춘추 시대 제(齊)나라의 대부(大夫). 이웨이(夷維) 사람. 자는 평중(平仲). 영공(靈公)·장공(莊公)을 섬기고, 경공(景公)의 재상(宰相)이 됨. 절검 역행(節儉力行)한 그의 언행(言行)은 공자(孔子)에게도 영향을 미쳤음. 후인(後人)이 그의 언행을 서술하여 ≪안자 춘추(晏子春秋)≫를 지음. 존칭 안자(晏子). [?-500 B.C.]

안:옥【按獄】명 안치(按治). ——-하다 타여불

안옥-걸이 명 ☞안걸이.

안온【安穩】명 조용하고 편안함. ——-하다 형여불. ——-히 부

안온-감【安穩感】명 안온한 느낌.

안-올리다 타 그릇 같은 것의 속을 칠하다.

안올린-벙거지 명〖역〗장교 이상의 무관이 쓰던 전립(戰笠). 벙거지 전의 안면을 남빛 운문 대단(雲紋大緞)으로 꾸미고 수많은 삭모(槊毛),공작미 따위를 뒤에 달아 늘어뜨리고 앞에 공작깃을 달았음.

안-옷 명 안식구들이 입는 옷. ↔바깥옷.

안-옷고름 명 옷의 안깃을 여미어 잡아 매는 옷고름. 준안고름. ↔겉옷고름.

안와[1]【安臥】명 편안히 누움. ——-하다 자여불

안:와[2]【眼窩】명〖생〗눈구멍.

안:와상 융기【眼窩上隆起】명〖생〗안와 위쪽에 있는 전두골(前頭骨)의 일부가 형성하는 수평 방향의 융기. 원시 인류와 유인원(類人猿)에 현저함. 미상궁(眉上弓).

안:왕【雁王】명〖불교〗'불타(佛陀)'의 이명.

안-용복【安龍福】명〖사람〗조선 시대 숙종 때의 민간 외교가·어부(漁夫). 일본 어민들이 울릉도에 자주 침범하여 고기잡이와 벌목을 하자 이들을 축출하고, 울릉도·우도(于島)의 감세관(監稅官)이라 자칭하고 일본에 건너가 엄중 항의, 울릉도가 우리 영토임을 확인시켰음. 생몰년 미상.

안 운트 퓌:어 지히〔도 an und für sich〕명〖철〗헤겔 변증법의 근본 개념. 안 지히(an sich)와 퓌어 지히의 종합(綜合)으로 개념의 변증법적 발전(즉자(卽自)→대자(對自)→즉자 및 대자) 중, 삼단계 째의 고차(高次)의 상태. 즉자 및 대자는 즉자에 대하여 즉자의 이중 부정(二重否定)임. *안 지히·변증법.

안울림 소리〔—쏘—〕명〖언〗목청을 진동시키지 않고 내는 소리. 곧, 자음(子音)의 ㄱ·ㄷ·ㅂ·ㅅ·ㅈ·ㅊ·ㅋ·ㅌ·ㅍ·ㅎ 등. 무성음(無聲音). 맑은 소리. 청음(淸音). ↔울림 소리.

안-원【顏元】명〖사람〗중국 청(淸)나라의 사상가. 자는 혼연(渾然), 호는 습재(習齋). 허베이(河北) 보예(博野) 사람. 극단적인 공리주의·실리주의를 제창하였음. 문인(門人) 이공(李塨)과 더불어 안리 학파(顏李學派)의 원류(源流)가 됨. 중화 민국 시대에 와서 쉬스창(徐世昌)의 힘으로 ≪안리 총서(顏李叢書)≫가 출판되었음. [1635-1704]

안원-왕【安原王】명〖사람〗고구려 제23대 왕. 휘는 보연(寶延). 안장왕(安藏王)의 아우. 왕 10년(540)에 백제군이 우산성(牛山城)을 쳐들어 올 때에 이를 격파하였으며, 대외적으로는 남조(南朝)의 양(梁)과 북조(北朝)의 동위(東魏)와 통호(通好)하였음. [재위 531-545]

안위[1]【安危】명 안전함과 위태함. ¶국가의 ~에 관계되는 일.

안-위[2]【安瑋】명〖사람〗조선 시대 전기의 문신. 자(字)는 백진(伯珍). 순흥(順興) 사람. 명종(明宗) 10년(1555) ≪경국 대전 주해(經國大典註解)≫를 찬수(撰修)하고, 명종 15년(1560) 호조 판서·병조 판서를 지냄. 군략가(軍略家)로서 진(鎭)을 설치하고 변방을 지키는 데 공이 컸음. 시호는 문간(文簡). [1491-1563]

안위[3]【安胃】명 소화가 잘 되도록 위를 편안하게 함. ——-하다 자여불

안위[4]【安慰】명 마음을 위로하고 몸을 편안하게 함. ——-하다 자여불

안위 미:정【安危未定】명 안정이 아직 되지 아니한 상태. 안전함과 위태함을 아직 구별할 수 없음. 안위 미판.

안위 미:판【安危未判】명 안위 미정(安危未定).

안-유[1]【安裕】명〖사람〗'안향(安珦)'의 초명(初名).

안유[2]【安遊】명 편안히 놂. 편안히 지냄. ——-하다 자여불

안유[3]【安諭】명 안심이 되도록 위로하고 타이름. ——-하다 타여불

안-윤덕【安潤德】명〖사람〗조선 시대 중종 때의 명신. 자는 선경(善卿). 광주(廣州) 사람. 벼슬은 좌참찬(左參贊)에 이르렀는데 중종 5년(1510)의 삼포 왜란(三浦倭亂) 때 부원수(副元帥)로서 출정하여 큰 공을 세웠음. 시호는 익헌(翼憲). [1427-1535]

안융-진【安戎鎭】명〖역〗고려 광종(光宗) 때 거란(契丹)에 대비하여 평안 남도 안주(安州)에 베푼 진성(鎭城).

안은 문장【—文章】명〖언〗주어(主語)와 서술어(敍述語)의 이어지는 관계가 두 번 이상이되, 성분절(成分節)을 가진 문장을 이름. 포유문(抱有文). *안긴 문장.

안음 명 뱃살을 싸고 있는 고기.

안읍【安邑】명〖지〗'안이(安邑)'를 우리 음으로 읽은 이름.

안:의【眼醫】〔—/—이〕명 안과의(眼科醫).

안이[1]【安易】명 ①손쉬움. 어렵지 아니함. ¶~한 방법. ②근심이 없고 편안함. ¶~한 생활. ——-하다 형여불

안이[2]〔安邑〕명〖지〗중국 산시 성(山西省) 윈청 현(運城縣)에 있는 도시. 부근에 유명한 하동염(河東塩) 산지가 있음. 우(禹) 및 위(魏)의 도읍지였고 우왕성(禹王城)이라 일컫는 유지(遺趾)가 있음. 안읍(安邑). [약 50,000 명(1976)]

안이리 명 ☞아니리.

안:-이-비【眼耳鼻】명 눈과 귀와 코.

안:이비인후-과【眼耳鼻咽喉科】〔—꽈〕명〖의〗눈·귀·코 및 목구멍 등의 진료를 전문으로 하는 외과(外科) 의학의 한 분야.

안이일【向教事】명〈이두〉하실 일.

안-익태【安益泰】명〖사람〗작곡가·지휘자. 평양 출생. 일본·미국에서 첼로와 작곡을 전공하고, 유럽에 건너가 각국을 순례, 교향악단을 지휘하였으며 스페인 여자와 결혼, 스페인 국적을 취득하였음. 우리 나라 ≪애국가≫ 등 많은 작품을 작곡, 1957년 귀국하여 자작곡 ≪한국 환상곡≫·≪강천 성악(降天聲樂)≫ 등을 지휘하였으며, 서울에서 국제 음악제를 개최하였음. 최후 작품은 ≪애(哀)≫·≪강상(江上)의 의기(義妓) 논개(論介)≫ 등. [1905-1965]

안인[1]【安人】명〖역〗조선 시대 때 정·종칠품(正·從七品) 문무관(文武官)의 처(妻)되는 외명부(外命婦)의 품계(品階). 단인(端人)의 위, 의인(宜人)의 아래임.

안:인[2]【贋印】명 위조한 도장 또는 속임수로 찍은 도장.

안인견【不喩在】〈이두〉이 아닌.

안인견바를쓰아【不喩在所乙用良】〈이두〉이 아니므로.

안인견을안【不喩在乙良】〈이두〉아니거든.

안인지【不喩】형〈이두〉아니다.

안인지거든【不喩去等】〈이두〉아니거든.

안인지견을【不喩在乙】〈이두〉아니거늘.

안인지라두【不喩良置】〈이두〉아니라도.

안인지사남아【不喩沙餘良】〈이두〉아닐 뿐 아니라.

안인지이거늘【不喩是去乙】〈이두〉아니거늘.

안인지이거든【不喩是去等】〈이두〉아니거든.

안인지이견【不喩是在】〈이두〉아닌. 아닌 것.

안인지이라두【不喩是良置】〈이두〉아니라도.

안인지이며【不喩是旀】〈이두〉아니며.

안인지이올것【不喩是乎條】〈이두〉아닌 것.

안인지이제【不喩是齊】형〈이두〉아니다.

안인지제【不喩齊】형〈이두〉아니다.

안-일[1]〔—닐〕명 집안에서 주로 여자들이 하는 일. ↔바깥일.

안일[2]【安逸】명 편안하고 한가로움. ¶~한 생활. ——-하다 형여불. ——-히 부

안일[3]【向事】명〈이두〉할 일.

안일-성【安逸性】〔—썽〕명 안일한 성질이나 상태.

안일을【向事乙】〈이두〉할 일을.

안일을안【向事乙良】〈이두〉할 일은.

안일이시온들로【向事教是乎等以】〈이두〉할 일이었으므로. 할 일이라 하시었으므로.

안일하트다라두【向事爲等如良置】〈이두〉할 일 모두라도.

안일 호:장【安逸戶長】명〖역〗고려 때 나이가 일흔 살이 되어 퇴직한 호장(戶長). 호장의 나이가 일흔이 차면, 벼슬에서 물러가게 하되, 봉록을 주어서 안일하게 지내도록 하였음.

안:자[1]【晏子】명 ①〖사람〗'안영(晏嬰)'의 존칭. ②〖책〗↗안자 춘추(晏子春秋).

안자[2]【顏子】명〖사람〗'안회(顏回)'의 존칭.

안자[3]【最只】부〈이두〉가장.

안:자[4]【鞍子】명 말안장.

안-자락〔—짜—〕명 저고리나 치마 따위를 여미었을 때, 안쪽으로 들어가는 옷자락. ↔겉자락❶.

안자일렌〔도 Anseilen〕명 등산에서, 등산자가 등산 로프로 서로 잡아 매는 일.

안:자-장【鞍子匠】명〖역〗안장(鞍裝)을 만드는 장인(匠人). 공조(工曹)에 딸림.

안:자 춘추【晏子春秋】명〖책〗중국 춘추 시대의 제(齊)나라 재상 안영(晏嬰)의 언행록(言行錄). 내편(內篇) 6편, 외편(外篇) 2편으로, 모두 8편. 안영의 자찬(自撰)이라 전하나, 후세 사람의 편찬으로 보이며, 유가(儒家) 사상뿐만 아니라, 묵자(墨子)의 사상도 포함되어 있음. 준안자(晏子).

안:작【贋作】명 위조(僞造). ——-하다 타여불

안-잠이〔—짬—〕명〈방〉안잠자기.

안잠-자기〔—짬—〕명 남의 집에서 안잠자는 여자.

안잠-자다〔—짬—〕자 여자가 남의 집안에서 잠을 자면서 일을 도와주며 살다.

안-장[1]〔—짱〕명〖인쇄〗↗안겉장.

안장[2]【安葬】명 편안하게 장사 지냄. 영장(永葬). ——-하다 타여불

안:장[3]【鞍裝】명 ①말의 등에 얹어서 사람이 탈 수 있게 가죽으로 만든 제구. 마안(馬鞍). *말갖춤. ②자전거 등에 앉아서 타게 된 자리. 새들(saddle).

안:장(을) 짓:다 구 말·나귀의 등에 안장을 얹어 사람이 탈 수 있게 꾸미다.

안장 깔개 명 안장 위에 깔고 사람이 앉도록 된 깔개.

안장-말〔鞍裝—〕명 안장을 얹어 탈 수 있게 된 말.

안:장 상처【鞍裝傷處】명 마소가 안장과의 마찰로 인하여 입는 상처. 안상(鞍傷).

안장-왕【安藏王】명〖사람〗고구려의 제22대 왕. 휘는 흥안(興安). 문자명왕(文咨明王)의 장자. 왕 5년(523)과 11년(529)에 백제와 싸웠으며, 양(梁)나라와 통호(通好)하였음. [재위 519-531]

안:장-코【鞍裝—】명 안장 모양으로 콧등이 잘록한 코. 또, 코가 그렇게 생긴 사람.

안-재(:)홍【安在鴻】명〖사람〗정치가. 호는 민세(民世). 경기도 평택(平澤) 출생. 일본 와세다 대학 졸업. 중국 상하이로 망명, 동제사(同濟社)에 가입 후 다시 귀국하여 1923년 ≪시대 일보(時代日報)≫를 창간하고 조선 일보사 주필을 역임함. 해방 후 건국 준비 위원회 부위원장·입법

의원·군정청 민정 장관(民政長官)을 거쳐 제2대 국회 의원에 당선되었으나 6·25 전쟁 때 납북되었음. [1891-1965]

안잿더시니 자 〈옛〉 앉아 있으시더니. '앉다'의 활형용. ¶님금 위位ㄹ 브리샤 경精사舍애 안잿더시니 ≪月印 上 1≫.

안:저【眼底】명 〖생〗 눈알의 내면(內面).

안:저 검:사【眼底檢査】명 〖의〗 암실(暗室) 안에서 검안경으로 안저를 검사하는 일. 눈병 외에 당뇨병이나 고혈압증 따위의 검사에 쓰임. ——-하다 자여불

안저지 명 어린아이를 안아주고 보살피는 여자 하인.

안:저 출혈【眼底出血】명 〖의〗 안저에 분포하는 혈관의 출혈. 동맥 경화·고혈압·당뇨병·눈의 외상(外傷) 등의 원인으로 일어나며, 일시적으로 실명(失明) 상태가 되기도 함.

안:저 카메라【眼底—】〔camera〕 명 〔ophthalmoscope〕 〖의〗 동공(瞳孔)을 통해 안저의 상태를 촬영하는 의학용 카메라.

안:저 혈압【眼底血壓】명 〖생〗 망막 혈관(網膜血管) 혈압.

안-전[1] 〔—쩐〕 명 그릇의 아가리나 전의 안쪽.

안-전[2]【—殿】〔—쩐〕 명 궁궐 안의 임금이 거처하는 집. 내전(內殿).

안전[3]【安全】명 평안하여 위험이 없음. 탈이 없음. 십전(十全). ¶교통 ~ 주간. ——-하다 형여불. ——-히 부

안:전[4]【眼前】명 ①눈앞. 안하(眼下). ②눈으로 보는 그 당장. ¶~의 이익(利益).

안:전[5]【案前】인대 하급 관리가 상급 관리에게 하는 존칭 대명사. ¶어느 ~이라고 함부로 여쭈오리까.

안전 가옥【安全家屋】명 안가[2](安家).

안전 가:용기【安全可鎔器】명 〖물〗 안전기(安全器).

안전-각【安全角】〔angle of safety〕 〖군〗 우군 부대 위를 지나가는 포탄이나 비상체의 최소 허용 각도. 부대의 안전을 보장하기 위하여 설정한 공간의 각도.

안전-감【安全感】명 편안하여 조금도 위태로움이 없는 느낌.

안전 개폐기【安全開閉器】명 〖물〗 안전기(安全器).

안전 계:수【安全係數】명 〔safety factor〕 〖물〗 재료 역학에서, 재료의 극한 강도(極限強度)와 허용 응력(許容應力)과의 비. 재료에 가해지는 하중(荷重)을 재료가 파괴되지 않는 범위 내에 국한(局限)시키기 위한 것임. 안전율(安全率).

안전 공학【安全工學】명 〔safety engineering〕 재해(災害) 예방에 관한 기술의 체계(體系).

안전 공:황【安全恐慌】명 〖경〗 안정 공황(安定恐慌).

안전-관【安全管】명 안전 장치가 되어 있는 관상 기물(管狀器物).

안전 관리【安全管理】〔—괄—〕 명 기업이 근로 기준법에 의하여, 재해(災害)·사고(事故)를 방지하여 종업원의 안전을 도모하기 위해 행하는 조치(措置)나 대책.

안전-광【安全光】명 〔safe light〕 암실(暗室)에서 쓰이는 빛. 취급하고 있는 감광 재료(感光材料)에 영향이 없도록 그 감광제(感光劑)에 대응하는 빛깔의 빛을 사용함. 필름에 대한 것으로는 적색(赤色) 또는 암녹색(暗綠色), 인화지에 대한 것으로는 황녹색(黃綠色) 또는 황등색(黃橙色)이 쓰임. 세이프 라이트(safe light). 암실 램프(暗室 lamp).

안전 광:주【安全鑛柱】명 〖광〗 낙반 방지(落盤防止)를 위하여 또는 갱도(坑道)가 파괴되지 않도록, 일부 그대로 남겨 두는 광석이나 석탄의 부분. *안전 탄주(炭柱).

안전 교:육【安全教育】명 〖교〗 교통·화재·작업·풍수해 등에 의한 위험이나 재해로부터 자신을 안전하게 방위하는 지식 및 기술을 습득시키는 교육 활동.

안전-권【安全圈】〔—꿘〕 명 어떤 일을 달성하는 것이 거의 확실하다고 보여지는 범위. ¶합격 ~에 들다.

안전 극량【安全極量】〔—냥〕 명 폭발성 가스나 석탄 같은 인화 물질의 미분말(微粉末)이 존재하는 장소에서 사용하여도 위험이 없는 최대 화약량(最大火藥量).

안전-기【安全器】명 〔safety cut-out, fuse box〕 〖물〗 전기 기계의 회로에 일정량 이상의 전류가 흐를 때에, 전기 기계의 파손 및 화재를 막기 위하여, 전기 회로 가운데에 끼우는 기구. 그 속에 퓨즈를 끼워서, 전류가 강할 때에는 퓨즈가 녹아 자동적으로 회로를 절단하여 사고를 예방하도록 되어 있음. 두꺼비집. 안전 가용기(安全可鎔器). 컷아웃 스위치. 안전 개폐기(安全開閉器). 안전 차단(遮斷) 장치.

안전 기사【安全技師】명 〔safety engineer〕 공장(工場)·광산(鑛山) 등에서의 재해 방지·안전 관리를 담당하는 전문가 또는 전문적 상담역.

안전 기준【安全基準】명 생활이나 작업에서의 안전을 유지하기 위해 정해 놓은 시설 설비와 그 취급법에 대한 재해 방지에 필요한 규제.

안전 기획부【安全企劃部】명 〖정〗 ↗국가 안전 기획부.

안전-답【安全畓】명 〖농〗 보수력(保水力)이 좋고, 수리나 관개 시설 등의 혜택으로 한해(旱害)를 입지 않는 논. 수리(水利) 안전답. ↔천수답(天水畓).

안전-등【安全燈】명 광산에서 광부들이 굴 안에서 쓰는 등. 1815년 영국의 데이비(Davy, H.; 1778-1829)가 발명함. 가스의 인화(引火)를 막기 위하여 철망(鐵網)을 씌우고 열을 급속도로 흡수(吸收)·발산(發散)시킴.

〈안전등〉

안전-띠【安全—】명 〔safety belt〕 안전 벨트(belt).

안전 마:크【安全—】명 〔safety mark〕 완구(玩具)협동 조합의 안전도 검사에 합격한 완구에 인쇄 표시하는 'ST'의 표.

안:전 막동【眼前莫同】명 잘 생기지 못한 아이라도 항상 가까이 있으면 저절로 정이 붙는다는 뜻.

안전 면:도기【安全面刀器】명 실수로 피부를 벨 위험을 없이 한 면도기. 직사각형의 면도날을 쇠로 만든 기구의 아래위 짝의 틈에 끼워서 씀. 세이프티 레이저(safety razor).

안전-모【安全帽】명 공장·작업장 등에서 머리의 보호용으로 쓰는 모자. 야구에서도 타자(打者)가 씀. 헬멧.

안전 밸브【安全—】〔valve〕 명 안전판(安全瓣)❶.

안전 벨트【安全—】〔belt〕 명 자동차·항공기 등에서 충격으로부터 보호하기 위하여 사람을 좌석에 고정시키는 혁대. 시트 벨트. 안전띠.

안전 보:장【安全保障】명 〖정〗 외부로부터의 군사·비군사적 위협이나 침략에 대하여, 이를 억지(抑止) 또는 배제하여 국가의 안전을 보장하는 일. 군사 동맹(軍事同盟)이나 경제 협력 외에 중립(中立)이라는 방법도 있음. ㈜안보(安保).

안전 보:장비【安全保障費】명 〖정〗 한 나라가 다른 나라에 대하여 그 안전을 보장하기 위하여 필요로 하는 경비의 총칭.

안전 보:장 이:사회【安全保障理事會】명 〖정〗 ↗국제 연합 안전 보장 이사회.

안전 보:장 조약【安全保障條約】명 〖정〗 국가 안전 보장에 관하여 개별적 또는 집단적으로 타국과 맺는 조약. 「보호함.

안전 보:호【安全保護】명 위험·파괴·곤란이 없도록 안전을 유지하고

안전-봉【安全棒】명 〖물〗 제어봉(制御棒)의 한 가지. 원자로(原子爐) 내에서 중성자가 늘어 폭주(暴走)를 일으킬 위험이 생겼을 때, 노심(爐心)에 삽입하는 막대. 붕소(硼素)를 넣은 카드뮴 막대처럼 중성자를 잘 흡수하는 것이 쓰임.

안전 사각【安全射角】명 〔clearance〕 〖군〗 포탄(砲彈)이 포구(砲口)와 목표 사이에 있는 장애물에 맞지 않을 총포의 사각(射角).

안전 사:고【安全事故】명 공장 따위에서, 안전 교육의 망각 또는 일상의 부주의로 인하여 일어나는 사고.

안전 색채【安全色彩】명 재해(災害)나 사고(事故)의 방지, 구급 체제(救急體制) 등에서 눈에 잘 띄게 하기 위해 사용하는 빛깔. 빨강·주황·노랑·녹색 등 8 가지가 있는데, 빨강은 방화(防火)·금지(禁止)를, 주황은 위험 따위를 나타내는 등 빛깔이 지정되어 있음.

안전-선【安全線】명 〔safety wire〕 〖군〗 신관(信管)의 불시 발화를 방지하기 위하여 신관의 모든 가동 부분(可動部分)을 안전한 상태에 고정되도록 신관체(體)에 부착시킨 선. 발사 직전에 이것을 뽑아 버림.

안전-성【安全性】〔—썽〕 명 안전한 성질. 보장 받는 안전의 확실성.

안전 성냥【安全—】명 〔safety match〕 황린(黃燐)을 사용한 성냥에 대하여 적린(赤燐)을 사용한 성냥. 곧, 일반적으로 널리 쓰이는 보통의 성냥. 성냥개비를 곽 옆의 마찰면(摩擦面)에 긋지 않는 한 발화(發火)하지 않음.

안전 수량【安全水量】명 〔safety yield〕 〖토〗 건조기(乾燥期), 즉 급수(給水)가 가장 부족한 시기에 연속적(連續的)인 급수가 확보될 수 있는 최대 수량.

안전 수칙【安全守則】명 공장·광산·공사장 등에서, 근로자의 안전과 사고 방지를 위하여 정해 놓은 규칙.

안전 시:거【安全視距】명 ①자동차에서 바라다보아 마음놓고 운전할 수 있는 앞길의 거리. ②굽은 길 또는 고개에서, 양쪽에서 오는 차가 서로 발견되는 거리.

안전 완:장【安全腕章】명 안전에 관하여 일정한 책임을 가진 사람이 그 직책(職責)을 표시하기 위하여 팔에 두르는 장식.

안전 용기【安全容器】〔—농—〕 명 〔safety can〕 저장 시설(貯藏施設)이 없는 건물 안에서, 가솔린·나프타·벤진 따위 가연성(可燃性) 액체를 일시 저장(貯藏)하는 데 사용하는 금속제 용기. 액체 운반(液體運搬)에도 사용됨.

안전 위생 교:육【安全衛生教育】명 〖사〗 공장이나 작업장 같은 데의 재해를 방지하고, 근로자의 안전(安全)과 건강(健康)을 유지하기 위하여, 설비나 작업 방법 및 기타 안전과 건강에 필요한 일체를 교육시키는 일. 각국의 근로 기준법(勤勞基準法)은 이 교육을 사용자의 의무로 규정하고 있음.

안전 유리【安全琉璃】〔—뉴—〕 명 〔safety glass〕 파손되더라도 파편이 튀지 않고 인체에 대한 상해 위험이 적은 유리. 합판(合板) 유리·강화(強化) 유리 외에 방탄(防彈) 유리·망입(網入) 유리·유기(有機) 유리 등이 있음. 좁은 뜻으로는 합판 유리를 말함.

안전-율【安全率】〔—뉼〕 명 ①〔margin of safety〕 기계나 구조물의 예정된 강도(強度)와 실제로 견딜 수 있는 강도와의 비율. ②〔safety factor〕 〖물〗 안전 계수(係數). ③〔safety factor〕 〖군〗 우군(友軍)의 초과(超過) 사격을 행할 때 우군에 피해(被害)를 주지 않기 위하여 총포(銃砲)에 적용(適用)해야 할 사정(射程)이나 사각(射角)의 증가. 세이프티 팩터.

안전 장치【安全裝置】명 ①기계·기구 등에, 위험을 막기 위하여 붙여진 장치. ②〖군〗 총포의 오발을 방지하기 위하여, 눌이쇠나 방아쇠가 움직이지 않도록 한 장치. ③〖군〗 포탄 또는 폭탄 등이, 사격이나 투하가 아닌 충격·가열 등으로 폭발하는 것을 방지하기 위한 고정(固定) 또는 차단 장치.

안전 전:류【安全電流】〔—절—〕 명 〔safety current〕 〖물〗 전선에 전류가 안전하게 흐를 수 있는 전류의 수치(數值). 이 수치보다 높은 전류를 통하면 온도가 높아져서 도선이 타서 끊어짐.

안전 제:일【安全第一】명 위험·실패가 없도록 조심하여 안전을 기함이 제일 중요하다는 뜻. 세이프티 퍼스트(safety first). ¶~주의.

안전 주간【安全週間】명 사고의 미연 방지를 위하여 공장·공사장 또는 교통 기관 등에서 재해·사상(死傷) 등이 없도록 힘쓰는 주간. 세이프티

위크(safety week).

안전 지대【安全地帶】명 ①교통이 복잡한 거리나 전차 정류장 등 일정한 지역에, 사람이 안전하게 피해 있도록 베푼 곳. 세이프티 아일런드(safety island). ②조금도 위험성이 없는 안전한 지대. 세이프티 존(safety zone).

안전 차:단 장치【安全遮斷裝置】명 안전기(安全器).

안전 측선【安全側線】명 열차의 충돌 사고 등을 일으킬 염려가 있을 때, 한 쪽의 열차를 본선(本線)으로부터 비키게 하기 위하여 설치한 역구내(驛構內)의 선로. 본선에서 빗간 막다른 선으로, 끝에는 자갈이나 흙 등을 쌓아 올렸음. 일종의 피난 측선임.

열차 폼 안전측선 안전측선 폼 열차

〈안전 측선〉

안전 탄:주【安全炭柱】명〖광〗석탄을 캘 때, 천반(天盤)의 침강(沈降)에 의한 지표(地表)의 건조물이나 갱내 시설의 피해를 막기 위해, 적당한 크기로 남겨 놓는 탄주. *안전 광주(鑛柱).

안전 통신【安全通信】명〖해〗선박 항해에 대한 중대한 위험·장애를 예방하기 위하여 등대의 휴등(休燈)·태풍이나 폭풍·유빙(流氷) 등을 발견하였을 때에 행하는 통신. *긴급 통신·조난 통신.

안전 통행증【安全通行證】[—쯩] 명 [safe-conduct]〖법〗국제 분쟁이나 교전시에, 적국이나 제3국의 외교 사절 및 선박 등에 대하여, 작전 및 점령 지역 안의 일정한 장소에 가는 일을 허용함을 증명하는 문서. 외교 사절의 귀국을 위하여 발급되는 것과 적국인(敵國人) 및 적선(敵船) 또는 기타 사람에게 발급되는 것이 있어, 다 같이 공격 및 체포의 대상에서 제외됨. 안도권(安導券).

안전-판【安全瓣】명 ①[safety valve] 증기관(蒸氣罐) 내의 압력이 규정 이상으로 오르면 자동적으로 판이 열리어 초과 증기를 방출시켜서 관내(罐內)의 증기 압력을 규정 압력 이하로 유지하도록 만든 기계 장치. 세이프티 밸브. ②다른 사물의 위험이나 파멸을 예방하는 일을 하는 사물. ¶완충 지대는 전쟁 유발의 ~이다.

안전 폭약【安全爆藥】명 안전 극량(極量)이 큰 화약. 탄광 갱내용(坑內用) 폭약의 총칭. 메탄 가스나 탄진(炭塵)의 발생 따위를 방지하기 위하여, 폭발 온도가 낮고 화염(火炎)이 나오지 않도록 만듦. 탄광 폭약. 검정(檢定) 폭약.

안전 표지【安全標識】명 도로 교통법에 의거, 교통의 안전에 필요한 주의(注意)·규제(規制)·지시(指示) 따위를 나타내는 표지. 표지판 또는 도로의 바닥에 표시하는 기호나 문자 또는 선 따위가 있음.

안전 표찰【安全標札】명 안전모(安全帽) 등에 붙이는 녹십자 표지(綠十字標識).

안전-핀【安全—】명 [safety pin] ①서양에서 옛날에 브로치(brooch)처럼 쓰이던 물건. ②타원형으로 구부려서 끝을 안전하게 숨긴 핀. ③〖군〗포탄이나 폭탄이 돌발적으로 폭발하지 못하도록 신관(信管)에 꽂는 핀.

〈안전핀❷〉

안전 필름【安全—】명 [safety film] 아세틸 셀룰로오스(acetyl cellulose)·폴리에스테르 및 기타 난연성(難燃性) 플라스틱으로 만든 필름.

안전 항:로【安全航路】[—노] 명 [safety lane]〖해〗잠수함과 수상함(水上艦)의 통행에 상용(常用)되는 정해진 항로. 우군(友軍)으로부터의 공격을 피하기 위한 것임.

안전 항:속 시간 한:계【安全航續時間限界】명 [prudent limit of endurance]〖항공〗비행기가 안전한 양(量)의 여유(餘裕) 연료를 남기고 비행할 수 있는 시간.

안전 해:제【安全解除】명 [arming]〖군〗신관(信管)을 안전 상태로부터 작동 준비(作動準備) 완료 상태로 변환시키는 일.

안전-화【安全靴】명 작업 중 낙하물(落下物)로부터 발을 보호하기 위해 발가락 끝 부분에 쇠붙이 등을 넣어 보강한 신발.

안절부절 못:하다 구 마음이 초조하고 불안하여, 어찌할 줄을 모르고 앉았다 일어섰다 하다.

안:점【眼點】[—쩜] 명 ①〖동〗편모충류(鞭毛蟲類)의 몸의 전단부(前端部)에서 볼 수 있는 붉은색의 작은 점. 시각 기관(視覺器官)인데 유글레나에서는 감광성(感光性)이 없음. ②〖동〗하등(下等)의 무척추(無脊椎) 동물에서 볼 수 있는 점상(點狀)의 시각 기관의 총칭. 해파리강(綱)은 빛의 방향을 지각(知覺)하며, 플라나리아·불가사리는 빛의 강약(強弱)을 느낌. ③〖식〗일부 단세포 조류(單細胞藻類)의 작은 감광성 색소체(感光性色素體).

안접【安接】명 평안하게 머물러서 삶. ¶고래등 같은 재상의 집 50여 채를 내어 나란 태자의 일행을 ~시켰다《朴鍾和 : 多情佛心》. ——-하다 자여불

안정[1]【安定】명 ①사물(事物)이 안전하게 자리잡고 있어, 심한 동요나 변화의 우려가 없는 상태에 있음. 편안히 좌정함. ¶~된 생활. ②〖물〗물체가 균형을 이루고 있을 때 또는 운동하고 있을 때 작은 외부 작용에 조그만 변화를 보였다가 곧 본래의 상태로 돌아가려는 평형(平衡) 상태. 변화가 차차 커지는 것을 불안정이라 하고, 이것도 저것도 아닌 것은 준(準)안정이라 함. ③〖화〗화합물이 쉽게 분해·반응·괴변(壞變)되지 않는 상태. ——-하다 형여불. ——-히 부

안-정[2]【安挺】명〖사람〗조선 시대 중종(中宗) 때의 문신·서화가. 자는 정연(挺然), 호는 죽창(竹窓). 기묘 사화(己卯士禍)에 연루되어 투옥되었고, 28세 때 신사 무옥(辛巳誣獄)에 연루, 길주(吉州)에 유배되었다가 43세 때 석방됨. 글씨·그림을 잘 그렸음. ≪화원 악보(花源樂譜)≫에 시조 2수가 전함. [1494-?]

안정[3]【安靖】명 평안하게 다스림. ——-하다 타여불

안정[4]【安靜】명 ①마음과 정신이 편안하고 고요함. ②병을 고치기 위하여, 몸을 별로 움직이지 않고 조용히 드러누워 있는 일. ——-하다 형여불. ——-히 부

안:정[5]【眼睛】명 ①눈동자. ②〈궁중〉눈. ¶그때야 왕도 정신이 회복된 모양이었다. 겁에 뜨인 ~을 두어 번 둘러보았다《金東仁 : 首陽大君》.

안정[6]【顏情】명 여러 차례 대면하여 생기는 정.

안정 가치 계:산【安定價値計算】명〖경〗화폐 가치에 변동이 있을 경우, 그 가치를 안정시키는 계산법. 예를 들면 예금을 찾아낼 때의 화폐 가치가, 예금할 때보다 떨어졌을 때에 예금자의 손실을 보상하기 위하여, 떨어진 화폐 가치만큼 증액하여 지급하는 일 등임.

안정-감【安定感】명 안정된 느낌. 편안한 느낌.

안정 공:황【安定恐慌】명 [stabilization crisis]〖경〗인플레이션 수습에 따라 통화 가치의 안정으로 일어나는, 반동적 정리 과정으로서의 공황. 디플레이션 정책의 결과, 기업 자금의 고갈·구매력의 저하·체화(滯貨)의 누적 등에 따르는 실업자의 속출(續出)·중소 기업의 도산(倒産) 등 현상이 일어남. 안전 공황.

안정 구조물【安定構造物】명〖건〗하중(荷重)을 받아도 움직이거나 붕괴되지 않는 구조물.

안정-국【安定國】명〖역〗고려 제4대 광종(光宗) 때, 압록강 서쪽 연안에 고구려 계통의 발해(渤海) 유민(遺民)이 세운 나라. 발해가 요(遼)나라에 멸망된 후 요나라의 세력이 미쳐 닿지 않는 이 지역에 건국하였으며, 왕은 열만화(烈萬華). 여진국(女眞國)을 중계로 삼아 송(宋)나라와 수로(水路)를 통하여 친교를 맺었으므로, 985년 요나라의 출병(出兵)으로 멸망함.

안정 국채【安定國債】명〖경〗경기 조정(景氣調整)을 위해 민간의 과잉 유동성 자금(過剩流動性資金) 흡수(吸收)를 목적으로 발행되는 국채. 흡수된 자금은 중앙 은행(中央銀行)의 특별 계정(特別計定)으로 동결(凍結)됨. 이 점에서 세입 보전(歲入補塡)을 목적으로 하는 일반 국채와 그 성격을 달리함.

안정 균형【安定均衡】명 [stable equilibrium]〖경〗경제 제량(經濟諸量)의 균형이 여건(외부 조건)의 변화 탓으로 교란되더라도 다시 원래의 상태로 복귀하는 경향이 있는 경우의 균형.

안정-기[1]【安定期】명 ①안정된 상태의 계속 기간. ¶물가가 ~에 접어들다. ②〖생〗식물 군락(植物群落)이 환경에 종극적(終極的)으로 적응한 상태. 극상(極相).

안정기[2]【安定器】명 [ballast]〖전〗회로 소자(回路素子)의 일종. 형광등 따위의 전등에 시동 전압(始動電壓)을 준다든가 전류를 제한하는 데에 쓰임.

안정 기조【安定基調】명〖경〗경제의 전체적인 움직임이 기본적으로 안정된 바탕 위에서 진전되는 상태.

안정대 가격【安定帶價格】명〖경〗상품의 가격이 안정되어야 할 일정한 가격폭(價格幅). 가격 변동에 의한 생산이나 수출의 불안정을 없애려는 것으로서 법률 등으로 정해짐.

안정 대:륙【安定大陸】명〖지〗옛 지질(地質) 시대에 지각 변동(地殼變動)을 받은 후, 현세(現世)까지 심한 변동이 없이 안정되어 있는 지역. 화강암(花崗岩)·편마암(片麻岩)·결정 편암(結晶片岩) 등으로 이루어졌음. 캐나다 순상지(楯狀地)·발트 순상지·앙가라(Angara) 순상지 등이 있으며, 아프리카·인도·브라질 등지(等地)에도 분포(分布)함. 안정 지역(地域).

안정-도[1]【安定度】명 ①〖물〗물체가 안정하게 있을 때의 밑면·중심(重心) 및 무게에 의한 안정의 도. ②〖물·화〗화약 등이 열이나 빛 등의 물리적(物理的) 또는 화학적(化學的) 작용에 의하여 반응·분해를 할 때에 이에 저항(抵抗)하는 힘. ③[stability]〖지질〗풍화(風化)에 대한 화학적 내구도(化學的耐久度)나 저항성. ④〖물·화〗안정성(安定性) ❷❸.

안정-도[2]【安靜度】명 병의 요양 중인 환자가 필요로 하는 안정의 정도.

안정 동위 원소【安定同位元素】명 [stable isotope]〖물〗자발적으로 방사성 붕괴(放射性崩壞)를 하지 않는 동위 원소.

안정 배:당【安定配當】명 [stable dividend]〖경〗기업의 수익력(收益力)으로 보아 일정한 배당이 순조롭게 유지될 것으로 예상되는 일. 또, 그 배당. 주가(株價)를 안정시키고 기업의 자금 조달을 용이하게 하는 이점(利點)이 있음.

안-정복【安鼎福】명〖사람〗조선 시대 정조(正祖) 때의 학자. 자는 백순(百順), 호는 순암(順菴). 이익(李瀷)의 문인으로서 ≪하학 지남(下學指南)≫·≪희현록(希賢錄)≫·≪가례 집해(家禮集解)≫·≪동사 강목(東史綱目)≫·≪홍범 연의(洪範演義)≫ 등의 저서가 있음. 시호는 문숙(文肅). [1712-91]

안정-사【安靜寺】명〖불교〗경상 남도 통영시(統營市) 광도면(光道面) 안정리(安井里) 벽방산(碧芳山)에 있는 절. 통도사(通度寺)의 말사(末寺)임. 신라(新羅) 태종 무열왕(太宗武烈王) 때 원효(元曉)가 창건(創建)했다고 함.

안:정-섭【眼睛—】명〈궁중〉눈썹.

안정-성【安定性】[—썽] 명 ①안정한 성질. 안정된 성질. ②[stability]〖화〗화합물(化合物)이 쉽사리 분해(分解)되지 않고, 또 다른 화합물과 반응(反應)하지 않는 성질. ③[stability]〖물〗외부(外部)로부터의 작용 없이는 어떠한 변화도 하지 않는 계(系)의 성질. 또, 평형점(平衡點)에서 벗어나면 본디로 되돌아가려는 힘이 작용하는 계(系)의 성질.

안정 성장【安定成長】명〖경〗국가 경제가 대내적(對內的)으로는 고도(高度) 성장에 따르는 물가 상승이나 과밀(過密)·과소(過疎)·공해(公害)·인플레·디플레이션 등 불균형을 수반하지 아니하고, 대외적으로는 국제 수지(國際收支)의 적자(赤字)를 내지 않으면서 경제 전반의 여러 부문의 균형이 잡힌, 일정 속도(一定速度)의 성장을 달성하여 국민

소득의 증가를 계속하는 일.

안정성 증가 장치【安定性增加裝置】[—썽—] [명] [stability augmentation system; SAS]〖항공〗 항공기 조종사의 조종 동작을 돕는 자동 조정 장치. 항공기 고유(固有)의 조작 성능(操作性能)을 수정(修正)하는 데 쓰임.

안정-세【安定勢】[명] ①안정된 세력. ¶국회에서 ~를 확보하다. ②안정 상태를 유지하는 시세.

안정 세:력【安定勢力】[명]〖정〗어떤 지역의 정치 세력 또는 한 나라의 정국(政局) 등을 안정시킬 수 있는 세력.

안정-시키다【安靜—】[타] 편안하고 조용하게 만들다. ¶환자를 ~.

안정-의【安定儀】[—/—이] [명] 선박의 안정 장치의 하나. 고속도로 회전하는 바퀴를 배에 달아, 배의 동요를 막아냄.

안정 인구【安定人口】[명]〖사〗여자의 연령별 출생률과 남녀 연령별 사망률이 일정하여 그 인구의 연령 구성(年齡構成)이 일정하여지고, 출생률(出生率)·사망률(死亡率)도 일정해지는 구조(構造)의 인구. *정지 인구(靜止人口).

안정 임:금제【安定賃金制】[명]〖경〗기업 경영의 장기(長期) 안정을 목적으로 한 임금 제도. 노동 조합과 장기 임금 협정을 맺어, 매년의 정기 승급액(昇給額)이나 상여금(賞與金) 계산 방식 등을 정해 두는 방법 등이 있음.

안정 장치【安定裝置】[명]〖항공〗비행기의 안정을 유지하기 위한 장치. 보통의 비행기에서는 미부(尾部)에 있는 수평 안정판 또는 수직 안정판이 이에 해당함.

안정 저:항기【安定抵抗器】[명] [ballast resistor]〖전〗전류(電流)의 증감(增減)에 따라 저항치(抵抗値)가 증감하는 저항기.

안정-절【安貞節】[명]〖역〗고려 인종(仁宗) 때 임금의 탄신일을 기념하던 명절. 뒤에 경룡절(慶龍節)로 고쳤음.

안정-제【安定劑】[명] ①[stabilizer]〖화〗물질을 방치(放置) 또는 보존(保存)할 때, 그 상태 변화·화학 변화를 방지하기 위하여 첨가하는 물질. 화약·합성 수지(合成樹脂)·식품 따위 여러 화학 공업 부분에서 각각 그 목적에 따라 사용됨. ②↗정신 안정제.

안정 조작【安定操作】[명]〖경〗주식 가격을 안정시킬 목적으로 거래소에서 행하여지는 일련의 매매 거래. 부당한 시세 조작이 되지 않도록 정령(政令)으로 몇 개의 제한이 가하여짐.

안정 주주【安定株主】[명] [strong stockholder]〖경〗증권 시장에서, 회사의 실적이나 주가의 변동에는 관계 없이 어떤 회사의 주식을 재산 투자(財產投資)로서 장기간 소유하고 있는 주주. ↔부동 주주(浮動株主)·불안정 주주(不安定株主).

안정 지괴【安定地塊】[명]〖지〗강괴(剛塊).

안정 지역【安定地域】[명]〖지〗안정 대륙(安定大陸).

안정-책【安定策】[명] 안정을 도모하기 위한 대책.

안정 통화【安定通貨】[명]〖경〗안정 화폐(安定貨幣).

안정-판【安定板】[명] 비행기의 안정 장치의 하나. 그 단면은 대개 유선형인데 타익(舵翼)과 더불어 미익(尾翼)을 구성하며 수평 안정판과 수직 안정판이 있음. *안정 장치.

안정 포말【安定泡沫】[명] 여러 시간 동안 꺼지지 않는 포말(泡沫). 비누·색소·단백질 등의 수용액에 생기는 거품. 소액 포말(疎液泡沫). ↔불안정 포말(不安定泡沫).

안:정 피로【眼睛疲勞】[명]〖의〗눈을 쓰는 일에 있어서 여느 사람으로서는 피로하지 않는 정도의 일에도 곧 피로를 느끼며, 앞이마의 압박감·두통·시력 장애·복시(複視) 등을 일으키고 심한 경우엔 오심(惡心)·구토까지 일으키게 되는 상태.

안정-핵【安定核】[명] [stable nucleus]〖물〗자발적으로 방사성 붕괴(放射性崩壞)를 하지 않는 핵(核).

안정-화【安定化】[명] ①안정되게 됨. 안정되게 함. ②[stabilization]〖물〗자성체(磁性體)의 자기 특성(磁氣特性) 안정도(安定度)를 높이기 위한 처리. ③[stabilization]〖화〗석유 또는 가솔린으로부터 경질(輕質) 가스를 분리하기 위한 석유 정제 프로세스. ④[stabilization]〖항공〗비행기의 동요(動搖)에 대하여, 목적하는 방향으로 안정을 유지하려고 하는 일. ——-하다 [자][타][여불]

안정화 장치【安定化裝置】[명] [stabilizer] 석유 정제(石油精製)에 쓰이는 정류탑(精溜塔). 탄화 수소 화합물을 안정시키는, 즉 탄화 수소에서 유분(溜分)을 분리하는 데에 쓰임.

안정 화:폐【安定貨幣】[명]〖경〗①구매력이 안정화(化)된 통화. ②물가 및 경기(景氣)의 안정을 목적으로 하여 그 발행량(發行量)이 인위적으로 조절(調節)되는 화폐. 안정 통화(安定通貨). *관리 통화(管理通貨)·중립 통화(中立通貨).

안:제【眼眥】[명] 눈초리.

안젤루스 [Angelus] [명]〖천주교〗①'삼종 기도'의 라틴어. ②'삼종 기도'의 시각을 알리는 성당의 종.

안젤리코 [Angelico, Fra Giovanni da Fiesole] [명]〖사람〗중세 이탈리아의 화가. 르네상스 초기(初期)의 성직자(聖職者)로 그의 작품은 전부 밝고 맑은 필치로 천상계(天上界) 및 성자(聖者)를 그린 종교화임. 대표작은 성마르코 성당(聖 Marco 聖堂)의 벽화(壁畫)인 ≪성고(聖告)≫임. [1387-1455]

안젼【向前】〈이두〉 지난번. 전번.

안:조【贋造】[명] 위조(僞造). ——-하다 [타][여불]

안조딕 [자] 앉되. '앉다'의 활용형. ¶다시 모딕 안조딕 端正히 호리라(更要坐得端正) ≪蒙法 2≫.

안:조-품【贋造品】[명] 안조한 물품. 위조품(僞造品).

안:족【雁足】[명]〖악〗기러기발.

안존【安存】[명] ①탈없이 잘 있음. 안거(安居). ¶가정의 ~을 바라다. ②성질이 안온하고 얌전함. ¶~한 처녀. ——-하다 [자][형][여불]. ——-히 [부]

안좀 [자]〈옛〉앉음. '앉다'의 명사형. ¶샹녯 양ᄋᆞ로 안조미 맛당ᄒᆞ니라(可如常坐) ≪蒙法 3≫.

안좀걷뇸 [명]〈옛〉앉음과 거닒. ¶三千六千이 볼ᄀᆞ며 樓殿이 일어늘안좀 걷뇨매 어마님 모ᄅᆞ시니 ≪月釋 Ⅱ:24≫.

안-종수【安宗洙】[명]〖사람〗조선 시대 말기의 문신. 고종 18년(1881) 신사 유람단(紳士遊覽團)의 수행원으로 일본(日本)에 다녀와서 ≪농정 신편(農政新編)≫을 번역함. 갑신 정변(甲申政變)이 실패한 뒤 개화당으로 몰려 마도(馬島)에 유배됨. 생몰년 미상.

안-종원【安鍾元】[명]〖사람〗서가(書家). 호는 석정(石汀). 특히, 예서(隸書)·팔분(八分)·행서(行書) 등의 각 체(體)를 잘 썼는데 필성(筆性)은 온건하고 연미함. 양정 중학교 교장으로 있으면서 후배 육성에도 힘썼음. [1878-1953]

안-종화[1]【安鍾和】[명]〖사람〗조선 시대 후기의 학자. 자(字)는 사응(士應), 호는 함재(涵齋). 광주(廣州) 사람. 안민학(安敏學)의 후손. 고종 31년(1894) 문과에 급제, 궁내부 낭관(宮內府郞官)·세자 시강원 시독(世子侍講院侍讀)·중추원 의관(中樞院議官) 등을 지냄. 역사에 밝아, 조선 시대 인물의 전기(傳記)를 약술한 ≪국조 인물지(國朝人物志)≫를 지음. [1860-1924]

안-종화[2]【安鍾和】[명]〖사람〗영화인. 우리 나라 영화계 개척자의 한 사람으로, 1920년 조중환(趙重桓)의 장한몽(長恨夢) 촬영 때 여역(女役)으로 출연하여 영화계에 첫발을 디딘 후, 연극·영화의 연출·감독에 종사함. 저서로 ≪신극사(新劇史) 이야기≫가 있음. [1902-66]

안좌【安坐】[명] ①편히 앉음. ②〖불교〗부처를 법당에 봉안함. ③〖불교〗부처 앞에서 무릎 꿇고 있음. ——-하다 [자][여불]

안좌-도【安佐島】[명]〖지〗전라 남도의 서해상(西海上), 신안군(新安郡) 안좌면(安佐面)에 위치한 섬. 전(前)의 기좌도(箕佐島)와 안창도(安昌島)가 연륙(連陸)된 섬임. [45.28 km²]

안좌슈 [명]〈옛〉안장. ¶금ᄉᆞ로 갸품 ᄒᆞ욘 안좌쉬오(金絲夾縫的鞍座兒) ≪朴解 上 28≫.

안주[1]【安州】[명]〖지〗평안 남도 안주군(安州郡)의 군청 소재지. 청천강(清川江)에 연하여 수륙 교통의 요지이며 농산물의 집산지이고 탄광(炭鑛)으로 유명함.

안주[2]【安住】[명] ①자리를 잡고 편안하게 삶. ②현재의 상황이나 입장에 만족하고 있음. ——-하다 [자][여불]

안주[3]【按酒】[명] 술을 마실 때에 곁들여 먹는 지짐이나 고기 등속. 술안주.

안:주[4]【眼珠】[명] 눈망울❶.

안:주[5]【雁柱】[명]〖악〗기러기발.

안주-군【安州郡】[명]〖지〗평안 남도의 한 군. 관내 1읍 7면. 북은 평안 북도 박천군(博川郡)과 영변군(寧邊郡), 동은 개천군(价川郡)과 순천군(順川郡), 남은 평원군(平原郡), 서는 황해에 접함. 각종 농산과 임산·수산·광산·축산이 있고, 명승 고적은 안주성(安州城)·충민사(忠愍祠)·태향산(汰香山)·휴암산(鵂岩山)·칠성지(七星池) 등임. 군청 소재지는 안주읍(安州邑). [692 km²]

안-주머니 [—쭈—] [명] 옷 따위의 안 쪽에 달린 주머니.

안주-반【安州盤】[명] 평안 남도 안주 지방에서 나는 소반. 가래나무로 만들어 통영반(統營盤)과 모양이 같으나, 사개를 물리어 다리를 달고, 중대(中帶)를 끌로 파서 끼우며, 상다리 밑에 완자 무늬를 새기는 것이 특색임. *통영반(統營盤).

안주-상【按酒床】[—쌍] [명] 안주를 차려 놓은 상.

안주-애기박쥐【安州—】[명]〖동〗[*Vespertilio superans*] 애기박쥣과에 속하는 박쥐. 몸의 배면(背面)과 머리는 담회색에 밤빛이고 몸의 아래쪽은 엷은 회색, 털의 기부는 회갈색인 곳도 있음. 산림에 서식하는데, 한국 북부·만주·일본 등지에 분포함.

안주 애원성【安州哀怨聲】[명]〖악〗서도 민요(西道民謠)의 하나. 아낙네들이 물레질을 하면서 부르는 물레타령의 일종. 도드리 장단에 얹어 부르는 수심가(愁心歌) 조의 가락임. 안주 애원곡(安州哀怨曲).

안-주인【—主人】[—쭈—] [명] 여자 주인. ↔바깥 주인.

안-주장【—主張】[—쭈—] [명]〈속〉내주장(內主張).

안주 탄:전【安州炭田】[명]〖지〗평안 남도 안주군(安州郡) 입석면(立石面)에 있는 갈탄 탄전(褐炭炭田). 매장량은 약 5천만 톤임. 1912년에 개발함.

안주 평야【安州平野】[명]〖지〗평안 남도 서북부 청천강(清川江) 하류에 이루어진 평야. 근래에 수리 관개 공사를 일으켜 곡창 지대를 이루게 됨. 쌀이 주산이고 용강(龍岡)의 면화와 남포(南浦)·숙천(肅川)의 사과는 전국적으로 유명함.

안주 항:라【安州亢羅】[—나] [명] 평안 남도 안주(安州)에서 나는 항라. [준]안항라(安亢羅).

안줏-감【按酒—】[명] 안주가 될 만한 음식물. 안주로 적당한 거리. 주효(酒肴料).

안:중【眼中】[명] ①눈 속. ②눈에 비치는 바. 곧, 관심·의식의 범위내.

안:중에 없:다 [구] 조금도 신경 쓰지 아니하다. 전혀 문제로 삼지 아니하다.

안-중(:)관【安重觀】[명]〖사람〗조선 시대 숙종·영조 때의 학자. 자는 국빈(國賓), 호는 회와(悔窩). 순흥(順興) 사람. 벼슬은 공조 좌랑(工曹佐郞)을 거쳐 홍천(洪川)·제천(堤川) 현감을 역임함. 성리학(性理學)에 밝고, 문학·경제학에도 조예가 깊었음. 저서에 ≪회와집(悔窩集)≫이 있음. [1683-1752]

안-중(:)근【安重根】[명]〖사람〗조선 시대 고종(高宗) 때의 의사(義士). 황해도 해주 출생. 을사(乙巳) 조약이 체결되자, 일본의 처사에 분격하

여 강원도 의병(義兵)에 참가, 나중에 블라디보스토크 등지로 망명 전전하였음. 1909년 전 조선 통감(統監) 이토 히로부미(伊藤博文)를 만주 하얼빈 역두(驛頭)에서 사살하고 체포되어, 이듬해 3월 뤼순(旅順) 감옥에서 순국(殉國)했음. 글씨에 뛰어나 많은 유필(遺筆)이 남아 있음. [1879-1910]

안:중 무인【眼中無人】명 안하 무인.

안-중문【一中門】[一쭝一] 명 안뜰로 들어가는 중문.

안중식【安中植】명〖사람〗근세 조선의 화가. 호는 심전(心田). 순흥(順興) 사람. 산수(山水)·인물(人物)·화조(花鳥)의 그림을 잘 그렸고 글씨에도 뛰어나 해(楷)·행(行)·초(草)·예(隸)에 모두 뛰어났음. 일찍이 관비생으로 중국에 유학한 일이 있고, 조소림(趙小琳) 등과 '서화(書畫) 미술원'·'서화 협회' 등을 조직하였음. 작품 ≪천보구여도(天保九如圖)≫·≪산수도(山水圖)≫·≪군작도(群雀圖)≫ 등. [1861-1919]

안:중 유:철【眼中有鐵】명 눈에까지 무장을 하고 있음. 완전 무장하여 정신이 긴장되어 있는 일.

안:중-인【眼中人】명 ①항상 염두에 두고 만나 보기를 원하는 사람. ②전에 본 일이 있는 사람.

안:중-정【眼中釘】명 눈엣가시.

안쥬 명〈옛〉안주(按酒). ¶안쥬 효(餚) ≪字會 中 20≫.

안즈 전:쟁【一戰爭】[중 安直] 명〖역〗1920 년 중국 베이양 군벌(北洋軍閥)의 안후이 파(安徽派)인 돤 치루이(段祺瑞)와 즈리 파(直隷派)인 차오 쿤(曹錕)·우 페이푸(吳佩孚) 사이에 있었던 전쟁. 위안 스카이(袁世凱)의 사후(死後) 세력 다툼에 의한 것으로 즈리 파의 승리로 끝남. 안직(安直) 전쟁.

안즉[1] 부〈방〉아직(황해).

안즉[2] 부〈옛〉가장. =안직². ¶マ올히 오니 안즉 分明ᄒ도다(秋至最分明) ≪杜諺 XII:9≫.

안-지[1]【安止】명〖사람〗조선 시대 초기의 문인. 자는 자행(子行), 호는 고은(皐隱). 강진(康津) 사람. 집현전 부제학·영중추원사(領中樞院事)를 지냈으며 세종 때 왕명으로 ≪금자 법화경(金字法華經)≫을 옮겨 썼고, 정인지(鄭麟趾) 등과 함께 ≪용비 어천가(龍飛御天歌)≫를 지었음. [1377-1464]

안지[2]【安地】명 안전한 땅. 편안한 땅.

안-지[3]【安志】명〖사람〗조선 시대 선조(宣祖) 때의 학자. 자는 사상(士尙), 호는 농애(農厓). 순흥(順興) 사람. 9세에 이미 주역(周易)에 통달했고 시문(詩文)에 뛰어났음. 저서에 ≪계림 총서(桂林叢書)≫·≪옥설 총보(玉屑叢寶)≫가 있음. 생몰년 미상.

안:지[4]【案紙】명 초안(草案)에 쓰는 용지. 원고 용지.

안:지[5]【眼脂】명〖의〗마이봄(Meibom) 샘에서의 분비물. 무색 또는 담황색의 반투명 연고상(軟膏狀)의 분비물. 눈곱.

안-지름 [一찌一] 명〖수〗관(管) 따위의 안쪽으로 잰 지름. 내경(內徑). ↔바깥지름.

안-지밀【一至密】[一찌一] 명〖역〗궁중에서 내전(內殿)에 거처하는 지밀. ↔발지밀. *지밀(至密).

안지위【內節】〈이두〉-ㄴ 때에.

안-지추【顏之推】명〖사람〗중국 육조(六朝)말의 학자. 자(字)는 개(介), 산둥 성 출신. 전란(戰亂)과 귀족 사회(貴族社會) 해체 시대에 방랑(放浪)하며 여러 왕조(王朝)를 섬김. 특히, 가정(家庭)을 중시(重視)하여 가정 도덕의 확립을 목적으로 지은 저서 ≪안씨 가훈(顏氏家訓)≫은 육조사(六朝史) 연구에 귀중한 자료가 됨. [530?-602?]

안-지히 [도 an sich] 명〖철〗①현상에서 독립한 그 스스로의 존재. 자체(自體). ②모든 현상적 외관으로부터 독립하여 실재함. 즉자(卽自). ↔퓌어 지히(für sich). *안 운트 퓌어 지히.

안직[1] 부〈방〉아직(황해).

안직[2] 부〈옛〉가장. =안딕·안즉. ¶龍이 비느리 저즌ᄃᆞᆺ 호ᄆᆞᆯ 안직 알리로다(最覺潤龍鱗) ≪杜諺 IX:23≫.

안직[3]【最只】부〈이두〉가장.

안직 전:쟁【安直戰爭】명〖역〗안즈 전쟁.

안:진【雁陣】명 ①떼를 지어 날아 가는 기러기의 행렬. ②기러기의 행렬같이 진을 치던 옛날 진법(陣法)의 하나.

안-진경【顏眞卿】명〖사람〗중국 당(唐)나라의 충신(忠臣). 서(書)의 대가. 자는 청신(淸臣). 산둥 린이(山東臨沂) 사람. 북제(北齊)의 학자 안지추(顏之推)의 오대손(五代孫). 박학(博學)하고 사장(辭章)에 뛰어났음. 안녹산(安祿山)이 반란을 일으키자 문관(文官)의 몸으로 의병(義兵)을 모아 평원성(平原城)에서 적을 막음. 뒤에 벼슬이 어사 대부(御史大夫)·태자 태사(太子太師)에 이르렀으나, 회서 절도사(淮西節度使) 이희열(李希烈)이 반란을 일으켰을 때 그를 설득하는 소임을 명받아 적의 진영(陣營)으로 가, 거기서 구류된 뒤 피살됨. 서풍(書風)은 남성적인 강기(剛氣)가 있었으며, 해서(楷書)로는 ≪다보탑비(多寶塔碑)≫·≪안씨 가묘비(顏氏家廟碑)≫, 행초(行草)로는 ≪쟁좌위첩(爭座位帖)≫ 등이 걸작으로 꼽힘. 대종(代宗) 때 노군공(魯郡公)에 봉해져 안 노공(顏魯公)으로 불림. 저서에 ≪안노공집(顏魯公集)≫이 있음. 시호(諡號)는 문충(文忠). [709-784?]

안:진-계【眼振計】명 안구(眼球)의 무의식적인 리드미컬한 움직임을 기록하는 장치. 전기 안진계가 있으며 현기증·평형 장애를 관찰함.

안진-굿 명〈방〉〖민〗앉은굿.

안진-법【安鎭法】[一뻡] 명〖불교〗부동존불(不動尊佛)을 본존으로 하고 국가 또는 저택의 평안을 비는 밀교(密敎)의 수법.

안:질【眼疾】명 눈병.

[안질에 고춧가루] 매우 꺼리는 물건이라는 말. 상극(相剋)하는 사물을 말함. [안질에 노랑 수건] ㉠가까이 두고 쓰는 물건 또는 매우 긴요하게 쓰이는 물건. ㉡매우 친밀한 사람이란 말.

안질-깨 명〈방〉앉을깨❶.

안질-뱅이 명〈방〉앉은뱅이(경상·강원).

안짐-뱅이 명〈방〉앉은뱅이.

안-집[1] [一찝] 명 ①안쪽의 집채. 안채. ¶~에 세들다. ②한 집에서 여러 가구가 살 때의 주인댁. ¶~에 찾아온 손님. ③하인들이 자기네 주인집을 이르는 말.

안집[2] 명〈방〉호주머니(황해).

안집[3] 명〈옛〉관(棺). 널. ¶안집 츤(櫬), 안집 관(棺) ≪字會 中 35≫.

안즉 부〈옛〉가장. =안직. ¶이제 져믄 저고란 안즉 ᄆᆞᅀᆞᆷᄭᆞ장 노다가 즈라면 ≪釋譜 VI:11≫.

안즌방이 명〈옛〉앉은뱅이. ¶안즌방이 又名ᄆᆞ음둘네(潰堅) ≪方藥 19≫.

안-짝 명 ①표준 거리나 수에 미치지 못한 범위. ¶2만 원 ~. *안팎. ②〖문〗글 한 귀의 앞에 있는 짝. 1)·2):↔바깥짝.

안짱-다리 명 두 발끝을 안쪽으로 우긋하게 하고 걷는 사람. ↔발장다리.

안-쪽 명 안으로 향한 부분. 내측(內側). ↔바깥쪽.

안쪽-잡다 타〈방〉안쫑잡다.

안쪽-지다 형 안쪽으로 치우쳐서 구석지고 으슥하다. ¶아늑하고 안쪽져서 남의 눈을 피할 수 있다.

안쫑-다리 명〈방〉안짱다리.

안쫑-잡다 타 ①마음 속에 품어 두다. ②겉가량으로 헤아리다. ¶안쫑잡아서 백 개는 되겠다.

안찌 명 윷놀이에서, 방에서 꺾인 둘째 밭. *윷판.

안찌 대:다 구 윷놀이할 때에 말을 안찌에 놓다.

안-찝 명 ①옷 안에 받치는 감. 안감. 내공(內供). ㉾안. ↔거죽감. ②소나 돼지의 내장. ③송장을 넣는 널.

안찝 광:목【一廣木】명 안찝으로 쓰는 광목.

안:-차다 형 겁이 없고 깜찍하다. ¶안찬 계집아이 / 안차기로 유명하여 좀쳇 일에 눈도 깜짝하지 아니하던 평양집도 사람이 죽었다는 데는 겁이 나던지…≪李海朝 : 鬢上雪≫.

안:차고 다:라지다 구 성질이 겁이 없이 깜찍하고 당돌하다. ¶삼월이 같은 안차고 다라진 년도 매를 견디지 못하여 ≪金敎濟 : 牡丹花≫.

안-차비【一差備】명〖불교〗그 절에 살면서 그 절의 재(齋)에 범패(梵唄)를 부르는 법주(法主). ↔바깥차비.

안차비 소리【一差備一】명〖불교〗안차비가 부르는 범패(梵唄). ↔바깥차비 소리.

안착【安着】명 무사히 도착함. ——-하다 자여불

안-찬【安瓚】명〖사람〗조선 시대 전기의 의관(醫官). 자(字)는 황중(黃中). 순흥(順興) 사람. 의술과 성리학(性理學)에 정통하고, 산수화를 잘 그렸음. 기묘 사화(己卯士禍) 때 화를 입은 유림(儒林)들의 신원(伸寃)을 상소했다가 장류(杖流)되어 가던 도중 죽음. [?-1519]

안:찰[1]【按察】명 조사하여 살핌. 안검(按檢). ——-하다 타여불

안:찰[2]【按擦】명〖기독교〗목사나 장로가 기도 받는 사람의 몸의 어느 부위를 어루만지는 일. ——-하다 자여불

안:찰[3]【贋札】명 안조(贋造)한 지폐. 위조 지폐.

안:찰 기도【按擦祈禱】명〖기독교〗목사(牧師)나 장로(長老)가 안찰하며 기도하는 일.

안:찰-사【按察使】[一싸] 명〖역〗①중국 송(宋)나라 및 명(明)나라 때에, 지방 군현(郡縣)의 치적(治績)·풍교(風敎)를 감독하고 법범을 단속하던 관직. 청나라 시대에 각 성마다 한 사람씩 두었음. ②고려 때의 지방 장관. 현종(顯宗) 3년(1012)에 절도사(節度使)를 고친 이름. 문종(文宗) 18년(1064)에 도부서(都部署)로 개칭하였다가 예종(睿宗) 8년(1113) 다시 이 이름으로 환원함. 충렬왕(忠烈王) 2년(1276)에 안렴사(按廉使)로 고침.

안-창[1] 명 신 안에 까는 가죽이나 헝겊. *속창.

안:창[2]【雁瘡】명〖한의〗양진성(痒疹性) 습진의 속칭. 주로 사지에 생기는 만성의 부스럼으로 몹시 가려움. 해마다 기러기가 올 때에 나고, 갈 때쯤해서 낫는다 하여 이 이름이 있음.

안창 고기 명 갈매기살.

안-창남【安昌男】명〖사람〗우리 나라 최초의 비행사(飛行士). 서울 근교 출생. 1919년에 도일(渡日)하여 비행 학교를 졸업. 1920년에 비행사가 되고, 1922년에 고국 방문 비행을 하였음. 망명지(亡命地) 중국에서 비행기 사고로 죽음. [1900-30]

안창-도【安昌島】명〖지〗전라 남도 목포(木浦) 서해상, 신안군(新安郡) 안좌면(安佐面)에 있던 섬. 지금은 안좌도(安佐島)에 합쳐짐.

안창-치기 명〈속〉저고리의 안주머니를 주로 터는 소매치기.

안-창호【安昌浩】명〖사람〗독립 운동가·교육가. 호는 도산(島山). 1900년에 도미(渡美), 공립(共立) 협회를 창설, 1906년 귀국하여 신민회(新民會)를 조직, 1908년 청년 학우회(靑年學友會) 조직, 1910년 다시 미국에 가서 흥사단(興士團)을 창립함. 3·1 운동 뒤에 상해 임시 정부(上海臨時政府) 내무 총장(內務總長)에 취임, 1932년에 체포되어 3년간 옥고(獄苦)를 치르고, 1937년 재차 피검(被檢)되어 옥환(獄患)으로 타계(他界)함. [1878-1938]

안-채[1] 명 안팎 각 채로 된 집에서 안에 있는 채. 안집. 내사(內舍). ↔바깥채.

안:채[2]【眼彩】명 안광(眼光)❶.

안:-채다 자 ①앞으로 들이치다. ¶"지각없이 안채우지 말고 가만히나 있게." ≪金周榮 : 客主≫. ②맡아서 당하게 되다.

안-채비 명〖불교〗☞안차비.

안:책【案冊】명 선생안(先生案).

안:천【鞍韉】명 말의 안장과, 안장 밑에 괴는 방석이나 담요.
안:-천자【贋天子】명 폐제(廢帝).
안:청【眼睛】명 '안정(眼睛)'의 잘못된 말.
안:초-공【按草工】명〖건〗기둥 머리에 얹어서 주심포(柱心包)를 받드는 초각반(草刻盤).
안:총【眼聰】명 안력(眼力).
안-추르다 타르불 ①고통(苦痛)을 꾹 참고 억누르다. ②분노를 눌러서 가라앉히다.
안-축【安軸】명〖사람〗고려 후기의 한학자. 자는 당지(當之), 호는 근재(謹齋). 순흥(順興) 사람. 벼슬은 첨의찬성사(僉議贊成事)로 충렬(忠烈)·충선(忠宣)·충숙(忠肅) 세 왕의 실록(實錄) 편찬에 참여하여 흥녕군(興寧君)에 봉해짐. 경기체가(景幾體歌)인 ≪관동 별곡(關東別曲)≫과 ≪죽계 별곡(竹溪別曲)≫을 지었음. 시호는 문정(文貞). [1287-1348]
안:출【案出】명 생각하여 냄. 염출(捻出). ¶비계(秘計)를 ~하다. ——-하다 타여불
안치¹【安置】명 ①안전하게 잘 둠. ②신불(神佛)의 상(像)이나 위패·시신(屍身) 등을 잘 모시어 둠. ③〖역〗귀양간 죄인을 가두어 놓고 다른 곳으로 옮기지 못하게 주거를 제한하는 일. 주로, 왕족·고관·현직자에게 적용함. ¶위리(圍籬)~. *천극(栫棘) 안치. ——-하다 타여불
안:치²【按治】명 죄를 조사하여 다스림. 안옥(按獄). ——-하다 타여불
안:-치³【雁峙】명〖지〗①전라 남도(全羅南道) 보성군(寶城郡)에 있는 고개. [192 m] ②충청 남도 서천군(舒川郡)에 있는 고개. [65 m]
안:-치다¹ 자 ①어려운 일이 앞에 와 밀리다. ②앞으로 와 닥치다.
안치다² 타 찌거나 끓일 물건을 솥에 넣다. ¶솥에 밥을 ~.
안치다³ 타〈옛〉앉히다. ¶世尊이 방셕 주어 안치시니라≪釋譜 Ⅵ:20≫.
안-치(:)민【安置民】명〖사람〗고려 때의 문인(文人). 자(字)는 순지(淳之), 호는 기암(棄菴)·수거사(睡居士)·취수 선생(醉睡先生). 안강(安康) 사람. 이인로(李仁老)·이규보(李奎報) 등과 함께 문명이 높았으며, 묵죽(墨竹)을 잘 그렸음. 생몰년 미상.
안치-소【安置所】명 안치하여 두는 곳. ¶시체(屍體)~. *영안실(靈安室).
안-치수【一數】명 안쪽으로 잰 길이의 치수. ↔바깥치수.
안-칠성【一七星】[一썽]명〖민〗제주도(濟州島)에서 고방(庫房)에 모시는 여자 귀신. 고방의 쌀독 위에 무명 일곱 자를 접어서 폐백으로 놓음. 뱀의 화신(化身)으로 집안의 재물(財物)을 관장(管掌)한다 함. *밭칠성(七星).
안침¹ 명 ☞안쪽. ¶새집들입니다. 전에는 저 ~에 있는 묵은 기와집 한 채뿐이었는데…≪洪命憙:林巨正≫.
안침²【安枕·安寢】명 안면(安眠). ——-하다 자여불
안-침³【安琛】명〖사람〗조선 초기의 문신(文臣). 자(字)는 자진(子珍), 호는 죽창(竹窓)·죽계(竹溪). 순흥(順興) 사람. 세조 12년(1466) 문과에 급제, 이조 정랑(吏曹正郞)·예문관 교리(藝文館校理)·사성(司成)·부제학(副提學)·승지(承旨)를 거쳐, 한성부 우윤(漢城府右尹)·공조 판서를 지냄. 송설체(松雪體)로 해서(楷書)에 능했음. 시호(諡號)는 공평(恭平). [1444-1515]
안침-술집 [一찝]명 내외술집. ¶조용한 ~이 이 근처에 없소?
안칭〔安慶〕명〖지〗중국 동부 안후이 성(安徽省)의 양쯔 강(揚子江) 북안에 있는 도시. 고래로 군사상의 요지이고 1902년에는 영국과 상약(商約)이 체결되어 개항되었음. 제지(製紙) 공업이 발달하였으며 차(茶)의 집산과 제염업(製塩業)으로 알려짐. 안경(安慶). [428,000 명(1984)]
안캉〔安康〕명〖지〗중국 산시 성(陝西省) 남동부의 도시. 시가지는 한수이(漢水) 강 상류의 남안(南岸)에 위치하고 신구(新舊) 두 성(城)이 있음. 상업이 성하고, 곡류·식물성 기름·수피(獸皮) 및 생사(生絲)·면포(綿布)·종이 등이 생산됨. 안강. 구칭 : 흥안(興安). [76,600 명(1982)]
안콰〈옛〉안과. '안'의 공동격형(共同格形). ¶닐오딘 안콰 밧괘니(謂內及外)≪圓覺 上 二之二 81≫.
안킬로사우루스〔ankylosaurus〕명〖생〗현존하는 아르마딜로(armadillo)와 같이, 등에 비늘 모양의 단단한 껍데기와 가시 모양의 돌기가 나 있음. 적이 습격하면 몸을 둥그렇게 움츠리거나 땅바닥에 납작 엎드렸던 것으로 짐작됨. 몸길이 4-10 m, 백악기(白堊紀)에 생존했음.
안타¹【安打】명 야구에서, 타자(打者)가 베이스에 나아갈 수 있도록 안전하게 공을 치는 일. 히트(hit). ¶5 타수 2 ~.
안타²【安惰】명 야무지지 못하고 게으름. 안일(安逸)하고 게으름. ——-하다 형여불
안타까워-하다 타여불 안타까운 생각을 겉으로 드러내다.
안타까이 부 안타깝게.
안타깝다 형ㅂ불〔중세 : 안닶갑다〕①남이 애를 쓰고 고민하는 것을 보고 매우 딱한 생각이 나다. ¶실의(失意)에 빠진 그를 보니 매우 ~. ②뜻대로 안 되어 마음이 답답하고 죄이다. ¶시간 가는 것이 ~/애인 돌아오기를 안타깝게 기다리다.
안타깝-이 명 걸핏하면 안타까워하는 사람의 별명.
안타깨비¹ 명〖충〗↗안타깨비쐐기.
안타깨비² 명 명주실의 토막을 이어서 짠 굵은 명주.
안타깨비³ 명〈방〉안타깝이(평안).
안타깨비-나비 명〈방〉〖충〗쐐기나방.
안타깨비-쐐기 명〖충〗쐐기나방의 유충. 몸은 짧고 굵으며 독침을 지닌 육각상 돌기(肉角狀突起)가 있어 이에 닿으면 매우 아픔. 빛은 버들잎 빛이고 번데기는 굳은 고치 속에 들어 있음. 감·배·능금나무 등의 해충인데 9월에 부화하여 고치를 짓고 이듬해 5월에 성충이 됨. 준안타깨비.쐐기.

안타나나리보〔Antananarivo〕명〖지〗아프리카 대륙 남동부 마다가스카르 민주 공화국의 수도이며 이 나라 제 1의 상공업 도시. 마다가스카르 섬 중앙부, 표고 1,250 m 고원(高原)에 있음. 17 세기에 호바(Hova) 왕국의 왕도(王都)가 되고, 1895 년 프랑스에 점령당했다가 1960 년 독립과 함께 수도가 됨. 벼농사의 중심 지역이고, 담배·기계·피혁·비누·제분 공업 등이 행하여짐. 구칭 : 타나나리보(Tananarivo). [660,000 명(1991 추계)]
안:-타다 자 가마나 인력거나 말을 탄 다른 사람의 앞에 앉아 함께 타다.
안타레스〔Antares〕명〖천〗〔화성(火星)의 적(敵)이란 뜻〕여름 날 초저녁 남천에 보이는 별. 전갈(全蠍)자리의 α성(星)으로 붉은 빛을 내는 1.0 등성으로 5.5 등의 동반성(同伴星)이 있음. 거리 약 500 광년이며, 직경은 태양의 약 230 배임.
안타르 이야기〔Antar〕명〖문〗아라비아의 통속 이야기. 작가는 불명이나, 11 세기에는 현재의 모양으로 다듬어져 있었다고 생각됨. 6 세기에 실재하였던 군인이며 시인인 안타르의 기구한 생애를 그림.
안타-회【安陀會】명〔범 antarvāsa〕〖불교〗오조(五條)의 가사(袈裟)를 짓는 회.
안탈키다스의 화약【一和約】〔Antalkidas〕[一/一에一]명 기원전 386 년 스파르타가 그리스에서의 패권 유지를 위하여 페르시아와 체결한 조약. 스파르타의 안탈키다스가 페르시아에 가서 조약을 체결함. 소아시아에 있는 도시는 페르시아에 귀속되며, 다른 그리스 도시는 자치 독립임을 규정하고, 이를 위반하면 페르시아가 개입하는 것 등으로 되어 있음. 대왕(大王)의 화약.
안태¹【安胎】명 ①동태(動胎)된 것을 다스리어 평안하게 함. ②〖역〗조선 시대 때, 왕자 산후에 그 태반(胎盤)을 태봉(胎峰)에 묻는 일. ——-하다 타여불
안태²【安泰】명 평안하고 태평함. ——-하다 형여불
안-태국【安泰國】명〖사람〗독립 운동가. 평안 남도 평양 출신. 호는 동오(東吾). 1907 년 신민회가 조직되자 가입하여 최고위 간부로 활동함. 1909 년 이재명(李在明)의 이완용 저격 사건에 연루되어 2 개월간 고문을 받았고, 1911 년 보안법 위반으로 복역중 데라우치 마사타케(寺內正毅) 총독 암살 음모 사건으로 다시 10 년형을 선고 받음. 이 공판에서 저들의 날조성을 정연하게 폭로함. 1916 년 출옥 후 만주(滿洲)로 망명, 1919 년 3·1 운동 후 독립 운동 단체 통합 추진을 위하여 상하이(上海)로 갔다가 병사함. 만국 공원에 안장되었다가 1993 년 7 월 봉환(奉還)되어 국립 묘지에 묻힘. [?-1920]
안태-본【安胎本】명 태중에 있을 때부터의 본관(本貫). 곧, 조상 때부터의 고향. ¶자네 ~은 어딘가.
안태-사【安胎使】명〖역〗①조선 시대 때 왕자의 출생시 그 태반(胎盤)을 태봉(胎峰)에 묻으러 출장하는 특사. ②궁(宮) 밖에서 임금이 되어 들어온 사람 및 왕비로 책봉되어 들어온 여자의 실가(實家)에 묻혔던 태반을 다시 왕가의 태봉에 이매(移埋)할 때의 사신.
안:-태우다 타 말이나 가마 같은 것을 탄 사람이 다른 사람을 자기 앞에 앉아 타게 하다.
안태-음【安胎飮】명〖한의〗동태(動胎)·입덧 등에 쓰는 약.
안택【安宅】명〖민〗정기(定期) 또는 수시로 판수나 무당이 집안에 탈이 없도록 터주를 위로함. ——-하다 자여불
안택-가【安宅歌】명〖문〗작자 및 연대 미상의 시가. 중국 역대 성현들의 행적을 열거하여 각자가 도성 안거(道成安居)함을 후세에 계몽한 노래. 역사적인 전고(典故)를 망라한 관념적인 가사임. ≪교주 가곡집(校注歌曲集)≫에 실려 있음.
안택-경【安宅經】명〖민〗안택할 때에 판수가 읽는 경문. *맹인 덕담가(盲人德談歌).
안택-굿【安宅一】명〖민〗무당이 집안의 터주를 위로(慰勞)하기 위하여 하는 굿.
안택 정:로【安宅正路】[一노]명 인(仁)과 의(義). 인은 사람의 입신(立身)할 땅이므로 평안한 주거(住居)에 비유하고, 의는 사람이 걸어나갈 길이므로 정로(正路)에 비긴 것.
안테 조〈방〉한테(경상·전라·제주).
안테나〔antenna〕명〖물〗무선 전신·무선 전화·라디오·텔레비전 등의 전파를 송신하거나 수신하기 위하여 공중에 세우는 도선(導線) 장치. 공중선(空中線).
안테나-선【一線】〔antenna〕명〖물〗안테나로 사용하는 선.
안테나 숍〔antenna shop〕명〖경〗상품의 판매 동향을 알기 위해 제조업체나 도매상이 직영하는 소매 점포. 소비자의 반응을 파악하여 상품 개발이나 판매 촉진의 연구에 이용함.
안테나 회로【一回路】〔antenna〕명〖전〗라디오·텔레비전의 수신(受信) 안테나와 공간과 지구(地球)를 통하여 송신 안테나로 연결하는 하나의 회로(回路).
안텔라미〔Antelami, Benedetto〕명〖사람〗이탈리아 로마네스크의 중요한 조각가의 한 사람. 1178-1200년에 주로 파르마(Parma)에서 활약함. 작품은 다방면에 걸치나, 파르마의 세례당(洗禮堂)의 조각군(彫刻群)이 대표적임. [1150 ?-1233]
안토【安土】명 그 땅에 편히 삶. ——-하다 자여불
안토넬로 다 메시나〔Antonello da Messina〕명〖사람〗이탈리아의 화가. 플랑드르파(Flandre派)의 영향을 받아, 사실성이 짙은 제단화(祭壇畫)·초상화를 남김. 또, 플랑드르의 유화 기법(油畫技法)을 이탈리아에 전하고 베네치아파(Venezia派)에 공헌함. [1430?-79]
안토니누스〔Antoninus, Marcus Aurelius〕명〖사람〗마르쿠스 아우렐리우스(Marcus Aurelius).
안토니누스 피우스〔Antoninus Pius, Titus Aurelius〕명〖사람〗로마

황제(138-161). 오현제(五賢帝)의 한 사람. 하드리아누스(Hadrianus) 황제의 양자가 되어, 그 뒤를 계승함. 치세(治世)는 로마 제국사상 가장 평온한 시대로 간주되어, 피우스, 곧 경건(敬虔)의 뜻의 칭호를 원로원으로부터 받음. [86-161; 재위 138-161]

안토니오 〔Antonio, Ruiz Soler〕 명 〖사람〗 스페인의 무용가. 유년 시절부터 춤을 배워, 현존 최대의 남성 스페인 무용가로서 인정받고 있음. [1923-]

안토니오니 〔Antonioni, Michelangelo〕 명 〖사람〗 이탈리아의 영화 감독. 처녀작 ≪어떤 사랑의 기록≫을 위시하여 사랑의 불안을 그린 ≪정사(情事)≫·≪밤≫·≪태양은 외로워≫의 삼부작(三部作)을 제작, 세계적 명성을 떨침. [1912-]

안토니우스 〔Antonius, Marcus〕 명 〖사람〗 로마의 장군·정치가. 카이사르의 부장(副將). 카이사르의 사후 제2회 삼두 정치(三頭政治)에 참가하고, 동방을 원정하였으나 클레오파트라의 미색(美色)에 빠져, 악티움(Actium)의 해전에서 옥타비아누스(Octavianus)에게 패하여 자살함. [83?-30 B.C.]

안토님 〔antonym〕 명 〖언〗 반의어(反義語). ↔시노님.

안토시안 〔anthocyan〕 명 〖식〗 식물의 꽃·잎·열매 껍질 등의 세포액 중에 널리 퍼져 있는 색소. 물·알코올에 녹으며, 산성(酸性) 용액 중에서는 빨강, 알칼리 용액 중에서는 푸른 색이 됨. 꽃과 과실이 빛을 띠게 하며, 특히 배당체(配糖體)를 가리킬 때는 안토시아닌(anthocyanin)이라 함. 화청소(花靑素). 꽃파랑이.

안토 중천 【安土重遷】 명 고향을 떠나기를 좋아하지 아니함. ——하다 자(여불)

안토파가스타 〔Antofagasta〕 명 〖지〗 남아메리카 칠레의 북부 남회귀선(南回歸線) 가까이에 있는 태평양안(太平洋岸)의 항구 도시. 구리·은(銀)·주석(朱錫) 및 칠레 초석(硝石)의 적출항(積出港)으로서 알려짐. 볼리비아·아르헨티나와 철도로 연락되어 있으며, 볼리비아의 외항(外港)의 역할도 겸함. [204,577 명(1987)]

안-통 명 그릇 안쪽의 넓이.

안투 〔ANTU〕 명 〔Alpha-Naphthyl-Thio-Urea의 약칭〕 〖약〗 쥐약의 한 가지. 소량은 사람에게 무해함.

안투리움 〔라 Anthurium〕 명 〖식〗 앤수리엄.

안:-투지배 【眼透紙背】 명 안광(眼光)이 종이 뒷면까지 꿰뚫는다는 뜻으로, 책을 읽고 그 이해가 매우 날카로움을 이름.

안트라센 〔anthracene〕 명 〖화〗 콜타르에서 채취하는 안트라센유(油)로부터 얻어지는 무색의 판상 결정(板狀結晶). 청색(靑色)의 형광(螢光)을 발하며 알리자린(alizarin)이나 안트라센 색소(色素)의 원료(原料)가 됨. 녹는점 216°C, 끓는점 351°C. [$C_{14}H_{10}$]

안트라센-유 【—油】 〔anthracene〕 명 〖화〗 콜타르를 증류할 때, 끓는점 270°-400° C 범위에서 나오는 유출물(溜出物). 형광(螢光)을 발하고 녹색을 띠기 때문에 녹유(綠油)라고도 하는데 상온(常溫)에서 식히면 안트라센이 석출(析出)됨. 카르바졸(carbazole) 등의 원료임.

안트라퀴논 〔anthraquinone〕 명 〖화〗 황색의 침상 결정(針狀結晶). 녹는점 287℃, 끓는점 379℃임. 유기 용매(有機溶媒)에 녹으며, 안트라센을 크롬산(chrome酸)으로 산화(酸化)하여 얻음. 승화(昇華)하기 쉬우며 염료(染料) 원료로서 쓰임.

안트라퀴논 염:료 【—染料】 〔—뇨〕 명 〔anthraquinone dye〕 〖화〗 안트라퀴논 유도체의 물감으로 일광(日光)이나 세탁에 강하고, 색조도 풍부하여 고급 물감으로서 아조(azo) 염료와 함께 우수한 물감으로 침. 목면용(木棉用)의 인단트렌(indanthrene) 염료, 양모용(羊毛用)의 산성 염료, 합성 섬유용의 분산(分散) 염료 등 종류가 많음.

안트로폴로기 〔도 Anthropologie〕 명 〖철〗 인간학(人間學).

안트베르펜 〔Antwerpen〕 명 〖지〗 벨기에 북부의 상항(商港). 안트베르펜 현(縣)의 주도로 중세기부터 번영한 도시. 벨기에 제일의 무역항으로, 철강·조선(造船)·섬유·제당·다이아몬드 연마 등이 성함. 유럽에서는 최초로 주식 거래소가 설립됨. 앤트워프(Antwerp). 앙베르(Anvers). [479,748 명(1987 추계)]

안-틀다 자 일정한 수효나 값의 안에 들다.

안티- 〔anti-〕 부 '반(反)-'·'반대'의 뜻. 앤티-.

안티고네 〔Antigone〕 명 〖신〗 그리스 신화 중의 인물. 오이디푸스(Oidipous)의 딸. 추방된 눈먼 아버지와 같이 표랑(漂浪)하면서 이를 반들고, 숙부인 국왕의 금령을 어기면서, 오빠 폴리네이케스(Polineikes)의 시체를 묻었기 때문에 동굴에 생매장당함. 소포클레스(Sophocles)의 작품에 동명의 비극이 있음.

안티고노스 일세 【—一世】 〔Antigonos〕 〔—쎄〕 명 〖사람〗 알렉산드로스 대왕의 부장(部將)의 한 사람. 알렉산드로스가 죽은 후 프리기아(Phrygia)의 총독이 되었고, 아들 데메트리오스(Demetrios)와 함께 메소포타미아·소(小)아시아를 지배 하에 두고 왕을 칭함. 뒤에 셀레우코스 등과 입소스(Ipsos)의 싸움에서 패하여 죽음. 손자인 안티고노스 2세가 마케도니아 왕국의 체제를 확립함. [382 ? -239 B.C. ; 재위 276-239 B.C.]

안티노미 〔antinomy〕 명 〖논〗 이율 배반(二律背反).

안티노미 이:론 【—理論】 명 〔antinomy theory〕 〖경〗 경제 변동의 요인(要因)은 자본 축적을 가능하게 하는 저축 공급량(貯蓄供給量)과 산출량을 증대시키는 데 필요한 자본량(資本量)이 반드시 일치하지는 않는 데 있다는 이론. 영국의 경제학자 해로드(Harrod, R.F.; 1900-78)가 주장함. 이율 배반론(二律背反論). 모순론(矛盾論).

안티레바논 산맥 【—山脈】 〔Anti-Lebanon〕 명 〖지〗 레바논·시리아의 국경을 남북으로 뻗은 배사 습곡(背斜褶曲) 산맥. 평균 표고 1,500 m. 넓은 용식(熔蝕) 지형의 산지로, 샘이 적기 때문에 정착민은 적음. 최고봉은 2,814 m의 헤르몬 산(Hermon 山).

안티-마그네틱 〔antimagnetic〕 명 시계 등의 정밀 기기가 자력선(磁力線)을 받아도 지장이 생기지 않는 일. 내자성(耐磁性).

안티모니 〔antimony〕 명 〖화〗 안티몬.

안티몬 〔도 Antimon〕 명 〖화〗 청백색 광택의 금속 원소. 보통, 휘안광(輝安鑛)으로부터 유리(遊離) 금속으로 소량 산출(産出)함. 주로 합금으로서 납과의 합금은 활자나 축(軸)받이로 쓰이며 세슘과의 합금은 광전 소자(光電素子)로 쓰임. 비중 6.69, 녹는점 630.5°C, 끓는점 1,750℃임. 안티모니. [51번:Sb:121.75]

안티몬 공해 【—公害】 〔도 Antimon〕 명 활자 합금·바테리 전극(電極)·방연 가공(防燃加工) 등에 쓰이는 안티몬 화합물이 배출됨으로써 일어나는 농작물 피해 및 인체 피해.

안티몬 백이십사 【—百二十四】 명 〔antimony-124〕 〖핵물리〗 질량수(質量數) 124인 방사성(放射性) 안티몬. β선과 γ선을 방출하며, 반감기(半減期)는 60일. 고체(固體)나 파이프 라인 속의 흐름을 연구하는 데 트레이서로 사용함.

안티몬산-납 【—酸—】 〔도 Antimon〕 명 〖화〗 납과 안티몬과의 산화 화합물(酸化化合物)로 등황색(橙黃色)의 분말. 유독성(有毒性)인데, 페인트용 안료·도자기나 유리의 착색(着色)에 쓰임. [$Pb_3(SbO_4)_2$]

안티몬 원광 【—原鑛】 〔도 Antimon〕 명 〖광〗 휘안광(輝安鑛).

안티몬 전:극 【—電極】 명 〔antimony electrode〕 〖물〗 안티몬과 산화 안티몬으로 만든 전극. 용액의 페하 측정(pH測定)에 쓰임.

안티베리베린 〔도 Antiberiberin〕 명 〖약〗 쌀겨의 엑스에서 단백질을 제거한 비타민 B_1을 주성분으로 하는 각기(脚氣)의 약제. 가루는 엷은 회갈색으로 무미·무취이나 주사액은 투명·갈색임.

안티-센터 〔anticenter〕 명 〖지〗 지구의 중심에 대하여, 지진(地震)의 진앙(震央)과 정반대의 위치에 있는 점.

안티스테네스 〔Antisthenes〕 명 〖사람〗 고대 그리스의 철학자. 소크라테스의 제자. 소크라테스 학파의 하나인 퀴니코스(Kynikos) 학파의 창시자. 세욕(世慾)을 떠난 덕만이 최상의 것이며, 쾌락은 기만적인 것이어서 노력의 결과에 의한 쾌락이 아니면 영속적이 아니라고 금욕(禁慾)을 주장하였음. [444?-371 B.C.]

안티오코스 삼세 【—三世】 〔Antiochos Ⅲ〕 명 〖사람〗 셀레우코스 왕조(Seleucos王朝)의 왕. 셀레우코스 2세의 차자(次子). 부왕(父王)의 사후 혼란한 왕국의 재통일(再統一)을 위하여 파르티아(Parthia)·박트리아(Bactria)를 회복하고, 인도에 원정(遠征)하여, 대왕의 이름을 얻음. 후에 로마의 동진(東進)과 대결(對決)하여 기원전 190년 마그네시아(Magnesia)의 싸움에서 대패(大敗)하여 소아시아 지역의 영토를 잃었음. [242-187 B.C.; 재위 223-187 B.C.]

안티오코스 일세 【—一世】 〔Antiochos Ⅰ〕 〔—쎄〕 명 〖사람〗 셀레우코스(Seleucos) 왕조의 왕. 셀레우코스 1세의 아들. 부왕(父王)의 사후, 시리아 서방 통치에 전념하였으나 프톨레마이오스(Ptolemaios) 왕국에 패하여 소아시아 남서안의 영토를 잃었으나, 갈라티아인(Galatia人)의 소아시아 침입(侵入)을 저지(沮止)하여 구제자(救濟者)라는 이름을 얻음. [324-261 B.C.; 재위 281-261 B.C.]

안티오크 〔Antioch〕 명 〖역〗 고대 시리아 왕국의 수도(首都). 기원전 300년에 셀레우코스(Seleucos) 1세가 건설하여 정치·종교·무역의 중심지로 번영하였음. 일찍부터 교회가 생겨 기독교 전도의 기지(基地) 역할을 하여, 성서에도 '안디옥'으로 기재되어 있음.

안티-옥신 〔anti-auxin〕 명 〖생〗 옥신의 작용과 반대로, 생물의 성장을 억제시키는 작용을 하는 물질. ↔옥신❶.

안티-코돈 〔anticodon〕 명 〖생〗 전령(傳令) RNA의 유전 암호를 식별하는 운반(運搬) RNA의 3개 한 조(組)의 염기(塩基). 코돈(codon)과 상보적(相補的)인 염기 배열로 되어 있으며 리보솜(ribosome)에 단백질 소재(素材)인 아미노산(amino酸)을 전달함.

안티-코로나 〔anticorona〕 명 〖광학〗 태양(太陽)을 등지고 산꼭대기에 섰을 때, 구름이나 안개 뒤에 비친 관측자(觀測者)의 그림자 주위에 생기는 광륜(光輪).

안티-크리스트 〔antichrist〕 명 〖기독교〗 〔그리스도의 적(敵)이라는 뜻〕 세계 종말의 그리스도 재림(再臨) 전에 나타나서, 교회를 박해하고 배교(背敎)를 촉구하는 자(者)나 또는 힘. 이단자(異端者)·이교도(異敎徒)의 뜻으로도 씀. 요한 계시록(ⅩⅢ:18)의 수 666은 그 상징(象徵)임. 적(敵)그리스도.

안티-테:제 〔도 Antithese〕 명 〖논〗 특정한 긍정적 주장(정립)에 대립하여 정립(定立)되어 있는 특정의 부정적 주장. 또, 주장에 대한 반대의 입장. 반정립(反定立). ↔테제.

안티-톡신 〔antitoxin〕 명 항독소(抗毒素).

안티페브린 〔Antifebrin〕 명 〖화〗 '아세트아닐리드(acetanilide)'의 상품명.

안티피린 〔antipyrine〕 명 〖약〗 페닐 디메틸 피라조론의 약품 이름. 희고 냄새가 없으며, 약간 쓴 맛이 나는 능주상(稜柱狀)의 결정 또는 가루이며, 해열 진통제로 쓰임. 아스피린보다 강력함.

안티피린-진 【—疹】 〔antipyrine〕 명 〖의〗 안티피린 및 같은 구조의 피라미돈·미그레닌 등의 복용 후 한두 시간에 나타나는 알레르기성 약진(藥疹)의 하나. 경계가 선명한 홍반(紅斑)과, 소멸 후 안티피린 재복용시의 발진(發疹) 부위가 똑같은 것이 특징임.

안:파 【眼波】 명 여자가 아양을 떠는 눈짓. 추파(秋波).

안-팎 명 ①안과 밖. 내외(內外). ¶집 ~을 쓸다. ②약간 웃돌거나 덜함. 내외(內外). ¶스무 살 ~의 처녀. ③안 사람과 바깥 사람. 곧, 아내와 남편. 내외(內外). ¶~이 다 얌전하다.

안팎 곱사등이 명 ①가슴과 등이 병적으로 내민 사람. 귀흉 귀배(龜胸

龜背). ②하는 일마다 막히고, 그로 인하여 다른 일이 막혀 움치고 뛸 수 없이 된 형편.
[안팎 곱사등이 굽도 젖도 못한다] 진퇴 양난에 빠지다. ¶어찌할 줄 몰라 가만히 섰으니 안팎 곱사등이 굽도 젖도 못한다는 말이 게 두고 이르는 일이러라《李相協:再逢春》.

안팎-곱장이 명 〈방〉 안팎 곱사등이.

안팎-날 명 〖고고학〗 뗀석기에서 날을 만들 때 안팎에서 엇갈림떼기를 베풀어 이루어진 날. 조갯날과는 같거나 뗀 기법의 차이에서 구별되고 쌍날과는 축을 중심으로 양 옆에 이루어진 점에서 구별됨 *쌍날·조갯날.

안팎날 찍개 명 〖고고학〗 자갈의 양쪽 면을 엇갈리게 떼내어 날을 만든 찍개. 쌍날찍개.

안팎 노:자 【一路資】 명 가고 오는 여비(旅費).

안팎-등곱장이 명 〈방〉 안팎 곱사등이.

안팎 머슴 명 내외가 한 집에 들어가서 머슴을 사는 일 ¶~으로 들어가다.

안팎-먹기 명 〖경〗 증권 시장에서, 싼 시세에 사서, 오른 시세에 팔아 이득을 보고, 이 시세에 대주(貸株)를 다시 팔아서 내려간 시세에 되사 이득을 취하는 일. *공매도(空賣渡).

안팎-벽 【一壁】 명 안벽과 바깥벽.

안팎-살림 명 안살림과 바깥 살림. ¶~을 다 맡아보다.

안팎-식구 【一食口】 명 안식구와 바깥 식구.

안팎-심부름 명 안심부름과 바깥 심부름.

안팎-일 [一닐] 명 안일과 바깥일.

안팎-장사 명 이곳에서 물건을 사서 다른 곳에 가져다가 팔고, 그 돈으로 그 곳의 싼 물건을 사서 이 곳에 가져다가 파는 장사.

안팎-중매 【一中媒】 명 부부가 나서서 하는 중매.

안팎-채 명 안채와 바깥채. ¶~가 다 양옥이다.

안팟 명 〈옛〉 안팎. =안팕. ¶안팟 根과 塵괘(內外根塵)《圓覺 上 二之二 34》.

안팕 명 〈옛〉 안팎. =안팟. ¶안팟기 다 조호呈 表ᄒᆞ시고(表內外俱淨也)《妙蓮 Ⅵ·144》.

안-편지 【一便紙】 명 가정끼리 내왕하는 편지. 곧, 아낙네가 받거나 보낸 편지. 내간(內簡). 내서(內書). 내찰(內札). ——-하다 자여불

안평 【安平】 명 태평함. ——-하다 형여불

안평 대:군 【安平大君】 명 〖사람〗 조선 시대 세종(世宗)의 셋째 아들. 이름은 용(瑢). 자는 청지(淸之), 호는 비해당(匪懈堂)·매죽헌(梅竹軒). 시문 서화를 잘하였음. 계유정난(癸酉靖難) 때 수양 대군(首陽大君)이 김종서(金宗瑞) 등을 죽일 때 연루(連累)되어 강화도(江華島)로 안치(安置)되었다가 사사(賜死)됨. [1418-1453]

안평-악 【安平樂】 명 〖악〗 고려 시대 송(宋)나라에서 전래된 사악(詞樂)의 하나. 가사가 《고려사 악지(樂志)》에 전함. 잔칫날에 임금의 은혜를 송축(頌祝)하는 내용임.

안:폐 【眼廢】 명 눈이 멀어 버림. ——-하다 자여불

안:포[1] 【眼胞】 명 [optic vesicle] 〖생〗 척추 동물에서 눈이 발생할 때 전뇌(前腦) 좌우에 나타나는 돌출물. 뒤에 선단부(先端部)는 안배(眼杯)가 됨.

안:포[2] 【雁脯】 명 기러기포.

안포 폭약 【ANFO爆藥】 명 [ammonium nitrate-fuel oil explosive] 값싼 질산 암모늄과 경유 등을 혼합하여 만든 폭파약. 1954년경부터 미국·캐나다·스웨덴 등에서 쓰이기 시작하였으며, 이후 세계 각국에서 급격히 사용량이 증가함. 초기에는 노천굴(露天掘) 따위의 대구경(大口徑) 발파에 쓰이었으나, 장전기(裝塡器)의 개발 등에 의해 갱내의 소(小)구경 발파에 쓰이게 됨.

안:표 【眼標】 명 나중에 보아서 알 수 있게 표하는 일. 또, 그 표. ——-하다 타여불

안-표지 【一表紙】 명 〖인쇄〗 ☞ 안겉장.

안푸 파 【一派】 [중 安福] 명 〖역〗 중국 군벌의 한 파. 안후이 파(安徽派)의 돤 치루이(段祺瑞)를 중심으로 한 쉬 수정(徐樹錚)·량 훙즈(梁鴻志)·리 쓰하오(李思浩)·주 선(朱深) 등이 그 대표적 인물인데, 일본과 결합하여 1917년 폭력으로 대독(對獨) 선전을 포고하고, 장 쉰(張勳)을 이용하여 국회를 해산시키는 등 한 때 세력을 떨쳤으나 1920년에 즈리 파(直隸派)의 우 페이푸(吳佩孚)에게 망했음. 안복파(安福派). *안후이 파(安徽派)

안:피-지 【雁皮紙】 명 안피(雁皮)라는 산닥나무 종류의 껍질 섬유로 만든 종이. 지질(紙質)이 매우 얇으나 질기고, 또 투명하여 임사용(臨寫用) 등으로 널리 쓰임.

안핀센 [Anfinsen, Christian B.] 명 〖사람〗 미국의 화학자. 1963-81년 국립 생화학 실험 연구소 소장을 지냄. 포도상 구균(葡萄狀球菌)이 생성하는 핵산(核酸) 분해 효소의 화학 구조·입체 구조를 해석한 공로로 1972년 노벨 화학상을 수상함. [1916-]

안:하[1] 【案下】 명 ①책상 아래. ②편지에서 상대편의 이름 밑에 붙여 쓰는 말. 궤하(机下).

안:하[2] 【眼下】 명 내려다보이는 곳. 눈 아래. 안전(眼前).

안:하 무인 【眼下無人】 명 교만해서 모든 사람을 업신여김. 안중 무인(眼中無人). ¶언동이 ~격이다/~으로 방자하게 굴다.

안:하 무인격 【眼下無人格】 [一껵] 명 사람을 거들떠보지도 않는 아주 오만한 태도. ¶일거 일동이 ~이고, 거만하기 짝이 없다.

안한 【安閑·安閒】 명 평안하고 한가로움. 완서(緩舒). ——-하다 형여불. ——-히 부

안할-말로 부 '아니할 말로'의 준말.

안함[1] 【安含】 명 〖사람〗 신라 진평왕(眞平王) 때의 유명한 중. 속성은 김(金), 일명 안홍(安弘). 이찬(伊飡) 시부(詩賦)의 손자. 국비로 중국 수(隋)나라에 가서 불법을 배워 옴. 저서에 《동도 성립기(東都成立記)》가 있음. [?-640]

안:함[2] 【鞍銜】 명 말의 안장과 재갈.

안:항 【雁行】 명 남의 형제의 경칭. 안행(雁行).

안-항라 【安亢羅】 [一나] 명 ↗안주 항라(安州亢羅).

안해[1] 명 〈옛·방〉 아내.

안-해[2] 명 바로 전 해. 전년(前年).

안해[3] 〈옛〉 안에. '안'의 처격형(處格形). ¶셤 안해 자싫제(宿于島嶼)《龍歌 67 章》.

안해가비 명 〈옛〉 속고의. ¶裩曰 安海珂背 《雞類》.

안해님 명 〈옛〉 부인(婦人). ¶妾이 對答ᄒᆞ되 안해님겨오셔 망년된 말마오《永言》.

안:핵 【按覈】 명 썩 자세하게 사실(査實)하여 살핌. ——-하다 타여불

안:핵-사 【按覈使】 명 〖역〗 조선 시대에, 지방에 어떠한 일이 생겼을 때에 그 일을 조사하기 위하여 보내던 임시 벼슬.

안했 〈옛〉 안에 있는. ¶赤島 안했 움흘 至今에 보ᅀᆞᄫᆞ니(赤島陶穴 今人猶視)《龍歌 5章》.

안행[1] 【安行】 명 ①천천히 걸어감. 서행(徐行). ②마음을 침착하게 가지고 행함. ——-하다 자여불

안:행[2] 【雁行】 명 안항(雁行).

안향[1] 【安享】 명 하늘이 내린 복을 평안하게 누림. ——-하다 타여불

안-향[2] 【安珦】 명 〖사람〗 고려 충렬왕(忠烈王) 때의 명신·학자. 초명(初名)은 유(裕). 자는 사온(士蘊), 호는 회헌(晦軒). 순흥(順興) 사람. 여러 벼슬을 거쳐 도첨의 중찬(都僉議中贊)에 이름. 무당의 작폐를 엄중히 다스려 미신을 타파했고, 문교(文敎)의 진흥을 위해 섬학전(贍學錢)이라는 육영(育英) 재단을 마련하여 많은 인재를 길러냄. 일찌기 왕과 공주를 따라 원(元)나라에 다녀온 후, 주자학(朱子學)을 연구, 우리 역사상 최초의 주자학자로 지칭됨. 조선 시대 중종(中宗) 때 풍기 군수(豐基郡守) 주세붕(朱世鵬)이 백운동(白雲洞)에 그의 사묘(祠廟)를 세우고 서원(書院)을 만들었음. 시호는 문성(文成). 문묘(文廟)에 배향됨. [1243-1306]

안향 부:귀 【安享富貴】 명 부귀를 평안하게 누림. ——-하다 자여불

안:험 【按驗】 명 잘 살피어서 증거를 세움. ——-하다 타여불

안-형제 【一兄弟】 명 여자 형제.

안:혼 【眼昏】 명 시력(視力)이 흐림. ——-하다 형여불

안홍-색 【殷紅色】 명 짙은 검붉은 빛.

안화[1] 【安和】 명 심신이 아울러 평온하고 부드러움. 유연(悠然)하고 온화함. ——-하다 형여불

안:화[2] 【眼花】 명 〖의〗 눈 앞에 불똥 같은 것이 어른어른 뵈는 병. 공화(空華).

안:화 섬발 【眼花閃發】 명 〖의〗 눈을 감고 있어도 안화(眼花)가 일어나는 증세.

안:화 요란 【眼花擾亂】 명 눈이 어찔어찔함. ——-하다 형여불

안-확[1] 【安廓】 명 〖사람〗 국문학자. 호는 자산(自山). 서울 출생. 일본의 니혼(日本) 대학 졸업. 1923년 《조선 문학사(朝鮮文學史)》를 내었으며, 그 밖에 《시조 시학(時調詩學)》 등의 저서가 있음. 생몰년 미상.

안:-확[2] 【眼一】 명 눈구멍. ¶~이 우묵하다.

안:환 【眼患】 명 남의 안질(眼疾)의 존칭.

안:활 【眼豁】 명 안계(眼界)가 훤히 터져 있는 모양. ——-하다 형여불

안회[1] 【安蛔】 명 거위배를 고치어 다스림. ——-하다 자여불

안-회[2] 【顔回】 명 〖사람〗 공자(孔子)의 수제자. 자(字)는 자연(子淵). 노(魯)나라 사람. 공자의 제자 가운데 학력이 가장 높아 스승의 총애를 받았음. 집이 가난하고 불우하였으나, 이를 괴로워하지 않았고 무슨 일에 성내거나 과오를 저지르지 않았음. 십철(十哲)의 한 사람. 안연(顔淵). [521-490 B.C.]

안-회남 【安懷南】 명 〖사람〗 소설가. 서울 출생. 본명은 필승(必承). 잡지사 개벽(開闢)에 근무하면서 창작에 몰두, 자신의 신변을 제재로 한 단편 《연기(煙氣)》·《명상(瞑想)》 등을 발표함. 소설의 목표를 인생의 단면(斷面)을 묘사하는 데 두었음. 주요 작품에 《악마》·《탁류(濁流)를 헤치고》, 장편 《애인(愛人)》 등이 있음. 월북 작가의 한 사람. [1910-?]

안회-음 【安蛔飮】 명 〖한의〗 태음인(太陰人)이 회충(蛔蟲)으로 복통을 일으켰을 때 사용하는 처방.

안후[1] 【安候】 명 안신(安信)의 존칭.

안후[2] 【顔厚】 명 낯가죽이 두껍다는 말. 곧, 염치가 없이 뻔뻔함을 이르는 말. 후안 무치(厚顔無恥). ——-하다 형여불

안후이 성 【一省】 [安徽] 명 〖지〗 중국 동부 양쯔 강(揚子江) 하류 및 화이허 강(淮河) 유역의 성. 화이허 강의 치수 공사(治水工事) 후에 농업이 발달하여 밀·콩·쌀·차·담배·면화 등의 생산량이 늘었으며 광산물로는 철·명반(明礬)·구리 등이 있고, 전통 공업으로 종이·먹·죽기(竹器)·지(紙)우산·도자기(陶瓷器) 등이 많이 생산됨. 교통은 양쯔 강·화이허 강의 수운(水運)과 닝우(寧蕪)·화이난(淮南)의 철도가 있음. 성도는 허페이(合肥). 안휘성. [139,900 km^2 : 5,377,000명 (1988)]

안후이 파 【一派】 [중 安徽] 명 〖역〗 위안 스카이(袁世凱)의 사후(死後) 안후이 성(安徽省) 출신의 돤 치루이(段祺瑞)가 이끌던 중국의 베이양(北洋) 군벌의 일파. 정권을 잡고 일본과 결탁하였으나 1920년의 안즈(安直) 전쟁에서 즈리 파(直隸派)의 우 페이푸(吳佩孚)에게 패하고 세력을 잃음. 안휘파. *안푸 파(安福派).

안-휘【顔輝】 명 〖사람〗 중국 원대(元代) 전반기(前半期)의 화가. 저장 성(浙江省) 출생. 자는 추월(秋月). 불교·도교의 도상 착색화(圖像着色畫)에 능했고 수묵화(水墨畫)에서는 원숭이를 잘 그렸음. 생몰년 미상.

안휘-성【安徽省】 명 〖지〗 안후이 성(安徽省).

안휘-파【安徽派】 명 〖역〗 안후이 파(安徽派).

안흐로 〈옛〉 안으로. '안'의 조격형(造格形). ¶안흐로(從內) ≪同文上 9≫.

안흥-만【安興灣】 명 〖지〗 충청 남도 서해상에 돌출된 태안 반도(泰安半島) 남서쪽에 있는 만.

안희제【安熙濟】 [—히—] 명 〖사람〗 독립 운동가. 호는 백산(白山). 경남 의령 출신. 양정 의숙(養正義塾)을 졸업 후, 1911년 만주·시베리아를 유랑, 각지의 독립군 기지(基地)를 돌아보고 온 후, 부산에서 백산 상회(白山商會)를 경영하여 무역업에 종사하고, 1925년 중외 일보(中外日報)를 인수하여 중앙 일보(中央日報)로 개칭, 사장에 취임함. 1933년 만주로 망명, 동경성(東京城)에 발해 농장(渤海農場)과 발해 학교(渤海學校)를 설립, 한편 대종교(大倧教)에 입교하여 총본사 전강(總本司典講)이 됨. 1942년 일본 경찰에 잡혔다가 보석되어 이듬해 무단장(牧丹江) 병원에서 병사함. [1885-1943]

안ᄒᆞ로 〈옛〉 안으로. '안'의 조격형(造格形). ¶消渴ㅅ病이 안ᄒᆞ로 서르 모ᄃᆞ도다(消中內相毒) ≪杜諺 Ⅵ:51≫.

안ᄒᆞᆫ 〈옛〉 안은. '안'의 절대격형(絕對格形). ¶안ᄒᆞᆫ 오직 내 나며 더러우니(內唯臭穢) ≪永嘉上 35≫.

안ᄒᆞᆯ 〈옛〉 안을. '안'의 목적격형. ¶色身 안ᄒᆞᆯ 삼고 ≪月釋 Ⅸ:21≫.

앉다 자 〈옛〉 앉다. ¶寶蓮花애 앉거든(坐寶蓮花) ≪佛頂上 4≫.

앉다 [안따] 자 ①엉덩이를 바닥에 붙이고 몸을 편하게 세우다. ¶자리에 ~. ②새·비행기 등이 발을 디디고 붙거나 서다. ¶새가 나무에 ~. ③건물이 자리를 잡다. ¶집이 들어 ~. ④위치·장소·지위 등을 차지하다. ¶후임으로 ~/일등석에 ~/과장 자리에 ~/정실 자리에 ~. ⑤가루·먼지 따위가 처지거나 붙어 있다. ¶책상에 먼지가 뿌옇게 ~. [앉아 똥 누기는 발 허리나 시지] 앉아 똥 누기보다 더 편하다 할 정도로, 일이 매우 쉽다는 말. [앉아 삼천 리, 서서 구만 리] 멀리 앞일을 훤히 안다는 말. [앉아서 먹으면 태산도 못 당한다] 가진 재물을 까먹고 살려 들면, 아무리 큰 재산도 못 당한다는 말. [앉아 주고 서서 받는다] 빚 받아 내기 어려움의 비유. [앉은 개 입에 똥 들어가나] 활동을 아니하고 있으면 먹을 것이 아니 생긴다는 말. [앉은 데가 본이라] 한번 정주하게 되면 그 곳이 정이 들어 옮기기 어렵게 된다는 말. [앉은 영노자(子)보다 돌아온 매욱자(子)가 낫다] ['영노'는 '영리(怜悧)'의 옛말] 두루 널리 다녀 견문을 넓히는 공덕(功德)을 이르는 말.

앉아서 벼락 맞는다 구 뜻밖에 화를 당하다.

앉으나-서나 부 늘. 항상. 자나깨나. ¶~ 고향 생각.

앉은-걸음 명 앉은 채로 걷는 걸음걸이.

앉은-검정 명 〖한의〗 한방에서 지혈(止血) 등의 약으로 쓰는, 솥 밑에 붙은 검은 철매. 백초상(百草霜). 당묵(鐺墨).

앉은-굿 명 〖민〗 장구를 안 치고 춤을 추지 않는 굿의 한 가지.

앉은-뱅이[1] 명 일어 앉기는 해도 서서 걷지 못하는 병신. 좌객(坐客). [앉은뱅이 뛰뛰듯 하다; 앉은뱅이 암만 뛰어도 그 자리에 있다] 노력은 하나 능력이 모자라서 큰 결과를 못 얻는 경우를 이르는 말. [앉은뱅이의 망건(網巾) 뜨기] 궁상스럽고 옹졸한 일의 비유. [앉은뱅이 무엇 자랑하듯] 별로 자랑할 것이 없는 자가 큰소리 치는 일을 두고 하는 말. [앉은뱅이 용쓴다] 불가능한 일을 두고 애만 쓴다는 말.

앉은-뱅이[2] 명 〈방〉 〖충〗 잠자리(경상·평안).

앉은뱅이-걸음 명 앉은뱅이가 걷듯이 앉은 채로 걷는 걸음걸이.

앉은뱅이-꽃 명 〈방〉 〖식〗 제비꽃(평안).

앉은뱅이-밀 명 〖식〗 재래종(在來種)의 밀 품종의 하나. 일반 밀보다 30-40 cm 작아, 키가 50-60 cm이고, 이삭이 길고 통통함. 조숙성(早熟性)임. 껍질이 두꺼워 고추장·누룩 만들기에 적합하며, 밀가루가 많이 나옴. 난쟁이밀.

앉은뱅이-저울 명 저울의 한 가지. 바닥에 있는 받침판 위에 물건을 올려 놓고 용수철에 의한 무게의 전달을 위쪽 저울대에서 분동(分銅)으로 조절하여 재도록 되어 있는 저울. 비교적 무거운 것을 달 때에 쓰임. 대칭(臺秤).

앉은뱅이-책상【—冊床】 명 의자 없이 방바닥에 앉아서 쓰게 된 낮은 책상.

앉은뱅이-출장【—出張】 [—짱] 명 〈속〉 앉은 자리에 그대로 눌러 앉아 있으면서 출장 여비를 타 먹는 안방 출장의 딴이름.

앉은-부채 명 〖식〗 [*Symplocarpus renifolius*] 천남성과(天南星科)에 속하는 다년초. 뿌리와 줄기는 짧고 굵으며, 끈 모양의 뿌리가 많이 났음. 꽃줄기는 높이 약 3-12 cm이고, 장병(長柄)의 잎은 뿌리에서 총생(叢生)하고 넓고 크며, 심장상 달걀꼴을 이룸. 5-6월에 담자색 꽃이 잎보다 앞서 육수(肉穗) 화서로 정생(頂生)하여 핌. 과실은 장과(漿果)이며 계곡의 음지에 남. 전남·강원·경기·함남에 분포함.

〈앉은부채〉

앉은-소리 명 〖악〗 잡가(雜歌)에서, 자리에 앉아서 부르는 방식. 또, 그런 방식으로 부르는 소리. 후렴(後斂)이 없고, 긴 것이 특징임. 좌창(坐唱). ↔선소리.

앉은-일 [—닐] 명 자리에 앉아서 하는 일. ↔선일.

앉은-자리 명 ①그 당장. 자리를 옮기지 아니하고 그대로 있는 곳. 즉석(卽席). 좌처(坐處). ¶~에서 응낙하다. ②앉아 있는 자리. 좌석(坐席). [앉은자리에 풀도 안 나겠다] 사람이 너무 깔끔하고 매서울 만큼 냉정하다는 말.

앉은-잠 명 눕지 않고 앉아서 자는 잠.

앉은-장사 명 한 곳에 늘 가게를 차리어 놓고 물건을 파는 장사. 좌상(坐商). 좌고(坐賈). ↔도붓장사.

[앉은 장사 선 동무] 견문(見聞)이나 교제 범위가 좁아서 세상 물정에 어두워 자주 손해를 보는 것을 이르는 말.

앉은-장수 명 앉은 장사를 하는 사람. 좌상(坐商).

앉은-저울 명 ☞ 앉은뱅이 저울.

앉은-차례【—次例】 명 죽 앉아 있는 그대로의 순서.

앉은-키 명 앉은 사람의 땅에서 머리까지의 높이. 좌고(坐高). ↔선키.

앉은-헤엄 명 물 속에서 앉은 자세로 치는 헤엄. 좌영(坐泳). ↔선헤엄.

앉을-깨 명 ①베틀의 사람이 앉는 자리. ②〈방〉 밑싣개. ③걸터 앉는 데 쓰이는 모든 물건의 통칭.

앉을-뱅이 명 〈방〉 앉은뱅이(함경).

앉을-자리 [—짜—] 명 ①물건의 땅에 놓이게 된 밑바닥. ②앉으려고 하는 자리. 앉을 만한 자리.

앉음-새 명 앉음앉음.

앉음-앉음 명 자리에 앉는 모양새. 자리에 앉아 있는 모양새. 앉음새. ¶~이 얌전하다.

앉히다 [안치—] 타 ①앉게 하다. ¶아랫목에 ~. ②올려 놓다. 걸쳐 놓다. ¶화덕에 솥을 ~. ③어떤 지위에 나아가게 하다. 취임시키다. ¶회장 자리에 ~. ④버릇을 가르치다. ¶색시 그루는 다홍 치마 적에 앉혀야 한다. ⑤문서에 무슨 줄거리를 따로 잡아 기록하다.

앉힐-낚시 [안칠락—] 명 미끼를 물 밑바닥에 가라앉히고 하는 낚시질.

않다 [안타] ㊀타 (무엇을) 아니하다. ¶말을 않고 그냥 앉아 있다. ㊁보동 보형 ↗아니하다. ¶먹지 ~/아름답지 ~.

않-이 [안—] 부 않게. 아니하게. ¶적지 ~ 재산을 모았다.

앋다 타 〈옛〉 빼앗다. 앗다 ¶구의도 앋디 말며 사ᄅᆞᆷ도 가지디 말라ᄒᆞ야 잇더라(官不得奪人不得取) ≪三綱 郭巨≫.

알 명 ①[ovum, egg] 〖생〗 자성(雌性)의 배우자(配偶子). 정자(精子)에 대응하는 생식(生殖) 세포. 식물에서는 배낭(胚囊), 조란기(造卵器) 안에서 형성된 세포. 동물에서는 후생(後生) 동물의 난소(卵巢) 안에서 형성된 세포로 속에 든 난황(卵黃)의 함유량(含有量)·분포 상태 등에 따라 여러 가지로 분류됨. 정자를 수정(受精)한 다음 난할(卵割)을 개시하여 하나의 생명체를 형성함. 난(卵). 난자(卵子). ②새·물고기·벌레 등의 암컷이 몸밖으로 산출(產出)한 것. 새끼가 될 물질이 껍질에 싸여 있으며 보통 타원형·원형임. 특히 식용으로 삼는 것을 말하기도 함. ¶꿩의 ~/대구 ~/~을 까다/나방이가 나뭇잎에 ~을 슬다/~이 굵다. ③열매 등의 낱개. ¶콩~/밤~. ④작고 둥근 물건의 낱개. ¶총~/유리~. ⑤↗난알. ⑥달걀. ¶닭이 ~을 낳다. ⑦배추·양배추 등의 고갱이를 싸고 여러 겹으로 공처럼 뭉친 덩이. ¶~이 차다. [알 까기 전에 병아리 세지 말라] 일이 성사되기도 전에 미리부터 그 이득을 셈하지 말라는 뜻. [알로 먹고 꿩으로 먹는다] '꿩 먹고 알 먹는다'와 같은 뜻. [알을 두고 온 새의 마음] 마음에 잊지 못하여 불안함의 비유.

알- 두 ①알처럼 둥근 것을 나타내는 말. ¶~사탕/~약. ②겉을 덮어 싼 것이나 또는 딸린 것을 다 떨어 버린 것을 나타내는 말. ¶~몸/~곡. ③알짜임을 나타내는 말. ¶~거지/~부자/~부랑자. ④작음을 나타내는 말. ¶~뚝배기/~요강.

알가【閼伽·遏迦】 명 [범 arghya, argha] 〖불교〗 ①부처나 보살에게 공양(供養)하는 물. 공덕수(功德水). 알가수(閼伽水). ②알가배(閼伽杯).

알가 관:정【閼伽灌頂】 명 〖불교〗 불도(佛道)의 수행자의 머리 위에 향수를 뿌리어 그 수공(修功)을 증명하는 의식.

알가리-통 명 〈방〉 둥우리(경남).

알가-배【閼伽杯】 명 〖불교〗 알가수(水)를 담아서 부처에게 바치는 잔. 알가(閼伽).

알가부 명 〈방〉 아그배(경북).

알가-붕【閼伽棚】 명 〖불교〗 부처에게 바치는 물이나 꽃 따위를 올려놓는 시렁.

알가-수【閼伽水】 명 〖불교〗 알가(閼伽)❶.

알가 진:령【閼伽振鈴】 [—질—] 명 〖불교〗 아침 저녁 행하는 근행(勤行)의 의식(儀式).

알-강이 명 〈방〉 알갱이.

알-개미 명 아주 작은 개미.

알갱이[1] 명 ①열매 등속의 낱개. ②미립자(微粒子).

알-갱이[2] 명 장롱의 한 부분. 쇠목과 동자목(童子木) 사이에 낀 널빤지.

알거냥-하다 타 여불 모르면서 아는 체하다. ¶그러니 언사에 조심할 건 물론이요, 그와 연루된 모든 일에서 알거냥하지 말게 ≪金周榮：客主≫.

알-거지 명 무일푼이 되어 거지꼴인 사람.

알-건달【—乾達】 명 알짜 건달.

알게니브 [Algenib] 명 〖천〗 항성의 하나. 페가수스(Pegasus) 자리의 감마성(γ星). 페가수스 사변형의 좌하에 있는 별로, 실시 등급(實視等級)은 2.8, 거리는 약 500 광년 등임. 가을밤에 빛나며 11월 중순 오후 9시에 남중(南中)함.

알겨-내다 타 소소한 남의 것을 좀스러운 언행(言行)으로 꾀어서 빼앗아 내다. ¶돈을 ~.

알겨-먹다 타 약한 사람이 가진 적은 물건을 꾀어서 빼앗다. ¶아기의 과자를 ~.

알격【戛擊】 명 악기를 가벼이 침. ——-하다 타 여불

알-겯다 자 ㄷ불 암탉이 발정(發情)한 때, 알을 배기 위하여 수탉을 부르느라고 골골 소리를 내다.

알-겯- 간 '알겯다'의 불규칙 어간. ¶~어서/~으니.

알고[1]【謁告】 명 휴가를 청하여 고(告)하고 돌아감. ——-하다 자 여불

알고[2]【知遣】 〈이두〉 알고.

알고기-씨 명 알도 많이 낳고 고기 맛도 좋은 닭의 씨. 또, 그런 닭.

알고리듬 〔algorithm〕 명 ①아라비아 숫자를 쓰는 기수법(記數法)에 의한 필산(筆算) 규칙. ②〖컴퓨터〗 여러 데이터를 처리하여 필요한 정보를 출력(出力)하기 위한 모든 절차. 또, 연산(演算)을 지시하는 규칙.

알-고명 명 달걀의 흰자와 노른자를 따로따로 받아서 번철에 얇게 부치어 잘게 썬 고명.

알고명-본 [―뽄] 명 〈방〉 마름모.

알-곡 【―穀】 명 ①쭉정이나 잡것이 섞이지 아니한 곡식. 알곡식. ②깍지를 벗긴 콩이나 팥 등의 곡식.

알-곡식 【―穀食】 명 알곡❶.

알곤킨 와카시 대:어족 【―大語族】〔Algonkin-Wakashi〕 명 〖언〗 아메리카 인디언어(語)의 한 어족. 캐나다·미국(美國)의 광대한 지역에 분포함.

알곤킨-족 【―族】〔Algonkin〕 명 북미(北美)에 분포하는 아메리칸 인디언의 한 부족.

알골[1] 〔아랍 Algol〕 명 〖천〗 페르세우스(Perseus)자리의 베타성(β星). 알골형(型) 식변광성(蝕變光星)의 대표적인 것. 실시(實視) 등급은 주기(週期) 69시간으로 하여 2.1-3.4 등(等)으로 바뀌며 거리는 80 광년임.

알골[2] 【ALGOL】 명 〔algorithmic language의 약자〕 〖컴퓨터〗 프로그램 언어의 하나. 주로 과학 기술 계산용으로 개발된 프로그램 언어로, 보통 수식(數式)과 기호로 쓰임. 유럽과 미국 학자들에 의해 1960 년 처음 발표되었으며, 이를 알골 60 이라고도 함. ＊코볼·포트란·베이식.

알골형 변:광성 【―型變光星】〔Algol〕 명 〖천〗 페르세우스(Perseus)자리의 알골성(Algol星)으로 대표되는 식변광성(蝕變光星)의 한 유형(類型). 밝은 주성(主星)과 어두운 동반성(同伴星)이 쌍성(雙星)으로서 공전(公轉)하며 동반성이 주기적으로 주성(主星)을 가려 식현상(蝕現象)을 일으킴으로써 실시(實視) 등급을 변화시킴.

알과 【戞過】 명 ①친한 사람의 집 문앞을 지나면서 들르지 아니하고 그냥 지나쳐 버림. 과문 불입(過門不入). ②그냥 지나감. ――-하다 타 여불

알-과녁 명 과녁의 복판.

알-관 【―管】 명 〖생〗 나팔관.

알-관주 【―貫珠】 명 한시(漢詩) 등을 끊을 때, 비점(批點) 위에 주는 관주(貫珠). 둥근 표를 함.

알:-괘 【―卦】 [―꽤] 명 알 만한 일. 알조. ¶그만하면 ～다.

알:괘라 감 〈옛〉 '알겠구나'·'알 만하다'의 뜻으로 쓰이는 말. ¶알괘라 白雪陽春이 梅花밧게 뉘 잇스리 ≪古時調≫.

알구다 타 〈방〉 알리다(평안·함경).

알구베 명 〈방〉 아그배(경북).

알구지 명 지게 작대기의 아귀진 곳.

알궁 【軋弓】 명 〖악〗 아쟁(牙箏)을 켜는 활.

알-궁둥이 명 벌거벗은 궁둥이.

알:-권리 【―權利】 [―뀔―] 명 〖정〗 국민이 각종의 정보나 의견, 특히 정부(政府)나 행정 기관의 공적(公的) 정보에 쉽게 접할 수 있고, 이것을 지득(知得)할 수 있는 권리. 민주주의 국가에서의 언론 보도의 자유나 정보 공개 제도의 정당화를 위한 현대적인 헌법 원리.

알궐 【謁闕】 명 대궐에 이르러 임금께 뵘. ――-하다 자 여불

알근달근-하다 형 여불 맛이 조금 맵고도 달다. ＜얼근덜근하다.

알근-하다 형 여불 ①술이 취하여 정신이 조금 몽롱하다. ¶술이 알근하게 취하다. ②맛이 매워 입안이 조금 알알하다. ¶알근한 찌개. 1)·2): ㅆ알큰하다. ＜얼근하다. **알근-히** 부 ¶김칫국에 고춧가루를 ～ 풀어서 푹푹 퍼먹고 있는 옆에서…≪李無影: 흙의 노예≫.

알금-뱅이 명 얼굴이 알금알금 얽은 사람. 또, 그 사람의 별명. ＜얼금뱅이.

알금-삼삼 부 잘고 얕게 얽은 자국이 드문드문 있는 모양. ――-하다 형 여불

알금-솜솜 부 잘고 얕게 얽은 자국이 밴 모양. ＜얼금숭숭. ――-하다 형 여불

알금-알금 부 잘고 얕게 얽은 자국이 성긴 모양. ＜얼금얼금. ――-하다 형 여불

알기 명 〈방〉 쐐기[2].

알기-살기 부 이리저리 뒤섞여 얽힌 모양. ＜얼기설기.

알긴-산 【―酸】 명 〔alginic acid〕 〖화〗 다당류(多糖類)의 한 가지. 건조 해조(乾燥海藻)로부터 얻는 점성(粘性)이 강한 산. 접착제(粘着劑)·유화제(乳化劑) 및 필름 제조 등에 쓰임. [$(C_5H_7O_4COOH)_n$]

알긴산 섬유 【―酸纖維】 명 〔algin fibers〕 알긴산(酸)의 금속염(金屬塩)으로 만들어지는 섬유.

알-까기 명 부화(孵化).

알-까리 명 〈방〉 동우리(경남).

알-깍쟁이 명 ①성질이 몹시 모진 사람을 두고 하는 말. ②아이 깍쟁이. 또, 어려서부터 깍쟁이가 된 사람.

알-깍정이 명 ☞알깍쟁이.

알-껍질 명 알의 맨 겉을 싸고 있는 껍데기. 난막(卵膜)이 굳어진 것. 난각(卵殼).

알-꼴 명 난형(卵形). 달걀꼴.

알-꽃벼룩 명 〖충〗 [*Scirtes japonicus*] 알꽃벼룩과에 속하는 곤충. 몸길이 3-4mm, 몸빛은 암갈색 또는 황갈색에 회황색 털이 많음. 촉각은 암갈색이고, 다리의 퇴절(腿節) 끝의 경절(脛節)과 부절(跗節)은 황갈색, 후경절(後脛節) 끝에는 긴 가시가 한 개 있음. 물가의 풀에 서식하는데 한국·일본 등지에 분포함.

알꽃벼룩-과 【―科】 명 〖충〗 [Helodidae] 딱정벌레목(目)에 속하는 한 과. 몸은 소형 또는 대형으로 연약하며, 촉각은 11절, 부절(跗節) 및 복판(腹板)은 5절임. 대부분이 꽃에 모이는데, 전세계에 550여 종이 분포함.

〈알꽈리〉

알-꽈리 명 〖식〗 [*Tubocapsicum anomalum*] 가짓과에 속하는 다년초. 줄기 높이 1m 가량이고 잎은 호생하며 거의 쌍생(雙生)하고, 달걀꼴 타원형 또는 달걀꼴 피침형(披針形)임. 7-8월에 담황색 꽃이 엽액(葉腋)에서 산형상(繖形狀)으로 여러 개가 착생하여 피고, 액질(液質)의 장과(漿果)를 맺음. 산지(山地) 골짜기의 음지(陰地)에 나는데, 제주·전남·경기도 및 일본 남부·대만·필리핀 등지에 분포함.

알-끈 명 〖생〗 알의 노른자를 싸고 양쪽 옆으로 뻗쳐 있는 기관. 노른자 배반(胚盤)의 위치가 항상 위로 향하도록 하는 일을 함. 컬레이저(chalaza)

알-나리 [―라―] 명 어리고 키가 작은 사람이 벼슬한 경우에 놀리는 말.

알나리-깔나리 [―라―라―] 명 〈소아〉 아이들이 남을 놀리는 말.

알-내기 [―래―] 명 알을 받아내기 위해 닭이나 오리를 치는 일.

알-넣기 [―러키] 명 부화기(孵化器) 따위에 알을 넣는 일.

알-눈 [―룬] 명 ①〖동〗 배반(胚盤)❶. ②〖식〗 태아(胎芽).

알니코 합금 【―合金】〔Alnico〕 명 〖화〗 철(鐵)에 알루미늄·니켈·코발트·구리 등을 섞어 만든 영구 자석용(永久磁石用) 합금. 알니코는 주요 원소 이름의 머리 글자를 딴 상품명.

알님 【知音】 명 〈이두〉 알림.

알:다 타 ①배우거나 익혀서 사물을 이해하다. ¶아는 것이 힘이다 / 외국어를 안다 / 작업 요령을 알고 있다 / 바둑의 묘미를 ～. ②감각하여 인식하거나 인정하다. ¶보아 ～ / 뉴스를 듣고 사건의 발생을 알았다. ③느끼어 깨닫다. ¶잘못을 ～ / 부모의 은혜를 알게 되다 / 눈치를 ～. ④체험하여 익히다. ¶여자[남자]를 ～ / 전쟁을 알지 못하는 젊은 세대. ⑤서로 낯이 익다. 안면이 있다. ¶잘 아는 사이. ⑥생각하여 판단하고 분별하다. 사리·물정을 깨닫다.¶자신을[분수를] ～ / 한 가지를 듣고 열 가지를 ～ / 사물의 겉만 알고 속은 모른다 /말귀를 ～. ⑦관계를 가지다. 상관하다. ¶내 알 바 아니다. ⑧소중히 여기다. ¶돈만 아는 사람 / 자기만 알고 남은 모른 체하다. 1)·8): ↔모르다.

[아는 것이 병] 사물을 똑똑이 알지 못하기 때문에 그 지식이 도리어 걱정거리의 원인이 된다는 말. [아는 길도 물어 가랬다] 쉬운 일이라도 소홀히 하지 말고 신중을 기하라는 말. [아는 놈 붙들어 매듯] 물건을 느슨느슨 잡아맴의 비유. [아는 도끼에 발등 찍힌다] ㉠알고 있다고 주의를 하지 않아 실수하게 됨을 이르는 말. ㉡친한 사람에게 도리어 해를 입는다는 뜻. [아는 법이 모진 바람벽 뚫고 나온 중방 밑 귀뚜라미라] 세상 일을 모르는 것 없이 알고 있는 사람을 두고 이르는 말. [안다니 똥파리] 사물을 잘 알지 못하고 이것저것 모든 것을 아는 체하는 사람을 비웃는 말. [알고도 죽는 해수병이라] 결과가 좋지 않을 줄 뻔히 알면서도 어쩔 수 없이 그 일을 겪는다는 말. [알고 보니 수원(水原) 나그네] 누군지 몰라 보았으나 깨우쳐 보니 아는 사람이로다 하는 뜻으로 이르는 말. [알기는 오뉴월 똥파리로군] 잘 모르면서도 이것저것 아무 것이나 아는 체하고 나서는 사람을 놀리는 말. [알기는 칠월 귀뚜라미다] 온갖 것을 잘 아는 듯이 자랑하는 사람을 두고 하는 말. [알기는 태주(胎主) 같다] 극히 총민(聰敏)하다는 말. [알던 정 모르던 정 없다] 공적인 일을 하는데는 사정(私情)이 없어야 한다는 말. [알아야 면장하지] 무슨 일을 하려면, 특히 윗사람이 되려면, 학식과 실력이 있어야 한다는 말.

알:다가도 모를 일 구 사물 또는 사람의 언동이 하도 상식 밖이어서 선뜻 이해가 가지 않음의 비유.

알:아서 기다 구 〈속〉 분부가 내리기 전에 미리 헤아려서 윗사람의 뜻에 맞게 행동하거나 일을 처리하다.

알단 〔Aldan〕 명 〖지〗 시베리아의 레나 강 상류 알단 강 연안의 도시. 러시아 연방 굴지의 산금(產金) 지대의 중심 도시임. [15,000 명(1981 추계)]

알더 〔Alder, Kurt〕 명 〖사람〗 독일의 유기 화학자. 1928년 스승인 딜스(Diels, O.P.H.)와 함께 디엔(dien) 합성법을 발견하여, 1950년에 노벨 화학상을 받았음. [1902-58]

알데바란 〔Aldebaran〕 명 〖천〗 황소자리의 오른쪽 눈에 상당하는 알파성(α星). 직경은 태양의 45배임. 첫 겨울의 밤하늘을 장식하는데 남중(南中)은 1월 중순 오후 9시이며, 거리는 60광년(光年)임. 실시 등급(實視等級) 0.8.

알데히드 〔aldehyde〕 명 〖화〗 ① ↗아세트알데히드(acetaldehyde). ② 알데히드기(基) (- CHO)를 가지는 화합물의 총칭. 1 차 알코올(RCH_2OH)을 산화(酸化)하는 방법, 산염화물(酸塩化物)을 환원(還元)하는 방법 등으로 만듦. 지방족(脂肪族) 알데히드와 방향족(芳香族) 알데히드로 대별(大別)함. 저급(低級) 지방족 알데히드는 자극성의 냄새를 가진 기체 또는 액체로 물에 녹으며, 고급의 것은 물에 녹지 않는 액체 또는 고체로 방향(芳香)이 나는 것도 있고, 방향족 알데히드는 방향이 있는 무색의 액체임. 일반적으로 카르복시산(酸)으로 산화하기 쉬우며, 특이한 반응으로 환원 작용을 함. 환원제·향료(香料)·마취제 등으로 쓰임. ＊아세트알데히드·포름알데히드.

알데히드-기 【―基】〔aldehyde〕 명 〖화〗 카르보닐기(carbonyl基)에 한 개의 수소 원자가 결합된 기(基). -CHO를 말함. 포르밀기(formyl基).

알데히드 중합체 【―重合體】 명 〔aldehyde polymer〕 〖화〗 포름알데히드·아세트알데히드·부틸알데히드·아크릴알데히드와 같은 알데히드류(類)를 기체(基體)로 한 중합체의 총칭.

알도 【―道】 [―또] 명 〖역〗 ←갈도(喝道).

알도스테론 〔aldosterone〕 명 〖생〗 부신 피질(副腎皮質)에서 분비(分

泌)되는 전해질(電解質) 호르몬. 주로 신장(腎臟)에 작용하여 나트륨 이온·염화물(塩化物) 이온의 재흡수(再吸收)를 촉진하고 칼륨 이온·수소(水素) 이온의 배설을 높여, 혈중 염분(血中塩分)·혈압(血壓) 조절 작용을 함. [$C_{21}H_{28}O_5$]

알도스테론-증【一症】〔aldosterone〕[一쯩] 명 〖의〗 알도스테론이 과잉 분비되어 고혈압·수족 마비·다뇨(多尿)·저칼륨 혈증(低kalium血症) 등을 일으키는 병.

알도오스〔aldose〕 명 〖화〗 알데히드기(基)를 갖는 단당류(單糖類). 천연으로는 알도펜토오스·알도헥소오스 등이 있음.

알-도요 명 〖조〗 작은물떼새.

알-돈 명 알짜가 되는 돈.

알-돌 명 직경 25cm 가량 되는 둥근 돌.

알돗-소리 명 〖악〗 추창(趨蹌)할 때에 조금 빠른 곡조로 부르던 소리.

알-둥우리 명 새·닭 따위가 들어가 알을 낳도록 만든 둥우리.

알-둥지 명 ☞알둥우리.

알딸딸-하다 형 여불 ①뜻밖의 일을 갑자기 당하거나 일이 복잡하여 정신을 못 차리다. ②머리를 부딪쳐 골이 울리고 어지럽다. ③술에 취하거나 마음이 몹시 들떠서 정신이 조금 몽롱하다. 딸딸하다. ¶몇 잔 술에 기분이 ~. 1)·2) : <얼떨떨하다.

알-땅 명 ①비나 바람을 막을 수 있는 준비가 없는 땅. ②나무도 풀도 없는 발가벗은 땅. 나지(裸地).

알-뚝배기 명 작은 뚝배기. 오가리.

알-뜯기 명 누에알을 알 붙인 종이에서 뜯어 내는 일. 소란(掃卵).

알-뜯이 [一뜨지] 명 늦가을에 알을 꺼낸 게.

알뜰-살뜰 부 살림을 아끼며 정성껏 손질을 하고 규모 있게 꾸려나가는 모양. ¶~ 잘 산다. ——-하다 형 여불. ——-히 부

알뜰-하다 형 여불 〔근대: 알뜰ᄒᆞ다〕 ①일에 대하여 정성스럽고 규모 있게 하므로 빈 구석이 없다. ¶육친보다 더 알뜰한 병구완. ②헤프게 쓰지 않고 아끼다. ¶알뜰한 주부. ③살림이 오붓하다. ¶알뜰한 살림살이. 알뜰-히 부. ¶~ 돈을 벌다.

알라[1] 명 〈방〉 어린애(경상).

알라[2]〔Allah〕 명 〖신〗 이슬람교의 유일(唯一)·절대의 신(神). 아라비아인(人)은 본시부터 천지 창조의 신을 '알라'라 해 왔는데, 마호메트는 그것을 계승하여 셈족(Sem族)의 일신교(一神敎)를 받아들여 이슬람교의 유일신으로 받듦. 정의·인애·관용 등의 속성을 가지며, 마호메트를 알라의 사도(使徒)라 함.

알라[3] 감 이상함을 느낄 때에 내는 소리. ¶~, 저 약골이 사람을 치네.

알라꿍-달라꿍 부 어수선하게 몹시 알락달락한 모양. ¶보기 흉한 무늬가 ~ 박혀 있다. ——-하다 자 여불

알라닌〔alanine〕 명 〖화〗 아미노산(amino酸)의 하나. α알라닌은 여러 단백질에 함유되어 있으며, 명주의 가수 분해로도 얻음. β알라닌은 사과의 과즙(果汁)에 존재함. 대사(代謝) 과정에서 중요한 역할을 함.

알라르간도〔이 allargando〕 명 〖악〗 '천천히·점점 느리고 폭넓게'의 뜻.

알라르콘〔Alarcón y Ariza, Pedro Antonio de〕 명 〖사람〗 스페인의 소설가. 유머가 넘치고 지방색(地方色)이 풍부한 단편을 많이 씀. 민화풍(民話風)의 단편 《삼각 모자(三角帽子)》, 장편 《추문(醜聞)》이 유명함. [1833-91]

알라리크〔Alaric〕 명 〖사람〗 서고트(西Goths)의 초대(初代) 왕. 세 번 이탈리아를 침공하고, 두 차례 로마를 점거(占據)함. 아프리카를 정복하기 위하여 남(南)이탈리아에서 시칠리아 섬으로 건너가다 익사함. [370-410]

알라 마르치아〔이 alla marcia〕 명 〖악〗 '행진곡풍으로'의 뜻.

알라만-족【一族】〔Alaman〕 명 게르만인의 한 부족. 도나우·라인의 두 강 상류 지방에서 형성됨. 민족 대이동 때 알자스 지방에 점주(占住)하였으나 프랑크 왕국에게 정복됨.

알라메인〔Alamein〕 명 〖지〗 이집트의 알렉산드리아 서쪽 약 100km 지점에 있는 촌락. 1942년 10월 영국의 몽고메리(Montgomery, B.L.)가 지휘하는 연합군이 로멜(Rommel, E.)의 독일군을 섬멸하여 북아프리카 해방의 계기를 만든 격전지로 알려져 있음.

알라모〔Alamo〕 명 1718년 텍사스의 샌안토니오에 스페인 사람이 세운 전도소(傳道所). 1836년 텍사스에 이주한 미국 군인이 독립을 선언하여 멕시코군과 싸웠을 때, 크로켓(Crockett, D.) 등 187명이 이 건물에서 포위되어 전멸함.

알 라 모:드〔프 à la mode〕 명 ☞아라모드.

알라모:드 문학【一文學】〔도 Alamode〕 명 외국, 특히 프랑스를 모방할 줄밖에 모르는 것 같은 문학을 멸칭(蔑稱)한 말.

알라 브레:베〔이 alla breve〕 명 〖악〗 '2/2 박자'의 뜻.

알라웅파야 왕조【一王朝】〔Alaungpaya〕 명 〖역〗 1752년 알라웅파야(1714-60)가 창시(創始)한 미얀마 최후의 왕조. 미얀마 역사상 최대의 국토를 영유(領有)함. 영국의 침략을 받아, 3차에 걸친 미얀마 전쟁으로 1885년 멸망함.

알라차 감 ①경쾌한 뜻을 나타낼 때에 내는 소리. ②'알라'와 '아차'를 어우른 말.

알라 친가라〔이 alla zingara〕 명 〖악〗 '유랑풍(流浪風)으로'의 뜻.

알라타-체【一體】〔allata〕 명 〔라 corpus allatum〕 〖동〗 〔allata는 allatum의 복수형〕 많은 곤충의 뇌(腦) 가까이에 있는 미소(微小)한 내분비 기관(內分泌器官). 알라타체 호르몬을 분비함.

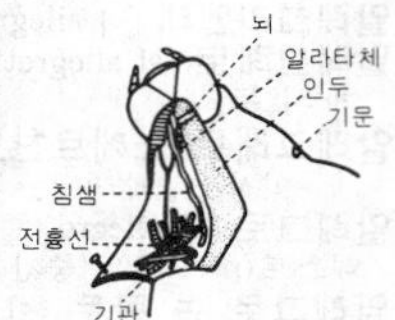

〈알라타체〉

알라타체 호르몬【一體一】〔allata〕 명 〔라 corpus allatum hormone〕 〖생〗 곤충의 알라타체에서 분비되는 호르몬. 애벌레 형질을 보존하며, 앞가슴 호르몬과의 협동적인 작용에 의하여 탈피(脫皮)를 함. 유충(幼蟲) 호르몬.

알라하바드〔Allahabad〕 명 〖지〗 인도 북부의 도시. 갠지즈 강과 점나 강(Jumna江)의 합류점에 위치한 힌두교의 성지(聖地). 목화·소맥의 집산지임. 아쇼카 왕 석주(石柱)와 대학이 있음. [642,000명(1981 추계)]

알락 명 본바탕에 다른 빛깔의 점이나 줄 따위가 조금 섞인 모양이나 자취. <얼럭.

알락-곰치 명 〖어〗 [*Muraena pardalis*] 곰칫과에 속하는 바닷물고기. 길이 75cm 가량으로 주둥이에 두 쌍의 촉수(觸鬚)가 있고, 입이 커서 완전히 다물지를 못함. 몸의 알락 무늬가 선명하여 수족관(水族館)에서 환영을 받음. 성질이 사나워 문어 등의 수산 동물을 탐식하는 해어(害魚)임. 열대성 어종으로 한국 남부·일본 중부 이남 및 동인도 제도에 분포함. 피부가 두껍고 탄력성이 있어 가죽으로 쓰임.

〈알락곰치〉

알락-광대파리 명 〖충〗 [*Campiglossa hirayamae*] 광대파릿과에 속하는 파리. 몸길이 3-4mm이고 흑색에 회색의 가루와 황색의 짧은 털로 덮였으며, 날개도 흑색인데 가에는 다수의 백색 반문이 있음. 복부 기부(基部)의 두 마디를 제외하고는 모두 두 쌍의 갈색 무늬가 있음. 한국·일본 등지에 분포함.

알락-귀뚜라미 명 〖충〗 [*Loxoblemmus arietulus*] 귀뚜라밋과에 속하는 곤충. 몸길이 13.5-15.5mm이고 몸빛은 흑갈색에 복잡한 반점이 있으며 뒷날개는 한번 생겼다가 없어짐. '리·리·리·리' 하고 네댓 마디의 소리로 계속하여 울며, 건조한 땅에 서식하는데, 한국·일본 등지에 분포함.

〈알락귀뚜라미〉

알락-그늘나비 [一라一] 명 〖충〗 [*Aranda epimenides*] 뱀눈나빗과의 나비. 날개 길이는 27-34mm, 빛은 갈색인데 바깥 선두리는 빛이 진하며, 앞날개에 1개, 뒷날개에 4개의 흑갈색 둥근 무늬가 있음. 뒷날개 뒷면에는 6개의 흑색 눈알 모양의 무늬가 있는데 중심은 백색임. 제2방의 무늬에는 2개의 흰 점이 있음. 한국·일본·중국·시베리아에 분포함.

알락-꼽등이 명 〖충〗 [*Diestrammena japonica*] 꼽등잇과에 속하는 곤충. 몸길이 20-25mm이고 몸빛은 황갈색에 많은 흑색 반문이 알락달락하게 있음. 날개는 없으며, 등은 꼽사등이 모양으로 융기되고, 다리에는 불규칙한 흑색 윤문(輪紋)이 있음. 흔히, 마루 밑이나 부엌 등 습한 곳에 서식하는데, 한국 및 전세계에 분포함. 알락왕뚱이.

〈알락꼽등이〉

알락-나방 명 〖충〗 [*Pryeria sinica*] 알락나방과에 속하는 곤충. 편 날개 길이 31-33mm이고 몸빛은 흙빛에 털이 많고 날개는 투명하며 그 기부(基部)는 황색임. 유충은 여러 가지 활엽수의 잎을 갉아 먹는 해충으로, 한국·일본·중국 등지에 분포함.

〈알락나방〉

알락나방-과【一科】[一꽈] 명 〖충〗 [Zygaenidae] 나비목(目)에 속하는 한 과. 소형 또는 중형으로 형태의 변화가 많고, 수컷의 촉각 끝은 굵거나 또는 빗살 모양이며 뒷날개에는 드물게 꼬리가 생김. 유충은 각종 활엽수의 잎의 해충으로 동양 각지에 분포함.

알락-납작고둥 명 〖조개〗 황해비단고둥.

알락다리-모기 명 〖충〗 각다귀❷.

알락-달락 부 여러 가지 빛깔로 된 점이나 줄이 불규칙하게 이룬 무늬가 있는 모양. ¶~한 풍선/~한 무늬. <얼럭덜럭. ——-하다 형 여불

알락-대모벌【一玳瑁一】 명 〖충〗 [*Batozonellus lacerticida*] 대모벌과에 속하는 벌. 암컷은 몸길이 16-21mm이고 몸빛은 흑색인데, 머리·가슴·배에는 미세한 털이 밀생(密生)함. 복부 제2-3절과 배판(背板) 기부에 있는 한 쌍의 가로로 된 반점(斑點)은 황색 또는 황적색이고, 촉각·견판(肩板)·날개는 적황색임. 한국·일본·시베리아·만주·중국 등지에 분포함.

알락-도요 명 〖조〗 [*Tringa glareola*] 도욧과에 속하는 새. 날개 길이 12.3-12.6cm, 부리 3cm 가량이고, 머리 위와 옆머리 및 목은 흑갈색이며, 흰 색의 세로줄이 있음. 등 쪽도 흑갈색인데, 겨드랑이는 흰 색에 약간의 불규칙한 가로줄이 있으며, 다리는 초록색임. 가운데 발가락만 길고 다른 발가락은 짧음. 주로, 암컷이 포란(抱卵)·육추(育雛)함. 연못가·논밭 부근의 습지에 2-3마리씩 떼를 지어 서식하고, 곤충류를 주로 먹으며, 조개류도 먹음. 유럽·아시아의 북부·아프리카·인도·한국·일본·사할린·중국 등지에 분포함.

〈알락도요〉

알락-뜸부기 명 〖조〗 [*Porzana noveboracensis exquisita*] 뜸부깃과에 속하는 새. 날개 길이 90mm 가량이고, 몸 배면(背面)은 갈색, 등과 날개에는 백색 반문이 있음. 얼굴·목·가슴은 회색, 복부 하미통(下尾筒)에는 흑색의 가로 반점이 있음. 아시아의 동북부에서 번식하고 중국·인도 등지에서 월동함. *쇠뜸부기.

알락-맵시벌 명 〖충〗 [*Ichneumon generosus*] 맵시벌과에 속하는 곤충. 암컷은 몸길이 14mm이고 두부·흉부는 흑색, 제1·4·5 복절(腹節)도 흑색이고 제2 복절은 황적색, 제3 복절은 흑색이나 후연(後緣)과 제6·7 복절은 황색임. 제비나비류의 유충에 기생하는데 한국·일본 등지에 분포함.

〈알락맵시벌〉

알락-멸구 명 〖충〗 흰줄항라매미충.

알락-명주잠자리 【一明紬一】 명 〖충〗 [*Distoleon tetragrammicus*] 명주잠자릿과에 속하는 잠자리. 몸길이 35-37 mm, 편 날개 75-90 mm이고, 두부(頭部)는 흑색, 흉부는 회흑색에 등황색 반문이 있음. 복부는 흑색이며, 제3-8절과 등에 등황색의 심장형 무늬가 있음. 날개는 투명한데 흑갈색의 무늬가 두어 개 있음. 한국에 분포함.

〈알락명주잠자리〉

알락-방울벌레 명 〖충〗 [*Pteronemobius fascipes*] 귀뚜라밋과에 속하는 곤충. 몸길이 6-7 mm이고 몸빛은 다소 회색을 띤 흑색에 후퇴절(後腿節)에 백색 가로띠가 두 개 있고, 후경절(後脛節)에 세 개의 가시 돌기가 있음. 간격을 두고 '지이지이' 하며 계속하여 욺. 잔디밭에 서식하는데 한국에 분포함.

알락-범 명 〖동〗〈방〉 표범.

알락수염긴-하늘소 【一鬚髯一】 [一쏘] 명 〖충〗 [*Monochamus tesserula*] 하늘솟과에 속하는 곤충. 몸길이 27-30 mm이고 몸빛은 암갈색 혹은 흑갈색임. 전흉(前胸)에 2줄, 전흉배(前胸背)에는 3줄의 쇠녹빛 종조(縱條)가 있으며 양측에 뿔 모양의 돌기가 있음. 시초(翅鞘)에는 6줄의 쇠녹빛 종선(縱線)이 있음. 소나무 종류를 해치며 재목에도 해를 끼치는데, 일본·한국 등지에 분포함.

〈알락방울벌레〉

알락-알락 부 여러 가지 빛깔로 된 점이나 줄이 규칙적으로 이룬 무늬가 밴 모양. <얼럭얼럭. ——-하다 형여불

〈알락수염긴하늘소〉

알락-왕뚱이 명 〖충〗 알락꼽등이.

알락-우럭 명 〖어〗 [*Epinephelus megachir*] 농어과에 속하는 바닷물고기. 눈이 크고, 머리 길이는 가슴지느러미와 길이가 같으며, 체면(體面)에 다각형(多角形)의 갈색 반문(斑紋)이 있음. 꼬리지느러미의 기저(基底)로부터 아감구멍 사이의 일종렬(一縱列)의 반문수(斑紋數)는 약 10-12개임. 우리 나라 다도해·일본 남부·오끼나와·중국·대만·필리핀·동인도 제도·타이 및 인도양 등에 분포함.

알락-테두리고둥 명 〖조개〗 [*Patelloida grata*] 흰삿갓조갯과에 속하는 바닷물고둥. 패각(貝殼)은 원뿔꼴이고, 길이 30 mm, 폭 25 mm, 높이 13 mm 내외임. 각정(殼頂)은 앞쪽에 있고 뾰족하며, 각표(殼表)에는 20개 가량의 방사륵(放射肋)이 있고 청색을 띤 회색임. 안은 유백색이며 중앙에 적갈색의 큰 무늬가 한 개 있음. 바닷 속 1-2 m 깊이의 바위에 떼를 지어 착생(着生)하는데, 한국·일본 등 연해에 분포함. *테두리고둥.

알락-파리 명 〖충〗 검정등꽃파리.

알락-풍뎅이 명 〖충〗 [*Anthracophora rusticola*] 풍뎅잇과에 속하는 곤충. 몸길이 14-20 mm이고 몸은 편평한 타원형임. 몸의 하면은 흑색, 상면은 적갈색에 크고 작은 흑색 무늬가 상칭적(相稱的)으로 산재하고 촉각은 적갈색임. 성충은 졸참나무·떡갈나무의 진을 흡수하는 해충으로, 한국에도 분포함.

알락-하늘소 [一쏘] 명 〖충〗 [*Anoplophora malasiaca*] 하늘솟과에 속하는 곤충. 몸길이 25-35 mm이고, 몸빛은 광택 있는 흑색 바탕에 많은 흰 반점이 산재함. 6-8월에 나타나는데 활엽수의 가지에서 많이 볼 수 있으며 등불에도 날아 옴. 유충은 버드나무·복숭아나무·뽕나무 등의 줄기에 구멍을 파고 들어가며 겨울에는 땅 속에 들어가 월동하는데 성충이 되기에는 2년이 걸림. 성충은 나무 껍질을 헤치고 그 곳에 산란하며 성·유충이 모두 과수(果樹)의 해충임. 한국·일본 등지에 분포함.

〈알락풍뎅이〉

알락-하루살이 명 〖충〗 [*Ephemerella rufa*] 알락하루살잇과에 속하는 곤충. 몸길이 7-8 mm, 앞날개 6.5-8.5 mm임. 몸빛은 대체로 적갈색이며, 머리·가슴·배는 밤빛 갈색이고 날개는 투명하며 시맥(翅脈)은 황백색에 횡맥(橫脈)은 백색임. 제1-7 복절(腹節)의 중앙은 담색이고 제8-9 복절은 암갈색임. 유충은 물 속에 서식하고 여름 한철에 발생하는데, 한국·일본 등지에 분포함.

〈알락하늘소〉

알락하루살잇-과 【一科】 명 〖충〗 [Ephemerellidae] 하루살이 목(目)에 속하는 한 과. 유충(幼蟲)은 게 모양인데, 급류(急流) 속 암석에 삶. 성충(成蟲)은 작은 뒷날개와 세 개의 미사(尾絲)가 있고 암컷의 파악기(把握器)는 세 마디임. 아시아·인도·오스트레일리아 등에 분포함.

알락-할미새 명 〖조〗 [*Motacilla alba leucopsis*] 할미샛과에 속하는 새의 하나. 날개와 꽁지 길이는 각각 85 mm 가량임. 몸빛은 얼굴과 뺨이 백색이고 배면(背面)과 턱 아래의 목·가슴·우복우(雨覆羽)는 흑색이며, 몸의 하면(下面)은 백색인데, 날개·꽁지에 흑색·백색 반문(斑紋)이 섞여 있음. 땅 위를 걸어다니며 곤충·지렁이 등을 포식하고 4-6 개의 백색 알을 둥지에 낳음. 익조(益鳥)이고 금렵조(禁獵鳥)임. 아무르·만주·한국·중국 동부에서 번식하고, 말레이·미얀마 등지에서 월동(越冬)함. 흰뺨알락할미새. 백두옹(白頭翁). *검은등할미새.

〈알락할미새〉

알란-족 【一族】 [Alan] 명 〖역〗 카스피 해 북안(北岸)에서 돈 강(Don 江) 유역에 이르는 초원 지대에서 유목하던 기마 민족. 한때 유럽 동쪽까지 진출했으나 4 세기경 훈족(Hun 族)의 서방 이동으로 쇠퇴함. 이란계 민족으로 생각되며 그 후손 일부가 카프카스 지방에 남아 있음. 중국에서는 시대에 따라 엄채(奄蔡)·아란(阿蘭)·아속(阿速)으로 불리었음.

알람 문자 【一文字】 [Alam] [一짜] 명 기원전 7세기경부터 쓰이어, 셈어족(Sem 語族)의 문자의 기초가 된 문자. 알파벳 성립 사상(史上) 중요한 문자로, 고대 오리엔트에서 일대 언어권(一大言語圈)을 형성한 알람어에 의해 퍼졌음. 현대까지 전해진 히브리어의 ≪구약 성서≫는 이 서체(書體)로 쓰인 것임. 원래, 22개의 자음(子音)으로 되었으나 후대에 모음 기호가 붙여졌음.

알람브라 궁전 【一宮殿】 [Alhambra] 명 〖지〗 스페인의 그라나다(Granada)에 있는 이슬람 왕국의 궁전. 13-14세기에 건축되었으며 정통 이슬람 미술의 대표작임.

알람-어 【一語】 [Alam] 명 〖언〗 셈어족(Sem 語族)에 속하는 언어. 고대 오리엔트의 시리아·팔레스타인의 동방에서 사용된 여러 언어의 총칭. 메소포타미아에서는 기원전 7 세기 이전부터 쓰였으며, 예수 그리스도도 알람어로써 말했다 함. 오늘날에도 극소수(極少數)가 사용하고 있음. *알람 문자(文字).

알랑-거리다 자 교묘한 말을 꾸며대고 간사하게 아첨하기를 연해 하다. 알씬거리다. ¶상사(上司)에게 ~. <얼렁거리다. **알랑-알랑** 부. ——-하다 자여불

알랑-대다 자 알랑거리다.

알랑-똥땅 부 엉너리를 부리며 얼김에 남을 속여 넘기는 모양. <얼렁뚱땅. ——-하다 자타여불

알랑-방귀 명 〈속〉 알랑거리며 아첨을 떠는 짓.
 알랑방귀 뀌:다 구 〈속〉 알랑거리며 연해 아첨을 떨다.

알랑-뱅이 명 〈방〉 알랑쇠.

알랑-쇠 명 알랑거리는 사람. <얼렁쇠.

알랑-수 [一쑤] 명 알랑똥땅하여 교묘히 남을 속이는 수단. ¶그런 ~엔 안 넘어간다. ¶물색 모르고 ~를 써서 우릴 농락하거나 거칠게 나왔다가는…≪金周榮 : 客主≫. <얼렁수.

알래스카 [Alaska] 명 〖지〗 미국의 한 주. 캐나다의 서북부에 위치하며, 베링 해협을 사이에 두고 시베리아와 마주 봄. 북극권이 북부를 통과하는 한랭지로 금의 산출이 많고, 수산업·임업(林業)이 주(主)로, 농업·펄프 공업이 일부에서 행하여지며 석유 자원도 있음. 1867년에 러시아로부터 720만 달러에 매입하고 1958년에 주(州)로 승격함. 주도는 주노(Juneau). [1,478,458 km² : 550,043 명 (1990)]

알래스카 만 【一灣】 [Alaska] 명 〖지〗 알래스카 주(州)의 남쪽, 태평양에 면한 큰 만. 수산(水產) 자원이 풍부하여 어획량이 많음.

알래스카 반:도 【一半島】 [Alaska] 명 〖지〗 북아메리카 알래스카 주 남서쪽으로 길게 뻗은 반도. 그 서쪽에 알류샨 열도(Aleutian 列島)가 있음. 길이 약 800 km.

알래스카 산맥 【一山脈】 [Alaska] 명 〖지〗 알래스카 주 남부, 알래스카 만 해안선과 평행하게 달리는 산맥. 약 1,000 km로 최고봉은 매킨리산(Mackinly山)이며, 이 산 일대는 매킨리 국립 공원으로 정해져 있음.

알래스카 하이웨이 [Alaska Highway] 명 〖지〗 캐나다의 브리티시 콜럼비아 주(British Columbia 州) 도슨 크리크(Dawson Creek)로부터, 알래스카의 페어뱅크스(Fairbanks)에 이르는 고속 자동차 도로. 1942년 10월에 완성했음. [2,440 km]

알래스카 해:류 【一海流】 [Alaska] 명 〖지〗 북태평양 해류계(海流系)의 해류. 북태평양의 북위 42°-50° 사이를 동쪽으로 흘러 캐나다 앞바다에서 북으로 선회(旋回), 알래스카 만내(灣內)를 반시계(反時計) 방향으로 환류(還流), 일부분은 베링 해(Bering 海)로 유입(流入)함. 알래스카 만 내에서는 난류(暖流)의 특징을 보임.

알랭 [Alain] 명 〖사람〗 프랑스의 사상가·철학자. 본명은 Émile Auguste Chartier. 철학상으로는 이성(理性)주의자이며, 독자적(獨自的)인 문체(文體)로, 특히 예술론이 유명함. 주저 ≪예술론≫·≪행복론≫·≪나의 사색 과정≫ 등. [1868-1951]

알랭 푸르니에 [Alain Fournier] 명 〖사람〗 프랑스의 작가. 제1차 세계 대전 때 전사함. 대표작 ≪모느의 대장(大將)≫은 고향의 전원 풍경을 배경으로 청년의 심리를 그린 전형적인 모험 소설임. 유고집(遺稿集)으로 ≪기적(奇跡)≫이 있음. [1886-1914]

알량꼴량-하다 형여불 몹시 알량하다. ¶하는 짓이 다랍고 ~.

알량-스럽다 형ㅂ불 모양새가 알량하다. ——-스레 부

알량-하다 형여불 ①보잘것 없다. ②품성과 인격이 천하다. ¶알량한 사내.

알런덤 [Alundum] 명 〖화〗 인조 강옥석(人造鋼玉石)의 상품명. 일반화하여 강옥석, 곧 커런덤(curundum)의 뜻으로도 쓰임. 산화 알루미늄을 전기로(電氣爐) 속에서 녹여서 만듦. 내화재(耐火材)·연마재(硏磨劑)로 쓰임. *강옥석.

알레고리 [allegory] 명 〖문〗 [비유·우언(寓言)이란 뜻] 본래의 뜻을 감추고 표현되어 있는 것 이상의 깊은 의미나 내용을 추찰(推察)시키는 문장의 수사법(修辭法).

알레그라멘테 [이 allegramente] 명 〖악〗 '즐겁게·쾌활하게'의 뜻.

알레그레토 [이 allegretto] 명 〖악〗 '조금 빠르게·알레그로보다 느리게'의 뜻.

알레그레토 스케르찬도 [이 allegretto scherzando] 명 〖악〗 '경쾌하게·익살스럽게'의 뜻.

알레그로 [이 allegro] 명 〖악〗 '빠르게'의 뜻. 모데라토(moderato)와 프레스토(presto)의 중간.

알레그로 논 탄토 [이 allegro non tanto] 명 〖악〗 '너무 빠르지 않게'의 뜻.

알레그로 디 몰토 [이 allegro di molto] 명 〖악〗 '될 수 있는 한 빨리'의 뜻.

알레그로 마 그라치오소 [이 allegro ma grazioso] 명 〖악〗 '빠르면서 품위 있게'의 뜻.

알레그로 마 논 트로포 〔이 allegro ma non troppo〕 명 〖악〗 '빠르지만 지나치지 않게'의 뜻.

알레그로 모데라토 〔이 allegro moderato〕 명 〖악〗 '조금 빠르게 · 중간쯤의 빠르기로'의 뜻.

알레그로 비바체 〔이 allegro vivace〕 명 〖악〗 '매우 빠르게 · 매우 빠르고 생기 있게'의 뜻.

알레그로 아사이 〔이 allegro assai〕 명 〖악〗 '매우 빠르게'의 뜻.

알레그로 아사이 비보 〔이 allegro assai vivo〕 명 〖악〗 '매우 빠르고 쾌활하게'의 뜻.

알레그로 아지타토 〔이 allegro agitato〕 명 〖악〗 '격렬한 기분으로 빨리'의 뜻.

알레그로 지우스토 〔이 allegro giusto〕 명 〖악〗 '빠르면서도 정확하게'의 뜻.

알레그로 콘 브리오 〔이 allegro con brio〕 명 〖악〗 '씩씩하고 빠르게'의 뜻.

알레그로 콘 푸오코 〔이 allegro con fuoco〕 명 〖악〗 '열정적으로 빨리'의 뜻.

알레그리시모 〔이 allegrissimo〕 명 〖악〗 '가장 빠르게'의 뜻.

알레르겐 〔도 Allergen〕 명 알레르기 반응을 일으키는 물질. 실내의 먼지·꽃가루·곰팡이·동물의 털 등의 흡입성(吸入性) 알레르겐, 고등어·우유 등의 식이성(食餌性) 알레르겐, 옻이나 고무 등의 접촉성(接觸性) 알레르겐 등이 있음.

알레르기 〔도 Allergie〕 명 ①〖생〗 인체·동물체가 어떤 물질에 대해서 선천적(先天的) 또는 후천적(後天的)으로 이상(異常) 반응을 나타내는 일. 특히, 보통 사람은 아무 작용을 일으키지 않는 물질이나 자극에 대해서 과민한 반응을 나타내는 상태. 또, 최초 어떤 물질이 체내에 들어갔을 때 그것에 반응하는 항체(抗體)가 생겨 다시 같은 물질이 생체(生體)에 들어가면 그것과 항체가 반응하여 그 부위가 붉게 되거나 침윤(浸潤)·화농(化膿) 등이 일어나는 현상을 말함. 앨러지(allergy). ↔ 아네르기. ＊아나필락시스(Anaphylaxis). ②전(轉)하여, 어떤 사물이나 사람에 대한 신경질적인 거부(拒否) 반응.

알레르기-성 【一性】 〔도 Allergie〕 〔--썽〕 명 〖의〗 어떤 병의 원인이 알레르기에 연유하여 일어나는 성질. ¶ ~ 질환.

알레르기성 비:염 【一性鼻炎】 〔도 Allergie〕 〔一썽一〕 명 〖의〗 여러 가지 음식·꽃가루·먼지·동물의 털 등의 항원(抗原)이 체내에 들어가서 생기는 비염. 재채기가 자꾸 나고 콧물이 쉴새없이 나오는데, 흔히 천식(喘息)이나 두드러기와 함께 일어나는 수가 많음.

알레르기성 식중독 【一食中毒】 〔도 Allergie〕 〔一썽一〕 명 〖의〗 식중독의 한 가지. 대부분의 사람에게는 아무런 해를 주지 않는 어떤 식품에 대해서 과민한 체질을 가진 사람이 중독을 일으키는 일. 단백질 식품에 의해 일어나며, 증상은 습진·두드러기·두통·설사 등임.

알레르기성 질환 【一性疾患】 〔도 Allergie〕 〔一썽一〕 명 〖의〗 알레르기에 의해 일어나는 질병. 알레르기성 비염·두드러기 또는 두 번째의 디프테리아 혈청(血淸) 주사에 의해 일어나는 혈청병(血淸病)·기관지 천식(氣管支喘息)·편두통·고초열(枯草熱) 등이 있음.

알레르기성 체질 【一性體質】 〔도 Allergie〕 〔一썽一〕 명 〖의〗 알레르기 소질.

알레르기성 피부염 【一性皮膚炎】 〔一썽一〕 명 〔allergic dermatitis〕 〖의〗 알레르겐과 감작 조직(感作組織)의 접촉에 의해서 생기는 피부의 염증.

알레르기 소질 【一素質】 〔도 Allergie〕 명 〖의〗 어떤 물질의 주사·투여(投與)로 의학상 알레르기 질환이라고 부르는 천식(喘息)·고초열(枯草熱)·두드러기 같은 것이 발병하기 쉬운 체질. 알레르기성 체질. 선병질(腺病質).

알레만 〔Alemán, Mateo〕 명 〖사람〗 스페인의 작가. 악한(惡漢) 소설의 장르를 확립함. 특히, 대표작 ≪악한 구스만 드 알파라체(Guzmán de Alfarache)의 생애(生涯)≫로써 유명해짐. 〔1547?-1614?〕

알레익산드레 〔Aleixandre, Vicente〕 명 〖사람〗 스페인의 시인. 몸이 약해 실사회(實社會)에서 물러나 시작(詩作)에 전념함. 스페인의 서정시 전통과 현대 조류에 근원을 두고, 우주와 현대 사회에서의 인간의 조건을 밝혀 주는 창조적인 시작 활동으로 알려짐. 대표작에 ≪파괴 혹은 사랑≫·≪낙원의 그늘≫·≪최후의 탄생≫·≪광활한 영토에서≫ 등이 있음. 1977년 노벨 문학상 수상. 〔1898-1984〕

알레치호른 산 【一山】 〔Aletschhorn〕 명 〖지〗 스위스 남부 발레 주(Valais州) 북동부에 있는 산. 남록(南麓)의 알레치 빙하(氷河)로 유명함. 〔4,195 m〕

알레테이아 〔그 aletheia〕 명 진리(眞理).

알레포 〔Aleppo〕 명 〖지〗 시리아 북부에 있는 상업의 중심 도시. 예로부터 지중해와 메소포타미아를 연락하는 교통의 요지임. 견포(絹布)·면화·양모·피혁품 등의 제조·집산지로 유명하며, 역사적인 고성(古城)·성벽 등이 있음. 〔1,216,000 명(1987 추계)〕

알렉산더 〔Alexander, Samuel〕 명 〖사람〗 오스트레일리아 출신의 영국 철학자. 맨체스터의 빅토리아 대학 교수. 화이트헤드(Whitehead)와 병칭되는 신실재론(新實在論)의 대가임. 주저 ≪공간(空間)·시간(時間) 및 신성(神性)≫. 〔1859-1938〕

알렉산더 대:왕 【一大王】 〔Alexander〕 명 〖사람〗 '알렉산드로스 대왕(Alexandros大王)'의 영어명.

알렉산더 보:석 【一寶石】 〔Alexander〕 명 〖광〗 알렉산드라이트.

알렉산더 제도 【一諸島】 〔Alexander〕 명 〖지〗 미국 알래스카 주(州) 동남부의 제도(諸島). 빙하 지형(氷河地形)을 이루고 협만(峽灣)이 많음. 약 1,100 개의 섬으로 이루어지고 임업(林業)이 성함. 중심 도시는 싯카(Sitka).

알렉산드라이트 〔alexandrite〕 명 〖광〗 금록옥(金綠玉)의 일종. 태양 광선 아래에서는 진한 녹색이지만 인공 광선(人工光線) 아래에서는 적자색으로 보임. 우랄 산중과 스리랑카 등지에서 산출됨. 알렉산더 보석.

알렉산드로스 대:왕 【一大王】 〔Alexandros〕 명 〖사람〗 마케도니아의 왕. 필리포스 2세의 아들. 20세에 즉위하여 그리스를 정복했으며 페르시아의 왕 다리우스의 연합군을 격파하고 시리아·이집트를 점령함. 다시 인도에 쳐들어가 바빌론에 개선(凱旋)한 다음 해에 죽음. 알렉산드리아라고 명명한 다수의 도시를 건설하여 동서 교통·경제 발전·문화 융합에 기여했고, 그리스어를 공통어로 하는 헬레니즘 문화(Helenism 文化)의 기초를 닦음. 이로 인해 고대 그리스 문화는 널리 동방에까지 퍼졌음. 영어명은 알렉산더 대왕. 〔336-323 B.C.〕

알렉산드롭스크-사할린스키 〔Aleksandrovsk-Sakhalinskii〕 명 〖지〗 러시아의 사할린 중부 서안(西岸)에 있는 항구 도시. 석탄·목재·어업의 중심지이며 광산·학교·해양학 연구소(海洋學硏究所)를 비롯한 문화 시설이 있음. 〔20,000 명(1980 추계)〕

알렉산드르 넵스키 〔Aleksandr Nevskij〕 명 〖사람〗 러시아의 대공(大公). 1240년 침입한 스웨덴군과 1242년 침입한 독일 기사단군(騎士團軍)을 격파함. 당시 러시아는 몽골인의 지배하에 있었는데, 그는 이를 이용하여 서유럽의 압력에 대항하였음. 러시아의 국민적 영웅임. 〔1220-63〕

알렉산드르 삼세 【一三世】 〔Aleksandr Ⅲ〕 명 〖사람〗 러시아의 황제. 알렉산드르 2세의 차자(次子). 자유 사상(自由思想)을 압박하여 전제 정치(專制政治)를 행하고 발칸(Balkan)에 진출하여, 유태인을 학살하였음. 〔1845-94; 재위 1881-94〕

알렉산드르 이:세 【一二世】 〔Aleksandr Ⅱ〕 명 〖사람〗 러시아의 황제. 니콜라이 1세의 장자. 농노를 해방하고, 알래스카(Alaska)를 미국에 팔았으며, 또 중앙 아시아에 진출하였으나, 허무당원(虛無黨員)에 암살당함. 〔1818-81; 재위 1855-81〕

알렉산드르 일세 【一一世】 〔Aleksandr Ⅰ〕 〔一쎄〕 명 〖사람〗 러시아의 황제. 나폴레옹 1세의 침입으로 모스크바를 태우고 퇴각, 나폴레옹의 러시아 정복을 실패시킴. 빈(Wien) 회의 때 오스트리아와 제휴하여 신성 동맹(神聖同盟)을 제창(提唱)하여 그 맹주(盟主)가 됨. 〔1777-1825; 재위 1801-25〕

알렉산드리아[1] 〔alexandria〕 명 〖식〗 포도의 한 품종. 유럽산으로, 알이 크고 엷은 녹색(綠色)의 포도. 머스캣(muscat).

알렉산드리아[2] 〔Alexandria〕 명 〖지〗 ①이집트의 나일 강 삼각주의 서쪽에 있는 이집트 제2의 도시로 최대의 무역항. 주요 수출품은 면화(棉花)이고, 시멘트·자동차·기계 공업도 행함. 1942년에 세운 알렉산드리아 대학이 있음. 알렉산드로스 대왕이 기원전 332년에 건설함. 같은 이름의 도시 중 가장 발달한 도시. 〔2,917,327 명(1986)〕 ②알렉산드로스 대왕(大王)의 이름을 딴 옛 도시(都市)들. 동지중해(東地中海) 지역으로부터 인도(印度)에 이르는 교통 요충지(交通要衝地)에 약 70 개를 건설(建設)함.

알렉산드리아 문고 【一文庫】 〔Alexandria〕 명 〖역〗 프톨레마이오스 이세(Ptolemaios 二世)가 알렉산드리아에 창설한 고대 최대의 문고(文庫). 50만-70만 권의 서적(書籍)을 소장(所藏)하였음. 기원전 47년 카이사르와 폼페이우스와의 싸움으로 소실(燒失), 안토니우스가 재건(再建)하였으나 640년경 사라센인의 알렉산드리아 공략(攻略)으로 완전히 없어짐.

알렉산드리아 신학교 【一神學校】 명 〔Catechetical school of Alexandria〕 〖역〗 2세기 말부터 5세기에 걸치어 알렉산드리아에 있었던 고대 기독교 신학교. 자체의 교육에 문답식(問答式)을 응용하며, 또한 교의(敎義)를 당시의 플라톤 철학을 빌어 기독교 철학으로 조직하려 하였음. 뒤에 다른 학파와의 논쟁에 압도되고, 교회에서 이단시(異端視)당하여 소멸함.

알렉산드리아 철학 【一哲學】 〔Alexandria〕 명 기원전 1세기로부터 수 세기에 걸쳐 알렉산드리아를 지배(支配)하였던 철학. 그리스 철학, 특히 플라톤의 철학과 동방(東方)의 종교(宗敎)와의 결합(結合)에서 생겼으며 유대적·그리스적 성격을 가졌음. 필론(Philon)의 철학이 그 대표적인 것으로, 기독교 신학(基督敎神學)과 신플라톤 철학에 큰 영향을 끼쳤음.

알렉세예프 〔Alexeiev, Evgeni Ivanovich〕 명 〖사람〗 러시아의 군인. 극동 함대 사령관. 대한 제국 정부에 친러 세력 침투를 기도하였으며, 러일 전쟁에서 패전함. 〔1843-1909〕

알렉세이 〔Aleksei Mikhailovich〕 명 〖사람〗 러시아 황제. 미하일 로마노프의 아들. 우크라이나를 병합하고, 농민의 농노화(農奴化)를 추진, 라진(Razin, S.)의 반란을 진압함. 총주교(總主敎) 니콘(Nikon)과 싸워 그 개혁을 저지하여 제권(帝權)을 강화(強化)했음. 〔1629-76; 재위 1645-76〕

알렉신 〔alexin〕 명 〖의〗 세균의 감염에 대한 동물의 자연 저항력의 근원이 되는 물질. 정상 동물의 혈청(血淸) 속에 포함된 이열성(易熱性) 성분 속에 함유되어 있음.

알렌 〔Allen, Horace Newton〕 명 〖사람〗 미국의 선교사·외교관. 1884년 중국을 거쳐 한국에 들어와 최초의 장로교 선교사가 됨. 고종(高宗) 황제의 시의(侍醫) 및 외교 고문으로 있었고, 광혜원(廣惠院)·관립 의학교를 창립하였음. 그 후, 미국의 주한 전권 공사를 지냄. 한국명: 안련(安連). 〔1858-1932〕

알렌의 법칙 【一法則】 〔一/一에一〕 명 〔Allen's rule〕 〖동〗 한랭한 지방에 생활하는 항온 동물은 일반적으로 귀·주둥이·목·다리·날개·꽁지 등이 따뜻한 지방에 사는 동족(同族)의 그것보다 짧게 되는 현상(現象)을 말함. 1877년 미국의 동물학자 알렌(Allen, J.A.)에 의해 발견됨. ＊베르크만(Bergmann)의 규칙.

알렐루야 〔라 alleluia〕 명 〖천주교〗 할렐루야(hallelujah).
알려-지다 자 ①알게 되다. ¶사건이 널리 ～. ②유명(有名)하게 되다. ¶작가로 ～.
알력【軋轢】 명 ①수레바퀴의 삐걱거림. ②서로 의견이 맞지 않아 사이가 좋지 않고 자주 충돌함. 불화(不和). ¶두 사람 사이에는 ～이 있었다.
알:-로 준 ☞ 아래로.
알로기 명 알록알록한 무늬나 점. 또, 그러한 사물. <얼루기.
알로-까다 형 몹시 약다는 뜻을 얕잡아 일컫는 말.
알로록-달로록 부 짙은 여러 빛깔로 된 점이나 줄이 불규칙하게 이룬 무늬가 성기고 밴 모양. ㅅ아로록다로록. <얼루룩덜루룩. ――-하다 형여불
알로록-알로록 부 짙은 여러 빛깔로 된 점이나 줄이 규칙적으로 이룬 무늬가 성기고 밴 모양. ㅅ아로록아로록. <얼루룩얼루룩. ――-하다 형여불
알로롱-달로롱 부 여러 가지 빛깔로 된 점이나 줄이 고르지 아니하게 이룬 무늬가 매우 배고 성긴 모양. ㅅ아로롱다로롱. <얼루룽덜루룽. ――-하다 형여불
알로롱-알로롱 부 여러 가지 빛깔로 된 점이나 줄이 고르게 이룬 무늬가 매우 배고 성긴 모양. ㅅ아로롱아로롱. <얼루룽얼루룽. ――-하다 형여불
알로에 〔라 aloe〕 명 〖식〗 백합과 알로에속(屬)에 속하는 식물의 총칭. 줄기가 서는 종류와 서지 않는 종류가 있음. 잎은 검상(劍狀)으로 길고 두터우며, 가에는 가시가 있고 밀생(密生)함. 꽃은 적(赤)·황(黃)·등(橙)색의 통상화(筒狀花)가 줄기의 선단(先端)에 수상(穗狀)으로 모여서 핌. 열대 식물로서, 약용·관상용으로 재배하는데, 약 300종이 알려져 있음. *노회(蘆薈).
알로카시아 명 〖식〗 〔*Alocasia watsoniana*〕 토란과에 속하는 다년초(多年草). 중앙이 펑펑한 방패 모양의 잎 위가 조금 잘록하고, 표면은 오골오골한 짙은 녹색 바탕에다 은가루를 뿌린 듯 아름다움. 엽맥은 주맥과 지맥만이 뚜렷하고, 잎 전체는 다소 둘겊 모양임. 원래 잎의 폭은 20cm, 길이 30cm이나 한국에서는 그렇지 못함. 온실 재배이며 겨울은 15°C 이상이어야 함. 실생(實生)이 어려운 것이 결점임. 말레이시아 원산이며 1962년에 우리나라에 옴.
알로타바 〔이 all'ottava〕 명 〖악〗 '한 옥타브 높게 또는 「낮게」의 뜻.
알로하 〔aloha〕 명 ↗알로하 셔츠(aloha shirts).
알로하 셔츠 〔aloha shirts〕 명 〔알로하는 하와이 말로 '친절' 또는 '안녕히'의 뜻〕 하와이에서 처음으로 유행한 여름용 셔츠. 프린트 무늬의 천으로 소매를 짧게 만들어 바지 위에 늘여서 입음. 간편하고 이국적인 디자인으로 널리 애용되고 있음. 와이키키 셔츠(Waikiki shirts). 준알로하.

〈알로하 셔츠〉

알로하 오에 〔Aloha oe〕 명 〔'안녕하라 그대여'의 뜻으로 나그네가 애인에게 남기는 말〕 하와이의 민요. 하와이 왕국의 마지막 여왕인 릴리워칼라니(Liliuokalani)가 작사·작곡한 우미한 가곡.
알록-달록 부 여러 가지 빛깔로 된 점이나 줄이 고르지 않게 이룬 무늬가 밴 모양. ¶～한 옷감. <얼룩덜룩. ――-하다 형여불
알록-알록 부 여러 가지 빛깔로 된 점이나 줄이 고르게 이룬 무늬가 밴 모양. <얼룩얼룩. ――-하다 형여불 ¶알록알록한 헝겊을 이모저모 오리다.
알록-점【―點】 명 물건에 알록알록 박힌 잘고 많은 점. <얼룩점.
알록-제비꽃 명 〖식〗 〔*Viola variegata*〕 제비꽃과에 속하는 다년초. 무경성(無莖性)임. 근생엽(根生葉)은 총생(叢生)하며 장병(長柄)이고, 둥근 달걀꼴 또는 원형임. 5월에 잎 사이로부터 소수의 가는 꽃줄기가 나와 줄기 끝에 자색 꽃이 좌우 상칭(相稱)으로 피고, 과실은 삭과(蒴果)임. 산지에 나는데, 전국 각지에 분포함.
알록-지다 자 알록알록하게 되다. ¶알록진 무늬.
알롱¹ 명 〖역〗 지방 관아의 전령(傳令)을 맡은 엄지머리 총각.
알롱² 명 ↗알롱이. ㅅ아롱. <얼룽.
알롱-거리다 자 여러 가지 빛깔로 된 점이나 줄이 고르게 무늬져 아른거리다. ㅅ아롱거리다. <얼룽거리다. **알롱-알롱** 부. ㅅ아롱아롱. <얼룽얼룽. ――-하다 형여불
알롱-달롱 부 여러 가지 빛깔로 된 점이나 줄이 이룬 불규칙한 무늬가 매우 밴 모양. ¶～한 색실로 수놓은 것이었다《鄭飛石 : 愛情無限》. ㅅ아롱다롱. <얼룽덜룽. ――-하다 형여불
알롱-대다 자 알롱거리다.
알롱-이 명 알롱알롱한 점. 또, 그러한 짐승이나 사물. ㅅ아롱이. <얼룽이. 준알롱.
알롱-잉어 명 〖어〗 〔*Kuhlia marginat*〕 알롱잉어과에 속하는 바닷물고기. 몸길이 250cm 정도, 상악 후골(上顎後骨)이 눈의 중앙 아래까지 옴. 은백색이며 배쪽으로 암갈색의 점이 산재함. 하천의 하류나 강어귀 부근에 삶. 우리 나라 남해 및 제주도·대만·멜라네시아·아프리카 등지에 분포함.
알롱-지다 형 알롱알롱한 무늬가 있다. ㅅ아롱지다. <얼룽지다.
알루마이트 〔Alumite〕 명 〖화〗 알루미늄의 표면을 전해(電解) 산화하여 산화 알루미늄의 피막(被膜)을 덮음으로써 부식(腐蝕)에 견디게 하여 알루미늄의 결점을 보충한 금속의 상품명.
알루멜 〔alumel〕 명 〖화〗 니켈을 주성분으로 하는 합금으로 금속 전기 저항 재료의 한 가지. 니켈 94%·규소 1%·알루미늄 2%·철 0.5%·망간 2.5%로 조성(組成)됨.
알루미나 〔alumina〕 명 〖화〗 '산화 알루미늄(酸化aluminium)'의 속칭(俗稱).
알루미나 섬유【―纖維】 〔alumina〕 명 알루미나를 고온 처리하여 섬유상으로 만든 신재료. 내화물(耐火物)이나 복합재 강화 섬유로 쓰임.
알루미나 시멘트 명 〔aluminous cement〕 산화 알루미늄을 주성분으로 하는 시멘트. 20세기초에 발명한 것으로 산화 알루미늄이 51-54% 함유 되어 있음. 보통 시멘트와 달라서 단시간에 경화(硬化)하고 바닷물에도 비교적 강한 특징이 있음. 반토 시멘트(礬土cement). 용융(溶融) 시멘트.
알루미나 자기【―瓷器】 명 〔aluminous porcelain〕 산화 알루미늄으로 성형(成形)하여 1,600°C 또는 그 이상으로 구운 사기 그릇. 열전도도(熱傳導度)·고온 전기 저항성 및 화학적 안정성(安定性) 등이 커서 화학용 기구 제조에 씀.
알루미노 규산염【―珪酸塩】 〔―념〕 명 〔aluminosilicate〕 〖화〗 규산염의 규소(珪素)의 일부가 알루미늄으로 치환(置換)되어 생기는 염(塩). 운모류(雲母類)·장석류(長石類)·점토(粘土) 등의 광물로서 천연으로 다량 존재함. 시멘트·도자기 등의 중요한 원료임.
알루미노:트 잠수함【―潛水艦】 〔Aluminote〕 명 〖군〗 미국 해군의 해저(海底) 조사용 심해(深海) 잠수함. 15,000피트까지 잠수할 수 있으며, 속력은 8노트, 계속 잠항(潛航) 시간은 32시간임. 전장 51피트, 폭 8 피트이며, 승무원은 3명임.
알루미늄 〔aluminium〕 명 〖화〗 은백색의 가볍고 부드러운 금속 원소. 전성(展性)·연성(延性)이 풍부하며 상온에서는 산화하지 않음. 비중은 2.7, 녹는점은 660.2°C, 끓는점 2470°C임. 여러 가지 금속 기구의 재료로 또는 합금의 성분으로서 그 용도가 매우 넓음. 지구상에 널리 또 다량으로 존재하며, 보통 알루미나로부터 전기 제련법에 의하여 만듦. 경은(輕銀). 준늄. [13번 : Al : 26.98]
알루미늄 경합금【―輕合金】 〔aluminium〕 명 〖화〗 알루미늄을 주성분으로 하여, 구리·마그네슘·니켈·망간·규소(珪素)·아연 등을 가하여 만든 경합금. 가볍고 공작이 용이함. 단련용과 주조용이 있음. 성분의 배합비(配合比)에 따라 와이 합금(Y合金)·두랄루민(duralumin)·초(超)두랄루민 등 여러 가지 종류가 있음.
알루미늄-박【―箔】 명 〔aluminium foil〕 〖화〗 종이처럼 얇게 늘인 알루미늄판(板). 값이 싸기 때문에 금속박(金屬箔) 중에서 가장 많이 쓰임. 두께가 최소 0.006mm의 것도 있음. 그대로 쓰이는 것은 0.009-0.016mm, 종이에 붙이는 것은 0.007mm 정도. 담배·식품·약품의 방습(防濕) 포장, 축전기(蓄電器) 따위에 쓰임.
알루미늄 분말【―粉末】 〔aluminium〕 명 〖화〗 알루미늄을 분말상(粉末狀)으로 한 것. 알루미늄 페인트·폭죽 화약(爆竹火藥)·사진용 플래시 등에 쓰여짐.
알루미늄 새시 〔aluminium sash〕 명 알루미늄으로 만든 창틀. 스틸 새시(steel sash)에 비해 가볍고, 녹슬지 않는데다 기밀(氣密)이 좋은 것이 장점(長點)임. 준알루미 새시.
알루미늄 청동【―靑銅】 명 〔aluminium bronze〕 〖화〗 구리를 주성분으로 하여 알루미늄을 섞어 만든 합금의 총칭. 아름다운 황금빛이 나는데, 그 빛이 대기 중에서 변화하지 아니하므로 싼 모조금(模造金)으로서 장식품에 이용함. 내식성(耐蝕性)이 있고, 단련·압연(壓延) 등의 가공이 용이하므로 여러 가지 기계·기구의 재료로 사용됨.
알루미늄 페인트 〔aluminium paint〕 명 〖화〗 알루미늄 분말(粉末)을 안료(顔料)로 한 은색의 에나멜. 광선 반사율(光線反射率)·열반사율(熱反射率)이 크며, 내수성(耐水性)·방수(防銹) 능력에 뛰어남. 저수(貯水) 탱크의 내면(內面) 칠재·스팀 파이프·목재 따위에 쓰임.
알루미늄 합금【―合金】 〔aluminium〕 명 〖화〗 알루미늄에 부족한 기계적 성질을 강화(強化)시키기 위해 개발된 합금의 총칭. 경합금으로서 널리 이용되고 있음.
알루미늄 합금 배트【―合金―】 〔aluminium; bat〕 명 알루미늄 합금의 야구 배트. 재래의 나무 배트보다 가볍고 싸며, 단단하여 타구(打球)가 잘 날아감. 프로 야구에서는 쓰지 않음.
알루미늄 황동【―黃銅】 〔aluminium〕 명 〖화〗 황동에 4% 이하의 알루미늄을 첨가한 합금(合金). 점성(粘性)이 강하고 해수(海水)에 대한 내식성(耐蝕性)이 좋으므로 선박 부품(船舶部品)에 사용됨. 규소(珪素)·철·망간·니켈 등을 첨가하여 스프링 재료로도 씀.
알루미 새시 명 ↗알루미늄 새시(aluminium sash).
알루에트 〔프 Alouette〕 명 미국·캐나다 공동의 관측 위성(觀測衛星). 전리층(電離層)의 전자 밀도(電子密度)에 대한 시간적·계절적 변동 및 우주 잡음과 우주선(宇宙線)의 측정이 목적. 1호는 1962년 9월 29일, 2호는 1965년 11월 28일 미국의 전리층 관측 위성 엑스플로러 31호와 함께 발사됨.
알룩-말 명 얼룩말.
알류【斡流】 명 물이 돌아 흐름. 또, 돌아 흐르는 물. ――-하다 자여불
알류:샨 열도【―列島】 〔Aleutian〕 〔―또〕 명 〖지〗 환태평양 조산대(環太平洋造山帶)의 알래스카로부터의 연장으로 북태평양의 동서에 걸쳐 있는 2,000km에 달하는 호상 열도(弧狀列島). 미국 알래스카 주의 일부를 구성하나 서단부(西端部)의 섬들은 러시아 연방의 영토임. 알류트 제도(Aleut 諸島).
알류:샨 저:기압【―低氣壓】 〔Aleutian〕 명 북태평양의 넓은 범위에, 겨울철 빈번하게 나타나는 저기압. 시베리아 고기압과의 사이에 서고 동저형(西高東低型)의 기압 배치를 형성하여, 북서 계절풍을 불게 함.
알류:샨 해:구【―海溝】 〔Aleutian〕 명 〖지〗 태평양 북부 알류샨 열도의 남측에 연한 해구. 전장(全長) 약 3,700 km, 최심부(最深部) 7,822 m임.

알류:트-어【一語】〔Aleut〕 명 알류샨 열도에서 쓰이는 언어. 에스키모어(Eskimo語)와 함께 에스키모 알류트어를 형성함.

알류:트 제도【一諸島】〔Aleut〕 명 〖지〗 알류샨 열도(Aleutian 列島).

알류:트-족【一族】〔Aleut〕 명 알류샨 열도·알래스카 반도·프리빌로프(Pribilof) 제도·러시아령 코만도르스키예(Komandorskie) 제도에 사는 종족. 해수(海獸)·어류를 잡아 생활함. 원시 종교를 믿고, 친족 집단을 사회 생활의 기본 단위로 함. 고유 에스키모와는 형질이 조금 다름.

알륵【軋轢】 명 '알력(軋轢)'의 잘못 읽는 말.

알른-거리다 자 ①무엇이 조금씩 보이다 말다 하다. ¶문틈으로 옷자락이 ~. ②사(紗) 같은 것에 얼비친 그림자가 물결지어 움직이다. ③물이나 거울 같은 데 비치는 그림자가 연해 흔들리다. ¶수면에 얼굴이 ~. 1)-3): 스아른거리다. <얼른거리다. **알른-알른** 부. ¶이어 ~ 빛나는 그의 이마에 한 번 힘줄이 꿈틀 일었다 잦아들고…《姜龍俊 : 우리 회장님》. ——-하다 자 여불

알른-대다 자 알른거리다.

알름크비스트〔Almqvist, Carl Jonas Ludvig〕 명 〖사람〗 스웨덴의 작가. 농촌을 동경하여 농민과 결혼, 다시 도회로 돌아와 신문 기자·고등학교 교장 등으로 활동하다가 돈을 빌려 준 노인을 독살한 혐의 때문에 미국으로 도망함. 파란에 찬 생애중에 괴기 소설 《아모리나》, 역사 소설 《여왕의 목걸이》 등을 남김. 작풍은 신비적인 낭만주의임. [1793-1866]

알리〔Ali〕 명 〖사람〗 이슬람교 제4대 정통 칼리프. 마호메트의 양자(養子)로, 제3대 칼리프인 오스만이 암살되자 칼리프가 되었으나, 반대파와의 불화로 피살됨. 그의 장지(葬地)는 시아파(派)의 성지(聖地)로, 그와 그의 가계(家系)는 시아파의 정통 지도자로 숭배를 받음. 원명은 'Ali ibn-abi-Tālib'. [603-661]

알리가르〔Aligarh〕 명 〖지〗 인도(印度) 우타르프라데시 주(Uttar Pradesh 州) 서부의 도시. 농산물의 교역, 철도의 요지. 알리가르 모슬렘 대학(Aligarh Moslem 大學)은 인도 이슬람교도의 근대적 내셔널리즘의 모체(母體)이며 이슬람교 문화 연구의 중심임. 불교·이슬람교 유적이 많음. [479,978 명(1991)]

알리다 타 알게 하다. 통지하다. 전하다. ¶합격을 ~ / 소식을 ~ / 점심 시간을 ~.

알리다드〔프 alidade〕 명 〖기〗 앨리데이드(alidade).

알리 바바와 사:십인의 도적【一四十人一盜賊】〔Ali Bābā〕〔ㅡ/ㅡ에ㅡ〕 명 〖문〗 아라비안나이트에 나오는 이야기의 하나. 동굴 속의 보물을 알리에게 빼앗긴 도적들은 알리의 집을 찾아 복수를 하려고 하나 현명한 시녀의 꾀에 넘어가 전멸한다는 줄거리의 이야기.

알리바이〔alibi〕 명 〖법〗 〔다른 곳에라는 뜻〕 현장 부재 증명(現場不在證明). 범죄 시각에 범죄 현장에 없었거나 또는 있을 수 없었다는 것의 증명. 적어도 범죄의 하수인이 아님이 확증됨. 부재 증명(不在證明). ¶~가 성립되다.

알리자린〔alizarin〕 명 〖화〗 고대로부터 알려져 있는 미려한 붉은 색소(色素). 예전에는 주로 꼭두서니의 뿌리에서 얻었으나 오늘날에는 안트라센(anthracene)을 합성하여 제조함. 금속 산화물과는 물에 녹지 않는 색소를 만들므로 물감으로 쓰임. [$C_{14}H_6O_2(OH)_2$]

알리자린 물감〔ㅡ깜〕 명 〔alizarin dye〕 〖화〗 알리자린에서 유도(誘導)되는 물감의 총칭.

알리 칸〔Alī Khān, Liaquat〕 명 〖사람〗 파키스탄의 정치가·변호사. 이슬람교도 연맹을 이끌고 인도로부터 분리·독립을 위해 노력. 1947년 독립되자 초대 수상에 취임함. 1950년 이슬람교도 연맹 총재가 되고, 이듬해 10월에 암살당함. [1895-1951]

알리칸테〔Alicante〕 명 〖지〗 스페인의 동남부, 지중해 연안의 항구 도시. 적(赤) 포도주의 산지로서 유명함. 담배·면직물·모직물의 제조도 행해짐. [266,542 명(1992)]

알리탈리아 항:공 회:사【ALITALIA 航空會社】 명 이탈리아의 국영 항공 회사. 1946년, 이탈리아 국영 산업 부흥 공사(IRI)와 외국 항공 자본의 공동 출자로 설립한 후 1957년 이탈리아 국내 항공과 합병, 이탈리아 항공 사업을 독점함.

알리티아민〔allithiamine〕 명 〖약〗 강장약(強壯藥)으로 알려진 마늘 냄새의 성분이 비타민과 결합된 약. 보통의 비타민 B_1에 비하여 3-4배의 흡수력(吸收力)이 있으므로 단번에 많은 비타민 B_1을 공급하는 데 편리함.

알릴-기【一基】〔allyl〕 명 〖화〗 일가(一價)의 불포화 탄화 수소기. $CH_2{=}CHCH_2$-.

알릴 알코올〔allyl alcohol〕 명 자극적 냄새가 나는 무색의 액체. 마늘 기름에 함유되어 있으며, 글리세린을 옥살산(酸)과 함께 가열하여 얻음. 합성 수지·향료 따위의 제조 중간체로 쓰임. [$CH_2{=}CHCH_2OH$]

알림-장〔ㅡ짱〕 명 〈방〉 알음장.

알:링턴 묘:지【一墓地】〔Arlington〕 명 〖지〗 미국 동부, 워싱턴 시의 남서쪽 교외에 있는 국립(國立)의 묘지. 1864년 건설되었으며 매장자는 국가 유공자인데 대부분이 군인임. 묘지의 중앙에 대리석의 원형 기념관(圓形記念館)이 있으며 그 앞에 무명 전사(無名戰士)의 묘지가 있음. 35대 대통령 케네디(Kennedy)도 여기에 묻혀 있음.

알마게스트〔Almagest〕 명 〖책〗 프톨레마이오스가 지은 천문학 서적. 아라비아말로 '최대(最大)의 책'의 뜻. 140년경 저술되어 800년경 아라비아말로 번역되었음. 천문학 전반에 걸쳐 쓰여 있으며 16세기에 코페르니쿠스가 지동설(地動說)을 낼 때까지 절대적인 권위를 가진 천문학서였음.

알마 마터〔라 Alma Mater〕 명 모교(母校).

알마-아타〔Alma-Ata〕 명 〖지〗 알마티의 구칭.

알마초 부 〈옛〉 알맞게. 적당하게. ¶보리밥 픗ᄂᆞ믈을 알마초 먹은 後에《古時調 尹善道》.

알:-마치 부 〈방〉 알맞추(경상).

알마-타데마〔Alma-Tadema, Lawrence〕 명 〖사람〗 네덜란드 출생의 영국 화가. 고대·중세의 게르만·이집트풍의 화제를 즐겨그렸음. 대표작 《헬리오가발루스(Heliogabalus)의 장미》·《술집》 등. [1836-1912]

알마티〔Almaty〕 명 〖지〗 카자흐스탄 공화국의 남동부에 있는 도시. 1997년까지 알마아타(Alma Ata)로 불렸고 수도였으나, 98년 이 이름으로 바뀌고 수도는 아크몰라(Akmola)로 옮겼음. 수력 발전소의 소재지로 큰 통조림 공장과 담배·직물 공업이 성하며 대학과 유명한 스케이트장이 있음. [1,156,200 명(1991)]

알-막【一膜】 명 〖생〗 난막(卵膜).

알망드〔프 allemande〕 명 〖악〗 4/4 또는 2/2 박자의 독일 계통의 명랑한 민속 무곡. 17-18세기의 고전 조곡의 제1 악장에 쓰이었음.

알:-맞다 형 정도에 지나치거나 모자라지 아니하다. 적당하다. 마땅하다. ¶운동은 알맞게 하면 된다/시기(時期)에 알맞은 물건. <얼맞다. ＊걸맞다.

알:-맞음 명 동식물이 환경에 걸맞게 형태 습성을 갖춤.

알:-맞추 부 알맞게. ¶갸름한 얼굴에 ~ 중심을 잡고 앉은 백랍으로 빚어 낸 듯한 도독하고 높은 코《朴鍾和 : 多情佛心》.

알: 맞춤-하다 형 여불 거의 알맞다.

알매[1] 명 〖건〗 산자(橵子) 위에 받는 흙.

알매[2]【戞昧】 명 일에 어두움. 암매(暗昧). ——-하다 형 여불

알맹이 명 ①물건의 껍질을 벗기고 남은 속. 핵심(核心). ②사물의 중심. 사물의 요점. 핵자(核子). ¶작품의 ~가 흐릿하다.

알메리아〔Almeria〕 명 〖지〗 스페인 남부 지중해 연안의 항구 도시. 포도의 수출항으로 유명함. 기원(起源)은 카르타고의 식민지(植民地)로, 로마 시대에도 중요한 항구였음. 8-15세기에는 이슬람 세력의 지배하에 무역의 중심지로서 번영했음. [156,476 명(1992)]

알-며느리밥풀 명 〖식〗 [*Malampyrum ovalifolium*] 현삼과에 속하는 1년초. 줄기 높이 70cm 가량, 잎은 대생하며 유병(有柄)이고 긴 달걀꼴 또는 달걀꼴 타원형임. 8-9월에 홍자색의 꽃이 수상(穗狀) 화서로 정생(頂生)하고 화관(花冠)은 긴 통상 순형(筒狀脣形)이며, 삭과(蒴果)는 편난형(扁卵形)임. 산지에 나는데, 거의 한국 각지에 분포함.

알-몸 명 아무것도 입지 않은 몸. 나체(裸體).

알-몸뚱이 명 ①알몸의 덩지. 맨몸뚱이. ②〈속〉 알몸.

알못질【知不得】〈이두〉 알지 못한다.

알못질이거온【知不得是去乎】〈이두〉 알지 못하오므로.

알못질이숣거온【知不得是白去乎】〈이두〉 알지 못하므로.

알못질이숣고【知不得是白遣】〈이두〉 알지 못하옵고.

알못질이숣두【知不得是白置】〈이두〉 알지 못하옵니다.

알못질이숣오며【知不得是白乎旀】〈이두〉 알지 못하오며.

알못질이숣제【知不得是白齊】〈이두〉 알지 못하옵니다.

알못질하견【知不得爲在】〈이두〉 알지 못하는.

알못질하견은【知不得爲在隱】〈이두〉 알지 못하거든.

알못질하견을안【知不得爲在乙良】〈이두〉 알지 못하거든.

알못질하누온맛【知不得爲臥乎味】〈이두〉 알지 못한다고.

알못질하다온들쓰아【知不得爲如乎等用良】〈이두〉 알지 못함으로써.

알못질하며【知不得爲旀】〈이두〉 알지 못하며.

알못질하숣견과【知不得爲白在果】〈이두〉 알지 못하옵거니와.

알못질하숣고【知不得爲白遣】〈이두〉 알지 못하옵고.

알못질하숣다온【知不得爲白如乎】〈이두〉 알지 못하오니. 알지 못하신다니. 알지 못하신다는.

알못질하숣두【知不得爲白置】〈이두〉 알지 못합니다.

알못질하숣오며【知不得爲白乎旀】〈이두〉 알지 못하오며.

알못질하숣제【知不得爲白齊】〈이두〉 알지 못하옵니다.

알못질하야【知不得爲】〈이두〉 알지 못하여.

알못질하온들로【知不得爲乎等以】〈이두〉 알지 못하므로.

알못질하온들쓰아【知不得爲乎等用良】〈이두〉 알지 못함으로써.

알못질하잇다가【知不得爲有如可】〈이두〉 알지 못하였다가.

알묘[1]【揠苗】 명 〔싹을 뽑아 늘인다는 뜻〕 급하게 이(利)를 얻고자 하다가 도리어 해를 보는 일을 두고 하는 말. ——-하다 타 여불

알묘[2]【謁廟】 명 사당에 참례함. ——-하다 자 여불

알-무 명 ☞총각무.

알-물방개 명 〖충〗 [*Hyphydrus japonicus*] 물방갯과에 속하는 곤충. 몸길이 4-5mm이고 몸빛은 황갈색임. 두정(頭頂)의 두 개의 무늬와, 전배판(前背板)의 전후 양연(前後兩緣)의 반문 및 시초(翅鞘)의 반문은 흑색이고 전배판·시초에는 크고 작은 점각(點刻)이 밀포함. 못·웅덩이 등에 서식하는데, 한국·일본·만주·중국 등지에 분포함.

〈알물방개〉

알밋-알밋〔ㅡ민ㅡ〕 부 ①아름거리며 미적미적하는 모양. ②자기의 허물을 남에게 넘기려고 하는 모양. 1)·2): <얼밋얼밋. ——-하다 자 여불

알바〔Alba, Fernando Álvarez〕 명 〖사람〗 스페인의 장군. 카를 5세·펠리페 2세를 섬기면서, 종교 개혁 시대의 구교도 진영의 맹장으로, 거의 모든 전쟁에 참가함. 네덜란드 총독이 된 후, 많은 신교도를 체포·처형했음. 그의 중세(重稅)와 압정(壓政)은 네덜란드 독립 운동의 단서가 되었음. [1507-82]

알-바가지 명 작은 바가지.

알-바늘 명 실을 꿰지 아니한 바늘.

알바니아〔Albania〕 명 〖지〗 유럽 동남부, 발칸 반도 서남부의 공화국. 국토의 대부분은 산지(山地)이며 서부의 아드리아 해안에 좁은

평야가 있음. 지중해성 기후. 주민의 97%가 알바니아인(人)으로 알바니아어(語)를 사용함. 목축·농업이 행해지고, 한편으로 급속한 공업화를 이룩하여 석유·크롬광(鑛)·구리 등의 자원 개발도 진척, 섬유·시멘트·담배·정유·제철 공업이 행해짐. 오랫 동안 터키의 지배 아래 있었으며, 제2차 세계 대전 후 소련군의 진주 아래 1946년 인민 공화국을 선포하고 스탈린식 강경 공산주의를 펼쳐 왔으나, 최근 동서 냉전 체제의 와해 이후 신유럽 사회의 일원으로 복귀할 뜻을 밝히고 있음. 수도는 티라나(Tirana). 정식 명칭은 '알바니아 공화국(Republic of Albania)'. [28,748 km^2: 3,250,000명(1990 추계)]

알바니아-어【一語】[Albania] 명 『언』 인도 유럽 어족에 속하는 언어. 알바니아 본국 외에 남이탈리아의 일부, 그리스의 각지 등에서 쓰이고 있음. 알바니아는 예로부터 로마인·슬라브인·터키인 등에게 지배되어 왔기 때문에 이들 지배자의 언어의 영향을 강하게 받고 있음.

알-박이 명 ☞ 알배기.

알-반대기 명 〈방〉 지단[5].

알-받이 [—바지] 명 기르기 위하여 새나 물고기·벌레의 알을 받는 일.

알-발 명 〈방〉 맨발.

알-밤 명 ①익은 밤송이에서 까거나 떨어진 밤톨. ↔송이밤. *아람. ②주먹을 쥔 손마디의 끝으로 머리를 때리는 짓.
알밤(을) 먹이다 구 주먹쥔 손마디 끝으로 머리를 쥐어박다.

알-방구리 명 작은 방구리.

알-방동사니 명 『식』 [*Cyperus difformis*] 방동사닛과에 속하는 1년초. 줄기는 삼릉주(三稜柱), 총생(叢生)하며 높이 50cm 가량임. 잎은 선형(線形)으로 줄기보다 짧고, 폭은 3-4mm임. 8-9월에 두상화(頭狀花)가 산형(繖形) 화서로 밀생(密生)하고, 과실은 수과(瘦果)임. 논이나 늪 등 습지에 나는데, 거의 한국 각지에 분포함.

알-배기 명 ①알이 들어 배가 부른 생선. ¶~ 조기. ②거죽보다 속이 야무진 것. 내용이 외모에 비하여 충실한 것.

알-배다 자 뱃속에 알을 지니다. ¶벼가 ~.

알벌-과【一科】[—꽈] 명 『충』 [Trichogrammatidae] 벌목(目)에 속(屬)하는 한 과. 몸빛은 흑색·회흑색·담갈색 또는 황색이며, 날개 가장자리에 털이 있음. 왜명충알벌·송충알벌 등이 있는데, 전세계에 200여 종이 분포함.

알베니스 [Albéniz, Isaac] 명 『사람』 스페인의 작곡가·피아니스트. 스페인 국민 음악파(國民音樂派)의 시조(始祖). 유럽 각지에서 연주 활동을 하였으며, 드뷔시(Debussy)의 영향을 받았음. 작품에 민족적 색채(民族的色彩)가 강한 250곡에 달하는 피아노곡이 있으며, 그 중 《이베리아(Iberia)》·《카탈로니아(Catalonia)》 등이 유명하며, 그 밖에 가극(歌劇)·성담곡(聖譚曲)도 있음. [1860-1909]

알베도 [albedo] 명 『물』 ①『천·기상』 행성(行星) 표면에서의 태양광의 입사에 대한 반사광의 강도(強度)의 백분비. 평면 반사 외에 대기·구름 따위에 의한 산란분(散亂分)도 포함하며, 행성의 대기가 많을수록 큰 값이 됨. 달 0.07, 화성 0.15, 목성 0.58, 토성 0.57, 금성 0.85. 지구에서는, 대기의 알베도가 8-14%, 지표면 중 신설면(新雪面) 90%, 지면 7-20%, 해변은 10% 이하, 구름은 추정 평균 50-55%임. 반사율(反射率). ②원자로에서, 반사체에 입사하는 중성자 가운데서 반사되는 것의 비율.

알베도 효:과【一効果】[albedo] 명 입사광(入射光)의 세기에 대한 반사 비율을 일컫는 알베도는 물질에 따라 다른데, 그에 따라 일어나는 기온의 변화 현상을 일컫는 말. 최근 대기 중에 살포되는 입자들이 늘어남에 따라 알베도 효과는 이것들과 맞물려 새로운 기후 변화 인자로 등장하고 있음.

알베르투스 마그누스 [Albertus Magnus] 명 『사람』 중세 독일의 스콜라 철학자. 본명은 Albert von Bollstädt. 볼슈테트(Bollstädt)의 백작(伯爵) 출신으로, 각지에서 학교를 열어 토마스 아퀴나스(Thomas Aquinas) 등 제자를 가르침. 아리스토텔레스의 연구로 유명하여 전과박사(全科博士)라 불림. 1932년 시성(諡聖)됨. [1193?-1280]

알베르티 [Alberti, Leon Battista] 명 『사람』 초기 르네상스 시대의 이탈리아의 시인·철학자·건축가·화가·음악가. 1450년 《건축론》 10권을 완성, 고대 건축에 대한 이론적 연구를 전개했음. 그 이론은 실작(實作)에도 적용되어, 다른 건축가 이상으로 고전 양식(古典樣式)의 추구가 강하게 나타나 있음. 특히, 그의 고전 건축에의 이상(理想)을 실현한 산탄드레아(Sant' Andrea) 성당은, 16-17세기의 이탈리아 교회당(教會堂) 건축의 일반 형식으로 되었음. 저서에 《조각론》·《회화론(繪畫論)》이 있음. [1404-72]

알벤 [Alfven, Hannes] 명 『사람』 스웨덴의 물리학자. 고체(固體) 물리학에 관한 연구로 1970년 프랑스의 네엘(Néel, L.E.F.)과 함께 노벨 물리학상을 수상함. [1908-]

알:-보다 타 〈방〉 깔보다.

알-보지 명 밴대 보지.

알봉【閼逢】명 『민』 고갑자(古甲子)의 십간(十干)의 첫째. 갑(甲)과 같음.

알부다【頞浮陀】명 [범 Arbuda] 『불교』 팔한 지옥(八寒地獄)의 하나. 여기에 빠지면 몸에 찬 것이 닿아서 고드름이 달릴 정도로 몹시 춥다고 함.

알부다 지옥【頞浮陀地獄】명 『불교』 알부다.

알-부랑자【一浮浪者】명 아주 못된 불량배(不良輩).

알부모오스 [albumose] 명 『화』 유도 단백질(誘導蛋白質)의 하나. 소화 효소(酵素) 작용, 산이나 알칼리의 작용, 부패(腐敗) 작용 등에 의해 분해된 생성물로 작은 폴리펩티드류(類) 혼합체의 고칭(古稱). *펩톤(peptone).

알부미노이드 [albuminoid] 명 『화』 경단백질(硬蛋白質).

알부민 [도 Albumin] 명 『화』 단순 단백질의 일군(一群). 글로불린(globulin)과 함께 세포의 단백질의 대부분을 구성함. 대표적인 것에 난백(卵白) 알부민·혈청 알부민 등이 있음. 분자량은 4만 정도, 물에 녹음. 세포나 체액 중에서 삼투압에 관계하고, 또 저분자 물질과의 결합을 통하여 생리 작용을 함.

알-부자【一富者】명 실속이 있는 부자.

알부케르크 [Albuquerque, Affonso de] 명 『사람』 포르투갈의 군인·정치가. 제2대 인도 총독(1509-15). 1510년 이래 고아(Goa)·말라카(Malacca)·호르무즈(Hormuz)를 점령, 동방 진출에 활약했으나 정적(政敵)의 모략으로 파면되었음. [1453?-1515]

알-부피 명 ①실지로 재어 본 부피. 또, 물건 그 자체의 부피. ②실제의 평수(坪數). 실적(實積).

알-불 명 무엇에 싸이거나 담기지 아니한 불등걸.

알-붙이기 [—부치—] 명 참나무누에를 깨우는 방법의 하나. 주머니에 든 알을 종이에 옮겨 가지고 나무마디에 붙여서 깨움.

알비노 [albino] 명 유전성(遺傳性) 병의 하나. 동식물(動植物)에서, 선천적(先天的)으로 피부 색소(色素)가 결핍하여 온 몸이 흰 빛깔로 된 것. 백변종(白變種).

알비레오 [Albireo] 명 『천』 백조자리의 β성. 백색의 3등성으로 보이지만 망원경으로 청색과 주황색의 이중성(二重星)임이 판명됨.

알비주아-파【一派】[프 Albigeois] 명 프랑스 남부의 알비(Albi) 지방을 중심으로 하여 11-12세기에 퍼진 기독교의 이단(異端). 13세기 중엽에 십자군에 의하여 전멸되었음.

알-뿌리 명 『식』 구형(球形) 또는 덩어리 모양으로 된 땅속줄기와 뿌리의 통칭. 수선화(水仙花)·백합(百合)·튤립(tulip)과 같은 비늘줄기, 사프란(saffraan)과 같은 알줄기, 감자·칼라듐(caladium)과 같은 덩이줄기, 창포(菖蒲)와 같은 뿌리줄기, 달리아(dahlia)와 같은 덩이뿌리의 다섯 종류가 있음. 둥근꼴뿌리. 구근(球根).

알뿌리-베고니아 명 『식』 [*Begonia tuberhybrida*] 베고니아과에 속하는 원예 식물. 봄에 심는 구근(球根) 식물인데, 줄기와 잎이 모두 다즙성(多汁性)이고, 줄기는 직립(直立), 생육이 좋으면 키가 30cm까지 달함. 잎은 대개 심장형이고 잎대와 엽맥(葉脈)에도 털이 있음. 백·황·적·주황·연분홍 등 다양한 빛깔의 꽃이 8-9월에 피는데, 꽃이 아름다와서 미국·영국 등지에서는 장미와 같이 큰 규모로 재배함. 우리 나라에는 1958년에 도입됨.

알사【謁者】명 『역』 태대사자(太大使者). 대부 사자(大夫使者).

알-사탕【一砂糖】명 알 모양의 잘고 동그란 사탕. 눈깔 사탕.

알-살 명 알몸의 살.

알삽【戛澀】[—쌉] 명 ①정신이 아리송함. ②글의 문리(文理)가 순순하지 못하여 알아보기 힘듦. ——-하다 형여불

알선【斡旋】[—썬] 명 ①남의 일을 잘 되도록 마련하여 줌. 주선(周旋). ¶취직을 ~하다/~업. ②『법』 노동 쟁의의 신고를 받은 행정 관청이나 노동 위원회가 노사의 중간에 들어서 쌍방의 주장의 요점을 확인하고, 노동 쟁의가 해결되도록 노력하는 일. *조정(調整)·중재(仲裁). ③『법』 장물을 취득·양여·운반 또는 보관하도록 주선하여 주는 일. 구용어: 아보(牙保). ——-하다 타여불

알선 수뢰【斡旋收賂】[—썬—] 명 『법』 공무원이 의뢰(依賴)를 받아 다른 공무원의 직무 상(職務上)의 부정 행위를 알선하고 뇌물(賂物)을 받는 일. ¶~죄(罪).

알-섬 명 사람이 살지 않는 작은 섬.

알성【謁聖】[—썽] 명 『역』 임금이 성균관 문묘(文廟)의 공자 신위(神位)에 참배함. 이 신위가 목판(木板)이 아니고 소상(塑像)이었으므로 난 말임. ——-하다 자여불

알성-과【謁聖科】[—썽—] 명 『역』 ①조선 시대에, 임금이 성균관(成均館)에 행행(行幸)하여 알성하고 나서 보이던 과거. 일정한 때 없이 보이었음. 알성시(試). ②알성 문과.

알성 급제【謁聖及第】[—썽—] 명 『역』 알성과에 합격함. 또, 그 사람. ——-하다 자여불

알성 무:과【謁聖武科】[—썽—] 명 『역』 조선 시대에, 왕이 성균관에 알성한 뒤에 보이던 무과. 초시(初試)는 두 곳의 시험장에 각각 50명씩, 전시(殿試)는 왕이 참석하되 정원이 없음. ↔알성 문과.

알성 문과【謁聖文科】[—썽—] 명 『역』 조선 시대에, 왕이 성균관에 알성한 뒤에 보이던 문과. 대과 전시(大科殿試)에 해당하는 단일시(單一試)로 성균관에서 보임. 정원 없음. 알성과. ↔알성 무과.

알성 별시【謁聖別試】[—썽—씨] 명 『역』 조선 시대에, 알성과(謁聖科)를 별시(別試)로서 일컫는 딴이름.

알성-시【謁聖試】[—썽—] 명 『역』 알성과(謁聖科)❶.

알성 장:원【謁聖壯元】[—썽—] 명 『역』 알성 문과의 갑과(甲科) 세 사람 중에 뽑혀 급제함. ——-하다 자여불

알 세뇨 [이 al segno] 명 『악』 '기호(記號)가 있는 곳에'의 뜻.

알-세포【一細胞】명 『생』 난세포(卵細胞).

알소【訐訴】[—쏘] 명 남을 헐뜯기 위하여 사실을 날조하여 웃사람에게 고해 바침. ——-하다 타여불

알-속 [—쏙] 명 ①비밀히 알린 내용. ②핵심(核心). ③겉으로 보기보다 충실한 실속. ④수량·부피·무게 등의 헛것을 제하고 남은 실속. ——-하다 타여불 비밀히 내용을 알리다.

알-송편【一松一】명 번철에 기름을 두르고 달걀 한 개를 부쳐 한 옆이 익은 뒤에 다른 옆을 맞붙여 반달처럼 만든 음식. 계란 송편.

알-슬기 명 배란(排卵).

알-슬다 자 물고기나 벌레 등이 알을 낳아 붙이다. ¶파리가 ~.

알-심 [—씸] 명 ①은근히 동정하는 마음. ¶말은 쏘아 붙이면서도 자리

는 ~있게 깔아 주는 아내를 바라보며…《朴花城 : 고개를 넘으면》. ② 보기보다 야무진 힘. ③ 〖식〗 ☞ 고갱이 ❶.

알싸-하다 [형][여불] 매운 맛이나 연기 같은 냄새 등으로 혀나 콧 속이 알알하다.

알-쌈 [명] ①달걀 갠 것을 얇게 펴서 익힌 다음 난도질한 고기를 넣고 싸서 반달처럼 만든 음식. 계란포(鷄卵包). ②〈방〉 알송편.

알쏭-달쏭 [부] ①여러 가지 엷은 빛깔로 된 줄이나 점이 고르지 않게 함부로 무늬를 이룬 모양. ¶~한 천. <얼쑹덜쑹. ②생각이 자꾸 헛갈리어 분간할 수 있을 듯하면서도 얼른 분간이 안 되는 모양. ¶기억이 ~하다. ——-하다 [형][여불]

알쏭-알쏭 [부] ①여러 가지 빛깔로 된 줄이나 점이 규칙적으로 무늬를 이룬 모양. ②생각이 자꾸 헛갈리어 알 듯하면서도 알아지지 않는 모양. ¶누군지 ~한데. 1)·2): <얼쑹얼쑹. ——-하다 [형][여불]

알쏭-하다 [형][여불] ↗아리송하다. <얼쑹하다.

알씬 [부] 작은 것이 눈앞에 얼른 나타나는 모양. <얼씬¹.

알씬-거리다 [자] ①눈 앞에서 떠나지 않고 뱅뱅 돌다. ②알랑거리다. 1)·2): <얼씬거리다. **알씬-알씬** [부]. ——-하다 [자][여불]

알씬-대다 [자] 알씬거리다.

알아-내다 [타] ①모르던 것을 새로 깨닫다. ¶그간 사정을 ~. ②찾거나 연구하여 내다. ¶행방을 ~.

알아-듣다 [타][ㄷ불] 남의 말을 듣고 뜻을 알다.

알아-맞히다 [타] 계산이나 추측 등이 사실(事實)과 꼭 맞게 지적하다. ¶답을 ~/ 생각을 ~.

알아-먹다 [타] 〈속〉 알아듣다. 알아보다. 알아맞히다. ¶내 말을 알아먹겠소.

알아-모시다 [타] 분부하는 뜻을 알아서 받들다. ¶무슨 말씀이신지 알아모시겠습니다.

알아-방이다 [타] 무슨 일의 낌새를 알고 미리 대처(對處)하다.

알아-보다 [타] ①조사하거나 탐지하여 보다. ¶사실 여부를 ~. ②다시 볼 때에 잊지 않고 기억해 내다. ¶개가 주인을 ~. ③인정(認定)하다. 1)-3):↔몰라보다.

알아-주다 [타] ①남의 장점(長點)을 인정하다. ¶그의 실력은 알아 주어야지. ②남의 곤경(困境)을 잘 이해하여 주다. ¶사정을 ~. 1)·2):↔몰라주다.

알아-차리다 [타] ①미리 정신을 모아 주의하다. ¶상대의 속셈을 ~. ② 알아 채다.

알아-채다 [타] 낌새를 미리 알다. 알아차리다. ¶눈치를 ~.

알아 하다 [타][여불] ①심량(心量)해서 일을 처리하다. ②요량해서 행하다. ¶모든 것을 맡기니 알아 하시오.

알안-곳 [명] ☞ 아랑곳. ——-하다 [자][여불]

알알¹【軋軋】[명] ①수레바퀴가 구르는 소리. ②어떤 것이 무더기로 나는 모양. ③배젓는 소리. ④베짜는 소리. ——-하다 [형][여불]

알알²【戛戛】[명] ①서로 어긋나는 모양. ②단단한 물건이 서로 부딪치는 소리.

알알-이 [부] 한 알 한 알마다. 알마다. ¶~ 익은 곡식.

알알-하다 [형][여불] ①맛이 맵거나 독하여 혀끝이 배우 아리다. ¶찌개 맛이 ~. ②몸의 상처나 햇볕에 덴 자리가 배우 아리다. ¶상처가 ~. 1)·2):<얼얼하다.

알-암 [명] ☞ 아람¹.

알앙-곳 [명] ☞ 아랑곳. ——-하다 [자]

알-약【一藥】[一략] [명] 환약(丸藥). ↔가루약·물약.

알에ᄒᆞ다 [타] 〈옛〉 알게 하다. ¶正音으로 翻譯ᄒᆞ야 사ᄅᆞᆷ마다 수ᄫᅵ 알에 ᄒᆞ야《月序 12》.

알연【戛然】[명] 금석(金石)이 서로 부딪치어 나는 소리. ——-하다 [자][여불]. ——-히 [부]

알영【閼英】[명] 〖사람〗 신라 박혁거세왕(朴赫居世王)의 왕비. 알영정(閼英井)이라는 우물에서 태어났다 하며 현숙하고 덕망이 있어 왕을 내조(內助)하여 육부(六部)를 순행(巡行)하고 농상(農桑)을 권장하였음. 왕과 함께 이성(二聖)이라 일컬음. [53-4 B.C.]

알영-정【閼英井】[명] 〖역〗 경주시(慶州市) 탑동(塔洞) 나정(蘿井) 북쪽에 있는 우물. 신라의 시조비(始祖妃)가 태어난 곳이라 함.

알오사 [타] 〈옛〉 알고야. 알고서야. '알다'의 활용형. ¶알오사 다시 안後ㅅ 일돌홀 무르라(悟了更問 悟後事件)《蒙法 10》.

알오져ᄒᆞ다 [타] 〈옛〉 알고자 하다. ¶비록 알오져 ᄒᆞ리라도(雖欲知者)《釋譜 序 3》.

알온【閼溫】[명] 〖사람〗 신라의 조각가. 경주 황복사(皇福寺)의 석탑에서 나온 이구(二軀)의 순금동 불상(純金銅佛像)과 이 불상을 넣었던 상자 받침의 글씨를 조각하였음.

알옴안들【知乎不多】〈이두〉 알지 못하도록.

알옴안들하야【知乎不多爲】〈이두〉 알지 못하도록 하여.

알외다 [타] 〈옛〉 ①알리다. 고(告)하다. ¶쑤므로 알외시니(昭玆吉夢帝迺報之)《龍歌 13章》. ②아뢰다. ¶님굼ᄭᅴ 알외며 그 아비롤 노핫더니《五倫 1:40》.

알외욤 [타] '알외다'의 명사형. 알림. ¶種種 因緣과 그지업슨 알외요ᄆᆞ로《釋譜 XIII:17》.

알-요강【一尿鋼】[一료一] [명] 어린아이용의 작은 요강.

알-우바이이드〔Al-Ubayyid〕[명] 〖지〗 '엘오베이드'의 아랍어 이름.

알운【遏雲】[명] 알행운(遏行雲).

알운-치【戞雲峙】[명] 〖지〗 전라 남도 곡성군(谷城郡)과 화순군(和順郡) 사이에 있는 고개. [399 m]

알위다 [타] 〈옛〉 알리다. ¶알위다(省會)《老朴 累字解 9》.

알으키다 [타] 〈방〉 알리다.

알은 척 [명] 알은 체. ——-하다 [타][여불]

알은 체 [명] ①남의 일에 대하여 관계하는 태도. ¶남의 일에 ~하지 말게. ②사람을 보고 인사하는 듯한 표정. 알은척. ¶~하며 목례한다. ——-하다 [타][여불]

알음 [명] ①사람끼리 서로 아는 일. ②알고 있음. ③신(神)의 보호 또는 보호하여 준 보람. ¶하느님의 ~이 계시와.

알음-알음 [명] ①서로 아는 관계. ¶~으로 취직(就職)하다. ②서로의 친분(親分).

알음-알이 [명] ①꾀바른 수단(手段). ②서로 가까이 아는 사람. ③자라나는 지혜.

알음-장 [一짱] [명] 눈치로 넌지시 알려 줌. ——-하다 [타][여불]

알음-치 [명] 〈방〉 아람치.

알자¹【謁者】[一짜] [명] ①알현을 청하는 사람. ②빈객(賓客)을 주인에게 안내하는 사람. ③〖역〗 고려 내알사(內謁司)의 종오품 벼슬. ④〖역〗 고려 내시부(內侍府)의 종칠품 벼슬.

알자²【謁刺】[一짜] [명] 지위가 높고 귀한 사람에게 뵙기를 청하기 위하여 내는 명함.

알-자기다 [자] 〈방〉 알제기다.

알-자루 [一짜一] [명] 〈방〉 밀알.

알-자리¹ [一짜一] [명] 어미가 알을 낳거나 또는 품고 있는 자리.

알-자리² [一짜一] [명] 〈방〉 밀알(경상).

알자스〔Alsace〕[명] 〖지〗 프랑스의 북동부 독일 국경 지방의 라인 강 서안으로부터 보주 산맥(Vosges山脈)까지의 사이에 있는 비옥한 지방. 라인 강 연안부(沿岸部)에서 섬유·식품 가공·금속·화학 공업이 행해짐. 숲이 울창하고 황토 지대(黃土地帶)에서는 밀·옥수수·야채·포도 재배 등이 성함. 독·불 계통의 주민이 섞여 살며, 옛날부터 독일과 프랑스의 분쟁이 그치지 않았음.

알자스-로:렌〔Alsace-Lorraine〕[명] 〖지〗 프랑스의 북동부 알자스와 그의 북쪽의 석탄 산지인 로렌 지방일부의 총칭. 석탄·철광·칼륨 등의 자원이 풍부하고, 주민도 독·불 양계통이 혼주(混住)하며, 또한 독일과의 국경 지방이어서 양국의 분쟁이 그치지 않아 보불 전쟁(普佛戰爭)으로 독일령, 1919년에 프랑스 복귀, 1940년 독일 점령, 제2차 대전 후 프랑스 복귀 등의 복잡한 역사를 가짐. 중심지는 스트라스부르(Strasbourg).

알-장【一欌】[一짱] [명] 머릿장 중에 의복을 넣어 두는 가장 작은 장.

알쟁【戛爭】[명] 〖악〗 대나무 활로 문질러 소리를 낸다는 뜻으로 일컫는 아쟁(牙箏)의 딴이름.

알-전【一錢】[명] 〈방〉 푼돈.

알-전구【一電球】[명] 갓 따위의 가리개가 없는 전구. 전선 끝에 달려 있는 맨 전구.

알절【遏絶】[一쩔] [명] ①단절(斷切)함. 멸망시킴. ②저지(沮止)함. 배척함. ——-하다 [타][여불]

알-젓 [명] ①생선 등의 알로 담근 젓. 난해(卵醢). ②〈속〉 버선이나 양말이 해져서 밖으로 쑥 비어져 나온 발가락을 두고 하는 말.

알젓 찌개 [명] 알젓 국물에 고기·두부·파 등을 썰어 넣고 끓인 찌개.

알정【遏情】[一쩡] [명] 맺은 정분을 끊음. ——-하다 [자][여불]

알제〔Alger〕[명] 〖지〗 알제리의 수도. 지중해에 면한 양항(良港)으로 알제리의 정치·경제·군사·문화의 중심지. 포도주·철광석·오렌지류를 수출함. 로마 시대의 유적과 이슬람교 성원(聖院)이 많으며, 미술·종교·자연 과학·인류학 관계의 박물관이 있어 아프리카 연구의 중심지임. [2,600,000 명(1990 추계)]

알-제기다 [자] 눈동자에 흰 점이 생기다. [준]제기다.

알제리〔Algérie〕[명] 〖지〗 아프리카 대륙 북서부의 공화국. 지중해 연안부(沿岸部)는 기후 온난하고 우량도 많으나 국토의 약 88 %는 사하라 사막. 주민은 아라비아인·베르베르인으로 이슬람 교도가 많음. 주민의 약 3분의 2가 농업에 종사하며, 포도·오렌지·밀이 주산물임. 1956년 사하라 사막에 풍부한 유전이 발견되어 석유의 수출액이 총수출액의 3분의 2를 차지하게 되었으며, 철광석·인광석(燐鑛石)·천연 가스 등도 산출함. 1830년부터 프랑스가 진출하여 1905년 지배권을 확립하였는데 제1차 세계 대전 후 독립 운동이 시작되어 1962년 에비앙 협정(Evian協定)으로 독립을 달성하였음. 수도는 알제. 정식 명칭은 '알제리 민주 인민 공화국(Democratic and People's Republic of Algeria)'. [2,381,741 km²: 24,960,000 명(1990 추계)]

알제리 민족 해:방 전:선【一民族解放戰線】〔Algérie〕[명] 〖정〗 알제리의 민족주의 정당. 1954년 결성되어 알제리 전쟁 중에는 독립 운동의 중추적 세력이 됨. 1962년 독립 후에도 정권을 장악하여 국내에서는 유일한 합법 정당이 되었으나 1965년 혁명 이후 헌법상(憲法上)의 권리는 정지됨.

알제리 전:쟁【一戰爭】〔Algérie〕[명] 1954년부터 8년간에 걸쳐 행해진 알제리 독립 전쟁. 프랑스의 식민지 지배에 대항하여 알제리 민족 해방 전선의 주도 아래 무력 투쟁을 전개, 1962년 민족 해방 전선과 프랑스 간에 에비앙 협정이 체결되어 동년 7월 독립을 획득함으로써 종결됨.

알:-조 [一쪼] [명] 알 만한 일. 알 괘(卦). ¶그 정도면 ~다.

알족【空足】[명] 〖공〗 도자기의 굽 속을 파내는 일. ——-하다 [자][여불]

알-종아리 [명] 가리지 않아 맨살이 드러난 종아리.

알-주머니 [一쭈一] [명] 생선의 알을 싸고 있는 얇은 껍질.

알-줄 [명] 나선(裸線).

알-줄기 [명] 〖식〗 녹말 등의 양분을 많이 저장하여 살이 쪄서 구형(球形)을 이룬 땅속줄기. 그 일부에서 싹이 나오고 새 알줄기가 생김. 표면에는 그물 모양의 인편(鱗片)이 있음. 토란이나 쇠귀나물 등의 땅속줄기가 이것임. 둥근꼴줄기. 구경(球莖).

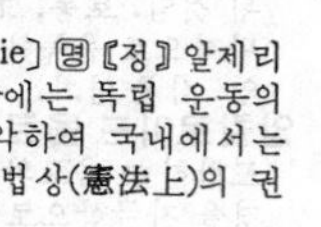

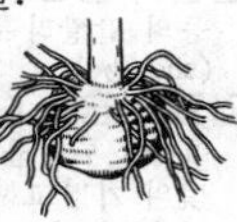

〈알줄기〉

알지【遏止】 명 멈추게 함. 정지시킴. ——-하다 타여불

알-지게 명〖충〗물자라.

알-지단 명 지단을 달걀로 부쳐 만든 것이라 하여 똑똑히 일컫는 말.

알-집 [—찝] 명〖생〗난소(卵巢).

알짜 명 여럿 중에서 가장 요긴한 물건. *알짬·얼짜·진짜.

알짜-배기 명〈속〉알짜.

알짝지근-하다 형여불 ①살이 알알하게 아프다. ②술이 알맞게 취하다. ③음식맛이 조금 맵다. ¶찌개 맛이 ～. ④살붙이의 관계나 알음알음이 있어 좀 인연이 있는 듯하다. 1)-4): <얼쩍지근하다.

알짬 명 여럿 중에서 핵심이 될 만한 가장 요긴한 내용. *알짜.

알짱-거리다 자 ①알랑거리며 남을 속이다. ②하는 일 없이 자꾸 돌아다니다. 1)·2): <얼쩡거리다. **알짱-알짱** 부. ——-하다 자여불

알짱-대다 자 알짱거리다.

알쭝-거리다 자 여러 말로 자꾸 알찐거리다. <얼쭝거리다. **알쭝-알쭝** 부. ——-하다 자여불

알쭝-대다 자 알쭝거리다.

알-찌개 명 달걀 등을 깨어 그릇에 담고 장이나 젓국을 친 다음에 고기·두부를 섞고 그 밖에 온갖 양념을 하여 끓인 찌개.

알찐-거리다 자 바싹 붙어서 아첨하듯 굴다. <얼찐거리다. **알찐-알찐** 부. ——-하다 자여불

알찐-대다 자 알찐거리다. ¶…길게 늘어진 자주 고름은 매끈한 팔목에서 알찐대는 자주 끝동과 함께…《朴花城 : 고개를 넘으면》.

알-차다 형 속이 꽉 차다. 내용이 충실하다. 실속이 있다. ¶알찬 국어사전/알찬 부자.

알찬【閼粲】 명〖역〗고려 태조(太祖) 때 신라의 관제를 따라 베푼 팔관등(八官等)의 일곱째 관계(官階).

알찰타【頞哳陀】 명〖불교〗팔한(八寒) 지옥의 하나. 추위가 심하여 입을 열지 못하고 혀만 움직인다 함.

알-천 명 ①재물(財物) 가운데 가장 값나가는 물건. ¶짐꾼의 짐과 부담마의 부담에는 능통이 집 세간의 ～이 들고…《洪命憙 : 林巨正》. ②음식 가운데 제일 맛있는 음식.

알-청하다【—請—】 자〈방〉알겯다.

알-추녀 명〖건〗추녀 밑에 베푼 층받침.

알츠하이머-병【—病】 [—뼝] 명 〔Alzheimer's disease〕〖의〗중년 이후에 일어나는 뇌(腦)의 위축성(萎縮性) 변성(變性) 질환. 기억력 감퇴, 지능 저하, 고등한 감정의 둔화(鈍化), 욕망 자제 부전(不全), 기분의 이상, 피해 망상, 관계 망상 등이 나타나고, 이윽고 고도의 치매(癡呆) 상태에 빠져 전신 쇠약으로 죽게 됨. 유효한 치료법이 없음. 1906 년 독일의 신경 의학자 알츠하이머(Alzheimer, Alois ; 1864-1915)가 이 증상을 발견하였음.

알-치[1] 명〖어〗알을 밴 뱅어. ↔숟치.

알치[2]【戞齒】 명 교치(咬齒).

알카이오스 〔Alkaios〕 명〖사람〗고대 그리스의 서정 시인. 귀족 출신. 정쟁(政爭)에 휘말려 일생을 방랑으로 보냈는데, 독특한 격정적인 시풍(詩風)으로 유명함. [620-? B.C.]

알카치트 〔도 Alkacid〕 명〖화〗이산화 탄소 흡수제 또는 탈황제(脫黃劑)로 쓰이는 유기 물질. 분자 중에 알칼리성을 나타내는 아미노기와 산성을 나타내는 카르복실기(carboxyl基)를 갖고 있음.

알칸 〔alkane〕 명〖화〗탄소 원자 사이가 단일 결합으로 되어 있는 일반식 C_nH_{2n+2}로 표시되는 포화(飽和) 탄화 수소의 총칭. 사슬 모양 구조를 가지며 n이 적으면 기체, n=15 까지는 액체, 그 이상은 고체이며 n이 커질수록 녹는점·끓는점·비중(比重)이 커짐. 메탄·에탄·프로판·부탄 등, 석유의 주요 성분이 포함됨. 지방족 포화 탄화 수소(脂肪族飽和炭化水素). 메탄계(methane系) 탄화 수소. 파라핀계 탄화 수소. *지방족(脂肪族) 화합물·알켄·알킨.

알칼로시스 〔alkalosis〕 명〖의〗알칼리 중독(alkali中毒). ↔아시도시스(acidosis).

알칼로이드 〔alkaloid〕 명〖화〗질소를 함유하는 식물 염기(植物塩基) 약 500 종의 총칭. 모르핀·코카인·아트로핀·키니네·니코틴 등은 그 주된 것임. 보통, 고체(固體)로 쓴 맛이 있고 알칼리성 반응을 나타내며 일반적으로 유독하고 강한 생리 작용(生理作用)을 가지며 널리 약제로 쓰임. 식물 염기.

알칼로이드 음료【—飮料】 〔alkaloid〕 [—뇨] 명 알칼로이드 성분을 포함하는 음료의 총칭. 음료 중의 알칼로이드가 혈액에 흡수되어 신경을 자극함으로써 쾌감을 느끼게 함. 차·커피·코코아 등.

알칼리 〔alkali〕 명〖화〗강한 염기성(塩基性)을 나타내는 화학 물질. 주로 알칼리 금속·알칼리 토금속의 수산화물과 알칼리 금속의 탄산염 등을 말함. 물에 잘 녹으며 그 수용액은 알칼리성을 나타내어 붉은 리트머스 시험지를 푸른 색으로 변화시킴. 가성(苛性) 칼리·탄산 소다·가성 소다 등은 그 예임. 일반적으로 수산화 나트륨·수산화 칼륨을 말하며, 염기(塩基)와 동의어(同義語)로도 쓰임.

알칼리-계【—計】 명 〔alkalimeter〕〖화〗가성 소다·가성 칼리 중의 알칼리의 강도(強度)·성질을 검사하는 기구. 알칼리 측정기.

알칼리 공업【—工業】〔alkali〕 명 가성(苛性) 알칼리·탄산(炭酸) 알칼리 등의 알칼리류(類)를 제조하는 화학 공업. 가장 중요한 제품은 소다회(soda 灰).

알칼리 금속【—金屬】 명 〔alkali metal〕〖화〗리튬(Li)·나트륨(Na)·칼륨(K)·루비듐(Rb)·세슘(Cs)·프란슘(Fr)의 여섯 원소의 총칭. 모두 흰빛의 가볍고 부드러운 금속이며 융점(融點)·비점(沸點)이 낮고 전기 및 열을 잘 전도함. 금속 광택이 있으나 공기 중에서는 곧 산화(酸化)하여 없어짐. 다른 원소나 화합물과 직접 화합하여 상온(常溫)에서 물과 작용하여 수소를 발생시키며 가장 강한 염기성의 수산화(水酸化) 용액이 됨. 다른 원소와의 반응이 활발하므로 석유 속에 보존함.

알칼리-뇨【—尿】〔alkali〕 명〖의〗알칼리성을 나타내는 오줌. 식물성 식품(食品)의 다량 섭취, 알칼리성 약제의 복용, 위액의 다량 배출, 세균성 분해 등의 경우에 나옴. 인산염을 많이 검출하나 탄산염·수산염·유기 성분 등도 검출됨.

알칼리-샘 〔alkali〕 명〖지〗알칼리천(alkali泉).

알칼리 섬유소【—纖維素】〔alkali〕 명〖공〗알칼리와 섬유소를 결합시킨 것. 비스코스법(viscose法) 인조 견사 제조를 할 때 생기는 중간 생산물임. 알칼리 셀룰로오스.

알칼리-성【—性】 [—썽] 명 〔alkaline〕〖화〗알칼리와 같이 염기성을 나타내는 성질. 곧, 붉은 리트머스지를 청색으로 변화시키며 산과 중화하여 염을 생성하는 성질. 염기성(塩基性). ↔산성(酸性)❷.

알칼리성 물감【—性—】 〔alkali〕 [—썽—깜] 명〖화〗염기성(塩基性) 물감.

알칼리성 반:응【—性反應】 [—썽—] 명 〔alkaline reaction〕〖화〗붉은 리트머스 용액(litmus 溶液)이나 리트머스 시험지를 청색으로 변화시키는 화학 반응.

알칼리성 비:료【—性肥料】〔alkali〕 [—썽—] 명 물에 용해(溶解)시키거나 흙에 시비(施肥)하면 알칼리성을 나타내는 비료. 인분뇨(人糞尿)·초목의 재·석회 질소 등과 같은 화학적 알칼리성 비료와, 칠레 초석(硝石)·어비(魚肥)·골분(骨粉) 등과 같이 토양(土壤)에 알칼리성을 주는 생리적 알칼리성 비료가 있음. 산성(酸性) 토양에 알맞음.

알칼리성 식품【—性食品】〔alkali〕 [—썽—] 명 체내(體內)에서 연소(燃燒)하여 알칼리성을 나타내는 식품. 야채·과일·우유 따위. 나트륨·칼륨·칼슘 등의 금속 원소를 많이 포함함. ↔산성(酸性) 식품.

알칼리성 중독【—中毒】〔alkali〕 [—썽—] 명〖의〗알칼리 중독(alkali 中毒).

알칼리성 토양【—性土壤】〔alkali〕 [—썽—] 명〖지〗알칼리 토양.

알칼리 세:척제【—洗滌劑】 명 〔alkaline cleaner〕 금속(金屬)을 세척하는 데 쓰이는 알칼리 수용액(水溶液).

알칼리 셀룰로오스 〔alkali cellulose〕 명〖화〗셀룰로오스를 수산화나트륨 용액으로 처리해 얻어지는 셀룰로오스와 알칼리와의 결합물. 불안정하고 물을 대량 가하면 분해하여 셀룰로오스를 재생함. 17.5 % 전후의 수산화나트륨 용액으로 처리한 것은 이황화 탄소(二黃化炭素)에 잘 녹음. 비스코스 레이온(viscose rayon)·에틸셀룰로오스 등의 원료로서 중요함. 알칼리 섬유소(纖維素).

알칼리 식물【—植物】 〔alkali〕 명〖식〗알칼리 토양에서 생육하는 내염기성(耐塩基性)이 강한 식품. 시금치·콩류·흑송(黑松) 따위. ↔산성(酸性) 식물.

알칼리-암【—岩】 명 〔alkali rock〕〖광〗산화 나트륨(Na_2O)·산화 칼륨(K_2O)을 비교적 다량으로 함유하고, 산화 칼슘(CaO)이 비교적 적은 화성암(火成岩). *대서양식 암석(大西洋式岩石).

알칼리-염【—塩】〔alkali〕 명〖화〗알칼리 금속으로 된 염. 일반적으로, 칼륨·루비듐·세슘의 염은 서로 구조·성질이 닮았으나, 나트륨 특히 리튬의 염은 상이한 구조·성질을 나타냄. 대개 물에 잘 녹음.

알칼리 용융【—鎔融】〔alkali〕 명〖화〗①여러 가지 유기 화합물을 고체의 수산화 알칼리와 함께 가열 용융시켜 변화시키는 조작(操作). ② 무기 화합물을 고체의 수산화 알칼리 또는 탄산 알칼리와 함께 가열 용융시켜 분해시키는 조작.

알칼리 정:량【—定量】 [—냥] 명 〔alkalimetry〕〖화〗수용액(水溶液) 중의 알칼리의 양을 정하기 위하여, 농도(濃度)를 아는 산을 중화(中和)할 때까지 한 방울씩 가하여, 그 산의 양에서 알칼리의 양을 계산하는 방법. *산정량(酸定量).

알칼리-제【—劑】〔alkali〕 명 가성(苛性) 소다를 유효 성분으로 하는 농업용 살충제(農業用殺蟲劑)의 총칭. 송지 합제(松脂合劑)와 소다 합제가 있음.

알칼리 중독【—中毒】〔alkali〕 명〖의〗혈액의 액상 성분(液狀成分)이 정상적인 범위를 넘어서 알칼리성(性)으로 기운 상태를 이름. 심할 때에는 전신 경련(全身痙攣)을 일으킴. 일산화 중독(一酸化中毒)·고산병(高山病) 따위에서 볼 수 있음. 알칼리 혈증(血症). 알칼로시스. ↔산독증(酸毒症).

알칼리 지대【—地帶】〔alkali〕 명〖지〗알칼리 토양으로 된 지역.

알칼리-천【—泉】 〔alkali〕 명 탄산천(炭酸泉)의 하나. 물 1 kg에 고형(固形) 성분 1 g 이상을 함유하며, 그 주요 성분이 탄산 수소(炭酸水素) 나트륨인 온천(溫泉). 욕요법(浴療法)·음용(飮用) 요법 등에 응용되는데, 피부를 곱게 하며, 창상(創傷)·화상(火傷) 그 밖의 피부병과 위산과다증·만성 위염(胃炎)·만성 변비(便祕) 등에 효험이 있음. 중조천(重曹泉). 알칼리샘.

알칼리 축전지【—蓄電池】〔alkali〕 명〖전〗수산화 알칼리 용액을 전해액(電解液)으로 하는 전지. 양극(陽極)에 수산화 니켈, 음극(陰極)에 철분을 사용한 에디슨 전지(Edison 電池), 또한 음극에 철분과 카드뮴(cadmium) 가루의 혼합물을 사용한 융너 전지(Jungner 電池)가 있음. 기전력(起電力)은 약 1.2 볼트. 가볍고 튼튼하여 갱내(坑內) 안전등이나 열차 점등용(點燈用) 등에 쓰임.

알칼리 측정기【—測定器】 명 〔alkalimeter〕〖화〗①고체(固體) 또는 액체(液體) 속에 있는 알칼리의 양(量)을 측정(測定)하는 장치. 알칼리계(計). ②반응(反應)에 의하여 생성(生成)되는 이산화 탄소(二酸化炭素)의 양을 재는 장치.

알칼리 칼크 지수【—指數】〔alkali calc〕 명〖화〗암석의 화학 성분을

나타내는 지수. 어떤 규칙성이 있는데, 일반적으로 실리카(SiO_2)가 증가하면 알칼리(Na_2O+K_2O)가 증가하고, 칼슘(CaO)이 반비례적으로 감소함. 실리카의 양을 백분율로 하여 가로축(軸)에, 알칼리 및 칼슘의 양을 백분율로 하여 세로축(軸)으로 잡아 그림으로 나타내면, 성분 변화도(成分變化圖)가 생기는데, 이 때 알칼리와 칼슘의 변화 곡선(曲線)의 교점(交點)에 상당하는 실리카의 양의 백분율이 암석계(岩石系)의 알칼리 칼크 지수라 이름.

알칼리-토【一土】〔alkali〕 명 〖화〗 석회·중토(重土)·산화 스트론튬의 총칭. 물에 잘 녹지 아니하며 수용액은 알칼리성 반응을 나타냄. 알칼리 토류(土類).

알칼리 토금속【一土金屬】 명 〔alkaline earth metal〕〖화〗 칼슘(Ca)·스트론튬(Sr)·바륨(Ba)·라듐(Ra)의 총칭. 베릴륨(Be)·마그네슘(Mg)을 포함하여 말하기도 함. 광택이 있는 흰 빛의 경금속(輕金屬). 녹는점이 높고 알칼리 금속보다는 단단하며 화학적으로는 이가(二價)로 작용함. 수산화물은 알칼리성을 나타내어 여러 가지 산화염(酸化塩)을 만듦. 또, 불꽃은 각각 특유한 빛을 나타냄. 알칼리 토류 금속.

알칼리 토류【一土類】〔alkali〕 명 〖화〗 알칼리토(土).

알칼리 토류 금속【一土類金屬】〔alkali〕 명 〖화〗 알칼리 토금속(alkali 土金屬).

알칼리 토양【一土壤】〔alkali〕 명 가용성(可溶性)의 염류(塩類)를 다량으로 포함하며 알칼리성 반응을 나타내는 토양. 강우량이 적고 증발량이 많은 대륙 온대의 건조 기후의 저지(低地), 곧 북미 내부·몽골·아프리카 내부에 발달되어 있음. 하층은 점토(粘土)로 부식(腐蝕)이 집적(集積)하여 어두운 빛으로 치밀하고, 건조하면 수축하여 특징적인 주상 구조(柱狀構造)를 나타냄. 대부분의 식물은 생육하지 못함. 알칼리성(性) 토양.

알칼리 혈증【一血症】〔alkali〕〔一쯩〕 명 〖의〗 알칼리 중독(中毒). ↔산(酸)혈증.

알캔 알루미늄 회:사【一會社】〔Alcan Aluminium〕 명 미국의 알코아(ALCOA) 회사가 해외 활동 통할(統轄)을 위하여 1928년에 설립한 캐나다 법인. 1950년 반(反)트러스트법 판결에 의하여 독립한, 알코아에 다음 가는 세계 제2의 알루미늄 제련 회사임.

알케스티스〔Alkestis〕 명 〖신〗 그리스 신화에 나오는, 테살리아(Thessalia) 왕 아드메토스(Admetos)의 왕비. 남편 대신 죽은 헌신적인 열녀(烈女)임. 헤라클레스(Herakles)는 그 정절에 감동되어, 명부(冥府)에 내려가 도로 현세(現世)로 데려왔다고 함.

알케-하다 형 〈방〉 매캐하다.

알켄〔alkene〕 명 〖화〗 에틸렌의 동족체(同族體)의 총칭. 일반식 'C_nH_{2n}'으로 표시됨. 탄소 원자 사이가 이중 결합으로 되어 있는 사슬 모양의 불포화(不飽和) 탄화 수소로, 에틸렌·프로필렌·부틸렌 등이 있음. 에틸렌계(ethylene系) 탄화 수소. 올레핀계(olefin系) 탄화 수소. ＊지방족(脂肪族) 화합물·알칸·알킨.

알코:브〔프 alcôve〕 명 서양식 건축에서, 방 안 벽의 한 부분을 쑥 들어가게 만든 곳으로, 우리 나라의 문 없는 반침처럼 된 부분. 침대를 놓거나 서고(書庫)로 사용함.

알코아【ALCOA】 명 〔Aluminium Company of America의 약칭〕 세계 최대의 미국 알루미늄 제련(製鍊)회사. 알루미늄 제련법의 발견자 홀(Hall, C. M.)이 1888년 설립함. 제2차 세계 대전까지 미국의 알루미늄 제련을 독점, 오늘날에도 세계 시장에 군림하고 있음.

알코올〔alcohol〕 명 〖화〗 ①탄화 수소의 수소 원자를 히드록시기(基)로 치환한 형태의 화합물의 총칭. 다만, 페놀(phenol)은 제외함. 메틸 알코올·에틸 알코올·에틸렌글리콜·글리세롤 등이 있음. 알코올은 자연계에 보통 에스테르(ester)로서 존재함. ②특히, 에탄올. 즉, 주정(酒精)을 말함. ③술의 대명사로 쓰이는 말. ④소독용(消毒用)의 알코올.

알코올-계【一計】 명 〔alcoholmeter〕 액체(液體) 속에 함유된 알코올의 양(量)을 부칭(浮秤)과 같은 형식으로 측정하는 장치.

알코올 램프〔alcohol lamp〕 명 알코올을 연료로 하여 무엇을 가열(加熱)하는 램프. 그을음이 없고 화력이 강하므로, 화학 실험용 등에 쓰임.

알코올 무수물【一無水物】〔alcohol〕 명 〖화〗 98% 이상의 농도(濃度)의 알코올. 보통의 96% 알코올을 생석회(生石灰)와 함께 끓이어 증류(蒸溜)하여 얻음. 무수 알코올.

알코올 발효【一醱酵】 명 〔alcoholic fermentation〕〖화〗 어떤 종류의 효모(酵母)가, 산소가 없는 상태에서 당(糖)을 분해하여 알코올과 이산화 탄소(二酸化炭素)를 형성하는 현상.

알코올 버:너〔alcohol burner〕 명 알코올을 연료로 하는 버너.

알코올-성【一性】〔alcohol〕〔一썽〕 명 〖화〗 알코올이 들어 있는 성질. ¶～음료(飮料).

알코올성 음료【一性飮料】〔alcohol〕〔一썽一뇨〕 명 알코올을 함유하는 음료의 총칭. 제조의 방법에 따라 양조주(釀造酒)·증류주(蒸溜酒) 및 혼성주(混成酒)의 세 종류로 나뉨. 알코올 음료.

알코올 연료【一燃料】〔一렬一〕 명 〔alcohol fuel〕 자동차 연료용 가솔린의 한 가지. 무수(無水) 에틸 알코올을 5-25% 혼합한 것으로, 특히 유럽에서 쓰이고 있음.

알코올 온도계【一溫度計】〔alcohol〕 명 〖물〗 착색한 알코올의 열에 의한 팽창을 이용한 온도계. 알코올의 끓는점이 낮으므로(78°C) 고온보다는 저온을 측정하는 데 적당함. 표면 장력(張力)이 적고 액체 운동이 연속적이므로 정확도가 높음. 알코올 한란계(寒暖計).

알코올 음료【一飮料】〔alcohol〕〔一뇨〕 명 알코올성 음료.

알코올 의존증【一依存症】〔alcohol〕〔一쯩〕 명 〖의〗 알코올 없이는 생활할 수 없는 상태. 세계 보건 기구(WHO)의 제의에 따라, '알코올 중독(中毒)'을 고쳐 부르는 이름.

알코올의존자【一依存者】〔alcohol〕 명 '알코올 중독자'의 새 용어.

알코올 중독【一中毒】〔alcohol〕 명 〖의〗 다량의 술을 마심으로써 생기는, 알코올분에 의한 중독. 보통, 만성(慢性) 중독을 말하며, 그 증세는 두통·심신의 피로·작업력 감퇴·정신 이상 등이 발생하며, 급성 중독의 증세는 의식의 혼탁·혼수 등을 보임. 알코올 의존증.

알코올 중독자【一中毒者】 명 〔alcoholic〕〖의〗 탐닉(耽溺)하거나 의존(依存)하는 상태가 될 정도를 지나치게 많은 양(量)의 알코올성 음료를 섭취(攝取)하는 사람. '알코올 의존자'의 전에 이르던 말.

알코올 한란계【一寒暖計】〔alcohol〕〔一할一〕 명 〖물〗 알코올 온도계(溫度計).

알쿠다 타 〈방〉 알리다(함경).

알크마:르〔Alkmaar〕 명 〖지〗 네덜란드 북서부의 도시. 16-17세기에 조성된 간척지의 중심으로 해변보다 낮게 위치함. 치즈 및 가축 시장으로 유명하고, 15세기의 교회, 16세기의 시청사(市廳舍)·중량 검정소(重量檢定所) 등이 남아 있음. [78,000명(1982)]

알크마이온〔Alkmaion〕 명 〖사람〗 기원 전 500년경의 그리스의 사상가·의학자. 피타고라스 학파의 영향을 받아 동물 해부를 행하고, 특히 시신경(視神經)의 발견 등 감각의 생리에 대한 뛰어난 업적을 이룸. 저서로는 ≪자연에 대하여≫를 펴냈는데, 이것은 의학서의 시초라고 불리고 있음. 생몰년 미상.

알크만〔Alkmān〕 명 〖사람〗 기원전 7세기경의 소아시아 리디아(Lydia)의 수도인 사르디스(Sardis) 태생의 스파르타(Sparta) 시인. 최고(最古)의 합창대용 가사의 작자로, 알렉산드리아 시대에는 그의 작품이 6권에 수록됨으로써 유명해졌음. 주로, 합창용의 축혼가(祝婚歌)·축승가(祝勝歌) 등을 지음. 생몰년 미상.

알큰-하다 형 여불 ①몹시 매워서 입 안이 얼얼한 느낌이 있다. ②술이 매우 거나하여 정신(精神)이 어릿하다. 1)·2):ㅅ알근하다. <얼큰하다. 알큰-히 부

알키드 수지【一樹脂】〔alkyd〕 명 〖화〗 다가(多價) 알코올과 유기 다염기성산(多塩基性酸)의 축합(縮合)에 의하여 생성되는 고분자 화합물(高分子化合物)의 총칭. 글리세린과 푸탈산(Phthal 酸) 무수물과의 에스테르화(化) 반응으로 얻어지는 열경화성(熱硬化性) 수지(樹脂)가 유명함.

알키비아데스〔Alkibiades〕 명 〖사람〗 아테네의 정치가·군인. 소크라테스의 제자가 되고, 후에 장군직에 선발되어 급진 민주파의 지도자로서, 정적(政敵)들과 싸우며 아테네와 스파르타 간에 부침(浮沈)하다가 407년 아테네로 돌아와 전군의 총사령관이 되었으나 뒤에 암살됨. 행동은 분방(奔放)·무절제하고, 그의 헌책(獻策)은 많은 정치·군사적 사건을 일으키었음. [450?-404 B.C.]

알키프론〔Alkiphron〕 명 〖사람〗 2-3세기경의 그리스의 저술가. 기원전 4세기의 여러 계층의 아테네인이 썼다는 상정하(想定下)에 편지 형식으로 여러 가지 일을 당시의 언어로 재미있게 썼는데, 현재 약 100종가량 전해지고 있음. 생몰년 미상.

알킨〔alkyne〕 명 〖화〗 분자(分子) 내에 탄소의 3중 결합을 1개 가진 불포화(不飽和) 사슬 모양 탄화 수소의 총칭. 일반식 'C_nH_{2n-2}'로 표시되는데 탄소 원자수 n이 2개면 아세틸렌, 3개면 프로핀(propyne), 4개면 부틴(butyne), 5개면 펜틴(pentyne)이 됨. 아세틸렌계(acetylene系) 탄화 수소. ＊지방족(脂肪族) 화합물·알칸·알켄.

알킬-기【一基】〔alkyl〕 명 〖화〗 파라핀계(paraffin 系) 탄화 수소(炭化水素)로부터 수소 1원자를 뺀 나머지의 원자단(團). 곧, C_nH_{2n+1}의 일반식(一般式)을 갖는 일가(一價)의 기. 메틸기 CH_3·에틸기 C_2H_5·헥실(hexyl) C_6H_{13} 따위.

알킬-벤젠〔alkylbenzene〕 명 〖화〗 벤젠 고리에 알킬기가 결합되어 있는 방향족(芳香族) 탄화 수소의 총칭. 톨루엔·크실렌 따위.

알킬벤젠 술폰산염【一酸塩】 명 〔alklybenzene sodium sulfonate〕〖화〗 알킬벤젠과 진한 황산으로부터 만들어지는 술폰산 나트륨염의 일컬음. 세척력(洗滌力)이 아주 강하며, 석유계 중성 세제의 하나임.

알킬 설페이트〔alkyl sulfate〕 명 〖화〗 디메틸 황산·디에틸 황산 따위 황산의 수소 2원자를 알킬기(基)로 치환(置換)한 화합물. 두발(頭髮)의 기름기를 없애기 위하여 계면(界面) 활성제로서 샴푸에 첨가되는데, 눈에 들어가면 각막 혼탁(角膜混濁), 홍채(虹彩)·결막(結膜)의 충혈(充血), 실명(失明) 따위를 일으키기 쉬움.

알킬-알루미늄〔alkylaluminium〕 명 〖화〗 알루미늄에 알킬기가 결합한 유기 금속 화합물. 상온(常溫)에서는 무색 투명한 액체. 공기 중에서 자연 발화하고, 물과는 심하게 반응하는 위험성이 큰 화합물임. 촉매나 환원제로 쓰임.

알킬-페놀〔alkylphenol〕 명 〖화〗 벤젠 고리에 알킬기가 결합되어 있는 페놀류(類)의 총칭. 알킬기의 탄소 수가 10 내외인 것은, 의류 따위에 쓰는 합성 세제의 원료임.

알킬-화【一化】 명 〔alkylation〕〖화〗 치환 반응(置換反應) 또는 부가(附加) 반응에 의하여 유기 화합물(有機化合物)에 알킬기(基)를 도입(導入)하는 일.

알타리-무 명 ☞ 총각무.

알타미라〔Altamira〕 명 〖지〗 스페인의 북부 칸타브리아 산맥(Cantabria 山脈) 북사면(北斜面)에 있는 선사(先史) 시대의 동굴. 1879년에 발견. 구석기 시대의 인류 최고(最古)의 회화(繪畫)가 있는데, 들소·멧돼지·

〈알타미라〉

말·사슴 등의 약동하는 모습이 점묘법(點描法)·농담(濃淡)에 의한 음영법(陰影法) 등의 수법으로 그려져 있음.

알타이르 〔Altair〕 명 『천』 독수리자리의 α성(星). 칠석의 견우성(牽牛星). 백색의 0.9 등성(等星)으로 거리 17 광년임.

알타이 문화【一文化】〔Altai〕 명 기원전 30세기경부터 기원 후 8세기 무렵의 중앙 아시아·알타이 지방에 발달한 옛 문화의 총칭. 무토기(無土器) 수렵(狩獵) 문화로부터 금속기(金屬器) 문화에 이르기까지 7기(期)로 크게 나눔.

알타이 산맥【一山脈】〔Altai〕 명 『지』 중국 신장 성(新疆省)과 러시아·외몽고에 걸친 산맥. 남동의 고비 사막으로부터 북서의 서(西)시베리아 저지(低地)까지 약 2,000 km에 달함. 세 개의 주맥(主脈)으로 나뉘는 대규모의 알프스형 산지임. 금·은·수은 따위 광물 자원이 풍부함. 최고봉은 벨루하 산(Belukha山)으로 4,506 m 임.

알타이 어:계【一語系】〔Altai〕 명 『언』 알타이 산맥을 중심으로 동으로는 일본, 서는 터키에 이르는 지방의 어군(語群). 한국어·터키어·몽고어·만주어·일본어 등이 이에 속함.

알타이 어:족【一語族】〔Altai〕 명 『언』 튀르크 어족·몽고 어족·퉁구스 어족의 총칭. 아시아의 동부에서 터키에 이르기까지 여러 지역에서 사용되는 언어군(言語群). 우랄 어족과는 모음 조화 현상이나 어근(語根)과 접속어 결합 등의 교착(膠着)에서 구조상의 현저한 차이를 보이고 있음. 종래 이것들을 우랄·알타이 어족이라는 명칭으로 묶기도 하였으나, 지금은 각각 분리하는 것이 보통임. 한국어도 알타이 어족에 속하는 것으로 봄.

알타이-족【一族】〔Altai〕 명 알타이 어족을 구성하는 여러 민족의 총칭. 터키족·몽고족·퉁구스족·만주족·한국인 등이 포함됨. 공통적인 특징으로서 초원에서의 유목 문화를 들 수 있으나, 일부는 농·어업을 영위하며, 순록(馴鹿)을 사육(飼育)하는 어족도 있음.

알-탄[1]【一炭】 명 알과 같이 둥글게 뭉친 덩어리 석탄.

알-탄[2]【一彈】 명 탄알.

알탄불라크 〔Altanbulak〕 명 『지』 외몽고 북쪽 국경, 러시아의 캬흐타(Kyakhta)와 마주보고 있는 교역(交易) 도시. 1727년 중국 청(淸)나라와 러시아 사이에 캬흐타 조약이 맺어지면서 무역 도시가 됨. 직물·차(茶)를 수출하고 모피를 수입하며, 수도 울란바토르(Ulan Bator)와는 철도 및 자동차 도로로 연결됨. 마이마이청(賣買城).

알탕-갈탕 부 〈방〉 애면글면.

알토[1] 〔이 alto〕 명 『악』 ①여성(女聲)의 가장 낮은 음(音). 또, 그 목소리를 가진 가수. 알트(alt). 콘트랄토. *소프라노. ②팔세토(falsetto)를 쓰는 남자의 최고 음부(最高音部). ③대위법(對位法)의 악절(樂節)에 있어 위로부터 둘째의 성부(聲部).

〈알토❶〉

알:토[2] 〔Aalto, Alvar〕 명 『사람』 핀란드의 건축가. 기하학적(幾何學的)인 구성 이념(構成理念)과는 대조적으로, 개개의 모양을 자유로이 구성, 건축물을 둘러싸는 환경과의 조화·융합을 중시하였으며, 가구(家具) 설계에도 뛰어났음. [1898-1976]

알토 기호【一記號】〔이 alto〕 명 『악』 음자리표의 하나. '다'음 기호를 오선(五線)의 가운뎃줄 위에 놓은 것.

알-토란【一土卵】 명 너저분한 털을 벗긴 토란 알.

알토란-같다【一土卵一】 형 ①부실(不實)한 데가 없이 속이 차서 단단하다. ②살림이 오붓하여 아무 것도 그리운 것이 없다. ¶살림이 ~.

알토란-같이【一土卵一】〔一가치〕 부 알토란 같게. ¶~ 생긴 사람.

알토 색스 〔alto sax〕 명 『악』 색소폰 중에, 위에서 세 번째 높이의 음역을 가진 악기. 테너 색스와 함께 가장 많이 쓰임.

알토 호른 〔alto horn〕 명 『악』 알토의 음역(音域)을 가진 나팔(喇叭).

〈알토 호른〉

알-톡토기 명 『충』 〔*Bourletiella pruinosa*〕 알톡토깃과(科)에 속하는 곤충. 몸길이 1.5 mm 내외, 몸은 구형(球形)인데, 촉각(觸角)에서 다리까지 암자색(暗紫色)에 등황색(橙黃色)의 작은 점 또는 무늬가 줄지어 산재함. 안상 반문(眼狀斑紋)은 흑색인데 소안(小眼)의 각 측(側)에 여덟 개씩 있음. 오이류(類)·겨잣과(科) 채소·토마토 등의 작물(作物)의 눈·뿌리를 갉아먹는 해충(害蟲)으로 한국·일본 등지에 분포(分布)함. *가시톡토기.

알-통[1] 명 인체(人體)에서, 근육이 불룩 나온 부분의 총칭.

알-통[2] 명 〈방〉 둥우리(전북·경북).

알트 〔도 Alt〕 명 『악』 알토(alto).

알트도르퍼 〔Altdorfer, Albrecht〕 명 『사람』 독일의 화가·판화가. 인물 없는 순수한 풍경화를 그린 유럽 최초의 화가. 동화적 몽환성(夢幻性)이 풍부한 종교화와 극적인 화면 구성을 보이는 역사화(歷史畫)도 남김. 대표작에 ≪도나우 풍경≫·≪알렉산더 대왕의 싸움≫ 등이 있음. [1480?-1538]

알트-하이델베르크 〔Alt-Heidelberg〕 명 『문』 독일의 작가 마이어푀르스터(Meyer-Förster; 1862-1934)의 희곡. 자작(自作) 소설 ≪칼 하인리히(Karl Heinrich)≫를 희곡화한 것. 유학 중인 공자(公子) 하인리히와 케티와의 사랑을 중심으로, 독일 학생 생활을 감상적으로 그린 통속극(通俗劇)이지만 1901년 베를린에서의 초연(初演) 때는 대성공을 거두었음.

알티가스 〔Altigas, José Gervasio〕 명 『사람』 우루과이 건국의 공로자. 1811년 반(反)스페인 독립 운동을 일으켜, 스페인·포르투갈·아르헨티나와 싸워, 한때는 전토(全土)의 지배권(支配權)을 획득하였으나 후에 브라질·포르투갈의 침입으로 1820년에 패하여 파라과이에 망명함. [1774-1850]

알파[1] 〔그 Α, α〕 명 〔alpha〕 ①그리스 자모(字母)의 첫 자. ②제일. 최초. ↔오메가❷. ③어떤 미지수를 나타내는 기호. ¶기본급 플러스 ~. ④야구에서, 먼저 공격을 시작한 편의 득점이 상대편보다 적어서 승패가 명백한 경우에 최종회말(最終回末)의 공격을 하지 않고 상대편에게 승리를 주고 그 득점에 붙이던 부호. ¶5~ 대 3. ⑤『천』 알파성(Alpha星). ⑥『화』 유기 화합물의, 치환(置換)하는 기(基)의 위치를 나타내는 기호. ⑦『화』 당류(糖類) 스테로이드의 입체 이성체(立體異性體)를 구별하는 기호. ⑧『화』 유사한 물질을 구별하기 위하여 쓰는 부호. ¶~글로불린, β글로불린. ⑨『물』 ↗알파 입자(粒子).

알파와 오메가 구 ㉠처음과 마지막. 시작과 종결. ㉡전부. 총체(總體). ㉢『성』 영원의 존재자인 예수.

알파[2] 형 〈옛〉 아파. '알프다'의 활용형. ¶내옴 알파 ᄀᆞ려옴을 당티 몯ᄒᆞ니(我害疥痒當不的) ≪朴解 下 6≫.

알파 금속인【α金屬燐】〔alfa〕 명 『화』 자린(紫燐).

알파 녹말【α綠末】 명 녹말립에 물을 가하여 가열하거나 또는 가성 소다·질산 석회 용액 등의 팽윤제(膨潤劑)로 처리한 녹말. 베타(β) 녹말보다 물에 의한 팽윤력이 강하며 소화 효소의 작용을 받기 쉽고 단맛이 있음.

알파-로메오 〔Alfa-Romeo〕 명 이탈리아 국유의 알파로메오사(社)의 승용차. 줄리아·스파이더 등 1,290-2,584 cc의 십 수종의 차가 있고, 어느 것이나 보통의 세단보다 고성능으로, 최고 시속 160-210 km. 라디에이터 그릴에는 전통적인 삼각형의 방패가 붙어 있음.

알파 방:출【α放出】 명 〔alpha emission〕 원자핵(原子核)에서 α입자가 튀어나오는 일.

알파벳 〔alphabet〕 명 〔그리스 문자의 처음 두 자인 알파(α)와 베타(β)에서 나온 말〕 ①어떤 언어(言語)를 적는 데 쓰는 문자의 총체. 보통, 일정한 순서로 배열함. 일반적으로, 로마자를 말함. ②입문(入門). 초보(初步).

알파벳 문자【一文字】〔alphabet〕〔一짜〕 명 『언』 음소(音素) 문자.

알파벳-순【一順】〔alphabet〕 명 로마자의 A·B·C순. ¶~으로 적다.

알파 붕괴【α崩壞】 명 〔alfa-disintegration〕 『물』 방사성 원소가 알파 입자(粒子)를 방출하며 붕괴하는 현상. 이에 의하여 원자 번호가 2, 질량수가 4 적은 원소로 변함.

알파-선【α線】 명 〔alfa-rays〕 『물』 방사선의 하나. 알파 붕괴 때 방사되는 알파 입자(粒子)의 흐름. 전리 작용(電離作用)이 강하고 투과력(透過力)은 적음. 외부로부터의 투과는 피부로 차단되기 때문에 위험은 없으나 선원(線源)이 체내에 들어가면 대단히 위험함. 본체는 헬륨의 원자핵(核)임.

알파선 진공계【α線眞空計】 명 〔alpha-ray vacuum gage〕 열선(熱線)으로부터 방출되는 전자(電子) 대신에, 방사선원(放射線源)으로부터 방출되는 α선에 의하여 전리(電離)되는 전리 진공계. 주로, 10^{-3}에서 10 토르(Torr)의 압력(壓力) 측정에 쓰임.

알파 섬유소【α纖維素】 명 『화』 섬유소로 이루어지는 물질을 17.5 % 또는 18 % 의 가성 소다에 담가, 불용해 부분을 물로 씻어 만드는 섬유소의 명칭. 그 함량은 펄프의 품질 판정에 흔히 쓰임.

알파-성【α星】 명 『천』 한 성좌 가운데서 가장 밝은 항성(恒星). 이하 밝기의 순서에 따라 β,γ,δ,… 등의 그리스 자모를 개개의 별에 붙임. 알파. 수성(首星).

알파 세:포【α細胞】 명 〔alpha cell〕 ①하수체(下垂體) 선부(腺部)의 전엽(前葉)에 있는 산성 색소(酸性色素)에 물들기 쉬운 세포. ②췌장(膵臟)의 섬에 있는 세포. 글루카곤(glucagon)을 분비(分泌)함.

알파식 지능 검:사【α式知能檢査】 명 『심』 알파 테스트(α test).

알파인 〔Alpine〕 명 ①'알프스'의 뜻. ②'고산(高山)'의 뜻. ③스위스·프랑스·독일 등 알프스 지방의 재래종 유용(乳用) 염소. 털빛은 특정한 것이 없고, 형태는 자넨종(Saanen種)이나 토겐부르크종(Toggenburg種)과 비슷하고 젖이 많이 나는 편임.

알파인 복합 경:기【一複合競技】〔Alpine〕 명 스키 경기의 하나. 신복합(新複合)과 삼종목(三種目) 복합이 있음. 신복합은 회전(回轉)과 활강(滑降)의 합계점으로 다투며, 삼종목 복합은 그것에 대회전을 더하여 합계점으로 순위를 정함. *알파인 컴바인드.

알파인 스키 〔Alpine ski〕 명 알펜스키❶.

알파인 종:목【一種目】〔Alpine〕 명 유럽의 알프스 산계(系)를 배경으로 발달한 스키 경기. 활강(滑降) 경기·회전(回轉) 경기·대(大)회전 경기·신복합(新複合) 경기가 있는데, 어느 종목이나 급경사의 산에서 활강하는 다이내믹한 경기로, 동계 올림픽 종목임. 알펜 경기. *노르딕 종목.

알파인 컴바인드 〔Alpine combined〕 명 스키 경기의 하나. 활강(滑降)·회전(回轉)의 두 성적을 합하여 순위를 정하는 복합(複合) 경기. *알파인 복합 경기.

알파인 클럽 〔alpine club〕 명 ①〔Alpine Club〕 영국의 산악회. 세계에서 가장 오래되고 전통 있는 산악회로, 왕립 지리학 협회(王立地理學協會)와 공동으로 1921년 이래 9회에 걸쳐 에베레스트 등반대를 파견함. ②산악회(山岳會).

알파 입자【α粒子】 명 〔alfa-particle〕 『물』 알파선으로서 방사(放射) 물질로부터 방출(放出)되는 입자. 헬륨의 원자핵(原子核), 즉 두 개의 양성자와 두 개의 중성자(中性子)로 되어 있음. 원자핵 반응을 일으키는 데 쓰임. ㊜알파.

알파 입자 검:출기【α粒子檢出器】 명 〔alpha-particle detector〕 α입자

의 존재를 조사하기 위하여 쓰이는 장치.

알파카 〔alpaca〕 명 ①〖동〗 [*Lama pacos*] 낙타과에 속하는 동물. 어깨 높이 1m, 몸길이 2m 가량이고, 부드러운 털이 발목까지 드리우며, 양과 비슷하나 목과 몸통이 훨씬 길고 귀가 서 있음. 보통 흑갈색 또는 흑색임. 야마와 함께 과나코(guanaco)라는 남미 특산의 혹 없는 낙타의 변종으로, 페루를 비롯한 안데스 산지에서 사육함. 털은 옷감, 고기는 식용하고 사역용(使役用)으로서도 50kg 정도의 짐을 운반할 수 있음. ②알파카의 털로 만든 실 또는 천. 가볍고 질기어 여름 옷감과 안감으로 쓰임.

〈알파카❶〉

알파 테스트 〔alfa test〕 명 〖심〗 제1차 세계 대전 말기에, 교육을 받은 장병에 대하여 미국 육군이 행한 지능 검사. 신병(新兵)에게는 베타 테스트를 하였음. 알파식 지능 검사. ↔베타 테스트.

알파-파 【α波】 명 〔alpha rhythm〕 〖생〗 1초당(秒當) 8-13 펄스의 빈도(頻度)로 뇌피질(腦皮質)의 후두부(後頭部)에서 나오는 전류. 정상적인 성인(成人)이 긴장을 풀고 휴식하는 상태에서 생김.

알파 페토프로테인 〔α-Fetoprotein〕 명 〖의〗 태아(胎兒)의 간장(肝臟)에서 분비하는 단백질(蛋白質). 간장이 암화(癌化)하면 어른에서도 다시 이 물질을 분비하게 되므로, 간암(肝癌)의 진단의 지표(指標)로 쓰임.

알파화-미 【α化米】 명 쪄서 알파 녹말화(α綠末化)한 뒤 수분(水分)이 8% 이하가 되도록 열풍(熱風)으로 건조한 쌀. 밥 짓는 시간을 단축할 수 있음.

알파 황동 【α黃銅】 명 〔alpha brass〕 구리와 아연(亞鉛)을 함유하는 합금(合金)의 하나. 아연은 36% 이하를 함유하며, 연성(延性)이 풍부하여 냉간 가공(冷間加工)이 쉽고, 내식성(耐蝕性)이 큼. 열탕용(熱湯用) 배관(配管)으로 쓰임.

알파ᄒᆞ다 자 〈옛〉 아파하다. ¶어ᄃᆡ롤 알파ᄒᆞ시던고≪新語 Ⅲ:2≫.

알팍스 〔alpax〕 명 〖화〗 실루민(silumin).

알-판 명 〖광〗 방아확 밑바닥에 깔아서 방아촉과 맞부딪치게 하는 둥글넓적한 무쇳덩이. 광산에서 쇄광(碎鑛)하는 데 씀.

알-팔 【一八】 명 골패나 투전 등에서, 하나와 여덟을 잡은 끗수.

알팔파 〔alfalfa〕 명 〖식〗 ☞ 앨팰퍼.

알펜 〔도 Alpen〕 명 ①〖지〗 알프스 산맥(Alps山脈). ②알펜 경기(競技).

알펜 경:기 【一競技】 〔도 Alpen〕 명 알파인 종목(Alpine種目)

알펜슈토크 〔도 Alpenstock〕 명 갈고리가 달린 등산용 지팡이.

〈알펜슈토크〉

알펜-스키 〔도 Alpenski〕 명 ①산악(山岳) 스키. 알파인 스키(Alpine ski). ②릴리엔펠트 스키.

알펜-호른 〔도 Alpenhorn〕 명 알프스 지방에 전하는 원시적(原始的)인 호른. 원래는 양떼를 모을 때나, 산에서 산으로 부르고 답하는 데에 쓰였음. 나무 또는 가죽으로 만들며 길이는 1m 내외에서 3m에 달하는 것도 있음.

알:포르스 〔Ahlfors, Lars Valerian〕 명 〖사람〗 핀란드의 수학자. 1946년 도미하여 하버드 대학 교수가 됨. 등각 사상(等角寫像)·유리형 함수론(有理型函數論)·리먼면(Riemann面) 등을 연구함. 1936년 필즈상(Fields賞) 수상. [1907-]

알폰소 십세 【一十世】 명 〔Alfonso Ⅹ〕 〖사람〗 카스티야 레온왕(Castilla León王). 이슬람 교도와 싸워 스페인의 국토 회복 운동을 추진하였으며 문예 학술의 보호자로서도 유명함. 1257년 대공위 시대(大空位時代)에 독일 황제로 선출되었으나 교황(敎皇)의 반대로 이루어지지 않음. 저서는 ≪칠부 법전(七部法典)≫ 등. [1226?-84; 재위 1252-84]

알폼 명 〈옛〉 아픔. '알ᄑᆞ다'의 명사형. ¶엇뎨 오ᄂᆞᆯ 믄득 므숨 알포미 나거뇨(云何今日忽生心痛) ≪楞嚴 Ⅴ:72≫.

알-풍뎅이 명 〖충〗 [*Popillia indigonacea*] 풍뎅잇과에 속하는 갑충(甲蟲)의 하나. 온몸이 흑람색(黑藍色)에 금속 광택이 나며 복부는 시초(翅鞘)보다 긺. 썩은 물질이나 나무 등에 모임. 한국 각지에 분포함.

〈알풍뎅이〉

알프 〔도 Alp〕 명 〖지〗 알프스 삼림 한계(森林限界)를 넘은 위쪽으로 펼쳐진 초지(草地). 이목(移牧) 가축의 여름철 방목장(放牧場)이 됨.

알프다 형 〈옛〉 아프다. =알ᄑᆞ다·알ᄒᆞ다. ¶머리 알프ᄂᆞ니라(頭疼)≪朴解 上 40≫.

알프스 〔Alps〕 명 〖지〗 유럽 평원과 지중해 지역 사이에 있는 신기(新期) 습곡(褶曲) 산맥. 독일·프랑스·오스트리아·스위스·이탈리아 등에 걸쳐 있으며, 연중 빙하에 덮여 있는 수려한 산봉우리와 아름다운 호수가 산재하여 관광객이 운집함. 폭은 최대 150km, 길이는 약 1,200km로 주로 동서로 뻗어 있으며, 서부는 호상 산맥(弧狀山脈)을 이루고 있음. 최고봉은 몽블랑(4,807m)임. 알프스 산맥. 알펜(Alpen).

알프스 산맥 【一山脈】 〔Alps〕 명 〖지〗 알프스(Alps).

알프스 인종 【一人種】 〔Alps〕 명 〖인류〗 백인종의 하나. 피부 빛이 약간 짙으며 갈색 내지 밤색의 파상 모발(波狀毛髮)을 가짐. 신장은 163-164cm 정도인데 허리가 길고 사지(四肢)가 짧으며 머리가 극히 단두(短頭)인 것이 특징임. 알프스를 중심으로 남독일·프랑스 동부·스위스·북(北)이탈리아·보헤미아·헝가리 등지에 분포함.

알프스 조:산 운:동 【一造山運動】 〔Alps〕 명 〖지〗 피레네(Pyrénées)·알프스·카르파티아(Carpathia)·히말라야 등의 산맥을 형성한 조산 운동. 신생대(新生代) 제삼기(第三紀)를 중심으로 한 복잡한 습곡 작용(褶曲作用)으로 인하여 두터운 해저 퇴적물(海底堆積物)이 융기(隆起)하여 됨.

알프스형 산지 【一型山地】 〔Alps〕 명 〖지〗 습곡(褶曲) 구조 또는 충상(衝上) 습곡 구조가 주체가 된 산지. 알프스가 그 전형적인 것으로 대규모적인 침강과 급속한 퇴적 작용이 일어난 후 강력한 압축 작용 등으로 형성됨.

알ᄑᆡ 〈옛〉 앞에. '앒'의 활용형. ¶古人을 못봐도 녀ᄃᆞᆫ길 알ᄑᆡ 잇ᄂᆡ≪古時調≫.

알피 명 〈옛〉 아픔. 앓이. 병(病). ¶ᄒᆞ다가 善男子 善女人이 과글이 가ᄉᆞᆷ 알피ᄅᆞᆯ 어더(若諸善男子善女人卒患心痛) ≪佛頂 中 7≫.

알 피네 〔이 al fine〕 명 〖악〗 '끝까지'의 뜻.

알피니스트 〔alpinist〕 명 ①알프스 등산가. ②등산가(登山家).

알피니즘 〔Alpinism〕 명 ①알프스 등산 또는 암벽(岩壁) 등반 등, 고도(高度)의 기술을 필요로 하는 등산. 고산 등산(高山登山). ②등산 정신(登山精神).

알피에리 〔Alfieri, Vittorio〕 명 〖사람〗 이탈리아의 시인·고전주의적 비극의 창시자. 압제와 자유의 대립을 그리고, 국민적 이상을 고취했음. 19편의 비극 외에 시집·희극·정치론 및 기구한 정열적 생애를 그린 자서전이 있음. [1749-1803]

알피티다 형 〈옛〉 몹시 아프다. 통초(痛楚)하다. ¶알피티며 싀서늘호미 百萬 가지니(痛楚酸寒 百萬般) ≪南明 下 32≫.

알ᄑᆞ다 형 〈옛〉 아프다. =아ᄑᆞ다·알프다. ¶가ᄉᆞᆷ 알ᄑᆞᆯ 달(怛)≪類合 下 18≫/알ᄑᆞᆯ 동(疼), 알ᄑᆞᆯ 통(痛) ≪字會 中 32≫.

알ᄑᆞ로 〈옛〉 앞으로. ¶알ᄑᆞ로 올아가니 오직 묏귿 ᄲᅮᆫ니로다(前登但山椒) ≪杜諺 Ⅰ:34≫.

알ᄑᆡ 〈옛〉 앞에. '앒'의 부사형. ¶알ᄑᆡᄂᆞᆫ 어드ᄫᅳᆫ 길헤(前有暗程) ≪龍歌 30章≫.

알하젠 〔Alhazen〕 명 〖사람〗 아라비아의 물리학자. 수학·천문학·의학·철학에 관한 저작이 많음. 특히 ≪광학의 서(書)≫로, 유클리드나 프톨레마이오스의 이론에 반대하여 물건이 보이는 이유를 바르게 설명하였음. 눈의 구조, 빛의 반사·굴절, 렌즈·구면경(球面鏡)의 상, 무지개와 달무리·햇무리 문제 등을 다루어, 유럽에 커다란 영향을 미쳤음. [965?-1039?]

알함브라 궁전 【一宮殿】 〔Alhambra〕 명 〖지〗 ☞ 알람브라 궁전.

알-합 【一盒】 명 아주 조그마한 합. 난합(卵盒).

알-항아리 명 썩 작은 항아리.

알-행운 【遏行雲】 명 노래 소리가 어찌나 아름다운지, 무심(無心)한 구름도 가던 길을 멈춤을 이르는 말. 알운(遏雲).

알헤시라스 회:의 【一會議】 〔Algeciras〕 [一/一이] 명 〖역〗 1906년 모로코를 둘러싼 독일과 프랑스 간의 대립을 조정하기 위하여 스페인의 알헤시라스에서 열린 국제 회의. 프랑스와 스페인의 모로코에 대한 권리를 승인하였음.

알현 【謁見】 명 지체가 높은 사람을 찾아 뵘. 상알(上謁). 현알. ——-하다 타여불

알형 【軋刑】 명 고대(古代)의 형벌의 한 가지. 수레바퀴 밑에 깔아 뼈를 부수어 버림.

알홈 자타 〈옛〉 앓음. ¶肺氣ᄅᆞᆯ 알호미 時ㅣ 디나오라니(患氣經時久) ≪初杜諺 XXII:11≫.

알히 〈옛〉 알이. '알'의 주격형. ¶啐ᄋᆞᆫ 돌ᄀᆡ 알히 이러 ᄀᆞᆺ 낢겟 우루미라≪蒙法 44≫.

알히다 형 〈옛〉 아리다. ¶눈이 브어 알히며(眼腫痛)≪痘要 下 53≫.

알히라 〈옛〉 알이라. '알'의 서술격형. ¶殼ᄋᆞᆫ 이 알히라(殼是卵殼)≪圓覺 下 一之一 22≫.

알ᄒᆞ다 자 〈옛〉 아리다. 아프다. =알ᄑᆞ다. ¶눈망올이 알ᄒᆞ며 목이 쉬며(睛疼甚至聲啞) ≪辟瘟新方 Ⅰ≫.

알ᄒᆞᆯ 〈옛〉 알을. '알'의 목적격형. ¶알ᄒᆞᆯ 스러ᄃᆞᆫ 그 알히 이듬ᄒᆡᆺ 보ᄆᆡ ᄢᅡ ≪七大 6≫.

앍다 [악一] 자 ①얼굴에 마마의 자국이 나다. ¶앍은 얼굴. ②물건의 거죽에 흠이 많이 나다. 1)·2): <얽다.

앍둑-빼기 [악一] 명 얼굴이 보기 흉하게 앍둑앍둑 얽은 사람의 별명. <얽둑빼기.

앍둑-앍둑 [악一악一] 부 잘고 깊이 얽은 자국이 성기게 난 모양. <얽둑얽둑. ——-하다 형여불

앍박-앍박 [악一악一] 부 잘고 깊이 얽은 자국이 밴 모양. <얽벅얽벅. ——-하다 형여불

앍작-빼기 [악一] 명 얼굴이 보기 흉하게 앍작앍작 얽은 사람의 별명. <얽적빼기.

앍작-앍작 [악一악一] 부 잘고 굵은 것이 섞여 얕게 앍은 자국이 밴 모양. <얽적얽적. ——-하다 형여불

앍족-빼기 [악一] 명 얼굴이 과히 흉하지 않게 앍족앍족 얽은 사람의 별명. <얽죽빼기.

앍족-앍족 [악一악一] 부 잘고 굵은 것이 섞여 곱게 얽은 자국이 밴 모양. <얽죽얽죽. ——-하다 형여불

앎 [암] 명 아는 일. 지식(知識). ¶~은 힘이다.

앒 명 〈옛〉 ①앞. =앏. ¶앒 ᄆᆞᅀᆞᆯ히 묏 길히 險컨마ᄅᆞᆫ(前村山路險) ≪杜諺 Ⅸ·13≫. ②남쪽. ¶앒 남(南) ≪字會 中 4≫.

앒거티ᄂᆞᆫ ᄆᆞᆯ 명 〈옛〉 앞발을 저는 말. ¶앒거티ᄂᆞᆫ ᄆᆞᆯ(前失的馬)≪老乞 下 8≫.

앒니 명 〈옛〉 앞니. ¶앒니(板齒) ≪字會 上 26≫.

앒뒤 명 〈옛〉 앞뒤. ¶앒뒤흘 도라보디 아니ᄒᆞ고(不顧前後) ≪內訓 Ⅰ:32≫.

앒셔다 자 〈옛〉 앞서다. =앏셔다. ¶앒셔 길 자바 ≪月釋 Ⅹ:13≫.

앏픠 〈옛〉 앞에. '앏❶'의 처격형. ＝알퓌. ¶관원 앏픠 ᄃᆞ니다가(官人前面行書)《老乞 下 38》.
앏퓌 〈옛〉 앞에. ＝앏픠. ¶그 앏퓌 너러바회 火龍쇠 되여셰라《松江 關東別曲》.
앏희 〈옛〉 앞에. '앏❶'의 처격형(處格形). ¶門 앏희 기ᄅᆞ마 지은 白馬를 ᄆᆡ엿더니(門前絟着帶鞍的白馬來)《朴解 下 55》.
앏히 〈옛〉 앞에. ¶뎌집 門앏히 가셔(上他家門前)《朴解 上 31》.
앒 명 〈옛〉 앞. ＝앏❶. ¶알ᄑᆡ다ᄉᆞᄉᆞᆫ(前五는)《楞嚴 Ⅲ：63》/알ᄑᆡ닐오ᄃᆡ(前에云호ᄃᆡ)《楞嚴 Ⅰ：58》.
앒셔다 자 〈옛〉 앞서다. ＝앏셔다. ¶墓애 가싫제 부톄 앒셔시니을《月釋 Ⅹ·3》.
앓다 [알타] 자타 ①병에 걸려 고통을 당하다. ¶폐를 ～. ②마음에 근심이 있어 속태우다. ¶혼자 끙끙 ～.
[앓느니 죽지] 이왕에 조그만 곤란을 당할 바에는 큰 곤란을 겪어버리는 것이 낫다는 말. [앓던 이 빠진 것 같다] 밤낮으로 괴롭히던 것이 없어져 시원함을 두고 이르는 말.
앓음 시중 명 〈방〉 병구완.
-앓이 [알―] 미 명사 아래에 붙어서 '병'의 뜻을 나타내는 접미어. ¶가슴～/배～/속～
암[1] 명 뭇 생물의 자성(雌性). 곧, 유성 생식(有性生殖)의 수정자(受精者). ¶～과 수의 구별. ↔수[1].
암[2] 명 〈소아〉 물.
암:[3] 명 ☞암죽.
암[4]【庵】명 ↗암자(庵子).
암:[5]【癌】명 [cancer] ①『의』 병리학상 악성 종양(腫瘍)의 한 가지. 상피성(上皮性) 세포로부터 발생하여 조직을 파괴하고 출혈하게 하며 전신의 영양 장애를 일으킴. 외관은 가지가지인데 대체로 회백색을 띠고 좀 굳으며, 발달할수록 크고 혈관·림프샘 등을 거쳐서 몸의 각처로 쉽게 옮겨 가 생명이 위험하게 됨. 발생 원인은 아직 구명되지 않았으나 유전적 소인(素因)이 인정되고 있으며 외인(外因)으로는 방사선 등의 물리적 자극과 화학적 자극·바이러스 감염 등임. 완전 치료는 곤란하나 현재 외과적 절단·방사성 요법 및 화학 요법이 행하여짐. 위암·유암(乳癌)·자궁암·폐암 등 종류가 많음. 암종(癌腫). ②비유적으로, 기구(機構)·조직 중에서 큰 장애가 되고 있는 것. 또, 고치기 힘드는 나쁜 폐단. ¶매춘(賣春)은 사회의 ～이다.
암:[6] [arm] 명 ①팔[1]. ¶～백(bag). ②수화기(受話器). ③재봉틀의 머리 부분.
암:[7] 감 ↗아무려면. ¶～, 그렇고 말고.
암- 두 ①생물의 자성(雌性)을 나타내는 말. ¶～개미/～나비/～소/～컷. ②자성적·소극적 특성을 빌려, 비유적으로 쓰는 말. ¶～나사/～단추/～키와. 1)·2)：↔수-[1].
-암【岩·巖】미 명사 밑에 붙어 어떤 종류의 암석(岩石)임을 나타내는 말. ¶석회～/화강～.
암각-화【岩刻畫】명 『고고학』 바위 그림.
암:-갈색【暗褐色】[―쌕] 명 짙은 갈색. 검은 빛이 도는 갈색.
암-강아지 [―깡―] 명 ☞암캉아지.
암-개 [―깨] 명 〈옛·방〉 암캐(전남·경상). ¶암개(騍狗)《譯語 下 32》/암개(母狗)《漢淸 XIV：14》.
암-개미 명 개미의 암컷. ↔수개미.
암-개회나무 명 『식』 [*Syringa patula*] 물푸레나뭇과에 속하는 낙엽 활엽 관목. 잎은 달걀꼴 또는 넓은 타원형이고 대생(對生)하며 유병(有柄)임. 5월에 담홍색 또는 보라빛 꽃이 원추(圓錐) 화서로 묶은 가지 끝에 액생(腋生)하고 삭과(蒴果)는 9월에 익음. 산지에 나는데, 한국 특산으로, 경기·평북·함남북에 분포함. 관상용임.
암거[1]【岩居】명 석굴(石窟)에 삶. 속계(俗界)를 떠나서 산야(山野)에 숨어 삶. 또, 그 석굴. 암처(岩處). 암서(岩棲). ――-하다 자여불
암:거[2]【暗渠】명 『토』 지하에 매설되거나 지표에 있더라도 덮개를 한 도수로(導水路). 배수(排水)·하수·용수 따위에 이용됨. ↔개거(開渠)·명거(明渠).
암:-거래【暗去來】명 금령(禁令)을 위반하고 몰래 행하여지는 거래. 암매매(暗賣買). ¶밀수품을 ～하다. ――-하다 타여불
암-거미 명 거미의 암컷. ↔수거미.
암:거 배수【暗渠排水】명 『토』 습지(濕地)의 배수(排水)를 좋게 하기 위해 지하에 고랑을 파고 토관(土管) 따위를 묻어 배수하는 일. 주로 농지의 관개(灌漑) 배수를 할 때 실시하며, 도로·운동장·비행장 등에서도 실시함. ↔명거(明渠) 배수.
암:거-식【暗渠式】명 구거식(溝渠式).
암거ᄉᆞ 명 〈옛〉 여자. ¶밤중만 암거ᄉᆞ의 품에 드니 念佛經이 업셰라《古時調》.
암-검은표범나비 [―豹―] 명 『충』 [*Argynnis sagana*] 네발나빗과에 속하는 표범나비의 하나. 편 날개의 길이 70mm 내외이고 수컷의 날개에는 등황색에 흑색 무늬가 산재하고 뒷면은 담황갈색임. 암컷의 날개는 다소 녹색을 띤 흑갈색에 뚜렷한 백색 무늬가 있음. 성충은 7-8월에 발생하여 산지의 풀밭에 서식하는데, 한국·일본·만주에 분포함.

〈암검은표범나비〉

암-것 [―껏] 명 ☞암컷.
암-게 명 게의 암컷. ↔수게.
암:-계【暗計】명 비밀한 꾀. 또, 몰래 꾀함. 암모(暗謀). ――-하다 타여불
암고-란【岩高蘭】명 『식』 시로미.
암-고양이 명 고양이의 암컷. 준암괭이. ↔수고양이.
[암고양이 자지 베어 먹을 놈] 못할 짓이 없이 무슨 짓이든지 다 하겠다고 욕하는 말.
암-고운부전나비 명 『충』 [*Thecla betulae*] 부전나빗과에 속하는 곤충. 편 날개 길이 43mm 내외이고, 날개 표면은 흑갈색이며, 앞날개 중앙실 끝에 흑색판이 있고 뒷날개의 내연각과 미상(尾狀) 돌기에 등황색 무늬가 있음. 수컷의 앞날개의 중앙실 바깥 쪽에는 백회색(白灰色) 무늬가 있고, 암컷에는 넓은 등홍색(橙紅色) 무늬가 있음. 6-7월에 산지의 풀숲에 살며, 국화과·콩과 등의 식물에 모이는데, 한국·만주·중국에 분포함.
암골【岩骨】명 『생』 섭유골(顳顬骨)을 이루는 뼈의 하나. 관자놀이 가까이 있음.
암-곰 명 곰의 암컷. ↔수곰.
암:-공포증【癌恐怖症】[―쯩] 명 [cancerphobia] 『심』 자기 몸에 암이 생기는 것에 대하여, 비정상적(非正常的)으로 공포를 느끼는 상태.
암:관【暗款】명 『공』 암화(暗花).
암-괭이 명 ↗암고양이. ↔수괭이.
암괴[1] 명 〈옛〉 암고양이. ¶암괴(女猫)《譯語 下 32》.
암괴[2]【岩塊】명 바위 덩어리.
암구다 타 교미(交尾)를 붙이다. 흘레를 붙이다. ¶암내 내는 돼지를 ～.
암-구렁이 명 구렁이의 암컷. ↔수구렁이.
암:-구호【暗口號】명 『군』 적과 아군을 구별하기 위하여 미리 짜놓은 암호의 문어(問語) 및 답어(答語).
암:군【暗君】명 혼군(昏君).
암굴[1]【岩窟】명 석굴(石窟).
암:굴[2]【暗窟】명 어두컴컴한 암굴(岩窟). 햇빛이 비치지 않는 동굴.
암권【岩圈】[―꿘] 명 [lithosphere] 『지』 지구의 표층(表層)을 이루는 암석의 층. 지각(地殼)과 맨틀 상부를 합한 것으로, 그 두께는 대륙·해양 등 지역에 따라 다르나 70-200km임. 암석권(岩石圈). ↔수권(水圈)·기권(氣圈).
암:귀【暗鬼】명 ①어둠을 지배(支配)하는 귀신. ②망상(妄想)에서 오는 공포(恐怖).
암:규【暗窺】명 몰래 엿봄. ――-하다 자여불
암근[1]【岩根】명 바위의 땅에 묻힌 밑부분.
암근[2] 자 〈옛〉 아문. '암ᄀᆞᆯ다'의 활용형. ¶몸 우희 암근 술콰 갓괘 잇디 아니토다(身上無有完膚肌)《初杜諺 Ⅷ：2》.
암-글 명 ①배워 알기는 하나 실제로 쓸 줄 모르는 글의 지식. ②한글을 여자의 글이라고 낮추어 일컫던 말. ↔수글.
암글다 자 〈옛·방〉 아물다. ¶되야기 낫더니 내 올제 다 됴하 암그랏더라(出疹子來我來時都完痊疴了)《老乞 下 4》.
암글리다 타 〈방〉 아물리다.
암:-기[1]【―氣】[―끼] 명 암상궂은 마음. 시기심.
암:기[2]【暗記·諳記】명 머릿속에 기억하여 잊지 아니함. 욈. ¶～법/문장을 ～하다. ――-하다 타여불
암:기-력【暗記力】명 사물을 외는 힘. 기억(記憶)하여 잊지 아니하는 힘. ¶～ 테스트.
암:기-물【暗記物】명 암기를 특히 필요로 하는 학과. 또, 암기하여야 하는 일.
암-기와 [―끼―] 명 ☞암키와.
암ᄀᆞᄂᆞ니라 자 〈옛〉 아무느니라. '암ᄀᆞᆯ다'의 활용형. ¶旃檀香 ᄇᆞᄅᆞ면 즉자히 암ᄀᆞᄂᆞ니라《月釋 Ⅰ：27》.
암ᄀᆞᆯ다 자 〈옛〉 아물다. ¶갈해헌ᄯᅡ홀 旃檀香ᄇᆞ라면 즉자히 암ᄀᆞᄂᆞ니라《月釋 Ⅰ·27》.
암ᄀᆞᆯ오 자 〈옛〉 아물고. '암ᄀᆞᆯ다'의 활용형. ¶五百 사ᄅᆞ미 法 듣ᄌᆞᆸ고 깃거ᄒᆞ니 모미 암ᄀᆞᆯ오 ᄑᆡ 져지 ᄃᆞ외어늘《月釋 Ⅹ：31》.
암ᄀᆡ 명 〈옛〉 암캐. ¶암ᄀᆡ(母狗)《華類 55》.
암-꽁 명 〈방〉 까투리(전남·경상).
암-꽃 명 『식』 단성화(單性花)의 한 가지. 암꽃술만이 있고 수꽃술이 없는 꽃. 자화(雌花). ↔수꽃.
암-꽃술 명 『식』 꽃의 생식 기관(生殖器管)의 한 가지. 수꽃술이 둘러싸고 있는 한 가운데 있어, 수술로부터 꽃가루를 받는 꽃술. 주두(柱頭)·화주(花柱)·자방(子房)의 세 부분으로 되어 있음. 자예(雌蕊). 준암술. ↔수꽃술.
암-꽃이삭 [―니―] 명 『식』 암꽃이 피는 꽃이삭. 자화수(雌花穗). ↔수꽃이삭.
암-꿩 명 꿩의 암컷. 까투리. ↔수꿩.
암-나무 명 『식』 자웅 이주(雌雄異株)에 열매를 맺을 수 있는 나무. 열매가 열리는 은행나무 같은 것. ↔수나무.
암-나비 명 나비의 암컷. ↔수나비.
암-나사【―螺絲】명 수나사가 들어가 박히도록 구멍에 나선형으로 고랑을 지운 나사. ↔수나사.
암낙【頷諾】명 머리를 끄덕거려 승낙함. ――-하다 타여불
암-내[1] 명 발정기(發情期)에 암컷의 몸에서 나는 냄새. ¶개가 ～를 풍기다.
암내(가) 나다 구 소·말·돼지 등이 발정(發情)하다.
암내(를) 내:다 구 암컷이 암내를 피우다.
암:-내[2] 명 겨드랑이에서 나는 악취. 액기(腋氣). 액취(腋臭). 호취(狐臭). 겯땀내.
암냥 명 ←압령(押領). ――-하다 타여불
암-노루 명 노루의 암컷. 느렁이. ↔수노루.
암:-녹색【暗綠色】명 어두운 녹색. 암록(暗綠).
암-놈 명 짐승의 암컷을 귀엽게 일컫는 말. ↔수놈❶.
암-눈비앗 명 『식』 익모초(益母草).
암-니 명 〈방〉 어금니(경남).
암-단추 명 수단추가 들어가 걸리는 단추. ↔수단추.

암:-달러【暗一】〔dollar〕명 암시장(暗市場)에서 몰래 거래(去來)되는 달러 화폐(貨幣). ¶ ~상(商).

암-닭〔一딱〕명 ☞암탉.

암:담【暗澹】명 ①어둑컴컴하고 쓸쓸함. ②희망이 없고 막연함. 절망적임. ¶ 장래가 ~할 뿐이다. ——-하다 형여불

암-당나귀〔一땅一〕명〖동〗☞암탕나귀.

암-대극【岩大戟】명〖식〗〔*Galarhoeus jolkini*〕대극과에 속하는 다년초. 줄기는 비대하고 원주형이며 다수 족생(簇生)하고 유액(乳液)이 많으며, 높이 30-50cm 임. 잎은 무병(無柄)에 호생·밀생(密生)하고, 도피침상(倒披針狀) 긴 타원형임. 5월에 황록색 꽃이 줄기 끝에 산형(繖形) 화서로 피고, 과실은 삭과(蒴果)임. 해안의 암석 지대에 나는데, 제주·전남·경남에 분포(分布)함. 독(毒)이 있음.

〈암대극〉

암-데나 준 아무 데나. ¶ ~ 갖다 버려라.

암:독【暗毒】명 성질이 암상스럽고 독살스러움. ——-하다 형여불

암-돌쩌귀 명 ☞암톨쩌귀.

암돗 명〈옛〉암퇘지. ¶ 암돗(母猪)《漢淸 XIV:13》.

암동【岩洞】명 바위로 된 동혈(洞穴).

암-동모 명 남사당패에서, 수동모의 상대자. 보통, 삐리가 감당함.

암-돼지〔一돼一〕명 ☞암퇘지.

암-되다〔一뙤一〕형 남자의 기질(氣質)이 여성적이고 소극적이다. ¶ 암된 사내.

암:둔【闇鈍】명 어리석고 우둔함. ——-하다 형여불

암:등【暗燈】명 어둠침침한 등불.

암디새 명〈옛〉암키와. =암지새. ¶ 암디새(仰瓦)《譯語 上 17》. *디새.

암ᄃᆞᆰ 명〈옛〉암탉. =암톡. ¶ 반드시 암ᄃᆞᆰ이 새배 우러(必無牝雞晨鳴)《內訓 Ⅱ:14》.

암:-띠다 형 ①비밀을 좋아하는 성질이 있다. ②숫저워 부끄러움을 잘 타는 성질이 있다. ¶ 남자가 어째 그리 암띠냐.

암라【菴羅】〔一나〕명〔범 āmra〕〖식〗암마라(菴摩羅).

암라-과【菴羅果】〔一나一〕명 암마라과(菴摩羅果).

암라-원【菴羅園】〔一나一〕명〖불교〗〔망고(mango)가 많은 데서 유래〕중인도(中印度)의 폐사리국(吠舍釐國)에 있었던 석가의 정원(庭園). 여기서 석가가 유마경(維摩經) 등을 강설(講說)함. 암마라수원(菴摩羅樹園).

암랑【巖廊】〔一낭〕명〖역〗'의정부(議政府)'의 별칭.

암려【菴閭】〔一너〕명〖식〗맑은대쑥.

암려-자【菴閭子】〔一너一〕명 맑은대쑥의 씨. 강장제(強壯劑)나 통경약(通經藥)으로 쓰임.

암:련【諳練】〔一넌〕명 일체의 사물에 정통함. ——-하다 형여불

암:렬【暗劣】〔一녈〕명 사물에 어둡고 뒤떨어짐. 암우(暗愚)하고 재능에 뒤짐. 또, 그런 모양. ——-하다 형여불

암:로【暗路】〔一노〕명 어두운 길. 컴컴한 길.

암:록【暗綠】〔一녹〕명 어두운 녹색. 암녹색.

암:루【暗淚】〔一누〕명 소리없이 흘리는 눈물.

암류[1]【岩流】〔一뉴〕명〖지〗풍화 작용(風化作用), 특히 서리의 작용에 의하여 생긴 암설(岩屑)의 층(層)이 사면 상(斜面上)을 서서히 아래로 이동하는 현상.

암:류[2]【暗流】〔一뉴〕명 ①겉에 나타나지 않는 물의 흐름. 물 바닥의 흐름. ②바깥에 나타나지 아니하는 움직임. ¶ 감정(感情)의 ~로 찬 분위기(雰圍氣).

암:류[3]【暗留】〔一뉴〕명 환곡(還穀)을 대부하지 아니하고 창고에 쌓아두고, 값이 오르면 팔고, 내리면 사들여 채워서, 사리(私利)를 꾀하던 일. ——-하다 자여불

암류-권【岩流圈】〔一뉴꿘〕명〖지〗아스세노스피어(asthenosphere).

암:륜-선【暗輪船】〔一눈一〕명 추진기가 수면에 나타나지 아니한 기선.

암리【岩狸】〔一니〕명〖동〗바위너구리.

암리-류【岩狸類】〔一니一〕명〖동〗바위너구리목(目).

암리차르〔Amritsar〕명〖지〗인도북부 파키스탄의 라호르(Lahore)와 대하는 국경 도시. 펀자브 지방 동부의 농산물과 히말라야 산록 지방의 축산·임산물의 집산지임. 캐시미어직(cashmere織)의 카펫(carpet)과 숄은 세계적으로 유명하고, 시크교(Sikh教)의 영지(靈地)로도 알려짐. 〔589,000 명(1981)〕

암리차르 사:건【一事件】〔Amritsar〕〔一껀〕명 인도 독립 운동 중에 일어난 영국의 무력 탄압 사건. 영국은 제1차 대전 중에 전후(戰後)의 인도 독립을 약속하였으나, 전쟁이 끝난 후 이를 파기하고 민중을 탄압했음. 이에 대해 1919년 4월 13일 인도 국민 회의파가 암리차르에서 항의 집회를 열었는데, 영국군은 이에 발포, 수백 명의 사상자를 냄.

암:릿〔armlet〕명 팔꿈치 윗부분에 다는 고리. 팔의 장식품. 팔찌.

암마라【菴摩羅】명〖식〗〔범어 āmra의 음역(音譯)〕망고(mango)를 이름. 열매는 제물(祭物)에 쓰고, 그 나무는 호마목(護摩木)으로 사용함. 암라(菴羅).

암마라-과【菴摩羅果】명 망고(mango)의 열매. 암라과.

암마라수-원【菴摩羅樹園】명〖불교〗암라원(菴羅園).

암:막[1]【暗幕】명 광선(光線)을 막고 방안을 어둡게 하기 위해 둘러치는 검은 막.

암:막[2]【暗漠】명 어두움. ——-하다 형여불

암-막새 명〖건〗'내림새'를 '막새'로 일컫는 말. ↔수막새.

암만[1] 명 밝혀 말할 필요가 없는 값이나 수량 등을 일컫는 말. ¶ ~을 주고 샀으면 어때.

암만[2]〔Amman〕명〖지〗요르단 왕국의 수도. 요르단 강 동쪽 약 40km, 해발 800m 지점에 있음. 교통의 요지로, 공항도 있음. 로마·비잔틴 제국(帝國) 시대의 유적이 많음. 〔1,160,000 명(1990 추계)〕

암만[3] 부 아무리.

암만[4] 감〈방〉아무려면.

암만-암만 명 밝혀 말할 필요가 없는 값이나 수량 등이 두 자리 이상의 단위로 얘기될 때 일컫는 말. ¶ 논값은 ~.

암만-해도 부 아무리 해도. 도저히. ¶ ~ 안 돼.

암-말[1] 명 ↗아무 말. ¶ ~ 말아 줘.

암-말[2] 명 말의 암컷. ↔수말. *피마.

암매[1]【岩梅】명〖식〗〔*Diapensia obovata*〕암매과에 속하는 낙엽 활엽의 작은 관목. 포복생(匍匐生)이며 잎은 거꿀달걀꼴 또는 긴 거꿀달걀꼴이고, 2년생임. 7월에 백색 꽃이 하나씩 정생(頂生)하여 피고, 삭과(蒴果)는 가을에 검게 익음. 깊은 산의 중턱에 나며, 제주도·일본·사할린·캄차카·북미에 분포함.

〈암매[1]〉

암매[2]【晻昧】명 암매(闇昧). ——-하다 형여불

암:매[3]【暗昧·闇昧】명 못나고 어리석어서 생각이 어두움. ——-하다 형여불

암:매[4]【暗買】명 물건을 몰래 삼. ¶ 밀수품(密輸品)을 ~하다. ——-하다 타여불

암:매[5]【暗賣】명 물건을 몰래 팖. 잠매(潛賣). ¶ ~상(商)/극장표를 ~하다. ——-하다 타여불

암매-과【岩梅科】〔一꽈〕명〖식〗〔Diapensiaceae〕쌍자엽 식물 합판화류(合瓣花類)에 속하는 한 과.

암:-매매【暗賣買】명 물건을 몰래 팔고 삼. 암거래(暗去來). ——-하다 타여불

암:-매장【暗埋葬】명 암장(暗葬). *밀장(密葬). ——-하다 자여불

암맥【岩脈】명〔dyke〕〖지〗관입 암체(貫入岩體)의 하나. 일반적으로 퇴적암(堆積岩)의 층면(層面)·변성암(變成岩)의 편리(片理)에 대하여 마그마(magma)가 거의 수직(垂直)에 가까운 각도를 이루면서 지각(地殼) 속을 관입(貫入)하여 이룬 암체(岩體)로, 보통 평판(平板) 모양을 하고 있음.

암:맹【暗盲】명 어리석음. 도리(道理)를 모르고 무지(無知)함. ——-하다 형여불

암먹-부전나비 명〖충〗제비부전나비.

암:먼 감〈방〉아무려면.

암면[1]【岩面】명 돌바닥. 바위의 표면.

암면[2]【岩綿】명 암석 섬유(岩石纖維).

암:면[3]【暗面】명 암흑면(暗黑面)❶.

암:면 묘:사【暗面描寫】명〖문〗사회 및 인생의 암흑면에서 취재하여 묘사하는 일. 자연주의의 주된 경향임. 또한 근대 사실주의의 특색이기도 함.

암면 소파기【岩面搔爬機】명 유용 조류(藻類)의 번식의 방해가 되는 석회조(石灰藻)를 제거하기 위하여 바닷가의 암초(岩礁) 지대의 암면을 긁어 내는 기계.

암:명【暗冥·闇冥】명 ①어두워서 사람의 눈이 미치지 않는 곳. ②암흑의 세계. 특히, 지옥. 명토(冥土).

암:모【暗謀】명 암계(暗計). ——-하다 타여불

암모나이트〔ammonite〕명〖조개〗두족류(頭足類)·사새류(四鰓類)에 속하는 화석(化石) 조개. 고생대(古生代)의 실루리아기(Siluria紀)에서 중생대(中生代)의 백악기(白堊紀)까지의 지층(地層)에서 발견되는데, 특히 중생대에 많음. 종류가 많으며 시대적으로 패각(貝殼)의 형체·장식·봉합선(縫合線) 등에 특별한 진화(進化)를 나타내므로 시준 화석(示準化石)으로서 귀중함. 조개껍질에 언뜻 보기에 국화 같은 주름이 있으므로 '국석(菊石)'이라고도 함. 암몬조개.

〈암모나이트〉

암모늄〔ammonium〕명〖화〗일가(一價)의 양성기(陽性基). 알카리 금속(Alkali 金屬) 특히 칼륨(kalium)과 유사(類似)한 화합물을 만들며 화학 반응도 비슷함. 쉽게 암모니아와 수소로 분해되므로 순수하게 만들 수 없음. [NH_4]

암모늄 백반【一白礬】명〔ammonium alum〕〖화〗황산 알루미늄과 암모늄의 황산염과의 복염(複塩).

암모늄 아말감〔ammonium amalgam〕명〖화〗암모늄염의 액체 암모니아 용액을, 수은을 음극으로 하여 전기 분해하든가, 나트륨 아말감에 염화 암모늄의 농용액을 가하여 얻어지는 금속 광택을 가진 반고체상 아말감. 환원제로 쓰임.

암모니아〔ammonia〕명〖화〗①자극성의 악취가 있는 무색의 기체. 질소와 수소의 화합물이며 동식물의 부패에 의하여 생기는데 석탄 건류(乾溜)의 부산물로서 산출되고 또는 공중 질소를 고정시켜 만들기도 함. 물에 잘 녹으며 고압을 가하면 무색의 액체가 됨. 화학 공업의 원료로 쓰이며 기화열(氣化熱)이 높아 제빙(製氷) 또는 냉장고 등에 쓰이고 유안·질산 등 비료 제조에도 쓰임. 비중 0.5971, 녹는점 −77.7°C, 끓는점 −33.4°C. [NH_3] ②〈속〉유안(硫安).

암모니아 냉:동법【一冷凍法】〔ammonia〕〔一뻡〕명〖공〗암모니아의 높은 기화열(氣化熱)을 이용한 냉동법의 한 가지.

암모니아 산화균【一酸化菌】〔ammonia〕명 아질산균(亞窒酸菌).

암모니아 산화법【一酸化法】〔一뻡〕명〔oxidation process of ammonia〕〖화〗오스트발트법(Ostwald 法).

암모니아 소:다법【—法】[—뻡] 명 [ammonia soda process] 『화』 1863년에 벨기에의 솔베이(Solvay)가 발명한 탄산 소다의 공업적 제조법. 진한 식염 용액(食塩溶液)에 암모니아와 탄산 가스를 불어 넣어서 생긴 침전된 중조(重曹)를 분리·가열하여 탄산 소다를 얻는 방법. 솔베이법(Solvay法).

암모니아-수【—水】 명 [ammonia water] 『화』 암모니아의 수용액. 알칼리성 반응을 나타내는 무색의 액체. 침전제·pH 완충제(緩衝劑) 등의 시약(試藥), 흥분제·중화제·국소 자극제 등의 의약품, 합성 수지·합성 섬유의 축합제(縮合劑) 등에 널리 쓰임.

암모니아 시계【—時計】 명 [ammonia clock] 피라밋상(狀)의 암모니아 분자가 쉽게 역(逆) 피라밋형(形)으로 천이(遷移)하는 성질을 이용한 시계. 2.387013×10^{10} Hz의 정확한 주파수로 양극위(兩極位) 사이를 진동함.

암모니아-액【—液】 명 [ammonia liquor] 『화』 석탄 가스나 코크스 제조시의 부산물인 불순한 액상(液狀) 암모니아. 암모니아 및 그 염류의 제조에 이용됨.

암모니아 착염【—錯塩】[ammonia] 명 『화』 암민 착염(ammine 錯塩).

암모니아 찰제【—擦劑】[ammonia] [—쩨] 명 『약』 암모니아수(水)와 호마유(胡麻油)를 1:4의 비율로 섞어 만든 흰 빛의 진한 액. 마비·신경통·류머티즘·삔 곳 등과 독충이 쏜 상처 등에 바름.

암모니아 합성법【—合成法】[ammonia] [—뻡] 명 『화』 암모니아의 공업적 제조법. 질소와 수소의 고압 촉매(高壓觸媒) 반응에 의하여 직접 합성함. 1907년 독일의 하버(Haber, F.)가 합성법의 기초를 확립하고, 1913년 보슈(Bosch, K.)가 공업 규모(工業規模)의 생산에 성공함. 하버 보슈법(法).

암모니아 화:성 작용【—化成作用】[ammonia] 명 『화』 자연계의 질소의 순환(循環)에서, 동식물의 썩은 것 또는 배출물 등의 유기 질소 화합물이 땅 속의 미생물의 작용으로 분해되어 암모니아가 되는 작용. 암모니아 생성 작용(生成作用).

암: 모:션 [arm motion] 명 육상 경기에서, 달릴 때의 팔의 동작.

암몬-각【—角】[ammon] 명 『생』 대뇌 반구(半球)의 일부를 이루며 다른 대뇌 피질(皮質)과는 전혀 다른 특별한 구조를 나타내는 부분. 측두부(側頭部)의 밑으로부터 내측벽(內側壁)에 걸쳐 돌출하여, 전하방(前下方)으로부터 후하방(後下方)에 뻗은 모양을 하고 있음. 후각(嗅覺)과 관계가 깊다고 생각되고 있으며, 인간은 다른 포유 동물보다 덜 발달되어 있다 함.

암몬-조개 [ammon] 명 『조개』 암모나이트(ammonite).

암:무【暗霧】 명 어둡도록 자욱이 끼는 안개.

암:-무지개 명 쌍무지개가 섰을 때에 그 중 빛이 엷고 흐릿한 무지개. ↔수무지개.

암:묵【暗默】 명 자기의 의사를 밖에 나타내지 아니함. ——-하다 타 여불

암:묵-리【暗默裡】[—니] 명 자기의 의사를 겉으로 나타내지 않는 상태. ¶ ~에 양해하다. *암암리.

암문[1]【岩門】 명 석문(石門)❷.

암:문[2]【暗門】 명 성벽에다 다락 없이 만들어 놓은 문.

〈암문²〉

암-물 명 보얀 빛을 띤 샘물.

암미터 [ammeter] 명 『물』 전류계(電流計).

암:민【暗民】 명 무지(無知)한 백성.

암민 착염【—錯塩】 명 [ammine complex salt] 『화』 암모니아가 물분자처럼 암모니아 쌍극자(雙極子)와 금속 이온의 상호 작용에 의해 금속 주위에 배위(配位)되어 있는 염. 금속의 정성 분석(定性分析)에 쓰임. 암모니아 착염(ammonia 錯塩).

암모다 형 〈옛〉 야물다. 여물다. 완전하다. ¶ 드나드로매 암모 ᄀ외도업스니라(出入無完裙) ≪杜諺 Ⅳ:8≫.

암반【岩盤】 명 다른 바위 속으로 돌입하여 굳어진 불규칙한 대형의 바위. ¶ ~층.

암:-반응[1]【暗反應】 명 [dark reaction] 『화』 광합성(光合成)의 과정중 빛이 관여하지 않는 반응 단계. 그 기계적 작용은 충분히 해명되지 않았으나 많은 산소가 관여하는 복잡한 반응으로 생각됨. 블랙먼 반응. ↔명반응(明反應). *광합성(光合成).

암:-반응[2]【癌反應】 명 『의』 암질환의 조기(早期) 진단에 쓰이는 반응. 혈청학적(血淸學的) 반응·피부 반응·오줌을 사용하는 반응 등 세 가지가 있음.

암반-층【岩盤層】 명 『지』 땅 속의 암반으로 된 층.

암:-방전【暗放電】 명 [dark discharge] 기체(氣體) 중에서 빛을 내지 않는 전기 방전.

암-벌 명 벌의 암컷. 자봉(雌蜂). ↔수벌.

암-범[1] 명 범의 암컷. ↔수범.

암:범[2]【暗犯】 명 몰래 죄나 잘못을 범함. ——-하다 타 여불

암범-같다 형 여자가 몸집은 작아도 억세고 꿋꿋하다.

암벽【岩壁】 명 벽 모양으로 깎아지른 듯 높이 솟은 바위. ¶ ~을 기어오르다.

암벽 등반【岩壁登攀】 명 등산에서, 록 클라이밍.

암벽 회:화【岩壁繪畫】 명 『미술』 자연의 암면(岩面)에 그려진 그림. 흔히, 동굴 내부에 있음. 청동기 시대(靑銅器時代) 이전의 벽화에서 볼 수 있음.

암-병아리 [—뼝—] 명 ☞암평아리.

암:보【暗譜】 명 악보를 암기함. ——-하다 타 여불

암보이나 섬 [Amboina] 명 『지』 '암본 섬'의 옛 이름.

암본 섬 [Ambon] 명 『지』 인도네시아 동부, 세람(Ceram) 섬 서남쪽에 있는 섬. 주민은 파푸아계(系)의 혼혈 암본 종족으로 그리스도교도임. 예로부터 향료의 산지로 유명함. 주도(主都) 암본은 인도네시아의 해군 기지임. [813 km^2: 67,000명(1981 추계)]

암:부【暗部】 명 『천』 본그림자❷.

암분【岩粉】 명 ①[stone dust] 『광』 탄광의 주요 갱도(坑道) 위에 살포해 놓는 불활성(不活性) 가루. 탄진(炭塵) 폭발 위험성을 방지하는 작용을 함. 열을 흡수하기 때문임. ②[rock flour] 『지』 화학적으로 풍화(風化)되지 않은 잔 조암(造岩) 광물의 분말. 천연 암석의 운반 또는 파쇄(破碎) 때에 생김.

암분 살포【岩粉撒布】 명 『광』 탄갱내(炭坑內)의 탄진(炭塵)에 의한 인화 폭발의 위험을 방지하기 위하여 암분을 살포하는 일.

암분 살포기【岩粉撒布機】 명 [rock duster] 탄광에서, 탄진 폭발(炭塵爆發) 방지를 목적으로 암분을 압력으로 탄갱(炭坑) 내부에 살포하는 기계.

암분 선반【岩粉—】 명 [stone-dust barrier] 『광』 암분 지대에서 폭발에 의한 폭염(爆炎)의 확산을 막기 위하여 만든 시설의 하나. 갱도의 양쪽에 선반을 만들어, 그 위에 방폭(防爆) 암분을 얹어 놓음.

암분 지대【岩粉地帶】 명 『광』 탄진(炭塵) 폭발의 국소화(局所化)를 목적으로 갱내(坑內)에 설치한 암분 살포 구역.

암브로시우스 [Ambrosius] 명 『사람』 고대 그리스도교의 성자. 밀라노의 주교(主敎). 테오도시우스(Theodocius) 황제와 충돌하여 이를 굴복시키고 아우구스티누스(Augustinus)를 기독교로 개종(改宗)시켰음. 교회 찬송가(敎會讚頌歌)를 정리하여 ≪암브로시우스 성가(聖歌)≫란 가집(歌集)을 만들고 '암브로시우스 선법(旋法)'이란 네 선법을 제정하였음. [333?-397]

암-비둘기 명 비둘기의 암컷. ↔수비둘기.

암:사【暗射】 명 ①맹사(盲射). ②실물(實物)을 보지 않고 알아 맞히는 일. ——-하다 타 여불

암:-사내 명 암떤 사내.

암-사돈【—査頓】 명 며느리 쪽의 사돈. ↔수사돈.

암-사슴 명 사슴의 암컷. 빈록(牝鹿). 느렁이.

암:사 지도【暗射地圖】 명 백지도(白地圖).

암산[1]【岩山】 명 바위가 많은 산. 바위만 있고 흙이 없어 초목이 자라지 못하는 산. 거산(鋸山). 검산(劍山).

암-산[2]【岩山】 명 『지』 강원도 양양군(襄陽郡)에 있는 산. [1,153 m]

암:산[3]【暗算】 명 필산(筆算)·주판 등을 쓰지 않고 마음으로 셈함. 목산(目算). 공산(空算). ↔필산. ——-하다 타 여불

암살[1] 명 아프거나 어려움을 거짓 꾸미거나 실제보다 보태어 나타내는 태도. ¶ ~을 부리다. <엄살. ——-하다 자 여불

암:살[2]【暗殺】 명 몰래 사람을 죽임. 도살(盜殺). ¶ ~ 계획. *암해(暗害). ——-하다 타 여불

암:살-단【暗殺團】[—딴] 명 암살을 목적으로 조직된 단체.

암-삼 명 암꽃만 있는 삼포기. ↔수삼.

암:상[1] 명 남을 미워하고 샘을 잘 내는 잔망스러운 심술. ❛ 진주집의 ~이 머리 끝까지 올라서 악을 박박 쓰는 소리와 음전이의 살려달라고 애걸하는 소리가 밖에서도 들리었다≪李無影 : 農民≫. ——-하다 형 여불 샘바르고 매서운 마음이 많다.

암:상(을) 내:다 구 암상스러운 말이나 짓을 하다.

암:상(을) 떨:다 구 암상스러운 태도를 몹시 부리다.

암:상(을) 부리다 구 일부러 암상스러운 태도를 꾸며 보이다.

암:상(을) 피우다 구 암상스러운 태도를 나타내다.

암상[2]【岩床】 명 『지』 ↗관입 암상(貫入岩床). *암석상.

암상[3]【岩相】 명 [lithofacies] 『지』 퇴적암(堆積岩)의 조성(組成)·입도(粒度)·도태도(陶汰度) 따위 퇴적 환경을 지시하는 특징을 말함. 역암상(礫岩相)·사상(砂相)·석회암상 등이 있음.

암:상[4]【暗相】 명 ①그 사람을 보지 않고 상을 보는 일. ②『불교』 겉으로 나타나지 않는 모습.

암:상[5]【暗像】 명 ①어두운 형상(形像). ②어두움 속에서 윤곽(輪廓)만 나타난 형상.

암:상[6]【暗箱】 명 ①어둠 상자. ②광선(光線)을 차단(遮斷)하기 위하여 만든 상자.

암:상-궂다 형 매우 암상스럽다.

암:상-꾸러기 명 암상을 잘 부리는 사람.

암상 단위【岩相單位】 명 『지』 암석(岩石) 단위.

암상-도【岩相圖】 명 [lithofacies map] 『지』 암석학적 특징을 기초로 하여 만들어진 일정 지역의 층상도(層相圖).

암:상-스럽다 형 ㅂ불 암상한 태도가 있다. ❛ 이것은 참 또 너무 암상스럽게 미닫이가 열리면서 아내의 얼굴과 그 등 뒤에 낯설은 남자의 얼굴이 이쪽을 내다보는 것이다≪李箱 : 날개≫. 암:상-스레 부

암상 식물【岩上植物】 명 『식』 암생 식물(岩生植物).

암:-상인【暗商人】 명 법을 어기고 몰래 상품을 매매하는 장사꾼.

암상 층서 단위【岩相層序單位】 명 『지』 암석 단위.

암-새 명 새의 암컷. ↔수새.

암:색[1]【暗色】 명 어두운 느낌이 드는 빛깔. 어두운 빛깔. ↔명색(明色).

암:색[2]【暗索】 명 ↗암중 모색(暗中摸索). ——-하다 타 여불

암생 식물【岩生植物】 명 『식』 암석 표면의 지의류(地衣類)·부처손 등과 같이, 바위에 붙어서 사는 건생(乾生) 식물의 총칭. 암상 식물(岩上植物). 바위 식물.

암서[1]【岩棲】 명 암거(岩居).

암서[2]【岩嶼】 명 바위로 된 섬.

암석[1]【岩石】명 ①바위와 돌. ②〖지〗 지각(地殼)과 맨틀(mantle)을 구성하는 물질. 일종 또는 수종의 광물체로 이루어짐. 성인(成因)상으로 화성암(火成岩)·퇴적암(堆積岩)·변성암(變成岩)으로 대별하며, 조성(組成)상으로는 산성암(酸性岩)·중성암(中性岩)·염기성암(塩基性岩)·초염기성암(超塩基性岩)으로 분류함. 바위.

암:석[2]【暗惜】명 남몰래 애석해함. ——-하다 자여불

암석-계【岩石系】명〔rock system〕〖지〗 암석 역학(岩石力學)에서, 암석에 대한 모든 환경 인자(環境因子)의 총칭.

암석-구【岩石區】명〔petrographic province〕〖광〗 화성암의 공존(共存) 관계에 의한 암석 분포의 구분. 어떤 지질 시대에, 같은 계통의 화성암이 발견되는 일정한 넓이의 구역.

암석-권【岩石圈】명〖지〗 암권(岩圈).

암석 단구【岩石段丘】명〔rock terrace〕〖지〗 사력층(砂礫層)이 없이 암석의 노출된 단구(段丘). 침식(浸蝕)으로 말미암아 하안(河岸) 단구가 생겼을 때 그 양측 벼랑 중간에 암석이 노출(露出)되어 있는 단구. 곧, 암석의 상부(上部)·하부(下部)가 침식되어서 이루어진 사력층(砂礫層)이 얇은 단구.

암석 단위【岩石單位】명〔rock unit〕〖지〗 식별 가능한 물리적 특징 또는 일정한 암석의 형이나 조성(組成)을 특징짓는, 질적(質的)으로 같은 암석 지층(地層)의 단위. 층군(層群)·누층(累層)·부층(部層)·단층(單層)이 있음. 암상 층서 단위(岩相層序單位). 암상(岩相) 단위. *층서 단위.

암석-면【岩石面】명 암석으로 된 표면. 바위 바닥.

암석 보:호 단구【岩石保護段丘】명〔rock-defended terrace〕〖지〗 ①기부(基部)에 하방 침식(下方浸蝕)을 막을 수 있는 노출된 바위가 있거나 중턱에 선반처럼 나온 바위 등이 있는 하안 단구(河岸段丘). ②낭떠러지 밑에 파식(波蝕)을 방지할 수 있는 암체(岩體)가 있는 해안 단구.

암석 분류학【岩石分類學】[—불—] 명〔petrography〕〖지〗 현미경적 실험으로 암석의 계통적인 분류 등을 다루는 학문.

암석 사막【岩石沙漠】명〔rock desert〕〖지〗 지표(地表)에 암석·자갈·진흙 따위가 노출한 평원(平原) 모양의 사막. 세계의 사막의 대부분이 이것임. 돌사막.

암석-상[1]【岩石床】명〖지〗 침식 영력(浸蝕營力)의 평형 상태(平衡狀態)에 있는 물의 흐름에 의하여 형성된 지형. 기반(基盤) 암석으로만 되어 있음. *암상(岩床).

암석-상[2]【岩石相】명〔petrographic facies〕〖지〗 주로 조성(組成)이나 외관으로 구별되는 암석의 상(相).

암석 섬유【岩石纖維】명〖공〗 현무암(玄武岩)·안산암(安山岩)·사문암(蛇紋岩) 등 염기성 화성암(塩基性火成岩)을 용융(熔融)하여 급랭(急冷)해서 만든 섬유 같은 물질. 열절연체(熱絶緣體)로서 보온·보냉(保冷) 및 흡음재(吸音材)로 쓰임. 암면(岩綿). 록파이버.

암석 성인론【岩石成因論】[—논] 명〔petrogenesis〕〖지〗 암석의 기원을 다루는 이론 암석학의 한 분야. 특히, 화성암을 다룸.

암석 숭배【岩石崇拜】명 돌이나 바위에 신성(神聖)한 힘이 있다고 생각하고 숭배하는 종교적 관습(宗教的慣習). 흔히, 원시적인 신앙에서 볼 수 있음.

암석 슬라이드【岩石—】명〔rock slide〕〖지〗 새로이 분리된 기반암(基盤岩)의 일부가 층리(層理)·절리(節理)·단층(斷層)과 같은 부분의 위를 아래쪽으로 급속히 이동하는 일.

암석 아스팔트【岩石—】명〔rock asphalt〕 역청석(瀝青石).

암석 역학【岩石力學】[—녁—] 명〔rock mechanics〕〖지〗 인위적 요인(人爲的要因)으로 본래의 주위 외력(外力)을 변화시켰을 때의 암석의 반응을 정량화(定量化)하기 위하여, 역학(力學)과 지질학 원리를 응용하는 학문 분야.

암석 윤회【岩石輪廻】[—눈—] 명〖지〗 윤회❸.

암석 조직【岩石組織】명〖지〗 암석의 구성 광물의 크기·모양·배합(配合) 등을 말함. 그 특징에 따라 반상(斑狀)·편리(片理) 등이라 말함. 석리(石理).

암석-층【岩石層】명〖지〗 암석으로 이루어진 지층(地層).

암석 토양형【岩石土壤型】명〖지〗 토양형 분류의 하나. 모암(母岩)의 영향이 강하게 나타나서 형성된 토양형의 한 가지임. *지하수 토양형(地下水土壤型).

암석-학【岩石學】명〔petrology〕〖지〗 지질학(地質學)의 한 분야. 암석의 산출 상태·성분·조직·성질 및 성인(成因)·상호 관계 등을 연구하는 학문. ¶ ~자(者).

암석학용 현:미경【岩石學用顯微鏡】[—뇽—] 명〖물〗 암석 현미경(岩石顯微鏡).

암석 해:안【岩石海岸】명〖지〗 노출한 바위가 암벽을 이루고 있는 해안. 해안의 배후에는 경사가 급한 해식애(海蝕崖)가 솟고 그 앞에는 평탄한 해식대(海蝕臺)가 있음.

암석 현:미경【岩石顯微鏡】명〖물〗 편광 현미경(偏光顯微鏡).

암석 화학【岩石化學】명〔petrochemistry〕 암석의 화학 조성(組成)을 연구하는 지구 화학의 한 분야.

암:선【暗線】명〔dark line〕〖물〗 흡수선(吸收線).

암:선 스펙트럼【暗線—】명〔dark line spectrum〕 백색광(白色光)이 흡수선(吸收線)을 가진 물질을 투과(透過)할 때 생기는 스펙트럼. 밝은 연속 스펙트럼 속에 어두운 선(線)으로 나타남.

암설【岩屑】명〔detritus〕〖지〗 풍화 작용에 의하여 파괴되어 생긴 바위 부스러기.

암설-토【岩屑土】명〖지〗 암설을 주성분으로 한 토양.

암:성【暗星】명〖천〗 스스로 빛을 내지 아니하는 항성(恒星). 암흑성(暗黑星).

암:성 늑막염【癌性肋膜炎】[—썽—념] 명〖의〗 암으로 인한 늑막염. 원발성(原發性)인 것은 적고 유방·폐·위·식도 따위에 근접한 장기(臟器)의 암이 전이(轉移)된 것이 많음. 다른 종류의 늑막염보다 호흡 곤란·흉통(胸痛)이 심함. 흉수(胸水)는 혈성(血性)이고 암세포의 증명으로 확진(確診)됨.

암:성 복막염【癌性腹膜炎】[—썽—념] 명〖의〗 암으로 인한 만성 복막염. 흔히, 위(胃)·장(腸)·난소(卵巢) 등의 악성 종양, 특히 암종(癌腫)이 복막에 파급하여 일어남.

암:-세계【暗世界】명 ①어두운 세상. ②질서가 없고 어지러운 세상. 암흑 세계.

암:-세포【癌細胞】명〔cancerous cells〕〖의〗 암의 본태(本態)를 이루는 유해(有害)한 세포.

암-소[1] 명 소의 암컷. 빈우(牝牛). ↔황소.

[암소 곧달음] 변통성이 없고 고집만 세우는 태도를 가리키는 말.

암:소[2]【暗笑】명 마음 속에서 비웃음. ——-하다 타여불

암:소-시【暗所視】명〖심〗 어둠에서 물체를 보는 데 익은 눈의 상태. 황혼시(黃昏視).

암:송【暗誦】명 책을 보지 아니하고 글을 욈. 풍독(諷讀). ¶ 시를 ~하다. ——-하다 타여불

암-쇠 명 ①자물쇠 따위의 수쇠가 들어가서 걸릴 쇠. ②맷돌 위짝 중앙에 박은 구멍 뚫린 쇠. 1)·2):↔수쇠. ③〈방〉 암톨쩌귀.

암-수[1] 명 암컷과 수컷. 자웅(雌雄). 빈모(牝牡).

암:수[2]【岩岫】명 바위 굴. 석굴(石窟).

암:수[3]【暗愁】명 남모르게 품은 수심.

암:수[4]【暗數】명 속임수. ¶ ~를 쓰다.

암수-같은모양 명〖생〗 자웅 동형(雌雄同形). ↔암수딴모양.

암:수-거리【暗數—】명 암수로 남을 속이는 행동. ——-하다 타여불

암수-딴그루 명〖식〗 자웅 이주(雌雄異株). ↔암수한그루.

암수-딴모양 명〖생〗 자웅 이형(雌雄異形). ↔암수같은모양.

암수-딴몸 명〖동〗 자웅 이체(雌雄異體). ↔암수한몸.

암수-한그루 명〖식〗 자웅 동주(雌雄同株). ↔암수딴그루.

암수-한몸 명〖동〗 자웅 동체(雌雄同體). ↔암수딴몸.

암:-순응【暗順應】명〖심〗 밝은 곳에서 갑자기 어두운 곳에 갔을 때에 처음에는 아무것도 안 보이나, 차차 주위의 것들이 어렴풋이 보이게 되는 현상. ↔명순응.

암술 명〖식〗 ↗암꽃술. ↔수술[1].

암술-대 [—때] 명〖식〗 화주(花柱). ↔수술대.

암술-머리 명〖식〗 암꽃술의 머리. 주두(柱頭).

암술 선숙【—先熟】명〖식〗 한 꽃의 암술이 수술보다 먼저 성숙하는 현상. 목련(木蓮)·질경이 같은 것이 이에 속함.

암스테르담〔Amsterdam〕명〖지〗 네덜란드의 수도. 에이셀 호(Ijssel 湖)에 면한 양항으로 네덜란드 제일의 무역항임. 시가는 운하가 많아 90개의 섬과 300개의 교량으로 이루어짐. 금속·조선(造船)·차량·전기(電機)·섬유 등의 공업이 행하여지고 다이아몬드 연마(硏磨) 공업은 세계적임. 1300년경에 건설되어 17세기에는 세계 제일의 상업과 금융 도시(金融都市)로 번영(繁榮)하였음. 19세기 이후는 북해 운하(北海運河)의 개통(開通)과 상공업의 발달로 네덜란드 최대의 도시로 성장함. [700,000명(1995 추계)]

암스테르담 공항【—空港】〔Amsterdam〕명 초음속(超音速) 여객기 시대에 대비하여, 1967년 암스테르담에 건설된 유럽 최신 최대(最新最大)의 국제 공항. 넓이 약 3,500 *ha*이고, 활주로는 3,250 m, 2,550 m, 2,150 m 각 1개씩을 포함한 5개. 연간 발착 회수 10만 회. 이용객 수 400만 명을 예상하여 설계함.

암스테르담 국립 미술관【—國立美術館】〔Amsterdam〕[—닙—] 명 암스테르담에 있는 국립 미술관. 1808년 설립되어, 1815년 국립으로 됨. 17세기 네덜란드 회화(繪畫)의 수집으로 유명함.

암스테르담 은행【—銀行】〔Amsterdam〕명 1609년 암스테르담에 있던 공립(公立) 외환(外換) 은행. 무역 활동을 하는 유럽 각지의 상인이 예금하는 각국 각종의 화폐를, 은행은 '은행 화폐'로 환산하여 기장(記帳)하고, 청구에 따라 다른 예금 계좌에의 대체를 행했음. 세계 무역 결제의 중추로 네덜란드 번영에 공헌하였으나, 네덜란드 몰락과 함께 쇠퇴, 1820년에 폐쇄됨.

암스테르담 인터내셔널〔Amsterdam International〕명〖사〗 국제 노동 조합 연합.

암:스트롱[1]〔Armstrong, Daniel Louis〕명〖사람〗 미국의 흑인(黑人) 트럼펫 연주가·가수(歌手). 천재적인 독주로 재즈에 결정적인 영향을 끼쳤으며, 영화에도 출연하여 인기를 얻음. [1900-71]

암:스트롱[2]〔Armstrong, Edwin Howard〕명〖사람〗 미국의 무선·전기 기술자·콜롬비아 대학 교수. 슈퍼헤테로다인 회로(superheterodyne 回路)·초재생식 회로(超再生式回路)를 창안하고, 다시 주파수 변조 방식(周波數變調方式; FM)을 완성함. [1890-1954]

암:스트롱[3]〔Armstrong, Neil Alden〕명〖사람〗 미국의 우주 비행사. 1969년 아폴로 11호로 달에 착륙하여 인류 최초로 달 표면에 발을 디딤. [1930-]

암:스트롱[4]〔Armstrong, William George〕명〖사람〗 영국의 발명가·기업가. 암스트롱포(Armstrong砲)·회전식 수력 원동기(回轉式水力原動機) 및 각종 수압기(水壓機) 등을 발명하여 암스트롱 회사를 창립하고, 기계 제조의 대기업체로 육성(育成)시킴. 나이트작(knight爵)을 받음. [1810-1900]

암:스트롱-포【—砲】〔Armstrong〕명〖군〗 대포의 일종. 암스트롱 회사제(會社製)의 속사포(速射砲)·강철포(鋼鐵砲). 1854년 영국의 암스

트롱이 발명함. 포신(砲身)을 강철로 만들고, 내부에는 나선조(螺旋條)를 부착함. 탄환을 후미(後尾)에 장전(裝塡)하여 발사하면 회전하면서 나아감.

암:시[1]【暗示】 명 ①사물의 아는 실마리 등을 분명히 표시하지 않고 넌지시 깨우쳐 줌. 또, 그런 말·태도. 힌트(hint). ¶ ~를 주다. ↔명시(明示). ②[suggestion]〖심〗이치나 명령을 포함하지 아니한 언어 또는 기타의 자극으로써 타인의 관념·신념(信念)·결심·행동 등을 유발(誘發)하는 일. ¶ ~ 요법. ③〖심〗타인의 비판과 통합(統合)의 능력을 빼앗고 어떤 행동을 일으키도록 하기 위하여 사용하는 자극(刺戟). ——-하다 타 여불

암:시[2]【暗視】 명 어두운 곳에서 물체를 보는 일. 적외선(赤外線) 암시 장치를 사용함. ——-하다 타 여불

암:시-법【暗示法】[-뻡] 명〖문〗뜻하는 바를 직접적으로 표현하지 아니하고 간접적인 수단으로 표현하는 표현법의 한 가지.

암:시-성【暗示性】[-썽] 명 암시하는 성격.

암:-시세【暗時勢】 명 암거래 시세.

암:시야 장치【暗視野裝置】 명〖물〗투과 광선(透過光線)을 쓰지 아니하고 빛이 주위의 프리즘으로부터 한가운데로 향하도록 만들어진 장치. *한외(限外) 현미경.

암:시야 현:미경【暗視野顯微鏡】 명〖기〗한외 현미경(限外顯微鏡).

암:시 요법【暗示療法】[-뻡] 명〖의〗암시의 정신 현상(精神現象)을 이용한 정신 요법의 하나. 신경증(神經症)의 환자(患者) 등이 의사(醫師)를 신뢰(信賴)하고 있는 시기(時機)를 포착(捕捉)하여, 그 신뢰감을 이용한 암시에 의하여 정신이나 신체의 이상 증상(異常症狀)을 치료함. 보통, 조건 반사(條件反射)나 최면술(催眠術)을 응용(應用)하는 요법을 말함.

암:-시장【暗市場】 명〖경〗블랙 마켓.

암식【諳識】 명 외어 앎. 암기(暗記)함. ——-하다 타 여불

암:실【暗室】 명 ①밀폐하여 광선이 들어가지 않도록 설비한 방. 주로 물리·화학 및 생물학 등의 실험과 사진 현상 등에 사용됨. ② 교도소 등에서 중죄수(重罪囚)를 가두는 감방.

암:실 램프【暗室—】[lamp] 명 암실에서 사진 감광지에 감광을 막기 위하여 쓰는 램프. 보통, 적색·갈색·녹색광을 씀.

암암[1]【岩岩】 명 산이 높이 솟아난 모양. ——-하다 형 여불. ——-히 부

암:암[2]【暗暗】 명 ①어두운 모양. ②매우 그윽한 모양. ¶ 방안에는 소탁자에서 풍기는 것일까 꽃향기가 ~히 흐르면서 나른한 졸음을 유인한다《朴花城 : 벼랑에 피는 꽃》. ——-하다 형 여불. ——-히 부

암:암[3]【黯黯】 명 어두운 모양. 또, 검은 모양. ——-하다 형 여불

암:암-리【暗暗裡】[-니] 명 아무도 모르는 사이. 암중(暗中). 암묵리(暗默裡). ¶ 비계(祕計)를 ~에 추진하다.

암암-하다 형 여불 잊혀지지 아니하고 가물가물 보이는 듯하다. ¶ 문밖까지 나와서 "아무쪼록 빨리 돌아오시오" 하던, 그 병인의 형용이 눈에 암암하도다《鮮于日 : 杜鵑聲》.

암:애【黯靄】 명 어두컴컴하게 잔뜩 낀 짙은 안개.

암:야【暗夜·闇夜】 명 어두운 밤.

암:야-행【暗夜行】 명 ①어두운 밤길을 지향 없이 감. ②목적이나 희망도 없이 맹목적으로 생활하고 행동함.

암:약[1]【暗躍】 명 ↗암중 비약(暗中飛躍). ¶ 지하에서 ~하다. ——-하다 자 여불

암:약[2]【闇弱】 명 어리석고 빙충맞음. 암잔(闇孱). ——-하다 형 여불

암-양【—羊】[-냥] 명 양의 암컷. ↔숫양.

암:어【暗語】 명 특정인만이 알도록 꾸민 암호로서의 말.

암-어리표범나비【—豹—】 명〖충〗[*Melitaea phoebe scotosia*] 네발나비과에 속하는 곤충. 편 날개 길이 54-70 mm 이고, 암컷은 갈색(褐色)을 띤 등황색(橙黃色)이고, 수컷은 흑갈색(黑褐色) 무늬가 발달한 것도 있음. 앞뒷날개의 전연(前緣) 끝의 뒷면은 수컷은 황색, 암컷은 청색임. 뒷날개 뒷면의 외연(外緣) 안쪽에는 일곱 개의 점무늬가 있는데 그 중 아래 다섯 개의 중앙 무늬가 수컷은 붉은 점, 암컷은 검은 점임. 한국에도 분포함.

암:억제 유전자【癌抑制遺傳子】 명 암유전자의 기능을 억누르는 유전자.

암-여의 [-녀-/-녀이] 명 암꽃술을 예스럽게 부르는 말.

암:연[1]【暗然·闇然】 명 ①어두운 모양. 또, 검은 모양. ②어렴풋하고 애매한 모양. ③슬픔에 마음이 억색(臆塞)한 모양. 낙심하는 모양. ¶ 왕기는 ~히 천장 한 끝을 바라다본다. ——-하다 형 여불

암:연[2]【黯然】 명 작별할 때 서러워서 정신이 아뜩한 상태. ——-하다 형 여불. ——-히 부

암-연교【岩連翹】 명〖식〗산개나리.

암:-열선【暗熱線】[-썬] 명〖물〗스펙트럼의 붉은 부분에서 오는 복사선(輻射線). 적외선.

암염【岩塩】 명 [rock salt]〖광〗지하에서 천연으로 산출되는 염화 나트륨의 결정으로, 무색·투명 또는 백색의 고체. 식염(食塩)의 제조에 쓰임. 순도(純度)는 일반적으로 바닷물에서 채취한 소금보다 높으며 세계의 식염 수요(需要)의 3분의 2를 차지함. 돌소금. 석염(石塩). 경염(硬塩). 산염(山塩).

암-염소 [-념-] 명 염소의 암컷. ↔숫염소.

암:영[1]【暗影】 명 ①어두운 그림자. ②어떤 일의 성사에 지장을 주거나 방해가 될 징조. ¶ 전도에 ~을 던지다.

암:영[2]【暗營】 명 몰래 진을 침. 또, 그 진영. ——-하다 자 여불

암:영-부【暗影部】 명〖천〗태양의 흑점 중앙의 암흑부(暗黑部). *반암부(半暗部).

암:우[1]【暗雨】 명 암야(暗夜)에 오는 비.

암:우[2]【暗愚】 명 어리석어 사리를 분간하지 못함. 또, 그런 사람. ——-하다 형 여불

암:운【暗雲】 명 ①시꺼먼 구름. 비가 쏟아질 것 같은 구름. ②위험(危險)이나 파탄(破綻)이 일어날 듯한 기미. ¶ ~이 감도는 중동 정세(中東情勢).

암:울【暗鬱】 명 암담하고 침울함. 어둡고 답답함. ¶ ~한 나날. ——-하다 형 여불

암:월【暗月】 명 이내 등이 끼어 침침한 달. 어스름달.

암:유[1]【暗喩】 명 은유(隱喩). ¶ ~적. ——-하다 자 여불

암:유[2]【癌乳】 명〖생〗압박에 의하여 암 조직에서 압출(壓出)되는 회황백색의 불투명한 액즙(液汁).

암:-유전자【癌遺傳子】 명 세포의 암화(癌化)를 유도하여 무제한으로 증식케 하는 유전자.

암:유전자-설【癌遺傳子說】 명〖의〗모든 동물 세포(動物細胞)의 유전자에는, 세포를 암화(癌化)하는 유전자가 있어, 여느 때는 그 작용이 억제(抑制)되고 있으나, 발암 물질(發癌物質)이나 암 바이러스(癌virus)의 작용 등, 어떤 계기(契機)가 있으면 암화 활동이 시작된다는 설(說).

암으만 부 〈옛〉 아무리. =암은만. ¶ 多섯놓 바룸비 눈 섣이를 암으만 맛즌들 뻘어질 쭐이실샤《古時調 李鼎輔》.

암은만 부 〈옛〉 아무리. =암으만. ¶ 암은만 玉斗를 셋치고 疽發背ᄒ도록 뉘웃친들 어이리《古時調 李鼎輔》.

암-은행나무【—銀杏—】 명〖식〗열매가 열리는 은행나무. ↔수은행나무.

암음 유적【岩陰遺蹟】 명〖고고학〗그늘집터.

암자[1]【庵子】 명〖불교〗①큰 절에 속한 작은 절. ②중이 임시로 거처하며 도(道)를 닦는 집. 준 암(庵).

암:자[2]【暗刺】 명 은밀히 노리어 사람을 찔러 죽임. ——-하다 타 여불

암:-자색[1]【暗紫色】 명 어두운 자줏빛.

암:-자색[2]【暗赭色】 명 검붉은 빛.

암:잔【闇孱】 명 암약(闇弱). ——-하다 형 여불

암장[1]【岩漿】 명〖지〗마그마(magma).

암:장[2]【暗葬】 명 남 몰래 지내는 장사. 투장(偸葬). 암매장(暗埋葬). 도장(盜葬). ¶ 시체를 ~하다. ——-하다 타 여불

암장 동화 작용【岩漿同化作用】 명〖지〗마그마 동화 작용.

암장 분화 광:상【岩漿分化鑛床】 명〖광〗마그마 분화 광상.

암장 분화 작용【岩漿分化作用】 명〖지〗마그마 분화 작용.

암장-수【岩漿水】 명〖지〗마그마수(magma水).

암장지-하【岩牆之下】 명 ①돌담 밑. ②전(轉)하여, 매우 위험한 곳.

암재【岩滓】 명 [scoria]〖광〗화산(火山)의 방출물(放出物)의 하나. 다공질(多孔質)·암색(暗色)의 돌 조각. 그 흰 것은 경석(輕石)에 상당(相當)하나 경석만큼 다공질(多孔質)이 아님. 현무암질(玄武岩質)에서 많이 남. 스코리어.

암:-적【癌的】[-쩍] 명 관 큰 장애가 되고 있는 모양. 또, 고치기 힘든 나쁜 병폐가 되고 있는 모양. ¶ ~ 존재.

암:-적갈색【暗赤褐色】[-쌕] 명 검은 적갈색.

암:-적색【暗赤色】 명 검붉은 빛.

암:전[1]【暗箭】 명 ①과녁에 맞지 않고 빗나가는 화살. ②숨어서 쏘는 화살.

암:전[2]【暗轉】 명 [dark change]〖연〗장면을 바꿀 때 무대를 어둡게 하여 놓고, 그 사이에 장치나 장면을 바꾸는 조작(操作). 근대 사실주의 연극에서 주로 사용됨. ↔명전(明轉).

암:전 난방【暗箭難防】 명 ①숨어서 쏘는 화살은 막기 어려움. 곧, 저격(狙擊)이 위험하다는 뜻. ②치기보다 막기가 어려움.

암:점【暗點】[-쩜] 명 맹점(盲點)❶.

암정【岩井】 명 암천(岩泉).

암:조【暗潮】 명 ①표면에 드러나지 않은 조류(潮流). ②표면에 나타나지 않은 세상 풍조(風潮)나 세력.

암:종【癌腫】 명〖의〗암(癌)❶.

암:종-병【癌腫病】[-뼝] 명 [European canker]〖식〗식물의 줄기나 지하경 같은 곳에 표면이 불규칙하게 혹이 쑥 나오거나 궤양을 일으키는 병.

암좌【岩座】 명〖불교〗바위 자리.

암주[1]【岩株】 명 [boss]〖지〗관입 암체(貫入岩體) 형태의 하나. 저반(底盤)의 정부(頂部)가 거의 원형을 이루고 돌출한 저반의 일부분으로, 표면적 100 km² 이하의 것을 말함. 지표(地表)에 노출(露出)되지 않은 상태의 것도 있음.

암주[2]【庵主】 명〖불교〗암자의 주인. 또, 거기에서 거처하는 중.

암주[3]【庵住】 명 암자에서 삶. 초막을 짓고 삶. 또, 그 사람. ——-하다 자 여불

암:주[4]【暗主】 명 암군(暗君).

암:-죽【—粥】 명 어린 아이에게 먹이는 묽은 죽. 곡식이나 밥 등의 가루를 밥물에 타서 끓임.

암:죽-관【—粥管】 명 암죽을 먹이는 데 쓰는 고무나 사기 따위로 만들어진 관.

암-줄 명〖민〗줄다리기에서, 한 쪽 끝이 고가 져서 수줄을 꿰어 받게 된 쪽의 줄. ↔수줄.

암-중[1] [-쭝] 명 〈방〉 여승[1](女僧)(충남·전북).

암:중[2]【暗中】 명 ①어두운 속. ②암암리(暗暗裡).

암:중 공작【暗中工作】 명 남이 모르게 일을 꾸밈. 또, 그 일. ——-하다 자 여불

암:중 모색【暗中摸索】명 ①물건 등을 어두움 속에서 더듬어 찾음. ②어림으로 일을 짐작함. ㊎암색(暗索). ——-하다 타여불

암:중 비약【暗中飛躍】명 암암리(暗暗裡)에 계획을 세워 활동함. 세상에 알려지지 않도록 이면(裏面)에서 책동(策動)함. ㊎암약(暗躍). ——-하다 자여불

암-쥐 명 쥐의 암컷. ↔수쥐.

암증-널 명〖공〗흙으로 도자기 등을 만들 때에 쓰는 널빤지. 연토판(鍊土板).

암:증 번호【暗證番號】명 비밀 번호(祕密番號).

암지【岩地】명 바위로 된 땅. 또, 바위가 많은 땅.

암-지르다 타르불 으뜸이 되는 것에 덧붙여서 하나로 되게 하다.

암지새 명〈옛〉암키와. =암디새. ¶ 솟겨즌 암지새(滴水)≪漢淸 XII:11≫.

암직-돈: 명〈방〉우수리¹.

-암직ᄒᆞ다 미〈옛〉-미직하다. -음직하다. ¶ 東녀그로 萬里예 녀가 興을 탐직ᄒᆞ니(東行萬里堪乘興)≪初杜諺 VII:2≫. /六千德이 圓ᄒᆞ야 法 바담직ᄒᆞᆯ씨≪釋譜 XIX:25≫.

암질¹【岩質】명 암석의 질. 또, 암석을 닮은 성질. 암석질(岩石質)을 많이 함유하는 일.

암:질²【暗質】명 어리석은 천성이나 성질.

암질 황원【岩質荒原】명 식물 군락계(群落系)의 하나. 암석지나 사력지(砂礫地)에 발달하는 황원. 수분(水分)이나 영양염류(營養塩類)가 부족하거나 토양이 불안전하여 식물은 드문드문 집단으로 자람. 고산대(高山帶) 따위에서 볼 수 있음.

암-쪽 명 채무자가 가지는 어음의 왼편 조각. ↔수쪽.

암:차【暗車】명 초기(初期)의 기선(汽船) 밑바닥에 장치(裝置)하던 추진기(推進器).

암창【暗唱】명 암송(暗誦). ——-하다 타여불

암채【岩彩】명 광물질을 원료로 하여 만든 채료(彩料).

암처【岩處】명 세상(世上)을 피하여 굴 속에서 삶. 암거(岩居). ——-하다 자여불

암천【岩泉】명 바위 틈에서 솟아 나는 샘.

암:체【暗體】명〔dark body〕〖물〗스스로 빛을 내지 못하는 모든 물체. ↔발광체(發光體).

암:-체어〔armchair〕명 팔걸이가 있는 의자.

암:초¹【暗草】명 남 몰래 시문(詩文)을 초(草)함. ——-하다 타여불

암:초²【暗礁】명〔sunken rock〕해면(海面) 가까이 숨어 있어 보이지 않는 바위. 여. 숨은 바위. 은암(隱岩).

암:충【暗蟲】명 어둠 속에서 우는 벌레. 보통, 귀뚜라미를 가리킴.

암:층【暗層】명 어두운 층.

암-치 명 ①소금에 절이어 말린 민어의 암컷. ↔수치¹. ②소금에 절이어 말린 민어의 통칭. 염민어(塩民魚).

[암치 뼈에 불개미 덤비듯] 이익을 탐내어 뭇사람이 덤빔의 비유.

암치 껍질 저:냐 명 암치의 껍질을 물에 불려서 다듬어 토막친 다음 잘게 에어 밀가루를 묻히고 달걀을 씌워 지진 저냐.

암치 지짐이 명 암치의 뼈를 툭툭 찍어 물을 붓고 젓국에 데친 다음 무우 또는 호박을 썰어 넣고, 고기·파·고추 등을 다져 넣어 오랫 동안 끓인 지짐이.

암-치질【一痔疾】명〖의〗항문(肛門) 속에 나는 치질. 내치(內痔). ↔수치질.

암카히 명〈옛〉암캐. ¶ 王舍城中에 암카히 ᄃᆞ외야 냇ᄂᆞ니라≪月釋 XXIII:90≫.

암-캉아지 명 강아지의 암컷. ↔수캉아지.

암-캐 명 개의 암컷. 자견(雌犬). ↔수캐.

[암캐 수캐 노는데 청삽살이 못 놀까] 모두 노는 판에 난들 끼여 놀지 못하겠느냐는 말.

암-캐미 명 ☞ 암개미.

암-캥이 명〈방〉암키와.

암커나 준 아무러하거나. ¶ ~ 좋도록 하시오.

암-커미 명 ☞ 암거미.

암-컷 명 자성(雌性)을 가진 것. ↔수컷. *암놈.

암-케 명 ☞ 암게.

암-코양이 명 ☞ 암고양이.

암-콤 명 ☞ 암곰.

암-괭이 명 ☞ 암괭이.

암-쾨: 명〈방〉암고양이(전라).

암-쿠렁이 명 ☞ 암구렁이.

암-퀑 명 ☞ 암꿩.

암크령 명〖식〗☞ 그령.

암-클 명 ☞ 암글.

암-키와 명〖공〗지붕의 고랑이 되게 젖혀 놓는 기와. 반(瓪). 앙와(仰瓦). 여와(女瓦). 빈와(牝瓦). ↔수키와.

암:탄【暗炭】명〖광〗광택이 강한 휘탄(輝炭)과 함께 석탄을 구성하는 한 요소. 비교적 광택이 흐리며, 육안으로는 식별 불능의 미세한 물질들이 복잡하게 혼합된 것임. ↔휘탄(輝炭).

암탈개비 명〖충〗모시나비의 유충(幼蟲).

암-탉[-탁] 명 닭의 암컷. 빈계(牝鷄). ↔수탉.

[암탉의 무녀리냐] 닭이 처음 낳는 알은 매우 작으므로 몸집이 작은 사람을 놀리는 말. [암탉이 운다] 내주장을 한다는 말. [암탉이 울면 집안이 망한다] 아내가 내주장을 하여 발언권이 강하면 집안 일이 잘 되지 않는다고 하는 말.

암:탐【暗探】명 밀탐(密探). ——-하다 자여불

암-탕나귀 명 당나귀의 암컷. ↔수탕나귀.

암태-도【岩泰島】명〖지〗전라 남도 서해상, 신안군(新安郡) 암태면(岩泰面)에 속하는 섬. 나주 군도(羅州群島)에 속하며 수산업이 성하고 김의 명산지임. [30.92 km² : 6,004 명(1984)]

암-토끼 명 토끼의 암컷. ↔수토끼.

암-톨쩌귀 명 문짝의 수톨쩌귀를 끼우는 구멍이 뚫린 돌쩌귀. ↔수톨쩌귀.

암-톹 명〈방〉암퇘지.

암-퇘지 명 돼지의 암컷. ↔수퇘지.

암:투【暗鬪】명 암암리의 다툼. 이면에서의 투쟁. ¶ 그들 사이에는 ~가 심하다. ——-하다 자여불

암:투-극【暗鬪劇】명 '암투'의 격렬함을 연극에 견주어 쓰는 말. ¶ ~을 벌이다.

암:특【暗慝】명 성질이 음흉하고 험상함. ——-하다 형여불

암ᄐᆞᆰ 명〈옛〉암탉. =암ᄃᆞᆰ. ¶ 남지ᄂᆞᆫ 암ᄐᆞᆰᄀᆞ로코 겨지븐 수ᄐᆞᆰᄀᆞ로ᄒᆞ다(男雌女雄)≪救方 上 75≫.

암팡-스럽다 형ㅂ불 암팡진 듯하다. 암팡-스레 부

암팡-지다 형 ①몸은 작아도 힘차고 담이 크다. ¶ 암팡진 사람. ②야무지고 다부지다. ¶ 보스턴백을 양손에 들고 정례는 암팡지게 장사를 했다≪韓戊淑 : 어둠에 갇힌 불꽃들≫.

암:퍅【暗愎】명 성질이 음험하고 강퍅(剛愎)함. ——-하다 형여불

암-펄 명 ☞ 암벌.

암-펌 명 ☞ 암범.

암펌-같다 형 ☞ 암범같다.

암페어〔ampere〕의명〖물〗〔프랑스 물리학자 앙페르(Ampère, A.M.)에서 유래〕엠 케이 에스 에이 단위계(MKSA單位系) 및 실용 단위에 있어서의 전류(電流)의 크기의 단위. 1 암페어는 1 볼트의 전위차(電位差)를 갖는 두 점을 1 옴(ohm)의 저항(抵抗)으로 결합했을 때 흐르는 전류의 크기와 같음. 기호 : A.

암페어-계【一計】명〔ampere〕〖물〗전류계(電流計).

암페어-시【一時】의명〔ampere-hour〕〖물〗전기량을 나타내는 단위. 1 암페어의 전류가 한 시간 동안 흐르는 전기량. 3,600 쿨롱에 상당함. 기호 : Ah.

암페어 용량【一容量】[-냥] 명〔ampacity〕암페어(A)로 나타내는 전류 용량. 전력선(電力線)의 정격(定格)으로 사용됨.

암페어의 법칙【一法則】〔ampere〕[-/-에-] 명 앙페르(Ampère)의 법칙.

암페타민〔amphetamine〕명〖약〗각성제의 하나. 중추 신경·교감 신경의 흥분 작용을 함. 식욕 억제에 효과가 있어 미국에서는 비만증(肥滿症) 치료에 쓰임.

암-평 명 ↗암평아리. ↔수평.

암-평아리 명 병아리의 암컷. ㊎암평. ↔수평아리.

암:폐【暗蔽】명〖불교〗번뇌가 마음을 가려 도리를 모름.

암포【岩泡】명〔lithophysa〕〖지〗유리질 현무암(玄武岩)이나 일부 유문암(流紋岩) 속에 생긴 구립상(球粒狀)의 중공체(中空體) 또는 기포(氣泡).

암-포기 명〖식〗암꽃이 피는 포기. 자주(雌株). ↔수포기.

암:표¹【暗票】명 암거래(暗去來)되는 기차표·비행기표·극장표 등의 온갖 표. ¶ ~상(商).

암:표²【暗標】명 비밀(祕密)한 표. 넌지시 자기만 알도록 눈으로 한 표. ——-하다 타여불

암-피둘기 명 ☞ 암비둘기.

암피아라오스〔Amphiaraos〕명〖신〗그리스 신화에 나오는 아르고스의 영웅으로 예언자. 오이클레스(Oikles)의 아들. 테베 공격의 칠장(七將) 중의 한 사람으로서 적을 공격했으나 패하고, 도망중 갈라진 땅에 빠져 죽었다 함.

암픽티오니아〔그 Amphiktyonia〕명〖역〗고대 그리스에서, 같은 신을 믿는 도시들이 신전 옹호(神殿擁護)를 위하여 체결한 종교 동맹. 델피(Delphi)와 올림피아의 것이 유명함. 인보(隣保) 동맹.

암하【岩罅】명 바위가 갈라진 틈.

암하 고:불【岩下古佛】명 ①바위 밑의 오래된 불상(佛像). ②산골의 착하기만 하여 진취성이 없고 어리석은 사람이란 뜻으로, 강원도 지방 사람의 성격(性格)을 평(評)한 말. 암하 노불(岩下老佛). *경중 미인(鏡中美人).

암하 노:불【岩下老佛】명 암하 고불(岩下古佛).

암:-하다 형여불 조금 암상하다.

암하라-어【一語】명〔Amharic〕셈어족에 속하는, 에티오피아의 공용어(公用語). 아라비아 반도 남단에서도 소수가 사용함. 최고(最古)의 문헌으로 14 세기경의 시가 있음.

암하지-전【岩下之電】명 눈빛이 번쩍번쩍 빛나는 모양을 번갯불에 비유한 말.

암학【岩壑】명 바위와 골짜기. 또, 석굴(石窟).

암:한【暗恨】명 슬며시 품고 있는 원한.

암:합【暗合】명 뜻밖에 사물이 합치됨. 우연의 일치. ——-하다 자여불

암해¹【岩海】명〔felsenmeer〕〖지〗각(角)이 진 암편(岩片)으로 뒤덮인, 평탄 또는 완만하게 경사진 사면(斜面).

암:해²【暗害】명 ①비밀히 해치거나 죽임. ②비밀히 복수함. *암살(暗殺). ——-하다 타여불

암:해³【暗海】명 ①빛이 미치지 못하여 어두운 바다 속. ②매우 깊은 바다.

암:행【暗行】명 남 모르게 다님. ——-하다 자여불

암:행 어:사【暗行御史】명〖역〗조선 시대에 방백(方伯)의 치적(治績)을 살피고 백성의 질고(疾苦)를 실지로 조사하기 위하여, 왕명으로 비

밀히 파견하던 특사. 그 임명에 전관(銓官)을 거치지 아니하고, 당하(堂下) 시종신(侍中臣)으로 삼음. 배명(拜命) 즉시 제 집에 들르지 못하고 마패(馬牌)와 유척(鍮尺)을 표적 삼아 폐의 파립(弊衣破笠)으로 가장하고 떠남. 각 도(道)의 감사 이하 모든 수령의 치적을 감고(監考)하여 그 탐학이 심한 자는 봉고 파직(封庫罷職)시킬 권한이 있었음. 직지사(直指使). [준]어사(御史). *수의(繡衣).

암:향【暗香】[명] 그윽히 풍겨 오는 향기. 어둠 속에 풍기는 향기.

암:향 부동【暗香浮動】[명] 그윽한 향기가 은근하게 떠돎.

암:허【暗虛】[명] 월식(月蝕) 때 지구(地球)의 그림자로 가려진 달의 어두운 부분(部分).

암혈【岩穴】[명] 바위 굴. 석굴(石窟).

암:혈-도【岩穴道】[—또] [명]〖불교〗중죄인(重罪人)만 다닌다는 과라국(果羅國)에 이르는 도중의 어두운 길.

암혈지-사【岩穴之士】[—찌—] [명] 속세를 떠나 깊은 산 속에 숨어 사는 선비.

암:호【暗號】[명] 통신의 내용이 제삼자에게 들어 가는 것을 막기 위해 당사자간에만 이해되도록 꾸민 약속 기호. 경찰·군사·외교·상거래 등에 쓰임. ¶ ~를 해독하다.

암:호-문【暗號文】[명] 암호로 쓴 글.

암:호 장치【暗號裝置】[명] 통신문을 암호로 바꾸어 쓰거나, 암호로 된 통신문을 번역하는 기계 장치.

암:호 전:보【暗號電報】[명] 남이 모르게 암호로써 치는 전보.

암:호 통신【暗號通信】[명] 암호로 보내는 통신.

암:호 해:독【暗號解讀】[명] ①암호로 된 문장을 읽어서 그 뜻을 밝혀 내는 일. 암호 해득. ②〔도 Chiffre-deutung〕〖철〗야스퍼스(Jaspers) 실존 철학의 용어. 절대자는 초월자이고 현존재(現存在)를 그 암호라고 하며 이 암호를 해독하는 것이 형이상학이라고 주장함. 따라서 이 암호 해독은 그의 형이상학의 근본 관념임. ③〖생〗전령 RNA에 의해 유전암호가 리보솜(vibosome)에 전달되어 지정된 단백질이 합성되는 일.

암:호 해:득【暗號解得】[명] ①암호의 뜻을 알아 냄. ②암호 해독❶.

암:호-화【暗號化】[명] 통신의 원문(原文)을 일정한 암호 시스템에 의하여 암호문으로 바꾸는 일. ——-하다 [타][여불]

암:혹【闇惑】[명] 어리석어서 갈피를 못 잡음. ——-하다 [자][여불]

암:-홀〔armhole〕[명] 진동 둘레.

암:홍【暗紅】[명] ↗암홍색.

암:-홍색【暗紅色】[명] 검은 빛을 띤 빨강. [준]암홍(暗紅).

암-홍엽【岩紅葉】[명]〖식〗돌단풍.

암:화【暗花】[명]〖공〗잿물 밑에 잠겨 있는 꽃 무늬. 암관(暗款).

암:황【暗黃】[명] ↗암황색.

암:-황색【暗黃色】[명] 검은 빛을 띤 노랑. [준]암황.

암:회【暗晦】[명]〔회(晦)는 어둡다는 뜻〕어두움. 회암(晦暗).

암:-회색【暗灰色】[명] 검은 잿빛.

암:흑【暗黑】[명] ①어둡고 캄캄함. ②정신상 또는 생활상 불안하고 비참한 일이 존재하는 일. ¶ ~ 세계(世界). 1)·2):↔광명(光明). ——-하다 [형][여불]

암:흑-가【暗黑街】[명] ①어둡고 캄캄한 거리. ②비도덕적인 행위나 범죄·폭력 등이 횡행(橫行)하는 거리. ¶ ~의 갱단(團).

암:흑-기【暗黑期】[명] 암흑의 시기. 도덕이나 문화가 쇠퇴하고 세상이 어지러운 시기. 암흑 시대.

암:흑 대:륙【暗黑大陸】[명] 문명의 혜택이 아직 미치지 못하여 암흑 상태에 있는 대륙. 곧, 과거의 아프리카 대륙에 대한 별칭.

암:흑-면【暗黑面】[명] ①사물의 표면에 나타나지 않는 밝지 못한 면. 암면(暗面). ②죄악이 존재(存在)하는 면. 어둡고 참혹한 면. ¶ 사회의 ~. 1)·2): ↔광명면(光明面).

암:흑 사회【暗黑社會】[명] ①문화가 쇠퇴하여 발전이 정체된 사회. 중세 유럽의 교권(敎權) 사회 등. ②범죄와 폭력이 난무(亂舞)하여 무질서한 사회. ③억압을 받아 희망을 가질 수 없는 사회.

암:흑-상【暗黑相】[명] ①어둡고 컴컴한 상태. ②질서가 문란하고 온갖 죄악이 날뛰고 있는 세상(世相). ¶ 사회의 ~.

암:-흑색【暗黑色】[명] 극히 검은 빛.

암:흑-성【暗黑星】[명] 암성(暗星).

암:흑 성운【暗黑星雲】[명]〔dark nebula〕〖천〗은하(銀河)의 군데군데에 어둡게 보이는 성간 물질(星間物質)의 무리. 불투명한 가스상(狀) 물질·우주진(宇宙塵) 등이 있어, 멀리 있는 별이 보이지 않게 가린다고 생각됨.

암:흑 세:계【暗黑世界】[명] ①어둠의 세계. 밤. ②범죄와 죄악으로 가득 찬 세계. 암세계(暗世界). ③억압을 받아 희망을 가질 수 없는 세계.

암:흑 시대【暗黑時代】[명] ①암흑기. ↔광명 시대. ②〔Dark Ages〕〖역〗서양사에서 고대 로마 문화의 몰락 후 5-8세기경까지의 봉건 제도와 교회의 속박으로 문화가 쇠퇴하였던 시대. 중세 암흑기.

암:흑-연【暗黑然】[명] ①어둡고 캄캄한 모양. ②정신상 또는 생활상 불안하고 비참한 일이 존재하는 모양. ——-하다 [형][여불]

암:흑 천지【暗黑天地】①하늘과 땅이 캄캄하고 어두운 모양. ②부도덕한 행위나 범죄 등이 횡행(橫行)하는 불안한 세상. ¶ 불법(不法)이 횡행하는 ~.

암:희【暗喜】[—히] [명] 마음 속으로 남 몰래 기뻐함. 은근히 기뻐함. ——-하다 [자][여불]

암히〈옛〉암컷이. 계집이. '암'의 주격형. ¶ 암히 수흘 좃놋다(雌隨雄) ≪初杜諺 XVII:5≫.

암훈〈옛〉암컷은. 계집은. '암'의 절대격형(絕對格形). ¶ 이 암훈 모다 뒷는 거시어늘 엇뎨 호오사 더브러 잇는다. ≪月釋 VII:16≫.

암홀〈옛〉암컷을. 계집을. '암'의 목적격형. ¶ 네 엇더 암홀 내야 주디 아니ㅎ는다 ≪月釋 VII:17≫.

압【押】[명] ↗화압(花押).

압각【壓覺】[명]〔pressure sensation〕〖심〗피부 감각의 하나. 압박이나 충격이 충분히 감득할 수 있을 정도로 주어질 때의 접촉 감각. 압점(壓點)에 의하여 감각됨. 눌림 감각(感覺). *촉각(觸覺).

압각-수【鴨脚樹】[명]〖식〗은행나무.

압감 접착제【壓感接着劑】[명]〔pressure-sensitive adhesive〕접착제의 하나. 살짝 누르기만 하여도 강력한 접착력을 가진 접착제.

압객【狎客】[명] 주인과 스스럼없이 가깝게 지내는 손님. 주인과 터놓고 지내는 사람.

압경【壓驚】[명] 놀란 마음을 진정시키는 일. 보통, 술을 마시게 함. ——-하다 [타][여불]

압경-주【壓驚酒】[명] 압경하기 위하여 마시는 술.

압공-인【押貢人】[명]〖역〗공물(貢物)을 호송(護送)하는 사람.

압관【壓官】[명]〖생〗신체의 각부분에 있어서 압각(壓覺)을 느끼는 감각 기관. 또, 그 기능을 갖춘 말초 신경(末梢神經).

압관-기【押貫機】[명]〖기〗철판(鐵板)에 구멍을 뚫는 기계.

압교【押交】[명] 압부(押付). ——-하다 [타][여불]

압구-정【狎鷗亭】[명]〖사람〗한명회(韓明澮)의 호(號).

압권【壓卷】[명] ①어떤 서책 가운데서 가장 잘지은 대목이나 시문(詩文). ¶ 이 대목이 이 책의 ~이다. ②가장 뛰어난 부분. 또, 그런 물건. 하이라이트.

압궤【壓潰】[명] 눌러 부숨. ——-하다 [타][여불]

압근【狎近】[명] 부담 없이 남에게 가까이 다가붙음. 압핍(狎逼). ——-하다 [자][여불]

압근지-지【狎近之地】[명] 이웃하여 있는 땅. 가까이 있는 땅.

압기[1]【狎妓】[명] 귀엽게 여기어 돌보아 주는 기생.

압기[2]【壓氣】[명] ①기세를 누름. ②기세에 눌림. ——-하다 [자][여불]

압날-법【押捺法】[—뻡] [명] 눌러찍기.

압뇨-초【鴨尿草】[명]〖식〗조팝나무❷.

압닐【狎昵·狎暱】[명] 매우 친하고 가까움. 정분이 썩 두터움. ——-하다 [형][여불] ——-히 [부]

압다 [감]〈방〉아따.

압도[1]【壓度】[명] ①압력의 정도. ②단위 면적에 작용하는 압력의 크기.

압도[2]【壓倒】[명] ①눌러서 넘어뜨림. ②뛰어나서 남을 능가함. ¶ 상대에게 ~당하다. ——-하다 [타][여불]

압도-계【鴨島契】[—께] [명]〖역〗조선 시대에 관아에 발과 비를 공물(貢物)로 바치던 계.

압도-적【壓倒的】[명][관] 세차서 남을 위협할 만한 모양. 뛰어나서 남을 능가하는 모양. ¶ ~인 득표로 당선/~ 승리.

압두【壓頭】[명] 첫머리를 차지함. 첫째를 차지함. ——-하다 [타][여불]

압두르라흐만 일세【—一世】〔Abder-Rahman Ⅰ〕[—쎄] [명]〖사람〗중세 사라센의 왕. 후우마이야 왕조(後Umaiya王朝)의 창시자. 전(前)우마이야 왕조가 아바스 왕조(Abbas王朝)에 의하여 멸망된 후, 755년 에스파냐로 피하여 코르도바(Cordoba)를 서울로 왕조(王朝)를 재흥(再興)함. [731-788; 재위 756-788]

압둘-카디르〔Abd-el-Kader〕[명]〖사람〗알제리의 족장(族長)이며 반(反)프랑스 운동 지도자. 여러 부족을 통합하여 1832년 이래 프랑스에 대한 항전(抗戰)을 수행함. 1847년 싸움에 패하여 프랑스에 의해 구금됨. 1852년 나폴레옹 3세에 의해 석방되고 이후 다마스쿠스 등지에서 저술에 종사함. [1807?-83]

압둘-크림〔Abd-el-Krim〕[명]〖사람〗모로코의 독립 운동 지도자. 제1차 세계 대전 후, 스페인에 대한 무장 반란을 조직하여 일시 전지역(全地域)을 제압하였으나 프랑스·스페인 연합군에게 패함. 1926년 프랑스군에게 항복, 감금되었다가 1947년 이집트로 도망함. [1880?-1963]

압라우트〔도 Ablaut〕[명]〖언〗인도 게르만 어족(語族)의 여러 언어에서 보는 현상의 하나. sing→sang→sung의 i→a→u와 같은 모음의 규칙적 변화. 모음 교체(母音交替).

압란-구【鴨卵灸】[—난—] [명] 오리알 구이.

압량 위천【壓良爲賤】[—냥—] [명] 양민(良民)을 강압(強壓)하여 종으로 삼음. ——-하다 [타][여불]

압려-기【壓濾器】[—녀—] [명] 압력으로 액체를 거르는 기구. 술과 간장을 거르는 기계도 이에 속함.

압력【壓力】[—녁] [명] ①〔pressure〕〖물〗물체가 다른 물체를 누르는 힘. 두 물체가 접촉면을 경계로, 서로 그 면에 수직으로 미는 단위 면적에서의 힘의 단위를 말함. 단위는 dyn/cm^2, kgW/cm^2. ②사람을 위압하는 힘. 압박하는 힘. 권세로 누르는 힘. ¶ ~ 단체.

압력을 가(加)하다 [구] ㉠중력·추력(推力)·팽창력 등을 이용하여 물체의 면을 누르다. 가압(加壓)하다. ㉡다른 사람을 자기 의사에 따르게 하기 위해, 권력·재력(財力)·무력·집단 등의 힘이나 강제력으로 압박하다. 위력(威力)으로 누르다.

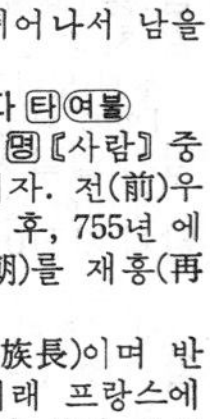

〈압력계〉

압력-계【壓力計】[—녁—] [명]〔pressure gauge〕〖물〗액체 또는 기체의 압력을 재는 기계의 총칭. 목적에 따라서 고압계·진공계·기압계·차압계(差壓計)·미압계(微壓計)로 불림. 마노미터(manometer). 검압기(檢壓器).

압력관식 풍속계【壓力管式風速計】[—녁—] [명]〔pressure-tube anemometer〕바람의 동압(動壓) 측정으로 풍속(風速)을 재는 풍력계.

압력 냄비【壓力—】[—녁—] [명] 압력솥.

압력 단체【壓力團體】[—녁—] [명]〔pressure group〕〖사〗특정의 목적

이나 주의 또는 이해 관계상, 자기의 요구를 실현하기 위하여 중앙·지방의 의회나 행정(行政) 또는 정당(政黨)에 작용하여 압력을 가하는 각종 단체나 조직.

압력 마이크로폰:【壓力—】[—녁—] 명 〔pressure microphone〕 진동판(振動板)에 작용하는 음파로 인해 발생하는 순간적인 압력과 더불어 출력(出力)이 변화하는 마이크로폰. 콘덴서 마이크로폰·카본 마이크로폰·크리스털 마이크로폰·다이내믹 마이크로폰 따위.

압력 변:성【壓力變成】[—녁—] 명 〖지〗 압력 변질(壓力變質).

압력 변:질【壓力變質】[—녁—] 명 〖지〗 암석이 지각의 내부에서 받는 강한 압력에 의하여 그 질이 변하는 일. 변성암의 일종인 결정 편암(結晶片岩)이 생성됨. 압력 변성. 압변성(壓變成).

압력-선【壓力線】[—녁—] 명 〖물〗 압력의 방향과 양(量)을 나타내는 선. 토목 공사 등에 쓰임.

압력-솥【壓力—】[—녁—] 명 뚜껑의 안쪽을 고무테 따위로 패킹(packing)하고 나사로 밀폐할 수 있도록 장치한 솥. 온도가 100℃ 이상까지 오르므로 음식물이 짧은 시간에 끓음. 압력 냄비.

〈압력솥〉

압력 수두【壓力水頭】[—녁—] 명 〔pressure head〕 〖물〗 수주(水柱) 또는 수은주의 높이로 나타낸 유체의 압력 에너지. 유체가 흐르고 있을 때 그 속의 한 점의 압력을 유체의 단위 부피의 중량으로 나눈 값임.

압력 수중 청:음기【壓力水中聽音器】[—녁—] 명 〔pressure hydrophone〕 물 속에서 발생하는 음파(音波)에 반응하는 압력 마이크로폰.

압력식 온도계【壓力式溫度計】[—녁—] 명 〖물〗 역학적 온도계의 한 가지. 압력이 온도에 따라 변하는 원리를 이용한 온도계.

압력 용광로【壓力鎔鑛爐】[—녁—노] 명 〔pressurized blast furnace〕 주위(周圍)보다 높은 압력으로 조작(操作)하는 용광로. 폐(廢)가스를 이용하여 가압(加壓), 저속도(低速度)로 보다 많이 송풍(送風)하여 용해(溶解) 속도를 높임.

압력 융해【壓力融解】[—녁—] 명 〔pressure melting〕 〖물〗 외부로부터 가하여진 압력에 의하여 얼음 또는 그 밖의 결정(結晶)이 융해하는 일.

압력 저:장기【壓力貯藏器】[—녁—] 명 〔pressure storage〕 증발(蒸發)을 방지하기 위하여 휘발성(揮發性) 액체나 액화(液化) 가스를 가압(加壓) 저장하는 용기(容器).

압력 저:항【壓力抵抗】[—녁—] 명 〔pressure drag〕 〖물〗 유체(流體) 속을 운동하는 물체에 작용하는 저항 중에서, 물체 표면에 대하여 직각(直角)으로 작용하는 응력(應力)의 합력(合力)으로 얻어지는 것. 유선형(流線型)의 물체에서는 거의 영(零)이 됨.

압력 주:조【壓力鑄造】[—녁—] 명 〔pressure casting〕 전체가 녹아 있거나 반쯤 녹아 있는 상태의 금속(金屬)을, 금형(金型) 안에서 압력을 가하여 주물을 만드는 일.

압력차-계【壓力差計】[—녁—] 명 차압계(差壓計).

압력-칭【壓力秤】[—녁—] 명 〔pressure balance〕 〖물〗 고압 측정용(高壓測定用) 압력계의 하나. 압력을 측정할 점을 원통(圓筒)에 연결하고, 원통 속에는 피스톤을 설치하며 여기에 분동(分銅)을 달아서, 균형을 잡게 하여 측정하는 장치. 피스톤 압력계.

압력 프레스【壓力—】〔press〕 [—녁—] 명 〖기〗 포탄의 제조 및 자동차 차체(車體)·비행기 기체(機體) 등의 판금(板金) 공업에 이용하는 기계. 수압(水壓)으로 여러 가지 틀을 움직여서 금속의 소재(素材)를 변형·가공함.

압렵【鴨獵】[—녑] 명 오리 사냥. ——하다 자여불

압령【押領】[—녕] 명 ①죄인을 데리고 옴. ②물건을 호송(護送)함. →압냥. ——하다 타여불

압로 파:순【壓顱破脣】[—노—] 명 남의 무덤의 영역을 범하여 장사를 지냄. ——하다 자여불

압록-강【鴨綠江】[—녹—] 명 〖지〗 한국과 중국사이에 있는 한국 제일의 강. 백두산 남쪽에서 발원하여 서쪽으로 흘러 한국과 중국의 국경을 이루면서 서한만(西韓灣)으로 들어감. 만조시(滿潮時)에는 신의주까지 천 톤의 기선이 다니고 작은 배는 중강진(中江鎭)까지 올라감. 상류의 원시림을 벌채한 뗏목이 유명하고, 일제 강점기 말에 수풍(水豐) 부근에 동양 최대의 댐을 만들어 수력 발전에 이용하고 있음. 마자수(馬訾水). 얄루강(Yalu江). [790 km]

압록강-교【鴨綠江橋】[—녹—] 명 〖지〗 1911 년에 준공한 신의주와 중국 단둥(丹東)간의 국제 철교. 회전 개폐식(回轉開閉式)의 대규모 교량으로 보도(步道)를 겸하고 있음. 개폐는 교량 보존상 1934 년 11 월에 폐지함. [944 m]

압뢰【押牢】[—뇌] 명 〖역〗 죄인을 간수(看守)하던 사람.

압류【押留】[—뉴] 명 〖법〗 ①광의로는, 국가 권력으로 특정의 유체물(有體物) 또는 권리에 대하여 사인(私人)의 사실상 또는 법률상의 처분을 금하는 행위. ②협의로는, 특히 금전 채권에 대한 강제 집행의 착수(着手)로서 집행 기관이 우선 채무자의 재산의 사실상 또는 법률상의 처분을 금지하기 위해 행하는 강제 행위. ③행정법상, 국세 체납 처분의 한 단계로서, 체납자의 재산을 강제 처분하는 행위. ④형사 소송법 상의 압수(押收)의 하나로서 증거물 또는 몰수의 대상물로 간주되는 물건을 강제적으로 취득하는 재판 및 그 집행. 구용어 : 차압(差押). ——하다 자타여불

압류 결정【押留決定】[—뉴—쩡] 명 〖법〗 채권자를 위하여 채무자의 재산을 압류한다는 취지의 결정.

압류 금:지【押留禁止】[—뉴—] 명 〖법〗 채무자의 일정한 재산을 강제 집행의 목적물로서 압류함을 법률상 또는 재판상 금하는 일.

압류 금:지 재산【押留禁止財產】[—뉴—] 명 〖법〗 법률에 의하여 압류를 금하는 재산. 채무자 및 그의 동거 친족에게 필요 불가결한 의복·침구·가구·부엌용품 등.

압류 명:령【押留命令】[—뉴—녕] 명 〖법〗 제삼 채무자에 대하여 채무자에게 지급함을 금하고 채무자에 대하여 채권의 처분, 특히 그 추심(推尋)과 영수(領收)를 해서는 아니된다고 명하는 집행(執行) 법원의 결정. 제삼 채무자에게 송달함으로써 채권 압류의 효력이 발생함.

압류-액【押留額】[—뉴—] 명 〖법〗 강제 집행(執行)으로 압류한 금전·물품의 액수(額數).

압류 우선주의【押留優先主義】[—뉴— / —뉴—이] 명 〖법〗 우선 배당주의(配當主義).

압류-장【押留狀】[—뉴짱] 명 〖법〗 형사 소송법상 압류의 재판을 기재한 영장(令狀).

압류 조서【押留調書】[—뉴—] 명 〖법〗 압류를 하였을 때에 작성하는 문서. 민사 소송에서는 집달관(執達官)이, 국세 징수에서는 징수 공무원이 작성함.

압류 채:권자【押留債權者】[—뉴—꿘—] 명 〖법〗 금전 채권을 추심(推尋)하기 위하여 강제 집행이 개시된 경우에 집행 위임·압류 명령의 신청 또는 강제 경매나 관리의 신청을 한 채권자.

압맥【壓麥】 명 납작보리.

압맥-기【壓麥機】 명 〖기〗 통보리에 적당한 수분과 열을 주어 눌러서 납작보리로 만드는 기계.

압모【狎侮】 명 멸시. 경멸(輕蔑). ——하다 타여불

압물【押物】 명 〖역〗 조선 시대에, 사행(使行)에 수행하여 예물의 운송·관리·수납을 맡음.

압물-관【押物官】 명 〖역〗 조선 시대에, 중국·일본에 대한 사행(使行)에 수행하는 예물 호송관(護送官). 사역원(司譯院)의 역관(譯官)으로써 임명함.

압박【壓迫】 명 ①내리 누름. 압력을 가함. ¶가슴을 ～하다. ②심리적·정신적으로 위압감을 줌. 또, 세력으로써 정치적·군사적으로 상대를 내리 누름. ¶폭력으로 ～하다. ——하다 타여불

압박-감【壓迫感】 명 위로부터 몸이 내리 눌리는 느낌. 또, 물질적·정신적으로 위압을 주는 느낌. ¶그를 대하면 ～을 느낀다.

압박성 척수 마비【壓迫性脊髓痲痺】 명 〖의〗 척수 주위 조직의 질환으로 척수가 점차 압박되어, 척수의 신경 경로(經路)의 전도(傳導)가 장애되는 현상.

압-변성【壓變成】 명 〖지〗 압력 변질(壓力變質).

압복【壓服·壓伏】 명 위압(威壓)하여 복종시킴. *열복(悅服). ——하다 타여불

압부【押付】 명 죄인을 압송하여 넘김. 압교(押交). ——하다 타여불

압부 상:송【押付上送】 명 죄인 등을 체포하여 상부로 넘겨 보냄. 압상(押上). ——하다 타여불

압분 자심【壓粉磁心】 명 〔dust core〕 〖공〗 퍼멀로이(permalloy)·산화철 등의 고투자율(高透磁率) 재료의 미분말(微粉末)에 절연성 결합제를 가해서 가압 성형(加壓成型)한 물질. 고주파용(高周波用)의 코일이나 변성기(變成器) 등의 자심으로 쓰임. 압분 철심(鐵心).

압분 철심【壓粉鐵心】[—씸] 명 〖공〗 압분 자심.

압사【壓死】 명 무거운 것에 눌려서 죽음. ¶～ 사고. ——하다 자여불

압살【壓殺】 명 ①눌러서 죽임. ¶～ 사고. ②억지로 상대편의 의지·의견을 억누름. ¶남의 의견을 ～하다. ——하다 타여불

압상[1]【押上】 명 압부 상송(押付上送). ——하다 타여불

압상[2]【壓像】 명 어떤 종류의 광물의 결정면(結晶面)을 무딘 바늘 끝으로 누를 적에 규칙 있게 나타나는 균열(龜裂)의 상. *타상(打像).

압생트〔프 absinthe〕 명 리큐어(liqueur)의 한 가지. 70 %의 주정(酒精)을 함유하며 압생트 쑥으로 조미한, 쓴 맛이 있는 녹색의 양주(洋酒). 프랑스·스위스 등지에서 산출됨.

압설【狎褻】 명 너무 사이가 가까와서 예의가 없음. ——하다 형여불. ——히 부

압설-자【壓舌子】[—짜] 명 〖의〗 혓바닥을 아래로 누르는 데 사용하는 의료 기구의 하나. 설압자(舌壓子).

압소르방트〔프 absorbante〕 명 ①〖화〗 흡수제(吸收劑). ②캔버스의 일종. 도료의 기름을 흡수하여 그림의 광택을 없애도록 백악질(白堊質)로 만듦.

압송【押送】 명 〖법〗 죄인을 잡아 보냄. 호송(護送). ¶범인을 ～하다. ——하다 타여불

압송-자【押送者】 명 감시를 받으며 압송되는 사람.

압쇄【壓碎】 명 눌러서 부숴뜨림. ——하다 타여불

압쇄-기【壓碎機】 명 ①눌러 으깨어 부수는 기계의 총칭. ②설탕을 만드는 기계의 하나.

압수[1]【押守】 명 영치(領置)함. 압수(押收)하여 보관함. ——하다 타여불

압수[2]【押收】 명 〖법〗 법원이 증거물 또는 몰수하여야 할 물건이라고 사료되는 것의 점유를 취득하는 강제 처분. ¶증거품을 ～하다. ——하다 타여불

압수[3]〔Apsu〕 명 바빌로니아 신화에서, 원초적 심연(原初的深淵), 지하의 대양, 담수(淡水)의 정(精)을 이름. 본디 여성이였으나, 티아마트(Tiamat)와 결혼하여 모든 존재의 아버지가 되었다 함.

압수-배【壓手杯】 명 〖공〗 입전두리가 밖으로 벌어져 손에 눌리는 듯이 걸리도록 만든 잔.

압수 수색 영장【押收搜索令狀】[—녕짱] 명 〖법〗 형사 소송법상(刑事訴訟法上) 공판정(公判廷) 밖에서 압수·수색을 할 때에 법원이 발하는

영장. 압수·수색을 함에는 특별한 경우를 제외하고 반드시 이 영장이 제시되어야 하며, 영장에는 수색할 장소와 물건이 명시되어야 함. 압수와 수색은 밀접한 관계에 있으므로, '압수 수색 영장'을 쓰고 있음. ㊀수색 영장.

압수 영장【押收令狀】[—짱] 명 〖법〗 형사 소송법상에서 압수의 재판을 기재한 영장. 압수와 수색은 밀접한 관계에 있으므로, '압수 수색 영장'이라는 공통된 영장을 쓰고 있음.

압수 펌프【壓水—】〔pump〕 명 〖물〗 원통(圓筒)·피스톤 및 위쪽으로 여는 판(瓣)으로 이루어진 펌프. 구조가 간단하나 비교적 높은 곳까지 양수(揚水)할 수 있음.

〈압슬〉

압슬【壓膝】 명 〖역〗 옛날 죄인을 심문할 때 죄인을 요동하지 못하게 한 곳에 묶어 놓고, 꿇린 무릎 밑에는 사금파리 따위를 깔고, 무릎 위를 압슬기로 누르거나 무거운 돌을 올려 놓던 일. 조선 시대 초기부터 있었으나 영조(英祖) 때 폐함.

압슬-기【壓膝器】 명 〖역〗 압슬할 때에 쓰던 형구의 한 가지. 목판을 많이 사용하였음.

압승【壓勝】 명 압도적(壓倒的)으로 승리함. ¶5대 0으로 ~하다. ——하다 자여불

압시[1] 명 〈방〉 아버지(전라).

압시[2]【壓視】 명 멸시함. 남을 만만하게 봄. ——-하다 타여불

압시-법【壓視法】[—뻡] 명 〖의〗 판유리로 피부를 눌러서 그 퇴색(褪色)의 여부로 병을 진단하는 방법. 체내의 충혈(充血)일 때만은 퇴색하나 내출혈일 때는 퇴색하지 않음. 유리 대신에 지압(指壓)을 쓰기도 함.

압신【壓神】 명 기계의 작용이 피부에 닿아 일으키는 감각.

압쎄기 명 〈방〉 홍역(紅疫)(강원).

압씨 명 〈방〉 아버지(전라).

압씨기 명 〈방〉 홍역(紅疫)(강원).

압억【壓抑】 명 억압(抑壓)❶. ——-하다 타여불

압연【壓延】 명 〔rolling〕 〖공〗 금속 가공법의 하나. 회전하는 압연기의 롤(roll) 속에 상온(常溫)이나 고온으로 열한 금속을 넣어서 봉상(棒狀) 또는 판상(板狀)으로 만드는 일. ——-하다 타여불

압연-기【壓延機】 명 〖기〗 일반 금속이나 강철 등을 압연하는 기계. 롤링 밀(rolling mill).

압운【押韻】 명 〖문〗 ①한시부(漢詩賦)의 일정한 곳에 운을 달고 시를 지음. ②시에서 어구 위에 같은 음이나 비슷한 음이 규칙적으로 배치되어 운율적(韻律的)인 효과를 내는 일. 정형시(定型詩)의 전형(典型)으로 얼리터레이션(alliteration)과 라임(rhyme)이 있음. 음위율(音位律). ——-하다 타여불

압인【壓印】 명 찍힌 부분이 도드라져 나오거나 들어가도록 만든 도장. 학생증·주민 등록증, 그 밖의 중요한 물건에 찍음. 또, 그 도장에 압력을 가하여 인발 무늬를 찍어내는 일. *철압인(鐵壓印). ——-하다 자여불

압인 가공【壓印加工】 명 〔coining〕 금속(金屬)을 한 쌍의 틀 사이에 넣고 압력을 가하여 무늬를 새기는 일.

압인 기계【壓印機械】 명 〖기〗 화폐(貨幣)를 만드는 기계의 하나. 무늬를 압인하는 데 쓰임.

압입【壓入】 명 눌러서 밀어 넣음. ——-하다 타여불

압입-법【壓入法】 명 〔pressure process〕 〖공〗 목재의 방부 처리법(防腐處理法). 나무 세포에 크레오소트(creosote)와 염화 아연(塩化亞鉛) 따위의 방부제를 주입함.

압입 완성법【壓入完成法】[—뻡] 명 쇠붙이에 구멍을 뚫은 후, 그 구멍의 안쪽을 완성하는 방법의 한 가지. 가공품에 수압(水壓) 프레스를 써서 철구(鐵球)를 압입하여 관통시킴.

압입 유체【壓入流體】[—뉴—] 명 〔injection fluid〕 〖광〗 석유의 생산량을 증가시키기 위하여, 유층(油層)에 압입하는 가스 또는 물. 압입물을 가스로 할 것인지 물로 할 것인지는, 유층의 성질이나 거기에 함유된 유체의 성질에 따라 결정됨.

압입-정【壓入井】 명 〔injection well〕 〖광〗 석유의 2차 회수(回收)에 있어서 유층(油層)에 남아 있는 기름을 유정(油井) 가까이 밀어 보내기 위하여, 가스 또는 물과 같은 유체(流體)를 압입하는 갱정(坑井).

압자【壓搾】 명 압착(壓搾). ——-하다 타여불

압자-기【壓搾機】 명 〖기〗 압착기(壓搾機).

압자일렌〔도 Abseilen〕 명 등산에서, 급사면(急斜面)을 로프를 사용하여 내려가는 일.

압재【壓滓】 명 압착(壓搾)하고 남은 찌끼.

압전 게이지【壓電—】 명 〔piezoelectric gauge〕 압력을 받으면 전압(電壓)이 발생하는 수정(水晶) 따위 압전 물질을 사용한 압력 측정 계기. 폭발(爆發)에 기인(起因)하는, 순간 압력이나 총신(銃身)에 생기는 압력을 측정하는 데 쓰임.

압-전기【壓電氣】 명 〔piezoelectricity〕 〖물〗 수정·전기석 등의 광물을 압축 또는 신장할 때 양극에 음양의 전위차가 일어나는 현상. 마이크로폰·수화기 등에 이용. 피에조 전기.

압전기-계【壓電氣計】 명 〖물〗 압전기의 측정에 쓰이는 계기. 피에조 전기계(piezo 電氣計).

압전-성【壓電性】[—썽] 명 〔piezoelectric〕 〖물〗 역학적(力學的)인 힘을 가(加)할 때 기전력(起電力)이 발생하거나, 전압(電壓)을 가할 때 역학적인 힘이 발생하는 성질.

압전성 결정【壓電性結晶】[—썽—쩡] 명 〔piezoelectric crystal〕 〖물〗 압전 효과를 나타내는 결정. 스피커·마이크로폰·픽업 등에 사용됨.

압전성 반:도체【壓電性半導體】[—썽—] 명 〔piezoelectric semiconductor〕 〖물〗 피에조 효과를 나타내는 반도체. 황화(黃化) 카드뮴·안티몬화(化) 인듐(indium) 따위.

압전 소:자【壓電素子】 명 〔piezoelectric element〕 〖전〗 전자 회로에 쓰이는 압전 결정(結晶). 예컨대, 기계적 신호 또는 음향 신호를 전기적 신호로 바꾸거나, 수정 발진기(水晶發振器)의 주파수를 제어하는 변환기(變換器) 따위.

압전 효:과【壓電効果】 명 〔piezoelectric effect〕 〖물〗 도체(導體) 또는 반도체에 가해지는 외력의 응력에 의해 전기 저항이 변하는 현상. 피에조(piezo) 저항 효과.

압점【壓點】 명 〔pressure spot〕 〖생〗 피부상에 분포되어 압각(壓覺)을 느끼게 하는 점상(點狀)의 감각 부위(部位). 가벼운 자극은 촉각으로서 느끼며, 강한 압력으로 변형을 받는 압각(壓覺)을 느끼는 것. $1cm^2$에 약 25개 있다고 함. 촉점(觸點).

압접【壓接】 명 〔pressure welding〕 〖공〗 가압하(加壓下)에 금속 표면을 용접하는 일.

압접-법【壓接法】 명 〖공〗 용접 방법의 한 가지. 접합부에 압력을 가하여 용착(鎔着)을 시키는 방법. 단접(鍛接)·테르밋(Thermit) 압접·가스 압접·저항 용접·냉간(冷間) 압접 등이 있음.

압정[1]【押釘】 명 손가락으로 눌러 박는, 대강이가 크고 납작한 쇠못. 압핀(押pin).

압정[2]【壓政】 명 ↗ 압제 정치. ¶~에 시달리다.

압제【壓制】 명 권력·완력·폭력 등을 이용하여 사람의 언동을 속박하거나 강제하는 일. 또, 그 모양. ——-하다 타여불

압제-력【壓制力】 명 압제하는 힘.

압제-자【壓制者】 명 남을 압제하는 사람. 압제 정치를 하는 사람.

압제-적【壓制的】 명관 권력이나 폭력 등으로 사람의 자유를 속박(束縛)하는 모양.

압제 정부【壓制政府】 명 압제 정치를 행하는 정부.

압제 정치【壓制政治】 명 〖정〗 지배자의 권력으로 압제하여 국민의 자유를 속박하는 정치. 강압 정치. ㊀압정(壓政). *전제 정치.

압조【壓條】 명 〖농〗 취목(取木). ——-하다 타여불

압존【壓尊】 명 어른에 대한 공대(恭待)가 그보다 더 높은 어른 앞에서는 줄어짐.

압좌【押坐】 명 죄인 등을 잡아 가둠. ——-하다 타여불

압즙【鴨汁】 명 오리 고기로 끓인 국.

압증【鴨蒸】 명 오리찜.

압지【押紙·壓紙】 명 잉크·먹물 등으로 쓴 것을, 번지거나 묻어나지 않도록 마르기 전에 그 위를 눌러서 빨아들이는 데 쓰는 종이. 흡묵지(吸墨紙).

압지-틀【押紙—·壓紙—】 명 압지를 끼워서 쓰는 틀.

압착[1]【壓着】 명 꽉 눌러 붙임. 꽉 붙임. ——-하다 타여불

압착[2]【壓搾】 명 ①눌러서 짜냄. 압자(壓搾). ②〖물〗 강압(強壓)을 가하여 물질의 밀도를 크게 하는 일. ——-하다 타여불

압착 공기【壓搾空氣】 명 〖물〗 압축 공기(壓縮空氣).

압착-기【壓搾機】 명 〖기〗 식물의 씨·줄기 등을 압착하여 즙액(汁液)을 내는 데 사용하는 기계. 수압식·지레식·나선식 등이 있음. 압자기(壓搾機).

압착 테이프【壓着—】〔tape〕 명 뒷면에 접착제를 바른 테이프. 종래의 풀을 바른 테이프와는 달리 물을 묻힐 필요가 없음. 포장(包裝) 따위에 씀.

압척-초【鴨跖草】 명 〖식〗 닭의장풀.

압초[1]【鴨炒】 명 오리볶음.

압초[2]【鴨酢】 명 오리젓.

압축[1]【壓軸】 명 하나의 시축(詩軸)에 실린 시 가운데서, 가장 잘 지은 시.

압축[2]【壓縮】 명 ①눌러서 오그라뜨림. ②〔compression〕 〖물〗 물질에 압력을 가하여 그 용적을 축소시킴. ③〖문〗 문장 등을 축소시켜 짧게 함. ④〖심〗 어떠한 것에 둘 이상의 것의 특성을 중복시키는 일. 꿈 혹은 신화(神話)·정신 분열 병자의 그림 따위에서 볼 수 있음. ⑤〖컴퓨터〗 특수한 코딩 방법을 이용하여 불필요하거나 반복되는 부분을 없애고 데이터의 양을 줄임. 또, 그 방법. ——-하다 타여불

압축 가스【壓縮—】〔gas〕 명 〖공〗 ①상온(常溫)에서 액화되지 않을 정도로 압축된 고압(高壓)의 기체. 산소·수소·질소 등이며, 흔히 봄베(Bombe)에 넣어 둘 수 있음. ②천연 가스·석탄 가스 또는 오물이나 수챗물 등의 메탄 발효에 의한 부패(腐敗) 가스를 고압 용기(容器)에 충전(充塡)한 가스.

압축 강도【壓縮強度】 명 어떤 물체가 어느 정도 견디어 낼 수 있는지 그 압축력의 한도를 나타내는 수치. 주로, 건축 용재에 쓰임.

압축-계【壓縮計】 명 압축되는 물건의 압력을 재는 장치.

압축 공기【壓縮空氣】 명 〔compressed air〕 〖물〗 고압을 가하여 용적을 축소시킨 공기. 다시 팽창할 때의 힘을 원동기·제동기·자동 개폐 장치 등 여러 용도에 씀. 압착 공기.

압축 공기기【壓縮空氣機】 명 〖기〗 압축 공기를 에너지원(源)으로 하는 기계의 총칭. 착암기·압축 공기 기관차·압축 공기 해머·자동 개폐문 등임. *공기 기관.

압축 공기 기관【壓縮空氣機關】 명 압축 공기 엔진.

압축 공기 기관차【壓縮空氣機關車】 명 〖기〗 공기조(空氣槽)에 고압 공기를 채워, 감압판(減壓瓣)으로 적당히 감압하면서 실린더에 보내어 운전하게 된 기관차. 메탄 가스 같은 폭발성 가스가 있는 탄광 같은 데서 사용함. 용기(用氣) 기관차.

압축 공기 동:력【壓縮空氣動力】[—녁] 명 〔compressed-air power〕 압축 공기가 팽창할 때의 압력에 의하여 발생하는 동력. 드릴 등의 공구(工具)와 호이스트(hoist)·그라인더·리베터·굴착기(掘鑿機)·모터·기관차 등에 쓰임.

압축 공기병【壓縮空氣病】[—뼝] 명 〔caisson disease〕〖의〗 고압(高壓)에서 갑자기 상압(常壓) 상태로 변화함으로써 생기는 증상(症狀)의 하나. 혈액(血液) 및 체내 조직(體內組織) 속에 질소(窒素)의 기포(氣泡)가 생김. 케이슨병(病).

압축 공기 엔진【壓縮空氣—】〔engine〕 명 〖기〗 압축 공기를 에너지원(源)으로 하는 엔진. 인화성(引火性)이 없고, 매연·유독 가스도 없어 갱내(坑內) 작업·화학 공장 등에서 쓰임. 압축 공기 기관.

압축-기【壓縮機】 명 〔compressor〕〖물〗 기체(氣體)를 압축시켜, 그 고압(高壓)을 이용하는 기계. 회전·왕복 및 원심(遠心) 압축기 등이 있음. ＊압축 펌프.

압축 냉:각법【壓縮冷却法】 명 〖물〗 암모니아나 탄산 가스 등의 압축 액체의 기화열(氣化熱)을 이용한 냉각법. 냉동(冷凍)·냉장 및 제빙(製氷)·빙과 제조 등에 이용됨. 증발된 기체는 다시 액화(液化)하여 몇 번이고 사용할 수 있음.

압축 냉:동【壓縮冷凍】 명 〔compression refrigeration〕 가스상(gas狀)의 냉매(冷媒)에 의한 냉각(冷却). 암모니아 따위의 냉매를 압축하여 액화(液化)하고, 그 액체를 열교환기(熱交換器)에서 냉각한 다음, 감압(減壓)한 액체를 증발시켜 증발열(蒸發熱)의 흡수에 의한 냉각 효과를 얻음.

압축 냉:동기【壓縮冷凍機】 명 〖기〗 압축기를 사용하는 냉동기. 암모니아·탄산 가스·아황산 가스 등의 냉매(冷媒)를 순환적으로 압축·응축·팽창·증발시켜 가스의 기화열(氣化熱)을 이용하여 냉동함. 보통, 냉동기에 많이 사용됨. 압축식 냉동기.

압축-력【壓縮力】[—녁] 명 물체를 압축하는 힘. 보통, 단위 면적에 대한 힘으로 나타냄.

압축-률【壓縮率】[—눌] 명 〔compressibility〕〖물〗 탄성체(彈性體)에 일정한 압력을 가했을 때, 체적 감소의 비율과 압력과의 비의 비례 상수(比例常數). 이 수치(數値)가 큰 물질은 압축시키기 쉬움.

압축-비【壓縮比】 명 〔compression ratio〕〖물〗 내연 기관의 실린더 안에 흡입된 혼합 가스 또는 공기가, 피스톤에 의하여 압축되는 비율. 압축비가 높으면 엔진의 용적·중량을 늘리지 않고 출력을 높일 수 있으나, 노킹(knocking)을 일으키기 쉬움.

압축 산소【壓縮酸素】 명 〖공〗 산소 가스에, 상온(常溫)에서 높은 압력을 가하여 봄베(Bombe)에 넣어 둔 것. 의료용(醫療用)으로 또는 수소나 석탄 가스와 혼합하여 금속의 용접·절단 등에 사용함.

압축-성【壓縮性】 명 압축할 수 있거나 압축될 수 있는 성질.

압축 성형【壓縮成型】 명 〖공〗 합성 수지류의 성형법의 한 가지. 성형 재료를 분말이나 입상(粒狀)으로 만들어 금형(金型)에 넣어 가열 가압(加熱加壓)해서 성형(成型)하는 일. 가압(加壓) 성형. 프레스 성형(press 成型).

압축 성형기【壓縮成型機】 명 〖기〗 성형기의 하나. 파스칼의 원리를 이용, 물 또는 기름을 매체로 고압(高壓)을 얻어 거푸집에 넣은 플라스틱 재료에 이 압력을 가하여 가열 가소화(加熱可塑化)하면서 소요의 성형품으로 만듦. 주로, 열경화성 수지(熱硬化性樹脂)·타이어(tire) 등의 성형에 쓰임. 콤프레션(compression) 성형기.

압축 시험【壓縮試驗】 명 〔compression test〕〖공〗 압축 하중(荷重)에 대한 저항력과 변형의 관계 같은 것을 조사하는 재료 시험.

압축식 냉:동기【壓縮式冷凍機】 명 〖기〗 압축 냉동기.

압축-열【壓縮熱】[—녈] 명 〔heat of compression〕 공기(空氣)를 압축할 때 생기는 열.

압축 응:력【壓縮應力】[—녁] 명 〔compressive stress〕〖물〗 부하(負荷)의 방향으로 탄성체(彈性體)를 오그라들게 하는 응력.

압축 인자【壓縮因子】 명 〔compressibility factor〕〖물〗 기체(氣體)의 압력(壓力)과 체적(體積)의 곱을, 기체의 온도와 기체 상수(氣體常數)의 곱으로 나눈 값. 실재(實在) 기체와 이상(理想) 기체와의 편차(偏差)를 나타냄.

압축 장력계【壓縮張力計】[—녁—] 명 〖물〗 압축 공기의 장력(張力)을 측정하는 데 사용하는 계기(計器).

압축-재【壓縮材】 명 구조물(構造物)의 뼈대를 이루고 있는 부재(部材) 중, 압축력(壓縮力)을 받는 것. 항압재(抗壓材).

압축 점:화【壓縮點火】 명 〔compression ignition〕 내연 기관(內燃機關)에서, 실린더 안의 공기를 압축한 후에 연료(燃料)를 주입(注入)하여 점화(點火)하는 일.

압축 점:화 기관【壓縮點火機關】 명 점화 방식에 의한 기관 분류의 하나. 공기를 압축하여 500°-550°C의 고온으로 만들고, 그 속에 연료를 안개 모양으로 분사(噴射)하여 점화시키는 내연 기관. ↔불꽃 점화 기관.

압축 펌프【壓縮—】〔pump〕 명 〖물〗 공기 기타 기체를 압축하여 압력을 높이고 부피를 적게 하기 위하여 사용하는 펌프. 공기 펌프. ＊압축기(壓縮機).

압축 프로세스【壓縮—】 명 〔compression process〕〖화〗 탄화 수소(炭化水素)를 많이 함유(含有)하고 있는 기체(氣體)에서 천연(天然) 가솔린을 회수(回收)하는 프로세스.

압축 행정【壓縮行程】 명 〔compression stroke〕 엔진이나 압축기(壓縮機)에서, 피스톤이 실린더 속의 유체(流體)를 압축하는 행정(行程).

압출【壓出】 명 ①압력을 가하여 밀어냄. ②〔extrusion〕 합성 섬유(合成纖維)의 연속사(連續絲)를 만드는 공정. 액체상(液體狀)의 재료에 압력을 가하여 노즐을 통과시켜 방사(紡絲)함.

압출 성형【壓出成形】 명 〔extrusion〕 금속이나 플라스틱과 같은 고체 물질을 고온(高溫) 또는 저온(低溫)에서 틀에 넣어 연속적으로 희망하는 제품 형상을 만들어내는 공정.

압출 진통【壓出陣痛】 명 〖생〗 출산시에 태아가 음문을 통하여 나올 때에 받는 진통.

압취【押取】 명 강제(强制)로 빼앗아 가짐. ＊탈취(奪取). ——-하다 타 여불

압취 공:룡【鴨嘴恐龍】[—뇽] 명 〖동〗 트라코돈.

압치[1] 명 〖어〗 [*Gonorhynchus abbreviatus*] 압칫과에 속하는 바닷물고기. 몸은 원통형으로 몸길이 30cm 가량임. 턱이 뾰족하고 턱 아래 수염이 하나 있음. 몸빛은 갈색(褐色)이며 지느러미는 흑색(黑色)을 띰. 우리나라 남해와 일본 중부 이남의 태평양 연안에 분포함.

압-치[2]【鴨峙】 명 〖지〗 충청 북도 영동군(永同郡)과 전라 북도 무주군(茂朱郡) 사이에 있는 고개. [313m]

압칫-과【—科】 명 〖어〗 [Gonorhynchidae] 청어목(目)에 속하는 어류의 한 과(科). 압치가 이에 속함.

압통【壓筒】 명 〔impression cylinder〕〖인쇄〗 인쇄판(印刷板)에서 잉크가 묻은 상(像)이 눌리어 찍힌 실린더(cylinder). 이 상이 인쇄 종이에 전사(轉寫)됨.

압통-점【壓痛點】[—쩜] 명 〔pressure point〕〖의〗 피부 위에서 누르면 통각(痛覺)을 느끼는 점. 신경이 분기되는 곳이나 심부(深部)에서 표층(表層)으로 나타나는 데에 있음. 장기(臟器)의 질환과 관계가 있어 진단(診斷)의 한 방편이 됨.

압편-기【壓片器】 명 현미경 등에서, 물체의 조각을 누르는 장치.

압-핀【押—】〔pin〕 명 압정(押釘).

압핍【狎逼】 명 어른에게 삼가는 마음 없이, 무례하게 가까이 다가붙음. 압근(狎近). ——-하다 자 여불

압핍지-지【狎逼之地】 명 산소나 집터 등의 바로 곁에 이웃하고 있는 땅.

압해【押解】 명 〖역〗 포로를 풀어 주어 보냄. ——-하다 타 여불

압해-도【押海島】 명 〖지〗 전라남도 서해상(西海上), 신안군(新安郡) 압해면을 이루는 섬. 목포(木浦) 반도 서쪽에 위치하며 김·굴 등의 양식이 행해짐. [47.47 km² : 11,140 명(1984)]

압-현【鉀峴】 명 〖지〗 경상 북도 봉화군(奉化郡)과 영주군(榮州郡) 사이에 있는 고개. [202 m]

압형 토기【鴨形土器】 명 〖고고학〗 오리 토기.

압흔【壓痕】 명 〖의〗 부종(浮腫)이 있는 근육을 손가락으로 눌렀다 놓으면, 그 누른 자리가 한참 동안 원상태로 돌아가지 아니하고, 눌린 그대로 있는 흔적.

앗[1] 명 〈옛〉 아우. ¶飛燕의 앗이 양지 됴커늘 ≪內訓 序 5≫.

앗[2] 감 위급할 때나 놀랄 때에 내는 소리. ¶～, 강도다.

앗가 부 〈옛〉 아까. ¶내 앗가 ᄒᆞᆫ 쌀 밧고라 갓더니(我恰纔糴米去來) ≪老乞 上 40≫.

앗가ᄫᆞᆫ 형 〈옛〉 아까운. '앗갑다'의 활용형. ¶太子ㅣ 무로ᄃᆡ 앗가ᄫᆞᆫ ᄠᅳ디 잇ᄂᆞ니여 ≪釋譜 Ⅵ:25≫.

앗가ᅀᅡ 부 〈옛〉 아까서야. 이제 겨우. ¶네 엇디 앗가ᅀᅡ 온다(你怎麼纔來) ≪朴解 上 64≫.

앗가야 감 〈옛〉 아차. ¶앗가야 사룸되랴 온몸에 짓치 돗쳐 ≪永言 219≫.

앗가이 부 〈옛〉 아깝게. ¶내 ᄆᆞᅀᆞ매 앗가이 너겨(初心惜之) ≪內訓 Ⅲ:37≫.

앗갑다 형 〈옛〉 아깝다. ¶天下에 앗가ᄫᆞᆫ 거시 몸 ᄀᆞᄐᆞ니 업스니이다 ≪月釋 XXI2:16≫.

앗:게 감 하게 할 처지에, 그리 말도록 권하는 말.

앗구려 감 〈옛〉 앗아라. ¶앗구려 功名도 말고 너를 조차 놀리라 ≪永言 304≫.

앗기다[1] ㊀타 앗게 하다. ㊁피동 앗음을 당하다.

앗기다[2] 타 〈옛〉 아끼다. ¶千金을 아니 앗기샤(不吝千金) ≪龍歌 81章≫/ 슈고를 앗기지 안코 쥬명대로 좃치리라 ≪찬양가 : 14≫

앗ᄂᆞᆫ ᄯᅡ 명 〈옛〉 앉을 곳. ¶이 사ᄅᆞ미 功德이 後生애 帝釋 앗ᄂᆞᆫ ᄯᅡ히어나 梵王 앗ᄂᆞᆫ ᄯᅡ히어니 轉輪聖王 앗ᄂᆞᆫ ᄯᅡ홀 得ᄒᆞ리라 ≪釋譜 XIX:6≫.

앗다[1] 자 〈옛〉 앉다. ¶剛權也剛坐 계우 앗다 ≪老朴 單字解 Ⅰ≫.

앗:다[2] 타 ①↗빼앗다. ¶목숨을 앗아 가다. ②껍질을 벗기고 씨를 빼다. ¶목화(木花)를 ～. ③남의 하는 일을 가로채 가지다. ④깎아 내다.

앗:다[3] 타 품일을 해 주고 품을 얻다. ¶논둑의 그루 콩은 누가 심어 주며 엉터리로 끌어다 댄 일꾼은 누가 앗아 주나 ≪李無影 : 흙의 노예≫.

앗다[4] 불타 '어떤 일을 하지 말다'의 뜻을 가지며 명령형으로만 쓰임. ¶그 일만은 앗아라 / 약한 자를 구박하는 짓만은 앗게.

앗다-빼다 타 〈방〉 빼앗다.

앗바라 〔Atbara〕 명 〖지〗 아프리카 동북부 수단 공화국의 도시. 타나 호(Tana湖)가 수원(水源)인 앗바라 강과 나일 강과의 합류점에 위치하며, 홍해(紅海) 연안의 포트수단(Port Sudan)과 철도로 연결됨. [54,000 명]

앗보치 명 〈옛〉 일가붙이. 종자(從子)들. ¶모든 앗보치들히 ᄆᆡ 못고 줄혀(羣從子皆盛衣雁行) ≪二倫 31 文嗣十世≫.

앗-사위 명 쌍륙이나 골패놀이에서, 승부가 한 판에 달린 때의 그 판.

앗소 감 〈방〉 옜소.

앗-쌤 명 〖광〗 엇비슷하게 통한 구멍이.

앗아 감 ☞ 아서.

앗아 넣:다 [—너타] 타 한쪽으로 쏠리지 않도록 끝을 깎아서 어긋매껴 넣다. 어긋나게 박다.

앗아라 감 ☞ 아서라.

앗아라노타 타 〈예〉 풀어놓다. ¶撒散之也 撒了헤티다 又覺也 覺撒了아다 又放也 撒放 罪人죄인을 앗아라노타 ≪老朴 單字解 Ⅰ≫.

앗외다 타 〈옛〉 알리다. 이끌다. ¶導師는 法 앗외는 스스이니 如來를 솔ᄫᆞ시니라 ≪釋譜 XIII:16≫.

앗이다 피동 〈옛〉 빼앗기다. ¶나라ᄒᆞᆯ 앗이리니 王이 네 아ᄃᆞᄅᆞᆯ 내티쇼

셔 ≪月釋 Ⅱ·5≫.
앗-줄 명 ↗아딧줄.
앗쳐러ᄒᆞ다 타 〈옛〉 싫어하다. =아쳐라ᄒᆞ다·아쳐러ᄒᆞ다. ¶ 츤 이롤 써려ᄒᆞ며 ᄀᆞ독ᄒᆞᆫ 일올 앗쳐러ᄒᆞ며(忌盈惡滿)≪飜小 Ⅷ:27≫.
앗첫다 타 〈옛〉 싫어하다. =앋첟다. ¶ 다ᄉᆞᆺ 재는 쳔량하며 져곰과 가난호믈 앗쳣고 가ᄉᆞ며루믈 구호믈 니ᄅᆞ디 말며(五不言財利多少厭貧求富)≪飜小 Ⅷ:21≫.
-았- 선어미 동사나 형용사의 양성 모음 어간 뒤에 덧붙는 선어말 어미. ①어떤 일이나 행동·상태가 과거에 속함을 나타냄. ¶ 오래 전에 받~다 / 생각보다 많~다. ②어떤 일이나 상태가 과거부터 지금까지 미치고 있음을 나타냄. ¶ 빚은 많이 갚~다 / 날이 밝~구나. ③'다'와 함께 쓰이어 반어적으로 그런 일을 할 수 없게 또는 그런 상태가 될 수 없게 됨을 나타냄. ¶ 전기가 나갔으니 텔레비전은 다 보~다. ④미래에 있을 일을 단정적으로 말할 때 씀. ¶ 실수를 했으니 너 이제 야단 맞~다. *-었-.
-았습니다 어미 선어말 어미 '-았-'과 '-습니다'가 합치어 된 종결 어미. ¶ 보~/하지 않~. *-었습니다.
-았었- 선어미 동사나 형용사의 양성 모음 어간 뒤에 붙어, 과거의 일이나 상태가 현재는 그렇지 않다거나 또는 현재와 강하게 단절되었음을 나타내는 선어말 어미. 흔히 과거 관련의 시간 부사어가 앞에 있을 때 씀. ¶ 예전에는 이 곳에서 많이 놀~는데 / 학생 때 가끔 장학금을 받~다. *-었었-.
-았읍니다 어미 ☞ -았습니다.
-았자 어미 동사·형용사의 양성 모음으로 끝나는 어간에 붙어, 그 행동이나 상태를 인정하더라도 상반되는 결과로밖에 될 수 없음을 나타내는 연결 어미. ¶ 아무리 소리쳐 보~ 소용 없다 / 산이 높~ 하늘 아래 있는 걸. *-었자.
아ᇫ 명 〈옛〉 아우. =아ᅀᆞ·아ᅀᆞ❷. ¶ 아ᇫ은 ᄠᅳᆮ 다ᄅᆞ거늘(弟則意異)≪龍歌 24 章≫. 「아ᇫ노라ᄒᆞ니라 ≪楞嚴 Ⅰ:3≫.
아ᇫ노라 자 〈옛〉 앉노라. '앉다'의 활용형. ¶ 黃卷ㅅ 가온ᄃᆡᆺ 聖賢과 마조
아ᇫ다 타 〈옛〉 빼앗다. ¶ 東寧을 ᄒᆞ마 아ᅀᆞ샤(東寧旣取) ≪龍歌 42章≫/ 나토며 아ᅀᆞ며 두려이 노가(形奪圓融) ≪圓覺 上 一之二 62≫/ᄂᆞ미 지손 거슬 아ᅀᅡ 제 즐기ᄂᆞ니 ≪月釋 Ⅰ:32≫.
아ᇫᄋᆡ 명 〈옛〉 아우의. '아ᅀᆞ'의 소유격형. ¶ 平陰엣 音信이 갓가이 이시니 아ᇫᄋᆡ 사라슈믈 아ᅀᆞ라히 듯노라(近有平陰信 遙憐舍弟子)≪杜諺 Ⅷ:35≫.
앙[1] 【仰】 명 성(姓)의 하나. 우리 나라에는 현존(現存)하지 아니함.
앙[2] 【盎】 명 중배가 부른 동이.
앙[3] 부 개 따위가 왈칵 물려고 덤빌 때 내는 소리.
앙[4] 감 ①어린 아이들의 울음을 나타내는 말. ②남을 놀랠 때 무서워하라고 지르는 소리. ──-하다 자여불
앙가라 강 【一江】〔Angara〕 명 〖지〗 러시아 동부 시베리아의 강. 바이칼 호에서 발원하여, 타이가(taiga) 지대를 흘러 에니세이 강(Enisei 江)으로 흘러들어감. 대수력 발전소가 건설되어 있고, 유역은 철광 등 지하자원이 풍부함. [1,826 km]
앙가라 순상지 【一楯狀地】〔Angara〕 명 〖지〗 중부(中部) 시베리아 앙가라 강(江) 유역 이르쿠츠크(Irkutsk) 부근을 중심으로 선캄브리아(先cambria) 시대의 지층이 넓게 노출되어 있는 지역. 앙가라 대륙(大陸). *안정 대륙(安定大陸).
앙가르스크 〔Angarsk〕 명 〖지〗 러시아 동부(東部) 시베리아 이르쿠츠크(Irkutsk) 부근의 도시. 제2차 세계 대전 후에 도시 건설이 시작되어 1951년 완성됨. 정유소(精油所)가 있고 화학·기계·제재(製材) 공업 등이 행해짐. [269,000 명(1993)]
앙가-발이 명 ①다리가 짧고 굽은 사람. ②잘 달라붙는 사람. ③〈속〉 다리가 짧고 밖으로 구부러진 조그만 소반. 주로, 주안(酒案)을 차리는
앙-가슴 명 두 젖 사이의 가슴. ¶ ~을 풀어 헤치다. └데 쓰임.
앙가심 명 〈방〉 가슴(충남).
앙가우르 섬 〔Angaur〕 명 〖지〗 태평양 4대 인광(燐鑛) 산지의 하나로 구아노 인광을 산출함. [4 km²]
앙가-조촘 부 ①아주 앉도 서도 아니하고, 몸을 반쯤 굽히고 있는 모양. ¶ 문을 닫고 한참이나 이불자락 옆에 ~ 쪼그리고 앉아 있었다≪金周榮 : 客主≫. ②가부를 딱 결정짓지 못하고 망설이는 모양. ¶ ~ 결정을 못 내리다. 1)·2): <엉거주춤. ──-하다 자여불
앙가주망 〔프 engagement〕 명 사회 참여(社會參與). ↔데가주망.
앙가주망 문학 【一文學】〔프 engagement〕 명 〖문〗 제2차 대전 때의 프랑스 레지스탕스 운동 시대에 성장한 문학. 정치 참여 및 사회 참여의 문학이란 뜻으로, 사회(社會)·정치(政治) 문제에 대하여 분명한 태도를 취하는 작가의 문학.
앙:각 【仰角】 명 ①〖수〗 '올려본각'의 구용어. ②포구(砲口)가 위로 향했을 경우, 수평면과 포신(砲身)이 이루는 각. ↔부각(俯角).
앙감-발 명 앙감질할 때의 발의 자세.
앙:감 부:괴 【仰感俯愧】 명 우러러보아 남의 덕이 높은 데 감격하고, 굽어보아 자기의 용렬함을 부끄러이 여김.
앙감-질 명 한 발을 들고 한 발로만 뛰어가는 짓. 침탁(踸踔). ──-하다
앙강쥐 명 〈방〉 까끄라기(충남). └자여불
앙-갚음 명 남이 저에게 해를 주었을 때, 저도 그에게 해를 주는 행동. 보복(報復). 보수(報讐). 복수(復讐). 보구(報仇). 보원(報怨). 복보수(復報讐). ¶ ~을 당하다. ──-하다 자타여불
앙갱이 명 〈방〉 고양이(경북).
앙게-발이 명 〈방〉 앙가발이.
앙:견 【仰見】 명 우러러봄. 쳐다봄. 앙관(仰觀). 앙시(仰視). 앙면(仰眄). 앙망(仰望). ──-하다 타여불
앙-경 【殃慶】 명 재앙과 경사.
앙계 【秧鷄】 명 〖조〗 흰눈썹뜸부기.
앙:고 【仰告】 명 우러러보고 여쭘. ──-하다 타여불
앙고라 〔Angora〕 명 ①〖지〗 '앙카라(Ankara)'의 구칭. ②〖동〗 앙고라 토끼. ③앙고라 직물. 「곱슬하며 모직물의 원료로 쓰임.
앙고라-모 【一毛】〔Angora〕 명 앙고라 염소의 털. 순백에 대체로 곱슬
앙고라-염소 〔Angora〕 명 터키의 앙고라, 현재의 앙카라 지방 원산의 채모용(採毛用) 염소. 전신에 윤이 나는 백색의 긴 털이 남. 이 털로 모헤어 등 양복감을 만듦. 모헤어 염소.
앙고라 직물 【一織物】〔Angora〕 명 앙고라토끼의 털로 짠 직물. 양모·견사·합성 섬유와 혼직도 함. 가볍고 보온성이 좋아 고급 모자·장갑 제조에 쓰임. 앙고라.
앙고라-토끼 〔Angora〕 명 〖동〗 집토끼의 한 품종. 털을 이용하기 위하여 기르는데 원산지는 터키의 앙고라. 현재의 앙카라 지방이나 또는 프랑스를 거쳐 영국에서 다시 개량한 것으로, 몸은 중형(中型), 귀는 짧고 털빛은 대개 희나 갈색·회색·흑색도 있음. 털의 길이 12-15 cm로 견사(絹絲)와 같이 매우 아름다워 앙고라 직물에 쓰임. 한 해에 3-4
앙:곡 【昂曲】 명 〖건〗 끝이 번쩍 들린 추녀. └번 털을 깎음. 앙고라.
앙골라 〔Angola〕 명 〖지〗 아프리카의 서부, 자이르 남쪽에 있는 독립국. 불모지(不毛地)가 많고 더위가 극심함. 커피·고무·면화·야자유 등의 수출 농산물과 다이아몬드·구리·석탄 등의 광산물이 있으나 경제력의 대부분은 벵겔라(Benguela) 철도에 의한 콩고·북로디지아 등지(等地)의 화물 운임에 의존함. 16-17세기에는 노예(奴隸)의 공급원(供給源)으로 유명하며 인구가 격감(激減)하였음. 정식 명칭은 '앙골라 인민 공화국(People's Republic of Angola)'. 수도 루안다(Luanda). [1,246,700 km²: 11,070,000 명(1995 추계)]
앙골라 내:전 【一內戰】〔Angola〕 명 〖역〗 1975-76년 사이에 앙골라의 좌파와 우파 세력이 독립 후의 주도권 다툼으로 벌였던 내전. 소련·쿠바의 군사 원조를 받은 좌파 앙골라 해방 인민 운동(MPLA)측의 인민 공화국 세력의 승리로 끝났음.
앙:관[1] 【仰官】 명 ↗앙속관(仰屬官).
앙:관[2] 【仰觀】 명 앙견(仰見). ──-하다 타여불
앙:관 부찰 【仰觀俯察】 명 하늘을 쳐다보고 천문(天文)을 보고, 땅을 굽어보고 지리(地理)를 살핌. ──-하다 자여불
앙:-괭이 명 ①〖민〗 정월 초하룻날 밤에 내려와서 잠자는 아이의 벗어 놓은 신을 신어 보아서, 맞는 신을 가져간다는 귀신. 만일 신을 잃어버리면 그 해는 운수가 불길하다고 함. 취음: 야광(夜光)·야광귀(夜光鬼)·야우광(夜雨光)·약왕귀(藥王鬼). ②얼굴에 먹이나 검정 등으로 함부로 그려 놓은 모양.
앙:괭이(를) 그리다 구 얼굴에 먹이나 검정 등을 함부로 칠하다.
앙구 【殃咎】 명 앙화(殃禍).
앙구다 타 ①음식 같은 것을 식지 않도록 불에 놓거나 따뜻한 데에 묻어 두다. ②곁들이다❶. ③사람을 안동하여 보내다. ¶ 하인을 앙구어 보
앙:귀 【昂貴】 명 등귀(騰貴). ──-하다 자여불 └내다.
앙그러-지다 형 ①하는 짓이 어울리고 째이다. ②모양이 보기 좋다. ③음식이 먹음직하다. ¶ 소담스럽고 ~.
앙그루 명 〔anchor escapement〕 〖기〗 시계의 톱니바퀴의 이에 맞물려서 회전을 제어하는 닻 모양으로 생긴 장치. 앵커(anchor).
앙글-거리다 자 ①어린아이가 소리 없이 연해 귀엽게 웃다. ②무엇을 속이면서 연해 꾸며서 웃다. 1)·2): <엉글거리다. 앙글-앙글 부. ──-
앙글다 자 〈방〉 아물다. └하다 자여불
앙글-대다 자 앙글거리다. 「다 자여불
앙글-방글 부 앙글거리면서 방글방글 웃는 모양. <엉글벙글. ──-하
앙금[1] 명 ①물에 가라앉은 녹말 등의 부드러운 가루. ②〖화〗 침전(沈澱).
앙금[2] 【鴦衾】 명 ↗원앙금(鴛鴦衾).
앙금-쌀쌀 부 처음엔 굼뜨게 기다가 재빠르게 기는 모양. <엉금썰썰.
앙금-앙금 부 어린아이나 다리가 짧은 동물이 굼뜨게 기어가는 모양. ¶ ~ 기어가다. ㅆ앙큼앙큼. <엉금엉금.
앙급 【殃及】 명 재앙이 미침. ¶ 에끼 이 ~을 할 놈의 세상. 「자여불
앙-급자손 【殃及子孫】 명 죄악의 갚음이 자손에게 미침. ──-하다
앙-급지어 【殃及池魚】 명 〔성문에 난 불을 못물로 껐기 때문에 그 못의 물고기가 다 죽었다는 고사에서〕 엉뚱하게 당하는 재난의 비유.
앙기 【秧基】 명 〖농〗 못자리.
앙기나 〔angina〕 명 〖의〗 질식감(窒息感)을 수반하는 경련성 통증을 특징으로 하는 질환(疾患)의 총칭. 목구멍에 생기는 염증 및 급성(急性)
앙깐 명 〈방〉 여편네❶(함경). └편도선염 따위.
앙-깨 명 〈방〉 암캐(강원·경북).
앙꼬 〔일 あんこ〕 명 ①〖광〗 다이너마이트를 남폿 구멍에 넣고 그 둘레에 다져 넣는 진흙 같은 물질. ②떡이나 빵의 팥소. ¶ ~빵.
앙녕 명 〈방〉 앙련(仰聯).
앙뉘 〔프 ennui〕 명 권태(倦怠). 애수(哀愁). 불안(不安).
앙니 명 〈방〉 송곳니.
앙달-머리 명 어른 아닌 사람이 어른인 체하면서 야심을 부리는 짓.
앙달머리-스럽다 형ㅂ불 야심스럽고 아른스럽다. 앙달머리를 부리는 것 같다. 앙달머리-스레 부 「발버둥질까? ≪金聲翰 : 轉廻≫.
앙달-방달 부 ☞ 안달복달. ¶ 그이도 없는 세상을 왜 살려고 내가 ~
앙당그러-지다 자 ①마르거나 졸아지거나 굳어지면서 조금 뒤틀리다. ②춥거나 겁이 나서 몸이 조금 옴츠러지다. 1)·2): <응등그러지다.
앙당-그리다 타 춥거나 겁이 나서 근육(筋肉)을 조금 옴츠리다. <응등그리다.

앙:도[1]【仰禱】 명 우러러 비는 일. ——-하다 자여불

앙도[2]【秧稻】 명 볏모.

앙:독【仰毒】 명 독약(毒藥)을 먹음. 앙약(仰藥). 음독(飮毒). ——-하다 자여불

앙드로마크〔Andromaque〕 명 『문』 라신(Racine) 작의, 5막의 시극(詩劇). 1667년 초연(初演). 작자의 출세작으로 고전 비극의 형식을 지키면서 인간 심리(人間心理)를 교묘하게 그림. 코르네유(Corneille)의 르 시드(Le Cid)와 함께 프랑스 고전 비극의 걸작으로 침.

앙:등[1]【仰騰】 명 등귀(騰貴). ¶물가 ~. ——-하다 자여불

앙등[2]【昻騰】 명 등귀(騰貴). 앙등(仰騰). ¶물가 ~. ——-하다 자여불

앙똥-하다 형여불 체소(體小)한 사람이 분수에 지나치거나 전연 뜻밖의 말이나 행동을 하다. ¶앙똥한 짓. <엉뚱하다.

앙라 마이뉴〔Angra Mainyu〕 명 『신』 아리만(Ahriman).

앙:련[1]【仰蓮】〔—년〕 명 『건』 꽃부리가 위로 향한 연꽃 모양의 무늬.

앙:련[2]【仰聯】〔—년〕 명 제물이나 잔치의 큰 상의 음식을 높이 괼 때에, 무너지지 않게 하기 위하여 두꺼운 종이나 색종이로 접시 둘레와 같이 싸붙여 올리고 그 속에 쌀을 넣은 것.

앙:련-좌【仰蓮座】〔—년—〕 명 『건』 앙련을 새긴 대좌(臺座).

앙:롱【仰弄】〔—농〕 명 나이 훨씬 많은 사람에게 실없이 굶. ——-하다 자여불

앙륙【殃戮】〔—뉵〕 명 천벌을 받아 죽음. ——-하다 자여불

앙리 사:세【—四世】〔Henri Ⅳ〕 명 『사람』 프랑스 국왕. 부르봉 왕조의 시조. 신교도로서 위그노(Huguenot) 전쟁에 활약하다가, 앙리 3세 암살 뒤에 즉위함. 1593년 정책상 구교로 개종(改宗)하여 국내 안정에 힘씀. 1598년 낭트(Nantes) 칙령(勅令)으로 신앙의 자유를 보장하여 종교 전쟁을 종결시키고 절대 왕정(絕對王政)을 확립함. [1553-1610; 재위 1589-1610]

앙리 삼세【—三世】〔Henri Ⅲ〕 명 『사람』 프랑스 국왕. 앙리 2세의 아들. 처음에는 구교파(舊敎派)와 제휴, 위그노(Huguenot)를 탄압함. 뒤에 기즈가(Guise家) 일문(一門)의 권세를 누르기 위하여 위그노의 수령(首領) 앙리 드 나바르(Navarre), 곧 앙리 4세와 제휴하여 구교도에 대항함. 파리 공략(攻略) 중에 수도사 클레망(Clément)에게 암살당함. [1551-89; 재위 1574-89]

앙리 이:세【—二世】〔Henri Ⅱ〕 명 『사람』 프랑스 국왕. 왕권 강화에 힘쓰고 종교 개혁 운동에 대해서 철저한 탄압을 가했으며, 대외적으로는 실지(失地) 회복을 위하여 많은 노력을 기울여 영국으로부터 불로뉴(Boulogne)와 칼레(Calais)를 탈환함. 후궁(後宮)들에 의해 내정(內政)에 많은 간섭을 받음. [1519-59; 재위 1547-59]

앙:망【仰望】 명 ①우러러 바람. ②앙견(仰見). ——-하다 타여불

앙:망 불급【仰望不及】 명 우러러 바라보아도 미치지 못함. ——-하다 형여불

앙:망 종신【仰望終身】 명 일생을 존경하고 사모하며 내 몸을 의탁하는 일. 곧, 아내가 남편에 대하여 하는 말.

앙-머구리 명 '악머구리'의 잘못.

앙:면[1]【仰面】 명 얼굴을 쳐듦. ——-하다 자여불

앙:면[2]【仰眄】 명 우러러봄. 앙견(仰見). ——-하다 자여불

앙:면[3]【仰眠】 명 위로 향하여 잠. ——-하다 자여불

앙:모【仰慕】 명 우러러 사모함. ——-하다 타여불

앙묘【秧苗】 명 벼의 싹. 볏모.

앙물-하다 형 〈방〉 앙분(怏忿)하다(경상).

앙바틈-하다 형여불 짤막하고 딱 바라지다. ¶앙바틈한 다리를 아기작아기작 놀리다. <엉버틈하다. **앙바틈-히** 부

앙발-이 명 〈방〉 앙가발이.

앙-버티다 타 끝까지 고집하다. 끝내 대항하다. ¶끝까지 ~.

앙베르〔Anvers〕 명 『지』 '안트베르펜(Antwerpen)'의 프랑스어명.

앙:벽【仰壁】 명 『건』 치반이❷.

앙:복-련【仰覆蓮】〔—년〕 명 『미술』 단청법(丹靑法)에 있어서 밑에는 연꽃이 받히고, 위에는 연잎이 덮여 있는 모양으로 그린 그림.

앙:봉【仰奉】 명 우러러 받듦. ——-하다 타여불

앙:부【仰俯】 명 부앙(俯仰).

앙:부 일구【仰釜日晷】 명 앙부 일영(仰釜日影).

앙:부 일영【仰釜日影】 명 『역』 조선 시대 세종(世宗) 16년(1434)에, 서울의 종묘(宗廟) 앞과 지금의 광화문 우체국 동편 혜정교(惠政橋) 앞에 설치했던 해시계의 한 가지. 오석(烏石)에 반지름 30 cm의 반구(半球)를 도려 파고, 북극(北極)을 가리키는 영침(影針)을 꽂아, 그 바늘 끝이 구(球)의 중심에 오게 만든 것으로, 반구 안면에 스물네 절기(節氣)의 선(線)을 긋고, 선 위에 비치는 해의 그림자로 시각을 알게 됨. 바늘 끝의 그림자의 위치는 진태양시(眞太陽時)와 계절을 가리키는데, 지금 우리가 쓰는 시간은 동경(東經) 135° 기준(基準)의 평균 태양시(平均太陽時)이므로, 이 해시계보다 31.8분+균시차(均時差)만큼 빠름. 앙부 일구(仰釜日晷).

〈앙부 일영〉

앙분[1]【怏忿】 명 분하게 여겨 앙갚음할 마음을 품음. ¶꾸짖었더니 ~하네. ——-하다 자여불

앙분[2]【昻奮】 명 매우 흥분함. ——-하다 자여불

앙분-풀이【怏忿—】 명 앙심을 품고 원수를 갚음. ——-하다 자여불

앙:사【仰射】 명 높은 곳을 향하여 쏨. ——-하다 타여불

앙:사 부모【仰事父母】 명 우러러 부모를 섬김. *하육 처자(下育妻子). ——-하다 자여불

앙:사 부:육【仰事俯育】 명 부모(父母)를 섬기고 처자(妻子)를 보살핌. ——-하다 타여불

앙살 명 엄살을 피우며 반항함. ——-하다 자여불

앙살(을) 부리다 구 앙살하는 태도를 짐짓 나타내다.

앙살(을) 피:다 구 ↗앙살(을) 피우다. ¶그러나 어딘가 마음 한편에 앙살을 피면서도 넉히 끌리어 가도록 도련님의 힘이 좀더 좀더 하는 생각이 전혀 없었다면 그것은 거짓말이 되고 말 것이다《金裕貞 : 산골》.

앙살(을) 피우다 구 앙살스러운 태도를 나타내다. 준앙살피다.

앙살-거리다 자 〈방〉 앙알거리다.

앙살-궂다 형 매우 앙살스럽다. ¶앙살궂은 녀석.

앙살-스럽다 형ㅂ불 앙살하는 태도(態度)가 있다. ¶앙살스러운 아이. **앙살-스레** 부

앙상-궂다 형 매우 앙상하다.

앙상블〔프 ensemble〕 명 ①『복식』 드레스와 코트 또는 스커트와 케이프 등과 같이 잘 조화가 된 여성복 한 벌. ②『악』 두 사람 이상이 하는 가창(歌唱) 또는 연주. 중창. 중주(重奏). ③『악』 소인원의 합주단(合奏團) 또는 실내악이나 관현악 중의 어느 그룹. ④『악』 연주의 조화의 상태. ¶~이 좋다. ⑤『연』 배우 전원의 협력에 의하여 통일적 효과를 기도하는 연출법.

앙상블 스테레오〔프 ensemble+stereo〕 명 모든 장치를 한 대의 캐비닛에 담아 넣은 일체형(一體型)의 플로어형(floor型) 스테레오.

앙상-하다 형여불 ①꼭 째이지 않아 아울리지 않다. ②뼈만 남도록 바짝 마르다. ¶뼈만 앙상한 환자. 1)·2): <엉성하다. **앙상-히** 부

앙색 명 앙앙거리며 반항하는 짓. ¶자빠진 강아지 ~하듯 한다. ——-하다 자여불

앙:선【仰羨】 명 우러러 선망(羨望)함. ——-하다 타여불

앙:설【仰舌】 명 『건』 끝이 위로 향한 쇠서받침.

앙성-장【卬盛章】 명 『악』 악장(樂章)의 이름. 종묘 제향에 철변두(撤籩豆)할 때에 아뢰.

앙-세다 형 몸은 약해 보여도 다부지다.

앙세르메〔Ansermet, Ernest〕 명 『사람』 스위스의 지휘자. 처음에는 로잔(Lausanne)에서 수학 교사로 있었으나, 27세 때 지휘자로 전향하여 1918년 스위스 로망드 관현악단을 창설, 1967년 상임 지휘자가 됨. [1883-1969]

앙:소【仰訴】 명 우러러 하소연함. 우러러 상소함. ——-하다 자여불

앙:소 문화【仰韶文化】 명 『역』 양사오(仰韶) 문화.

앙:소 유적【仰韶遺跡】 명 『지』 양사오(仰韶) 유적.

앙:속-관【仰屬官】 명 『역』 상급 관청의 관원. 준앙관(仰官).

앙:수【仰首】 명 머리를 듦. ——-하다 자여불

앙:수 신미【仰首伸眉】 명 머리를 들고 눈썹을 폄. 곧, 태도가 고고하여 굽히지 않는 모양.

앙숙【怏宿】 명 앙심(怏心)을 품고 있어 사이가 좋지 못함. ¶그들은 서로 ~이다.

앙:승【仰承】 명 우러러 받듦. ——-하다 타여불

앙:시【仰視】 명 존경하는 마음으로 우러러봄. 앙견(仰見). 앙첨(仰瞻). ——-하다 타여불

앙시앵 레짐〔프 ancien régime〕 명 『정』 1789년의 프랑스 혁명 이전(以前)의 정체(政體)와 같은 절대 군주 정체. 또, 널리 근대 사회(近代社會) 성립 이전의 사회나 제도를 가리키는 경우도 있음. 봉건적(封建的) 구제도(舊制度).

앙시클로페디스트〔프 encyclopédistes〕 명 『사』 백과 전서가(百科全書家).

앙:신-장【仰身葬】 명 『고고학』 눕혀묻기.

앙실라즈〔프 ensilage〕 명 엔실리지(ensilage).

앙심【怏心】 명 원한(怨恨)을 품고 앙갚음하기를 벼르는 마음. ¶두고두고 ~을 품다.

앙심(을) 먹다 구 앙심을 품다.

앙숄피다 자 〈옛〉 앙살피다. ¶앙숄피신 싀아바님 볏뵌 쇠똥 ᄀᆞᆺ히 되종고신 싀어마님《古時調》.

앙아리 명 〈방〉 항아리(경북).

앙알【鞅軋】 명 『어』 자가사리.

앙알-거리다 자 윗사람에게 원망하는 뜻으로 중얼거리다. ¶시어머니에게 ~. <엉얼거리다. **앙알-앙알** 부. ——-하다 자여불

앙알-대다 자 앙알거리다.

앙앙[1]【怏怏】 명 마음에 차지 아니하여 즐겁지 아니한 모양. ¶~ 불락. ——-하다 형여불. ——-히 부. ¶그 왕씨의 강명한 위풍을 기휘하여 항상 ~ 여기던 마음으로, 오나 너 잘 만났다, 정직한 놈 좀 견디어 보아라 하고…《崔瓚植 : 桃花園》.

앙:앙[2] 부 어린아이가 크게 우는 소리. <엉엉. ——-하다 자여불

앙앙-거리다 자 ①어린아이가 앙앙 소리 내어 울거나 괴로워서 성가시게 굴다. ②가난의 괴로움을 하소연하다. 1)·2): <엉엉거리다.

앙앙-대다 자 앙앙거리다.

앙앙 불락【怏怏不樂】 명 속에 차지 않아 즐거워하지 아니함. ¶나이 서른다섯 되는 경오년까지도 과거에 급제를 하지 못하니 아무리 초연한 체하는 그도 ~하지 않을 수가 없었다《張德祚 : 狂風》. ——-하다 자여불

앙앙지-심【怏怏之心】 명 앙앙하게 여기는 마음.

앙:약【仰藥】 명 앙독(仰毒). ——-하다 자여불

앙양【昻揚】 명 높이 쳐들어서 드러냄. 높이고 북돋움. ¶애국심의 ~/사기를 ~하다. ——-하다 타여불

앙얼【殃孼】 명 앙화(殃禍).

[앙얼 보살이 내릴 일] 천벌(天罰)을 받을 일이란 말.
앙얼(을) 입다 (구) 신불(神佛)의 앙화를 받다. 버력입다.
앙연[1]【怏然】(부) 앙앙한 마음을 품은 모양. ¶그는 뜻밖에도 이편을 ~히 노려보고 있는 말대가리 윤용규와 눈이 딱 마주쳤습니다《蔡萬植 : 太平天下》. ——-하다 (형)(여불). ——-히 (부)
앙연[2]【盎然】(명) 사물(事物)·감정 등이 넘치는 모양. ——-하다 (형)(여불)
앙:와[1]【仰瓦】(명) 암키와.
앙:와[2]【仰臥】(명) 배와 가슴을 위로 하고 반듯이 누움. ——-하다 (자)(여불)
앙:와-장【仰臥葬】(명) 〖고고학〗 눕혀묻기.
앙:우【仰友】(명) 재주와 학식이 자기보다 높은 벗.
앙울【怏鬱】(명) 우울함. ——-하다 (형)(여불)
앙:원【仰願】(명) 우러러 원함. ——-하다 (자)(타)(여불)
앙이 (부) 〈방〉 아니(함경·경상).
앙잘-거리다 (자) 잔소리로 앙알거리다. <엉절거리다. **앙잘-앙잘** (부). ——-하다 (자)(여불)
앙잘-대다 (자) 앙잘거리다.
앙:장[1]【仰帳】(명) 천장이나 상여 위에 치는 휘장.
앙:장[2]【仰障】(명) 종이 반자 또는 반자틀의 총칭.
앙장[3]【鞅掌】(명) 일이 매우 번거롭고 바쁨. ——-하다 (형)(여불)
앙장브망 〔프 enjambement〕 (명) 〖문〗 앞 행(行)의 끝 구절이 다음 행에 걸치어 있는 시구(詩句).
앙재【殃災】(명) 재앙(災殃).
앙제 〔Angers〕 (명) 〖지〗 프랑스 서남 360 km, 루아르 강안(Loire 江岸)에 있는 멘에루아르 (Maine-et-Loire) 현(縣)의 주도(主都). 상공업의 중심지로 야금(冶金)·전자 공학·섬유·양조(釀造) 따위의 공업이 성함. 중세(中世)의 성당·성(城)이 있음. [136,000 명(1982 추계)]
앙:주[1]【仰奏】(명) 천자에게 아뢲. 삼가 여쭘. ——-하다 (타)(여불)
앙주[2] 〔Anjou〕 (명) 〖지〗 프랑스 서부, 루아르 강(江) 하류(下流) 마옌 강(Mayenne 江)·사르트 강(Sarthe 江)의 합류점(合流點)을 중심으로 하는 기후 온화한 농업 지대. 포도 재배지로 앙주 와인은 유명함. 야채·과실 재배, 목축도 행하여짐. 고대 민족 이동(民族移動)의 전략 요지임. 한때 영령(英領)으로서 백년 전쟁(百年戰爭)의 전쟁터가 되어 피폐하였으나 1480년 최종적으로 불령(佛領)이 됨. 프랑스 혁명 때에는 반혁명의 중심지였음.
앙쥬아리다 (자) 〈옛〉 앙알거리다. ¶琵琶ㅣ야 너는 어이간듸 넨듸 앙쥬아리는 힝금흔《永言 536》.
앙증-맞다 (형) 얄밉게 앙증하다.
앙증-스럽다 (형)(ㅂ불) 앙증하게 보이다. 앙증한 듯하다. ¶꼴이 ~.
앙증-하다 (형)(여불) 모양이 제 격에 어울리지 않게 작고 깜찍하다.
앙:지【仰止】(명) 우러러봄. ——-하다 (타)(여불)
앙진【昂進】(명) 정도(程度)가 심해져 감. 기세(氣勢)가 높아감. ——-하다 (자)(타)(여불)
앙징-스럽다 (형)(ㅂ불) ☞ 앙증스럽다.
앙징-하다 (형)(여불) ☞ 앙증하다.
앙짜 (명) ①앳되게 점잔을 빼는 것. ②성질이 깐작깐작하고 암상스러운 사람.
앙:천【仰天】(명) ①하늘을 우러러봄. ②탄식하는 모양. ③앙천 대소(大笑). ——-하다 (자)(여불)
앙:천-광【仰天壙】(명) 〖역〗 선사 시대의 사람들이 살던 움. 땅 위에서 속으로 파 들어간 움구덩이인데, 두만강(豆滿江) 유역과 함경 북도에서 많이 발견되었으며, 깊이는 150 cm 가량임.
앙:천 대:소【仰天大笑】(명) 하늘을 쳐다보고 크게 웃음. 앙천. ——-하다 (자)(여불)
앙:천 부:지【仰天俯地】(명) 하늘을 우러러보고 땅을 굽어봄. 부앙 천지(俯仰天地). ¶~ 부끄러울 것이 없다. ——-하다 (자)(여불)
앙:천 축수【仰天祝手】(명) 하늘을 쳐다보고 빎. ——-하다 (자)(여불)
앙:천 통:곡【仰天痛哭】(명) 하늘을 쳐다보고 몹시 욺. ——-하다 (자)(여불)
앙:천-피【仰天皮】(명) 〖식〗 지의[2](地衣).
앙:첨【仰瞻】(명) 쳐다봄. 앙시(仰視). ——-하다 (타)(여불)
앙:청【仰請】(명) 우러러 청함. ——-하다 (타)(여불)
앙:축【仰祝】(명) 우러러 축하함. ——-하다 (타)(여불)
앙침【秧針】(명) 볏모.
앙카라 〔Ankara〕 (명) 〖지〗 터키 공화국의 수도. 소(小)아시아의 아나톨리아 고원(Anatolia 高原)에 있고, 중세(中世)의 유적(遺跡)이 풍부하며, 주민은 순 터키인이 많음. 1923년에 신정부(新政府)의 수도가 되어 근대적 도시(近代的都市)로 급속한 발전을 함. 구칭 : 앙고라(Angora). [3,300,000 명(1990 추계)]
앙칼-스럽다 (형)(ㅂ불) 앙칼진 듯하다. 앙칼지게 보이다. ¶앙칼스러운 여자. **앙칼-스레** (부)
앙칼-지다 (형) ①제 힘에 겨운 일에 악을 쓰고 덤비는 태도가 있다. ②매우 앙큼하다. ¶앙칼진 목소리 / 하루종일 입에서 토해내는 저 앙칼지기만 한 서울나기 중년 부인들 특유의 음성에…《金承鈺 : 내가 훔친 여름》.
앙-캐 (명) 〈방〉 암캐(경기·강원·경북).
앙케트 〔프 enquête〕 (명) ①조사(調査). 질문. 조회. ②신문이나 잡지 등에서 어떤 문제를 질문하여 회답을 구하는 조사 방법.
앙코:르[1] 〔Angkor〕 (명) 〖지〗 캄보디아의 서북부, 타이의 국경에 있는 크메르족(Khmer 族)의 유적촌(遺跡村). 유명한 앙코르와트와 앙코르톰이 있음.
앙코르[2] 〔프 encore〕 (명) '다시 한번'·'좀 더'의 뜻으로, 음악회 따위에서, 퇴장 후의 출연자에게 다시 출연을 청하는 일. 재창(再唱). 재청(再請). ¶~를 받다.
앙코:르-와트 〔Angkor Wat〕 (명) 〖지〗 캄보디아 북부, 앙코르에 있는 유적. 12세기초에 건설한 석조 건축으로, 처음에는 힌두교의 사당이었으나, 뒤에 불교 사원이 되었음. 기하학적인 입면(立面)과 평면을 살린 인도식 건축과 브라만교와 불교의 경전에서 취재한 조각 등 세계적으로 유명한 유적의 하나임.
앙코:르-톰 〔Angkor Tom〕 (명) 〖지〗 앙코르에 있는 유적의 하나. 대왕성(大王城)이란 뜻으로, 9세기 말엽에 건설된 크메르 왕국의 수도임. 임립(林立)하는 바욘(Bayon)의 괴기하고 환상적인 사면탑(四面塔)이 유명하며, 대규모 왕성(王城)으로 저명함.
앙크라니 (부) 〈방〉 앙상하게.
앙크르 〔프 ancre〕 (명) 〖기〗 '앙그루'의 프랑스어 이름.
앙큼-상큼 (부) 짧은 다리로 발을 무겁게 떼었다 가볍게 떼었다 하며 걷는 모양. <엉큼성큼.
앙큼-스럽다 (형)(ㅂ불) 앙큼한 듯하다. <엉큼스럽다. **앙큼-스레** (부)
앙큼-앙큼 (부) 작은 덩지로 힘있게 기어 가는 모양. ㅅ앙금앙금. <엉큼엉큼.
앙큼-하다 (형)(여불) 엉뚱한 욕심을 품고 제 분수에 넘치는 짓을 하고자 하는 태도가 있다. ¶앙큼한 사람. <엉큼하다.
[앙큼하기는 영감의 상투] 앙큼한 자를 두고 이르는 말.
앙:탁【仰託】(명) 우러러 청탁함. ——-하다 (자)(여불)
앙:탄【仰歎】(명) 하늘을 우러러 탄식함. ——-하다 (자)(여불)
앙탈 (명) ①시키는 말을 듣지 아니하고 꾀를 부림. ②마땅히 해야 할 것을 핑계를 대어 피함. ——-하다 (자)(여불)
앙탈(을) 부리다 (구) 매우 앙탈을 하다.
앙탕트 〔프 entente〕 (명) 협상(協商). 협약(協約).
앙:토【仰土】(명) 〖건〗 치받이❷.
앙:토-장이【仰土匠一】(명) 치받이를 바르는 미장이.
앙:토-질【仰土一】(명) 〖건〗 치받이를 바르는 것. ——-하다 (자)(여불)
앙투안 〔Antoine, André〕 (명) 〖사람〗 프랑스의 배우(俳優). 프랑스 근대극(近代劇) 운동의 선구자(先驅者)로 '자유 극장'·'앙투안 극장'을 창설함. [1857?-1943]
앙-투-카 〔프 en-tout-cas〕 (명) ①청우(晴雨) 겸용의 우산. ②벽돌 가루 같은 것으로 가공하여 만드는, 육상 경기장·테니스장 등에 쓰는 표토(表土). 주요 성분은 규산(珪酸) 약 60 %, 반토(礬土) 약 15 %, 고토(苦土) 약 5 %가 가장 우수함.
앙투카 코:트 〔프 en-tout-cas+court〕 (명) 앙투카로 포장(鋪裝)한 코트. 배수가 잘 되어 비가 온 다음에도 곧 사용할 수 있음.
앙트락트 〔프 entracte〕 (명) 〖악〗 ①막간(幕間)에 하는 연예. ②간주곡(間奏曲).
앙트레 〔프 entrée〕 (명) 서양 요리에서, 생선 요리가 나온 다음 로스트(roast)가 나오기 전에 나오는 요리.
앙트르메 〔프 entremets〕 (명) 서양 요리에서, 로스트(roast) 다음에 나오는 요리로, 디저트의 하나에 해당함. 일반적으로 식후에 드는 푸딩, 팬케이크 또는 아이스크림 따위가 그 대표적인 것임.
앙트르샤 〔프 entrechat〕 (명) 발레에서, 공중(空中)으로 뛰어오른 동안에 두 발을 교차(交叉)시키는 기법(技法). 교차시키는 회수(回數)에 따라, 4회 앙트르샤, 6회 앙트르샤 따위로 말함. 격렬(激烈)한 움직임으로 알려짐.
앙티-로망 〔프 anti-roman〕 (명) 〖문〗 반소설(反小說). 제2차 대전 후 등장한 소설로, 작중(作中) 인물의 역할, 시간의 연대적(年代的) 흐름, 이성적(理性的) 언어 구조 등의 파괴 위에 성립하는 소설을 말함. 사로트(Sarraute)의 《낯선 사나이의 초상》의 서문에서 사르트르가 처음 사용한 말. 누보 로망(nouveau roman).
앙티크 〔프 antique〕 (명) ①〖인쇄〗 활자체(活字體)의 하나. 획이 굵으나 고딕보다 부드러움. 사전의 표제자 등에 쓰임. ②〔고대의, 고대풍(風)의 뜻으로〕 복식(服飾) 관계에서는, 예스러운 분위기를 자아내는 액세서리나 색깔·무늬를 가리키는 말. 골동품적(骨董品的)인 의복을 가리킬 때도 있음. 앤티크(antique).
앙티-테아트르 〔프 anti-théâtre〕 (명) 〖연〗 반(反)연극. 제2차 대전 후, 프랑스를 중심으로 일어난 연극 운동으로, 앙티로망과 호응(呼應)하여 기성의 연극 형식을 대담하게 파괴하고, 부조리의 세계관에 기초를 둔 새로운 연극 전통을 표방함.
앙판【秧板】(명) 〖농〗 못자리❶.
앙팡 테리블 〔프 enfant terrible〕 (명) 〖문〗 〔콕토(Cocteau)의 소설 제목에서 일반화된 말〕 무서운아이. 깜찍하고 엉뚱한 짓을 하는 조숙아(早熟兒).
앙페르 〔Ampère, André Marie〕 (명) 〖사람〗 프랑스의 물리학자. '앙페르의 법칙'을 발견하고, 솔레노이드(Solenoid)의 자기장(磁氣場)이 막대 자석의 자기장(磁氣場)과 같다 하여, 물질의 자기적(磁氣的) 성질을 전기적으로 설명하였음. [1775-1836]
앙페르의 법칙【一法則】 [一/一에一] (명) 〔Ampère's law〕 〖물〗 1820 년에 앙페르가 발견한, 전류(電流)의 방향과 자기장(磁氣場)의 방향과의 관계를 나타낸 법칙. '전류의 방향으로 오른나사를 돌릴 때, 나사의 회전하는 방향이 그 전류가 만드는 자기장의 방향을 나타낸다'고 하는 관계. 오른나사의 법칙.

〈앙페르의 법칙〉

앙:포【仰哺】(명) 부모(父母)를 자손(子孫)이 봉양(奉養)함. ＊반포(反哺). ——-하다 (타)(여불)
앙피르 양식【一樣式】 〔프 Empire〕 (명) 19세기 초두의 프랑스에서 유행

한 실내 장식·공예·복식(服飾) 등의 고전주의 양식. 그레코로망 양식의 모방. 나폴레옹 제정 시대에 가장 성했으므로 이 이름으로 불림.

앙피테아트르 〔프 amphithéâtre〕 명 고대 로마의 원형 극장.

앙-하다 형여불 속으로 성이 난 기색이 있다. ¶화가 났는지 앙해 있다.

앙:혼 【仰婚】 명 자기보다 문벌 높은 사람과 혼인함. ↔강혼(降婚). ——-하다 자여불

앙:화[1] 【仰花】 명 〖건〗 탑의 복발(覆鉢) 위의 꽃잎을 위로 향하여 벌려 놓은 모양으로 된 부분. 청화(請花). *상륜(相輪).

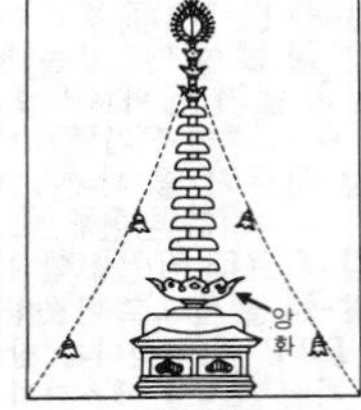

〈앙화[1]〉

앙화[2] 【殃禍】 명 죄의 앙갚음으로 받는 재앙. 앙얼(殃孼). 앙구(殃咎). ¶~를 입다.

앙:흠 【仰欽】 명 흠앙(欽仰). ——-하다 타여불

앚 명 〈옛〉 까닭. 소이(所以). ¶相올 여희여 發心호몰 勸호산 아치니라(所以勸離相發心也) ≪金三 Ⅲ:36≫.

앞 명 〈방〉 밥.

앞 명 ①얼굴이나 눈이 향한 쪽. ¶~으로 가. ②차례에 먼저 있는 편. 전(前). ¶~ 페이지/~을 다투다. ③미래(未來). ¶~이 캄캄하다(한가닥 희망도 없다)/~일을 걱정하다. ④이전. 먼저. 전(前). ¶~에서 말한 바와 같이. ⑤전면(前面). ¶~니가 빠지다/집~은 산이다. ⑥몫. ¶맏아들 ~으로는 집이 한 채. ⑦↗망건 앞. ⑧↗앞가림. ¶제 ~도 못 가리는 주제에. ⑨명사나 인칭 대명사 아래 쓰이어 '에게'·'께' 등의 뜻을 나타내는 말. 전(前). ¶국장 ~. 1)-5):↔뒤.

[앞 남산 호랑이가 뭘 먹고 사나] 못된 사람을 보고 죽어 없어지거나 하라는 뜻으로, 호랑이는 저런 놈이나 물어 가지 무얼 하느냐고 욕하는 말. [앞 방석을 차지한다] 비서격(祕書格)이 된다는 말. [앞에서 꼬리 치는 개가 후(後)에 발뒤꿈치 문다] 눈 앞에서 살살 비위를 맞추는 사람일수록 보이지 않는 데서는 도리어 험담을 하고 모해한다는 말. [앞에 할 말 뒤에 하고, 뒤에 할 말 앞에 하고] 순서가 뒤바뀌었음을 이르는 말.

앞-가르마 명 앞머리 한가운데에 반듯하게 탄 가르마.

앞-가리개 명 〖고고학〗 안장대 앞 쪽에 세워진 안장가리개. 전륜(前輪).

앞-가리다 자 겨우 무식함을 면하고 제 앞에 닥친 일이나 가리어 갈 만하다.

앞-가림 명 겨우 무식함을 면하고 제 앞이나 가리어 갈 만함. ㊟앞. ¶겨우 ~할 정도다. ——-하다 자여불

앞-가슴 명 ①'가슴'을 힘주어 하는 말. 전흉(前胸). ↔뒷등. ②윗도리의 앞자락. ③〖충〗 가슴의 전반부(前半部). 전흉(前胸).

앞-가슴마디 명 〖충〗 '전흉절(前胸節)'의 풀어 쓴 이름. ↔뒷가슴마디.

앞-가지 명 ①길마 앞의 둥근 나무. ②〖언〗 '접두사(接頭辭)'의 풀어 쓴 이름. ↔뒷가지.

앞-갈망 명 앞에 나선 일을 능히 처리해 냄. 또, 그 일. ¶겨우 제 ~이나 한다. ——-하다 자타여불

앞-갈무리 명 앞갈망. ——-하다 자타여불

앞-갈비 명 〖생〗 앞 늑골(肋骨).

앞-갈이[1] 명 망건의 앞이 해어졌을 때에 그것을 뜯어 내고 새로 갈아 뜨는 일. ——-하다 자여불

앞-갈이[2] 명 〖농〗 ①애벌갈이. ②첫농사. 곧, 그루갈이에서 보리를 거두고 콩을 갈았을 때에, 보리갈이를 말함. ——-하다 자여불

앞-갱기 명 총갱기를 뒷갱기에 상대하여 일컫는 말. ↔뒷갱기.

앞-거리 명 ①도심지의 앞쪽 길거리. ②어떠한 처소(處所)의 앞쪽 길거리. 1)·2):↔뒷거리.

앞-거림 명 〈방〉 앞가림. ——-하다 자

앞-걸이 명 수레를 끌 때나 탈 때에 말을 제어할 수 있도록 말 앞가슴에 단 혁제(革製) 마구의 한 가지.

앞-그루 명 〖농〗 같은 땅에 두 가지 이상의 작물(作物)을 전후(前後)하여 재배하는 경우에 먼저 재배한 작물. 수도(水稻)를 재배하고 그 자리에 계속하여 보리 같은 것을 재배하는 경우의 수도. 전작(前作).

앞-길[1] 명 ①장차 나아갈 길. ②앞으로 살아갈 길. 전도(前途). 전정(前程). 전로(前路). ¶~이 막연하다. *뒷길[1].

[앞길이 구만 리 같다] 나이가 젊어서 앞길이 창창하다.

앞길이 멀:다 구 ㉠앞으로 나아가야 할 길이 멀다. ㉡앞으로 살아 갈 여생이 많이 남아 있다. ¶늙으신 터도 아니오, 앞길이 먼 마님께서 삭발 위승(削髮爲僧)이 꿈에나 당합니까≪金宇鎭:花上雪≫.

앞-길[2] 명 ①집채의 앞쪽이나 마을의 앞에 있는 길. ②서북도 지방에서 남도를 가리키는 말. 1)·2):↔뒷길[2].

앞-길[3] 명 웃옷의 앞쪽에 대는 길. ↔뒷길[3].

앞-꾸림 명 〈방〉 앞가림. ——-하다 자

앞-꾸밈음 【一音】 명 〔이 appogiatura〕 〖악〗 본음표 앞에 붙은 꾸밈음으로, 원칙적으로 그 길이를 본음표에서 끌어 옴. 앞꾸밈음에는 긴앞꾸밈음·짧은앞꾸밈음·겹앞꾸밈음의 세 종류가 있음. 전타음(前打音). 의음(倚音). ↔뒤꾸밈음.

앞-끄림 명 〈방〉 앞가림. ——-하다 자

앞-날 명 ①앞으로 올 날. 남은 세월. 여일(餘日). 후일(後日). 장래(將來). 뒷날. ¶~을 내다보다. ②〈방〉 전날.

앞-날개 명 〖충〗 곤충의 가운데 가슴마디 등에 달린 날개. 전시(前翅). ↔뒷날개. *딱지날개.

앞날개-분홍불나방 【一紛紅一】〔一라一〕 명 〖충〗 〔*Miltochrista calamina*〕 불나방과에 속하는 곤충. 편 날개의 길이 17-25mm 가량, 몸과 날개는 모두 황색인데, 앞날개에는 톱날 모양의 점렬(點列)이 있음. 유충은 다갈색이며, 연한 털이 밀생함. 선태류(蘚苔類)의 해충으로 한국에도 분포함. 검은점꼬마불나방.

앞-널 명 농(籠)이나 반닫이의 문짝이 부착된 앞면 널.

앞-놓다 〔一너타〕 타 윷놀이에서, 말을 앞밭에 놓다.

앞-니 명 아래위턱의 앞쪽 중앙에 나는 끝이 얇은 이. 사람은 좌우 각각 두 개씩 모두 여덟 개가 있음. 문치(門齒). 전치(前齒). 판치(板齒).

앞-다그다 타 〈방〉 앞당기다.

앞-다리 명 ①〖생〗 네 발 가진 짐승의 앞에 있는 두 다리. 전각(前脚). ②〖생〗 뒷다리에 대한 앞의 다리. 전지(前肢). ③베틀 앞기둥. ④집을 남에게 내어주고 다른 곳으로 옮길 적에, 그들이 갈 집. ⑤여러 사람이 각각(各各) 연락하여 일할 때에, 자기의 바로 앞에서 인도하는 사람. 1)-3):↔뒷다리.

앞다리-들기 명 씨름에서, 상대방의 몸 중심이 뒤로 처져 있을 때, 허리샅바를 잡고 있던 손으로 다리 샅바를 깊숙이 잡고 무릎을 굽혀 상대방의 앞다리를 들어 젖혀 넘어뜨리는 손기술의 하나.

앞다리-차기 명 씨름에서, 앞으로 나와 있는 상대의 오른다리 발목을 발바닥으로 오른편에서 왼편 앞으로 차서 낚아채어 넘어뜨리는 다리 기술의 하나.

앞-다투다 자 뒤지지 않으려고 다투어 나아가거나 행하다.

앞-닫이 〔一다지〕 명 갑피(甲皮) 중에서 겹을 때에 굴곡(屈曲)하는 부분의 앞쪽 가죽, 곧 구두의 앞 부분.

앞-당기다 타 이미 정한 시간을 당겨서 미리 하다. ¶계획을 ~.

앞-대 명 어떤 지방에서 그 남쪽에 있는 지방을 일컫는 말. 아래쪽. 아랫녘. ↔뒤대.

앞-대문 【一大門】 명 집의 정문. ↔뒷대문.

앞동갈-베도라치 명 〖어〗 〔*Dasson elegans*〕 청베도라칫과에 속하는 바닷물고기. 몸길이 6cm 내외, 가늘고 길며 몸빛은 노랑빛 또는 주황빛에 머리와 앞쪽에 흑갈색 가로띠가 많고, 뒤쪽에는 까만 작은 점이 밀포(密布)되어 있음. 한국 중남부 연해(沿海) 및 일본에 분포함. 관상용(觀賞用)으로 기름.

앞-동산 명 집이나 마을 앞에 있는 동산. ↔뒷동산.

앞-두다 타 닥쳐 올 때나 곳을 바라보다. ¶혼인을 사흘 ~.

앞-뒤 명 앞과 뒤. 전후(前後). ¶~ 관계/~를 살피다.

앞뒤가 막히다 구 트이지 않아 답답하다.

앞뒤가 맞다 구 조리가 맞다.

앞뒤를 가리다, 앞뒤를 재:다 구 신중하게 따지고 계산하다. 세밀히 측정하다.

앞뒤-갈이 명 ①앞갈이와 뒷갈이. ②봄갈이와 가을갈이.

앞뒷-문 【一門】 명 앞문과 뒷문.

앞뒷-집 명 앞과 뒤에 있는 이웃집. ¶그들은 ~에 산다.

앞-들 명 마을 앞에 있는 들판. ↔뒷들.

앞-들다 자 ①윷놀이에서, 말이 앞밭에 이르다. ②앞서서 들어서다.

앞-딱지 명 물건의 앞쪽으로 나온 넓은 널빤지.

앞-뜰 명 집채 앞에 있는 뜰. 전정(前庭). ↔뒤뜰.

앞-마구리 명 결채의 앞쪽에 가로 댄 나무. 앞채. ↔뒷마구리.

앞-마당 명 집채 앞에 있는 마당. ↔뒷마당.

앞-마을 명 앞쪽에 있는 마을. ↔뒷마을.

앞-막이 명 검도(劍道)에서, 충격을 피하여 아랫도리를 보호하려고 앞을 가리는 일.

앞-머리 명 ①〖생〗 정수리 앞쪽 부분의 머리. 전두(前頭). ②긴 물건의 앞쪽. ③행렬(行列)의 앞 부분. ④머리의 앞쪽에 난 머리털. 1)-4):↔뒷머리.

앞머리-뼈 명 〖생〗 전두골(前頭骨).

앞메-꾼 명 대장간에서 불린 쇠를 큰 메로 치는 사람.

앞-면 【一面】 명 전면(前面)❶. ↔뒷면(面).

앞-면도 【一面刀】 명 얼굴에 난 잔털과 수염(鬚髯)을 미는 일. ↔뒷면도. ——-하다 자타여불

앞-모개 명 윷판의 앞밭으로부터 안으로 꺾이어 둘째 밭. ↔뒷모개.

앞-모도 명 윷판의 앞밭으로부터 안으로 꺾이어 첫 밭. ↔뒷모도.

앞-모습 【一貌襲】 명 앞으로 본 모습. ↔뒷모습.

앞-모양 【一貌樣】 명 앞으로 본 모양. ↔뒷모양❶.

앞-몸 명 전반신(前半身). ↔뒷몸.

앞-못보다 자 ①눈이 어두워서 보지 못하다. ②무식해서 자기 앞을 가리지 못하다.

[앞못보는 새앙쥐] 정신이 몽롱(朦朧)하여 무엇을 잘 보지 못하는 사람을 이름.

앞무릎-뒤집기 명 씨름에서, 공격수의 앞다리, 곧 오른쪽 다리가 상대방의 오른발 앞까지 들어가면서 상대의 윗몸을 뒤집고, 오른손으로 상대의 무릎을 아래에서 위로 쳐올리면서 상체를 오른쪽으로 회전시켜 뒤집으면서 넘어뜨리는 손기술의 하나.

앞무릎짚고-밀기 명 씨름에서, 상대의 오른다리 무릎을 짚고 오른쪽 어깨를 축(軸)으로 하여 밀어 붙여 넘어뜨리는 손기술의 하나.

앞-무릎짚기 명 씨름에서, 오른다리를 뒤로 빼면서 오른손으로 상대방의 무릎을 짚고 목과 가슴을 오른쪽으로 틀면서 다리샅바를 위로 당기어 넘어뜨리는 손기술의 하나.

앞-무릎치기 명 씨름에서, 어깨를 맞대어 상대방의 중심이 쏠렸을 때, 오른쪽 어깨와 오른다리를 빼면서 오른손으로 앞으로 나온 상대방의 오른쪽 무릎을 쳐서 앞으로 회전시켜 넘어뜨리는 손기술의 하나.

앞-문 【一門】 명 집이나 방의 앞쪽에 있는 문. 전문(前門). ↔뒷문.

[앞문으로 호랑이를 막고 뒷문으로 승냥이를 불러 들인다] 겉으로 공명 정대한 체하나, 뒷구멍으로 불의한 것을 한다는 뜻. '전호 후랑(前虎後狼)'과 같은 말. ¶못된 일 할 생각이 시꺼멓게 있어서 앞문으로 호랑이를 막고 뒷문으로 승냥이를 불러 들이는 자도 있으니 어찌 불

쌍치 아니하리요 ≪安國善:禽獸會議錄≫
앞-바다 명 ①앞 쪽의 바다. ②기상 예보에서, 한반도를 중심으로 육지로부터 동해는 20 km, 서해 및 남해는 40 km 이내의 바다. ＊먼바다.
앞-바닥 명 ①신 바닥의 앞쪽 부분. ↔뒷바닥. ②〖광〗 앞장².
앞-바람 명 ①마파람. ②역풍(逆風)❶.
앞-바퀴 명 수레 따위의 앞에 있는 바퀴. ↔뒷바퀴.
앞-바탕 명 가구(家具)의 앞면이나 옆면에, 장식으로나 배목·고리·자물쇠 등의 받침으로서 붙이는, 얇고 판판한 쇠장식. 모양과 무늬가 여러 가지임.
앞-발 명 ①네 발 짐승의 앞에 달린 두 발. 전족(前足). ②앞으로 차는 발길. 1)·2):↔뒷발.
앞발-굽 [一꿉] 명 마소 같은 동물의 앞발의 굽. ↔뒷발굽.
앞발-질 명 마소 따위가 앞발을 마구 움직이는 짓. 앞발로 차는 짓. ↔뒷발질. ——-하다 자여불
앞-방 【一房】 명 〖고고학〗 고구려 무덤에서, 널방의 앞, 즉 널방과 입구 사이에 있는 방. 전실(前室).
앞-밭 명 ①집의 앞에 있는 밭. ②윷판의 시작하는 밭으로부터 다섯째 밭. 1)·2):↔뒷밭.
앞-볼 명 버선을 기울 때에 바닥의 앞쪽에 덧대는 두 폭 붙이의 헝겊 조각. ↔뒷볼.
앞붉은-흰불나방 【一點一】 [一불근힌一라一] 명 〖충〗 [*Amsacta lactinea*] 불나방과의 곤충. 편 날개의 길이 45-58 mm, 몸·날개가 모두 순백색인데, 복부의 배면(背面)은 등황색이며 두어 개의 검은 반문이 있음. 유충은 각종 식물의 해충으로 한국에도 분포함.
앞-산 【一山】 명 집 앞쪽에 있는 산. 전산(前山). ↔뒷산.
앞산-타:령 【一山打令】 명 〖악〗 산(山)타령의 한 가지. 서울 앞쪽에 있는 관악산(冠岳山)·태백산(太白山)·지리산 등을 사설(辭說)에 넣어 부른 소리. ＊뒷산타령.
앞-새 명 〈방〉 동풍(東風) 또는 남풍(경북).
앞-서 부 ①다른 이·다른 일보다 먼저. ¶~가다. ②지난 번에. ¶~ 말한 바와 같이.
앞서-가다 자타 ①남의 앞에 서서 가다. 먼저 가다. ②남을 앞질러 가다. ③남보다 뛰어나다. ¶앞서가는 선진 기술.
앞서거니 뒤서거니 부 혹은 앞에 서기도 하고 혹은 뒤에 서기도 하며. ¶서로 ~ 걸음을 재촉하다.
앞-서기 명 〈방〉 〔홍역에 앞서서 걸린다는 뜻〕 풍진(風疹) (충청).
앞-서다 자 ①먼저 나아가다. 앞장서다. ②다른 것보다 먼저 작용하다. ¶우선 앞서는 것이 돈. ③웃어른은 생전에 손아랫사람이 죽다.
앞-서서 부 정한 시간보다 먼저. 일찍이.
앞선두리-불나방 [一라一] 명 〖충〗 [*Agylla gigantea*] 불나방과의 곤충. 편 날개의 길이 38-40 mm, 몸빛은 광택 있는 회흑색이며 앞날개의 전연(前緣)은 황색, 두부는 등황색, 촉각은 갈색임. 한국·일본·아무르(Amur) 등지에 분포함. 왕꼬마불나방.
앞선-음 【一音】 명 〖악〗 한 무리의 화음 중의 한 음이, 화음 안의 다른 음보다 먼저 다음 화음에 옮길 때, 앞서서 나타나는 화음 밖의 음. 선행음(先行音). 선취음(先取音).
앞-섶 명 옷의 앞자락에 대는 섶. ¶~을 여미다.
앞-세우다 타 ①앞에 서게 하다. ¶악대를 앞세운 행렬. ②먼저 내어놓다. ¶경제 문제를 ~. ③웃어른이 자기 생전에 자식이나 손자를 건지지 못하고 죽게 하다. ¶외아들을 ~.
앞-수구미 명 〈방〉 세섯덩이.
앞-수표 【一手票】 명 〖경〗 진실한 발행 일자보다도 그 이후의 날짜를 기재한 수표. 원칙적으로 기재된 발행일부터 제시 기간(提示期間)은 계산되나 소지인은 그 전이라도 제시할 수 있음. 선일자 수표(先日字手票). 연(延)수표.
앞-시금 명 〖민〗 땅재주에서, 손으로 땅을 짚지 않고 앞으로 재주를 넘는 동작.
앞-앞 [압一] 명 각 사람의 앞. ¶각자의 ~에 가져다 놓아라.
앞앞-이 [압一] 부 ①각 사람의 저마다의 앞에. 또, 앞마다. ②몫몫이. ¶~ 배급하다.
앞-어금니 [압一] 명 〖생〗 송곳니 뒤에 있는 두 개씩의 이. 상하 좌우 합쳐서 여덟 개임. 젖니 다음에 나는 영구치로, 교두(咬頭)가 두 개 있는 것이 특징임. 소구치(小臼齒). 쌍두치(雙頭齒). ↔뒤어금니.
앞-위 【一胃】 [압一] 명 〖동〗 닭 같은 짐승의 사낭(砂囊)과 연결된 위의 일부분. 소화액을 분비함.
앞으로-누르기 명 씨름에서, 상대의 몸 중심이 앞으로 쏠릴 때에 상대방의 윗몸을 아래로 눌러 손을 짚게 하거나 앞으로 쓰러지게 하는 혼합 기술의 하나.
앞-이마 [一니一] 명 ①'이마'의 강조어. ②이마의 가운데 부분.
앞-일 [一닐] 명 앞으로 닥쳐올 일. 미래사(未來事). 후사(後事). ¶~이 걱정이다. ↔뒷일.
앞-자락 명 옷의 앞쪽 자락. ↔뒷자락.
앞자락(이) 넓다 [一널따] 구 〈방〉 오지랖 넓다.
앞-자리 명 앞쪽에 있는 자리. ↔뒷자리.
앞-잡이 명 ①앞에서 인도(引導)하는 사람. 전도자(前導者). ②남의 시킴을 받고 끄나풀이 되어 움직이는 사람. 주구(走狗). ¶경찰의 ~/~ 노릇을 하다.
앞-장¹ 명 여럿이 나아갈 때에 맨 앞에 서는 사람. 또, 그 자리.
앞장(을) 서다 구 맨 앞에 서서 나아가다. ¶앞장 서서 싸우다.
앞장(을) 세우다 구 앞장 서게 하다.
앞-장² 명 〖광〗 사금판에서 파 나아가 앞으로 남아 있는 바닥. 앞바닥.
앞-장갱이 명 〈방〉 정강이(충남·경남).
앞장-이 명 〈방〉 앞잡이.
앞-전 【一殿】 명 종묘(宗廟)의 정전(正殿). ＊뒷전.
앞-정강이 명 '정강이'의 강조어(強調語).
앞-조각 명 ①물건의 앞쪽 부분. ②먼저 떨어져 나간 물건.
앞-주 【一註】 명 장하주(章下註)의 앞에 있는 큰 주.
앞-줄 명 앞쪽에 있는 줄. ↔뒷줄.
앞줄 댕기 명 비녀에 둘러 두 어깨에 걸쳐서 양가슴 앞에 늘이는 긴 금박댕기. 혼례복(婚禮服)에 신부(新婦)가 착용함.
앞-지르기 명 뒤에서 따라가서 앞의 것보다 먼저 나아감. 추월(追越). ——-하다 타여불 「越)하다. ¶자전거를 ~.
앞-지르다 타르불 빨리 나아가서 남보다 먼저 앞을 차지하다. 추월(追
앞-집 명 앞으로 이웃한 집. 전가(前家). ¶~ 처녀 ↔뒷집.
【앞집 처녀 믿다가 장가 못 간다】 남의 형편은 생각지도 않고 자기 혼자서 계획을 세웠다가 낭패를 보게 됨을 이르는 말.
앞짧은-소리 [一짤븐一] 명 ①장래성이 볼것 없거나, 장래의 불행을 뜻하게 된 말 마디. ②앞으로 하지 못할 일을 하겠다고 미리 하는 말.
앞-짱구 명 이마가 유난히 튀어나온 사람의 별명. ＊뒤짱구.
앞-쪽 명 어떠한 사물의 앞 방면. 전방(前方). ↔뒤쪽.
앞-차 【一車】 명 앞서 떠난 차. 또, 앞쪽에 달리는 차. ¶~로 먼저 떠나시오. /~가 가야 뒤차가 가지. ↔뒤차.
앞-차다 형 앞이 굳고 든든하여, 믿음성이 있다.
앞찬-소리 명 〈방〉 입찬 소리.
앞-참 【一站】 명 다음에 머무를 곳. 전참(前站).
앞-창¹ 명 신이나 구두 등의 앞쪽에 대는 창. ↔뒤창.
앞-창² 【一窓】 명 방의 앞쪽에 있는 창.
앞-창자 명 전장(前腸).
앞-채¹ 명 한 울안의 몸채 앞에 있는 집. ↔뒤채¹.
앞-채² 명 ①가마·상여(喪輿) 등의 앞에서 메는 채. ¶~잡이. ②앞마구리. 1)·2):↔뒤채². 「람. ↔뒤채잡이.
앞채-잡이 명 가마나 상여 또는 들것 따위의 앞채를 잡는 일. 또, 그 사
앞-철기 명 길마의 양편 궁굴막대에 소의 목을 휘돌려 매는 줄.
앞-총 명 〈방〉 엄지총.
앞-치레 명 제 몫을 치르는 일. ¶자기 ~는 충분히 할 것이다.
앞-치마 명 몸 앞을 가리는 겉치마. 행주치마. 에이프런(apron).
앞-치매 명 〈방〉 행주치마(함경·경상).
앞-치배 명 〖악〗 농악에서, 앞에서 가락을 치는 상쇠. 또, 그 가락.
앞-켠 명 앞. 앞쪽. ↔뒤켠.
앞-태 【一態】 명 앞에서 본 자태나 맵시. ↔뒤태(態).
앞-턱 명 두 턱을 가진 물건의 앞쪽에 있는 턱. ↔뒤턱.
앞-토씨 명 〖언〗 '전치사(前置詞)'의 풀어 쓴 이름.
앞트기-식 【一式】 명 〖고고학〗 세 벽을 쌓고 한쪽 벽으로 드나들고 나서 밖에서 벽을 쌓아 막는 무덤 방식. 횡구식(橫口式).
앞-판 【一板】 명 ①앞 쪽의 판. ¶레코드의 ~. ②현악기 등의 앞 면의 판.
앞-편짝 【一便一】 명 앞으로 있는 편짝. ↔뒤편짝.
앞-폭 【一幅】 명 ①옷의 앞쪽에 대는 헝겊 조각. ②나무로 짜는 물건의 앞쪽에 대는 널조각. 전폭(前幅). 1)·2):↔뒤폭.
앞-표지 【一表紙】 명 책의 앞쪽 표지. ↔뒤표지.
앞-품 명 윗옷의 앞자락의 너비. ¶~이 넓다. ↔뒤품.
앞-항 【一項】 명 전항(前項). ↔뒷항.
-앟- 미 일부 빛깔이나 모양을 나타내는 형용사의 어근에 붙어 그 정도가 더하거나 분명함을 나타냄. 양성 모음으로 된 어근에 쓰임. ¶높다랗다/파랗다/말갛다.
애¹ 명 〈방〉 〖식〗 ①오이(전남·경상·함경). ②참외¹(경남).
애² 명 〈옛〉 창자. ¶혼갓 애롤 긋노라(空斷腸)≪杜諺 XI:4≫.
애:³ 명 ①걱정에 싸인 초조한 마음 속. ¶~를 태우다/~가 타다. ②마음과 힘의 수고로움. ¶~를 쓰다.
애:⁴ 명 ↗아이.
【애 삼신은 같은 삼신이다】 아이들은 다 같다는 말.
애⁵ 명 〖언〗 한글의 모음글자 'ㅐ'의 이름.
애⁶ 【艾】 명 성(姓)의 하나. 현재 우리 나라에는 한양(漢陽)·연풍(延豐)·전주(全州) 등 세 개의 본관이 있음.
애⁷ 【哀】 명 성(姓)의 하나. 우리 나라에는 현존(現存)하지 않음.
애⁸ 【愛】 명 〖불교〗 십이 인연(十二因緣)의 여덟째. 탐(貪)하고 사랑하는 마음.
애⁹ 【埃】 수 ①소수(小數)의 단위의 하나. 진(塵)의 억분(億分)의 일, 묘(渺)의 억 배, 곧 10^{-24}. ②소수의 단위의 하나. 진의 십분의 일, 묘의 십배, 곧 10^{-10}.
애¹⁰ 감 업신여기는 뜻을 나타내는 말. ¶~, 그 놈 못쓰겠다. ＜에.
애¹¹ 감 〈옛〉 아이고. ¶애 뎌 어린 아히 에엿블샤(咳那小孩兒可憐見)≪朴解 下 13≫.
애¹² 조 〈옛〉 에. ¶豳谷애 사ᄅ샤(于豳斯依)≪龍歌 3章≫.
애- 부 다른 말 앞에 붙어서 어리거나 앳되거나 또는 '첫'의 뜻을 나타내는 말. ¶~호박/~송이/~벌.
-애¹ 미 〈옛〉 용언(用言)어간(語幹)에 붙어 명사를 만드는 접미사. ¶如意는 ᄆᆞ개예 如意珠 이실 씨라≪釋譜 Ⅷ: 11≫/모개 관(關), 모개 익(隘)≪字會 上 6≫.
-애² 【愛】 미 어떤 명사(名詞)의 밑에 붙어서, 위의 명사의 내용에 대하여 가지는 자애(慈愛)·사랑 등을 나타내는 어미(語尾). ¶인류(人類)~/조국~.
애가 【哀歌】 명 ①슬픈 노래. 슬픈 심정을 나타낸 시가. ②〖성〗↗예레미

야 애가. ③〔프 élégie〕〖악〗원래, 옛 그리스 노래의 가곡의 일종. 낭만주의 이후 종종 사용됨. 엘레지.

애가-서【哀歌書】명〖성〗예레미야 애가(Jeremiah 哀歌).

애각[1]【涯角】명 한 쪽으로 치우친 땅. 궁벽하고 먼 땅.

애각[2]【崖脚】명 절벽진 언덕 밑.

애:-간장【—肝腸】명〔'애'는 창자의 뜻의 옛말〕간장(肝臟)을 강조하여 이르는 말. ¶~ 다 녹인다.

애:간장을 저미다 구 간장을 저미듯 몹시 고통을 주다.

애:간장(을) 태우다 구 몹시 애를 태우다.

애:간장(이) 녹다 구 너무 걱정스럽거나 안타까워서 속이 녹는 것 같다. ¶갓난것이 앓는 모습에 애간장이 다 녹는다.

애:간장(이) 타다 구 몹시 애가 타다.

애-갈이 명 애벌갈이. ——-하다 타여불

애감【哀感】명 비감(悲感). ——-하다 형여불

애:감-록【哀感錄】[—녹] 명 부의록(賻儀錄).

애개 감 ①'아뿔싸'보다 얕은 말. ②작은 것을 업신여기는 소리. ¶~, 네까짓게 덤벼.

애개개 감 '애개'를 거듭할 때 줄어진 말.

애걸【哀乞】명 슬피 하소연하여 빎. ——-하다 자타여불

애걸 복걸【哀乞伏乞】명 갖은 수단으로 머리 숙여 자꾸 빌고 원함. ——-하다 자타여불

애검【崖檢】명 남과 화목(和睦)하지 아니함.

애-검정대모벌【—玳瑁—】명〖충〗[*Deuteragenia secundus*] 대모벌과에 속하는 곤충. 암컷은 몸길이 8mm 내외, 몸빛은 갈색이며, 다리의 앞끝은 다소 흑갈색을 띰. 날개는 투명한데 중앙과 외연에는 흑색 반문이 있고, 몸에는 회백색의 잔털이 났으며 꼬리 끝에는 흑갈색의 긴 털이 밀생함. 한국·일본에 분포함.

애격【哀激】명 슬픔이 큼. ——-하다 형여불

애:견[1]【愛犬】명 개를 사랑하는 일. 또, 그 개. 애구(愛狗). ——-하다 자여불

애:견[2]【愛見】명〖불교〗애(愛)와 견(見). 애는 사물(事物)에 대한 집착(執着)으로 득도(得道)를 미혹(迷惑)시키는 정의적 번뇌(情意的煩惱), 견은 그릇된 이론에 사로잡히어 수도(修道)생활에 방해가 되는 이지적(理智的) 번뇌를 이름.

애:겸【愛慊】명 귀여워하는 청지기.

애경[1]【哀哽】명 애열(哀咽).

애경[2]【哀慶】명 슬픈 일과 경사스러운 일.

애:경[3]【愛敬】명 경애(敬愛). ——-하다 타여불

애:경[4]【愛經】명 남녀의 성애(性愛)에 대해 산스크리트로 쓰여진 성전(性典). 카마수트라(kāmasūtra).

애-경단【艾瓊團】명 쑥경단.

애:경-상【愛敬相】명〖불교〗유화한 마음과 자비상을 나타낸 불보살(佛菩薩)의 상(相).

애계【哀啓】명 부음(訃音)을 전하는 서한. 죽은 이의 생시(生時)·약력 및 임종의 병상(病狀)을 적음. 부보(訃報).

애고[1]【艾膏】명〖약〗쑥고.

애고[2]【艾糕】명 쑥떡.

애고[3]【哀告】명 탄원함. ——-하다 타여불

애고[4]【哀苦】명 슬픔과 괴로움. 애구(哀疚).

애:고[5]【愛顧】명 사랑하여 돌보아 줌. ¶~를 입다/손님의 ~에 보답하다. ——-하다 타여불

애고[6] 감 ↗아이고. ＜에구.

애고-곡【—哭】명 '아이고 아이고' 또는 '애고 애고' 우는 곡소리. 부모의 상이나 종손이 조부모의 상에 우는 곡임.

애고-대고 부 소리를 마구 함부로 내어 우는 모양. ＜에구데구.

애고-머니 감 ↗아이고머니. ＜에구머니.

애고-애고 감 상제의 곡하는 소리. ＜에구에구.

애고-지고 감 통탄스레 소리내어 우는 소리나 모양. ¶~ 사람 잡네.

애고지-정【哀苦之情】명 슬프고 괴로운 마음.

애곡[1]【哀曲】명 슬픈 노래의 곡조.

애곡[2]【哀哭】명 슬피 욺. ——-하다 자여불

애공【哀公】명〖사람〗중국 춘추(春秋) 말기의 노(魯)나라의 제25대 왕. 삼환(三桓)이라 불리는 공족(公族) 삼가(三家)에 의하여 추방당했음. [재위 494-468 B.C.]

애과【捱過】명 간신히 지냄. 지과(支過). ——-하다 자여불

애관【碍管·礙管】명〖전〗전선을 집안의 벽·천장 등에 끌어 들일 때 다른 물건에 닿아서 누전(漏電)되는 것을 방비하는 데 사용하는 사기로 만든 관. *애자(碍子).

애-괭이사초【—莎草】명〖식〗[*Carex laevissima*] 방동사닛과에 속하는 다년초. 줄기는 삼릉주(三稜柱)로 총생(叢生)하는데, 높이 60cm 이상이며, 좁은 선형(線形)의 잎은 호생함. 5-6월에 길이 2-7cm의 화총(花叢)이 원주형으로 정생하는데, 처음에 녹색, 후에 암다갈색으로 핌. 과낭(果囊)은 달걀꼴의 긴 타원형을 이룸. 밭이나 들의 습지에 나는데 경남·경북·강원·경기·평남에 분포함.

애:교[1]【愛校】명 자기가 다니는 학교를 사랑함. 또, 그 학교. ¶~심(心). ——-하다 자여불

애:교[2]【愛嬌】명 남에게 귀엽게 보이는 태도. ¶~로 받아 주십시요.

애:교(를) 떨다 구 간드러지게 애교 부리다.

애:교(를) 부리다 구 애교를 나타내다. 애교 있는 태도를 짓다.

애:교-심【愛校心】명 자기가 다니는 학교 또는 모교(母校)를 사랑하는 마음.

애구[1]【哀求】명 애원(哀願). ——-하다 타여불

애구[2]【哀疚】명 애고(哀苦).

애:구[3]【愛狗】명 애견(愛犬).

애:구[4]【愛韭】명〖식〗맥문동(麥門冬)❶.

애:구[5]【隘口】명 좁고 중요한 곳.

애구[6] 감 ←아이고.

애국[1] 명〈방〉애초.

애국[2] 명〈방〉외국(外國)(경상·함경·평남).

애:국[3]【愛國】명 자기 나라를 사랑함. ——-하다 자여불

애:국-가【愛國歌】명 나라를 사랑하는 내용으로, 온 국민이 부르는 노래. *국가(國歌).

애:국 공채【愛國公債】명〖경〗국가에서 전시(戰時) 또는 비상시에 국민의 애국심에 호소하여 이자(利子) 없이 혹은 싼 이자로 공모(公募)하는 소액의 공채.

애:국 선열【愛國先烈】명 나라를 위하여 싸우다가 죽은 사람. 순국(殉國) 선열.

애:국-성【愛國性】명 자기 나라를 사랑하는 성질.

애:국-심【愛國心】명 나라를 사랑하는 마음. 조국애(祖國愛). ¶~에 호소하다/~이 강한 민족.

애:국 애:족【愛國愛族】명 제 나라와 제 민족을 사랑함.

애:국-열【愛國熱】[—녈] 명 자기 나라를 아끼고 사랑하는 열성.

애:국-자【愛國者】명 자기 나라를 사랑하는 사람.

애:국-적【愛國的】명관 애국하는 모양. ¶~인 행동.

애:국 정신【愛國精神】명 제 나라를 아끼고 사랑하는 정신.

애:국 지사【愛國志士】명 나라를 위하여 자기의 몸과 마음을 다 바쳐 이바지하는 사람.

애:국지-성【愛國之誠】명 자기 나라를 사랑하는 정성.

애국-채【艾菊菜】명 쑥갓나물.

애:군【愛君】명 임금을 사랑함. ——-하다 자여불

애권【哀眷】명 불쌍히 여겨 돌봄. ——-하다 타여불

애-귀뚜라미 명〖충〗[*Scapsipedus mandibularis*] 귀뚜라밋과에 속하는 곤충. 몸길이 14mm, 산란관(産卵管)은 10mm 가량임. 몸빛은 검은데, 전흉배(前胸背)에는 검은 털이 있고, 양옆에 검정 세로줄, 다리에 검은 무늬가 있음. 동양 각지에 분포함. 검정귀뚜라미.

애:-귀리 명〖식〗[*Avena fatua* var. *glabrata*] 볏과(科)의 일년초. 줄기는 총생하며, 높이 30-90cm임. 선형(線形)의 잎은 호생하고 거칠거칠함. 5월에 줄기 끝에서 이삭이 나오고 성긴 꽃이 원추 화서로 핌. 들에 나며, 제주·경기 등지에 야생함.

애규【哀叫】명 슬퍼하여 부르짖음. ——-하다 자여불

애그리-비즈니스〔agribusiness〕명 ①농업 관련 사업. 농업과 그에 밀접히 관련되는 농업 생산 자재 제조업 및 농산 가공업 등의 총체. ②농사에만 종사하는 것이 아니라 농산물의 가공·유통의 기능도 아울러 영위하는 개개의 농업 기업체.

애그리-컬처〔agriculture〕명 농업(農業).

애:근【愛根】명〖불교〗집착(執着)의 미망(迷妄)을 일으키는 근원이나 원인이 되는 것.

애급【埃及】명〖지〗'이집트(Egypt)'의 한역(漢譯).

애:-급옥오【愛及屋烏】명 사랑이 지붕 위의 까마귀에게까지 미친다는 말로, '아내가 귀여우면 처가집 말뚝 보고도 절을 한다'는 말과 같은 뜻.

애긋다 자〈옛〉창자를 끊다. 단장(斷腸)하다. ¶밤등만 굵은 비소래에 애긋ᄂᆞᆫ듯ᄒᆞ여라≪古時調≫.

애긋브다 자〈옛〉애끊다. ¶애긋븐 소리를 므더니 너기고저 ᄒᆞ간마ᄂᆞᆫ(欲輕腸斷聲)≪杜諺 V:27≫.

애긍【哀矜】명 불쌍히 여김. 애련(哀憐). ——-하다 자여불. ——-히 부

애긍-함【哀矜函】명 자선(慈善)을 위하여 내는 금품을 받아 모으는 상자.

애기[1] 명 ☞ 아기.

애:기[2]【愛己】명 자기를 사랑함. 이기(利己). ↔애타(愛他). ——-하다 자여불

애:기[3]【愛妓】명 특히 사랑하는 기생. 귀여운 기생.

애:기[4]【愛器】명 평상시 귀중(貴重)하게 사용하고 있는 기구(器具)나 도구(道具).

애:기[5]【愛機】명 ①자기가 조종하는 사랑하는 비행기. ②귀중히 여기는 기계(機械).

애:기[6]【愛騎】명 자기가 사랑하는 말. 애마(愛馬).

애:기[7]【噯氣】명 트림.

애기[8]【噫氣】명 ①내쉬는 숨. 호기(呼氣). ②하품. ③트림. 애기(噯氣).

애기-가래 명〖식〗[*Potamogeton javanicus*] 가랫과에 속하는 다년생 수초(水草). 줄기는 실 모양이고, 침수엽(沈水葉)은 가는 선형인데, 폭 1mm 내외임. 부상엽(浮上葉)은 타원형 또는 피침형임. 6-7월에 길이 7-15mm의 황록색 꽃이 수상(穗狀) 화서로 피고, 반심상(半心狀)의 과실을 맺음. 못에 나는데, 전남·전북·강원·경기·평남·함북 등지에 분포(分布)함.

애기-가지별꽃 명〖식〗[*Stellaria diffusa*] 너도개미자릿과에 속하는 일년초. 줄기는 높이 30cm 이상, 잎은 대생하며 거의 무병(無柄)에 긴 선형(線形)을 이룸. 6-7월에 흰 두상화(頭狀花)가 취산(聚繖) 화서로 피고 삭과(蒴果)를 맺음. 산지에 나는데, 함남의 부전 고원(赴戰高原)에 분포함.

애기-감둥사초【—莎草】명〖식〗[*Carex fusanensis*] 방동사닛과에 속하는 다년초(多年草). 줄기는 삼릉주(三稜柱)이고 높이 30cm 가량, 잎이 줄기보다 김. 4-5월에 꽃이 피는데, 소수(小穗)는 2-3개로 수꽃 이삭은 한 개가 정생(頂生)하고, 암꽃 이삭은 1-2개가 측출(側出)하며,

과낭(果囊)은 삼릉상(三稜狀) 타원형을 이룸. 들에 나는데, 경남·평북에 분포(分布)함.

애기-개메밀 명 〖식〗 [*Persicaria lyrata*] 마디풀과에 속하는 일년초. 줄기는 연질(軟質)이고 높이 10cm 내외이며, 잎은 호생하고 초상 탁엽(鞘狀托葉)은 막질(膜質)임. 7-8월에 붉은 빛을 띤 백색의 꽃이 정생(頂生) 또는 액생(腋生)하여 핌. 골짜기의 습지에 나는데, 함북 지방에 분포함.

애기-개미핥기 [一할끼] 명 〖동〗 [*Tamandua tetradactyla*] 개미핥깃과의 동물. 몸은 큰개미핥기보다 작아서 절반밖에 안 되고, 몸의 털은 비단실같이 부드러우며, 등 쪽 털빛은 붉은 여우색이고 몸의 아래쪽은 회색임. 수상 생활(樹上生活)을 하며, 남미(南美)와 중미(中美)에 분포함.

애기-거머리말 명 〖식〗 [*Zostera japonica*] 거머리말과에 속하는 다년생 수초(水草). 줄기는 길이 2cm 가량, 물에 떠 있고, 잎은 비후(肥厚)하고 가는 선형(線形)을 이루며 길이 15-25cm임. 5-6월에 녹색의 꽃이 나생(裸生)하며 육수 화수(肉穗花穗)의 측면에 암꽃·수꽃이 교대로 배열하여 주걱꼴 포(苞) 모양의 초(鞘) 속에 피고, 포과(胞果)는 원주형(圓柱形)임. 해변·못 등에 나는데, 전남의 완도(莞島)·강원도 등지에 분포함.

애기-고추나물 명 〖식〗 [*Hypericum japonicum*] 물레나물과에 속하는 다년초. 줄기는 보통 족생(簇生)하며 높이 10-30cm이고 잎은 대생하며 잎꼭지가 없는데 달걀꼴을 이룸. 6월에 황색 꽃이 취산(聚繖) 화서로, 줄기 끝이나 가지 끝에 정생하고, 삭과(蒴果)를 맺음. 들의 습지에 나는데, 한국 중부 이남에 분포함.

애기-골무꽃 명 〖식〗 [*Scutellaria dependens*] 꿀풀과에 속하는 다년초. 줄기는 네모졌는데 높이 30cm 내외이며, 단병(短柄)의 잎은 대생하고 긴 달걀꼴 또는 달걀 모양의 피침형임. 7-8월에 흰 꽃이 줄기 끝의 엽액(葉腋)에 대생하여 피는데, 꽃부리는 긴 통상 순형(筒狀脣形)이고 수과(瘦果)는 네 조각으로 갈라짐. 들의 습지에 나며 서울·수원(水原)·광릉(光陵)·원산(元山) 및 부전 고원(赴戰高原) 등지에 분포함.

애기-괭이눈 명 〖식〗 [*Chrysosplenium flagelliferum*] 범의귓과에 속하는 다년초. 줄기는 높이 15cm 가량, 근엽(根葉)은 총생(叢生)하며 장병(長柄)이고, 경엽(莖葉)은 호생(互生)하며 다소 장병(長柄)임. 4-5월에 황록색의 꽃이 줄기 끝이나 가지 끝에 족생(簇生)하고 과실은 삭과(蒴果)임. 산지의 골짜기나 바위 위에 나는데, 거의 한국 전역에 분포(分布)함.

애기-괭이밥 명 〖식〗 [*Oxalis acetosella*] 괭이밥과에 속하는 다년초. 근경(根莖)에는 인편(鱗片)이 있으며 땅 위에 뻗음. 잎은 근생(根生)하고 삼출 복엽(三出複葉)인데 소엽(小葉)은 거꿀심장형을 이룸. 5-6월에 뿌리로부터 소수의 꽃줄기가 나와 줄기 끝에 하얀 꽃이 한 송이씩 피고, 삭과(蒴果)를 맺음. 산지에 나는데, 거의 한국 전역 및 일본에 분포함.

애기-기린초【一麒麟草】 명 〖식〗 [*Sedum middendorffianum*] 돌나물과에 속하는 다년초. 줄기는 족생(簇生)하고 높이 20cm 가량이며 잎은 호생하고 거의 무병(無柄)에 피침형임. 6-8월에 노란 꽃이 취산(聚繖) 화서로 정생(頂生)하여 피고, 골돌과(蓇葖果)를 맺음. 산지의 바위 위에 나는데, 한국 중부 이북에 분포함.

애기-꽃무지 명 〖충〗 [*Oxycetonia jucunda*] 풍뎅잇과에 속하는 곤충. 몸길이 10-15mm이며 몸의 윗면은 녹색에 백색 반문이 산재하고 갈색 털이 있는 것도 있으며, 촉각은 흑갈색임. 성충은 장미류·싸리나무 등의 활엽수의 꽃을 먹고 사는데, 한국·일본 등지에 분포함. 애꽃무지. *꽃무지.

〈애기꽃무지〉

애기-나리 명 〖식〗 [*Disporum smilacinum*] 은방울과에 속하는 다년초. 높이 15-40cm로서, 잎은 근생(根生)하고 긴 타원형이며 무병(無柄)임. 6-7월에 나리와 비슷한 흰 육판화(六瓣花)가 총상(總狀) 화서로 정생(頂生)하여 피고, 장과(漿果)는 구형(球形)인데 암남색으로 익음. 깊은 산의 나무 그늘에 나는데, 제주·지리산(智異山)·금강산·낭림산(狼林山)·묘향산(妙香山)·부전(赴戰) 고원·관모산(冠帽山)·백두산 및 일본 등지에 분포함.

〈애기나리〉

애기-나방 명 〖충〗 [*Amata fortunei*] 애기나방과에 속하는 곤충. 몸길이 약 15mm, 편 날개 32-38mm이고 몸빛은 흑색에 앞날개에 5개의 투명한 무늬가 있고 뒷날개의 투명한 무늬는 흑색의 여러 시맥(翅脈)으로 갈렸으며, 흉부(胸部) 및 복부의 두 줄의 띠 무늬는 황색임. 낮에 활동하며 유충은 배나무·사과나무 등의 잎을 갉아먹는 해충으로 한국·일본 등지에 분포함.

〈애기나방〉

애기나방-과【一科】[一꽈] 명 〖충〗 [Amatidae] 나비목(目)에 속하는 곤충과. 몸의 크기는 소형(小形) 또는 중형(中形)으로 뒷날개는 앞날개에 비하여 작고, 날개에는 날개가시가 있음. 열대(熱帶) 지방에 많이 나고 아름다운 종류가 많은데, 전세계에 2,000여 종, 한국에는 독일애기나방·애기나방 등이 분포함.

애기-냉이 명 〖식〗 [*Cardamine bellidifolia*] 겨잣과에 속하는 다년초. 줄기 높이 30cm 내외, 잎은 뿌리 근처에서 족생(簇生)하며 장병(長柄)의 달걀꼴 또는 달걀꼴 타원형을 이루고 경엽은 극히 작음. 7-8월에 흰 꽃이 총상(總狀) 화서로 정생(頂生)하고, 과실은 장각(長角)임. 고산의 산복(山腹)에 나는데, 평북·함남 등지에 분포함. 구슬냉이.

애기-노루발 명 〖식〗 [*Pyrola denticulata*] 노루발과에 속하는 다년초. 줄기 높이 20cm 가량이고, 잎은 혁질(革質)이며 넓은 타원형임. 6-7월에 황백색의 꽃이 총상(總狀) 화서로 정생(頂生)하여 피고 과실은 삭과(蒴果)임. 산지에 나는데, 황해도의 장산곶 등지에 분포함.

애기-능【一陵】 명 ☞아기능.

애기-닭의덩굴 [一달기一] 명 〖식〗 [*Bilderdykia pauciflora*] 마디풀과에 속하는 다년생(多年生) 덩굴풀. 줄기는 가늘고 다른 곳에 감겨 올라가며 길이는 1m에 달함. 잎은 호생하고 장병(長柄)이며 달걀꼴 또는 극형(戟形)이고 초상 탁엽(鞘狀托葉)은 막질(膜質)임. 7월에 황록색 꽃이 액출(腋出)하여 피고, 과실은 수과(瘦果)임. 들에 나는데, 강원도·함경 남도·함경 북도에 분포(分布)함.

애기-닭의밑씻개 [一달기一] 명 〖식〗 사마귀풀.

애기-담배풀 명 〖식〗 [*Carpesium rosulatum*] 국화과에 속하는 다년초. 줄기 높이는 30cm 내외이고, 밑의 잎은 족생(簇生)하며 빗 모양 또는 도피침형이고 꼭대기 잎은 선상(線狀)의 빗 모양임. 7-8월에 담황색 두화(頭花)가 원주형으로 핌. 산지에 나는데, 제주도·울릉도에 분포함.

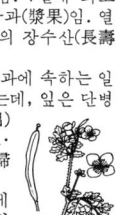

〈애기담배풀〉

애기-도라지 명 〖식〗 [*Wahlenbergia marginata*] 초롱꽃과에 속하는 다년초. 줄기는 총생(叢生)하고 높이 30cm 내외이며, 잎은 호생하고 피침형임. 6-8월에 벽자색의 종상화(鐘狀花)가 가지 끝에 정생(頂生)하고 삭과(蒴果)는 원추형(圓錐形)임. 따뜻한 지방의 산이나 들에 나는데 제주도·전라 남도에 분포함.

애기-땅꽈리 명 〖식〗 [*Physalis minima*] 가짓과에 속하는 일년초. 줄기 높이 60cm 가량이고, 잎은 장병(長柄)이며 달걀꼴임. 7월에 희고 짧은 종상화(鐘狀花)가 액출(腋出)하여 피고, 과실은 장과(漿果)임. 열대 원산으로 밭 같은 데에 자생하며, 제주·전남·황해도의 장수산(長壽山) 등지에 분포함. 원포(園圃)에 재배도 함.

애기-땅빈대 [一삔一] 명 〖식〗 [*Euphorbia supina*] 대극과에 속하는 일년초. 줄기는 실 모양이며 땅 위에 벋고, 암홍색을 띠는데, 잎은 단병(短柄)이고 긴 타원형임. 6-8월에 홍색 꽃이 액출(腋出)하여 피고, 과실은 삭과(蒴果)임. 들에 나는데, 제주도·경기도 수원(水原) 등지에 분포함. 북미 원산의 귀화(歸化) 식물임.

애기똥-풀 명 〖식〗 [*Chelidonium sinense*] 애기똥풀과에 속하는 월년초(越年草). 줄기 높이 50cm 가량이며 감황색(柑黃色) 유액(乳液)이 들어 있음. 잎은 호생하고 유병(有柄)이며 뒷면이 분처럼 흼. 6-8월에 황색 꽃이 산형(繖形) 화서로 액출(腋出)하고 과실은 삭과(蒴果)임. 촌락 부근에 나는데, 한국 각지에 분포함. 독(毒)이 있어 약제로 씀. 백굴채(白屈菜).

〈애기똥풀〉

애기똥풀-과【一科】[一꽈] 명 〖식〗 [Chelidoniaceae] 쌍자엽 식물 이판화류에 속하는 한 과. 매미꽃·애기똥풀 등이 있음.

애기-마름 명 〖식〗 [*Trapa maximowiczii*] 바늘꽃과에 속하는 일년초. 줄기는 가늘고 각 마디에서 2-3 줄기의 실 모양의 뿌리가 많이 나오고 잎은 달걀 모양의 능형임. 7월에 흰 꽃이 잎 사이에서 나온 긴 꽃줄기 끝에 하나씩 피고, 과실은 핵과(核果)임. 연못에 나는데 제주·경남·경기에 분포함. 종자는 식용함.

애기-메꽃 명 〖식〗 [*Calystegia hederacea*] 메꽃과에 속하는 다년생 만초(蔓草). 근경(根莖)은 백색이고 줄기는 다른 것에 감겨 올라가는데, 잎은 호생하고 장병(長柄)이며 극형(戟形) 또는 전형(箭形)임. 6-8월에 엽액에서 장경(長莖)이 나와 홍색의 꽃이 줄기 끝에 달려 낮에만 피고 과실은 삭과(蒴果)임. 들이나 길가에 나는데, 전국 각지에 분포함. 근경 및 어린 잎은 식용함.

애기메추리-경:단고둥【一瓊團一】 명 〖조개〗 두드럭총알고둥.

애기-며느리밥풀 명 〖식〗 [*Melampyrum setaceum*] 현삼과에 속하는 일년초. 줄기 높이 50cm 가량이고, 잎은 대생하며 단병(短柄)이고 선형(線形) 또는 선상 피침형임. 8-9월에 짙은 홍색 꽃이 수상(穗狀) 화서로 정생(頂生)하고 삭과(蒴果)는 작음. 산지에 나는데, 특히 송림(松林) 밑에 나며 충북·강원·경기·함남·함북에 분포함.

애기-모람 명 〖식〗 [*Ficus thunbergii*] 뽕나뭇과에 속하는 상록 활엽 만목(蔓木). 잎은 달걀꼴 또는 타원형이고 뒷면에 엽맥(葉脈)이 볼록 나왔음. 꽃은 여름에 자웅 동가(雌雄同家)로 화탁(花托) 속에 밀생(密生)하며 은화과(隱花果)는 흑자색, 화탁 속에서 가을에 익음. 산기슭에 나는데, 전남에 분포함.

〈애기모람〉

애기-무당가뢰 명 〖충〗 길앞잡이❸.

애기-물꽈리아재비 명 〖식〗 [*Mimulus tenellus*] 현삼과에 속하는 다년초. 줄기 높이 25cm 가량이고 잎은 대생하며 다소 장병(長柄)이고 달걀꼴임. 7-8월에 황색 꽃이 액출(腋出)하여 피고 화관(花冠)은 다소 순형(脣形)이며, 삭과(蒴果)는 달걀꼴 피침형임. 산기슭의 습한 곳에 나는데, 전남·전북·강원·경기·함남·함북 등지에 분포함.

애기-물레나물 명 〖식〗 [*Hypericum gebleri*] 물레나물과에 속하는 다년초. 줄기는 방주형(方柱形)이고 높이 30-60cm이며, 잎은 대생(對生)하고 무병(無柄)인데 다소 포경(抱莖)하고 긴 타원상 피침형임. 7월에 황색 꽃이 취산 화서(聚繖花序)로 정생(頂生)하여 피고, 과실은 삭과(蒴果)임. 산지에 나는데, 강원·평북·함남·함북 등지에 분포함. 어린 잎은 식용함.

애기-물매화【一梅花】 명 〖식〗 [*Parnassia alpicola*] 범의귓과에 속(屬)

하는 다년초. 줄기는 총생(叢生)하고 높이 10cm 내외이며 근생엽(根生葉)은 총생하고 장병(長柄)이며, 심장형 또는 원형, 경엽(莖葉)은 무병(無柄)으로 포경(抱莖)함. 7-8월에 백색 꽃이 줄기 끝에 하나씩 정생(頂生)하고, 과실은 삭과임. 높은 산의 중턱에 나는데, 제주도에 분포함.

애기-물방개 명〖충〗[*Rhantus punctatus*] 물방갯과에 속하는 곤충. 몸길이 12mm 내외이고, 몸빛은 배면(背面)이 황갈색이며 뒷머리와 눈 사이의 반문과 전배판(前背板) 중앙에 있는 한 줄의 가로 무늬 및 소순판(小楯板) 등은 흑색임. 시초(翅鞘)는 가를 제외하고는 흑색의 점문(點紋)이 밀포하며 흑색으로 보임. 못·늪에 서식하는데, 한국·일본 등지에 분포함.

애기-미나리아재비 명〖식〗[*Ranunculus acris*] 미나리아재빗과에 속하는 다년초. 높이 30cm 내외이고, 근생엽(根生葉)은 총생(叢生)하며 무병(無柄)이고, 경엽(莖葉)은 단병(短柄)인데 대개 세 갈래로 깨졌음. 6-8월에 황금색의 꽃이 취산(聚繖) 화서로 정생(頂生)하고, 과실은 수과(瘦果)임. 산지에 나는데, 전남의 대둔산(大屯山)·경기·평북·함남 등지에 분포함. 금황화(金凰花).

애기-박쥐 명〖동〗[*Vespertilio namiyei*] 애기박쥣과에 속하는 한국 특산종의 동물. 이개(耳介)는 비교적 길어서 17mm 내외. 끝이 다소 뾰족하여 삼각형 비슷하며, 이주(耳珠)는 7mm 내외로 똑바르고 그 기부(基部)에 단 하나의 엽(葉)이 있고 배면은 황금색이며 녹두색(綠豆色)의 목걸이를 가짐. 몸의 상면은 짙은 갈색. 구개부(口蓋部)에 8개의 융기(隆起)가 있음. 우리 나라 중부 서울 지방에 분포함. 하늘박쥐.

애기-봄맞이꽃 명〖식〗[*Androsace filiformis*] 앵초과에 속하는 일년초. 화경(花莖)은 높이 15cm 내외이고, 잎은 근생(根生)하며 장병(長柄)임. 5-8월에 백색 꽃이 산형(繖形) 화서로 정생(頂生)하고, 과실은 삭과(蒴果)임. 들의 습지에 나는데, 거의 한국 각지에 분포함.

애기-부들 명〖식〗[*Typha angustata*] 부들과에 속하는 다년초. 줄기는 원주형(圓柱形)이고 높이 1.5m 내외이며, 잎은 선형(線形)으로 길이 80-130cm, 폭 6-12mm임. 6-7월에 황색 꽃이 육수(肉穗) 화서로 정생(頂生)하는데, 수꽃 이삭은 황색으로 상부에, 암꽃 이삭은 녹갈색으로 다소 떨어진 하부에 핌. 개울가나 연못에 나는데, 제주·경남·경기에 분포함.

애기-비녀골풀 명〖식〗[*Juncus bufonius*] 골풀과에 속하는 다년초. 줄기는 총생(叢生)하고 높이 10cm 내외이며, 잎은 다소 편평함. 6-7월에 정생화(頂生花)가 취산(聚繖) 화서로 피며, 두상 화수(頭狀花穗)는 소수이고 과실은 삭과(蒴果)임. 밭이나 들의 습지에 나는데, 전남·전북·강원·경기·평남·평북·함남에 분포함.

애기-사초【一莎草】명〖식〗[*Carex conica*] 방동사닛과에 속하는 다년생 상록초. 줄기는 삼각주(三角柱)를 이루고 높이 30cm 가량, 잎은 줄기와 같은 길이로 폭 3mm의 혁질(革質)임. 꽃은 5월에 피는데, 수꽃 이삭은 정생(頂生)하고 좁은 타원형이며 암꽃 이삭은 원주형에 과실은 수과(瘦果)임. 산이나 들의 다소 건조한 곳에 나는데, 제주·전남의 완도(莞島) 등지에 분포함.

애기-살 명 ☞ 아기살.

애기-삿갓조개 명〖조개〗[*Cellana toreuma*] 복족강(腹足綱) 전새류(前鰓類) 삿갓조갯과에 속하는 권패(卷貝). 몸은 길이 50mm, 폭 30-40mm, 높이 9mm 가량의 긴 타원형 접시 모양임. 각표(殼表)의 방사륵(放射肋)은 가늘지만 거칠고, 각표는 담백색에 금갈색의 반점이 있으며 내면은 진주 광택의 대백색(帶白色)인데, 표면의 반문이 비침. 해안의 조수(潮水)가 잠잠한 암초에 부착하여 해조(海藻) 등을 먹으며 삶. 맛이 좋지 못함. 한국·일본·오키나와 등에 분포함. 꽃양산조개.

〈애기삿갓조개〉

애기-세줄나비 명〖충〗[*Neptis aceris intermedia*] 네발나빗과에 속하는 곤충. 편 날개의 길이 40-58mm이고 날개 표면은 흑갈색이며 무늬는 백색인데, 뒷날개 표면 안쪽 백색 띠는 수컷의 것이 폭이 넓고 그 바깥쪽 흑색부는 암컷의 것이 폭이 넓음. 뒷날개 뒷면의 후연(後緣)에서 전연(前緣)에 걸친 백색 띠는 수컷의 것이 짧음. 한국·만주·아무르·일본 등지에 분포함.

〈애기세줄나비〉

애기-솔나물 [一라一] 명〖식〗[*Galium pusillum*] 꼭두서닛과의 다년초. 줄기는 총생(叢生)하고 높이 25cm 내외이며, 잎은 선형(線形)으로 줄기의 각 마디마다 두 개의 정엽(正葉)과 엽상 탁엽(葉上托葉)이 합하여 5-9개씩 윤생(輪生)함. 6-7월에 황색 꽃이 가지 끝에 원추(圓錐) 화서로 피고, 과실은 작은 쌍두상(雙頭狀)임. 높은 산에 나는데 제주도의 한라산에 분포함.

애기-송이풀 명〖식〗[*Pedicularis songdoensis*] 현삼과에 속하는 다년초. 줄기는 높이 7-8cm 내외이고, 잎은 근생(根生)하고 10-15cm의 장병(長柄)이며 우상 전열(羽狀全裂)함. 5-6월에 줄기 끝 엽액(葉腋)에 담홍자색의 꽃이 한두 개 달리며 화관(花冠)은 통상 순형(筒狀脣形)임. 산지에 나며 서울 지방에 분포함.

애기-수영 명〖식〗[*Rumex acetosella*] 마디풀과에 속하는 다년초. 근경(根莖)은 가로 벋고 줄기 높이 46cm에 달하며, 근생엽(根生葉)은 총생(叢生)하고 장병(長柄)이며, 경엽(莖葉)은 호생하며 단병(短柄)으로 피침형 또는 긴 타원형임. 5-6월에 자웅 이가(雌雄二家)의 갈록색 꽃이 줄기 끝에 정생(頂生)하여 총상(叢狀) 화서로 피고 과실은 수과(瘦果)임. 유럽 원산(原產)의 귀화(歸化) 식물로서, 들에나 길가에 나는데, 전남·강원·경기에 분포함. 어린 잎은 식용함. 산초(酸草).

〈애기수영〉

애기-쉽싸리 명〖식〗[*Lycopus angustus*] 꿀풀과에 속하는 다년초. 줄기는 방형(方形)이고 높이는 70cm 가량이며, 잎은 대생하고 거의 무병(無柄)으로 피침형임. 7-8월에 백색의 잔 꽃이 엽액(葉腋)에 다수 밀착하여 윤산(輪繖) 화서로 피고, 과실은 수과(瘦果)임. 들의 습지에 나는데, 전남·경남·강원·경기·함북에 분포함. 어린 잎은 식용함.

애:기-심【愛己心】명 이기심(利己心). ↔애타심(愛他心).

애기-쐐기풀 명〖식〗[*Urtica laetevirens*] 쐐기풀과에 속하는 다년초. 줄기 높이 60cm에 달하며, 잎은 대생하고 장병(長柄)이며 원형 또는 삼각형임. 7-8월에 녹색의 꽃이 수상(穗狀) 화서로 액출(腋出)하며 자웅일가(雌雄一家)임. 산지에 나는데, 제주·강원·황해·평북·함남·함북에 분포함.

애기-씨 명 ☞ 아가씨.

애기-여뀌 명〖식〗[*Polygonum taquetii* var. *minutulum*] 마디풀과에 속하는 일년초. 줄기 높이 20-40cm이며 잎은 피침형이고 길이 2-5cm임. 여름에 붉은 꽃이 수상(穗狀) 화서로 피며 화수(花穗)는 선형(線形)으로 길이 2-4cm임. 강가의 진흙이 있는 습지에 나는데, 한국 각지 및 일본에 분포함.

애기-오이풀 명〖식〗[*Sanguisorba parvifolia*] 장미과에 속하는 다년초. 줄기 높이 13cm 가량이고, 잎은 뿌리에서 총생(叢生)하며 기수 우상 복생(奇數羽狀複生)하고 12-14쌍의 소엽(小葉)은 타원형 또는 난상 타원형임. 7-8월에 엷은 홍자색의 꽃이 수상(穗狀) 화서로 줄기 끝에 정생(頂生)하여 피고, 과실은 수과(瘦果)임. 높은 산에 나는데 함북(咸北)에 분포함.

애기-완두【一豌豆】명〖식〗[*Lathyrus humilis*] 콩과에 속하는 다년초. 줄기 높이 30cm 내외. 잎은 호생, 유병(有柄)이고 우상 복엽(羽狀複葉)인데 2-4쌍의 소엽(小葉)은 긴 타원형 또는 피침형임. 5-6월에 황색 꽃이 총상(總狀) 화서로 액출(腋出)하고, 과실은 협과(莢果)임. 산지에 나는데, 평북·함남·함북에 분포함.

애기-우산나물【一雨傘一】명〖식〗[*Cacalia aconitifolia*] 국화과에 속하는 다년초. 잎은 방패 모양의 원형(圓形)이며 장상 심렬(掌狀深裂)이고 열편(裂片)은 다시 갈라졌으며 뒷면은 백색을 띠는데, 근엽(根葉)은 장병(長柄), 경엽(莖葉)은 단병(短柄)임. 7-8월에 백색의 오열(五裂) 관상 두화(管狀頭花)가 줄기 위에 원추(圓錐) 화서로 피고, 과실은 수과(瘦果)임. 산지에 나는데, 제주·황해·평북·함남·함북에 분포함. 어린 잎은 식용함.

애기-월귤【一越橘】명〖식〗[*Oxycoccus microcarpus*] 석남과에 속하는 상록의 작은 관목. 잎은 달걀꼴이고 뒷면에 백색 털이 났음. 7월에 분홍색 꽃이 한두 개 정생(頂生)하여 피며, 과실은 구형(球形)이고 가을에 홍색으로 익음. 고원(高原)의 습지에 나는데, 함남·함북·일본·만주·아무르·시베리아에 분포함. 과실은 식용하고 관상용으로 가꿈. 조선(朝鮮) 월귤.

애기-일엽초【一一葉草】명〖식〗[*Lepisorus onoei*] 고사릿과에 속하는 다년생 상록 양치류(羊齒類). 근경(根莖)은 가늘고 길며 옆으로 벋고, 흑갈색의 작은 인편(鱗片)이 밀포(密布)하며, 잎의 상단(上端)은 무딘 원형(圓形)을 이루고, 아래는 짧은 잎꼭지가 있고, 두 줄의 누른 자낭군(子囊群)이 있음. 산의 바위나 나무 줄기에서 나는데, 제주·경남·경북·울릉도·강원도에 분포함.

애기잎말이나방-과【一科】[一꽈] 명〖충〗[Olethreutidae] 나비목(目)에 속하는 한 과. 몸빛은 담갈색이나 흔히 음침한 바탕에 황갈색·갈색·황색 등의 반문 떠무늬가 있음. 유충은 각종 과실에 기생하는 것이 보통임. 배속애기잎말이나방·왕무늬애기잎말이나방 등이 이에 속하는데, 전세계에 수천 종이 분포함.

애:기-자【愛己者】명 이기주의자(利己主義者).

애기-자운영【一紫雲英】명〖식〗[*Gueldenstaedtia pauciflora*] 콩과에 속하는 다년초. 뿌리는 비대(肥大)하고 줄기는 짧으며 거의 무경(無莖)임. 잎은 뿌리로부터 총생(叢生)하며 장병(長柄)이고, 기수 우상 복엽(奇數羽狀複葉)인데, 4-10쌍의 소엽(小葉)은 타원형 또는 피침형임. 7-8월에 잎 사이에서 긴 줄기가 나와 줄기 끝에 자색의 꽃이 1-4송이씩 정생(頂生)하고 과실은 협과(莢果)임. 깊은 산에 나는데, 경북·평북·함북에 분포함.

애기-장대【一長一】[一때] 명〖식〗[*Arabidopsis thaliana*] 겨잣과에 속하는 월년초. 줄기는 족생(簇生)하며 높이 17cm 내외이고, 근엽(根葉)은 족생하고 도피침형, 경엽(莖葉)은 피침형에 무병(無柄)임. 4-5월에 백색 꽃이 총상(總狀) 화서로 정생(頂生)하여 피고, 과실은 장각 선형(長角線形)임. 산이나 해변가에 나는데 전북 이리(裡里)에 분포함.

〈애기장대〉

애기-족제비고사리 명〖식〗[*Dryopteris bissetiana* var. *sacrosancta*] 面리고사릿과에 속하는 다년생 양치류(羊齒類). 근경(根莖)은 짧은데 옆으로 눕거나 또는 서고 피침형의 인편(鱗片)이 밀생(密生)함. 잎은 총생(叢生)하며 삼회 우상 복엽(三回羽狀複葉)인데 길이는 15-25cm이고, 잎꼭지의 기부(基部)에는 다갈색의 긴 인모(鱗毛)가 있고, 상부는 반들반들하고 엽신(葉身)에는 털이 있으며, 자낭군(子囊群)에는 원형의 피막이 있음. 얕은 산에 나는데 제주·전남·경남·충북·강원·경기·황해·평남에 분포함.

〈애기족제비고사리〉

애기-좁쌀풀 명〖식〗[*Euphrasia coreanalpina*] 현삼과에 속하는 일년초. 줄기 높이 10cm 내외이고 잎은 대생하며 넓은 타원형 또는 선형

(扇形)임. 6-8월에 홍자색의 꽃이 엽액(葉腋)에 달리며 화관(花冠)은 누두상 순형(漏斗狀脣形)이고 삭과(蒴果)는 거꿀달걀꼴 장타원형임. 높은 산에 나는데 함남 부전(赴戰) 고원에 분포함.

애:기-주의【愛己主義】[─/─이] 명〖윤〗이기주의(利己主義)❶.

애기-줄푸른자나방 명〖충〗[*Neohipparchus vallata*] 자나방과에 속(屬)하는 곤충. 편 날개의 길이 23-30mm이고 몸빛은 청록색에 앞 날개 바깥 가에는 흑색 점이 산포하여 있고, 안팎의 가로 줄은 백색이며 뒷날개에는 밖에 가로 줄만 있고 백색임. 유충은 상수리나무·졸참나무 등의 잎을 갉아먹는 해충으로, 한국에도 분포함.

애기-집 명〖생〗☞아기집.

애기집-꽃파리 명〖충〗[*Fannia canicularis*] 쌍시류(雙翅類)에 속하는 집파리의 하나. 몸빛은 회갈색(灰褐色)이며 몸길이 6mm, 날개는 투명함. 여름에 방안을 날아다님.

애기-참반디 명〖식〗[*Sanicula tuberculata*] 미나릿과에 속하는 다년초. 줄기 높이 20cm 가량이고 잎은 장병(長柄)이며 장상(掌狀)에 세 갈래로 깊게 째졌음. 5월에 백색 꽃이 산형(繖形) 화서로 피고, 과실은 달걀꼴 구형(球形)에 입상(粒狀) 또는 극상(棘狀)의 돌기가 섞여 났음. 산지에 나는데, 전남·경남·경기에 분포함.

〈애기집꽃파리〉

애기-풀 명〖식〗①[*Polygala japonica*] 원지과에 속하는 다년초. 뿌리는 가늘고 단단하며 줄기는 높이 10-20cm 가량임. 잎은 호생하고 심한 단병(短柄)이며 난형(卵形) 또는 긴 타원형임. 5월에 자색 꽃이 총상(總狀) 화서로 액출(腋出)하여 피고, 삭과(蒴果)는 폭 7-8mm의 방패 모양임. 산지에 나는데 거의 한국 각지 및 일본·대만·중국·우수리에 분포함. 잎 줄기는 보정 장양제(補精壯陽劑)의 약제로 씀. 세초(細草). 영신초(靈神草). ②원지(遠志).

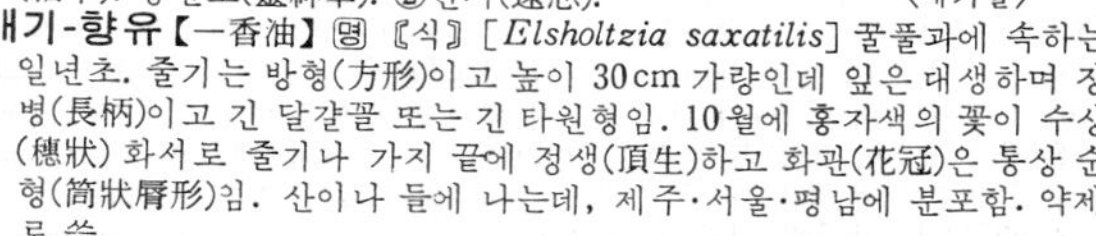

〈애기풀〉

애기-향유【─香油】명〖식〗[*Elsholtzia saxatilis*] 꿀풀과에 속하는 일년초. 줄기는 방형(方形)이고 높이 30cm 가량인데 잎은 대생하며 장병(長柄)이고 긴 달걀꼴 또는 긴 타원형임. 10월에 홍자색의 꽃이 수상(穗狀) 화서로 줄기나 가지 끝에 정생(頂生)하고 화관(花冠)은 통상 순형(筒狀脣形)임. 산이나 들에 나는데, 제주·서울·평남에 분포함. 약제로 씀.

애기-현호색【─玄胡索】명〖식〗[*Corydalis fumariaefolia*] 양꽃주머닛과에 속하는 다년초. 괴경(塊莖)은 직경 1.4cm의 구형이고 줄기는 높이 약 25cm이며, 잎은 호생하고, 장병(長柄)인데, 1-2회 삼출(三出)하고 소엽(小葉)은 우상 세열(羽狀細裂)함. 4월에 자색 꽃이 총상 화서로 정생(頂生)하여 피고, 과실은 삭과(蒴果)임. 산지에 나는데, 경기·함남에 분포함. 괴경(塊莖)은 약재로 씀.

애기-황새풀 명〖식〗[*Eriophorum alpinum*] 방동사닛과에 속하는 다년초. 줄기는 삼릉주(三稜柱)이고, 높이 15cm 내외이며 잎은 극히 짧음. 7월에 적갈색의 긴 타원형 화수(花穗)가 줄기 끝에 단립(單立)하고 영(穎)은 난상 타원형, 수과(瘦果)는 거꿀달걀꼴임. 고산의 습지에 나는데, 장백산·백두산 등지에 분포함.

애기-흰사초【─莎草】[─힌─] 명〖식〗[*Carex mollicula*] 방동사닛과의 다년초. 줄기 높이 30cm 가량, 잎은 호생하며 넓은 선형으로 줄기보다 길. 꽃은 5월에 피는데 소수(小穗)는 4-5개이고 수술은 하나가 정생(頂生)하며, 암술은 1-3개가 측생(側生)하고 과낭(果囊)은 긴 타원상 난형임. 들의 습지에 나는데, 제주·전남·경기에 분포함.

애-깎이 명 조각칼의 한 가지. 속을 우묵하게 파내는 데에 쓰임.

애-꼬치 명〖어〗[*Sphyraena japonica*] 꼬치고깃과에 속하는 바닷물고기. 몸길이 약 60cm인데, 원통상(圓筒狀)으로 갈쭉하고, 작은 둥근 비늘로 덮여 있음. 몸빛은 황갈색에 약간 붉은 색을 띠고, 하부(下部)는 은백색(銀白色)임. 맛이 좋음. 한국·일본·아프리카·셀레베스·하와이 등지에 분포함.

애-꽃무지 명〖충〗애기꽃무지.

애꽃벌-과【─科】[─꽈] 명〖충〗[Halictidae] 벌목(目)에 속하는 한 과. 대체로 흑색에 황색 또는 적색 반문이 있고, 단안(單眼)은 머리 꼭대기에 활 모양으로 배열됨. 암컷의 혀는 화분(花粉) 채집에 적합하게 발달하고 앞날개의 끝에 뾰족한 경실(脛室)과 3개의 주실(肘室)이 있음. 야간에 활동하고 단서성(單棲性)임. 흰줄애꽃벌 등이 있음.

애꾸 명 ①↗애꾸눈. ②↗애꾸눈이.

애꾸-눈 명 한쪽 눈이 먼 눈. 일목(一目). 반소경. 반맹(半盲). ㊥애꾸.

애꾸눈-이 명 한쪽 눈이 먼 사람. 일목 장군(一目將軍). 외눈박이. ㊥애꾸.

애꾸-장이 명〈방〉애꾸눈이.

애-꿎다 형 죄없이 횡액에 걸리다. ¶그런 변을 당하다니 정말 ~/애꿎은 담배만 피운다.

애-꿎이 부 애꿎게.

애:-끊다 [─끈타] 자 마음이 몹시 슬퍼서 창자가 끊어질 듯하다.

애-끌 명 큰 끌.

애:-끓다 [─끌타] 자 너무 걱정이 되어서 속이 끓는 듯하다. 애타다.

애끼¹ 명〈방〉아우(함경).

애끼² 명〈방〉어깨(경북).

애끼다 타〈방〉아끼다(평안·전라·경상).

애끼찌 명 활 만드는 데 쓰는 특수한 나무. 궁간목(弓幹木).

애:-나무 명 어린 나무.

애내【欸乃】명〈이두〉어부가 부르는 노래. 뱃노래.

애내-곡【欸乃曲】명 뱃노래의 곡조.

애내-성【欸乃聲】명 배를 저으면서 부르는 노랫 소리.

애너비너 [anabaena] 명〖식〗남조(藍藻)식물 염주말과에 속하는 담수조(淡水藻). 염주 모양이며 가끔 집단 발생하여 음료수에 물고기 냄새와 맛을 냄. 물에서 이취(異臭)가 나는 원인의 하나가 됨.

애너원비 [Anna 1 B] 명 1962년 10월 31일 미국이 쏘아올린 측지(測地) 위성. 정확한 지도를 만들기 위한 것인데, 직경 90cm, 무게 161kg임. 발광(發光) 위성. 섬광(閃光) 위성.

애너콘다 [Anaconda] 명〖지〗미국의 몬태나 주(Montana 州)의 고지에 있는 소도시. 북서에 있는 뷰테(Butte) 구리 광산(鑛山)의 용수 공급지로 건설됨. 세계 제일의 구리 정련소가 있음. [10,278명(1990)]

애너콘다 회:사【─會社】[Anaconda] 명 세계 최대의 미국 삼대(三大) 구리 생산 회사의 하나. 애너콘다 외에 몬태나, 네바다 양주(兩州), 칠레, 멕시코, 캐나다 등에 다수의 광산을 갖고, 구리와 각종 비철 금속의 채굴·제련 및 가공품 제조를 함.

애-넉점박이멸구【─點─】명〖충〗넉점박이애매미충.

애:녀-요【愛女謠】명〖악〗남녀의 연정(戀情)을 노래한 민요. 여인(女人)의 용모·성격·행동 거지를 아름답게 묘사하고 찬미함. 연정요(戀情謠).

애:-년¹ 명〈비〉↗아이년.

애년²【艾年】명 [머리가 쑥처럼 희어지므로] 쉰 살.

애념¹【哀念】명 애달피 생각함. 또, 그 생각.

애:념²【愛念】명 사랑하는 마음.

애노:드 [anode] 명〖물〗양극(陽極).

애-노란테먼지벌레 명〖충〗[*Chlaenius circumdatus*] 딱정벌렛과에 속하는 곤충. 몸길이 14mm 내외이고, 몸빛은 검은 색에 머리와 전배판(前背板)은 적록색의 금속 광택이 나고, 시초(翅鞘)는 적자색을 띰. 촉각·다리·시초의 측연(側緣)과 가장자리의 세로띠는 황갈색임. 한국·일본·중국 등지에 분포함.

애노미: [anomie] 명 '아노미'의 영어명.

애녹슨-방아벌레 명〖충〗[*Lacon scrofa*] 방아벌렛과의 곤충. 몸길이 8-10mm이며, 몸빛은 암흑색에 암갈색 인모편(鱗毛片)이 밀생하고, 시초(翅鞘)에는 점각(點刻)의 종구(縱溝)가 있음. 한국·일본 등지에 분포함.

애:-놈 명〈비〉↗아이놈.

애:-늙은이 [─늘근─] 명 나이는 어리면서 하는 짓이나 체질이 아주 노숙한 사람과 같은 이.

애니매토그래프 [animatograph] 명 초기의 영화 촬영기.

애니머-다큐멘터리 [animadocumentary] 명 방송에서, 애니메이션과 다큐멘터리를 조합하여 만든 방송 작품. 다큐멘터리만으로는 나타내기 힘든 드라마성(drama性)과 애니메이션만으로는 희박해지기 쉬운 현실성(現實性)을 서로 보완하도록 조합한 것임.

애니머티즘 [animatism] 명〖철〗종교의 원초적(原初的) 형태의 하나. 애니미즘에 선행(先行)하며, 아직 영혼이라는 관념을 가지지 않고 현상(現象) 자체가 불가사의(不可思議)한 힘을 가지고 있다는 심의(心意). 또, 그 학설. 프리애니미즘(preanimism). 유생관(有生觀).

애니멀리즘 [animalism] 명 ①동물적인 활동이나 생활. ②수욕주의(獸慾主義). 야수주의(野獸主義). ③인간에게는 영성(靈性)이 없다고 하는 인간 동물설.

애니메이션 [animation] 명〖연〗주제(主題)의 화상(畫像)을 조금씩 위치를 바꾸어 그린 것을 한 커트씩 촬영하는 기법(技法) 또는 반주음(伴奏音)과 조합(組合)하여 특수한 예술적 효과를 꾀한 영화. 만화 영화. 동화(動畫).

애니모미터 [anemometer] 명〖기상〗풍속계(風速計).

애니미즘 [animism] 명〖종〗[라틴어의 anima 곧, 영(靈)·생명(生命)에서 나온 말] 종교의 원시 형태(原始形態)의 한 가지. 자연계의 모든 사물은 생물이든 무생물이든 간에 생명이 있는 것으로 보고 그것에 정령(精靈) 특히 영혼 관념을 인정하는 심의(心意). 또, 이에서 종교의 기원(起源)을 구하는 학설. 정령 신앙(精靈信仰). 유령관(有靈觀). 생기설(生氣說).

애니버:서리 [anniversary] 명 기념일. 기념제.

애닉도:트 [anecdote] 명〖문〗비화(秘話). 일화(逸話). 기담(奇談).

애:다 타〈방〉외다²(전남·경남).

애:-달다 자 마음이 쓰이어 속이 달치는 듯하게 되다.

애달프다 형 애가 달칠 정도로 마음이 아프다. ¶애달픈 사랑.

애:달피 부 애달프게. ¶~ 우는 짝 잃은 새.

애:닯다 [─달따] 형 ☞애달프다.

애:당¹【愛堂】명〖사람〗권동진(權東鎭)의 호(號).

애:당²【愛黨】명 자기의 당을 사랑함. ¶~ 정신. ──하다 자여불

애-당초【─當初】명 '애초'의 힘줌말. ¶~ 무리한 주문이었다.

애:대¹【愛待】명 사랑스럽게 대우함. ──하다 타여불

애:대²【愛戴】명 웃어른으로 인정(認定)하고 소중하게 받듦. ──하다 타여불

애댑테이션 [adaptation] 명 ①개작(改作). 번안(飜案). 각색(脚色). ②〖생〗적응설(適應說). 순응. ③적합. 적응(適應). 응용(應用).

애:덕【愛德】명〖천주교〗신학 삼덕(神學三德)의 하나. 천주와 사람을 사랑하는 마음.

애덜레슨스 [adolescence] 명 청년기(青年期).

애덤 [Adam, Robert] 명〖사람〗영국의 고전주의 건축가. 1754-1784년 이탈리아에서 로마 건축의 유적을 연구하였으며 건축·실내 장식으로부터 공예 의장(意匠)에 이르기까지 고전 취미로 통일하려고 했음. 그의 형제들도 건축가였음. [1728-92]

애덤스¹ [Adams] 명〖사람〗①[Henry Brooks A.] 미국의 역사가·사상가. ❸의 손자. 모교 하버드 대학 교수. 자서전≪헨리 애덤스의 교육≫에서는, 물질 문명(物質文明)에 만족하지 못하는 문화인의 회의(懷疑)를 표백하고 있음. [1838-1918] ②[John A.] 미국 건국기의 정치가.

❸의 아버지. 미국 독립 전쟁 때에는 반영(反英) 투쟁의 급선봉으로 활동함. 후에 대영(對英) 강화 전권 대사, 초대 부통령을 거쳐, 제2대 대통령(1797-1801)을 지냄. [1735-1826] ③[John Quincy A.] 미국 제6대 대통령(1825-29). ❷의 장남. 외교관을 거쳐 국무 장관 당시에는 몬로주의의 선언을 헌책(獻策)함. 대통령으로서는, 연방 정부에 의한 산업 개발 추진을 제창(提唱)하였으며, 노예 제도 반대 운동에도 공헌함. [1767-1848]

애덤스[2] [Adams, Ansel] 명 『사람』 미국의 풍경(風景) 사진가. 1930년대 웨스턴(Weston, E.)·스티글리츠(Stieglitz, A.;1864-1946) 등과 함께 근대 사진술에 방향을 부여한 사람. 완전한 기술주의를 표방하여 완전주의파라고 불림. [1902-84]

애덤스[3] [Adams, Samuel] 명 『사람』 미국 독립 운동의 지도자. 매사추세츠 출신. 1764년 이래 식민지의 반영(反英) 운동을 지도하였고, 독립 후에는 주지사를 지냄. [1722-1803]

애덤스[4] [Addams, Jane] 명 『사람』 미국의 여류 사회 사업가·인도주의자. 시카고의 빈민가를 중심으로 빈민(貧民) 구제·여권(女權) 신장 운동을 전개함. 1차 대전 때에 세계 평화를 위해 진력하여 1931년 버틀러(Butler)와 함께 노벨 평화상을 받음. [1860-1935]

애덤스 스토:크스 증:후군 【一症候群】 [Adams-Stokes] 명 『의』 심장을 규칙적으로 움직이게 하는 자극 전달(刺戟傳達)이 순조롭지 않아 발작적으로 일어나는 의식 장애. 수초에서 수분 만에 의식이 회복됨. 현기증·실신(失神)·경련·호흡 이상 등의 증세가 생김. 애덤스(Adams, R.)와 스토크스(Stokes, W.)가 각각 발표했음.

애덤스 피:크 [Adam's Peak] 명 『지』 스리랑카 남부에 있는 산. 산꼭대기 평탄한 바위에 거대한 발자국 같이 움푹 패어진 곳이 있는데, 불교도는 부처, 힌두교는 시바, 이슬람교도는 아담의 발자국이라고 신앙하여 순례함. 산 이름은 이슬람교도설에서 유래함. [2,243 m]

애덤자이트 [adamsite] 명 『화』 미국 군인 애덤스(Adams)가 발명한 질소성(窒素性) 독가스. 황색 결정성(黃色結晶性)의 비소(砒素)를 함유(含有)하는 화합물로서 가축의 무두질에 쓰임. 또 피부(皮膚)와 눈을 자극하고 호흡기(呼吸器)를 범하여 구역질이 나게 하기 때문에, 폭동(暴動) 진압에도 사용함.

애-도[1] 【艾島】 명 『지』 ①평안 북도 서남해상의 섬. 연안 일대는 특히 조기의 어획이 많음. [1,341 km^2] ② 고흥군(高興郡) 봉래면(蓬萊面) 사양리(泗洋里)에 위치하는 섬. [0.33 km^2 : 183 명(1984)]

애도[2] 【哀悼】 명 사람의 죽음을 슬퍼함. 애척(哀戚). ¶삼가 ~의 뜻을 표하다. ——-하다 타 여불

애도[3] 조 〈옛〉 에도. ¶六合애도 精卒올 자보시니(于彼六合 又殲精卒) ≪龍歌 24章≫.

애도-가[1] 【哀悼歌】 명 애도의 뜻을 주제로 한 노래.

애:도-가[2] 【愛陶家】 명 도자기를 사랑하고, 알아봄에 있어 어떤 수준에 이른 이.

애도래라 형 〈옛〉 애달프구나. ¶그려도 하 애도래라 가는 뜻을 닐러라 ≪海謠 8≫.

애도-사 【哀悼辭】 명 애도의 뜻을 내용으로 쓴 글. 또, 그런 말.

애:독 【愛讀】 명 즐겨서 읽음. ¶~하는 책. ——-하다 타 여불

애:독-서 【愛讀書】 명 애독하는 서적. 특히, 즐겨 읽는 책.

애:독-자 【愛讀者】 명 잡지(雜誌)·신문(新聞) 기타의 글을 애독하는 사람. ¶신문 ~.

애동대동-하다 형 여불 매우 젊다.

애-동지 【一冬至】 명 오동지[1].

애-돝 명 한 살이 된 돼지. *애저.

애드-라이터 [ad-writer] 명 광고 문안(廣告文案)을 만드는 사람. 카피라이터(copy-writer).

애드 리브 [ad lib] 명 [라틴어의 ad libitum(임의로)의 준말] ①재즈의 즉흥적(卽興的)인 독주(獨奏). 악보를 떠나 자유로이 멜로디를 만들어 연주함. ②영화·연극 등에서, 배우가 대본에 없는 대사를 즉흥적으로 지껄이는 일. 「도안가.

애드맨 [미 adman] 명 광고 권유원(廣告勸誘員). 광고문 작성자. 광고

애드미럴 [admiral] 명 『군』 해군 대장. 제독(提督). 해군 장관.

애드미럴티 제도 【一諸島】 [Admiralty] 명 『지』 서남 태평양, 뉴기니섬 동북방에 분포하는 섬들. 제1차 대전 전 독일령, 현재는 파푸아 뉴기니령이며, 코프라·진주조개가 주요 산물임. [2,070 km^2 : 22,000 명(1981)]

애드버커시 광:고 【一廣告】 [advocacy] 명 기업과 소비자간의 신뢰관계를 회복하려는 광고. 기업의 움직임과 실태를 알려서 이윤 획득이 얼마나 적정한가를 이해시켜 그 기업을 지지하게 하고 지원을 얻기 위한 광고임.

애드버타이저 [advertiser] 명 광고주(廣告主).

애드버타이즈먼트 [advertisement] 명 ①광고(廣告). ②통지(通知).

애드버타이징 캠페인 [advertising campaign] 명 ①신문·잡지·텔레비전 등 각종 매체(媒體)를 짜 맞추어, 종합적·계획적으로 행하는 광고 활동. ②신문·잡지·텔레비전의 광고 모집 운동.

애드버토리얼 [advertorial] 명 [advertisement+editorial] 논설 형식의 광고. 넓은 뜻에서는, 신문이나 잡지에 내는 기사 형식의 광고. 좁은 뜻에서는, 광고주가 신문이나 잡지의 특정 페이지를 광고를 위해 사서, 사설이나 논설같이 보이는 형식으로 게재하는 것.

애드-벌룬: [ad-balloon] 명 광고·선전용의 문자판을 늘인 계류(繫留)기구. 광고 풍선. 광고 기구(氣球).

애드벤티스트-파 【一派】 [Adventist] 명 재림파(再臨派).

애드-카: [미 ad-car] 명 광고 선전용(廣告宣傳用)의 자동차.

애드-펄: [add-pearl] 명 생일날 같은 기념일에 진주 알을 하나씩 더 보태 끼우게 된 네클리스.

애드호크러시 [adhocracy] 명 『사』 그때그때 그 사태에 유연(柔軟)하게 대응하는 주의.

애:-들 준 아이들.
[애들 꼬대기 눈물] ['꼬대기'는 '까불기'의 사투리] 애들이 까불면 끝내는 울게 될 징조라고 꾸짖는 말. [애들 꿈은 개꿈] 애들이 꾼 꿈은 해몽할 거리가 못된다는 말.

애들레이드 [Adelaide] 명 『지』 남오스트레일리아 주의 주도(州都)로 머리(Murray) 강구(江口)에 가까운 상항. 지중해식 기후로 경치가 아름답고 자동차·목재·직물 공장이 있고 과실 등의 집산지임. 1840년에 오스트레일리아 최초의 시제(市制)를 택한 계획 도시로 캔버라 건설 전의 연방 수도임. 식물원이 있음. [1,003,800 명(1986)]

애-등빨간잎벌 명 『충』 [*Dolerus hordei*] 잎벌과에 속하는 곤충. 암컷은 몸길이 9 mm이고 몸빛은 흑색에 금속 광택이 나며, 전흉배판(前胸背板)과 어깨 중흉순판(中胸楯板)은 녹슨 붉은 빛임. 유충은 보릿잎을 먹는데, 한국·일본에 분포함.

애디론댁 산지 【一山地】 [Adirondack] 명 『지』 미국 뉴욕 주 북동부를 차지한 산악군(山岳群). 많은 빙하호(氷河湖) 등이 빙하 지형을 이루고 있어 관광지로 훌륭하며 동계(冬季) 스포츠의 중심지임.

애디슨[1] [Addison, Joseph] 명 『사람』 영국의 수필가·시인·정치가(政治家). 스틸(Steele)과 함께 평론지 '스펙테이터(Spectator)'를 창간하고 그와 함께 많은 글을 실어 당대의 수필 문학에 큰 공헌을 하였음. 그 문체는 경묘하고 기품 있어 산문의 모범으로 삼음. [1672-1719]

애디슨[2] [Addison, Thomas] 명 『사람』 영국의 의학자. 1855년 애디슨병에 대한 원인을 규명 발표하였음. 또, '애디슨 빈혈'이라고 불리는 악성 빈혈에 대한 연구도 있음. [1793-1860] *애디슨병.

애디슨-병 【一病】 [一뼝] 명 [Addison's disease] 『의』 [1855년에 처음으로 이 병을 기재(記載)한 영국의 의사 Thomas Addison의 이름에 유래] 호르몬을 분비(分泌)하는 부신 피질(副腎皮質)의 일차적인 기능 부전증(機能不全症).

애ᄃᆞ다 형 〈옛〉 애달프다. 애달파하다. ¶알핏 외요ᄆᆞᆯ 애ᄃᆞ니라(慨前之失也)≪楞嚴 I:93≫.

애ᄃᆞᆯ다 타 〈옛〉 애달피 여기다. ¶올모디 몯호ᄆᆞᆯ 애ᄃᆞ라(恨未全)≪楞嚴 I·39≫/애ᄃᆞᆯ 앙(怏)≪類合 下 15≫.

애ᄃᆞᆯ옴 타 〈옛〉 애달픔. '애ᄃᆞᆯ다'의 명사형. ¶모ᄅᆞᆯ 일도 하거니와 애ᄃᆞᆯ옴도 그지업다≪松江 星山別曲≫.

애ᄃᆞᆲ다 형 〈옛〉 애달프다. ¶ᄃᆡ나간 後ㅣ면 애ᄃᆞᆲ다 엇디ᄒᆞ리≪永言 42≫.

애-딱정벌레 명 『충』 [*Carabus tuberculosus*] 딱정벌렛과에 속하는 곤충. 몸길이 18 mm 내외이고, 몸빛은 광택 있는 흑색이며 전배판(前背板)은 적동색, 앞머리·머리끝·시초(翅鞘) 측연(側緣)은 적동색 광택이 남. 시초에는 타원형의 굵은 쇠사슬 같은 융기선(隆起線)이 세 개 있음. 한국·일본·사할린·시베리아 등지에 분포함.

애띠다 형 〈방〉 앳되다(충청).

-애라 어미 〈옛〉 -겠노라. ¶日連이 닐오ᄃᆡ 몰라 보애라≪月釋 XXIII:86≫.

애락[1] 【哀樂】 명 슬픔과 즐거움. ¶희로(喜怒) ~.

애:락[2] 【愛樂】 명 ①『불교』 [낙(樂)은 바라고 구(求)한다는 뜻] 바른 일, 진실(眞實)한 가르침 등을 마음으로 믿고 바라고 구함. ②사랑스럽고 즐거운 일.

애란 【愛蘭】 명 『지』 '아일랜드'의 음역(音譯).

애란 섬: [Arran] 명 『지』 영국 스코틀랜드 서남부 클라이드 만(Clyde 灣)에 있는 섬. 지질 시대의 흔적과 석총(石塚)·입석(立石)·환상석(環狀石) 등 거석(巨石) 유적으로 유명함. [430 km^2 : 4,726 명(1981)]

애란 제도 【一諸島】 [Aran] 명 『지』 아일랜드 공화국의 대서양안(大西洋岸) 골웨이 만구(Galway灣口)에 위치하는 세 섬. 선사(先史) 시대의 유적(遺蹟)이 많음. [46.6 km^2 : 803 명(1981)]

애략 【崖略】 명 대략(大略).

애렵다 형 〈방〉 어렵다(전남·경상).

애련[1] 【哀憐】 명 가엾고 애처롭게 여김. 애긍(哀矜). ¶~의 정을 금치 못함. ——-하다 자 여불. ——-히 부

애련[2] 【哀戀】 명 ①이루지 못한 연애. 슬픈 사랑. 비련(悲戀). ②슬픈 연모(戀慕).

애:련[3] 【愛憐】 명 약한 사람이나 어린 사람을 사랑함. ——-하다 타 여불

애:련[4] 【愛戀】 명 사랑해서 그리워함. ——-하다 타 여불

애:련-설 【愛蓮說】 명 연꽃을 군자(君子)에 비긴, 중국 송(宋)나라의 주돈이(周敦頤)가 지은 글.

애:렴 【愛染】 명 『불교』 ←애염(愛染).

애:례 【愛禮】 명 예(禮)를 사랑함. 도덕을 존중함. ——-하다 자 여불

애로[1] 【艾老】 명 쉰 살 넘은 사람.

애로[2] 【崖路】 명 절벽 위에 있는 길. 산허리의 험한 길.

애로[3] 【隘路】 명 ①좁고 험한 길. ②일을 진행함에 있어 방해가 되는 점. 지장. 곤란. 난점. ¶~ 사항/~가 많다.

애로:[4] [Arrow, Kenneth Joseph] 명 『사람』 미국의 경제학자. 1949년 스탠퍼드 대학 교수, 1962년 대통령 경제 자문 위원, 1968년 하버드 대학 교수를 역임함. 1972년에 균형 이론(均衡理論)의 수학적 해명에 의해서 신후생 경제학(新厚生經濟學) 수립에 공헌한 공로로 노벨 경제학상을 수상함. 저서에 ≪사회 선택(社會選擇)과 개인적 가치(個人的價値)≫ 등이 있음. [1921-]

애로:호 사:건 【一號事件】 [Arrow] [一껀] 명 『역』 1856년 광동항(廣東港)에 정박 중인 영국 국적의 중국선 애로호의 임검 문제로 일어난, 청나라와 영국·프랑스 사이의 분쟁 사건. 1860년 영·프 연합군의 베이징(北京) 입성에 의하여 베이징 조약을 맺음.

애:론【愛論】명 『불교』 정의(情意)에 사로잡힌 옳지 못한 이론.
애롭다[1] 형 〈방〉 어렵다(전남·경남).
애롭다[2] 형 〈방〉 외롭다(경남·평남).
애:롱【愛弄】명 즐겁게 가지고 놂. 사랑하며 즐거워함. ——-하다 타「여불
애뢰【哀誄】명 생전의 공덕을 기리는 글. 애도(哀悼)의 글. 제문(祭文).
애루【隘陋】명 비좁고 지저분함. ——-하다 형여불
애룹다 형 〈방〉 어렵다(전라·경북).
애류[1]【崖溜】명 『사람』 권덕규(權悳奎)의 호(號).
애:류[2]【愛流】명 『불교』 애욕(愛慾)의 바다.
애리조나 운:석공【—隕石孔】〔Arizona〕 명 미국 애리조나 주의 중부, 사막 한 복판에서 1891년에 발견된 직경 1,280m, 깊이 180m의 구덩이. 2만년 전에 1만 톤 정도의 운석이 떨어져 생긴 것으로 추정됨. 구덩이 주변에서 총 10톤에 이르는 수천의 운철편(隕鐵片)을 주움.
애리조나이트〔arizonite〕 명 『광』 강회색(鋼灰色)의 광물. 페그마타이트(pegmatite) 안에서 불규칙적인 괴상(塊狀)으로 발견되며, 철(鐵) 및 티탄을 함유함. [$Fe_2Ti_3O_9$]
애리조나 주【—州】〔Arizona〕 명 『지』 미국 서남부 멕시코와 경계를 이룬 주. 산지·고원이 많으며, 기후는 건조하고 일부는 사막임. 관개에 의한 농업이 행하여지며 면화가 주산물이고, 금·은·구리를 산출함. 인디언 문화의 유적이 많아 관광 사업도 활발할 만함. 주도(州都)는 피닉스(Phenix). [295,000km²: 3,665,228명(1990)]
애:린[1]【愛悋】명 아깝게 여김. ——-하다 자여불
애:린[2]【愛隣】명 이웃을 사랑함. ——-하다 자여불
애:린 여기【愛隣如己】명 이웃을 사랑함을 자기 몸 사랑하듯 함. ——-하다 자여불
애:림【愛林】명 산림을 애호함. ¶ ～ 녹화(綠化). ——-하다 자여불
애:림 녹화【愛林綠化】명 나무를 심고 가꾸어 산을 푸르게 함. ——-하다 자여불
애마[1]【崖磨】명 애비(崖碑).
애:마[2]【愛馬】명 자기가 사랑하는 말. 애기(愛騎).
애:마[3]【愛馬】명 〔몽 aimag: 부대(部隊)·부락(部落)·주현(州縣)의 뜻〕 『역』 ①중국 원(元)나라의 숙위 관원(宿衛官員)·시위 군사(侍衛軍士). ②고려 때 숙위 관리 및 숙위 군사의 통칭. 아막(阿幕). ③여말 선초(麗末鮮初)에, 성중 애마(成衆愛馬)의 딴이름.
애마디어스 호【—湖】〔Amadeus〕 명 『지』 오스트레일리아 중앙부 사막 지대에 있는 함수호(鹹水湖). 대부분이 눈처럼 흰 식염(食塩)과 석고(石膏)로 덮여 있음. 물은 호수 면적(湖水面積)의 6분의 1에 지나지 않음. [3,000km²]
애막 명 〈옛〉 작은 가게. ¶ 애막曰窩舖《字會 中 9 窩字註》.
애:-막조지【愛莫助之】명 사랑하나 실지로는 도와 줄 수 없음.
애:매【曖昧】명 희미하여 분명하지 않음. ¶ ～한 대답. ——-하다 형여불
애:매-도【曖昧度】명 〔equivocation〕 『통신』 출력(出力)이 알려져 있을 때의, 통신로(通信路)의 입력 엔트로피(入力 entropy).
애:매 모호【曖昧模糊】명 애매하고 모호함. ——-하다 형여불
애-매미 명 『충』 [*Meimuna opalifera*] 매밋과(科)에 속하는 곤충. 몸길이 30mm, 날개 끝까지 45mm 내외이며, 몸빛은 암황색에 흑색 무늬가 있고, 황금색의 가는 털이 많이 남. 몸의 하면은 대체로 담갈색이고 수컷의 복판(腹瓣)은 크며, 그 끝은 제3 복절(腹節)의 중앙에까지 달함. 8-10월에 출현하는데 유충은 수년간 땅 속에서 생활함. 한국·일본·중국·대만 등지에 분포함. 기생매미.

〈애매미〉

애매미충-과【—蟲科】[—꽈] 명 『충』 [Eupterygidae] 매미목(目)에 속하는 한 과. 몸은 미소(微小)하나 머리는 둥근 듯하고 단안(單眼)은 흔적만 있거나 전혀 없음. 앞날개의 시맥(翅脈)은 기부(基部)에서 소실되고 말단에서 분지(分枝)됨. 띠띤애매미충·넉점박이애매미충 등이 있는데 전세계에 분포함.
애:매-설【曖昧說】명 『문』 19세기 프랑스의 탐미파(耽美派) 작가들이 주장한 학설. 언어는 원래 애매한 것으로 도저히 자기들의 심원(深遠)한 사상이나 복잡한 감정을 표현할 수 없다고 주장함.
애:매-어【曖昧語】명 뜻이 몇 갈래로 통하여 분명하지 않은 말·글.
애:매-파【曖昧派】명 『문』 애매설을 주장한 파(派).
애:매-하다 형여불 아무 잘못이 없이 원통한 책망을 받다. ¶ 공연히 애매한 사람을 들볶다. ㊀앰하다. 애:매-히 부
[애매한 거북이 돌에 치었다; 애매한 두꺼비 돌에 치었다] 까닭없이 벌을 받거나 원망을 받게 되었음을 이르는 말. ¶ 박참봉이 소수처 놀라 애매한 거북이 돌에 치나 보다 싶은 마음이 나서 벌벌 떨고 앉았더라《李人稙:鬼의 聲》.
애머시스트〔amethyst〕 명 『광』 자수정(紫水晶).
애:-먹다 자 ①☞ 애타다. ②애가 탈 정도로 골탕을 먹다.
애:-먹이다 타 ①☞ 애태우다. ②애가 탈 정도로 골탕을 먹이다.
애:먼 관 ①엉뚱하게 딴. ②애매하게 딴. ¶ ～ 사람 잡겠네.
애먼-나이 명 생일이 연말(年末) 가까이여서 애매하게 한 살을 먹은 나이. ＊옹근나이.
애면-글면 부 약한 힘으로 무엇을 이루느라고 온갖 힘을 다하는 모양. ¶ 분부 거행하느라고 ～ 천방 지축으로 달려 왔다. ——-하다 자여불
애멸【埃滅】명 티끌과 같이 없어짐. ——-하다 자여불
애명[1] 명 ☞ 아명(兒名).
애명[2]【哀鳴】명 새나 짐승 등이 슬프게 욺. 또, 그 울음 소리. ——-하다 자여불
애명-글명 부 ☞ 애면글면. ——-하다 자여불
애-명주잠자리【—明紬—】명 『충』 [*Myrmeleon formicarius*] 잠자릿과에 속하는 곤충. 몸길이 23-35mm, 편 날개 55-80mm, 머리·가슴·배는 대체로 흑색(黑色)이고, 날개는 투명한데 다소 백색(白色)을 띠며 흑색 반문(斑紋)이 약간 있음. 가장자리의 무늬는 담황갈색(淡黃褐色)임. 한국에도 분포함.
애모[1]【哀慕】명 돌아간 어버이를 슬피 사모함. ——-하다 타여불
애:모[2]【愛慕】명 사랑하고 사모함. ——-하다 타여불
애목-잡채기 명 씨름에서, 허리샅바를 잡고 있던 손으로 상대의 목을 감아 잡채기 요령으로 공격을 시도하여 던지는 혼합 기술의 하나.
애묘【崖墓】명 낭떠러지에 있는 동굴(洞窟)이나 바위 그늘을 이용한 무덤. 중국의 쓰촨 성(四川省)·이집트·페르시아 등지에서 볼 수 있으며, 유럽의 구석기 시대에도 그 예가 있음.
애무[1]【埃霧】명 먼지가 안개처럼 뿌옇게 일어남. 또, 그 먼지. ——-하다 자여불
애:무[2]【愛撫】명 어린애나 이성(異性)을 사랑하여 어루만짐. ——-하다 타여불
애무-하다 형 〈방〉 애매하다.
애:-물[1] 명 ①애를 태우는 물건. ¶ 도영이는 너로 하여금 실성이 되어서 이 세상에서는 무용의 ～이 되었으니…《崔瓚植: 능라도》. ②나이가 어려서 부모에 앞서 죽은 자식.
애:물[2]【愛物】명 사랑하여 소중히 여기는 물건.
애-물결나비 [—껼라—] 명 『충』 [*Ypthima argus*] 뱀눈나빗과에 속한 곤충. 편 날개의 길이 36mm 내외이고 날개의 표면은 흑갈색이며, 앞날개에는 한 개, 뒷날개에는 두세 개의 눈알 모양의 무늬가 있음. 날개 뒷면에는 잔물결 무늬가 있고 앞날개 뒷면에는 한 개, 뒷날개 뒷면에는 다섯 개 이상의 눈알 모양의 무늬가 있음. 한국에도 분포함.
애-물땅땅이 명 『충』 [*Sternolophus rufipes*] 물땅땅잇과에 속하는 곤충. 몸길이 10-12mm 내외이고 몸빛은 광택 있는 흑색인데, 촉각·수염·다리·복부·복판(腹瓣)의 종륭기(縱隆起)와 각 복절(腹節) 양측의 무늬 및 날개 끝 등은 적갈색임. 못·늪에 서식하는데, 동부 아시아 일대에 분포함.
애-물방개 명 『충』 꼬마물방개.
애민[1]【哀愍】명 신불(神佛)이 인간을 불쌍히 여겨 온정을 베풂. ——-하다 타여불
애:민[2]【愛民】명 백성을 사랑함. ——-하다 자여불
애:민[3]【愛愍】명 손아랫사람을 사랑하고 도움. ——-하다 자여불
애:민[4]【愛憫】명 불쌍히 여겨 사랑함. ——-하다 타여불
애쁘오다 타 〈옛〉 애를 쓰게 하다. ¶ 날을 애쁘온다(氣殺我也)《朴解 中 18》.
애-바르다 형르불 재물(財物)과 이익(利益)에 발밭게 덤비다. ¶ 저렇게 애바를 수가 있나 / 애바르게 손님을 찾아다니는 함지 장수들《金廷漢: 지옥변》.
애-바리 명 애바른 사람.
애:박【愛縛】명 『불교』 ①애욕(愛慾) 또는 집착(執着)에 의한 번뇌(煩惱). ②애정에 의한 속박(束縛).
애-반딧불이 명 『충』 [*Luciola lateralis*] 개똥벌렛과에 속하는 곤충. 몸길이 9mm 가량, 몸빛은 흑색에 흉배(胸背)는 담홍색이고 중앙에 굵은 세로줄이 있으며, 시초(翅鞘)에는 줄무늬가 3-4개씩 있음. 복단(腹端)의 발광부(發光部)는 황백색인데, 암컷은 1절, 수컷은 2절에서 빛을 냄. 성충은 7-9월에 발생하고 유충은 무논·연못·개울물 등에 사는데, 한국 각지·일본·중국 동부·아무르 등지에 분포함. 미단(尾端)의 두 마디는 누른 빛, 그 양쪽 옆은 붉은 빛을 띠었으며 말단(末端)은 암갈색을 이룸.

〈애반딧불이〉

애-배벌 명 『충』 [*Campsomeris annulata*] 배벌과에 속하는 곤충. 암컷의 몸길이 15-20mm, 몸빛은 흑색에 광택이 나며 갈색을 띤 흰색의 털이 있고 가슴의 양측 및 배와 배의 제1절(節)의 전연(前緣), 그리고 후연(後緣)과 제2-4절 후연 및 다리 등에는 털이 밀생하여 반문상(斑紋狀)을 이룸. 아시아 남부에 분포함.

♀
〈애배벌〉

애백-스럽다 형 〈방〉 박정스럽다(함경).
애-뱀잠자리붙이 [—부치] 명 『충』 [*Hemerobius humuli*] 뱀잠자리붙잇과에 속하는 곤충. 몸길이 6mm, 편 날개 16mm 내외이고 머리는 황색, 복안(複眼)의 안쪽 앞가슴의 양측은 적갈색, 날개는 투명하며 앞날개의 세로맥 위에는 갈색 점문(點紋)이 규칙적으로 있음. 한국에도 분포함.
애버뉴〔avenue〕 명 ①번화한 큰 거리. ↔스트리트(street). ②가로수(街路樹)가 있는 길.
애버더포이스의 칭량【—秤量】〔avoirdupois〕 [—냥 / —에—냥] 명 영어 사용 국민들이 쓰는 귀금속을 제외한 물건의 도량형기(度量衡器). 16드람이 1온스가 되고 16온스를 1파운드로 함.
애버딘:[1]〔Aberdeen〕 명 『지』 스코틀랜드 동부에 있는 그램피언 주(州)의 주도(州都). 북부 스코틀랜드의 중요 해항이며, 수산·모직·제지 등의 산업이 성함. [190,000명(1981)]
애버딘:[2]〔Aberdeen, George Hamilton Gordon, *Earl of*〕 명 『사람』 영국의 정치가. 스코틀랜드의 귀족 출신. 1813년에 빈(Wien) 주재 대사, 1814년 파리 회의에 영국 대표로 참석하고, 웰링턴 내각의 외상(外相), 제1차 필 내각의 식민상(植民相), 제2차 필 내각의 외상(外相)으로서 캐나다와 미국의 국경을 확정짓고, 수상을 도와 곡물법을 폐지함. 1852년 휘그당(Whig黨)과의 연립 내각 수상이 되었다가 1855년 크림 전쟁 지도에 실패하여 하야(下野)함. [1784-1860]
애버딘: 앵거스〔Aberdeen Angus〕 명 『동』 스코틀랜드 원산(原産)인

뿔 없는 흑우(黑牛).
애버레이션 [aberration] 명 ①바른 길에서 벗어나는 일. ②《천》 광행차(光行差). ③《물》 렌즈의 수차(收差). ¶구면(球面) ~. ④《의》 정신 이상. ⑤《생》 변이(變異).
애버리지 [average] 명 ①야구에서, 타율(打率). ②당구에서, 평균점(平均點). ③볼링에서, 한 게임당(當)의 평균 점수. 200점 이상이면 국제적 수준의 선수급임.
애버크롬비 [Abercromby, Ralph] 명 《사람》 영국의 기상학자. 런던 태생으로 육군 대학을 중퇴했음. 기압 배치형과 날씨와를 관련지어 평면적인 총관 기상학(總觀氣象學)을 확립함. 저서에 ≪일기(日氣)≫가 있음. [1842-97]
애-벌 명 한 가지 물건에 같은 일을 여러 차례 하여야 될 때에 맨 첫번 대강하여 낸 그 한 차례. 초벌.
애벌 빨다 구 애벌 빨래를 하다.
애벌 찌다 구 음식물을 첫번 찌다.
애벌-갈이 명 《농》 논이나 밭을 첫 번 가는 일. 초경(初耕). 애갈이. 앞갈이. ——-하다 타여불
애벌-구이 명 《공》 설구이❷. ——-하다 타여불
애벌-김 명 《농》 논밭의 첫번째의 김매기.
애벌-논 명 《농》 애벌 맨 논.
애:-벌레 명 《충》 유충(幼蟲).
애벌-방아 명 첫번 대강 찧는 방아.
애벌 빨래 명 처음 대강 하는 빨래. ㊟애빨래.
애별[1] 【哀別】 명 슬프게 이별함. ——-하다 타여불
애:별[2] 【愛別】 명 《불교》 사랑하는 사람과 이별함. ——-하다 자여불
애:별리-고 【愛別離苦】 명 《불교》 팔고(八苦)의 하나. 부모·형제·처자·애인 등과 생별(生別)·사별(死別)함으로써 받는 고통.
애보 【哀譜】 명 《천주교》 ①장의(葬儀). ②장송곡. 비가(悲歌).
애:-보기 명 아기의 시중을 드는 일. 또, 그 사람.
애:복 【愛服】 명 ①즐겨 복용함. 애음(愛飮). ②기꺼이 따름. 열복(悅服). ——-하다 타여불
애:부 【愛夫】 명 창부(娼婦)가 정을 주는 남자.
애브노:멀 [abnormal] 명 ①변태. 이상(異常). 병적(病的). ②《문》 문학상 세기말적(世紀末的) 문학의 극단적인 탐미주의(耽美主義)나 근대의 고뇌(苦惱)를 노래한 데카당파(décadent派) 시인들의 작품에 풍겨 있는 경향. ——-하다 형여불
애브설루:트 뮤:직 [absolute music] 명 《악》 절대 음악. 음 자체가 갖는 효과만을 목표로 하는 음악. ↔프로그램 뮤직.
애브설루:티즘 [absolutism] 명 절대주의(絶對主義).
애브스트랙트 [abstract] 명 ①추상적. ②《예》 1910년경에 일어난 전위(前衛) 예술 사조의 하나. 비사실적인 모양이나 빛으로 심리적인 공간 표현을 구성하는 표현법 또는 그 예술. 즉, 설명적 형태 따위는 배척하며 순수하게 조형 요소로서의 선·면·색의 배합에 의해 구성됨. 피카소 등의 후기 입체파의 작품이 그 예이며, 전후(戰後) 문학에도 이러한 속성(屬性)이 영향을 주고 있음. 애브스트랙트 아트. 애브스트랙트 예술. 추상 예술. 추상주의 예술.
애브스트랙트 발레 [abstract ballet] 명 《연》 어떤 줄거리나 스토리 없이 순수하게 동작만으로 구성된 발레.
애브스트랙트 아:트 [abstract art] 명 《예》 애브스트랙트❷.
애브스트랙트 예:술 【—藝術】 [abstract] 명 《예》 애브스트랙트❷.
애비[1] 명 ☞ 아비. ¶~ 없는 자식.
애비[2] 【崖碑】 명 자연적인 암벽(岩壁)의 면을 갈아서 비문을 새긴 비. 애마(崖磨).
애:비[3] 【愛婢】 명 사랑하는 여자 종.
애비다 자 〈방〉 야위다(경상).
애밫브다 형 〈옛〉 슬프다. 원통스럽다. 한탄스럽다. ¶셟고 애받븐 쁘디여≪月印 上 52≫.
애-빨래 명 ↗애벌 빨래.
애사[1] 【哀史】 명 슬픈 역사. 불행한 내력. ¶단종(端宗) ~/여인 ~.
애사[2] 【哀思】 명 슬퍼하며 생각함. 또, 그 생각·심정. ——-하다 타여불
애사[3] 【哀詞】 명 사람의 죽음을 애도(哀悼)하여 지은 글.
애:사[4] 【愛社】 명 자기가 근무하는 회사를 아끼고 사랑함. ¶~ 정신. ——-하다 자여불
애사란 【愛斯蘭】 명 《지》 '아이슬란드(Iceland)'의 음역.
애-사마귀붙이 [—부치] 명 《충》 [*Mantispa japonica*] 사마귀붙잇과에 속하는 곤충. 몸길이 8-14mm, 편 날개 길이 20-28mm이고 두부는 황색 또는 암황색, 두정(頭頂)에는 사각형의 흑색 무늬가 있음. 가슴은 암갈색(暗褐色), 등은 암황색, 배는 암갈색 또는 흑갈색임. 날개는 투명하고 가장자리 무늬는 암적색(暗赤色)임. 한국·일본에 분포함. 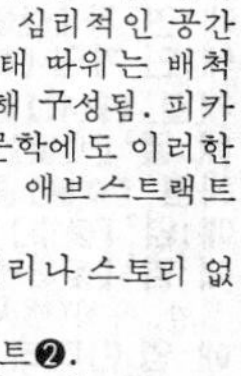
애-사슴벌레 명 《충》 [*Macrodorcus rectus*] 사슴벌렛과에 속하는 곤충. 몸길이 19-33mm 가량이고 몸빛은 흑색 또는 다갈흑색이며, 시초(翅鞘)는 긴 타원형인데 점각(點刻)이 밀포(密布)함. 수컷의 큰 턱은 길게 돌출, 그 안쪽에 한 개의 톱니가 있으며, 촉각은 슬상(膝狀)임. 일본에 많고 한국·만주·대만 등지에 분포함. 하늘가재.
〈애사슴벌레〉
애산[1] 【厓山】 명 《지》 '야산(厓山)'을 우리 음으로 읽은 이름.
애산[2] 【礙產】 명 아기의 목이 걸리어서 몹시 힘드는 해산(解產).
애살 명 〈방〉 새알[1](경남).
애살-스럽다 형ㅂ불 군색하고 애바른 데가 있다. 애살-스레 부
애상[1] 【哀喪】 명 상사(喪事)를 당하여 슬퍼함. ——-하다 자여불
애상[2] 【哀想】 명 슬픈 생각. ¶~에 잠기다.
애상[3] 【哀傷】 명 ①죽은 사람을 생각하고 마음을 상함. ②슬퍼하고 가슴 아파함. ——-하다 자여불
애:상[4] 【愛賞】 명 풍경·물건 따위를 사랑하여 칭찬함. 마음에 들어 상미(賞美)함. ——-하다 타여불
애상-적 【哀傷的】 명관 슬퍼하여 가슴 아파하는 모양.
애:-새끼 명 〈비〉 자식(子息).
애:-새우 명 《동》 생이[1].
애색-하다 【—塞—】 자여불 애가 막히다. 애끓다. ¶그놈이 할미 앓는 단 소릴 들으면 잠시라도 놀랄 것이 애색하지요≪洪命憙 : 林巨正≫.
애:서 【愛壻·愛婿】 명 사랑하는 사위.
애:서-가 【愛書家】 명 책을 아끼고 사랑하는 사람.
애:서-광 【愛書狂】 명 책을 지나치게 사랑하는 사람.
애:-서다 자 ↗아이서다.
애서배스카 호 【—湖】 [Athabaska] 명 《지》 캐나다 북서부에 있는 큰 호수. 길이 약 320km, 폭 10-58km로 초생달 모양을 하고 있으며, 빙하호(氷河湖)로 주위는 침엽수림으로 덮여 있음. 부근에 우라늄 광산이 있음. [7,400km²]
애석[1] 【艾石】 명 《광》 화강암(花崗岩)의 한 가지. 썩 단단하고 검푸른 잔점이 많은데, 건축 재료(建築材料)로 귀중함. 강화도(江華島)에서 많이 산출됨. 쑥돌.
애석[2] 【哀惜】 명 슬프고 아깝게 여김. 슬프고 아까움. ¶그 나이에 죽다니 ~한 일이군/~한 마음을 금할 길이 없다. ——-하다 형자여불. ——-히 부
애:석[3] 【愛石】 명 수석(水石) 따위, 모양이나 빛깔이 재미있게 생긴 돌을 애호하는 일.
애:석[4] 【愛惜】 명 사랑하고 아깝게 여김. ——-하다 형자여불. ——-히 부
애선스 [Athens] 명 《지》 '아테네'의 영어명.
애성 【哀聲】 명 슬픔에 잠긴 음성. 슬픈 목소리.
애:-성이 명 분나고 성나는 감정. ¶꾸지람을 함께 받은 운총이가 ~ 나서 눈물을 흘리는데…≪洪命憙 : 林巨正≫.
애셔 조 〈옛〉 에서. ¶이 無ㆆ字애셔 너므니 잇ᄂᆞ니야 업스니야(過此無者아否아)≪蒙法 62≫. *에셔.
애소 【哀訴】 명 슬프게 하소연함. 애호(哀呼). ¶신세를 ~하다. ——-하다 타여불
애-소금쟁이 명 《충》 [*Gerris lacustris*] 소금쟁잇과에 속하는 물벌레. 몸길이 9mm 내외이고 몸빛은 흑갈색이며 전흉배(前胸背)의 전연(前緣) 중앙에 갈색의 세로무늬가 있고 반시초(半翅鞘)는 반혁질(半革質)이며 결합판(結合板)은 황갈색임. 몸 아래쪽 측면(側面)에는 금색, 복면(腹面)에는 은빛의 작은 털이 밀생(密生)함. 못·늪에 서식(棲息)하는데 한국에도 분포함.
애손[1] 【哀孫】 명 조부모의 상중(喪中)에 있는 손자의 자칭(自稱). *애자(哀子).
애:손[2] 【愛孫】 명 사랑하는 손자.
애-솔 명 어린 솔. 애송.
애솔-밭 명 애솔이 가득히 들어선 땅.
애-송[1] 【—松】 명 애솔.
애:송[2] 【愛誦】 명 글이나 노래를 즐겨서 욈. ¶내가 ~하는 시. ——-하다 타여불
애:송-시 【愛誦詩】 명 즐겨 읊는 시. 애송하는 시.
애-송아지 명 어린 송아지.
애:-송이 명 애티가 있어 어려 보이는 사람이나 물건. ¶아직 ~라서.
애-쇠고둥 명 《조개》 관절매물고둥.
애수 【哀愁】 명 가슴에 스며드는 슬픈 근심. 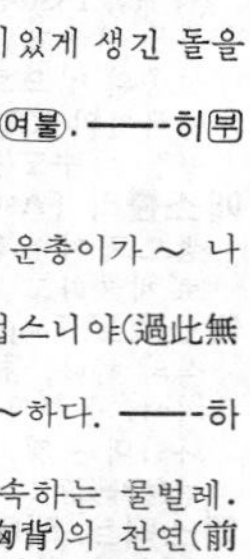
애-수시렁이 명 《충》 [*Attagenus japonicus*] 수시렁잇과에 속하는 곤충. 몸길이는 4mm 가량이고, 몸빛은 흑갈색이며 광택이 나고 촉각은 담황갈색, 시초(翅鞘)의 후연(後緣)은 적갈색임. 성충은 5-6월에 여러 가지 꽃에 모이며, 누에고치를 곧잘 해치고 모직물(毛織物)에 구멍을 내는 습성이 있는데, 전세계에 분포함. 쇠수시렁이.

〈애수시렁이〉

애-수염줄벌 【—鬚髯—】 명 《충》 [*Tetralonia mitsukurii*] 꿀벌과에 속하는 곤충. 암컷은 몸길이 22mm 내외이고 몸빛은 흑색임. 가슴 및 배의 제1절 기반(基半)에는 황갈색의 긴 털이 밀생하고, 제2-4절 기반에는 담황색의 짧은 털이 반문을 이루며, 제5절에는 갈색 털이 있음. 한국·일본에 분포함.
애수진 【隘守鎭】 명 《역》 함경 남도 고원군(高原郡)에 있던 지명. 고려 초에는 문주(文州)에 속했다가 공민왕(恭愍王) 9년(1360)에 고주(高州)에 예속함.
애-순 【—筍】 명 나무나 풀의 새로 나오는 어린 싹. 어린순.
애숭이 명 〈방〉 애송이.
애-쉬파리 명 《충》 [*Sarcophaga melanura*] 쉬파릿과에 속하는 곤충. 몸길이 8-13mm이고 몸빛은 회색이며 흉배(胸背)에는 세 개의 흑색 세로띠가 있고, 복부(腹部)에는 정중선(正中線)을 경계로 좌우에 흑색과 백색의 불규칙한 반문이 있음. 난태생(卵胎生)이고 음식이나 고기에 모이는데, 한국·일본·중국·유럽에 분포함. *쉬파리.

〈애쉬파리〉

애슈몰: [Ashmole, Elias] 명 《사람》 영국의 고고학자. 처음에 법률학과 천문학을 연구하였으나 1660년 윈저궁(宮)의 의전관(儀典官)으로 임명되어 그 동안 고고학에 흥미를 갖게 되어 1677년 그 수장품을 옥스퍼드 대학에 기증함으로써 애슈몰 박물관을 창립케 함. [1617-92]
애슈턴 [Ashton, Frederick] 명 《사람》 영국의 무용가·안무가. 에콰도르 태생. 영국에 건너가 발레를 배우고, 1933년 이래 안무가로 활약

함. 대표작으로는 ≪신데렐라≫·≪로미오와 줄리엣≫ 등. 로열 발레단의 지휘자. [1906-88]

애슐리 〔Ashley, William James〕 명 〖사람〗 영국의 경제사가(經濟史家). 커닝엄(Cunningham)과 함께 영국 경제사학을 확립시킴. 독일 역사학파의 영향을 받아 경제사를 경제학의 기초로 간주했음. 주저에 ≪영국 경제사와 학설 입문≫·≪영국의 경제 조직≫이 있음. [1860-1927]

애스컷 타이 〔ascot tie〕 명 폭이 넓은 매미 모양의 넥타이. 영국의 애스컷 경마장에 모이는 신사들의 복장에 관련시켜 지은 이름임. 근래 스카프(scarf) 모양의 넥타이도 애스컷 타이라고 하며, 경쾌한 복장에 사용됨.

애스퀴스 〔Asquith, Herbert Henry〕 명 〖사람〗 영국의 정치가. 자유당 총재. 1908-16년 수상으로 재직하여 많은 사회 정책을 비롯하여 의원법(議院法)을 성립시켜 상원의 권한을 축소시킴. 제1차 세계 대전에 독일에 대한 선전 포고를 결정, 1916년 전쟁 지도를 비판받고 사임함. 1925년 백작 작위를 받고 상원으로 들어감. [1852-1928]

애스터 〔aster〕 명 〖식〗 과꽃.

애스턴¹ 〔Aston, Francis William〕 명 〖사람〗 영국의 화학자·물리학자. 네온의 동위 원소(同位元素)의 분리를 연구하고 수소 이외의 모든 원소 사이의 동위 원소를 발견하여 그 질량의 정밀한 측정을 행함. 1922년 노벨 화학상을 받음. [1877-1945]

애스턴² 〔Aston, William George〕 명 〖사람〗 영국의 외교관·언어학자. 아일랜드 태생. 1864년 일본 에도(江戶) 주재 영사관 통역관으로 도일(渡日), 1880년 효고(兵庫) 주재 영사, 1883년 나가사키(長崎) 주재 영사를 지내고, 1884년 주차(駐箚) 조선 총영사로 내한함. 갑신 정변 후 고종의 청으로 주한 미국 특명 전권 대사 푸트(Foot, H.)와 함께 한일 양국간의 조정을 맡음. 한일 양국어의 동계론(同系論)을 주장함. 한국명은 아수도(阿須道). [1841-1911]

애스틀리 〔Astley, Philip〕 명 〖사람〗 근대 서커스의 창시자. 영국 태생으로 기병(騎兵) 출신임. 1779년 원형 천막집을 목조의 원형 극장으로 개축하고 오늘날의 서커스의 기초를 닦음. [1742-1814]

애스펙트 〔aspect〕 명 ①용모. 외관. 국면(局面). 형세. ②〖언〗 문법 형식의 하나. 동사(動詞)가 뜻하는 동작(動作)의 양태(樣態)·성질 따위의 차이. 동사의 뜻의 계속·완료·기동(起動)·종지(終止)·반복(反復) 등을 나타내는 것. 상(相). ③비행기의 진로면(進路面)에 대한 날개의 투영면(投影面).

애스펙트-레이쇼 〔aspect-ratio〕 명 텔레비전 따위의 화면의 가로와 세로의 비율. 가로 4, 세로 3의 비율로 되어 있음. 화상비(畫像比).

애스프딘 〔Aspdin, Joseph〕 명 〖사람〗 영국의 화학 기술자. 벽돌공 출신. 시멘트의 공업적 제조에 성공하고 1824년 특허를 취득함. [1779-1855]

애슬레틱스 〔athletics〕 명 ①여러 가지 종목의 운동 경기(運動競技). 영국에서는 트랙(track)과 필드(field) 종목만을 이름. ②운동 경기 실습. 운동 경기법(法).

애슬리:트 〔athlete〕 명 ①일반적으로, 운동가. ②트랙 경기자.

애시¹ 명 〈방〉 애초.

애시² 【哀詩】 명 슬픈 정경(情景)을 읊은 시.

애:시³ 【愛視】 명 사랑하여 눈여겨봄. 귀엽게 여겨 봄. ――-하다 타 여불

애시⁴ 〔Asch, Sholem〕 명 〖사람〗 이디시(Yiddish)의 작가. 폴란드 태생으로 1914년 미국에 이주. 헤브라이어(語)·독일어의 저작도 있는데, 희곡 ≪복수의 신≫, 소설 ≪나사렛 사람≫ 등이 알려짐. [1880-1957]

애시-당초 【―當初】 명 〈방〉 애당초(當初).

애:식 【愛息】 명 사랑하는 자식(子息).

애:신 【愛臣】 명 총신(寵臣).

애:신각라 【愛新覺羅】 [―나] 명 〔만주어(滿洲語) Aisingioro의 취음〕 전에 만주족의 한 부족의 이름. 후에, 중국 청(淸)나라 왕조의 성(姓).

애심¹ 【哀心】 명 슬픈 마음. 애달픈 심정.

애:심² 【愛心】 명 ①사랑하는 마음. ②〖성〗 신(神)에 대한 사랑으로 동포에 대하는, 기독교적 사랑의 마음.

애:-쓰다 자 마음과 힘을 다하여서 어떤 일을 이루도록 힘쓰다.

애:-씌우다 [―씨―] 타 애태우다. 애쓰게 하다.

애:아 【愛兒】 명 사랑하는 자식.

애아라이 부 〈옛〉 겨우. 애오라지. ¶애아라이 뻐 國애 行호라(聊以行國)≪詩諺 V:16≫.

애:-아버지 명 ↗아이아버지. ↔애어머니.

애:-아범 명 ↗아이아범.

애:-아비 명 ↗아이아비.

애:-아빠 명 ↗아이아빠.

애아치 명 〈방〉 오얏(경상).

애안¹ 【涯岸】 명 ①물가. 수변(水邊). ②한(限). 한계.

애:안² 【愛眼】 명 〖불교〗 부처의 자비(慈悲)스러운 눈.

애안³ 【礙眼】 명 눈에 거슬림.

애알-수시렁이 명 〖충〗 〔*Anthrenus versbasci*〕 수시렁잇과에 속하는 곤충. 몸길이 3mm 가량이고 몸빛은 흑색에 희고 누른 인모(鱗毛)가 나며, 시초(翅鞘)에는 띠무늬가 있음. 동물 표본(標本)의 해충임.

〈애알수시렁이〉

애:압 【愛狎】 명 허물없이 썩 친함. 가까이하여 친근함. ――-하다 형 여불

애애¹ 【哀哀】 명 슬퍼하는 모양. ¶관 위에 흙을 덮는 동안 호곡 소리는 그치지 않고 ～하게 이어 갔다≪朴花城 : 고개를 넘으면≫. ――-하다 형 여불. ――-히 부

애애² 【皚皚】 명 서리나 눈이 내려서 깨끗하고 흰 모양. ¶백설이 ～한 북국 어떠한 한 촌 진흙탕 속에서…≪廉想涉 : 標本室의 청개구리≫. ――-하다 형 여불. ――-히 부

애애³ 【曖曖】 명 흐리고 어두운 모양. 가리워 밝지 않은 모양. ――-하다 형 여불. ――-히 부

애애⁴ 【藹藹】 명 ①초목이 무성한 모양. ②달빛이 희미한 모양. ③점잖은 이들이 많이 모인 모양. 애연(藹然). 애울(藹鬱). ――-하다 형 여불. ――-히 부

애애⁵ 【靄靄】 명 ①안개가 많이 낀 모양. 애연(靄然). ②평화로운 기운이 있는 모양. ¶화기(和氣) ～. ――-하다 형 여불. ――-히 부

애애⁶ 【靉靉】 명 구름이 꽉 낀 모양. 구름이 꽉 끼어 어두운 모양. ――-하다 형 여불. ――-히 부 「有色)≪杜諺 XII:23≫.

애야라 부 〈옛〉 겨우. 애오라지. ¶너 더으니 애야라 비치 잇고(烟添纔

애야로시 부 〈옛〉 겨우. 애오라지. ¶애야로시 子로 더브러 혼가지로 歸호리라(聊與子同歸兮)≪詩諺 VII:11≫.

애야릭시 부 〈옛〉 겨우. 애오라지. ¶ㄱ올 므른 애야릭시 너덧자훈 깁고(秋水纔深四五尺)≪初杜諺 VII:22≫.

애:양 【愛養】 명 애육(愛育). ――-하다 타 여불

애양-깐 명 〈방〉 외양간(전남).

애:어 【愛語】 명 〖불교〗 보살이 중생에 대하여 사랑으로 하는 말.

애:-어른 명 나이는 어리되 하는 짓이나 생각이 어른과 같은 아이.

애:-어머니 명 ↗아이어머니. ↔애아버지.

애:-어멈 명 ↗아이어멈.

애:-어미 명 ↗아이어미.

애:-엄마 명 ↗아이엄마.

애:에 【愛恚】 명 〖불교〗 탐애(貪愛)·진에(瞋恚)의 두 가지 번뇌. 자기가 사랑하는 것에 집착하는 것과, 마음에 들지 아니하는 것을 노여워 원망하는 일.

애여러 부 〈옛〉 겨우. 애오라지. ¶戎衣롤 훈번니버 애여러 모롤 솟내니(一戎纔汗馬)≪初杜諺 XX:42≫.

애역 【呃逆】 명 딸꾹질. ――-하다 자 여불

애연¹ 【哀然】 명 슬픈 기분을 자아내는 모양. ¶～한 심경을 호소하다. ――-하다 형 여불. ――-히 부

애:연² 【愛宴】 명 〔그 agape〕 〖기독교〗 초기 예수교 신자들이 교회에 모여서 음식을 함께 먹던 잔치. 자선과 우애에서 시작되어 처음에는 성찬식(聖餐式)과 결합했으나, 뒤에 분리됨. 애찬(愛餐).

애:연³ 【愛煙】 명 담배를 즐김. ――-하다 자 여불

애:연⁴ 【愛緣】 명 〖불교〗 은애(恩愛)에 의하여 맺은 인연.

애연⁵ 【曖然】 명 침침하고 희미함. ――-하다 형 여불. ――-히 부

애연⁶ 【藹然】 명 ①애애(藹藹). ②온화(溫和)한 모양. ――-하다 형 여불. ――-히 부

애연⁷ 【靄然】 명 ①안개가 짙은 모양. 애애(靄靄). ②봄에 초목의 싹이 많이 나오는 모양. ――-하다 형 여불. ――-히 부

애:연-가 【愛煙家】 명 담배를 즐기는 사람.

애:연 기연 【愛緣奇緣】 명 〖불교〗 애연과 기연.

애열¹ 【哀咽】 명 슬퍼 목메어 욺. 애경(哀哽). ――-하다 자 여불

애:열² 【愛悅】 명 사랑하고 기뻐함. ――-하다 자 여불

애염¹ 【哀艷】 명 애완(哀婉). ――-하다 형 여불. ――-히 부

애:염² 【愛染】 명 〖불교〗 애집(愛執)❷. →애렴(愛染). ――-하다 타 여불

애:염³ 【愛焰·愛燄】 명 애욕이 왕성함을 불꽃에 비유한 말. 욕화(慾火).

애:염 만다라 【愛染曼陀羅】 명 〖불교〗 애염 명왕(愛染明王)을 본존(本尊)으로 하는 만다라. 경애(敬愛)의 수법(修法)에 이용됨.

애:염 명왕 【愛染明王】 명 〔범 Rāgā-rāja〕 〖불교〗 명왕의 하나. 원래 인도의 신(神)으로 후에 진언 밀교(眞言密敎)의 신이 됨. 밖으로는 분노의 정을 나타내고 있으나 내심은 애욕을 본체로 하는 사랑의 신임. 전신이 붉고 눈이 셋이며, 팔이 여섯으로, 머리에는 사자관(獅子冠)을 쓰고 있음.

〈애염 명왕〉

애:염-법 【愛染法】 [―뻡] 명 〖불교〗 밀교(密敎)에서, 애염 명왕(愛染明王)을 본존(本尊)으로 하여 식재(息災)·경애(敬愛)·득복(得福) 등을 기원하는 법.

애엽 【艾葉】 명 〖약〗 약쑥의 잎. 성질이 온(溫)하므로 속이 냉해서 복통·요통이 생길 때 또는 동태(動胎)가 된 때에 내복하고, 뜸뜨는 데에 쓰이기도 함.

애엽-표 【艾葉豹】 명 〖동〗 〔*Felis uncia*〕 고양잇과에 속하는 표범. 표범에 비하여 무늬가 크고 불규칙하며, 추운 지방에서 살므로 모피(毛皮)가 두껍고 털·다리·꼬리가 길. 등은 회백색 또는 담황색이며, 배는 순백색임. 고원의 산림에서 서식하는데, 중앙 아시아·티베트·시베리아 남부·사할린에 분포함.

애:영 【愛詠】 명 애음(愛吟). ――-하다 타 여불

애예 부 〈방〉 아예.

애:오¹ 【愛惡】 명 사랑과 미움. 애증(愛憎).

애오² 감 〈방〉 아웅(함경). ――-하다 자

애오라지 부 ①마음에 부족하나마 겨우. 넉넉하지는 못하나마 좀. ¶영전(榮轉)이나 작별하게 되니 ～ 섭섭하다. ②'오로지'의 예스러운 말. ¶그 순간 ～ 땅밖에 모르던 조부의 한평생이 그 이상 참담할 수가 없었다≪李浩哲 : 어떤 父子 이야기≫.

애-오이 명 어린 오이.

애:옥 【愛玉】 명 영애(令愛).

애옥-살이 명 가난에 쪼들려 고생스럽게 살아감. 또, 그 살림살이. ¶～에 자식만 많다. ――-하다 자 여불

애옥-하다 형 여불 살림이 몹시 구차하다. 살림이 가난하다.

애옹구 명 〈방〉『동』 고양이(경상).

애와쳐ᄒᆞ다 타 〈옛〉 분하여 하다. 슬퍼하다. 한탄하다. =애와텨ᄒᆞ다. ¶거믄고앳 鳥曲소리 애와쳐ᄒᆞ니(琴鳥曲怨憤)≪重杜諺 Ⅲ:8≫.

애와텨ᄒᆞ다 타 〈옛〉 분하여 하다. 슬퍼하다. 한탄하다. =애와쳐ᄒᆞ다. ¶霜露애 애와텨 더욱 슬허ᄒᆞ노라≪月釋 序 16≫.

애와톰 자 〈옛〉 분하여 함. 슬퍼함. 한탄함. '애와티다'의 명사형. ¶이 내의 애와토몰 마장ᄒᆞᄂᆞᆫ 고디라(臣甫憤所切)≪杜諺 Ⅰ:2≫.

애와톰 자 〈옛〉 분하여 함. 슬퍼함. 한탄함. '애와티다'의 명사형. ¶大師ㅣ ᄒᆞ마 가시니 기리 애와툐미 이에 잇도다(大師旣逝 永慨在玆)≪永嘉 序 14≫.

애와티다 자 〈옛〉 분해하고 슬퍼하다. ¶내의 날로 애와티논 이리라(余之日恨)≪內訓 序 5≫/慨는 애와틸씨라≪月釋 序 15≫.

애완[1]【哀婉】 명 가련하고 어여쁨. 애염(哀艶). ——-하다 형여불. ——-히 부

애:완[2]【愛玩】 명 사랑하여 가까이 두고 다루며 즐김. ——-하다 타여불

애:완-견【愛玩犬】 명 애완을 위하여 주로 실내(室內)에서 기르는 개. 스피츠·테리어·치와와(Chihauhau) 등.

애:완-구【愛玩具】 명 애완하는 장난감. 아끼는 노리개.

애:완 동:물【愛玩動物】 명 가축·가금(家禽)·어류 중에서 애완을 목적으로 가까이 두고 기르는 동물. 조류(鳥類) 또는 개·고양이 등의 포유류 이외에 곤충류·어류 등이 있음.

애:완-물【愛玩物】 명 매우 아끼어 애완하는 물건.

애:완-용【愛玩用】 명 애완하기 위한 물건.

애:완용-종【愛玩用種】 명 애완의 목적으로 가꾸거나 기르는 품종.

애완봄 형 〈옛〉 슬픔. 원통함. '애완브다'의 명사형. ¶函關앳 애완보ᄆᆞᆯ ᄒᆞ마 펴니라(函關憤已攄)≪杜諺 XX:33≫.

애완브다 형 〈옛〉 원통하다. 슬프다. ¶南녀긧 한아비 애완븐 ᄆᆞᄉᆞᄆᆞᆯ 비릇 펴도다(南翁憤始攄)≪杜諺 XX:44≫.

애-왕【哀王】 명 『사람』 발해(渤海)의 제14대 왕. 휘는 대인선(大諲譔). 발해 최후의 왕으로 왕 25년(926) 거란(契丹) 태종(太宗)에게 부여성(扶餘城)에서 포위되어 항복하였음. [재위 901-926]

애:욕【愛慾】 명 ①애정과 욕심. ②애정에 대한 욕심. *정욕(情慾).

애용[1]【艾俑】 명 『민』 쑥으로 만든 인형. 단오날 문 위에 걸어 사기(邪氣)를 쫓는다 하며, 임금의 하사품으로 만듦. 애인(艾人).

애:용[2]【愛用】 명 사랑하여 사용함. 즐겨 씀. ——-하다 타여불

애우다 타 〈방〉 외다[2](전남·경남).

애-우단풍뎅이【—羽緞—】 명 『충』 [*Serica orientalis*] 풍뎅잇과에 속하는 곤충. 몸길이 7-8mm이고 모양은 달걀꼴이며 몸빛은 흑갈색 또는 흑자색인데 두부는 흑색, 촉각은 적갈색임. 유충은 벼 같은 농작물의 뿌리를 해치고 성충은 뽕나무·사과나무·배나무 등의 잎을 갉아먹음. 한국·일본·만주·대만에 분포함.

애욱-살이 명 ☞애옥살이. ——-하다 자여불

애운【哀韻】 명 말·노래 따위의 슬픈 가락. 슬픈 여음(餘音).

애운-하다 형여불 ☞섭섭하다.

애울【藹鬱】 명 애애(藹藹). ——-하다 형여불. ——-히 부

애원[1]【哀怨】 명 애절히 원망함. 슬프게 원망함. 애한(哀恨). ——-하다 타여불

애원[2]【哀願】 명 통사정하여 애절히 바람. 애구(哀求). 탄원(嘆願). ——-하다 타여불

애원-성【哀怨聲】 명 ①슬프게 원망하는 소리. ②『악』 함경도 민요(民謠)의 하나.

애월【涯月】 명 『지』 제주도 북제주군(北濟州郡)의 한 읍(邑). 제주시의 서쪽으로 바다에 면해 있음. 광령리(光令里) 일대에 고인돌이 있으며, 서북 해안에는 곽지(郭支) 해수욕장이 있음. [22,183명(1990)]

애:월 야:면 지만【愛月夜眠遲慢】 명 『악』 고려 시대에 송나라에서 전래된 사악(詞樂)의 하나. 당악(唐樂)의 산사(散詞)에 속하는 곡으로, 쌍조(雙調) 104자(字)로 이루어 짐. 달밤 경치에 도취되어 잠 못 이루는 심정을 읊은 것. 악보는 전하지 않고, 가사만 ≪고려사 악지(樂志)≫에 전함.

애:육【愛育】 명 사랑하여 기름. 귀엽게 양육함. 애양(愛養). ——-하다 타여불

애:은【愛恩】 명 사랑하고 은혜를 베풂. 또, 사랑과 은혜.

애음[1]【哀吟】 명 슬퍼하여 시(詩)를 읊음. 또, 그 시가(詩歌). ——-하다 타여불

애음[2]【哀音】 명 슬픈 소리.

애음[3]【崖崟】 명 가파른 산(山).

애:음[4]【愛吟】 명 시가(詩歌) 등을 즐겨서 읊음. 애영(愛詠). ——-하다 타여불

애:음[5]【愛飮】 명 애주(愛酒). ——-하다 자여불

애읍【哀泣】 명 슬프게 욺. ——-하다 자여불

애이 명 〈방〉 아우(평안).

애이-갈이 명 〈방〉 애벌갈이.

애이다 피동 〈방〉 빼앗기다.

애이란【愛爾蘭】 명 『지』 '아일랜드(Ireland)'의 취음.

애-이불비【哀而不悲】 명 속으로는 슬프지만 겉으로는 슬픔을 나타내지 않음. ——-하다 자여불

애이-빨래 명 〈방〉 애벌 빨래.

애인[1]【艾人】 명 ①쉰 살 된 사람. ②『민』 애용(艾俑).

애:인[2]【愛人】 명 ①남을 사랑함. ②사랑하는 사람. 연인(戀人). ——-하다 자여불

애:인 무가증(愛人無可憎)이요 증인 무가애(憎人無可愛)라 구 고운 사람 미운 데 없고 미운 사람 고운 데 없다는 뜻으로, 인성(人性)이 원만함은 얻기 어렵다는 뜻.

애:인 여기【愛人如己】 명 남을 제몸같이 사랑함. ——-하다 자여불

애-인이목【礙人耳目】 명 남의 이목을 거리낌. ——-하다 자여불

애:인 하:사【愛人下士】 명 백성을 사랑하고 선비에게 자기 몸을 낮춤. ——-하다 자여불

애:인 휼민【愛人恤民】 명 사람을 사랑하고 백성을 불쌍히 여김. ——-하다 자여불

애:일【愛日】 명 ①겨울해. ↔외일(畏日). ②해를 아낀다는 뜻으로, 부모에 대한 효양(孝養)을 말함.

애잇-기름 명 애벌 짠 기름.

애잇-닦기 명 무슨 일이나 물건을 애벌 닦음. ——-하다 타여불

애잇-대끼 명 〈방〉 애잇닦기. ——-하다 타

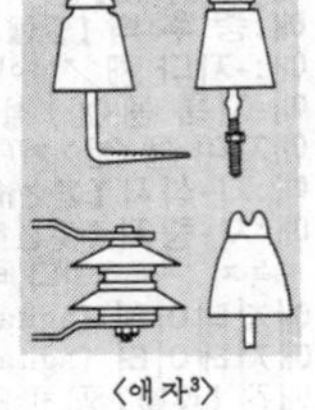
〈애자[3]〉

애자[1]【哀子】 명 어머니가 돌아갔을 때 상제되는 이의 자칭(自稱). *고애자(孤哀子)·고자(孤子).

애:자[2]【愛子】 명 아들을 사랑함. 또, 그 아들. ——-하다 자여불

애자[3]【碍子·礙子】 명 『전』 전신(電信)·전화·전등·전력 등의 가공 전선로(架空電線路)에 있어서 전선을 지탱하고, 또 절연(絶緣)하기 위한 자기(磁器) 또는 유리·합성 수지의 제구. 뚱딴지 모양·핀(pin)형·현수형(懸垂形)·긴 통형(筒形) 등이 있음. 뚱딴지. *애관(碍管).

애자[4]【睚眥】 명 흘겨 보는 눈초리.

애자지-원【睚眥之怨】 명 아주 작은 원망.

애:자지-정【愛子之情】 명 자식을 사랑하는 정(情).

애잔-하다 형여불 매우 잔약하다. ¶옆으로 조금 얼굴을 돌리고, 알 듯 모를 듯 애잔하게 한번 웃었다≪姜龍俊 : 에필로그≫. 애잔-히 부

애-잠자리꾸정모기 명 『충』 [*Tipula nova*] 꾸정모깃과에 속하는 곤충. 몸길이 16-22mm, 날개 길이 21-26mm. 몸빛은 주로 암갈색이고 전순판(前楯板)과 순판은 흑갈색, 복배(腹背)는 암갈색이며 배의 끝과 양옆은 특히 빛이 짙음. 산지에 서식하는데, 한국·일본에 분포함.

애:장【愛藏】 명 소중히 간수함. ——-하다 타여불

애장-왕【哀莊王】 명 『사람』 신라 제40대 왕. 13세에 즉위, 숙부 김언승(金彦昇)이 섭정하였음. 왕 3년(802)에 해인사(海印寺)를 지었으며 4년에는 일본과 화친하였는데 10년에 숙부에게 왕위를 빼앗기고 시해됨. [재위 800-809]

애재【哀哉】 감 '슬프도다'의 뜻. ¶오호 ~라.

애-저【—豬·—猪】 명 고기로 먹을 어린 돼지. 아저(兒豬). *애돝.

애저 구이【—豬—】 명 어린 돼지의 고기를 저며서 양념하여 구운 음식. 아저구(兒豬灸).

애-저녁 명 〈방〉 ①초저녁. ②애초.

애저-찜【—豬—】 명 애저의 내장을 빼고, 닭고기나 생치(生雉) 고기와 두부·배추에 장과 기름을 치고 파·마늘·후추 등을 난도하여 반쯤 볶아서 돼지 뱃속에 넣고 실로 꿰맨 후, 솥에 물을 좀 붓고 너스레를 놓고 그 위에 돼지고기를 얹어, 자배기를 솥 아구리에 맞게 잦혀 덮고, 진흙이나 밀가루로 봉한 다음에 자배기 위에 찬물을 담고, 짚불을 때어서 물이 더워진 뒤에 찬물로 세 번 바꾸어 익힌 음식. 아저증(兒豬蒸).

애적 명 〈방〉 애초.

애전 명 〈방〉 애초.

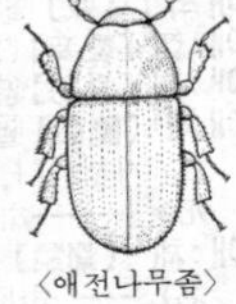
〈애전나무좀〉

애-전나무좀 명 『충』 [*Polygraphus proximus*] 나무좀과에 속하는 곤충. 몸의 길이는 2.6-3.2mm이며, 몸은 긴 달걀꼴이고, 몸빛은 흑갈색 내지 흑색에 회색 인모(鱗毛)로 덮였으며, 촉각은 황갈색임. 전나무·소나무에 기생하며, 수피(樹皮)에서 월동하는데, 한국·일본·사할린에 분포함. 분비나무좀.

애절【哀切】 명 매우 애처롭고 슬픔. ——-하다[1] 형여불. ——-히[1] 부

애절-하다[2] 형여불 애가 타도록 견디기 어렵다. 애절-히[2] 부

애-젊다 [—점따] 형 앳되게 젊다.

애-젊은이 [—절믄—] 명 아주 젊은 사람.

애정[1]【哀情】 명 불쌍하게 여기는 마음. 구슬픈 심정.

애:정[2]【愛情】 명 ①사랑하는 마음. 정애(情愛). ¶~ 없는 결혼. ②연정(戀情).

[애정이 헛벌이한다] 애정에는 보수가 없으며, 아무리 봉사를 해도 한이 없다는 말.

애제[1]【哀帝】 명 『사람』 중국 전한(前漢) 제12대의 황제. 성(姓)은 유(劉). 관제(官制)의 개명(改名)·개제(改制)를 많이 행함. [26-1 B.C. ; 재위 7-1 B.C.]

애제[2]【哀帝】 명 『사람』 중국 동진(東晉) 제6대의 황제. 성(姓)은 사마(司馬). 호구(戶口) 조사를 실시하여 백성의 토지 정착(土地定着)에 힘씀. [341-365; 재위 361-365]

애제[3]【哀帝】 명 『사람』 중국 당(唐)나라 제20대 황제. 국내는 전혀 통일이 되지 않고, 중신(重臣) 주전충(朱全忠)에 의하여 국정이 농단(壟斷)되던 중 결국 주전충의 핍박(逼迫)으로 양위(讓位), 당은 멸망(滅亡)되었음. [892-908]

애제[4]【涯際】 명 ①물가. 수변(水邊). ②한계. 한(限).

애:제[5]【愛弟】 명 사랑하는 아우. 귀여워하는 아우.

애조[1]【哀弔】 명 슬피 조상(弔喪)함. ——-하다 타여불

애조[2]【哀調】 명 슬픈 곡조. 애절한 가락. ¶~를 띤 민요.

애:조[3]【愛鳥】 명 새를 사랑함. 또, 사랑하는 새. ——-하다 자여불

애-조롱박먼지벌레 명 『충』 [*Clivina castanea*] 딱정벌렛과에 속하는 갑충(甲蟲). 몸길이 8mm 내외, 몸빛은 광택 있는 흑색에 입과 촉각의

일부는 붉고 앞다리 경절(脛節)의 바깥 쪽에는 대·중·소 세 개의 이빨 같은 돌기가 있음. 한국·일본·대만 등지에 분포함.
애:족【愛族】 명 겨레를 사랑함. ¶애국 ~. ——-하다 자여불
애:족-심【愛族心】 명 동족을 사랑하는 마음.
애:족 정신【愛族精神】 명 동족을 사랑하는 정신.
애좌 애우【挨左挨右】 명 서로 사랑하여 피함. ——-하다 자여불
애주[1]【厓州】 명 『지』 '경산(瓊山)'의 옛이름.
애:주[2]【愛主】 명 『천주교』 천주를 사랑함. ——-하다 자여불
애:주[3]【愛酒】 명 술을 매우 좋아함. 애음(愛飮). ——-하다 자여불
애:주-가【愛酒家】 명 애주하는 사람. 술을 즐기는 사람.
애:중【愛重】 명 사랑하고 귀중하게 여김. ——-하다 타여불. ——-히 부
애:증【愛憎】 명 사랑과 미움. 애오(愛惡). ¶~이 엇갈리다.
애:증 후:박【愛憎厚薄】 명 사랑과 미움과 후함과 박함.
애:-지다 자 ↗아이 지다.
애-지름 명 〈방〉 석유[1](石油)(경상).
애지미 명 〈방〉 겨(경남).
애:지-석지【愛之惜之】 명 몹시 섭섭하고 아까움. ——-하다 자여불
애:지-중지【愛之重之】 명 매우 사랑하고 귀중히 여김. ¶~하는 5대 독자. ——-하다 타여불
애지테이션 〔agitation〕 명 선동(煽動).
애지테이터 〔agitator〕 명 선동자(煽動者).
애진【埃塵】 명 진애(塵埃).
애:집【愛執】 명 ①애정(愛情)에의 집착. ②『불교』 자기의 소견이나 소유를 지나치게 생각하는 일. 애염(愛染). 애착(愛着). ——-하다 타여불
애차[1]【哀嗟】 명 슬피 탄식함. ——-하다 자여불
애차[2]【挨次】 명 순서(順序).
애:차[3]【愛車】 명 자기의 자동차를 사랑하고 아낌. 또, 그 차.
애:착【愛着】 명 ①사랑하고 아껴서 단념할 수가 없음. ¶~을 느끼다. ②『불교』 애집(愛執)❷. ——-하다 타여불
애:착 생사【愛着生死】 명 『불교』 무상(無常)의 불가피함을 모르고 괴로운 인간 세계에 집착하는 일.
애:착-심【愛着心】 명 단념을 못하고 애착하는 마음. ¶~을 버리다.
애:착 자비【愛着慈悲】 명 『불교』 애착 생사(愛着生死)의 경지로부터 인간을 구하려는 자비심.
애:찬【愛餐】 명 『기독교』 애연(愛宴).
애찬-성【礙竄性】 [-썽] 명 『물』 불가입성(不可入性).
애:찬-식【愛餐式】 명 『기독교』 애연(愛宴).
애:창【愛唱】 명 노래·시조 등을 즐겨 부름. ——-하다 타여불
애:창-가【愛唱歌】 명 즐겨 부르는 노래. 애창 가요.
애:창 가요【愛唱歌謠】 명 즐겨 부르는 가요. 애창가.
애:창-곡【愛唱曲】 명 즐겨 부르는 곡.
애채 명 나무의 새로 돋은 가지.
애책-문【哀册文】 명 제왕(帝王)이나 후비(后妃)의 죽음을 슬퍼하여 지은 글.
애:처【愛妻】 명 아내를 사랑함. 또, 그 아내. ——-하다 자여불
애:처-가【愛妻家】 명 유별나게 아내를 아끼고 사랑하는 남자.
애처롭다 형ㅂ불 불쌍한 것을 보고 마음이 슬프다. 딱하고 가엾다. ¶애처로운 모습에 눈을 돌렸다. 애처로이 부 애처롭게.
애척【哀戚】 명 애도(哀悼). ——-하다 타여불
애:첩【愛妾】 명 사랑하는 첩.
애:청【愛聽】 명 즐겨 들음. ¶~하는 곡/~자(者). ——-하다 타여불
애체[1]【礙滯】 명 걸리어 막혀 버림. ¶자비심에 자리를 잡아 흔들리지 말고, 사생이나 고락이나 간에 ~하지 말라는 뜻이야≪李光洙 : 異次頓의 死≫. ——-하다 자여불
애:체[2]【靉靆】 명 ①구름이 많이 모이는 모양. ②안경(眼鏡)의 이명(異名). ——-하다 자여불
애초[1] 명 처음. 당초(當初). 초두(初頭). 초야(初也). ¶~의 목적. *애당초.
애초[2]【艾草】 명 『식』 쑥.
애초[3]【崖椒】 명 『식』 분디.
애초-에 부 맨 처음에. 준애최. ¶~ 하지 말았어야 한다.
애:-총[1]【-塚】 명 아총(兒塚).
애:총[2]【愛寵】 명 특별히 눈여겨 귀여워함. 총애. 애행(愛幸). ——-하다 타여불
애최 준 애초에. ¶그런 데엔 ~ 발을 들여놓지 말아라.
애추【崖錐】 명 〔talus〕 『지』 풍화 작용으로 인하여 낭떠러지나 경사진 산기슭에 반추형(半錐型)으로 쌓인 돌부스러기.
애치 명 〈방〉 오얏(경상).
애치슨[1] 〔Acheson, Dean Gooderham〕 명 『사람』 현대 미국의 정치가. 1949년 트루먼 행정부의 국무 장관 역임. 북대서양 조약을 성립시키고 대일(對日) 강화 조약의 수석 대표 및 한국 동란 때 유엔군의 조직 등의 정책에 참여했음. [1893-1971]
애치슨[2] 〔Acheson, Edward Goodrich〕 명 『사람』 미국의 화학자·발명가. 1880년 에디슨 연구소의 조수가 되어 연구에 몰두, 불감응(不感應) 전화선을 발명하였고, 1892년 인공 다이아몬드 실험 중 강력한 절단력(切斷力) 있는 새 연마제 카보런덤(carborundum)을 발명, 1895년에는 천연산 이상으로 우량 순수한 인공 흑연을 발명하여 전기 화학상 큰 공헌을 하고, 그후 흑연을 주제(主劑)로 한 콜로이드상(colloid狀) 내열 윤활제(耐熱潤滑劑)를 제작함. [1856-1931]
애:친【愛親】 명 부모를 사랑하고 공경함. ——-하다 자여불
애:친 경:장【愛親敬長】 명 부모를 사랑하고 어른을 공경함. ——-하다 자여불
애:칭【愛稱】 명 ①친한 사이에 다정하게 부르는 이름. ②친밀하게 부르도록 붙인 명칭.
애-칼이 명 〈방〉 애벌갈이.
애쿼-로빅스 〔aquarobics〕 명 〔aqua와 aerobics의 합성어〕 물 속에서 하는 에어로빅 운동.
애쿼머린 〔aquamarine〕 명 남청색(藍靑色)의 녹주석(綠柱石). 3월의 탄생석(誕生石)임. 에메랄드보다 값이 쌈. 남옥(藍玉).
애쿼틴트 〔aquatint〕 명 동판화(銅版畫)에서, 평면(平面)에 농담(濃淡)을 입히는 기법(技法). 판면(版面)에 송진 등의 분말(粉末)을 부착(附着)시켜, 부식(腐蝕) 방지의 니스로써 모양을 그린 다음 산(酸)에 담금. 이것을 반복하여 농담의 정도(程度)를 얻지만, 선(線)을 주체(主體)로 하는 에칭 기법(eching 技法)과 병행(倂行)시키는 일이 많음.
애쿼-폴리스 〔aquapolis〕 명 해양 도시.
애퀄렁 〔aqualung〕 명 1943년에 프랑스에서 발명된 수중(水中) 호흡기. 등에 압축 공기통을 짊어지고 흡기판(吸氣瓣)으로 호흡함. 50 m 물 속까지 들어갈 수 있는데, 체수 시간(滯水時間)은 약 1 시간 30분임. 본디 상품명임. 정식 이름은 스쿠버(scuba). 수중폐(水中肺).

〈애퀄렁〉

애크러배틱 〔acrobatic〕 명 곡예(曲藝). ¶~ 댄스/~한 연기. ——-하다 형여불
애크러배틱 댄스 〔acrobatic dance〕 명 곡예 무용(曲藝舞踊).
애크런 〔Akron〕 명 『지』 미국 오하이오 주의 공업 도시. 30여의 고무 공장이 있어 세계 고무 공업의 최대 중심지이며, 미국 자동차 타이어 수요량의 70%를 생산하고 있음. [223,019 명(1990)]
애크로매틱 렌즈 〔achromatic lens〕 명 색(色)지움 렌즈.
애:타【愛他】 명 남을 사랑함. ↔애기(愛己). ——-하다 자여불
애:-타다 자 너무 걱정이 되어 속이 타는 듯하다. 애끓다. ¶소식을 애타게 기다리다.
애:타-설【愛他說】 명 『윤』 애타주의(愛他主義). 타애설(他愛說).
애:타-심【愛他心】 명 남을 사랑하는 마음. ↔애기심(愛己心).
애:타-주의【愛他主義】 [-/-이] 명 『윤』 다른 사람의 행복 증진을 도덕상 행위의 표준으로 삼는 주의·입장. 기독교의 인인애(隣人愛) 등임. 애타설. 이타설(利他說). 이타주의. 타애주의. 무아주의. 앨트루이즘(altruism). ↔이기주의(利己主義).
애:타주의-자【愛他主義者】 [-/-이-] 명 애타주의를 신봉·실천하는 사람. *박애주의자(博愛主義者).
애탄-지탄 부 〈방〉 애면글면. ——-하다 자
애탕【艾湯】 명 어린 쑥을 끓는 물에 데치어 곱게 이긴 뒤에 고기 이긴 것을 섞어 빚어 달걀을 씌워서 펄펄 끓는 맑은 장국에 넣어 끓인 국.
애탕-쑥 명 〈방〉 『식』 다북쑥.
애:-태우다 타 애타게 하다.
애터마이저 〔atomizer〕 명 『기』 분무기(噴霧器).
애터비즘 〔atavism〕 명 『생』 격세 유전(隔世遺傳).
애:-터지다 자 애가 말라서 속이 몹시 상하다. ¶애터져서 못 기다리겠네.
애:-통[1] 명 〈비〉 애[3].
애통[2]【哀痛】 명 몹시 슬퍼함. 슬프고 가슴 아파함. ——-하다 자여불
애통[3]【哀慟】 명 슬퍼서 울부짖음. 마음 속으로 슬피 한탄함. ——-하다 자여불
애:통 터:지다 구 걱정으로 속이 터질 것 같이 되다.
애투 섬: 〔Attu〕 명 『지』 미국 알류샨(Aleutian) 열도 최서단의 암도(岩島). 제2차 대전 당시인 1942-43년까지 키스카(Kiska) 섬과 함께 일본군이 점령하였던 일이 있음. [800 km²]
애트 랜덤 〔at random〕 명 닥치는 대로 함.
애트머스피어 〔atmosphere〕 명 ①대기(大氣). 공기. ②문학 작품이나 연극 등 작품 속에 흐르는 기분. 분위기.
애트 배트 〔at bat〕 명 ①야구에서, 공격측의 선수가 타자(打者)로 되는 일. ②야구에서, 어느 선수가 타자로 된 회수(回數). 타석수(打席數).
애트우드 〔Attwood, Thomas〕 명 『사람』 영국의 정치 개혁 운동가·화폐 이론가. 무역·재정 문제에 정통하여 1812년 대륙이나 미국과의 무역 제한에 반대했고, 1815-16년에는 나폴레옹 전쟁 후의 지폐 유통 제한 정책을 비판하여 통화 개혁을 주장. 한편 의회 개혁(議會改革)에도 노력하여 1830년 '버밍엄 정치 연합'을 주도하여 선거법 개정 운동을 전개(展開)하여 제1차 개정법 성립후 하원 의원에 피선되고, 차티스트 운동을 지지하여 1839년 하원에의 '국민 청원(國民請願)' 제출자가 됨. [1783-1856]
애트우드의 기계【-器械】 〔Atwood〕 [-/-에-] 명 『물』 마찰이 적은 가벼운 도르래와 분동(分銅)을 사용하여 낙체(落體)의 가속도(加速度)를 조사하는 실험 장치(實驗裝置).
애트 홈: 〔at home〕 명 ①주인이 미리 일시(日時)를 정하여 초대하고 손님은 시간 안에 수시로 참집(參集)하여 교환(交驩)하는 가정적인 초대회(招待會). ②집에 있음. 국내에 있음. ③가정적.
애틀랜타 〔Atlanta〕 명 『지』 미국 조지아 주의 주도. 남동부 제일의 철도·도로의 집중점으로 남부 여러 주의 중심지임. 타일 및 벽돌을 위시한 각종 공업 및 상업이 성하고, 특히 코카콜라의 본거지임. 흑인은 전 인구의 3분의 1임. [394,017 명(1990)]
애틀랜틱 〔Atlantic〕 명 미국의 월간 종합지(綜合誌). 1857년 보스턴에서 문예지(文藝誌)로서 창간한 이래, 시사 문제(時事問題)도 다루는 종합지로 발전함.

애틀랜틱 시티 〔Atlantic City〕 명 『지』 미국 뉴저지 주의 대서양 연안에 있는 휴양 도시. 세계 제일의 해수욕장이 있어 많은 고급 호텔과 오락 시설이 완비(完備)되어 있음. [40,000 명(1980)]

애틀리: 〔Attlee, Clement Richard〕 명 『사람』 영국의 정치가·변호사. 1922년 이래 하원 의원과 정부 각료로정계에서 활약하고, 노동당 당수를 역임. 1945년 총선거에 승리, 노동당 내각의 수상이 되었다가 1951년에 하야함. [1883-1967]

애틋-이 부 애틋하게.

애틋-하다 형여불 ①애가 타는 듯하다. ¶애틋한 사랑을 느끼다. ②좀 아깝고 서운한 느낌이 있다.

애:-티 명 어린 태도나 모양. ¶~가 나다.

애티튜:드 〔attitude〕 명 『연』 클래식 댄스에 있어서, 한쪽 발로 서고, 다른 한발은 뒤쪽으로 올려 무릎 있는 곳에서 굽힌 자세를 말함. 보통 올린 발쪽의 손도 올림.

애틱-식 【一式】〔attic〕 명 『건』 고대 그리스의 아티카(Attica) 지방에서 발달된 건축 양식. 모난 기둥을 쓰는 기교를 주로 하였음.

애파-등 【崖爬藤】 명 『식』 모람[1].

애팔래치아 산맥 【一山脈】〔Appalachia〕 명 『지』 미국 동부 해안선에 평행하는 융기(隆起) 산맥. 전장(全長) 약 2,500 km, 폭 300-600 km임. 산맥의 서부는 애팔래치아 대지(臺地)로 탄전(炭田)이 있음.

애팔래치아 탄:전 【一炭田】〔Appalachia〕 명 『지』 미국 동부에 있는 세계적인 대탄전. 점결성(粘結性) 역청탄(瀝青炭)·무연탄이 대량으로 매장되어, 주로 노천굴(露天掘)로 채굴하고 있음.

애퍼시 〔apathy〕 명 『심』 일상(日常)의 생활 습관이 흔들려 자기 및 외계(外界)에 대하여 무위(無爲)·무관심(無關心)·무감동(無感動)하게 된 상태(狀態).

애퍼크로매틱 렌즈 〔apochromatic lens〕 명 『물』 색수차(色收差)를 극도로 적게 하기 위하여 특수한 광학(光學) 유리로 짜맞추어 만든 렌즈. 애크로매틱 같은 보통의 색지움 렌즈보다 고급이며 천체 망원경이나 현미경 등에는 필수적인 것임. 애퍼크로맷(apochromat).

애퍼크로맷 〔apochromat〕 명 『물』 애퍼크로매틱 렌즈.

애-풀잠자리 명 『충』 [*Chrysopa cognatella*] 풀잠자릿과에 속하는 잠자리. 몸길이 6-8 mm, 편 날개 길이 20 mm 내외이고, 몸빛은 황록색에 얼굴의 양측에 적갈색의 짧은 줄무늬가 있으며, 복부 각 마디의 양측에 한 개의 흑점이 있음. 날개는 투명하고 세로맥은 황록색, 가로맥은 흑색임. 한국·일본·중국에 분포함.

애프리콧 〔apricot〕 명 ①살구. ②살구빛. 불그스름한 황색.

애프터눈: 〔afternoon〕 명 ①오후(午後). ②↗애프터눈 드레스.

애프터눈: 드레스 〔afternoon dress〕 명 여성이 오후에 입는 옷. 티 파티(tea party)나 거리에 나갈 때 입는 옷으로, 보통 원피스이지만 때로는 우미한 투피스도 쓰임. 준 애프터눈.

애프터눈: 티: 〔afternoon tea〕 명 ①영국이나 미국 등지에서 오후 다섯 시쯤 되어서 마시는 차(茶). ②오후의 간친회(懇親會).

애프터 리코:딩 〔after recording〕 명 영화·텔레비전에서 화면을 먼저 찍고 나서 뒤에 화면에 맞추어 음성 부분(音聲部分)을 녹음하는 일. 준 아프레코. ↔프리리코딩.

애프터-버:너 〔afterburner〕 명 터보제트 엔진(turbojet engine)에서, 터빈으로부터 나오는 가스에 연료(燃料)를 분사(噴射)하여 재연소(再燃燒)시키는 장치.

애프터-서:비스 〔after+service〕 명 상품을 판매한 뒤에 무료 또는 실비(實費)로 수리나 기타의 봉사를 하는 일.

애프터 슈:즈 〔after shoes〕 명 스키나 스케이트를 탄 뒤에, 편안하게 쉬기 위해 바꿔 신는 구두의 총칭.

애프터-케어 〔aftercare〕 명 ①병후(病後) 보호, 특히 의학적 치료를 끝낸 결핵 환자를 일정한 시설에 수용하여 체력 회복의 촉진과 직업 보도를 실시하는 일. ②학교 졸업 후의 직업 보도.

애플 〔apple〕 명 사과. ¶~ 주스.

애플-관 【一管】〔apple〕 명 컬러 텔레비전용 수상관(受像管)의 하나. 주사 빔(走査 beam) 도달 위치를 알려 주는 신호이며, 발광색(發光色)을 제어(制御)하는 방식의 대표적인 관.

애플라이트 〔aplite〕 명 『광』 보통 화강암과 함께 암맥상(岩脈狀)으로 산출되는 결정의 세립(細粒) 또는 치밀한 백색의 산성암(酸性岩). 유색(有色) 광물이 부족하여 칼륨 장석(kalium 長石)과 석영을 주성분으로 함. 반화강암(半花崗岩).

애플러냇 〔aplanat〕 명 『물』 렌즈 등의 광학계에서, 광축(光軸) 상의 특정한 위치에 있는 물점(物點)에 대하여, 구면 수차(球面收差)가 보정(補正)되고 정현 조건(正弦條件)을 만족시키는 상을 맺는 일. 또, 그런 렌즈. 현재 실용(實用)하고 있는 렌즈는 거의 이것임. 아플라나트.

애플턴 〔Appleton, Edward〕 명 『사람』 영국의 물리학자. 대기권(大氣圈)의 물리학 및 전리층(電離層)에 관한 연구로 1947년 노벨 물리학상을 받았음. [1892-1965]

애플턴-층 【一層】〔Appleton〕 명 『물』 에프층(F層).

애플 파이 〔apple pie〕 명 설탕을 넣고 조린 사과를, 밀가루에 계란·버터 등을 넣어 넓게 만든 것으로 싸서 찐 양과자.

애피타이트 〔appetite〕 명 식욕(食慾). 육체적 욕망. 욕구(慾求).

애하[1] 【崖下】 명 단애(斷崖)의 밑. 절벽의 밑.

애:하[2] 【愛河】 명 『불교』 애욕(愛慾)이 사람을 빠지게 함을 비유하는 말.

애한[1] 【哀恨】 명 슬픔과 원한. 슬퍼하면서 한스러워 하는 일. 애원(哀怨).

애한[2] 【涯限】 명 끝. 한계(限界). 한(限).

애항 【隘巷】 명 좁고 더러운 거리. 또, 그런 마을. 누항(陋巷).

애:해[1] 【愛海】 명 『불교』 정애(情愛)의 깊고 넓음을 바다에 비유하는 말.

애해[2] 감 우스운 일이나 기막힌 일을 볼 때에 내는 소리. <에헤.

애해해 부 경망스럽게 웃는 소리나 모양.

애햄: 감 점잔을 빼거나 또는 내가 여기 있다 함을 알리기 위하여 크게 기침하는 소리. <에헴. ——-하다 자여불

애:행[1] 【愛行】 명 『불교』 ①자기 의견대로 행동하는 것을 견행(見行)이라 이르는 데 반하여, 다른 사람이 가르치는 말을 순순히 듣는 것을 이르는 말. ②지적 번뇌(知的煩惱)를 견행(見行)이라 이르는 데에 대하여 수혹(修惑) 또는 탐욕을 이르는 말.

애:행[2] 【愛幸】 명 사랑하고 귀여워함. 애총(愛寵). 총애(寵愛). ——-하다 타여불

애:향 【愛鄕】 명 자기의 고향을 사랑함. ——-하다 자여불

애:향-가 【愛鄕歌】 명 고향을 사랑하여 부르는 노래.

애:향-심 【愛鄕心】 명 고향을 아끼고 사랑하는 마음.

애호[1] 【艾虎】 명 『역』 쑥호랑이.

애호[2] 【艾蒿】 명 『식』 사재발쑥. 산쑥.

애호[3] 【哀呼】 명 슬프게 호소함. 애소(哀訴). ——-하다 자여불

애호[4] 【哀號】 명 슬프게 부르짖음. ——-하다 자여불

애:호[5] 【愛好】 명 사랑하고 즐겨함. ——-하다 타여불

애:호[6] 【愛護】 명 사랑하고 보호함. ——-하다 타여불

애:호-가[1] 【愛好家】 명 어떤 사물을 사랑하고 즐기는 사람. ¶~의 구미를 당기다.

애:호-가[2] 【愛護家】 명 어떤 사물을 사랑하고 보호하는 사람. ¶문화재~.

애-호리병벌 명 『충』 [*Eumenes micado*] 말벌과에 속하는 곤충. 암컷은 몸길이 16-19 mm, 몸빛은 흑색인데 두순(頭楯)의 '八'자형 반문과 복부 제1·2절의 후연의 띠무늬 등은 황색이고 다리의 퇴절(腿節) 끝과 경절(脛節) 기부 등은 갈색임. 진흙으로 병 모양의 집을 짓고 서식(棲息)하는데, 한국·일본에 분포함. 조롱벌.

〈애호리병벌〉

애-호박 명 덜 큰 어린 호박.
[애호박에 말뚝 박기] 심술궂은 짓을 함을 이르는 말.

애호박 나물 명 애호박을 둥글게 썰고 새우젓·고기·기름·깨소금을 넣고 볶은 나물. 새우젓 대신에 소금이나 장을 넣기도 함. 애호박채.

애호박-전 【一煎】 명 애호박을 납작하고 둥글게 썰어서 부친 전.

애호박-찜 명 애호박을 짜개어 고기소를 박아서 만든 찜.

애호박-채 【一菜】 명 애호박 나물.

애:호-심 【愛護心】 명 사랑하고 보호하는 마음.

애호 체읍 【哀號涕泣】 명 소리를 내어 슬프게 부르짖고 눈물을 흘리며 욺. ——-하다 자여불

애-홉다 형 〈방〉 슬프다.

애홍 【哀鴻】 명 ①슬피 우는 기러기. ②유랑민(流浪民)을 비유하여 이르는 말.

애홍 보:집 【哀鴻甫集】 명 슬피 우는 기러기가 떼를 지어 몰린다는 뜻으로, 유랑민이 굶주림에 울며 몰려오는 일.

애화[1] 【艾花】 명 『역』 쑥호랑이.

애화[2] 【哀話】 명 슬픈 이야기. 비화(悲話). ¶여인 ~.

애환 【哀歡】 명 슬픔과 기쁨. ¶~을 함께 하다.

애환 소:설 【哀歡小說】 명 〔tragicomedy〕 『문』 비극과 희극의 두 가지 요소를 지니고 있는 소설.

애-황종아리잎벌 【一黃一】 명 『충』 [*Macrophya coxalis*] 잎벌과에 속하는 곤충. 암컷은 몸길이 9 mm 내외이고 몸빛은 흑색인데 흉배(胸背)에는 백색 반문이 있으며 다리는 대체로 흑색 또는 황백색이고 퇴절(腿節)은 황색임. 촉각은 흑색, 날개의 연문(緣紋)과 시맥(翅脈)은 흑갈색임. 한국·일본에 분포함.

애훈 【瑷琿】 명 『지』 '아이훈'을 우리 음으로 읽은 이름.

애훼 【哀毁】 명 ↗애훼 골립.

애훼 골립 【哀毁骨立】 명 부모의 죽음을 슬퍼하여 몸이 바싹 여위는 일. 준 애훼(哀毁).

애:휼 【愛恤】 명 불쌍히 여겨서 은혜를 베풂. ——-하다 타여불

애:희[1] 【愛姬】 [一히] 명 사랑하는 여자. 총애하는 여자.

애:희[2] 【愛戲】 [一히] 명 사랑의 장난.

애-흰수염집게벌레 【一鬚髯一】 [一힌一] 명 『충』 [*Anisolabis annulipes*] 동근 가슴집게벌렛과의 곤충. 몸길이 9-12 mm 이고, 몸빛은 밤빛에 다리는 담황색, 촉각은 19절 이상인데 수컷의 제14-16절 또는 암컷의 제12-13절은 담황색임. 날개는 없고 수컷의 집게는 좌우의 모양이다. 한국·일본·대만 등지에 분포함.

액[1] 【厄】 명 모질고 사나운 운수.

액[2] 【液】 명 물이나 기름과 같이 유동(流動)하는 물질.

액[3] 【額】 명 ↗편액(扁額).

액:[4] 감 속이 불편하거나 비위에 맞지 하니하여 먹은 음식을 토할 때에 내는 소리.

-액 【額】 미 액수를 나타내는 말. 정해진 수나 양. ¶생산~/지출~.

액각 【額角】 명 『생』 일부 하등 동물의 이마 부분에 뿔 모양으로 쑥 내민 부분.

액간 기전력 【液間起電力】 [一절一] 명 『전』 상이(相異)한 두 종류의 전해질 용액이 접촉하는 경우에 그 계면(界面)에 전위차가 생기는 현상. 액간 전위차(液間電位差).

액간 전:위차 【液間電位差】 명 『전』 액간 기전력(液間起電力).

액고 【液膏】 명 액체 모양의 고약. 유고(油膏).

액-고랑 명 〈방〉 개[1](경기).

액곤 【阨困】 명 운수가 비색하여 고생함. 피로워함. 액궁(阨窮). 곤액(困

阨). ——-하다 자여불

액과【液果】명〖식〗장과(漿果).

액구【隘口】명 좁고 험한 목쟁이.

액궁【阨窮】명 액곤(阨困). ——-하다 자여불

액기[1] 명 〈방〉 아우[1](함경).

액기[2]【厄氣】명 액운(厄運)이 있을 듯한 기색. 불길한 기운(氣運).

액기[3]【腋氣】명 암내[2].

액난【厄難】명 재난(災難).

액내【額內】명 ①정원 또는 정수·정액(定額)의 안. ②한집안 사람. ③한 동아리에 든 사람. ¶ "이 동네 사람은 다 ~요?" "네, …다 저의 심복입니다." ≪洪命憙 : 林巨正≫. 1)-3): ↔액외(額外).

액내지-간【額內之間】명 서로 액내가 되어 있는 사이.

액년【厄年】명 ①운수가 모질고 사나운 해. ②사람의 일생 중에 재난을 만나게 될 것이라고 하는 나이. 남자는 25·42·50세, 여자는 19·33·37세. 겁년(劫年).

액니 명 〈방〉 사면발이.

액-달【厄—】명 운수가 모질고 사나운 달. 액월(厄月).

액-때우다【厄—】자 앞으로 올 액을 다른 가벼운 고난으로 겪어 넘기다. 액때움하다.

액-때움【厄—】명 앞으로 올 액운(厄運)을 다른 고난을 겪어 때우는 일. ㊟액땜. ——-하다 자여불

액-땜【厄—】명 ↗액때움. ——-하다 자여불

액란【液卵】[—난] 명 껍질을 깨뜨리어서 쏟아 놓은 알.

액랭 기관【液冷機關】[—냉—] 명 〖기〗 에틸렌 글리콜(ethylene glycol)과 같은 특수한 액체로 냉각시키는 기관. 높은 온도에서도 충분히 전열(傳熱) 작용을 하므로 방열기(防熱器) 면적이 작아도 상관 없어서, 항공기와 같이 전면(前面) 면적에 의한 저항을 극도로 중요시하는 기관에 쓰임.

액량【液量】[—냥] 명 ①액체(液體)의 분량. ②액체의 양을 되는 단위. 갤런(gallon) 같은 것. ↔건량(乾量).

액량-계【液量計】[—냥—] 명 액체의 부피를 재는 원기둥 모양의 통. 일정량의 액체를 넣고 보메(baumé)를 띄워 그 비중을 헤아리게 되어 있음.

액례【掖隸】[—네] 명〖역〗조선 시대에 액정서(掖庭署)에 딸린 이원(吏員) 또는 하례(下隸). 액정 소속(掖庭所屬).

액로【隘路】[—노] 명 애로(隘路).

액-막이【厄—】명〖민〗앞으로 닥칠 액을 미리 막음. 도액(度厄). ¶ ~ 부적. ——-하다 자여불

액막이-굿【厄—】명〖민〗그 해의 재액을 막기 위하여 정월 대보름 전에 행하는 굿.

액막이-연【厄—鳶】명〖민〗날리다가 남은 연에 일 년 내의 모든 불길한 것이 연과 함께 영원히 소멸하라는 뜻을 써서 정월 열 나흗날 멀리 띄워 버리는 연.

액막이-옷【厄—】명〖민〗정월 보름날 액막이로 버리는 옷.

액-매기 명 〈방〉 액막이. ——-하다 자

액면[1]【液面】명 액체의 표면(表面).

액면[2]【額面】명 ①〖경〗공채·주식·화폐 같은 것의 권면(券面). ②↗액면 가격(額面價格). ③편액(扁額)의 표면. ④표면에 내세운 사물의 가치. ¶ ~대로 믿다.

액면 가격【額面價格】[—까—] 명〖경〗①유가 증권 등의 권면(券面)에 적힌 가격. 공채·주식 등의 표면에 기재된 금액. ↔매매(賣買) 가격. ② 화폐의 면(面)에 표기된 금액. 표가(表價). ㊟액면(額面).

액면-계【液面計】명 [liquid-level meter]〖물〗조내(槽內)의 액면의 높이를 지시하는 계기(計器). 화학 공업에서, 원격 측정(遠隔測定)·자동 제어 장치(自動制御裝置)의 검출부(檢出部) 등에 쓰임.

액면 동가【額面同價】[—까] 명〖경〗유가 증권 및 화폐의 권면(券面)에 기재된 그대로의 가치.

액면 모집법【額面募集法】명〖경〗공사채(公社債)와 주식(株式) 따위를 그 액면과 같은 가격(價格)으로 모집하는 방법. 평가 모집법(平價募集法).

액면 발행【額面發行】명 [par issue]〖경〗주식이나 공사채(公社債)를 액면 금액(額面金額)으로 발행하는 일. 평가(平價) 발행.

액면 상환【額面償還】명〖경〗채권이 액면 가격으로 상환되는 일.

액면-주【額面株】명〖경〗액면 가격이 표시되어 있는 주식. 액면 주식. ↔무액면주(無額面株).

액면 주식【額面株式】명 액면주. ↔무액면 주식.

액면 초과금【額面超過金】명〖경〗액면주가 액면 이상의 가격으로 발행되었을 때, 액면을 초과하여 납입된 금액. 프리미엄(premium).

액모【腋毛】명 겨드랑이에 난 털.

액문【掖門】명 협문(夾門)❷.

액변【液便】명 물찌똥❶.

액비【液肥】명〖농〗똥물·오줌·뜨물 등의 액체 비료. 수비(水肥).

액사【縊死】명 [←의사(縊死)] 목을 매어 죽음. 늑사(勒死). ——-하다 자여불

액산 폭약【液酸爆藥】명 ↗액체 산소 폭약(液體酸素爆藥).

액살【縊殺】명 [←의살(縊殺)] 목을 매어 죽임. ——-하다 타여불

액상[1]【液狀】명 액체의 상태. 액체와 같은 상태. 액체상.

액상[2]【液相】명 〖화〗 액체상(液體相).

액상 결정【液狀結晶】[—쩡] 명 액정(液晶).

액상 인화 수소【液狀燐化水素】명〖화〗'이포스핀(P_2H_4)'을 액체로 되어 있다 하여 일컫는 말.

액색【阨塞】명 운수가 꽉 막힘. ——-하다 형여불

액생【腋生】명 싹이나 꽃이 엽액(葉腋)에 착생함. ——-하다 자여불

액설로드 [Axelrod, Julius] 명〖사람〗미국의 약리학자(藥理學者). 1955년 이래 국립 정신 위생 연구소 약리학부장. 신경 말단부의 전달 물질의 발견과 그 저장·사출(射出) 및 불활성화(不活性化)에 관한 연구로 오일러(Euler, U.S. von)·카츠(Katz, B.)와 함께 1970년도 노벨 생리 의학상을 받음. [1912-]

액성 한:계【液性限界】명 [liquid limit]〖지〗퇴적물(堆積物)의 소성 상태(塑性狀態)와 반유동(半流動) 상태의 중간인 수분 함량(水分含量)의 경계.

액세서리 [accessory] 명 복장의 조화를 도모하는 부속품. 넥타이·핸드백·모자·장갑·혁대·브로치(brooch) 등.

액세스 [access] 명〖컴퓨터〗기억 장치에서 정보나 파일의 호출 또는 페기·갱신·추가하는 일. 일정한 순서에 따라 처리하는 방식과 무작위로 처리하는 방식이 있음. ——-하다 타여불

액세스-권【—權】[—꿘] 명 [right of access] 신문·방송 등 언론의 자유를 확보하기 위하여 이견(異見)을 가진 자가 매스 미디어에 접근하여 반론(反論)하는 자유.

액세스 타임 [access time] 명 〖컴퓨터〗 기억 장치(記憶裝置)에 동작 지령이 주어지면서부터 정보(情報)가 얻어지기까지의 시간. 호출 시간(呼出時間).

액셀 명 ↗액셀러레이터.

액셀러레이터 [accelerator] 명〖기〗발로 밟는 자동차의 가속 장치. 이것을 밟으면 기화기(氣化器)의 스로틀(throttle)이 열려 엔진의 회전수와 출력이 증대함. 가속 페달. ㊟액셀.

액셔니즘 [actionism] 명 행동주의(行動主義).

액션 [action] 명 ①행위. 동작. 활동. ②〖연〗배우의 연기. ③〖연〗연극 등의 줄거리. ④피아노 같은 건반 악기의 기계 장치.

액션 드라마 [action drama] 명 격투·살인 등의 난투 장면을 중심으로 한 극(劇)이나 영화. 활극(活劇).

액션 리서:치 [action research] 명 사회 생활(社會生活)을 개선하는 이론과 방법을 구체적으로 추진(推進)·개발(開發)하는 방법. 인간 관계의 조절과 개선, 집단 활용(集團活用)의 효과, 기술 도입에 의한 유효성(有效性)을 대상으로 함.

액션 영화【—映畫】[—녕—] 명 통쾌하고 재미있는 활동의 매력을 표현하는 극영화. 활극(活劇).

액션 페인팅 [action painting] 명〖미술〗그림물감·페인트 등을 캔버스에 방울방울 떨어지게 하거나, 뿌려서 화면(畫面)을 구성(構成)하는 기법(技法). 미국의 화가(畫家) 폴록(Pollock)이 창시(創始), 1950년대(代)에 유행함. 추상 회화(抽象繪畫). ——-하다 타여불

액수[1]【扼守·隘守】명 중요한 곳을 굳게 지킴. 요긴한 목을 굳게 지킴.

액수[2]【額手】명 손을 이마에 댐. ——-하다 자여불

액수[3]【額數】명 ①돈 따위의 머릿수. ②원수(員數).

액수 금구【軛首金具】명〖고고학〗'멍에투겁'의 구용어.

액스 [ACTH] 명 [adrenocorticotropic hormone]〖의〗에이 시 티 에이치(A.C.T.H.).

액시던트 [accident] 명 우연히 일어난 사건. 뜻밖의 일. 사고(事故). 재난(災難).

액시온 [axion] 명〖물〗게이지 이론에서 그 존재가 예상되고 있는 가상(假想) 입자. 전하(電荷) 0, 스핀 0, 질량은 핵자(核子)의 1/1000 보다 적다고 생각되고 있음. *기본 입자.

액신【厄神】명 재앙을 내린다고 하는 악신(惡神).

액아【腋芽】명〖식〗겨드랑눈.

액압식 브레이크【液壓式—】[brake] 명〖기〗물체의 운동을 제지하는 힘을 액체의 압력에 의하여 전달하는 제동 장치.

액엄【額掩】명 아얌.

액와【腋窩】명〖생〗겨드랑이❶.

액완【扼腕·搤腕】명 팔을 뽐내어 분격(奮激)함. ——-하다 타여불

액외【額外】명 ①정원(定員)의 밖. ②한집안 밖의 사람. ③한패에 들지 않는 사람. 1)-3): ↔액내(額內).

액우【液雨】명 음력 시월경에 오는 비. 빗물을 약에 쓴다고 함.

액운[1]【厄運】명 액을 당할 운수. ↔길운(吉運).

액운[2]【液雲】명 액우(液雨)를 몰아 오는 구름.

액원【掖垣】명 궁중 정전(正殿) 곁에 있는 담. 전하여, 궁정(宮廷).

액월【厄月】명〖민〗액달.

액-유동성【液流動性】[—썽] 명〖물〗녹은 금속(金屬)이 물같이 잘 흘러내리는 성질(性質).

액일【厄日】명 음양도(陰陽道)에서, 액난(厄難)이 닥칠지 모르니 삼가고 조심해야 된다는 날.

액자[1]【額子】명 그림·글·사진 따위를 넣어 걸기 위한 틀.

액자[2]【額字】명 현판(懸板)에 쓴 큰 글자.

액자-하다 형 〈방〉 애꿎다.

액재【液材】명 변재(邊材).

액적 모형【液滴模型】명 [liquid-drop model]〖물〗원자핵의 성질을 설명하기 위하여 비슷하게 상정(想定)한 원자 모형의 한 가지. 원자핵을 액체의 작은 방울로 생각한 것임. 보르(Bohr, N.;1885-1962)가 고안(考案)함.

액-젓【液—】명 젓갈을 달여서 밭친 액체 모양의 젓.

액정[1]【掖庭】명 ①대궐 안. 궐내(闕內). 금내(禁內). 궁중(宮中). ②〖역〗고려 충선왕(忠宣王) 원년(1309)에 내알사(內謁司)를 고친 이름. 동2년에 항정(巷庭)으로 고침.

액정[2]【液晶】명 [liquid crystal]〖물〗액체와 결정과의 중간 상태에 있는 물질. 결정과 같은 광학 이성(光學異性)의 복굴절(複屈折)을 하며

액체와 같은 유동성(流動性)을 지님. 전압(電壓)이나 온도의 차에 따라 빛이 변하는 성질을 이용하여 디지털 시계의 문자 표시 및 액정 온도계 등에 이용됨. 액상 결정.

액정-국【掖庭局】명〖역〗고려 때의 관아(官衙). 왕명(王命)의 전달, 왕이 사용하는 붓과 벼루, 궁궐의 뜰, 견직(絹織) 등에 관한 일을 맡아보던 곳. 고려 성종(成宗) 14년(995)에 액정원(掖庭院)을 고친 이름. 충렬왕(忠烈王) 34년(1308)에 내알사(內謁司)로, 충선왕(忠宣王) 원년(1309)에 다시 액정국으로, 동 2년에 항정국(巷庭局)으로, 뒤에 또 이 이름으로 고침.

액정 디스플레이【液晶一】명〔liquid crystal display〕액정을 이용한 표시 장치. 시계·계산기의 숫자 표시에서 TV 및 컴퓨터용 모니터 화면에까지 그 용도가 확대되고 있음. 모니터나 TV 등에 쓰일 경우 브라운관을 얇은 평면으로 만들 수 있어 가전 제품의 소형·경량화에 필수품으로 등장하게 됨. 액정 표시기.

액정-서【掖庭署】명〖역〗조선 시대의 관아(官衙). 고려의 액정국(掖庭局)을 계승하여 왕명(王命)의 전달, 임금이 쓰는 붓과 벼루의 공급, 대궐 열쇠의 보관, 대궐 뜰의 설비 등의 일을 맡아보던 잡직(雜職) 기관. 태조(太祖) 원년(1392)에 설치(設置)하여 고종(高宗) 31년(1894) 갑오 경장(甲午更張) 때 폐지되었음.

액정 소:속【掖庭所屬】명〖역〗액례(掖隷).

액정-원【掖庭院】명〖역〗고려 때 전명(傳命)·알현(謁見)·궁문 쇄약(宮門鎖鑰) 등의 일을 맡은 관아(官衙). 성종(成宗) 14년(995)에 액정국(掖庭局)으로 고침.

액정 텔레비전【液晶一】명〔liquid crystal television〕액정을 화상(畫像) 표시 장치에 응용한 텔레비전 수상기. 보통 텔레비전 수상기의 브라운관처럼 자기 발광형 소자(素子)가 아니어서 밝은 곳에서도 선명한 화상을 나타냄.

액정 표시기【液晶表示器】명〖컴퓨터〗액정 디스플레이.

액정 표시 소자【液晶表示素子】명 액정을 투명 전극(電極) 사이에 끼우고, 전압을 가하면 빛의 투과도(透過度)나 반사율이 변화하는 성질을 이용하여 만들어진, 화상(畫像) 등을 표시하는 소자. 얇은 표시 장치를 만들 수 있음.

액제【液劑】명〖약〗액체로 된 약제. 물약. *분제(粉劑).

액주-계【液柱計】명〖물〗압력계의 한 가지. 유자형(U字型)의 유리관 속에 액체, 즉 물·수은·사염화(四塩化) 탄소 수용액(水溶液) 등을 넣어 한쪽 끝은 공기 속에 개방(開放)하고, 다른 한쪽 끝은 측정(測定)하려는 물건에 연결하여 유리관 속의 액면(液面)의 차(差)로 압력을 잼. 액주 압력계.

액주 압력계【液柱壓力計】[一녁一] 명 액주계(液柱計).

액중 발효【液中醱酵】명〔submerged fermentation〕미생물의 배양(培養)에 의한 항생 물질·효소·기타 물질의 공업적 제조 방법. 액중 배양으로 생성물(生成物)을 얻음.

액즙【液汁】명 즙(汁).

액즙 주입기【液汁注入器】명 스포이트(spuit).

액체【液體】명〔liquid〕〖물〗물이나 기름과 같이 일정한 체적은 있으나 일정한 형상(形狀)이 없는 유동성의 물질. 고체(固體)에 비하여 분자 응집력(凝集力)이 약함. *고체·기체.

액체 공기【液體空氣】명〔liquid air〕〖물〗공기가 영하 140° 이하의 온도와 39기압 이상의 압력 밑에서 냉각 압축하여 된 담청색(淡青色)의 액체. 비중은 약 1. 질소가 먼저 기화하는 성질을 이용하여 질소와 산소의 공업적 분리 및 온도를 낮추는 데 쓰임.

액체 공기 폭약【液體空氣爆藥】명〖공〗액체 공기를 목탄(木炭) 가루 같은 흡수제에 흡수시킨 폭약. 폭파용으로 쓰임.

액체 금속 연료【液體金屬燃料】[一녈一] 명 액체 금속 핵연료(核燃料).

액체 금속 핵연료【液體金屬核燃料】[一열一] 명〔liquid-metal nuclear fuel〕비스무트 등의 용융 금속(熔融金屬) 속에 우라늄 또는 플루토늄이 녹아 있는 핵연료.

액체 기체 평형【液體氣體平衡】명〔liquid-vapor equilibrium〕〖화〗특정의 압력·온도에서 부분적으로 기화(氣化)하는 화합물이나 혼합물의 액상(液相)·기상(氣相) 간의 평형 관계. 혼합물의 경우는 $K=x/y$로 표시됨. K는 평형 상수, x는 기상의 몰분율(mol分率), y는 액상에서의 몰분율.

액체 기체 화:학 반:응【液體氣體化學反應】명〔liquid-vapor chemical reaction〕〖화〗반응물의 하나 이상이 액체이고, 다른 반응물이 기체일 때의 화학 반응.

액체 로켓【液體一】〔rocket〕명 리퀴드 로켓(liquid rocket). *고체 로켓.

액체 마찰【液體摩擦】명〔fluid friction〕〖물〗액체가 모양을 바꾸려 할 때, 그 액체 내에서 일어나는 마찰. 곧, 점성(粘性).

액체 배:양【液體培養】명〖생〗미소(微小)한 동식물을 액상(液狀)의 배양기(培養基) 속에서 배양하는 일. ↔고체(固體) 배양.

액체 병:리학【液體病理學】[一니一] 명〖의〗병의 원인을 체액(體液)의 변조(變調)에서 구하는 병리학. 히포크라테스(Hippokrates)가 제창한 것으로 인체(人體)에는 혈액·점액·황색 담즙·흑색 담즙의 네 가지 체액이 포함되어 있으며, 이 체액의 혼합 상태(混合狀態)에 이상(異常)이 생길 때 병이 된다고 함.

액체 복사기【液體複寫機】명 복사기의 한 가지. 헥토그래프 카본지(hectograph carbon紙) 위에 복사 원지(複寫原紙)를 대고 연필로 글씨를 쓴 다음, 제판(製版)하여 이를 복사함. 카본지(紙)의 색깔에 따라 색채 인쇄가 됨.

액체 비:중계【液體比重計】명〔areometer, hydrometer〕〖물〗액체의 비중(比重)을 재는 계기. 유리나 금속(金屬)으로 만든 관(管)의 아래쪽을 볼록하게 만들고 그곳에 수은(水銀)이나 납덩어리로 된 추(錘)를 넣어, 액체에 띄우면 똑바로 서게 되어 있으며 액면(液面) 위의 눈금을 보고 비중을 알게 됨. 하이드로미터(hydrometer). 부칭(浮秤).

〈액체 비중계〉

액체 산소【液體酸素】명〖물〗산소를 영하 118° 이하의 온도, 50 기압(氣壓) 이상의 압력(壓力)으로 냉각 압축(壓縮)한 담청색(淡青色)의 산소. 1 기압에서 끓는점은 영하 183°C. 유기물(有機物)은 액체 산소 속에서 폭발적으로 연소(燃燒)할 수 있음. 산소 용접이나 산소 흡입(吸入) 등에 쓰임.

액체 산소 폭약【液體酸素爆藥】명 목탄 따위 탄소질이 풍부한 가연성 물질에 액체 산소를 흡수시킨 폭약. 쉽게 만들 수 있고 성능(性能)이 강력하지만 장시간 보존(保存)이 불가능하여 다루기가 불편함. ㊟액산 폭약(液酸爆藥).

액체-상[1]【液體狀】명 액상(液狀).

액체-상[2]【液體相】명〔liquid phase〕〖화〗어떠한 물질이 적당한 온도·압력 등의 조건하에서 액체가 되어 있는 상태. 액상(液相). *기체상(氣體相)·고체상(固體相).

액체 수소【液體水素】명〔liquid hydrogen〕대기 압력(大氣壓力) 아래 영하 -252.7°C에서 액체로 존재(存在)하는 수소. 고추력(高推力) 로켓 연료로 쓰임.

액체 아황산【液體亞黃酸】명〖화〗이산화 황에 압력을 가하여 액화한 물질.

액체 암모니아【液體一】명〔liquid ammonia〕〖물·화〗액상(液狀)의 암모니아. 무색의 액체로 유기 화합물의 용매(溶媒) 또는 냉동(冷凍) 공업에 쓰임.

액체 압력【液體壓力】[一녁] 명〖물〗액체 안의 중력(重力)으로 생기는 압력. 압력이 가해지는 면에 수직되게 작용하고 표면으로부터의 깊이와 액체의 밀도에 정비례함.

액체 연료【液體燃料】[一열一] 명 연료로 쓰는 액체의 총칭. 석유계의 휘발유·등유·경유·중유, 알코올계의 에틸 알코올·메틸 알코올, 지방유류의 어유(魚油)·콩기름 따위. *고체 연료.

액체 열량계【液體熱量計】명〔liquid calorimeter〕〖물〗열용량(熱容量)을 알고 있는 액체를 가열체(加熱體)로 하여, 열량 또는 물체의 비열(比熱)을 재는 장치.

액체 염소【液體塩素】명〖화〗압력으로 액화한 염소.

액체 온도계【液體溫度計】명〔liquid thermometer〕〖물〗유리 등의 용기 속에 넣은 액체의 열팽창(熱膨脹)을 이용한 온도계. 알코올 및 수은(水銀) 온도계 등의 보통의 온도계.

액체 질소【液體窒素】[一쏘] 명〔liquid nitrogen〕대기(大氣) 압력 아래 영하 196°C에서 액체로 존재하는 질소. 한제(寒劑)·저온 공학(低溫工學)·저온 수술(手術)에 쓰임.

액체 컴퍼스【液體一】명〔spirit compass〕알코올과 물의 혼합액(混合液)을 사용한 나침반.

액체 탄:소【液體炭素】명〖화〗압축하여서 액화한 탄산 가스.

액체 폭약【液體爆藥】명 상온(常溫)에서, 적어도 성분 중의 하나가 액체인 혼합 폭약. 액체 산소 폭약이 그 하나임.

액체 헬륨【液體一】명〔liquid helium〕헬륨 가스를 냉각하여 액화한 것. 1908년 네덜란드의 카메를링 오네스(Kamerlingh-Onnes)가 처음으로 액화에 성공함. 절대 온도의 2도(度)를 경계로 하여 서로 다른 성질을 나타내어 극저온(極低溫)에 있어서의 여러 실험에 쓰임.

액체-화【液體化】명〖화〗액화(液化)❶. ——-하다 자타여불

액추어리〔actuary〕명 피보험자의 생존 예상 연수의 산정(算定), 보험 요금의 산출 등 보험 수리(數理)를 담당하는 생명 보험 회사의 직원. 보험 계리인(保險計理人).

액출【腋出】명 가지나 꽃자루 따위가 엽액(葉腋)에서 나옴. ——-하다 자여불

액취(腋臭) 명 겨드랑이에서 나는 냄새. 암내.

액취-증【腋臭症】명〖의〗겨드랑이에서 역한 냄새가 나는 증세.

액침 굴절계【液浸屈折計】[一쩔一] 명 액체의 굴절률을 측정하는 기계. 휴대용으로, 측미(測微) 접안 렌즈가 있는 작은 망원경의 대물(對物) 렌즈의 앞쪽에, 기지(既知)의 굴절률을 가진 유리제 60° 프리즘이 고정되어 있음.

액침-법【液浸法】[一뻡] 명 ①액체에 담그는 방법. 액체에 담가서 행하는 방법. ②〔immersion method〕〖물〗현미경의 개구수(開口數)를 증가(增加)시키기 위해, 대물(對物) 렌즈와 물체 사이에 굴절률(屈折率)이 렌즈의 굴절률 곧, 약 1.6에 가까운 액(液)을 채우는 일. 흔히, 시더유(cedar油)를 씀. 유침법(油浸法).

액침 표본【液浸標本】명 알코올이나 포르말린 용액(溶液)에 넣어 보관하는 표본.

액태【液態】명 액체의 상태. *고태(固態).

액터〔actor〕명 ①광대. 배우(俳優). ②행위자. 장본인.

액토미오신〔actomyosin〕명 근섬유(筋纖維)를 구성하는 수축성(收縮性)의 고분자 복합 단백질. 액틴(actine) 용액과 미오신(myosin) 용액의 혼합으로 생김. 아데노신 삼인산(adenosine三燐酸)과의 상호 작용에 의하여 근수축(筋收縮)을 일으킴.

액트〔act〕명 ①행위. 동작. ②법령. ③〖연〗극(劇) 등에 있어서의 한 막(幕).

액트리스〔actress〕명 여배우(女俳優).

액틀【額―】명 액자(額子).

액티노마이시:스〔actinomyces〕명〘생〙방선균(放線菌).

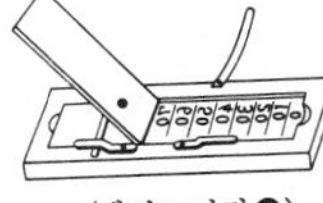
〈액티노미터❶〉

액티노-미터〔actinometer〕명 ①인화지를 사용하여 그 빛이 변화하는 정도에 의하여 광원(光源)의 세기를 재는 간단한 노출계의 한 가지. ②일사계(日射計).

액티브〔active〕명 ①활동적. 능동적. ↔패시브(passive). ②노동자 조직의 앞장에 서는 활동적 성원(成員). ――-하다 (형)(여불)

액티브 소나:〔active sonar〕명 음파 탐지기(音波探知機)의 하나. 음파를 송수신(送受信)하는 변환기(變換器)와 변환기에 입출(入出)하는 전기 신호의 발생·검출(檢出) 장치 및 수신(受信) 신호의 관측을 위한 표시(表示)·기록(記錄) 기기로 이루어짐.

액티비즘〔activism〕명 행동주의(行動主義).

액티비티 프로그램〔activity program〕명〘교〙어느 학습 목표를 아동이나 학생들의 자발적(自發的) 학습 활동에 의하여 달성하도록 짠 계획표(計劃表).

액팅〔acting〕명〘연〙①배우의 연기. ②극의 연출.

액팅 에어리어〔acting area〕명〘연〙배우가 연기를 행하는 장소. 구역·장치 및 조명에 중대한 관련이 있으며, 영화·텔레비전 등에서는 카메라의 위치가 이에 의하여 결정됨.

액포【液胞】명〔vacuole〕〘식〙식물의 생장(生長)한 세포로, 원형질(原形質) 안에 있는 커다란 공포(空胞). 내부에 액체, 즉 세포액(細胞液)이 가득한데, 그 세포액에는 각종 당류(糖類)·색소(色素)·산(酸) 등이 녹아 있음.

액포-막【液胞膜】명〔tonoplast〕〘식〙식물 세포의 세포질(細胞質)과 액포(液胞)를 둘러싸고 있는 막.

액풀이 노래【厄―】명〘악〙사나운 운수가 물러나기를 바라며 부르는 민요. 단거리 형식으로 다달이 치르는 명절로써 액운을 막아 내자는 사설 내용으로 되어 있음.

액한【腋汗】명 곁땀❷.

액험【扼險】명 험악(險惡)한 일을 당하여 굳게 버티고 막아냄. ――-하다 (자)(여불)

액화[1]【厄禍】명 액으로 말미암아 입는 재앙.

액화[2]【液化】명〔liquefaction〕〘물〙①기체가 냉각 또는 압축되어 액체로 변하는 현상. 또, 그렇게 만드는 일. 액체화. ②고체가 융해하여 액체가 되는 현상. ――-하다 (자)(타)(여불)

액화[3]【腋花】명〘식〙엽액(葉腋)에 착생하는 꽃. ↔정화(頂花).

액화 가스【液化―】명〔liquefied gas〕가스상(gas狀)의 화합물(化合物)이나 혼합물(混合物)을 냉각(冷却) 또는 압축(壓縮)에 의하여 액화(液化)한 것. 액화 석유 가스·액화 천연 가스·액체 산소·액체 암모니아 따위.

액화-기【液化機】명〔liquefier〕기체(氣體)를 액화하는 장치 또는 시스템(system). 보통, 압축·열교환(熱交換) 및 팽창 공정(膨脹工程) 등으로 이루어짐.

액화 석유 가스【液化石油―】명〔liquefied petroleum gas; LPG〕탄소수(炭素數) 3 및 4인 석유 성분 속의 탄화 수소 가스를 압축·냉각하여 액화한 것. 프로판·부탄·프로필렌·부틸렌 등. 연료와 합성 수지의 원료로 쓰임. LP가스. *프로판 가스.

액화-열【液化熱】명〘물〙기체가 액화할 때에 밖으로 방출하는 열.

액화 천연 가스【液化天然―】명〔liquefied natural gas; LNG〕〘화〙천연 가스인 메탄을 산지(産地)에서 그대로 냉각·액화한 것. 석유계 연료와 달라서 SO_2 공해가 없고, 도시 가스에 이것을 섞으면 열량이 배가(倍加)함. 알래스카·보르네오 섬 북부에서 남.

액화 탄:화 수소【液化炭化水素】명〔liquid hydrocarbon〕온도 저하나 압축에 의하여 기체에서 액체로 전환(轉換)한 탄화 수소. 보통, 부탄·프로판·메탄에 한(限)함.

액화 프로판 가스【液化―】명〔liquefied propane gas〕상온(常溫)에서 10기압(氣壓) 정도의 압력을 가하여 액화한 프로판 가스. 보통, 가정에서 쓰는 프로판 가스는 이것임.

액회【厄會】명 재앙이 닥치는 기회. 불행한 고비.

액후【扼喉】명 목을 누름. ――-하다 (자)(여불)

액훈-법【液燻法】[―뻡] 명 훈제법(燻製法)의 하나. 고기에 훈연(燻煙)을 흡수시키는 대신에 목초액(木醋液) 따위의 훈액(燻液)에 고기를 담갔다가 건조하는 방법.

앤:[1] 관〈방〉왼[3](전남·경남).

앤[2] 부 ↗앤드(and). ¶볼카운트는 원 ∼ 원.

앤더슨[1]〔Anderson, Carl David〕명〘사람〙미국의 물리학자. 캘리포니아 대학 교수. 1932년 양전자(陽電子)의 발견으로 1936년 노벨 물리학상을 받음. 1937년 중간자(中間子)의 존재를 발견하고 1949년 중간자의 자연 붕괴에 의하여 전자(電子)와 두 개의 중간자가 생성됨을 발견하였음. [1905-85]

앤더슨[2]〔Anderson, Marian〕명〘사람〙미국의 흑인 알토 가수. 필라델피아에서 출생. 유럽 공연으로 절찬을 받음. 특히 흑인 영가(黑人靈歌)에 능함. 1955년 흑인으로서는 처음으로 메트로폴리탄 가극장의 무대에 섰고, 뛰어난 가창력(歌唱力)으로 인종(人種)의 벽을 극복하였음. 1952년과 58년에 내한(來韓) 공연한 바 있으며, 65년 은퇴 후에는 민권 운동가로 활약함. 1991년 그래미상(賞) 수상. [1902-93]

앤더슨[3]〔Anderson, Maxwell〕명〘사람〙미국의 극작가. 사회에 대한 비판 정신 및 휴머니즘을 기조로 많은 소설·희곡을 발표하였으며, ≪저널리스트≫ 등으로 시극(詩劇)에도 새로운 한 국면을 보임. 대표작에 ≪흰 사막≫·≪영광≫ 등이 있음. [1888-1959]

앤더슨[4]〔Anderson, Philip W.〕명〘사람〙미국의 물리학자. '벨' 전화 연구소 근무를 거쳐 프린스턴 대학 교수. 고체(固體) 물리의 이론, 특히 자성(磁性)과 초전도(超傳導) 연구에 업적이 많으며, 로웰(Rowell, J.M.)을 지도하여 조지프슨 효과를 관측하고 이론적으로 해명함. '자기 및 불규칙 시스템의 전자 구조'에 관한 연구 분야에서 이룩한 업적으로, 밴 블렉(Van Vleck, J.H.), 모트(Mott, N.F.) 등과 함께 1977년 노벨 물리학상(物理學賞)을 수상함. [1923-]

앤더슨[5]〔Anderson, Sherwood〕명〘사람〙미국의 소설가. 근대 기계 문명의 해독을 주로 근로자의 생활에서 취재하여 비판하였음. 주저에 ≪가난한 백인 노동자≫·≪알의 승리≫ 등이 있음. [1876-1941]

앤드〔and〕부 접속 부사 '그리고'의 뜻의 영어. ㊟앤. ¶아르 ∼ 디(R&D).

앤드-런〔and run〕명 야구에서, '히트 앤드 런(hit and run)'의 약어.

앤드롤로지〔andrology〕명〘의〙남성의 생식 현상을 연구하는 학문. 남성의 피임법·불임증·정관(精管) 수술의 부작용 등이 연구 대상임. 남성 과학(男性科學).

앤드루:스〔Andrews, Thomas〕명〘사람〙영국의 물리 화학자. 탄산 가스 등 기체의 액화에 대하여 연구, 임계(臨界) 온도·임계압(壓)을 발견함. 그 밖에 반응열이나 오존(ozone)에 대한 연구가 있음. [1813-85]

앤드 회로【AND 回路】명 논리곱 회로.

앤 불린〔Anne Boleyn〕명〘사람〙헨리 8세의 두 번째 왕비. 엘리자베스 1세의 모(母). 처음에는 왕비 캐서린의 시녀였음. 뒤에 왕의 총애를 받아 1533년 결혼했으나, 교황 클레멘스 7세는 이 결혼을 인정하지 않아, 영국 종교 개혁(宗敎改革)의 원인이 됨. 불의(不義)를 이유로 처형(處刑)당함. [1507-36]

앤생이 명 잔약한 사람 또는 물건.

앤솔러지〔anthology〕명〔그리스어의 anthos는 꽃을 의미함〕①명시 선집(名詩選集). 사화집(詞華集). ②명곡집. ③명화집.

앤수리엄〔anthurium〕명〘식〙홍학꽃.

앤 여왕【―女王】〔Anne〕[―녀―] 명〘사람〙영국 스튜어트 왕조 최후의 여왕. 제임스 2세의 딸로 메리 여왕의 동생. 그의 치세중에 대(大)브리튼 왕국이 성립하고, 스페인 계승 전쟁·앤 여왕 전쟁이 있었으며, 입헌 군주제의 원칙이 확립되었음. [1665-1714]

앤 여왕 전:쟁【―女王戰爭】〔Anne〕[―녀―] 명〘역〙스페인 계승 전쟁과 거의 때를 같이하여 일어난, 북미(北美)에 있어서의 영국과 프랑스 사이의 식민지 전쟁. 1702년에 시작되어 1713년에 끝남.

앤저스〔ANZUS〕명〔Australia, New Zealand and the United States의 약칭〕〘정〙태평양 안전 보장 조약.

앤태거니즘〔antagonism〕명 적대(敵對). 대립. 반항.

앤터니[1]〔Anthony〕명 일반적으로, 사진관에서 쓰는 대형 조립 카메라. 1840년대초 조립 카메라로 사진을 찍은 미국의 앤터니가 1907년에 팔기 시작한 카메라의 상품명에서 온 말임.

앤터니[2]〔Antony, Mark〕명〘사람〙'안토니우스(Antonius)'의 영어명.

앤터뷰:스〔antabus〕명〘약〙테트라 에틸 다이우람 다이설파이드(tetraethyl thiuram disulphide)의 약품명. 담황색의 결정성 분말. 몸 안에서 알데히드 산화 효소를 억제하는 작용이 있으므로 알코올 음료와 함께 복용하면 섭취된 알코올은 알데히드의 단계로 축적되는데 이 결과 매우 불쾌한 증상이 나타나게 됨. 이 작용을 이용하여 근래 금주제(禁酒劑)로 널리 사용되고 있음.

앤통 부〈방〉온통(함경·평안).

앤트워:프〔Antwerp〕명〘지〙'안트베르펜'의 영어명.

앤티-〔anti-〕투 '반(反)·반대(反對)'의 뜻. 안티-.

앤티가 바:부다 명〔Antigua and Barbuda〕〘지〙카리브 해에 있는 영연방 내의 독립 국가. 앤티가·바부다·레돈다(Redonda) 등 세 섬으로 이루어졌으며, 1967년 이래 영국의 자치령이었다가 1981년 독립함. 인구의 90% 이상이 앤티가 섬에 살고 있으며, 대다수가 아프리카 노예의 후예들임. 주산업(主産業)은 목화와 사탕수수임. 수도는 세인트존즈(St. John's). [442 km²: 100,000 명(1991 추계)]

앤티-노크〔anti-knock〕명〘화〙노킹을 없애기 위하여 연료에 섞는 물질. 내폭제(耐爆劑).

앤티노크-성【―性】〔anti-knock〕명〘화〙내폭성(耐爆性).

앤티노크-제【―劑】〔anti-knock〕명〘화〙앤티노크.

앤티-미사일〔anti-missile〕명〘군〙유도 병기(誘導兵器)를 요격(邀擊)하는 방위 병기(防衛兵器). 적의 미사일이 자기 편의 목표물에 도달하기 전에 전파 탐지기·적외선 탐지기 등으로 포착하여 이를 격파함.

앤티-세미티즘〔anti-Semitism〕명〘정〙유태인 박해 운동. 나치스뿐만 아니라 다른 나라에서도 있었으며, 미국에서는 18세기말 강력하게 일어났었음. 반(反)유태주의.

앤티-쿼:크〔antiquark〕명〘물〙쿼크의 반입자(反粒子). ↔쿼크.

앤티:크〔antique〕명 앙티크(antique).

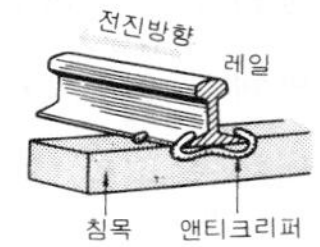

〈앤티크리퍼〉

앤티-크리:퍼〔anti-creeper〕명 레일은 침목(枕木)에 대하여, 침목은 노반(路盤)에 대하여, 궤도 방향(軌道方向)으로 이동하여 레일의 연결부(連結部)가 넓어지거나 좁아지는 것을 막기 위하여, 침목과 노반 또는 레일과 침목을 잡아맬 때 쓰는 금속 제구(金屬諸具).

앤티-클라이맥스〔anti-climax〕명 ①〘문〙수사법에서 어세(語勢)나 문세(文勢)를 점점 약하게 하는 일. 점강법(漸降法). ②〘연〙연극에서 시작을 강하게 하고 결말에 가까워 감에 따라 점점 약하게 하는 구성법. ③용두 사미. 1)-3):↔클라이맥스.

앤티트러스트-법【―法】〔anti-trust〕[―뻡] 명〘법〙반트러스트법(反trust法).

앤티퍼디:스 제도【一諸島】〔Antipodes〕 명 『지』 뉴질랜드 동남방(東南方)에 있는, 암산(岩山)으로 된 동국령(同國領)의 섬들. 무인도들임. 「60 km²〕

앤티-프로톤〔anti-proton〕 명 『화』 반양성자(反陽性子).

앤틸리스 제도【一諸島】〔Antilles〕 명 『지』 미국 플로리다 반도 남방에서 베네수엘라의 해안까지 4,000 km에 걸쳐 뻗어 있는, 서인도 제도 중의 두 개의 섬무리. 쿠바·자메이카·아이티·푸에르토리코 등의 큰 섬을 포함하는 대(大)앤틸리스와 트리니다드·바베이도스·리워드 제도·윈드워드 제도 등을 포함하는 소(小)앤틸리스로 되어 있음.

앤틸리스 해:류【一海流】 명 〔Antilles Current〕 『지』 해류의 하나. 북적도(北赤道) 해류의 일부를 이루며, 쿠바·도미니카·아이티·푸에르토리코 등을 포함하는 대(大)앤틸리스의 북쪽을 흐름.

앨라모고:도〔Alamogordo〕 명 『지』 미국 뉴멕시코 주(州)의 상업·보양(保養) 도시. 농목산품(農牧產品)의 집산이 성함. 해발 1,300 m에 있으며, 기후·경치가 좋음. 1945년 7월 16일 근교에서 세계 최초로 원자 폭탄의 폭발 실험이 행해졌음. 〔24,000 명(1980)〕

앨라배마 강【一江】〔Alabama〕 명 『지』 미국 남부 앨라배마 주 중앙부를 관류(貫流)하는 강. 충적지(沖積地)는 면화 지대의 중요부. 〔499 km〕

앨라배마 주【一州】〔Alabama〕 명 『지』 미국 남부 미시시피 강과 조지아 주 사이에 있는 주(州). 전반적으로 기후는 온난 다우(溫暖多雨)함. 앨라배마 강의 유역(流域)을 주(主)로 하여 면화 지대의 중심부이며, 목축이 성하고 철광석·석탄이 많이 남. 남부 최대의 제철주(製鐵州)임. 주도는 몽고메리(Montgomery). 〔134,000 km²: 4,040,587 명(1990)〕

앨라배민〔alabamine〕 명 『화』 1932년 앨라배마 대학(大學)의 앨리슨(Allison) 교수가 모나자이트(monazite)에서 85번 원소로 발견하였다고 하는 원소. 오늘날에는 인정치 않음.

앨러게이니 강【一江】〔Allegheny〕 명 『지』 미국 뉴욕 주 남서부로부터 펜실베이니아 주 서부를 관류(貫流)하여 피츠버그에서 오하이오 강과 합류하는 강. 〔520 km〕

앨러게이니 산지【一山地】〔Allegheny〕 명 『지』 미국 동부 애팔래치아 산맥의 일부를 이루고 있는 산지 및 대지. 대지에는 석탄·석유·천연 가스 등이 많음.

앨러배스터〔alabaster〕 명 설화 석고(雪花石膏).

앨러배스터 유리 명 〔alabaster glass〕 유리의 한 가지. 여러 가지 굴절률을 가진 불순물이 섞여, 빛에 대하여 색조의 변화를 나타내지 않음.

앨러지〔allergy〕 명 '알레르기'의 영어명.

앨러페인〔allophane〕 명 점토 광물(粘土鑛物)의 하나. 화산회(火山灰)의 풍화로 인하여 생기는, 알루미늄분이 많은 규산염(硅酸塩).

앨로〔aloe〕 명 『식』 알로에.

앨리〔alley〕 명 볼링에서, 공을 굴리는 대(臺). 길이 70피트 곧, 18.28 m, 폭 41인치 곧, 1.04 m의 나무로 만든 마루. 양쪽 가는 단풍나무, 중앙 부분은 소나무로 만듦. 레인(lane).

앨리게이터〔alligator〕 명 ① 『동』 악어과에 속하는 동물. 주둥이의 폭이 넓고, 선단이 둥글며 아래턱의 견치상의 제4치(齒)는 입을 다물면 위턱에 있는 구멍으로 들어가 보이지 않음. 미국의 남동부에서 나는 *Alligator mississipiensis*와 중국 양쯔강에서 나는 *A. sinensis*가 있을 뿐임. 후자(後者)는 몸길이 2 m 정도, 몸빛은 암흑색에 불규칙한 회황색 횡대(灰黃色橫帶)가 있으며, 전자(前者)는 몸이 커서 4.8 m에 달하고 몸빛은 후자와 비슷함. 강·늪 같은 곳에 서식하며 8월경에 강가에 나뭇잎·풀을 모아 둥우리를 만들고 38개 정도의 알을 낳음. 성질(性質)은 온화하고 동작(動作)이 느림. 가죽은 여러 모로 이용됨. ②미국산 악어의 가죽.

〈앨리게이터❶〉

앨리데이드〔alidade〕 명 나침반·평판 측량기(平板測量器) 따위에 붙이어 목표로 하는 방향을 정하는 장치의 하나. 눈금의 두 쪽 끝에 직립할 수 있는 두 장의 널쪽을 붙이어, 눈금판의 중심의 둘레를 회전시키며 눈금을 정밀하고 세세하게 읽을 수 있도록 되어 있는 것. 조준의(照準儀). 지방규(指方規). 알리다드.

앨리먼트〔aliment〕 명 ①식물(食物). 자양물(滋養物). ②부양(扶養). 부조(扶助).

앨리스-스프링스〔Alice Springs〕 명 『지』 오스트레일리아 중앙부 산지의 도시. 애들레이드(Adelaide)와는 철도로, 다윈과는 고속 도로로 연결(連結)되는 교통의 요지(要地)로, 전화(電話)의 중계지(中繼地)이며 가축의 집산지(集散地)임. 〔20,000 명(1982)〕

앨바레즈〔Alvarez, Luis Walter〕 명 『사람』 미국의 물리학자. 1945년 캘리포니아 대학 교수. 제2차 대전중에는 레이더와 원자 폭탄의 개발에 참가. 액체 수소(液體水素)를 사용한 거품 상자 곧, 과열 상태에 있는 액체의 비등(沸騰)을 이용하여 방사선 입자(放射線粒子)의 비적(飛跡)을 관측하는 장치를 연구하고, 겸하여 전자 계산기(電子計算機)로 관측 데이터를 고속도(高速度)로 해석(解析)하는 기술을 개발, 단수명(短壽命)인 10^{-22}초 이하인 입자(粒子)의 관측을 가능케 하고 반 람다(反λ) 입자와 수많은 공명 상태(共鳴狀態)를 발견했음. 1968년 노벨 물리학상 수상. 〔1911-88〕

앨버커:키〔Albuquerque〕 명 『지』 미국 뉴멕시코 주의 중심 도시. 농산물의 집산지로 식품 가공 등의 공업도 행해지며, 보양지(保養地)이기도 함. 1706년에 스페인 사람이 건설했음. 〔332,000 명(1980)〕

앨버:타 산【一山】〔Alberta〕 명 『지』 캐나다 서부 캐나디안로키의 고산(高山). 부근 일대는 호수·빙하·협곡(峽谷)이 많으며, 대규모의 재스퍼(Jasper) 국립 공원을 이룸. 〔3,895 m〕

앨버:타 주【一州】〔Alberta〕 명 『지』 캐나다 서부 산지의 미국과 접경하고 있는 주(州). 농업이 주이며 석탄·석유가 풍부하여, 주(州)의 동북부 애서배스카(Athabasca) 강안(江岸)에서는 세계 제일의 오일 샌드(oil sand) 즉, 유사(油砂)를 이용한 석유 개발(石油開發)이 행해지고 있음. 서경(西境)의 앨버타 산 부근은 재스퍼 국립 공원. 그 남쪽엔 밴프(Banff) 국립 공원이 있음. 〔661,188 km²: 2,238,000 명(1981 추계)〕

앨버:트〔Albert, Francis Charles Augustus Emmanuel〕 명 『사람』 독일의 왕자. 영국 빅토리아 여왕과 결혼 후, 영국에 귀화하여 콘소트공(Consort 公)으로 알려짐. 〔1819-61〕

앨버트로스〔albatross〕 명 『조』 신천옹(信天翁).

앨버:트 호【一湖】〔Albert〕 명 『지』 중앙 아프리카 동부, 우간다와 자이르와의 경계에 있는 호수. 호면(湖面)은 해발 619 m. 백(白) 나일 강의 원류(源流)의 하나로 어류가 풍부함. 자이르측 고지는 농업·목축 지역임. 〔약 5,200 km²〕

앨범〔album〕 명 ①사진첩(寫眞帖). ②음반.

앨비언〔Albion〕 명 『지』 〔'흰 언덕'의 뜻〕 영국(英國)의 고칭(古稱).

앨:-써 준 애를 써서.

앨커미〔alchemy〕 명 ①연금술(鍊金術). ②일반적으로, 물질을 바꾸는 비법(秘法).

앨퀸〔Alcuin〕 명 『사람』 카롤링거(Carolinger) 시대의 주교. 781년 프랑크(Frank) 국왕 카를(Karl) 1세의 초빙으로 아헨(Aachen)의 궁전에 들어가, 고전 학예(學藝)와 그리스도교의 융합에 의한 학제 개혁을 행하고, 궁정 아카데미에 많은 학자와 예술가를 모아 카롤링거 르네상스의 중심 인물이 됨. 〔735?-804〕

앨트루이스틱〔altruistic〕 명 애타주의적(愛他主義的). 이타주의적(利他主義的). 애타적(愛他的).

앨트루이즘〔altruism〕 명 『윤』 애타주의(愛他主義).

앨팰퍼〔미 alfalfa〕 명 『식』 자주개자리의 미국어명.

앨프레드 대:왕【一大王】〔Alfred〕 명 『사람』 고대 영국 서색슨인(西 Saxon 人)의 왕. 덴마크인의 침입을 막아 남(南)잉글랜드를 통일하였으며, 해군을 창설하고, 옥스퍼드 대학을 세움. 문재(文才)가 있어 영국 산문 문학의 아버지로 불리기도 함. 〔849-899〕

앨프릭〔Ælfric〕 명 『사람』 영국의 사제(司祭). ≪설교집(說敎集)≫·≪성도전(聖徒傳)≫ 등 고영어(古英語)의 중요 문헌을 남겼고, 앵글로색슨 시대 제일 가는 산문가(散文家)로 알려짐. 〔955?-1020?〕

앰네스티 인터내셔널〔Amnesty International〕 명 부당하게 체포·투옥된 정치 사상 범인의 석방 운동을 목적으로 하는 국제 구원(救援) 조직. 1961년 영국의 변호사 피터 베넨슨에 의해 창설되어, 본부를 런던에 둠. 전세계 33개국에 지부(支部)를 두고, 78개국에 회원(會員)을 갖고 있음. 1977년도 노벨 평화상을 수상함. 국제 사면 위원회(國際赦免委員會).

앰버〔amber〕 명 ①호박(琥珀). 호박색. ②『연』 연극에서 램프나 전등의 보조 광선(補助光線). 석양(夕陽) 등의 효과를 내는 등색(橙色)의 색광(色光).

앰버 유리【一琉璃】 명 〔amber glass〕 황(黃)과 산화철(酸化鐵)의 여러 가지 혼합물(混合物)을 사용하여 만든 착색(着色) 유리의 하나. 혼합 비율(混合比率)에 따라 엷은 노랑에서 진홍(眞紅)의 호박색(琥珀色)까지 낼 수 있음.

앰뷸런스〔ambulance〕 명 ①야전 병원. ②상병자(傷病者) 운반용 자동차·배·비행기. ③구급차(救急車).

앰뷸런스 카:〔ambulance car〕 명 앰뷸런스❸.

앰블러〔Ambler, Eric〕 명 『사람』 영국의 추리 소설 작가·영화 각본가. 런던 대학에서 공학을 배웠으나 후에 문학으로 전향했음. ≪데미트리오스(Demetrius)의 관(棺)≫·≪공포에의 여행≫·≪무기의 길≫ 따위 스파이 소설에 많은 걸작을 발표함. 〔1909- 〕

앰비션〔ambition〕 명 대망(大望). 큰 포부. 야심. 공명심.

앰풀:〔ampoule〕 명 『의』 일회분(一回分)의 주사액(注射液)을 넣은 조그만 유리 용기(容器).

앰프 명 ↗앰플리파이어.

앰플리다인〔amplidyne〕 명 『기』 직류 발전기(直流發電機)의 하나. 계자(界磁)코일에 가하여진 작은 전력 변화를 큰 전력 변화로 증폭 하는 장치.

앰플리파이어〔amplifier〕 명 『물』 증폭기(增幅器). ㊀앰프.

앰플 스타일〔ample style〕 명 〔앰플은 '풍부한·충족한'의 뜻〕 주로 코트(coat)에서, 매우 큰 느낌을 주는 오프보디(off-body) 스타일.

앰:-하다 형여불 ↗애매하다. ¶앰한 사람 욕 먹이지 마라.

앳 조 〈옛〉 ①에 있는. ¶東都앳 도ᄌᆞ기(東都之賊) ≪龍歌 59章≫/모맷 病 업스샤ᄃᆡ(身無恙矣) ≪龍歌 102章≫. ②에 쓰는. ¶노ᄅᆞᆺ 바오리 실씨(嬉戲之毬)≪龍歌 44章≫.

앳가 부 〈옛〉 아까. 앞서. ¶모딘 이브로 구지저 비우스면 큰 罪報 어두미 몬져 니르ᄃᆞᆺ ᄒᆞ며 得혼 功德도 앳가 니르ᄃᆞᆺ ᄒᆞ야≪釋譜 XIX:26≫.

-앳다 어미 〈옛〉 ①-아 있다. ¶福올 닷가 하ᄂᆞᆯ해 나앳다가≪月釋 I:42≫/ᄒᆞᆫ번 주거 하ᄂᆞᆯ해 갯다가 ≪月釋 II:19≫. ②-어 있다. ¶가도앳던 사ᄅᆞᆷ 노코≪釋譜 IX:33≫/會中은 모댓ᄂᆞᆫ 中이라 ≪釋譜 XIII:12≫.

앳-되다 형 애티가 있어 아주 어려 보이다. ¶나이보다 앳되어 보인다.

앳 조 〈옛〉 에. ¶百步앳 여름 쏘샤(射果百步)≪龍歌 63章≫.

앵¹【嬰·罌】 명 『미술』 목이 길다란 병.

앵² 부 모기나 벌 같은 벌레들이 빨리 날 때에 나는 소리. *붕·앵·잉·윙. 「——-하다 자여불

앵³ 감 뉘우치거나 성나거나 딱하거나 싫증이 날 때에 내는 소리. <엥.

앵가¹【鶯歌】 명 꾀꼬리의 노래.

앵가²【鸚哥】 명 『조』 앵무새❶.

앵가-록【鸚哥綠】 명 『미술』 총취청(葱翠靑).

앵개미 명 〈방〉 『동』 고양이(경상).

앵구 명 〈방〉 『동』 고양이(경남).

앵그르〔Ingres, Jean Auguste Dominique〕 명 『사람』 프랑스의 화가. 르네상스에 경도(傾倒)하여 고전파의 지도자로서 고전주의 회화를 완

성하였음. 고전의 격조(格調) 속에서 사실(寫實)주의적인 감각을 보여 근대 회화의 시조로도 평가됨. 작품에 ≪호메로스 예찬≫·≪터키 목욕탕≫ 등이 있음. [1780-1867]

앵글 [angle] 명 각. 각도(角度). ¶카메라 ~.

앵글로-색슨 [Anglo-Saxon] 명 ①〖인류〗영국인의 주요 구성 민족. 본시 게르만 민족에 속하는 앵글족(Angle族)·색슨족(Saxon族)·유트족(Jut族)으로 이루어지며, 원주지(原住地)는 북부 독일·덴마크 지방임. 5세기경 민족 대이동(大移動) 때에 영국에 건너가 선주민(先住民)인 브리튼인(Briton人)을 정복, 9세기초까지에 7개 왕국을 건설했음. 600년경 그리스도교의 교화(敎化)와 로마 문화의 영향을 받아 8-10세기에 앵글로색슨 문화의 전성기(全盛期)를 이룩했으나 1066년에는 노르만인(Norman人)에게 정복됨. 현재의 영국인의 민족적·언어적·문화적 기초는 이에 의하여 확립됨. 앵글로색슨인(人). *색슨족. ②영국 국민. ③영어를 말하는 국민.

앵글로색슨-어【一語】[Anglo-Saxon] 명〖언〗영어가 처음으로 문헌에 나타나는 7세기말부터 11세기까지의 영어. 고영어(古英語).

앵글로색슨-인【一人】[Anglo-Saxon] 명〖인류〗앵글로색슨❶.

앵글로스위스 스타일 [Anglo-Swiss style] 명 피겨스케이팅의 방법의 하나.

〈앵글로아랍종〉

앵글로아랍-종【一種】[Anglo-Arab] 명〖동〗서러브레드(thoroughbred)의 암컷에 아랍의 수컷을 교배(交配)시켜 낳은 승용마(乘用馬). 프랑스 남서부(南西部) 지방 원산(原産)임. 키는 155-160cm이며 서러브레드보다 사육하기 쉽고 몸도 건장함.

앵글로-아메리카 [Anglo-America] 명 북아메리카 대륙, 특히 미국과 캐나다 지역의 일컬음. 앵글로색슨인(Anglo-Saxon人)이 주체(主體)가 되어 있는 북아메리카(중앙 아메리카를 제외한)의 범위(範圍)에 해당하며, 라틴 아메리카에 대응(對應)하여 이르는 말임. [21,500,000 km²]

앵글리컨 교:회【一敎會】[Anglican] 명〖기독교〗영국 국교회 및 그 전통과 교의를 신봉하는 여러 교회의 총칭. 앵글리컨 처치. 영국 국교회(英國國敎會).

앵글리컨 처:치 [Anglican Church] 명〖기독교〗앵글리컨 교회.

앵글 밸브 [angle valve] 명 유체(流體)의 흐름의 방향이 90°로 꺾이게 된 밸브.

앵글 숏 [angle shot] 명 영화·텔레비전 등에서, 카메라의 위치를 바꾸어 동일 장면을 다른 각도에서 촬영하는 일.

앵글-족【一族】[Angle] 명〖인류〗게르만 민족 중의 한 부족. 원주지(原住地)는 북유럽임. 5-6세기에 브리튼(Britain) 섬으로 건너와 오늘날의 영국인 선조(先祖)의 하나가 되었음. 장신(長身)·푸른 눈·가늘고 높은 코 등, 북방 백인종(北方白人種)의 특징(特徵)을 갖추고 있음. *앵글로색슨.

앵금-질 명〈방〉앙감질. ——-하다 자

앵기다 타〈방〉안기다.

앵기-손까락 명〈방〉새끼손가락(경상).

앵끼-손까락 명〈방〉새끼손가락(경상).

앵니 명〈방〉사면발이.

앵데팡당 [프 indépendants] 명 [Salon des Artistes Indépendants (독립 미술가 전람회)의 약칭]〖미술〗①1884년 관설(官設) 살롱에 반대하여 창립된 프랑스 미술가의 살롱. 또, 여기에 출품한 작가(作家). 매년 봄, 파리에서 무감사제(無監査制) 살롱을 개최함. ②❶에서 변하여, 무명 미술가들의 전람회를 일컫는 말.

앵도【櫻桃】명 → 앵두.

앵도-병【櫻桃餠】명 → 앵두편.

앵도-숙【櫻桃熟】명 → 앵두숙.

앵도-창【櫻桃瘡】명〖한의〗목에 나는 앵두만한 종기의 한 가지.

앵도-화【櫻桃花】명 앵두꽃.

앵-돌아앉다 [一안따] 자 마음이 토라져서 홱 돌아앉다. ¶제까짓 것이 앵돌아앉으면 어쩌겠다는 것이냐.

앵-돌아지다 자 ①마음이 토라지다. ②틀려서 홱 돌아가다.

앵두 명 [←앵도(櫻桃)] 앵두나무의 열매. 함도(含桃).

앵두(를) 따다 구〈속〉(눈물을 뚝뚝 떨어뜨리며) 울다. 눈물을 흘리다.

앵두-꽃 명 앵두나무의 꽃.

앵두-나무 명〖식〗[*Prunus tomentosa*] 장미과에 속하는 낙엽 활엽 관목. 높이 1-3m이고 잎은 거꿀달걀꼴 또는 타원형임. 4월에 분홍색(色) 또는 백색 꽃이 한둘씩 액생(腋生)하고, 핵과(核果)는 다장질(多漿質)이며 구형이고 6월에 홍색으로 익음. 인가 부근에 심는데, 강원도를 제외한 한국 각지 및 일본·만주 등지에 분포함. 정원수로 가꾸고 과실은 식용함.

〈앵두나무〉

앵두-송구락 명〈방〉새끼손가락(전남).

앵두-숙【一熟】명 앵두를 약간 삶은 후에 꿀을 끓여서 담근 음식.

앵두 장수 명 잘못을 저지르고 어디론지 자취를 감춘 사람을 두고 이르는 말.

앵두 정과【一正果】명 앵두의 씨를 빼고 물을 부어서 끓이다가 물을 따라 내고 꿀을 부어서 조린 음식.

앵두-편 명 앵두의 씨를 빼고 체에 걸러서 녹말과 꿀을 치고 약한 불에 조려서 엉기게 하여 굳힌 음식. 앵도병. 앵병(櫻餠).

앵두 화채【一花菜】명 앵두의 씨를 빼고 꿀에 재었다가 다시 꿀물에 넣은 음식.

앵둥이 명〈방〉엉덩이(평안).

앵둥-판 명〈방〉엉덩판(평안).

앵명【嚶鳴】명 ①새들이 서로 화답하며 의좋게 지저귐. ¶숲 속의 ~들이 오히려 임 없는 외로움을 더해 주느니. ②전(轉)하여, 친구간에 매우 다정스럽고 의가 좋음을 비유하는 말. ——-하다 자여불

앵무【鸚鵡】명〖조〗앵무새.

앵무-가【鸚鵡歌】명〖문〗신라의 노래. 흥덕왕(興德王)이 지었다 하나 가사는 전하지 아니함. 흥덕왕 즉위초(卽位初)에 중국 당(唐)나라에서 가져온 앵무 한 쌍 중, 죽은 암컷을 그리어 울다 죽은 수컷을 위해 지었다 함.

앵무-배【鸚鵡盃】명 자개 껍질로, 앵무새의 부리 모양으로 만든 술잔.

앵무-병【鸚鵡病】[一뼝] 명 앵무새·카나리아·비둘기 등 조류(鳥類)의 바이러스가 사람에게 감염하여 폐렴·장티푸스와 비슷한 증상을 나타내는 병.

앵무-새【鸚鵡一】명〖조〗①앵무샛과에 속하는 새의 총칭. 앵가(鸚哥). 앵무. 팔가(八可). 팔팔아(八八兒). *잉꼬. ②[*Psittacus erithacus*] 앵무샛과에 속하는 새의 하나. 날개 길이 23-26cm, 꽁지 길이 9-11cm이고 부리는 3-3.8cm임. 몸빛은 다른 앵무새와 달라서 회색이며, 목·가슴·배면(背面)·깃의 가는 담색(淡色)이고 허리는 담회색, 꽁지의 하미통(下尾筒)은 홍적색(紅赤色) 또는 선홍색(鮮紅色)임. 부리는 매우 만곡(彎曲)되고 흑색이며, 눈은 회백색이고 다리는 흑색이며 나출(裸出)한 눈 주위는 옅은 살빛임. 높은 나무에 한 쌍 또는 대군(大群)을 지어 살며, 과실·곡물 등을 먹고 나무 구멍에 백색의 알을 두 개 낳음. 사람의 말 흉내를 가장 잘 냄. 원산지인 열대 아프리카 서해안에 분포되고, 각국에서 사육함. 앵무(鸚鵡). 혜조(慧鳥).

〈앵무새❷〉

[앵무새는 말 잘해도 날으는 새다] 말만 잘하고 실행이 조금도 따르지 않는 사람을 비양하는 말.

앵무샛-과【鸚鵡一科】명〖조〗[Psilttacidae] 두견목(杜鵑目)에 속하는 한 과. 이 과에 속하는 새는 종류가 많은데, 큰 것은 닭만하고, 작은 것은 참새만하며, 부리는 대체로 크고 끝이 굽어들었으며 혀는 육질(肉質)이어서 다른 새의 소리나 사람의 말을 잘 흉내 내는 것이 특징임. 언제나 삼림 속에서 떼를 지어 살며, 나무의 열매나 씨를 따 먹는데 때로는 벌레도 잡아먹음. 농조(籠鳥)로 많이 기름. 앵무새·잉꼬 등이 이에 속함.

앵무-석【鸚鵡石】명〖광〗공작석(孔雀石)의 한 가지.

앵무-조개【鸚鵡一】명〖조개〗[*Nautilus pompilius*] 앵무조갯과에 속하는 바닷물 조개. 패각(貝殼)은 좌우가 상칭(相稱)이며, 거죽은 미끄럽고 나층(螺層)은 적으며, 유백색(乳白色) 바탕에 갈색 또는 자갈색의 엽상맥(葉狀脈)이 있음. 껍질 안에는 여러 개의 무른 격벽(隔壁)이 있어 많은 작은 기실(氣室)로 나뉘며 동물체는 마지막 실에 있음. 누두(漏斗)에서 물을 분출하여 빨리 이동함. 깊이 700m 정도의 바다에 서식하는데, 인도양·오스트레일리아·말레이 반도·필리핀·피지 제도 등지에 분포함. 동물체가 죽으면 껍질은 분리되어 흘러 다님. 껍질은 조각하여서 술잔으로도 씀.

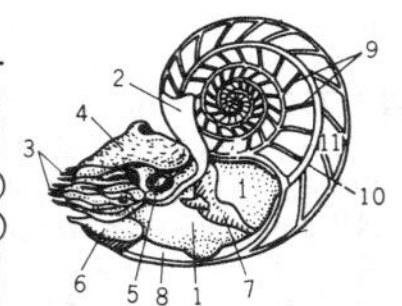

1. 외투(外套) 2. 외투 배측엽(外套背側葉) 3. 팔 4. 두건 5. 눈 6. 누두(漏斗) 7. 각근(殼筋) 8. 주방(住房) 9. 격벽(隔壁) 10. 체관(體管) 11. 실(室)
〈앵무조개〉

앵무조개-목【鸚鵡一目】명〖조개〗[Nautiloidea] 연체 동물(軟體動物) 두족류(頭足類) 중 사새류(四鰓類)에 속하는 한 목.

앵미 명 [←악미(惡米)] 쌀 속에 섞여 있는, 겉이 붉고 질이 낮은 쌀. 적미(赤米). 조려(粗糲).

앵바:르 [프 invar] 명 '인바'의 프랑스어명.

앵베르 [Imbert, Laurent Marie Joseph] 명〖사람〗프랑스의 천주교 주교. 파리 외방 전교회 소속으로, 1838년 서울에 잠입하여 조선의 대목(代牧)으로 전도하다가, 헌종(憲宗) 5년(1839) 박해를 입어 기해 사옥(己亥邪獄) 때, 샤스탕(Chastan)·모방(Maubant)과 함께 순교하였음. 순교 성인(聖人)으로, 1984년 102위(位) 한국 순교 성인들과 함께 시성(諡聖)됨. 당시의 신도의 전기(傳記)를 꾸몄는데, 뒤에 1858년 파리에서 ≪기해 일기(己亥日記)≫로 간행됨. 한국명은 범세형(范世亨). [1797-1839]

앵병[1]【甖甁】명 목이 길고 작은 항아리.

앵병[2]【櫻餠】명 앵두편. 버찌편.

앵삼【鶯衫】명〖역〗조선 시대 때 연소자가 생원·진사에 합격한 때에 입거나 또는 그 외의 신래 급제(新來及第)가 입던 황색의 예복.

앵생이 명〈방〉앤생이.

앵설【鶯舌】명 [꾀꼬리의 혀라는 뜻] 꾀꼬리가 우는 소리. 앵순(鶯脣).

앵성【鶯聲】명 꾀꼬리의 노래 소리. 또, 꾀꼬리와 같이 고운 목소리. 앵어(鶯語).

앵속【罌粟】명〖식〗양귀비[2].

앵속-각【罌粟殼·鶯粟殼】명〖한의〗양귀비 열매의 껍질. 이질·해수·설사·배앓이 등에 약으로 쓰임. ㊀속각(粟殼).

앵속-자【罌粟子】명〖한의〗양귀비의 씨. 설사·경련 등에 약제로 씀. 앵자속(罌子粟). 어미(御米).

앵속-화【罌粟花】명 양귀비꽃.

앵순[1]【櫻脣】명 [앵두 같은 입술이라는 뜻] 미인(美人)의 고운 입술.

앵순[2]【鶯脣】명 [꾀꼬리의 입술이라는 뜻] 꾀꼬리가 우는 소리. 앵설.

앵실【櫻實】[명] 벚나무의 열매. 버찌.
앵아 [명] 〈방〉 물몽둥이.
앵아리 [명] 〖충〗 〈심마니〉 벌.
앵-앵 [부] 모기 등이 빨리 날 때 연해 나는 소리. ――하다 [자][여불]
앵앵-거리다 [자] 모기나 벌 등이 날면서 앵앵 소리를 내다.
앵앵-대다 [자] 앵앵거리다.
앵어【鶯語】[명] 〈아〉 앵성(鶯聲).
앵월【櫻月】[명] 음력 삼월.
앵의【鶯衣】[―/―이] [명] 꾀꼬리의 깃털.
앵이¹ [명] 〈속〉 돈.
앵이² [명] 〈방〉 진딧물(경남).
앵이-손까락 [명] 〈방〉 새끼손가락(경북).
앵자-동【罌子桐】[명] 〖식〗 유동(油桐).
앵자-속【罌子粟】[명] 〖약〗 앵속자(罌粟子).
앵전【鶯囀】[명] 꾀꼬리가 지저귐.
앵접【鶯蝶】[명] 노래하는 꾀꼬리와 춤추는 나비.
앵제【鶯啼】[명] 꾀꼬리의 울음.
앵지-손까락 [명] 〈방〉 새끼손가락(경남).
앵천【鶯遷】[명] 〔꾀꼬리가 골짜기에서 나와 높은 나무에 앉는다는 뜻〕 과거(科擧)에 급제하는 일. 또, 승진(昇進)·이사(移徙) 등을 축하할 때에도 이름.
앵천세:류-세【鶯遷細柳勢】[명] 〖악〗 거문고 연주에서, 꾀꼬리가 가는 버들가지 사이를 오가듯 유연하게 표현하라는 말.
앵초【櫻草】[명] 〖식〗 〔*Primula sieboldii*〕 앵초과에 속하는 다년초. 화경(花莖)은 높이 20cm 내외이고, 근생엽(根生葉)은 총생(叢生)하며 장병(長柄)이고 길이 10cm인데 달걀꼴의 긴 타원형 혹은 달걀꼴이고, 잔 톱니가 있음. 7월에 홍자색 꽃이 산형(繖形) 화서로 정생(頂生)하여 벚꽃 모양으로 피고, 과실은 삭과(蒴果)임. 개량종(改良種)으로는 백색·자색·분홍색 꽃이 있음. 산지(山地)에 나는데, 강원·경기·평북·함남·일본 등지에 분포함. 관상용으로 가꿈. 풍륜초(風輪草).

〈앵초〉

앵초-과【櫻草科】[―꽈] [명] 〖식〗 〔Primulaceae〕 쌍자엽 식물 합판화류(合瓣花類)에 속하는 한 과. 중국 서부·티베트 등의 주로 북반구(北半球)에 350여 종이 분포하고, 한국에는 봄맞이꽃·종다리꽃·좁쌀풀·기생꽃 등이 분포함.
앵커¹ 〔anchor〕 [명] ①닻. ②앙그루. ③릴레이 경주에서, 최후의 주자. ④야구에서, 한 팀의 최강타자. ⑤〖군〗 방어선의 주요 지점. ⑥등산에서, 확보자(確保者)가 미끄러져 떨어지는 등반자(登攀者)에 휘말려들지 않도록 바위 모서리나 나무·하켄 따위로, 자신을 확보하는 일. 자기 확보(自己確保). ⑦〔anchoring〕 앵커 볼트나 철근(鐵筋)의 끝을 기초 콘크리트에 묻어 뽑아지지 않도록 정착(定着)시키는 일. 정착. ⑧↗ 앵커 맨.
앵커² 〔anker〕 [의명] 용적(容積)의 단위. 미국에서 10갈론. 액체(液體), 특히 꿀·기름·초(醋)·알코올·주류(酒類)를 되는 데 쓰임.
앵커리지 〔Anchorage〕 [명] 〖지〗 미국 알래스카의 남안(南岸) 케나이 반도(Kenai半島) 기부에 있는 알래스카 최대의 도시. 여름에는 서늘하고 겨울에는 뉴욕 정도의 기후임. 북극권 항로의 기지로서, 교통·군사의 요지이기도 함. 1915년에 건설되어, 제2차 세계 대전중에 크게 발전했음. 〔226,338 명(1990)〕
앵커 맨 〔anchor man〕 [명] 방송에서, 각종 뉴스를 종합한 원고를 기초로 해설하는 방송원(放送員) 또는 종합 뉴스 사회자(司會者). [준]앵커.
앵커 볼: 〔anchor ball〕 [명] 해난 구조(海難救助)에서 쓰는, 갈고리 달린 발사체(發射體). 인명(人命) 구조용으로, 조난선(遭難船)의 삭구(索具)를 향하여 발사함.
앵커 볼트 〔anchor bolt〕 [명] 〖공〗 기초 볼트(基礎 bolt).
앵커 부표【―浮標】[명] 〔anchor buoy〕 ①닻으로 고정(固定)되어 있는 부표. ②닻의 위치를 나타내는 부표.
앵커 체인 〔anchor chain〕 [명] 선박(船舶)과 닻을 연결하는 쇠사슬.
앵클 렝스 〔ankle length〕 [명] 복사뼈까지 내려오는 길이의 스커트나 드레스.
앵클 부:츠 〔ankle boots〕 [명] 발목까지의 길이의 부츠. *하프 부츠.
앵테그랄리슴 〔프 intégralisme〕 [명] 〖문〗 20세기초에 일어난 프랑스 시(詩)의 한 유파(流派). 상징주의에 대한 반동으로 일어난 것으로 시는 종합(綜合)이 아니고, 무한의 완성을 이루게 하는 영원한 창조이므로 하나의 총체(總體)라야만 한다고 하여, 순수시(純粹詩)에 결부시켜 전개하였으나 발전을 보지 못하였음.
앵티미스트 〔프 intimiste〕 [명] 앵티미슴을 주의로 하는 작가(作家)·화가(畫家).
앵티미슴 〔프 intimisme〕 [명] ①〖문〗 현대 프랑스 시단(詩壇)에 있어서의 한 주의. 부드럽고 친밀한 감정을 그대로 노래하며 비교는 표현을 피하여야 한다는 주장. ②〖미술〗 인상파 이후의 프랑스 화단의 주의. 중산 계급의 평온한 가정을 모티프로 하여 평범한 감상적인 미를 그려 조용한 친근감을 떠돌게 하자는 주장.
앵파시빌리테 〔프 impassibilité〕 [명] 〖문〗 비감동성(非感動性). 소설이 개인의 감상(感傷)·고백이나 환상(幻想)의 유희(遊戲)를 그려서는 안 되고, 사실 그대로를 냉정(冷靜)하게 묘사(描寫)해야 한다는 현실적인 작가의 태도. 이를테면, 플로베르(Flaubert)가 ≪보바리 부인≫을 쓴 때의 태도 따위.
앵포르멜 〔프 informel〕 [명] 〖미술〗 제2차 대전 후의 비구상화(非具象畫)의 한 수법 또는 그 작가들 그룹의 호칭. 그림 물감을 화포(畫布)에 흘리거나, 무의미한 형상을 산란(散亂)시키거나 하여 대개는 억센 감정을 표현함. 대표 작가는 프랑스의 마티외(Mathieu; 1921-), 미국의 폴록(Pollock; 1912-1956) 등의 무형파(無形派). 비정형파(非定形派).
앵프롱프튀 〔프 impromptu〕 [명] 〖악〗 즉흥곡(卽興曲).
앵-하다 [형][여불] 무엇에 손해를 보았을 때 마음이 분하고 아깝다. ¶그 때의 앵한 마음이 가시지 않았다.
앵화【櫻花】[명] ①앵두나무의 꽃. ②벚꽃.
앵화-넓적잎벌【櫻花―】[―넙―닙―] [명] 〖충〗 무지개납작잎벌.
야¹ [명] 〖언〗 한글의 자모 'ㅑ'의 이름.
야:² [명] 돈치기할 때 던진 돈이 두서너 푼씩 한데 포개지거나 붙은 것.
야³【夜】[명] 성(姓)의 하나. 현재 우리 나라에는 원평(原平)·개성(開城)·석천(石淺)·봉성(峯城) 등 네 개의 본관(本貫)이 있음.
야:⁴【野】[명] ①↗야당(野黨). ②민간(民間). ¶~에 묻혀 살다.
야 ⁵ [감] 매우 놀랍거나 반가울 때 내는 소리. ¶~ 이게 얼마 만이야.
야:⁶ [감] 〈방〉 ①얘(평안). ②예(강원·경상·충청·전라·제주·함경).
야⁷ [조] ①받침 없는 체언이나 조사·어미에 붙어서, 특히 그에게만 한정되거나 그 뜻을 강조하는 보조사(補助詞). ¶잠을 그렇게 자고서~ 무슨 공부를 해 / 너~ 반대 않겠지 / 이번에~ 되겠지. ②받침 없는 체언에 붙는 호격 조사(呼格助詞). ¶새~ 새~ 파랑새~ / 철수~ 먼저 가거라. *아¹⁰·이야·-야.
야⁸ [조] 〈옛〉 ①이여. ¶나자 바먀 셔긔나ᄂᆞ니(白日黑夜瑞雲生)≪朴解 上 68≫. ②냐. ¶이 진실로야(是眞箇麼)≪老乞 上 17≫.
-야¹ [어미] '이다'·'아니다'의 어간에 붙어, 반말투로 단정·물음을 나타내는 종결 어미. ¶절대 그것이 아니~ / 아주 깍쟁이~ / 무슨 일이~ / 사고가 난 곳은 어디~ / 저게 사람이~.
-야² [어미] 〈옛〉 ①-어. ¶姓 ᄀᆞᆯᄒᆡ야 員이 오니(擇姓以尹)≪龍歌 16章≫. ②-여. ¶곧 因ᄒᆞ야 더 飜譯ᄒᆞ야 사기노니≪釋譜 序 6≫.
야:가【野歌】[명] 야인(野人)이 부르는 노래. 시골 노래.
야가기 [명] 〈방〉 목. 모가지(제주).
야:간【夜間】[명] ①밤 사이. 밤 동안. 야래(夜來). ¶~ 통행 금지. ②↗야간부. ¶~ 학교. 1)·2):↔주간(晝間).
야:간 경:기【夜間競技】[명] 밤에 하는 운동 경기.
야:간 근무【夜間勤務】[명] 밤에 근무함. 또, 밤에 하는 근무. [준]야근(夜勤). ――하다 [자][여불]
야:간 도주【夜間逃走】[명] 밤에 도망함. ――하다 [자][여불]
야:간 병:원【夜間病院】[명] 〔night-hospital〕 〖의〗 병원과 사회를 연결하는 중간적 시설로서, 증상이 호전되고 있는 환자를 낮에는 사회에 나가 활동하게 하고, 밤에만 병원으로 돌아오게 하여 의사의 관리 밑에 두는 제도. 약 반 년 후에 가퇴원(假退院)시켜, 증상의 호전도(好轉度)에 따라 주(週) 2회, 1회 등으로 통원(通院) 횟수를 줄여 재발의 우려가 완전히 가시면 정식 퇴원시킴.
야:간 복:사【夜間輻射】[명] 지표면(地表面)이 그 온도에 따라서 상공에 복사하고 있는 지면(地面) 복사에서 대기(大氣)로부터 지면으로 하는 역(逆)복사를 뺀 차(差). 후자는 전자의 복사량의 1/2-1/4 정도. 일사(日射)의 영향이 없는 야간에 정밀하게 측정되어 서리를 예상(豫想)하는 따위에 쓰임.
야:간-부【夜間部】[명] 〖교〗 주로 경제적인 사정으로 주간에는 노동에 종사하는 이를 위하여 야간 교수를 행하는 중학교·고등학교·대학의 부속 교육 기관. [준]야간(夜間).
야:간 비행¹【夜間飛行】[명] 항공기가 밤에 비행함. ――하다 [자][여불]
야:간 비행²【夜間飛行】[명] 〔프 Vol de nuit〕 〖책〗 프랑스의 작가 생텍쥐페리(Saint-Exupéry)의 소설. 1931년 간행. 비행사로서의 체험을 바탕으로 항공 회사의 지배인과 조종사들의 정열과 모험을 시적(詩的)인 문체로 그림. 행동주의 문학의 대표적 작품임.
야:간 순찰【夜間巡察】[명] 밤에 순찰함. ――하다 [자][여불]
야:간 시:계【夜間視界】[명] 〔night visual range〕 〖광학〗 소정의 대기 조건하(大氣條件下)의 야간에, 관측자가 정해진 측광의 점광원(點光源)을 감지(感知)할 수 있는 최대 거리(最大距離).
야:간 열차【夜間列車】[―녈―] [명] 야간에 운행하는 열차. 밤차(車). 야행 열차.
야:간 작업【夜間作業】[명] 밤일. [준]야업(夜業). ――하다 [자][여불]
야:간 전:투【夜間戰鬪】[명] 〖군〗 야간에 전투를 함. 또, 그 전투. ――하다 [자][여불]
야:간 촬영【夜間撮影】[명] 밤에 사진이나 영화를 촬영함. 밝은 렌즈·고속도 감광 재료·섬광 전구를 사용함. ――하다 [타][여불]
야:간 학교【夜間學校】[명] 〖교〗 야간에 수학(修學)하는 학교. [준]야학교(夜學校).
야감좃다 [자] 〈옛〉 앙감질로 달리다. ¶야감좃다(單腿走)≪同文 上 26≫.
야개 [명] 〈방〉 목¹(제주).
야:객【夜客】[명] 밤손님.
야:거【野苣】[명] 〖식〗 시화¹.
야거리 [명] 돛대가 하나 달린 작은 배.
야거릿-대 [명] 야거리의 돛대.
야게 [명] 〈방〉 목¹(제주).
야겔로 왕조【―王朝】〔Jagello〕 [명] 〖역〗 폴란드의 왕조. 왕조의 창시자(創始者) 야겔로는 폴란드왕과 리투아니아공(Lithuania公)을 겸하였음. 그러나 폴란드와 리투아니아 사이에 심한 민족적·문화적 대립이 일어나 중앙 집권화(中央集權化)에 실패하고, 후에 러시아·오스트리아의 침략을 당하였음. 종교개혁 시대에는 가톨릭 신앙을 지켜 국민적 통일을 보전(保全)하였으나 지그문트 2세(Zygmunt Ⅱ) 때에 공화제(共和制)가 되었음. 〔1386-1572〕

야:견¹【野犬】명 임자 없는 개. 들개.
야:견²【野繭】명 멧누에의 고치. 작견(柞繭).
야:견 박살【野犬撲殺】명 광견병(狂犬病)을 예방하기 위하여 야견을 잡는 일.
야:견-사【野繭絲】명 멧누에의 고치로 켠 실. 질이 아주 좋고 담갈색임. 작잠사(柞蠶絲).
야:경¹【夜更】명 ↗야삼경(夜三更).
야:경²【夜景】명 밤의 경치. 야색(夜色). 밤경. ¶ 서울의 ~.
야:경³【夜警】명 밤에 동네를 돌며, 화재·범죄 등의 경계를 하는 일.
야:경⁴【野徑】명 들길.
야:경⁵【野景】명 들의 경치. 야색(野色).
야:경 국가【夜警國家】명〔도 Nachtwächterstaat〕외적(外敵)의 방어, 국내 치안의 유지, 개인의 사유재산 및 자유에 대한 침해의 제거(除去) 등 필요한 최소한의 임무만을 행하는 국가. 독일의 국가 사회주의자 라살(Lassalle, F.)이 자유주의 국가를 비판한 말.
야:경-꾼【夜警—】명 방범(防犯)·방화(防火) 등을 목적으로 야경을 도는 사람.
야:경-스럽다 형ⓑ불 밤중에 떠들썩하고 왁자하다. **야:경-스레** 부
야:경-증【夜驚症】[—쯩] 명〖의〗원래 신경질(神經質)이거나 딴 병이 있을 때 어린 아이가 자다가 갑자기 깨어 놀라서 소리를 지르거나 공포(恐怖)에 찬 표정(表情)으로 말을 하고는 2-3분 후에는 조용히 잠이 드는 병증(病症).
야:경-치다 자〈방〉야기부리다.
야:계【野鷄】명〖조〗① [*Gallus gallus*] 꿩과에 속하는 새. 닭의 원종(原種)으로 수컷은 날개길이 22cm, 꽁지길이 33cm 정도이고, 암컷은 좀 작아 날개길이 18cm, 꽁지길이 15cm 정도임. 볏은 톱니 모양의 단관(單冠)으로 홍색, 부리와 다리는 검은 잿빛인데, 수컷에는 한 개의 잘 발달한 며느리발톱이 있고, 머리·목·등 등이 붉은 오렌지색 또는 붉은 밤색이고, 아랫배는 검정, 꼬리와 날개의 일부는 녹색의 금속 광택이 나는 검은 색임. 암컷은 꽁지가 짧고 안면과 가슴은 적갈색, 목은 황갈색 바탕에 검은 세로무늬가 있고, 몸은 갈색에 흑백 무늬가 있음. 평지·야산의 초원 등지에 서식하며, 곡류·곤충·잡초의 씨를 먹음. 한 배에 7-12개의 알을 낳음. 서쪽은 인도의 동부로부터 동쪽은 중국의 남부·필리핀, 남쪽은 수마트라·자바 등지에 분포함. 멧닭. ②꿩.

〈야계❶〉

야:계-관【野鷄冠】명〖식〗개맨드라미.
야고보〔Jakobus〕명〖성〗①예수의 동생. 초대의 예루살렘 주교(主教)로서 신약 야고보서의 기록자로 알려짐. [?-62] ②[대(大)야고보] 예수 12 사도의 하나. 세베대의 아들. 요한의 형이며, 동생과 함께 '보아너게(Boanerges)'라 불리었음. [?-44] ③[소(小)야고보] 예수 12 사도(使徒)의 하나. 알패오의 아들임.
야고보-서【—書】〔Jakobus〕명〖성〗신약 성서 공동(公同) 서한의 하나. 예수의 동생인 야고보가 각처에 산재(散在)해 있는 유태인 중의 그리스도교인에게 보낸 편지. 그리스도교의 도덕적 측면을 강조하고 시험받는 일, 빈자에 대한 긍휼, 이웃의 사랑, 말에서 생기는 재앙, 욕심, 기도 및 재림 등에 대한 것을 내용으로 했음. 야고보의 편지.
야고보의 편:지【—片紙】〔Jakobus〕[—/—에—] 명〖성〗야고보서(書).
야:고-초【野古草】명〖식〗[*Aruedinella hirta*] 볏과(科)에 속하는 다년초. 높이 20-120cm이며 근경(根莖)은 단단함. 잎은 보리와 비슷한데, 대부분 근생(根生)하고, 선형(線形)이며 폭 5-15cm임. 7-9월에 담녹색 또는 담자색 꽃이 원추(圓錐) 화서로 피고, 수염이 있음. 산과 들에 나는데, 한국 및 일본·중국·우수리 등지에 분포함. 목초(牧草)로 쓰임.
〈야고초〉
야:곡¹【夜曲】명〖악〗'세레나데'의 역어(譯語).
야:곡²【夜哭】명 밤에 욺. ——-하다 자여불
야곱〔Jakob〕명〖성〗이삭의 쌍둥이 아들 중의 동생. 형 에서(Esau)에게서 팥죽 한 그릇으로 상속권(相續權)을 샀음. 뒤에 이스라엘로 이름을 고쳤음.
야곱의 우물〔Jakob〕[—/—에—] 명〖성〗사마리아(Samaria)의 그리심 산(Gerizim山)에 현존하는 성서상의 우물. 이스라엘의 시조 야곱이 팠다고 하는데, 깊이 약 200 척임.
야:공¹【冶工】명 대장장이. 단야공(鍛冶工).
야:공²【夜工】명 밤일. 야역(夜役). ——-하다 자여불
야:공³【夜攻】명〖군〗밤의 어둠을 타서 적을 공격함. 야습(夜襲). ——-하다 타여불
야:광【夜光】명 ①'달'의 별칭. ②밤에 비치는 빛. ③〖민〗'앙괭이'의 취음. ④갠 밤하늘이 희미하게 빛나는 현상. 지구 상층의 대기 원자나 분자가 낮에 태양 복사(輻射)로 전리(電離)되어 밤에 다시 전자(電子)를 포착하는 데서 생기는 빛임.
야:광-귀【夜光鬼】명〖민〗앙괭이.
야광-나무 명〖식〗돌배나무.
야:광 도료【夜光塗料】명 열이 없이 빛을 발하는 형광체(螢光體) 또는 인광체(燐光體)를 사용한 도료. 각종 계기·시계의 문자반(文字盤)이나 야간 표지(標識)에 이용됨.
야:광 명월【夜光明月】명 밤에 빛을 내는 밝은 달.
야:광 명주【夜光明珠】명 야광주(夜光珠).
야:광-반【夜光盤】명 야광 도료를 칠한 계기나 시계의 문자반(文字盤).
야:광-배【夜光杯】명 야광주로 만든 술잔. 훌륭한 술잔.
야:광-석【夜光石】명 밤에 빛을 낸다는 돌.
야:광 시계【夜光時計】명 바늘과 문자반의 글자에 야광 도료를 칠한 시계. 어둠 속에서도 시간을 볼 수 있음.
야:광-옥【夜光玉】명 밤에 빛을 내는 구슬. 야광주.
야:광-운【夜光雲】명〔luminous night cloud〕〖기상〗고위도 지방에 드물게 나타나는 구름. 74-92km의 성층권 상한(上限) 부근에 일출 전이나 일몰 후에 나타나는 권운(卷雲) 모양의 은(銀)빛 구름.
야:광-이【夜光—】명〖민〗☞야광(夜光)❸.
야:광-주【夜光珠】명 중국 고대에, 어두운 밤에도 빛을 낸다고 전해지는 귀중한 보석. 야광 명주. 야광옥. 야명주.
야:광-찌【夜光—】명 야광 도료(夜光塗料)를 발라 밤낚시에 쓰이는 낚시찌.
야:광-충【夜光蟲】명〖동〗[*Noctiluca scintillans*] 편모충류(鞭毛蟲類)에 속하는 원생(原生) 동물. 몸의 직경은 1mm 이상이고 육안(肉眼)으로 볼 수 있는데 몸은 무색이나 여럿이 모이면 엷은 홍색을 나타냄. 몸은 둥글며 곁에 움푹하게 함입(陷入)한 곳이 있어 그 밑에 입이 있고 잎 앞쪽에 이 같은 작은 돌기(突起)가 있음. 입 뒤쪽에는 긴 편모(鞭毛)가 있고 이것에서 한 개의 촉수(觸鬚)가 생기는데 이것들을 천천히 움직여서 헤어 다님. 항상 연안 가까이에 떠돌아 다니며 밤에는 파도 기타의 충격에 의하여 빛을 내므로 동물 발광(發光)의 연구 재료로 유명함. 이것이 크게 번성하여 바닷물이 연분홍빛이 되는 것을 소위 '적조(赤潮)'라고 하는데, 어류·조류(藻類) 등을 사멸(死滅)하게 하므로 수산업자가 극히 두려워함.

〈야광충〉

야:광-침【夜光針】명 야광 도료(塗料)를 발라, 밤이나 어두운 곳에서도 볼 수 있게 된 시계나 계기 따위의 바늘.
야:광-패【夜光貝】명〖조개〗[*Lunatica marmorata*] 연체 동물 복족강(腹足綱)의 전새류(前鰓類)에 속하는 해산(海產)의 권패(卷貝). 껍데기는 높이 18cm, 폭 20cm 가량으로 사람의 머리만하고, 녹색 바탕에 암갈색의 네모 무늬가 있음. 내면은 진주 광택(眞珠光澤)이 강하여 매우 아름다움. 자개용으로 쓰이며, 살은 식용함. 열대 인도·태평양에 분포.
야:구¹【冶具】명 ①대장일에 소요되는 여러 가지 연장. ②야금(冶金)에 소요되는 여러 가지 연장.
야:구²【野球】명 구기(球技)의 하나. 미국에서 발달함. 두 팀이 각각 9 명의 선수로, 아홉 차례씩 공방(攻防)하여 득점을 다툼. 경기장은 내야(內野)와 외야(外野)로 나누어지는데, 공격측(攻擊側)은 상대편의 투수가 던진 공을 차례로 배트로 치고 내야(內野)를 한 바퀴 돌아 본루(本壘)에 돌아온 경우에 득점을 함. 베이스볼.
야:구 경:기【野球競技】명 야구로써 서로 승부를 겨루는 경기. 야구 시합.
야:구-단【野球團】명 한 팀을 이루는 야구 선수의 집단. 야구팀.
야:구 방망이【野球—】명 야구에서 공을 치는 방망이. 나무로 만드나, 알루미늄제(製)도 있음. 배트(bat).
야:구-부【野球部】명 학교나 기관·단체에서 야구 선수를 모아 놓은 부서.
야:구 선:수【野球選手】명 야구 경기를 하는 선수. 투수·포수·일루·이루·삼루·유격·좌익·중견·우익수 등 아홉 사람.
야:구 시합【野球試合】명 야구 경기(野球競技).
야:구의 전:당【野球—殿堂】[—/—에—] 명〔National Baseball Hall of Fame and Museum〕야구의 발생지라고 일컬어지는 미국의 뉴욕 주 쿠퍼스타운(Cooperstown)에 있는 야구 박물관. 1939년 미국에서의 야구 발생 100주년 기념 제전 때에 건립됨. 그 옆에 최초로 야구를 했다는 구장(球場) 더블데이 필드(Doubleday field)가 있음. 홀 오브 페임.
야:구-장【野球場】명 야구 경기를 하는 운동장. 내야(內野)와 외야(外野)로 되어 있는데, 내야는 90 피트 사방으로 된 정사각형의 코트로서 그 네 귀퉁이에 방석을 놓아 본루(本壘)·일루·이루·삼루라 하며, 외야는 본루와 일루, 본루와 삼루의 연장선(延長線)내의 코트임.
야:구-팀:【野球—】〔team〕명 야구단(野球團).
야:구-팬【野球—】〔fan〕명 야구의 열광적인 애호가.
야:구-화【野球靴】명 야구를 할 때 신는 신. 가죽으로 가볍고 단단하게 만들어 앞뒤축에 세 발 달린 긴 징을 박음. 스파이크.
야:국¹【夜國】명 남극 또는 북극 가까이에서, 일 년의 태반 동안 일광(日光)을 볼 수 없는 나라.
야:국²【野菊】명〖식〗들국화.
야:굴【也窟】명〖사람〗중국 원(元)나라의 장군. 고려 고종 40년(1253), 고려 왕의 친조(親朝)와 개경 환도(開京還都)를 촉구하러, 아모간(阿母侃)·홍복원(洪福源) 등과 함께 대군을 거느리고 고려에 내침하여, 철원·춘천·양양(襄陽)·충주 등지를 공략했으나, 귀국 명령을 받자 거듭 왕의 개경 환도를 강요하고 돌아갔음. 생몰년 미상.
야굼-하다 형〈방〉얌전하다(함경).
야:권【野圈】[—꿘] 명 ↗야당권(野黨圈). ¶ ~의 보스.
야:근【夜勤】명 ↗야간 근무(夜間勤務). ——-하다 자여불
야:근 수당【夜勤手當】명 야근에 대하여 지급되는 급여(給與).
야:금¹【冶金】명〖공〗광석에서 쇠붙이를 공업적으로 골라 내거나 합금을 만드는 일. ——-하다 타여불
야:금²【夜衾】명 이불.
야:금³【夜禽】명〖조〗낮에는 집에 숨어 자다가 저녁에서 밤에 걸쳐 활동하고 먹이를 찾는 습성(習性)이 있는 야조(野鳥). 부엉이·올빼미 따위. 야조(夜鳥).
야:금⁴【夜禁】명〖역〗인경을 친 뒤에 통행을 금하던 일.

야:금[5]【野禽】명 산이나 들에서 사는 새. ↔가금(家禽).

야금-거리다 자타 ①무엇을 입 안에 넣고 찬찬히 깨물다. ②연해 조금씩 조금씩 먹어 들어가다. 야금-야금 [―/―냐―] 부. ――-하다 자타 여불

야금-대다 자타 야금거리다.

야:금-로【冶金爐】[―노] 명 광석에서 금속을 골라내는 노.

야:금-술【冶金術】명 야금하는 기술.

야:금-업【冶金業】명 야금에 관계되는 사업.

야:금-학【冶金學】명 〔metallurgy〕『공』①금속·합금 등의 제조와 이용 및 실용화 등을 다루는 공학(工學)으로서의 연구 분야. ②금속 제련에 있어서의 화학 반응이나 금속 재료의 물리적·화학적·기계적 성질에 관한 법칙을 다루는 과학으로서의 연구 분야.

야:금학-자【冶金學者】명 야금학에 통달(通達)하거나 또는 그를 연구하는 사람.

야긋-야긋 [―냐―] 부 톱날같이 높고 낮은 차이가 적어 어슷비슷한 모양. ――-하다 형 여불

야:기[1]【夜氣】명 밤의 눅눅한 기운.

야:기[2]【惹起】명 끌어 일으킴. ¶중대 사건을 ~하다. ――-하다 타 여불

야:기-부리다 자 불만을 품고 야단치다.

야:기 요:단【惹起鬧端】명 시비의 시초를 끌어 일으킴. 준야료(惹鬧)·야단(惹端). ――-하다 자 여불

야기죽-거리다 자 허튼 소리를 찬찬히 얄밉게 재깔이다. 준야죽거리다. <이기죽거리다. 야기죽-야기죽 [―냐―] 부. ――-하다 자 여불

야기죽-대다 자 야기죽거리다.

야꽝이 명 〈방〉『동』여우(경상).

야꿩이 명 〈방〉『동』여우(경상).

야나 강【―江】〔Yana〕명『지』시베리아 동북부 베르호얀스크(Verkhoyansk) 산맥에서 발원하여 북극해에 들어가는 강. 베르호얀스크까지 항행할 수 있으나 10-5월 사이는 동결(凍結)함. [1,067 km]

야나기 무네요시〔柳宗悅: やなぎむねよし〕명『사람』일본 민예(民藝) 운동의 선구자. 1913년 도쿄(東京) 대학을 졸업하고 1915년 조선을 여행하여 조선의 도자기(陶磁器)를 접한 이래로 그 연구와 소개(紹介)에 힘쓰는 한편 생활 속의 미(美)를 계발하기에 힘써, 미술계의 저항과 사회의 무시를 무릅쓰고 민예 운동을 신장시킴. 조선 총독부(朝鮮總督府) 청사 신축 때 광화문(光化門)을 헐려 하자, 극력 반대하였음. [1889-1961]

야나체크〔Janáček, Leoš〕명『사람』체코슬로바키아의 작곡가. 브르노(Brno)에 오르간 학교를 창립. 모라비아(Moravia) 민요를 연구하고 ≪간사한 새끼 여우(1923)≫ 등 오페라 9곡(曲), 실내악·가곡(歌曲) 등을 씀. [1854-1928]

야나-치다 형 영락 없고 매몰하다. ¶야나친 놈.

야남〔Yanam〕명『지』인도 동남부 고다바리 강(Godavari 江) 어귀의 항도(港都). 땅이 비옥하여 쌀·깨를 산출하는 연방 정부 직할령 퐁디셰리(Pondicherry)에 포함됨. 프랑스령(領) 식민지였으나 1954년 인도에 반환됨. [8,000명(1981)]

야:납【野衲】인대『불교』납의(衲衣)를 입은 사람이란 뜻에서, 중이 자기를 낮추어 이르는 말.

야노-뾰족벌〔일 矢野: やの〕명『충』〔*Coelioxys yanonis*〕가위벌과에 속하는 곤충. 암컷은 몸길이 16 mm 내외이고 몸빛은 흑색이며 흉부·다리의 배면(背面)·얼굴에는 황갈색 털, 복면(腹面)에는 회백색 털이 있고 각 절의 후연(後緣)에는 황갈색의 짧은 털로 줄 같은 반점을 이룸. 한국·일본에 분포함.

야노스〔스 Llanos〕명『지』남미(南美) 북부, 오리노코 강(Orinoco江) 상류 지역의 광대한 열대 초원(熱帶草原). 전형적인 사바나(savanna) 기후 아래서 건조기에는 온통 초목이 말라 버리지만, 우기(雨期)에는 초원이 되고 하천이 범람함. 소의 방목(放牧)이 성함.

야:뇨[1]【夜尿】명 수면(睡眠)중에 무의식적으로 오줌을 지리는 일.

야:뇨[2]【惹鬧】명 →야료(惹鬧). ――-하다 자 여불

-야뇨 어미 〈옛〉-뇨. -ㅂ니까. ¶엇던 因緣으로 일후믈 常不輕이라 ᄒᆞ야뇨≪釋譜 XIX:29≫.

야:뇨-증【夜尿症】[―쯩] 명 오줌을 가릴 나이가 되어서도 밤에 자다가 오줌을 지리는 상태. 원인은 심리적(心理的)인 것, 체질(體質)·신경증(神經症) 등에 있는 것으로 여겨짐. 유뇨증(遺尿症).

야누스〔Janus〕명 로마 고대 종교의 신(神). 성문(城門)·집의 문을 지키며 앞뒤로 두 개의 얼굴을 가짐. 야누스 신전(神殿)의 문이 열려 있으면 개전(開戰)을, 닫혀 있으면 평화를 나타냄.

-야니 어미 〈옛〉-거니. -니. ¶戎馬ᄅᆞᆯ 나리라 너기디 몯ᄒᆞ야니 어느 술잔ᄋᆞᆯ 다ᄆᆞᆺ홀 고ᄃᆞᆯ 알리오(不謂生戎馬何知共酒盃)≪杜諺 XV:47≫.

-야니와 어미 〈옛〉-거니와. =-아니와·-어니와. ¶뎌는 聰慧ᄒᆞᆫ 노ᄑᆞᆫ 德이라 듣디 아니ᄒᆞ야 講ᄒᆞ야니와(彼是聰慧上德不聽而講)≪圓覺 序 74≫.

야닝스〔Jannings, Emil〕명『사람』독일의 연극·영화 배우. 당당한 체구와 사실적 연기로 인기가 있어 ≪최후의 사람≫ 등에 출연하고 도미 후에도 ≪최후의 명령≫ 등에 출연하였으나 친(親)나치스적인 성격으로 국제에서 추방되었음. [1887-1950]

-야ᄂᆞᆯ 어미 〈옛〉-거늘. -기에. =-사ᄂᆞᆯ·-여ᄂᆞᆯ. ¶이 다시 당다이 轉輪聖王ᄋᆞᆯ 나ᄒᆞ시리로다 ᄒᆞ야ᄂᆞᆯ≪月釋 Ⅱ:23≫.

-야다 어미 〈옛〉-였다. ¶마초 ᄒᆞ야다(着了)≪老朴 單字解 3≫.

야:다-시【夜茶時】명『역』비상한 일이 있을 때 사헌부(司憲府)의 감찰(監察)이 밤중에 긴급히 모이는 일.

야다-하면 부 어찌할 수 없이 긴급하게 되면. ¶~ 그만두어라.

야:단【惹端】명 ①떠들썩하게 벌어진 일. ¶임금을 올리라고 ~이다. ②소리를 높여 마구 꾸짖는 일. ¶들키면 ~ 맞는다. ③↗야기 요단(惹起鬧端). ――-하다 자 여불

야:단(이) 나다 구 떠들썩한 일이 벌어지다. 큰 일이 생기다. ¶별안간에 시험을 보게 되었으니 야단 났다.

야:단(을) 치다 구 ㉠함부로 떠들다. ㉡마구 꾸짖다.

야:단-받이【惹端―】[―바지] 명 남의 꾸지람이나 야단을 받는 일. 또, 그 사람. 「시끄러운 판.

야:단 법석【惹端―】명 여러 사람이 한데 모여서 서로 다투고 떠들고

야:단 법석【野壇法席】명『불』야외에 베푼 강좌.

야:단-스럽다【惹端―】형 ㅂ불 떠들썩한 일이 벌어진 것 같다. 야단난 것 같다. 야:단-스레【惹端―】부

야:단-야:단【惹端惹端】[―냐―] 명 부 ①함부로 떠들어대는 모양. ②마구 꾸짖는 모양. ――-하다 자 여불

야달 수 〈방〉여덟(전라·강원).

야:담[1]【野談】명 야사(野史)의 이야기. ¶~책.

야:담[2]【野譚】명『책』조선의 개국 당시부터 임진 왜란 때까지의 주요한 사건들을 시대별로 수록한 야사(野史). 필사본 1책. 필자 미상.

야:담-가【野談家】명 야담을 하는 것을 업으로 삼는 사람.

야답 수 〈방〉여덟(전라).

야:당【野黨】명 ①정당 정치에서 현재 내각을 조직하지 않았거나 행정부에 참여하지 않은 정당. 재야당(在野黨). 준야(野). ↔여당(與黨). ②〈속〉한 패 속에 끼어 있는 경찰의 정보원. 범죄자들의 은어(隱語).

야:당-계【野黨系】명 야당의 계통. 야당의 직접적인 영향 아래 야당 활동을 지원하는 기관이나 사업체 및 인사(人士)의 총칭. 야당측(野黨側). ¶~ 신문. ↔여당계(與黨系).

야:당-권【野黨圈】[―꿘] 명 야당(野黨)과 그 편을 드는 넓은 테두리. 준야권(野圈).

야당-스럽다 형 ㅂ불 ①매몰하고 사막스럽다. ②약바르고 매몰스럽다. 야당-스레 부

야:당-적【野黨的】명 관 관점이나 행동이 야당의 그것과 같은 모양. ↔여당적(與黨的).

야:당-측【野黨側】명 야당의 편. 야당계(野黨系). ↔여당

야:대[1]【也帶】명『역』문무과(文武科)의 방(榜)이 났을 때 새로 급제한 사람이 띠던 띠. 한 끝이 아래로 늘어지어 '也'자 모양으로 됨.

〈야대[1]〉

야:대[2]【夜對】명『역』왕이 밤중에 신하를 불러 경연(經筵)을 베풀어 경사(經史)의 고금(古今) 치란(治亂)에 관하여 대강(對講)하던 일. ――-하다 자 여불

야:도【夜盜】명 밤을 타서 남의 물건을 훔치는 짓. 또, 그 도둑.

-야도 어미 〈옛〉-어도. ¶種種 音聲을 골히야도 耳根이 허디 아니ᄒᆞ리라≪月釋 X:62≫.

야:도-충【夜盜蟲】명『충』야도충나방의 유충. 거염벌레.

야:도충-나방【夜盜蟲―】명『충』밤나방❶.

야:독【夜讀】명 밤에 글을 읽음. ¶주경(晝耕) ~. ――-하다 자 여불

야:동【野童】명 시골 아이.

야:드〔yard〕의명 야드파운드법의 길이의 단위. 1야드는 3피트(feet)로, 91.44 cm에 해당함. 마(碼).

야드레 명 〈방〉여드레(경상·평안).

야드레미 명 〈방〉여드름(함경·평안).

야드르르 부 반들반들 윤기가 돌고 보드라운 모양. <이드르르. 준야드를. ――-하다 형 여불

야드를 부 ↗야드르르. <이드를. ――-하다 형 여불

야:드파운드-법【―法】〔yard pound〕[―뻡] 명 야드·갤런·파운드를 기본으로 하는 도량형(度量衡). 영국에서 시작되어, 미터법이 국제 도량형으로서 승인되기 이전까지 국제적으로 쓰이었음. 현재는 주로 미영(美英) 양국과 그 속령(屬領)에서 사용되고 있음.

야든 수 〈방〉여든(전라·경남·강원·함경·평안·황해).

-야든 어미 〈옛〉-거든. -니. ¶ᄒᆞᆫ디위 쉬요믈 잇긋ᄒᆞ야든 기드려 머기러 가자(等一會控到時飮去)≪老乞 上 28≫.

야들 수 〈방〉여덟(강원·함경·평안·황해).

야들-야들 [―랴―/―] 부 매우 야드르르한 모양. ¶~한 살결. <이들이들. ――-하다 형 여불

야듧 수 〈방〉여덟(강원).

야뜨 수 〈방〉여덟.

야:랑【夜郞】명『역』중국의 구이저우(貴州) 서경(西境)에 있던 오랑캐. 가장 세력이 강하였음.

야:랑 자대【夜郞自大】명 중국 한대(漢代)에 서남이(西南夷) 중에서 야랑국이 가장 세력이 강하여 오만하였으므로, 범용(凡庸)하거나 우매한 무리 중에서 세력이 있어 잘난 체하고 뽐냄을 비유하여 이름.

야래[1] 명 〈방〉여럿(함경).

야:래[2]【夜來】명 야간(夜間)❶.

-야려 어미 〈옛〉-랴. -리요. -ㄹ것인가. ¶녀느 이른 시혹 쉽거니와 겨지비 ᄃᆞ외여우니 어루 힘 쓰디 아니ᄒᆞ야려(他事或易爲婦最難可不勉旃)≪內訓 Ⅱ:16≫.

야로[1] 명 〈속〉남에게 드러내지 않은 우물쭈물한 셈속이나 수작. 흑막(黑幕). ¶이번 일엔 분명히 ~가 있다.

야:로[2]【冶爐】명 ①풀무. ②대장간에서 쇠를 불리는 노(爐).

야:로[3]【夜路】명 밤길.

야:로[4]【夜露】명 밤이슬.

야:로[5]【野老】명 농촌에 사는 노인.

야:로[6]【野路】명 들길.

야로비 농법【—農法】〔러 yarovi〕〔—뻡〕명〖농〗미추린 및 리센코의 유전 학설에 의한 농법 또는 육종법(育種法). 식물의 발육 단계론에 따라, 어떤 작물에 대해 일정 시기에 저온(低溫) 상태 등 일정 조건을 경과케 하여 식물 발육에 변화를 주고 개화(開化)와 결실을 빠르게 하는 방법. 춘화 처리(春化處理). 미추린 농법. 야로비자치야.

야로비자치야〔러 yarovizatsiya〕명〖농〗야로비 농법(yarovi 農法).

야로살렘【耶路撒冷】명〖지〗'예루살렘(Jerusalem)'의 음역.

야로슬라블〔Yaroslavl'〕명〖지〗러시아 볼가 강변(Volga 江邊)의 항도. 전기 기계·합성 고무·피혁 등의 공업이 행해짐. 1071년의 연대기(年代記)에 나오는 고도(古都)로 12세기에 창건한 성당 등의 건축 유물이 있음. [635,000 명(1993)]

야로슬라프 일세【——世】〔Yaroslav Ⅰ〕〔—쎄〕명〖사람〗러시아의 키예프 대공(大公). 내분을 평정하고 폴란드와 유목 민족 페체네그(Pecheneg)를 토벌하여 영토를 확대했으나 비잔틴 제국 원정에는 실패함. 키예프에 소피아 성당을 세우고 러시아 최고(最古)의 법전 ≪루스카야 프라우다(Russkaya pravda)≫를 편찬하는 등 문화면에도 힘을 기울였음. [978-1054; 재위 1019-54]

야로제라 형〈옛〉얄궂어라. ¶凶憎코 야료졔라≪古時調≫.

야:료【惹鬧】명〔←야뇨(惹鬧)〕①생트집을 하고 함부로 떠들어대는 짓. ¶신지운이 문짝을 떼어 버리는 등 ~를 부리고는 어디론지 나가버렸다는 것이다≪李炳注 : 낙엽≫. ②↗야기 요단(惹起鬧端). ——-하다 자여불

야:루【野陋】명 천함. 비루함. 야비(野鄙). ——-하다 형여불

야루짱부 강【—江】〔雅魯藏布〕명〖지〗중국 시짱(西藏) 자치구의 남동부를 흐르는 강. 브라마푸트라 강(Brahmaputra 江)의 중(中)·상류부(上流部)를 이름. 히말라야와 트랜스히말라야(Trans-Himalayas) 사이에 구조곡(構造谷)을 이룸. 창포(Tsangpo) 강. [1,200 km]

야:류[1]【野遊】명〖민〗〔←야유(野遊)〕들놀음. ¶수영(水營) ~/동래(東萊) ~.

야:류[2]【野流】명 ①경사가 완만한 땅 위를 흐르는 강. ↔산류(山流)❶. ②들을 흐르는 강. ③강의 하류.

야르뭇〔Jarmuth〕명〖성〗유대의 한 도시. 예루살렘에서 약간 남으로 치우친 서쪽 25km 지점에 있음. 이 곳은 여호수아(Jehoshua)가 가나안을 빼앗을 때의 가나안 수부(首府) 중의 하나임.

야르칸드〔Yarkand〕명〖지〗사처(莎車).

야릇-하다 형여불 좀 이상하다. 괴상하다. ¶야릇한 운명.

야:리【野梨】명 들배나무의 열매.

야리다 형 ①물건이 보드랍고 약하다. ¶야린 새순. ②소리나 빛깔 따위가 매우 약하거나 덜하다. ¶매우 야린 빛. ③마음이 매우 약하고 무르다. ¶야린 마음에 더럭 겁부터 났다. ④표준보다 좀 부족하다. 1)·4) : <여리다.

-야리아 어미〈옛〉-랴. -리요. -ㄹ 것인가. ¶비를 구티여 미디 아니ᄒᆞ야리아(舟楫敢不繫)≪杜諺 Ⅰ:44≫.

-야리여 어미〈옛〉-랴. -리요. -ㄹ 것인가. ¶볼ᄀᆞ 거우뤼 몰ᄀᆞ며 몰ᄀᆞ니 어루 조심티 아니리여(明鑑昭昭可不戒歟)≪內訓 序 9≫.

야릿-야릿〔-냐-〕부 매우 야릿한 모양. 모두가 다 야릿한 모양. ¶야릿야릿한 몸매에 화사한 웃음을 띠다/야릿야릿한 버들가지에 실바람이 스쳤다. <여릿여릿. ——-하다 형여불

야릿-하다 형여불 보드랍고 약하다. 야린 듯하다. <여릿하다.

야:마[1]【夜摩】명〖불교〗〔범 yāma의 음역〕①야마천(夜摩天). 또, 그 천(天)의 주재자. ②염마(閻魔). 염라 대왕(閻羅大王).

야:마[2]【野馬】명 ①아지랑이. ②야생(野生)의 말.

야마[3]〔스 llama〕명〖동〗[*Lama glama*] 낙타과에 속하는 동물. 낙타와 비슷하나 낙타보다 훨씬 작아서 어깨 높이 1.2m, 몸길이 2-2.4m, 육봉(肉峰)이 없으며, 귓바퀴는 길고 삐죽하며 뒷다리의 무릎에는 털이 없는 부분이 있음. 털은 길고 양털 같은데 일률적으로 적갈색·황갈색·백색·흑색 등을 띰. 한배에 한 마리의 새끼를 낳음. 수컷은 운반용(運搬用) 또는 승용(乘用), 털은 직물(織物), 지방(脂肪)은 등유(燈油), 가죽은 구두의 재료이고, 고기는 식용함. 성을 내면 먹은 것을 토하는 습성이 있음. 알파카(alpaca)는 이의 변종(變種)임. 산지(山地)에 사는데, 남아메리카에 분포(分布)함. 낙마(駱馬). 아메리카낙타. 양타(羊駝).

〈야마³〉

야마가타〔山形: やまがた〕명〖지〗일본 야마가타 현(縣)의 현청 소재지. 잇꽃의 집산과 우산(雨傘) 산지로 알려짐. 부근에 공업 단지가 조성되어 주물·합금철의 생산이 활발함. 홉(hop)·포도·버찌·누에고치도 산출함. 야마가타 대학이 있음. [244,380 명(1991)]

야마가타 현:【—縣】〔山形:やまがた〕명〖지〗일본 도호쿠(東北) 지방 서남부의 현. 13시 9군. 중앙 분지를 모가미(最上) 강이 흐르며 유역(流域)에는 여러 분지(盆地)가 발달함. 해안 지방은 평원으로 쌀 생산이 많고 양잠·견직·목축·과수 재배 등이 행하여짐. 근대 공업(近代工業)은 비교적(比較的) 뒤짐. 현청 소재지는 야마가타 시. [9,325 km²: 1,258,404 명(1991)]

야마구치〔山口:やまぐち〕명〖지〗일본 야마구치 현(縣)의 현청 소재지. 이 지방 교육·문화의 중심지로, 야마구치 대학과 많은 사적(史蹟)이 있으며, 온천(溫泉)도 있음. [125,793 명(1991)]

야마구치 현:【—縣】〔山口:やまぐち〕명〖지〗일본 주고쿠(中國) 지방 서쪽에 있는 현. 14시 11군. 분지·고원이 많은 구릉성 산지로 쌀·소금 등의 산출이 많고, 소다·화학 비료·시멘트·통조림·어망(漁網) 등의 공업이 행하여지며 수산물이 많음. 현청 소재지는 야마구치 시. [6,092 km²: 1,572,645 명(1990)]

야마나시 한조:〔山梨半造:やまなしはんぞう〕명〖사람〗일본의 군인·정치가. 육군 대장. 1927년 제5대 조선 총독이 되었으나, 부정 사건에 관련되어 2년 후에 사직함. [1868-1944]

야마나시 현:【—縣】〔山梨:やまなし〕명〖지〗일본 주부(中部) 지방 동남부의 현. 7시 8군. 사방이 산지로 둘러싸여 분지를 이룸. 대륙성 기후로 북부를 제외하고는 이모작(二毛作)을 하며, 수정(水晶)의 산출과 그 세공업으로 유명하고, 후지 산(富士山)을 비롯한 관광지가 많음. 현청 소재지는 고후(甲府) 시. [4,463 km²: 852,980 명(1990)]

야:마리 명 '얌통머리'의 줄어 변한 말. ¶그 말에는 불여우라는 인동 할멈도 대꾸할 ~가 없는 모양이었다≪李無影 : 農民≫.

야:마리-없다〔-업-〕형 '얌통머리없다'의 줄어 변한 말. ¶그 엉뚱하고 야마리없는 몰골을 처음 보는 순간 사내가 참하게도 보이고…≪金周榮 : 客主≫.

야:마리-없이〔-업씨〕부 야마리 없게.

야마빡 명〈방〉이마빼기(경상).

야:마-천【夜摩天·夜魔天】명〔범 Yāma〕〖불교〗욕계 육천(慾界六天)의 셋째. 염부제(閻浮提)로부터 16만 유순(由旬), 도리천(忉利天)으로부터 8만 유순의 상층 공중에 있는데, 빛나서 밤낮의 구분이 없고, 다만 연꽃의 개합(開闔)을 보고 때를 알며, 이상한 환락을 누린다 함. 그 일주야(一晝夜)는 인간 세계의 이백 년에 상당. 염라 대왕(閻羅大王)은 이 하늘의 전화(轉化)임.

야:만[1]【野蠻】명 ①문화가 미개한 상태. 또, 그러한 나라나 국민. ②덕의심(德義心)이 없고 교양이 없는 사람. 1)·2):↔문명(文明)❷. ——-하다 형여불

야-만[2] 조 '야'와 '만'이 겹쳐 된 보조사(補助詞). ¶꼭 해~ 한다/먹어~ 산다.

야:만-국【野蠻國】명 ①야만인들이 사는 나라. ②문화가 깨이지 아니한 야만적인 나라.

야:만-성【野蠻性】〔-썽〕명 야만스러운 성질.

야:만-스럽다【野蠻—】형ㅂ불 야만한 것 같다. 야만한 태도가 있다. 야:만-스레【野蠻—】부

야:만-시【野蠻視】명 야만으로 봄. ——-하다 타여불

야:만-인【野蠻人】명 야만한 사람. 만인(蠻人). 미개인(未開人). 토매인(土昧人). ↔문명인·문화인.

야:만 인종【野蠻人種】명 야만스러운 인종. 만인(蠻人). 호인(胡人). 미개 인종(未開人種).

야:만-적【野蠻的】명관 야만스러운 모양. 야만함. ↔문명적(文明的).

야:만 정책【野蠻政策】명 정치적 목적을 달성하기 위하여 인도(人道)에 벗어난 수단으로 국민이나 식민지를 다스리는 정책.

야:만-족【野蠻族】명 야만스러운 종족. 미개한 종족.

야:만-종【野蠻種】명 야만스러운 인간의 부류.

야:만-화【野蠻化】명 야만스럽게 되거나 또는 그리 되게 함. ——-하다 자타여불

야-말로 조 받침 없는 체언(體言) 아래에 붙어서 '그것이야 참말로'의 뜻을 나타내는 보조사(補助詞). ¶너~ 신사다/그 여자~ 현모 양처다. *이야말로.

야말 반:도【—半島】〔Yamal〕명〖지〗러시아의 시베리아 서북단(西北端) 카라 해(Kara 海)에 돌출(突出)한 반도. 대부분은 툰드라에 덮인 평원으로 호소(湖沼)가 많음. 코미(Komi)·네네츠(Nenets) 등 종족(種族)이 토나카이(tonakai)를 기르며 수렵(狩獵)·어로(漁撈) 등에 종사함. [122,000 km²]

야말-스럽다 형〈방〉야멸스럽다.

야:망【野望】명 ①임금 등에 모반하려는 욕망. 바라서는 안 될 일을 바라는 일. ②분에 훨씬 넘치는 희망. ¶~을 품다.

야매[1]【野昧】명 촌스럽고 어리석음. ——-하다 형여불

야:매[2]【野梅】명 야생(野生)의 매화나무.

야:맹【夜盲】명 야맹증. ↔주맹(晝盲).

야:맹-병【夜盲病】〔-뼝〕명〖의〗야맹증(夜盲症).

야:맹-증【夜盲症】〔-쯩〕명〖의〗망막(網膜)의 능력이 감퇴하여 밤이 되면 물건을 식별하지 못하는 증상. 비타민의 결핍으로 일어남. 야맹병. 야맹. 작맹(雀盲). 작목(雀目). 밤소경.

야멸-스럽다 형ㅂ불 야멸친 태도가 있다. ¶좀 야멸스러운 점은 있으나 남편을 위하고 비위 잘 맞추기로는 이름난 아내였고≪朴花城 : 고개를 넘으면≫. 야멸-스레 부

야멸-차다 형 야멸치다.

야멸-치다 형 살차서 남의 사정을 돌보지 아니하고 제 일만 생각하는 태도가 있다. ¶체통은 고사하고 잡고 늘어지는 길소개를 야멸치게 뿌리치기가 주저되었다≪金周榮 : 客主≫.

야:명-사【夜明砂】명〖한의〗박쥐의 똥. 감독(疳毒)·안질(眼疾)·암내 등의 약재로 쓰임.

야:명-주【夜明珠】명 야광주(夜光珠).

야:목【野鶩】명〖조〗청둥오리.

야:묘[1]【夜貓】명〖조〗올빼미.

야:묘[2]【野貓】명〖동〗살쾡이.

야:묘-피【野貓皮】명 삵피.

야무[1] 명 ←염우(廉隅).

야:무[2]【野蕪】명 들에 풀이 무성한 곳.

야:-무방【也無妨】명 해로울 것 없음. 걱정할 것 없음. 야자무방(也自無妨). 야자불방(也自不妨). ——-하다 형여불

야무 얌치 명 ←염우 염치(廉隅廉恥).

야무-지다 형 ①모질고 야물다. ¶솜씨가 ~. ②똑똑하고 오달지다. ¶ 야무진 사람/그 놈 참 야무진 놈이다. 1)·2):<여무지다.

야:-무청초【野無靑草】명 가물음으로 인하여 땅에 푸른 풀이 없음. ——하다 형여불

야물-거리다 자타 이가 나지 아니한 어린아이나 귀여운 짐승 새끼가 무엇을 먹느라고 입을 야금야금 놀리다. 야물-야물 [—랴—] 부. ——하다 자타여불

야물다 一자 씨가 단단하게 익다. <여물다. 二형 ①일이 잘 되어 탈이 없다. ②사람됨이 헤프지 않고 단단하다. ¶야문 솜씨. ③씀씀이 따위가 알뜰하다. 1)-3):<여물다.

야물-대다 자타 야물거리다.

야므-지다 형 ☞ 야무지다.

야:미【夜味】명 '배미'의 취음.

야:미-도【夜味島】명『지』전라 북도의 서해상, 군산시(群山市) 옥도면(沃島面) 야미도리(夜味島里)에 있는 섬. [0.6 km²]

야미리 명〈방〉양머리.

야미-족【—族】〔Yami〕명 대만(臺灣)의 동남쪽 난서(蘭嶼)에 사는 고사족(高砂族)의 한 종족. 약 1,800명. 언어적으로는 필리핀에서 가장 북쪽에 있는 바탄 제도(Batan 諸島)사람에 가까움. 어로·수렵을 하며, 타로(taro) 토란을 논에서 재배하는 것이 특색임.

야:민【野民】명 농민(農民).

야:밀【野蜜】명 야생하는 벌의 꿀.

야:바구 명〈방〉야바위(경상).

야:바우 명〈방〉야바위(경상).

야:바위 명 ①중국 노름의 한 가지. 여러 가지 방법이 있는데, 어느 것이나 그 방법은 아무라도 알아 맞히기 쉽게 하여, 돈을 얼마든지 내어 놓고 알아 맞히면 그 돈의 몇 곱을 주고 못 알아 맞히면 그 돈을 물주가 먹기로 한 뒤에, 물주가 제 한 통속 사람들을 비밀히 시켜 몇 번 돈을 따게 하여 다른 사람들을 혹하게 하고, 그 사람들과 하게 될 때는 속임수를 써서 그릇 알아 맞히게 하여 돈을 따 먹음. ②협잡의 수단으로 그럴 듯한 광경을 꾸미는 일.

야:바위(를) 치다 구 남의 눈을 속이어 협잡을 꾸미다.

야:바위-꾼 명 '야바위를 치는 사람'을 얕잡아 이르는 말.

야:바위-통 명 여러 사람이 협잡을 꾸미는 가운데.

야:바위-판 명 여러 사람이 협잡을 꾸미는 판국.

야:바윗-속 명 여러 사람이 협잡을 꾸미는 속내.

야:박[1]【夜泊】명 ①밤에 외박(外泊)함. ②밤중에 배를 정박(碇泊)시킴. ③밤을 배에서 지냄. ——하다 자여불

야:박[2]【野薄】명 야속하고 박정함. ¶~한 세상. ——하다 형여불. ——히 부

야:박-스럽다【野薄—】형ㅂ불 보기에 야박하다. ¶차마 야박스러워서 주인 할머니에게 보증금을 돌려 달라는 말이 나오지 않았다《金承鈺: 내가 훔친 여름》. 야:박-스레【野薄—】부

야:반【夜半】명 밤중.

야:반 도주【夜半逃走】명 한밤중에 도망함. ——하다 자여불

야:반 무례【夜半無禮】명 어두운 밤에는 예의를 갖추지 못한다는 뜻.

야:반 삼경【夜半三更】명 한밤중.

야:발 명 야살스럽고 되바라진 태도 또는 말씨.

야:발-단지 [—딴—] 명 야발쟁이.

야:발-스럽다 형ㅂ불 야살스럽고 되바라지다. 야:발-스레 부

야:발-쟁이 명 야발스러운 사람.

야:-밤【夜—】명 깊은 밤. ¶~에 대로를 배회하다.

야:-밤중【夜—中】[—쭝] 명 한밤중.

야:방[1]【冶坊】명 대장간.

야:방[2]【野芳】명 들에 핀 꽃. 야화(野花).

야:번【夜番】명 밤에 드는 번. 또, 그 사람.

야:범【夜梵】명 ①밤에 하는 독경(讀經). ②밤에 나는 범종(梵鐘)의 소리.

야벳 〔Japheth〕명『성』노아의 셋째 아들의 이름. 한 인종의 조상이 되었다 함. *함[9]·셈.

야:별【夜別】명 밤에 이별함. ——하다 자여불

야:-별초【夜別抄】명『역』고려 고종(高宗) 때 최우(崔瑀)가 밤에 순행(巡行)하여 도적을 막기 위하여 용사(勇士)들을 모아 조직한 특수한 군대. 후에 그 수효가 불어 좌우(左右) 두 별초로 나눔.

야:보【野堡】명 보병(步兵)을 위하여 쌓은, 적의 접근을 막는 견고한 건조물.

야:복【野服】명 야인(野人)이 입는 옷. 들에 나갈 때에 입는 옷. 허술한 옷. ¶갈건(葛巾) ~.

야:부[1]【野夫】명 시골에 사는 농부.

야:부[2]【野鳧】명『조』청둥오리.

야부다 자형〈방〉야위다(전남).

야:분【夜分】명 밤중. 야반(夜半).

야:-불답백【夜不踏白】명 밤길을 갈 때에 하얗게 보이는 것은 흔히 물이므로 삼가서 밟지 않도록 걸으라는 말.

야:-불폐문【夜不閉門】명 밤에 대문을 닫지 아니한다는 뜻으로, 세상이 태평하여 인심이 순박함을 이르는 말.

야블로노비 산맥【—山脈】〔Yablonovyi〕명『지』시베리아의 바이칼 호(Baikal 湖) 동쪽에 있는 산맥. 구릉성(丘陵性)의 산맥으로 헤이룽 강(黑龍江)과 레나 강(Lena 江) 상류와의 분수령을 이룸.

야:비【野卑·野鄙】명 ①성질이나 행동이 교양이 없고 비루함. ¶~한 사람. ②속되고 천함. 야루(野陋). 비야(卑野). ¶~한 말씨. ——하다 형여불

야비다 자형〈방〉여위다(강원·전북·경북).

야:비-다리 명 보잘 것 없는 사람이 제딴에 가장 만족한 듯이 내는 교만(驕慢).

야:비다리 치다 구 교만한 사람이 일부러 겸손한 체하다.

야비아온 형〈옛〉얇은. 가벼운. ¶ㄱᄂᆞᆫ 실이 야비아온 어름과 兼ᄒᆞ얏ᄂᆞ니(細泉兼輕氷)《重杜諺 I:22》.

야사[1] 명〈심마니〉눈[1].

야:사[2]【夜事】명 밤에 하는 방사(房事). ——하다 자여불

야:사[3]【夜思】명 밤이 깊어 고요할 때에 일어나는 온갖 생각.

야:사[4]【野史】명 민간에서 사사로이 지은 역사. 야승(野乘). 외사(外史). ↔정사(正史). *민간 설화.

-야사 어미〈옛〉-여야. -여서야. ¶精ᄒᆞ여 一ᄒᆞ야사 진실로 그 中을 執ᄒᆞ리라(惟精惟一允執厥中)《書諺 大禹謨》.

야사부【耶斯夫】명『사람』야사불(耶斯不).

야사불【耶斯不】명『사람』거란 유민(契丹遺民)의 추장. 몽고족이 헤이룽강(黑龍江) 상류에서 일어나 세력이 강대해지자 금(金)나라가 내부 분열을 일으켜 쇠퇴해 가매 걸노(乞奴) 등과 함께 거란족의 일부를 통합하여 대요수국(大遼收國)을 세우고 황제로 추대(推戴)됨. 건국 후 한 달 만에 청구(靑狗)의 반란이 일어나 야사불은 그 부하에게 살해됨. 야사부(耶斯夫).

야산[1]〔厓山〕명『지』중국 남송조(南宋朝)가 멸망한 곳. 1279년 장광범(張廣範)이 이끄는 원군(元軍)이 이곳에 진을 친 남송군을 격파하자 육수부(陸水夫)가 어린 임금 병(昺)을 업고 이 곳 바다로 들어가 빠져 죽었음. 지금의 광둥 성(廣東省) 신후이 현(新會縣) 남쪽, 주장 강(珠江) 삼각주(三角洲) 가운데에 있는 작은 섬임. 애산(厓山).

야:산[2]【野山】명 들 근처의 나지막한 산.

야:산[3]【野蒜】명『식』달래.

야:산-고사리【野山—】명『식』[*Onoclea sensibilis*] 야산고사릿과에 속하는 양치류(羊齒類). 지하경은 땅 속으로 길게 벋고, 잎은 나엽(裸葉)으로 그 높이 60cm 가량이며 엽병(葉柄)이 길. 엽면(葉面)은 우상(羽狀)으로 째지고, 우편(羽片)은 피침형 또는 긴 타원형임. 포자엽(胞子葉)은 우편(羽片)이 선형(線形)이고 두 줄로 포자낭군(胞子囊群)이 있으며, 자실체(子實體)는 익어서 흑갈색의 자낭(子囊)이 생기고 다음 해까지 남음. 산과 들의 습지에 나는데, 한국·일본 등지에 분포함.

〈야산고사리〉

야:산고사릿-과【野山—科】명『식』[Onocleaceae] 양치류(羊齒類)에 속하는 한 과. 개면마·야산고사리·청나래고사리 등이 이에 속함.

야:살 명 말씨나 하는 짓이 얄망궂고 되바라진 태도. *얄개.

야:살(을) 까다 구 야살스럽게 굴다.

야:살(을) 떨:다 구 야살을 몹시 부리다.

야:살(을) 부리다 구 일부러 야살스러운 행동을 하다.

야:살(을) 피우다 구 낯이 간지러울 정도로 야살스러운 태도를 짓다.

야:살-스럽다 형ㅂ불 얄망궂고 잔재미가 있다. 야:살-스레 부

야:살-이 명 ↗야살쟁이.

야:살-쟁이 명 야살스러운 사람. 준야살이.

야:-삼경【夜三更】명 밤의 삼경시(三更時). 대개 자정을 전후한 시간. 한밤중. 준야경(夜更).

야:상【夜商】명 밤에 거래하는 장사. ¶~인(人).

야:상-곡【夜想曲】명『악』'녹턴(nocturne)'의 역어(譯語).

야:상-인【夜商人】명 밤에 장사하는 사람.

야:색[1]【夜色】명 야경(夜景).

야:색[2]【野色】명 들의 경치. 야경(野景).

야:생【野生】명 ①동식물이 산이나 들에서 저절로 남. 사람이 길들이거나 재배한 것이 아님. 또, 그 동식물. ②전하여, 사람이 구김 없이 자연 그대로의 상태로 자라는 일. 제멋대로 자라는 일. ——하다 자여불

야:생-녀【野生女】명 자연 속에서 구속 없이 멋대로 자라 성미가 괄괄하고 행동이 거친 여자.

야:생 동:물【野生動物】명 야생하는 동물. ↔사육 동물.

야:생 동:식물 보:호 조약【野生動植物保護條約】명 정식 명칭은, 절멸(絶滅) 위기에 있는 야생 동식물의 국제 거래에 관한 조약. 1972년 스톡홀름에서 개최된 유엔 인간 환경 회의의 권고에 따라, 1973년 3월 워싱턴에서 채택되어, 1975년에 발효(發效)한 조약. 이 조약으로 상아·대모·악어 가죽 제품·독수리 박제(剝製) 등 동식물의 가공품의 상거래가 금지되어 있음. 통칭(通稱)은 워싱턴 조약.

야:생-마【野生馬】명 야생하는 말. 야생말.

야:생-말【野生—】명 야생마(野生馬).

야:생-벌【野生—】명 야생봉(野生蜂). ↔집벌.

야:생-봉【野生蜂】명 야생하는 벌. 야생벌.

야:생 식물【野生植物】명 야생하는 식물. ↔재배 식물.

야:생-아【野生兒】명 아주 어렸을 때부터 인간 사회를 아주 떠나 성장하여 보통 인간과는 몹시 다른 습관을 가지게 된 어린이. 야생 중에 단독으로 살고 있던 예도 있고, 이리·곰·표범·돼지·양 등의 동물의 일원으로 살던 예도 있음.

야:생-인【野生人】명 야생아로서 성장한 사람.

야:생-적【野生的】명관 산이나 들에서 자라 가꾸어지거나 길들여지지 않은 모양.

야:생-종【野生種】명『생』산이나 들에 나는 동식물의 종류.

야:생-초【野生草】명 산이나 들에 저절로 나는 풀. 야초(野草).

야:생-형【野生型】명『생』유전 형질(遺傳形質)에서, 유전자의 돌연 변

이형(突然變異型)에 대하여, 본시의 형(型)을 이르는 말.
야:생-화【野生花】명 들에 저절로 피는 화초.
야:서【野鼠】명 〖동〗 들쥐❶.
야선¹【也先】명 〖사람〗 '에센¹'의 한자명.
야:선²【夜船】명 밤배.
야:선³【野選】명 ↗야수 선택(野手選擇).
야:설【夜雪】명 밤에 내리는 눈. 밤눈.
야섯 수 〈방〉 여섯(경남).
야:성【野性】명 자연 또는 본능 그대로의 성질. 거친 성질.
야:성-녀【野性女】명 성격이 야성적인 여자.
야:성-미【野性美】명 거친 성질이나 본능적인 풍모(風貌)에서 풍기는 아름다움.
야:성-적【野性的】명관 자연 그대로인 모양. 특히, 사람이 동물 본래의 본능을 발동하거나 드러내는 모양. 거칠고 촌스러운 모양. 또, 거칠기는 하나 활동적인 모양.
야센스키〔Yasenskij, Bruno〕명 〖사람〗 폴란드 태생의 소련 작가. 폴란드에서 시인으로 데뷔, 파리로 망명 후 장편≪파리를 태우다(1929)≫를 썼다가 프랑스에서 추방당함. 소련에 살면서 ≪인간은 피부를 바꾼다(1932)≫를 썼으나 1937년에 체포되어, 옥사(獄死)함. 유작으로 ≪무관심한 사람들의 공모(1956년 발표)≫가 있음. [1901-1941]
야:소【耶蘇】명 〖기독교〗 '예수'의 취음.
야:소-교【耶蘇教】명 〖종〗 '예수교'의 취음.
야:소교-인【耶蘇教人】명 〖기독교〗 '예수교인'의 취음.
야:소교-회【耶蘇教會】명 〖기독교〗 예수교의 교회.
야:소-회【耶蘇會】명 〖천주교〗 '예수회(會)'의 취음.
야:속【野俗】명 박정하고 쌀쌀함. 섭섭하여 언짢음. ¶ ~하게 여기다/~한 사람. ――-하다 형여불. ――-히 부
야:속-스럽다【野俗―】형ㅂ불 야속한 태도가 있다. 야속한 느낌이 있다. 야:속-스레【野俗―】부
야:속해【也速該】명 중국 원(元)나라의 열조(烈祖). 칭기즈칸의 아버지. 타타알(塔塔兒) 부족에게 독살당하였음.
야수¹ 명 〈방〉 〖동〗 여우(경남·강원).
야:수²【夜嗽】명 밤이면 나는 기침.
야:수³【野手】명 야구에서, 내야수와 외야수의 총칭.
야:수⁴【野叟】명 촌에 사는 노인. 야로(野老). 촌옹(村翁).
야:수⁵【野獸】명 야생의 짐승. 산이나 들에서 자라 길들지 않은 짐승.
야수다 자 기회를 노리다. <여수다.
야수다라【耶輸陀羅】명 〖불교〗〔범 Yaśodharā의 음역〕석존(釋尊)의 종매(從妹)로, 석존 출가 전의 왕비. 나후라(羅睺羅)의 어머니. 나중에 석존의 양모(養母) 등과 함께 출가하였다 함.
야:수-류【野獸類】명 야수에 속하는 짐승. 또, 그 무리.
야:수 선:택【野手選擇】명 야구에서, 야수가 타자의 공을 잡고 1루에 던지면 아웃시킬 수 있음에도 앞선 주자를 아웃시키려다가 실패하여 양쪽 다 살려 주게 되는 일. 준야선(野選).
야:수-성【野獸性】[―썽] 명 야수와 같은 성질.
야:수-적【野獸的】명관 야수와 같은 모양.
야:수-주의【野獸主義】[―/―이] 명 기성 도덕을 허위·죄악이라고 배척하고 자기의 관능이 명령하는 대로 동물적 욕망을 만족하는 것을 인생의 목적으로 하는 주장. 동물주의. 애니멀리즘.
야:수-파【野獸派】명〔프 fauvisme〕〖미술〗 1905년에 프랑스의 반(反)아카데미파의 화가 마티스(Matisse)·드랭(Derain)·루오(Rouault) 등이 창시한 혁신적인 화풍(畫風). 그 수법은 굵은 선을 써서 대담한 단순화를 시도했음. 포비슴.
야:수 폭언【野叟曝言】명 〖책〗 중국 청대(淸代)의 장편 소설. 1779년에 하경거(夏敬渠)가 지음. 문백(文白)이라는 사대부(士大夫) 계급의 이상적 인물이 주인공인 재학(才學) 소설. 20권 154회.
야:숙【野宿】명 들에서 잠. 집 밖에서 밤을 지냄. 비바크(Biwak). 노숙(露宿). ――-하다 자여불
야:숙-하다 형 〈방〉 야속하다.
야:순【夜巡】명 ①야간의 경계(警戒)를 위하여 순찰함. ②〖역〗 왕이 밤에 평민복을 입고, 궁 밖 민가를 돌며 백성이 사는 형편을 보살피는 일. ――-하다 자여불
야스락-거리다 자 입담이 있게 계속하여 말을 늘어놓다. 준야슬거리다. 야스락-야스락 [―냐―] 부. ――-하다 자여불
야스락-대다 자 야스락거리다.
야:-스럽다【野―】형ㅂ불 보매 야한 데가 있다. ¶ 옷빛깔이 ~/말씨가 ~. 야:-스레【野―】부
야스퍼스〔Jaspers, Karl〕명 〖사람〗 독일의 철학자. 철학은 인간의 유리(遊離)된 현실적 생활을 책임져야 되며, 나아가서 의식적(意識的)으로 불안한 사람들의 유일한 가능성이어야 한다고 하였음. 이 철학은 이른바 예언적(豫言的) 철학으로서, 하이데거의 내재적(內在的)인 것에 대한 초월에 대하여 '신(神)을 향한 실존주의'라 부르며, 하이데거와 함께 현대 실존 철학의 쌍벽으로 일컬어졌음. 주저≪철학≫·≪이성(理性)과 실존≫ 등. [1883-1969]
야슬-거리다 자 ↗야스락거리다. 야슬-야슬 [―랴―] 부. ――-하다 자여불
야슬-대다 자 야슬거리다.
야:습¹【夜習】명 밤에 익힘. ――-하다 타여불
야:습²【夜襲】명 적을 밤에 습격함. 야공(夜攻). ――-하다 타여불
야:승¹【野乘】명 야사(野史).
야:승²【野僧】명 ①시골의 중. ②중의 겸칭(謙稱).
야시¹ 명 〈방〉 여우(경상).
야:시²【夜市】명 밤에 벌이는 저자. 야시장(夜市場). 밤장.
야시-꼽다 형 〈방〉 아니꼽다.
-야시늘 어미 〈옛〉 -시거늘. =-야시늘. ¶ 네 敎化ᄒᆞ야시늘 後에 도로 믈러듀믈 가ᄌᆞᆸ비니라(嚮昔曾敎化 後還退墮也)≪妙蓮 Ⅱ:187≫.
-야시니와 어미 〈옛〉 -시거니와. ¶ 一生애 成佛에 야시니와(一生成佛)≪圓覺 上 二之二 166≫.
-야시ᄂᆞᆯ 어미 〈옛〉 -시거늘. -으시거늘. =-여시ᄂᆞᆯ·-야시늘. ¶ 네 이제도 ᄂᆞᆷ의본 ᄠᅳ들 둘떠ᄒᆞ야시ᄂᆞᆯ≪月釋 Ⅱ:64≫.
-야시든 어미 〈옛〉 -시거든. ¶ 說法ᄒᆞ야시든 반ᄃᆞ기 菩提ᄅᆞᆯ 일우리이다≪月釋 XXI:135≫.
야시-별 명 〈방〉 여우별.
야시-비 명 〈방〉 가랑비(경상).
야:시-장【夜市場】명 밤에 벌이는 시장. 야시(夜市).
야:식【夜食】명 밤에 음식을 먹음. 또, 그 음식. *밤참. ――-하다 자여불
-야신마른 어미 〈옛〉 -시건마는. ¶ 圓覺ᄋᆞᆯ 나토려 ᄒᆞ야신마른(欲顯圓覺)≪圓覺 上 一之二 74≫.
야:심¹ 명 〈심마니〉 밤.
야:심²【夜深】명 밤이 깊음. ¶ ~할 때까지 일하다. ――-하다 형여불
야:심³【野心】명〔이리 새끼는 사람이 길러도 산과 들을 안 잊고 길들지 않으며 주인도 해친다는 데서 나옴〕①순복(馴服)하지 않고 걸핏하면 해치려는 마음. ②모반(謀叛)하려는 마음. 또, 신분에 맞지 않는 나쁜 욕망. ③남몰래 품은 혹은 그 사람에게 주제넘은 욕망. 또, 새로운 대담한 것을 시도(試圖)하려는 마음. 패기(覇氣). ¶ 청년은 ~을 품어라. ④벼슬을 꺼리고 전원에 묻히려는 마음. ⑤야비한 마음.
야:심⁴【偌甚】명 지나치게 심함. 대단히 강퍅함. <이심(已甚). ――-하다 형여불. ――-히 부
야:심-가【野心家】명 야심을 품은 사람.
야:심 만:만【野心滿滿】명 야심이 가득 참. ¶ ~한 정치가. ――-하다 형여불. ――-히 부
야:심-사【夜深詞】명 〖문〗 고려 가요의 하나. 작자·연대 미상이며, ≪악장 가사(樂章歌詞)≫에 그 한역(漢譯)만 전할 뿐임.
야:심-스럽다【偌甚―】형ㅂ불 야심한 태도가 있다. <이심스럽다. 야:심-스레【偌甚―】부
야:심-요【夜深謠】명 〖문〗 윤선도(尹善道)가 지은 시조의 하나. 조선 인조(仁祖) 20년(1642)에 금쇄동(金鎖洞)에서 지었다 함.
야:심-작【野心作】명 새로운 시도(試圖)를 대담하게 표현한 작품.
야:심-적【野心的】명관 야심을 품은 모양. 야심에 의하는 모양.
-야사 어미 〈옛〉 -여야. ¶ 기피 觀ᄒᆞ야사 그 宗ᄋᆞᆯ 알오(深觀乃會其宗)≪永嘉 下 30≫.
야아리 명 배의 품종의 하나. 나무 세력이 강하며 과실은 중 정도로 병 모양이며 엷은 황색임. 단맛은 적으나 향기가 있고, 품질은 상(上)에 속함. 소출이 많고 이듬해 1-2월까지 저장할 수 있음.
야:아-치【野鵝峙】명 〖지〗 경기도 양주군(楊州郡)에 있는 고개. [51m]
야:안【野雁】명 〖조〗 능에.
야:압【野鴨】명 〖조〗 청둥오리.
야:애【野靄】명 들에 낀 안개.
야:야¹【爺爺】명〔중국 말로 할아버지의 뜻〕아버지를 높이어 일컫는 말.
야:야²【夜夜】부 밤마다. 매야(每夜).
야:양¹【野羊】명 〖동〗 [*Ovis jubata*] 솟과에 속하는 짐승. 면양과 비슷하나 몸은 훨씬 크며, 좀 야윈 듯하고 다리는 길고 가늘며, 고기 맛이 좋음. 몽골·만주의 고원 지방에 야생함. 완양(羱羊).
야:양²【野釀】명 시골 술.
야:양-피【野羊皮】명 야양의 가죽. 요·갖옷 등을 만드는 데 쓰임.
야:어【野語】명 시골 말. 야언(野言).
야:언¹【野言】명 야어(野語).
야:언²【野諺】명 시골 속담.
야:업¹【夜業】명 밤에 하는 일. 야간 작업. 밤일. ――-하다 자여불
야:업²【野業】명 들일. ――-하다 자여불
야:역【夜役】명 밤에 하는 토목·건축 등의 역사. ――-하다 자여불
야:연¹【夜宴】명 밤에 베푸는 잔치. 야연(夜筵). ――-하다 자여불
야:연²【夜筵】명 야연(夜宴). ――-하다 자여불
야:연³【野緣】명 〖건〗 들연.
야:염【冶豔】명 아리따움. ――-하다 형여불
야:영¹【夜影】명 달밤에 땅 위에 비치는 그림자.
야:영²【野營】명 ①영외에 진영을 침. 또, 그 진영. 노영(露營). ②야외에 천막을 치고 잠. ――-하다 자여불
야:영 유적【野營遺跡】명 〖고고학〗 막집터.
야:영-지【野營地】명 야영하는 곳. 노영지(露營地).
야오 원위안【姚文元】명 〖사람〗 중국의 문예 비평가·정치가. 1957년부터 반우파(反右派) 투쟁 논문(論文)을 발표하기 시작하여, 1966년 ≪신편 해서 파관(新編海瑞罷官)을 평한다≫를 발표하고, 동년 중앙 문혁 소조원(文革小組員). 1967년 상하이 시(上海市) 혁명 위원회 부주임 등을 역임. 1973년 상하이 시당 제2서기, 1976년 당정치국(黨政治局) 상무 위원(常務委員)이 되었으나 1976년 사인방(四人幇)의 한 사람으로 실각함. 요문원. [1931-]
야오장〔姚江〕명 〖지〗 중국 저장 성(浙江省) 위야오(餘姚) 현에 있는 강. 요강.
야오-족【―族】〔Yao〕명 ①요족(瑤族). ②아프리카 중부 니아사 호(Nyasa 湖) 부근에 사는 아프리카인(人).
야:옹¹【野翁】명 시골 늙은이. 야로(野老). 촌로(村老).
야옹² 감 고양이의 우는 소리.

야:외【野外】명 들. 교외(郊外). 또, 옥외(屋外).
야:외 강:연【野外講演】명 야외에서 하는 강연.
야:외 교:련【野外教鍊】명〖군〗야외에서 하는 교련.
야:외-극【野外劇】명〖연〗옥외에서 자연의 경치를 배경으로 하여 하는 연극. 패전트(pageant).
야:외 극장【野外劇場】명 거리의 광장이나 마을의 빈터 등에 특별한 시설이 없이 마련한 극장. 시원기(始源期)에 있어서의 극장의 형태이며, 그리스·로마 시대에 볼 수 있음.
야:외 무:대【野外舞臺】명 야외에 설치한 무대.
야외다 자 〈방〉 야위다(충청).
야:외 박물관【野外博物館】명 본래 야외에 있는 고분(古墳)·가옥·암석 등의 유물·유적·자연 환경 같은 것을 원지(原地)에 원형대로 이축(移築)·복원(復原)하여 전시·해설하고 있는 박물관.
야:외 수업【野外授業】명〖교〗야외에서 하는 수업. *임간 수업.
야:외 연:습【野外練習】명 야외에서 하는 연습.
야:외 연:주【野外演奏】명 야외에서 행하는 연주.
야:외 조사도【野外調査圖】명 〔field map〕〖지〗각종 야외 조사와 방위 관측(方位觀測)에 의하여 만들어지는 지도(地圖). 최종적인 지도의 기초가 됨.
야:외 지질학【野外地質學】명 〔field geology〕〖지〗암석이나 암석 물질을 환경면(環境面) 또는 서로의 자연적 관계면에서 연구하는 분야.
야:외 훈:련【野外訓鍊】〔—훌—〕명 ①〖교〗교외 훈련(校外訓鍊). ②야외에서 하는 훈련.
야-요 조 ☞-여요. ¶ 형의 친구~.
야:욕【野慾】명 ①분에 넘치는 욕망. ¶ ~을 채우다/~을 품다. ②야비한 정욕(情慾).
야:용【冶容】명 예쁘게 단장함. 또, 그 얼굴. ——-하다 자여불
야:용지-회【冶容之誨】명 야하게 단장함은 음탕한 것을 가르친다는 말.
야:우¹【夜雨】명 밤에 내리는 비. 밤비.
야:우²【野牛】명〖동〗들소❶.
야:우강【夜雨降】명〖민〗'앙괭이'의 취음.
야:우광【夜雨光】명〖민〗'앙괭이'의 취음.
야우다 자 〈방〉 야위다(전라·충청).
야운데〔Yaoundé〕명〖지〗카메룬의 수도. 행정의 중심지이며 농산물의 집산지. 공항·대학이 있음. [650,000명(1990 추계)]
야:운 자경【野雲自警】명 〖책〗조선 선조(宣祖) 10년(1577)에 간행한 불서(佛書). 야운(野雲)은 고려의 중 혜근(惠勤)의 시자(侍者)라 함. 십문(十門)의 자경문(自警文)을 들고 각 조목에 송(頌)을 붙여 언해(諺解)함.
야울-야울〔—랴—〕부 불이 순하게 타는 모양. <여울여울.
야:원-유【野園荽】명〖식〗피막이풀.
야:월【夜月】명 밤에 보이는 달.
야:웨〔Yahweh〕명〖성〗'여호와(Jehovah)'의 히브리어식 정식 발음.
야위다 자형 ①몸의 살이 빠져 수척하게 되다. ②가난하여 살림이 보잘것 없다. 1)·2): <여위다.
[야윈 말이 짐 탐한다] ㉠약한 사람이 해 내지도 못하면서 남보다 일을 많이 하려 든다는 뜻. ㉡야위고 마른 사람이 이기지도 못하면서 많이 먹으려고 한다는 말.
야:유¹【冶遊】명 주색(酒色)에 빠져 방탕하게 놂. ——-하다 자여불
야:유²【夜柔】명〔범 Yajur〕〖불교〗인도교의 경전인 삼명(三明)의 하나. *베다(吠陀).
야:유³【夜遊】명 밤에 노는 놀이. ——-하다 자여불
야:유⁴【野遊】명 ①〖민〗들놀음. ②들놀이. ——-하다 자여불
야:유⁵【揶揄】명 남을 빈정거려 놀림. ——-하다 타여불
야:유-랑【冶遊郞】명 야유(冶遊)하는 사람. 방탕아.
야:유-적【揶揄的】명관 남을 빈정거려 놀리는 모양이나 성질. ¶ ~ 언사.
야유-조【揶揄調】〔—쪼〕명 야유하는 말투. ¶ ~로 말하다.
야유-폐타【夜柔吠陀】명 〖종〗'야주르베다'의 음역어(音譯語).
야:유-회【野遊會】명 들놀이를 하는 모임.
야:율-대석【耶律大石】명〖사람〗중앙 아시아 카라키타이(Qara Khitai)의 건국자. 요(遼)나라의 왕족. 1124년 요나라가 망하자 일족(一族)을 이끌고 서쪽으로 패주(敗走)하였다가 점차 중앙 아시아의 여러 부족을 정복하고 1132년에 즉위. 구르 칸(Gūr Khān)이라 칭함. 시호는 덕종(德宗). [1087-1143]
야:율-아보기【耶律阿保機】명〖사람〗중국 요(遼)나라의 시조. 907년 거란의 8부(部)를 통일하고 한(漢)나라의 한휘연(韓徽延) 등을 등용하여 법제를 개혁함. 국내에 거란 문자를 사용케 했으며, 한문화(漢文化)의 수입에 노력하였음. 시호는 태조(太祖). [872-926; 재위 916-926]
야:율-엄【耶律儼】명〖사람〗중국 요말(遼末)의 한인(漢人) 재상. 자는 약사(若思). 본성(本姓)은 이씨(李氏). 대안(大安)(1065-74) 초년 경주자사(景州刺史)로서 선정(善政)을 베풀고 그 후 여러 벼슬을 거쳐 지추밀원사(知樞密院事)가 됨. 그가 수찬(修撰)한 ≪황조 실록(皇朝實錄)≫은 종전의 국사(國史)·실록을 집대성한 것으로서 원말(元末) ≪요사(遼史)≫ 편찬에 소중한 자료를 제공했다는 점에서 높이 평가되고 있음. 생몰년 미상.
야:율-초재【耶律楚材】명〖사람〗중국 원(元)나라의 창업(創業) 공신. 자는 진경(晉卿). 널리 학문에 힘쓰는 한편, 천문·지리·율력(律曆)·석로(釋老) 및 의복(醫卜)에도 밝았음. 태종(太宗) 때 중서령(中書令)이 되고, 몽고의 누풍을 바꾸어 중국의 문물 제도를 절충하고 여러 제도를 확립하여 원나라 건국의 기초를 세웠음. 시호는 문정(文正). [1190-1244]
야:은【冶隱】명〖사람〗고려 삼은(三隱)의 한 사람인 길재(吉再)의 호.
야:은 선생 언행 습유【冶隱先生言行拾遺】명 〖책〗야은 길재(吉再) 선생의 문집. 야은의 문인 박서생(朴瑞生)이 조선 태종(太宗) 때 ≪야은 언행록≫을 편찬, 그 뒤 선조(宣祖) 6년(1573)에 여러 사람이≪야은 행록(冶隱行錄)≫을 간행, 광해군(光海君) 7년(1615)에 다시 보충하여 ≪야은 언행 습유≫ 3권을 중간(重刊)함. 또, 철종 9년(1858) 그의 후손이 ≪야은 속집(冶隱續集)≫ 3권을 만들어 앞의 습유와 함께 6권 2책으로 간행함.
야:음¹【夜陰】명 밤의 어두운 때. 밤중. ¶ ~을 타서 도주하다.
야:음²【夜飮】명 밤에 술을 마심. ——-하다 자여불
야:음³【野吟】명 ①들에서 시를 읊조림. ②자기가 읊는 시의 겸칭(謙稱). ——-하다 자여불
야의다 자 〈방〉 야위다(충청).
야:-이계주【夜以繼晝】명 밤낮의 구별없이 쉬지 않고 함. ——-하다 타여불
야이로〔Jairus〕명〖성〗가버나움 땅 유대 교회당을 맡은 사람. 죽은 딸을 예수가 다시 살렸다 함.
야:인【野人】명 ①예절이 없는 사람. ②벼슬을 하지 않는 사람. 재야(在野)의 사람. ③시골 사람. 꾸밈이 없이 참다운 사람. ④미개인. 야만인. ⑤〖역〗옛날 압록강과 두만강 이북에 살던 여진족.
야:인 여진【野人女眞】명〖역〗중국 명대(明代)에, 헤이룽 강(黑龍江) 유역과 시베리아에 걸쳐 어로(漁撈)를 주로 하며 원시 생활을 하던 여진족. *여진.
야:인-장【野人章】〔—짱〕명 용비 어천가 제4장 제2절의 이름.
야:임【野荏】명〖식〗들깨.
야:자【椰子】명〖식〗①야자나무. ②야자나무의 열매.
야:-자고【野茨菰】명〖식〗무릇¹.
야:자-과【椰子科】〔—꽈〕명〖식〗[*Arecaceae*] 단자엽 식물에 속하는 한 과. 교목 또는 관목으로 전세계에 140속, 2,000여 종이 분포함. 조경나무·야자나무가 이에 속함.
야:자-나무【椰子—】명〖식〗①야자과에 속하는 대추야자·기름야자·사탕야자 등의 총칭. 야자. 야자수(椰子樹). ②[*Cocos nucifera*] 야자과에 속하는 상록 교목의 하나. 높이 20-30m, 직경 20-30cm로, 잎은 줄기 끝에 20-30개가 모여 나고 우상 복엽(羽狀複葉)이며 길이 4-5m, 우편(羽片)은 피침형이고 길이 60-70cm임. 꽃은 엽액(葉腋)에 1-2m의 육수(肉穗) 화서로 피는데, 수꽃은 많고 암꽃은 크고 수가 적음. 한 화수에 길이 25-30cm의 달걀꼴의 핵과(核果)가 하나씩 열림. 자웅 동주임. 말레이 원산으로, 전세계 열대 지방에 분포함. 과실은 '야자'라 하여 식용하고, 줄기는 재목, 잎은 지붕을 이는 재료 등으로 쓰이며, 꽃꼭지의 액즙(液汁)은 음료수로 함. 코코야자.

〈야자나무〉

야:자-당【椰子糖】명 야자로 만든 자당(蔗糖).
야:-자무방【也自無妨】명 야무방(也無妨). ——-하다 형여불
야자-버리다 타 모두 잊다. 아주 잊다. <잊어버리다.
야:-자불방【也自不妨】명 야무방(也無妨). ——-하다 형여불
야:자-수【椰子樹】명〖식〗야자나무.
야:자 열매【椰子—】명 야자나무의 열매. 열매 속의 유상액(乳狀液)은 음료(飮料)로 씀.
야:자-유【椰子油】명 야자 열매의 씨로 짠 기름. 주로 비누 원료로 씀.
야:잠【野蠶】명〖충〗산누에.
야:잠-견【野蠶繭】명 산누에의 고치.
야:잠-사【野蠶絲】명 산누에의 고치에서 뽑은 실. 천잠사(天蠶絲).
야:잠-아【野蠶蛾】명〖충〗산누에나방.
야잣-잖다〔—잔타〕형 ☞야젓잖다.
야:장¹【冶匠】명 대장장이.
야:장²【冶場】명 대장간.
야:장³【夜葬】명 밤에 지내는 장사(葬事). ——-하다 타여불
야:장⁴【夜裝】명 밤에 입는 옷. 또, 그 옷차림.
야:장⁵【野葬】명〖불교〗시림(施林).
야:장-간【冶匠間】〔—깐〕명 대장간.
야:장 몽:다【夜長夢多】명 밤이 길면 꿈을 꾸는 시간이 길다는 뜻으로, 오랜 동안에는 변화가 많음의 비유.
야:-장미【野薔薇】명 ①야생하는 장미. 들장미. ②〖식〗찔레나무.
야:장-현【野匠峴】명〖지〗평안 북도(平安北道) 의주군(義州郡)에 있는 고개. [40m]
야:저【野猪】명〖동〗멧돼지.
야:저-혈【野猪血】명〖한의〗산저혈(山猪血).
야:저-황【野猪黃】명〖한의〗산저황(山猪黃).
야:적¹【夜笛】명 밤에 부는 피리.
야:적²【夜賊】명 야도(夜盜).
야:적³【野積】명 노적(露積). ——-하다 타여불
야:적-장【野積場】명 무엇을 쌓기 위한 한뎃 마당.
야:전¹【夜戰】명 밤에 하는 전투. ——-하다 자여불
야:전²【野戰】명 들에서 싸우는 일. 산야(山野)에서의 전투. 또, 공성전(攻城戰)·시가전(市街戰)·요새전(要塞戰) 이외의 육상전.
야:전 공병단【野戰工兵團】명〖군〗육군 야전 공병단.
야:전-군【野戰軍】명 야전(野戰)에 종사하는 군(軍). 일정한 편성하의 육군 부대, 근무 지원 부대 및 가변수(可變數)의 군단·사단으로 구성되

는 행정 및 전술 편제.

야:전군 사령관【野戰軍司令官】명 야전군을 지휘하는 사령관.

야:전군 사령부【野戰軍司令部】명 야전군을 지휘하는 사령부.

야:전-대【野戰隊】명 야전에 종사하는 부대.

야:전 병기창【野戰兵器廠】명〖군〗야전에 사용하는 병기와 그 수리 재료를 저장하여 두어 병기의 보급·수리를 하는 곳.

야:전 병:원【野戰病院】명 부상병을 일시 수용·치료하기 위하여 전장(戰場)에 가까운 후방에 설치한 병원.

야:전-삽【野戰鍤】명〖군〗야전 군이 휴대하고 다니며 쓰는 작은 삽.

야:전 요새【野戰要塞】명〖군〗적군과 접촉하였을 때 또는 그 시기가 임박하였을 때 응급적으로 구축한 요새. 영구 요새에 비하여 공사나 장치가 경미(輕微)함. ↔영구(永久) 요새.

야:전 잠바【野戰—】〔jumper〕명〖군〗야전 군인이 방한·방습용으로 입는 잠바.

야:전 침:대【野戰寢臺】명〖군〗접었다 폈 수 있는 나무틀에 즈크를 댄 야전용(野戰用)의 간이 침대(簡易寢臺).

야:전 통신대【野戰通信隊】명〖군〗전신으로써 야전대(野戰隊)와 다른 부대와의 사이를 통신하는 일을 맡은 부대.

야:전-포【野戰砲】명〖군〗야전에서 쓰는 대포의 총칭. 105밀리·155밀리 곡사포, 155밀리 평사포 따위. ㊟야포(野砲).

야:전포-병【野戰砲兵】명〖군〗야전포를 조작하는 포병. 야포병.

야:점【夜店】명 밤에 물건을 파는 상점.

야젓-이 부 야젓하게. <의젓이.

야젓-잖다〔—잔타〕형 야젓하지 아니하다. <의젓잖다.

야젓-하다 형여불 태도나 됨됨이가 옹졸하거나 좀스럽지 아니하여 점잖고 무게가 있다. <의젓하다.

야:정【野情】명 야취(野趣).

야:제[1]【夜啼】명〖한의〗↗야제병(夜啼病).

야:제[2]【野祭】명〖민〗한식(寒食)날에 길가나 들에서 지내는 잡신(雜神)에게 드리는 제사.

야:제-병【夜啼病】〔—뼝〕명〖한의〗소아병의 하나. 동통·공복(空腹) 그 밖의 원인이 없이 밤에 발작적으로 우는 병. 주로 신경질의 젖먹이에게 많음. ㊟야제.

야:조[1]【夜鳥】명〖조〗밤에만 활동하는 새. 야금(夜禽).

야:조[2]【夜操】명 밤에 군사를 훈련함. ——-하다 타여불

야:조[3]【野鳥】명 야생의 새. ↔사조(飼鳥).

야:종 부〈방〉나중(충청).

야:주【夜珠】명 꽃불. *신기전(神機箭).

야주걱-거리다 자 ☞야기죽거리다. <이주걱거리다. **야주걱-야주걱**〔—냐—〕부. ——-하다 자여불

야주걱-부리다 자 ☞ 야기죽거리다.

야주르-베:다〔범 Yajur-Veda〕명〖책〗인도 바라문교의 성전(聖典). 베다(Veda)의 4부 중의 하나로, 제례(祭禮)의 준비에서부터 끝날 때까지의 예법(禮法), 제물(祭物)의 조제(調製) 등의 법식이나 제사(祭詞)를 집성(集成)한 서책(書冊)임. 야유폐타(夜柔吠陀).

야죽-거리다 자 ↗야기죽거리다. **야죽-야죽**〔—냐—〕부. ——-하다 자여불

야죽-대다 자 야죽거리다.

야중[1] 부〈방〉나중(충청).

야:중[2]【夜中】명 밤중.

야:중[3]【野中】명 들 가운데.

야즈냐발캬〔Yājñavalkya〕명〖사람〗인도의 석가 이전의 대표적 철학자. 우파니샤드(Upaniṣad) 철학자로 웃달라카(Uddālaka)의 제자. 아트만(Atman)의 주체성과 불가인식성(不可認識性)을 강설(講說)하고, 숙면(熟眠)할 때의 범아 합일(梵我合一), 아트만의 참된 인식에 의한 윤회(輪廻)로부터의 해탈(解脫)을 설도(說道)함.

야:지[1]【野地】명 산이 적고 넓은 들이 많은 지방. ↔산지(山地)❶.

야:지[2]【野池】명 들 가운데 있는 못.

-야지 어미 ↗-야 하지. 어미 '-아'·'-어' 등의 밑에 붙어서 쓰임. ¶학교에 가~ 않겠니/머리가 아프니 좀 쉬어~.

야지랑 명 얄밉도록 능청스러운 태도.

야지랑-떨다 자 짐짓 야지랑스러운 짓을 자꾸 하다. <이지렁떨다.

야지랑-부리다 자 짐짓 야지랑떨다. <이지렁부리다.

야지랑-스럽다 형ㅂ불 얄밉도록 능청맞으면서도 천연스럽다. <이지렁스럽다. **야지랑-스레** 부

야지랑-피우다 자 야지랑스러운 태도를 나타내다. <이지렁피우다.

야지러-지다 자 한편 쪽이 줄어지다. 한 귀퉁이가 떨어지다. <이지러지다.

야지리 부 ☞야짓.

야:직【夜直】명 밤에 궁중에서 숙직함. ——-하다 자여불

야:집【野集】명 질서(秩序) 없이 떼를 지어 모임. ——-하다 자여불

야짓 부 차근차근하게 통틀어서 모조리. ¶기왕에 보려면 처음부터 ~ 보아라.

야:차[1]【夜叉】명 ①〖민〗두억시니. ②〔범 yakṣa〕〖불교〗형모(形貌)가 추괴(醜怪)하며 사람을 해치는 잔인·혹독한 귀신. ③〖불교〗염마졸(閻魔卒).

야:차[2]【野次】명〖역〗왕이 교외에 거둥할 때에 머무르게 하기 위하여 임시로 차린 곳.

야:차 대:장【夜叉大將】명〖불교〗'비사문천왕(毘沙門天王)'의 이칭(異稱). 야차를 통솔한다는 데서 온 말임.

야:차-두【夜叉頭】명 야차의 흩어진 머리. 곧, 추괴(醜怪)하고 험악한 형상.

야:찬【夜餐】명 밤참.

야:참【夜—】명〈궁중〉밤참.

야:채【野菜】명 식용으로 하는 초본(草本) 식물의 총칭. ¶~ 시장.

야:채-류【野菜類】명 야채 종류. 야채붙이.

야:채 샐러드【野菜—】〔salad〕명 야채를 주된 재료로 하여 만든 샐러드.

야:채 수:프【野菜—】〔soup〕명 감자·양파·당근·셀러리 등을 얇게 썰어 넣고 버터로 지진 다음 고기즙 따위를 부어 만드는 서양 요리의 하나.

야:채 시:장【野菜市場】명 야채를 파는 시장.

야:채 원예【野菜園藝】명〖농〗야채를 재배하는 원예.

야:처【野處】명 집이 없이 들에서 거처함. ——-하다 자여불

야:천[1]【夜天】명 밤하늘.

야:천[2]【野川】명 들 가운데 흐르는 내.

야:천[3]【野泉】명 들에 있는 샘.

야:-천마【野天麻】명〖식〗익모초(益母草).

야:-천문동【野天門冬】명〖식〗파부초(婆婦草).

야청【—青】명 검은 빛을 띤 푸른 빛. 반물 아청(鴉青). ¶내가 ~ 하늘에 벼락 맞아 싼 년이오《作者未詳: 산천초목》.

야청-빛【—青—】〔—삗〕명 야청.

야청 명〈옛〉야청. ¶야청앤 서돈이오(鴉青的三錢)《老乞 上 12》/야청 외는 뵈 엿 쎄에 푸라(雅青的賣布六四)《老乞 上 13》.

야:초【野草】명 들에 저절로 나는 풀. 야생초.

야:출【惹出】명 끌어냄. ——-하다 타여불

야:취[1]【野翠】명 들의 초록빛.

야:취[2]【野趣】명 전야(田野)와 시골에서 풍기는 자연의 취향(趣向). 자연스럽고 소박한 느낌. 촌스러운 맛. 야정(野情). ¶~를 느끼다/그에게서 물씬 풍기는 ~.

야케〔도 Jacke〕명 후드가 달린 방풍·방수·방한용의 상의(上衣). 등산·스키·낚시질 등에 입음.

야코 명 '콧대'의 속어. ¶야코가 죽다.

야코비[1]〔Jacobi, Friedrich Heinrich〕명〖사람〗독일의 철학자. 칸트의 비판적 이성 철학과 피히테의 관념론에 반대하고, 감정에 바탕을 둔 '신앙 철학'·'감정 철학'을 제창하며 '니힐리즘'이란 말을 처음으로 사용함. 독일 로망파에 영향을 줌. 저서《스피노자의 학설에 대하여》·《이성(理性)을 오성(悟性)이라고 하는 비판주의의 기도(企圖)에 대하여》등. [1743-1819]

야코비[2]〔Jacobi, Karl Gustab Jacob〕명〖사람〗독일의 수학자. 타원 함수론, 편미분(偏微分) 방정식, 해석 역학(解析力學) 등에 업적이 있으며, 야코비안 곧 함수 행렬식·역학의 해밀턴·야코비의 미분 방정식 등에 이름을 남김. [1804-51]

야코비니아 명〖식〗〔*Jacobinia pohliana* var. *velutina*〕브라질 원산의 상록 다년생 관목상 초본. 줄기에는 사각형의 마디가 있고, 대생(對生)의 잎은 달걀꼴 또는 긴 타원형을 이룸. 잎 가는 물결 모양을 하고, 앞뒷면에 부드러운 털이 빽빽이 나 있으며, 백록색으로 보임. 꽃부리는 길이 5cm, 끈끈한 털로 덮여 있으며 위쪽은 두 갈래, 입술 모양의 아름다운 담홍색 꽃이 연중 계속 핌. 1957-60년에 우리 나라에 도입됨.

야코-죽다 자〈속〉위압되어 지기(志氣)를 못 펴다. 기가 죽다.

야코-죽이다 타〈속〉위압하여 지기(志氣)를 못 펴게 하다. 기를 죽이다.

야콘〔Yacon〕명〖식〗남아메리카 고산 지대 원산인 국화과의 다년생 초본. 고구마 비슷한 덩이뿌리를 맺는데, 이것을 날로 먹거나 즙을 내면 상큼한 맛이 배와 비슷하고 조림·볶음·지짐 등으로 가열 조리하여도 독특한 맛이 있음. 또 잎과 줄기도 차나 나물 등으로 식용할 수 있는데 충북 괴산군 일대에서 재배하고 있음.

야콥센〔Jacobsen, Jens Peter〕명〖사람〗덴마크의 소설가. 브란데스(Brandes)의 영향으로 처녀 단편집《모겐스(Mogens)》를 발표, 덴마크 자연주의 문학의 선구를 이루었음. 역사 소설《마리 그루베(Marie Grubbe) 부인》, 장편《닐스리네(Niels Lyhne)》외에 단편과 몇 편의 시작을 내었는데 그의 작품은 플로베르(Flaubert)의 영향을 받았으며, 완성도(完成度)가 높은 작품을 썼음. [1847-85]

야쿠:츠크〔Yakutsk〕명〖지〗러시아 연방 야쿠트 자치 공화국의 수도. 레나(Lena) 강변의 하항(河港) 도시. 모피(毛皮)·건설 자재·목재 등의 공업이 행해짐. 대학·공항이 있음. 18세기 이후 러시아의 동북 시베리아 진출 기지임. [196,000명(1993)]

야쿠:트 공:화국【—共和國】〔Yakut〕명〖지〗러시아 연방 동부 시베리아의 자치 공화국. 레나(Lena)·야나(Jana) 두 강의 유역에 자리하고 국토의 대부분이 툰드라(tundra)와 타이가(taiga)임. 기후는 대륙성이며 세계의 극한지(極寒地)임. 모피·금·은·백금을 산출함. 수도는 야쿠츠크. 1992년 '사하 공화국'으로 바뀌었음. [3,103,000 km²: 1,100,000명(1991)]

야쿠:트-어【—語】〔Yakut〕명〖언〗레나 강 유역에 분포된 투르크(Turk)어의 한 방언. 동부 시베리아의 야쿠트족 및 퉁구스계의 에벤족·에벤키족 등이 쓰는 특색 있는 말로, 원시 투르크어의 특질을 지니고있고 몽고어·퉁구스어의 영향을 강하게 받고 있음. 모음 조화가 특히 발달되어 있음. 1929년 로마자(字) 정서법(正書法)이 만들어졌으나 1939년 이후 러시아자(字) 정서법으로 바뀜.

야쿠:트-족【—族】〔Yakut〕명〖인류〗동부 시베리아의 레나 강 유역 일대에 거주하는 터키 계통의 한 종족. 13세기경 중앙 아시아에서 브리야트 몽고족에게 쫓겨 북방으로 이동하여 현지에 분포되었다고 함. 주로 말·소 등을 기르는 반유목적 양축(半遊牧的養畜)에 종사하나 그 밖에 농경(農耕)·어업도 하며 특히 상업에도 능함. 최고신(最高神)을 중심으로 한 샤머니즘적 숭배와 더불어 말을 제물(祭物)로 바치는 풍습이 행하여짐.

야:크〔yak〕명〖동〗〔*Bos grunniens*〕솟과에 속하는 소의 일종. 키는

암컷이 160 cm, 수컷은 190 cm, 무게는 암컷이 320-360 kg, 수컷은 650-720 kg 임. 온 몸이 부드럽고 긴 털로 덮여 있는데 털빛은 주로 흑백으로 얼룩져 있으며, 간혹 백색에 담갈색이 섞여 있는 것도 있음. 사지(四肢)는 짧고, 어깨는 융기하며, 꼬리는 긺. 발톱은 튼튼하고, 암수 모두 뿔이 있는데 길고 뒤로 굽음. 야생의 것도 있으나, 길들여 가축으로 기르는데, 눈 많은 산간 지대(山間地帶)에서 사역(使役)에 이용하고, 지방분(脂肪分)이 많은 젖과 고기는 식용, 털은 모직물, 똥은 겨울철의 연료로 씀. 인도소 또는 유럽소와 교배시켜 잡종을 얻는데 암컷은 번식력이 있으나 수컷은 번식력이 없음. 북인도·티베트·히말라야 지방 등 고지(高地)의 원산임.

〈야크〉

야크-기【一機】〔Yak〕명〘군〙소련의 야코브레프 기사단(技士團)이 설계한 일련의 군용기. 대표적인 것으로 야크 28과 야크 36 등이 있음. 야크 28은 전투 폭격기(戰鬪爆擊機)로 최대 속도 마하 1.3, 항속(航續) 거리 1,800 km, 폭탄 적재량 1,000 kg이며, 야크 36은 수직 이착륙의 함상 공격기(艦上攻擊機)로, 행동 반경은 200-250 해리. 1인승임. 야크 전투기.

야크 전:투기【一戰鬪機】〔Yak〕명〘군〙야크기.

야:탁【夜柝】명 야경을 돌 때 치는 딱딱이.

야:태【野態】명 촌스러운 모양. 시골티. 야자(野姿).

야:토【野兎】명〘동〙산토끼. ↔가토(家兎).

야:토-병【野兎病】[-뼝] 명 산토끼의 병원균(病原菌)이 피부나 입을 통해 들어가서 일으키는 병. 산토끼의 가죽을 벗기거나 고기를 먹어서 감염되나, 파리에 의해 감염되는 경우도 있음. 잠복기(潛伏期)는 3-4일. 발열(發熱)과 동시에 병원균이 침입한 근처의 림프선이 부어오름.

야:투【野投】명 필드 스로(field throw). ——-하다 타여불

야트막-이 부 야트막하게.

야트막-하다 형여불 썩 야틈하다. <여트막하다.

야틈-하다 형여불 약간 얕은 듯하다. <여틈하다.

야파〔Yaffa〕명〘지〙지중해에 면한 이스라엘의 항구. 고대 이집트 시대에 건설된 항구로, 예로부터 예루살렘으로 통하는 교통의 요지임. 1960년 텔아비브에 합병됨. *텔아비브야파.

야페테-인【一人】〔Yafete〕명〘인류〙서양 고대사 중의 한 민족. 오리엔트 민족 구성의 기반을 이룬다고 생각되는 민족으로서, 엘람(Elam)·수메르(Sumer) 등 이른바 소아시아인(人)·크레타 미케네인(人)·스페인의 바스크인(人) 등과 같은 계통이라고 함.

야페투스〔Iapetus〕명〘천〙토성의 제8위성(衛星). 1671년 카시니에 의하여 발견되었음. 광도(光度)는 11등으로 위성의 궤도면(軌道面)이 특수한 운동을 하고 있음.

야편 명〈방〉아편(阿片).

야:포【野砲】명〘군〙↗야전포(野戰砲).

야:포-대【野砲隊】명〘군〙[↗야전포병대] 야전 포병으로 구성된 부대.

야:-포도【野葡萄】명〘식〙왕머루.

야:포-병【野砲兵】명〘군〙야포를 조작하는 포병.

야:풍【野風】명 속되고 야비한 풍속.

야프 섬:〔Yap〕명〘지〙서태평양 캐롤라인 제도(Caroline 諸島) 서부의 섬. 네 개의 섬과 그것을 둘러싼 보초(堡礁)로 됨. 주산물은 코프라(copra). 미국 신탁 통치령임. [약 100 km²]

야:-하다¹【冶一】형여불 ①천하게 요염하다. ¶야하게 차려 입다. ②깊숙하지 못하고 되바라지다. ¶야한 행동.

야:-하다²【野一】형여불 ①품위가 없어 상스럽다. ¶촌스럽고 야한 말씨. ②박정할 만큼 이끗에만 밝다. 「을 치르다.

야:학¹【夜瘧】명〘의〙밤이면 앓게 되는 학질. ——-하다 자여불 야학

야:학²【夜學】명 ①↗야학교(夜學校). ②밤에 학문을 배움. 밤에 공부함. ↔주학(晝學). ——-하다 자여불

야:학³【野鶴】명〘조〙두루미. ¶한운(閑雲) ~.

야:학-교【夜學校】명 야간 학교. 준야학(夜學).

야:학-당【夜學堂】명 밤에 글을 가르치는 곳. 야학교(夜學校).

야:학-생【夜學生】명 야학교에서 배우는 학생.

야:학-회【夜學會】명 밤에 글을 가르치는 모임. 「위.

야:한【夜寒】명 ①밤의 한기(寒氣). ②가을 밤의 쌀쌀한 느낌. 또, 그 추

야:합【野合】명 ①부부 아닌 남녀가 서로 정을 통함. 사통(私通). ②좋지 못한 목적 밑에 서로 어울림. ¶불순(不純) 세력과 ~해서 음모를 꾸미다. ——-하다 자여불

야:합-피【夜合皮】명〘한의〙강장제·접골약(接骨藥)·모생약(毛生藥) 등에 쓰이는 자귀나무의 껍질. 합환피(合歡皮).

야:합-화【夜合花】명 자귀나무의 꽃.

야:항【夜航】명 밤에 항행함. ——-하다 자여불

야:행【夜行】명 ①밤에 길을 감. ②밤에 활동함. ¶백귀(百鬼) ~/~성. 1)·2):↔주행(晝行). ——-하다 자여불

야:행 동:물【夜行動物】명〘동〙야행성이 있는 동물. 박쥐·이리·쥐·부엉이·지렁이 같은 것. 야행성 동물.

야:행-성【夜行性】[-썽] 명〘동〙섭식(攝食)·생식 등의 여러 활동을 낮에는 쉬었다가 밤에 하는 동물의 습성. ↔주행성(晝行性).

야:행성 동:물【夜行性動物】[-썽-] 명〘동〙야행 동물. ↔주행성 동물.

야:행 열차【夜行列車】[-녈-] 명 야간 열차.

야:행 피수【夜行被繡】명〔수 놓은 비단 옷을 입고 밤길을 간다는 뜻으로〕공명(功名)을 이루고서도 그 이름이 알리어지지 아니함의 비유. 금의 야행(錦衣夜行).

야:호¹【夜壺】명 요강(尿綱).

야:호²【野狐】명〘동〙여우.

야:호³【耶許】감 어여차.

야-호⁴〔yo-ho〕감 ①등산하는 사람이 서로 부르는 소리. ②신이 나서 외치는 환호의 소리.

야:호-선【野狐禪】명 ①〘불교〙선(禪)을 배워 아직 온오(蘊奧)하지 못하면서, 스스로 오도(悟道)에 들어갔다고 자부하는 사람. ②완전히 알지 못하면서 아는 것처럼 자기 만족을 하는 사람.

야:홍【夜虹】명 월홍(月虹).

야:홍-화【野紅花】명〘식〙엉겅퀴.

야:화¹【夜火】명 밤에 태우는 불. 밤에 올리는 봉화불.

야:화²【夜話】명 ①밤에 모여 앉아 하는 이야기. 또, 그것을 필기한 책. ②특히 선종(禪宗)에서, 밤에 주지가 수행자에게 좌선 수행(坐禪修行)을 위하여 훈화(訓話)하는 일. ③❶에서 전(轉)하여, 구수하고 재미나는 이야기. 또, 그러한 내용의 책.

야:화³【野火】명 들에서 타는 불. 들에 난 불.

야:화⁴【野花】명 ①들에 나는 풀의 꽃. 들꽃. 야방(野芳). ②하층 사회나 화류계의 미녀(美女)의 비유.

야:화⁵【野話】명 ①항간에 떠도는 이야기. ②시골 이야기.

야:화 생물【野化生物】명〘생〙야외로 옮아가서 토착(土着)·번식하게 된 사육 동물이나 외래(外來) 식물.

야:화 식물【野化植物】명〘식〙인공 재배 식물이던 것이 함부로 흩어져 퍼져서 야생종(野生種)으로 된 식물.

야:화화【耶華和】명〘기독교〙'여호와(Jehovah)'의 취음.

야:회【夜會】명 밤에 모이는 일. 또, 그 모임. 특히 서양식의 사교(社交) 회합. ——-하다 자여불

야:회-복【夜會服】명 서양식의 야회 때 입는 옷. 남자용은 연미복(燕尾服)이고, 여자용은 이브닝 드레스임. 스와레.

야:훼〔히 Yahweh〕명 여호와(Jehovah).

야:휴【野畦】명 들에 있는 밭둑 길. 논둑 길.

야:희【野戲】[-히] 명 유득공(柳得恭)의 《경도 잡지(京都雜誌)》에서, '가면극'을 가리키는 말. *산희(山戲).

야히모프〔Jachymov〕명〘지〙중부 유럽 체코의 서부 에르츠 산맥(Erz 山脈) 남사면(南斜面)의 취락(聚落). 부근에서 라듐·우라늄광을 산출함. 독일명: 요아힘스탈(Joachimsthal). [3,253 명(1970)]

약¹ 명〈옛〉거북의 한 종류. ¶약爲龜鼊《訓例 26》.

약² 명 화투(花鬪)·마작(麻雀) 같은 놀이에서, 특정한 경우에 특별한 끗수를 얻을 수 있는 특권이 생기는 일. 또, 그 특권.

약³ 명 ①고추·담배 등 자극성 풀이 잘 성숙하여 지니는 약효적(藥效的)인 자극성 성분. ¶고추가 ~이 올라서 맵다. ②비위에 거슬렸을 때 일어나는 언짢거나 분한 마음.

약⁴【略】명 ①↗생략(省略). ②〘역〙강독(講讀) 시험의 성적을 표시하는 등급의 하나. 통(通)의 다음, 조(粗)의 위로 중등의 등급임. ——-하다 타여불

약⁵【葯】명〘식〙꽃의 한 기관. 수술 끝에 붙어서 화분(花粉)을 만드는 주머니 모양의 부분. 약포(葯胞). 꽃가루주머니. 꽃밥.

약⁶【藥】명 ①병이나 상처를 고치는 데 복용하거나 바르거나 주사하는 물품의 총칭. 의약(醫藥). ②↗화약(火藥). ③〈속〉↗전지약(電池藥). ¶~이 다 나가다. ④유해(有害) 동식물을 제거하는 데 쓰는 물건. 농약·파리약 등. ⑤물건에 윤을 내기 위하여 바르는 물건. 구두약 등. ⑥'술'·'아편' 등의 곁말. ⑦〈속〉뇌물.

[약은 나누어 먹지 않는다] 약을 나누어 먹으면 약효가 덜하다 하여 이르는 말. [약은 빚 내어서라도 먹어라] 사람에게는 건강이 제일이니 약을 지어 먹는 데 돈을 아깝게 여기지 말며 때를 놓치지 않고 먹으라는 말.

약에 쓰려도 없:다 구 아무리 애써 찾아도 조금도 없다. 눈에 약하려도 없다.

약⁷【籥】명〘악〙아악기(雅樂器)에 속하는 피리의 하나. 황죽(黃竹)으로 만든 중국 고대의 악기. 구멍은 3개이고 세로 불게 되었음. 주로, 일무(佾舞)를 출 때 문무(文舞)하는 무생(舞生)이 왼손에 쥐고 춤.

약⁸【約】관 어떤 수량에 거의 가까운 정도를 표시하는 말. 대략. 거의. ¶~ 10 m/~ 10분.

-약¹【弱】미 -빠듯. ¶1.95는 2~이다. ↔강(強).

-약²어미〈옛〉-야. ¶네 子細히 ᄉᆞ랑ᄒᆞ약 哀慕ᄅᆞᆯ 忝히 말라(汝諦思念無忝哀慕)《楞嚴 Ⅱ:53》/工夫ᄅᆞᆯ ᄒᆞ약 모ᄉᆞ믈뻐《蒙法 4》. *-곡.

약가【藥價】명 약값.

약-가심【藥一】명 약을 먹은 후에 입을 가시는 일. 또, 그 음식. *입가심. ——-하다 자여불

약간【若干】명부 얼마 안 됨. 얼마쯤. ¶~ 명(名)/~의 돈/술을 ~ 마시다.

약-갑【藥匣】명 약을 넣는 갑.

약-값【藥一】[-깝] 명 약의 대가(代價). 약가(藥價).

약건【鑰鍵】명 ①문빗장에 내리지르는 쇠. ②열쇠.

약계【藥契】명 약국(藥局)❸.

약계 바라지【藥契一】[-빠-] 명 약방의 들창. 창짝 중턱에 두 개의 눈썹 바라지가 가로 늘 버티어 있어서 밖을 내다 볼 수 있게 되며, 겉창 대신 안쪽에 널조각으로 된 미닫이가 두 짝 있음.

약계 봉:사【藥契奉事】명 약국(藥局)을 내어 한약을 지어 파는 사람. 약계 주부(藥契主簿).

약계 주부【藥契主簿】명 약계 봉사(藥契奉事).

약-고추장【藥一醬】명 ①볶은 고추장. ②찹쌀을 원료로 하여 고춧가루

를 보통의 것보다 많이 넣어 담근 고추장. 빛이 검붉고 맛이 좋음.

약골【弱骨】명 ①몸이 약한 사람. 약질(弱質). 섬인(纖人). ¶그는 ～이다. ②약한 골격. 잔골(孱骨). ＊병골(病骨).

약과【藥果】명 ①과줄. ②감당하기 어렵지 않은 일. ¶그건 ～야.
[약과는 누가 먼저 먹을는지] 약과는 제물용(祭物用)이니 너와 나와의 명(命)의 길고 짧음을 알 수 없다는 말.
약과 먹기 구 하기에 쉽고도 즐겁다는 뜻.

약과-문【藥果紋】명 ①과줄 모양으로 된 비단의 무늬. ②검은담비의 네모진 무늬.

약과 장식【藥果裝飾】명 장문(欌門)에 박는 네모진 장식.

약관[1]【約款】명 법령·조약 또는 계약에서 약속하여 정한 낱낱의 조항.

약관[2]【弱冠】명 ①남자 나이 20세의 일컬음. ②약년(弱年). ¶～ 30에 차관이 되다.

약국[1]【弱國】명 국력이 약한 나라. 국세가 기울어지는 나라.

약국[2]【藥局】명 ①약사가 양약(洋藥)을 조제도 하고 팔기도 하는 곳. ②'병원 조제실'의 통칭. ③한약을 지어 파는 곳. 약계(藥契). 약방(藥房).
[약국 집 맷돌인가] 어디에나 두루 쓰임을 이르는 말.

약국-방【藥局方】명 약전(藥典)❶.

약국-생【藥局生】명 병원 안의 약국에서 약을 짓는 사람.

약군【弱群】명 군세(群勢)가 약한 벌떼.

약궁【弱弓】명 팽팽하지 못한 활.

약-그릇【藥―】명 약을 담아 두거나 따라 마시는 그릇. 약기(藥器).

약기[1]【約期】명 약속한 기일(期日).

약기[2]【弱氣】명 허약한 기질(氣質).

약기[3]【弱起】명〖악〗'여린내기'의 한자 이름.

약기[4]【略記】명 간략하게 적음. 또, 그 기록(記錄). 생기(省記). ¶doctor를 Dr.로 ～ 하다. ――-하다 타여불

약기[5]【藥氣】명 약내.

약기[6]【藥器】명 ①약그릇. ②약을 달이거나 가루로 빻을 때 등 약을 만들 때 사용하는 그릇·도구 등의 총칭.

약기[7]【躍起】명 뛰어 일어남. ――-하다 자여불

약-꼬챙이 명 ☞약막대기.

약꾸리 명〈방〉옆구리(경상).

약-꿀【藥―】명 약으로 사용되는 꿀.

약-난초【藥蘭草】명〖식〗[*Cremastra variabilis*] 난초과에 속하는 다년초. 줄기는 곧게 서고 높이 40cm 내외, 잎은 1-2개가 인경(鱗莖) 끝에 달렸으며 잎꼭지가 길고 피침상(披針狀) 타원형을 이룸. 5-6월에 엷은 황갈색의 꽃이 줄기 끝에 총상 화서로 핌. 산지의 나무 그늘에 나는데, 전남에 분포함.

약낭【藥囊】명 약을 넣어서 차는 작은 주머니. 약대(藥袋).

약낭-쌈지 명〈방〉염낭쌈지.

약년[1]【若年】명 젊은 나이.

약년[2]【弱年】명 나이가 어림. 어린 나이. 약관(弱冠). 약령(弱齡). 약세(弱歲).

약-년[3]【藥碾】명 →약연(藥碾).

약년 정년제【若年停年制】명 정년 연령(停年年齡)을 40세 또는 45세 정도로 낮게 정하고, 그 나이가 되어도 계속 근무를 할 수 있게 하면서 퇴직을 희망하는 자에게 퇴직금 등 면에서 우대하는 정년 제도.

약-농【藥籠】명〔←약롱(藥籠)〕약을 넣어 두는 채롱이나 궤.

약농중-물【藥籠中物】명 ①약농 속의 약품이라는 뜻으로, 꼭 필요한 인물을 일컫는 말. 약농지물. ②가까이 사귀어 자기 편으로 한 인물. 약농지물.

약농지-물【藥籠之物】명 약농중물(藥籠中物).

약다 형 ①제게 이롭게만 하다. ②눈치 빠르게 영악하다. 꾀가 바르다. 영리하다. 1)·2): <역다.
[약기는 묘구(墓寇) 같다] 눈치빠르고 영악한 사람을 이르는 말. [약기는 쥐새끼냐 참새 굴레도 씌우겠다] 민첩하고 꾀가 많은 사람을 이르는 말. ¶정임이가 약기는 참새 굴레 씌만하지마는 세상 구경은 처음 같은 터라 ≪崔瓚植:秋月色≫. [약은 쥐가 밤눈 어둡다] 남보기에 약은 것 같으나, 허점이나 약점은 가지고 있다는 말.

약-단【約短】명 화투놀이에서, 약과 단을 아울러 이르는 말. ¶～을 보다.

약-단지【藥―】명〈방〉약탕관(경상).

약-담배【藥―】명〈방〉양귀비[2].

약당【藥鐺】명 솥 모양의 약탕기. ＊약정(藥鼎).

약대[1] 명〖동〗낙타(駱駝).

약대[2]【藥大】명 ↗약학 대학.

약대[3]【藥代】명 약값. 약가(藥價).

약대[4]【藥袋】명 약주머니. 약낭(藥囊).

약대-벌레 명〖충〗[*Inocellia crassicornis*] 약대벌렛과에 속하는 곤충. 몸길이 7-12mm, 편 날개 15-20mm이고, 몸빛은 검은데, 두부(頭部)에 적갈색부가 있으며 흉부·다리의 중앙부·복배(腹背) 뒷면은 황색임. 단안(單眼)이 없으며 날개는 투명함. 암컷이 수컷보다 크며, 배 끝에 산란관(產卵管)이 있음. 유충은 수피(樹皮)의 밑에 살면서 다른 곤충을 잡아먹고, 성충은 봄과 여름에 걸쳐 출현하여 삼림 속의 잎이나 줄기에 모이며 등불에도 날아옴. 한국·일본·아시아 대륙·북미 등지에 분포함.

〈약대벌레〉

약대벌렛-과【―科】명〖충〗[Raphidiidae] 풀잠자리목(目)에 속하는 한 과. 전세계에 60여 종이 주로 유럽·아시아 대륙에 분포함.

약-대인【藥大人】명 개화기(開化期) 때에, 서양 사람 의사를 일컫던 말.

약-대접【藥―】명 약그릇으로 쓰이는 대접.

약-덕【藥德】명 병을 낫게 하는 약의 효능. ¶～을 보다.

약도【略圖】명 간략하게 대충 그린 도면(圖面).

약독[1]【弱毒】명 독성이나 병원체(病原體)의 성질을 약하게 함. 또, 그렇게 한 것.

약독[2]【略讀】명 대충 읽음. 중요한 대목만 뛰어서 읽음. ――-하다 타여불

약독[3]【藥毒】명 약의 독기(毒氣).

약독 백신【弱毒―】명〔attenuated vaccine〕〖의〗약독화(弱毒化)된 세균이나 바이러스 또는 그 부유액(浮遊液). 능동(能動) 면역을 하는 데 쓰임.

약독 생백신【弱毒生―】〔vaccine〕명〖의〗약독 생균(生菌) 또는 생바이러스(生 virus)를 쓰는 백신. 생균을 쓰는 것으로는 결핵의 BCG 백신, 생바이러스를 쓰는 것으로는 우두·홍역 등의 백신이 있음.

약동[1]【藥童】명〖역〗고려 때 전의시(典醫寺)와 상약국(尙藥局)의 이속(吏屬).

약동[2]【躍動】명 생기 있고 활발하게 움직임. ――-하다 자여불

약동-감【躍動感】명 생생하게 뛰노는 느낌. 생동감.

약-되다【藥―】자 약효가 생겨 몸에 유익하여지다.

약-두구리【藥―】명 탕약을 달이는 데 쓰이는 자루가 달린 놋그릇. 준 두구리.

약-둥이 명 약고 똑똑한 아이.

약략-스럽다【略略―】[―냑―] 형ㅂ불 약략한 느낌이 있다. **약략-스레**【略略―】[―냑―] 부

약략-하다【略略―】[―냑―] 형 ①매우 간략하다. ¶이 글은 너무 ～. ②약소하다. **약략-히**【略略―】[―냑―] 부

약량[1]【約量】[―냥] 명 어떤 양(量)의 몇 분의 1인가의 양. ↔배량(倍量).

약량[2]【藥量】[―냥] 명 복용하는 약의 분량.

약량-학【藥量學】[―냥―] 명 복량학(服量學).

약력[1]【弱力】[―녁] 명〖물〗원자핵(原子核)이 외부의 작용 없이 자연 붕괴하는 힘. 곧, 베타 붕괴를 일으키는, 원자핵 안에서의 약한 상호 작용. 그 힘의 크기는 강력(強力)의 10^{-13}. ↔강력(強力). ＊약한 상호 작용(相互作用).

약력[2]【略歷】[―녁] 명 간략하게 적은 이력.

약력[3]【略曆】[―녁] 명 약본력(略本曆).

약력[4]【藥力】[―녁] 명 약의 효력. 약효(藥効).

약렬【弱劣】[―녈] 명 약하고 용렬함. ――-하다 형여불

약령[1]【弱齡】[―녕] 명 약년(弱年).

약령[2]【藥令】[―녕] 명 봄·가을에 약재(藥材)를 매매하는 장. 대구·청주·공주·대전·전주 등지에 섬. 약령시(藥令市). 준영(令).
약령(을) 보다 구 약령에 가서 약재(藥材)를 매매하다. 준영(令)보다.
약령(이)서다 구 약령에 많은 사람들이 모여 약재(藥材)를 매매하는 판이 벌어지다. 준영(令)서다.

약령-시【藥令市】[―녕―] 명 약령 보는 시장. 약령(藥令).

약령 장정【藥令章程】[―녕―] 명 조선 시대에 약령시(藥令市)의 약상(藥商)들이 지켜야 할 사항을 적은 규정집(規程集).

약로【藥路】[―노] 명 여러 가지 약을 써 보아서 병에 알맞은 약을 얻게 된 길.

약론【略論】[―논] 명 간단하게 줄여 논함. 또, 그 논(論). ――-하다 타여불

약-롱【藥籠】[―농] 명 →약농(藥籠).

약료【藥料】[―뇨] 명 ①↗약재료(藥材料). ②약의 대금(代金).

약리【藥理】[―니] 명 약품으로 인하여 일어나는 생리적인 변화.

약리-도【躍鯉圖】[―니―] 명 공중으로 뛰어 오르는 잉어를 그린 그림. 출세와 득남(得男)을 상징함.

약리 유전학【藥理遺傳學】[―니―] 명〔pharmacogenetics〕〖의〗생체(生體)의 약제(藥劑)에 대한 반응성의 유전적 변이(變異)와 그 유전적 기구(機構)를 연구하는 과학.

약리 작용【藥理作用】[―니―] 명 약에 의해 생체(生體)에 일어나는 변화. 생체 고유의 기능을 증진·저하, 때로는 정지시키기도 함.

약리-학【藥理學】[―니―] 명〖약〗생명체에 일정한 화학적 물질을 주었을 때에 일어나는 생활 현상의 변화를 연구하는 학문. 좁은 의미의 약리학과 독물학(毒物學)으로 나누어짐.

약리학-자【藥理學者】[―니―] 명 약리학을 연구하는 사람.

약마 복중【弱馬卜重】명 사람이 그의 재주와 힘에 부치는 일을 맡음의 비유.

약마-희【躍馬戲】[―히] 명〔'약(躍)'은 '떼', '마(馬)'는 '몰다'의 어간 '몰-'의 이두식(吏頭式) 표기〕〖민〗제주도에서 영등(靈登)굿이 끝나고 영등 할머니를 떠나 보낼 때 벌이던 놀이. 뗏목 위에 짚으로 만든 작은 배와 제상(祭床)의 제물(祭物)을 실은 뒤 무당의 신호에 따라 일제히 뗏목의 노를 저어 바다로 나가 짚배를 바다에 띄워 보냄. 이 때 1등을 차지한 뗏목은 풍어(豐漁)를 맞게 된다고 함.

약-막대기【藥―】명 탕약을 짤 때 약수건을 비트는 데 쓰는 막대기.

약매【略賣·掠賣】명 물건을 훔쳐다 팖. 사람을 유괴(誘拐)하여다가 팖. ――-하다 타여불

약맹【約盟】명 맹약(盟約). ――-하다 자여불

약-면약【弱綿藥】명〖화〗솜을 질산과 황산과의 혼합액(混合液) 속에 담가 질산의 작용을 약하게 만든 질산 셀룰로오스. 무연 화약(無煙火藥)의 재료로 쓰임.

약명[1]【若命】명 젊은 신명(身命). 젊은이의 목숨.

약명[2]【藥名】명 약의 이름.

약모【略帽】명〖군〗군대에서 특별한 의식이 없는 일상 근무 생활에 쓰는 약식 모자. 작업모(作業帽). ↔정모(正帽).

약-모밀【藥—】명〖식〗[*Houttuynia cordata*] 삼백초과(三白草科)에 속하는 다년초. 뿌리는 희고 연하여 길게 옆으로 번음. 줄기는 높이 25-50 cm로 곧추 자라고, 긴 잎자루에 넓은 달걀꼴 심장형의 잎이 나는데, 특이한 악취(惡臭)가 남. 6월경에 줄기 끝에 짧은 꽃줄기가 나와 꽃처럼 보이는 4장의 흰 포(苞)가 달린 담황색 작은 꽃이 밀생(密生)함. 과실은 삭과(蒴果)임. 습지에 잘 자라는데, 한국·일본에 분포함. 지하경(地下莖)과 지상부(地上部)를 민간에서 소염(消炎) 및 치질(痔疾)에 쓰고, 한방에서 '중약(重藥)'이라 하여 임질 및 요도염의 이뇨제(利尿劑)로 씀. 멸. 즙채(蕺菜). 필관채(筆管菜). 어성초(魚腥草). 삼백초(三白草).

〈약모밀〉

약-모음【弱母音】명〖언〗음성 모음(陰性母音). ↔강모음(強母音).
약무【藥務】명 약사(藥事)에 관한 사무. 약제사로서의 일.
약무 부:이사관【藥務副理事官】명 의무직(醫務職) 국가 공무원 직급 명칭의 하나. 약무 직렬(職列)에 속하며, 약무 서기관(書記官)의 위, 약무 이사관의 아래로 3급 공무원임.
약무 사:무관【藥務事務官】명 의무직(醫務職) 국가 공무원 직급 명칭의 하나. 약무 직렬(職列)에 속하며, 약무 주사(主事)의 위, 약무 서기관(書記官)의 아래로 5급 공무원임.
약무 서기관【藥務書記官】명 의무직(醫務職) 국가 공무원 직급 명칭의 하나. 약무 직렬(職列)에 속하며, 약무 사무관(事務官)의 위, 약무 부이사관(副理事官)의 아래로 4급 공무원임.
약무 이:사관【藥務理事官】명 의무직(醫務職) 국가 공무원 직급 명칭의 하나. 약무 직렬(職列)에 속하며, 약무 부이사관(副理事官)의 위, 관리관(管理官)의 아래로 2급 공무원임.
약무 주사【藥務主事】명 의무직(醫務職) 국가 공무원 직급 명칭의 하나. 약무 직렬(職列)에 속하며, 약무 주사보(主事補)의 위, 약무 사무관(事務官)의 아래로 6급 공무원임.
약무 주사보【藥務主事補】명 의무직(醫務職) 국가 공무원 직급 명칭의 하나. 약무 직렬(職列)에 속하며, 약무 서기(書記)의 위, 약무 주사(主事)의 아래로 7급 공무원임.
약문【約文·略文】명 긴 글을 간단하게 줄인 글. 약필(略筆).
약물[1]【約物】명〖인쇄〗활자 가운데서, 문자·유럽 문자·숫자(數字) 따위 이외의 각종 기호 활자의 총칭. 숫자용 기호와 단위 기호(+, −, ×, ÷, m, km, = 등), 그리고 괄호·구두점 등 여러 가지가 있음.
약-물[2]【藥—】명 ①약효가 있는 샘물. 약수(藥水). ②약을 타거나 우린 물. ③탕약을 달일 물.
약물[3]【藥物】명 약이 되는 물건. 약품(藥品). ¶ ~에 중독되다.
약물 검:사【藥物檢査】명〖체〗도핑 테스트(doping test).
약물-꾼【藥—】명 약물터로 약물을 먹으러 오는 사람.
약물 내:성【藥物耐性】명 [drug tolerance]〖의〗약을 여러 번 반복해서 복용한 까닭에 당초의 약용량(藥用量)으로는 효과를 볼 수 없게 된 상태. *약물 저항성.
약물 소독【藥物消毒】명 페놀·포르말린 등의 약품을 써서 하는 소독.
약물 알레르기【藥物—】[도 Allergie] 명〖의〗약물에 의한 알레르기. 피린계 약제(pyrine 系藥劑)나 페니실린 등에서 현저함.
약물 요법【藥物療法】[—료뻡] 명 약물로 병을 고치는 방법. 정신 요법·물리 요법 등에 대하여 쓰이는 말. *이학적(理學的) 요법·정신(精神) 요법.
약물 의존【藥物依存】명 반복적 또는 연속적인 약물의 연용(連用)으로 일어나는, 그 약물에 의존해 버리는 상태. 정신적 의존과 신체적 의존이 있음.
약물 저:항성【藥物抵抗性】[—썽] 명 [drug resistance] 어떤 종류의 약품이나 화학 물질의 유해 작용(有害作用)에 대한 생물체 반응성의 감소. 때로는 약물 내성(藥物耐性)의 뜻으로도 쓰임.
약물 중독【藥物中毒】명〖의〗약의 오용으로 인한 해독(害毒) 작용. 마약·진통제·진정제 따위의 계속적인 또는 과다한 복용에서 흔히 일어나며, 정상 사용에 의한 부작용과는 구별됨.
약물-터【藥—】명 약물이 나는 곳. 약수터.
약물-통【藥—桶】명 약물을 담는 통. 약수통(藥水桶).
약물 특이 체질【藥物特異體質】명〖의〗어떤 특정한 약에 대해서 보통 사람과는 다른 반응을 보이는 사람의 체질.
약물-학【藥物學】명 '약리학(藥理學)'의 구칭(舊稱).
약미 대:관【藥彌大觀】명〖불교〗약사 여래(藥師如來)·아미타 여래(阿彌陀如來)·대일 여래(大日如來)·관세음 보살(觀世音菩薩)의 병칭(並稱).
약박【弱拍】명〖악〗'여린박'의 한자 이름. ↔강박(強拍).
약반[1]【藥飯】명 약밥.
약반[2]【藥盤】명 약사발을 올려 놓거나 나르는 데 쓰는 자그마한 소반.
약-발【藥—】명 겉으로 나타나는 약의 효험. ¶ ~을 받다.
약밤-나무 명〖식〗[*Castanea bungeana*] 참나뭇과에 속(屬)하는 낙엽 활엽 교목. 높이 12m 가량으로, 잎은 타원형 또는 긴 타원상 피침형을 이루며, 가에는 뾰족한 톱니가 있음. 자웅 일가(雌雄一家)인데, 5-6월에 꽃이 수상(穗狀) 화서로 피고, 둥근 각두(殼斗)를 가진 견과(堅果)는 9-10월에 익음. 밤나무에 비하여 잎의 톱니가 깊으며, 열매가 잘고 맛이 닮. 속칭 '평양 밤'이라 하여 유명한데, 중국 원산으로 한국 중부 이북 및 중국에 분포함.
약-밥【藥—】명 물에 불린 찹쌀을 시루에 찐 뒤 꿀이나 설탕·참기름·대추 등을 쳐서 거른 것을 섞고, 다시 진간장·밤·대추·계피·곶감·잣 등을 넣어서 시루에 찐 밥. 약반(藥飯). 약식(藥食).
약방[1]【藥方】명 약의 처방(處方). 조약(調藥)의 방법.
약방[2]【藥房】명 ①약을 조제할 수 있는 약국(藥局)에 대하여 매약(賣藥)의 소매만을 하는 곳. ②약국(藥局)❸. ③대가집에 마련된 약 짓는 방. ④〖역〗내의원(內醫院). ⑤〖역〗조선 시대 때, 성균관(成均館)의 동재(東齋)의 맨 위쪽의 방(房).
[약방에 감초] 어떤 일에도 빠짐없이 참석하는 사람이나 불가결의 물건을 비유하는 말. [약방에 전다리 모이듯] 보기 흉한 못난 자들만 많이 모인다는 뜻.
약방 게:젓【藥房—】명〖역〗조선 시대에 내의원(內醫院)에서 담가 진상하던 게장. 약방 해해(蟹醢). 「던 상주문(上奏文).
약방 계:사【藥房啓辭】명〖역〗조선 시대에 내의원(內醫院)에서 올리
약방 기:생【藥房妓生】명 조선 시대에 약방 곧 내의원(內醫院)에 속하여 의녀(醫女)로서 행세하던 관기(官妓).
약방 기:생 볼 쥐:지르게 잘 생기다 구 여자의 용모가 뛰어나게 잘 생기다. ¶얼굴판하며 옷거리는 약방 기생 볼 쥐지르게 잘 생기고 간드러지다.
약-방문【藥方文】명 약을 짓기 위하여 약명과 분량을 적은 종이. 약화제(藥和劑). ¶사후(死後) ~. ㊉방문(方文).
약방비 미사일 기지【弱防備—基地】명 [soft missile base]〖군〗원자 폭탄에 대한 방어가 안 된 미사일 발사용 기지.
약방 저울【藥房—】명 한약방에서 약의 무게를 달 때 쓰는 약저울의 딴 이름.
약방 해해【藥房蟹醢】명 약방 게젓.
약-밭【藥—】명 약초(藥草)를 심는 밭. 약전(藥田).
약배【若輩】명 젊고 경험이 적은 사람.
약법[1]【約法】명 ①약속한 법. 약장(約章). ②중화 민국에서, 헌법(憲法)을 말함.
약법[2]【略法】명 ①간략한 방법. ②간략하게 줄인 법률.
약법 삼:장【約法三章】명 ①〖역〗중국의 한고조(漢高祖)가 진(秦)나라를 멸한 후 부로(父老)들에게 약속한 '사람을 죽인 자는 죽이고, 남을 상하게 하거나 도둑질한 자는 벌을 주고, 진(秦)의 모든 법은 이를 폐한다'는 법삼장(法三章). ②법률은 간략(簡略)을 존중한다는 뜻. ③가혹한 법률을 폐지한다는 뜻.
약병[1]【弱兵】명 약졸(弱卒).
약병[2]【藥甁】명 약을 담는 병.
약-병아리【藥—】명 병아리보다 조금 더 자란 닭. 고기가 연하고 기름기가 적당하여 영양식이나 약용(藥用)으로 쓰임. 영계.
약-보[1] 명 약은 사람의 별명.
약보[2]【略報】명 개략적인 보고·보도. ↔상보(詳報).
약보[3]【略譜】명〖악〗오선보(五線譜)에 대하여 숫자(數字)로 음계를 나타내는 악보. 숫자보(數字譜).
약보[4]【藥補】명 약을 써서 몸을 보함. ——하다 타여불
약보[5]【藥褓】명 ①약을 많이 쓴 까닭으로 여간한 약을 써서는 약효가 나타나지 아니하는 일. ②☞약수건(藥手巾).
약-보자기【藥—】명 ☞약수건.
약-보합【弱保合】명〖경〗주가(株價) 등 거래소의 시세가 하락한 채 확실한 하락 형태를 나타내지 않고 보합 상태를 유지하고 있는 상태. ↔강(強)보합.
약복【略服】명 정식이 아닌 약식의 복장. 약장(略裝). 네글리제.
약-복지【藥袱紙】명 첩약(貼藥)을 싸는 데 쓰는 네모 반듯한 종이. ㊉복지(袱紙).
약본【略本】명 ①초본(抄本). ②간략하게 꾸민 책. ↔광본(廣本).
약-본력【略本曆】[—볼—] 명 본력(本曆)을 기준으로 하여 일반 사람에게 필요한 것만 인쇄하여 반포하는 달력. 약력(略曆).
약봉【藥峯】명〖사람〗서성(徐渻)의 호(號).
약-봉지【藥封紙】명 약을 담는 봉지.
약부[1]【藥夫】명〖역〗지방 군아(郡衙)에서 채약(採藥)에 종사하던 심부름꾼.
약부[2]【藥部】명 백제 시대의 관청. 내관(內官) 12부 가운데의 하나로, 의약의 제조·시술(施術) 및 채약(採藥) 등에 관한 업무를 담당하였음.
약분[1]【約分】명〖수〗분수의 분모와 분자를 공약수(公約數)로 제하여 간단히 만드는 일. 통약(通約). 맞줄임. ——하다 타여불
약 분[2]【若芬】명〖사람〗중국 남송말(南宋末)의 화승(畫僧). 자는 중석(仲石), 호는 옥간(玉澗). 산수(山水)·고목(枯木)·죽석(竹石)·묵매도(墨梅圖) 등에 뛰어났으며, 시(詩)·서(書)에도 능해서 삼절(三節)로 일컬어짐. 작품 《소상 팔경도(瀟湘八景圖)》·《여산도(廬山圖)》 등이 있음. 생몰년 미상.
약분 가:능【約分可能】명〖수〗①2 또는 2보다 큰 수가 1 이외의 어떤 같은 수의 배수(倍數)가 되어 있는 일. 이 때 전자는 후자로 약분 가능하다고 함. 24와 60은 2·3·4로 약분이 가능함. ②분수의 분모·분자를 1 이외의 어떤 수로 나눔으로써 간단히 할 수 있는 일. 통약(通約) 가능. ——하다 자여불
약비[1]【略備】명 대강 갖춤. ——하다 타여불
약-비[2]【藥—】명 '약이 되는 비'라는 뜻으로, 요긴한 때에 내리는 비를 이르는 말.
약비-나다 자 정도가 너무 지나쳐 몹시 싫증이 나다.
약-비누【藥—】명 약용 비누.
약-빠르다 형르불 꾀가 있고 눈치가 빠르다. 민첩(敏捷)하다. <역빠르다 [약빠른 고양이가 밤눈 어둡다; 약빠른 고양이 앞을 못 본다] 지나치게 약게 굴면 도리어 판단을 그르쳐 기회를 놓치는 수가 있다는 말.
약-빠리 명 약빠른 사람.
약-빨리 부 약빠르게.

약사[1]【約絲】명 제책할 때 책을 매는 실.

약사[2]【略史】명 간단히 줄여서 기록한 역사.

약사[3]【藥事】명 의약(醫藥)에 관한 일. 곧, 의료품·의료 용구·위생용품·화장품 등의 조제·감정·보관·수출입·판매와 약학(藥學) 기술에 관한 사항을 이름.

약사[4]【藥師】명 약사(藥事)에 관한 일을 맡아 보는 사람으로 보건 사회부 장관의 면허를 갖고 있는 사람. 구칭(舊稱)은 약제사(藥劑士)·조제사(調劑師).

약사[5]【藥師】명 〖불교〗↗약사 유리광 여래.

약사 감시원【藥事監視員】명 의약품의 제조 업소·수출입 업소·약국·의료 기관(醫療機關) 등을 출입(出入)하면서 약사에 관한 감시를 하는 공무원.

약사-경【藥師經】명 〖불교〗약사 유리광 여래 본원 공덕경.

약사 국가 시험【藥師國家試驗】명 국가에서 시행하는 약사(藥師)의 면허 취득을 위한 자격 시험. 연 1회 실시함.

약사-당【藥師堂】명 〖불교〗약사 여래(藥師如來)를 안치한 당(堂).

약-사발【藥沙鉢】명 ①약을 담는 사발. ②사약(賜藥)할 때 쓰던 그릇. 약사발 올리다 구 〈방〉 골 올리다.

약사-법[1]【藥事法】[―뻡] 명 〖법〗의약품·화장품·의료 용구 및 위생 용구의 제조·조제·감정·수출입·판매 등에 관한 사항을 규정한 법률.

약사-법[2]【藥師法】명 〖불교〗밀교(密教)에서, 약사 여래를 본존(本尊)으로 모시고 액난(厄難)이 없기를 비는 법.

약사 삼존【藥師三尊】명 〖불교〗중생(衆生)을 질병에서 구원해 준다는 부처. 곧, 약사 여래(藥師如來) 및 왼편 협사(脇士)인 일광(日光) 보살과 오른편 협사인 월광(月光) 보살의 총칭. 준삼존(三尊).

약사 여래【藥師如來】명 〔범 Bhaiṣajya-garu〕〖불교〗↗약사 유리광 여래.

약사 여래불【藥師如來佛】명 〖불교〗약사 유리광 여래.

약사 유리광 여래【藥師瑠璃光如來】명 〖불교〗열 둘의 대서원(大誓願)을 발하여 중생의 질병을 구제하고, 법약(法藥)을 준다는 여래. 보통 왼손에는 약병을 가지고, 오른손으로 시무외(施無畏)의 인(印)을 맺고 있음. 동방 정유리국(東方淨瑠璃國)의 교주(教主)임. 약사 여래불(藥師如來佛). 동방 정유리 의왕(東方淨瑠璃醫王). 준약사(藥師)·약사 여래.

〈약사 유리광 여래〉

약사 유리광 여래 본원 공덕경【藥師瑠璃光如來本願功德經】명 〖불교〗약사 유리광 여래의 본원(本願)·공덕(功德)을 설명한 경전(經典). 중국 당(唐)나라의 현장(玄奘)이 번역함. 약사경(藥師經). 모두 1권.

약사-전【藥師殿】명 〖불교〗약사 여래불을 모신 곳.

약사-회【藥師會】명 약사(藥事)에 관한 연구와 약사 윤리(藥事倫理)의 확립을 위하여 설립된 약사(藥師)들의 모임. 법으로 그 설립이 의무화되어 있으며 법인체(法人體)임.

약사 회:과【藥師悔過】명 〖불교〗약사 여래에게 죄를 참회하는 수법(修法).

약삭-빠르다 형 ㄹ불 꾀가 있고 눈치가 빠르다. 꾀바르다.

약삭-빨리 부 약삭빠르게.

약삭-스럽다 형 ㅂ불 약삭빠른 데가 있다. 약삭-스레 부

약산[1]【弱酸】명 〖화〗약한 산. ↔강산(強酸).

약산[2]【略算】명 생략산(省略算). ――-하다 타 여불

약산-도【藥山島】명 〖지〗조약도(助藥島).

약산 동대【藥山東臺】명 〖지〗관서 팔경(關西八景)의 하나. 평안 북도 영변(寧邊) 서쪽 약 2km 지점인 철옹성(鐵甕城) 동남(東南)에 있음. 운주루(運籌樓).

약-산적【藥散炙】명 장산적(醬散炙).

약산-춘【藥山春】명 서울의 토속주(土俗酒)의 하나. 조선 중기에, 지금의 서울 중구(中區) 중림동(中林洞)인 약현(藥峴)에 살던 약봉(藥峰) 서성(徐渻)네 집에서 빚던 봄에 먹는 술. 정월 첫 해일(亥日)에 물에 불린 멥쌀로 시루떡을 쪄서 찧은 누룩을 물에 담근 것과 섞어 항아리에 담은 후, 거품이 일게 되면 걷어 내고, 2월 그믐께 멥쌀로 지에밥을 쪄서 식혀 앞의 술밑에 빚어 넣었다가 4월에 맑은 술을 뜸.

약상[1]【藥商】명 ①약장수. ②약장사.

약상[2]【藥箱】명 약상자.

약상 보살【藥上菩薩】명 〖불교〗석가 여래의 협사(脇士)의 하나. 약왕 보살(藥王菩薩)의 아우로, 형과 더불어 묘약(妙藥)을 대중에게 공양하려는 대원(大願)을 일으킴.

약-상자【藥箱子】명 약을 넣는 상자. 약상(藥箱).

약-샘【藥―】명 약물이 나는 샘.

약생【略省】명 간략하게 줄임. 생략(省略). ――-하다 타 여불

약서[1]【略敍】명 약술(略述). ――-하다 타 여불

약서[2]【藥書】명 약학(藥學)에 관한 서적.

약석【藥石】명 ①약과 침. ②약제의 총칭. 또 병의 치료. ¶～의 보람 없이 타계(他界)하다. ③〖불교〗저녁밥. 총림(叢林)의 변말로, 본래 저녁에는 먹지 않는 법이지만 배고픈 병을 고친다는 뜻으로 이르는 말.

약석지-언【藥石之言】명 남의 잘못을 훈계하여 그것을 바로잡는 데에 도움이 되는 말. 약언(藥言). *고언(苦言).

약선-지【藥線紙】명 〖역〗화승(火繩)을 만드는 데 쓰는 종이.

약설[1]【略設】명 간략하게 설비함. ――-하다 타 여불

약설[2]【略說】명 간략하게 설명함. ――-하다 타 여불

약성【藥性】명 약재의 성질(性質).

약성-가【藥性歌】명 약재의 성질을 읊은 칠언의 한시(漢詩).

약세[1]【弱勢】명 ①세력이 약함. 또, 그 세력. ②〖경〗물가나 주가(株價)가 내려가는 기세. ↔강세(強勢). *보합세. ――-하다 형 여불

약세[2]【弱歲】명 약년(弱年).

약소[1]【弱小】명 약하고 작음. ↔강대(強大). ――-하다 형 여불

약소[2]【略少】명 간략하고 적음. ¶～합니다만 받아주셨으면 감사하겠습니다. ――-하다 형 여불

약소-국【弱小國】명 ↗약소 국가. ↔강대국(強大國).

약소 국가【弱小國家】명 국토·자원·군비 등이 미약한 작은 나라.

약-소금【藥―】명 〖한의〗①두더지 소금. ②눈을 씻거나 양치질하는 데 쓰기 위하여 볶아서 곱게 찧은 소금.

약소 민족【弱小民族】명 강대국에 의하여 정치적으로나 경제적으로 지배를 받는 식민지 또는 반식민지의 민족.

약속【約束】명 ①모아서 묶음. ②어떠한 일에 관하여 미리 작정하고 장차 변하지 않을 것을 서로 맹세하는 일. 또, 그 작정한 사항(事項). 언약(言約). 서약(誓約). 권약(券約). ③어느 사회·영역(領域) 등에서, 어떤 일에 관하여 지키도록 정하는 일. 또, 정하여진 규칙. ④전부터 정해져 있는 운명(運命). ¶전생(前生)의 ～. ――-하다 타 여불

약속을 메우다 구 약속을 형식적으로만 이행하다.

약속 대:련【約束對鍊】명 맞추어 겨루기.

약속-설【約束說】명 〔conventionalism〕수학이나 자연 과학의 기초에 관한 푸앵카레(Poincaré, J.H.; 1854-1912)의 설. 경험적 법칙도 자명(自明)의 법칙도 아니고, 또 검증(檢證) 가능한 가설도 아닌 원리는, 편의상 약속에 불과하다는 설. 오늘날 수학계의 주류(主流)를 이루고 있는 공리주의(公理主義)는 그 발전의 한 형태로 보임.

약속 수형【約束手形】명 〖경〗'약속 어음'의 구용어.

약속 어음【約束―】명 〖경〗어음의 한 가지. 발행인 자신이 일정한 금액의 지급을 약속하는 형식의 어음. 지급의 약속을 그 목적으로 하므로 발행인은 어음 발행인임과 동시에 주된 채무자로서의 의무를 부담하게 됨. 주로 신용의 수단으로 이용되며, 금전 소비 대차에서는 차용 증서의 대신으로 쓰임.

약속-일【約束日】명 약속한 날짜.

약속 증권【約束證券】[―꿘] 명 〖경〗증권의 발행자가 스스로 급부(給付)할 의무를 부담하는 약속이 쓰여 있는 증권.

약-손【藥―】명 ①↗약손가락. ②아이들의 아픈 곳을 만지면 낫는다고 하여 어루만져 주는 어른의 손. ¶내손이 ～이다.

약-손가락【藥―】[―까―] 명 엄지손가락으로부터 네째 손가락. 무명지. 약지(藥指). 준약손.

약-솜【藥―】명 〖의〗외과(外科) 치료에 쓰이는, 지방분과 불순물을 제거하고 소독한 솜. 탈지면(脫脂綿).

약수[1]【約數】명 〖수〗어떤 수(數) 또는 어떤 식(式)을 정제(整除)할 수 있는 수 또는 식. ↔배수(倍數). ¶2는 4의 ～이다.

약수[2]【弱水】명 신선이 살았다는 중국 서쪽의 전설적인 강. 길이가 삼천 리나 되며, 부력(浮力)이 매우 약하여 기러기의 털도 가라앉는다고 함.

약수[3]【弱手】명 약한 행동이나 자세·수단.

약수[4]【藥水】명 약물[1]❶.

약수[5]【藥狩】명 〖민〗오월 단오에 약풀을 캐어 모으는 일. 원래 사슴을 사냥하여 그 뿔을 약으로 쓰던 일에서 온 말.

약-수건【藥手巾】명 탕약을 거르거나 짜는 데 쓰는 베헝겊.

약-수유【藥茱萸】명 〖식〗오수유(吳茱萸).

약-수종【藥―】명 〈방〉약시중. ――-하다 자

약수-터【藥水―】명 약물이 나는 곳. 약물터.

약수-통【藥水桶】명 약물통.

약술[1]【略述】명 간략(簡略)하게 대강 논술함. 요점만을 말함. 약서(略敍). ――-하다 타 여불

약-술[2]【藥―】명 약을 넣어 빚은 술. 약주.

약-스럽다 형 ㅂ불 성질이 괴벽하고 못나다. 약-스레 부

약시[1]【若是】명 여차(如此). ――-하다 형 여불

약시[2]【弱視】명 약한 시력(視力). 또, 그런 사람. 특히 안경으로 교정할 수 없는 경우를 말함.

약시[3]【鑰匙】명 열쇠.

약-시시【藥―】명 앓는 사람을 위하여 약을 씀. ――-하다 자 여불

약시-아【弱視兒】명 시력(視力)이 나쁜 아동의 총칭.

약시-약시【若是若是】명 ☞여차여차(如此如此). ――-하다 형 여불

약-시중【藥―】명 병자에게 약의 시중을 듦. ――-하다 자 여불

약식[1]【弱息】명 자기 아들의 비칭(卑稱). 우식(愚息).

약식[2]【略式】명 정식의 절차를 생략한 의식(儀式) 또는 양식(樣式). ¶～ 복장. ↔정식(正式).

약식[3]【藥食】명 약밥.

약식 명:령【略式命令】[―녕] 명 〖법〗약식 절차에 의하여 발하여지는 명령. 정식 재판의 청구가 없으면 확정 판결과 동일한 효력을 가짐. *약식 절차(略式節次).

약식 배:서【略式背書】명 〖법〗백지식 배서(白紙式背書).

약-식염천【弱食塩泉】명 〖지〗광천(鑛泉) 1kg 중에 식염 5g 이하를 함유하는 식염천. 만성(慢性) 위(胃)카타르·위아토니 등에 효험이 있음. ↔강(強)식염천.

약식 인수【略式引受】명 〖법〗인수의 취지를 표시하지 않고 단순히 지급인(支給人)의 서명 또는 기명 날인(記名捺印)만으로 하는 어음의 인수. ↔정식(正式) 인수.

약식 재판【略式裁判】명 〖법〗가벼운 범법(犯法) 사건을 간략하게 처리하는 재판.

약식 절차【略式節次】명 〖법〗공판(公判)을 열지 아니하고 서면 심리(書面審理)만으로 형을 선고하는 간단한 형사 재판 절차. 지방 법원이

그 관할에 속하는 사건으로, 검사의 청구에 의하여 벌금·과료에 처하는 경우에 인정됨.

약식-질【略式質】[명]〖법〗질권 설정자(質權設定者)를 주주 명부(株主名簿) 및 주권(株券)에 표시하지 아니하는 주식(株式)의 입질(入質). ↔등록질(登錄質).

약실【藥室】[명] ①약을 조제하거나 간수하여 두는 방. ②〖군〗총통(銃筒) 안에 화약을 장전하는 부분.

약-심부름【藥一】[명] 병자(病者)에게 소요되는 약에 관한 여러 가지 심부름. ——-하다 [자][여불]

약-쑥【藥一】[명] 약재(藥材)로 쓰는 쑥. '산쑥'을 일컫는 말.

약-쓰다【藥一】[자] ①어떤 병에 약을 투약(投藥)하다. ②일의 해결을 부탁하면서 뇌물을 주다.

약아 빠:지다 [형] 몹시 약다.

약-액【藥液】[명]〖약〗약으로 쓰는 액체(液體).

약약-하다 [형][여불] 귀찮은 것을 억지로 하는 태도가 있다.

약어¹【略語】[명]〖언〗어떤 말을 간략하게 쓰는 말. 준말.

약어²【鰯魚】[명]〖어〗멸치.

약언¹【約言】[명] ①약속한 말. 언약(言約). ②〖언〗약음(約音). ——-하다 [타][여불]

약언²【略言】[명] 간략하게 대강 말함. ——-하다 [타][여불]

약언³【藥言】[명] 약석지언(藥石之言).

약업 총:합소【藥業總合所】[명]〖역〗조선 말기 융희(隆熙) 2년(1908)에 한약 취급 업자가 동업자 간에 친목과 단합을 위하여 조직한 비영리 단체. 오늘의 '서울시 한약 협회'의 전신이며, 또 이 단체에서 1915년 설치한 조선 약학 강습소(朝鮮藥學講習所)가 조선 약학교(朝鮮藥學校), 경성 약학 전문 학교(京城藥學專門學校)로 변천하여 국립 서울 대학교 약학 대학의 모체가 됨.

약여【躍如】[명] ①생기 있게 뛰어 노는 모양. ②눈 앞에 생생하게 나타나는 모양. ——-하다 [형][여불]. ——-히 [부]

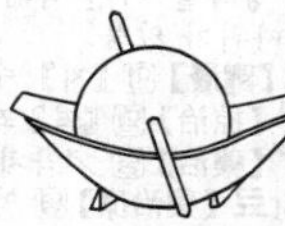
〈약연〉

약연¹【躍然】[명] 약여(躍如). ——-하다 [형][여불]

약-연²【藥碾】[명] [←약년(藥碾)]〖약〗약재(藥材)를 갈아서 가루로 만드는 기구. 단단한 나무나 돌 또는 쇠로 만듦. [준]연(碾).

약-염기【弱鹽基】[명]〖화〗해리도(解離度)가 작은 염기. 곧, 수용액 가운데서 수산 이온 OH^-의 농도가 작은 염기.

약-오르다【藥一】[자][르불] ①고추·담배 기타의 자극성 약초(藥草)가 잘 성숙하여 독특한 자극성 성분이 생기다. ②화가 나다.

약-올리다【藥一】[타] 약오르게 하다.

약왕【藥王】[명]〖불교〗↗약왕 보살(藥王菩薩).

약왕 관음【藥王觀音】[명]〖불교〗양류(楊柳) 관음.

약왕-귀【藥王鬼】[명]〖민〗'앙괭이'의 취음.

약왕 보살【藥王菩薩】[명]〖불교〗법화경(法華經)에 나오는 25보살의 하나. 양약(良藥)을 시여(施與)하여 중생의 심신의 병고를 덜어주고 고쳐 주는 보살. [준]약왕(藥王).

〈약왕 보살〉

약욕【藥浴】[명] ①약물에 목욕함. ②〖농〗가축의 외부 기생충의 구제와 피부병의 예방을 위해, 목욕통에 가축의 거의 전신을 담가서 약액(藥液)으로 소독하는 일. ——-하다 [자][여불]

약용【藥用】[명] 약으로 씀. ¶~ 크림/~ 샐비어. ——-하다 [타][여불]

약용-량【藥用量】[—냥] [명] 약효를 나타내며, 중독(中毒)에 이르지 않을 약의 사용량.

약용 비누【藥用—】[명]〖약〗장뇌(樟腦)·에티올·석탄산·붕산 등 약품을 가하여 만든 비누. 관장용(灌腸用)·소독용·치아 청정용(齒牙淸淨用)·화장용 등으로 쓰임. 약비누.

약용 식물【藥用植物】[명]〖식〗약으로 쓰이는 식물. 잎·줄기·뿌리·꽃 등을 이용하는데, 한국에는 대황·사상자·용담·향부자·생강·백부자·마·천남성·옻나무·오미자(五味子) 등 700여 종이 있음.

약용 식물학【藥用植物學】[명] 약용 식물에 관한 성분·이용·용도·채집 등에 관한 연구를 하는 학문.

약용 온스【藥用—】[네 ons] [명] 야드 파운드 법에 의거한 약용 단위의 하나. 약의 계량(計量)에 쓰이며, 1온스는 약 31.10g에 해당함.

약용-주【藥用酒】[명] 약으로 쓰는 술. 또, 각종 생약(生藥)을 넣어 만든 술. 인삼주·오가피주 따위.

약용 크림:【藥用—】[cream] [명] 약용으로 사용하는 크림. 주로 피부의 노화 방지 등에 사용하며 화장품과 의약품의 중간 성질이 있음.

약용-탄【藥用炭】[명]〖약〗위장약으로 쓰이는 검은 가루약의 일종. 색소·독소(毒素)·알칼로이드 등의 물질을 잘 빨아들이고 가열하면 불꽃을 내며 잘 탐.

약용 효모【藥用酵母】[명]〖약〗약용의 특수 효모. 비타민(B_1·B_2)·소화 효소 등을 포함하고 있어 소화제·자양제로 쓰임.

약우【若愚】[명] 바둑에서, 기력(棋力)의 단계를 나타내는 말의 하나. 아직 젊고 어리석은 경지(境地)에 있다는 뜻으로, 2단(段)을 이르는 말. *투력(鬪力).

약-우물【藥一】[명] 약물이 나오는 우물.

약원¹【約員】[명] 향약(鄕約)에 가입한 사람.

약원²【藥院】[명]〖역〗조선 시대 '내의원(內醫院)'의 별칭.

약원³【藥園】[명] 약포(藥圃).

약육 강식【弱肉強食】[명] 약한 자는 강한 자에게 먹힘. ¶~의 사회.

약은-피 [명] 자기에게 이롭도록 약게 생각하는 꾀. ¶~를 쓰다.

약음¹【約音】[명]〖언〗둘 이상의 음절이 접속할 때, 한쪽의 모음 또는 음절의 탈락에 의하여 음이 줄어지는 현상. '소리개'의 'ㅣ'가 탈락하여 '솔개'로, '가아 보다'의 '아'가 탈락하여 '가보다'로 되는 일 등임. 약언(約言). *탈락(脫落).

약음²【弱音】[명] 약한 음. 약한 소리.

〈약음기〉

약음-기【弱音器】[명]〖악〗현악기 또는 관악기 등에 붙이어서 음을 약하게 하거나 부드럽게 하는 장치. 현악기에는 얇은 판을, 관악기에는 원통형을 사용함. 소르디노(sordino).

약음 페달【弱音—】[pedal] [명]〖악〗피아노에 붙어 있는 왼쪽 페달. 밟으면 음이 약하여짐. 소프트 페달.

약이【藥餌】[명] 약물(藥物)과 음식. ¶~ 요법.

약인¹【略人】[명] 사람을 꾀어서 빼앗음. ——-하다 [타][여불]

약인²【略印】[명] 생략한다는 뜻으로 찍는 도장.

약일【藥日】[명]〖민〗음력 오월 단오를 약풀을 캐어 모으는 날이라는 뜻으로 일컫는 말.

약자¹【弱子】[명] ①나이가 어린 아이. ②약한 어린이.

약자²【弱者】[명] 세력이 약한 사람. ¶~를 돕다. ↔강자(強者).

약자³【略字】[명] 글자의 획수를 줄이어 간단하게 쓴 글자. 곧, '會'를 '会'로, '國'을 '国·囯'으로 하는 것 등. *반자(半字)·속자(俗字).

약자-보【略字譜】[명]〖악〗공척보(工尺譜)를 약자로 적는 악보. '합(合)'을 'ᄼ', '사(四)'를 'マ', '상(上)'을 '么' 따위로 적음.

약자 선수【弱者先手】[명] 장기나 바둑을 둘 때에 수가 약한 사람이 먼저 두는 일.

약작【略彴】[명] 외나무다리. 독목교(獨木橋).

약-작두【藥一】[명] 약재를 써는 작두.

약장¹【約長】[명]〖역〗지방 향약(鄕約) 단체의 우두머리.

약장²【約章】[명] 약법(約法)❶.

약장³【弱將】[명] 약한 장수.

약장⁴【略章】[명] 약식의 훈장·휘장·문장(紋章) 등.

약장⁵【略裝】[명] 약식(略式)의 복장. 약복(略服). ↔정장(正裝).

약장⁶【藥醬】[명] 약용으로 쓰이는 장(醬).

약-장⁷【藥欌】[명] 약재(藥材)를 갈라서 따로따로 넣어 두는 장. 서랍이 달린 여러 개의 간이 있음.

약장-랑【藥藏郞】[—낭] [명]〖역〗고려 때 동궁(東宮)의 정육품 벼슬.

약-장사【藥一】[명] 약을 파는 일. ——-하다 [자][여불]

약-장수【藥一】[명] ①약을 파는 사람. 약상(藥商). ②〈속〉이것저것 끌어대어 이야기를 잘 하는 사람. *약 팔다.

약장-승【藥藏丞】[명]〖역〗고려 때 동궁(東宮)의 정팔품 벼슬.

약재【藥材】[명] ↗약재료.

[약재에 감초(甘草)] '약방에 감초'와 같은 뜻.

약-재료【藥材料】[명] 약을 짓는 재료. [준]약료(藥料)·약재.

약재-상【藥材商】[명] 약재료, 주로 한약재를 파는 장사 또는 장수.

약재 진:상【藥材進上】[명]〖역〗조선 시대에, 왕실에서 쓸 약재를 진상하는 일. *제향 진상(祭享進上).

약-저울【藥一】[명] 약을 다는 저울이라는 뜻으로 일컫는 분칭(分秤)의 딴이름. 약형(藥衡).

약적【弱敵】[명] 약한 적. 전(轉)하여, 약한 상대.

약전¹【約轉】[명]〖언〗둘 이상의 음절이 접속하여, 모음이나 음절이 탈락하거나 모음 변화를 일으키는 현상.

약전²【弱電】[명] 통신용 등에 쓰이는 약한 전류. 또, 주로 통신 등을 다루는 전기 공학 부문의 통칭. ¶~ 메이커. ↔강전(強電).

약전³【略傳】[명] 소전(小傳)❶.

약전⁴【藥田】[명] 약밭.

약전⁵【藥典】[명]〖법〗①법으로서 국민의 보건상 중요한 약품의 순도(純度)·강도·품질의 기준을 정한 것. 제법·성상(性狀) 따위를 기재(記載)하여 규정함. 약국방(藥局方). ②↗대한 약전.

약전⁶【藥典】[명]〖역〗신라 때 의약(醫藥)의 일을 맡아 보던 관아.

약전⁷【藥箋】[명]〖의〗처방전(處方箋).

약전⁸【藥廛】[명] 한약재를 파는 가게. ¶~골.

약전-골【藥廛—】[—꼴] [명]〈속〉약재상(藥材商)이 몰려 있는 동네의 속칭. 대구(大邱)의 남성동(南城洞) 일대, 서울의 종로 4가 배우개 등지가 그 예임.

약-전국【藥一】[명]〖한의〗콩을 찌거나 삶아서 소금과 새앙 등을 섞어 띄운 것. 한약재로서 상한(傷寒)·두통·학질 등에 해독(解毒)·발한제(發汗劑)로 씀. 두시(豆豉).

약-전해질【弱電解質】[명]〖화〗약한 전해질. ↔강(強)전해질.

약점¹【弱點】[명] ①불충분한 점. 모자라서 남에게 뒤떨어지는 점. 결점. ②버젓하지 못하고, 뒤가 켕기는 것. ¶~을 이용하다. ↔강점(強點).

약점²【藥店】[명] 약을 파는 가게. 약포(藥鋪).

약점-사【藥店史】[명]〖역〗고려 때 향리(鄕吏)의 직(職).

약점-정【藥店正】[명]〖역〗고려 때 향리(鄕吏)의 직(職). 지위는 구등 향직(九等鄕職)의 다섯째 등급인 부호정(副戶正)과 동등임.

약정¹【約正】[명]〖역〗조선 시대 때, 향약(鄕約) 단체의 임원(任員). 도약정(都約正)과 부약정(副約正)이 있었음.

약정²【約定】[명] 남과 어떤 일을 약속하여 정함. 계약(契約). ¶~서/~기한. ——-하다 [타][여불]

약정³【藥政】[명] 약사(藥事)에 관한 행정.

약정⁴【藥鼎】[명] ①다리가 셋 달린 솥 모양의 약 달이는 기구. ②도가(道

家)에서 단약(丹藥)을 반죽하는 데 쓰는 기구.
약정 가격【約定價格】[―까―] 명 매매 계약이 체결된 가격.
약정 국경【約定國境】명 나라와 나라 사이의 약정에 의하여 정해진 국경. ↔자연 국경.
약정-서【約定書】명 약정한 내용을 기록한 문서.
약정 이:율【約定利率】[―니―] 명 〖법〗 당사자간의 계약으로 정한 이율. ↔법정 이율.
약정 이:자【約定利子】[―니―] 명 〖법〗 당사자의 계약으로 정해진 이자. ↔법정 이자.
약정 해:제권【約定解除權】[―꿘] 명 〖법〗 계약 당사자의 계약으로 인하여 생기는 계약의 해제권. ↔법정 해제권.
약제[1]【弱弟】명 나이 어린 동생. 어린 아우.
약제[2]【藥劑】명 여러 가지 약물을 섞어서 조제한 약. 곧, 그대로는 사용할 수 없는 약물을, 사용 가능하도록 또는 약효를 최대로 발휘할 수 있도록, 그 성상(性狀)이나 형태를 조절한 약품. 약품(藥品).
약제 공:포증【藥劑恐怖症】[―쯩] 명 [pharmacophobia] 〖심〗 정당한 이유 없이 약을 매우 무서워하는 증세.
약제-관【藥劑官】명 ①약에 관한 사무를 맡아 보는 관리. ②〖군〗 약제 사무(藥劑事務)에 종사하는 육해공군의 장교.
약제 내:성【藥劑耐性】명 세균이나 원충(原蟲)이 치료 약제에 대하여 점차 저항성을 갖는 현상.
약제-사【藥劑師】명 '약사(藥師)'의 구칭.
약제-실【藥劑室】명 병원이나 약국에서 약사(藥師)가 약을 조제하는 곳.
약조【約條】명 ①조건(條件)을 정하여 약속함. ②약속하여 정한 조항. ――-하다 타여불
약조-금【約條金】명 계약 보증금.
약존-약망【若存若亡】명 있는 둥 만 둥 함. 약존약무. ――-하다 형여불
약존-약무【若存若無】명 약존약망. ――-하다 형여불
약졸【弱卒】명 약한 군졸(軍卒). 약병(弱兵). ¶용장(勇將) 밑에 ∼없다. ↔강졸(強卒).
약종【藥種】명 약재료(藥材料).
약종-상【藥種商】명 소정의 시험에 합격하여, 허가된 지역 안에서 의약품을 소매(小賣)하는 사람. 또, 그 장사. *한약종상.
약주[1]【弱主】명 젊은 주군(主君). 유약(幼弱)한 군주.
약주[2]【弱奏】명 [이 piano] 〖악〗 약하게 연주하는 일. 악보의 위나 아래에 'P'라고 쓰여 있음. ――-하다 자여불
약주[3]【藥酒】명 ①약으로 쓰는 술. 약술. ②막걸리보다 좀 맑은, 독한 술의 한 가지. 약주술. 맑은 술. 청주. ③'술'을 점잖게 이르는 말.
약-주릅【藥―】명 약재(藥材)의 매매를 거간하는 사람.
약-주부【藥主簿】명 약계 봉사(藥契奉事).
약주-상【藥酒床】[―쌍] 명 '술상'을 점잖게 이르는 말.
약주-술【藥酒―】명 약주(藥酒).
약죽-거리다 자 ↗야기죽거리다. 약죽-약죽 [―/―냑―] 부. ――-하다 자여불
약죽-대다 자 약죽거리다.
약즙【藥汁】명 약재에서 빼낸 즙액.
약증【躍增】명 비약적으로 증가함. ――-하다 자여불
약지[1]【弱志】명 약한 의지. ¶∼ 박행(薄行).
약지[2]【略地】명 ①땅을 공략(攻略)해서 차지함. 적지(敵地)를 점거함. ②경계(境界)의 땅을 순시함. ――-하다 자여불
약지[3]【略誌】명 간략한 기록.
약지[4]【藥指】명 약손가락.
약지[5]【藥紙】명 약을 싸는 데 쓰는 종이. 약포지(藥包紙).
약-지르다【藥―】자 르불 ①술을 빚어 놓은 후에 그 속에다 주정 발효를 돕는 약품을 넣다. ②물고기를 잡거나 유해 생물을 제거하기 위해 약물을 쓰다.
약지-주【藥漬酒】명 여러 가지 약을 넣고 빚은 술.
약진[1]【弱震】명 〖지〗 진도(震度) 3의 지진. 집이 흔들리고, 문짝이 울리는 정도의 지진. *진도(震度).
약진[2]【藥疹】명 〖의〗 약을 쓴 후, 체질적인 특이성으로 일어나는 발진(發疹) 현상. 살바르산진·페니실린진·안티피린진 등이 있음.
약진[3]【躍進】명 ①뛰어 일어나 돌진함. 힘차게 앞으로 뛰어 나아감. ②급격히 진보·발전함. ――-하다 자여불
약진-상【躍進相】명 약진해 가는 모습. 급속히 발전해 가는 모습. ¶한국의 눈부신 ∼.
약질[1]【弱質】명 약한 체질. 또, 그러한 사람. 약골(弱骨). 섬인(纖人). [약질이 살인 낸다] 약한 자가 뜻밖에 엄청난 일을 한다는 말.
약-질[2]【藥―】명 ①술을 빚을 때 여러 가지 약을 넣는 일. ②마약 중독자가 모르핀을 쓰는 일. ――-하다 자여불
약차[1]【若此】명 여차(如此). ――-하다 형여불
약-차[2]【藥茶】명 차 대신 마시려고 약재를 달인 물.
약차[3]【藥借】명 약을 먹어 몸을 튼튼히 하고 힘이 세게 함. *신차(神借). ――-하다 자여불
약차-약차【若此若此】명 이러이러함. 여차여차(如此如此). ¶너의 포부는 ∼히 고대(高大)하나 가없은 일이지만 그것은 한 꿈에 불과하다 ≪廉想涉 : 標本室의 청개구리≫. ――-하다 형여불
약찬【略饌】명 간소하게 차린 음식.
약채【藥債】명 남에게 빚진 약값.
약책【藥册】명 약국(藥局)에서 단골 자리의 거래 관계 따위를 적어 두는 치부(置簿).
약천【藥泉】명 〖사람〗 남구만(南九萬)의 호(號).
약-천칭【藥天秤】명 약방에서 약의 무게를 달 때 쓰는 천칭.
약철【藥鐵】명 화약과 철환(鐵丸).
약청【略請】명 간략하게 대강 청함. ――-하다 타여불
약체[1]【礿禘】명 〖역〗 임금이 봄과 여름에 지내던 제사. 봄에 지내는 제사를 약(礿)이라 하고, 여름의 제사를 체(禘)라 하였음.
약체[2]【弱體】명 ①약한 몸. ②약한 조직체. 약한 체제. ¶∼ 내각.
약체[3]【略體】명 ①정식 체재를 간략하게 한 형식. ②자획(字畫)을 줄인 글씨체.
약체 보:험【弱體保險】명 〖경〗 생명 보험에서, 피보험자의 신체·직업·유전 등에 결함이 있을 때, 보통보다 보험금을 감소하거나 보험료를 올리는 등의 특별한 조건을 붙여서 계약하는 보험.
약체-화【弱體化】명 어떤 조직체가 본래보다 약하여짐. 또, 약하게 함. ――-하다 자타여불
약초【藥草】명 약용의 초본. 약풀. ¶∼ 채집.
약초-원【藥草園】명 약포(藥圃).
약출【躍出】명 힘차게 뛰어나옴. ――-하다 자여불
약충【若蟲】명 〖동〗 불완전 변태를 하는 동물의 유충.
약취【略取】명 ①빼앗아 가짐. ②〖법〗 폭행·협박 등의 수단으로 타인을 자기의 실력적 지배하에 두는 행위. ――-하다 타여불
약취 강:도【略取強盜】명 〖법〗 사람을 약취하여 그 석방의 대상(代償)으로 재물을 취득하는 행위. 강도죄와 동일하게 처벌됨.
약취 유괴【略取誘拐】명 〖법〗 약취 유인(略取誘引).
약취 유인【略取誘引】명 〖법〗 사람을 그 소재지로부터 자기 또는 제삼자의 사실적 지배 안에 이동시켜 자유를 속박하는 행위. 약취 유괴(略取誘拐).
약취 유인죄【略取誘引罪】[―쬐] 명 〖법〗 약취 유인으로 성립하는, 인신(人身)의 자유에 대한 죄의 하나. 미성년자(未成年者)의 약취 유인죄, 영리를 위한 약취 유인·매매죄, 국외 이송을 위한 약취 유인·매매죄 따위가 있음.
약층【躍層】명 〖지〗 수온 약층(水溫躍層).
약치[1]【掠治】명 〖역〗 죄인을 신문(訊問)할 때 볼기를 치며 다스리는 일. ――-하다 타여불
약치[2]【藥治】명 ↗약치료. ――-하다 타여불
약-치료【藥治療】명 약을 써서 병을 고침. 약으로 치료함. 준약치(藥治). ――-하다 타여불
약칙【約飭】명 훈계하고 약속함. ――-하다 타여불
약-칠【藥―】명 ①아픈 곳 또는 다친 곳을 치료하기 위하여 약을 바름. ②물건에다 광윤(光潤)을 내기 위하여 약을 바르고 문지르는 일. ¶구두에 ∼하다. ――-하다 자타여불
약침【藥鍼】명 의약(醫藥)과 침술(鍼術).
약칭[1]【略稱】명 생략해서 일컬음. 또, 그 명칭. ――-하다 타여불
약칭[2]【藥秤】명 분칭(分秤).
약탈【掠奪】명 ①폭력을 써서 빼앗음. 탈략(奪掠). 양탈(攘奪). 창탈(搶奪). 겁략(劫掠). ¶금품을 ∼하다. ②〖법〗 전시 국제법상 중죄(重罪)의 하나. 정당한 명령에 의하지 아니하고 적의 공사(公私) 재산을 탈취하는 일. ――-하다 타여불
약탈 경제【掠奪經濟】명 원시 경제의 한 형태. 짐승을 기르거나 작물을 가꾸지 않고, 자연 자원을 그대로 채취·획득하는 생활 방식. 사냥·고기잡이 따위.
약탈 농법【掠奪農法】[―뻡] 명 〖농〗 가장 원시적인 농법의 하나. 경작 토지에 대하여 지력(地力)의 배양에 필요한 시비(施肥) 등 아무런 처치(處置)도 하지 아니하고 농작물을 경작하는 농업 방법. 지력의 쇠퇴에 따르는 경작 불능으로 2-5년마다 딴 곳으로 이동함. 화전(火田)이 이의 대표적인 예임. 탈략(奪掠) 농업.
약탈-자【掠奪者】[―짜] 명 약탈하는 사람.
약탈-혼【掠奪婚】명 〖사〗 원시 시대의 결혼 형태의 하나. 신부(新婦)될 사람을 다른 부족(部族)으로부터 약탈하여 옴. 탈략혼(奪掠婚). 약탈 혼인(掠奪婚姻).
약탈 혼인【掠奪婚姻】명 〖사〗 약탈혼(掠奪婚).
약탕【藥湯】명 〖한의〗 몸을 씻거나 피부 질환의 환부 세척을 위하여, 약을 넣어 끓인 물.
약-탕관【藥湯罐】명 탕약 달일 때 쓰는 질그릇. 약탕기(藥湯器).
약-탕기【藥湯器】[―끼] 명 ①약을 담는 탕기. ②약탕관(藥湯罐).
약태【掠笞】명 매질하여 죄인(罪人)을 다스림. *약치(掠治). ――-하다 타여불
약-통[1] 명 둥글게 생긴 인삼이나 더덕 등의 몸.
약-통[2]【藥桶】명 약을 담는 통.
약-틀【藥―】명 달인 한약(韓藥)을 약수건에 싸서 끼우고, 위에서 눌러서 짜는 나무틀.
약-팔다【藥―】자 〈속〉 이것저것 끌어 대어 이야기를 늘어놓다. 입담 좋은 말로 수다를 떨다. *약장수.
약포[1]【菂胞】명 〖식〗 약(菂).
약포[2]【藥包】명 ①약을 싸는 종이. 약지(藥紙). ②화포(火砲)에 사용하는 발사용 화약. 적당량의 무연 화약을 나누어 싼 것임.
약포[3]【藥圃】명 약초를 심는 밭. 약원(藥園). 약초원.
약포[4]【藥脯】명 쇠고기를 얇게 저미어 진장·기름·설탕·후춧가루 등을 넣고 주물러서 채반에 펴서 말린 포.
약포[5]【藥鋪】명 약방(藥房). 약점(藥店).
약-포지【藥包紙】명 약포(藥包). 약지(藥紙).
약표【略表】명 간략한 표. 대략을 나타낸 표.
약-풀【藥―】명 약으로 쓰이는 풀. 약초(藥草).
약품【藥品】명 ①약. 약물(藥物). ¶불량 ∼. ②약의 품질. 약종(藥種)의 품류(品類). 약미(藥味). ③약제(藥劑).
약품-명【藥品名】명 약품의 이름.

약품 침전법【藥品沈澱法】[—뻡] 명 오염수(汚染水)를 정화하는 방법의 하나. 보통, 침전법에 의하여 침전 제거되지 않은 미세 부유 입자(微細浮遊粒子)를, 응고제(凝固劑)·응집제(凝集劑)를 사용하여 침전 제거하는 방법임.

약품 침전지【藥品沈澱池】 명 상수도 및 하수도에서 유기성(有機性) 미립자의 침전을 촉진하기 위하여 약품 침전을 하는 못.

약-풍로【藥風爐】[—노] 명 약탕관을 올려 놓고 탕약 달이는 데 쓰는 풍「로.

약필【略筆】 명 ①중요한 점 이외를 생략(省略)하여 쓰는 일. 또, 그 문장(文章). 약문(略文). ②문자(文字)의 획을 생략하여 쓰는 일. ——-하다 자타여불

약하【若何】 명 ①어떠함. 여하(如何). ②편지에 쓰는 '여하(如何)'의 경칭. ——-하다 형여불

약-하다[1]【約—】 타여불 ①약속하다. 계약하다. ②〖수〗 분수의 분모와 분자를 공약수로 나누어 간단히 하다. 약분(約分)하다.

약-하다[2]【略—】 타여불 ↗생략하다.

약-하다[3]【藥—】 타여불 ①약으로 쓰다. ②약을 쓰다.

약-하다[4]【弱—】 형여불 ①강하지 않다. 연하고 무르다. ¶약한 나뭇가지. ②튼튼하지 못하다. 건강하지 못하다. ¶약한 체질. ③견디어 내는 힘이 세지 못하다. ¶열(熱)에 ~. ④결심이나 의지 따위가 굳세지 못하다. ¶마음이 ~. ⑤표준에 못 미치다. ¶실력이 ~/시력(視力)이 ~. 1)-4):↔강하다.

약학【藥學】 명 약제(藥劑)에 관한 학문. 약품의 화학적 성질, 제법(製法), 효능, 치료상의 관계 등을 연구함. *약물학(藥物學)·약리학.

약학-과【藥學科】 명 〖교〗 대학에서, 약학을 전공하는 학과.

약-학교【藥學校】 명 〖교〗 약학에 관한 지식을 가르치는 학교.

약학 대학【藥學大學】 명 〖교〗 단과 대학의 하나. 약학에 관한 전문적인 원리와 지식을 연구 습득함. 준약대(藥大). 「또, 그 학위.

약학 박사【藥學博士】 명 약학 부문의 연구로 박사 학위를 받은 사람.

약한 산【弱—酸】 명 〖화〗 해리(解離)하는 정도가 작은 산(酸). 수용액 중에서 수소 이온의 농도가 작은 산. 탄산·질산 같은 것. 약산(弱酸). ↔강한 산.

약한 상호 작용【弱—相互作用】 명 [weak interaction] 〖물〗 소립자 사이에 작용하는 기본적 상호 작용의 하나. 중력(重力) 상호 작용을 제외하면 가장 약하여 '강한 상호 작용'의 약 10^5분의 1임. 경입자(輕粒子)나 강입자(強粒子)에 모두 보편적으로 작용하며, β붕괴는 그 대표적인 예임. *강한 상호 작용.

약한 전:해질【弱—電解質】 명 〖화〗 전리도(電離度)가 0.01 정도 또는 그 이하의 전해질. 약(弱)전해질. ↔강한 전해질.

약-합부절【若合符節】 명 여합부절(如合符節). ——-하다 자여불

약해[1]【略解】 명 골자만 추려서 대강의 뜻을 풀이함. 또, 그 책. ¶고전(古典) ~. ——-하다 타여불

약해[2]【藥害】 명 약을 너무 많이 쓰거나 또는 체질에 맞지 않기 때문에 받는 해.

약행【弱行】 명 ①실행력이 약함. 일을 하는 데 용기가 없음. ¶박지(薄志) ~. ②바로 걷지 못함. 또, 그런 사람. ——-하다 형여불

약-행주【藥—】 명 〈방〉 약수건.

약협【藥莢】 명 총포(銃砲) 탄환(彈丸)의 화약이 들어 있는 놋쇠로 된 통(筒)의 부분. 이 안의 화약의 폭발로 탄알이 발사됨. *탄환(彈丸).

약형【藥衡】 명 분칭(分秤).

약-형태【弱形態】 명 〖심〗 심리학의 체제(體制)에 있어서 부분의 독립성이 높아져 전체 규정이 약화(弱化)한 형태.

약호【略號】 명 간단하고 알기 쉽게 만든 부호. ¶전신(電信) ~.

약혹【若或】 부 만일(萬一).

약혼【約婚】 명 결혼을 약속함. 또, 그 약속. 민법상, 남자는 만 18세, 여자는 만 16세에 달하면 부모 또는 후견인의 동의를 얻어 약혼을 할 수 있음. 약혼 때에는 흔히 사주 단자(四柱單子)를 신부(新婦)될 집안에 보내기도 하며, 양가(兩家)에서 약혼 예물을 교환하기도 함. 혼약(婚約). 혼인 예약. ——-하다 자여불

약혼-기【約婚期】 명 약혼한 때부터 결혼식이 있을 때까지의 기간.

약혼-녀【約婚女】 명 약혼한 여자. 피앙세.

약혼 반지【約婚斑指】 명 약혼을 기념하기 위하여 남자가 여자에게 주는 반지.

약혼 선:물【約婚膳物】 명 약혼의 기념 정표로 선사하는 예물. 흔히, 반지·시계 따위를 교환함.

약혼-식【約婚式】 명 약혼할 때 올리는 의식(儀式).

약혼-자[1]【約婚者】 명 약혼한 남자나 여자. 혼약자. 피앙세.

약혼-자[2]【約婚者】 명 [이 I Promessi Sposi] 〖책〗 이탈리아의 문호(文豪) 만초니(Manzoni, A.)가 지은 장편 소설. 1821-1823년에 출간됨. 작자가 종교적 회의(懷疑)에 빠졌다가 가톨릭으로 개종하여 열렬한 신자가 되어서 집필한 최초의 작품으로, 기독교적 정의가 이탈리아의 국가 통일 운동의 유일한 근거가 되었다는 것을 암암리(暗暗裡)에 인식시키려고 한 작품임.

약혼 해:제【約婚解除】 명 〖법〗 약혼자가 합의 또는 법정(法定) 사유에 의하여 약혼 관계를 해소시키는 행위. 파혼(破婚).

약화[1]【弱化】 명 세력이나 힘이 약하여짐. 또, 세력이나 힘을 약하게 함. ¶당세(黨勢)의 ~. ——-하다 자타여불

약화[2]【略畫】 명 〖미술〗 사물을 직접으로 취재하거나 또는 기억을 더듬어서, 간략하게 대강 그린 그림. 약식(略式)의 그림. 간단한 그림. ↔세화(細畫).

약-화제【藥和劑】 명 약방문(藥方文). 준화제(和劑).

약-화학【藥化學】 명 약품의 조제·정제(精製)·물질 등에 관하여 연구하는 화학.

약환【藥丸】 명 ①작고 둥글게 만들어진 약의 낱개. 약의 알. ②〖역〗 화약(火藥)과 연환(鉛丸).

약회【約會】 명 만나기를 서로 약속함. ——-하다 자여불

약효【藥效】 명 약의 효험(效驗). 약력(藥力). ¶~가 없다.

약후【若朽】 명 젊어서 한창 일할 때임에도 쓸모가 없음. 또, 그런 사람. ↔노후(老朽). ——-하다 형여불

약휴【若休】 명 〖사람〗 선암사(仙巖寺)의 중. 조선 숙종 29년(1703)에 전라도의 승려 감독 기관인 좌우 규정소(左右糾正所)를 설치할 때 최고직인 도승통(都僧統)임.

약-히【略—】 부 ↗약략히. *약략하다.

얀:[1] [Jahn, Friedrich Ludwig] 명 〖사람〗 독일의 체육가. 체육장을 창설하고 체육을 통한 민족 의식을 고양하여 독일 체조의 아버지로 불림. [1778-1852]

얀:[2] [yarn] 명 방사(紡絲). 뜨개실. 꼰 실.

-얀디 어미 〈옛〉 -ㄴ지. ¶妻眷 드외얀디 三年이 몯 차 이셔 世間 ᄇᆞ리시고《釋譜 Ⅵ:4》.

얀마 준 야 이놈아. ¶~, 까불지 마라. *인마.

-얀마ᄅᆞᆫ 어미 〈옛〉 -건마는. =-언마ᄅᆞᆫ. ¶두 버디 ᄇᆡ 배얀마ᄅᆞᆫ(兩朋舟覆)《龍歌 90章》. *배얀마ᄅᆞᆫ.

얀선 [Jansen, Cornelis] 명 〖사람〗 네덜란드의 신학자. 이프르(Ypres)의 주교(主教)로, 교리상(教理上) 예수회와 대립하고 성(聖)아우구스티누스의 신비주의를 믿어 박해를 받았음. 얀선파의 조(祖). 얀세니우스. [1585-1638]

얀세니우스 [Jansenius, Cornelius] 명 〖사람〗 '얀선(Jansen, Cornelis)'의 라틴어 이름.

얀센 [Janssen, Peter] 명 〖사람〗 독일의 화가. 다년간 생활을 위해 삽화를 그렸는데, 작품은 주로 비극적인 역사화(歷史畫)를 즐겨 발표하였음. [1844-1908]

얀센 버:너 [도 Jansen+burner] 명 유리 세공용의 버너. 공기 또는 산소를 불어 넣어서 고온(高溫)을 내도록 구조가 되어 있음.

얀센-주의【—主義】 [Jansen] [—/—이] 명 장세니슴.

얀센-파【—派】 [Jansen] 명 〖천주교〗 장세니슴(Jansénisme)을 신봉하는 한 파.

얀손 [Jansson, Tove] 명 〖사람〗 핀란드의 여류 아동 문학 작가·미술가. 장식 미술을 시작했으나 1946년 이후 공상적인 생물과 그 가족·친구 등을 주인공으로 하는 일련의 공상 소설(空想小說)을 발표했는데, 분방(奔放)한 공상과 아름다운 자연 묘사로 유명함. 삽화(揷畫)는 자신이 그렸음. [1914-]

얀정 명 '인정(人情)'을 얕잡아 쓰는 말

얀정-머리 명 '인정머리'를 얕잡아 쓰는 말.

얀정머리-없다 [—업—] 형 '얀정없다'를 얕잡아 쓰는 말.

얀정머리-없이 [—업씨] 부 얀정머리 없게.

얀정-없다 [—업—] 형 남을 동정하는 마음이 조금도 없다.

얀정-없이 [—업씨] 부 얀정없게.

얄[1] 명 야살스럽게 내는 신. 『'자네가 내 속을 알아 주는군 그랴' 해 주니까 ~이 나서 종잘댄다《李無影 : 農民》.

얄[2] 수 〈방〉 열(함경).

얄개 명 야살스러운 짓을 하는 사람.

얄구니 명 〈방〉 송사리.

얄-궂다 형 ①성질이 괴상하다. ¶얄궂은 사람. ②이상야릇하고 짓궂다. ¶얄궂은 질문. ③↗얄망궂다. ¶얄궂은 운명.

얄긋-거리다 자 짜인 물건의 네모가 서로 맞지 않고 느슨하여 잇따라 움직이다. <일긋거리다. 얄긋-얄긋 [—낟—] 부. ——-하다 자여불

얄긋-대다 자 얄긋거리다.

얄긋-하다 형여불 한쪽으로 조금 쏠리어 비뚤어지다. <일긋하다.

얄기죽-거리다 자 허리를 이리저리 느리게 자꾸만 흔들다. <일기죽거리다. 얄기죽-얄기죽 [—낟—] 부. ——-하다 자여불

얄기죽-대다 자 얄기죽거리다.

얄-나다 자 야살스럽게 신바람이 나다.

얄따라니 부 얄따랗게.

얄따랗다 [—라타] 형ㅎ불 생각보다 매우 얇다. ¶얄따란 월급 봉투. ↔ㄴ두껍다랗다.

얄똥치-매랍다 형 〈방〉 얄밉다.

얄라차 감 잘못됨을 이상야릇하게 또는 신기하게 생각하였을 때 내는 소리.

얄랑-거리다 자 물에 뜬 작은 물건이 물결을 따라 이리저리 자꾸만 움직이다. <일렁거리다. 얄랑-얄랑 [—/—낟—] 부. ——-하다 자여불

얄랑-대다 자 얄랑거리다.

얄루: [Yalu] 명 〖지〗 '압록강(鴨綠江)'의 영어명.

얄망-궂다 형 괴이쩍고 요망하여 까다롭다. 준얄궂다.

얄망-스럽다 형ㅂ불 얄망궂은 태도(態度)가 있다. 좀 얄망궂은 듯하다. 얄망-스레 부

얄:-매랍다 형 〈방〉 얄밉다(함경).

얄:-미럽다 형 〈방〉 얄밉다(함경).

얄:-밉다 [근대 : 얄밉다] 형ㅂ불 언행이 다랍게 밉다.

얄밉상-스럽다 형ㅂ불 얄미운 태도가 있다. 좀 얄미운 듯한 데가 있다. 얄밉상-스레 부

얄브스름-하다 형여불 연하게 얇은 듯하다. <열브스름하다. 얄브스름-히 부

얄쌍-스럽다 형ㅂ불 ☞예쁘장스럽다. 『키가 작달막하고 얼굴이 얄쌍스러운 정갈한 여편네가 방문 앞에 와서 들여다보는데…《洪命憙 : 林

巨正≫.
얄쭉-거리다 [자] 허리를 이리저리 빠르게 내어 흔들다. <일쭉거리다.
얄쭉-얄쭉 [-냘-] [부]. ——-하다 [자](여불)
얄쭉-대다 [자] 얄쭉거리다.
얄찍-얄찍 [-냘-] [부] 여럿이 모두 다 얄찍하게. ¶ 당근을 ~ 썰다. ——-하다 [형](여불)
얄찍-이 [부] 얄찍하게.
얄찍-하다 [형](여불) 좀 얇은 듯하다. ¶ 고기를 얄찍하게 썰다.
얄타 [Yalta] [명]〖지〗 우크라이나 공화국의 크림 반도(Krim 半島) 남부의 흑해(黑海)에 면(面)한 해항(海港). 휴양지로 경치가 아름답고, 포도주 등 각종 식품이 산출됨. 1945년 얄타 협정이 체결된 곳임. [80,000명(1981 추계)]
얄타 비:밀 협정【一秘密協定】[Yalta] [명]〖역〗 얄타 회담에서 정해진 대일(對日) 비밀 협정. 독일 항복 후 소련의 대일 참전의 조건을 규정한 것으로, 골자는 남부 사할린 및 쿠릴 열도의 소련 영유(領有) 등이며 1946년 2월에 공표되었음. 얄타 협정.
얄타 협정【一協定】[Yalta] [명]〖역〗 ①얄타 회담에서 맺어진 협정. 전후(戰後)의 독일 관리, 폴란드 및 유고슬라비아의 처리, 비상 회의의 개최, 국제 연합의 조직 등에 관한 협정으로, 이에 소련의 대일(對日) 전쟁 참가에 관한 비밀 협정이 부속됨. ②얄타 비밀 협정.
얄타 회:담【一會談】[Yalta] [명]〖역〗 제2차 세계 대전의 말기, 1945년 2월 4-12일에 미국·영국·소련 세 나라의 원수, 루스벨트·처칠·스탈린이 얄타에서 행한 회담. 독일의 패배가 결정적인 정세 아래, 전쟁 완수 및 전후 처리 문제, 국제 안전 보장 기관의 창설에 관련된 사항 들에 관한 협정을 체결하였음.
얄팍-수 [명] 얄팍한 수.
얄팍-썰기 [명] 칼질의 한 방법. 무·감자·오이·두부 등을 가로 세로 얄팍하게 써는 일. *저며 썰기·십자 썰기.
얄팍-얄팍 [-냘-] [부] 여러 개가 모두 얄팍한 모양. ——-하다 [형](여불)
얄팍-이 [부] 얄팍하게.
얄팍-하다 [형](여불) 꽤 얇다.
얄판-얄판 [부] 〈방〉 얄팍얄팍(평안). ——-하다 [형]
얄판-하다 [형] 〈방〉 얄팍하다(평안).
얄프름-하다 [형] 〈방〉 얄브스름하다.
얇다 [얄따] [형] ①두께가 두껍지 아니하다. ↔두껍다. ②빛깔이 연하다. ③사람의 소견이 좁아서 하는 짓이나 속이 빤히 들여다 보이다. ¶ 사람이 그리 얇아서야 쓰나. 1)-3): <엷다.
얇디-얇다 [얄띠얄따] [형] 매우 얇다. ↔두껍디두껍다.
얇실얇실-하다 [얄씰얄씰—] [형](여불) 여럿이 모두 얇실하다. 매우 얇실하다.
얇실-하다 [얄씰—] [형](여불) 조금 얄브스름하다.
얇아-지다 [얄바—] [자] 얇게 되다. 얇게 되어 가다.
얇은-개싱아 [얄븐—] [명]〖식〗[*Pleuropteropyrum mollifolium*] 마디풀과의 다년초(多年草). 줄기는 다소 연질(軟質)이고 높이 80cm 가량이며, 잎은 호생하는데 달걀꼴 타원형 또는 긴 타원형임. 7-8월에 녹백색의 꽃이 총상(總狀) 화서로 줄기 끝과 가지 끝에 정생(頂生) 또는 액생(腋生)하며 수과(瘦果)를 맺음. 산지에 나는데, 함남의 부전(赴戰) 고원 등지에 분포함.
얇은 렌즈 [얄븐—] [명] [thine lens] 물체(物體)까지의 거리, 상(像)까지의 거리 또는 배율(倍率)과 같은 양(量)을 계산하는 경우, 이들 계산할 양에 비하여 두께를 무시해도 될 정도로 얇은 렌즈.
얇은-명아주 [얄븐—] [명]〖식〗[*Chenopodium hybridum*] 명아줏과의 일년초. 줄기 높이 1m 이상이고, 잎은 호생하는데 밑의 잎은 장병(長柄), 꼭대기 잎은 단병(短柄)이고, 삼각상의 달걀꼴 또는 달걀 모양의 타원형으로 뒷면이 다소 흼. 7-8월에 황록색의 꽃이 정생(頂生) 또는 액생하여 수상(穗狀) 화서로 피며, 포과(胞果)를 맺음. 산야에 나는데, 평남북·함남북에 분포함. 어린 잎은 식용함.
얌냠 [명][부] 〈소아〉 ☞ 냠냠.
얌냠-거리다 [자] 〈소아〉 ☞ 냠냠거리다.
얌냠-대다 [자] ☞ 냠냠대다.
얌냠-이 [명] 〈소아〉 ☞ 냠냠이.
얌냠이-대다 [타] 〈소아〉 ☞ 냠냠이대다.
얌냠-하다 [자](여불) 〈소아〉 ☞ 냠냠하다.
얌-배기 [명] 〈방〉 이마빼기(경북).
얌새이 [명] 〈방〉〖동〗 염소(경상).
얌생이[1] [명] 〈속〉 어떤 물건을 조금씩 슬쩍슬쩍 훔쳐 내는 것. ——-하다 [타](여불)
얌생이 몰:다 [구] 〈속〉 어떤 물건을 조금씩 슬쩍슬쩍 훔쳐 내다.
얌생이 치다 [구] ☞ 얌생이 몰다.
얌생이[2] [명] 〈방〉〖동〗 염소(경상).
얌생이-꾼 [명] 〈속〉 얌생이하는 사람. 얌생이짓을 잘하는 사람.
얌소 [명] 〈방〉〖동〗 염소(경남).
얌쇠 [명] 〈방〉〖동〗 염소(경상).
얌심 [명] 암상스럽고 사막스럽게 샘하는 마음.
얌심(을) 부리다 [구] 얌심스러운 행동을 하다.
얌심(을) 피우다 [구] 얌심스러운 태도를 나타내다.
얌심-꾸러기 [명] 얌심이 많은 사람.
얌심-데기 [-떼—] [명] 얌심을 부리는 사람.
얌심-맞다 [형] 얄밉게 얌심스럽다.
얌심-스럽다 [형](ㅂ불) 얌심이 있는 듯하다. 얌심-스레 [부]
얌전-떨다 [자] 짐짓 얌전한 태도를 드러내다.
얌전-부리다 [자] 얌전한 태도를 나타내다.
얌전-빼다 [자] 짐짓 얌전한 태도를 짓다.
얌전-스럽다 [형](ㅂ불) 얌전한 태도가 있다. 얌전한 듯하다. **얌전-스레** [부]
얌전-이 [명] 얌전한 아이의 별명.
얌전-피우다 [자] 얌전한 태도를 드러내다.
얌전-하다 [형](여불) ①성질이 차분하고 언행이 단정하다. ②사람이나 물건의 모양이 좋고 쓸모가 있다. 얌전-히 [부]
-얌직ᄒᆞ다 [어미] 〈옛〉 -ㅁ직하다. ¶ 方寸맛 므ᅀᆞ매도 위고기ᄒᆞ얌직ᄒᆞ니(寸腸堪鱠縷) ≪初杜諺 Ⅷ:9≫.
얌체 [명] 얌치가 없는 사람을 낮추어 이르는 말. ¶ 요 ~야.
얌체-족【一族】[명] 얌체스러운 짓을 하는 족속.
얌치 [명] 마음이 깨끗하여 부끄러움을 아는 태도. <염치.
얌치(가) 없:다 [구] 얌치를 아는 마음이 없다. <염치 없다.
얌통-머리 [명] 〈속〉 얌치. <염통머리. ¶ ~ 없는 짓 작작 해라.
얍꾸리 [명] 〈방〉 옆구리(경상).
얏 [감] 힘을 쓸 때나 정신을 집중할 때 따위에 내는 소리.
얏견늘【良在乙】[어미] 〈이두〉 -였거늘.
얏기【良只】[어미] 〈이두〉 -였기.
양[1] [명] ↗양태[2]. [주의] '涼'으로 씀은 취음(取音).
양[2]【羊】[명] ①〖동〗[*Ovis aries*] 솟과에 속하는 가축(家畜). 소아시아 및 동부 이란(Iran)에 야생(野生)하는 '적양(赤羊)'의 채모용(採毛用) 개량 종임. 대체로 몸빛은 회백색이고, 뿔은 있는 것과 없는 것이 있으며, 얼굴은 나출(裸出)하고 몸은 섬세한 털로 싸였음. 군서성(群棲性)이고 건조지(乾燥地)에 적당하며, 초식성(草食性)으로 소화력이 강함. 수태(受胎) 5개월 만에 한두 마리의 새끼를 낳음. 오스트레일리아·뉴질랜드·남북미(南北美)·남아프리카·몽고 등지에서 방목 사육(放牧飼育)하며 한국·일본에서도 사육함. 대별(大別)하여 장모종(長毛種)·단모종(短毛種)·산악종(山嶽種)이 있고, 메리노종(merino 種)과 육용(肉用)의 영국종은 유명함. 모피(毛皮)는 섬유(纖維) 및 공업용, 지방(脂肪)은 비누 제조용임. 면양(緬羊). *염소. ②〖성〗 의지가지 없이 약하다는 뜻에서, 신자(信者)를 비유하는 말. ¶ 길 잃은 ~.
양[3]【良】[명] 성적·등급 등의 평점(評點)의 하나. 우(優) 또는 미(美)보다 낮고 가(可)보다 위임.
양[4]【良】[명] 성(姓)의 하나. 우리 나라에는 현존하지 아니함.
양:[5]【胖】[명] 소의 밥통의 고기.
[양을 보째 넣는 암소] 사실과는 반대되는 희망적인 상태를 이르는 말.
양[6]【涼】[명]〖역〗 중국의 오호 십육국(五胡十六國)의 국명(國名). ①전량(前涼). 양주 자사(涼州刺史) 장궤(張軌)가 자립하여 세움. 전진(前秦)에 멸망함. [301-376] ②후량(後涼). 저(氐)의 여광(呂光)이 전진(前秦) 부견(苻堅)의 명(命)에 의한 서역 원정(西域遠征)에서의 귀로에, 부견의 부(訃)를 듣고 양주에서 자립한 나라. 하서(河西) 일대를 평정했으나 남량·북량의 독립으로 세력이 쇠퇴하여 후진(後秦)에 복속(服屬)함. [336-403] ③남량(南涼). 선비(鮮卑)의 독발씨(禿髮氏)가 후량에서 자립하여 청해(靑海)에 의거했으나 북량의 압박이 심하여 서진(西秦)에 항복함. [397-414] ④북량(北涼). 흉노(匈奴)의 저거씨(沮渠氏)가 후량에서 자립한 나라. 처음 한인(漢人) 단업(段業)을 세웠으나 401년 이를 죽이고 스스로 왕이 되어 남량을 누르고 서량을 멸망시켜 감숙(甘肅) 지방에 위를 떨쳤으나 북위(北魏)에 멸망함. [397-439] ⑤서량(西涼). 돈황(敦煌) 태수 이고(李暠)가 북량에서 자립한 나라. 북량에 망함. [400-421]
양[7]【涼】[명] 성(姓)의 하나. 우리 나라에는 현존하지 아니함.
양[8]【梁】[명] 굴건(屈巾)이나 금양관(金梁冠) 등의 앞이마에서부터 우뚝 솟아 둥긋하게 마루가 져서 뒤에 닿은 부분. ①굴건에는 가운데가 셋으로 등분하는 두 병행선이 되게 접혀서 세 골로 됨. ②〖역〗 금양관에는 병행선이 지게 하며 여러 골이 나게 함. 통골로 된 것을 일량(一梁), 선이 가운데에 있어 두 골로 된 것을 이량(二梁), 세 골로 된 것을 삼량(三梁)이라 하는데, 칠량(七梁)까지 있음. 조선 시대 초에 일품의 벼슬아치는 오량(五梁), 이품은 사량(四梁), 삼품은 삼량, 사품에서 육품까지는 이량, 칠품에서 구품까지는 일량이었음. 뒤에 당상관(堂上官)은 오량, 당하관(堂下官)은 삼량으로 되었음.
양[9]【梁】[명]〖역〗 ①중국 전국 시대 위(魏)의 혜왕(惠王)이 대량(大梁)에 천도한 이후의 위나라의 국호. [403-225 B.C.] ②중국 육조(六朝)의 하나. 소연(蕭衍)이 세운 나라. 4대 56년 만에 진(陳)나라에 망함. [502-558] ③중국 오대(五代)의 하나. 주전충(朱全忠)이 당(唐)을 멸하고 세운 나라. 2대 16년 만에 후당(後唐)에 망함. 후량(後梁).
양[10]【梁】[명] 성(姓)의 하나. 현재 우리 나라에는 제주(濟州)·남원(南原)·충주(忠州) 등 6개 본관(本貫)이 있음.
양[11]【陽】[명] ①〖철〗 역학상(易學上)의 원리로 태극(太極)이 나누인 두 가지 성질 또는 기운의 하나. 천(天)·남(男)·군(君)·주(晝)·동(動)·강(剛) 등의 능동적 남성적인 것을 상징하는 데 쓰이는 말. ↔음(陰). ②〖물〗 ↗양극(陽極). ③〖수〗 양수(陽數)를 나타내는 말. 플러스.
양[12]【陽】[명] 성(姓)의 하나. 우리 나라에는 현존하지 아니함.
양[13]【揚】[명]〖악〗 거문고를 탈 때, 술대로 줄을 내리치지 않고 뜯어서 소리를 내는 기법.
양[14]【揚】[명] 성(姓)의 하나. 우리 나라에는 현존하지 아니함.
양[15]【量】[명] ①↗분량(分量). ②↗식량(食量). ¶ ~껏 먹다. ③↗국량(局量). ④수량(數量)·무게·부피의 총칭. ¶ ~보다 질.
양[16]【楊】[명] 성(姓)의 하나. 현재 우리 나라에는 청주(淸州)·중화(中和)·안악(安岳)·남원(南原) 등 4개 본관이 있음.
양[17]【樣】[명] ①↗양식(樣式). ②↗양태(樣態).
양[18] [Yang, Chen-Ning] [명]〖사람〗 중국 출신의 미국 물리학자. 쿤밍(昆明) 대학을 나와 도미(渡美)하여 시카고 대학에서 페르미에게 사사(師

事)함. 1949년 페르미와 함께 최초로 소립자(素粒子)의 복합 이론을 발표함. 1956년 리(Lee Tsung-Dao: 李政道)와 공동으로 약한 상호 작용에서는 우기성(偶奇性)이 보존되지 않음을 예언하고 1957년 함께 노벨 물리학상을 수상하였음. 양 진령(楊振寧). [1922-]

양[19] 의명 ①어미 '-인'·'-ㄴ'·'-는'의 밑에 붙어, '모양'·'듯'·'것처럼' 등의 뜻을 나타내는 말. ¶학자인 ~ 행세하다/돈이 있는 ~하다. ②어미 '-ㄹ'·'-을'의 밑에 붙어, '의향'·'의도' 등의 뜻을 나타내는 말. ¶잘 ~으로/죽을 ~으로.

양[20]【兩】㊀ 의명 옛날의 화폐·중량의 단위. 숫자 밑에서는 '냥'으로 됨. ㊁ 관 한 냥. ¶~ 닷 돈/~ 아홉 돈.

양[21]【孃】 의명 여자의 성명 아래에 붙여서 처녀의 뜻을 나타내는 호칭어. ¶조 ~/김미려~. *미스(Miss).

양[22]【穰·壤】 수 ①자(秭)의 억 배(億倍), 구(溝)의 억분(億分)의 일의 수. 곧, 10^{48}. ②자(秭)의 만 배(萬倍), 구(溝)의 만분의 일의 수. 곧, 10^{28}.

양[23] 감 〈방〉 예(제주·경상·함경).

양:-[1]【兩】 무 어떠한 명사 위에 붙어, '두'·'양쪽편' 등의 뜻을 나타내는 말. ¶~국가/~도시.

[양가문(家門)한 집에는 까마귀도 앉지 않는다] 처첩(妻妾) 살림을 하는 복잡한 집안과 사귀면 이로울 것이 없다는 말.

양-[2]【洋】 무 사물의 이름 위에 더하여 서양의 것이나 또는 서양식을 나타내는 말. ¶~담배/~배추.

양:-[3]【養】 무 남의 자녀를 양육하여 자기의 자녀를 만들 때 상호간의 연고 관계를 나타내는 말. ¶~아들/~부모. ↔생-(生)❻.

-양【洋】 미 넓은 바다를 나타내는 말. ¶북극~/태평~/대서~.

-양【孃】 미 직업을 나타내는 말 뒤에 붙어, 그가 그러한 일을 하는 아가씨임을 나타냄. ¶안내~/교환~.

양가[1]【良家】 명 양민(良民)의 집. 양갓집.

양:가[2]【兩家】 명 양편의 집. 양쪽의 집. ¶~ 대표.

양가[3]【楊家】 명 양주(楊朱)의 학설을 신봉하는 학자.

양:가[4]【養家】 명 양자(養子)가 되어 들어간 집. 소후가(所後家). ↔생가(生家)·본생가(本生家).

양:가[5]【釀家】 명 술이나 장을 담그는 집.

양:가 독자【兩家獨子】 명 생가(生家)와 양가(養家)의 두 집 사이에 있는 외아들.

양가 여자【良家女子】 명 양민의 집의 여자.

양가오〔陽高〕 명 〖지〗 중국 산시 성(山西省) 북단(北端)의 거리. 한대(漢代)의 고분군(古墳群)으로 유명함. 80여 기(基)의 고분 가운데서 몇 기의 목곽묘(木槨墓)가 발굴되어 칠기(漆器)·동기(銅器)·거울 등이 출토되었음.

양각[1]【羊角】 명 ①양의 뿔. 양각등(羊角燈)을 만드는 데 쓰이고, 한방(韓方)에서 해열 등의 약재로 쓰임. ②양각풍(羊角風).

양:각[2]【兩脚】 명 양쪽 다리. 두 다리. 쌍각(雙脚).

양각[3]【陽角】 명 ①〖수〗 삼각법에서, 각을 낀 두 직선 중의 한 직선이 시계 바늘과 반대 방향으로 돌아서 생기는 각. 정각(正角). ↔음각(陰角). ②〖고고학〗 몸돌에서 떼어낸 격지에 생기는 각. 때린 면에서부터 볼록한 혹으로 이루어지는 각을 말하며, 보통 130°-100° 정도이고 제작 수법이 발달될수록 그 각은 90°에 가까워짐. 박리각(剝離角). 벽개각(劈開角).

양각[4]【陽刻】 명 〖미술〗 부조(浮彫). ↔음각(陰刻). ——-하다 타 여불

양:각-규【兩脚規】 명 컴퍼스❶.

양:각-기【兩脚器】 명 컴퍼스❶.

양각-등【羊角燈】 명 양의 뿔을 고아 얇고 투명한 껍질을 만들어서 씌운 등.

〈양각등〉

양각-삼【羊角蔘】 명 일각삼(一角蔘).

양:각-정【兩脚釘】 명 거멀못.

양각-풍[1]【羊角風】 명 회오리바람. 양각(羊角).

양각-풍[2]【羊角瘋】 명 〖의〗 지랄병의 일종.

양간[1]【羊肝】 명 〖약〗 양의 간. 한방(韓方)에서 간랭(肝冷)·간풍(肝風) 등의 약으로 씀.

양:간[2]【兩間】 명 두 쪽의 사이.

양간[3]【陽乾】 명 양건(陽乾). ↔음간(陰乾). ——-하다 타 여불

양-간수【洋一】 명 〖화〗 '염화 마그네슘'의 통칭.

양-갈보【洋一】 명 ①서양 사람을 상대로 하는 창부. 양공주. ②서양인 창부.

양:갈-소로【兩一小櫨】 명 〖건〗 화반이나 장여 사이에 끼우는 소로.

양:갈-현【兩渴峴】 명 〖지〗 경상 북도(慶尙北道) 영주시(榮州市)에 있는 고개. [245 m]

양감[1]【涼感】 명 시원한 느낌.

양감[2]【量感】 명 ①〖미술〗 회화(繪畫)에서, 대상물의 실재감·입체감을 포함한, 무거움·두꺼움의 느낌. 볼륨. ¶~이 있는 그림. ②중량이나 분량 따위가 많을 것 같은 느낌. 중량감. 물량감(物量感).

양:감 상한【兩感傷寒】 명 〖한의〗 표증(表證)과 이증(裏證)이 한꺼번에 나타나는 상한.

양감-술【鑲嵌術】 명 〖의〗 치아 충전(齒牙充塡)에서, 금속이나 도재(陶材)의 충전할 덩어리를 치과용 시멘트로 접착시키는 기술.

양-감재【洋一】 명 〈방〉 〖식〗 고구마(평북).

양갓-집【良家一】 명 양가(良家). ¶~ 규수.

양강【良薑】 명 ↗고량강(高良薑).

양강-증【陽強症】[一쯩] 명 〖한의〗 설장증(舌長症).

양개[1]【良价】 명 〖사람〗 중국 둥산(洞山)에서 산 조동종(曹洞宗)의 조(祖). 운암 담성(雲巖曇晟)에 사법(嗣法)하고 둥산 오위설(洞山五位說)을 처음으로 제창하였음. 저서 ≪보경 삼매가(寶鏡三昧歌)≫. 오본 대사(悟本大師). [807-869]

양개[2]【量槩】 명 평미레.

양:객【養客】 명 손님을 치름. ——-하다 자 여불

양갱【羊羹】 명 〔일 'ようかん(羊羹)'을 우리 음으로 읽은 말〕 엿에 설탕을 넣고 우무를 가하고 반죽하여 찐 과자. 흔히 팥을 섞음. 양갱병.

양갱-병【羊羹餠】 명 양갱.

양거【羊車】 명 〖불교〗 삼거(三車)의 하나. 성문승(聲聞乘)에 비유함.

양거지 명 여러 남자가 모여 노는 그 가운데, 아내가 아이 밴 사람이 있을 때 덮어놓고 한턱을 먹어 놓고 그 뒤에 남자 아이가 출생하면 아이난 사람이 그 돈을 내고, 여자 아이가 출생하면 여러 사람이 그것을 분담(分擔)하는 장난. ——-하다 자 여불

양:건[1]【兩建】 명 동일인(同一人)이 동일 종목의 매수 건옥(買受建玉)과 매도(賣渡) 건옥을 세운 경우의 건옥.

양건[2]【陽乾】 명 햇볕에 말림. 양간(陽乾). ↔음건(陰乾). ——-하다 타 여불

양건-법【陽乾法】[一뻡] 명 햇볕에 말리는 방법. ↔음건법(陰乾法).

양:건 예:금【兩建預金】[一네一] 명 〖경〗 은행이 대출(貸出)을 해 줄 때, 대출금의 일부를 정기 예금 또는 적금(積金) 등의 형식으로 들게 하는 예금. 대출을 받기 위한 담보(擔保)로 제공됨.

양:-걸침【兩一】 명 바둑에서, 귀에 둔 상대방의 돌을 양쪽에서 공격하는 일.

양검[1]【良劍】 명 〖사람〗 후백제(後百濟)의 견훤(甄萱)의 둘째 아들. 견훤이 막내 아들 금강(金剛)에게 왕위를 물려 주려 하자, 935년 견훤을 금산사(金山寺)에 유폐, 형 신검(神劍)을 왕으로 추대하였으나 이듬해 왕건(王建)의 공격을 받아 일선(一善) 곧 지금의 선산(善山)에서 왕건에게 항복, 진주(眞州)로 유배되어 사형당함. [?-936]

양검[2]【洋劍】 명 사벨(sabel)❶.

양검[3]【量檢】 명 헤아려 검사함. ——-하다 타 여불

양:검-현【兩劍峴】 명 〖지〗 황해도 곡산군(谷山郡)에 있는 고개. [206 m]

양:격【兩擊】 명 〖악〗 양금(洋琴) 연주에서, 채로 한 줄을 두 번 치라는 말. '··'표로 기보(記譜)함.

양견[1]【良犬】 명 좋은 개.

양:견[2]【兩肩】 명 두 어깨. 양쪽 어깨. 쌍견(雙肩).

양견[3]【洋犬】 명 서양 품종의 개.

양 견[4]【楊堅】 명 〖사람〗 중국 수(隋)나라의 초대 임금 문제(文帝)의 이름.

양:견[5]【養犬】 명 개를 먹여 기름. 또, 그 개. ——-하다 자 여불

양경[1]【佯驚】 명 거짓으로 놀라는 체함. ——-하다 자 여불

양경[2]【陽莖】 명 음경(陰莖).

양:경 규일의【兩景揆日儀】[一/一이] 명 〖역〗 조선 후기에 사용되었던 해시계의 하나. 같은 크기의 3장의 직사각형 구리 판자 또는 나무 판자를 잇대어 놓고, 수직으로 세워 놓은 판자의 그림자가 뉘어 놓은 나머지 판자에 드리워지면, 뉘어진 판자 위에 그어진 절후선(節候線)과 그림자의 교점(交點)으로 시각(時刻)을 알게 됨.

양:경-장수【兩京一】 명 '도적(盜賊)'의 뜻의 곁말.

양:-곁【兩一】 명 양쪽 곁. ¶~에 호위를 세우다.

양계[1]【良計】 명 좋은 계책.

양:계[2]【兩界】 명 ①〖역〗 고려 현종(顯宗) 때에 정한 지방 행정 구역인 동계(東界)와 서계(西界). 동계는 지금의 함경 남북도, 서계는 지금의 평안 남북도에 해당함. 이 두 도(道)를 경계로 만주와 접하였으므로 이 이름이 있음. *동계(東界)·서계(西界). ②〖불교〗 밀교(密敎)의 금강계(金剛界)와 태장계(胎藏界). 양부(兩部). ③양계법.

양계[3]【洋鷄】 명 양닭.

양계[4]【陽界】 명 사람이 사는 세상. 이 세상. ↔음계(陰界).

양:계[5]【養鷄】 명 닭을 침. 또, 그 닭. *계농(鷄農). ——-하다 자 여불

양:계 만다라【兩界曼陀羅】 명 〖불교〗 진언 밀교(眞言密敎)의 종교관의 근본을 도시(圖示)한 금강계(金剛界) 만다라와 태장계(胎藏界) 만다라의 병칭(倂稱). 양부 만다라(兩部曼陀羅).

양:계-법【兩界法】 명 〖불교〗 금강계(金剛界)·태장계(胎藏界)의 만다라를 향해 행하는 수행법. 양계(兩界).

양:계-장【養鷄場】 명 집단으로 닭을 치기 위하여 설비를 한 곳.

양-계(:)초【梁啓超】 명 〖사람〗 '량 치차오'를 우리 음으로 읽은 이름.

양고[1]【良賈】 명 큰 상인. 또, 어진 상인.

[양고는 심장(深藏)한다] 장사를 잘하는 상인은 상품을 깊숙이 숨겨 두고 가게 앞에 치레하여 늘어놓지 않는다. 어진 사람이 학덕이나 재능을 감추고 함부로 나타내지 않음의 비유.

양고[2]【陽高】 명 〖지〗 '양가오'를 우리 음으로 읽은 이름.

양:-고개【兩一】 명 〖지〗 경상 북도 안동시(安東市)와 청송군(靑松郡) 사이에 있는 고개. 양현(兩峴). [584 m]

양고-주【羊羔酒】 명 살구씨를 삶아서 쓴 물을 뺀 다음 양이나 염소 고기와 함께 끓여 즙을 내고 목향(木香)을 넣어서 버무린 다음, 다른 물을 넣지 않고 익힌 술. 보기(補氣)·건위(健胃) 등의 약으로 씀.

양곡[1]【良穀】 명 좋은 곡류(穀類).

양곡[2]【洋曲】 명 서양의 음곡(音曲). 주로 샹송·재즈 등의 경음악(輕音樂)을 가리킴.

양곡[3]【洋谷】 명 〖지〗 해저곡(海底谷)의 한 가지. 대륙붕의 사면(斜面)을 파고 들어간 골짜기.

양곡[4]【暘谷·陽谷】 명 해 돋는 곳.

양곡[5]【糧穀】 명 양식으로 쓰는 곡식.

양곡 관리【糧穀管理】[一괄一] 명 식량의 생산·유통·소비에 관한 국가 관리.

양곡 관리 기금【糧穀管理基金】[一괄一] 명 양곡의 원활한 수급과 관리의 적정을 기하기 위하여 마련된 기금. 양곡 관리 특별 회계로부터 이관되는 자산, 차관에 의하여 수입한 외국산 양곡 또는 그 판매 대금, 그 밖에 증여되는 양곡 또는 출연금(出捐金) 등으로 조성됨.

양곡 관리법【糧穀管理法】[―괄―뻡] 명 〖법〗 양곡을 관리하여 양곡의 수급 조절(需給調節)과 적정(適正) 가격을 유지함으로써 국민 식량의 확보와 국민 경제의 안정을 도모하기 위한 법률.

양곡 관리 특별 회:계【糧穀管理特別會計】[―괄―] 명 〖법〗 양곡 관리법, 그 밖의 법령에 따라 정부가 실시하는 쌀·보리, 기타 식량의 매입·매수에 따르는 수지(收支)를 경리(經理)하기 위하여 설정한 특별 회계.

양곡-미【糧穀米】 명 양곡으로서의 쌀.

양곡-산【羊谷山】 명 〖지〗 평안 북도 강계군에 있는 산. [1,189 m]

양곡 증권【糧穀證券】[―꿘] 명 예전의 '양곡 관리 기금법'에 의거, 양곡 관리 기금 부담으로 발행된 양곡 증권의 원금 등 부채를 상환하기 위해 새로 제정한 '양곡 관리법'에 의거 발행하는 증권. 농림부 장관의 요청에 따라 재정 경제부 장관이 발행함.

양곡 증권법【糧穀證券法】[―꿘뻡] 명 〖법〗 폐지된 '양곡 관리 기금법'에 따라 양곡 관리 기금으로 발행된, 양곡 증권의 원금을 상환하기 위한 새로운 '양곡 증권'의 발행과 그 양곡 증권의 상환·관리에 필요한 기금의 설치 등에 관한 사항을 규정한 법률.

양곡 증권 정:리 기금【糧穀證券整理基金】[―꿘―니―] 명 종전의 양곡 관리 기금으로 발행한 양곡 증권 등의 원리금(元利金) 중 그 상환 잔액(償還殘額)의 정리와 양곡 증권의 관리 및 상환 등을 위하여 마련된 기금. 종전의 양곡 관리 기금으로부터 승계한 자산, 다른 회계로부터의 전입금, 양곡 증권의 발행 수입금 등으로 조성됨. 이 기금은 농림부 장관이 운용·관리함.

양곤 (Yangon) 명 〖지〗 미얀마의 전 수도. 이라와디 강(Irawadi江) 삼각주의 동단에 있음. 근대적 도시 계획으로 주택구·상공구·항구(港區)로 구분되어 있고, 여러 관청·외국 상사·대학·식물원·황금탑 등이 있음. 세계적인 쌀의 수출항이며 그 외에 석유·티크재(teak材)·면화 등을 수출함. 제재·제유(製油)·금은 상아(金銀象牙)의 공예품 제작 등이 성함. 구칭 : 랭군. [4,700,000 명(1995 추계)]

양:-곤마【兩困馬】 명 바둑에서, 두 군데가 곤마로 몰린 형세.

양골【陽骨】 명 양지머리뼈.

양골 조림【陽骨―】 명 소의 양골을 토막쳐서 장에 조린 음식.

양공[1]【良工】 명 ①훌륭한 공인(工人). 기술이 좋은 장색(匠色). 양장(良匠). ②〖불교〗 가사(袈裟)를 짓는 침공(針工).

양공[2]【佯攻】 명 공격하는 듯이 꾸밈. ――하다 타 여불

양공[3]【陽孔】 명 (hole) 〖물〗 반도체(半導體)나 절연체의 원자가 전자(原子價電子)가 외부로부터 에너지를 받아 들뜬 상태가 되어 생긴 구멍. 이 구멍은 마치 양(陽)의 전하(電荷)와 양(陽)의 질량(質量)을 가진 입자(粒子)처럼 행세하여 전기 전도(電氣傳導)의 캐리어(carrier)가 됨. 홀(hole). 구멍. 정공(正孔). 공공(空孔).

양-공주【洋公主】 명 '양갈보'를 비꼬아 일컫는 말.

양-과자【洋菓子】 명 서양식으로 만든 과자. 서양 과자.

양:관[1]【兩館】 명 〖역〗 조선 시대 때의 홍문관(弘文館)과 예문관(藝文館)의 병칭.

양관[2]【洋館】 명 ①서양식으로 지은 집. ②서양 각국의 공관(公館). 서양관(西洋館).

양관[3]【梁冠】 명 〖역〗 ↗금양관(金梁冠).

양관[4] (陽關) 명 〖지〗 중국 간쑤 성(甘肅省) 서부, 둔황 현(敦煌縣)의 서남(西南)에 있던 관문. 예로부터 위먼관(玉門關)과 더불어 서역(西域)에 통하는 가도(街道)의 요충(要衝)으로 알려짐.

양:관 대:제학【兩館大提學】 명 〖역〗 조선 시대 홍문관(弘文館) 대제학과 예문관(藝文館) 대제학의 병칭.

양:괄-식【兩括式】 명 〖문〗 주제문(主題文)이 문장 첫머리와 끝에 반복하여 나타나는 문장 구성 형식. 양괄형(型). 쌍괄식(雙括式). 쌍괄형(型). ＊두괄식(頭括式)·미괄식(尾括式).

양:괄-형【兩括型】 명 〖문〗 양괄식.

양광[1] 명 분에 넘치는 호강. ¶분수에 겨운 ~이다.

양광[2]【佯狂】 명 거짓으로 미친 체함. ――하다 자 여불

양광[3]【陽光】 명 ①태양의 볕. ②진공 방전(眞空放電) 때에 중앙 부근에 나타나는 고운 광망(光芒).

양-광대【洋―】 명 개화기에 서양 음악가를 얕잡아 부르던 명칭.

양광-도【楊廣道】 명 고려 때의 지방 행정 구획의 하나. 지금의 서울·광주(廣州)·부평(富平)·충주(忠州)·청주(淸州)·공주(公州)·천안(天安)·원주(原州)에 걸치는 지역. 충숙왕(忠肅王) 원년(元年)에 제정되었다가 공민왕(恭愍王) 5년(1356)에 충청도(忠淸道)로 개칭됨.

양:광 산지【兩廣山地】 명 〖지〗 량광 산지.

양광-스럽다 형 ㅂ불 호강이 분수에 넘치다. 양광-스레 부

양괘【陽卦】 명 팔 괘(八卦)에서 양에 속하는 괘. 곧, 진(震)·감(坎)·간(艮)을 이름. ↔음괘(陰卦).

양교【涼轎】 명 선가(禪家)에서 장로(長老)가 타는, 손으로 끄는 수레.

양구[1]【羊韭】 명 〖식〗 맥문동(麥門冬)❶.

양구[2]【羊裘】 명 양의 가죽으로 만든 옷.

양구[3]【良久】 명 한참 지남. ――하다 형 여불. ――히 부

양구[4]【陽九】 명 (양(陽)의 재앙 다섯과 음(陰)의 재앙 넷을 합쳐 아홉으로 침. 음양도(陰陽道)에서 수리(數理)에 의해서 추출해 낸 말) 재액(災厄). 재화(災禍).

양구[5]【楊口】 명 〖지〗 강원도 양구군(楊口郡)의 군청 소재지로 읍(邑). 목재·벌꿀·버섯·약초 등의 산지임. [12,513 명(1996)]

양구-군【楊口郡】 명 〖지〗 강원도의 한 군. 관내 1읍 4면. 북은 김화군(金化郡)과 회양군(淮陽郡), 동은 인제군(麟蹄郡), 남은 인제군과 홍천군(洪川郡), 서는 화천군(華川郡)과 김화군에 접함. 각종 농산물과 공산·축산 등이 있음. 명승 고적으로는 사명산(四明山)·심곡사(深谷寺)·성불사(成佛寺)·비봉산성(飛鳳山城)·남진정(南津亭)·파로호(破虜湖) 등이 있음. 군청 소재지는 양구. [700.86 km^2 : 24,214 명(1996)]

양구-에【良久―】 부 얼마 있다가. 한참 있다가.

양:국[1]【兩國】 명 두 나라. ¶한미(韓美) ~.

양국[2]【洋國】 명 ↗서양국(西洋國).

양국[3]【洋菊】 명 〖식〗 달리아.

양국[4]【陽國】 명 남쪽에 있는 따뜻한 나라. ↔음국(陰國).

양:국[5]【養國】 명 나이 60세를 이름.

양:군[1]【兩軍】 명 ①양편의 군사. ②운동 경기에서, 양편 팀.

양:군[2]【養軍】 명 군병(軍兵)을 양성함. ――하다 자 여불

양군-암【羊群岩】 명 〖지〗 빙식(氷蝕) 작용으로 생긴 둥근 바위의 무리. 양배암(羊背岩).

양궁[1]【良弓】 명 좋은 활.

양궁[2]【洋弓】 명 ①서양식의 활. ②서양식 활로 하는 궁술(弓術). 17세기 이후 구미(歐美)에서 발달. 90 m·70 m·50 m·30 m (여자는 70 m·60 m·50 m·30 m)의 거리에 있는 표적에 각 36시(矢), 계 144시(矢)를 2회, 4일간에 쏘아, 합계 득점을 다투는 표적 경기와, 변화 있는 코스에 배치된 14개의 표적을 보통 각 4시(矢)씩 쏘아, 이것을 두 번 반복하는 경기 등 두 가지가 있음. 표적 경기에서의 표적은 직경 122 cm의 것과 직경 80 cm의 것이 있고, 사거리 90 m·70 m·60 m의 경우 직경 122 cm의 표적, 사거리 50 m·30 m의 경우 직경 80 cm의 표적을 씀.

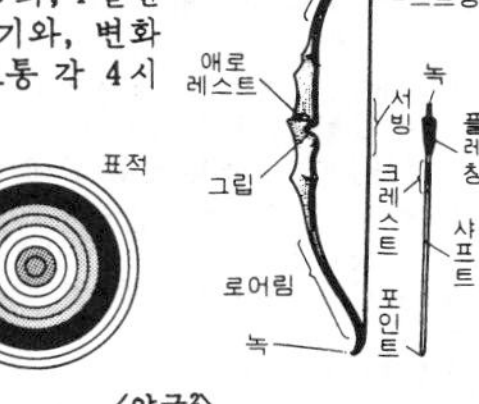

〈양궁[2]〉

양궁[3]【梁宮】 명 〖역〗 신라 시대 왕도(王都) 육부(六部)의 하나인 양부(梁部)에 둔 별궁(別宮). ＊삼궁(三宮).

양궁 거:시【揚弓擧矢】 명 활과 화살을 높이 듦. 곧, 승리를 비유하는 말. ――하다 자 여불

양:궁 상합【兩窮相合】 명 가난한 두 사람이 함께 모인다는 뜻으로, 일이 잘 되지 않음의 비유. ――하다 자 여불

양궐【陽厥】 명 〖한의〗 몸에 열이 난 후에 궐랭(厥冷)이 생기는 열성 병. 열궐(熱厥).

양-귀 명 말이나 나귀의 굽은 귀. 곡이(曲耳).

양:귀-마【兩―馬】 명 장기에서, 궁밭 앞줄 양 귀에 마(馬)를 벌여 놓은 판.

양 귀비[1]【楊貴妃】 명 〖사람〗 중국 당나라 현종(玄宗)의 귀비(貴妃). 이름은 옥환(玉環). 처음에 수왕(壽王) 모(瑁)의 비(妃)가 되어 태진(太眞)으로 일컬음. 뒤에 여도사(女道士)가 되었으나 재색(才色)이 뛰어나 754년에 궁녀로 불려 들여져서 현종의 총애를 받아 일족(一族)이 부귀 영화를 누림. 안녹산(安祿山)의 난이 일어나자, 육군(六軍)의 지탄(指彈)을 받아 끝내 목을 매어 죽임을 당함. [719-756]

양귀:비 외딴치다 구 여자의 용모가 매우 아름답다.

양-귀비[2]【楊貴妃】 명 〖식〗 [*Papaver somniferum*] 양귀비꽃과에 속하는 1-2년초. 전체가 분처럼 희고, 줄기 높이 1-1.3 m인데, 잎은 호생하고 백록색이며 긴 타원형 혹은 긴 달걀꼴임. 5-6월에 백색·홍색·자색 등의 꽃이 줄기 끝에 하나씩 달려 하루 동안만 피는데, 매우 아름다움. 과실은 삭과(蒴果)인데 덜 익었을 때에 흰 유즙(乳汁)을 내어 60°C 이하의 온도로 건조시킨 것이 아편(阿片)임. 지중해 연안·소아시아·이란 지방의 원산(原産)으로, 중국을 거쳐 수입 재배함. 약용 혹은 관상용으로 심고, 종자는 식용함. 앵속(罌粟). 미낭화(米囊花). ＊개양귀비.

〈양귀비[2]〉

양귀비-꽃【楊貴妃―】 명 양귀비의 꽃. 앵속화(罌粟花). 여춘화(麗春花).

양귀비꽃-과【楊貴妃―科】 명 〖식〗 [Papaveraceae] 이판화류(離瓣花類)에 속하는 한 과. 한국에는 흰양귀비·개양귀비·두메양귀비 등의 30종이 분포함.

양:귀-상【兩―象】 명 장기에서, 궁밭 앞줄 양 귀에 상(象)을 벌여 놓은 판.

양귀-자【洋鬼子】 명 전날에, 동양인이 서양인을 부르던 말.

양:-귀포【兩―包】 명 장기 둘 때에 면포(面包)를 놓지 않고 포(包)를 양쪽으로 벌이어 놓는 일.

양-규【楊規】 명 〖사람〗 고려의 무장(武將). 현종(顯宗) 원년(1010) 거란의 성종(聖宗)이 쳐들어왔을 때 흥화진(興化鎭)에서 항전하여 최후까지 성을 지켰고, 무로대(無老代), 곧 지금의 의주(義州) 지방에서 대승하였으나 애전(艾田)에서 전사하였음. [?-1011]

양-귤【洋橘】 명 〖식〗 네이블(navel).

양:-그루【兩―】 명 〖농〗 이모작(二毛作).

양:극[1]【兩極】 명 ①〖지〗 북극(北極)과 남극(南極). ②〖물〗 양극(陽極)과 음극(陰極).

양극[2]【陽極】 명 (anode) 〖물〗 전지 기타의 전류 발생 장치에서 서로 대립하는 두 개의 전극 중 전위(電位)가 높은 쪽의 전극. 양전극(陽電極). 정전극(正電極). 플러스 극. ↔음극(陰極).

양극 강:하【陽極降下】 명 (anode fall) 〖전자〗 양극 표면 앞에 있는 극히 희박한 공간 하전(空間荷電) 영역. 이 영역의 특징은 전위 경도(電位傾度)가 급격한 데 있음.

양극 구리【陽極―】 명 (anode copper) 〖야금〗 구리의 전해 정련(電解精鍊)에서, 양극에 쓰인 조동(粗銅)의 평판(平板).

양극 금속【陽極金屬】 명 (anode metal) 〖야금〗 전기 도금(電氣鍍金)에서 양극으로 쓰이는 금속.

양극 내:부 저:항【陽極內部抵抗】 명 (anode resistance) 〖전자〗 전자

관(電子管)의 양극 전압의 작은 변화를, 양극 전류의 작은 변화로 나누어서 얻어지는 저항치(抵抗値).

양극-니【陽極泥】명〖화〗금속을 전해(電解)할 때, 정제하려고 하는 금속보다도 이온화(ion化) 경향이 낮은 불순물이 액(液) 속으로 옮기지 아니하고 양극(陽極) 부근에 침전한 것을 이름.

양:-극단【兩極端】명 두 사물 사이에 매우 심하게 거리가 있는 일. 양쪽의 극단. ¶~은 일치한다.

양극 반:응【陽極反應】명〖화〗전기 분해에서 양극에 흐른 음이온(陰ion)이 전극 재료와 반응하거나 또는 방전(放電)하여 기체로서 발생하는 현상. 화학적으로 모두 산화(酸化) 반응임. *양극 산화.

양극 변:조【陽極變調】명〔anode modulation〕〖전자〗반송파(搬送波)가 존재하는 전자관(電子管)의 양극 회로(陽極回路)에, 변조 신호를 도입함으로써 얻는 변조.

양극 분극【陽極分極】명〔anodic polarization〕〖물〗전류의 흐름에 기인하는 양극 전위(電位)의 평형(平衡) 전위에 대한 변화.

양극 산화【陽極酸化】명〔anodic oxidation〕〖화〗양극 반응에서 일어나는 산화 현상.

양극-선【陽極線】명〔anode rays〕〖물〗진공 방전(眞空放電)할 때 양극에서 음극으로 흐르는 양전기(陽電氣)를 띤 원자 또는 분자의 입자선(粒子線).

양:극-성【兩極性】명 일반적으로 정반대의 존재(存在)·주장(主張)·태도(態度) 등이 맞서고, 그 위에 서로 상대를 자기의 존재 조건으로 하고 있는 상태의 성질.

양:극성 확산【兩極性擴散】명〔ambipolar diffusion〕〖물〗플라스마(plasma) 가운데의 전자(電子)나 이온 따위 양음 하전 입자(陽陰荷電粒子)가 서로 작용하면서 같은 방향으로 행하는 확산. 전하의 중화(中和)가 대부분 정확히 성립되어 있는 데 기인함.

양극 손:실【陽極損失】명〔anode dissipation〕〖전자〗전자(電子)와 이온의 충격 때문에, 전자관(電子管)의 양극에서 열(熱)로서 소비되는 전력(電力).

양극-액【陽極液】명〔anolyte〕〖화〗양극 부근의 전해액(電解液). 양극으로부터의 반응에 의해서 조성이 변화함.

양극 입력 전:력【陽極入力電力】[—녁절—] 명〔anode input power〕〖전〗전원(電源)에 의해서 진공관의 양극에 주어지는 직류 전력.

양극 전:류【陽極電流】[—절—] 명〖전〗①플레이트 전류. ②수은 정류기(水銀整流器)의 한 개의 양극을 흐르는 전류.

양극 처:리【陽極處理】명〔anodic treatment〕〖야금〗금속 부품(部品)을 전지(電池)의 양극으로 하여 전류를 통함으로써 부품의 표면에 장식용 또는 보호용의 부동태 피막(不動態皮膜)을 만드는 일.

양:극 체제【兩極體制】명 세계가 미국과 소련을 정점으로 하는 두 진영으로 갈리어져 대립했던 것처럼, 양극단의 체제.

양:극 타:격법【兩極打擊法】명〖고고학〗모루망치떼기.

양:극-화【兩極化】명 하나의 상황이 서로 대립된 두 극(極)으로 분열함. ¶~ 현상. ——하다 자여불

양극 회로【陽極回路】명〔plate circuit〕〖물〗전지(電池)를 사이에 끼고 진공관의 양극과 필라멘트를 도선(導線)으로 연결한 회로. 플레이트 회로.

양극 효:과【陽極效果】명〖화〗용융염 전해(溶融塩電解)에 있어서, 탄소(炭素)와 같은 불용성 전극(不溶性電極)을 사용하였을 때 그 표면에 발생하는 가스로 전극이 덮이고 그로 말미암아 욕전압(浴電壓)이 증대하는 현상(現象).

양극 효:율【陽極效率】명〔anode efficiency〕〖전〗전자관의 직류 양극 입력(入力) 전력에 대한, 교류 부하 회로(負荷回路) 전력의 비(比).

양근【陽根】명 ①자지. ②〔positive radical〕〖화〗양이온(陽ion)이 되는 원자의 집단.

양:글 명[←양(兩)그루] ①소가 논밭을 갈고 짐을 싣는 일. ②한 해에 같은 논에서 두 번 수확하는 일. ——하다 자여불

양글다 자〈방〉야물다.

양:금[1]【兩衾】명 신랑·신부의 이부자리.

양금[2]【洋琴】명〖악〗①한국과 중국에서 쓰는 속악기(俗樂器)로 타현(打絃) 악기의 하나. 사다리꼴로 된 넓적한 상자 모양의 오동나무 통 위에 긴 괘(棵)를 두 개 대고, 주석과 쇠의 합금으로 만든 현을 네 줄 한 벌로 하여 열 네 벌을 얹어, 대나무로 만든 채로 침. 줄을 보호하기 위하여 화류 뚜껑을 덮어 둠. 본디, 아라비아와 페르시아의 악기였는데, 10-12세기에 십자군(十字軍)에 의해 유럽으로 전해지고, 명(明)나라 만력(萬曆) 연간에 마테오 리치가 중국에 가져왔고, 조선 영조(英祖) 때 우리 나라에 들어온 것임. 금속성의 맑은 음색(音色)을 가져, 영산회상(靈山會相) 등 관현 합주(管絃合奏) 또는 단소(短簫)와의 병주(並奏) 등에서 쓰임. 구라 철사금(歐邏鐵絲琴). ②피아노(piano).

〈양금[2]❶〉

양금 미옥【良金美玉】명 인격이나 문장이 훌륭함의 비유.

양금 신보【梁琴新譜】명〖책〗거문고의 악보. 조선 광해군(光海君) 2년(1610)에 양덕수(梁德壽)가 임실 현감(任實縣監) 김두남(金斗南)의 보법(譜法)을 임실서 간행한 것임. 평조(平調)·우조(羽調)·계면조(界面調)로 9곡이 수록됨.

양금 신족【量衾伸足】명 이불의 길이를 보고 발을 뻗는다는 뜻으로 결과를 생각해 가며 감당할 수 있는 테두리 안에서 일을 하라는 말. 누울 자리 봐 가며 발을 뻗어라.

양금-줄【洋琴—】[—쭐] 명〖악〗양금에 꿰어 맨 현(絃). 주석과 쇠의 합금으로 만듦.

양금-채【洋琴—】명 ①양금을 치는 채. 대나무로 만듦. ②가날픈 것의 비유. ③고운 목소리의 비유.

양급【量給】명 상량(商量)하여 지급함. ——하다 타여불

양기[1]【良器】명 ①좋은 기물. 좋은 그릇. ②좋은 기량(器量). 좋은 재능.

양:기[2]【兩岐】명 양갈래. 두 갈래.

양기[3]【涼氣】명 서늘한 기운.

양:기[4]【揚氣】명 의기를 뽐냄. ——하다 자여불

양기[5]【陽記】명 비갈(碑碣)의 정면에 새긴 글. ↔음기(陰記).

양기[6]【陽氣】명 ①햇볕의 기운. ②만물이 움직이거나 또는 살아 나려고 하는 기운. 양성(陽性)의 기운. ③남자의 몸 안의 정기(精氣). 1)-3):↔음기(陰氣).

양기[7]【陽基】명〖민〗양택(陽宅)❶.

양기[8]【揚棄】명〖철〗지양(止揚). ——하다 타여불

양기[9]【量器】명 물건의 양을 셈잡는 데에 쓰는 기구(器具)의 총칭. 되·말 같은 것.

양-기[10]【楊基】명〖사람〗중국 명(明)나라 때의 시인. 자는 맹재(孟載), 호는 미암(眉庵). 고계(高啓)·장우(張羽)·서분(徐賁)과 함께 오중(吳中)의 사걸(四傑)로 꼽히는데, 서화에도 능하였음.

양:기[11]【養氣】명 ①기력을 기름. 원기를 기름. ②유가(儒家)에서, 맹자(孟子)가 주장한 정신 수양법을 일컫는 말. ③도가(道家)에서, 연단(煉丹)과 함께 연명술(延命術)을 행하는 일.

양기-석【陽起石】명〖한의〗규산(珪酸) 무수물과 산화 마그네슘을 주성분으로 한 돌. 음위(陰痿)·낭습(囊濕)에 약으로 씀. 광선석(光線石).

양-기와【洋—】명 시멘트로 만든 기와. 양와(洋瓦). ¶~집.

양-기탁【梁起鐸】명〖사람〗독립 운동가·언론인. 호는 운강(雲岡). 평양 사람. 1904년 영국인 베델(Bethel)과 국한문 혼용의 대한 매일 신보(大韓每日新報)를 창간하였음. 1921년 동아 일보(東亞日報)가 창간되자 편집 고문을 맡음. 1921년 미국 의원단이 한국에 왔을 때 독립 진정서를 제출하였다가 투옥됨. 후에 상해(上海) 임시 정부 국무령으로 추대되었으나 사임하고, 항일 운동에 진력하다가 중국 강소 성(江蘇省) 탄양 현(潭陽縣)에서 병사함. [1871-1938]

양-기하【梁基瑕】명〖사람〗독립 투사. 호는 하산(荷山). 공주 군수(公州郡守)를 지내다가 한일 합방 후 만주로 망명, 1919년 대한 독립단(大韓獨立團) 교통부장을 역임, 1927년 임시 정부 참의부(參議府)의 교육위원장이 되고, 1932년 환런 현(桓仁縣)에서 일본 경찰의 습격을 받아 죽음. [1878-1932]

양길【梁吉·良吉】명〖사람〗신라의 반란자. 진성 여왕(眞聖女王) 때 북원(北原) 곧 지금의 원주(原州)에서 반란을 일으켜, 궁예(弓裔)를 부하로 맞아 여러 지방을 공략, 판도를 넓혔으나, 궁예의 세력이 커지자 그를 없애려다 도리어 역습을 받아 대패하여 도주함. 생몰년 미상.

양-껏【量—】부 먹을 수 있거나 할 수 있는 양의 한도까지. 만족하도록. 마음대로. ¶~ 먹어라/~ 가져 가거라.

양:-끝【兩—】명 두 끝. 양쪽의 끝.

양:끝-못【兩—】명 대가리가 없이 양쪽 끝이 뾰족한 촉으로 되어 있는 못. 은정(隱釘). 은혈못.

양:-끼【兩—】명 아침과 저녁의 끼니. ¶~를 굶다.

양-나라【梁—】명〖역〗중국의 '양(梁)'을 나라로서 똑똑히 일컫는 말.

양:난【兩難】명 이렇게 하기도 어렵고 저렇게 하기도 어려움. 양쪽이 다 어려움. ¶진퇴 ~. ——하다 형여불

양-날[1]【羊—】명〈속〉〖민〗미일(未日).

양:-날[2]【兩—】명 양쪽에 날이 있음. ¶~ 면도칼.

양:날-톱【兩—】명 양쪽에 날이 있는 톱.

양:남【兩南】명 호남(湖南)과 영남(嶺南)의 일컬음.

양냥-거리다 자 ①마음에 덜 차서 자꾸 조르다. ¶줄수록 양냥거린다. ②시뜻하게 여겨 심술을 부리다.

양냥-고자 명 활 끝에 심고가 걸리는 곳.

양냥-대다 자 양냥거리다.

양냥이 명 ①〈속〉입. ②군것질할 거리.

양냥이-뼈 명〈속〉턱뼈.

양냥이-줄 명〈속〉자전거의 앞뒤 기어(gear)를 연결(連結)시키는 쇠줄. 체인(chain).

양녀[1]【良女】명 양민(良民)의 집 여자.

양녀[2]【洋女】명 서양 여자.

양:녀[3]【養女】명 ①수양 딸. ②양녀 결연(養女結緣)한 딸.

양:년[1]【兩年】명 두 해.

양-년[2]【洋—】명〈비〉양녀(洋女). ↔양놈.

양념 명 ①음식의 맛을 돕기 위하여 쓰는 재료의 총칭. 기름·깨소금·파·마늘·고추·후춧가루·설탕·꿀 등. ¶~을 치다. ② 무엇이든지 재미를 더하게 하는 재료. *고명. ——하다 자여불 음식에 양념을 섞다.

양념을 넣:다 구 이야기 줄거리에 살을 붙여, 재미있고 다채롭게 꾸미다.

양념-감 [—깜] 명 양념으로 쓰는 재료. 조미료(調味料). 양념거리.

양념-값 [—깝] 명 주된 재료 외에 양념에 드는 비용.

양념-거리 [—꺼—] 명 양념감.

양념-딸 명〈방〉고명딸(평안).

양념-장【—醬】명 여러 가지 양념을 한 간장.

양념 절구 명 양념 재료를 찧는 작은 절구.

양:녕 대:군【讓寧大君】명〖사람〗조선 태종(太宗)의 폐세자(廢世子). 이름은 시(禔). 자는 후백(厚伯). 세종(世宗)의 맏형임. 태종 18년(1418)에 세자로서의 실덕이 많았으므로, 궁중에서 쫓겨나, 전국을 유랑

(流浪)하며 풍류로 일생을 마침. 세종(世宗)과 우애(友愛)가 지극했음. 글씨를 잘 써, 서울 남대문(南大門)의 편액(扁額) 숭례문(崇禮門)은 그의 필적이라고 함. [1394-1462]

양노[1]【佯怒】명 거짓으로 노함. ——-하다 자 여불

양:노[2]【養奴】명〖역〗관가(官家) 소유의 목장에서 말을 먹이는 하인.

양놀래깃-과【洋—科】명〖어〗[Labridae] 농어목(目)에 속(屬)하는 어류의 한 과(科). 이 과에 속하는 것으로, 호박돔·혹돔·놀래기·사당놀래기·용치놀래기·비단놀래기 등이 있는데, 입을 자유로 내밀 수가 있고 각 이가 일반적으로 분리되어 있는 점이 특징임

양-놈【洋—】명〈비〉서양 사람. ↔양년.

양농【良農】명 선량한 농부(農夫). 훌륭한 농부.

양:-눈【兩—】명 좌우 양쪽의 눈. 양안(兩眼). ¶~ 대비(對比).

양능【良能】명 타고 난 재능(才能). 천부(天賦)의 능력. 또, 훌륭한 능력이 있는 사람.

양-다래【洋—】명〖식〗키위(kiwi)❷.

양:-다리【兩—】명 양쪽 다리.

양:다리(를) 걸:다 구 양쪽에서 이익을 보기 위하여 두 편에 다 관계를 가지다. 양다리 걸치다. 두 다리 걸다.

양:다리(를) 걸:치다 구 양다리 걸다. 두 다리 걸치다.

양:다리-방아【兩—】명 발로 디디는 부분이 가위 다리처럼 두 가닥으로 뻗어 나간 디딜방아. 보통, 방앗간을 세워 그 안에 설치하여 두 사람이 발로 디디는데, 외다리방아에 비해 능률이 높음.

양:단[1]【兩短】명 화투에서, 청단과 홍단을 함께 이르는 말.

양:단[2]【兩端】명 ①두 끝. ②처음과 끝. 본말(本末). 수미(首尾). ③혼인 때 쓰는 붉은 빛과 푸른 빛의 두 끝의 채단. ④상이(相異)한 두 가지의 사물. ¶~을 두드리다.

양:단[3]【兩斷】명 하나를 둘로 끊음. ¶일도(一刀) ~/~된 국토(國土). ——-하다 타 여불

양단[4]【洋緞】명 은실이나 색실로 수를 놓은 고급 비단의 한 가지. ¶~ 저고리.

양:단-간【兩端間】명 부 두 가지 중. 어찌 되든지. 이렇게 되든지 저렇게 되든지. 좌우간. ¶~에 결정을 내려라.

양단-속【洋緞屬】명 양단붙이.

양:-단수[1]【兩單手】명 바둑에서, 두 곳이 동시에 단수로 몰린 형세.

양:단-수[2]【兩端水】명 두 갈래로 갈라진 물줄기.

양달【陽—】명 볕이 잘 드는 곳. 양지(陽地). ¶~에서 자라다. ↔응달.

양-달랑【洋—】명〈방〉양달령.

양-달력【洋—曆】명 걸어 놓는 달력. 괘력(掛曆).

양-달령【洋—】명 서양 피륙의 한 가지. 두껍고 질긴 양목과 비슷함. 양대포(洋大布).

양달-쪽【陽—】명 양달진 쪽. 양지쪽. ↔응달쪽.

양-닭【洋—】[—닥] 명 서양 품종의 닭. 양계(洋鷄).

양-담배【洋—】명 서양에서 만든 담배. 특히, 미국제(美國製) 담배. 양초(洋草).

양-담요【洋毯—】[—뇨] 명 서양에서 만든 담요.

양답【良畓】명 토질(土質)이 좋은 논.

양:당[1]【兩堂】명 남의 부모에 대한 존칭.

양:당[2]【兩黨】명 두 정당(政黨). ¶~ 정치.

양:당[3]【裲襠】명 저고리 위에 덧입는, 소매가 없는 옷. 배자(褙子).

양:당 외:교【兩黨外交】명〖정〗정당이 두 개밖에 없는 경우의 초당파(超黨派) 외교.

양대[1] 명〈방〉대야(경남·함북).

양대[2] 명〈방〉〖식〗광저기(강원·충북·경상).

양:대[3]【兩大】관 두 큰. 양쪽이 다 큰. ¶~ 정당/~ 국가.

양대[4]【陽臺】명〖지〗'양타이'를 우리 음으로 읽은 이름.

양-대(:)박【梁大樸】명〖사람〗임진 왜란 때의 의병장(義兵將). 자는 사진(士眞), 호는 송암(松巖)·죽암(竹巖)·하곡(荷谷)·청계 도인(靑溪道人). 남원(南原) 사람. 선조 25년(1592) 임진 왜란이 일어나자 의병(義兵)을 거느리고 고경명(高敬命)의 휘하에 들어 전주(全州)에서 의병 2천 명을 모았으나 과로(過勞)로 진산(珍山)의 진중(陣中)에서 죽음. 글씨를 잘 썼음. [1544-92]

양:대-업【兩大業】명〖역〗고려 때, 가장 중요시된 과거의 과목인 제술업(製述業)과 명경업(明經業)의 두 과목.

양-대포【洋大布】명 양달령.

양덕[1]【涼德】명 얇은 덕. 두텁지 못한 심덕(心德). 박덕(薄德). ——-하다 형 여불

양덕[2]【陽德】명 ①양(陽)의 덕(德). 만물을 생성시키는 우주의 덕. ②사람에게 알리어지게 행하는 덕행. ↔음덕(陰德).

양덕[3]【陽德】명〖지〗평안 남도 양덕군의 군청 소재지. 농산물·임산물의 집산지이고, 양덕 온천이 있어 휴양객이 많음.

양:덕[4]【養德】명 덕(德)을 닦음. ——-하다 자 여불

양덕-고광나무【陽德—】명〖식〗[*Philadelphus koreanus*] 고광나뭇과에 속하는 낙엽 활엽 관목(落葉闊葉灌木). 잎은 달걀꼴 또는 달걀 모양의 타원형임. 4-5월에 흰 꽃이 액생(腋生)하여 총상 또는 산방(繖房) 화서로 피고, 삭과(蒴果)가 10월에 익음. 산록에 나는데, 평남 양덕(陽德)에 야생함. 관상용으로 심음.

양덕-군【陽德郡】명〖지〗평안 남도의 한 군. 관내 1읍 6면. 북은 맹산군(孟山郡)과 함경 남도 영흥군(永興郡)·고원군(高原郡), 동은 함경 남도 고원군과 문천군(文川郡), 남은 황해도 곡산군(谷山郡), 서는 성천군(成川郡)과 맹산군에 접함. 농산물, 직물·생사(生絲)·소주 등의 공산품과 임산품을 산출하며, 양덕 온천·석탕 온천(石湯溫泉)·낙산협(洛山峽)·용천 폭포(龍川瀑布)·은우산(隱于山)·양암성(陽岩城) 등의 명승 고적이 있음. 군청 소재지는 양덕읍. [1,346km^2]

양-덕도【兩德島】명〖지〗전라 남도의 서남해상(西南海上), 진도군(珍島郡) 조도면(鳥島面) 궁항리(弓項里)에 위치하는 섬. [0.20km^2:18명(1984)]

양-덕수【梁德壽】명〖사람〗조선 선조 때의 음악가. 악사(樂師)로 있다가 임진 왜란이 일어나자 남원(南原)에서 난을 피하고 있던 중, 임실 현감(任實縣監) 김두남(金斗南)의 권유에 따라 거문고 악보 ≪양금신보(梁琴新譜)≫를 엮어 광해군 2년(1610)에 간행함. 생몰 연대 미상.

양-도[1]【羊島】명〖지〗전라 남도의 서남해상, 완도군(莞島郡) 군외면(郡外面)에 위치한 무인도(無人島). [0.016km^2]

양:도[2]【兩刀】명 ①두 칼. ②쌍수검(雙手劍).

양:도[3]【兩度】명 ①두 번. 양차(兩次). ②두 벌.

양:도[4]【兩都】명〖역〗고려 시대의 개성(開城)과 강화(江華).

양도[5]【洋刀】명 서양식으로 만든 주머니 칼이나 식탁용의 칼. 나이프.

양도[6]【洋島】명〖지〗↗대양도(大洋島). ↔육도(陸島).

양-도[7]【洋島】명〖지〗전라 남도 해남군(海南郡) 문내면(門內面) 광두리(光頭里)에 위치한 섬. [0.96km^2]

양도[8]【陽道】명 ①남자로서 지켜야 할 도리. ②음경(陰莖).

양도[9]【糧道】명 ①양식의 씀씀이. ②군량(軍糧)을 운반하는 길. ¶적의 ~를 끊다.

양:도[10]【讓渡】명 ①물건을 남에게 넘겨 줌. ②〖법〗권리·재산 및 법률상의 지위 등을 타인에게 이전(移轉)함. ¶소유권 ~. 1)·2):↔양수(讓受). ——-하다 타 여불

양:도 논법【兩刀論法】[—뻡] 명〖논〗대전제(大前提)에 두 개의 가언적 명제(假言的命題)를 세우고 소전제(小前提)에서 이것을 선언적(選言的)으로 승인하거나 또는 부인하는 형식을 취하는 삼단 논법. 예를 들면 '만일 비밀을 남에게 누설하면 세상의 비난을 받는다. 그리고 비밀을 지켜도 비난을 받는다' '비밀을 누설하느냐 지키느냐, 그밖에 다른 방법이 없다' '그런고로 어떻게 하든지 세상의 비난을 받는다'와 같은 논법. 딜레마(dilemma). 이중체(二重體).

양:도 담보【讓渡擔保】명〖법〗목적물인 재산권을 채권자에게 양도하는 방법에 의하는 물적(物的) 담보. 민법이 규정하는 제도는 아니나, 경제적 필요에 의하여 많이 이용되고 있음.

양:도 뒷보증【讓渡—保證】명〖경〗지시 증권(指示證券) 상의 권리를 양도하기 위한 뒷보증. 양도 배서(背書).

양:-도목【兩都目】명〖역〗일 년에 두 번 유월과 섣달에 도목정(都目政)을 행하던 일.

양:도 배:서【讓渡背書】명〖경〗양도 뒷보증.

양:도성 정:기 예:금 증서【讓渡性定期預金證書】[—썽—] 명 [negotiable time certificate of deposit]〖경〗무기명 정기 예금 형식으로 할인 발행되어 양도를 가능케 함으로써 유동성을 부여한 단기 금융 상품. 예치 기간은 91일에서 180일이며 최저 발행 단위가 5,000만 원임. 간단히 CD라고 함.

양:도 소:득【讓渡所得】명〖법〗토지 또는 건물의 양도, 서화(書畫)·골동품의 양도, 상장(上場)되지 않은 주식 등의 양도로 생기는 소득. 당해 자산의 양도로 생긴 총수입 금액에서 필요한 경비와 보유 기간에 따른 일정 금액을 공제한 금액.

양:도 소:득세【讓渡所得稅】명〖법〗양도 소득에 대하여 부과하는 세금.

양:도-인【讓渡人】명 ①물건을 남에게 넘겨 주는 사람. ②〖법〗권리 재산 및 법률상의 지위 등을 타인에게 이전(移轉)하는 사람. 1)·2):↔양수인(讓受人).

양:도 증서【讓渡證書】명 ①권리의 이전을 증명하기 위하여 쓰이는 증서의 총칭. ②자기 명의의 주식을 소유한 자가, 그 주식의 양도를 증명하면서 서명 또는 기명(記名) 날인한 서면(書面). 주권(株券)의 배서에 의한 양도와 동일한 효력이 있음.

양-도체【良導體】명 [conductor]〖물〗전기나 열이 잘 전도되는 물체. 은·구리·알루미늄 등.

양:독[1]【兩獨】명 1990년의 독일 통일 이전의 두 독일, 곧 동독(東獨)과 서독(西獨).

양독[2]【陽毒】명〖한의〗①↗양독 발반(陽毒發斑). ②성홍열(猩紅熱).

양독 발반【陽毒發斑】명〖한의〗어린 아이의 열병의 한 가지. 발반한 것이 홍역보다 굵음. ㊟양독(陽毒).

양-돈[1]【兩—】[—똔] 명 한 냥 가량의 돈.

양:돈[2]【養豚】명 돼지를 먹여 기름. ——-하다 자 여불

양-돈사【兩—】명 한 냥에 몇 돈을 더한 금액.

양:돈-업【養豚業】명 돼지를 기르는 일을 전문으로 하는 업.

양:돈-장【養豚場】명 돼지를 기르기 위해서 특별히 설비를 한 곳.

양동[1]【洋銅】명〈옛〉녹은 구리. ¶洋銅은 노근 구리라 ≪月釋 XXI:75≫.

양동[2]【陽動】명 적의 주의를 딴데로 돌리게 위하여, 일부러 본래의 목적과는 다른 행동을 함. ——-하다 자 여불

양-동이【洋—】명 ①함석으로 원통형의 동이처럼 만든, 물을 담는 그릇. 운두가 높고, 양쪽 중턱에 손잡이가 달렸음. ②바께쓰.

양동 작전【陽動作戰】명〖군〗자기 편의 기도(企圖)를 숨기고 적의 판단을 틀리게 하기 위해서, 어떤 행동을 특별히 나타내어 적의 주의를 그 쪽으로 돌리게 하는 작전.

양-돼지【洋—】명 ①서양종의 돼지. 요크셔·버크셔 등이 대표적임. ②살찐 사람에 대한 결말.

양두[1]【羊痘】명〖의〗면양(緬羊)의 두창(痘瘡).

양두[2]【羊頭】명 양의 머리. 한방(漢方)에서 보허 안심제(補虛安心劑)의

약재로 씀.

양:두[3]【兩頭】명 ①두 머리. ②두 사람의 두목. 양수(兩首). 쌍두(雙頭).

양두[4]【樑頭】명〖건〗기둥을 뚫고 나온 보머리 끝. 보뺄목.

양:두[5]【讓頭】명 지위를 남에게 넘겨 줌. ——-하다 타여불

양:두-고【兩頭鼓】명〖악〗북편과 채편의 두 머리를 가진 북이라는 뜻으로 '장구'의 별칭.

양두 구육【羊頭狗肉】명 [양의 대가리를 내어 놓고 실은 개고기를 팖] 겉으로는 훌륭하게 내세우나 속은 변변치 않음.

양:두 마:차【兩頭馬車】명 쌍두 마차.

양:두-사【兩頭蛇】명 대가리가 둘 달렸다는 뱀. 이것을 보는 사람은 죽는다 함.

양:두 정치【兩頭政治】명〖정〗두 두목(頭目)이 같이 다스리는 정치(政治). 이두 정치(二頭政治).

양:두-필【兩頭筆】명 한 끝에는 연필을 끼우고, 다른 끝에는 펜을 끼워서 쓰게 만든 필기구.

양:드기 명 〈방〉둘잡이(경상).

양:득【兩得】명 ①↗일거 양득. ②둘잡이. ——-하다 자타여불

양등【洋燈】명 남포등.

양:-딸【養—】명 양녀(養女). 수양딸.

양-딸기【洋—】명〖식〗[*Fragaria vesca*] 장미과에 속하는 다년초. 줄기는 땅 위로 뻗고, 잎은 삼출 복엽(三出複葉)인데, 뒷면과 잎꼭지에는 견모(絹毛)가 있음. 봄에 흰 오판화(五瓣花)가 취산(聚繖) 화서로 핌. 열매는 장과(漿果). 남미 원산으로, 품종에 따라 모양과 빛깔이 다른데, 각지에서 재배함. 날로 먹거나 잼을 만듦.

〈양딸기〉

양떼-구름【羊—】명〖기상〗'고적운(高積雲)'의 속칭.

양-띠【羊—】명〖민〗'미생(未生)'을 양(羊)의 속성(屬性)으로 상징하여 일컫는 말.

양락[1]【羊酪】[—낙] 명 양의 젖의 지방질을 굳혀서 만든 식료품.

양락[2]【良樂】[—낙] 명 옛 중국의 왕량(王良)과 백락(伯樂). 두 사람이 다 말의 좋고 나쁨을 알아내는 데에 뛰어난 사람이라는 데서, 말을 잘 분별하거나 어거하는 사람을 일컬음.

양란[1]【洋亂】[—난] 명〖역〗양요(洋擾).

양란[2]【洋蘭】[—난] 명〖식〗카틀레야·덴드로븀 등, 열대·아열대(亞熱帶) 원산(原産)의, 관상용으로 온실에서 재배되는 난초. 유럽을 경유하여 수입된 것이 많음. ＊동양란(東洋蘭).

양람【洋藍】[—남] 명 인디고(indigo).

양력[1]【揚力】[—녁] [lift]〖물〗비행기의 날개 같은 얇은 판을 유체(流體) 속에서 작용시킬 때, 진행 방향에 대하여 수직·상향으로 작용하는 힘. 곧, 날개에 와 닿는 공기력의 풍향(風向)에 직각인 분력(分力)

양력[2]【陽曆】[—녁] 명 ↗태양력(太陽曆). ↔음력(陰曆). └임.

양력 재:돌입【揚力再突入】[—녁—] 명 [lifting reentry]〖항공〗우주선이 공력적(空力的) 양력을 써서 대기권에 재돌입하는 일. 서서히 강하할수록 예정 착륙점에 착륙하는 정밀도가 높아짐. 이것으로 유도 장치의 오차, 온도 제어(溫度制御)가 관제(管制)됨.

양력-점【揚力點】[—녁—] 명〖항공〗날개에 작용하는 모든 압력 중심의 평균(平均).

양력 팬【揚力—】[—녁—] 명 [lift fan]〖항공〗수직 이착륙(垂直離着陸) 항공기·단거리 이착륙 항공기에 쓰이는 특수한 터보팬(turbofan) 엔진. 수직 방향의 추력축(推力軸)을 가짐. 흔히 날개 속에 있음.

양:례【襄禮】[—네] 명 장례(葬禮).

양로[1]【涼爐】[—노] 명 풍로(風爐).

양:로[2]【養老】[—노] 명 ①노인을 봉양(奉養)함. ¶～ 보험. ②여생을 안락하게 지냄. ③〖역〗나라에서 노인에게 주식(酒食)·다과·포백(布帛) 등을 주어 존문(存問)하며 벼슬을 주는 일. ——-하다 자여불

양:로[3]【讓路】[—노] 명 길을 서로 비켜 줌. ——-하다 자여불

양:로-금【養老金】[—노—] 명 영년 근속(永年勤續)한 사람에게 그의 늙은 여생을 안락하게 해 주기 위하여 급여하는 돈.

양:로 보:험【養老保險】[—노—] 명〖사〗생명 보험의 한 가지. 피보험자가 일정한 나이에 달할 때까지 생존하면 보험금이 지급되는데, 그 나이가 되기 전에 죽으면 보험금은 유족에게 지급됨.

양:로 연금【養老年金】[—노—] 명 젊었을 때에 돈을 적립하여 두고 노후(老後)에 연금을 받아 여생을 안락하게 지내도록 하는 제도.

양로연-악【養老宴樂】[—노—] 명〖악〗전날에, 노인들을 위해 베푼 잔치에서 쓰던 음악. 아악과 속악(俗樂)을 쓰다가 조선 고종 30년(1893) 2월에는 왕명에 따라 속악만 쓰게 됨.

양:로-원【養老院】[—노—] 명〖사〗몸을 의탁할 데도 없고 빈곤하여 의지가지 없는 노인을 수용하여 구호하는 시설.

양록【洋綠】[—녹] 명〖미술〗진채(眞彩)의 한 가지로, 석록(石綠)과 같은 진한 빛깔.

양:론【兩論】[—논] 명 두 가지의 서로 대립되는 의론(議論). ¶찬부 ～.

양롱【佯聾】[—농] 명 짐짓 귀먹은 체함. ——-하다 자여불

양:료【養料】[—뇨] 명 ①영양분이 되는 재료. ②양육비.

양:류[1]【兩流】[—뉴] 명 ①두 수류(水流). ②두 유파(流派).

양류[2]【楊柳】[—뉴] 명〖식〗버드나무❶.

양류-가【楊柳歌】[—뉴—] 명〖악〗경기 민요의 하나.

양류 관음【楊柳觀音】[—뉴—] 명〖불교〗[자비심이 많고 중생의 소원을 들어 줌이 버드나무가 바람에 나부낌과 같다는 데서 일컫는 말] 관음의 하나. 병고(病苦)를 덜어 주는 관음으로서, 그 상(像)은 바위 위에 앉아 오른손에 버들가지를 쥐고, 왼손을 왼쪽 젖가슴에 대고 있음. 약왕(藥王) 관음.

양류-목【楊柳木】[—뉴—] 명〖민〗육십 화갑자(六十花甲子)에서, 임오(壬午) 계미(癸未)에 붙이는 납음(納音). 오미(午未), 곧 마른 나무가 무덤에서 임계(壬癸), 곧 물을 만나니, 다시 생기가 돌고 봄버들처럼 파란 싹이 트고 바람에 휘날린다는 말.

양륙【揚陸】[—뉵] 명 배의 짐을 뭍으로 운반(運搬)함. 육양(陸揚). ——-하다 타여불

양륙 이동【揚陸移動】[—뉵—] 명〖군〗상륙 작전용 주정(舟艇)에서 소정의 지역으로의 상륙 부대 전개(展開)까지의 상륙 작전 공격 단계의 하나.

양:륜【兩輪】[—뉸] 명 수레의 두 바퀴. 전(轉)하여, 서로 떨어져서는 제 구실을 못하는 것의 비유.

양률【陽律】[—뉼] 명 십이율(十二律) 가운데 육률(六律)을 일컫는 말. ↔음려(陰呂).

양리【良吏】[—니] 명 선량한 관리. 훌륭한 관리.

양:립【兩立】[—닙] 명 둘이 함께 맞섬. 양방(兩方)이 다 존재함. 쌍립(雙立). ——-하다 자여불

양마[1]【良馬】명 좋은 말. 보마(寶馬). 세마(細馬).

양마[2]【洋麻】명 케나프(kenaf).

양-마늘【洋—】명〈방〉〖식〗양파.

양마-석【羊馬石】명 무덤의 앞이나 옆에 세우는 돌로 만든 양과 말.

양막【羊膜】명〖생〗모래집.

양막-강【羊膜腔】명〖생〗양막의 내부. 양수(羊水)로 차 있음.

양-만(:)리【楊萬里】[—말—] 명〖사람〗중국 남송(南宋)의 학자·시인. 자는 정수(廷秀), 호는 성재(誠齋). 강서 시파(江西詩派)에 속하며, 말년에는 성재체(誠齋體)라 불리는 한 파(派)를 일으킴. 저서에 ≪성재집≫·≪성재 시화(詩話)≫ 등이 있음. [1124-1206]

양-만(:)춘【楊萬春】명〖사람〗고구려의 명장. 보장왕 4년(644) 안시성주(安市城主)로 있을 때, 당태종(唐太宗)의 30만 대군을 맞아 60여 일의 격전(激戰) 끝에 적군을 패퇴시켰음. 태종 자신도 양만춘의 활에 맞아 한 눈이 멀었다 함.

양말[1]【洋襪·洋韈】명 [서양 버선의 뜻] 주로 신발을 신을 때, 발에 직접 신는 의류. 속스(socks)·스타킹(stocking) 따위.

양말[2]【糧秣】명 군량(軍糧)과 마초(馬草). 양초(糧草).

양말 대님【洋襪—】[—때—] 명 전날에, 양말이 내려가지 아니하게 조이던 서양식 대님. 가터(garter).

양:망【養望】명 저망(貯望). ——-하다 자여불

양망성어-과【洋望星魚科】[—꽈] 명〖어〗[Embiotocidae] 농어목(目)에 속하는 어류의 한 과. 태생어(胎生魚)임. 망상어·인상어 따위가 이에 속함.

양매【楊梅】명〖식〗소귀나무.

양매-창【楊梅瘡】명〖의〗창병(瘡病)의 한 가지. 양의학의 악성 매독발진(惡性梅毒發疹)에 상당함.

양매-청【楊梅靑】명〖광〗공청(空靑)❶.

양:맥[1]【兩麥】명 보리와 밀.

양맥[2]【陽脈】명〖한의〗①한방(漢方)의 맥진(脈診)에서, 몸의 표재 부위(表在部位)의 병변(病變)을 알기 위해 약하게 눌렀을 때의 맥. ②맥박 수가 많고 힘찬 맥. ↔음맥(陰脈).

양맥[3]【梁貊】명〖역〗만주에 거주한 예맥족(濊貊族)의 한 집단. 삼국지(三國志)에는 소수맥(小水貊)으로 나옴.

양-머리【洋—】명 서양식으로 단장한 여자의 머리.

양메깃-과【洋—科】명〖어〗[Brotulidae] 농어목(目)에 속하는 어류의 한 과. 동갈메기·붉은메기 등이 이에 속함.

양:면【兩面】명 ①두 면. 양쪽의 면. ¶～ 인쇄 기계. ②사물의 겉과 안. 앞면과 뒷면. ③두 가지 방면. ¶물심 ～으로 돕다.

양:면 가치【兩面價値】명 [ambivalence]〖심〗사람이나 물건 따위의 동일 대상에 대해서, 동시에 정반대(正反對)의 감정(感情)이 공존(存共)하는 일.

양면-성【兩面性】[—썽] 명 주된 면과 숨은 면의 성질. 안과 밖의 서로 다른 성질. ¶～을 지니고 있다.

양:면 작전【兩面作戰】명 ①두 방면에서 하는 작전. ②두 가지 수단을 쓰는 일. ¶강압과 회유의 ～.

양명[1]【佯名】명 이름을 속임. 위명(僞名). ——-하다 자여불

양명[2]【亮明】명 환하게 밝음. 명량(明亮). ——-하다 형여불

양명[3]【揚名】명 ①이름을 들날림. ②이름뿐이고 내용이 없는 일. 허명(虛名). 공명(空名). ——-하다 자여불

양명[4]【量名】명〖역〗양안(量案)에 올라 있는 소유주의 이름.

양명[5]【陽明】명 ①볕이 환하게 밝음. ②태양. ——-하다 형여불

양:명[6]【養命】명 목숨을 양생(養生)함. ——-하다 자여불

양명-방【陽明方】명 햇볕이 잘 들어서 환하게 밝은 쪽.

양명-증【陽明症】[—쯩] 명〖의〗티푸스(typhus)나 토질(土疾)을 앓아서 눈이 껄떡하고 잠이 안 오는 병.

양명-학【陽明學】명〖철〗중국 명(明)나라 때의 왕양명(王陽明)이 주창한 유학(儒學). 마음 밖에 사리(事理)가 따로 없으며, 사람마다 양지(良知)를 타고 났으나, 물욕(物慾)이 있는 탓에 성인과 범인이 구별되는 것이니, 이 물욕의 장애를 물리칠 때에, 지행 합일(知行合一)이 된다는 지식과 행동의 통일을 주창한 철학. 왕학(王學). 요강학(姚江學). 왕자학(王子學). 심학(心學). ＊지행 합일설.

양명학-파【陽明學派】명〖철〗양명학을 신봉하고 왕양명(王陽明)의 학통(學統)을 이은 학파. 전덕홍(錢德洪)·왕용계(王龍溪) 등이 유명하

며, 한국에서는 힘을 펴지 못했으나, 일본에서는 크게 성하였음.

양메【揚袂】명 소매를 올림. 또, 춤추는 모양. ——-하다 자 여불

양모[1]【羊毛】명 양의 털. 모직물을 짜는 데 쓰임. 양털. ¶～ 제품.

양모[2]【良謨】명 좋은 계략(計略).

양:모[3]【養母】명 양가의 어머니. 아모(亞母). 소후모(所後母). 양어머니. ↔생모(生母).

양:모[4]【釀母】명 효모균(酵母菌).

양모-랍【羊毛蠟】명 『화』 라놀린(lanolin).

양모-반【羊毛斑】명 〔flocculi〕『천』 태양을 수소 광선(水素光線)이나 칼슘 광선으로 촬영할 때 전면(全面)에 나타나는 반문(斑紋). 양모를 흩어 놓은 것처럼 보임. 양반(羊斑). 면양반(緬羊斑).

양모-업【羊毛業】명 양모에 관계되는 직업의 총칭.

양:모-작【兩毛作】명 이모작(二毛作).

양모-제[1]【羊毛製】명 양털로 만든 제품.

양:모-제[2]【養毛劑】명 모생약(毛生藥).

양모 조례【羊毛條例】명 〔Woolens Act〕『역』 1699년 영국 본국이 식민지의 산업 억제를 위해 취한 일련의 정책의 하나. 식민지에서 영국 본국 또는 외국 및 다른 식민지에 양모와 양모 제품을 수출하는 일을 금지한 법률.

양모-지【羊毛脂】명 『화』 라놀린(lanolin).

양모-직【羊毛織】명 양털로 짠 직물.

양:목[1]【兩目】명 두 눈. 양쪽의 눈. 양안(兩眼).

양목[2]【洋木】명 당목(唐木).

양목[3]【梁木】명 ①들보. ②현인(賢人)의 비유.

양목[4]【陽木】명 ①봄·여름에 잘 자라는 나무. 오동(梧桐) 따위. ②산의 남쪽에서 자라는 나무.

양:목[5]【養木】명 나무를 가꾸어 기름. ——-하다 자 여불

양:목[6]【養目】명 눈을 보호함. ——-하다 자 여불

양:목-경【養目鏡】명 눈을 보호하기 위하여 쓰는 안경.

양:목 양:족【兩目兩足】명 『불교』 양족존(兩足尊).

양-몰이【羊—】명 놓아 먹이는 양떼를 모는 일. 또, 그 사람.

양몰이-꾼【羊—】명 양몰이를 업으로 하는 사람.

양묘[1]【良苗】명 좋은 묘목.

양:묘[2]【揚錨】명 닻을 감아 올림. ——-하다 자 여불

양:묘[3]【養苗】명 묘목을 기름. ——-하다 자 여불

양:묘-기【揚錨機】명 〔windlass〕 배의 닻을 감아 올리고 풀어 내리는 장치.

양:묘-장【養苗場】명 묘목을 기르는 곳. 종묘장(種苗場).

양:묘-포【養苗圃】명 묘목을 기르는 밭.

양:무 공신【揚武功臣】명 『역』 조선 영조(英祖) 때 '분무 공신(奮武功臣)'을 고친 이름.

양무 운:동【洋務運動】명 『역』 19세기 후반에 중국 청조(淸朝)의 증국번(曾國藩)·이홍장(李鴻章) 등이 태평 천국(太平天國)의 난과 애로호 사건(Arrow 號事件) 등에 자극을 받아 군사·과학·통신 등의 근대화를 꾀한 개혁 운동.

양-묵【楊墨】명 『사람』 양주(楊朱)와 묵적(墨翟).

양문【陽文】명 양각(陽刻)한 인장(印章)·명(銘) 등의 문자. ↔음문(陰文).

양-물[1]【洋—】명 서양의 문물(文物)이나 풍습(風習). 서양식의 생활 양식. ¶～에 젖다/～을 먹다.

양물[2]【洋物】명 서양 물건. 양품(洋品).

양물[3]【陽物】명 ①음경(陰莖). ②양기 있는 사람을 농으로 이르는 말.

양물-점【洋物店】명 양품점(洋品店).

양-물화【洋物貨】명 서양에서 수입된 물화(物貨). 양화물(洋貨物). 준양화(洋貨).

양:미[1]【兩眉】명 두 눈썹.

양미[2]【糧米】명 양식으로 쓰는 쌀.

양:미-간【兩眉間】명 두 눈썹의 사이. ¶～을 찌푸리다. 준미간.

양-미나리【洋—】명 『식』 파슬리(parsley).

양미리 명 『어』 〔*Hypoptychus dybowskii*〕 양미릿과에 속하는 바닷물고기. 몸은 길이 15 cm 남짓한데 모양이 까나리와 비슷하여 가늘고 길며 배지느러미는 없음. 몸빛은 등 쪽은 갈색이고 배 쪽은 은백색임. 한국 동해·일본에 분포함. 말려서 건멸치 대신 쓰기도 함. 양사어(洋絲魚).

양민【良民】명 ①선량한 백성. 선민(善民). 양인(良人). ②천역(賤役)에 종사하지 않는 일반 백성.

양민 오:착【良民誤捉】명 죄 없는 사람을 잘못 잡음. ——-하다 타 여불

양-밀[1]【洋—】명 ①↗양밀가루. ②서양 품종의 밀.

양:밀[2]【釀蜜】명 꿀을 만듦. ——-하다 자 여불

양-밀가루【洋—】[—까—] 명 서양에서 수입한 밀가루. 또, 양밀의 가루. 양진말(洋眞末). 준양밀.

양박【涼薄】명 얼굴이나 마음 생김이 후덕(厚德)스럽지 못함. ——-하다 형 여불. ——-히 부

양-박쥐【洋—】명 『동』 〔*Pipistrellus pipistrellus*〕 애기박쥣과에 속하는 동물. 집박쥐와 비슷하여 구별하기 어려운데 귀가 길어서 접으면 콧구멍에 달함. 몸빛은 전체가 갈색이고 귀와 비막(飛膜)은 검음. 몸길이 4-5 cm. 일본·대만·중국 남부·인도 등지에 분포하며 우리 나라에서는 중부 지방에서 채집된 기록이 있음.

양반[1]【羊斑】명 양모반(羊毛斑).

양:-반[2]【兩半】명 한 냥에 닷 돈을 더한 금액.

[양반 양반(兩班) 두 냥 반(兩半)] 돈의 액수 이름과 귀족 계층 이름의 음(音)이 같음을 이용해서 돈을 내고 된 양반(兩班)을 꼬집는 말.

양:반[3]【兩班】명 ①『역』 근세 조선 중엽에 있어, 지체나 신분이 높은 상류 계급의 사람. 세습적으로 문관이나 무관이 될 자격이 있는 문벌. ②『역』 동반(東班)과 서반(西班). 동서반(東西班). ③점잖고 착한 사람을 두고 하는 말. ④자기 남편을 제삼자에 지칭하는 말. ¶우리집 ～. 1)·2):↔상인·상민(常民)·상사람.

[양반 김칫국 떠 먹듯] 아니꼽게 점잔 빼는 사람을 보고 하는 말. [양반은 가는 데마다 상이요, 상놈은 가는 데마다 일이라] 제 집에서 호강하는 사람은 어디를 가나 대접받고, 제 집에서 고생하는 사람은 어디를 가나 일만 하게 된다는 말. [양반 때리고 볼기 맞는다] 윗사람이나 권력자에게 실속없이 덤벼서 화나 입지 말라는 말. [양반 못된 이 장에 가 호령한다] 가야 할 장소에 가 있지 못하고 딴 곳에서 활개침을 가리키는 말. [양반은 물에 빠져도 개헤엄은 안 한다] 위급한 때라도 자기 체면 깎이는 일은 안 한다는 말. [양반은 세 끼만 굶으면 된장 맛 보잔다] 평소에 잘 먹던 사람은 배고픈 것을 못 참는다. [양반은 안 먹어도 긴 트림] 양반은 가난해서 식사를 못 했더라도, 배불리 먹은 듯이 트림을 한다는 말. 곧 양반은 궁한 기색을 안 보인다는 말. [양반은 얼어죽어도 짚불은 안 쬔다] 양반은 체면과 행세를 굳게 지킨다는 말. *강류석부전(江流石不轉). [양반은 죽어도 문자(文字) 쓴다] ㉠양반은 위신을 지극히 생각한다는 말. ㉡한문에 중독된 양반을 비웃는 말. [양반은 죽을 먹어도 이를 쑤신다] 양반은 체면을 지키기 위해 궁한 기색을 안 보인다는 말. [양반은 하인이 양반 시킨다] 아랫 사람이 잘 하여야 윗사람이 칭찬도 받고 대우도 받는다는 뜻. [양반의 새끼는 고양이 새끼요 상놈의 새끼는 돼지 새끼라] 고양이 새끼는 커가면서 예뻐지고, 돼지 새끼는 커갈수록 추물이 된다는 뜻에서 양반집 자녀를 추키는 말. [양반의 자식이 열 둘이면 호패(號牌)를 찬다] 양반의 자식은 어려서부터 남 달리 훌륭하게 자란다는 말. [양반의 집 못 되려면 초라니 새끼 난다] 집안이 안되려면 이상스런 일이 생긴다는 말. [양반이 대추 한 개가 하루 아침 해장이라고] 양반은 양이 적어서 조금만 먹어도 활동에 지장이 없다는 말. [양반 파립(破笠) 쓰고 한 번 대변 보긴 예사] 돈 있고 세력 있는 사람이 염치없는 짓을 하는 것은 흔히 있는 일이라는 뜻.

양:반[4]【讓畔】명 논둑을 양보함. 토지의 경계를 사양함. *양반 양거(讓畔讓居). ——-하다 자 여불

양:반 계급【兩班階級】명 『사』 근세 조선 사회 계급의 하나. 동반·서반 및 사대부(士大夫) 문벌의 상류 계급.

양:반 답교【兩班踏橋】명 『민』 예전에, 양반들이 서민과 뒤섞이기를 꺼리어, 하루 앞당겨 음력 정월 14일에 다리밟기를 하던 일.

양:반-류【兩盤類】[—뉴] 명 『동』 〔Amphidiscophora〕 육방 해면류(六放海綿類)에 속하는 아목(亞目). 골편(骨片)은 유착(癒着)되어있지 않고 그 안에 반드시 양반체(兩盤體)를 가졌으나 육방성체(六放星體)는 없음. 몸 아랫도리에 긴 규질(硅質)의 사상 파속(絲狀把束)이 있어 모래 속에 서기도 함.

양:반 양:거【讓畔讓居】명 논둑과 자기 거소를 양보함. 황제(黃帝)·순(舜) 임금·문왕(文王) 때에는 어진 임금의 덕에 감화되어 백성이 모두 이러하였다 함.

양:반-전[1]【兩班田】명 『역』 고려 시대 문무(文武) 양반에게 분급(分給)된 토지.

양:반-전[2]【兩班傳】명 『책』 연암(燕巖) 박지원(朴趾源)이 지은 초기 단편 소설. 양반 사류(士類)들이 저들의 본분을 망각하고 세력에 기대어 작폐만 일삼고 있음을 통매(痛罵), 이완된 사도(士道)를 바로잡을 것을 강조한 내용임.

양:반-탈【兩班—】명 탈의 하나. 하회 탈놀음·오광대 탈놀음·들놀음·산대놀음·해서 탈놀음에서 양반 혹은 샌님으로 나옴. 특징은 언청이거나 한쪽 눈이 치켜 올라갔거나, 코가 비뚜름함.

양:반-팥【兩班—】명 〈방〉 이팥.

양:반-풀【兩班—】명 『식』 〔*Cynanchum sibiricum*〕 박주가릿과에 속하는 다년초. 줄기 높이 20-30 cm이고, 잎은 대생(對生)하며 피침형 또는 선형(線形)임. 6-7월에 황백색 꽃이 취산(聚繖) 화서로 액출(腋出)함. 과실은 골돌(蓇葖). 들에 나는데, 황해도에 분포함.

양발[1] 명 〈방〉 양말(경상·전라·충청·황해).

양:-발[2]【兩—】명 두 발. 양족(兩足).

양:발[3]【養髮】명 머리털을 자라는 대로 기름. 머리털을 잘 가꿈. ↔단발(斷髮). ——-하다 자 여불

양:발 제기【兩—】 두발 제기. 쌍발 제기.

양:발-차기【兩—】명 두 발로 차는 일.

양방[1]【良方】명 ①좋은 방법. ②약효가 있는 약방문(藥方文).

양:방[2]【兩方】명 이쪽과 저쪽. 이편과 저편. 두 편. 쌍방. 양자(兩者). 양측(兩側).

양:방[3]【兩傍】명 두 곁. 오른쪽과 왼쪽.

양배-암【羊背岩】명 〔rock mountain; 프 roche moutonnée〕『지』 빙하(氷河)의 흐름으로 측벽(側壁)과 밑바닥이 깎이어 둥글게 된 암반(岩盤). 빙하가 흘러간 방향으로 찰흔(擦痕)이 생기고, 비대칭(非對稱)으로 빙식(氷蝕)을 받은 지역은 멀리서 보면 마치 떼를 지은 양떼와 같음. 양군암(羊群岩).

양-배추【洋—】명 『식』 〔*Brassica oleracea* var. *capitata*〕 겨잣과에 속하는 2년초. 결구성(結球性) 배추의 변종으로, 잎은 넓으며 부정형이고, 내부가 황백색이며, 꽃은 담황색의 십자화(十字花)가 총상(總狀) 화서로 핌. 여러 품종이 있는데, 봄과 가을 두 차례 파종하며, 온상(溫床)에서 이식(移植) 재배도 함. 원산지는 지중해 동부 내지 아시아라고 함. 전세계에서 널리 식용함. 감람(甘藍). 캐비지.

양백[1]【洋白】명 양은(洋銀).

양:백[2]【兩百】명 〈방〉 이백(二百)(함경).

양-백연【楊伯淵】명 『사람』 고려 말기의 무신(武臣). 처음에 최영(崔

瑩)휘하에 종군, 공민왕 12년(1368) 흥왕사(興王寺)의 변(變)에 공을 세워 1등 공신이 됨. 동강 도지휘사(東江都指揮使)로서 예성강(禮成江)의 왜구(倭寇)를 격퇴하고, 우왕(禑王) 5년(1379) 찬성사(贊成事)와 정방 제조(政房提調)를 겸하던 중 왜구의 침입이 심해지자 진주(晋州)에서 적의 대군을 격파함. 개선 후에 이인임(李仁任) 등의 미움을 받아 합주(陜州), 곧 지금의 합천(陜川)에 유배되어 살해됨. [?-1379]

양-버들【洋一】[명]〖식〗[*Populus nigra*] 버들과에 속하는 낙엽 활엽 교목. 잎은 능상(稜狀)의 달걀꼴이고, 장병(長柄)임. 자웅 이가(雌雄異家)인데, 수꽃 이삭은 총상(總狀) 또는 복총상(複總狀) 화서로 핌. 유럽 원산으로 성냥개비·건축재(建築材)·가로수(街路樹) 등에 쓰임. 이태리 포플러. *미루나무.

양:벌【攘伐】[명] 쳐서 물리침. ——하다 [타][여불]

양:벌 규정【兩罰規定】[명]〖법〗범죄가 법인 또는 어떤 사람의 업무에 관련하여 행하여진 경우에, 실제로 범죄 행위를 한 자 외에 그 법인 또는 사람에 대하여서도 같이 형벌을 과할 것을 정한 규정. 주로 행정적인 단속 법규에서 채용되고 있음. 쌍벌 규정.

양:범【揚帆】[명] 돛을 올림. ——하다 [자][여불]

양법【良法】[一뻡] [명] ①좋은 법규(法規). 좋은 제도(制度). ②좋은 방법. ↔악법(惡法).

양:벽-부【禳辟符】[명] 재앙과 액운을 물리치는 부적(符籍)의 총칭.

양:변[1]【兩便】[명] 대변(大便)과 소변(小便).

양:변[2]【兩邊】[명] ①양쪽의 변. ②두 편 쪽. ③〖수〗등식(等式)에서 등호(等號)의 좌변과 우변.

양-변기【洋便器】[명] 걸터앉아서 대변(大便)을 보게 된 서양식의 수세식(水洗式) 변기.

양병[1]【良兵】[명] ①훌륭한 병사. 정병(精兵). ②좋은 무기.

양병[2]【佯病】[명] 거짓으로 병난 체함. 꾀병. ——하다 [자][여불]

양병[3]【洋甁】[명] 배가 부르며 목이 좁고 짧은 오지병.

양병[4]【陽病】[명] 높은 열이 나는 병. 열병(熱病).

양:병[5]【養兵】[명] 군사를 양성함. 또, 그 병사. ——하다 [자][여불]

양:병[6]【養病】[명] ①병을 잘 조섭하여 낫도록 함. 양아(養疴). ②치료를 게을리하여 병을 더하게 함. ——하다 [자][여불]

양보[1]【良輔】[명] 양필(良弼).

양보[2]【陽報】[명] 나타난 과보(果報). ¶음덕(陰德) 있으면 ~있다.

양:보[3]【讓步】[명] 어떤 것을 사양하여 남에게 미루어 줌. ——하다 [타][여불]

양-보라【洋一】[명] 서양에서 만든 보라 또는 보랏빛 물감.

양-보료【洋一】[명]〈방〉양담요.

양복【洋服】[명] 서양식으로 만든 의복. ↔한복(韓服).

양복-감【洋服一】[명] 양복을 지을 옷감. 양복지.

양복-공【洋服工】[명] 서양식 의복을 만들거나 개조, 수선하는 사람.

양복-바지【洋服一】[명] 양복의 아랫도리 옷. [준]바지.

양복-상【洋服商】[명] 양복점(洋服店). 양복 장수.

양복-장【洋服欌】[명] 양복을 넣어 두거나 걸어 두는 장.

양복-장이【洋服匠一】[명] 양복을 만드는 사람.

양복-쟁이【洋服一】[명]〈속〉양복을 입은 사람.

양복-저고리【洋服一】[명] 양복의 윗도리.

양복-전【洋服廛】[명] 양복을 파는 가게. 기성복을 파는 가게.

양복-점【洋服店】[명] 양복을 만들거나 또는 파는 가게. 양복상(洋服商). 양복집. 테일러(tailor).

양복-지【洋服地】[명] 양복감. [준]복지(服地).

양복-집【洋服一】[명] 양복점.

양복-짜리【洋服一】[명] 양복 입은 사람의 근새를 혈하게 잡아 하는 말.

양:-볶이【胖一】[명] 소의 양을 잘게 썰어서 장에 익혀 파와 후춧가루를 치고 볶은 음식. 양초(胖炒).

양:본위-제【兩本位制】[명]〖경〗금화와 은화 두 가지를 본위 화폐로 하는 제도. 복본위제(複本位制).

양볼락-과【洋一科】[명]〖어〗[Scorpaenidae] 농어목에 속하는 어류의 한 과. 이 과에 속한 것으로 볼락·도화볼락·동감펭볼락·개볼락·세줄볼락·우럭볼락·흰꼬리볼락·쏨뱅이·붉감펭·살살치·쑥감펭·놀락감펭·쏠배감펭 등 종류가 많음.

양봉[1]【洋蜂】[명] 토종(土種) 벌에 대하여, 서양종(西洋種)의 꿀벌.

양봉[2]【樑奉】[명]〖건〗보를 받치기 위하여 기둥에 가로 낀 초각(草刻).

양:봉[3]【養蜂】[명] 꿀을 받기 위하여 꿀벌을 기르는 일. 또, 그 법. ¶~원(園)/~가(家). ——하다 [자][여불]

양:봉[4]【襄奉】[명] 장례(葬禮)를 모심. ——하다 [타][여불]

양:봉-가【養蜂家】[명] 벌을 기르는 사람.

양:봉-서【養蜂書】[명] 양봉하는 방법을 쓴 책.

양:봉-업【養蜂業】[명] 양봉하는 직업.

양:봉-원【養蜂園】[명] 양봉을 경영하거나 또는 실지로 연구하는 곳.

양봉 음위【陽奉陰違】[명] 면종 복배. ——하다 [자][여불]

양:봉-장【養蜂場】[명] 양봉을 경영하는 장소.

양:봉 제비【兩鳳齊飛】[명] [두 마리의 봉황이 나란히 날아간다는 뜻으로] 형제가 함께 영달(榮達)함의 비유.

양:봉-타【兩峰駝】[명]〖동〗쌍봉낙타.

양-봉투【洋封套】[명] 서양식의 봉투.

양부[1]【良否】[명] 좋음과 나쁨. 착함과 착하지 않음. 선부(善否).

양:부[2]【兩府】[명]〖역〗①조선 시대 때 동반(東班)의 의정부(議政府)와 서반(西班)의 중추부(中樞府)의 병칭. 곧, 문무(文武) 양부. ②고려 때 중서 문하성(中書門下省)과 밀직사(密直司) 곧 중추원(中樞院)의 병칭. 재추(宰樞).

양:부[3]【兩部】[명] ①두 개의 부(部). 양쪽의 부분. ②〖불교〗밀교(密敎)의 이대 법문(二大法門). 곧, 금강계(金剛界)와 태장계(胎藏界). 양계(兩界). ③중국 당대(唐代)의 조정 식악(朝廷式樂)에서, 당하(堂下)에 서서 연주하는 입부기(立部伎)와, 당상(堂上)에 앉아서 연주하는 좌부기(坐部伎)의 병칭. 또, 이 두 가지로 연주하는 음악. ④[남제(南齊)의 공치규(孔稚圭)가 마당에서 우는 개구리 소리를, 양부가 연주하는 음악에 비유했다는 '남사 공규전(南史孔珪傳)'의 고사(故事)에서] 개구리의 울음소리.

양:부[4]【養父】[명] 양가(養家)의 아버지. 양아버지. 소후부(所後父). *생부(生父)·실부(實父).

양부래【羊負來】[명]〖식〗도꼬마리.

양:부 만다라【兩部曼陀羅】[명]〖불교〗양계 만다라(兩界曼陀羅).

양:-부모【養父母】[명] 양자간 집의 어버이. 양어버이.

양-부인【洋婦人】[명] ①양갈보를 비꼬아 일컫는 말. ②서양 부인.

양-부호【陽符號】[명] 양수를 나타내는 부호. 곧, '+'.

양:분[1]【兩分】[명] 둘로 나눔. ——하다 [타][여불]

양:분[2]【養分】[명] 영양이 되는 성분. 자양분(滋養分).

양:분-표【養分表】[명] 음식물이 지니고 있는 양분을 보아 알 수 있도록 만든 표.

양붕【良朋】[명] 좋은 친구. 양우(良友).

양:-붙임【兩一】[一부침] [명] 바둑에서, 자기 돌에 접착(接着)해 있는 상대방의 돌 하나를 반대 방향에서 딱 붙여 두는 수.

양:비【攘臂】[명] 소매를 걷어 올림. 분기함. ——하다 [자][여불]

양:비 대:담【攘臂大談】[명] 양비 대언(攘臂大言). ——하다 [자][여불]

양:비 대:언【攘臂大言】[명] 소매를 걷어 올리고 팔뚝을 뽐내며 큰소리를 함. 양비 대담. ——하다 [자][여불]

양-비둘기【洋一】[명]〖조〗[*Columba livia rupestris*] 비둘깃과에 속하는 새. 날개 길이 22-23 cm로, 온 몸이 연한 회색에, 머리·목·가슴은 녹색이며, 날개에는 두 줄의 흑색 띠가 있고, 꽁지의 끝은 암회색, 허리는 백색, 부리는 흑색임. 한국·중국·만주·몽골·시베리아에 분포함.

〈양비둘기〉

양:비-론【兩非論】[명] 양쪽이 다 그르다고 보는 주장이나 견해.

양:-사[1]【兩一】[명] ①〖춤〗↗양사위❶. ②〖민〗양상모놀음.

양사[2]【羊舍】[명] 양(羊)우리.

양사[3]【良士】[명] ①선량한 남자. ②선량한 무사.

양사[4]【良史】[명] ①훌륭한 역사 책. ②훌륭한 역사가.

양사[5]【良死】[명] 수명을 다하고 죽음. ——하다 [자][여불]

양사[6]【良師】[명] 우수한 스승. 훌륭한 선생.

양:사[7]【兩司】[명]〖역〗조선 시대 때, 사헌부(司憲府)와 사간원(司諫院)의 병칭(倂稱).

양사[8]【洋紗】[명] ↗서양사(西洋紗).

양사[9]【洋絲】[명] 양실.

양사[10]【陽邪】[명]〖한의〗양증 외감(陽症外感).

양사[11]【陽事】[명] 남자의 방사(房事).

양:사[12]【養士】[명] 선비를 양성함. ——하다 [자][여불]

양:사[13]【養嗣】[명] 양자 들이는 일. ——하다 [타][여불]

양사-어【洋絲魚】[명]〖어〗양미리.

양-사(:)언【楊士彦】[명]〖사람〗조선 중기의 서가. 자는 응빙(應聘), 호는 봉래(蓬萊) 또는 해객(海客). 회양(淮陽) 군수로 있을 때, 금강산에 들어가 만폭동(萬瀑洞)에 '봉래 풍악 원화 동천(蓬萊楓嶽元化洞天)'이란 글씨를 썼다 함. 안평 대군·김구(金絿)·한호(韓濩)와 더불어 조선 왕조 전기의 사대 서가(四大書家)로 불리었음. 문장과 재주가 비범하며 복서(卜筮)에도 능하였음. [1517-84]

양사오 문화【一文化】〔仰韶〕[명]〖역〗중국 신석기 시대의 이대 문화 중 더 오래된 쪽의 문화를 이름. 허난 성(河南省) 몐츠 현(澠池縣) 양사오(仰韶) 마을의 유적에 의해 이 이름이 있음. 원시적인 서경 농업(鋤耕農業)을 영위하며 개 따위 가축을 길렀고 고기잡이 등도 하였음. 안정된 정착 생활을 하며 제도(製陶)·방직(紡織)의 기술과 매장 제도(埋葬制度)가 있었던 것으로 인정됨. 앙소 문화(仰韶文化). *룽산 문화(龍山文化)·채도(彩陶).

양사오 유적【一遺跡】〔仰韶〕[명]〖지〗중국 허난 성 몐츠 현(澠池縣) 양사오에 있는 신석기 시대의 농촌 취락(聚落) 유적. 1921년 앤더슨(Anderson, J.G.)의 발굴에 의한 것으로 양사오 문화에서 룽산 문화(龍山文化)에 이르는 채도(彩陶)·흑도(黑陶)·조도(粗陶)·유공 석부(有孔石斧) 따위가 출토(出土)됨. 돼지·개도 사육되었고, 벼의 압흔(壓痕)이 토기(土器) 속에서 발견된 것으로 보아 초기 농경(農耕) 문화가 짐작되기도 함. 앙소 유적.

양:-사위【兩一】[명] ①〖춤〗탈춤 등에서, 두 손을 양쪽으로 뿌려 올리며 한 발로 뛰면서 반 바퀴 또는 한 바퀴 도는 사위. [준]양사. ②〖민〗양상모놀음.

양:-사자【養嗣子】[명] 호주(戶主) 승계인인 양자.

양사 주:석【揚沙走石】[명] 세차게 부는 바람에 모래가 날리고 돌멩이가 굴러 달음질함. 비사 주석(飛沙走石). ——하다 [자][여불]

양:사 합계【兩司合啓】[명]〖역〗조선 시대 때, 사헌부(司憲府)와 사간원(司諫院)이 연명(連名)하여 올리던 계사(啓辭). *합계(合啓). ——하다 [타][여불]

양삭【陽朔】[명] 음력 시월 초하룻날.

양산[1]【洋傘】[명] 서양식으로 만든 우산. 박쥐 우산.

양산[2]【洋算】[명] 아라비아 숫자를 쓰는 산법(算法).

양산[3]【梁山】[명]〖지〗경상 남도의 한 시(市). 2 읍(邑) 4 면(面) 3 동(洞). 낙동강에 연(沿)하여 북쪽은 울산 광역시(蔚山廣域市), 동쪽은 동해(東海), 남쪽은 부산 광역시, 서쪽은 밀양시(密陽市)와 김해시(金海市)에

접함. 고리(古里) 원자력 발전소(原子力發電所)와 동해 연안의 임해(臨海) 공업 단지·양산 공업 지구 등이 조성되어 각종 산업이 발달함. 명승 고적으로는 통도사(通度寺)·내원사(內院寺)·칠현사(七賢祠)·가야진사(伽倻津祠)·홍룡 폭포(虹龍瀑布) 등이 있음. 1996년 3월 양산군이 시(市)로 승격함. [484.13 km^2 : 161,109 명(1996)]

양산[4]【陽山】명 두 개의 산이 있을 때, 험한 쪽의 산. 전에 병법가(兵法家)가 쓰던 말로, 적이 공경하기에 어려운 산. ↔음산(陰山)❶.

양산[5]【量産】명 ↗대량 생산. ¶～ 체제를 갖추다. ——-하다 타 여불

양산[6]【陽傘】명 볕을 가리기 위하여 쓰는, 우산같이 만든 물건. 일산(日傘). 파라솔.

양산[7]【陽繖】명 의장(儀仗)의 하나. 모양은 일산(日傘)과 비슷한데, 가으로 넓은 헝겊을 둘러 꾸며서 아래로 늘어뜨림. 청양산·홍양산·황양산이 있음.

〈양산7〉

양:산[8]【養山】명 ①산림(山林)을 잘 가꾸고 기르는 일. ②묘지에 식목하고 가꾸는 일. ——-하다 자 여불

양산-가【陽山歌】명〖악〗신라 가요. 작자·연대·가사 미상. 신라 태종 무열왕 때의 장수 김흠운(金歆運)이 백제 땅 양산에서 싸우다가 장렬하게 전사하였는데, 후세 사람들이 이를 슬퍼하여 지어 불렀다 함. '삼국 사기' 열전(列傳)에 실려 전함.

양산-군【梁山郡】명〖지〗경상 남도에 속했던 군(郡). 1996년 3월, 양산시로 승격함.

양산도【陽山道】명〖악〗경기 민요의 하나. 세 마치 장단에 맞추어 부르는 경쾌한 음곡.

양산-박[1]【梁山泊】명 ①수호전(水滸傳)에 나오는 중국 전설상의 산채(山寨). 산둥 성(山東省) 량산(梁山) 산록(山麓)의 소택(沼澤) 근처에 있었다는데 송강(宋江) 이하 호용(豪勇)으로 이름난 산적(山賊)·의인(義人) 108인이 웅거하였다고 함. 이 고사(故事)로 흔히 호걸·야심가들의 집합 장소를 말하기도 함. ②'량산포'를 우리 음으로 읽은 이름.

양산박[2]【梁山泊】명〖충〗꼬리명주나비.

양산백-전【梁山伯傳】명〖문〗작자·연대 미상의 구소설(舊小說). 일명 ≪양산백(梁山伯)≫·≪축영대(祝英臺)≫. 중국의 ≪정사(情史)≫와 ≪영파지(寧波志)≫에 있는 축영대(祝英臺)의 설화를 소재로 하였음. 이 소설도 ≪춘향전≫과 같이 연애를 테마로 하였는데, 현몽 신조(顯夢神助)·입신 양명(立身揚名)·기연 연정(奇緣戀情)·환생 기연(幻生奇緣) 등의 네 요소가 얽혀 있음.

양-산숙【梁山璹】명〖사람〗임진 왜란 때의 의병(義兵). 자(字)는 회원(會元). 제주(濟州) 사람. 성혼(成渾)의 문인(門人). 선조(宣祖) 24년(1591) 천상(天象)을 보고 난리가 있을 것을 예언, 상소(上疏)하여 대비책을 건의했으나 받아들여지지 않음. 이듬해 임진 왜란이 일어나서 김천일(金千鎰)과 함께 의병을 일으켜 진주(晋州)에서 싸우다 죽음. 시호는 충민(忠愍). [1561-93]

양:삼【養蔘】명 인삼을 심어 기름. ——-하다 자 여불

양상[1]【良相】명 어진 재상. 현상(賢相).

양상[2]【洋商】명 서양 사람의 상점·상인.

양상[3]【梁上】명〖건〗들보의 위. 보꾹.

양상[4]【樣相】명 생김새. 모습. 모양.

양상 군자【梁上君子】명 ① 도둑. 후한(後漢)의 진식(陳寔)이 들보 위에 숨어 있는 도둑을 가리켜 한 말. ②쥐를 일컫는 말.

양상 급유【洋上給油】명〖해〗해상(海上) 급유.

양상 도회【梁上塗灰】명 들보 위에 회를 바른다는 뜻으로, 여자가 얼굴에 분을 많이 바른 것을 비웃는 말. ——-하다 자 여불

양:상모-놀음【兩一】명〖민〗농악에서, 상모에 달린 부포나 채를 번갈아 한 번씩 돌리는 놀이. 부포는 반 장단에, 채는 4분의 1 장단에 한쪽씩 돌림. 양사. 양사위❷.

양상 보:급【洋上補給】명〖해〗해상(海上) 보급.

양-상추【洋一】명〖식〗잎이 둥글고 넓으며 결구성(結球性)인 개량종 상추의 총칭. 사철 재배하여 식용함.

양:상 화매【兩相和賣】명 두 편이 잘 의논하여서 물건을 팔고 삼. ——-하다 타 여불

양:색【兩色】명 ①두 가지의 빛깔 또는 물건. ②광선(光線)의 형편에 따라 짙은 녹색으로 또는 짙은 자주빛으로 보이는 등 두 가지 빛깔을 드러내는 직물(織物) 등의 빛깔.

양:색-단【兩色緞】명 청백·청홍 혹은 홍백 등으로 씨와 날의 빛이 다른 비단.

양:색-등【兩色燈】명〖해〗작은 선박이 현등(舷燈)으로 대용(代用)하는 선등(船燈). 한 개의 등이 일면은 녹색(綠色), 다른 면은 홍색(紅色)으로 되어 있음.

양:생【養生】명 ①몸과 마음을 건강하게 해서 오래 살기를 꾀함. 섭생(攝生). 섭양(攝養). ②병의 조리를 함. 보양(保養). ③〖토〗콘크리트와 모르타르의 응결(凝結)·경화(硬化)를 완전히 하기 위하여 가마니 따위를 덮고 물을 뿌려, 하중(荷重)·충격·건조·동결(凍結) 등이 없도록 보호하는 일. ——-하다 자타 여불

양:생-가【養生家】명 ①위생을 지키고 양생을 잘 하는 사람. ②양가(養家)와 생가(生家).

양:생-방【養生方】명 양생법(養生法).

양:생-법【養生法】[一뻡] 명 양생하는 방법. 양생방(養生方).

양:생 송:사【養生送死】명 웟사람을 생전(生前)에 잘 모시고 사후(死後)에는 정중히 장례(葬禮)를 함. ——-하다 자 여불

양:생 음:식【養生飮食】명 몸을 건강하게 보전(保全)하여 장수(長壽)하게 하는 음식.

양서[1]【良書】명 좋은 책. 유익한 책. 선서(善書). ¶～ 출판/～를 가려 읽다. ↔악서(惡書).

양:서[2]【兩西】명〖지〗황해도와 평안도. 황평 양서(黃平兩西).

양:서[3]【兩書】명 한글과 한문.

양:서[4]【兩棲】명 물 속과 뭍의 양편에서 삶. 또, 그 동물.

양서[5]【洋書】명 ①서양의 책. 서양에서 출판한 서양 말로 된 책. *원서(原書)·한서(漢書)·일서(日書). ②서양 글씨.

양서[6]【梁書】명〖책〗중국 이십 오사(史)의 하나. 남조(南朝)의 양(梁)나라의 사대 사적(四代事跡)을 쓴 사서(史書). 당(唐)나라의 요사렴(姚思廉)이 정관(貞觀) 3년(629)에 왕명을 받들어 지음. 본기(本紀)·열전(列傳)으로 이루어짐. 56권.

양서[7]【諒恕】명 사정을 참작하여 용서함. ——-하다 자 여불

양:서-강【兩棲綱】명〖동〗개구리강.

양서댓-과【洋一科】명〖어〗[Soleidae] 도다리목(目)에 속하는 어류의 한 과. 각시서대·궁제기서대 등이 이에 속함.

양:서 동:물【兩棲動物】명〖동〗양서류에 속하는 동물. 개구리·도롱뇽 등. 물뭍 동물.

양:서-류【兩棲類】명〖동〗개구리강(綱).

양:-서리목【䏶一】명 소의 양의 안팎을 벗겨 넓게 벤 다음에 잘게 에어서, 장·기름·파·깨소금·후춧가루를 함께 버무려 꼬챙이에 꿰어서 재었다가 구워 낸 음식.

양:서 분명【兩書分明】명 한글과 한문에 다 밝음. ——-하다 형 여불

양석[1]【羊石】명 양(羊)을 새긴 석수(石獸). *석마(石馬)·호석(虎石).

양:석[2]【兩石】명 ①쌀 두 섬, 곧 쌀 네 가마. ②한 마지기 논에서 두 섬의 벼를 거두는 일. ¶이 논은 가뭄만 들지 않으면 ～은 먹는다.

양석[3]【陽石】명 링가(linga).

양선[1]【良善】명 어질고 착함. ——-하다 형 여불. ——-히 부

양선[2]【洋船】명 ①서양의 배. ②서양식의 배.

양:-선[3]【䏶一】명 ①소의 양을 얇게 썰어서 녹말을 묻혀 기름에 지진 음식. ②소의 양을 잘게 썬 다음에, 채소와 갖은 고명을 넣어서 겨자에 버무린 음식. ③소의 양의 깃머리의 안팎을 벗긴 다음에 데쳐서 잣가루를 묻힌 음식. ④소의 양을 삶아 낸 뒤에 식은 장국을 부어 만든 음식.

양선[4]【涼扇】명 '부채'를 달리 이르는 말.

양:선[5]【讓先】명 남에게 앞을 양보함. ——-하다 자 여불

양:설[1]【兩舌】명〖불교〗십악(十惡)의 하나. 양쪽에 다니며 서로 다른 말로 이간질하여 싸움을 붙이는 일. 또, 한 일을 이랬다 저랬다 두 가지로 말하는 일. 이간어(離間語).

양:설[2]【襄泄】명〖의〗신설(腎泄).

양설-류【梁舌類】명〖동〗주설류(柱舌類).

양성[1]【羊城】명〖지〗중국 광둥 성(廣東省) 광저우 시(廣州市)의 이칭.

양성[2]【良性】명 병이 좋은 결과를 거쳐 나을 수 있는 성질임. ↔악성(惡性). ¶～ 종양(腫瘍).

양:성[3]【兩性】명 ①남성과 여성. ②웅성(雄性)과 자성(雌性). 쌍성(雙性). ¶～을 갖춘 도롱뇽. ↔단성(單性). ③두 가지의 서로 다른 성질. ④〖화〗양쪽성. ⑤[ambisexual]〖의〗양성의 미분화 원기(未分化原基)를 가진 개체(個體). 「칭(併稱).

양:성[4]【兩省】명 옛 중국에서, 문하성(門下省)과 중서성(中書省)의 병

양:성[5]【兩城】명〖건〗마루의 양쪽에 진흙으로 바른 벽.

양성[6]【陽性】명 ①양(陽)의 성질. 적극적으로 나아가는 성질. 활발한 성질. ②↗양성 반응. ¶～으로 나타나다. 1)·2) : ↔음성.

양성[7]【陽聲】명 ①〖악〗봉(鳳)의 울음을 상징한 육률(六律)의 소리. ②〖언〗맑은 소리. 1)·2):↔음성(陰聲).

양:성[8]【養成】명 길러 냄. ¶인재 ～. ——-하다 타 여불

양:성[9]【養性】명 자기의 천성을 길러 자라게 함. ——-하다 자 여불

양:성[10]【釀成】명 ①술이나 간장 등을 빚어 만드는 일. ②어떤 분위기나 감정의 경향 등을 천천히 자아냄. ——-하다 타 여불

양성 결정【陽性結晶】[一쩡] 명 [positive crystal]〖물〗정(正)결정.

양성 교질【陽性膠質】명〖화〗교질 입자(粒子)가 양하전(陽荷電)을 갖는 교질. 수산화 알루미늄 등.

양성댓-과【洋一科】명〖어〗[Triglidae] 농어목(目)에 속하는 어류의 한 과. 성대·꼬마달재·달강어·황성대 등이 있음.

양성 모:음【陽性母音】명〖언〗모음 중에서 음색(音色)·어감(語感)이 밝고 산뜻한 모음. 곧, 'ㅏ'·'ㅗ'인데, 고대(古代)에는 'ㅐ'·'ㅚ'·'ㅙ'·'ㅛ'·'ㆍ' 등도 포함되었음. 밝은 홀소리. 강모음(強母音). ↔음성 모음.

양성 반:응【陽性反應】명〖의〗투베르쿨린 반응의 하나. 투베르쿨린을 접종(接種)한 피부에 홍색의 구진(丘疹)이 생기게 하는 반응. 결핵 감염(感染)의 양성·음성을 알아내는 방법임. 준양성(陽性). ↔음성 반응(陰性反應).

양성-병【陽性病】[一뼝] 명〖한의〗질병이 급성(急性)으로 경과(經過)하여, 두통·발열 등의 병상(病狀)이 현저한 병.

양성 비누【陽性一】명 [positive soap]〖화〗수용액 중에서 양(陽)이온으로 이온화(ion化)하는 역성(逆性) 비누의 딴이름.

양:성 산화물【兩性酸化物】명〖화〗양쪽성 산화물.

양:성-색【兩性色】명 [amphichrome]〖식〗한 꽃꼭지에 서로 다른 빛깔의 꽃이 피는 식물.

양:성 생식【兩性生殖】명〖생〗자웅 양성의 생식 세포에 의하여 되는 생식. 대개의 고등 생물은 양성 생식을 함. ↔단성 생식.

양:성 생탄【兩性生誕】명〖생〗단위 생식(單爲生殖)의 결과 자웅 양성이 모두 생기는 일. *웅성(雄性) 생탄·자성(雌性) 생탄.

양:성-선【兩性腺】 명 〖생〗 한 생식소(生殖巢)에 정충과 난자가 함께 생기는 것. 양성소(兩性巢). 난정소(卵精巢).

양:성 세:제【兩性洗劑】 명 〔ampholitic detergent〕 양성 이온을 만드는 세제. 보통, 산성(酸性) 용액 중에서는 양이온이고, 염기성(塩基性) 용액 중에서는 음이온이 됨.

양:성-소[1]【兩性巢】 명 〖생〗 양성선(兩性腺).

양:성-소[2]【養成所】 명 기술자 등을 양성하는 곳. 전문 지식을 짧은 기간에 교육 훈련하는 곳.

양:성 수관【兩性輸管】 명 〖생〗 양성선(兩性腺)으로부터 나오는 생식(生殖) 수관의 하나. 외관상 수란관(輸卵管)과 수정관(輸精管)과의 구분이 되는 부분의 생식 수관. 양성선의 시부(始部)에서는 외관상 한 개로 보이며, 이 부분을 양성관이라 부르고, 후방(後方) 부분은 수란관과 수정관의 사이에 명확한 구분이 인정됨. 수란관의 벽에는 주름살이 있으므로 수정관과 쉽게 구별됨.

양성 신:경화증【良性腎硬化症】〔―쯩〕 명 〖의〗 신경화증의 한 가지. 일반 동맥 경화증의 발병(發病) 연령에 상응(相應)하여 고혈압·심계 항진·두통 따위의 심혈관계(心血管系)의 증상이 나타나나, 악성 신경화증 같은 혈관 만축(彎縮)을 일으키지 않는 것. 악성 신경화증과 달리 오랜 후에 신부전(腎不全)을 초래한다는 뜻에서, 주로 독일 학파에 의하여 사용된 병명임.

양:성 원소[1]【兩性元素】 명 〖화〗 양쪽성 원소.

양성 원소[2]【陽性元素】 명 〔positive element〕 〖화〗 원자에서 쉽사리 전자를 잃고 양이온이 되기 쉬운 원소. 알칼리 금속·알칼리 토류 금속이 대표적임.

양:성 이온【兩性―】〔ion〕 명 〖화〗 양쪽성 이온.

양:성-인【兩性仁】 명 〔amphi-nucleolus〕 〖생〗 진정인(眞正仁)과 염색체의 일부가 접착(接着)한 것으로 생각되는 인. ＊염색(染色)인.

양성-자【陽性子】 명 〔proton〕 〖물〗 중성자와 함께 원자핵의 구성 요소가 되는 소립자(素粒子)의 하나. 전자와 등량(等量)의 양전기를 지니며, 그 질량은 전자의 약 1,836.14 배인데, 수소의 원자핵은 한 개의 양성자로 됨. 프로톤(proton). 양자(陽子).

양성자 건판【陽性子乾板】 명 〖물〗 우주선이나 고(高)에너지 하전 입자(荷電粒子)의 관측에 사용되는, 특수한 에멀션(emulsion)을 칠한 원자핵 건판 가운데 특히 양성자에 대하여 감도(感度)가 좋은 건판.

양성자 붕괴 현:상【陽性子崩壞現象】 명 〔proton decay〕 〖물〗 원자핵이 붕괴되어 그 안에서 양성자가 서서히 나오는 현상. 우라늄의 핵분열 따위처럼, 원자핵은 몇 가지 형태로 붕괴되지만 이 때 양성자가 방출되는 현상의 확인은 대단히 어려웠는데 정밀한 장치의 등장으로 가능해짐.

양성자선 암:치료【陽性子線癌治療】 명 〖의〗 암 치료를 위한 입자선(粒子線) 치료 방법의 하나. 양성자 빔을 정밀하게 제어(制御)해서 암 부위에만 정확하게 조사(照射)가 가능하고, 양성자선이 통과한 근육이나 피부 등 정상 조직에는 상해(傷害)가 적은 것이 특징임.

양성자 싱크로트론【陽性子―】 명 〔proton synchrotron〕 원자핵(原子核)과 소립자의 수수께끼를 해명(解明)하기 위하여 양성자를 가속(加速)하여 표적(標的)에 맞혀 그 결과를 조사하는 거대한 실험 장치.

양성자 현:미경【陽性子顯微鏡】 명 〔proton microscope〕 〖물〗 이온화(ion化)한 수소의 흐름을 이용한 현미경. 이것은 빛이나 전자와 마찬가지로 양성자가 파동적 성질을 가진 것을 이용한 것임. 파장(波長)은 일반적으로 질량(質量)의 제곱근(根)에 반비례하므로 전자(電子)의 약 2,000 배의 질량을 가진 양성자는 그만큼 높은 분해능(分解能)을 얻을 수 있어 그 배율(倍率)은 60만 배에 이르러, 전자 현미경보다 훨씬 높은 해상력(解像力)으로 볼 수 있음.

양:성 잡종【兩性雜種】 명 〖생〗 두 개의 대립 유전자(對立遺傳子)를 갖는 경우의 잡종.

양성 장마【陽性―】 명 〖기상〗 집중 호우(豪雨)와 같은 소나기성(性)의 장마. ↔음성(陰性) 장마.

양성-적【陽性的】 명관 양성인 상태. 적극적이고 능동적인 모양. ↔음성적(陰性的).

양성 전:이【陽性轉移】 명 투베르쿨린 반응이 음성에서 양성으로 변함. ㊣양전(陽轉).

양:성 전:해질【兩性電解質】 명 〖화〗 양쪽성 전해질.

양성 종:양【良性腫瘍】 명 〖의〗 발육이 완만하고 최후까지 발생 국부에 국한되어 있는 종양. 섬유종(纖維腫)이나 지방종(脂肪腫) 등이 전형적인 예임. ↔악성 종양.

양성 주:성【陽性走性】 명 〖생〗 자극이 오는 방향으로 움직이는 주성. 유글레나·짚신벌레 등의 빛에 대한 반응 따위. ＊추성(趨性). ↔음성 주성.

양-성지【梁誠之】 명 〖사람〗 조선 성종 때의 학자. 자(字)는 순부(純夫). 호는 눌재(訥齋). 남원(南原) 사람. 예종 즉위 원년에 《세조 실록》 편찬에 참여하고, 정인지(鄭麟趾)와 함께 《고려사》·《팔도 지리지(地理誌)》를 편수함. 저서에 《해동 성씨록(海東姓氏錄)》·《동국 도경(東國圖經)》 등이 있음. 시호(諡號)는 문양(文襄). [1414-82]

양:성 혼:합【兩性混合】 명 〖생〗 양성(兩性)의 유전질이 혼합하는 일. 양성 배우자의 합체(合體)에 의한 통상적인 유성 생식(有性生殖)을 가리킴.

양:성-화[1]【兩性花】 명 〖식〗 한 꽃 속에 수술과 암술을 갖추어 가진 꽃. 벚꽃이나 진달래 꽃 등. 양전화(兩全花). 자웅 동화(雌雄同花). 자웅 완전화. ↔단성화. ＊완전화(完全花).

양성-화[2]【陽性化】 명 사물이 겉으로 드러남. 또는, 드러나게 함. ¶정치 자금의 ～. ――하다 자타여불

양:성 화:합물【兩性化合物】 명 〖화〗 양쪽성 화합물.

양:세-법【兩稅法】〔―뻡〕 명 〖역〗 중국 당(唐)나라의 덕종(德宗) 건중(建中) 1년(780) 양염(楊炎)의 제의로 시행한 조세법. 6월의 하세(夏稅)와 11월의 동세(冬税)로 두 번, 주현(州縣)에 거주하는 사람의 토지의 대소의 비례로 등급을 정하여 과세하였음.

양-세(:)봉【梁世奉】 명 〖사람〗 독립 투사. 호는 벽해(碧海). 평안 북도 철산(鐵山) 출신. 3·1 운동 후, 최시흥(崔時興)이 이끄는 천마산대(天摩山隊)에 소속되어 일본 행정 기관을 습격하는 등 활동을 벌이다가 남만주(南滿洲)로 망명, 조선 혁명당군(朝鮮革命黨軍)의 총사령(總司令)에 취임, 뒤에 중국 의용군 총사령(中國義勇軍總司令) 이춘윤(李春潤)과 함께 한중 연합군(韓中聯合軍)을 조직, 1932년 싱징 융링제(興京永陵街)에서 일본과 만주의 연합군을 격파했으나, 통화 현 터우다오거우(通化縣頭道溝)에서 일본군에 포위되어 독립군 전원과 함께 순국함. [?-1932]

양소【良宵】 명 양야(良夜).

양:소매 책상【兩―冊床】 명 양쪽에 여러 층의 서랍이 있는 책상.

양 소우징〔楊守敬〕 명 〖사람〗 중국 청말(淸末) 민국초(民國初)의 학자. 역사 지리(歷史地理)의 고증(考證)에 뛰어나, ≪수경 주소(水經注疏)≫·≪역대 여지도(歷代輿地圖)≫·≪수서 지리지 고증(隋書地理志考證)≫ 등의 저서(著書)가 있음. 금석학(金石學)·서가(書家)로서도 널리 알려짐. 양수경(楊守敬). [1839-1914]

양속[1]【良俗】 명 좋은 풍속. 아름다운 풍속. ¶미풍(美風) ～.

양속[2]【洋屬】 명 ①서양에서 만든 피륙의 총칭. ②서양 물건. ③서양 족속.

양:-손[1]【兩―】 명 양편 손. 양수(兩手).

양:손에 떡 구 두 손에 떡을 쥔 격으로, 그 중의 하나를 버리기도 아깝고 두 개 다 가지기도 어려운 경우를 이르는 말. 두 손에 떡. 양수집병(兩手執餠).

양:손[2]【養孫】 명 아들의 양자. 양손자(養孫子). ――하다 자여불 양손을 정하여 데려 오다.

양:-손녀【養孫女】 명 아들의 양녀.

양:-손자【養孫子】 명 아들의 양자. 양손(養孫).

양:손-잡이【兩―】 명 왼손과 오른손을 똑같이 써서 마음대로 일할 수 있는 사람. 또, 그 솜씨. 양수잡이.

양:-송[1]【兩宋】 명 〖사람〗 조선 숙종(肅宗) 때의 송시열(宋時烈)과 송준길(宋浚吉)의 두 학자.

양송[2]【良松】 명 좋은 소나무. ↔악송(惡松).

양:송[3]【養松】 명 소나무를 가꿈. ――하다 자여불

양-송이【洋松栮】 명 서양종의 송이버섯.

양수[1]【羊水】 명 〖생〗 모래집물. 포의수(胞衣水). ¶～가 터지다.

양수[2]【良首】 명 〖사람〗 신라 무열왕 때의 관리. 이방부령(理方府令)으로 종래의 율령(律令)을 검토하고 또 이방부격(理方府格) 60여 조(條)를 수정하였음.

양:수[3]【兩手】 명 양손.

양:수[4]【兩首】 명 두 머리. 두 두목. 양두(兩頭). 쌍두(雙頭).

양:수[5]【兩數】 명 쌍수(雙數)❶.

양수[6]【量水】 명 하천·호수·바다 따위의 수위(水位)를 재는 일. 또, 물의 체적(體積)을 재는 일. ――하다 자여불

양수[7]【揚水】 명 물을 위로 퍼 올림. 또, 그 물. ¶～ 펌프(pump). ――하다 자여불

양수[8]【揚手】 명 거수(擧手). ――하다 자여불

양수[9]【陽數】 명 ①기수(奇數)의 일컬음. ↔음수(陰數)❶. ②영(零)보다 큰 수. 정수(正數). 주의 보통, 부호가 없는 수를 가리키나, 양수임을 강조할 경우에는 수 앞에 부호 '＋'를 붙여 ＋3, ＋7 따위로 나타냄. ↔음수(陰數)❸.

양수[10]【陽樹】 명 직사 광선이 쬐는 곳에 잘 번식하며, 그늘에서는 감내하지 못하는 나무. 자작나무·소나무·은행나무·느티나무·밤나무 등. ↔음수(陰樹).

양수[11]【陽燧】 명 화경(火鏡)으로서의 오목거울. 금수(金燧).

양:수[12]【養壽】 명 수명(壽命)을 보양(補養)함. ――하다 자여불

양:수[13]【讓受】 명 ①사물을 다른 사람에게서 넘겨 받음. ②〖법〗 타인의 권리·재산 및 법률 상의 지위 등을 양도 받는 일. ↔양도(讓渡). ――하다 타여불

양:수 거지[1]【兩手―之】 명 〔←양수 교지〕 두 손을 맞잡음. ¶어른 앞에서 ～하고 서 있다. ――하다 자여불

양:수 거:지[2]【兩手据地】 명 절을 한 뒤에 두 손을 땅에 대고 꿇어 엎딤. ――하다 자여불

양:수-걸이【兩手―】 명 ①일을 이루기 위하여 관계를 두 군데로 걸어 놓음. ②바둑이나 장기 등에서, 한 수로 두 쪽이 잡히게 되는 수.

양:수 겸장【兩手兼將】 명 장기에서, 두 개의 말이 일시에 장을 부르게 되는 일.

양-수경【楊守敬】 '양 소우징'을 우리 음으로 읽은 이름.

양수-계【量水計】 명 양수기(量水器).

양수 과:다증【羊水過多症】〔―쯩〕 명 〖의〗 임신 말기에 양수가 병적으로 증가하여 2,000cc 이상이 되는 증세. 몇 달 사이에 서서히 증량(增量)하는 만성형과 며칠 사이에 급증하는 급성형이 있으며 임신 때의 압박 증세, 분만 때의 미약진통(微弱陣痛), 조기 파수(早期破水), 제대탈(臍帶脫)이나 출혈 등의 원인이 됨.

양-수관【陽樹冠】 명 〖식〗 숲 속에 있는 나무의 수관의 윗 부분, 곧 햇볕이 닿는 부분.

양:수 교지【兩手交之】 명 →양수 거지. ――하다 자여불

양수-기[1]【揚水機】 명 ①펌프(pump). ②양수장(揚水場)에 시설하는 양수하는 기계.

양수-기[2]【量水器】 명 〖기〗 수도(水道) 등의 사용한 물의 분량을 측정하는 기계. 수량계(水量計). 양수계(量水計).

양수 길일【陽數吉日】명 길일(吉日)로 치는 기수로만 된 날. 곧, 3월 3일, 5월 5일, 7월 7일, 9월 9일의 일컬음.

양수-림【陽樹林】명 양수(陽樹)가 주요한 수종(樹種)으로 된 숲.

양-수사【量數詞】명 『언』 수사의 하나. 사물의 수효나 분량을 나타냄. 하나·둘·열·스물·일·이·삼 등. ↔기본 수사·서수사(序數詞).

양수식 발전【揚水式發電】[—쩐] 명 수력 발전의 하나. 물을 저수지에 뽑아 올려 갈수기(渴水期)나 전력 수요(需要)에 따라 발전하는 일.

양수식 발전소【揚水式發電所】[—쩐—] 명 양수식 발전을 하는 수력 발전소.

양:수-인【讓受人】명 ①남의 물건을 넘겨 받는 사람. ②『법』 타인의 권리·재산 및 법률 상(法律上)의 지위 등을 양도 받는 사람. 1)·2):↔양도인(讓渡人).

양:수-잡이【兩手—】명 ①양손잡이. ②바둑·장기·고누 따위에서 양수 걸이를 둠. *양콩잡이. ——-하다 타여불

양수-장【揚水場】명 『토』 관개용(灌漑用) 기타에 필요한 물을 양수하기 위하여 양수기를 시설한 곳.

양:수 집병【兩手執餠】명 두 손에 떡을 쥔 격으로, 가지기도 어렵고 버리기도 어려운 경우를 가리키는 말. 양손에 떡.

양수-척【揚水尺】명 『역』 무자리. 수척(水尺).

양:-수체【兩受體】명 [amboceptor] 『의』 면역학(免疫學) 용어. 한쪽 끝에 세포 친화기(親和基), 딴 끝에 보체(補體) 친화기를 가지고 있어서, 각각 혈구(血球)·세균 등의 세포 및 보체와 결합하는 항체. 양수체는 항원(抗原)과 결합한 것만으로는 면역 반응을 일으킬 수 없으며, 반드시 보체와의 결합을 필요로 함.

양수-표【量水標】명 『토』 강물·호수·바다 등의 수위(水位)를 측정하는 표지(標識). 물자. 워터 게이지(water gauge). ㉠수표(水標).

양:수-하견【兩手荷肩】명 『춤』 정대업지무(定大業之舞)에서, 두 팔을 모아 한 옆으로 곧게 뻗는 사위.

양:수-하수【兩手下垂】명 『춤』 보태평지무(保太平之舞)에서, 두 손을 모아 허리를 비스듬히 굽히며 내리는 사위.

양순【良順】명 어질고 순함. ¶성질이 ～하다. ——-하다 형여불. ——-히 부

양-순대【洋—】명 소시지(sausage).

양:순-음【兩脣音】명 『언』 순음(脣音).

양-숟가락【洋—】명 쇠붙이·나무·대·사기 등으로 만든 서양식 숟가락. 스푼(spoon). 양시(洋匙). 사시(沙匙).

양습【良習】명 좋은 습관. 좋은 풍습.

양승¹【羊僧】명 『불교』 아양승(啞羊僧).

양승²【量繩】명 『역』 전지(田地)를 측량할 때 쓰는 줄자.

양시¹【良時】명 좋은 때. 또, 춘절(春節).

양시²【洋匙】명 양숟가락.

양시³【涼颸】명 서늘한 바람. 양풍(涼風).

양-시⁴【楊時】명 『사람』 중국 송대(宋代)의 학자. 장락(將樂) 출생. 자는 중립(中立) 또는 구산(龜山). 정호(程顥)와 정이(程頤)에게 배워 정씨(程氏)의 정종(正宗)이라 불림. 저서로 《이정 수언(二程粹言)》·《구산집(龜山集)》 등이 있음. 시호는 문정(文靖). [?-1135]

양-시금치【洋—】명 『식』 서양종의 시금치.

양:시-론【兩是論】명 제기된 두 이론이 다 옳다고 하는 주장. ¶～을 내세우는 회색 분자.

양:시 쌍비【兩是雙非】명 양편에 다 이유가 있어서 시비를 가리기 어려움을 이름.

양:시칠리아 왕국【兩—王國】[Sicilia] 명 『역』 이탈리아 반도 남부와 시칠리아 섬을 국토로 하는 왕국. 일반적으로는, 노르만의 시칠리아백(伯) 루지에로 2세가, 1130년에 이탈리아 반도 남부와 시칠리아 섬을 병합한 시칠리아 왕국을 세우고부터 1861년 이탈리아 왕국에 통합될 때까지의 남이탈리아의 왕국을 이름. 1282년 나폴리 왕국과 시칠리아 왕국으로 나뉘고 15세기 중기 아라곤(Aragon)가의 알폰소(Alfonso)가 양왕국을 통일하여 '양시칠리아의 왕'이라 칭하였음. 협의(狹義)로는, 1816년의 스페인계 부르봉(Bourbon)가의 왕위 회복 후, 1861년의 이탈리아 왕국 합병까지의 양시칠리아 왕국을 가리킴.

양식¹ 명 〈방〉 모이(함남).

양식²【良識】명 뛰어난 식견. 건전한 판단력. ¶～을 의심하다.

양식³【洋式】명 ↗서양식. ¶～ 가구.

양식⁴【洋食】명 서양식의 음식. 서양 요리. ¶～을 먹다.

양식⁵【樣式】명 ①일정한 형식. 일정한 형(型)·스타일. ¶생활 ～. ②모양. 격식. ¶판에 박힌 ～. ③『예』 예술 작품·건축물 등을 특징 짓는 통일적인 표현 형식. ¶로마네스크 ～/일정한 ～으로 짓다.

양:식⁶【養殖】명 어개(魚介)·해조(海藻) 등을 인공적으로 길러서 번식시킴. ——-하다 타여불

양식⁷【糧食】명 ①[양(糧)은 여행·행군(行軍) 때의, 식(食)은 집에 있을 때의 식료(食料)의 뜻] 먹고 살 거리. 먹을거리. 식량(食糧). 주로, 주식품(主食品)을 가리킴. ②전하여, 뒷받침하고 북돋아 기르는 것의 일컬음. ¶마음의 ～. ③『민』 염습(殮襲)할 때에, 세 번 반함(飯含)하는 쌀. 죽은 이가 저승까지 가는 동안에 쓸 식량이라는 뜻임.
[양식 없는 동자는 며느리 시키고, 나무 없는 동자는 딸 시킨다] 양식 없이 밥 짓는 일은 며느리를 시키고, 나무 없이 밥 짓는 일은 딸을 시킨다 함이니, 흔히 시어머니 되는 이가 며느리를 미워하고 제가 낳은 딸을 생각한다는 말.

양식-거리【糧食—】명 양식(糧食)으로 할 거리. ¶～가 떨어지다.

양식-사【樣式史】명 『예』 문예학의 한 분과. 예술의 양식이 변하여 온 과정과 발달해 온 형태를 연구하는 학문.

양:식 어업【養殖漁業】명 일정한 수면(水面)을 구획 기타 시설을 하여 인공적(人工的)인 방법으로 수산 동식물을 길러 거두어들이는 어업.

양:식-업【養殖業】명 김·굴 기타의 특정한 수산물을 양식하는 직업.

양:식-장【養殖場】명 양식하는 연안의 수역(水域).

양식-점【洋食店】명 양식을 전문으로 만들어 파는 음식점. 양식집. 레스토랑(restaurant).

양:식 진주【養殖眞珠】명 인공을 가해 만들어 낸 진주. 진주조개의 외투막 속에 조개껍질 또는 은(銀)으로 만든 주핵(珠核)을 삽입(揷入)하여 이를 바다 속에서 길러 진주의 피복물(被覆物)이 생기면 채취함.

양식-집【洋食—】명 양식점(洋食店).

양식-척【量息尺】명 『악』 매화점(梅花點) 장단의 길이를 재는 척도. 건강한 사람의 맥박이 여섯 번 뛰는 동안에 한 번 호흡하는 것을 일식(一息)이라 하며, 이로써 장단의 길이를 재는 기준으로 삼음.

양-식초【洋食酢】명 서양에서 만든 식초. 서양식의 식초. 비니거(vinegar).

양-식탁【洋食卓】명 서양식의 식탁. 의자에 앉아 음식을 먹게 됨.

양식-화【樣式化】명 자연의 대상(對象)의 형태를 과장(誇張)하거나 장식적 변형(裝飾的變形)을 가함으로써 형식화·단순화하는 일. 또, 특히 그런 형식의 인습화(因襲化)·전통화(傳統化) 또는 그러한 형식의 도안화(圖案化)·패턴화(pattern 化)를 이르기도 함.

양신¹【良辰】명 가기(佳期)❷.

양신²【良臣】명 어진 신하.

양:신³【養神】명 신기(神氣)를 기르는 양생법(養生法)의 하나. 정좌(靜坐)하여 호흡을 조절하고 정신을 통일함. *양형(養形).

양신공-도【良愼公徒】명 『역』 [양신은 김의진(金義珍)의 시호(諡號)] 고려 때 평장사(平章事) 김의진이 세운 사학(私學) 십이도(十二徒)의 하나.

양:신-병【兩身病】[—뼝] 명 『의』 자기가 두 사람인 줄로 알고 어느 것이 참된 자기인 줄을 모르는 병. *이중 인격.

양신-죽【羊腎粥】명 멥쌀에다 구기자 잎, 양의 콩팥, 파를 섞어 쑨 죽.

양신 화:답가【良辰和答歌】명 『악』 경상 북도 칠곡(漆谷)지방에 구전(口傳)되었던 내방 가사(內房歌辭)의 하나. 작자·연대는 미상으로 양신을 맞아 남녀가 서로 연정을 주고받으며 장래를 약속하는 노래임. 모두 166구(句).

양:실¹【兩失】명 ①두 가지 일에 다 실패함. ②두 편이 다 이롭지 못하게 됨. ——-하다 자타여불

양-실²【洋—】명 서양에서 수입한 실. 서양식으로 만든 실. 양사(洋絲).

양실³【洋室】명 서양식으로 꾸민 방.

양실⁴【涼室】명 햇볕을 가리기 위하여 방 또는 마루의 처마 끝에 차양을 덧달아 지은 방이나 집.

양심¹【良心】명 ①사람으로서 마땅히 가져야 할 바르고 착한 마음. ②『윤』 도덕적인 가치를 판단하여 정선(正善)을 명령하고 사악(邪惡)을 물리치는 통일적인 의식. 특히, 자기의 행위에 관하여 선악과 정사(正邪)의 판단을 내리는 본연적(本然的)이고 후천적인 자각. ¶～의 가책.

양:심²【兩心】명 두 마음.

양:심³【養心】명 심성(心性)을 수양함. 또, 그 마음. ——-하다 자여불

양심-범【良心犯】명 사상·신념만의 이유로 투옥(投獄)·구금(拘禁)되어 있는 사람을 이르는 말.

양심-수【良心囚】명 양심범.

양심의 자유【良心—自由】[—/—에—] 명 외적(外的)인 압박에 굴복하지 않고 자기의 양심에 따라 행동하는 자유. 사람의 정신적 활동이 법률로 금지(禁止)·강제(強制)되지 않는 자유권(自由權)의 하나.

양심-적【良心的】명관 양심이 있는 상태. 양심에 의하는 상태. 양심이 명(命)하는 바에 따라 행동하는 모양. ¶～ 인간.

양심적 병역 거:부【良心的兵役拒否】명 자기의 신념에 따라 병역을 거부하는 일. 수동적(受動的)·도피적(逃避的)인 것이 아니라 전쟁을 악(惡)이라고 믿고 일체의 군무(軍務)를 거부하는 적극적인 행위임. 종교적 신조(信條)에 바탕을 둔 경우가 많지만 근래에는 정치적·사상적 신념에 따르는 경우도 있음.

양심적 병역 거:부자법【良心的兵役拒否者法】[—뻡] 명 [conscience objecter law] 병역 의무가 있는 나라에서, 양심적 병역 거부자의 존재를 인정하고 병역에 버금하는 다른 일에 취역(就役)하게 하는 것을 제도화(制度化)한 법.

양-쌀【洋—】명 외국에서 들여온 쌀. 주로 안남미(安南米)·대만미(米)를 이름. 쌀알이 길고 끈기가 없음.

양-씨【洋—】명 서양서 온 동식물의 씨.

양아¹【佯啞】명 거짓 벙어리인 체함.

양:아²【養疴·養痾】명 양병(養病)❶. ——-하다 자여불

양:-아둑【兩—】명 〈방〉 좌우 두동.

양:-아들【養—】명 양자(養子).

양:-아버지【養—】명 양부(養父). ↔생아버지.

양:-아비【養—】명 양아버지의 낮춤말.

양-아욱【洋—】명 『식』 [*Pelargonium inquinans*] 아욱과에 속하는 다년초. 남아프리카 원산으로 관상용으로 재배되는데 높이 30-50cm, 줄기는 튼튼하고 다육질, 자르면 일종의 냄새가 있음. 심장상 원형의 잎은 긴 꼭지가 있고 얕게 째졌는데 가장자리는 둔한 톱니 모양을 이룸. 여름철에 잎에 대하여 긴 꽃자루를 내고 그 끝에 산형상(繖形狀)의 많은 꽃이 짙은 적색으로 피는데, 백색·장미색 등의 품종도 있음. 제라늄.

〈양아욱〉

양:-아일【兩衙日】명 『역』 고려 때 한 달에 두 번 조회를 열어 청정(聽政)하던 일. 공민왕(恭愍王) 19년(1370)에 당시의 집권자 신돈(辛旽)이 종래의 육아일(六衙日)을 초이틀과 열 엿새의 두 번으로 줄임. *육아일(六衙日).

양-아치 명 〈속〉 '넝마주이'를 홀하게 일컫는 말.
양:악[1] 【兩顎】 명 상악(上顎)·하악(下顎)의 두 턱.
양악[2] 【洋樂】 명 ↗서양 음악.
양:악[3] 【養惡】 명 못된 습관을 기름. ——-하다 자여불
양-악기 【洋樂器】 명 서양의 악기. 서양 음악에 사용하는 악기. 피아노·바이올린·오르간·호른·드럼 등.
양안[1] 【良案】 명 좋은 안. 좋은 생각. 명안(名案).
양:안[2] 【兩岸】 명 양쪽 강안(江岸). 우안(右岸)과 좌안. 양쪽 기슭.
양:안[3] 【兩眼】 명 두 눈. 양쪽 눈. 쌍안(雙眼). 쌍모(雙眸). 양목(兩目).
양안[4] 【洋鞍】 명 ↗양안장(洋鞍裝).
양안[5] 【量案】 명 〖역〗 양전(量田)에 따라서 논밭의 소재·자호(字號)·위치·등급·형상(形狀)·면적·사표(四標)·소유주 등을 기록한 책. 호조(戶曹)·본도(本道)·본읍(本邑)에 각각 1부씩 보관함. 전적(田籍). 전안(田案). *집기(執記).
양:안[6] 【養眼】 명 눈을 보양(保養)함. ——-하다 자여불
양:안-경[1] 【兩眼鏡】 명 쌍안경(雙眼鏡).
양-안경[2] 【洋眼鏡】 명 서양식으로 만든 안경. 서양 안경.
양:안 대:비 【兩眼對比】 명 〖심〗 한쪽 눈에 색채 자극을 주면 딴 눈에 대비 현상이 나타나는 색채 대비의 하나. *색음(色陰).
양:안 시:야 【兩眼視野】 명 〖심〗 시야의 한 가지. 양쪽 눈으로 그 위치를 변경하지 않고 볼 수 있는 외계의 범위. ↔단안(單眼) 시야.
양-안장 【洋鞍裝】 명 서양식의 안장. ㊟양안(洋鞍).
양암 【諒闇】 명 임금이 부모의 상중(喪中)에 있음. 양음(諒陰).
양암-산 【楊岩山】 명 〖지〗 강원도 평강군(平康郡) 유진면(楡津面)과 이천군(伊川郡) 방장면(方丈面)·용포면(龍浦面) 사이에 있는 산. 광복산(廣腹山). [1,123 m]
양-압력 【揚壓力】 [—녁] 명 아래에서 위로 올려 미는 압력.
양:액 【兩腋】 명 양쪽 겨드랑이.
양:액 재:배 【養液栽培】 명 〖농〗 토양이나 지력(地力)을 이용하지 않고, 작물의 생육(生育)에 필요한 양분을 물에 용해시켜 배양액으로 만들어서 산소를 공급하며 재배하는 방법.
양야[1] 【良夜】 명 맑은 하늘에 달이 밝고, 바람이 없는 좋은 밤. 양소(良宵).
양야[2] 【涼夜】 명 서늘한 밤.
양약[1] 【良藥】 명 좋은 약. 효험이 두드러진 약. ¶∼은 고구(苦口)이나 이어병(利於病).
양약[2] 【洋藥】 명 ①서양 의술(醫術)에 의하여 만든 약. ↔한약(漢藥). ②서양에서 수입한 약.
양약 고구 【良藥苦口】 명 '좋은 약은 입에 쓰다'는 뜻으로 충언(忠言)은 귀에는 거슬리나 자신에게 이롭다는 말.
양-약국 【洋藥局】 명 양약을 짓거나 파는 가게. 양약방. ↔한약국.
양-약방 【洋藥房】 명 양약국(洋藥局).
양-약부지 【佯若不知】 명 알고도 모르는 체함. ——-하다 타여불
양-약재 【洋藥材】 명 양약을 만드는 재료.
양양[1] 【洋洋】 명 ①바다가 한 없이 넓은 모양. ¶∼한 바다. ②호수나 큰 강물에 물이 넘칠 듯이 가득한 모양. ③사람의 앞길이 한 없이 넓어 발전성이 큰 모양. ¶∼한 앞길. ——-하다 형여불
양양[2] 【揚揚】 명 득의(得意)하는 빛이 외모(外貌)와 행동에 나타나는 모양. ¶의기(意氣) ∼. ——-하다 형여불. ——-히 부
양양[3] 【漾漾】 명 ①물 위에 둥둥 뜨는 모양. ②물결이 출렁거리는 모양. ——-하다 형여불. ——-히 부
양:양[4] 【襄陽】 명 〖지〗 강원도 양양군의 군청 소재지로 읍(邑). 동해 북부선(東海北部線)의 종점(終點). 부근에 남한 제일의 철광(鐵鑛)이 있음. [11,416 명(1990)]
양:양[5] 【襄陽】 명 〖지〗 '상양'을 우리 음으로 읽은 이름.
양양[6] 【穰穰】 명 ①결실(結實)이 잘 된 모양. ②많은 모양. 넉넉한 모양. ——-하다 형여불
양:양-가 【襄陽歌】 명 ①〖문〗 중국 당(唐)나라 이백(李白)이 지은 장시(長詩). 샹양(襄陽)에서 노닐며 호탕(浩蕩)하게 소요하는 회포를 읊은 것. ②〖악〗 십이 가사(十二歌詞)의 하나. 이백의 장시(長詩)에 토를 단 것으로, 5박자 10악결임.
양:양-국 【襄陽麴】 명 양양 누룩.
양:양-군 【襄陽郡】 명 〖지〗 강원도의 한 군. 관내 1읍 5면. 북은 속초시(束草市), 남은 강릉시(江陵市), 동은 동해, 서는 인제군(麟蹄郡)에 접함. 군 서경에는 태백 산맥이 뻗어 설악산·오대산·응복산(鷹伏山) 등이 연봉을 이루고 있음. 농산·축산·수산·임산·광산 등의 산물이 있고, 송이(松茸)와 은어(銀魚)는 특산임. 명승 고적으로는 낙산사(洛山寺)·하조대(河趙臺)·의상대(義湘臺)·오색(五色) 약수터·남설악 쌍폭(南雪嶽雙瀑)·낙산 해수욕장·수산포(水山浦) 해수욕장 등이 있음. 군청 소재지는 양양. [628.54 km²: 31,060 명(1996)]
양:양 누룩 【襄陽—】 명 밀가루와 찹쌀 가루에 꿀과 천초(川椒)를 넣고 반죽하여서 만든 누룩. 양양국(襄陽麴).
양양 대:해 【洋洋大海】 명 한없이 넓고 큰 바다.
양양 자득 【揚揚自得】 명 뜻을 이루어 뽐내고 꺼드럭거림. ——-하다 자여불
양:어 【養魚】 명 물고기를 길러 번식시킴. ——-하다 자여불
양:-어깨 【兩—】 명 좌우의 두 어깨. 양견(兩肩).
【양어깨에 동자보살(童子菩薩)이 있다】 자기의 선악을 자신은 보통 알지 못하나 은연 중에 신명(神明)이 감시하고 있다는 말.
양:-어머니 【養—】 명 양모(養母). ↔생어머니.
양:-어미 【養—】 명 양어머니의 낮춤말.
양:-어버이 【養—】 명 양자로 들어간 집의 어버이. 양부모(養父母). 양정(養庭).
양:어-장 【養魚場】 명 양어를 하는 곳.
양언[1] 【佯言】 명 거짓말.
양언[2] 【揚言】 명 공공연하게 말함. 널리 알림. ——-하다 타여불
양:여 【讓與】 명 자기의 소유를 남에게 넘겨줌. ¶∼세(稅). ——-하다 타여불
양역[1] 【良役】 명 〖역〗 조선 시대 때, 양인(良人)이 부담하던 국역(國役). 초엽에 생긴 것으로 신역(身役)과 봉족(奉足) 또는 보(保)가 있었음.
양:역[2] 【兩役】 명 한 사람이 한꺼번에 맡는 두 가지 역(役). 이역(二役).
양역 사정청 【良役査正廳】 명 〖역〗 조선 영조(英祖) 18년(1742)에 양역 변통(良役變通)의 방책을 강구하게 하기 위하여 베푼 관청. *양역 이정청(釐整廳).
양역 이:정청 【良役釐整廳】 명 〖역〗 조선 숙종(肅宗) 29년(1703)에 양역 변통(變通)의 방책을 강구하기 위해 설치한 관아. 숙종 31년에 폐지함. *양역 사정청(査正廳).
양연[1] 【良緣】 명 좋은 인연. ¶∼을 얻다.
양연[2] 【亮然】 명 밝은 모양. 맑은 모양. ——-하다 형여불
양:열 재료 【釀熱材料】 [—녈—] 명 〖농〗 온상(溫床) 같은 데에 쓰이는 인공 가온(加溫) 재료. 낙엽·짚·쌀겨·말똥·퇴비 등을 미생물이 분해할 때에 생기는 열을 열원(熱源)으로 하여 이용함.
양염[1] 【陽炎】 명 아지랑이.
양-염[2] 【楊炎】 명 〖사람〗 중국 당나라 후기의 정치가. 자(字)는 공남(公南). 덕종 때의 재상(宰相). 붕괴된 율령제(律令制)에 의한 균전(均田), 조용조제(租庸調制) 대신 자산의 다과(多寡)에 의해 하추 이기(夏秋二期)에 납입하는 양세법(兩稅法)을 채용함. [727-781]
양엽 【陽葉】 명 [sun leaf] 〖식〗 직사 광선이 쬐는 곳에서 발육한 잎. 비교적 작고, 책상(柵狀) 조직이 잘 발달되어 있어 두꺼우며, 진한 녹색임. 양지엽(陽地葉). ↔음엽(陰葉).
양-영역 【陽領域】 명 〖수〗 함수의 값이 양인 범위의 그 함수에 대한 일컬음. 가령 평면 상에서 정의(定義)된 함수 $f(x, y)$에 대하여, 부등식(不等式) $f(x, y)>0$를 만족시키는 점(x, y)의 전체의 집합을 $f(x, y)$의 양영역이라 함. ↔음영역.
양-예수 【楊禮壽】 명 〖사람〗 조선 명종(明宗)·선조(宣祖) 때의 의관(醫官). 명종 20년(1565) 어의(御醫)로서 명종의 총애를 받음. 왕의 죽음으로 의관들이 처벌당할 때 한때 투옥되었다가 곧 의관으로 복직, 선조(宣祖) 29년(1596) 태의(太醫)로서 《동의 보감(東醫寶鑑)》 편찬에 참여하고, 박세거(朴世擧)·손사명(孫士銘) 등과 함께 《의림 촬요(醫林撮要)》를 저술함. [?-1597]
양오 【暘烏】 명 '태양'의 별칭.
양-오금 【洋烏金】 명 〖미술〗 오금유(烏金釉).
양옥 【洋屋】 명 서양식으로 지은 집. 양옥집. ↔조선집·한옥(韓屋).
양옥-집 【洋屋—】 명 양옥(洋屋).
양온-서 【良醞署】 명 〖역〗 고려 때 대궐 안에 술을 바치는 일을 맡아 보던 관아. 문종(文宗) 때 베풀고, 뒤에 장온서(掌醞署)로, 숙종(肅宗) 3년(1098)에 도로 본이름으로, 충렬왕(忠烈王) 34년(1308)에 사온서(司醞署)로 고침.
양와 【洋瓦】 명 시멘트·모래·석면(石綿) 등을 섞어서 만든 기와. 양기와.
양:완 【兩腕】 명 두 팔. 양팔.
양외 【攘外】 명 외국 세력을 배척함. ——-하다 자여불
양:-외가 【養外家】 명 양어머니의 친정. ↔생외가(生外家).
양요 【洋擾】 명 〖역〗 서양 사람들로 인해서 일어난 난리. 조선 고종(高宗) 3년(1866)에 프랑스 군함이 강화도(江華島)에 침입한 병인 양요와 고종 8년에 미국 군함이 강화도에 침입한 신미 양요가 있었음. 양란(洋亂).
양:요 렌즈 【兩凹—】 [lens] 명 〖물〗 양쪽이 다 오목하게 된 렌즈.
양-요리 【洋料理】 [—뇨—] 명 ↗서양 요리.
양요릿-집 【洋料理—】 [—뇨—] 명 서양 요리를 전문으로 하는 음식점. 「양식점.
양:용 【兩用】 명 양쪽 방면에 쓰임. ¶수륙 ∼ 전차.
양-용매 【良溶媒】 명 〖화〗 고분자(高分子)가 녹을 때에 발열하는 용매. ↔빈용매(貧溶媒).
양:용 원자로 【兩用原子爐】 명 [dual-purpose reactor] 발전(發電)을 위한 열에너지원(熱energy源)으로서도 가동하고, 핵분열성 물질의 생산도 하는 원자로.
양우[1] 【良友】 명 좋은 친구. 양붕(良朋). 가붕(佳朋). 승우(勝友).
양우[2] 【涼雨】 명 서늘한 비.
양:우[3] 【養牛】 명 소를 먹여 기름. 또, 그 소. ——-하다 자여불
양우[4] 감 〈방〉 아웅(평안). ——-하다 자
양-우리 【羊—】 명 양을 먹여 기르는 우리. 양사(羊舍).
양-우(:)조 【楊宇朝】 명 〖사람〗 독립 투사. 일명 양묵(楊墨). 호는 소벽(小碧). 1919년 미국으로 건너가, 매사추세츠 주(州)의 우벳포트 공과 대학과 폴리버 공과 대학을 졸업, 1929년 중국 상해로 가 이듬해 광동성 정부(廣東省政府)의 건설청 공업 관리 위원회(建設廳工業管理委員會) 위원이 되고, 1937년 임시 정부 재무부 차장(財務部次長)을 지냄. 해방 후 귀국하여 조선 방직 협회(朝鮮紡織協會) 이사 등을 역임함. [1897-1964]
양욱 【涼燠】 명 ①양기(涼氣)와 욱기(燠氣). 한서(寒暑). ②춘추. 세월.
양:웅[1] 【兩雄】 명 두 영웅. 두 사람의 훌륭한 인물.
양-웅[2] 【揚雄】 명 〖사람〗 중국 전한(前漢)의 유학자. 자는 자운(子雲). 촉군(蜀郡) 성도(成都) 사람. 사부(詞賦)를 잘 했는데, 만년에는 오로지 경학(經學)에 뜻을 두었음. 저서에 《법언(法言)》·《태현(太玄)》 등이 있음. [53 B.C.-A.D. 18]
양:웅 불구립 【兩雄不俱立】 명 두 영웅은 양립(兩立)할 수 없고 꼭 싸워서 한 쪽이 패하게 된다는 말.

양:웅 상쟁【兩雄相爭】명 용호 상박(龍虎相搏).
양원1【良媛】명〖역〗조선 시대에 세자궁(世子宮)에 속한 궁녀직(宮女職)으로, 종삼품 내명부(內命婦)의 벼슬. *승휘(承徽).
양:원2【兩院】명〖법〗이원제(二院制) 국회의 두 의원(議院). 미국의 상원(上院)·하원(下院)이나 일본의 참의원(參議院)·중의원(衆議院) 등. 이원(二院).
양원3【梁園】명〔중국 양(梁)나라 효왕(孝王)이 세운 죽원(竹園)의 뜻〕친왕(親王)·제왕가(諸王家)의 이칭(異稱). 황족(皇族).
양원-왕【陽原王】명〖사람〗고구려 제24대 왕. 휘는 평성(平成). 안원왕(安原王)의 맏아들. 왕 4년(548)에 백제의 독산성(獨山城)을 공격하였으나 신라 장군 주진(朱珍)의 내원으로 실패, 동 6년에는 도살성(道薩城)을 백제에 빼앗겼음. 동 7년(551)에는 돌궐(突厥)의 내침을 격퇴했고 신라에게 10여 성을 빼앗겼음. [재위 545-559]
양:원-제【兩院制】명〖법〗↗양원 제도. ↔단원제(單院制)·일원제(一院制).
양:원 제:도【兩院制度】명〖법〗국회의 구성을 양원으로 하는 제도. 이원 제도. 준양원제. ↔단원 제도·일원 제도.
양:원-죽【養元粥】명 멥쌀과 찹쌀의 날 것과 볶은 것을 섞어서 쑨 죽. 보통, 꿀을 타서 먹음.
양월1【良月·陽月】명 음력 시월 의 별칭(別稱).
양월2【涼月】명 가을 밤의 달.
양:위1【兩位】명 ①↗양위분(兩位分). ②〖불교〗죽은 사람의 부부.
양:위2【讓位】명 전왕(前王)이 새 왕에게 왕위를 물려 줌. ——-하다 자여불
양:위-분【兩位一】명 부모나 부모처럼 섬기는 사람의 내외분. 준양위(兩位).
양:위-탕【養胃湯】명〖약〗↗인삼 양위탕(人蔘養胃湯).
양유1【羊乳】명 양의 젖. 양젖.
양-유2【良莠】명 좋은 풀과 나쁜 풀. 착한 사람과 악한 사람의 비유.
양 유3【養由】명〖사람〗중국 춘추 시대 초(楚)나라의 활의 명수(名手). 궁시(弓矢)를 만지기만 해도 원숭이가 나무에 매달려 울부짖었다 함. 양유기.
양:유-기【養由基】명〖사람〗양유3.
양유-맥【陽維脈】명〖한의〗기경 팔맥(奇經八脈)의 하나.
양-유정【楊維楨】명〖사람〗중국 원(元)나라 말기의 문인. 자는 염부(廉夫), 호는 철애(鐵崖). 저장(浙江) 사람. 원말의 내란 후, 벼슬을 버리고 풍류 생활을 즐겼음. 저서에 ≪동유자집(東維子集)≫·≪철애 고악부(鐵崖古樂府)≫·≪양철애 시집≫ 등이 있음. [1296-1370]
양육1【羊肉】명 양의 고기.
양:육2【養育】명 길러 자라게 함. 육양(育養). ¶부모 대신 ~하다. ——-하다 타여불
양:육-법【養育法】명 양육하는 방법.
양:육-비【養育費】명 양육하는 데 소용되는 비용. 양료(養料).
양:육-원【養育院】명〖사〗혼자 살아갈 능력이 없는 어린애·노인·독신녀 등을 수용·구호하는 사회 사업 시설.
양육-자【羊肉鮓】명 양육젓.
양육 저:냐【羊肉一】명 양의 고기를 저며서 소금을 뿌렸다가 밀가루를 묻히고, 달걀을 씌워서 지진 음식.
양육-젓【羊肉一】명 양고기를 잘게 썰어 소금·기름을 치고, 하루 지나서 국물을 버리고 파·새앙·후춧가루·술을 쳐서 주물러 삭힌 젓. 양육자(羊肉鮓).
양육-죽【羊肉粥】명 삶은 양고기와 인삼 가루·백복령(白茯苓)·대추·황기(黃芪)·멥쌀을 한데 섞어 쑨 죽.
양육-회 【羊肉膾】명 ①양고기를 날로 소금에 찍어 먹는 음식. ②양의 고기와 간과 처녑을 썰고, 새앙을 이겨 넣은 다음에, 고춧가루를 치고 주물러서 초고추장에 찍어 먹는 음식.
양융【洋絨】명 서양에서 만든 융. 거죽이 보풀보풀함.
양-으로1【陽一】부 남이 다 알 만큼 드러나게. ¶음으로 ~ 도와 주다. ↔음(陰)으로.
양으로2【樣以】〈이두〉양(樣)으로.
양은【洋銀】명 ①구리·아연·니켈을 합금하여 만든 쇠. 빛이 희고, 녹이 슬지 아니하며, 시계·식기·장식품 등에 쓰임. 양백(洋白). 니켈 실버(nickel silver). ②↗양은전(洋銀錢).
양은 그릇【洋銀一】명 양은으로 만든 그릇.
양은-솥【洋銀一】명 양은으로 만든 솥.
양-은전【洋銀錢】명 서양의 은전. 양전(洋錢). 준양은(洋銀).
양-을나【良乙那】[-라] 명〖역〗탐라(耽羅)를 개창(開創)했다는 세 신인(神人)의 하나. *고을나(高乙那)·부을나(夫乙那).
양음1【涼陰】명 서늘한 그늘.
양음2【揚音】명〖언〗①보다 높이 또는 보다 강하게 발음되는 음절(音節). ②악센트(accent).
양-음3【陽陰】명 ①음양(陰陽)❶. ②〖수〗양호(陽號)와 음호(陰號).
양음4【諒陰】명 양암(諒闇).
양:응【養鷹】명 매를 가꾸어 기름. ——-하다 자여불
양:응-가【養鷹家】명 매를 전문으로 기르는 사람.
양응룡의 난:【楊應龍一亂】[-농-/-농에-] 명〖역〗중국 명말(明末)에 파주(播州)의 사관(土官) 양응룡이 일으킨 묘족(苗族)의 반란. 1597년에 시작했으나, 명조(明朝)는 대군(大軍)을 동원, 1600년에 반란을 평정했음.
양-응식【楊凝式】명〖사람〗중국 당말 오대(唐末五代)의 서예가. 자(字)는 경도(景度). 명문 출신으로 소종(昭宗) 때 진사(進士), 당(唐) 멸망 후에는 양(梁)·진(晉) 등 각 왕조를 섬겨 출세함. 난세(亂世)를 살아가기 위해 미친 사람 짓을 했다는 등 일화(逸話)가 많음. 서(書)는 초서(草書)·해서(楷書)를 잘 했는데, 송대(宋代)에 와서야 그 진가를 인정받음. [873-954]
양-응(:)정【梁應鼎】명〖사람〗조선 명종(明宗) 때의 문인. 자(字)는 공섭(公燮), 호는 송천(松川). 제주(濟州) 사람. 공조 참판(工曹參判)으로 성절사(聖節使)가 되어 명(明)나라에 다녀왔으며 대사성(大司成)을 지냈음. 시문(詩文)에 뛰어났고 효행(孝行)으로 정문(旌門)이 세워졌음. [1519-?]
양-응(:)춘【楊應春】명〖사람〗임진 왜란 때의 의병(義兵). 자(字)는 인경(仁卿), 호는 도곡(道谷). 청주(淸州) 사람. 현감(縣監)을 지내다가 임진왜란이 일어나자 의병장(義兵將) 조헌(趙憲)을 따라 청주에서 적을 무찌르고 금산(錦山) 싸움에 참가하여 전사함. [?-1592]
양의1【良醫】[-/-이] 명 의술이 뛰어난 의사. 명의(名醫).
양:의2【兩意】[-/-이] 명 ①두 가지의 뜻으로 해석할 수 있음. 또, 그 뜻. ②두 마음.
양:의3【兩儀】[-/-이] 명〖철〗양(陽)과 음(陰). 또, 하늘과 땅. 이의(二儀).
양의4【洋醫】[-/-이] 명 ①서양 의학을 배운 의사. 양의사(洋醫師). ↔한의(韓醫). ②서양인 의사.
양의5【涼意】[-/-이] 명 서늘한 느낌.
양의6【量宜】[-/-이] 명 잘 헤아림. 참작하여 좋도록 함. ——-하다 타여불
양:의-고【兩儀膏】[-/-이-] 명〖약〗양의전(兩儀煎).
양-의사【洋醫師】명 양의(洋醫).
양:의-전【兩儀煎】[-/-이-] 명〖역〗인삼과 숙지황(熟地黃)을 달인 약. 허약증(虛弱症)에 씀. 양의고(兩儀膏).
양의 항【陽一項】[-/-에-] 명〖수〗양(陽)의 부호와 음(陰)의 부호가 붙은 수 또는 식을 덧셈표로써 연결하여 얻어지는 식의 양(陽)의 부호를 갖는 항(項). 예를 들면, (+5)+(-2)+(-3)에 있어서 +5. 정항(正項).
양의 항 급수【陽一項級數】[-/-에-] 명〖수〗각 항(各項)이 양(陽)의 실수(實數)로 이루어지는 급수. 정항(正項) 급수.
양이1【洋夷】명 서양 오랑캐. 서양인에 대한 비칭(卑稱).
양이2【量移】명〖역〗멀리 유배(流配)된 사람의 죄를 감등(減等)하여 가까운 곳으로 옮기는 일. ——-하다 타여불
양:이3【攘夷】명 외국 사람을 얕보고 배척함. ——-하다 자여불
양이-두【羊耳頭】명〖악〗가야금 아래 끝에 열 두 개의 구멍을 뚫고, 염미(染尾)를 잡아 매는 곳.
양:이-론【攘夷論】명 외국과의 교섭을 끊고 쇄국(鎖國)하자는 주장. 대원군(大院君) 집정(執政) 시대에 대두하였음.
양-이온【陽一】명〔positive ion, cation〕〖물〗양전하(陽電荷)를 지닌 이온. Na^+, Ba^{++} 등. ↔음이온(陰ion).
양이온 계:면 활성제【陽一界面活性劑】[-썽-] 명〔cationic surfactant〕〖물〗물에 용해, 전리(電離)하여 생기는 양이온이 계면 활성 작용을 갖는 물질. 역성(逆性) 비누는 그 한 예임. 섬유의 방수성(防水性)·유연성·염색성 등의 향상에 쓰이며 광석(鑛石)의 부유 선광(浮遊選鑛)에도 이용하는 등 특수한 용도가 있음. *역성 비누.
양이온 교환 수지【陽一交換樹脂】명〔cation exchange resin〕〖화〗이온 교환 수지의 한 가지로 유기 합성(有機合成) 고분자 화합물(高分子化合物). 1935년 영국에서 발견함. 염류 용액 속에서 칼슘 이온·나트륨 이온·마그네슘 이온 등을 흡착(吸着)하여 자기가 가지는 양이온과 교환하는 성질이 있음. 산성 수지. ↔음이온 교환 수지.
양-이천석【良二千石】명〔한대(漢代)에 태수(太守)의 연봉(年俸)이 이천 석이었던 데서 온 말〕선정(善政)을 베푸는 태수. 선정을 하는 지방장관.
양:익【兩翼】명 ①좌우 두 쪽의 날개. ②중군(中軍)의 좌우 양쪽에 있는 군대.
양:익-촉【兩翼鏃】명〖고고학〗날개촉.
양인1【良人】명 ①좋은 사람. 착한 사람. ②〖역〗'양민(良民)'을 천인(賤人)에 상대하여 일컫는 말. ③부부 사이에 서로 상대자를 일컫는 말. ④〖역〗중국 한(漢)나라 때의 여관(女官)의 명칭.
양:인2【兩人】명 두 사람.
양인3【洋人】명 ↗서양인(西洋人).
양:일1【兩日】명 두 날. 이틀.
양일2【洋溢】명 가득 차서 넘침. 널리 충만함. ——-하다 자여불
양:일-간【兩日間】명 두 날 동안. 이틀 사이.
양-일동【梁一東】[-똥] 명〖사람〗정치가. 호는 현민(玄民). 전라 북도 옥구(沃溝) 출생. 중국 중경의 민탁 고등 학교(民鐸高等學校) 졸업. 해방 후 민의원(民議員)으로 당선되어 정계에 진출, 신민당 원내 총무·정무 의원을 거쳐 1973년 통일당(統一黨)을 창당, 당수가 됨. [1912-80]
양:일-학【兩日瘧】명〖한의〗이틀거리.
양입 계:출【量入計出】명 수입을 헤아려 보고 지출을 계획함. 수지(收支)를 꼭 맞게 함. ——-하다 자여불
양:자1【兩者】명 두 사람. 두 사물(事物). 양방(兩方). ¶~ 택일.
양자2【洋字】[-짜] 명 서양의 문자.
양자3【洋紫】명〖미술〗천단청(天壇靑).
양자4【陽子】명〖물〗양성자(陽性子).
양자5【量子】명〔quantum〕〖물〗그 이상 더 나눌 수 없는 물질의 최소량의 단위. 복사(輻射) 에너지에서 처음 발견되어 에너지 양자라고 명명(命名)되었는데, 그것이 광(光)으로서 공간을 진행할 경우를 광양자(光量子)라고 함. 콴툼(quantum).
양자6【楊子】명〖사람〗'양주(楊朱)'의 존칭.
양:자7【養子】명 ①아들 없는 집에서 대(代)를 잇기 위하여 원칙적(原則的)으로 동성 동본의 조카뻘되는 자를 데려다 기르는 사내 아이. 계

자(系子·繼子·契子). 양아들. 과방자(過房子). 명령자(螟蛉子). 명사(螟嗣). 가자(假子). ②[법] 친생자에 대하여, 입양(入養)에 의해서 자식의 자격을 얻은 사람. *사손(使孫). ——-하다 [타][여불] 양자를 정하여 데려오다.
양:자(로) 가다 [구] 양자로 작정되어 양가에 가다.
양:자(를) 들다 [구] 남의 집의 양자가 되다.
양:자(를) 들이다 [구] 양자(를) 세우다.
양:자(를) 세우다 [구] 양자를 작정하여 들여 세우다. 입후(立後)하다.

양자[8] 【樣子】[명] 얼굴의 생긴 모양.

양자[9] 【樣姿】[명] 모양. 모습.

양자[10] 【糧資】[명] 식량과 비용. 군량(軍糧)과 군자금(軍資金).

양자 가:설 【量子假說】[명] 〔quantum hypothesis〕[물] 빛을 복사(輻射)하거나 흡수하는 물질의 요소적(要素的) 에너지가 임의의 값을 취하지 못하고 불연속적(不連續的)인 값을 취한다고 하는 가설. 이 가설은 플랑크(Plank, M.)가 그의 복사 법칙을 도입하면서 세운 것으로, 플랑크의 양자 가설이라고도 함. *양자론(量子論).

양자-강 【揚子江】[명][지] 양쯔 강.

양자강 기단 【揚子江氣團】[명][기상] 양쯔 강 기단.

양자강-장 【揚子江章】[—짱][명] 용비 어천가 제15장의 이름. [준]양자장(揚子章).

양자 건판 【陽子乾板】[명][물] 양성자 건판.

양자 검:출기 【量子檢出器】[명] 〔quantum detector〕[물] 방사 양자(放射量子)를, 그 수에 비례한 수의 신호로 변환하는 검출기. 정해진 에너지 이하의 것에 대해서는 작용하지 않음. 광전 셀(光電 cell)·가이거 계수관(Geiger 計數管) 따위.

양-자기 【洋磁器】[명] →양재기.

양자-론 【量子論】[명] 〔quantum theory〕[물] 열복사(熱輻射)·빛·원자를 대상으로 해서 에너지에는 소량(素量)이 있다는 가정 위에 선 이론. 미시적(微視的) 존재의 구조·기능을 추구하기 위해서 양자의 관점에서 전개되는 물리학 이론의 총칭. 종전의 이론 체계로 설명할 수 없는 미시적인 대상을 연구하려고 나타난 플랑크의 양자 가설(量子假說)로부터 시작하여 아인슈타인의 광양자설(光量子說), 보어(Bohr)의 원자 구조론에 이르러 전기(前期) 양자론을 이루었음. 그러나 1925년까지는 많은 점에서 실험 사실을 설명하지 못하였고 또 고전 물리학(古典物理學)과 서로 이론적으로 모순되는 점이 있었으나, 지금은 양자 역학(量子力學)의 성립 이후 정비된 이론 체계로서 현대 물리학의 중추가 되고 있음.

양-자리 【羊—】[명] 〔라 Aries〕[천] 북천(北天)에 있는 별자리. 황도(黃道) 위에 있는 두 번째의 별자리로, 물고기자리의 동쪽과 황소자리의 서쪽에 있음. 초겨울 초저녁에 천정(天頂) 가까이에서 남중(南中)함. 램(Ram). 약자(略字) : Ari.

양자 물리학 【量子物理學】[명][물] 양자 역학을 기초로 하는 물리학의 총칭. 소립자 따위의 미시적인 계(系)의 연구 외에 고체의 물성(物性) 연구 등 현대 물리학의 많은 분야를 포함함. *고전 물리학.

양자 방언 【揚子方言】[명][책] 중국 한(漢)나라의 양웅(揚雄)이 당시에 각지에서 조정에 참근(參勤)하는 사자(使者)의 방언을 집록한 책. 12권. 별국 방언(別國方言).

양자 법언 【揚子法言】[명][책] 중국 한(漢)나라의 양웅(揚雄)이 논어(論語)를 본떠서 만든 책. 성인을 존경하고 왕도(王道)를 주장하여, 천도(天道)와 인도(人道)의 관계를 설명했음. 13권.

양자 붕괴 현:상 【陽子崩壞現象】[명][물] 양성자 붕괴 현상.

양자 색역학 【量子色力學】[—녁—][명] 〔quantum chromodynamics : 약칭 QCD〕[물] 쿼크(quark)의 역학(力學)을 기술(記述)하는 '강한 상호 작용'의 기초 이론. 쿼크는 색(色), 곧 컬러(color)라고 불리는 자유도(自由度)를 갖는 것으로, 게이지(gauge) 이론에서 유도된 글루온(gluon)이라는 게이지 입자의 교환에 의해 쿼크끼리 강한 힘을 작용하여 결합하고 강입자(強粒子)를 형성함. 게이지 입자의 교환이 '강한 상호 작용'의 근원이라고 하는 이 역학 이론은 게이지 이론에 기초를 두고 있음.

양자 생물학 【量子生物學】[명] 〔quantum biology〕[생] 원자나 그 구성 입자(構成粒子), 즉 전자(電子)·양성자(陽性子)·중성자(中性子) 등의 레벨에서 생물학을 재평가(再評價)하여 연구하려는 학문.

양자선 암:치료 【陽子線癌治療】[명][의] 양성자선 암치료.

양자-수 【量子數】〔quantum number〕[명][물] 양자론(量子論)에서, 원자와 분자의 정상 상태를 특징짓는 데 사용하는 정수(整數) 또는 반정수(半整數)의 짝을 일컬음.

양자 싱크로트론 【陽子—】[명][물] 양성자 싱크로트론.

양자 역학 【量子力學】[명] 〔quantum mechanics〕[물] 거시적(巨視的)인 물체에 대해서 성립하는 고전 역학에 대해서, 에너지에 소량(素量)이 있다는 양자론을 따라 전자·원자·분자·광자(光子)·복사(輻射) 등 미시적(微視的)인 대상을 역학적으로 다루는 학문. 1925년경 연구된 하이젠베르크(Heisenberg)의 행렬(行列) 역학과 슈뢰딩거(Schrödinger)의 파동(波動) 역학이 나중에 하나로 통일되어 양자 역학이라 이르게 됨.

양자 유체 역학 【量子流體力學】[명] 〔quantum hydrodynamics〕[물] 헬륨 Ⅱ 따위 초유체(超流體)에 대한 역학. 분수 효과(噴水効果)나 제2 음파(第二音波) 등의 현상을 연구함.

양자 일렉트로닉스 【量子—】[명] 〔quantum electronics〕[물] 원자·분자·이온 등의 양자 역학적 현상을 적극적으로 제어하여 통신·계측(計測)·정보 처리 등에 이용하는 과학 기술. 마이크로웨이브로부터 빛의 영역까지의 초고주파(超高周波)를 발진(發振)시키거나 증폭시키는 분야. 레이저(LASER)의 출현에 따라 비약적으로 발달함.

양자-장 【揚子章】[—짱][명] ↗양자강장(揚子江章).

양자적 응:답 【量子的應答】[명] 〔quantal response〕[통계] 예스(yes) 아니면 노(no)의 결과밖에 없는 응답.

양자 전:기 역학 【量子電氣力學】[명][물] 양자 전자 역학(量子電磁力學).

양자 전:자기학 【量子電磁氣學】[명][물] 전기적 자기적 현상 또는 물체와 전자기파(電磁氣波)의 상호 작용을 거시적(巨視的)인 입장에서 다루는 고전적인 전자기학에 대하여, 전자 혹은 하전 입자(荷電粒子)와 같은 미시적(微視的)인 계(系)와 전자파와의 상호 작용을 다루는 물리학의 한 부문.

양자 전:자 역학 【量子電磁力學】[명] 〔quantum electrodynamics〕[물] 전자기장(電磁氣場)의 양자론(量子論). 전자(電子)를 비롯한 하전 입자(荷電粒子), 전자기장(電磁氣場)으로 된 미크로적(micro的)인 계(系)를 지배하는 역학 체계(力學體系). 양자 전기 역학.

양-자주 【洋紫朱】[명] 서양에서 만든 자주빛 물감. 양자지(洋紫芝).

양-자지 【洋紫芝】[명] 양자주.

양자-진 【揚子津】[명][역] 중국 강쑤 성(江蘇省) 양저우 시(揚州市)의 남쪽에 있었던 양쯔 강의 나루터. 옛날에 여기서 강을 건넜으므로 이 부분의 강을 양쯔 강이라 불렀음. 대안(對岸)은 경구(京口) 곧 현재의 전장시(鎭江市)임.

양자 진:화 【量子進化】[명] 〔quantum evolution〕[생] 계통적 진화의 특수한 예(例). 환경에 비교적 급격하고도 심한 변화가 일어났을 때 또는 앞서 적응해 있던 환경과는 딴판인 새로운 환경에 생물(生物)이 퍼졌을 때 일어나는 재빠른 진화 현상.

양:자 택일 【兩者擇一】[명] 두 사람 또는 두 사물(事物) 중에서 하나를 선택함. ——-하다 [자][여불]

양자 통:계 【量子統計】[명] 〔quantum statistics〕[통계] 양자 역학에 의해서 기술(記述)하지 않으면 안 되는 입자(粒子) 또는 입자계(粒子系)의 통계적 기술(記述).

양자 통:계 역학 【量子統計力學】[명] 〔quantum statistical〕[물] 양자 역학에 따라 운동하는 다수의 입자(粒子) 집단에 대한 통계 역학.

양자 현:미경 【陽子顯微鏡】[명][물] 양성자 현미경.

양자-화 【量子化】[명] 〔quantigation〕[물] 물리량에 어떤 양자 조건을 줌으로써 고전론(古典論)으로부터 양자론(量子論)으로 이행하는 일. 물리량이 불연속의 특정값밖에 취할 수 없게 함. 또, 양자 역학에서는 물리량에 교환 관계를 도입하여 양자 역학적 연산자(演算子)로 치환하는 것을 말함. 전자 따위의 입자에 관한 물리량을 양자화하면 입자는 파동성을 나타내고, 전자기장 따위의 힘의 장(場)을 양자화하면 광자(光子) 따위와 같은 그 장의 양자가 나타남.

양자 화학 【量子化學】[명] 〔quantum chemistry〕[화] 양자 역학에 기초하여 여러 문제를 해결하는 물리 화학의 한 분야. 화학 결합 이론의 발전, 전자 스펙트럼·진동 회전(振動回轉) 스펙트럼·자기 공명 흡수(磁氣共鳴吸收)를 비롯한 여러 가지 분자 구조 연구법의 기초가 되는 여러 원리의 발전과 그 구체적 적용, 분산력(分散力)·전하 이동력(電荷移動力) 등 분자간의 힘의 연구, 양자 통계 역학에 의한 응집계(凝集系) 물성(物性) 연구, 양자 역학 및 통계 역학을 기초로 한 반응 이론의 전개 등이 대상임. 특히, 유기 화학 연구에 양자 화학적인 여러 개념을 도입함으로써 양자 유기 화학·이론 유기 화학 분야가 열림.

양자 효:율 【量子効率】[명] 〔quantum efficiency〕[전자] 광전관(光電管)에서, 주어진 파장(波長)의 광자(光子)가 한 개 입사(入射)하였을 때, 광전 음극(陰極)으로부터 전자(電子)가 광전적(光電的)으로 방출(放出)되는 확률.

양:잠 【養蠶】[명] 누에를 침. 누에치기. ——-하다 [자][여불]

양:잠-법 【養蠶法】[—뻡][명] 누에를 치는 방법.

양:잠-소 【養蠶所】[명] 누에 치는 시설이 되어 있는 곳.

양:잠-업 【養蠶業】[명] 누에를 치는 직업. [준]잠업(蠶業).

양장[1] 【羊腸】[명] ①양의 창자. ②양의 창자처럼 꼬불꼬불한 길. ¶구절(九折) ~.

양장[2] 【良匠】[명] 양공(良工)❶.

양장[3] 【良將】[명] 재주와 꾀가 비상한 장수. 훌륭한 장수.

양:장[4] 【兩場】[명][역] ①과거의 초시(初試)와 복시(覆試). ②초시와 복시의 초장(初場)과 종장(終場).

양장[5] 【洋裝】[명] ①여자가 서양식으로 몸을 가꾸어 꾸밈. 또, 양식의 복장 또는 장식. 또, 그런 몸단장. ②책을 서양식으로 표장(表裝)함. 또, 그 장정(裝幀). 철사나 실로 본문(本文)을 꿰매고, 그 위에다 두꺼운 종이·헝겊·가죽 등의 표지를 아교(阿膠)로 붙임. ¶~본(本). ——-하다 [자][타][여불]

양장[6] 【糧仗】[명] 군량(軍糧)과 무기(武器).

양장갱잇-과 【洋—科】[명][어] 〔Stichaeidae〕 경골어류(硬骨魚類) 농어목(目)에 속하는 어류의 한 과. 이 과에 속한 것으로 그물베도라치·세줄베도라치·장갱이 등이 있음.

양:장-고 【兩杖鼓】[명][악] 두 개의 채로 친다는 뜻으로 일컫는 '갈고(羯鼓)'의 딴이름.

양장-공 【洋裝工】[명] 드레스 등 여성의 서양식 옷을 만들고 개조하며 수선하는 사람.

양장 미인 【洋裝美人】[명] 양장한 미인.

양:장 시조 【兩章時調】[명][문] 종장(終章)을 포함하여 두 장(章)만으로 된 시조의 한 형식.

양장-점 【洋裝店】[명] 여자의 양장 옷을 짓고 파는 상점.

양:장 진:사 【兩場進士】[명][역] 조선 시대 사마시(司馬試)의 진사과(進士科) 복시(覆試)에서 초장(初場)·종장(終場)에 급제한 진사.

양:장 초시 【兩場初試】[명][역] 초시(初試)의 초장(初場)·종장(終場)에 급제함. 또, 그 사람.

양-장판 【洋壯版】[명] 리놀륨(linolium) 등으로 만든 서양식 장판.

양:장피 잡채 【兩張皮雜菜】[명] 뜨거운 물에 담가 불린 양장피를 알맞

게 찢어서 접시에 깐 다음, 둘레에 돌아가며 잘게 썰거나 채친 표고·해삼·전복·오이·새우·풋고추·돼지고기·당근 등을 보기 좋게 벌여 놓고, 돼지고기·양파·당근·부추 등을 볶은 잡채를 복판에 담은 중국 요리. 한데 섞어서 작은 접시에 덜어 먹음.

양장-현【羊腸絃】명 거트현(gut 絃).

양재¹【良才】명 좋은 재주. 뛰어난 재능. 또, 그것을 가진 사람.

양재²【良材】명 ①좋은 재목. 좋은 감. ②좋은 인재(人材).

양:재³【兩齋】명〖역〗성균관의 명륜당(明倫堂) 앞쪽에 좌우로 벌여 있는 동재(東齋)·서재(西齋)의 두 재.

양재⁴【洋才】명 서양 학술에 관한 재능. ↔한재(漢才).

양재⁵【洋裁】명 ①양복의 재단법(裁斷法). 양복의 재봉(裁縫). ②서양식 바느질.

양재⁶【涼材】명〖약〗성질(性質)이 냉(冷)한 약재(藥材). 냉재(冷材). ↔온재(溫材).

양:재⁷【禳災·攘災】명 신령이나 귀신에게 빌어서 재앙(災殃)을 물리침. 또, 재앙을 물리쳐 없앰. ——-하다 자 여불

양-재기【洋—】명〔←양자기(洋磁器)〕안팎에 파란을 올린 그릇. 지금은 알루미늄·알루마이트 그릇도 말함.

양재-사【洋裁師】명 양복을 재단하는 사람. *드레스 메이커.

양재역 벽서 사:건【良才驛壁書事件】[—껀] 명〖역〗조선 시대 명종(明宗) 2년(1547)에 일어난 옥사(獄事). 부제학 정언각(鄭彦慤) 등이 경기 광주(廣州) 양재역에서 발견, 조정에 밀계(密啓)함으로써 일어남. 을사 사화(乙巳士禍)의 연장으로, 소윤(小尹)의 윤원형(尹元衡) 등이 대윤(大尹)인 윤임(尹任) 일파의 잔여 세력을 제거하기 위하여, 자신들을 비방하는 내용의 벽서(壁書)를 조작한 것으로, 많은 사류(士類)가 화를 입음.

양재-점【洋裁店】명 양장점.

양-잿물【洋—】명 빨래에 쓰는 수산화 나트륨. ㊟잿물.

양:-저냐【胖—】명 소의 양을 저며서, 소금을 뿌린 다음에 밀가루를 묻히고 계란을 씌워서 지진 음식.

양저우〔揚州〕명〖지〗중국 장쑤 성(江蘇省) 중부에 있는 상업 도시. 대운하의 서안(西岸)에 있는데, 수륙(水陸) 교통이 매우 편리하여 쌀 등의 농산물을 집산하며, 제강(製鋼) 공장이 있음. 명승 고적으로는 서우시 호(瘦西湖)·핑산 당(平山堂) 등이 있음. 양주(揚州). [417,300명(1985)]

양적【量的】[—쩍] 명관 양으로 따지는 모양. ¶ ~으로 우세(優勢)하다. ↔질적(質的).

양전¹【良田】명 좋은 밭.

양:전²【兩全】명 두 가지가 다 온전함. ——-하다 형 여불

양:전³【兩銓】명〖역〗이조(吏曹)와 병조(兵曹).

양전⁴【洋錢】명 양은전(洋銀錢).

양전⁵【洋氈】명 서양에서 만들었거나 서양식으로 짠 전.

양전⁶【量田】명 논밭을 측량함. ——-하다 자 여불

양전⁷【陽電】명〖물〗↗양전기(陽電氣).

양전⁸【陽轉】명〖의〗↗양성 전이(陽性轉移). ——-하다 자 여불

양전⁹【楊典】명〖역〗신라 때, 고리짝 만드는 일을 맡아보던 관아.

양전-국【量田局】명〖역〗조선 고종(高宗) 광무(光武) 7년(1903)에 탁지부(度支部)에 둔 한 국(局). 외국의 기사를 초빙하여 새로 토지를 측량하고 토지 제도를 개혁할 때 두었음.

양-전극【陽電極】명〖물〗양극(陽極). ↔음(陰)전극.

양-전기【陽電氣】명〔positive electricity〕〖물〗비단 헝겊으로 유리 막대를 문지를 때에 그 유리에 생기는 전기. 또, 그와 같은 성질의 전기. +의 부호로 나타냄. 정(正)전기. ㊟양전(陽電). ↔음(陰)전기.

양전기-선【陽電氣線】명〔positive rays〕〖물〗진공 방전(眞空放電) 또는 기타의 경우에 생기는 양전기를 지니는 입자선(粒子線).

양-전백【梁甸伯】명〖사람〗독립 운동 지사(志士). 호는 격헌(格軒). 의주(義州) 출신. 3·1 운동 때 민족 대표 33인 중의 한 사람. 1907년 평양신학교(平壤神學校)를 졸업, 우리 나라 최초의 목사의 한 사람이 됨. 3·1운동 때 기독교 대표로 참가하여 2년 형을 받음. 예수교 장로교 총회장으로 활약하였음. [1869-1923]

양전-사【量田使】명〖역〗균전사(均田使).

양전 옥답【良田沃畓】명 기름진 밭과 논.

양-전자【陽電子】명〔positron〕〖물〗전자(電子)의 반립자(反粒子). 전자와 같은 질량을 가지며, 양전기를 지니는 소립자(素粒子). 1932년 앤더슨(Anderson, C.D.)이 우주선(宇宙線)을 연구하는 도중 발견함. 에너지가 큰 감마선(γ線)을 물질과 접촉시킬 때도 발생하며, 인공 방사능의 성질을 가진 원자핵 가운데에서도 발견됨. 포지트론. ↔음전자(陰電子).

양전자 소멸법【陽電子消滅法】[—뻡] 명〖물〗양전자를 써서 어떤 물질의 전자(電子) 상태를 간접적으로 아는 방법. 양전자가 전자를 만나 소멸되면서 두 줄의 감마선(γ線)을 방출하는데, 이 때의 감마선의 방향·시간을 측정하여 앎. 물성(物性) 연구 외에, 금속의 비파괴(非破壞) 검사나 암(癌)의 진단 등에 응용됨.

양전-척【量田尺】명〖역〗옛날에, 양전(量田)할 때 쓰이던 척도(尺度). 고려 때에는 지(指), 곧 손가락의 폭을 썼고, 조선 세종(世宗) 때에는 일등전(一等田)의 양전척은 주척(周尺) 4.77척(尺) 곧 지금의 3.148척, 2등전은 5.18척 곧 지금의 3.419척, 3등전은 5.70척 곧 지금의 3.762척, 4등전은 6.43척 곧 지금의 4.244척, 5등전은 7.55척 곧 지금의 4.983척, 6등전은 9.55척 곧 지금의 6.303척을 썼음. 양지척(量地尺).

양-전하【陽電荷】명〔positive electric charge〕〖물〗물체가 음(陰)전기보다 양(陽)전기를 많이 지니고 있음을 이름. ↔음(陰)전하.

양:전-화【兩全花】명〖식〗양성화(兩性花).

양:절【攘竊】명 몰래 훔침. 다른 사람의 시문(詩文)을 따서 자기 작품인 체함. 표절(剽竊). ——-하다 타 여불

양:절 연초【兩切煙草】[—련—] 명 양쪽의 끝을 자르고 물부리를 달지 않은 궐련.

양점【陽點】[—쩜] 명〖악〗장구의 채편을 가리키는 표시. ○표로 나타냄.

양접【揚接】명〖농〗들접.

양접-법【揚接法】명〖농〗들접법.

양-접시【洋—】명 운두가 낮고 넓은 접시의 한 가지. 서양식의 접시.

〈양정¹〉

양정¹【羊鼎】명 고대에, 제사(祭祀) 때에 양을 삶는 솥.

양정²【良丁】명 양민(良民)의 장정(壯丁).

양정³【良政】명 좋은 정치. 선치(善治).

양정⁴【量定】명 재어서 정함. 헤아려 정함. ¶ 형(刑)의 ~.

양정⁵【揚程】명〖기〗①판(瓣)이 밀어 올려지는 높이. ②펌프에서, 물을 퍼 올리는 높이.

양정⁶【陽精】명 음양(陰陽) 중의 양의 정기(精氣). ↔음정(陰精).

양-정⁷【楊汀】명〖사람〗조선 세조 때의 무신(武臣). 청주(淸州) 사람. 한명회(韓明澮)의 권유로 수양 대군(首陽大君)의 휘하에 들어 김종서(金宗瑞)·황보인(皇甫仁) 등의 제거에 가담함. 세조 9년(1463) 평안도 도절제사(都節制使)가 되었으나, 세조 12년에 세조(世祖)의 선위(禪位)를 건의하다 한명회·신숙주(申叔舟) 등의 반대로 참수(斬首)됨. [? -1466]

양:정⁸【養正】명 정도(正道)를 닦음. ——-하다 자 여불

양:정⁹【養庭】명 ①'양가(養家)'의 경칭. ②양부모(養父母). 양어버이. 1)·2): ↔생정(生庭)❶.

양정¹⁰【糧政】명 양곡(糧穀) 관계의 모든 정책이나 행정.

양-정식【洋定食】명 정식(定食)❷.

양:정 의:숙【養正義塾】명 1905년에 엄주익(嚴柱益)이 창설한 사립 학교. 지금의 양정 중고등 학교의 전신(前身).

양:정-재【養正齋】명〖역〗고려 예종(睿宗) 4년(1109)에 국학(國學)에 베푼 칠재(七齋)의 하나. 춘추(春秋)를 전공하던 곳임.

양-젖【羊—】명 양의 젖. 양유(羊乳).

양제¹【羊蹄】명〖식〗소리쟁이².

양제²【良娣】명〖역〗조선 시대 때, 세자궁(世子宮)에 속한 궁녀직(宮女職)으로, 종이품 내명부(內命婦)의 벼슬. *양원(良媛).

양제³【良劑】명 좋은 약제(藥劑). 양약(良藥).

양제⁴【洋制】명 서양의 제도. 서양식의 제도.

양제⁵【涼劑】명〖약〗성질이 냉한 약제. ↔온제(溫劑).

양제⁶【煬帝】명〖사람〗수양제(隋煬帝).

양:제⁷【攘除】명 물리쳐 없앰. ——-하다 타 여불

양제-근【羊蹄根】명〖약〗소루쟁이의 뿌리. 옴·종기·탈모(脫毛)에 약으로 씀.

양제-초【羊蹄草】명〖식〗소리쟁이².

양:조¹【兩造】명〔'조(造)'는 이르다, 법정(法廷)에 이른다는 뜻〕죄인과 증인(證人). 또, 원고(原告)와 피고(被告).

양:조²【兩朝】명 ①앞뒤의 두 왕조(王朝). ②앞뒤 두 임금의 시대. ③두 나라의 왕조.

양조³【椋鳥】명〖조〗찌르레기.

양조⁴【陽鳥】명〖조〗기러기.

양:조⁵【釀造】명 술·간장·초(醋) 따위를 담가서 만드는 일. ——-하다 타 여불

양:조-공【釀造工】명 알코올 음료 제조에 종사하는 사람.

양:조 대:변【兩造對辨】명 원고와 피고를 대질시켜 변명하게 함. 무릎맞춤. ——-하다 자 여불

양:-조모【養祖母】명 양자로 간 집의 할머니.

양:조-법【釀造法】[—뻡] 명 술·간장·초 등을 양조하는 방법.

양:-조부【養祖父】명 양자로 간 집의 할아버지.

양:조 시험소【釀造試驗所】명 '국세청 기술 연구소'의 전신(前身).

양:조-업【釀造業】명 술이나 간장 등을 양조하는 사업.

양:조-원【釀造元】명 양조해 내는 집.

양:조-장【釀造場】명 술·간장·초 등을 담그는 공장. *술도가.

양:조-주【釀造酒】명 청주(淸酒)·포도주·맥주 등과 같이 곡류나 과실을 원료로 하여 발효시켜서 만든 술.

양:조-초【釀造醋】명 발효시켜 만드는 초. 과일초 따위.

양:조 효모【釀造酵母】명 맥주를 양조한 후에 부산물(副産物)로 나오는 건조한 효모 세포. 비타민 B나 단백질(蛋白質)의 천연 자원(天然資源)으로 쓰임.

양:족【兩足】명 양쪽 발. 두 발.

양:족-존【兩足尊】명〖불교〗두 발을 가진 인류 중에서 가장 높은 이, 또는 복(福)과 지(知)를 원만하게 구비하고 있다는 뜻으로, 부처의 존호(尊號). 양목 양족(兩目兩足).

양-족편【羊足—】명 양의 다리를 삶아, 털을 긁어내고 반쯤 고아 익혀서 굳힌 음식.

양:존¹【兩尊】명 서로 존대말을 씀. ——-하다 자 여불

양존²【陽尊】명 속으로는 해(害)칠 마음을 품고 겉으로는 존경(尊敬)함. ——-하다 타 여불

양종¹ 명부〈방〉나중(충청).

양종²【良種】명 ①좋은 씨. ②좋은 품종. ¶ ~을 선정하다.

양:-종³【兩宗】명〖불교〗①조계종(曹溪宗)과 천태종(天台宗). ②교종(敎宗)과 선종(禪宗).

양종⁴【洋種】명 ①서양의 계통. ②서양에서 들어온 종류 또는 종자. 서

양종.

양종[5]【陽腫】명〖한의〗겉 몸에 난 종기. *음종(陰腫).

양종[6]【陽種】명 허식이 없고 소탈하여 있는 대로를 드러내는 사람.

양종 다리【陽腫—】명〖한의〗다리에 난 종기. 또, 그 다리.

양주[1]【良州】명〖역〗신라 때 구주(九州)의 하나. 문무왕(文武王) 5년(665)에 상주(上州)와 하주(下州)의 땅을 떼어서 삽량주(揷良州)라 하였다가 경덕왕(景德王) 때에 이름을 고쳤음. 김해경(金海京)과 12 군(郡)·33 현(縣)을 관할하였는데, 지금의 양산(梁山)임.

양주[2]【良酒】명 좋은 술.

양:주[3]【兩主】명〈속〉부부(夫婦).

[양주 싸움은 칼로 물 베기] 부부 싸움은 곧 화합된다는 뜻.

양주[4]【洋酒】명 ①서양에서 들여온 술. ②서양식 양조법으로 만든 술. 위스키·브랜디·진 등. 서양주(西洋酒).

양주[5]【涼州】명〖지〗'우웨이(武威)'의 옛 이름. 「지방.

양주[6]【梁州】명〖역〗옛날 중국 9주(九州)의 하나. 지금의 산시 성(陝西省)

양주[7]【揚州】명〖지〗'양저우'를 우리 음으로 읽은 이름.

양주[8]【陽鑄】명 주금(鑄金)에서, 기물(器物)이나 동판(銅板) 등의 표면에 무늬·명문(銘文) 등을 표면보다 약간 도드라지게 나타내는 일.

양-주[9]【楊朱】명〖사람〗중국 전국(戰國)시대의 공자 이후, 맹자 이전의 학자. 노자(老子)의 무위 독선설(無爲獨善說)을 따라서 염세적(厭世的) 인생관을 세우고 위아 방종(爲我放縱)의 쾌락주의(快樂主義)를 주장하여 일시 그 세력이 떨치더니 주(周)나라 말기에 쇠퇴하였음. 존칭(尊稱)은 양자(楊子).

양주[10]【楊州】명〖지〗경기도 의정부(議政府)의 구칭.

[양주 밥 먹고 고양(高陽) 구실] 이 쪽의 보수를 받고 저 쪽의 일을 함의 비유. [양주 사는 홀아비] 행색(行色)이 초라하고 고달파 보이는 사람을 이름.

양주[11]【楊州】명〖문〗실전(失傳)된 고려 시대의 가요. ≪고려사≫ 악지(樂志)에 누명(樓名)과 간단한 해설이 수록됨.

양:주[12]【釀酒】명 술을 빚어서 담금. ——-하다 자여불

양주-군【楊州郡】명〖지〗경기도의 한 군. 관내 1 읍 6 면. 동쪽은 포천군(抱川郡), 서쪽은 파주시(坡州市)와 고양시(高陽市), 남쪽은 의정부시, 북쪽은 연천군(漣川郡)와 동두천시(東豆川市)에 인접함. 밤의 산지로 유명하며, 감악산(紺岳山)·회암사(檜岩寺)·도락산(道樂山)·일영(日迎) 유원지·송추(松楸) 유원지 등의 명승 고적이 있음. 군청 소재지는 의정부시(議政府市). [303.58 km² : 94,071 명(1996)]

양-주동【梁柱東】명〖사람〗시인·국문학자. 호는 무애(无涯). 개성(開城) 출생. 1928년 일본 와세다(早稻田) 대학 영문학부 졸업. 숭실(崇實) 전문 학교·동국(東國) 대학교·연세(延世) 대학교 교수 역임. 일본 유학 시절부터 동인지 '금성(金星)'·'문예 공론' 등을 창간하여 문학 활동을 하는 한편, 신라 향가(新羅鄕歌) 등을 연구하여 초기 국어학계에 큰 업적을 남김. 주요 저서 ≪조선 고가 연구(朝鮮古歌硏究)≫·≪여요 전주(麗謠箋注)≫ 등과 시집 ≪조선의 맥박≫·≪무애 시문선(詩文選)≫ 등이 있음. [1903-77]

양주-머리 명〈방〉양지머리.

양주 별산대놀이【楊州別山臺—】[—싼—] 명 경기 양주 구읍(舊邑), 지금의 양주군 주내면(州內面) 유양리(維楊里)에 전승되고 있는 가면극. 중요 무형(無形) 문화재 2호로 지정되어 있음. 양주 산대놀이.

양:주-분【兩主—】명 '양주[3]'의 경칭.

양주 산대놀이【楊州山臺—】명〖연〗양주 별산대놀이.

양-주삼【梁柱三】명〖사람〗기독교 목사·사회 사업가. 평안도 용강(龍岡) 출신. 서울의 양잠 전습소(養蠶專習所)를 졸업한 후, 중국 상해(上海)를 거쳐 미국으로 건너가, 1910년 테네시 주(州) 밴더빌 대학 신학과(神學科)에 입학, 1912년 목사가 되고, 1914년 예일 대학교 신학 대학을 졸업한 후 귀국함. 1919년 서울 종교 교회(宗橋敎會) 목사가 되고 1930년 남북 감리회(南北監理會)를 합동하는 데 성공, 기독교 조선 감리회 초대 총리사(總理師)가 됨. 1949년 대한 적십자사 총재로 있다가 6·25 전쟁 때 납북(拉北)됨. [1879-?]

양주 소놀이굿【楊州—】명〖악〗경기도 양주 지방에서 농사나 사업이 잘 되고 자손이 번창하기를 비는 굿. 제석 거리에 이어 무당과 마부의 대화(對話), 마부의 소리, 덕담(德談), 마부의 동작과 춤, 소의 동작 등으로 엮어짐. 중요 무형 문화재 제 70 호로 지정되어 있음.

양주-율【楊州栗】명 경기도 양주(楊州) 지방에서 나는 재래종(在來種)의 밤. 알이 굵고 맛이 중 정도로 달며, 소출이 많음.

양주-잔【洋酒盞】[—짠] 명 양주를 마실 때 쓰는 유리잔.

양:주-장【釀酒場】명 술도가.

양-주정【佯酒酊】명 거짓 주정. ——-하다 자여불 「짓의 비유.

양주지-학【楊州之鶴】명 모든 세속적인 즐거움을 한몸에 다 모으려는

양주 팔괴【揚州八怪】명〖미술〗중국의 양저우(揚州)를 근거지로 활약한 18 세기 청(淸)나라의 김농(金農)·정섭(鄭燮)·이선(李鱓)·나빙(羅聘)·황신(黃愼)·이방응(李方膺)·왕사신(汪士愼)·고상(高翔)의 여덟 화가의 병칭. 이석 팔대(二石八大)의 화풍을 이어 자유로운 감흥의 표현을 추구하여 파격적인 화풍을 세웠음.

양죽【涼竹】명 얇게 깎은 대나무.

양중[1] 명부〈방〉나중[1](충청).

양:중[2]【兩中】명〖민〗남자 무당의 하나.

양중[3]【陽中】명 '봄'의 이칭(異稱). ↔음중(陰中).

양:중 선:일 원리【兩中選一原理】[—월—] 명〖논〗선언율(選言律).

양쥐돔-과【洋—科】[—꽈] 명〖어〗[Acanthuridae] 경골어류(硬骨魚類) 농어목(目)에 속하는 한 과. 표문쥐치와 쥐돔이 이에 속함.

양:즙【月羊汁】명 소의 양(月羊)을 잘게 썰어 끓이거나 볶아서 짜낸 물. 보(補)하기 위하여 먹음.

양증[1]【羊蒸】명 양찜.

양증[2]【陽症】명 ①활발하고 명랑한 성질. ②〖한의〗오전이면 더 심해지는 병증(病症)이나 또는 몸을 덥게 하거나, 더운 성질의 약을 먹거나 하면 역시 더해지는 병증의 총칭. ③〖한의〗↗상한 양증(傷寒陽症). 1)-3): ↔음증(陰症).

양증 상한【陽症傷寒】명〖한의〗상한 양증(傷寒陽症).

양증 외:감【陽症外感】명〖한의〗외인성(外因性)으로 생기는 급성 실증(實症)의 병. 양사(陽邪). ↔음증(陰症) 외감.

양지[1] 명〈방〉얼굴(평안·함경).

양지[2]【羊脂】명 양의 지방. 우지(牛脂)와 비슷하나 스테아린(stearin)이 많음. 식용 또는 비누·양초의 제조에 쓰임.

양지[3]【良志】명〖사람〗신라 선덕 여왕 때의 중. 문장과 조소(彫塑)에 능하여 여러 곳의 부처와 신장(神將)들이 그의 손으로 이루어졌는데, 특히 영묘사(靈廟寺)의 장륙 불상(丈六佛像)이 유명함.

양지[4]【良知】명 ①배우지 않고 알 수 있는 타고난 지능(知能). ②양명학(陽明學)에서 말하는 마음의 본체(本體).

양:지[5]【兩地】명 두 지방. 두 곳.

양지[6]【洋紙】명 서양에서 들어온 종이. 서양식으로 만든 종이. 목재·짚 등의 식물 섬유를 기계적·화학적인 처리법에 의해서 일정한 규격으로 만든 종이로, 신문 용지·인쇄 용지·필기 용지·포장 용지 등으로 크게 나누임. 서양지(西洋紙).

양지[7]【陽地】명 볕이 바로 드는 땅. ↔음지(陰地).

[양지가 음지(陰地) 되고 음지가 양지 된다] 세상 일이란 바뀌고 도는 것이라는 뜻.

양지 바르다 구 땅이 볕을 잘 받게 생겨 있다. ¶양지 바른 언덕/양지 바른 곳에 묻다.

양지[8]【量地】명 땅을 측량함. ——-하다 자여불

양지[9]【量知】명 추측(推測)하여 앎. ——-하다 타여불

양지[10]【陽識】명 중국 한대(漢代) 이전의 종(鐘)·솥 따위에 새겨진 양각(陽刻)의 글자. ↔음지(陰識).

양지[11]【楊枝】명 [불교도(佛敎徒)들에게 냇버들가지로 이를 깨끗이 하도록 한 데서 나온 말] 이쑤시개를 이르는 말.

양:지[12]【養志】명 뜻을 기름. 자기가 마음먹은 뜻을 이루기 위하여 끊임없이 노력함. ——-하다 자여불

양지[13]【諒知】명 살피어 앎. ——-하다 타여불

양:지[14]【壤地】명 강토(疆土).

양지-꽃【陽地—】명〖식〗[*Potentilla fragarioides* var. *typica*] 장미과(科)에 속하는 다년초(多年草). 줄기와 잎에 거친 털이 나고 근경(根莖)은 굵고 짧음. 근생엽(根生葉)은 길이 5-10cm로 총생(叢生)하고 유병(有柄)이며 기수 우상 복생(奇數羽狀複生)하는데, 경엽(莖葉)은 삼출(三出)하고 소형이며, 탁엽(托葉)은 타원형임. 4-6월에 황색 꽃이 취산 화서(聚繖花序)로 정생(頂生)하며 수과(瘦果)는 구형(球形)임. 산지에 나는데, 한국 각지 및 일본·동부 아시아에 널리 분포함. 어린 잎과 줄기는 식용함.

〈양지꽃〉

양지니 명〖조〗[*Erythrina rosea*] 참새과에 속하는 새. 날개 길이 80-95mm, 꽁지 65-75mm임. 수컷은 아름다운 홍색 바탕에 뺨과 목은 광택(光澤)이 나는 은백색, 머리 위는 장미빛이며 등에는 검은 세로 반점(斑點)이 있음. 부리는 굵어 피리새와 비슷함. 삼림이나 얕은 산에서 초목의 열매를 먹고 서식하는데, 동부 시베리아·사할린 등지에서 번식(繁殖)하고 한국·일본·중국 등지에서 월동(越冬)함. 홍료(紅料). 양진새. *붉은양지니.

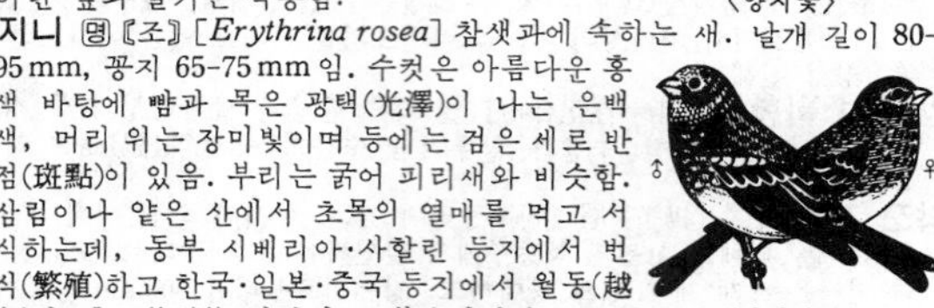

〈양지니〉

양지-두【陽支頭】명 양지머리❶의 군두목.

양지-머리 명 ①소의 가슴에 붙은 뼈와 살의 총칭. 양지두(陽支頭). ②쟁기의 술의 둥글고 삐죽한 우두머리 끝.

양지머리-뼈 명 소의 양지머리의 뼈. 양골(陽骨).

양지머리 수육【—肉】명 소의 양지머리를 삶은 음식.

양지머리 편육【—片肉】명 소의 양지머리를 수육으로 만든 편육.

양지-사초【陽地莎草】명〖식〗[*Carex nervata*] 방동사닛과에 속하는 다년초. 줄기는 총생(叢生)하고 높이 30cm 가량이며, 잎은 족생(簇生)하고 길이 6-12cm, 폭 2mm 가량의 좁은 선형(線形)임. 4-5월에 꽃이 피는데, 수꽃이삭은 정생(頂生)하고, 암꽃이삭은 2-3개가 측생(側生)함. 양지 바른 풀밭에 나는데, 제주·경남·강원·함남에 분포함.

양지 식물【陽地植物】명〖식〗양지에서 잘 자라는 식물. 내음성(耐陰性)이 약하며, 양광(陽光)이 충분히 비치는 장소에서 생육(生育)하는 식물. 수목(樹木)의 경우에는 특히 양수(陽樹)라고도 함. ↔음지(陰地) 식물.

양지 아:문【量地衙門】명〖역〗대한제국의 탁지부(度支部)에 속해 토지 측량의 일을 맡아 보던 관아. 광무(光武) 2년(1898)에 베풀어서 동 6년(1902)에 폐하여 지계 아문(地契衙門)에 합치었음.

양지 양능【良知良能】명〖철〗경험이나 교육에 의하지 않고 선천적으로 사물을 알고 행할 수 있는 마음의 작용.

양지-엽【陽地葉】명〖식〗강한 빛을 받고 자라는 잎. 책상 조직(柵狀組織)이 발달하여 두께가 두꺼움. 양엽(陽葉). ↔음지엽(陰地葉).

양지-옥【羊脂玉】명 양의 기름 덩이같이 빛나고 윤택이 있는 흰 옥.

양지질ᄒᆞ다 자〈옛〉양치질하다. ¶져기 물 가져오라 내 양지질ᄒᆞ쟈(拿

些水來我漱口)≪朴解 下2≫.

양지-짝【陽地一】명 ☞ 양지쪽.

양지-쪽【陽地一】명 양지 바른 쪽. ↔음지(陰地)쪽.

양지-척【量地尺】명〖역〗양전척(量田尺).

양지-초【羊脂一】명 양의 기름으로 만든 초. 양지촉(羊脂燭).

양지-촉【羊脂燭】명 양지초.

양:지향성 마이크로폰【兩指向性一】[一썽一] 명〔bidirectional microphone〕〖전자〗앞면과 뒷면으로 들어오는 음에 대해서 똑같이 반응하는 마이크로폰.

양:지향성 안테나【兩指向性一】[一썽一] 명〔bidirectional antenna〕〖전자〗에너지의 대부분을 두 방향으로만 방사(放射)하고, 또 두 방향으로만 수신(受信)하는 안테나.

양직[1]【亮直】명 마음이 밝고 곧음. ——-하다 형여불. ——-히 부

양직[2]【洋織】명 서양에서 짠 직물.

양:진[1]【兩陣】명 서로 대하고 있는 두 편의 진(陣).

양:진[2]【痒疹】명〖의〗작은 결절(結節)이 형성되고 몹시 가려운 신경성 피부 질환의 하나. 결절은 긁으면 수포(水疱)·농포(膿疱)가 생기고 딱지가 앉음. 매년 일정한 시기에 성하는데, 동기(冬期) 양진과 하기(夏期) 양진이 있음.

양진[3]【揚塵】명 먼지를 일으킴. ——-하다 자여불

양-진(:)녕【楊振寧】명〖사람〗중국 출신의 핵물리학자 양(Yang Chenning)의 한자(漢字) 이름.

양-진말【洋眞末】명 양밀가루.

양진 명소 오:룡굿【楊津溟所五龍一】명〖민〗충청 북도 충주(忠州) 견문산(犬聞山) 아래의 남한강 가의 옛 나루터 양진 명소(楊津溟所)에서 무당이 다섯 용(龍)에게 제사지내는 굿놀이. 영신(迎神)굿·오신(五神)굿·송신(送神)굿으로 이루어짐.

양진-새 명〖조〗양지니.

양-진전【量陣田】명〖역〗양안(量案)에 진전(陣田)으로 올라 있는 논밭.

양질【良質】명 좋은 바탕. 좋은 품질. ↔악질(惡質).

양질 호:피【羊質虎皮】명 본바탕이 아름답지 못하면서 겉만 훌륭함을 가리키는 말.

양:집【胖一】명 ☞ 양즙(胖汁).

양:-짝【兩一】명 두 편 짝. 두 짝.

양:-쪽【兩一】명 두 편 쪽. 두 쪽. 상대되는 두 방향.

양:쪽-날【兩一】명〖고고학〗쌍날.

양:쪽-성【兩一性】명〔amphoterism〕〖화〗산(酸) 또는 염기(塩基) 어느 쪽으로 쳐도 반응이 되는 성질. 양성(兩性).

양:쪽성 산화물【兩一性酸化物】명〔amphoteric oxide〕〖화〗염기(塩基)에 대해서는 산성(酸性), 산(酸)에 대해서는 염기성을 나타내는 산화물. 산화 알루미늄·산화 아연 따위. 양성 산화물.

양:쪽성 원소【兩一性元素】명〖화〗금속·비금속의 양성을 지니고 있는 원소. 산에도 알칼리에도 녹음. 비소(砒素)·안티몬 등. 양성 원소.

양:쪽성 이온【兩一性一】〔ion〕명〖화〗양성 전해질(電解質)이 그 자신의 분자내에서 양자(陽子)의 이동을 일으켜 생성하는 일종의 전기적 쌍극자(雙極子). 양성 이온.

양:쪽성 전:해질【兩一性電解質】명〔amphoteric electrolyte〕〖화〗산성(酸性) 및 염기성(塩基性)의 두 성질을 지닌 전해질. 산성의 기(基), 곧 카르복시기와 염기성의 기, 곧 아미노기를 지니고 있는 아미노산 따위. 양성 전해질.

양:쪽성 화합물【兩一性化合物】명〖화〗산성과 알칼리성의 두 성질을 띤 화합물의 총칭. 수산화 알루미늄·수산화 주석(朱錫) 등. 양성 화합물.

양쯔 강【一江】〔揚子〕명〖지〗중국에 있는, 아시아 제 1, 세계 제 3 위의 큰 강. 티베트 고원의 북동부에서 발원하여 동중국 해로 유입함. 유역 면적은 세계 제 11 위로 광대하고, 강어귀로부터 1,600 km 상류까지 대기선이, 2,500 km까지 작은 기선이 항행할 수 있어 교통 운수 상의 대동맥을 형성함. 양자강. 창장(長江). [6,300 km]

양쯔 강 기단【一江氣團】〔揚子〕명〖기상〗양쯔 강 유역 이남에서 형성되는, 따뜻하고 건조한 대륙성 열대 기단. 봄·가을에 많이 형성되어 이동성 고기압에 따라 대륙 방면에서 동쪽으로 옮김. 양자강 기단.

양:찌끼 찌개【胖一】명 즙을 짜낸 소의 양의 찌끼로 끓인 찌개.

양-찜【羊一】명 어린 양을 튀하여서 배를 가르고, 고기·파·생강·후춧가루·배추·장·기름·깨소금 등을 섞어 주물러서 감자와 함께 양의 뱃속에 넣고 실로 꿰매어서 시루에 찐 음식. 양증(羊蒸).

양:차【兩次】명 두 번, 두 차례. 양도(兩度). ¶~ 세계 대전.

양-차렵 명 봄·가을 두 철에 입는 솜을 얇게 둔 차렵.

양착【量窄】명 ①식량(食量)·주량(酒量)이 작음. ②도량(度量)이 좁음. 양협(量狹). ——-하다 형여불

양찬【糧饌】명 양식과 반찬.

양찰[1]【亮察】명 밝게 살핌. ——-하다 타여불

양찰[2]【諒察】명 생각하여서 미루어 살핌. 양촉(諒燭). ——-하다 타여불

양창[1] 명〈방〉벼랑(함북).

양창[2]【亮窓】명〖건〗창살이 없는 창.

양창[3]【洋鎗】명 양총(洋銃).

양채 명〈방〉벼랑(함경).

양책【良策】명 좋은 계책. 뛰어난 책략.

양처[1]【良妻】명 착한 아내. 현처(賢妻). 영처(令妻). ↔악처(惡妻).

양:처[2]【兩處】명 두 곳.

양처[3]〔중 洋車〕명 인력거(人力車).

양처 현모【良妻賢母】명 현모 양처.

양처 현모주의【良妻賢母主義】[一/一이] 명〖교〗좋은 아내·어진 어머니가 될 것을 목적으로 하는 여자 교육 상의 주의.

양:척[1]【兩隻】명 원고(原告)와 피고(被告).

양척[2]【揚擲】명 어떤 물건을 들어 던짐. ——-하다 타여불

양:척[3]【攘斥】명 쫓아 물리침. 물리쳐 쫓음. ——-하다 타여불

양-척촉【洋躑躅】명〖식〗철쭉나무.

양천[1]【良賤】명 양민(良民)과 천민(賤民).

양천[2]【涼天】명 서늘한 날씨.

양천[3]【陽天】명 동남쪽에 있는 구천(九天)의 하나.

양천 교가【良賤交嫁】명〖역〗양민과 천민이 서로 결혼하는 일. *교가 사상(交嫁士常).

양천-구【陽川區】명〖지〗서울 특별시의 한 구. 북은 강서구(江西區), 동은 영등포구(永登浦區), 서는 경기도 부천시(富川市), 남은 구로구(九老區)에 접함. 1987 년 강서구의 일부를 분리하여 신설(新設)함. 관내 20 동(洞). [14.79 km² : 491,533 명 (1990)]

양천 불혼【良賤不婚】명〖역〗예전에 양민(良民)과 노비(奴婢)가 서로 결혼함을 금지한 일. *교가 사상(交嫁士常)·양천 교가(良賤交嫁).

양:-천주【養天主】명〖천도교〗한울님을 봉양함. 곧, 한울님을 섬기며, 그의 영을 마음에 길러 모든 일을 한울님의 뜻대로 행함.

양철【洋鐵】명 생철[1]. ¶~ 지붕.

양철 가위【洋鐵一】명 양철을 베는 데 쓰는 가위.

양철-공【洋鐵工】명 양철을 다루어 물건을 만드는 직공.

양:철 렌즈【兩凸一】〔lens〕명〖물〗양면(兩面)이 다 볼록한 렌즈.

양철-집【洋鐵一】[一찝] 명 지붕을 양철로 인 집.

양철-통【洋鐵桶】명 생철통.

양첨【涼簷】명 여름철에 볕을 가리기 위하여 임시로 덧댄 처마.

양첩[1]【良妾】명 양민(良民) 출신의 첩.

양:첩[2]【養妾】명 첩을 데리고 삶. ——-하다 자여불

【양첩한 놈 때 굶는다】첩을 데린 사람은, 본집에서는 첩집에서 먹는 줄 알고, 첩집에서는 본집에서 먹는 줄 알아, 끼니를 거르는 일이 많다는 말.

양청【洋青】명 당청(唐青)보다 빛깔이 진한 물감의 하나.

양:청 도드리【兩淸一】명〖악〗웃도드리의 변주곡으로 '천년 만세(千年萬歲)'의 두번째 곡. 양청 환입(兩淸還入).

양:체 웅예【兩體雄蕊】명〖식〗이체 웅예(二體雄蕊).

양초[1]【兩草】명 한 냥쭝을 묶음으로 한 좋은 담배.

양-초[2]【洋一】명 처음 서양에서 만들어 쓴 흰 빛깔의 초. 납(蠟) 또는 파라핀(paraffin) 납을 원주상(圓柱狀)으로 성형(成型)하여 만들고, 그 속에 실 또는 종이를 꼬아 만든 심지를 넣었음. 용도에 따라 크기·모양·빛깔이 다르며 종류가 많음. 양촉(洋燭).

양초[3]【洋草】명 양담배.

양초[4]【洋醋】명 화학 약품에 의하여 서양식으로 만든 식초.

양:초[5]【胖炒】명 양볶이.

양:초[6]【養蕉】명 파초(芭蕉)를 기름. ——-하다 자여불

양초[7]【糧草】명 군량과 마초(馬草). 양말(糧秣).

양초 시계【洋一時計】명 불시계의 한 가지. 양초의 타서 줄어드는 길이로 시간을 헤아리는 장치.

양촉[1]【洋燭】명 양초[2].

양촉[2]【諒燭】명 양찰(諒察). ——-하다 타여불

양촌【陽村】명〖사람〗'권근(權近)'의 호(號).

양촌-집【陽村集】명〖책〗조선 시대 초의 학자 권근(權近)의 시문집. 시(詩)가 10 권, 문(文)이 30권인데, 현종(顯宗) 15년(1674)에 간행됨.

양총【洋銃】명 서양식의 총. 양창(洋鎗).

양:추[1] 명 ☞ 양치(養齒). ——-하다 자여불

양추[2]【涼秋】명 ①서늘한 가을. ②음력 구월의 별칭.

양:추-기【一器】명〈방〉양치기(養齒器).

양:추-질 명 ☞양치질. ——-하다 자여불

양:축【養畜】명 가축을 먹여 기름. ——-하다 자여불

양춘【陽春】명 ①음력 정월의 별칭. ②따뜻한 봄.

양춘 가절【陽春佳節】명 따뜻하고 좋은 봄철.

양춘 백설【陽春白雪】명 중국 초(楚)나라에서, 가장 고상(高尙)하다고 하던 가곡. 전(轉)하여, 훌륭한 사람의 언행은 범인(凡人)이 이해하기 어려움의 비유로 쓰임.

양춘 화기【陽春和氣】명 봄철의 따뜻하고 맑은 기운.

양-춤【洋一】명〈속〉서양식의 춤. 발레·사교춤 따위.

양취[1]【佯醉】명 거짓으로 취한 체함. ——-하다 자여불

양취[2]〔陽曲〕명〖지〗'타이위안(太原)'의 별칭.

양-취등【洋吹燈】명 성냥.

양:측【兩側】명 ①두 편. 양방. ¶~의 대표자. ②양쪽의 측면. ¶길 ~에 도랑을 파다. ↔편측(片側).

양:측 검:정【兩側檢定】명〔two-sided test〕〖통계〗검정량 T가 c 이하든가 d 이상이면 귀무 가설(歸無假說)은 기각(棄却)하는 검정. 여기서 c와 d는 기각치(棄却值)임.

양:측 공차【兩側公差】명〔bilateral tolerance〕〖기계〗기계 부품의 치수에서, 기준 치수의 위아래로 허용된 양(量). 예컨대, 3.650±0.003 in은 ±0.003 in의 허용차를 나타냄.

양:측 마비【兩側痲痺】명〔diplegia〕〖의〗신체 양측의 상동 부분(相同部分)의 마비.

양:측파대 변:조【兩側波帶變調】명〔double side-band modulation〕〖통신〗변조로 생기는 두 개의 측파대를 수반한 반송파(搬送波)를 전송(電送)하는 방식. 상측파대(上側波帶)는 반송파와 변조 신호의 합

(合)의 주파수(周波數)를 가지며, 하(下)측파대는 이들의 차(差)의 주파수를 가짐.

〈양치기²〉

양:치【養齒】명 ↗양치질. ——**-하다** 자여불

양-치기¹【羊—】명 양을 치는 일. 또, 그 사람.

양:치-기²【養齒器】명 양치질에 쓰는 그릇. 양치질할 물을 담는 그릇과 뱉는 그릇, 그리고 이것을 받치는 그릇으로 됨.

양치-류【羊齒類】명〖식〗고사리강(綱).

양치 식물【羊齒植物】명〖식〗[Pteridophyta] 은화(隱花) 식물에 속하는 한 문(門). 뿌리·줄기·잎의 구별이 있고, 관다발이 있음. 무성 세대(無性世代)에서 만들어진 포자(胞子)는 자라서 전엽체(前葉體)를 형성하고 이에서 만들어진 정자와 난세포가 수정하는 유성(有性) 생식도 함. 솔잎란·석송(石松)·속새·고사리류(類) 등이 이에 속함. ＊종자(種子) 식물.

양:치-질【養齒—】명 소금이나 치약으로 이를 닦고, 물로 입 안을 가셔 내는 일. ㊇양치(養齒). ——**-하다** 자여불

양:친¹【兩親】명 아버지와 어머니. 어버이. 이친(二親). 쌍친(雙親).
[양친 부모 있는 것은 쌀케 안의 닭이요, 한쪽 부모 있는 것은 울콩밭의 비둘기요, 양친 부모 없는 것은 눈 진 산의 꿩이라] 부모 구존(俱存), 편친(偏親), 부모 없는 아이의 신세를 표현한 말.

양:친²【養親】명 ①길러 준 어버이. ②양자간 집의 어버이. ③부모를 봉양함. ——**-하다** 자여불

양:-친자【養親子】명 법정(法定) 혈족(血族) 관계의 하나. 양친(養親)과 양자와의 친자(親子) 관계. 양친자 관계는 입양(入養) 신고를 함으로써 발생함. ↔실(實)친자.

양칠【洋漆】명 페인트.

양칠 간죽【洋漆竿竹】명 빨강·파랑·노랑의 빛깔로 알록지게 칠(漆)한 담배 설대.

양침【洋針】명 서양에서 또는 서양식으로 만든 바늘.

양:칫-대야【養齒—】명 양치기(養齒器)를 받치는 대야처럼 된 그릇.

양:칫-물【養齒—】명 양치질에 쓰는 물.

양:칫-소금【養齒—】명 양치질에 쓰는 소금.

양칭【兩秤】명 저울대의 한 눈이 한 냥의 무게를 나타내는 저울.

양-코【洋—】명 ①서양 사람이나 그들의 코를 농으로 이르는 말. ②매우 높고 큰 코나 그런 코를 가진 사람을 농으로 이르는 말.

양코-배기【洋—】명 '서양 사람'의 비칭(卑稱).

양:콩-잡이【兩—】명 바둑 둘 때에, 한 점을 놓아서 두 쪽으로 한 점씩 따먹는 수. ＊양수(兩手)잡이. ——**-하다** 자여불

양키〔Yankee〕명〈속〉[본디 뉴잉글랜드의 원주민 이름. 독립 전쟁 때 영국인이 미국인을, 남북 전쟁 때 남군이 북군을 조롱하여 일컫던 말] 미국 사람. ¶～ 기질.

양키 달러 시:장【—市場】〔Yankee dollar〕명〖경〗국제 금융 센터로서의 미국 뉴욕의 자유 금융 시장(International Banking Facilities)을 유러달러 시장에 상대하여 일컫는 통칭(通稱).

양키 본드〔yankee bond〕명〖경〗미국 자본 시장에서 미 달러화 표시로 외국 정부나 공공 기관 또는 민간 기업이 차주(借主)가 되어 기채하는 외채. 외국 차입자가 장기 달러 자금을 조달하는 전통적 수단이 되어 왔음.

양키 스타일〔Yankee style〕명 ①미국식. ②말쑥한 양복을 입고 젠체하는 태도.

양키-이즘〔Yankeeism〕명 미국식(美國式). 미국 사람의 기질.

양타【羊駝】명〖동〗야마(llama)의 한자 이름.

양-타락【羊駝酪】명 양의 젖을 끓여서 만든 죽처럼 걸쭉한 음식.

양타이〔陽臺〕명〖지〗중국 쓰촨 성(四川省) 동부, 우산 현(巫山縣) 청네이(城內) 북쪽에 있는 산 이름. 송옥(宋玉)의 《고당부(高唐賦)》에, 신녀(神女)가 초(楚)나라 회왕(懷王)의 꿈에 나타났다고 읊어진 땅. 운양대(雲陽臺)가 있고 조운묘(朝雲廟)가 세워졌다고 함. 양대(陽臺).

양-탄자【洋—】명 짐승의 털을 굵은 베실에 박아 짠 피륙. 흔히, 방바닥이나 마룻바닥에 깖. 모전(毛氈). 카펫.

양:탈【攘奪】명 힘으로 빼앗아 가짐. 약탈(掠奪). 확취(攫取). ——**-하다** 타여불

양태¹ 명〖어〗[*Platycephalus indicus*] 양탯과에 속하는 바닷물고기. 몸길이 50cm 가량으로 종편(縱扁)하고 배는 평탄하며 머리가 크고 꼬리는 가늚. 등 쪽은 원활하고 가시가 없음. 몸빛은 등 쪽은 암갈색이고 배쪽은 백색인데, 꼬리지느러미의 중앙에 하나의 흑색 세로띠가 있고, 그 위아래에 각각 두 줄의 흑색 사주대(斜走帶)가 있음. 근해 정착성 어종으로 모래톱에 사는데, 한국 각 연안 특히 남해 연해에 많이 분포하고, 일본 중부 이남·남중국해·대만·필리핀·인도양 및 홍해에 분포함. 봄·여름철에 특히 맛이 좋음. 낭태(浪太). 낭태어(浪太魚). 우미어(牛尾魚).

〈양태¹〉

양태² 명 ↗갓양태. 주의 '涼太'로 씀은 취음(取音).
[양태 값도 못 버는 놈] 제 밥벌이도 못 해 장가도 못 들 녀석이라는 말.

양태³【樣態】명 상태. 양상.

양태 노래 명〖악〗주로 제주도에서, 갓양태를 결으면서 부르던 민요.

양태-장【—匠】명〖역〗공장(工匠)의 하나. 갓의 양태를 만드는 사람. 주의 '涼太匠'으로 씀은 취음(取音).

양-태진【楊太眞】명〖사람〗양 귀비(楊貴妃)의 성명.

양택【陽宅】명〖민〗①사람이 세상에서 사는 집. 양기(陽基). ②집터. ③마을이나 고을의 터. 1)-3): ↔음택(陰宅).

양택 풍수【陽宅風水】명〖민〗집터의 길흉(吉凶)을 점쳐 판단하는 풍수. ＊음택(陰宅) 풍수.

양탯-과【—科】명〖어〗[Platycephalidae] 둑중개목(目)에 속하는 어류의 한 과. 양태·점양태·빨간양태 등이 이에 속함.

양-털【羊—】명 양의 털. 양모(羊毛).

양털-실【羊—】명 양털을 드린 실.

양:토¹【養兎】명 토끼를 기름. ——**-하다** 자여불

양토²【壤土】명 ①땅. 강토(疆土). ②〖농〗30-60 % 의 모래와 진흙 및 유기물이 혼합된 토양. 여러 작물 재배에 가장 알맞음.

양:통¹【兩通】명 서류 같은 것의 두 벌.

양:통²【痒痛】명 가려움과 아픔.

양:통-집【兩—】[—찝] 명〖건〗겹집❷.

양-틀【洋—】명 서양에서 들어온 재봉틀.

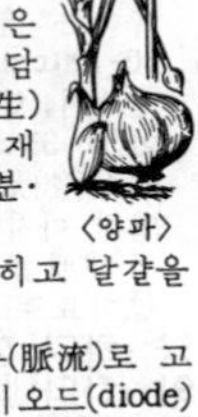
〈양파〉

양-파【洋—】명〖식〗[*Allium cepa*] 백합과(科)에 속하는 다년초(多年草). 화경(花莖)의 높이 30-100cm이고 인경(鱗莖)은 직경 3-10cm의 구형(球形) 또는 편구형(扁球形)임. 잎은 가늘고 길며 속이 빈 원주형(圓柱形)임. 꽃은 흰 빛 또는 담벽색(淡碧色)의 산형 화서(繖形花序)로 화경 끝에 정생(頂生)하여 구형(球形)을 이룸. 서아시아 원산으로 여름에 밭에 재배함. 인경에는 매운맛과 당질(糖質)·인분(燐分)·칼슘·염분·비타민 C 등이 함유되어 널리 식용함. 옥총(玉葱).

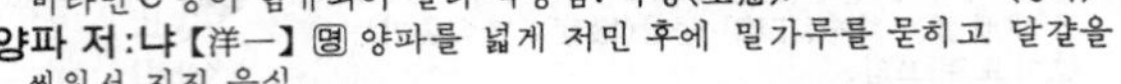

양파 저:냐【洋—】명 양파를 넓게 저민 후에 밀가루를 묻히고 달걀을 씌워서 지진 음식.

양:파 정:류【兩波整流】[—뉴] 명〖전〗교류(交流)를 맥류(脈流)로 고치는 한 방법. 한 방향의 전류만을 보내는 성질을 가진 다이오드(diode) 또는 정류관을 조합(組合)하여, 교류의 반주기(半周期)마다 연결 방식을 바꾸게 하여 양반주기(兩半周期)의 전류의 방향을 일정 방향에 흐르도록 하는 방법. 반파(半波) 정류의 두 배의 주파수 맥수(脈數)를 얻을 수 있음. ↔반파(半波) 정류.

양파형-꼭지【洋—形—】명〖고고학〗뚜껑에 달려 있는 양파 모양의 꼭지. 첨정 보주형뉴(尖頂寶珠形紐).

양판 명 대패질할 때에 받쳐 놓는 판판하고 길쭉한 나무 판자.

양:-팔【兩—】명 두 팔. 양쪽 팔.

양패【佯敗】명 거짓 패한 체함. ——**-하다** 자여불

양:편¹【兩便】명 두 편.

양:편²【兩便】명 양방(兩方)이 다 편함. 양방의 편리(便利). ——**-하다** 형여불

양:편 공사【兩便公事】명 ①시비 판단을 위하여 들어 볼 두 편의 공사. ②두 편에 다 공편한 일.

양:편-넣기【兩便—】[—너키] 명 은행들이 만기 90일 이상의 대출금에 이자를 받을 때 대상 기간에 대출일과 상환일을 모두 포함시켜 계산하는 불공정 금융 관행의 일종.

양:편-짝【兩便—】명 두 편짝.

양:편-쪽【兩便—】명 두 편쪽.

양-평¹【良平】명 중국 한(漢)나라 고조(高祖)의 신(臣) 장량(張良)과 진평(陳平)의 합칭(合稱). 전(轉)하여, 그처럼 지략(智略)에 뛰어난 사람의 뜻.

양평²【楊平】명〖지〗경기도 양평군의 군청 소재지로 읍(邑). 군의 동남쪽, 한강(漢江)에 임함. [20,086 명(1996)]

양평-군【楊平郡】명〖지〗경기도의 한 군. 관내 1읍 11면. 북은 가평군(加平郡)과 강원도 홍천군(洪川郡), 동은 강원도 원주시(原州市)와 횡성군(橫城郡), 남은 여주군(驪州郡), 서는 남양주시(南楊州市)와 광주군(廣州郡)에 인접함. 농산·축산·임산·광산 등의 산물이 있고, 명승고적으로는 용문산(龍門山)·용문사(龍門寺)·사나사(舍那寺) 등이 있으며, 양수리(兩水里) 일대 한강은 요트 경기장과 수상 스키장으로 유명함. [872.28 km² : 78,721 명(1996)]

양평 금동 여래 입상【楊平金銅如來立像】[—녀—] 명〖불교〗금동 여래 입상(金銅如來立像)❷.

양포【良布】명 조선 시대 때, 임진 왜란 후 군정(軍丁)과 봉족(奉足)의 구별이 희미해져서, 군역(軍役)의 의무가 있는 양인 장정(良人壯丁)에게서 일률적으로 징수한 가포(價布).

양표【洋表】명 서양에서 만든 시계.

양푼 명 음식을 담거나 데우는 데 쓰는 놋그릇. 모양은 반병두리 같으나 큼.
[양푼 밑구멍은 마치 자국이나 있지] 무슨 흔적조차 찾아 볼 수 없을 만큼 뻔뻔스럽다는 말.

〈양푼〉

양품¹【良品】명 좋은 물품. 가품(佳品).

양품²【洋品】명 서양에서 수입했거나 서양식으로 만든, 장신구·일용품 등의 잡화(雜貨). 양물(洋物).

양품-점【洋品店】명 양품을 파는 가게. 양물점(洋物店). 양화포(洋貨鋪).

양풍¹【良風】명 좋은 풍속. ↔악풍(惡風)❶.

양풍²【洋風】명 ↗서양풍(西洋風). ¶～이 들다.

양풍³【涼風】명 ①서늘한 바람. 양시(涼颸). ②북풍 또는 서남풍. ¶～이 불기 시작하는 계절.

양풍⁴【陽風】명 춘풍(春風). 동풍(東風).

양풍 미속【良風美俗】명 미풍 양속.

양풍운-전【梁風雲傳·楊風雲傳】명〖책〗조선 시대의 소설의 하나. 계모와의 갈등을 현세와 선계(仙界)를 배경으로 그린 작품. 작자·창작 연대 미상. 국문본. 양풍전(梁風傳).

양풍-전【梁風傳·楊風傳】명〖책〗양풍운전.

양피[1]【羊皮】[명] 양의 가죽.
양피[2]【陽皮】[명] 자지 끝을 덮은 살가죽. ＊포피(包皮)❷.
양피 구두【羊皮—】[명] 양피로 만든 구두.
양피 배:자【羊皮褙子】[명] 양피로 만든 배자. 배자 중에서 최상품임.
양피-지【羊皮紙】[명] 양의 가죽을 씻어 납작하게 늘인 다음 석회(石灰)로 처리하여 건조(乾燥) 표백(漂白)한 서사용(書寫用) 재료. 중세의 유럽에서 많이 쓰이었음. ＊독피지(犢皮紙).
양:피-화【兩被花】[명]〖식〗 꽃덮이를 완전히 갖춘 꽃. 살구나무·배나무 등의 꽃. ↔나화(裸花).
양필[1]【良匹】[명] 좋은 배필.
양필[2]【良筆】[명] ①질이 좋은 붓. ②훌륭한 글·글씨. 또, 글·글씨가 훌륭한 사람.
양필[3]【良弼】[명] 보필(輔弼)하는 임무를 제대로 훌륭히 해 내는 신하. 양보(良輔).
양하【蘘荷】[명]〖식〗[*Zingiber mioga*] 생강과에 속하는 숙근초(宿根草). 가경(假莖)의 높이가 50-100cm이고, 근경(根莖)은 땅 속에서 옆으로 뻗으며, 잎은 이열(二列)로 호생(互生)하는데 길이 20-35cm의 피침형임. 7-8월에 담황색 꽃이 수상(穗狀) 화서로 피며 삭과(蒴果)는 달걀꼴임. 열대 아시아 원산(原産)으로, 각지에서 야채로서 재배함. 화수(花穗)·눈엽(嫩葉)·땅속줄기는 향미료로 쓰임.

〈양하〉

양:-하다[1]【養—】[타][여불] 기르다. 먹여 살리다.
양:-하다[2] [보동][여불] 체하다. ¶자기는 모르는 양한다.
양-하다[3]【涼—】[형][여불] 서늘하다.
양학【洋學】[명] 서양의 학문. 서양어로써 배우는 학문. ＊국학(國學)·한학(漢學).
양-학자【洋學者】[명] ①양학에 통달한 사람. ②↗서양 학자.
양:-한【兩漢】[명]〖역〗 중국의 전한(前漢)과 후한(後漢).
양-한(:)묵【梁漢默】[명]〖사람〗 독립 운동가. 3·1 운동 때의 민족 대표 33인의 한 사람. 자는 길중(吉仲), 호는 지강(芝江). 전남 해남(海南) 출생. 1898년 도일(渡日)하여 손병희(孫秉熙) 등과 진보회(進步會)를 조직, 1919년 3월 1일 천도교 대표로 독립 선언에 참가, 옥중에서 암살됨. 저서로 ≪이일록(二一錄)≫·≪동경 연의(東經演義)≫·≪무체법경 주해(無體法經註解)≫ 등이 있음. [1862-1919]
양:-할머니【養—】[명] 양조모(養祖母).
양:-할아버지【養—】[명] 양조부(養祖父).
양-함수【陽函數】[—쑤] [명] [explict function] 〖수〗 두 가지 변수(變數) 사이의 함수 관계를 정한 방정식으로, 종속(從屬) 변수의 값이 독립 변수의 값에서 직접 산출되는 함수. 가령, $y=x^2$, $y=a \sin x$ 등에서 x의 함수 y와 같은 것. ↔음함수(陰函數).
양항【良港】[명] 좋은 항구.
양-항라【洋亢羅】[—나] [명] 무명실로 짠 항라.
양-해[1]【羊—】[명]〈속〉〖민〗 미년(未年).
양-해[2]【梁楷】[명]〖사람〗 중국 남송(南宋) 영종(寧宗) 때의 화원(畫院) 화가. 자는 백(白), 호는 양풍자(梁風子). 수묵화(水墨畫)를 백묘화(白描化)한 감필 묘법(減筆描法)의 인물화를 그렸음. 생몰년 미상.
양해[3]【諒解】[명] 사정을 참작하여 잘 이해함. 너그러이 용납함. ¶~를 바랍니다. ——-하다 [타][여불]
양핵【陽核】[명]〖물〗 원자핵(原子核).
양행【洋行】[명] ①서양으로 감. ②중국에서의 외국인 상점. ③서양식 상점. ——-하다 [자][여불]
양:행 화규사【兩行花竅詞】[명]〖악〗 창사(唱詞)의 한 가지. 포구락(抛毬樂) 춤에 맞춰서 부름.
양향【糧餉】[명] 군사의 양식. 군양미(軍養米). 군량(軍糧).
양향색 종사관【糧餉色從事官】[명]〖역〗 양향에 관한 사무를 맡아 보는 호조(戶曹)의 관원(官員).
양향-청【糧餉廳】[명]〖역〗 조선 시대에 훈련 도감(訓鍊都監)의 한 분장(分掌)으로 군수품(軍需品)에 관한 일을 맡아 보던 관아. 선조(宣祖) 26년(1593)에 설치하여 고종(高宗) 31년(1894)에 폐합.
양허[1]【亮許】[명] 사정(事情)을 잘 알아서 용서(容恕)하거나 허용(許容)함. ——-하다 [타][여불]
「——-하다 [형][여불]
양허[2]【陽虛】[명]〖한의〗 양기(陽氣)가 허(虛)하여 으스스 춥고 떨리는 병.
양:허[3]【讓許】[명] 양보하여 허용(許容)함. ——-하다 [타][여불]
양-헌(:)수【梁憲洙】[명]〖사람〗 조선 시대 말기의 무신(武臣). 자(字)는 경보(敬甫). 남원(南原) 사람. 고종 3년(1866) 병인 양요(丙寅洋擾) 때 천총(千摠)으로 좌선봉장(左先鋒將)이 되어 강화도 정족산(鼎足山)에 침입한 프랑스 해군을 대파한 공으로 한성부 좌윤(漢城府左尹)이 되고, 보수적인 척화론자(斥和論者)로서 신임을 얻어 어영 대장(御營大將)·포도 대장(捕盜大將)·형조 판서·공조 판서를 역임함. [1816-88]
양:-현【兩峴】[명]〖지〗 양고개.
양:현-고【養賢庫】[명]〖역〗 ①고려 때 국학(國學)에 속하여 유생(儒生)의 식량을 맡아 보던 관아. 예종(睿宗) 14년(1119)에 둠. ②조선 시대에 호조(戶曹)에 속하여 성균관(成均館) 유생에게 주는 식량의 일을 맡아 보던 관아. 태조(太祖) 원년(1392)에 설치하여 고종(高宗) 31년(1894)에 폐합.
양:혈【養血】[명] 약을 먹어서 피를 도와 보함. ——-하다 [자][여불]
양협【量狹】[명] 도량이 좁음. 양착(量窄). ——-하다 [형][여불]
양형[1]【量刑】[명] 형벌의 정도를 정함.
양-형[2]【楊炯】[명]〖사람〗 중국 당(唐)나라 때의 시인. 산시성(陝西省) 사람. 박학(博學)하고 문장에 능하여 왕발(王勃)·노조린(盧照鄰)·낙빈왕(駱賓王)과 더불어 '사걸(四傑)'로 불림. 676년에 진사(進士)로 발탁되었는데, 관리로서는 과혹(過酷)하여 수하(手下) 사람이 말을 듣지 않으면 매로 때려 죽이기도 하였다 함. 시집으로 ≪영천집(盈川集)≫ 10권이 있음. [650-700?]
양:형[3]【養形】[명] 육체를 기르는 양생법(養生法)의 하나. 피로 회복과 건강 증진을 위하여 안마(按摩)와 호흡 조절·운동을 하여, 의식주에 주의와 섭생(攝生)을 함. ＊양신(養神).
양혜[1]【洋鞋】[명] 구두[1].
양혜[2]【蠰螇】[명]〖충〗 송장메뚜기.
양호[1]【羊毫】[명] ↗양호필(羊毫筆).
양호[2]【良好】[명] 매우 좋음. ¶성적이 ~하다. ——-하다 [형][여불]
양:호[3]【兩虎】[명] 두 마리의 범. 역량(力量)이 비슷한 두 호걸이나 영웅(英雄)을 비유하는 말.
양:호[4]【兩湖】[명]〖지〗 호남(湖南)과 호서(湖西). 곧, 전라도와 충청도.
양:호[5]【養戶】[명]〖역〗 부자가 천민(賤民)의 조세를 대납(代納)하여 공역(公役)을 면제시키고, 대신 제 집에서 부리던 백성의 집.
양:호[6]【養虎】[명] 범을 기름. 후환(後患)을 장만한다는 뜻.
양:호[7]【養護】[명] ①기르고 보호함. ②초·중·고등 학교에서, 아동·학생의 보건에 대하여 돌봐 주는 일. ——-하다 [타][여불]
양:호 교:사【養護敎師】[명]〖교〗 초·중·고등 학교에서, 아동·학생의 보건 관리와 보건 지도를 전문으로 담당하는 교사. 소정의 자격을 갖추거나 자격 검정을 거쳐야 함.
양:호 상투【兩虎相鬪】[명] 두 영웅 또는 두 강대국이 서로 싸우는 것의 비유.
양-호석【羊虎石】[명] 양석(羊石)과 호석(虎石).
양:호-실【養護室】[명] 양호 교사 등이 학생의 보건 관리에 관한 일을 취급하는 곳.
양:호 유환【養虎遺患】[명] 화근(禍根)을 길러 근심을 산다는 말. ＊양호(養虎).
양:호 토포사【兩湖討捕使】[명]〖역〗 조선 고종(高宗) 31년(1894)에 동학(東學) 농민 운동이 일어났을 때 이를 진압하기 위하여 둔 임시 벼슬. 전라 병사(全羅兵使) 홍계훈(洪啓薰)이 임명됨.
양호-필【羊毫筆】[명] 양털로 촉을 만든 붓. [준]양호(羊毫).
양홍【洋紅】[명] 연지벌레에서 짜내어 만든 붉은 빛의 물감. 화구(畫具) 또는 착색제(着色劑)로 쓰임. 카민. 카르맹.
양화[1]【良貨】[명] 품질이 좋은 화폐. 실질(實質)이 양호하여 실제(實際) 가격과 법정(法定) 가격과의 차(差)가 적은 화폐. ↔악화(惡貨). ¶악화는 ~를 구축(驅逐)한다.
양화[2]【洋貨】[명] ①↗양물화(洋物貨). ②서양의 화폐.
양화[3]【洋畫】[명] ①〖미술〗↗서양화(西洋畫). ②서양에서 제작한 영화.
양화[4]【洋靴】[명] 구두[1].
양화[5]【涼花】[명]〖식〗 목화(木花).
양화[6]【陽和】[명] ①화창한 춘절(春節). ②인정(仁政)의 비유.
양화[7]【陽畫】[명] [positive picture] 음화(陰畫)를 인화지에 박은 사진. 실물(實物)과 명암(明暗)·흑백(黑白)이 똑같이 나타남. 포지티브. ↔음화.
양:화[8]【養和】[명] ①화평한 마음을 양성함. ②안석(案席).
양:화[9]【釀禍】[명] 재앙(災殃)을 빚어냄. 화근(禍根)을 만듦. ——-하다 [자][여불]
양화-가【楊花歌】[명]〖악〗 고려 충목왕(忠穆王) 때에 한종유(韓宗愈)가 읊은 노래. ≪고려사≫ 열전(列傳)에 한문으로 번역된 가사가 전하는데, 작자가 젊었을 때 명사들과 어울려 술에 취하면 즐겨 부르던 노래라 함. 양화사(楊花詞).
양:화 구복【禳禍求福】[명] 재앙(災殃)을 물리치고 복을 구함. ——-하다 [자][여불]
양화 나루【楊花—】[명]〖지〗 양화진(楊花津).
양화 대:교【楊花大橋】[명]〖지〗 서울 마포구 합정동(合井洞)과 영등포구 당산동(堂山洞) 사이를 잇는 다리. 광복 후 최초로 놓였으며 연장 1,053m, 너비 18m의 철근 콘크리트 다리로 1962년 착공, 1965년 1월에 준공되었음. 그 후 교통량의 폭주로 교폭을 약 배인 너비 34.1m로 늘려 오늘에 이름. 옛 이름은 제이(第二) 한강교.
양화-도【楊花渡】[명]〖지〗 양화진(楊花津).
양-화료【洋花—】[명] 양탄자로 만든 요. 카펫(carpet).
양-화물【洋貨物】[명] 양물화(洋物貨).
양화-사【楊花詞】[명] 양화가(楊花歌).
양화-점【洋靴店】[명] 구둣방.
양화-진【楊花津】[명]〖지〗 서울 마포구(麻浦區) 당인리(唐人里) 발전소 서남쪽 잠두봉(蠶頭峰) 아래에 있던 조선 시대의 나루. 삼진(三鎭)의 하나로서 양화진영(楊花津營)이 있었음. 양천(陽川)·강화(江華) 쪽으로 가는 나루로서, 바다를 거쳐 들어오는 물자를 반입하는 중요한 목이었음. 고종(高宗) 3년(1866), 선교사와 천주교도 학살을 항의차 프랑스 함(艦)이 왔다 갔으며, 고종 19년(1882) 이후, 청국(淸國)을 비롯한 열국(列國)에 개방되었음. 양화도(楊花渡). 양화 나루.
양-화포[1]【洋花布】[명] 꽃무늬를 놓아 무명실로 짠 서양식 피륙.
양화-포[2]【洋貨鋪】[명] 양품점(洋品店).
양황【洋黃】[명] 서양에서 만든 노란 빛의 물감.
양:회[1]【兩淮】[명]〖지〗 중국 화이수이 강(淮水)의 남쪽과 북쪽의 병칭. 현재의 장쑤 성(江蘇省) 서부의 안후이 성(安徽省) 북부에 해당함.
양회[2]【洋灰】[명] 시멘트(cement).
양:-회[3]【胖膾】[명] 소의 양을 썰어서 회로 먹는 음식.
양회[4]【諒會】[명] 자세히 살피어 밝히 앎. ——-하다 [타][여불]

양-회삼물【洋灰三物】명 양회·잔모래·황토를 섞은 접합제(接合劑). 회삼물은 양회 대신 석회(石灰)를 넣음.
양-회(:)일【梁會一】명〖사람〗조선 시대 말기의 의병장(義兵將). 호는 행사(杏史). 화순(和順) 출신. 1906년 의병을 일으켜 능주(綾州)를 습격했으나 일본군에게 잡혀 지도(智島)에 유배됨. 1908년 다시 의병을 일으켜 강진(康津)에서 잡혀, 단식 7일 만에 순국함. [? -1908]
양효【陽爻】명 역(易)의 괘(卦)를 구성하는 효의 하나. '一'로 나타냄. ↔음(陰)효.
양후지-파【陽侯之波】명 중국 진(晉)나라의 능양국후(陵陽國侯)가 익사(溺死), 해신(海神)이 되어 풍파를 일으켜 배를 뒤집어 엎었다는 데서 바다의 큰 물결의 뜻.
양휘¹【揚輝】명 들어서 빛냄. ——-하다 타여불
양-휘²【楊輝】명〖사람〗중국 남송(南宋)의 수학자. 전당(錢塘) 사람. 자는 겸광(謙光). 경정(景定) 3년(1262)에 ≪일용 산법(日用算法)≫을 지었으며, ≪양휘 산법(楊輝算法)≫ 7권이 전함. 생몰년 미상.
양휘 산:법【楊輝算法】[—뻡]명〖책〗중국 남송(南宋)의 수학자 양휘(楊輝)가 지은 수학책. 조선 세종 15년(1433)에 경주(慶州)에서 간행한 책이 남아 있음. 7권.
양-휘항【凉揮項】명 털을 달지 않은 휘항.
양¹ 명〈옛〉밥통. 위. ¶양 위(胃)≪字會 上 27≫.
양² 명〈옛〉모양. ¶그 야이 뇌 ᄀᆞᄐᆞ니(其狀如烟)≪楞嚴 Ⅴ:57≫.
양³ 명〈옛〉양(羊). ¶양 염 흘워 나ᄒᆞᆫ 깃(羖攊)≪老朴 上 1≫.
양노ᄒᆞ다 형〈옛〉슬기롭다. 영리하다. =영노ᄒᆞ다. ¶客卿이 양노ᄒᆞ더니(客卿敏慧)≪內訓Ⅱ上 40≫.
양식 명〈옛〉양식(糧食). ¶양시기 그처디다(缺少口粮)≪老朴 單字解 6≫.
양지 명〈옛〉양치질. ¶더운 믈로 양지ᄒᆞ고(熱水漱口)≪救簡Ⅰ:102≫.
양지ㅅ믈 명〈옛〉양칫물. ¶양楊지枝ㅅ믈호려ᄒᆞ시니≪月印 上 38≫.
양지ᄒᆞ다 자〈옛〉양치질하다. ¶양지ᄒᆞᆯ 수(漱)≪字會 下 11≫.
양ᄌᆞ 명〈옛〉모양. 양자(樣子). ¶ᄂᆞᆺ 양ᄌᆞᄂᆞᆫ 늘근한아비 ᄃᆞ외옛도다(顏狀老翁爲)≪初杜諺 XXI:21≫.
양ᄌᆞᆺ골 형〈옛〉용모(容貌). ¶양ᄌᆞᆺ고ᄅᆞᆯ 모로매 다정ᄒᆞ고 엄정히ᄒᆞ며(容貌必端正)≪飜小 Ⅷ:16≫.
양지ᄒᆞ다 자〈옛〉제앙(除殃)하는 법을 쓰다. ¶양지ᄒᆞᆯ 양(禳)≪字會 下 32≫.
얕다 형 ①깊지 않다. 겉에서 속, 위에서 밑까지의 길이가 짧다. ¶얕은 냇물/얕은 굴. ②심지(心志)가 두텁지 못하다. ¶얕은 꾀. ③학문이나 지식이 적다. ¶견식이 얕다. 1)-3): <엳다. ↔깊다.
[얕은 내도 깊게 건너라] 모든 일을 언제나 조심해서 하라는 뜻.
얕-다랗다 [—라타] 형ㅎ불 매우 얕다. ¶얕다란 접시.
얕디-얕다 형 매우 얕다.
얕-보다 타 실제(實際)보다 얕잡아 보다. 업신여겨 깔보다. 넘보다. ↔돋보다.
얕은-꾀 명 얕게 생각하는 꾀. 속이 들여다뵈는 꾀. ¶~를 피우다.
얕은-맛 명 산뜻하고 싹싹하고 부드러운 맛. 진하지 않은 담백한 맛.
얕-이 [야치] 부 얕게. 얕추. ¶땅을 ~ 갈다.
얕-잡다 타 남을 하찮게 대접하다. 정도를 낮추어 얕게 다루다. ¶없는 사람이라고 얕잡아 보다.
얕-추 부 얕게. 얕이. ¶종을 ~ 매달아 놓다.
얘¹ 명〖언〗한글의 합성 자모 'ㅒ'의 이름.
얘:² 인대 ↗이 애. ¶~야, 이리 오너라/~랑 같이 갈테야. ＊걔·쟤.
얘:³ 감 ①과연 놀랄 만함을 느낄 때에 내는 소리. ¶~, 깜짝 놀랐구나. ②↗이 애.
얘:⁴ 감〈방〉예(경남·함북·충남).
-얘 어미〈옛〉-여라. ¶太白이 죽은 後에 江山이 寂寞ᄒᆞ얘≪海謠 326≫.
얘:기 명 ↗이야기. ——-하다 자타여불
얘:기-꾼 명 ↗이야기꾼.
얘:기-쟁이 명 ↗이야기쟁이.
얘:기-책【一册】명 ↗이야기책.
얘:기-판 명 ↗이야기판.
얘:깃-거리 명 ↗이야깃거리. ¶동네의 ~가 되다.
얘:깃-주머니 명 ↗이야깃주머니.
얘깽 명〈방〉〖동〗여우(강원).
얘꽹이 명〈방〉〖동〗여우(경북).
얘꾸리 명〈방〉옆구리(경남).
얘끼 명〈방〉〖동〗여우(경상).
얘리 명〈심마니〉물고기.
얘비다 형〈방〉①간교하다(함경). ②여위다(경상).
얘수 명〈방〉〖동〗여우(경상·강원).
얘시 명〈방〉〖동〗여우(경남).
얘야 감 ↗이 애야. ¶~ 이리 온.
얘이 명〈방〉〖식〗냉이(황해).
얘장-간 명〈방〉대장간(함경).
얘죽-얘죽 [—내—] 부〈방〉야죽야죽. ——-하다 자
얘지랑-스럽다 형〈방〉야지랑스럽다.
얘청 명〈방〉야청.
얘:편 명〈방〉아편(평안).
얜: 준 이 아이는. ¶~ 힘이 장사란다. ＊걘·쟨.
얠: 준 이 아이를. ¶~ 데리고 가요. ＊걜·쟬.
얠로: [Yallow, Rosalyn] 명〖사람〗미국의 여의사. 1950년대에 당뇨병 등의 이유로 폴리타이드·호르몬·인슐린을 주사맞은 사람의 몸 속에 대(對)호르몬 항체(抗體)가 생성(生成)된다는 사실을 처음으로 발견함. 호르몬·효소·바이러스·약물 등의 극소한 혈중 농도(血中濃度)를 측정하는 방사선 면역 분석법(放射線免疫分析法)을 개발한 공으로, 기유맹(Guillemin, R.)·샬리(Schally, A.V.) 등과 함께 1977년 노벨 생리 의학상을 수상함. [1921-]
-얫- 선어미〈옛〉-였-. ¶그體ㅣ本來一界에 周遍ᄒᆞ얫다가(其體本來周遍界)≪楞嚴 Ⅱ:35≫.
얭이 명〈방〉〖식〗냉이(황해).
어¹ 명〖언〗한글의 자모 'ㅓ'의 이름.
어² 명〈옛〉틈. =에³. ¶천장은 나라 이리 하어옵스니 이제 어ᄂᆞ 겨ᄅᆞ레 ᄒᆞ며≪諺簡 10 宣祖諺簡≫.
어³【於】명 성(姓)의 하나. 우리 나라에는 현존(現存)하지 않음.
어⁴【敔】명〖악〗아악기(雅樂器)에 속하는 타악기의 한 가지. 엎드린 범의 형상과 같은데, 그 등에 27개의 톱니가 있어, 견(籈)으로 긁어 소리를 냄. 풍류를 그칠 때에 견(籈)의 끝으로 호랑이 목덜미를 세번 친 다음, 톱니를 '드르륵' 세 차례 내려 긁어 신호함. 갈(楬).

〈어⁴〉

어⁵【魚】명 성(姓)의 하나. 현재 우리 나라에는 함종(咸從)·충주(忠州)·경흥(慶興) 등 세 개의 본관이 있음.
어⁶【御】명 성(姓)의 하나. 우리 나라에는 현존(現存)하지 않음.
어⁷ 감 ①가벼운 놀라움이나 초조 같은 것을 나타내는 소리. ¶~, 만년필이 없어졌네. ②문득 떠오른 생각이나 상대자의 주의를 일으키는 말에 앞서 내는 소리. ③사물에 감동되었을 때 내는 소리. ¶~, 그것 참 아름답군. >아⁹. ④손아랫사람에나 벗 사이에 대답하는 소리. ¶~, 곧 가겠네/~, 알았네, 기다리게. 1)-4):>아⁷.
어-¹【於】부 한문투의 문장에서 장소를 표시하는 말에 얹히어 '에서'의 뜻을 나타내는 말. ¶~창경원/~부산.
어:-²【御】부 임금에게 관계된 말의 앞에 붙어 경의를 표하는 말. ¶~갑주(甲胄)/~백미(白米)/~의대(衣襨).
-어¹【語】미 명사 아래에 붙어, 그것이 어떤 말인가를 나타내는 말. ¶독일~/전문~.
-어² 어미 끝음절이 'ㅓ·ㅜ·ㅡ·ㅣ'로 된 어간에 붙어 쓰이는 어미. 'ㅓ'를 끝음절로 한 어간에 받침이 없을 때에는 탈락함. ①부사형을 이루는 연결 어미. ¶먹~ 보다/붉~지다/서서 먹지 마라. ②동사 어간 및 형용사 '있다·계시다'의 어간에 붙어, 서술·의문·청유(請誘)·명령을 나타내고, 형용사에 붙어, 서술·의문을 나타내는 반말의 종결 어미. ¶언제 밥 먹~/여기 있~/함께 읽~/빨리 불~. ＊-아²·-여.
어:가¹【御街】명 ①대궐로 통하는 길. ②대궐 안의 길.
어:가²【御駕】명 임금이 타는 수레. 대가(大駕). 보가(寶駕).
어가³【漁家】명 어부의 집.
어가⁴【漁歌】명 어부의 노래.
어:가 행령【御街行令】[—녕] 명〖악〗고려 시대에 송나라에서 전래된 사악(詞樂)의 하나. 악보는 전하지 않으며, 가사만이 ≪고려사≫ 악지(樂志)에 전함. 쌍조(雙調) 76자(字)로 이루지는데, 북송(北宋) 황제의 공덕(功德)을 읊은 것임.
어:간¹ 명 (시간이나 공간에서의) 일정한 사이. 물건의 중간. ¶오후 두 시에서 세 시 ~에 만나기로 하였다/골목과 골목 ~에 높직이 세우다.
어간²【魚肝】명 물고기의 간.
어:간³【御間】명〖불교〗절의 법당(法堂)이나 큰 방 한복판에 있는 칸.
어:간⁴【語幹】명 [stem]〖언〗동사·형용사 등 용언의 활용에서 변하지 않는 부분. '먹다'·'믿다'에서 '먹'·'믿'과 같은 말. ↔어미(語尾). ＊어근(語根)·보조 어간(補助語幹).
어:간 대:청【一大廳】명 방과 방 사이에 있는 대청.
어:간 마루 명 방과 방 사이에 있는 마루.
어간-유【魚肝油】명〖약〗대구·명태 등의 생선의 간(肝)에서 뽑아 낸 기름. 빛이 누르고 특이한 냄새가 있는데, 자양분이 많아 강장제로 쓰이며, 한편 등화용(燈火用)으로도 쓰임. 간유(肝油).
어:간-잡이 명 ☞어간재비.
어:간 장지【一障一】명 대청이나 큰 방의 중간을 막은 장지.
어:간-재비 명 ①사이에 칸막이로 둔 물건. ②몸집이 장대한 사람.
어:감【語感】명 말소리 또는 말투의 차이에 따라 말이 주는 느낌. 말맛. ¶~이 다르다.
어:-갑주【御甲胄】명 임금의 갑옷과 투구.
어-강【魚綱】명〖동〗어류(魚類).
어강됴리 감〈옛〉악률(樂律)에 맞추기 위하여 쓰는 후렴(後斂)의 한 가지. ¶어긔야 어강됴리 아으 다롱디리≪樂範 井邑詞≫.
어개【魚介】명 ①물고기와 조개. 인개(鱗介). ②해산 동물(海產動物)의 총칭(總稱). ¶~류(類).
어갸 감〈방〉어여차.
어:거리 풍년【一豐年】명 드물게 보는 큰 풍년.
어거지 명 ☞억지. ¶여러 구종놈 중 그중 기운차고 ~ 있는 놈으로 택차하여…≪作者未詳: 산천초목≫.
어:거-하다【馭車—】타여불 ①소나 말을 몰다. ②거느리어서 바른 길로 나가게 하다.
어게인 [again] 명 ↗듀스 어게인.
어:격【語格】[—껵] 명 말하는 격식. 어법(語法).
어겹 명 한데 뒤범벅이 됨.

어:계【語系】명 〖언〗언어의 계통. ¶한국어는 알타이 ~에 속한다.

어고[1]【魚鼓】명 물고기 모양으로 된 북. 선사(禪寺) 등에 매어 달고 어떤 일이나 시간을 알릴 때 쳐서 울림. 어판(魚板).

어:고[2]【御庫】명 궁중(宮中)에서 임금이 사사로이 쓰는 창고(倉庫).

〈어고1〉

어:곤【御袞】명 임금이 입는 옷. *곤룡포(袞龍袍).

어골【魚骨】명 물고기의 뼈. 생선의 가시.

어골-경【魚骨鯁】명 생선의 가시.

어골-문【魚骨文】명 〖고고학〗생선뼈 무늬.

어골형 등행【魚骨形登行】명 개각(開脚) 등행.

어:공【御供】명 임금에게 물건을 바침. ──-하다 타여불

어:공-미【御供米】명 임금에게 바치는 쌀.

어:공-원【御供院】명 〖역〗대한 제국 때 궁내부(宮內府)의 한 분장(分掌). 개간(開墾)·종식(種植)·천택(川澤)·강해(江海)·제언(堤堰)·어렵(漁獵)·어공 진배(御供進排)를 맡아 봄. 광무(光武) 8년(1904)에 베풀었다가 곧 폐(廢)함.

어곽【魚藿】명 해산물(海產物)의 총칭.

어곽-전【魚藿廛】명 해산물을 파는 전.

어관【魚貫】명 물고기를 꼬챙이에 꿴 것처럼 줄지음. ──-하다 자여불

어교【魚膠】명 부레풀. 어표교(魚鰾膠).

어구[1] 명 〈방〉어귀.

어구[2]【魚狗】명 〖조〗물총새.

어:구[3]【御溝】명 대궐로부터 흘러 나오는 개천.

어:구[4]【語句】명 ①말의 구절(句節). ②말과 구(句).

어구[5]【漁具】명 고기잡이에 쓰는 도구.

어구[6]【漁區】명 어류(魚類) 및 수산물의 포획·채취·가공 등을 위하여 특히 정한 구역.

어구머니 감 ↗어이구머니.

어군[1]【魚群】명 물고기의 떼. 어대(魚隊).

어:군[2]【語群】명 〖언〗지리적 또는 기타의 관계에 의하여 분류한 언어의 무리. 말떼.

어:-군막【御軍幕】명 임금이 행차 도중에 잠시 머무는 막차(幕次).

어군 탐지기【魚群探知機】명 수중 초음파(水中超音波)를 이용하여 어군의 존재를 탐지하는 기기(機器). 준 어탐(魚探).

어군 탐지선【魚群探知船】명 어탐선(魚探船).

어:굴【語屈】명 말이 굴러서 대답에 막힘. ──-하다 형여불

어:궁[1]【御宮】명 대궐. 궁중(宮中).

어:궁[2]【語窮】명 말이 딸려서 궁함. 어색(語塞). ──-하다 형여불

어궐-화【魚鱖畫】명 〖미술〗어해화(魚蟹畫) 가운데, 쏘가리의 그림.

어궤 조산【魚潰鳥散】명 물고기 떼와 새 떼처럼 산지사방으로 흩어짐. ──-하다 자여불

어귀[1] 명 드나드는 목의 첫머리. ¶마을 ~.

어:귀[2]【語句】명 ☞어구(語句)❶.

어귀-어귀 부 입에 음식을 많이 넣고 마구 씹는 모양. >아귀아귀.

어귀-차다 형 ☞아귀(가) 차다.

어그러-뜨리다 타 어그러지게 하다.

어그러-지다 자 ①빗나가서 틀어지다. ②생각과는 달라지다. ③사이가 좋지 못하게 되다.

어그러질천-부【一舛部】명 한자 부수(部首)의 하나. '舜'이나 '舞' 등의 '舛'의 이름.

어그러-트리다 타 어그러뜨리다.

어그럽다 형 〈옛〉①너그럽다. =어긔롭다⊟. ¶너모 어그러워(太寬)《內訓 Ⅱ:13》. ②널찍하다. ¶그 뫼를 어그러이ᄒᆞ야 뼈 곰 바놀로 홀디 쓰믈 삼을디니라《家禮 Ⅵ:8》.

어그롭다 형 〈옛〉너그럽다. ¶오직 어그러옴과 어딜기와(惟寬與慈)《內訓 Ⅱ:13》.

어그롯다 타 〈옛〉어기다[1]. 어그러뜨리다. =어그롳다. ¶그 쁘들 어그롯디 말며(不違其志)《家禮 Ⅱ:13》.

어그롳다 타 〈옛〉어기다[1]. 어그러뜨리다. =어그롯다. ¶어버이 셤기기를 어그로촘이 업더니(事親無違)《東國新續三綱 烈女圖 Ⅳ:4》.

어그룹다 타 〈옛〉어기다[1]. 어그러뜨리다. ¶가히 어그룹디 몯ᄒᆞ리라 ᄒᆞ야놀(不可違也)《內訓 Ⅲ:49》.

어그르추다 타 〈옛〉어기다[1]. ¶잇비비화놈조초몰어그르추니(困學違從衆)《杜諺 XX:10》.

어그르츠다 타 〈옛〉어기다[1]. ¶仙賞홀 ᄆᆞᄉᆞ미 어그르츨서 눉므를 섯흘류라(仙賞心違淚交隨)《杜諺 Ⅸ:5》.

어그르치 부 〈옛〉어그러지게. 어그러뜨리게. ¶生植ᄒᆞ엿ᄂᆞᆫ 萬物이 半만 어그르치 ᄃᆞ외니(植物半蹉跎)《初杜諺 XⅥ:65》.

어그릇다 타 〈옛〉어기다[1]. 어그러뜨리다. =어그릇다·어글욷다. ¶조모늘 셤기믈 슌히ᄒᆞ여 어그릇츠미 업더니(事祖母承順無違)《東國新續三綱 孝子圖 Ⅴ:70》.

어그릇다 타 〈옛〉어기다[1]. 어그러뜨리다. =어그릇다·어글웃다. ¶의를 어그릇고 사는 거슨(越義而生)《五倫 Ⅲ:2》.

어그릇다 타 〈옛〉어기다[1]. 어그러뜨리다. =어그릇다. ¶政化ㅣ 어그르처 큰 옷드메 외어든(政化錯迕失大體)《杜諺 Ⅲ:70》.

어그리츠다 타 〈옛〉어기다[1]. 어그러뜨리다. ¶이거시 더듸 떠러딜시 아니 時節이 어그러츤가 ᄒᆞᄂᆞ니라《初杜諺 XⅧ:10》.

어그릇다 자 〈옛〉어긋나다. ¶朝會호믈 게을이호니 眞實로 世와 ᄒᆞ야 서르 어그릇도다(懶朝眞與世相違)《杜諺 XI:20》.

어:극【御極】명 ①즉위(即位). ②재위(在位). ──-하다 자여불

어:근【語根】명 〖언〗①말을 분해하여 그 말의 중심 요소로, 더 나눌 수 없는 데까지 이른 부분. 이것만으로 어간(語幹)이 되기도 하고 딴 말이 붙어 합쳐 어간이 되기도 함. '선선하다'의 '선선', '탐스럽다'의 '탐' 따위. ②어간(語幹).

어근-버근 부 ①사개가 꼭 맞지 않아 흔들리는 모양. ②사람들의 마음이 화합하지 아니한 모양. ¶가만히 눈여겨 보니까 나무 광이 등 맞춘 것같이 ~하는 것이, 젊은 네 전정을 생각하니까 딱하기가 가이없더라《李海朝: 鬢上雪》. 1)·2):>아근바근. ──-하다 형여불

어글-어글 부 ①얼굴의 각 구멍새가 널찍널찍한 모양. ¶~한 큰 눈은 횃불을 켠 듯 굉장한 광채를 발하고 있었다《崔貞熙: 녹색의 문》. ②서글서글. ──-하다 형여불

어글우춤 타 〈옛〉어김. 어그러뜨림. '어글웇다'의 명사형. ¶어버이 셤기를 니어 슌히ᄒᆞ야 어글우츠미 업고(事親承順無違)《東國新續三綱 孝子圖 Ⅰ:66》. *어글웇다.

어글욷다 타 〈옛〉어기다[1]. 어그러뜨리다. =어그롣다·어글웃다. ¶어미 셤기물 승슌ᄒᆞ야 어글욷디 아니ᄒᆞ고(事母承順無違)《東國新續三綱 孝子圖 Ⅰ:33》.

어글웃다 타 〈옛〉어기다[1]. 어그러뜨리다. =어글욷다·어그릇다. ¶계모를 잘 셤겨 슌히ᄒᆞ야 어글웃디 아니ᄒᆞ고(善事繼母承順無違)《東國新續三綱 孝子圖 Ⅴ:5》.

어글웇다 타 〈옛〉어기다[1]. 어그러뜨리다. =어글욷다. ¶승슌ᄒᆞ야 어글우츠미 업더라(承順無違)《東國新續三綱 孝子圖 Ⅲ:72》.

어글읏다 타 〈옛〉어기다[1]. 어그러뜨리다. =어그릇다. ¶일 졈을이ᄒᆞ야 命을 어글읏디 말라(夙夜無違命)《小諺 Ⅱ:51》.

어금-깔음 명 〖건〗돌을 갈지자(之字)로 까는 일.

어금-꺾쇠 명 양쪽 끝이 서로 반대 방향으로 구부러진 꺾쇠.

〈어금꺾쇠〉

어금-니 명 〖생〗송곳니의 안으로 있는 모든 큰 이. 가운데가 오목함. 구치(臼齒). 아치(牙齒).

[어금니에 뭐 낀 듯하다] 개운하지 아니하다는 말.

어금니를 악물다 구 회한·고통·분노 따위를 필사적으로 참느라고 이를 악물어 굳은 의지를 나타내어 보이다.

어금니아-변【一牙邊】명 한자 부수(部首)의 하나. '掌'이나 '猗' 등의 '牙'의 이름.

어금닛-소리 명 〖언〗'아음(牙音)'의 풀어 쓴 말.

어금-막히다 자 서로 어긋나게 놓이다.

어금버금-하다 형여불 어금지금하다.

어금-쌓기 [一싸키] 명 〖건〗길이모쌓기에 있어서, 벽돌을 갈지자(之字)로 쌓는 일.

「하다.

어금지금-하다 형여불 서로 비슷하고 대소 장단의 차가 적다. 어금버금

어긋-나기 명 〖식〗호생(互生). ↔마주나기.

어긋나기-눈 명 〖식〗호생아(互生芽).

어긋나기-잎 명 〖식〗호생엽(互生葉).

어긋-나다 자 [근대: 어긋나다] ①서로 엇갈리다. ¶길이 ~. ②서로 꼭 맞지 아니하다. ¶뼈가 ~. ③어그러지다. ¶기대에 ~/두 사람 사이가 ~. ④〖식〗호생(互生)하다.

[어긋나기는 깨 꿀떼기라] (꿀떼기는 그루터기의 사투리) 깨의 대를 베어서 거둬 들일 때는 어긋나게 베므로, 곧잘 어긋나는 사람을 이르는 말.

어긋-놓다 [一노타] 타 서로 엇갈리게 놓다.

어긋-마끼다 타 〈방〉어긋매끼다.

어긋-맞다 자 이쪽저쪽 어긋나게 마주 있다.

어긋-맞추다 타 〈방〉어긋매끼다.

어긋-매끼다 타 치우치지 않도록 어긋나게 맞추다. 준엇매끼다.

어긋-물다 타 서로 어긋나게 물다. 준엇물다.

어긋-물리다 타 서로 어긋나게 물리다. 준엇물리다.

어긋-버긋 부 여럿이 고르지 못하여 서로 어그러진 모양. ──-하다 형여불

어긋-어긋 [一근一] 부 물건의 각 조각이 이가 안 맞아 조금씩 어긋나 있는 모양. >아긋아긋. ──-하다 형여불

어긋-이 부 어긋하게. >아긋이.

어긋-하다 형여불 조금 어그러져 있다. >아긋하다.

어긔다 타 〈옛〉어기다[1]. ¶어긜 위(違)《類合 下 19》/어긜 괴(乖)《類合 下 49》.

어긔로다 타 〈옛〉어기다[1]. 어그러뜨리다. ¶죠곰도 어긔로며 거스리디 말올지니라(毋或違逆)《警民編 14》.

어긔롭다 ⊟ 타 〈옛〉어기다[1]. =어긔롯다. ¶법을 어긔롭고 형벌울 범홈이 ᄀᆞ장 ᄒᆞ염즉디 아니니(違法犯刑 量不可作)《警民編 38》. ⊟ 형 〈옛〉너그럽다. =어그럽다❶. ¶어긔롭다(大方)《漢淸 Ⅵ:2》.

어긔롯다 타 〈옛〉어기다[1]. 어그러뜨리다. =어긔롯다. ¶집 일을 어긔롯디 말라(無違宮事)《內訓 Ⅰ:68》.

어긔르춤 타 〈옛〉어그러짐. '어긔롲다'의 명사형. ¶녀둔노매 ᄆᆞᄉᆞ매 어긔르추미 하니(行遠心多違)《初杜諺 Ⅶ:27》.

어긔르츠다 타 〈옛〉어기다[1]. 어그러뜨리다. =어긔롲다. ¶賦稅를 골오호매 어긔르츤가 전노니(恐乖均賦斂)《杜諺 Ⅲ:4》.

어긔룻다 타 〈옛〉어기다[1]. 어그러뜨리다. =어긔룻다. ¶이 나래 더욱 쁘디 해 어긔룻도다(玆日倍多違)《初杜諺 XXⅢ:19》.

어긔롲다 타 〈옛〉어기다[1]. 어그러뜨리다. =어긔룻다. ¶구름 센 하놀해 오히려 어긔르츠니 곳부리 오히려 셧긔도다(雲天猶錯莫花萼尙蕭疎)《杜諺 Ⅷ:43》.

어긔리츠다 타〈옛〉어기다¹. 어그러뜨리다. ¶ᄆᆞᄅᆞᆷ매셔 이에여 떠러듀미 後에 ᄒᆞᄂᆞ니 또 ᄒᆡ 어긔리츤가 전노라(江湖後搖落亦恐歲蹉跎)≪初杜諺 XVIII:10≫. 「詞≫.

어긔야 감〈옛〉어기야. 아아. ¶어긔야 머리곰 비취오시라≪樂範 井邑

어긔오다 타〈옛〉어기게 하다. ¶감히 姐의 말을 어긔오디 말고(不敢違了姐姐的言語) 또 내 말을 어긔오디 마쟈(也不要違了我的言語)≪朴解 中 50≫.

어긔으르치다 타〈옛〉어기다¹. 어그러뜨리다. ¶날호야 녀 죠고맛 무ᄉᆞ매 어긔으르체라(遲回違寸心)≪初杜諺 VI:14≫.

어긔치다 타〈옛〉어기다¹. ¶어긔치면 젹이 내 말을 죽이리라≪三譯 IX:3≫/내 녕을 어긔치리오≪三譯 X:23≫.

어:기¹【語氣】명 말하는 기세. 어투(語套). 어세(語勢). ¶가슴이 덜컥 내려앉으며 ~가 질려 아무 말도 못하고…≪李海朝：驅魔劍≫.

어:기²【語基】명〔base〕『언』언어의 구성상(構成上) 기간적(基幹的)인 역할을 하는 부분이나 요소. 의미·형식에서 그 이상 분석(分析)할 수 없는 구극(究極)의 요소이며, 어근(語根)보다는 큰 언어 구성 상의 단위임. 일반적으로, 어간(語幹)보다 축약된 부분, 곧 어근과 같은 뜻으로 사용하거나 어간의 뜻으로 사용하기도 함.

어기³【漁基】명 고기잡이 터. 낚시터. 어장(漁場).

어기⁴【漁期】명 어떤 특정 구역에서 어떤 종류의 고기가 한창 많이 잡히는 시기.

어기⁵【漁磯】명 낚시터.

어기다¹ 타〔중세：어긔다〕①약속·시간·명령 등을 지키지 아니하다. ¶약속을 어기고 배신하다. ②틀리게 하다.

어기다² 타〈방〉①에다. ②에끼다.

어기-대다 타 반항하는 언행으로 순종하지 아니하다. 빗나가다. ¶저렇게 어기대는게 탈이야 / 돌이가 어기대는 바람에 김서방도 찬찬한 말로…≪洪命憙：林巨正≫.

어기뚱-거리다 자 키가 큰 사람이 연하여 몸을 좌우로 흔들며 바라지게 걷다. >아기똥거리다. 어기뚱-어기뚱 부. ——-하다 자여불

어기뚱-대다 자 어기뚱거리다.

어기뚱-하다 형여불 ①남보다 담차고 교만한 데가 있다. >아기똥하다. ②조금 틈이 생겨 있다.

어기야 감 ↗어기야디야.

어기야-디야 감 뱃사람들이 노를 저으며 하는 소리. 준어기야·어야디야·에야디야.

어기어-지다 자 ①어기게 되다. ②어그러지다.

어기여차 감 어여차.

어기적-거리다¹ 자 다리를 부자유스럽게 움직이어 억지로 천천히 걷다. 준어깃거리다. >아기작거리다. 어기적-어기적¹ 부. ——-하다 자여불

어기적-거리다² 타 음식 같은 것을 천천히 어귀어귀 씹다. 준어깃거리다. >아기작거리다². 어기적-어기적² 부. ——-하다 타여불

어기적-대다 자타 어기적거리다¹·².

어기죽-거리다 자 다리를 마음대로 놀리지 못하고 억지로 천천히 걷다. >아기족거리다. 어기죽-어기죽 부. ——-하다 자여불

어기죽-대다 자 어기죽거리다.

어-기중【於其中】부 그 속에 있어서.

어기중-하다【於其中—】형여불 그 가운데쯤 되다. ¶개 성적은 제 반에서 어기중한 편이오.

어기-차다 형 성질이 매우 굳세다. ¶어기찬 여자.

어김 명 어기는 일.

어김-없다〔—업—〕형 어기는 일이 없다. 틀림없다.

어김-없이〔—업씨〕부 어김없게.

어깃-장 명 짐짓 어기대는 행동.

어깃장(을) 놓다 구 짐짓 어기대는 행동을 나타내다.

어깆-거리다 자타 ↗어기적거리다¹·². >아깆거리다. 어깆-어깆〔—긷—〕부. ——-하다 자타여불

어깆-대다 자타 어깆거리다.

어깨 명 ①팔이 몸에 붙은 관절의 윗부분. 짐승의 앞다리나 새의 날개의 윗부분. ②옷의 소매와 깃의 사이. ③병 같은 그릇의 목에서 몸통으로 이어지는 부분. ④맡은 바 책임이나 사명. ¶~가 무겁다. ⑤〈속〉폭력쓰기를 일삼는 불량배. 깡패.

[어깨가 귀를 넘어까지 산다] 허리가 굽어 귀가 어깨 밑으로 오도록, 한 가지 일도 못 하고 장수(長壽)만 한다는 말.

어깨가 가벼워지다 구 무거운 짐이 덜리다. 무거운 책임이나 부담이 풀리어 홀가분해지다.

어깨가 움츠러 들다 구 떳떳하지 못하게 여기거나 창피하고 부끄럽게 여겨지게 되다.

어깨가 으쓱거리다 구 뽐내어 으쓱거리는 기분이 되다. 떳떳하고 자랑스럽게 여겨지다.

어깨가 처:지다 구 힘이 빠져 어깨가 축 늘어지다. 기력을 잃거나 낙심하는 모양을 이르는 말.

어깨로 숨:을 쉬다 구 어깨를 들먹거리며 괴로운 듯이 숨을 쉬다.

어깨를 겨누다 구 대등(對等)한 위치에 서다. 비슷한 세력(勢力)이나 힘을 가지다.

어깨를 겨루다 구 어깨를 겨누다.

어깨를 나란히 하다 구 ㉠나란히 서다. 나란히 서서 걷다. ㉡어깨를 겨누다. 어깨를 겨루다.

어깨를 으쓱거리다 구 어깨를 젖히고 뽐내다. 떳떳하고 자랑스럽게 여기다.

어깨-걸이 명 숄(shawl).

어깨-너머 명 남이 공부하는 옆에서 듣고 보고 하여 배우는 일. ¶~로 익힌 천자문.

어깨너머-던지기 명 씨름에서, 겹쳐잡기 상태에서 상대편 몸 안에 있던 선수가 뒤로 뒤집는 자세로써 상대를 어깨 너머로 던지는 혼합 기술의 하나.

어깨너머-로 부 ①어깨의 위를 지나서. ②남이 하는 것을 옆에서 보거나 얻어듣는 방법으로.

어깨너머 문장【—文章】명 남이 배우는 옆에서 얻어들어서 공부를 훌륭하게 한 사람.

어깨너멋-글 명 남이 배우는 옆에서 얻어들어서 배운 글.

어깨-더버지 명〈방〉어깻부들기.

어깨-동갑【—同甲】명 자치 동갑.

어깨-동무 명 ①서로 어깨 위에 팔을 얹어 끼고 나란히 서는 짓. 또, 그렇게 하고 노는 아이들의 놀음. ②나이나 키가 비슷한 동무. ——-하다 자여불

어깨-띠 명 이쪽 어깨에서 저쪽 겨드랑이 밑으로 엇메는 띠.

어깨 러닝〔running〕명 소매 없이 어깨만 있고 겨드랑이가 깊이 팬 러닝셔츠를 강조하여 이르는 말.

어깨 번호【—番號】명『인쇄』표제어(標題語) 또는 본문(本文)의 오른쪽 위에 작게 매기는 번호.

어깨-빠지 명〈방〉어깨(강원·경북).

어깨-뼈 명『생』어깨의 뼈. 견갑골(肩胛骨).

어깨-선【—線】명 ①어깨의 곡선. ¶저고리의 ~. ②바느질에서, 앞길과 뒷길을 잇는 어깨 부분을 이루는 선.

어깨-솔 명 ↗어깻솔기.

어깨-쭉 명〈방〉어깨(전라).

어깨-쭉지 명〈방〉어깨(전라·경상).

어깨 차례【—次例】명 ①여러 사람이 늘어섰거나 앉았을 때 또는 순서가 지정(指定)되어 있을 때, 중간에 거르지 아니하고 돌아가는 차례. ②키순. 견차(肩次).

어깨-총【—銃】명감『군』집총법(執銃法)의 하나. 총을 어깨에 메는 일. 또, 그 구령(口令). ——-하다 자여불

어깨-춤 명 신이 나서 어깨를 으쓱거리는 짓. 또, 그렇게 추는 춤. ¶~이 절로 난다.

어깨-통 명 어깨의 둘레. 어깨의 넓이.

어깨-판 명 어깨의 넓적한 부분.

어깨 허리 명 어깨 멜빵이 달려 있어서 뒤로 여며 입는 치마 허리.

어깻-등 명 등의 어깻부분.

어깻-바대 명 적삼의 어깨에 속으로 덧댄 조각.

어깻-바람 명 ①뜻을 이루어 신이 나서 어깨를 으쓱거리는 기세. ②신이 나서 활발하게 동작하는 기운. 신바람.

어깻-부들기 명 어깨의 언저리.

어깻-솔기 명 옷의 어깻길을 맞붙여 꿰맨 솔기.

어깻-숨 명 어깨를 들먹거리면서 가쁘게 쉬는 숨.

어깻자 맞춤【—字—】명 한 줄 건너씩 나란히 있는 같은 글자를 찾아내는 놀이.

어깻-죽지 명 팔이 어깨에 붙은 부분.

어깻-짓 명 어깨를 흔들거나 움직이는 짓.

어께 명〈방〉어깨.

어꾸수-하다 형여불 ☞엇구수하다.

어끄나 부〈방〉겨우(함경).

어끼다 타〈방〉에끼다.

어나 관〈방〉어느.

-어나 어미〈옛〉-거나. ¶生物을 象ᄒᆞ여ᄆᆞᆫ 沙糖이어나(放象生纏糖)≪朴解 上 4≫.

어낭 명〈방〉벼랑(강원)

어내 부〈옛〉참으로. ¶어내 잘 ᄒᆞ시는 술이옵도쇠≪新語 III：6≫.

어네-소리 명〈방〉뱃소리.

어네스트 존〔Honest John〕명『군』이동 발사대(移動發射臺)가 붙은 지대지(地對地) 로켓포의 한 가지. 고체 연료를 사용하는 로켓 모터의 힘으로 발사함. *유도탄(誘導彈).

어:-녹다 자 ↗얼녹다.

어:-녹이다 타 ↗얼녹이다.

어:녹이-치다 자 여기저기서 두루 얼다가 녹다가 하다.

어-농【漁農】명 어업과 농업.

-어뇨 어미〈옛〉-인가. -느냐. ¶比丘 ㅣ 火光三昧어뇨≪月釋 VII:25≫.

어누 ㊀관〈옛〉어느. 무슨. 어떤. ¶어누 나라해 가샤 나시리잇고≪月釋 II：11≫. ㊁부〈옛〉어찌. ¶엇데 ᄒᆞ마 다ᄋᆞᆫ 목수미 어누 더으리잇고≪釋譜 IX：35≫.

어누리 명〈방〉에누리(경상). ——-하다 타

어누치 명〈방〉『어』모래무지.

어눅다 자〈옛〉녹신녹신해지다. ¶흐리누거 괴ᄋᆞ시든 어누거 좃니읍시≪古時調≫.

어:눌【語訥】명 말을 더듬어 부드럽지 못함. ——-하다 형여불

어느 관 여럿 가운데의 어떤. 막연한 어떤.

[어느 구름에 눈이 들며 어느 구름에 비가 들었나] 언제 무엇이 어떻게 될지 미래의 일에 대하여는 모른다는 말. [어느 구름에서 비가 올지] ㉠일의 결과는 미리 짐작할 수 없다는 뜻. ㉡어느 때 사건이 발생할지 모른다는 말. [어느 귀신이 잡아 갈는지 모른다] 아무도 모르게 잡아 간다는 말. [어느 말은 물 마다 하고 여물 마다하랴] 말은 않지만 저마다 다 욕심은 있다는 말. [어느 바람이 들이불까] 자기가 능히 감당할 힘이 있어 조금도 염려할 것이 없다고 장담할 때의 말. [어느 장단에 춤추랴] 참견하는 사람이 많아, 어느 말을 좇아야 할지 모르겠다는 말. [어느 집 개가 짖느냐 한다] '어디 개가 짖느냐 한다'와 같은 뜻.

어느 동:네 아이 이름인 줄 아:나 구 적지 않은 돈머리를 쉽게 입에 올리는 상대에게, 그만한 돈을 동네 애 이름 부르듯 가볍게 보느냐고 핀잔을 주는 말. ¶돈 백만 원이 ~.

어느 바람이 부:느냐는 듯이 구 남의 말을 들어도 들은 체 만 체 하는 태도를 이르는 말.

어느 것 지대 어느 물건.

어느 겨를에 부 어느 틈에. 어느 여가에.

어느 누구 인대 '누구'의 강조어(強調語). ¶~ 하나 돌보는 사람이 없다. ㊜어느뉘.

어느-뉘 인대 ↗어느 누구.

어느-덧 부 어느 사이에. 어언간에. ¶~ 가을이 되었다.

어느-듯 부 ☞ 어느덧.

어느-때 명부 언제. 하간(何間).

어느때-고 부 어느 때라고 가릴 것 없이. ¶~ 놀러 오려므나/~ 좋다.

어느-새 부 어느 틈에. 벌써. ¶~ 그렇게 되었나.

어느 세:월에 【一歲月一】 부 얼마나 세월이 지난 뒤에. 언제. 어느 천년에. ¶~ 그 일을 다 하겠니.

어느시러곰 부 〈옛〉 어찌 능히. ¶사롬사리아 어느 시러곰 니르리오(生理焉得說)≪杜諺 Ⅰ:7≫.

어느-제 명부 〈옛〉 언제. 어느 때. ¶어느제 내 몸이 놀개 이셔(何當有翅翮)≪杜諺 Ⅰ:14≫.

어느 천년에 【一千年一】 부 어느 세월에.

어느 틈에 부 어느 겨를에.

어느 하가에 【一何暇一】 부 '하가에'의 힘줌말.

어느 해가에 【一奚暇一】 부 '해가(奚暇)에'의 힘줌말.

어는 관 〈방〉 어느(경상).

어:는-점 【一點】 명 〔ice point, freezing point〕〖물〗 물이 얼기 시작할 때 또는 얼음이 녹기 시작할 때의 온도. 물의 응고점(凝固點). 1기압(氣壓) 아래에서 0°C 또는 32°F임. 결빙점(結氷點). 영점(零點). 빙점(氷點). 얼음점. ¶수은주가 ~ 이하로 내려가다.

어:는점 내림법 【一點一法】 [一뻡] 명 〖물〗 용액(溶液)의 어는점과 용매(溶媒)의 응고점(凝固點)의 차이를 측정하여, 용질(溶質)의 분자량(分子量)을 산출하는 방법. 빙점 강하법(氷點降下法). 빙점법(氷點法).

어늘 〈옛〉 어느 것을. '어느'의 목적격형. ¶國王은 오쇼셔 龍王은 겨쇼셔 이 두 말올 어늘 從ᄒᆞ시려뇨≪月釋 Ⅶ:26≫.

-어늘 어미 〈옛〉 -거늘. ¶建義臣을 할어늘(訴建義臣)≪龍歌 104章≫.

어늬 지대 〈옛〉 〔'어느'+주격 조사 'ㅣ'〕 어느 것이. 무엇이. ¶어늬 구더 兵不碎ᄒᆞ리잇고(何敵堅而兵不碎)≪龍歌 47章≫.

어늬제 명 〈옛〉 어느때. 언제. ¶이 日은 어늬제 喪ᄒᆞᆯ고(時日害喪)≪孟諺 梁惠王 上≫.

-어니 어미 〈옛〉 -거니. =-아니, ¶各各金剛杵ㅣ어니 모딘돌 아니저ᄡᆞᄫᆞ리 ≪月釋 Ⅶ:23≫.

어니라 감 〈방〉 오냐(평안).

-어니와 어미 〈옛〉 -거니와. =-아니와. ¶아으 둘흔 내해어니와 둘흔 뉘해어니오≪樂範 處容歌≫.

어닐:링 〔annealing〕 명 〖야금〗 풀림.

어ᄂᆞ 관 〈옛〉 어느. ¶聖人神力을 어ᄂᆞ 다 ᄉᆞᆯᄫᆞ리(聖人神力奚罄說之)≪龍歌 87章≫.

-어ᄂᆞᆯ 어미 〈옛〉 -거늘. =-어늘. ¶參差히 뫼고래셔 새 울어ᄂᆞᆯ(參差谷鳥吟≪杜諺 Ⅰ:11≫.

어ᄂᆡ 관 〈옛〉 어느. 무슨. 어떤. ¶막대 멘 늘근 중이 어ᄂᆡ 뎔로 간닷 말고≪松江 星山別曲≫.

-어다 어미 〈옛〉 -었다. ¶나그내네 ᄂᆞᆺ시서다(客人們洗面了)≪老乞 上 53≫. *-아다.

어단 【魚團】 명 경단 모양의 둥근 생선묵 튀김.

어대[1] 【魚袋】 명 〖역〗 중국 당대(唐代)에 시작되어 송(宋)나라를 거쳐 명대(明代)에 이르러 없어진, 금·은을 장식한 어형(魚形)의 부신(符信). 좌우 두 쪽으로 나누어 왼쪽은 궁중에 두고 오른쪽은 몸에 지니고 다녔는데, 관명(官名)·성명을 새겨 궁중 출입시 이것을 맞추었음. 주머니에 넣어둔 데서의 일컬음임. 우리 나라에서는 발해(渤海)와 고려 의종(毅宗) 때에 이것을 패용(佩用)한 기록이 있음.

어대[2] 【魚隊】 명 물고기 떼. 어군(魚群).

어대[3] 지대 〈방〉 어디(경상).

어대-진 【漁大津】 명 〖지〗 함경 북도 경성군(鏡城郡) 남동단의 읍. 천연(天然)의 양항(良港)으로, 근해(近海)의 명태·고등어·정어리 등의 어업의 중심지임.

어댑터 〔adapter〕 명 ①〖화〗 화학 실험 기구의 하나. 증류 장치(蒸溜裝置)의 유출액이 나오는 곳에 대어, 다른 장치와 연결하는 기구. ②기계의 적용 장치(適用裝置). 한 기계(機械)를 다른 목적에 응용(應用)하여 쓸 때에 붙이는 도구. 에이 엠(AM) 전용 라디오로 에프 엠(FM) 방송을 들을 때의 부가(附加) 기구나 또는 접속관·유도관(誘導管) 등. ③사진용 기구의 하나. 종류가 다른 마운트(mount)의 렌즈를 카메라에 달거나 피사체(被寫體)에 접근하여 촬영하는 경우에, 렌즈와 보디(body) 사이에 끼우는 금속제 링(ring).

어댑터 변:압기 【一變壓器】 명 〔adapter transformer〕〖전〗 한 개의 전구용(電球用)으로 설계된 변압기. 일차 단자(一次端子)는 일반 소켓에 맞도록 설계되고 이차(二次) 단자는 저전압(低電壓) 전구의 소켓에 맞도록 설계됨.

어댑트 〔adapt〕 명 ①적응(適應)함. 순응(順應)함. ②개작(改作)·번안(飜案)함.

어더기 명 〈방〉 벼랑(경남).

어더러 부 〈옛〉 어디로. =어드러. ¶消渴ㅅ 病ᄒᆞᆫ 모ᄆᆞᆫ 어더러 가리오(病渴身何去)≪重杜諺 Ⅱ:19≫.

어더먹다 타 〈옛〉 얻어먹다. ¶구틔여 어더머구려 말며(毋固獲)≪初內訓 Ⅰ:3≫.

어더배기 명 〈방〉 거지(충남).

어더보다 타 〈옛〉 찾아보다. ¶네 어더보아 자바다가 다고려(你饋我尋見了拿將來)≪朴解 上 33≫.

어덕 명 〈방〉 ①언덕(전라·충남·경남). ②벼랑(경남).

어덜트 팬터지 〔adult fantasy〕 명 〖문〗 미국의 밸런타인 출판사가 1969년경부터 내기 시작한 환상(幻想) 모험(冒險) 소설의 시리즈에 붙인 호칭. 어른을 위한 동화(童話)라고 할 수 있으며, 톨킨(Tolkien, J.R.R.)의 '반지 이야기', 던세이니(Dunsany, L.)의 '던세이니 환상 소설' 등이 있음.

어덤백 명 〈방〉 거지(전라).

어데 ㊀ 준 어디에. ¶~ 갔었느냐. ㊁ 지대 〈방〉 어디.

어덴덤 〔addendum〕 명 〖공〗 톱니바퀴의 톱니끝을 연결한 원(圓)과 피치원(pitch 圓)과의 거리.

어뎃다 타 〈옛〉 얻었다. 얻어 있다. '얻다[1]'의 활용형. ¶田地ᄂᆞᆫ 몯 어뎃던 거슬 어더셔 화ᄒᆞ논 소리라≪蒙法 18≫.

어도[1] 【魚道】 명 ①물고기의 떼가 늘 지나는 일정한 길. ②〖토〗 하천(河川)에 제언(堤堰)을 만들었을 경우, 어족(魚族)의 교통을 방해하지 않도록 어족의 통로로 특별히 만드는 수로. *어제(魚梯).

어-도[2] 【漁島】 명 〖지〗 경기도의 서해상(西海上), 화성군(華城郡)의 송산면(松山面) 고포리(古浦里)에 위치한 섬. [0.26km²: 134명(1984)]

-어도 어미 음성 모음으로 된 용언의 어간에 붙어서 가정·양보 등을 나타내는 연결 어미. 'ㅓ'로 끝나는 어간에 붙을 때는 '어'가 생략됨. ¶은혜는 죽~ 잊지 않겠네/키는 커도 아직 어립니다. *-아도.

어도록 부 〈옛〉 어느 만큼. 어디쯤. ¶네 아ᄃᆞᆯ 孝經 닑더니 어도록 ᄇᆡ환ᄂᆞ니≪松江≫.

어독 【魚毒】 명 물고기의 체내에 있는 독소(毒素).

어:동 【禦冬】 명 겨울 추위를 막을 준비. ——-하다 자여불

어동-어서에 【於東於西一】 부 일을 처리할 때 이 쪽이나 저 쪽에. 이리 하든 저리 하든 간에

어동 육서 【魚東肉西】 [一뉵一] 명 제사 음식을 진설(陳設)할 때에 어찬(魚饌)은 동쪽에, 육찬(肉饌)은 서쪽에 놓는 순서.

어:두 【語頭】 명 말의 처음. ↔어미(語尾).

어두 귀:면 【魚頭鬼面】 명 ↗어두 귀면지졸.

어두 귀:면지졸 【魚頭鬼面之卒】 명 되지 못한 잡살뱅이 사람들. 지지리 못난 사람들. ㊜어두 귀면.

어두리라 타 〈옛〉 얻으려고. '얻다'의 활용형. ¶뭇 됴ᄒᆞᆫ 며느리ᄅᆞᆯ 어두리라 ᄒᆞ야≪釋譜 Ⅵ:13≫.

어두 봉:미 【魚頭鳳尾】 명 어두 육미(魚頭肉尾).

어두움 명 →어둠.

어두 육미 【魚頭肉尾】 명 물고기는 대가리 쪽이 맛이 있고, 짐승의 고기는 꼬리 쪽이 맛이 있다는 말. 어두 봉미.

어:두-음 【語頭音】 명 〔initial〕〖언〗 단어(單語)의 첫머리에 오는 음. 이를테면 '사과'의 'ㅅ'과 같은 음(音)을 말함. *어중음(語中音)·어말음(語末音).

「*어두 육미.

어두 일미 【魚頭一味】 명 물고기는 대가리 쪽이 그중 맛이 있다는 말.

어:두 자음군 【語頭子音群】 명 〔initial consonant cluster〕〖언〗 단어의 첫머리에 오는 둘 또는 그 이상의 자음 연속. 현대 우리말에는 존재하지 않으나, 중세에는 'ㅺ'·'ㅼ'·'ㅽ' 및 'ㅳ'·'ㅄ'·'ㅶ'·'ㅷ'·'ㅴ'·'ㅵ' 등이 있었음.

어두캄캄-하다 형여불 어둡고 캄캄하다. >어두컴컴하다.

어두커니 부 새벽 어둑어둑할 때에.

어두컴컴-하다 형여불 어둡고 컴컴하다. >어두캄캄하다.

어둑 부 〈옛〉 크게. 많이. ¶어둑 모ᄅᆞ고 거츠러(多迷妄)≪南明 下 41≫.

어둑-발 명 ☞ 땅거미. ¶~이 내려서야 선창으로 나갔던 답삭부리는 낯짝이 자줏빛이 되게 거나하게 취해서 돌아왔다≪金周榮:客主≫.

어둑-새벽 명 어둑어둑한 새벽. 여명(黎明). 질명(質明).

어둑스레-하다 형여불 ☞ 어스레하다. ¶가게 안이 ~.

어둑신-하다 형여불 ☞ 어스레하다. ¶어둑신한 다방에 앉아 쓴 커피 몇 잔에 도통한 표정으로…≪崔仁浩:순례자≫.

어둑어둑-하다 형여불 날이 저물면서 물건이 보일락말락 어둡다.

어둑-하다 형여불 ①조금 어둡다. ②되바라지지 아니하고 어수룩하다.

어:둔[1] 【語鈍】 명 말굳음. 말이 둔함. ——-하다 형여불

어:둔[2] 【語遁】 명 말이 시원하지 못함. ——-하다 형여불

어둘 부 〈옛〉 대강. 대충. ¶이 如來 어둘 니르시는 아홉가짓 橫死ㅣ니≪釋譜 Ⅸ:37≫.

어둠 명 〔←어두움〕 어두운 상태. 캄캄한 상태.

어둠-길 [一낄] 명 날이 어두워진 길. 캄캄한 길.

어둠-별 [一뼐] 명 해가 진 뒤에 서쪽 하늘에서 반짝거리는 금성(金星).

어둠 상자 【一箱子】 명 〔dark box〕 밖에서 빛이 새어들지 않게 만든, 사진기의 렌즈와 감광판(感光板)이 붙은 상자. 주름 상자식과 고정식이 있음. 암상(暗箱).

어둠침침-하다 형여불 어둡고 침침하다. 어둠침침-히 부

어둡다 형ㅂ불 ①빛이 없어 환하지 않다. 캄캄하다. ¶하늘이 ~. ②시력(視力)이 약하다. ¶밤눈이 ~. ③사물에 밝지 못하다. 지능이 열려 있지 않다. ¶국제 사정에 ~/시세에 ~. 1)-3):↔밝다.

[어둔 밤에 눈 끔적이기] ㉠남을 위하여 일을 하여도 그 사람이 고맙게 여기지 아니함을 가리키는 말. ㉡남이 보지 못하는 데 하는 것이 아

무 효력이 없다는 말. [어둔 밤에 홍두깨 내밀듯] '아닌 밤중에 홍두깨'와 같은 뜻. [어둔 밤의 등불] 아주 긴한 것을 이르는 말.
어둥뎡 부 〈옛〉 어리둥절. ¶ 바람이야 물결이야 어둥뎡 된뎌이고≪松江 續美人曲≫.
어:둥둥 감 ↗어허둥둥.
어둥-이 명 〖민〗 어둥이놀이의 주역(主役)의 이름. *뒷전군·께낑꾼.
어둥이-놀이 명 〖민〗 경기도 남부 지역 세습 무권(世襲巫圈)의 도당굿 맨 마지막의 뒷전거리에서 벌어지는 무당굿놀이. 화랑(花郞)이 두 사람이 어둥이와 께낑꾼으로 나와 잡귀를 풀어 먹이는 뜻으로 연희(演戲)함.
어드러 지대 〈옛〉 어디. ¶ 다시 묻노라 네 어드러 가ᄂᆞ니오(重問子何之)≪杜諺 Ⅷ:6≫.
어드러로 부 〈옛〉 어디로. 어느 곳으로. ¶ 昭陽江 ᄂᆞ린 물이 어드러로 든단 말고≪松江 關東別曲≫.
어드러셔 부 〈옛〉 어느 곳에서. 어느 곳으로부터. ¶ 무르샤ᄃᆡ 어드러셔 오시니잇고≪月釋 Ⅷ:91≫.
어드러-하다 형 〈방〉 어떠하다.
어드레스 [address] 명 ①주소(住所). ②인사의 말. 연설. ③구혼(求婚). ④청원(請願). ⑤골프에서 스탠스가 정해져서, 두 손으로 클럽의 그립을 쥐고, 헤드를 지면에 대고, 공을 칠 태세에 들어간 상태. ⑥〖컴퓨터〗 번지²(番地) ❸.
어드레스-북 [address-book] 명 주소록(住所錄).
어드름 명 〈방〉 여드름(전라·경상).
어드리 부 〈옛〉 어찌. ¶ 비 빛 업도ᄒᆞ니 乃終에 어드리 겯나리오≪月釋 ⅩⅦ:42≫.
어드매 지대 〈옛〉 어느 곳. 어디. ¶ 桃源은 어드매오 武陵이 여긔로다≪松江 星山別曲≫.
어드메 지대 〈방〉 어디(평안·함경).
어드미션 [admission] 명 ①승인(承認). ②들어옴을 허가하는 일. 입학 허가.
어드미턴스 [admittance] 명 ①입장(入場). 입장 허가. ②〖전〗 전기 회로(回路) 내의 교류 전류(交流電流)의 흐르기 쉬운 정도를 나타내는 양(量). 병렬 회로(並列回路) 계산에 흔히 쓰이는 임피던스의 역수(逆數). 단위는 모(mho).
어드바이스 [advice] 명 충고. 조언(助言). ──-하다 타 여불
어드바이저 [adviser] 명 ①고문. 보좌역. ②〖교〗 지도 교사.
어드밴스 가:드 [advance guard] 명 전위(前衛).
어드밴스트 퓨:전 [advanced fusion] 명 중성자(中性子)의 방출이 따르지 않는 핵융합(核融合).
어드밴티지 [advantage] 명 테니스·탁구에서 듀스가 된 다음에 어느 편이든지 한 점을 얻는 일. 밴티지(vantage).
어드밴티지 룰: [advantage rule] 명 럭비·축구·핸드볼에서 반칙을 한 반대측이 그 반칙 때문에 명백히 이익을 얻은 경우에는 주심(主審)은 반칙을 선언하지 않고 그대로 경기를 속행시킨다는 규칙.
어드밴티지 리시:버 [advantage receiver] 명 테니스에서 듀스 후에 리시버한 쪽이 먼저 한 점을 얻는 일. 어드밴티지 아웃. ↔어드밴티지 서버.
어드밴티지 서:버 [advantage server] 명 테니스에서 듀스 후에 서브를 넣은 쪽이 먼저 한 점을 얻는 일. 어드밴티지 인. ↔어드밴티지 리시버.
어드밴티지 아웃 [advantage out] 명 어드밴티지 리시버.
어드밴티지 인 [advantage in] 명 어드밴티지 서버.
어드벤처 [adventure] 명 모험(冒險). 모험적인 연애(戀愛). ──-하다 자 여불
어드봄 형 〈옛〉 어둠. 어두움. '어듭다'의 명사형. ¶ 諸經에 法 펴샤ᄆᆞᆫ 어드봄 ᄒᆞ야 ᄇᆞ료ᄆᆞᆯ 爲ᄒᆞ시마ᄅᆞᆫ≪月釋 ⅩⅧ:48≫.
어드븐 형 〈옛〉 어두운. '어듭다'의 활용형. ¶ 알ᄑᆡᄂᆞᆫ 어드븐 길헤(前有暗程)≪龍歌 30章≫.
어드움 명 〈옛〉 어둠. ¶ 여희유리라 호매 나죄 어드우메 向ᄒᆞ놋다(欲別向曛黑)≪杜諺 Ⅸ:17≫.
어득-어득 부 몹시 어득한 모양. >아득아득. ──-하다 형 여불
어득어득ᄒᆞ다 형 〈옛〉 어둑어둑하다. ¶ 어득어득ᄒᆞᆫ 비ᄂᆞᆫ 오래 오놋도다(濛濛雨滯滛)≪杜諺 Ⅲ:14≫.
어득-하다 형 여불 ①거물거물할 정도로 매우 멀다. ¶ 어득한 지평선을 바라보고 걷다. ②소리가 들릴 듯 말 듯 멀다. ¶ 우리를 부르는 소리가 어득하게 들려 왔다. ③까마득하게 오래다. ¶ 어득한 옛 기억. ④너무 멀어서 정신이 어찔어찔하다. 1)-3) : >아득하다. 어득-히 부
어득히 부 〈옛〉 아득히. 까마아득히. ¶ 어득히 世界ㅣ 거므니(漠漠世界黑)≪杜諺 ⅩⅥ:4≫.
어득ᄒᆞ다 형 〈옛〉 어둑하다. =어ᄃᆞᆨᄒᆞ다. ¶ 錦城은 히 어득ᄒᆞ야 누르렛ᄂᆞ니라(錦城曛日黃)≪杜諺 Ⅶ:10≫.
-어든 어미 〈옛〉 -거든. ¶ 어ᅀᅵ다 눈멀어든 菓實 ᄣᅡ머기더니≪月釋 Ⅱ:12≫.
어든-이 명 〈방〉 못난이.
어듭다 형 〈옛〉 어둡다. ¶ 구루메 다잇ᄂᆞᆫ 楚ㅅ氣運이 어듭고(拂雲霾楚氣)≪杜諺 ⅩⅩ:2≫.
어듧다 형 〈옛〉 어둡다. ¶ 昧ᄂᆞᆫ 어드ᄫᅳᆯ 씨라≪月序 3≫.
어듸 지대 〈옛〉 어디. =어ᄃᆡ. ¶ 어듸 머러 威不及ᄒᆞ리잇고(何處之遠而威不及)≪龍歌 47章≫.
어듸메 지대 〈옛〉 어디. =어듸믜. ¶ 蟾江은 어듸메오 雉岳은 여긔로다≪松江 關東別曲≫.
어듸믜 지대 〈옛〉 어디. =어듸메. ¶ 酒家ㅣ 어듸믜오 뭇노라 牧童들아≪古時調≫.
어듸션 부 〈옛〉 어찌. =어뒷던. ¶ 어듸션 藥師 瑠璃光 如來ㅅ 혼 부텻 일훔 念ᄒᆞᆯ ᄲᅮ네 이런 功德 됴ᄒᆞᆫ 利를 어드리오ᄒᆞ야 ≪釋譜 Ⅸ:27≫.
어듸쓴 부 〈옛〉 어찌. ¶ 네 어듸쓴 나ᄅᆞᆯ 이길다(你那裏贏的我)≪朴解 上 22≫.
어뒷던 부 〈옛〉 어찌. =어듸션. ¶ 人生이 어뒷던 이 ᄀᆞᄐᆞ니 이시리잇고≪釋譜 Ⅵ:5≫.
어디[1] 지대 어느 곳. 아무 곳. ¶ ~에서 오는 길이냐.
[어디 개가 짖느냐 한다] 남이 하는 말을 들은 체도 아니한다는 말. [어디 소경은 본다든가] 소경이 본다는 것은 있을 수 없는 일이므로, 이치에 맞지 않는 말을 할 때에 이르는 말.
어디[2] 부 ①벼르거나 다짐하는 뜻을 강조하는 말. ¶ ~ 두고 보자. ②반문함을 강조하는 말. ¶ 그게 ~ 될 뻔이나 한 일이요?
어디:[3] 감 ↗어디여.
어디롬 명 〈옛〉 어짊. ¶ 어디롬과 어류미 ᄀᆞᄌᆞᆨ디 아니ᄒᆞᆯᄊᆡ(賢愚不齊故)≪圓覺 後序 74≫.
어디리 형 〈옛〉 어질게. '어딜다'의 활용형. ¶ 어디리 護持ᄒᆞᆯ 씨라(賢護)≪楞嚴 Ⅴ:40≫.
어디메 지대 〈방〉 어디(평안·함경).
어디여: 감 ①소가 길을 잘못 들려고 할 때에 꾸짖어서 바른 길로 모는 소리. ②소를 오른편으로 가게 모는 소리. 1)·2): 준어디. ↔저라.
어딜다 형 〈옛〉 어질다. ¶ 어딜 량(良)≪類合 下 56≫ / 어딜 쥰(俊)≪字會 下 25≫.
어딜에 형 〈옛〉 어질게. 착하게. '어딜다'의 활용형. ¶ 敎化ᄂᆞᆫ ᄀᆞᄅᆞ쳐 어딜에 ᄃᆞ외올 씨라≪月釋 Ⅰ:19≫.
어딜우 부 〈옛〉 어질게. ¶ 張子房ᄋᆞᆯ 어딜우 너겨ᄒᆞᄂᆞ다(賢張子房)≪杜諺 Ⅰ:57≫.
어딜이 부 〈옛〉 어질게. ¶ 어딘이를 어딜이 너교ᄃᆡ 色 됴히 너김으로(賢賢易色)≪小諺 Ⅰ:17≫.
어딨어 준 ↗어디 있어. ¶ 세상 천지 이런 법이 ~.
어ᄃᆞ메 지대 〈옛〉 어느 곳. 어디. ¶ 南山뫼 어ᄃᆞ메만 高學士 草堂지어≪古時調 鄭澈≫.
어ᄃᆞᆨᄒᆞ다 형 〈옛〉 어둑어둑하다. =어득ᄒᆞ다. ¶ 하ᄂᆞᆯ히 ᄎᆞ고 어ᄃᆞᆨᄒᆞ야 힛비치 업스니(天寒昏無日)≪重杜諺 Ⅰ:23≫.
어ᄃᆞᆫ 어미 〈옛〉 -거든. =어든. ¶ 비오고 ᄇᆞ람분 날이어ᄃᆞᆫ 自然 消滅ᄒᆞ여라≪松江 下 17≫.
어ᄃᆡ 지대 〈옛〉 어디. =어듸. ¶ 어ᄃᆡ 그 民의 父母ㅣ 되얀ᄂᆞᆫ 주리 이시리오(惡在其爲民父母也)≪孟諺 滕文公 上≫.
어따 감 ①무엇이 몹시 심하거나 못마땅할 때 내는 소리. ¶ ~ 큰 소리는 잘 치네. >아따. ②☞옜다. ¶ ~ 너 가져라.
어때 준 어떠해. ¶ 그럼 ~/~ 근사하지.
어떠니-저떠니 부 어쩌고저쩌고.
어떠-하다 형 여불 일의 성질이나 상태가 어찌 되어 있다. 준어떻다.
어떡 부 〈방〉 얼른(경상).
어떡-하다 타 여불 ↗어떠하게 하다. ¶ 이럼 나는 어떡해.
어떤 관 ↗어떠한.
[어떤 놈이 암까마귀인지 수까마귀인지 모르겠다] 흑백·선악을 분간하지 못하겠다는 말.
어떤-씨 명 〖언〗 '관형사(冠形詞)'의 풀어 쓴 이름.
어떻게 [―떠케] 부 ↗어떠하게.
어떻다 [―떠타] 형 ㅎ불 ↗어떠하다.
어떻든 [―떠튼] 부 ↗어떠하든.
어떻든지 [―떠튼―] 부 ↗어떠하든지.
어떻-씨 [―떠―] 명 〖언〗 형용사(形容詞)의 풀어 쓴 이름.
어뜨무러차 감 어린아이나 무거운 물건을 들어 올릴 때에 하는 소리.
어뜩 부 휙 지나가는 김에. ¶ 그런 간판을 ~ 본 것 같다.
어뜩-비뜩 부 ①행동이 바르지 못한 모양. ¶ 최가는 외문(外門)인 척하다가 ~ 상두꾼들 사이로 빠져나갔다≪金周榮 : 客主≫. ②이리저리 어긋나고 비뚤어져 고르게 놓이지 못한 모양. ──-하다 형 여불
어뜩-새벽 명 〈방〉 어둑새벽.
어뜩-어뜩 부 그림자가 어른거리는 모양. ──-하다[1] 형 여불
어뜩어뜩-하다[2] 형 여불 정신이 어지러워 연해 까무러질 듯하다. >아뜩아뜩하다.
어뜩-하다 형 여불 갑자기 몹시 어지럽다. 갑자기 내둘리는 것처럼 현기(眩氣)가 나다. >아뜩하다.
어뜬 부 〈방〉 얼른.
-어라 어미 ①양성 이외의 모음으로 된 동사의 어간에 붙어서 직접 명령의 뜻을 나타내는 종결 어미. 'ㅓ'로 끝나는 어간에 붙을 때는 '어'가 생략됨. ¶ 밀~ / 그 자리에 서라. *-으라·-거라·-너라·-아라. ②양성 이외의 모음으로 된 형용사의 어간에 붙어 감탄의 뜻을 나타내는 종결 어미. ¶ 나이도 어리~ / 기쁨이 그지없~ / 영광이 있~ / 기쁘~ / 가없~. *-아라·-여라·-으라.
-어라우 어미 〈방〉 -어요(전라).
어라-하 【於羅瑕】 명 〖역〗 백제 왕의 호칭. 《주서(周書)》 이역전(異域傳) 백제조(百濟條)에 보임. *어륙(於陸).
어락-도 【魚樂圖】 명 어해도(魚蟹圖).
어란 【魚卵】 명 소금을 쳐서 말린 생선의 알.
어람[1] 【魚籃】 명 물고기를 담는 바구니. *어롱(魚籠).
어:람[2] 【御覽】 명 임금께서 보심. 상람(上覽). 천람(天覽). 예람(叡覽). ──-하다 타 여불
어:람-건 【御覽件】 [―껀] 명 임금이 보실 서류(書類).
어람 관음 【魚籃觀音】 명 〖불교〗 33관음의 하나. 손에 물고기를 담은 어람을 든 상(像)과 큰 물고기 등에 타고 있는 상의 두 가지가 있음. 나찰(羅刹)·독룡(毒龍)·악귀(惡鬼)의 해(害)를 제거(除去)하는 공덕(功德)이 있다고 함.
어랍 【魚蠟】 명 어류(魚類)나 바다 짐승의 기름으로 만든 고형(固形)의 지방(脂肪).

어랑-천【漁郞川】 명 『지』 함경 북도(咸鏡北道) 경성군(鏡城郡)에서 발원(發源)하여 경성군 남부(南部)를 동류(東流)하여 동해(東海)로 들어가는 내. [103.3 km]

어랑-타:령【一打令】 명 『악』 후렴에 '어랑어랑'이 반복되므로 일컫는, 함경도 민요 '신고산 타령'의 딴이름.

어래 명 〈방〉 얼레빗(경남).

어래미 명 〈방〉 어레미(충남).

어래빗 명 〈방〉 얼레빗(충남).

어:래-산【御來山】 명 『지』 강원도 영월군(寧越郡)과 경상 북도 영풍군(榮豐郡) 사이에 있는 산(山). [1,064 m]

어량【魚梁】 명 한 군데로만 물이 흐르도록 물길을 막고 그 곳에 통발을 놓아 고기를 잡는 장치.

〈어량〉

어량족의【於良足矣】 [一/一이] 명 만족(滿足)하는 일.

어러가다 타 〈옛〉 맞아 시집가다. ¶제 어미는 하향의 잇는 젼시를 어러가고(其母改適河陽錢氏)≪二倫 杜衍待兒≫.

어러리 명 〈방〉 잠자리(경상).

어러운 형 〈옛〉 어리석은. 미친 듯한. '어렵다²'의 활용형. ¶네 어러운 客이 잇더니(昔年有狂客)≪杜諺 XVI:5≫.

어러이 부 〈옛〉 어리석게. 미친 듯이. ¶오직 어러이 도라보놋다(但狂顧)≪杜諺 XXI:38≫.

어런 명 〈방〉 어른¹(경상·강원·충북·전남).

어런-더런 부 여러 사람이 시끄럽게 왔다갔다 하는 모양. ——-하다 형 여불

어럼 명 〈방〉 얼음(경상·평안).

어럽다¹ 형 〈방〉 어렵다(경상).

어럽다² 형 〈옛〉 미치다. 미친 듯하다. ¶盜賊은 어러운 놀애 밧긔 잇ᄂᆞ니(寇盜狂歌外)≪杜諺 XIV:12≫.

어럽쇼 감 〈속〉 어어. ¶～, 나한테 덤벼드네.

어렁-더렁 부 ☞ 어런더런. ¶고독하기는 사고 무친한 고로, 그 외삼촌의 가족이 와서～하기만 하여도 좀 나을성싶어…≪崔瓚植: 金剛門≫. ——-하다 형

어레 명 〈옛〉 얼레. ¶西風이 고이 불제 올 白糸 훈 어레를 슷가지 푸러 써올제≪古時調≫.

어레미 명 바닥의 구멍이 굵은 체. ↔가는 체.

어레미-논 명 물이 괴어 있지 못하고 곧장 흘러내려가 버리는, 경사진 곳의 논.

어레-빗 명 〈방〉 얼레빗(충남).

어레인먼트 [arraignment] 명 영미(英美)의 형사 소송 절차. 검찰관이 기소장(起訴狀) 낭독 후, 피고인에게 유죄(有罪)·무죄(無罪)의 답변을 요구하는 일. 유죄의 답변이 있으면 증거 조사를 하지 아니하고 형(刑)의 양정(量定)을 함.

어레인지 [arrange] 명 ①물건을 배열(配列)함. 배치(配置)함. ②준비(準備)함. 수배(手配)함. ③사물을 새로 구성함. ④편곡(編曲). ⑤각색(脚色). ——-하다 타 여불

어레인지먼트 [arrangement] 명 ①어레인지❶. ②『수』 순열(順列).

어레잇 명 〈옛〉 얼레빗. ¶늙은 즁놈의 살 성긘 어레이시로다 ≪古時調≫.

어렝이 명 광산에서 사용하는 삼태기의 한 가지. 보통의 삼태기보다 작으며 통싸리로 만듦.

어려【魚儷】 명 비늘처럼 차례로 늘어섬.

어려려려 얼하량 감 제주도에서, 말을 부리거나 다룰 때 하는 소리.

어려붐 형 〈옛〉 어려움. '어렵다'의 명사형. ¶이 사름ᄀᆞ티 거스디 어려부미 네로브터 업스니라≪月釋 X:29≫.

어려ᄫᅳ니 형 〈옛〉 어려우니. '어렵다'의 활용형. ¶比丘아 알라 諸佛이 世間애 나미 맛나미 어려ᄫᅳ니 엇뎨어뇨≪月釋 XVII≫.

어려ᄫᅳᆫ 형 〈옛〉 어려운. '어렵다'의 활용형. ¶이러틋호 化티 어려ᄫᅳᆫ 剛強훈 罪苦衆生을 度脫ᄒᆞ거든 보ᄂᆞ니≪月釋 XXI:34≫.

어려ᄫᅳᆯ 형 〈옛〉 어려울. 어려운. '어렵다'의 활용형. ¶難은 어려ᄫᅳᆯ 씨라≪月序 23≫.

어려ᄫᅵ 부 〈옛〉 어려이. 어렵게. ¶讀誦을 어려ᄫᅵ 너기거니와≪月序 23≫.

어려웁다 형 〈방〉 어렵다(제주).

어려워-하다 타 여불 ①윗사람을 두렵게 생각하다. ②일할 때 힘이 들어 애를 쓰다.

어려이 부 어렵게. 준 어레.

어련무던-하다 형 여불 ①그리 언짢을 것 없다. ②성질이 까다롭지 아니하고 무던하다. ¶동택이만 해도 어련무던하게 사랑하는 정을 보여는 왔었지만 억지로써 그것을 눌러 왔기 때문에…≪李無影: 三年≫. 어련무던-히 부

어련-하다 형 여불 반드시 의문형으로 쓰이어, 잘못할 리가 없다는 뜻으로 오죽 훌륭하겠는가, 오직 잘 하겠는가의 뜻. ¶자네 생각이 어련하겠나. 어련-히 부

어:렴【御簾】 명 궁중(宮中)에 걸려 있는 발.

어렴-성 [一썽] 명 남을 어려워하는 기색. ¶사뭇 웃어른을 대할 때 같은 ～ 있는 태도로 밀짚 모자를 벗어 들었다≪洪性裕: 사랑과 죽음의 세월≫.

어렴-스렴 명 〈방〉 어렴성.

어렴칙-하다 형 여불 ☞어령칙하다.

어렴풋-이 부 어렴풋하게. >아렴풋이.

어렴풋-하다 형 여불 ①기억이 똑똑하지 아니하다. ②잘 보이거나 잘 들리지 아니하다. ③잠이 깊이 들지 아니하다. 1)-3): >아렴풋하다.

어렵【漁獵】 명 ①고기잡이❶. ②고기잡이와 사냥.

어렵다 형 ㅂ불 〔중세 : 어렵다〕 ①하기에 힘들거나 괴롭다. ↔쉽다. ②살림이 가난하다. ¶어렵게 살다. ③성미가 까다롭다. ④병이 중하다. ⑤두렵다❷.

어려운 걸음을 하다 구 바쁘거나 멀어서 왕래하기 어려운 곳에 가거나 오다.

어렵-사리 부 매우 어렵게. ¶위 므스일이 옵관덕 이대도록 어렵사리 니ᄅᆞ옵시ᄂᆞᆫ고≪新語 V:21≫. *쉽사리.

어렵살ᄒᆞ다 형 〈옛〉 매우 어렵다. ¶어렵살ᄒᆞ야 몸을 ᄆᆞᄎᆞ니(坎坷終身)≪宣祖版 小解 V:53≫.

어렵-선【漁獵船】 명 어렵에 종사하는 배. 고기잡이배.

어렵소이 부 〈옛〉 어렵게. 조심스럽게. ¶도로혀 어렵소이 너기오와≪新語 VIII:17≫.

어렵 시대【漁獵時代】 명 『사』 농경(農耕) 생산이 아직 발달하지 않고, 어로(漁撈)나 수렵(狩獵)에 의하여 생활하던 원시(原始) 시대. 수어(狩漁) 시대.

어렵-원【漁獵員】 명 어렵선을 타고 어업에 종사하는 직원.

어렵다 형 〈옛〉 어렵다. ¶法 드르미 어려ᄫᅳ니≪釋譜 VI:11≫.

어령¹【圄囹】 명 감옥(監獄). 영어(囹圄).

어:령²【御令】 명 임금의 명령. 어명(御命).

어:령³【御領】 명 어용지(御用地).

어령-치【於嶺峙】 명 『지』 충청 남도(忠清南道) 서천군(舒川郡)에 있는 고개. [78 m]

어령칙-이 부 어령칙하게. >아령칙이.

어령칙-하다 형 여불 기억이 분명하지 아니하다. >아령칙하다.

어례 부 ↗어려이. ¶먼 길을 ～ 왔구나.

어:로¹【御路】 명 거둥길. 연로(輦路).

어로²【漁撈】 명 물고기 기타의 해산물(海產物)을 포획·채취하는 일. ——-하다 타 여불

어로³ 부 〈옛〉 가(可)히. =어루. ¶집 아래 어로 온 사ᄅᆞᆷ이 들리로소니(下可容百人)≪杜諺 VI:22≫.

어로-과【漁撈科】 [一꽈] 명 『교』 수산(水產) 계통의 고등 학교·대학 등에서 어로에 관한 교육을 실시하는 교과.

어로-권【漁撈權】 [一꿘] 명 『법』 어업권(漁業權).

어로-기【漁撈期】 명 고기잡이하기에 알맞은 시기. 고기잡이철. *어기(漁期).

어로 기계【漁撈機械】 명 어업 기계.

어로-만지다 타 〈방〉 어루만지다.

어로-법【漁撈法】 [一뻡] 명 ①어로(漁撈)의 방법. ②어로에 관한 법률(法律).

어로 불변【魚魯不辨】 명 어(魚)자와 노(魯)자를 구별하지 못할 정도로 무식(無識)함.

어로-선【漁撈船】 명 어로에 종사하는 배. 어선.

어로 수역【漁撈水域】 명 고기잡이하는 구역.

어로 작업【漁撈作業】 명 해산물(海產物)을 포획·채취(採取)하는 작업. ——-하다 자 여불

어로-장【漁撈場】 명 어로 작업을 하는 곳. 어장.

어로 한:계선【漁撈限界線】 명 동해와 서해의 접적 해역(接敵海域)에서 우리 어선군(漁船群)을 보호하고 납북(拉北)을 방지하기 위하여 설정한 조업(操業) 규제선(規制線).

어:록【語錄】 명 ①유자(儒者)·선승(禪僧)·지도자(指導者)·명사(名士) 등이 교시(教示)한 명언(名言)을 기록한 책. ②중국 송(宋)나라의 학자들이 후진(後進)의 교도(教導) 및 편지에 필요한 당시의 속어(俗語)를 수집·편찬한 책.

어:록 총:람【語錄總覽】 [一남] 명 『책』 백두용(白斗鏞)이 편찬하고 윤창현(尹昌鉉)이 증정(增訂)하여 1919년 간행한 주자 어록(朱子語錄)·수호지 어록(水滸誌語錄)·서유기(西遊記) 어록·삼국지(三國誌) 어록·이문(吏文) 어록 등의 언해(諺解).

어:록-해【語錄解】 명 『책』 중국 송(宋)나라 때의 주자 어록(朱子語錄)의 언해(諺解). 조선 효종(孝宗) 3년(1652)에 정양(鄭瀁)이 퇴계 이황(退溪 李滉)과 유희춘(柳希春)의 주해를 종합하여 간행하고, 이어 왕명을 받들어 남이성(南二星)·송준길(宋浚吉)이 고교(考校)하고 발문(跋文)을 붙여 현종(顯宗) 10년(1669)에 간행함. *어록 총람(語錄總覽).

어론 명 〈옛〉 어른. =어룬. ¶모롬이 어론을 ᄉᆞ랑ᄒᆞ야 공경ᄒᆞ며(須愛敬尊長)≪警民編 13≫.

어론님 명 〈옛〉 정든님. ¶어론님 오신 날 밤의 굽의 굽의 펴리라≪海謠 133≫.

어롱【魚籠】 명 물고기를 잡아서 담는 종다래끼. *어람(魚籃).

어롱괴 명 〈옛〉 얼룩 고양이. ¶내 이 암어롱괴를 사려 ᄒᆞ노라(我要買女花猫兒)≪朴解 中 56-57≫.

어뢰【魚雷】 명 『군』 ↗어형 수뢰(魚形水雷). ¶～ 발사.

어뢰 발사관【魚雷發射管】 [一싸一] 명 『군』 어뢰(魚雷)를 발사하는 장치. 수상(水上) 발사관·수중(水中) 발사관·공중 투사기(空中投射器) 등이 있음.

어뢰 방어망【魚雷防禦網】 명 『군』 외해(外海)로부터 발사되는 어뢰에 대비하여, 내항(內港)에 정박 중이거나 항해 중인 각 함정을 보호하기 위하여 사용하는 망.

어:-뢰사【御耒耜】 명 『역』 임금의 친경(親耕) 때에 쓰던 쟁기.

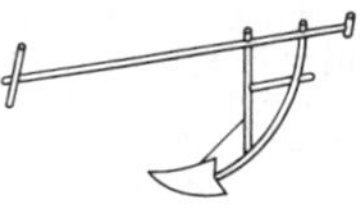

〈어뢰사〉

어뢰-정【魚雷艇】 명〖군〗어뢰 발사 장치를 가지고 주로 적의 함정을 공격하는 고속 모터 보트.

어룜 명〈옛〉①어리석음. '어리다⁴❶'의 명사형. =어룜. ¶이 미치며 이 어료미오(是狂是愚)《圓覺 上 一之一 110》. ②홀림. 미혹(迷惑)됨. '어리다⁴❷'의 명사형. ¶엇뎨 …아논 中엣 어료믈 잡논다(云何認悟中迷)《楞嚴 Ⅱ:15》.

어룡【魚龍】 명 ①물고기와 용. ②수족(水族)의 총칭. 어별(魚鼈). ③〖동〗[Ichthyosaurus] 어룡목(目) 어룡과에 속하는 파충류의 하나. 중생대(中生代), 특히 쥐라기(Jura紀)에 번식했던 동물로, 파충류 가운데 가장 수생(水生)에 적응하여 있었음. 몸길이 2-10m. 주둥이가 썩 길고, 이가 날카로우며, 눈이 매우 크고, 척추골이 150개나 됨. 세계 각지에서 화석(化石)으로 발견됨.

어룡-도【魚龍島】 명〖지〗전라 남도의 남해상(南海上), 완도군(莞島郡) 노화읍(蘆花邑) 내리(內里)에 위치한 섬. [0.18 km²]

어:룡-성【御龍省】 명〖역〗신라의 관청의 하나. 국왕의 근시(近侍) 조직을 통할함. 처음에는 내성(內省)에 소속되어 있었으나, 통일 후 애장왕(哀莊王) 2년(801)에 독립된 것으로 보임. 장관인 사신(私臣) 1인 밑에 차관직인 어백랑(御伯郞) 2인, 치성(稚省) 14인을 둠.

〈어룡❸〉

어룡-전【魚龍傳】 명〖책〗조선 시대 후기(後期)의 국문 소설. 작자 미상(未詳). 어처사(魚處士)의 아들 용(龍)과 딸 달과의 기구한 인생 행각(人生行脚)을 그림.

어루 부〈옛〉가(可)히. =어로³. ¶東方虛空올 어루 思量ᄒᆞ려 몯ᄒᆞ려(東方虛空可思量不)《金剛 25》.

어루기 명〈방〉어리보기(평안).

어루-꾀다 타 ①남을 얼렁거리어서 꾀다. ②남을 속이다.

어루다¹ 타〈방〉어르다¹.

어루다² 타〈옛〉교합(交合)하다. 성교(性交)하다. ¶겨지블 드려다가 구틔여 어루려커늘(引其婦強欲淫之)《三綱 都彌妻》.

어루-더듬다 [一따] 타 손으로 어루만져 더듬다.

어루러기 명〖의〗흔히 땀이 잘 나는 사람의 온 몸에 사상균(絲狀菌)의 기생(寄生)으로 생기는 피부병의 한 가지. 처음에는 원형의 작은 점으로부터 시작하여서, 차차 퍼지게 되면 황갈색 또는 검은 빛으로 변함. 전풍(癜風).

어루러기-지다 자 얼룩얼룩하게 되다. 준얼룩지다.

어루렁더루렁-하다 형 여불 ☞ 어루룽더루룽하다.

어루렁어루렁-하다 형 여불 ☞ 어루룽어루룽하다.

어루룩-더루룩 부 조금 성기고 연하게 여기저기 얼룩덜룩한 모양. ㅆ얼루룩덜루룩. >아로록다로록. ——하다 형여불

어루룩-어루룩 부 조금 성기고 연하게 여기저기 얼룩얼룩한 모양. ㅆ얼루룩얼루룩. >아로록아로록. ——하다 형여불

어루룽-더루룽 부 짙은 빛깔의 점이나 줄이 고르지 아니하게 무늬진 모양. ㅆ얼루룽덜루룽. >아로롱다로롱. ——하다 형여불

어루룽-어루룽 부 짙은 빛깔의 점이나 줄이 규칙적으로 드문드문 무늬를 이룬 모양. ㅆ얼루룽얼루룽. >아로롱아로롱. ——하다 형여불

어루-만지다 타 ①손으로 쓰다듬어 주다. 매만지다. ②위로하여서 마음이 편하도록 하여 주다.

어루-쇠 명 쇠붙이를 닦아서 만든 거울. 구리 거울 등.

어루숭-어루숭 부 줄이나 점으로 이루어진 무늬가 눈에 현란(絢爛)한 모양. ——하다 형여불

어루신 명〈옛〉어른. ¶어루신이 나를 ᄒᆞ야 아기를 뫼ᄉᆞ와(大人令我奉阿郞)《三綱 丕寧》.

어루신-네 명〈방〉어르신네.

어루-화초담【一花草一】 명〖건〗어룽어룽하게 여러 빛깔로 여러 무늬를 나타내어 쌓아 올린 화초담.

어룬 명〈옛·방〉어른¹(평안·경북·제주). ¶놉고 어룬으란 등수를 덜고(尊者減等)《警民編 13》.

어룬사ᄅᆞᆷ 명〈옛〉어른¹. ¶믈읫 어룬 사ᄅᆞᆷ으로 더브러 말ᄉᆞᆷ홈애(凡與大人言)《小諺 卷二 明倫》.

어룬ᄌᆞ 감〈옛〉얼씨구. 지화자. 얼싸. ¶어룬ᄌᆞ 박녀출이야 에 어룬ᄌᆞ 박녀출이야《古時調 靑丘》.

어:룰-하다 형여불 ←어눌(語訥)하다.

어룹다 형〈방〉어렵다(전라).

어룽 명 ↗어룽이. ㅆ얼룽. >아롱.

어룽-거리다 자 점(點)이나 줄이 고르게 무늬지어 어른거리다. ㅆ얼룽거리다. >아롱거리다. 어룽-어룽 부. ¶어스름 달빛에 ~한 솔밭 속으로 이 틈 저 틈 나가는데…《崔瓚植 : 春夢》. ㅆ얼룽얼룽. >아롱아롱. ——하다 형여불

어룽-더룽 부 엷은 점이나 줄이 불규칙하고 총총하게 무늬를 이룬 모양. ㅆ얼룽덜룽. >아롱다롱. ——하다 형여불

어룽-대다 자 어룽거리다.

어룽-이 명 어룽어룽한 점. 또, 그런 점이 있는 짐승이나 물건. ㅆ얼룽이. >아롱이. 준 어룽.

어룽-지다 형 어룽어룽한 무늬가 있다. ㅆ얼룽지다. >아롱지다.

어-류¹【魚類】 명〖동〗[Pisces] 흔히 행해지는 분류에서 척추(脊椎) 동물 무양막류(無羊膜類)에 속하는 물고기의 무리. 입의 상악(上顎)과 하악을 움직여서 아가미로 호흡하고, 먹이를 잡아 먹음. 대개, 배·가슴·등·꼬리·볼기에 지느러미를 갖추고 부레가 있어서, 물 속을 헤엄쳐 다님. 비늘로 덮이고 뼈는 연골(軟骨) 또는 경골(硬骨)로 이루어지고, 늑골(肋骨)은 있으나 흉골(胸骨)은 없으며, 코는 한 쌍 있으나 인두(咽頭)에 통하지 아니함. 아가미 끝에서 아감구멍까지를 두부(頭部), 아감구멍에서 항문(肛門)까지를 구간(軀幹), 그 아래를 미부(尾部)라 함. 난생(卵生) 또는 태생(胎生)임. 분류학상 판새류(板鰓類)·전두류(全頭類)·진구류(眞口類)·조기류(條鰭類) 등으로 나뉨. 서식하는 곳에 따라 담수어·함수어(鹹水魚)·기수어(汽水魚)·열대어·한대어로도 나눔. 어족(魚族). 어강(魚綱).

어:류²【語類】 명 ①말의 종류. ②말을 분류한 것.

어류 시대【魚類時代】 명〖동〗동물에 의한 시대 구분의 하나. 고생대(古生代)의 데번기(Devon紀)를 가리킴. 갑주어류(甲胄魚類)·폐어류(肺魚類) 등이 번성한 시대로서, 척추 동물 출현(出現)의 선구(先驅)가 됨. 양서류(兩棲類) 시대가 이에 뒤따름.

어류-학【魚類學】 명 [ichthyology] 어류에 관한 연구를 하는 척추 동물학의 한 분야.

어륙【於陸】 명〖역〗백제(百濟) 왕비의 호칭. 《주서(周書)》 이역전(異域傳) 백제조(百濟條)에 보임. ＊어라하(於羅瑕).

어름 명〈옛〉어리석음. =어룜. '어리다⁴❶'의 명사형. ¶어딜며 어류미 진실로 差等 | 잇ᄂᆞ니(賢愚誠等差)《杜諺 Ⅱ:57》.

어르 명〈옛〉얼레. 자새. ¶어르 원(檂)《字會 中 18》/어르 약(籰)《四聲 下 46》.

어르광이 명〈심마니〉술.

어르기 명〈옛〉어우르기. 교합(交合)하기. ¶롱담ᄒᆞ야 남진 어르기를 ᄒᆞ며《月釋 Ⅰ:44》.

어르나 명〈방〉어린아이(평안·경상·강원·전북).

어르눅다 형〈옛〉얼룩얼룩하다. 무늬가 있다. ¶어르누글 문(紋)《字會 下 20》.

어르다¹ 자〈옛〉혼인(婚姻)하다. ¶어를 취(娵)《字會 上 33》.

어:르다² 타르불 어린아이나 짐승을 귀엽게 다루어 기쁘게 하여 주다. [어르고 등골 뺀다] 겉으로는 잘 해주는 체하면서 사실은 골려준다는 말. [어르고 뺨치기] 위하는 척하면서 은근히 남을 해롭게 한다는 뜻. [얼러 키운 후레자식] 행동이 교만하고 행지(行止)가 방탕한 자를 두고 하는 말.

어:르다³ 타르불 ↗어우르다. ¶돈은 그 달 학비까지 얼러서 백 원이나 보내 왔다《廉想涉 : 萬歲前》.

어르러기 명〈방〉어루러기.

어르러지 명〈옛〉어루러기. ¶어르러지 뎐(癜)《字會 中 33》.

어르룽이 명 어룽어룽한 점이나 무늬. >아르롱이.

어르리 명〈방〉어리보기.

어르몬지다 타〈옛〉어루만지다. 쓰다듬다. ¶어르몬질 무(撫)《類合 下 13》.

어르숭어르숭-하다 형〈방〉얼쑹얼쑹하다.

어르신 명 ↗어르신네.

어르신-네 명 남의 아버지나 나이가 많은 사람의 경칭. 준어르신.

어:른¹ 명 [중세 : 얼운] ①성인(成人)❶. ②지위나 항렬이 높은 사람. ③장가들거나 시집간 사람. ④나이 많은 사람의 경칭. ＊아이¹.
[어른도 한 그릇 아이도 한 그릇] 어른과 아이의 차별이 없이 나누어 주는 분량이 같다는 뜻. [어른 말을 들으면 자다가도 떡 생긴다] 어른이 시키는 대로 하면 실수가 없을 뿐만 아니라, 여러 가지로 이익이 된다는 말. [어른 없는 데서 자라났다] 버릇없고 방탕한 자를 두고 이르는 말.
어:른 빰 치겠다 구 어른도 못 당할 만큼 영악한 아이를 보고 이르는 말.

어른² 부〈옛〉얼른. 빨리. ¶瞥은 누네 어른 더날 ᄊᆞ시오《月序 2》.

어른-거리다 자 ①무엇이 보였다 안 보였다 하다. ②그림자가 희미하게 움직이다. ③물이나 거울에 비치는 그림자가 흔들리다. 1)-3):ㅆ얼른거리다. >아른거리다. 어른-어른 부. ——하다 자여불

어른-대다 자 어른거리다.

어:른-벌레 명〖충〗성충(成蟲).

어:른-스럽다 형ㅂ불 어린아이의 언동이 의젓하고 어른 같은 데가 있다. 어:른-스레 부

어:른-씨름 명 장정(壯丁)들이 벌이는 본격적인 씨름. ↔아기씨름.

어른-지기 명〖식〗[*Fimbristylis complanata*] 방동사니과(科)에 속하는 다년초(多年草). 양지바른 들에 자라는데 근경(根莖)이 짧으며 높이 20~80cm이고 벋는 줄기가 없음. 잎은 편평하며 너비 1.5-3mm로서 털이 없으나 엽초(葉鞘)의 후연(後緣)에 털이 있음. 길이 2-7cm의 복산형(複繖形) 화서(花序)는 2-3회 갈라지며, 2-4개의 포(苞)는 선형(線形)인데 화서보다 짧음. 소수(小穗)는 피침형(披針形)이며 끝이 뾰족하고, 거꿀달걀꼴인 수과(瘦果)는 길이 1mm인데, 희고 밋밋하며 드문드문 사마귀 같은 돌기가 있음.

어름¹ 명〈옛〉얼음. ¶열본 어르믈(有薄之氷)《龍歌 30章》.

어:름² 명 ①두 물건의 끝이 닿은 자리. ②물건과 물건의 한가운데. ③어떠한 때. ¶축시(丑時) ~까지 기다리는 수밖에 없겠네《金周榮 : 客主》.

어:름³ 명〖민〗↗어름 줄타기. ＊광대줄.

어:름⁴【御廩】 명〖역〗고려 때에 나라의 대제(大祭)에 쓸 서직(黍稷)을 간직하여 두던 곳집.

어름-거리다 자타 ①말이나 행동을 우물쭈물 똑똑하지 않게 하다. ②일을 엉터리로 하여 눈을 속이다. 1)·2):>아름거리다. 어름-어름 부 ¶몇몇 재상이 안평을 꾀려 다니기는 한 모양입니다마는 안평은 그 우유 부단한 성격으로 ~하여 두었던 모양입더이다《金東仁 : 首陽大君》. ——하다 자타여불

어:름-꾼 명 어름사니.

어름-대다 자타 어름거리다.
어름-돔 명〖어〗[*Plectorhynchus cinctus*] 하스돔과에 속하는 바닷물고기. 몸길이 40cm 내외, 비늘이 크며, 몸빛은 담자회색으로 석출의 회갈색(灰褐色) 사주대(斜走帶)가 있고, 등의 뒤쪽·등지느러미·꼬리지느러미에 작은 흑점이 산재함. 한국 중남부·일본 중남부·동남 중국해 등에 분포함. 맛이 좋음.

〈어름돔〉

어름-빗 명〈방〉얼레빗(전북).
어:름-사니 명〖민〗남사당패의 어름을 타는 줄꾼. ¶솟대장이 행중의 ~ 계집인 난녀(蘭女)에게 구완을 받는 중에 있었다≪金周榮 : 客主≫.
어름-장 [—짱] 명〈방〉으름장.
어름적-거리다 자타 느릿느릿하게 어름거리다. >아름작거리다. 어름적-어름적 부. ——-하다 자타여불
어름적-대다 자타 어름적거리다.
어:름 줄타기 명〖민〗(얼음 위를 걷듯 어렵다는 뜻에서) 남사당패의 한 종목으로서의 줄타기의 일컬음. ㈜어름. *광대 줄타기.
어름-치 명〖어〗[*Gonoprokopterus mylodon*] 잉어과에 속하는 민물고기. 몸길이 25cm 가량, 몸이 좀 굵고 주둥이가 무딤. 몸빛은 은색 바탕에 등 쪽은 갈색을 띤 암색이고, 배 쪽은 흰빛인데 옆구리에 7-8개의 흑점 줄이 있으며, 각 흑점은 숨구멍보다 작음. 한국 특산종임.
어룽쇼 명〈옛〉얼룩소. ¶어룽쇼(花牛)≪字會 上 19≫.
어릐 명〈옛〉얼레. 자새. =어르. ¶어릐(籰子)≪譯語 下 3≫.

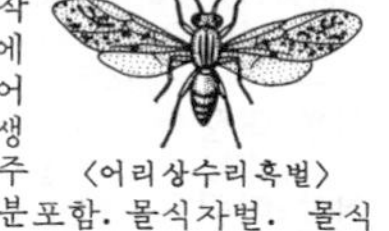
〈어리²❶〉

어리¹ 명〖건〗문을 다는 곳. 아래위 문지방과 좌우 문선(門線)의 총칭.
어리² 명 ①병아리 등을 가두어 기르기 위하여 덮어 놓는, 싸리나 가는 나무로 엮어 둥글게 만든 물건. ②닭 등을 넣어서 팔러 다니는 그릇. 모양이 닭장 비슷한 데 그보다 훨씬 작음. ③새장.
어리³ 명〈옛〉우리¹. ¶어리 로(牢)≪類合 下 28≫/어리 권(圈)≪字會 下 8≫/어리로 양 모니 예수 영화 ≪찬양가 75≫.
어리⁴【漁利】명 ①↗어부지리. ②어업 상의 이익.
어리⁵ 부〈옛〉어리석게. ¶우리돌히 어리 迷惑ᄒᆞ야 毒藥올 그르 머구니 願ᄒᆞᆫᄃᆞᆫ 救療ᄒᆞ샤 목수를 다시 주쇼셔≪月釋 XVII:12≫.
어리- 부 어떤 명사 앞에 붙어 그와 비슷하거나 가까움을 나타내는 말. ¶~호박벌. *-붙이.
어리가리 명〈방〉어리보기(평안).
어리광 명 어른에게 귀염을 받으려고 또는 남의 환심을 사려고, 어리고 예쁜 태도를 보이는 것. ——-하다 자여불
어리광(을) 떨:다 구 어리광스런 짓을 연해 하다.
어리광(을) 부리다 구 일부러 어리광을 떨다.
어리광(을) 피우다 구 어리광스러운 짓거리를 하다.
어리-광대 명 ☞ 어릿광대.
어리-광릉우단풍뎅이【—光陵羽緞—】[—능—] 명〖충〗[*Sericania fuscolineata*] 풍뎅잇과의 곤충. 몸길이 8.5-11mm이고, 몸은 긴 원통형에 다갈색이며, 전배판(前背板) 중앙과 시초(翅鞘) 및 복절(腹節)은 흑갈색 또는 흑색임. 촉각은 갈색(褐色). 시초에는 9개의 종구(縱溝)가 있음. 한국·일본·만주·시베리아에 분포함. *애우단풍뎅이.
어리광-스럽다 형ㅂ불 어리광을 부리는 태도가 있다. 어리광-스레 부
어리광-쟁이 명 어리광을 많이 부리는 사람.
어리-굴젓 명 소금을 약간 뿌린 굴에 고춧가루를 섞어서 얼간으로 담가 삭힌 젓. 홍석화해(紅石花醢).
어리나 명〈방〉어린애(강원·경상·함경).
어리-나무쑤시기 명〖충〗[*Othnius kraatzii*] 어리나무쑤시깃과에 속하는 벌레. 몸길이 3.5-6.5mm이고, 몸빛은 흑색 바탕에 배면(背面)은 금동색 광택이 남. 촉각·입·다리는 적갈색이며 딱지날개에는 황갈색 반문(斑紋)이 있음. 보통 썩은 나무 따위에 모이는데, 한국·일본·시베리아에 분포함.
어리나무쑤시깃-과【—科】명〖충〗[Othniidae] 딱정벌레목(目)의 한 과. 몸은 소형인데, 촉각은 11절이고 말단 3절은 구간상(球桿狀), 앞다리 기절(基節)은 원추 모양이며 복판(腹板)은 5개임. 동부 아시아·미국·인도·말레이 등지에 약 25종이 분포함.
어리내 명〈방〉어린애(전역).
어리-노랑뒝벌 명〖충〗[*Bombus tersatus*] 꿀벌과에 속하는 곤충. 수컷은 몸길이 15mm 내외이고, 몸빛은 흑색에 다소 갈색을 띰. 다리는 흑갈색, 날개는 황갈색에 바깥 가장자리는 회색임. 흉부와 복배(腹背)에는 담황갈색의 긴 털이 있는데 짙고 엷은 차가 있어 일정한 가로 무늬를 이룸. 한국·일본 등지에 분포함. 노랑참벌.
어리-눅다 자 짐짓 못생긴 체하다.
어리다¹ 자 ①눈에 눈물이 괴다. ¶눈물이 ~. ②엉기어 괴다. ¶피가 ~/정성 어린 선물. ③혼란한 빛을 볼 때 눈이 어른어른하여지다.
어리다² 타〈옛〉시집 보내다. ¶샤옹아니 어려셔 고은 양ᄌᆞ롤 앗기노라(不嫁惜娉)≪杜諺 XXV:7≫.
어리다³ 형 [중세 : 어리다] ①나이가 적다. ②동식물이 난 지 얼마 안되어 작고 약하다. ¶어린 싹이 돋아나다/눈도 못뜬 어린 강아지. ③생각이나 경험이 모자라다. 유치(幼稚)하다. ¶하는 짓이 ~.
[어린 신랑, 콩싸라기 업신여기지 마라] 조혼한 어린 신랑도 어른이 되는 것이고, 콩싸라기도 물에 불으면 크게 되니, 지금 꼴만 보고 업신여기지 말라는 말. [어린 중 젓국 먹이듯] 도리를 다 아는 사람이 남을 속여서 나쁜 일을 권함의 비유.
어리다⁴ 형〈옛〉①어리석다. ¶愚는 어릴 씨라≪訓諺 2≫. ②미욱하다. ¶이 어린 갓ᄂᆞᆫ 사ᄅᆞ미라(是爲迷倒之人)≪牧訣 7≫.
어리-대다 자 남의 눈앞에서 어정거리다.
어리-대모꽃등에【—玳瑁—】명〖충〗[*Volucella tabanoides*] 꽃등엣과에 속하는 곤충. 몸길이 16-18mm, 몸빛은 검은데 광택이 있음. 검정 대모꽃등에와 비슷하나 배의 제2 마디가 담황색 또는 담등황색임. 한국·일본·사할린·시베리아에 분포함.
어리둥절-하다 형여불 정신이 얼떨떨하다. 어리둥절-히 부
어리-등에살이뭉뚝맵시벌 명〖충〗[*Homotropus tarsatorius*] 맵시벌과에 속하는 곤충. 암컷의 몸길이 7mm 가량임. 몸빛은 흑색인데 광택이 남. 흉배판(胸背板)의 엷은 반문(斑紋)은 황백색, 제 2-4 복절 후연(腹節後緣)은 회백색, 촉각은 흑갈색, 다리는 대체로 황적색임. 등에류의 유충에 기생하는데, 한국·일본·유럽·인도에 분포함.
어리뜩-하다 형여불 말이나 행동이 똑똑하지 못하다.
어리로온 관〈옛〉철없는. ¶또ᄂᆞᆫ 어리로온 아희돌의 쎠ᄂᆞᄂᆞᆫ 양과 놀래 뜻은 모르거니아≪新語 VI:8≫.
어리-마리 부 잠이 든 둥 만 둥 한 모양. ——-하다 형여불
어리무던-하다 형여불 ☞ 어련무던하다. ¶그놈들이 어리무던하게 그런 말을 믿겠습니까? ≪洪命憙 : 林巨正≫.
어리-물방개 명〖충〗[*Dytiscus dauricus*] 물방갯과에 속하는 곤충. 몸길이 26-34mm이고, 몸의 배면(背面)은 흑갈색에 다소 녹색을 띰. 두정(頭頂)의 'V'자 무늬와 촉각·수염·전배판(前背板)의 가장자리 및 시초(翅鞘)의 외연(外緣)은 황색 또는 황적갈색임. 몸의 밑면은 황색인데 중흉(中胸)은 갈색임. 한국·일본·시베리아 등지에 분포함.
어리미 명〈방〉어레미(경기·전북).
어리바리-하다 형여불 정신이 흐릿하거나 몸에서 힘이 쑥 빠져 몸을 제대로 놀리지 못하다. ¶약 먹은 쥐처럼 ~.
어리-박각시 명〖충〗☞꼬리박각시.
어리-배기 명〈방〉어리보기.
어리-뱀잠자리 명〖충〗[*Sialis sibirica*] 뱀잠자릿과에 속하는 곤충. 편 날개 길이 33mm 내외로, 몸빛은 흑색에 두부에는 갈색 무늬가 있음. 날개는 반투명에 어두운 빛을 띠고, 시맥(翅脈)은 암갈색임. 모기 같은 작은 곤충을 포식(捕食)하는데, 한국·일본·사할린·시베리아에 분포함.
어리뱅어-젓 명 고춧가루를 넣고 간이 덜 짜게 담근 뱅어젓. 홍색백어해(紅色白魚醢).
어리벙벙-하다 형여불 어리둥절하여 갈피를 잡을 수 없다. 쓰어리뻥뻥하다. 어리벙벙-히 부
어리-별자루맵시벌 명〖충〗[*Henicospilus ramidulus*] 맵시벌과에 속하는 곤충. 암컷의 몸길이 25mm 가량임. 몸빛은 대체로 적갈색인데, 앞날개의 선두리 무늬 밑에는 털이 없고 투명한 부분이 있으며, 그 왼쪽에는 삼각형의 적갈색 반문, 오른쪽에는 원형의 반문이 있음. 붉은뒷날개밤나방의 유충에 기생하는데, 한국·일본·사할린·유럽 등지에 분포함.

〈어리별자루맵시벌〉

어리-병풍【—屛風】명〖식〗[*Miricacalia pseudo-taimingasa*] 국화과에 속하는 다년초. 줄기는 높이 1m 내외이고, 잎은 원형이며 유병(有柄)이고, 장상(掌狀)으로 깊게 갈라짐. 7월에 담황색 두화(頭花)가 줄기 위에 달려 원추상(圓錐狀)으로 핌. 과실은 수과(瘦果). 깊은 산골짜기의 나무 밑에 나는데, 지리산에 분포함. 어린 잎은 식용함.
어리-보기 명 얼뜬 사람. 둔한 사람. ¶자, 가세. 이런 ~에게 말하는 우리가 글렀네≪劉賢鍾 : 들꽃≫.
어리-비치다 자 어리어 비치다.
어리빙빙-하다 형여불 정신이 어찔어찔하여 어떻게 해야 할지 갈피를 잡지 못하다. ¶거리의 혼잡에 정신이 ~. 쓰어리뻥뻥하다. 어리빙빙-히 부
어리빗 명〈방〉얼레빗(전라·경북).
어리-빙이 명〈방〉어리보기.
어리뻥뻥-하다 형여불 어리둥절하여 갈피를 잡을 수 없다. ㄴ어리벙벙하다. 어리뻥뻥-히 부
어리삥삥-하다 형여불 ①정신이 얼떨떨하여 무엇을 할 것인지 갈피를 잡을 수 없다. ㄴ어리빙빙하다. ②어리뜩하다. ¶"이름은 떨려 나지 않았어. 휴직으로 해둔댔으니까." 하고 어리삥삥한 대답이다≪金東里 : 애정의 윤리≫. 어리삥삥-히 부
어리-상수리혹벌 명〖충〗[*Trichagalma serrata*] 혹벌과에 속하는 곤충. 암컷의 몸길이 3-4mm임. 머리는 황갈색, 가슴은 황갈색 내지 적갈색이며, 중흉 배판(中胸背板) 위에는 흑갈색의 네 개의 세로 줄무늬가 있음. 날개는 투명하고 앞날개에는 회색 점반(點斑)이 많이 있으며, 복부는 옆으로 납작함. 식물에 기생하는 것은 잎·가지·뿌리 등에 알을 슬어서 혹 모양의 '충영(蟲癭)'을 이루어 이것을 '몰식자(沒食子)'라고 함. 동물에 기생하는 것은 쉬파리 등의 유충에 알을 슬어 숙주(宿主)를 파 먹고 성숙함. 한국·중국·일본에 분포함. 몰식자벌. 몰식자봉.

〈어리상수리혹벌〉

어리석다 형 사물에 어둡고 지능이나 사고력이 부족하다. ¶하는 짓이 ~/어리석은 수작.
[어리석은 자가 농사 일을 한다] 농사 일은 괴롭고 힘든 일이라, 우직(愚直)한 사람이라야 능히 견뎌 낼 수 있다는 말.
어리-세줄맵시벌 명〖충〗[*Amblyteles nükunii*] 맵시벌과에 속하는 곤충. 암컷의 몸길이 14mm임. 몸빛은 흑갈색인데, 복안(複眼)의 안쪽 반문과 소순판(小楯板) 제2 복절의 기부·제2 복절의 양쪽의 무늬·제5

복절 후연(後緣) 및 제6·7 복절은 황색이고, 촉각은 흑갈색이며 중앙에 황백색 반문이 있음. 한국·일본에 분포함.

어리손-치다 자 〈방〉 엉너리치다.

어리숙다 형 〈방〉 어리석다(경북).

어리숙-하다 형여불 어수룩하다.

어리숭-어리숭 부 모두가 다 같이 어리숭한 모양. >아리송아리송. ——-하다 형여불

어리숭-하다 형여불 ①보기에 어리석은 듯하다. ②비슷비슷한 것이 뒤섞여 있어서 분간하기 어렵다. >아리송하다. 준얼쑹하다.

어리-알락침노린재 【—鍼—】 명 〖충〗 [*Oncocephalus philippinus*] 침노린잿과에 속하는 곤충. 몸길이 15 mm 내외, 몸빛은 일률적으로 담황갈색에 흑갈색 반문이 있음. 촉각 제1절 말단 이하는 흑갈색이며, 혁질부(革質部)와 막질부(膜質部)에 각각 한 개의 큰 흑갈색 반문이 있음. 등불에 날아 오기도 함. 한국·일본 등지에 분포함.

어리-어리 부 〈방〉 어리마리. ——-하다¹ 형

어리어리-하다² 형여불 여러 가지가 모두 어리숭하다. >아리아리하다.

어리얼씨 감 흥겨워 떠들 때, 장단에 맞추어 가볍게 내는 소리.

어리-여치 명 〖충〗 [*Gryllacris japonica*] 어리여칫과에 속하는 곤충. 몸길이 30-35 mm이고, 몸빛은 녹색인데, 머리는 짧고 굵으며, 두정돌기(頭頂突起)와 전흉배(前胸背)는 넓음. 미모(尾毛)는 가늘고 길며, 산란관(産卵管)은 대단히 길. 앞날개는 황갈색, 뒷날개는 담황색임. 한국·일본에 분포함.

어리여칫-과 【—科】 명 〖충〗 [Gryllacridae] 메뚜기목(目)에 속하는 한 과. 여치과와 비슷한데, 발음기(發音器)와 청기(聽器)가 없음. 나무 위에 서식하며, 뒷다리로 다른 물건을 쳐서 발성(發聲)함. 주로 열대 지방에 많이 분포함.

어리-연꽃 【—蓮—】 명 〖식〗 [*Nymphoides indicum*] 조름나물과에 속하는 다년생 수초(水草). 연(蓮) 비슷한데, 잎은 장병(長柄)이고 길이 10 cm 가량의 원상(圓狀) 심장형으로, 수면에 뜸. 8월에 백색 꽃이 엽병(葉柄) 위에 무병(無柄)의 산형(繖形)으로 족생(簇生)하여 핌. 못이나 도랑에 나는데, 한국 중부 이남 및 일본에 분포함.

〈어리연꽃〉

어리-염낭거미 【—囊—】 명 〖동〗 너구리거미.

어리와리 부 ☞어리마리. ¶누가 허리를 꾹꾹 찌르고 또 꾹꾹 찌르는 섬에 간신히 눈을 들어보니 ～하게 보이는 중에…《崔瓚植: 秋月色》. ——-하다 형

어리욤 자 〈옛〉 홀림. 미혹(迷惑)됨. '어리다⁴'의 명사형. ¶도ᄅᆞ혀 定의 어리요ᄆᆞᆯ 니버(反被定迷)《蒙法 25》.

어리우다 자 〈옛〉 홀리다. 눈이 어리어리하여지다. ¶ᄆᆞᅀᆞᄆᆞᆯ 어리워 가지고셔(執迷着心)《老乞 下 44》.

어리잇 명 〈옛〉 얼레빗. ¶ 늘근 즁놈에 살성긘 어리이시로다《永言 540》.

어리-잎벌레 명 〖충〗 잎벌레붙이.

어리-장미가위벌 【—薔薇—】 명 〖충〗 [*Megachile humilis*] 가위벌과에 속하는 곤충. 가슴에는 황갈색, 복부 제1-5 배판 후연에는 황백색, 복부 제2-4 복판(腹板)에는 황갈색, 기타의 복판에는 흑갈색의 털이 있음. 한국·일본·중국에 분포함.

어리 장사 명 ①어리 장수의 영업. ② ☞ 얼렁장사. ——-하다 자여불

어리 장수 명 ①닭이나 오리 같은 것을 어리나 장에 넣어서 지고 다니며 파는 사람. ②닭의 어리처럼 생긴 그릇에 잡화를 담아서 지고 다니며 파는 황아 장수.

어리-장수잠자리 【—將帥—】 명 〖충〗 [*Sieboldius albardae*] 부채장수잠자릿과에 속하는 곤충. 배의 길이 63 mm, 뒷날개 길이 50-53 mm이고, 몸빛은 흑색에 중흉부(中胸部)의 전면 중앙에 녹황색 줄무늬가 있고, 가슴 양쪽에는 석 줄의 짙은 황색 띠가 있음. 복부 제1-2절과 등가운데에는 황록색의 무늬가 있으며, 각 절 전연(前緣)에 농황색 무늬가 한 쌍씩 있음. 한국에도 분포함.

어리-전 【—廛】 명 꿩·닭·오리 등을 파는 가게. 치계전(雉鷄廛).

어리-젓 명 얼간으로 담근 젓. 어리굴젓·어리뱅어젓 같은 것.

어리척척-하다 형 〈방〉 어리치칙하다.

어리쳑쳑ᄒᆞ다 형 〈옛〉 어리치칙하다. 어리석다. ¶쑴아 어리쳑쳑ᄒᆞᆫ 쑴 아 왓는 님을 보내는 것가《古時調》.

어리-치다 자 너무 심한 자극으로 정신이 흐릿해지다.

어리친 개:새끼 하나 없:다 구 아무도 얼씬하지 않다. 사람의 그림자도 없다.

어리칙칙-하다 형여불 능청스레 어리고 어리석은 체하다.

어리-칡범잠자리 [—칙—] 명 〖충〗 [*Gomphus postocularis*] 부채장수잠자릿과에 속하는 곤충. 수컷의 복부의 길이 35 mm, 암컷의 뒷날개길이 32 mm 가량임. 머리와 가슴에는 검은 털이 밀생하며, 복부는 굵고 흑색인데 제1-7절 배상(背上) 전연(前緣)과 제1-3절의 측면(側面)에는 황색 무늬가 있으며, 수컷의 제8-9절은 크고, 제9절 측면에 황색 무늬가 있음. 한국에도 분포함.

어리-코벌 명 〖충〗 [*Stizus pulcherrimus*] 구멍벌과에 속하는 곤충. 암컷의 몸길이 23 mm 내외임. 몸빛은 흑색에 담갈색의 가는 털이 밀생하며, 복배(腹背) 제1-4절의 양쪽 기부에는 황색의 불규칙한 반문, 제5절 기부 중앙에는 황색의 작은 반문이 있음. 메뚜기류를 잡아먹는데, 한국·일본·만주 등지에 분포함.

어리-하늘소 [—쏘] 명 〖충〗 하늘소붙이.

어리-호박벌 명 〖충〗 [*Xylocopa appendiculata*] 꿀벌과에 속하는 곤충. 수컷의 몸길이 20-24 mm임. 몸빛은 흑색인데, 날개는 자감색(紫紺色) 광택이 나며, 머리·가슴의 아래 쪽과 배 및 다리에는 흑색 또는 흑갈색의 긴 털이 밀생하고, 가슴과 배에는 황색 털이 밀생함. 한국·일본에 분포함. 호박벌. 웅봉(熊蜂). 준박벌.

〈어리호박벌〉

어리-화 【魚鯉畫】 명 〖미술〗 어해화(魚蟹畫) 가운데, 잉어의 그림.

어린 【魚鱗】 명 ①물고기의 비늘. ②〖군〗 어린진(魚鱗陣). ↔학익(鶴翼) ❷. ③서도(書道)에서, 필법(筆法)의 하나.

어린-것 명 〈속〉 어린아이나 어린 사람을 가볍게 이르는 말.

어린-년 명 〈비〉 나이가 어린 계집아이.

어린-놈 명 〈비〉 나이 어린 남자.

어린-눈 명 〖식〗 어린싹.

어린-대고치산누에나방 【—山—】 명 〖충〗 [*Rhodinia fugax*] 산누에나방과에 속하는 곤충. 편 날개 길이 91-117 mm이고, 몸빛은 수컷은 황갈색, 암컷은 황색임. 날개의 내외 횡선(內外橫線)은 암회갈색이고, 물결 모양이며, 중앙실(中央室) 끝에 투명한 둥근 무늬가 있음. 유충은 녹색인데, 배면(背面)에 한 쌍의 돌기가 있으며 낙엽 후에도 나뭇가지에 늘어져 있고, 우화(羽化)하자 곧 자신의 집에 산란하는 기습(奇習)이 있음. 황천나무·상수리나무·밤나무 등의 잎의 해충으로, 한국·일본 등지에 분포함.

〈어린대고치산누에나방〉

어린-도 【魚鱗圖】 명 〖책〗 [그 대장에 세분(細分)하여 기재된 토지의 모양이 어린과 비슷한 데서 나온 이름] 근세 중국의 토지 대장. 남송(南宋) 때의 일컬음. 송대(宋代)에 시작하여, 명대에 완비(完備)함. *어린도책·어린책.

어린도-책 【魚鱗圖冊】 명 〖책〗 '어린도'의 명대(明代)의 일컬음. *어린책(魚鱗冊).

어린-벌레 명 ☞애벌레.

어린-뿌리 명 〖식〗 아직 성장하지 못한 뿌리. 유근(幼根).

어린-선 【魚鱗癬】 명 〖의〗 피부가 마르고, 금이 가며 물고기 비늘처럼 되는 병. 생후 1-2년부터 나타남. 우생 유전(優生遺傳)함.

어린 소:견 【—所見】 명 ①어린 사람의 소견. ②유치한 생각.

어린-순 【—筍】 명 〖식〗 애순.

어린-싹 명 〖식〗 씨의 배(胚)의 한 부분으로, 눈이 터서 줄기나 잎이 되는 부분. 어린 눈. 유아(幼芽).

어린-아이 명 나이가 어린 아이. 소아(小兒). 유아(幼兒). 해아(孩兒). 동치(童穉). 영해(嬰孩). 유몽(幼蒙). 황구(黃口). 해제(孩提). 해제지동(孩提之童). 준어린애.

[어린아이 가진 떡도 빼어 먹겠다] 염치 없는 사람이 다라운 짓을 함을 비웃는 말. [어린아이 말도 귀담아 들어라] 어린 아이의 말도 모두 버릴 것은 아니라는 말. [어린아이 보지에 밥알 뜯어 먹기] 아주 염치가 없어서 낯간지러운 짓을 함을 욕하는 말. [어린아이와 개는 괴는 데로 간다] 어린 아이와 개는 귀여워하는 사람을 따른다는 뜻. [어린아이 자지가 크면 얼마나 클까] 분량이 일정하니 많다 한들 얼마나 많겠느냐는 말. [어린아이 예뻐 말고 겨드랑 밑이나 잡아 주어라] 아이들은 귀여워만 말고 잘 가르쳐야 한다는 말. [어린아이 팔 꺾는 것 같다] ㉠몹시 잔인한 짓을 함의 비유. ㉡아주 쉬운 일의 비유.

어린-애 명 ↗어린아이.

[어린애를 귀여워하면 코 묻은밥 얻어 먹는다; 어린애 친하면 코 묻은 밥 먹는다] 못된 사람과 친하게 지내면 제게 해롭다는 말. [어린애 매도 많이 맞으면 아프다] 조그만 손해라도 여러 번 당하면 큰 손해가 된다는 뜻. [어린애 보는 데는 찬물도 마시기 어렵다] 곧잘 남 하는 짓을 본받는 것을 나무라거나 놀리는 말. [어린애 입 잰 것] 무용지물(無用之物)의 일컬음. [어린애 젖 조르듯 한다] 몹시 졸라대어 귀찮게 군다는 말.

어린애 장난 같다 구 아이들의 장난같이 가소롭다.

어린-양¹ 명 〈방〉 어리광(경상·충청). ——-하다 자

어린-양² 【—羊】 [—냥] 명 ①〖성〗 인류의 죄를 대신 속죄한 구세주로서의 예수. ②사나운 것에 대한 유순(柔順)함, 음흉한 것에 대한 천진(天眞)스러움 등의 상징으로 쓰이는 말.

어린-이¹ 명 '어린애'를 대접하여 부르는 말. 아동(兒童).

어린이² 명 〈옛〉 어리석은 사람. ¶어린이도 브리다 ᄒᆞ니(使愚)《三略諺解 中 4》.

어린이 공원 【—公園】 명 아동 공원(兒童公園).

어린이-날 명 〖사〗 어린이들이 옳고 슬기롭고 씩씩하게 자라도록 하기 위하여 정한 날. 삼일 운동을 계기로 어린이들에게 민족 정신을 고취하기 위하여, 방정환(方定煥)을 위시한 일본 유학생 모임인 '색동회'가 주동이 되어 1923년 5월 1일을 어린이날로 정하였다가 1927년에 5월의 첫 일요일로 변경하고, 다시 1946년부터 5월 5일로 정했으며, 1975년부터 공휴일이 됨.

어린이 대:공원 【—大公園】 명 서울 성동구 능동(陵洞)에 있는 대규모의 어린이 공원. 5만 명을 수용할 수 있으며, 어린이의 교육과 보건 향상, 국민 학교의 자유 학습을 위하여, 어린이 회관·놀이 동산·교양관(敎養館)·야외 음악당(野外音樂堂)·식물원(植物園)·동물원(動物園) 등의 교양 학습장(敎養學習場)과 각종 오락 시설이 있음. 모두 21만 8천 평, 1973년 5월 5일 개원함.

어린이 도서관 【—圖書館】 명 어린이들을 위하여 베풀어 놓은 공공(公

共) 도서관의 일종. *아동 도서관.

어린이-말 명 아동어(兒童語).

어린이-밤나방 명 『충』 [*Eriopus juventina*] 밤나방과에 속하는 곤충. 편 날개 길이 32-35mm이고, 몸빛은 대체로 등황색이며, 복부와 날개는 암갈색임. 앞날개의 아기선(亞基線)과 내외 횡선(內外橫線)은 황백색, 그 가장자리는 흑색, 내횡선은 밖으로 만곡(彎曲)하고, 외횡선은 '<' 모양으로 굽음. 한국에도 분포함.

어린이 시간【一時間】명 어린이들을 위하여 방송하는 시간. ¶건전화(健全化)가 요망되는 방송의 ~ 프로.

어린이 신문【一新聞】명 ①신문사(新聞社) 등이 어린이를 위하여 발행하는 신문. ②어린이들의 손으로 편집(編輯)하여 발행(發行)하는 교내 신문(校內新聞).

어린이 십자군【一十字軍】명 『역』 소년 십자군.

어린이-옷 명 어린이가 입도록 지은 옷. 아동복. *베이비복.

어린이-용【一用】명 아동용(兒童用).

어린이의 정경【一情景】[一/一에一] 명 [도 Kinderszenen] 『악』 슈만(Schumann, R.A.)이 1838년에 작곡한 피아노 소곡집(小曲集). 이 중 제7곡 트로이 메라이(Träumerei)는 특히 유명함. 작품 15번. 모두 13곡임.

어린이 헌:장【一憲章】명 『사』 인간으로서의 어린이들의 권리와 복지를 보장해 줄 것을 어른들 전체가 서약한 헌장. 1957년 5월 5일의 어린이날에 선포했음. 아동 헌장.

어린이 헌:장비【一憲章碑】명 『지』 어린이 헌장을 새겨 세운 비. 서울의 창경원·어린이 대공원, 대구의 달성(達城) 공원과 그 밖에 여러 곳에 있음.

어린이-회【一會】명 초등학교 어린이들의 자치회. ¶~ 회장 선거.

어린-잎 [一닙] 명 새로 돋는 연한 잎. 유엽(幼葉). 눈엽(嫩葉). ¶~은 식용(食用)함.

어린 줄기 명 『식』 다 자라지 못한 줄기. 유경(幼莖).

어린-진【魚鱗陣】명 『군』 물고기의 비늘이 벌여진 형상의 진. 사람인(人)자 모양으로 중앙부가 적에 접근하여 진출한 진형임. 어린(魚鱗). ↔학익진(鶴翼陣).

〈어린진〉

어린-책【魚鱗冊】명 『책』 '어린도'의 청대(淸代)의 일컬음. *어린 도책(魚鱗圖冊).

어린 학익【魚鱗鶴翼】명 『군』 어린진(魚鱗陣)과 학익진(鶴翼陣).

어림¹ 명 ①대강 짐작으로 헤아림. ②〈방〉 어름³❶. ——-하다 타여불

[어림 반 닷곱 없는 소리 한다] 천부당만부당한 소리를 한다는 뜻.

어:림²【御臨】명 임금의 참석. 임금이 임석(臨席)함. ——-하다 자여불

어림-값 [一깝] 명 대강 짐작으로 헤아린 수치.

어림 대:이름씨【一代一】명 『언』 '부정 대명사(不定代名詞)'의 풀어쓴 이름.

어림-빗 명 〈방〉 얼레빗(충남).

어림-셈 명 대강 짐작으로 하는 셈. 개산(槪算). ¶~으로 따져도 1000만 원은 넘을 것이다. ——-하다 타여불

어림-수【一數】명 대강 짐작으로 잡은 수. 개수(槪數).

어림-없다 [一업一] 형 ①너무 많거나 커서 대강 짐작도 할 수 없다. ②일정한 의견이 없다. ③도저히 될 가망이 없다. ¶어림없는 소리 마라.

어림-없이 [一업씨] 부 어림없게.

어림-잡다 타 대강 짐작으로 헤아려 보다. ¶어림잡아서 100명은 될 것 같다.

어림-재기 명 목측(目測)·보측(步測) 등의 방법으로 무게·길이·면적 같은 것을 어림하여 재는 일.

어림-쟁이 명 일정한 의견이 없는 어리석은 사람.

어림-짐작【一斟酌】명 어림으로 친 짐작. 가량(假量). ——-하다 타여불

어림-치다 타 어림잡아서 셈하다.

어:립【御笠】명 임금이 쓰는 갓.

어립다¹ 형 〈방〉 어지럽다❶.

어립다² 형 〈방〉 어렵다(경북).

어릿-간【一間】명 말이나 소 따위를 들여 놓기 위해 사면을 에워 막은 곳.

어릿-거리다 자 말과 행동이 활발하지 않고, 생기가 없이 움직이다. ¶뒤끝이 자지러질 듯 무령하게 사그라지는 그의 말소리가, 약 사러 들어선 촌사람의 주의를 끌어 더욱 어릿거리게 한다《蔡萬植 : 濁流》. >아릿거리다. 어릿-어릿 [一릳一] 부. ——-하다 자여불

어릿-광대 명 ①정작 광대가 나오기 전에 먼저 나와서, 우습고 재미있는 언행(言行)으로 판을 어울리게 하는 사람. 피에로(pierrot). ②무슨 일에 앞잡이로 나서서 그 일을 시작하기 좋게 만들어 주는 사람. ③괘사떨며 남을 웃기는 언행을 하는 사람.

[어릿광대질한다] 성난 사람의 마음을 풀려고 짐짓 아양을 떨며 어리광 피움을 이르는 말.

어릿광대-꽃하늘소 [一쏘] 명 『충』 [*Strangalia ochraceofasciata*] 하늘솟과에 속하는 곤충. 몸길이 14-22mm, 몸은 흑갈색에 금갈색의 털이 밀생하며, 시초(翅鞘)에 넉 줄의 황갈색 가로띠가 있음. 다리는 황갈색인데 발목마디·뒷 넓적다리마디의 후반부 및 뒷종아리마디는 흑색임. 유충은 소나무류의 해충으로, 한국에도 분포함.

어릿광대-춤 명 어릿광대가 추는 춤. 또, 탈을 쓰고 우스운 몸짓으로 추는 춤.

어릿-광이 명 〈방〉 얼뜨기(평안).

어릿-대다 자 어릿거리다.

어릿-보기 명 눈의 굴절 이상(屈折異常)의 상태. 난시(亂視).

어릿보기-눈 명 『생』 어릿보기인 눈.

어릿-하다 형여불 혀 끝이 몹시 쓰리고 따갑다. >아릿하다.

어링 호【一湖】[鄂陵] 명 『지』 중국 칭하이 성(靑海省) 중부(中部)의 담수호(淡水湖). 동쪽에 위치한 자링 호(札陵湖)와 함께 황하(黃河)의 수원(水源)을 이룸. 악릉호. [645 km²]

어르다 타 〈옛〉 희롱하다. ¶겨집을 도적ᄒᆞ여 어ᄅᆞ노라(偸弄媳婦)《朴解 上 32》.

어ᄅᆞ문지다 타 〈옛〉 어루만지다. ¶두 아ᄃᆞᆯ을 어ᄅᆞ문지며 울거늘(撫二子而泣)《五倫 Ⅲ:38》.

어룸 명 〈옛〉 얼음. ¶어룸의 마킨 물 여흘 ᄋᆡ셔 우니ᄂᆞᆫ ᄃᆞᆺ《古時調 鄭澈》.

어:마¹【御馬】명 임금이 타는 말.

어:마²【馭馬】명 말을 어거함. ——-하다 자여불

어마³ 감 ↗어마나. <어머.

어마나 감 끔찍할 때 또는 깜짝 놀라서 내는 소리. <어머나.

어마니 명 〈방〉 어머니(전남).

어마님 명 〈옛〉 어머님. ¶어마님 드르신 말(維母所聞)《龍歌 90章》/ 어마님 그리신 눖므를(懷母悲涕)《龍歌 91章》.

어마-뜨거라 감 매우 무섭거나 꺼리는 것을 만났을 때 지르는 소리. ¶그 말이 뉘 명이라 능히 거역할 수 있으리요? 조금만 잘못하면 낙사(落仕)나 될까, ~ 하고 뜰뜰 굴러서 그 말끝이 채 떨어지기 전에…《崔瓚植 : 桃花園》.

어마-마마【一媽媽】명 〈궁중〉 임금이나 왕자가 그 어머니를 부르는 말.

어마어마-하다 형여불 엄청나고 굉장하고 장엄하다. 준어마하다.

어마이 명 〈방〉 어머니(함경·전라).

어마지두에 부 무섭고 놀라워서 정신이 얼떨떨한 판에. ¶~ 승락하고 말았다.

어마-하다 형여불 ↗어마어마하다.

어막【魚幕】명 고기잡이하는 데 이용하려고 물가에 지은 막.

어만¹ 명 〈방〉 어머니.

어만² 관 〈방〉 애먼(경상).

어만-님 명 〈방〉 어머님(경상·함경).

어-만두【魚饅頭】명 민어·숭어 등의 살을 얇고 넓게 저민 조각에다 보통 만두의 소 같은 것을 넣고, 둘로 접어 붙여 반달 모양으로 만든 다음, 갈분(葛粉)이나 녹말을 묻히어 끓는 물에 익힌 음식.

어:말【語末】명 『언』 말의 끝. 단어의 끝. 「오는 문법 요소.

어:말 어:미【語末語尾】명 어미, 특히 활용 어미에 있어서 최종 위치에

어:말-음【語末音】명 『언』 한 단어의 끝에 놓이는 음. 이를테면 '이름'에서 'ㅁ' 등. *어두음(語頭音)·어중음(語中音).

어망【魚網·漁網】명 물고기를 잡는 그물.

어망-계【漁網契】명 고기 잡는 그물을 장만하기 위한 계.

어망-선【魚網船】명 그물을 가지고 물고기를 잡는 배.

어망-추【漁網錘】명 『고고학』 그물추(錘).

어망 홍리【魚網鴻離】[一니] 명 물고기를 잡으려고 쳐 놓은 그물에 큰 새가 걸린다는 뜻으로 구하는 것이 아닌 딴 것을 얻을 때 이르는 말.

어매¹ 명 〈방〉 어머니(경상·함경·전라).

어:매²【御妹】명 임금의 누이.

어:맥【語脈】명 『언』 말과 말의 유기적인 관련.

어:-맹【語孟】명 《논어(論語)》와 《맹자(孟子)》를 아울러 일컫는 말.

어머 감 ↗어머나. >어마.

어머나 감 끔찍할 때 또는 놀랐을 때 여자가 흔히 쓰는 말. >어마나.

어머니¹ 명 ① 자기를 낳은 여성. 모친(母親). 자친(慈親). 아모(阿母). ¶우리 ~는 시골에 사신다. *자당(慈堂). ②자녀를 가진 부인을 자녀에 대한 관계로 이르는 말. ¶앞에 영호 ~가 걸어가고 계시다. ③자녀 이름 뒤에 붙여, 자기 아내를 부르거나 가리키는 말. ¶여보, 철수 ~. 1)-3) : ↔아버지. ④무엇이 생겨난 근본. ¶필요는 발명의 ~.

[어머니 다음에 형수] 형수는 그 집안 살림을 꾸려 나가는 데 어머니 다음의 위치를 차지한다는 말.

어머니² 명 [러 Mat'] 『책』 고리키의 장편 소설. 1908년에 발표. 무지(無知)와 인종(忍從)으로 살아온 한 어머니가 노동자이며 혁명 투사인 아들의 영향으로 차차 계급 의식이 성장하여 가는 과정을 묘사하면서, 러시아의 혁명적 노동 운동을 그렸음.

어머니 교:실【一教室】명 어린이 교육에 필요한 교양을 어머니에게 부여하기 위하여 베푸는 사회 교육 조직.

어머니-날 명 [mother's day] 『사』 어머니를 위하여 제정한 날. 1913년 미국 필라델피아 교회에서 시작하여 전세계에 퍼져 연중(年中) 행사로서, 어머니의 사랑을 찬미·존경·추모(追慕)·감사하는 날임. **이날, 어머니가 생존해 있는 사람은 빨간 카네이션을 어머니가 없는 이는 흰 카네이션을 가슴에 다는 관례(慣例)가 있음.** 원은 5월의 둘째 일요일이던 것을 우리 나라에선 5월 8일로 정하였다가 1974년부터 어머니날은 폐지하고 어버이날로 정하였음.

어머-님 명 '어머니'의 경칭.

어머-머 감 '어머'의 힘줌말. ¶~ 걔가 그렇게 시집을 잘 갔어?

어머양 명 〈방〉 어머니(강원).

어머이 명 〈방〉 어머니(경상).

어먹오라비 명 〈옛〉 외숙(外叔). ¶사돈짓 어먹오라비(親家舅舅)《老乞 下 31》.

어먼 관 〈방〉 애먼(경상).

어멈 명 ①어머니의 낮춤말. ②윗사람이 자식 있는 며느리나 딸 등을 친근하게 일컫는 말. ¶얘, ~아. ③자식 있는 남자가 웃어른에게 '자기 아내'를 낮추어 일컫는 말. ¶~은 곧 도착할 겁니다. ④남의 집에서 심부름하는 여자를 대접하여 일컫던 말. ¶행랑 ~. 1)-4) : ↔아범.

어멍 명 〈방〉 어머니(제주).

어멍이 명 〈방〉 어머니(강원·전북·경남).

어메 명 〈방〉 어머니(경북).

어메이 산【一山】[峨眉] 명 『지』 중국 쓰촨 성(四川省) 서부에 있는

산. 중국 사대 명산(四大名山)의 하나임. 암동 영굴(岩洞靈窟)이 많고 우심(牛心)·복호(伏虎)·만년(萬年) 등 저명한 사적(史蹟)이 있으며, 피서지로서 알려짐. [3,092 m]

어:면-순【禦眠楯】명〖책〗조선 중종(中宗) 때 송세림(宋世琳)이 지은 음담 패설집. 송인(宋寅)이 엮었다는 ≪고금 소총(古今笑叢)≫에 실리어 있음.

어:명¹【御名】명 임금의 이름. 어휘(御諱). 왕명(王名).

어:명²【御命】명 임금의 명령. 어령(御令). 왕명(王命).

어:명-산【御明山】명〖지〗함경 북도 부령군(富寧郡)과 회령군(會寧郡) 사이에 있는 산. [1,031 m]

어:모¹【御貌】명 임금의 용모.

어:모²【禦侮】명 외모(外侮)를 방어(防禦)함. ——-하다 타여불

어:모 교:위【禦侮校尉】명〖역〗고려 때 종팔품의 상(上) 무관(武官)의 관계(官階). 어모 부위(副尉)의 위, 선절부위(宣折副尉)의 아래임.

어:모 부:위【禦侮副尉】명〖역〗고려 때 종팔품의 하(下) 무관(武官)의 관계(官階). 인용 교위(仁勇校尉)의 위, 어모 교위의 아래임.

어:모 장군【禦侮將軍】명〖역〗조선 시대 정삼품 당하관(堂下官)의 무관(武官) 품계. *절충(折衝) 장군.

어모:퍼스〔amorphous〕명 비정질(非晶質). 결정(結晶)처럼 원자(原子)가 규칙적으로 배열되어 있지 않고 무질서한 상태로 있는 고체 물질.

어모:퍼스 태양 전:지【一太陽電池】명〔amorphous solar cell〕비정질(非晶質)의 실리콘 반도체(半導體)를 사용한 태양 전지. 250°C 정도의 가공 온도로 족하고, 반도체의 두께가 극히 얇아도 되므로, 낮은 코스트로 대량 생산할 수 있음.

어모:퍼스 합금【一合金】〔amorphous〕명 어모퍼스 상태의 합금(合金). 융체 초급냉법(融體超急冷法)에 의해서 만들 수 있음.

어목¹【魚目】명 ①물고기의 눈. 어안(魚眼). ②↗어목 연석.

어목²【漁牧】명 ①어렵(漁獵)과 목축. ②어부(漁夫)와 목자(牧者).

어목-선【魚目扇】명 흰 뼈로 사북을 박은 쥘부채.

어목 연석【魚目燕石】[一년一] 명〔물고기의 눈과 연산(燕山)(중국의 산 이름)서 나는 돌은 구슬 같으면서도 가치는 매우 떨어진다는 뜻에서〕사이비(似而非) 사물. 가짜. 준어목.

어목-장【於穆章】명〖악〗오목장(於穆章)의 잘못.

어목-창【魚目瘡】명〖의〗온 몸에 생선의 눈과 같은 부스럼이 나는 병. 정로창(征虜瘡).

어-몽(:)룡【魚夢龍】[一뇽] 명〖사람〗조선 시대의 화가. 자는 견보(見甫), 호는 설곡(雪谷) 또는 설천(雪川). 함종(咸從) 사람. 선조(宣祖) 37년(1604) 진천 현감(鎭川縣監)을 지냄. 매화를 잘 그렸는데, 당시 탄은(灘隱)의 '대', 영곡(影谷)의 '포도'와 함께 삼절(三絕)로 꼽힘. 작품 ≪묵매도(墨梅圖)≫. [1566-?]

어무니 명〈방〉어머니(전남·경기·충남·경남).

어무르다 형〈방〉헤무르다.

어:-무상론【語無常論】[一논] 명〖철〗개념 또는 관념의 항상성(恒常性)을 부정(否定)하는 인도 철학의 한 체계. 어상주론자(語常主論者)가 말의 개념이나 관념으로서의 면(面)에 치중하는 철학론인 데 대립하여, 어무상론자들은 사람의 귀에 들리는 말의 물리적·표면적인 면을 특히 강조하였음. 성무상론(聲無常論). ↔어상주론(語常主論).

어:-무윤척【語無倫脊】명 말이 차례와 줄거리가 없음. ¶거칠 것 없는 계집의 육담(肉談)에 기가 죽은 최가는 ~으로 어루꾀는데… ≪金周榮 : 客主≫. ——-하다 형여불

어무으 명〈방〉어머니(전남·경상).

어무이 명〈방〉어머니(경상·전라).

어무-집 명〈방〉친정(함경).

어-묵【魚一】명 생선의 살을 뼈째 으깨어 소금·녹말·미림(味淋) 등을 섞고 나무판에 올려 쪄서 익힌 식품(食品). *생선묵튀김.

어문¹【魚文】명 물고기의 모양을 나타낸 문양(文樣). 특히, 물고기의 비늘 무늬.

어:문²【語文】명 말과 글.

어:문 운:동【語文運動】명 언어와 문자를 지키고 키워나가기 위한 사회적 활동.

어:문 일치【語文一致】명 언문 일치(言文一致).

어:문-학【語文學】명 어학과 문학.

어:물¹【御物】명 임금이 쓰는 물건.

어물²【魚物】명 ①물고기. ②가공(加工)하여 말린 해산물.

어물-거리다 자 언행을 모호하게 하다. 어물-어물 부. ——-하다 자여불

어물다 형 사람의 성질이 여무지지 못하다.

어물-대다 자 어물거리다.

어물-상【魚物商】[一쌍] 명 어물을 거래하는 장사. 또, 그 장수.

어물어-빠지다 형 몹시 어물다.

어물-전【魚物廛】명〖역〗어물을 파는 가게. 내어물전(內魚物廛)과 외어물전(外魚物廛)의 구별이 있음. *육주비전(六注比廛).

[어물전 떠엎고 꼴뚜기 장사한다] 큰 사업에 실패하고 작은 사업을 시작하였을 때 이르는 말. [어물전 망신은 꼴뚜기가 시킨다] 못난 자일수록 동료(同僚)를 망신시킨다는 말.

어물-점【魚物店】명 어물을 파는 가게. *어물전(魚物廛).

어물쩍 부 말이나 행동을 일부러 슬쩍 넘기는 모양. ¶모르는 척 ~ 넘기다. ——-하다 자타여불

어물쩍-거리다 자타 꾀를 쓰느라고 말이나 행동을 모호하게 하다. 어물쩍-어물쩍 부. ——-하다 자타여불

어물쩍-대다 자타 어물쩍거리다.

어물쩡-하다 형〈방〉어벌쩡하다.

어뭉이 명〈방〉어머니(경상).

어뮤:즈먼트〔amusement〕명 오락(娛樂). 위안(慰安). 즐거움.

어믜〈옛〉어머니의. '엄³'의 소유격형. ¶지비 가난ᄒᆞ니 어믜 恩惠를 울워렛ᄂᆞ니라(家貧仰母慈)≪杜諺 Ⅷ:47≫.

어믜겨집동싱 명〈옛〉이모. ¶어믜겨집동싱(姨姨)≪老乞 31≫.

어믜겨집동싱의 남진 명〈옛〉이모부(姨母夫). ¶어믜겨집동싱의 남진(姨夫)≪老乞 下 31≫.

어믜 오라븨 겨집 명〈옛〉외숙모. ¶어믜 오라븨 겨집(妗子)≪老乞 下 31≫.

어믜오라비 명〈옛〉외숙(外叔). ¶어믜오라비(舅舅)≪老乞 31≫.

어믜 오라븨 겨집 명〈옛〉외숙모. ¶어믜 오라븨 겨집(妗)≪四解 下 72≫.

어미¹ 명 ①〈옛〉어머니. ¶아비 죽고 어미를 셤기되(喪父奉母)≪五倫 Ⅰ:62≫. ②〈옛〉계집아이. ¶어미 나ᄒᆞᆫ ᄀᆞ외오(孃生袴子)≪金三 Ⅱ:61≫ / 어미 냥(孃)≪字會 上 31≫. ③〈속〉어머니의 낮춤말. *에미. ④자식 있는 남자가 부모나 장인·장모에게 자기 아내를 가리키는 말. ⑤여자가 장성한 자녀에게 자기 자신을 가리키는 말. 1)·3)·4)·5) : ↔아비. ⑥새끼를 낳은 암짐승. ¶ ~소.

[어미 모르는 병 열두 가지를 앓는다] 어미도 자식 속을 다 알지 못한다는 말. [어미 본 애기, 물 본 기러기] 언제 만나도 좋기만 한 사람을 보고 기뻐함을 이르는 말. [어미 잃은 송아지] 의지할 곳이 없어진 사람을 가리키는 말. [어미 팔아 동무 산다] 사람은 누구나 친구가 있어야 한다는 말. [어미한테 한 말은 나고 소한테 한 말은 안 난다] 아무리 친한 사이에도 비밀은 지켜지지 않는다는 말.

어미²〈옛〉움이. '엄²❷'의 주격형(主格形). ¶豐盛ᄒᆞᆫ 어미 또 ᄒᆞ마 하니(豐苗亦已穊)≪杜諺 Ⅶ:35≫.

어미³【魚米】명 물고기와 쌀. 농촌과 어촌의 수확을 이름.

어:미⁴【御米】명〖식〗앵속자(罌粟子).

어미⁵【魚尾】명 ①물고기의 꼬리. ②서지학에서 판심(版心)의 중봉(中縫)을 중심으로 하여 ⌣와 같은 물고기의 꼬리형이 인각(印刻)되어 있는 것을 이름. 이 어미가 흰 바탕인 것을 백어미(白魚尾), 검은 바탕인 것을 흑어미(黑魚尾), 판심의 상단에 있는 것을 상어미(上魚尾), 그 하단에 있는 것을 하어미(下魚尾), 그 위와 아래에 있는 것을 상하 어미(上下魚尾)라 함. 상하 어미가 서로 마주 보고 있는 것, 곧 상어미는 아래쪽, 하어미는 위쪽으로 향하고있는 것을 상하 내향 어미(上下內向魚尾), 또는 내향 어미라 일컬음. 어미가 여럿이 있어 삼어미(三魚尾), 사어미(四魚尾), 또 화문(花紋)이 있는 것을 화문 어미, 화문의 수에 따라 이엽 화문 어미(二葉花紋魚尾), 삼엽 화문어미라 일컬음. 어미는 책의 간행 연대를 추정하는 데 있어서 그 일부를 도움.

어미⁶【魚味】명 물고기의 맛.

어:미⁷【語尾】명 ①말의 끝 부분. ↔어두(語頭). ②〖언〗용언의 어간 밑에 붙어서 경우에 따라 여러 가지로 활용되는 부분. '먹다'·'먹고'·'먹으면'·'먹음'에서 '-다'·'-고'·'-으면'·'-음' 같은 것. 문법적 직능(職能)에 의하여, 연결(連結) 어미·전성(轉成) 어미·종결(終結) 어미로 구분함. 씨끝. 끝. ↔어간(語幹).

어미 그루 명〖농〗뿌리를 가지고 있는 주되는 그루.

어미-금 명 모선(母線).

어미-나무 명 식물(植物) 재배의 근원이 되는 종자를 산출하는 나무. 모수(母樹).

어미네 명〈방〉여편네(평안).

어미-벌레 명〖충〗엄지벌레.

어:미 변:화【語尾變化】명〖언〗어미가 그 경우를 따라서 여러 가지로 바뀌는 현상. 씨끝 바꿈. 끝바꿈. 활용(活用).

어미-자¹ 명〖수〗아들자에 대하여 고정(固定)되어 있는 자. 주척(主尺). ↔아들자.

어미-자²【一字】명〖인쇄〗자모(字母).

어미-젖 명 모유(母乳).

어:미-죽【御米粥】명 양귀비의 씨를 죽력(竹瀝)에 탄 다음에 멥쌀을 넣고 쑨 죽.

어민¹【漁民】명 어업에 종사하는 사람. 어부(漁夫).

어:민²〔ermine〕명〖동〗①[*Mustela erminea*] 족제빗과에 속하는 짐승. 족제비와 비슷한데, 몸길이 25 cm, 꼬리 7-12 cm 이고, 몸빛은 순백색에 꼬리의 후반부는 흑색임. 하모(夏毛)는 몸의 상면은 갈색, 하면은 백색인데 특히 동모(冬毛)는 매우 부드럽고 광택이 나며 피질(皮質)이 강함. 이 모피(毛皮)는 양질(良質)·고가(高價)로 의식(儀式)의 장식·예복(禮服)에 씀. 유럽·아시아 북부·북미(北美) 등지에 분포함. ②어민의 모피.

〈어민²❶〉

어민-아이 명〈방〉딸.

어민 콜호:스【漁民一】〔러 kolkhoz〕명〖사〗구 소련의 콜호스의 하나. 어업이 국가 기업 또는 집단적으로 행하여짐.

어쎄라 형〈옛〉없어라. 없구나. '없다'의 활용형. =어쓰새라. ¶아바님도 어싀어신 마ᄅᆞᄂᆞᆫ 위 덩더둥셩 어마님ᄀᆞ티 괴시리 어쎄라 아소 님하 어마님ᄀᆞ티 괴시리 어쎄라≪鄕樂 思母曲≫.

어쓰새라 형〈옛〉없어라. 없구나. '없다'의 활용형. =어쎄라. ¶호미도 ᄂᆞᆯ히어신 마ᄅᆞᄂᆞᆫ 낟ᄀᆞ티 들리도 어쓰새라≪鄕樂 思母曲≫.

어씨 부〈옛〉없이. ¶바늘도 실도 어씨≪樂範 處容歌≫. *업시.

어박【魚粕】명 기름을 짜고 남은 물고기의 찌꺼기. 비료나 사료로 씀.

어반【於半】명 ↗어상반(於相半). ——-하다 형여불

어방 명〈방〉어림¹❶(평안). ——-하다 타여불

어배이 명 〈방〉 어버이(경북).
어백【魚白】명 이리[1].
어:백-랑【御伯郞】[—낭] 명〖역〗신라 때 어룡성(御龍省)의 한 벼슬. 경덕왕(景德王) 때 봉어(奉御)로, 선덕왕(宣德王) 때 경(卿)으로 하였다가 뒤에 감(監) 등으로, 여러 번 고침. ＊치성(稚省).
어:-백미【御白米】명 임금에게 바치던 흰 쌀. 왕백(王白).
어:버니즘 [urbanism] 명 도시적인 환경에서 만들어지는 인간의 행동 양식 일반을 말함. 농촌적 환경에서의 행동 양식과 대비하였을 때의 정도 개념(程度槪念)으로, 이념형(理念型)으로서 파악된 용어.
어버리 명 〈방〉 웅어리.
어버리-크다 형 ☞ 대담하다.
어버시 명 〈옛·방〉 어버이(강원·함경). ¶어버시도 不孝ᄒᆞ며《七大 21》.
어버ᅀᅵ 명 〈옛〉 어버이. =어ᅀᅵ·어이. ¶어버ᅀᅵ롤 일흔ᄃᆞᆺᄒᆞ니라《月序 16》/어버ᅀᅵ 이바도ᄃᆡ 오직 져고맛 위안ᄒᆞ로 ᄒᆞᄂᆞ다(恭親唯小園)《初杜諺 XXI:33》.
어버이 명 아버지와 어머니를 아울러 일컫는 말. 부모(父母).
어버이-날 명 조상(祖上)과 어버이에 대한 은혜를 헤아리고, 어른과 노인에 대한 존경과 보호를 하기 위하여 제정한 날. 5월 8일. '어머니날'을 1974년부터 개칭하였음.
어벅새 명 〈방〉 억새(경북).
어벌쩡-하다 타여불 엉너리를 부리어 얼김에 남을 속여 넘기다. 「우리를 따돌려 세우려는 꾀로 같이 떠난다고 어벌쩡하다가 기집의 집에 가서 드러누웠는지 누가 아우?《洪命憙: 林巨正》.
어벌-크다 형 〈방〉 대담하다.
어법[1]【漁法】[—뻡] 명 어개류(魚介類)를 잡는 방법. 어망법(漁網法)·조어법(釣漁法) 등.
어:법[2]【語法】[—뻡] 명 ①말의 분간이 있고 선후(先後)가 있는 태도. ②〖언〗말의 결합·작용에 관한 법칙. 언어의 표현이나 이해(理解)를 위하여 내재(內在)하는 관용적(慣用的) 법칙. 어격(語格). 말법. ＊말본·문법(文法).
어:법-학【語法學】[—뻡—] 명 문법학(文法學).
어벙벙-하다 형여불 ↗어안이 벙벙하다. 「승길이는 말뜻을 잘 알 수 없어 어벙벙한 낯을 지었다《康信哉: 琉璃의 덫》.
어변 성룡【魚變成龍】[—농] 명 물고기가 변하여 용이 된다는 말로, 아주 곤궁하던 사람이 부귀(富貴)하게 된다는 뜻.
어별【魚鼈】명 ①물고기와 자라. ②해산 동물의 총칭. 어룡(魚龍).
어보[1]【魚譜】명 ①어류(魚類)에 관하여 계통과 순서를 따라 기술하고 유집(類集)한 책. ②〖책〗어개류(魚介類)와 해초(海草)의 이름을 적은 책. 정약전(丁若銓)의 《자산 어보(玆山魚譜)》와 김노(金鑪)의 《우해 이명보(牛海異名譜)》의 합본임. 1책.
어:보[2]【御寶】명〖역〗왕의 옥새(玉璽)와 옥보(玉寶). 국새(國璽). ㊟보(寶).
어:보[3]【語—】명 ☞ 말보.
어복[1]【於腹】명 바둑판에서, 천원(天元)을 중심으로 한 중심 지역의 일컬음. 참고 한자로 '魚腹'으로도 씀.
어:복[2]【御卜】명 오로지 임금의 점만을 치는 점쟁이.
어:복[3]【御服】명 임금이 입는 옷.
어복[4]【魚服·魚箙】명 물고기의 껍질을 입힌 전통(箭筒).
어복[5]【魚腹】명 ①물고기의 배. ②〖생〗장딴지. ③어복(於腹).
어복에 장:사(葬事) 지:내다 구 물에 빠져 죽다. 또, 물에 빠뜨려 죽게 하다. 또, 사람을 죽여서 물 속에 던져 버리다.
어복 고혼【魚腹孤魂】명 물에 빠져 죽은 외로운 넋.
어복 장:국【—醬—】[—꾹] 명 평안도식 음식의 한 가지. 소반만한 큰 쟁반에 국수 만 것을 사람의 수효대로 벌여 놓고, 쟁반 한 가운데에 편육을 담은 그릇을 놓고, 여럿이 둘러앉아서 먹음.
어복 쟁반【—錚盤】명 어복 장국을 담은 쟁반.
어복-점【於腹點】명 ①배꼽점[2]. ②배꼽점에 놓인 바둑.
어복-포【魚腹脯】명 어복(魚腹)의 살로 뜬 포.
어복포(가) 되다 구 아주 수가 나다.
어:본【御本】명 천자(天子)의 장서(藏書).
어봉-산【魚鳳山】명〖지〗경상 북도 의성군(義城郡)과 청송군(青松郡) 사이에 있는 산. [634 m]
어:부[1]【御府】명 임금의 물건을 넣어 두는 곳집.
어부[2]【魚符】명〖역〗중국 당(唐)나라 때 발병(發兵)·징발(徵發)·주부 장관(州部長官) 교체(交替) 등의 신표로 또는 귀천(貴賤)을 분별하고 소명(召命)에 응할 때의 표로서 내어주는 물고기 모양의 부신(符信). 어대(魚袋)에 넣어 몸에 지님.
어부[3]【漁夫】명 물고기를 잡는 일을 업으로 하는 사람. 어사(漁師). 고기잡이.
어부[4]【漁父】명 물고기를 잡는 사람. ＊어옹(漁翁).
어부-가【漁父歌】명〖문〗악장 가사(樂章歌詞)에 실려 있는 고려 가사의 하나. 모두 12장. 장마다 '배떠라기'의 후렴이 붙은 칠언 한시(七言漢詩)로, 고려 충목왕(忠穆王) 이전의 작품으로 추측됨.
어부-계【漁夫契】명〖역〗관아에 어물(魚物)을 공물로 바치던 계.
어부러-먹다 타 〈방〉 나누어 먹다(함경·경상).
어부럼 명 〈방〉 사이(함경).
어부레미 명 〈방〉 사이(함경).
어부르다 타 〈방〉 어우르다(경상).
어부름 명 〈방〉 어름(경상).
어부-림【魚付林】명 어군(魚群)을 유도할 목적으로 해안(海岸)·호안(湖岸)·강안(江岸) 등지에 나무를 심어 이룬 숲.
어부바 감 어린아이가 업어 달라는 뜻을 표하는 말. 또, 어린아이에게 업히라고 부르는 소리. ㊟부바. ——-하다 자타여불 〈소아〉 업다. 업히다.
어부-사[1]【漁父詞】명 ①〖악〗조선 시대 12 가사(歌詞)의 하나. 백발 어옹(白髮漁翁)의 즐거움을 그린 내용으로 고려 가사 어부가를 이현보(李賢輔)가 개작한 것임. 크게 다섯 가지 형태의 가락으로 되풀이하여 불림. 6 박 1 장단. ②〖문〗어부 사시사(漁父四時詞).
어부-사[2]【漁父辭】명〖문〗중국 초(楚)나라 굴평(屈平)이 지은 글. 고문 진보 후집(古文眞寶後集)에 수록되었음. 산문(散文)인데, 굴평의 처세관이 굴평과 어부와의 문답 형식으로 표현되었음.
어부 사:시사【漁父四時詞】명〖문〗조선 효종(孝宗) 2년(1651)에 윤선도(尹善道)가 지은 연형 시조(連形時調). 춘·하·추·동 각 10수씩 모두 40수로, 강촌(江村)의 어부 생활을 읊은 것이며, 어부가(漁父歌)를 참작하여 지었음. 《고산 유고(孤山遺稿)》에 실려 전함. 어부사(漁父詞).
어-부슴【魚—】명 음력 정월 보름날, 그 해의 액막이를 위하여 조밥을 강물에 던지어 고기가 먹게 하는 일. ——-하다 자여불
어부심 명 ☞ 어부슴. ——-하다 자여불
어부이 명 〈방〉 어버이(경남).
어부지-리【漁父之利·漁夫之利】명 [도요새와 방합(蚌蛤)이 다투는 틈을 타서 어부가 둘 다 잡았다는 《전국책(戰國策)》의 연책(燕策)의 고사(故事)에서] 쌍방이 싸우는 틈을 이용하여 제삼자가 애쓰지 않고 가로챈 이득. 어인지공(漁人之功). ㊟어리(漁利). ＊방휼지쟁(蚌鷸之爭)·견토지쟁(犬兎之爭).
어부지-용【漁父之勇】명 [어부는 물 속에서는 무서워하지 않는 데서] 체험(體驗)에서 얻은 용기를 이름. 오랜 경험에서 체득(體得)한 결단(決斷)·기력(氣力).
어부-한【漁夫干】명 〈속〉 어부(漁夫). 어부한이.
어부-한이【漁夫干—】명 〈속〉 어부한(漁夫干).
어분【魚粉】명 어개류(魚介類)를 찌거나 말려서 가루로 만든 것의 총칭. 비료·사료·식료품으로 쓰임. 고깃가루. 피시 밀(fish meal).
어분 제:조기【魚粉製造機】명 건조 어체(魚體)를 가루로 짓빻아 어분을 제조하는 기계.
어분 족의【於分足矣】[—/—이] 명 자기 분수에 만족함.
어:-불근:리【語不近理】[—글—] 명 말이 이치에 맞지 않음.
어불-도【於佛島】[—또] 명〖지〗전라 남도의 남해상(南海上), 해남군(海南郡) 송지면(松旨面) 어란리(於蘭里)에 위치한 섬. [0.66 km²:337명(1984)]
어:-불성설【語不成說】[—썽—] 명 말이 조금도 이치에 맞지 아니함. ㊟불성설(不成說).
어불쩡-하다 타 ☞ 어벌쩡하다.
어:-불택발【語不擇發】명 말을 가리지 아니하고 함부로 함. ——-하다 자여불
어:붓-딸 명 ☞ 의붓딸.
어:붓-아달 [—붇—] 명 ☞ 의붓아들.
어:붓-아들 [—붇—] 명 ☞ 의붓아들.
어:붓-아버지 [—붇—] 명 ☞ 의붓아버지.
어:붓-아비 [—붇—] 명 ☞ 의붓아비.
어:붓-어머니 [—붇—] 명 ☞ 의붓어머니.
어:붓-어미 [—붇—] 명 ☞ 의붓어미.
어:붓-자식【—子息】명 ☞ 의붓자식.
어비[1] 명 〈옛〉 아비. ¶어비 아ᄃᆞ리 사ᄅᆞ시리잇가(父子其生)《龍歌 52章》.
어:비[2] 명감 〈소아〉 에비.
어:비[3]【御批】명 임금이 친히 정사(政事)를 처리함. 또, 임금이 열람·처리한 문서. ——-하다 자여불
어비[4]【魚肥】명〖농〗유기질(有機質) 비료의 하나. 생선의 기름을 짜고 남은 찌기와 생선 가루로서, 질소(窒素)와 인산(燐酸)이 풍부하여 밑거름으로 쓰면 좋음.
어비-딸 명 아버지와 딸.
어비몬 명 〈옛〉 족장(族長). =어비몬내. ¶깂ᄀᆞ새 울며 어비몬 ᄭᅴ 발괄ᄒᆞ거든《三綱 孝子 23》.
어비몬내 명 〈옛〉 족장(族長). =어비몬. ¶즉자히 나랏 어비몬내롤 모도아 니ᄅᆞ샤ᄃᆡ《釋譜 VI:9》.
어비슴 명 〈방〉 어부슴. ——-하다 자
어비-아들 명 아버지와 아들.
어비아돌 명 〈옛〉 어비아들. 부자(父子). ¶어비 아ᄃᆞ리 사ᄅᆞ시리잇가(父子其生)《龍歌 52章》.
어:비 역대 통감 집람【御批歷代通鑑輯覽】[—남] 명〖책〗통감 집람(通鑑輯覽).
어:빈 [Ervine, St. John Greer] 명〖사람〗아일랜드의 극작가·소설가. 왕립 문학 협회의 교수를 지냄. 극작에 《제인 클레그(Jane Clegg)》·《존 퍼거슨(John Ferguson)》·《로버트의 아내》, 소설에 《멋대로 구는 남자》·《어리석은 연인들》 등이 있음. [1883-1971]
어빌리티 [ability] 명 능력. 재능.
어:빙[1] [Irving, Henry] 명〖사람〗영국의 배우·연출가. 셰익스피어의 연속 상연에 의해 명우(名優)로 칭송받음. 엘렌(Ellen, A.T.)과 함께 극단을 조직, 영국 극단의 사회적 지위와 지적 수준을 높임. 1895년 배우로서는 처음으로 나이트 작위(爵位)를 받음. [1838-1905]
어:빙[2] [Irving, Washington] 명〖사람〗미국의 작가(作家). 풍자문 《뉴욕사(史)》를 내어 문명(文名)을 인정받음. 영국에 건너가 Geoffrey Crayon이란 필명(筆名)으로 립 밴 윙클(Rip Van Winkle)이 포함된

≪스케치 북(Sketch Book)≫ 등을 발표하였으며, 미국 대사관원으로 스페인에 머물면서 여러 작품 활동을 통하여 미국 문학을 최초로 유럽에 소개, 로맨티시즘을 기조(基調)로 하는 많은 수필·전기(傳記) 등을 씀. ≪워싱턴전(傳)≫은 만년(晩年)의 대저임. [1783-1859]
어빡-자빡 [부] 포갠 것이 한결같지 않은 모양. ——하다 [형][여불]
어빡-저빡 [부] ☞ 어빡자빡. ——-하다 [형][여불]
어빨빨-하다 [형] 〈방〉 어렴풋하다(함경).
어뿔까 [감] 〈방〉 어뿔싸(경상).
어뿔깡 [감] 〈방〉 어뿔싸(경상).
어뿔꺼 [감] 〈방〉 어뿔싸(경상).
어뿔싸 [감] 잘못된 일을 깨닫고 크게 뉘우칠 때 내는 소리. ㅆ허뿔사. > 아뿔싸.
어뿔쌍 [감] 〈방〉 어뿔싸(경상).
어:사[1]【御史】[명]〖역〗①왕명(王命)으로 특별한 사명을 띠고 지방에 파견되는 임시직 관리. 호패(號牌) 어사·감진(監賑) 어사·암행 어사 등 여러 가지가 있었음. ②↗암행 어사.
어:사[2]【御使】[명] ①임금의 심부름꾼. ②당상관(堂上官)인 어사(御史).
어:사[3]【御事】[명] ①〖역〗 고려초의 육관(六官)의 으뜸 벼슬. 성종(成宗) 원년(982)에 설치하여 14년에 상서(尙書)로 고침. ②고려 때 서경(西京)의 속관(屬官)으로, 성종 9년(990)에 두었던 수서원(修書院)의 으뜸 벼슬.
어:사[4]【御射】[명] 임금이 활을 쏨. ——-하다 [자][여불]
어사[5]【魚肆】[명] 생선 가게.
어:사[6]【御賜】[명] 임금이 금품(金品)을 내림. ¶~검(劍). ——-하다 [타][여불]
어:사[7]【語史】[명]〖언〗 한 언어의 기원(起源)·뜻·용법(用法)의 변천(變遷) 등을 기록한 역사. 어지(語誌).
어사[8]【漁師】[명] 어부(漁夫).
어:사[9]【語絲】[명]〖문〗 중국의 신문학 초기에 나온 주간 잡지. 1924년 11월 17일 북신 서국(北新書局) 발행으로 창간되어, 루 쉰(魯迅)·저우 쭤런(周作人)·첸 쉬안퉁(錢玄同)·린 위탕(林語堂)·류 푸(劉復)·구 제강(顧頡剛)·위 핑보(兪平伯)·펑 원빙(馮文炳) 등이 집필하였음. 1931년 1월, 156기(期)로 휴간됨.
어:사[10]【語詞】[명] ①말. 언사(言詞). ②술어(述語).
어:사[11]【語辭】[명] ①언사(言辭). 말. ②문사(文辭).
-어사 [어미] 〈옛〉 -어야. ¶서르 倫을 奪홈이 업서사 神人이 뻐 和ᄒᆞ리라(無相奪倫神人以和)≪書諺 舜典≫. *-어ᅀᅡ.
어:사-대【御史臺】[명]〖역〗 고려 때 시정(時政)의 논집(論執), 풍속의 교정, 백관(百官)의 규찰(糾察)을 맡아 보던 관아. 성종(成宗) 14년(995)에 사헌대(司憲臺)를 이 이름으로 고쳤다가, 현종(顯宗) 5년(1014)에 금오대(金吾臺)로, 6년(1015)에 사헌대로, 14년(1023)에 도로 본 이름으로, 충렬왕(忠烈王) 원년(1275)에 감찰사(監察司)로, 24년 정월에 충선(忠宣)이 즉위하여 사헌부(司憲府)로, 동년(同年) 팔월에 충렬이 복위하여 다시 감찰사로, 34년(1308)에 충선이 또 사헌부로, 공민왕(恭愍王) 5년(1356)에 다시 본 이름으로, 11년에 감찰사로, 18년(982)에 다시 사헌부로 되는 등 개변(改變)을 되풀이하였음.
어:사 대:부【御史大夫】[명]〖역〗 고려 어사대(御史臺)의 으뜸 벼슬. 정삼품임. 어사대의 개변됨에 따라 베풀었다 없앴다 함.
어:사-도【御史道】[명]〖역〗→어사또.
어:사 도성【御事都省】[명]〖역〗 고려 성종(成宗) 원년(982)에 광평성(廣評省)을 이 이름으로 하였다가 14년(995)에 상서 도성(尙書都省)으로 고침.
어:사또【御史一】[명]〖역〗〔←어사도(御史道)〕 '어사(御史)'의 높임말.
어:사리[1] [명] 〈방〉 큰꽃으아리.
어-사리[2]【漁一】[명] 그물을 쳐서 크게 고기를 잡음. ——-하다 [자][여불]
어:사리-나무 [명] 〈방〉〖식〗 개나리[1].
어:사-상【御史床】[명] 남을 업신여겨 초라하게 차려 내는 음식상을 빈정대어 일컫는 말.
어:사 시:중【御事侍中】[명]〖역〗 고려 어사 도성(御事都省)의 으뜸 벼슬. 종일품(從一品)임.
어사용 [명]〖악〗 나무꾼, 주로 머슴이 산에 나무하러 가서 부르는 신세 한탄의 노래. 초부가(樵夫歌).
어사 위성【於斯爲盛】[명] 그 때를 한창으로 함.
어사인먼트 〔assignment〕 [명] ①할당(割當). 할당한 일·업무. ②〖교〗 학습·작업 또는 과목을 개개의 학생이나 또는 그룹(group)에 할당하여 맡기는 교육 방법. 또, 그 할당한 과제(課題).
어:사 잡단【御事雜端】[명]〖역〗 잡단(雜端).
어사 족의【於斯足矣】[—/—이] [명] 그것으로 만족함.
어:사 중승【御史中丞】[명]〖역〗 중승(中丞)❶.
어사지간-에【於斯之間—】[부] 어느 사이에. 어느덧.
어:사 출두【御史出頭】[—뚜] [명]〖역〗→어사 출또. [준]출두(出頭). ——-하다 [자][여불]
어:사 출또【御史出—】[명]〖역〗〔←어사 출두(御史出頭)〕 조선 시대에 암행 어사가 지방 관아에 이르러 중요한 일을 처리하기 위하여 좌기(坐起)를 벌임. 노종(露蹤). [준]출또. ——-하다 [자][여불]
어:사-화【御賜花】[명]〖역〗 ①옛날 문무과(文武科)의 급제자에게 임금이 하사하던 꽃. 길고 가는 참대 오리 둘에 푸른 종이를 감고 서로 비틀어 꼬아서 그 사이에 종이로 보라·다홍·누렁의 세 가지 무궁화 송이 조화(造花)를 만들어 끼었음. 한 끝을 복두(幞頭)의 뒤에 꽂고 다른 한 끝을 붉은 명주 실로 잡아매어 머리 위로 휘어 넘기게 하고 실을 입에 묾. 신래(新來)는 이 꽃을 꽂고 삼일 유가(三日遊街)에 나서게 함. 모화(帽花). [준]사화(賜花). ②진찬(進饌) 때에 신하(臣下)들이 사모(紗帽)에 꽂는 꽃.
어산【魚山】[명]〖불교〗 ①범패(梵唄) 수도장(修道場)의 발상지(發祥地). 인도에서는, 수미산(須彌山) 주위의 구산(九山)의 제6위인 이민달라산(尼民達羅山). 중국에서는, 산둥성 둥아 현(山東省東阿縣) 서쪽에 있는 어산(魚山). ②범패(梵唄)의 한 가지. 중국 위(魏)나라 때에 진사왕(陳思王) 조식(曹植)이 어산(魚山)에서 놀다가, 공중에서 범천(梵天)이 소리하는 것을 듣고 그 음률(音律)을 본떠서 만들었다 함. ③'범패(梵唄)'의 딴이름.
어-산적【魚散炙】[명] 생선으로 만든 산적. 민어를 뼈와 껍질을 버리고 산적감으로 썰어서 양념에 잰 것과, 쇠고기를 같은 크기로 썰어서 양념에 잰 것을 함께 꼬챙이에 꿰어서 구운 음식.
어산-회【魚山會】[명]〖불교〗 범음성(梵音聲)·인도(引導) 소리·가영(歌詠) 등을 하는 사람들이 모인 회. [준]어회(魚會).
어-살【魚一】[명] 물고기를 잡기 위하여 물 속에 나무를 세워 고기를 들게 하는 나무 울. 어전(魚箭). [준]살. *살터.
어살(을) 지르다 [구] 어살을 물 속에 세우다. [준]살지르다.
어살-궂다 [형] 〈방〉 어설프다.
어:삽【語澁】[명] 말이 잘 나오지 아니함. ——-하다 [형][여불]
어상[1]【一商】[명] 소를 사서 장에 갖다 파는 사람.
어상[2]【於相】[명] ↗어상반(於相半). ——-하다 [형][여불]
어:상[3]【御床】[명] 임금의 음식을 차려 놓는 상.
어상[4]【魚商】[명] 생선을 파는 사람. 생선 장수.
어-상반【於相半】[명] 서로 비슷함. 양편에 손익(損益)이 없을 만함. ¶지출에 ~한 수입. [준]어반(於半)·어상(於相). ——-하다 [형][여불]
어:-상주론【語常住論】[명]〖철〗 개념 또는 관념의 항상성(恒常性)을 주장하는 인도 철학의 한 체계. 말의 개념 또는 관념으로서의 면에 치중하는 철학론임. 성(聲)상주론. 성론(聲論). ↔어무상론(語無常論).
어새[1] [명]〖건〗 비스듬히 깎아 지붕 귀나 회첨(會檐) 따위에 쓰는 암키와.
어:새[2]【御璽】[명] '옥새(玉璽)'의 존칭.
어색[1]【漁色】[명] 여색(女色)을 탐함. 엽색(獵色). ——-하다 [자][여불]
어:색[2]【語塞】[명] ①말이 막히어 대답할 수 없음. 어궁(語窮). ¶~한 변명. *어굴(語屈). ②열적거나 겸연쩍고 서먹서먹함. 부자연스러움. ¶~한 분위기/~한 웃음. ③보기에 서투름. ¶어린 아이 다루는 솜씨가 ~하다. ——-하다 [형][여불]
어:색-스럽다【語塞—】 [형][ㅂ불] 보기에 어색한 느낌이 들다. ¶어색스러운 웃음을 짓다. 어:색-스레【語塞—】 [부]
어:서[1]【御書】[명] 어필(御筆).
어서[2] [부] '빨리'·'곧'의 뜻으로 행동을 빨리 하기를 재촉하는 말. 속히. 얼른. ¶~ 와요/~ 가거라.
어서[3] [부] 〈속〉 ↗어디에서. ¶~ 오느냐.
-어서 [어미] 음성 모음으로 된 용언의 어간에 붙어서 까닭 또는 시간적 선후 관계를 나타내는 연결 어미. 'ㅓ'로 끝나는 어간에 붙을 때는 '어'가 생략됨. ¶넓~ 좋다/썰~ 먹다/일어서서 대답하다. *-아서·-여서.
어:서-각【御書閣】[명] 어필각(御筆閣).
어서기[1] [명]〖광〗 금줄이 떨어졌다가 다시 시작되는 부분.
어서기[2] [명] 〈방〉 어스럭송아지.
어서라 [부] 〈방〉 어서(함경).
어서룸-하다 [형] 〈방〉 으스름하다(강원).
어서리 [명] 〈방〉 어름[2](경상). 「숨어라/감춰라, ~.
어서-어서 [부] 어떤 일이나 행동을 빨리 하기를 매우 재촉하는 말. ¶~
어서 오게 [감] 하게 할 자리에, 찾아온 사람을 다정하게 맞는 인사말.
어서 오너라 [감] 해라 할 자리에, 찾아온 사람을 다정하게 맞는 인사말.
어서 오시오 [감] 하오 할 자리에, 찾아온 사람을 다정하게 맞는 인사말.
어서 오십쇼 [감] 하십쇼 할 자리에, 찾아온 사람을 다정하게 맞는 인사말.
어서 옵쇼 [감] 합쇼 할 자리에, 찾아온 사람을 다정하게 맞는 인사말.
어:서-원【御書院】[명]〖역〗 고려 때 비서성(祕書省)에 딸린 관아.
어:석[1]【語釋】[명] 말의 해석.
어석[2] [부] 싱싱하고 연한 과일 같은 것을 단번에 깨무는 소리. 또, 모양. ㅆ어썩. > 아삭. ——-하다 [자][타][여불]
어석-거리다 [자][타] 연해 어석 소리가 나다. 또, 연해 어석 소리를 내다. ㅆ어썩거리다. > 아삭거리다. 어석-어석 [부]. ——-하다 [자][타][여불]
어석-대다 [자][타] 어석거리다.
어석버석-하다 [형][여불] ☞ 버슷버슷하다. ¶분위기가 어째 여느때와는 달리 약간 ~고 느끼었다≪李浩哲 : 深淺圖≫.
어석-소 [명] ↗어스럭송아지.
어석-송아지 [명] ↗어스럭송아지.
어석-술 [명] 〈방〉 한쪽이 닳아진 숟가락(평안). ¶누이네 집에 ~ 차고 간다.
어선[1]【魚鮮】[명] 생선(生鮮).
어:선[2]【御膳】[명] 임금에게 올리는 음식.
어선[3]【漁船·魚船】[명] 고기잡이하는 배. 어로선(漁撈船). 엽선(獵船). 고기잡이 배. 고깃배.
어선-법【漁船法】[—뻡] [명]〖법〗 어선의 건조 조정(建造調整)과 등록·검사에 필요한 사항을 규정한 법.
어:설프다 [형] ①꽉 짜이지 못하여 조밀하지 않다. ¶일솜씨가 ~. ②탐탁하지 않다. ¶어설픈 웃음/어설픈 지식.
어설피 [부] 어설프게. ¶~ 손댔다가는 안 하느니만 못하다.
어설피다 [형] 〈방〉 어설프다.
어섯 [명] ①사물의 한 부분에 지나지 못하는 정도. ¶~만 보았다/~눈뜨다. ②완전하게 다 되지 못하는 정도.

어섯눈-뜨다 자 사물의 대강을 알다.

어:성[1]【御聲】명 임금의 목소리. 옥음(玉音).

어:성[2]【語聲】명 말소리. 언성(言聲). ¶~을 높이다.

어성-꾼 명 〈방〉 ①게으름쟁이. ②한산인(閑散人). ③거간(居間).

어성-초【魚腥草】명 〖식〗 약모밀.

어세[1]【漁稅】명 전에 어업자에게 부과하던 세(稅).

어:세[2]【語勢】명 말의 억양(抑揚)과 고저(高低). 말의 힘. 어조(語調). 어기(語氣).

어-세(:)겸【魚世謙】명 〖사람〗 조선 시대 초기의 학자·정치가. 자는 자익(子益), 호는 서천(西川). 함종(咸從) 사람. 어효첨(魚孝瞻)의 맏아들. 예종(睿宗) 원년(1468) 남이(南怡)·강순(康純) 등의 반역을 진압한 공으로 익대(翊戴) 공신 3등으로 함종군(咸從君)에 봉군되었고, 연산군(燕山君) 때는 좌의정에 오름. 학문이 뛰어나고 문장으로 일가를 이룸. 시호는 문정(文貞). [1430-1500]

어-세(:)공【魚世恭】명 〖사람〗 조선 세조(世祖) 때의 문신. 자는 자경(子敬). 함종(咸從) 사람. 어세겸(魚世謙)의 아우. 병조 좌랑(兵曹佐郎)·좌승지 등을 역임, 이시애(李施愛)의 난 때 함길도 관찰사(咸吉道觀察使)가 되어 공을 세워 아성군(牙城君)에 봉해지고 우참찬(右參贊)에 오름. 경학(經學)에 능하여 특진관(特進官)을 겸했음. 시호는 양숙(襄肅). [1432-86]

어세기 명 〈방〉 ①어서기[1]. ②어스럭송아지.

어세 절목【漁稅節目】명 〖역〗 조선 말 고종(高宗) 18년(1881)에 통리 교섭 통상 사무 아문(統理交涉通商事務衙門)에서, 일본 어선이 우리 나라 근해에서 어로(漁撈) 행위를 하면서 약정대로 어세(漁稅)를 물지 않고 있음을 규제하기 위하여 제정한 절목.

어센션 섬 〔Ascension〕명 〖지〗 〔1501년 어센션, 곧 예수 승천 축일에 발견된 데서 유래〕 남대서양 중앙부의 화산도(火山島). 영국의 식민지. 남아메리카와 유럽을 잇는 중요한 통신 중계지로, 미국 미사일 관측소가 있음. [88 km^2 : 1,000명(1995 추계)]

어셈블러 〔assembler〕명 컴퓨터 프로그램의 하나. 사람이 습득(習得)하기 쉬운 말로 씌어진 프로그램을 기계어(機械語)로 씌어진 프로그램으로 번역시키는 일.

어셈블리 〔assembly〕명 ①집합. 회합. 모임. ②부품(部品)의 제조는 다른 전문업자나 하청업자(下請業者)에게 맡기고, 주로 상품의 최종적인 조립(組立)을 행하는 일. 자동차·조선(造船)·가정용 전기(電機) 제조업 등에서 행해짐.

어셈블리 공업【一工業】〔assembly〕명 다수의 부품(部品)이나 부재(部材)를 사용하여 일정한 제품을 조립하는 것을 주요(主要)한 생산 공정(工程)으로 하는 제조업. 조립 산업.

어셈블리 언어【一言語】〔assembly〕명 〖컴퓨터〗 간단한 단어와 쉬운 기호로 이루어진 컴퓨터 프로그래밍 언어의 한 가지. 기계어와 일 대 일로 대응되는 명령어 체계를 가졌으며, 컴퓨터 기종에 따라 서로 통용이 될 수 없는 기계어에 가까운 저급 언어임.

어셈블리지 〔assemblage〕명 〖미술〗 아상블라주.

어셔 부 〈옛〉 어서. ¶어셔 드르샤 미처 보쇼셔《月釋 X:6》.

어:소[1]【御所】명 임금이 계시는 곳.

어소[2]【魚巢】명 양식 어류(養殖魚類)의 알을 부화(孵化)시키기 위한 장치. 조류(藻類)·짚·종려피(棕梠皮)·버드나무 뿌리 등을 쓰며, 이에 알을 부착(付着)시킴.

어-소[3]【魚蔬】명 생선과 채소.

어소[4]【漁所】명 어장(漁場).

어소시에이션 〔association〕명 ①사회 집단 유형(類型)의 하나. 일정한 목적을 달성하기 위하여, 같은 관심을 지닌 사람들이 인위적(人爲的)·계획적으로 만든 집단. 사단(社團)·회사·협회 따위. 미국의 사회학자 매카이버(MacIver, R.M.)가 사회 분석 용어로 사용함. ②결합. 연합. 합동. ③〖심〗 연상(聯想).

어소-장【於昭章】〔一짱〕명 〖악〗 오소장(於昭章)의 잘못.

어속【魚屬】명 어류(魚類).

어:수[1]【御水】명 임금에게 올리는 우물의 물.

어:수[2]【御手】명 임금의 손. 옥수(玉手).

어:수[3]【御壽】명 임금의 나이.

어수[4]【魚水】명 고기와 물. 또, 물고기와 물의 관계처럼, 군신(君臣)이나 부부간의 친밀한 관계를 이름. 수어(水魚).

어수[5]【魚須】명 상어의 수염. 옛날에 홀(笏)의 장식으로 썼음.

어수[6]【漁叟】명 어옹(漁翁)❶.

어수-계【魚水契】명 군신(君臣)간의 서로 믿고 의지(依支)하는 깊은 교계(交契).

어수럼-하다 형 〈방〉 으스름하다(강원).

어:수-록【禦睡錄】명 〖책〗 조선 정조(正祖) 때의 화가 열청재(閱淸齋) 장한종(張漢宗)이 지었다고 하는 한문으로 쓴 야담집. 소담(笑談)·음담(淫談)·재담(才談) 등이 수록되었음.

어수룩-소 명 〈방〉 어스럭송아지.

어수룩-하다 형(여불) ①언행이 숫되고 후하다. ②되바라지지 아니하고 조금 어리석은 듯하다. ¶어수룩한 사람/어수룩한 데가 없다. 1)·2):>아수룩하다.

어수리 명 〖식〗 [*Heracleum moellendorffii*] 미나릿과에 속하는 다년초. 줄기 높이 1.5 m 가량이고, 잎은 호생하며 소엽(小葉)은 달걀꼴인데 깊게 갈라지고 포경(抱莖)함. 7-8월에 흰 꽃이 복산형(複繖形) 화서로 피고 총산경(總繖梗)은 14-20개, 소산경(小繖梗)은 다수임. 과실은 달걀꼴 또는 원형임. 산이나 들에 나는데, 거의 한국 전역(全域)에 분포함. 어린 잎은 식용함.

〈어수리〉

어:수-물【御水一】명 ①어수(御水)로 쓰는 물. ②↗어수 우물.

어수선산란-하다【一散亂一】〔一살一〕형(여불) 매우 어수선하고 산란하다.

어수선-하다 형(여불) ①사물이 얽히고 뒤섞여 뒤숭숭하다. ¶세상이 ~. ②가지런하지 않고 마구 헝클어져 있다. ¶어수선한 머리/방안의 물건이 흩어져 ~. ③근심이 많아서 마음이 산란하다. ¶어수선해서 일이 손에 잡히질 않다.

어:수 우물【御水一】명 어수를 긷는 우물. 준어수물.

어수-친【魚水親】명 물고기와 물의 사이처럼, 서로 떨어질 수 없는 친한 관계를 일컫는 말.

어수-하다 형(여불) ☞ 어지간하다. 어수-히 부

어-숙권【魚叔權】명 〖사람〗 조선 시대 중기의 학자. 호는 야족당(也足堂). 함종(咸從) 사람. 어세겸(魚世謙)의 서손(庶孫). 최세진(崔世珍)의 문인(門人). 이문(吏文)과 중국어에 능하여, 중종(中宗)·명종(明宗) 때 이문 학관(吏文學官)이 되었음. 시평(詩評)·시론(詩論)에 뛰어났으며, 한때 이이(李珥)를 가르치었음. 《고사 촬요(攷事撮要)》·《패관 잡기(稗官雜記)》 등을 저술하였음.

어숙지-제【魚菽之祭】명 물고기와 콩을 차려 놓고 지내는 제사. 제수(祭需)가 변변하지 못한 제사.

어:순【語順】명 문(文)이나 어군(語群) 중에서의 주어·술어·동사·목적어 등의 위치 관계.

어술-어술 부 〈방〉 어슬렁어슬렁(함경). ——-하다 자

어숭굿:-하다 형 〈방〉 어숭그러하다.

어숭그러-하다 형(여불) ①일이 제법 잘 되다. ②그리 까다롭지 않다.

어:스 〔earth〕명 ①지구. 대지(大地). ②〖전〗 접지(接地).

어:스 댐 〔earth dam〕명 흙을 쌓아 올려 만든 댐. 콘크리트 댐에 비하여 기초가 약한 경우에 채택되며, 단면의 중심부에 불투수층(不透水層)을 설치함. 토언제(土堰堤).

어스램-하다 형 〈방〉 으스름하다(강원).

어스러기[1] 명 옷 같은 것의 솔기 어스러진 곳.

어스러기[2] 명 ☞ 어스럭송아지.

어스러-지다 자 ①말이나 풍채가 정상 상태를 벗어나다. ¶어스러진 언동. ②옷의 솔기가 어슷하게 되다.

어스럭-송아지 명 중소가 될 만큼 자란 송아지. 준어석소·어석송아지.

어스럼-하다 형 〈방〉 으스름하다(경기·강원·경북).

어스렁-어스렁 부 〈방〉 어슬렁어슬렁. ——-하다 자

어스렁이-고치 명 밤나무벌레가 지은 고치.

어스레-하다 형(여불) 날이 조금 어둑하다. 준어슬하다. ¶날이 어스레해서 트럭 한 대가 와 닿았다《黃順元 : 인간 접목》.

어스름 명 〔중세 : 어스름〕 저녁이나 새벽의 어스레한 빛. 또, 그 때. ¶저녁의 ~/~ 새벽/서편 하늘에 반쯤 걸린 그믐달이 그 빛을 끌어다가… 초가집 안방 서창에가 ~ 침침하게 들었더라《作者未詳 : 浮碧樓》. 참고 뒤에 '하다'가 붙지 못함. *으스름.

어스름눈 뜨다 자 〈방〉 어섯눈 뜨다.

어스름 달밤 〔一빰〕명 〈방〉 으스름 달밤.

어스름푸레:-하다 형 〈방〉 어슴푸레하다.

어스름-하다 형 〈방〉 으스름하다(경기·충청).

어:스 선【一線】〔earth〕명 〖물〗 접지선(接地線).

어스크립션 〔ascription〕명 〖사〗 인간의 사회적 배치(配置)를 규제하는 원리의 하나. 어떤 인간의 소질·적성(適性)·업적에 관계없이 속성(屬性), 곧 성별(性別)·연령·신분을 기준으로 하여 그 인간의 역할 배분(役割配分)이 행하여질 때의 배분 원리. 업적주의의 대개념(對槪念)임.

어:스킨 〔Erskine, John〕명 〖사람〗 미국 컬럼비아 대학 영문학 교수·저술가. 다방면에 걸친 비평가로, 《민주주의와 이상》·《미국적 성격》·《아담과 이브》·《내 아들 솔로몬》 등 평론과 유머를 띤 몇 권의 저서를 남김. [1879-1951]

어슥비슥-하다 형 〈방〉 어슷비슷하다.

어슥-어슥 부 여러 개가 모두 한쪽으로 조금씩 비뚤어진 모양. ——-하다 형(여불)

어슥-하다 형 〈방〉 으슥하다.

어슨듯 부 〈옛〉 얼른. 어느덧. ¶夢裡靑春이 어슨듯 지나ᄂᆞ니《古時調》.

어슨 쳬 구 〈옛〉 잘난 체. ¶閣氏네 하 어슨체 마쇼 고와로라 ᄌᆞ랑마쇼《古時調》.

어슬【魚蝨】명 〖동〗 [*Eckthrogaleus coleopteratus*] 갑각류(甲殼類)에 속하는 기생(寄生) 동물. 몸은 편평한 원형이고 악각(顎脚)이 두 쌍 있는데, 그 한 쌍이 흡반(吸盤)이 되었음. *물고기진드기.

어슬-거리다 자 ↗어슬렁거리다. 어슬-어슬[1] 부. ——-하다 자(여불)

어슬-녘 〔一력〕명 해가 뜨기 전이나 지고 난 뒤의 어슬어슬 어두울 무렵. ¶먼 들 끝에서 어둠이 날개를 펴기 시작하는 ~이었다《金東里 : 바위》.

어슬-대다 자 어슬거리다.

어슬렁-거리다 자 몸이 크고 다리가 긴 사람이나 짐승이 맥을 놓고 아주 느리게 걷다. >아슬랑거리다. 어슬렁-어슬렁 부. ——-하다 자(여불)

어슬렁-대다 자 어슬렁거리다.

어슬렁-이다 자 몸피가 큰 사람·짐승이 서두르지 않고 걸어다니다. ¶코끼리가 우리 안을 어슬렁이다. >아슬랑이다.

어슬-어슬[2] 부 ①날이 어두워지거나 밝아지는 모양. ②추워지는 모양. *으슬으슬·오슬오슬. ——-하다 형(여불)

어슬핏-하다 형(여불) 조금 어스레하다.

어슬-하다 형(여불) ↗어스레하다.

어슴눈 뜨다 자 〈방〉 어섯눈 뜨다.

어슴막 명 〈방〉 초저녁❶(경상).

어슴-새벽 명 어스레한 새벽.

어슴츠레-하다 형 〈방〉 어슴푸레하다(경상).

어슴푸러-하다 형 〈방〉 어슴푸레하다.

어슴푸레 부 ①아주 밝지도 아니하고 어둡지도 아니하고 희미하게 흐린 모양. ¶밝은 막 동이 트려는지 창문으로 ~ 여명이 비쳐 왔다《洪盛原 : 폭군》. ②기억이 매우 희미한 모양. ¶어릴 적 친구의 모습이 ~ 떠오르다. ③분명히 보이거나 들리지 않고 희미한 모양. ¶어둠 속에서 움직이는 것이 ~ 보인다. 1)·3) : >아슴푸레. ——-하다 형여불

어슴푸릇-하다 형 〈방〉 어슴푸레하다.

어슷 수 〈옛〉 여섯. ¶어슷 륙(六)《字會 下 83》. *여슷.

어슷-거리다 자 용기 있게 걷지 못하다. 어슷-어슷[1] 부. ——-하다[1] 자여불

어슷눈 뜨다 자 〈방〉 어섯눈 뜨다.

어슷-대다 자 어슷거리다.

어슷비슷-하다 형여불 ①서로 비슷하다. ¶두 사람의 처지가 ~. ②이쪽 저쪽으로 쏠리어 있다.

어슷-썰기 명 한쪽으로 비스듬하게 써는 일. *십자 썰기.

어슷-어슷[2] 부 여럿이 다 조금씩 기울어진 모양. ——-하다[2] 형여불

어슷-하다 형여불 물건의 모양이 한쪽으로 비뚤어져 있다. ¶어슷하게 자르다.

어:승-마【御乘馬】명 임금이 타는 말.

어:승생-악【御乘生岳】명 《지》 제주도 제주시(濟州市)의 한라산 기슭에 있는 산. [1,176 m]

어:승-차【御乘車】명 임금이 타는 마차.

어:승-화【御一花】명 〈방〉 접시꽃.

어시[1] 명 〈방〉 어이[1](함경).

어시[2] 명 〈방〉 어버이(함남).

어시[3]【魚市】명 ↗어시장(魚市場).

어시[4]【魚豕】명 노(魯)를 어(魚)로 잘못 씀과 같이 해(亥)를 시(豕)로 잘못 보는 일. 곧, 문자(文字)의 틀림.

어시[5]【魚翅】명 중국의 식품(食品). 상어 지느러미의 연골을 말린 것으로, 탕채(湯菜) 등의 재료로 쓰임.

-어시늘 어미 〈옛〉 -시거늘. ¶世子ㅿ位 뷔어시늘(儲位則虛)《龍歌 101章》.

-어시니 어미 〈옛〉 -시거니. ¶禮義를 앗기샤 兵馬를 머추어시니(惜其禮義載弛兵威)《龍歌 54章》/天威어시니 드러오리잇가(維其天威彼何敢入)《龍歌 62章》. *거시니.

-어시니와 어미 〈옛〉 -시거니와. ¶묻ᄌᆞ오ᄆᆞᆯ 對答 아니어시니와:未爲酬問이어시니와《圓覺 上 一之二 125》.

-어시ᄂᆞᆯ 어미 〈옛〉 -시거늘. =-거시ᄂᆞᆯ. ¶兄ㄱ 쁘디 일어시ᄂᆞᆯ(兄讓旣遂)《龍歌 8章》/帝命이 ᄂᆞ리어시ᄂᆞᆯ(帝命旣降)《龍歌 8章》/北都애 보내어시ᄂᆞᆯ(遣彼北道)《龍歌 26章》. *-아시ᄂᆞᆯ.

-어시든 어미 〈옛〉 -시거든. -시면. ¶弟子 ᄒᆞ나ᄒᆞᆯ 주어시든 말ᄃᆞ려 이ᄅᆞᄉᆞᄫᆞ지이다《釋譜 Ⅵ:22》/나ᄅᆞᆯ 죠고맛 거슬 주어시든 샹녜 供養ᄒᆞᅀᆞᄫᆞ지이다 《釋譜 Ⅵ:44》.

어시랑-하다 형 〈방〉 으스름하다(강원).

어시럼-하다 형 〈방〉 으스름하다(경기·강원·충북).

어시렁-하다 형 〈방〉 으스름하다(충남).

어시스턴트 [assistant] 명 보좌(補佐). 보좌역(補佐役). 조수(助手).

어시스트 [assist] 명 ①축구·농구 따위에서, 득점(得點)에 직접 크게 공헌하는 패스를 보낸 사람. ②야구에서, 보살(補殺). ③아이스 하키에서, 적절한 리바운드 샷(rebound shot)의 기회를 만들어 득점을 도운 경기자.

어시-에【於是一】부 여기에 있어서.

어-시장 【魚市場】명 생선을 파는 시장. 생선장(生鮮場). 준어시(魚市).

어시지-혹【魚豕之惑】명 글자가 잘못 쓰였다는 뜻으로, 여러 번 옮겨 쓰면 반드시 오자(誤字)가 생긴다는 말.

어시-해【魚醍醢】명 아감젓.

어-시호【於是乎】부 이제야. ¶~ 신천지(新天地)가 전개되도다.

어:식【御食】명 임금이 내리어 주는 음식.

어신【魚信】명 낚시질에서 물고기가 미끼를 먹을 때 꿈틀하는 낚싯대의 반응.

-어신마ᄅᆞᄂᆞᆫ 어미 〈옛〉 -시건마는. '-언마ᄅᆞᄂᆞᆫ'의 존칭. =-어신마ᄅᆞᆫ. ¶아바님도 어이어신마ᄅᆞᄂᆞᆫ 위 덩더둥셩 어마님 ᄀᆞ티 괴시리 업세라《樂詞 思母曲》.

-어신마ᄅᆞᆫ 어미 〈옛〉 -시건마는. =-거신마ᄅᆞᆫ·-어신마ᄅᆞᄂᆞᆫ. ¶別히 새로 得홈 아니어신마ᄅᆞᆫ(非別新得)《圓覺一之一 62》.

어신-찌【魚信一】명 보조(補助)찌에 대하여, 어신을 보기 위한 주된 낚시찌.

어:-신필【御宸筆】명 임금의 친필(親筆).

어심[1]【於心】명 마음 속.

어:심[2]【御心】명 임금의 마음.

어심-에【於心一】부 마음 속에.

어심-하다 형 〈방〉 으스름하다(전북).

어싯-거리다 자 〈방〉 어슷거리다. 어싯-어싯 부

어ᅀᅡ와 감 〈옛〉 어여차. ¶혈믈의 東湖 가쟈 至菊恖 至菊恖 於思臥 白蘋紅蓼ᄂᆞᆫ 곳마다 景이로다《古時調》.

어쌔다 자 ☞ 엇서다. ¶본래 잘 먹는 술을 갑자기 못 먹는다고 어쌔고 비쌔고 하기가 싫어서 잔이 앞에 오는 대로 덥석덥석 받아먹었다《洪命憙 : 林巨正》.

어썩 부 단단하고 싱싱한 과실 등을 단번에 힘 있게 깨물어 부스러뜨리는 소리. ¶단단한 사과를 ~ 깨물다. ㄴ어석. >아싹. *으썩. ——-하다 자타여불

어썩-거리다 자타여불 연해 어썩 소리가 나다. 또, 연해 어썩 소리를 나게 하다. ㄴ어석거리다. >아싹거리다. *으썩거리다. 어썩-어썩 부. ——-하다 자타여불

어썩-대다 자타 어썩거리다.

-어쎠 어미 〈옛〉 -으시오. ¶엇뎨부텨라 ᄒᆞᄂᆞ닛가 그 ᄠᅳ들 닐어써《釋譜 Ⅵ:17》.

어쏘 감 〈방〉 왔소.

어쏘다 감 〈방〉 왔소이다.

어쓱-비쓱 부 ☞ 어슷비슷. ¶세 사람은 ~ 누워서 모두 잠이 들었었다《洪命憙 : 林巨正》.

어씁니다 감 〈방〉 왔습니다(평안).

어씃-하다 형여불 호협하여 작은 일에 구애하지 않는 데가 있다.

어:씨 부 〈방〉 매우(경북).

-어ᅀᅡ 어미 〈옛〉 -어야. ¶ᄆᆞ료미 업서ᅀᅡ 어루 노피 ᄂᆞᆯ며(無碍始可高飛)《蒙法 46》.

어스름 명 〈옛〉 어스름. ¶어스름 밤이라(莫夜)《內訓 Ⅲ:53》.

어ᅀᅵ 명 〈옛〉 어버이. =어이[3]. ¶호 鸚鵡ㅣ 이쇼ᄃᆡ 어ᅀᅵ 다 눈멀어든《月釋 Ⅱ:12》.

어아【魚兒】명 물고기 새끼. 물고기의 알.

어아리-나무 명 〈방〉 《식》 개나리[1].

어아-장【於我章】[-짱] 명 《악》 '오아장(於我章)'의 잘못.

어:악【御樂】명 궁중에서 어전(御殿) 앞에 아뢰는 아악.

어:악 풍류【御樂風流】[-뉴] 명 《악》 장악원(掌樂院)의 악생(樂生)들이 여민락(與民樂)을 주상(奏上)하는 일.

어안【魚眼】명 물고기의 눈.

어안-도【魚眼圖】명 아래에서 위를 올려다본 것 같은 구도(構圖). 또, 그런 도면.

어안 렌즈【魚眼一】[lens] 명 《물》 사진 렌즈의 하나. 180°의 넓은 사각(寫角)을 가진 렌즈. 180°의 시야(視野)를 가진 반구(半球) 전체의 피사체(被寫體)를 하나의 원형(圓形) 안에 촬영할 수 있음.

어안 사진【魚眼寫眞】명 상하(上下) 좌우(左右)로 180°의 넓은 사각(寫角)의 시야를 찍은 사진. 물 속에서 위를 바라볼 때, 원리적(原理的)으로 수면 위의 공간이 광선(光線)의 굴절에 의하여 동시에 전부 시야(視野)에 들어오는 데서 생긴 말. 영상(映像)은 주변에 갈수록 구상(球狀)으로 만곡되어 있음.

어안-석【魚眼石】명 《광》 비석(沸石), 곧 제올라이트(zeolite)의 일종. 정방 정계(正方晶系)로, 거의 주상(柱狀) 또는 괴상(塊狀)의 결정이며, 무색이고 간혹 초록색도 있는데, 수지(樹脂) 광택이 남. 아포필라이트(apophyllite). *소다 비석(soda沸石).

어:안이 벙벙하다 구 기가 막혀서 어리둥절하여 말이 안 나오다. ¶뜻밖의 호령에 어안이 벙벙해서 잠시 할 말을 잊다.

어알-탕【一湯】명 요리의 한 가지. 닭고기와 민어 살을 보드랍게 다져서 양념을 하여 골고루 주무른 다음, 조금씩 떼어 실백을 속에 넣고 완자 모양으로 비벼서 녹말을 묻히어 솥에다 찌거나, 끓는 물에 삶아서 건져 내어 맑은 장국에 넣어서 먹음.

어:압【御押】명 임금의 수결(手決)을 새긴 도장. 어함(御啣).

〈어압〉

어:압 표신【御押標信】명 《역》 왕의 어압이 있는 증표(證票). 왕명에 의하여 군대를 소집하거나, 궁문(宮門)을 여닫을 때 이 표신을 제시함. 지름 두 치의 원형 또는 방형의 상아(象牙) 패로, 녹비 끈을 달고, 앞면에 '선전(宣傳)', 뒷면에 '어압(御押)'이라 썼음.

어야 감 〈방〉 어여차.

-어야 어미 ①음성 모음으로 된 어간에 붙어서 뒷 말에 대한 어떤 조건이 꼭 필요함을 나타내는 종속적 연결 어미. ¶먹~ 산다. ②음성 모음으로 된 어간에 붙어서 가정(假定)을 암만 크게 하여도 별 차이가 생기지 않음을 나타내는 종속적 연결 어미. ¶암만 들~ 그 노래가 그 노래군. *-아야·-여야.

어야-디야 감 ↗어기야디야.

-어야만 어미 '-어야❶'의 강조어. ¶심~ 거둘 수 있다.

-어야지 어미 ↗-어야 하지. ¶먹~.

어:약【御藥】명 임금의 약.

어양쓰다 자 〈옛〉 폐쓰다. ¶져의 곡식과 군서 만코 위염난 일홈이 크게 소문나니 엇지ᄒᆞ여 어양쓴을 되리오《三譯 Ⅲ:23》/져은 거시 만흔거슬 싸호지 못ᄒᆞ고 약ᄒᆞᆫ 거시 강ᄒᆞᆫᄃᆡ 어양 쓰지 못ᄒᆞᆫ다 ᄒᆞᄂᆞᆫ 거시 이 오로 올흐니라《三譯 Ⅲ:12》.

어-어 감 의외의 일을 당했을 때에 내는 소리. >아아.

어어리나모 명 〈옛〉 개나리. ¶어어리나모여름(連翹)《濟衆》.

어언【於焉】부 ↗어언간(於焉間).

어언-간【於焉間】부 알지 못하는 동안에 어느덧. 어언지간(於焉之間). ¶그를 만나 본 지도 ~ 10년이 되었다. 준어언(於焉).

어:언간-하다 형 〈방〉 어연간하다.

어:언 무미【語言無味】명 하는 말이 흥미가 없음.

어:언 박과【語言薄過】명 대단하지 아니한 말의 허물.

어언지-간【於焉之間】부 어언간(於焉間).

어업【漁業】명 어패류(魚貝類)·해조(海藻) 등 수산(水産) 동식물을 포획(捕獲)·채취(採取)하거나 양식(養殖)하는 영업.

어업-계【漁業契】명 어장(漁場)을 공유하는 같은 지역의 어업자들이 조직한 계. 공동으로 어로(漁撈)에 종사하거나 가공(加工)에 관한 공동 설비를 하는 것을 목적으로 함. *어촌계(漁村契)·어업 조합(漁業組合).

어업 공:제 제:도【漁業共濟制度】명 어업 공제 단체를 만들어 어업자(漁業者)로부터 일정한 액수의 부금(賦金)을 징수하고, 흉어(凶漁)나

어망(漁網)·어구(漁具) 등을 유실(流失)했을 때 등에 보상을 받게 하는 제도.

어업-권【漁業權】명〖법〗공공 수역(公共水域) 또는 이것과 연접(連接)하여 일체(一體)가 된 인접(隣接) 수역에서 독점적으로 어업을 경영하는 권리. 행정 관청의 면허에 의하여 발생함. 그 대상이 되는 어업으로 양식(養殖) 어업·정치(定置) 어업·공동 어업 등이 있음. 어로권(漁撈權). 어획권(漁獲權). *입어권(入漁權).

어업 금융【漁業金融】[ㅡ/ㅡ늉] 명 어업에 요하는 자금을 융통하는 일.

어업 기계【漁業機械】명 수산(水産) 기계의 한 가지. 어선에 설비하여 어구(漁具)를 조작하는 기계 및 어구 등의 총칭. 라인 홀러(line hauler)·고래 작살용 윈치(winch)·포경포(捕鯨砲)·집어등(集魚燈)·어군 탐지기(魚群探知機) 같은 것. 어로 기계.

어업 기상【漁業氣象】명 어선(漁船)의 안전 조업(操業)과 생산성 향상을 위해 관측(觀測)·통보(通報)하는 해양 기상(海洋氣象). 폭풍·농무·착빙(着氷) 따위에 의한 해난(海難) 방지를 위해 해상의 고·저(高低) 기압의 동향, 바람·파도·안개 따위의 기상 상태와 수온·해류 따위의 해황(海況) 파악이 중요한 내용으로 되어 있음. 수산(水産) 기상.

어업-등【漁業燈】명 어선(漁船)이 조업중(操業中)임을 나타내기 위해, 규칙에 따라 야간에 마스트에 다는 백색등(白色燈). 주간에는 둥근 바구니를 닮.

어업 등록【漁業登錄】[ㅡ녹] 명〖법〗수산업법 규정에 의거, 어업권과 이를 목적으로 하는 권리및 입어(入漁)에 관한 사항을 어업권 원부에 등록하는 일.

어업-료【漁業料】[ㅡ뇨] 명〖법〗법정 관청에서 어업 면허를 받은 자에게서 받는 요금.

어업 면:허【漁業免許】명〖법〗서울 특별시장·직할시장·도지사가 어업자에 대하여 특정 수역에서 일정한 어업을 독점 영위할 수 있는 권리를 설정하는 행위.

어업 무선【漁業無線】명 어선(漁船) 상호간이나 어업 기지(基地)와 어황(漁況)·해황(海況)을 서로 알리기 위한 무선 통신.

어업 무선 기상 통보【漁業無線氣象通報】명〖기상〗해상에서 활동하고 있는 어선을 대상으로 하여 관측소가 그 해역(海域)의 일기의 추이(推移)·저기압이나 불연속선의 동태 등을 무선으로 알리는 통보.

어업-세【漁業稅】명 전에, 어업 및 어업권에 대하여 부과하던 지방세(地方稅).

어업 센서스【漁業ㅡ】[census] 명 어업의 구조(構造)·실태를 계수적(計數的)으로 파악하기 위하여 농림수산부에서 행하는 센서스. 연도 표시 숫자의 끝자리가 0이 되는 해마다 실시함. *산업 통계.

어업 수수료【漁業手數料】명〖법〗행정 관청에서 어업에 관한 출원자(出願者) 또는 신청자에게서 받아들이는 수수료.

어업 수역【漁業水域】명 ①연안국(沿岸國)이 자원 보호를 위하여 일방적 보존 조치를 취하는 수역. 정확히는 어업 보존 수역. 1958년 국제 연합 해양법 회의에서 채택된 조약을 근거로 하며, 이해 관계국간의 교섭이 완료될 때까지의 잠정 조치(暫定措置)로 취해짐. 어업 전관 수역(漁業專管水域).

어업 영해【漁業領海】[ㅡ녕ㅡ] 명 어업 전관 수역(漁業專管水域).

어업-자【漁業者】명 고기잡이를 하는 사람 및 어업권 또는 입어권(入漁權)을 가진 사람의 총칭.

어업 자생【漁業資生】명 어업으로 생계를 이어 나감. ——-하다 자 여불

어업 자원【漁業資源】명 경제적인 자원으로서의 어업 대상물. 곧, 해산 동식물을 이르는 말.

어업 자원 보:호법【漁業資源保護法】[ㅡ뻡] 명〖법〗1953년 한반도(韓半島) 및 그 부속 도서 주변의 어업 자원을 보호하기 위해 관할 수역을 정하고 어업 자원을 보호할 목적으로 제정한 법.

어업 전관 수역【漁業專管水域】명 [fishery zone] 연안국에 한정하여 배타적 어업권이 인정되는 수역. 1982년 채택된 해양법 조약에 근거한 경제 수역에 준해 모든 나라가 200해리를 적용하고 있음. 어업 수역. *공동 수역. 경제 수역.

어업 정책【漁業政策】명 어업의 감독·보호·장려를 위한 국가의 정책.

어업 조약【漁業條約】명 어업에 관한 국제간의 조약. 포경(捕鯨)이나, 북태평양·북서 태평양에 있어서의 게·물개·연어·송어의 어획 등에 관한 약정(約定) 등.

어업 조정【漁業調整】명〖법〗수산 동식물의 번식·보호와 어업 단속·위생 관리·유통 질서의 확립을 위하여 행정 관청이 취하는 조치(措置). 어업 조정에 관한 명령과 어업 감독 등이 있음.

어업 조합【漁業組合】명 일정한 지역 안에 주소를 가진 어업자가 행정 관청의 허가를 얻어 설립한 사단 법인(社團法人). 어업권이 주체가 됨.

어업 협동 조합【漁業協同組合】명 수산업 협동 조합의 하나. 어민(漁民)들이 수산청장(水産廳長)의 인가를 받아 설립하며, 조합원에 대한 융자, 어획물의 보관·판매·가공·운송 사업을 행함. 지구별 조직과 업종별 조직이 있음.

어업 회:사【漁業會社】명 민사 회사(民事會社)의 하나. 어업을 기업화하여 그 이윤 획득을 목적으로 하는 회사.

어여 부〈방〉어서(경상).

어여가다 타〈옛〉에워 가다. 둘러 가다. 비켜 가다. ¶너르벳 벌어지 어여가고(夏蟲避)≪初杜諺 XVIII:11≫/사룸을 어여가(避人)≪重杜諺 VI:15≫.

어여려다 타〈옛〉비켜가다. =어여가다. ¶處容 아비롤 어여려거져≪樂範 處容歌≫.

어여로 감 어여차. 여럿이 힘을 합할 때에 지르는 소리.

〈어여머리〉

어여-머리 명 부인이 예장(禮裝)할 때 머리에 얹는 큰머리. 머리에 족두리를 쓰고 그 위에 큰머리를 얹어 옥판(玉板)과 화잠(花簪)으로 장식(裝飾)하고, 위에 활머리를 얹음. 준어염. ——-하다 자 여불

어여뿌다 형〈방〉어여쁘다.

어여쁘다 형 '예쁘다'의 예스러운 말. [어여쁘지 아니한 며느리가 삿갓 쓰고 으스름 달밤에 나선다] 부족한 인물이 자기 격(格)에 맞지 않는 부당한 행동을 함을 이르는 말.

어여쁘장-스럽다 형〈방〉예쁘장스럽다.

어여쁘장-하다 형〈방〉예쁘장하다.

어여삐 부 어여쁘게.

어여싸 감〈방〉어여차.

어여차 감 여럿이 힘을 합할 때에 일제히 내는 소리. 어기여차.

어:연【御筵】명 ①임금이 있는 자리. ②거둥. 또, 거둥하는 장소.

어연간-하다 형 여불 정도가 표준에 가깝다. 어지간하다. 웬만하다. 준엔간하다. 어연간-히 부 「～ 씹어 넘기는데도 마른 톱밥처럼 목구멍을 콱콱 틀어 막는다≪李無影 : 農民≫.

어연드시 부〈방〉어느덧.

어연번듯-이 부 어연번듯하게.

어연번듯-하다 형 여불 남에게 드러내 보이기에 번듯하고 떳떳하다.

어엳부다 형〈옛〉가엾다. 불쌍하다. =어엿브다. ¶어엳불 련(憐)≪倭解 上 21≫.

어염[1] 명 ↗어여머리.

어염[2]【魚塩】명 ①생선과 소금. 곧, 서민 생활의 필수품. 어염 시수(魚塩柴水). ②어업과 제염(製塩).

어염 시수【魚塩柴水】명 생활에 필요한 일용품의 총칭. 곧, 생선·소금·땔나무·물 따위. 어염(魚塩). 「옛날에도 사람들은 ～를 참작하여 집터를 닦았는데, 원 뭘 먹겠다고 저런 놈의 깡마른 산꼭대기에다 집을 짓고 저 고생을 하는지…≪南廷賢 : 허허 선생(Ⅱ)≫.

어염 족두리 명 어여머리를 할 때 쓰는, 솜을 둔 족두리. 좌우쪽에 끈이 달려 있음.

어엿브다 형〈옛〉불쌍하다. 딱하다. =어엳부다. ¶어엿븐 그림재 날 조찰 뿐이로다≪松江 續美人曲≫.

어엿비 부〈옛〉불쌍히. 사랑스럽게. =에엿비·엣비. ¶어버이 어엿비 너겨 허ᄒᆞ니(親憐而聽之)≪五倫 Ⅰ:66≫/내 百姓 어엿비 너기샤(我愛我民)≪龍歌 50章≫.

어엿-이 부 어엿하게.

어엿-하다 형 여불 행동이 당당하고 떳떳하다. ¶어엿한 선비.

어:영【御影】명 신불 또는 귀인의 초상이나 사진. *진영(眞影).

어영-가시 명〈방〉〖충〗사마귀❷.

어:영-군【御營軍】명〖역〗조선 인조(仁祖) 때 개성 유수(開城留守) 이귀(李貴)가 군병 260여 명을 모집, 그 중 건장한 자를 골라 화포(火砲)를 교습시켰던 군대. *어영청(御營廳).

어-영(:)담【魚泳潭】명〖사람〗조선 선조(宣祖) 때의 무신. 함종(咸從) 사람. 담략과 지략이 뛰어나, 여도 만호(呂島萬戶)에 발탁되고, 임진 왜란이 일어나자 이순신(李舜臣) 휘하에서 활약, 정유 재란(丁酉再亂) 때 노량 해전(露梁海戰)에서 공을 세우고 당상관(堂上官)이 됨. 생몰년 미상.

어:영 대:장【御營大將】명〖역〗조선 시대 어영청의 으뜸 벼슬. 종이품 벼슬임. 준어장(御將).

어영-부영 부 하는 일 없이 세월을 보내는 모양. ¶"선배님과는 달리 대학에서 ～ 배우다가 끌려 나와 전쟁판에 내어팽개쳐져서…≪鮮于煇 : 外面≫.

어:영-사【御營使】명〖역〗조선 시대의 한 군직(軍職). 인조 반정(仁祖反正) 후, 이귀(李貴)가 화포(火砲)를 교습시키기 위하여 개성(開城)에서 어영군(御營軍)을 만들었을 때 조정에서 이귀에게 내린 벼슬임. *어영군(御營軍).

어:영 장관【御營將官】명〖역〗조선 시대의 무관직(武官職). 어영청의 장관으로 종 사품. 정원은 8명. 후에 7명으로 감하였음.

어영차 감〈방〉어여차(경상).

어:영-청【御營廳】명〖역〗조선 시대 군영(軍營)의 삼군문(三軍門)의 하나. 어영군(御營軍)이 발전한 것으로 효종(孝宗) 3년(1652)에 이완(李浣)을 대장으로 하여 처음으로 군영을 설치함. 별초군(別抄軍)과 기병(騎兵)으로 된 정예병(精銳兵)으로, 경상(慶尙)·전라(全羅)·충청(忠淸)·강원(江原)·경기(京畿)·황해(黃海)의 육도(六道)에 배치. 고종(高宗) 18년(1881)에 장어영(壯御營)으로 19년에 도로 본 이름으로 고쳤다가 21년에 폐함. 준어청(御廳).

어:온【御醞】명 임금이 마시는 술.

어옹【漁翁】명 ①고기를 잡는 노인(老人). 어수(漁叟). ②'어부(漁父)'의 존칭.

어와 감〈옛〉시조나 가사(歌辭)에서 가락을 맞추기 위하여 쓰는 감탄사. ¶어와 녀 여이고 녀ᄃᆞᄐᆞ니 ᄯᅩ 잇ᄂᆞᆫ가≪松江 關東別曲≫.

-어요[1] 어미 서술격 조사 '이다' 또는 '아니다'의 어간에 붙어, 친근감을 담아 애교스럽게, 사물을 긍정적으로 단정하거나, 지정하여 묻는 종결어미. '이다'의 어간 '이'와 어울릴 때는 줄어서 '-여요'로 쓰기도 함. -에요. ¶ 제 책이～ / 저 분이 제 선생님이시～ / 내가 한 짓이 아니～.

-어요[2] 어미 끝음절의 모음이 'ㅏ'·'ㅗ' 이외의 용언의 어간에 붙어 예사높임 또는 친근미가 담긴 서술·청원·의문·명령의 뜻을 나타내는 종결 어미. 'ㅓ'로 끝나는 어간에 붙을 때는 '어'가 생략됨. ¶집에 가겠～ / 거기 좀 있～ / 물이 깊～ / 어서 먹～ / 나란히 서요. *-아요.

어:용【御用】명 ①임금이 씀. ②정부에서 씀. ③지체 높은 사람이 쓴다는 말을 비꼬아 일컫는 말. ④권력에 영합하여 그 이익을 위하여 일하는 따위, 자주성이 없는 것을 경멸하여 일컫는 말. ¶～ 기관/～ 신문/

~ 학자. ——-하다 타여불

어:용 기자【御用記者】명 어용 신문의 기자.

어:용-론【語用論】[-논] 명 [pragmatics]『언』기호론(記號論)의 한 분야. 기호 통산자의 기호 사용법이나 기호 수신자의 이해(理解) 여부 등 통신자와 수신자 사이의 언어 기호의 용법에 관한 이론.

어:용 모사 도감【御容模寫都監】명『역』조선 시대에 어진(御眞) 제작의 업무를 수행하기 위하여 잠정적으로 둔 기구. 어진 도감(御眞都監).

어:용 문학【御用文學】명『문』문학의 독자성과 순수성을 저버리고, 그 시대의 권력가나 기관에 아부하여 그의 정책대로 아부·공명하는 문학.

어:용 상인【御用商人】명 관아(官衙)나 부호(富豪)에게 물건을 용달하는 상인.

어:용-선【御用船】명 임금이나 왕실(王室)에서 쓰던 배.

어:용 신문【御用新聞】명 정부·권력자의 보호를 받고, 그 정책의 변호·선전을 위하여 논설·보도를 게재하는 신문. 어용지(御用紙).

어:용 조합【御用組合】명 사용자(使用者) 또는 사용자의 이익을 대표하는 자가 참가하든지, 사용자로부터 경비의 원조를 받음으로써 노동자의 자주성을 상실한 노동 조합. 황색(黃色) 조합. 회사 조합.

어:용-지¹【御用地】명 황실(皇室)의 사유지. 어령(御領).

어:용-지²【御用紙】명 어용 신문(御用新聞).

어:용 학자【御用學者】명 집권자의 보호 밑에서 집권자에게 아부하며 학자적인 양심과 학문의 냉정을 버리고, 집권자의 정책을 정당화시키어 곡학 아세(曲學阿世)하는 학자.

어:우【御宇】명 임금이 나라를 다스리는 동안.

어우다 타〈옛〉어우르다. =어울다. ¶뉘 섯거 어운 것고(誰爲和合者)《圓覺 上 二之一 172》/힛 光明날 쩨 어드움과 어우디 아니코(日光出時不與冥合)《妙蓮 Ⅵ:166》.

어우-당【於于堂】명『사람』유몽인(柳夢寅)의 호(號).

어우러이 명〈옛〉두 쪽으로 된 씨. 쌍인(雙仁). =어우렁씨. ¶桃仁을 더운 므레 것과 부리와 어우러이 앗고(桃仁 湯去皮尖雙仁)《救方 下 18》.

어우러-지다 자 여럿이 조화되어 한 덩어리나 한 판을 이루게 되다. >아우러지다. ¶여럿이 한데 어우러져 춤추다.

어우러코져 타〈옛〉어울러 하고자. 어울리고자. '어울다'의 활용형. ¶뜯 마ᄐᆞ니와 어우러코져 ᄉᆞ랑ᄒᆞ야(思與同志)《楞嚴 Ⅰ:3》.

어우렁-더우렁 부 여러 사람들과 어울려서 정신(精神)없이 지나는 모양. ——-하다 자여불

어우렁씨 명〈옛〉두 쪽으로 된 씨. 쌍인(雙仁). =어우러이. ¶복셩홧씨 솜 셜흔낫 거플와 근과 어우렁 씨앗고 ᄇᆞᄉᆞ니와ᄅᆞᆯ(桃仁三十枚去皮尖雙仁碎)《救簡 Ⅲ:71》.

어우루다 타〈옛〉어우르다. =어울우다. ¶훈 如에 어우루미라(冥於一如)《圓覺 上 二之二 132》.

어우르다 타르불 ①여럿이 모여 조화를 이루게 하다. ②여럿이 모여 한 덩어리나 한 판이 되게 하다. ③윷놀이에서 두 바리 이상의 말을 한데 합치다. 1)-3):>아우르다. 준어르다.

어우리 명 배내·배메기·열렁장사 따위를 싸잡아 일컫는 말. ¶~로 덧마지기 논농사를 짓다/~로 내준 소의 코뚜레만 모아도 한 짐은 되는 부자였다/~ 농사/~ 소/~ 닭.

어우 야:담【於于野談】명『책』조선 광해군(光海君) 13년(1621)에 어우당(於于堂) 유몽인(柳夢寅)이 지은 야담집. 설화 문학으로 유명하고 풍자적이며 기지(機智)에 찬 내용으로 널리 읽혔음. 《대동 야승(大東野乘)》에 실려 있음. 2책의 사본임.

어우와 감〈옛〉아아. =어우화. ¶어우와 벗님네야 錦衣玉食 ᄌᆞ랑마소《古時調 永言》/어우와 날 속여다 秋月春風이 날 속여다《古時調》.

어우-집【於于集】명『책』조선 광해군(光海君) 때의 학자 어우당(於于堂) 유몽인(柳夢寅)의 유고집. 6권 5책. 사본(寫本).

어우화 감〈옛〉아아. =어우와. ¶어우화 벗님네야 님의 집에 勝戰 가세《古時調 永言》.

어욱새 명〈옛〉억새. ¶어욱새 속새 덥가나무 白楊수페《松江 將進酒辭》.

어:운【語韻】명 말의 운치. 음운(音韻).

어울다 타〈옛〉어우르다. ¶氣分이 서로 어우루미(氣分交接)《楞嚴 Ⅷ:18》/둘히 어우러 精舍 밍ᄀᆞ라《釋譜 Ⅵ:26》/바볼 어우러 먹디 아니ᄒᆞ며(不共食)《內訓 Ⅲ:2》.

어울러-지다 자 '어우러지다'의 잘못.

어울리다 一자 ①어우르게 되다. ②한데 섞이어 조화되다. ¶잘 어울리는 부부/양복에 어울리는 넥타이. >아울리다. 二피동 어우름을 당하다. >아울리다. 준얼리다.

어울림 명 조화(調和).

어울림-음【一音】명 [consonance]『악』잘 조화되어 안정된 화음. 협화음(協和音).

어울림 음정【一音程】명 [consonant interval]『악』두 개의 음이 동시에 울렸을 때, 탁하지 않고 잘 어울려서 들리는 음정. 협화 음정(協和音程).

어울-무덤 명『고고학』두 사람 이상의 주검을 한데 묻은 무덤. 대개 부부를 묻은 곳을 말함. 합장묘(合葬墓). *홑무덤.

어울우다 자〈옛〉어울리다. =어우루다. ¶ᄆᆞᅀᆞ믈 聖人 ᄠᅳ데 어울우며(冥心聖旨)《圓覺 序 81》/첫소리ᄅᆞᆯ 어울워 ᄡᅮᆯ디면 ᄀᆞᆯᄫᅡ쓰라(初聲合用則竝書)《訓諺》.

어울-이 명〈방〉배내.

어울이-장사 명〈방〉열렁장사.

어울ᄐᆞ다 타〈옛〉어울려 타다. 같이 타다. ¶어울 ᄐᆞ다(疊騎)《譯語 下 20》/어화 雜말ᄒᆞ다 암쇼 등에 언치 노하 새삿갓 모시 長衫 곳갈에 念珠 밧쳐 어울ᄐᆞ고 갈이라《古時調》.

어웅-하다 형여불 굴이나 구멍 등이 속이 비어서 침침하다. ¶큰구멍이 뚫려 속이 ~. ¶분상 앞에는 수도(隧道) 문이 열린 채 어웅하게 굴문이 뚫려졌다《朴鍾和:多情佛心》. >아웅하다.

어웍 명〈방〉『식』억새(제주).

어웍새 명〈옛〉억새풀. ¶어웍새(龍王根草)《譯語 下 40》.

어:원¹【御苑】명 금원(禁苑).

어:원²【語源·語原】명『언』단어가 성립된 근원. 어떠한 말이 생겨난 역사적 밑뿌리. 개개의 단어가 갖는 근원적인 어형(語形)이나 뜻. 말밑. *어근(語根).

어:원 속해【語源俗解】명 민간 어원(民間語源).

어:원-학【語源學】명 [etymology]『언』언어학의 한 분야. 어형(語形)의 역사 및 어의(語義)가 발전하여 온 계보를 언어학의 사적 방법 및 비교 방법에 의하여 고구(考究)하는 학문.

어월 명〈옛〉오이씨. ¶어월 상(瓤)《字會 下 5》/욋어월(瓠瓤瓜中犀)《四聲 下 45》. *욋어월.

어웨이 게임 [away game] 명 원정 경기. 로드 게임(road game). ↔홈게임.

어위 명〈옛〉흥(興). ¶쇼머기는 아ᄒᆡ들이 夕陽의 어위계워 短笛을 빗기 브니《松江 星山別曲》.

어위다 형〈옛〉넓다. 너그럽다. ¶구룸씬 뫼훈 ᄀᆞ롮 北녀긔 어위니(雲嶂寬江北)《杜諺 Ⅶ:13》/싸훈 平훈 몰앳 두들기 어위오(地闊平沙岸)《杜諺 Ⅲ:11》/어월 관(寬)《類合 下 3》.

어위욤 형〈옛〉너그러움. '어위다'의 명사형. ¶조보ᄆᆞᆯ 브터 어위요메 니르시니라(從陿至寬)《圓覺 下 三之二 41》.

어위쿰 형〈옛〉넓고 큼. '어위다'의 명사형. ¶사ᄅᆞᄆᆡ 징조ᄅᆞᆯ 앗인 어위쿠믈 아노라(人才覺弟優)《杜諺 ⅩⅢ:34》.

어위크다 형〈옛〉넓고 크다. 관대하다. ¶恢는 어위크며 먼 양이오《圓覺 序 40》/싸훈 望仙臺예 어위크도다(地闊望仙臺)《杜諺 Ⅴ:1》/諸公의 德業이 어위크도다(諸公德業優)《杜諺 ⅩⅢ:37》.

어위키 부〈옛〉관대하게. 너그럽게. ¶어위키 부드러이ᄒᆞ야(優而柔之)《永嘉 上 47》/늘거가매 ᄀᆞᄋᆞᆳ 홀 슬허셔 고돌파 내 ᄆᆞᅀᆞᄆᆞᆯ 어위키 ᄒᆞ노니(老去悲秋强自寬)《杜諺 Ⅺ:33》.

어유¹【魚油】명 물고기에서 짜 낸 기름의 총칭. 식용·비누 제조·약용(藥用) 등에 쓰임. 어유(魚乳).

어유²【魚乳】명 어유(魚油).

어유:³ 감 ①뜻밖에 벌어진 일에 놀람을 나타내는 말. ¶~ 이게 무어야/~, 큰 일 났군. ②피곤하고 힘에 부칠 때 내는 소리. ¶~ 참 힘들다. 1)·2):>아유.

어유-도【漁遊島】명『지』경상 남도의 남해상(南海上), 통영시(統營市) 한산면(閑山面) 매죽리(每竹里)에 위치한 섬. [0.08km²]

어유미 머리【於由味一】명 어여머리의 군두목.

어-유(:)봉【魚有鳳】명『사람』조선 영조 때의 문신·학자. 자는 순서(舜瑞), 호는 기원(杞園). 숙종(肅宗) 때 대과(大科)에 응시했으나 부정(不正)을 보고 과거를 단념함. 천거로 호조 참의(戶曹參議)·승지를 역임. 조선 후기의 거유(巨儒)로서 인성(人性)·물성(物性)이 똑같이 오행(五行)의 이(理)를 갖추었다고 주장, 학설을 발전시킴. 저서에 《기원집(集)》·《경설 어록(經說語錄)》 등이 있음. [1672-1744]

어-유부중【魚遊釜中】명 [솥 안에서 물고기가 논다는 뜻] 사람이 죽음이 임박한 줄도 모르고 삶의 비유.

어유아리 명〈옛〉바리때. ¶굳갓과 어유아리를 準備ᄒᆞ야(準備笠瓦鉢)《朴解 上 34》.

어육【魚肉】명 ①생선과 짐승의 고기. ②생선의 고기. ③짓밟고 으깨어 아주 결딴을 냄을 비유한 말. ¶만나면 ~을 만들테다.

어육-장【魚肉醬】명 살짝 데친 생선과 고기를 넣고 담근 장.

어-윤적【魚允迪】명『사람』조선 말기의 사학자. 자는 치덕(穉德), 호는 혜재(惠齋). 일본 게이오(慶應) 의숙(義塾)에서 수학, 학부(學部) 편집국장, 관립 한성 사범 학교 교장 등을 역임. 광무(光武) 11년(1907) 국문연구소(國文研究所) 위원이 됨. 국권 피탈 후 중추원 부참의(副參議)·경성 대학 법문학부 강사·대동 사문회장(大東斯文會長) 등을 지냄. 한글의 기원(起源)을 태극도(太極圖)에 결부시켜 설명했음. [1868-1935]

어-윤중【魚允中】명『사람』조선 시대 말기의 탁지부 대신(度支部大臣). 자는 성집(聖執), 호는 일재(一齋). 함종(咸從) 사람. 강화도 조약 후에 일본을 시찰하고 개화 사상을 고취하였는데, 친로파가 득세하여 아관 파천(俄館播遷)이 있던 고종 33년(1896)에 친일파라 하여 용인(龍仁)에서 피살되었음. 시호는 충숙(忠肅). [1848-96]

어으름 명〈옛〉어스름. =어스름. ¶어으르메 ᄠᅥ니는 므리 버렛고(合昏排鐵騎)《重杜諺 Ⅳ:20》/어으르메 새 수플로 가매 놀개 가비야오ᄆᆞᆯ 울어러 브리 보노라(仰羨黃昏鳥投林羽翮輕)《重杜諺 Ⅷ:12》.

어은【漁隱】명『사람』김성기(金聖器)의 호(號).

어은-보【漁隱譜】명『악』조선, 숙종(肅宗)과 영조(英祖) 때 떨치던 거문고의 명인(名人)인 김성기(金聖器)의 가락을, 뒤를 이은 제자가 편집한 것으로 여겨지는 거문고 합자보. 사본 1권. 어은(漁隱)은 김성기의 호. 창랑보(滄浪譜).

어은-산【魚隱山】명『지』강원도 양구군(楊口郡) 방산면(方山面)에 있는 산. [1,250m]

어은 총화【漁隱叢話】명『책』[↗초계 어은 총화(苕溪漁隱叢話)] 중국 송대(宋代)의 호자(胡仔)가 편집한 시론서(詩論書). 전집(前集) 60권, 후집(後集) 40권. 시경(詩經)으로부터 한위 육조(漢魏六朝), 도연명(陶淵明)·이백(李白)·두보(杜甫)·한유(韓愈)를 거쳐 송나라의 소식(蘇軾)·황정견(黃庭堅) 등 북송(北宋)에 이르기까지의 시의 평론을 분

류·배열한 시화(詩話)의 집대성임. ≪시화 총구(詩話總龜)≫에 실리지 않은 것을 수록하였음.

어을-현【於乙峴】명〖지〗황해도(黃海道) 안악군(安岳郡) 은홍면(銀紅面)에 있는 고개. [71 m]

어읆 명〈옛〉어스름(黃昏). =어으름. ¶어을미어든 定ᄒᆞ고 새배어든 술피며(昏定而晨省)≪小諺 Ⅱ:9≫.

어음[1] 명 ①〖역〗돈 지불을 약속하는 표쪽. 채권자와 채무자가 지급을 약속한 표시를 가운데에 적고, 한 옆에 날짜와 채무자의 이름을 적어 수결이나 도장을 지르고 두 쪽으로 나누어 가짐. ②〖경〗일정한 금액을 일정한 시기에 일정한 장소에서 무조건으로 지급할 사항을 기재하고 또한 서명(署名)한 유가 증권(有價證券). 제삼자에게 지급을 위탁하는 환(換)어음과 발행인 자신이 지급을 약속하는 약속 어음이 있음. 구칭: 수형(手形). 주의 '於音'·'魚驗'으로 씀은 취음(取音).

〈어음[1]❶〉

어:음[2]【語音】명 말의 음조(音調).

어음 개:서【一改書】명〖경〗지급 기한(支給期限)을 연장하기 위하여 만기일이 되어 어음을 고쳐 쓰는 일.

어음 거:래【一去來】명〖경〗결제(決濟)를 현금이 아닌 어음으로 하는 거래.

어음 계:정【一計定】명〖경〗어음에 관한 채권(債權)·채무(債務)를 처리하기 위하여 설정하는 계정.

어음 교환【一交換】명〖경〗동일한 지역 안의 금융 기관이 서로 다른 은행으로부터 추심(推尋)해야 할 어음 수표를 어음 교환소로 갖고 와서 제시(提示) 교환하여 차감 계정(差減計定)으로 상호 결제(決濟)하는 일. ——-하다 자여불

어음 교환소【一交換所】명〖경〗일정 지역 안의 여러 금융 기관의 직원이 모여서 매일 수수(授受)한 어음을 교환하고 서로의 대차(貸借)를 청산하기 위하여 만든 기관. 법무부 장관이 지정함. ㊟교환소.

어음 교환액【一交換額】명〖경〗①어음의 대차 결산상(貸借決算上)의 잔액. ②전국의 어음 교환소에서 교환된 어음에 관한 통계. 전국·도시별로 집계함. 경기 지표(景氣指標)로 중요한 의의를 가짐.

어음 권리 능력【一權利能力】[一궐一녁] 명〖경〗어음상의 권리·의무의 주체가 될 수 있는 능력. 곧, 자기의 이름으로 어음상의 권리를 얻거나 또는 의무를 지는 능력.

어음 금액【一金額】명〖경〗어음 액면에 기입된 금액.

어음 기승【一騎乘】명〖법〗두 사람이 통모(通謀)하여 서로 상대방을 지급인으로 하는 어음을 발행하여 인수(引受)시키고, 각자가 이것을 제삼자 특히 은행에 할인(割引)하여 자금을 융통하는 일. 만기(滿期)까지 서로 결제(決濟)할 수 없으면 부도(不渡)가 됨. 융통(融通) 어음 남용의 한 예임.

어음 기입장【一記入帳】명〖경〗어음에 관한 채권·채무의 명세를 발생 순서대로 기록·정리하는 장부. 받을 어음 기입장과 지급 어음 기입장으로 나뉨.

어음 능력【一能力】[一녁] 명〖법〗어음 권리 능력과 어음 행위 능력을 총칭하는 개념. 협의로는 후자만을 가리키고, 또 가장 광의로는 어음 채무의 객체가 될 수 있는 능력을 말함.

어음 당사자【一當事者】명〖경〗법률 관계에서 본 어음의 당사자. 환어음의 발행인·수취인·지급인, 약속 어음의 발행인·수취인 등. 여기에 배서인·인수인·보증인 등이 포함될 경우도 있음.

어음 대:출【一貸出】명〖경〗금융 기관(金融機關)이 행하는 금전 대출의 한 방법. 차용 증서(借用證書) 대신에 차용인에게 은행을 수취인(受取人)으로 하는 약속 어음 또는 환어음을 떼게 하는 일. 대출일로부터 어음 지급 기일까지의 이자를 공제한 금액을 대출함. *대부(貸付) 어음. ——-하다 자여불

어음 등본【一謄本】명〖법〗원본이 인수 때문에 송부되어 없을 경우 어음의 유통을 가능케 하기 위하여 원본을 등사한 등본. 원본과 같은 방법으로 배서와 보증을 할 수 있음.

어음 매:입 수권서【一買入授權書】[一꿘一] 명〖경〗은행이 수입상(輸入商)의 의뢰에 의하여 수출상(輸出商) 소재지의 지점 또는 거래 은행에 대하여 소정의 선하 증권(船荷證券) 등을 첨부한 수입상을 지급인으로 하는 수출상 발행 어음의 매수를 지시하는 통지서. 신용 지시서(信用指示書).

어음 문구【一文句】[一꾸] 명〖경〗환어음 또는 약속 어음인 것을 나타내는 어구. 이는 어음 요건의 하나이며, 그 기재가 없으면 효력이 상실됨. 국어로 표시함.

어음 문언【一文言】명〖법〗어음상의 권리를 표시하기 위하여 어음에 기재한 사항.

어음 발행인【一發行人】명〖경〗어음을 발행한 사람. ↔어음 수취인(受取人).

어음 배:서인【一背書人】명〖경〗어음에 배서함으로써 어음에 관한 권리를 피(被)배서인에게 양도하는 사람.

어음-법【一法】[一뻡] 명〖법〗어음의 성질·거래에 관하여 정한 법률. 환어음의 발행 및 방식·배서·인수·만기·지급·참가·복본(複本)·등본(謄本)·약속 어음 등에 관하여 규정함.

어음 보증【一保證】명〖경〗특정한 어음상의 채무를 보증하는 일. 환어음·어음 등본(謄本) 또는 보전(補箋)에 보증의 취지 및 주된 채무자를 표시하고 보증인이 서명함.

어음 복본【一複本】명〖경〗환(換)어음을 내용이 같은 두 통(通) 이상의 증권(證券)으로 발행한 것. 증권의 문언(文言) 중에 번호를 붙이고 어음 행위자(行爲者)가 기명 날인(記名捺印)을 함으로써 각기 어음상의 권리가 있음을 나타냄. 어음의 인수(引受)를 위한 송부(送付) 등에도 쓰임.

어:음 상통【語音相通】명 ①양쪽의 거리가 가까워서 말소리가 서로 들림. ②말로 하는 의사 표시가 서로 통함. ——-하다 자여불

어음 서:명【一署名】명〖경〗어음 행위의 효력 발생을 절대 요건으로 하는 기명 날인(記名捺印).

어음 소송【一訴訟】명〖법〗어음 금액의 지급 청구 및 이에 따르는 법정 이율에 의한 손해 배상 청구에 관한 소송과 절차.

어음 소:지인【一所持人】명〖경〗어음의 정당한 소지인. 곧, 어음의 수취인 또는 피(被)배서인.

어음 수취인【一受取人】명〖경〗어음 발행 때, 발행인으로부터 어음의 교부를 받고, 최초의 소지인이 되는 사람. 그 이름은 어음면에 기재되고, 스스로 지급을 받거나, 또는 배서할 수 있음. ↔어음 발행인.

어음 시:장【一市場】명 [discount market]〖경〗어음을 매매하는 시장. 어음 매매 시장.

어음 시효【一時效】명〖법〗어음 청구권의 소멸(消滅) 시효. 환어음의 인수인(引受人)이나 약속 어음의 발행인에 대한 청구권(請求權)은 만기의 날로부터 3년, 배서인(背書人)이나 환어음의 발행인에 대한 청구권은 거절 증서(拒絕證書)가 작성되었을 경우는 그 날로부터 1년이면 시효에 걸림.

어음 요건【一要件】[一껀] 명〖경〗증권이 어음으로서의 효력을 발생하는 데 필요한 기재 사항. 환어음임을 표시하는 문자, 일정한 금액을 지급한다는 취지의 무조건의 위탁, 지급인의 명칭, 발행일·발행자의 표시, 발행인의 기명 날인 따위.

어음 원본【一原本】명〖경〗어음 등본(謄本)에 대한 당초의 어음 증권.

어음의 배:서【一背書】[一/一에一] 명〖경〗어음의 소지인이 목적 사항을 어음의 이면에 기입 서명하는 일.

어음 인수【一引受】명〖경〗①어음 지급인이 어음 금액의 지급을 인수하는 일. 어음 인수난에 서명 또는 기명 날인함으로써 성립됨. ②은행이 거래처에 대하여 자기 앞으로 어음을 발행하게 하고 그 지급을 인수하는 일. 억셉턴스(acceptance).

어음 인수인【一引受人】명〖경〗어음 금액을 지급할 자로서 어음면(面)에 기재된 사람.

어음 자:금【一資金】명〖경〗어음 금액을 지급(支給)하기 위한 자금. 발행인(發行人)이, 미리 지급인인 은행 따위에 제공하는 금전적 대가(對價)나 재산.

어음-장【一帳】[一짱] 명〖경〗어음 용지(用紙)를 철(綴)한 장부(帳簿). *수표장(手票帳).

어음 중:개【一仲介】명〖경〗여유 자금이 있는 기업과 자금이 달리는 기업 간의 자금 거래를 활성화하기 위해 단자사들이 거래 당사자들의 중간에 서서 기간·액수 및 금리 등을 맞추어 거래를 성사시켜 주는 일.

어음 중:매인【一仲買人】명〖경〗은행과 어음 소지자 사이에서 어음의 매매·할인 따위를 하는 사람.

어음 지급 수권서【一支給授權書】[一꿘一] 명〖경〗은행이 수입상(輸入商)의 의뢰에 의하여 수출상(輸出商) 소재지의 지점 또는 거래 은행에 대하여 수출상이 그 거래 은행 앞으로 발행한 어음의 지급을 지시하는 통지서(通知書).

어음 지급인【一支給人】명〖경〗어음 금액을 지급할 의무가 있는 사람. *어음 발행인.

어음 채:권【一債權】[一꿘] 명〖경〗어음에 표기되어 있는 일정한 금액의 급부(給付)를 목적으로 하는 금전 채권.

어음 채:무【一債務】명〖경〗어음에 기재된 금전의 급부를 목적으로 하는 채무. 환어음의 발행인이 부담하는 주된 어음 채무와 환어음의 발행인·배서인 또는 약속 어음의 배서인 등이 부담하는 상환 의무(償還義務)로서의 어음 채무가 있음.

어음 할인【一割引】명〖경〗어음 소지인(所持人)이 어음에 기재된 지급 기일전에 돈을 쓰고자 할 때, 은행에서 그 기일까지의 이자(利子)를 액면 금액(額面金額)에서 뺀 잔금(殘金)을 지급하고, 그 어음을 사들이는 일. ——-하다 자여불

어음 항:변【一抗辯】명〖경〗어음상의 청구를 받은 채무자가 어음 소지인(所持人)에 대하여 정당하게 지급 거절을 주장할 수 있는 일체의 사유(事由).

어음 행위【一行爲】명〖법〗어음에 기명 날인함으로써 어음상의 책임을 지는 법률 행위. 발행·배서(背書)·인수(引受)·보증·참가(參加) 인수의 다섯 가지가 있음. 발행을 기본적 어음 행위, 기타를 부속적 어음 행위라고 함.

어음 행위 능력【一行爲能力】[一녁] 명〖법〗자기의 행위에 의하여 어음 상의 권리를 발생 변동시킬 수 있는 능력.

어음 행위 독립의 원칙【一行爲獨立一原則】[一님一/一님에一] 명〖법〗어음 행위는 그 행위의 전제(前提)가 되는 다른 어음 행위가 형식(形式)의 흠결(欠缺) 이외의 사유로서 무효가 되더라도 그 효력에 아무 영향을 받지 아니한다는 원칙. 어음 거래의 안전을 보호하기 위하여 인정된 원칙임.

어읍다 형〈옛〉어이없다. 틈없다. ¶천장은 나라 이리 하 어읍스니 이제 어ᄂᆞ 겨르레 ᄒᆞ며≪諺簡 10 宣祖諺簡≫.

어응【魚鷹】명〖조〗징경이.

어:의[1]【御衣】[一/一이] 명 임금이 입는 옷.

어:의[2]【御醫】[一/一이] 명 궁중의 시의(侍醫).

어:의[3]【語義】[一/一이] 명 말의 뜻. 말뜻.

어의-궁【於義宮】[一/一이一] 명〖역〗칠궁(七宮)의 하나. 조선 인조(仁祖)의 사저(私邸). 웟어의궁 곧 상(上)어의궁과 아랫어의궁 곧 하(下)어의궁이 있는데, 웟어의궁은 지금의 서울 종로구 교동(校洞), 교동 국민 학교 자리이고, 아랫어의궁은 용흥궁(龍興宮)이라 하여 효종(孝宗)

의 잠저(潛邸)였는데 지금의 서울 종로구 효제동(孝悌洞)에 있었음. 다시 그 뒤 지금의 종로구 내자동(內資洞), 경찰 기동대 자리로 옮겨, 왕비의 가례(嘉禮)를 행하는 장소로 썼음.

어:-의대【御衣襨】[명] '의대(衣襨)'의 경칭.

어의-도【於義島】[―/―이―][명]〖지〗①전라 남도의 서해상(西海上), 신안군(新安郡) 지도읍(智島邑) 어의리(於義里)에 위치한 섬. 근해 수산업의 중심지로, 특히 조기의 어획이 많음. [1.6 km^2 : 328명(1984)] ②경상 남도의 남해상(南海上), 통영군(統營郡) 용남면(龍南面) 어의리(於義里)에 위치한 섬. [0.55 km^2 : 293명(1984)]

어의-론【語義論】[―/―이―][명]〖언〗의미론(意味論)❶.

어의-머리 [명]〈방〉어여머리.

어:의-사【御醫舍】[―/―이―][명]〖역〗궁중의 시의(侍醫)들이 집무하던 관청.

어이[1] [명] 짐승의 어미.

어이[2] [명] 어처구니. ¶~없다.

어이[3] [명]〈옛·방〉어버이(경남). =어ᅀᅵ. ¶아바님도 어이어신마ᄅᆞᄂᆞᆫ≪樂詞 思母曲≫.

어이[4] [부] '어찌'의 예스러운 말. ¶내 ~ 왔던고.

어이[5] [감] ↗어이구. ¶~, 춥다.

어:이[6] [감] 평교(平交) 이하의 사람을 부르는 소리.

어이-곡【―哭】[명] 상중(喪中)에 곡하는 방식의 하나. 부모상과 종손(宗孫)의 조부모상 이외에 하는 곡임. '어이 어이'하고 욺.

어이구 [감] 몹시 아플 때, 놀랐을 때, 힘들 때, 원통할 때 같은 때에 나오는 소리. ¶~, 아파/~, 죽겠다/~, 깜짝이야. [준]어이·에구. >아이고.

어이구나 [감] 어린아이의 묘한 재롱이나 착함을 보고, 기특해서 내는 소리. ¶~, 착하다. >아이고나.

어이구-머니 [감] 어이구'의 강조어(強調語). [준]에그머니·어구머니. >아이고머니.

어이-님 [명]〈심마니〉노인(老人).

어이다[1] [타]〈방〉에다.

어이다[2] [타]〈옛〉피하다. ¶사ᄅᆞᆷ을 어여가(避人)≪杜諺 Ⅵ:15≫.

어이 동자【―童子】[명]〖건〗머름의 칸막이에 있어서 기둥에 붙여 세운 동자 기둥.

어이-딸 [명] 어머니와 딸. 모녀(母女).

[어이딸이 두부 앗듯] 오순도순 사이 좋게 일함을 이르는 말. [어이딸이 쌍절구질하듯] ㉠무슨 일을 할 때 사람들의 손이 척척 잘 맞아 들어감을 이르는 말. ㉡말다툼할 때 한 사람이 무어라고 하고 나서, 곧 또 한사람이 이어 하기를 쉬지 않고 되풀이함을 이르는 말.

어이로 [부]〈방〉오히려[1](경남).

어이-마니 [명]〈심마니〉노인(老人).

어이-머리 [명]〈방〉어여머리.

어이-며느리 [명] 시어머니와 며느리. 고부(姑婦). 고식(姑媳).

어이밠가락 [명]〈옛〉엄지발가락. ¶어이 밠가락 첫ᄆᆞ딘 뒤헤 오목ᄒᆞᆫ 가온ᄃᆡ룰 나 마ᄎᆞ스라(灸足大都隨年壯)≪救簡 Ⅲ:75≫.

어이사니-없:다 [형]〈방〉어이없다.

어이-새끼 [명] 짐승의 어미와 새끼.

어이-아들 [명] 어머니와 아들. 모자(母子).

어이-어이 [감] 상중(喪中)에 상주를 제외한 복인(服人)이나 조객(弔客)이 우는 소리.

어이-없다 [―업―][형] 엄청나서 기가 막히다. 어처구니없다.

어이-없이 [―업씨][부] 어이없게.

어이즁 [명]〈옛〉스님. ¶어이즁 어이승 師僧尼≪平壤本 經國大典≫.

어이쿠 [감] '어이구'의 강조어. 몹시 부딪치거나 갑자기 놀랐을 때 내는 소리. >아이쿠.

어이-화【魚鮧畫】[명]〖미술〗어해화(魚蟹畫) 가운데, 메기의 그림.

어인[1]【圉人】[명] 말을 기르는 사람. 또, 말을 기르는 것을 맡은 벼슬아치.

어:인[2]【御印】[명] 임금의 도장. 어새(御璽). 옥새(玉璽).

어인[3] [관]〈옛〉어찌 된. ¶어인 귓도리 뎌혼자 울어 예여≪古時調≫.

어인-마니 [명]〈심마니〉나이 많고 숙련된 심마니.

어인지-공【漁人之功】[명] 어부지리(漁夫之利).

어일싸 [감] 비웃는 뜻을 나타낼 때 나오는 소리. ¶~, 그걸 다 해/~, 용하다.

어임 [명]〈방〉어여머리.

어:자【馭者·御者】[명] ①마차를 부리는 사람. 또, 마차의 앞에 타고 말을 부리는 사람. ②말을 다루는 사람.

어:자-대【馭者臺】[명] 어자(馭者)가 앉아서 마차를 부리는 자리.

어자-문【魚子紋】[명]〖미술〗도자기의 겉에 씌우는 잿물의 잘고 고운 금.

어:자-좌【馭者座】[명]〖천〗마차부자리'의 구칭.

어장[1]【魚丈】[명]〖불교〗어회(魚會)에서 범패(梵唄)를 가르치는 승려의 존칭.

어:장[2]【御仗】[명] ①임금의 의장(儀仗). ②임금이 거둥할 때의 호위병(護衛兵).

어:장[3]【御將】[명]〖역〗↗어영 대장(御營大將).

어장[4]【魚腸】[명] 물고기의 창자.

어장[5]【魚醬】[명] 생선을 넣고 담근 장.

어장[6]【漁帳】[명] 조선 시대에 많이 설치되었던 정치망(定置網). 경상도 지방의 곽(雈矢)·장시(狀矢)와 함경도·강원도·경상도의 거망(擧網)을 통틀어 어장이라고 함.

어장[7]【漁場】[명] ①고기잡이를 하는 곳. 어소(漁所). 어로장(漁撈場). ¶근해(近海) ~. ②〖지〗풍부한 수산 자원이 있고, 고기가 잡히는 수역(水域). 보통, 대륙붕(大陸棚) 뱅크가 널리 분포되고, 한난류(寒暖流)가 접촉된 곳임.

[어장이 안 되려면 해파리만 끓는다] 바라던 일은 안되고 엉뚱한 일만 생김의 비유. 여각(旅閣)이 망하려면 나귀만 든다.

어장-도【漁場圖】[명] 어장에서의 해황(海況)과 어황(漁況)을 기입한 도면(圖面). 관계 관청·연구 기관·어업 조합 등에서 배포(配布)함.

어장-비【魚腸肥】[명]〖농〗물고기의 내장을 원료로 하는 비료. 질소(窒素)·인산(燐酸)을 많이 포함함.

어장 표지【漁場標識】[명] 어장의 위치·구역·방위 같은 것을 나타내는 표지.

어재[1] [명]〈옛〉어제[1]. ¶어재도 가뵈울거슬≪新語 Ⅷ:20≫.

어재[2]【魚滓】[명] 살을 발라 냈거나 기름을 짜고 난 물고기의 찌끼. 비료로 씀.

어:-재실【御齋室】[명]〖역〗임금이 능(陵) 또는 묘(廟)에 거둥할 때에 잠시 머무는 집.

어-재(:)연【魚在淵】[명]〖사람〗조선 시대 말의 무장. 자(字)는 성우(聖禹). 함종(咸從) 사람. 고종(高宗) 3년(1866) 병인 양요(丙寅洋擾) 때 우선봉(右先鋒)으로 광성진(廣城鎭)을 수비하고, 동왕 8년(1871) 신미 양요(辛未洋擾) 때 순무 중군(巡撫中軍)으로 다시 광성진을 수비하던 중 미국군과 교전하다가 전사함. 시호(諡號)는 충장(忠壯). [?-1871]

〈어저귀〉

어저귀 [명]〖식〗[*Abutilon avicennae*] 아욱과에 속하는 일년초. 줄기는 원주형으로 높이 1.5 m 가량이고, 잎은 호생(互生)하며 장병(長柄)이고 원심형(圓心形)임. 7-8월에 황색 오판화(五瓣花)가 줄기 위에 액출(腋出)함. 과실은 삭과(蒴果). 인도 원산으로, 한국·일본·중국 등지에서 재배함. 줄기 껍질은 섬유로 쓰며, 씨는 '경실(苘實)'이라 하여 한약으로 씀. 백마(白麻). 경마(苘麻).

어저께 [명] 어제[1]. [주의] 부사적(副詞的)으로도 쓰임. 「17≫.

어저ᄭᅴ [명]〈옛〉어저께. ¶내 어저ᄭᅴ 다ᄉᆞᆺ가짓 수를 ᄲᅮ우니≪月釋 Ⅰ:

어저우〔鄂州〕[명]〖지〗중국 후베이 성(湖北省) 우창(武昌)의 옛이름. 현재는 우한 삼진(武漢三鎭)의 통합으로 이루어진 우한(武漢) 시의 일부. 양쯔 강(揚子江)과 한장(漢江) 강의 합류점에 있는 요충지임. 악주.

어적[1] [명]〈방〉어제[1](충남).

어적[2]【魚炙】[명] 물고기를 구워서 만든 적.

어적[3]【漁笛】[명] ①어촌(漁村)에서 들리는 피리 소리. ②어부(漁夫)가 부는 피리.

어:적[4]【禦敵】[명] 외적을 막음. ――-하다 [자][여불]

어적[5] [부] 좀 단단한 과실이나 김치 같은 것을 단번에 씹을 때 나는 소리. ㅆ어쩍. >아작. ――-하다 [자][타][여불]

-어적【於赤】[미] '-어치'의 취음(取音).

어적-거리다 [자][타] 연하여 어적 소리가 나다. 또, 연하여 어적 소리를 나게 하다. ㅆ어쩍거리다. >아작거리다. 어적-어적 [부]. ――-하다 [자][타][여불]

어적-대다 [자][타] 어적거리다.

어적-이다 [자][타] 어적 소리가 나다. 또, 어적 소리를 내다.> 아작이다.

어:전[1]【御田】[명]〖역〗친경전(親耕田).

어:전[2]【御前】[명] 임금의 앞.

어:전[3]【御殿】[명] 임금이 있는 곳.

어전[4]【魚箭】[명] 어살.

어:전[5]【語典】[명]〖언〗①어법(語法)을 설명한 글. 문법전(文法典). 문전(文典). ②사전(辭典).

어전[6]【漁筌】[명] 통발[3].

어:전[7]【禦戰】[명] 방어전. ――-하다 [자][여불]

어:전 풍류【御前風流】[―뉴][명] 임금의 앞에서 베푸는 풍류.

어:전 회:의【御前會議】[―/―이][명] 임금의 앞에서 중신(重臣)들이 모여 의논하는 회의. ――-하다 [자][여불]

어:절【語節】[명]〖언〗언어 형식의 일종. 글을 실제의 언어로서, 될수록 많이 끊은 가장 짧은 단어로써 이루어지기도 하고, 체언과 조사가 붙어서 되기도 함. 문절(文節). 문소(文素).

어접【魚蝶】[명]〖동〗물고기진드기❷.

어젓긔 [명]〈옛〉어제. ¶어젓긔 봆비를 시름ᄒᆞ매 다ᄃᆞ랫더니(昨屬愁春雨)≪初杜諺 Ⅶ:20≫.

어정[1] [명] ①↗어정잡이❶. ②일에 정성을 들이지 아니하고, 건성으로 대강 하여서 어울리지 아니함. ¶~으로 지은 옷.

어:정[2]【御井】[명] 서울 특별시 종로구 훈정동 종묘(宗廟) 앞 공원 경내(境內)에 있는 조선 초기의 어수(御水) 우물. 서울 특별시 유형 문화재 제56호.

어정[3]【漁艇】[명] ①고기잡이에 쓰이는 작은 배. 어선(漁船). 어주(漁舟). ②대형 어선(大型漁船)에 적재(積載)하여 어장에 내려놓고 어업에 쓰이는 작은 배.

어:정 갱장록【御定羹墻錄】[―녹][명]〖책〗갱장록.

어정-거리다 [자] ①키가 큰 사람이나 짐승이 한가한 태도로 거닐다. ㅆ어청거리다. ②일없는 태도로 거닐다. 1)·2):>아장거리다. 어정-어정 [부]. ¶못난 녀석이 무슨 낯짝으로 ~ 되돌아왔는가고…≪鮮于煇 : 깃발 없는 旗手≫. ――-하다 [자][여불]

어정-대다 [자] 어정거리다.

어정-뜨다 [형] 마땅히 하여야 할 일을 제대로 아니하여 처지거나 엉성하고 탐탁하지도 않다.

[어정뜨기는 칠팔월 개구리] 그 태도가 엉성하고 덤벙거리기가 마치 칠팔월경의 개구리 같다는 말로, 몹시 어정뜨다는 말.

어정-뱅이 명 ①갑자기 잘 된 사람. ②일을 제대로 않고 어정대는 사람. ③일은 하지만 조금도 실적이 없는 사람.
어정-버정 부 일없는 태도로 이리저리 어정거리는 모양. ¶~하려면 저리 비켜라. >아장바장. ——-하다 자여불
어정-잡이 명 ①외양만 차리고 실속이 없는 사람. 준어정. ②인품이 좀 허술하여 제 맡은 일을 제대로 못 하는 사람.
어정쩡-하다 형여불 ①내심 의심스러워 꺼림하다. ②기억이 흐릿하다. ③좀 엉뚱스럽고 난처하다. ¶마담은 이럴 수도 없고 저럴 수도 없는 어정쩡한 상태에서…≪姜龍俊 : 사랑하는 그대≫. 어정쩡-히 부
어정 칠월【一七月】명 농가에서 음력 칠월은 별일 없이 어정거리는 동안에 가 버린다는 말.
[어정 칠월 동동 팔월] 농가에서 칠월달은 어정어정하는 사이에 가고, 팔월달은 추수 때문에 바빠 동동거리는 사이에 지나가 버린다는 말.
어정-판 명 무당이 벌이는 굿판.
어제[1] 명〔중세 : 어제〕오늘의 바로 전날. 작일(昨日). 어저께. 주의 부사적(副詞的)으로도 쓰임.
[어제 보던 손님] 낯이 익었다는 뜻. 일면 여구(一面如舊). [어제 다르고 오늘 다르다] 변화하는 속도가 몹시 빠르다는 말.
어제[2] 명부〈방〉이제[1](함남).
어제[3]【魚梯】명〖토〗어도(魚道)의 하나. 하천(河川)에 폭포·댐(dam) 등이 있어 물고기의 상류 또는 하류에의 교통이 막혔을 때, 그 곳에 사면(斜面)이나 계단식 흐름을 만들어서 물길을 통하여 물고기가 아래위로 통행할 수 있게 만든 시설.

〈어제[3]〉

어:제[4]【御製】명 ①임금이 만듦. ②임금이 지은 글.
어:제[5]【御題】명 임금이 친히 보이는 과거의 글제.
어:제 경:세편【御製警世編】명〖책〗조선 영조(英祖) 40년(1764) 홍봉한(洪鳳漢) 등이 어명으로 편집·간행한 책. 욕(慾)·사(奢)·타(惰)의 삼자(三者)를 논하여 자타를 경계하는 내용의 인본(印本)임. 1책. 경세편.
어:제 내:훈【御製內訓】명〖책〗내훈(內訓)❸.
어:제 백행원【御製百行源】명〖책〗조선 시대 영조(英祖)가 지은 것으로, 효행(孝行)이 백행(百行)의 으뜸임을 깨우쳐 세도(世道)를 진흥시키고자 한 것을 번역한 책.
어:제-본【御製本】명 왕과 왕비가 직접 저술하거나, 승정원(承政院)의 승지(承旨), 예문관·집현전·홍문관의 직(職)으로서 지제교(知製敎)의 직을 겸한 문신들, 어제 편차인(御製編次人), 규장각(奎章閣)의 각신(閣臣)들이 왕명을 받아 대신 편찬한 문서, 또는 책.
어:제 상훈 언:해【御製常訓諺解】명〖책〗상훈 언해(常訓諺解).
어:제 여사서 언:해【御製女四書諺解】명〖책〗여사서 언해.
어제-오늘 명①어제와 오늘. 작금 양일(昨今兩日). ②최근. 근자.
어제일리어〔azalea〕명〖식〗진달래과에 속하는 상록 관목. 진달래 일종인데, 중국 쓰촨(四川)·윈난(雲南) 등지의 원산으로, 네덜란드·벨기에에서 개량한 품종임. 관상용으로 온실에 재배하며, 백색·홍색·주황색 등의 큰 꽃이 핌. 양(洋)진달래.
어제-저녁 명 어제의 저녁. 작석(昨夕). 준엊저녁.
어제-정【魚臍疔】명〖한의〗종기부리의 한가운데가 움쑥 들어가고, 터지면 누르스름한 물이 흐르고 가장자리가 붓는 병.
어:제 훈:서 언:해【御製訓書諺解】명〖책〗≪성도교 도해(性道敎圖解)≫·≪성도교 명해(性道敎銘解)≫·≪성도교 도설해(性道敎圖說解)≫ 및 교민(敎民)·애민(愛民)·예신(禮臣)에 관한, 조선 시대 영조(英祖)의 훈서(訓書)를 번역한 책. 영조의 명에 의하여 32년(1756) 간행. 1책. 훈서 언해.
어젯-밤 명 어제의 밤. 작야(昨夜). 전야(前夜). 작소(昨宵). 전소(前宵).
어져 감〈옛〉어. 아. ¶어져 내 일이여 그릴 줄을 모르든가≪海謠 6≫.
어져귀 명〈옛〉어저귀. ¶어져귀 경(𦁤)≪字會 上 9≫.
어져 녹져 구〈예〉얼고자 녹고자. 얼려 녹으려. ¶正月 나릿 므른 아으 어져 녹져 ᄒᆞ논ᄃᆡ≪樂範 動動≫.
어조[1]【魚鳥】명 ①물고기와 새. 어류와 조류. ②[*Ichthyornis*] 백악기(白堊紀)에 지구상에 살던 조류(鳥類)의 하나. 크기는 비둘기만하며, 흉골(胸骨)과 상박골(上膊骨)이 대단히 날카롭고, 날아다니는 힘이 강하였던 것으로 상상됨. 북아메리카에서 그 화석(化石)이 나옴.
어조[2]【魚釣】명 물고기를 낚음. 조어(釣魚). ——-하다 자여불
어조[3]【魚藻】명 ①어류(魚類)와 조류(藻類). ②물고기가 숨어 있는 수조(水藻).
어:조[4]【語調】명 말의 가락. ¶날카로운 ~.
어조[5]【漁條】명 어로(魚路)에 어망(漁網)을 설치하여 물고기를 잡는 일.
어:조-사【語助辭】명〖언〗한문의 토. 실질적인 뜻은 없고, 다만 다른 글자들의 보조로만 쓰임. '於·之·乎·也' 등. 조어(助語). 조자(助字). 준조사(助辭).
어족[1]【魚族】명 물고기의 종족(種族). 어류(魚類).
어:족[2]【語族】명〔family of languages〕〖언〗같은 계통의 언어의 한 무리. 언어의 구조나 어법(語法)을 가르고 그 계통을 연구하여 같은 기원(起源)으로부터 왔다고 보는 언어를 일괄하여 일컫는 말. 인도 유럽 어족·햄셈 어족·우랄 어족·알타이 어족 등. 대(大)어족의 경우에 씀. *조어(祖語)·어파(語派).
어:졸-하다【語拙一】형여불 말솜씨가 졸렬하다. 언졸(言拙)하다.
어종【魚種】명 물고기의 종류.
어좌[1]【魚座】명〖천〗'물고기자리'의 구칭.
어:좌[2]【御座】명 ①임금이 앉는 자리. 옥좌(玉座). ②왕위. ③임금이 자리에 나와서 앉음. ——-하다 자여불
어좌어우-간【於左於右間】부 좌우간. ¶~에 마음을 돌리셔서 눈 한 번 꿈쩍하시고 권도를 쓰십시오≪李海朝 : 雨中行人≫.
어:주[1]【御酒】명 임금이 신하에게 내리는 술.
어:주[2]【御廚】명 수라간(水剌間).
어주[3]【漁舟】명 낚싯거루.
어주-자【漁舟子】명 고기잡이꾼.
어죽【魚粥】명 생선죽(生鮮粥).
어:줍다 형 ①언어·동작이 부자연하고 시원스럽지 않다. ②손에 익지 않아 서투르다. ③손·발·허리 등이 저리어서 제대로 놀지 않다.
어줍지-않다〔-안타〕형 ☞어쭙지않다.
어:중[1]【語中】명 ①한 단어의 중간. *어두(語頭)·어미(語尾). ②나타낸 말의 가운데.
어:중[2]【語重】명 언중(言重).
어-중간【於中間】명〔←어지중간(於之中間)〕①거의 중간이 되는 곳. ②엉거주춤한 형편. ——-하다 형여불. ——-히 부
어중-되다【於中一】〔-뙤-〕형 넘고 처지는 상태에 있다.
어중-띠다【於中一】형〈방〉어중되다.
어:중-음【語中音】명〔medial〕〖언〗단어나 문절(文節) 등 완결된 최소의 음운(音韻) 연속체(連續體)에서, 어두음(語頭音)과 어말음(語末音)을 제외한 음. 곧, '민족'에서 'ㅁ'과 'ㄱ'이외의 중간음.
어:중-이 명 어중되어 쓸모없는 사람.
어:중이-떠중이 명 여러 방면에서 모인 여러 종류의 탐탁하지 못한 사람들. 유상 무상(有象無象). ¶~가 다 모였군. *장삼 이사(張三李四).
어즈께 명〈방〉어제[1](경상·전남).
어즈러비 부〈옛〉어지러이. 어지럽게. =어즈러ᄫᅵ. ¶또 어즈러비 ᄉᆞ랑ᄒᆞ며 어즈러비 혜아리며(又且胡思亂想)≪法語 10≫.
어즈러붐 형〈옛〉어지러움. '어즈럽다'의 명사형. ¶어즈러붐과 疑心 괘라≪月釋 Ⅶ:43≫.
어즈러ᄫᅵ 부〈옛〉어지러이. 어지럽게. =어즈러비. ¶羅刹도 어즈러ᄫᅵ 돋니ᄂᆞ니≪月釋 Ⅶ:27≫.
어즈러이 부〈옛〉어지러이. 어지럽게. =어즈러ᄫᅵ. ¶져믄 션비들이 어즈러이 말ᄒᆞ여(新學小生亂)≪五倫 Ⅱ:15≫.
어즈럽다 형〈옛〉어지럽다. =어즈럽다. ¶허도 아니ᄒᆞ며 어즈럽도 아니ᄒᆞ야(無壞無雜)≪蒙法 70≫.
어즈럽다 형〈옛〉어지럽다. =어즈럽다. ¶錯亂은 어즈러볼씨라≪月釋 Ⅸ:8≫.
어즈리다 타〈옛〉어지르다. 어지럽게 하다. ¶서르 싸화 저와 놈과를 어즈려≪釋譜 Ⅸ:16≫.
어즈버 감〈옛〉아. ¶어즈버 明堂이 기울거든 무서스론 바치려뇨≪永言 83≫/어즈버 滿山蘿月이 다 내거신가 ᄒᆞ노라≪永言 123≫.
어즐부레-하다 형여불 ☞어질더분하다. ¶그 아이의 허줄한 것들이 어즐부레하게 널린 것을 두루 살피며…≪崔貞熙 : 地脈≫.
어즐ᄒᆞ다 형〈옛〉어지럽다. 황홀하다. ¶恍惚은 ᄆᆞᅀᆞ매 시름ᄒᆞ야 어즐홀시라≪重杜諺 Ⅰ:2≫.
어지[1] 명〈방〉어제[1](경상).
어:지[2]【御旨】명 임금의 취지. 임금의 뜻.
어:지[3]【語誌】명 어사(語史).
어지간-하다 형여불 ①거의 근사하다. ②어연간하다. ¶키가 ~. ③우연만하다. ¶어지간하면 그냥 두세요. 어지간-히 부
[어지간하여야 생원(生員)님하고 벗하지] 도저히 함께 어울릴 수 없음에 비유한 말.
어지게 감〈옛〉어쩌겠니. 어찌하랴. ¶어지게 엊그제ᄒᆞ던 일이되 왼줄 알괘라≪古時調≫.
어지께 명〈방〉어제[1](전남).
-어지라 어미〈옛〉-고 싶다. ¶내 ᄂᆞᆺ 시서지라(我洗面)≪老乞 上 55≫.
어지러-뜨리다 타 어지럽게 하다.
어지러-이 부 어지럽게.
어지러-트리다 타 어지러뜨리다.
어지럼 명〔↗어지러움〕현기(眩氣).
어지럼-증【一症】〔-쯩〕명 현기증(眩氣症).
어지럽다 형ㅂ불〔중세 : 어즈럽다〕①눈이 아뜩하고 정신이 얼떨떨하다. ¶머리가 ~. ②모든 것이 혼란하고 어수선하다. ¶어지러운 세상.
어지렁-버지렁 부〈방〉어정버정. ——-하다 자
어지르다 타르불〔중세 : 어즈리다〕정돈되어 있는 것을 혼란하게 하다. ¶방을 ~.
어지-빠르다 형르불 정도가 넘고 처져서 어느 쪽에도 맞지 아니하다. 준엇빠르다.
어지-빠름 명〖경〗증권 시장에서, 신규로 매매할 재료가 없어서 시황(市況)이 보합(保合) 상태로 움직이지 아니할 때, 시세의 전망을 잘 알 수 없어, 신규로 매매하기 어려운 상태.
-어지이다 어미 끝 음절의 모음이 음성(陰性) 및 중성(中性)인 동사·형용사의 어간 밑에 붙어서 기원(祈願)하는 뜻을 나타내는 종결 어미. ¶속히 회복되~/사랑이 더욱 깊~. *-아지이다.
어:지-자지 명 ①남녀 또는 자웅(雌雄)의 생식기(生殖器)를 겸하여 가진 사람이나 동물. 고녀(睾女). *남녀추니. ②〈소아〉아이들의 제기 놀음에서, 두 발로 번갈아 차는 제기의 이름.
어지-중간【於之中間】명 ☞어중간(於中間).
어:지-증【語遲症】〔-쯩〕명〖한의〗구연증(口軟症).
어:진【御眞】명 임금의 화상(畫像)이나 사진. 수용(睟容).
어:진 도감【御眞都監】명〖역〗어용 모사 도감(御容模寫都監).
어진사람인-부【一儿部】명 한자 부수의 하나. '元'·'兆' 등의 '儿'의

이름.

어-진(:)익【魚震翼】명 『사람』 조선 시대 중기의 문신. 자는 익지(翼之), 호(號)는 겸재(謙齋). 함종(咸從) 사람. 현종(顯宗) 14년(1674) 복상 문제(服喪問題)에 관한 제2차 예송(禮訟) 때 윤휴(尹鑴) 등 남인(南人)을 공격하다가 좌천된 후 숙종(肅宗) 4년(1678) 고양(高陽)에 유배됨. 이듬해 풀려나와, 서인(西人)이 집권하자 여주 목사(驪州牧使)로 기용됨. 좌승지(左承旨)·강원도 감찰사 등을 지냄. [1625-84]

어진-혼【―魂】명 착하고 어진 사람이 죽은 영혼.
　어진혼 나가다 구 몹시 놀라거나 시끄러워서 정신을 잃다.
　어진혼 빠:지다 구 〈방〉 어진혼 나가다.

어:진 화:사【御眞畫師】명 왕의 초상화를 그리는 화사(畫師).

어질다[1] 타 〈방〉 어지르다(경상).

어질다[2] 형 [중세 : 어딜다] 마음이 너그럽고 성질이 인자하다.

어질더분-하다 형여불 어질러 놓아 지저분하다. ¶최서방의 집 어질더분한 때 가면 최서방의 안해가 구술려서 비질도 시킬 만큼 무간하게 지내었다《洪命憙 : 林巨正》.

어질-머리 명 『의』 ☞어질병.

어질-병【―病】[―뼝] 명 『한의』 정신이 어질어질하여지는 병. 「말. [어질병이 지랄병 된다] 작은 병통이 점점 커져서 큰 병통이 된다는

어질-어질 부 현기(眩氣)가 나서 정신이 자꾸 어지러운 모양. ㅆ어찔어찔. >아질아질. ――-하다 형여불

어질-증【―症】[―쯩] 명 『한의』 어질병의 증세. 운궐증(暈厥症). 현운증(眩暈症). 현기증(眩氣症).

어집-잖다 형 〈방〉 어쭙지않다.

어ᄌᆞ러이 부 〈옛〉 어지러이. 어지럽게. ¶이리야 교태야 어ᄌᆞ러이 ᄒᆞ돗ᄯᅥᆫ디《松江 續美人曲》.

어째 부 ↗어찌하여.

어째서 부 ↗어찌하여서.

어쨌든 부 ①↗어찌하였든. ¶～ 좋다. ②↗어찌 되었든. ¶～ 가보자.

어쨌든지 부 ①↗어찌하였든지. ②↗어찌 되었든지.

어쩌고-저쩌고 부 '이러쿵저러쿵'을 익살스럽게 이르는 말. ――-하다 자여불

어쩌다 부 ↗어쩌다가.

어쩌다가 부 [↗어찌하다가] ①뜻밖에 우연히. ¶～ 만난 친구. ②가끔 가다가. ¶～ 일어나는 사건. 준어쩌다.

어쩌면 ㊀부 ↗어찌하면. ㊁감 의외의 일을 탄복하는 소리. ¶～, 그리도 뻔뻔할까.

어쩍 부 ①단단하고도 질긴 듯한 과실 같은 것을 단번에 깨물 때 나는 소리. ②단단한 물건을 부수는 소리. 1)·2) : ㅅ어적. >아짝. ――-하다 자타여불

어쩍-거리다 자타 자꾸 어쩍 소리가 나다. 또, 자꾸 어쩍 소리를 나게 하다. ㅅ어적거리다. >아짝거리다. 어쩍-어쩍 부. ――-하다 자타여불

어쩍-대다 자타 어쩍거리다.

어쩐 관 ↗어찌한.

어쩐지 부 어찌 된 까닭인지. ¶～ 좀 으스스하다.

어쩔 수 없:다 [―쑤 업―] 구 어찌할 도리가 없다. ¶그렇다면 ～.＊별수 없다·할 수 없다.

어쩔 수 없:이 [―쑤 업씨] 구 어찌할 도리가 없어서. ¶～ 그만 두었다. ＊별수 없이·할 수 없이.

어쭙-잖다 [―잔타] 형 ↗어쭙지 않다.

어쭙지 않다 [―안타] 형 분에 넘치는 언동(言動)을 하므로 비웃을 만하다. ¶어쭙지 않게 그 주제에 자동차를 다 사다니/그런 어쭙지 않은 소리 말구 얼른 나서라《洪命憙 : 林巨正》. 준어쭙잖다.

어찌 부 ①어떠한 이유로. ¶～ 나만 욕하느냐. ②어떠한 방법으로. 어이. ¶그 문제를 ～ 풀었니. ③'어떻게'의 뜻으로 느낌과 물음을 아울러 나타내는 말. ¶돈이 ～ 많은지.

어찌-꼴 명 『언』 '부사형(副詞形)'의 풀어 쓴 말.

어찌나 부 '어찌 ❸'의 강조어.

어찌-마디 명 『언』 '부사절(副詞節)'의 풀어 쓴 말.

어찌-말 명 『언』 '부사어(副詞語)'의 풀어 쓴 말.

어찌-씨 명 『언』 '부사(副詞)'의 풀어 쓴 말.

어찌-어찌 부 ①'어찌'의 힘줌말. ②그럭저럭 어떻게든가 하여. ¶～ 살림을 꾸려 간다.

어찌타 감 〈옛〉 '어찌하여·어찌하다가'의 뜻.

어찌-하다 자타여불 어떻게 하다.

어찌-하여 부 어떠한 이유로. 준어째.

어찔-어찔 부 위태로운 때나 장소를 만나 어지러워 정신이 갑자기 자꾸 내둘리는 모양. ㅅ어질어질. >아찔아찔. ――-하다 형여불

어찔-하다 형여불 갑자기 머리가 내둘리어 정신(精神)이 어지럽다. >아찔하다.

어차[1]【魚杈】명 물고기를 찔러 잡는 창. 작살.

어차[2] 감 〈방〉 어여차.

어:차간-에【語次間―】부 말을 하는 김에.

어차어피-에【於此於彼―】부 이렇게 하든지 저렇게 하든지. 이차이피(以此以彼)에. 이차피(以此彼). ¶자처를 하나 형벌을 당하나 ～ 돌아가시기는 일반인즉 이런 지원 극통할 일이 어디 있으리요…《崔瓚植 : 桃花園》. 준어차피.

어차-에【於此―】부 여기에서. 이 때에 있어서. ¶～ 그는 말을 끊었다.

어차피【於此彼】부 ↗어차어피에. ¶～ 떠나야 할 사람/～ 한 번은 겪어야 한다.

어찬【魚饌】명 생선으로 만든 반찬.

어:찰【御札】명 임금의 편지.

어창【魚艙】명 어선(漁船)에서 어획물을 임시로 넣어 두는 곳. 대형 어선에서는 냉동 설비가 완비되어 있음.

어채[1]【魚菜】명 생선과 곤자소니·해삼·버섯 등을 잘게 썰어서 녹말에 무쳐 데친 것을 깻국에 넣어 먹는 음식.

어채[2]【漁採】명 고기잡이❶. ――-하다 자여불

어챙이 명 〈방〉 언청이(충북·경기).

어:처【御妻】명 옛날 천자(天子)의 가장 하위(下位)의 여관(女官). 81명이 정원(定員)임.

어처구니 명 상상 밖으로 큰 물건이나 사람을 이르는 말.

어처구니-없다 [―업―] 형 〈속〉 어이없다.

어처구니-없이 [―업씨] 부 〈속〉 어이없이.

어처처 감 〈방〉 어여차.

어:천【御天】명 ①승천(昇天). ②『대종교』 단군(檀君)이 세상에 강림한 지 216년 만에 다시 하늘에 오른 일. ――-하다 자여불

어천만사-에【於千萬事―】부 무슨 일에든지.

어:천-절【御天節】명 『대종교』 단군이 세상에 강림한 지 216년 만에 다시 하늘에 오른 날. 경자(庚子) 3월 15일.

어:첩[1]【御帖】명 ①임금의 명함(名啣). ②『역』 조선 시대에 기로소(耆老所)에서 보관하던 임금의 입사첩(入社帖). 생년월일·입사(入社)연월일·어명(御名)·아호(雅號)를 기록함.

어:첩[2]【御牒】명 왕실(王室)의 계보(系譜)의 대강을 뽑아 베낀 책.

어:청【御廳】명 『역』 ↗어영청(御營廳).

어청-거리다 자 키가 큰 사람이 활발한 태도로 걸어가다. ㅅ어정거리다. >아창거리다. 어청-어청 부. ――-하다 자여불

어청-대다 자 어청거리다.

어청-도【於靑島】명 『지』 전라 북도 서해상, 군산시(群山市) 옥도면(沃島面) 어청도리(於靑島里)에 위치한 섬. [2.08 km²]

어청-샌님 명 〈방〉 언청이.

어-체장【魚體長】명 물고기의 길이. 재는 방법에 따라, 여러 가지 표현이 있지만 일반적으로는 주둥이에서 꼬리가 붙어 있는 부분까지를 표준(標準) 체장, 꼬리지느러미의 갈라진 요부(凹部)까지를 차장(叉長), 꼬리지느러미의 후단(後端)까지를 전장(全長)이라 함.

어쳉이 명 〈방〉 언청이(경기·황해·충청).

어초[1]【魚醋】명 생선젓❷.

어초[2]【漁樵】명 고기잡이와 땔나무를 하는 일. 또, 그것을 하는 사람. 초어(樵漁).

어초[3]【漁礁】명 수면(水面) 밑에 바위 등이 있어서 물고기가 많이 모이는 곳. 콘크리트 블록·돌·폐선(廢船)·노후(老朽) 차량 등을 대량으로 가라앉힌 인공적인 것과 북해(北海)의 도거뱅크(Dogger Bank), 캐나다의 그랜드뱅크스(Grand Banks) 등 자연적인 것도 있음.

어촌【漁村】명 어부들이 모여 사는 마을.

어촌-계【漁村契】명 『경』 수산업 협동 조합법에 의하여, 지구별 수산업 협동 조합의 조합원이 행정 구역·경제권(經濟圈) 등을 중심으로 조직하는 계. 계원의 생산력의 증진과 생활 향상을 위한 공동 사업의 수행 및 경제적·사회적 지위 향상을 목적으로 함.

어촌 문학【漁村文學】명 『문』 어부들의 생활과 어촌의 풍경을 소재(素材)로 한 문예 작품.

어:취【語趣】명 말의 취지(趣旨).

어츨-하다 형 〈방〉 너절하다.

어치[1] 명 『조』 [*Garrulus glandarius brandtii*] 까마귓과에 속하는 새. 비둘기보다 조금 작아 날개 길이 16cm 정도, 몸은 포도 빛인데 허리와 상미통(上尾筒)은 백색, 머리는 흰 바탕에 검은 반점이 있음. 날개에는 흑색·청색·백색의 아름다운 가로 반점(斑點)이 있고 꽁지가 검음. 부리는 머리에 비하여 훨씬 작고 꼭대기의 깃은 길고 우관상(羽冠狀)임. 1년 내내 숲속 나무 위에 살고 땅에 내리는 일이 드물며, 5-6월에 4-8개의 알을 낳음. 한국·만주·시베리아·홋카이도에 분포하는데, 소리가 곱고 다른 새들의 소리를 잘 흉내내어 농조(籠鳥)로 사육함. 언치. 언치새.

〈어치〉

어치[2] 명 〈옛〉 마소의 언치. ¶어치 톄(韂)《字會 中 27》/갓어치(皮替)《老乞 下 27》/핫어치(替子)《老乞 下 27》.

-어치 미 그 값에 상당한 분량이나 정도. ¶한푼～/백 원～. 취음: 於赤.

어치렁-거리다 자 힘없이 채해 저으며 되는 대로 걸어가다. >아치랑거리다. 준어칠거리다. 어치렁-어치렁 부. ――-하다 자여불

어치렁-대다 자 어치렁거리다.

어치:브먼트 [achievement] 명 ①『교』 학습 성적(學習成績). ②업적주의(業績主義). ③↗어치브먼트 테스트.

어치:브먼트 테스트 [achievement test] 명 『교』 학습 활동의 결과를 시험해 보는 테스트. 학력 검사(學力檢査)·진학 적성 검사(進學適性檢査) 따위. 준어치브먼트. 「취음: 於赤匠.

어치-장【―匠】명 『역』 언치를 만드는 공장(工匠). 공조(工曹)에 딸림.

어치정-거리다 자 키 큰 사람이 기운이 빠져 느리게 걷다. >아치장거리다. 어치정-어치정 부. ――-하다 자여불

어치정-대다 자 어치정거리다.

어칠-거리다 자 ↗어치렁거리다. >아칠거리다. 어칠-어칠 부. ――-하다 자여불

어칠-대다 자 어칠거리다.

어칠-비칠 부 어칠거리고 비칠거리는 모양. ――-하다 자여불

어:침【御寢】명 임금의 취침(就寢).

어칭이 명 〈방〉 언청이(충청).

어카운트 이그제큐티브 [account executive] 명 광고 대리업자를 대표하여 거래선(去來先)인 광고주의 광고 계획에 참여하고 이에 부수되

는 연락·절충 활동을 맡은 직능 담당자.
어쿠:스티콘〔Acousticon〕[명] 귀가 먼 사람이 사용하는 보청기(補聽器)의 상품명.
어큐뮬레이터〔accumulator〕[명]〖물〗①언제든지 필요할 때에 전력(電力)을 이용할 수 있도록 저축하여 놓은 축전지. 흔히, 자동차·디젤 기관 등의 발동에 사용함. ②수압 기계(水壓機械)에 사용하는 압력수(壓力水)를 저장하는 실린더(cylinder). 무거운 외위(外圍)를 밀어 올리는 원동력을 공급함. ③보일러의 남는 증기(蒸氣)를 축적하여 두는 증기 어큐뮬레이터. ④전자 계산기·컴퓨터에서 합산(合算) 결과를 일시적으로 축적하는 누산기(累算器).
어클라이머타이제이션〔acclimatization〕[명] ①새로운 환경에 순응(順應)하는 일. ②〖생〗동식물이 새로운 기후·풍토에 점차 익는 일. 풍토 순화(風土馴化). ③등산에서, 썩 높은 곳의 희박(稀薄)한 공기에 순응하는 일.
어타 [자]〈옛〉언청이가 되다. ¶또 어티 아니ᄒᆞ며 또 기우디 아니ᄒᆞ며≪月釋 XVII:53≫.
어탁【魚拓】[명] 물고기의 탁본(拓本)을 뜸. 또, 그 탁본. ──-하다 [타][여불]
어탁-법【魚拓法】[명] 어탁을 만드는 방법. 물고기에 먹 또는 물감을 칠하고 그 위에 종이나 베를 대어서 모양을 뜨는 직접법과, 종이나 베를 물고기에 발라서 먹 또는 물감을 먹인 솜방망이로 두들겨 뜨는 간접법이 있음.
어탈【漁奪】[명] 어부가 고기를 잡듯, 백성의 재물을 빼앗음. ──-하다 [타][여불]
어탐【魚探】[명] ↗어군 탐지기(魚群探知機).
어탐-선【魚探船】[명] 어선단(漁船團) 가운데서 어군(魚群)을 탐지하는 배. 어군 탐지선(魚群探知船).
어:탑【御榻】[명] 임금이 앉는 상탑(牀榻).
어탕【魚湯】[명] 생선국.
어태치먼트〔attachment〕[명]〖기〗기구(器具)나 기계의 부속품(附屬品). 사진 렌즈에 붙여서 초점 거리(焦點距離)를 변화시키는 접사용(接寫用) 보조 렌즈, 자봉틀·전기 청소기 등의 부속품, 양장(洋裝)의 액세서리 등을 일컬음.
어태치먼트 렌즈〔attachment lens〕[명]〖물〗가까운 거리에 있는 물체를 촬영하기 위하여 카메라의 렌즈 앞에 붙이는 볼록 렌즈. 5cm 정도의 가까운 거리에서도 촬영이 가능함.
어태칭 플러그〔attaching plug〕[명] 보통의 전기 기구에서 사용하는 소켓에 끼우게 되어 있는 플러그.
어택¹【漁澤】[명]〖사람〗이행(李荇)의 호(號).
어택²〔attack〕[명] ①공격. 습격. ②등산에서, 오르기 곤란한 산봉우리에 대한 도전(挑戰). ③배구·펜싱에서, 상대방을 공격함. ④하키에서, 팀 맨 앞줄에 있는 다섯 선수. ↔디펜스(defence). ⑤〖악〗노래 부를 때 명료(明瞭)한 소리를 내는 방법. ⑥〖악〗합주(合奏)할 때 제일 먼저 소리를 내는 것이 모두 꼭 맞는 일. ──-하다 [자][타][여불]
어텅이 [명]〈방〉언청이(평안).
어템이 [명]〈방〉언청이(평안).
어:통【語通】[명] 말이 서로 통함. 언어 상통. ──-하다 [자][여불]
어통이 [명]〈방〉언청이(평안).
어:투【語套】[명] 말버릇. 말투.
어트랙션〔attraction〕[명] ①매력. 유인(誘引). ②〖물〗인력(引力). ③〖연〗영화관이나 극장 또는 상점 같은 데서 손님을 끌기 위하여 짧은 시간 상연하는 연예류(演藝類).
어트랙티브〔attractive〕[명] ①매력적. 매혹적. ②인력(引力)이 있음. ──-하다 [형][여불]
어:파【語派】[명]〔subfamily of languages〕〖언〗동일 어족(語族) 중에서, 동일 시기에 분화(分化)하였다고 생각되는 여러 언어의 총칭. 어족의 하위 개념(下位槪念). 우랄 어족 중의 피노우그리아(Finno-ugria) 어파 등.
어판【魚板】[명] 어고(魚鼓).
어패¹【魚貝】[명] 물고기와 조개. ¶~류(類).
어패²【魚佩】[명] 고기 모양으로 생긴 요패(腰佩). 경주(慶州) 금관총(金冠塚)에서 발굴된 황금제의 유물이 있음.
어패럴 산:업【—産業】〔apparel〕[명] 기성복 산업.
어퍼-컷〔uppercut〕[명] 권투에서, 상대방의 턱을 밑으로부터 올려치는 공격법.
어펜딕스〔appendix〕[명] 부록. 추가.
어편-잔【魚扁琖】[명]〖미술〗중국 명(明)나라 가정요(嘉靖窯) 중에서 뛰어난 일품(逸品).
어:폐【語弊】[명] ①말의 폐단이나 결점. ②남의 오해를 받기 쉬운 말.
어폐-물【魚廢物】[명] 식용(食用)·착유(搾油) 등 목적에 소용되지 않는 물고기나 또는 어떤 목적에 사용한 후의 물고기의 찌꺼기.
어포【魚脯】[명] 생선을 저며서 갖은 양념을 하여 말린 포(脯). 보통, 술안주로 함.
어포섬〔opossum〕[명]〖동〗주머니쥐.
어표【魚鰾】[명] 부레¹❶.
어표-교【魚鰾膠】[명] 부레풀. 어교(魚膠).
어푸덩 [부]〈방〉얼른(함경).
어푸-어푸 [부] 물에 빠져서 괴롭게 물을 켜며 내는 소리. 또, 그 모양. ──-하다 [자][타][여불]
어풀싸 [감]〈방〉어뿔싸.
어:풍지-객【馭風之客】[명] 신선(神仙).
어프로:치〔approach〕[명] ①접근(接近). ②학문 연구에 있어서, 대상에 접근하거나 대상을 포착(捕捉)하는 일. 또, 그 방법. 주로 사회 과학에 대하여 사용함. ③골프 경기에서, 티샷 다음에 공을 홀에 가까이 접근시키기 위한 타구. ④스키에서, 점프의 스타트에서 점프 지점까지의 사이. ⑤건물로 통하는 작은 길. ──-하다 [자][여불]
어프로:치 샷〔approach shot〕[명] 골프에서, 그린에 넣기 위한 타구(打球). 아이언 클럽(iron club)을 사용함. 어프로치.
어프리시에이션〔appreciation〕[명] ①〖예〗예술 비평의 기본이 되는 작품 가치의 정당한 평가(評價) 또는 감상(鑑賞). ②감사(感謝). ③가격의 등귀(騰貴).
어피【魚皮】[명] ①물고기의 가죽. ②↗사어피(鯊魚皮). ③상어 가죽의 거친 부분을 제거하고 삶아서 말린 식품. 중국인이 즐겨 먹으며 중국 요리에 많이 쓰임.
어피다 [피동]〈옛〉업히다. ¶딕일 션븨ᄒᆞ여 어피고(敎當直的學生背起)≪老乞 上 3≫.
어피 전:동【魚皮箭—】[명] 물고기 비늘 모양을 새겨 꾸민 전동.
어피:즈먼트 폴리시〔appeasement policy〕[명]〖정〗유화(宥和) 정책.
어피-집【魚皮—】[명] 상어의 가죽으로 만든 안경집.
어:필¹【御筆】[명] 임금의 글씨. 어서(御書).
어필²〔appeal〕[명] ①애원. 호소. ②〖법〗상소(上訴). 소원(訴願). ③매력(魅力). ¶섹스(sex) ~. ④운동 경기에서, 심판 판정에 대해 이의를 제기함. 특히, 야구에서 수비측이 공격측의 반칙 행위를 지적하고 심판에 대하여 아웃을 주장하는 일. ──-하다 [자][타][여불]
어:필-각【御筆閣】[명] 임금의 글씨를 보관(保管)하던 전각(殿閣). 어서각(御書閣).
어:핍【語逼】[명] 말이 남의 기휘(忌諱)에 저촉됨. ──-하다 [형][여불]
어:하¹【御下】[명] 아랫 사람을 어거함. ──-하다 [자][여불]
어하²【魚蝦·魚鰕】[명] 물고기와 새우. 전(轉)하여, 어류(魚類)의 뜻.
어:-하다 [타][여불] 어린 아이의 응석을 받으며 떠받들어 주다.
어하-화【魚蝦畵】[명]〖미술〗어해화(魚蟹畫) 가운데, 새우의 그림.
어:학【語學】[명] ①언어를 연구하는 학문. 특히, 문법학(文法學)을 이름. 말갈. ②↗언어학(言語學). ③외국어를 학습·연구하는 학문. 또, 그 학과. ¶~ 공부.
어:학-도【語學徒】[명] 어학생(語學生).
어:학-사【語學司】[명]〖역〗조선 시대말 통리 기무 아문(統理機務衙門)의 부속 관청. 각국의 언어·문자에 대한 번역의 일을 맡아 보았음.
어:학-생【語學生】[명] ①어학을 공부하는 사람. ②옛날에 외국어 학교의 학생을 이르던 말. 어학도(語學徒).
어:학-자【語學者】[명] ①어학을 연구하는 사람. 외국어에 능통한 사람. ②↗언어학자.
어:학-회【語學會】[명] ↗조선어 학회.
어:한【禦寒】[명] 추위를 막음. 방한(防寒). ¶모닥불 가에는 역시 동저고리 바람에 패랭이를 쓴 장한(壯漢) 셋이 삿자리를 깔고 앉아 ~을 하고 있었다≪金周榮 : 客主≫. ──-하다 [자][여불]
어한-기【漁閑期】[명] 고기가 잘 잡히지 않는 시기. ↔성어기(盛漁期).
어-한(:)명【魚漢明】[명]〖사람〗조선 시대 중기의 문신. 자(字)는 여량(汝亮). 함종(咸從) 사람. 인조(仁祖) 14년(1636) 병자 호란(丙子胡亂) 때 경기 좌도 수운 판관(京畿左道水運判官)으로서 강화(江華)로 피란하는 봉림 대군(鳳林大君) 일행을 잘 호송(護送)하였으며, 이 때 쓴 일기가 ≪강도 일기(江都日記)≫임. 시호(諡號)는 충경(忠景). [1592-1648]
어:함【御啣】[명] 어압(御押).
어항¹【魚缸】[명] ①완상용(玩賞用)으로 물고기를 기르는 데 쓰는 유리로 만든 항아리. ②물고기를 잡는 데 쓰이는 통발 모양의 기구. [어항에 금붕어 놀 듯] 남녀 간에 서로 잘 어울려 노는 것을 비유하는 말.

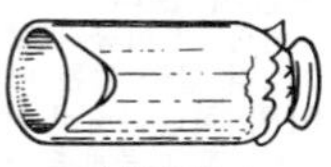
〈어항¹❷〉

어항²【漁港】[명] 어선이 어업 기지(漁業基地)로서 출어(出漁)하며, 귀항(歸港)하여 어획물을 양륙(揚陸)하는 항구. 어획물을 처리·가공·저장하는 설비가 있음. ↔여객항(旅客港).
어항-법【漁港法】[—뻡] [명]〖법〗어항의 개발을 촉진하고 그 이용과 관리의 적정을 도모하여 수산업 발전에 기여할 목적으로 어항의 지정과 시설 및 관리에 관한 사항을 규정한 법.
어해¹【魚醢】[명] 어혜(魚醯).
어해²【魚蟹】[명] ①물고기와 게. ②해산 동물(海産動物)의 총칭(總稱). 인개(鱗介).
어해-도【魚蟹圖】[명] 민화의 화제(畫題)의 하나. 수족류(水族類)를 그린 그림. 인개도(鱗介圖). 어해화(畫). 어락도.
어해-적【魚蟹積】[명]〖한의〗생선·게 등을 먹고 체하여 생기는 배탈.
어해-화【魚蟹畫】[명] 어해도(圖).
어:향【御鄕】[명]〖역〗왕가(王家)의 선원 대향(璿源大鄕), 황비(皇妣)의 내외향(內外鄕), 황조비(皇祖妣)·황증조비(皇曾祖妣)의 내향(內鄕), 왕비(王妃)의 내외향 등의 총칭.
어허 [감] 생각 밖의 일을 깨달아 느꼈을 때에 내는 소리. ¶~ 큰일 났군/~ 참 그렇군. >아하.
어허-둥둥 [감] 아기를 어를 때에 노래 겸하여 내는 소리. [준]어둥둥.
어허라-달구야 [감] 땅을 다질 때에 여럿이 동작을 맞추거나 힘을 모으려고 노래하듯 부르는 소리. *어허야어허.
어:허랑【御許郎】[명]〖역〗신은(新恩)이 창방(唱榜) 뒤에 유가(遊街)할 때 창부(唱夫)가 앞에서 춤추며 자꾸 외치는 소리.
어허야-어허 [감] 땅을 다질 때에 동작을 맞추거나 힘을 모으려고 내는 소리. *어허라달구야.
어허허 [감] 조금 무게 있게 너털웃음을 웃는 소리. >아하하.

어험[1] 명 〈옛〉 어음[1]. ¶어험 계(契)≪類合 下 36≫.

어험[2]【魚驗】 명 〖역〗 '어음'의 취음(取音).

어험[3] 감 짐짓 위엄을 내어서 기침하는 소리.

어험-스럽다 형ㅂ불 ①짐짓 위엄 있어 보이다. ②텅 비고 우중충하다. 어험-스레 부

어험-하다 형 〈방〉 어웅하다.

어혁-장【於赫章】 명 〖악〗 '오혁장(於赫章)'의 잘못.

어-현기【魚玄機】 명 〖사람〗 중국 당대(唐代)의 여류 시인. 자는 유미(幼微), 일설로는 혜란(蕙蘭). 장안(長安)의 유녀(遊女)로, 이억(李億)의 첩이 되었다가 정처(正妻)의 질투로 도교(道敎)의 절로 들어가 도사(道士)가 됨. 시재(詩才)가 비범하여 이영(李郢), 온정균(溫庭筠) 등과 교제를 맺으며 성명(盛名)을 떨쳤는데 애인과 비녀(婢女) 사이를 의심하여 비녀를 때려 죽인 죄로 형사(刑死)했음. [844?-871?]

어현-장【於顯章】 명 〖악〗 '오현장(於顯章)'의 잘못.

어:혈【瘀血】 명 〖한의〗 타박상(打撲傷) 등으로 혈액 순환이 잘 되지 못하여 피부 밑에 멍이 들어 피가 맺혀 있는 일. 또, 그러한 병. 적혈(積血). 축혈(蓄血). ——-하다 자여불

[어혈진 도깨비 개천 물 마시듯] 술 따위를 맛도 모르고 마구 들이켜는 것의 비유.

어:혈(이) 지다 구 어혈이 되다.

어:혈 요통【瘀血腰痛】 명 〖한의〗 허리에 어혈이 되어 아픈 병.

어형[1]【魚形】 명 ①물고기의 크기나 모양. ②물고기와 같은 모양. 또, 그러한 물건.

어:형[2]【語形】 명 〖언〗 단어(單語)나 말의 형태.

어형-류【魚形類】[—뉴] 명 〖동〗 ①[Ichthyopsida] 어류(魚類)·원구류(圓口類)·양서류(兩棲類)의 총칭. 파충류(爬蟲類)와 조류(鳥類)의 총칭인 석형류(蜥形類) 및 포유류(哺乳類)에 대하여 일컬으며, 몸은 물고기 모양으로, 알은 다황란(多黃卵), 유기(幼期)에는 아가미로 호흡하는 동물이 포함됨. ②원구류(圓口類)의 별칭.

어:형 변:화【語形變化】 명 단어의 형태에 일어나는 음상(音相)의 변화의 총칭.

어형 수뢰【魚形水雷】 명 〖군〗 공격용 수뢰의 한 가지. 그 모양이 물고기 같은데, 방향·심도(深度)를 유지하는 장치가 있어 압축 공기의 힘으로 물 속으로 나아가 목적물에 맞으면 폭발함. ㈜어뢰.

어형 수뢰 발사기【魚形水雷發射器】[—싸—] 명 〖군〗 어형 수뢰를 발사하는 장치. 압축 공기로 발사하는데, 발사대(發射臺)와 발사관(發射管)의 두 부분으로 되어 있고, 수상용·수중용의 두 종류가 있음.

어:혜[1]【御鞋】 명 임금이 신는 신.

어혜[2]【魚醯】 명 생선으로 담근 젓갈. 어해(魚醢).

어호[1]【魚虎】 명 〖조〗 물총새.

어호[2]【漁戶】 명 어부의 집.

어화[1]【漁火】 명 고기잡잇배에 켜는 등불이나 횃불.

어:화[2] 감 기쁜 마음을 나타내어 노래로 누구를 부르는 소리. ¶~ 벗님네야.

어화-도【漁化島】 명 〖지〗 황해도 옹진 반도(甕津半島) 서남쪽에 있는 섬. [1.881 km²]

어화-둥둥 감 '어허둥둥'의 예스러운 말.

어:환【御患】 명 임금의 병.

어황【漁況】 명 어떤 어장(漁場)에 있어서의 어획 상황(漁獲狀況). 곧, 물고기의 종류 및 그 대소(大小), 어군(魚群)의 대소 및 동향, 어획량 따위.

어:황-리【御黃李】[—니] 명 〖식〗 자두의 한 종류. 모양이 크고, 살이 두꺼우며, 씨가 작고, 맛이 좋음.

어황 속보【漁況速報】 명 조사선(調査船)이나 각 어선에서 들어온 해황(海況)·어황(漁況)의 자료를 모아서 어장도(漁場圖) 등을 작성하고, 무전(無電) 기타의 방법으로 신속히 관계자에게 통보(通報)하는 일. 또, 그 통보.

어황-장【於皇章】 명 〖악〗 '오황장(於皇章)'의 잘못.

어회[1]【魚會】 명 〖불교〗 ↗어산회(魚山會).

어회[2]【魚膾】 명 생선살을 날 것으로 잘게 썰어서 간장이나 초고추장에 찍어 먹는 음식. 생선회(生鮮膾).

어획【漁獲】 명 수산물을 포획·채취함. 또, 그 물건. ——-하다 타여불

어획-고【漁獲高】 명 어획한 수산물의 총량. 또, 그 가격의 총액.

어획-기【漁獲期】 명 고기잡이에 적당한 시기.

어획 노력량【漁獲努力量】[—냥] 명 수산 자원학상(水產資源學上)의 용어로, 어획에 쓰는 어구(漁具)의 수, 어선의 척수(隻數), 출어 횟수 또는 어구의 사용 횟수 등도 포함됨.

어획-량【漁獲量】[—냥] 명 어획한 어패(魚貝)의 양(量). 보통, 중량으로 나타내는데 고래나 큰 고기는 마리 수로 세고, 저인망선(底引網船)에서는 상자로 셈.

어획-물【漁獲物】 명 어획한 수산물.

어획 사:망【漁獲死亡】 명 수산 자원학상의 용어로, 어획에 의한 물고기의 사망. 자연사(自然死)에 대하여 이름.

어획-장【漁獲場】 명 고기잡이하는 장소.

어효【魚肴】 명 물고기 안주.

어-효(:)첨【魚孝瞻】 명 〖사람〗 조선 시대 초기의 명신. 자는 만종(萬從), 호는 구천(龜川). 함종(咸從)사람. 어세겸(魚世謙)·어세공(魚世恭)의 아버지. 세종(世宗) 11년(1429)에 등관, 여러 벼슬을 거쳐 대사헌(大司憲)·판중추부사(判中樞府事)에 이름. 성품이 순결하고 학문에 조예가 깊었으며, 음양 풍수(陰陽風水) 등의 미신을 적극 배격(排擊)했음. [1405-75]

어후[鵝湖] 명 〖지〗 중국의 산명(山名). 강시 성(江西省) 옌산 현(鉛山縣)의 북쪽에 있으며, 송(宋)나라 때에 주희(朱熹)가 육구연(陸九淵) 형제 등과 학문을 논하던 곳. 아호(鵝湖).

어:후-악【御後岳】 명 〖지〗 제주도의 한라산(漢拏山)에 있는 한 봉우리. [1,025 m]

어:훈【語訓】 명 말하는 투. 어격(語格).

어:휘[1]【御諱】 명 어명(御名).

어:휘[2]【語彙】 명 ①낱말의 수효. ②〖언〗 어떤 종류의 말을 간단한 설명을 붙여 순서대로 모아 놓은 발기. 사휘(辭彙). 버캐불러리(vocabulary).

어:휘 검:사【語彙檢查】 명 국어 교육에 필요한 자료를 얻기 위하여 한 개인이나 집단이 가지고 있는 어휘의 양(量)이나 경향을 측정(測定)하려고 행하는 검사.

어:휘-론【語彙論】 명 [lexicology] 〖언〗 음운론(音韻論)·문법론과 대립되는 언어 연구의 한 분야.

어:휘 조사【語彙調查】 명 어떤 집단의 언어 행위에 어떤 말이 얼마나 쓰이고 있는지를 주로 관측 조사하는 작업.

어:휘-집【語彙集】 명 어휘를 모아 실은 책. 버캐불러리(vocabulary).

어휘 통:계학【語彙統計學】 명 언어 연대학(言語年代學).

어흥 감 ①범이 우는 소리. ②어린 아이를 겁내게 하기 위하여 범의 소리를 흉내내는 소리.

어흥-이 명 〈소아〉 범.

어희[1]【於戲】[—히] 감 '오희(於戲)'의 잘못.

어:희[2]【語戲】[—히] 명 희담(戲談).

어:희-요【語戲謠】[—히—] 명 말장난으로 부르는 노래. 익살스럽고 풍자적인 것도 있으나 말장난 이상의 뜻은 없는 것이 많음. 성희요(聲戲謠).

어히다 타 〈옛〉 새기다. ¶또 베올 남오 다숫 오리롤 뻐 每오리에 다숫 못을 어히되(又用枕木五條每條刻五處)≪火砲 26≫.

어히업시 부 〈옛〉 어이없이. 어처구니없이. ¶어와 어와 어히업시 니르심이야≪新語 Ⅳ:11≫.

억【億】 수관 ①만(萬)의 만 곱절. 억만(億萬). ②〈폐〉 만의 열 곱절.

억강 부약【抑強扶弱】 명 강한 자를 누르고 약한 자를 도와 줌. ↔억약부강. ——-하다 자여불

억겁【億劫】 명 〖불교〗 무한히 긴 오랜 동안. 또, 그 세상.

억견【臆見】 명 ①어떤 근거에 의하지 않은 자기 상상의 소견. 억상(臆想). ②[doxa] 〖철〗 플라톤의 말. 객관적 확실성을 요구할 수 없는 일종의 지각적 인식. 독사(doxa).

억결[1] 명 〈방〉 영망. ¶형세가 어찌 ~이던지 그 양반은 짚신 장사를 하고…≪作者未詳:恨月≫.

억결[2]【臆決】 명 억측하여 결정함. ——-하다 타여불

억계【臆計】 명 억측으로 헤아림. ——-하다 타여불

억기【憶起】 명 〖심〗 관념 연합(觀念聯合)에 의하여 과거의 경험을 다시 마음에 불러일으키는 작용.

억-기차【抑其次】 명 그 다음.

억년【億年】 명 ①1억 년. ②매우 장구한 세월.

억념【憶念】 명 마음 속에 단단히 기억(記憶)하여 잊지 아니함. 또, 그 기억. ——-하다 타여불

억념 미타불【憶念彌陀佛】 명 〖불교〗 아미타불을 마음 속에 쉴새 없이 생각하는 일.

억-누르다 타르불 억지로 마구 내려 누르다. 억압하다.

억-눌리다 피동 억누름을 당하다.

억단【臆斷】 명 억측(臆測)으로 판단함. 억판(臆判). ——-하다 타여불

억달 명 〈방〉 〖식〗 억새(전라).

억-대[1]【億代】 명 아주 오랜 세대(世代).

억대[2]【億臺】 명 억으로 헤아릴 만함. ¶~의 재산.

억료【臆料】[—뇨] 명 억측(臆測). ——-하다 타여불

억류【抑留】[—뉴] 명 ①억지로 머무르게 함. ②자유를 구속하여 마음대로 행동하지 못하게 붙잡아 둠. ③국제법상, 포로(捕虜) 또는 자국내(自國內)에 있는 적국인(敵國人)의 신체를 구속하거나 자국(自國)의 항구에 있는 외국 선박을 붙잡아 두는 일. ——-하다 타여불

억류-민【抑留民】[—뉴—] 명 억류된 백성.

억류-자【抑留者】[—뉴—] 명 억류되어 있는 사람.

억륵【抑勒】[—늑] 명 억제(抑制). ¶첩의 정한 마음을 ~으로 빼앗으려 하나 종시 청종치 아니하온즉…≪具然學:雪中梅≫. ——-하다 타여불

억만【億萬】 수관 ①억(億)❶. ②아주 많은 수효. 억조(億兆). 억천만(億千萬). ¶~ 가지 고통.

억만-년【億萬年】 명 무한한 해. 무궁한 세월. 만억년(萬億年).

억만-대【億萬代】 명 자손 대대로 무궁하게 이어가는 동안.

억만-사년【億萬斯年】 명 한없이 긴 세월.

억만 장:자【億萬長者】 명 몇 억대의 재산을 가진 사람.

억만지-심【億萬之心】 명 억만의 백성이 각각 자기 마음을 마음으로 함. 마음을 하나로 하여 나라에 이바지하려 하지 않음을 이름.

억만지-중【億萬之衆】 명 매우 많은 백성.

억만 창생【億萬蒼生】 명 억조 창생(億兆蒼生).

억매[1]【抑買】 명 남의 물건을 강권에 못 이겨 사 들임. ——-하다 타여불

억매[2]【抑賣】 명 물건을 억지로 팖. ——-하다 타여불

억매 흥정[1]【抑買—】 명 억지로 사려는 흥정. ——-하다 타여불

억매 흥정[2]【抑賣—】 명 억지로 팔려는 흥정. ——-하다 타여불

억무개 명 〖어〗 곤들매기.

억박-적박 부 뒤죽박죽으로 어긋매끼는 모양. ——-하다 형여불

억배기 명 〈방〉 곰보(충남·전북·경남·제주).

억백 [명] 〈방〉 억병.
억변【億變】[명] 한없이 변함. 천변 만화. ——-하다 [자][여불]
억병 [명] 한량없이 술을 마시는 양. 또, 많이 마셔 고주가 된 상태. ¶ ~으로 마시다.
억-보 [명] 억지가 센 사람의 별명.
억분【抑忿】[명] 억울하고 분함. ¶ 무엇이라 형용할 수 없는 감정이었다. ~하다 할까. 노엽다 할까. 부끄럽다 할까≪金東仁 : 金姸實傳≫. ——-하다 [형][여불]
억불【抑佛】[명] 불교를 억제함. ¶ 숭유(崇儒) ~책(策). ——-하다 [자][여불]
억세ᄒᆞ다 [형] 〈옛〉 숙친(熟親)하다. ¶ 겨틧 사라미게 억세혼 양 말며(不旁狎)≪內訓 Ⅰ:9≫.
억산【臆算】[명] 억측(臆測). ——-하다 [타][여불]
억살 [명] 〈방〉 억새(전남).
억상【臆想】[명] 억견(臆見).
억:새 [명] 〖식〗 [*Miscanthus purpurascens*] 볏과에 속하는 다년초. 짧고 굵은 근경(根莖)에 군출(群出)하는 줄기는 높이 1-2m이고, 잎은 폭이 1-2cm의 긴 선형(線形)임. 7-9월에 자색을 띤 황색 꽃이 길이 20-30cm의 방상(房狀) 원추 화서(圓錐花序)로 피는데, 작은 꽃이삭은 길이 5-7mm임. 산이나 거친 들에 나며, 한국 각지 및 일본·중국 등지에 분포하고, 변종(變種)을 유럽 각지에서 관상용으로 널리 재배함. 경엽(莖葉)은 집을 이는 데나, 소·말의 사료(飼料)로 씀. [준]새.

〈억새〉

억:새 반지기 [명] 억새가 많이 섞인 풋장.
억색[1]【抑塞】[명] 눌러 막음. ——-하다 [타][여불]
억색[2]【臆塞】[명] 원통하여 가슴이 막힐 지경임. ¶ "아버지, 아버지!" 아사녀는 ~하여 부르짖었다≪玄鎭健 : 無影塔≫. ——-하다 [형][여불]
억서【億庶】[명] 많은 백성. 조서(兆庶). 범서(凡庶). 만민(萬民).
억석 당년【憶昔當年】[명] 몇 해 전의 지난 일을 돌이켜 생각함.
억설【臆說】[명] 근거와 이유가 없는 억측의 말.
억-세다 [형] ①식물의 잎이나 줄기가 빳빳하고 세다. ②몸이나 뜻이 굳고 세차다. 1)·2):>악세다. ↔가냘프다.
억셉터 [acceptor] [명] 〖물〗 게르마늄 등의 반도체 결정(結晶)에 섞여 있는 알루미늄 등 원자가(原子價)가 낮은 불순물. 양공(陽孔) 반응을 일으켜 반도체의 전기 전도율을 증가시킴. 수용체(受容體).
억셉턴스 [acceptance] [명] 〖경〗 어음 인수.
억셉턴스 레이트 [acceptance rate] [명] 〖경〗 환(換)시세의 한 가지. 수입업자가 대금 결제(代金決濟)를 위해 수입지(輸入地)의 은행에서 제시된 화물환 어음을 인수할 때에 적용됨. 수입 어음 결제 시세.
억손【抑損·抑遜】[명] 만심(慢心)을 누르고 겸양(謙讓)함. 억퇴(抑退). ——-하다 [자][여불]
억수 [명] 물을 퍼붓듯이 세차게 내리는 비. 호우(豪雨). >악수. ¶ ~같이 쏟아지는 비.
억수 장마 [명] 여러 날 계속하여 억수로 내리는 장마.
억슬억슬-하다 [형][여불] ☞ 억실억실하다. ¶ 억슬억슬한 눈과, 갈라 넘긴 머리≪吳永壽 : 終車≫.
억시 [부] 〈방〉 매우(경북).
억시기 [부] 〈방〉 억세게. 굉장히 많이. 매우(경상).
억시다 [형] 〈방〉 억세다(경상).
억실억실-하다 [형][여불] 얼굴 모양이나 생김새가 선이 굵고 시원스럽다.
억-씨 [명] 〖언〗 부사(副詞).
억압【抑壓】[명] ①힘으로 억누름. 억제하여 압박함. 압억(壓抑). ②〖심〗 정신 분석학의 용어. 의식(意識)에 있어서 고통스럽고 불쾌한 지각이나 사고적 사상(事象)이 무의식의 체계 속에 강제적으로 포괄(包括)되어 버리고 역학적(力學的)으로는 무의식계(無意識界)에 존속되어 있는 일. ——-하다 [타][여불]
억압 유전자【抑壓遺傳子】[명] 억제(抑制) 유전자.
억압-자【抑壓者】[명] 억압하는 사람.
억압 정책【抑壓政策】[명] 여론 기타의 반발·비판 등을 억누르는 정책.
억약 부강【抑弱扶強】[명] 약한 자를 억누르고 강한 자를 도와 줌. ↔억강 부약. ——-하다 [자][여불]
억양【抑揚】[명] ①혹은 억누르고 혹은 찬양함. ②〖악〗 음조(音調)의 고저와 강약. ③문세(文勢)의 기복(起伏). ④〖언〗 인플렉션(inflexion). ——-하다 [타][여불]
억양 반:복【抑揚反覆】[명] 혹은 억누르고 혹은 기리기를 여러 번 뒤집음. ——-하다 [타][여불]
억양-법【抑揚法】[—뻡] [명] 〖문〗 문세(文勢)의 기복(起伏)에 있어서, 먼저 누르고 후에 올리거나 또는 먼저 올리고 후에 누르는 수사법(修辭法). 곧, 전단(前段)에서 헐뜯고 후단(後段)에서 칭찬하거나, 먼저 유익(有益)함을 들고 다음에 불리(不利)함을 말하는 등 전후 대조(前後對照)로 문세에 변화를 줌.
억양 음부【抑揚音符】[명] 〖언〗 모음(母音)의 장단을 나타내기 위하여 그 글자 위에 지르는 부호. '~'·'⌒'·'∧' 등. 변장음부(變長音符).
억억-하다【抑抑—】[형][여불] 신밀(愼密)하다. 신중하다.
억-없:다 [형] 〈방〉 실없다(함경).
억울【抑鬱】[명] ①억제를 받아 답답함. ②애먼 일을 당해서 원통하여 가슴이 답답함. ¶ ~한 죄. ——-하다 [형][여불]. ——-히 [부]
억울 상태【抑鬱狀態】[명] [depressive state] 〖의〗 감정의 억울, 행위 및 사고(思考)의 억제를 주된 증상으로 하는 병적 상태. 경증인 경우에는 억울과 함께 결단력·자발성의 결핍, 사고(思考)의 정체(停滯) 및 신체적 이상을 호소하지만 중증일 때에는 고민·절망감·죄악감에 싸이며 심하면 자살까지 함. 또, 꼼짝 않거나 무반응의 혼미(昏迷) 상태를 보이는 일도 있음.
억울성 정신병:질【抑鬱性精神病質】[—썽—뼝—] [명] 〖의〗 어두운 기분에 지배되며 염세적(厭世的) 또는 회의적(懷疑的) 인생관을 품게 되는 정신병질의 한 유형(類型). *자신 결핍성(自信缺乏性) 정신병질·발양성(發揚性) 정신병질.
억원【抑冤】[명] 억울하고 원통함. 원굴(冤屈). ——-하다 [형][여불]
억장[1] [명] 〈속〉 가슴. 복장.
억장이 무너지다 [구] 몹시 분하거나 슬픈 일이 있어 가슴이 무너지는 듯하다.
억장[2]【億丈】[명] 썩 높음. 또, 썩 높은 길이.
억장지-성【億丈之城】[명] 퍽 높이 쌓은 성.
억재【億載】[명] 끝없는 햇수. 영원한 세월.
억정【抑情】[명] 욕정(慾情)을 억누름. ——-하다 [자][여불]
억제【抑制】[명] ①억눌러서 제어함. 억륵(抑勒). ¶ 감정을 ~하다. ②[inhibition] 〖심〗 반대의 충동을 불러일으킴으로써 어떤 유의 충동을 억누르는 무의식적인 규제. ——-하다 [타][여불]
억제 그리드【抑制—】[명] [suppressor grid] 〖물·전〗 오극관(五極管)에 있어서 가리기 그리드에 의한 결점을 개선(改善)하기 위해 삽입한 그리드. 양극(陽極)과 가리기 그리드 사이에 끼어 넣어 음극과 동전위(同電位)를 유지하고 양극 및 가리기 그리드에 있어서의 이차 전자 방출(二次電子放出)을 방지함. 제어 그리드.
억제-력【抑制力】[명] 억제하는 힘.
억제 물질【抑制物質】[—찔] [명] [repressor] 〖생〗 특정 유전자의 형질 발현(形質發現)을 억제하는 작용을 하는 단백질. 조절(調節) 유전자에 의해 만들어지며, 작동(作動) 유전자와 결합함으로써 구조(構造) 유전자의 효소(酵素) 생산을 억제함. 리프레서. 억제자(子). ↔유도 물질❷. * 작동 유전자·구조 유전자.
억제 유전자【抑制遺傳子】[명] [suppressor gene] 〖생〗 다른 곳에 있는 변이형(變異型) 유전자의 작용을 억제하여 정상형(正常型)의 표현형(表現型)으로 만들어버리는 유전자. 색소(色素) 형성에 관한 유전자에 작용하는 것이 많음. 억압(抑壓) 유전자.
억제-자【抑制子】[명] 〖생〗 억제 물질.
억제 재배【抑制栽培】[명] 〖농〗 인공적인 저온(低溫)·건조(乾燥) 등으로 농작물의 발아(發芽)나 생장(生長)을 적당하게 억제하여 수확 시기를 조절하는 재배 방법. 청과(靑果)·채소 등에 이용하는 재배법임. ↔촉성 재배(促成栽培).
억제-제【抑制劑】[명] ①화학 반응(化學反應)·생리 작용(生理作用) 따위에서, 어떤 반응을 억제하는 효과를 지니는 물질. 곧, 가솔린에 첨가되는 앤티노크제(antiknock 劑), 유지(油脂)의 산패(酸敗)나 고무의 노화를 방지하는 산화 방지제, 옥시돌에 첨가되는 안정제 따위. ②〖광〗 광물의 자연 부유도(自然浮游度)가 서로 비슷할 때, 특정 광물만을 부유 회수하는 우선 부유 선광법에서 딴 광물의 부유를 억제할 목적으로 첨가하는 시약(試藥).
억제형 예:산【抑制型豫算】[—네—] [명] 공공 사업의 억제, 불요 불급(不要不急)한 경비의 절약, 행정 정리(行政整理) 등에 의하여 경기 억제(景氣抑制)의 입장 위에 편성된 '긴급(緊急) 예산'의 딴이름. ↔자극형(刺戟型) 예산.
억조【億兆】[명] ①억과 조. ②썩 많은 수. 억만(億萬).
억조-인【億兆人】[명] 수많은 사람.
억조 창생【億兆蒼生】[명] 수많은 백성. 억만(億萬) 창생. *만호 중생(萬戶衆生).
억죽-거리다 [자] 〈방〉 꺽죽거리다.
억중【億中】[명] 추측한 것이 잘 들어맞음. ——-하다 [자][여불]
억지[1] [명] [근대 : 억지] 자기의 생각이나 행동을 무리하게 관철해 보려는 고집. ¶ ~가 센 사람. >악지.
[억지가 반 벌충이다] 실패나 손실에 굴하지 말고, 초지 일관 억지 세게 밀고 나가라는 말. [억지가 사촌보다 낫다] 남에게 의뢰함보다는 억지로라도 자기 힘으로 하는 것이 낫다는 말.
억지(를) 부리다 [구] 무리한 고집을 부리다. >악지 부리다.
억지(가) 세:다 [구] 무리한 고집을 부리는 힘이 세다. >악지 세다.
억지(를) 세우다 [구] 무리한 고집을 끝내 부리다. >악지 세우다.
억지(를) 쓰다 [구] 무리하게 억지를 부리다. >악지 쓰다.
억지[2]【抑止】[명] 억눌러 제지함. 저억(沮抑). ——-하다 [타][여불]
억지 다짐 [명] 억지로 받는 다짐.
억지-떼 [명] 억지로 쓰는 떼. ¶ ~를 쓰다.
억지-력【抑止力】[명] 일반적으로, 한쪽이 공격하려고 해도, 상대편의 반격이 두려워서 공격하지 못하도록 하는 힘. 특히, 핵전략(核戰略)에서, 선제 공격(先制攻擊)을 취한 쪽에 대하여, 파괴되지 않고 남은 보복 병력(報復兵力)으로 상대국에 참기 어려울 정도의 피해를 입힐 것을 알려서 공격을 단념하도록 하는 일. 또, 그 전력(戰力).
억지-로 [부] ①강제로. 무리하게. ¶ ~ 밥을 먹이다. ②〈방〉 겨우(경북).
[억지로 절 받기] 상대방은 생각지도 않는데 이편에서 요구하여 억지로 대접을 받는다는 말. 옆 찔러 절 받기.
억지-루 [부] 〈방〉 겨우(충북).
억지-스럽다 [형][ㅂ불] 억지가 센 듯한 태도(態度)가 있다. >악지스럽다.
억지-스레 [부]
억지 웃음 [명] 억지로 웃는 웃음. *쓴웃음.
억지 춘향이【—春香—】[명] 억지로 우겨대어 겨우 이루어진 일.
억짓-손 [명] 무리하게 억지로 해내는 솜씨 >악짓손.

억척 ㊀ 명 모질고 끈덕진 태도. ㊁ 부 억척으로. ¶~ 많이 먹었다.
[억척이 사촌(四寸)보다 낫다] 가까운 친척들의 도움보다도 억척을 부려 자기 몫을 많이 챙기는 것이 실속이 있다는 말.
억척(을) 떨:다 구 억척스러운 행동을 하다.
억척(을) 부리다 구 억척스럽게 행동하다. <악착 부리다.
억척-같다 형 아주 끈질기고 모질다. ¶억척같은 여자. >악착같다.
억척-같이 [—가치] 부 억척스럽게. >악착같이.
억척-꾸러기 명 매우 억척을 부리는 사람. >악착꾸러기.
억척-맞다 형 억척스러운 데가 있다. ¶억척맞은 아낙. 「다리.
억척-보두 명 속마음이 완악하고 굳은 사람을 가리키는 말.¶~같은 늙
억척-빼기 명 매우 억척스러운 아이. >악착빼기.
억척-스럽다 형ㅂ불 모질고 굳은 태도가 있다. >악착스럽다. 억척-스레 부
억척-으로 부 억척을 부려서. 지악하게 억척을 떨어서. 억척. ¶~ 벌다.
억척-이 명 억척스러운 사람. >악착이.
억천-만【億千萬】수관 썩 많은 수효. 억만.
억천만-겁【億千萬劫】명〖불교〗무한한 시간. 영원한 세월.
억취 소악【憶吹簫樂】명 제가 보아서 의견대로 추측하는 일.
억측【臆測】명 이유와 근거없는 추측. 억산(臆算). 억료(臆料). 억탁(臆度). ——-하다 타여불
억탁【臆度】명 억측. ——-하다 타여불
억탈【抑奪】명 억지로 빼앗음. ——-하다 타여불
억퇴【抑退】명 ①억눌러 물리침. ②억손(抑損). ——-하다 타여불
억파-듯 부 ☞억패듯. ¶그 어린아이의 ~ 우는 소리가 듣는 사람의 눈살을 찡그리게 하니…≪崔瓚植 : 春夢≫.
억판[1] 명 매우 가난한 처지.
억판[2]【臆判】명 억단(臆斷). ——-하다 타여불
억패-듯 부 ①사정없이 마구 강박하는 모양. >악패듯. ②온 힘을 다하여 악을 쓰듯.
억-하심장【抑何心腸】명 억하심정(抑何心情).¶내가 무슨 ~으로 남의 없는 말을 할까?
억-하심정【抑何心情】명 대체 무슨 생각으로 그리 하는지 그 마음을 헤아릴 수 없다는 말. 억하심장. ¶~으로 그런 말을 하오.
억한【億恨】명 많은 원한. ¶천비(千悲) ~.
억혹【抑或】부 설혹(設或).
억혼【抑婚】명 당자(當者)의 의견을 무시하고 무리로 하는 혼인(婚姻). ——-하다 자여불
언[1] 명〈옛〉①둑. ¶언 뎨(堤), 언 패(壩), 언 언(堰)≪字會 上 6≫. ②언덕. ¶닐굽차힌 뭀언헤 떠디여 橫死홀 씨오≪月釋 Ⅸ:37≫.
언[2]【彥】명 성(姓)의 하나. 우리 나라에는 현존하지 아니함.
-언 어미〈옛〉-ㄴ. -은. =-연. ¶죽다가 살언 百姓이(其蘇黎庶)≪龍歌 25章≫/兵甲 닐언 힛 數이 하니(兵甲年數久)≪杜諺 XI:45≫.
언:간【諺簡】명 언문 편지.
언간:-하다 형〈방〉어연간하다(경상).
언-감생심【焉敢生心】㊀ 명 감히 그런 마음을 품을 수도 없음. 안감생심(安敢生心). ㊁ 부 '언감생심(焉敢生心)이지'의 뜻. ¶~ 내 앞에서 그런 소리를 하느냐.
언감-히【焉敢—】부 어찌 감히.
언강 명 수키와의 윗장 안에 끼이게 턱을 내어 조금 물리게 한 부분.
언거번거-하다 형여불 쓸데없는 말이 많고 경망하며 수다스럽다.
언거 언래【言去言來】[—얼—] 명 ①여러 말을 서로 주고받음. 설왕설래(說往說來). 언삼 어사(言三語四). ②말다툼. ——-하다 자여불
언:건【偃蹇】명 ①거드름을 피우고 거만(倨慢)함. 언연(偃然). 언오(偃傲). ②성대(盛大)한 모양. ③높은 모양. ——-하다 형여불. ——-히 부
언걸 명 ①남의 일 때문에 당하는 해. ¶도화가 무슨 일로 잡혔을까. 내가 무슨 ~을 입혔을까≪洪命憙 : 林巨正≫. ②큰 고생. ㊔얼.
언걸-들다 자 ☞은결들다.
언걸-먹다 자 언걸입어서 골탕을 먹다. ㊔걸먹다·얼먹다.
언걸-입다 [—립—] 자 남의 일 때문에 해를 입다. ¶장물로 인하여 총각 언걸입혀 욕보이진 않을게요." ≪金周榮 : 客主≫. ㊔얼입다.
언:견【偃見】명 엎디어 누워서 봄. ——-하다 타여불
언경【言輕】명 말이 경솔함. ↔언중(言重). ——-하다 형여불
언-과기실【言過其實】명 말만 크게 해 놓고 실행(實行)이 부족(不足)함. ——-하다 형여불
언관【言官】명〖역〗'간관(諫官)'의 별칭.
언교[1]【言敎】명〖불교〗불타(佛陀)가 말로 가르친 교훈.
언:교[2]【諺敎】명〖역〗언문으로 쓰인 왕비(王妃)의 교서(敎書).
언구【言句】명 말. 말의 구절.
언구럭 명 사특하고 교묘한 말로 남의 속셈을 떠보는 등 남을 농락하는 태도. ¶나잇살이나 처먹은 놈이 ~ 피우는 꼬락서니가 보통이 아니지 않은가? ≪金周榮 : 客主≫.
언구럭(을) 부리다 구 언구럭을 일부러 행동에 나타내다.
언구럭-스럽다 형ㅂ불 언구럭을 부리는 듯한 태도가 보이다. 언구럭-스레 부
언권[1]【言權】[—뀐] 명 ↗발언권(發言權).
언:권[2]【偃倦】명 물리어 싫증이 남. ——-하다 자여불
언극ᄃᆞ빙다 형〈옛〉언극(堰棘)되다. 궁하다. ¶艱難코 언극ᄃᆞ빙야 福과 智慧왜 업서(貧窮無福慧)≪釋譜 XIII:56≫.
언근【言根】명 소문이 퍼진 근거. 소문의 출처.
언근 지원【言近旨遠】명 말은 비근하나 그 뜻은 심원함.

언급【言及】명 ①하는 말이 어떤 문제에까지 미침. 언송(言送). ②어떤 일에 대해서 말함. ¶~을 회피하다. ——-하다 자여불
언:기 식고【偃旗息鼓】명 전쟁터에서 군기(軍旗)를 누이고, 북을 쉰다는 말. 곧, 휴전(休戰)의 뜻. ——-하다 자여불
언깨 명〈방〉어깨(경상).
언나 명〈방〉어린아이(평안·경상·강원).
언내[1] 명〈방〉어린애(강원).
언내[2]【言內】명 언중(言中).
언네 감〈방〉옜네.
언년 명 손아래의 어린 계집애를 귀엽게 부르는 말.
언놈 명 손아래의 사내 아이를 귀엽게 부르는 말.
언니 명 ①'형(兄)'을 정답게 부르는 말. ②여자가 자기보다 조금 연상(年上)인 여자를 대접하여 정답게 부르는말. ③여형제 사이에서 손위 사람을 지칭하는 말. ④오빠의 아내를 지칭하는 말. ¶~는 좋겠수.
언단[1]【言端】명 말다툼을 일으키는 시초. 언지(言地).
언단[2]【言壇】명 ①여러 사람 앞에서 언론(言論)을 공개하는 단(壇), 또, 그 마당. ②언론계(言論界).
언:단[3]【諺單】명 언문으로 쓴 소장(訴狀).
언담【言談】명 언사(言辭).
언더 [under] 명 ①사진에서의 노출 부족(露出不足). ②골프에서, 18홀(hole)을 기준 타수(基準打數)인 파(par) 72 이하로 일주(一周)하는 일. 언더 파(under par).
언더-그라운드 [underground] 명 비합법적(非合法的)인 지하 운동(地下運動). 또, 그 단체.
언더-라이터 [underwriter] 명〖경〗①증권(證券) 인수업자. 유가 증권의 발행에 즈음하여 발행자로부터 발행 증권의 전액 또는 일부를 취득하고 이것을 파는 사람을 일컬으며, 발행자의 장기 자금 조달을 이룩하기 위해 자기의 위험 부담으로 증권 발행을 대행함. ②영·미(英美)의 보험업계에서 계약 인수의 가부(可否), 조건의 결정 등의 전권(全權)이 주어져 있는 개인이나 법인.
언더-라인 [underline] 명 주의를 환기시키기 위하여 횡서의 자구(字句)밑에 긋는 줄. 밑줄.
언더 블라우스 [under blouse] 명〖복식〗스커트나 바지에 옷자락을 넣어 입는 블라우스. 터킨 블라우스. *오버 블라우스.
언더-셔츠 [undershirts] 명 속셔츠.
언더-스로: [under-throw] 명 [↗underhand throw] 야구나 그 밖의 경기에서, 팔을 위로 들지 않고 밑으로부터 던지는 투구(投球)의 하나. ——-하다 타여불
언더스로: 투수【—投手】[underthrow] 명 잠수함 투수.
언더스탠드 [understand] 명 ①이해(理解). ②납득.
언더-스핀 [underspin] 명 탁구에서, 공의 아래쪽을 깎아서 공이 회전하도록 치는 일.
언더우드 [Underwood] 명〖사람〗①[Horace Grant U.] 미국의 의학자·선교사. 영국 출생의 이민(移民). 1884년 초대 주한(駐韓) 선교사에 피임된 후, 1885년 경신(儆新) 학교를 설립하고, 1915년에는 연희(延禧) 전문 학교 교장이 되어 교육 사업에 헌신하였음. 저서에 ≪영한 사전≫·≪한영 사전≫ 등이 있음. 한국명은 원두우(元杜尤). [1859-1916] ②[Horace Horton U.] ❶의 아들. 서울 출생. 의학 박사·문학 박사. 경신 학교(儆新學校) 교사, 조선 신학 대학 교수·학장을 역임함. 부산에서 사망함. 저서에 ≪영한 사전≫ 등이 있음. 한국명은 원한경(元漢慶). [1890-1951]
언더-월:드 [underworld] 명 ①저승. 하계(下界). 지옥(地獄). ②대도회지의 마굴(魔窟). 사회의 최하층. 하류 사회.
언더-웨어 [underwear] 명 속옷.
언더-컷 [undercut] 명 테니스·탁구 등에서 아래로 깎아치기.
언더 파: [under par] 명 언더(under)❷.
언더 프루:프 [under proof] 명 증류주(蒸溜酒)의 알코올 강도가 표준 강도(強度)보다 약한 일.
언더핸드 패스 [underhand pass] 명 농구의 패스의 한 가지. 허리에서 상대방 허리 쪽으로 보내는 패스. 발을 앞으로 내 놓고 팔을 뻗치며 패스함.
언덕 명 [중세 : 언덕] ①땅이 비탈진 곳. ②나지막한 산. 구릉(丘陵). 구분(丘墳).
[언덕에 자빠진 돼지가 평지에 자빠진 돼지를 나무란다] 제 흉은 모르고 남의 흉만 탓한다는 뜻.
언덕(이) 지다 구 ㉠경사(傾斜)(가) 지다. ㉡길이 평탄하지 못하고 높낮이가 있다.
언덕-길 명 언덕에 나 있는 좀 비탈진 길.
언덕-바지 명 언덕배기. 「은 밥.
언덕-밥 명 솥 안에 쌀을 언덕지게 안쳐서 한쪽은 질게, 한쪽은 되게 지
언덕-배기 명 언덕의 꼭대기. 또, 언덕의 경사가 심한 곳. 언덕바지.
언덕부-변【—阜邊】명 좌부방.
언덕-빼기 명 ☞언덕배기.
언덜-결 [—껼] 명 ☞얼떨결.
언덜-매기 명〈방〉언덕배기.
언덜-배기 명〈방〉언덕배기(강원).
언데기 명〈방〉언덕(강원).
언뎡 조〈옛〉언정. ¶모모로 端正히 홀디언뎡(放教身體端正)≪蒙法 24≫. 「다 타여불
언도【言渡】명〖법〗'선고(宣告)'의 구법상의 용어. ¶~ 공판. ——-하
언동【言動】명 ↗언어 행동(言語行動).

언두막 명 〈방〉 비탈(함경).
언:-두부【一豆腐】명 겨울에 두부를 한데에 내놓아 얼린 다음에 바싹 말린 것. 동두부(凍豆腐).
언둑 명 〈방〉 ①둑. ②언덕(경북).
언:드 런〔earned run〕명 야구에서, 수비측의 실책(失策)에 의하지 아니하고, 후속(後續) 타자(打者)의 안타(安打)·희생타(犧牲打)·사구(四球) 또는 주자(走者)의 도루(盜壘) 등으로 득점하는 일.
언득 명 〈방〉 언덕(경북).
-언디 어미 〈옛〉 -ㄴ지. -은지. ¶미양 밥 먹언디 져근덛ᄒᆞ야든(每食少頃)≪內訓 Ⅲ:37≫.
언떡 명 〈방〉 언덕(전북).
언뜻 부 ①잠깐. 별안간. ¶~ 귓결에 듣다. ②잠깐 나타나는 모양. ¶거리에서 그를 ~ 보았다.
언뜻-언뜻 부 잠깐잠깐 계속해서 나타나는 모양.
언뜻-하면 부 ①무슨 일이 눈 앞에 언뜻 나타나기만 하면. ②무슨 생각이 마음속에 언뜻 일어나기만 하면.
언락【言樂】[얼—] 명〖악〗↗언락 시조(言樂詩調).
언락 시조【言樂時調】[얼—] 명〖악〗가곡(歌曲)의 한 가지. 우락(羽樂)·계락(界樂)과 상대되는 곡조. 지르는 낙시조(樂時調). (준)언락(言樂).
언러키 네트〔unlucky net〕명 야구에서, 홈런이 빈번히 일어나는 것을 막기 위해 야구장의 외야 양익(兩翼)의 벽 위에 둘러친 철망(鐵網). *러키 존(lucky zone).
언로【言路】[얼—] 명 신하로서 임금에게 말을 올릴 수 있는 길.
언론【言論】[얼—] 명 말이나 글로 자기 사상을 발표하는 일. 또, 그 논(論). (준)논(論). ——하다 타여불
언론-계【言論界】[얼—] 명 말이나 글로써 언론하는 사람들의 사회. 언단(言壇). 논단(論壇).
언론 기관【言論機關】[얼—] 명 인쇄·방송·영화 등에 의하여 언론을 담당하는 기관. 신문사·잡지사·방송국 같은 곳.
언론 윤리 위원회【言論倫理委員會】[얼—울—] 명 신문·방송 등 언론의 자율적 규제를 위하여 설치되었던 기관. 신문 윤리 위원회와 방송 윤리 위원회가 있었음.
언론-인【言論人】[얼—] 명 언론 기관에 관계(關係)하여 언론으로써 그 업(業)을 삼는 사람.
언론 자유【言論自由】[얼—] 명〖법〗개인이 그 사상(思想)이나 의견(意見)을 언론에 의하여 발표하는 자유. 각국의 근대적(近代的)인 헌법이 기본적 인권으로서 보장(保障)한 전통적인 자유의 하나. *표현(表現)의 자유·변론(辯論) 자유.
언론-전【言論戰】[얼—] 명 공개적인 언론으로써 서로의 의견을 주장하여 그 가부를 다투는 일. 논전(論戰).
언론 중재 위원회【言論仲裁委員會】[얼—] 명 정정 보도 청구에 의한 분쟁을 중재하고, 정기 간행물의 게재 내용에 의한 침해 사항을 심의하기 위한 기구. 공보처 장관이 위촉하는 40인 이상 70인 이내의 위원으로 구성하며, 위원의 5분의 2 이상은 법관의 자격이 있는 사람이어야 함. 임기는 3년임.
언론 출판의 자유【言論出版—自由】[얼— / 얼—에—] 명 사람이 아무런 제약(制約)이나 간섭(干涉)을 받지 않고 표현 행위를 할 수 있는 자유.
언론 통:제【言論統制】[얼—] 명 국가가 공권력(公權力)으로 민중의 표현 활동을 제한하는 일.
언롱【言弄】[얼—] 명〖악〗가곡(歌曲)의 한 가지. 만년 장환지곡(萬年長歡之曲) 26곡 중의 하나임. 만횡(蔓橫). ↔평롱(平弄).
언마 ㊀ 명 〈옛·방〉 얼마(전남). ¶또 아디 몯게라 언마오(又不知幾何)≪牧訣 43≫. ㊁ 부 〈옛〉 얼마나. ¶머다 ᄒᆞᆫ들 언마 멀리 ≪古時調≫.
언마나 부 〈방〉 얼마나.
-언마는 어미 〈옛〉 -건마는. =-언마ᄅᆞᆫ·-언마론·-건마론. ¶子의 道를 說ᄒᆞ지 아니홈이 아니언마는 힘이 足지 못ᄒᆞ이다 ≪論語 雍也≫. *-언만.
-언마ᄅᆞᆫ 어미 〈옛〉 -건마는. =-언마론. ¶호ᄆᆡ도 ᄂᆞᆯ히언마ᄅᆞᆫ 낟ᄀᆞ티 들리도 업스니이다 ≪樂詞 思母曲≫.
-언마론 어미 〈옛〉 -건마는. =-건마론·-언마ᄅᆞᆫ. ¶宮監이 다시언마론(宮監之尤)≪龍歌 17章≫. *-건마론.
언:-막이【堰—】명 논에 물을 대기 위하여 막은 둑.
-언만 어미〔↗언마는〕'-건만'을 예스럽게 일컫는 말. ¶주의를 들은 것이 한두 번도 아니~ 여전하고나.
언맛 〈옛〉 얼마의. ¶이 法華經 듣고 隨喜혼 사ᄅᆞᄆᆡ 언맛 福ᄋᆞᆯ 得ᄒᆞ리잇고 ≪月釋 XVII:44≫.
언매 명 〈방〉 얼마(전남).
언매나 부 〈옛〉 얼마나. ¶사라슈믄 能히 언매나 ᄒᆞ니오(生涯能幾時)≪杜諺 VI:53≫.
언머 명 〈옛〉 얼마. ¶이제 언머에 ᄑᆞᄂᆞ고(如今賣的多少)≪老乞 下 2≫/사ᄅᆞᄆᆡ 사라쇼ᄆᆞᆫ 언머만ᄒᆞ니오(人生幾何)≪杜諺 X:9≫.
언먹다 타 〈옛〉 주워 먹다. 얻어 먹다. ¶엇지타 싀궁치 뒤져 엇먹ᄂᆞᆫ 오리ᄂᆞᆫ ≪永言 495≫.
언멋 명 〈옛〉 얼마(의). ¶王京의 가 언멋 갑시 ᄑᆞᄂᆞ다(到王京多少價錢賣)≪老乞 上 12≫.
언메나 부 〈옛〉 얼마나. ¶대되 돈이 언메나 ᄒᆞᆫ고(通該多少錢)≪老乞 上 10≫.
언명【言明】명 ①말로써 의사를 잘라 말하는 일. 분명하게 말하는 일. ¶사퇴를 ~하다. ②〖논〗입언(立言)❷. ——하다 타여불
언-모【言貌】명 말씨와 용모.
언:무【偃武】명 무기를 보관하고 사용하지 아니함. 곧, 전쟁이 끝이 남. ——하다 자여불
언:무 수문【偃武修文】명 난리를 평정(平定)하고, 문사(文事)를 닦음. ——하다 자여불
언-무이가【言無二價】[—까] 명 물건 값을 에누리하지 아니함.
언무족-이천리【言無足而千里】[—철—] 구 발없는 말이 천리 간다는 뜻. *언비 천리(言飛千里).
언-문[1]【言文】명 말과 글.
언:문[2]【諺文】명 '한글'을 전에 일컫던 말.
언:문-뒤풀이【諺文—】명 한글 뒤풀이.
언문 일치【言文一致】명 ①상용어(常用語)의 표현과 문장어(文章語)의 표현과의 사이에, 용어상(用語上)의 차이가 없는 일. 어법상(語法上), 상용어에 가까운 모양으로 문장이 쓰이는 일. ②문장어의 어법은, 그 시대의 상용어의 어법과 동떨어진 것이 아니고, 일치한 것이 아니면 안된다는 사고(思考). 어문(語文) 일치.
언문 일치 운:동【言文一致運動】명〖사〗갑오 경장(甲午更張)을 계기로 독립 신문(獨立新聞) 등의 신문·잡지가 출현하여 언문 일치의 운동을 일으켜 한자 전용(漢字專用)의 관습을 버리고 국한문을 혼용(混用)하도록 한 운동.
언문 일치체【言文一致體】명 언문 일치의 취의(趣意)로 쓰여진 문체(文體). 구어체(口語體).
언:문-지【諺文志】명〖책〗조선 순조(純祖) 24년(1824)에 유희(柳僖)가 지은 한글 연구서. 훈민 정음을 초(初)·중(中)·종(終)의 3성(聲)으로 나누어, 그 원리 및 중국음과의 관계를 논했음. 1권.
언:문-책【諺文冊】명 언문으로 된 책.
언:문 철자법【諺文綴字法】[—짜뻡] 명〖언〗1930년 2월에 조선 총독부 학무국이 각급 학교의 조선어 독본, 곧 국어 독본에 사용하기 위하여 제정 공표한 한글의 맞춤법.
언:문 첩고【諺文捷考】명〖책〗조선 헌종(憲宗) 12년(1846)에 석범(石帆)이 지은 국문 연구서(國文研究書). 상하(上下) 2권 1책임. 언음첩고(諺音捷考).
언:문-청【諺文廳】명〖역〗조선 세종(世宗)이 궁중에 설치하였던 기관. 설치 목적·연대·직제 등은 확실하지 아니함. 궁중에 두고 집현전(集賢殿) 학사의 일부나 다른 관청의 신하들로 편찬 사업을 진행시킨 기관이라고 하겠음. 문종 이후에는 활동이 정지되어 정음청(正音廳)이 신설되었고 중종(中宗)이 즉위하자 폐지됨. *정음청.
언:문 풍월【諺文風月】명 ①언문으로 지은 풍월. ②격식(格式)을 갖추지 아니한 풍월 또는 사물.
[언문 풍월에 염(簾)이 있으랴] 한시(漢詩)를 지을 줄 모르는 차에 염(簾)을 둘 수는 없다 함이니 능히 해내지 못할 일을 하게 될 때에는 그 성과의 좋고 나쁨을 너무 따질 수 없다는 말.
언미-에【言未—】부 언미필(言未畢)에.
언미필-에【言未畢—】부 말이 채 끝나기도 전에.
언:-밥-수기 명 〈방〉 원밥수기.
언밸런스〔unbalance〕명 불균형(不均衡). 불평형(不平衡). ↔밸런스(balance).
언변【言辯】명 말솜씨. 말재주. 구변. ¶대단한 ~이군.
언:부【讞部】명〖역〗고려 충렬왕(忠烈王) 34년(1308)에 형조(刑曹)를 고친 이름. 충숙왕(忠肅王) 때 전법사(典法司)로 고침.
언-비천리【言飛千里】[—철—] 명 말이 빠르고도 멀리 퍼진다는 뜻.
언사[1]【言辭】명 말. 말씨. 언담(言談). ¶불순한 ~.
언:사[2]【彥士】명 훌륭한 선비. 뛰어난 인물. 언준(彥俊).
언사 불공【言辭不恭】명 말씨가 공손하지 못함. ——하다 형여불
언사-소【言事疏】명 나라 일에 관한 상소(上疏).
언사-질【言辭—】명 〈방〉 말전주. ——하다 자
언삼 어:사【言三語四】명 언거 언래(言去言來). ——하다 자여불
언상【言上】명 웃어른께 아룀.
언-상약【言相約】명 말로써 서로 맺은 약속(約束). 말로 약속함. ——하다 자여불
언새 부 〈방〉 어느 새. 벌써.
언새-없:다 형 〈방〉 어이없다(함경).
언-색[1]【言色】명 언어와 안색(顏色).
언:색[2]【堰塞】명 물의 흐름을 막음. ——하다 타여불
언:색-호【堰塞湖】명〖지〗폐색호(閉塞湖).
언:서[1]【鼴鼠】명〖동〗두더지.
언:서[2]【諺書】명 언문으로 된 책.
언:서 고:담【諺書古談】명 언문(諺文)으로 쓴 옛날 이야기 책.
언:석【偃席】명 →안석(案席).
언설[1]【言舌】명 변설(辯舌).
언설[2]【言說】명 의견을 말하거나 사물을 설명하거나 하는 일. 또, 그 말. ——하다 타여불
언성[1]【言聲】명 말소리. 어성(語聲).
언:성[2]【彥聖】명 뛰어나서 사리(事理)에 통달함. 또, 그 사람.
언소【言笑】명 담소(談笑). ——하다 자여불
언소 자약【言笑自若】명 담소 자약(談笑自若). ——하다 형여불
언송[1]【言送】명 ①말을 건네어 보냄. ②언급(言及)❶. ——하다 자여불
언:송[2]【偃松】명〖식〗눈잣나무.
언순 이:정【言順理正】명 언정 이순(言正理順). ——하다 형여불
언습【言習】명 말버릇.
언:식【偃息】명 걱정됨이 없어 편안하게 누워서 쉼. ——하다 자여불

언-씨 명 〖언〗 관형사(冠形詞).

언:안【讞案】명 〖법〗 형사 사건에 관계된 서류(書類).

언:앙【偃仰】명 ①누웠다 일어났다 한다는 뜻으로, 기거(起居)를 자기 마음대로 함. 한가하게 지냄. ②〔엎드림과 우러러봄의 뜻〕 세상이나 남이 하는 대로 따라 함. ——-하다 자 여불

언:앙 굴신【偃仰屈伸】[—씬] 명 몸을 자유로이 굴신함. 몸을 마음대로 움직임. ——-하다 자 여불

언약【言約】명 ①말로 약속함. 또, 그 약속. ②〖기독교〗 신(神)이 인간에게 내린 특별한 의지(意志). 모세를 통하여 내린 구약(舊約)과 그리스도를 통하여 내린 신약(新約)이 있음. 계약(契約). ——-하다 타 여불

언약의 궤:【言約—櫃】[—/—에—] 명 〖성〗 계약의 궤. 법궤. *결약(結約)의 궤.

언어¹【言語】명 사상과 감정·의사(意思) 등 심적(心的) 내용을 서로 전달하기 위한, 음성에 의한 기호(記號)와 그 사회적인 조직. 또, 그 체계에 의하여 말하는 행위. 문자의 사용까지 포함하여 이르는 경우도 있음. 말.

언:어²【諺語】명 속담(俗談). 이언(俚諺).

언:어³【鰋魚】명 〖어〗 메기.

언어 개:혁【言語改革】명 국가가 그 나라의 언어에 대하여 의도적(意圖的)인 변경을 가(加)하는 일. 정서법(正書法)의 개혁으로 나타나는 수가 많음.

언어 경계선【言語境界線】명 각기 다른 두 언어가 사용되는 영역(領域)이 지리적으로 상접한 곳에 상정(想定)되는 선.

언어 경제력【言語經濟力】명 어떤 언어가 사용되는 지역의 국민 총생산이 세계 전체의 지엔피(GNP)에서 차지하는 비율을 나타내는 숫자.

언어 계:통론【言語系統論】[—논] 명 〖언〗 동계어(同系語)에 있어서의 상호 관계가 명확하지 않은 언어의 계통을 구명하는 학문.

언어 공:동체【言語共同體】명 언어 사회.

언어-관【言語觀】명 언어의 본질에 대한 견해. 여러 가지가 있는데, 이를테면, 언어는 인간의 밖에 있는 기호 체계(記號體系)라는 견해, 인간의 발화(發話)·양해 행위라는 견해 등임.

언어 교:육【言語敎育】명 〖교〗 초등 교육(初等敎育)에 있어서, 자기 나라 말의 바른 사용법을 가르치는 교육. 곧, 말하기·듣기·쓰기·읽기의 네 가지를 통하여 언어에 대한 지식(知識)을 얻게 하고, 언어의 바른 사용법(使用法)을 익힘.

언어 기능【言語機能】명 말을 하는 기관(器官)의 작용.

언어 기술【言語技術】명 〖언〗 말의 기교(技巧). 언어를 효과적으로 써서, 사람을 잘 설득하거나, 의사의 소통을 잘하거나 하는 기술.

언어-뇌【言語腦】명 언어 기능에 관계된 신경계가 몰려 있는 사람의 뇌의 좌반구(左半球)의 일컬음.

언어 능력【言語能力】[—녁] 명 〔competence〕 〖언〗 어떤 언어 사용자로 하여금 과거에 이미 들은 바 있는 문장뿐만이 아니라, 전혀 들은 일이 없는 문장까지도 생성시켜 낼 수 있는 창조적인 능력.

언어 단위【言語單位】명 〖언〗 언어의 각 층위에 있어서의 구조의 기본적인 단위.

언어 단체【言語團體】명 동일한 언어 또는 사투리를 사용하는 일단(一團)의 사람들.

언어 도:단【言語道斷】명 말문이 막힌다는 뜻으로, 어이가 없어 이루 말로 나타낼 수 없음을 이르는 말. 언어 동단(言語同斷). 준도단(道斷).

언어 동단【言語同斷】명 언어 도단(言語道斷).

언어-량【言語量】명 한 개인이 언어 행동의 어떤 범위(範圍)에 쓰고 있는 말수.

언어 문:제【言語問題】명 언어에 관한 여러 가지 문제 중에서 언어 정책과 관계가 있는 것. 어느 언어를 공용어(公用語) 또는 표준어로 삼을 것인가 하는 따위의 언어 문제를 포함하여 더욱 광범위한 것까지 지칭함.

언어 문화【言語文化】명 일상의 언어 생활, 또, 언어를 가지고 표현되는 문학·매스커뮤니케이션 등, 언어에 의하여 이루어지는 모든 생활 문화에 대하여 이름.

언어 미학【言語美學】명 언어학 또는 미학(美學)의 한 부문. 어느 문학 작품의 어휘(語彙) 및 문체(文體)가 가지는 예술적 효과를, 각자의 인격의 여러 요소의 반영으로서 설명하려는 것.

언어 분류【言語分類】[—불—] 명 〖언〗 현재 사용되고 있거나 사용된 일이 있는 모든 언어를 어떤 기준에 따라 특징짓고 분류하는 일.

언어 분석【言語分析】명 〖언〗 주어진 언어 자료에서 그 기본 단위를 찾아내고, 그 요소의 상호 관계 및 체계를 설정하는 과정의 총칭.

언어 불공【言語不恭】명 말씨가 불손함. ——-하다 형 여불

언어 불통【言語不通】명 말이 서로 달라 통하지 않음. ↔언어 상통(言語相通). ——-하다 자 여불

언어 사회【言語社會】명 〔speech community〕 〖언〗 동일한 언어로써 의사를 소통(疏通)하며 공동 생활을 영위하는 사회 집단. 도시·농촌 등 지리적인 것 외에 신분(身分)·직업 등의 구별에 바탕을 두는 수도 있음. 언어 공동체(言語共同體).

언어 사회학【言語社會學】명 〖언〗 언어를 사회 집단(社會集團)과 관련시켜, 언어가 집단 속에서 어떻게 사용되며 어떠한 역할(役割)을 하고 사회 구조(社會構造)의 변화에 따라 어떻게 변화하는가를 연구하는 학문. 사회 언어학.

언어 상통【言語相通】명 말이 서로 통함. ↔언어 불통(言語不通). ——-하다 자 여불

언어 생활【言語生活】명 언어 행동의 면에서 본 인간 생활. 인간 생활의 태반을 차지함.

언어 수작【言語酬酌】명 말을 서로 주고받고 함. ——-하다 타 여불

언어 수행【言語遂行】명 〔performance〕 〖언〗 추상적인 언어 능력이 구체적인 경우에 구현(具現)될 때의 언어 행위. 시간·공간의 제약을 수반하며, 인간의 생리적·심리적 제약을 필연적으로 받음.

언어 심리학【言語心理學】[—니—] 명 〖심〗 언어 행동을, 그 주체(主體)인 인간 또는 그 집단(集團)에 있어서의 인간의 심리와 관련하여 연구하는 언어학·심리학의 한 부문. 심리 언어학.

언어 연대학【言語年代學】명 〔glottochronology〕 〖언〗 1950년대 미국의 인류학자이며 언어학자인 스와데시(Swadesh, M.)가 고안(考案)한 언어의 분열 연대를 측정하는 방법. 어휘 통계학.

언어 예:술【言語藝術】명 말을 표현 수단으로 하여 창조되는 예술. 시·소설·희곡·수필 같은 문예 작품. ↔음향 예술(音響藝術).

언어 유:형학【言語類型學】명 모든 언어의 구조에 유형을 구하고, 유형에 의해서 분류·기술(記述)하는 것을 연구하는 학문.

언어 유희【言語遊戲】[—히] 명 ①말이나 문자를 소재(素材)로 하는 유희. 말에서는 새말 만들기·어려운 말 외기(마당의 콩깍지가 깐 콩깍지냐 안 깐 콩깍지냐)·말꼬리 잡기(가랑잎, 잎사귀, 귀밝이, 이야기)·동음 이의어(同音異義語) 만들기(눈에 눈이 들어가니 눈물이냐 눈물이냐) 등이 있고, 문자에서는 해자(解字) 놀이(丁口竹天＝可笑)·차자(借字) 놀이(有雅羅毒＝You are a dog.) 등 여러 가지가 있음. 말짓기 놀이. ②말장난.

언어-음【言語音】명 〔speech sound〕 〖언〗 음성 기관에 의하여 조음(調音)되어 언어에 사용되는 음.

언어의 섬:【言語—】[—/—에—] 명 〖언〗 넓은 언어 영역 안에 고립하여 존재하는 언어 집단.

언어 장애【言語障礙】명 ①말을 정확하게 발음할 수 없거나 이해할 수 없게 되는 장애. 발음 불명료·말더듬·실어증(失語症) 등의 장애를 이름. ②〔disturbance of speech, logopathy〕 〖의〗 운동성 또는 감각성의 장애로 전혀 발성(發聲)을 못하든가 알아들을 수 없는 발성을 특징으로 하는 언어의 장애. 언어근(筋)의 완전 또는 불완전 마비에 의한 것과 중추성(中樞性)의 장애로 인한 것이 있음. 「사고.

언어적 사고【言語的思考】명 언어의 조작(操作)에 의하여 이루어지는

언어적 허위【言語的虛僞】명 〖철〗 언어의 의미의 애매(曖昧)로부터 생기는 허위. 개념·판단 등 철학상 모든 용어의 의의가 불명 다의(不明多義)한 데서부터 생김. 결합(結合)의 허위, 분해(分解)의 허위, 강조의 허위, 문의(文意) 애매의 허위 등이 있음.

언어 정보【言語情報】명 언어를 매개(媒介)로 하여 전달되는 지식(知識)·정보.

언어 정책【言語政策】명 국가가 그 나라에서 사용되는 언어에 대하여 베푸는 정책. 표준어·공용어(公用語)의 확립과 보급, 문자 및 철자(綴字)의 개혁, 사투리의 보호(保護) 또는 탄압, 문맹 절멸(文盲絶滅), 외국어 교육상의 정책 등 여러 형태가 있음.

언어 조사【言語調査】명 어떤 언어나 방언의 체계(體系)를 파악하거나 그 자료를 수집(蒐集)하기 위한 조사. 엄밀하게는 언어 현상에 대한 과학적인 실험 과정에 해당하나 흔히 대량의 언어 사실을 광범위한 지역에 걸쳐 조사하는 것을 이름.

언어 중추【言語中樞】명 〔도 Sprachzentrum〕 언어의 생성(生成) 및 운용에 관여하는 여러 중추의 총칭. 청각(聽覺) 중추 이외에, 들은 언어의 의미를 이해하며, 또 어떤 의미의 언어를 상기하는 등의 언어 기억 중추나 발음 중추도 포함됨.

언어 지도【言語地圖】명 〖언〗 언어 지리학에 있어서, 동일한 언어 현상을 지역적으로 조사·연구하여 그린 분포도.

언어 지리학【言語地理學】명 프랑스의 언어학자 질리에롱(Gillieron, Jules: 1854-1926)이 주창한 언어학의 새로운 부문. 인문 지리학의 한 분과로, 언어 현상 중에서 특정한 현상을 포착하여 그 지역적 분포·변천 등을 조사·연구하는 학문임. 방언(方言) 지리학.

언어 철학【言語哲學】명 언어·언어 행동에 관한 개개의 법칙을 통일적으로 설명하는 철학의 한 부문.

언어 치료사【言語治療士】명 〔speaking therapist〕 〖의〗 언어 장애를 일으킨 환자에게 발음(發音)·대화(對話) 따위의 훈련을 행하는 전문 기술자.

언어-학【言語學】명 〔philology〕 언어를 대상으로 음운(音韻)·문자·문법·어휘(語彙) 등에 관하여 역사적·지리적 형태를 밝히고 계통(系統)을 세우는 학문. 국어학·비교(比較) 언어학·일반 언어학 등이 있음. 박언학(博言學). 준어학(語學).

언어학-과【言語學科】명 〖교〗 대학에서, 언어학을 전공하는 학과. *문화 인류학과.

언어학-사【言語學史】명 〖언〗 언어에 관한 체계적인 이론이 변화·발전되어 온 역사.

언어학-자【言語學者】명 언어학을 연구하는 학자. 준어학자(語學者).

언어 행동【言語行動】명 ①입으로 하는 말과 몸으로 하는 행동. 언어 행사(言語行事). 준언동(言動)·언행(言行). ②〖언〗 언어로써 얘기하고, 듣고, 쓰고, 읽고 하는 행위. *언어 기술.

언어 행사【言語行事】명 언어 행동(言語行動)❶.

언어 활동【言語活動】[—똥] 명 언어를 말하거나 쓰거나 또는 듣고 읽고 하여 요해(了解)하는 행동 전반. 외부에서 관찰(觀察)할 수 없는 심적(心的)인 부분도 포함함.

언언 사:사【言言事事】명 모든 말과 모든 일.

언:역【諺譯】명 언문으로 번역함. 언해(諺解). ——-하다 타 여불

언:연【偃然】명 거드름을 피우고 거만(倨慢)스러운 모양. 언건(偃蹇). ——-하다 형 여불. ——-히 부

언오¹【焉烏】명 자형(字形)이 비슷하여 틀리기 쉬운 글자. 오언(烏焉). ＊노어(魯魚).
언:오²【偃傲】명 뽐내며 교만함. 언건(偃蹇). ――-하다 형여불
언:와【偃臥】명 거만하게 벌떡 누워 있음. ――-하다 자여불
언왕 설래【言往說來】명 설왕 설래(說往說來). ――-하다 자여불
언왕 언래【言往言來】〔―얼―〕명 설왕 설래(說往說來). ――-하다 자여불
언외【言外】명 말에 나타난 뜻의 밖. 말로 한 이외. ＊언중(言中).
언외-에【言外―】부 말에 나타난 뜻 이외에. ¶～ 담긴 뜻.
언외지-의【言外之意】명 말에 나타난 뜻 이외의 다른 뜻. ↔언중지의(言中之意).
언용【言容】명 말과 용모.
언:월【偃月】명 ①음력 보름 전이나 뒤의 반달. 현월(弦月). ②반달같이 물건이 둥근 형상. ③모자나 벙거지의 가운데 둥글게 우뚝 나온 부분. 운월(雲月).
언:월-도【偃月刀】〔―또〕명 ①옛날 무기로 대도(大刀)의 한 가지. 자루의 길이 여섯 자 네 치, 날의 길이 두 자 여덟 치로, 날은 끝이 넓고 뒤로 젖혀져서 초승달같이 되었으며, 칼등은 두 갈래가 지고 밑에 용의 아가리를 물리었고, 자루는 붉은 칠을 하여 끝에 물미를 맞추었음. ㊤월도(月刀). ②↗청룡 언월도.

〈언월도〉

언:월도 상투【偃月刀―】〔―또―〕명 뒤로 젖혀 둥그스름하게 튼 상투.
언:월-예【偃月瞖】〔―예〕명〖한의〗눈병의 한 가지. 예막(瞖膜)이 한 쪽은 두껍고 한 쪽은 얇아서 마치 언월과 같이 된 병.
언:음 첩고【諺音捷考】명 언문 첩고(諺文捷考).
언의¹【言意】〔―/―이〕명 말의 뜻. 언어의 의미.
언의²【言議】〔―/―이〕명 이러니 저러니 하는 소문.
언:이 거사【彥頤居士】명〖사람〗고려 의종(毅宗) 때의 유명한 거사. 금강 거사(金剛居士).
언자¹【言者】명 말하는 사람.
언:자²【諺字】〔―짜〕명 언문 글자. 곧, 한글.
언잠【言箴】명 공자(孔子)가 안회(顔回)에게 가르친 사물잠(四勿箴)의 하나. '예(禮)가 아니거든 말하지 말라'는 계율(戒律).
언장 명〈방〉비탈(함경).
언재【言才】명 말재주.
언쟁【言爭】명 말다툼. ――-하다 자여불
언저리 명 둘레의 근방. 주위의 부근. 주변(周邊). ¶입 ～.
언:저리-잠자리 명〖충〗〔*Epitheca marginata*〕잠자릿과에 속하는 곤충. 복부의 길이 32mm, 뒷날개는 35mm 가량임. 흉부는 황색, 측면에 검은 줄 무늬가 넉 줄 있고, 복부는 흑색, 제2-8절에는 한 쌍씩의 황색 무늬가 있음. 뒷날개는 특히 두꺼우며 언저리 무늬와 시맥(翅脈)은 흑갈색임. 여름에 출현하는데, 한국·일본·중국 등지에 분포함.
언적【言的】명 남이 알지 못하게 자기들끼리만 통하는 구호(口號) 또는 부첩(符牒). 암호.
언:전¹【堰田】명 조수(潮水)가 드나드는 개벌(간석지)을 막아 만든 경지(耕地). 간척지(干拓地)의 일종.
언전²【諺傳】명 속전(俗傳).
언:정【蝘蜓】명〖동〗①도마뱀붙이. ②'도마뱀'의 잘못 일컬음.
-언정 어미 '이다'의 어간에 붙어 '-ㄹ지언정'의 뜻으로 쓰이는 연결 어미. ¶불감청(不敢請)이～ 고소원(固所願)이라.
언정 이:순【言正理順】명 말이나 이치가 사리에 닿고 옳음. 언순 이정(言順理正). ――-하다 형여불
언:제¹【堰堤】명 제언(堤堰).
언:제² 부 어느 때. 어느 때에.
[언제는 외조 할미 콩죽으로 살았나] 남의 은덕으로 살아온 것이 아니니 이제 새삼스러이 호의를 바라지 않는다고 거절할 때 이르는 말. [언제 쓰자는 하눌타리냐] 아무리 좋은 물건이라도 쓸 때에 쓰지 않으면 소용에 닿지 않는다는 말.
언:제-나 부 ①어느 때에나. 아무 때고. ②끊임없이. 계속해서.
언:제-든지 부 어느 때든지. 아무 때고. ¶～ 오너라.
언:제-인가 부 ①어느 때에 가서는. 조만간. ¶～ 후회할 때가 올 것이다. ②이전(以前) 어느 때에. ¶～ 본 일이 있다. 1)·2) : ㊤언젠가.
언젠가 부 ↗언제인가.
언족-이식비【言足以飾非】구 말이 너무 교사(巧詐)하여 시비(是非)를 전도(顚倒)시키기에 족함. ＊식비(飾非).
언졸-하다【言拙―】형여불 어줄하다.
언죽-번죽 부 조금도 수줍거나 부끄러워하는 기색이 없고 비위가 좋은 모양. ¶그런 낭패가 없고 그런 조화가 없는지라 행중이 ～ 떠들어대는 사이에…《金周榮 : 客主》. ――-하다 형여불
언:준【彥俊】명 언사(彥士).
언중¹【言中】명 말 가운데. 언내(言內). ¶～ 비수(匕首). ＊언외(言外).
언중²【言重】명 말이 가볍지 아니하고 책임 있음. 어중(語重). ↔언경(言輕). ――-하다 형여불. ――-히 부
언중³【言衆】명 같은 언어를 사용하는 사회 안의 대중(大衆). 같은 말을 쓰는 사람들.
언중 유:골【言中有骨】〔―뉴―〕명 예사로운 말 속에 단단한 속뜻이 들어 있다는 말. ＊언중 유언(言中有言).
언중 유:언【言中有言】〔―뉴―〕명 예사로운 말 속에 또 다른 말이 들어 있다는 말. ＊언중 유골(言中有骨).
언중지-의【言中之意】명 말에 나타난 뜻. ↔언외지의(言外之意).
언-즉시야【言則是也】명 말인즉 사리에 맞음.

언지¹【言地】명 ①언단(言端). ②〖역〗간관(諫官)의 지위.
언지²【言志】명 ①자기의 뜻을 이야기함. ②시(詩)의 이칭(異稱).
언지³【言質】명 →언질(言質).
언지(를) 잡다 구 →언질(言質)(을) 잡다.
언지(를) 주다 구 →언질(言質)(을) 주다.
언지 무익【言之無益】명 말해 보아야 소용 없음. ――-하다 형여불
언지 장야【言之長也】명 자세히 말하려면 길어짐.
언지층 명〈방〉비탈(평안).
언지 하익【言之何益】명 말해 보아야 아무 소용도 없음. 언지 무익(言之無益). ――-하다 형여불
언:지-호【堰止湖】명〖지〗폐색호(閉塞湖).
언직【言職】명 간언(諫言) 또는 건언(建言)을 하는 직무.
언진【言盡】명 말이 다하여 더 할 말이 없음. ――-하다 형여불
언:진-산【彥眞山】명〖지〗황해도 수안군(遂安郡) 수면(水面)과 오천면(梧泉面) 사이에 있는 산. 언진 산맥의 주봉임. [1,120m]
언:진 산맥【彥眞山脈】명〖지〗태백 산맥의 북단에서 서남 방향으로 달려 평안 남도와 황해도의 도계(道界)를 이루는 산맥.
언질【言質】명〔←언지(言質)〕①어떤 일을 약속하는 말의 꼬투리. ②남이 한 말을 이용하여서 뒤에 자기가 할 말의 증거로 삼음.
언질(을) 잡다 구〔←언지(를) 잡다〕남이 한 말을 자기가 할 말의 증거로 삼다.
언질(을) 주다 구〔←언지(를) 주다〕남에게 증거 잡힐 말을 하다.
언집【言執】명 자기 말을 고집함. ――-하다 자여불
언지 명부〈옛〉언제². ¶언지(幾時)《譯語 上 5》/언지 온다(多咱來)《譯語 補 58》.
언짢다〔―짠타〕형 ①마음에 좋지 않다. ②보기에 싫다.
언짢-이〔―짠―〕부 언짢게. ¶～ 여기다.
언:찰【諺札】명 언문으로 된 편지. ¶부녀의 ～이 공공연하게 양전(兩銓)에 날아 들고 있다.
언참【言讖】명 말이 미래(未來)의 일과 꼭 맞음.
언책【言責】명 ①말로 하는 책망. ②자기가 한 말에 대한 책임.
언챙이 명〈방〉언청이(경기·경북).
언청 계:용【言聽計用】명 남을 깊이 믿어 그가 하자는 대로 함. ¶신돈은 왕 자신이～하는 신하였다《朴鍾和 : 錦衫의 피》. ――-하다 자여불
언청-샌님 명 언청이를 놀려서 일컫는 말.
언청이 명 윗입술이 선천적(先天的)으로 찢어진 현상. 또, 그 사람. 인중 중앙까지 찢어진 불완전 언청이와 콧구멍 초입(初入)까지 찢어진 완전 언청이의 두 종류가 있는데 모두 조기(早期)에 정형(整形)할 수 있음. 유전적(遺傳的)으로 생기는 일이 많음. 결구(缺口). 결순(缺脣). ＊토순(兎脣).
[언청이 굴회 마시듯] 흘러 떨어질까 봐서 단숨에 들이 마시는 것의 형용. [언청이 아가리에 콩가루, 언청이 아가리에 토란(土卵) 비어지듯] 일을 아무리 숨기려 해도 저절로 다 드러남을 말함. [언청이 아니면 일색] 결점만 없으면 나무랄 데가 없겠는데, 사실은 결점이 있으니 어쩌겠느냐는 말. [언청이 콩가루 쥐어 먹기] 아주 쉬운 일을 말함. 또는, 도로 다 나오는 것을 이르는 말. [언청이 퉁소대듯] 이치에 닿지 않는 무슨 말이 함부로 나온다는 말.
언쳉이 명〈방〉언청이(충북·경상).
언:초【偃草】명 바람에 쓸려 쓰러진 풀이란 뜻으로, 백성이 잘 교화(敎化)됨의 비유.
언:층【堰層】명〖물〗장벽층(障壁層).
언치¹ 명 말이나 소의 등에 덮어 주는 방석이나 담요.
[언치 뜯는 말] 같은 혈족(血族)의 것을 해치는 것은 저를 해치는 것이나 다름없다는 말.
언치² 명〖조〗어치¹.
언치-새 명〖조〗어치¹.
언칭이 명〈방〉언청이(경상).
언캐크¹【UNCACK】명〖역〗〔United Nations Civil Assistant Command, Korea의 약칭〕국제 연합의 한국 전재 구호 사업 기관. 1950년 12월 유엔 총회 결의에 의해 종래 미 제8군 책임하에 있던 유엔 보건 후생부를 개편하여 발족했음. 군작전 사명과의 관련하에 시민의 질병·기아·불안으로부터의 구호가 사명이었음.
언캐크²【UNKCAC】명〖역〗〔United Nations Korean Civil Assistance Command의 약칭〕유엔군 총사령부의 책임하에 관리·운영된 민간 원호 기관. 주로 한국에서의 전쟁에 수반되는 민간 구호(民間救護)를 목적으로 하였는데, 그 자금(資金)은 유엔군 소속국의 민간 단체의 자발적 갹출(醵出)에 의한 기금 및 물자로 충당(充當)되었음. 1953년 7월 1일부로 KCAC로 개칭되었음.
언커:크【UNCURK】명〖역〗〔United Nations Comission for Unification and Rehabilitation of Korea의 약칭〕1950년 유엔 총회에서, 한국 통일 문제에 관한 결의를 통하여 한국의 민주 통일 건설과 구제 및 재건을 목적으로 설치되었던 기구. 구성 국가는 오스트레일리아·칠레·네덜란드·파키스탄·필리핀·타이 및 터키의 7개국이었으며, 1973년 11월 28일에 해체되었음. 국제 연합 한국 통일 부흥 위원단.
언컷〔uncut〕명 ①〖인쇄〗책이나 잡지 등의 제본(製本)에서 아직 도련하지 않은 책. ②검열(檢閱) 이전의 잘라 내지 않은 인쇄물 또는 영화 필름.
언코크【UNCOK】명〖정〗〔United Nations Commission on Korea의 약칭〕1948년 유엔 총회에 의하여 보조 기관으로서 설치되었던 기관. 국제 연합의 7개 회원국의 대표로서 구성됨. 앞서 설치된 국제 연합 임시 한국 위원회의 후신으로서 한국 국토의 통일과 외국군의 철수 문제 해결 등을 목적으로 하였음. 언커크(UNCURK)로 개편되었으나 1973

년 11월에 해체되었음.

언탁【言託】명 남에게 말로 부탁함. ──-하다 타여불

언터처블〔untouchable〕명〔몸에 닿는 것조차 불결하다는 뜻〕인도의 불가촉 천민(不可觸賤民). 네 종류가 있는 카스트의 최하급인 슈드라(首陀羅)보다도 아래의 계층에 속함.

언턱 명 ①물건 위에 층이 진 곳. ②언덕의 턱. ③〈옛·방〉언덕. ¶지아비 왜적 만나 굴티 아니ᄒᆞ고 언턱의 ᄠᅥ러뎌 죽거놀 신시 그 종복 분이로 ᄃᆞ려 ᄯᅩ 언턱의 ᄠᅥ러뎌 주그니라《東國新續三綱 烈女圖 Ⅳ:67》.

언턱-거리 명 사단(事端)을 만들 거리. 또는, 남에게 말썽을 부릴 만한 핑계. ¶어떻게 ~를 잡아 또 한 자리 좋은 벼슬이 하고 싶었다《朴鍾和:錦衫의 피》. 준 턱거리.

언턱-밥 명〈방〉언덕밥.

언턱-배기 명〈방〉언덕배기.

언투【言套】명 말버릇.

언틀-먼틀 부 바닥이 들쭉날쭉하여 요철(凹凸)이 심한 모양. 울퉁불퉁. ──-하다 형여불

언:파-같다 형 ☞ 엄파같다.

언파-에【言罷—】부 말을 마치고. 말을 끝내자. 언필에. ¶~ 한목숨을 「거두다.

언:패【諺稗】명 패관(稗官)들이 언문으로 쓴 옛 소설.

언편【言編】명『악』〔언은 엇·엮의 취음(取音)이고, 편은 엮는다는 뜻으로, 곧 엇엮음이라는 뜻〕가곡의 한 가지. 언은 곡조(曲調) 형태, 편은 노래의 엮음을 말함이니 언편은 평탄치 않은 선율(旋律)을 이름. 지르는 편 잦은 한 잎. ↔편삭대엽(編數大葉).

언편 시조【言編時調】명『악』수잡가(首雜歌).

언표【言表】명 ①언외(言外). ②말로 나타낸 바.

언품【言品】명 말의 품위(品位).

언-플러그드〔unplugged〕관『악』〔'전기 플러그를 뽑은'의 뜻〕전자 악기를 통해 증폭(增幅)·변조(變造)된 소리를 배제(排除)하고 자연 악기의 생음(生音)에 의한 음악에 관하여 일컫는 말. ¶~ 콘서트 / ~ 밴드 / └~ 음악.

언필-에【言畢—】부 언파(言罷)에.

언-필칭【言必稱】부 말을 할 때마다 반드시.

언필칭 요순(堯舜) 구 ㉠매사에 같은 말만 되풀이한다는 뜻. ㉡항상 성현(聖賢) 말만 들추어 고고(孤高)한 체한다는 말.

언하【言下】명 말하는 바로 그 자리. 말이 떨어지자 곧 그 때.

언:해【諺解】명 한문(漢文)을 한글로 풀이함. 또, 그 책. 언역(諺譯). ──-하다 타여불

언:해 구급방【諺解救急方】명『책』구급방 언해.

언:해 납약증 치방【諺解臘藥症治方】명『책』조선 영조(英祖) 때 간행된 처방(處方)해설집. 우황 청심원(牛黃淸心元)·소합원(蘇合元) 등의 상비 구급약을 매년 12월에 조제하여 투약(投藥)하는 방법을 기록하였음. 1권.

언:해 두창 집요【諺解痘瘡集要】명『책』허준(許浚)이 왕명을 받아 편찬한 행역(行疫) 치료 방문(方文)을 적은 책. 조선 선조(宣祖) 41년(1608) 간행. 목판본. 2권 2책.

언:해 태산 집요【諺解胎產集要】명『책』조선 선조(宣朝) 때 허준(許浚)이 지은 책. 태산(胎產)에 관한 의서(醫書). 선조 41년(1608)에 간행됨. 단권(單卷).

언-행【言行】명 ↗언어 행동(言語行動)❶.

언행 군자지추기【言行君子之樞機】명〔말과 행동은 군자의 가장 긴요한 것이라는 뜻〕훌륭한 사람일수록 언행에 주의해야 한다는 말.

언행-록【言行錄】[—녹] 명 말과 행실을 적어 모은 책.

언행 상반【言行相反】명 말과 행실이 서로 다름. ↔언행 일치.

언행 심사【言行心事】명 언행과 심사.

언행 일치【言行一致】명 하는 말과 행동이 같음. 말과 행동이 다르지 않음. ↔언행 상반.

언헤〈옛〉언덕에. '언¹'의 처격형(處格形). ¶닐구븐 뫼 언헤 ᄠᅥ디여 橫死ᄒᆞᆯ씨오《月釋 Ⅸ:58》.

언힐【言詰】명 말로 잘못을 꾸짖고 나무람. *논란(論難). ──-하다 타여불

얹다[언따] 타〔중세:엱다,엿다〕①물건을 다른 물건 위에 올려놓다. ¶남비를 선반에 얹어 놓다. ②윷놀이에서, 한 말을 다른 말과 합치다.

〈얹은 머리〉

얹은 머리[언즌—] 명 여자의 머리를 땋아서 위로 둥글게 둘러 얹은 머리. 들러머리.

얹은-활[언즌—] 명 시위를 걸어 놓은 활. ↔부린활.

얹혀 살:다[언쳐—] 자 남에게 의지해서 붙어 살다.

얹히다[언치—] ㊀자 ①물건이 높은 곳에 올리어 놓이다. ②물건 위에 덮쳐 올려지다. ③배가 좌초하다. ④먹은 음식이 소화되지 않고 체하다. ¶상한 생선이 ~. ⑤남에게 붙어 살다. ¶딸에게 얹혀 살다. ㊁타 얹게 하다. ¶어린 기생의 머리를 ~.

얻녀 타〈옛〉얻으러 다니어. '얻니다'의 활용형. ¶心外예 부텨를 얻녀 쇽절업시 돈니다가(心外覓佛)《牧訣 12》.

얻니다 타〈옛〉얻으러 다니다. 찾아다니다. ¶婆羅門이 그 말 듣고 고ᄫᆞᆫ ᄯᆞᆯ 얻니노라 ᄒᆞ야《釋譜 Ⅵ:14》.

〈얹은활〉

얻:다¹ 타〔중세:얻다〕①주는 것을 받아 가지다. ¶형한테서 얻은 책. ②구하던 것을 받거나 가지게 되다. ¶원조를 ~ / 일자리를 ~ / 과반수의 찬표를 ~. ③보고, 읽고, 들어 자기 것으로 하다. 이해하다. 터득하다. ¶얻는 것이 많은 책 / 교훈을 ~. ④임자 없는 물건을 줍다. ¶길에서 얻은 모자. ⑤꾸거나 빌리다. ¶셋방을 ~ / 빚을 ~. ⑥사람을 맞다. ¶며느리를 ~. ⑦차지하거나 손에 넣다. ¶폭리를 ~ / 승리를 ~ / 그렇게 해서 얻은 것이 무어냐. ⑧힘 따위를 가지게 되다. ¶힘을 ~ / 자신을 ~. ⑨병에 걸리다. ¶우연히 얻은 병.

[얻기 쉬운 계집 버리기 쉽다] 쉽게 얻은 것은 또한 버리기도 쉽다는 말. [얻은 가래로 식전 보 막기] 숨가쁘게 급히 해야 할 일이란 뜻. [얻은 것이 잠방이라] 남에게 얻은 것이 그리 신통할 것이 없다는 말. [얻은 도끼나 잃은 도끼나] 얻고 잃음이 우열이나 이해가 없음에 이르는 말. [얻은 떡이 두레 반(半)] 자기가 조금도 수고하지 않고 얻은 것이 남이 애써서 만든 것보다 많을 때 이르는 말. [얻은이 타령이냐]〔'얻은이'는 '거지'의 엇먹는 말〕서로 짝하여 다님을 조롱하는 말. [얻은 죽에 머리가 아프다] 변변치 못한 것이나마 남의 것을 얻어 가지게 되면 마음에 짐이 된다는 말.

얻:어 온 쌔:기 구 남의 집에 와 가만히 앉아서,먹기만 하는 자를 이르 └는 말.

얻다² 준 어디에다. ¶그런 사람을 ~ 쓰겠나.

얻다가 준 어디에다가. ¶~ 버렸니.

얻-씨 명『언』형용사(形容詞). 어떻씨.

얻:어-걸리다 자〈속〉①우연히 제것 또는 제 몫이 되다. ¶저 사람한테 잘못 얻어걸렸다간 큰일난다. ②이익(利益)을 보다. ¶일자리가 ~.

얻:어-내다 타 상대방으로 하여금 내놓게 하여 그것을 차지하다. ¶드디어 백만 원의 찬조금을 얻어냈다.

얻:어-듣다 타ㄷ불 남들의 말을 우연히 들어 알다. ¶얻어들은 이야기.

얻:어들은 풍월 구 정식으로 배우지 못하고 자주 들어 아는 지식.

얻:어-맞다 자타 ①남에게 매를 맞다. ¶공연한 참견을 하다가 ~. ②언론이나 여론의 비난을 받다. ¶방송에서 ~.

얻어-머거리 명〈방〉거지(함경).

얻:어-먹다 자타 ①남이 주는 것을 받아 먹다. ②남한테서 음식을 공으로 먹거나 빌어먹다. ¶얻어먹는 거지. ③남한테 얹혀서 생활하다. ④남한테서 욕이 들어오다. ¶욕을 되게 ~.

[얻어먹은 데서 빌어먹는다] 한 번 얻어 온 것을 또 다른 사람이 좀 달라고 청해서 받음을 이름. [얻어먹을 것도 사돈집 노랑 강아지 때문에 못 얻어먹는다] 방해자 때문에 하고 싶은 일을 하지 못한다는 말. [얻어먹지 못하는 제사에 갓 망건 부순다] 아무런 소득도 없이 손해만 입었다는 말.

얻어-먹이 명〈방〉거지¹. ¶초라한 행색이 나위 없는 ~다《吳永壽:화 └산댁이》.

얻어-박수 명〈방〉거지¹(전라).

얻어-박시 명〈방〉거지¹(전라).

얻어-배기 명〈방〉거지¹(전라·충청).

얻어-뱅이 명〈방〉거지¹(전라·충청).

얻:어-터지다 자타〈속〉얻어맞다.

얻은-복이 명〈방〉업둥이.

얻:은 잠방이 명 남에게서 일껏 얻은 것이 그리 신통하지 못한 물건.

얻음-박지 명〈방〉거지¹(전라).

얻ᄌᆞᄫᆞᆫ 타〈옛〉얻자온. '얻ᄌᆞᆸ다'의 활용형. ¶또 우리ᄃᆞᆯ히 善利를 얻ᄌᆞᄫᆞᆫ 젼ᄎᆞ니《月釋 XXI:115》.

얻ᄌᆞᆸ다 타〈옛〉얻잡다. ¶얻ᄌᆞᄫᆞ 마ᄎᆞᄫᆞ(得言藏之)《龍歌 27章》.

얼¹ 명 ①밖에 드러난 흠. ②↗언결.

얼:² 명 정신. 넋. 혼. ¶민족의 ~ / ~ 빠진 사람.

얼³ 조〈방〉을(전라·경남).

얼-¹ 두 ①명사 위에 붙어서 '덜된'·'똑똑하지 못한'의 뜻을 나타내는 말. ¶~개화 / ~뜨기. ②동사 위에 붙어 '여러 가지가 뒤섞이어'·'분명하지 아니하게'의 뜻을 나타내는 말. ¶~버무리다 / ~치다.

얼-²【孼】두 서-(庶).

얼-간 명 ①소금에 조금 절이는 간. 담염(淡鹽). 반염장(半鹽醬). ②↗얼간망둥이. ③↗얼간이. ──-하다 타여불

얼간-구이 명 생선을 얼간하여 구운 음식. 담염구(淡鹽灸).

얼간-망둥이 명 언행이 주책없고, 아무 데에나 껑충거리기만 하는 사람의 별명. 준 얼간. ¶~ 같은 녀석. *얼간이.

얼간-쌈 명 가을에 배추의 속대만을 골라서 얼간하여 두었다가 겨울에 쌈으로 먹는 음식. 반염숭포(半鹽菘包).

얼간-이 명 됨됨이가 똑똑하지 못하고 모자라는 사람의 별명. 준 얼간. *얼간망둥이.

얼간-치 명 얼간한 생선.

얼:-갈이 명『농』①겨울에 대강 논밭을 갈아 엎는 일. ②푸성귀를 겨울에 심는 일. 또, 그 푸성귀. ──-하다 타여불

얼:갈이 김치 명 얼갈이 푸성귀로 담근 김치. 동파저(凍播菹).

얼개¹ 명 짜임새. 구조(構造).

얼개² 명〈방〉얼레빗(평안·강원).

얼개다 타〈방〉달래다(함경).

얼개미¹ 명〈방〉어레미(경기·강원·충청·전라·경상).

얼개미² 명〈방〉올가미(전남·경상).

얼개미-빗 명〈방〉얼레빗(경기·경북).

얼개-빗 명〈방〉얼레빗(평안·경기·강원·충청·전라·경상).

얼-개화【—開化】명 완전하지 못하고 반거충이로 된 개화.

얼거 피동〈옛〉얽혀. '얽기다'의 활용형. ¶氣運이 서릿匣애 얼거 ᄀᆞ득ᄒᆞᆫ ᄃᆞᆺ고(氣纏霜匣滿)《杜諺 XXIII:18》.

얼거리 명 일의 골자(骨子)만을 추려 잡은 전체의 윤곽.

얼거리(를) 잡다 구 일의 골자를 추려 전체의 윤곽을 대강 얽어 놓다.

얼거미 명〈방〉어레미(경상).

얼걱-배기 명〈방〉얼금뱅이.

얼건빗 명〈방〉얼레빗(경북).

얼걸-먹다 자〈방〉언걸먹다.

얼게 명 〈방〉 열레빗(함경).
얼게-돔 명 『어』 [*Holocentrus spinosissimus*] 얼게돔과에 속하는 바닷물고기. 몸길이 25cm, 몸빛은 미홍색(美紅色), 옆구리에 은백색의 세로띠가 9-10줄 있음. 암초 사이에 삶. 우리 나라 남부 바다 및 일본 중부 이남에 분포함. 맛이 좋으며 수족관(水族館) 관상어로 기름.
얼게돔-과 【一科】 [一꽈] 명 『어』 [Holocentridae] 금눈돔목에 속하는 어류의 한 과. 도화돔·얼게돔 등이 이에 속함.
얼게미 명 〈방〉 어레미(경북·충청·경기·전라).
얼게-빗 명 〈방〉 얼레빗(함경·경기·충남·전남·경상).
얼겐-빗 명 〈방〉 얼레빗(경북).
얼-결 [一껼] 명 ↗얼떨결.
얼결-에 [一껼一] 부 ↗얼떨결에.
얼골 명 〈방〉 얼굴.
얼-교자 【一交子】 명 식교자와 건교자를 섞어 차린 교자. ＊식교자·건교자.
얼교자-상 【一交子床】 [一쌍] 명 얼교자로 차린 상.
얼굠 자 〈옛〉 얽힘. '얼기다'의 명사형. ¶業行애 얼교미 일후미 解脫이라 얼굠 그추믈 解脫이라 일홈 홀띠 아니니(業行繫縛名爲解脫非斷縛名解脫)≪永嘉 下 16≫.
얼구다 사동 〈방〉 얼리다[4].
얼구리 명 〈방〉 얽이.
얼구빗 명 〈방〉 얼레빗(경북).
얼군 명 〈방〉 어른(평안).
얼굴[1] 명 〔근대 : 얼굴〕 ①눈썹·눈·코·입이 있는 머리의 앞면. 용안(容顏). ¶~을 씻다. ②얼굴의 생긴 모양. 용모. ¶잘 생긴 ~. ③남에게 잘 알려짐으로써 얻은 신용이나 평판. 영향력. 또, 명예나 체면. ¶~이 깎이다 / ~이 널리 팔리다 / ~에 똥칠하다. ④표정. ¶쓸쓸한 ~ / 밝은 ~ / 실망한 ~을 하다. ⑤그 사람을 대표하는 것. ¶~을 내밀다. ⑥명예. 면목. ¶선배의 ~을 세우다 / ~이 서다. ＊낯.
[얼굴보다 코가 더 크다] 마땅히 작아야 할 것이 크거나 적어야 할 것이 많다는 말. '배보다 배꼽이 더 크다'와 같은 뜻. [얼굴에 모닥불 담아 붓듯] 몹시 부끄러워서 얼굴이 화끈화끈 달아 오름을 이름. [얼굴이 요패라] 널리 알려진 얼굴은 숨길 수 없다는 말.
얼굴 가죽(이) 두껍다 구 부끄러움이나 꺼리는 기색이 없고 뻔뻔스럽다.
얼굴(을) 붉히다 구 ㉠부끄럽게 여겨 얼굴빛을 붉게 하다. ㉡흥분하거나 화를 내어 얼굴을 붉게 상기시키다. 낯붉히다.
얼굴에 노랑꽃이 피다 구 얼굴이 누렇게 떠 병색이 있다. ¶키는 자랄 줄 모르고 얼굴에 노랑꽃이 피어 동짓달이 생일이라도 시원치를 못하니≪李海朝:彈琴臺≫.
얼굴에 똥칠을 하다; 얼굴에 먹칠을 하다 구 명예를 손상하다. 체면을 깎다. 창피를 당하게 하다. ¶남의 얼굴에 똥칠을 한다.
얼굴에 외:꽃이 피다 구 얼굴이 외꽃처럼 노랗게 떠서 병색이 깃들여 있다. ¶이 시종이 이마에 내천자를 쓰고 얼굴에 외꽃이 피어서 들어오더니≪崔瓚植:秋月色≫.
얼굴에 철판을 깔다 구 '얼굴 가죽이 두껍다'를 구체적으로 표현한 말.
얼굴에 침 뱉:다 구 맞대 놓고 모욕을 주다.
얼굴을 깎다 구 체면을 깎다. 면목을 잃게 만들다. ¶집안을 망해 놓으려고 또는 내 얼굴을 깎아 놓으려고 전우에 천한 일을 하고 다니는≪趙重桓:菊의 香≫.
얼굴을 내:밀다 구 ㉠모습을 나타내다. ㉡남을 찾아가 보다. ㉢모임에 출석하다. ㉣어떤 물건의 일부분만이 겉으로 나타나 보이다.
얼굴을 들지 못:하다 구 부끄럽거나 창피하여 남을 정면으로 대하지 못하다. ¶얼굴을 바로 들지 못하고 지극히 부끄러워하며≪崔瓚植:金剛門≫.
얼굴을 보아 주다 구 체면을 세워 주다. ¶그러면 내 얼굴을 좀 보아 주려나≪趙重桓:菊의 香≫.
얼굴을 익히다 구 낯익히다.
얼굴을 하다 구 (어떤 표정이나 기분을 나타내는 말에 이어서) 그런 표정을 짓다. ¶싫은 ~/실망한 ~.
얼굴이 꽹과리 같다 구 염치없고 뻔뻔스러운 사람을 두고 이르는 말.
얼굴이 뜨겁다 구 부끄럽다. 창피하다. 낯뜨겁다.
얼굴이 반반하다 구 얼굴의 생김새가 얌전하고 예쁘다. ¶얼굴 반반한 여학생은 그런 악소년의 혀끝에 아니 오르내리는 사람이 없는 고로≪崔瓚植:金剛門≫.
얼굴이 선지 방구리가 되다 구 흥분해서 얼굴이 시뻘겋게 되다. ¶부인은 이 말을 듣더니 얼굴이 선지 방구리가 되어 포달스런 소리로 정숙을 부르며≪金敎濟:牡丹花≫.
얼굴이 파:래지다 구 얼굴에 핏기가 없어져서 파랗게 되다. 창백해지다. ¶허씨 부인의 얼굴이 금시로 파래지며 황황히 겉봉을 뜯고 편지를 꺼내어 보니≪李相協:再逢香≫.
얼굴이 팔리다 구 세상에 널리 알려지게 되다. 유명해지다.
얼굴이 피다 구 얼굴이 살이 오르고 화색이 돌아 예뻐지다.
얼굴이 홍당무가 되다 구 부끄럽거나 창피해서 얼굴이 붉어지다. 주의 주로, 여자에게 이름. ¶이 때 영자의 얼굴이 홍당무가 되며 ≪崔瓚植:雁의 聲≫.
얼굴이 화끈하다 구 부끄러워서 얼굴이 빨개지다.
얼굴이 홧홧거리다 구 흥분이나 부끄럼 때문에 얼굴이 벌겋게 달아 오름을 느끼다.
얼굴[2] 명 〈옛〉 ①모양. 형상. ¶이 얼굴와 얼굴 아니왜며(是形非形)≪楞嚴 Ⅱ:82≫. ②몸뚱이. ¶훈 양의 얼굴 사다가(買一箇羊腔子) ≪朴解 上 67≫.

얼굴-값 [一깝] 명 얼굴이 생긴 만큼의 값어치의 일. ¶~을 해라.
얼굴값(을) 하다 구 얼굴이 잘 생긴 만큼의 일을 한다는 뜻. 흔히는 여자가 얼굴이 반반하면 행실이 좋지 못하다 하여 이르는 말.
얼굴-막기 명 권투·태권도에서, 얼굴을 방어하는 기술. 주먹이 올라가는 방향에서 반대쪽 눈 위에까지 올려서 팔굽을 굽히고, 이마와 팔목 사이는 주먹 하나 사이로 하여 팔목이 이마 중간에 놓이도록 함. 커버링.
얼굴무늬-대모벌 [一니一] 【一玳瑁一】 명 『충』 [*Parabato zonus hakodadi*] 대모벌과에 속하는 곤충. 암컷의 몸길이 20-25mm, 몸빛은 전부 흑색이며 다소 남색을 띰. 얼굴 양쪽의 세로무늬와 복배(腹背) 제3절의 'W'자 모양의 반문은 황색이고 날개는 흑갈색임. 한국·일본·중국에 분포함.

〈얼굴무늬대모벌〉

얼굴-빛 [一삗] 명 얼굴에 나타나는 기색. 안색(顏色). 낯빛.
얼굴빛을 바로잡다 구 정색(正色)하다.
얼굴빛이 변:하다 구 당황하거나 흥분하거나 부끄럽거나 또는 화가 나서, 안색이 달라지다.
얼굴빛이 불그락푸르락하다 구 극도의 분노와 흥분을 참지 못하고, 안색이 벌겋게 상기되었다가 창백하여졌다 하다. ¶그 말을 듣더니 얼굴빛이 불그락푸르락하며 아무 말도 못 하다가≪崔瓚植:雁의 聲≫.
얼굴-뼈 명 『생』 ①안면골(顏面骨). ②안면 두개골(顏面頭蓋骨).
얼-굴젓 명 〈방〉 어리굴젓.
얼굴-지르기 명 권투·태권도에서 상대방의 얼굴을 지르는 기술의 하나. 주먹을 뻗어 상대방 턱 밑에서부터 치지르는 일. 주먹이 올라갈 때는 주먹 등면이 상대의 급소면에 닿도록 함.
얼굴-판 명 〈속〉 낯. 안면(顏面).
얼그맹이 명 〈방〉 얼금뱅이(평안·함경).
얼그미 명 〈방〉 어레미(경상).
얼근-덜근 부 술이 반쯤 취하여 건들거리는 모양. ¶~ 취하다.
얼근덜근-하다 형 여불 맛이 좀 맵고도 달다. ¶얼근덜근하게 양념하다. >알근달근하다.
얼근-배기 명 〈방〉 곰보(경북).
얼근-빗 명 〈방〉 얼레빗(충북·경북).
얼근-하다 형 여불 ①조금 매워서 입안이 얼얼하다. ¶얼근한 맛. ②술이 거나하여 정신이 어렷하다. 1)·2):ㅆ얼큰하다. >알근하다. **얼근-히** 부. ¶~ 취하다.
얼금-배기 명 〈방〉 곰보(충남).
얼금-뱅이 명 얼굴이 얼금얼금 얽은 사람. >알금뱅이.
얼금-숨숨 부 굵고 얕게 얽은 자죽이 밴 모양. >알금솜솜. ——-하다 형 여불
얼금-얼금 부 굵고 얕게 얽은 자죽이 여기저기 성긴 모양. >알금알금. ——-하다 형 여불
얼금-이 명 〈방〉 어레미(경상).
얼금-체 명 〈방〉 어레미.
얼기 명 ① ☞얽이. ②〈방〉 얼레빗(경남).
얼기다 자 〈옛〉 얽히다. =얼키다. ¶이 슬프다 셜우믈 ᄆᆞᅀᆞ매 얼규니(嗚呼哀哉痛纏心腑) ≪永嘉 序 15≫.
얼기미[1] 명 〈방〉 어레미(경기·강원·충청·전라·경상).
얼기미[2] 명 〈방〉 올가미(경남).
얼기-빗 명 〈방〉 얼레빗(경상·충청·전라·경기).
얼기-설기 부 실같이 연하고 가는 것이 이리저리 얽힌 모양. ¶실이 ~ 얽히다. ㅆ얼키설키. >알기살기.
[얼기설기 수양딸 맏며느리 삼는다] 이리저리 우물쭈물하다가 슬쩍 손쉽게 일을 해치운다는 말.
얼기-얼기 부 〈방〉 얼기설기.
얼-김 [一낌] 명 다른 일이 되는 바람. ¶~에 달아났다 / ~에 나는 이런 말을 지껄였다≪李炳注 : 낙엽≫.
얼김-빗 명 〈방〉 얼레빗(경북).
얼김-에 [一낌一] 부 다른 일이 되는 바람에. ¶~ 해치웠다.
얼끼 명 〈방〉 얼[2].
얼낌덜낌-에 부 ☞얼떨결에. ¶~ 졸업(卒業)했다. ＊얼김에·얼떨김.
얼-넘기다 타 일을 얼버무려서 넘기다.
얼-넘어가다 자타 일이 얼버무려져 넘어가다. 일을 얼버무려 넘기다.
얼-노래 [一로一] 명 『대종교』 대종교(大倧敎)에서 예식 때 부르는 노래. 고구려때의 군가(軍歌)를 번역한 것임.
얼:-녹다 [一록一] 자 얼다가 녹다가 하다. 준 어녹다.
얼:-녹이다 [一록一] 타 얼렸다가 녹였다가 하다. 준어녹이다.
얼:다[1] 자 〔중세 : 얼다〕 ①물체가 온도가 내려감에 따라 굳어지다. ¶추위에 얼어 터진 장독. ②추위로 몸의 감각이 없어지다. ¶추위에 손이 ~. ③〈속〉 남의 위협을 받고 또는 대중 앞에서 기가 질리다. ¶무대에서 ~/시험관(官) 앞에서 ~. ④『농』 누에에 주기 위하여 따 놓은 뽕잎이 시들다.
[언 다리에 빠진다] 물이 언 다리 밑에 빠지더라도 크게 위험 할 것은 없는 것과 같이 어쩌다 실수를 하여도 과히 큰 손해를 보게 안 된다는 말. [언 발에 오줌 누기] 잠시의 효력을 얻었을 뿐, 곧 효력이 없어지고 더 나쁘게 될 일을 한다는 말. 동족 방뇨(凍足放尿). [언 소반 받들 듯] 조심조심하여 섬기는 것을 이름. '깨진 요강 단지 받들듯'과 같은 뜻. [언 손 불기] 부질없음을 이름. [언 수탉 같다] 몰골이 초췌하여 말없이 한 구석에 쪼그린 모양을 이름. [얼어 죽고 데어 죽는다] 큰 어려움을 겪고 나서 또 다른 힘든 일을 치르게 되었다는 말.
얼다[2] 자 〈옛〉 교합(交合)하다. 성교(性交)하다. ¶겨집 子息은 제 ᄆᆞᅀᆞ

므로 돈니다가 이붓짓 머섬과 사괴야 남진도 어러 家門도 더러이며 ≪七大 21≫. 「❷.

얼-더듬다 [-따] 자 이말 저말 뒤섞어서 모호하게 말하다. 얼버무리다

얼:-되다 형 ☞얼뜨다.

얼떤 부 〈방〉 얼른(황해·평안).

얼떨-결 [-껼] 명 여러 가지가 복잡하고 혼란되어 정신이 얼떨떨한 판. ¶~에 그만 승낙해 버렸다. ㊟얼결.

얼떨-김 [-낌] 명 ☞얼떨결.

얼떨떨-하다 형 여불 매우 얼떨하다.

얼떨-하다 형 여불 ①복잡하고 바빠서 정신을 가다듬지 못하다. ②머리를 부딪쳐 골이 울리고 아프다.

얼떵 부 〈방〉 얼른(평안).

얼뚝-배기 명 〈방〉 곰보(경남).

얼뚱-아기 명 둥둥 얼러 주고 싶은 재롱스러운 아기.

얼:-뜨기 명 얼뜬 사람.

얼:-뜨다 형 다부지지 못하고 겁이 많아 얼빠진 데가 있다. ¶아이구 불쌍해라. 얼뜬 위인이 죽을까지 얼뜨게 했네. 아이구 불쌍해라≪洪命憙 : 林巨正≫.

[얼뜬 봉변이다] 공연한 일에 걸려들어 고생한다는 말.

얼뜨르르-하다 형 〈방〉 얼떨떨하다(함경).

얼뜬 부 〈방〉 얼른(평안).

얼뜬-하다 형 여불 ☞얼뜨다. ¶여간 얼뜬한 사람은 처음으로 그러한 번화지를 구경하면 이목이 황홀하여 정신을 차리지 못하련마는…≪崔瓚植 : 春夢≫.

얼-띠기 명 〈방〉 얼뜨기.

얼라[1] 명 〈방〉 아이(경상·함경).

얼라[2] 감 〈방〉 어[7].

얼:락-녹을락 부 ①얼 듯 말 듯, 얼었다 녹았다 하는 모양. ②남을 다잡았다 늦추었다 하며 놀리는 모양. ——하다 자 여불

얼락-배락 부 성했다 망했다 하는 모양. ——하다 자 여불

얼래[1] 명 〈방〉 어린애(경상).

얼래[2] 감 〈방〉 어[7].

얼래-꼴래 감 ↗얼래리꼴래리.

얼래리-꼴래리 감 알나리깔나리. ㊟얼래꼴래.

얼래미 명 〈방〉 어레미(전북).

얼:랭어 [Erlanger, Joseph] 명 〖사람〗 미국의 생리학자. 가서(Gasser)와 함께 1944년 신경 섬유의 기능상의 분화(分化)에 관한 연구로 노벨 생리 의학상(醫學賞)을 받음. [1874-1965]

얼러 부 〈방〉 얼른(경북).

얼러기 명 털 빛이 얼럭얼럭한 짐승.

얼:러-맞추다 타 교묘한 말로 남의 비위를 얼러서 맞추다.

얼:러-먹다 타 서로 어울려서 함께 먹다.

얼:러-메다 타 ☞울러메다. ¶애송이는 뺨을 한 대 갈길 듯이, … 넓죽한 손바닥을 들이대면서 얼러멘다≪蔡萬植 : 濁流≫.

얼:러-방망이 명 ☞울러방망이. ——하다 타 여불

얼:러방-치다 타 두 가지 이상의 일을 한꺼번에 하여 내다.

얼:러-붙다 자 둘이 어우러져 서로 붙다. ¶얼러붙어 싸우다.

얼:러-치다 타 ①둘 이상의 것을 한꺼번에 때리다. ②둘 이상의 물건 값을 함께 계산하다.

얼럭 명 본바닥에 다른 빛깔이나 점이 섞인 자취. >알락.

얼럭-광대 명 정작 광대를 '어릿광대'에 대하여 이르는 말.

얼럭-덜럭 부 여러 가지 빛깔의 점이나 줄이 질서 없이 한 곳에 칠해지거나 새겨진 모양. ¶~한 옷감. >알락달락. ——하다 형 여불

얼럭-말 명 털 빛이 얼럭진 말.

얼럭-소 명 털 빛이 얼럭진 소.

얼럭-얼럭 부 여러 가지 빛깔의 점이나 선이 규칙적으로 칠해지거나 새겨진 모양. >알락알락. ——하다 형 여불

얼럭-지다 자 ①본바닥에 얼럭이 생기다. ②일의 처사(處事)가 한 곳에 치우쳐 공평하지 못하게 되다.

얼럭-집 명 한 집의 각 채를 여러 가지 다른 양식(樣式)으로 지은 집. 기와집과 초가집이 섞여 있는 집 등.

얼런 부 〈방〉 얼른(경상).

얼럴럴 상사뒤야 감 '농부가(農夫歌)'의 후렴.

얼렁 부 〈방〉 얼른(경상).

얼렁-거리다 자 교묘한 말과 짓으로 남의 비위를 맞추다. 얼씬거리다. >알랑거리다. 얼렁-얼렁 부. ——하다 자 여불

얼렁-대다 자 얼렁거리다.

얼렁-뚱땅 부 엉너리를 부리어 남을 교묘히 속이는 모양. 엄벙뗑. ¶~ 해치우다. ¶히히히 웃어 버리고 같이 ~ 이 위기를 넘어가자고 교관을 쳐다보았으나…≪崔仁浩 : 무서운 複數≫. >알랑똥땅. ——하다 자타 여불

얼렁-쇠 명 얼렁거리는 사람. >알랑쇠.

얼렁-수 [-쑤] 명 얼렁뚱땅하는 수단. >알랑수.

얼:렁-장사 명 여러 사람이 밑천을 어울려서 하는 장사.

얼:렁-질 명 실 끝에 돌을 매어 서로 걸고 그 실의 강약을 다투는 장난. ——하다 자 여불

얼렁-충청 부 〈방〉 얼렁뚱땅. ——하다 자타

얼레[1] 명 실을 감는 기구. 설주 두 개나 네 개 또는 여섯 개로 짜서 중앙에 자루를 박고 실을 감음. *자새.

얼레[2] 감 〈방〉 어[7].

얼레-공 명 장치기할 때, 양편의 주장(主將)이 경기장의 중앙에 파 놓은 구멍에서 공을 서로 빼앗기 위하여 공을 어르는 짓.

얼레기 명 〈방〉 얼레빗(제주).

얼레미 명 〈방〉 어레미(전북).

얼레발 명 ☞ 엉너리.

얼레발(을) 치다 구 ☞ 엉너리(를) 치다. ¶이리저리 얼레발을 치며 무슨 말을 하려 하다.

〈얼레빗〉

얼레-빗 명 빗살이 굵고 성긴 큰 빗. 월소(月梳). ↔참빗.

[얼레빗 참빗 품에 품고 가도 제 복 있으면 잘 산다] 친정이 가난해서 입은 옷과 빗만 가지고 시집을 가도 제 복만 있으면 잘 사는 법이라는 말.

얼레-뿌지 명 〈방〉 거짓말(함경).

얼레살-풀다 자 난봉이 나서 재물을 없애기 시작하다.

〈얼레지〉

얼레지 명 〖식〗 [*Erythronium japonicum*] 백합과에 속하는 다년초. 참나리 비슷한데 꽃줄기의 높이 20-40 cm, 흰 인경(鱗莖)은 달걀꼴 원주형이며 길이 5-6 cm임. 화경은 가늘고 길며 잎은 2개씩 대생하는데 타원형 또는 달걀꼴의 긴 타원형임. 4-5월에 홍자색 꽃이 피고, 삭과(蒴果)는 넓은 타원형으로 길이 2 cm 가량임. 산의 비옥한 곳에 나는데 한국 각지 및 일본 홋카이도 등지에 분포함. 인경에서 녹말(綠末)을 채취하며, 약용으로 쓰고, 어린 잎과 함께 식용함. 관상용으로 재배함.

얼레짓-가루 명 얼레지의 뿌리로 만든 흰 빛의 녹말(綠末). 더운 물에 타서 먹음. 가다꾸리.

얼렁-뚱땅 부 〈방〉 얼렁뚱땅. ——하다 자타

얼로이 [alloy] 명 합금(合金).

얼루 구 ☞어디로. ¶~ 들어왔을까.

얼루기 명 ①얼룩진 짐승. *얼룩이. ②곡식 단을 걸어 말리는 시렁. 뿌리 쪽을 밖으로, 이삭을 안으로 해서 움막처럼 속이 비게 가리를 짓기도 함. ③얼룩얼룩한 점이나 무늬.

얼루룩-덜루룩 부 같거나 다른 짙은 빛깔로 된 줄이나 점이 불규칙하게 이룬 무늬가 성기고 밴 모양. ㅅ어루룩더루룩. >알로록달로록. ——하다 형 여불

얼루룩-얼루룩 부 같거나 다른 짙은 빛깔로 된 줄이나 점이 규칙적으로 이룬 무늬가 성기고 밴 모양. ㅅ어루룩어루룩. >알로록알로록. ——하다 형 여불

얼루룽-덜루룽 부 곱고 깨끗한 같은 빛깔이나 다른 빛깔로 된 줄이나 점이 불규칙하게 이룬 무늬가 성기고 밴 모양. ㅅ어루룽더루룽. >알로롱달로롱. ——하다 형 여불

얼루룽-얼루룽 부 곱고 깨끗한 같은 빛깔이나 다른 빛깔로 된 줄이나 점이 규칙적으로 이룬 무늬가 배고 성긴 모양. ㅅ어루룽어루룽. >알로롱알로롱. ——하다 형 여불

얼루:전 [allusion] 명 〖언〗 인유법(引喩法).

얼룩 명 ①본바닥의 어떤 부분에 다른 빛이 뚜렷하게 섞인 자국. ②액체(液體)가 스며들어서 더러워진 자국. ¶~ 빼는 약.

〈얼룩나방〉

얼룩-나방 명 〖충〗 [*Chelonomorpha japonica*] 얼룩나방과에 속하는 나방의 하나. 편 날개 길이 54-56 mm, 촉각은 사상(絲狀)임. 몸빛이 검으며 복부(腹部) 각절(各節)의 후연(後緣)은 등황색, 앞날개의 반문은 황백색, 뒷날개의 큰 무늬는 등황색임. 성충은 첫 여름에 출현하여, 낮에 날며 꽃에 모여 듦. 유충은 물푸레나무 등의 잎을 갉아 먹는 해충임. 한국·일본·중국에 분포함.

얼룩나방-과 【一科】 [-꽈] 명 [Agaristidae] 나비목(目)에 속하는 한 과. 몸은 크고 몸빛은 여러 가지임. 촉각은 굵은 실 모양. 종아리에 두 쌍의 가시가 있음. 전세계에 600여 종이 분포함.

얼룩-덜룩 부 같거나 다른 짙은 빛깔로 된 줄이나 점이 불규칙하게 이룬 무늬가 밴 모양. >알록달록. ——하다 형 여불

얼룩-말 명 〖동〗 ①[*Equus burchelli*] 말과(科) 얼룩말속(屬)에 속하는 짐승. 말과 비슷한데 조금 작아 어깨 높이 1 m 가량이고 백색 또는 담황색 바탕에 넓은 흑색 줄무늬가 있음. 갈기는 곧추서고 꼬리털은 적음. 초원에 떼지어 사는데, 초식성이고, 성질이 사나와 길들이기 어려움. 한 마리의 우두머리 말이 있어서 다른 동물들로부터의 습격을 방비함. 동남부 아프리카에 분포하는데, 이 외에 *E. grevyi*, *E. zebra* 가 있고, 지금은 절멸한 *E. quagga* 의 4 종이 있음. ②털빛이 얼룩얼룩한 말.

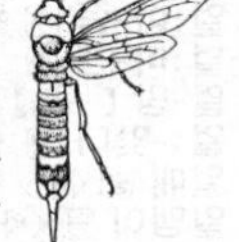
〈얼룩말❶〉

얼룩-무늬 [-니] 명 얼룩진 무늬.

얼룩-백로 【一白鷺】 [-노] 명 〖조〗 [*Ardea purpurea manilensis*] 백로과의 새. 머리 위로부터 목 뒤까지는 검은 빛이고 목의 좌우는 밤색이며 눈의 주위는 누름. 남부 아시아에 분포하며, 여름에 북쪽으로 오는 일이 있음. 얼룩해오라기. 자로(紫鷺).

얼룩-빼기 명 겉이 얼룩진 동물이나 물건.

얼룩-상어 명 〖어〗 [*Chiloscyllium indicum*] 수염상어과에 속하는 바닷물고기. 몸은 가늘고 길며, 두부(頭部)는 짧고 종편(縱扁)되었음. 몸길이 약 1 m인데, 등 쪽은 다갈색, 배 쪽은 백색, 온 몸에 갈색의 세로띠가 있음. 우리 나라의 남해안, 중국·인도의 연안(沿岸)에 분포함. 태생(胎生)임.

얼룩-소 명 털빛이 얼룩얼룩한 소. 이우(犁牛).

얼룩-송곳벌 명 〖충〗 [*Tremex fuscicornis*] 송곳벌과에 속하는 곤충의 하나. 암컷의 몸길이는 25 mm 내외이고, 몸빛은 흑색에 황갈색 무늬가 있음. 날개는 투명하며 암컷은 황색, 수컷은 흑색이고 촉각은 13 절에 갈색임. 특히 강대한 송곳 모양의 산란관(産卵管)을 나무 속에 박고 알을 낳음. 식물(植物)을 식해(食害)하는 원시적(原始的)

〈얼룩송곳벌〉

인 벌의 종류로서 유충은 느릅나무·느티나무·오리나무 등에 기생함. 한국·일본·사할린·시베리아·유럽에 분포함. 창(槍)벌.
얼룩-송장개구리 명 『동』 북방산개구리.
얼룩-얼룩 부 같거나 다른 짙은 빛깔로 된 줄이나 점이 규칙적으로 이룬 무늬가 밴 모양. >알록알록. ——-하다 형여불
얼룩-용설란【一龍舌蘭】명 『식』 [*Agave americana* var. *marginata*] 용설란과에 속하는 관엽 식물(觀葉植物). 모양은 용설란과 비슷하나 잎은 복륜엽(覆輪葉)으로 짙은 녹색 바탕에 가장자리에 황백색의 폭 넓은 띠가 둘려 있으며, 잎 가에는 날카로운 가시가 있음. 높이는 4-5m 까지 자람.
얼룩-이 명 ☞ 얼루기.
얼룩-점【一點】명 물건에 박힌 얼룩얼룩한 점. >알록점.
얼룩줄-거미 명 『동』 긴호랑거미.
얼룩-지다 자 ①↗어루러기지다. ②액체가 스며들어 얼룩이 생기다.
얼룩-통구멍 [—꾸—] 명 『어』 [*Uranoscopus japonicus*] 통구멍과에 속하는 바닷물고기. 몸길이 15cm 내외로 굵고 짧으며 꼬리 자루는 측편(側扁)하고 머리 위쪽은 편평하며 주둥이는 짧음. 눈이 작고 머리에 조잡한 골질판이 있음. 몸빛은 등 쪽에 청갈색 그물 무늬가 있고 배는 희며 제1등지느러미는 흑색임. 한국 남부·제주도 연해·일본 중부 이남 연해에 분포함. 맛이 별로 좋지 않음.
〈얼룩통구멍〉
얼룩-해오라기 명 『조』 얼룩백로.
얼룸-배이 명 〈방〉 곰보(경북).
얼룽 명 ↗얼룽이. ㅅ어룽. >알롱².
얼룽-거리다 자 같거나 다른 빛깔로 된 줄이나 점이 규칙적으로 무늬져 어른거리다. ㅅ어룽거리다. >알롱거리다. **얼룽-얼룽** 부. ¶안경알이 하얗게 ~하는 그자의 두툼하고 둥근 상을 치어다보며 섰었다《廉想涉 : 萬歲前》. ㅅ어룽어룽. >알롱알롱. ——-하다 형여불
얼룽-대다 자 얼룽거리다.
얼룽-덜룽 부 같거나 다른 빛깔로 된 줄이나 점이 불규칙하게 이룬 무늬가 밴 모양. ㅅ어룽더룽. >알롱달롱. ——-하다 형여불
얼룽모 명 〈옛〉 얼룩말. ¶얼룽뫼(花馬)《老乞 下 8》.
얼룽-이 명 얼룽얼룽한 점. 또, 그런 점이 있는 짐승이나 물건. ㅅ어룽이. >알롱이. ㊥얼룽.
얼룽-지다 형 얼룽얼룽한 무늬가 있다. ㅅ어룽지다. >알롱지다.
얼른 부 빠르게. 어서. 속히.
얼른-거리다 자 ①무엇이 눈앞에 가리어서 보이다 말다 하다. ②사(紗) 같은 것이 여러 겹이 되는 때에 그림자가 함께 물결지어 움직이다. ③물이나 거울 같은 데에 비치는 그림자가 흔들리어서 안정되지 못하다. 1)-3): ㅅ어른거리다. >알른거리다. **얼른-얼른**¹ 부. ㅅ어른어른. >알른알른. ——-하다 자여불
얼른-대다 자 얼른거리다.
얼른-쇠 명 『민』 남사당패 요술쟁이 중의 우두머리.
얼른-얼른² 부 '얼른'의 강조어.
얼른-하면 부 〈방〉 언뜻하면.
얼릉 부 〈방〉 얼른(전남).
얼리 명 〈방〉 거짓말(함남).
얼리각지 명 〈방〉 거짓말(함경).
얼:리다¹ ㊀자 ①↗어울리다. ②서로 얽히게 되다. ㊁타 어울리게 하다.
얼리다² 타 〈방〉 어르다(평안).
얼:리다³ 타 〈방〉 속이다.
얼:리다⁴ 사동 얼게 하다.
얼:리 버:드 [Early Bird] 명 1965년 4월에 쏘아 올린, 미국 최초의 통신 위성. 대서양 적도 위 약 36,000km에 있는 정지 위성(停止衛星). 무게 39kg의 원통형으로, 전화 240회선 또는 텔레비전 2회선의 중계 능력을 가지며, 미국과 유럽간의 우주 통신에 활용됨. 수명은 약 3년임.
얼리빗 명 〈방〉 얼레빗(경상).
얼리뿌제이 명 〈방〉 거짓말(함경).
얼:리 잉글리시 [Early English] 명 『건』 12세기말에서 13세기에 걸쳐 영국에서 성했던 고딕(Gothic) 초기의 건축 양식. 직선적이고 단순하며 높은 뾰족탑(塔) 등이 그 특색임.
얼리터레이션 [alliteration] 명 『문』 두운(頭韻).
얼린-얼린 부 〈방〉 얼른얼른¹.
얼:마 명 ①어떠한 수효나 분량이나 정도. ¶모두 ~냐? ②정하지 아니한 수효나 분량이나 정도. ¶~ 있으면 방학이다. ③밝힐 필요가 없는 수효나 분량이나 정도. ¶~쯤 주었다.
얼:마-간【一間】명부 일정한 수에서 얼마만큼을 이르는 말. ¶~ 있다가 오겠다.
얼:마-나 부 ①얼마 가량이나. ¶~ 되느냐. ②여북. 오죽. ¶~ 아플까. 참고 뒤에 반드시 물음이나 감탄을 나타내는 말이 따름.
얼:마-든지 부 어떠한 수효의 분량이나 정도나 값이라도 좋다는 뜻을 나타내는 말. ¶책은 ~ 보아도 좋다/돈은 ~ 주겠다.
얼:-마르다 자르불 얼어 가며 차차 마르다.
얼:마-만큼 부 얼마만하게. ㊥얼마큼.
얼:마-쯤 부 얼마 정도. ¶거리가 ~ 됩니까.
얼:마-큼 준 ↗얼마만큼.
얼-망【一網】명 새끼나 노끈 등으로 양편의 변죽 사이를 그물처럼 얽은 물건.
얼:-맞다 형 정도에 넘치거나 모자라지 아니하다. >알맞다.
얼매 명 〈방〉 얼마(함경·경상).
얼맹이 명 〈방〉 어레미(경기·충남·전남·제주).
얼머 부 〈옛〉 얼마. ¶히오니 즈름짭 글월 벗기는 갑시 얼머나 ᄒᆞ뇨(該多少牙稅錢)《老乞 下 16》.
얼:-먹다 자 ↗얻걸먹다.
얼멍-덜멍 부 죽이나 풀 같은 것이 잘 풀어지지 아니하고 덩어리가 여기저기 있는 모양. ——-하다 형여불
얼멍-얼멍 부 ①죽이나 풀 같은 것의 국물이 확 풀리지 아니한 모양. ②실이나 종으로 짠 물건의 밑바닥이 존존하지 아니한 모양. ——-하다 형여불
얼멍이 명 〈옛〉 어레미. ¶얼멍이(篩子)《朴解 中 11》.
얼메 명 〈방〉 얼마(강원·전남·경상·함경).
얼멩이 명 〈방〉 어레미(충남·전북).
얼-무적【孼無嫡】명 매사에 분명하지 아니함을 이르는 말. *도래떡이 안팎이 있나.
얼믜다 형 〈옛〉 성기다. 설피다. ¶后ㅅ오시 얼믜오 굵구믈(后布疎麤)《內訓 Ⅱ:41》.
얼-미닫이 [—다지] 명 『건』 두 짝이 엇물리게 닫히는 미닫이.
얼밋-얼밋 [—믿—] 부 ①어름어름하고 미적미적하는 모양. ②자기의 허물을 남에게 넘겨씌우려는 모양. 1)·2):>알밋알밋. ——-하다 자여불
얼ᄆᆡ여 부 〈옛〉 얽매여. ¶얼ᄆᆡ여 답가와 門의 나 노로니(拘悶出門遊)《重杜諺 Ⅻ:19》.
얼ᄆᆡ다 타 〈옛〉 얽매다. ¶뉘 能히 또 얼ᄆᆡ여시리오(誰能更拘束)《重杜諺 Ⅺ:37》.
얼-바람둥이 명 실없이 허황한 짓을 하는 사람.
얼바람-맞다 자 어중간하게 바람맞은 것처럼 실없는 짓을 하다. ¶혹 얼바람 맞은 자는 물색없이 여학도 꽁무니를 슬슬 따라다니는 인물도 있어《崔瓚植:金剛門》.
얼바람맞은 놈 명 언행이 망탄(妄誕)한 사람의 일컬음.
얼-뱅이 명 ☞ 얼뜨기. ¶열네살이나 되지만 제 나잇값에도 못 가는 ~다《宋炳洙 : 쇼리 킴》.
얼-버무리다 자타 ①음식을 잘 씹지 아니하고 삼키다. ②뒷말을 섞어서 분명하지 아니하게 하다. ¶대답을 ~. ③여러 가지를 대충 섞어 버무리다.
얼벌:-하다 형 〈방〉 매옴하다(함경).
얼:-병이 명 ☞얼뜨기. ¶본시 부끄럼을 타는 계집애도 아니거니와 또한 분하다고 눈에 눈물을 보일 ~도 아니다. 《金裕貞 : 동백꽃》.
얼:-보다 타 ①바로 보지 못하다. ②분명하게 보지 못하다.
얼:-보이다 자 ①바로 보이지 아니하다. ②분명하게 보이지 아니하다.
얼:-부풀다 자 얼어서 부풀어 오르다.
얼-비늘치 명 『어』 [*Dasyscopelus asper*] 샛비늘칫과에 속하는 바닷물고기. 몸은 억센 빗비늘로 덮이고 항문(肛門) 위쪽에 발광기(發光器)가 모여 있음. 한국의 남해에 분포함.
얼:-비치다 자 광선이 눈에 반사(反射)되게 비치다.
얼:-빠지다 자 정신이 없어지다. 정신이 혼란해지다.
얼빤이 부 〈방〉 어렴풋이.
얼:-빼다 타 남을 얼빠지게 하다.
얼빰-붙이다 [—부치—] 타 얼떨결에 뺨을 때리다. ¶남편은 몸을 고르잡자 소리를 빽 지르며 아내를 얼빰을 붙인다《金裕貞 : 金 따는 콩밭》.

〈얼스터 코트〉
얼뻥뻥-하다 형여불 ☞어리뻥뻥하다. ¶'글쎄.' 하고 얼뻥뻥하게 대답하다.
얼산【孼產】[—싼] 명 첩 소생(所生)의 자손.
얼손【孼孫】[—쏜] 명 서손(庶孫).
얼스터 [Ulster] 명 『지』 아일랜드 섬 동북부의 지방. 북아일랜드와 아일랜드 공화국으로 분리되며, 북부는 영국령임.
얼스터 코:트 [ulster coat] 명 [본디, 얼스터산(Ulster 產)인 데서 유래] 겨울 외투의 한 가지. 두껍고 거친 나사(羅紗)로 만드는 데, 깃이 넓고 앞이 더블로 되어 보통 띠를 매게 된 긴 외투. 방한·여행용임.
얼신 부 〈방〉 얼른(함경).
얼싸 감 ①흥겨워 내는 소리. ②얼씨구❷.
얼싸-둥둥 감 ①흥겨워 아기를 어르는 소리. ②남의 운에 끌려서 멋모르고 행동하는 모양.
얼싸-안다 [—따] 타 두 팔을 벌리어 껴안다.
얼싸-절싸 부 ①흥겨워 뛰노는 모양. ②중간에서 양편이 해롭지 아니하도록 주선하는 모양. ——-하다 타여불
얼쑤 감 탈춤에서, 흥을 돋울 때 내는 소리. *얼씨구.
얼쑹-덜쑹 부 같은 빛깔이나 다른 빛깔로 된 줄이나 점이 불규칙하게 무늬를 이룬 모양. ¶꿈이 ~ 종을 잡을 수 없는 거리의 풍경을 여전히 헤맸다《李箱 : 날개》. >알쏭달쏭. ——-하다 형여불
얼쑹-얼쑹 부 ①같은 빛깔이나 다른 빛깔로 된 줄이나 점이 규칙적으로 무늬를 이룬 모양. ②생각하기에나 보기에 희미하여서 분명하지 아니한 모양. 1)·2):>알쏭알쏭. ——-하다 형여불
얼쑹-하다 형여불 ↗어리숭하다. >알쏭하다.
얼:씨 명 『동』 배반(胚盤).
얼씨구 감 ①흥겨워 떠들 때에 장단을 가볍게 맞추며 내는 소리. ¶~ 좋다. ②판소리에서, 흥을 돋울 때 삽입하는 추임새 소리. *얼쑤③.
얼씨구-나 감 흥겨워 떠들 때에 아주 좋다고 지르는 소리.
얼씨구나 절씨구나 감 흥겨워서 떠들 때에 아주 좋다고 마구 지르는 소리.
얼씨구-절씨구 감 흥겨워서 마구 떠드는 소리.
얼씬¹ 부 어떤 것이 눈앞에 잠깐 나타나는 모양. ¶일이 끝날 때까지는 ~도 마라. >알씬.

얼씬[2] 부 〈방〉 얼른(경상·함경).

얼씬-거리다 자 ①눈 앞에 자꾸 나타나다. ②얼렁거리다. 1)·2):> 알씬거리다. 얼씬-얼씬 부. ――-하다 자여불

얼씬네 명 〈방〉 어른[1](충북).

얼씬-대다 자 얼씬거리다.

얼씬 못: 하다 구 눈 앞에 잠깐도 나타나지 못하다.

얼씬 아니하다 구 눈 앞에 잠깐도 나타나지 아니하다.

얼씬-없다 [-업-] 형 얼씬하는 일이 없다.

얼씬-없이 [-업씨] 부 얼씬없게.

얼씬-하다 자여불 잠깐 나타나다.

얼씬-하면 부 〈방〉 걸핏하면.

얼:-안 명 테두리의 안.

얼어 붙다 자 물건이 얼어서 꽉 들러붙다.

얼어-죽다 자 ①얼어서 죽다. 동사(凍死)하다. ②'얼어 죽을'로 활용하여, '당치도 않은'의 낮은 뜻으로 쓰임. ¶남의 것 빼어다가 자선 사업이라니 별 얼어죽을 자선 사업 다 보겠네.

얼얼지-육【鶡鴠之肉】[-찌-] 명 마음에 꺼림칙한 선물. 변변치 못한 선물의 비유.

얼얼-하다 형여불 ①맛이 매우 맵거나 독하여 혀 끝이 아리고 쓰라리다. ②몸의 상처나 햇볕에 덴 자리가 몹시 아리다. 1)·2):> 알알하다.

얼:-없다 [-업-] 형 조금도 틀림없다. 꼭같다.

얼:-없이 [-업씨] 부 얼없게. ¶앙큼한 생각을 속에 두고 우리를 ～ 속이려 함이 아니냐? ≪作者未詳 : 貨水盆≫.

얼에빗 명 〈옛〉 얼레빗. ¶얼에빗 즐(櫛), 얼에빗 소(梳)≪字會 中 14≫.

얼울【艤脆】부 →얼울.

얼-요기【-療飢】[-료-] 명 충분하지 못한 요기. 대강하는 요기.

얼우다[1] 자타 〈옛〉 ①시집보내다. 혼인하다. =얼유다. ¶父母 굿 얼우려커늘(父母欲嫁強之)≪三綱≫. ②아양부리다. 아첨하다. ¶얼울 미(媚)/얼울 교(嬌)≪字會 下 33≫.

얼우다[2] 사동 〈옛〉 얼리다[4]. ¶얼우시고 또 노기시니(旣氷又釋)≪龍歌 20章≫.

얼우신 명 〈옛〉 어르신. 어르신네. ¶모숨 됴흔 얼우신하(好大舍)≪朴解 上 58≫.

얼우신니 명 〈옛〉 어르신네. ¶얼우신니라ᄒ야(爲丈)≪飜小 X:12≫.

얼운 명 〈옛〉 어른. ¶믈읫 얼운 사ᄅᆞᆷ으로 더브러 말솜홈애(凡與大人言)≪小諺 Ⅱ 明倫≫.

얼울 부 [←얼울(艤脆)] ①위태한 모양. ②일이 어그러져서 마음이 불안한 모양. ¶남자라도 초행이면 정신이 ～하려든, 더구나 규중 여자로 대문 밖 기척을 모르다가 번화 복잡한 생면 강산에를 당하니…≪李海朝 : 琵琶聲≫. ――-하다 형여불. ――-히 부

얼유다 타 〈옛〉 시집보내다. 혼인하게 하다. =얼우다·얼이다. ¶솜ᄠᆞ뎌 아ᄃᆞᆯ올 ᄯᆞᆯ올 얼유려터니≪月印 上 54≫.

얼으다 타 〈방〉 어우르다.

얼음 명 ①물이 얼어서 굳어진 물건. 능시(凌澌). 아이스. ②〖물·화〗 물이 동결하여 고체상(固體相)으로 변화한 물질. 녹는점은 0°C이며, 보통 육방 정계의 결정(結晶)으로 되어 있음.

[얼음 굶에 잉어] 알뜰하고 소중한 것의 비유. [얼음에 자빠진 쇠눈깔] 눈동자에 정기가 없는 자를 보고 조롱하는 말. ¶서일순의 눈은 얼음에 자빠진 쇠눈깔같이 창 밖의 모란봉을 바라보고 앉았는데≪李人稙 : 牧丹峰≫.

얼음(이) 박이다 구 어느 국부(局部)가 동상(凍傷)에 걸리다.

얼음에 박 밀:듯 구 거침없이 줄줄 내리 외거나 읽는 모양. ¶사서 오경을 얼음에 박 밀듯이 내리 외운다.

얼음(을) 지치다 구 얼음판 위에서 발을 밀어 미끄러져 나가다. 얼음말 타다.

얼음-강판 명 〈방〉 얼음판.

얼음-걷기 명 〖식〗 올벼의 한 가지. 빛이 누르고 꺼끄러기가 없으며 껍질이 얇은데 해빙(解氷)할 무렵에 파종(播種)함.

얼음 공장 【-工場】 명 제빙 공장(製氷工場).

얼음 과자 【-菓子】 명 설탕물에 과실즙(果實汁)·향료 등을 섞어 얼리어서 만든 과자. 빙과(氷菓). 아이스 케이크. 아이스 캔디.

얼음-낚시 명 겨울에 강이나 저수지 등의 얼음을 깨고 낚싯줄을 드리워서 물고기를 잡는 낚시질. ↔물낚시.

얼음 냉:각법 【-冷却法】 명 얼음이 녹을 때 주위의 열을 흡수하는 현상을 이용한 냉각법.

얼음 냉:수 【-冷水】 명 ①얼음을 넣어서 차게 한 물. 빙수(氷水). ②얼음같이 썩 찬 물.

얼음-덩이 [-떵-] 명 얼음의 덩어리.

얼음말 타다 자 얼음 지치다.

얼음-문 【-紋】 명 갈라진 얼음장을 도안화(圖案化)한 무늬.

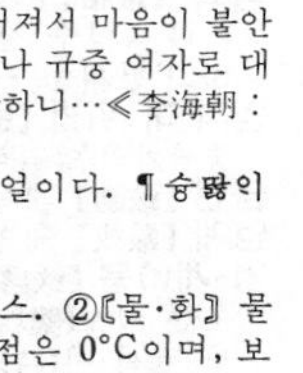

〈얼음문〉

얼음-물 명 얼음을 넣어서 차게 한 물.

얼음 베개 명 얼음을 넣은 고무나 비닐제의 베개. 흔히, 환자에게 많이 쓰임. 빙침(氷枕).

얼음-벽 【-壁】 명 빙벽(氷壁).

얼음 사탕 【-砂糖】 명 겉 모양이 얼음처럼 된 사탕. 그대로 먹거나, 요리·과실주·제과(製菓)에 쓰임. 빙당(氷糖).

얼음-산 【-山】 명 '빙산(氷山)'의 풀어 쓴 말.

얼음-열량계 【-熱量計】 명 [ice calorimeter] 얼음의 융해(融解)에 의한 부피 변화와 잠열(潛熱)과의 관계를 이용한 열량계. 분젠(Bunsen)의 얼음 열량계가 유명함. 비열(比熱)·융해열·반응열(反應熱) 따위의 측정(測定)에 쓰임.

얼음-엿 [-녇] 명 달걀·우유·설탕·옥수숫가루 따위에 향료를 섞어 얼리어 만든 엿.

얼음-장 [-짱] 명 얼음의 좀 넓은 조각.

얼음장-같다 [-짱-] 형 방바닥 등이 매우 차다.

얼음장-같이 [-짱가치] 부 얼음장 같게.

얼음 조기 명 얼음을 질러 넣어서 상하지 아니하게 한 생선 조기.

얼음 주머니 [-쭈-] 명 ①얼음을 넣는 주머니. ②〖의〗 고열(高熱) 환자의 머리에 얼음 찜질을 하기 위해 얼음을 넣는 고무 또는 비닐제의 주머니. 빙대(氷袋). 빙낭(氷囊).

얼음-지치기 명 얼음을 지치는 운동. 빙활(氷滑). ――-하다 자여불

얼음-집 [-찝] 명 ①얼음을 파는 집. ②얼음으로 지은 집. 이글루(igloo) 따위.

얼음-찜 명 〖의〗 몸의 한 부분에 얼음을 대어서 열을 내리게 하는 법.

얼음 찜질 명 얼음찜하는 일. ――-하다 자여불

얼음-차 【-茶】 명 얼음을 넣어서 차게 만든 차(茶). 빙차(氷茶).

얼음 타기 명 〈방〉 얼음 지치기. ――-하다 자

얼음-판 명 얼음이 마당처럼 된 곳. 빙반(氷盤).

[얼음판에 넘어진 질황소 눈 같다] 놀라서 눈을 크게 뜨고 껌벅거림을 이르는 말.

얼음 편자 명 얼음 위를 걸을 때 미끄러지지 않게 만든, 말굽에 붙이는 쇳조각.

얼의다 자 〈옛〉 엉기다. ¶구디 얼의여 ᄆᆞᅀᆞ미 正ᄒᆞ야(堅凝正心ᄒᆞ야)≪楞嚴 X:19≫.

얼이다 타 〈옛〉 시집 보내다. 혼인시키다. ¶겨집 남진 얼이며(嫁女)≪佛頂 上 3≫.

얼-입다 【孼-】 [-립-] 자 남의 잘못으로 해를 받다. 언걸입다.

얼-입히다 【孼-】 [-립-] 타 얼입게 하다.

얼자 【孼子】 [-짜] 명 서자(庶子)❶.

얼-젓국지 명 젓국을 조금 타서 국물이 적게 담근 김치. 담해저(淡醢菹).

얼-조개젓 명 엷간으로 담근 조개젓.

얼-조리다 타 바싹 조리지 않고, 국물이 있게 덜 조리다.

얼짜 명 얼치기인 물건. *알짜.

얼쨍이 명 〈방〉 언청이(경남).

얼쩍지근-하다 형여불 ①살이 열얼하게 아프다. ¶처음에는 부지불각에 따귀 맞은 것 같아서 다만 얼쩍지근할 뿐이지 어떤 영문인지 모르고…≪李海朝 : 牧丹屛≫. ②음식의 맛이 조금 맵다. ③술이 알맞게 취하다. ④살붙이의 관계나 알음알음이 있어 좀 인연이 있는 듯하다. ⓒ얼찌근하다. 1)-4):> 알짝지근하다.

얼쩡-거리다 자 ①열렁거리며 남을 속이다. ②아무 일도 없으면서 자꾸 돌아다니다. 1)·2):> 알짱거리다. 얼쩡-얼쩡 부. ――-하다 자여불

얼쩡-대다 자 얼쩡거리다.

얼쭈 부 〈방〉 얼추.

얼쭝-거리다 자 여러 가지 말을 하며 자꾸 얼찐거리다. ¶변덕 많은 여인들처럼 겉으로 얼쭝거릴 줄도 모르는 곰녀 어머니였다≪黃順元 : 별과 같이 살다≫. > 알쭝거리다. 얼쭝-얼쭝 부. ――-하다 자여불

얼쭝-대다 자 얼쭝거리다.

얼쯤 부 주춤거리는 모양. ――-하다 자여불

얼쯤-얼쯤 부 연해 주춤거리는 모양. ――-하다 자여불

얼찌근-하다 형여불 ↗얼쩍지근하다.

얼찐-거리다 자 앞에서 가까이 돌며 몹시 아첨하는 태도를 보이다. > 알찐거리다. 얼찐-얼찐 부. ――-하다 자여불

얼찐-대다 자 얼찐거리다.

얼챙이 명 〈방〉 언청이(전라·충청).

얼처구니-없:다 형 〈방〉 어처구니없다.

얼척-없:다 형 〈방〉 어처구니없다(경상).

얼첩 【孼妾】 명 서출(庶出) 자손인 첩.

얼-청 명 〖악〗 엇청.

얼청이 명 〈방〉 언청이(전라·충남).

얼추 부 ①대강. 대충. ¶일이 ～ 끝났다. ②거의 가깝게. ¶～ 다 왔다.

얼추-잡다 타 대강을 작정하다. 걸목치다.

얼-추탕 【孼鰍湯】 명 밴 밀가루 국에 여러 가지 양념만 넣고, 미꾸라지는 넣지 않고 끓인 추탕.

얼춤-얼춤 부 〈방〉 어름어름. ――-하다 자타

얼충 부 〈방〉 얼추.

얼-치기 명 ①이것도 저것도 아닌 중간치기. ②탐탁하지 아니한 사람. ③이것 저것이 조금씩 섞인 것.

얼치기-완두 【-豌豆】 명 〖식〗 [*Vicia tetrasperma*] 콩과에 속하는 월년초(越年草). 줄기 높이 30-50cm, 잎은 호생하며 거의 무병(無柄)이고 우상 복생(羽狀複生)하는데 끝에 덩굴손이 달리며 3-5쌍의 소엽(小葉)은 선상(線狀)의 긴 타원형 또는 선형을 이룸. 5-6월에 홍자색 꽃이 총상(總狀) 화서로 액출(腋出)하고 협과(莢果)를 맺음. 산이나 들에 나는데, 제주·전남·전북·경남에 분포함.

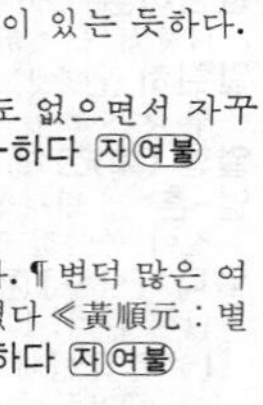

〈얼치기완두〉

얼치다[1] 타 연을 공중에서 딴 연과 얽히게 하다.

얼-치다[2] 부 〈방〉 얼빠지다(함경).

얼칭이 명 〈방〉 언청이(경상).

얼콤 자 〈옛〉 얽힘. '얼키다'의 명사형. ¶一切 미 얼쿄ᄆᆞᆯ 그츠며(能斷一切繫縛)≪佛頂 上 1≫.

얼크러-뜨리다 타 얼크러지게 하다.

얼크러-지다 자 일이나 물건이 서로 얽히다.
[얼크러진 그물이요 쏟아논 쌀] 일이 이미 틀렸으니 바로 하기 힘들다는 말.
얼크러-트리다 자 얼크러뜨리다.
얼큰-하다 형여불 ①매워서 입안이 얼얼하다. ②술이 거나하여 정신이 어릿하다. 1)·2):ㅅ얼근하다. >알큰하다. 얼큰-히 부. ¶~ 취하다.
얼키다 자 〈옛〉 얽히다. =얽키다. ¶病이 모매 얼켜 브텨(疾病纏身)《佛頂 上 5》.
얼키-설키 부 이리저리 얽힌 모양. ¶~ 바퀴 자국들만이 길게 뻗친 아득한 길이 있을 뿐이었어요《崔貞熙 : 끝없는 낭만》. ㅅ얼기설기.
얼킨 부 〈방〉 얼른(함남).
얼터기 명 ☞ 언턱거리. ¶제 식구를 가진다면 살림을 해야 되고, 살림을 하려면 살림 ~가 있어야 한다《金東里 : 山火》.
얼텁다 형 〈옛〉 거칠다. ¶吐蕃ㅣ 憑陵ᄒᆞ야 氣運ㅣ ᄌᆞ모 얼터우니(吐蕃憑陵氣頗麤)《重杜諺 Ⅷ:22》.
얼토당토-아니하다 형여불 ①전혀 관련됨이 없다. ②전혀 가당치 아니하다. ㊟얼토당토 않다.
얼토당토-않다 [-안타] 형 ↗얼토당토아니하다.
얼통【孽統】명 첩 소생의 혈통(血統).
얼-통량【-統涼】[-냥] 명 거칠게 만든 통량.
얼티메이텀 [ultimatum] 명 ①『정』최후 통첩(最後通牒). ②궁극적인 결론(結論).
얼푼 부 〈방〉 얼른(충북·경북).
얼풋 부 〈방〉 얼른(경상).
얼프시 부 〈옛〉 어렴풋이. ¶祭ᄒᆞᆫ 날애 집의 들어 얼프시 반ᄃᆞ시 그위예 보ᄋᆞ욤이 이시며(祭之日入室 僾然必有見乎其位)《小諺 Ⅱ:29》.
얼픗 부 〈옛〉 문득. ¶羲皇 벼개 우히 풋ᄌᆞᆷ을 얼픗 셰니 《松江 星山別曲》. *얼핏.
얼핏 부 〈방〉 얼른(함경).
얼핏-하면 부 〈방〉 걸핏하면.
얼핑 부 〈방〉 얼른(함북).
얼하이 [洱海] 명 『지』 중국 윈난 성(雲南省) 다리(大理) 동방에 있는 대호(大湖). 수면이 맑고 풍경이 좋으며 어족(魚族)이 많음. 이해. [250 km²]
얼-해화【孽海花】명 『책』 중국 청(淸)나라 말의 사회 소설. 모두 35회(回). 증박(曾樸)의 작품. 청말의 유명한 외교관 홍균(洪鈞)과 그의 첩인 새금화(賽金花)를 모델로 하여, 청나라 말기 30년간의 관계(官界)의 변천을 묘사하였음.
얼혀니 부 〈옛〉 어련히. ¶얼혀니 구(苟)《類合 下 61》.
얼현이 부 〈옛〉 함부로. 소홀히. =얼현히. ¶우리도 얼현이ᄂᆞᆫ 아디 아니ᄒᆞᄋᆞᆸᄂᆡ《新語 Ⅳ:3》.
얼현히 부 〈옛〉 함부로. 소홀히. =얼현이. ¶얼현히 마ᄅᆞ시고 ᄂᆡ일 루루 ᄎᆞᄌᆞ쇼셔《新語 Ⅰ:14》.
얼형【孽兄】명 서형(庶兄).
얼-혼 명 반정신. ¶초장부터 한번 ~이 빠졌고, 여차하면 걸쭉한 발길질이 쏟아질 걸 알고 있는 듯…《金周榮 : 客主》.
얽다¹ [억-] 자 ①얼굴에 마마의 자국이 생기다. ②물건의 거죽에 흠이 많이 나다. 1)·2):>앍다.
[얽은 구멍에 슬기 든다] ㉠외양만 보고 인물을 평가함은 부당하다는 말. ㉡얼굴이 얽은 곰보를 추어 주고 낯을 세워 주는 말. [얽거든 검지나 말지] 한 가지 결점만이라도 없었으면 좋겠다는 말.
얽어도 유자 구 가치 있는 물건은 좀 흠이 있어도, 본디 갖춘 제 값어치는 지니고 있다는 말.
얽다² [억-] 타 ①노끈이나 새끼 같은 것으로 이리저리 걸어서 묶다. ②없는 일을 있는 것처럼 꾸미다. *옭다.
얽-동이다 [억-] 타 얽어서 동여 매다.
얽둑-빼기 [억-] 명 얼굴에 마마 자국이 얽둑얽둑한 사람. >앍둑빼기.
얽둑-얽둑 [억-억-] 부 얼굴에 얽은 자국이 굵고 깊게 생긴 모양. >앍둑앍둑. ——-하다 형여불
얽-매다 [억-] 타 ①얽어서 매다. ¶규칙으로 ~. ②일에 몸과 마음을 기울이다.
얽-매이다 [억-] 자 ①얽혀서 매이다. ¶수족이 ~. ②어떠한 일에 걸리어서 몸을 빼지 못하다. ¶시간에 ~/인습에 ~.
얽민욤 자 〈옛〉 얽매임. '얽미이다'의 명사형. =얽미윰. ¶한 얽민욤 여희요미 安ᄒᆞ이오 《月釋 ⅩⅢ:49》.
얽미윰 자 〈옛〉 얽매임. '얽미이다'의 명사형. =얽미욤·얽미욤. ¶受苦 얽미유믈 사모ᄆᆞ로써 《月釋 ⅩⅢ:17》.
얽미이다 자 〈옛〉 얽매이다. ¶이ᄆᆡ셔 世間애 얽미여슈믈 免티 몯홀시(旣未免羈絆)《杜諺 Ⅸ:12》.
얽미욤 자 〈옛〉 얽매임. '얽미ᅇᅵ다'의 명사형. ¶解脫은 버서날씨니 變化ᄅᆞᆯ ᄆᆞᅀᆞᆷ조초ᄒᆞ야 ᄆᆞᅀᆞ미 自得ᄒᆞ야 드트릐 얽미유미 아니ᄃᆞ욀 씨라 《釋譜 Ⅵ:29》.
얽미ᅇᅵ다 자 〈옛〉 얽매이다. ¶婆稚ᄂᆞᆫ 얽미ᅇᅵ다 ᄒᆞᆫ 마리니 싸호ᄆᆞᆯ 즐겨 제 軍 알ᄑᆡ 가다가 帝釋 손ᄃᆡ 미ᅇᅵᄂᆞ니라 《釋譜 ⅩⅢ:9》.
얽박-고:석【-古石】[억-] 명 몹시 얽은 낡은 돌이란 뜻으로, 몹시 얽은 얼굴.
얽박-얽박 [억-억-] 부 ☞ 얽벅얽벅. ——-하다 형여불
얽벅-얽벅 [억-억-] 부 얼굴에 굵고 깊게 얽은 자국이 밴 모양. >앍박앍박. *얽적얽적. ——-하다 형여불
얽-빼기 [억-] 명 얼굴에 얽은 자국이 많은 사람.
얽어-내다 [얼거-] 타 ①물건을 얽어서 끌어내다. ②남의 물건을 꾀부려 약빠르게 끌어내다.
얽어-매다 [얼거-] 타 얽어서 매다.
얽어-짜임 [얼거-] 명 『건』 창이나 문 등의 문살을 얽어 짜는 일.

얽음-뱅이 [얼금-] 명 ☞ 얼금뱅이.
얽음-숨숨 [얼금-] 부 ☞ 얼금숨숨. ——-하다 형여불
얽이 [얼기] 명 ①물건을 보호하기 위하여 거죽을 새끼나 노끈으로 이리저리 싸서 얽는 일. ②일의 대강 순서나 배치를 잡아 보는 일.
얽이-치다 [얼기-] 타 이리저리 얽어서 매다.
얽적-빼기 [억-] 명 얼굴이 얽적얽적 얽은 사람. >앍작빼기.
얽적-얽적 [억-억-] 부 얼굴에 잘고 굵은 것이 섞이어서 얕게 얽은 자국이 성긴 모양. >앍작앍작. ——-하다 형여불
얽죽-빼기 [억-] 명 얼굴이 얽죽얽죽 얽은 사람. >앍족빼기.
얽죽-얽죽 [억-억-] 부 얼굴에 잘고 굵은 것이 섞이어서 깊이 얽은 자국이 성긴 모양. >앍족앍족. ——-하다 형여불
얽히다 [얼키-] ㊀피동 얽음을 당하다. ㊁자 ①서로 엇걸리다. 꼬이다. ②얽어 감기다. ¶덩굴이 ~/실이 ~. ③애매하게 걸리다. ¶그 사건에 억울하게 얽혀 들었다. ④어떤 생각 따위가 복잡해지다. ¶뒤숭숭하게 얽힌 생각들. ⑤어떤 사실이 이러저러하게 관련되다. ¶청포도에 얽힌 사연.
얽히고 설키다 구 이리저리 얽히다.
얽키다 자 〈옛〉 얽히다. =얼기다·얼키다. ¶얽킈매 나ᄆᆞᆯ(出纏)《楞嚴 Ⅰ:17》.
엄¹ 명 〈방〉 이웃(평북).
엄² 명 ①〈옛〉 어금니. ¶牙ᄂᆞᆫ 어미라 ㄱᄂᆞᆫ 엄쏘리니(ㄱ牙音)《訓諺 3》/ 엄 아(牙)《字會 上 26》. ②〈옛·방〉 움. ¶픐엄이 ᄒᆞ마 퍼러히 나고(草芽旣靑出)《杜諺 ⅩⅫ:2》.
엄³ 명 〈옛〉 어미. ¶아ᄃᆞ른 어믜 일후믈 니스니라(子連母號)《般若 25》.
엄:⁴ 명 『경』 ☞ 어음❶.
엄:⁵【掩】명 『천』 엄폐(掩蔽)❷.
엄⁶【嚴】명 성(姓)의 하나. 현재 우리 나라에는 영월(寧越)·상주(尙州)·하음(河陰)·광주(廣州)·파주(坡州) 등 60여 본관이 있음.
엄가【嚴苛】명 엄혹(嚴酷). ——-하다 형여불
엄-가감【嚴家淦】명 『사람』 '옌 자간'을 우리 음으로 읽은 이름.
엄각¹【嚴刻】명 엄혹(嚴酷). ——-하다 형여불. ——-히 부
엄:각²【儼恪】명 근엄하고 조신(操身)함. ——-하다 자여불
엄감【嚴勘】명 엄중하게 처단(處斷)함. 엄처(嚴處). ——-하다 타여불
엄:개【掩蓋】명 참호(塹壕)나 방공호 등의 위를 덮는 물건.
엄:격¹【掩擊】명 엄습(掩襲). ——-하다 타여불
엄격²【嚴格】[-껵] 명 ①언행이 엄숙하고 딱딱함. ②아주 엄하여 잘못이나 속임수 같은 것을 허용(許容)하지 않는 모양. 엄준(嚴峻). ——-하다 형여불. ——-히 부
엄격 대:위법【嚴格對位法】[-껵-뻡] 명 [strict counterpoint] 『악』 중세기의 엄격한 규칙에 얽매인 대위법. 현대 대위법의 기초가 됨.
엄견【嚴譴】명 엄책(嚴責). ——-하다 타여불
엄계【嚴戒】명 엄중하게 경계함. ——-하다 타여불
엄-계(:)응【嚴啓膺】명 『사람』 조선 시대 후기의 학자. 자는 치수(稚受), 호는 약오(藥塢)·연석(燕石). 영월(寧越) 사람. 한명(漢明)의 아들. 그림·글씨·시(詩)에 능했음. 벼슬은 동지중추부사(同知中樞府事)에 이름. [1737-1816]
엄계 중립【嚴戒中立】[-닙] 명 『군』 무장을 하고 중립을 지키는 일. 무장(武裝) 중립.
엄고【嚴鼓】명 『역』 임금이 정전(正殿)에 출어(出御)할 때, 또 거둥 때에 엄숙한 뜻을 보이고, 백관(百官)과 시위 군사(侍衛軍士)가 제자리에 대기하도록 큰 북을 울리는 일. 첫 번 치는 것을 초엄(初嚴), 두 번째 치는 것을 이엄(二嚴), 세 번째 치는 것을 삼엄(三嚴)이라 하며 세 번째의 북 소리로 모든 준비 태세를 갖춤.
엄곤【嚴棍】명 엄하게 곤장을 침. ——-하다 타여불
엄과【嚴科】명 엄한 벌과(罰科).
엄:관¹【淹貫】명 엄박(淹博). ——-하다 형여불
엄관²【閹官】명 『역』[엄(閹)은 닫다의 뜻으로, 궁형(宮刑)에 의해 정기(精氣)가 폐색됨을 이름]. 내시(內侍)❷.
엄관³【嚴關】명 엄중한 관문(關門).
엄:광-전【掩壙奠】명 장사 때 관(棺)을 광(壙) 속에 넣고 엄토(掩土)한 뒤에, 제물(祭物)을 차려 놓고 지내는 제사.
엄:광-창【掩壙窓】명 관(棺)을 묻기 전에 광(壙)을 덮는 창짝.
엄교【嚴敎】명 ①엄격한 가르침. ②남의 가르침의 경칭.
엄군【嚴君】명 자기 아버지의 경칭. 가대인(家大人).
엄:권【掩卷】명 읽던 책을 덮음. ——-하다 자여불
엄:권 첩망【掩卷輒忘】명 책을 덮으면 곧 잊을 만큼 기억력이 부족함.
엄금【嚴禁】명 엄하게 금지함. 절금(切禁). 통금(痛禁). ¶출입 ~. ——-하다 타여불
엄:-나무 명 『식』 [*Kalopanax pictum*] 두릅나뭇과에 속하는 낙엽 활엽 교목. 줄기 높이 15-25m, 가시가 있으며, 수피(樹皮)는 세로로 틈이 가고 회흑색임. 장상엽(掌狀葉)은 5-9갈래로 째지고 열편(裂片)은 달걀꼴을 이룸. 5-6월에 황백색 오판화(五瓣花)가 산형(繖形) 화서로 정생(頂生)하고, 10월에 둥근 핵과(核果)가 까맣게 익음. 재목은 판자·기구재(器具材), 수피(樹皮)는 한약재로 씀. 자동(刺桐). 총목(楤木). 해동(海桐).

〈엄나무〉

엄노【嚴怒】명 대노(大怒). ——-하다 자여불
엄-니¹ 명 〈옛·방〉 어금니. ¶네 엄니 히오 놀나시며 《月釋 Ⅱ:41》.
엄니² 명 〈방〉 어머니(경기·충남·전남·경남).
엄:-니³ 명 [←엄이¹] 식육류(食肉類) 동물의 양턱에 난 굳세고 날카로

운 송곳니. 대아(大牙).
엄:니아-변【一牙邊】[명] 한자 부수(部首)의 하나. '犄'의 '牙'의 이름임.
엄:닉【掩匿】[명] 덮어서 숨김. 엄폐(掩蔽). ——-하다 [타][여불]
엄단【嚴斷】[명] 엄중히 처단함. ——-하다 [타][여불]
엄달【嚴達】[명] 엄중히 시달(示達)함. ——-하다 [타][여불]
엄담【嚴談】[명] 엄하게 담판함. 엄중히 교섭함. ——-하다 [타][여불]
엄:-대 [—때] [명] 외상으로 물건을 팔 때에 물건 값을 표하는 길고 짧은 금을 새긴 막대기. ¶ 번듯한 객주에게 ~ 긋고 가져왔네《金周榮 : 客主》.
엄:-대답【一對答】[명] 남이 써 놓은 어음에 대하여 보증함. ——-하다 [자][여불]
엄:대-질 [—때—] [명] 엄대를 가지고 하는 외상 거래. ——-하다 [자][여불]
엄독【嚴督】[명] ①엄하게 독촉(督促)함. ②엄중히 감독(監督)함. ——-하다 [타][여불]
엄동【嚴冬】[명] 몹시 추운 겨울. 한겨울. 융동(隆冬).
엄동 설한【嚴冬雪寒】[명] 눈이 오고 몹시 추운 겨울. 한겨울. 융동 설한(隆冬雪寒). [준]엄한(嚴寒).
엄두 [명] 감히 무엇을 행하려는 마음. ¶ ~도 못 내다.
엄두가 나지 않다, 엄두가 안 나다 [구] 감히 무엇을 하려는 마음이 나지 아니하다.
엄두를 못: 내:다 [구] 감히 무엇을 하려는 마음을 먹지 못하다.
엄랭【嚴冷】[—냉] [명] ①몹시 참. ②성질이 엄하고 쌀쌀함. ——-하다 [형][여불]. ——-히 [부]
엄렬【嚴烈】[—녈] [명] 엄격하고 격렬함. ——-하다 [형][여불]. ——-히 [부]
엄령【嚴令】[—녕] [명] 엄중한 명령.
엄령지-하【嚴令之下】[—녕—] [명] 엄중한 명령 아래.
엄:류【淹留】[—뉴] [명] 오래 머무름. 지류(遲留). 엄박(淹泊). ——-하다 [자][여불]
엄률【嚴律】[—뉼] [명] 엄중한 규율. 「다 [자][여불]
엄립 과조【嚴立科條】[—닙—] [명] 매우 엄하게 규정을 세움. ——-하
엄마 [명] ①〈소아〉 어머니. ②〈방〉 어머니(강원·전라·경상).
엄마리 [명]〖광〗장마물에 밀리어 흐르는 사금(砂金)을 한 곬으로 몰아 받아 내는 일.
엄매[1] [명]〈방〉 얼마(함남).
엄매[2] [명]〈방〉 어머니(경남).
엄:매[3]【掩埋】[명] 엄토(掩土). ——-하다 [타][여불]
엄매[4] [부] 송아지 우는 소리. 음매[2].
엄매-엄매 [부] 송아지가 계속해서 우는 소리.
엄메 [명]〈방〉 어미.
엄명[1]【嚴明】[명] 엄격하고 명백함. ——-하다[형][여불]. ——-히 [부]
엄명[2]【嚴命】[명] 엄중한 명령. 엄하게 명령함. ——-하다 [타][여불]
엄모【嚴貌】[명] 엄격한 용모. 「편 LXXVIII : 53》. ——-하다 [자][여불]
엄:몰【淹沒】[명] 침몰(沈沒). ¶ 저희 원수는 바다에 ~되었도다《구약 시
엄:무【閹茂】[명] 고갑자(古甲子) 십이지(十二支)의 열한째. 술(戌).
엄:문[1]【掩門】[명] 문을 닫음. ——-하다 [자][여불]
엄문[2]【嚴問】[명] 엄하게 심문함. ——-하다 [타][여불]
엄밀【嚴密】[명] ①매우 비밀함. ②엄중하고 세밀함. ¶ ~한 조사. ——-하다 [형][여불]. ——-히 [부]
엄밀-성【嚴密性】[—썽] [명] 엄중하고도 세밀한 성질.
엄:박[1]【淹泊】[명] 엄류(淹留). ——-하다 [자][여불]
엄:박[2]【淹博】[명] 학식이 매우 심원(深遠)함. 엄관(淹貫). 엄해(淹該). ——-하다 [형][여불]
엄발 [명]〈방〉 ①집게발. ②며느리발톱❶.
엄발-나다 [—라—] [자] 벗나가는 태도가 있다.
엄방-지다 [형]〈방〉 건방지다.
엄버 [umber] [명]〖화〗천연으로 산출하는 갈색의 안료(顔料). 이산화 망간과 규산염(珪酸塩)을 포함하는 수산화철(水酸化鐵)로, 덩이로 산출함. 은폐력·내구성(耐久性)이 강하여, 구워서 도료(塗料)·채료 등에 이용함.
엄벌【嚴罰】[명] 엄하게 벌을 줌. 또, 그 형벌. ——-하다 [타][여불]
엄범부렁-하다 [형][여불] 속은 비고 겉만 부프다. [준]엄부렁하다.
엄:법[1]【罨法】[—뻡] [명]〖의〗찜질하거나 열을 식히는 치료법.
엄법[2]【嚴法】[명] 엄중한 법. 혹법(酷法).
엄벙-덤벙 [부] 주견없이 함부로 덤벙이는 모양. ——-하다 [자][여불]
[엄벙덤벙하다가 물에 빠졌다] 아무 곡절도 모르고 덤비다가 낭패했다는 말.
엄벙-뗑 [부] 얼렁뚱땅. ¶ 공연히 김 의관이 들쑤셔내서 ~하고 돈푼이라도 갉아먹으려고 그리는 것을…《廉想涉 : 萬歲前》. ——-하다 [자][여불]
엄벙-뚱땅 [부]〈방〉 얼렁뚱땅. ——-하다 [자]
엄벙-충청 [부]〈방〉 얼렁뚱땅. ——-하다 [자]
엄벙-통 [명] 엄벙한 가운데.
엄벙-판 [명] 엄벙한 장면(場面).
엄벙-하다 ㊀[자][여불] 착실하지 못하고 떠벌리다. ㊁[형][여불] 행동이 착실하지 못하고 실속이 없다. ¶ 엄벙하게 세월을 보내다.
엄베-덤베 [부]〈방〉 엄벙덤벙. ——-하다 [자]
엄:보【掩堡】[명]〖군〗산병호(散兵壕).
엄-복【嚴復】[명]〖사람〗'옌 푸'를 우리 음으로 읽은 이름.
엄봉【嚴封】[명] 단단히 봉함. ——-하다 [타][여불]
엄부【嚴父】[명] 엄격한 아버지. ↔자모(慈母). *엄친(嚴親).
엄부럭 [명] 엄살. 심술.
엄부럭(을) 떨:다 [구] 철없이 엄살을 떨다.
엄부럭(을) 부리다 [구] 철없이 심술을 부리다.
엄부렁-하다 [형][여불] ↗엄범부렁하다. ¶ 거 키만 엄부렁하니 컸지, 원 미거해서…《蔡萬植 : 濁流》.
엄-부형【嚴父兄】[명] 엄한 부형.
엄-분부【嚴吩咐】[명] 엄한 분부. 엄칙(嚴飭).
엄비[1]【嚴批】[명] 상주(上奏)한 글에 대한 임금의 비답(批答).
엄비[2]【嚴秘】[명] 엄중한 비밀. ¶ ~에 부치다.
엄비-덤비 [부]〈방〉 엄벙덤벙. ——-하다 [자]
엄사[1]【渰死】[명] 익사(溺死). ——-하다 [자][여불]
엄사[2]【嚴査】[명] 엄중하게 조사함. 또, 그 조사. ——-하다 [타][여불]
엄사[3]【嚴師】[명] 엄격한 스승.
엄살[1] [명] 고통이나 어려움을 거짓 꾸미거나 보태어서 나타내는 태도. >암살. ——-하다 [자][여불]
엄살(을) 떨:다 [구] 엄살을 몹시 부리다.
엄살(을) 부리다 [구] 엄살하는 행동을 나타내다.
엄살(을) 피우다 [구] 두드러지게 엄살을 떨다.
엄:살[2]【掩殺】[명] 불시에 덮쳐 죽임. ——-하다 [타][여불]
엄살-궂다 [형] 엄살스러운 태도가 있다.
엄살-꾸러기 [명] 엄살을 잘 부리는 사람.
엄살-스럽다 [형][ㅂ불] 엄살하는 태도가 있다. 엄살-스레 [부]
엄상【嚴霜】[명] 된서리.
엄:색[1]【掩塞】[명] 단아 막아 가림. ——-하다 [타][여불]
엄색[2]【嚴色】[명] 엄격한 표정을 지음. ——-하다 [자][여불]
엄서【嚴暑】[명] 혹서(酷暑).
엄선【嚴選】[명] 엄정히 가려 냄. ——-하다 [타][여불]
엄:성 노:인【奄成老人】[명] 빨리 늙음. ——-하다 [자][여불]
엄-세(:)영【嚴世永】[명]〖사람〗조선 말기의 개화파의 한 사람. 자는 윤익(允翼). 영월(寧越) 사람. 고종 원년(1864)에 등과, 동학 농민 운동 때는 삼남 초무사(三南招撫使)로 활약. 벼슬이 판서를 거쳐 농상공부 대신에 이름. 영국 군함의 거문도(巨文島) 사건 때에는 일본 나가사키로 건너가서 영국 함대 사령관에게 직접 항의함. 고종 13년(1876) 강화도 조약이 체결된 후, 홍영식(洪英植) 등과 함께 일본에 다녀와서 일본과의 우호(友好)를 주장했음. [1831-99]
엄:수[1]【閹豎】[명]〖역〗'환관(宦官)'의 별칭.
엄수[2]【嚴囚】[명] 엄중하게 가둠. ——-하다 [타][여불] 「[타][여불]
엄수[3]【嚴守】[명] 명령·약속 따위를 엄하게 지킴. ¶ 시간 ~. ——-하다
엄수[4]【嚴修】[명] 의식(儀式) 같은 것을 엄숙하게 지냄. ¶ 추도식을 ~하다. ——-하다 [타][여불]
엄숙【嚴肅】[명] ①장엄하고 정숙함. ¶ ~한 식장. ②위풍 있고 엄중함. 삼숙(森肅). ¶ ~한 태도. ——-하다 [형][여불]. ——-히 [부]
엄숙-설【嚴肅說】[명]〖윤〗엄숙주의.
엄숙-주의【嚴肅主義】[—/—이] [명] [도 Rigorismus]〖윤〗향락(享樂)주의에 대응하여 금욕주의적 도덕설에서 나온 말. 의무를 위한 의무를 강조하며 도덕률에 대한 존경을 도덕 행위 유일(唯一)의 동기로 삼고, 감성(感性)에 대한 경향을 악이라 하여 쾌락이나 행복을 배제하는 학설. 칸트의 도덕설이 대표적임. 엄숙설. ↔방임(放任)주의
엄:습【掩襲】[명] 불시에 덮침. 엄격(掩擊). ——-하다 [타][여불]
엄승【嚴繩】[명] 엄징(嚴懲). ——-하다 [타][여불]
엄:시【閹寺】[명]〖역〗'환관(宦官)'의 별칭.
엄:시하【嚴侍下】[명] 아버지만 생존한 경우. ↔자시하(慈侍下).
엄:-신[1] [명] ↗엄짚신.
엄:신[2]【掩身】[명] 집이 가난하여 허름한 옷으로 겨우 몸만 가림. ——-하다 [자][여불]
엄:심-갑【掩心甲】[명] 가슴을 가리는 갑옷.
엄쏘리 [명]〈옛〉 어금니소리. 아음(牙音). ¶ ㄱ는 엄쏘리니 君군ㄷ字ᄍᆞ 처ᅀᅥᆷ 펴아나는 소리 ᄀᆞᄐᆞ니(ㄱ는 牙音이니 如君ㄷ字 初發聲ᄒᆞ니)《訓諺 1》.
엄씨 [명]〈방〉 어머니.
엄:아[1]【淹雅】[명] 엄박(淹博)하고 아취가 있음. ——-하다 [형][여불]
엄:아[2]【儼雅】[명] 엄연(儼然)하고 단아(端雅)함. ——-하다 [형][여불]
엄안【嚴顔】[명] 엄격한 얼굴. 엄숙한 얼굴.
엄어【醃魚】[명] 소금에 절인 물고기.
엄:엄[1]【奄奄】[부] 숨이 곧 끊어지려고 하는 모양. ¶ …높은 벼랑에서 몸을 솟구쳐 뛰어내려 온몸이 깨어지고 기식이 ~하도록 상처를 입은 일도 있었다《張德祚 : 狂風》. ——-하다 [형][여불]. ——-히 [부]
엄:엄[2]【掩掩】[부] 향기가 확 풍기는 모양. ——-하다 [형][여불]
엄:엄[3]【晻晻】[부] 어두운 모양. ——-하다 [형][여불] 「하다 [형][여불]
엄엄[4]【嚴嚴】[부] 매우 엄한 모양. ¶ 드나드는 대관들의 ~한 모양. ——-
엄:연[1]【奄然】[명] 엄홀(奄忽). ——-하다[형][여불]. ——-히 [부]
엄:연[2]【儼然】[명] ①겉 모양이 장엄하고 엄숙한 모양. ②아무리 하여도 움직일 수 없는 모양. ¶ ~한 사실. ——-하다 [형][여불]. ——-히 [부]
엄:연-곡【儼然曲】[명]〖악〗무릉 잡고(武陵雜稿)에 수록되어 있는 주세붕(周世鵬)이 지은 노래. 형식은 경기체가(景幾體歌)이고 내용은 군자의 엄연한 덕을 읊었음. 모두 7장. *도덕가(道德歌).
엄:영【掩映】[명] 막아 가림. 그늘지게 함. 엄예(掩翳).
엄:예【掩翳】[명] ①가림. 엄영(掩映). ②그늘.
엄:요【掩耀】[명] 빛을 덮어 가림. ——-하다 [타][여불]
엄용【嚴容】[명] 엄숙한 용모. 엄격한 용모.
엄위【嚴威】[명] 엄숙하고 위광(威光)이 있음. ——-하다 [형][여불]
엄위-장【嚴威章】[—짱] [명]〖악〗용비어천가 제78장의 이름.
엄:유【奄有】[명] 남기지 아니하고 다 가짐. ——-하다 [타][여불]

엄윤【玁狁·獫狁】명 →험윤.
엄:읍【掩泣】명 얼굴을 가리고 욺. ——-하다 자여불
엄의[1]【嚴儀】[—/—이] 명 ①엄숙한 의식. 훌륭한 의식. ②위의(威儀).
엄의[2]【嚴毅】[—/—이] 명 엄숙하고 굳셈. ——-하다 형여불
엄:-이[1] [—니] 명 →엄니[3].
엄:이[2]【掩耳】명 귀를 가린다는 뜻으로 듣지 아니함을 일컫는 말. ——-하다 자여불
엄:이 도령【掩耳盜鈴】명 〔귀를 가리고 방울을 훔친다는 뜻〕 남들은 모두 자기의 잘못을 아는데 그것을 숨기고 남을 속이고자 함의 비유. 눈가리고 아웅.
엄:인【閹人】명 고자(鼓子).
엄장[1] 명 겉 모양이 드러나게 어울리는 큰 덩치. ¶어느새 문 밖에는 ~ 큰 봉삼이가 와서 버티고 서 있었다《金周榮 : 客主》.
엄장[2]【嚴杖】명 엄중한 장형(杖刑)에 처함. 또, 그 장형. ——-하다 타여불
엄장[3]【嚴壯】명 의용(儀容)이 장대함. ——-하다 형여불
엄장 뇌수【嚴杖牢囚】명 엄장한 후에 가두어 둠. ——-하다 타여불
엄재가락 명 〈옛〉 엄지가락. ¶엄재가락(大拇指)《救方 上 24》.
엄:저【醃菹】명 겉절이.
엄:적【掩迹】명 잘못된 형적을 가리어 덮음. ¶배돌석이는…풀섶에 놓아둔 웃옷을 찾아 입어서 찢어진 적삼을 ~하였다《洪命熹 : 林巨正》. ——-하다 타여불
엄전-스럽다 형ㅂ불 엄전한 태도가 있다. 엄전-스레 부
엄전-하다 형여불 하는 짓이나 모양이 정숙하고 점잖다. ¶인물도 엄전하고 풍채도 헌앙하여 가히 호걸 남자라 하겠더라《崔瓚植 : 雁의 聲》.
엄절【嚴切】명 성질이 몹시 엄격하여서 맺고 끊은 듯함. ——-하다 형여불. ——-히 부
엄정[1]【嚴正】명 엄격하고 바름. ——-하다 형여불. ——-히 부
엄정[2]【嚴淨】명 엄숙하고 깨끗함. ——-하다 형여불. ——-히 부
엄정[3]【嚴整】명 엄격하게 정돈함. ——-하다 타여불
엄정 중립【嚴正中立】[—닙] 명 ①어느 편에도 기울지 않음. ②〖정〗 국외(局外) 중립의 지위를 엄수하여 교전국(交戰國)의 어느 편도 도와주지 아니함. *호의적 중립. ——-하다 자여불
엄제[1]【嚴制】명 엄하게 제지(制止)함. 엄격한 제한(制限)이나 제도(制度). ——-하다 타여불
엄제[2]【嚴題】명 엄한 제사(題辭).
엄조[1]【嚴祖】명 엄격한 할아버지.
엄조[2]【嚴朝】명 엄한 조정(朝廷).
엄조[3]【嚴調】명 엄중히 조사함. ——-하다 타여불
엄:족-반【掩足盤】명 반기를 나르는 데 쓰는 발이 짧은 소반.
엄:존【儼存】명 엄연하게 존재함. ——-하다 자여불
엄주【嚴誅】명 엄하게 주벌(誅罰)에 처함. ——-하다 타여불
엄준【嚴峻】명 엄격(嚴格). ——-하다 형여불. ——-히 부
엄중【嚴重】명 ①엄격하고 정중함. ②몹시 엄함. ¶~한 처벌. ——-하다 형여불. ——-히 부
-엄즉ᄒᆞ다 미 〈옛〉 -음직하다. ¶말슴 겻치 들엄즉ᄒᆞ외 《新語 I:4》. *-암직ᄒᆞ다.
엄지[1] 명 ↗엄지가락.
엄:-지[2]【—紙】[—찌] 명 〖역〗 어음을 쓴 종이.
엄:지[3]【掩紙】명 옛날에 총을 쟁 때에 쓰던 종이 조각.
엄지[4]【嚴旨】명 엄중한 교지(敎旨).
엄지-가락 명 엄지손가락·엄지발가락의 총칭. 거지(巨指). 준엄지.
엄지ᄀᆞ락 명 〈옛〉 엄지가락. ¶오직 이 엄지ᄀᆞ락이 둘재 ᄆᆞ락으로 더브러 ᄒᆞᆫ 에움이오《家禮圖 11》.
엄지 꼭두쇠 명 〖민〗 남사당의 으뜸 우두머리.
엄지락-총:각【—總角】명 〈방〉 떠꺼머리 총각.
엄지-머리 명 엄지머리 총각.
엄지머리 총:각【—總角】명 평생을 총각으로 지내는 사람.
엄지-밀개 명 〖고고학〗 엄지손톱처럼 작고 짧은 밀개. 주로 후기 막달레니앙(Magdalénien) 문화권에서 출토됨. 손톱밀개.
엄지-발 명 ↗엄지발가락.
엄지-발가락 [—까—] 명 제일 굵은 발가락. 장지(將指). 준엄지발.
엄지-발톱 명 엄지발가락에 붙은 발톱.
엄지-벌레 명 곤충이 유충으로부터 변태 성장하여 생식 능력이 있는 형태로 된 어미 곤충. 어미벌레. 어른벌레. 자란벌레. 성충(成蟲). ↔애벌레.
엄지-손 명 ↗엄지손가락.
엄지-손가락 [—까—] 명 제일 굵은 손가락. 대지(大指). 무지(拇指). 거지(巨指). 벽지(擘指). 준엄지손.
엄지-손톱 명 엄지손가락에 붙은 손톱.
엄지-총 명 짚신이나 미투리의 코빼기 양편에 굵게 박은 총. *짚신.
엄징【嚴懲】명 엄중하게 징벌함. 엄승(嚴繩). 통징(痛懲). ——-하다 타여불
엄:-짚세기 명 〈방〉 엄짚신.
엄:-짚신 명 상제가 초상 때부터 졸곡(卒哭) 때까지 신는 짚신. 관구(菅屨). 관리(菅履). 준엄신.
엄:-쪽 명 어음을 쪼갠 한 쪽.
엄:채【奄蔡】명 〖역〗 중국 한(漢)나라 때의 사서(史書)에 보이는 알란족(Alan 族)의 한자식 이름. 아란(阿蘭).
엄책【嚴責】명 엄하게 꾸짖음. 또, 그 책망. 엄견(嚴譴). 통책(痛責). ——-하다 타여불
엄처【嚴處】명 엄중히 처단함. 엄감(嚴勘). ——-하다 타여불
엄처 시:하【嚴妻侍下】명 아내에게 쥐여 사는 남편을 조롱하는 말.
엄천득이 가:게 벌:이듯【嚴千得—】구 〔엄천득은 가게 물건을 황잡(荒雜)하게 진열하였다는 옛날의 상인의 이름〕 말을 과대(誇大)하게 하든지 음식을 난잡하게 먹든지 혹은 물건을 어수선하게 늘어놓든지 함을 일컫는 말.
엄청 부 엄청나게. ¶~ 길다 / ~ 무섭다.
엄청-나다 형 생각보다 대단하다. ¶값이 ~.
엄청-스럽다 형ㅂ불 엄청난 데가 있다. 보기에 엄청나다. ¶엄청스런 부자이다.
엄:체[1]【淹滯】명 ①발천(發闡)이 못 되어 파묻혀 있음. ②오래 지체함. ——-하다 자여불
엄:체[2]【掩體】명 〖군〗 사격을 용이하게 하고 또한 적탄에 대하여 사수(射手) 등을 엄호하는 설비.
엄:치[1]【掩置】명 숨기어 둠. ——-하다 타여불
엄치[2]【嚴治】명 엄중히 다스림. 중치(重治). 통치(痛治). ——-하다 타여불
엄칙【嚴飭】명 엄중한 신칙(申飭). 또, 엄중히 신칙함. ——-하다 타여불
엄친【嚴親】명 ①발어버이. ②자기의 아버지를 일컫는 말. ↔자친(慈親). *가군(家君)·가대인(家大人)·가부(家父)·가엄(家嚴)·가친(家親)·엄군(嚴君).
엄탐【嚴探】명 엄밀하게 정탐함. ¶범인을 ~하다. ——-하다 타여불
엄:토【掩土】명 흙이나 덮어서 간신히 지내는 장사(葬事). 엄매(掩埋). ¶죽은 시신이나마 깊이 ~나 하여 주시면 그나마 제 몸 구처는 대인의 주선만 바라나이다《李海朝 : 昭陽亭》. ——-하다 타여불
엄:-파 명 ← 움파❶.
엄:파-같다 형 움파와 같이 통통하고 부드럽고 희고 술명하다. ¶관차가 눈을 딱 부릅뜨고 엄파같은 손을 들어 무쇠의 뺨을 쩔꺽 붙이면서 공갈이 벽력 같다《作者未詳 : 恨月》.
엄파이어 〔umpire〕 명 야구·농구·테니스·하키 등에서, 심판원(審判員). 심판관.
엄펑-떨다 자 몹시 엄펑부리다.
엄펑-부리다 자 일부러 엄펑스러운 짓을 하다.
엄펑-소니 명 음흉하게 남을 후리는 솜씨나 짓.
엄펑-스럽다 형ㅂ불 음흉하게 남을 속이거나 곯리는 태도가 있다. 엄펑-스레 부
엄:폐【掩蔽】명 ①가리어 숨김. 엄닉(掩匿). 엄휘(掩諱). 은폐(隱蔽). ②달이나 행성(行星)이 항성(恒星)을 가리는 현상. 성식(星蝕). ③↗엄폐장치(掩蔽裝置). ——-하다 타여불
엄:폐-물【掩蔽物】명 〖군〗 야전(野戰)에서 적의 포탄을 막아 낼 수 있는 지상물(地上物)의 총칭.
엄:폐-부【掩蔽部】명 〖군〗 군인과 무기를 적탄(敵彈)에서 막아 내기 위하여 마련한 설비.
엄:폐 장치【掩蔽裝置】명 〔occulter〕 〖군〗 탐조등(探照燈)을 사용하지 않을 때 그것이 적에게 발견되거나 위치를 알지 못하게 탐조등의 방광(放光)을 막으려고 엄폐하는 장치. 준엄폐.
엄:폐-지【掩蔽地】명 전망(展望)을 제한하거나 방해하는 지물(地物)이 많은 땅.
엄:폐-호【掩蔽壕】명 〖군〗 적에게 보이지 아니하도록 만든 호. *방공호(防空壕).
엄:-포 명 빈 위협이나 호령으로 으르는 짓.
엄:포(를) 놓다 구 호령이나 헛된 위협으로 으르다.
엄-하다【嚴—】형여불 ①틀지고 바르다. ②잘못되지 않도록 잡도리가 심하다. ¶엄하신 선생님/경계가 ~. ③매우 심하다. ¶엄하게 꾸짖다. 엄-히【嚴—】부
엄한【嚴寒】명 엄한 추위. 극한(極寒). 융한(隆寒).
엄-한(:)명【嚴漢明】명 〖사람〗 조선 시대 후기의 서가(書家). 자는 도경(道卿), 호는 만향재(晩香齋). 영월(寧越) 사람. 계응(啓膺)의 아버지. 초서(草書)와 예서(隸書)에 뛰어나, 고금(古今)의 서법(書法)을 모사하여 《집고첩(集古帖)》을 만들었음. 한석봉(韓石峯) 이후의 제1인자로 꼽혔음. [1685-1759]
엄핵【嚴覈】명 엄중히 핵실(覈實)함. ——-하다 타여불
엄핵 조:율【嚴覈照律】명 엄중히 핵실(覈實)하여 법대로 처단함. ——-하다 타여불
엄형【嚴刑】명 엄중한 형벌. 엄한 형벌에 처함. ——-하다 타여불
엄:호[1]【广戶】명 엄호밑.
엄:호[2]【掩壕】명 〖군〗 엄호용(掩護用)으로 판 호.
엄:호[3]【掩護】명 ①남의 허물을 덮어 줌. 회호(回護). ②〖군〗 적군의 습격에 대비해서 자기 편의 작업·행동 등을 안전히 하며 또, 중요 구축물(構築物)을 보호함. ——-하다 타여불
엄:호[4]【儼乎】명 엄숙한 모양.
엄:호-대【掩護隊】명 〖군〗 엄호하는 일을 맡은 부대.
엄:호-밑【广戶—】명 한자 부수(部首)의 하나. '店'이나 '廣' 등의 '广'의 이름. 엄호(广戶).
엄:호-변【广戶邊】명 민엄호밑.
엄:호 부대【掩護部隊】명 〔covering forces〕 〖군〗 ①피(被)엄호 부대를 적이 공격하기 전에 요격·교전·지연·조직 와해 및 기만할 목적으로 주력 부대로부터 분리하여 작전하는 부대. ②관측·정찰·공격·방어 또는 혼합된 방법으로써 대부대의 안전을 도모하는 파견 부대 또는 병력.
엄:호 사격【掩護射擊】명 〔protective fire〕 〖군〗 적의 소화기(小火器) 사거리(射距離) 안에 자기 편의 전투 부대가 있을 때 이 쪽의 작업과 행동을 쉽게 하기 위하여 하는 사격. 흔히, 보병(步兵)을 엄호하는 포병

의 사격임.

엄혹【嚴酷】[명] 엄하고 혹독(酷毒)함. 엄각(嚴刻). 엄가(嚴苛). ――하다 [형][여불]. ――히 [부]

엄:홀【奄忽】[명] 급작스러운 모양. 엄연(奄然). ――하다 [형][여불]. ――히 [부]

엄:환【閹宦】[명]〖역〗내시(內侍)❷.

엄훈【嚴訓】[명] 엄한 훈계(訓戒).

엄:휘【掩諱】[명] 엄폐(掩蔽). ――하다 [타][여불]

엄휼【淹恤】[명] 오래 타향에 머물러 걱정한다는 뜻으로 오랫동안 피난함을 이름.

엄-흔【嚴昕】[명]〖사람〗조선 시대 초기의 문인(文人). 자는 계소(啓昭), 호는 십성당(十省堂). 영월(寧越) 사람. 1528년 갑과(甲科)로 급제, 수찬(修撰)·이조 좌랑(吏曹左郎) 등을 거쳐 사인(舍人)이 됨. 시조(時調) 한 수가 《가곡 원류(歌曲源流)》에 전함. [1508-53]

엄-흥도【嚴興道】[명]〖사람〗조선 단종 때의 영월(寧越)의 호장(戶長). 단종이 노산군(魯山君)으로 강봉되어 죽임을 당하자 아무도 그 시신을 건드리지 않으므로 자기 집에 있던 관(棺)으로 시신(屍身)을 수습하여 묻어 주고 아들과 함께 도망함. 현종(顯宗) 때 송시열(宋時烈)이 왕에게 건의하여 그 자손을 등용케 하고 공조 참판(工曹參判)을 추증하였으며, 영조(英祖) 때 정문(旌門)이 세워졌음. 시호(諡號)는 충의(忠毅). 생몰년 미상.

업¹ [명]〖민〗한 집안에 있어서 살림이 그의 덕이나 복으로 늘어간다는 가상적인 동물이나 사람. ¶ ～구렁이. ＊지킴.

업²【業】[명] ①↗직업(職業). ②〔범 karman〕〖불교〗몸과 입과 뜻으로 짓는 선악의 소행(所行). 이것이 미래에 선악의 결과를 가져오는 원인이 된다고 함. ③〖불교〗전세(前世)에 지은 선악의 소행으로 말미암아 현세(現世)에서 받는 응보(應報). 갈마(羯磨).

업³〔up〕[명] ①'위에'의 뜻. ↔다운(down). ②골프 경기에서, 현재 이긴 홀(hole)의 수 또는 타수(打數). ③↗업스타일(up style).

업간 체조【業間體操】[명] 공장·회사 등에서 점심 시간 따위를 이용하여 하는 보건 체조.

업감【業感】[명]〖불교〗선악(善惡)의 업인(業因)에 의하여 고락(苦樂)의 과보(果報)를 받는 일.

업감 연기【業感緣起】[명]〖불교〗선악의 업인으로 인하여 일어나는 모든 연기(緣起).

업거늘【無去乙】〈이두〉없거늘.

업거든【無去等】〈이두〉없거던.

업거사【無去沙】〈이두〉없어야.

업-거울 [명]〖민〗업의 구실을 한다는 거울.

업거이시늘【無去有乙】〈이두〉없거늘.

업거이신들로【無去有等以】〈이두〉없으므로.

업견【無在】〈이두〉없던. 없는.

업견늘【無在乙】〈이두〉없거늘.

업견을안【無在乙良】〈이두〉없거들랑.

업견일을【無在事乙】〈이두〉없던 일을.

업경【業鏡】[명]〖불교〗저승의 길 입구에 있다는 거울. 중생(衆生)의 선악의 업(業)을 비쳐준다고 함.

업경-대【業鏡臺】[명]〖불교〗명경대²(明鏡臺).

업계¹【業界】[명] 동일한 산업이나 상업에 종사하고 있는 사람의 사회.

업계²【業繫】[명]〖불교〗업(業)이 중생(衆生)을 미계(迷界)에 속박되게 하는 일.

업계 고상【業繫苦相】[명]〖불교〗업(業)에 의하여 고과(苦果)를 받고 육도(六道)에 속박되어 자유롭지 못한 일.

업계-지【業界紙】[명] 어떤 특정한 업계를 대상으로 하여 발행하는 신문. 의사 시보(醫事時報)·인쇄 문화 시보 같은 것.

업고【業苦】[명]〖불교〗전생의 악업(惡業)으로 인하여 받는 고통.

업곤【業叱昆】〈이두〉없으니.

업과【業果】[명]〖불교〗업보(業報).

업과 기시【業果起始】[명]〖불교〗탐애(貪愛)로 인하여 일어나는 태생(胎生)·난생(卵生)·습생(濕生)·화생(化生)의 업과(業果).

업-구렁이 [명] ①〖민〗집안에서 업의 구실을 한다는 구렁이. ②〖동〗〔*Elaphe climacophora*〕 살무삿과에 속하는 구렁이. 몸은 1-2m로 가늘고 어릴 때는 담갈색이나 크면 암회록색으로 변함. 한국·일본·홋카이도 등지에 분포함. 청사(靑蛇).

업귀【業鬼】[명]〖불교〗정도(正道)를 방해하는 악업(惡業).

업그레이드〔upgrade〕[명]〖컴퓨터〗하드웨어나 소프트웨어의 성능을 기존 제품보다 뛰어난 새것으로 변경하는 일. ――하다 [타][여불]

업다¹ [타]〔중세 : 업다〕①사람이나 물건을 등에 지다 ¶ 아기를 ～. ②어떤 일에 남을 끌고 들어가다. ¶ 애먼 사람을 업고 들어가다 / 세력가를 업고 큰소리치다. ③동물이 교미(交尾)하다. ¶ 메뚜기가 업었다. ④윷놀이에서 한 말이 다른 말을 어우르다. ⑤연이 얼린 뒤에 줄을 얼른 감아 들여서 남의 연을 빼앗다. ⑥업어다주기 놀이에서, 남의 말이 제 말의 등에 놓이다.

[업어다 난장 맞힌다] 애써 한 일이 제게 손해되는 결과를 부른다는 뜻. [업어온 중] ㉠진퇴 양난한 일의 비유. ㉡싫으면서 괄시하기 어려운 사람의 뜻. [업으나 지나] 이러나 저러나 마찬가지라 할 때 쓰는 말. [업은 아이 삼년 찾는다; 업은 아이 삼이웃 찾는다] 가까운 데 있음을 모르고 다른 곳에 가 찾는다는 말. [업은 자식에게 배운다] 어린 사람에게서도 배울 것은 있다는 말.

업어 가도 모르다 [구] 잠이 깊이 들어 웬만한 일에는 깨어나지 못하는 상태에 있다.

업다² [형]〈옛〉없다. ¶ ᄀᆞᄅᆞᄆᆡ ᄇᆡ 업거늘(河無舟矣) 《龍歌 20章》/업던 번게를 《龍歌 30章》/ 이세상을내셧시니 또흔능히업게ᄒᆞ리《찬양가 : 16》.

업다³ [감]〈방〉어따.

업다이크〔Updike, John Hoyer〕[명]〖사람〗미국의 작가·시인. 하버드 출신. 잡지 편집에 종사하면서 시와 단편 등을 발표함. 1960년에 《달려라 토끼!》로 호평을 받았는데, 기교적 묘사와 감수성이 풍부한 문체로 현대 미국의 인기 작가의 한 사람임. 퓰리처상(賞) 등을 수상했으며, 《켄타우로스》·《커플스》·《베크 돌아오다》·《일요일만의 한 달》 등의 작품 외에 시집과 평론집이 있음. [1932-]

업더디다 [자]〈옛〉엎드러지다. ¶ 顚은 업더딜씨오 《楞嚴 V:32》/업더딜 면(顚) 《類合 下 17》.

업더리 [부]〈옛〉엎드러지게. ¶ 자바 업더리텨든 넓더셔아 乃終내 屈티 아니ᄒᆞ대 《三綱 忠臣 20》.

업더리완다 [자]〈옛〉엎치다. ¶ 크면 宗族을 업더리와다 繼嗣ᄅᆞᆯ 긋게 ᄒᆞᄂᆞ니(大則覆宗絕嗣) 《內訓 I:25》.

업더이다 [자]〈옛〉엎드리다. ¶ 그 남지니 뉘으처 ᄽᅡ해 업더옛거늘 《月釋 I:44》.

업도【業道】[명]〖불교〗업(業)이 작용하는 장소로서의 십선(十善)·십악(十惡) 또는 고락(苦樂)의 과보(果報)로 이끄는 탐(貪)·진(瞋)·치(癡)의 삼독(三毒).

업-두꺼비 [명] 업의 구실을 한다는 두꺼비.

업-둥이 [명]〔업과 같이 들어온 아이라는 뜻〕자기 집 문앞에 있었거나 우연히 얻거나 하여 기르는 아이.

업듣다 [자]〈옛〉엎드리다. ¶ 깃거 미샹 업듣ᄂᆞ다(歡喜每傾倒) 《初杜諺 XXIII:3》.

업디다 [타]〈옛〉엎지르다. ¶ 엇데 시러곰 八方ㅅ바ᄅᆞ므를 업뎌(安得覆八溟) 《杜諺 VI:50》.

업디러디다 [자]〈옛〉엎드러지다. ¶ 金ㅅ사ᄅᆞ미 굸어내야 ᄂᆞ치 헐에 티니 설워 업디러디니라 《三綱 忠臣 18》.

업딕다 [자] 엎디다. ¶ 엎딕여비ᄂᆞᆫ말 드ᄅᆞ쇼셔《찬양가 : 82》.

업라이트〔upright〕[명] ①〖건〗직립재(直立材). ②↗업라이트 피아노. ③도움닫기 높이뛰기나 장대 높이뛰기의 바(bar)를 받치는 양쪽 기둥. ④골 기둥. 골 포스트(goal post).

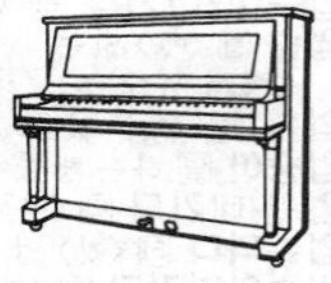

〈업라이트 피아노〉

업라이트 스윙〔upright swing〕[명] 골프에서, 클럽의 스윙이 긋는 호(弧)가 지면에 대하여 수직에 가까운 각도가 되는 스윙의 모양.

업라이트 피아노〔upright piano〕[명]〖악〗현(絃)을 세로 친 직립형(直立形)의 피아노. 수형(竪型) 피아노. [준]업라이트.

업력【業力】[―녁] [명]〖불교〗과보(果報)를 이끄는 업의 큰 힘.

업로드〔upload〕[명]〖컴퓨터〗컴퓨터 통신망을 통하여 다른 컴퓨터 시스템으로 파일이나 데이터를 전송하는 일. ＊다운로드.

업마【業魔】[명]〖불교〗악마의 지혜를 주장하는 일.

업명【業命】[명] 임금의 분부(吩咐)를 받는 일.

업무¹【業武】[명] ①무학(武學)을 일삼음. ②〖역〗무반(武班)의 서자(庶子). 이들은 손자 또는 증손대에 와서야 유학(幼學)이라 불리었음. 조선 숙종 22년(1696)에 정함. ――하다 [자][여불]

업무²【業務】[명] ①직업으로 하는 일. ②맡아서 하는 일. ＊사무(事務).

업무 감사【業務監査】[명]〖경〗기업체의 회계(會計) 기록의 검토뿐만 아니라 각종 업무가 능률적으로 운영되어 있는지의 여부(與否)에 대한 감사. 경영(經營) 감사.

업무 관리【業務管理】[―괄―] [명]〖경〗생산 관리.

업무-국【業務局】[명] 회사나 공장의 일반적 경영(經營)에 관한 사무를 맡은 국(局). ＊공무국(工務局).

업무-권【業務權】[―꿘] [명]〖법〗일정한 사항을 업무로 함으로써 보통은 허가되지 아니하는 행위를 할 수 있는 권리. 의사의 수술 행위나 권투 선수의 경기 중의 상해 행위 따위.

업무 명:령【業務命令】[―녕] [명] 사용자가 종업원에 대하여 내리는 업무상의 명령. 일반적으로 정당한 이유 없이 이에 따르지 않으면 취업 규칙 그 밖의 직장 규율에 의하여 제재의 대상이 됨. 그러나 법령(法令)·노동 협약(勞動協約)·노사 관행(勞使慣行) 등에 의하여 명령의 효력은 제한을 받게 됨.

업무 방해【業務妨害】[명] 허위의 사실을 퍼뜨리거나 혹은 그릇된 계획·폭력 등으로써 업무를 못하게 하는 일.

업무 방해죄【業務妨害罪】[―쬐] [명]〖법〗허위의 풍설을 유포하거나 위계(僞計) 또는 위력(威力)을 써서 타인의 업무를 방해함으로써 성립되는 죄.

업무 보:고서【業務報告書】[명] 법률 규정에 의하여 특정한 기업(企業)의 업무 내용을 감독자인 주무 장관(主務長官)에게 보고하기 위한 서류. 은행은 영업 연도 경과 후 2개월 이내에 재무부 장관에게 업무 보고서를 제출하게 되어 있음.

업무 분석【業務分析】[명]〖경〗경영(經營)의 합리화를 위하여 기업 경영체의 업무를 과학적으로 분석·연구하는 일.

업무상 과:실【業務上過失】[명]〖법〗업무상 필요한 주의를 태만히 함으로써 생기는 과실. 형법상, 업무상 과실범에 대해서는 형이 가중됨.

업무상 과:실 치:사상죄【業務上過失致死傷罪】[―쬐] [명]〖법〗업무상 과실로 인하여 사람을 사상(死傷)케 함으로써 성립되는 죄.

업무상 배:임죄【業務上背任罪】[―쬐] [명]〖법〗업무상 타인의 사무를 처리하는 자가 그 업무에 위배하는 행위로써 재산상의 이익을 취득하거나 제3자로 하여금 이를 취득하게 하여 본인에게 손해를 입게 함

으로써 성립되는 죄. 단순한 배임죄보다 형이 가중됨.

업무상 비:밀 누:설죄【業務上秘密漏泄罪】[—쬐] 명 〖법〗 ①의사·약제사·약종상·조산원·변호사·변리사(辨理士)·계리사·공증인 및 대서업자(代書業者)나 그 직무상 보조자 또는 이런 직에 있던 자가 업무처리 중 알게 된 타인의 비밀을 누설한 죄. ②종교의 직에 있는 자 또는 있던 자가 직무상 알게 된 남의 비밀을 누설한 죄.

업무상 실화죄【業務上失火罪】[—쬐] 명 〖법〗 업무상 과실로 인하여 실화를 일으키게 한 죄. 실화죄보다 형이 가중됨.

업무상 질환【業務上疾患】명 〖사〗 업무 그 자체가 원인이 되어 일어난 질환 가운데 근로 기준법에 배상의 의무를 규정한 질환.

업무상 횡령죄【業務上橫領罪】[—녕쬐] 명 〖법〗 타인의 재산을 보관하는 자가 임무에 위배하여 그 재물을 횡령하거나 그 반환을 거부한 때에 성립되는 죄. 단순한 횡령죄보다 형이 가중됨.

업무용 서류【業務用書類】명 ①업무에 사용하는 문서. ②제4종 우편물의 하나. 특정인에게 주는 통신문의 성질을 띠지 않은 문서.

업무 집행 사원【業務執行社員】명 〖경〗 합명 회사 사원 및 합자 회사·주식 회사의 무한 책임 사원처럼 특히 정관(定款)에 의하여 업무 집행의 권한과 책임이 부여된 사원.

업무 통:계【業務統計】명 〖경〗 업무상의 필요에 의해서 조사 작성한 통계.

업박-잡박 부 〈방〉 엎치락뒤치락. ——-하다 자타

업병【業病】명 〖불교〗 악업(惡業)의 응보로 발생한 병.

업보【業報】명 〖불교〗 전세(前世)의 악업(惡業)의 대갚음. 업과(業果).

업사【業事】명 〖경〗 종사하는 산업이나 상업에 속한 일.

업-사이드〔upside〕명 위쪽. 상부. 상면(上面).

업상【業相】명 〖불교〗 ①근본 무명(根本無明)에 의하여 진여(眞如)가 기동(起動)되었을 때의 최초의 상태. ②행한 행위의 그 모습.

업소【業所】명 영업 장소(營業場所). 사업을 벌이고 있는 장소.

업쇼이 부 〈옛〉 업수이. ¶지아비 업쇼이 너기는 ᄆᆞᅀᆞᆷ이 나ᄂᆞ니(侮夫之心生矣) ≪重內訓 Ⅱ:8≫.

업수-놓다 [—노타] 자 광산에서 갱내(坑內)의 물을 밖으로 흐르게 설「비하다.

업수이-녀기다 타 〈방〉 업신여기다(평안).

업수이-여기다 타 ☞ 업신여기다.

업순 형 〈옛〉 없는. '업다²'의 활용형. ¶須達이 버릇 업순 주를 보고 ≪釋譜 Ⅵ:21≫.「82≫.

업숨 형 〈옛〉 없음. '업다²'의 명사형. ¶般若ㅣ 또 업수믄 ≪永嘉 下

업숭이 명 하는 행동이 변변하지 못한 사람을 조롱해서 이르는 말.

업쉬-네기다 타 〈방〉 업신여기다(평안).

업슈의다 타 〈옛〉 업신여기다. ¶업슈윌 모(侮) ≪類合 下 26≫.

업슈이녀기다 타 〈옛〉 업신여기다. ¶침노ᄒᆞ며 업슈이 너기기를 아니ᄒᆞ며(不侵侮) ≪小諺 Ⅲ:6≫.

업스론안들【無不多】〈이두〉 없지는 않은.

업스론안들하삽제【無不多爲白齊】〈이두〉 없지는 않습니다.

업스온고로【無乎故】〈이두〉 없으므로.

업스온맛【無乎味】〈이두〉 없다고.

업스온이다온【無乎是如乎】〈이두〉 없다고.

업스온이온맛【無乎是乎味】〈이두〉 없다는.

업스온일【無乎事】〈이두〉 없는 일.

업-스타일〔up+style〕명 ①여자의 결발(結髮)의 한 형식. 머리를 위로 치켜 올려서 목덜미가 드러나게 하는 형식. 업헤어(uphair). ②윗부분에 중점(重點)을 둔 형식의 복장(服裝). 준업(up).

업-스타:트〔upstart〕명 졸부(猝富).

업습【業習】명 버릇. 습관.

업시름 명 업신여김과 구박.

업시봐 타 〈옛〉 업신여겨. '업시보다'의 활용형. =업시버. ¶샤舍리利븀올 업시봐 새집지실 몬게 호려터니 ≪月印 上 57≫.

업시버 타 〈옛〉 업신여겨. '업시보다'의 활용형. =업시봐. ¶모더로ᄫᅳᆫ그려 업시버 거스르미 愧오 ≪釋譜 Ⅺ:43≫.

업시보다 타 〈옛〉 업신여기다. =업시우다. ¶常不輕 업시보ᅀᆞᄫᅡ 阿鼻地獄애 드라≪月釋 ⅩⅦ:77≫.

업시오다 타 〈옛〉 업신여기다. =업시우다. ¶내 너희ᄃᆞᆯᄒᆞᆯ ᄀᆞ장 업시오돌 아니ᄒᆞ노니≪釋譜 ⅩⅨ:29≫.

업시우다 타 〈옛〉 업신여기다. =업시보다. ¶서르 놈 업시울 이리나니라≪月釋 Ⅰ:43≫.

업시움 타 〈옛〉 업신여김. '업시우다'의 명사형. ¶엇데 업시우미 이시리오(夫何輕慢之有)≪妙蓮 Ⅵ:78≫.

업시워 타 〈옛〉 업신여기어. '업시우다'의 활용형. ¶네 뎌 나라ᄒᆞᆯ 업시워 下劣想을 내디 말라≪月釋 ⅩⅧ:71≫.

업시위 부 〈옛〉 업수이. ¶얼우니 마롤 거스러 ᄃᆡ답ᄒᆞ며 족당도 소겨 업시위 너기며 (參親共語應對 倫倖拗戾 戾晴欺凌伯叔) ≪恩重諺 13≫.

업:신-여기다 [—녀—] 타 교만한 마음에서 남을 낮추보거나 멸시(蔑視)하다.

업:신-여김 [—녀—] 명 남을 업신여기는 일. 준업심.

업:심 명 ↗업신여김.

업:심(을) 받다 구 업신여김을 받다.

업숨 형 〈옛〉 없음. '업다²'의 명사형. ¶跡 업수믄 聖行이 ᄒᆞ마 셔샤(跡晦則聖行已立)≪永嘉 序 2≫.

업액【業厄】명 〖불교〗 악업(惡業)의 보답으로 받는 재난.

업 앤드 언더〔up and under〕명 럭비에서, 머리 위로 공을 똑바로 차올리는 일.

업 앤드 언더 전:법【—戰法】〔up and under〕[—뻡] 명 럭비에서, 업앤드 언더를 이용하여 공을 받는 상대를 넘어뜨리고 공격하는 전법.

업양【業樣】명 업왕(業王).

업어다-주기 명 윷놀이의 한 가지. 남의 말이 제 말 있는 밭에 오면 그 차례에 자기가 노는 윷은 그 말에서 끗수를 주어 가게 하고 제 말은 다음 차례에 나갈 수 있음.

업어-던지기 명 씨름에서, 허리샅바를 놓고 상대의 오른팔을 잡아 오른쪽 허리를 상대의 허리 부분에 밀착시킨 채 몸을 왼쪽으로 돌리고 상대를 업어서 던지는 혼합 기술의 하나.

업어-들이다 타 〈방〉 업다¹❺.

업어-치기 명 ①씨름에서, 몸을 돌려 궁둥이에 상대방의 배를 대고 들어 올려 업듯이 하여 둘러 메치는 기술. ②유도에서, 메치기 기술 중의 손기술의 하나. 상대를 자기 뒤로 업어서 어깨 너머로 넘기는 기술. 이 기술은 동작의 결단력과 기민을 요함.

업억 흑연 광:산【業億黑鉛鑛山】명 〖지〗 함경선 업억역(業億驛)의 동북방, 함경 북도 학성군(鶴城郡) 학서면(鶴西面) 업억동에 있는 인상흑연(鱗狀黑鉛) 광산. 품질이 우수하고 석묵(石墨)의 인편(鱗片)이 큰 흑연을 산출함.

업엇게 명 〈옛〉 전박(前膊). ¶업엇게(前膊)≪老乞 下 35≫.

업연【業緣】명 〖불교〗 업보(業報)의 인연.

업왕【業王】명 집안에서 재수를 맡아 도와 준다는 신(神). 업양(業樣). 업위양(業位樣). 업위왕(業位王).

업원【業冤】명 〖불교〗 전생에서 지은 죄로 이승에서 받는 괴로움. ¶결국은 환멸과 훼예까지 맛보는 결과를 보고야 마는 것은… 전생에서의 무슨 ~으로 맺어진 지긋지긋한 기연일까≪孫章純 : 한국인≫.

업위양【業位樣】명 업왕(業王).

업위-왕【業位王】명 업왕(業王).

업유【業儒】명 〖역〗 유학을 닦는 서자(庶子). 손자나 증손의 대(代)에 와서야 유학(幼學)이라 불림. 조선 숙종 22년(1696)에 정함. ＊업무(業武).

업음-질 명 번갈아 서로 업어주는 일. ——-하다 자여불

업의-항【—缸】[—/—에—] 명 살림을 맡아서 돌보아 준다는 신을 위하여 쌀이나 돈 같은 것을 넣어서 모시어 두는 항아리. 주저리를 씌움.

업이숙 지력【業異熟智力】명 〖불교〗 십력(十力)의 하나. 삼세(三世)의 업과 그 업보(業報)의 인과 관계를 여실(如實)하게 아는 부처의 지력(智力).

업인¹【業人】명 〖불교〗 악업(惡業)을 쌓은 사람.

업인²【業因】명 〖불교〗 선악의 과보(果報)를 일으키는 원인. 고락(苦樂)의 과보를 일으키는 원인이 되는 선악의 행위.

업자【業者】명 〔↗당업자(當業者)〕 ①상공업을 경영하고 있는 사람. ②동업자(同業者). ¶~들끼리의 모임.

업장【業障】명 〖불교〗 전생(前生)에 지은 죄(罪)로 인하여 이승에서 받는 마장(魔障).

업저지 명 어린 아이를 업어 주는 계집 하인. ＊안저지.

업적【業績】명 일의 공적. 업무의 성적.

업적 시세【業績時勢】명 〖경〗 기업(企業)의 업적이 전반적으로 향상함에 따라 주가(株價)가 상승하는 시세.

업적-주의【業績主義】[—/—이] 명 〖사〗 미국의 인류학자 린턴(Linton, R.)이 제창한 주의. 어스크립션(ascription)이 선천적으로 규정된 지위임에 반하여, 업적 곧 어치브먼트(achievement)는 개인의 재능과 노력의 결과로 얻어진 사회적 지위라고 함. 어스크립션의 대개념(對概念)으로, 이 개념은 파슨스(Parsons, T.)의 행위 선택의 개념에도 계승되어 있음. ＊어스크립션.

업적 평:가【業績評價】[—까] 명 당초의 목표와 업적을 비교하고 성과를 분석하는, 일정한 기준에 의한 평가.

업-족제비 명 〖민〗 업의 구실을 한다는 족제비. 보통 인가(人家)의 창고 부근에서 사는 족제비를 말함.

[업족제비가 발행기를 탔다]〔발행기는 비행기의 뜻〕 가운(家運)이 기울어져 모든 일이 안 될 때에 이르는 말.

업종【業種】명 영업의 종류.

업-종자【業種子】명 〖불교〗 선악의 업으로 훈습(薰習)된 선악의 종자. 유루(有漏) 종자의 하나로 선악업(善惡業)에 의한 과보가 생기게 하는 작용을 하는 종자.

업죄【業罪】명 〖불교〗 전세(前世)에 지은 죄.

업주【業主】명 ↗영업주(營業主).

업준 명 〈방〉 업진.

업쥔 명 〈방〉 업진.

업진 명 〔몽 ebŏe'un(가슴)〕 소의 가슴에 붙은 고기.

업진 편육【—片肉】명 소의 업진을 삶아서 만든 편육.

업질【業作】명 〈이두〉 관청의 문서 기재부(記載簿).

업집 명 〈방〉 짚주저리.

업차【業次】명 배일 하는 일의 순서.

업체【業體】명 사업이나 기업의 주체(主體).

업축【業畜】명 〖불교〗 전생의 죄로 인하여 이승에 태어난 축생(畜生).

업치기 명 〈심마니〉 인가(人家).

업태【業態】명 영업이나 사업의 실태.

업-투-데이트〔up-to-date〕명 ①가장 새로움. ¶~ 뉴스. ②현대식. 현대적. 첨단적(尖端的). ↔아웃 오브 데이트(out of date). ——-하다 형여불

업풍【業風】명 〖불교〗 ①악업(惡業)의 보답으로 이리저리 몰리며 고통을 받는 모양을 바람에 비유하여 일컫는 말. ②지옥에서 부는 폭풍.

업해【業海】명 〖불교〗 넓고 넓은 업보(業報)의 세계.

업 헤어〔up hair〕명 업스타일❶.

업화【業火】 명 〖불교〗 ①불같이 일어나는 노여움. ②악업의 갚음으로 받는 지옥의 맹렬한 불.

업히다[1] 피동 업음을 당하다. ¶내게 업혀라.
[업혀 가는 돼지 눈] 졸려서 거슴츠레한 눈을 놀리는 말.

업히다[2] 사동 업게 하다.

없:는 [업—] 관 없이사는. 가지지 않은. ¶～ 주제에 있는 체한다.
【없는 꼬리를 흔들까】 없으면 어찌할 수 없다는 말. 【없는 놈이 비단이 한 끼라】 호화롭던 때가 지나고 가난해지면 비단을 가지고 한 끼밖에 못 잇는다는 말. 【없는 놈이 있는 체, 못난 놈이 잘난 체】 실속 없는 자가 유난히 허세를 부린다는 뜻. 【없는 놈이 자 두 치 떡 즐겨한다】 역량이 없는 자가 분에 넘치는 사치한 것을 즐겨한다는 말. 【없는 놈이 찬 밥 더운 밥을 가리랴】 급하고 아쉬울 때는 무엇이나 닥치는 대로 다 고마울 뿐이며 좋고 나쁜 것을 가리지 않는다는 말. 【없는 손자 환갑 닥치겠다】 너무 오래 기다리게 되어 참을 수 없다는 말.
없:는 게 없:다 구 없는 것이 없이 무엇이나 다 있다.

없:다 [업—] 형 ①어떤 곳을 차지하고 있지 않다. ¶나무 하나 없는 산. ②존재하지 않다. ¶나와는 관계가 없는 사람 / 구김살이 ～. ③가지지 않다. 갖추고 있지 않다. ¶만날 겨를이 ～ / 재주가 ～ / 버릇이 ～. ④생겨나거나 일어나지 않다. ¶사고 없는 날 / 일할 마음이 ～. ⑤가난하다. 구차스럽다. ¶없는 집안에 태어나다. ⑥죽어서 살아 있지 않다. ¶가족이 없는 아이들. ⑦부족하거나 드물다. ¶찬은 없으나 많이 드시기 바랍니다 / 아는 것이 ～. ⑧'-ㄹ 수 없다'의 꼴로 쓰이어 불가능이나 거부의 뜻을 나타내는 말. ¶갈 수 없는 곳 / 찬성할 수 ～. 1)-8) : ↔있다. ⑨상대를 가만두지 않겠다고 을러대는 말. ¶또다시 그러면 국물도 ～. ＊있다.
【없어 비단 옷 ; 없어 비단이라 ; 없어서 비단 치마】 여유가 있어 비단 옷을 입는 것이 아니라 구차해서 단벌밖에 없는 비단 옷을 입었다는 뜻. 【없으면 제 아비 제사도 못 지낸다】 집이 가난하면, 아무리 소중하더라도 비용드는 일은 할 수 없다는 말.

-없다 [업—] 미 그것이 없거나 없는 상태임을 나타내는 말. ¶끝～ / 맥～ / 부질～.

없:애다 [업쌔—] 타 ①↗없이하다. ②'죽이다'의 속된 말. ¶한 놈 남기지 말고 없애라!

없:애-버리다 [업쌔—] 타 ①완전히 없애 치우다. ②'죽이다'의 속된 말. ¶오늘 밤에 없애버려!

없:어-지다 [업써—] 자 없게 되다.

없:을무-부【—无部】 [업쓸—] 명 한자 부수(部首)의 하나. '旣' 등의 '无'의 이름.

없:이 [업씨] 부 ①없게. 없는 상태로. ¶숨돌릴 사이 ～ 몰아 치다 / 티끌 하나 ～ 훔쳐 내다. ②없는 상태대로, 없는 채로. ¶밑천 ～ 장사를 한다. ③가리지 않고. ¶어른 애 ～ 반색을 하다. ④가난하게.

없:이-살다 [업씨—] 자 몹시 가난하게 살다. ¶없이살면 능멸을 당한다 / 없이산다고 비웃지 마라.

없:이-지내다 [업씨—] 자 없이살다. ¶허구한 날을 ～.

없:이-하다 [업씨—] 타 여불 없어지게 하다. 준 없애다.

없:잖다 [업잔타] 형 ↗없지 아니하다. ¶이 계획에는 무리가 ～.

엇 명 〈옛〉 어미. ¶思母曲 俗稱 엇노리 ㅇ界面調《鄕樂 思母曲》.

엇- 두 다른 말의 앞에 붙여서 '비뚜로'·'어긋나게'·'서로 걸쳐서'·'서로 비껴서'·'조금'의 뜻을 나타내는 말. ¶～나가다/～셈.

-엇- 선어미 '이다·아니다'의 어간(語幹)에 붙어 단정(斷定)을 나타내는 선어말 어미. ¶고래는 물고기가 아니～다. 주의 '-엇다'로만 쓰임.

엇-가게 명 〖건〗 지붕을 가운데에서 마루가 지지 아니하고 한 쪽으로 어슷하게 기울게 하여 덮은 헛가게의 한 가지.

엇-가다 자 거라불 언행(言行)이 어그러지게 나가다. 엇나가다.

엇-가리 명 〖농〗 농구(農具)의 한 가지. 대나 채를 엮어서, 위는 둥글고 아래는 편평하게 만들어 곡식을 담거나 덮는 데 씀.

엇-각【—角】 명 〔alternate angles〕〖수〗 한 직선이 다른 두 직선과 각각 다른 두 점에서 만날 때의 여러 각 중에서 서로 반대쪽에서 상대하는 각. 곧, 그림에서 α'와 γ, β'와 δ를 일컬음. 이 때 두 직선이 평행이면 엇각의 크기는 같음. 착각(錯角).

〈엇각〉

엇-갈다 자타 둘이 서로 번갈다. ¶엇갈아 일어서다.

엇-갈리다 자 서로 빗나가서 만나지 못하다. ¶의견이 ～.

엇갈림-떼기 명 〖고고학〗 서로 엇갈리는 방향으로 돌의 격지 같은 것을 떼내는 일. 갈지자 모양의 날을 만드는 수법이며, 전기 구석기(前期舊石器) 문화에서 나타나서 찍개 문화에서 발달함. 교호 박리(交互剝離).

엇-걸다 타 서로 마주 걸다.

엇-걸리다 자 서로 마주 걸리다.

엇게 명 〈옛〉 어깨. ¶올흔 엇게 메왓고(袒右肩) 《楞嚴 Ⅳ:2》/엇게 견(肩), 엇게 갑(胛)《字會 上 25》.

엇-겯다 타 ㄷ불 서로 어긋매끼어 겯다. ¶엇결어서 / 엇결으면.

엇-결 명 ①나무의 틀리거나 엇나간 결. ＊곧은결. ②〈방〉 엉망.

엇-결리다 피동 엇결음을 당하다.

엇-계락【—界樂】 명 〖악〗 유예지(遊藝志)에 나오는, 현재의 언롱(言弄)에 해당하는 가곡의 하나.

엇구뜰-하다 형 여불 조금 구수한 맛이 있다.

엇구수-하다 형 여불 ①음식 맛이 조금 구수하다. ②하는 말이 구미에 닿거나, 이치에 그럴 듯하다. **엇구수-히** 부. ¶아무를 보든지 사리가 그럴듯하게 ～ 꾸며내는 바람에…《李海朝 : 牧丹屛》.

엇곳ᄒᆞ다 형 〈옛〉 엇구수하다. 향기롭다. ＝옷곳ᄒᆞ다. ¶고지셔 글 음ᄂᆞᆫ 공ᄌᆞᄂᆞᆫ 혼입시우리 엇곳ᄒᆞ도다(詠花公子一脣香)《百聯 18》.

엇-그루 명 엇비슷하게 자른 그루터기.

엇-기대다 타 서로 어긋매끼게 기대다. ¶바위끼리 엇기대어 지붕을 이루다.

엇-깎다 타 비뚤어지게 깎다.

엇-끼다 자 서로 맞물리다.

엇-나가다 자 ①비뚜로 나가다. ②언행이 상대편을 어기어 나가다. ③엇가다.

엇-나다 자 〈방〉 엇나가다❷.

엇노리 명 〈방〉 에누리(평안). ——-하다 타

엇-눈 명 〔adventitious bud〕〖식〗 식물체(植物體)에 상처가 나거나 그 밖의 원인으로 꼭지눈이나 겨드랑눈의 자리가 아닌 다른 자리에서 나는 싹. 곧, 뽕나무·버드나무 등을 베어냈을 때 나오는 싹 같은 것. 부정아(不定芽). 막눈. ↔제눈.

엇니-톱니바퀴 명 평치열(平齒列)이 톱니바퀴의 축(軸)에 대하여 나사 모양을 이루는 톱니바퀴.

-엇다 어미 단정(斷定)을 나타내는 선어말 어미 '-엇-'과 어미(語尾)를 이루는 접미사 '-다'가 합친 말. ¶그것은 사슴이 아니～/그는 훌륭한 학자이～.

엇단 관 〈옛〉 어떤. ¶엇단 盜賊이 내 衣服 假借ᄒᆞ야(云何賊人 假我衣服)《龜鑑 下 51》.

엇-대다 타 어긋나게 대다.

엇더 부 〈옛〉 어찌. ¶百姓을 어엿비 너기실쎠 十方앳 사ᄅᆞ미 다 아ᅀᆞᆸᄂᆞ니 오ᄂᆞᆳ나래 엇더 시르믈 ᄒᆞ시ᄂᆞ니잇고 《月釋 X:4》/世尊하 내어미 五百僧齋호ᄃᆡ 化樂天에 엇더 업ᄉᆞ니잇가《月釋 XXIII:68》.

엇더타 감 〈옛〉 '어찌하여'를 감탄적으로 나타낸 말. ¶落日은 西山에 져서 東海로 다시 나고 가을이운 풀은 ᄒᆡ마다 푸르거ᄂᆞᆯ 엇더타 오즉 사람은 歸不歸ᄅᆞᆯ ᄒᆞᄂᆞ니《古時調 李鼎輔》.

엇더ᄒᆞ다 형 〈옛〉 어떠하다. ¶蓋世氣象이 엇더ᄒᆞ시니(蓋世氣象固如何云)《龍歌 65 章》.

엇던 관 〈옛〉 어떤. 어떠한. ¶엇던 ᄆᆞᅀᆞᆷ고(何心哉)《楞嚴 Ⅵ:99》.

엇덧타 감 〈옛〉 '어찌하여'의 뜻을 감탄적(感歎的)으로 나타내는 말. ¶엇덧타 凌煙閣畫像을 우리 몬져 ᄒᆞ리라 《海謠 22》. ＊어찌타.

엇뎌 부 〈옛〉 어찌. ¶네 엇뎌 本源ㅣ니 佛性ㅣ니 구러 일훔 진ᄂᆞᆫ다ᄒᆞ시니《龜鑑 上 1》.

엇뎨 부 〈옛〉 어찌. 어째서. ＝엇졔. ¶焉은 엇뎨ᄒᆞᄂᆞᆫ ᄠᅳ디오《月序 2》/엇뎨 시러곰 八方ㅅ 바ᄅᆞᆯ므를 업더(安得覆八溟)《杜諺 Ⅵ:50》.

엇뎨어뇨 부 〈옛〉 어째서냐. ¶如來이 方便으로 衆生ᄋᆞᆯ 敎化ᄒᆞᄂᆞ니라 엇뎨어뇨ᄒᆞ란ᄃᆡ ᄒᆞ다가 부톄 世間애 오래 住ᄒᆞ면 德 열본 사ᄅᆞ미 善根ᄋᆞᆯ 시므디 아니ᄒᆞ야《月釋 XVII:4》/시혹 다ᄅᆞ너 이ᄅᆞᆯ 뵈야 믈읫 닐온 마리 다 實ᄒᆞ야 虛티 아니ᄒᆞ니라 엇뎨어뇨ᄒᆞ란ᄃᆡ 如來三界相ᄋᆞᆯ 實다비 아라 보아 生死ㅣ 므르며 나니 업스며《月釋 XVII:1》.

엇뎨ᄒᆞ다 타 〈옛〉 어찌하다. ¶이제 엇뎨ᄒᆞ야사 地獄잇ᄂᆞᆫ ᄯᆞ해 가리잇고《月釋 XXI:25》.

엇-되다 형 ①좀 건방지다. ②어지빠르다.

엇된-놈 명 ①좀 건방진 놈. ②엇나가는 말이나 짓을 잘하는 놈.

엇됭이 명 〈방〉 언청이(평북).

엇디 부 〈옛〉 어찌. ¶엇디 업스리오(那無)《杜諺 Ⅰ:6》/엇디 븟그러오믈 ᄎᆞ마(能忍恥與醜)《五倫 Ⅱ:27》/엇디 ᄒᆞᆫ 몸으로 두 님군을 셤기고(豈以一身事二姓)《五倫 Ⅱ:18》.

엇디라 부 〈옛〉 어쩌라고. 어쩌자고. ¶내 엇디라 物累에 逼迫ᄒᆞ야(奈何迫物累)《杜諺 Ⅰ:25》.

엇디ᄒᆞ다 자타 〈옛〉 어찌하다. ¶조롱곳 누로기 미와 잡ᄉᆞ와니 내 엇디ᄒᆞ리잇고 《樂詞 靑山別曲》/오리도 가리도 업슨 바므란 ᄯᅩ 엇디호리라《樂詞 靑山別曲》.

엇-뜨기 명 〈방〉 사팔뜨기.

엇-뜨다 타 눈동자가 몰아 박이어서 빗보다.

엇마 명 〈옛〉 얼마. ¶엇멋 福ᄋᆞᆯ 어드리잇고(得幾所福)《妙蓮 Ⅵ:3》.

엇-막다 타 〈옛〉 가로 막다. 비스듬하게 막다. ¶ᄆᆞᆯ겨틔 엇마ᄀᆞ시니(馬外橫防) 《龍歌 44 章》.

엇-막이 명 격구(擊毬)할 때, 공을 치며 나아가는 도중에 구문(毬門) 가까이 이르러서 공이 무엇에 부딪혀서 말의 왼쪽으로 빗나가면, 오른편 등자(鐙子)에서 발을 빼면서 몸을 번드쳐 발을 땅에 대지 아니하고 공을 쳐서 공을 바로 잡아 계속하여 쳐서 공을 문으로 내어 보내는 동작. 횡방(橫防).

엇맞춰-이음 명 〖건〗 길이이음의 한 가지. 이으려고 하는 목재나 돌 등의 양쪽의 이을 부분을 비스듬히 깎아 맞추되 사면(斜面)의 가운데가 턱지게 하여서 잇는 이음.

엇-매끼다 타 ↗어긋매끼다.

엇-먹다 타 ①언행을 사리에 맞지 아니하게 비꼬다. ¶이 동리 청년들끼리 엇먹는 수작으로, 허울만 좋지 아무 짝에 소용이 닿지 않는 인물…《沈熏 : 常綠樹》. ②나무를 켤 때 톱이 비뚜로 썰어 들어 가다.

엇-메다 타 이쪽 어깨에서 저쪽 겨드랑이 밑으로 걸어서 메다. ¶석가탑 위에서 까무러친 아사달을 발견하고 곧 절 안을 혼동시켜 기절한 이를 엇메어다가 제 방에 갖다 뉘였다《玄鎭健 : 無影塔》.

엇모리-장단【—長短】 명 〖악〗 민속 음악에서, 산조(散調)나 판소리에 쓰이는 장단의 하나. 3 박과 2 박이 교대로 나오는 매우 빠른 10 박 장단임.

엇-물다 타 ↗어긋물다.

엇-물리다 타 ↗어긋 물리다.

엇미나 부 〈옛〉 얼마나. ¶十丈紅塵이 엇미나 ᄀᆞ렷는고《海謠》.

엇-바꾸다 타 서로 바꾸다.

엇-바꾸이다 피동 '엇바꾸다'의 피동형. 준 엇바뀌다.

엇-바뀌다 피동 ↗엇바꾸이다.

엇-박다 타 ①둘을 서로 번갈아 엇갈리게 박다. ②어슷하게 또는 비뚜름하게 박다.

엇-베다 타 비뚤어지게 베다.

엇-베이다 피동 '엇베다'의 피동형.

엇-보[1]【—保】 명 두 사람이 한 곳에서 빚을 얻을 때 서로 서는 보증.

엇:-보[2]【語—】 명 ☞ 말보.

엇-부루기 명 아직 큰 소가 되지 못한 수송아지.

엇-붙다 자 비스듬하게 맞닿다.

엇-붙이다 [—부치—] 타 엇붙게 하다.

엇-붙임 [—부침] 명 〖건〗 목재(木材) 같은 것을 엇깎아 쪽붙임하는 일.
엇브시 부 〈옛〉 방불히. =엇쁘시. ¶五月에 엇브시 ᄎᆞᆫ ᄆᆡ야ᄆᆡ 소릴 듣논ᄃᆞᆺᄒᆞ다라(五月髣髴聞寒蟬)≪初杜諺 Ⅵ:40≫.
엇-비끼다 자 반대가 되게 서로 비끼다. ¶우리는 멍하니 서로의 시선을 엇비끼면서 담배를 피우고 있었다≪崔仁浩 : 무서운 複數≫.
엇비뚜름-하다 형(여불) 조금 비뚜름하다. **엇비뚜름-히** 부
엇비스듬-하다 형(여불) 조금 비스듬하다. **엇비스듬-히** 부
엇비슷-이 부 엇비슷하게.
엇비슷-하다 형(여불) ①어지간하게 거의 같다. ②약간 비슷하다.
엇-비치다 자 빛 따위가 비스듬하게 비치다.
엇빗금-무늬 [—니] 명 〖고고학〗 세모띠무늬가 위아래로 길어진 무늬.
엇빗-날 명 〖고고학〗 엇갈림떼기 수법으로 만들어, 석기 따위에 어슷비슷하게 난 날. 안팎날의 경우에 생김. 갈지자날.
엇-빗이음 [—니—] 명 〖건〗 길이이음에서, 두 갈래의 촉이 서로 반대 방향으로 비스듬히 물리게 된 이음.
엇-뿌리 명 〖식〗 막뿌리.
엇쁘시 부 〈옛〉 방불히. =엇브시. ¶이는 남기 엇쁘시 어믜 얼굴이 ᄀᆞᆮ거늘(忽見枯母宛似母形)≪東國新續三綱 孝子圖 Ⅰ:6≫.
엇-서다 자 남의 말에 따르지 않고 엇나가며 맞서다.
엇-섞다 타 서로 어긋매껴 섞다.
엇-섞이다 피동 '엇섞다'의 피동형.
엇-세우다 타 엇서게 하다.
엇-셈 명 ①서로 마주 에끼는 셈. ②상대자 밖의 딴 사람에게 셈을 넘기어서 상대자끼리는 서로 에끼는 셈. ——-하다 타(여불)
엇-송아지 명 아직 덜 자란 송아지. *엇부루기.
엇스다 자 〈방〉 엇서다(전라).
엇-시조 【旕時調】 명 ①〖문〗 초장·중장·종장 중에서 종장을 제외한 어느 한 구절이 평시조보다 글자 수가 더 많은 시조. 중시조(中時調). 중형 시조(中形時調). *사설 시조. ②〖악〗 시조 창법(唱法)에서, '사설(辭說) 지름 시조'의 구칭.
엇-시침 명 시침질의 하나. 직각으로 바늘을 시침함. 두꺼운 모직이나 안감을 맞출 때, 심을 넣을 때 등에 이용함.
엇엮음 시조 【—時調】 [—녀—] 명 〖악〗 시조(時調)의 창법(唱法)에서, 수잡가(首雜歌)의 구칭(舊稱).
엇웁다 형 〈옛〉 어슷하다. ¶네차힌 눈서비 놉고 기르시고 初生ㅅ돌 ᄀᆞ티 엇우브시고 감ᄑᆞ른 瑠璃ㅅ빗 ᄀᆞᄐᆞ시며≪月釋 Ⅱ:55≫.
엇-잡다 타 어슷하게 서로 잡다.
엇-장단 【—長短】 명 〖악〗 신놀이장단(長短).
엇제 부 〈옛〉 어찌. =엇뎨. ¶엇졔 시러곰 글월 브텨(焉得附書)≪重杜諺 Ⅳ:4≫.
엇-조 【—調】 명 비위에 거슬려 엇서는 말투. ¶아버지 어머니가 가라시기 전엔 한 달 장간 묵을는지 모르우 하구 ~루 대답했더랍니다≪洪命憙 : 林巨正≫.
엇중모리-장단 【—長短】 명 〖악〗 민속 음악에서, 산조(散調)나 판소리에 쓰이는 장단의 하나. 빠르기는 중모리와 같고 박(拍)의 수는 중모리의 절반인, 보통 빠르기의 6박 장단임.
엇지타 감 〈옛〉 '어찌·어찌하여'를 감탄적으로 이른 말. ¶靑山에 눈이 오니 峯마다 玉이로다 뎌 산 푸르기ᄂᆞᆫ 봄비에 잇거니와 엇지타 우리의 白髮은 검겨 볼 줄 잇스랴≪古時調 類聚≫/말 타고 쏫 바테 드니 말굽아리 香ㄴ난다 酒泉堂 도라드니 아니 먹은 술ㄴ 난다 엇지타 눈 情에 거론 님은 말이 몬저 아나니≪古時調 類聚≫.
엇-청 명 〖악〗 시조를 부르는 사람의 성역(聲域)이 평조청은 너무 높고 계면청은 너무 낮아 그 중간에 속할 때, 악기가 그 목소리에 맞추어 중간 정도의 음을 내주는 일. 얼청.
엇-치량 【—樑】 명 〖건〗 넓이를 두 칸 반 통이 되도록 보를 여섯 줄로 세로 올리어 짓는 집 제도.
엇치량-집 【—樑—】 [—찝] 명 〖건〗 엇치량으로 지은 집.
엇턱-이음 명 〖건〗 이음의 한 가지. 둥근 통나무 같은 것의 이을 부분을 양쪽 다 턱이 지게 하여 맞추어 잇는 이음.

〈엇턱이음〉

엇평 명 〖건〗 윗가지로 쓰이는 가느다란 나무 오리. 졸대. 졸대목.
-었- 선어미 동사·형용사의 음성·중성(中性) 모음으로 끝나는 어간에 붙어 과거의 뜻을 나타내는 선어말 어미. ¶자고 있~다. *-았-.
었소 감 〈방〉 옛소.
-었습니다 어미 선어말 어미. '-었-'과 '-습니다'가 합친 서술격 종결어미.
-었었- 선어미 동사나 형용사의 음성 또는 중성 모음 어간 뒤에 쓰이어, 과거의 일이나 상태가 현재는 그렇지 않다거나 또는 현재와 강하게 단절되었음을 나타내는 선어말 어미. 흔히 과거 관련의 시간 부사어가 앞에 있을 때 씀. ¶그는 한때 선생이~다 / 젊었을 때는 밥을 많이 먹~단다. *-았었-.
-었읍니다 어미 ☞ -었습니다.
-었자 어미 동사·형용사의 음성·중성 모음으로 끝나는 어간에 붙어, 그 행동이나 상태를 인정하더라도 상반되는 결과로밖에 될 수 없음을 나타내는 연결 어미. ¶아무리 큰 소리 치~ 소용 없다 / 인구가 늘~ 고작 100만 명인걸. *-았자.
엉 부 개 따위가 덤빌 때 내는 소리. ——-하다 자(여불)
엉거꿍이 명 〈방〉 찔레(평안).
엉거능측-하다 형(여불) 능청스럽게 남을 속이는 수단이 있다.
엉거시 명 〖식〗 [*Carduus crispus*] 국화과에 속하는 월년초(越年草). 엉겅퀴와 비슷한데 줄기는 가시와 지느러미 모양의 날개가 두 줄 있으며 높이 50-100cm임. 잎은 호생하고 우상(羽狀)으로 갈라지며 피침형인데 가장자리에 가시가 많음. 6-10월에 홍자색 통상화(筒狀花)가 두화(頭花)로 정생하고, 과실은 뻣뻣한 관모(冠毛)가 있음. 산이나 들에 나는데 한국·일본 및 아시아 대륙에 분포함. 어린 잎은 식용함. 지느러미엉겅퀴.

〈엉거시〉

엉거주춤 부 ①앉지도 서지도 아니하고 몸을 굽히고 있는 모양. ②가부(可否)를 가리지 못하고 망설이는 모양. 1)·2):>앙가조촘. ——-하다 자(여불)
엉거키 명 〈방〉 까끄라기(충남).
엉걸 명 ☞ 언걸.
엉겁 명 끈끈한 물건이 주체스럽게 달라붙은 상태. ¶엿이 손에 ~이 되다.
엉겁-결에 부 뜻하지 아니한 겨를에. ¶무서워서 ~ 소리를 질렀다.
엉겅퀴 명 〖식〗 [*Cirsium maackii* var. *koraiense*] 국화과에 속하는 다년초. 줄기는 높이 1m 내외, 잎은 우상 심렬(羽狀深裂)하며 무병(無柄)임. 6-8월에 자색의 관상(管狀) 두화(頭花)가 줄기와 가지 끝에 하나씩 피고, 수과(瘦果)를 맺음. 들에 나는데, 거의 한국 전역(全域)에 분포(分布)함. 줄기와 잎은 약용(藥用) 및 식용(食用)함. 귀계(鬼薊). 야홍화(野紅花).

〈엉겅퀴〉

엉겅퀴 나물 명 엉겅퀴의 뿌리나 잎으로 만든 나물. 대계채(大薊菜).
엉구다 타 여러 가지를 모아 일이 되도록 하다. ¶일을 엉구자면 사람이 더 필요하다 / 하늘과 땅같이 그다지 틀리는 것을, 그 사이에서 혼인을 엉구어댄 사람은 누구인데…≪李相協 : 再逢春≫.
엉구럭 명 〈방〉 언구럭.
엉구럭-지기다 자 〈방〉 엄살하다.
엉구렁 명 〈방〉 엄살. ——-하다 자
엉구렁-지기다 자 〈방〉 엄살하다.
엉그름 명 차지게 갠 흙바닥이 말라 터져서 넓게 벌어진 금. ¶논바닥에 ~이 간다.
엉글-거리다 자 ①어린아이가 소리없이 연해 웃다. ②무엇을 속이면서 연해 억지로 웃다. 1)·2):>앙글거리다. **엉글-엉글** 부. ——-하다 자(여불)
엉글-대다 자 엉글거리다.
엉글-벙글 부 엉글거리면서 벙글벙글하는 모양. >앙글방글. ——-하다 자(여불)
엉금-썰썰 부 엉금엉금 굼뜨게 기다가 재빠르게 기는 모양. >앙금쌀쌀.
엉금-엉금 부 몸집이 큰 사람이나 다리가 긴 동물이 굼뜨게 걷거나 기어 가는 모양. ㉹ 엉큼엉큼. >앙금앙금.
엉기다 자 〔근대 : 엉긔다〕 ①한데 뭉치어 굳어지다. 물 같은 것이 죽이나 풀 같은 것으로 되다. ②일을 척척 못하고 허둥거리다. ③간신히 기어가다.
엉기-정기 부 질서 없이 여기 저기 벌여 놓인 모양.
엉김 명 〔coagulation〕 〖화〗 콜로이드 입자(粒子)가 모여 침전하는 현상을 이름. 소수(疏水) 콜로이드는 소량(少量)의 전해질(電解質)을 가하면 엉김. 응결(凝結).
엉너리 명 남의 환심을 사기 위하여 어벌쩡하게 서두르는 짓.
　엉너리(를) 치다 구 능청스러운 수단으로 남의 환심을 사다.
엉너릿-손 명 엉너리로 사람을 후리는 솜씨.
엉넉 명 〈방〉 언덕.
엉당-짝 명 〈방〉 볼기짝(평안).
엉댕이 명 〈방〉 엉덩이(평안·황해).
엉더리 명 〈방〉 엉덩이(함남).
엉덕 명 〈방〉 ①언덕(충남·전북·경상·제주). ②벼랑(전북·경남).
엉:덩-머리 명 〈속〉 엉덩이.
엉:덩-방아 명 엉덩이로 바닥을 쾅 구르는 짓. 곧, 넘어져 털썩 주저앉는 짓의 비유.
　엉:덩방아(를) 찧다 구 엉덩이를 땅에 부딪치듯 주저앉다.
엉:덩-배지기 명 씨름에서, 어깨로 상대를 밂과 동시에 몸을 크게 회전시켜 엉덩이를 상대의 배 깊숙이 돌려 대면서 힘차게 당기어 상대를 돌려 던지는 허리 기술의 하나.
엉:덩이 명 볼기의 윗부분.
　엉:덩이가 구리다 구 방귀를 뀐 장본인이라는 뜻으로, 부정(不正)이나 악(惡)의 혐의를 둠직하여 아무래도 수상하다는 말.
　엉:덩이가 근질근질하다 구 일어나거나 활동하고 싶어서 가만히 앉아 있을 수가 없다.
　엉:덩이가 무겁다 구 '궁둥이가 무겁다'와 같은 뜻.
　엉:덩이로 밤:송이를 까라면 깠지 구 시키는 대로 할 일이지 웬 군소리냐고 우겨대는 말.
　엉:덩이를 붙이다 구 한 군데에 자리잡고 머무르다. 또, 한 군데에 오래 앉아 있다.
　엉:덩이에 뿔이 났다 구 아직 자주 자립(自主自立)할 처지에 이르지 못한 사람이 남의 가르침을 받지 않고 벗나갈 때에 이르는 말.
엉:덩이-뼈 명 〖생〗 엉덩이에 붙은 뼈. 천골(薦骨).
엉:덩잇-바람 명 기세 좋게 엉덩이를 흔들고 걷는 바람.
　엉:덩잇바람이 나다 구 신바람이 나서 몸놀림이 저절로 가벼워지다. ¶늙은 놈은 막걸리 잔이나 더 먹이마는 소리에 엉덩이바람이 절로 나서 금년을 질끈질끈 힘을 써가며 동여 놓고≪金敎濟:牡丹花≫.
엉:덩잇-짓 명 엉덩이를 흔드는 짓. ——-하다 자(여불)
엉:덩-춤 명 ①신이 나서 엉덩이를 들먹들먹하는 짓. ②엉덩이를 흔들며 추는 춤.
엉:덩-판 명 엉덩이의 넓적한 부분.
엉덩-하다 형(여불) ☞ 엉성하다. ¶비록 주인이라고는 아무도 없고 집은 엉덩하게 비었으나…≪崔瓚植 : 雁의 聲≫.
엉뎅이 명 〈방〉 엉덩이.
엉두덜-거리다 자 원망이나 불만이 있어 중얼중얼하다. **엉두덜-엉두**

덜 부. ──-하다 자 여불
엉두덜-대다 자 엉두덜거리다.
엉득 명 〈방〉 언덕(경북).
엉디 명 〈방〉 엉덩이(경북).
엉딩이 명 〈방〉 엉덩이(강원).
엉떠러진데 명 〈방〉 낭떠러지(전북).
엉떡 명 〈방〉 언덕(전라·충청).
엉떼-벙떼 부 〈방〉 얼렁뚱땅. ──-하다 자
엉뚝 명 〈방〉 ①언덕(전남·경남). ②벼랑(경남).
엉뚱-스럽다 형 ㅂ불 엉뚱한 듯하다. 엉뚱-스레 부
엉뚱-하다 형 여불 ①제 분수에 지나친 말이나 행동을 하다. ¶엉뚱한 짓/한다는 소리가 ~. >앙똥하다. ②느닷없거나 상식을 넘어서 생각 밖인 느낌이 있다. ¶사태가 엉뚱한 결과를 가져왔다.
엉망 명 일이나 물건이 헝클어지고 뒤섞여서 갈피를 잡을 수 없는 상태. ¶일을 ~으로 만들다.
엉망-진창 명 '엉망'의 힘줌말.
엉-머구리 명 개구리의 한 종류. 몸이 큰데 누런 빛이며 등에 검누른 점이 있음. ¶아이들이 ~ 끓듯하다.
엉무개 명 〈방〉〖어〗 곤들매기.
엉버름-하다 형 여불 커다랗게 떡 벌어져 있다. >앙바름하다.
엉벙-뗑 부 〈방〉 엄벙뗑(충청). ──-하다 자
엉벙-뚱땅 부 〈방〉 얼렁뚱땅(평안). ──-하다 자
엉석 명 〈방〉 응석.
엉성-궂다 형 매우 엉성하다.
엉성-하다 형 여불 ①꽉 째이지 않아 어울리지 않다. ¶엉성한 울타리/엉성한 작품. ②뼈만 남도록 버쩍 마르다. ③탐탁하지 못하다. 1)·2): >앙상하다. 엉성-히 부
엉세-판 명 가난하고 궁한 판. ¶손아 날 살려라 하고 애면글면 ~을 허둥거리는 동안에 다시금 십여 년의 세월이 흘렀다≪金廷漢 : 수라도≫.
엉쇠-판 명 〈방〉 엉세판.
엉시니 명 〈방〉 엉덩이(강원).
엉싱이 명 〈방〉 엉덩이(경북).
엉아 명 〈방〉 형(兄)(경남).
엉아자비 명 〈방〉〖충〗 버마재비.
엉어리 명 〈방〉 응어리.
엉얼-거리다 자 ①원망하는 뜻으로 중얼거리다. >앙알거리다. ②〈방〉 응얼거리다. 엉얼-엉얼 부. ──-하다 자 여불
엉얼-대다 자 엉얼거리다.
엉:-엉 부 목놓아 우는 소리. >앙앙. ──-하다 자 여불
엉엉-거리다 자 ①목놓아 울다. ②가난의 괴로움을 하소연하다. 1)·2): >앙앙거리다.
엉엉-대다 자 엉엉거리다.
엉이야-벙이야 부 일을 얼렁수로 꾸며대는 모양. ──-하다 자 여불
엉이-없:다 형 〈방〉 어이없다(함경).
엉절-거리다 자 군소리로 원망하는 뜻을 나타내다. >앙잘거리다. 엉절-엉절 부. ──-하다 자 여불
엉절-대다 자 엉절거리다.
엉정-벙정 부 쓸데없는 물건을 벌여 놓는 모양. ──-하다 자 여불
엉차 감 〈방〉 어여차.
엉치 명 〈방〉 엉덩이(함경·제주).
엉카래 명 〈방〉 열목카래.
엉클 〔uncle〕 명 숙부(叔父). 백부(伯父). 아저씨.
엉클다 타 실·새끼 같은 물건이나 일을 서로 뒤섞어서 풀어지지 않게 하다. 쓰헝클다.
엉클리다 피동 엉클림을 당하다. 엉클어지다. 쓰헝클리다.
엉클 샘 〔Uncle Sam〕 명 〔미국의 약자 US로 만든 희어(戲語)〕 미국 정부 또는 전형적인 미국 사람의 별명.
엉클어-뜨리다 타 엉클어지게 하다. 쓰헝클어뜨리다.
엉클어-지다 자 일이나 물건이 서로 얽히어서 풀어지지 않게 되다. 준 엉키다. 쓰헝클어지다.
엉클어-트리다 자 얼클어뜨리다. 쓰헝클어트리다.
엉클 톰스 캐빈 〔Uncle Tom's Cabin〕 명〖책〗 1852년 미국의 스토 부인(Stowe 夫人)이 저술한 장편 소설. 주인공인 흑인 톰과 그를 둘러싼 노예의 비참한 상태를 그려서 자유·박애의 정신을 고취하고 남북 전쟁에 앞서 노예 제도 폐지의 기운(機運)을 일으키는 데 기여(寄與)한 작품임.
엉큼 대:왕【一大王】 명 엉큼한 마음으로 도에 넘치는 일을 하는 사람의 별명.
엉큼-성큼 부 긴 다리로 발을 무겁게 떼었다 가볍게 떼었다 하며 큰 걸음으로 걷는 모양. >앙큼상큼. *성큼성큼.
엉큼-스럽다 형 ㅂ불 엉큼한 듯하다. >앙큼스럽다. 엉큼-스레 부
엉큼-엉큼 부 큰 사람이나 짐승이 활기 있게 기어 가는 모양. ㄴ엉금엉금. >앙큼앙큼.
엉큼-하다 형 여불 엉뚱한 속셈을 품고 도에 넘치는 일을 할 경향이 있다. >앙큼하다.
엉키다 자 ①↗엉클어지다. ②엉기다❶. ¶가슴 속에 맺히고 엉킨 회포.
엉터리 명 ①터무니없는 말이나 행동을 하는 사람. ¶~ 같은 수작. ②허울만 있고 내용이 빈약하거나 졸렬한 사물이나 사람. ¶순 ~ 작품이다. ③대강의 윤곽(輪廓). 형지(形址). ¶이제 겨우 ~를 잡았다. ④사물의 근거. 터무니. ¶~없다.
엉터리-없다 〔一업一〕 형 터무니가 없다. 이치에 닿지 않다.
엉터리-없이 〔一업씨〕 부 터무니가 없게. 이치에 닿지 않게.
엉턱 명 〈방〉 언덕.
엊-그저께 명 이삼 일 전(前). 어제 그저께. 준엊그제.
엊-그제 명 ↗엊그저께.
엊-빠르다 형 르불 ↗어지빠르다.
엊-저녁 명 ↗어제저녁.
엎-누르다 타 르불 ↗엎어 누르다.
엎-눌리다 피동 엎누름을 당하다.
엎다 타 ①밑바닥과 윗바닥을 바꾸어서 뒤집어 놓다. ②망쳐 버리다. ③못 일어나도록 위를 덮다.
[엎 이르면 되들어라] 잘못 이르더라도 듣는 측이 짐작해서 옳게 들으라는 말.
엎대다 자 〈방〉 엎드리다.
엎더-지다 자 ↗엎드러지다. ¶그들은 서로 접근하려고 밀어서 엎더지기도 하고 당겨서 넘어지기도 하여…≪金東里 : 사반의 십자가≫.
[엎더져 가는 놈 꼭뒤 찬다] 불우한 처지를 당한 이를 한층 더 괴롭힌다는 말. '자빠진 놈 꼭뒤 차기'와 같은 뜻. [엎더지며 곱더지며] 연해 엎드러지면서 달아나는 모양을 이름.
엎드러-뜨리다 타 남을 앞으로 넘어지게 하다.
엎드러-지다 자 잘못되어 앞으로 엎어지다. 준엎더지다.
[엎드러지면 코 닿을 데] 거리가 매우 가깝다는 뜻.
엎드러-트리다 타 엎드러뜨리다.
엎드려-뻗쳐 명 감 손으로 바닥을 짚고 엎드려서 몸을 뻗치는 일. 또, 그렇게 하라는 구령.
엎드리다 자 〔중세 : 업더리다〕 몸의 앞 부분을 바닥에 가까이하거나 붙이다. 준엎디다.
[엎드려 절 받기] '옆 찔러 절 받기'와 같은 뜻.
엎디다 자 ↗엎드리다.
[엎디면 코 닿을 데] 거리가 아주 가까운 곳을 이름.
엎어 놓다 〔一노타〕 타 뒤집어 엎어서 놓다.
엎어 누르다 타 르불 위에서 내려 눌러 일어나지 못하게 하다. 준엎누르다.
엎어 말다 타 ①국수·떡국 같은 것의 두 그릇을 한데 말다. ②국수나 떡국 등에 고기가 보이지 않게 밑에 넣고 말다.
엎어-묻기 명〖고고학〗 엎드린 자세로 시체를 묻는 방법. 부신장(俯身葬).
엎어 삶다 〔一삼따〕 타 ①그럴싸한 말로 얼러 넘기다. ②노름판에서 이기어 차지할 돈의 전부를 그대로 태어 놓고 다음 승부를 다투기로 하다.
엎어-지다 자 ①앞으로 넘어지다. ②뒤집히다. 위로 갔던 쪽이 아래로 가다. ③일이 가망없이 망쳐지다.
[엎어지면 궁둥이요 자빠지면 불알뿐이다] 알몸밖에는 아무것도 없는 신세란 말. [엎어진 김에 쉬어 간다] 뜻하지 않던 기회를 타서 자기가 하려고하던 일을 이룬다는 뜻. '떡본 김에 제사 지낸다'와 같은 뜻.
엎으러-지다 자 〈방〉 엎어지다.
엎-자치 명 장지문·선반 등의 어깨를 서로 앗아 틈이 나지 않게 하는 것.
엎-지르다 타 르불 그릇에 담기어 있는 액체를 쏟아지게 하다.
[엎질러 절 받기] '옆찔러 절 받기'의 잘못.
엎지른 물 구 다시 회복할 수 없는 일의 비유. 깨어진 독.
엎질러-지다 자 담긴 그릇에서 액체가 쏟아져 나오게 되다.
엎-집 명〖건〗 빗물이 한쪽으로만 흐르도록 지붕의 앞쪽은 높고 뒤쪽은 낮게 하는 양식의 집.
엎쳐-뵈다 자 ①구차스럽게 남에게 머리를 숙이다. ②〈속〉 절하다.
엎-치다 ㊀ 자 배를 땅 쪽으로 깔다. ㊁ 타 '엎다'의 힘줌말.
엎친 데 덮친다 구 곤란한 일이나 불길한 일이 겹쳐 일어난다는 말. ¶이 부인은 신세를 생각하고 원통할 뿐더러 엎친 데 덮친다고 천리 절도 밖에 가신 부모와 동기의 소식이 돈절하여≪李海朝: 鬢上雪≫.
엎친 물 구 '엎지른 물'의 뜻으로, 다시 회복할 수 없음을 이르는 말.
엎치락-뒤치락 부 연해 엎쳤다가 뒤쳤다가 하는 모양. ¶경기가 ~하니 승자를 예견하기가 어렵다. ──-하다 자 타 여불
에[1] 명〖언〗 한글의 합성 모음 'ㅔ'의 이름.
에[2] 명 〈방〉 오이·참외(경상·함경).
에[3] 명 〈옛〉 틈. =어[2]. ¶예가 잇거든 에 보와 못 오시리잇가≪諺簡 34 顯宗諺簡≫.
에[4] 감 ①뜻에 맞지 아니할 때 역정으로 내는 소리. ¶~ 기분 잡쳤어. >애[9]. ②거절하거나 나무랄 때 내는 소리. ¶~ 이 친구야/~ 그만 두겠네. ③〈방〉 예[19]❶.
['에'해 다르고 '애'해 다르다] 말씨 여하로 상대편에게 주는 느낌이 다르다는 말.
에[5] 감 말을 할 때 말에 뜸을 들이는 소리.
에[6] 조 ①명사 아래에 붙어 처소(處所)·때·대상 등을 나타내는 부사격 조사. ¶강~ 떨어진 공/하루~ 한 번/시험~ 합격했다/꽃~ 물을 주다/물~ 빨다/감언 이설~ 속았다/하나~ 둘을 보태다. ②명사 아래에 붙어 진행 방향을 나타내는 부사격 조사. ¶학교~ 간다. ③명사 아래에 붙어 원인을 나타내는 부사격 조사. ¶바람~ 날리는 갈대. ④〔↗에다·에다가〕 명사 아래에 붙어, 두 개 이상의 체언을 동등 자격으로 열거하는 접속 조사. ¶밥~ 떡~ 과일~ 아주 진탕 먹었다. ⑤↗에다·에다가. ¶국~ 밥을 말다.
에[7]【了】 조 〈이두〉 에.
-에 어미 〈옛〉 -게. ¶녀를 외에 아녀 ᄒᆞ노니라≪蒙法 3≫/머리 놀오매 사로ᄆᆞ로 ᄒᆞ여곰 여위에 ᄒᆞᄂᆞ니(遠游令人瘦)≪杜諺 Ⅰ:30≫.
에게 조 ①사람을 나타내는 체언 아래에 붙어, 행동이 미치는 상대편을 나타내는 부사격 조사. 나·너·저 등 인칭 대명사 밑에서는 '게'로 줄어

내게·네게·제게 등으로 쓰임. ¶그 분~/영이~ 주어라. ㉰게. ②체언 아래에 붙어 상대격을 나타내는 부사격 조사. ¶아우는 아버지~ 꾸지람을 들었다. *한테.

에게-다 조 '에게'에 '다가'의 뜻을 붙인 말.

에게-로 조 체언 아래에 붙어 무엇에 닿아 감을 나타내는 부사격 조사. ¶책임이 그~ 돌아갔다. ↔에게서. *한테로.

에게 문명【一文明】명〔Aegean Civilization〕〖역〗에게 해(Aege海)의 여러 섬과 연안에 발달한 고대 문명. 기원전 20-13세기에 소아시아계 인종에 의하여 창조되어 크레타 섬을 중심으로 일어났음. 크노소스 궁전(Knossos宮殿)의 유적은 강력한 왕의 지배를 짐작케 하며, 출토 도기(出土陶器)나 벽화(壁畫)는 화려 섬세하고 사실성(寫實性)에 운동 표현을 가미한 것으로 오리엔트 문명에서 그리스 문명에의 점이성(漸移性)을 나타냄.

에게-서 조 체언 아래에 쓰이어서 탈격(奪格)을 나타내는 부사격 조사. ¶언니~ 받은 책. ↔에게로. *한테서.

에게 해【一海】명〔Aegean Sea〕〖지〗지중해 동부, 그리스와 소아시아 사이의 해역(海域). 다도해라 불리며 에게 문명의 발상지임. 섬의 대부분(大部分)은 침수 산맥(沈水山脈)이 해면(海面)으로 나타난 것으로 수심(水深)은 대부분이 1,500 m 이하이고, 최대 2,250 m임.

에계 감 ①'어뿔싸'보다 얕은 말. ¶~ 이걸 어떻게 해. ②작거나 칙살맞아 업신여겨 하는 소리. ¶~ 요깐 것을 뉘 코에 붙여.

에계-계 감 '에계'를 연거푸 한 것이 줄어 된 말.

에고〔라 ego〕명 ①자아(自我). ②↗에고이스트. ③↗에고이즘.

에고센트릭〔egocentric〕명 자기 중심적(自己中心的). ──-하다 형

에고이스트〔egoist〕명 이기주의자(利己主義者). ㉰에고. 여불

에고이스틱〔egoistic〕명 이기주의적(利己主義的). ──-하다 형여불

에고이즘〔egoism〕명 이기주의(利己主義). ㉰에고.

에고티스트〔egotist〕명 자기 중심주의자.

에고티즘〔egotism〕명 자기 중심주의(自己中心主義). 자아주의(自我主義).

에구 감 ↗어이구. >애고.

에구구 감 지극히 상심하거나 놀랐을 때에 부지중 나오는 소리. ¶~ 하늘도 무심하시지. 쓰에쿠쿠.

에구-데구 부 소리를 마구 지르며 우는 모양. 또, 그 소리. >애고대고.

에구머니 감 ↗어이구머니. >애고머니.

에구-에구 감 몹시 슬피 우는 소리. >애고애고.

에국 명 〈방〉외국(外國)(충청·전라·경남·황해·함북).

에굳다 형 〈옛〉매우 굳다. ¶에구들 료(拗)《類合 下 32》/剛強은 세여 에구들 씨라《月釋 XXI:9》/知慧 神通力으로 에구든 모딘 衆生올 降服히시ᄂᆞ다《釋譜 XI:4》.

에:-굽다[1] 형 조금 휘우듬하게 굽다.

에굽다[2] 형 〈옛〉굽다. 에워 굽다. ¶목은 기되 에굽고(項長彎曲)《馬經 上 3》/바회 우희 에구븐 길 솔아래 빗겨 잇다《古時調》.

에귀유〔프 aiguille〕명 등산 용어로, 바늘같이 날카롭고 뾰족한 바위나 봉우리.

에그[1]〔egg〕명 달걀.

에그[2] 감 가엾거나 징그럽거나 섬뜩할 때 내는 소리. ¶~ 가엾어라.

에그그 감 퍽 놀랐을 때 부지중 나오는 소리.

에그몬트〔Egmont〕명 ①〖연〗플랑드르의 에흐몬트를 소재로 한 괴테의 사극(史劇). 비극. 5막. 1787년 발표됨. ②〖악〗위의 비극의 극중 음악. 베토벤 작곡으로, 모두 10곡의 서곡·간주곡임.

에그몬트 산【一山】〔Egmont〕명〖지〗뉴질랜드의 사화산(死火山). 아름다운 원뿔 모양의 산으로 사철 눈에 덮여 있음. 등산 설비가 잘 되어 있어 여름철에는 등산객이 많음. [2,519 m]

에그 밀크〔egg+milk〕명 뜨거운 우유에 달걀을 넣은 음료.

에그버트〔Egbert〕명〖사람〗서부 색슨(West Saxons)의 왕. 처음 웨섹스왕(Wessex王)이었으나 머시아(Mercia)를 격파하고, 노섬브리아(Northumbria)에 종주권(宗主權)을 인정시켜, 829년 잉글랜드 최초의 통일 정권을 수립함. [775?-839; 재위 802-839]

에그 프라이〔egg+fry〕명 달걀을 기름에 튀긴 음식(飮食). 프라이를 한 달걀.

에:기 감 마음에 마땅치 않을 때 내는 소리. ¶~ 나쁜 사람 같으니라구.

에기다 타 〈방〉예다. ㉰엑. 쓰에끼[2].

에깨 명 〈방〉어깨(경상).

에꺼나 감 〈방〉에끄나.

에꾸 감 ↗에꾸나.

에꾸나 감 깜짝 놀랄 때 내는 소리. ㉰에꾸. 쓰에쿠나.

에꾸다 타 ☞ 에끼다.

에끄 감 ↗에끄나. ¶~ 저 쥐새끼 보아.

에끄나 감 갑자기 놀랐을 때 내는 소리. ㉰에끄.

에끼[1] 감 갑자기 놀랐을 때 내는 소리. 쓰에키.

에:끼[2] 감 마음에 마땅치 않을 때 내는 소리. 예끼. ¶~ 이 고얀 놈. 스에기.

에끼나 감 〈방〉에끄나.

에끼다 타 서로 주고받을 물건이나 일을 비겨 없애다. 상계(相計)하다.

에나멜〔enamel〕명 ①금속 기구·도기·유리 그릇 등의 위에 모양을 착색하는 데 쓰는 유리질의 도료. 법랑(琺瑯). ②에나멜 페인트. ③전선(電線) 따위에 입히는 절연용(絶緣用) 니스.

에나멜 가죽〔enamel〕명 표면에 에나멜을 발라 광택을 내는 동시에 내수성(耐水性)을 크게 한 가죽.

에나멜-선【一線】〔enamel〕명〖전〗법랑(琺瑯)으로 된 절연 니스를 전선(電線)에 입혀 고온도(高溫度)로 가열하여 만든 전선.

에나멜-지【一紙】〔enamel〕명 점토(粘土)·황산 바륨·탄산 칼슘 등의 백색 안료(顔料)의 자디잔 가루와 카세인(casein) 용액을 섞은 것을 바른 종이. 인쇄 용지로 사용함.

에나멜-질【一質】〔enamel〕명 법랑질(琺瑯質).

에나멜 페인트〔enamel paint〕명 니스와 안료(顔料)를 혼합하여 만든 도료. 에나멜.

에너르다 형(르불) 크게 에둘리어 너르다.

[에너른 밭골이라] 밭이나 집이 크고 너르면 구석구석 주워 모을 거리가 많다는 말.

에너지〔energy〕명 ①원기(元氣). 정력(精力). ②〖물〗기본적인 물리량(物理量)의 하나. 일을 할 수 있는 능력. 그 일의 양으로써 에너지의 양을 나타냄. 에너지의 형태에 따라 운동·위치·열·전기 등 각 에너지로 구분함. 에네르기.

에너지 경제 연:구원【一經濟研究院】〔energy〕명 에너지 경제 연구원법에 의거, 국내외의 동력 및 지하 자원에 관한 각종 동향과 정보를 신속히 수집·조사·연구하고 이를 보급·활용하게 함으로써 국가의 동력 및 지하 자원에 관한 정책의 수립과 국민 경제의 향상을 도모할 목적으로 설립한 특수 법인.

에너지 관리【一管理】〔一괄一〕명〔energy management〕〖항공〗로켓의 비행(飛行) 및 비행 제어에 소비되는 연료를 감시하는 일.

에너지 관리 공단【一管理公團】〔energy〕〔一괄一〕명〖법〗에너지 이용 합리화법에 따라 설립된 공단. 에너지 이용 합리화 사업의 추진, 에너지 기술의 개발·도입·지도 및 보급, 대체 에너지 개발 사업의 촉진, 에너지 관리에 관한 조사·연구·교육 및 홍보, 에너지 이용 합리화 사업을 위한 토지·건물 및 시설 등의 취득·설치·운영·대여 및 양도, 집단 에너지 사업 등을 함.

에너지 관리사【一管理士】〔energy〕〔一괄一〕명 국가 기술 자격법에 따른 에너지 관리에 관한 기술 자격을 취득한 사람. 열 관리사와 전기 관리사로 나뉨.

에너지 교대【一交代】〔energy〕명〖생〗에너지 대사(代謝).

에너지 균형【一均衡】명〔energy balance〕〖물〗어떤 물체나 반응계(反應系) 등에서, 에너지의 출력(出力)에 대한 입력(入力)의 산술적 균형. 전체로서 에너지가 방출되고 있으면 플러스, 흡수되고 있으면 마이너스라 함.

에너지 다소비형 산:업【一多消費型產業】〔energy〕명〖경〗에너지의 소비량이 많든지 또는 한 제품당 에너지 소비량이 많은 산업. 철강·화학 및 비철금속(非鐵金屬) 따위 소재형(素材型) 산업이 대표적인 예임. 석유 위기로 빚어진 탈(脫)에너지화(化) 및 에너지 코스트 상승에 의한 개별 산업의 국제 경쟁력 상실 문제 등으로 부각된 말임.

에너지-대【一帶】명〔energy band〕〖물〗결정(結晶)내 전자(電子)의 양자 상태(量子狀態)의 에너지 준위(準位)의 구조(構造).

에너지 대:사【一代謝】명〔energy alternation〕〖생〗생물체의 물질 대사와 함께 행하여지는 에너지의 변화. 일반적으로 식물은 태양 광선의 에너지를 고도(高度)의 화학적 잠재(潛在) 에너지로 변화시키고, 동물은 이 화학적 에너지를 열 및 기계적 에너지로 변화시켜 체온을 유지하고 운동을 행함. 에너지 교대. 에너지 전환. 세력 대사.

에너지 대:사율【一代謝率】〔energy〕명 생물체가 소비한 열량(熱量)을 기초 대사량(基礎代謝量)으로 나누어 구한 수. *기초 대사.

에너지-론【一論】〔energy〕명〖철〗19세기 후반부터 20세기 초두에 걸쳐 독일 과학 사상계에 등장한 오스트발트(Ostwald, W.)의 자연 과학적 형이상학(形而上學). 자연 현상을 지배하는 근본적인 양(量)은 에너지라고 하고, 모든 자연 법칙을 에너지의 변화라 하면서 유일한 형식 밑에 귀착(歸着)시키려는 학설.

에너지 밀도【一密度】〔一또〕명〔energy density〕〖물〗매질(媒質) 속의 단위 체적당(單位體積當) 에너지.

에너지 보:존 법칙【一保存法則】명〔energy conservation law〕〖물〗1840 년 헬름홀츠(Helmholz)가 확립한 물리적 법칙(物理的法則). 곧, 에너지가 어떤 일을 함으로써 변환(變換)하는 경우, 외부에서의 영향을 아주 차단하면 에너지는 그 형(形)을 바꾸거나 이동하여도 그 변화에 관계없이 에너지의 총합(總合)은 일정하다는 법칙. 무(無)에서 에너지를 낳지 못한다는 것을 나타내는 물리학의 근본적 원리(根本的原理)임. 에너지 불멸 법칙.

에너지 불멸 법칙【一不滅法則】〔energy〕명〖물〗에너지 보존 법칙.

에너지 빔:〔energy beam〕명〖공〗빛·전자(電子) 또는 다른 핵입자(核粒子)의 강력한 빔. 금속·도기(陶器) 등의 물질을 절단(切斷)·천공(穿孔)·성형(成形)·용접 혹은 처리 가공하는 데 사용함.

에너지 산:업【一產業】〔energy〕명 전력(電力)·석탄·석유·원자력 발전(發電) 등 동력을 공급하는 산업.

에너지-세【一稅】〔一쎄〕〔energy〕명 지구 온난화의 주범인 이산화 탄소를 발생시키는 석유와 석탄 등 화석 에너지와 이를 사용하는 발전소의 전기에 부과하는 세금. 유럽 공동체 집행위는 1992 년부터 사용량 1 배럴에 3 달러씩 세금을 부과하고 이후 매년 1 달러씩 인상하여 2 천년에는 배럴당 10 달러를 징수하도록 규정했음.

에너지 센서스〔energy census〕명 특정 시점(特定時點) 현재의 에너지 이용(利用)의 실태(實態)를 밝히기 위하여 상공 자원부(商工資源部)가 에너지 사용처(使用處) 전반(全般)을 대상으로 일제히 실시하는 전수(全數) 조사.

에너지 소비 효:율【一消費効率】〔energy〕명 소비한 에너지의 양이나 시간과 열효율과의 비율.

에너지 식물【一植物】〔energy〕명 탄화 수소를 함유하고 있어, 그 잎의 수액(樹液)을 건류(乾溜)하여 대체 석유를 얻을 수 있는 식물. 속수자·유칼리나무 등.

에너지 양자【―量子】명〔energy quantum〕〖물〗계(系)가 취하는 에너지가 어떤 단위량(單位量)의 정수배(整數倍)에 한할 때의 그 단위량.

에너지-원【―源】〔energy〕명 에너지의 근원(根源).

에너지 윈드〔energy winds〕명〖물〗전력원(電力源)이 되는 에너지를, 다량(多量)으로 날라 오는 일군(一群)의 바람.

에너지의 관성【―慣性】[―/―에―] 명〔inertia of energy〕〖물〗물질의 관성이 그 내포(內包)하는 에너지를 결정하고, 그 내포하는 에너지에 의하여 물질의 관성이 결정된다는 원리(原理).

에너지 이:용 합리화 기금【―利用合理化基金】〔energy〕[―니―] 명〖경〗에너지 이용 합리화법에 따라 정부 출연금(政府出捐金)·차관(借款)·석유류 특별 소비세로부터의 징수금 등으로 조성하여 에너지 관리 공단(管理公團)이 운용·관리하는 기금. 에너지 절약형 기자재(節約型機資材)의 연구·개발·생산, 에너지 절약형 시설·기자재의 시공 또는 설치, 열병합 발전(熱倂合發電)·지역 난방(地域暖房) 등의 공급 시설(供給施設)의 도입(導入)·시공(施工), 대체(代替) 에너지의 연구·개발 등의 사업에 사용됨.

에너지 자원【―資源】〔energy〕명 동력(動力)의 원천(源泉)이 되는 자원. 곧, 유연탄(有煙炭)·무연탄(無煙炭)·석유·전기·천연 가스·핵(核) 연료 등을 말함. 수력(水力)·풍력(風力)·조력(潮力) 등이 포함되는 경우도 있음.

에너지 작물【―作物】〔energy〕명 예로부터 연료로 써 온 들깨·유채나 알코올을 채취하는 옥수수·고구마·사탕수수 등의 일컬음.

에너지 전:환【―轉換】〔energy〕명〖생〗에너지 대사(代謝).

에너지 준:위【―準位】명〔energy level〕〖물〗원자나 분자가 갖는 에너지의 값. 또, 그 상태.

에너지즘〔energism〕명 정력주의(精力主義).

에너지 탄:성치【―彈性値】〔energy〕명〖경〗국민 총생산, 곧 GNP를 한 단위(單位) 증가시키기 위해 필요한 에너지 수요(需要)의 증가 비율. 선진 공업국에서는 GNP를 1% 늘리려면 에너지 소비도 거의 1% 늘어나 탄성치는 1전후가 되어 있음.

에너지 혁명【―革命】〔energy〕명 석탄에서 석유·천연 가스 등으로의 전환(轉換), 나아가서는 물질이 연소에 의하지 않고 원자력으로 전환하는 일 등을 말함. 이제까지의 에너지원(源)이 다른 종류의 에너지로 대체되어 사회적으로 큰 영향을 준 것을 산업 혁명에 견주어 한 말.

에너지 흡수 반:응【―吸收反應】명〔endergonic〕〖화〗최종 생성물(生成物)이 처음 물질보다 많은 에너지를 갖는 생화학적(生化學的) 반응.

에넘느레-하다 형여불 종이나 헝겊 등이 어수선하게 늘어져 있다.

에네르게이아〔그 energeia〕명〖철〗아리스토텔레스 철학의 주요 개념의 하나. 일체의 생성(生成)은 가능성으로서의 어떤 사물이 목적을 향한 실현(實現)의 과정이라고 하여, 그 실현의 최종 형태를 말함. 곧, 건축 재료가 있는데 '집'이라는 목적이 실현되지 않은 상태가 '집'의 가능성, 곧 디나미스(dynamis)이고, '집'이 완성한 상태가 에네르게이아임. *디나미스.

에네르기〔독 Energie〕명 '에너지(energy)'의 독어명(獨語名).

에네르기슈〔독 energisch〕명 정력적(精力的). 원기 왕성(元氣旺盛). ――-하다 형여불

에네르지코〔이 energico〕명〖악〗'힘차게'의 뜻.

에네스코〔Enesco, Georges〕명〖사람〗루마니아의 제금가(提琴家)·작곡가(作曲家)·지휘자(指揮者). 13세에 빈 음악원(Wien音樂院) 졸업 후 파리를 중심으로 활동함. 관현악곡 ≪루마니아 광시곡(狂詩曲)≫이 알려짐. [1881-1955]

에녹〔Enoch〕명〖성〗아담의 7대 손. 신앙심이 깊어 경건한 사람의 모범으로 꼽힘.

에누구〔Enugu〕명〖지〗나이지리아 아남브라 주(Anambra州)의 주도. 포트 하커트(Port Harcourt)와 철도로 연결됨. 근교에 탄전(炭田)이 있음. [265,400명(1989)]

에누리 명 ①값을 더 얹어서 부르는 일. 또, 그 물건값. 월가(越價). ¶~ 없는 정가(正價)요. ②물건값을 깎는 일. ¶10원도 ~ 못한다. ③사실보다 더 보태거나 깎아서 말하는 일. ¶이야기를 ~해서 듣다. ――-하다 타여불

에누리-없:다[―업―] 형 에누리하지 않다. 「마요.

에누리-없이[―업씨] 부 조금의 과장이나 증가(增價)가 없이. ¶~ 얼

에-는 조 부사격 조사 '에'에 보조사 '는'이 합친 '에'의 힘줌말. ¶이번~ 안 지겠다/학교~ 매일 간다. 준엔.

에니【ENI】명〔Ente Nazionale Idrocarburi의 약칭〕이탈리아의 전국 탄화 수소 공사(全國炭化水素公社). 포 강(Po江)의 천연 가스 개발을 목적으로 1953년에 설립됨. 그 뒤 석유 정제(精製)에 진출하여, 소련 원유(原油)의 수입, 이익 절반 방식(利益折半方式)에 의한 중동 진출(中東進出) 등의 적극책(積極策)으로 국제적인 주목을 받음.

에니그마〔enigma〕명 ①의문의 인물이나 사물. ②〖문〗고의로 불분명한 은유(隱喩)를 가지게 한 말. 또, 그러한 암시적인 문장.

에니악【ENIAC, eniac】명〔electronic numerical integrator and calculator의 약칭〕세계 최초의 본격적인 전자식 컴퓨터. 1946년 미국 펜실베이니아 대학의 모클리(Mauchly, J.W.)와 에커트(Eckert, J.P.) 교수 주도 아래 제작됨. 18,000여 개의 진공관으로 이루어졌으며, 무게는 30톤, 연산 속도는 빨라서 10자리 곱셈이 0.03초(秒)밖에 안 걸렸음. *에드삭(EDSAC).

에니웨톡 환초【―環礁】〔Eniwetok〕명〖지〗중부 태평양에 있는 마셜 제도(Marshall諸島)의 북서단(北西端)의 환초(環礁). 지름 약 30km의 범위 안에 약 40개의 작은 섬이 환초를 구성하여 양항(良港)을 이룸. 1948년 이래 미국의 핵병기(核兵器) 실험지로 알려짐.

에다[1]〔Edda〕명 아이슬란드에 전해진 북(北)유럽의 신화·영웅 전설의 집대성(集大成). 12세기의 역사가 스노리(Snorri)가 산문(散文)으로 쓴 '신에다(新Edda)'와, 운문(韻文)으로 쓴 '구에다(舊Edda)'의 두 가지 종류가 있음.

에다[2] 타〈예〉굽다. ¶모미 죽도록 길흘 ᄉᆞ양ᄒᆞ야도 일빅 거르미도록 에디 아니ᄒᆞ며(終身讓路不枉百步)≪飜小 Ⅷ:2≫.

에:다[3] 타 ①예리한 연장으로 도려 내다. ②가슴패기를 깎아 내듯이 슬픈 감정이 들다. ¶가슴을 에는 듯한 슬픔. ③↗에우다.

에:다[4] 타〈방〉외우다(충남·경남).

에-다[5] 조 ↗에다가. ¶국~ 밥을 말다/구석~ 버리다/떡~ 엿~ 잔뜩 먹었다. 준에. *다[4].

에-다가 조 ①무엇이 더하여짐을 나타내는 부사격 조사. ¶물~ 소금을 타다. 준에다·에. ②두는 곳, 놓는 위치를 나타내는 부사격 조사. ¶길모퉁이~ 전주를 세우다. 준에다·에. *다가[3]. ③접속 조사 '에'를 강조하는 말. ¶술~ 밥~ 실컷 먹었다. 준에다·에.

에:덜먼〔Edelman, Gerald Maurice〕명〖사람〗미국의 생화학자. 뉴욕 출신. 캘리포니아 대학과 록펠러 대학을 졸업하고, 1960년 록펠러 대학 교수가 됨. 항체(抗體) 분자의 1차 구조(構造)를 결정하여 항체의 특이성(特異性)이 아미노산(酸)의 배열(配列)의 차이에 의한 것임을 증명했음. 1972년 노벨 생리 의학상(生理醫學賞)을 수상함. [1929-]

에덴〔Eden〕명〖성〗[히브리어로 '즐거운'의 뜻으로, 구약 성서 창세기(創世紀) 2장(章)에 기록되어 있는 말] 인류의 시조(始祖)인 아담과 이브가 죄짓기 전에 살던 낙원.

에델바이스〔독 Edelweiss〕명〖식〗[*Leontopodium alpinum*] 국화과에 속하는 고산 식물. 높이 10-20cm이고, 줄기·잎에 흰 선모(線毛)가 밀생함. 줄기 끝에 수 개의 두상화(頭狀花)가 핌. 유럽·시베리아·히말라야·중국·한국·일본·사할린 등지에 각기 다른 종류가 분포하는데, 한국산에는 솜다리·산솜다리가 비슷함.

〈에델바이스〉

에도[1]〔일 江戶:えど〕명〖역〗일본 도쿄(東京)의 옛 이름. 도쿠가와 막부(德川幕府)가 있던 곳.

에도[2] 조 ①어떤 명사 밑에 붙어서 '또한'의 뜻을 나타내는 부사격 조사. ¶삼월~ 얼음이 언다. ②부사격 조사 '에'를 강조한 말. ¶산~ 들~ 꽃이 피었다/하루~ 몇 번씩 전화를 건다.

에도[3] 조〈옛〉에서도. ¶雙城에도 逆徒ᄅᆞᆯ 平ᄒᆞ시니≪龍歌 24章≫.

에도다 타〈옛〉에돌다. ¶에도디 말고(休廻避)≪老乞 下 42≫/간나히 가는 길흘 ᄉᆞ나희 에도ᄃᆞ시≪古時調 鄭澈≫.

에도 막부【―幕府】〔일 江戶:えど〕명〖역〗도쿠가와 이에야스(德川家康)가 1603년 에도(江戶)에 연 막부. 15대 265년으로 끝남. 도쿠가와(德川) 막부. [1603-1867]

에도 시대【―時代】〔일 江戶:えど〕명〖역〗일본의 도쿠가와 이에야스(德川家康)가 대장군이 되어 에도에 막부(幕府)를 연 해부터 도쿠가와 요시노부(德川慶喜)가 정권을 천황한테 돌려 주기까지의 1603-1867년 간의 시대.

에:-돌다 타 선뜻 나아가서 서두르지 않고 슬슬 피하여 그 근처에서 돌다. ¶그 놈은 일이라면 에돌기만 해.

에:-두르다 타르불 ①둘러 막다. ¶판자를 에둘러 놓고. ②바로 말하지 않고 둘러서 말을 하여 짐작하게 하다.

에-둘리다 피동 에두름을 당하다. ¶강줄기에 에둘린 마을.

에드먼턴〔Edmonton〕명〖지〗캐나다 앨버타 주(Alberta州)의 도시. 밀·가축·털가죽의 집산지. 제분 공업을 비롯하여 석유·천연 가스의 정제 공업도 행하여짐. 알래스카 하이웨이의 기점이며, 철도·항공로가 사방으로 뻗는 교통의 요지(要地)이기도 함. 1794년에 창건(創建)된 도시임. [785,465명(1986)]

에드박【EDVAC】명〔electronic discrete variable automatic computer의 약칭〕폰 노이만(Von Neumann)이 제창한 프로그램 내장 방식과 2진법을 채택한 컴퓨터. 1951년 미국 펜실베이니아 대학에서 완성함. *유니박(UNIVAC).

에드삭【EDSAC】명〔electronic delayed storage automatic computer의 약칭〕에니악(ENIAC)의 뒤를 이어 프로그램 내장 방식을 도입한 최초의 컴퓨터. 1949년 영국 케임브리지 대학의 윌키스(Wilkes, Maurice)에 의해 개발됨. 최초로 2진법이 사용되었고 진공관도 약 4,000개였음. *에드박(EDVAC).

에드워:드 사:세【―四世】〔Edward Ⅳ〕명〖사람〗요크(York) 왕조 초대의 영국왕. 장미 전쟁 중의 1461년 랭커스터가(Lancaster家)의 헨리 6세를 무찌르고 즉위. 1470년 헨리가 세력을 회복했기 때문에 네덜란드에 망명했다가 이듬해 복위함. 재정을 정비, 상공업의 육성에 힘썼음. [1442-83; 재위 1461-83]

에드워:드 삼세【―三世】〔Edward Ⅲ〕명〖사람〗영국왕. 에드워드 2세의 아들. 스코틀랜드에 세력을 뻗친 외에, 플랑드르 지방의 실권을 얻기 위해 프랑스의 왕위 계승권을 주장하여 1337년 백년 전쟁을 개시했음. 이 왕 치하에서 영국 의회는 상하 양원으로 나누임. 가터 훈장의 제정자. [1312-77; 재위 1327-77]

에드워:드 육세【―六世】〔Edward Ⅵ〕명〖사람〗영국의 왕. 헨리 8세의 아들. 9세에 즉위하여, 정치의 실권은 섭정(攝政)의 손에 있었으나, 치세중(治世中)에 영국 국교회의 보급, 예배 통일령의 개정 등 신교화(新敎化)가 현저히 진척됐음. [1537-53; 재위 1547-53]

에드워:드 일세【―一世】〔Edward Ⅰ〕[―쎄] 명〖사람〗영국왕. 헨리 3세의 아들. 즉위 후 각종 입법에 의하여 행정·사법을 개혁함. 웨일스

(Wales)를 정복하고, 스코틀랜드에도 세력을 뻗쳐, 그 전비(戰費) 조달을 위해 모범 의회(模範議會)를 소집했음. [1239-1307;재위 1272-1307]

에드워:드 참회왕【一懺悔王】명〔Edward the Confessor〕〖사람〗 웨섹스가(Wessex家) 최후의 잉글랜드 왕. 프랑스의 노르망디에서 자랐고, 데인(Dane) 왕조의 대가 끊기었기 때문에 귀국하여 즉위함. 신을 공경하는 마음은 있었으나, 정치적으로 무능(無能)하여, 국내는 혼란하고, 사후(死後)에 노르만(Norman) 정복을 초래(招來)했음. [1002?-66;재위 1042-66]

에드워:드 칠세【一七世】〔Edward Ⅶ〕〔一쎄〕명〖사람〗 영국왕. 빅토리아 여왕의 아들. 황태자 시대부터 국제적으로 활약, 60세 때 즉위함. 독일 황제 빌헬름(Wilhelm) 2세의 제국주의에 대항, 영국과 프랑스·영국과 러시아의 3국 협상 성립(協商成立)에 커다란 공헌(貢獻)을 했음. [1841-1910;재위 1901-10]

에드워:드 팔세【一八世】〔Edward Ⅷ〕〔一쎄〕명〖사람〗 본디 영국왕. 조지 5세의 아들. 사회 문제에 관심이 깊고, 스포츠를 좋아하며, 인망이 두터웠으나, 1936년 즉위 후 곧 미국 여성 심프슨(Simpson) 부인과의 결혼 문제로 그 해 말 퇴위함. 윈저공(Windsor公)의 칭호를 받고 한때 서인도의 바하마 제도 지사를 지냄. [1894-1972]

에드워:드 호【一湖】〔Edward〕명〖지〗 아프리카 중앙부, 아프리카 대지구중(大地溝中)의 호수. 자이르와 우간다의 국경에 있음. 1889년 스탠리(Stanley)가 발견. 호면 표고 912 m. [약 2,150km²]

에드워:드 흑태자【一黑太子】명〔Edward the Black Prince〕〖사람〗 영국의 황태자. 에드워드 3세의 장남. 백년 전쟁 초기에 활약하여 푸아티에(Poitiers) 싸움에서 프랑스왕 장(Jean) 2세를 포로로 함. 별명은 갑옷의 색이 검은 데서 온 것으로 알려짐. [1330-76]

에드워:디언〔Edwardian〕명〖문〗 영국왕 에드워드 7세 시대의 문인(文人)들을 말함. 20세기 초두 새로운 정세(情勢)에 직면하여 정치·경제·문화의 모든 문제를 취급하여 타협을 배격하고 해결을 위한 암시를 제공하려던 기풍(氣風)이 있었음.

에드워:즈 기지【一基地】〔Edwards〕명 미국 캘리포니아 주 모하비 사막(Mojave沙漠)에 있는 공군 기지. 공군 비행 시험(飛行試驗) 센터와 나사(NASA) 비행 연구 센터가 있고, 제2차 대전 이후의 공군 신형기의 거의 대부분이 여기서 시험됨.

에드푸 신전【一神殿】〔Edfu〕명 이집트 카이로 남쪽 나일 강 좌안(左岸)의 에드푸에 있는, 호루스신(Horus神)을 모신 신전. 고대 이집트의 전형적 신전으로, 사암(砂岩)으로 축조되어 보존 상태가 완벽에 가까운 것으로 유명함.

에든버러〔Edinburgh〕명〖지〗 영국 북부 스코틀랜드의 중심 도시. 옛 스코틀랜드 왕국의 수도로 역사적인 건축물이 많고, 학술·문화·종교의 대중심지임. [438,232 명(1990)]

에든버러-공【一公】명〔Duke of Edinburgh, Prince Philip〕〖사람〗 영국 여왕 엘리자베스 2세의 부군(夫君). 본디, 그리스 왕족(王族)으로, 1947년 엘리자베스 공주와 결혼, 1953년 육해공군 원수(元帥)가 됨. 동물 애호 협회 회장을 맡고 있음. [1921-]

에든버러 대학【一大學】〔Edinburgh〕명 영국 에든버러에 있는 대학. 1583년에 창립되었으며, 현재 신(神)·법·의·문·이(理)·음악·사회 과학·수의(獸醫)의 각 학부가 있음. 특히, 의학부는 18세기 이래 뛰어난 성과를 올려왔음.

에디〔Eddy, Mary Morse Baker〕명〖사람〗 미국의 여류 종교가. 1866년 마태 복음 9장 2절에 의하여 영감(靈感)을 받고, 크리스천 사이언스의 원리를 발견, 영(靈)의 건강에 의하여 육체의 병도 고칠 수 있음을 설교함. 1879년 크리스천 사이언스 처치(Christian Science Church)를 창립하였음. [1821-1910]

에디르네〔Edirne〕명〖지〗 터키의 유럽쪽에 있는 에디르네 현의 주도(主都). 옛 이름은 아드리아노플(Adrianople). 상공업의 중심지이고, 역사적 건축물이 많음. 19세기 러시아·투르크 전쟁 중 두 번 러시아에 점령되었으나, 1923년 로잔 조약(Lausanne條約)으로 터키에 반환(返還)됨. [72,000(1980)]

에디슨〔Edison, Thomas Alva〕명〖사람〗 미국의 대발명가. 전신술에 취미를 붙여서 자동 중계기(自動中繼器)·투표 기록기 등을 발명한 이래 전신기(電信機)·전송기(電送機)·축음기·백열 전등·영화 촬영기 등 1,000여 종의 발명 특허를 얻었음. 1882년 세계 최초의 발전소 및 에디슨 전등 회사를 창립하였음. [1847-1931]

에디슨 전:지【一電池】〔Edison〕명〖전〗 1901년에 에디슨이 발명한 전지. 수산화 니켈로 된 극판(極板)을 양극(陽極), 쇳가루로 된 극판을 음극(陰極)으로 하여 소량의 수산화 리튬(lithium)을 포함하는 수산화 칼륨 용액을 전해액(電解液)으로 한 이차 전지(二次電池). 연전지(鉛電池)보다 가벼움.

에디슨 효:과【一効果】〔Edison〕명 전구의 필라멘트(filament) 옆에 금속판을 놓고 금속판이 필라멘트에 대하여 정전위(正電位)로 될 때만 전류가 흐르는 현상. 1884년 에디슨이 발견. 필라멘트로부터 방출되는 열전자(熱電子)가 정전위에 끌리기 때문에 일어남. 일반적으로 열전자 방출 현상을 에디슨 효과라고 하는 일도 있음.

에디터〔editor〕명 편집인(編輯人). 편집자. 주필(主筆).

에디토리얼 디자인〔editorial design〕명 그래픽 디자인의 한 분야. 신문·서적·잡지 등 편집 작업을 필요로 하는 커뮤니케이션을 위한 것으로서, 레이아웃(layout) 기술을 중심으로 사진·일러스트레이션·지도 등의 디자인도 포함한 총칭.

에디퍼스〔Oedipus〕명〖신〗 오이디푸스.

에디퍼스-왕【一王】〔Oedipus〕명〖연〗 오이디푸스왕.

에디퍼스 콤플렉스〔Oedipus complex〕명〖심〗〔에디퍼스의 신화에서〕 정신 분석 용어. 사내아이가 아버지를 배척하고 어머니를 사모하는 경향. 오이디푸스 콤플렉스(Oidipous complex). ↔엘렉트라 콤플렉스.

에딩턴〔Eddington, Arthur Stanley〕명〖사람〗 영국의 천체 물리학자. 일찍부터 항성(恒星)의 질량(質量)과 광도(光度)에 관한 연구를 하고, 1932년경부터 디랙(Dirac)의 양자 역학을 더하여 독자적인 통일장 이론(統一場理論)을 전개, 우주 팽창론(宇宙膨脹論)을 추론하였음. [1882-1944]

에따 감〈방〉 ①옜다. ②어따❶.

에-뜨거라 감 '혼날 뻔하였다'는 뜻으로 내는 소리.

에라 감 ①실망의 뜻을 나타내는 소리. ¶ ~ 이 병신아. ②아이에게 '그리 말라'는 뜻으로 나무라는 소리. ③암만하여도 생각을 끊어 버려야 하게 된 때에 스스로 하는 소리. ¶ ~ 모르겠다/~ 그만두자. *예라·④↗에루화.

-에라 어미 형용사나 동사 밑에 붙어 감탄의 뜻을 나타내는 종결 어미. 선어말 어미 '-았-'을 중간에 끼워서 씀. ¶ 아침 해가 밝았~.

에라스뮈스〔Erasmus, Desiderius〕명〖사람〗 네덜란드의 인문학자(人文學者). 영국에서 고전학자와 교유(交遊)하며 성서(聖書)의 라틴어역(Latin語譯)을 냄. 저작으로 ≪우신 예찬(愚神禮讚)≫ 등이 유명하며, 특히 가톨릭 교회에의 인본주의적 풍자에 그의 본 의도(本意圖)가 있었으나 과격한 종교 개혁에도 찬성치 않았음. [1466?-1536]

에라스투스〔Erastus, Thomas〕명〖사람〗 독일의 신학자·의사. 츠빙글리(Zwingli)의 종교 개혁 운동에 종사함. 종교상의 사무에 관한 최고권(最高權)은 국가에 있다고 선언하여 교황으로부터 파문(破門)을 당함. [1524-83]

에라토스테네스〔Eratosthenes〕명〖사람〗 고대 그리스의 천문 지리학자. 하지(夏至) 때 태양의 고도에 의하여 지구의 둘레를 추산하였음. [275?-194? B.C.]

에러〔error〕명 과실(過失). 실책(失策). 잘못.

에러버스 산【一山】〔Erebus〕명〖지〗 남극 대륙 로스 해(Ross海)의 제임스로스 섬에 있는 활화산. 1841년 로스(Ross)가 발견함. [3,795 m]

에럽다 형〈방〉 어렵다(경북·평안·충청·강원).

에레디아〔Hérédia, José Maria de〕명〖사람〗 쿠바 태생의 프랑스 고답파(高踏派)의 대표적 시인. 그리스·동양·중세(中世)·자연 등 다양한 제재(題材)로 노래함. [1842-1905]

에레크테이온〔Erechtheion〕명 아테네의 아크로폴리스(Akropolis) 언덕에 있는 아테네 수호(守護)의 신전(神殿). 기원전 5세기말의 이오니아식 건축임.

에:렌부르크〔Ehrenburg, Il'ya Grigor'evich〕명〖사람〗 소련의 작가. 유태인 출신으로 소련 문단에서는 많지 않은 서(西)유럽 이해자로 알려짐. 스탈린 사후(死後)에 발표한 중편 ≪해빙(解氷)≫은 그 제명(題名)이 그대로 국제적 보통 명사로 쓰임. 자서전 ≪인간, 세월, 생활≫을 남김. [1891-1967]

에:렌페스트〔Ehrenfest, Paul〕명〖사람〗 네덜란드의 이론 물리학자. 기체론(氣體論)·상대론(相對論)·양자론(量子論) 등에 공헌, 특히 단열불변량(斷熱不變量)의 이론으로 유명함. 자살함. [1880-1933]

에렙신〔erepsin〕명〖화〗 단백질 분해 효소의 하나. 소장(小腸)의 점막에서 분비되는 펩톤(peptone)이나 폴리펩티드(polypeptide)를 아미노산으로 분해하여, 단백질의 장점막(腸粘膜)에서의 흡수를 쉽게 함. 아미노펩티다아제(aminopeptidase)·디펩티다아제(dipeptidase) 등 몇 종류가 있음.

에로[1] 명 ①↗에로틱(erotic). ②↗에로티시즘(eroticism).

에로[2]【了以】조〈이두〉 에로. 으로.

에로 그로 명〔erotic+grotesque〕 선정적(煽情的)이고 괴기(怪奇)함.

에로 문학【一文學】명〖문〗 에로틱한 소재와 표현으로 된 문학. 에로티시즘.

에로 소:설【一小說】명 내용이 에로틱한 소설.

에로스[1]〔Eros〕명 ①〖신〗 그리스 신화 중의 사랑의 신(神). 아프로디테의 아들. 화살을 멘 나체의 어린 동자(童子)로 표현되며, 사랑·성애(性愛)의 의미로 쓰임. 로마 신화의 아모르에 해당함. 큐핏. ②〖천〗 화성(火星)과 목성(木星) 사이에 긴 타원형의 궤도로 움직이는 소행성(小行星). 약 2년마다 한 번씩 지구에 접근함.

〈에로스[1]❶〉

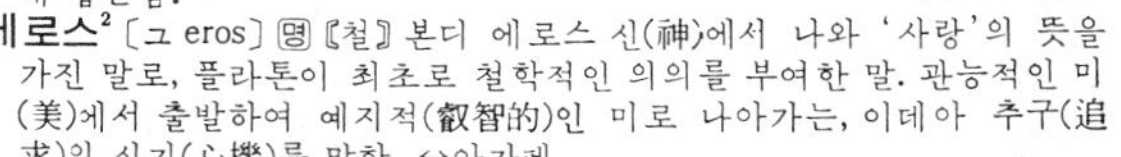

에로스[2]〔그 eros〕명〖철〗 본디 에로스 신(神)에서 나와 '사랑'의 뜻을 가진 말로, 플라톤이 최초로 철학적인 의의를 부여한 말. 관능적인 미(美)에서 출발하여 예지적(叡智的)인 미로 나아가는, 이데아 추구(追求)의 심기(心機)를 말함. ↔아가페.

에로스-애【一愛】〔eros〕명 심정애(心情愛).

에로아【EROA】명〔Economic Rehabilitation in Occupied Area Fund의 약칭〕 점령(占領) 지역 경제 부흥 또는 그 자금. 제2차 대전 후, 미국 정부가 점령 지역의 경제 부흥의 자립화를 목적으로, 군사 예산에서 지출함.

에로이카〔Eroica〕명〖악〗 베토벤 작곡의 ≪교향곡 제3번 내림 마 장조≫의 통칭. 나폴레옹을 위하여 작곡하여 ≪보나파르트(Bonaparte)≫라고 명명하였으나, 황제 취임의 소식을 듣고 이름을 고쳤다 함. 영웅교향곡(英雄交響曲).

에로이코〔이 eroico〕명〖악〗 '비장하게'·'장쾌(壯快)하게'의 뜻.

에로토마니아〔erotomania〕명 색정광(色情狂).

에로티시즘〔eroticism〕명 ①연애·색정(色情)·성애(性愛) 등의 뜻으로 널리 쓰이며, 원래는 정신적인 사랑을 뜻하였으나 뒤에 육체적인 사랑을 뜻하게 되었음. ②에로 문학. 준에로.

에로틱 〔erotic〕 명 색정적(色情的). 성욕적. 성적 자극이 있음. 준에로. ──-하다 형여불

에롭다 형 〈방〉 외롭다(충남·경상).

에루 〔Héroult, Paul〕 명 〖사람〗 프랑스의 야금학자. 1886년 미국의 홀(Hall)보다 한두 달 뒤져서 독자적으로 알루미늄의 전해 야금법(電解冶金法)을 발명. 뒤에 제강용 전기로(製鋼用電氣爐)를 발명하는 등 전기 야금 분야에 기여함. [1863-1914]

에루화 감 노래할 때 흥겨움을 나타내는 소리. 준에라.

에르고그래프 〔ergograph〕 명 〖기〗 근육(筋肉)의 작업 능력(作業能力)을 측정하기 위해 쓰이는 기록 장치가 붙은 기계.

에르고노믹스 〔ergonomics〕 명 인간 공학(人間工學).

에르고스테롤 〔ergosterol〕 명 〖화〗 스테롤의 하나. 효모(酵母)·맥각균(麥角菌)·표고 등의 균류에 들어 있는 스테로이드로서 자외선(紫外線)을 쬐면 비타민 D_2로 변함. 에르고스테린. [$C_{28}H_{44}O$]

에르고스테린 〔도 Ergosterin〕 명 〖화〗 에르고스테롤.

에르고칼시페롤 명 〔ergocalciferol〕 〖화〗 비타민 디 투(Vitamin D_2)의 별칭.

에르고타민 〔ergotamine〕 명 〖화〗 맥각 알칼로이드(麥角Alkaloid)의 하나. 교감(交感) 신경의 말초를 마비시키고, 자궁의 운동을 촉진시켜, 혈관의 수축, 혈압의 상승을 일으킴. 자궁 이완(弛緩), 산후 출혈, 자궁 수축 부전(不全) 등에 타르타르산염(酸塩)으로서 1회 1-2밀리그램을 내복함. 극약임. [$C_{33}H_{35}O_5N_5$]

에르그 〔erg〕 의명 〖물〗 〔그리스어로 일이라는 뜻〕 일 또는 에너지의 C.G.S. 단위. 1다인(dyne)의 힘이 물체에 작용하여 그 힘의 방향으로 1cm 움직인 사이에 그 힘이 행한 일. 10^{-7}줄(joule)에 해당함.

에르나니 〔프 Hernani〕 명 시극(詩劇). 5막. 위고(Hugo)작. 1830년에 초연(初演). 산적의 수령 에르나니와 귀족의 딸 돈나솔과의 비련(悲戀)을 그린 낭만파 희곡으로 종래의 고전극 형식을 타파함.

에르난데스 〔Hernández, José〕 명 〖사람〗 아르헨티나의 시인. 어릴 때 농원(農園)에서 자라, 가우초 생활(gaucho 生活)을 즐김. 여러 종류의 신문을 발간했고, 국회 의원으로서 활약함. 대표작 ≪마르틴 피에로≫·≪마르틴 피에로의 귀향≫은 가우초 문학의 선구를 이루는 고전으로서 애송됨. [1834-86]

에르니 〔Erni, Hans〕 명 〖사람〗 스위스의 화가·디자이너. 유럽 각지를 여행하여, 피카소·브라크(Braque) 등과 알게 되고, 압스트락시옹 크레아시옹(Abstraction Création)에 참가하였음. 추상 형태와 사실(寫實)과의 종합을 목표로 하였으며 회화(繪畫)·벽화·삽화·포스터 등 폭넓은 활동을 계속, 특히 상업 디자인 분야에서 활약이 큼. [1909-]

에르데니차오 〔Erdenichao〕 명 〖역〗 몽골 오르콘 강(Orkhon 江) 상류 우안(右岸)에 있는 라마교(敎)의 유명한 사원. 16세기 말엽에서 17세기 초에 걸쳐 세워진 것으로, 라마교의 발전사상 중요한 유적임. 몽고 제국의 수도 카라코룸(Karakorum)의 유적 소재지로서 역사상 중요함.

에르마크 〔Ermak, Timofe'ev〕 명 〖사람〗 카자흐(Kazakh)의 아타만(ataman)의 한 사람. 1581년 스트로가노프가(Stroganov 家)의 원조로 시베리아 원정군을 진격시켜, 시비르 한국(汗國)을 정복, 러시아의 시베리아 병합의 선구자가 되었음. 문학·역사·구비(口碑) 등의 주인공으로서 유명함. [?-1585]

에르마팅거 〔Ermatinger, Emil〕 명 〖사람〗 스위스의 문학사가. 정신사적(精神史的) 입장에 있어서의 독문학사의 연구 및 문예학에 많은 업적을 남김. 주저에 ≪문학 작품≫·≪근대 독문학의 위기와 문제≫·≪독일 문학에 있어서의 바로크와 로코코≫ 등이 있음. [1873-1954]

에르모시요 〔Hermosillo〕 명 〖지〗 멕시코 북서부의 도시. 미국 국경의 남쪽 250 km, 소노라 강(Sonora 江)을 끼고 있는 근대 도시로, 겨울의 보양지(保養地)이며, 풍부한 과수 지역(果樹地域)의 중심지. 동쪽 교외에 동광산(銅鑛山)이 있으며, 식민 시대의 오래된 교회, 1942년에 창건된 대학이 있음. [319,000 명(1979)]

에르미타:주 미술관 【一美術館】 〔러 Ermitazh〕 명 러시아의 페테르부르크에 있는 국립 미술 박물관(美術博物館). 1780년에, 예카테리나(Ekaterina) 2세의 수집품을 바탕으로 설립하였음. 세계 각국(世界各國)의 모든 시대의 미술 작품·기념물을 수장(收藏)함. 19세기 말엽부터 일반에게 공개됨.

에르미트 〔Hermite, Charles〕 명 〖사람〗 프랑스의 수학자. 소르본 대학 교수. 정수론·불변식론·방정식론·함수론·타원 함수론 등의 연구가 있음. 특히, e가 초월수라는 것을 증명한 것이 유명. 에르미트 다항식(多項式)·에르미트 형식·에르미트 행렬식 등을 발견함. [1822-1901]

에:르 바리에 〔프 air varié〕 명 〖악〗 가곡(歌曲)을 바탕으로 한 변주곡.

에르뱅 〔Herbin, Auguste〕 명 〖사람〗 프랑스의 화가. 1901년 파리에 진출하여 처음에는 인상파의 영향을 받았으나 후에 사각(四角)·원(圓)·삼각(三角) 등의 단순 형태의 조합(組合)에 의한 엄격한 기하학적 추상(幾何學的抽象)으로 옮김. 1932년 압스트락시옹 크레아시옹(Abstraction Création)의 창립에 참가하였음. [1882-1960]

에르븀 〔erbium〕 명 〖화〗 금속 희토류 원소의 하나. 이트륨 아족(yttrium亞族)에 속하며 육세나이트(euxenite)·가돌리나이트(gadolinite)·페르구소나이트(fergusonite)·인산(燐酸) 이트륨광(鑛) 속에 존재함. 녹는점 1400°-1500°C, 비중 9.051, 물에 녹지 않으나 산(酸)에는 녹음. [68번 : Er : 167.26]

에르비외 〔Hervieu, Paul Ernest〕 명 〖사람〗 프랑스의 극작가·소설가. 소설 ≪자화상≫·≪뼈대≫ 등에서 화려한 사교 생활 이면에 숨은 추악한 면을 그렸으며, 희곡에서는 고전 비극이 지니는 인간의 내면적 갈정을 근대극의 테두리 속에 살리려 했음. 주요 작품으로 ≪말은 남는다≫·≪가위≫·≪수수께끼≫·≪운명에 항거하기 어렵다≫ 등이 있음. [1857-1915]

에르스텟 〔oersted〕 의명 〖물〗 에스 아이(SI) 단위에서, 자기장(磁氣場)의 세기를 나타내는 단위. 단위 자기극(單位磁氣極)에 1 다인의 힘이 작용했을 때의 세기를 말함. 기호 Oe.

에르위니아-속 【一屬】 〔Erwinia〕 명 에르위니아 족(族)의 한 속. 운동성이며, 간형(桿型)의 세균. 살아 있는 식물 조직에 침입(侵入)하여, 건조 괴사(乾燥壞死)·혹·위조병(萎凋病)·부패병 등을 일으킴.

에르조그 〔Herzog, Maurice〕 명 〖사람〗 프랑스의 등산가. 1950년 안나푸르나(Annapurna) 원정 대장으로서 6월 3일 첫 등정(登頂)에 성공함으로써 8,000 m급을 최초로 정복함. 하산 때 조난, 동상으로 말미암아 손가락·발가락을 잃음. 저서에 ≪안나푸르나≫가 있음. [1919-]

에르주룸 〔Erzurum〕 명 〖지〗 터키 동북부의 에르주룸 현(縣)의 주도(主都). 예로부터 군사(軍事)·교통(交通)의 요지(要地)이고, 농산물의 집산지임. 터키 동방 방비의 거점인데 러시아와 세 차례나 뺏고 빼앗기고 했음. [190,000 명(1980)]

에르츠베르거 〔Erzberger, Matthias〕 명 〖사람〗 독일의 정치가. 중앙당(黨) 좌파를 지도, 제1차 대전 초에는 군부와 협력했으나 1917년 제국 의회 평화 결의를 성립시켜 휴전 조약에 각료로서 참석함. 바이마르 공화국의 가장 유능한 정치가의 한 사람으로서 재정 안정에 노력했으나, 극우파(極右派)에 의해 암살당함. [1875-1921]

에르츠 산맥 【一山脈】 〔Erz〕 명 〖지〗 독일의 작센(Sachsen) 지방과 체코의 보헤미아(Bohemia)와 국경을 이루는 습곡(褶曲) 산맥. 광상(鑛床)이 많으며, 1898년 퀴리 부처(Curie 夫妻)가 이곳의 우란광(鑛)에서 라듐 원소를 발견함.

에르푸르트 〔Erfurt〕 명 〖지〗 독일 튀링겐 주(Thüringen 州)의 주도(州都). 꽃·채소 재배 외에 기계·전자 공업(電子工業)이 성함. 14-15세기에는 슬라브와의 교역(交易)의 중심지였음. [218,701 명(1988)]

에르푸르트 강령 【一綱領】 〔一녕〕 명 〔도 Erfurter Programm〕 〖정〗 1891년, 에르프르트에서 열린 대회(大會)에서 고타(Gotha) 강령과 대치하여 독일의 사회 민주당(社會民主黨)이 채택한 당의 기본 방침. 카우츠키(Kautsky)가 기초(起草)함. 마르크스주의적인 색채가 농후함.

에:르 프랑스 〔프 Air France〕 명 에어 프랑스.

에르하르트 〔Erhard, Ludwig〕 명 〖사람〗 독일의 정치가. 2차 대전 후 정계에 나서서 경제 문제의 전문가로 서독 부흥에 노력하였음. 1963년 수상에 취임, 1966년에 사임함. [1897-1977]

에른스트 〔Ernst, Max〕 명 〖사람〗 독일 태생의 미국 화가. 처음 표현파의 그룹에 참가하여 다다이즘 운동을 거쳐 초현실파의 주요 작가가 됨. 독일 신비주의의 계통을 가한 환상적인 스타일이 특징임. [1891-1976]

에를 조 부사격(副詞格) 조사 '에'와 목적격 조사 '를'이 겹쳐서 된 말. ¶산~ 간다. 준엘.

에를레프니스 〔도 Erlebnis〕 명 〖철〗 체험(體驗)❸.

에:를리히[1] 〔Ehrlich, Eugen〕 명 〖사람〗 오스트리아의 사법학자(私法學者). 법사회학(法社會學)의 창시자이며 자유법론(自由法論)의 주창자의 한 사람으로, 저서 ≪법사회학 기초론≫·≪법학의 논리≫ 등은 큰 업적으로 꼽힘. [1862-1922]

에:를리히[2] 〔Ehrlich, Paul〕 명 〖사람〗 독일의 세균학자. 화학 요법의 창시자. 혈청(血淸) 요법의 기초를 확립하고 1908년 노벨 생리 의학상을 받았으며 1910년에 살바르산(Salvarsan)을 발명하였음. [1854-1915]

에릅다 형 〈방〉 어렵다(전남·경남).

에리니에스 〔Erinyes〕 명 〖신〗 그리스 신화 중 복수와 징벌(懲罰)을 맡은 알렉토(Alecto)·티시포네(Tisiphone)·메가에라(Megaera)의 세 여신(女神). 머리는 뱀, 두 날개가 있으며, 칼 또는 거울을 가졌음. 푸리아(Furia).

에리다누스 〔Eridanus〕 명 ①〖신〗 그리스의 일륜(日輪)의 사신인 파에톤(Phaëthon)이 태양에 접근하여 불에 타 떨어져 죽은 강. 이 강에 떨어지지 않았으면 세상에 큰 화재를 초래했을 것이라 함. ②〖천〗 에리다누스강 자리.

에리다누스강-자리 【一江一】 〔Eridanus〕 명 〖천〗 남천(南天)의 별자리의 하나. 오리온자리 부근에 있어 남북으로 길게 뻗쳐 있음. 육안으로 볼 수 있는 별이 약 180 개임. 에리다누스. 약자 : Eri.

에리두 〔Eridu〕 명 〖지〗 이라크 남부 우르(Ur) 남방에 있는 고대 바빌로니아 도시 유적. 1946-48년 이라크 박물관의 주재(主宰)로 발굴. 수신(水神) 엔키(Enki)의 성시(聖市)로서, 니푸르(Nippur)와 맞먹는 수메르(Sumer)의 중심 도시로 추정됨.

에리스 〔Eris〕 명 〖신〗 그리스 신화 중의 불화(不和)의 여신(女神).

에리아 조:산 운:동 【一造山運動】 명 〔Erian orogeny〕 〖지질〗 실루리아기(Siluria 紀) 말의 조산 운동의 하나. 칼레도니아(Caledonia) 조산 운동 시기의 최후의 부분.

에리오 〔Herriot, Édouard〕 명 〖사람〗 프랑스의 정치가·저술가. 리옹(Lyon) 시장, 상원 의원·하원 의원을 거쳐 1919년 급진 사회당(急進社會黨) 총재, 1924년 좌익 연합 내각의 수상이 됨. 이후 여러번 수상 또는 각료가 되어 평화 외교를 추진하였고, 제2차 대전 중에는 독일에 감금됨. [1872-1957]

에리우게나 〔Eriugena, Johannes Scottus〕 명 〖사람〗 아일랜드 출신의 스코틀랜드 철학자·신비주의자. 초기 스콜라 철학에 신(新)플라톤주의를 도입, 철학과 종교의 일치를 근본으로 하고, 이후의 스콜라 철학 발전의 길을 열었음. [810?-877?]

에리카 〔Erica〕 명 〖식〗 히스(heath)의 속명(屬名).

에리카이트 〔erikite〕 명 갈색의 광물. 세륨의 규산염(硅酸塩) 및 인산염(燐酸塩)으로 이루어지며, 사방 정계(斜方晶系) 결정으로 존재함.

에리크 [Eric] 명 『사람』 10세기경 노르웨이의 항해가. 처음 아일랜드에 건너갔으나 그곳에서 추방되어, 후에 그린란드(Greenland)를 발견하고 986년경 부하와 함께 그린란드 식민(植民)에 노력하였음. 생몰년 미상.

에리트레아 [Eritrea] 명 『지』 아프리카 홍해(紅海) 남서쪽 연안의 나라. 1993년 5월 에티오피아에서 분리·독립함. 고원(高原)과 협소한 해안 평야, 그 밖의 작은 섬으로 이루어짐. 열대성 건조 기후인데 목화·커피·담배·소금을 산출하며 경공업이 활발함. 주민은 이슬람계(系)의 티그레 족(族)이 대부분임. 한 때 이탈리아의 식민지로 있다가 1952년 에티오피아와 연방을 형성했으나 62년 에티오피아에 병합되었고, 이후 경제적·민족적 갈등으로 해방 전선을 구성, 줄곧 독립을 요구함. 수도는 아스마라(Asmara). [117,592 km²: 2,426,000 명(1980)]

에리트로-마이신 [erythromycin] 명 『약』 항생 물질의 하나. 부작용은 적고 세균의 단백질 합성(合成)을 저해함. 그람 양성균(Gram陽性菌)·스피로헤타·리케차·대형(大形) 바이러스에 유효함. 폐렴·편도선염·디프테리아·옴 등의 치료에 쓰임. 상품명: 아일로타이신(Ilotycin).

에리트로-크루오린 [erythrocruorin] 명 어떤 무척추 동물의 혈액·조직액(組織液)에서 발견되는 철(鐵)포르피린 함유 단백질 호흡 색소(呼吸色素)의 총칭. 척추 동물의 헤모글로빈에 대응(對應)하는 것임.

에리트로-포이에틴 [erythropoietin] 명 신장(腎臟)에서 생성(生成)되는 것으로 여겨지는 호르몬. 고등 척추 동물에서는 적혈구(赤血球)의 형성을 조정하는 기능을 가짐.

에릭슨[1] [Ericsson, John] 명 『사람』 스웨덴계(系)의 조선가(造船家)·발명가. 1826년 영국에 건너가 열기관(熱機關) 제작을 연구함. 1836년, 스크루를 실용화(實用化)하여 그 특허를 얻음. 1839년, 미국에 건너가 귀화(歸化), 중장갑함(重裝甲艦)을 건조함. 그 밖에 측거기(測距機), 비중계(比重計), 기압계(氣壓計), 심해용 측연(深海用測鉛), 해중 화포(海中火砲) 등의 고안 및 개량에 힘씀. [1803-89]

에릭슨[2] [Erikson, Erik Homburger] 명 『사람』 독일 출신의 미국 정신 분석 학자. 1933년 나치스의 박해를 피해 미국으로 건너가 예일 대학에서 강의하며 정신 분석의(精神分析醫)로 활동함. 저작에도 힘써서 ≪간디의 진리≫는 1969년에 퓰리처 상을 받음. 그 밖의 대표적 저작으로는 ≪유년 시기와 사회≫·≪아이덴티티≫가 있음. [1902-]

에마 명 〈방〉 계집아이(함남).

에마나치온 [도 Emanation] 명 『화』 에머네이션.

에마나티오 [라 emanatio] 명 『철』 최고의 근원자(根源者)로부터 일체의 만물(萬物)이 유출된다는 설. 유출설(流出說).

에말무지-로 부 〈방〉 에멜무지로.

에머네이션 [emanation] 명 『화』 라듐 붕괴 과정 중에 생성되는 라돈의 동위 원소인 비활성 기체. 곧 질량 수 220인 라돈(radon), 222인 토론(toron), 219인 악티논(actinon)의 세 종류가 있음.

에머리[1] 명 〈방〉 어여머리.

에머리[2] [emery] 명 강옥(鋼玉)의 하나. 입상(粒狀)으로 보통 자철광(磁鐵鑛)·적철광·석영(石英)이 혼합되어 있음. 흑회색 또는 흑색으로, 다이아몬드 다음 가는 강도를 갖고 있어 분말로 하여 연마용(研磨用)으로 씀. *금강사(金剛砂).

에머리 보:드 [emery board] 명 『미용』 손톱의 모양을 다듬는 고운 사포(砂布).

에머리 페이퍼 [emery paper] 명 샌드페이퍼(sandpaper).

에머슨 [Emerson, Ralph Waldo] 명 『사람』 미국의 사상가·시인. 소위 초절주의 운동(超絕主義運動; Transcendentalist movement)에 참가하여 청교도주의 및 독일 이상주의의 정신을 고취했음. 저작은 ≪논문집≫·≪대표적 인물론≫·≪자연론≫ 등. [1803-82]

에멀션 [emulsion] 명 『물·화』 액체 속에 액체 입자(粒子)가 분산하여 유상(乳狀)을 이루는 계(系)를 이름. 유탁액(乳濁液).

에멀션 페인트 [emulsion paint] 명 유지나 합성 수지를 물에 에멀션화시킨 다음 안료를 넣고 잘 혼합하여 만든 것. 물로 묽게 하여 금속면 이외의 도장(塗裝)에 사용함.

에멀신 [emulsin] 명 『화』 배당체(配糖體)를 가수(加水) 분해하는 효소. 고편도(苦扁桃)·살구 등에서 얻을 수 있음. 에물진.

에메 [Aymé, Marcel] 명 『사람』 프랑스의 소설가·극작가. 석공(石工) 등 직업을 전전하면서 독학, ≪푸른 암말≫ 등 괴기(怪奇)와 유머가 섞인 독자(獨自)의 작품을 발표함. 아동 문학에 ≪술래잡기 이야기≫, 희곡에 ≪달의 작은 새들≫ 등이 있음. [1902-67]

에메랄드 [emerald] 명 『광』 녹색(綠色)의 광택이 있는 보석. 녹주석(綠柱石)의 한 가지로 특히 아름다운 것임. 녹주옥(綠柱玉). 취옥(翠玉). 녹옥(綠玉). 취록옥(翠綠玉). [$Be_3Al_2Si_6O_{18}$]

에메랄드 그린 [emerald green] 명 ①에메랄드와 같이 맑고 아름다운 녹색(綠色). ②아세트산 구리와 아비산(亞砒酸) 구리와의 복염(複塩). 맑고 화려한 녹색을 띠고 있으며 내구성(耐久性)도 강함. 옛날에는 도료(塗料)나 착색료로 사용하였으나 독성이 강하여 근래에는 선박 바닥의 도료로 쓰임. 화록청(花綠靑).

에메틴 [emetine] 명 『약』 항원충제(抗原蟲劑)로서 백색의 분말상(粉末狀) 결정. 주혈 흡충병(住血吸蟲病), 간디스토마 및 아메바 적리(赤痢)의 특효약으로 쓰이며, 극약임.

에멜무지-로 부 ①물건을 단단하게 묶지 아니한 모양. ②언행을 헛일겸 시험삼아. ¶ 굳이 대답을 듣고자 하는 기색도 아닌 ~ 내뱉은 말이란 걸 이쪽에서도 짐작하고…≪金周榮: 客主≫.

에멜트의 법칙 【—法則】 [Emmelt] [—/—에—] 명 『심』 일정 시간 원도(原圖)를 응시하다가 소정의 면에 잔상(殘像)을 투사하면, 잔상의 크기는 투사하는 면(面)까지의 거리에 정비례한다는 법칙.

에면데면-하다 형 〈방〉 데면데면하다.

에멸무지-로 부 〈방〉 에멜무지로.

에몰리엔트 효:과 【—効果】 [emollient] 명 화장품 등에서, 피부에 윤기와 유연성, 영양분을 보존케 하는 효과.

에물진 [도 Emulsin] 명 『화』 에멀신.

에뮤 [emeu, emu] 명 『조』 [*Dromaeus novae-hollandiae*] 주조류(走鳥類) 에뮤과에 속하는 새. 타조와 비슷한데 키는 1.7m쯤 되고 자웅이 모두 암회색임. 날개와 꽁지는 퇴화하고, 다리는 길고 튼튼하며 발끝이 셋으로 갈라져 있음. 일 년에 7-18개의 알을 낳으며 수컷이 알을 품음. 잘 뛰며 헤엄을 쳐서 내를 건넘. 오스트레일리아에 많이 번식하고 있음.

〈에뮤〉

에뮬레이션 [emulation] 명 『컴퓨터』 한 컴퓨터가 다른 컴퓨터와 똑같이 작동하기 위하여 특별한 프로그램이나 기계적 방법을 사용하는 일.

에미 명 〈방〉 ①어미(경상). ②계집아이(함남).

에미그런트 [emigrant] 명 [망명자의 뜻] 러시아 10월 혁명 때의 망명 문학자를 가리키는 말. 또는 나치스에게 추방당한 독일의 작가들을 말하기도 함.

에미그레 [프 emigré] 명 [이주자(移住者)의 뜻] 프랑스 혁명기(革命期)의 국외 도망자. 특히, 망명 귀족을 일컬으며, 그들 대부분은 외국 세력과 결탁하여 반혁명 운동을 조직, 1814년 왕정 복고(王政復古)와 함께 귀국하여 반혁명 세력의 중핵(中核)이 되었음.

에미그레이션 [emigration] 명 이민(移民).

에미나 명 〈방〉 계집애(강원·황해·평안·함경).

에미내 명 〈방〉 계집아이(함남).

에미네 명 〈방〉 ①여편네(평안·함경). ②계집애(함남).

에미네-스나 명 〈방〉 가시버시(함경).

에미네스쿠 [Eminescu, Mihail] 명 『사람』 루마니아의 시인(詩人). 본명은 미하일 이미노비치(Mihail Iminovici). 빈(Wien)·베를린·예나 등지에 유학(留學)하여 실러·칸트·쇼펜하우어 등의 영향을 받음. 귀국(歸國) 후, 부쿠레슈티에서 직장 생활을 하였으며, 늘그막에 정신병(精神病)에 시달리다 병사(病死)했음. 루마니아 문학의 근대화(近代化)에 공헌한 문예 단체(文藝團體)에 참가 활동하고, 명상적인 서정시(敍情詩)를 썼음. [1850-89]

에미-상 【—賞】 명 [Emmy Award] 미국의 텔레비전 프로그램 콩쿠르 상(賞). 전(全)미국 텔레비전 예술·과학 아카데미가 연간 가장 우수한 프로그램·출연자·작곡자 등에게 줌. 해마다 5월경에 발표됨. 1949년 제정되고, 1963년부터 해외 작품 부문이 첨가됨.

에미 주:사기 【EMI走査機】 명 『의』 영국의 전자 음악 산업(電子音樂產業) 회사인 에미사(EMI社)에서 1973년에 개발한 엑스선 컴퓨터 단층 촬영기의 딴이름.

〈에미상〉

에밀 [프 Émile] 명 『책』 루소의 교육 소설. 1762년에 간행됨. 고아(孤兒) 에밀의 출생으로부터 청년기까지를 특히 인위적 교육을 배격하고 인간 본성을 존중하는 교육법을 소설 형식을 빌려 서술하였음. 페스탈로치의 사상을 위시한 후대의 교육자에게 큰 영향을 주었음.

에밀레 미술관 【—美術館】 명 충청 북도 보은군 내속리면 상판리에 위치한 박물관. 건축가 조자용(趙子庸)이 벽사(辟邪) 미술품·민화(民畫)·귀면와(鬼面瓦) 등 개인 수장품(收藏品)을 가지고 세운 미술관임.

에밀레-종 【—鐘】 명 『불교』 봉덕사종(奉德寺鐘)의 속칭.

에반젤린 [Evangeline] 명 『문』 롱펠로(Longfellow, H.W.)가 지은 목가풍(牧歌風)의 시(詩). 또, 그 여주인공의 이름. 1847년에 간행.

에버-글레이즈 [ever+glazes] 명 『공』 면포(綿布)나 화학 섬유에 수지 가공(樹脂加工)을 하고 다시 내구성(耐久性)을 가지게 한 피륙.

에버글레이즈 국립 공원 【—國立公園】 [Everglades] [—닙—] 명 『지』 미국 플로리다 주의, 1947년 창설된 국립 공원. 플로리다 반도 남단부에 있고 에버글레이즈(Everglades)라고 불리는 습지(濕地)를 중심으로 아열대성(亞熱帶性)의 숲이 우거지고 많은 물새가 있음. [4,452 km²]

에버샤:프 펜슬 [ever-sharp+pencil] 명 →샤프 펜슬.

에버-소프트 [Eversoft] 명 고무·합성 수지(合成樹脂) 등을 해면(海綿)처럼 가공하여 부드럽고 탄력성 있게 한 것의 상표명. 매트리스·쿠션·방석 등에 사용함.

에버-플리:트 [ever+pleat] 명 기계적으로 주름지게 만든 옷감. 비를 맞거나 빨아도 주름이 펴지지 않음.

에번스[1] [Evans, Arthur] 명 『사람』 영국의 고고학자. 1900년 크레타섬을 발굴하여 크노소스 궁전(Knossos 宮殿) 등, 에게(Aege) 문명의 여러 고적을 발견함. 이후 그 연구에 일생을 바쳤음. [1851-1941]

에번스[2] [Evans, Herbert McLean] 명 『사람』 미국의 해부학자·발생학자. 1918년 인간의 48개 염색체를 발견하고 1922년에는 비타민 E를 발견했음. [1882-1971]

에번스[3] [Evans, Oliver] 명 『사람』 미국의 기술자. 독학으로 공학(工學)을 공부하여, 제분(製粉) 기계·증기 기관 등의 발명과 개량에 종사하였고, 1804년에 제작한 고압(高壓) 증기 기관은 특히 유명함. 또, 미국 최초의 증기 준설기(浚渫機)를 완성함. [1755-1819]

에번스프리처드 [Evans-Pritchard, Edward Evan] 명 『사람』 영국의 사회 인류학자. 20-30대(代)에 아프리카의 미개 사회(未開社會)를 연구함. 여러 저서에서, 실증주의적 구조론의 입장으로부터 정치 구조나 비교 종교를 논구(論究)했음. [1902-73]

에번즈빌 [Evansville] 명 『지』 미국 인디애나 주의 상공업 도시. 오하이오 강(江) 북안(北岸)에 위치함. 가구(家具)·농기계(農機械)·자동차 따위의 제조와 석탄·농산물의 집산지임. [130,000 명(1988)]

에벌류:션 [evolution] 명 ①진화(進化). ②사물의 단계적 변화.

에베레스트 산 【一山】〔Everest〕 명 『지』 네팔과 티베트와의 국경에 있는 히말라야 산맥의 최고봉. 산정(山頂) 근처에는 항상 거대한 빙하가 있으며 세계 최고봉임. 1953년 5월 영국 등반대에 의하여 처음으로 정복되었고, 우리 나라 등반대도 1977년 9월 등정(登頂)에 성공하였음. [8,848 m]

에베르 〔Hébert, Jacques René〕 명 『사람』 프랑스 혁명기의 정치가. 파리 민중 사이에 영향력이 크고, 급진적 소시민·무산자의 지지를 얻어 에베르파(派)를 형성, 자코뱅당(黨) 독재의 추진력이 되었으나, 후에 로베스피에르(Robespierre)에게 처형됨. [1755-94]

에베르트 〔Ebert, Friedrich〕 명 『사람』 독일의 정치가. 젊어서 사회 민주당(社會民主黨)에 입당,후에 중앙 위원이 됨. 1912년 국회 의원에 당선. 이듬해 베벨의 후임으로 당수(黨首)가 됨. 제1차 대전 초에는 당 주력(主力)을 참전론(參戰論)으로 이끌어, 당의 분열을 일으키면서 다수파(多數派) 사회 민주당의 당수가 됨. 독일 혁명 때에는 주도권(主導權)을 공산주의자들의 수중에서 빼앗아 임시 대통령에 추대(推戴)되었다가, 독일 공화국(共和國)이 성립(成立)됨에 따라 초대(初代) 대통령이 됨. [1871-1925]

에베소 〔Ephesus〕 명 『성』 에페수스.

에베소-서 【一書】 명 〔Ephesians〕 『성』 신약 성서의 한 권. 바울이 옥중에서 썼다는 서한의 하나. 장중(莊重)한 문장으로 웅대한 기독론(基督論)과 교회론(敎會論)을 전개하였음. 바울이 쓰지 않았다고 하는 학자가 많음. 에페소인들에게 보낸 편지.

에보나이트 〔ebonite〕 명 생고무에 30-50% 내외의 황(黃)을 장시간 가열(加熱)하여 얻는 뼈처럼 단단한 물질. 질이 단단하고 흑색의 광택이 있으며, 가열하면 연화(軟化)되어 그 형(型)을 마음대로 할 수 있음. 산·알칼리에 강하며, 부도체(不導體)임. 절연체(絶緣體)·만년필·파이프·의료 기구 등에 사용하였음. 경질 고무. 경화 고무.

에보라 〔Évora〕 명 『지』 포르투갈 남부, 에보라 지방의 중심 도시. 남부의 상업 중심지임. 고대 로마 시대에 창건되었으며, 당시의 유적과 12세기의 성당 등 사적(史跡)이 풍부하여, 박물관 도시란 이명(異名)이 있음. [51,000 명(1981)]

에부수수 부 ①깔끔하게 정돈되거나 갈무리되지 않아 엄부렁하고 어수선한 모양. ②속에 알이 꽉 차지 않고 서부렁서부렁한 모양. 㶽에푸수수. ——-하다 형 여불

에브너 에셴바흐 〔Ebner-Eschenbach, Marie von〕 명 『사람』 오스트리아의 여류 소설가·시인. 귀족 출신이었으나 농민·도회지 하층민(下層民)·귀족 등 광범위하게 소재를 골라 예리한 정신과 여성다운 포근함이 넘치는 작품을 남김. 대표작에 ≪마을과 성(城) 이야기≫·≪마을 아이들≫·≪잠언집(箴言集)≫ 등이 있음. [1830-1916]

에브라임 〔Ephraim〕 명 『성』 야곱의 손자. 요셉의 차남 또는 그 자손들로서 유태 나라 열 두 지파(支派) 중의 하나.

에브로 강 【一江】〔Ebro〕 명 『지』 스페인의 동부, 많은 지류를 합쳐 카탈루냐 지방을 흘러 지중해로 들어가는 강. 연안에서는 밀·포도가 산출되며, 관개(灌漑)·수운(水運)에 이용되는 외에 수력 발전도 스페인 최대임. [917 km]

에브리맨스 라이브러리 〔Everyman's Library〕 명 『책』 런던의 덴트(Dent) 출판사에서 내고 있는 문학 총서. 1906년에 창간, 천 권을 목표로 하여 세계의 명저(名著)를 담고 있는데, 목표의 천 권을 넘고 있음.

에블리야 첼레비 〔Evliya Chelebi〕 명 『사람』 오스만 제국의 여행가·지지(地誌) 저자. 약 40년간 여행가 및 사절로서 아시아·유럽·아프리카 여러 곳을 두루 돌아다녔고, 또 여러 전쟁에도 종군하여 그 견문을 수록한 ≪여행가의 기록≫을 저술함. 그 내용은 10부로 나뉘어 지리·풍속·민정(民情)·사회 생활에 관한 보고(寶庫)라고 일컬어짐. [1611-79]

에비 명 감 아이들에게 '무서운 것'이라는 뜻으로 놀라게 하는 말. 또, 가상적(假想的) 물건. ¶울면 ~가 업어 간다/~, 만지지 마라.

에비다 형 〈방〉 여위다(강원).

에비아 섬 〔Evvia〕 명 『지』 에게 해(Aege海) 동부에 위치한 그리스 최대(最大)의 섬. 본래 본토(本土)에 이어져 있었는데 현재는 교량(橋梁)으로 연결됨. 산지(山地)는 산림으로 덮여 있고 밀·포도·올리브의 재배와, 목축·양봉(養蜂)이 행하여짐. 에우보이아(Euboea) 섬. [3,654 km^2 : 188,000 명(1981)]

에비앙 협정 【一協定】〔Evian〕 명 1962년 3월, 레만 호안(Léman 湖岸)의 에비앙에서 프랑스와 알제리 임시 정부 사이에 체결된 알제리 전쟁에 대한 화평 협정. 이로 인하여 7월의 국민 투표에서 96.7%의 찬성표를 얻어 알제리는 독립하였음.

에비온-파 【一派】 명 〔Ebion〕 『종』 그리스도의 신성(神性)을 부인하는 기독교의 한 파로서 이단적(異端的)인 교파. 그리스도는 하나의 인간에 불과하며 다만 신법(神法)을 충실히 지켜서 의인(義人)이 되어 세례를 받을 때 비로소 메시아로서의 기름부음을 받았다고 주장함.

에빙하우스 〔Ebbinghaus, Hermann〕 명 『사람』 독일의 심리학자. 기억과 망각에 대한 실험 심리학자로 유명함. 의미 없는 철자(綴字)를 써서 기억의 실험을 행하고 '망각 곡선(忘却曲線)'을 만들었음. 주저(主著) ≪심리학 원론≫·≪심리학 요강≫. [1850-1909]

에사 【ESSA】 명 〔Environmental Scientific Service Administration의 약칭〕 미국의 환경 과학 사업청 관리하의 실용 기상 위성(氣象衛星). 1966년 2월 3일 케이프케네디에서 1호를 쏘아 올렸음. 무게 136 kg. 에사 위성.

에사 데 케이로스 〔Eça de Queiroz〕 명 『사람』 포르투갈의 사실(寫實)주의 문학을 창시한 작가의 한 사람. 스페인 문학에도 영향을 끼침. 외교관으로서도 활약. 대표작 ≪종형(從兄) 바질리오≫·≪마이아가(家)의 사람들≫·≪도시와 산골≫ 등. [1843-1900]

에사 위성 【ESSA 衛星】 명 에사(ESSA).

에사키 레오나 〔江崎玲於奈 : えさきれおな〕 명 『사람』 일본의 물리학자. 오사카 출생. 1947년 도쿄 대학 물리학과 졸업. 고베(神戶) 공업 회사를 거쳐 소니 회사에 들어가 연구를 계속하여 터널 다이오드를 발명함. 1960년 미국 IBM의 주임 연구원으로 있으면서 1973년 '반도체에 있어서의 터널 현상의 실험적 발견'으로 노벨 물리학상을 받음. 1992년 쓰쿠바(筑波) 대학장에 취임함. [1925-]

에서[1] 〔Esau〕 명 『성』 구약 시대 이삭이 낳은 쌍둥이의 형(兄). 장남이긴 하나 신(神)의 선택을 받지 못하여 아우 야곱에게 팥죽 한 그릇에 상속권을 팔았다 함.

에서[2] 조 ①명사 밑에 붙어 사물의 움직이고 있는 처소를 나타내는 부사격 조사. ¶집~ 식사한다. ②명사나 대명사 밑에 붙어서 움직임의 출발점을 나타내는 보조사. ¶학교~ 집까지. 준서. *으로부터·서부터. ③문장의 주어가 단체임을 나타내는 주격(主格) 조사. ¶우리 회사~ 우승했다.

에서-부터 조 '에서'와 '부터'가 겹쳐진 보조사. 움직임의 출발점을 나타내는 말. 으로부터. ¶출발역~ 도착역까지. 준서부터.

에서-처럼 조 '에서'와 '처럼'이 겹쳐진 보조사. ¶집~ 하면 된다.

에세네-파 【一派】〔Essene〕 명 1세기경 사해(死海) 주변에 종교적 공동체를 형성한 유태교의 일파. 금욕주의를 주창하며 장로의 지도 아래 공동 생활을 함.

에세닌 〔Esenin, Sergei Aleksandrovich〕 명 『사람』 러시아의 시인. 소박한 형식 속에 러시아 농촌의 자연을 서정적으로 노래함. 사회주의 건설 초기의 격심한 변천 속에서 상처받기 쉬운 시인의 영혼의 애상을 섬세히 표현하고, 여러 시집에서는 농촌 시인과 혁명과의 모순, 사랑과 향수, 좌절과 절망을 읊었으며, 끝내 절망 속에서 자살함. 시집에 ≪페르시아의 모티프≫·≪술집의 모스크바≫ 등이 있음. [1895-1925]

에세린 〔eserine〕 명 『화』 서부 아프리카 산(産) 칼라바르(Calabar) 콩에 함유된 알칼로이드. 무색(無色)의 결정으로 녹는점 105℃, 맹독(猛毒)으로 숨골을 마비시키며, 의약(醫藥)으로는 동공(瞳孔) 수축제나 부교감 신경 흥분제·녹내장·각막염에 쓰임. 피소스티그민(physostigmine). [$C_{15}H_{21}O_2N_3$]

에세 에스트 페르키피 〔라 esse est percipi〕 명 『철』 정신과 그 정신의 소유인 관념(觀念)만 존재하고, 그 이외의 물질적인 실체(實體)는 전연 존재하지 않는다는, 주관적(主觀的) 관념론을 대표하는 명제(命題). 로크(Locke, J.)의 사상을 발전시킨 버클리(Berkely)의 주장으로, 감각적인 사물의 존재(esse)는 지각(知覺)되는 것(percipi)에 불과하므로, 개개의 물체는 심리적인 표상(表象)의 결합이라는 명제임. 존재 즉 피지각(存在卽被知覺).

에세이 〔essay〕 명 ①수필(隨筆). ②특수한 주제(主題)를 다룬 논설.

에세이스트 〔essayist〕 명 수필가(隨筆家).

에센[1] 〔Essen〕 명 『사람』 몽고족 오이라트부(Oirat 部) 전성기의 부장. 태사 회왕(太師淮王)이라 일컬음. 중부 아시아로부터 동만주를 지배하고 대원 천성 대가한(大元天聖大可汗)이 되고, 1449년 명나라를 쳐서 영종(英宗)을 포로로 하는 등, 명실 공히 몽고의 지배자가 되었으나 부하인 아라지원(阿剌知院)에게 살해됨. 야선(也先). [?-1454]

에센[2] 〔Essen〕 명 『지』 서부 독일의 라인 공업지의 중심 도시. 부근의 풍부한 석탄과 철광(鐵鑛)에 의해 중공업이 성함. 유명한 크루프(Krupp) 제철소가 있음. [650,000 명(1980)]

에센셜리스트 〔essentialist〕 명 본질파(本質派). 본질주의자(者). 진보적 교육 이론의 유행에 대항하여 기초적 기능(技能)이나 지식의 체계적 전달을 중시(重視)한 미국 교육학자·교육자의 일파.

에센스 〔essence〕 명 ①본질. 본체. 요소. 정수(精髓). ②정유(精油). 향유.

에셔[1] 조 〈옛〉 에서. 보다. ¶불고미 日月에셔 더으고(明愈日月)≪蒙法 65≫/殺人에셔 ㄱ장ᄒᆞ니 업ᄉᆞ니(莫最於殺人)≪無寃錄 Ⅰ:1≫.

-에셔[2] 어미 〈옛〉 -어서. ¶수메셔 드르시고(潛身以聽)≪龍歌 108 章≫.

에소 【ESSO】 명 〔Export & Sales of Standard Oil의 약칭〕 1936년 미국의 뉴저지 스탠더드 석유 회사의, 수출을 위하여 설립된 회사. 현재는 세계 각 지역에 'ESSO'를 붙인 판매 회사가 있고, 'ESSO International Inc.'가 활동을 통할함. 모두 스탠더드의 전주(全株) 보유 회사임.

에솔러지 〔ethology〕 명 『심』 행동 과학(行動科學).

에순 수 〈방〉 예순(전남·경남).

에스 【S, s】 명 ①『언』 알파벳의 열 아홉째 자모. ②『지』〔south의 머리글자〕 남쪽·남극을 나타내는 부호. ③〔sister의 머리글자〕 동성애(同性愛)의 대상을 나타내는 말. 주로, 여학생들이 씀. ¶~ 동생/~ 언니. ④〔smoke의 두문자〕 담배·흡연(吸煙)의 뜻. ⑤스파이(spy).

에스겔 〔Ezekiel〕 명 『성』 기원전 6세기경의 유태 사대(四大) 선지자(先知者) 중의 한 사람. 기원전 597년에 바빌로니아에 납치되어, 그 곳에서 20여 년간 예언을 하고, 의식적이고 형식적인 방면에 관심을 두면서 종신하였음. 팔레스타인 이외의 땅에서 활약한 최초의 이스라엘 예언자로 알려짐.

에스겔-서 【一書】〔Ezekiel〕 명 『성』 구약 성서의 삼대(三大) 예언서의 하나. 에스겔의 예언이라 하여 예루살렘의 함락, 구세주의 출현, 이스라엘의 회복과 평화 등이 수록됨. 6세기에 이루어짐. 에제키엘서(書).

에스 곡선 【S曲線】 명 〔s-curve〕 『물』 일정 온도에 있어서의 오스테나이트(austenite)의 변태(變態) 과정 및 그 결과를 나타내는 곡선.

에스-극 【S極】 명 남극(南極)❶.

에스노센트리즘 〔ethnocentrism〕 명 『심』 집단(集團)에 나타나는 자기 중심적 경향(自己中心的傾向). 인종 차별 의식이 그 대표적인 예임.

에스놀러지 〔ethnology〕 명 민족학(民族學).

에스더 〔Esther〕 명 〖성〗 유태인(人)의 딸로서 페르시아왕 크세르크세스(Xerxēs) 1세의 비(妃)가 되어 하만(Haman)의 유태인 살해 계획을 실패로 돌아가게 함.

에스더-서 【一書】〔Esther〕 명 〖성〗 구약 성서 중의 역사서(歷史書)의 하나. 에스더를 주인공으로 하여 '부림' 절기를 설명하기 위한 역사 이야기로서, 에스더가 몸과 목숨을 걸고 호소하여 유태인들의 사멸(死滅)을 면하고 하만(Haman)이 사형을 받는다는 내용임. 에스델서(書).

에스델-서 【一書】〔Esther〕 명 〖성〗 에스더서(Esther 書).

에스 디 아:르 【S.D.R.】 명 〖경〗〔special drawing rights의 약칭〕 국제 통화 기금(IMF)의 특별 인출권(引出權).

에스 디: 아이 【SDI】 명 〔Strategic Defense Initiative의 약칭〕 전략 방위 구상. 날아오는 적의 대륙간 탄도 미사일을 대기권 밖에서 미사일이나 레이저, 양성자(陽性子)빔 등의 지향성(指向性) 에너지 무기로 요격하려는 구상(構想). 속칭 : 별들의 전쟁

에스라 〔Ezra〕 명 〖사람〗 기원 전 5세기경의 유태 학자·선지자(先知者). 예루살렘에서 율법(律法)을 가르치고 종교 개혁을 단행하였으며, 율법적 유태교의 기초를 확립하고 일체의 이교주의(異敎主義)를 배척함. 구약(舊約)의 에스라서(Ezra 書)의 주인공임. 생몰 연대 미상.

에스라-서 【一書】〔Ezra〕 명 〖성〗 구약 성서 가운데의 역사서(歷史書)의 한 편. 기원전 4-3 세기에 걸치어 성립됨. 바빌론 포로로부터 귀환하여 신전(神殿) 재건까지와 에스라의 종교 개혁을 기록함. 에즈라서(書).

에스-램 【SRAM】 명 〔static randomaccess memory의 약칭〕 신호 보지(保持) 동작이 필요하지 않은, 수시로 읽어 내고 써넣을 수 있는 반도체 기억 장치. ＊디램.

에스로 【ESRO】 명 〔European Space Research Organization의 약칭〕 유럽 우주 연구 기구.

에스마르히 〔Esmarch, Johann Friedrich August von〕 명 〖사람〗 독일의 외과 의사. 킬 대학에서 외과학을 담당하였으며, 프로이센 프랑스 전쟁에 종군하여 야전 외과에 진력함. 에스마르히 지혈법(止血法)으로 유명하며, 클로로포름 마취법 개량에도 공이 큼. [1823-1908]

에스바크 시:약 【一試藥】 명 〔Esbach's reagent〕〖병리〗 단백질의 침전 반응(沈澱反應)에 쓰이는 시약(試藥)의 하나. 트리니트로페놀(trinitrophenol) 1g, 시트르산(酸) 2g을 100 ml의 물에 녹인 용액. 오줌 속의 알부민을 정량(定量)하는 데 쓰임.

에스 비: 스폿 〔SB spot〕 명 〔station break spot announcement의 약칭〕 광고에서, 한 프로그램이 끝나고 다음 프로그램이 시작될 때까지의 짧은 시간에 삽입되는 스폿 아나운스먼트.

에스 비: 아:르 【SBR】 명 〔styrene-butadiene rubber의 약칭〕〖화〗 스티렌부타디엔 고무.

에스비에르 〔Esbjerg〕 명 〖지〗 덴마크의 서부 유틀란트(Jutland) 반도 서안(西岸)의 항구 도시. 북해에 임하며 영국과의 사이에 정기 항로가 열림. 육류 및 낙농 제품의 중요한 수출항. [80,000 명(1982)]

에스 사이즈 【S—】 명 〔Small size〕 셔츠·블라우스 따위의 규격 중 소형의 것. ＊엘사이즈.

에스상 결장 【S狀結腸】〔一짱〕 명 〖생〗 대장(大腸)의 일부. 이 부분은 보통 S자 모양으로 틀리어 있는데, 그 끝 부분이 있는 데가 소골반(小骨盤)이며 천골(薦骨)의 상부 앞에서 직장(直腸)이 됨.

에스상 결장염 【S狀結腸炎】〔一짱념〕 명 〔sigmoiditis〕〖의〗 결장(結腸)의 급성·만성의 염증. 만성의 것은 경련성 변비로 인한 딴딴한 분괴(糞塊)의 자극으로 발생하며 왼쪽 하복부에 자주 아픔을 느낌. S상 결장에 사마귀 모양의 종양(腫瘍)이 만져지며, 그 곳에 압통(壓痛)을 느끼는 데 출혈(出血)과 화농(化膿)을 볼 수 있기도 함.

에스세티시즘 〔aestheticism〕 명 〖예〗 탐미주의(耽美主義).

에스세틱 미:용 【一美容】〔aesthetics〕 명 의학적·과학적으로 피부 관리·신체 균형·메이크업·매니큐어·페디큐어에 이르기까지, 근본적으로 아름답게 하려는 목적을 지닌 새로운 미용법.

에스 시: 아:르 【SCR】 명 〖전〗〔silicon controlled rectifier의 약칭〕 실리콘 제어 정류 소자(制御整流素子).

에스식 혈액형 【S式血液型】 명 〔도 S-Blutgruppen〕〖의〗 1932년 시프(Schiff) 등이 발견한 혈액형. ABO식 혈액형과 관계가 있으며, 그 혈액형 물질이 타액(唾液)·위액(胃液)·정액(精液) 등에 분비(分泌)되는 분비형(S 또는 Se)과, 분비되지 아니하는 비분비형(s 또는 se)으로 가를 수 있는데, 70 % 이상은 분비형임. 멘델의 법칙에 따라 유전하며 범죄 수사상 중요함.

에스 아: 【SA】 명 〔도 Sturmabteilung der NSDAP의 약칭〕 나치 돌격대(突擊隊).

에스 아:르 가공 【SR加工】 명 〔SR는 soil release의 머리글자〕 폴리에스테르와 같은 합성 섬유의 대전성(帶電性)을 없애어 더럼 타는 것을 막는 가공.

에스 아:르 비: 엠 【SRBM】 명 〖군〗〔short range ballistic missile의 약칭〕 단거리 탄도 미사일.

에스아:르-설 【SR 說】 명 〖심〗〔SR는 stimulus-response의 약칭〕 학습(學習)은 자극(stimulus)과 반응(response)의 결합에 의하여 성립하고 더욱이 강화를 필요 조건으로 한다는 심리학의 입장. 연합설(聯合說). 자극 반응 이론. ↔에스 에스 설(SS 說).

에스 아:르 에이 엠 【SRAM】 명 〖군〗〔short range attack missile의 약칭〕 단거리(短距離) 공격 미사일. 전략 폭격기에 실어서 발사하는 공격용 전략 무기임.

에스 아이[1] 【SI】 명 〔Le Système International d'Unités의 약칭〕 국제 단위계.

에스 아이[2] 【S.I.】 명 〖연〗 '스위치 인(switch in)'의 약칭.

에스아이티:-관 【SIT管】 명 〔silicon intensifier target tube〕 미국의 아르 시 에이 사(RCA 社)가 개발한 초고감도(超高感度)의 컬러 텔레비전 카메라용의 촬상관(撮像管).

에스 아이 티: 시: 【SITC】 명 〔Standard International Trade Classification의 약칭〕〖경〗 유엔에서 작성·발표한 무역 상품 분류. 우리 나라에서는 한국 은행의 무역 통계, 수출품 검사 등에 이 방식을 채용하고 있음. 표준 국제 무역 분류. ＊비 티 엔(BTN).

에스 에스 【SS】 명 ①〔도 Schutzstaffel의 약칭〕 나치의 친위대(親衛隊). ②〔Suspended Solid〕 물 속에 현탁(懸濁)하여 있는 불용성(不溶性) 물질. 일정량의 물을 여과하고 잔류물(殘留物)을 증발 건조시켜 측정하는데, 수치(數値)는 ppm으로 표시함.

에스 에스 비: 통신 방식 【SSB 通信方式】 명 〔single side band transmission system〕 통신을 보내는 변조 방식의 하나. 단측파대(單側波帶)에 의한 통신 방식. 장거리 전화에 이용됨. 단측파대 통신.

에스에스-설 【SS 說】 명 〔SS는 영어 sign-significate의 약어〕 학습(學習)은, 어떤 자극에 따라서, 새롭게 사태(事態)에 대한 의미 부여(意味賦與)가 이루어짐으로써 성립하며, 그것에는 강화(強化)를 필요 조건으로 하지는 않는다는 심리학의 설(說). 장이론(場理論). 인지설(認知說). ↔ 에스 아르 설(SR說).

에스 에스 엠 【SSM】 명 〖군〗〔surface to surface missile의 약칭〕 미사일의 한 종류. 지상(地上)에서 발사되어 적의 지상 목표를 공격하는 지대지(地對地) 미사일.

에스 에스 티: 【S.S.T.】 명 〔supersonic transport〕 초음속 제트 여객기. 시속은 마하 2-3.

에스 에스 티: 공해 【SST 公害】 명 〔pollution by supersonic transport〕 초음속 여객기의 충격파(衝擊波)로 인한 공해(公害). 그 충격파는 최대 200-300 폰에 달한다고 하며, 유리창도 깨진다고 함.

에스 에이 에스[1] 【SAS】 명 〔Scandinavian Airlines System의 약칭〕 1946년 덴마크·스웨덴 및 노르웨이의 세 나라 항공 회사가 연합 계약을 맺어 설립한 세계에서 손꼽는 항공 회사. 항공로는 스칸디나비아를 기점(起點)으로 하여 세계 각지에 달함. 스칸디나비아 항공.

에스 에이 에스[2] 【SAS】 명 〔Small Astronomical Satellite의 약칭〕 소형 천체 관측 위성. 익스플로러(Explorer) 42호의 별칭으로, 우주 X선원(源)을 관측하는 것이 목적임. 미국의 위성으로 처음 이탈리아의 케니아 기지로부터 이탈리아 과학자에 의하여 발사됨. 무게 140 kg.

에스 에이 지: 이: 【SAGE】 명 〖군〗〔Semi-Automatic Ground Environment의 약칭〕 미국 국방성에서 계획하고 있는 반자동식의 미 본토 주변에 대한 방공 계획. ICBM에 의하여 공격을 받게 될 때, 본토 주변(本土周邊)에 쳐놓은 전파 탐지망(電波探知網)의 정보에 의하여, 이를 본토 밖에서 요격(邀擊)하려는 대방공 계획(大防空計劃)임. 반자동 경계 관제 조직(半自動警戒管制組織).

에스 에이치 에프 【S.H.F.】 명 〔superhigh frequency의 약칭〕 '초고주파(超高周波)'의 약칭. 센티미터파(波).

에스 에프 【SF】 명 〖문〗〔science fiction의 약칭〕 과학적인 지식을 토대로, 공상을 자유 자재로 구사한 소설. 프랑스의 대중 작가 베른(Verne)이 시작하여 미국에서 보급되면서 문학 상의 한 분야로 발전함. 과학 소설. 공상 과학 소설. 「공상 과학 영화.

에스에프 영화 【一映畫】 명 〔SF film : scientific fiction film의 약칭〕

에스엔-비 【SN比】 명 〔signal to noise ratio〕 신호와 잡음과의 비율. 측정용 신호를 커팅한 레코드를 재생하였을 때, 포노모터(phonomotor)의 영향으로 얼마나 잡음이 많아지는가를 나타내는 비율. 신호와 잡음 전력과의 비율로 표시함.

에스 엔 에이 방식 【SNA方式】 명 〔System of National Accounts〕 국민 경제 계산 체계(國民經濟計算體系).

에스 엘 비: 엠 【SLBM】 명 〖군〗〔submarine launching ballistic missile의 약칭〕 잠수함에서 발사하는 미사일.

에스 엘 시: 엠 【S.L.C.M.】 명 〖군〗〔submarine launching cruising missile의 약칭〕 잠수함 발사 순항 미사일.

에스 엠 【SM】 명 〖군〗〔strategic missile의 약칭〕 전략(戰略) 미사일.

에스 엠 디: 【S.M.D.】 명 〖물〗〔Sony magnetodiode〕 1968년에 일본의 소니 회사가 개발한 반도체 소자(半導體素子).

에스 엠 시: 【SMC】 명 〔Small Magellanic Cloud의 약칭〕〖천〗 소(小)마젤란운(雲).

에스 오: 【S.O.】 명 〖연〗 '스위치 아웃(switch out)'의 약칭.

에스 오: 시: 【SOC】 명 〔social overhead capital〕 사회 간접 자본.

에스 오: 에스 【SOS】 명 ①무선 전신에 의한 조난 신호(遭難信號). 알파벳의 SOS에 해당하는 모르스 부호 '··· − − − ···'를 쓰나 SOS 글자 자체에는 뜻이 없음. ②위험 신호. 구원(救援) 신호. ③구원이나 구조(救助)를 요청하는 일.

에스 오 엑스 〔SO_x〕 명 〖화〗 황산화물의 총칭으로서 2 산화황 SO_2와 3 산화황 SO_3을 합쳐서 이름. 환경 문제를 논할 때에 흔히 쓰임.

에스 유: 엠 【S.U.M.】 명 〔surface to underwater missile의 약칭〕 미사일의 한 종류. 함정(艦艇)에서 발사되어 수중(水中)의 목표를 공격하는 함 대 수중(艦對水中) 미사일.

에스 이: 【SE】 명 〖공〗 시스템 엔지니어링(system engineering). ＊관리 공학(管理工學).

에스카르고 〔프 escargot〕 명 ①〖동〗 식용(食用) 달팽이. 프랑스의 부르고뉴(Bourgogne) 지방의 명산. 주로 인공 양식(人工養殖)되어 프랑스 요리에 쓰임. ②모양이 달팽이를 닮은 데서 프랑스 파리의 공중 변소의 통칭.

에스카르고 스커:트 〔프 escargot＋skirt〕 명 〔에스카르고는 프랑스어

로 달팽이·나사 층층대의 뜻] 나선형(螺旋形)으로 이어댄 롱 스커트. 이음매의 각도나 플레어를 붙이는 방법에 따라 여러 변화가 있음. 스월 스커트. 스파이럴 스커트.

에스칼로프 [프 escalope] 명 얇게 썬 고기.

에스캅【ESCAP】명 [Economic and Social Commission for Asia and Pacific의 약칭] 아시아 태평양 경제 사회 이사회. 1974년에 고친, 에카페(ECAFE)의 새로운 이름임.

에스커 [esker] 명 『지』 빙하(氷河)의 유동 방향으로 형성(形成)된 높이 20-30m, 길이 수십 km의 제방 모양의 지형. 빙하 속의 갈라진 금으로부터 흘러든 융빙수(融氷水)가 빙하 바닥의 하상(河床) 속에 자갈을 퇴적시키어 형성함.

에스컬레이션 [미 escalation] 명 점차적(漸次的)·단계적(段階的)으로 확대하여 감.

에스컬레이터 [escalator] 명 [본디, 미국의 상표 이름] 승객(乘客)을 위층 또는 아래층으로 운반하는 자동적인 계단. 항상 천천히 움직이고 있음. 자동 계단(自動階段). 자동식 계단.

에스컬레이터 조항【一條項】명 [escalator clause] 『경』 ①노동 협약 등에서, 임금을 물가나 매상고 등의 상승에 따라, 자동적으로 인상하는 것을 규정한 조항. 슬라이드제(slide制). ②수출입 거래 계약에서, 계약 성립 후의 물가나 외국환(外國換) 시세의 변동에 대비하여, 계약 가격에 탄력을 갖게 하는 것을 규정한 조항. *슬라이딩 스케일 제도.

에스컬레이트 [미 escalate] 명 분쟁 따위가 단계적으로 확대하여 감. ——-하다 자여불

에스 케이 에프【SKF】명 [A.B. Svenska Kullager-Fabriken의 약칭] 세계 베어링 시장의 30%를 점유하는 스웨덴 최대의 회사. 1907년 설립. 광산·제철소를 소유하고 소재(素材)의 특수강은 본사에서 해외 공장에 배송(配送)함.

에스코리알 [Escorial] 명 『지』 스페인의 마드리드 북서쪽에 있는 성(聖) 로렌소 델 에스코리알 성당의 통칭. 스페인 르네상스의 대표적 건축인데, 펠리페(Felipe) 2세의 명에 의하여, 수도원 겸 왕궁으로서 창건함. 실내 장식을 17세기까지 수많은 예술가가 제작에 참여하였으며, 또 회화(繪畫)와 사본류(寫本類)의 수집으로 유명함.

에스코리알 궁전【一宮殿】[Escorial] 명 에스코리알을 왕궁으로서 일컫는 이름.

에스코:트 [escort] 명 ①호위(護衛)·호송(護送)의 뜻. 의례적(儀禮的)인 호위(護衛). 또, 그 호위자(者). 특히, 남성이 여성에 동반(同伴)하여 시중을 드는 일이나 집까지 데려다 주는 일을 일컬음. ②단체 여행 등의 안내원(案內員). *샤프롱. ——-하다 타여불

에스코피에 [Escoffier, Auguste] 명 『사람』 프랑스의 명요리인. 런던의 사보이 호텔을 창립, 칼튼 호텔의 지배인 등을 지냄. 프랑스 요리를 체계화하고, 그 요리 사전(事典)은 서양 요리의 교전(敎典)이라고 일컬어짐. [1846-1935]

에스콜라 [Eskola, Pentti] 명 『사람』 핀란드의 암석학자. 골드슈미트(Goldschmidt)와 함께, 화학 평형론적(化學平衡論的)인 근대 변성 암석학(變成岩石學)의 창시자. 서남 핀란드의 오울루예르비(Oulujärvi) 지방의 변성암의 연구에서 변성암 이론의 지도 원리인 광물상 원리(鑛物相原理)를 제창하였음. [1883-1964]

에스콰이어 [Esquire] 명 『역』 중세 영국에서 기사 다음 가는 봉건 신분에 부여된 칭호. 기사의 장남 및 귀족의 2·3남(男)은 이에 해당함. 직무상 이 칭호를 갖는 자로는 궁정의 가산(家産) 관료·주집행관·치안판사 등이 있으며, 또 법정 변호사 등 전문 직업을 가진 자들에게도 이 칭호가 부여되었음.

에스쿠두 [포 escudo] 의명 ☞ 이스쿠두.

에스크로: 바:터 [escrow barter] 명 『경』 에스크로 바터 무역.

에스크로: 바:터 무:역【一貿易】[escrow barter] 명 『경』 [escrow는 날인필(捺印畢) 미교부 증서의 뜻] 수출 선행(輸出先行)의 구상(求償) 무역. 먼저 수입한 사람이 그 대금을 상대방에 보내지 아니하고 자국의 환은행에 예치하여 두고, 상대방에 수출한 경우, 그 예금을 헐어서 결제(決濟) 대금으로 충당하는 무역의 한 방식. 에스크로 바터.

에스크로: 신:용장【一信用狀】[escrow] [一짱] 명 『경』 에스크로 바터 무역을 위하여 발행되는 신용장.

에스키모 [Eskimo] 명 북아메리카의 북극해 연안과 그린란드·알래스카 등지에 거주하는 몽고·아메리칸 인디언계(系)의 인종. 평균 남자의 키는 165-168cm이고, 피부는 황색인데, 두발은 검고 얼굴은 긴 타원형임. 어로(漁撈)·수렵(狩獵)으로 생활함. 근래 백인과의 혼혈이 많이 이루어지고 있음.

에스키모-개 [Eskimo] 명 『동』 개의 한 품종. 크기가 중간형으로 털이 비교적 길고 내한성(耐寒性)이 강함. 힘이 세어, 썰매를 끌리고 수렵견으로도 부림. 그린란드 지방 원산으로 북아메리카의 북극 지방에 많음. 에스키모견(犬).

에스키모-견【一犬】[Eskimo] 명 에스키모개.

에스키셰히르 [Eskişehir] 명 『지』 터키의 앙카라 서부 217km 지점에 위치한 에스키셰히르 주(州)의 주도(州都). 해포석(海泡石)과 크롬을 산출하며 교통의 요지(要地)임. 정당(精糖)·시멘트·타일·항공기·차량 수리·농기구 등의 공업이 행하여지며 면제품(綿製品)의 제조도 성함. [367,328명(1985)]

에스키스 [프 esquisse] 명 밑그림. 화고(畫稿). 소묘(素描). 겨냥도. 스케치.

에스테-가【一家】[Este] 명 중세 북(北)이탈리아의 명문(名門). 기원은 11세기말. 르네상스기(期)의 문예 보호로 유명함. 알폰소(Alfonso) 1세는 교황과 다투고 일시 파문되어 영토를 잃었으나, 1527년 카를 5세의 중재로 복권(復權)됨. 1796년 단절(斷絶)됨.

에스테라아제 [esterase] 명 『화』 에스테르(ester)를 그 성분인 산(酸)과 알코올로 분해하는 효소(酵素)의 총칭. 리파아제(lipase)·포스파타아제(phosphatase) 등.

에스테르 [ester] 명 『화』 유기산 또는 무기산과 알코올이 작용하여 탈수 반응을 일으켜서 생긴 실제의 화합물. 또는 이론상 이에 해당하는 구조를 가진 화합물의 총칭. 알칼리를 작용시키면 산의 알칼리염과 알코올로 분해함. 대개 휘발성과 방향(芳香)이 있어 향료 등으로 쓰임.

에스테르-값 [ester] [一갑] 명 『화』 유지(油脂) 또는 납(蠟) 1g에 함유되어 있는 에스테르를 비누화(化)시키는 데 필요한 수산화 칼슘의 mg수.

에스테르 교환 반:응【一交換反應】[ester] 명 [transesterification] 『화』 어떤 유기산(有機酸) 에스테르의 알코올부(部)를 바꿔 넣어 별개의 에스테르로 전화(轉化)하는 반응.

에스테르하지-가【一家】[Esterházy] 명 헝가리의 명문(名門). 기원은 13세기 초두라고 일컬어지며, 대대로 합스부르크가(家)의 황제들을 섬기며, 유능한 장군·정치가를 배출하였음. 한편, 하이든 등 많은 예술가의 보호자가 되었고, 본거(本據)인 에스테르하지성(城)은 헝가리의 베르사유궁(宮)이라 일컬어졌으며, 회화(繪畫)·판화(版畫)의 수집으로도 유명함.

에스테르-화【一化】명 [esterification] 『화』 산 따위가 에스테르로 됨. 또, 그리 되게 함. ——-하다 자타여불

에스테이트 [estate] 명 『농』 열대(熱帶) 및 아열대(亞熱帶)의 식민지 또는 신개발국에 있어서 발달된 기업적(企業的) 대농장. 일반적으로 열대 지방의 농원(農園)을 일컫는 말.

에스테티크 [프 esthétique] 명 미술·문학 등에 나타난 미(美)의 예술적 가치에 대하여 연구하는 학문. 미학(美學).

에스 텍토나이트 [S tectonite] 명 『암석』 텍토나이트에서 슬레이트 따위와 같이 평판상(平板狀)으로 형성되거나 변형되어 있거나 한 구조.

에스토니아 [Estonia] 명 『지』 유럽의 발트 삼국(三國) 중 가장 북쪽에 있는 공화국. 주민의 대부분은 에스토니아어(語)를 쓰는 에스토니아인(人). 농업이 주임. 1940년 소련에 병합되었다가 1991년 소련의 해체 후 독립함. 정식 명칭은 '에스토니아 공화국(Republic of Estonia)'. 수도는 탈린(Tallin). [45,100km^2 : 1,580,000명(1991)]

에스토니아-어【一語】[Estonia] 명 주로, 에스토니아 공화국내에 거주하는 에스토니아인(人)의 언어. 계통적으로는 우랄 어족(語族)에 속하는 핀 어파(語派)의 발트 핀 제어(諸語)의 하나임.

에스토펠 [estoppel] 명 영미법 상의 원칙으로, 자기의 행위 또는 날인 증서에 반하는 사실의 주장을 금하는 일. 가령, '갑'이 '을'이 한 표시를 믿고, 그것에 의거하여 자기의 지위를 변경한 경우는, '을'은 뒤에 자기의 표시가 진실에 반한다는 것을 이유로 하여, 그것을 번복할 수가 없음. 거래법상 특히 중요함. 금반언(禁反言).

에스톨【STOL】명 [short take-off and landing의 약칭] 항공기의 단거리 이착륙. 고양력(高揚力) 장치의 이용 등으로 공중 성능을 저하시키지 아니하고 활주 거리를 단축한 비행기를 에스톨기(STOL機)라 하여, 비행기의 대형 고성능화와 함께 활주 거리가 길어지는 폐해와 불편을 극복하는 것이 목적임. 스톨. 에스 티 오 엘. *브이스톨(V/STOL).

에스톨-기【STOL機】명 [STOL은 short take-off and landing의 머리글자] 짧은 활주로에서 이착륙(離着陸)이 가능한 항공기. 단거리 이착륙기.

에스투르넬 드 콩스탕 [Estournelles de Constant] 명 『사람』 프랑스의 정치가. 1895년 이후 상원·하원 의원으로서 국제 분쟁의 화해에 진력하고, 헤이그(Hague) 국제 평화 회의에도 참가함. 1909년 베르나르트(Beernaert)와 함께 노벨 평화상을 수상함. [1854-1924]

에스트라다 독트린 [Estrada Doctrine] 명 국제법에서, 혁명이나 쿠데타로 성립한 외국 정부에 대하여 공식적으로 정부 승인을 하지 아니하고 외교 관계를 그대로 유지하는 방식. 1930년 중·남아메리카 여러 나라에서의 혁명을 견제하는 정책으로, 멕시코 외상(外相) 에스트라다가 제창한 것임.

에스트라디올 [estradiol] 명 『화』 척추 동물의 난소(卵巢)의 여포(濾胞) 세포에서 생성되는 발정(發情) 호르몬. 동물의 발정과 사람의 자궁 내막(子宮內膜)의 증식을 일으키고 간세포 자극 호르몬(ICSH)의 분비를 촉진시킴. [$C_{18}H_{24}O_2$]

에스트레마두라 [Extremadura] 명 『지』 스페인 남서부, 포르투갈에 접하는 지방. 반건조의 구릉성(丘陵性) 산지(山地)가 많고 목양(牧羊) 외에 농업도 행하여짐. 스페인 중에서도 낙후(落後)된 지역의 하나임. [41,593km^2]

에스트로겐 [estrogen] 명 『화』 생물학적으로 발정(發情) 호르몬의 작용을 가지는 천연 또는 합성 물질의 총칭. 발정 호르몬 물질.

에스트론[1] [Estron] 명 『화』 아세트산 셀룰로오스 섬유의 상품명.

에스트론[2] [estrone] 명 여성 호르몬의 일종. 동물의 난소(卵巢)에서 분비되어 발정(發情) 작용을 촉진함. 임부(姙婦)의 오줌 등에서 무색의 결정으로 추출되는데 합성(合成)도 가능하며 여성 호르몬 결핍증에 쓰임. 외스트론(Östron). [$C_{18}H_{22}O_2$]

에스트리올 [estriol] 명 『화』 마리안(Marrian, G.F.)이 1929년에 발견한, 임부(姙婦)의 오줌과 태반(胎盤)에서 얻어지는 결정성 발정(發情) 호르몬의 하나. [$C_{18}H_{24}O_3$]

에스 티: 링크 [S.T. link] 명 [studio-to-transmitter link] 방송국과 스튜디오와의 프로그램을 보내는 연락선. 방송 전력(電力)이 커짐에 따라 방송 설비는 큰 공중선(空中線)과 함께 교외에 마련되고, 연주소는 도심(都心)에 설치한 때의 무선(無線)에 의한 중계선을 말함. 브이 에이

치 에프(V.H.F.) 및 마이크로파(波)에 의한 중계가 행하여짐.

에스 티: 마:크 〔ST mark〕 명 〔ST는 safety toy의 머리글자〕 장난감에 붙이는 안전 마크의 이름.

에스티오메네 〔esthiomene〕 명 〖의〗 성병성 육아종(性病性肉芽腫)에 있어서의 외음(外陰)의 만성 궤양성(潰瘍性) 병변(病變). 서혜(鼠蹊) 림프 육아종증(肉芽腫症) 환자인 여성에게 나타나는 한 현상으로 볼 수 있는데, 여성의 외음부에, 상피병(象皮病)에서 볼 수 있는 비후(肥厚) 현상이 나타나고 만성 난치의 궤양을 형성하는 상태를 이룸. 흔히, 창녀(娼女)에게 많음.

에스 티: 오: 엘 【STOL】 명 에스톨.

에스-파 【S波】 명 〔S wave〕 〖지〗 〔제이차파(第二次波)의 뜻인 라틴어 undae secundae의 약칭〕 지진파(地震波)의 한 가지. 지진동(地震動)이 있을 때 초기 미동(初期微動) 다음에 밀려오는 큰 파동. 지구 외각(外殼)의 하층(下層)을 통과하여 온 횡파(橫波)를 'S'로, 상층(上層)만을 통과하여 온 것을 'S̄'로, 지표(地表)에서 다시 반사하여 온 반사파를 'SS'로 표시함. ↔피파(P波).

에스파냐 〔España〕 명 〖지〗 유럽의 남서부(南西部), 이베리아 반도의 대부분을 차지한 나라. 고대(古代) 페니키아·로마의 식민지로 발전하여 중세(中世)에는 사라센 제국령(帝國領). 15세기 말에 에스파냐 왕국이 성립하여 세계 최강의 해상(海上) 제국으로, 남아메리카·필리핀 등을 포함한 광대(廣大)한 식민지를 영유(領有)했었으나 현재는 아프리카 북서부의 카나리아 제도를 남길 뿐임. 1936-39년의 내전(內戰)을 거쳐 프랑코를 총통으로 하는 군사 독재 정권이 성립(成立)했다가 프랑코 사망 후 1975년 카를로스 국왕이 즉위하여 1978년의 새 헌법으로 입헌 군주국이 됨. 주민은 에스파냐인, 공용어는 에스파냐어, 전통적인 농업국으로, 올리브·포도주가 주산물이며, 공업화도 진전되고, 관광 수입이 큰 재원(財源)을 이룸. 수도는 마드리드(Madrid). 스페인. 서반아(西班牙). 〔504,782 km²: 38,810,000명(1989년)〕

에스파냐 계:승 전:쟁 【一繼承戰爭】 〔España〕 명 〖역〗 에스파냐 왕위 계승권을 둘러싸고, 1701년부터 1714년에 걸쳐 오스트리아·영국·네덜란드와 프랑스·에스파냐 사이에 벌어진 전쟁. 프랑스·에스파냐의 패배로 1713년 위트레흐트 조약(Utrecht 條約)을 체결하고, 다시 그 이듬해에 라스타트 조약으로 종결지음. 그 결과 프랑스와 에스파냐는 영토의 일부를 상실하고, 영국은 국제 무역 상의 우위(優位)에 서게 됨. 스페인 계승 전쟁.

에스파냐 교향곡 【一交響曲】 〔España〕 명 〔Symphonie Espagnole〕 〖악〗 프랑스의 작곡가 랄로(Lalo)가 작곡한, 바이올린 협주곡과 비슷한 교향곡. 에스파냐의 남국적인 정서가 화려한 독주와 관현악에 의해 짙게 표현됨. 1873년 작곡. 1875년 초연. 스페인 교향곡.

에스파냐 내:란 【一內亂】 〔España〕 명 〖역〗 스페인의 인민 전선 정부(人民戰線政府)와 독일·이탈리아 두 나라의 지지를 받은 프랑코 장군파 사이에 일어난 내란. 1936년 7월에 시작되어 1939년 1월 프랑코 장군의 승리로 끝남. 스페인 내란.

에스파냐 독립 전:쟁 【一獨立戰爭】 〔España〕 〔一닙一〕 명 반도 전쟁.

에스파냐-어 【一語】 〔España〕 명 〖언〗 로맨스어(Romance語)에 속하는 언어의 하나. 13세기 카스티야 방언(Castilla 方言)으로부터 발생해 에스파냐의 표준어가 되었음. 현재 브라질을 제외한 중·남아메리카 여러 나라의 공용어(公用語)로서, 1억 이상이 이를 사용함.

에스파냐-인 【一人】 〔España〕 명 ①〖인류〗 에스파냐 민족. 선사(先史) 시대 이래의 원주민. 지중해인을 주로 하여 게르만인(人)·사라센인 등에 의해 혼성(混成)되고, 카스티야인·바스크인·갈리샤인·카탈루냐인 등의 종족으로 분류됨. 신장은 비교적 작고 모발·안색은 암갈색, 피부는 갈색이나 갈리샤인은 장신이며, 금발·벽안(碧眼)임. ②에스파냐 국적을 가진 사람. 스페인인.

에스파뇰 〔프 espagnol〕 명 〖악〗 '스페인의, 스페인풍(風)의'의 뜻.

에스파뇰라 섬 〔Española〕 명 〖지〗 히스파니올라 섬의 스페인 이름.

에스페란토 〔Esperanto〕 명 〖언〗 폴란드의 안과 의사 자멘호프(Zamenhof)가 창안한 국제 보조어(國際補助語). 각국어로 공용(共用)되는 단어를 모아 만들었으며, 자모(字母)는 28개이고 그 기초 단어수는 1,900개이나 조어법(造語法)도 있으며 문법적 구조는 극히 간단함. 1905년에 제1회 만국 에스페란토 대회가 열렸음.

에스페란티스트 〔Esperantist〕 명 에스페란토 사용자. 에스페란토주의자(主義者).

에스프레시보 〔이 espressivo〕 명 〖악〗 '표정을 풍부하게'의 뜻.

에스프론세다 〔Espronceda, José de〕 명 스페인의 낭만파 시인. 생애의 대부분을 혁명 운동에 바침. 대표작은 바이런(Byron)풍의 수법을 쓴 미완성의 서사시 ≪악마의 세계≫, 그 외에 ≪해적의 노래≫·≪걸식≫ 등의 명시(名詩)가 있음. 〔1808-42〕

에스프리[1] 〔프 esprit〕 명 ①정신(精神). ②기지(機知). 재치.

에스프리[2] 〔프 Esprit〕 명 프랑스의 월간 정치·문예 평론지. 인격주의를 제창한 무니에(Mounier, Emmanuel; 1905-50)가 1932년에 창간함. 가톨릭계 급진파의 집필자가 중심이 되어 있음.

에스프리 누보 〔프 esprit nouveau〕 명 〖예〗 새로운 정신이란 뜻으로, 제1차 대전 전 프랑스의 예술계에 일어난 예술 혁신 운동(藝術革新運動)의 정신을 가리킴.

에스 피:[1] 【SP】 명 〖군〗 〔shore patrol의 약칭〕 미해군의 헌병.

에스피[2] 〔Espy, James Pollard〕 명 〖사람〗 미국의 기상학자. 폭풍우의 대류설(對流說)을 주장하여 마젤란상(賞)을 탔으며, 1841년 ≪폭풍론≫을 저술하여 유명해짐. 그 후 각지의 기상 관측치(値)를 매일 전신(電信)으로 중앙에 보고하는 조직을 만들어 일기 예보의 기초를 이룸. 〔1785-1860〕

에스피나 〔Espinas, Alfred Victor〕 명 〖사람〗 프랑스의 사회학자. 스펜서의 영향을 받고 진화론의 입장에서 반(反)개인주의적 사회 유기체설을 논술하였고, 동물 사회와 기술의 연구로 알려져 있음. 사회를 '산 의식' '관념의 유기체'로 보았으며, 저서에 ≪동물 사회≫·≪기술의 기원≫ 등이 있음. 〔1844-1922〕

에스 피: 에스 【S.P.S.】 명 〔service propulsion system〕 달 비행용 아폴로 우주선의 동력 부분인 기계선(機械船)의 으뜸 엔진.

에스피:-판 【SP板】 명 〔standard playing record〕 1분간 78회전(回轉)의 표준형 레코드. ↔엘피판(LP板). *이피판(EP板)

에스형-성 【S型星】 명 〔S star〕 〖천〗 특이성(特異星)의 하나. 스펙트럼형(型)에 지르콘산(zircon酸)의 암대(暗帶)가 뚜렷한 항성(恒星).

에스 효:과 【S効果】 명 〔S-effect〕 〖심〗 시간 간격의 파악에 있어서의 공간 조건(空間條件)의 효과. 곧, AB 두 점 사이의 간격 거리의 장단(長短)에 따라서 그 시간 간격이 과대(過大) 또는 과소 평가되는 현상. ↔타우 효과(tau 效果). *시공 상대(時空相待).

에식스 〔Essex〕 명 〖지〗 영국 잉글랜드 남동부의 주(州). 남쪽은 템스강, 동쪽은 북해에 면함. 밀·보리·야채가 재배되며, 식품·화학 제품·자동차·농기구 등을 생산함. 런던 근교는 주택 지대. 역사적으로는 칠왕국(七王國)의 하나임. 〔3,674 km²: 1,469,000명(1981)〕

에써 감 〈방〉 옜어.

에쏘 감 〈방〉 옜소(경상).

에ᅀᅡ 조 〈옛〉 에야. ¶寂靜ᄒᆞᆫ 後에ᅀᅡ 定이니라(靜而然後定) ≪蒙法 25≫/ ᄆᆞᄅᆞ초ᄆᆞᆯ 기드린 後에ᅀᅡ 行ᄒᆞ리오 ≪內訓 序 5≫.

에아 〔Ea〕 명 〖신〗 바빌론(Babilon) 사람이 숭배하던 최고신(最高神). 물·물고기·문화(文化)의 신이며 지혜·기술의 원천으로 대홍수(大洪水)를 예고하여 인류를 파멸에서 구해 냈다고 함. 아누(Anu)·엔릴(Enlil)과 함께 삼체 일좌(三體一座)를 이룸. 엔키(Enki).

에야-디야 감 ↗어기야디야.

에양-깐 명 〈방〉 외양간(전남).

에어[1] 〔air〕 명 공기(空氣). 공중(空中).

에어[2] 〔Ayer, Alfred Jules〕 명 〖사람〗 영국의 논리학자·철학자. 1946년 이래 런던 대학 교수. 빈 학파의 적극적인 동조자로 급진적 논리 실증주의(論理實證主義)를 취하고 형이상학·윤리학·신학을 비판함. 윤리적인 판단에 객관적 의미를 인정하지 않는 '윤리적 정서설(情緖說)'을 세웠음. 저서에 ≪언어·진리·논리≫·≪사고(思考)와 의미(意味)≫ 등이 있음. 〔1910- 〕

에어 걸: 〔air+girl〕 명 에어 스튜어디스(air stewardess).

에어데일-테리어 〔Airedale terrier〕 명 〖동〗 개의 한 품종. 영국의 에어데일 지방 원산의 테리어 개. 호위견(護衛犬)·군용견(軍用犬)으로 적당하며, 애완용·사냥용으로도 씀.

에어 도어 〔air door〕 명 에어 커튼.

에어 돔: 〔air dome〕 명 내부의 공기압을 외부의 공기압보다 높게 하여 기압의 차로 막제(膜製)의 지붕을 지탱하는 건축물. 채광성(採光性)이 좋고, 전천후형(全天候型)의 대규모 공간을 얻을 수 있음.

에어 드릴 〔air drill〕 명 공기 송곳.

에어 라이플 〔air rifle〕 명 공기총.

에어-라인 〔airline〕 명 정기 항공로(定期航空路).

에어레이션 〔aeration〕 명 수분(水分)을 많이 함유하고 있는 부패물(腐敗物) 등에 공기, 곧 산소를 공급하여 분해하는 일.

에어로-그램 〔aerogram〕 명 외국으로 보내는 항공 우편용 봉함 엽서(封緘葉書). 용지 안쪽에 용건을 쓴 다음 접어서 바깥 면에 주소를 씀. 봉투와 편지지 겸용이며, 요금(料金)은 전세계가 균일한데 봉함 편지보다 값이 쌈.

에어로빅 〔aerobic〕 명 ①↗에어로빅스. ②↗에어로빅댄스.

에어로빅-댄스 〔aerobic dance〕 명 1972년 미국에서 시작된 일종의 미용 체조. 에어로빅스 건강법(健康法)을 춤에 응용한 것. 달리기·뛰기·자전거타기·수영 등 갖가지 동작을 춤으로 구성하여, 춤추는 동안에 심장(心臟)·폐(肺)의 기능을 활발하게 해서 산소를 많이 마시게 하자는 것임. ㊥에어로빅.

에어로빅스 〔미 aerobics〕 명 중고년층(中高年層)의 건강 증진과 운동 부족 해소를 위해 고안된 신체 단련법. 달리기·급히 걷기·자전거타기·제자리뛰기·줄넘기·등산 등 중정도(中程度)의 운동 부하(運動負荷)를 가지는 운동을 장시간 계속하면서 산소(酸素)를 공급함으로써 심장과 폐의 활동을 자극하는 유산소(有酸素) 운동법. 미국 공군 병원의 쿠퍼(Cooper, K.H.) 박사에 의해서 제창됨. ㊥에어로빅.

에어로졸 〔aerosol〕 명 ①〖물·화〗 고체 또는 액체의 교질(膠質) 미립자(微粒子)를 안개 모양으로 분산(分散)시킨 상태. ②밀폐된 용기(容器) 속에 넣어 가스의 압력으로 뿜어 내는 약품. 화장품·살충제 등에 사용함. *연무질(煙霧質).

에어로졸 폭탄 【一爆彈】 명 〔aerosol bomb〕 〖군〗 충격(衝擊) 폭탄.

에어리 〔Airy, George Biddell〕 명 〖사람〗 영국의 천문학자. 1835-81년 그리니치 천문대 대장으로서 설비·기구를 대폭으로 정비, 자신도 관측(觀測) 기계를 발명·개량하여, 위치(位置) 천문학에 공헌하였음. 또, 빛의 회절(回折)·간섭(干涉) 등 광학(光學)을 연구, 지각 균형설(地殼均衡說)을 제창하였음. 저서에 ≪음향학(音響學)≫·≪지자기(地磁氣) 광학≫ 등이 있음. 〔1801-92〕

에어리어 〔area〕 명 지대. 지역. 구역. ¶서비스 ~.

에어리얼 레일웨이 〔aerial railway〕 명 가공 철도(架空鐵道).

에어 리프트 〔air lift〕 명 ①승객(乘客) 또는 화물(貨物)을 비행기로 나르는 일. ②공수(空輸)에 의한 승객 또는 화물의 전중량(全重量).

에어 마이크로미터 〔air micrometer〕 명 1 μm 정도의 미소(微小)한 것

을 측정하는 기계.

에어-맨 [airman] 명 비행사. 공군 요원(空軍要員).

에어 메일 [air mail] 명 항공 우편(航空郵便).

에어-백 [air bag] 명 자동차 사고 때에 될 수 있는 한 탑승자의 안전을 확보하기 위한 장치. 충돌 때의 쇼크로 부풀어서 쿠션이 되는 공기 주머니를 말함.

에어 밸브 [air valve] 명 공기판(空氣瓣).

에어 버스 [air bus] 명 장거리용의 점보 제트기(Jumbo jet機)에 대해, 단·중거리용의 제트 여객기. 보통, 국내 노선으로서 200-300 석 정도이며 대량 수송으로써 수송비를 절감할 수 있음.

에어-본: [air-borne] 명 우라늄 광맥(鑛脈)을 찾기 위한 공중 탐사(空中探査).

에어브러시 [airbrush] 명 브러시 대신에 압축 공기로 도료(塗料)나 그림물감을 붙어서 칠하는 분무식(噴霧式) 도장 용구(塗裝用具). 포스터·그림·사진 수정(修正) 등에 이용함.

1. 밸브 2. 압축 공기 튜브 3. 칠통

〈에어 브러시〉

에어 브레이크 [air brake] 명 『기』 전차·열차·대형 자동차 등에서, 압축 공기(壓縮空氣)를 사용하여 차량을 제동(制動)하고 속도의 조절(調節)·정거(停車) 등을 맡은 장치. 제동통(制動筒) 안의 피스톤을 압축 공기로 밀어, 거기에 연결된 제동 연간(連桿) 장치를 작동시켜서 제동자(制動子)를 움직이게 함. 공기 제동기.

에어 사이클 시스템 주:택 【—住宅】 [air cycle system] 명 『건』 외벽(外壁)과 안쪽의 단열재(斷熱材) 사이에 1cm 정도의 간격을 두어, 바닥에서 천장 안쪽까지 공기가 통할 수 있게 만든 주택. 여름에는 바닥 밑과 지붕 밑에 있는 환기(換氣) 구멍을 열어 벽을 식히고, 겨울에는 그것을 닫아서 열이 달아나지 못하게 함. 공기 사이클 방식 주택.

에어 샤워 [air shower] 명 『물』 공기 샤워.

에어 서:비스 [air service] 명 『군』 항공대.

에이셀 호 【—湖】 [네 Ijssel] 명 『지』 네덜란드 북서부에 있는 호수. 본디 조이데르해(Zuider海)로 불리던 북해(北海)의 만(灣)이었으나, 1932년말 제방이 완성되어 호수가 되었음. 1930년 이래 다섯 구획 2,260 km² 의 간척지 조성이 행해져, 1957년까지에 1,220 km² 가 완성되었으며 현재도 간척 중임. [1,250 km²]

에어셔 [Ayrshire] 명 『동』 영국 스코틀랜드 에어셔 지방 원산의 개량종 젖소. 강건(剛健)하며 추위에 잘 견디는데, 털빛은 갈색이며 적갈색 바탕에 흰 얼룩이 있음. 유량(乳量)이 풍부할 뿐만 아니라 젖이 매우 진하고 맛이 좋음.

〈에어셔〉

에어-쇼: [air show] 명 ①공중 전시(展示). ②곡예 비행(曲藝飛行).

에어 슈:터 [air shooter] 명 캡슐에 넣은 서류(書類)를 파이프 속에 넣어 압축 공기(壓縮空氣)의 힘으로 같은 건물 안의 다른 부서로 보내는 장치. 사무 연락·우편물 투함(投函) 등에 이용되고 있음. 공기 전송관(傳送管). 기송관(氣送管).

에어 스택 [air stack] 명 공항(空港)에 착륙하기 위하여, 지시된 고도(高度)에서 대기 비행(待機飛行)하는 비행기의 집단.

에어 스테이션 [air station] 명 비행기·비행선의 발착장(發着場).

에어 스튜어디스 [air stewardess] 명 여객기에서 손님을 돌보는 여자 승무원. 에어 걸(air girl). 에어 호스티스(air-hostess). 호스티스. ㈜스튜어디스.

에어-식 [airsick] 명 항공병(航空病).

에어-십 [airship] 명 비행선(飛行船).

에어 인디아 명 [Air-India Corp.] 인도 항공 공사(公社). 1948년 기존의 두 회사를 합병하여 인도 국제 항공회사를 설립, 1953년에 국유화(國有化)함.

에어 카: [air car] 명 호버크라프트(Hovercraft).

에어 캐슬 [air castle] 명 공중 누각(空中樓閣).

에어 커:튼 [air curtain] 명 냉·난방 장치가 있는 건축물의 출입구 같은 데에 공기의 벽을 만들어 안팎을 차단하고 외기(外氣)나 먼지·티끌의 침입을 막는장치. 천장면에 공기의 분사구(噴射口)가 있고, 바닥면에서 빨아들임. 전시를 필요로 하는 백화점에 적합하며 실내의 환기 장치도 겸함. 에어 도어(air door).

에어-컨 명 ↗에어컨디셔너.

에어-컨디셔너 [air conditioner] 명 『기』 실내의 보건 또는 생산 능률상 필요한 상태로 공기를 조절하는 기계. 기계 장치에 의하여 자동적으로 온도·습도 등을 조절함. 우리나라에서는 주로 냉방 장치를 가리킴. ㈜에어컨.

에어-컨디셔닝 [air-conditioning] 명 공기 조절(空氣調節).

에어 컴프레서 [air compressor] 명 『기』 공기 압축기.

에어-쿠션 [air cushion] 명 ①바람을 넣어 푹신하게 만든 방석이나 베개 같은 것. ②호버크라프트(Hovercraft) 등이 지면(地面)·해면(海面)을 향해 고압(高壓) 공기를 분출(噴出)할 때, 지면·해면과 기체(機體)와의 사이에 생기는 공간.

에어 클리:너 [air cleaner] 명 공기 중의 먼지·티끌 따위를 제거하는 장치. 공기 청정기.

에어 택시 [air taxi] 명 전세로 승객 및 화물(貨物)을 나르는 비행기. 주요 항공로 시설에 연결되는 항공 지선(航空支線) 업무나 계약된 항공편의 운반에 종사함.

에어 탱크 [air tank] 명 압축 공기를 담아 두는 탱크.

에어 터:미널 [air terminal] 명 공항(空港)에 부속된 여객용의 건물. 출입국(出入國) 절차를 밟거나 비행기 시간을 기다리거나 또는 송영(送迎)을 함.

에어턴 [Ayrton, William Edward] 명 『사람』 영국의 전기 공학자(電氣工學者). 켈빈(Kelvin, W. T.) 문하에서 전기학을 수학함. 1868년 인도 전신국(電信局) 기사로 근무하면서 전신 사업에 공헌했음. 전류계(電流計)·전압계·전력계(電力計) 등을 발명함. 저서에 ≪실용(實用) 전학≫ 등이 있음. [1847-1908]

에어 패전트 [air+pageant] 명 비행기의 공중 연기(空中演技). 에어 쇼(air show).

에어 펌프 [air pump] 명 공기 펌프.

에어 포스트 [air post] 명 항공 우편(航空郵便).

에어 포켓 [air pocket] 명 『항공』 비행중인 비행기가 갑자기 함정에라도 빠지는 듯이 하강(下降)하는 구역. 공중의 기류(氣流) 관계로 공기가 희박하기 때문에 일어나는 것이 보통이며, 비행기가 여기에 들어가면 속력을 잃고 불안정하게 되며 왕왕 참사(慘事)를 일으키는 경우가 있음. 에어 홀(air hole).

에어-포:트 [airport] 명 공항(空港). 항공항(航空港).

에어포:트 택스 [airport tax] 명 공항세(空港稅).

에어 프랑스 [Air France] 명 프랑스 국영 항공 회사. 1933년 4개 항공회사를 합병하여 설립, 1948년에 국영화(國營化)된 프랑스 최대의 항공회사임. 에르 프랑스.

에어 프로펠러 [air propeller] 명 『기계』 공기의 흐름을 만들기 위한 회전(回轉) 날개.

에어-플레인 [airplane] 명 비행기.

에어-필:드 [airfield] 명 비행장.

에어하:트 [Earhart, Amelia] 명 『사람』 미국의 여류 비행사. 1928년 여성으로서는 처음으로 대서양을 횡단 비행(橫斷飛行)하고, 1932년에는 대서양을 단독 횡단 비행하여 또 하나의 기록(記錄)을 세웠음. 그 후, 1937년에 세계 일주(一週) 비행에 나섰다가, 중부 태평양에서 행방불명되었음. [1897-1937]

「등에 사용됨. 공기 해머.

에어 해머 [air hammer] 명 압축 공기를 이용한 기계 해머. 건축 공사

에어 호 【—湖】 [Eyre] 명 『지』 오스트레일리아의 사우스오스트레일리아 주(州) 북동부에 있는 광대한 분지 중의 얕은 염호(塩湖). 호면(湖面)은 해면하(海面下) 약 12 m로, 건조 지대에 위치하므로 유출(流出) 하천이 없고 수위(水位)의 변동이 큼. 깊이 약 20 m. [9,000-13,000 km²]

에어 호스티스 [air hostess] 명 에어 스튜어디스.

에어-홀: [air hole] 명 ①통풍창(通風窓). ②『항공』 에어 포켓.

에에[1] 【曀曀】 명 햇빛이 가리워져 흐리고 음산함. ——하다 형 여불

에에:[2] 감 다음 말을 주저하거나 곧 나오지 않거나 할 때 내는 말. ¶~, 우리가 할 일은 다음과 같습니다. 「轅門」≪杜諺 V:53≫.

에여가다 타 〈옛〉 피해 가다. ¶ 누는 새는 轅門을 에여 가ᄂᆞ다(飛鳥避

에여딘니다 타 〈옛〉 피해 다니다. 비켜 다니다. ¶기리 어려운 짜홀 에여 딘니고(長避地)≪重杜諺 Ⅱ:26≫.

에여라차 감 '어여차'를 받아넘기는 소리.

에엳비 부 〈옛〉 불쌍히. =어엿비. ¶허공애 수릇되 원ᄒᆞᆫ 부텨 에엳비 너기샤 내엄의 간 짜홀 썰리 니르쇼셔 ≪地藏 上 10≫.

에엿부다 형 〈옛〉 가엾다. =어엿브다. ¶北扉下 져믄 날에 에엿불슨 文天祥이여 ≪永言≫.

에엿브다 형 〈옛〉 불쌍하다. =에엿부다. ¶에엿블 긍(矜), 에엿블 련(憐)≪字解 下 33≫.

에엿비 부 〈옛〉 불쌍히. =어엿비. ¶네 에엿비 너기라(你可憐見)≪老乞 上 44≫.

에오 명 『역』 출가(出駕)할 때에 세자궁(世子宮) 또는 의정부(議政府)의 사인(舍人)·검상(檢詳)·양사 관원(兩司官員)·전랑(銓郞) 등의 앞에 서서, 안롱(按籠)이 끼고 가는 유지(油紙) 조각에 그린 짐승의 이름. 다리를 지날 때 다리 밑에서 해치려고 하는 모든 악귀에게 안롱이 '에오' 하고 소리를 치면 달아나게 된다 함.

에오-세 【—世】 명 [Eocene epoch] 『지』 지질 시대(地質時代)의 신생대(新生代) 제 3 기(紀)를 다섯으로 나눈 둘째로 오랜 시대. 약 5,500 만 년 전에서 약 3,800 만 년 전 까지의 기간. 구칭 : 시신세(始新世). * 팔레오세(世).

에오스 [Eos] 명 『신』 그리스 신화 중의 여신(女神). 바람과 별 등의 어머니로, 아침해가 뜰 때 '장미빛의 손가락'으로 밤의 포장을 여는 여신으로 알려짐. 로마 신화 중의 아우로라(Aurora)에 해당함.

에오신 [eosin] 명 『화』 ①적색 형광 염료. 물에 녹지 않는 삼사 결정(三斜結晶). 주로, 화장품 및 조색액(調色液)에 쓰임. ②위의 염료의 나트륨 또는 칼륨염(塩). 붉거나 갈색의 결정(結晶)으로 유기 안료(有機顔料)·생물용 스테인 및 약제에 쓰임. [$C_{20}H_6Br_4Na_2O_5$]

에오안트로푸스 [Eoanthropus] 명 『인류』 필트다운인(Piltdown 人).

에오카 【EOKA】 명 [Ethniki Organosis Kypriakou Agonos의 약칭] 키프로스 섬의 그리스계 주민들이 제2차 세계 대전 후 영국의 지배에 저항하여, 그리스 복귀 운동(復歸運動)을 추진하기 위해서 조직한 반영(反英) 무장(武裝) 단체. 1959년 키프로스 독립 확정과 함께 행동을 중지함.

에올리에 제도 【—諸島】 [Eolie] 명 『지』 리파리 제도(Lipari 諸島).

에옴길 명 〈옛〉 에움길. =에움길. ¶에옴길(彎路)≪譯語 上 6≫ / 일행은 개천을 얼른 건너 다시 수목이 자옥한 ~로 숨어들었다≪金周榮 : 客主≫.

에와:트 징후 【—徵候】 명 [Ewart's sign] 『의』 삼출성 심막염(滲出性心膜炎)에서, 제1 늑골의 끝이 비정상으로 돌출하는 징후. 영국인 에와트(Ewart, William; 1848-1943)가 발견함.

-에요 어미 -어요¹. ¶ 훌륭한 분이~/누구 책이~/제 것이 아니~. *-예요.
에욤 타 〈옛〉 '에이다'의 명사형. 에움. 둘러쌈. ¶아희들 에요몰 돌히녀겨 투노라(甘受雜亂聒)≪杜諺 I:7≫.
에우다¹ 타 〔중세:에우다〕 ①사방을 빙 둘러싸다. ②다른 길로 돌리다. ③장부(帳簿) 등의 필요 없는 부분을 지우다. 준에다.
에우다² 타 〈방〉 외우다²(경남).
에우:로페 〔그 Europe〕 명 『신』 그리스 신화 중의 인물. 페니키아(Phoenicia)의 왕녀(王女). 이 소녀의 아름다움을 탐낸 제우스(Zeus)가 흰 소로 변신(變身)하여 유괴, 크레타(Kreta)섬으로 데려갔는데 그녀가 이 소를 타고 순행(巡行)한 지역이 유럽(Europe)이라 불리게 되었다 함.

〈에우로페〉

에우:리피데스 〔Euripides〕 명 『사람』 고대 그리스의 3대 비극 시인 중의 최후의 한 사람. 총작품 92편. 실사적인 수법으로 신화 전설에 자유로운 개변(改變)을 가하여 이의 윤리성과 성격 묘사에 중점을 두었음. [484?-406 B.C.]
에우보이아 섬 〔Euboea〕 명 『지』 에비아 섬.
에우스타키오 〔Eustachio, Bartolommeo〕 명 『사람』 이탈리아의 해부학자. 귀의 유스타키오 관(管)을 발견하였으며, 또 심장·간장 등의 연구로 근대 해부학의 기초를 열었음. [1520?-74]
에우아리 명 〈옛〉 바리대. ¶누비 옷 닙고 에우아리 가지고(穿着衲襖捧着鈔盂)≪朴解 上 33≫.
에우쭈루: 감 『역』 벽제(辟除)하느라고 외치는 소리의 하나. 병판(兵判) 및 각 영문(營門)의 제조(提調)·장신(將臣) 또는 지방 관아의 감사(監司)·수령이 그 경내(境內)에서 출입할 때, 기수(旗手)들이 앞에 나아가 부름. *게으쭈루.
에우클레이데스 〔Eucleides〕 명 『사람』 '유클리드'의 그리스어 이름.
에우테르페 〔Euterpe〕 명 『신』 그리스 신화 중 모우사이(Mousai)의 하나로, 음악·서정시(敍情詩) 등을 관장하는 여신(女神).
에우포리온 〔Euphorion〕 명 『사람』 에우보이아(Euboia) 섬 출신의 그리스의 시인·학자. 신화적(神話的) 영웅들에 대한 서사시·비가(悲歌)·풍자시(諷刺詩) 등으로 유명함.
에우폴리스 〔Eupolis〕 명 『사람』 기원전 5세기 후반의 그리스의 희극작가. 아리스토파네스의 호적수(好敵手)였는데 작품은 단편(斷片)만 남았음.
에우헤메로스 〔Euhemeros〕 명 『사람』 기원전 3세기경의 그리스 철학자. 유명한 ≪성역사(聖歷史)≫에서 그리스 신화의 인물이 모두 인간 남녀의 신화(神化)이며 그 사적은 인간 행동의 상상적 확충에 불과하다고 하였음.
에움 명 갚음. 배상(賠償). ——하다 타여불
에움-길 〔—낄〕 명 굽은 길.
에워-가다 타거라불 ①바른 길로 가지 않고 둘러 가다. ②장부 등의 필요 없는 부분을 지워 나가다.
에워나다 타 〈옛〉 견뎌 나다. ¶우리 지아비 알면 에워나디 못ᄒᆞ리라(我夫主知道時了不得)≪朴解 中 18≫.
에워싸다 타 〈옛〉 에워싸다. ¶요양을 에워ᄡᅡ니 셩이 적고(傳城)≪五倫 Ⅱ:35≫.
에워-싸다 타 사방을 둘러서 싸다. 포위하다. ¶성을 ~.
에워-싸이다 피동 에워쌈을 당하다.
에웨-어 【—語】 〔Ewe〕 명 서아프리카의 볼타 강(Volta江) 동안(東岸)으로부터 나이지리아·베냉의 국경에 이르는 해안 지대에서 쓰이는 에웨족(族)의 언어. 약 100만이 이 말을 씀. 수단 기니 언어군(群) 혹은 니제르 콩고 어족(語族)에 속함.
에유아리 명 〈옛〉 바릿대. ¶에유아리(鉢盂)≪譯語 下 13≫.
에음 명 〈옛〉 둘레. ¶기릐와 너븨와 깁흠 엿틈과 에음과(長闊深淺圍圓)≪無冤錄 I:24≫.
에음길 명 〈옛〉 에움길. =에옴길. ¶에음길(彎路)≪同文 上 41≫.
에-의 〔—/—에〕 조 향진격(向進格) 조사 '에'의 관형사적 용법. ¶행복~ 초대/만찬회~ 초대.
에이¹ 【A, a】 명 ①『언』 영어의 첫째 자모. ②최상. 최고. ¶~급. ③『악』 서양 음이름의 하나. 우리 나라 음이름 '가'와 같음. ④[A] 『논』 전칭 긍정(全稱肯定)의 약호.
에이² 감 ①실망하여 단념의 뜻을 나타내는 말. ¶~될 대로 되라. ②↗에이끼.
에이그 감 아주 밉거나 한탄스러울 때 내는 소리. ¶~ 이걸 그냥/~ 배웠다는 놈이 겨우 그 짓이냐.
에이-급 【A級】 〔—끕〕 명 제1급. ¶~ 전범(戰犯).
에이-기 【A機】 명 〔attack plane의 약칭〕 『군』 미국 군용기(軍用機)의 기종(機種)의 하나. 공격기(攻擊機)의 일컬음.
에이끼 감 손아랫사람을 못마땅히 여겨 꾸짖을 때 내는 소리. ¶~, 이 못난 놈. 준에이·에익.
에이다¹ 타 →에다.
에이다² 타 〈옛〉 피하다. 돌아가다. ¶기리 어려운 싸홈 에여 ᄃᆞᆫ니고(長避地)≪杜諺 Ⅱ:26≫.
에이도스 〔그 eidos〕 명 『철』 형상(形相)의 뜻. 플라톤은 이데아와 같은 뜻으로 쓰고, 아리스토텔레스는 질료(質料)에 대한 정신적인 형상의 뜻으로 썼음.
에이드 〔ade〕 명 과육(果肉)과 과즙(果汁)을 섞어 밭은 것, 또는 과즙에 설탕·꿀 등을 넣어 조미(調味)한 음료(飮料).
에이드리언 〔Adrian, Edgar Douglas〕 명 『사람』 영국의 생리학자(生理學者). 1932년, 셰링턴(Sherrington, C. S.)과 함께 신경 세포의 기능에 관한 연구의 업적으로 노벨 생리 의학상을 받음. [1889-1977]
에이 디: 【A.D.】 명 〔Anno Domini의 약칭: 본디, '주후(主後)'의 뜻〕 서력 기원(西曆紀元). ↔비시(B.C.).
에이 디: 변:환 【AD變換】 명 〔AD는 Analogue to Digital의 약호〕 아날로그량(量)을 어떤 단위의 기준량으로 측정하고, 그것을 수치(數值)로 나타내는 디지털량으로 변환하는 일. 이 역(逆)을 디 에이 변환(DA變換)이라 함.
에이 디: 비: 【ADB】 명 〔Asian Development Bank의 약칭〕 아시아 개발(開發) 은행.
에이 디: 아:르 【ADR】 명 〔American Depositary Receipt의 약칭〕 미국 예탁 증권(預託證券). 미국 시장에서 외국 주식(外國株式)이 매매될 때 원주권(元株券)은 발행국(發行國)의 미국 은행에 맡기고, 이것을 담보(擔保)로 발행되는 예탁 증서를 대체(代替) 증권으로 매매하는 제도.
에이 디: 아이 제트 【A.D.I.Z.】 명 〔Air Defense Identification Zone의 약칭〕 에이디즈(ADIZ).
에이 디: 에프¹ 【ADF】 명 〔Asian Development Fund의 약칭〕 아시아 개발 기금(開發基金).
에이 디: 에프² 【ADF】 명 〔automatic direction finder의 약칭〕 자동 방향 탐지기(自動方向探知機).
에이디즈 【ADIZ】 명 〔Air Defense Identification Zone의 약칭을 영어식으로 읽은 것〕 『군』 방공 식별권(防空識別圈).
에이 디: 피: 【ADP】 명 『화』 〔ammonium dihydrogenphosphate의 약칭〕 인산 이수소(燐酸二水素) 암모늄.
에이 디: 피: 에스 【ADPS】 명 〔automatic data-processing system의 약칭〕 자동 자료 처리 장치❶.
에이 디: 피: 이: 【ADPE】 명 〔automatic data-processing equipment의 약칭〕 자동 자료 처리 장치❷.
에이레 〔Eire〕 명 『지』 1937년부터 1949년까지의 '아일랜드 공화국'의 국호(國號).
에이미스 〔Amis, Kingsley〕 명 『사람』 영국의 소설가·시인. 지방 대학 교수로 있으면서 처녀 소설 ≪럭키 짐(Lucky Jim)≫을 발표함. 앵그리 영 맨의 대표적 작가의 한 사람임. [1922-]
에이 브이 교:육 【AV敎育】 명 〔audio-visual education〕 『교』 시청각 교육.
에이 브이 기기 【AV機器】 명 〔audio-visual〕 음악과 영상을 일체화한 기기. 곧 첨단 기술을 이용하여 살아있는 음과 고화질의 화면을 동시에 감상할 수 있는 기기.
에이 브이 에프 사이클로트론 【AVF—】 〔cyclotron〕 명 『물』 〔AVF는 azimuthally varying field의 약어〕 사이클로트론의 일종. 입자(粒子)가 궤도를 일주하는 회전 주기(回轉周期)의 일정성과 궤도면(面)에 수직한 방향의 진동(振動)의 안정성을 고(高)에너지까지 유지하기 위하여, 자기장 분포(磁氣場分布)에 원주 방향(圓周方向)의 변화를 갖게 한 사이클로트론.
에이비슨 〔Avison, Oliver R.〕 명 『사람』 캐나다 출생의 미국 선교사·의사. 1893년 우리 나라 광혜원(廣惠院) 원장이 되고, 1904년 세브란스(Severance, Louis)의 기부금으로 병원을 지어 세브란스 병원을 개업함. 1917년 병원 안에 세브란스 의학 전문 학교를 설립함. 한국명은 어비신(魚丕信). 생몰 연대 미상.
에이 비: 시: 【ABC】 명 ①영어의 자모 중 처음 석 자. ②전(轉)하여, 알파벳. ③초보. 입문. ¶댄스의 ~도 모르다. ④〔American Broadcasting Company의 약칭〕 미국의 방송회사. 1944년 설립. 미국 4대 네트워크의 하나. ⑤〔Audit Bureau of Circulation의 약칭〕 판매 부수 감사 기관(販賣部數監査機關). 신문·잡지의 발행 부수나 판매 부수와 그 지역적 분포를 공정하게 조사 보고할 목적으로 광고주·광고 대리점·신문사·잡지사 등을 회원으로 설립된 기관. 미국에서 발달한 제도인데 세계 각국에 보급되어 있음.
에이 비: 시: 디: 이: 에프 산:업 【ABCDEF 産業】 명 미래 사회의 주종(主宗)을 이룰 것으로 예상되는, ABCDEF의 머리글자로 시작되는 초첨단(超尖端) 기술 산업들. 곧, 오토메이션 산업, 유전자(遺傳子)의 치환(置換)과 암(癌)의 제압 등을 포함하는 바이오케미컬(biochemical) 산업, 즉 생화학(生化學) 산업, 컴퓨터·커뮤니케이션 산업, 스포츠·레저·호비(hobby)에 관련된 두 이트 유어셀프(do it yourself) 산업, 새로운 에너지 산업, 파인 케미컬(fine chemical), 즉 정밀 화학(精密化學) 산업을 가리킴.
에이 비: 시: 병기 【ABC兵器】 명 〔atomic, biological and chemical weapon〕 『군』 원자 병기·생물학 병기·화학 병기를 일컬음. 이들은 모두 대량 살륙(大量殺戮) 병기들임.
에이 비: 시: 시: 【A.B.C.C.】 명 〔Atomic Bomb Casualties Commission의 약칭〕 원폭 상해(原爆傷害) 조사 위원회.
에이 비: 시: 전:쟁 【A.B.C.戰爭】 명 아토믹(atomic; 원자력)·박테리아(bacteria; 세균)·케미컬(chemical; 화학)의 삼자(三者)를 사용하는 전쟁. 시 비 아르 전쟁(CBR 戰爭).
에이 비: 에스 수지 【ABS樹脂】 명 아크릴로니트릴·부타디엔·스티렌의 혼성 중합체(混性重合體). 내충격(耐衝擊)·내열(耐熱)·내저온(耐低溫)성이 우수함. 라디오·텔레비전의 캐비닛, 자동차의 계기반(計器盤), 헬멧 등에 쓰임.
에이 비: 엠 【A.B.M.】 명 〔anti-ballistic missile의 약칭〕 탄도탄 요격(彈導彈邀擊) 미사일. 에이 엠 엠(AMM).
에이 비: 엠 시스템 【A.B.M.—】 명 〔Anti-Ballistic Missile System〕

〖군〗 레이더와 컴퓨터 시스템 및 요격(邀擊) 미사일로 구성된, 미사일 요격 시스템.

에이비:오:식 혈액형 【ABO式血液型】 명 〖의〗 인간의 혈액형에서 대표적인 것. 1901년, 란트슈타이너(Landsteiner, K.) 등이 발견함. 혈액형을 A·B·AB·O의 네 형으로 나눔. 멘델의 법칙에 따라 유전(遺傳)함. ㈜혈액형.

에이 비: 유: 【ABU】 명 〔Asian Broadcasters Union의 약칭〕 아시아 태평양 방송 연맹.

에이비:-형 【AB型】 명 〖의〗 ABO식 혈액형의 하나. A형·B형·AB형·O형의 사람 모두에게서 수혈을 받을 수 있되, AB형인 사람에게만 수혈할 수 있음. ＊비형(B型).

에이스 〔ace〕 명 ①일(一). 트럼프나 주사위 같은 것의 한 끗. ②일류. 제일인자. 최우수 선수. ③테니스에서, 서브로 얻은 한 점. ④야구에서, 주전 투수(主戰投手). ⑤골프에서, 홀 인 원.

에이 시:[1] 【AC】 명 〔alternating current의 약칭〕 〖전〗 교류(交流).

에이 시:[2] 【a/c】 명 〖경〗 〔account의 약칭〕 부기(簿記)에서, 계정 과목(計定科目)을 표기할 때 그 약자로 쓰는 말.

에이 시: 에스 아:르 【A.C.S.R.】 명 〖전〗 〔aluminium cable steel reinforced의 약칭〕 강심(鋼心) 알루미늄 연선(撚線).

에이시이즘 〔atheism〕 명 〖철〗 ①무신론(無神論). ②무신앙 생활(無信仰生活).

에이 시: 티: 에이치 【A.C.T.H.】 명 〖의〗 〔adrenocorticotropic hormone의 약칭〕 부신 피질 자극(副腎皮質刺戟) 호르몬.

에이-쒜 감 재채기를 하고 나서 연이어 내뱉는 소리. 감기가 멀리 달아나라고 외치는 소리라 함.

에이 아이 【AI】 명 〔artificial intelligence의 약칭〕 인공 지능(人工知能).

에이 아이 디: 【A.I.D.】 명 〔Agency for International Development의 약칭〕 미국 국무성의 한 기관. 1961년 국제 협력국(國際協力局)과 개발 차관 기금(開發借款基金)을 폐지하고 새로이 국무성 안에 설치함. 국제 개발처(處).

에이 아이 아:르[1] 【AIR】 명 〔All India Radio의 약칭〕 인도의 정보 방송성(情報放送省) 소속의 국영 방송. 국내 방송에 있어서도 20개 언어와 22개 방언(方言)을 사용하는 것이 특징임. 인도 국영 방송.

에이 아이 아:르[2] 【AIR】 명 〔Asociación Interamericana de Radiodifusión의 약칭〕 남북 아메리카 방송 연맹. 남북 아메리카 각국의 민간(民間) 방송 연합 단체들이 가맹(加盟)하고 있는 국제 조직. 1946년에 설립됨.

에이-에스 【AS】 명 〈속〉 〔after service의 약칭〕 애프터 서비스.

에이 에스 세:제 【AS洗劑】 명 〖화〗 〔AS는 황산 에스테르염 alkyl sulfate의 약자〕 탄소수(炭素數)가 많은 고급 알코올의 황산 에스테르염(黃酸 Ester塩)을 계면 활성제(界面活性劑)로 한 세제. 미생물(微生物)에 분해되기 쉬운 연성(軟性) 세제의 하나임.

에이 에스 수지 【AS樹脂】 명 〖화〗 아크릴로니트릴 스티렌 수지.

에이 에스 엠 【A.S.M.】 명 〖군〗 〔air to surface missile의 약칭〕 적의 지상 진지(地上陣地)를 목표로 하고 비행기에서 발사하게 된 미사일. 공대지(空對地) 미사일.

에이 에이 【AA】 명 ①〔Asia Africa의 약칭〕 아시아 아프리카. ¶～ 그룹. ②〔automatic approval의 약칭〕 수입(輸入)의 자동 승인.

에이 에이 그룹 〔AA group〕 명 〔Asia Africa group〕 아시아 아프리카 그룹.

에이 에이 에이 【A.A.A.】 명 〔Amateur Athletic Association의 약칭〕 아마추어 운동 경기 협회.

에이 에이 엠 【A.A.M.】 명 〖군〗 〔air to air missile의 약칭〕 적의 비행기를 목표로 비행기에서 발사하게 된 미사일. 미국의 사이드와인더(sidewinder) 같은 것. 공대공(空對空) 미사일.

에이 에이 회:의 【A.A.會議】 〔—/—이〕 명 〖정〗 〔Afro-Asian Conference〕 아시아 아프리카 회의.

에이 에프 【AF】 명 〔automatic focusing의 약칭〕 카메라의 자동 초점(焦點) 조정.

에이 에프 시: 【A.F.C.】 명 〖물〗 〔automatic frequency control의 약칭〕 자동 주파수 제어(自動周波數制御).

에이 에프 엘 【A.F.L.】 명 〔American Federation of Labor의 약칭〕 미국 노동 총동맹.

에이 에프 엘 시: 아이 오: 【A.F.L.C.I.O.】 명 〔American Federation of Labor & Congress of Industrial Organization의 약칭〕 미국 노동 총동맹 산업별 회의. 미국 최대(最大) 노동 조합으로 A.F.L.과 C.I.O.가 1955년에 합병한 것.

에이 에프 줌: 카메라 〔AF zoom camera〕 명 줌렌즈가 장착(裝着)되어 있어 초점 거리를 자동으로 바꿔 주는 전자동(全自動) 카메라. 자동 초점(自動焦點) 줌카메라.

에이 에프 케이 엔 【A.F.K.N.】 명 〔American Forces Korea Network의 약칭〕 미군의 한국 방송망. 주한 미군 사령부 공보부에서 주한 미군의 정훈(政訓) 교육과 오락을 위하여 설치한 것으로, 지방에 6개소의 방송국이 있음.

에이 에프 피: 【A.F.P.】 명 〔Agence France Presse의 약칭을 영어식으로 읽은 것〕 프랑스의 통신사. 제2차 세계 대전 중, 아바스 통신사의 후신(後身)으로 조직된 것임.

에이 엘 비: 엠 【ALBM】 명 〔air-launched ballistic missile〕 공중 발사 탄도(彈道) 미사일. 항공기에서 지상을 향하여 발사하는 미사일.

에이 엘 시:[1] 【ALC】 명 〔amyotrophic lateral sclerosis의 약칭〕 〖의〗 근위축성 측색 경화증.

에이 엘 시:[2] 【ALC】 명 〔autoclaved lightweight concrete의 약칭〕 경량 기포 콘크리트.

에이 엘 시: 엠 【A.L.C.M.】 명 〖군〗 〔air launching cruising missile의 약칭〕 공중 발사 순항(巡航) 미사일.

에이 엘 유: 【ALU】 명 〔arithmetic and logic unit의 약칭〕 산술 논리 장치(算術論理裝置).

에이 엠 【A.M., a.m.】 명 ①〔라 ante meridiem의 약칭을 영어식으로 읽은 것〕 오전(午前). 예를 들면, 오전 9시는 '9 a.m.'처럼 적음. ②〔라 Artium Magister의 약칭〕 문학사. ③〔amplitude modulation〕 진폭 변조(振幅變調).

에이 엠 방:송 【AM放送】 명 〔AM은 amplitude modulation의 머리글자〕 에이 엠 방식(AM方式)에 의한 방송(放送). 진폭 변조 무선 방송(振幅變調無線放送). 531-1605킬로사이클의 주파수를 사용함. 중파 방송(中波放送). ↔에프 엠 방송(FM放送).

에이 엠 방식 【AM方式】 명 〔AM은 amplitude modulation의 머리글자〕 반송파(搬送波)의 진폭(振幅)에 정보 신호에 따른 변화를 주는 변조(變調) 방식. 진폭 변조 방식.

에이 엠 엠 【A.M.M.】 명 〖군〗 〔anti-missile missile의 약칭〕 대(對)미사일용(用) 미사일.

에이 오: 판 【A5判】 명 〖인쇄〗 종이의 규격(規格)의 한 가지. 에이열 오번(A列 5番). 148×210 mm로서, 구규격(舊規格)의 국판(菊判)보다 약간 작음.

에이 왁스 【AWACS】 명 〔airborne warning and control system의 약칭〕 〖군〗 공중 경보 통제기.

에이 원 【A1】 명 〔A one〕 제1급. 최상급.

에이 유: 항:원 【AU抗原】 명 〖의〗 오스트레일리아 항원의 약칭.

에이 육 판 【A6判】 명 종이의 규격(規格)의 한 가지. 105 mm×148 mm로서 문고판임.

에이이:-제 【AE劑】 명 〔air-entraining agent〕 콘크리트의 혼화제(混和劑)의 일종. 콘크리트 속에 작은 공기 거품을 만들기 위해 넣는 기포 안정제(氣泡安定劑)로, 리그닌 술폰산 나트륨 등이 쓰임. ＊에이 이 콘크리트.

에이 이: 콘크리:트 【AE—】 명 〔air-entrained concrete〕 콘크리트를 갤 때, 시멘트·모래·자갈·물 외에 에이이제(AE劑)를 넣어서 굳힌 콘크리트 속에 작은 공기 거품이 생기게 한 것. 구조적 강도(強度)는 감소(減少)하지만, 동결(凍結) 등 기상(氣象)의 영향에 강함. ＊에이이제(AE劑).

에이전시 〔agency〕 명 ①대리업(代理業). 대리점(代理店). ②광고 대행업자(廣告代行業者).

에이전시 숍 〔agency shop〕 명 〖사〗 숍제(shop制)의 하나. 종업원의 노동 조합에의 가입을 강제하지는 않으나, 조합비 상당액의 납부를 의무화하는 제도. 미국에서 유니언 숍이 금지되어 있는 주(州)의 노동 협약(勞動協約)에서 볼 수 있음.

에이 전:지 【A電池】 명 〖물〗 진공관의 음극을 가열하기 위한 전지. 통상, 1.5-6.0 볼트의 전압을 갖는 축전지 또는 건전지를 씀. 섭조(纖造) 전지. ＊시 전지(C電池).

에이전트 〔agent〕 명 대리인. 지배인.

에이 중:유 【A重油】 명 저점도(低粘度)의 중유. 디젤 엔진, 특히 어선(漁船)의 연료유(燃料油)로 쓰임.

에이즈 【AIDS】 명 〖의〗 〔Acquired Immune Deficiency Syndrome의 약칭〕 사람 면역 결핍(免疫缺乏) 바이러스(HIV)에 의해 생기는 병. 성행위·수혈·모자 감염 등에 의해 감염되는데, 전신의 면역 기구가 파괴되어 사망률이 높음. 1981년 이후에 크게 유행하고 있으나 특효약이 아직 없음. 후천성 면역 결핍 증후군(後天性免疫缺乏症候群).

에이즈 바이러스 〔AIDS virus〕 명 에이치 아이 브이(HIV)의 속칭.

에이지 〔age〕 명 ①나이. ②시대. ¶아토믹 ～.

에이 지: 시: 【AGC】 명 〔automatic gain control〕 자동 이득 제어(自動利得制御).

에이 지: 싱크로트론 【A.G.—】 명 〔alternating-gradient synchrotron〕 〖물〗 양성자 가속기(陽性子加速器)의 하나. 약 25 GeV의 초고에너지(超高 energy)로 양성자를 가속하는 데 쓰임.

에이 지: 에프 【AGF】 명 〔Asian Games Federation의 약칭〕 아시아 경기 연맹. 1949년 인도의 제창으로 창립되었으며, 아시아 경기 대회의 개최를 그 임무로 하였음. ＊오 시 에이(OCA).

에이 지: 엠 【AGM】 명 〔air-to-ground missile〕 〖군〗 공대지(空對地) 미사일.

에이지즘 〔ageism〕 명 〖사〗 중고년층(中高年層)에 대한 고용(雇傭) 차별.

에이 지: 티: 【AGT】 명 〔automated guideway transit system의 약칭〕 자동 운전 궤도 시스템.

에이치 【H, h】 명 ①영어 자모의 여덟째 자모(字母). ②〖음〗 ☞하(H). ③〔hard〕 연필심(芯)의 경도(硬度)를 나타내는 부호. ¶HB/2H.

에이치 디: 엘 【HDL】 명 〔high density lipoprotein의 약칭〕 고밀도의 리포 단백질. 콜레스테롤을 혈관벽(血管壁)에서 제거하여, 동맥 경화를 방지하는 작용을 함. 40 mg 이상이 바람직한 상태임. ↔엘디엘(LDL).

에이치-봄 〔H-bomb〕 명 수소 폭탄.

에이치 비: 【HB】 명 〔H는 hard, B는 black의 약호〕 연필의 심(芯)의 경도(硬度)를 나타내는 기호(記號)의 하나. 별로 단단하지도 무르지도 않은 중간치의 것.

에이치 비: 에스 【HBS】 명 〔Harvard Business School의 약칭〕 미국 하버드 대학원 경영학 연구과. 하버드 학파라는 미국 경영학의 중요한 일파가 여기서 키워짐. 여기서 발행되는 Harvard Business Review는 미국의 대표적 경영학 잡지임.

에이치 비: 프로세스【H.B.—】〔process〕명〖인쇄〗〔H.B.는 각각 발명자 Huebner, Bleinstein의 머리글자〕 다색쇄 오프셋 제판법(多色刷 offset 製版法). 삼색판(三色版)을 이용하여 정밀한 원화(原畫)를 원색 그대로 찍어 내는 법.

에이치 비: 항:원【HB抗原】명〔Hepatitis B antigen〕〖의〗혈청 간염(血淸肝炎; hepatitis)의 바이러스인 오스트레일리아 항원을 유행성 간염의 바이러스인 에이치 에이(HA)에 상대하여 일컫는 이름.

에이치 빔:〔H beam〕명 에이치형강(H形鋼).

에이치-산【H酸】명〔H acid〕〖화〗회색 분말(灰色粉末) 또는 결정성(結晶性) 물질. 물·에테르·알코올에 잘 녹음. 염료(染料) 중간체(中間體)로 쓰임. [$H_2NC_{10}H_4(OH)(SO_3H)_2$]

에이치 아:르【HR】명〔human relations의 약어〕인간 관계.

에이치-아:르 도【H-R圖】명〔H-R diagram〕〖천〗〔H-R는 덴마크의 천문학자 헤르츠스프룽과 미국의 천문학자 러셀(Russell, H. N.)의 머리글자〕가로축(軸)에 항성(恒星)의 스펙트럼형(型) 또는 색지수(色指數), 세로축(軸)에 절대 등급(絶對等級)을 매겨 주계열성(主系列星)·거성(巨星)·초거성(超巨星)·백색 왜성(白色矮星) 따위의 자리를 표시하여 절대 등급과 스펙트럼형 사이의 관계를 나타낸 도표(圖表). 헤르츠스프룽 러셀도(Hertzsprung Russel圖).

에이치 아워〔H-hour〕명〖군〗〔H는 hour의 약자〕공격 등 특정한 작전을 개시하려는 시각(時刻). *디 데이(D-day).

에이치 아이언 법【—法】〔—뻡〕명〔H iron process〕고온 고압(高溫高壓)의 수소 가스에 의하여 분말(粉末) 형태의 철광석을 직접 환원하여 철을 얻는 방법.

에이치 에스 에스 티:【HSST】명〔High Speed Surface Transport의 약어〕항공기의 날개와 다리를 떼어낸 동체(胴體)만의 기체(機體)를, 전자석(電磁石)의 흡인력(吸引力)으로 공중에 뜨게 하고, 선형(線形) 모터나 제트 추진(推進)으로 전진시키는 고속(高速) 지표(地表) 수송기.

에이치 에스 티:【HST】명〔hypersonic transport의 약칭〕음속(音速)의 5-6배, 시속 7천 km 정도의 스피드로 성층권(成層圈) 위쪽을 나는 극초음속(極超音速) 여객기.

에이치 에이【HA】명〔home automation의 약칭〕홈 오토메이션. 가정의 여러 가지 설비를 컴퓨터를 써서 작동하는 일.

에이치 에프【HF】명〖전〗〔high frequency의 약자〕단파(短波)의 약호.

에이치 엘 시: 에이【HLCA】명 한국 방송 공사의 사회 교육 제1 라디오 방송의 콜 사인(call sign).

에이치 엘 시: 케이【HLCK】명 한국 방송 공사의 제1 텔레비전 방송의 콜 사인(call sign).

에이치 엘 에스 아:르【HLSR】명 한국 방송 공사의 사회 교육 제2 라디오 방송의 콜 사인(call sign).

에이치 엘 에스 에이【HLSA】명 한국 방송 공사의 제 2 라디오 방송의 콜 사인(call sign).

에이치 엘 에스 지:【HLSG】명 불교 방송의 콜 사인(call sign).

에이치 엘 에스 큐:【HLSQ】명 서울 방송의 라디오·텔레비전 방송의 콜 사인(call sign).

에이치 엘 에스 티:【HLST】명 교통 방송의 콜 사인(call sign).

에이치 엘 에이 제트【HLAZ】명 아세아 방송의 콜 사인(call sign).

에이치 엘 케이 브이【HLKV】명 문화 방송의 라디오·텔레비전·에프엠 방송의 콜 사인(call sign).

에이치 엘 케이 시:【HLKC】명 한국 방송 공사의 제2 텔레비전·제2 에프 엠 방송의 콜 사인(call sign).

에이치 엘 케이 에이【HLKA】명 한국 방송 공사 제1 라디오 방송의 콜 사인(call sign).

에이치 엘 케이 엑스【HLKX】명 극동 방송의 콜 사인(call sign).

에이치 엘 케이 와이【HLKY】명 기독교 방송의 콜 사인(call sign).

에이치 엘 큐: 엘【HLQL】명 교육 방송의 콜 사인(call sign).

에이치 엘 큐: 케이【HLQK】명 ①한국 방송 공사의 제1 에프 엠 방송의 콜 사인(call sign). ②교육 방송의 텔레비전 방송의 콜 사인.

에이치 엘 큐: 피:【HLQP】명 평화 방송의 콜 사인(call sign).

에이치 응집소【—凝集素】명〔H agglutinin〕〖생〗세포나 미생물의 편모(鞭毛)에 대하여 특이적(特異的)인 항체(抗體).

에이치 이:【HE】명 ①〔human engineering의 약칭〕인간 공학(人間工學). ②〔high explosive의 약칭〕고성능 폭약.

에이치 이: 탄【HE彈】명〖군〗〔HE는 high explosive의 약어〕고성능 포탄(高性能砲彈).

에이치 케이블〔H cable〕명 전력 케이블의 일종. 땅 속에 매설(埋設)하여 20-30 킬로 볼트의 송배전(送配電) 노선(路線)에 사용함.

에이치 피:【HP】명〔horse power의 약자〕마력(馬力).

에이치형-강【H形鋼】명 단면(斷面)이 'H'형으로 된 형강(形鋼). 압축 내력(壓縮耐力)·굴곡(屈曲) 내력이 뛰어남. 구조용(構造用), 즉 기둥·들보용과 기초(基礎) 말뚝용이 있으며, 후자를 H파일이라고도 함. 에이치 빔(H beam).

에이치형 혈색소【H型血色素】〔—쌕—〕명〔hemoglobin H〕이상(異常) 혈색소. 전기 영동(電氣泳動)에서, 정상(正常) 혈색소보다 빨리 이동함. 흔히, 지중해 빈혈(地中海貧血)에서 나타남.

에이커〔acre〕의명 야드 파운드법의 면적(面積)의 단위. 1에이커는 4,047 m^2, 4 단(段) 24 보(步).

에이 큐:【A.Q.】명〖교〗〔achievement quotient의 약칭〕교육률(教育率)을 지능률(知能率)로 나눈 것에 100을 곱한 수치. 지능에 비하여 학습이 어느 정도인가를 나타냄. 성업률(成業率). 성취 지수(成就指數).

에이크만〔Eijkman, Christian〕명〖사람〗네덜란드의 의학자·생리학자. 비타민 연구의 선구자. 군의(軍醫)로서 네덜란드령 동인도에 부임, 그 지방에 많은 각기(脚氣)가 쌀겨에 함유된 영양 물질 부족에 기인함을 확인함. 1929년 노벨 생리 의학상을 받음. [1858-1930] 「(組).

에이 클래스〔A class〕명 ①제일급. 에이급(級). ②에이 학급. 에이조

에이킨스〔Eakins, Thomas〕명〖사람〗미국의 화가·조각가. 펜실베이니아 미술 학교에서 배운 후 도불(渡佛), 제롬(Gerôme, Jean Léon; 1824-1904) 등에 사사(師事)함. 귀국 후 모교의 교수가 되고, 해부학에 기초를 둔 철저한 사실주의로 초상화·가정 생활 등을 그림. 대표작 ≪그로스(Gross) 박사의 임상 강의(臨床講義)≫ 등. [1844-1916]

에이태큼스【ATACMS】명〔army tactical missile system〕〖군〗고정밀도(高精密度)의 전술용(戰術用) 탄두(彈頭) 미사일. 다수의 폭탄을 일시에 폭발시켜, 그 파괴 위력은 소형 핵무기에 필적함. 최대 사거리는 140-160 Km.

에이트〔eight〕㊀명 ①여덟 사람이 젓는 경기용 보트. 또, 그것으로 경기하는 사람. 에이트정(eight艇). ②럭비에서, 스크럼을 전위(前衛) 여덟 사람이 짜는 일. ③피겨 스케이트 경기에서, 얼음판을 8자형으로 지치는 일. 서클 에이트. ㊁수 여덟.

에이트 비:트〔eight beat〕명〖악〗한 소절(小節)이 팔분 음표(八分音標)를 바탕으로 하여 잘게 여덟 비트로 도막쳐진 장단. 로큰롤 음악에서 주로 쓰이며, 라틴 음악이나 재즈 음악에서도 볼 수 있음.

에이트-정【—艇】〔eight〕명 에이트❶.

에이 티: 시:【ATC】명 ①〔Automatic Train Control의 약칭〕열차 자동 제어(自動制御) 장치. 신호의 지시에 따라 자동적으로 열차의 속도를 저하(低下)시키거나 정지(停止)시키는 장치. 자동 열차 제어 장치. ②〔Air Traffic Control의 약칭〕항공 교통 관제(管制).

에이 티: 에스[1]【ATS】명〔Automatic Train Stopper의 약칭〕자동 열차 정지 장치. 정지 또는 경계를 알리는 신호기에 열차가 접근하면 운전 실내의 벨·버저가 울리며 운전사가 확인하지 못하면 비상 브레이크가 작동하여 열차는 자동적으로 섬.

에이 티: 에스[2]【A.T.S.】명〔Application Technology Satellite의 약칭〕미국의 응용 기술 위성. 통신·기상·항행 등의 실용적 목적과 과학 관측 목적의 각종 실험을 행하는 24시간 주기(週期)의 정지(停止) 위성. 응용 기술 위성(應用技術衛星). 「車) 미사일.

에이 티: 엠[1]【ATM】명〖군〗〔anti-tank missile의 약칭〕대전차(對戰

에이 티: 엠[2]【ATM】명〔automatic teller machine의 약칭〕자동 입출금기(自動入出金機). 「운전 장치.

에이 티: 오:【ATO】명〔automatic train operation 의 약칭〕자동 열차

에이 티: 티:【ATT】명〔American Telephone & Telegraph Co.의 약칭〕미국 전화 전신 회사. 벨(Bell)의 전화 발명을 기초로 1885년 설립, 19개의 자회사(子會社)를 통하여 미국 전신 전화의 거의 90%를 독점하고 있음. 우주 통신 개발에도 적극적임.

에이 티: 피:【A.T.P.】명〖생〗〔adenocine triphosphate의 약칭〕아데노신 삼인산(adenocine 三燐酸). 동물 체내에서 당류(糖類)·단백질·지방(脂肪)의 대사(代謝) 및 근육 수축(筋肉收縮) 등의 역학적(力學的) 에너지의 발생이나, 생물 체내의 여러 물질의 합성, 에너지 변화 등을 일으키는 반응이 있을 때, 에너지의 저장·공급·운반 등의 역할을 하는 물질.

에이-판【A判】명〖인쇄〗인쇄 용지 또는 인쇄 용지의 가공(加工) 재단 치수를 정한 표준 규격(標準規格)의 한 계열(系列). 재단 치수의 경우는 841×1189mm를 전판(全判)으로 하고, 매반절(半截)마다 A2, A3, A4…식으로 숫자(數字)를 붙여 감. 원지(原紙) 치수일 때는 625×880 mm를 전판으로 하여, 역시 매반절마다 A2, A3, A4… 등으로 숫자(數字)를 붙임. *비(B)판.

에이펙【APEC】명〔Asian Pacific Economic Cooperation의 약자(略字)〕〖정〗아시아 태평양 경제 협력 기구의 영어 이름.

에이프런〔apron〕명 ①서양식의 앞치마나 턱받기. ②비행장 시설의 하나. 격납고(格納庫)나 터미널 앞의 포장된 구역. 승객의 승강(昇降), 화물(貨物)의 싣기와 부리기, 급유(給油) 등을 함. ③〖연〗에이프런 스테이지(apron stage). ④골프에서, 그린(green) 주변의 잘 다듬어진 일대. 보통, 그린과 페어웨이(fairway)의 중간 정도 길이로 잔디를 깎아 둠. 「일할 때 입음.

에이프런 드레스〔apron dress〕명 에이프런 모양의 여성복(女性服).

에이프런 스타일〔apron style〕명 계집아이가 입거나 작업복으로 입게 된 앞치마 모양의 복장 스타일의 하나.

에이프런 스테이지〔apron stage〕명〖연〗극장에서, 관객석(觀客席) 가운데까지 돌출한 무대의 일부. 에이프런.

에이프릴 풀:〔April fool〕명 ①에이프릴 풀스 데이의 거짓말에 넘어간 사람. ②에이프릴 풀즈 데이.

에이프릴 풀스 데이〔April Fools' Day〕명 만우절(萬愚節).

에이 피:【A.P.】명〔The Associated Press의 약칭〕미국 연합 통신사. 신문사와 방송국을 가맹사(加盟社)로 하는 협동 조직(協同組織)의 비영리 법인(非營利法人)으로, 세계적인 통신망을 가졌으며, 유 피 아이(UPI)와 함께 미국의 대표적인 통신사임.

에이 피: 아이 도【API度】명〔American Petroleum Institute〕〖화〗미국 석유 협회가 정한 원유(原油)의 비중(比重) 측정 단위. API도 35도 이상을 경질유(輕質油), 30도 이하를 중질유(重質油)로 함.

에이 피: 오:【A.P.O.】명〔Army Post Office의 약칭〕군사 우체국.

에이 피: 유:【A.P.U.】명〔Asian Parliamentarians Union의 약칭〕아시아 의원 연맹.

에이 피: 티: 수화 장치【APT受畫裝置】명〔automatic picture trans-

mission ground station〕 미국의 기상 위성(氣象衛星)이 관측한 구름의 분포 사진을 수신하는 장치. 위성에 적재(積載)된 APT 카메라가 전기 노출계(露出計) 연동(連動)으로 셔터를 눌러 구름의 분포를 녹화(錄畫)하고, 이 사진을 FM 송신기로 지상(地上)에 송신함.

에이-형【A型】 명 〖의〗 ABO식 혈액형의 하나. A형인 사람은 A형과 AB형인 사람에게 수혈(輸血)할 수 있고, A형과 O형인 사람에게서 수혈받을 수 있음. *에이비형(AB型).

에이형 간:염【A型肝炎】 명 〖의〗 장내(腸內) 바이러스에 속하는 A형 간염 바이러스의 감염으로 일어나는 급성 간염. 경구(經口) 감염에 의해 용변 중(用便中) 배설된 바이러스가 퍼뜨림.

에익 감 ↗에이끼.

에인절[1] 〔angel〕 명 ①천사(天使). 수호신. 천사상(天使像). ②천사 같은 사람.

에인절[2] 〔Angell, Sir Norman〕 명 〖사람〗 영국의 정치가·경제학자. 본명은 Ralph Norman Angell Lane. 영국·미국·프랑스의 신문·잡지의 편집에 종사, 1928년 이후 왕립 국제 문제 연구소에 근무함. 1929-31년 노동당 하원 의원을 지냄. 주저(主著) ≪커다란 환상(幻想)≫에서 전쟁은 승자에게도 이익을 가져오지 않는다고 설파, 국제 평화에 기여했음. 1933년 노벨 평화상을 받음. [1872-1967]

에인절피시 〔angelfish〕 명 〖어〗 〔*Pterophyllum eimekei*〕 열대어(熱帶魚)의 하나. 몸이 납작하며, 등지느러미는 높고, 배지느러미는 가늘고 길게 뻗쳐 있으며, 꼬리지느러미도 아래위 양끝이 길게 뻗침. 빛은 그리 아름답지 않으나 동작이 매우 우아함. 몸길이는 최대 13cm. 난생(卵生)으로, 어린 것은 머리 끝에 있는 실로 수초(水草) 같은 곳에 붙어 꽁지를 몹시 흔듦. 남미 아마존 강 유역과 기아나 원산(原產)으로 관상용(觀賞用)임.

〈에인절피시〉

에인트호:벤[1] 〔Eindhoven〕 명 〖지〗 네덜란드 남부의 상공업 도시. 전기 통신기 공업으로 세계적으로 유명한 필립스사(Phillips社)의 주(主) 공장이 있음. 1956년에 대학이 창립됨. 시(市)의 창건(創建)은 1232년. [196,000 명 (1987)]

에인트호:벤[2] 〔Einthoven, Willem〕 명 〖사람〗 네덜란드의 생리학자. 라이든 대학 교수를 역임. 현전류계(弦電流計)를 고안하고 심장 전기도(心臟電氣圖)를 안출(案出)하여, 1924년 노벨 의학상(醫學賞)을 받음. [1860-1927]

에일 〔ale〕 명 맥아(麥芽)를 발효시킨 음료(飮料). 알코올 함유량 8%이하이며, 홉(hop)을 많이 함유하고 있는 것이 맥주와 다름. ¶진저 ～.

에일라트 〔Eilat〕 명 〖지〗 아카바 만(Aqaba灣)의 가장 깊숙한 곳에 있는 이스라엘의 항구 도시. 요르단의 아카바 항(港)과 마주 대하는 도시로 이스라엘 독립 후 새로이 건설됨. 하이파(Haifa)와 400km의 파이프라인으로 연결되어 있음. [19,500 명(1982)]

에일레이투이아 〔Eileithuia〕 명 〖신〗 그리스 신화에 나오는 출산(出產)을 맡은 여신. 흔히, 헤라(Hera)·아르테미스(Artemis)와 동일시됨.

에잇 감 마음에 언짢을 때 내는 소리. ¶～ 집어 치워라.

에자키 레오나 〔江崎玲於奈: えざきれおな〕 명 〖사람〗 일본의 물리학자. 미국의 인터내셔널 비즈니스 머신 회사(International Business Machine Co.) 연구 주임. 1973년 고체(固體)에서의 터널 효과 연구로 조지프슨(Josephson, B. D.)·예이버(Giaever, I.)와 공동으로 노벨 물리학상을 수상함. [1925-]

에제키엘-서【一書】 〔Ezekiel〕 명 〖성〗 에스겔서(Ezekiel書).

에즈라-서【一書】 〔Ezra〕 명 〖성〗 에스라서(Ezra書).

에지 〔edge〕 명 ①스케이트 구두의 날의 양쪽 모서리. ②탁구대(臺)의 모서리. ③스키의 눈에 닿는 바닥의 양쪽 모서리. 또, 거기에 댄 금속(金屬).

에지간-하다 형 〈방〉 어지간하다.

에지 라이트 효:과【一効果】 명 〔edge light effect〕 유리 따위 투명한 재료의 절단면(切斷面)에 광선을 비추면 다른 절단면으로 광선이 나오는 현상. 위(胃) 카메라나 팩시밀리의 전자 기록관(電子記錄管) 등에 쓰이는 파이버스코프도 같은 원리임.

에지 볼: 〔edge ball〕 명 커버(cover)❺.

에지워:스 〔Edgeworth, Francis Ysidro〕 명 〖사람〗 영국의 통계학자·경제학자. 1891년 옥스퍼드 대학 교수. 오차(誤差)·상관(相關)·지수(指數) 등을 연구하였고, 피어슨(Pearson, K.)과 함께 통계 수리(統計數理)의 기초를 이룸. 에지워스식 물가(物價) 지수, 직선 상관 관계(直線相關關係)의 연구는 유명함. '이코노믹 저널지(誌)'의 초대 편집장을 지냄. [1845-1926]

에:참 감 뜻에 맞지 않으나 부득이 그리 하지 않을 수 없을 때 하는 소리. ¶～ 또 심부름이야.

에체가라이 〔Echegaray, José〕 명 〖사람〗 스페인의 극작가·토목 기사·경제학자·정치가. 1874년 이래 ≪복수자의 아내≫·≪대우(大愚)냐 대현(大賢)이냐≫ 등 60여 편의 극작을 발표하여 1904년 노벨 문학상을 받았음. [1832-1916]

에취 감 재채기하는 소리.

에치 미 〈방〉 어치(평안).

에칭 〔etching〕 명 〖인쇄〗 동판 위에 질산에 부식되지 않는 납(臘)을 바르고 표면에 바늘로 그림이나 글을 새겨, 이것을 질산으로 부식시켜 만든 요판(凹板) 인쇄술. 또, 그 인쇄물. 부각법(腐刻法). 부식 동판(腐蝕銅版). 식각법(蝕刻法).

에칭 바늘 명 〔etching needle〕 에칭 제판(製版)에 쓰이는 매우 가는 철침(鐵針).

〈에칭 바늘〉

에칭이 명 〈방〉 언청이(경기·충청).

에카-원소【一元素】 명 〔ekaelement〕 〖화〗 멘델레예프(Mendeleev, D. I.)가 원소의 주기율표(週期律表)를 발견하였을 때 주기율표 안에 들어갈 몇 개의 미지의 원소의 존재를 예언하고, 이들에 대하여 기지(旣知)의 동족(同族) 원소 이름에 에카(eka)라는 접두어를 붙여 부른 이름. 게르마늄(germanium)을 에카규소(珪素), 갈륨을 에카알루미늄으로 호칭한 따위. 현대에서도 원소 104번을 에카하프늄, 원소 114번을 에카납이라 부르는 이가 있음.

에카페【ECAFE】 명 〖정〗 〔United Nations Economic Commission for Asia and Far East 의 약칭〕 국제 연합 아시아 극동 경제 위원회.

에커만 〔Eckermann, Johan Peter〕 명 〖사람〗 독일의 문필가. 괴테의 만년(晩年)의 비서. ≪괴테와의 대화≫는 그 9년 동안의 괴테와의 담화(談話)를 모아 기록한 것으로, 괴테 연구자에게는 필독(必讀)의 문헌임. [1792-1854]

에케르트 〔Eckert, Franz〕 명 〖사람〗 독일의 음악가. 1879년 일본에 건너가 해군 군악 전습소(軍樂傳習所)에서 취주악(吹奏樂)을 가르침. 광무(光武) 5년(1901) 한국 시위대(侍衛隊) 군악대의 대장으로 초빙되어 내한하였음. 이것이 양악(洋樂) 수입의 효시(嚆矢)임. 서울에서 죽음. [1852-1916]

에케르트 도법【一圖法】 〔Eckert〕 〔一뻡〕 명 〖지〗 1906년 독일의 에케르트가 고안한 도법. 지도의 투영법(投影法)의 하나. 중고위도(中高緯度) 지방의 뒤틀림이 적고 간명하게 나타낼 수 있음. 위선(緯線)은 평행 직선(平行直線)으로 나타냄. 세계 전도(全圖)에 이용됨. *정적 도법.

에켈뢰프 〔Ekelöf, Gunnar〕 명 〖사람〗 스웨덴의 시인. 동양 어학을 배우고, 동양의 신비주의와 프랑스의 상징주의의 영향을 받음. 처녀 시집 ≪뒤늦게 지상으로≫ 이후 초현실주의로부터 탈피하여 대표작 ≪묘르나의 엘레지≫를 씀. [1907-68]

에코[1] 〔Echo〕 명 〖신〗 그리스 신화 중의 아름다운 삼림(森林)의 님프(nymph). 나르키소스를 사랑했으나 거절당하고 슬픔 때문에 몸은 없어지고 소리만이 남았다 함.

에코[2] 〔echo〕 명 ①〔그리스 신화에서 유래함〕 메아리. ②〖전〗 레이더 수신기에 나타나는 목적물에서의 반사 신호. 또, 이 신호에 의하여 그려지는 궤적(軌跡). ③소리의 울림을 좋게 하기 위하여 인공적으로 메아리·잔향(殘響)을 만드는 장치. 잔향 장치(殘響裝置).

에코[3] 〔Eco, Umberto〕 명 〖사람〗 이탈리아의 기호학자. 철학·미학(美學)에서 동물 행동학을 통하여 문화의 총체를 파악하려 함. 국제 기호학회장을 지냄. 1981년 소설 ≪장미의 이름≫을 발표, 후에 영화화로 화제가 됨. 주저 ≪기호론(記號論)≫ 등 [1932-]

에코노메트릭스 〔econometrics〕 명 〖경〗 ☞이코노메트릭스.

에코노모 뇌염【一腦炎】 명 〔Economo's disease〕 〖의〗 〔오스트리아의 의사 에코노모(Economo, Constantin von; 1876-1931)의 이름에서 유래〕 바이러스성(性)의 기면성(嗜眠性) 뇌염. 1917년경 오스트리아의 빈에서 크게 유행한 뇌염의 한 가지. 급성 전염병으로, 대개 겨울에 청장년(靑壯年)이 걸리며 기면의 특징이 있음.

에코노미스트 〔economist〕 명 ☞이코노미스트.

에코노미스트-지【一誌】 명 ☞이코노미스트지.

에코노미 클래스 〔economy class〕 명 ☞이코노미 클래스.

에코노믹스 〔economics〕 명 〖경〗 ☞이코노믹스.

에코 머신 〔echo machine〕 명 반향(反響)·울림 따위를 이루는 기계. 라디오 드라마·레코드 음악 등에 쓰임.

에코사이드 〔ecocide〕 명 〔ecology＋genocide〕 생태계(生態系)의 대규모적인 파괴. 환경 살육(環境殺戮).

에코세즈 〔프 écossaise〕 명 〖악〗 3박자의 재미있고 고전적인 스코틀랜드의 무곡(舞曲).

에코 위성【一衛星】 〔Echo〕 명 미국의 통신 중계 실험용 기구(氣球) 위성. 1호는 1960년 8월 12일에 발사(發射)된 것으로 직경 30.5m, 2호는 64년 1월 25일에 발사되었는데, 직경은 40m임.

에콜 〔프 école〕 명 학파(學派). 유파(流派).

에콜 노르말 쉬페리외르 〔Ecole normale supérieure〕 명 중등 교원 양성을 꾀한 프랑스의 국립 고등 사범 학교. 1794년 창립. 대학 입학 자격자에게 다시 입학 시험을 과하여, 대학 이상의 교육 수준을 자랑함. 졸업생에 대한 사회적 평가가 높음. 1881년에 창립된 여자 에콜 노르말도 있음.

에콜 드 파리 〔프 École de Paris〕 명 〖미술〗 제1차 세계 대전 후 파리로 이주하여 온 일군(一群)의 외국인 화가들을 이름. 한 파(派)로서의 주의나 주장이 없이 야수파(野獸派)·입체파(立體派)·표현파(表現派) 등 개성적인 양식(様式)을 창조한 작가군(作家群)을 통틀어 이르는 말이었으나, 최근에는 프랑스 근대 회화(近代繪畫)의 영향 아래 혁신적인 일을 하는 화가들을 가리킴. 파리파(派).

에콜 폴리테크니크 〔École Polytechnique〕 명 파리에 있는 프랑스의 국립 이공과 대학. 1795년, 혁명이 한창인 때 기술자 및 포병과·공병과(工兵科) 사관의 양성을 목적하여, 몽주(Monge, G.) 등의 제창에 의하여 국민 공회(國民公會)의 손으로 창설됨. 고도의 과학 기술 교육 방침 아래 발전하여, 수학·물리학 등에서 뛰어난 학자를 배출함. 기초 과학 교육과 전문 기술 교육과의 통일이 특색임.

에콰도르 〔Ecuador〕 명 〖지〗 남아메리카 서안(西岸) 적도(赤道)의 남북에 걸친 공화국. 주민의 80%가 인디오, 10%가 흑백 혼혈, 10%가 백인. 공용어는 스페인어(語). 아마존 상류에서 풍부한 석유 자원(石油資源)이 발견되어 남미 제2의 석유 수출국이 되어 바나나 경제에서 석유 경제로 전환함. 바나나·커피·코코아 등도 수출함. 수도(首都)는 키토(Quito). 정식 명칭은 '에콰도르 공화국(Republic of Ecuador)'.

[283,561 km²: 10,850,000 명(1991 추계)]

에쿠 감 ↗에쿠나.

에쿠나 감 깜짝 놀랐을 때 내는 소리. ㊀에쿠. ㅆ에꾸나.

에쿠쿠 감 지극히 놀랐을 때에 부지중 나오는 소리. ㅅ에구구.

에퀴 〔프 écu〕 명 14세기 이래 프랑스에서 쓰던 옛 은화(銀貨).

에퀴테스 〔라 equites〕 명 〔기병(騎兵)·기사(騎士)의 뜻〕 고대 로마 사회의 한 신분. 원래는 기마로 군무에 복무하는 사람을 가리켰으나, 제2 포에니(Poeni) 전쟁 때부터 상업 및 국영 사업 담당자, 특히 징세(徵稅) 청부인으로서 세력을 뻗쳐 원로원 다음가는 신분의 사회층이 되었음. 제정기(帝政期)에는 황제 직속의 고급 관료의 지위를 차지함.

에퀴티 〔equity〕 명 〖법〗 영국의 일반법인 코먼 로(common law)의 결함을 도덕률에 의하여 보정(補正)한 법률. 형평법(衡平法). *코먼 로.

에퀴파르테 〔equiparte〕 명 〖기상〗 멕시코에서, 10월에서 1월 사이에 내리는 차가운 호우(豪雨). 며칠 동안 계속 쏟아짐.

에큐 【ECU】 명 〔↗ European Currency Unit〕 〖경〗 유럽 통화 제도(通貨制度)에 의해 설정된 유럽 공동체 내부에서 공통의 통화 계산 단위. 중앙 은행(中央銀行) 사이의 결제 수단(決濟手段)으로도 쓰임. 유럽 통화 단위(通貨單位).

에큐메노폴리스 〔ecumenopolis〕 명 세계 도시(世界都市).

에큐메니즘 〔Ecumenism〕 명 〖종〗 교파·교회를 초월하여 전기독교도의 일치 단결을 도모하려는 세계 교회주의. 이와 같은 세계 교회 운동은 여러 가지 형태로 전개되고 있으며, 1948년에 세계 교회 협의회(世界教會協議會)가 결성됨. 교회 합동 운동. 에큐메니컬 무브먼트. 에큐메니컬 운동.

에큐메니컬 무:브먼트 〔ecumenical movement〕 명 교회 합동 운동.

에큐메니컬 운:동 【一運動】 〔ecumenical〕 명 교회 합동 운동.

에크[1] 〔Egk, Werner〕 명 〖사람〗 독일 현대의 작곡가. 1936년 국제 올림픽 예술 경기에 우승함. 신고전파적인 가극 ≪마법(魔法)의 바이올린≫ 등이 있음. [1901-]

에크[2] 감 ↗에크나.

에크나 감 심히 갑자기 놀랐을 때 내는 소리. ㊀에크.

에크린-샘 명 〔eccrine gland〕 〖의〗 땀샘의 하나. 거의 전신의 피부에 분포되어 있음. 기온이나 체내의 열이 올라갔을 때 땀을 분비하여 체온을 조절함. *아포크린 샘.

에크랑 〔프 écran〕 명 〖연〗 ①영사막(映寫幕). 스크린. ②영화.

에크만 〔Ekman, Vagn Walfrid〕 명 〖사람〗 스웨덴의 해양학자. 해수 밀도의 연구, 평행 솔레노이드장(Solenoid場)의 정리 등, 현대해양 물리학의 공로자. 에크만식 유속계(流速計), 전도 채수기(轉倒採水器) 등을 발명함. [1874-1954]

에크만 나선 【一螺旋】 명 〔Ekman spiral〕 〖기상〗 무한한 깊이와 넓이를 가지고 있으며, 고른 점성(粘性)이 작용하는 해양 상(海洋上)을 정상적으로 부는 바람이 야기하는 이론 상의 흐름의 형태. 북반구(北半球)에서는, 표면의 물은 풍향(風向)에 대하여 오른쪽으로 45° 빗겨 흐르고, 또 아래의 물은 계속 오른쪽으로 빗겨 흐름. 깊어질수록 유속(流速)은 줄어듦.

에크만 메르츠 유속계 【一流速計】 명 〔Ekman-Merz current meter〕 에크만에 의하여 고안되고, 메르츠에 의하여 개량된 해류용(海流用)의 유속계. 선상(船上)에서 수중에 늘어 뜨려 사용함. 유속의 크기를 프로펠러의 단위시간 내의 회전수로 정하고 유향(流向)은 유속계의 방향 자침으로 재어서 앎.

에크하르트 〔Eckhart, Meister Johannes〕 명 〖사람〗 독일 최대의 신비주의 철학자. 당시의 교단(教團) 최고의 지위에 있으면서, 중세적인 학자와 달리 독일어를 사용하였음. 플라톤적인 범신론(汎神論)의 영향으로, 신(神)의 형상인 인간의 '마음의 불꽃'으로서 신과 인간과의 혈연상(血緣上)의 동질(同質)을 말하였음. 그의 저작(著作)은 사후(死後)에 이단시(異端視)되어 모두 없어지고 후에 전집(全集)이 편찬(編纂)되었음. [1260?-1327]

에크호프 〔Ekhof, Konrad〕 명 〖사람〗 독일의 배우. 함부르크 국민 극장에 참가하여 근대적인 연기술을 개척, 레싱(Lessing, G. E.)의 절찬을 받았음. 시민 비극이 장기(長技)임. 배우 학교를 창설하여 이플란트(Iffland, A.) 등 다수의 뛰어난 배우를 육성하였음. [1720-78]

에클스 〔Eccles, John Carew〕 명 〖사람〗 오스트레일리아의 동물 생리학자. 고양이의 척수 전각 세포(脊髓前角細胞)에서 신경 세포의 흥분과 억제의 화학적 기구(機構)를 도출 발견함. 1963년 호지킨(Hodgkin, A. L.)·헉슬리(Huxley, A. F.)와 함께 노벨 생리 의학상을 수상함. 1966년 이래 미국에서 정주(定住)함. [1903-]

에키 감 갑자기 놀라서 내는 소리. ㅆ에끼[1].

에키나 감 ☞ 에크나.

에키노린카타 〔Echinorinchata〕 명 〖동〗 선형 동물(線形動物) 구두충류(鉤頭蟲類)의 한 목(目). 주둥이가 잘 발달되어 있고, 문초벽(吻鞘壁)은 5층으로, 주둥이는 그 안에 싸여 있으며, 각피(角皮) 하층(下層)의 핵(核)은 대개 작고 수(數)는 많으나, 때로는 수지상(樹枝狀)으로 된 것도 있음.

에키노플루테우스 〔echinopluteus〕 명 〖동〗 섬게류(類)의 유생(幼生). 몸은 종류에 따라 다르나, 대개 'V'자형을 서너 개 겹친 것같이 좌우에 팔 모양의 돌기가 있음. 이 팔에 섬모(纖毛)가 있어서 헤엄치기에 적당하고, 가운데에 석회질의 골편(骨片)이 있음. 수정(受精) 후 2-3 주 간에 이런 모양이 되었다가, 차츰 자람에 따라 팔 모양의 돌기는 없어지고 어미 모양이 됨.

〈에키노플루테우스〉

에키호스 〔exihos〕 명 〖약〗 백도토(白陶土)를 110°C로 구워 냉각시킨 뒤에 붕산 가루에 글리세린·티몰·살리실산메틸·박하유(薄荷油) 등을 섞은 약품(藥品). 소염(消炎)·진통(鎭痛)·흡열(吸熱) 등의 습포제(濕布劑)로 쓰임.

에타나 〔Etana〕 명 〖신〗 바빌로니아 신화의 영웅. 뱀의 함정에 빠진 독수리를 구하여 이 독수리를 타고 천상에 도달하나 눈이 부셔 추락사함. 아다파(Adapa)·길가메시(Gilgamesh)와 함께 불사(不死)·영생(永生)을 부정하는 이야기의 하나임.

에탄 〔ethane〕 명 〖화〗 알칸(alkane)에 속하는 무색의 기체. 천연 가스나 석탄 가스 중에 함유되어 있는데 성질은 메탄과 같음. 끓는점 -183. 6℃, 녹는점 -89℃. [C_2H_6]

에탄알 〔ethanal〕 명 〖화〗 아세트알데히드.

에탄올 〔ethanol〕 명 〖화〗 알코올 음료의 주성분. 당류(糖類)의 알코올 발효에 의하여 얻을 수 있는 무색 투명한 액체. 자연계에는 에틸 에스테르 또는 에틸 에테르로서 극히 소량이 존재하며, 어떤 종류의 식물의 종자나 동물 조직 등에 있음. 공업적으로 감자·고구마의 녹말질, 당류를 함유하는 과실 등을 원료로 하여 만듦. 휘발성이며, 잘 타고 인체에 대해서는 흥분·마취 작용이 있으며, 방향(芳香)과 쓴 맛이 있음. 용제(溶劑)·연료, 각종 화학 약품의 합성 원료로서 널리 쓰이며, 알코올성 음료로서 소비되는 양이 많음. 녹는점 -114.5°C. 끓는점 78.3°C. 주정(酒精). 에틸 알코올(ethyl alcohol). [CH_3CH_2OH]

에탄올 발효 【一醱酵】 〔ethanol〕 명 〖화〗 과당(果糖)과 같은 당분이 곰팡이의 일종인 효모에 의하여 이산화 탄소와 에탄올로 분해하여 이루는 발효.

에탄올-아민 〔ethanolamine〕 명 〖화〗 아민과 알코올 양쪽성질을 띠는 아미노 알코올의 하나. 물·알코올에 잘 혼합되는 무색 흡습성(吸濕性)의 액체. 황화 수소나 이산화 수소의 흡수제로 이용하는 외에 계면 활성제(界面活性劑)의 원료가 됨. 모노에탄올아민. [$HOCH_2CH_2NH_2$]

에탐부톨 〔ethambutol〕 명 〖약〗 결핵균에 강력한 저지 작용을 갖는 합성약. 기존의 항결핵제의 내성균에도 유효함. 폐결핵(肺結核)·방광(膀胱) 결핵 따위 결핵 감염증(感染症)에 사용함. 부작용으로는 시력 장애(視力障礙)가 있음.

에테 명 주색 잡기에 빠지는 짓. ¶적지 아닌 은사금 내린 것을 ~ 몇 번에 훔 끼얹듯 다 훑어 내버리고…≪李海朝: 花世界≫.

에:테르 〔ether〕 명 ①〖물〗 1678년 호이겐스(Huygens)에 의하여 전우주에 꽉 차 있는 광자(光子)나 전자기파(電磁氣波)를 전하는 매질(媒質)로 가정된 가상적 물질. 오늘날은 그 존재가 부정되어 있음. ②〖화〗 산소 원자에 두 개의 탄화 수소기(炭化水素基)가 결합한 형태의 유기 화합물의 총칭. 관용명으로는 탄화 수소기의 이름에 '에테르'를 붙여, 단일 에테르는 메틸 에테르·에틸 에테르, 혼성(混成) 에테르는 메틸 에틸 에테르라고 부르며, 탄화 수소기의 하나가 방향족(芳香族)일 때는 페놀 에테르라고 총칭함. 대부분은 휘발성의 액체임. ③〖화〗 에틸 에테르. ④〖화〗 '에스테르(Etser)'의 별칭.

에:테르-화 【一化】 명 〔etherification〕 〖화〗 알코올로부터 에테르를 만드는 반응(反應).

에테시안 〔Etesian〕 명 여름에서 초가을에 걸쳐 에게 해(海)와 지중해 동부로 부는 북으로부터의 건조한 바람.

에텐 〔ethene〕 명 〖화〗 에틸렌.

에토로푸 섬 〔Etorofu〕 명 〖지〗 〔러시아어로는 Iturup〕 쿠릴 열도(Kuril 列島) 최대의 섬. 구나시리(國後)섬 북동쪽에 있음. 현재는 러시아의 통치하에 있으며, 사할린 주(州)에 속함. 주도(主都)는 샤나(Shana)임. [3,139 km²]

에:토스 〔그 ethos〕 명 〖철〗 인간의 지속적인 성격의 면(面)을 뜻하는 말. 또, 사회적인 습관이란 뜻으로 쓰일 때도 있음. ↔파토스(pathos).

에투알 개:선문 【一凱旋門】 명 〔L'Arc de Triomphe de l'Etoile〕 파리의 드 골 광장, 곧 에투알 광장에 있는 거대한 개선문. 나폴레옹 1세가 전승(戰勝)을 기념하기 위하여 샬그랭(Shalgrin)의 설계(設計)로 착수하여 1836년에 완성을 봄. 높이 50 m, 너비 50 m, 두께 22 m로 고대 로마의 개선문을 본뜬 것으로, 프랑스 근대 고전주의의 걸작의 하나임.

에투알 광:장 【一廣場】 〔Etoile〕 명 파리의 북서부에 있는 대광장. 중앙에 에투알 개선문이 있고, 그 광장에서 12개의 도로가 방사상(放射狀)으로 뻗어 나감. 1970년 드 골 광장으로 개칭됨.

에투피리카 〔etupirika〕 명 〖조〗 [*Lunda cirrhata*] 바다쇠오릿과에 속하는 해조(海鳥). 크기는 갈매기 정도이고, 몸빛은 대체로 흑갈색임. 여름에 낯이 희게 변하며, 편평하고 큰 주둥이는 주황·황색이며, 눈 위에 담황색의 식우(飾羽)가 생김. 알류샨 열도에 다수 군서(群棲)함.

〈에투피리카〉

에튀드 〔프 étude〕 명 ①〖악〗 주로 기악 연습(器樂演習)을 위하여 작곡(作曲)한 악곡(樂曲). ②연습(練習). ③연극에서, 시연(試演). ④습작(習作). ↔타블로(tableau).

에트나 산 【一山】 〔Etna〕 명 〖지〗 이탈리아 시칠리아 섬 동북부에 있는 대화산. 온 산이 현무암(玄武岩)으로 되고 정상(頂上)에 주위 14 km의 대화구가 있고, 기생 화산(寄生火山)이 약 260개나 있음. 산정의 화구가 거의 매년 분화하는 것 외에 몇 해마다 산허리에서 균열 분화를 일으키기도 하여 대량의 용암을 흘려 내림. [3,323 m]

에트랑제 〔프 étranger〕 명 외인. 외국인. 나그네. 스트레인저.

에트루리아 〔Etruria〕 명 〖지〗 고대 이탈리아의 한 지역. 초기에는 테베레 강(Tevere 江)으로부터 알프스 산맥에 이르는 북이탈리아 전부를 말하였으나 후에 점차로 축소되었음.

에트루리아 미술 【一美術】 〔Etruria〕 명 에트루스크 미술.

에트루리아-어 【一語】 〔Etruria〕 명 인명(人名)이나 알파벳 등 문화적

으로 강한 영향이 있었던 에트루리아인(人)의 언어. 이탈리아의 피렌체(Firenze) 부근을 중심으로 한 지역 일대에서 사용됨. 언어 구조는 잘 알려지지 않고 계통도 불명(不明)함.

에트루리아-인【一人】〔Etruria〕 명 로마 발흥기(勃興期) 전에 중부 이탈리아에서 번영하였던 민족. 제도·문화 상으로 로마에 많은 영향을 끼쳤음.

에트루스크 미술【一美術】 명 〔Etruscan art〕 기원전 5세기경을 최성기(最盛期)로 하여 고대 이탈리아 전토에 널리 퍼진 에트루리아인(人)의 미술. 초기에는 동방(東方)의 영향이 현저하였으나, 그리스 문명과의 접촉에 의해 헬레니즘 문화의 강한 영향을 받으면서도 사실적 경향의 독자적인 양식을 보여 주는 황금 시기를 맞이하였음. 테라코타(terra-cotta)에 특히 뛰어난 기술을 가져 로마 미술의 선구적인 역할을 함. 에트루리아 미술.

에트리에〔프 étrier〕 명 〔원뜻은 등자(鐙子)〕 등산에서, 하켄(Hacken)에 걸어 인공적인 스탠스로 이용하는 1-3단의 작은 줄사다리.

〈에트리에〉

에트 세트러〔et cetera〕 명 등등(等等). 흔히, 약해서 'etc.'라고 씀.

에티몰러지〔etymology〕 명 〖언〗 ①언어학의 한 분과. 어원학(語源學). ②어원(語源).

에티오나미드〔ethionamide〕 명 〖약〗 항결핵제(抗結核劑)의 하나. 이나 내성균(INA 耐性菌)에도 항균력이 있음. 하루 0.5-0.8g을 세 번에 복용하는데, 스트렙토마이신·파스·이나 내성의 중환자에 좋음. 1956년에 발견됨.

에티오피아〔Ethiopia〕 명 〖지〗 아프리카 동북부에 있는 공화국. 북쪽으로 에리트레아, 서쪽으로 수단, 남쪽으로 케냐, 동쪽으로 소말리아 등과 접함. 국토의 대부분이 고원 지대이며, 기후는 지역적으로 차이가 크지만 비교적 온난함. 주민은 셈계(系)·햄계·흑인계 등 여러 족(族)으로 이루어졌고 셈어족(語族)에 속하는 암하라어(Amhara語)가 공용어임. 커피의 생산이 많고 목화(木花) 등의 농업과 목축업도 성함. 기원전 1,000년 경부터 번영하여 에티오피아 왕조가 시작되었으며, 그리스도교의 한 파인 코프트교가 국교임. 1952년부터 에리트레아와 연방을 형성해오다가 62년 이를 병합. 경제적·민족적 갈등이 계속되어 1993년 에리트레아를 분리함. 수도는 아디스아바바(Addis Ababa). 전에는 아비시니아로 불림. 정식 명칭은 '에티오피아 인민 민주 공화국(People's Democratic Republic of Ethiopia)'. [1,223,600 km^2 : 53,400,000명 (1991 추계)]

에티오피아 고원【一高原】 명 〔Ethiopia plat.〕 〖지〗 아비시니아 고원의 딴이름.

에티오피아-구【一區】〔Ethiopia〕 명 〖생〗 생물 지리학 상의 용어로 동물 지리구(地理區)의 하나. 사하라 사막 이남의 아프리카 대륙, 아라비아 반도의 남부를 포함하는 지역이며, 아프리카코끼리·고릴라·침팬지·얼룩말·하마·기린·타조(駝鳥) 등이 특유(特有) 동물임.

에티오피아-어【一語】〔Ethiopia〕 명 〖언〗 남서 셈어(Sem語)에 속하는 언어. 기원전 수세기경 쿠시어(Cushi語)를 바탕으로 성립하였음. 최고(最古)의 자료는 4세기의 비문(碑文)이 남아 있으며, 14세기경부터 종교·문학어(文學語)로서만 쓰이고 있음. 현재는 이 언어에서 파생되어 햄어(Ham語)의 영향을 받은 암하라어(Amhara語)가 에티오피아의 공용어로 쓰이고 있음. 게즈어(Géez語).

에티오피아-인【一人】〔Ethiopia〕 명 넓은 뜻으로는 북동 아프리카 흑인을 말하며 특히 누비아(Nubia)·에티오피아·소말리아의 햄계(Ham系) 주민을 말하나, 좁은 뜻으로는 에티오피아 왕국(王國)을 창건하고, 그 지배층을 형성하고 있는 셈계(Sem系) 제족(諸族)을 가리킴. 장신(長身)에 몸이 가늘고 다리가 길며 고수머리에 피부는 검은 색임. 일찍부터 그리스도교화(化)하여 코프트 교회에 속하며, 암하라어(Amhara語)를 씀.

에티오피아 전:쟁【一戰爭】〔Ethiopia〕 명 ①1895-1896년 이탈리아군이 에티오피아에 침입한 전쟁. 아두와(Aduwa)의 싸움에서 대패하여 철병하였음. ②1935년 이탈리아가 국경 분쟁을 구실로 에티오피아에 재차 침입한 전쟁. 영국 주창(主唱)에 의한 국제 연맹의 경제 제재도 실효(實効) 없이 이탈리아군은 1936년 에티오피아 전토(全土)를 점령하여 이탈리아령(領)에 편입시켰고, 에티오피아 황제는 영국에 망명하였음. 또, 이 전쟁은 독일·이탈리아 접근의 계기가 되었음.

에티켓〔프 étiquette〕 명 예의(禮儀). 예법(禮法).

에틴〔ethyne〕 명 〖화〗 아세틸렌.

에틸〔ethyl〕 명 〖화〗 에틸기(基).

에틸 가솔린〔ethyl gasoline〕 명 〖화〗 옥탄가(octane價)를 높이기 위해, 4에틸납을 넣고, 배기 중(排氣中)의 산화(酸化)납의 해를 방지하기 위해 브롬화(brom化) 에틸렌 등을 혼합한 가솔린.

에틸-기【一基】〔ethyl〕 명 〖화〗 유기 화합물에 있어서, 'C_2H_5-'인 1가(價)의 알킬기(alkyl基). 기호로 'Et'를 쓸 때도 있음. 에틸.

에틸렌〔ethylene〕 명 〖화〗 ①알켄(alkene)의 하나. 천연으로는 석탄가스·목탄 가스 등에 함유되어 있으며, 인공적으로는 에틸 알코올에 진한 황산(黃酸)을 가하여 만들 수 있는 달콤한 냄새가 있는 무색의 기체. 중합(重合)하여 폴리에틸렌(polyethylene)이 됨. 각종 합성 화학 공업(合成化學工業)의 원료로 많이 쓰이며, 유기 용액·유기 시약(有機試藥) 또는 마취제로 쓰임. 녹는점 169.2°C. 끓는점 103.7°C. 생유기(生油氣). [$CH_2=CH_2$] ②'-CH_2CH_2-'인 2가(價)의 기(基)의 이름. 에텐(ethene).

에틸렌계 탄:화 수소【一系炭化水素】 명 〔ethylene chlorohydrine〕 〖화〗 알켄(alkene).

에틸렌 글리콜〔ethylene glycol〕 명 〖화〗 가장 간단한 2가(價) 알코올의 하나. 이브롬화(二brom化) 에틸렌을 물과 탄산 칼륨으로 가수 분해하여 만듦. 단맛이 있고 부동제(不凍劑)로 사용하며, 의약(醫藥)·화장품의 원료로도 쓰임. 녹는점 −11.5°C. 끓는점 197.5°C. ㊟글리콜. [$HOCH_2CH_2OH$]

에틸렌-기【一基】〔ethylene〕 명 〖화〗 2가(價)의 탄화 수소기(炭化水素基) 'CH_2CH_2-'의 이름.

에틸렌 옥시드〔ethylene oxide〕 명 〖화〗 방향(芳香)이 있는 무색 액체. 물·에탄올(ethanol)에 쉽게 녹음. 물 또는 묽은 황산과 반응하여 에틸렌 글리콜이 됨. 각종 촉매의 존재 하에서 중합(重合)하여, 폴리에틸렌옥시드로 됨. 에틸렌 글리콜·에탄올아민(ethanolamine) 따위의 원료, 계면 활성제(界面活性劑),직물 가공 따위에 쓰임. 녹는점 −112°C, 끓는점 10.8°C. 산화(酸化)에틸렌.

에틸 바닐린〔ethyl vanillin〕 명 〖화〗 백색(白色)의 미세 결정(微細結晶). 녹는점 76.5°C로 강한 바닐라의 냄새를 지님. 알코올·클로로포름·에테르와 같은 유기 용제(有機溶劑)에 녹는데 바닐라의 대용 향료(代用香料)로서 식품 공업에 쓰임. [$HOC_6H_3(OC_2H_5)CHO$]

에틸 벤젠〔ethyl benzene〕 명 〖화〗 콜타르에 존재하는 무색의 액체. 물에 녹지 않으며 끓는점은 136°C임. 유기 합성·용제·스티렌(styrene) 제조 등에 쓰임. [$C_6H_5C_2H_5$]

에틸 섬유소【一纖維素】〔ethyl〕 명 〖화〗 에틸 셀룰로오스.

에틸 셀룰로오스〔ethyl cellulose〕 명 〖화〗 알칼리 셀룰로오스를 염화에틸 또는 황산 디에틸(diethyl)로 처리하여 얻어지는 셀룰로오스의 에테르. 에틸화도(ethyl化度)의 상위(相違)에 의하여 세 가지의 에틸 셀룰로오스가 생기나, 공업적(工業的)으로는 3에틸 셀룰로오스가 중요함. 백색 분말상 물질(白色粉末狀物質)임. 플라스틱·래커 따위의 원료로 쓰임. 에틸섬유소.

에틸-아민〔ethylamine〕 명 〖화〗 제일 아민의 하나로 무색의 액체. 물에 녹으며, 암모늄과 같은 냄새가 남. 녹는점 −81.0°C,끓는점 16.6°C. 용제(溶劑)·물감 중간체·유기 합성에 쓰임. [C_2H_7N]

에틸 알코올〔ethyl alcohol〕 명 〖화〗 '에탄올(ethanol)'의 관용명.

에틸 에:테르〔ethyl ether〕 명 〖화〗 에테르 중에서 가장 대표적인 것으로 에탄올에 진한 황산(黃酸)을 가하여 증류해서 만든 무색 액체. 특유한 향기가 있으며 휘발성이 강하고 인화되기 쉬움. 유기 용제(有機溶劑)로 쓰이며, 순수한 것은 전신 마취제로 쓰임. 에테르(ether). [$(C_2H_5)_2O$]

에틸 탄:산 퀴닌【一炭酸一】〔ethyl—quinine〕 명 〖약〗 백색의 침상결정(針狀結晶)의 약. 염산 퀴닌 등과 같이 말라리아의 해열제(解熱劑)로 쓰임.

에틸-화【一化】 명 〔ethylation〕 〖화〗 에틸기(基)를 도입하여 새로운 화합물(化合物)을 생성하는 일.

에틸 화:합물【一化合物】 명 〔ethylic compound〕 〖화〗 C_2H_5기(基)를 갖는 화합물의 일반명.

에파미논다스〔Epaminondas〕 명 〖사람〗 그리스의 명장(名將)·정치가. 테베(Thebe)의 세력 확장에 힘씀. 기원전 371년 레우크트라(Leuctra)에서 스파르타 군에 대승한 이후, 테베는 에파미논다스의 지도 아래 그리스의 패권을 잡음. 기원전 362년 만티네이아(Mantineia)에서 스파르타 군을 격파하였으나 전사하여 이후 테베는 쇠망함. [?-362 B.C.]

에페〔프 épée〕 명 펜싱에 쓰는 검의 하나. 또, 그 검을 가지고 하는 펜싱 경기의 한 종목. 무게 770g, 길이 90cm로, 단면(斷面)은 삼릉형(三稜形)임.

〈에페〉

에페드린〔ephedrine〕 명 〖약〗 마황(麻黃) 중에 함유되어 있는 알칼로이드. 백색의 결정으로, 기관지염(氣管支炎)·백일해(百日咳)·천식(喘息) 등에 사용함.

에페소인들에게 보낸 편:지【一人一片紙】 명 〔Epesians〕 〖성〗 에베소서(書).

에페수스〔Ephesus〕 명 〖지〗 소아시아 서해안, 지금의 터키 서부(西部), 이즈미르주(州) 남부, 아야 솔룩(Aya Soluk) 마을에 있던 고대 도시. 이오니아인이 건설했다는, 고대 칠불가사의(古代七不可思議)의 하나인 아르테미스 신전(Artemis 神殿)의 유적이 있음. 초기 기독교의 전교(傳教)의 중심지였으며, 천주교의 제3회 만국 공의회가 이 곳에서 열렸음. 성서(聖書)에서는 에페소·에베소.

에펠〔Eiffel, Alexandre Gustave〕 명 〖사람〗 프랑스의 기사(技師). 에펠탑(塔)을 설계하였음. [1832-1923]

에펠-탑【一塔】〔Eiffel〕 명 〖지〗 파리 센 강변(Seine 江邊)에 있는 높이 312m의 철골탑(鐵骨塔). 1889년 만국 박람회 개최시에 프랑스의 기사 에펠(Eiffel)의 설계로 건설됨. 역학적 구조(構造)가 그대로 건축미(美)에 도입된 것으로 유명함. 현재는 광고·항공 등대·라디오 및 텔레비전의 송신탑으로 사용되고 있음.

에포〔ephor〕 명 〖역〗 그리스의 도시 국가(都市國家)의 행정관. 스파르타(Sparta)의 것이 제일 유명하였음.

에포스〔그 epos〕 명 서사시(敍事詩).

에포케〔그 epochē〕 명 〖철〗 고대 그리스 철학에서, 대상에 대하여 판단을 중지하는 일. 피론(Pyrrhon ; 360?-270? B.C.)을 대표로 하는 회의파(懷疑派)의 중심 개념임.

에폭〔epoch〕 명 시대(時代). 시기(時期).

에폭-메이커〔epoch-maker〕 명 역사적으로나 사회적으로 큰일을 하여 신기원(新紀元)을 세운 사람.

에폭-메이킹〔epoch-making〕 명 새로운 시대를 개척하는 일. 획기적(劃期的).

에폭시 수지【—樹脂】[명]〔epoxy resins〕〖화〗에폭시기(基) 두 개와 많은 수산기(水酸基)로 이루어지는 강력한 접착제. 광학 유리·도자기 또는 경금속판의 접착제로 쓰이는 외에 도료(塗料)·가소제(可塑劑) 따위로 쓰임. 열경화성(熱硬化性) 수지(樹脂)이지만 굳히려면 경화제(硬化劑)나 촉매(觸媒)를 사용함.

에폴레트〔프 épaulette〕[명] ①여자 양복의 어깨 장식. ②남자의 예장용(禮裝用) 군복 따위의 어깨 장식. 견장(肩章).

에푸수수 [부] ①깔끔하게 정돈되지 않아서 매우 어수선한 모양. ¶ 바람에 날리어서 머리가 ~ 하다. ②속이 꽉 차지 않고 성긴 모양. ㅗ에부수수. ——-하다 [형][여불]

에풍【噎風】[명] 날씨가 흐리고 바람이 몹시 붊.

에프【F, f】[명] ①〖언〗영어의 여섯 째 자모. ②〖악〗서양 음이름의 하나. 우리 나라 음이름 '바'와 같음. ③〖악〗포르테(forte)의 약호. ④〖물〗〔독일의 물리학자 Fahrenheit에서 유래〕화씨(華氏) 온도의 기호. ⑤사진 렌즈의 명도(明度), 곧 조리개의 크기. ⑥〔fine의 약호〕연필의 경도(硬度). 'H.B.'와 'H'와의 중간. ⑦〖생〗〔filial의 약호〕유전의 법칙에서, '새끼'를 의미하는 기호. ⑧〖수〗〔function의 약호〕함수(函數)의 기호. ⑨〖화〗〔fluorine의 약호〕플루오르의 원소 기호. ⑩피트(feet)의 약호. ⑪〖전〗패러드(farad)의 약호.

에프 검정【F 檢定】[명] 에프 분포(F 分布).

에프게니 오네:긴〔러 Evgenii Onegin〕[명] ☞예브게니 오네긴.

에프-기【F 機】[명]〔fighter의 약칭〕미국 군용기(軍用機)의 기종(機種)의 하나. 전투기(戰鬪機)의 일컬음.

에프너〔Effner, Joseph〕[명]〖사람〗독일의 건축가·실내 장식가·조원가(造園家). 뮌헨 태생으로 파리에서 공부하고 1714년 귀국, 왕실(王室) 건축가로 임명됨. 뮌헨 왕궁의 개축, 슐라이스하임 이궁(Schleißheim 離宮) 등의 건축·실내 장식을 담당함. [1687-1745]

에프 넘버〔F number〕[명] 사진 렌즈에서, 초점 거리에 비례하고, 렌즈의 직경에 반비례하는 수. 곧, 구경비(口徑比)의 역수(逆數). 일반적으로 이 값 에프(F)가 적을수록 렌즈가 밝음. 에프수(F 數).

에프 더블유【FW】[명]〔forward의 약칭〕포워드. 축구·럭비 등에서 전위(前衛).

에프 백십일 전:투 전:략 폭격기【F 111 戰鬪戰略爆擊機】〔—전투절—〕[명]〖군〗미공군의 최신예 가변익(可變翼) 전투 전폭기. 세계 최초로 채용된 가변익기임. 최대 속도 마하 2.5. 항속 거리 6,400km.

에프 백오【F 105】[명] 미공군의 신예 전천후(全天候) 전투기. 선더치프(Thunderchief).

에프 분포【F 分布】[명]〔F는 추계학자 피셔 (Fisher, R.A.)에서〕추계학(推計學)에서, 가설 검정(假說檢定)에 쓰이는 분포의 하나. 하나의 정규 분포(正規分布) 모집단(母集團)으로부터 임의로 추출한 두 시료(試料)의 불편 분산(不偏分散)의 비가 이 분포에 따름. 분산 차이(差異)의 검정, 분산 분석법(分析法) 따위에 씀. 에프 검정.

에프 비:【FB】[명]〔full back의 약칭〕풀백. 축구·럭비 등에서의 최후위(最後衛).

에프 비:아이【F.B.I.】[명]〔Federal Bureau of Investigation의 약칭〕1908년에 미국 법무부(法務部) 안에 설치되어 1935년에 개칭(改稱)된 비밀 경찰. 전국적인 규모의 사건, 조세(租稅)·관세·우편 관계 이외의 연방법 위반 사건에 대하여 수사함. 2차 대전 후는 관리(官吏)의 충성 심사(忠誠審査)나 반공(反共) 사상 조사에 중점을 둠. 연방 수사국(聯邦搜査局).

에프 비:아이 방식【FBI 方式】[명] 미국의 연방 수사국에서 채용하고 있는, 소수 정예주의(少數精銳主義)에 의한 장기 수사(長期搜査).

에프-수【F 數】[명] 에프 넘버 (F number).

에프 스톱〔F stop〕[명] 카메라 렌즈 구경(口徑)의 조리개값. F넘버로 표시됨.

에프 시:에스【F.C.S.】[명]〖군〗〔fire control system의 약칭〕사격 관제 장치(射擊管制裝置).

에프 시:에이【F.C.A.】[명]〖경〗〔foreign credit authorization의 약칭〕아이 시 에이 (ICA) 원조 물자를 삼각 무역(三角貿易)의 형식으로 도입할 때 아이 시 에이 본부에서 발급(發給)하는 공급 계약서(供給契約書).

에프 십사 톰캣【F14—】〔Tomcat〕[명]〖군〗미해군(美海軍)의 주력 함재(艦載) 전투기로 가변 후퇴익(可變後退翼)의 쌍발기. 전천후 능력이나 동시 다목표 처리 능력이 매우 뛰어남. 최대 속도 마하 2.34.

에프 십오 에이 이:글【F 15 A—】〔Eagle〕[명]〖군〗미공군(美空軍)의 최신예 전투기. 강력한 엔진과 공격·방어 능력을 강화함. 최대 속도 마하 2.5.

에프 십육 전천후 다목적 전:투기【F16 全天候多目的戰鬪機】〔—뉴—〕[명]〖군〗미국의 신형 전투기로 최신예기(最新銳機). 단발 단좌(單發單座)로 기체 구조는 완전 제어 비행체 원리(完全制御飛行體原理)를 채용한 가변익기(可變翼機). 최고 속도 마하 2이상, 최고 비행 고도 18km이상임. 조종 시스템은 새로이 플라이바이와이어(Fly-by-wire) 장치를 사용함.

에프 아:르 방식【FR 方式】[명]〔FR는 front engine and rear drive의 약칭〕가장 일반적인 차종(車種)으로, 엔진을 차량의 앞에 얹고 프로펠러 샤프트(propeller shaft)로 뒷바퀴에 동력을 전달, 뒷바퀴로 달리게 하는 자동차.

에프 아:르 원【FR 1】[명]〔France 1의 약칭〕1965년 12월 6일, 미국의 반덴버그 기지(Vandenberg 基地)에서 미국의 스카우트 로켓으로 발사된 프랑스제의 전리층(電離層) 관측 위성. 본체는 61.2kg. 태양 전지를 장비하여 전리층과 지구자기(地球磁氣)를 측정함.

에프 아:르 피:【FRP】[명]〔fiberglass reinforced plastics의 약칭〕유리 섬유 보강 플라스틱.

에프 아이【F.I.】[명]〖연〗페이드 인(fade in)의 약칭. ↔에프 오(F.O.).

에프 아이 아:르【FIR】[명]〔flight information region의 약칭〕비행 정보 구역.

에프 아이 에이【FIA】[명]〔프 Fédération Internationale de l'Automobile의 약칭〕국제 자동차 연맹(國際自動車聯盟).

에프 아이 에프 오:【FIFO】[명] ①〖컴퓨터〗〔first-in, first-out의 약칭〕선입 선출. ②〖경〗선입 선출법.

에프 에이【FA】[명]〔factory automation의 약칭〕공장 자동화. 공장의 생산 시스템을 컴퓨터 따위를 써서 자동화·무인화(無人化)하는 일.

에프 에이 에스【FAS】[명]〖경〗〔free alongside ship의 약칭〕외국 무역 거래 조건의 하나. 에프 오 비(FOB)와 비슷한데, 선적항(船積港)에서 구매자(購買者)가 지정하는 선박의 뱃전에서 물품 인도(物品引渡)를 끝내는 것이 다름. 현측도(舷側渡). 수출항 선측 인도(輸出港船側引渡). *에프 오 비(FOB).

에프 에이 오:【FAO】[명]〔Food and Agriculture Organization의 약칭〕세계의 식량 증산과 배분의 개선, 농업 기술 원조, 농민의 생활 개선 등을 목적으로 1945년에 발족(發足)한 국제 연합의 특수 기관. 본부는 로마에 있음. 1980년 현재 가맹국은 147임. 한국은 1949년 가입하여 1965-1967년간 이사국으로 선임됨. 국제 연합 식량 농업 기구.

에프 에이 이:【FAE】[명]〖군〗〔Fuel Air Explosive의 약칭〕휘발성 탄화 수소, 즉 산화 에틸렌·니트로프로필 등을 작약(炸藥)으로 하는 폭탄. 분무상(噴霧狀)으로 폭발시키면 같은 중량의 티 엔 티(TNT) 화약의 7배의 파괴 효과가 있다고 함. 미래 전쟁에서 핵무기의 일부를 대행할 것이라고 일컬어짐. 기체(氣體) 폭탄.

에프 에프 방식【FF 方式】[명]〔front-engine front-drive〕앞쪽에 엔진을 얹고 직접 앞바퀴로 차를 움직이는 자동차. 중량이 앞에 걸려 핸들을 꺾기 나쁘나 회전 반경이 크고 뒤가 덜 흔들려 운전은 편함. 프로펠러 샤프트가 없어 경량화(輕量化)·저연료(低燃料) 소모로 많은 나라에서 채용하고 있음. 전륜 구동(前輪驅動). *아르 아르 방식.

에프 에프식 석유 난:로【FF 式石油煖爐】〔—날—〕[명]〔forced flue type kerosene space heater〕연소용의 공기를 옥외에서 빨아들이게 하고, 배기 가스를 옥외로 배출하는 강제 급배기식(強制給排氣式)의 석유 난로. 실내 공기를 오염시키지 않는 장점이 있음.

에프 엑스【FX】[명]〔Experimental의 약칭〕차세대(次世代)의 전투기(戰鬪機). F는 전투기로 실전 배치된 것에는 F-16·F-18 등과 같이 숫자가 붙고, 개발 중이거나 실제로 채용될 때까지는 FX의 이름으로 부름.

에프 엘 엔【FLN】[명]〔프 Front de la Liberation Nationale 의 약칭〕알제리 민족 해방 전선. 현재 알제리의 국가 권력을 장악하는 단일 민족주의 정당. 1954년부터의 알제리 독립 전쟁에서 지도 세력으로 활약, 1962년 독립 후에는 정권을 장악함.

에프 엠[1]【FM】[명]〔frequency modulation의 약칭〕①〖전〗주파수 변조(周波數變調). ②↗에프 엠(FM) 방송.

에프-엠[2]【FM】[명]〔field manual〕〖군〗야전 훈련 교범(野戰訓鍊敎範).

에프 엠 방:송【FM 放送】[명]〔FM은 frequency modulation의 약칭〕주파수 변조 방식에 의한 방송. 음질이 좋고, 또 다중(多重) 방송이 가능함. 수신 범위(受信範圍)가 좁은 점은 오히려 중파(中波) 방송과 같은 혼신(混信)을 피할 수 있는 이점(利點)이기도함. [준]에프 엠. ↔에이 엠 방송(AM 放送).

에프 엠 방식【FM 方式】[명]〔FM은 frequency modulation의 약칭〕〖전〗반송파(搬送波) 주파수에다 정보 신호(情報信號)에 따르는 변화를 주는 변조 방식(變調方式).

에프 엠 에스[1]【FMS】[명]〔flexible manufacturing system의 약칭〕〖컴퓨터〗소량 다품종(多品種)을 위한 자동화 생산 체계. 컴퓨터나 로봇을 사용하여 가공이나 수송을 자동화한 체계.

에프 엠 에스[2]【FMS】[명]〔foreign military sales의 약칭〕〖군〗해외 군사 판매. 미국이 무기를 수출할 때, 제조 회사와 수입국 사이에 국방부가 개입하여 거래를 조절하는 제도.

에프 오:【F.O.】[명]〖연〗페이드 아웃(fade out)의 약칭. ↔에프 아이(F.I.)

에프 오:비:【F.O.B.】[명]〖경〗〔free on board의 약칭〕국제적 매매 계약의 약관(約款)으로서 매주(賣主)는 선적항(船積港)에서 지정된 선박에 상품을 적재(積載)할 때까지의 모든 책임 및 비용을 부담한다는 약관. 본선 인도(本船引渡). *시 아이 에프(C.I.F.)·에프 에이 에스(FAS).

에프 오:비: 가격【F.O.B. 價格】[명] 에프 오 비(F.O.B.)를 분명히 일컫는 말.

에프 오:에이【FOA】[명]〔Foreign Operations Administration의 약칭〕미국의 대외 원조의 통합 기관. 1953년 설치되었다가 1955년 6월에 폐지되어 사무는 국무성으로 인계하였음. 대외 활동 본부.

에프 원【F 1】[명]〔Formula One〕국제 자동차 연맹이 구조·중량·차륜·안정성 등의 세목을 규정하는 경주용 자동차의 최상급위.

에프 유:에프 오:【F.U.F.O.】[명]〔Full Fusing Option Bomb의 약칭〕〖군〗미국의 신형 수소 폭탄. 공중에서 투하되며 공중·지상·지중의 세 가지 폭발이 가능함.

에프 이:에이 에프【FEAF】[명]〔Far East Air Forces의 약칭〕〖군〗미극동 공군(美極東空軍).

에프 이:엔【FEN】[명]〖군〗〔Far East Network의 약칭〕미극동군 방송(美極東軍放送).

에프-층【F層】[명]〔F-layer〕〖기상〗지상 약 200km에서 400km에 걸쳐 있는 전리(電離)된 대기(大氣)의 층. 전파(電波)를 반사함. 애플턴층

(Appleton 層). ＊전리층(電離層)·이층(E 層)·디층(D 層).

에프타 【EFTA】 명 〖경〗〔European Free Trade Association의 약칭〕 유럽 자유 무역 연합(自由貿易聯合).

에프탈-족 【一族】 명〔Ephthalite〕〖역〗 중부 아시아에 근거를 잡고 있었던 이란계(系)의 유목 민족. 5세기 중엽에는 위세를 떨치고 동서의 무역을 매개(媒介)하였음. 567년 돌궐(突厥)의 사산 왕조(Sasan王朝)에게 멸망(滅亡)함.

에프 팔십육 【F 86】〔一씹뉵〕 명 〖군〗 전천후(全天候) 초음속(超音速)의 세이버 제트 단좌(單座) 전투기. 시속(時速)은 1,000 km, 작전 반경(作戰半徑)은 800 km 임. 세이버 제트기.

에피게네시스 〔라 epigenesis〕 명 〖생〗 후성설(後成說).

에피고넨 〔도 Epigonen〕 명 아류(亞流)❸.

에피그램 〔epigram〕 명 기지(機智)·풍자(諷刺)가 풍부한 짧은 글이나 시(詩). 경구(警句).

에피네프린 〔epinephrine〕 명 〖화〗 아드레날린(adrenaline)의 약국방명(藥局方名).

에피라 〔ephyra〕 명 〖동〗 해파리류(類)의 유생(幼生). 몸은 직경 1-2 mm 정도의 접시 모양인데, 그 주위에 8개의 돌기가 있으며, 각 끝에서 얕게 둘로 갈라지고 중앙에 '十'자형 구멍이 있음. 몸빛은 종류에 따라 다름. 앞에서 발육한 유생이 그 한 쪽을 딴 물체에 부착시키고 방추상(紡錘狀)으로 되어서 여러 번 분열(分裂)하여 마치 접시를 겹친 모양이 되고, 위로부터 하나씩 분리되어 헤엄쳐 나아감. 스트로빌라.

〈에피라〉

에피루스 〔Epirus〕 명 〖역〗 고대 그리스 서부의 지방. 지금의 그리스 북서부와 알바니아의 남부 지방임. 가장 강력한 주민(住民)은 말로시족(Malossi 族)으로 수세기 동안 통치하였음. 로마에 반대하다가 로마인에게 짓밟혔음.

에피소:드 〔episode〕 명 ①이야기나 소설·사건 등의 본(本)줄거리 사이에 삽입되는 이야기. 삽화(插話). ②일반적으로 알려지지 아니한, 어떤 일을 하는 데 따라 생긴 재미있는 이야기. 일화(逸話). ③〖악〗 푸가(fuga)에서 주제를 제시(提示)한 후 삽입하는 특별한 소악절. ④〖악〗 소나타 형식에서 주제 외로 사용되는 보조적인 악구(樂句). 삽입구(插入句).

에피솜 〔episome〕 명 〖생〗 유전 인자(遺傳因子)의 하나. 염색체(染色體)에 붙어서 증식하는 경우와 세포질(細胞質) 내에서 자율적으로 증식하는 경우가 있음. 대장균의 성결정(性決定) 인자, 세균의 항생 물질 콜리신(colicin) 생산 인자, 용원균(溶原菌)에서 유발(誘發)·생성되는 파즈(phage) 따위.

에피스테:메: 〔그 episteme〕 명 〖철〗 전문적 또는 직업적인 지식·기술의 뜻이지만, 플라톤·아리스토텔레스에 있어서는 학적 지식·학문의 뜻으로 쓰임. ↔독사(doxa).

에피스틸리움 〔라 Epistylium〕 명 그리스 건축 따위에서, 기둥 바로 위에 가로 질린 각재(角材). 아랫 기둥과 윗기둥을 연결하고 지붕 전체를 받침.

에피카르모스 〔Epicharmos〕 명 〖사람〗 시칠리아 출신의 그리스 최고(最古)의 희극 작가. 현존하는 것은 단편(斷片)뿐임. [560?-460? B.C.]

에피쿠로스 〔Epicouros〕 명 〖사람〗 고대 그리스의 철학자. 사모스 섬 출신임. 레우키포스(Leukippos)와 데모크리토스(Democritos)의 학통(學統)을 이어 원자론(原子論)에 기초한 에피쿠로스파(派)를 창설했음. 그의 실천 철학은 올바른 인식에서 정신적 쾌락을 말한 쾌락주의임. [342?-270? B.C.]

에피쿠로스-주의 【一主義】〔Epicouros〕〔一 / 一이〕 명 〖철〗〔에피쿠로스의 철학설에서 유래〕 개인적·감성적 쾌락의 추구를 인생 최대의 목적으로 하는 주의. 에피큐리어니즘.

에피큐리어니즘 〔Epicureanism〕 명 〖철〗 에피쿠로스주의 (Epicouros主義).

에피큐리언 〔epicurean〕 명 〖철〗 쾌락주의자. 향락주의자(享樂主義者).

에픽 〔epic〕 명 〖문〗 서사시(敍事詩). 영웅시(英雄詩). 사시(史詩). ↔리릭(lyric).

에픽테토스 〔Epictetos〕 명 〖사람〗 그리스의 후기(後期) 스토아파 철학자. 노예 출신임. 그의 제자의 손으로 된 ≪어록(語錄)≫과 ≪제요(提要)≫는 후세에 널리 읽혀졌음. [55?-135?]

에필로그 〔epilogue〕 명 ①〖예〗 시가(詩歌)·소설·연극 등의 종결부(終結部). ↔프롤로그(prologue). ②〖악〗 소나타 형식에서 제2 주제에 의한 소(小) 종결부.

에헤 감 ①가소로운 일이나 기막힌 일을 보았을 때 내는 소리. ¶～ 어쩌자고 이렇게 잉크를 쏟았어. ＞애해. ②노래 소리를 흥청거리어 낼 때에 하는 소리. ¶～ 금강산 일만 이천.

에헤야 감 노래에서 '에헤'를 맺어서 내는 소리. ¶～ 좋구나 좋다.

에헤헤 감 ①가소롭다는 듯이 웃는 웃음 소리. ②천하고 비굴하게 웃는 웃음 소리.

에헴 감 점잔을 빼거나 자기의 출현을 알리기 위하여 일부러 크게 내는 기침 소리. ＞애햄.

에후로혀다 타 〈옛〉 에둘러 당기다. 둥글게 휘어 당기다. ¶힝금훈 목을 에후로혀 안고≪古時調≫.

에후리혀다 타 〈옛〉 에둘러 당기다. 둥글게 휘어 당기다. ¶대초 볼 불근 가지 에후리혀 굴희 따담고≪古時調≫.

에흐몬트[2] 〔Egmont, Lamoral〕 명 〖사람〗 플랑드르(Flandre)의 정치가·군인. 네덜란드의 독립을 위하여 빌렘 1세와 함께 스페인 군(Spain軍)과 싸워 무명(武名)을 떨침. 후에 알바공(Alva公)에게 체포되어 처형됨. [1522-68]

에히메 현: 【一縣】〔愛媛:えひめ〕 명 〖지〗 일본 시코쿠(四國) 지방 북서부의 현. 12시 11군. 기후는 온난 하우형(溫暖夏雨型)임. 농산의 특색은 과수(果樹)로, 감귤류·감의 대산지이며, 수산은 정어리·양식 진주가 유명함. 현청 소재지는 마쓰야마 시(松山市). [5,637,57 km^2 : 1,534,738 명 (1992)]

엑 감 ↗에기.

엑고닌 〔ecgonine〕 명 〖화〗 코카인의 가수 분해(加水分解)에 의해서 얻어지는 결정성 알칼로이드. [$C_9H_{15}O_3N$]

엑사 〔그 exa〕 관 미터법(法)의 여러 단위(單位)의 10^{18}, 곧 1000경(京) 배의 크기를 나타내는 말. 기호는 E.

엑상프로방스 음악제 【一音樂祭】〔프 Aix-en-provence〕 명 〖악〗 프랑스 남부의 풍광 명미(風光名媚)한 도시 엑상프로방스에서 열리는 음악제. 상연물에 대해서 이렇다 할 제한은 없으나 지역 특성상 프랑스계(系)의 음악가가 비교적 많이 출연하고 모차르트의 오페라 또는 바로크 오페라의 재연(再演) 등이 행해짐.

엑서사이즈 〔exercise〕 명 ①학과의 연습. 연습 문제. ②운동의 연습.

엑서터 〔Exeter〕 명 〖지〗 영국 콘월 반도(Cornwall 半島)의 중앙부 데번셔(Devonshire)의 주도(州都). 엑스 강(Exe 江) 하구에 위치하는 항구 도시로 16세기에는 미국과의 무역 중심항이었음. 영국 최고(最古) 도시 중의 하나임. [96,000 명 (1981)]

엑세드라 〔라 exedra〕 명 ①극장 따위의, 반원형(半圓型)으로 내민 관람석. ②고대(古代) 주택의 응접실. ③중세(中世) 건축에서, 재판관석(席)·사회석(司會席) 등이 있는 반원형으로 내밀게 된 구조.

엑세 호모 〔라 ecce homo〕 명 〔'이 사람을 보라'는 뜻〕 ①빌라도가 군중 앞에서 가시관을 쓴 그리스도를 가리키며 한 말. ②가시 면류관을 쓴 그리스도의 초상화. ③고난의 길을 걷는 사람.

엑소:시스트 〔exorcist〕 명 악마를 쫓는 기도사(祈禱師).

엑스[1] 【X, x】 명 ①〖언〗 영어의 스물 넷째 자모. ②엑스자형(X 字形). 또, 그런 형의 물건. ③로마 숫자(數字)의 열. ④〖수〗 방정식·부등식 등에서 미지수·미지량 및 함수의 자변수 등을 나타내는 기호. ⑤정체(正體)나 명칭을 알 수 없는 것. 미지 또는 미정(未定)의 사물. ¶미스터 ～. ⑥시험 답안(答案) 등에서 틀렸음을 표시하는 부호. 가위표. ↔오(O)❺. ⑦〖군〗 항공기의 분류에서, 계획·연구·실험 단계에 있는 기종(機種)을 나타내는 기호. 차세대(次世代)의 뜻. ¶F ～.

엑스[2] 〔ex〕 명 〖약〗 익스트랙트(extract)의 약칭.

엑스-각 【X 脚】 명 〖의〗 엑스자((X 字) 모양으로 된 비정상적인 각형(脚形). 곧바로 설 때 양쪽 무릎이 닿고 복사뼈가 붙지 아니함. 외상(外傷)·염증(炎症)·구루병(佝僂病) 등의 원인으로 생기는데 치료는 무릎 관절의 수술·고정 등에 의함. 외반슬(外反膝). 엑스 다리. ＊오각(O 脚).

엑스 광선 【X 光線】 명 〖물〗 엑스선(X 線).

엑스 단위 【X 單位】 의명 〔X unit〕〖물〗 엑스선 분광학(X 線分光學)·엑스선 결정학(X 線結晶學)에서, 길이의 단위. 1 kX 단위(單位)는 1.002063-1.002076 Å. 이전에는 엑스선의 파장을 나타내는 데 썼음. 기호는 XU 또는 XE.

엑스 레이 〔X ray〕 명 ①엑스선. ②엑스선 사진.

엑스-리브리스 〔라 ex-libris〕 명 장서표(藏書票).

엑스 밴드 〔X band〕 명 ☞ 익스팬더.

엑스-선 【X 線】 명 〔X ray〕〖물〗 파장 0.01-100Å인 감마선(γ線)과 자외선(紫外線)과의 중간 파장의 전자기파(電磁氣波). 1895년 독일의 뢴트겐이 발견하여 명명한 방사선. 고속도의 전자(電子)가 급격하게 장벽에 부딪칠 때에 발생하는 전자기파(電磁氣波)로, 이 때 보통 엑스선관(X 線管)을 사용함. 미지의 선(線)이라는 뜻에서 X선(線)이라 명명하였는데, 눈에 직접 보이지 않으나, 굴절·반사·편광(偏光)·간섭(干涉)·회절(回折) 등의 현상을 나타내며, 강한 형광(螢光) 작용·전리(電離) 작용·사진(寫眞) 작용·투과(透過) 작용 등을 함. 학술상 중요할 뿐만 아니라 실용 방면에서도 의술상의 진단 및 치료, 공업 재료의 내부 조직의 검사, 미술품의 감정(鑑定) 등 그 용도가 매우 넓음. 엑스 레이. 뢴트겐선(線). 엑스 광선(光線). 라디오그램.

엑스선 검:사 【X 線檢査】 명 〖의〗 엑스선(X線)을 인체에 비추어, 형광판(螢光板)으로 투시(透視)하거나, 사진 촬영하여 병변(病變)을 진단하는 검사. 폐(肺)는 단순 촬영으로 쉽게 판별되나 위장관(胃腸管)·혈관·척수강(脊髓腔) 등은 각기 특수한 조영제(造影劑)를 써서 검사함. 뢴트겐 검사.

엑스선 결정학 【X 線結晶學】〔一쩡一〕 명 〔X-ray crystallography〕 엑스선을 이용하여 결정(結晶)의 구조를 연구하는 학문. 이 학문의 중심점은 엑스선을 써서 결정 속의 원자 배열을 결정(決定)하고 결정(結晶)의 내부 구조나 종류를 판정하는 것임.

엑스선-관 【X 線管】 명 〔X-ray tube〕〖물〗 고속도의 음극선(陰極線)을 어떤 금속에 부딪치게 하여 엑스선을 발생시키는 진공관. 음극선을 일으키는 방법에 따라 이온 엑스선관과 전자관(電子管)·쿨리지관(Coolidge管)과 같은 열음극(熱陰極) 엑스선관의 두 가지가 있음. 엑스선관구(X 線管球). 뢴트겐관(管).

엑스선관-구 【X 線管球】 명 〖물〗 엑스선관(X 線管).

엑스선 망:원경 【X 線望遠鏡】 명 〔X-ray telescope〕 대기권(大氣圈) 밖에서 방사되는 엑스선을 탐지하여 해상(解像)하는 기기.

엑스선 발생기 【X 線發生器】〔一쌩一〕 명 〔X-ray generator〕 표면이 고속 전자(高速電子)로 충격을 받을 때, 그 표면에서 다량의 엑스선을 방출하는 금속. 원자량이 큰 금속이 가장 효율이 큰 발생기임.

엑스선 분광기 【X 線分光器】 명 〔X-ray spectrometer〕〖물〗 엑스선을 스펙트럼으로 분해하기 위한 장치. 회절 격자(回折格子) 대신에 암염(岩塩)·방해석(方解石) 등의 단결정(單結晶)을 사용함.

엑스선 분광 분석【X線分光分析】명〖물〗물질의 미량(微量) 성분 원소의 검출(檢出)·정량(定量)의 방법. 각 원소의 고유 엑스선 스펙트럼을 이용한 분광 분석임.

엑스선 분광학【X線分光學】명〔X-ray spectroscopy〕〖물〗엑스선 스펙트럼을 연구하는 과학. 결정에 의한 브래그(Bragg)의 반사(反射) 또는 회절 격자를 써서 물질의 고유 엑스선의 스펙트럼을 조사하여 물질의 전자 구조(電子構造) 및 엑스선 방출·흡수의 기구(機構)를 알아 냄.

엑스선 사진【X線寫眞】명 엑스선을 이용하여 육안으로 볼 수 없는 물체의 내부를 촬영하는 사진. 특히, 호흡기 질환의 진단과 기타 공업 방면 등 그 용도가 매우 넓음. 뢴트겐 사진. 엑스 레이.

엑스선 사진판【X線寫眞板】명〖진〗엑스선을 받는 사진판.

엑스선 스펙트럼【X線一】명〔X-ray spectrum〕〖물〗가속 전자(加速電子)를 대음극(對陰極)에 대어 발생시킨 엑스선의 스펙트럼. 파장(波長)이 어느 범위에 걸쳐 연속적으로 분포한 연속 엑스선 스펙트럼과 대음극 물질의 원소에 고유한 많은 선으로써 이루어지는 고유(固有) 엑스선 스펙트럼의 두 가지가 있음.

엑스선 요법【X線療法】〔一뻡〕명〔X-ray therapy〕〖의〗방사선 요법의 한 가지로 엑스선을 이용한 의학적 처치(醫學的處置).

엑스선 조:사【X線照射】명〔X-ray irradiation〕〖물〗물체에 엑스선을 쐬는 일.

엑스선 조:영법【X線造影法】〔一뻡〕명〖의〗엑스선 검사 때, 검사 목적 장기(臟器)가 주위와 흡수율 차이가 없거나 또는 매우 적을 때, 엑스선 조영제 또는 공기 등을 주입하여 대조도(對照度)가 명확한 영상(映像)을 얻는 방법.

엑스선 조:영제【X線造影劑】명 엑스선 검사에 있어서, 기관지·소화관·혈관 등의 내부나 외연(外緣)을 엑스선 영상(影像)으로 볼 수 있도록, 그들 장기(臟器)의 내부나 외부에 주입(注入)하는 약제. 일반적으로 소화관에는 황산 바륨, 기관지·척수강·자궁강 등에는 요오드화유(Jod化油), 혈관·요로(尿路) 등에는 유기 요오드 화합물(有機Jod化合物) 등을 사용함.

엑스선 천문학【X線天文學】명〔X-ray astronomy〕엑스선·감마선을 관측 수단으로 하는 천문학의 한 분야. 대기권 외의 관측이 가능하게 됨에 따라 발달함.

엑스선 천체【X線天體】명〖천〗엑스선을 방사하는 천체. 태양을 비롯하여 많은 엑스선 천체가 알려지고 있음.

엑스선 컴퓨터 단층 촬영기【X線一斷層撮影機】〔computer〕명〖의〗컴퓨터를 이용하여 인체 내부를 종전의 엑스선 촬영보다 100배나 치밀·정확한 사진으로 찍어 내는 장치. 1973년 영국의 에미사(EMI社)가 개발한 것으로, 엑스선관(X線管)과 컴퓨터 및 폴라로이드 카메라의 세 부분으로 이루어져, 특히 뇌(腦) 상해 진단에 유효함. 에미 주사기(EMI走査機).

엑스선 텔레비전【X線一】〔television〕명 엑스선에 의한 영상(映像)을 텔레비전으로 관찰하는 장치. 방사선 장애를 방지하고, 다수의 사람이 동시에 관찰할 수 있는 이점을 가짐.

엑스선 투과 검:사【X線透過檢査】명 엑스선을 피검사(被檢査) 물체에 비추고, 투과 후의 강도(強度) 여하에 따라 물체 내부의 결함(缺陷)의 크기나 장소 등을 판정(判定)하는 비파괴 검사법(非破壞檢査法)의 일종. 금속의 소재(素材)·주물(鑄物)·용접 부위(鎔接部位) 따위의 검사에 이용함.

엑스선 투시【X線透視】명〖의〗엑스선을 투사하여 형광판 상(螢光板上)에 나타나는 인체 내의 이물(異物) 및 병변(病變)을 직접 눈으로 보고 진단하는 방법.

엑스선 현:미경【X線顯微鏡】명〔X-ray microscope〕〖물〗광선 대신에 엑스선을 이용한 현미경. 생물학이나 결정 구조 해석(結晶構造解析)에 유용(有用)함. 반사형(反射型)·투사형(投射型)·밀착식(密着式)의 세 가지가 있음.

엑스선 형광【X線螢光】명〔X-ray fluorescence〕〖물〗엑스선에 쬔 물질에서 발하는 특성(特性) 엑스선 스펙트럼의 방사(放射).

엑스선 형광 분광계【X線螢光分光計】명〔X-ray fluorescent emission spectrometer〕엑스선 형광의 파장 측정(波長測定)에 쓰이는 엑스선 결정 분광계(結晶分光計). 저강도(低強度)의 빔(beam)을 집중시키기 위해서, 곡률(曲率)이 이론 상 필요한 값이 되도록 스펙트럼선의 회절각(回折角)과 함께 변하도록 배치(配置)된, 반사용 또는 투과용 회절 결정을 갖추고 있음.

엑스선 형광 분석【X線螢光分析】명〔X-ray fluorescence analysis〕〖화〗고체 또는 액체 시료(試料)의 화학 분석에 쓰이는 물리적인 비파괴 방법. 시료를 강한 엑스선으로 조사(照射)하여 들뜨게 하면, 시료에서 형광 엑스선이 방사되는데 그 스펙트럼선의 파장(波長)에서 시료 중의 원소가 동정(同定)되어, 각 선의 강도에 따라 그 농도(濃度)가 정량(定量)됨.

엑스선 회절【X線回折】명〔X-ray diffraction〕〖물〗엑스선을 결정체(結晶體)에 대면, 내부에 규칙적으로 배열된 원자(原子)에 의하여 엑스선이 산란(散亂)하여 상(像)을 만드는 현상. 결정 구조를 알아내는 방법의 하나임.

엑스 엑스 엑스【XXX】명 ①키스, 키스, 키스, 곧 '당신에게 몇 번이고 몇 번이고 키스를 보냅니다'의 뜻으로, 편지 끝에 쓰는 말. ②무선 전신에 의한 만국 공통의 긴급 신호. 조난 신호 SOS 다음 가는 제2급의 위난(危難)에 발신함.

엑스 염:색체【X染色體】명〔X chromosome〕〖생〗성(性)의 결정을 지배하는 성염색체(性染色體)의 한 가지. 수컷의 체세포(體細胞)에는 하나가 들어 있고 암컷의 체세포에는 두 개씩 들어 있음. 성(性)염색체. ＊와이 염색체(Y染色體).

엑스 와이 형【XY型】명〖생〗성염색체(性染色體)에 X·Y의 두 형(型)이 들어 있는 것. 암컷은 체세포(體細胞)에 한 쌍의 X염색체가 들어 있고, 수컷에는 X·Y 염색체가 각각 하나씩 또는 X염색체 하나가 들어 있음.

엑스 제로 형【XO型】명〖생〗성염색체(性染色體)가 X뿐인 수컷.

엑스 좌:표【x座標】명〔x coordinate〕〖수〗점(點)의 좌표 구성 성분의 하나. 평면 상의 점의 좌표 x, y 또는 공간(空間)의 점의 좌표 x, y, z에 있어서의 x 또는 엑스축에 평행한 직선에 따라 측거(測距)한 유향 거리(有向距離). 가로좌표. 횡좌표(橫座標). ↔와이(y)좌표.

엑스-축【x軸】명〔x axis〕①〖수〗좌표축(座標軸)의 하나. 평면의 좌표계(座標系)의 좌표축 $ox \cdot oy$, 공간 좌표계의 좌표축 $ox \cdot oy \cdot oz$ 가운데에서의 ox를 이름. 평면의 경우는 가로축이라고도 함. ↔와이축. ②지도(地圖)·해도(海圖) 또는 그래프에서는 기준선에서 오른쪽 또는 왼쪽, 동쪽 또는 서쪽의 거리가 적혀 있는 선.

엑스커베이터〔excavator〕명 굴착기(掘鑿機)의 하나. 버킷으로 흙이나 모래를 퍼 내거나 깎아 냄.

엑스터시〔ecstasy, extasy〕명 무아경(無我境). 황홀. 희열(喜悅). 환희의 절정.

엑스트라〔extra〕명 ①연극 또는 영화 촬영에 임시로 잠깐 출연(出演)하는, 배우 이외의 사람. ②잡지(雜誌)의 임시 증간호(增刊號). ③신문의 호외(號外).

엑스트라넷〔extranet〕명〖컴퓨터〗기업 내의 컴퓨터 통신망인 인트라넷의 정보 대상을 부분적으로 외부 지사(支社) 및 협력 업체까지 개방한 전산망. 협력 업체가 이를 인터넷으로 연결하여 보안도 유지하면서 업무도 처리할 수 있음. ＊인트라넷.

엑스트라 이닝〔extra inning〕명 야구에서, 연장전(延長戰).

엑스트랙트〔extract〕명 물체의 본질(本質). 약이나 음식물의 유효 성분(有效性分)을 농축(濃縮)한 것. 즉, 식물(植物)·고기 등 약재(藥材)가 될 만한 것을 물과 알코올 또는 에테르 등으로 그 유효 성분을 용출해 낸 즙을 증발(蒸發) 농축(濃縮)한 것. 유동체와 건조한 것이 있음. 월기사(越幾斯). 준엑스.

엑스퍼지션〔exposition〕명〖악〗주제의 제시부(提示部). 특히, 소나타 형식에 있어서 제1·제2 주제를 제시하는 제일 부.

엑스퍼:트〔expert〕명 전문가(專門家). 숙련공(熟練工).

엑스포【expo, EXPO】명〔World Exposition의 약칭〕만국 박람회. ¶대전 ～ '93.

엑스피디션〔expedition〕명 산악 등반이나 극지(極地) 탐험을 목적으로 하는 원정(遠征). 또, 그 원정대.

엑슬란〔Exlan〕명 1954년 미국에서 발명된 폴리아크릴계(系) 합성 섬유의 일본 상품명. 미국의 상품명은 크레슬란(Cresslan).

엑시머 레이저〔eximer laser〕명〖물〗원자(原子)나 분자(分子)가 들뜬 상태가 되어 생긴 불안정한 이합체(二合體)가 부서져서 분리될 때 발사(發射)하는 파장(波長) 0.2-0.3 미크론의 자외선(紫外線)을 이용한 레이저. 출력(出力)이 높고 효율(効率)이 높아서 광화학(光化學) 특히 반도체(半導體) 가공(加工)에 이용됨.

엑시머 레이저 시:력 교:정【一視力矯正】〔eximer laser〕명〖의〗엑시머 레이저를 쐬어 각막(角膜)을 미세(微細)하게 연마(硏磨)해서 정상에 가까운 시력을 확보해 주는 일.

엑조세〔Exocet〕명 프랑스의 대함(對艦) 미사일의 이름.

엑토고니〔ectogony〕명〖생〗배(胚)나 내배유(內胚乳)의 바깥쪽 구조체(構造體)에 수분(授粉) 및 수정(受精)이 주는 영향. 색·화학적 조성·성숙·탈락(脫落) 따위에 영향을 줌.

엑토플라즘〔ectoplasm〕명 ①생물에서 외부 원형질(外部原形質)을 말함. ②심령 현상(心靈現象)에서 영매(靈媒)의 신체에서 발한다고 생각되는 일종의 물질. 심령체(心靈體).

엔[1]【N, n】명 ①〖언〗영어의 열 넷째 자모. ②〖지〗〔north의 머리글자〕북쪽·북극을 나타내는 부호. ③〖수〗부정수·부정량(不定量)의 부호. ¶～차원(次元). ④MN식(式) 혈액형의 하나. N형. ⑤생물의 생식 세포의 염색체수를 나타내는 부호.

엔[2]〔일 円: えん〕의명 일본의 화폐 단위. 1엔은 100센(錢).

엔:[3] 관〈방〉웬 (충남·전남·경남).

엔[4] 조 ↗에는 ¶집～ 있겠지/사랑～ 고민이 따르는 법.

엔-각【N殼】명〖물〗엔껍질.

엔간-찮다〔一찬타〕형 보통이 아니다. 만만하지 않다.

엔간-하다 형여불 ↗어연간하다. ¶엔간한 고생이 아니다/엔간해서는 말을 듣지 않는다. **엔간-히** 부 ¶～ 술이 취한 듯 걸음이 허청거렸다《黃順元 : 카인의 후예》.

엔구부정-하다 형여불 빙 돌아서 구부정하다. ¶엔구부정한 언덕길이 구불구불 오르고 있었다.

엔:굽이-치다 자 물이 굽이쳐 뭍으로 빙 돌아서 흐르다.

엔그램〔engram〕명〖생〗인상(印象)❷.

엔-극【N極】명 북극(北極)❹.

엔기 명〈방〉연기[5](煙氣)(경남).

엔기-통 명〈방〉굴뚝(전라).

엔:길 명〈옛〉에워가는 길. 에도는 길. ¶엔길 오(迂)《類合 下 62》. ＊에움길.

엔-껍질【N一】명〔N shell〕〖물〗원자핵(原子核)을 둘러싸고 있는 궤도 전자(軌道電子)의 네 번째 층(層). 주양자수(主量子數) 4로 특징지어지는 전자를 가짐. 엔각(N殼). ＊오(O)껍질·엔전자(N電子)·전자껍질.

엔네 감 〈방〉 옜네(경상).

엔니우스 〔Ennius, Quintus〕 명 〖사람〗 로마 초기의 시인·극작가. 라틴 문학의 아버지라 일컬어지며 기원전 171년까지의 로마사(史)인 서사시 ≪연대기(年代記)≫를 썼음. [239-169 B.C.]

엔:-담 명 ①사방으로 삥 둘러서 쌓은 담. ②한자(漢字) 부수(部首)의 하나. '回'나 '國' 등의 '囗'의 이름. 큰입구변.

엔더비-랜드 〔Enderby Land〕 명 〖지〗 남극 대륙에서, 동경 50°를 중심으로 하는 연안 지역. 영국·오스트레일리아가 영유를 주장했으나, 현재는 남극 조약으로 영유권은 동결되어 있음.

엔더스 〔Enders, John Franklin〕 명 〖사람〗 미국의 의학자. 하버드 대학 세균학·면역학 교수. 웰러(Weller, T.H.)·로빈스(Robbins, F.C.) 등과 함께 소아마비의 병원(病原) 바이러스의 시험관내 조직 배양법을 완성, 백신 제조를 가능하게 했음. 1954년 위 두 사람과 함께 노벨 생리 의학상을 수상함. [1897-1985]

엔도르핀 〔endorphin〕 명 〖생〗 뇌(腦)나 뇌척수액(腦脊髓液)에서 추출(抽出)되는, 모르핀과 같은 진통 효과(鎭痛效果)를 갖는 몇몇 물질의 총칭. 이자나 소화(消化) 기관에서도 발견됨.

엔두루 부 〈옛〉 두루두루. ¶됴흔 먹을 ᄀᆞ라 엔두루 ᄇᆞᄅᆞ면 즉재 됴ᄒᆞ리라(仍磨好墨 圍塗即效) ≪救簡 Ⅲ:30≫.

엔드 〔end〕 명 ①끝. 종말. ¶해피 ~. ②목적❶.

엔드 라인 〔end line〕 명 ①배구·농구 등의 직사각형 코트에서, 짧은 변(邊)을 이루는 선(線). ②아메리칸 풋볼에서, 골라인 밖에 있으면서 골라인과 평행된 선(線).

엔드 런 〔end run〕 명 아메리칸 풋볼에서, 후위(後衛)가 볼을 가지고 적의 측면을 크게 돌아 돌진하는 일.

엔드리스 테이프 〔endless tape〕 명 ①긴 테 모양으로 만든 연속 녹음 테이프. 그냥 놔두면 같은 내용을 몇 번이라도 들을 수 있음. ②전(轉)하여, 여러 번 사용함.

엔드 밀 〔end mill〕 명 〖기〗 커터(cutter)의 한 가지. 커터의 주위와 단면(端面)에 날이 있어 주로 좁은 평면을 다듬는 데 쓰임.

〈엔드 밀〉

엔들 조 명사 아래에 붙어서 반어(反語)의 뜻을 나타내는 보조사. ¶꿈~ 잊으리오. *ㄴ들·인들.

엔 디: 【N.D.】 명 〔nothing doing의 약칭〕 무선 전신 용어로, 성공하지 못함을 알리는 신호.

엔디미온 〔Endymion〕 명 〖신〗 그리스 신화 중의 인물. 양치기의 미소년(美少年)으로, 달의 여신(女神) 셀레네(Selene)의 사랑을 받아 한없이 잠만 잔다 함.

엔 디: 비: 【N.D.B.】 명 〔non-directional range beacon의 약칭〕 무지향성 무선 표지(無指向性無線標識).

엔리치 〔enrich〕 명 식품에 비타민이나 광물질을 넣어 영양가를 높이는 일.

엔리케 항:해왕 【一航海王】 〔Henrique〕 명 〖사람〗 포르투갈 왕 주앙 일세(João一世)의 아들. 북아프리카에 종군(從軍)한 이래 항해의 연구, 탐험에 진력, 포르투갈인의 아프리카 주항(周航) 및 인도 항로 개척의 선구(先驅)가 됨. 모국(母國)의 학술·문화의 진흥에도 공헌하였음. 헨리 항해왕(Henry 航海王). [1394-1460]

엔릴 〔En-lil〕 명 〖신〗 수메르(Sumer) 신화의 최고신(最高神)으로 대기(大氣)의 신. 아누(Anu)·에아(Ea)와 함께 삼체 일좌(三體一座)를 이룸. 그리스 신화의 제우스에 해당함.

엔만-하다 형 〈방〉 웬만하다(경상).

엔 비: 시: 【NBC】 명 〔National Broadcasting Company의 약칭〕 미국 방송 회사의 하나. 에이 비 시(ABC)·시 비 에스(CBS)와 더불어 라디오·텔레비전의 전국적 네트워크를 가지고 있음.

엔 비:시: 교향악단 【NBC交響樂團】 명 〖악〗 엔 비 시(NBC) 방송국이 1937년 전세계로부터 우수한 악원(樂員)을 모아 조직한 교향악단. 1954년 상임 지휘자인 토스카니니의 은퇴와 더불어 일시 해산하였다가 '심포니 오브 더 에어(Symphony of the Air)'라는 이름으로 재발족(再發足)하여 악단원(員)에 의한 자립 경영을 행하다가 1964년 경영난(經營難)으로 해체함.

엔 비: 아:르 【N.B.R.】 명 〔nitrile butadiene rubber의 약칭〕 아크릴로니트릴(acrylonitrile)과 부타디엔(butadiene)과의 혼성 중합(混成重合)으로 얻어지는 합성 고무. 벤젠·4염화 탄소(四塩化炭素) 이외의 용제(溶劑)에 견디며 내유성(耐油性)·내마모성(耐磨耗性)이 강함. 내열성은 에스 비 아르(SBR)보다 못하지만 천연 고무보다는 나음. 내유(耐油)를 목적으로 한 공업 용품, 구두창 등에 쓰임.

엔비크 〔Hennebique, François〕 명 〖사람〗 프랑스의 건설 기술자. 기둥·들보·바닥 등을 일체적(一體的)으로 만드는 철근 콘크리트 공법을 고안하여 1892년 특허를 얻음. [1842-1921]

엔사이클로피디어 〔encyclopedia〕 명 백과 사전(百科辭典). 백과 사전(百科事典). 백과 전서(百科全書).

엔소르 〔Ensor, James〕 명 〖사람〗 벨기에의 화가. 처음에는 어두운 색조의 풍경화를 많이 그렸으나, 인상파(印象派) 운동에 가담한 후 해골·가면 등 괴기(怪奇)하고 풍자적(諷刺的)인 그림을 그려 표현주의(表現主義)의 선구자가 됨. 대표작으로 ≪브뤼셀에 입성하는 예수≫가 있음. [1860-1949]

엔스헤데 〔Enschede〕 명 〖지〗 네덜란드의 동부, 오버레이셀 주(Overijssel 州)의 주도(主都). 알멜로(Almelo)와 함께 섬유 공업의 중심지임. [145,000명(1989)]

엔 시: 공작 기계 【NC工作機械】 명 〔NC는 numerical control의 약칭〕 수치 제어(數値制御) 방식의 자동 공작 기계. 기계의 본체(本體)와 그 보조 기구, 그리고 엔 시(NC)의 세 부분으로 되어 있음. *군관리 시스템(群管理 system).

엔실리지 〔ensilage〕 명 〖농〗 옥수수·쌀보리 등의 푸른 잎, 혹은 야채 쓰레기, 고구마 덩굴 따위를 잘게 썰어 사일로(silo)에 채워 젖산 발효(醱酵)시킨 사료. 사일리지(silage). 매장 사료(埋藏飼料). 「數).

엔 아:르 수: 【NR數】 명 〔noise rating number〕 소음 평가수(騷音評價

엔 아:르 에이 【N.R.A.】 명 〖정〗 〔National Recovery Administration의 약칭〕 미국 뉴딜 정책으로 제일 처음 착수된 국가 산업 부흥 계획. 루스벨트 대통령이 경기 불황 타개책으로서 1933년에 중요 산업을 통제하고자 입안(立案)한 것임. *니라 (NIRA).

엔 아이 에스 티: 【NIST】 명 〔national information system for science and technology의 약칭〕 필요한 과학 기술 정보를 기계적으로 검색(檢索)하여 즉시 제공함을 목적으로 하는 시스템. 전국(全國) 과학 기술 정보 시스템.

엔 에르 에프 【프 N.R.F.】 명 〔La Nouvelle Revue Francaise의 약칭〕 1909년 프랑스에서 창간된 20세기의 가장 중요한 문예 잡지의 하나. 2차 대전 때 독일에 협력, 1943년 발매 금지되었으나 1953년 복간함. 이 잡지를 등용문으로 많은 문인(文人)이 배출됨.

엔 에이치 케이 【NHK】 명 〔Nippon Hoso Kyokai의 약칭〕 일본의 공공(公共) 방송 사업체. 1925년에 창립된 사단 법인 도쿄 방송국(東京放送局)이 그 모체임. 본부는 도쿄에 있음. 일본 방송 협회.

엔 에이 티: 엠 공법 【NATM工法】 [一뻡] 명 〔new Austrian tunneling method〕 〖토〗 나틈 공법.

엔 엔 피: 【NNP】 명 〖경〗 〔Net National Product의 약칭〕 국민 순생산.

엔 엠 디: 【NMD】 명 〔National Missile Defence의 약칭〕 미국 본토를 직접 공격할 가능성이 있는 이란·이라크·북한 등의 장거리 미사일에 대한 미국의 탄도 미사일 방어 체제. 1998년 후반에 태평양에서 최초로 요격 실험에 성공함. 국가 미사일 방어 체제.

엔 엠 아:르 【NMR】 명 〖물〗 〔nuclear magnetic resonance의 약칭〕 핵자기 공명(核磁氣共鳴).

엔 오: 시: 【N O C】 명 〔National Olympic Committee의 약칭〕 국가 올림픽 위원회(委員會). *케이 오 시(KOC).

엔 오: 엑스 【NOx】 명 〔nitrogen oxide〕 질소 산화물의 화학 기호. 광화학(光化學) 스모그의 원인 물질의 하나.

엔 이: 디: 【N.E.D.】 명 〖책〗 〔New English Dictionary의 약칭〕 영국의 옥스퍼드 대학 출판의 영어 사전. *옥스퍼드 영어 사전.

엔-전자 【N電子】 명 〔N electron〕 〖물〗 원자핵을 둘러싼 전자(電子)의 엔각(N殼) 속의 전자. 주양자수(主量子數)가 4임. *오 전자(O電子).

엔 지: 【N. G.】 명 〔no good 의 약칭〕 영화 촬영 용어. 촬영이 잘 되지 아니함. 또, 그 필름. ↔오 케이(O.K.).

엔지니어 〔engineer〕 명 기계 기사(機械技師). 기관사(機關士).

엔지니어링 〔engineering〕 명 ①공학(工學). ¶휴먼 ~. ②인력(人力)·재료·설비 기계 등의 통합된 시스템을 대상으로 하여, 그 설계(設計)·조달(調達)·공사·운용(運用)을 행할 경우에, 목적에 가장 알맞은 기능(機能)을 실현할 수 있도록 하는 일련(一聯)의 활동. ¶~ 기업(企業).

엔지니어링 산:업 【一產業】 〔engineering〕 명 공장 기계 설비의 기초 설계로부터, 그 시공(施工), 완성 후의 애프터서비스에 이르기까지 모든 일을 일괄 인수하는 산업.

엔지니어링 컨스트럭터 〔engineering constructor〕 명 기획에서 설계·기재(器材) 조달·기기(機器) 설치·정비 관리에 이르는 모든 업무를 하는 건설업자.

엔지니어링 플라스틱 〔engineering plastic〕 명 자동차 등의 기계나 전자 기기(電子機器)의 부품으로 쓰이는 공업용 플라스틱. 내열성·고강도(高強度)·경량(經量)·전기 절연성 등이 요구됨.

엔 지: 시: 번호 【N.G.C. 番號】 명 〔NGC는 New General Catalogue의 약칭〕 1890년 드라이어(Dryer, Johan Ludwig Emil; 1852-1926)가 출판한 '성운(星雲)·성단(星團)의 목록(目錄)'에 기재된 각 천체의 번호. 7,840개가 수록되어 있으며, 성운·성단의 대부분이 이 번호로 표기됨.

엔 지: 엘 【NGL】 명 〔natural gas liquid의 약칭〕 천연 가솔린.

엔 지: 오: 【NGO】 명 〖사〗 〔nongovernmental organization의 약칭〕 정부간의 협정이 아닌 민간 단체들이 중심이 되어 만든 비정부(非政府) 국제 조직. 주로 인권 문제, 환경과 관련된 개발 문제, 군비 축소 문제, 난민(難民) 문제 등 많은 분야에서 유엔 또는 각국 정부와 협조하여 문제 해결을 위해 활동하고 있음.

엔진 〔engine〕 명 ①기관(機關). ②원동기(原動機). 발동기(發動機). 특히, 왕복 기관만을 말할 때가 많음.

엔진 브레이크 〔engine brake〕 명 엔진의 압축 저항, 엔진·변속기(變速機)의 마찰 저항 등에 의한 자동차의 제동 작용. 특설된 장치는 없고, 주행 중(走行中)에 액셀러레이터에서 발을 떼면 브레이크를 밟지 않아도 속도가 떨어짐. 저속 기어(低速gear)일수록 효과가 큼. 흔히, 언덕받이를 내려갈 때 저속 기어로써 많이 씀. 기관 제동(機關制動).

엔진 오일 〔engine oil〕 명 내연 기관에 사용하는 윤활유. 엔진 내부는 고온(高溫)이어서 공기에 의하여 산화하기 쉬우므로, 고도로 정제한 윤활유 유분(溜分)에 산화 방지제, 청정 분산제 등을 섞어 만듦.

엔징거 〔Ensinger, Ulrich von〕 명 〖사람〗 독일의 건축가. 15세기의 이름난 건축가 집안인 엔징거가(家)의 선조가 됨. 1392년에 울름 성당(Ulm 聖堂)의 조영(造營)을 지휘하였음. [1359?-1419]

엔타시스 〔entasis〕 명 〖건〗 기둥의 중간이 배가 약간 나오도록 한 건축 양식. 고대(古代) 그리스·로마·이집트 등의 건축에서 볼 수 있는데 기둥의 조화·안정(安定)을 위한 역학적(力學的)인 필연(必然)을 건축에

응용한 것임.

엔타이틀드 투:베이스 히트 〔entitled two-base hit〕 명 야구에서, 룰 또는 타협으로써 이루타(二壘打)로 간주하는 타구.

엔탈피 〔enthalpy〕 명 〖물〗 열역학(熱力學) 특성 함수(特性函數)의 하나. 계(系) 밖에서 가해진 압력과, 그것에 의하여 변화한 부피의 곱을, 계 내부(內部) 에너지에 보탠 합. 즉, $H=U+pV$. U는 내부 에너지, p는 압력, V는 부피.

엔터프라이즈-호 【一號】〔Enterprise〕 명 미국 해군의 공격형 원자력 항공 모함. 세계 최초의 원자력 항공 모함으로, 군함으로서도 세계 최대임. 배수량(排水量) 75,700톤, 최고 속력 36노트, 약 5년 간은 연료 보급이 필요하지 않음. 전폭기 등 70-100대를 적재할 수 있으며, 승무원은 항공 요원을 포함해서 약 5,000명임.

엔테로키나아제 〔enterokinase〕 명 〖생〗 단백질 분해 효소의 하나. 고등 동물의 장(腸), 특히 십이지장의 점막에서 분비됨.

엔테베 〔Entebbe〕 명 〖지〗 우간다 중앙부, 빅토리아 호(湖) 북서안(北西岸)에 있는 항구 도시. 상업 중심지로, 표고 1,176 m의 고지에 있음. 동물 연구소·식물원·수렵 박물관·공항(空港) 등이 있음. 1976년 7월 4일 이스라엘의 특수 부대가 공항을 기습, 팔레스타인 게릴라들에게 납치된 102명의 인질을 구출한 사건으로 유명함. [40,000명(1983)]

엔텔러키 〔entelechy〕 명 엔텔레케이아.

엔텔레케이아 〔그 entelecheia〕 명 ①〖철〗 아리스토텔레스의 용어. 질료(質料)를 가능태(可能態)로 하여 그 목적으로 하는 형상(形相)을 실현시키는 원리(原理). 또, 형상의 실현이 완성된 현실태(現實態). ②〖심〗 드리슈(Driesch, Hans Adolf Eduard ; 1867-1941) 등에 의한 생기론(生氣論)에 있어서 생명의 원리가 되는 것. 엔텔러키(entelechy).

엔토모노티스 〔라 entomonotis〕 명 중생대(中生代) 트라이아스기(紀)에 번창한 바닷물조개.

엔통 부 〈방〉 온통(함경).

엔트로피 〔entropy〕 명 ①〖물〗 열량(熱量)과 온도에 관한 물질계(物質系)의 상태를 나타내는 열역학적(熱力學的) 양(量)의 하나. 예컨대, 물체의 온도에 부분적인 높낮이가 있는 때보다 한결같은 편이 엔트로피는 크다고 말함. ②〖수〗 정보(情報)를 내어보내는 근원(根源)의 불확실도(不確實度)를 나타내는 양(量).

엔트리 〔entry〕 명 ①경기(競技) 참가의 신청. 참가 등록. 참가자 명부. ②(사전 따위의) 표제어(標題語).

엔트리 북 〔entry book〕 명 기입장(記入帳).

엔 티: 에스 시: 방식 【NTSC方式】 명 〔NTSC는 National Television System Committee의 약칭〕 컬러 텔레비전 방영 방식의 하나. 흑백 텔레비전 전파에 컬러 신호를 함께 보내는 방법. 흑백 수상기로도 컬러 방송을 흑백으로 수상이 가능하며, 수상기 제작비가 비교적 싸게 먹히는 장점이 있음.

엔-피:-티: 【NPT】 명 〖정〗 〔Nuclear Non-proliferation Treaty〕 핵확산 금지 조약(核擴散禁止條約).

엔필:드 총 【一銃】〔Enfield〕 명 1852년 지금의 영국 런던 북부의 엔필드에서 제조된 전장식 활강총(前裝式滑腔銃). 영국군이 크림 전쟁에서 사용하였고, 미군이 남북 전쟁에 사용하였으며, 후장식 시조총(後裝式施條銃), 곧 라이플총이 일반화되기 전까지의 과도기에 쓰였음.

엔하:모닉 〔enharmonic〕 명 〖악〗 '딴이름한소리'의 영어명.

엔형 반:도체 【n型半導體】 명 〔n-type semiconductor〕 〖전〗 전기(電氣)의 전도(傳導)가 주로 전자(電子)에 의해서 행해지는 반도체. 보통 규소(Si)·게르마늄(Ge)·셀렌(Se) 등의 공유 결합 결정(共有結合結晶)에 전자의 방출(放出)을 행하는 불순물을 미량(微量) 첨가해서 만듦. *피형(p型) 반도체.

엘[1] 【L, l】 명 ①〖언〗 영어의 열 두째 자모. ②〔Literature의 머리글자〕 문학(文學). ③로마 숫자의 50.

엘[2] 〔ell〕 의명 옛날 유럽에서 쓰던 피륙을 재는 척도의 단위. 영국에서는 45인치, 프랑스에서는 54인치인데, 지금은 거의 쓰지 않음.

엘[3] 조 ↗에를. ¶학교~ 가다/산~ 가다.

엘가 〔Elgar, Edward William〕 명 〖사람〗 영국의 작곡가. 아버지 (Elgar, W.H.; ?-1885)에 이어 교회 오르가니스트가 되었으나, 후에 작곡에 전념함. 변주곡(變奏曲) ≪수수께끼≫, 오라토리오(oratorio) ≪게론티우스(Gerontius)의 꿈≫, 행진곡 ≪위풍 당당≫ 등으로 알려짐. [1857-1934]

엘-각 【L殼】 명 〖물〗 엘껍질.

엘기미빗 명 〈방〉 얼레빗(경상).

엘긴 마:블스 〔Elgin marbles〕 명 아테네의 파르테논 신전(Parthenon 神殿)에 있던 대리석 조각. 지금은 대영 박물관에 소장되어 있음.

엘-껍질 【L一】 명 〔L shell〕 〖물〗 원자핵(原子核)을 둘러싸고 있는 궤도전자(軌道電子)의 두 번째 층(層). 주양자수(主量子數) 2의 전자를 가짐. 엘각(L殼). *엠(M)껍질·전자 껍질.

엘니뇨 현:상 【一現象】〔스 El Niño〕 명 4-5년에 한 번, 크리스마스 무렵에 남미 에콰도르에서 페루 연안에 일어나는 해수(海水) 온도의 상승 현상. 멸치가 격감하는 등 재해가 생기고, 기상학적으로는 세계의 기후에 영향을 줌.

엘 더블유 【LW】 명 〔left wing의 약칭〕 축구·럭비 등에서 레프트 윙. 전위(前衛)의 좌익(左翼).

엘도 【ELDO】 명 〔European Launcher Development Organization의 약칭〕 유럽 우주 로켓 개발 기구.

엘 도라도 〔스 El Dorado〕 명 16세기에 스페인 사람들이 남미(南美) 아마존 하반(河畔)에 있다고 상상하였던 이상향(理想鄕).

엘-도파 【L-DOPA】 명 〖약〗 〔L형 디옥시페닐알라닌(Dioxyphenylalanin)의 약칭〕 아미노산(酸)의 일종. 도파민의 결핍에서 오는 파킨슨병(Parkinson病)에, 도파민을 주사(注射)해도 뇌(腦) 안에 주입되지 않기 때문에 도파민으로 변하는 L-DOPA를 주입, 치료에 효과를 얻음.

엘 디: 법 【LD法】〔一뻡〕 명 〔LD는 1953년에 이 법을 공업화(工業化)한 오스트리아의 린츠(Linz), 도나비츠(Donawitz)의 두 공장의 약자〕 전로(轉爐)의 윗부분에 달린 송풍구에서 고압 산소를 뿜어대서 선철(銑鐵)을 강철로 만드는 방법.

엘 디: 엘 【LDL】 명 〔low density lipoprotein의 약칭〕 저밀도의 리포 단백질. 콜레스테롤을 혈관벽(血管壁)에 침착(沈着)시켜 동맥 경화를 일으키는 작용을 함. 150 mg 이하가 바람직한 상태임. ↔에이치 디 엘(HDL).

엘 디: 오:십 【LD 50】 명 〔LD는 치사량의 뜻인 lethal dose의 약자〕 50% 치사량(致死量). 실험 동물군(群)의 50%를 죽이는 독물(毒物)의 양. 개체(個體) 감수성(感受性)의 차가 현저할 때는 최소 치사량보다 정도(精度)가 높음. 전리 방사선(電離放射線)의 경우에는, 강력한 일시 전신 조사(一時全身照射)로 조사 후 30일 이내에 피조사(被照射) 개체수의 50%가 죽는 양.

엘 디: 전:로 【LD轉爐】〔一절一〕 명 〔LD converter〕 전로 안의 용철(熔鐵)의 위쪽에서 산소를 내뿜는 방식의 전로. 제련(製鍊) 시간 약 30분으로, 저인(低燐)·저산소(低酸素)의 질이 좋은 강철을 만들 수 있음. *엘 디 법(法).

엘라스토머 〔elastomer〕 명 탄성 중합체(彈性重合體).

엘라스티카 〔라 elastica〕 명 〖물〗 탄력(彈力). 탄성(彈性).

엘라스티크 〔프 élastique〕 명 탄력성이나 신축성이 풍부한 직물(織物). 스포츠 웨어·거들 따위 속옷으로 사용됨. 고무사(絲)·고무끈 등을 말하기도 함.

엘람 〔Elam〕 명 〖지〗 메소포타미아의 티그리스 강(Tigris江) 동부 산지를 지칭하는 바빌로니아어. 지금의 이란 고원에 해당함. 독자적인 문화와 언어를 가진 엘람족이 기원전 7세기경 강력한 국가를 세워 메소포타미아 제국(諸國)과 항쟁을 거듭하던 곳임.

엘람-어 【一語】〔Elam〕 명 고대 이란 고원의 엘람 지방을 중심으로, 메소포타미아 일대에까지 세력을 뻗친 엘람인의 언어. 최고(最古)의 비문(碑文)은 기원전 3000년대(年代)로 고유의 음절 문자(音節文字)임. 기원전 16세기부터는 설형(楔形) 문자가 쓰이었음.

엘랑 조 ☞에는.

엘랑 비탈 〔프 élan vital〕 명 〖철〗 베르그송(Bergson)의 용어(用語). 생명(生命)의 비약(飛躍)이란 뜻.

엘랑-은 조 '엘랑'을 더 힘있게 하는 말. ¶물~ 아예 가지 말아라.

엘러큐:션 〔elocution〕 명 연설법. 낭독법. 연극의 발성 발음(發聲發音) 상의 기술.

엘레간테 〔이 elegante〕 명 〖악〗 '우미(優美)하게'의 뜻.

엘레게이아 〔그 elegeia〕 명 그리스 시형(詩型)의 하나. 피리 반주를 따라 부르는데, 후에 엘레지로 변화함.

엘레아-주의 【一主義】〔Elea〕〔一/一이〕 명 〖철〗 〔이탈리아에 있던 그리스의 고도 엘레아에서 발생한데서 유래〕 소크라테스 이전의 그리스 철학의 한 파. 감각적으로 지각되는 운동이나 다양성을 미망(迷妄)이라고 하여 부정하고 이성(理性)의 사유(思惟)만이 진실이라고 주장함. 엘레아 학파.

엘레아 학파 【一學派】〔Elea〕 명 〖철〗 엘레아주의(主義).

엘레우시스 〔Eleusis〕 명 〖지〗 그리스의 아테네 서북방의 도시. 고대(古代)에는 데메테르(Demeter)와 그의 딸 페르세포네(Persephone)의 성지(聖地)로 그 유적이 있음. [20,320명(1981)]

엘레지[1] 명 개의 자지. 구신(狗腎).

엘레지[2] 〔프 élégie〕 명 비가(悲歌). 만가(挽歌). 애가(哀歌).

엘레지아코 〔이 elegiaco〕 명 〖악〗 '슬프게'의 뜻.

엘레판타 석굴 【一石窟】〔Elephanta〕 명 〖지〗 인도 봄베이 만내(灣內)의 엘레판타 섬에 있는 힌두교의 석굴 사원. 이 사원에 있는 시바 신상(神像)과 거상 조각(巨像彫刻) 등은 7-8세기의 힌두교 미술을 아는 데 귀중한 재료가 됨.

엘렉톤 〔Electone〕 명 전자 악기(電子樂器)의 하나. 건반 악기. 일본에서 개발 완성한 것으로 트랜지스터에 의한 전기 회로만으로 각종 음색(音色)을 낼 수 있는 점이 특색임. 상표명(商標名). *해먼드오르간.

엘렉트라 〔Elektra〕 명 ①〖신〗 그리스 신화에 나오는 아가멤논(Agamemnon)의 딸. 동생 오레스테스(Orestes)를 피난시키고, 후에 동생으로 하여금 아버지의 원수인 어머니와 간부(姦夫)를 죽이게 하였음. ②〖문〗 그리스의 비극(悲劇) 아이스킬로스의 ≪오레스테이아≫, 소포클레스의 ≪엘렉트라≫, 에우리피데스의 ≪엘렉트라와 오레스테스≫ 등의 여주인공.

엘렉트라 콤플렉스 〔Electra complex〕 명 〖심〗 정신 분석학의 용어. 여아(女兒)가 어머니를 시샘하고 아버지를 따르는 경향. ↔오이디푸스 콤플렉스.

엘렉트론 위성 【一衛星】〔Elektron〕 명 지구를 둘러싸는 이중(二重)의 방사능대(帶) 연구를 목적으로, 동시에 쏘아올린 소련의 과학 관측용 쌍둥이 위성. 내대(內帶)·외대(外帶)를 목표로 각기 다른 궤도로 진입시킴. 1964년 1월 30일 발사.

엘로라 석굴 【一石窟】〔Ellorā〕 명 〖지〗 인도의 마하라슈트라 주(Maharashtra州) 중부의 마을 엘로라에 있는 인도 최대의 석굴 사원. 바위산의 낭떠러지에 34개의 불교·힌두교·자이나교의 석굴 사원이 있는데, 특히 풍부한 장식 부조(浮彫)와 신상(神像)으로 꾸며져 있는 힌두교 굴은 힌두 조각의 정점(頂點)을 나타냄.

엘뤼아르 〔Éluard, Paul〕 명 〖사람〗 프랑스의 시인. 본명은 Eugène Grindel. 제1차 대전 후 브르통(Breton)·아라공(Aragon) 등과 다다이

즘, 이어서 초현실주의의 운동에 활약. 시집 ≪고뇌의 수도(首都)≫·≪사랑 즉(卽) 시(詩)≫ 등을 발표, 허위·빈곤과 싸우는 정열적 시풍(詩風)으로 인기를 얻음. 2차 대전 후, 공산주의로 전향함. [1895-1952]

엘리건스 [elegance] 명 우아(優雅). 고상(高尙).

엘리건트 [elegant] 명 세련(洗練)되고 우아(優雅)함. 고상(高尙)하고 품위(品位)가 있음. ——-하다 형여불

엘리먼트 [element] 명 ①요소. 성분. ②〖화〗 원소.

엘리멘터리 [elementary] 명 ①초보(初步). ②기초적. 기본적.

엘리베이션 [elevation] 명 ①〖건〗 건축물의, 입면도(立面圖). 전(轉)하여, 건물의 앞면. ②〖군〗 포(砲)의 사각(射角).

엘리베이터 [elevator] 명 〖기〗 동력을 사용하여 사람이나 화물(貨物)을 상하(上下)로 운반하는 기계. 승강기(昇降機). 리프트(lift).

엘리베이터 걸: [elevator girl] 명 엘리베이터를 조종하는 여성.

엘리샤 [Elisha] 명 〖성〗 구약 성서 중의 인물. 예언자 엘리야(Elijah)의 후계자. 논리적(論理的) 예언자이며, 이교도(異敎徒)의 신(神)인 바알(Baal) 예배 근절을 위해 싸웠음.

엘리스 [Ellis, Henry Havelock] 명 〖사람〗 영국의 저술가·심리학자. 문학론을 비롯하여 많은 저서가 있으나, 천재·범죄·꿈, 특히 성심리(性心理)에 관한 연구로 알려짐. 주저(主著)는 ≪성(性) 심리학 연구≫. [1859-1939]

엘리스 제도 【—諸島】 명 [Ellice Islands] 〖지〗 태평양 남서부, 서사모아 북서부에 있는 9개의 산호초로 된 섬들. 1978년 투발루(Tuvalu)로서 독립함. ＊투발루.

엘리슨 [Ellison, Ralph] 명 〖사람〗 미국의 흑인 작가. 오클라호마 출신. 인간적 희망을 이룰 수 없는 흑인의 운명을 표현주의 풍으로 그린 장편 ≪보이지 않는 인간≫은 높이 평가되며 그 밖에 인종(人種) 문제 등을 다룬 평론집 ≪그림자와 행위≫ 등이 있음. [1914-]

엘리시움 [Elysium] 명 〖신〗 그리스·로마 신화에 나오는 선인(善人)이 죽은 다음에 간다고 하는 일종의 극락(極樂).

엘리아 수필집 【—隨筆集】 [Elia] 명 [Essays of Elia] 〖문〗 램(Lamb, Charles)의 수필집. 유머와 애수(哀愁)를 고아(高雅)한 문체로 표현하여 영국 수필 문학의 최고봉으로 알려짐. 엘리아(Elia)는 작자의 필명(筆名). 1823-33년 간행.

엘리야 [Elijah] 명 〖성〗 기원전 9세기 경의 이스라엘 선지자(先知者). 바알(Baal) 숭배를 공격하여 여호와의 유일함을 선언했으며, 유태인에 의해 구세주(救世主) 재림의 선구자로 간주됨. ＊엘리샤 (Elisha).

엘리엇[1] [Eliot, George] 명 〖사람〗 영국의 여류 소설가. 남자 이름 같은 필명으로 처녀작 ≪에이머스 바튼(Amos Barton)≫을 비롯하여 전원(田園)을 배경으로 인물의 내성(內省)과 심리의 갈등(葛藤)을 그린 ≪애덤 비드(Adam Bede)≫·≪사일러스 마너(Silas Marner)≫·≪미들마치(Middlemarch)≫ 등을 내어 빅토리아 왕조(Victoria王朝) 후기의 가장 대표적인 작가가 됨. 본명은 Mary Ann Evans. [1819-80]

엘리엇[2] [Eliot, Thomas Stearns] 명 〖사람〗 미국 출생의 영국 시인·비평가. 1913년 이래 영국에 거주하여 귀화하였음. 1920년 자신이 편집하고 창간한 평론지 '크라이티리언(Criterion)'에다 1차 대전 후의 지성의 혼란을 노래한 장시 ≪황무지(荒蕪地)≫를 내어 큰 반향을 일으켰음. 만년에 차츰 문명 비평으로 옮아 투철한 이성으로 가톨리시즘(Catholicism)에 의한 질서의 회복을 주장하는 수다한 평론을 썼고 근년에 '시의 연극에로의 복귀'를 시도한 시극(詩劇) ≪칵테일 파티(Cocktail Party)≫ 등을 냈음. 1948년 노벨 문학상을 받았음. [1888-1965]

엘리엇[3] [Elliot, Charles] 명 〖사람〗 영국 해군 출신의 외교관. 1834년 대(對) 청국 무역 감독관의 서기(書記)로 광둥(廣東)에 이르러, 1836년 수석 감독관이 됨. 임칙서(林則徐)에 의한 아편 단속으로부터 아편 전쟁 초기에 걸쳐, 영국측의 현지 책임자로서 활약함. [1801-75]

엘리 엘리 라마 사박다니 [Eli Eli lama sabachtani] 구 [앞의 두 말은 헤브라이 말, 뒤의 말은 아람 말] 〖성〗 '주(主)여 왜 나를 버리시나이까'의 뜻으로, 예수가 십자가 위에서 비장하게 외친 말.

엘리자베스 양식 【—樣式】 [Elizabeth] 명 엘리자베스 1세 시대, 즉 16세기 후반부터 17세기 초에 걸쳐 영국에서 유행한 건축·가구의 양식. 중세적인 기법(技法)과 이탈리아 르네상스 양식의 혼합이 특색임.

엘리자베스 여왕 【—女王】 [Elizabeth] 명 〖사람〗 영국의 여왕. ①엘리자베스 1세. ②엘리자베스 2세.

엘리자베스 이:세 【—二世】 [Elizabeth Ⅱ] 명 〖사람〗 현재의 영국 여왕. 조지 6세의 만딸. 1952년에 부왕의 뒤를 이어 즉위함. ＊엘리자베스 여왕. [1926-]

엘리자베스 일세 【—一世】 [Elizabeth Ⅰ] [—쎄] 명 〖사람〗 영국의 여왕. 헨리 8세의 딸. 일생을 독신으로 마쳤음. 안으로 영국 국교회(國敎會)를 확립하고, 또 절대주의 왕권을 강화하였을 뿐 아니라 밖으로는 스페인의 무적 함대(無敵艦隊)를 무찔러 근세 초기 영국에 한 시대를 이룩하였음. 엘리자베스 여왕. [1533-1603; 재위 1558-1603]

엘리자베스조 연:극 【—朝演劇】 [Elizabeth] 명 좁은 뜻으로는 엘리자베스 1세 시대의 연극을 말하고, 넓은 뜻으로는 그 뒤 1642년의 청교도에 의한 극장 봉쇄까지의 연극을 말함. 엘리자베스 1세 치세(治世)의 흥륭기(興隆期)를 반영한 영국 연극사상(演劇史上)의 황금기. 르네상스풍의 희곡을 창시하고, 극장 양식이나 상연 형태 등 면에서도 획기(劃期)를 이루어, 여왕과 귀족의 비호 아래 많은 극단이 런던을 중심으로 각지를 순회(巡廻)하던 시대. 프랑스·독일 등 유럽 각국의 연극에 다대한 혁신을 가져왔음.

엘리자베트그라드 [Elisavetgrad] 명 〖지〗 '키로보그라드(Kirovograd)'의 구칭.

엘리자베트빌 [Elisabethville] 명 〖지〗 '루붐바시(Lubumbashi)'의 구칭.

엘리자베트폴 [Elisavetpol'] 명 〖지〗 '키로바바트(Kirovabad)'의 구칭.

엘리제-궁 【—宮】 명 [프 Palais de l'Elysée] 〖지〗 파리에 있는 옛 궁전. 1718년 건축되어, 1873년 이래 대통령 관저로 쓰이고 있음.

엘리제를 위하여 【—爲—】 명 [도 Für Eliese] 〖악〗 베토벤이 작곡한 피아노 독주 소품(獨奏小品). 유작(遺作)으로 작품 번호는 없음. 1810년경의 작품이라 함.

엘리트 [프 élite] 명 ①선량(選良). 선출된 소수의 빼어난 사람. ②사회 또는 사회 단체에서 지도적 입장에 있는 사람. 또, 그러한 지도자를 배출(輩出)하고 있는 사회층(社會層).

엘리트 의:식 【—意識】 [프 élite] 명 자신은 여느 사람과는 달리 특별하게 선발된 우수한 사람, 즉 엘리트라고 자부하는 마음.

엘리티스 [Elytis, Odysseus] 명 〖사람〗 그리스의 시인. 본명(本名)은 Odysseus Alepoudelis. 크레타 섬의 헤라클레이온 마을에서 태어나, 아테네 대학에서 법학을 전공하였으나, 파리에서 언어학 공부를 한 뒤 시인으로 전향, '에게 해(海)의 시인'으로 불림. 신선하고 심미적인 생동감과 엄격한 감정 규제로 인간적이면서 그리스 사람들의 전통을 묘사한 시의 형태를 창조해 낸 공적으로 1979년 노벨 문학상을 탐. 대표 작은 ≪악시온 에스티≫. [1911-]

엘릭시르 [elixir] 명 〖약〗 강장제(強壯劑)의 하나. 좋은 냄새에 단맛이 있는 알코올성 음료(飮料). 알코올을 싫어하는 사람이나 아이들을 위하여 알코올 성분이 없는 것도 있음.

엘린바: [Elinvar] 명 [élasticité invariable의 생략형] 망간·텅스텐을 함유하는 니켈 크롬강(鋼)의 상표 이름. 열팽창률(熱膨脹率)이 작고 탄성률(彈性率)이 거의 변하지 않는 특성이 있으며, 크로너미터·게이지용(用) 스프링, 그 밖의 계기(計器) 등에 쓰임.

엘린트 [elint] 명 〖군〗 [electronic intelligence의 생략형] 전파(電波)의 강약·방향·파장(波長) 등을 조사·판독(判讀)하고, 통신 정보(通信情報)를 포착하는 일. ＊코민트.

엘린트 정찰 【—偵察】 [elint] 명 전자(電子) 정찰.

엘린-펠린 [Elin-Pelin] 명 〖사람〗 불가리아의 작가. 본명은 Dimitr Ivanov. 소피아(Sofia) 근교의 농촌을 무대로 지주(地主)의 욕심을 비꼬는 표현으로 비판하고 농민의 기쁨과 지혜를 그림. 단편집에 ≪여름날≫이 있음. [1878-1949]

엘링턴 [Ellington, Edward Kennedy] 명 〖사람〗 미국의 밴드 리더·피아니스트·작곡가. 15세 때에 최초의 곡을 발표, 1923년 자신의 밴드를 결성, 정글 스타일로 불리는 초기의 연주로부터 죽기 전까지 부단하고도 의욕적인 연주로 명성을 얻음. [1899-1974]

엘먼 [Elman, Misha] 명 〖사람〗 러시아 출생의 바이올리니스트. 5세 때부터 공개 연주를 한 바이올린의 명수로 1904년 베를린에서 데뷔한 이래 각지에서 성공하였는데, 특히 '엘먼 톤(Elman tone)'이란 감미로운 음색으로 유명함. [1891-1967]

엘무늬-꼬리하루살이 【L—】 [—니—] 명 〖충〗 [*Epeorus latifolium*] 꼬리하루살잇과에 속하는 곤충. 몸길이 9 mm, 편 날개 길이 23 mm 내외임. 두부는 주황색이고 중흉배(中胸背)는 황백색, 후흉배(後胸背)는 암황색을 이룸. 복절(腹節)은 제 1·2 절(節)이 황색이고 제 3-7 절은 대황색에 반투명인데, 전연맥(前緣脈)과 아전연맥(亞前緣脈)의 기부(基部)에 'L'자형의 무늬가 있음. 한국에도 분포함. 별 꼬리하루살이.

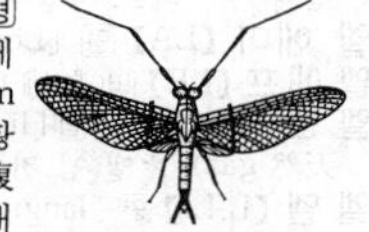
〈엘무늬꼬리하루살이〉

엘무늬-독나방 【L—毒—】 [—니—] 명 〖충〗 [*Arctornis L-nigrum*] 독나방과의 곤충. 편 날개 길이는 39-48 mm이고 몸빛은 순백색. 각 다리의 종아리마디와 발목마디에는 흑색 반문이 있고 앞날개 가로 맥 위에는 L자형의 흑색 무늬가 있음. 유충은 버들·황철나무·느릅나무류의 해충임. 한국에도 분포함.

엘바 섬 [Elba] 명 〖지〗 이탈리아 북서안(北西岸)과 코르시카 섬 사이에 있는 섬. 포도 재배가 잘되고 정어리 어업과 철광 채굴도 활발함. 주도(主都)는 포르토페라이오(Portoferraio). 나폴레옹 1세의 유배지(流配地)로 유명함. [223 km² : 27,783 명 (1981)]

엘베 강 【—江】 [Elbe] 명 〖지〗 중부 유럽 보히미아 지방에서 발원하여 에르츠 산맥(Erz山脈)을 횡단한 후 북 독일 평원을 북서로 흘러서 북해에 들어가는 강. 하구(河口) 가까이에 함부르크 항(Hamburg港)이 있음. [1,144 km]

엘베시우스 [Helvétius, Claude Andrien] 명 〖사람〗 프랑스의 계몽 철학자. 백과전서파(百科全書派)의 한 사람임. 교회의 권위, 절대 왕제(絶對王制)의 질서에 반대함. 벤담(Bentham)의 공리(功利)주의의 선구가 됨. 저서 ≪정신론≫·≪인간론≫ 등이 있음. [1715-71]

엘부르즈 산맥 【—山脈】 [Elburz] 명 〖지〗 이란의 북부(北部) 카스피 해 남방을 동서로 달리는 알프스히말라야 산계의 하나. 총길이는 약 600 km. 지하 자원이 풍부함. 최고봉(最高峰)은 표고 5,671 m의 데마벤드 산(Demavend 山).

엘브루스 산 【—山】 [El'brus] 명 〖지〗 러시아 카프카스(Kavkaz) 산맥의 주봉(主峰). 서봉(西峰) 5,633 m, 동봉(東峰) 5,595 m의 두 봉으로 된 사화산(死火山). 빙하 면적 138.5 km². 등산자가 많음.

엘-사이즈 【L—】 명 [Large size] 셔츠·블라우스 따위의 규격 중 대형의 것. ＊엠사이즈.

엘-살바도르 [El Salvador] 명 〖지〗 중앙 아메리카 태평양 연안의 공화국. 남북 아메리카를 통하여 가장 작은 독립국. 고원에서는 커피·금·은, 해안 평야에서는 고무·카카오(cacao) 등을 산출함. 정식 명칭은 '엘살바도르 공화국(Republic of El Salvador)'. 수도는 산살바도르(San Salvador). 살바도르. [21,393 km² : 5,400,000 명 (1991 추계)]

엘스터 〔Elster, John Phillip Ludwig Julius〕 명 『사람』 독일의 실험 물리학자. 베를린·하이델베르크에서 배우고, 가이텔(Geitel, H.;1855-1923)과 공동 연구를 함. 광전 광도계(光電光度計)를 만듦. [1854-1920]

엘스터 가이텔 효:과【一效果】명 〔Elster-Geitel effect〕『물』〔독일의 물리학자 엘스터(Elster)와 가이텔(Geitel, H.)의 이름에서〕 기체의 존재 하에서 가열된 도체(導體)가 양(陽) 또는 음(陰)의 전하(電荷)를 획득하는 일. 진공(眞空) 중에서는 항상 음(陰)으로 대전(帶電)함.

엘스하이머 〔Elsheimer, Adam〕 명 『사람』 독일의 화가. 이상(理想) 풍경화의 창시자의 한 사람. 카라바조(Caravaggio)풍의 명암법(明暗法)과 빛의 효과의 표현에 뛰어남. 작품은 소품(小品)이 많고 ≪이집트로의 도피≫가 유명함. [1578-1610] 「도액(來到額).

엘-시:【L/C】명 『경』〔letter of credit의 약칭〕 신용장(信用狀). ¶ ~ 내

엘 시드〔El Cid Campeador〕명 『사람』 스페인의 국민적 영웅. 본명은 Rodrigo Díaz de Bivar 또는 Ruy Díaz de Bivar. 산초 2세를 비롯한 여러 왕을 섬겨, 많은 무공(武功)을 세워 시드의 칭호를 얻음. 레콩키스타(Reconquista) 시대의 전형적 무인이라 하여 많은 서사시(敍事詩)로 읊어졌음. [1040?-99] 「배수(最小公倍數).

엘 시: 엠【L.C.M.】명 『수』〔least common multiple의 약칭〕 최소 공

엘 아이 에프 오:【LIFO】명 ①『컴퓨터』〔last-in, first-out의 약칭〕 후입 선출(後入先出). ②『경』 혼입 선출법

엘 에스 디:[1]【LSD】명 〔lysergic acid diethylamine의 약어〕 귀리에 생기는 맥각(麥角)으로 만든 강력한 환각제. 색·맛·냄새가 없고 소량(少量)으로도 그 효과가 큼. 향정신성 의약품(向精神性醫藥品)으로 지정되어 있음. 「을 위한 인원 및 장비 수송용 주정(舟艇).

엘 에스 디:[2]【L S D】명 『군』〔landing ship dock의 약칭〕 상륙 작전

엘 에스 아이【LSI】명 『전』〔Large Scale Integration의 약어〕 고밀도 집적 회로(高密度集積回路). 많은 집적 회로를 하나의 기판(基板) 위에 집적화(集積化)한 것. 컴퓨터 등의 각종 전자 기기에 널리 사용됨.

엘 에스 에이치【LSH】명 〔황산 수소 리튬 ($LiHSO_4$)의 약칭〕 초음파 발진자(超音波發振子)에 쓰이는 압전(壓電) 재료. 비유전체(非誘電體) 중 최고의 전기 기계 결합(結合)계수(係數), 즉 전기 진동(振動)을 기계 진동으로 변환(變換)하는 능력을 가져, 초음파 탐상(探傷) 등에 쓰이며 수정(水晶)보다 그 성능이 우수함.

엘 에스 티:[1]【LST】명 『군』〔landing ship tank 의 약칭〕 미국의 상륙 작전용 함정. 선수문(船首門)이 열려 선창이나 상갑판에 실은 병력·탱크·장갑차·기재 등을 양륙할 수 있게 되어 있음. 제2차 대전 중에 양산(量産)되었음.

엘 에스 티:[2]【LST】명 〔large space telescope project의 약칭〕 미국의 대형 우주 망원경 위성. 길이 약 19.5m, 직경 3.6m의 망원경 자체가 위성이 되는 것으로, 각도 오차 0.005초(秒) 이내로써 목표로 하는 천체를 겨냥할 수 있는 초고성능의 무인 방향 제어 장치를 갖추고, 관측 결과는 전파로 지상에 송신함.

엘 에이【LA】명 〔Los Angeles의 약칭〕 로스앤젤레스.

엘 에프【LF】명 『전』〔low-frequency의 약자〕 장파(長波)의 약칭.

엘 엔 지:【LNG】명 〔liquefied natural gas의 약칭〕 액화 천연 가스(液化天然 gas). *엘 엠 지[2].

엘 엘【L.L.】명 〔language laboratory의 약어〕 어학 훈련을 위한 기기(機器). 칸막이를 설치하고 학생 한 사람에게 테이프·리코더·마이크·수화기 등을 갖추어, 듣고 녹음하고 비교하면서 학습함.

엘 엠 시:【LMC】명 〔Large Magellanic Cloud의 약칭〕 『천』 대(大)마젤란운(雲).

엘 엠 지:[1]【L.M.G.】명 『군』〔light machine gun의 약칭〕 경기관총(輕機關銃). 「化) 메탄 가스. *엘 피 지(LPG).

엘 엠 지:[2]【L.M.G.】명 『화』〔liquefied methan gas의 약칭〕 액화(液

엘 오:【L.O.】명 『연』〔light open의 머리글자〕 ↗라이트 오픈.

엘-오베이드〔El Obeid〕명 『지』 수단 중부의 도시. 부근 농산물의 집산지이며, 철도가 통하고 교통의 요지임. [140,000명(1983)]

엘-전자【L電子】명 〔L electron〕『물』 원자핵(原子核)을 둘러싼 전자(電子)의 엘각(L殼) 속의 전자. 주양자수(主量子數)는 2임. *엠(M) 전자·엘각(L殼).

엘즈미어 섬〔Ellesmere〕명 『지』 캐나다의 최북단(最北端), 그린란드 북서쪽에 있는 퀸엘리자베스 제도 중의 큰 섬. 산지가 많고 높은 곳은 빙하(氷河)로 덮임. 해안에는 좁은 만(灣)이 많고 툰드라 지대로 원주민(原住民)인 에스키모가 삶. [$212,672 km^2$]

엘즈워:스〔Ellsworth, Lincoln〕명 『사람』 미국의 극지(極地) 탐험가. 1926년 아문센(Amundsen)과 함께 북극의 비행 횡단에 성공, 1931년 윌킨스(Wilkins, G.H.)와 같이 잠수함으로 북극해를 횡단하였으며, 1935년에는 비행기로 남극을 횡단하였음. [1880-1951]

엘즈워:스-랜드〔Ellsworth Land〕명 『지』 남극 대륙의 서경 60°-100°에 걸치는 높은 지대. 엘즈워스의 탐험 비행을 기념하여 명명(命名)됨. 미국이 한때 그 영유를 주장했으나 남극 조약에 의하여 동결(凍結)되어 있음.

엘크〔elk〕명 ①『동』〔*Alces alces*〕 사슴과에 속하는 포유 동물의 하나. 현존하는 사슴 중 가장 큰 것으로, 몸길이 2.5-3m, 어깨 높이 1.4-1.9m, 몸무게 825kg에 달함. 몸빛은 회색을 띤 갈색임. 수컷에는 손바닥 모양의 큰 뿔이 있고, 암수 모두 목에 육수(肉垂)가 있음. 북아메리카·시베리아·스칸디나비아 반도에 분포하며 삼림 지대(森林地帶)에 삶. ②스포츠화(靴)를 만드는 무두질한 가죽. 본디 ❶의 가죽이었으나 지금은 그와 비슷한 우피(牛皮)를 사용함.

〈엘크❶〉

엘턴〔Elton, Charles〕명 『사람』 영국의 동물 생태학자. 동물 공동체의 구조론을 발전시켜 생태적 지위(地位)의 개념(槪念)을 확립하였음. 야생 동물의 개체군(個體群), 특히 그 변동에 대해서도 기여한 바가 큼. [1900-]

엘-패소〔El Paso〕명 『지』 미국 텍사스 주(州)의 상업 도시. 멕시코와의 국경인 리오그란데 강(江) 북쪽 기슭에 있어, 멕시코의 시우다드 후아레스(Ciudad Juárez)와 마주 대하고 있는 교통의 요지(要地)임. 멕시코인이 많이 거주(居住)하며 금속·섬유·식품 가공 따위 공업이 성함. 17세기 이래 발달한 도시로 사적(史蹟)이 많고 관광 도시로도 알려짐. [501,540명(1988)]

엘프〔elf〕명 영국 민간 전설 상의 장난꾸러기 작은 요정(妖精).

엘피: 가스〔LP gas〕명 엘 피 지(LPG).

엘피: 가스 충전소【一充塡所】〔LP gas〕명 엘피 스탠드.

엘피: 스탠드【LP—】명 〔liquefied petroleum stand의 약칭〕 가두(街頭)에서, 자동차 따위의 연료로서의 액화 석유 가스를 판매하는 곳. 엘피가스 충전소(充塡所).

엘 피: 지:【LPG】명 〔liquefied petroleum gas의 약칭〕 액화(液化) 석유가스. *프로판 가스·엘 엔지 (LNG).

엘 피: 지: 자동차【LPG自動車】명 액화 석유 가스를 연료로 하는 자동차. 연료 계통 외에는 가솔린 기관을 그대로 사용함. 연료비·유지비가 저렴해서 영업용 차량에 알맞음.

엘 피: 지: 탱커【LPG—】명 〔liquefied petroleum gas tanker〕 액화 석유 가스 수송 전문의 탱커. 가압식(加壓式) 또는 냉동식(冷凍式) 탱크를 갖추고 있음.

엘피:-판【LP 板】명 〔long playing record〕 장시간 연주용 레코드. 비닐판이므로 가볍고 잡음이 적으며 1분간 33⅓ 회전이어서 연주 시간이 길. 도넛판을 포함하여 이르기도 함. 롱플레잉 레코드. ↔에스피판(SP板). *비 지 레코드(V.G. record).

엠〔M, m〕명 ①『언』 영어의 열 셋째 자모. ②〔money의 머리글자〕 금전. 돈. ③〔menses의 머리글자〕 월경. ④로마 숫자의 천(千). ⑤〈속〉 자지.

엠-각【M殼】명 『물』 엠껍질.

엠-껍질【M—】명 〔M shell〕『물』 원자핵(原子核)을 둘러싼 궤도 전자(軌道電子)의 세 번째 층(層). 주양자수(主量子數) 3으로 특징지어지는 전자를 가짐. 엠각(M殼). *엔(N)껍질·엠전자(M電子)·전자 껍질.

엠나 명 〈방〉 계집아이.

엠네 명 〈방〉 여편네.

엠-단추【M—】명 〈속〉 남자 양복 바지의 앞단추.

엠 더블유 디:【MWD】의명 〔megawatt day의 약칭〕 원래 에너지의 크기의 단위. 100만 와트로 24시간에 내는 에너지의 양인데, 핵연료의 연소율(燃燒率)을 나타낼 때 쓰임. 우라늄 235 1g이 완전 핵분열을 하면 약 1MWD의 에너지가 발생하므로 핵연료를 원자로에 넣어서 꺼낼 때까지 얼마만큼의 에너지를 발생했는가에 의해 연소율을 알 수 있음. 메가와트일(日).

엠 더블유 에스【MWS】명 〔management work station의 약칭〕 각종 사무용 전자 기기(機器)나 시스템이 연결된 관리자용(管理者用)의 복합적인 단말(端末) 장치.

엠-데이【M-day】명 〔mobilization day〕『군』 동원(動員)하기로 결정된 날. *디데이(D-day).

엠덴[1]〔Emden〕명 『지』 독일 북서부, 니더작센 주(Niedersachsen州)의 엠스 강 어귀에 위치한 항구 도시. 운하(運河)를 통하여 루르(Ruhr) 공업 지대·베저 하구(Weser 河口) 지역과 연락되며 석탄·스웨덴 광석의 양륙장임. 13세기 이래 영국과의 거래항이며 2차 대전 중에는 해군 기지여서 극심한 폭격을 받았음. [51,500명(1980]

엠덴[2]〔Emden〕명 『군』 제1차 세계 대전 당시 인도양에서 크게 활약하여 연합국을 괴롭히던 독일의 순양함(巡洋艦). 1914년 11월에 오스트레일리아의 순양함 시드니호에 의해 격침됨.

엠덴 해:연【一海淵】명 〔Emden Deep〕『지』 필리핀 해구(海溝) 중부에 있는 해연. 1927년 독일 순양함(巡洋艦) 엠덴호가 발견. 깊이 10,400m.

엠 동기 장치【M同期裝置】명 〔M synchronization〕 카메라와 플래시를 연결하는 장치. 플래시가 가장 밝아졌을 때 셔터가 열리도록 셔터의 작동을 15×10^{-3}초만큼 늦어지게 함.

엠 디: 에스[1]【M.D.S.】명 〔management decision system의 약칭〕 경영 정보(經營情報) 시스템에서, 특히 최고 경영자나 관리자의 의사(意思) 결정을 위한 시스템의 일컬음. *엠 아이 에스(M.I.S.).

엠 디: 에스[2]【M.D.S.】명 〔multipoint distribution system의 약칭〕 파라볼라 안테나(parabolic antenna)를 비치하여 특정의 수상기(受像機)에만 전파를 보내는 시스템.

엠마오〔Emaos〕명 『성』 예루살렘의 서북 6km지점에 있었던 마을. 예수가 부활한 후 여기서 두 제자를 만났다는 이야기로 유명함.

엠바:고〔embargo〕명 『법』 선박 억류.

엠바 유전【一油田】〔Emba〕명 『지』 카자흐공화국의 카스피 해(海) 동안(東岸) 엠바 강(江) 유역의 유전 지대. 역사가 길고 유황분(硫黃分)이 적은 것으로 유명하며 산유량(産油量)도 풍부함.

엠-번호【M番號】명 『천』 메시에 목록(Messier目錄)에 의한 성운(星雲)·성단(星團)의 목록에 기재된 각 천체의 번호. 프랑스의 천문학자 메시에가 1783년 발표한 103개의 성운·성단에 매긴 번호로, 현재에도 유명한 성운 성단은 이 번호로 불리고 있음.

엠보싱 가공【一加工】명 〔embossing finish〕 직물(織物) 따위의 표면

에 돋을새김 무늬를 찍어 내는 가공.

엠브리오 〔embryo〕 명 ①수태(受胎) 후 3개월 이내의 태아(胎兒). 또 난생(卵生)인 경우에는 부화(孵化) 이전의 것. ②배(胚). 맹아(萌芽).

엠 브이 피 【MVP】 명 〔most valuable player의 약칭〕 야구 등에서, 최우수 선수.

엠블럼 〔emblem〕 명 표장(標章). 표(表).

엠 비: 시: 【M.B.C.】 명 〔Mun Hwa Broadcasting Company의 약칭〕 문화 방송(文化放送)의 통상 명칭.

엠 비: 에스 【M.B.S.】 명 〔Mutual Broadcasting System의 약칭〕 미국의 라디오 방송 회사. ABC·NBC·CBS와 더불어 미국의 4대 방송 회사의 하나. 1934년 시카고 트리뷴 신문사와 뉴욕의 메이시 백화점(Macy 百貨店)에 의해 창설되었는데, 뉴욕에 본부가 있으며, 직영(直營) 방송국이 없이 500여의 가맹(加盟) 방송국으로 운영됨. 텔레비전망(網)은 소유하지 않음.

엠-사이즈 【M—】 명 〔Middle size〕 셔츠·블라우스 따위의 규격 중 중치의 것. *에스 사이즈.

엠스 강 【—江】 〔Ems〕 명 《지》 독일 베스트팔렌(Westfalen)의 산지에서 발원하여 북독일의 낮은 지대를 흘러 북해로 들어가는 강. 하구로부터 212 km까지 주항(舟航)이 가능함. [371 km]

엠스 전:보 사:건 【—電報事件】 〔Ems〕 [—껀] 명 《역》 프로이센 프랑스 전쟁의 직접 동기가 된 사건. 1870년 7월, 엠스 온천장에서 휴양 중이던 프로이센 왕(Preussen王) 빌헬름 1세(Wilhelm I)를 프랑스 대사 베네데티(Benedetti)가 방문하고 스페인 왕위 계승 문제에 관하여 회담한 일을 보고한 전보를, 비스마르크가 고의로 문장을 바꾸어 발표한 사건으로 양국민을 격분시켜 전쟁에 이르게 했음.

엠-시: 【MC】 명 〔master of ceremonies〕 주로, 방송 프로나 연예 공연의 사회자.

엠 십육 소:총 【M 16小銃】 [—뉵—] 명 《군》 미국제 소총의 하나. 무게 2.85 kg, 유효 사거리 460 m로 속사성(速射性)이 뛰어남. 20발을 재는 탄창(彈倉)을 사용하며, 연발·단발 사격이 자유로움.

엠 아:르 【M/R】 명 《해》 본선 화물 수취증.

엠 아:르 비: 엠 【M.R.B.M.】 명 《군》 〔medium range ballistic missile의 약칭〕 준중거리 탄도탄(準中距離彈道彈). 사정 거리 800-2,400 km 내외임.

엠 아:르 시리:즈 【M.R.—】 〔series〕 명 미국의 우주 비행 계획의 하나. 미국의 초기 유인 우주 비행 계획인 머큐리 계획의 일환으로 행한 유인 탄도(彈道) 비행. 무인(無人)과 원숭이의 탑승에 의한 실험 뒤, 두 번에 걸쳐 각 15분간씩의 유인(有人) 탄도 비행을 행하였음.

엠 아:르 아이 【MRI】 명 〔magnetic resonance imaging의 약칭〕 자기(磁氣) 공명(共鳴) 영상.

엠 아:르 에이 운:동 【MRA運動】 명 《사》 〔MRA는 Moral Re-Armament의 약칭〕 기독교 정신을 근본으로 도덕의 재무장을 하여 세계의 평화를 수립하려는 운동. 1921년 미국의 종교가 프랭크 부크맨(Frank Buchman)이 제창하여 현재 세계에 수천만의 지지자가 있음. 본부는 스위스. 도덕 재무장 운동.

엠 아이 시: 아:르 【M.I.C.R.】 명 〔magnetic ink character reader의 약칭〕 자기(磁氣) 잉크로 인쇄된 문자를 자기 헤드(磁氣 head)로 해독하는 장치(裝置). 특정의 숫자(數字)와 문자(文字)만을 해독하며, 은행의 수표·약속 어음 등의 처리에 이용됨.

엠 아이 아:르 브이 【M.I.R.V.】 명 《군》 〔multiple independently targeted re-entry vechicle의 약칭〕 다탄두 각개 유도(多彈頭各個誘導) 미사일. *엠 에이 아르 브이(MARV).

엠 아이 에스 【M.I.S.】 명 〔Management Information System의 약칭〕 경영 정보(經營情報) 시스템. 경영체의 각 계층(各階層)의 관리자에게 경영 관리에 필요한 정보를 적기(適期)에 제공하는 시스템을 이름. *엠 디 에스[1] (M.D.S.).

엠 에스 【M.S.】 명 '마스터 오브 사이언스(Master of Science)'의 약칭. 엠 에스 시 (M.Sc.).

엠에스-도스 【MS-DOS】 명 〔Microsoft disk operating system〕 《컴퓨터》 미국의 마이크로소프트사(社)가 개인용 컴퓨터용으로 개발한 디스크 운영 체제의 이름.

엠 에스 시: 【M.Sc.】 명 엠 에스(M.S.).

엠 에스 아:르[1] 【M.S.R.】 명 《군》 ①〔main supply road의 약칭〕 주보급로(主補給路). ②〔missile site radar〕 탄도탄 요격(邀擊) 미사일 시스템 중, 미사일 조종을 주요 기능으로 하는 레이더.

엠 에스 아:르[2] 【M.S.R.】 명 〔molten salt reactor〕 《화》 토륨(Th)·리튬(Li)·플루토늄(Pu) 등의 플루오르 화합물(Fluor 化合物)을, 녹는점이 낮은 다른 금속과 공융(共融)시켜 액체 상태의 연료로써 사용하는 원자 동력로(原子動力爐). 농축 우라늄 연료의 원자로에 비해 경비의 저렴, 높은 안전도 등의 이점(利點)이 있음. 용융염로(熔融塩爐).

엠 에스 에이 【M.S.A.】 명 《정》 ①〔Mutual Security Agency〕 상호 안전 보장 본부. 미국의 대외 원조를 통합하는 본부로 1961년 국제 협력국에 통합됨. ②〔Mutual Security Act〕 1951년에 성립된 미국 상호 안전 보장법. 자유 진영의 군사·경제·기술 원조를 목적으로 함.

엠 에스 에이 협정 【M.S.A. 協定】 명 《정》 미국이 상호 안전 보장법에 근거하여 영국·프랑스·한국 등 자유 우방(自由友邦) 47개국과 체결한 안전 보장 협정.

엠 에이 【M.A.】 명 《교》 '마스터 오브 아츠(Master of Arts)'의 약칭.

엠 에이 아:르 브이 【MARV】 명 《군》 〔Maneuverable Reentry Vehicle의 약칭〕 기동 핵탄두(機動核彈頭). 미사일 탄두로 대기권에 재돌입할 때 특수한 운동 능력에 의해, 요격(邀擊) 미사일을 피하거나 종말 유도(終末誘導)에 의해 탄착 정도(彈着精度)의 향상을 꾀한 것임. 마브.

엠 에이치 디: 발전 【M.H.D. 發電】 [—쩐] 명 〔magnetohydrodynamics power generation의 약칭〕 고온 고속의 도전성 유체(導電性流體)를 강한 자계(磁界) 속을 흐르게 하여 이 때 생기는 기전력(起電力)을 이용하는 직접 발전. 유체로는 플라스마(plasma)나 용융 금속(熔融金屬)이 쓰이며 효율이 좋은 대출력(大出力)의 발전 방식임. 자기 유체 발전(磁氣流體發電).

엠 에이 피: 【M.A.P.】 명 '모디파이드 아메리칸 플랜(modified American plan)'의 약칭.

엠 에프 【MF】 명 〔medium frequency의 약자〕 중파(中波)의 약칭.

엠 에프 에이 【MFA】 명 〔Multi-Fiber Arrangement〕 국제 섬유 무역에 관한 다자간(多者間) 협정. 섬유 무역의 질서(秩序) 있는 발전과 수출입 시장에서의 교란 요인을 제거할 목적으로, 1974년 가트(GATT)에서 합의를 보아, 1978년부터 4년 동안 유효하기로 정했음. EC·미국·캐나다·일본·스위스 등 44개국이 가입해 있는데, 한국·홍콩·싱가포르·필리핀 등이 주요 수출국인 개발 도상국으로부터의 섬유류 수입을 제한하려는 협정임.

엠 엑스 미사일 【MX—】 〔missile〕 명 《군》 다음 번에 개발될 미사일.

엠엔식 혈액형 【M.N. 式血液型】 명 《의》 1927년에 미국의 병리학자 란트슈타이너(Landsteiner, K.) 등이 발견한 사람의 혈액형. 적혈구 속의 두 응집원(凝集原) 엠(M)·엔(N)의 유무(有無)에 따라, 엠형(M型)·엔형(N型)·엠엔형(MN型)으로 나눔. 멘델의 법칙에 따라 유전하므로, 부모·자식의 감별(鑑別)이나 개인 식별(識別) 등 법의학(法醫學) 방면에 유용(有用)함.

엠 엘 【M.L.】 명 《교》 '마스터 오브 로 (Master of Law)'의 약칭.

엠-엘-아:르-에스 【MLRS】 명 〔multiple launch rocket system의 약칭〕 다연장 로켓 발사기(多連裝 rocket 發射機).

엠 엠 시: 【M.M.C.】 의명 〔micro micro curie의 약칭〕 10^{-12} 퀴리에 해당하는 방사선의 측정 단위. *마이크로퀴리.

엠-영역 【M領域】 [—녕—] 명 〔M region〕 이론상 지상(地上)에서의 자기 요란(磁氣擾亂)과 관계가 있는 태양 표면역(表面域).

엠 오: 비: 에스 【MOBS】 명 《군》 〔Multiple Orbital Bombardment System의 약칭〕 에프 오 비 에스(FOBS)를 개량 발전시킨 소련의 최신 병기. 인공 위성처럼 지구를 몇 바퀴 돌고 나서 적당한 때에 목표 지점 상공에서 돌입 폭격함. 인공 위성과의 판별을 어렵게 만듦.

엠원 소:총 【M1小銃】 명 《군》 미식(美式) 장총의 하나. 8발까지 잴 수 있으며, 반자동식 소총임.

엠 이: 【M.E.】 명 《전》 〔medical electronics의 약칭〕 메디컬 일렉트로닉스. 의용(醫用) 전자 공학.

엠 이: 디: 시: 【M.E.D.C.】 명 《정》 〔Middle East Defense Community의 약칭〕 중동 방위 공동체.

엠-전자 【M電子】 명 〔M electron〕 《물》 원자핵(原子核)을 둘러싼 전자(電子)의 엠각(M殼) 속의 전자. 주양자수(主量子數)가 3임. *엔전자(N電子).

엠 지: 엠 【MGM】 명 '메트로 골드윈 메이어(Metro-Goldwyn-Mayers)'의 약칭.

엠 케이 강 【MK鋼】 명 《공》 강한 자성(磁性)이 있는 자석강(磁石鋼)의 하나. 전기 기기용(電氣機器用)으로 가장 널리 쓰임. 1931년 일본의 미시마 도쿠시치(三島德七)가 발명함.

엠 케이 에스 단위 【MKS單位】 명 길이·질량(質量)·시간의 단위를 미터(meter)·킬로그램(kilogram)·세컨드(second)로 한 세 기본 단위의 약칭. 1901년 이탈리아의 조르지(Giorgi, G.)의 제안에 의하여 채택됨. 이 단위는 실용 상 편리하고, 이론 상 일관성이 있어 차차 널리 쓰이게 되었음. 이것이 발전하여 엠 케이 에스 에이(MKSA) 단위가 되었으며, 국제 단위도 이 계열(系列)에 속함. *엠 케이 에스 에이 단위(MKSA 單位)·시 지 에스(CGS) 단위.

엠 케이 에스 에이 단위 【MKSA 單位】 명 엠 케이 에스(MKS) 단위에 다시 전류(電流)의 단위 암페어(ampere)의 에이(A)를 더한 단위. 유도 단위로 힘의 단위는 뉴턴(N), 일 및 에너지의 단위는 줄(J)을 사용함. *국제 단위(國際單位).

엠 큐: 【MQ】 명 메톨(metol)·히드로퀴논(hydroquinone)을 주제로 하는 사진 현상액(寫眞現像液).

엠-티 【MT】 명 〔membership training의 약자〕 작은 규모의 구성원 사이의 집중 토론(討論)을 통한 의식화(意識化) 교육.

엠 티: 관 【MT管】 명 〔miniature tube〕 꼬마 진공관.

엠 티: 비: 【MTB】 명 마운틴 바이시클·마운틴 바이크의 약칭.

엠 티: 아:르형 원자로 【MTR型原子爐】 명 〔material testing reactor〕 재료 시험(材料試驗)에 쓰이는 원자로. 연료는 농축 우라늄을 사용하고, 감속제(減速劑)로는 보통의 물을 사용함.

엠 티: 피: 【M.T.P.】 명 〔management training program의 약칭〕 기업의 관리직을 대상으로 하는 산업 교육의 한 방식. 보통 회의 형식을 취하며 비교적 광범위한 관리 문제를 다루어, 관리의 원리 해명과 관리 기술을 지도함.

엠파이어 〔empire〕 명 제국(帝國).

엠파이어 게임스 〔Empire Games〕 명 국제 올림픽의 중간년(中間年)에 4년마다 열리는 영국 연방 경기 대회. 1930년에 비롯되었으며 1970년의 9회부터는 그 명칭이 코먼웰스 게임스(Commonwealth Games)로 바뀜.

엠파이어 루:트 〔Empire route〕 명 1869년 수에즈 운하 개통 후 영국 본국에서 지중해를 거쳐 인도에 이르는 해상 루트의 일컬음. 19세기, 세계를 지배했던 대영제국(大英帝國)의 생명선과도 같은 중요한 루트인데서 불리어진 명칭임.

엠파이어 스테이트 빌딩 〔Empire State Building〕 명 《건》 미국 뉴욕시(市) 33번가로부터 38번가에 걸친 부지(敷地)에 1931년에 완성된 고층 건물. 102층으로 381 m의 높이를 가지고 있는 높은 빌딩임. 86층과

102 층에는 전망대(展望臺)가 있으며, 1950년에 68 m 나 되는 텔레비전 탑이 그 위에 세워졌음.

엠 팔십이: 소:우주【M 82 小宇宙】명 〖천〗〔M 은 메시에(Messier)가 매긴 번호의 뜻〕 큰곰자리에 있는 광도(光度) 9의 부정형(不定形) 소우주. 1천만 광년(光年) 저편에 있는 소우주이나 폭발은 150만 년 이전이고 분출(噴出) 물질 총량은 태양의 500만 배로 추정됨.

엠 팔십칠 소:우주【M 87 小宇宙】명 〖천〗 처녀(處女)자리에 있으며 많은 구상 성단(球狀星團)을 가진 타원형(楕圓形) 소우주. 4,400만 광년(光年)의 거리에 있으며, 그 에너지는 게성운(星雲)의 약 1억 배임.

엠페도클레스〔Empedocles〕명〖사람〗고대 그리스의 철학자. 우주의 근원으로 토(土)·수(水)·공기(空氣)·화(火)의 네 원소를 들고, 만물은 그것들의 사랑과 싸움에 의해서 결합(結合)과 분리가 이루어지며 생멸한다고 설명하였음. [493 ? -433 ? B.C.]

엠펙【MPEG】명〔Moving Picture Experts Group의 약칭〕〖컴퓨터〗 움직이는 영상의 압축 기술 및 표준을 제정하는 동영상 전문가 그룹 또는 여기서 제정한 압축 방식을 이르는 말.

엠프슨〔Empson, William〕명〖사람〗영국의 시인·비평가. 현대 비평의 걸작이라고 일컬어지는 ≪애매(曖昧)의 일곱 가지 유형≫을 남겼고 이어 ≪전원시(田園詩)의 여러 형(型)≫·≪복합어의 구조≫·≪밀턴의 신(神)≫ 등으로 이채를 보였음. [1906-84]

엠 피:【MP】명 ①〖군〗〔military police의 약칭〕 헌병. ②〖화〗〔melting point의 약칭〕 녹는점.

엠피리시즘〔empiricism〕명〖철〗경험론(經驗論).

엠피:-스리:【MP—】〔three〕명〔MPEG-1 Audio Layer 3의 약칭〕〖컴퓨터〗 국제 표준화 기구(ISO)에서 오디오 데이터 압축 기술의 표준안으로 채택한 방식. 음질을 거의 같은 수준으로 유지하면서 데이터의 용량을 원래의 12분의 1 이하로 줄일 수 있음.

엠 피: 시:【M.P.C.】명〔Military Payment Certificate의 약칭〕 군표(軍票).

엠 피: 에이치【m.p.h.】의명〔miles per hour의 약칭〕 마일을 단위로 한 시속(時速).

엠피:-판【MP 板】명〔medium playing record〕 레코드의 한 종류. LP판과 회전수가 같으나 홈의 넓이가 넓어서 큰 음량(音量)의 녹음을 완전히 할 수 있음. 회전 시간은 LP판보다 짧음.

엡스타인〔Epstein, Jacob〕명〖사람〗미국의 조각가. 러시아와 폴란드계통 사람을 부모로 뉴욕에서 태어남. 파리의 미술 학교에서 수학(修學)하고. 1905년 런던에 정주(定住)한 이래 영국과 미국의 도시에서 활약함. 고대 이집트 등의 건축 양식에서 영향을 받아 소박한 형태로 현대적인 미(美)를 창조하였음. 주작품은 ≪오스카 와일드의 기념상≫ 등. [1880-1959]

엣[1] 조 '에 있는'의 뜻. ¶눈~ 가시.

엣[2] 조 〈옛〉에 의한. ¶君命엣 바오리어늘 몰 겨틔 엇마ᄀ시니(君命之毬 馬外橫防) ≪龍歌 44 章≫.

-엣- 선어미 〈옛〉 -었-. ¶城中에 밥 아니 머겟는 지블 네 보라(汝觀城中 未食之家) ≪楞嚴 Ⅲ:74≫. *-얫-.

엣-날 명 〈방〉 옛날(경기·경남·전남).

-엣던 어미 〈옛〉 -어 있던. -었던. ¶石壁에 수멧던 네 뒷글 아니라도(岩石所匿 古書縱微) ≪龍歌 86 章≫.

엣뎨 부 〈옛〉 어찌. 어째서. =엇뎨. ¶功課를 사므면 엇뎨 犛牛의 ᄭ리 ᄃ솜과 다ᄅ리오(以爲功課者 何異犛牛 愛尾) ≪六祖 中 64≫.

엣브다 형 〈방〉 예쁘다(경상).

엣서 감 〈방〉 옜어(경상).

엣습니다 감 〈방〉 옜습니다(경상).

엣챙의 명 〈방〉 언청이(전북).

엣 조 〈옛〉 에 있는. ¶府中엣 遼使ㅣ 奇才를 과ᄒ수ᄫ니(府中遼使 奇才是服) ≪龍歌 57 章≫.

엥 감 짜증이 나거나 뉘우치거나 성나거나 딱하거나 할 때에 내는 소리. >앵[3].

엥가딘〔Engadin〕명〖지〗스위스의 남동부, 인 강(Inn江) 상류의 계곡. 표고 1000-1800 m의 높은 지대로 알프스의 산군(山群)에 둘러싸였으며 국립 공원임. 많은 호소(湖沼), 무성한 산림, 건조·온화한 기후 등 보양지로서의 조건을 갖추어, 장크트 모리츠(Sankt Moritz) 등의 관광 보양지가 발달하였고 동계 스포츠도 성함.

엥겔 계:수【—係數】〔Engel〕명〖경〗〔독일의 통계학자 엥겔(Engel, Ernst; 1821-96)의 이름에서〕 총생활비 중에 차지하는 식비의 비율. *엥겔 법칙.

엥겔만의 실험【—實驗】〔Engelmann〕〔—/—에—〕명〖물〗〔독일 태생의 미국 식물학자 엥겔만 (Engelmann, George; 1809-84)의 이름에서 유래〕세균(細菌)의 주성(走性)을 이용하여 광합성에서의 빛의 파장에 따른 이용률의 차이를 증명하는 실험.

엥겔 법칙【—法則】명〔Engel's law〕〖경〗'음식(飮食)을 위한 지출(支出)이 총지출 중에 차지하는 비율은 가난한 사람일수록 높아진다'는 법칙. 독일의 통계학자(統計學者) 엥겔에 의하여 주창(主唱)됨. *엥겔 계수.

엥겔스〔Engels, Friedrich〕명〖사람〗독일의 사회주의자. 마르크스와 함께 마르크스주의 창시자의 하나. 처음 헤겔 좌파(左派)에 접근하여 1842년 영국에서 ≪영국에 있어서의 노동 계급의 상태≫를 펴 내어 사회주의 운동에 나섰으며, 1844년 마르크스와 사귄 이래 이의 정신적·물질적인 원조자로 있었음. ≪자본론(資本論)≫ 2·3권을 완성한 외에 ≪변증법(辨證法)과 자연≫·≪반뒤링론(反Dühling 論)≫ 등의 저서가 있음. [1820-95]

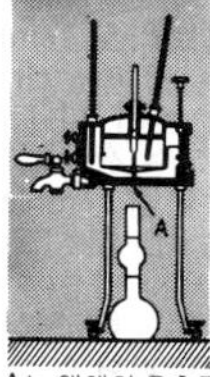
A는 액체의 유출구
〈엥글러 점도계〉

엥글러〔Engler, Heinrich Gustav Adolf〕명〖사람〗 독일의 식물학자. 분류학자(分類學者)로 알려졌고 계통 분류에 의한 이른바 엥글러식 식물 분류법은 세계적으로 널리 채용(採用)되고 있음. 식물 지리학의 발전에도 기여함. [1844-1930]

엥글러 점도계【—粘度計】명〔Engler viscometer〕〖물〗〔독일의 화학자 엥글러(Engler, Karl; 1842-1925)의 이름에서〕액체의 점도를 측정하는 계기의 하나. 통 안에 규정량(規定量)의 액체를 넣고 이를 아랫구멍에서 새게 하여, 그 시간을 측정하고 같은 양의 물의 유출 시간을 측정하여 이 시간과 규정액의 유출 시간과의 비(比)로써 측정함.

엥글러 증류 시험【—蒸溜試驗】〔—뉴—〕명〔Engler distillation test〕〖화〗여러 가지 온도에서 유출(溜出)되는 가솔린의 백분율(百分率)을 측정함으로써, 가솔린의 휘발성을 결정하는 표준적 시험법.

엥글러 플라스크〔Engler flask〕명〖화〗엥글러 증류 시험에 쓰이는 용적(容積) 100 ml의 규준화된 플라스크.

엥이 명 〈방〉 진드기(경남).

엥케〔Encke, Johann Franz〕명〖사람〗독일의 천문학자. 베를린 천문대장(天文臺長)을 지냄. 천문 계산에 능하여, 엥케 혜성(彗星)의 궤도를 계산하고, 천문력(天文曆)의 개량, 소행성(小行星)의 궤도 결정에 공헌함. [1791-1865]

엥케 혜:성【—彗星】명〔Encke's Comet〕〖천〗독일의 천문학자 엥케가 발견한 주기(周期) 혜성. 전형적(典型的)인 목성족 주기 혜성(木星族週期彗星)으로 육안(肉眼)으로는 희미하게 보임. 주기는 3.31년이며, 최초의 출현은 1786년임.

엥켈라두스〔라 Enceladus〕명〖천〗토성(土星)의 둘째 위성. 평균 거리 238,000 km의 궤도에 있음. 1789년 독일 태생의 영국 천문학자 허셜(Herschel, F.W.)이 발견함.

엥코미엔다〔스 encomienda〕명 16-17세기 스페인령 아메리카 건설기에 발달한 봉건적 토지·노동 제도. 식민자가 국왕으로부터 원주민의 교화와 보호를 조건으로 토지·주민의 통치를 위임받아, 원주민에게 강제 노동을 부과함. 18세기 이후 아시엔다(hacienda)의 발전으로 폐지됨. *아시엔다.

엥 감 〈옛〉 참으로. 아아. ¶舍利弗이 ᄉᆞᆯ보ᄃ 엥 올ᄒ시이다≪釋譜 ⅩⅢ:47≫.

여[1] 명〖언〗한글의 합성 모음 'ㅕ'의 이름.

여[2] 명 물 속에 잠겨 있는 바위. 암초(暗礁). ¶평양서 배타고 내려올 때에 ~에 닿을까 깜짝깜짝 놀라던 정형이 가슴에 늘 서려 있고 …≪作者未詳 : 金의 錚聲≫.

여[3]【女】명 ①↗여성(女性). ②〖천〗↗여성(女星)·여수(女宿).

여:[4]【汝】명 성(姓)의 하나. 본관은 안산(安山) 단본으로 1930년도 국세 조사(國勢調査) 때 처음으로 등장한 성씨임.

여[5]【如】명〖불교〗법(法)의 실상(實相)이란 뜻. 제법(諸法)에 통도하는 영구 불변의 이성(理性). *진여(眞如).

여[6]【余】명 성(姓)의 하나. 본관은 의령(宜寧) 단본(單本)임.

여:[7]【呂】명〖악〗아악(雅樂)에서 십이율(十二律) 중 음(陰)에 속하는 음(音). *육려(六呂).

여[8]【呂】명 성(姓)의 하나. 본관(本貫)은 함양(咸陽)·성주(星州)의 두 본(本)이 있음.

여[9]【旅】명〖민〗↗여괘(旅卦).

여[10]【轝】명〖고고학〗굴대두겁.

여[11]【餘】명 성(姓)의 하나. 우리 나라에는 현존(現存)하지 않음.

여[12]【厲】명〖역〗↗공려(公厲).

여[13]【廬】명 성(姓)의 하나. 우리 나라에는 현존(現存)하지 않음.

여[14]【轝】명〖역〗제왕(帝王)의 지친(至親)들이 쓰는 탈것의 일컬음.

여:[15]【汝】인대 너. 자네.

여[16]【余·予】인대 나.

여[17] 지대 부 〈방〉 여기[8](경상).

여[18] 감 〈방〉 예(평북).

여[19] 조 ①받침 없는 체언(體言) 아래에 쓰이어 호소(呼訴)하는 뜻을 나타내는 호격 조사. ¶겨레~/학우~. *이여. ②〈방〉 야[7] ❶❷. ¶누구~/나~.

여[20] 조 〈옛〉 이여. ¶나져 바며 머므디 말오 ᄇᆞ라(白日黑夜不住的搽) ≪朴解 上 13≫.

여- 부 ↗여기. ¶~까지/~보.

-여[1]【餘】미 한자말로 된 수사 밑에 붙어서 그 이상이라는 뜻을 나타내는 말. ¶이십~(二十餘)/백~ 명(百餘名).

-여[2] 어미 ①'하다'가 붙는 동사나 형용사의 어간에 붙어서 부사형을 만드는 어미. ¶노동하~ 먹고 산다/공부하~ 우등한다/살길이 막연하~ 애태우다. *-아[2]·-어. ②〈방〉-야. ¶아니~/무엇이~.

-여[3] 어미 〈옛〉 -어. ¶모딘 길헤 ᄢ러디여 그지업시 그우니ᄂ니이다 ≪釋譜 Ⅸ:27≫.

여【良】어미 〈이두〉 '하여'의 -여.

여가[1]【閭家】명 여염집.

여가[2]【餘暇】명 겨를. 틈. ¶~ 선용(善用).

여:가[3]【輿駕】명 임금이 타는 수레.

여:가리 명 〈방〉 언저리 (평안·함경).

여가 지도【餘暇指導】명〖교〗아동·학생의 교외(校外) 생활에 있어서 여가의 활용 방법에 관해 행하여지는 지도.

여가 탈입【閭家奪入】명 권세 있는 사람이 함부로 여염집을 빼앗아 들어감. ——하다 자여불

여:각¹【旅閣】명 조선 시대 때 포구(浦口)에서 장사아치의 물품 매매를 거간하며, 또한 물건 임자를 묵게 하는 영업. 주로 해산물(海産物)을 취급함. 저가(邸家). 저점(邸店). *객주(客主)·선주인(船主人).
[여각이 망하려면 나귀만 든다] 기다리는 사람은 오지 않고, 귀찮은 사람만 올 때 하는 말.
여각²【餘角】명 〔complementary angle〕〖수〗어떤 각(角)을 직각(直角)에서 뺀 나머지의 각. 합치면 직각이 되는 두 개의 각이 서로 다른 각에 대하여 여각을 이룬다고 함.
여:각 주인【旅閣主人】명 여각을 경영하는 사람.
여간【如干】부 ①보통으로. 조금. 어지간하게. 주의 뒤에 '않다, 아니다' 등의 부정(否定)을 나타내는 말이 딸림. ¶~ 힘들지 않다/~ 막연한 것이 아니다. ②☞오죽.
여간 아니다 구 ㉠보통이 아니다. ㉡웬만한 정도가 아니다. 상당하다. ㉢업신여길 수 없다.
여간-내기【如干—】명 보통내기.
여-간수【女看守】명 여자 간수.
여간-일【如干—】[—닐] 명 보통 웬만한 정도가 아닌 어려운 일. ¶~이 아니다.
여-간첩【女間諜】명 여자 간첩.
여간-하다【如干—】형여불 어지간하다. 주의 부정하는 말과 함께 쓰이며, 주로 '여간한'·'여간해서'·'여간하지' 등의 꼴로 사용됨. ¶여간한 성의가 아니다/여간해서 끝나지 않겠다.
여감¹【女監】명 여자 죄수를 수용하는 감방. 여감방(女監房).
여감²【女鑑】명 여자의 생활 및 처신(處身)의 본보기가 될 만한 표준.
여-감방【女監房】명 여감(女監).
여강 전:투【驪江戰鬪】명〖역〗임진 왜란 때 강원도 조방장(助防將) 원호(元豪)가 경기도의 여강에서 일본군을 격퇴시킨 싸움.
여개¹【餘個】명 나머지. 나머짓 것.
여개² 지대 부 〈방〉여기⁸(경상).
여-개방차【餘皆倣此】명 다른 나머지도 다 이와 다름 없음. ——-하다 형여불
여객¹【女客】명 안손님.
여객²【旅客】명 여행하는 손님. 나그네. 길손. 정인(征人).
여객 계:장【旅客係長】명 철도에서, 여객 관계 사무에 관하여 역장(驛長)을 보좌하는 직위.
여객-기【旅客機】명 여객을 태워 나르기 위하여 동체(胴體) 안에 필요한 시설을 한 비행기. *민간기(民間機).
여객 등:급【旅客等級】명 여객 운송에서 차량의 설비 및 접객상(接客上) 차이가 있을 때의 구분.
여객-선【旅客船】명 여객을 태워 나르기 위하여 선체(船體) 안에 필요한 시설을 한 배. ↔화물선(貨物船).
여객 열차【旅客列車】[—녈—] 명 여객차로 편성되어 여객을 전용으로 태우는 열차. ㊀객차(客車)·여객차. ↔화물 열차(貨物列車).
여객 운송【旅客運送】명 여객을 한 지점으로부터 다른 지점으로 태워 보내는 일.
여객 운임【旅客運賃】명 열차(列車)·버스·비행기 등의 교통 기관(交通機關)에 사람이 타기 위하여 치르는 삯.
여객 전무【旅客專務】명 여객 열차에서 차장(車掌)을 감독하여, 여객의 운송에 관한 일을 담당하는 직위. 또, 그 사람.
여객 정:원【旅客定員】명 객차·자동차·여객선·여객기 등에서 여객을 태울 수 있는 한정 인원수.
여객 조:역【旅客助役】명 여객 계장의 구칭.
여객-차【旅客車】명 ①여객을 태우기 위하여 온갖 시설을 베푼 찻간. ㊀객차. ↔화물차. ②↗여객 열차.
여객-항【旅客港】명〖해〗여객선(旅客船)이 기항(寄港)하는 항구. ↔화물항(貨物港)·어항(漁港).
여갱【藜羹】명 명아주국. 전(轉)하여, 악식(惡食).
여거 지대 부 〈방〉여기⁸ (경북).
여:건¹【與件】[—껀] 명 ①주어진 조건 ②〔도 das Gegebene〕〖논〗추리(推理) 또는 연구(硏究)의 출발점으로서 주어지거나 가정(假定)된 사물. 소여(所與).
여건²【餘件】[—껀] 명 여벌.
여:건 생산설【與件生產說】[—껀—] 명 〔generative theory〕〖철〗감각(感覺) 여건은 의식적(意識的)인 유기체(有機體)나 또는 정신에 의해 생산되는 것으로, 오직 실지 지각의 조건 아래에서만 존재한다고 주장하는 감각적 지각설.
여:건 선:택설【與件選擇說】[—껀—] 명 〔selective theory〕〖철〗모든 가능한 지각적 조건 아래에서, 감각(感覺) 여건은 어떠한 정신에 의해서도 경험될 수 있다고 하는 설. 러셀(Russell, B.)·홀트(Holt, E. B.)·레어드(Laird, J.) 등이 제창함.
여걸【女傑】명 호걸(豪傑)다운 여자. 여장부(女丈夫).
여게¹ 지대 부 〈방〉여기⁸ (강원·경상).
여게² 감 〈방〉여보게(서울).
여겨-듣다 타ㄷ불 정신을 기울여 듣다.
여겨-들- 칸 '여겨듣다'의 불규칙 어간. ¶~어/~으니.
여겨-보다 타 정확하게 오래 기억되도록 자세히 보다. 눈여겨 똑똑히 보다.
여:격【與格】[—껵] 명〖언〗①↗여격 조사(與格助詞). ②유럽어 등에서 간접 목적을 나타내는 주어(主語)의 격(格) 또는 어미 변화의 형태. 닿을 자리.
여:격 조:사【與格助詞】[—껵—] 명〖언〗체언 아래 쓰이어 체언으로 하여금 무엇을 받는 자리에 서게 하는 격조사. 곧 '에게' '한테'는 예사 쓰는 말이고 '께'는 윗사람에게 쓰는 말임. 닿을 자리 토씨. ㊀여격(與格).
여견【亦在】어미 〈이두〉이니.
여견들로【亦在等以】어미 〈이두〉이었으므로.
여-견심폐【如見心肺】명 남의 맘 속을 궤뚫어보는 듯함. 여견폐간(如見肺肝). ——-하다 자여불
여견을【亦在乙】어미 〈이두〉이었거늘.
여-견폐간【如見肺肝】명 여견심폐(如見心肺). ——-하다 자여불
여결【餘結】명〖역〗조선 시대 때, 실면적(實面積)보다 줄여서 양전(量田)한 경우에, 실면적과의 차액의 결수(結數). *은결(隱結).
여경¹【女鏡】명 여자들이 쓰는 거울. 또, 여자들이 쓰는 안경.
여경²【女警】명 ↗여자 경찰관.
여경³【餘慶】명 남에게 착한 일을 많이 한 보답(報答)으로 그 자손(子孫)이 받는 경사(慶事). ¶적선지가(積善之家)에 필유(必有) ~. ↔여앙(餘殃).
여계¹【女系】명 여자의 계통. 어머니 쪽의 혈통(血統). 모계(母系).
여계²【女戒】명 여색(女色)을 조심하고 삼가라는 가르침.
여계³【女誡】명 여자의 생활 및 처신(處身) 등에 관한 계율(誡律).
여:계⁴【厲階】명 재앙(災殃)을 받을 빌미.
여계⁵【麗季】명 여말(麗末).
여계-친【女系親】명 여자를 통해서 혈통(血族)이 이어지는 친족(親族). 외족(外族).
여고¹【女高】명〖교〗↗여자 고등 학교.
여고²【旅苦】명 ①여행에서 겪는 괴로움. ②나그네의 고생.
여-고보【女高普】명〖교〗↗여자 고등 보통 학교.
여곡¹【餘穀】명 집안 살림에 사용하고 남은 곡식.
여곡²【麗曲】명 아름다운 음곡(音曲).
여공¹【女工】명 ①여자 직공. 공녀(工女). ↔남공(男工). ②여공(女功).
여공²【女功·女紅】명 부녀자들이 하는 길쌈질. 여공(女工). 부공(婦功). ——-하다 자여불
여공-불급【如恐不及】명 시키는 대로 실행되지 못할까 하여 마음을 졸임. ——-하다 자여불
여-공장【女工場】명 주로 여공들을 고용(雇用)하여 움직이는 공장.
여공-침【呂公枕】명〖역〗여옹침(呂翁枕).
여:과¹【與果】명〖불교〗결과가 나타나려 할 때에 힘을 주어 결과를 내도록 하는 것. ↔취과(取果).
여과²【餘窠】명 결원(缺員)된 벼슬 자리.
여:과³【勵果】명〖역〗조선 시대 때 토관(土官)의 정육품(正六品)인 서반(西班)의 관직. 부여과(副勵果)의 위, 부여직(副勵直)의 아래.
여:과⁴【濾過】명 〔filtration〕〖물〗거름종이나 여과기(濾過器)를 써서 액체 중에 존재하는 침전물(沈澱物)이나 불순물을 걸러서 밭여 내는 일. 거르기. ——-하다 타여불
여:과-기【濾過器】명〖물〗액체를 여과하는 데 쓰는 기구. 다소 작은 구멍을 가진 장치에다 액체를 부어 액체 중의 고형물(固形物)을 분리하는 장치임. 중력식(重力式)·진공식(眞空式)·가압식(加壓式)·원심식(遠心式) 등이 있음.
여:과-법【濾過法】[—뻡] 명 흐린 물을 모래와 자갈 및 숯 등의 두꺼운 층을 통과시켜 불순물을 제거하고 깨끗하게 하는 방법.
여:과-상【濾過床】명 여상(濾床).
여:과-성【濾過性】[—썽] 명 〔filterability〕액체·고체계(系)의 여과에 대한 적합성(適合性).
여:과성 병:원체【濾過性病原體】[—썽—] 명〖생〗초현미경적인 미립자(微粒子)로, 일정한 크기를 가지며 증식 능력을 가진 미생물. 초미생물이라고도 불리나 단백질의 결정(結晶)에서 생성되기 때문에 무생물(無生物)이라는 학설도 있음. 사람에 대해서 병원성(病原性)을 가지는 것은 천연두·마진(痲疹)·광견병(狂犬病)·유행성 뇌염 등이며, 세균을 죽이는 박테리오파지도 이의 일종임. 바이러스. 미립자(微粒子) 병원체.
여:과-지¹【濾過池】명 상수도(上水道)의 물을 여과하기 위하여 바닥에 세사(細砂)를 깔아 놓은 못.
여:과-지²【濾過紙】명〖화〗'거름종이'의 구용어.
여:과-통【濾過桶】명 흐린 물을 여과법(濾過法)에 의하여 깨끗하게 여과하는 통. 상수도(上水道) 시설이 없고 수질(水質)이 나쁜 곳에서 많이 쓰임. 거름통(桶).
여:과 플라스크【濾過—】명 〔filter flask〕〖물〗부흐너(Buchner) 플라스크.
여곽【藜藿】명 명아주 잎과 콩 잎. 전(轉)하여, 악식(惡食).
여관¹【女官】명〖역〗옛날 궁중(宮中)에서 대전(大殿)·내전(內殿)을 가까이 모시던 내명부(內命婦). 왕가(王家)에 연고 있는 집안의 딸을 오륙 세 때부터 궁중에 봉사시켜 여자로서 구격(具格)이 차면 임관함. 엄한 규칙이 있어 환관(宦官) 이외의 남자와 절대로 접촉하지 못하며, 종신 시집을 아니 감. 궁녀(宮女). 궁인(宮人). 나인. 시녀(侍女).
여관²【旅館】명 여객을 묵게 하는 집. 여사(旅舍). 역려(逆旅). 객정(客亭). 숙관(宿館). *호텔.
여관³【麗觀】명 아름다운 경치.
여관-방【旅館房】[—빵] 명 여관에서 여객이 묵는 방.
여관-비【旅館費】명 식비나 숙박비 등 여관에서 소용되는 비용.
여관-업【旅館業】명 여관을 경영하는 영업.
여관-집【旅館—】[—찝] 명 여관(旅館).
여광【餘光】명 ①해나 달이 진 뒤의 은은히 남은 빛. ②여덕(餘德). ¶

~을 나누다.

여:광-기【濾光器】명〔light filter〕〖물〗①연속 스펙트럼(spectrum)을 내는 빛 중에서 여느 파장(波長) 범위 내의 빛을 취하기 위하여 다른 부분의 빛을 투과(透過)·제한·차단하는 특수한 색(色)유리판. 사진 촬영·인쇄 제판(印刷製版)·광학 실험 등에 쓰임. 필터 여광판(濾光板). ②전기 통신 기계로서, 특정한 주파수(周波數)의 진동 전류를 통과(通過)시키기 위한 장치.

여-광대【女—】명〖민〗여자 광대.

여광 여취【如狂如醉】명 매우 기뻐서 미친 듯도 하고 취한 듯도 함. 여취 여광(如醉如狂). ——-하다 형여불

여:광-판【濾光板】명〖물〗여광기(濾光器)❶.

여-괘【旅卦】명〖민〗육십사 괘의 하나. 이괘(離卦)와 간괘(艮卦)가 거듭된 것. 산 위에 불이 있음을 상징함. ㊄여(旅).

여괴【旟旝】명 기(旗)❶.

여교[1]【女敎】명 여자에 대한 가르침.

여교[2]【餘敎】명 예전부터 내려오는 교훈.

여-교사【女敎師】명 여자 교사.

여-교우【女敎友】명〖천주교〗여자 신도(女子信徒). 여신자(女信者). 여신도(女信徒).

여-교원【女敎員】명 여자 교원.

여-교장【女校長】명 여자인 학교 교장.

여구[1]【如舊】명 옛날의 모양과 같음. 여전(如前). ¶십년(十年) ~. ——-하다 형여불. ——-히 부

여구[2]【旅具】명 여행할 때에 소용되는 제구.

여구[3]【麗句】명 아름답게 꾸민 글귀. ¶미사(美辭) ~.

여구[4]【驪駒】명 가라말.

여국[1]【女國】명 ①부상국(扶桑國) 동쪽에 있다는 여자만이 사는 전설의 나라. 여인국(女人國). ②여자만이 모여 사는 곳. 또, 여자만이 모여 있는 곳.

여국[2]【女麴】명 찐 찰수수를 반죽하여 쑥으로 얇게 덮어, 누른 옷을 입게 된 뒤에 볕에 내어 말린 누룩.

여:국[3]【與國】명 서로 동맹을 맺은 나라. 동맹국(同盟國).

여:국가 동휴척【與國家同休戚】명 국가와 더불어 고락(苦樂)을 함께 하는 일. ——-하다 자여불

여군[1]【女君】명 ①황후의 일컬음. ②첩(妾)의 본처(本妻)에 대한 호칭.

여군[2]【女軍】명〖군〗①지원(志願)에 의하여 현역에 복무하고 있는 여자 군인. ②여자 군인으로 조직된 군대.

여권[1]【女權】〔—꿘〕명〖사〗여자(女子)의 사회적·정치적·법률적 권리. 부권(婦權). ¶~ 신장(伸張).

여권[2]【旅券】〔—꿘〕명 외국에 여행하는 사람의 신분·국적을 증명하고 그 보호를 의뢰하는 문서. 우리 나라에서는, 일반 여권·관용(官用) 여권·외교관 여권의 세 가지가 있고, 출입국에 필요함. 국내에서는 외무부 장관이, 국외에 있어서는 영사(領事)가 발행함. 여행권(旅行券). 해외 여행권. 여행 면장(旅行免狀). 패스포트.

여:권[3]【與圈】〔—꿘〕명 ↗여당권(與黨圈). ¶~ 인사.

여권-법【旅券法】〔—꿘뻡〕명〖법〗여권의 발급·효력 및 기타 여권에 관하여 필요한 사항을 규정한 법률.

여권 신장【女權伸張】〔—꿘—〕명〖사〗여자의 사회·정치·법률 상의 권리와 지위를 늘리어 폄. 여권 확장.

여권 신장 운:동【女權伸張運動】〔—꿘—〕명〖사〗여권 신장을 위한 사회 운동. 1791년 프랑스의 구즈(Gouges, M.; 1748-93) 및 영국의 월스턴크래프트(Walstonecraft, M.; 1759-97) 두 여사(女史)가 여자의 인격권(人格權)·공민권(公民權) 및 남녀 평등·여성 해방의 선언을 발표한 이래 여권의 확장·옹호 운동이 여러 나라로 번졌음. 여권 운동.

여권 운:동【女權運動】〔—꿘—〕명〖사〗여권 신장 운동.

여권-주의【女權主義】〔—꿘—/—꿘—이〕명〖사〗여자에게 사회·정치·법률상 남자와 동등한 권리와 지위를 부여하자는 주의.

여권 확장【女權擴張】〔—꿘—〕명〖사〗여권 신장.

여권 확장론【女權擴張論】〔—꿘—논〕명 페미니즘.

여:귀【厲鬼】명 ①제사(祭祀)를 받지 못하는 귀신. ②못된 돌림병에 죽은 귀신.

여-규형【呂圭亨】명〖사람〗학자. 자(字)는 사원(士元), 호는 하정(荷亭). 함양(咸陽) 사람. 조선 시대 말기에 승지(承旨)를 거쳐 의관(議官)이 되었다가, 나라가 망하자 제일 고등 보통 학교의 한문 교사가 됨. 시·서화·불경에 능하고, 오세창(吳世昌)·장지연(張志淵) 등과 ≪대동시선(大東詩選)≫을 편찬함. [1849-1922]

여그 지대 부〈방〉여기(전라).

여근【女根】명〖생〗하문(下門).

여금【如今】명 지금. 이제. 현재.

여-금단【女金丹】명 여자의 단학(丹學) 수련법(修鍊法). ㊄여단(女丹).

여급【女給】명 예전에, 카페나 양식점 등에서 손님의 시중을 드는 여자를 일컫던 말. 접대부. 웨이트리스(waitress). 서비스걸.

여기[1]【女妓】명 기녀(妓女)❶.

여:기[2]【沴氣】명 요사하고 독한 기운.

여:기[3]【膂氣】명 기승(氣勝)스러운 기운.

여:기[4]【厲氣】명 못된 돌림병을 일으키는 기운.

여기[5]【餘技】명 전문적이 아니고 취미로 하는 재주나 일. ¶~로 배운 서예(書藝).

여기[6]【餘氣】명 ①남은 기습(氣習). 여습(餘習). ②여증(餘症).

여:기[7]【勵起】명〔excitation〕①〖물〗양자론에서, 원자나 분자의 바깥쪽에 있는 전자가 기준 상태에서는 일정한 에너지 준위(準位)를 가지고 있으나 적당한 자극을 받으면 일정한 에너지를 흡수하여 보다 높은 에너지의 상태로 변화하는 일. ②〖전자〗시스템이나 장치의 일부분에 에너지를 부여해서 다른 부분이 특수 기능을 실행할 수 있도록 하는 일. 전기 공학에서의 여자(勵磁), 전자 공학에서의 여진(勵振)의 정의(定義)를 일반화한 말임.

여기[8] ㊀지대 ①이 곳. 차처(此處). ¶~에 있었구나. ②거론된 대상을 '이것'·'이 점'의 뜻으로 하는 말. ¶~가 문제점이다. 1)·2):>요기. ㊁부 이 곳에. ¶~ 앉아라. >요기. ㊄예. ＊저기·거기.

여기다〔중세 : 너기다〕타 마음 속으로 그렇게 인정(認定)하거나 생각하다. ¶대수롭지 않게 ~.

여-기사【女技師】명 여자 기사.

여:기 상태【勵起狀態】명〖물·화〗들뜬 상태.

여:기 소:종【沴氣所鍾】명 요악(妖惡)스러운 사람을 가리키는 말.

여:기 에너지【勵起—】명〔excitation energy〕〖물〗바닥 상태에서 특정의 들뜬 상태로 계(系)를 이행(移行)시키는 데 필요한 최소 에너지.

여-기자【女記者】명 신문·방송·잡지사 등 언론 기관에서 취재·편집 등의 일을 맡아 보는 여성 기자.

여기-저기 ㊀부 이곳 저곳에. ㊁지대 이곳 저곳.

여:기-지르다 타〈방〉예기지르다.

여기 지름【—氣—】명 ☞예기 지름. ¶어린아이 하는 일이라도 과히 ~하기가 아니되어서…≪金宇鎭 : 花上雪≫.

여깽이 명〈방〉여우¹(충청·경북·강원).

여-꺼정 구〈방〉예까지(경상·함경).

여깽이 명〈방〉여우¹(경상·강원).

여뀡이 명〈방〉여우¹(강원).

여뀌[1] 명〖식〗〔*Persicaria hydropiper* var. *vulgaris*〕마디풀과에 속하는 일년초. 줄기는 높이 60 cm 가량이고 홍갈색을 띠며, 잎은 호생(互生)하고 유병(有柄)의 피침형(披針形)임. 초상 탁엽(鞘狀托葉)은 짧은 원통형(圓筒形)이고 막질(膜質)임. 6-9월에 백색의 꽃이 수상화서(穗狀花序)로 줄기 끝과 가지 끝에 정생(頂生)하여 핌. 과실은 수과(瘦果)인데, 거의 전국에 야생함. 잎줄기는 짓이겨 물에 풀어서 고기를 잡고, 잎은 맛이 매우므로 조미료(調味料)로 쓰임. 버들여뀌. 수료(水蓼).

〈여뀌¹〉

여뀌[2] 명〈방〉여우¹(경상).

여뀌 누룩 명 찹쌀을 여뀌즙에 하룻 동안 담가 두었다가 건져 밀가루와 반죽하여 띄운 누룩. 요국(蓼麴).

여뀌-바늘 명〖식〗〔*Ludwigia prostrata*〕바늘꽃과에 속하는 1년초. 줄기는 높이 60cm에 달하고 가끔 홍색을 띠며, 잎은 호생(互生)하고 유병(有柄)이며, 피침형(披針形) 또는 달걀꼴의 피침형임. 9월에 황색의 꽃이 잎 사이에 하나씩 나서 핌. 과실은 삭과(蒴果)임. 밭의 습한 곳에 나며, 경남·강원·경기·평북에 분포함. 물금매. 수금매(水金梅).

여끼 명〈방〉여우¹(함경).

여나무 관〈방〉여남은(평안).

여나문 관〈방〉여남은(경상·평안).

여나믄 관〈옛〉여남은. =열나믄. ¶그를 보내요므로 브터 ᄒᆞ마 여나믄 히오(自枉詩已十餘年)≪杜諺 XI:5≫.

여나-산【余那山】명〖문〗실전(失傳)된 신라 시대의 가요. 여나산은 계림(鷄林) 경내에 있는 산. 어떤 서생(書生)이 이 산에서 공부하여 과거에 급제, 세족(世族)과 혼인을 하고 그 후 그 서생이 과시(科試)를 관장(管掌)하게 되어 잔치를 베풀었는데 그 혼가(婚家)에서 기뻐서 이 노래를 불렀다 함. ≪고려사≫ 악지(樂志)에 전함.

여:낙낙-하다 형여불 성미가 온화하고 상냥하다. ¶귓결에서 별안간 꾀꼬리 같은 여낙낙한 음성이 들려 왔다≪玄鎭健 : 無影塔≫. 여:낙낙-히 부

여난【女難】명 여색(女色)이나 여인 교제(女人交際)로 인하여 일어나는 환난(患難).

여남[1] 명〈방〉못¹(함남).

여-남[2]【女男】명 여자와 남자.

여:남[3]【汝南】명〖지〗'루난'을 우리 음으로 읽은 이름.

여남은[1] 명관 열 가량으로부터 열 좀 더 되는 어림수. 십여(拾餘). ¶사람이 ~ 왔다.

여남은[2] 관〈옛〉그 밖의 다른. 나머지. ¶허물며 여남은 少丈夫ㅣ야 닐너 무슴ᄒᆞ리오 ≪古時調 永言≫.

여:남-현【汝南峴】명〖지〗경상 북도 김천시(金泉市)와 상주시(尙州市) 사이에 있는 고개. [200 m]

여내미 명〈방〉못¹(함남).

여녀【麗女】명 아름다운 여자. 여인(麗人).

여년[1]【餘年】명 죽을 때까지의 나머지 세월. 여령(餘齡). 여생(餘生).

여년[2]【驪年】명〖불교〗십이지(十二支) 가운데 나귀 해는 없으므로, 끝내 만날 기약이 없다는 뜻.

여:년-묵다 자 여러 해 동안 묵다.

여념【餘念】명 ①딴 생각. 타념(他念). ②일정한 일에 생각을 쓰고 나머지의 생각. ¶집필(執筆)에 ~이 없다.

여념이 없:다 구 다른 생각은 하지 않다. 열심이다.

여넙-살 명 소의 도가니에 붙은 살.

여노【餘怒】명 아직 남아 있는 분노(憤怒). 아직 다 풀리지 아니한 분노.

여느 관 ①보통의. 예사로운. ¶~ 때처럼. ②그 밖의 다른. ¶이것 말고 ~ 것을 주오.

-여늘 어미〈옛〉-거늘. =-야놀. ¶구루미 비취여늘(赤氣照營)≪龍歌 42章≫/忠臣을 외오 주겨늘(擅殺忠臣)≪龍歌 106章≫.

여늬 관 ☞ 여느.

여니 명〈방〉배행(陪行)(함경). ——-하다 타

여-니레 명 〈방〉 예니레(경상).
여-닐곱 명 〈방〉 예닐곱(경상).
-여놀 어미 〈옛〉 -이거늘. ¶滄海水 부어내여 저 먹고 날 먹혀놀 서너잔 거후로니 ≪松江 關東別曲≫.
-여다 어미 〈옛〉 -였다. ¶어우와 날 속여다 秋月春風이 날 속여다≪古時調≫.
여다홉 명 〈옛〉 팔구(八九). ¶江村애 여다홉 지비로다(江村八九家)≪杜諺 Ⅶ:5≫.
여단[1]【女丹】명 ↗여금단(女金丹).
여단[2]【旅團】명〘군〙군대 편제 상의 부대 단위의 하나. 사단(師團)보다 규모가 작으며, 보통 2개 연대로 구성됨.
여단[3]【黎旦】명 여명(黎明).
여:단[4]【厲壇】명 여제단(厲祭壇).
여-단수족【如斷手足】명 수족이 잘림과 같음. 요긴한 사람이나 물건이 없어져 아쉬움.
여단-장【旅團長】명〘군〙여단(旅團)의 최고 지휘관. 보통, 준장(准將)으로써 보(補)함.
여:-닫다 타 열고 닫고 하다.
여:닫이 [—다지] 명 ①열고 닫는 일. ②미닫이·내리닫이의 통칭. ③〘연〙양주 별산대놀이의 하나. 여닫이문을 여는 동작에 비유한 것으로 두 손을 가슴에 모았다가 다시 양 팔을 위로 치켜올리며 앞으로 내펴고 양쪽으로 올리며 다리는 좌우로 왔다갔다하면서 전진함.
여:닫이-문【—門】[—다지—] 명 여닫이로 된 문.
여:닫이-창【—窓】[—다지—] 명 여닫이로 된 창.
여:-닫히다 자 열리고 닫히다. ¶자동으로 ~.
여달 수 〈방〉 여덟(전남).
여닯 수 〈방〉 여덟(전라).
여담【餘談】명 용건(用件) 밖의 이야기. 본론에서 벗어난 잡담(雜談). ¶이것은 ~이지만.
여:담 절각【汝一折角】명 '네 각담 아니면 내 쇠뿔 부러지랴'와 같은 뜻. 여장 절각(汝墻折角). *네[1].
여답 수 〈방〉 여덟(전라).
여-답평지【如踏平地】명 험준(險峻)한 곳을 평지를 가듯 거침없이 다님. ——-하다 자여불
여:당[1]【與黨】명 ①〘정〙정당 정치(政黨政治)에서, 정권(政權)을 담당하고 있는 정당. 현 행정부(行政府)의 편을 들어 그 정책(政策)을 지지(支持)하는 정당. 정부당(政府黨). 집권당(執權黨). ↔야당(野黨). ②짝이 되는 무리. 동지(同志).
여당[2]【餘黨】명 미처 토멸(討滅)하지 못한 나머지 도당. 일부분은 흩어지고 난 나머지 무리. 여류(餘類). 잔당(殘黨).
여:당-계【與黨系】명 여당의 계통. 여당의 직접적인 영향 아래 여당 활동을 지원(支援)하는 기관이나 사업체 및 인사(人士)의 총칭. 여당측(與黨側). ¶~ 신문. ↔야당계(野黨系).
여:당-권【與黨圈】[—꿘] 명 여당(與黨)과 그에 편을 드는 넓은 테두리. 준여권(與圈).
여:당-적【與黨的】명관 관점이나 행동이 여당의 그것과 같은 모양. ↔야당적(野黨的).
여당 전:쟁【麗唐戰爭】명〘역〙고구려 보장왕(寶藏王) 3년(644)에서 27년까지 벌어진 고구려와 당의 전쟁. 전쟁의 원인은 근본적으로는 여수(麗隋) 전쟁과 같이 통일 중국 세력의 팽창 정책에 연유함.
여:당-측【與黨側】명 여당에 속하는 편. 여당 쪽. 여당계(與黨系). ↔야당측(野黨側).
여-당혜【女唐鞋】명 여자용의 당혜.
여대[1]【女大】명〘교〙↗여자 대학.
여대[2]【旅大】명〘지〙'뤼다'를 우리 음으로 읽은 이름.
여:대[3]【輿儓】명 하인(下人). 종. 여례(輿隷).
여대[4]【麗代】명〘역〙↗고려 시대.
여-대(:)균【呂大鈞】명〘사람〙중국 북송(北宋)의 학자. 자는 화숙(和叔). 여대림(呂大臨)의 형. 학문을 장재(張載)에게 배움. 그가 지은 여씨 향약(呂氏鄕約)은 오래도록 후세의 모범(模範)이 됨.
여-대(:)림【呂大臨】명〘사람〙중국 북송(北宋)의 학자. 자는 여숙(與叔). 허난(河南) 사람. 여대균(呂大鈞)의 아우. 처음에는 장재(張載)에 사사(師事)하였으나 후에 정이(程頤)의 문하에 들어가, 정문(程門) 사선생(四先生)의 한 사람으로, 특히 예(禮)에 조예가 깊어 저서에 ≪고고도(攷古圖)≫가 있음.
여대-생【女大生】명〘교〙↗여자 대학생.
여덕[1]【女德】명 여자로서 마땅히 행하여야 할 도덕.
여덕[2]【餘德】명 나중까지 남아 있는 은덕이나 덕망. 선인(先人)이 남긴 은덕. 여광(餘光). 여택(餘澤). ¶조상(祖上)의 ~.
여:덕 위린【與德爲隣】명 덕으로써 이웃함. 곧, 덕이 있으면 모두가 친할 수 있다는 말.
여덜 수 〈방〉 여덟(전라·충청·강원·경기·경상).
여덟 [—덜] 수관 일곱에 하나를 더한 수. 팔(八).
여덟 가지 참 행:복【—幸福】[—덜까—] 명〘천주교〙'마태오 복음' 5장 3절 이하에 있는 예수의 산상 설교 속의 말. 곧, 청빈(淸貧)의 정신을 가짐, 슬퍼함, 온유(溫柔)함, 옳은 일에 주리고 목말라함, 자비를 베풂, 마음이 깨끗함, 평화를 위하여 일함, 옳은 일을 하다가 박해를 받음이니, 이러한 사람은 행복하다고 하였음. 진복 팔단.
여덟-달 [—덜딸] 명 ①팔개월(八個月). ②〈방〉 바사기.
여덟달 반:【—半】[—덜딸—] 명 제 달수를 다 채우지 못하고 여덟달 반 만에 태어난 아기. *팔삭동이.
여덟-동가리 [—덜똥—] 명〘어〙[*Goniistius guadricornis*] 다동가릿과에 속하는 바닷물고기. 몸길이 약 30cm. 몸 모양은 아홉동가리와 비슷함. 몸빛은 엷은 적회갈색(赤灰褐色) 바탕에 폭이 넓은 여덟 줄의 흑갈색 띠가 사주(斜走)하고 있음. 식용적 가치가 적음. 우리 나라의 남해 및 일본의 중부 이남에 분포함. *아홉동가리.
여덟모-꼴 [—덜—] 명〘수〙팔각형(八角形).
여덟-무날 [—덜—] 명 무수기를 볼 때 이틀과 열이레를 가리키는 말.
여덟발-목【—目】[—덜빨—] 명〘동〙팔각류(八脚類).
여덟잎-으름 [—덜닙—] 명〘식〙[*Akebia quinata* var. *polyphylla*] 으름과에 속하는 낙엽 활엽 만목(蔓木). 잎은 장상(掌狀) 복생(複生)하고 흔히 소엽(小葉)은 8개이며 넓은 달걀꼴 또는 긴 거꿀달걀꼴이고 톱니가 없음. 4월에 자웅 동가(雌雄同家)의 꽃이 총상(總狀) 화서로 피며 수꽃은 소형, 암꽃은 자갈색임. 장과(漿果)는 긴 타원형이고 9월에 익으며 열개(裂開)함. 산록 수림 속에 나는데, 충북 속리산(俗離山)·경기도 개풍(開豐) 등지에 분포함. 뿌리 및 가지는 약용, 과실은 식용함.
여덟-째 [—덜—] 수 '여덟'의 서수사.
여덟팔-부【—八部】[—덜—] 명 한자 부수(部首)의 하나. '公'이나 '具' 등의 '八'의 이름.
여덟팔자 걸음【—八字—】[—덜—짜—] 명 거드름을 피우며 '八'자와 같이 걷는 걸음. 준팔자 걸음.
여덥 수 〈방〉 여덟(제주).
여도[1]【女徒】명 여수(女囚).
여도[2]【女道】명 여자로서 지키고 행하여야 할 도리(道理).
여:-도[3]【汝島】명〘지〙전라 남도 남해 상, 해남군(海南郡) 화원면(花源面) 마산리(馬山里)에 위치한 섬. [0.02 km²]
여도[4]【旅途】명 여로(旅路).
여:도[5]【輿圖】명 여지도(輿地圖).
여-도[6]【麗島】명〘지〙함경 남도 문천군(文川郡)의 동해 상에 위치한 섬. 원산항(元山港)에서 동으로 약 20km, 영흥만(永興灣) 입구에 있으며, 연안 일대는 한류(寒流)와 난류(暖流)의 교차로 좋은 어장(漁場)을 이룸. [6.3 km²]
-여도 어미 '-아도'·'-어도'의 뜻으로, 어간 '-하-'에 붙어 쓰이는 연결 어미. ¶이제 그만하~ 좋다 / 겉은 깨끗하~ 속은 검은 사람. *-아도·-어도.
여:도간【汝刀干】명〘역〙가락국기(駕洛國記)에 전하는 수로왕(首露王) 신화에 나오는 9간(干)의 하나.
여-도사【女道士】명 도교에서, 여자의 도사.
여도의 죄:【餘桃—罪】[—/—에—] 명 〔중국 위(衛)나라의 미자하(彌子瑕)는, 위군(衛君)에게 제가 먹던 복숭아를 바쳐도 허물이 되지 않을 만큼 위군에게 사랑을 받고 있었으나 그 사랑이 식자 먹던 복숭아를 바쳤다는 이유로 처벌되었다는 고사(故事)에서 유래〕임금의 총애(寵愛)가 믿을 수 없는 것임을 비유한 말. 「다.
여독[1]【旅毒】명 여행에 의해 생긴 병이나 피로. 노독(路毒). ¶~을 풀
여독[2]【餘毒】명 남은 독기(毒氣). 뒤까지 가시지 않은 해독(害毒). 후독(後毒). 여열(餘烈).
여동【女童】명 여자 아이. 계집애.
여:동-격【與同格】[—껵] 명〘언〙공동격(共同格).
여동-대 명〘불교〙여동밥을 떠놓는 조그마한 밥그릇.
여-동래【呂東萊】[—내] 명〘사람〙중국 송(宋)나라의 유학자 여조겸(呂祖謙)을 호(號)로써 일컫는 이름.
여동-밥 명〘불교〙중이 귀신에 주기 위하여 밥 먹기 전에 여동대에 떠놓는 밥.
여-동생【女同生】명 여자동생. ↔남동생.
여동-통【—桶】명〘불교〙여동밥을 담아 두는 통.
여두[1]【黎豆】명〘식〙콩의 한 가지. 줄기는 덩굴로 벋고, 씨에는 타원형의 검은 점이 있음.
여두[2]【穭豆】명〘식〙쥐눈이콩. 「말.
여두 소:읍【如斗小邑】명 아주 작은 고을을 콩알만 하다고 비유하는
여드래-당【—堂】명〘민〙제주도에서, 뱀의 신령을 모신 신당(神堂).
여드래미 명 〈방〉 여드름(경기·강원).
여드럼 명 〈방〉 여드름(충북·경남).
여드레 명 ①여덟 날. 팔일(八日). ②↗여드렛날.
[여드레 삶은 호박에 도래송곳 안 들어갈 말이다] 사리나 이치에 닿지 않음을 두고하는 말. [여드레 팔십리 걸음한다] ㉠매우 더딘 걸음이란 뜻. ㉡행동이 느린 사람을 두고 하는 말.
여드레미 명 〈방〉 여드름.
여드렛-날 명 ①↗초여드렛날. ②여덟째 날. 팔일(八日). 준여드레.
여드롬 명 〈방〉 여듭.
여드름 명 주로 얼굴에 생기는 좌창(痤瘡). 모낭공(毛囊孔)과 피지 배설관(皮脂排泄管)의 폐색으로 인하여 생김. 깨알만큼씩 한 적흑점(赤黑點)의 융기로, 짜면 노란 비지 같은 것이 나옴. 사춘기의 남녀에 흔히 생김.
여-득천금【如得千金】명 천금을 얻음과 같이 마음에 흡족하게 여김을 일컫는 말.
여든 수관 여덟의 열 갑절. 팔십(八十).
[여든에 낳은 아들인가] 자기 아이를 지나치게 귀여워함을 보고 놀리는 말. [여든에 둥둥이] 진취성이 없음을 비웃는 말. [여든에 이가 나다] 도저히 있을 수 없다는 말. [여든에 이 앓는 소리] 신통치 않은 의견(意見)이란 말. [여든에 첫 아이 비치듯] 사물의 이루어짐이 지극히 어려운 경우를 두고 하는 말.
-여든 어미 〈옛〉 -거든. -면. ¶잠깐 도로 보내여든 祭호고 ≪月釋 Ⅶ:

15≫.
여든-대다 자 떼를 쓰다. 억지를 부리다.
여:들-없다 [—업—] 형 하는 짓이 멋없고 미련하다.
여:들-없이 [—업씨] 부 여들없게.
여들헤 명 〈방〉 여드레.
여듧 수 〈옛〉 여덟. ¶二十八은 스믈여듧비라≪訓諺 3≫.
여듭 명 말이나 소의 여덟 살.
여:등[1]【汝等】인대 너희들. ↔여등(余等).
여등[2]【余等】인대 우리들. ↔여등(汝等).
여등-밥 명 〈방〉 여동밥.
여ᄃᆞ래 명 〈옛〉 여드레. ¶八日은 여ᄃᆞ래니≪月釋 Ⅱ:35≫.
여ᄃᆞᆫ 명 〈옛〉 여든. ¶그 여ᄃᆞᆫ 올로ᄡᅥ 一升을 삼으니라≪家禮 Ⅵ:13≫.
여ᄃᆞᆲ 명 〈옛〉 여덟. ¶ᄆᆡ ᄒᆞᆫ필의 여ᄃᆞᆲ냥 은식ᄒᆞ면 (每一匹八兩銀子)≪老乞 下11≫.
여ᄃᆞᆲ 수 〈옛〉 여덟. ¶여ᄃᆞᆲ 팔(八) ≪類合. 10≫/여ᄃᆞᆲ짐을 ᄠᅳ리로다(關八擔)≪朴解 上 11≫.
여때 부 〈방〉 여태까지.
여라[1]【女蘿】명〖식〗[*Barbella pendula*] 선태류(蘚苔類)에 속하는 이끼. 나무 위에 나는데 자웅 이주(雌雄異株)이고 광택이 나며, 줄기가 실과 같이 가늘고 길. 잎은 피침형(披針形), 삭(蒴)은 달걀꼴이며, 삭병(蒴柄)은 짧음.
여라[2] 관 〈옛〉 여러. ¶처엄브터여라 地位ᄅᆞᆯ 다시 디내야≪月釋 Ⅱ:62≫.
여라[3]【如良】어미 〈이두〉 여라. *하여라(爲如良).
-여라 어미 ①동사 '하다'의 어간 '하-'에 붙어 해라할 자리에 '시킴'을 나타내는 종결 어미. 사역형 어미 '-아라, -어라'의 변형임. ¶효도를 다하～/반드시 성공하～. *-아라·-어라·-거라·-너라. ②형용사 '하다'의 어간 '하-'에 붙어 느낌을 나타내는 종결 어미. 보통의 경우의 '-아라, -어라'에 해당함. ¶조국이여 영원하～/장하고도 장하～. *-아라·-어라.
여라문 관 〈방〉 여남은.
여라믄 명관 〈옛〉 여남은. ¶여라믄(十來箇). 여라믄날(十來日)≪老朴單字解 4≫.
여라ᄆᆞᆫ 명관 〈옛〉 여남은. ¶ᄒᆞ다가 브스륨부리 여라ᄆᆞ니 ᄒᆞᆫ고대 나거든(若有十數頭作一處)≪救簡 Ⅲ:47≫.
여라ᄆᆞᆫᄒᆡ 명 〈옛〉 여남은 해. 십여 년. ¶여라ᄆᆞᆫᄒᆡ니(十餘年)≪內訓 Ⅱ:21≫.
여람【呂覽】명〖책〗여씨 춘추(呂氏春秋).
여랑[1]【女郎】명 ①남자와 같은 재주나 기질(氣質)을 가진 여자. ②창기(娼妓).
여랑[2]【女娘】명 묘령(妙齡)의 여자. 색시.
여랑[3]【旅囊】명 안장(鞍裝) 뒤 좌우 쪽에 다는 마구(馬具)의 한 가지. 주로, 기마대에서 씀.
여랑-화【女郞花】명〖식〗마타리.
여래【如來】명〖불교〗↗석가모니 여래. *불세존(佛世尊).
여래-선【如來禪】명〖불교〗중국 당대(唐代)의 화엄종 승려 종밀(宗密)이 세운 5종선(五種禪) 중의 최고선. 정식 명칭은 여래 청정선(如來淸淨禪). 여래의 교설(敎說)을 통해서 깨닫는 선(禪)임.
여래-신【如來身】명〖불교〗불덕(佛德)이 원만히 구비된 여래의 몸. 불신(佛身).
여래 십호【如來十號】명〖불교〗부처의 칭호가 열 가지라는 말.
여래-장【如來藏】명〖불교〗미계(迷界)에 있는 진여(眞如). 불교에서, 온갖 번뇌로 덮여서 가려져 있는 중생의 본래의 맑은 마음, 곧 법성(法性)을 이르는 말임.
여래장 연기【如來藏緣起】명〖불교〗사물의 본성을 여래장으로 파악하여, 그 진여(眞如)로운 실상의 세계를 설명하는 불교 연기 사상의 하나.
여래-패【如來唄】명〖불교〗범패(梵唄).
여:량【輿梁】명 거마(車馬)가 통행할 수 있는 목교(木橋).
여량 산호 동:굴【餘糧珊瑚洞窟】명〖지〗강원도 정선군(旌善郡) 북면(北面) 여량리(餘糧里)의 해발 977 m의 반륜산(半輪山) 능선(稜線)에 있는 길이 2,700 m의 석회암계의 자연 동굴. 종유석(鐘乳石)과 동굴 산호(洞窟珊瑚)가 장관(壯觀)을 이룸.
여량-지【如量智】명〖불교〗현상계(現相界)의 수량과 차별에 따라 그 차별상(差別相)을 명백히 아는 부처나 보살의 지혜. *여리지(如理智).
여러 관 수효가 많은. ¶～ 번/～ 사람.
여러 가지 구 ㉠온갖 종류. 각종(各種). ¶～ 물건. ㉡이런 것 저런 것. ¶～로 애썼다.
여러 고리 화합물【—化合物】명 [polycyclic compound]〖화〗축합(縮合) 고리를 가진 화합물. 고리의 수에 따라 두고리 화합물(나프탈렌·푸린 따위), 세고리 화합물(안트라센·페난트렌 따위)이라 함. 중환식 화합물(重環式化合物).
여러귀-항아리【—缸—】명〖고고학〗어깨 부분에 귀 모양의 고리손잡이나 돌기(突起)가 여러 개 달려 있는 항아리. 다이호(多耳壺).
여러널-식【—式】명〖고고학〗한 무덤 안에 널이 둘 이상 설치된 삼국 시대 고분의 한 유형. 다곽식(多槨式).
여러떡잎-씨 [—닙—] 명〖식〗'복자엽 종자(複子葉種子)'의 풀어 쓴 말.
여러면 구슬【—面—】명〖고고학〗여러 면으로 다듬어 깎아서 모양이 주판알처럼 생긴 구슬. 다면옥(多面玉). 절자옥(切子玉). 모난옥.
여러모-로 부 다각(多角)적으로. 여러 방면으로. 다각도(多角度)로.
여러번-깃꼴겹잎 [—닙] 명〖식〗'다출 우상 복엽(多出羽狀複葉)'의 풀어 쓴 말.
여러-분 인대 '당신들'의 뜻으로 여러 사람을 높이어 부르는 말. 열위(列位). 제위(諸位). 첨원(僉員). 첨위(僉位). 첨좌(僉座). ¶신사 숙녀 ～/～, 이걸 보십시오.
여러잔 토기【—盞土器】명〖고고학〗그릇 받침이나 굽다리 토기 안에 여러 개의 작은 그릇을 담아 두는 토기. 또는 굽다리 토기의 받침 위에 작은 잔들을 이어 붙여 놓은 형태의 토기. 다배식 토기(多杯式土器). 모자고배(母子高杯).
여러ㅎ 명 〈옛〉 여럿. ¶ᄒᆞ나ᄒᆞᆯ 드르샤 여러ᄒᆞᆯ 例ᄒᆞ시니라(擧一例諸)≪永嘉 上 112≫.
여러해-살이 명〖식〗줄기나 잎은 해마다 말라 죽으나, 뿌리나 지하경(地下莖)은 남아 있어서, 해마다 다시 줄기와 잎이 돋아나는 식물의 기능. 또, 그러한 식물. 오래살이. 다년생(多年生).
여러해살이-뿌리 명〖식〗'숙근(宿根)❷'의 풀어 쓴 말. ↔한해살이뿌리.
여러해살이 식물【—植物】명〖식〗3년 이상 생존하는 식물의 총칭. 모든 나무와 풀의 일부가 이에 속함. 다년생 식물(多年生植物).
여러해살이-풀 명〖식〗3년 이상 지하경이 생존하여 겨울에는 땅 위 부분이 말라 죽어도 봄이 되면 다시 살아나는 초본(草本). 국화·백합 같은 것. 여러해살이 풀. 다년생 초본(多年生草本).
여러ᄒᆞᆯ 명 〈옛〉 여럿을. '여러'의 목적격형. ¶여러ᄒᆞᆯ 다 量애 너믄 이ᄅᆞᆯ ᄆᆞ장 드러 니ᄅᆞ샤ᄆᆞᆫ(諸皆縱擧過量之事)≪妙蓮 Ⅴ:203≫.
여러히 명 〈옛〉 여럿이. '여러'의 주격형(主格形). ¶여러히 다 道ᄅᆞᆯ 窮究ᄒᆞᄃᆡ(諸皆窮道失趣)≪楞嚴 Ⅹ:23≫.
여러ᄒᆞ다 타 〈옛〉 열다. ¶西窓을 여러ᄒᆞ니 桃花ㅣ 發ᄒᆞ두다≪樂詞 滿殿春≫.
여럿 수 ①많은 사람. ¶일꾼들이 ～이다. ②많은 수. ¶그릇이 ～이면 좋겠다. *여럿이.
[여럿이 가는 데 섞이면 병든 다리도 끌려 간다] 여럿이서 같이 하면 평소에는 그런 일을 하지 못하던 사람도 함께 하게 됨을 이름.
여럿-이 ㊀수 여러 사람. ¶～서 함께 길을 떠나다. ㊁부 여러 사람이 함께. ¶～ 힘을 모아 일을 하다. *여럿❶.
여럿-이름씨 명〖언〗'집합 명사(集合名詞)'의 풀어 쓴 이름.
-여려 어미 〈옛〉-겠는가. ¶그 功은 思議ᄒᆞ여려(其功可思議乎哉) ≪金剛 序 15≫.
여:력[1]【膂力】명 완력(腕力). 체력(體力).
여력[2]【餘力】명 나머지 힘. 또다른 일을 할 수 있는 힘. 여유. ¶가정부를 둘 ～이 없다.
여력[3]【餘瀝】명 ①먹고 남은 음식. ②남을 대접하는 자기 집 음식을 겸사하여 일컫는 말.
여:력 과:인【膂力過人】명 근육의 힘이 남보다 뛰어남. 완력이 남보다 뛰어남. ——-하다 형여불
여:력 도위【勵力徒尉】명〖역〗조선 시대 때 정구품(正九品) 토관직(土官職)의 무관 품계(武官品階). 탄력 도위(彈力都尉)의 위, 효용 도위(效勇都尉)의 아래.
여:련【輿輦】명 천자(天子)가 타는 손수레.
여령[1]【女伶】명〖역〗진연(進宴) 때에 참여하는 기생이나 또는 의장(儀仗)을 드는 여자 종.
여령[2]【餘齡】명 여년(餘年).
여례[1]【女禮】명 여자의 예의 범절(禮儀凡節).
여:례[2]【輿隷】명 하인. 종. 여대(輿儓).
여로[1]【旅路】명 나그네의 길. 여행하는 노정(路程). 여도(旅途). 객로(客路).
여로[2]【藜蘆】명〖식〗①[*Veratrum japonicum*] 백합과에 속하는 다년초. 줄기 높이 40-100 cm이고, 잎은 선상(線狀) 피침형임. 봄에 짙은 자갈색의 잔 육판화(六瓣花)가 원추 화서(圓錐花序)로 피어 길이 15-30 cm의 원추상을 이루고 삭과(蒴果)는 길이 15 mm의 타원형이고 세 갈래로 째짐. 근경(根莖)은 독(毒)이 있고 건조한 것을 '흑여로근(黑藜蘆根)'이라 하여 농업용 살충제(殺蟲劑)로 쓰임. ②푸른박새.

〈여로〉

여로-달【女勞疸】명〖한의〗오한(惡寒)이 들어 열이 심하고 오줌이 잦으며 이마가 검중하여지는 황달(黃疸). 색달(色疸). 흑달(黑疸).
여록[1]【餘祿】명 여분(餘分)의 녹(祿). 가외의 벌이.
여록[2]【餘錄】명 나머지 사실의 기록. 여적(餘滴).
여록[3]【餘麓】명 산소 가까이 있는, 주산(主山)과 청룡(青龍)·백호(白虎)와 안산(案山) 밖의 산.
여론[1]【餘論】명 주되는 일의 골자를 다 의론한 뒤에 하는 나머지의 의론. 본론(本論) 이외의 논설(論說). 여설(餘說).
여:론[2]【輿論】명 사회 대중(大衆)의 공통된 의견. 세상 일반인의 의견. 세론(世論). 공론(公論). ¶～을 반영하다.
여:론 조사【輿論調査】명 자유로운 일반 대중의 의사를, 면접·질문서 등을 통하여 조사하는 일. ——-하다 자여불
여:론 조작【輿論操作】명 본래 정치는 여론을 반영하여 행해져야 하는데, 지배층(支配層)이 매스미디어를 독점, 여론을 자신에게 유리한 방향으로 조작하는 일.
여:론-함【輿論函】명 특정한 문제 등에 대한 여론을 듣기 위하여 관청 등이 마련한 작은 함.
여:론-화【輿論化】명 여론으로 나타남. 또, 여론으로 나타냄. 공통된 의견이 됨. 또, 그리 되게 함. ——-하다 자타여불
여롬 명 〈옛〉 엶음. ¶北녀크로 崆峒山의 여로ᄆᆞᆯ 아로라(北知崆峒薄)≪重杜諺 Ⅰ:21≫.
여룡【驪龍】명 검은 용. 흑룡(黑龍).
여류[1]【女流】명 어떤 전문 방면에 능숙한 여성을 가리키는 말. 또, 여자의 동류(同流). ¶～ 시인(詩人).

여류²【如流】 명 흐름과 같음. 유수(流水) 같음. 흔히, 세월의 빠름을 비유하는 말. ¶세월이 ~하여. ——-하다 형여불

여류³【餘流】 명 ①주되는 흐름 외의 흐름. ②주되는 사조(思潮) 외의 하찮은 사조. 1)·2):↔주류(主流). *지류(支流).

여류⁴【餘類】 명 여당(餘黨).

여류 문사【女流文士】 명 여류 문인(文人).

여류 문인【女流文人】 명 여자로서 문필(文筆) 생활을 하는 사람. 여류 문사(女流文士).

여류 문학【女流文學】 명 여성에 의해서 이루어진 문학. 여성 문학가가 지은 문학 작품.

여류 문학가【女流文學家】 명 여자로서 문학 활동을 하는 사람. 여류 문인(文人). 규수(閨秀) 문학가.

여류 비행가【女流飛行家】 명 여자로서 비행사가 된 사람. 버드우먼(birdwoman).

여류 소:설가【女流小說家】 명 여자로서 소설 창작에 종사하는 사람. 여류 작가. 규수(閨秀) 작가.

여류 수필가【女流隨筆家】 명 여자로서 수필을 쓰는 사람.

여류 시인【女流詩人】 명 여자로서 시작(詩作)을 하는 사람. 규수 시인(閨秀詩人).

여류 작가【女流作家】 명 여자로서 문학적 창작 활동을 하는 사람. 규수 작가(閨秀作家). 여류 소설가.

여류 조각가【女流彫刻家】 명 여자로서 조각 예술에 종사하는 사람.

여류 화:가【女流畫家】 명 여자로서 그림을 그리는 사람. 규수 화가.

여륵 명 〈방〉 삼씨(경상).

여름¹ 명 1년의 네 철 가운데 둘째 철. 봄의 다음, 가을 앞의 철. 달로는 6월·7월·8월, 절기(節氣)로는 입하(立夏)로부터 입추(立秋) 전까지의 사이임. 몹시 덥고 낮이 길고 밤이 짧음. 주하(朱夏). 서머(summer). *봄·겨울·가을.

[여름 난 중의(中衣)로군] 여름내 입어 명색만 남은 중의처럼, 형편이 어렵게 되었으면서 장담만 하는 자를 이르는 말. [여름 불도 쬐다 나면 섭섭하다] ㉠쓸데 없는 것이라도 없어지면 서운하다는 뜻. 오뉴월 곁불도 쬐다 나면 서운하다. ㉡오래 지니던 것을 잃거나, 습관화된 짓을 그만두기가 서운하다는 뜻. [여름에 먹자고 얼음 뜨기] 나중을 위하여 준비한다는 뜻. [여름에 하루 놀면 겨울에 열흘 굶는다] 미리 준비가 없으면 나중에 곤란을 받는다는 뜻.

여름(을) 나다 구 여름을 지내다. ¶유난히 힘들게 여름을 났다.

여름(을) 타다 구 여름만 되면 식욕이 줄고 몸이 쇠약해지다.

여름² 명 〈옛〉 열매. ¶곶 됴코 여름 하나니(有灼其華有蕡其實)≪龍歌 2章≫.

여름 경:찰서【一警察署】[—써] 명 여름의 수상(水上) 사고를 방지하기 위하여 해수욕장(海水浴場) 등에 설치되는 임시 경찰서. 수상 안전에 관한 훈련을 받은 경찰관으로 구성되며, 경비정·구조선·구명의(救命衣) 등 각종 수상 안전 및 구호 기구를 갖춤. 해마다 6월부터 7월까지 설치됨.

여름-고사리삼 명〖식〗[*Botrychium virginianum*] 고사리삼과에 속하는 다년초. 모양은 고사리삼과 비슷하나 조금 크며, 여름에 잎 사이에서 줄기가 나와서 이삭 모양을 이루고 그 위에 자낭(子囊)이 족생(簇生)함. 산과 들에 저절로 남.

〈여름고사리삼〉

여름-깃 명 (summer plumage)〖동〗봄에서 여름 번식기에 새가 가지는 깃털. 하우(夏羽). ↔겨울깃.

여름-나기 명 여름을 지내는 일. ¶~가 힘들다.

여름-날 명 여름철의 날. 더운 날. 하일(夏日).

여름-낳이 [—나—] 명 여름 동안에 짠 피륙. 특히, 무명을 말함.

여름-내 부 여름 한 철 동안. 온 여름을 통하여. ¶~ 비가 온 셈이다.

여름 냉:면【一冷麪】 명 얼음을 넣은 냉면. 식힌 육수(肉水)에 갓 내린 메밀 국수를 말고, 한 가운데 얼음 덩이를 넣고, 그 위에 돼지고기 편육·온갖 저냐·배추 김치와 각색 과실을 썰어 넣고, 통으로 썬 삶은 달걀·버섯·실고추·설탕·겨자와 초를 친 여름철 음식의 한 가지임. 하냉면(夏冷麪).

여름 누에 명 여름철에 치는 누에. 곧, 6월 하순 경이나 7월 초순 경에 치는 누에.

여름-눈 명〖식〗여름에 나서 그 해 안으로 다 자라는 눈. 오이·가지 등의 눈. 하아(夏芽). 나아(裸芽). 녹아(綠芽). ↔겨울눈

여름-밀감【一蜜柑】 명〖식〗[*Citrus aurantium* var. *sinensis*] 운향과(芸香科)에 속하는 작은 상록 관목. 밀감나무의 변한 것으로, 높이 3m 이상에 이르고 잎은 녹색(綠色)으로 넓고 길며, 엽액(葉腋)에 가시가 있고, 잎꼭지는 우상(羽狀)임. 첫 여름에 흰 오판화(五瓣花)가 피고, 과실은 직경 10cm 이상의 넓은 구형(球形)인데, 겨울에는 누른 빛을 띠지만 다음 해 여름에 이르러야 충분히 익어서 맛이 남. 하밀감(夏蜜柑).

〈여름밀감〉

여름밀감 정:과【一蜜柑正果】 명 여름 밀감의 껍질을 벗긴 다음에 알알이 떼어서 꿀에 재인 음식.

여름 방:학【一放學】[—빵—] 명 더위를 피하기 위하여 여름 한창 더울 때에 하는 방학. 하기 방학(夏期放學).

여름-살이 명 여름에 입는 베로 지은 홑옷.

여름-새 명 철새의 한 가지. 봄·초여름에 어느 지방에 건너와서 번식(繁殖)한 뒤, 가을에 남쪽 월동지로 가는 새. 우리 나라에서는 제비·두견새 따위. ↔겨울새.

여름-어리표범 나비【一豹一】 명〖충〗[*Melitaea ambigua*] 네발나빗과에 속하는 곤충. 편 날개 길이 33mm 내외, 등황색 날개에는 흑색 띠무늬가 있음. 앞날개 중앙실(中央室)에는, 십장형 무늬·'팔(八)'자형 무늬가 있고, 뒷날개 뒷면은 대황갈색에 검은 조열(條列)이 있음. 한국에도 분포함.

여름-옷 명 여름에 입는 옷. 하복(夏服).

여름 작물【一作物】 명 여름의 농작물(農作物). 여름에 수확하는 작물. 벼·콩·담배 따위. ↔겨울 작물.

여름-잠 [—짬] 명 하면(夏眠). ↔겨울잠.

여름-좀잠자리 명〖충〗[*Sympetrum darwinianum*] 잠자릿과에 속하는 곤충. 몸길이 3.6cm, 날개 길이 5.7cm 가량이고, 수컷은 붉은 빛에 낮은 적갈색이며 암컷은 몸과 낯이 모두 누른 빛이고, 날개의 기부(基部)는 적갈색임. 날개는 투명하고 가장자리에는 흑갈색 무늬가 있음. 5-10월에 나타나는데, 한국에 분포함.

〈여름좀잠자리〉

여름-지기 명 〈방〉 농부(農夫).

여름-지이 명 〈방〉 농사.

여름-철 명 여름 절기. 여름 동안. 하절(夏節). 하시(夏時).

여름-털 명 ①겨울철과 여름철에 깃이나 털의 빛깔을 달리하는 새나 짐승의 여름에 나는 털. 하모(夏毛). ↔겨울털. ②사슴의 털이 중하(仲夏) 이후에 누른 색이 되어 흰 반점(斑點)이 선명하게 나타날 즈음의 털. 붓과 모피(毛皮) 등으로 사용됨.

여름 학교【一學校】 명 하기 학교.

여름형 기압 배:치【一型氣壓配置】 명〖기상〗여름철의 전형적인 기압 배치. 북태평양 고기압 때문에 남쪽 해양은 기압이 높고, 북쪽은 기압이 낮은, 남고 북저(南高北低)의 기압 배치. 남동 계절풍이 불. 남고 북저. ↔겨울형 기압 배치.

여름 휴가【一休暇】 명 하기 휴가.

여릉귀-잡히다 자 능(陵)을 헤치다가 잡히다.

여리¹【閭里】 명 여염(閭閻).

여-리²【黎利】 명〖사람〗베트남 여조(黎朝)의 태조. 1400년에 안남(安南)이 멸망하고 명군(明軍)이 진주(進駐)한 후 1418년 명나라의 지배(支配)에 항거(抗拒), 거병(擧兵)하여 정평왕(定平王)이라 자칭하고 1428년에 하노이를 점령하였음. 후에 안남 전체를 지배하여 여조 대월국(黎朝大越國)을 세웠으며, 국내를 오도(五道)로 나누고 공전 균급법(公田均給法)을 정하는 등 각종 제도를 정비하고 유학(儒學)을 진흥시켰음. 시호(諡號) 고황제(高皇帝). [1383-1433; 재위 1428-33]

여리고 (Jericho) 명〖성〗예리코.

여리-꾼 명 상점 앞에 섰다가 손님을 끌어들여 물건을 사게 하고 상점 주인으로부터 수수료를 받는 사람. 취음: 열입군(閱入軍).

여리다 형 [중세: 여리다] ①물건이 부드럽고 약하다. ¶여린줄기. ②소리나 빛깔 따위가 약하거나 덜하다. ¶여린박. ③의지나 감정 따위가 약하고 무르다. ¶마음이 여린 소녀. ④표준보다 조금 모자라다. ¶여린 십릿길. 1)-4): >야리다.

여-리박빙【如履薄氷】 명 →이빙(履氷). ——-하다 자여불

여리-사【如理師】 명〖불교〗①부처의 존칭. ②진리를 설교하여 중생(衆生)을 구제하는 사람.

여리-지【如理智】 명〖불교〗절대(絕對)·진실·평등·무차별의 도리(道理)를 조견(照見)하는 지(智). *여량지(如量智).

여린-내기 명〖악〗여린박부터 시작되는 곳. 약기(弱起).

여린-말 명〖언〗어감이 거세거나 세지 않고 부드러운 말. 센말·거센말에 상대하여 이르는 말.

여린-박【一拍】 명 (도 Auftakt)〖악〗한 마디 안에서 센박 다음에 여리게 연주하는 박. ↔센박.

여린-뼈 명〖생〗물렁뼈.

여린-입천장【一天障】[—닙—] 명〖생〗연구개(軟口蓋). ↔굳은입천장·센입천장.

여린입천장-소리【一天障】[—닙—] 명〖언〗'연구개음(軟口蓋音)'의 풀어 쓴 말.

여린-줄기 명〖어〗물고기의 지느러미를 이룬 연한 줄기. 연조(軟條).

여린-홀소리 [—쏘—] 명〖언〗'약모음(弱母音)'의 풀어 쓴 말. ↔센홀소리.

여린 홁 명 〈옛〉 진흙. 수렁. ¶여린 홀ᄀ 하놀히 구티시니(泥淖之地天爲之凝)≪龍歌 37章≫.

여립-군 명 〈방〉 여리꾼.

여립-모【女笠帽】 명〖역〗개두(蓋頭)❸.

여립-켜다 자 여리꾼이 손님을 끌어들여 물건을 사게 하다.

여릿-여릿 [—녀—] 부 매우 여릿한 모양. >야릿야릿. ——-하다 형여불

여릿-하다 형여불 여린 듯하다. >야리하다.

여름¹ 명 〈옛〉 여름. ¶여름이면 벼개와 자리에 부치딜ᄒ며≪五倫 1:29≫.

여름² 명 〈옛〉 열음. 열매. ¶여름 여는 거시여(結子)≪朴解 上 36≫.

여마¹【餘馬】 명〖역〗조선 시대 때, 의주(義州)에서 압록강 대안(對岸)의 책문(柵門)까지 부연 사행(赴燕使行)의 복물(卜物)을 운반하는 말에, 여벌로 딸려 보내는 빈 말. *연복(延卜).

여:마²【輿馬】 명 임금이 타는 수레와 말.

여마³【麗馬】 명 두 마리의 말.

여마⁴【驪馬】 명 당나귀.

여마리-꾼 명 ☞ 염알이꾼.

여마리-없다 [—업—] 형 ☞염의없다.

여:막【廬幕】 명 궤연(几筵) 옆이나 무덤 가까이에 놓고 상제가 거처하는 초가. *여묘(廬墓).

여-만(:)촌【呂晚村】 명〖사람〗중국 명말(明末) 청초(淸初)의 시인. 본명

은 유량(留良). 자는 장생(莊生) 또는 용회(用晦), 호는 만촌(晩村), 하구 노인(何求老人). 명나라가 망하자 청(淸)나라를 섬기지 않고 중이 됨. 문자옥(文字獄) 때 시문집·강의록 등이 모두 몰수되었으나, 민국(民國) 수립 후에 다시 간행되었음. 저서에 ≪여만촌 시집≫ 등이 있음. [1629-83]

여말【麗末】명 고려(高麗)의 말기(末期). 여계(麗季).

여망¹【餘望】명 ①아직 남은 희망. ②장래의 희망.

여-망²【輿望】명 여러 사람의 기대. 중망(衆望). ¶ ~을 업다.

여맥【餘脈】명 ①남아 있는 맥박(脈搏). ②세력이 점점 줄어 들어 간신히 허울만 유지하는 일. ¶ 간신히 ~을 잇다.

여:맹【勵猛】명〖역〗조선 시대 때 정팔품(正八品) 서반(西班)의 토관(土官) 벼슬. 부(副)여맹의 위, 부여정(副勵正)의 아래.

여-메기 명〖어〗종어(宗魚). *메기.

여메기 지지미 명 고추장을 탄 물에 쇠고기·무·파를 썰어 넣고 끓이다가, 토막친 여메기를 넣어서 지진 음식. 여점전(女鮎膞).

여며 갑〈방〉네미 ⊟❶(함경).

여명¹【餘命】명 남은 목숨. 여생(餘生). 여령(餘齡). ¶ ~이 얼마 안되다.

여명²【黎明】명 ①희미하게 밝아 오는 새벽. 여단(黎旦). 갓밝이. 지명(遲明). 단명(旦明). 어둑새벽. ②희망의 빛.

여명-기【黎明期】명 새로운 시대가 바야흐로 시작되는 시기. ¶ 신문화(新文化)의 ~.

여모¹ 명〖건〗서까래나 판장 마루 등의 옆을 가로 대어 가리는 널빤지.

여모²【女帽】명 ①여자가 쓰는 모자. ②여자의 시체를 염습(殮襲)할 때에 머리를 싸는 베.

여모³【呂母】명〖사람〗중국 후한(後漢)의 여씨(呂氏)의 어머니. 그 아들이 현리(縣吏)가 되어, 사소한 죄로 현재(縣宰)에게 죽임을 당하자, 군사를 모아 장군(將軍)이라 자칭(自稱), 현재를 죽이어 자식의 원수를 갚음.

여:모⁴【與謀】명 모의(謀議)에 참여함. ——-하다 자여불

여-목【一木】명〈방〉뒷나무.

여-몽환포영【如夢幻泡影】명〖불교〗세상이 무상(無常)하고 실체(實體)가 없음이 몽환 포영과 같다는 말.

여묘【廬墓】명 상제가 무덤 근처에 여막을 짓고 살면서 무덤을 지키는 일. *여막(廬幕). 시묘(侍墓). ——-하다 자여불

여무¹【女巫】명〖민〗여자 무당.

여무²【女舞】명 여자가 추는 춤. ↔남무(男舞).

여-무가론【餘無可論】명 대강이 이미 결정되어 나머지는 의론할 여지가 없음.

여무가시 명〈방〉〖충〗사마귀(경북).

여무-세【女巫稅】명〖역〗여자 무당에게 물리던 무세(巫稅)의 한 가지.

여-무소부도【慮無所不到】명 생각이 미치지 않은 데가 없이 매우 주밀하게 함.

여-무족관【餘無足觀】명 그 나머지는 볼 만한 가치가 없음.

여무-죽【一粥】명〈방〉여물죽.

여무-지다 형 ①모질고 여물다. ②영악하고 오달지다. ¶ 여무지게 일을 하다. 1)·2):>야무지다.

여묵【餘墨】명 여적(餘滴).

여:문¹【與聞】명 참여하여 들음. ——-하다 자여불

여문²【閭門】명 동네의 어귀에 세운 문. 이문(里門).

여문³【儷文】명〖문〗↗변려문(騈儷文).

여물¹〔중세 : 여믈〕명 ①마소를 먹이기 위하여 말려서 썬 짚이나 풀. ②흙을 이길 때, 바른 뒤에 헤지지 않고 붙어 있도록 섞은 썬 짚. [여물 많이 먹은 소 똥 눌 때 알아본다] 행한 일이나 저지른 죄는 반드시 드러나게 된다는 말. [여물 안 먹고 잘 걷는 말] 현실과는 상반되는 희망적인 일을 이름.

여물² 명 짠 맛이 조금 있어 허드렛물로 쓰는 우물 물.

여물³ 명〈방〉물알¹.

여물⁴【餘物】명 남은 물건. 나머지 물건.

여물-간【一間】[一깐] 명 여물을 쟁여 두는 헛간.

여물다 ⊟자〔중세 : 여믈다〕씨가 익어 단단해지다. ¶ 잘 여문 옥수수. 야물다. ⊟형 ①일이 잘 되어 탈이 없다. ¶ 일이야 여물게 했죠. ②사람됨이 헤프지 않고 단단하다. ¶ 여문 솜씨. ③씀씀이 따위가 헤프지 않고 알뜰하다. 1)-3)＞야물다.

여물 들다 자〈방〉물알 들다.

여물-리다 타 여물게 하다. ¶ 여러 해에 걸친 수고의 보람을 ~.

여물 바가지〔一빠一〕명 여물죽을 푸는 자루 바가지. 쇠죽 바가지. 준 여물박.

여물-박〔一빡〕명↗여물 바가지.

여물-죽【一粥】명 마소를 먹이기 위하여 여물로 쑨 죽.

여물-통【一桶】명 ①여물을 담는 통. ②〈속〉'입'을 속되게 이르는 말. ¶ ~을 확 돌려 놓을까 보다.

여므지다 형〈방〉여무지다.

여믈 명〈옛〉여물¹ ¶ 흔 더위 물이 이 버므린 여믈 머거든 물머기라 가자(一霎兒馬喫了這和草飲水去)≪老乞 上 30≫.

여믓 부〈옛〉진실로. 본디. =여묻. ¶ 여믓시혹 그리아니ᄒᆞ면(苟或不然)≪內訓 Ⅲ:62≫.

여미¹【餘味】명 먹은 뒤에 남는 입맛. 뒷맛. 후미(後味).

여미²【麗美】명 곱고 아름다움. 미려(美麗). ——-하다 형여불

여미³【麗靡】명 곱고 화사함. ——-하다 형여불

여미다 타〔중세 : 여미다〕옷깃 또는 장막 등을 바로잡아 합쳐서 단정하게 하다.

여민¹【黎民】명 검수(黔首).

여민²【餘民】명 나라가 망한 뒤에 남은 백성. 유민(遺民).

여:민 동락【與民同樂】[一낙] 명 임금이 백성을 덕화(德化)하여, 백성과 더불어 즐김. 여민 해락(偕樂). ——-하다 자여불

여:민-락【與民樂】[一밀一] 명〖악〗조선 때, 정재(呈才)에 아뢰던 아악의 한 가지. 세종 때 용비 어천가 제1-4장과 제125장을 아악 곡조에 얹어 부를 수 있도록 작곡된 가락으로, 모두 10장이었으나 7장만을 관현악기로 연주할 뿐, 노래는 부르지 않음. 선율이 화평하고 웅대함. *승평 만세지곡(昇平萬歲之曲)·오운 개서조(五雲開瑞朝)·상칠장 하삼장.

여:민락-령【與民樂令】[一밀一녕] 명〖악〗조선 시대 때의 궁중 연례악(宴禮樂)의 하나. 조참일(朝參日)에 임금이 환궁(還宮)할 때 아뢲.

여:민락-만【與民樂慢】[一밀一] 명〖악〗조선 시대 때의 궁중 연례악(宴禮樂)의 하나. 조참일(朝參日)게 임금이 납실 때 아룀. 준만(慢).

여:민-악【與民樂】명〖악〗'여민락(與民樂)'을 잘못 일컫는 말.

여:민 해락【與民偕樂】명 여민 동락(與民同樂). ——-하다 자여불

여뭇 부〈옛〉진실로. 정말. =여못. ¶ 맷는 거시 여뭇 너추러 가ᄂᆞ니(有生固蔓延)≪杜諺 Ⅶ: 35≫.

여바라 갑〈방〉여봐라(경상).

여바리견을안【亦使內在乙良】〈이두〉려고 시키거늘.

여바리고【亦使內遣】〈이두〉려고 시키고.

여바리온【亦使內乎】〈이두〉려고 하는. 려고 시키니.

여박【旅泊】명 여차(旅次).

여-반장【如反掌】명 손바닥을 뒤집는 것 같다는 뜻으로, 일하기가 매우 쉽다는 뜻. ¶ 1등하기야 ~이다 / 그깐 격군 한 두 놈 꼬드겨내는 것이야 ~이지요≪金周榮 : 客主≫.

여-발통치【如拔痛齒】명 앓던 이 빠진 것 같다는 뜻으로, 괴로운 일을 벗어나서 시원하다는 말.

여방【餘芳】명 떠나 버린 뒤나, 죽은 뒤의 명예.

여:배¹【汝輩】인대 너희들.

여배²【余輩】인대 우리들.

여-배우【女俳優】명 여자로서 배우 생활을 하는 사람. 액트리스(actress). 준여우(女優).

여백【餘白】명 글씨를 쓰고 남은 빈자리. 공백(空白).

여-벌【餘一】명 ①가외의 물건. ②다음에 쓰기로 하여 남긴 물건. 부건(副件). 여건(餘件).

여범【女犯】명 ①여자 범인(犯人). ②〖불교〗중이 사음계(邪淫戒)를 범(犯)하는 일.

여범 육식【女犯肉食】[一뉵一] 명〖불교〗중이 사음계(邪淫戒)를 범하여 여성과 교합(交合)하고, 또 육식을 하는 일.

여:범인-동【與凡人同】명 보통 사람과 똑 같음. ——-하다 형여불

여법【如法】명 ①법에 맞음. 합법(合法). ②〖불교〗여래(如來)의 교훈에 맞음. ——-하다 형여불

여벽【旅癖】명 여행을 즐기는 버릇.

여변칙 활용【一變則活用】명〖언〗여불규칙 활용.

여병【餘病】명 앓고 있던 병 이외에 겹쳐 든 딴 병. 합병증(合併症). 객증(客症).

여보¹【女寶】명〖불교〗전륜 성왕(轉輪聖王)이 가지고 있는 칠보(七寶)의 하나.

여보² 갑 ①'여보시오'의 좀 낮춤말. ②자기의 아내 또는 남편(男便)을 부르는 말.

여-보게 갑 '여보시게'의 좀 낮춤말.

여-보세요 갑〈속〉여보시오.

여-보시게 갑 친구나 아랫 사람을 부를 때 또는 그의 주의를 환기시키려고 할 때에 예사로 높여서 부르는 말.

여-보시오 갑 남을 부를 때 또는 그의 주의를 환기시키려 할 때에 예사로 높여서 부르는 말. 준엽쇼.

여-보십시오 갑 '여보시오'의 높임말. 준여봅시오.

여복¹【女卜】명 여자 판수.
[여복이 바늘귀를 꿴다] 눈 먼 여자 장님이 바늘에 실을 꿴다 함이니 알지도 못하고 어림치고 한 일이 우연히도 잘 맞아 들었다는 말. [여복이 아이 낳아 더듬듯] 어름어름 주무르기만 하고 어떤 줄을 모름의 비유.

여복²【女服】명 ①여자들이 입는 옷. ②남자가 복색을 여자처럼 꾸민 차림새. 여장(女裝). ——-하다 자여불

여복³【女福】명 염복(艷福).

여복⁴【麗服】명 고운 옷. 화려한 의복.

여복⁵ 부〈방〉여북.

여-본중【呂本中】명〖사람〗중국 북송(北宋) 때의 학자·시인. 원명(原名)은 대중(大中). 자는 거인(居仁), 호는 자미(紫微). 관은 중서 사인(中書舍人). 유안세(劉安世)의 학통을 계승하여 동래선생(東萊先生)으로 일컬어짐. ≪강서 시사 종파도(江西詩社宗派圖)≫를 만들어 송대(宋代) 강서 시파(江西詩派)의 이름을 창시함. 저서로 ≪춘추 집해(春秋集解)≫·≪자미 잡설(紫微雜說)≫·≪동래 시집(東萊詩集)≫ 등이 있음. [1084-1145]

여-봅시오 갑↗여보십시오.

여봉【茹峰】명〖사람〗노수신(盧守愼)의 호(號).

여-봐라 갑 '여기 보아라'의 뜻으로 손아랫 사람을 부르거나 주의를 환기시키는 소리. ¶ ~ 게 누구 없느냐.

여봐란-듯이 부 남의 수모(羞侮)를 받아 오다가 그것을 활짝 벗어나게 된 때에 이것 좀 보아라 하는 뜻으로 자랑함을 이르는 말. ¶ 갖출 것 다 갖추고 ~ 산다.

여:부【與否】 명 그러함과 그렇지 아니함. ¶그 일의 가능(可能) ~는 알 수 없다.
여부-대기 명 〈방〉 비탈(함경).
여:부-없다【與否—】[—업—] 형 ①여부를 말할 필요가 없다. ②조금도 틀림이 없다.
여:부-없이【與否—】 [—업씨] 부 ①여부를 말할 필요 없이. ②조금도 틀림없이.
여-부인【如夫人】 명 정실(正室) 대우를 받는 애첩(愛妾). 또, 남의 첩의 존칭.
여북[1] 명 ←여복(女卜).
여북[2] 부 '오죽'·'응당'·'얼마나'·'작히나'·'오죽이나'의 뜻으로 의문문 위에 쓰이어 반어(反語) 구실을 하는 말. ¶~ 분하랴. ——-하다 보형 여불 ¶여북하면 굶을까/여북하면 울겠니. *오죽.
[여북하여 눈이 머나] 고초 신산(苦楚辛酸)이 극심하여 사경(死境)에 이름을 말함.
여북-이나 부 '여북[2]'의 강조어. ¶그이가 돌아오면 ~ 좋으랴.
여분[1]【餘分】 명 나머지.
여분[2]【餘憤】 명 분한 일을 겪은 뒤 아직 덜 가라앉은 분기(憤氣).
여불규칙 활용【—不規則活用】 명 〖언〗 동사 '하다' 및 접미어 '-하다'가 붙은 모든 동사·형용사에서 어미 '-어'가 '-여'로 변하는 불규칙 활용.
여-불비【餘不備】 명 ↗여불비례(餘不備禮).
여-불비례【餘不備禮】 명 나머지는 예를 갖추지 못한다는 뜻으로, 편지의 본문 뒤에 쓰는 상투어. 준여불비.
여불-없다 [—업—] 형 ☞ 위불위없다. ¶"어떻게 되긴, 그야 여불없지."하고, 싹불은 싱글싱글 웃는다≪玄鎭健:無影塔≫.
여-불위【呂不韋】 명 〖사람〗 중국 전국 시대(戰國時代) 말의 대상인(大商人)으로 진(秦)나라의 재상(宰相). 진(秦)나라 장양왕(莊襄王)이 조(趙)나라 인질(人質)이 되었을 때, 불위(不韋)의 도움으로 귀국하여 왕위를 계승할 수 있었으므로 진나라의 재상으로서 문신후(文信侯)에 봉해짐. 일찌기 한단(邯鄲)의 여인을 들여 잉태케 한 후, 이를 장양왕에게 바치니, 그 아들이 자정(子政), 곧 시황제(始皇帝)가 되었다고 함. 자정이 즉위하자 불위를 받들어 중부(仲父)로 모심. ≪여씨 춘추(呂氏春秋)≫를 지음. [?-235 B.C.]
여붓-여붓 부 〈방〉 여짓여짓.
여비[1]【女婢】 명 여자 종. ↔남노(男奴).
여비[2]【旅費】 명 여행하는 데 드는 비용(費用). 노자(路資). 노비(路費). 노전(路錢).
여비[3]【餘匪】 명 잔비(殘匪).
여비다 자 〈방〉 여위다(함경·강원).
여-비서【女秘書】 명 여자로서 비서의 직무를 맡은 사람.
여쁘다 형 〈방〉 예쁘다.
여사[1]【女士】 명 학덕(學德)이 높은 여자의 경칭.
여사[2]【女史】 명 ①시집간 여자의 존칭. ②여자로서 사회적 지위나 명성(名聲)이 있는 사람을 높이어 이르는 말. ③〖역〗 고대 중국에서 후궁에 사사(仕事)하여 기록과 문서를 관장하던 여관(女官).
여사[3]【女舍】 명 여자 죄수가 갇히어 있는 옥사.
여사[4]【女師】 명 〖교〗 ↗여자 사범 학교.
여사[5]【如斯】 명 여차(如此). ——-하다 형여불. ——-히 부
여사[6]【旅舍】 명 여관(旅館).
여사[7]【旅思】 명 여행 중의 심정. 나그네의 심정. 객정(客情).
여사[8]【旅師】 명 〖역〗 군대 5백 명의 대장(隊長). 잡직(雜職)에 포함됨. 여수(旅帥).
여:사[9]【輿師】 명 많은 군대.
여사[10]【餘事】 명 ①필요하지 아니한 일. 여력(餘力)으로 하는 일. ②딴 일. 타사(他事).
여사[11]【麗史】 명 고려(高麗)의 역사.
여사[12]【麗辭】 명 미사(美辭).
여:사[13]【鷽斯】 명 〖조〗 갈가마귀.
여사[14] 부 〈방〉 오죽(함경).
여:사-군【輿士軍】 명 〖역〗 조선 시대 때, 여사청(輿士廳)에 딸려 인산(因山) 때에 대여(大輿)·소여(小輿) 등을 메던 사람.
여사당-패【女寺堂牌】 명 〖역〗 조선 시대 때 경기도 안성군(安城郡)의 청룡사(靑龍寺)를 근거로 조직된 불교 여신도의 단체. 본시 불문(佛門)에의 헌신적 봉사 및 염불에만 전심할 목적이었으나 차츰 타락되어, 속가(俗歌)를 부르며 웃음을 팔아 관중에게 돈을 구걸하였음. 그 폐해가 심해 조선 시대 말에 금지됨. 사당(寺堂). *남사당패.
여-사대【女師大】 명 ↗여자 사범 대학.
여:사 대:장【輿士大將】 명 〖역〗 조선 시대 때 여사청(輿士廳)의 대장. 인산(因山) 때 여사군(輿士軍)을 지휘하였는데 포도 대장(捕盜大將)이 겸임했음.
여사모사-하다【如斯某斯—】 형 이러저러하다.
여-사무원【女事務員】 명 여자로서 사무를 맡아 보는 사람.
여사-보다 타 〈방〉 엿보다(제주).
여사서 언:해【女四書諺解】 명 〖책〗 중국 후한(後漢)의 조대가(曹大家)의 여계(女誡)와 당(唐)나라의 송약소(宋若昭)의 여논어(女論語)와, 명(明)나라의 인효문 황후(仁孝文皇后)의 내훈(內訓)과, 명(明)나라의 왕절부(王節婦)의 여범(女範) 등 네 가지 책을 모아서 언해(諺解)한 책. 조선 영조(英祖)의 서문(序文)이 붙어 있음. 어제(御製) 여사서 언해.
여사-여사【如斯如斯】 명 여차여차(如此如此). 이러저러함. ——-하다 형여불. ——-히 부
여사 작시인【餘事作詩人】 명 학업(學業)을 닦는 한편 여기(餘技)로 시를 짓는 사람.
여사-잠【女史箴】 명 〖책〗 중국 진(晉)나라의 문인 장화(張華:232-300)가 지은 문장. 궁정(宮廷)의 여사(女史)가 훈계(訓誡)를 내리는 형식으로 모범이 될 만한 사적(事蹟)을 들어 후궁(後宮) 부인의 윤리 도덕을 푼 것임.
여사잠-도【女史箴圖】 명 〖미술〗 '여사잠'의 문장을 몇 단(段)으로 나눠 각각 그림을 그려 사화(詞畫) 대조의 단락식(段落式)으로 만든 그림책. 대영 박물관(大英博物館)에 소장(所藏)되어 있는 고개지(顧愷之)의 작품이 가장 유명함.
여-사장【女社長】 명 여자로서 회사 사장 지위에 있는 사람.
여사 제:강【麗史提綱】 명 〖책〗 조선 시대 때의 유학자 유계(兪棨)가 ≪고려사≫를 기초로 하여 주자(朱子)의 ≪통감 강목(通鑑綱目)≫의 체재에 따라 편찬한 고려 편년사(編年史). 22권 23책.
여:사-청【輿士廳】 명 〖역〗 조선 시대 때, 인산(因山) 여사군을 통할하기 위하여 포도청(捕盜廳) 안에 임시로 설치한 관청.
여사 풍경【餘事風景】 명 필요하지 아니하여 생각도 아니하는 일.
여산[1]【廬山】 명 〖지〗 '루산'을 우리 음으로 읽은 이름.
[여산 중놈 쌀 것] 전연 관계 없는 남이 쌀 것이라는 뜻. [여산 칠십 리나 들어갔다] 눈이 움푹 들어간 사람을 놀리는 말. [여산 풍경에 헌 쪽박이라] 아름다운 풍경 속에 헌 쪽박과 같이 도무지 어울리지 아니하고 당치 아니함의 비유.
여산의 진면목(眞面目) 구 〔소식(蘇軾)의 '제 서산벽시(題西山壁詩)'에서〕 여산의 여러 봉우리는 보는 방향에 따라서 그 모양이 다른 데서, 복잡 응대하여 헤아릴 수 없는 것의 비유.
여산[2]【驪山】 명 〖지〗 '리산'을 우리 음으로 읽은 이름.
여산-궁【驪山宮】 명 〖역〗 중국 당나라 현종(玄宗)이 양귀비를 위하여 리산(驪山)에다 지은 궁전, 곧 화청궁(華淸宮).
여산 회:의【廬山會議】 [—/—이] 명 〖역〗 루산 회의.
여삿 수 〈방〉 여섯(경남).
여상[1]【女相】 명 여자처럼 생긴 남자 얼굴. ↔남상(男相).
여상[2]【女桑】 명 움뽕.
여상[3]【女商】 명 ①〖교〗 ↗여자 상업 고등 학교. ②여자 상인(商人).
여상[4]【女喪】 명 여자의 상고(喪故).
여상[5]【如上】 명 위와 같음. ——-하다 형여불
여상[6]【如常】 명 보통 때와 같음. 늘 같음. ¶인제 스승의 문하에 발을 끊으리라 하는 것이 여럿의 일치한 공론이었으나 팽개는 ~스럽게 출입을 할 뿐 아니라…≪玄鎭健:無影塔≫. ——-하다 형여불
여-상[7]【呂尙】 명 〖사람〗 태공망(太公望)을 성명(姓名)으로 일컫는 이름.
여상[8]【旅商】 명 행상(行商).
여:상[9]【濾床】 명 여과지(濾過池)에 설치한, 수돗물을 여과하는 곳. 자갈을 깔고 그 위에 고운 모래의 층을 만듦. 여과상(濾過床).
여-상전【女上典】 명 종에 대하여, 부녀자인 주인(主人)의 일컬음.
여:새 명 〖조〗 여샛과에 속하는 새의 총칭. 홍여새·황여새 등이 있음. 연새. 연작(連雀).
여새기다 타 ☞엿보다.
여색[1]【女色】 명 ①여자와의 육체적 관계. 비색(妃色). 준색. ¶~에 탐닉하다. ↔남색(男色). ②여자의 모습이나 얼굴 빛. ③미인(美人). 미색(美色).
여:색[2]【厲色】 명 노기(怒氣)를 띰. ——-하다 자여불
여색[3]【餘色】 명 ①〖미술〗 두 빛이 섞이어 흰 빛 또는 회색을 이룰 때 한 빛을 다른 빛에 대하여 일컫는 말. 보색(補色). ②〖물〗 두 빛깔의 광선(光線)이 혼합한 결과 백색광(白色光)이 되는 때, 그 중 한 광선을 다른 광선에 대하여 일컫는 말. 홍(紅)과 녹(綠), 청(靑)과 등(橙), 황(黃)과 자(紫) 등임.
여색[4]【麗色】 명 어여쁜 용색(容色).
여색 잔상【餘色殘像】 명 〖물〗 보색 잔상.
여:샛-과【—科】 명 〖조〗 [Bombycillidae] 참새목(目)에 속하는 한 과. 머리에 길고 삐쭉한 우관(羽冠)이 있고 날개와 미우(尾羽)에 황색·홍색 부분이 있음. 대개 북반구의 북부에서 번식하며, 겨울에는 온대에서 월동함.
여생【餘生】 명 ①앞으로 남은 일생. 여년(餘年). 잔년(殘年). 잔생(殘生). 여명(餘命). ¶~을 즐기다. ②간신히 살아난 목숨.
여-생도【女生徒】 명 여자 생도. *여학생.
여서[1]【女婿·女壻】 명 딸의 남편. 사위.
여서[2]【黎庶】 명 여민(黎民).
여서[3] 수 〈방〉 여섯(경상).
-여서 어미 '-아서'의 뜻으로 여불규칙 어간 밑에 붙이어 쓰는 연결 어미. ¶착하~. *-아서·-어서.
여서-도【麗瑞島】 명 〖지〗 전라 남도의 남해 상(南海上), 완도군(莞島郡) 청산면(靑山面) 여서리(麗瑞里)에 위치한 섬. [1.24 km²: 403명(1984)]
여석[1]【礜石】 명 〖광〗 비석(砒石)❶.
여:석[2]【礪石】 명 숫돌.
여선【女仙】 명 여자 신선(神仙). 여금단(女金丹)을 수련하여 신선의 경지에 이른 여성. 서왕모(西王母) 등.
여-선생【女先生】 명 여자로서 선생이 된 사람. 여교원(女敎員). 여교사(女敎師).
여설【如說】 명 〖불교〗 불설(佛說)에 맞으며, 불법(佛法)에 어긋나지 않는 일.
여섯 수관 다섯에 하나를 더한 수. 육(六).
[여섯 모 진 모래를 여덟 모 지게 밟았다] 일에 끈기가 있다는 말.
여섯-때 명 ①〖불교〗 하루를 여섯으로 나누어 염불 독경(念佛讀經)하는 때. 아침·한낮·저녁·초밤·밤중·새벽으로 나눔. ②인도에서 고래로 일

년을 여섯으로 나눈 시기. 즉, 점열(漸熱)·성열(盛熱)·우시(雨時)·무시(茂時)·점한(漸寒)·성한(盛寒). 육시(六時).

여섯-무날 명 무수기를 볼 때에 음력 보름과 그믐을 이르는 말.

여섯발-게 명〖동〗[*Hexapus sexpes*] 원숭이겟과에 속하는 게의 하나. 갑각(甲殼)은 앞쪽이 뒤쪽보다 좁고 길이 10.5mm, 폭 16.5mm 내외임. 넷째 발이 없어 보각(步脚)의 수는 세 쌍이며, 갑(甲)의 표면에는 작은 구멍이 산포함. 지렁이·거머리 등속과 공서(共棲)하는데, 한국·일본·오스트레일리아 등지에 분포함.

〈여섯발게〉

여섯잎-꽃 [一닙一] 명〖식〗꽃잎이 여섯 개로 피는 꽃. 글라디올러스 따위. 육판화(六瓣花).

여섯-째 수 다섯째 다음의 차례.

여성[1]【女性】명 ①아기를 낳을 수 있는 성(性)의 사람. 일반적으로 성인(成人)을 가리킴. 여자. ¶～ 단체 / ～ 장관. ②여자의 성질. ③〖언〗서(西)유럽어 문법에서 단어를 성(性)에 따라 구별하는 말. 여성 대명사·여성 명사 등이 있음. 1)-3) : ↔남성(男性).

여성[2]【女星】명〖천〗여수(女宿). 준여(女).

여성[3]【女聲】명 ①여자의 목소리. ②〖악〗성악에서, 여성 성부(聲部). 소프라노·알토 등.↔남성(男聲). ¶～ 합창.

여:성[4]【厲聲】명 성이 나서 큰 소리를 지름. 또, 그 소리. ——-하다 자여불

여성-계【女性界】명 여성들의 사회. 여성의 세계.

여성-관【女性觀】명 여성에 대한 견해. 여성을 보는 눈.

여성 국극【女性國劇】명〖연〗창극(唱劇)의 한 갈래로서 연극의 한 장르. 1948년 국악원에서 여성들만이 떨어져 나와 여성 국악 동호회라는 것을 조직한 것이 여성 국극의 태동(胎動)임.

〈여성기〉

여성-기【女星旗】명〖역〗의장기(儀仗旗)의 하나.

여성 대:명사【女性代名詞】명〖언〗서구어(西歐語) 문법에서 대명사를 성(性)으로 분류한 한 가지. ↔남성 대명사.

여성 마침【女性一】명〖악〗마침꼴 중에서 으뜸 삼화음(三和音)이 끝마디의 제일 강박(強拍)에 있지 않은 마침. ↔남성 마침.

여성 명사【女性名詞】명〖언〗서구어(西歐語) 문법에서 명사를 성(性)으로 분류한 한 가지. ↔남성 명사.

여성 문:제【女性問題】명〖사〗여성의 지위·권리·교육·직업 등에 관한 사회 문제. 부인 문제.

여성-미【女性美】명 체질 및 성질상 여성으로서의 아름다움. ↔남성미(男性美).

여성-부【女性部】명 행정 각부의 하나. 여성 정책의 기획·종합, 가정 폭력·성폭력 방지 및 피해자 보호, 윤락 행위 방지, 남녀 차별의 금지·구제 등 여성의 지위 향상에 관한 사무를 장리함.

여성부 장:관【女性部長官】명 여성부의 장(長)인 국무 위원.

여성-상【女性像】명 ①여자의 상(像). 또, 그 그림이나 조각. ②여자로서 갖추어야 할 모습. 여인상(女人像).

여성 운:동【女性運動】명〖사〗여성의 권리와 정치적·경제적·사회적 지위를 향상시키기 위한 사회 운동. 여성 해방 운동.

여성-적【女性的】명관 ①여성다운 일이나 상태. ②우유 부단(優柔不斷)한 모양. 무기력한 모양. ↔남성적.

여-성(:)제【呂聖齊】명〖사람〗조선 숙종(肅宗) 때의 상신(相臣). 자(字)는 희천(希天), 호는 운포(雲浦). 함양(咸陽) 사람. 숙종 14년(1688)에 영의정(領議政)에 올랐다가 동년에 서인(西人)으로 몰려 쫓겨났으나 다시 들어와 상신이 되었음. [1624-91]

여성 참정권【女性參政權】[一꿘] 명 여성이 정치에 참가할 권리. 곧, 선거권과 피선거권을 갖는 권리. 19세기 후반부터 인정받기 시작하여 2차 대전 후로는 세계적으로 인정받고 있음.

여성 특별 위원회【女性特別委員會】명〖법〗'여성부(女性部)'의 전신으로 전(前)의 제 2 정무 장관실(政務長官室)이 개편된 것이었음.

여성-학【女性學】명 [Women's Studies] 기성(旣成)의 학문 분야를, 여성의 입장에서 종합적으로 재평가(再評價)하려는 연구 과제(課題).

여성 합창【女聲合唱】명〖악〗여성(女聲)만으로 부르는 합창. 제1·제2 소프라노와 알토로 되는 여성 삼부 합창이 대표적임.

여성 해:방【女性解放】명〖사〗사회에 있어서, 남자에 비하여 특히 여자가 받고 있는 여러 가지 속박을 해제(解除)하는 일. 여성들의 근대적 자각과 더불어 이 요구가 대두하였음.

여성 해:방 운:동【女性解放運動】명〖사〗여성을 사회적인 속박으로부터 해방시킬 것을 목표로 행하여지는 대중 운동. 특히, 19세기 중엽부터 영국을 위시하여, 유럽 여러 나라에서 여성의 참정권(參政權) 운동과 결부되어 발전함.

여성 호르몬【女性一】[hormone] 명〖생〗①여성 생식선(生殖腺)인 난소(卵巢)에서 분비되는 호르몬. 난포(卵胞) 호르몬과 황체(黃體) 호르몬의 병칭(倂稱). 자성(雌性) 호르몬. ②특히 여성의 제2차 성징(性徵)을 촉진하는 난포 호르몬. 1)·2):↔남성(男性) 호르몬.

여성화 증:후군【女性化症候群】명〖의〗남성이 여성의 특징을 갖게 되는 증후군(症候群). 부신 피질 자극 호르몬(副腎皮質刺戟hormone) 분비량의 변화에 의해 일어남.

여세【餘勢】명 어떠한 일이 끝난 뒤의 그 나머지 기세(氣勢). ¶～를 몰아.

여:세 무섭【與世無涉】명 세상과 상관함이 없는 일.

여:세 부침【與世浮沈】명 여세 추이(與世推移). ——-하다 자여불

여:세 추이【與世推移】명 세상의 변함을 따라 함께 변함. 여세 부침. ——-하다 자여불

여셍이 명〈방〉염소[1](경남).

여소【餘所】명 ①나머지의 장소. ②딴 장소. 타소(他所).

여손【女孫】명 손녀(孫女).

여:송【輿頌】명 여러 사람이나 사회 일반의 칭송.

여송-도【呂宋島】명〖지〗'루손(Luzon) 섬'의 한자 이름.

여송-연【呂宋煙】명 ①지난날, 필리핀의 루손 섬에서 나는 향기가 좋고 독한 엽궐련을 일컫던 말. ②엽궐련.

여쇄 명〈옛〉엿새. =여쐐. ¶二月ㅅ 여쐣 바미 봄므리 나니(二月六日夜春水生)≪杜諺 X:4≫.

여수[1] 명〈방〉여우[1](충청·전라·경남).

여수[2]【女囚】명 여자 죄수. 여도(女徒).

여수[3]【女宿】명〖천〗28수(宿)의 하나. 북방 칠수(北方七宿)의 셋째. 거성(距星)은 물병자리의 엡실론성(ε星)임. 여성(女星). 준여(女).

여수[4]【旅帥】명〖역〗여사(旅師).

여수[5]【旅愁】명 객지에서의 외로운 마음. 객수(客愁). 기수(羈愁).

여:수[6]【與手】명 손을 써서 죽임. ——-하다 타여불

여:수[7]【與受】명 주고받음. 수수(授受). ——-하다 타여불

[여수가 밑천이다] 빚을 쓴 다음에는 돌리어 갚아야 신용이 생긴다는 뜻.

여수[8]【黎首】명 검수(黔首).

여수[9]【餘祟】명 여증(餘症).

여수[10]【餘數】명 나머지 수효. 남은 수.

여수[11]【餘壽】명 남은 수명(壽命). 여명(餘命).

여:수[12]【濾水】명 더러운 물을 걸러서 깨끗이 함. 또, 그 물. ¶～ 장치. ——-하다 자여불

여:수[13]【濾水】명〖지〗'뤼수이'를 우리 음으로 읽은 이름.

여수[14]【麗水】명〖지〗전라 남도의 한 시. 여수 반도의 끝에 위치한, 천연과 인공으로 된 근대적 항만(港灣)임. 기온이 온난하고 해양성 기후이므로 보양지(保養地)로 적합함. 전라선(全羅線)의 종점으로 농산물과 수산물이 풍부하며, 호남 정유 공장과 임해 공업 단지가 들어서서 각종 공업도 행하여짐. 진남관(鎭南館)·충민사(忠愍祠)·충무공 대첩비(大捷碑)·한려 수도(閑麗水道)·오동도(梧桐島)·장군도(將軍島)·만성리(萬聖里) 해수욕장·흥국사(興國寺)·향일암(向日庵) 등이 있고, 1981년 거문도와 백도가 국립 공원으로 지정됨. 1998년 4월 여천시·여천군을 통합, 개편한 시(市)임. [185,428명(1996)]

여수[15]【麗豎】명 아름다운 동자(童子). 미동(美童).

여수-구【餘水口】명〖토〗저수지·수도 등에 필요한 양(量) 이상으로 괸 물을 다른 곳으로 빼어 버리기 위하여 만든 물구멍.

여수-군【麗水郡】명〖지〗여천군(麗川郡)의 구명(舊名).

여수다 타〈방〉엿보다.

여:수 동죄【與受同罪】명 장물(贓物)을 주는 일이나 받는 일은 둘다 죄가 같음을 이르는 말.

여:수-라【濾水羅】명 [라(羅)는 망(網)의 뜻] 철사 따위로 맨 체. 물을 거르는 데 쓰임. 수낭(水囊).

여수-로【餘水路】명〖토〗수력 발전소 등에서, 수량(水量)이 일정량 이상이 되었을 때 여분의 물을 배수(排水)하기 위한 수로.

여수 반:도【麗水半島】명〖지〗전라 남도 동쪽에 돌출한 반도. 남북의 길이 약 68km이며, 반도 남부에 포용된 큰 만은 가막양(駕莫洋)이라 이름. 전면은 금오 수도(金鰲水道)를 사이에 두고, 금오 열도(金鰲列島)가 산재함.

여수 수산 대학교【麗水水産大學校】명 국립 대학교의 하나. 1917년 여수 공립 간이 수산 학교로 설립. 1921년 여수 공립 수산 학교, 1951년에 여수 수산 고등학교, 1953년에 여수 수산 고등 전문학교로 개편되었다가 1968년 국립으로 이관됨. 1975년 여수 수산 전문 학교, 1979년 여수 수산 전문 대학, 1987년 여수 수산 대학, 1993년 여수 수산 대학교로 됨. 전라 남도 여수시 국동(菊洞)에 위치함.

여수 전:쟁【麗隋戰爭】명〖역〗고구려 영양왕(嬰陽王) 9년(598)에서 25년까지 벌어진 고구려와 수(隋)나라와의 전쟁. 전쟁의 원인은 수나라의 대외 팽창(膨脹) 정책에 말미암음. 수나라 멸망의 원인이 됨.

여-수투수【如水投水】명 '물에 물 탄 듯 술에 술 탄 듯'의 뜻. *물.

여수파-령【麗水坡嶺】명〖지〗미시령(彌矢嶺).

여숙【旅宿】명 여관. 여차(旅次).

여순[1]【旅順】명〖지〗'뤼순'을 우리 음으로 읽은 이름.

여순[2] 수〈방〉예순.

여-순경【女巡警】명 여자 순경.

여순 반:란 사:건【麗順叛亂事件】[一발一껀] 명〖역〗1948년 10월 19일, 여수(麗水) 주둔의 제14 연대가 여수와 순천(順天)에서 일으킨 공산 반란 사건. 1주일 만에 국군에 의해 진압되었음.

여-술【女一】명 여자가 쓰게 만든 숟가락. ↔남술.

여쉰 수〈옛〉예순. ¶여쉰 두字(六十二字)≪金剛 下 128≫.

여쉰 수〈옛〉예순. ¶여쉰둘차히 몬져 보고≪月釋 Ⅱ:58≫.

여스가 명〈방〉계집아이(강원).

여-스님【女一】명〖불교〗여승(女僧)의 경칭. ↔남스님.

여슬 수〈방〉여섯(강원·함남).

여습[1] 명 마소의 여섯 살.

여습[2]【餘習】명 덜 고치고 남아 있는 버릇. 남아 있는 풍습(風習). 여기(餘氣).

여슷 수〈옛·방〉여섯(강원·함남). ¶여슷 놀이 디며(六彎斃兮)≪龍歌 86章≫.

여슷놀이-장【一章】[一짱] 명〖악〗악장(樂章)의 이름. 용비 어천가 제85장 육장장(六獐章).

여승[1]【女僧】명〖불교〗불문(佛門)에 들어 중이 된 여자. 비구니(比丘尼). 승(僧). ↔남승(男僧). *신중[1].

여승[2]【餘乘】명〖불교〗자종(自宗)의 교법(教法)을 종승(宗乘)이라고 하는 데 대하여, 타종(他宗)의 교법을 일컫는 말.

여승-당【女僧堂】명〖불교〗신중절.

여승-방【女僧房】명 『불교』 신중절. ㉾승방(僧房).
여시[1] 명 ①↗엿방망이. ②골땅땅이.
여시[2] 명 〈방〉 여우[1](충청·전라·경상·제주).
여시[3]【女侍】명 나인. 궁녀(宮女).
여시[4]【如是】명 ①여차(如此). ②『불교』 법화경에서, 모든 사물의 실상(實相)을 나타내는 말. ③『불교』 불경의 서두에 써 있는 말로 '이와 같이'의 뜻. ──하다 형여불
여시[5]【餘矢】명 『수』 어떤 각(角)의 여현(餘弦)을 1에서 감(減)한 것. 즉, 1 − Cos A는 A각의 여시가 됨.
여시[6]【餘時】명 ①나머지 시간. ②딴 시간. 타시(他時).
-여시놀 어미 〈옛〉 -시거늘. ¶群豪를 뵈여시늘(示彼豪師)/衆賓을 뵈여시늘(示我諸客)≪龍歌 63章≫.
-여시니 어미 〈옛〉 -시거니. -시니. =-어시니. ¶才勇을 앗기샤 金刄을 ᄇᆞ려시니 塞外北狄인돌 아니 오리잇가(愛其才勇 載捨金刄 塞外北狄曷不來順)≪龍歌 54章≫.
-여시놀 어미 〈옛〉 -시거늘. -으시거늘. =어시늘. ¶三千界를 비취여시놀(照三千界)≪圓覺序 43≫.
여시-아:문【如是我聞】명 『불교』 나는 이와 같이 들었다는 뜻. 부처님의 지교(指教)에 따라 제자 아난(阿難)이 불경(佛經)을 편찬할 때 모든 경(經)의 모두(冒頭)에 붙인 말.
여시-여시【如是如是】명 여차여차(如此如此). ──하다 형여불. ──히 부
여시 축생 발보리심【如是畜生發菩提心】명 『불교』 짐승에 대하여, 너는 짐승이지만 보리심을 일으키라고 가르치는 말.
여식[1]【女息】명 딸. 남에게 자기 딸을 일컫는 말.
[여식이 나거든 웅천(熊川)으로 보내라] 웅천은 부녀들의 덕행이 정숙한 땅이라 하여 이르는 말.
여식[2]【旅食】명 타향에서 삶. ──하다 자여불
여식[3]【麗飾】명 화려하게 꾸밈. 또는 아름다운 장식·치레. ──하다 「타여불
여식-아【女息一】명 〈방〉 계집아이(경북).
여신[1]【女神】명 (행복을 가져다 준다는) 여성의 신(神). ¶사랑의 ~/미(美)의 ~. *천녀(天女).
여:신[2]【與信】명 『경』 금융(金融) 기관에서 고객에게 신용을 부여하는 일. 즉, 고객에게 융자하는 일. ↔수신(受信).
여신[3]【餘燼】명 ①타고 남은 불 기운. ②나중까지 남은 사람. 패잔병(敗殘兵).
여:신 계:약【與信契約】명 『경』 당사자의 일방이 상대방에 대하여 일정 금액을 한도로 장래 상대방의 필요에 응하여 융자(融資)해 줄 것을 약속하는 계약. 당좌 대월 계약(當座貸越契約)은 그 적례(適例)임.
여:신 대:위【勵信隊尉】명 『역』 조선 시대 때 종육품(從六品) 토관직(土官職)의 무관(武官) 품계. *건신(建信) 대위.
여-신도【女信徒】명 ①여자 신도. ②『천주교』 여교우(女教友).
여:신 업무【與信業務】명 『경』 금융 기관의 여신에 관한 모든 업무. 어음 할인(割引)·대부(貸付)·어음 인수(引受)·신용장 발행·채무 보증 등이 이에 속함. ↔수신 업무(受信業務).
여-신자【女信者】명 ①여자 신자. ②『천주교』 여교우(女教友).
여신-탕【如神湯】명 『한의』 소음인(少陰人) 가운데 넘어지거나 무거운 것을 들어 올리다가 발생한 좌섬 요통(挫閃腰痛), 산모(產母)가 산후(產後)에 자궁 수축이 불충분하거나 어혈(瘀血)이 있을 때에 발생하는 요통에 사용하는 처방.
여실[1]【如實】명 ①사실과 꼭 같음. 실제(實際)와 같아 틀림이 없음. ②『불교』 진여(眞如). ──하다 형여불. ──히 부
여실[2]【蠡實】명 『약』 마린자(馬藺子).
여실 수행【如實修行】명 『불교』 교법(教法)대로 수행하여 교법을 어기지 않는 일. 여실 수행 상응(相應).
여실 수행 상응【如實修行相應】명 『불교』 여실 수행.
여실-지【如實智】명 『불교』 반야(般若)❶.
여심[1]【女心】명 ①여자의 마음. ②간사하고 중심이 없는 마음.
여심[2]【旅心】명 여정(旅情).
여싯 수 〈방〉 여섯(경남).
여싱【女一】명 〈방〉 여승[1](女僧)(전북·경북).
여ᄉᆞᆺ 명 〈옛〉 여섯. ¶여ᄉᆞᆺ 뉵(六)≪類合 上 1≫.
여ᅀᅵ몸 명 〈옛〉 여우의 몸. ¶외히려 비루 머근 여ᅀᅵ 몸도 얻디 몯ᄒᆞ리온(尙不得疥癩野干之身)≪龜鑑 下 36≫.
여쐐 명 〈옛〉 엿새. =여쇄. ¶ᄒᆞᄅᆞ리어나 이트리어나 사ᄋᆞ리어나 나ᄋᆞ리어나 다쐐어나 여쐐어나(若一日若二日若三日若四日若五日若六日)≪阿彌 17≫.
여쓰 수 〈방〉 여섯(경상).
여씨의 난:【呂氏一亂】[一/一에一] 명 『역』 중국 한(漢)나라 고조(高祖)의 황후 여씨(呂氏)가 일으킨 정쟁(政爭). 고조 사후 여씨가 집정하여 동족의 여씨를 제왕(諸王)에 봉하고, 황실 유씨(劉氏)를 억압하여 한나라의 천하를 빼앗으려고 하였으나, 기원전 180년 여후(呂后)가 죽자, 유장(劉章)이 그의 형 제왕(齊王) 양(襄)을 설득하여 진평(陳平)·주발(周勃) 등과 협력하여 여씨 일족을 멸(滅)하였음.
여씨 춘추【呂氏春秋】명 『책』 중국 진(秦)나라의 여불위(呂不韋)가 빈객(賓客)을 모아 지었다고 전해지는 사론서(史論書). 모두 26권으로, 유가(儒家)를 주로 하고, 도가(道家)·묵가(墨家)의 설(說)도 취급하고 있으며, 12기(紀), 8람(覽), 6론(論)으로 분류되고 20만여 언(言)에 이름. 여람(呂覽).
여씨 향약【呂氏鄕約】명 『역』 중국 북송(北宋) 말기 11세기 초(初)에 산시 성(陝西省) 남전현(藍田縣)의 여씨(呂氏) 일문(一門) 가운데, 도학(道學)으로 이름높던 대충(大忠)·대방(大防)·대균(大鈞)·대림(大臨) 네 형제가 향리(鄕里)를 교화 선도하기 위하여 만든 향촌(鄕村) 자치(自治)의 규칙. 덕업 상권(德業相勸)·과실 상규(過失相規)·예속 상교(禮俗相交)·환난 상휼(患難相恤)의 4 조목을 주된 내용으로 함. 조선 시대 후기에 실시된 향약(鄕約)의 모체가 됨.
여씨 향약 언:해【呂氏鄕約諺解】명 『책』 중국의 ≪증손(增損) 여씨 향약≫을 조선 중종(中宗) 13년(1518)에 김안국(金安國)이 이두로 토를 달고 내용을 해설한 것. 26권.
여ᅀᅥ보다 타 〈옛〉 엿보다. =엿다. ¶雪山애셔 盜賊 여ᅀᅥ보며 兵馬ᄂᆞᆫ 업고(雪山斥侯無馬兵)≪杜諺 XXI:3≫.
여ᅀᅳ 명 〈옛〉 여우. =엿·여으. ¶여ᅀᅳ 호(狐)≪字會 19≫.
여ᅀᆞ 명 〈옛〉 여우. =엿·여으. ¶여ᅀᆞ와 ᄉᆞᆯ괴(狐狸)≪內訓 Ⅱ:28≫.
여ᅀᆞᆸ다 자 〈옛〉 여쭙다. =여ᄍᆞᆸ다. ¶고지 프고 여름 여ᅀᆞᄫᆞ니≪月釋 XXI:2≫.
여ᅀᅴ쫑 명 〈옛〉 여우의 똥. ¶여ᅀᅴ 쫑 ᄉᆞᆯ면(狐糞燒之)≪瘟疫方 7≫.
여아[1]【女兒】명 ①딸. ②여자 아이. 계집 아이. 1)·2):↔남아(男兒).
여아[2]【麗雅】명 화려하고 우아함. 아름답고 단아함. ──하다 형여불
여아-복【女兒服】명 여자 아이가 입는 옷.
여악【女樂】명 『역』 궁중에서 연회(宴會)를 베풀 때 여기(女妓)가 악기를 타고 노래를 부르고 춤을 추는 일. ↔남악(男樂).
여안【旅雁】명 먼 곳으로 날아가는 기러기. 정안(征雁).
여안들어【亦向入】〈이두〉 하려고. -라 생각하여.
여알【女謁】명 대궐 안에서 정사(政事)를 어지럽게 하는 여자.
여암[1] 명 『건』 부연(附椽) 끝, 평교대 위에 박는 나무.
여암[2]【女菴】명 『사람』 최린(崔麟)의 호(號).
여암[3]【旅菴】명 『사람』 신흠(申欽)의 호(號).
여:압-복【與壓服】명 〔pressure suit〕 고공(高空) 비행용의 기밀복(氣密服). 고공 비행에서 생기는 기압의 저하나 가속도(加速度)의 변화로부터 비행사를 보호함.
여:압-실【與壓室】명 〔pressurized cabin〕 항공기 등이 기압이 낮은 고고도(高高度)를 비행할 경우, 기압을 지상(地上)에 가까운 상태로 유지하게 하는 기밀실(氣密室).
여앙【餘殃】명 ①나쁜 일을 몹시 하여 그 값으로 받는 재앙. ②뒤끝까지 남은 재앙. 1)·2):↔여경(餘慶).
여액[1]【餘厄】명 뒤에 다시 더 당할 재액(災厄). 여얼(餘孼).
여액[2]【餘額】명 남아 있는 액수. 쓰고 남은 돈의 머릿수.
여:액[3]【濾液】명 『광』 불순물을 걸러 없앤 맑은 액체. 거른 물. 거른 액.
여액 미:진【餘厄未盡】명 여액이 다하지 아니하고 아직 남아 있음. ──하다 자여불
여:야【與野】명 여당(與黨)과 야당(野黨). ¶~의 대립.
-여야 어미 '-아야'의 뜻으로 여불규칙 어간 밑에 붙이어 쓰는 연결어미. ¶하~/착하~. *-아야·-어야.
여어【蠡魚】명 『어』 '가물치'의 한자 이름.
여어보다 타 〈옛〉 엿보다. ¶여어보다(虛見)≪語錄 5≫/시름 ᄒᆞ야셔 노피 새 디나가ᄆᆞᆯ 여어보ᄂᆞ니(愁窺高鳥過)≪重杜諺 X:36≫.
여얼【餘孼】명 ①여액(餘厄). ②여증(餘症). ③멸망한 사람의 자손. 여추(餘醜).
여업【餘業】명 ①선인(先人)이 남긴 일. ②부업(副業).
여여【茹茹】명 『역』 유연(柔然).
여:역【癘疫】명 『한의』 ①전염성 열병(傳染性熱病)의 통칭(通稱). 온역(瘟疫). ②나병(癩病). 여질(癘疾).
여:역 발황【癘疫發黃】명 『한의』 여역에 황달(黃疸)을 겸한 병.
여열[1]【餘烈】명 ①남겨진 사업이나 공적(功績). ②여독(餘毒).
여열[2]【餘熱】명 ①큰 더위나 신열(身熱) 뒤에 남은 열기. ②열기(熱氣)가 남아 있음. 또, 그 열. ¶다리미의 ~. ③〔after heat〕 『물』 원자로(原子爐)의 운전 정지 후, 잔류 방사능(殘留放射能)에서 나오는 열(熱).
여열[3]【臚列】명 진열(陳列). ──하다 타여불
여염[1]【餘炎】명 ①타고 남은 불꽃. ②남은 더위. 노염(老炎).
여염[2]【閭閻】명 백성의 집이 모여 있는 곳. 여리(閭里). 여항(閭巷).
여염[3]【麗艷】명 곱고 예쁨. ──하다 형여불
여염-가【閭閻家】명 여염집.
여염-집【閭閻一】[一찝] 명 보통 백성의 살림집. 여염가(閭閻家). 여가(閭家). ¶~ 여자. ㉾염집.
여영[1]【餘榮】명 ①죽은 뒤의 영광. ②선조의 여광(餘光).
여영[2]【餘贏】명 나머지. 잉여(剩餘).
여예【餘裔】명 ①말류(末流)❸. ②후예(後裔).
여오 명 〈방〉 『동』 여우[1](경기).
여옥[1]【如玉】명 구슬과 같이 아름다운 것의 형용.
여옥[2]【麗玉】명 『사람』 고구려 때 뱃사공 곽리자고(霍里子高)의 아내. ≪공무도하가(公無渡河歌)≫라는 가사(歌詞)에 곡(曲)을 붙인 ≪공후인(箜篌引)≫을 후세에 전했다 함.
여옥 기인【如玉其人】명 얼굴이나 성질이 옥과 같이 깨끗하고 흠이 없는 사람. 기인 여옥(其人如玉).
여온【餘蘊】명 ①남은 저축. ②나머지.
여옹-침【呂翁枕】명 인생의 덧없음과 영화(榮華)의 헛됨을 비유(比喩)하는 말. 중국 당(唐)나라의 개원(開元) 19년, 노생(盧生)이라는 소년이 한단(邯鄲)의 여사(旅舍)에서 도사 여옹(呂翁)의 베게를 빌려서 잠을 잤더니 메조밥을 짓는 사이에 팔십년 간의 영화스러운 생활을 누린 꿈을 꾸었다는 고사에서 유래함. 여공침(呂公枕). 한단지침(邯鄲之枕). 한단몽(邯鄲夢).
여와[1]【女瓦】명 암키와.

여와[2]【女媧】명 ☞여왜(女媧).

여왕【女王】명 ①여자 임금. 여주(女主). ②어떤 분야에서 중심적 위치에 있는 여자에게 붙이는 이름. ¶ 5월의 ～/사교계의 ～ ③↗여왕 개미. ④↗여왕벌.

〈여왕 개미〉

여왕 개:미【女王―】명〖충〗산란(産卵) 능력이 있는 암개미. 보통 일개미보다 몸이 큼. 개미집 하나에 한 마리가 원칙이나, 몇 마리 또는 수십 마리의 여왕 개미가 있는 종류도 있음. ㊈여왕.

〈여왕벌〉

여왕-벌【女王―】명〖충〗사회 생활을 하는 벌 떼에서 산란(産卵) 능력이 있는 암펄. 꿀벌에서 한 떼에 단 한 마리가 있을 뿐임. 봉왕(蜂王). 여왕봉(女王蜂). 왕봉(王蜂). 장수벌. 장봉(將蜂). 후봉(后蜂). ㊈여왕.

여왕-봉【女王蜂】명〖충〗여왕벌.

여왜【女媧】명 중국의 천지 창조 신화에 나오는 여신(女神). ≪회남자(淮南子)≫에 의하면 태고에 하늘을 받치고 있던 네 기둥이 쓰러져서 천지가 무너지고 홍수가 났을 때, 여왜가 오색돌을 빚어서 하늘을 메우고 큰 거북의 다리를 잘라 기둥삼아 하늘을 받치고 갈잎의 재를 쌓아 물을 빨아들였다고 함. ≪초사(楚辭)≫에는 황토를 빚어서 사람을 창조하였다고 함. 한대(漢代) 문헌에는 인면 사신(人面蛇身)이며 복희(伏羲)의 처 또는 누이동생이라 함.

여외【意外】명 생각 밖. 의외(意外).

여외다 자〈옛〉여위다. ¶여외오 힘 업거든(庚損無力)≪救簡 Ⅲ:120≫.

여:요[1]【汝窯】명〖미술〗중국 송(宋)나라 때 루저우(汝州)에 있었던 가마. 담청색(淡靑色) 자기(瓷器)의 생산으로 유명함.

여요[2]【麗謠】명〖문〗↗고려 가요(高麗歌謠).

-여요 어미 ↗-이어요. ¶아는 사람이 아니～/우리 학교 대표～. *-어요.

여요-파【餘姚派】명〖철〗양명 학파(陽明學派)의 이칭.

여용[1]【餘勇】명 한 가지 일을 용감하게 끝낸 뒤의 나머지 용기.

여:용[2]【勵勇】명〖역〗조선 시대 때 토관(土官)의 정구품(正九品) 서반(西班)의 벼슬.

여용[3]【麗容】명 어여쁜 얼굴. 아름다운 용모.

여우[1] 명 ①〖동〗[*Vulpes vulpes peculiosa*] 갯과에 속하는 짐승. 개와 비슷한데 몸길이 70cm, 꼬리 37cm 내외이며 몸이 홀쭉하고, 주둥이가 길고 뾰족하며 꼬리는 굵고 깊. 몸의 상면(上面)은 암적색 내지 적갈색, 머리는 암황갈색, 몸의 하면(下面)은 회백색, 네 다리의 앞쪽에는 흑색 세로 반점이 있고, 꼬리의 위쪽은 짙은 밤색임. 성질이 교활하고 단독 또는 암수 한 쌍이 같이 살며, 얕은 산에 내려와 토끼·들쥐·꿩·뒤쥐·너구리·곤충 등을 잡아 먹음. 3-5월에 2-9마리의 새끼를 낳고 굴 속에서 삶. 모피(毛皮)는 용도가 많아 귀중하게 쓰이는 유익 동물임. 유럽·아시아·북아프리카 및 한국·일본·중국 각지에 분포함. 야호(野狐). ②〈속〉몹시 교활하고 변덕스러운 여자.

〈여우[1]❶〉

[여우가 죽으니 토끼가 슬퍼한다] 동류(同類)의 슬픔과 괴로움을 동정(同情)한다는 말. [여우를 피해서 호랑이를 만났다] '노루 피하니 범이 온다'와 같은 뜻.

여우(를) 떨:다 구 간사스럽게 아양을 떨다. 간드러진 언행으로 남을 홀리다.

여우[2]【女優】명 ↗여배우(女俳優).

여우[3]【如右】명 오른쪽에 기록된 사항과 같음. ――-하다 형여불

여우[4]【如雨】명 ①수효가 많음을 이르는 말. ②흩어진 것을 비유하여 이르는 말.

여우[5]【旅寓】명 ①객거(客居). ②객거하는 곳. ――-하다 자여불

여우[6]【蠡牛】명 달팽이.

여우-같다 형 간사하고 요망스럽다.

[여우같은 마누라, 토끼같은 자식] 여우짓하는 마누라와 귀여운 자식. 처자식이 없음을 한탄할 때 이르는 말.

여우-고개 명〖지〗강원도 춘천군(春川郡)에 있는 고개. 호현(狐峴). [98m]

여우-구슬 명〖식〗[*Phyllanthus urinaria*] 여우주머닛과에 속하는 일년초. 줄기는 높이 20cm 내외인데, 잎은 호생하고 잔 가지의 좌우 양측에 복엽상(複葉狀)으로 배열하며, 심한 단병(短柄)이고 긴 타원형임. 7-8월에 적갈색 꽃이 자웅 일가로 잎 사이에 피고, 과실은 삭과(蒴果)를 맺음. 들에 나는데, 제주도에 분포함.

〈여우구슬〉

여우-꼬리풀 명〖식〗[*Veronica kiusiana*] 현삼과에 속하는 다년초. 줄기 높이 60cm 내외이고 잎은 대생하며 유병(有柄)이고 삼각상 달걀꼴 또는 달걀 모양의 긴 타원형임. 7-8월에 푸른 꽃이 줄기 위에 정생(頂生)하여 총상(總狀) 화서로 핌. 산지에 나는데, 강원도의 금강산·함남의 혜산진 등지에 분포함.

여우다 타〈방〉여의다.

여우-버들 명〖식〗[*Salix floderusii*] 버드나뭇과의 낙엽 활엽의 작은 교목. 잎은 긴 타원형이고, 꽃은 봄에 자웅 이가(雌雄二家)로 된 유제 화서(葇荑花序)로 피고 수꽃 이삭은 원기둥꼴이며, 암꽃 이삭은 긴 원주형이고, 삭과(蒴果)는 여름에 익음. 산꼭대기 부근의 암석지(岩石地)에 나는데, 거의 한국 각지 및 중국 북부·만주·시베리아 등지에 분포함.

〈여우버들〉

여우-별 명 비나 눈이 오는 날에 잠깐 났다가 숨어 버리는 볕. 천소(天笑).

[여우볕에 콩 볶아 먹는다] 잠깐 난 햇볕에 콩을 볶는다 함이니, 행동이 매우 민첩함을 이르는 말.

여우-비 명 볕이 나 있는 날 잠깐 오다가 그치는 비.

여우-상【―相】명 여우같이 턱이 뾰족하고 여윈데다 간사해 보이는 얼굴 상.

여우-오줌 명〖식〗여우오줌풀.

여우오줌-풀 명〖식〗담배풀

여우-원숭이 명〖동〗여우원숭잇과에 속하는 동물의 총칭. 마다가스카르 섬의 특산으로, 유명한 호랑꼬리여우원숭이를 비롯하여 목도리여우원숭이·검은여우원숭이 등이 있음. *호랑꼬리여우원숭이.

여우원숭잇-과【―科】명〖동〗[Lemuridae] 영장류 원원아목(原猿亞目)에 속하는 한 과. *여우원숭이.

여우이 명〈방〉〖동〗여우(경기·황해·평안·강원).

여우-자리 명 [라 Vulpecula]〖천〗백조자리의 남쪽에 있는 성좌(星座). 9월 중순경 저녁에 천정(天頂)에 보임. 소호좌(小狐座).

여우-주머니 명〖식〗[*Phyllanthus ussuriensis*] 여우주머닛과에 속하는 일년초. 줄기는 높이 50cm 내외이고, 잎은 호생하며, 몹시 단병(短柄)이고 긴 타원형 또는 피침형(披針形)임. 6-7월에 황록색의 꽃이 자웅 일가(雌雄一家)로 가지의 잎 사이에 달려서 피고, 과실은 삭과(蒴果)임. 밭이나 황무지(荒蕪地)에 나는데, 제주·경남·충북·경기·평북 등지에 분포함.

여우주머닛-과【―科】명〖식〗[Phyllanthaceae] 쌍자엽 식물 이판화류(離瓣花類)에 속하는 한 과(科). 여우구슬·여우주머니 등이 이에 속함.

여우-짓 명 간사스럽게 아양을 떠는 짓. ――-하다 자여불

여우-콩 명〖식〗쥐눈이콩.

여우-팥 명〖식〗[*Dunbaria villosa*] 콩과에 속하는 다년생의 만초(蔓草). 줄기는 넌출을 뻗어 다른 것에 감겨 올라가며, 잎은 호생하고 유병(有柄)이며 삼출(三出)하고, 소엽(小葉)은 능형(菱形)임. 7-8월에 황색 꽃이 총상(總狀) 화서로 액출(腋出)하여 피고, 과실은 협과(莢果)를 맺음. 산이나 들에 나는데, 제주·전남·전북·경남 등지에 분포함.

여운[1]【餘運】명 아직 더 남은 운수. 나머지 운수.

여운[2]【餘韻】명 ①원 운치가 끝난 뒤에 아직 가시지 아니하고 남은 운치. ②떠난 사람이 남겨 놓은 좋은 영향. ③여음(餘音).

여운-시【餘韻詩】명〖문〗말의 여운을 남겨서 효과를 노리는 서정시(抒情詩)의 한 형식.

여-운형【呂運亨】명〖사람〗독립 운동가·언론인. 호는 몽양(夢陽). 경기도 출생. 1919년 임시 정부 조직에 참가함. 조선 노병회(勞兵會)를 조직하고 1933년 중앙 일보 사장을 지냄. 8·15후 건국 준비 위원회(建國準備委員會) 위원장에 취임하여 좌우 합작 문제를 추진하고 인민당(人民黨) 당수, 민주주의 민족 전선 의장을 역임함. 1947년 7월 19일 암살됨. [1886-1947]

여-운홍【呂運弘】명〖사람〗정치가. 여운형(呂運亨)의 동생. 경기 양평(楊平) 출생. 1919년 상해 임시 정부 의정원 의원(議政院議員), 귀국 후 보성 전문 영어 교수를 거쳐 해방 후 입법 의원·2대 민의원·참의원을 역임하고 자유당 선전부장·공화당 고문을 지냈음. [1891-1973]

여울[1] 명 강이나 바다에서 물살이 세게 흐르는 곳. 천탄(淺灘).

[여울로 소금섬을 끌래도 끌지] 윗사람이나 섬기는 사람의 명령을 무조건 복종하겠다는 뜻.

여울[2] 명〈방〉쏠개(평안).

여울 견지 낚시 명 낚시에서, 여울 속으로 들어가서 하는 견지 낚시.

여울-꼬리 명 강물이 소(沼)로 흘러들어가는 마지막 지대.

여울-나드리[―라―] 명 ☞여울목.

여울-낚시[―락―] 명 계류(溪流) 낚시.

여울-머리 명 여울의 맨 상류 지대.

여울-목 명 여울 물이 턱진 곳.

여울-여울[―려―] 부 불이 조용하게 타는 모양. >야울야울.

여울-지다 자 여울을 이루다.

여원[1] 명〈방〉무당.

여원[2]【黎元】명 여민(黎民).

여:원-인【與願印】명〖불교〗모든 중생(衆生)의 소원을 만족시키는 것을 보인 결인(結印). 오른손의 다섯 손가락을 펴서 밖으로 향한 형상을 하고 있음.

여-원홍【黎元洪】명〖사람〗'뤼 위안훙'을 우리 음으로 읽은 이름.

여월[1]【如月】명 음력 이월의 이칭. 협종(夾鐘).

여월[2]【餘月】㊀명 음력 4월의 이칭. ㊁의명 숫자 밑에 붙어 달수가 그 이상 됨을 나타내는 말. ¶이십～.

여웨 명〈방〉〖동〗여우[1](황해·평안).

여웨다 자〈방〉여위다(강원).

여위[1] 명〈방〉〖동〗여우[1](황해).

여위[2]【餘威】명 ①어떤 위엄을 보이고 난 뒤의 나머지 위엄. ②선인(先人)이 남긴 위광(威光).

여위다 자 [중세 : 여위다] ①몸이 수척하여지고 파리하게 되다. 몸의 살이 빠지다. ¶학과 같이 여윈 몸. ②가난하여 살림이 보잘것 없다. ¶여윈 살림. 1)·2):>야위다.

[여윈 강아지 똥 탐(貪)한다] 곤궁해진 사람이 음식을 얻어 탐식함을 두고 하는 말.

여위에 자〈옛〉여위게. ¶머리 놀오매 사ᄅᆞ미 ᄒᆞ여곰 여위에 ᄒᆞᄂᆞ니(遠游令人瘦)≪杜諺 Ⅰ:30≫.

여위우다 타〈옛〉여위게 하다. ¶煩惱 바ᄅᆞᄅᆞᆯ 여위우샤미 곧ᄒᆞ니라≪月釋 Ⅱ:16≫.

여:위-천【汝渭川】명〖지〗함경 남도 함주군(咸州郡)에서 발원하여 함주·정평(定平) 등지를 지나 동해로 들어가는 강. [64 km]

여윈밥 명〈옛〉마른 밥. ¶안직 여윈 밥과 고깃국으로 날회여 됴리호ᄃᆡ(且着乾飯肉湯慢慢的將息)≪朴解 上 38≫.

여윈-열매 명〖식〗수과(瘦果).

여윈-잠 명 ①충분하지 못한 잠. 흠뻑 자지 못한 잠. ②깊이 들지 아니한 잠.

여유【餘裕】명 ①넉넉하고 남음이 있음. 여지(餘地). ¶경제적 ～/세사람 앉을 ～는 있다. ②덤비지 않고, 사리를 너그럽게 판단하는 마음이 있음. ¶～ 있는 태도.

여유-고【餘裕高】명〔free board〕〖토〗평상 수위(平常水位)와 댐의 정상부 또는 방수로(放水路)의 정부(頂部) 사이와의 높이.

여:유-당【與猶堂】명〖사람〗정약용(丁若鏞)의 호(號).

여유 작작【餘裕綽綽】명 빠듯하지 않고 아주 넉넉함. 작유여지(綽有餘地). 작작 유여(綽綽有餘). ——-하다 형여불

여율령 시:행【如律令施行】명 명령이 내리기가 무섭게 그대로 시행함. ——-하다 타여불

여으 명〈옛〉여우. =여ᅀᆞ·엿. ¶픐소갯 여으와 톳기는 다 자본돌 무슴 有益ᄒᆞ리오(草中狐兎盡何益)≪重杜諺 V:50≫.

여은-포【女隱浦】명〖지〗광포(廣浦)❶.

여을[1] 명〈방〉여울(전라·경상·충청).

여을[2]〈옛〉여우를. ¶모딘 즘싱과 요괴로온 여을 만나면≪太平 I:18≫.

여음[1]【女陰】명 여성의 음부. 여자의 생식기.

여음[2]【餘音】명 ①소리가 사라지거나 또는 거의 사라진 뒤에도 여파로 남아 있는 음향. 남은 소리. 여운(餘韻). 여향(餘響) ②구비 문학(口碑文學) 특히 구창(口唱) 문학인 시가(詩歌) 등에서 연단위(聯單位)에 본가사의 앞·뒤·가운데에 있어서 의미 표현보다는 감흥과 율조(律調)를 일으키는 어절이나 구절. ③〖악〗대여음(大餘音).

여음[3]【餘蔭】명 선조가 끼친 공덕으로 자손이 받는 복.

여의[1] 명〈옛〉꽃술. =여희. ¶芍藥金 여의는 體ㅣ 옷곳ᄒᆞ도다(芍藥金蕊體芬芳)≪梵音集 13≫/곳여의는 버릐 입거우제 오ᄅᆞᄂᆞ다(花蕊上蜂鬚)≪重杜諺 Ⅲ:37≫.

여의[2]【女醫】[—/—이] 명 ↗여의사.

여의[3]【如意】[—/—이] 명 ①뜻과 같음. 뜻대로 됨. ↔불여의(不如意). ②〖불교〗독경(讀經)·설법 때 강사인 중이 가지는 도구. 뼈·대·나무·뿔·쇠 등으로 전자(篆字)의 '심(心)'자를 나타내는 고사리 꼭대기 모양의 머리에 한 자 내지 석 자의 자루를 달았음. ——-하다 형여불

〈여의[3]❷〉

여의[4]【餘意】[—/—이] 명 말 끝에 함축되어 있는 속 뜻.

여의다 [—/—이—] 타 〔중세: 여희다〕①죽어서 이별하다. ¶부모를 ～. ②멀리 떠나 보내다. ③시집 보내다. ¶딸을 ～.

여-의대【女醫大】명〖교〗↗여자 의과 대학.

여:의-도【汝矣島】[—/—이—] 명〖지〗서울 특별시 영등포구에 있는 작은 섬. 한강(漢江) 가운데에 위치하는데, 1968년 윤중제(輪中堤) 공사가 완공된 뒤 상업·금융·주거 지구로 발전함. 여의도 광장을 중심으로 국회 의사당·한국 방송 공사·6·3 빌딩 등과 고층 아파트군(群)이 들어서 있음. [8.48 km²]

여의두-문【如意頭文】[—/—이—] 명 뿔이나 대나무 또는 쇠붙이 등으로 전자(篆字)의 심(心)자를 나타내는 고사리 모양의 머리 장식을 문양화(文樣化)한 것.

여의-륜【如意輪】[—/—이—] 명〖불교〗↗여의륜 관음.

여의륜 관음【如意輪觀音】[—/—이—] 명〔범 Cintāmanicakra〕〖불교〗육관음의 하나. 여의보주(如意寶珠)와 법륜의 공덕으로써, 일체 중생의 고통을 건져 주고 소원을 이루어 준다는 관세음 보살. 그 모양은 전신이 금빛을 하고 연꽃 위에 앉아 있는데, 머리에 보장엄(寶藏嚴)이 있고, 관(冠)에는 자재왕(自在王)이 앉아 있으며 대개 팔은 여섯임. ㊕여의륜(如意輪).

〈여의륜 관음〉

여의 마니【如意摩尼】[—/—이—] 명〖불교〗여의 보주(如意寶珠).

여의 보:주【如意寶珠】[—/—이—] 명〖불교〗여의주(如意珠)를 보배스럽다는 뜻으로 일컫는 말. 여의 마니(如意摩尼). 마니(摩尼).

여의-봉【如意棒】[—/—이—] 명 자기 뜻대로 신축(伸縮)하여, 마음대로 쓸 수 있다는 몽둥이.

여-의사[1]【女醫師】명 여자 의사. ㊕여의(女醫).

여의-사[2]【如意紗】[—/—이—] 명 방승 매듭과 같은 무늬가 있는, 중국에서 나는 사(紗)의 한 가지.

여-의전【女醫專】명〖교〗↗여자 의학 전문 학교.

여의-주【如意珠】[—/—이—] 명 용의 턱 아래에 있다고 하는 구슬. 이 구슬을 얻으면 변화를 마음대로 부릴 수 있다고 하며, 여의륜 관음은 이 구슬을 두 손에 가지고 있다 함. 마니(摩尼). 이주(驪珠).

여의주-보【如意珠寶】[—/—이—] 명〖불교〗전륜 성왕(轉輪聖王)이 가지고 있는 칠보(七寶)의 하나.

여의-지【如意池】[—/—이—] 명〖불교〗도리천(忉利天)의 네 개의 동산에 있는 못의 이름.

여의지-천【如意之天】[—/—이—] 명〖불교〗삼십 삼천(三十三天)의 하나.

여의-찮다【如意—】[—찬타/—이찬타] 형 ↗여의하지 아니하다.

여-의투질【如蟻偸垤】명 '개미 금탑을 모으듯'과 같은 뜻. 근검(勤儉)하여 재산을 축적함을 이름. *개미[2].

여이 명〈방〉〖동〗여우(제주).

여이다 타 ☞여의다.

여이산일이쉽제【亦敎事是白齊】〈이두〉-라 하신 일입니다.

여이숣거놀【亦是白去乙】〈이두〉-라 하옵거늘.

여이숣두이신이여【亦是白置有亦】〈이두〉-라 하옵는 것이니. -라 하오니.

여이숣온들로【亦是白乎等以】〈이두〉-라 하오므로.

여이시두【亦敎是置】〈이두〉-라 하시다.

여이시숣거놀【亦敎是白去乙】〈이두〉-라 하옵거늘.

여이시숣다온【亦敎是白如乎】〈이두〉-라 하시었다니.

여이시숣다온지위【亦敎是白如乎節】〈이두〉-라 하시었을 때에.

여이시숣두【亦敎是白置】〈이두〉-라 하옵다.

여이시숣온들로【亦敎是白乎等以】〈이두〉-라 하시었으므로.

여이시온들로【亦敎是乎等以】〈이두〉-라 하시었으므로.

여이신고로【亦敎是故】〈이두〉-라 하신 까닭에.

여이오되【亦是乎矣】〈이두〉-라 하되.

여인[1]【女人】명 여성(女性)인 사람.
[여인네 셋 앉으면 하나는 '저어 저어' 하다 만다] 여자들이 모이면 말이 많다는 말. [여인은 돌면 버리고 기구는 빌리면 깨진다] 여자가 너무 외출이 잦으면 실행(失行)이 있기 쉽다는 뜻.

여인[2]【旅人】명 나그네.

여:인[3]【輿人】명 ①수레를 만드는 장인(匠人). ②여러 사람. 뭇 사람.

여인[4]【麗人】명 아름다운 여자. 미인(美人). 여녀(麗女).

여인 결계【女人結界】명〖불교〗여인 금제(女人禁制)의 지역.

여인-국【女人國】명 여국(女國)❶.

여인 금:제【女人禁制】명〖사〗여성을 부정(不淨)한 것으로 보고 성소(聖所)·성물(聖物)·종교적 의식 등에의 접근·참가를 금하는 습속(習俗). 미개 사회나 민속(民俗) 사회에서 흔히 볼 수 있음.

여:인 동락【與人同樂】[—낙] 명 다른 사람과 더불어 같이 즐김. ㊕여인락(與人樂). ——-하다 자여불

여:인-락【與人樂】[—낙] 명 ↗여인 동락(與人同樂). ——-하다 자여불

여인-상【女人像】명 ①여성의 상(像). 또, 그 그림이나 조각. ②여자로서 갖추어야 할 모습. 여성상(女性像).

여:인 상약【與人相約】명 남과 서로 약속함. ——-하다 타여불

여인 성불【女人成佛】명 여자가 득도(得道)하여 부처가 됨.

여인-숙【旅人宿】명 나그네를 상대로 하는, 규모가 작고 숙박료가 싼 여관.

여-인일판【如印一板】명 한 판(板)에 찍어 낸 듯이 조금도 서로 다름이 없음.

여일[1]【如一】명 한결같음. ¶시종(始終) ～. ——-하다 형여불. ——-히 부

여일[2]【旅逸】명 나그네의 몸이 되어 방랑함. ——-하다 자여불

여일[3]【餘日】명 ①남은 날. ②앞날❶.

여일[4]【麗日】명 화창한 날. 날씨가 좋은 날.

여일서:장-사【麗日舒長詞】명〖악〗헌선도(獻仙桃) 춤에 부르는 창사(唱詞)의 한 가지.

여잉【餘剩】명 잉여(剩餘).

여ᄋᆞ 명〈옛〉여우. =여ᅀᆞ·엿. ¶오직 여ᄋᆞ와 다ᄆᆞᆺ 솔기 터리 ᄉᆞᆺ그러 날 보고 怒ᄒᆞ야 우루믈 對호라(但對狐與狸豎毛怒我啻)≪重杜諺 Ⅳ:11≫/여ᄋᆞ 벗 지으며 가히와 무리 지어(狐朋狗黨)≪老乞 下 44≫.

여ᄋᆡ머리 명〈옛〉여우의 머리. ¶여ᄋᆡ머리(狐頭如兒頭)≪牛方 1≫.

여ᄋᆡ챵ᄌᆞ 명〈옛〉여우의 창자. ¶여ᄋᆡ챵ᄌᆞ(狐腸汝兒昌子)≪牛方 1≫.

여자[1] 명〈방〉〖식〗여주.

여자[2]【女子】명 ①여성(女性)으로 태어난 사람. 여성. ↔남자. *계집. ②〖역〗신라 때 나인의 하나. 침방(針房)에서 바느질하는 일을 맡음.
[여자 셋이 모이면 새 접시를 뒤집어 놓는다] 여자들이 모이면 말이 많고 떠들썩하다는 말. [여자 유행(有行)에 원부모형제(遠父母兄弟)라] 여자는 시집을 가면 친가(親家)의 부모 형제(父母兄弟)와는 서로 소원(疏遠)해진다는 말. [여자의 악담에는 오뉴월에도 서리가 온다] 여자가 원한을 품고 있으면 그 영향이 무섭다는 말.

여자[3]【餘子】명 ①적자(嫡子)의 동모제(同母弟). ②장남 이외의 아들. ③본인 이외의 사람.

여자[4]【餘資】명 쓰고 남은 자금(資金). 남은 돈. 여재(餘財).

여:자[5]【勵磁】명〖물〗자기화(磁氣化).

여자[6]【麗姿】명 어여쁜 자태.

여자 경:찰관【女子警察官】명 여자로서 경찰 직무를 수행(遂行)하는 공무원. ㊕여경(女警).

여자 고등 보:통 학교【女子高等普通學校】명〖교〗여자에게 고등 보통 학교의 교과 과정을 교수하던 학교. ㊕여고보(女高普).

여자 고등 학교【女子高等學校】명〖교〗여자에게 고등 학교 교과 과정을 교수하는 학교. ㊕여고(女高).

여자 교:육【女子敎育】명〖교〗여자에 대한 교육. 여자의 심신(心身)을 건전(健全)하게 발달시키어서 보람 있는 사람이 되게 하는 교육. 여성(女性) 교육.

여:자-기【勵磁機】명〖기〗발전기의 한 부분. 교류(交流) 발전기·직류(直流) 발전기·동기(同期) 전동기 등의 계자(界磁)에 감은 선(線)에 여자 전류를 통할 목적으로 특별히 만든 직류 발전기. 보통, 복권(複捲) 발전기라고 하며, 또 유도(誘導) 전동기·비동기 진상기(非同期進相機) 등도 여자기라 함.

여자 대학【女子大學】명〖교〗여자에게 대학 교육을 교수하는 학교. ㊕여대(女大).

여자 대학생【女子大學生】[명] 여자 대학의 학생. 또, 대학에 다니는 여학생. [준]여대생(女大生).

여자-도【汝自島】[명]〖지〗전라 남도(全羅南道)의 남해안(南海岸), 여천군(麗川郡) 화정면(華井面) 여자리(汝自里)에 위치(位置)하여 있는 섬. [0.48 km² : 634 명(1984)]

여자-반【女子班】[명] 학교 또는 단체에서 여자만으로 구성된 반(班).

여자 사범 학교【女子師範學校】[명]〖교〗여자만을 모집하여 사범 교육을 가르치던 학교. [준]여사(女師).

여자 상업 고등 학교【女子商業高等學校】[명]〖교〗여자에게 상업 고등 학교의 교과 과정을 교수하는 학교. [준]여상(女商).

여자 성:징 결손【女子性徵缺損】[ㅡ쏜] [명] [defeminization]〖심〗항구적(恒久的)인 여자의 성격 변화(性格變化)를 포함하는 정신 과정(過程). 여자다운 감정(感情)이 소실(消失)하고 남성의 제2차 성징을 나타내는 수가 있음.

여:자 수자【與者受者】[명] 주는 사람과 받는 사람.

여자 오:장【女子五障】[명]〖불교〗오장(五障)❶.

여자 의과 대학【女子醫科大學】[ㅡ꽈ㅡ] [명]〖교〗여자에게 의과 대학 교과 과정을 교수하는 학교. [준]여의대(女醫大).

여자의 일생【女子ㅡ一生】[ㅡ쌩 / ㅡ에ㅡ쌩] [명] [프 Une Vie]〖책〗프랑스 작가 모파상(Maupassant)이 지은 장편 소설. 귀족 출신의 한 여성이 광포하고 방탕한 남편과 불량한 아들의 이대(二代)에 걸쳐 희망과 애정을 짓밟히고 패가(敗家)한 뒤에 손자를 양육하면서 삶의 보람을 찾으려 하는 과정을 묘사한 소설로, 실재하는 그대로의 인생의 모습을 사실적(寫實的)으로 묘사한, 자연주의 소설의 대표적인 작품임. 1883년에 간행되었음.

여자 의학 전문 학교【女子醫學專門學校】[명]〖교〗여자에게 의학 전문 학교 과정을 교수하던 학교. [준]여의전(女醫專).

여:자 전:류【勵磁電流】[ㅡ절ㅡ] [명]〖전〗장자석(場磁石)을 움직이기 위하여 코일(coil)에 통하는 전류.

여자 전문 학교【女子專門學校】[명]〖교〗여자에게 전문 학교 교육을 실시하던 학교. [준]여전(女專).

여자-중 【女子ㅡ】[명]〈방〉여승¹(女僧)(강원·제주).

여자 중학교【女子中學校】[명]〖교〗여자에게 중학교 교과 과정을 교수하는 학교. [준]여중(女中).

여자 충효록【女子忠孝錄】[명]〖문〗작자·창작 연대 미상의 국문 소설. 배경은 중국 명대(明代). 하남(河南) 김공(金公)의 아들 희경(熙景)과 형주(荊州) 장시랑(張侍郎)의 딸 수정(秀貞)이 결혼하기까지의 파란 많은 역정(歷程)을 그림.

여장¹【女將】[명] ↗여장군(女將軍).

여장²【女裝】[명] 남자가 여자 복색(服色)을 함. 여복(女服). ↔남장(男裝). ——-하다 [자][여불]

여장³【女墻】[명] 성가퀴.

여장⁴【如墻】[명] 많은 사람이 담을 두른 듯이 서 있는 모양.

여장⁵【旅裝】[명] 길 떠날 차림. 여행(旅行)하는 몸차림. 정의(征衣). ¶ ~을 풀다.

여장⁶【藜杖】[명] ↗청려장(靑藜杖).

여장⁷【麗藏】[명]〖불교〗고려판(高麗版)의 장경(藏經).

여장⁸【櫟樟】[명]〖식〗녹나무.

여-장군【女將軍】[명] ①여자 장수(將帥). ②몸이 큰 여자를 농으로 일컫는 말. [준]여장(女將).

여장군-전【女將軍傳】[명]〖문〗작자·창작 연대 미상의 고전 소설의 하나. 배경은 중국의 송(宋). 주인공 정수정이란 여자의 무용담을 그림. 정수정전(鄭秀貞傳·鄭壽貞傳·鄭水晶傳). 국문본.

여장 미남【女裝美男】[명] 여자 옷을 입은 아름다운 남자.

여-장부【女丈夫】[명] 남자같이 헌걸차고 기개(氣槪)가 있는 여자. 여걸(女傑).

여:장 절각【汝墻折角】[명] 여담 절각.

여재¹【餘在】[명] 쓰고 남은 돈이나 물건. 여존(餘存). 영여(零餘).

여재²【餘財】[명] 쓰고 남은 재물(財物). 남아 있는 재산(財産). 영재(贏財). 여자(餘資).

여:재³【濾材】[명] 여과(濾過)할 때 고체(固體)를 분리(分離)시키는 다공질(多孔質)의 재료(材料). 흔히, 헝겊·종이·금속망(金屬網)·모래·숯 등이 사용됨.

여재-문【餘在文】[명] ①셈을 치르고 남은 돈. ②셈 끝이 다 나지 아니하고 처져 있는 돈.

여저두다 [타]〈옛〉얹어두다. ¶典은 尊ᄒᆞ야 여저둘씨니 經을 尊ᄒᆞ야 여저뒷ᄂᆞᆫ 거실ᄊᆡ 經典이라 ᄒᆞᄂᆞ니라《釋譜 XIII:17》.

여:저-정【癘疽疔】[명]〖한의〗발에 나는 정.

여적¹【女賊】[명] ①남자의 착한 마음을 어지럽게 하는 여색(女色). ②여자 도둑.

여적²【餘滴】[명] ①글을 다 쓰거나 그림을 다 그리고 남은 먹물. 여묵(餘墨). ②여록(餘錄).

여적³ [부]〈방〉여태까지(경기).

여적-란【餘滴欄】[ㅡ난] [명] 신문·잡지 등에서, 여록(餘錄)이나 고십(gossip) 등을 기재(記載)하기 위하여 특별히 설정(設定)한 지면(紙面). *편집 후기(編輯後記).

여:적-죄【與敵罪】[명]〖법〗외환죄(外患罪)의 하나. 적국과 합세하여 국가에 항적(抗敵)함으로써 성립되는 죄.

여적-지 [부]〈방〉여태까지(경기).

여전¹【女專】[명] ↗여자 전문 학교(女子專門學校).

여전²【如前】[명] 전과 같음. 여구(如舊). ¶나이가 들어도 기력(氣力)은 ~하다. ——-하다 [형][여불]. ——-히 [부]

여전³【餘錢】[명] 쓰고 남은 돈. 나머지 돈.

여절¹【餘切】[명]〖수〗'코탄젠트(cotangent)'의 구용어.

여:절²【勵節】[명] 절조(節操)를 북돋움. 여조(勵操). ——-하다 [자][여불]

여:절 교:위【勵節校尉】[명]〖역〗조선 시대 때 종육품(從六品) 무관(武官)의 품계. 병절 교위(秉節校尉)의 상(上)으로 승의 교위(承議校尉)의 고친 이름임.

여점【旅店】[명] 객점(客店).

여-점원【女店員】[명] 상점 등에서 점원(店員) 노릇을 하는 여자. 세일즈걸(salesgirl).

여점-전【女鮎腆】[명] 여메기 지지미.

여접【餘接】[명]〖수〗'코탄젠트'의 구용어.

여접 곡선【餘接曲線】[명]〖수〗'코탄젠트 곡선'의 구용어.

여정¹【旅情】[명] 여행할 때 마음에 우러나는 회포(懷抱). 여심(旅心). 여포(旅抱).

여정²【旅程】[명] ①여행의 도정(道程). 나그넷길. 노정(路程). 객정(客程). ②여행의 일정(日程).

여정³【餘丁】[명]〖역〗①봉족(奉足). ②보충대(補充隊)의 강서 시험(講書試驗)에 낙제한 사람.

여정⁴【餘情】[명] 아직 남아 있어 깨끗이 가시지 않은 정. 마음속 깊이 남아서 잊히지 않는 정.

여정⁵【餘酲】[명] 아직 덜 깬 술기운.

여:정⁶【輿丁】[명] 가마를 메는 사람.

여:정⁷【勵正】[명]〖역〗조선 시대 때, 서반(西班) 토관(土官)의 정칠품(正七品) 벼슬.

여:정⁸【輿情】[명] ①민중(民衆)의 마음. 민중의 감정(感情). ②어떠한 사실에 대한 일반 사회의 정적(情的) 반응.

여:정⁹【勵精】[명] 정신을 가다듬어 성의껏 힘씀. ——-하다 [자][여불]

여:정 도치【勵精圖治】[명] 정성(精誠)을 다하여서 정치(政治)에 힘씀. ——-하다 [자][여불]

여정-목【女貞木】[명]〖식〗광나무.

여정-실【女貞實】[명]〖한의〗광나무의 열매. 동지(冬至) 때에 따서 술을 뿜은 다음 쪄서 강정제(强精劑)로 씀. 여정자(女貞子).

여정-자【女貞子】[명]〖한의〗여정실(女貞實).

여정-하다 [형][여불] 과히 틀림이 없이 거의 같다.

여제¹【女弟】[명] 누이동생.

여제²【女帝】[명] 여자 황제. 여황(女皇).

여:제³【厲祭】[명]〖민〗여귀(厲鬼)에 지내는 제사.

여:제-단【厲祭壇】[명]〖역〗여제를 지내는 단. 서울과 각 고을에 있었음. [준]여단(厲壇).

여제 동맹【麗濟同盟】[명]〖역〗7 세기 중반에 신라를 견제하기 위하여 고구려와 백제가 맺은 군사 동맹.

여조¹【黎朝】[명]〖역〗베트남의 왕조. 전(前)여조(981-1009년)와 후(後)여조(1428-1527년, 1532-1789년)가 있으며, 보통은 후여조를 가리킴. 후여조는 명(明)나라의 지배에 봉기한 여리(黎利)가 하노이(東都)에 도읍하여 건국하였고, 국호는 대월(大越)이었음. 1527년 막등용(莫登庸)에게 제위(帝位)를 빼앗기고 1532년 부흥하였으나, 다시 1789년 타이손당(黨)의 난(亂)으로 멸망하였음.

여조²【餘條】[명] 금전이나 곡식 등을 계산하고 난 뒤의 나머지 부분.

여:조³【勵操】[명] 여절(勵節).

여조⁴【麗朝】[명] ↗고려 왕조(高麗王朝).

여조⁵【麗藻】[명] 아름답게 지은 시나 문장.

여-조겸【呂祖謙】[명]〖사람〗중국 남송 시대의 학자. 자는 백공(伯恭). 저장(浙江) 사람. 벼슬은 태상 박사(太常博士)·국사원 편수관(國史院編修官)을 역임함. 박학 홍사(博學弘詞)하여 장식(張栻)·주희(朱熹)와 더불어 동남(東南)의 삼현(三賢)이라 불리고, 후학(後學)이 동래 선생(東萊先生)이라 이름. 저서로는 ≪춘추 좌씨전설(春秋左氏傳說)≫·≪대사기(大事記)≫·≪동래 좌씨 박의(東萊左氏博議)≫·≪동래집(東萊集)≫ 등이 있음. [1137-81]

여-조과목【如鳥過目】[명] 새가 눈앞을 날아 지나가듯이 세월이 빨리 지나감을 이름.

여조 십이가【麗朝十二家】[명] 고려 시대의 이름난 열 두 문장가(文章家). 김부식(金富軾)·정지상(鄭知常)·김극기(金克己)·이인로(李仁老)·진화(陳澕)·홍간(洪侃)·이제현(李齊賢)·김구용(金九容)·정몽주(鄭夢周)·이숭인(李崇仁)·이규보(李奎報)·이색(李穡)의 12명임.

여-족【黎族】[명]〖인류〗중국 하이난(海南) 섬의 서남부 산지(山地)에 사는 원주민. 토착의 본지려(本地黎)와 외래족인 미부려(美孚黎)·기(岐)·효(侾)의 네 집단으로 구분되는데, 기원(起源)과 형질적(形質的) 외관이 다 다름. 생업(生業)으로는 농경(農耕)·목축·수렵·어로(漁撈)에 종사하며 배타성(排他性)이 강한 씨족 사회를 이룸. 종교는 조상 숭배와 마술적·정령적(精靈的) 관념이 강하고, 문자(文字)는 없음. 현존 인구 약 40만임.

여존【餘存】[명] 여재(餘在).

여존 남비【女尊男卑】[명] 사회적 지위나 권리에 있어 여자가 남자보다 높고 우대(優待)받는 일. ↔남존 여비.

여-종 【女ㅡ】[명] 종노릇하는 여자. 계집종. ↔남종.

여종가리 [명]〈방〉여줄가리.

여좌【如左】[명] 왼쪽에 기록된 사항과 같음. 동좌(同左). ——-하다 [형][여불]. ——-히 [부]

여-좌침석 【如坐針席】[명] 바늘 방석에 앉은 것처럼 마음이 불안함.

여죄【餘罪】[명] 주(主)가 되는 죄 이외의 죄. 다른 죄. ¶ ~가 드러나다/~를 추궁하다.

여:주¹ 명 〖식〗 [*Momordica charantia*] 박과에 속하는 일년생 만초(蔓草). 줄기는 가늘고 길어 덩굴손으로 감겨 오르며, 잎은 호생하고 장상(掌狀)으로 째짐. 자웅 동주(雌雄同株)로, 여름과 가을에 황색 꽃이 피며, 과실은 긴 타원형에 양 끝이 뾰족하고 혹 모양의 돌기(突起)가 많으며 여지(荔枝)와 비슷하고 적황색으로 익음. 열대 아시아 원산(原產)으로 한국·일본·중국 등지에 분포하며, 관상용으로 심음. 고과(苦瓜). 나포도(癩葡萄). 만여지(蔓荔枝). 금여지(錦荔枝).

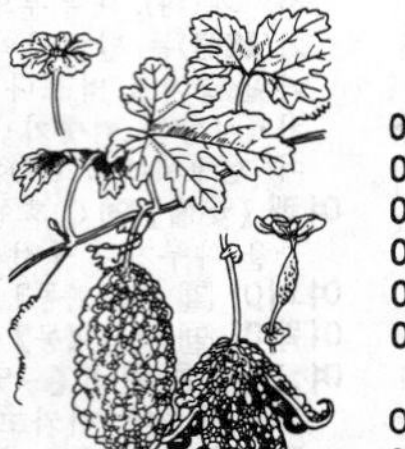

〈여주¹〉

여주² 【女主】 명 여왕(女王).

여주³ 【驪州】 명 〖지〗 경기도 여주군의 군청 소재지로 읍(邑). 한강(漢江) 중류 분지의 중심이며 영동(嶺東) 고속 도로에 연한 교통의 요지로, 쌀·소 등 농축산물의 집산지임. 명소로는 이완(李浣) 대장묘·민비(閔妃) 생가(生家) 등이 있음. [31,737명(1996)]

여주-군 【驪州郡】 명 〖지〗 경기도의 한 군. 관내 1읍 9면. 북은 양평군(楊平郡), 동은 강원도 원주시(原州市), 남은 충청 북도 음성군(陰城郡)과 충주시(忠州市), 서는 이천시(利川市)와 광주군(廣州郡)에 접함. 쌀·콩·채소 등 농산과 임산·광산·축산 등이 있으며, 도자기 공장이 많음. 명승 고적으로는 영릉(英陵)·강한사(江漢祠)·신륵사(神勒寺)·고달사지(高達寺址) 등이 있음. 군청 소재지는 여주읍. [608.64km²: 96,833명(1996)]

여주 민란 【驪州民亂】 [—밀—] 명 〖역〗 조선 고종(高宗) 22년(1885) 초 경기도 여주목(牧)에서 발생한 민란. 이 난은 도결(都結)의 문제로 발생하였으나, 그 밖에 퇴임한 향리(鄕吏) 윤보길(尹甫吉)의 오랜 부정도 한 원인이 되었음.

여-주인 【女主人】 명 여자 주인.

여-주인공 【女主人公】 명 ①여자 주인. ②사건이나 소설·영화·연극 등에서 가장 중심적인 역할을 하는 여자.

여죽 【女竹】 명 여자가 쓰는 담뱃대.

여-준 【呂準】 명 〖사람〗 독립 투사. 이명은 조현(祖鉉·肇鉉), 호는 시당(時堂). 경기도 용인(龍仁) 출신. 정주(定州) 오산 학교(五山學校)에서 교편을 잡고 있다가 북간도(北間島)로 건너가 이동녕(李東寧) 등과 서전 의숙(瑞甸義塾)을 세워 후진 교육에 힘쓰고, 신흥 무관 학교(新興武官學校)의 교장으로서 독립군 양성에 힘씀. 3·1운동 후 서로 군정서(西路軍政署) 부독판(副督辦)을 지내고, 뒤에 장백산(長白山) 기슭에은거함. [1862-1932]

여준네 명 〈방〉 아낙네.

여줄가리 명 ①주된 몸뚱이나 원줄기에 딸린 물건. ②중요로운 일에 딸린 그리 중요하지 않은 일.

여-중¹ 【女—】 명 〈방〉 〖불교〗 신중. 여승(女僧)(경기·강원·충청·전라·경상).

여중² 【女中】 명 〖교〗 ↗여자 중학교.

여중³ 【旅中】 명 객중(客中).

여중가리 명 〈방〉 여줄가리.

여중 군자 【女中君子】 명 숙덕(淑德)이 높은 여자.

여중-생 【女中生】 명 여자 중학교의 학생.

여중 호걸 【女中豪傑】 명 호협(豪俠)한 기상이 있는 여자. ㊅여걸.

여즈러지다 자 〈방〉 이지러지다.

여증 【餘症】 명 ①병의 나머지 증세. ②어떠한 병 끝에 덧붙여 나는 다른 병. 여기(餘氣). 여병(餘病). 여얼(餘孽). 여수(餘祟). 객증(客症). 합병증(合併症).

여:지¹ 【荔枝】 명 〖식〗 [*Litchi chinensis*] 무환자나뭇과의 상록 교목. 높이 10∼15m. 잎은 호생(互生)하고 우상 복엽(羽狀複葉)임. 꽃은 늦봄에 잡성화(雜成花)로 연한 황록색의 양성화·단성화가 피며, 열매는 둥글고 돌기(突起)가 있으며 지름 3cm의 난형(卵形) 핵과로 과육은 백색 반투명, 물이 많고 닮. 중국 남부 원산이며 과수(果樹)로 재배함.

여:지² 【與知】 명 관여하여 앎. ——-하다 타여불

여지³ 【餘地】 명 ①남은 땅. ②여망(餘望)이 있는 앞길. ③나위. ¶의심할 ~도 없다. ④여유(餘裕).

여:지⁴ 【輿地】 명 [수레같이 만물을 실는 땅이라는 뜻에서 온 말] 지구(地球). 전세계. 대지(大地).

여:지⁵ 【濾紙】 명 [filter paper] 〖화〗 거름종이.

여지⁶ 【鑢紙】 명 겉죽에 보드라운 금강사(金剛砂)나 유리 가루를 발라서 줄 삼아 쓰는 질긴 종이. 사포(砂布). 샌드 페이퍼(sand paper).

여:지 금대 【荔枝金帶】 명 〖역〗 조선 시대 때, 이품(二品)과 정삼품(正三品)의 공복(公服)에 띠는 금띠. 황금 바탕에 진홍색(眞紅色) 점을 찍은 떠동을 닮.

여지-껏 부 ☞여태까지.

여:지-노 【荔枝奴】 명 〖식〗 용안(龍眼).

여:지-도¹ 【輿地圖】 명 세계 지도. 지도. 여도(輿圖).

여:지-도² 【勵志圖】 명 조선 명종(明宗) 때, 어숙권(魚叔權)이 만든 쌍륙(雙六)과 비슷한 유희의 하나.

여지러-떠리다 타 〈방〉 이지러뜨리다.

여지러-지다 자 〈방〉 이지러지다.

여:지 승람 【輿地勝覽】 [—남] 명 〖지〗 ↗동국 여지 승람(東國輿地勝覽).

여지-없다 【餘地—】 [—업—] 형 더할 나위가 없다.

여지-없이 【餘地—】 [—업씨] 부 더할 나위 없게. ¶~ 당했다.

여:지 전:기 영동법 【濾紙電氣泳動法】 [—뻡] 명 [paper electrophoresis] 〖화〗 여지 크로마토그래피(chromatography) 변법(變法)의 하나. 전해질(電解質)을 함침(含浸)시킨 여지(濾紙)의 끝에 전류(電流)를 보내면 미지(未知)의 시료(試料) 가운데의 하전(荷電) 분자가 적당한 전극을 향해서 이동함.

여:지-주 【荔枝酒】 명 여주의 열매를 까 넣어 빚은 술.

여직¹ 【女直】 명 〖역〗 여진(女眞)의 별칭.

여:직² 【勵直】 명 〖역〗 조선 시대 때, 서반(西班) 토관(土官)의 정구품(正九品) 벼슬.

여직³ 부 ☞ 여태.

여-직공 【女職工】 명 여자 직공. 여공(女工).

여:직-랑 【勵直郞】 [—낭] 명 〖역〗 조선 시대 때, 정육품(正六品)의 잡직(雜職) 문관(文官)의 품계.

여-직원 【女職員】 명 여자 직원.

여진¹ 【女眞】 명 〖역〗 동만주와 연해주 방면에 살던 반농 반수렵(半農半狩獵)의 퉁구스계 부족. 한대(漢代)에는 읍루(挹婁), 후위(後魏) 때에는 물길(勿吉), 수당(隋唐) 때에는 말갈(靺鞨)이라 하였고 발해국(渤海國)이 망한 뒤 요(遼)에 속했다가 오대(五代)와 송(宋) 시대에 여진으로 나타나 생여진(生女眞)·숙여진(熟女眞)으로 갈리어 그 중 완안부(完顔部)의 생여진 추장(酋長) 아골타(阿骨打)가 1115년에 여러 부족을 통일하여 금(金)나라를 세움. 명(明)나라 때에는 여직(女直)이라 하여 삼분(三分)하여, 해서 여직(海西女直)·야인(野人) 여직·건주(建州) 여직이라 불렀으며 그 중의 하나인 건주 여직에서 청(淸)나라의 태조(太祖)가 나와 전중국(全中國)을 통일함. 현재의 만주인은 그 후예로 완전히 쇠퇴하였음. 여진족.

여진² 【餘塵】 명 옛사람이 남겨 놓은 자취.

여진³ 【餘震】 명 〖지〗 큰 지진(地震)이 있은 다음에 지각(地殼)이 아직 안정을 얻지 못해서 가끔씩 일어나는 작은 지진. 며칠 또는 몇 년에 걸쳐서 빈발함.

여:진⁴ 【勵振】 명 〖전자〗 ①[excitation] 전송(傳送) 안테나에 신호(信號) 전력을 가하는 일. ②[drive] 전자관(電子管)의 제어(制御) 전극에 가해져 있는 신호 전압.

여:진-기 【勵振器】 명 [exciter] 〖전자〗 ①송신기(送信機)에 직접 접속(接續)된 지향성(指向性) 송신 안테나계(系)의 부분. 또, 공진 공동(共振空洞)이나 도파관(導波管)에 삽입된 루프 따위. 송신기의 반송파(搬送波)를 발생시키기 위해서 사용하는, 압전 결정 발진기(壓電結晶發振器) 또는 자려 발진기(自勵發振器).

여진 문자 【女眞文字】 [—짜] 명 12세기에 여진족의 국가 금(金)이 제정한 문자. 대자(大字)와 소자가 있어, 대자는 태조(太祖) 천보(天輔) 3년(1119)에 완안 희윤(完顔希尹)이 거란 문자(契丹文字)를 본떠서 만들었다 하나 전하지 않음. 소자는 희종(熙宗) 때에 만든 것으로 모양은 대체로 한자(漢字)를 본떴으나 여진말을 기사(記寫)하기에 부적당하였으므로 거란 문자나 서하 문자(西夏文字)와 같이 차차 소멸하여 널리 보급되지 못하였음.

〈여진 문자〉

여:진 소:자 【勵振素子】 명 [driven element] 〖전자〗 전송 선로(傳送線路)에 직접 접속되는 안테나 소자.

여진 여퇴 【旅進旅退】 [—녀—] 명 일정한 주견이나 절개가 없이 여럿이 부화(附和)하여 진퇴를 같이함. ——-하다 자여불

여-진(:)우 【呂振羽】 명 〖사람〗 '뤼 전위'를 우리 음으로 읽은 이름.

여진-족 【女眞族】 명 〖역〗 여진.

여질¹ 【女姪】 명 조카딸.

여:질² 【舁疾】 명 병(病)든 몸으로 가마 등에 실리어 가는 일. ——-하다 자여불

여:질³ 【癘疾】 명 〖한의〗 여역(癘疫).

여질⁴ 【麗質】 명 ①고운 바탕. 옥질(玉質). ②미인¹(美人).

여-집합 【餘集合】 명 [complement] 〖수〗 집합 A가 집합 B의 부분 집합(部分集合)일 때, B에는 속(屬)하나 A에는 속하지 않은 모든 원(元)으로 이루어지는 집합을 B에 대한 A의 여집합 또는 B와 A와의 차(差)라 하며 B—A로 표시함. 특히, A가 어떤 공간(空間) E의 점집합(點集合)일 경우에는 E에 대한 A의 여집합을 단지 A의 여집합이라고만 부르며 A^c로 표시함. 보집합(補集合).

여짓-거리다 자 말을 할 듯 할 듯 자꾸 머뭇거리다. 여짓-여짓[—녀—] 부. ——-하다 자여불

여짓-대다 자 여짓거리다.

여짭다 타ㅂ불 '여쭙다'의 예스러운 말.

여:쭈다 타 웃어른께 사연을 아뢰다.

여:쭈옵다 타ㅂ불 '여쭈다'의 존칭. ㊅여쭙다.

여:쭙다 타ㅂ불 ↗여쭈옵다.

여:차¹ 명 그리 대수롭지 아니한 일이나 물건. ¶그까짓 일은 다 ~지/네 손해는 내게 대면 ~야.

여차² 【如此】 명 이러함. 이와 같음. 약시(若是). 약차(若此). 여사(如斯). 여시(如是). ¶~한 이유로. ——-하다 형여불. ——-히 부

여차³ 【旅次】 명 여행 중(旅行中)에 머무는 곳. 편지할 때 아랫사람에게 씀. 여박(旅泊).

여:차⁴ 감 ↗이영차.

여차-여차 【如此如此】 명 이러이러함. 여시여시(如是如是). 여사여사(如斯如斯). 약시약시(若是若是). 약차약차(若此若此). ¶~한 사연. *이리이리. ——-하다 형여불. ——-히 부

여-차장 【女車掌】 명 여자 차장.

여차-하면 【如此—】 부 무슨 일이 일어나기만 하면. ¶~ 달아날 궁리만 한다.

여창¹ 【女唱】 명 ①〖악〗 남자가 여자의 음조(音調)로 노래 부르는 일. 또, 그 노래. 여(女)청. ↔남창(男唱). ②↗여창 남수(女唱男隨). ——-하다

(자)(여불)

여창[2]【旅窓】[명] 나그네가 거처하는 방. 객지(客地)에서 묵고 있는 방. 객창(客窓).

여창 가요록【女唱歌謠錄】[명]〖책〗편자와 편찬 연대 미상의 가집(歌集). 국문 필사본.

여창 남수【女唱男隨】[명] 여자가 앞에 나서서 서두르고 남자는 따라만 함. ㊥여창(女唱). ↔남창 여수. ——-하다 (자)(여불)

여창 유:취【女唱類聚】[명]〖책〗가곡 원류(歌曲源流)에 실린 시조(時調) 가운데서, 여창 178수를 따로 뽑아 모은 책.

여창 지름 시조【女唱一時調】[명]〖악〗시조 창법(唱法)의 하나. 지름 시조와 같되, 초장(初章) 첫 장단을 지르지 않고, 가성(假聲)으로 곱게 발성(發聲)함.

여천[1]【餘喘】[명] 아직 죽지 않고 겨우 부지하여 있는 목숨. 얼마 남지 않은 목숨. 여명(餘命).

여천[2]【麗川】[명]〖지〗전라 남도에 속했던 시(市). 1987년 여천군(麗川郡) 삼일읍(三日邑)과 쌍봉면(雙鳳面)을 통합, 시로 개편되었다가 1998년 4월, 여수시에 통합됨.

여천 공업 기지【麗川工業基地】[명]〖지〗전라 남도 여수시(麗水市)의 광양만(光陽灣)에 면한 해안 지대에 조성된 종합 화학 공업 기지. 총면적 224만 평(坪)으로, 제7 비료 단지·석유 화학 단지·석유 화학 관련 단지·삼일항(三日港) 배후(背後) 단지·화치(花峠) 단지 등과 삼일항(三日港)을 포함함. 1978년 완공(完工)됨.

여천-군【麗川郡】[명]〖지〗전에, 전라 남도의 한 군. 관내 1읍 6면. 북은 승주군(昇州郡)과 바다 건너 광양군(光陽郡), 동은 여천시(麗川市), 남은 바다, 서는 바다 건너 고흥군(高興郡)에 인접함. 한려 수도(閑麗水道)의 기점으로 경치가 아름답고, 좋은 어장도 있음. 주요 산물로는 쌀·보리·콩·고구마·옥수수·마늘·딸기 등의 농산과 멸치·조기·쥐치·갈치 등 수산물이 있고 돌산읍의 멸치 어장은 특히 유명함. 명승 고적으로 원촌성지(猿村城址)·충무공 대첩비(大捷碑)·해운대지(海雲臺址)·흥국사(興國寺)·향일암(向日庵) 등이 있고, 1981년 거문도와 백도가 국립 공원으로 지정됨. 1998년 4월, 여수시(麗水市)에 통합됨.

여천-선【麗川線】[명]〖지〗전라 남도 여수시(麗水市) 덕양(德陽)에서 흥국사(興國寺)를 거쳐 적량(積良)에 이르는 단선 철도선. 1969년 5월에 준공. [10.4 km]

여:천지 무궁【與天地無窮】[명] 천지와 더불어 한이 없다는 뜻으로, 사물(事物)의 영구히 변하지 않음을 이르는 말. 여천지 해망(與天地偕亡). ——-하다 (형)(여불)

여:천지 해망【與天地偕亡】[명] 여천지 무궁. ——-하다 (형)(여불)

여철【黎鐵】[명]〖고고학〗마름쇠.

여-청[1]【女一】[명] ①여자의 목청. ②여창(女唱). 1)·2):↔남청.

여청[2]【女青】[명]〖식〗계뇨등(鷄尿藤)의 딴이름.

여체[1]【女體】[명] 여자의 육체. ¶풍만한 ~.

여체[2]【旅體】[명] 객체(客體)❶.

여초【餘草】[명] ①소용 없게 된 시문(詩文)의 초고(草稿). ②심심 파적으로 쓴 글.

여추【餘醜】[명] ①소탕(掃蕩)하고 난 뒤에 남은 악인(惡人)들. ②여얼(餘孽)❸.

여축【餘蓄】[명] 쓰고 남은 물건을 모아 둠. 또, 그 물건. ¶식량의 ~이 없다. ——-하다 (타)(여불)

여축-없다 [ㅡ업ㅡ] (형) ☞깔축없다. ¶좌우당간 소청하신 일은 여축없이 성사시킬 터이니 내 소청 한가지도 들어주셔야 하겠습니다《金周榮:客主》.

여춘-화【麗春花】[명]〖식〗양귀비꽃.

여:출-액【濾出液】[명]〖생〗피 속의 혈청이 혈관벽의 여과 작용(濾過作用)에 의하여 조직 속으로 들어간 액(液).

여-출일구【如出一口】[명] 이구 동성(異口同聲).

여충【戾蟲】[명] [사나운 동물이라는 뜻] '범'의 이칭(異稱).

여:충 대:위【勵忠隊尉】[명]〖역〗조선 시대 때, 종오품의 토관직(土官職) 무관(武官)의 품계. *건충(建忠) 대위.

여취【餘臭】[명] 사라지지 않고 남아 있는 냄새.

여취 여광【如醉如狂】[명] 여광 여취(如狂如醉). ——-하다 (형)(여불)

여측【蠡測】[명] 표주박으로 바닷물을 측량함. 곧, 천박한 식견으로 심원(深遠)한 이치를 헤아림의 비유.

여측 이:심【如廁二心】[명] '뒷간에 갈 적 마음 다르고 올 적 마음 다르다'와 같은 말. *뒷간.

여:치 [명]〖충〗[*Gampsocleis sedakovi obscura*] 여칫과에 속하는 곤충. 몸길이 33 mm 내외이고 몸빛은 황록색 내지 황갈색이며 날개 중실(中室)에 흑색 점렬(點列)이 있음. 전흉배(前胸背)의 제2 횡구(橫溝)는 'V'자형임. 수컷 꼬리털 안 쪽에는 긴 치상 돌기(齒狀突起)가 있음. 한국·일본에 분포함. 괄괄아(聒聒兒). 씨르래기. 혜고(蟪蛄). 철각(鐵脚). 종사(螽斯). 방직랑(紡織娘). 돼지여치.

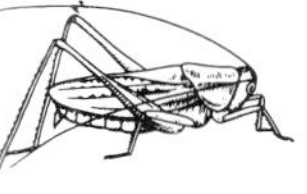

〈여치〉

여:치-베짱이 [명]〖충〗[*Pseudorhynchus japonicus*] 여칫과에 속하는 곤충. 몸길이 64 mm 내외이고, 몸빛은 담청색임. 두정 돌기(頭頂突起)는 촉각 제1절보다 길. 전흉배(前胸背) 제2 횡구(橫溝)는 'V'자 형이고 촉각의 아래쪽은 흑색임. 암컷의 미모(尾毛) 끝의 안쪽에 한 개의 가시가 있음. 한국에도 분포함.

여침【旅寢】[명] 여행 중에 묵는 잠자리.

여:칫-과【一科】[명]〖충〗[Tettigoniidae] 메뚜기목(目)에 속(屬)하는 한 과(科). 대부분의 종류는 수컷의 앞날개 기부에 발음기가 있고, 청기(聽器)는 앞다리의 경절(脛節)에 있음. 수목·잡목·재배 식물의 잎, 어린 줄기를 먹으나 다른 곤충류를 포식하는 종류도 있음. 긴날개여치·베짱이·쌕쌔기·여치베짱이·풀첩지·여치·철써기 등이 이에 속하며 전세계에 7,000여 종이 분포함.

여쾌【女儈】[명] ①혼인의 중매를 하는 여인. ②홍등가(紅燈街)에서 여인들을 다루거나 주선을 하는 일을 업으로 하는 여인. 뚜쟁이.

여쾌이 [명]〈방〉〖동〗여우[1](황해).

여퀘이 [명]〈방〉〖동〗여우[1](황해).

여:키스 천문대【一天文臺】[Yerkes] [명] 1897년에 개설된 시카고 대학 부속 천문대. 시카고의 철도 금융업자 C.T. 여키스의 기부(寄附)로 만들어졌으며, 세계 최대의 굴절 망원경을 비치함.

여타【餘他】[명] 그 밖의 다른 것. 그 나머지.

여:타 자별【與他自別】[명] 남보다 사이가 유달리 가까움. ——-하다 (형)

여:탈【與奪】[명] 주는 일과 빼앗는 일. ¶생살 ~권. ——-하다 (타)(여불)

여-탈폐사【如脫弊屣】[명] 헌 신짝 버리듯 아낌없이 버림.

여:탐 [명] [←예탐(豫探)] 무슨 일이 있을 때 웃어른의 뜻을 살피기 위하여 미리 여쭙는 일. ——-하다 (타)(여불)

여:탐-굿 [명] [←예탐굿] 집안에 경사가 있을 때 먼저 조상에 아뢰기 위하여 하는 굿. ——-하다 (자)(여불)

여탑다 (형)〈옛〉 옅다. ¶요수이 세쇽이 여타오며 열워(近世淺薄)《宣祖版 小解 V:76》.

여탕【女湯】[명] 여자용 목욕탕. ↔남탕(男湯).

여태[1]【女態】[명] 여자처럼 보이는 태도.

여태[2] (부) 이제까지. 입때.

여태-까지 (부) '여태'의 강조어. 지금까지. 이제까지. 여태껏.

여태-껏 (부) 여태까지. 이때껏. 입때껏. 이제껏.

여-태혜【女太鞋】[명] 볼이 좁고 간략(簡略)하여 여자의 신과 비슷하게 생긴 남자용 가죽신.

여택[1]【餘澤】[명] 끼쳐 놓은 은혜. 떠난 뒤에 남은 은택. 세택(世澤). ¶~을 입다.

여택[2]【麗澤】[명] 학우끼리 서로 도와 학덕(學德)을 닦는 일.

여택-재【麗澤齋】[명]〖역〗고려 예종(睿宗) 4년(1109)에 국학(國學)에 베푼 칠재(七齋)의 하나. 주역(周易)을 전공하던 곳.

여토【如土】[명] ①흙빛과 같음. ②값이 헐함.

여토다 (타)〈옛〉 여투다. 저축하다. ¶오늘 차반 여토와(今日備辦些個茶飯)《老乞 下 30》.

여투다 (타) 물건이나 돈을 아껴 쓰고 그 나머지를 모아 두다. ¶온 대야 대접할 음식도 여투어 놓지 못하였으니 도리어 미안할 노릇이나…《桂鎔默:障壁》.

여트막-하다 (형)(여불) 매우 여름하다. >야트막하다.

여틈-하다 (형)(여불) 약간 옅은 듯하다. >야틈하다.

여틔 [명]〈옛〉 얕기. ¶기픠 여틔 기니 뎌르니 되디 몯호리라(深淺長短不可量)《朴解 上 67》.

여티 (부)〈옛〉 옅게. =녀티. ¶져고매 흐르는 수를 여티 자바(淺把涓涓酒)《重杜諺 Ⅶ:8》.

여파【餘波】[명] ①풍파가 지나간 뒤에 그치지 않고 일어나는 물결. ②뒤에 미치는 영향. 주위에 미치는 영향. ¶석유 파동의 ~가 가계(家計)에까지 미치다.

여:파-기【濾波器】[명] [wave filter]〖물〗여러 가지 주파수(周波數)가 섞여 있는 전파로부터 어떤 특정한 주파수의 것만을 가려 내는 전기적(電氣的) 장치.

여펀-내 [명]〈방〉 여편네(강원·경남).

여펜-내 [명]〈방〉 여편네(경기·강원·충북·제주).

여편-네 [명] ①'결혼한 여자'를 낮추어 이르는 말. ②'아내'를 낮추어 이르는 말.

[여편네 아니 걸린 살인 없다] 무슨 일에나 여자가 꼭 끼게 된다는 말. [여편네 팔자는 뒤웅박 팔자라] 뒤웅박은 둥글기 때문에 일정한 방향이 없이 굴리는 대로 방향이 바뀌는 것과 같이 여자의 팔자는 남편을 만나는 데 따라 완전히 바뀐다는 말. [여편네 활수하면 벌어 들여도 시루에 물붓기] 아무리 벌어 들여도 그 집안의 주부가 헤프면 저축이 안 된다는 뜻.

여폐【餘弊】[명] 뒤에까지 미치는 폐단. 남은 폐단.

여-포[1]【呂布】[명]〖사람〗중국 후한 말(後漢末)의 무장(武將). 자는 봉선(奉先). 지금의 내몽고(內蒙古)의 구원(九原) 사람. 처음에 병주 자사(并州刺史) 정원(丁原)을 섬기다가, 동탁(董卓)을 만나 부자(父子)의 맹세를 했으나, 탁(卓)을 죽이고, 원술(袁術)에게 의지하여 유비(劉備)를 쳤기 때문에, 조조(曹操)의 도움을 받은 유비군에 패하여 죽음.《삼국지연의(三國志演義)》에서 영웅으로 활약하는 장사의 하나임. [?-198]

[여포 창날 같다] 매우 날카롭다는 말.

여포[2]【旅袍】[명] 나그네의 회포. 여정(旅情).

여:포[3]【濾胞】[명] 난포(卵胞).

여:포 상:피【濾胞上皮】[명] [follicle epithelium]〖동〗여포를 형성하는 상피 모양의 세포층. 여포의 형태에 따라 형태는 변함.

여:포성 결막염【濾胞性結膜炎】[ㅡ썽ㅡ념] [명]〖의〗결막 여포증(結膜濾胞症).

여:포성 림프종【濾胞性一腫】[ㅡ썽ㅡ] [명] [follicular lymphoma]〖의〗악성 전구 상태(惡性前驅狀態)의 림프종. 림프절(節)에서는 확대된 여포를 볼 수 있으며, 그것은 주로 치밀하게 모인 세망 내피 세포(細網內皮細胞)에 의해서 구성되어 있음.

여:포 성숙 호르몬【濾胞成熟一】〔hormone〕[명]〖생〗난포 자극(刺戟) 호르몬.
여:포-액【濾胞液】[명]〖생〗난포(卵胞)의 강(腔)을 채우고 있는 액체.
여:포 호르몬【濾胞一】〔hormone〕[명]〖생〗발정 호르몬(發情 hormone).
여풍[1]【餘風】[명] 남아 있는 풍습. 남아서 전하는 풍습. 유풍(遺風).
여풍[2]【麗風】[명] 북서풍(北西風).
여-풍과이【如風過耳】[명]〔바람이 귀를 스치고 지나가는 듯 여긴다는 뜻으로〕말을 귀담아 듣지 않는 태도를 이르는 말.
여핀-내 [명]〈방〉여편네(경상).
여필【女筆】[명] 여자의 필적(筆蹟). 여자가 쓴 것 같은 글씨.
여-필종부【女必從夫】[명] 아내는 반드시 남편(男便)에게 순종(順從)하여야 함.
여하【如何】[명] 어떠함. 약하(若何). ¶정세 ~에 따라서/~한 말도 곧이 듣지 않겠다. ——-하다 [형][여불]. ——-히 [부]
여하-간【如何間】[부] 어떻게 해서라도. 어떻든간에. 여하튼. ¶~ 해 놓고야 말겠다/~ 네 잘못이다.
여하거늘【亦爲去乙】〈이두〉-라 하거늘.
여하고【亦爲遣】〈이두〉-라 하고.
여-하다【如一】[형][여불] 같다. 여-히【如一】[부]
여하다온【亦爲如乎】〈이두〉-라 하는. -라 하니.
여하두【亦爲置】〈이두〉-라 하다.
여하삽거늘【亦爲白去乙】〈이두〉-라 하옵거늘.
여하삽거든【亦爲白去等】〈이두〉-라 하옵거든.
여하삽거온【亦爲白去乎】〈이두〉-라 하오니.
여하삽견과【亦爲白在果】〈이두〉-라 하옵거니와.
여하삽견다해【亦爲白在如中】〈이두〉-라 하시었는데. -라 하시는 때에.
여하삽고【亦爲白遣】〈이두〉-라 하옵고.
여하삽누온견이여【亦爲白臥乎在亦】〈이두〉-라 하오므로.
여하삽누온들쓰아【亦爲白臥乎等用良】〈이두〉-라 하시었으므로.
여하삽누온바【亦爲白臥乎所】〈이두〉-라 하옵는 바.
여하삽다가【亦爲白如可】〈이두〉-라 하옵다가.
여하삽다온【亦爲白如乎】〈이두〉-라 하옵다니.
여하삽두【亦爲白置】〈이두〉-라 하시다.
여하삽빗거늘【亦爲白有去乙】〈이두〉-라 하시었거늘.
여하삽빗거든【亦爲白有去等】〈이두〉-라 하시었거든.
여하삽빗견과【亦爲白有在果】〈이두〉-라 하시었거니와.
여하삽빗견다해【亦爲白有在如中】〈이두〉-라 하시었을 때에.
여하삽빗다온【亦爲白有如乎】〈이두〉-라 하시었다니.
여하삽빗두【亦爲白有置】〈이두〉-라 하시었다.
여하삽빗들로【亦爲白有等以】〈이두〉-라 하시었으므로.
여하삽빗제【亦爲白有齊】〈이두〉-라 하시었다.
여하삽오되【亦爲白乎矣】〈이두〉-라 하시었으니.
여하삽오든【亦爲白乎等】〈이두〉-라 하시거든.
여하삽오며【亦爲白乎旀】〈이두〉-라 하오며.
여하삽온들로【亦爲白乎等以】〈이두〉-라 하시었으므로.
여하삽온들쓰아【亦爲白乎等用良】〈이두〉-라 하시었으므로.
여하삽이시누온들쓰아【亦爲白有臥乎等用良】〈이두〉-라 하시었으므로.
여하삽이시누온바【亦爲白有臥乎所】〈이두〉-라 하시었는바.
여하삽이시며【亦爲白有旀】〈이두〉-라 하시었으며.
여하삽이신이여【亦爲白有亦】〈이두〉-라 하시었으니.
여하삽잇곤【亦爲白有昆】〈이두〉-라 하시었으니.
여하삽잇되【亦爲白有矣】〈이두〉-라 하시었으되.
여하삽제【亦爲白齊】〈이두〉-라 하신다. -라 하실지어다.
여하야【亦爲】〈이두〉-라 하며.
여하오며【亦爲乎旀】〈이두〉-라 하며.
여하온들로【亦爲乎等以】〈이두〉-라 하므로.
여하이시누온들로【亦爲有臥乎等乙以】〈이두〉-라 하였으므로.
여하이시누온들쓰아【亦爲有臥乎等用良】〈이두〉-라 하였으므로.
여하이시며【亦爲有旀】〈이두〉-라 하였으며.
여하이시온들로【亦爲有乎等以】〈이두〉-라 하였으므로.
여하이신들쓰아【亦爲有等乙用良】〈이두〉-라 하였으므로.
여하잇거늘【亦爲有去乙】〈이두〉-라 하였거늘.
여하잇거든【亦爲有去等】〈이두〉-라 하였거든.
여하잇곤【亦爲有昆】〈이두〉-라 하였으니.
여하잇누온바【亦爲有臥乎所】〈이두〉-라 하였는 바.
여하잇다온【亦爲有如乎】〈이두〉-라 하였다니.
여하잇두【亦爲有置】〈이두〉-라 하였다.
여하잇들로【亦爲有等以】〈이두〉-라 하였으므로.
여하제【亦爲齊】〈이두〉-라 하다. -라 할지어다.
여하-튼【如何一】[부] 여하하든. 여하간(如何間).
여-학교【女學校】[명]〖교〗여자만을 가르치는 학교의 통칭. ↔남학교(男學校).
여-학사【女學士】[명] ①대학을 나와 학사 학위를 가진 여자. ②학문이 훌륭한 여자.
여학사-회【女學士會】[명] 대학을 나와 학사 학위를 가진 여성들로 이루어진 모임.
여-학생【女學生】[명] 여자 학생. 여학교에 다니는 학생. ↔남학생.
여한[1]【餘恨】[명] 나머지 원한. 풀지 못하고 남은 원한. ¶이제 죽어도 ~이 없다.
여한[2]【餘寒】[명] 큰 추위가 지난 뒤에 아직 남은 추위. 입춘(立春) 뒤의 추위. 잔한(殘寒).
여할【餘割】[명]〖수〗'코시컨트'의 구용어. ↔정현(正弦).
여할 곡선【餘割曲線】[명]〖수〗'코시컨트 곡선'의 구용어.
여-함수【餘函數】[一쑤][명]〖수〗삼각 함수에 있어서, 직각 삼각형의 직각이 아닌 각(角)의 사인과 코사인, 탄젠트와 코탄젠트, 시컨트와 코시컨트를 서로 다른 편의 여함수라 함.
여-합부절【如合符節】[명] 부절(符節)을 맞추듯 사물이 꼭 들어맞음. 약합부절(若合符節). ——-하다 [형][여불]
여합-풍【閶闔風】[명] 서풍(西風).
여항[1]【閭巷】[명] 여염(閭閻).
여항[2]【餘杭】[명]〖지〗중국 진대(秦代)에 현재의 저장 성(浙江省) 북부, 항저우 시(杭州市)에 설치(設置)되었던 현(縣)의 이름. 술의 명산지(名產地)로 알려졌음.
여항[3]【餘項】[명] 나머지의 항목(項目).
여항-간【閭巷間】[명] 보통 민중들 사이. 촌간(村間). 항간(巷間).
여항 문학【閭巷文學】[명]〖문〗위항(委巷) 문학.
여항 소:설【閭巷小說】[명]〖문〗조선시대의 서민 소설. 양반 소설·서민 소설의 두 유형이 있는데, 양반 소설에 ≪구운몽(九雲夢)≫·≪사씨 남정기(謝氏南征記)≫·≪장인걸전(張人傑傳)≫·≪숙영 낭자전(淑英娘子傳)≫·≪요로원 야화기(要路院夜話記)≫ 등이 있고, 서민 소설에 ≪춘향전(春香傳)≫·≪심청전(沈淸傳)≫·≪별주부전(鼈主簿傳)≫·≪해서 기문(海西奇聞)≫ 등이 있음.
여항 시인【閭巷詩人】[명] 위항 시인(委巷詩人).
여항-인【閭巷人】[명] 여염의 사람들. 민간 사람들.
여해【亦中】[조]〈이두〉에.
여해을낭【亦中乙良】[조]〈이두〉에는. 에게는.
여행[1]【旅行】[명] 볼일이나 유람(遊覽)의 목적으로 다른 고장이나 외국(外國)에 가는 일. 객려(客旅). 정행(征行). ¶해외 ~/~ 안내. ——-하다 [자][여불]
여행[2]【厲行】[명] ①엄중(嚴重)하게 시행(施行)함. ②여행(勵行). ——-하다 [타][여불]
여:행[3]【勵行】[명] 힘써서 실행함. 또, 실행하기를 장려(奬勵)함. 여행(厲行). ——-하다 [타][여불]
여행-가【旅行家】[명] 여행을 즐겨 자주 하는 사람. 주유가(周遊家).
여행-권【旅行券】[一꿘][명] 여권(旅券).
여행-기【旅行記】[명] 여행 중에 견문(見聞)한 것과 체험한 것을 기록한 글. *기행문.
여행-도【女行圖】[명] 부녀자의 실내 오락 기구의 하나. 넓은 종이에 역사 상의 악녀(惡女)와 선녀(善女)의 이름과 행실을 벌여 써 놓고, 주사위를 던져, 그 끗수대로 말을 씀. 최하는 짐승서부터 태임(太任)에 이르러 끝나게 됨. 조선 숙종(肅宗)의 계비(繼妃) 인현 왕후(仁顯王后)가 만든 것이 1981년에 발견됨.
여행 면:장【旅行免狀】[一짱][명] 여권(旅券).
여행-사【旅行社】[명] 일반 여객이나 관광객의 편의를 돌봐 주는 일을 업으로 하는 영업 기관. 투어리스트 뷰로(tourist bureau).
여행 안:내【旅行案內】[명] 여행하는 사람의 편의를 위하여 열차(列車)·여객선·여객기 등의 발착(發着) 시각·요금 및 연로(沿路)의 명승·고적·여관 등을 자세히 안내함. 또, 그러한 내용을 기록한 책자.
여행-업【旅行業】[명] 관광 사업의 하나. 여행자를 위하여 운송 시설, 숙박 시설 기타 여행에 부수되는 시설 이용의 알선 기타 여행의 편의를 제공하는 영업. 일반 여행업·국외 여행업·국내 여행업의 세 가지가 있음.
여행-용【旅行用】[一뇽][명] 여행에 필요함. 여행에 쓰임. ¶~ 가방.
여행-자【旅行者】[명] 여행하는 사람.
여행자 수표【旅行者手票】[명]〔traveller's check〕해외 여행자가 외국에서 비용 조달을 쉽게 할 수 있도록 은행이 발행하는 수표. 미리 소요 금액을 은행에 납입하고 외화 표시의 정액 수표를 교부받아 여행 중에 이를 사용함.
여행자 신:용장【旅行者信用狀】[一짱][명]〔traveller's letter of credit〕해외 여행자에게 현금을 가지고 다니는 위험을 면하게 하기 위하여 발행 은행이 여행하는 곳의 은행 앞으로, 여행자에게 돈을 지급하고, 또 여행자가 발행한 어음을 사들이도록 의뢰하며, 그 신용을 보증하는 증서. 순회 신용장(巡廻信用狀).
여행 증명【旅行證明】[명] 외국 여행을 하는 사람에게 여행을 허가하고 그 신분을 증명하는 문서.
여향[1]【餘香】[명] 뒤에까지 남아 있는 향기. 여훈(餘薰).
여향[2]【餘響】[명] 뒤에까지 남아 있는 음향. 여음(餘音). 여운(餘韻).
여허【如許】[명] 저와 같음. *여차(如此). ——-하다 [형][여불]
여헌 성:리설【旅軒性理說】[一니一][명]〖책〗조선 14대 선조 때 사람인 여헌(旅軒) 장현광(張顯光)의 문집 중에서 성리(性理)에 관한 글을 뽑아 모은 책. ≪도서 발휘 편제(圖書發揮篇題)≫·≪역괘 총설(易卦總說)≫·≪태극설(太極說)≫·≪제설 회통(諸說會通)≫·≪경위설 총론(經緯說總論)≫·≪경위 배설 첩서(經緯排說帖書)≫·≪면학 요편(勉學要篇)≫·≪우주설(宇宙說)≫ 등이 들어 있음.
여현【餘弦】[명]〖수〗'코사인(cosine)'의 구용어. ↔정할(正割).
여현 곡선【餘弦曲線】[명]〖수〗'코사인 곡선'의 구용어.
여현 법칙【餘弦法則】[명]〖수〗여현 정리(餘弦定理).
여현 정:리【餘弦定理】[一니][명]〖수〗'코사인 정리'의 구용어.
여혈【餘血】[명] 해산(解產)한 뒤에 음문(陰門)에서 나오는 나쁜 피.
여혐【餘嫌】[명] 아직 남아 있는 혐의. 여타의 혐의.

여형[1]【女兄】명 손위 누이.

여형[2]【女形】명 여자같이 보이는 형상.

여형 약제【如兄若弟】명 친하기가 형제와 같음. ——-하다 형여불

여-형제【女兄弟】명 손위 누이와 누이 동생. 자매(姉妹).

여혜【女鞋】명 여자가 신는 가죽신.

여호[1] 명 〈방〉〖동〗여우[1](경상·충청·전라·제주).

여호[2] 감 〈방〉 예[19](평북).

여호수아〔Joshua〕명〖성〗〔여호와는 구원이시다란 뜻〕 모세의 후계자. 이스라엘인을 거느리고 가나안 땅으로 들어간 지도자이며 구약(舊約) 여호수아서(書)의 주인공으로 되어 있음. *예수.

여호수아-서【一書】〔Joshua〕명〖성〗 구약 성서의 제6권. 여호수아의 저서라하나 확실하지 않으며, 신명기(申命記)에 뒤이어 이스라엘의 역사를 기록한 책임.

여호와〔Jehovah〕명〖성〗〔그는 있으리라, 그는 있게 하는 자라는 뜻〕 구약 성서에 나오는, 이스라엘 족속이 최고 유일신으로서 섬기던 신(神)의 이름. 천지를 창조하고 흙으로 아담과 이브를 빚어 만들어 온 우주를 통치하게 하였다 하며, 시내 산(山)에서 모세에게 나타내어 보인 인격신(人格神)임. 하느님.

여호와의 증인【一證人】〔Jehovah〕[—/—에—] 명〖기독교〗 그리스도의 재림(再臨)을 믿으며 현실의 모든 제도를 부정(否定)하는 한 종파. 1870년 경 러셀(Russell, C.F.)을 지도자로 미국의 소시민(小市民) 사이에서 발생하여 뉴욕에 본부를 두고 세계 여러 나라에 많은 집회 조직을 갖고 있음. 묵시록(默示錄)에 나오는 아마겟돈의 최후의 전쟁이 일어나 현재의 부패된 사탄(Satan)의 조직 제도가 멸망하고 마침내는 그리스도의 천년 통치(千年統治)가 온다고 주장함. 신자는 신의 증인으로서 절대로 거짓말을 하지 아니하고 국기에도 사람에게도 경례를 하지 않고, 정치에 관여하지 아니하며, 전도사는 군무(軍務)를 거부하는 신조를 갖고 있음.

여혹【如或】부 '만일·혹시'의 뜻의 접속 부사.

여혼[1]【女婚】명 딸의 혼인(婚姻). ↔남혼(男婚).

여혼[2]【旅魂】명 객회(客懷).

여혼 잔치【女婚—】명 딸의 혼인(婚姻) 때에 베푸는 잔치.

여홍【女紅】명 '여공(女紅)'을 잘못 읽은 말.

여화【女禍】명 여색(女色)으로 인한 재앙. 여색에 빠져 일이 그릇됨.

여환[1]【如幻】명〖불교〗 모든 존재는 무상한 것이며 실체(實體)가 없고, 환영(幻影)처럼 덧없음.

여환[2]【戾還】명 돌려 보냄. ——-하다 타여불

여환-법【戾換法】[—뻡] 명〔inversion〕〖논〗 직접 추리(推理)의 한 가지. 하나의 판단에 있어서 그 주개념(主槪念)의 모순 개념으로써 주개념으로 한 판단을 인도하는 방법. '모든 갑은 을임'을 변경하여 '어떤 비(非)갑은 을이 아님'으로 하는 일 등임.

여황[1]【女皇】명 여제(女帝).

여황[2]【旅況】명 객황(客況).

여회[1] 명 〈옛〉 꽃술. ¶여회 예(蘂)《字會 下 4》.

여회[2]【旅懷】명 객회(客懷).

여회[3]【藜灰】명〖한의〗 명아주를 불에 태운 재. 어루러기나 혹을 없애는 약으로 씀. 동회(冬灰).

여후[1] 명 〈방〉〖동〗여우[1](충청).

여-후[2]【呂后】명〖사람〗 중국 한나라 고조(高祖)의 황후(皇后). 이름은 치(稚), 자는 아후(娥姁). 재략(才略)이 있어서 항상 고조를 도와서 대업(大業)을 이루고, 고조가 죽은 뒤에 권력을 전횡(專橫)하여, 동족(同族)을 제왕(諸王)에 봉하고 집정(執政) 8년 만에 죽음. 그 해 드디어 여씨(呂氏)의 난(亂)이 일어났음. [?-180 B.C.]

여훈[1]【女訓】명 여자에 대한 교훈(敎訓). 내훈(內訓).

여훈[2]【餘薰】명 여향(餘香).

여훈[3]【餘醺】명 아직 깨끗이 깨지 못한 취기(醉氣).

여훈 언:해【女訓諺解】명〖책〗 언해서(諺解書)의 하나. 중국 후한(後漢)의 조대가(趙大家)의 《여훈(女訓)》을 조선 성종(成宗) 때 최세진(崔世珍)이 우리 국문(國文)으로 번역한 것으로, 중종(中宗) 27년 (1532)에 간행(刊行)하였음.

여휘【餘暉】명 석조(夕照).

여흐 명 〈방〉〖동〗여우[1](경북).

여흑【黎黑】명 빛이 검음. ——-하다 형여불

여흔【餘痕】명 남아 있는 자취. 남은 흔적.

여흘 명 〈옛〉 여울. ¶門앏픳 죠고맛 여흐리 다 ᄍᆞ코져 ᄒᆞᄂᆞ다(門前小灘渾欲平)《杜諺 X:4》.

여흥【餘興】명 ①놀이 끝에 남아 있는 흥. ②연회나 어떤 모임 끝에 흥을 더하기 위하여 하는 연예(演藝).

여희[1] 명 〈방〉〖동〗여우[1](제주).

여희[2]【麗姬】명 고운 여자. 아름다운 여자.

여희다 자타 〈옛〉 여의다. 이별하다. ¶어마님 여희신 눉므를(戀母悲淚)《龍歌 91章》/卽을 여희며 非를 여희며(離卽離非)《楞嚴 Ⅳ:53》/能히 愁을 여희디 몯ᄒᆞ야도(未能離愁)《楞嚴 Ⅷ:134》.

여희욤 자타 〈옛〉 이별함. '여희다'의 명사형. ¶ᄆᆞᅀᆞ미 그 얼굴 여희오미(心離其形)《楞嚴 Ⅸ:84》/여희요ᄆᆞᆯ ᄆᆞᅀᆞ미 열우며 둗거우믈 조차 ᄒᆞ노라(取別隨薄厚)《杜諺 Ⅰ:39》.

여히 명 〈방〉〖동〗여우[1](제주·경상).

여흘 명 〈옛〉 여울. ¶어룸의 마킨 믈 여흘이셔 우니는 듯《古時調》.

여히다 자타 〈옛〉 여의다. 이별하다. ¶엇데이 여히요ᄆᆞᆯ ᄒᆞ거뇨(那比別)《杜諺 ⅩⅫ:4》.

역[1] 명 〈방〉 언저리. 옆(평안).

역[2]【力】명〖역〗 달음질 취재(取才)의 한 가지. 두 손에 50근 무게의 물건을 하나씩 가지고 가는 일. 일력(一力)·이력(二力)·삼력(三力)의 세 등급이 있음. *삼력(三力).

역[3]【力】명 성(姓)의 하나. 우리 나라에는 현존(現存)하지 아니함.

역[4]【役】명 ①연극(演劇)이나 영화에서 배우가 맡아 하는 소임(所任). ¶춘향~. ②특별히 맡은 임무. ¶감사~/상담~. ③한국 전근대 사회의 수취 체계(收聚體系)에 있어서 조세(租稅)·공부(貢賦)와 더불어 수취의 3대 지주를 이룬 세의 하나. 노역(勞役)과 신역(身役)으로 대별됨.

역[5]【易】명〖책〗 주역(周易).

역[6]【逆】명 ①반대. 거꾸로임. ②〔converse〕〖논〗 어떤 정리(定理)의 가설과 종결을 뒤바꾸어 얻은 정리. 정리가 진(眞)이라도 역은 반드시 진(眞)은 아님. 역정리(逆定理). ¶~도 또한 진(眞)이다. ③〔converse〕〖수〗 A의 B에 대한 관계를 기준으로 하였을 때 그 거꾸로 되는 B의 A에 대한 관계. ¶~함수.

역[7]【閾】명〖심〗 자극 및 자극의 차이 또는 변화에 있어 사람이 인지할 수 있는 극한(極限)의 경계에 해당하는 자극. 또, 자극 간의 차이의 양(量). 의식역(意識閾). *자극역·판별역(判別閾)·식역(識閾)·식별역(識別閾).

역[8]【驛】명 ①열차(列車)가 발착하는 곳. 철도역. ②〖역〗 중앙 관청의 공문을 지방 관청에 전달하며 외국 사신의 왕래와 관리의 여행 또는 부임 때 마필(馬匹)을 공급하던 곳. 주요 도로에 대개 30리마다 두었음. └우역(郵驛).

역[9]【譯】의명 번역(飜譯).

역[10]【亦】부 또한. 역시. ¶벗이 먼 데서 찾아오니 이 ~즐겁지 아니한가/너 ~ 그 자와 한 패거리구나.

역-【逆】두 반대임을 나타내는 말. ¶~비례/~선전.

-역【役】미 그 일을 맡은 직책임을 나타내는 말. ¶상담~/안내~.

역가[1]【力價】명〖화〗 적정(滴定) 등에서 쓰이는 액(液)의 농도. 주로 규정도(規定度)가 쓰임. ¶~가 높다.

역가[2]【亦可】명 또한 좋음. 역시 가함. ——-하다 형여불

역가[3]【役價】명 ①역사(役事)의 품삯. ②〖역〗 경저리(京邸吏)와 영저리(營邸吏)가 타는 보수.

역가-미【役價米】명〖역〗 백성(百姓)이 역가(役價)로 경저리(京邸吏)·영저리(營邸吏)에게 바치던 쌀.

역간【力諫】명 힘써 간함. 또, 그 간(諫). ¶임금에게 ~하다. ——-하다 타여불

역갈리 명 〈방〉 옆구리(제주).

역강【力強】명 힘이 굳셈. 실력이 넉넉함. ¶연부(年富) ~. ——-하다 형여불

역격【逆擊】명 적의 공격을 받고 수비하던 쪽이, 갑자기 공격을 하는 일. 역공(逆攻). ——-하다 타여불

역-결【逆—】명 거꾸로 된 나뭇결.

역-겹다【逆—】형ㅂ불 몹시 역(逆)하다. ¶역겨운 짓/그의 얼굴만 보아도 ~/나 보기가 역겨워 가실 때에는.

역경[1]【易經】명〖책〗 주역(周易)을 유교(儒敎)의 경전(經典)으로서 일컫는 이름.

역경[2]【逆境】명 일이 뜻대로 안 되는 불행한 처지. 순조롭지 아니한 환경. ¶~을 헤치고 나아가다. ↔순경(順境).

역경[3]【譯經】명〖불교〗 불경(佛經)을 번역(飜譯)하는 일.

역경 재:배【礫耕栽培】명〔gravel culture〕〖농〗 콘크리트 모판에 흙 대신 팥알만한 자갈을 넣어 청정 야채(淸淨野菜) 따위를 재배하는 방법. 비료를 탄 배양액(培養液)을 파이프를 통해서 하루에 3-4회씩 흘려 보내어 남은 배양액은 다시 탱크에 회수, 흡수된 양을 보충하여 몇 번이고 다시 사용해서 낭비 없이 비료를 사용할 수 있음. 노동력이 적게 들고 잡초가 생기지 않으며 비료값도 절약됨.

역계【歷階】명 층계를 한 계단에 한 발씩만 디디고 올라감. 층계를 급히 올라감. ——-하다 자여불

역고【譯稿】명 번역한 원고.

역공[1]【力攻】명 힘을 다하여 공격함. ——-하다 타여불

역공[2]【逆攻】명 수비하던 쪽이 거꾸로 공격함. ¶~의 찬스/~으로 나오다. 역격(逆擊). ——-하다 타여불

역과【譯科】명〖역〗 조선 시대 때 잡과(雜科)의 하나. 한학(漢學)·몽학(蒙學)·왜학(倭學)·여진학(女眞學)의 네 분과(分科)가 있어 이들 외국어에 통한 사람을 역관(譯官)으로 등용하기 위하여 보이던 과거(科擧).

역과 방:목【譯科榜目】명〖역〗 조선 시대 역과(譯科) 합격자의 명부(名簿).

역관[1]【力管】명〖물〗 전기장(電氣場) 또는 자기장(磁氣場) 등에서, 역선(力線)에 의하여 만들어지는 관. 곧, 역선을 모선(母線)으로 하는 관.

역관[2]【曆官】명 달력에 관한 일을 맡아 보던 관리.

역관[3]【歷官】명 여러 관직을 역임함. ——-하다 자여불

역관[4]【歷觀】명 역람(歷覽).

역관[5]【譯官】명 ①통역을 맡아 보는 관리. ②〖역〗 사역원(司譯院) 관리의 총칭. 상서(象胥).

역관[6]【驛館】명 역참(驛站)에서 인마(人馬)의 중계를 맡아 보던 집.

역광【逆光】명 ↗역광선.

역-광선【逆光線】명〖물〗 사진을 촬영할 때 촬영할 물체에서 나오는 방사 광선 외에 물체의 배후에 있는 태양 기타에서 직접 카메라에 들어오는 광선. 물체의 상을 흐리게 하므로 가능한 한 피하여 촬영함. ¶~으로 찍다. ㊜역광.

역괴【礫塊】명 ①자갈과 흙덩이. ②아무 가치도 없는 물건의 비유.

역구[1]【力求】명 힘써 구함. ——-하다 타여불

역구[2]【力救】명 힘써서 구원(救援)함. ——-하다 타여불

역구[3]【歷久】명 오래 됨. ——-하다 형여불

역-구구【逆九九】명〖수〗큰 수를 승수(乘數), 작은 수를 피승수로 한 구구법. 2·1은 2, 4·2는 8 같은 것.

역구-도【驛驅島】명〖지〗황해도 남해상, 연백군(延白郡)에 위치한 섬. [7.264 km²]

역군[1]【役軍】명 ①공사 터에서 삯일을 하는 사람. 역정(役丁). 역부(役夫). ②일꾼. ¶ 산업의 ~/사회의 ~.

역군[2]【逆軍】명 역적(逆賊)의 군대. 적군(賊軍).

역권[1]【力勸】명 힘써 권함. ——-하다 타여불

역권[2]【役權】명〖법〗일정한 목적을 위하여 타인의 물건을 이용하는 물권(物權). 특정인의 편익(便益)을 위하여 타인의 물건을 이용하는 인역권(人役權)과 특정의 토지의 편익을 위하여 타인의 토지를 이용하는 지역권(地役權)으로 대별됨. 한국 민법은 지역권만을 채용하였음.

역귀【疫鬼】명 역병(疫病)을 일으키는 귀신.

역-극성【逆極性】명 [reversed polarity]〖지〗현재의 지구 자기장(磁氣場)과 역방향인 자연 잔류 자기(殘留磁氣).

역근-전【役根田】명〖역〗조선 시대 중기 이후에, 도망간 사람의 세금을 부담하기 위하여 마을에서 공동으로 경작하던 토지.

역급【逆及】명 거꾸로 거슬러 올라가 미침. ——-하다 자여불

역기[1]【力技】명 역도(力道).

역기[2]【力器】명 근육 운동을 할 때에 쓰는 기구(器具). 기다란 파이프 양쪽에 구멍 뚫린 둥근 쇳덩어리나 돌 같은 것을 꿰어서 만듦. 바벨.

역기[3]【逆氣】명〖생〗욕지기.

역기[4]【礫器】명 석기(石器)의 하나. 자연석의 한 쪽에 날을 붙인 크고 조잡한 것. 선토기 시대(先土器時代)의 유적(遺跡)에서 많이 출토됨.

역-기전력【逆起電力】[―녁] 명 [back electromotive force]〖물〗전기 회로에 있어서 가하여진 기전력에 반대로 움직이는 기전력. 전지 내에 일어나는 역기전력, 전동기의 전동자(電動子)에 일어나는 역기전력 등.

역내[1]【域內】명 구역 안. ↔역외(域外).

역내[2]【閾內】명 문지방 안.

역내 무:역【域內貿易】명 유럽 공동 시장(共同市場)과 같이 같은 계통의 광대한 지역 내에 있어서의 조직적인 무역 교류.

역녀【驛女】명〖역〗역참(驛站)에 딸려 심부름하는 여자.

역년[1]【歷年】명 ①해를 지냄. 여러 해를 지냄. 또, 지나온 여러 해. ②한 왕조(王朝)가 왕업을 누린 햇수. 역세(歷歲). ——-하다 자여불

역년[2]【曆年】명 책력에서 정한 일 년. 태양력(太陽曆)에서는 평년 365일, 윤년 366일임.

역노【驛奴】명〖역〗조선 시대 때, 역참(驛站)에 딸려 심부름하는 사내종. 역한(驛漢). ↔역비(驛婢).

역-노비【驛奴婢】명〖역〗조선 시대 때, 각 역참(驛站)에 딸린 노비.

역논리-곱【逆論理―】[―놀―] 명〖컴퓨터〗낸드(NAND).

역논리-합【逆論理合】[―놀―] 명〖컴퓨터〗노어(NOR).

역-놈【驛―】명〖역〗'역노(驛奴)'의 비칭.

역농【力農】명 힘써 농사를 지음. 역전(力田). ——-하다 자여불

역농-가【力農家】명 힘써 농사를 짓는 사람.

역능【力能】명 재능. 능력.

역다 형 ①제게 이롭게만 구는 태도가 있다. ②괴가 바르다. 1)·2):>약다.

역-단층【逆斷層】명〖지〗경사진 단층면에 따라서 상반(上盤)이 되어 올라간 단층. 충상 단층(衝上斷層). ↔정단층(正斷層).

〈역단층〉

역답【驛畓】명〖역〗역둔토(驛屯土)로 각 역에 딸려 그 소출로 경비에 충당하게 한 논.

역당【逆黨】명 역적의 무리. 역도(逆徒).

역대[1]【力對】명 [couple]〖물〗우력(偶力).

역대[2]【歷代】명 지내 내려온 여러 대. 역세(歷世). 누대(累代). 대대(代代). ¶ ~ 대통령.

역대-가【歷代歌】명〖문〗①고려 시대에 오세문(吳世文)이 지었다는 시가. 작품은 전하지 아니함. ②조선 명종(明宗) 때의 문신(文臣) 진복창(陳復昌; ?-1563)이 지었다는 가사. 역대 제왕의 치란(治亂)과 성현(聖賢) 군자의 사적(事蹟)을 읊음.

역대-기【歷代記】명〖성〗구약 성서 중의 한 권. 상하(上下) 두 편으로 유대와 이스라엘의 역사를 기록하였음. 역대지(歷代誌). 역대지략(歷代誌略).

역대 명화기【歷代名畫記】명〖책〗중국 당대(唐代) 835년 경에 된 회화 사서(繪畫史書). 장언원(張彥遠) 편으로 10 권임. 회화에 관한 자료·지식·논의와 고대 이래의 화가 371명의 전기(傳記)가 수록되어 있음.

역대 병요【歷代兵要】명〖책〗조선 시대 초에 이석형(李石亨) 등이 편찬한 군담집(軍談集). 중국 상고(上古)로부터 조선 태조(太祖)가 여진족(女眞族)을 격파하기까지의 병략 상(兵略上) 흥미 있는 전쟁 기사를 실었음. 세조(世祖) 원년(1445)에 간행.

역-대수【逆對數】명〖수〗진수(眞數)❷.

역대 전:리가【歷代轉理歌】[―절―] 명〖문〗고려 충숙왕(忠肅王) 때, 신득청(申得淸)이 지었다는 시가. 중국 역대 제왕의 치란(治亂)을 이두체(吏讀體)로 노래함.

역대-지【歷代誌】명〖성〗역대기(歷代記).

역대지-략【歷代誌略】명〖성〗역대기(歷代記).

역대 지리지 운:편 금석【歷代地理志韻編今釋】명〖책〗중국 역사 지명(地名)의 사서. 청(淸)나라 이조락(李兆洛) 찬(撰). 역대 정사(正史)의 지리지(地理志)에 나오는 현(縣) 이상의 지명을 운(韻)에 따라 찾을 수 있도록 배열하고, 각각의 지리지에 기록된 행정 상의 소속·위치가 청대의 어느 곳에 해당하는가를 보임. 1837년 초판 간행.

역덕【逆德】명 도리에 어긋난 행동. 패덕(悖德).

역도[1]【力道】명 ①역기 운동으로 심신을 수련하는 도. ②역기(力器)를 들어 올리는 경기. 체급별로 인상(引上)·용상(聳上)의 2 종목이 있음. 역기(力技). *들돌.

역도[2]【役徒】명 ①인부(人夫). ②부역(賦役)에 종사하는 무리.

역도[3]【逆徒】명 역당(逆黨).

역도[4]【逆道】명 이치에 어긋난 도리. 도리에 어긋난 행동.

역도[5]【逆睹】명 앞일을 미리 내다봄. ——-하다 타여불

역도미노 이:론【逆―理論】[domino] 명〖정〗한 나라가 자유주의를 견지(堅持)하면 주변 국가도 자유주의 국가로 성장하여, 공산(共產) 세력을 봉쇄할 수 있다는 이론. *도미노 이론.

역독【譯讀】명 번역하여 읽음. ——-하다 타여불

역돌연 변:이【逆突然變異】명〖생〗복귀(復歸) 돌연 변이.

역동【易東】명〖사람〗우탁(禹倬)의 호(號).

역동-설【力動說】명〖철〗역본설(力本說).

역-동작【逆動作】명 반대의 동작. 역모션(逆motion).

역두【驛頭】명 역의 앞. 역전(驛前).

역-둔토【驛屯土】명〖역〗①역(驛)에 급전(給田)으로 사급(賜給)된 둔토(屯土). ②역토(驛土)와 둔토(屯土).

역-들다 타 〈방〉역성 들다.

역락【歷落】[―낙] 명 ①섞여 늘어선 모양. ②소리가 끊이지 않는 모양. ——-하다 형여불. ——-히 부

역란[1]【逆亂】[―난] 명 반란(叛亂).

역란[2]【歷亂】[―난] 명 ①어지러워 순서가 없는 모양. ②꽃이 어지럽게 핀 모양. ——-하다 형여불

역람【歷覽】[―남] 명 여러 곳을 두루 다니면서 구경함. 역관(歷觀). ——-하다 타여불

역랑【逆浪】[―낭] 명 ①거슬러서 치는 파도. 역풍으로 인해 일어나는 파도. ②세상이 어지러움.

역량[1]【力量】[―냥] 명 ①어떤 일을 해 낼 수 있는 힘·능력. 또, 그 힘의 정도. ②힘의 양(量). 에너지의 양.

역량[2]【役糧】[―냥] 명 역사(役事)할 때 쓰이는 양식.

역량-계【力量計】[―냥―] 명 사람이 낼 수 있는 극대의 신체적 역량을 측정하는 계기. 구부린 상반신(上半身)이나 다리를 뻗는 힘을 재는 것, 지력(指力)·악력(握力)을 재는 것 등이 있음.

역려【逆旅】[―녀] 명 여관(旅館).

역려 건곤【逆旅乾坤】[―녀―] 명 마치 여관과 같은 이 세상.

역려 과:객【逆旅過客】[―녀―] 명 ①지나가는 손같이 아무런 관계가 없는 사람을 이르는 말. ②세상은 마치 여관 같고 인생은 이 여관에 잠시 머무는 나그네와 같다는 뜻.

역력【瀝瀝】[―녁] 명 물 또는 바람 소리의 형용.

역력 가:수【歷歷可數】[―녁―] 명 뚜렷이 셀 수 있음.

역력-하다【歷歷―】[―녀―] 형여불 또렷하다. 분명하다. ¶ 증거가 ~. **역력-히**【歷歷―】[―녀―] 부

역로[1]【逆路】[―노] 명 ①되짚어 돌아오는 길. ②역경에서 헤매는 고난의 길. ③어떤 일의 반대가 되는 방향. 2)·3): ↔ 순로(順路).

역로[2]【歷路】[―노] 명 지나가는 길. 과로(過路).

역로[3]【驛路】[―노] 명 역참으로 통하는 길.

역록【轢轆】[―녹] 명 수레바퀴가 삐걱거리는 소리.

역료【譯了】[―뇨] 명 번역을 끝냄. ——-하다 타여불

역류【逆流】[―뉴] 명 ①물이 거슬러 흐름. ¶ 피가 ~하다. ②거슬러 흐르는 물. 역수(逆水). ③흐르는 물을 거슬러 올라감. ④〖불교〗생사의 흐름을 거슬러서 윤회 전생(輪廻轉生)의 과보를 받지 아니하는 일. 1)-4): ↔순류(順流). ——-하다 자여불

역류 계:전기【逆流繼電器】[―뉴―] 명 전류가 역방향(逆方向)으로 흐르면 작동(作動)하는 계전기

역류 효:과【逆流效果】[―뉴―] 명 한 지역의 경제 성장이 다른 지역의 경제 성장에 역효과를 주는 일. 특히, 저(低)성장 지역으로부터 고(高)성장 지역으로 노동력이나 자본이 이동하는 일을 가리킴.

역륜【逆倫】[―뉸] 명 인륜(人倫)에 벗어남. 패륜(悖倫). ——-하다 자여불

역률[1]【力率】[―뉼] 명〖전〗전력과 전압·전류의 곱의 비율. 보통, 퍼센트로 나타냄.

역률[2]【逆律】[―뉼] 명 역적을 처벌하는 법률. ¶ ~로 다스리다.

역률-계【力率計】[―뉼―] 명〖전〗전력의 역률을 지시하는 계기(計器).

역률 조정기【力率調整器】[―뉼―] 명 [power-factor regulator]〖전〗선로(線路) 또는 장치의 역률을 정해진 수치대로 유지하거나, 예정된 수치에 따라서 변동 작용을 행하는 조정기.

역리[1]【易理】[―니] 명 역(易)의 법칙. 역의 이치(理致).

역리[2]【疫痢】[―니] 명〖의〗흔히 여름철에 있는 아이들의 급성 전염성 설사병. 격렬한 중독 증상과 점액(粘液) 설사 및 이에 따르는 고열·경련(痙攣)·구토·혼수(昏睡) 등을 일으킴. 원인은 칼슘 결핍·과식·불소화물(不消化物)의 섭취 등에 있음. 법정 전염병으로 적리균(赤痢菌)에 의하는 일이 많으며 사망률이 높음.

역리[3]【逆理】[―니] 명 배리(背理)❸.

역리[4]【驛吏】[―니] 명〖역〗역참(驛站)에 딸린 이속(吏屬).

역리적 냉:감각【逆理的冷感覺】[―니―] 명〖심〗45℃ 이상의 열자극이 냉점(冷點)에 작용하여 생기는 냉각(冷覺). 더운 자극에 의하여 오히려 냉각이 생긴다고 하여 모순 냉각이라고도 함. 이것과 온각(溫覺)

의 결합에 의하여 열각(熱覺)이 생김. 모순 냉각(矛盾冷覺).

역린【逆鱗】[—닌] 명 〔용의 턱 아래에 거슬러서 난 비늘이 있는데, 건드리면 성을 내서 그를 죽인다고 하는 전설에서 생긴 말〕 임금의 분노. 천노(天怒). ——**-하다** 자여불

역림【歷臨】[—님] 명 역로(歷路)에 가 봄. 지나는 길에 들름. ——**-하다** 타여불

역마[1]【役馬】명 부리어 일을 시키는 말. 타마(馱馬). *복마(卜馬).

역마[2]【櫪馬】명 외양간에 매여 있는 말이란 뜻으로, 얽매여 자유롭지 못한 것의 비유.

역마[3]【驛馬】명 〖역〗 역말[1].

역마-산【驛馬山】명 〖지〗 경상 북도 청송군(靑松郡)에 있는 산. 태백 산맥 남단에 있음. [637 m]

역마-살【驛馬煞】명 늘 분주하게 여행을 하고 다니도록 된 액운(厄運). ¶ ~이 끼다.

역-마을【驛—】명 〖역〗 역참이 있는 마을. 역촌. ㊟역말.

역마 직성【驛馬直星】명 늘 분주하게 여행하는 사람의 별명.

역-마차【驛馬車】명 ①유럽·미국 등지에서 주요 교통로를 여객(旅客)·소화물(小貨物)·우편물을 싣고 정기적으로 다니던 마차. ②미국 영화. 1939년 작. 감독 존 포드, 주연 존 웨인. 미국 서부로 가는 역마차를 둘러싸고 일어나는 여러 가지 사건을 그린 서부극의 전형적 작품. 인디언 습격의 장면은 특히 인상적임.

〈역마차❶〉

역-말[1]【驛—】명 〖역〗 각 역참(驛站)에 갖추어 둔 말. 관용(官用)의 교통·통신 기관이었음. 역마(驛馬). 포마(鋪馬).
[역말도 갈아타면 낫다] 한 가지만 계속하여 하지 않고, 이따금 다른 일을 갈아 하면 기분이 새로워지고 싫증이 나지 않는다는 말.

역-말[2]【驛—】명 〖역〗 ↗역마을.

역면[1]【力勉】명 부지런히 힘씀. ——**-하다** 자여불

역면[2]【力綿】명 힘이 아주 약함. ——**-하다** 형여불

역명[1]【易名】명 〔이름을 갈아 시호(諡號)를 칭(稱)함의 뜻〕 사시(賜諡).

역명[2]【逆名】명 〖불교〗 생전에 지어 놓은 사후의 계명(戒名).

역명[3]【逆命】명 ①임금이나 윗사람의 명령을 어김. ②정도(正道)에서 벗어난 포학한 명령. ——**-하다** 자여불

역명[4]【曆命】명 역수(曆數)와 천명(天命). 곧, 운명.

역명[5]【譯名】명 번역한 이름.

역명[6]【驛名】명 역의 이름.

역명지-전【易名之典】명 임금으로부터 시호(諡號)를 받는 은전.

역모【逆謀】명 반역을 도모함. 반역하는 모의. 흉모(凶謀). ¶ ~를 꾀하다. ——**-하다** 자여불

역-모:션【逆—】[motion] 명 ①야구 등에서, 지금까지와는 반대되는 동작을 일으키는 일. ②〖연〗 영화 촬영 기술의 하나. 가령 높은 곳에 뛰어오르는 장면을 촬영함에 있어 높은 곳에서 뛰어 내리는 장면을 촬영하여 프린트할 때 반대로 하는 방법.

역목【櫟木】명 〖식〗 떡갈나무.

역몽【逆夢】명 실제의 사실과는 반대되는 꿈.

역무【役務】명 노역(勞役)·공사(工事)·기술(技術) 등의 품.

역무 배상【役務賠償】명 금전·물품 등에 의하지 아니하고 역무로써 상대편에 끼친 손해를 배상하는 일. 노무 배상(勞務賠償). *생산물 배상. ——**-하다** 타여불

역-무역【逆貿易】명 이미 교역(交易)한 물건을 다시 교환(交換)하는 무역. ——**-하다** 타여불

역-무역풍【逆貿易風】명 〖지〗 무역풍과는 반대로 적도(赤道) 지방에서 위도(緯度)가 높은 지방으로 부는 바람.

역무-원【驛務員】명 철도역에서, 잡무에 종사하는 사람. 역원(驛員).

역무 조:역【驛務助役】명 조역(助役)❷.

역문[1]【歷問】명 역방(歷訪). ——**-하다** 타여불

역문[2]【譯文】명 번역하여 놓은 글.

역미【曆尾】명 연말. 세말(歲末).

역-박사[1]【易博士】명 〖역〗 백제 시대 음양도(陰陽道)의 전문 학자.

역-박사[2]【曆博士】명 〖역〗 백제 시대의 역법(曆法)의 전문 학자.

역-반응【逆反應】명 [reverse reaction] 〖화〗 일정한 반응에 대하여 그와 동시에 반대 방향으로 진행되는 반응. ↔정반응(正反應).

역발산 기개세【力拔山氣蓋世】명 힘이 산이라도 빼어 던질 만하고 세상을 덮을 정도로 기력이 웅대함을 이르는 말. '사기(史記)'에 나오는, 항우(項羽)가 지은 시(詩)의 한 구절. 발산 개세(拔山蓋世).

역방【歷訪】명 여러 곳을 둘러서 방문함. 역문(歷問). ¶ 각국을 ~하다. ——**-하다** 타여불

역-방위【逆方位】명 어떤 방위에 대하여 반대되는 방위.

역-방향【逆方向】명 어떤 방향에 대하여 반대되는 방향.

역-배서【逆背書】명 〖법〗 환배서(還背書).

역벌【逆罰】명 이치에 닿지 아니하는 것을 신불(神佛)께 빌다가 도리어 받는 벌.

역법[1]【曆法】명 천체의 운행(運行)을 추산하여 세시(歲時)를 정하는 방법. 역학(曆學)에 관한 여러 가지 법(法).

역법[2]【譯法】명 번역하는 방법.

역법적 계:산법【曆法的計算法】[—뻡] 명 〖법〗 기간을 역법 상의 단위 곧 일(日)·주(週)·월(月)·연(年)에 따라 계산하는 방법. 정밀하지는 않으나 장기(長期) 계산에 편리하므로 민법에는 기간이 하루 이상의 단위로써 정하여졌을 때는 이 방법에 의하도록 되어 있음. ↔자연적 계산법.

역-벡터【逆—】[vecter] 명 〖물·수〗 하나의 벡터에 대해 그 방향을 반대로 하는 것. 어떤 벡터나 그 역벡터를 더하면 영(零)벡터가 됨.

역-변류기【逆變流器】[—별—] 명 〖물〗 직류(直流)를 교류(交流)로 바꾸는 장치. 단속기(斷續器)도 이의 하나이지만, 통상 사이러트론(thyratron) 등을 사용한 전자적(電子的) 장치를 말함.

역변 유전자【易變遺傳子】명 〖생〗 정상(正常)의 유전자가 돌연 변이를 일으켰다가 다시 정상으로 되돌아가는 변화를 빈번히 일으키는 유전자(遺傳子).

역-변환【逆變換】명 〖전〗 직류(直流)를 교류(交流)로 바꾸는 일.

역병【疫病】명 ①역병균(疫病菌)의 공기 전염으로 생기는 농작물의 유행병. 잎에 암녹색 반점(斑點)이 나타나고 흰 곰팡이가 생기며 말라서 갈색이 됨. 우기(雨期)에 심하며 감자·담배·토마토·가지 등에서 흔히 볼 수 있음. ②〖의〗 악성의 유행병.

역보【驛保】명 〖역〗 조선 시대 때, 역졸(驛卒)의 보인(保人).

역복[1]【役服】명 〖불교〗 역사할 때에 입는 옷.

역복[2]【易服】명 거상 중과 탈상 때에 옷을 갈아입는 일. 또, 그 옷. 소상에는 생베옷을 반베옷으로, 대상에는 흰 갓과 직령(直領)으로, 담제(禫祭)에는 칠한 갓과 흰 도포로, 길제(吉祭)에는 평상의 옷으로 갈아 입음. ——**-하다** 자여불

역본【譯本】명 번역한 책. ↔원본(原本)❷.

역본-설【力本說】명 [dynamism] 〖철〗 자연계의 근원은 힘이며 힘이 물질·운동·존재·공간 등 일체의 원리라고 주장하는 설. 아리스토텔레스·라이프니츠·베르그송 등의 철학은 이에 속함. 역동설(力動說).

역부[1]【役夫】명 역군(役軍)❶.

역부[2]【役賦】명 부역(賦役)과 조세(租稅).

역부[3]【驛夫】명 ①역원(驛員). ②〖역〗 역졸(驛卒).

역-부득【易不得】명 ↗이역 부득(移易不得).

역부러 부 〈방〉 일부러(전라).

역-부장【驛副長】명 〖역〗 조선 시대 때 각 역의 역리(驛吏)의 버금.

역-부족【力不足】명 힘·기량(技倆) 등이 모자람. ¶ 최선을 다했으나 ~으로 무릎을 꿇었다. ——**-하다** 형여불

역분-전【役分田】명 〖역〗 고려 태조 왕건(王建)이 시행한 토지 제도. 공신(功臣)에게 그 공의 차에 따라 일정한 면적의 토지를 나누어 주었음. 후에 공신전(功臣田)으로 발전함.

역-불급【力不及】명 힘이 미치지 못함. ——**-하다** 형여불

역-불섬【力不贍】명 힘이 넉넉하지 못함. ——**-하다** 형여불

역비[1]【逆比】명 〖수〗 반비(反比).

역비[2]【驛婢】명 〖역〗 역참(驛站)에 딸린 여자 종. ↔역노(驛奴).

역-비례【逆比例】명 〖수〗 반비례(反比例).

역-빠르다 형르불 꾀가 있고 눈치가 빠르다. >약빠르다.

역사[1]【力士】명 뛰어나게 힘이 센 사람. 장사(壯士).

역사[2]【役事】명 토목이나 건축 등의 공사. ——**-하다** 자여불

역사[3]【歷史】명 ①인류 사회의 과거에 있어서의 변천과 흥망의 과정. 또, 그 기록. ②개인의 경력. ③어떤 사물이 오늘날에 이르기까지의 변화의 자취.

역사[4]【歷事·歷仕】명 대대로 섬김. 대대의 임금을 섬김. ——**-하다** 타여불

역사[5]【歷辭】명 〖역〗 수령(守令)이 부임(赴任)하기 전에 각 관아에 돌아다니며 인사하던 일. *참알(參謁). ——**-하다** 자여불

역사[6]【繹史】명 〖책〗 중국 청(淸)나라 때, 마숙(馬驌; 1620-73)이 지은 역사 책. 선진(先秦)의 고서(古書)를 섭렵하여 뽑아 낸 사료(史料)를 유형별(類型別)로 모아 논단(論斷)을 가한 것으로, 청대(淸代)의 경사 고정학(經史考訂學)에 많은 영향을 끼쳤음. 160권.

역사[7]【譯史】명 〖역〗 고려 때 중서 문하성(中書門下省)의 이속(吏屬).

역사[8]【譯詞】명 외국 노래의 말을 번역함. 또, 그 번역한 가사.

역사[9]【轢死】명 차에 치이어 죽음. ——**-하다** 자여불

역사[10]【驛舍】명 역으로 쓰는 건물.

역사-가【歷史家】명 역사를 연구하는 사람. 역사에 정통한 사람. 사가(史家).

역사 고고학【歷史考古學】명 [historic archaeology] 〖역〗 역사 시대를 연구 대상으로 하는 고고학. 선사(先史) 고고학이 연구 대상으로 하는 유물·유적 외에 문헌·금석문(金石文) 등 관련 학문의 이용에 의한 연구가 가능한 점에 특색이 있음.

역사-과【歷史科】[—꽈] 명 사과(史科).

역사 과학【歷史科學】명 ①과거에 있었던 인간 생활의 여러 사상(事象)을 대상으로 하는 여러 과학의 총칭. 가장 넓은 뜻으로 해석한 '역사학'과 같은 뜻. ②인간에 관한 사물의 역사적 개성의 기술(記述)을 방법으로 하는 여러 과학의 총칭. 빈델반트(Windelband)의 용어. 학문 분류상 자연 과학과 대립하며 자연 과학과 더불어 경험 과학을 구성함. 문화 과학. ③유물사관을 이론적 기초로 하는 역사학. ↔법칙 과학.

역사-관【歷史觀】명 〖역〗 역사적 세계의 구조 및 그 발전에 대한 하나의 체계 있는 견해.

역사 교:육【歷史敎育】명 인류 사회의 과거를 가르치고 그것을 기초로 국가·민족·사회·문화 등의 움직임을 생각하게 하는 교육.

역사 교:육과【歷史敎育科】명 〖교〗 대학에서, 역사 교육에 관한 학문을 전공하는 학과. *사회 교육과.

역사-극【歷史劇】명 〖연〗 사실(史實)에서 취재하여 만든 연극 또는 희곡. ㊟사극(史劇).

역사-급【力士級】[—끕] 명 아마추어 씨름에서, 체급의 하나. 국민 학교부 52.1 kg-55 kg, 중학교부 67.1 kg-70 kg, 고등 학교부 85.1 kg-90

kg, 대학 및 일반부 90.1 kg-95 kg인 체급.

역사-담【歷史談】명 역사에 관한 이야기.

역사 문법【歷史文法】[—뻡] 명 〔historical grammar〕〖언〗어떤 언어의 문법 상의 개별 현상을 주로 시대적 변천의 관점에서 연구·기술하는 일.

역사 문전【歷史文典】명〖언〗문법의 변천을 시대의 경과에 따라 역사적으로 기술한 문법 책.

역사 문학【歷史文學】명〖문〗전쟁이나 반란 그 밖의 과거의 유명한 사상의 사실을 주요 제재(題材)로 하고 사실(史實)을 배경으로 하여 인간의 보편성을 표현한 문학. 가장 오랜 것은 구약 성서의 ≪출애굽기≫이며, 호메로스의 ≪일리아드≫ 같은 서사시(敍事詩), 셰익스피어의 ≪리어왕(王)≫ 같은 사극(史劇), 톨스토이의 ≪전쟁과 평화≫ 같은 역사 소설 등이 있음.

역사-물【歷史物】명 역사에서 취재한 읽을거리나 볼거리.

역사-미【歷史美】명〖미술〗인간의 세련된 전통에서 오는 미(美). 역사적 사실에 의거하여 느끼는 미감. ㈜사미(史美).

역사 박물관【歷史博物館】명 유물·기념품·고문서 등 역사적 자료를 널리 수집·보존하여 조사·연구하고 이것을 전시(展示)·공개하여 공중에게 이용토록 하는 박물관.

역사 법칙【歷史法則】명〖역〗①역사상 사상(事象)의 진보·발전에서 볼 수 있는 법칙. 역사에도 일정한 법칙이 지배하고 있다는 생각에 바탕을 둠. ②어떤 역사적 시대에만 타당한 법칙. 자본주의 사회의 경제 법칙, 봉건주의 사회의 경제 법칙 등.

역사 법학【歷史法學】명〖법〗역사적 관찰 하에 법률의 발달 및 현상(現狀)을 연구하여 그 원리를 밝히고 법학의 조직을 세우려는 학문.

역사-상【歷史上】명 역사로서 명백하거나, 특히 인식되는 범주(範疇)에 있는 일. 사상(史上).

역사-성【歷史性】[—썽] 명 역사적인 성질.

역사 소:설【歷史小說】명〖문〗역사적인 시대를 배경으로 특정의 실존 인물이나 역사적 사건을 재구성한 소설. 역사에서 빌려온 사실과 문학적 허구를 접합시켜 인간의 보편적 경험으로 전환하는 문학 양식임.

역사 시대【歷史時代】명 문자로 쓰여진 기록·문헌 등 사료(史料)에 의하여 알 수 있는 과거. 역사학의 연구 대상이 문자 발생 이후이기 때문에 이렇게 말함. ↔선사(先史) 시대·원사(原史) 시대.

역사 신학【歷史神學】명〖종〗기독교를 역사적으로 연구함을 목적으로 하는 신학의 한 분과.

역사 언어학【歷史言語學】명 〔historical linguistics〕〖언〗통시 언어학(通時言語學).

역사 의식【歷史意識】명 사회 현상을 시간적 계기(契機)에서 포착하여, 그 추이(推移)에 주체적으로 관련지어 나가려는 의식.

역사의 연:구【歷史—硏究】[—/—에—] 명 〔A Study of History〕〖책〗영국의 역사가 토인비(Toynbee, A.J.)의 저서. 그는 여기서 세계사상(世界史上) 21개의 문화권(文化圈)이 각각 성장·발전·쇠멸의 공통된 경로를 걸어 왔다고 하고, 최후에 서유럽 문명은 어떻게 될 것인가를 논증하려고 하였음. 모두 12권이며, 제 1-10권이 주문(主文), 제 11권은 역사 지도(地圖), 제 12권은 이에 대한 비판을 반성·반론(反論)한 ≪재고찰(再考察)≫임. 1934-61년에 발간.

역사-적【歷史的】명관 ①역사에 오래 남을 만하게 중요한 모양. ¶~ 사건. ②역사의 발전 과정을 통함. ¶~으로 관찰하다. ③역사의 발전 법칙에 따라 제기(提起)되는 모양.

역사적 만【歷史的灣】명 〔historic bay〕〖법〗만(灣)을 구성하는 원칙에는 합치하지 않으나, 오랫 동안 역사적으로 만으로 인정 받아 온 것. 만은 내해(內海)로서 일국의 영해에 속하기 때문에 역사적 만으로서의 인정 여부는 커다란 의의를 지님.

역사적 사:명【歷史的使命】명 역사의 발전에 따라 제기(提起)되어 맡겨진 임무.

역사적 사:실【歷史的事實】명 ①역사 상에 실제로 있는 일. ②역사에 실릴 만한 중요한 사실.

역사적 연:구【歷史的硏究】명 ①어떤 일에 관하여 그 역사성을 중시하고 시간적 변천 및 그 과정을 조사, 그 원리를 연구하는 일. ②과거에 있어서, 획기적 의의를 갖는 연구. 장래 역사에 남을 만한 연구.

역사적 유물론【歷史的唯物論】명〖철〗유물 사관.

역사적 윤리적 학파【歷史的倫理的學派】[—뉼—] 명〖경〗역사주의와 윤리주의를 철저하게 강화한 신역사학파(新歷史學派).

역사적 이:성【歷史的理性】명 〔도 historische Vernunft〕〖철〗독일의 철학자 딜타이(Dilthey)의 용어. 칸트의 이성 비판의 철학이 자연 인식을 지배하는 이성을 주제로 하는 데 대하여 역사적 사회적 현실의 학문인 정신 과학을 지배하는 이성의 비판을 행할 것을 주장한 딜타이가 역사적 이성 비판(理性批判)이라고 칭하여 널리 역사 또는 사학(史學)에 존재하는 이성을 명명한 말.

역사적 현:재【歷史的現在】명 과거의 일을 눈앞에서 행하여지고 있는 사실처럼, 현재의 시제(時制)로 나타내는 표현법.

역사-주의【歷史主義】[—/—이] 명 ①모든 사상(事象)은 역사적 생성 과정에 있으며 가치와 진리도 역사의 발전 과정 속에 나타난다고 하는 입장. 모든 것을 '역사의 상(相) 아래서' 보기 때문에 상대주의적인 경향을 지녔다고 비판되어 20세기에서는 반(反)역사주의가 유력해짐. ②사적(史的) 유물론에 바탕을 둔, 역사 법칙을 절대시하는 입장.

역사 지리학【歷史地理學】명〖지〗①역사의 지리적 조건을 연구하는 학문. ②지리의 역사적 연혁을 연구하는 학문.

역사-책【歷史册】명 역사를 기록한 책. 사서(史書).

역사 철학【歷史哲學】명 〔도 Geschichtsphilosophie〕〖철〗역사의 본질과 의의(意義)에 관하여 역사적 고찰을 하는 학문. 대체로 역사적 사실 경과가 어떻게 생기는가의 원리를 문제로 하는 것과, 이 같은 경과를 어떻게 인식·기술할 수 있는가의 근거를 연구하는 것의 두 가지 의미로 쓰이며 현대에서는 후자의 의미로 해석하고 있음.

역사-터【役事—】명 역사하는 곳. 일터. 역소(役所).

역사파 경제학파【歷史派經濟學派】명 역사학파❷.

역사-학【歷史學】명 역사를 연구의 대상으로 하는 학문. 또, 역사 연구의 본질을 구명(究明)하는 학문. ㈜사학(史學).

역사학-파【歷史學派】명 〔도 historische Schule〕〖경〗①1840년대로부터 20세기 초에 걸쳐 주로 독일의 리스트(List)·슈몰러(Schmoller)·바그너(Wagner) 등을 중심으로 일어난 경제학의 한 학파. 고전파의 보편타당하고 추상적인 선진 자본주의 경제 원칙을 배척하고, 시대·국가의 차이에 따르는 상대적·개별적인 경제 현상을 주장하여, 역사적 연구와 통계적 조사를 강조하였고 경제 정책에서도 고전파의 자유 무역주의를 반대하고 보호 무역을 주장하였음. ②19세기 초 독일에서, 낭만주의와 민족주의 풍조에 대립하여 생긴, 역사주의를 표방하는 학자의 일파. 자비니(Savigny)·랑케(Ranke)·그림(Grimm) 형제 등에 의해 대표됨. 역사파 경제학파.

역사-화【歷史畫】명〖미술〗역사상의 정경(情景)이나 인물을 소재로 하여 그린 그림. ㈜사화(史畫).

역산[1]【逆産】명 ①부역자 또는 역적의 재산. ②〖의〗도산[6](倒產).

역산[2]【逆算】명 거꾸로 하는 계산. ——-하다 타여불

역-산[3]【歷山】명〖지〗'리산'을 우리 음으로 읽은 이름.

역산[4]【曆算】명 역학(曆學)과 산학(算學).

역산 전서【曆算全書】명〖책〗중국 청초(淸初)의 대수학자 매문정(梅文鼎)의 수학·역학(曆學)에 관한 저서를 모은 책. 69권. 1723년에 출판, 1885년에 재간(再刊)됨.

역살【轢殺】명 차 바퀴로 깔아 죽임. ——-하다 타여불

역삼각 함:수【逆三角函數】[—쑤] 명〖수〗삼각 함수의 역함수. 예컨대 $y=\sin x$에 있어서 $x=\sin^{-1}y$.

역-삼각형【逆三角形】명〖수〗밑변을 위로, 꼭지점을 아래로 한 삼각형.

역-삼투【逆滲透】명〖물〗용액과 용매가 반투막(半透膜)에 의해 분리되었을 때, 용액 쪽에 삼투압(壓)을 가하면 용액 중의 용매가 용매 쪽으로 이동하는 현상. 해수(海水)의 담수화 따위에 이용됨.

역상[1]【易象】명 역(易)의 괘(卦)에 나타난 현상.

역상[2]【曆象】명 ①달력에 기재(記載)되어 있는 각종의 천문(天文) 현상. ②달력에 의해 천체의 현상(現象)을 추산(推算)하는 일.

역상[3]【轢傷】명 차바퀴에 깔려서 부상함. ——-하다 자여불

역상 고성【曆象考成】명〖책〗중국 청대(淸代) 강희제(康熙帝) 만년에 칙찬(勅撰)된 ≪율력 연원(律曆淵源)≫ 중의 천문학에 관한 부분. 상하 2편. 1723년에 출판됨. ≪신법 역서(新法曆書)≫를 기초로 하였는데 내용은 별로 새로운 것이 없음. *율력 연원(律曆淵源).

역-상속【逆相續】명〖법〗직계 비속(直系卑屬)이 상속하는 보통의 경우와는 반대로 피상속인의 직계 존속이 하는 상속.

역서[1]【易書】명 점에 관한 것을 기록한 책.

역서[2]【易書】명〖역〗응시자(應試者)의 서체(書體)를 알아보지 못하게 답안(答案)을 다른 사람을 시켜서 다시 옮겨 쓰게 하는 일. ——-하다 자타여불

역서[3]【曆書】명 ①책력. ②역학(曆學)에 관한 서적.

역서[4]【譯書】명 번역한 책.

역석【礫石】명 조약돌. 자갈.

역-석기【礫石器】명〖고고학〗냇돌 석기(石器).

역석 석기【礫石石器】명〖고고학〗'몸돌 석기(石器)'의 구용어.

역-선【力線】명〖물〗힘의 장(場)을 직관적(直觀的)으로 나타내는 곡선군(曲線群). 각각의 곡선(曲線) 상의 각 점에서의 접선(接線) 방향이 힘의 방향과 일치하는 것. 전기력선(電氣力線)·자기력선(磁氣力線) 등이 이 예이며, 영국 물리학자 패러데이(Faraday, M.)가 도입(導入)한 개념(槪念)임. 지력선(指力線).

역-선전【逆宣傳】명 상대방의 선전에 대하여 반대의 입장에서 상대방에게 불리하도록 선전하는 일. ——-하다 타여불

역-선풍【逆旋風】명〖지〗고기압이 생긴 지점에서 공기의 소용돌이로 인하여, 중심에 대해 북반구에서는 좌(左)로, 남반구에서는 우(右)로 나선상(螺旋狀)으로 부는 바람.

역설[1]【力說】명 힘써 말함. ——-하다 자타여불

역설[2]【逆說】명 ①대중의 예기에 반하여 일반적으로 진리라고 인정되는 것에 반대되는 설. ②〖논〗언뜻 보면 진리에 어긋나는 것 같으나 사실은 그 속에 진리를 품은 말. 패러독스(paradox). ¶~적으로 말하면.

역설-가【逆說家】명 역설을 잘하는 사람.

역설 변:증법【逆說辨證法】[—뻡] 명 〔도 Paradox-Dialektik〕〖논〗키에르케고르(Kierkegaard)의 용어. 역설에 빠져 사유(思惟)가 궁하여 논리적으로는 해결할 수 없이 되는 변증법. 실존(實存) 변증법.

역설 수면【逆說睡眠】명 〔paradoxical sleep〕〖심〗언뜻 보아 숙면(熟眠) 중인 것 같으면서 뇌파(腦波)에 각성파(覺醒波)가 나타나는 수면 상태. 뇌파 이외에도 심박수(心搏數)·호흡수의 불규칙한 증가 및 혈압 상승, 급격한 안구(眼球) 운동의 빈출 등이 확인됨.

역설-적【逆說的】명관 역설을 이용하여 설명하는 모양. ¶~ 논리.

역-섬락【逆閃絡】[—낙] 명〖전〗고전압(高電壓)에 의하여 애자(碍子)가 역방향으로 섬락되는 현상. ——-하다 자여불

역성[1] 명 옳고 그름에는 관계없이 한쪽만 편들어 주는 일. ——-하다 타여불

역성(을) 들다 구 역성하다. 편역들다.

역성[2]【易姓】 명 혁세(革世). ——-하다 자 여불

역성[3]【逆成】 명 『언』 이분석(異分析).

역성[4]【繹成】 명 『악』 현행 종묘 제례악(宗廟祭禮樂) 중 초헌(初獻)의 인출(引出)에 연출되는 보태평지악(保太平之樂)의 열 한 번째 곡으로 마지막 곡.

역성 비누【逆性—】 명 〔invert soap〕 『화』 양이온 부분이 계면 활성(界面活性) 작용을 갖는 비누. 보통의 비누가 음이온 계면 활성 작용을 나타내는 데서 이름. 세척력(洗滌力)은 없으나 살균력이 강하고 용혈(溶血) 작용도 있어, 살균·소독·방부제로서 널리 이용됨. 양성(陽性) 비누. *양이온 계면 활성제.

역성 혁명【易姓革命】 명 ①왕조가 바뀌는 일. ②고래로 중국에서 왕조 교체(王朝交替)에 대하여 가지고 있는 사상. 유교의 정치 사상 가운데서 완성되었음. 제왕이 부덕(不德)하여 민심을 잃으면 다른 유덕자(有德者)가 천명을 받아 부덕한 왕조를 넘어뜨리고 새로운 왕조를 세워도 좋다고 하는 사상. 역세 혁명.

역세[1]【歷世】 명 지나간 세대. 역대(歷代). 열세(列世).

역세[2]【歷歲】 명 역년(歷年).

역세-권【驛勢圈】 〔—꿘〕 명 철도역(鐵道驛)이 있음으로써 그 영향이 교통·경제 등 생활 분야에 미치는 역 주변의 권역(圈域).

역세 혁명【易世革命】 명 역성 혁명❷.

역소[1]【役所】 명 역사(役事) 터.

역소[2]【繹騷】 명 인마(人馬)의 왕래가 번잡하여 요란스러움. 시끄러운 모양. ——-하다 형 여불

역속【驛屬】 명 『역』 역인(驛人).

역수[1]【易數】 명 음양에 의하여 길흉 화복을 미리 아는 술법.

역수[2]【逆水】 명 거슬러서 흐르는 물. 역류(逆流).

역수[3]【逆手】 명 『경』 증권 거래에서, 매도(賣渡)와 매수(買受)를 뒤바꾸어 손을 흔들거나, 값을 뒤죽박죽 불러서, 거래를 교란하는 일.

역수[4]【逆修】 명 『불교』 ①죽기 전에 미리 죽은 뒤의 명복을 빌기 위하여 칠칠일(七七日)의 불사(佛事)를 닦는 일. ②젊어서 죽은 사람의 명복을 살아 남은 어버이가 비는 일. ③자기가 복 받으려고 죽은 사람의 명복을 비는 일.

역수[5]【逆數】 명 『수』 두 수(數)의 곱이 1일 때 이들 수 서로의 일컬음. 2의 역수는 $\frac{1}{2}$이고, $a+b$의 역수는 $\frac{1}{a+b}$ 임. 반수(反數).

역수[6]【逆豎】 명 도리에 어그러진 짓을 하는 고약한 놈.

역수[7]【歷數】 명 차례로 셈. ——-하다 타 여불

역수[8]【曆數】 명 ①일월(日月)과 한서(寒暑)가 철따라 돌아가는 순서. ②자연히 돌아오는 운. 운수. ③연대. 연수(年數).

역수 도국【逆水都局】 명 『민』 지류(支流)의 방향이 원 줄기와 반대되는 곳.

역수 방정식【逆數方程式】 명 『수』 상반 방정식(相反方程式)의 딴이름.

역-수송【逆輸送】 명 잘못 수송되었던가 하여, 발송한 곳으로 되돌려 보내는 수송. ——-하다 타 여불

역-수입【逆輸入】 명 『경』 일단 수출하였던 상품을 가공하지 아니한 그대로 다시 수입하는 일. ↔역수출. ——-하다 타 여불

역-수출【逆輸出】 명 『경』 일단 수입하였던 상품을 가공(加工)하지 아니한 그대로 다시 그 나라로 수출하는 일. ↔역수입. *재수출. ——-하다 타 여불

역순[1]【逆順】 명 거꾸로 된 순서(順序). 순역(順逆).

역순[2]【歷巡】 명 차례로 순회함. ——-하다 타 여불

역술[1]【曆術】 명 해·달의 운행을 측량하여 책력을 만드는 기술.

역술[2]【譯述】 명 번역하여 기술(記述)함. ——-하다 타 여불

역-스럽다【逆—】 형 ㅂ불 ☞역겹다.

역습【逆襲】 명 방어의 입장에 서 있는 편이 기회를 보아 급히 공격함. ——-하다 타 여불

역승[1]【役僧】 명 『불교』 일하는 중. 역사(役事)에 종사하는 중.

역승[2]【驛丞】 명 『역』 고려·조선 시대 때, 몇 개 내지 몇십 개의 역(驛)을 '도(道)'로 하여, 관내의 속역(屬驛)을 관장(管掌)하게 한 종구품(從九品)의 외관직(外官職). 서리(書吏) 가운데서 취재(取才)하여 임명함. 조선 중종(中宗) 30년(1535)에 찰방(察訪)으로 개칭(改稱) 승격(昇格)됨.

역승 취:재【驛丞取才】 명 『역』 조선 시대 때, 역승을 뽑기 위한 이조(吏曹) 취재의 하나. 부정기적(不定期的)으로 시행하였다가 후기에 폐지됨. *도승(渡丞) 취재·서리(書吏) 취재.

역시[1]【逆施】 명 거꾸로 시행함. 도리를 거슬러 시행함. ——-하다 자 여불

역시[2]【譯詩】 명 시를 번역함. 또, 그 번역한 시.

역시[3]【亦是】 부 ①또한. ¶나 ~ 몰랐다. ②전에 생각했던 대로. ¶~ 네가 제일이구나. ③전과 마찬가지로. ¶~ 이상하다.

역-시간【逆時間】 의명 〔inhour〕 『물』 원자로 반응도의 단위. 1역시간은 원자로의 반응 시간이 1시간임을 나타냄.

역시-집【譯詩集】 명 역시를 모아 엮은 책.

역식【力食】 명 힘써 일하여 먹고 삶. ——-하다 자 여불

역신[1]【疫神】 명 ①『민』 호구 별성(戶口別星). ②천연두. ——-하다 타 여불 두창을 치르다.

역신[2]【逆臣】 명 역적질을 하는 신하. ↔충신(忠臣).

역신 마:마【疫神媽媽】 명 역신(疫神)의 존칭. 별성 마마. ㊟마마(媽媽).

역실【曆室】 명 중국 전국 시대(戰國時代)의 연(燕)나라 궁전(宮殿)의 이름.

역심【逆心】 명 ①반발하여 일어나는, 비위에 거슬리는 마음. ¶여러 말을 왜 그리 하오. 말씀하시던 어른이 ~이 나시겠소구려! ≪崔瓚植 : 金剛門≫. ②반역을 꾀하는 마음. ¶~을 일으키다.

역-싱글【逆—】 〔single〕 명 야구에서, 글러브를 안 낀 손쪽으로 오는 볼을 글러브를 낀 손만으로 잡는 일.

역아【逆兒】 명 『의』 이상(異狀) 분만의 하나. 태아가 거꾸로, 곧 다리부터 먼저 출산하는 아이.

역악【逆惡】 명 악역(惡逆). ——-하다 형 여불

역암【礫岩】 명 『지』 암석이 붕괴하여 생긴 자갈이 지면·물바닥에 퇴적하여 석회질·점토질(粘土質) 또는 규질(珪質)의 응결 물질(凝結物質)에 의하여 고결(固結)된 수성암(水成岩). 특히, 둥글지 아니한 것을 각력암(角礫岩)이라 함. 자갈돌.

역약【力弱】 명 힘이 약한. ——-하다 형 여불

역양【歷敭】 명 ①청환(淸宦)을 여럿 지냄. ②역임(歷任). ——-하다 타 여불

역-양토【礫壤土】 명 『지』 자갈이 많이 섞인 양토(壤土).

역어【譯語】 명 번역할 때에 쓰인 말. 번역된 말. ↔원어(原語).

역어 유:해【譯語類解】 명 『책』 조선 숙종(肅宗) 16년(1690)에 신이행(愼以行) 등이 편찬(編纂)한 우리말로 풀이된, 중국어의 단어집(單語集). 천문(天文)·시령(時令)·기후·지리·궁궐 등 60여 종의 부문으로 나뉨. 2권 2책.

역어 유:해보【譯語類解補】 명 『책』 조선 영조(英祖) 51년(1775)에 김홍철(金弘喆)이 ≪역어 유해≫를 증보한 책. 단권(單卷)임.

역-어음【逆—】 명 『법』 어음의 소구권자(遡求權者)가 소구의 편의적 방법으로서 상환 청구의 대신으로 소구 의무자(義務者)를 지급인으로 하여 발행하는 일람불(一覽拂) 환어음.

역업【譯業】 명 번역의 일.

역-여시【亦如是】 부 이것도 또한. 이도 역시.

역역[1]【力役】 명 직접 노동력을 제공하는 요역(徭役). 여불

역역[2]【役役】 명 마음과 힘을 다하여 몹시 애쓰는 모양. ——-하다 자

역역[3]【繹繹】 명 ①잘 달리는 모양. ②나서 자라는 모양. ③조화(調和)를 이룬 모양. ④무궁(無窮)한 모양. ⑤높고 큰 모양. ——-하다 형 여불

역연[1]【亦然】 명 또한 그러함. ——-하다 형 여불

역연[2]【逆緣】 명 『불교』 ①부처를 비방한 일이 오히려 불보살의 화익(化益)을 받아 불도에 들어가는 인연이 되는 일. ②나이 많은 사람이 나이 어린 사람을 공양하거나 생전(生前)의 구적(仇敵)이 공양을 하는 일. ③아무 인연이 없는 자(者)가 죽은 사람에게 겸하여 회향(回香)하는 일. 1)-3):↔순연(順緣).

역연[3]【歷然】 명 ①분명함. 또렷함. ②조리에 맞아 사리(事理)가 정연함. ——-하다 형 여불 ——-히 부

역-연령【曆年齡】 〔—열—〕 명 생활 연령(生活年齡).

역연-혼【逆緣婚】 명 형제 역연혼과 자매(姉妹) 역연혼의 총칭. ↔순연혼(順緣婚).

역영【力泳】 명 힘껏 헤엄침. ——-하다 자 여불

역옹【櫟翁】 명 『사람』 이제현(李齊賢)의 호(號).

역옹 패:설【櫟翁稗說】 명 『책』 고려 말의 학자 이제현(李齊賢)의 수필집. 역사책에 나오지 않는 이문(異聞)·기사(奇事)·인물평·경론(經論)·시문(詩文)·서화 품평(書畫品評) 등을 수록하고, 자신의 시문 약간과 책 끝에 목은(牧隱) 이색(李穡)의 묘지명(墓地銘)을 붙였음. 조선 숙종 19년(1693) 허경(許熲)이 목각본(木刻本)으로 간행. 4권 1책.

역외[1]【域外】 명 구역의 밖. 경계(境界)의 밖. ↔역내(域內).

역외[2]【閾外】 명 문지방 바깥.

역외 조달【域外調達】 명 〔offshore procurement〕 『사』 미국의 대외 원조에 있어서, 현물 제공이 아니고, 원조 자금에 의해서 물자를 미국 이외의 제3국이나 피원조국에서 조달하는 일. 여불

역용【逆用】 명 거슬리게 사용함. 반대로 이용함. 역이용. ——-하다 타

역용 동:물【役用動物】 명 농사나 수레를 끄는 따위 일에 부리는 가축의 총칭.

역우【役牛】 명 부리어 일을 시키는 소.

역운[1]【逆運】 명 순조롭지 못한 운명(運命). 좋지 못한 운수.

역운[2]【歷運】 명 운명(運命). 천운(天運).

역원[1]【役員】 명 임원(任員).

역원[2]【譯員】 명 통역원(通譯員).

역원[3]【譯院】 명 『역』 사역원(司譯院).

역원[4]【驛員】 명 역(驛)에서 잡무(雜務)에 종사하는 사람. 역무원(驛務員). 역부(驛夫).

역원[5]【驛院】 명 『역』 조선 세조(世祖) 때부터 역로(驛路)에 세워서 국가가 경영하던 일종의 여관. 역제(驛制)와 같이 각 도(道)에 통하는 길옆에 세우는 것과, 인가(人家) 드문 곳에 행려(行旅)의 편의를 위하여 세운 것의 두 종류가 있었음.

역-원근법【逆遠近法】 〔—뻡〕 명 부감 도법(俯瞰圖法)의 하나. 자연스러운 시각과는 반대로 가까운 것은 작고 먼 것은 크게 그리는 방법. 사각형도 안으로 향할수록 역팔자형(逆八字形)으로 벌어짐. 고대의 동양화에서 흔히 볼 수 있음.

역원 취:락【驛院聚落】 명 주요 가도(街道)를 따라서 발달한 숙박(宿泊)과 교통을 중심으로 형성된 취락.

역위[1]【逆位】 명 〔inversion〕 『생』 ①염색체 이상(異常)의 하나. 염색체의 일부가 잘라져서 거꾸로 되어 다시 부착(附着)하는 현상. ②동물 체제(體制)의 좌우가 역전(逆轉)하여 심장의 위치나 장(腸)의 회전이 거꾸로 되는 등의 현상. *내장 역위증(內臟逆位症).

역위[2]【逆胃】 명 위(胃)가 음식을 잘 받지 아니함. ——-하다 자 여불

역-위답【驛位畓】 명 『역』 마위답(馬位畓).

역-위전【驛位田】 명 『역』 마위전(馬位田).

역위탁 가공 무:역【逆委託加工貿易】 명 위탁 가공 무역의 하나. 한 나라의 위탁자(委託者)가 외국의 수탁자(受託者)에게 원료를 공급하고 가공된 후 역으로 자국(自國)에 수입하는 일. 수탁자로서는 운전 자금

이 경감되는 외에 가공품을 확실히 수출할 수 있는 점이, 위탁자는 외국의 값싼 노동력을 이용, 제품 코스트가 싸게 먹히는 이점이 있음. 부분적인 국제 분업의 한 형식임.

역유[1]【逆喩】명 비유법의 하나. 점차로 근본 원리에 거슬러 올라가서 비유로써 논하여 가는 방법.

역유[2]【歷遊】명 순유(巡遊). 두루 유람함. ——-하다 타여불

역-유:토피아【逆—】〔utopia〕명 가장 부정적(否定的)인 암흑 세계의 픽션(fiction)을 묘사(描寫)함으로써 현실을 비판하는 문학 작품. 또, 그러한 사상(思想). 디스토피아.

역의[1]【易醫】〔—/—이〕명 역학(易學)에 의거하여 병을 진단하는 의사.

역의[2]【逆意】〔—/—이〕명 반역(反逆)의 의도. 반역할 뜻. ¶ ~를 품다.

역이【逆耳】명 귀에 거슬림. ——-하다 자여불

역-이어달리기【驛—】〔—니—〕명 역전 경주(驛傳競走).

역-이용【逆利用】명 역용(逆用). ——-하다 타여불

역-이입【逆移入】명〖경〗①일단 이출하였던 물품을 가공하지 아니한 그대로 다시 이입함. ↔역이출. *재이입. ②과거에 이출하던 곳에서 오히려 이입함. ——-하다 타여불

역이지-언【逆耳之言】명 귀에 거슬리는 말. 곧, 충고(忠告)의 말.

역-이출【逆移出】명〖경〗①일단 이입하였던 물품을 가공하지 아니한 그대로 다시 이출함. ↔ 역이입. *재이출. ②과거에 이입하던 곳에 오히려 이출함. ——-하다 타여불

역인[1]【役人】명〖역〗관아(官衙) 또는 육주비전(六注比廛)에 딸려 물건을 운반하고 심부름하던 사람.

역인[2]【驛人】명〖역〗역(驛)에 딸린 역리(驛吏)·역졸(驛卒)의 총칭(總稱). 역속(驛屬).

역인-청【役人廳】명〖역〗관아(官衙) 또는 육주비전(六注比廛)에 역인(役人)들이 모이던 곳.

역일【曆日】명 ①책력. ②책력에 정한 날. 또, 세월.

역-일변【逆日邊】명〖경〗단기 거래에 있어서 판 쪽에서 주식(株式)을 인도(引渡)하지 아니하는 경우, 그 대상(代償)으로서 지급하는 날로 따진 금리(金利).

역임【歷任】명 거듭하여 여러 벼슬을 차례로 지냄. 역양(歷敭). ——-하다 타여불

역자[1]【易者】명 점치는 사람.

역자[2]【譯者】명 번역한 사람. 번역자.

역자-이교지【易子而敎之】명 자기가 자식을 자기가 직접 가르치면 폐단이 많으므로 자식을 서로 바꾸어서 가르침. ——-하다 자여불

역작【力作】명 힘들여 지음. 또, 그 작품. 노작(勞作). ——-하다 타여불

역장[1]【力場】명〖물〗힘의 작용이 미치는 범위. 지구의 표면 부근은 전기·자기·중력(重力)의 역장이 됨.

역장[2]【驛長】명 ①철도역의 우두머리. ②〖역〗각 역참(驛站)의 역리(驛吏)의 우두머리.

역재[1]【易齋】명〖역〗구재(九齋)의 하나. 조선 시대 초에 성균관(成均館)에서 주역(周易)을 익히던 곳.

역재[2]【譯載】명 번역하여 신문·잡지 등에 게재함. ——-하다 타여불

역쟁【力爭】명 힘을 다하여 다툼. ——-하다 자여불

역저【力著】명 힘들여 지은 책. 훌륭한 저서. *역작(力作).

역-저항【逆抵抗】명〖전〗금속 정류기(整流器)의 역전류에 대한 접점(接點) 사이의 저항.

역적[1]【力積】명〔impulse〕〖물〗'충격량(衝擊量)'의 구용어.

역적[2]【逆賊】명 제 나라 또는 제 나라 임금에게 반역하는 사람. [역적 대가리 같다] 모양이 흡수룩하여 보기 싫다는 말. [역적의 기물(器物)] 가히 역적이 될 만한 그릇이라 함이니, 사람됨이 우악스럽고 고집이 세며 모략을 잘 꾸미는 사람을 보고 하는 말.

역적 모의【逆賊謀議】〔—/—이〕명 역적들이 모여서 반역(反逆)을 꾀함. ——-하다 자여불

역-적정【逆滴定】명〖화〗시료(試料)에 과잉(過剩)한 시약(試藥)의 일정량을 가하여 반응을 끝낸 뒤, 남아 있는 시약을 제이(第二)의 시약으로 적정하여 시료의 양을 결정하는 방법.

역적-질【逆賊—】명 제 나라나 임금에게 반역을 꾀하는 짓. ——-하다 자여불

역전[1]【力田】명 역농(力農). ——-하다 자여불

역전[2]【力戰】명 힘을 다하여 싸움. 역투(力鬪). ——-하다 자여불

역전[3]【易田】명 중국의 옛날 전제(田制)의 하나. 땅이 메말라 매년 경작할 수 없으므로 한 해 씩 걸러 농사 짓는 전답. ↔불역전(不易田). *일역전(一易田)·재역전(再易田).

역전[4]【逆戰】명 역습하여 나아가 싸움. ——-하다 자여불

역전[5]【逆轉】명 ①형세가 뒤집혀짐. ¶전세가 ~하다/~승(勝)/~ 홈런. ②거꾸로 회전함. ③일이 잘못되어 좋지 않게 벌어져 감. ④〔overturn〕〖지〗겨울철에, 기온이 낮은 지역의 호수·늪·연못의 밑바닥 물이 바뀌는 일. 냉각된 표면의 물이 밀도가 높아져 침강(沈降)하고, 밑의 물은 상승하여 전체의 온도가 4°C가 됨. ——-하다 자여불

역전[6]【歷傳】명 대대로 전하여 내려 옴. ——-하다 자여불

역전[7]【歷戰】명 많은 싸움을 겪음. ¶~의 용장. ——-하다 자여불

역전[8]【驛田】명〖역〗역에 딸린 논밭. 곧, 마전(馬田). 역토(驛土).

역전[9]【驛前】명 역두(驛頭). ¶~ 광장.

역전[10]【驛傳】명〖역〗역체(驛遞). ——-하다 타여불

역전 경:주【驛傳競走】명 몇 사람이 한 팀을 이루어 일정한 구간에 이르면 다음 선수와 바뀌 뛰게 하는 장거리 경주. 역전 마라톤. 역(驛)이어달리기.

역전-기【逆轉機】명 축(軸)의 회전 방향을 역전시키는 장치. 클러치식(clutch式)·링크식(link式) 등이 있으며, 일반 기계·배·기차·자동차 등에 널리 쓰임.

역-전류【逆電流】〔—절—〕명〔inverse current〕〖전〗정류기(整流器)의 음극에서 양극으로 흐르는 전류. 이것은 전리(電離)되어서 생기는 양이온(陽ion)이 음전위(陰電位)의 양극(陽極)에 끌리기 때문에 생기는 이온 전류(ion電流)인데 보통 적은 양에 지나지 않음.

역전 마라톤【驛傳—】〔marathon〕명 역전 경주(驛傳競走).

역-전사【逆轉寫】명〖생〗DNA로부터 RNA로 전달되어야 할 유전 정보(遺傳情報)가 거꾸로 RNA에서 DNA로 전사되는 일. 레트로바이러스(retrovirus)에서 볼 수 있으며, 전령(傳令) RNA에서 DNA를 합성하는 기술에 이용됨.

역전사 효소【逆轉寫酵素】명〖생〗RNA로부터 DNA로 유전 정보(遺傳情報)를 전달하는 역전사에 관여하는 효소.

역전-승【逆轉勝】명 운동 경기에서, 형세가 뒤바뀌어 이김. 처음에는 지다가 나중에 거꾸로 이김. ¶몰리다가 끝판에 ~을 거두다. ——-하다 자여불

역전-앞【驛前—】명〈속〉'역전(驛前)'의 군말.

역전-층【逆轉層】명 ①〖지〗상하가 역전하고 있는 지층(地層). ②〖기상〗고도가 높은데도 그 아래 층보다 기온이 높거나 약간 낮은 대기층. 대기의 기온은 100미터 상공으로 올라감에 따라 약 0.6°C의 비율로 저하되는데 때로는 그 감률(減率)이 이 비율보다 현저히 적거나 상공(上空) 쪽이 오히려 더 높을 때가 있어 하공(下空)에 진애(塵埃)나 수분이 괴어서 연무(煙霧)나 안개가 끼게 하거나 대기 오염 따위의 공해를 일으키기도 함. 기온 역전층.

역절-풍【歷節風】명〖한의〗뼈마디가 아프거나 붓거나 굴신을 잘하지 못하는 풍증. 양의학의 만성(慢性) 관절 류머티즘에 상당함.

역점[1]【力點】명 ①〖물〗힘점. ↔지점(支點). ②중점이 놓여있는 부분. 사물의 주안점(主眼點). ¶~ 사업.

역점[2]【易占】명〖민〗팔괘(八卦)·육십 사괘(六十四卦)에 의하여 일의 길흉을 판단하는 점.

역접【逆接】명 앞뒤에 있는 AB 두 개의 문장 또는 구(句)의 접속 양식의 하나. A에서 서술한 사실과 상반되는 사태 또는 그와 일치하지 않는 사태가 B에서 성립함을 나타내는 것. ↔순접(順接).

역정[1]【力征】명 힘을 다 해 적을 침. ——-하다 타여불

역정[2]【役丁】명 역군(役軍).

역정[3]【逆情】명 '성¹'의 공대말. 역증(逆症). ¶윗사람의 ~을 사다.

역정(이) 나다 구 '성나다'의 공대말.

역정(을) 내:다 구 '성내다'의 공대말.

역정[4]【歷程】명 경과하여 온 노정. 지나온 경로.

역정[5]【驛程】명 ①역과 역 사이의 이수 또는 거리. ②노정(路程).

역-정리【逆定理】〔—니〕명〖논〗역(逆)❷.

역정-스럽다【逆情—】형ㅂ불 보기에 역정이 난 듯하다. 역정-스레【逆情—】부

역정-풀이【逆情—】명 역정을 참지 않고 닥치는 대로 함부로 푸는 일. ——-하다 자타여불

역제【曆制】명 책력에 관한 제도.

역조[1]【力漕】명 보트 따위를 힘껏 저음. ——-하다 자여불

역조[2]【逆潮】명 ①바람의 방향에 거슬러서 흐르는 조류. ②배의 진행 방향과 반대로 흐르는 조류.

역조[3]【逆調】명〔순조(順調)의 엇먹은 말〕일의 되어 가는 꼴이 나쁜 방향으로 향하는 상태. ¶국제 수지의 ~/무역의 ~.

역조[4]【歷朝】명 역대의 왕조. 역대의 조정. 누조(累朝).

역조정 댐【逆調整—】〔dam〕명 전력 수요가 클 때 상류의 댐에서 한꺼번에 다량의 물을 방출하면 하류의 수위가 갑자기 올라가 농업 용수의 이용이나 목재 수송 운반 등에 악영향을 주므로, 물을 서서히 방출하도록 하류에 만든 또 하나의 댐.

역졸【驛卒】명〖역〗역에 딸려 심부름하는 사람. 역부(驛夫).

역-종신【役終身】명 무기 징역(無期懲役).

역좌【逆座】명 상좌(上座)에 등을 대고 앉는 일. 또, 그 자리. ——-하다 자여불

역죄【逆罪】명 반역죄.

역주[1]【力走】명 힘껏 달림. ¶최종 구간에서의 ~. ——-하다 자여불

역주[2]【譯註】명 ①번역과 주석(註釋). ②번역자가 다는 주석.

역중【域中】명 구역 또는 지역의 안.

역증【逆症】명 역정(逆情). ¶~을 내다.

역증 나다 구〈방〉역정 나다(평안).

역지【力枝】명〖식〗그 나무에서 가장 굵고 긴 가지.

역지 개연【易地皆然】명 사람의 처지를 바꿔 놓으면 그 처지에 동화되어 하는 것이 같게 된다는 뜻. 역지즉 개연(易地則皆然).

역지 사지【易地思之】명 처지를 바꾸어서 생각함. ——-하다 자타여불

역지정가 주:문【逆指定價注文】〔—까—〕명〖경〗유가 증권의 매매를 증권 업자에게 위탁할 때의 주문(注文) 방법의 하나. 자기가 지정한 가격보다 시세가 오르면 매입(買入)하고, 내리면 팔도록 위탁하는 주문 방법. ↔지정가 주문.

역지 즉개연【易地則皆然】명 역지 개연(易地皆然).

역지-판【逆止瓣】명〖기〗체크 밸브(check valve).

역직【役職】명 ①조직을 운영하는 데에 중요한 위치. 의장·국장·중역 따위. ¶~자(者). ②특히, 관리직의 일컬음.

역직-기【力織機】명 수력·전력 등의 동력(動力)으로 움직이는 베틀.

역진[1]【力盡】명 힘이 다함. ——-하다 자여불

역진[2]【逆進】명 ①반대 방향으로 나아감. ↔전진(前進). ②〖기상〗기본

적인 흐름의 방향과 반대 방향으로 대기 파동이나 기압계(氣壓系)가 움직이는 일. ——-하다 자여불

역진-세【逆進稅】명〔regressive tax〕〖사〗세율이 소득, 즉 과세 물건의 수량이 커짐에 따라 저하되는 조세. ↔누진세(累進稅).

역진-파【逆進波】명〔retrograde wave〕〖기상〗흐르는 방향과 반대 방향으로 움직이는 대기 파동(大氣波動). 매일매일의 일기도에서는 볼 수 없으나, 4일 또는 1개월 평균의 일기도에는 가끔 나타남.

역질【疫疾】명〖의〗천연두(天然痘).

역질-암【礫質岩】명〔psephite〕〖지〗모래보다 거친 파편으로 된 퇴적물 또는 퇴적암.

역차【逆次】명 바뀐 차례. 거꾸로 된 차례.

역참【驛站】명〖역〗역말을 갈아 타는 곳. *참(站).

역-참기중【亦參其中】명 남의 일에 참여함. ——-하다 자여불

역책【易簀】명 대부(大夫)의 와상(臥牀)을 바꿈. 학덕(學德)이 높은 사람의 죽음이나 임종을 뜻함. ——-하다 자여불

역천[1]【力薦】명 힘써 천거함. ——-하다 타여불

역천[2]【逆天】명 천명(天命)을 어김. 역천명. ——-하다 자여불

역-천명【逆天命】명 천명을 거스름. 역천(逆天). ——-하다 자여불

역천자-망【逆天者亡】명 천명을 거역하는 사람은 망함.

역청【瀝青】명 ①〔bitumen〕〖화〗천연산(天然產)의 고체·반고체(半固體)·액체 또는 기체의 탄화 수소 화합물의 총칭. 그 중요한 것은 고체의 아스팔트, 액체의 석유, 기체의 천연 가스로, 도로 포장(道路鋪裝)·방부(防腐)·방루(防漏) 등의 재료로 쓰임. 피치(pitch). ②기름을 섞어 갠 송진(松津).

역청-사【瀝青砂】명〔bituminous sand〕〖지〗역청상(瀝青狀)의 물질을 함유한 모래. 석유를 채취함.

역청-석【瀝青石】명〖광〗암녹색·흑색·적색의 지광(脂光)을 띤 유리질(琉璃質)의 치밀한 화산암. 역청암(瀝青岩). 송지암(松脂岩).

역청-암【瀝青岩】명〖광〗역청석(瀝青石).

역청 우라늄광【瀝青一鑛】〔uranium〕명〖광〗피치블렌드(pitchblende).

역청질 피:복재【瀝青質被覆材】명〔bituminous coating〕주로 역청질 물질로 만드는 피복 재료의 하나. 도로 포장이나 건물의 방수 벽재(防水壁材)로 쓰임.

역청질 혈암【瀝青質頁岩】명〔bituminous shale〕〖지〗역청 성분을 함유한 혈암.

역청 콘크리:트【瀝青一】명〔bituminous concrete〕〖공〗콘크리트의 일종. 모래나 자갈의 결합제(結合劑)로서 역청질의 물질을 써서 만듦.

역청-탄【瀝青炭】명〖광〗석탄의 한 가지. 석탄을 탄화도(炭化度)에 따라 분류한 경우의 하나로, 갈탄(褐炭)과 무연탄의 중간에 해당함. 짙은 흑색(黑色)을 띠며 탄소의 함량은 무연탄보다 적지만 휘발 성분(揮發成分)은 훨씬 많음. 매연(煤煙)이 많은 불꽃을 내며 탐. 보일러용·가스용·코크스용으로 용도가 많음. 연탄(軟炭). 흑탄(黑炭).

역체【驛遞】명〖역〗역참(驛站)에서 공문(公文)을 전체(傳遞)함. 역전(驛傳). ——-하다 타여불

역-촉매【逆觸媒】명〔negative catalyser〕〖화〗화학 반응의 속도를 줄이는 작용을 하는 촉매. 부촉매(負觸媒). 정촉매(正觸媒).

역촌【驛村】명 역이 있는 마을. 역마을.

역추력 장치【逆推力裝置】명 제트기의 착륙 거리를 단축시키기 위하여, 착륙 활주 중(滑走中)에 제트 분류(z噴流)의 일부를 전방(前方)에 향하게 하여 강력한 브레이크 효과를 얻는 장치. 대형기(大型機)의 대부분이 장치함.

역추산-학【曆推算學】명〖천〗이론 천문학의 한 분과. 천체 역학의 결과를 응용하여 태양계에 속하는 천체의 천구 상(天球上)에 있어서의 위치나 운동을 예보하는 학문. 편력학(編曆學).

역추진 로켓【逆推進一】명〔retrorocket, braking rocket〕비행을 계속하고 있는 우주선이나 인공 위성의 운동에 브레이크를 걸 때 분사(噴射)하는 로켓.

역축【役畜】명 사역(使役)의 목적으로 사육하는 가축. 소·말·당나귀 등.

역출【譯出】명 번역하여 냄. ——-하다 타여불

역취【力吹】명〖악〗고음(高音)을 내기 위하여, 관악기(管樂器)를 힘주어 붊. ↔저취(低吹). ——-하다 타여불

역취 순:수【逆取順守】명〔≪사기(史記)≫ 육가전(陸賈傳) 중 '탕무 역취(湯武逆取) 이이순수지(而以順守之)'에서 온 말〕정도(正道)에 어그러지는 행위로 천하를 빼앗고서 이를 지킬 때는 정도에 따름. ——-하다 자여불

역층【礫層】명 자갈이 많은 지층.

역치【閾値】명〔threshold〕①〖생〗생물체(生物體)가 자극에 대한 반응을 일으키는 데 필요한 최소 한도(最少限度)의 자극의 강도(強度)를 표시하는 수치. ②〖물〗일반적으로 반응, 기타 현상을 일으키게 하기 위하여 계(系)에 가하지 않으면 안 될 물리량(物理量)의 최소치. 보통, 에너지로 나타냄.

역-코:스【逆一】〔course〕명 ①보통의 진로(進路)를 거스르는 코스. ②역사의 진로에 역행하는 일.

역탐【逆探】명 ①역탐지. ②역탐지하는 장치. ——-하다 타여불

역-탐지【逆探知】명 전파나 전화(電話)의 발신소·수신소를 알아내는 일. ——-하다 타여불

역토[1]【礫土】명〖지〗자갈이 섞인 흙. 직경 4 mm 이상의 입자(粒子)를 50% 함유하는 흙으로, 토질이 척박(瘠薄)하여 농경에 부적당함.

역토[2]【驛土】명〖역〗역전(驛田).

역토머스 방식【逆一方式】〔Thomas〕명〖경〗우선 수입(輸入)을 먼저 하고 일정한 기간내에 그 금액에 해당하는 물자를 수출하는 방식. 바터 무역에서의 결제(決濟)의 한 방식임. ↔토머스 방식.

역퇴적 논증【逆退的論證】명 후퇴적 논증(後退的論證).

역퇴적 연쇄식【逆退的連鎖式】명 고클레니우스(Goclenius)의 연쇄식.

역투[1]【力投】명 ①힘껏 던짐. ②야구에서, 투수가 힘껏 투구하는 일. ——-하다 자여불

역투[2]【力鬪】명 힘껏 싸움. 역전(力戰). ——-하다 자여불

역-편석【逆偏析】명 주괴(鑄塊)의 보통의 편석과는 거꾸로의 농도 분포(濃度分布)를 나타내는 편석.

역포-인【力浦人】명〖고고학〗평양시 역포 구역 대현동에서 발견된 고인류(古人類)의 화석(化石). 1977년에 7,8세 된 고인(古人 : Homo sapiens Neanderthalensis) 단계의 두개골(頭蓋骨) 화석이 발견됨.

역표【曆表】명 장차 일어날 천체 현상의 일시(日時)를 추산 예보한 표. 천문 관측용의 천체력(天體曆)·원양 항해용(遠洋航海用)의 항해력(航海曆) 등이 있음.

역표-시【曆表時】명〔ephemeris time〕〖천〗천체력(天體曆)에 기재된 달·태양 등의 위치로 정한 시각. 1956년 이래 천문학·전자 공학 등에서 쓰임.

역표-일【曆表日】명〔ephemeris day〕〖천〗86400 역표초(曆表秒)와 같은 시간 단위.

역표-초【曆表秒】명〔ephemeris second〕〖천〗1960년에 제정된, 국제 단위계(國際單位系)에 있어서의 시간(時間)의 단위. 1900년 1월 0일 12시를 원기(元期)로 하며, 태양의 평균 경도 운동(平均經度運動)으로 정의(定義)되는, 회귀년(回歸年)의 31556925.9747 분의 1과 같음. 정밀도가 나쁘기 때문에 실용적으로는 1967년에 제정된 원자초(原子秒)를 쓰는 것이 보통임.

역품 천사【力品天使】명〖천주교〗구품 천사 중 중급에 속하는 천사. 사람을 지옥의 화(禍)로부터 보호하여 주는 천사.

역풍【逆風】명 ①거슬러 부는 바람. 앞바람. ②바람이 부는 쪽을 향하여 감. 1)·2):↔순풍(順風). ——-하다 자여불

역풍 역수【逆風逆水】명 ①거슬러 부는 바람과 거슬러 흐르는 물. ②바람과 물결을 거스름. ——-하다 자여불

역필【逆筆】명 붓끝의 방향과 반대 방향으로 붓을 놀리는 일. 특별한 선(線)의 효과를 목적으로 하는 서도(書道)나 회화의 수법임.

역-하다【逆一】㊀타여불 ①거역하다. ②배반하다. ㊁형여불 ①구역이 날 듯 속이 메슥메슥하다. ¶역한 냄새. ②마음에 거슬리다. ¶그의 말이 역했다.

역학[1]【力學】명 ①〔mechanics, dynamics〕〖물〗물체의 운동에 관한 법칙을 연구하는 물리학의 한 분과. 갈릴레이에서 시작되어 뉴턴 역학에 의하여 그 운동 법칙이 확립되고 힘 및 질량(質量)의 역학적인 개념이 확립되었음. 물체의 상태에 의해 힘의 평형성(平衡性)을 연구하는 정역학(靜力學)과 운동을 주로 하는 동역학(動力學)의 두 가지로 나누고, 대상에 의해 강체(剛體)·탄성체·유체·천체·항공 역학 등으로 나눔. ②학문의 길에 힘씀. ——-하다 타여불

역학[2]【易學】명〖철〗주역(周易)의 괘(卦)를 해석하여 음양 변화의 원리와 신인 교감(神人交感)의 신비를 연구하는 학문. 주역은 그 내용의 모호성(模糊性)으로 인하여 자유 해석의 여지가 많으므로 시대에 따라 각양 각색의 내용을 가짐.

역학[3]【疫瘧】명〖한의〗유행성의 학질.

역학[4]【疫學】명〔epidemiology〕〖의〗유행병의 발생·유행 및 종식(終熄)에 미치는 모든 조건을 명백히 하고, 그에 의하여 유행병의 예방과 치료를 연구하는 학문. ¶～자(者).

역학[5]【曆學】명 책력에 관한 연구를 하는 학문.

역학[6]【譯學】명〖역〗외국과 교통이 많은 요지(要地)에 주재(駐在)하여 통역에 종사하는 종구품 벼슬.

역학 계:몽 요해【易學啓蒙要解】명〖책〗조선 세조(世祖) 12년(1466), 대제학(大提學) 최항(崔恒), 이조 판서 한계희(韓繼禧) 등이 왕명에 의하여 편찬 간행한, 주자(朱子)의 ≪역학 계몽≫을 해석한 책. ≪역학 계몽≫이 어려워서 초학자가 불편을 느끼므로 번역하게 한 것임. 4권 2책. 목판본.

역학 단위【力學單位】명〔mechanical units〕〖물〗길이나 시간·질량의 단위. 또, 그들로부터 유도되는 물리량의 단위.

역학 도설【易學圖說】명〖책〗조선 인조(仁祖) 23년(1645)에 출판된 것으로, 선조(宣祖)때 사람 장현광(張顯光)이 지은 역학을 그림으로 설명한 책. 이미 중국에서 나온 역학 서적에 의하여 도(圖)와 설(說)을 만들고 가끔 자기 의견을 붙임. 9권 9책. 목판본.

역학 변:수【力學變數】명〔dynamical variable〕〖물〗고전 역학(古典力學)에서, 계(系)를 기술(記述)할 때 쓰이는 양(量). 질점 좌표(質點座標)·속도 성분·운동량 또는 이들 양의 함수(函數) 등을 이름.

역학 서:언【易學緖言】명〖책〗조선 시대 말기의 정약용(丁若鏞)이 지은 책. 주역(周易)에 관한 학설을 비판한 것임. 13권 4책.

역학 열효과【力學熱效果】명〔mechanocaloric effect〕〖물〗헬륨 II의 온도 구배(溫度勾配)가 항상 압력 구배에 수반해서 발생한다는 효과.

역학-원【譯學院】명〖역〗조선 세종(世宗) 15년(1433)에 한어(漢語) 학습을 위하여 평양·황주 등지에 설치한 외국어 학습 기관.

역학-자【易學者】명 역학에 능통한 사람. 역학을 수학(修學)한 사람.

역학-적【力學的】명관 ①역학의 원리나 성격을 갖는 모양. 또, 그러한 것. ②〖심〗부분을 이루는 요소가 서로 의존적 관계를 가지며 또 서로 제약(制約)하는 일. 따라서 부분을 이루는 요소의 변화는 다른 부분에 영향을 미치며 또 전체의 규정은 모든 요소들에 영향을 미치게 됨. 형태(形態) 심리학에서는 심적 과정의 근본 특성을 역학적인 것으로 보며 역학적 특성에 대립되는 것을 기하학적 또는 기계론적이라 이름.

역학적 세:계관【力學的世界觀】명〖철〗세계의 모든 현상이나 형상(形象)을 역학적인 방법으로 연구·검토하고, 역학적인 원리에 입각하여 설명하려는 세계관.

역학적 심리학【力學的心理學】[—니—] 명 〖심〗 각 요소의 기계적 결합으로 심리 현상을 설명하는 것에 반대하여, 사람의 심리가 거의 무의식적인 본능·충동 또는 욕구에 의하여 움직인다고 설명하는 심리학. 현대의 심리학이 대개 이 견지에 서 있지만 가장 전형적인 것은 프로이트의 정신 분석 학설임.

역학적 에너지【力學的—】명 〔mechanical energy〕〖물〗 역학적인 양(量)에 의하여 정해지는 에너지. 보통, 운동(運動) 에너지와 위치(位置) 에너지로 나뉘는데 이 두 에너지의 합(合)을 말할 때도 있음. 기계적(機械的) 에너지.

역학적 온도계【力學的溫度計】명 원리상 역학적인 양(量)을 이용하여 고안한 온도계. 액체 온도계·압력식 온도계·기체 온도계·바이메탈 온도계 등이 이에 속함.

역학적 유:사성【力學的類似性】[—썽] 명 〔dynamic analogies〕〖물〗 역학계(力學系)에 대한 미분 방정식(微分方程式)을 전기 회로(電氣回路)에 대한 방정식으로 변환할 수 있는 유사성. 이 때, 방정식은 회로 이론(回路理論)으로 풀 수가 있음.

역학적 자:극【力學的刺戟】명 기계적 자극.

역학 훈:도【譯學訓導】명 〖역〗 조선 시대에, 서울의 사역원(司譯院) 및 지방 관아(官衙)에 두었던 외국어 통역 및 교육을 전문적으로 담당했던 종 9품의 관직.

역할【役割】명 소임. 구실. ¶중대한 ~.

역할 이:론【役割理論】명 〖사〗 역할의 개념을 이용하여 어떤 개인이나 집단과 다른 개인이나 집단과의 사회적 상호 작용을 해명하려는 이론.

역-함수【逆函數】[—쑤] 명 〔inverse function〕〖수〗 변수(變數) x의 함수 $y=f(x)$가 있을 때, 변수 y의 구실에서 $x=f-1(y)$라 쓰고, 이를 원래의 함수에 상대하여 일컫는 말. $y=2x+1$의 역함수(逆函數)는 $x=½(y-1)$임. 곧, x수의 값이 정해짐에 따라 y수의 값이 정해지는 관계와 y수의 값이 정해짐에 따라 x수의 값이 정해지는 관계의 각각을 다른 것에 대하여 이르는 말.

역해【譯解】명 번역하여 풀이함. ——-하다 타 여불

역행[1]【力行】명 ①힘써 행함. 노력함. ②힘을 들여 나아감. ——-하다 타 여불

역행[2]【逆行】명 ①거슬러 나아감. ②순서를 바꾸어 행함. ③뒷걸음질침. ¶시대에 ~하다. ④〖천〗 위성이나 행성(行星)이 동쪽에서 서쪽으로 향하여 감. 퇴행(退行). 1)-4):↔순행(順行). ——-하다 자 타 여불

역행 궤:도【逆行軌道】명 〖천〗 계(系)에 속하여 있는 천체의 보통 궤도 방향과 반대 방향의 궤도 운동. 행성에 있어서는 항성(恒星)의 자전 방향(自轉方向)과 반대 방향으로의 운동.

역행 동화【逆行同化】명 〖언〗 어떤 음운(音韻)이 뒤에 오는 음운의 영향을 받아서 그와 비슷하거나 또는 그와 같게 소리가 나는 현상. 즉, '먹는다'가 '멍는다'로 '해돋이'가 '해도지'로 되는 따위. *상호(相互) 동화·순행(順行) 동화.

역-행렬【逆行列】[—녈] 명 〔inverse matrix〕〖수〗 A를 n차(次)의 정방(正方) 행렬, E를 단위(單位) 행렬이라고 할 때, $AX=E$가 되는 n차의 정방 행렬 X의 A에 대한 일컬음. 이것이 존재하는 것은 A의 행렬식이 0이 아닐 때에 한함.

역행성 건:망【逆行性健忘】[—썽—] 명 〖심〗 어떤 정신적 외상(外傷)에 의하여 건망증이 생겼을 때, 그 외상이 생긴 시기(時期) 이전의 경험(經驗)에 대한 기억을 상실(喪失)하는 일. 환자는 이 시기의 것은 재생(再生)할 수가 없으나 그 후의 새로운 경험은 잘 기억하고 있음. 탈락성(脫落性) 건망과 선택성(選擇性) 건망이 있음. 역행성 건망증. *탈락성 건망증.

역행성 건:망증【逆行性健忘症】[—썽—쯩] 명 〖심〗 역행성 건망.

역행 운:동【逆行運動】명 〖천〗 ①태양에서 보아 지구의 공전 운동과 반대의 방향으로 운행하는 천체의 진운동(眞運動). ②지구에서 보아 천구(天球) 위를 동쪽에서 서쪽으로 이행(移行)하는 천체의 시운동(視運動). 1)·2):↔순행(順行) 운동.

역행-자【逆行者】명 어떤 일에 순응(順應)하지 않고 반대 방향으로 나가는 사람.

역형[1]【役刑】명 〖법〗 교도소 안에 가두어 기결수(旣決囚)에게 노역을 시키는 형벌. 무기 역형과 유기 역형의 구별이 있음.

역형[2]【逆形】명 〔inverse figure〕〖수〗 한 도형 위의 점을 반전(反轉)시킴으로써 그 도형 위의 모든 점의 반점(反點)이 이루는 다른 하나의 도형(圖形).

역호【逆弧】명 〖전〗 수은 정류기(水銀整流器)의 양극(陽極)에 음극점(陰極點)이 생김으로써 정류 작용이 상실되는 현상. 진공도(眞空度)의 저하, 온도 제어(制御)의 불량, 과부하(過負荷) 등이 원인이 됨.

역혼【逆婚】명 형제 자매 중에서 차례를 바꾸어 나이 적은 사람이 먼저 결혼하는 일. 도혼(倒婚). ——-하다 자 여불

역-혼합【逆混合】명 〖화〗 반응 생성(反應生成) 화학 물질이 교반조(攪拌槽)·충전탑(充塡塔) 같은 반응기 속에서 미반응(未反應) 원료와 혼합하는 경향.

역화【逆火】명 〔backfire, flashback〕〖기〗 내연 기관에서, 기통(氣筒) 속에서 연소할 혼합 가스가 점화(點火) 시기 등이 일정하지 아니한 관계로 기통에서 흡기관(吸氣管)·기화기(氣化器) 등에 화염을 역류시키는 현상.

역화 방지 장치【逆火防止裝置】명 〖기〗 역화가 기화기(氣化器) 기타의 부분에 이르러 일으키는 여러 가지 사고를 방지하기 위하여 흡기관(吸氣管)의 도중에 쇠그물 등을 통로와 직각으로 놓아 화염(火焰)을 방지하는 장치.

역환[1]【疫患】명 〖한의〗 천연두(天然痘).

역환[2]【逆換】명 〖경〗 송금환과 반대로, 채권자가 채무자로부터의 송금을 기다리지 아니하고 채무자 지급의 확정일불(確定日拂) 환어음을 발행하고 은행에서 할인하여 대금을 수취하는 환.

역-효과【逆效果】명 정반대의 효과.

엮다 타 〔중세: 엮다〕 ①노끈이나 새끼로 이리저리 여러 가닥으로 어긋매껴 묶다. ②물건을 얼기설기 맞추어 매다. ¶울타리를 ~. ③여러 가지 사실을 줄대어 말하거나 적다. ¶이야기를 ~. ④책을 편찬하다. ¶자서전을 ~.

엮은-이 명 엮은 사람. 편자(編者). 편집자(編輯者).

엮음 명 ①엮는 것. 엮은 것. ②〖악〗 민요 따위에서, 많은 사설을 엮어 가면서 잽싸게 부르는 창법(唱法). 또, 그런 소리.

엮음-공【—工】명 제본소에서, 제책(製冊)할 때, 접지(摺紙)한 책을 실로 꿰매는 사람.

엮음 수심가【—愁心歌】명 〖악〗 서도 민요의 하나. 수심가 다음에, 사설을 마치 엮어 가듯 빠르게 부르는 소리로, 인생의 허무함을 탄식한 것. 마지막은 수심가로 여밈.

엮음 시조【—時調】명 〖악〗 '휘모리 잡가(雜歌)'를 시조(時調)의 창법(唱法)으로써 일컫는 말.

엮이다 피동 엮음을 당하다.

연[1] 명 〈방〉 년(함경).

연[2]【年】명 일 개년. 한 해. ¶~평균/~2할의 이자.

연[3]【延】명 성(姓)의 하나. 현재 우리 나라에는 곡산(谷山)·개성(開城)·광주(廣州)·남양(南陽)·청주(淸州) 등 30여 개의 본관(本貫)이 있음.

연[4]【連】명 성(姓)의 하나. 현재 우리 나라에는 본관(本貫)이 전주(全州) 하나뿐임.

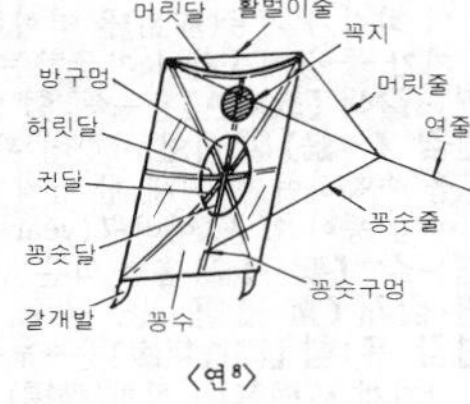

〈연[8]〉

연[5]【淵】명 성(姓)의 하나. 우리 나라에는 현존하지 아니함.

연[6]【鉛】명 〖광〗 납.

연[7]【煙】명 연기가 낀 것 같은 흑갈색의 연수정(煙水晶)의 빛.

연[8]【鳶】명 종이에 댓가지를 붙여 실로 꿰어 공중에 날리는 장난감. 지연(紙鳶). 풍쟁(風箏). 풍연(風鳶).

연[9]【蓮】명 〖식〗 연꽃.

연[10]【緣】명 ①↗연분(緣分). ②〖불교〗 간접 원인의 한 가지. 벼에 대하여 씨는 인(因)이요, 물·흙·온도 같은 것은 연(緣)이 되는 것 등임.

연:[11]【碾】명 ↗약연(藥碾).

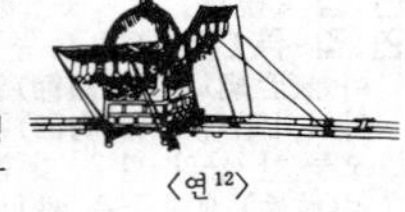
〈연[12]〉

연[12]【輦】명 〖역〗 임금이 타는 가마의 하나. 덩 비슷한데 좌우와 앞에 주렴(珠簾)이 있고 형겊을 비늘 모양으로 드리었으며, 채 두 개가 썩 길게 되었음. 난가(鸞駕). 난여(鸞輿).

연:[13]【燕】명 〖역〗 ①중국 춘추 전국 시대의 나라의 하나. 지금의 허베이(河北)·둥베이(東北) 지방 남부를 영토로 북경에 도읍함. 시조인 주(周)나라 왕족 소공 석(召公奭)으로부터 34대 800여 년을 지낸 뒤에 진시황에게 멸망됨. ②4세기 초에서 5세기 초에 걸쳐 선비(鮮卑)의 모용씨(慕容氏)가 건설한 전연(前燕)·후연(後燕)·서연(西燕)·남연(南燕)·북연(北燕)의 다섯 나라.

연:[14]【燕】명 성(姓)의 하나. 현재 우리 나라에는 정평(定平)·영평(永平)·전주(全州) 등 6개 본관(本貫)이 있음.

연[15]【聯】명 〖문〗 ①한시(漢詩) 특히 율시(律詩)에서, 상대하는 두 구(句)를 일컫는 말. ②전(轉)하여, 시(詩)의 한 행(行)을 몇 단위로 묶어서 구분한 부분.

연[16]【連】의명 ①〔ream의 취음(取音)〕 양전지(洋全紙) 오백 장을 한 묶음으로 하여 이르는 말. ¶모조지 두 ~. ②거리의 단위. 곧, 100 주척(周尺).

연[17]【延】관 연인원(延人員)·연일수(延日數) 등의 준말의 뜻으로 쓰이는 말. ¶~2만 명이 동원되었다.

연-[1]【延】두 '통틀어·모두'의 뜻. ¶~건평/~인원.

연-[2]【連】두 '계속하여'·'잇대어'라는 뜻의 접두어. ¶~사흘/~잇다.

연:-[3]【軟】두 '부드러운'·'연(軟)한'·'엷은'의 뜻. ¶~보라.

-연[1]【宴】미 '잔치'의 뜻. ¶송별~/축하~.

-연[2] 어미 〈옛〉 -ㄴ. =-언·-건. ¶十月애 아으 져미연 ᄇᆞᄅᆞ다호라 것거 ᄇᆞ리신 後에 디니실 ᄒᆞᆫ부니 업스샷다 아으 動動다리《樂範 動動》.

연가[1]【延嘉】명 〖역〗 고구려 시대의 연호(年號).

연가[2]【連枷】명 도리깨 ❶.

연:가[3]【宴歌】명 ①연회를 베풀고 노래를 부르며 즐김. ②연회에서 부르는 노래.

연가[4]【煙家】명 굴뚝 위에 장식으로 얹은, 기와로 만든 지붕 모양의 물건. 나(爕).

연가[5]【煙價】[—까] 명 주막 또는 여관의 밥값.

연:가[6]【戀歌】명 ①이성에 대한 연모(戀慕)의 정을 읊은 노래. 염곡(艶曲). 정가(情歌). ②〔romance〕〖악〗 자유로운 형식에 아름다운 선율을 주로 한 부드러운 악곡.

연:-가시【軟—】명 ①〖동〗 [*Gordius aquaticus*] 선충류(線蟲類) 연가싯과에 속하는 선형(線形) 동물의 하나. 몸길이 40 cm, 폭 1 mm 가량이고, 몸빛은 유생(幼生) 때에는 황백색, 성체(成體)가 되면 흑갈색임. 유생 때는 수생(水生) 곤충에, 성장하면 다른 숙주(宿主)인 식충성(食蟲性)의 버마재비·메뚜기 등의 몸 속에 기생하여 성체가 됨. 다시 숙주에서 나와 물 속에서 자유 생활(自由生活)을 하고 산란하는 복잡한 생활 과정을 거침. ②〈방〉〖충〗 사마귀[2](경기·충북).

〈연가시〉

연가 칠년명 금동 여래 입상【延嘉七年銘金銅如來立像】[—련—] 명 6세기 후반 고구려 시대에 만들어진 금동 여래 입상. 1963년 7월 경남 의령군(宜寧郡) 대의면(大義面) 하촌리(下寸里)에서 발견됨. 전체 높이 16.2 cm에, 상 높이 4.1 cm, 12.1 cm의 광배(光背)를 가진 이 독존상(獨尊像)의 광배 뒷면에는 4행 47자의 명문(銘文)이 새겨져 있음. 국립 박물관 소장. 국보 제 119호.

연각【緣覺】명〖불교〗①열두 인연의 이법(理法)을 인식하여서 혹(惑)을 끊어 버리고 불생 불멸의 진리를 깨달은 성자(聖者). 그 지위는 보살의 밑이며 성문(聲聞)의 위임. 성문 연각(聲聞緣覺)·인각유 연각(麟角喩緣覺) 등이 있음. 인연각(因緣覺). ②↗연각승(緣覺乘).

연:각-류【軟脚類】[—뉴] 명〖동〗[Malacopoda] 절지 동물(節肢動物)에 속하는 한 강(綱). 몸마디와 관절이 뚜렷하지 아니하며 발에는 발톱이 있음. 열대 지방의 돌 밑 같은 곳에 삶. 이에 속한 동물은 몹시 드물어 학문적으로 귀중함.

연각-승【緣覺乘】명〖불교〗삼승(三乘)의 하나. 연각(緣覺)의 지위에 이르는 교법. ㊀연각(緣覺).

연각-탑【緣角塔】명〖불교〗연각(緣覺)·성문(聲聞)을 중심으로 하여 세운 탑.

연간[1]【年刊】명 일 년에 한 번씩 간행함. 또, 그 간행물.

연간[2]【年間】명 ①한 해 동안. ¶ ~ 생산량. ②어느 왕이 재위(在位)한 동안. ¶ 숙종(肅宗) ~.

연간[3]【連桿】명〖기〗연접봉(連接棒).

연간 보증 임:금【年間保證賃金】명 실업 후의 생활을 보장하기 위하여 회사가 기금(基金)을 적립하고, 일시 해고하는 노동자에게 일정한 기간 동안 계속하여 지급하는 임금.

연:-갈색【軟褐色】[—쌕] 명 엷은 갈색.

연감[1]【年鑑】명 어떤 사항에 관하여 한 해 동안에 일어난 경과·통계 등을 수록하여 한 해에 한 번씩 간행하는 책. 시사 연감·경제 연감·문화 연감 등이 있음. 이어북(year book).

연:-감[2]【軟—】명 흠뻑 익은 감. 연시(軟柹). 홍시(紅柹).

연-감개【鳶—】명〈방〉얼레.

연감 유:함【淵鑑類函】[—뉴—] 명〖책〗유서(類書). 중국 청(淸)나라 강희제(康熙帝)의 칙찬(勅撰). 450권. 원(元)·명(明) 이전의 고사 성어(故事成語)를 분류하여 설명한 백과 사전적인 책임. 1710년에 장영(張英)·왕사정(王士禎) 등이 찬진(撰進)함.

연갑[1]【年甲】명 나이가 거의 같은 사람. 연배(年輩).

연:갑[2]【硯匣】명 벼룻집❶.

연:갑-류【軟甲類】[—뉴] 명〖동〗[Malacostraca] 갑각류(甲殼類)의 한 아강(亞綱). 체절(體節)은 대개 20개, 두부는 원래 5절이나 흉부와 합쳐져서 두흉부(頭胸部)를 이룸. 복부는 7절, 마지막 것을 제외하고는 모두 한 쌍의 발을 갖추었음. 웅성 생식공(雄性生殖孔)은 제13절, 자성(雌性) 생식공은 제11절에 있음. 유충은 노플리우스(nauplius)'라고 함. 협갑류(狹甲類)와 진연갑류(眞軟甲類)로 크게 나뉘는데, 진연갑류에는 다시 아나스피데스목(目)·구각목(口脚目)·십각목(十脚目)·공마목(空摩目)·주걱벌레붙이목(目)·등각목(等脚目)·단각목(端脚目)·곤쟁이목(目)·유파우시아목(目)의 9목(目)이 있음.

연강[1]【沿江】명 강 가에 벌여 있는 땅. 연하(沿河).

연:강[2]【軟鋼】명 탄소 함유량이 0.12~0.2% 정도의 강철. 흔히 철(鐵)이라 일컫는 것은 이것임. 가단성(可鍛性)·인성(靭性)이 강하여 가공하기에 알맞음. 리벳(rivet)·철골(鐵骨)·용접관·철근(鐵筋)·조선용 강재(鋼材)·차량 등 그 용도가 많음. *경강(硬鋼).

연:강[3]【軟薑】명 살집이 연한 새앙.

연:강[4]【鍊鋼】명 불린 강철.

연:강 정:과【軟薑正果】명 연한 새앙의 껍질을 벗겨 여러 날 물에 우린 다음, 꿀과 물을 붓고 빛이 검도록 뭉근한 불로 조린 음식.

연:개【碾磑】명 중국 한(漢)나라 또는 우리 나라의 낙랑(樂浪) 시대부터 사용되어 오던, 탈곡(脫穀)·제분용 연자매의 일종.

연-개(:)소문【淵蓋蘇文】명〖사람〗고구려의 대막리지(大莫離支). 고구려 5부의 한 사람. 대신이 된 후 영류왕(榮留王)을 죽이고 보장왕(寶藏王)을 내세워 국권을 장악함. 보장왕 4년(645)에 요동으로 쳐들어온 당태종(唐太宗)의 17만 대군을 안시성(安市城)에서 격파함. 개소문(蓋蘇文). 개금(蓋金). [?-666]

연개-판【椽蓋板】명〖건〗서까래 위에 까는 널판.

연객[1]【煙客】명 선인(仙人).

연객[2]【淵客】명 배 타는 사람. 뱃사공. 또, 물고기나 조개를 잡는 사람. 어부(漁夫).

연:거[1]【碾車】명 씨아.

연:거[2]【燕居】명 한가히 있음. 한거(閒居). ——-하다 자 여불

연-거퍼【連—】부 ☞연거푸.

연-거푸【連—】부 잇따라 여러 번. ¶ ~ 담배를 피우다.

연:건【軟巾】명 소과(小科)에 뽑힌 사람에게 백패(白牌)의 증서를 줄 때 급제한 사람이 쓰던 건(巾).

연-건평【延建坪】명 건물이 차지한 바닥의 면적을 종합한 평수. 2층 건물인 경우, 1층과 2층의 평수를 합한 건평.

연게 명〈방〉연기(煙氣)❶(경상).

연견【延見】명 맞아들여 만나 봄. 영견(迎見). ——-하다 타 여불

연결[1]【連結】명 ①서로 이어 맺음. 잇대어 결합시킴. 결련(結連). ¶ ~ 퀴즈/객차를 ~하다. ②〖수〗위상 공간(位相空間)을 2개의 공집합(空集合)이 아닌 개집합(開集合)으로 나눌 수 없는 일. ③〖컴퓨터〗여러 개의 프로그램을 모아 하나의 프로그램으로 만드는 일. 흔히, 주(主)프로그램과 부(副)프로그램, 그리고 실행 라이브러리를 연결하여 실행이 가능한 목적 프로그램을 만드는 작업. 연계(連繫). 링크(link). ——-하다 타 여불

연:결[2]【戀結】명 사랑하고 그리어 잊을 수가 없음. ——-하다 타 여불

연결 결산【連結決算】[—싼] 명 모회사(母會社) 뿐 아니라 관련된 자(子)회사를 포함한 결산. 법적으로는 독립해 있어도 경영면에서는 동일체로 간주할 수 있는 기업 집단에서 이용함.

연결-구【連結具】명 연결시키는 도구(道具).

연결-기【連結器】명 철도 차량을 서로 연결하는 장치. 나사식·자동식·링크식(link 式) 등이 있으나, 흔히 자동식을 사용함. 자동식은 두 개의 차량을 가볍게 부딪치게 하면 자동적으로 연결되며, 핸들로써 쉽게 풀 수 있음.

연결-봉【連結棒】명〖기〗동력차(動力車)의 주동륜(主動輪)에 전달된 회전력(回轉力)을 다른 동륜에 전달하기 위하여, 동륜을 서로 연결한 「막대기.

연결-부【連結部】명 연결한 부분.

연결 생활체【連結生活體】명 [coenobium]〖생〗원생 동물(原生動物)의 군체(群體). 일정한 크기·형태·세포수를 갖지만, 세포간의 분화(分化)가 없는 것.

연결-선【連結線】[—썬] 명〖악〗'슬러(slur)'의 역어(譯語).

연결 어:미【連結語尾】명〖언〗활용어의 어말 어미의 한 갈래. 한 문장을 다음 문장이나 용언에 연결되게 하는 어말 어미. 대등적 연결 어미(-고·-며·-다가 …), 종속적 연결 어미(-면·-니 …), 보조적 연결 어미(-아·-어·-고·-지·-게 …)가 있음. *종결 어미·전성 어미.

연결 재무 제표【連結財務諸表】명 모회사(母會社)·자(子)회사의 개별(個別) 재무 제표를 하나의 표로 작성한 것. 기업 집단(企業集團) 전체에 대한 재무 제표.

연결 추리【連結推理】명 [polysyllogism]〖논〗둘 이상의 삼단 논법이 겹쳐 있어 앞의 삼단 논법의 결론이 뒤의 삼단 논법의 전제가 되는 추리. '모든 B는 C임. 모든 A는 B임. 그러므로 모든 A는 C임. 그런데 모든 C는 D임. 고로 모든 A는 D임.' 같은 것. 복합적 삼단 논법(複合的三段論法).

연결-형【連結形】명〖언〗용언의 활용형의 한 가지. 용언의 어미가 뒤따르는 문장이나 용언을 잇는 꼴로 된 것. *연결 어미.

연결 효소【連結酵素】명〖화〗리가아제(ligase).

연경[1]【連境】명 경계가 맞닿음. 또, 그 곳. 접경(接境). ——-하다 자 여불

연경[2]【連經】명〖천주교〗'연송(連頌)'의 구용어.

연경[3]【煙景】명 ①구름·연기 같은 것이 한가하게 어리어 있는 경치. ②아지랑이·남기(嵐氣) 같은 것이 어리어 아름다운 봄의 경치.

연경[4]【煙鏡】명 알 빛이 검은 색안경.

연경[5]【蓮莖】명〖식〗연의 지하경.

연:경[6]【燕京】명〖지〗중국 베이징(北京)의 고명(古名) 또는 아명(雅名). 옛날 연(燕)나라의 도읍(都邑)이었으므로 이렇게 부름. 「벼슬.

연경궁-사【延慶宮使】명〖역〗고려 때, 연경궁 제거사(提擧司)의 으뜸

연경궁 제거사【延慶宮提擧司】명〖역〗고려 때, 궁궐 안에서 전명(傳命) 및 잡역(雜役)을 맡아 보던 관청. 관원은 문종(文宗) 이래 사(使) 1명, 부사(副使) 1명, 녹사(錄使) 2명 등을 두었으나 뒤에 제거사(提擧司)로 바뀌면서 관원의 수와 명칭도 바뀌었음.

연계[1] 명〈방〉병아리(함북).

연계[2]【年戒】명〖불교〗수계(受戒)하여 중이 된 이후의 연수(年數).

연계[3]【連繫】명 ①이어서 맴. ②서로 밀접한 관련을 가짐. 또, 그러한 관계. ¶ 다른 사건과 ~되어 있다. ③다른 사람의 죄에 관련되어 옥에 맴. ④〖컴퓨터〗연결. ——-하다 타 여불

연:계[4]【軟鷄·健鷄】명 →영계.

연:계-구【軟鷄灸】명 영계 구이.

연:계 구이【軟鷄—】명 영계 구이.

연계 노해【連鷄魯蟹】명 충청 남도 연산(連山)에서 나는 닭과 노성(魯城)에서 나는 게. 맛이 좋기로 유명함.

연계 자:금【連繫資金】명〖경〗금융 기관(金融機關)의 융자(融資)에 있어서 융자 재원(財源)과 대상이 결정되어 있고 융자 대상의 자금 수요는 시급한 데 반하여 융자 재원의 조달에 상당한 시일을 요(要)할 경우, 융자 재원이 조달될 때까지의 공백기(空白期)를 이어가는 자금. 후일에 당초 예정되었던 재원이 조달 확보되는 대로 그 융자를 이체(移替)하게 됨. 「辭)로 되어 있는 판단.

연계적 판단【連繫的判斷】명〖논〗많은 주사(主辭)와 한 개의 빈사(賓

연:계-증【軟鷄蒸】명 영계찜.

연:계-타:령【軟鷄打令】명〖악〗전라 북도 임실 지방의 들노래의 가사.

연고[1]【年高】명 나이가 많음. 연로(年老). 연만(年晩). 연만(年滿). ——-하다 형 여불

연고[2]【年雇】명 ↗한년 고공(限年雇工).

연:고[3]【研考】명 연구하고 생각함. 고구(考究). ——-하다 타 여불

연:고[4]【軟膏】명 [ointment]〖약〗고약의 한 가지. 지방(脂肪)·글리세린·수지(樹脂) 같은 것에 경고(硬膏)를 섞어 만든 외용약(外用藥). 도약(塗藥). ↔경고(硬膏). 「로 맺어진 관계. ¶ ~ 관계(關係). ③인연.

연고[5]【緣故】명 ①사유(事由). 까닭. ②혈통·정분(情分) 또는 법률상으

연고-권【緣故權】[—꿘] 명 어떤 일에 특별한 연고(緣故)와 관계가 있어서 주어지는 그 일에 대한 우선권(優先權).

연:고동-자루맵시벌【軟古銅—】명〖충〗[*Paniscus testaceus*] 맵시벌과에 속하는 곤충. 암컷은 몸길이 19 mm, 두부는 황갈색, 단안(單眼) 주위는 흑색, 흉부는 대체로 흑갈색임. 제1 복절(腹節)은 흑색인데 광택이 나고, 제2·5·6절 기부(基部)는 흑갈색임. 송충나방의 유충에 기생하는데, 한국·일본·사할린에 분포함.

연고-로【然故—】부 '그러한 까닭으로'의 뜻의 접속 부사.

연고 모집【緣故募集】명〖경〗신주(新株) 또는 사채(社債)를 발행할 때

발행 회사의 연고자, 곧 거래처(去來處)·임원(任員)·종업원 등 안에서 만 주주 또는 사채권자를 모집하는 일. 사모(私募).

연고-자【緣故者】[명] 혈통·정분 또는 법률 상의 관계나 인연을 맺고 있는 사람. 연변(緣邊).

연고자 배:정【緣故者配定】[명] 〖경〗 신주(新株) 발행 때 발행 회사와 연고가 있는 사람, 즉 임원(任員)·종업원·거래선(去來先) 등에게 신주 인수권(引受權)을 주는 일.

연고-지【緣故地】[명] 혈통·정분 또는 법률 상의 인연이나 관계가 맺어진 곳. 곧, 출생지·거주지 같은 것.

연곡¹【連曲·聯曲】[명] 〖악〗 독립한 여러 개의 악곡이 모이어 이룬 하나의 악곡.

연곡²【輦轂】[명] 임금이 타는 수레.

연:곡-사【鷰谷寺】[명] 〖불교〗 전라 남도 구례군 토지면(土旨面) 내동리(內東里) 지리산에 있는 절. 신라 24대 진흥왕 5년(544)에 연기 조사(緣起祖師)가 창건, 임진 왜란과 6·25 전쟁에 불타고 1950년에 중건함. 국보로 지정된 동부도(東浮屠)와 동부도비(碑), 북부도(北浮屠) 및 보물로 지정된 3층 석탑·현각 선사 탑비(玄覺禪師塔碑)·서부도(西浮屠) 등이 있음.

연:곡사 동부도【鷰谷寺東浮屠】[명] 〖불교〗 연곡사에 있는 높이 3m 되는 화강암(花崗岩) 부도. 통일 신라 말기에 속하는 부도 중 그 형태가 가장 우미(優美)하고 조각이 정교한 작품임. 도선 국사(道詵國師)의 부도라고 전하나 확실하지 않음. 국보 제53호.

연:곡사 북부도【鷰谷寺北浮屠】[명] 〖불교〗 연곡사에 있는 높이 3m 되는 화강암(花崗岩) 부도. 고려 초기에 동부도(東浮屠)를 모방하여 건립함. 형태와 조식(彫飾)에 있어서 동부도와 더불어 이같은 형식의 부도를 대표함. 국보 제54호.

연곡지-하【輦轂之下】[명] 왕도(王都).

연:골【軟骨】[명] ①나이가 어려 채 뼈가 굳지 않은 체질. 또, 그 사람. ② 〖생〗 결체 조직(結締組織)의 일종이며 뼈와 함께 몸을 지지(支持)하는 무른 뼈. 대부분이 교질(膠質)로 되어 석회분(石灰分)이 적고, 부유스름한 빛으로 반쯤 투명하며, 탄력이 많으면서도 연하여 구부러지기 쉬움. 관절의 양편 뼈끝·콧마루·귓바퀴 등에 있음. 여린뼈. 물렁뼈. ↔경골(硬骨)❶. *오도독뼈.

연:골내 골화【軟骨內骨化】[-래-] [명] 〖의〗 연골성 뼈 발생 양식의 하나. 연골의 붕괴(崩壞)를 수반하는 골세포의 신생 과정(新生過程)이 연골 안에서 진행되는 것. 곧, 뼈의 연골 기질(軟骨基質)에 석회화(石灰化)가 일어나 그 표면에 세포와 혈관이 많은 조골(造骨) 조직이 생겨 연골 내에서 석회화한 기질을 파괴하여 연골 세포가 유리(遊離) 소멸되며, 이 과정이 점차 주위에 파급됨. ↔연골외 골화.

연:골 단:백질【軟骨蛋白質】[명] 〔chondroprotein〕 〖생〗 연골 중에 존재하는 당단백질(糖蛋白質).

연:골-류【軟骨類】[명] 〖어〗 판새류(板鰓類).

연:골-막【軟骨膜】[명] 〖생〗 연골을 덮은 결체 조직성 피막(被膜). 혈관과 신경을 통하고 연골에 영양(營養)을 공급함.

연골-막이 [명] 〈방〉 골막이.

연:골성 골화【軟骨性骨化】[-썽-] [명] 〖생〗 뼈가 우선 연골 조직의 상태로 발생하여 이차적(二次的)으로 골조직(骨組織)에 의해서 치환되는 뼈의 발생 양식의 하나. 척추·늑골을 비롯하여 몸의 대부분의 뼈의 발생이 이 양식에 의함. ↔결합 조직성 골화.

연:골성 외:골종【軟骨性外骨腫】[-썽-쫑] [명] 〖의〗 뼈 표면에 생기는 골종(骨腫). 유전성이며 유년기(幼年期)에 발생함. 가시 모양·봉상(棒狀) 등 여러 가지 모양으로 되어 있으며, 쇄골(鎖骨)·견갑골(肩甲骨)에도 발생함. 일반적으로 자각 증상(自覺症狀)은 없고, 치료는 골종을 절제(切除)함.

연:골 세:포【軟骨細胞】[명] 〔chondrocyte〕 〖생〗 연골 조직에 있는 기본 세포. 원형 또는 타원형으로 표면은 평평함. 두족류(頭足類)의 경우는 많은 돌기(突起)가 있음. 세포는 한 개씩 분산된 경우와 3·4개가 무리를 이룬 경우가 있음.

연:골어-류【軟骨魚類】[명] 〖동〗 〔Chondrichthyes〕 척추 동물(脊椎動物)에 속하는 한 강(綱). 경골(硬骨)을 갖지 아니하고 골격(骨格)이 연골로 된 원시적인 어류. 부레가 없고, 아가미는 몇 개의 아감 구멍에 의해 바깥과 통함. 판새류(板鰓類)·전두류(全頭類) 등이 이에 속함. ↔경골어류.

연:골외 골화【軟骨外骨化】[명] 〖의〗 연골 표면 중, 골체(骨體)의 중앙부에 조골 세포(造骨細胞)가 부착(附着)하여 골판(骨板)이 형성(形成)되는 일. ↔연골내 골화.

연골 접합【軟骨接合】[명] 연골을 사이에 두고 두 뼈가 연결되는 방법. 조금은 움직일 수 있으나, 마음대로 운동할 수는 없음. 등뼈와 등뼈 사이의 결합, 갈비뼈와 가슴뼈 사이의 결합에서 볼 수 있음.

연:골 조직【軟骨組織】[명] 〖생〗 척추 동물 및 그 두족류(頭足類)에서 볼 수 있는 탄성(彈性)이 풍부한 지지(支持) 조직. 연골 세포와 다량의 연골 기질(軟骨基質)로 되어 있으며 유백색(乳白色) 또는 대황색(帶黃色)임. 물렁뼈 조직.

연:골-종【軟骨腫】[-쫑] [명] 〔chondroma〕 〖의〗 연골 세포의 이상 증식(增殖)에 의하여 일어나는 양성 종양(良性腫瘍).

연:골-질【軟骨質】[-찔] [명] 〔chondrin〕 〖생〗 단단한 젤라틴상(gelatine狀)의 단백질. 연골을 형성하는 콜라겐(collagen)에서 얻음.

연골-판【軟骨板】[명] 〔articular disk〕 〖생〗 관절강(關節腔)을 나누는 섬유 연골성(纖維軟骨性) 원판(圓板).

연:골-한【軟骨漢】[명] 의지가 박약하고 절조(節操)가 없는 사내. ↔경골한(硬骨漢).

연공¹【年功】[명] ①연래(年來)의 공로(功勞). 오래 근속한 공적. ②여러 해 동안 익힌 기술.

연:공²【研攻】[명] 연구(研究). ——-하다 [타][여불]

연공³【聯筇】[명] 연몌(聯袂). ——-하다 [자][여불]

연공 가급【年功加給】[명] 연공 가봉.

연공 가봉【年功加俸】[명] 여러 해 힘쓴 공로에 대하여 본봉 외에 더 주는 봉급. 연공 가급.

연공 서:열【年功序列】[명] 근속 연수·나이가 늘어감에 따라 지위가 올라가는 일. 또, 그 체계.

연공 서:열형 임:금【年功序列型賃金】[명] 근속(勤續) 연수의 길고 짧음이 임금 결정 요인(要因)으로서 크게 작용(作用)하고 있는 임금 형태. [준]연공 임금.

연공 임:금【年功賃金】[명] ↗연공 서열형 임금.

연:과【燕窠】[명] 연소(燕巢)❶.

연:곽【戀廓】[명] 유곽(遊廓).

연관¹【連貫】[명] 잇따라 과녁의 복판을 맞힘. ——-하다 [타][여불]

연:관²【捐館】[명] 살던 집을 버린다는 뜻으로, 사망(死亡)의 경칭(敬稱). 연관사(捐館舍).

연관³【煙管】[명] ①담뱃대. ②연기가 통하는 관. ③보일러의 화상(火床)에서 발생한 화기(火氣)를 통과시키는 관. 이 관을 통과하는 동안에 보일러물에 열을 전함.

연관⁴【鉛管】[명] 배수·급수를 하거나 가스 등을 통하게 하는 데 쓰는 납으로 만든 가늘고 긴 관.

연관⁵【筵官】[명] 〖역〗 연신(筵臣).

연관⁶【聯關】[명] ①관련❷. ¶~성. ②많은 경험 내용이 일정한 관계에 따라 결합하여 하나의 전체를 구성하는 일. ¶~관계. ③〔linkage〕 〖생〗 멘델(Mendel)의 독립의 법칙에 따르지 않는 유전 현상. 둘 또는 그 이상의 유전 인자가 같은 염색체 안에서 같은 행동을 취하는 현상. 연쇄(連鎖). 관련(關聯). 링키지. ——-하다 [자][여불]

연관-군【聯關群】[명] 〔linkage group〕 〖생〗 동물 염색체(染色體) 상에 있는 유전자(遺傳子)가 서로 밀접하게 관련하고 있는 일군(一群). 그 수는 체세포(體細胞)의 염색체수의 2분의 1임. 연관군(聯關群). 연쇄군(連鎖群). 링키지군(linkage群).

연관 보일러【煙管—】〔boiler〕 [명] 보일러의 일종. 보일러의 몸체 안에 금속관(金屬管)을 여럿 넣고, 그 속에 고온(高溫)의 화기(火氣)를 도입해서 물을 데우는 보일러.

연:-관사【捐館舍】[명] 연관(捐館).

연관 생활【聯關生活】[명] 〖생〗 일정한 지역에 사는 생물군이 전체적으로 연관하여 평형(平衡)을 유지하는 일종의 공동 생활.

연관-성【聯關性】[-썽] [명] 관련성(關聯性).

연관식 증기관【煙管式蒸氣罐】[명] 연관 보일러.

연관-장이【煙管匠—】[명] 담뱃대 만드는 일을 업으로 삼는 사람.

연관-통【聯關痛】[명] 〖의〗 내장(內臟)에 질환이 있을 때 일정한 피부부(皮膚部)에 투사(投射)되어 느끼는 통증. 이를테면 췌염(膵炎)일 때에 느끼는 좌측 흉부(左側胸部)의 피부의 통증 따위.

연광¹【年光】[명] ①변하는 사시(四時)의 경치. ②젊은 나이. ③세월.

연광²【鉛鑛】[명] 납을 캐는 광산.

연광상 연대【鉛鑛床年代】[-년-] [명] 〔ore-lead age〕 〖지〗 두 개의 방사성 붕괴 계열 ^{235}U-^{207}Pb와 ^{238}U-^{206}Pb와의 상대적 추이(推移)를 비교함으로써 측정하는 지구의 연대. 또, 그 측정.

연광-어【—魚】[명] 〈방〉 은어(銀魚).

연:광-정【練光亭】[명] 〖지〗 평양(平壤)의 대동강(大同江) 가에 있는 정자. 대동강을 내려다볼 수 있는 바위 위에 있음.

연교¹【連翹】[명] ①〖식〗 개나리. ②〖한의〗 개나리의 열매. 성질이 냉(冷)하며, 이뇨(利尿)·살충·지통(止痛)·소종 배농(消腫排膿)하는 데에 내복약으로 씀.

연교²【筵敎】[명] 〖역〗 연석(筵席)에서 내리는 임금의 명령.

연:-교육【軟敎育】[명] 〖교〗 아동이 흥미(興味)·취미(趣味)를 따라서 행하는 것을 구태여 속박(束縛)하려 하지 아니하는 교육의 방법. ↔경교육(硬敎育).

연교-차【年較差】[명] 〖기상〗 기온이나 습도 등의 1년 간의 측정치의 최대치(最大値)와 최소치의 차. *일교차(日較差).

연교 패독산【連翹敗毒散】[명] 〖한의〗 화농성(化膿性) 질환의 소염(消炎)·해열(解熱)·배농(排膿) 작용에 쓰이는 처방.

연교-화【連翹花】[명] 〖식〗 개나리꽃.

연구¹ [명] 〈방〉 연기(煙氣)(경기).

연구²【年久】[명] 여러 해가 됨. 세월이 오래됨. ——-하다 [형][여불]

연:구³【研究】[명] 어떠한 일이나 사물에 대하여, 그 원리와 현상을 깊이 조리 있게 캐고 조사하며 생각하는 일. 연공(研攻). ——-하다 [타][여불]

연구⁴【連丘】[명] 연속하여 있는 언덕.

연:구⁵【軟球】[명] ①연식(軟式) 야구에서 쓰는 고무공. 딱딱하고 표면이 올통볼통함. 스펀지 볼(sponge ball). ② 연식 정구에서 쓰는 무른 고무공. ↔경구(硬球).

연:구⁶【燕口】[명] →연귀.

연구⁷【聯句】[명] 〖문〗 한시(漢詩)의 대구(對句).

연:구-가【研究家】[명] 연구하는 사람.

연:-구개【軟口蓋】[명] 〖생〗 입천장의 한 부분. 경구개(硬口蓋)의 뒤쪽에 있는 연한 곳인데, 점막(粘膜) 밑에 횡문근(橫紋筋)이 있어 코로 음식물이 들어가는 것을 막으며 뒤 끝 중앙(中央)에 목젖이 있음. 여린 입천장. ↔경구개(硬口蓋).

연:구개-음【軟口蓋音】[명] 〔soft palatal〕 〖언〗 연구개와 혀의 후부(後

部)로써 내는 자음(子音) 또는 반모음(半母音). k·g·x·ç·j·ŋ 등. 여린 입천장소리. 후(後)구개음. ↔경(硬)구개음.

연:구 논문【研究論文】명 어떤 학문이나 사물에 대하여 연구한 바를 적은 논문.

연:구 단체【研究團體】명 같은 연구물의 공동 연구를 위한 단체.

연:구-림【研究林】명 학교·기관 등에서, 연구를 위하여 설정한 삼림.

연:구-물【研究物】명 연구의 대상이 되는 목적물.

연:구-비【研究費】명 어떤 사물의 연구에 소요되는 비용.

연:구-생【研究生】명 ①정규(正規)의 대학을 마치고 학위를 얻기 위하여 연구 기관에 머물러 더 연구하는 학생. ②취미나 소질에 따라 어떤 일이나 사물에 대하여 연구하는 학생.

연구 세:심【年久歲深】명 세월이 오래 됨. 세구 연심(歲久年深). 연구 월심(年久月深). 연심 세구(年深歲久). ——-하다 형여불

연:구-소【研究所】명 연구하는 곳. 연구를 전문으로 하는 기관(機關).

연:구 수업【研究授業】명 수업 방법의 개선(改善)이나 새 계획·새 교재에 의한 교육의 효과 측정(效果測定) 등의 목적으로, 참관자를 앞에 두고 하는 수업.

연:구-실【研究室】명 학교나 기관에 부설되어 어떤 사물의 연구를 전문으로 하는 기관(機關) 또는 방.

연:구-심【研究心】명 연구하고자 하는 마음.

연:구-열【研究熱】명 연구하려는 열성. 연구하고자 하는 정열.

연:구-용【研究用】명 연구에 소용됨. ¶~ 자재.

연구-운【連句韻·聯句韻】명 ①한시(漢詩)에서 매구마다 압운(押韻)하는 것을 이름. ②두 사람 이상 여러 사람이 한 사람씩 같은 운으로 시를 읊어 구(句)를 연합하여 한 수의 시를 완성하는 일.

연:구-원【研究員】명 연구에 종사하는 사람.

연구 월심【年久月深】[—씸] 명 연구 세심(年久歲深). ——-하다 형여불

연:구-자【研究者】명 연구하는 사람.

연:구 재료【研究材料】명 연구의 도움이 되는 재료. 또, 연구의 대상물로서의 재료.

연:구-적【研究的】명관 연구에 관한 모양. 연구함.

연:구-지【研究誌】명 연구한 결과를 발표하는 잡지.

연:구 학교【研究學校】명 교육의 이념·방침 및 기술을 연구하기 위하여, 지정된 고등 학교·중학교·초등 학교.

연:구-회【研究會】명 연구를 목적으로 토론·의견 교환 등을 하기 위하여 모이는 모임. 또, 그 단체.

연군【烟軍】명〖역〗↗연호군(烟戶軍).

연:궁【軟弓】명 가장 무른 활. ↔강궁(強弓).

연:귀 명〖건〗[←연구(燕口)] 면과 면을 맞추기 위하여 문짝 등의 귀 끝을 모지게 엇벤 곳.

연:귀-실 명〖건〗연귀에 있는 실 모양의 장식물.

연:귀-자 명 연귀를 맞추는 데 쓰는 45°로 올모진 틀자의 하나.

연:귀-판【—板】명 나무를 45°가 되게 깎을 때 쓰는 틀.

연:극[1]【演劇】명 ①〖연〗배우가 연출자나 감독의 지도 아래 각본(脚本)에 의하여 분장(扮裝)하고 음악·배경·조명 또는 그 밖의 여러 가지 장치(裝置)의 힘을 빌려서 어떠한 사건과 인물을 구체적(具體的)으로 연출하여 관객(觀客)에게 보이는 예술. ②마음에 없는 것을 있는 것처럼 또는 실지(實地)로 그렇지 아니한 일을 그럴싸하게 홀로 또는 서로 짜고 행동하는 일.

연:극 놀:다 구 남을 후리거나 속이기 위해 진실처럼 꾸며서 행동하다.

연극[2]【輦劇】명 경극(京劇)❶.

연:극-계【演劇界】명〖연〗연극인의 사회.

연:극-단【演劇團】명 연극인(演劇人)의 단체. 극단(劇團).

연:극-론【演劇論】[—논] 명 연극에 대한 이론·평론 또는 논의.

연:극 박물관【演劇博物館】명 연극에 관한 서적 및 자료(資料) 등을 모아 놓고 일반에게 관람시키는 박물관.

연:극 영화과【演劇映畫科】[—녕—꽈] 명〖교〗대학에서, 연극·영화를 전공하는 학과. *사진학과(寫眞學科).

연:극-인【演劇人】명 연극을 직업으로 하는 사람.

연:극-장【演劇場】명 배우가 연극을 하는 곳. 희대(戲臺). 극장(劇場).

연:극-제【演劇祭】명 연극의 발전과 보급을 목적으로, 여러 단체가 참가하여 공연을 벌이는 행사.

연:극-학【演劇學】명〖연〗희곡(戲曲)·배우·연출(演出)·무대 장치(舞臺裝置)·조명·음악 등 연극의 여러 가지 요소(要素)를 구체적(具體的)으로 연구하는 학문.

연근【蓮根】명〖식〗연의 지하경(地下莖). 구멍이 많으며 저냐·죽·정과(正果) 같은 음식을 만드는 데 쓰임. 연우(蓮藕). 우근(藕根). 연뿌리.

연근 저:냐【蓮根—】명 생연근을 강판에 간 다음에 굵은 체로 걸러서 물을 빼고, 밀가루와 소금을 조금 섞고 큼직하게 둥글려, 기름에 띄워 지진 음식.

연근 정:과【蓮根正果】명 생연근을 엇썰어서 삶은 다음에 소금물에 담가 식경(食頃)쯤 지난 다음에 다시 꿀물에 담가, 뭉근한 불로 조려서, 호박(琥珀)빛이 난 뒤에 퍼 내어 식힌 음식.

연근해 복지 모:선【沿近海福祉母船】명 연근해를 항해하면서, 바다에서 조업 중(操業中)인 어선에 대하여 의료·보급·수선 등의 혜택을 베풀고 조업 지도를 하는 배.

연금[1]【年金】명 매년 일정한 금액을 정기적으로 주는 제도하에서 지급되는 돈. 노령·퇴직·폐질(廢疾)·사망 등으로 인한 소득 상실에 대한 보장의 목적을 가짐. 우리 나라에서는 국가 유공자에게 국가가 무상으로 급여하는 것과, 근로자나 국민이 일정 기간 기여금이나 보험료를 납부하고 받는 유상(有償)의 것이 있음. 공적(公的) 연금으로는 공무원 연금·군인 연금·사립 학교 교원 연금·국민 연금의 네 가지가 있음.

연:금[2]【捐金】명 ↗의연금(義捐金).

연:금[3]【軟禁】명 정도가 너그러운 감금. 신체의 자유는 구속하지 아니하고 다만 외부와의 연락을 제한(制限) 또는 감시(監視)하는 정도의 감금. ——-하다 타여불

연:금[4]【鍊金】명 쇠붙이를 불에 달구어 단련함. ——-하다 자여불

연금 공채【年金公債】명〖경〗이자(利子)와 원금(元金)의 한 부분과의 합계를 연금의 형식으로 상환(償還)하는 조건 아래 기채(起債)한 공채. 영구(永久) 공채.

연금 보:험【年金保險】명〖경〗보험 금액을 연금으로 하여 피보험자의 종신 동안 또는 일정 기간 동안 해마다 일정액의 금액을 지불할 것을 약속하는 생명 보험의 하나.

연:금-사【鍊金師】명 연금술(鍊金術)에 관한 기술을 가진 사람.

연금-산【年金算】명〖수〗상업 산술의 한 가지. 연금액·연금 수수(授受) 기간·이율 같은 것을 대상으로 하는 계산.

연금-세【年金稅】명 연금에 부과하는 세금(稅金).

연:-금속【軟金屬】명 경도가 작아 단단하지 않고 무른 금속.

연:금-술【鍊金術】명 옛날 이집트에서 시작되어 아라비아를 거쳐 유럽에 전해진 원시적 화학 기술. 17세기 초의 근대 화학 성립 이전에 널리 행해진 원시적 화학 기술 전반을 가리킴. 비금속(卑金屬)을 귀금속으로 변화시키며 또 불로 불사의 장수약(長壽藥)과 만능약(萬能藥)을 만들려고 하던 화학 기술.

연금 신:탁【年金信託】명 신탁형(信託型)의 기업 연금을 이르며 지정 금전 신탁(指定金錢信託) 단독 운용의 한 가지. 기업, 곧 위탁자가 기금을 신탁하면 신탁 회사는 제도 설계(制度設計)·기금 관리 운용·퇴직 종업원, 곧 수탁자에 대한 연금 급부를 행함.

연금 자동 슬라이드제【年金自動—制】[slide] 명 연금 제도에서, 인플레이션에 의하여 연금액의 가치가 떨어질 경우, 이를 일정한 경제 지표(經濟指標)에 연동(連動)시켜, 연금액(年金額)을 자동적으로 개정(改定)하는 제도.

연금 제:도【年金制度】명 폐질(廢疾)·노령(老齡)·사망(死亡)에 따른 당사자 및 유족의 생활 보장을 위하여 매년 일정액의 금전을 지급하는 제도. *연금(年金).

연금 종가【年金終價】[—까] 명 매기(每期)의 연금과 최종 기말까지의 이자(利子)와의 총합(總合).

연금 증서【年金證書】명 연금을 받을 수 있는 권리 또는 자격을 증명하는 문서(文書).

연급[1]【年級】명〖교〗학생의 학력에 따라서 학년별로 갈라 놓은 등급.

연급[2]【年給】명 일 년간의 급료. 일 년으로 정한 봉급. 연봉(年俸).

연급-제【年給制】명 정액제(定額制)의 한 가지. 직원(職員)·사원(社員) 등에 대하여 임금을 일 년마다 지급(支給)하는 제도. *일급제(日給制)·월급제(月給制).

연긍【延亙】명 길게 뻗침. 면긍(綿亙). ——-하다 자여불

연기[1]【年忌】명 사람이 죽은 후 해마다 돌아오는 기일(忌日). 명일(命日).

연기[2]【年紀】명 ①대강의 나이. ②자세하게 적은 연보(年譜).

연기[3]【年期】명 연한(年限).

연기[4]【延期】명 기한을 물려서 늘림. ——-하다 타여불

연기[5]【連記】명 잇대어 적음. ↔단기(單記)❶. ——-하다 타여불

연기[6]【連棋】명 대국(對局)하는 쌍방이 다 복수(複數)로 편을 짜고, 각각 일정수의 착수(着手)를 교대해서 두어 나가는 바둑. 서로 착수에 관한 의논을 할 수 없는 점이 상담기(相談棋)와 다름.

연기[7]【煙氣】명 ①물건이 탈 때에 나는 검고 부연 기체. *내[1]. ②〖공〗기체 중에 고체 또는 액체가 0.01-5.0μm의 미립자로 되어 분산하고 있는 것.

연:기[8]【演技】명 ①관객 앞에서 연극·곡예·가무·음곡 등의 기예(技藝)를 행동하여 보이는 일. 또, 그 재주. 연예(演藝). 액션(action). ¶~자(者) ②체조 따위의 경기에서, 선수가 행동하여 보이는 재주. ——-하다 자여불

연기[9]【緣起】명〖불교〗[↗인연 생기(因緣生起)] 일체(一切)의 존재는 모두 상대적 의존(相對的依存)의 관계에서 성립하는데, 그 관계의 상대적 작용을 이르는 말. 우주 만유(宇宙萬有)에 대한 불교의 기본적인 관념임. 기연(起緣).

연기[10]【緣起】명〖사람〗신라 진흥왕(眞興王) 때의 중. 전라 남도 구례군(求禮郡)에 있는 화엄사(華嚴寺)를 창건하였음. 저서에 ≪대승 신기론 주망(大乘信起論註網)≫·≪화엄경 요결(華嚴經要訣)≫ 등이 있음. 생몰년 미상.

연기[11]【聯騎】명 말을 나란히 타고 감.

연기 계:약 이민【年期契約移民】명 [indentured servant]〖역〗17-18세기에 유럽에서 미국으로 이주할 때 도항비(渡航費)를 지출받는 값으로 일정 기간 노동을 하기로 계약하고 이주한 사람들. 연기 만료 후에는 자영(自營) 농민이 될 수 있었음. 흑인 노예의 이입과 더불어 그 수가 감소되었는데 독립 혁명 직전에 당시 인구의 약 반수를 이들과 그 자손이 차지하고 있었음.

연기-군【燕岐郡】명〖지〗충청 남도의 한 군. 관내 1읍 7면. 동은 충청 북도 청원군(淸原郡), 북은 천안시(天安市), 서는 공주시(公州市), 남은 대전 광역시에 인접하였음. 주요 산물로는 농산과 약간의 광산이 있고 양잠업(養蠶業)이 활발함. 명승 고적으로는 비암사(碑岩寺)·운주산성(雲柱山城)·독락정(獨樂亭)·문절사(文節祠) 등이 있음. 군청 소재지는 조치원(鳥致院)읍. [361.56 km^2 : 80,717명(1990)]

연기-론【緣起論】명〖불교〗시간적으로 본 만물의 생성 과정에 관한 일체의 불교적인 고찰. 연기(緣起)의 법칙에 대한 여러 가지 학설로, 아함(阿含)의 십이(十二) 연기, 구사(俱舍)의 업감(業感) 연기, 유식(唯識)의 뇌야(賴耶) 연기, 화엄(華嚴)의 법계(法界) 연기, 진언(眞言)의 육대

(六大) 연기 등의 이론이 있음. 연기설.

연기명 투표【連記名投票】명 〖법〗 연기 투표(連記投票). ↔단기명 투표(單記名投票).

연기 반:응【延期反應】명 〖심〗 지연 반응(遲延反應).

연기-받이【煙氣一】[一바지] 명 ①담뱃대 물부리에 난 가는 구멍. ②낮은 굴뚝이나 함실 아궁이 위의 직접 그슬리기 쉬운 곳에 가리어 댄 판자 따위.

연기-설【緣起說】명 〖불교〗 연기론(緣起論).

연기 소:작【年期小作】명 〖농〗 지주가 농지를 일정한 기한을 정하여 소작인에게 빌려 주고 경작시키는 소작.

연기 어음【延期一】명 〖경〗 이미 발행한 어음의 지급을 연기할 목적으로 그 기한을 다시 연장하여 새로 발행하는 어음.

연-기우【延基羽】명 〖사람〗 조선 시대 말기의 의병장(義兵將). 강화 진위대(江華鎭衛隊) 부교(副校)로 있을 때 융희(隆熙) 1년(1907) 군대가 해산되자 덕물포(德物浦)에서 의병(義兵)을 일으켜 일본군과 싸우다 패하고, 다시 의병을 모아 창의 존양 군사부 대장(倡義尊攘軍師府大將)이 되어 적성(積城)·삭녕(朔寧) 등지에서 활약하고, 융희 3년(1909) 창의 한북 대장(倡義韓北大將)으로서 연천(漣川)·이천(利川) 등지에서 역전(歷戰)함. 생몰년 미상.

연:기-자【演技者】명 〖연〗 스크린이나 무대에 출연하여 연기를 하는 사람.

연:기-장【演技場】명 연기를 하는 곳. 연예장(演藝場).

연:기-적【演技的】명관 남의 눈을 의식하여, 자연스럽지 못하고, 일부러 꾸며서 행동하는 모양.

연:-기지【軟基地】명 〖군〗 적의 공격에 대하여 취약(脆弱)한 군사 기지(軍事基地).

연기 탐지기【煙氣探知機】명 〖공〗 주로 실내에서 연기의 농도가 규정보다 높아지면 경보(警報)를 발하는 광전식(光電式) 장치. 화재 예방용 기기(機器)의 하나임.

연기-통【煙氣筒】명 〈방〉 연통.

연기 투표【連記投票】명 〖법〗 한 번의 투표에서 둘 이상의 피선거인을 적는 투표제. 연기명 투표. ↔단기 투표(單記投票).

연기 항:변【延期抗辯】명 〖법〗 청구권의 행사를 저지(阻止)하고 일시 이행을 거절할 수 있는 효력을 가지는 항변.

연길[1]【延吉】명 〖지〗 '옌지'를 우리 음으로 읽은 이름.

연:길[2]【涓吉】명 혼인, 기타의 경사 때 택일(擇日)함. ——하다 자여불

연:까시 명 〈방〉 사마귀(경상).

연-꽃【蓮一】명 ① [*Nelumbo nucifera* var. *macrorhizimata*] 연꽃과의 다년생 수초. 근경은 비후하고 마디가 있으며 가로 뻗음. 잎은 근생(根生)하고 물 위에 뜨며 직경 40 cm 내외의 원순형(圓楯形)이고, 잎꼭지에 짧은 가시가 났음. 7-8월에 직경 20 cm 가량의 담홍색 또는 백색 꽃이 화경(花莖)이나 줄기 끝에 하나씩 피는데, 한낮에는 오므림. 과실은 길이 2 cm의 타원형임. 가을에 근경(根莖)은 비대하여 괴경(塊莖)을 이룸. 인도·이집트의 원산으로 연못에 나는데, 각지에서 재배함. 과실은 '연밥'이라 하고 괴근·종자와 함께 식용 및 약용함. 불가(佛家)에서 썩 존숭하며, 장수(長壽)·건강·명예·불사(不死)·행운·군자(君子)를 상징함. 연. 뇌지(雷芝). 연하(蓮荷). ② 연의 꽃. 만다라화(曼陀羅華). 연화(蓮花). 우화(藕花). 부용(芙蓉).

〈연꽃❶〉

연꽃-끌【蓮一】명 연꽃처럼 날의 한 편이 오목하게 생긴 끌. 조각(彫刻)하는 데 많이 씀.

연꽃 누룩【蓮一】명 연꽃과 밀가루와 녹두와 찹쌀을 짓찧은 다음에 천초(川椒)를 넣고 한데 반죽하여 만든 누룩. 연화국(蓮花麴).

연꽃-진달래【蓮一】명 〖식〗 [*Rhododendron japonicum*] 철쭉과에 속하는 일본 원산(原産)의 낙엽 관목(灌木). 높이는 1-2 m로 분지(分枝)가 잘 되며 잎은 도피침형에 끝은 뭉뚝하거나 둥긂. 꽃은 4-6월에 몇 개가 산형상(繖形狀)으로 정생(頂生)하며 보통 주홍색에 위에는 반점이 있음. 정원수·관상용으로 심고, 고원이나 평지에도 자생(自生)함.

연-꾼【煙一】명 〈속〉 광(鑛)군. *연군(烟軍).

연나【椽那】명 〖역〗 고구려 오부(五部)의 하나로, 삼국 사기(三國史記)의 서칭(書稱). 처음 이 부(部)에서 왕(王)이 나오다가 뒤에 계루부(桂婁部)에 빼앗김. 연노(涓奴).

연:-나라【燕一】명 〖역〗 중국의 '연(燕)'을 나라로서 똑똑히 일컫는 말.

연낙【然諾】명 쾌히 허락함. ——하다 타여불

연-날리기【鳶一】명 연을 공중에 띄우는 놀이. 비연(飛鳶). ¶~ 대회.

연납[1]【延納】명 기한보다 늦게 납입(納入)함. 납입 기한을 연기(延期)함. ——하다 타여불

연:납[2]【捐納】명 돈이나 곡식을 상납하고 벼슬 자리를 얻던 일.

연내【年內】명 이 해안. 올해 안. ¶~에 완성하다.

연내 입춘【年內立春】명 음력으로 그 해 안에 입춘이 됨. 음력으로 새해를 맞기 전에 입춘이 옴.

연:녀【燕女】명 ①여색(女色)에 빠짐. ②중국의 연(燕)·조(趙) 두 나라에 미인이 많았다는 데서, 미인을 이르는 말.

연년[1]【年年】명 해마다. 매년. 세세(歲歲).

연년[2]【延年】명 ↗연년 익수(延年益壽). ——하다 자여불

연년[3]【連年】명 여러 해를 계속함. ——하다 자여불

연년-생【連年生·年年生】명 해마다 아이를 낳음. 또, 그렇게 태어난 아이. 곧, 한 살 터울로 된 아이.

연년 세:세【年年歲歲】명부 '매년(每年)'을 강조하여 이르는 말. 세세연년(歲歲年年).

연년-이【年年一】부 해마다 거르지 아니하고. ¶~ 득남(得男)하다.

연년 익수【延年益壽】명 수명을 더 오래 늘여 나감. 준연년(延年)·연수(延壽). ——하다 자여불

연노[1]【連弩】명 일시에 많은 화살을 쏠 수 있게 된 활. 쇠뇌.

연:노[2]【涓奴】명 〖역〗 연나(椽那).

연-노랑【軟一】명 연하게 노란 빛. 연한 노랑.

연노랑-들명나방【軟一螟一】명 〖충〗 [*Evergestis extimalis*] 명나방과에 속하는 곤충. 편 날개의 길이는 23 mm 내외(內外), 몸빛은 담황갈색에 앞날개의 짙은 외연부(外緣部)는 넓은데, 그 중앙은 갈색이며 횡선부(橫線部)에는 적갈색의 점이 많음. 뒷날개의 외연은 갈색임. 유충은 겨잣과 식물의 해충임. 한국에도 분포함. 검은가노랑명충나방.

연노히 명 〈옛〉 연 날리기. ¶팔워릐 연노히 ᄒᆞᄂᆞ니(八月裏却放鶴兒) ≪朴解 上 17≫.

연:-녹색【軟綠色】명 옅은 녹색.

연-놈 명 계집과 사내를 낮추어 욕으로 일컫는 말. ¶~이 한통이 되어.

연:니【軟泥】명 부유 생물(浮游生物)의 유해(遺骸)가 침적(沈積)하여 된 무른 흙.

연ᄂᆞᆫ 타 〈옛〉 여쭙는. '엳다'의 활용형. ¶그 연ᄂᆞᆫ 공ᄉᆞ를 올타 ᄒᆞ시니(使人可其奏) ≪飜小 IX:42≫.

연:단[1]【煉丹】명 ①옛날 중국에서 도사(道士)가 진사(辰砂)로 황금이나 약(藥) 같은 것을 만들었다고 하는 일종의 연금술. ②체기(體氣)를 단전(丹田)에 모으는 수련법(修鍊法).

연단[2]【鉛丹】명 〖화〗 '사산화(四酸化) 삼(三)납'의 속칭(俗稱). 광명단(光明丹).

연:단[3]【演壇】명 연설이나 강연을 하는 사람이 올라 서는, 조금 높게 만든 단(壇). 연대(演臺). ¶~에 오르다.

연단[4]【椽端】명 〖건〗 서까래 끝.

연:단[5]【撚斷】명 비틀어서 끊음. ——하다 타여불

연:단[6]【鍊鍛】명 단련(鍛鍊). ——하다 타여불

연-단수【連單手】명 바둑에서, 연속적으로 부르는 단수.

연-달[1]【鳶一】[一딸] 명 연(鳶)의 머리·허리·가운데와 네 귀를 얽어서 꼬챙이처럼 깎아 붙이는 대. 머릿달·허릿달·꽁숫달·귓달 등의 구별이 있음. 달.

연:달[2]【鍊達·練達】명 익숙하고 단련(鍛鍊)이 되어서 휑하게 통함. ——하다 자여불

연-달다【連一】타 연하여 잇달다.

연:-달래【軟一】명 ①〈방〉 진달래(경상). ②〈속〉'앳된 처녀(處女)'의 은어(隱語). *진달래.

연담[1]【淵潭】명 심연(深淵).

연담[2]【緣談】명 혼담(婚談).

연담[3]【蓮潭】명 〖사람〗 ①조선 정조(正祖) 때의 명승(名僧). 이름은 유일(有一). 자는 무이(無二). 속성(俗姓)은 천씨(千氏). 호남(湖南) 화엄종(華嚴宗)의 종주(宗主)임. 저서에 ≪화엄종 유망기(華嚴宗遺忘記)≫가 있음. ②김명국(金命國)의 호(號).

연담-기【蓮潭記】명 〖불교〗 화엄종 유망기(華嚴宗遺忘記).

연담-문【蓮潭門】명 〖불교〗 조선 중기의 고승 유일(有一)이 세운 불교 문파(門派)의 하나.

연당[1]【鉛糖】명 〖화〗 초산(醋酸) 납❶.

연당[2]【蓮堂】명 연꽃을 구경하기 위하여 연못 가에 지은 당. 연정(蓮亭).

연당[3]【蓮塘】명 연못.

연대[1]【年代】명 ①해와 대의 수. ②지나온 시대. ③시대❷.

연대[2]【連帶】명 ①두 사람 이상이 공동하여 책임을 짐. ¶~ 보증. ②서로 연결함. ——하다 자타여불

연대[3]【椽大】명 서까래만한 크기.

연대[4]【煙臺】명 담뱃대.

연대[5]【煙臺·烟臺】명 ①봉화둑. ②조선 시대 때, 해륙 변경(海陸邊境)의 제일선에 설치한 봉화대. 연변 봉수(沿邊烽燧).

연대[6]【煙臺】명 〖지〗 '옌타이'를 우리 음으로 읽은 이름.

연:대[7]【演臺】명 연단(演壇).

연대[8]【蓮臺】명 〖불교〗 ↗연화대(蓮花臺)❶.

연:대[9]【燕臺】명 황금대(黃金臺).

연대[10]【聯隊】명 〖군〗 육군 및 해병(海兵) 부대 편제(編制) 단위의 하나. 사단의 아래, 대대의 위임. 3개 대대로 편성됨.

연대-기【年代記】명 연대의 순서를 따라서 주요한 사실(史實)을 적은 책. 연력(年歷). 편년사(編年史). 기년체 사기(紀年體史記). 크로니클(chronicle).

연-대:다【連一】타 〈방〉 잇대다.

연대-도【烟臺島】명 〖지〗 경상 남도의 남해상(南海上), 통영군(統營郡) 산양면(山陽面) 연곡리(烟谷里)에 위치한 섬. [1.14 km^2 : 322 명 (1985)]

연대 무한 책임【連帶無限責任】명 〖법〗 몇 사람이 연대하여 각자(各自)의 전재산을 가지고 채무의 전액(全額)을 변제(辨濟)할 책임을 부담하는 일.

연대 보증【連帶保證】명 〖경〗 보증인이 채무자와 연대하여 채무를 부담하는 보증. 보통 보증인과는 달리 연대 보증인은 최고(催告)와 검색(檢索)에 대한 항변권(抗辯權)이 없음.

연대-봉【淵臺峰】명 〖지〗 강원도 회양군(淮陽郡) 하북면(下北面)에 있는 산봉우리. 태백 산맥(太白山脈) 중에 있음. [1,207 m]

연대-성【連帶性】[一썽] 명 연대의 성질을 가진 것.

연대-순【年代順】명 연대를 따라 벌인 순서.
연대 운송【連帶運送】명 〖법〗 몇 사람의 운송인이 전구간(全區間)에 걸쳐 동일한 조항(條項)에 따라, 한 통(通)의 운송장(運送狀)에 의하여 연달아서 운송하는 일. 상차 운송(相次運送).
연대 운수【連帶運輸】명 〖경〗 경영 주체(經營主體)를 달리한 두 개 이상의 운수 기관이 서로 책임을 연대하여 운수를 하는 일.
연대-장【聯隊長】명 〖군〗 연대의 지휘관. 대령으로써 보함.
연대-적【連帶的】명관 같은 책임을 지고 하나로 이어진 관계가 있는 모양.
연대지-필【椽大之筆】명 서까래만한 큰 붓이라는 뜻으로 뛰어난 대문장(大文章)·대논문(大論文) 등을 일컫는 말.
연대 채:권【連帶債權】[―꿘] 명 〖법〗 복수의 채권자가 각각 독립 또는 공동으로 전부 또는 일부의 급부(給付)를 청구하고, 그 중 한 사람이 그 급부의 전부 또는 일부를 받으면, 딴 채권자의 권리도 그에 대응하는 비율로 소멸되는 다수 당사자의 채권.
연대 채:무【連帶債務】명 〖경〗 몇 사람의 채무자가 같은 내용의 채무에 대하여 각각 독립하여 변제할 의무를 가지며 그 중의 한 사람이 그 채무를 이행하면 다른 채무자의 채무도 소멸되는 채무.
연대 책임【連帶責任】명 두 사람 이상이 연대로 부담하는 책임. 공담의무(共擔義務).
연:대청-악【宴大淸樂】명 〖악〗 수연장(壽延長) 춤에 처음 아뢰는 풍류(風流).
연대 측정법【年代測定法】[―뻡] 명 〖물〗 방사성 원소가 일정한 반감기(半減期)에서 괴변(壞變)하는 것을 이용하여 암석 등의 생성 절대 연대(生成絕對年代)를 측정하는 방법. 연대를 측정하고자 하는 물질 중에 포함되어 있는 특정 핵종(核種)에 관하여 괴변하지 않고 남아 있는 현재량, 당초 있었던 양, 그리고 반감기를 알면 연대를 구할 수 있음. 암석·해저토(海底土)·운석(隕石) 등의 생성 연대, 우주선 조사(宇宙線照射) 연대, 지구의 나이, 원소의 생성 연대, 고고학, 인류학 등 많은 분야에서 사용되고 있음.
연대 탄:갱【煙臺炭坑】명 〖지〗 옌타이 탄갱.
연대-표【年代表】명 연대순(年代順)으로 생긴 일을 죽 벌여 적은 표(表). ㊀연표(年表).
연대-학【年代學】명 [chronology] 천문학·역학(曆學) 같은 것을 인용하여 역사상의 사실에 대하여 정확한 시간 또는 시간적 관계를 규명하는 학문. 기년학(紀年學).
연도[1]【年度】명 사무나 회계 결산 같은 것의 편의를 따라서 구분(區分)한 일년 동안의 기간. ¶회계(會計) ~/사업 ~.
연도[2]【沿道】명 도로에 연해 있는 곳. 연로(沿路).
연-도[3]【連島】명 〖지〗 전라 남도의 서해상(西海上), 신안군(新安郡) 지도읍(智島邑)에 위치한 섬. [0.17 km^2]
연-도[4]【煙島】명 〖지〗 전라 북도 군산시(群山市) 옥도면(沃島面)에 위치하는 섬. 천연 돌김이 유명함. [0.64 km^2]
연도[5]【煙道】명 증기 기관내의 연기가 굴뚝으로 빠져 나가는 통로. 또, 스토브 따위에서 굴뚝에 연결된 통상(筒狀) 부분.
연-도[6]【椽島】명 〖지〗 경상 남도 진해시(鎭海市) 웅천 일동(熊川一洞)에 위치한 섬. [0.26 km^2]
연도[7]【羨道】명 〖고고학〗 '널길'의 구용어.
연:도[8]【煉禱】명 〖천주교〗 위령 기도(慰靈祈禱).
연도[9]【輦道】명 ①연로(輦路). ②궁중(宮中)의 길.
연-도[10]【鳶島】명 〖지〗 ①전라 남도의 남해상(南海上), 여수시(麗水市) 남면(南面) 연도리(鳶島里)에 위치한 섬. [6.81 km^2] ②경상 남도의 남해상(南海上), 통영시(統營市) 도산면(道山面) 도선리(道善里)에 위치한 섬. [0.1 km^2]
연도[11]【憐悼】명 가련하게 여겨 슬퍼함. ――-하다 타여불
연도-교【連島橋】명 섬과 섬을 잇는 다리. *연륙교.
연도 구역【沿道區域】명 도로의 관리청이 국도 또는 관광에 필요한 도로의 풍치 유지(風致維持)를 위하여 지정·고시(告示)한 도로에 인접된 구역. *접도 구역.
연독[1]【連讀】명 연속하여 읽음. ――-하다 타여불
연독[2]【鉛毒】명 ①납의 독. ②〖의〗 납중독.
연독[3]【煙毒】명 연기 속에 포함된 독기. 구리를 정련할 때 나는 연기나 석탄 연기 속에 있는 독기가 가장 심함.
연독성 뇌병【鉛毒性腦病】[―뼝] 명 [lead encephalopathy] 〖의〗 납중독(中毒)에 의한 뇌신경 단위의 변성(變性). 대뇌 부종(大腦浮腫)이 따름.
연독성 다발 신경 질환【鉛毒性多發神經疾患】명 [lead polyneuropathy] 〖의〗 주로 손목이나 손에 걸리는 원위성(遠位性) 다발 신경 질환. 만성 납중독의 성인(成人)에서 볼 수 있음. 근력 저하(筋力低下)·지각이상(知覺異常)·동통(疼痛) 등의 증상을 나타냄.
연독-연【鉛毒緣】명 〖의〗 납이 체내(體內)에 흡수되어 치경(齒莖)의 가가 푸른빛을 띤 회백색(灰白色)으로 착색(着色)된 상태. 만성(慢性) 납중독 때에 잘 나타나며, 특히 앞니 주위의 잇몸이 침해되기 쉬움. 연연(鉛緣).
연:독지-정【吮犢之情】명 ['연독(吮犢)'은 어미소가 송아지를 핥는다는 뜻] 자기의 자녀나 부하에게 대한 사랑을 겸손하게 일컫는 말.
연돌【煙突】명 굴뚝.
연동[1]【鉛銅】명 납과 구리.
연동[2]【淵洞】명 깊은 곳 또는 깊은 동굴.
연동[3]【聯動·連動】명 〖기〗 기계·장치 따위에서 한 부분을 움직임에 따라 그에 연결(連結)된 다른 부분도 잇따라 통일적으로 작동(作動)하는 일. ¶~기(機). ――-하다 자여불
연동[4]【蠕動】명 ①벌레가 꾸물꾸물 움직임. ②근육의 수축파(收縮波)가 서서히 이행(移行)하는 것과 같은 모양의 운동. 지렁이의 이동 또는 고등 동물의 위나 장(腸) 속의 물건이 항문(肛門)으로 이동하는 것은 이와 같은 운동임.
연동[5]【孌童】명 ①예쁜 소년. 미소년(美少年). ②남창(男娼).
연:동[6]【戀童】명 남자의 동성 연애에 상대(相對)되는 아이. 면.
연동-기【聯動機·連動機】명 〖기〗 철도에서, 연동 장치의 일부. 신호기·전철기(轉轍機) 따위의 제어(制御) 또는 조작(操作)에 일정한 순서 및 제한을 붙여, 서로 연쇄 관계를 가지면서 동작하는 기구.
연동 불온【蠕動不穩】명 〖의〗 위장의 연동이 심하고 깊어지는 현상. 위장에 협착(狹窄)이나 폐색(閉塞)이 있을 때 볼 수 있음.
연동 운:동【蠕動運動】명 [peristalsis] 〖생〗 위벽(胃壁)이나, 장벽(腸壁)의 근육의 수축(收縮)에 의한 규칙적인 위장의 운동. 이 운동에 의하여 음식물을 위에서 장으로, 장에서 항문으로 보냄.
연동 장치【聯動裝置·連動裝置】명 〖기〗 몇 가지의 기계를 기계적 또는 전기적(電氣的)인 방법으로 연락하고, 그 한 군데를 움직이면 다른 기계도 관련하여 움직이게 한 장치.
연동-척【聯動―·連動―】[chuck] 명 〖기〗 조(jaw)가 3개 있는 척. 한 개의 핸들을 돌리면 조가 모두 동시에 같은 거리를 움직이므로, 규칙적인 모양의 공작물을 고정시킬 수 있음.
연두[1]【年頭】명 해의 첫머리. 세수(歲首). 세초(歲初). 설. ¶대통령의 ~ 순시(巡視).
연:두[2]【軟豆】명 ↗연두빛.
연두 교:서【年頭教書】명 〖정〗 미국의 일반 교서를 연두에 의회에 보낸다는 뜻에서 일컫는 말.
연:두-끈벌레【軟豆―】명 〖동〗 [*Lineus fuscoviridis*] 유형(紐形) 동물 무침류(無針類)에 속하는 벌레. 몸길이 80 cm, 나비 1 cm나 되는 대형 종류로, 머리는 편평하고 등 쪽은 녹색임. 장(腸) 따위의 내용물이 비쳐 보임. 난해성(暖海性)으로 해변가의 돌 밑에 서식함.
연:두-벌레【軟豆―】명 〖동〗 유글레나비리디스.
연두-법【年頭法】[―뻡] 명 〖민〗 그 해의 천간(天干)으로 그 해의 정월의 월건(月建)을 아는 법. 그 해의 천간이 갑(甲)이나 기(己)면 정월이 병인월(丙寅月), 을(乙)이나 경(庚)이면 무인월(戊寅月), 병(丙)이나 신(辛)이면 경인월(庚寅月), 정(丁)이나 임(壬)이면 임인월(壬寅月), 무(戊)나 계(癸)면 갑인월(甲寅月)이 됨. *월건법(月建法).
연:-두부【軟豆腐】명 물을 완전히 빼지 않고 플라스틱 주머니에 넣어 굳힌 두부. 부드럽고 말랑함. *순두부.
연두-사【年頭辭】명 연초에 행하는 새해의 인사말. 새해의 포부·희망·계획 등을 발표하는 말이나 글.
연:두-색【軟豆色】명 연둣빛.
연두-송【年頭頌】명 새해의 처음에 새해를 예찬(禮讚)하여 지은 글.
연:두-저고리【軟豆―】명 연둣빛 비단이나 명주로 지어 자줏빛 고름을 단 여자 저고리.
연:둣-빛【軟豆―】명 연한 초록빛. 연두색. 담녹색(淡綠色). ㊀연두.
연득-없다 [―업―] 형 갑자기 행동을 하는 모양이 있다.
연득-없이 [―업씨] 부 연득없게.
연-들다 자 감이 무르게 익다.
연등[1]【年登】명 연풍(年豐).
연등[2]【連等】명 평균(平均). ――-하다 타여불
연등[3]【連騰】명 물가(物價)가 연속적(連續的)으로 오름. ↔연락(連落). ――-하다 자여불
연등[4]【煙燈】명 아편 연기를 빨 때에 아편에 불을 붙이는 등.
연등[5]【燃燈】명 〖불교〗 ①↗연등절(燃燈節). ②↗연등회(燃燈會).
연등 도감【燃燈都監】명 〖역〗 고려 시대에 설치되었던 임시 관청의 하나. 연등회(燃燈會)를 주관했던 것으로 짐작됨.
연등-불【燃燈佛】명 [범 Dipamkara] 〖불교〗 과거 세상에 나와서 석가에게 미래에 성불(成佛)한다는 예언을 하였다고 하는 부처.
연등-사【燃燈寺】명 〖지〗 황해도 안악(安岳)에 있는 절. 조선 현종(顯宗) 7년(1666)에 큰불이 나서 타버렸으나 숙종(肅宗) 때에 다시 크게 지음.
연등-절【燃燈節】명 〖불교〗 등을 달고 불을 켜는 명절(名節)이라는 뜻으로 사월 초파일(八日)을 일컫는 말. 방등일(放燈日). ㊀등절(燈節)·연등(燃燈).
연등-제【燃燈祭】명 〖민〗 음력 설날부터 대보름날 사이에 제주도에서 행하던 풍속의 하나. 긴 장대 끝에다 채색 비단으로 말머리와 같이 꾸미고, 밤에 등불을 켜고 제신을 즐겁게 하기 위하여 돌아다녔음. 연등굿. 말뛰기놀음. 약마희(躍馬戲).
연등-초【―草】명 〖건〗 서까래 같은 것에 그린 단청(丹靑).
연등-회【燃燈會】명 〖불교〗 불교에서 하는 의식으로 정월 보름에 불을 켜고 부처에게 복을 빌며 노는 놀이. 고려 태조(太祖) 때부터 백성의 복을 빌기 위하여 나라에서 해마다 열었고, 그 뒤에 국속(國俗)이 되어 시골에서도 이 모임을 열었음. ㊀연등. *팔관회(八關會).
연-때【緣―】명 인연으로 인하여 맺어지는 시기(時期). ¶~가 맞다.
연:락[1]【宴樂】[열―] 명 ① 잔치를 벌이어 즐김. ② 편안히 즐김. ――-하다 자여불
연락[2]【連落】[열―] 명 물가가 연해 떨어짐. ↔ 연등(連騰). ――-하다 자여불
연락[3]【連絡·聯絡】[열―] 명 ①잇대어 계속함. 서로 이어댐. ¶~선. ②서로 관계(關係)를 가짐. ¶~을 끊다. ③통보함. ¶경찰에 ~하다. ――-하다 타여불
연락-기【連絡機】[열―] 명 〖군〗 포병대(砲兵隊)에 협력(協力)하여 탄

착점(彈着點)을 관측(觀測)하고, 기타 공중 연락 임무 등을 수행(遂行)하는 소형 비행기.

연:락-도【宴樂圖】[열—] 명 〖미술〗 잔치를 베풀어 즐기는 장면을 그린 그림.

연락-망【連絡網】[열—] 명 연락을 유지하기 위하여 쓰이는 무전·유선 또는 인적(人的) 통신망. ¶비상(非常) ~.

연락-병【連絡兵】[열—] 명 〖군〗 행정·전투 등에 있어, 각 부대 또는 사령부 간의 연락을 유지하기 위하여 문서(文書) 및 전언(傳言)을 가지고 왕래(往來)하는 병사.

연락 부절【連絡不絕·聯絡不絕】[열—] 명 왕래가 잦아 끊이지 아니함. 낙역 부절(絡繹不絕). ¶쌀과 피륙을 실은 말 바퀴가… 온 종일 끊일 사이 없이 ~하였다《朴鍾和 : 錦衫의 피》. ——-하다 자여불

연락-선【連絡船】[열—] 명 호수·해협·해안 등의 양안(兩岸)의 교통을 연락하는 선박.

연락-소【連絡所】[열—] 명 연락을 하고 받는 곳. 연락처(連絡處).

연락 운송【連絡運送】[열—] 명 〖법〗 연대(連帶) 운송.

연락-원【連絡員】[열—] 명 연락의 임무를 맡은 사람.

연락 장:교【連絡將校】[열—] 명 〖군〗 ①단위 부대와 단위 부대 또는 사령부 사이의 긴밀한 연락을 위해 파견(派遣)되는 장교. ②휴전 같은 군사 교섭(軍事交涉)에서, 예비 교섭(豫備交涉) 또는 쌍방의 문서 교환을 위하여 파견되는 장교.

연락 지하도【連絡地下道】[열—] 명 두 지점을 연락하기 위하여 만든 지하의 길. 지상(地上)의 인도(人道)와 연락하여 지하에 만든 도로.

연락-처【連絡處】[열—] 명 연락소.

연:란[1]【軟卵】[열—] 명 영양 불충분 등으로 미성숙한 알.

연란[2]【鰱卵】[열—] 명 연어의 알. 찌개를 만들고 젓을 담그는 데 쓰임.

연란-해【鰱卵醢】[열—] 명 연어 알젓.

연람【延攬】[열—] 명 자기 편으로 끌어들임. ——-하다 타여불

연래【年來】[열—] 명 여러 해 전부터. ¶~의 소망.

연려【姸麗】[열—] 명 어여쁘고 아리따움. ——-하다 형여불

연려-실【燃藜室】[열—] 명 〖사람〗 이긍익(李肯翊)의 호(號).

연려실 기술【燃藜室記述】[열—] 명 〖책〗 조선 정조(正祖) 때에 이긍익(李肯翊)이 지은 책. 태조 때부터 현종 때까지의 역사적 사실을 기록한 역사책.

연려-심【緣慮心】[열—] 명 〖불교〗 어떤 대상(對象)에 대하여 생각하고 조처하는 작용을 하는 마음.

연-력[1]【年力】[열—] 명 나이와 정력(精力).

연력[2]【年歷】[열—] 명 ①다년 간의 내력·경력. ②해마다의 역사를 기록(記錄)한 것. 연대기(年代記).

연력[3]【燃力】[열—] 명 타는 힘. 연소력(燃燒力).

연:련【硏鍊】[열—] 명 갈고 닦아 단련함. 힘써 닦음. ——-하다 타여불

연령[1]【年齡】[열—] 명 출생(出生)한 날로부터 오늘까지의 경과 기간을 연(年) 또는 연월일(年月日)로 계산한 수. 나이. ¶정신 ~.

연령[2]【延齡】[열—] 명 연년(延年).

연:령[3]【煉靈】[열—] 명 〖천주교〗 연옥(煉獄)에 있는 영혼.

연령 고본단【延齡固本丹】[열—] 명 〖한의〗 보정(補精) 자양제로 쓰이는 한약. 육종용(肉蓯蓉)·천문동(天門冬)·지황(地黃)·두충(杜冲)·구기자(枸杞子)·인삼·택사(澤瀉) 등을 조제한 것.

연령-급【年齡給】[열—] 명 임금을 연령에 의해서 정하고, 연령의 증가에 따라 임금이 증액되는 제도.

연령-기【年齡期】[열—] 명 어떤 일정한 연령에 해당하는 시기.

연령-별【年齡別】[열—] 명 나이대로 가름. 연령으로 구별함. 나이별.

연령-산【年齡算】[열—] 명 〖수〗 산수 문제의 한 가지. 아버지 나이는 42세 아들은 6세이다. 아버지 나이가 아들의 세 곱이 되는 것은 몇 년 후인가와 같은 연령에 관한 산수.

연령-주의【年齡主義】[열—/열—이] 명 〖법〗 선거에서 득표수(得票數)가 같은 경우, 나이의 많고 적음으로써 당선자(當選者)를 결정하는 주의. 나이가 같은 경우에는 추첨에 의함.

연령 집단【年齡集團】[열—] 명 〖사〗 부족 사회·촌락에서, 특히 남자를 몇 개의 연령 계급으로 나누어 교육·군사·정치·종교 등 부족(部族)의 기능을 세대적(世代的)으로 분담하는 집단. 보통, 소년이 성년식(成年式)의 시련을 겪으면 여성으로부터 격리(隔離)되어 교육을 받은 다음 결혼하여 부족의 시정(施政)에 참여, 최후로 제사(祭祀)를 담당하는 장로(長老)집단을 형성함.

연령-초【延齡草】[열—] 명 〖식〗 [*Trillium smallii*] 백합과의 다년초. 근경(根莖)은 굵고 짧으며 줄기의 높이는 20-40cm이고, 잎은 줄기 끝에 세 개가 윤생(輪生)하며 길이와 폭은 각각 10-17cm의 둥근 능형(菱形)에 무병(無柄)임. 여름에 녹색 또는 자갈색을 띤 세 개의 악편(萼片)을 가진 무판화(無瓣花)가 피고, 장과(漿果)는 원구형이며 자흑색으로 익음. 산지의 숲 속 습지에 나는데, 한국·일본 등지에 분포함. 과실은 생식(生食)하고, 근경의 말린 것을 '연령초근(根)'이라 하여 위장병·최토제(催吐劑) 등의 약제로 씀.

〈연령초〉

연령-층【年齡層】[열—] 명 같은 나이 또는 가까운 나이의 사람들의 층. 나이로 구분한 층.

연례[1]【年例】[열—] 명 해마다 내려 오는 예. ¶~행사.

연:례[2]【宴禮】[열—] 명 나라의 경사 잔치.

연:례[3]【燕禮】[열—] 명 〖역〗 조정에서 군신(君臣) 상하 간의 친목을 도모하면서 그 구분을 분명히 하는 잔치 의식.

연:례-악【宴禮樂】[열—] 명 〖악〗 아악(雅樂)의 향부악(鄕部樂)의 하나. 옛날 조정의 조회(朝會)·연락(宴樂) 때에 가곡(歌曲)·가사(歌詞)·시조(時調) 등 정악(正樂)을 궁중무(宮中舞)에 맞추어 아뢰. ↔ 제례악(祭禮樂).

연례 행사【年例行事】[열—] 명 해마다 정기적으로 하는 행사.

연례-회【年例會】[열—] 명 해마다 한 번씩 정기적(定期的)으로 모이는 회.

연로[1]【年老】[열—] 명 나이가 많아서 늙음. 연만(年晩). 연고(年高). ↔ 연소(年少). ——-하다 형여불

연로[2]【年勞】[열—] 명 여러 해 동안 쌓은 공로.

연로[3]【沿路】[열—] 명 큰길 가에 있는 곳. 연도(沿道).

연:로[4]【涓露】[열—] 명 이슬 정도의 물. 극히 적은 물.

연로[5]【輦路】[열—] 명 어로(御路).

연료【燃料】[열—] 명 연소(燃燒)에 의하여 경제적으로 열에너지(熱energy)가 얻어지는 물질의 총칭. 고체(固體) 연료(석탄·코크스·연탄·장작·숯 따위), 액체(液體) 연료(휘발유·경유·중유·타르·알코올 등), 기체(氣體) 연료(도시 가스·석탄 가스·액화(液化) 석유 가스·아세틸렌·수소(水素) 따위)로 대별됨. 보통의 연료는 공기 속의 산소와 급속하게 반응하여, 열과 빛을 발하나, 특별한 것으로 로켓 추진제나 핵연료(核燃料)가 있음. 생산량이 많고도 값이 싸며, 다루기가 편리하고, 발열량(發熱量)이 많은 것이 좋음. 이전에는 석탄이 왕좌(王座)를 차지하고 있었으나, 근년에는 석유계 연료나 천연 가스 따위의 유체(流體) 연료로 대체되고 있음. 땔감. ¶월동 ~ 대책.

연료 가스【燃料—】[열—] 명 〔fuel gas〕 연료로서 가열(加熱)의 목적으로 사용하는 가스의 총칭. 천연 가스·석탄 가스·발생로 가스·수성(水性) 가스·수소(水素) 같은 것. *연료.

연료 광:상【燃料鑛床】[열—] 명 〖광〗 석유·석탄·천연 가스·우라늄 등 열에너지원(熱energy源)이 되는 광상의 총칭.

연료-림【燃料林】[열—] 명 땔감을 산출하는 숲.

연료 밸브【燃料—】〔valve〕[열—] 명 연료의 유량(流量)을 조절하는 밸브의 총칭. 특히 디젤 엔진에서, 연료유(油)를 실린더 안으로 분사(噴射)하는 작용을 하는 밸브.

연료-봉【燃料棒】[열—] 명 〔fuel rod〕 우라늄 연료(燃料)를 피복관(被覆管)으로 싼 막대 모양의 핵연료(核燃料). 핵분열(核分裂)로 생기는 핵분열 생성물(生成物)을 관(管) 안에 밀봉하여 밖으로 새지 않도록 되어 있음.

연료-비[1]【燃料比】[열—] 명 〖광〗 석탄의 고정 탄소의 퍼센트를 휘발분(揮發分)의 퍼센트로 나눈 수치. 석탄 분류에 사용됨.

연료-비[2]【燃料費】[열—] 명 연료 구입에 소요되는 비용.

연료 소비율【燃料消費率】[열—] 명 원동기의 단위 시간·단위 출력당 연료 소비량. 보통 1시간·1마력당 그램수(gram數)로 표시함. 가솔린 기관에서는 200-220g, 디젤 기관에서는 160-180g이 소요됨. 자동차에서는 연료 소비의 단위량당(單位量當) 주행 거리(走行距離)로 나타내기도 함.

연료 액화【燃料液化】[열—] 명 고체 연료에 인공을 가하여 액체 연료를 만드는 일. 석탄 액화 따위.

연료 요소【燃料要素】[열—] 명 〔fuel element〕 〖화〗 핵연료를 원자로 안에서 사용할 때에 넣는 봉(棒)·관(管)·기타의 것의 한 조(組)로 기하학적 형태(幾何學的形態)의 요소로 되어 있는 것.

연료 전:지【燃料電池】[열—] 명 〔fuel cell〕 연료의 연소(燃燒) 에너지를 열로 바꾸지 않고, 전기 화학적으로 직접 전기 에너지로 변환(變換)시키는 장치. 값비싼 촉매(觸媒)를 필요로 하기 때문에 특수한 용도, 즉 유인 우주선(有人宇宙船) 따위에 쓰임.

연료 전:지 발전【燃料電池發電】[열—쩐] 명 천연 가스 등에서 추출한 수소를 공기 중의 산소와 전기 화학적으로 반응시킴으로써 전기를 얻는 발전 방식. 공해(公害)가 없고, 발전 때에 나오는 배열(排熱)을 급탕(給湯)·난방에 이용할 수 있음.

연료 집합체【燃料集合體】[열—] 명 〔fuel assembly〕 〖물〗 연료와 구조 금속(構造金屬)이 일체가 된 것. 노심(爐心)에 핵연료를 장치하는 조작(操作)을 용이하게 하기 위해서 일부 원자로(原子爐)에서 쓰이고 있음.

연료-판【燃料瓣】[열—] 명 연료 밸브.

연료 펌프【燃料—】[열—] 명 〔fuel pump〕 〖물〗 디젤 기관에서 연료유를 연료 밸브에 보내는 펌프. 공기 분유식(空氣噴油式)과 무기(無氣) 분유식에 의하며 그 압력 및 구조도 다르나, 어느 것이나 조속기(調速機)에 연결되어 조속기가 움직이면 곧 연료 밸브에 보내는 유량(油量)이 조정되게 되어 있음.

연루【連累·緣累】[열—] 명 〖법〗 남의 범죄에 관련됨. ——-하다 자여불

연루-자【連累者】[열—] 명 〖법〗 남이 저지른 죄에 관련된 사람.

연류【連類】[열—] 명 동무. 동아리. 동류(同類).

연륙【連陸】[열—] 명 육지에 잇닿음. ——-하다 자여불

연륙-교【連陸橋】[열—] 명 육지와 섬을 이은 다리. *연도교(連島橋).

연륜【年輪】[열—] 명 ①〖식〗 나이테. ②전통적인 기예(技藝) 등에 종사하는 사람이나 그 작품에서 볼 수 있는 여러 해 동안의 노력에 의한 숙련도의 높이.

연륜 분석【年輪分析】[열—] 명 나이테 분석.

연륜 연대 측정법【年輪年代測定法】[열—뻡] 명 〖고고학〗 나이테 연대 측정법.

연:름【捐廩】[열—] 명 〖역〗 공익(公益)을 위하여 벼슬아치들이 봉록(俸祿)의 얼마를 덜어 내어서 보태는 일.

연리[1]【年利】[열—] 명 〖경〗 일년 동안의 변리. 연변(年邊).

연리[2]【連理】[열—] [명] ①여러 가지 이치를 논함. ②연리지(連理枝).
연리[3]【椽吏】[열—] [명] 〖역〗 고려말 하급 이서(吏胥)의 하나.
연:리[4]【戀里】[열—] [명] 유곽(遊廓).
연리 비:익【連理比翼】[열—] [명] 남녀 간의 깊은 약속. 비익 연리.
연리-지【連理枝】[명] ①한 나무의 가지가 다른 나무의 가지와 맞닿아서 결이 서로 통한 것. ②화목한 부부 또는 남녀의 사이를 이른 말. 연리(連理).

〈연리지❶〉

연리-초【連理草】[열—] [명] 〖식〗 [*Lathyrus palustris* var. *lineari folius*] 콩과의 다년초. 높이 30-60 cm이고, 잎은 호생하며, 유병(有柄)이고 우상 복엽(羽狀複葉)임. 5월에 홍자색의 꽃이 총상(總狀) 화서로 액출(腋出)하고 화관(花冠)은 나비 모양이며, 협과(莢果)는 선형(線形)임. 산지의 초원(草原)에 나는데, 경기·황해·평북·함남·함북에 분포함.

〈연리초〉

연립【聯立】[열—] [명] 여럿이 어울러 섬. ——-하다 [자][여불]
연립 내:각【聯立內閣】[열—] [명] 〖정〗 두 개 이상의 정당을 배경으로 하여 성립하는 내각. 연합 내각. ↔ 단독 내각(單獨內閣).
연립 방정식【聯立方程式】[열—] [명] 〖수〗 두 개 이상의 방정식에 두 개 이상의 미지수가 있을 때, 그 미지수의 각 값이 각 방정식의 각 값을 모두 만족시키는 방정식. $x+2y=11$, $3x+y=8$ 따위.
연립 정부【聯立政府】[열—] [명] 〖정〗 두 개 이상의 정당이나 단체의 연립에 의하여 세워진 정부.
연립 주:택【聯立住宅】[열—] [명] 3층 이하의 동당(棟當) 건축 연면적(延面積)이 660 m^2(200평)를 초과하는 공동 주택. 대지·복도·계단 및 설비 등의 전부 또는 일부를 공동으로 사용하는 각 세대가 하나의 건축물 안에서 각각 독립된 주거 생활을 영위할 수 있는 구조로 된 주택. ＊공동 주택·아파트.
연:마[1]【研磨·練磨·鍊磨】[명] ①여러 번 갈고 닦음. 마연(磨研). ¶～장(場). ②〖물〗 고체의 표면을 다른 고체의 표면으로 갈아서 평활하게 하는 일. 지려(砥礪). 연삭(研削). ③학문이나 기술을 연구하여 닦음. 단련(鍛鍊). ¶기술을 ～하다. ——-하다 [타][여불]
연마[2]【連馬】[명] 바둑에서, 각각 떨어져 있는 말의 토막을 연결(連結)함. ——-하다 [자][여불]
연:마[3]【練馬】[명] 무의 품종의 하나. 뿌리의 밑 부분이 둥글고 가을에 재배하기 적당함.
연:마-기【研磨機】[명] 〖기〗 연삭기(研削機).
-연마는 [어미] '건마는'의 뜻으로 보다 예스럽게 일컫는 연결 어미. ¶좋은 때～ 기회가 없다. [준]-연만.
연-마루【椽—】[명] 〖건〗 층(層)으로 된 집에 있어서의 아래 층의 지붕에 있는 툇마루.
연:마-반【研磨盤】[명] 〖기〗 연삭기(研削機).
연:마 벨트【研磨—】[belt] [명] 모래·금강사 등을 고착(固着)시킨, 헝겊·가죽·종이로 만든 벨트. 회전(回轉)시켜서 재료를 연마함.
연:마-사【研磨砂】[명] 특정 입도(粒度)에 따라 선별(選別)하여 연마재로 쓰이는 모래.
연:마 원판【研磨圓板】[명] 원판상으로 소결(燒結) 성형한 연마 공구. 심축(心軸)에 부착하여 회전시켜서 가공함.
연:마-재【研磨材】[명] 연마 작업을 하기 위해서 쓰이는 숫돌 등 고경도(高硬度) 물질.
연:마-지【研磨紙】[명] [abrasive paper] 사포(砂布). 샌드 페이퍼(sand paper).
연:마-포【研磨布】[명] [sand cloth] 모래나 금강사(金剛砂)와 같은 연마재를 표면에 고착(固着)시킨 질긴 헝겊.
연:마 포지【研磨布紙】[명] 샌드 페이퍼(sand paper).
연:막[1]【軟膜】[명] 〖생〗 수막(髓膜) 가운데의 거미막(膜)과 유막(柔膜)의 총칭. 그 두 막이 서로 다수의 결합 조직속(組織束)에 의하여 연결되어 있음.
연막[2]【煙幕】[명] ①〖군〗 화학 병기(化學兵器)의 하나. 적의 시계(視界)를 가리거나 아군의 행동을 은폐(隱蔽)하기 위하여 지상이나 해상(海上)·공중에 확산시키는 인공의 연기. 발연제(發煙劑)로는 황린(黃燐)·사염화 티탄(titan)·사염화 규소(硅素) 같은 약품을 씀. 은폐 작용은 백색 연기가 가장 큼. 최근엔 레이더의 발달로 효과가 낮아졌음. ②교묘하게 말을 돌리어 상대방에게 문제의 핵심을 감추며 요령을 잡지 못하게 하는 일. ¶～ 전술/～을 치다.
　연막을 치다 [구] 연막을 터뜨려서 아군을 적의 눈에서 가리다. 전하여, 진의(眞意)를 숨기기 위해, 교묘한 말로 너스레를 떨다.
연:막-강【軟膜腔】[명] 〖생〗 유막과 거미막(膜)과의 사이의 부분.
연막 전:술【煙幕戰術】[명] ①〖군〗 적이 보지 못하도록 연막을 치는 전술. ②상대방이 이 쪽의 진의를 파악하지 못하여 갈피를 못잡게 하는 술수.
연막-제【煙幕劑】[명] 발연제(發煙劑).
연막-탄【煙幕彈】[명] 터지면 진한 연기를 일으키는 화학제를 넣은 포탄이나 폭탄. 발연탄(發煙彈).
연만【年滿·年晩】[명] 나이가 많음. 노경(老境)에 듦. 연로(年老). 연고(年高). ——-하다 [형][여불]
-연만 [어미] ↗-연마는. ¶어린 아이～ 의젓하다.
연말[1]【年末】[명] 한 해의 마지막 때. 섣달 그믐께. 세모(歲暮). 궁랍(窮臘). 세밑. 세말(歲末). 연미(年尾). ↔연시(年始)·연초(年初).
연말[2]【涎沫】[명] 침과 거품.
연말 상여금【年末賞與金】[명] 연말에 주는 상여금.
연말 시험【年末試驗】[명] 〖교〗 ↗학년말 시험.
연말 정산【年末精算】[명] 급여 소득에서 원천 징수한 소득세에 대하여, 연말에 그 과부족(過不足)을 정산(精算)하는 일.
연:-망간광【軟—鑛】[Mangan] [명] [pyrolusite] 〖광〗 섬유상·토상(土狀)의 약간 검은 철색(鐵色)의 광물. 반금속 광택이 남. 망간의 가장 중요한 광석임. 비중(比重) 4.75. [MnO_2]
연매【煙煤】[명] ①철매. ②그을음❶.
연:맥[1]【軟脈】[명] 〖의〗 혈압이 낮아서 긴장(緊張) 정도가 약한 맥박. 심장 쇠약·저혈압 등의 경우에 볼 수 있음. ↔경맥(硬脈).
연:맥[2]【燕麥】[명] 〖식〗 귀리.
연:-맵시벌【軟—】[명] 〖충〗 [*Cobunus pallidiolus*] 맵시벌과에 속하는 곤충. 암컷의 몸길이는 15 mm이고 몸빛은 황백색에 복부 제4절 이하는 흑색임. 두부·흉부·복부에는 점각(點刻)이 있고, 촉각은 흑갈색이며 날개는 투명하고 담황갈색을 띰. 황다리독나방의 유충에 기생하는데, 한국·일본에 분포함. 번데기에서 나옴.
연맹【聯盟】[명] 공동의 목적을 가진 다수인이 동일한 행동을 할 것을 연합하여 맹약(盟約)하는 일. 또, 그 조직체.
연맹-전【聯盟戰】[명] 리그전(league 戰).
연메-꾼【輦—】[명] 연을 메는 사람.
연면[1]【連綿】[명] 끊어지지 아니하고 길게 잇닿아 있음. ¶～한 혈통(血統). ——-하다 [형][여불]. ——-히 [부]
연:면[2]【硯面】[명] 벼루의 먹을 가는 면.
연-면적【延面積】[명] 각 면적을 종합(綜合)한 총면적. 늘이넓이.
연면-체【連綿體】[명] 서도(書道)에서, 초서(草書) 등이 잇대어 쓰여 있는 체(體).
연멸【煙滅】[명] 연기같이 흔적(痕迹)도 없이 사라짐. ——-하다 [자][여불]
연명[1]【延命】[명] ①목숨을 겨우 이어 살아감. ¶초근 목피(草根木皮)로 ～하다. ②〖역〗 감사(監司)나 수령(守令)이 부임할 때에 궐패(闕牌) 앞에서 왕명을 전포(傳布)하는 의식. ③〖역〗 원이 감사를 처음 가서 보던 의식. ¶그 집에서는 우리 집을 혐의를 보아 사오대 격면(隔面)으로 지내는 터에 내가 ～갈 낯도 없으려니와 그 사람인들 나의 ～을 받겠소?《李海朝：驚鳶圖》. ——-하다 [자][여불]
연:명[2]【捐命】[명] 생목숨을 버림. ——-하다 [자][여불]
연명[3]【連名·聯名】[명] 두 사람 이상의 이름을 한 곳에 죽 잇대어 씀. 합명(合名). ¶～으로 진정하다. ——-하다 [자][여불]
연명 관음【延命觀音】[명] 〖불교〗 삼십 삼 관음의 하나. 저주·독약의 해(害)를 제거(除去)하고, 연명의 공덕(功德)이 있다 함. 보현 연명 보살(普賢延命菩薩).
연명 도량【延命道場】[명] 〖불교〗 수명(壽命)을 연장하려는 목적으로 개최하는 법회(法會).
연명-법【延命法】[—뻡] [명] 〖불교〗 천태종에서, 연명 보살(延命菩薩)을 본존으로 하여 손으로 밀인(密印)을 맺고, 입으로 금강 수명 다라니(金剛壽命陀羅尼)를 외어 수명을 연장하고 복덕을 증진하며 총명·영리한 자녀를 얻을 것을 비는 수법(修法).
연명 보살【延命菩薩】[명] 〖불교〗 보현(普賢) 보살의 한 변체(變體). 오불(五佛)의 보관(寶冠)을 머리에 쓰고, 연화좌(蓮華座) 위에 앉아 있는 미묘(微妙) 장엄한 보살.
연명 장치【延命裝置】[명] 〖의〗 암·뇌출혈 등으로 말미암아 의식 불명·전신 마비나 식물 인간 상태가 된 환자에 대한, 생명 유지를 위한 의술적(醫術的) 장치. 인공 수액 장치(人工輸液裝置)·산소 호흡 장치 등이 이에 해당함.
연명 지장【延命地藏】[명] 〖불교〗 지장 보살(地藏菩薩)의 한 변체(變體). 중생의 수명을 연장시키려는 대원을 품은 보살인데 오른손에는 육륜(六輪)의 석장(錫杖)을 가지고 왼손에는 여의 보주(如意寶珠)가 놓이어 있음. 연명 지장 보살.
연명 지장 보살【延命地藏菩薩】[명] 〖불교〗 연명 지장.
연명 차:자【聯名箚子】[명] 두 사람 이상이 연명하여서 임금께 상주(上奏)하는 글. [준]연차(聯箚).
연메【聯袂】[명] 행동을 같이함. 연공(聯笻). ——-하다 [자][여불]
연모[1] [명] 물건을 만드는 데 쓰는 기구와 재료.
연모[2]【年暮】[명] 그 해가 다 저물 무렵. 세밑. 세모(歲暮).
연모[3]【年貌】[명] 나이와 용모.
연:모[4]【軟毛】[명] 부드러운 털. ↔강모(剛毛)❶.
연모[5]【淵謀】[명] 연모(淵謨).
연모[6]【淵謨】[명] 깊은 계책. 연모(淵謀).
연:모[7]【戀慕】[명] 이성(異性)을 사랑하여 그리워함. ——-하다 [타][여불]
연모-류【緣毛類】[명] 〖충〗 [Peritricha] 원생(原生) 동물 섬모충강(纖毛蟲綱)에 속하는 한 목(目). 몸은 종(鐘) 모양으로 되고, 대개 자루로써 몸을 지탱함. 섬모는 몸 앞 끝에 가락지 모양 또는 나사 모양으로 배열되고, 구반(口盤)이 발달되어 대핵(大核)은 가늘고 기나 소핵(小核)은 미소함. 환모류(環毛類). ＊전모류(全毛類).
연모-요【戀母謠】[명] 〖악〗 어머니를 그리는 민요.
연:모지-정【戀慕之情】[명] 사랑하여 그리워하는 마음.
연:목[1]【軟木】[명] ①재질(材質)이 무른 나무. ②〖군〗 병기용(兵器用)으로서, 목질이 가볍고, 또 무르며 비중 0.6 미만인 나무. 그 용도에 따라 이것을 갑(甲)·을(乙)·병(丙)·정(丁)의 네 가지로 나눔. 즉, 노송나무류는 갑, 삼목(杉木)·전나무·화백나무 등은 을, 소나무류는 병, 후박나무·참나무·참피나무 등은 정에 속함.
연목[2]【椽木】[명] 〖건〗 서까래.

연목 구어【緣木求魚】명 나무에 올라가서 고기를 구한다는 뜻으로, 도저히 불가능한 일을 굳이 하려 함을 비유하는 말.

연목-느리개【椽木一】명〖건〗서까래 뒷목을 눌러 박은 느리개.

연목-어【蓮目魚】명〖어〗열목이.

연-못【蓮一】명 연을 심은 못. 연지(蓮池). 연당(蓮塘). 못.
[연못골 나막신을 신기다]〔연못골은 지금의 서울 연지동을 이름〕사람을 면대하여 치켜 올림을 이르는 말.

연못-가【蓮一】명 연못의 변두리.

연못 플랑크톤〔plankton〕명〖생〗얕고 작은 천수역(淺水域)의 연못이나 소택지(沼澤地)에서 볼 수 있는 부유 생물(浮遊生物). 연못 등에서는 수온(水溫)·수질(水質)의 변화가 심하고, 또 연못마다 차이(差異)도 현저하므로 부유 생물은 같지 않으나, 녹조류(綠藻類)·남조류(藍藻類)·유각(有殼) 아메바 등이 많음. 지소(池沼) 부유 생물.

연무[1] 명〈방〉연모.

연무[2]【延袤】명 연(延)은 동서, 무(袤)는 남북의 뜻으로, 곧 땅의 넓이.

연:무[3]【研武】명 무예(武藝)를 연마함. ——-하다 자 여불

연무[4]【烟霧·煙霧】명 ①연기와 안개. ②〖기상〗건조한 미소 입자(微小粒子)가 대기 중에 부유하여 대기를 혼탁시켜 시정(視程)이 악화되는 현상. 주로 공장·주택 등의 굴뚝에서 배출된 매연, 자동차 등의 배기(排氣) 가스에 의하여 일어남. 이것과 비슷한 스모그(smog)는 연무가 기상 조건에 의하여 짙어진 것임.

연:무[5]【演武】명 무예(武藝)를 연습함. ——-하다 자 여불

연:무[6]【演舞】명 ①춤을 연습함. ②춤을 추어 관중(觀衆)에게 보임. ——-하다 자 여불

연:무[7]【鍊武】명 무예(武藝)를 단련함. ——-하다 자 여불

연:무[8]【鍊武】명〖지〗충청 남도 논산시(論山市)의 한 읍(邑). 시(市)의 남단에 위치하며, 역(驛)이 있고, 육군 훈련소인 연무대(鍊武臺)가 있음. [22,618 명(1996)]

연무[9]【緣務】명〖불교〗자기(自己)에게 관련(關聯)되는 세간(世間)의 사무(事務).

연:무-관【演武館】명 무예를 연습하는 설비를 갖춘 집.

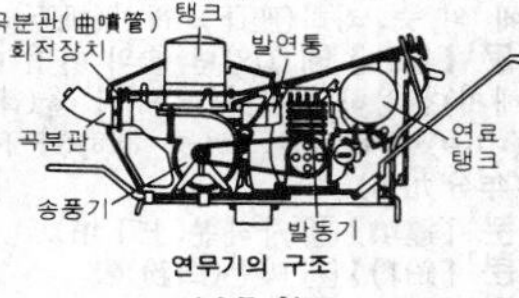

〈연무기〉

연무-기【煙霧機】명〖기〗병충해(病蟲害) 방제용(防除用)이나 소독용(消毒用) 기계의 한 가지. 약제를 연무질(煙霧質)로 만들고 강력한 송풍기(送風機)로 먼 곳까지 내뿜게 되어 있음.

연:무-대【鍊武臺】명 충청 남도 논산시(論山市) 연무읍(鍊武邑)에 위치한 육군 훈련소의 이름.

연무 신:호【煙霧信號】명 선박·수상(水上) 항공기가 연무로 인한 충돌을 피할 목적으로 기적(汽笛)·나팔·종 등을 울려서 서로의 소재·진로를 알리며 경계하는 신호. 무중(霧中) 신호.

연무 요법【煙霧療法】[一뻡] 명〖의〗약액(藥液)을 연무 모양의 미세한 입자로 하여 흡입(吸入)시키는 요법. 주로 천식·폐결핵·기관지 결핵·부비강염(副鼻腔炎) 등에 응용됨.

연:무-장【演武場】명 연무를 하는 장소.

연무-질【煙霧質】명 기체 속에 고체 또는 액체가 미립자로 되어 부유(浮遊)·분산(分散)된 상태. 약품·화장품을 이 상태로 스프레이(spray)에 넣어 가정용으로 널리 쓰임. *에어로졸(aerosol).

연:문[1]【衍文】명 잘못하여 글 가운데 낀 쓸데없는 글귀.

연:문[2]【羨門】명〖고고학〗널문.

연문[3]【蓮門】명〖불교〗'정토문(淨土門)'의 이칭(異稱).

연문[4]【緣紋】명 가장자리의 무늬.

연:문[5]【戀文】명 연애 편지. 연서(戀書).

연:-문학【軟文學】명〖문〗광의(廣義)로는 한시(漢詩)·논설 같은 경문학(硬文學)에 대하여 소설·희곡·시가 등을 말하며, 협의(狹義)로는 주로 연애·정사(情事)를 주제로 한 문학 작품(文學作品)을 이름. ↔경문학(硬文學).

연미[1]【年尾】명 연말(年末).

연:미[2]【軟媚】명 부드럽고 아리따움. ——-하다 형 여불

연:미[3]【燕尾】명 제비 꼬리.

연미[4]【燃眉】명 눈썹이 탐. 또, 눈썹이 탈 정도로 불에 가깝게 있음. 전(轉)하여, 위험이 닥친 것의 비유. 초미(焦眉). ¶～지액(燃眉之厄).

연:미-기【研米機】명 백미(白米)에 붙어 있는 겨나 먼지를 떨어 내고 쌀알에 광택을 내기 위하여 사용하는 기계.

연:미-복【燕尾服】명 검은 나사(羅紗)로 지은 남자용 예복. 가슴은 두 겹이고 단추는 셋인데 저고리의 앞쪽은 허리 아래가 없으며 뒤가 길게 내려와, 두 갈래로 째져서 제비 꼬리같이 된 양복의 한 가지. *이브닝 코트.

〈연미복〉

연:-미사【煉一】〔라 Missa〕명〖천주교〗'위령 미사'의 구용어.

연미지-액【燃眉之厄】명 썩 급하게 닥치는 액화. 절박한 재액(災厄)을 비유하는 말. 초미지급(焦眉之急).

연:미-형【燕尾形】명 제비의 꼬리같이 기름하고 둘로 갈라진 형상.

연민【憐憫·憐愍】명 불쌍하고 가련함. ——-하다 형 여불. ——-히 부

연:-바탕【碾一】명 연발(碾鉢).

연박【淵博】명 학문이나 교양이 넓고 속이 깊음. ——-하다 형 여불

연반【延攀】명 장사(葬事) 지내러 갈 때 등(燈)을 들고 감. ——-하다 자 여불

연반-경【緣攀莖】명〖식〗권수(卷鬚)가 있어 다른 물건에 감기어 몸을 지탱하여 뻗어 나가는 줄기.

연반-꾼【延攀一】명 장사(葬事) 지내러 갈 때, 등(燈)을 들고 가는 사람.

연발[1]【延發】명 늦추어 출발함. ——-하다 자 여불

연발[2]【連發】명 ①연속하여 일어남. ¶사고가 ～하다. ②총 따위를 연달아 쏨. 연방(連放). ¶ ～총. ——-하다 자타 여불

연발[3]【碾鉢】명 약연(藥碾)의 몸. 연바탕.

연발-총【連發銃】명〖군〗탄창(彈倉) 속에 여러 개의 탄환을 넣어 연발할 수 있게 된 총. ↔단발총(單發銃).

연-밥【蓮一】[一빱] 명 연꽃의 열매. 연실(蓮實). 연자(蓮子).
연밥(을) 먹이다 구 살살 구슬러서 꾀드기다.

연밥-갈매나무【蓮一】[一빱一] 명〖식〗[*Rhamnus shozyoensis*] 갈매나뭇과에 속하는 낙엽 활엽 관목. 잎은 좁은 피침형, 꽃은 아직 보지 못함. 과실은 핵과(核果)이고 8-9월에 익음. 골짜기에 나는데, 평북 창성(昌成) 등지에 분포함. 신탄재(薪炭材)임.

연밥-매자나무【蓮一】[一빱一] 명〖식〗[*Berberis koreana* var. *ellipsoides*] 매자나뭇과에 속하는 낙엽 활엽 관목. 가시가 있으며, 잎은 거꿀달걀꼴 또는 긴 타원형으로 날카로운 톱니가 있음. 5월에 황색 꽃이 총상(總狀) 화서로 피고, 장과(漿果)는 긴 타원형이고 9월에 홍색으로 익음. 산지(山地)의 양지(陽地)에 나는데, 강원도 검불랑(劍拂浪)·장지문산(長比門山)에 분포(分布)함. 가지와 잎은 약용(藥用)·물감용·산울타리로 쓰임.

연밥 장아찌【蓮一】[一빱一] 명 연밥의 알갱이를 속껍질과 심을 버린 다음에, 진장에 넣고 대강 볶은 음식.

연밥-죽【蓮一粥】[一빱一] 명 연밥의 속 알갱이 껍질과 심을 발라 버린 다음 삶아서 갈아 멥쌀과 함께 쑨 죽. 연자죽(蓮子粥).

연밥-피나무【蓮一】[一빱一] 명〖식〗[*Tilia koreana*] 피나뭇과에 속하는 낙엽 활엽 교목. 잎은 넓은 달걀꼴 또는 원반상임. 꽃은 6월에 방상(房狀) 화서로 액생(腋生)하여 3-8개씩 피고, 과실은 긴 거꿀달걀꼴에 짧은 성상모(星狀毛)가 밀생하고 10월에 익음. 숲 속에 나는데, 강원도 금강산, 함남의 갑산군 백덕령(白德嶺) 및 만주에도 분포함. 나무 껍질은 새끼 대용(代用)임.

연방[1]【連防】명〖역〗교대(交代)시키지 않고 계속 방수(防戍)를 담당시킴.

연방[2]【連放】명 연발(連發)❷. ——-하다 타 여불

연방[3]【連房】명 줄행랑.

연방[4]【蓮房】명 연밥이 들어 있는 송이.

연방[5]【蓮榜】명〖역〗조선 시대 때 사마시(司馬試)인 생원과(生員科)·진사과(進士科)의 향시(鄕試)·회시(會試)에 합격한 사람의 성명을 적은 명부(名簿).

연방[6]【聯邦】명 자치권(自治權)을 가진 다수의 국가가 공통의 정치 이념 아래 결합되어 구성하는 국가. 단일국(單一國)에 대한 말. 대내적으로는 서로 독립 관계에 있으며, 대외적으로는 개별적인 외교권(外交權)이 없고 결합하여 한 외교권을 갖는 것이 보통임. 미국·캐나다·스위스·러시아 등. 연합 국가. 연방국.

연방[7]【連方】부 잇따라 곧. 연속해서 자꾸. ¶～ 꾸벅거리다.

연방 경영【聯邦經營】명 한 기업을 높은 자주성을 가진 몇 개의 경영 단위로 분할(分割)하고, 독립 채산제(獨立採算制)에 의하여 창조성과 탄력성(彈力性)을 발휘(發揮)시키려는 경영 방식.

연방-국【聯邦國】명 연방 체제(聯邦體制)를 가진 나라. 연방(聯邦).

연방-군【聯邦軍】명 연방 국가(聯邦國家)의 군대.

연:-방사【軟放射】명〔soft radiation〕〖물〗낮은 에너지밖에 갖지 않은 입자(粒子)나 광자(光子)의 방사. 결과적으로는 대부분의 물질에 의해서 차단됨.

연방 수사국【聯邦捜査局】명 에프 비 아이(F.B.I.).

연방 의회【聯邦議會】명 연방을 구성하는 각국에서 선출된 위원으로써 조직하는 의회. 그 의결은 연방 각국의 정부를 기속(羈束)할 뿐이고, 각국 정부가 이것을 법률 또는 명령으로서 특히 공포하지 않는 한, 국민에 대하여 효력을 가질 수가 없음.

연방-제【聯邦制】명 연방(聯邦)의 정치 제도.

연방-주【聯邦州】명 연방 국가를 형성하는 주(州).

연방-주의【聯邦主義】[一/一이] 명〔federalism〕〖정〗미국에서, 각주(州)의 개별적인 이익을 초월한 합중국 전체의 국가적 이익을 강조하는 주의. 이를 주장한 페더럴리스트당(黨)은 해밀턴을 중심으로 18 세기에 결성되어 19 세기 초기까지 계속되었음.

연방주의-자【聯邦主義者】[一/一이一] 명 페더럴리스트.

연-방죽【蓮一】명〈방〉연못.

연방 준:비 은행【聯邦準備銀行】명 미국의 중앙 은행(中央銀行). 전국 12 연방 준비구(準備區)에 각각 한 은행씩 있고, 각 지구의 가맹 은행의 출자(出資)에 의하여 된 주식 회사. 워싱턴 연방 준비 제도 이사회에 통할되어 있고, 은행권의 발행, 가맹 은행의 예금 지급 준비금의 수탁 등을 행함.

연방 준:비 제:도【聯邦準備制度】명〔Federal Reserve System〕〖경〗1913년의 연방 준비법에 의하여 설립된, 지방 분권적인 정치 체제에 상응하는 독특한, 미국의 중앙 은행 제도. *연방 준비 은행.

연방 헌:법【聯邦憲法】[一뻡] 명 헌법을 갖는 복수의 국가가 형성하는 연방에서의 헌법. 미국 헌법·러시아 헌법 등.

연배【年輩】명 ①서로 비슷한 나이. ②나이가 비슷한 사람. 연갑(年甲). ¶동(同)～.

연백【鉛白】명〖화〗염기성(塩基性) 탄산(炭酸)납.

연백-군【延白郡】명〖지〗황해도의 한 군. 관내 1읍 19면. 서는 벽성군(碧城郡), 동은 개풍군(開豐郡), 북은 평산군(平山郡)·금천군(金川郡), 남은 바다에 접함. 주산물은 쌀·보리·콩·목화·삼·사과·배·고치 등의

농산(農産)과 수산(水産)·광산(鑛産) 등이고, 명승 고적으로는 남대지(南大池)·연성 대첩비(延城大捷碑)·기운정(起雲亭)·탁영대(濯纓臺)·배천 온천·연안 온천·문회 서원(文會書院) 등이 있음. 군청 소재지는 연안읍(延安邑). [939 km²]

연:백복지-무【演百福之舞】명 〖악〗 정재(呈才) 때에 추는 춤. 조선 순조(純祖) 29년(1829)에 효명 세자(孝明世子)가 지은 것인데, 향악(鄕樂)·남악(男樂)·여악(女樂)이 다 있으며, 죽간자(竹竿子)가 동서로 나뉘어 서고, 뒤에 네 사람이 한 줄로 서고, 중무(中舞) 또는 왕모(王母)가 그 뒤에 따름.

연:-백분【煉白粉】명 크림(cream) 모양의 분.

연백 평야【延白平野】명 〖지〗 황해도 예성강(禮成江) 하류에 전개된 평야. 황해도의 대미작(大米作) 지대를 이루며 밀·보리·조·두류(豆類)·면화 등도 산출됨.

연:백-화【軟白化】명 〖식〗 광선의 부족으로 엽록소의 발달이 나빠지는 변색병(變色病)의 하나.

연번【連番】명 ↗일련 번호.

연벽[1]【聯璧·連璧】명 ①한 쌍의 옥. 재학(才學)이 뛰어난 한 쌍의 벗. ②형제가 동시에 과거에 급제함. ③두 사람이 서로 친밀하게 지내고, 하는 행동이 같이 아름다움.

연벽[2]【攣躄】명 손발 병신.

연변[1]【年邊】명 〖경〗 일년 동안의 변리. 연리(年利).

연변[2]【沿邊】명 국경·강·철도 또는 큰 길 등을 끼고 있는 일대의 지방.

연변[3]【延邊】명 〖지〗 '옌볜'을 우리 음으로 읽은 이름.

연변[4]【緣邊】명 ①둘레. 테두리. ②혼인상의 관계. ③연고자.

연변 대학【延邊大學】명 중국 옌볜 조선족 자치주 옌지 시(延吉市)에 있는 한인 대학. 조선족 교원 및 간부 양성을 위해 1949 년에 설립됨. 4년제 9개 학부와 11개 전공 과정이 갖추어져 있는 종합 대학교임. 옌볜 대학.

연변 봉수【沿邊烽燧】명 〖역〗 변경(邊境)에 베푼 봉화대의 뜻으로, 연대(煙臺)를 일컫는 말.

연변 태좌【緣邊胎座】명 〖식〗 단자예(單雌蕊)로 된 단실 자방(單室子房)의 한 쪽 벽에 있는 태좌(胎座). 콩·완두(豌豆) 등의 태좌. 주변(周邊) 태좌.

연변 한인 사회【延邊韓人社會】명 중국 지린성(吉林省) 옌볜 조선족 자치주(延邊朝鮮族自治州)를 이루고 있는 우리 동포들의 사회.

연별【年別】명 해에 따라 구별함. ¶～로 구분하다. ——하다 타여불

연별 예:산【年別豫算】[一례一] 명 일 개년을 기간으로 하여 편성(編成)하는 예산.

연:병[1]【硯屛】명 먼지와 먹이 튀는 것을 막기 위하여 벼루 머리에 놓는 작은 병풍. 옥이나 쇠로 만든 것도 있으나 도자기(陶瓷器)로 만든 것이 흔하고 필가(筆架)를 겸한 것도 있음.

연:병[2]【練兵·鍊兵】명 〖군〗 평시에 병사들에게 전투에 필요한 여러 가지 동작·작업 등을 훈련하는 일. 조련(調練). ——하다 자여불

연:병[3]【戀病】명 상사병(相思病).

연:병-장【練兵場】명 〖군〗 병영의 소재지에 시설하여 군대의 교련 연습 등을 하는 장소.

연:병 지남【練兵指南】명 〖책〗 군사 훈련에 관한 책. 조선 광해군(光海君) 4년(1612) 간행. 한교(韓嶠)가 간행에 참여함. 국어사 연구의 자료가 됨. 1권.

연보[1]【年報】명 어떤 사실·사업에 관한 연년(年年)의 보고.

연보[2]【年譜】명 개인 일대(一代)의 이력을 연월순(年月順)으로 적은 기록. 개인의 연대기. ¶작가(作家)의 ～.

연:보[3]【捐補】명 ①자기의 재물을 내어서 다른 사람을 도와 줌. 연조(捐助). ②〖기독교〗 헌금(獻金). ——하다 타여불

연보[4]【蓮步】명 〔중국 남제(南齊)의 동혼후(東昏侯)가 번비(潘妃)에게 금으로 만든 연꽃 위를 걷게 했다는 고사(故事)에서〕 미인(美人)의 걸음걸이를 비유하는 말.

연보[5]【聯步】명 〖식〗 속수자(續隨子).

연:보-금【捐補金】명 〖기독교〗 교회에서 예배가 있을 때마다 교회 경비, 기타에 충당하기 위하여 신자들이 갹출(醵出)하는 돈. 연보전. 연조금(捐助金).

연:-보라【軟一】명 엷은 보랏빛.

연:보-전【捐補錢】명 〖기독교〗 연보금.

연복[1]【延卜】명 〖역〗 조선 시대에, 부연 사신(赴燕使臣)이 돌아올 때 가지고 오는 복물(卜物)을 운반하기 위하여 의주(義州)에서 압록강 대안(對岸)의 책문(柵門)으로 말을 보내는 일. *여마(餘馬).

연복[2]【連幅·聯幅】명 연폭. ——하다 자타여불

연:복[3]【練服】명 소상(小祥) 뒤로부터 담제(禫祭) 전까지 입는 상제(喪制)의 옷.

연:복-자【燕覆子】명 〖식〗 으름.

연복-초【連幅草】명 〖식〗 [*Adoxa moschatellina*] 연복초과에 속하는 다년초. 근경(根莖)은 백색이며, 줄기는 높이 15cm 내외임. 근경엽(根莖葉)은 장병(長柄)이며 1-3회 3 출하고 경엽도 3 출하는데, 열편(裂片)은 거꿀달걀꼴임. 4-5월에 황록색 꽃이 줄기 끝에 취산(聚繖) 화서로 피고, 과실은 핵과(核果)임. 산지(山地)에 나는데, 강원 및 경기도의 광릉과 함남의 부전 고원·가야산 등지에 분포함.

〈연복초〉

연복초-과【連幅草科】[一꽈] 명 〖식〗 [Adoxaceae] 쌍자엽 식물 합판화류(合瓣花類)에 속하는 한 과. 대부분 다년초인데, 땅 밑에 근경(根莖)이 있고, 꽃은 양성화(兩性花)이며, 자방(子房)에는 도생 배주(倒生胚珠)가 있음. 연복초가 이에 속함.

연:봇-돈【捐補一】명 〖기독교〗 연보금.

연봉[1]【年俸】명 일 년 동안에 받는 봉급. 연급(年給).

연봉[2]【延逢】명 〖역〗 고을 수령(守令)이 존귀(尊貴)한 사람을 나아가 맞음. ——하다 타여불

연봉[3]【連峰】명 죽 이어져 있는 산봉우리. ¶알프스의 ～. *연산(連山).

연-봉[4]【蓮一】[一뽕] 명 ①피기 시작하는 연꽃의 봉오리. ②↗연봉잠. ③〖건〗 방초박이 못의 대가리를 감추기 위하여 연봉처럼 만든 장식.

연봉 매듭【蓮一】[一뽕一] 명 매듭의 기본형(基本型)의 하나. 연꽃 봉오리 모양의 둥근 매듭. 장도(粧刀) 끈·단추 등에 쓰이며, 고추다리 매듭·잠자리 매듭 등의 기초가 됨. 단추 매듭.

연봉 무지기【蓮一】[一뽕一] 명 연꽃의 빛처럼 끝만 붉게 물들인 무지기의 한 가지.

연봉-잠【蓮一簪】[一뽕一] 명 막 피려는 연꽃 봉오리를 본떠 만들고 산호 구슬을 물린, 여자 머리에 꽂는 장식품. ㊟연봉.

연부[1]【年賦】명 갚아야 할 돈을 해마다 얼마씩 몇 해로 나누어서 갚아 가는 일. 또, 그 돈. 연불(年拂). *월부(月賦).

연부[2]【然否】명 그러함과 그렇지 아니함. ¶～를 막론하고.

연부[3]【蓮府】명 〔중국 진(晉)나라의 왕검(王儉)의 고사(故事)에서〕 대신(大臣)의 저택. 전(轉)하여, 대신의 일컬음.

연부-금【年賦金】명 연부 상환에 있어 해마다 갚는 돈.

연-부년【年復年】부 해마다.

연:부-병【軟腐病】[一뼝] 명 〖식〗 즙(汁)이 많은 식물의 조직이 침식되어 악취가 나고 썩어 문드러지는 병. 감자·고구마·담배·파·배추·무 등에서 볼 수 있음. 무름병. ↔건부병(乾腐病).

연부-불【年賦拂】명 연부로 지불함.

연부 역강【年富力強】명 나이가 젊고 힘이 셈. ¶아즉도 내가 ～한즉 …복성스러운 규수에게 후취도 하려니와…《李海朝 : 花의 血》. ——하다 형여불

연:북【硯北·硏北】명 편지 봉투에 받는 이의 이름 밑에 쓰는 경어. '옆에'의 뜻. 좌하(座下). 궤하(机下).

연분[1]【年分】명 ①일년 중의 어떤 때. ②〖역〗 농사의 풍흉(豐凶)에 따라 해마다 정하던 전세(田稅)의 율(律). 상상(上上)·상중·상하·중상·중중(中中)·중하·하상·하중·하하(下下)의 아홉 등급이 있었음. 연분 구등(年分九等).

연분[2]【連墳】명 상하분(上下墳).

연분[3]【鉛粉】명 백분(白粉)❷.

연분[4]【鳶鱝】명 〖어〗 매가오리.

연분[5]【緣分】명 하늘이 베푼 인연. 인연(因緣). ¶좋은 ～/ 천생 ～.

연분 구등【年分九等】명 〖역〗 연분(年分)❷.

연-분수【連分數】명 〖수〗 $a+\frac{k}{b}+\frac{l}{c}\cdots$처럼 연속된 형식을 취(取)하는 분수. 예를 들면

$$\frac{11}{8} \text{은 } 1+\cfrac{1}{2+\cfrac{1}{1+\cfrac{1}{2}}}$$

의 연분수로 나타낼 수 있음.

연:-분홍【軟粉紅】명 엷은 분홍. ¶～ 치마.

연:분홍-배뭉뚝맵시벌【軟粉紅一】명 〖충〗 [*Hadrodactylus orientalis*] 맵시벌과에 속하는 곤충. 암컷의 몸길이 10 mm 내외이고 두부·흉부 및 제1 복절(腹節)은 끝을 제외하고는 흑색이며 얼굴은 황색임. 촉각과 기타의 부분은 모두 황적색이고 날개는 투명하며 복부가 뭉뚝함. 한국·일본·유럽에 분포함.

연:분홍 사연【軟粉紅辭緣】명 연애 편지의 미칭(美稱).

연:분홍-산호【軟粉紅珊瑚】명 〖동〗 [*Corallium elatius*] 산호과에 속하는 강장 동물(腔腸動物). 산호류중 가장 큰 종류인데, 높이 1 m, 폭 1.6 m 가량으로 전체의 모양이 부채꼴을 이루고 연분홍빛을 띰. 말단부가 더욱 잘게 분지(分枝)되고 가지가 서로 유합(癒合)함. 폴립(polyp)은 크고 반규형(半圭形), 공육부(共肉部)는 두껍고 선홍색, 말단부는 담색으로 산호중에서 가장 아름다움. 골편(骨片)은 6-7 개로 복형(輻形) 또는 이중 곤봉상(二重棍棒狀)임. 산호충·백산호보다 깊은 바다 속에 서식하는데, 아시아 북동부 연안·태평양 등에 분포함.

〈연분홍산호〉

연불[1]【年拂】명 연부(年賦).

연불[2]【延拂】명 대금의 지불을 일정 기간 뒤로 늦추는 일. ——하다 타「여불

연불 보:험【年拂保險】명 보험 기간중, 해마다 한 번씩 보험료를 지불하는 보험.

연불 수출【延拂輸出】명 〔export by deferred account〕〖경〗 기계나 그 밖의 플랜트(plant) 등 대형의 설비재(設備材)를 수출함에 있어서, 그 지불 조건을 신용장에 의하지 않고 장기간의 연불로 하는 수출.

연:-붉다【軟一】[一북一] 형 연하게 붉다.

연:붉-돔【軟一】[一북一] 명 〖어〗 [*Sayonara satsumae*] 농어과의 바닷물고기. 몸길이는 18 cm 가량임. 몸빛은 붉은색이고, 흰 점이 산재함. 꼬리가 길며 등지느러미에 두 개의 긴 방이 있음. 벚꽃이 필 무렵에 잡히며 식용함. 한국 남해안, 일본·대만에 분포함.

연비[1]【連比】명 〖수〗 세 개 이상의 수 또는 양(量)의 비(比). 두 개의 비 $a:b$, $b:c$가 있을 때 이것을 $a:b:c$로 적은 것.

연비[2]【燃比】명 자동차 등이 1ℓ의 연료로 달릴 수 있는 km 수. 연료 소비 효율(效率). ¶저(低)～ 자동차.

연비[3]【聯臂】명 ①사이에 사람을 넣어 소개함. ¶행랑것이라든지 친구를 사면 ~하여 그리 수소문하여도 자기 아우 영향을 알 수 없는지라…≪李海朝 : 雨中行人≫/평일에 이시종이 신마마를 ~하여 별별 일이 많이 있었고…≪作者未詳 : 산천초목≫. ②서로 이리저리 알게 됨. ——-하다 타여불

연-비례【連比例】명〖수〗여러 개의 비가 연달아 있어, 이들 가운데서 서로 이웃하는 임의의 세 개를 취할 때 중앙의 것이 양옆의 것의 비례중항(比例中項)이 되는 경우의 관계. $a:b=b:c=c:d$이면 a, b, c, d는 연비례를 이룬다 함.

연:비-봉【燕飛峰】명〖지〗경상 북도 봉화군(奉化郡) 소천면(小川面)에 있는 산. [921 m]

연비 연비【聯臂聯臂】부 여러 겹의 간접적 소개로. 연줄연줄.

연빈【延賓】명 손님을 맞음. ——-하다 자여불

연빙【延聘】명 예로써 맞음. ——-하다 타여불

연-빰 명〈방〉연밥(경상).

연-뿌리【蓮—】명〖식〗연의 근경(根莖). 식용함. 연근(蓮根).

연뿌리-초【蓮—草】명〖건〗서까래 끝에 그린 단청(丹靑).

연사[1]【年事】명 농사가 되어 가는 형편. 농형(農形).

연:사[2]【研師】명 칼이나 거울 같은 것을 가는 것으로 업을 삼는 사람.

연사[3]【連査】명 혼인을 맺어서 사돈이 됨. 또, 그 사돈.

연:사[4]【軟絲】명 반죽한 찹쌀 가루를 얇고 모나게 썬 다음에, 기름에 튀기어 엿을 바르고 찹쌀 튀김을 붙인 유밀과(油蜜果)의 한 가지.

연사[5]【連辭】명〖논〗계사(繫辭)❷.

연사[6]【鉛絲】명 끝에 납덩어리를 달아 맨 실. 주로 건축이나 토목 공사에 수직(垂直) 여부의 검사에 씀.

연:사[7]【演士】명 연설하는 사람. 강사(講士). 변사(辯士).

연사[8]【鳶絲】명 연(鳶)실.

연사[9]【撚絲】명 꼰 실.

연사[10]【蓮社】명〖역〗↗백련사(白蓮社).

연:사[11]【練祀】명 ↗연제사(練祭祀).

연:사[12]【練絲】명 생실을 비누나 잿물에 담가서 희고 광택이 나게 만든 실. *생사(生絲).

연사[13]【蓮絲】명 연의 줄기에 있는 섬유(纖維). 또, 그것을 모아서 만든 실.

연:사[14]【燕射】명〖역〗신하들을 위로하는 궁중의 잔치에 베푸는 활쏘기의 경기. 예궁(禮弓)을 씀.

연사-간【連査間】명 사돈끼리의 사이. ¶이손이 말이 없으신 걸 보면 나 같은 사람과는 ~이 되기를 꺼리시는 것 아니오?≪玄鎭健 : 無影塔≫.

연사-기【撚絲機】명 방직에 쓰이는 실을 꼬는 기계.

연:사-장【練絲匠】명〖역〗경공장(京工匠)의 하나. 생실을 누이는 공장(工匠).

연사-전【煙舍典】명〖역〗신라 때 관아(官衙)의 이름.

연-사주【蓮砂洲】명〖지〗육계 사주(陸繫砂洲).

연사-질 명 교묘한 말로 남을 꾀어 그의 심중(心中)을 말하게 하는 짓. ——-하다 자여불

연:삭[1]【研削】명〖기〗고경도 광물(高硬度鑛物)의 입자(粒子)·분말(粉末) 또는 숫돌로 물체의 표면을 갈아 반들반들하게 만드는 일. 연마(研磨). ——-하다 타여불

연삭[2]【連索】명 연결하는 밧줄.

연:삭-기【研削機】명〖기〗회전 숫돌을 회전하여 공작물의 표면을 깎아 내어 매끄럽게 마무리하는 공작 기계. 평면·심무(心無)·내면·원통·만능·특수 등의 연삭기가 있음. 연마기(研磨機). 연마반(盤). 그라인더(grinder).

연산[1]【年産】명 일 년 동안의 생산고(生産高) 또는 산출고.

연산[2]【連山】명 ①죽 잇대어 있는 산. *연봉(連峰). ②중국 하왕조(夏王朝) 때 쓰이였다는 점서(占筮)의 이름. 은대(殷代)의 귀장(歸藏)과 함께 일찍 없어짐.

연산[3]【連山】명〖지〗충청 남도 논산군(論山郡)에 있는 호남선(湖南線)의 요역(要驛). 계룡산(鷄龍山)과 대둔산(大屯山) 사이의 요해처(要害處)이며 산간(山間) 농산물의 집산지임.

연산[4]【鉛山】명 납을 캐는 광산.

연:산[5]【演算】명 ①[calculation]〖수〗일정한 법칙에 따라 결과를 산출해 내는 조작. 운산(運算). 산법(算法). ②[operation]〖컴퓨터〗컴퓨터의 동작의 단위가 되는 것으로 기계어 명령 하나나 고급 언어의 한 문장. ——-하다 타여불

연:산-군【燕山君】명 연산주(燕山主)의 폐위된 후의 봉작(封爵).

연:산군 일기【燕山君日記】명〖책〗연산군 재위(在位) 12년간의 실록(實錄). 뒤에 군(君)으로 봉한 까닭으로 일기라 함. 63권 46책.

연:산 기호【演算記號】명〖수〗연산에서 쓰는 여러 가지 기호. '+'·'−'·'×'·'÷' 등.

연:산 대:상【演算對象】명 [operand]〖컴퓨터〗기계어 명령에서 동작이 가해질 대상물을 지정하는 부분. 흔히, 대상이 되는 데이터 자체 따위를 나타냄.

연산 민란【連山民亂】[—믿—] 명〖역〗조선 철종 13년(1862) 5월, 충청도 연산(連山)에서 일어난 폭동 사건(暴動事件). 각지의 민란(民亂)에 자극되어 연산의 나무꾼 수천 명이 작당(作黨), 관청을 습격하고 민가에 불질렀음. 그러나, 곧 충청도 관찰사(觀察使) 유장환(兪章煥)에 의해 진압되었음.

연산-액【年産額】명 1년 동안의 생산액.

연:산 외:사【燕山外史】명〖책〗중국 청(淸)나라 때의 문인 진구(陳球)가 지은 장편 소설. 1810년경의 작품인데, 두승조(竇繩祖)라는 청년과 이애고(李愛姑)라는 가난한 집 처녀와의 사랑을 독창적(獨創的)인 변려문(騈儷文)으로 묘사하였음. 전 8 권.

연:산-자【演算子】명 [operator]〖수〗함수(函數)를 다른 함수로 대응시키는 연산 기호(演算記號). 미분 기호·적분 기호 등이 있음. 작용소(作用素).

연:산자-법【演算子法】[—뻡] 명〖수〗연산자 간의 일종의 산법(算法). 이것에 의해 미분(微分)·적분(積分)등의 복잡한 계산을 대수적(代數的)·기계적으로 행할 수 있음.

연:산 장치【演算裝置】명〖컴퓨터〗산술 논리 연산 장치.

연-산적【鏈散炙】명 사슬 산적.

연:산-주【燕山主】명〖사람〗조선 제10대 왕. 휘는 융(隆). 당시 조신 유생(朝臣儒生)간에 당쟁이 격심했는데, 이 혼란 중, 무오 사화(戊午士禍)·갑자 사화(甲子士禍)를 일으켜 많은 사류(士類)를 죽여 폭군으로 지탄(指彈)을 받아 중종 반정(中宗反正)으로 폐위되었음. 연산군(燕山君). [1476-1506; 재위 1495-1506]

연산-품【連產品】명〖경〗동일 재료를 사용하고 동일한 공정(工程)을 거쳐서 생산되는 두 가지 이상의 종류가 다른 제품으로서 그 사이에 양적(量的) 및 가치적(價値的)으로 주종(主從)의 관계 없이 항상 연속적으로 생산되는 제품. 석유 공업에서의 석유·휘발유·중유·경유(輕油)가 대표적인 예임.

연산품 계:산【連產品計算】명〖경〗연산품의 원가를 계산하기 위하여 결합(結合) 원가를 각 연산품으로 분할하는 계산.

연:산 회로【演算回路】명〖컴퓨터〗가감산(加減算) 따위의 산술(算術) 연산이나 논리(論理) 연산을 행하는 회로. 아날로그식과 디지털식이 있음.

연-살[1]【鳶—】[—쌀] 명 댓가지로 결은 연의 뼈대.

연살[2]【憐殺】명 지극히 불쌍히 여김. ——-하다 타여불

연삼【年三】명〖불교〗정월·오월·구월의 삼 개월에 불사(佛事)를 행하고, 재계(齋戒)하는 일.

연상[1]【年上】명 자기보다 나이가 많음. 또, 그 사람. ¶~의 여인. ↔연하(年下).

연:상[2]【軟上】명 중힘보다 약하고, 연중(軟中)보다 강한 활. 무른 활 중에서는 제일 셈.

연상[3]【連喪】명 잇따라 초상이 남. 또, 그 초상.

연:상[4]【硯床】[—쌍] 명 ①문방제구를 벌여 놓아 두는 작은 책상. ②벼룻집❷.

연:상[5]【硯箱】명 벼룻집❶.

연상[6]【筵上】명〖역〗고려 때 주부군현 이직(州府郡縣吏職)의 병부(兵部)의 버금 벼슬. 성종 2년(1124)에 부병정(副兵正)으로 고침.

연상[7]【鉛商】명 ①연광(鉛鑛)만을 허가하고 금은광은 허가하지 아니하였을 시대에 연광에서 금이나 은을 채취하여 비밀히 매매하던 사람. ②〖광〗덕대의 자본주. 필요한 때에 물품 또는 금전을 대어 주고, 채광한 뒤에 이익 배당을 받는 사람.

연:상[8]【練祥】명 소상(小祥).

연상[9]【聯想】명〖심〗한 관념으로 말미암아 관련되는 다른 관념을 생각하게 되는 현상. 관념 연합(觀念聯合). 연합(聯合). ¶검정색에서 죽음을 ~하다. ——-하다 타여불

연:상[10]【燕商】명 연경(燕京)을 왕래하던 무역상.

연상[11] 부〈방〉연방.

연상 검:사【聯想檢査】명〖심〗연상(聯想) 테스트.

연상 기호 코:드【聯想記號—】명 [mnemonic code]〖컴퓨터〗읽고 쓰기에 어려운 기계어를 이해하기 쉽도록 적당한 뜻을 가진 기호로 나타낸 코드.

연상-라【緣桑螺】[—나] 명〖동〗달팽이.

연상-물【聯想物】명 [associate]〖심〗사람의 마음 속에서 다른 것과 연결된 사물이나 사건.

연상-시【延祥詩】명〖역〗문관(文官)이 읊어 바치던, 원조(元朝)를 하례하는 시. 대궐 안의 전각(殿閣) 기둥에 붙임.

연상 심리학【聯想心理學】[—니—] 명〖심〗정신을, 관념 또는 기타 정신적 요소의 연합에 의하여 설명하는 학설. 연합 심리학.

연상약-하다【年相若—】형여불 나이가 비슷하다. ¶그 아우 민 승지와 연상약하여 같이 늙어 가는 터이라≪李海朝 : 鴛鴦圖≫.

연상-운【煙狀雲】명〖기상〗매우 얇은 베일(veil) 모양의 구름. 변종(變種)으로서, 더운 날이나 위도(緯度)가 낮은 지방에 흔히 나타나는데, 그 높이는 일정하지 않음.

연상-자【年上者】명 자기보다 나이가 많은 사람. 연장자(年長者).

연상 장치【聯想裝置】명 [associator] 컴퓨터에서, 유사한 대상을 결합해서 병렬(並列)로 늘어놓는 장치.

연상 테스트【聯想—】[test] 명〖심〗정신 진단법의 하나. 말에 대한 연상을 이용하여 인격 진단의 자료를 얻고자 하는 검사법. 이 검사법은 퍽 오래 전부터 연구되어 정신병의 진단, 심리 기능의 검사에 이용되었는데 특히 잘 알려져 있는 것은 정신 분석학(精神分析學)이 분석(分析) 및 치료(治療)의 수단으로서 자유로운 연상을 행하게 한 것임. 프로이트(Freud)는 이 연상의 내용에서 콤플렉스를 찾아 내어 진단과 치료에 이용했음. 연상 검사.

연-새 명〖조〗여새.

연색[1]【鉛色】명 납빛.

연:색[2]【研索】명 연구와 사색(思索). ——-하다 타여불

연:색-성【演色性】명〖물〗광원(光源)의 색(色)의 성질을 나타내는데 있어서, 그 빛으로 물체색(物體色)을 비추었을 적에 어떻게 보이는가 하는 경우의 그 성질. 가령 백열 전구의 연색성은 적황색(赤黃色)이 많으므로 난색계(暖色系)의 물건을 비추면 색채가 훨씬 밝아 보이며, 형

광등의 빛은 청색부(青色部)가 많으므로 백색·한색계(寒色系)의 상품을 선명히 보이게 함.
연생【緣生】명〖불교〗일체 만법(一切萬法)은 인연 화합(因緣和合)을 따라서 생겨 남. 인연생(因緣生). ――-하다 자여불
연생경 도:량【延生經道場】명〖불교〗수명 장수(壽命長壽)를 위하여 열었던 불교 의식의 하나.
연생 보:험【聯生保險】명〖경〗한 계약의 피보험자가 복수일 때의 생명 보험. ↔단생(單生) 보험.
연생이 명 잔약한 사람이나 물건. 보잘것 없는 사람의 별명.
연서[1]【連書】명 순경음(脣輕音)을 표시하기 위하여 순음자(脣音字) 밑에 'ㅇ'을 이어 쓴 것을 이름. 곧, 'ㅂ'과 'ㅇ'의 연서는 'ㅸ', 'ㅁ'과 'ㅇ'의 연서는 'ㅱ'. *부서[5](附書)·병서(並書).
연서[2]【連署】명〖법〗같은 문서에 여러 사람이 죽 잇따라 서명함. ¶진정서에 ~하다. ――-하다 타여불
연서[3]【憐恕】명 불쌍히 여겨 용서함. ――-하다 타여불
연:서[4]【戀書】명 연문(戀文).
연:석[1]【硏席】명 연구하는 좌석. 공부하는 곳.
연:석[2]【宴席】명 잔치하는 자리. 연회(宴會)의 좌석. 또, 그 자리. 연좌(宴座). ¶~을 마련하다.
연:석[3]【軟石】명 무른돌.
연석[4]【連席】명 여러 사람이 일정한 곳에 죽 늘어앉음. 또, 그 자리. ――-하다 자여불
연:석[5]【硯石】명 벼룻돌.
연석[6]【筵席】명 임금과 신하가 모이어 자문 주답(諮問奏答)하던 자리. 연중(筵中).
연석[7]【碾石】명〖고고학〗갈판.
연석[8]【緣石】명 차도와 보도 또는 가로수 사이의 경계가 되는 돌.
연석[9]【憐惜】명 불쌍히 여기며 아낌. ――-하다 타여불
연:석[10]【燕石】명〖광〗중국 베이징(北京) 부근에 있는 옌산(燕山)에서 나는 돌. 모양이 옥과 비슷하나 옥이 아니며 가치가 별로 없음.
연:석[11]【燕席】명 일을 하지 아니하고 편안하게 있음.
연석-봉【碾石棒】명〖고고학〗갈돌.
연석 회:의【連席會議】[―/―이] 명 ①둘 이상의 회의체가 합동으로 여는 회의 ②〖법〗국회에서 둘 이상의 위원회가 공동으로 열어 의견을 교환하는 회의. 표결(表決)을 할 수 없음.
연선【沿線】명 선로에 따라서 있는 땅. ¶철도 ~.
연설[1]【筵說】명 연석(筵席)에서 임금의 자문(諮問)에 답하여 올리는 말. ――-하다 타여불
연:설[2]【演說】명 ①여러 사람 앞에서 자기의 주의·주장 또는 의견을 진술함. ¶선거 ~/가두 ~. ②도리(道理)·교의(敎義) 또는 의의(意義) 따위를 진술함. ――-하다 자여불
연:설한다 구 '쓸데없는 말을 늘어놓는다'고 핀잔하는 속어.
연:설-가【演說家】명 ①연설자. ②연설을 썩 잘 하는 사람.
연:설-문【演說文】명 연설의 내용을 적은 글.
연:설-법【演說法】[―뻡] 명 연설하는 방법.
연:설-복【燕褻服】명 ①평상시에 입는 옷. ②관계(官界)에서 물러나와 한거(閑居)하는 처지를 비유하는 말.
연:설-사【演說士】[―싸] 명 연설자.
연:설-자【演說者】[―짜] 명 연설하는 사람. 연설가. 연설사.
연:설-조【演說調】[―쪼] 명 연설하는 어조(語調). 또, 그와 같은 어조·말투.
연:설-집【演說集】명 연설의 원고를 수록한 책.
연:설-회【演說會】명 연설을 하는 모임.
연:-섬유종【軟纖維腫】명〖의〗결합 조직(結合組織) 섬유가 적고 말랑말랑한 섬유종의 하나. ↔경(硬)섬유종.
연성[1]【延性】명 [ductility]〖물〗물질이 탄성 한계(彈性限界) 이상의 힘을 받아도 파괴되지 아니하고 가늘고 길게 늘어나는 성질. 백금이 가장 크고, 금·은·알루미늄 등이 그 다음임.
연:성[2]【軟性】명 부드럽고 무르고 연한 성질. ↔경성(硬性).
연성[3]【連城】명 죽 잇따라 있는 성.
연성[4]【連星·聯星】명〖천〗쌍성(雙星).
연성[5]【連聲】명〖언〗연음(連音).
연성[6]【緣成】명〖불교〗인연에 의하여 이루어짐. ――-하다 자여불
연:성[7]【鍊成】명 심신 따위를 단련하여 육성함. ――-하다 타여불
연성 기호【延聲記號】명〖악〗'늘임표'의 한자 이름.
연:-성분【軟成分】명 [soft component]〖물〗방사선(放射線)이나 우주선(宇宙線)의 물질을 통과하는 힘이 약한 부분. ↔경성분(硬成分).
연:성-소【鍊成所】명 연성을 하는 곳. 연성을 하는 기관.
연성 주:철【延性鑄鐵】명〖광〗용철(鎔鐵)에 마그네슘 등을 적당한 방법으로 첨가하고 충분히 반응시킨 후, 규소철(硅素鐵)을 넣고 급하게 주조한 구상(球狀) 흑연 조직의 주철. 편상(片狀) 흑연 조직을 가진 보통의 주철과 달라 강도와 인성(靭性)이 우수함.
연:성 하:감【軟性下疳】명 [chancroid]〖의〗성병의 하나. 연성 하감균에 의하여 음부(陰部)에 발생하는데, 동통(疼痛)이 심하고 서혜(鼠蹊) 림프샘이 부음. ↔경성 하감. *제오 성병(第五性病).
연:성 하:감균【軟性下疳菌】명〖식·의〗[*Hemophilus ducreyi*] 용혈성(溶血性)의 혈호균(血好菌). 1889년 이탈리아 의사 듀크레이(Ducrey, Augosto; 1860-1940)에 의하여 연성 하감 환자의 고름에서 발견된 작은 간균(桿菌). 그람 음성(陰性)의 연쇄상 배열을 이룸. 저항력이 약하여 배양(培養)이 곤란함. 듀크레이 간균.
연:성 헌:법【軟性憲法】[―뻡] 명〖법〗일반 법률(一般法律)과 같은 개정 절차(改正節次)로 개헌(改憲)이 가능한 헌법. 자유(自由) 헌법. ↔경성(硬性) 헌법.
연세[1]【年稅】명 해마다 바치는 조세(租稅).
연세[2]【年歲】명 '나이'의 존칭. 연치(年齒).
연:세[3]【捐世】명 '사망'의 존칭. ――-하다 자여불
연세[4]【連歲】명 해마다. ¶~ 풍년이 들어 농민이 즐거워하다.
연세 대학교【延世大學校】명 사립(私立) 종합 대학교의 하나. 1915년 언더우드(Underwood, H.G.)가 경신 학교(儆新學校)를 세우고 여기에 대학부를 설치한 것이 시초임. 1923년 연희 전문학교로 개칭, 1946년 종합 대학으로 되고, 1957년 세브란스 의과 대학을 병합하여 현재의 이름으로 함. 17개 단과 대학과 8개 대학원이 있음. 소재지 서울 서대문구 신촌동(新村洞).
연세 모:록【年歲冒錄】명〖역〗연령을 허위로 기록하는 일.
연소[1]【年少】명 나이가 어림. 소소(少小). ¶~ 기예(氣銳). ↔연로(年老). ――-하다 형여불
연소[2]【延燒】명 불길이 이웃으로 번져서 탐. ¶~를 면하다. ――-하다 자여불
연소[3]【連宵】명 연야(連夜).
연:소[4]【燕巢】명 ①제비의 집. 연과(燕窠). ②연와(燕窩).
연소[5]【燃素】명〖화〗플로지스톤(phlogiston).
연소[6]【燃燒】명 ①불붙어 탐. ②〖화〗주로 물질이 산소와 화합할 때, 다량의 열을 내며 동시에 빛을 내는 현상. 광의로는 열과 빛을 내지 않는 산화도 포함함. ――-하다 자여불
연소-관【燃燒管】명〖화〗고열에 견디는 경질 글라스(硬質 glass). 석영(石英) 또는 자기(瓷器)로 만든 관으로, 원소의 화학 분석(化學分析) 같은 데에 쓰임.
연소-기【燃燒器】명 [combustor]〖기〗가스 터빈의 일부를 이루고, 압축 공기의 흐름 속에 무화(霧化)한 연료를 불어넣어 연소시켜서 고온(高溫) 가스를 만드는 장치.
연소 기예【年少氣銳】명 나이가 젊고 기운이 팔팔함. ――-하다 형여불
연소 노동【年少勞動】명 연소자(年少者)의 노동. 1802년에 영국에서 처음 그 보호법(保護法)을 제정하였음. 우리 나라 근로 기준법(勤勞基準法)은 13세 미만 아동의 노동을 금하고 있음. 소년(少年) 노동.
연소-로【燃燒爐】명〖화〗유기 화합물의 원소 분석을 할 때에 연소관(燃燒管)을 그 속에 넣어 연소시킬 수 있도록 만든 철제(鐵製)의 화로.
〈연소로〉
연소 몰각【年少沒覺】명 나이가 어리고 철이 없음. ――-하다 형여불
연소-물【燃燒物】명 ①불에 타는 물건. ②산소와 화합하여 열과 빛을 낼 수 있는 물질.
연소-배【年少輩】명 나이가 어린 무리.
연소-성【燃燒性】[―썽] 명 가연성(可燃性).
연소성 고혈압【年少性高血壓】[―썽―] 명〖의〗연소자의 고혈압(高血壓)의 총칭. 대부분 사춘기(思春期) 고혈압으로 20세를 지나면 자연히 정상 상태로 돌아오나, 유전성인 것은 본태성(本態性) 고혈압의 시초가 됨.
연소 속도【燃燒速度】명 [burning rate]〖화〗수소와 공기의 혼합물과 같은 가연성(可燃性) 혼합 기체의 어떤 점에 점화하였을 때에 그 연소가 다른 점에 전파하는 속도.
연소 숟갈【燃燒―】명 [deflagration spoon]〖화〗고열에 견디는 금속 숟가락 모양의 실험 기구. 원소의 화학 분석 등에서 연소 물질을 담음.
〈연소 숟갈〉
연소-실【燃燒室】명 ①보일러·열처리로(熱處理爐)·가열로(加熱爐) 등에서 연료를 연소시키는 방. ②내연 기관에서 연료를 연소시키는 곳. *예(豫)연소실.
연소실 체적【燃燒室體積】명 [chamber volume]〖항공〗로켓 연소실의 용적(容積). 노즐(nozzle)의 수축부(收縮部)와 후부(喉部)까지를 포함함.
연소-열【燃燒熱】명 [heat of combustion]〖물〗1 mol 또는 1 g의 물질이 완전 연소할 때 발생하는 열량. 연소의 가치나 또는 식품의 영양가를 정하는 기준이 됨.
연소 완료 속도【燃燒完了速度】[―왈―] 명 [burnout velocity]〖항공〗연료(燃料) 또는 산화제(酸化劑)가 완전 연소된 시각에 있어서의 로켓의 속도(速度).
연소-율【燃燒率】명 보일러 속에서, 파이어 그레이트(fire grate) 1 m^2 당(當) 한 시간 동안의 고체 연료의 연소량.
연소-자【年少者】명 나이가 어린 사람. 소년.
연소 장치【燃燒裝置】명 각종 연료를 경제적으로 연소시키기 위한 장치. 일반적으로 연료 공급, 공기 공급, 연소(燃燒) 및 폐(廢) 가스나 재를 제거하는 부분 등으로 이루어짐.
연소 조건【燃燒條件】[―껀] 명〖물〗물질이 타기 위해서 필요한 세 가지 조건. 곧, 가연(可燃) 물질의 존재, 이에 대한 발화점 이상의 가열, 충분한 산소의 공급 등, 세 조건이 갖추어져야 함.
연소-죄【延燒罪】[―쬐] 명〖법〗결과적 가중범(結果的加重犯)의 하나. 사람이 살고 있지 않은 자기 소유의 가옥이나 건조물(建造物) 등에 방화(放火)한 결과, 예기치 않게 남의 건조물 등에 연소시킨 죄.
연소-체【燃燒體】명 타는 물체. 연소할 수 있는 물체.
연소-핵【燃燒核】명 [combustion nucleus]〖기상〗생산되거나 또는 자연적인 연소 과정의 결과로써 발생하는 응결핵(凝結核).
연소 효:율【燃燒效率】명 [combustion efficiency]〖화〗완전 연소 때

발생하는 열량(熱量)과 실제의 연소 과정(燃燒過程)에서 발생하는 열량과의 비교.

연속[1]【連續】명 ①끊이지 아니하고 죽 이음. ¶～ 방송극. ②〔continuous〕〖수〗연속성. ——-하다 자타여불

연속[2]【連屬】명 계속(繫屬). ——-하다 자여불

연속 건조기【連續乾燥機】명〔continuous dryer〕〖기〗젖은 물질을 끊임없이 통과시켜 건조하는 기계.

연속 경:기【連續競技】명 더블헤더.

연속 곡선【連續曲線】명〖수〗연속 함수(連續函數)에 의하여 그려지는 그래프(graph).

연속-관【連續觀】명〖철〗상반(相反)되는 실재, 곧 현실과 이상, 감정과 이성, 내용과 형식, 인간성과 신성(神性) 등을 질적으로 전혀 다른 두 개의 원리로 보며 그 사이에 단절(斷絕)을 인정하는 비연속관에 대하여, 이들은 질적으로 같은 것이며 결국 어느 정도의 차로써 연속되어 있는 것이라고 보는 세계관.

연속-교【連續橋】명〖토〗3개 이상의 지점(支點)을 갖는 연속 빔(連續beam) 또는 연속된 트러스를 주요 구조로 하는 다리.

연속-극【連續劇】명〖연〗①라디오·텔레비전 등에서, 한 편의 드라마를 일부분씩 정기적으로 연속하여 방송하는 연극. ¶일일 ～. ②연쇄극(連鎖劇).

연속 등반【連續登攀】명〔continuous climbing〕〖등산〗암벽(岩壁) 따위를 등반할 때, 자일로 연결된 전원(全員)이 일정한 간격을 유지하면서, 동시에 행동하는 방법. ↔격시(隔時) 등반.

연속-량【連續量】[—냥] 명〔continuous measure〕〖수〗단위를 정하면, 그 양(量)을 나타내는 정도가 모든 양(陽)의 실수(實數)를 취할 수 있는 양. 길이·무게 따위.

연속-범【連續犯】명〖법〗동일한 범의(犯意)로 범행한 수개의 행위가 동일한 죄명에 해당되는 범죄. 또, 그 범인. 하나의 죄명으로 처벌됨.

연속 변:이【連續變異】명〖생〗종자(種子)의 크기나 무게, 동물의 몸길이 등 양적 형질(量的形質)에 관한 변이로, 자연적으로는 몇개의 계급으로 나눌 수 없는 변이. ↔불연속 변이. 「——-하다 자여불

연속 부절【連續不絕】명 연달아 이어져서 끊어지지 아니함. 계속 부절.

연속 사상【連續寫像】명〖수〗정의역(定義域) 안의 모든 점으로 연속인 사상(寫像).

연속 생산【連續生産】명 일관 작업(一貫作業).

연속-선【連續線】명 끊이지 않고 죽 이어진 선.

연속-성【連續性】명 ①연속되는 상태 또는 성질. ②〖수〗㉠함수(函數)나 사상(寫像)이 연속임. 또, 연속과 불연속. ㉡실수(實數)가 대소(大小)의 순으로 빈틈없이 일렬(一列)로 나란히 있음.

연속 스펙트럼【連續—】명〔continuous spectrum〕〖물〗파장(波長)의 어떤 범위에 걸쳐 연속적으로 분포한 스펙트럼. 고체 또는 액체가 내는 열복사(熱輻射) 스펙트럼, 기체 원자 또는 분자의 이온화 상태에서 내는 발광(發光) 스펙트럼, 제동 복사(制動輻射)에 의한 연속 엑스선(X線) 등. *선(線) 스펙트럼·띠 스펙트럼.

연속 압연기【連續壓延機】명〔continuous mill〕〖야금〗세로로 배열되어 동시에 움직이는 일련의 롤러(roller)에 금속을 넣어 순차적으로 얇게 압연하는 기계.

연속 엑스선【連續X線】명〔continuous X-rays〕〖물〗고속 전자(高速電子)가 대음극(對陰極)에 충돌하는 순간에 방출되는, 연속 스펙트럼 분포를 가진 전자기 복사(電磁氣輻射).

연속 자동 방적기【連續自動紡績機】명〔continuous automated spinning〕면방적(綿紡績)에서, 혼타면기(混打綿機)·소면기(梳綿機)·연조기(練條機) 등을 결합시킨 유닛(unit)과 정방기(精紡機)로 구성되는 일련의 장치. 원면(原綿)에서 면사(綿絲)까지의 전공정(全工程)이 자동으로 이루어짐.

연속 재배【連續栽培】명〔succession of crops〕〖농〗①오랜 재배기(期)를 통하여, 되풀이해서 파종(播種)하거나, 생장(生長) 속도가 다른 작물을 파종함으로써 연속해서 농작물을 재배하는 일. ②한 계절에 두 가지 이상의 농작물을 같은 땅에 연속하여 재배하는 일.

연속-적【連續的】명관 연달아 이어지는 모양. ↔간헐적(間歇的).

연속 주:조법【連續鑄造法】[—뻡] 명 제련한 용융(熔融) 금속을 수냉 주형(水冷鑄型)을 통하여 연속적으로 주조하여 이것을 적당한 길이로 끊어 잉곳(ingot)을 만드는 방법. 이 방법에 의하면 조괴(造塊)·작열(灼熱)·분해(分解)의 각 공정(工程)을 하나의 설비로 연속적으로 행하므로 설비비나 공장의 소요 면적이 절약되며 강재(鋼材)의 재질면(材質面)에서도 균일성(均一性)이 뛰어남.

연속 증류【連續蒸溜】[—뉴] 명 원료를 증류기로 보내어 연속적으로 조작하는 증류법. ↔ 회분(回分) 증류.

연속-체【連續體】명〖수〗①실수 전체(實數全體)를 이름. ②두 점(點) 이상으로 연결되어 있으며 또한 콤팩트(compact)한 거리 공간(距離空間)을 일컬음.

연속-파【連續波】명〖물〗①잇따라 진동하는 파동(波動)의 순환. ②〖전〗지속파.

연속파 추적 시스템【連續波追跡—】명〔continuous-wave tracking system〕〖전〗연속 전파빔(電波beam)으로써 물표(物標)를 추적하고, 또 추적에 필요한 안테나의 운동으로부터 물표의 성질을 결정하는 추적 시스템.

연속 평형 증류【連續平衡蒸溜】[—뉴] 명 화학 공업에서, 발생 증기와 잔류액(殘留液)이 평형 상태에 있는 조건 밑에서 원액(原液)의 일부를 증발시켜서 발생 증기와 잔류액을 연속적으로 추출하는 증류법.

연속 함:수【連續函數】[—쑤] 명〖수〗변수가 연속적으로 변함에 따라 그 함수도 연속적으로 변하는 함수. 곧, 변수 x가 일정한 값 a에 가까와짐에 따라 x의 함수 $f(x)$의 극한값이 $f(a)$와 같게 될 때, $f(x)$는 a의 연속 함수임.

연속 흡수【連續吸收】명〖화〗스펙트럼의 어느 범위에서 연속적으로 일어나는 흡수. 색소(色素)에 있어 현저히 나타남.

연송[1]【連頌】명〖천주교〗미사 진행 중 독서(讀書)가 끝나고, 층계송(層階頌)과 아울러 읽는 기도문. 구용어: 연경(連經).

연송[2]【連誦】명 책 한 권을 처음부터 끝까지 내리 욈. ——-하다 타여불

연송[3] 부〈방〉연방.

연쇄【連鎖】명 ①양쪽을 연결하는 사슬. ②서로 연이어 맺음. ¶～ 반응. ③〖생〗연관. 관련(關聯). ——-하다 타여불

연쇄-가【連鎖街】명 연쇄점(連鎖店)이 모여 있는 거리.

연쇄-군【連鎖群】명〖생〗연관군(聯關群).

연쇄-극【連鎖劇】명〖연〗실연(實演)과 영화(映畫)를 섞어 상연하는 극. 연속극.

연쇄 기준【連鎖基準】명〖수〗물가 지수나 그 밖의 종합 지수를 작성할 때 기준을 어떤 특정한 시기에 고정하지 않고 매시점(每時點) 변경하여 각각 그 직전의 시점을 기준으로 삼는 방식.

연쇄 도:산【連鎖倒産】명〖경〗어떤 기업이 부도(不渡)어음을 내거나 도산하였을 때, 그 영향으로 다른 기업이 차례로 도산하는 일. ——-하다 자여불

연쇄 반:사【連鎖反射】명〔chained reflex〕반사는 널리 신체 각부에 퍼져가는 동시에 시간적으로도 하나의 반사가 다음 반사를 일으켜 차례로 신체 각 부분에 반사를 야기시킬 때가 있는데 이때의 반사를 이름. 이를테면 기침 반사에 있어, 먼저 후두(喉頭)에 자극이 이르면 후두가 폐쇄되고 이어서 강한 호기(呼氣) 운동이 일어나는 따위.

연쇄 반:응【連鎖反應】명 ①〔chain reaction〕〖물〗한 곳에 일어난 반응이 원인이 되어 차례차례로 다른 곳에 계속하여 일어나는 반응. 중합(重合)·폭발·원자핵 분열 등에서 볼 수 있음. 사슬 반응. ②전(轉)하여, 하나의 사건(事件)이 원인이 되어 차례차례로 같은 종류의 일이 일어나는 일.

연쇄-법【連鎖法】[—뻡] 명〖수〗여러 가지 명수(名數)의 순차의 관계를 알고 최초의 명수의 약간량이 최후의 명수의 얼마에 해당하는가를 알아내는 간편한 방법.

연쇄-비【連鎖比】명〖수〗n개의 수 또는 양 $a_1, a_2, \cdots, a_n$으로 만들어진 $(n-1)$개의 비(比) $a_1:a_2:a_3, \cdots, a_{n-1}:a_n$을 이름. 2:6, 6:5, 5:4 따위.

연쇄-상【連鎖狀】명 사슬처럼 생긴 모양.

연쇄상 구균【連鎖狀球菌】명〔streptococcus〕〖식〗연쇄상으로 되어 있는 그람 양성 구균(球菌). 사람이나 동물의 비강(鼻腔)·구강(口腔)·인후(咽喉)에 존재함. 특히, 병원성(病原性)의 것은 화농(化膿)을 일으키는 단독(丹毒)·폐렴·중이염(中耳炎)·성홍열(猩紅熱)의 병원체임. 녹색 연쇄상 구균·용혈성(溶血性) 연쇄상 구균이 있음.

연쇄 소:설【連鎖小說】명〔roman-cycle〕〖문〗대하(大河) 소설이라는 명칭 대신에 사용하는 티보데(Thibaudet, A.)의 용어. 연속적으로 인간을 포착하여 묘사한 장편 소설. 개인을 중심으로 한 것, 한 가족의 몇 세대를 중심으로 한 것, 사회 집단을 중심으로 한 것의 세 종류로 구분함. *대하(大河) 소설.

연쇄-식【連鎖式】명〖논〗복합(複合) 삼단 논법의 하나. 다수의 삼단 논법이 최후의 결론을 제외한 다른 삼단 논법의 결론을 생략하고 전제(前提)만을 연결하여 최후의 판단을 내리는 추론식(推論式)임. 'A는 B임. B는 C임. C는 D임. 고로 A는 D임.' 같은 것.

연쇄 이:성【連鎖異性】명〔chain isomerism〕〖화〗탄소 화합물에서 볼 수 있는 분자 이성의 형태. 분자 중의 탄소 원자(炭素原子)의 수(數)가 증가하면 원자간의 결합은 직쇄(直鎖) 또는 측쇄(側鎖)가 되어, 탄소 골격(骨格)이 다른 이성체를 만들어냄. *구조(構造) 이성.

연쇄-점【連鎖店】명 동일한 중앙부의 경영하에 같은 메이커(maker)의 상품(商品)을 취급하도록 조직된 각 소매 상점(小賣商店). 체인 스토어(chain store).

연쇄 편:지【連鎖便紙】명 한 사람이 다른 여러 사람에게 편지하고, 또 그 여러 사람은 각자가 자기의 여러 친구들에게 하여 그 줄기가 죽 잇닿는 편지. 편지 받은 사람은 반드시 자기 친구들에게 같은 내용으로 곧 다시 해야만 한다는 미신적인 말이 들어 있어 전세계에 퍼지는 수가 있음.

연수[1]【年收】명 한 해의 수입. 일 년 동안의 수입. ¶～ 6백만 원. *일수(日收)·월수(月收).

연수[2]【年首】명 설❶.

연수[3]【年數】[—쑤] 명 햇수. ¶～가 지나다.

연수[4]【延壽】명 ↗연년 익수(延年益壽).

연수[5]【延髓】명〔medulla oblongate〕〖생〗후두(後頭)의 경부(頸部)에 있어서 그 상단(上端)은 뇌교(腦橋)와 접해 있고 하방(下方)은 척수(脊髓)에 이어지는 뇌의 중추(中樞). 자극의 전도(傳導)를 맡는 백질부(白質部)와 중추 작용(中樞作用)을 하는 회백질부(灰白質部)로 이루어짐. 호흡 운동(呼吸運動), 혈관(血管)의 운동, 심장의 맥동(脈動) 등의 자동(自動) 중추가 있고, 저작(咀嚼)·연하(嚥下)·구토·타액(唾液) 분비·안검(眼瞼) 폐쇄·재채기 등의 중추가 있어 반사 운동을 맡고 있음. 숨골.

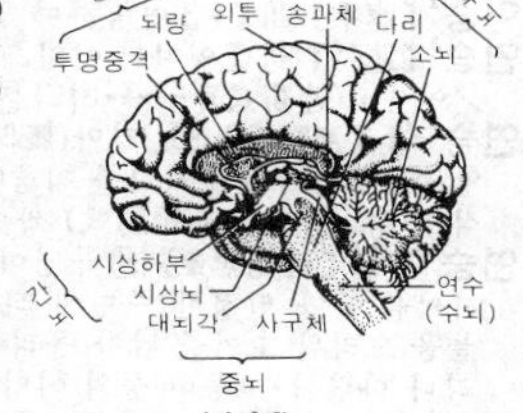

〈연수[5]〉

연:수[6]【研修】명 연구하고 닦음. ¶～생(生). ——-하다 타여불

연:수[7]【娟秀】명 용모가 뛰어나게 아름다움. ——-하다 형여불

연:수[8]【宴需】명 잔치에 드는 물건과 비용. *연회비(宴會費).

연:수[9]【軟水】명 단물. ↔경수(硬水).

연:수[10]【硯水】명 ①벼룻물. ②연적(硯滴).

연수[11]【淵邃】명 깊숙하고 고요함. 또 심원(深遠)함. ——-하다 형여불

연수[12]【淵藪】명 못에 물고기가 모여 들고, 숲에 새들이 모여 드는 것과 같이, 여러 가지 물건이 모여 드는 곳. 연총(淵叢).

연수[13]【煙水】명 수증기가 자욱한 수면(水面).

연수[14]【煙樹】명 연기에 뒤덮인 나무.

연:수[15]【練修】명 수련(修練). ——-하다 타여불

연수[16]【緣修】명〖불교〗관법(觀法)의 수행(修行)에 있어서, 수행을 의식한 수행. 수행하려는 특별한 생각 없이도 스스로 수행의 경지에 이른 진수(眞修)에 상대되는 말로, 초지(初地)에 달하지 못한 보살의 수행임. ↔진수(眞修).

연:수-과【演修科】[—꽈] 명〖교〗본과(本科) 이외에 특별히 설치하는 과. 전에 사범 학교 등에 두었음.

연수-당【延壽堂】명〖불교〗양로(養老)·치병(治病)을 위하여 절 안에 지은 집 또는 방.

연-수량【年水量】명 일년에 걸쳐 산출한 하천의 평균 유량(流量).

연수유 답전【烟受有畓田】명〖역〗신라 시대 농민들이 보유한 개별 경작지(個別耕作地).

연:수 장치【軟水裝置】명 탄산 칼슘·마그네슘 등 염류(塩類)를 많이 함유한 지하수(地下水) 등의 경수(硬水)를 이온(ion) 교환 등으로 불순물을 제거하여 연수 또는 순수(純水)를 얻는 장치.

연-수정【煙水晶】명〖광〗연기 낀 상태를 이룬 흑갈색의 수정. 투명한 것과 불투명한 것이 있음.

연-수표【延手票】명 앞수표.

연:숙【鍊熟】명 단련되어서 익숙함. 한숙(嫺熟). ——-하다 형여불

연:술【演述】명 자기의 사상·의견 등을 구두(口頭) 또는 서면으로 나타내는 일. ——-하다 타여불

연:숫-물【硯水—】명 ☞벼룻물.

연습[1]【沿襲】명 전례(前例)를 좇음. ——-하다 타여불

연:습[2]【演習】명 ①연습(練習). ②〖군〗군에서 평소 훈련한 전투 능력을 검정(檢定)하기 위해 또는 실전(實戰)에 숙달시키기 위하여 행하는 가설적 군사 행동. ¶도강(渡江) ~. ③〖교〗대학에서 학생이 일단(一團)이 되어 지도 교수(指導敎授)의 지도하에 연구·토의(討議)하는 일. 세미나(seminar). ——-하다 타여불

연:습[3]【練習·鍊習】명 ①학문·기예(技藝) 등을 연마하여 익힘. 습련(習鍊). 연습(演習). ②일정한 작업을 반복(反復)하여 새로운 습관을 만듦. ——-하다 타여불

연:습-곡【練習曲】명〔프 étude〕〖악〗기악(器樂) 또는 성악에 있어 기교의 연습을 위하여 쓰여진 곡(曲). 그러나 연주회용(演奏會用)의 기교적인 악곡도 있어 이를 연주회용 연습곡이라고 하며 쇼팽의 연습곡, 리스트의 초절(超絕) 연습곡과 같은 것이 있음. 에튀드.

연:습 곡선【練習曲線】명〖교〗학습 곡선.

연:습-기【練習機】명〖군〗조종·공중전·폭격·사진 촬영 기타의 항공 기술을 훈련시키기 위하여 설계된 비행기. 주로 프로펠러식 저성능(低性能)의 비행기로 교관과 연습생이 함께 탐.

연:습-림【演習林】[—님] 명 임학(林學)을 연구하는 학생들의 실지 연구에 이용하는 삼림.

연:습-선【練習船】명 상선(商船)이나 수산 계통 학생들에게 선박(船舶)의 운전이나 해상 근무(海上勤務)에 관한 실지 훈련(訓練)을 시키기 위한 선박.

연:습-용【練習用】[—뇽] 명 연습에 쓰임.

연:습-장[1]【演習場】명〖군〗연습지.

연:습-장[2]【練習帳】명 연습하는 필기장. 연습책.

연:습-지【演習地】명〖군〗지상 부대(地上部隊)의 교육 훈련에 사용되는 특정의 지역. 연습장(演習場). *연습 해면.

연:습-차【演習車】명 연습할 때 쓰이는 차.

연:습-책【練習冊】명 연습장[2].

연:습 함:대【練習艦隊】명〖군〗해군 각과(各科) 소위 후보생(少尉候補生)이 실무(實務) 연습을 하기 위하여 원양 항해(遠洋航海)를 할 목적으로 편성한 함대.

연:습 해:면【演習海面】명〖군〗해상 부대(海上部隊)의 교육 훈련에 사용되는 특정의 해역(海域). * 연습지.

연:습 효:과【練習效果】명 연습의 결과로 나타나는 행동의 형·속도·질의 점진적인 진보. 연습 기간중에 나타나기도 하고 연습 후 일정한 시기에 나타나기도 함.

연승[1]【延繩】명 주낙.

연승[2]【連乘】명〖수〗연속하여 곱함. ——-하다 자타여불

연승[3]【連勝】명 ①잇따라 이김. 연첩(連捷). ¶연전 ~. ↔연패(連敗). ②↗연승식(連勝式). ——-하다 자여불

연승-식【連勝式】명 경마(競馬) 따위에서, 일·이착(一·二着) 혹은 일·이·삼착까지의 하나를 적중(的中)시키는 방식. 또, 그 투표권. ㊟연식·연승. *단승식(單勝式)·쌍승식(雙勝式)·복승식(複勝式).

연승 어업【延繩漁業】명 무명이나 나일론으로 만든 긴 끈의 곳곳에 낚시찌를 달아 일정한 수면에 띄우고, 낚시찌와 낚시찌 사이에 낚시 바늘을 드리워 고기를 낚아 올리는 어업. 주로 남태평양 수역에서, 공미리나 다랑어·고등어 등의 어업에 사용됨. 주낙 어업.

연시[1]【年市】명 1년에 한두 번 열리는 정기적인 장(場). 일반적으로 원격지 거래를 위한 장으로 주로 값비싼 상품이 매매됨. 동·서양의 고대(古代)에도 있었지만, 중세 유럽에서 기독교의 축일(祝日)과 결부되어 제시(祭市)로서 발달함. 독일에서는 Messe, 영국에서는 fair라고 함. 견본시(見本市)나 박람회의 시초임.

연시[2]【年始】명 ①한 해의 처음. 세초(歲初). ↔연말(年末). ¶연말 ~. ②설❶.

연시[3]【延諡】명 조상(祖上)에게 내리는 시호(諡號)를 이어 받음. ——-하다 자여불

연:시[4]【軟柿】명 연감.

연시[5]【聯詩】명〖문〗여러 사람이 지은 여러 구절을 모아 한 편으로 만든 한시(漢詩).

연시 미행【煙視媚行】명 눈물어린 눈을 하고 아리땁게 걸음. 신부(新婦)의 걸음의 형용.

연-시조【聯時調】명〖문〗두 개 이상의 평시조가 겹쳐 있는 시조 형식. 도산 십이곡(陶山十二曲)·오우가(五友歌) 등. 연형(聯形) 시조.

연식[1]【年式】명 기계류, 특히 자동차의 제조년에 의한 형식(型式). ¶~이 낡았다.

연:식[2]【軟式】명 무른 재료나 도구를 사용하는 방식(方式). ¶~ 야구. ↔경식(硬式).

연:식[3]【軟食】명 죽·빵·국수 등의 주식과 소화되기 쉬운 반찬을 곁들인 음식물. 반고형식(半固形食). *유동식(流動食).

연식[4]【連式】명 ↗연승식(連勝式).

연식[5]【埏埴】명〖미술〗도자기의 원료로 쓰는 흙을 개는 일.

연식[6]【緣飾】명 겉만 치장하는 일. ——-하다 자여불

연:식[7]【燕息】명 ①한가로이 집에서 쉼. ②관원(官員)이 출사(出仕)하지 않고 집에서 쉼. ——-하다 자여불

연:식 비행선【軟式飛行船】명 골격(骨格)이 없고 기낭(氣囊)의 거의 전부를 접을 수 있는 비행선. ↔경식 비행선.

연:식 야:구【軟式野球】[—냐—] 명 연구(軟球)를 사용하는 야구. ↔경「식 야구.

연:식 정구【軟式庭球】명 연구(軟球)를 사용하는 정구.

연:식 지구의【軟式地球儀】[—/—이] 명 축(軸)을 조립식으로 하고, 이중으로 인쇄한 지도를 풍선처럼 바른, 접고 펼 수 있는 지구의.

연신[1]【延伸】명 길이로 늘임. ——-하다 타여불

연신[2]【連信】명 끊이지 않는 소식. 소식이 끊이지 아니함.

연신[3]【筵臣】명〖역〗경연(經筵)에 관계하던 관원(官員). 연관(筵官).

연신[4]【煙燼】명 연기와 불탄 나머지 또는 타다 남은 연기.

연신[5] 부 잇따라 자꾸.

연실[1]【連失】명 야구에서, 연이은 실책. ——-하다 자여불

연실[2]【鉛室】명〔lead chamber〕〖화〗연실법(鉛室法)에 있어서, 글러버산(glover酸)을 물에 녹여 황산(黃酸)을 만드는 연판(鉛板)으로 둘러싼 큰 상자.

연실[3]【煙室】명〖기〗화력(火力)을 이용한 기관(汽罐)에서 연기를 모아 굴뚝으로 빠지게 하는 곳.

연-실[4]【鳶—】[—씰] 명 연줄로 쓰는 실. 연사(鳶絲).

연실[5]【蓮實】명 연밥.

연:실[6]【燕室】명 휴게실(休憩室)❶.

연실 갓끈【蓮實—】명 연밥 모양의 구슬을 꿰어 만든 갓끈.

연실 돌:쩌귀【蓮實—】명 연밥 모양으로 만든 돌쩌귀.

연실-법【鉛室法】[—뻡] 명〔lead chamber process〕〖화〗황산 제조법(製造法)의 하나. 납으로 만든 방 안에서 아황산 가스와 공기 중의 산소를 과산화 질소를 촉매(觸媒)로 화합(化合)시켜 물에 용해(溶解)하여 만드는 법. 납이 황산에 침해되지 않는 성질을 이용한 것임.

〈연실법〉

연실법 황산【鉛室法黃酸】[—뻡—] 명〖화〗연실 황산.

연실-죽【蓮實竹】명 대통을 연밥 모양으로 만든 담뱃대.

연실 황산【鉛室黃酸】명〖화〗연실 속에서 만든 황산. 농도는 67-69%. 과인산 석회나 황산 암모늄을 만드는 데 쓰임. 연실법 황산.

연:심[1]【研尋】명 자세하고 깊이 연구함. ——-하다 타여불

연:심[2]【戀心】명 사랑하여 그리는 마음. 연정(戀情).

연심[3] 부〈방〉연방.

연심 세:구【年深歲久】명 연구 세심(年久歲深). ——-하다 형여불

연심 세:월【年深歲月】명 일을 장원(長遠)하게 차림.

연씨【閼氏】명〖역〗흉노(匈奴)의 왕 선우(單于)의 비(妃)의 일컬음.

연:악【燕樂】명 중국에서 주연(酒宴) 석상에서 연주된 음악. 의식(儀式) 때에 연주된 아악(雅樂)에 상대하여 속악(俗樂)이라 하였으며, 아악이 예법을 지키는 것과는 달리, 새로운 유행이나 서역(西域)으로부터 들어온 호악(胡樂) 같은 것도 도입하였음.

연안[1]【沿岸】명 ①강이나 호수 또는 바닷가를 따라서 있는 지방. ¶~ 지방. ②육지와 접한 강·호수·바다 등의 물가. ¶~ 어업.

연안[2]【延安】명〖지〗황해도 연백군(延白郡)의 군청 소재지. 연백 평야(延白平野)의 중심지로서 농산물의 집산지임. 부근에 연안 온천(延安溫泉)이 있음.

연안[3]【延安】명〖지〗'옌안'을 우리 음으로 읽은 이름.

연:안[4]【宴安·燕安】명 몸이 한가하고 마음이 편안함. 연한(燕閑). ——-하다 형여불

연:안은 짐:독(鴆毒)이다 구〔짐독은 짐(鴆)이라고 하는 독조(毒鳥)의 깃을 술에 담근 맹독(猛毒)〕헛되이 놀고 즐기는 것은 독약과 같이 사람을 해친다는 뜻.

연안-국【沿岸國】명〖지〗연안에 있는 국가.

연안-대【沿岸帶】명〔littoral zone〕〖생〗①호소(湖沼)의 물가로부터 광합성(光合成) 식물의 생육 한계인 수심(水深) 약 20m까지의 지역. 광합성의 보상점(補償點), 용존 산소(溶存酸素), 생육에 필요한 유기물의 양에 의하여 제한되고, 또 물의 움직임이나 주야·계절의 변화가 호소 중 가장 격심(激甚)하므로 독특한 연안대 군집(群集)을 형성함. 현화(顯花) 식물의 생존 한계인 수심 약 100m까지로 하기도 함. ②바다에서는 조간대(潮間帶) 및 간조(干潮) 때의 정선(汀線)으로부터 수심 50m까지의 수역.

연안대 군집【沿岸帶群集】명〔littoral community〕〖생〗①호소(湖沼)의 연안대(沿岸帶)에 생육하는 생물 사회. 호소에 따라 다르지만, 식물은 물가로부터 차례로 정수(挺水)·부엽(浮葉)·침수(沈水)의 세 식물대로 분류(分類)되고, 동물은 특히 침수 식물대에 패류(貝類)·갑각류(甲殼類) 및 작은 물고기 등을 볼 수 있음. ②바다의 조간대(潮間帶)에 사는 생물의 총칭.

연:안 대:비【燕雁代飛】명〔제비가 날아올 때에는 기러기는 날아가고, 기러기가 올 때에는 제비가 날아가, 각각 다른 방향으로 간다는 뜻에서〕인사(人事)의 서로 어긋남을 비유하여 이르는 말.

연안 대:첩【延安大捷】명〖역〗임진 왜란 때 초토사(招討使) 이정암(李廷馣)이 의병을 이끌고 연안성(延安城)에서 구로다 나가마사(黑田長政)의 군대를 맞아 싸워 크게 이긴 싸움.

연안 동:물【沿岸動物】명〖동〗해심(海深) 약 200m 이내의 연안 지대에 사는 바다 동물. 유공충(有孔蟲)·해면(海綿)·산호충(珊瑚蟲)·갑각강(甲殼綱)·해초류(海鞘類)·극피(棘皮) 동물 그 밖에 연안에 사는 바다물고기 등이 있음.

연안-류【沿岸流】[—뉴] 명〖지〗해안을 따라 평행(平行)으로 흐르는 해수의 표면류(表面流). 해안에 부딪치는 파도가 해안선에 어느 정도 비스듬히 진행하기 때문에 생김. 사취(砂嘴)·사주(砂洲)·연안주(洲) 등을 형성하는 원인이 됨.

연안 무:역【沿岸貿易】명〖경〗한 나라의 같은 연안의 각 항구 사이에 행하는 무역. 연해 무역. ↔해외 무역.

연안-빙【沿岸氷】명〔shore ice, coastal ice〕〖지〗바람·조류(潮流)·해류(海流) 및 얼음의 압력 등으로 해안(海岸)에 밀린 해빙(海氷).

연안 생물【沿岸生物】명 대륙붕 역내(域內)에 서식하고 있는 해양 생물.

연안-선【沿岸線】명 해안선(海岸線).

연안-수【沿岸水】명 하천·호수·지하수 등 육수(陸水)의 영향을 받고 있는 해수(海水). ↔외양수(外洋水).

연안 어업【沿岸漁業】명 해안선 부근 또는 국제법상 연안국의 주권이 미치는 해양 일대의 수역에서 행하는 어업. 어획물의 종류가 많고 적은 자본과 노력으로 할 수 있음이 특징임. 연해(沿海) 어업. ↔원양 어업(遠洋漁業).

연안 영해【沿岸領海】[—녕—] 명 연안해(沿岸海).

연안 이동【沿岸移動】명〖군〗연안 대기 지역으로부터 직접 목표 지역으로 인원과 물자를 이동시키는 일.

연안-주【沿岸洲】명〖지〗해심(海深)이 낮은 해안에서 해안선과 평행하게 토사(土砂)·침전물·파괴물 등이 퇴적하여 이루어진 모래톱. 해상과 육상의 교통에 불편함.

연안 탄:전【沿岸炭田】명〖광〗해안에 가까운 퇴적 분지(盆地)에 형성된 탄전. ↔내륙(內陸) 탄전.

연안 항:로【沿岸航路】[—노] 명 한 나라의 여러 항구 간의 항로. 곧, 연안 무역(貿易)이 행하여지는 항로.

연안 항:법【沿岸航法】[—뻡] 명〔coast piloting, coastal navigation〕육상(陸上)의 기준점(基準點)을 이용하여 해안 근처를 항행하는 배의 진로(進路)를 결정하는 일.

연안-해【沿岸海】명 영토 주위(周圍)의 일정 범위내(內)의 바다. 보통, 간조시(干潮時)의 해안으로부터 3해리(海里), 곧 5.558km 이내로 되어 있으며, 연안국이 주권을 행사할 수 있음. 만(灣)·내해(內海)와 함께 영해(領海)를 형성함. 한편, 이 폭(幅)에 대해서는 사해리설(四海里說), 육해리(六海里)설도 유력해지고 있음. 연안 영해(沿岸領海). *영해(領海).

연안 해:저 지역【沿岸海底地域】명 '대륙붕(大陸棚)'의 새로운 이름.

연-앉다 자〈방〉연들다.

연:-알【碾—】명 약연(藥碾)에 쏟은 약재를 갈 때에 굴리는 바퀴 모양의 쇠.

〈연알〉

연:암[1]【軟岩】명〔soft rock〕〖지〗①퇴적암의 광의(廣義)의 명칭. ②침식 작용에 비교적 저항성이 없는 암석.

연:암[2]【燕巖】명〖사람〗박지원(朴趾源)의 호(號).

연암-산【輦岩山】명〖지〗함경 남도 갑산군(甲山郡)에 있는 산. [1,787m]

연:암-집【燕巖集】명〖책〗조선 정조(正祖) 때의 박지원(朴趾源)의 시문집. 대한 제국 광무(光武) 5년(1901)에 김택영(金澤榮)이 9권 3책으로 간행하였고, 1932년에 박영철(朴榮喆)이 《열하 일기(熱河日記)》따위를 더하여 17권 6책으로 펴냄.

연앙【年央】명 한 해의 중간.

연애[1] 명〈옛〉아지랭이. 남기(嵐氣). ¶연애 남(嵐)《字會 上 2》.

연:애[2]【涓埃】명 물방울과 티끌. 곧, 아주 작은 것을 가리키는 말.

연애[3]【煙靄】명 ①연기와 아지랭이. ②아지랭이. 운기(雲氣).

연애[4]【碾磑】명 맷돌.

연애[5]【憐愛】명 불쌍히 여겨 사랑함. ——-하다 타여불

연:애[6]【戀愛】명 남녀 사이, 특히 젊은 청춘들이 애틋하게 그리워하고 서로 사랑하는 일. 사랑. ¶~관/~는 열병이다. ——-하다 자타여불

연:애 결혼【戀愛結婚】명 연애(戀愛)를 하여 맺어진 결혼(結婚). *중매 결혼(中媒結婚).

연:애-론【戀愛論】명 ①연애에 관한 이론. ②〖책〗〔프 De l'amour〕스탕달(Stendhal)의 평론. 2부작으로, 1822년 간행됨. 제1부에서는 연애를 정열적(情熱的) 연애·취미적(趣味的) 연애·허영적(虛榮的) 연애·육체적(肉體的) 연애의 네 형태로 분류, 사랑이 싹트는 과정을 논술하고, 제2부에서는 연애와 사회 생활의 관련성에 대하여 논술하였음. 작자가 밀라노에 가서 실연(失戀)하였을 때의 작품.

연:애 색맹【戀愛色盲】명 연애에 미쳐서 사리(事理)를 분간(分揀)하지 못하는 일.

연:애 소:설【戀愛小說】명〖문〗연애와 애정을 주제(主題)로 다룬 소설. 염정(艷情) 소설.

연:애 순례【戀愛巡禮】[—술—] 명 정조 관념이 없이 많은 사람에게 옮아 가면서 연애를 구하는 일.

연:애지-보【涓埃之報】명 '있는 재능을 다하여 왕은(王恩)에 보답함'의 겸손한 말.

연:애 지상주의【戀愛至上主義】[—/—이] 명 연애는 인생의 최고·지상의 목적이며 결혼의 유일한 핵심임과 동시에 그 전체라고 하는 주의.

연:애-질【戀愛—】명 연애를 하는 일. ——-하다 자여불

연:애 편:지【戀愛片紙】명 연애하는 남녀 사이에 주고 받는 애정의 편지. 연문(戀文). 연서(戀書). 러브 레터.

연액【年額】명 한 해 동안의 금액.

연야【連夜】㊀명 여러 날 밤을 계속함. ㊁부 밤마다. 연소(連宵).

연:약[1]【軟弱】명 연하고 약함. 연취(軟脆). ¶~한 여자의 마음. ——-하다 형여불

연:약[2]【煉藥】명 ①〖한의〗약을 곰. ②개어서 만든 약. ——-하다 자여불

연:-약과【軟藥果】명 말씬말씬하고 맛이 특히 좋은 약과.

연약-권【軟弱圈】명〔asthenosphere〕〖지〗지구의 맨틀(mantle) 가운데의 깊이 100km에서 200km 내지 수백 km까지의 비교적 유동성이 큰 층. 지각 평형(地殼平衡)을 유지하기 위한 유동(流動)이 이루어지며, 플레이트(plate)와 지구 내부 사이의 윤활(潤滑) 역할을 함. 암류권(岩流圈). 아스세노스피어.

연:-약밥【軟藥—】명 보들보들하고 맛이 특히 좋은 약밥.

연:약-성【軟弱性】명 연약한 성질.

연:약 외:교【軟弱外交】명 상대의 의사(意思)대로 무슨 일이든지 온편(穩便)하게 해결하려고 하는, 주장이 없는 외교.

연:양【軟痒】명 간지럼.

연양-가【延陽歌】명〖문〗고구려 가요의 하나. 작자·제작 연대 미상. 연양현의 한 충실한 사람이 자신을 나무에 비유하여 죽기를 한하고 열심히 일하겠노라는 내용의 노래를 읊었다고 하는 기록이 《고려사》악지(樂志)에 전함. 가사는 전하지 아니함.

연어[1]【連語】명 ①〖언〗두 개 이상의 단어가 결합하여 보다 복잡한 관념을 나타내는 언어. ②〖논〗계사(繫辭)❷.

연어[2]【淵魚】명 못이나 개울의 깊은 데서 사는 물고기.

연어[3]【鰱魚】명〖어〗[*Oncorhynchus keta*] 연어과에 속하는 바닷물고기. 길이 70-90cm로 몸은 방추형인데 몸빛은 등 쪽이 남회색, 배 쪽이 은백색, 살은 황적색임. 생식기에는 붉은 무늬가 생기며, 또 수컷의 주둥이가 구부러짐. 가을철에 강을 거슬러 올라와 상류의 모래 바닥에 산란한 후 죽어 버림. 한국 낙동강 이동과 북일본에 분포함. 맛이 좋음.

〈연어〉

연어-과【鰱魚科】[—꽈] 명〖어〗[Salmonidae] 청어목(目)에 속하는 어류의 한 과(科). 연어·송어·자치·곤들매기 등이 이 과에 속함. 이 과의 어류는 대부분 바다에 살면서 산란(産卵)을 위하여 소강(遡江)하는 것이 많음.

연어 두부【鰱魚豆腐】명 연어를 지지다가 익을 때에 두부와 장과 술과 파를 넣어 끓여서 만든 음식.

연어-병치【鰱魚—】명〖어〗[*Ocycrius japonicus*] 샛돔과에 속하는 바닷물고기. 몸은 길이 90cm 가량으로 긴 달걀꼴인데 측편되어 있고 등 쪽이 특히 솟아 있으며 주둥이는 짧고 무딤. 몸빛은 회청색 바탕에 배 쪽은 은백색인데 성숙하면 황갈색 또는 회갈색이 됨. 이는 양턱에만 있으며 비늘은 작은데 머리에는 없음. 온대성 어종으로 한국 남부해·일본 중부 이남·태평양에 분포함.

〈연어병치〉

연어알-젓【鰱魚—】명 연어의 알로 담근 젓. 연란해(鰱卵醢).

연어알 찌개【鰱魚—】명 연어의 알을 젓국물에 담가, 고기·파·달걀을 넣고 밥에 쪄 끓인 음식.

연어 저:냐【鰱魚—】명 연어를 저며서 소금을 뿌렸다가 밀가루를 묻히고 달걀을 씌워 지진 저냐.

연:-엑스선【軟X線】명〔soft X-ray〕〖전자〗비교적 장파장(長波長)이며 투과력이 약한 X선.

연엑스선의 사진 촬영법【軟X線—寫眞撮影法】[—/—에—뻡] 명 베릴륨(Be)의 엷은 막을 증착(蒸着)시켜 최초로 연(軟) X선의 회절상(回折像) 사진을 찍을 수 있는 촬영법. 1960년, 우리 나라에서 이덕원(李悳源)이 발명하였음.

연:여[1]【羨餘】명 관청 물건의 쓰고 난 나머지.

연여[2]【輦轝】명〖역〗임금이 타는 연(輦)과 임금의 지친(至親)이 타는 여(轝).

연역[1]【煙役】명〖역〗↗연호 잡역(煙戶雜役).

연:역[2]【演繹】명〖논〗①〔deduction〕일반적인 원리를 전제로 하여 특

수한 다른 원리를 이끌어 내는 추리. 경험을 필요로 하지 아니하는 순수한 사유(思惟)에 의하여 이루어지며 그 전형(典型)은 삼단 논법임. ↔귀납(歸納). ②한 가지 일로 다른 일을 추론함. ③의의(意義)를 부연(敷衍)하여 진술함. ——-하다 타 여불

연:역 논리학【演繹論理學】[—놀—] 명 〔deductive logic〕〘논〙 연역 추리만을 다루는 논리학. ↔ 귀납 논리학.

연:역-법【演繹法】 명 〘논〙 연역에 의한 추리의 방법. 이 방법만이 확실한 인식으로 인도할 수 있다 하여 유리론적(唯理論的) 사유(思惟)에 쓰임. ↔귀납법(歸納法).

연:역-적【演繹的】 명 관 연역(演繹)에 의하여 추론(推論)하는 모양. ↔ 귀납적(歸納的).

연:역적 논증【演繹的論證】 명 〘논〙 이미 알고 있는 진리에 근거를 두어 다른 사실을 증명하는 논증.

연:역적 방법【演繹的方法】 명 〘논〙 이미 알고 있는 진리에 근거하여 바르고 참된 인식에 도달하는 방법.

연:역적 추리【演繹的推理】 명 〘논〙 전체에 관한 일반적 지식 또는 보편적 원리를 전제로 하여 그것으로부터 특수한 지식·원리·사실을 논증하는 삼단 논법.

연:역 학파【演繹學派】 명 〘경〙 연역적 방법으로 경제적 원리(經濟的原理)를 연구·설명하는 학파. 영국의 아담 스미스(Adam Smith), 리카도(Ricardo, D.), 오스트리아의 멩거(Menger, K.) 등이 이 학파에 속함. ↔귀납 학파(歸納學派).

연:연[1]【涓涓】 부 시냇물이 졸졸 흐르는 모양.

연:연[2]【娟娟】 명 ①빛이 엷고 고움. ②아름답고 어여쁨. ¶ 부끄러운 듯 ～히 웃으시며 치마끈을 말았다 폈다 하시던 윤비는 잠깐 고개를 들어…≪朴鍾和 : 錦衫의 피≫. ——-하다 형 여불. ——-히 부

연연[3]【蓮延】 명 연하여 길게 뻗음. 또, 연하여 길게 뻗침. ¶ 길게 ～하는 행렬. ——-하다 자 여불

연:연[4]【軟娟】 명 섬약(纖弱). ——-하다 형 여불

연:연[5]【軟鉛】 명 순도(純度)가 높은 부드러운 납.

연연[6]【鉛緣】 명 연독연(鉛毒緣).

연연[7]【蠕蠕】 명 〘역〙 몽골의 옛 민족. 5세기 초에 왕국을 건설하여 북위(北魏)와 대립하고, 6세기 중엽 돌궐(突厥)에 의해 망함. 유연(柔然). 예예(芮芮). 여여(茹茹).

연:연[8]【戀戀·攣攣】 명 그립고 애틋하여 잊지 못하는 모양. ¶ ～한 정. ——-하다 형 여불. ——-히 부

연:연 늑석【燕然勒石】 명 싸움에 이겨 그 공을 돌에 새김. '연연'은 외몽고의 산 이름.

연:연 불망【戀戀不忘】 명 그리워 잊지 못함. ¶ 밤낮 ～하기에 생시에두 꿈에두 그 사람 그리고 있노라니 잠이 올 턱이 뭐야? ≪朴花城 : 벼랑에 피는 꽃≫. ——-하다 타 여불

연:연 약질【軟軟弱質】[—냑—] 명 썩 연하고 약한 체질.

연:염[1]【姸艶】 명 곱고 예쁨. ——-하다 형 여불

연염[2]【煙焰】 명 연기와 불꽃. 연기 속에서 타오르는 불길.

연엽[1] 명 ↗연엽살.

연엽[2]【蓮葉】 명 연잎.

연엽-관【蓮葉冠】 명 처음 상투를 짜고서 쓰는 연잎 모양의 관.

연엽 대:접【蓮葉—】 명 밑이 빨고 위가 바라져서 모양이 연잎 같고 두께가 얇은, 연엽 반상(蓮葉飯床)에 속한 대접.

연엽 바리때【蓮葉—】 명 밑이 빨고 위가 바라져 연잎처럼 생긴 바리때.

연엽-반【蓮葉盤】 명 반면(盤面)의 가가 연꽃 모양으로 된 소반. 보통, 반면 밑 복판에 단각(單脚)을 붙이고, 그 아래에 십자형(十字形)의 발을 냄. 일인용 주안상(酒案床)으로 흔히 쓰임. 단각반(單脚盤).

연엽 반상【蓮葉飯床】 명 그릇들의 위가 모두 짝 바라지고 운두가 나부죽하여 연잎 모양인 반상.

연엽-살 명 ☞여녑살.

연엽-선【蓮葉扇】 명 연잎의 잎맥처럼 부챗살을 만든 부채.

연엽 식혜【蓮葉食醯】 명 강원도 향토 음식의 하나. 연잎에 찰밥과 엿기름을 넣고 삭힌 식혜.

연엽 자:반【楝葉佐飯】 명 참죽 자반.

연엽-적【楝葉炙】 명 참죽순 적.

연엽-주【蓮葉酒】 명 찹쌀과 누룩을 버무려 연잎에 싸서 빚은 술.

연엽 주발【蓮葉周鉢】 명 놋쇠로 만든, 밑이 빨고 위가 바라져서 모양이 연잎 같고 두께가 얇은, 연엽 반상(蓮葉飯床)에 속한 주발.

연엽-채【楝葉菜】 명 참죽 나물.

연엽-포[1]【楝葉包】 명 참죽 잎쌈.

연엽-포[2]【蓮葉包】 명 연잎쌈.

연영-전【延英殿】 명 〘역〙 고려 때 대궐 안에 서적을 비치하고 임금이 신하들과 학문에 관하여 질의(質疑)하던 곳. 인종(仁宗) 14년(1136)에 집현전(集賢殿)으로 고침.

연:예[1]【演藝】 명 공중(公衆) 앞에서 음악·무용·연극·만담·쇼 등을 공연하는 일. 또, 그 재주. 연기(演技). ¶ ～인. ——-하다 자 여불

연예[2]【蓮蕊】 명 연의 꽃술. 불좌수(佛座鬚).

연:예[3]【鍊銳】 명 잘 훈련된 군사.

연:예-계【演藝界】 명 연예인들의 사회.

연:예-란【演藝欄】 명 신문·잡지 등에서 주로 연예에 관한 기사를 싣는 지면(紙面)의 난(欄).

연:예-선【演藝船】 명 선객(船客)에게 연예를 공연하는 배. 쇼 보트.

연:예-인【演藝人】 명 연예에 종사하는 배우·가수 등의 총칭.

연:예-장【演藝場】 명 연예를 하는 곳. 연기장(演技場).

연:예-회【演藝會】 명 어떤 단체 등이 베풀어, 연예를 대중에게 비영리적으로 보여 주는 모임.

연:오【燕烏】 명 〘조〙 갈가마귀.

연:옥[1]【軟玉】 명 〘광〙 옥의 한 가지. 썩 가는 알갱이가 엉겨 붙은 것 같은 각섬석(角閃石)으로 된 것은 보통 무색 투명하며, 양기석(陽起石)으로 된 것은 암녹색인데 푸르스름한 것을, 특히 비취(翡翠)라 하여 매우 귀중히 여김.

연:옥[2]【煉獄】 명 〘천주교〙 사자(死者)가 바로 천국에 들어가지 못할 때, 그 영혼이 불로 정화(淨化)된다고 하는 곳. 천당(天堂)과 지옥 사이에 있다 함.

연:옥-사【研玉沙】 명 옥을 갈 때에 쓰는 잔 모래.

연:-옥색【軟玉色】 명 엷은 옥색.

연:옥-편【軟玉鞭】 명 부드러운 옥의 채찍. 중국 당(唐)나라 천보 연간(天寶年間)에 이국(異國)으로부터 헌상(獻上)받았다고 함.

연옹【筵翁】 명 〘역〙 신라 때 평진음전(平珍音典)의 벼슬.

연:옹 지:치【吮癰舐痔】 명 〔종기의 고름을 빨고, 치질 앓는 밑을 핥는다는 뜻으로〕 남에게 지나치게 아첨함을 일컫는 말.

연:와[1]【煉瓦】 명 벽돌.

연:와[2]【燕窩】 명 바위에서 사는 금사연(金絲燕)의 보금자리. 물고기나 해조(海藻)를 물어다가 침을 발라서 만든 것인데 중국 요리의 상등 국거리가 됨. 연소(燕巢).

연:와-탕【燕窩湯】 명 금사연의 보금자리로 만든 중국 요리의 한 가지.

연:완【燕婉】 명 마음이 곱고 얼굴이 예쁨. ——-하다 형 여불

연요【年窯】 명 중국 청대(淸代)의 자기(瓷器). 청자(靑瓷)의 일종으로 회색임.

연:용【娟容·姸容】 명 어여쁜 용모.

연우[1]【延虞】 명 반우(返虞) 때 성문 밖에 나가 신주를 맞이함. ——-하다 자 여불

연:우[2]【悁憂】 명 성내고 근심함. 연읍(悁悒). ——-하다 타 여불

연우[3]【連雨】 명 연일 계속하여 내리는 비.

연우[4]【煙雨】 명 안개비❶.

연우[5]【蓮藕】 명 연근(蓮根).

연-우량【年雨量】 명 일 년 동안에 내리는 비의 총량.

연운[1]【年運】 명 그 해의 운수. 해운(運).

연운[2]【煙雲】 명 ①연기와 구름. ②구름처럼 피어나는 연기.

연:운 십육주【燕雲十六州】[—뉵—] 명 〘역〙 중국 오대(五代) 후진(後晉)의 석경당(石敬瑭)이 창업시(創業時) 입은 원조의 보답으로 거란(契丹)에 할양한 땅. 지금의 베이징(北京, 燕), 다퉁(大同, 雲)을 중심으로 하여 탁(涿)·계(薊)·단(檀)·순(順)·영(瀛)·막(莫)·울(蔚)·삭(朔)·응(應)·신(新)·규(嬀)·유(儒)·무(武)·환(寰)의 주(州)를 말함. 이후 이 지역은 180여 년간 거란의 통치를 받음.

연운-항【連雲港】 명 〘지〙 중국 '롄윈강'을 우리 음으로 읽은 이름.

연원[1]【淵源】 명 사물의 근원(根源). 남상(濫觴). 본원(本源). ¶ 교육의 ～.

연원[2]【淵遠】 명 깊고 멂. 심원(深遠)함. ——-하다 형 여불

연원[3]【攣踠】 명 손발이 꼬부라짐. ——-하다 자 여불

연월[1]【連月】 ㊀ 명 여러 달을 계속함. ㊁ 부 달마다.

연월[2]【烟月·煙月】 명 ①흐릿한 달. 운연(雲煙)에 어린 은은한 달빛. ②세상이 아주 태평한 모양. ¶ 태평 ～.

연-월-일【年月日】 명 해와 달과 날. ¶ 출생 ～.

연-월-일-시【年月日時】[—씨] 명 해와 달과 날과 시.

연:유[1]【宴遊】 명 잔치를 차려 놓고 놂. ——-하다 자 여불

연:유[2]【軟釉】 명 약한 불로 굽는 유약.

연:유[3]【煉乳】 명 달여서 진하게 만든 우유. 달일 때에 설탕을 넣은 것을 가당(加糖) 연유라 하고, 넣지 않은 것을 무당(無糖) 연유라 함. 콘덴스트 밀크(condensed milk). 밀크. 당유(糖乳).

연유[4]【緣由】 명 ①유래(由來)함. 또, 그 사유(事由). 까닭. ¶ 사건의 ～. ②〘법〙 어떤 의사 표시를 하게 되는 동기. 예컨대 주식(株式)의 매입 청약(買入請約)은 의사 표시이나 장래 등귀할지도 모른다고 생각하는 것은 동기 또는 연유임. ——-하다 자 여불

연유[5]【燃油】 명 연료로 쓰는 기름.

연-유리【鉛琉璃】[—뉴—] 명 플린트 유리. 납유리.

연:육[1]【煉肉】 명 으깨어 갠 물고기의 살. 어묵 등의 가공(加工) 원료.

연육[2]【蓮肉】 명 〘한의〙 연밥의 살. 보중(補中)·익기(益氣)·지혈(止血)·치제(治劑) 등에 약으로 씀. 연자육(蓮子肉).

연율【年率】[—늘] 명 1년 단위로 계산한 비율이나 이율. ¶ 업적이 ～ 10% 신장하다.

연:을【鷰乙】 명 〘조〙 제비[3].

연음[1]【延音】 명 ①〘언〙 하나의 음(音)이 길게 뻗어서 두 개의 음으로 되는 일. 또, 그 음. ②〘악〙 한 음을 규정된 박자 이상으로 길게 연장하는 일. 룽가(lunga).

연:음[2]【宴飮·讌飮】 명 잔치하는 자리에서 술을 마심.

연음[3]【連音】 명 ①단음(單音)의 연결로 이루어지는 음. ②혀끝을 윗니의 안쪽 잇몸에 대고 혀끝을 울려서 내는 음. 'r' 따위. ③앞의 음절의 자음이 뒤의 음절의 최초의 모음과 합하여 형성하는 별개의 소리. '나날이'가 '나나리', '입안이'가 '이반'으로 되는 현상. 연성(連聲). ④아악곡(雅樂曲) 연주 형식의 하나. 이은소리.

연음[4]【連陰】 명 연일 흐림. 또, 그 날씨.

연:음[5]【軟音】 명 〔lenis〕〘언〙 구강(口腔) 내부의 기압(氣壓) 및 조음(調音) 기관의 긴장도(緊張度)가 낮아 약하게 파열되는 음 또는 약한 후과도(後過渡)를 가진 음. 국어의 된 소리 ㄲ·ㄸ·ㅃ·ㅆ·ㅉ에 대하여 ㄱ·ㄷ·ㅂ·ㅅ·ㅈ 따위를 연음이라 함.

연음[6]【漣音】 명 〘악〙 '잔결꾸밈음'의 한자 이름. *전음(顫音).

연음-군【連音群】명〔breath group〕〖언〗동일한 호기(呼氣)를 끊지 아니하고 연이어 발음할 수 있는 음군(音群). 곧, 담화(談話)에 있어 그 앞과 뒤에 숨의 휴지(休止)를 둘 수 있는 발음의 단락(段落)을 이름.

연음 기호【延音記號】명〖악〗연성 기호(延聲記號).

연음 법칙【連音法則】명〖언〗음성(音聲) 법칙의 하나. 두 음절(音節)을 연속하여 발음할 때 첫 음절의 받침이 다음 음절에 내려와서 첫소리로 발음되는 일. ㉠받침이 아래로 내려가는 경우 : 울음→우름. ㉡같은 자음이 맞닿으면 된소리가 됨 : 먹고→먹꼬. ㉢복합어인 때 : 홑옷→호돗, 맏아들→마다들.

연-음부【連音符】명〖악〗'잇단음표'의 한자 이름.

연음-표【連音標】명〖악〗소리의 억양을 노래의 사설(辭說) 위에 부호로 표시한 일종의 부호보(符號譜).

연읍[1]【沿邑】명 연로(沿路)에 있는 읍.

연:읍[2]【悁悒】명 연우(悁憂).

연:읍[3]【戀泣】명 그리워서 울. ——하다 자여불

연:의[1]【衍義】[—/—이] 명 의미를 널리 해설함. 또, 그 해설한 것. ——하다 자여불

연의[2]【演義】[—/—이] 명 ①사실을 부연하여 재미있게 설명함. ②중국에서, 역사 상의 사실을 수식하여 소설적 흥미를 붙여 속되게 쓴 책. 연의 소설. ¶삼국지~. ——하다 타여불

연의[3]【蓮薏】[—/—이] 명 연밥 속에 있는 푸른 심.

연의[4]【漣漪】[—/—이] 명 잔물결.

연의 소:설【演義小說】[—/—이—] 명〖문〗중국에서, 사실(史實)을 부연(敷衍)한 속어체의 통속 소설. 삼국지 연의(三國志演義) 따위. 연의(演義).

연:이【軟餌】명 끓이어 익힌 모이.

연-이나【然—】부 '그러나'의 뜻의 접속 부사.

연-이생【緣已生】명〖불교〗인연(因緣)으로 인하여 성립되는 존재.

연-이율【年利率】[—니—] 명 일 년을 단위로 하여 정한 이율.

연:익【燕翼】명 조상이 자손을 편안하게 도움. 또, 그 꾀. ——하다 타여불

연:익지-모【燕翼之謀】명 자손을 위한 좋은 계교.

연인[1]【延引】명 길게 잡아늘임. ——하다 타여불

연인[2]【連引】명 관계 있는 것을 죽 끌어냄. ——하다 타여불

연인[3]【連印】명 한 통의 문서에 두 사람 이상이 연명하고 도장을 찍음. *연서(連署). ——하다 자여불

연:인[4]【戀人】명 연애의 상대자. 애인(愛人). 정인(情人).

연-인수【延人數】[—쑤] 명 연인원(延人員).

연-인원【延人員】명 어떤 일에 종사한 인원을, 그 일을 하루에 완성한 것으로 가정하고 일수(日數)를 인수(人數)로 환산한 총인원수. 예를 들면 다섯 사람이 나흘 걸린 일의 연인원은 20명임. 연인수(延人數). *연일수(延日數).

연인 접족【連姻接族】명 친척(親戚)과 인척(姻戚).

연인-죽【蓮仁粥】명 연밥과 감인(芡仁)과 백복령(白茯苓)을 가루로 만든 후, 잣가루와 흰 쌀과 쌀뜨물을 부어서 쑨 죽.

연일[1]【延日】명〖지〗경상 북도 포항시(浦項市)의 한 읍(邑). 영일군의 한 읍이었으나 1995년 1월, 포항시에 통합됨. [21,693명(1996)]

연일[2]【連日】부 날마다. 여러 날을 계속하여. ¶~ 대만원이다.

연:일[3]【嚥日】명 햇빛을 들이마시는 양생법(養生法).

연일-석【延日石】[—썩] 명 경상 북도 포항시(浦項市) 연일읍에서 나는, 몸이 썩 곱고 아름다운 숫돌.

연-일수【延日數】[—쑤] 명 어떤 일에 소요된 일수를, 한 사람이 완성시킨 것으로 가정하여 인수(人數)를 일수로 환산한 총일수. 다섯 사람이 나흘 걸린 일의 연일수는 20일임. *연인원(延人員).

연일 연야【連日連夜】[—련—] 부 날마다 밤마다 계속하여. ¶~ 학문 탐구에 정진하다.

연임【連任】명 임기가 끝난 임기제의 법관 등을 그 직위에 계속 임용함. ¶~ 금지 조항. ——하다 타여불

연-잇다【連—】[—닏—] 타ㅅ불 연속하여 잇다.

연-잎【蓮—】[—닙] 명 ①〖식〗연의 잎. 연엽(蓮葉)·하엽(荷葉). ②〖연〗산대놀음에 쓰이는 탈의 하나. 바탕은 붉은데 갈모 모양의 갓과 눈썹과 입은 초록색이며, 관에 연잎을 그리고, 그 꼭대기에 금빛 구슬 같은 것이 달려 있으며 이마에는 금빛 줄이 있음.

연잎-꿩의다리【蓮—】[—닙—/—닙—에—] 명〖식〗[*Thalictrum coreanum*] 미나리아재빗과의 다년초. 높이는 60 cm 내외이고, 잎은 호생하여 1-2회 3출하며 잎 뒤가 분처럼 흼. 6월에 흰 바탕에 엷은 자색을 띤 꽃이 취산상 원추(聚繖狀圓錐)화서로 가지 끝에 정생(頂生)하여 핌. 산지의 숲 밑에 나는데, 한국의 중부 이북에 분포함.

연잎-쌈【蓮—】[—닙—] 명 갓 나온 연잎을 따서 슬쩍 데치어 먹는 쌈. 연엽포(蓮葉包).

연:자[1]【姸姿】명 깨끗하고 고운 자태.

연:자[2]【衍字】[—짜] 명 글귀 가운데 잘못 들어간 쓸데없는 군 글자.

연자[3]【蓮子】명 연밥.

연:자[4]【燕子】명〖조〗제비[3].

연:자-간【硏子間】[—깐] 명 연자매를 차려 놓은 곳. 연자맷간.

연:자-마【硏子磨】명 연자매.

연:자-매【硏子—】명 마소로 끌어 돌리게 하여 곡식을 찧는 큰 매. 연자마(硏子磨). [연자매를 가는 당나귀] 일에 몰려 눈코 뜰새없이 바쁜 처지.

〈연자매〉

연자매 노래【硏子—】명〖악〗연자매로써 곡식을 찧거나 빻거나 쓿을 때 부르는 민요. 제주도에서 불림.

연:자맷-간【硏子—間】명 연자매로 곡식을 찧는 방앗간. 연자간.

연:자-무【燕子舞】명 기생이 추는 칼춤의 한 가지.

연:자 방아【硏子—】명 ☞ 연자매.

연자 부호【連字符號】명 하이픈(hyphen).

연자-육【蓮子肉】명〖한의〗연육(蓮肉).

연:자-전【燕子箋】명〖책〗중국 명(明)나라 말기에 완대성(阮大鋮)이 지은 석소 사종(石巢四種) 중의 한 희곡(戲曲). 안녹산(安祿山)의 난(亂)을 배경으로 하여 곽도량(霍都梁)과 고관의 딸 비운(飛雲)과의 애틋하고 파란 많은 사랑을 줄거리로 함.

연자-죽【蓮子粥】명 연밥죽.

연:-자줏빛【軟紫朱—】명 연한 자줏빛.

연:자-화【燕子花】명〖식〗제비붓꽃.

연작[1]【連作】명 ①〖농〗한 땅에 같은 곡식을 해마다 심음. 이어짓기. ↔윤작(輪作). ②〖문〗연작(聯作). ——하다 타여불

연작[2]【連雀】명〖조〗여새.

연작[3]【練鵲】명〖조〗삼광조(三光鳥).

연작[4]【聯作】명〖문〗한 작품을 여러 작가가 나누어 맡아서 쓰거나, 한 작가가 같은 주인공의 단편을 여러 편 지어 연결해서 장편 소설로 만듦. 흔히, 후자를 가리킴 또, 그 작품. 연작(連作). ——하다 타여불

연:작[5]【燕雀】명 ①제비와 참새. ②도량(度量)이 좁은 사람. ¶~이 어찌 홍곡(鴻鵠)의 뜻을 알랴.

연작 가곡【連作歌曲】명〖악〗악상(樂想)이나 곡(曲)의 성격으로 보아, 관련을 가진 일련(一連)의 가곡. 전체적으로, 음악적인 통일성(統一性)으로서 배열(排列)된 것. 베토벤의 ≪아득히 먼 곳의 애인(愛人)에게≫, 슈베르트의 ≪아름다운 물레방앗간의 처녀≫·≪겨울 나그네≫, 슈만의 ≪시인의 사랑≫ 따위.

연:작 동환수【練鵲銅鐶綬】명〖역〗조선 시대 때, 오품(五品)·육품(六品)의 관원이 착용한 후수(後綬). 때까치를 수놓고, 위에 구리 고리를 두 개 닮.

연:작-류【燕雀類】[—뉴] 명〖조〗참새목.

연:작 불생봉【燕雀不生鳳】[—쌩—] 명 불초(不肖)한 사람에게서 어진 자식이 나오기 어렵다는 말.

연:작 상하【燕雀相賀】명 연하(燕賀).

연작 소:설【聯作小說·連作小說】명〖문〗여러 작가가 부분 부분 맡아 쓴 것을, 한데 모아 하나로 만든 소설.

연:작 은환수【練鵲銀鐶綬】명〖역〗조선 시대 때, 사품(四品)의 관원이 조복(朝服)·제복(祭服)에 착용한 후수(後綬). 때까치를 수놓고, 위에 은(銀)고리를 두 개 닮.

연잠【淵潛】명 물 속 깊이 숨음. ——하다 자여불

연장[1] 명〔중세 : 연장〕①〖건〗어떤 일을 하는 데 쓰는 도구. ②'남근(男根)'의 비어. ③〈방〉쟁기(경기·강원·충북·경북).

연장[2]【年壯】명 나이가 젊고 원기가 왕성함. 30세 전후를 이름.

연장[3]【年長】명 자기보다 나이가 많음. 또, 그 사람. ——하다 형여불

연:장[4]【姸粧】명 예쁘게 단장(丹粧)함. ——하다 자여불

연장[5]【延長】명 ①길게 늘어남. 길게 늘림. ¶회기를 ~하다/~전(戰)/시험은 수업의 ~이다. ↔단축(短縮). ②〖수〗유한 직선(有限直線)의 한 끝에서 그 방향으로 늘인 부분. ③길이. 뻐친 길이. ¶~ 800 km의 철도 공사. ④〖철〗〔extension〕물체가 공간(空間) 속에서 일정(一定) 부분을 차지하고 있는 성질. ——하다 자타여불

〈연장[5]❷〉

연장[6]【連狀】[—짱] 명 연명(連名)한 서장(書狀).

연장[7]【連將】명 ↗연장군(連將軍).

연장[8]【連墻】명 담이 서로 잇대어 닿음. ——하다 자여불

연:장[9]【鍊匠】명〖역〗쇠를 불리는 장인(匠人).

연장-걸이 명 씨름에서, 오른다리로 상대의 오른다리를 꼬아 감고 왼쪽 다리를 축으로 하여 돌며 감아 던지는 혼합 기술의 하나.

연-장군【連將軍】명 장기 둘 때 연이어 부르는 장군. ㊂연장(連將).

연장-궤【一櫃】[—꿰] 명 연장을 간수하는 궤.

연장 기호【延長記號】명〖악〗'늘임표'의 한자 이름.

연장-선【延長線】명 ①연장한 선분(線分) 또는 선로(線路). ②길이를 알려고 할 때, 구불구불한 것을 곧게 펴서 보는 선.

연장-자【年長者】명 자기보다 나이가 많은 사람. 연상자(年上者).

연장-전【延長戰】명 야구·축구·테니스 등의 경기에서, 예정한 시간 안에 득점이 동점이거나 두 편에 득점이 없을 경우에 다시 시간을 연장하여 계속하는 경기.

연장 접옥【連墻接屋】명 집이 이웃과 담을 연이어 붙음. 집이 이웃하여 닿음. 접옥 연가(接屋連家). 접옥 연장. ——하다 자여불

연장-주머니【—쭈—】명 목수들이 연장을 넣어 가지고 다니는 베로 만든 듬직한 주머니. 또, 연장을 넣어 두는 주머니.

연장-포【聯裝砲·連裝砲】명〖군〗한 포가(砲架)나 포탑(砲塔)에 2문 이상의 포신을 장치한 포. 해군포·고사포 등. ↔단장포(單裝砲).

연장 명〈옛〉연장. ¶또 조본 受苦ㅅ 연장애(又於迫隘 苦具)≪楞嚴 Ⅷ: 93≫.

연재[1]【烟滓】명 그을음.

연:재[2]【軟材】명〖건〗연한 목재(木材). 침엽수(針葉樹)의 목재.

연재[3]【連載】명 잡지·신문 등에 긴 원고 따위를 여러 회로 나누어서 연속 게재함. 속재(續載). ¶~ 소설. ——하다 타여불

연:재[4]【硯材】명 벼루를 만드는 석재(石材).

연재덕-봉【困在德峰】명〖지〗평안 남도 영원군(寧遠郡)과 평안 북도 희천군(熙川郡) 사이에 있는 산. [1,519 m]

연재 만:화【連載漫畫】명 신문이나 잡지에 연재하는 만화.

연재-물【連載物】명 신문이나 잡지에 연재하는 만화·소설 따위.

연재 소:설【連載小說】명〖문〗신문이나 잡지에 연재하는 소설.

연:저지-인【吮疽之仁】명〔주(周)나라의 오기(吳起)란 장수가 자기 부하 군사의 종기(腫氣)를 빨아서 고쳤다는 고사에서〕장군(將軍)이 부하를 극진히 사랑함을 일컫는 말.

연:적[1]【宴寂】명 편안히 입적(入寂)함. 곧, 성자(聖者)의 죽음을 이름. ——-하다 자여불

연:적[2]【軟賊】명〖불교〗끊기 쉬울 것 같으면서도 그 실(實)은 끊기 어려운, 명문 이양(名聞利養) 등의, 수행(修行)에 방해가 되는 일.

연:적[3]【硯滴】명 벼룻물을 담는 그릇. 쇠붙이·옥(玉)·돌 등으로 만드는데 보통은 도자기(陶瓷器)로 만듦. 수승(水丞). 수적(水滴). 수중승(水中丞). 연수(硯水).

연:적[4]【戀敵】명 연인을 빼앗고자 하거나, 연애를 방해하는 사람. 연애의 경쟁자. 라이벌.

연전[1]【年前】명부 두서너 해 전. 몇 해 전.

연:전[2]【宴餞】명 잔치를 베풀어 전송(餞送)함.

연전[3]【連戰】명 연달아 싸움. 자주 싸움. ¶～ 연승. ——-하다 자여불

연:전[4]【硯田·研田】명 문인들이 생활을 위하여 글을 쓸 때 벼루를 농사짓는 논에 비유하여 일컫는 말.

연:전[5]【揀箭】명 습사(習射)할 때 무겁에서 화살을 주워 오는 일. 활량들이 돌려가며 함.

연:전-길【揀箭—】[—낄] 명 떨어진 화살을 주우러 다니는 길.

연:전-동【揀箭童】명 떨어진 화살을 주워 나르는 아이.

연:전띠 내기【揀箭—】명 제각기 표를 지른 화살을 사원(射員)에게서 한 개씩 거두어 섞어서 구성(構成)하고자 하는 편의 수대로 사정(射亭)의 뜰에 한 개씩을 차례로 던져 화살의 표를 보아 띠를 가르고, 상띠로부터 차례로 활을 쏘아 제일 적게 맞힌 편인 하띠가 화살을 주워 오는 내기.

연전 연승【連戰連勝】[—년—] 명 싸울 때마다 연달아 이김. 연전 연첩(連戰連捷). ↔연전 연패. ——-하다 자여불

연전 연첩【連戰連捷】[—년—] 명 연전 연승. ——-하다 자여불

연전 연패【連戰連敗】[—년—] 명 싸울 때마다 연달아 짐. ↔연전 연승·연전 연첩. ——-하다 자여불

연전-초【連錢草】명〖식〗적설초(積雪草).

연전-총【連錢驄】명 엽전(葉錢)을 늘어놓은 것 같은 둥글고 어룽어룽한 무늬가 박힌 말.

연:절【軟癤】명〖의〗살에 생긴 작은 멍울이 고쳐 가는 대로 자꾸 생기어 좀처럼 낫지 아니하는 병.

연점【年占】명 일 년의 길흉(吉凶)을 점치는 일.

연점-산【鉛店山】명〖지〗경상 북도 안동시(安東市) 길안면(吉安面)과 청송군(靑松郡) 안덕면(安德面) 사이에 있는 산. 태백 산맥(太白山脈) 중에 솟아 있음. [871 m]

연접[1]【延接】명 영접(迎接). ——-하다 타여불

연접[2]【連接】명 ①이어 맞닿음. 이어 맞닿게 함. ②〖언〗[juncture] 발화(發話) 가운데 오는 단락 혹은 휴지(休止)를 이름. 곧, 어떤 음에서 다음 음으로 옮겨 갈 때의 그 이행(移行)의 방식. ——-하다 자타여불

연접-간【連接桿】명 연접봉.

연접-봉【連接棒】명〖기〗증기 기관이나 내연 기관 등에서 피스톤에 작용하는 동력(動力)을 크랭크축에 전하여 바퀴의 회전 운동으로 변환시키는 일을 하는 대. 연접간. 연간(連桿). 접합봉(接合棒).

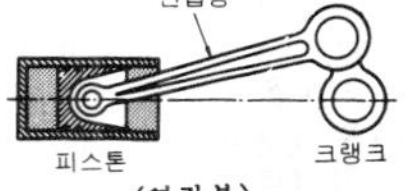

〈연접봉〉

연접 인입선 【連接引入線】명 한 수용 장소의 인입선에서 분기(分岐)하여 지지물(支持物)을 거치지 아니하고 다른 수용 장소의 인입구에 이르는 부분의 전선(電線).

연접적 판단【連接的判斷】명〖논〗하나의 주사(主辭)와 많은 빈사(賓辭)로 되어 있는 판단.

연:정[1]【研精】명 자세하게 연구함. ——-하다 타여불

연정[2]【淵靜】명 ①못이 깊고 고요함. 또, 깊고 고요한 못. ②심오(深奧)하고 조용함. ——-하다 형여불

연정[3]【蓮亭】명 연당(蓮堂).

연정[4]【聯政】명 ↗연립 정부. 「사람.

연:정[5]【鍊正】명 도자기를 만들 때 흙을 개어 이기거나 잿물을 다루는

연:정[6]【戀情】명 연모(戀慕)하는 마음. 연애하는 마음. 애정(愛情). 염정(艶情). 연심(戀心).

연정-사【蓮亭詞】명〖문〗작자·창작 연대 미상의 가사의 하나. 부귀 공명을 버리고 강호에 파묻혀 낚싯대나 드리우며 유유 자적(悠悠自適)하는 모습을 읊음.

연-정(:)토【淵淨土】명〖사람〗고구려 말기 보장왕 때의 대신. 연개소문의 아우. 내외 정세가 고구려에 불리하게 되자 12성 720호, 3,543명과 종관(從官) 24명을 데리고 신라에 항복, 후대(厚待)를 받고 편히 살았음. 생몰년 미상. 「타여불

연제[1]【連除】명〖수〗몇 번이고 계속하여 수(數)를 나누는 일. ——-하다

연:제[2]【演題】명 연설이나 강연의 제목.

연-제[3]【蓮堤】명 전라 북도 군산시(群山市)에 있는 못. [0.228 km²]

연:제[4]【練祭】명 ↗연제사(練祭祀).

연제-법【連除法】[—뻡] 명〖수〗 호제법(互除法).

연:제-복【練祭服】명 소상(小祥) 뒤 대상(大祥) 전에 빨아서 입는 상복.

연:-제사【練祭祀】명 어머니가 먼저 돌아가고 아버지가 살아 있을 때에 한 돌만에 지내는 소상을 열한 달만에 당겨서 지내는 제사. 준연제(練祭)·연사(練祀).

연조[1]【年祚】명 ①나라의 수명. 또, 제왕의 자리에 있는 햇수. ②나이. 사람의 수명.

연조[2]【年租】명 일 년간의 조세(租稅).

연조[3]【年條】명 ①어떤 일이나 경력의 처음부터 경과한 햇수. ¶그 일에 대해서는 상당히 ～가 깊다. ②어떠한 해에 어떠한 일이 있었다는 것을 나타내는 조목.

연:조[4]【捐助】명 연보(捐補)❶. ——-하다 타여불

연:조[5]【軟條】명〖어〗여린줄기.

연:조[6]【軟調】명 ①부드럽고 연한 정조(情調). 또, 그 느낌. ②〖사진〗사진의 원판 또는 인화(印畫)에, 감광부(感光部)와 비(非)감광부의 차이가 심하지 않게 하는 것. 또, 그 원판이나 인화. ③시세가 내릴 기세에 있음. ↔견조(堅調).

연조[7]【淵照】명 깊이 파고들어 사물(事物)과 사태(事態)를 밝게 파악함. ——-하다 타여불

연:조[8]【燕朝】명 천자(天子)가 여느 때 안식(安息)을 취하는 궁전.

연:조[9]【燕趙】명〖역〗현재의 중국 허베이 성(河北省) 북부와 산시 성(山西省) 서부 지역으로서 전국(戰國) 시대의 연(燕)·조(趙) 두 나라의 땅. 우국 지사(憂國志士)가 많았다 함.

연:조[10]【演操·鍊操】명 군사를 단련함. 조련(操鍊). 교련(敎鍊). ——-하다 타여불

연:조-금【捐助金】명 연보금(捐補金).

연조-문【延詔門】명 서울 서대문 밖에 있던 문. 중국 사신(使臣)을 맞아들이던 곳. 1895년에 헐어 버렸음.

연:조 비가사【燕趙悲歌士】명〔중국 전국 시대 연(燕)나라와 조(趙)나라에서 세상을 비관하고 슬픈 노래를 부르는 선비가 많았다는 말에서〕비분 강개(悲憤慷慨)하는 우국 지사(憂國志士)를 이름.

연-존장【年尊長】명 자기보다 스무 살 이상이 위가 되는 어른.

연종[1]【年終】명 세밑. ¶～에 밑에서부터 거두어 저장함이니라≪구약 출

연종[2]【蓮宗】명〖불교〗정토문(淨土門)의 이칭. 애굽기 XXIII : 16≫.

연종 방:포【年終放砲】명〖역〗음력 섣달 그믐, 제석(除夕)날 밤에 궁중의 각 영문(營門)에서 포수가 총을 놓아 귀신을 쫓던 일. 대나(大儺)를 폐한 뒤에 이로써 대신하였음. *연종제(年終祭).

연종-제【年終祭】명〖역〗옛날 세말(歲末)에 궁중에서 악귀(惡鬼)를 쫓기 위해 지내던 제사. 의식(儀式)과 대나(大儺) 놀이 및 연종 방포(年終放砲) 등의 행사가 있었음. *연종 방포.

연:좌[1]【宴坐】명〖불교〗좌선(坐禪). ——-하다 자여불

연:좌[2]【宴座】명 연석(宴席).

연좌[3]【連坐】명 ①잇따라 앉음. ¶～ 데모. ②〖법〗한 사람의 범죄에 대해 특정 범위의 몇 사람이 연대 책임을 지고 처벌되는 일. ③연루(連累). ¶사건에 ～하다. *연좌(緣坐). ——-하다 자여불

연좌[4]【蓮座】명〖불교〗↗연화좌(蓮花座)❶.

연좌[5]【緣坐·延坐】명〖역〗일가의 범죄에 관련되어서 죄 없이 처벌을 당함. *연좌(連坐). ——-하다 자여불

연좌 구들【連坐—】명 골을 켜고 놓은 구들. ↔허튼 구들.

연좌 데모【連坐—】명 연좌하여 하는 데모. *농성. 「27≫.

연좌수 명 〈옛〉연자위. 연(鳶)실을 감는 얼레. ¶연좌수 뎐(轉)≪字會中

연주[1]【連奏】명 같은 종류의 악기를 두 사람 이상이 동시에 연주하는 일. ——-하다 타여불

연주[2]【連珠】명 ①구슬을 꿺. 또, 꿴 구슬. 연주(聯珠). ②〖한의〗↗연주창(連珠瘡). ③오목(五目). 연주(聯珠).

연:주[3]【煉酒】명 청주(淸酒)에 달걀의 흰자위와 흰 설탕을 타고 약한 불에 끓이어 만든 음료. 점기(粘氣)가 있고 단 맛이 있음. 「여불

연:주[4]【演奏】명 여러 사람 앞에서 기악(器樂)을 들려 줌. ——-하다 타

연주[5]【筵奏】명〖역〗임금의 면전(面前)에서 아뢲. 연품(筵稟). ——-하다 타여불 「詩). ——-하다 타여불

연주[6]【聯珠】명 ①연주(連珠)❶. ②연주(連珠)❸. ③〖문〗↗연주시(聯珠

연:주-가【演奏家】명 음악을 연주하는 사람. 또, 그것을 업으로 하는 사람. 「ry). 준곡목(曲目).

연:주 곡목【演奏曲目】명 연주할 악곡(樂曲)의 이름. 레퍼토리(reperto-

연주 광행차【年周光行差】명〖천〗지구의 공전(公轉) 운동에 의하여 생기는 광행차.

연주-권【演奏權】[—꿘] 명 저작권법(著作權法)에 규정되어 있는 공연권(公演權)의 일종으로 악보에 의하여 독점적으로 연주할 수 있는 권리. 레코드에 의한 경우에도 연주권이 인정됨.

연주기 변:동【年週期變動】명 [annuation]〖식〗식물 군락(植物群落)의 어떤 구성종(構成種)이 나타났다 사라졌다 또는 주요종(主要種)이 되었다 하는 연변동(年變動).

연주 나력【連珠瘰癧】명〖한의〗목 근처에 멍울이 생기어 쉽게 삭지 아니하는 병. 터져서 연주창이 되기도 함.

연주-노랑나비【連珠—】명〖충〗[*Colias aurora*] 흰나빗과에 속하는 곤충. 편 날개의 길이 56-74 mm 내외이고 수컷은 모두 연지를 찍은 것 같은 등홍색인데, 날개 바깥 가장자리의 띠가 회흑색인 것과 흑갈색인 것, 앞날개의 후각(後角)이 둔각(鈍角)인 것과 직각에 가까운 것 등이 있으며, 암컷에는 등홍색의 것과 창백색인 것이 있음. 한국·만주·아무르·시베리아 등지에 분포함.

연주-문【連珠文】명 점(點)이나 작은 원(圓)으로 구슬을 꿰맨 것같이 연결시켜서 만든 무늬. 작은 원은 가는 붓대롱 같은 무늬 놓는 기구로 눌러 연속 무늬를 꾸민 것으로, 구슬 무늬를 말함.

연:주-법【演奏法】[—뻡] 명 연주하는 방법. 준주법(奏法).

연주-시【聯珠詩】명〖문〗칠언 절구(七言絶句)로 된 당시(唐詩)의 잘된

것만 가려서 모은 시집. [준]연주(聯珠).
연주 시격【聯珠詩格】[—껵] [명] 〖문〗 중국 원대의 칠언 절구(七言絶句)의 작시법책. 우제(于濟)의 저서를 채정손(蔡正孫)이 증보하고 시의 평석(評釋)을 붙여 20 권으로 만들었음. 1300년에 간행됨. 우리 나라에는 1485-91년 서거정(徐居正)이 증주(增註)하고 다시 안침(安琛) 등이 증삭(增削)한 간본(刊本)이 있음.
연주 시:차【年周視差】[명] 〖천〗 어떤 항성(恒星)을 지구에서 본 방향과 태양에서 본 방향의 차. 즉, 지구 궤도의 직경의 양단에서 어떤 천체를 보는 각도의 반. 연주 시차를 관측하여 천체의 거리를 결정함. 일십 시차.

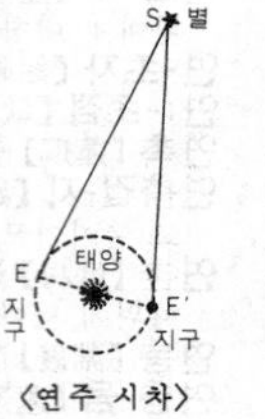

〈연주 시차〉

연:주-실【演奏室】[명] 연주하는 방.
연주 운:동【年周運動】[명] 〖천〗 지구의 공전(公轉) 운동에 의해 항성(恒星)이 일 년 동안에 천체를 일주(一周)하는 것처럼 보이는 현상.
연:주-자【演奏者】[명] 연주하는 사람.
연주-차【年週差】[명] 〖천〗 연차(年差).
연주-창【連珠瘡】[명] 〖한의〗 연주 나력이 헐어 터져서 생긴 부스럼. 현대 의학의 '경부 림프절 결핵'을 이름. [준]연주(連珠). *경선 종창(頸腺腫脹)·나력(瘰癧).
[연주창 앓는 놈의 갓끈을 핥는다] 몹시 인색한 사람이나, 하는 짓이 몹시 더러운 사람을 두고 하는 말.
연주-채【連珠砦】[명] 연주와 같이 간격을 두어 서로 연락 응원(連絡應援)할 수 있도록 배치 축조한 요새(要塞).
연주-체【聯珠體】[명] 〖문〗 풍유(諷喩)와 가탁(假託)을 주장으로 하여 대구(對句)로 잇대어 짓는 시문(詩文)의 한 체.
연주-혈【連珠穴】[명] 풍수 지리(風水地理)에서, 연주처럼 잇단 혈.
연:주-회【演奏會】[명] 〖악〗 음악을 연주하여 청중(聽衆)에게 들려주는 모임. 콘서트.
연:주회 형식【演奏會形式】[명] 〖악〗 오페라 공연의 한 형식. 연기·분장·무대를 생략하고, 음악만 연주하는 음악회. 보통, 오케스트라가 무대 위에 올라가서 연주하고 독창자가 교대로 서서 노래함.
연죽【煙竹】[명] 담뱃대.
연죽-전【煙竹廛】[명] 담뱃대를 파는 가게.
연준-모치 [명] 〖어〗 [*Phoxinus phoxinus*] 잉어과에 속하는 민물고기. 몸길이 3-6 cm. 유럽산(産)은 12 cm에 이름. 몸빛은 녹갈색 또는 감람 갈색, 배는 은색, 눈구멍은 은색 내지 황금색임. 5-6월에 한 마리의 암컷이 여러 마리의 수컷을 거느리고 모래가 깔린 강바닥의 얕은 곳으로 몰려와 알을 낳음. 성장은 더디며 만 3년을 경과해야 성어(成魚)가 됨. 유럽에서는 매우 흔한 민물고기이나, 우리 나라에는 북부 지방에만 분포함.
연-줄[1]【鳶—】[—쭐] [명] 연을 매어서 날리는 데 쓰는 실.
연-줄[2]【緣—】[명] 인연이 맺어지는 길. ¶～로 취직하다.
연줄-연줄【緣—緣—】[—련—] [부] 거듭된 연줄로. 연비연비(聯臂聯臂).
연줄 혼인【緣—婚姻】[명] 연줄이 닿는 사람끼리 하는 혼인.
연중[1]【年中】[명] ①그 해의 동안. 한 해 동안. ¶～ 무휴(無休). ②시종(始終).
연중[2]【連中】[명] 연달아 꼭 맞힘. ——-하다 [타][여불]
연:중[3]【軟中】[명] 연상(軟上)보다 조금 약하나 연궁(軟弓) 중에서 비교적 센 활.
연중[4]【淵中】[명] 심연(深淵) 속.
연중[5]【筵中】[명] 연석(筵席).
연-중독【鉛中毒】[명] 납중독.
연중 무휴【年中無休】[명] 한 해 동안에 하루도 쉬지 않음. ——-하다 [자][여불]
연-중석【鉛重石】[명] 〖광〗 텅스텐의 광석. 정방 정계(正方晶系)의 결정으로 둥글게 뭉치어 산출됨. 빛은 적·갈·회·황·녹 등 여러 가지가 있으며, 금강석 광택이 남. *볼프람 철광(Wolfram 鐵鑛)·중석.
연중-에【然中—】[부] '그런데다가'·'그러한 가운데'의 뜻의 접속 부사.
연중 행사【年中行事】[명] 한 해 동안에 일정한 시기에 관례(慣例)로 행하는 행사.
연즉【然則】[부] '그러면'·'그런즉'의 뜻의 접속 부사.
연증 세:가【年增歲加】[명] 해마다 더하여 늚. ——-하다 [자][타][여불]
연지[1]【連枝】[명] 형제 자매(兄弟姉妹).
연:지[2]【硯池】[명] 벼루 앞쪽에 오목하게 파진, 먹물이 괴는 곳. 연해(硯海). 묵지(墨池).
연지[3]【蓮池】[명] 연못.
연지[4]【撚紙】[명] 지(紙)노.
연지[5]【臙脂】[명] ①여자가 입술이나 볼에 바르는 붉은 색 화장품. 잇꽃의 꽃잎으로 만들었음. ¶～ 찍고 곤지 찍고. ②중국에서 전래(傳來)한 산뜻하고 아름다운 홍색 물감. ③자색과 적색을 혼합한 그림 물감.
연지머리-딱따구리【臙脂—】[명] 〖조〗 쇠오색딱따구리.
연지무늬-양지니【臙脂—】[—니—] [명] 〖조〗 긴꼬리홍양지니.
연지-묵【臙脂墨】[명] 연지에 먹을 섞어 만든 채료(彩料). 검붉은 빛으로 밤색과 같음.
연지-방아 [명] 〈방〉 연자매.
연지-벌레【臙脂—】[명] 〖충〗 [*Coccus cacti*] 둥근깍지진딧물과에 속하는 작은 곤충. 수컷은 몸이 가늘고 적갈색이며 뒷날개는 없음. 암컷은 둥근 달걀꼴로서 길이 2mm 정도임. 날개는 없고 피가 붉으며 온 몸은 수지질(樹脂質)이 풍부한 백색의 가루 같은 납질물(蠟質物)로 싸여 있음. 중남미 원산으로 선인장(仙人掌) 등에 기생함. 암컷을 끓는 물로 죽이어 말려서 가루로 한 것을 코치닐(cochineal) 또는 카민(carmine)이라 하여 식품(食品)·화장품(化粧品), 그 밖의 생체 염색(生體染色)에 색소(色素)로 씀.

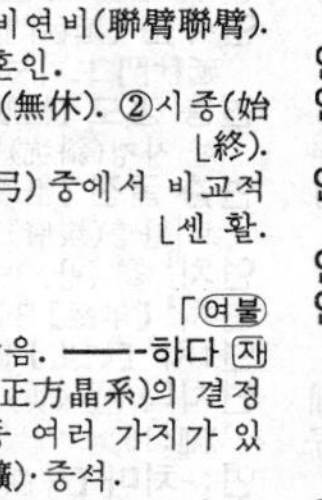

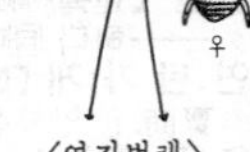

〈연지벌레〉

연지-분【臙脂粉】[명] ①연지와 분. ②화장품.
연:지-산【燕支山】[명] 〖역〗 중국 산시 성(陝西省)에 있는, 연지(臙脂)의 원료가 되는, 연지(燕支) 풀이 많이 난다던 산.
연:지 삽말【軟地揷抹】[명] 무른 땅에 말뚝을 박는다는 뜻으로, 일하기에 매우 쉬움을 일컫는 말.
연지-첩【臙脂帖】[명] 연지와 연지를 바르는 데 쓰는 붓 따위를 간수하는 제구. 창호지 같은 것을 여러 겹 붙여, 접어서 만듦.
연직【鉛直】[명] 연직선의 방향.
연직-각【鉛直角】[명] 〖수〗 연직선과 연직면(鉛直面)이 이루는 각도.
연직 거:리【鉛直距離】[명] 〖수〗 두 점 사이의 거리의 연직 방향으로 이루어지는 선분(線分). 곧, 그 거리를 연직면상(鉛直面上)으로 정사영(正射影)시킨 길이. 일정한 수준면(水準面)으로부터의 고도(高度)의 차(差)와 같음.
연직-권【鉛直圈】[명] 〖천〗 천정(天頂)을 통하여 지평면에 수직되는 대원(大圓). 수직권(垂直圈).
연직-면【鉛直面】[명] 〖물〗 지평면(地平面)과 직각이 되는 평면. 연직선을 포함하는 평면. 수직면(垂直面).
연직 배:광 곡선【鉛直配光曲線】[명] 일반적으로 광원(光源)의 중심을 통하는 연직선의 직하(直下) 방향을 0°, 직상(直上) 방향을 180°로 나타내어, 연직각(鉛直角)을 경각(徑角)으로 하는 극좌표(極座標) 위에 광도(光度)에 비례하여 동경(動徑)을 그렸을 때, 동경의 선단(先端)이 그리는 곡선.
연직-선【鉛直線】[명] ①〖물〗 추(錘)를 매달아 실을 늘어뜨릴 때에 그 실이 이루는 방향. 곧, 지평선과 직각을 이루는 수직선. ②〖수〗 어떤 점에서 어떤 직선에 대하여 수직 방향으로 그은 선.
연직선 편의【鉛直線偏倚】[—/—이] [명] 〖지〗 지구 상의 어느 한 점에 있어서의 실제의 연직선과 그 점을 통하는 가상(假想)의 지구 타원체면에 대하는 수직선과의 사이의 각도. 지하 물질의 분포 상태를 아는 데 이용됨.
연직 하중【鉛直荷重】[명] 연직 방향으로 가해지는 하중(荷重).
연:진[1]【研眞】[명] 진리를 연구하여 닦음. ——-하다 [타][여불]
연:진[2]【軟塵】[명] 부드러운 티끌. 주로 번화한 화류계(花柳界)를 이름.
연진[3]【煙塵】[명] ①연기와 먼지. ②굴뚝의 연기에 포함되어 있는 미립자(微粒子). 탄소(炭素)와 산화물(酸化物)을 포함함. ③병진(兵塵).
연:질【軟質】[명] 부드러운 성질. 연한 성질. ↔경질(硬質).
연질-대【軟質—】[—때] [명] 휨새가 부드럽고 능청거리는 낚싯대. 물낚시에 적합함. *경질대.
연:질-미【軟質米】[명] 물기가 15 % 이상 포함되어 있어 변질되기 쉬운 현미(玄米). 햇빛과 기온 관계로 우리 나라 북부 지방에 많이 남. ↔경질미(硬質米).
연:질 유리【軟質琉璃】[—류—] [명] 연화점(軟化點)이 낮으며 가공하기 쉬운 유리. 가장 일반적인, 소다석회(soda 石灰) 유리를 가리키는 경우가 많음. ↔경질(硬質) 유리.
연징【淵澄】[명] 깊고 맑음. ——-하다 [형][여불]
연ᄌᆞ니 [타] 〈옛〉 얹으니. '엱다'의 활용형. ¶즘겟가재 연ᄌᆞ니(寘樹之揚) ≪龍歌 7章≫.
연ᄌᆞ샤도 [타] 〈옛〉 얹으셔도. '엱다'의 활용형. ¶어바닚 가ᄉᆞᆷ 우희 부텻 손 연ᄌᆞ샤도≪月釋 X:2≫.
연차[1]【年次】[명] ①나이의 차례. ②햇수의 순서. ③매년(每年). ¶～ 예산(豫算).
연차[2]【年差】[명] 〖천〗 달의 황경(黃經)에 있어서의 주요한 주기 섭동(周期攝動)의 하나. 지구의 궤도가 타원형이기 때문에, 태양과 지구의 거리가 일 년을 주기로 변화함에 따라 태양과 달의 거리도 변화하여, 달에 미치는 태양의 인력(引力) 역시 변화가 생겨서 달 운행이 부등(不等)하게 되는 현상. 연주차(年週差).
연차[3]【連借·聯借】[명] 여러 사람이 연명하여 돈이나 물품 따위를 빌림. ——-하다 [타][여불]
연차[4]【輦車】[명] 손수레. 손으로 끄는 수레.
연차[5]【聯箚】[명] ↗연명 차자(聯名箚子).
연차[6]【連次】[부] 여러 차례를 계속하여. 번번이.
연차 계:획【年次計劃】[명] 그 연도(年度) 일 년간의 계획. 해마다 고쳐 세우는 생산 계획 등.
연:-차관【軟借款】[명] 낮은 금리·긴 상환 기간 등의 유리한 조건의 차관.
연차 교:서【年次敎書】[명] 〖정〗 미국에서, 대통령이 일반(一般) 교서·예산 교서·경제 교서 등 매년 정기적으로 의회에 보내는 교서. ↔특별 교서(特別敎書).
연차 대:회【年次大會】[명] 매년 정기적으로 여는 대회.
연차 유:급 휴가【年次有給休暇】[명] 〖법〗 해마다 종업원에게 주도록 정해진 유급(有給)의 휴가(休暇). 근로 기준법(勤勞基準法)에 의하면, 1년 동안 개근한 근로자에게 10일간, 90 % 이상 출근한 자에게는 8일을 주게 되어 있음. [준]연차 휴가(年次休暇). *월차(月次) 유급 휴가.
연차 휴가【年次休暇】[명] 〖법〗 ↗연차 유급 휴가(年次有給休暇).
연착[1]【延着】[명] 정한 시간보다 늦게 도착함. ¶기차가 ～하다. ——-하다 [자][여불]
연:착[2]【戀着】[명] 깊이 사랑하여 잊지 못함. 깊이 연모함. ——-하다 [자][여불]
연:-착륙【軟着陸】[—늉] [명] 우주 비행체가 지구나 달, 그 밖의 천체에 착륙할 때, 적재한 인원과 계기(計器)에 손상이 없도록 속도를 줄여 충격을 완화하면서 착륙하는 일. 대기(大氣)가 없는 데서는 로켓의 역분사(逆噴射)에 의해 감속(減速)하고, 대기가 있으면 파라슈트도 이용함. 소프트 랜딩(soft landing). ——-하다 [자][여불]
연:찬【研鑽】[명] 사물의 도리를 깊이 연구함. ——-하다 [타][여불]
연찰【憐察】[명] 불쌍히 여겨 살핌. ——-하다 [타][여불]

연참【鉛槧】명 ①붓과 종이. ②시문(詩文)을 초(草)하는 일. ③문필(文筆)의 업.

연창[1]【一窓】명〖건〗안방과 건넌방에 딸린 덧문.

연창[2]【連唱·聯唱】명 두 사람이 합하여 노래함. ——-하다 자여불

연창[3]【煙槍】명 아편 연기를 빠는 관(管).

연창-문【連窓門】명〖건〗문짝의 중간 부분만을 살창으로 한 사분합(四分閤).

연:채【軟彩】명〖미술〗도자기에 그린 연하고 고운 그림의 빛깔. 중국 청나라 옹정(雍正) 때에 발달되었음. 분채(粉彩). ↔경채(硬彩).

연천[1]【年淺】명 ①나이가 아직 적음. ¶다만 세자가 하도 ~해서 그게 마음에 걸리는 뿐≪金東仁 : 首陽大君≫. ②햇수가 옅음. 시작한 뒤로 몇 해가 아니됨. ——-하다 형여불

연천[2]【漣川】명〖지〗경기도 연천군의 군청 소재지로 읍(邑). 군의 동단부(東端部), 한탄강(漢灘江)에 면함. [11,269 명(1990)]

연천-군【漣川郡】명〖지〗경기도의 한 군. 관내 2읍 8면. 국토 분단 이전에는 북은 황해도 금천군(金川郡)과 강원도 철원군(鐵原郡), 동은 경기도 포천군(抱川郡)과 강원도 철원군, 남은 포천군·양주군(楊州郡)·파주군(坡州郡), 서는 장단군(長湍郡)에 접함. 오늘날에는 북서는 휴전선, 동은 철원군(鐵原郡)·포천군(抱川郡), 남은 동두천시(東豆川市)·양주군(楊州郡)·파주군에 접함. 주요 산물로는 쌀·보리 등의 주곡과 사과·배·복숭아·인삼 따위가 있으며, 규석 등이 남. 명승 고적으로는 신라 경순왕릉(敬順王陵)·재인 폭포(才人瀑布)·숭의전지(崇義殿址)·한탄강(漢灘江) 등이 있음. 군청 소재지는 연천(漣川). [해방 전 897.6 km^2 : 해방 후 733.80 km^2 : 61,305 명(1991)]

연:-천조【燕千鳥】명〖조〗제비도요.

연철[1]【連綴】명〖언〗한 음절의 종성(終聲)을 다음 자(字)의 초성(初聲)으로 내려쓰는 일. 또 그 방법. 우리말에서는 훈민 정음 이래 한 단어 안에서 모음으로 시작되는 음절 위의 받침을 그 음절의 머리 소리로 썼으나, 1933년 '한글 맞춤법 통일안'에 따라 폐지되었음.

연:철[2]【軟鐵】명〖광〗탄소 함유량이 0.02 % 이하의 쇠. 혹은 연강(軟鋼)을 말할 때도 있음. 전해법·고온 용해법으로 제조함. 저탄소강(低炭素鋼). ↔강철(鋼鐵).

연철[3]【鉛鐵】명〖광〗연분(鉛分)과 철분이 섞여 있는 광석.

연철[4]【鍊鐵·煉鐵】명〔wrought iron〕〖광〗①잘 단련한 쇠. ②탄소를 0.02-0.2 % 함유하는 연철(軟鐵). 철선·못 등의 원료에 씀. 단철(煅鐵).

연:철-심【軟鐵心】명〔soft iron core〕〖물〗연철(軟鐵)로 만든 심. 이것에 절연 동선(絶緣銅線)을 감으면 전자석이 됨. 「匠).

연철-장【鉛鐵匠】명〖역〗조선 시대 때, 납으로 제품을 만드는 공장(工

연철-줄【鉛鐵—】[—쭐] 명〖광〗납이나 철이 끼어 있는 광맥(鑛脈).

연첩[1]【連捷】명 연승(連勝). ——-하다 자여불

연첩[2]【連疊】명부 잇따라 겹침. ¶박승지 내외가 한 달 동안에 ~ 세상을 버리니…≪李海朝 : 彈琴臺≫. ——-하다 자타여불

연청[1]【延請】명 청요(請邀). ——-하다 타여불

연청[2]【椽廳】명〖역〗길청.

연체[1]【延滯】명 ①기간이 지나도록 지체(遲滯)함. ②기한 안에 이행하여야 할 채무(債務)나 납세(納稅)를 지체함. 건체(愆滯). ¶~ 이자(利子). ——-하다 자타여불

연체[2]【連逮】명 연좌(連坐)되어 체포당함.

연:체[3]【軟體】명 무르고 연한 체질. ¶~ 동물.

연체-금【延滯金】명〖법〗연체료.

연체 대:출금【延滯貸出金】명 약정된 기일에 대출주(貸出主)에게 변제(辨濟)되지 아니하고 밀린 원금(元金)·이자(利子) 및 이에 관련된 채무 총액(債務總額).

연:체 동:물【軟體動物】명〖동〗[Mollusca] 체강(體腔) 동물의 한 문(門). 몸에 뼈가 없고 부드러우며 근육이 풍부함. 몸은 머리·발·몸통의 세 부분으로 되는데 몸통은 외투막(外套膜)으로 싸여 있고, 또 외투막에서 분비한 석회질의 패각(貝殼)을 가지고 있는 것도 많음. 온 몸에 분절(分節)이 없으며 모두 유성 생식(有性生殖)이고 대부분이 수서(水棲) 동물임. 문어·낙지·조개·달팽이 등이 이에 속하는데, 쌍신경류(雙神經類)·굴족류(掘足類)·복족류(腹足類)·두족류(頭足類)·부족류(斧足類)의 다섯 강(綱)으로 분류함.

연체-료【延滯料】명 세금 같은 것을 연체한 이가 연체한 기간에 따라 지불하는 추가(追加) 요금. 연체금.

연체 반:응【延滯反應】명〖심〗지연 반응(遲延反應).

연체 이:자【延滯利子】명 원금(元金)의 지불을 연체하였을 때에, 연체된 기한에 따라 지불하는 이자. 지연 이자(遲延利子).

연체 일변【延滯日邊】명 원금 지불을 연체한 경우, 원금 100원에 대한 하루의 이자.

연체 파:수【延滯破水】명〖의〗자궁구(子宮口)가 완전히 열리고 태아가 골반강(骨盤腔) 속에 깊이 들어가 있음에도 아직 파수하지 않는 일. 주로 난막(卵膜)이 이상적(異常的)으로 두껍고 강하여 찢어지지 않는 것이 그 원인임.

연초[1]【年初】명 그 해의 처음. 연시(年始). ↔연말(年末).

연초[2]【烟硝】명 화약(火藥).

연초[3]【煙草】명 담배. ¶~ 소매업.

연초[4]【鉛醋】명〖화〗염기성(塩基性) 아세트산(酸) 납의 수용액. 알칼리성이며 수렴성 감미(收斂性甘味)가 있는 무색 투명한 액체. 덴 데나 좌상(挫傷)·염증(炎症) 등에 약으로 쓰임.

연:-초록【軟草綠】명 엷은 초록색.

연초-색【烟草色】명〖역〗궁중(宮中)에서 담배 공급(供給)의 책임을 맡고 있던 벼슬아치.

연초-세【煙草稅】명〖경〗담배 전매를 하지 않는 국가에서, 그 생산 및 판매에 대하여 부과하는 세금.

연-초자【鉛硝子】명〖화〗플린트 유리.

연:-초점【軟焦點】[—쩜] 명 소프트 포커스(soft focus).

연촉【蓮燭】명 연꽃 모양으로 만든 수촉(手燭).

연촉겁-지【延促劫智】명〖불교〗자기 마음대로 겁(劫)을 늘리기도 하고 줄이기도 하는 부처의 지혜.

연촌【烟村】명 멀리 희미하게 바라보이는 촌락(村落). 안개나 비·이내 따위에 덮여 희미하게 보이는 마을.

연총【淵叢】명 연수(淵藪).

연총-음【蓮葱飮】명〖한의〗연뿌리와 파뿌리를 함께 달여서 짜낸 물에 아교주(阿膠珠)를 넣고 휘저어 꿀을 탄 약. 토혈(吐血)에 씀.

연추[1] 명〈심마니〉담배❸.

연:-추[2]【姸醜】명 용모의 아름다움과 추함.

연추[3]【鉛錘】명 납으로 만든 추.

연:추[4]【燕雛】명 제비 새끼.

연축【攣縮】명 ①늘어남과 줆. 땅기고 켕김. ②〖생〗근육 수축의 한 형식. 단일 자극에 대하여 횡문근(橫紋筋)이 일으키는 단일의 단기간의 수축. 또, 임상 의학에서는 널리 경련양(痙攣樣) 근수축을 이름. 단일 수축(單一收縮). ——-하다 자여불

연축-기【連軸器】명 클러치[1](clutch).

연-축전지【鉛蓄電池】명〖물〗납축전지.

연출[1] 명〈방〉덩굴(전남).

연:출[2]【演出】명〖연〗①각본을 기초로 하여, 연극 또는 영화를 조성하는 각 요소, 곧 배우의 연기·무대 장치·세트·조명·음악·의음(擬音) 등을 종합 통일하여 무대 위에서의 상연이나 영화 제작을 지도하는 일. 또, 그 사람. ②어떤 효과를 내기 위해 거기 필요한 동작을 조작하여 꾸미는 일. ——-하다 타여불

연:출[3]【燕出】명 천자(天子)의 미행(微行).

연:출-가【演出家】명 각본을 연출하는 것을 업으로 삼는 사람. 연출자.

연:출 목록【演出目錄】[—녹] 명 레퍼토리(repertory)❶.

연:출-자【演出者】[—짜] 명 연출가.

연춧-대[1] 명 토담을 쌓을 때 쓰는 나무.

연춧-대[2]【輦—】명 연(輦)의 멍에에 가로 대는 나무.

연충[1]【淵衷】명 깊은 속마음.

연충[2]【蠕蟲】명 꿈틀거리며 기어다니는 벌레. 지렁이·회충·거머리 등.

연충-류【蠕蟲類】[—뉴] 명〖동〗연형 동물(蠕形動物)에 속하는 동물의 총칭.

연:취[1]【軟脆】명 연약(軟弱). ——-하다 형여불

연:취[2]【軟翠】명 연한 녹색(綠色).

연취[3]【煙嘴】명 물부리.

연츄문【延秋門】명〈옛〉궁성(宮城)의 서쪽 문. 경복궁의 서쪽 문. ¶延秋門 드리ᄃᆞ라 慶會南門 ᄇᆞ라보며≪松江 關東別曲≫.

연층 갱도【沿層坑道】명〖광〗탄광에서 탄층(炭層)을 따라 개착(開鑿)한 사갱(斜坑) 또는 수평 갱도.

연층 굴진【沿層掘進】[—찐] 명 탄광에서의 굴진 작업 방법의 하나. 주로 탄층(炭層) 속을 굴삭(掘削)해 들어감.

연치[1] 명〈방〉여치(경상·전라).

연치[2]【年齒】명 '나이[1]'의 경칭. 연세(年歲).

연:치[3]【姸蚩】명 미추(美醜).

연치다 자〈옛〉얹히다. ¶藥븐거시 ᄆᆞᅀᆞ매 연쳐시니(藥裹關心)≪杜諺 XXII : 16≫.

연:-치마【煉齒磨】명 튜브에 든 크림상(cream狀)의 치약을 일정 때 일컫던 이름. 「m]

연치-산【困峙山】명〖지〗함경 남도 단천군(端川郡)에 있는 산. [1,430

연칙【筵飭】명 연석(筵席)에서 임금이 단단히 훈계함. ——-하다 타여불

연침[1]【聯針】명〖건〗싸리 나무로 서까래 뒤 끝을 끼워 연결한 것.

연:침[2]【燕寢】명 한가롭게 거처하는 전각(殿閣).

연쿨 명〈방〉덩굴(전남).

연타[1]【延拖】명 일을 끌어서 미루어 나감. ——-하다 타여불

연타[2]【連打】명 연속하여 때리거나 침. ——-하다 타여불

연:타[3]【軟打】명 번트(bunt). ——-하다 타여불

연-타석【連打席】명 '타자가 한 경기에서 몇 차례 타석(打席)에 서서 그때마다 연속해서'의 뜻. ¶~ 홈런.

연타석 홈:런【連打席—】〔home run〕명 야구에서, 한 타자(打者)가 한 경기중에 연속하여 홈런을 침.

연탁[1]【連濁】명〖언〗일본 말에서 두개의 말을 결합할 때, 밑에 오는 언어의 맑은 소리가 흐린 소리로 변하는 일.

연:탁[2]【演卓】명 연단(演壇)에 놓는 책상.

연:탄[1]【軟炭】명〔soft-coal〕역청탄(瀝青炭).

연:탄[2]【煉炭】명 석탄·코크스·목탄 등의 분말에 피치(pitch)·해조(海藻)·석회·진흙 등의 점결제(粘結劑)를 섞어서 굳히어 만든 연료(燃料). 잘 타게 하기 위하여 상하를 통하는 여러 개의 구멍을 뚫어 놓았음. 화력(火力)이 강하므로 선박용·공업용·가정용·취사용·난방용 등에 사용함. 구공탄(九孔炭)·십구공탄(十九孔炭)·사십구공탄(四十九孔炭) 따위로 만듦. ㊟탄(炭).

연탄[3]【連彈·聯彈】명〖악〗한 대의 피아노(piano)를 두 사람이 치는 일. ——-하다 타여불

연:탄 가:게【煉炭—】[—까—] 명 연탄을 파는 가게. 주로, 소매상(小賣商)을 일컬음.

연:탄 가스【煉炭—】〔gas〕명 연탄을 피워서 나는 가스. 일산화탄소(一

酸化炭素)를 주성분으로 함.

연:탄 공장【煉炭工場】명 연탄을 만들어 연탄 가게에 공급하는 공장.

연:탄 구멍【煉炭—】[—꾸—] 명 연탄에 아래위를 통하여 뚫어 놓은 여러 개의 구멍.

연:탄 난:로【煉炭暖爐】[—날—] 명 연탄을 땔감으로 하는 난로.

연:탄 보일러【煉炭—】(boiler) 명 연탄을 때어 물을 끓여 증기를 발생시키는 보일러.

연:탄-불【煉炭—】[—뿔] 명 연탄에 붙은 불.

연:탄 아궁이【煉炭—】명 연탄을 때기 위하여 꾸미어 만든 아궁이.

연:탄 장수【煉炭—】명 ①연탄을 파는 일을 업으로 삼는 사람. ②얼굴이 검은 사람의 별명.

연:탄-재【煉炭—】[—째] 명 연탄이 다 타고 남은 진흙 재.

연:탄 집게【煉炭—】명 연탄을 운반하거나 갈 때에 쓰는 쇠집게.

연태-류【蠕態類】명 〖동〗[Helminthomorpha] 장새류(腸鰓類).

연토-판【鍊土板】명 〖공〗암층널.

연통¹【煙筒】명 양철·슬레이트 등으로 둥글게 만든 굴뚝.

연통²【連通·聯通】명 몰래 서로 연락함. ——-하다 자타여불

연통³【蓮筒】명 〖역〗↗연화통(蓮花筒).

연통-관【連通管】명 (communicating vessel) 〖물〗 두 개 이상의 관의 밑을 하나로 연결한 관. 관 속에 들어간 액체의 자유 표면(自由表面)은 모두 같은 높이가 됨. 액체의 밀도(密度) 측정 등에 이용됨.

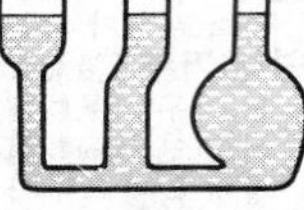

〈연통관〉

연통-제【聯通制】명 〖역〗1919년 상해(上海) 임시 정부에서 실시한 연락 방법. 국내 각 도(道)에 총판(總辦), 각 군에 군감(郡監), 각 면(面)에 면감(面監)을 두고, 국외에는 민간 단체를 통하여, 정부의 명령 전달과 연락 사무를 처리하게 함.

연투【連投】명 야구에서, 투수가 2회 이상의 경기에 연속해서 등판(登板)하여 투구함. ——-하다 타여불

연:파¹【軟派】명 ①연약한 의견을 가진 당파. ②문예상 에로티시즘을 주로 다루는 파. ③신문이나 잡지에서, 사회면이나 문화면 등에 관한 것을 담당하는 사람. ¶～기자. ④장래의 경기(景氣)를 약하게 보고 주권 등을 팔려고 하는 파. ⑤이성과의 교제만을 목적으로 하는 불량한 소년·소녀. 1)-5):↔경파(硬派).

연파²【連破】명 상대를 연속하여 무찔러 패배시킴. ——-하다 타여불

연파³【煙波】명 ①자욱하게 끼어서 물결처럼 보이는 연기. ②아지랑이가 낀 수면(水面).

연:파 기자【軟派記者】명 신문사나 잡지사에서 사회면·문화면 또는 남녀의 정사(情事) 등에 관한 것을 담당하는 기자. ↔경파(硬派) 기자.

연:-파라핀【軟—】(paraffine) 명 연성(軟性)의 파라핀.

연파 천리【煙波千里】[—철—] 명 강호(江湖)의 연파(煙波)에서 멀리 떨어짐. 헤어져서 다시 만나기 어려움의 비유.

연판¹【連判】명 연명(連名)으로 도장을 찍음. 연서(連署). ——-하다 자타여불

연판²【鉛版】명 〖인쇄〗인쇄 능률을 높이기 위하여 현판(現版)에 대고 지형(紙型)을 뜬 다음에 납·주석·알루미늄의 합금을 녹여 부어서 뜬 인쇄판. 스테레오타입. 스테레오.

연판³【蓮板】명 연꽃 무늬로 뜬 목판(木板). 포목(布木) 등의 염색(染色)에 쓰임.

연판⁴【蓮瓣】명 연꽃의 꽃잎.

연판-공【鉛版工】명 인쇄 과정에서, 연판 뜨는 작업을 하는 공원(工員).

연판-문【蓮瓣文】명 연꽃의 꽃잎을 펼쳐 놓은 모양을 도안화(圖案化)하여 연속 무늬로 문양화(文樣化)한 것.

연판-장【連判狀】[—짱] 명 연판한 서장(書狀). ¶～을 돌리다. *서명운동(署名運動).

연패¹【連敗】명 싸울 때마다 잇따라 패함. 속패(續敗). ¶연전 ～. ↔연승(連勝). ——-하다 자여불

연패²【連覇】명 잇따라 우승함. 계속하여 패권(覇權)을 잡음. ¶삼(三)～. ——-하다 자여불

연편 누:독【連篇累牘】명 쓸데없이 문장(文章)이 장황(張皇)함.

연편-하다【聯翩—】자여불 모두 잇따라 가볍게 나붓거리다.

연평-도【延坪島】명 〖지〗인천(仁川) 광역시 옹진군(甕津郡) 송림면(松林面) 연평리(延坪里)에 있는 섬. 대(大)연평도(6.95 km²)와 소(小)연평도(0.94 km²)의 두 섬과 당도(當島)·구지도(求地島) 등의 무인도와 함께 연평리를 이룸. 근해는 한국의 삼대 어장(漁場)의 하나로, 조기잡이의 중심지임.

연-평수【延坪數】[—쑤] 명 건물 전체의 평수. 열 평에 지은 삼 층 건물이면 서른 평이 연평수가 됨.

연평-조개【延坪—】명 〈방〉명주조개.

연:폐【宴幣】명 〖역〗궁중 또는 각 관아의 잔치 때에 참여한 예기(藝妓) 또는 기타 하인에게 주던 금품. 조선 시대 후기에는 이를 주지 않았음.

연:포【練布】명 누인 베. 빤 베.

연포지-목【連抱之木】명 아름드리의 큰 나무.

연:포-탕【軟泡湯】명 연폿국.

연:포-회【軟泡會】명 두부를 꼬챙이에 꿰어 닭국에 익히어서, 벗끼리 모이어 먹는 놀이.

연폭¹【連幅·聯幅】명 피륙·종이·널빤지 등의 조각을 마주 이어서 붙임. 연복. ——-하다 타여불

연폭²【連瀑】명 아래위로 층(層)을 이루어서 형성된 두 개의 폭포. *쌍폭(雙瀑).

연폭³【連爆】명 잇따라 폭격함. ——-하다 타여불

연:폿-국【軟泡—】명 무·두부·고기 등을 맑은 장에 넣어서 끓인 국. 상사(喪事)난 집에서 흔히 끓임. 연포탕(軟泡湯).

연표【年表】명 ↗연대표(年代表). ¶역사 ～.

연:-푸르다【軟—】형러불 연하게 푸르다.

연품【筵稟】명 연주(筵奏). ——-하다 자여불

연풍¹【年豐】명 풍년이 듦. 연등(年登).

연:풍²【延風】명 〖사람〗하위지(河緯地)의 호(號).

연:풍³【軟風】명 ①솔솔 부는 바람. 일초에 1.5-3.5 m의 풍속으로, 그 부는 것을 알 수 있을 정도로 부는 바람. 산들바람. ②〖지〗바닷가에서 낮과 밤의 온도 차이가 클 때에 부는 바람. 곧, 낮에는 육지의 흙과 모래가 높은 열을 받아서 공기가 위로 올라가는 까닭에 바다에서 육지로 향하여 바람이 불고, 밤에는 흙과 모래가 속히 열을 방산하므로 육지에서 바다로 향하여 바람이 부는데, 전자를 해연풍(海軟風)이라 하고, 후자를 육연풍(陸軟風)이라고 함. ③〖기상〗'산들 바람❷'의 구용어.

연풍⁴【連豐】명 여러 해를 계속하여 드는 풍년.

연풍대¹【筵風擡】명 〖악〗농악(農樂) 놀이의 춤사위의 하나. 허리를 뒤로 젖히며 공중에 떠서 빙빙 돎.

연:풍-대²【燕風臺】명 ①〖악〗기생이 추는 칼춤의 한 가지. ②기생들이 노래를 부를 때에 빙빙 돌아다니는 곳.

연:풍-태【燕風態】명 춘앵무(春鶯舞)·승무 등과 같이 가장 활발한 리듬의 기생 춤.

연:피-류【軟皮類】명 〖동〗토규류(菟葵類).

연피-선【鉛被線】명 〖전〗연피 전선.

연피 전:선【鉛被電線】명 〖전〗도선(導線)을 고무·종이 또는 절연된 피륙으로 싸고 다시 납을 씌운 전선. 연피선.

연필【鉛筆】명 흑연의 분말과 점토(粘土)의 혼합물을 높은 열로 구워 심을 만들어서 가느스름한 나무때기 속에 넣은 필기 도구. 1566년에 영국에서 나무때기 사이에 흑연을 끼워 쓴 데서 비롯됨. 목필(木筆).

연필-깎이【鉛筆—】명 칼 대신 연필을 깎는 데 쓰는 기구. 구멍을 통하여, 날이 든 속에 연필을 끼우고 손잡이를 돌려서 깎도록 되어 있음.

연필 깍지【鉛筆—】명 연필 끝에 씌워서 보호하는 두겁. 쇠·셀룰로이드·플라스틱 등으로 만듦.

연필-목【鉛筆木】명 〖식〗연필향나무.

연필-심【鉛筆芯】명 연필의 나무에 둘러싸여 있는 속 심. 연필알. *「연필.

연필-알【鉛筆—】명 〈속〉연필심.

연필 철광【鉛筆鐵鑛】명 적철광(赤鐵鑛)의 한 가지. 연필 모양의 개체(個體)로 나누이기 쉬움.

연필-향나무【鉛筆香—】명 〖식〗[*Juniperus virginiana*] 향나뭇과에 속하는 상록 침엽 교목. 높이 30 m 가량이고 잎은 침상(針狀)·인편상(鱗片狀)의 두 가지가 있음. 4-5월에 자웅 일가(雌雄一家)의 꽃이 피고 구과(毬果)는 다음해 10월에 흑색으로 익음. 산지나 전원(田園)에 심음. 비옥(肥沃)한 습지에 자라는데, 북미 원산(原産)으로 한국에서는 중부 이남에 분포함. 연필재·정원수로 쓰이고 기름을 뽑아서 현미경 등에 씀. 연필목. 「稿用)으로 함.

연필-화【鉛筆畫】명 연필로 그린 그림. 서양화에서 스케치나 화고용(畫

연하¹【年下】명 자기보다 나이가 적음. 또, 그 사람. ↔연상(年上).

연하²【年賀】명 새해의 복을 축하함. ¶～장(狀)/～ 우편.

연하³【沿河】명 연강(沿江).

연:하⁴【宴賀】명 축하의 잔치를 베풂. ——-하다 자여불

연하⁵【煙霞】명 ①안개와 노을. ②고요한 산수(山水)의 경치.

연하⁶【輦下】명 천자(天子)의 옆.

연하⁷【蓮荷】명 〖식〗연꽃.

연:하⁸【燕賀】명 제비가 사람이 집을 짓는 것을 축하하며 기뻐한다는 뜻으로, 남이 집을 지은 것을 축하하는 말. 연작 상하(燕雀相賀).

연하⁹【嚥下】명 ①꿀떡 삼켜서 넘김. ②입 속에 있는 음식 덩어리를 위장으로 보내는 작용. 근육의 복잡한 반사(反射) 운동이 합쳐서 행하여지며, 그 운동의 중추(中樞)는 연수(延髓)에 있음. ——-하다 타여불

연하 고질【煙霞痼疾】명 깊이 산수(山水)의 경치를 사랑하고 집착(執着)하여 여행을 즐기는 고질 같은 성벽(性癖). 연하지벽(煙霞之癖).

연-하다¹【沿—】자여불 길게 이어진 것과 죽 맞닿은 상태로 이어지다. ¶해안에 연하여 늘어선 상가.

연-하다²【連—】자타여불 이어 대다. 잇닿다. 또, 잇대어 있다.

연:-하다³【練—】자타여불 ①숙련(熟練)하다. ②소상(小祥) 때에 상복을 빨아서 부들부들하게 다듬다. ③불리다.

연:-하다⁴【軟—】형여불 ①무르고 부드럽다. ¶고기가 ～. ②빛이 옅고 산뜻하다. ¶연한 색깔.

-연하다【然—】미여불 '-인 체하다'·'-인 것처럼 뽐내다'의 뜻을 가진 접미어. ¶학자～/예술가～.

연:하도 유적【燕下都遺跡】명 〖지〗옌샤두 유적.

연하 요양【煙霞療養】명 신경 쇠약이나 호흡기 환자 등이 도시를 떠나서 맑고 경치가 아름다운 곳에 가서 요양하는 일.

연하 우편【年賀郵便】명 특별 취급 우편물의 하나. 연하장 같은 새해를 축하하는 우편.

연하 일휘【煙霞日輝】명 안개와 놀과 빛나는 햇살.

연하-장【年賀狀】[—짱] 명 새해를 축하하는 글을 적은 간단한 내용의 서장.

연하 전:보【年賀電報】명 특별 취급 전보의 하나. 신년을 축하하여 보내는 전보.

연하지-벽【煙霞之癖】명 연하 고질(煙霞痼疾).

연:학【研學】명 학문을 연구함. ——-하다 자여불

연:학-기【研學期】명 학문을 연구하는 시기.
연한[1]【年限】명 작정된 햇수. 연기(年期). ¶수업(修業) ~.
연:한[2]【燕閒】명 아무 근심이 없고 몸과 마음이 한가함. 연안(燕安). ——-하다 형여불. ——-히 부
연함【椽檻】명 서까래 끝의 평교대 위에 기왓골을 받기 위하여, 암키와가 놓일 만하게 반달 모양으로 촘촘하게 엔 나무.
연:함-석【燕含石】명 〖한의〗 석연[4](石燕).
연:함 호:두【燕頷虎頭】명 제비 비슷한 턱과 범 비슷한 머리. 곧, 먼 나라에서 봉후(封侯)가 될 상(相).
연:합[1]【煉合】명 고아서 합침. ——-하다 타여불
연합[2]【煙盒】명 담뱃서랍.
연합[3]【聯合】명 ①두 가지 이상의 사물이 합동함. 또, 서로 합동하게 함. ¶국제 ~. ②〖심〗 연상(聯想). ——-하다 자타여불
연합 가:설【聯合假說】명 〖심〗 요소 심리학(要素心理學) 또는 연합 심리학의 근본적 원리의 하나. 하나의 내용 *a*가 다른 내용 *b*와 여러 번 공존하고 있었다고 할 때, *a*의 발현(發現)은 *b*의 출현(出現)을 수반하는 경향이 있다고 하는 학설.
연합 고사【聯合考査】명 ①어떤 지역의 전체 학교가 연합적으로 동시에 전학생에게 보이는 고사. ②고등 학교에 진학할 자격을 주기 위해 1년에 한 번씩 전국적으로 실시하는 시험.
연합-국【聯合國】명 ①주의·사상을 같이하여, 동일 행동을 취하기로 연합한 국제간의 나라. ②〖역〗 제2차 세계 대전 때 독일·일본·이탈리아 등 이른바 추축국(樞軸國)에 대항, 연합하여 싸운 나라들. 미국·영국·프랑스·중국·소련 등.
연합 국가【聯合國家】명 〖정〗 ①두 개 이상의 독립국이 연합하여 하나의 주권 국가(主權國家)를 이룬 나라. 그 각 국가는 주권 국가의 주권에 저촉(抵觸)하지 않는 범위 안에서만 주권을 갖게 되나 외교권(外交權)은 갖지 않음. *국가 연합. ②연방(聯邦).
연합국 공:동 선언【聯合國共同宣言】명 〔Joint Declaration by the United Nations〕〖역〗 태평양 전쟁이 개시된 지 얼마 안 되어 1942년 1월 1일에 발표된 연합국의 전쟁 목적·단독 불강화(單獨不講和)에 관한 선언. 미국·영국·중국·소련 등 26개국이 워싱턴에서 서명하였음.
연합국 최:고 사령관【聯合國最高司令官】명 〔Supreme Commander for the Allied Powers; SCAP〕 제2차 대전에서 일본이 항복한 후, 연합국이 포츠담 선언과 항복 문서에 따라 일본을 점령 관리하기 위하여 일본에 둔 최고 유일의 실시권자(實施權者).
연합-군【聯合軍】명 ①두 나라 이상의 군대가 한 통수 계통 아래 연합한 군대. ②연합국의 군대.
연합 규약【聯合規約】명 〔Articles of Confederation〕〖역〗 1781년 미국 13 식민지의 연합체인 연합 회의에서 비준된 새로운 연합 정부의 규약. 현재의 미국 헌법에 선행하는 것임.
연합 기억【聯合記憶】명 〔associative memory〕〖심〗 전에 경험한 일을, 그것과 결합하고 있는 일을 생각함으로써 연합을 일으키어 상기(想起)하는 일.
연합 내:각【聯合內閣】명 〖정〗 연립 내각(聯立內閣).
연합 뉴:런【聯合—】명 〔association neuron〕〖생〗 감각 및 운동 뉴런을 연결하는 신경 단위(神經單位).
연합 도시【聯合都市】명 〔conurbation〕〖지〗 런던·맨체스터와 같은 대도시를 중심으로 하여 구성되는 지역(地域). 공업 지대로서 여러 개의 대도시로 구성되는 경우도 있음.
연합-령【聯合領】[—녕] 명 〖생〗 연합야(聯合野).
연합 상표【聯合商標】명 상표권자가 원(元) 등록 상표나 그와 유사(類似)한 상표를, 지정한 상품 및 그와 유사한 상품에 두루 사용하기로 상표권 등록을 한 상표.
연합-설【聯合說】명 〖심〗 에스 아르설(SR說).
연합 섬유【聯合纖維】명 〖생〗 대뇌 반구(大腦半球) 내부에서 서로 다른 영역의 피질(皮質) 사이를 연결하는 섬유. 대뇌 피질의 한 영역에 일어난 흥분을 딴 영역으로 파급시키는 역할을 함.
연합 심리학【聯合心理學】[—니—] 명 〖심〗 연상 심리학(聯想心理學).
연합-야【聯合野】명 〔association area〕〖생〗 보다 복잡하고 의미가 있는 운동이나 지각 또는 예지(叡知)·정신 능력 등의 고급이고 종합적인 활동을 맡은 대뇌 피질(大腦皮質)의 부분. 운동령(運動領)·지각령(知覺領)과의 사이 및 연합야 상호간에 무수한 신경 섬유가 얽혀 있음. 연합령(聯合領).
연합 억제【聯合抑制】명 〔associative inhibition〕〖심〗 전(前)에 연합이 있기 때문에, 오히려 새로운 연합 형성이 어렵게 되는 일.
연합 작전【聯合作戰】명 〖군〗 단일 기본 임무를 수행하기 위하여, 공동 행동을 취하는 두 나라 이상의 동맹국(同盟國) 부대에 의하여 실시되는 작전.
연합 중추【聯合中樞】명 〔association center〕 연합 섬유가 많은 대뇌의 피질부(皮質部)로, 각종 감각의 인상(印象)이 통일됨.
연합 참모 본부【聯合參謀本部】명 〖군〗 '합동(合同) 참모 본부'의 전신(前身).
연합 채:무【聯合債務】명 〖법〗 동일한 채무 관계로서, 각 채무자가 각각 그 한 부분에 대하여만 책임을 지는 채무.
연합 촉진【聯合促進】명 〔associative facilitation〕〖심〗 이전(以前)에 연합이 있기 때문에 새로운 연합이 쉽게 형성되는 일.
연합 통신【聯合通信】명 한국 유일의 통신사. 1980년 12월 국내 언론사 통폐합(言論社統廢合) 조처의 일환으로 기존의 동양 통신·합동 통신·시사 통신·경제 통신·산업 통신 등을 통폐합하여 주식 회사로 발족하였음.
연합 함:대【聯合艦隊】명 〖군〗 두 개 이상의 또는 두 나라 이상의 함대로 편성된 함대.
연해[1]【沿海】명 ①연해변(沿海邊). ②육지 가까이 있는 얕은 바다. 대륙붕(大陸棚)을 덮고 있는 바다.
연:해[2]【硯海】명 벼루 앞쪽에 오목하게 파진, 먹물이 괴는 곳. 연지(硯池). 묵지(墨池).
연해[3]【淵海】명 ①깊은 못과 큰 바다. ②깊고 큰 것의 비유.
연해[4]【煙海】명 ①안개 같은 것이 끼어 흐릿하게 보이는 바다. ②바다같이 퍼져 있는 안개.
연해[5]【煙害】명 공해(公害)의 하나. 연기의 독으로 인하여 생기는 해(害). 광산의 정련장(精鍊場)이나 공장의 굴뚝에서 나오는 유독 가스·황분(黃分)을 품은 석탄 연기 또는 화산(火山)에서 나오는 연기는 사람·가축·산림·농작물 등에 해를 끼침.
연해[6]【緣海】명 〖지〗 대양(大洋)의 연변(緣邊)을 차지하는 바다로 반도(半島)·열도(列島) 등으로 둘러싸인 바다. 동해·카리브 해·베링 해 같은 것.
연해[7]【連—】부 〔↗연(連)하여〕 자꾸 계속하여.
연해-국【緣海國】명 〖지〗 연해(緣海)를 둘러싸고 이것을 자기 나라의 바다로서 지배하는 나라.
연해 기후【沿海氣候】명 〖지〗 연해 지방 일대에서 볼 수 있는 특색 있는 기후형(氣候型). 대체로 대륙 기후와 해양 기후의 중간성을 띤 것인데 해연풍(海軟風)과 육연풍이 밤낮으로 바뀌어 불며 공기가 맑고 겨울에도 비교적 따뜻함.
연해 무:역【沿海貿易】명 〖경〗 연안(沿岸) 무역.
연해-변【沿海邊】명 바닷가 근처 지방. 연해(沿海).
연해 상업【沿海商業】명 〖경〗 연해 무역.
연해-선【沿海線】명 〖지〗 해안선❶.
연해-안【沿海岸】명 바닷가를 따라서 있는 육지.
연해-어【沿海魚】명 〖어〗 연해를 벗어나지 아니하고 대체로 연해안의 일정한 곳에서만 서식하는 고기. 고등어·가자미 등.
연해 어업【沿海漁業】명 연해안에서 행하는 어업. 연안 어업. 근해 어업. ↔원양 어업.
연해 연방【連—連方】부 끊임없이 계속하여 자꾸.
연해 연송【連—連—】부 〈방〉 연해 연방.
연해 운하【連海運河】명 해양과 해양을 연결하는 운하. 수에즈 운하 같은 것.
연해-읍【沿海邑】명 바닷가에 있는 읍.
연해-주【沿海州】명 〖지〗 러시아 극동 방면의 한 지방. 동남은 동해(東海)와 면하고 서쪽은 하바로프스크 지방 및 만주, 남단은 한국과 접경하고 있음. 기후가 차서 농업은 발달하지 못하고, 어업·임업·광업 등이 성함. 중심 도시는 블라디보스토크. 옌하이저우. 프리모르스키(Primorskii). [165,900 km² : 2,260,000 명(1980)]
연해-지【沿海地】명 바닷가에 인접하여 있는 땅.
연해 항:로【沿海航路】[—노] 명 선박 안전법에 정한 항로. 해안선으로부터 3해리(海里) 안으로 항행하는 항로.
연행[1]【連行】명 ①데리고 함께 감. ②본인의 의사와는 관계 없이 데리고 가는 일. 특히, 경찰관이 범인·용의자 등을 경찰서로 데리고 가는 일. ——-하다 타여불
연:행[2]【演行】명 연출하여 행함. ——-하다 타여불
연:행[3]【練行】명 〖불교〗 행법(行法)을 수행함. ——-하다 자여불
연:행[4]【燕行】명 〖역〗 국가의 사절(使節)로서 중국의 연경(燕京)에 감. 또, 그 일행. ——-하다 자여불
연:행-가【燕行歌】명 〖문〗 조선 시대 말기의 문장가 홍순학(洪淳學)이 지은 기행 가사(紀行歌辭). 작자가 고종 3년(1866)에 서장관(書狀官)으로 정사(正使) 유후조(柳厚祚)를 따라 연경(燕京)에 갔을 때의 견문(見聞)을 노래로 지음. 3,800여 구.
연행-도【緣行道】명 〖불교〗 염불·경문 등을 외면서 불당(佛堂)의 마루나 마당을 위의(威儀)를 차리어 거니는 법회(法會)의 의식.
연:행-록【燕行錄】[—녹] 명 〖문〗 조선 시대 때 사신·수행원 들이 중국의 연경(燕京)을 다녀와서 그 견문을 기록한 기행문. 효종(孝宗)의 아우 인평대군(麟平大君)의 《송계집(松溪集)》 중의 《연도 기행(燕都紀行)》, 김창집(金昌集)의 《노가재(老稼齋) 연행 일기》, 홍대용(洪大容)의 《을병(乙丙) 연행록》 등이 있으며, 사료나 기행 문학으로 중요시됨.
연행 무역【燕行貿易】명 〖역〗 조선 후기에 연경 사행(燕京使行)을 통하여 이루어지던 무역.
연행-사【燕行使】명 〖역〗 조선 시대에 청(淸)나라의 연경(燕京)에 가는 사신.
연:향[1]【宴享·醼享】명 국빈(國賓)을 대접하는 잔치를 베풂. 또, 그 잔치. ——-하다 자여불
연:향[2]【宴饗】명 잔치를 베풀어 손님을 접대함. ——-하다 타여불
연:허 대:수필【燕許大手筆】명 〔중국 당나라의 연국공(燕國公) 소정(蘇頲)과 허국공(許國公) 장열(張說)이 모두 당시에 문장으로 유명했다는 데서〕 대문장(大文章)을 이르는 말.
연:혁[1]【沿革】명 변천하여 온 내력. ¶우리 학교의 ~.
연:혁[2]【硏革】명 면도칼 등을 가는 데 쓰는 가죽.
연현【蜎蜆】명 〖충〗 장구벌레.
연형【年形】명 농형(農形).
연형 동:물【蠕形動物】명 〖동〗 〔Vermes〕 재래식 동물 분류에 있어서의 한 문(門). 몸은 좌우 상칭(左右相稱)으로 가늘고 길며 연동 운동을 하는 동물의 총칭. 편형(扁形) 동물·선형(線形) 동물·윤형(輪形) 동물·

내항(內肛) 동물·환형(環形) 동물로 나뉨. 연충류(蠕蟲類).

연형 시조【聯形時調】명 〖문〗 연시조(聯時調). ↔단형(單形) 시조.

연:형제-가【宴兄弟歌】명 〖문〗 연형제곡.

연:형제-곡【宴兄弟曲】명 〖문〗 경기체가(景幾體歌) 형식으로 된 조선 시대의 노래. 작자·제작 연대 미상. 모두 5장. 형제간의 우애를 읊음. ≪악장 가사(樂章歌詞)≫에 전함. 연형제가.

연호[1]【年號】명 ↗다년호(大年號).

연:호[2]【宴犒】명 잔치를 베풀어 군사를 위로함. 잔치를 차려 호궤(犒饋)함. ——-하다 타 여불

연호[3]【連互】명 길게 연속하여 이음. ——-하다 타 여불

연호[4]【連呼】명 계속하여 부름. ——-하다 타 여불

연호[5]【煙戶】명 ①굴뚝에서 연기가 나는 집. 곧, 빈 집이 아니고 사람이 사는 집. ②일반 백성의 민가(民家).

연호-군【烟戶軍·煙戶軍】명 〖역〗 ①고려 때 농민으로 조직된 지방군(地方軍). 농한기에는 군문에, 농번기에는 농사에 종사토록 하였음. ②조선 시대 때 각 호(各戶)에 배당되어 부역(賦役)에 나아가던 인부(人夫). ㊀연군(烟軍).

연호-미【煙戶米】명 〖역〗 조선 시대 때에, 민호(民戶)를 식구의 수, 전결(田結)의 수, 호주의 신분 등에 따라 상호(上戶)·중호(中戶)·하호(下戶)·하하호(下下戶)로 구분하고, 각 호(戶)에 등급별로 종곡(種穀)을 주었다가 추수한 후에 이식(利息)을 붙여 회수하는 쌀. 태종(太宗) 6년(1406)에 정함.

연호-법【煙戶法】[-뻡] 명 〖역〗 조선 시대 때의 호적법의 하나. 상호·중호·하호·하하호로 구별됨.

연호-색【延胡索】명 〖식〗 현호색(玄胡索).

연호 잡역【煙戶雜役】명 〖역〗 조선 시대 때, 민가(民家) 매호마다 과(課)하던 여러 가지 부역(賦役). 호(戶)진 잡역(雜役). ㊀연역(煙役).

연호-정【煙戶政】명 〖역〗 고려 우왕(禑王) 때에 정권을 가진 자가 현관(顯官)과 요직(要職)을 시정(市井)과 공장(工匠)에 이르기까지 저들의 당과 친고(親故)로 많이 시킨 정사(政事).

연혼【連婚】명 혼인으로 말미암아 연락 관계가 생김.

연:홍[1]【軟紅】명 여린 붉은 빛.

연홍[2]【緣紅】명 〖미술〗 입 전두리를 붉은 빛으로 칠하여 만든 도자기.

연홍-도【連洪島】명 〖지〗 전라 남도의 남해상(南海上) 고흥군(高興郡) 금산면(錦山面) 신전리(新田里)에 위치한 섬. [0.55 km²]

연:홍지-탄【燕鴻之歎】명 길이 어긋나서 서로 만나지 못하여 하는 탄식(歎息).

연화[1]【年華】명 세월(歲月).

연화[2]【年畫】명 중국의 민화(民畫)로, 설날 집의 벽 따위에 장식함. 서민의 이상·생활 감정을 표현한 것이 많고, 목판(木版) 기술이 발달한 명대(明代) 이후 일반에 보급됨.

연:화[3]【軟化】명 ①단단한 것이 부드럽고 무르게 됨. ②강경하게 주장하던 태도를 버리고 타협함. ③〖경〗 금융 시장이나 거래소에서 금리나 시세가 하락(下落)함. ④〖공〗 탄소강(炭素鋼)의 재질(材質)을 무르게 하는 열처리의 한 방법. 726°C정도로 가열한 후 서서히 냉각시킴. ⑤줄기나 잎을 식용으로 하는 작물이 뻣뻣하여 그대로 먹기 어려울 때 통풍(通風) 또는 일광(日光)을 차단하여 무르게 함. 1)-3): ↔경화(硬化). ——-하다 자타 여불

연화[4]【連和】명 ①둘 이상의 독립한 것이 연합함. ②연합하여 화목함. ——-하다 자 여불

연:화[5]【軟貨】명 〖경〗 ①주조 화폐 이외의 통화(通貨). 곧, 지폐(紙幣). ②미국의 달러나 금(金)과의 교환성(交換性)이 없는 통화. 1)·2):↔경화(硬貨).

연화[6]【煙火】명 ①밥을 짓는 연기. 인연(人煙). 취연(炊煙). ②봉화(烽火)❷. ③불에 익힌 음식. ④꽃불. 화포(花砲).

연화[7]【煙花】명 ①봄 경치. ②화포(花砲). ③기녀(妓女)❶.

연화[8]【鉛華】명 〖화〗 백분(白粉)❷.

연화[9]【緣化】명 〖불교〗 불사(佛事)를 경영하여 시연(施緣)을 구하고 사업을 설계하는 일.

연화[10]【蓮花·蓮華】명 연꽃.

연화-관【蓮花冠】명 〖역〗 연화대(蓮花臺) 춤에 동기(童妓)가 쓰는 관. 연꽃 형상으로 만들고 금을 박은 두 줄의 끈이 있음.

연화-교【蓮花橋】명 불국사 연화교.

연화-국[1]【蓮花國】명 〖불교〗 연꽃이 피어 있는 나라. 곧, 극락 정토(極樂淨土)를 일컫는 말.

연화-국[2]【蓮花麴】명 연꽃누룩.

연화-대【蓮花臺】명 ①〖불교〗 극락 세계에 있다고 하는 대(臺). ㊀연대(蓮臺). ②〖역〗 나라 잔치 때에 추던 춤의 한 가지. 고려 시대에 비롯함. 합립(蛤笠) 두 개를 갖다 놓고 죽간자(竹竿子) 두 사람이 나와 마주 선 다음 동기(童妓) 둘이 뒤에 서서 주악(奏樂)에 맞추어 사(詞)를 부르며 춤을 추다가 동기가 잇대어 합립을 쓰고 춤을 춤. 연화대무(蓮花臺舞).

연화대-무【蓮花臺舞】명 〖악〗 연화대(蓮花臺)❷.

연화-도【蓮花島】명 〖지〗 경상 남도의 남해상(南海上), 통영시(統營市) 욕지면(欲知面) 연화리(蓮花里)에 위치한 섬. [3.41 km²]

연화-등【蓮花燈】명 연꽃 모양으로 만든 등.

연화-문【蓮花紋】명 연꽃을 도안화(圖案化)한 무늬.

연:화-법【軟化法】[-뻡] 명 〖농〗 땅두릅·아스파라거스 등의 야채류의 줄기와 뿌리를 희고 연하게 하는 농법(農法).

연:화-변【燕火邊】명 한자 부수의 하나. '無'·'燕' 등의 '灬'의 이름.

연:화-병【軟化病】[-뼝] 명 〖농〗 누에와 같은 곤충의 소화관(消化管)이나 혈액 속에 세균이 번식하여 몸이 연약하여서 죽게 되는 병의 총칭. 무름병.

연화-봉【蓮花峰】명 〖지〗 ①충청 북도 단양군(丹陽郡)과 경상 북도 영주시(榮州市) 사이에 있는 산. [1,394 m] ②함경 남도 단천군(端川郡) 복귀면(福貴面)에 있는 산. [262 m] ③서울 특별시 용산구 청파동과 중구 만리동 경계에 있는 산. 모양이 연꽃 같다고 하여 이 이름이 있으며 지금은 사람들이 살고 있음.

연화-부【蓮華部】명 〖불교〗 태장계(胎藏界)의 삼부(三部)의 하나. 또, 금강계(金剛界)의 오부(五部)의 하나. 밀교에서 부처님의 대비(大悲)를 나타내는 부류(部類). 관음(觀音) 등이 이에 속함.

연화-분【鉛華粉】명 합석꽃.

연화-산【蓮花山】명 〖지〗 ①함경 남도 장진군(長津郡)에 위치한 산. [2,355 m] ②강원도 태백시(太白市) 상장동(上長洞)에 있는 산. [1,171 m] ③강원도 삼척시와 경상 북도 봉화군 사이에 있는 산. [1,053 m]

연화 산맥【蓮花山脈】명 〖지〗 부전령(赴戰嶺) 산맥의 천불산(天佛山)에서 갈라져 부전강과 장진강 사이를 북쪽으로 달리며, 두운봉(頭雲峰) 산맥과 함께 갑산(甲山) 장진(長津) 고원에 뻗은 산맥. 산맥 중에 연화산(蓮花山)이 있음.

연화-생【蓮華生】명 〖사람〗 '파드마삼바바'의 한자 이름.

연화 세:계【蓮花世界】명 〖불교〗 극락 세계(極樂世界)❶.

연화-소【緣化所】명 〖불교〗 불사(佛事)를 특별히 맡아 보는 임시 사무소(臨時事務所).

연화 신:호【煙火信號】명 발연통(發煙筒)에 의한 신호. 철도·항공 등에 사용함.

연화 아:치【蓮華—】[arch] 명 아치의 한 형식. 연꽃의 모양을 함. 이슬람 건축과 후기(後期) 고딕 건축의 기본이 되어 있음.

연:화 온도【軟化溫度】명 연화점(軟化點).

연화 왕:생【蓮花往生】명 죽은 후에 극락 정토의 연화좌 위에 태어나는 일.

연:화-유【軟火釉】명 〖미술〗 여린 불에 녹는 잿물.

연화-의【蓮華衣】[-/-이] 명 〖불교〗 가사(袈裟)의 깨끗함을 연꽃에 비유한 말.

연화-잠【蓮花簪】명 머리에 연꽃을 새긴 비녀.

연화장 세:계【蓮華藏世界】명 〖불교〗 연화에서 출생(出生)한 세계. 또, 연화 속에 함장(含藏)된 세계. 화장(華藏) 세계. 비로자나불의 세계. ㊀화장.

연:화 재:배【軟化栽培】명 〖식〗 배토(培土)·밀식(密植) 등 여러 가지 방법으로, 일조(日照)를 제한 또는 차단하여 희고 부드럽고 쓴맛이 없는 채소를 얻는 재배 방법. 땅두릅·파드득나물·장과(漿果)·양파·아스파라거스 등의 재배에 이용됨.

연:화-점【軟化點】[-쩜] 명 유리·내화물(耐火物)·플라스틱·아스팔트·타르 등의 고형(固形) 물질이, 가열에 의해서 변형, 연화를 일으키기 시작하는 온도. 연화 온도.

연:화-제【軟化劑】명 [softener] 〖화〗 칼슘이나 마그네슘 등의 이온을 제거(除去)함으로써, 경수(硬水)를 연수(軟水)로 변환시키는 화학 약품.

연화-좌【蓮花座】명 ①〖불교〗 연꽃 모양으로 만든 불좌(佛座). ㊀연좌(蓮座). ②〖건〗 연꽃새김을 한 대좌(臺座).

연화중-인【煙火中人】명 화식(火食)하는 사람. 곧, 속세(俗世)의 사람.

연:화-증【軟化症】[-쯩] 명 〖의〗 몸의 조직 등이 연화하여 일어나는 증세. 골(骨)연화증·심근(心筋) 연화증 등이 있음.

연화-질【緣化秩】명 〖불교〗 연화소(緣化所)에 관계된 사람의 이름을 기록한 명부.

연화-통【蓮花筒】명 〖역〗 정재(呈才) 때에 지당판(池塘板) 위에 종이로 만들어 올려 놓는 큰 연꽃 송이. 동기(童妓)가 그 속에 들어 앉음. ㊀연통(蓮筒).

연화-항【蓮花缸】명 〖역〗 정재(呈才) 때 보상무(寶相舞)에 쓰는 항아리. 밑으로 돌아가며 연꽃을 그리었음.

연화-회【蓮花會】명 〖불교〗 극락 정토(極樂淨土)에서 행하여지는 거룩한 중생(衆生)들의 회합.

연환[1]【鉛丸】명 납으로 만든 탄환.

연환[2]【連環】명 고리를 잇대어 꿴 쇠사슬.

연환-계[1]【連環計】명 [중국 삼국 시대에 오(吳)나라의 주유(周瑜)가 위(魏)나라의 조조(曹操)의 군사를 화공(火攻)할 때에 방통(龐統)을 보내어 조조로 하여금 군함을 쇠고리로 연결시키게 한 고사에서] 적(敵)에게 간첩을 보내어 계교를 꾸미게 하고 그 사이에 자기는 승리를 얻는 계교.

연환-계[2]【鉛丸契】[-께] 명 〖역〗 조선 시대 때 관아에 총알을 공물(貢物)로 바치던 계.

연:활【軟滑】명 여리고 매끄러움. 무르고 반질반질함. ——-하다 형 여불

연회[1]【年會】명 ①일 년에 한 번 하는 집회(集會). ②〖기독교〗 기독교의 집회의 하나. 정회원인 목사와 평신도(平信徒)의 대표로 조직되어 일 년에 한 번씩 모임.

연회[2]【延會】명 ①국회에서 예정된 의사(議事)가 끝나지 않았을 때 필요에 따라 딴 날로 연기하던 일. ②주주 총회(株主總會)에서 그 날의 의사를 개시하지 않고 딴 날에 열 것을 결의(決議)했을 때, 그 다시 여는 총회.

연:회[3]【宴會】명 축하·위로·환영·석별(惜別) 등의 뜻을 표시하기 위하여 여러 사람이 모여 주식(酒食)을 베풀고 가창 무도(歌唱舞蹈) 등을 하는 일.

연회[4]【煙晦】명 가리어 어둡게 함. ——-하다 타 여불

연회 국사【緣會國師】명 〖사람〗 신라 원성왕(元聖王) 때의 명승. 영취사(靈鷲寺)에서 보현 보살(普賢菩薩)의 관행법(觀行法)을 닦고 국사(國師)가 됨. 생몰년 미상.

연:회-비【宴會費】명 연회의 비용.

연:회-석【宴會席】명 연회가 베풀어진 자리.
연:회-실【宴會室】명 연회를 베푸는 방.
연횡【連衡·連橫】명〖역〗↗연횡설(連衡說). ↔합종(合縱).
연횡-설【連衡說】명〖역〗중국 전국 시대에 진(秦)나라의 장의(張儀)가 합종설(合縱說)에 대항하여 내세운 동맹 정책. 곧, 진이 그 동쪽의 여섯 나라 한(韓)·위(魏)·조(趙)·초(楚)·연(燕)·제(齊)와 횡(橫)으로 화평 조약을 맺는 것임. 준연횡(連衡). ↔합종설(合縱說).
연후【然後】㊀명 그러한 뒤. ㊁부 ↗연후에.
연후-에【然後一】부 그러한 뒤에. 준연후.
연후지-사:【然後之事】명 그러한 뒤의 일.
연훈[1]【煙薰】명 연기로 말미암아 훈훈하게 더움.
연훈[2]【煙燻】명〖역〗생나무를 태워 그 연기를 배의 물에 잠겼던 부분에 쐬는 일. ——-하다 타여불
연휴【連休】명 휴일이 이틀 이상 겹쳐져서 연달아 노는 일. 또, 그런 휴일. ¶황금의 ~/~를 만끽하다.
연휼【憐恤】명 불쌍히 여겨 물품을 내어 도와 줌. ——-하다 타여불
연흉【連凶】명 계속하여 드는 흉년.
연흔【漣痕】명 ①〖지〗호숫가나 해안의 지층, 특히 사력암(砂礫岩)의 표면 등에 새겨져 있는 파도 형상의 흔적. 이것이 화석(化石)이 되어 나타나기도 함. ②바람에 의하여 모래나 눈 위에 만들어진 파도 형상의 울퉁불퉁한 흔적.
연:희【演戲】[—히] 명 말과 동작(動作)으로 많은 사람들 앞에서 재주를 부림. ¶꼭두잡이는 어떻게 ~판이라도 생겼나 싶었던지 허겁지겁 달려와선…≪金周榮:客主≫. ——-하다 자여불
연희-궁【衍禧宮·延禧宮】[—히—] 명〖역〗조선 정종(定宗)이 태종(太宗)에게 왕위를 물려주고 상왕(上王)으로서 기거(起居)한 궁. 지금의 서울 서대문구 연희동(延禧洞)에 있었음. 세종(世宗) 때, 이 궁에 서잠실(西蠶室)을 베풀었으며, 연산군(燕山君)은 이 궁을 놀이터로 삼았음.
[연희궁 까마귀 골수박 파먹듯 한다] 어떤 한 가지 일에만 열중하여 여념이 없음을 이르는 말.
엱다 타〈옛〉얹다. =엸다. ¶아홉 卷을 자바 西ㅅ녁 壇 우희 엱고≪月釋 Ⅱ:73≫.
엸다 타〈옛〉얹다. =엱다·엿다. ¶ᄇᆞ야미 가칠 므러 즘겟 가재 연ᄌᆞ니(大蛇銜鵲寘樹之揚)≪龍歌 7章≫/노ᄑᆞᆫ 座 ᄆᆡᆼᄀᆞ오 엸ᄌᆞ면≪月釋 Ⅸ:39≫.
엳 명〈옛〉이제. ¶엳 금(今)≪字會 下 2≫.
엳갑다 형〈옛〉옅다. ¶너 ᄒᆞᆫ가짓 보미 엳갑고 아논 일 져근 사ᄅᆞ미(你一般淺見薄識的人)≪朴解 上 23≫.
엳다[1] 타〈옛〉여쭙다. =엳줍다. ¶그 엳ᄂᆞᆫ 공ᄉᆞ롤 올타ᄒᆞ시니(使人可其奏)≪飜小 942≫.
엳다[2] 형〈옛〉옅다. ¶므거운 ᄇᆡᄂᆞᆫ 엳가온 여흐레 브텟고(重船依淺瀨)≪杜諺 ⅩⅣ:15≫.
엳-아홉 수 여덟이나 아홉.
엳줍다 타〈옛〉여쭙다. =엳쭙다·엳다[1]. ¶祥瑞로온 거슬 님금ᄭᅴ 엳줍디 말며(不奏祥瑞)≪小諺 Ⅹ:14≫/엳ᄌᆞ올 계(啓)≪類合 下 8≫.
엳쭙다 타〈옛〉여쭙다. =엳줍다. ¶表 지ᅀᅥ 엳ᄌᆞᄫᆞ니 그 表애 ᄀᆞ로ᄃᆡ≪月釋 Ⅱ:69≫.
엳ᄐᆞ다 타〈옛〉여쭙다. ¶엳ᄐᆞᆯ 계(啓)≪字會 上 35≫.
열[1] 명 도리깨나 채찍 등의 끝에 달리어 있는 회초리나 끈 같은 것.
열[2] 명〈옛·방〉삼(경상). ¶ᄒᆞᄅᆞᆫ ᄒᆞᆫ 열콰 ᄒᆞᆫ 밀ᄒᆞᆯ머거도(日餐一麻一麥)≪楞嚴 Ⅸ:106≫.
열[3] 명〈방〉쓸개(강원·황해·평안·경기·충북·경북·함남).
열[4] 명 ↗총열.
열[5]【列】명 사람이나 물건이 죽 벌여 선 줄. 가로 된 것을 횡렬(橫列), 길이로 된 것을 종렬(縱列)이라 함. ¶~을 지어 행군하다/2~ 종대로 집합할 것.
열[6]【列】명 성(姓)의 하나. 본관 미상임.
열[7]【熱】명 ①〔heat〕〖물〗온도가 다른 두 물체가 접촉했을 때 고온의 물체에서 저온의 물체로 이동하는 에너지. 이동 방법은 전도(傳導)·대류(對流)·복사(輻射)의 세 가지가 있음. ②흥분된 마음. ¶~을 올리다. ③↗신열(身熱). ¶~이 높다. ④↗열성(熱誠). ⑤↗열화(熱火).
 열에 받치다 구 흥분(興奮)된 열기의 힘에 떠받쳐지다. ¶… 변변이 먹지도 못하였은즉 몸도 아플 터이오, 배도 고프겠지만 열에 받치어서 제 근력 제 정신으로 이때까지 부지하는 터이 아니더니≪崔瓚植:金剛門≫.
 열을 올리다 구 ①열성을 드러내다. 열중하여 그 일에 빠지다. ¶그 처녀에게 ~. ②기세를 높이다. ¶응원에 ~.
 열이 나다 구 ①몸에 열이 나다. ②열성이 우러나다. ③성이 나다. 화가 오르다.
 열이 상투 끝까지 오르다 구 분이 극도로 난다는 말. ¶열이 상투 끝가지 올라서 펄펄 뛰고 있다.
 열이 식다 구 일시적인 흥분·열정이 가라앉다. ¶한 일 년 지나더니 그들의 사랑도 열이 식은 것 같더라.
 열이 오르다 구 ①기세가 오르다. ②분을 느끼거나 흥분하다.
열[8] 수관 아홉에 하나를 더한 수. 십(十).
[열 고을 화냥년이 한 고을의 지어미된다] 행실이 바르지 못하던 사람이 하루 아침에 마음이 잡히어 정렬한 몸이 된 때 이르는 말. [열 길 물 속은 알아도 한 길 사람의 속은 모른다] 사람의 마음을 측량하기 어렵다는 말. [열 번 듣는 것이 한 번 보는 것만 못하다] 듣기만 하기 보다 실지로 보는 것이 훨씬 빨리 이해한다. *백문이 불여 일견. [열 번 찍어 넘어지지 않는 나무 없다] 아무리 뜻이 굳은 사람일지라도 여러 번 권하거나 꾀고 달래면 결국은 마음이 변한다는 말. ¶속담에 열 번 찍어 넘어지지 않는 나무 없다 하기에≪朴頤陽:明月亭≫. [열 벙어리가 말을 해도 가만 있거라] 누가 무어라고 해도 상관 않고 제일만 하고 있음이 실수 없는 것이라는 뜻. [열 사람이 백 말을 하여도 들을이 짐작] 아무리 여러 사람이 여러 가지 말을 하여도 듣는 사람은 따로 짐작이 있어 자기대로 판단한다는 말. [열 사람이 지켜도 한 도둑놈을 못 막는다] 여러 사람이 함께 살피어도 한 사람의 나쁜 짓을 막지 못한다는 말. [열 사람 형리를 사귀지 말고 한 가지 죄를 범하지 말라] 남의 힘에 의뢰하지 말고 자기 몸을 닦으라는 말. [열 사위는 밉지 아니하여도 한 며느리가 밉다] 사위는 사랑하고 며느리는 미워하는 사람이 많다는 말. [열 소경에 한 막대; 열 소경에 한 막대요 팔대군(八大君)에 일 옹주(一翁主)라] 매우 긴요하고 소중한 것의 비유. 십맹일장(十盲一杖). [열 손가락을 깨물어 아니 아픈 손가락(이) 없다; 열 손가락에 어느 손가락 깨물어 아프지 않을까] 혈육(血肉)은 다 귀하고 소중하다는 말. ¶속담에 열 손가락 깨물어 아니 아픈 손가락이 없다고 슬하에 자녀가 가득하더라도≪李海朝:鬢上雪≫. [열 손 한 지레] 열 사람이 할 일을 능력 있는 한 사람이 해냄의 비유. [열 시앗이 밉지 않고 한 시누이가 밉다] 대개 올캐와 시누이의 의가 좋지 못함을 이르는 말. [열에 한 술 밥] 열 사람의 한 술씩의 밥으로 쉽게 한 그릇의 밥을 얻을 수 있다는 말로, 여러 사람이 조금씩 힘을 합하면 큰 힘이 됨의 비유. 십시 일반(十匙一飯).
 열 모로 뜯어 보다 구 여러 모로 구석구석을 모두 따로따로 갈라가며 살펴보다. ¶평양집은 열 모로 뜯어보아도 범절이 극가(極嘉)하여≪李海朝:彈琴臺≫.
 열에 아홉 구 열 가운데 아홉. 거의 다 또는 거의 틀림 없음을 가리키는 말. 십중 팔구(十中八九).
 열에 한 맛도 없:다 구 음식이 도무지 맛이 없다.
 열 일 제치다 구 한 가지 긴요한 일 때문에 다른 모든 일을 그만둔다는 말.
열- 두 명사 앞에 붙어 어리다는 것을 뜻하는 말. ¶~무.
열가【熱價】[—까] 명〔thermal value〕열역학(熱力學)에서, 연소(燃燒)로 인해서 생기는 열. 통상, 1g당의 칼로리 또는 1파운드당 영국열단위(英國熱單位)로 나타냄.
열-가소성【熱可塑性】[—썽] 명〖화〗가열하면 연화(軟化)하여 쉽게 변형(變形)되고, 식히면 다시 굳어지는 성질. 상온(常溫)에서는 가소성을 보이지 않음.
열가소성 수지【熱可塑性樹脂】[—썽—] 명〖화〗합성 수지 중에서 열을 가하여 성형(成形)한 후라도 다시 열을 가하면 물러져서 변형시킬 수 있는 수지. 염화 비닐·폴리에틸렌 같은 것. ↔열경화성(熱硬化性) 수지.
열가-치【烈加峙】명〖지〗전라 남도(全羅南道) 보성군(寶城郡)에 있는 고개. [132 m]
열각【劣角】명〖수〗켤레각(角) 중의 작은 편의 각. 0°보다 크며 180°보다 작은 각. ↔우각(優角).
열각-목【裂脚目】명〖동〗①[Schizopoda] 연갑류(軟甲類)에 속하는 한 목(目). 새우와 비슷한 작고 긴 바닷물 동물로 두흉갑(頭胸甲)은 잘 발달되어 온 두흉을 싸고 있으며 발은 변화가 적고 모두 내외(內外) 두 개로 분지(分枝)되며 8개의 흉지(胸肢)는 모두 헤엄치는 데 쓰임. 악지(顎肢)는 없고 배의 가장 뒤에 있는 발에는 이낭(耳囊)이 있음. 숨은 몸뚱이 전체로 쉬며 따로 기관이 없음. ②진정 식육류(眞正食肉類).
열각-성【裂脚聲】명〖문〗어구(語句)가 거칠게 지어진 한시(漢詩)를 농(弄)으로 이르는 말.
열간 가공【熱間加工】명〖공〗금속의 재결정(再結晶)이상의 온도에 있어서의 압연(壓延)·단조(鍛造) 등의 소성 가공(塑性加工). ↔냉간(冷間) 가공.
열간 성형【熱間成形】명〔hot forming〕금속의 재결합화 온도(再結合化溫度) 이상에서 행하는 성형 조작.
열간 압연【熱間壓延】명 가열(加熱)한 금속(金屬)을 압연기(壓延機)로 압연하는 일. 단조품(鍛造品)과 같은 좋은 성질을 재료(材料)에 줌. 준열연(熱延).
열감[1]【熱疳】명〖의〗뺨이 붉어지고 입 속이 타며, 변비증(便秘症)이 생기고 몸이 차차 말라 가는 어린애의 감병(疳病).
열감[2]【熱感】명 신열이 나는 느낌.
열강【列強】명 여러 강한 나라들. 많은 강국(強國). ¶~의 각축/세계의 ~과 겨루다.
열개【裂開】명 찢어 벌림. 찢어져 벌어짐. ——-하다 자타여불
열거【列擧】명 하나씩 들어 말함. 낱낱이 늘어놓음. ¶죄상(罪狀)을 ~하다. ——-하다 타여불
열거-법【列擧法】[—뻡] 명〖문〗강조법(強調法)의 한 가지. 유사한 어구나 내용적으로 연결이 있는 어구를 늘어놓아 부분적으로는 각기 자격과 표현적 가치를 가지면서도 전체적인 내용을 강조하는 수법.
열게 명〈방〉병아리(함북).
열격-증【噎膈症】명〖한의〗가슴이 막히고 먹은 음식이 도로 나오며 대변이 잘 통하지 않는 소화기병의 일종.
열결【熱缺】명 번개.
열-경련【熱痙攣】[—년] 명〖의〗열사병(熱射病)의 한 형(型). 고열 작업장에서 일하는 사람에 흔한 병인데 두통과 근육의 경련이 주증상(主症狀)이며 체온도 약간 오름. 발한(發汗)에 따라 혈액(血液)의 수분(水分)과 식염(食塩)이 상실되는 까닭에 일어남. *열성 발열(發熱)·열피비(熱疲憊).

열경화-성【熱硬化性】[—썽] 명 『화』 가열하면 경화하는 성질. 특히 저분자(低分子)의 중합체(重合體)를 가열하면 중합도가 증가하여 큰 힘을 가하여도 변형하지 않는 성질.

열경화성 수지【熱硬化性樹脂】[—썽—] 명 『화』 합성 수지 중에서 열을 가하여 성형(成形)하면 다시 열을 가하여도 물러지지 않는 수지. 베이클라이트(bakelite)·규소(硅素) 수지·요소(尿素) 수지 같은 것. ↔열가소성 수지.

열-계뢰【熱界雷】 명 열뇌우(熱雷雨)인 열뢰(熱雷)와 전선 뇌우(前線雷雨)인 계뢰(界雷)가 복합하여 되는 뇌우.

열고-나다 자 몹시 급하게 서두르다. ¶봉산 수숫대같이 키가 멀쩡한 불상놈 하나가 봉발을 하고 열고나게 기어오르고 있었다《金周榮 : 客主》.

열곡【裂谷】 명 『지』 지구 분지(地溝盆地).

열공 토기【列孔土器】 명 『고고학』 '구멍무늬 토기'의 구용어.

열-공학【熱工學】 명 연료와 증기를 이용하는 데 대한 이론과 기술을 연구하는 과학.

열공학-과【熱工學科】 명 『교』 대학에서, 열공학을 전공하는 학과.

열과【裂果】 명 『식』 익으면 과피(果皮)가 자연히 벌어져 종자를 살포(撒布)하는 건조과(乾燥果)의 하나. 콩과(科)의 협과(莢果), 메꽃과의 삭과(蒴果), 작약과의 골돌과(蓇葖果)가 이에 속함. 개열과(開裂果). ↔폐과(閉果).

열-관리【熱管理】[—괄—] 명 『공』 석탄·석유·가스·전열(電熱) 따위 열원(熱源)이 가지는 열 에너지를 공업상 가장 유효하게 이용하기 위한, 연료·연소·노체(爐體) 등에 관한 관리 기술. 최근에는 자동 제어(制御) 장치로 작업장 전체의 일관된 열관리를 행하는 경우가 많음.

열관리-사【熱管理士】[—괄—] 명 열관리에 관한 기술 자격 시험에 합격하여 그 면허증을 가진 자.

열관리 위원회【熱管理委員會】[—괄—] 명 『법』 공업 진흥청장의 자문(諮問)에 응(應)하며 열관리에 관한 중요 사항을 심의하기 위하여 공업 진흥청에 둔 기관.

열광[1]【烈光】 명 격렬한 빛.

열광[2]【熱狂】 명 너무 좋아서 미친 듯이 날뜀. 광열(狂熱). ¶~하는 관중. ——-하다 자 여불

열광 시세【熱狂時勢】 명 [feverish market] 『경』 증권 시장의 매기(買氣)가 커서, 장기간 오름세를 지속하는 시세.

열광이 명 〈방〉 천징어.

열광-적【熱狂的】 명 관 열광하고 있는 모양. ¶~ 환영.

열괴【熱塊】 명 뜨거운 덩어리.

열교【裂敎】 명 『천주교』 천주교회측에서 신교(新敎)를 부르는 말. 천주교회에서 분열되어 나간 교회라는 뜻.

열-교환기【熱交換器】 명 고온도의 유체(流體)로부터 딴 저온도의 유체로 열을 전하는 장치. 용도에 따라 가열기(加熱器)·예열기(豫熱器)·증발기(蒸發器)·냉각기(冷却器)·응축기(凝縮器)로 분류됨.

열구[1]【悅口】 명 음식이 입에 맞음. ——-하다 자 여불

열구[2]【噎嘔】 명 ①목이 메어서 토하여 냄. ②웃으면서 얘기하는 소리. ——-하다 타 여불

열:-구름 명 지나가는 구름. 행운(行雲).

열구밥 명 〈방〉 아그배(함북).

열-구자【悅口子】 명 ↗열구자탕(悅口子湯). 준구자(口子).

열구자-탕【悅口子湯】 명 신선로(神仙爐)에 여러 가지 어육(魚肉)과 채소를 색스럽게 넣고 그 위에 각종(各種) 과실을 넣어서 끓인 음식. 구자탕(口子湯). 탕구자(湯口子). 준열구자(悅口子).

열구지-물【悅口之物】 명 입에 맞는 음식.

열구지-탕【悅口一湯】 명 〈방〉 열구자탕.

열국[1]【列國】 명 여러 나라. 열방(列邦). 각국(各國).

열국[2]【熱國】 명 열대(熱帶) 지방의 나라.

열국 회:의【列國會議】[—/—이] 명 국제적 이해가 얽힌 사건에 관하여 여러 나라가 모여 여는 회의. 국제 회의.

열:굽 명 열삽의 잎.

열궁-형【劣弓形】 명 『수』 '열활꼴'의 구용어. ↔우궁형(優弓形).

열권【熱圈】[—꿘] [thermosphere] 명 대기(大氣)를 기온의 수직 분포를 바탕으로 성층 구분(成層區分)한 경우의 하나. 중간권(中間圈)보다 위에 있으며 높이 80 km 이상의 고층. 온도는 중간권 상부에서의 극소 온도, 곧 약 -80°C부터 시작하여 높이 올라갈수록 증가하는 오로라층(層)이기도 함. 온도권(溫度圈). 전리권(電離圈).

열궐【熱厥】 명 『한의』 양궐(陽厥).

열귀 명 〈방〉 아그배(함경).

열균-류【裂菌類】[—뉴] 명 『생』 분열 균류(分裂菌類).

열:-기[1] [—끼] 명 눈동자 속에 드러난 정신의 담찬 기운.

열기[2] 명 〈방〉 아그배(함경).

열기[3] 명 〈방〉 『어』 곤들매기.

열기[4]【列記】 명 열록(列錄). ¶낱낱이 ~하다. ——-하다 타 여불

열기[5]【熱氣】 명 ①뜨거운 기운. ¶밥통의 ~가 식다. ②신열(身熱). ¶~가 있다. ③흥분된 분위기. ¶~를 띠어 말하다.

열-기관【熱機關】 명 [heat engine] 『물』 원동기(原動機)의 한 가지. 열 에너지를 기계적 에너지로 바꾸는 기계의 총칭. 증기 기관·원자력 기관 등의 외연(外燃) 기관과 가솔린 기관·로켓 기관 등의 내연(內燃) 기관이 있음.

열-기구[1]【熱氣球】 명 공기보다 가벼운 뜨거운 공기나 연소(燃燒) 가스를 넣어 공기 중에 띄우는 기구. 1783년 프랑스에서 세계 최초로 올렸음.

열-기구[2]【熱器具】 명 전기·가스·석유 따위를 열원(熱源)으로 하는 난로·풍로 따위.

열기-기【熱氣期】 명 기성기(氣成期).

열기 기관【熱氣機關】 명 [hot-air engine] 『기』 공기나 수소·헬륨·질소 따위 기체를 작동 유체(作動流體)로 하여 쓰는 열기관. 스털링 사이클(Stirling cycle)이나 에릭슨 사이클(Ericsson cycle)에 의해 작동함.

열기 난:방법【熱氣暖房法】[—뻡] 명 가열한 공기를 불어 넣어 방안의 온도를 소요(所要)의 온도로 유지(維持)하는 난방법.

열기 요법【熱氣療法】[—뻡] 명 『의』 열기욕(熱氣浴).

열기-욕【熱氣浴】 명 『의』 류머티즘·신경 마비 후의 관절 강직(關節強直)·지방 과다증·만성 피부염 따위의 환자에게 전열 장치(電熱裝置)를 한 상자 속의 가열한 공기를 온 몸에 쐬게 하여 치료(治療)하는 일. 열기 요법.

열-기전력【熱起電力】[—녁] 명 [thermoelectromotive force] 『물』 종류가 다른 두 가지 금속의 두 끝을 접합(接合)하여 두 접점(接點)을 다른 온도로 유지할 때 회로에 생기는 기전력. 이러한 현상을 제벡(Seebeck)효과라고 함. ＊열전기(熱電氣).

열-기포【熱氣泡】 명 더운 여름철의 한낮에 맨땅이 일사(日射)로 가열되면 부근의 공기가 가벼워져서 기포(氣泡)처럼 되어 떠오르는 현상. 열상승 기류가 불연속적으로 생기고 있는 것으로, 직경 30-500 m의 고무 기구(氣球)가 점차 부풀어 오르면서 상승하는 것과 비슷함. 글라이더의 활공(滑空)에 이용됨.

열-김【熱—】[—낌] 명 ①가슴 속에서 타오르는 열의 운김. ②홧김.

열-꽃【熱—】 명 신열이 높을 때 살갗에 돋는 붉은 반점(斑點). 꽃❼.

열-나다【熱—】[—라—] 자 ①신열(身熱)이 나다. ②열심(熱心)이 솟아나다. ③화가 나다.

열나믄 명 관 〈옛〉 여남은. =여나믄. ¶그제 公이 又 열나믄 서리러니(時公 方十餘歲)《內訓 Ⅲ:18》. 「《東國新續三綱 Ⅳ:19》.

열나믄히 명 〈옛〉 여남은 해. ¶어미 열나믄히롤 병ㅎ거늘(母病十餘年)

열-나절 [—라—] 명 일정한 한도 안에서 매우 오랜 동안. ¶~이나 꾸물거리다. 「《小諺 Ⅵ:4》.

열남은 설 명 〈옛〉 여남은 살. 십 여세(十餘歲). ¶열남은 셜(十餘歲)

열-남짓 명 열보다 조금 많은 정도. ¶~이 모였다.

열남짓-하다 형 여불 열보다 조금 많다.

열납【悅納】[—랍] 명 바치는 물건을 받아 들임. ¶아벨과 그 제물은 ~하셨으나 가인과 그 제물은 ~하지 아니하신지라《구약 창세기 Ⅳ:4~5》. ——-하다 타 여불

열녀【烈女】[—려] 명 죽음을 무릅쓰고 남편에 대한 정성(精誠)과 절개(節慨)가 곧은 여자. 열부(烈婦).

열녀-가【烈女歌】[—려—] 명 『문』 구전 민요(口傳民謠)의 하나. '열녀는 불경이부(不更二夫)'라는 재래의 도덕 관념을 골자로 하고 이에 상치(相馳)되는 내용을 곁들인 노래.

열녀-문【烈女門】[—려—] 명 열녀를 표창하여 세운 정문.

열녀 문학【烈女文學】[—려—] 명 『문』 열녀를 주인공으로한 문학 작품. 춘향전·사씨 남정기(謝氏南征記)같은 것.

열녀 불경이:부【烈女不更二夫】[—려—] 명 열녀는 두 번 시집가지 않음. 준 열불이경(烈不二更).

열녀-비【烈女碑】[—려—] 명 열녀의 행적을 기리기 위하여 세운 비.

열녀-전[1]【烈女傳】[—려—] 명 열녀의 행적을 기록한 책.
[열녀전 끼고 서방질하기] 겉으로 깨끗한 체하나 속으로 깨끗하지 못함을 이르는 말.

열녀-전[2]【列女傳】[—려—] 명 『책』 중국 한(漢)나라의 유향(劉向)이 옛날부터 전하여 오는 훌륭한 여자들에 관한 이야기를 모아 엮은 책. 7권.

열녀 춘향 수절가【烈女春香守節歌】[—려—] 명 『문』 춘향전.

열년【閱年】[—련] 명 일 년 이상이 걸림. ——-하다 자 여불

열뇌【熱惱】[—뢰] 명 『불교』 심한 마음의 고뇌.

열-뇌우【熱雷雨】[—뢰—] 명 [heat thunderstorm] 『기상』 여름철에 지면(地面)의 과열(過熱)로 생기는 상승 기류(上昇氣流)가 원인이 되어 발생하는 뇌우. 열뢰(熱雷).

열뇨【熱鬧】[—료] 명 많은 사람이 모여 떠들썩함. ¶원주 일군내에 가장 번화하고 ~한 곳은 문막이라《作者未詳 : 金菊花》. ——-하다 형 여불

열눈박이-노린재 [—룬—] 명 『충』 [*Lelia dacempunctata*] 노린잿과의 곤충. 몸길이 17-22 mm이고 몸빛은 일률적으로 암황색에 둔(鈍)한 광택이 나며, 배면에 10개의 흑색 점문(點紋)이 있음. 촉각은 암황갈색인데 최후의 두 절은 흑색임. 한국·일본에 분포함.

〈열눈박이노린재〉

열:다[1] 자 열매 등이 맺히다.

열:다[2] 타 [중세 : 열다] ①닫히거나 막히거나 잠기거나 가려진 것을 터놓거나 당기거나 밀거나 젖혀서 틔우다. ¶문을 ~/뚜껑을 ~/서랍을 ~/자물쇠를 ~/입을 ~/군중을 헤치며 길을 ~. ②사업·흥행 등을 시작하다. ¶가게를 일찍 ~/여덟 시에 문을 연다. ③경영하다. ¶가게를 새로 ~. ④어떤 모임을 개최하다. ¶동창회를 ~/임시 국회를 ~. ⑤새로운 기틀을 마련하다. ¶후진(後進)을 위하여 길을 열어 주다/새 시대를 ~.

열다 한소탕【熱多寒少湯】 명 『한의』 태양인(太陽人) 체질의 간조열증(肝燥熱症)을 치료하는 데 사용하는 처방.

열담【熱痰】[—땀] 명 『한의』 신열이 몹시 오르고, 얼굴이 충혈이 되며 눈이 진무르고 목이 쉬며 정신이 불안해지는 병. 화담(火痰).

열:-대[1] [—때] 명 〈방〉 열쇠.

열대[2]【列代】[—때] 명 대대(代代).

열대[3]【熱帶】[—때] 명 『지』 ①적도(赤道)를 중심으로 하여 남북 위도(緯度) 각 23°27′ 이내의 지대. 밤낮의 장단차(長短差)와 사철의 변화가 거의 없음. 북쪽의 한계선을 북회귀선(北回歸線), 남쪽 한계선을 남회

귀선(南回歸線)이라 함. ②일 년간의 평균 기온이 20°C 이상의 지대. ❶보다도 범위가 넓으며 대체로 야자수(椰子樹)가 나는 지대와 일치함. *한대·온대.

열대 강:우림【熱帶降雨林】[―때―] 명 적도(赤道)를 중심으로 남북 위도(南北緯度) 25° 까지에 산재(散在)하는 대삼림 지역(大森林地域). 주로 상록 교목·덩굴풀 또는 착생 식물(着生植物)들로 울창한 밀림을 이룸. 말레이·아마존 강 유역에서 현저함. 열대 우림.

열대-계【熱帶系】[―때―] 명 열대에 속하는 계통.

열대 계:절풍 기후【熱帶季節風氣候】[―때―] 명〔tropical monsoon climate〕열대 습윤 기후(濕潤氣候)의 하나. 열대 우림(熱帶雨林)이 성립하는 고온 다우(高溫多雨)의 기후이나, 계절풍의 영향으로 겨울철은 건조함.

열대 과:실【熱帶果實】[―때―] 명〖식〗열대 지방에서 나는 과실. 바나나·파인애플·여지(荔枝)·용안(龍眼) 등.

열대-국【熱帶國】[―때―] 명〖지〗열대 지방에 위치하는 국가.

열대 기단【熱帶氣團】[―때―] 명〖기상〗열대에 생기는 고온의 기단. 습윤(濕潤)한 열대 해양성 기단과 건조한 열대 대륙성 기단 등으로 대별함.

열대 기후【熱帶氣候】[―때―] 명〖기상〗기후형의 하나. 열대 지방에 특유한 기후로 연중(年中) 고온(高溫)이고 한서(寒暑)의 차는 심하지 아니하나 주야의 기온의 차가 심하며, 수증기의 양이 많아서 구름과 우량(雨量)이 많고 일정한 우기(雨期)가 있음. 열대 우림 기후(熱帶雨林氣候)·열대 사바나 기후·열대 몬순 기후로 나뉨. *온대 기후·한대 기후.

열대-림【熱帶林】[―때―] 명〖지〗남북 양회귀선(兩回歸線) 사이의 열대 지방의 삼림 식물대(森林植物帶). 일반적으로, 평균 기온은 21°C 이상으로서 야자·용수(榕樹) 등이 무성함.

열대 몬순: 기후【熱帶―氣候】〔monsoon〕[―때―] 명〖기상〗기후형의 하나. 우림(雨林) 기후와 사바나 기후의 중간적인 기후. 연우량(年雨量)이 매우 많은 것으로는 우림 기후에, 짧지만 건계(乾季)가 있는 것으로는 사바나 기후에 유사한 기후. 인도 반도·서인도 제도에서 볼 수 있음.

열대-병【熱帶病】[―때뼝] 명〖의〗열대 지방 특유의 병. 곧, 수면병(睡眠病)·콜레라·말라리아·재귀열(再歸熱)·일사병(日射病) 등.

열대 사바나 기후【熱帶―氣候】〔savanna〕[―때―] 명〖기상〗기후형의 하나. 고일계(高日季)에는 비가 많이 오고, 저일계(低日季)에는 전혀 건조한, 곧 우계와 건계(乾季)의 구별이 뚜렷한 열대 기후. 대체로 우림(雨林) 기후대의 바깥쪽에 분포하며, 건조 기후 지역에의 천이(遷移) 지역에 상당함. 열대 원야(原野) 기후.

열대-산【熱帶產】[―때―] 명 열대 지방에서 산출되는 물건.

열대 생물 분포대【熱帶生物分布帶】[―때―] 명〔tropical life zone〕메리암(Merriam) 생물 분포대의 동구(東區)의 아래쪽의 지구(地區) 구분. 남플로리다(南 Florida)의 활엽 상록 수림(濶葉常綠樹林) 등이 이에 속함.

열대-성【熱帶性】[―때썽] 명 열대 지방 특유의 성질.

열대성 말라리아【熱帶性―】〔malaria〕[―때썽―] 명〖의〗중증(重症) 말라리아의 하나. 오한·발열·발한(發汗)이 돌연 불규칙하게 일어남. 병원체(病原體)는 인체 내에서 혈액 중에 기생하고 혈구(血球) 안에서 증식함. 원인은 열대 말라리아 원충(原蟲: *Plasmodium falciparum*)이며, 학질 모기에 의하여 전염됨.

열대성 저:기압【熱帶性低氣壓】[―때썽―] 명〖기상〗여름부터 가을에 걸쳐 열대 지방 해양에, 무역풍과 남서 계절풍 사이에 발생하는 폭풍우를 동반하는 저기압. 폐쇄된 등압선(等壓線)을 갖는 최대 풍력(風力) 7 이하의 것을 말하며, 특히 빈번히 발생하는 지방에서는 특정한 이름을 가짐. 극동 지방의 태풍(颱風), 멕시코 만이나 서인도의 허리케인(hurricane), 인도양과 벵골 만의 사이클론(cyclone) 같은 것이 유명함. 대개 중심부에 태풍(颱風)의 눈이 형성됨. 열대 저기압. *온대(溫帶) 저기압·적도 전선(赤道前線).

열대 수렴대【熱帶收斂帶】[―때―] 명〖기상〗적도 전선(赤道前線). 열대 전선(熱帶前線).

열대 식물【熱帶植物】[―때―] 명〖식〗열대 지방에서 나는 식물의 총칭. 높은 온도에서 생활하며, 온대(溫帶) 지방에서 나는 식물보다 대형(大形)이고 키가 크며, 잎이나 꽃들이 진기(珍奇)하고 아름다운 것이 많음. 선인장·야자·파인애플 등임. *온대 식물·한대 식물.

열대-야【熱帶夜】[―때―] 명 밤의 옥외(屋外)의 기온이 25℃ 이상인 더운 밤.

열대-어【熱帶魚】[―때―] 명〖어〗열대·아열대 지방에 서식하는 어류. 진기(珍奇)한 형태, 아름다운 색채를 가진 것이 많아 관상용으로 사육함. 대개, 담수(淡水)에서 나며, 바다에서 나는 것은 열대 해수어(海水魚)라 하여 구별함. 에인젤 피시(angel fish)·수마트라 등이 있음.

열대-열【熱帶熱】[―때―] 명〖의〗이틀씩 걸러 열이 오르는 말라리아. 우리 나라에서는 볼 수 없음. 사일열(四日熱).

열대외 저:기압【熱帶外低氣壓】[―때―] 명〖기상〗열대 이외의 온대(溫帶)·한대(寒帶)·극지방(極地方) 지역에서 발생하는 저기압.

열대 우:림【熱帶雨林】[―때―] 명〖지〗열대 강우림(降雨林).

열대 우:림 기후【熱帶雨林氣候】[―때―] 명〖기상〗기후형의 하나. 습윤(濕潤) 열대 기후 가운데 1년 중 건기(乾期)가 없는 기후. 거의 적도(赤道) 저기압대(低氣壓帶)와 일치하는데 적도를 끼고 남북 10도 가량 사이에 분포됨. 1년 중 평균 기온이 26°-28°C이며, 계절적 변화가 없고 세계에서 가장 고온 다습한 지역으로, 울창한 열대강우림으로 덮여 있으며, 매일 오후에 정기적으로 스콜(squall)이 옴. 콩고 강·아마존 강 유역·동인도 제도 등에 분포함.

열대 원야 기후【熱帶原野氣候】[―때―] 명〖기상〗열대 사바나 기후(熱帶 savanna 氣候).

열대 음료【熱帶飮料】[―때―뇨] 명〔tropical drink〕열대산 과일을 원료로 한 음료. 하와이·남태평양·동남 아시아 등, 열대 지방에서 나는 파파야·망고 등으로 만드는데, 각기 이국적(異國的)인 맛과 향기로 써 애호됨. 비타민 C와 A가 풍부함.

열대 작물【熱帶作物】[―때―] 명〖농〗야자나무·고무나무·바나나·커피·파인애플·마닐라삼·기나수(幾那樹) 같은 열대 특유의 농작물.

열대 재식 농업【熱帶栽植農業】[―때―] 명〖농〗열대 지방에서 선진(先進) 자본 국가가 자본을 투입하고, 원주민 또는 이주민(移住民)을 고용하여, 수출에 알맞은 열대 작물을 대규모로 재배하는 기업적 농작법. 커피·코코아·바나나·고무 등이 그 대표적인 농작물임.

열대 저:기압【熱帶低氣壓】[―때―] 명〖지〗열대성 저기압.

열대 전선【熱帶前線】[―때―] 명〖지〗적도 전선(赤道前線). 열대 수렴대(熱帶收斂帶).

열대-조【熱帶鳥】[―때―] 명〖조〗①열대조과에 속하는 조류의 총칭. 또는 열대 지방에 서식하는 새. ②열대조과에 속하는 바닷새로 붉은꼬리열대조(*Phaethon rubricauda*)와 흰꼬리열대조(*Phaethon lepturus*)의 두 종류가 있음. 붉은꼬리열대조의 몸은 비둘기 정도인데 날개 길이 31-33cm이고 꼬리는 현저하게 가늘고 긺. 몸은 흔히 백색이고, 발가락에는 물갈퀴가 있음. 장거리를 날 수 있으며 공중에서 급강하(急降下)하여 작은 물고기를 포식함. 해안의 암초나 절벽 등에 붉은 빛의 알을 한 개 낳음. 하와이 제도·이오(硫黃) 섬·오가사와라(小笠原) 제도 및 서인도 제도에서부터 태평양 남서부까지 널리 분포함. 흰꼬리열대조는 붉은꼬리열대조와 닮았으나 몸집이 작고 날개 흑색부(黑色部)가 많고 깃털은 흰색임. 서인도 제도로부터 태평양 서부까지 널리 분포함.

〈붉은꼬리열대조〉

열대조-과【熱帶鳥科】[―때―꽈] 명〖조〗〔Phaëthontidae〕관형목(鸛型目)에 속하는 열대 조류의 한 과. 다른 과의 새보다 대개 주둥이가 길며 끝이 뾰족하고, 날개가 길어 멀리 날 수 있으며, 흔히 외양(外洋)에 살고, 산란기에만 육지에 날아 옴.

열대 지방【熱帶地方】[―때―] 명〖지〗열대 기후에 지배(支配)되는 고온 지방(高溫地方). ↔한대 지방.

열대 해:양성 기단【熱帶海洋性氣團】[―때―썽―] 명〖기상〗열대 기단의 하나로 열대 해상(海上)에서 발생하는 고온 습윤(高溫濕潤)한 기단(氣團).

열대-호【熱帶湖】[―때―] 명〖지〗수온(水溫)이 일 년 내내 4°C 이상이며 물 속보다도 표면 수온이 높은 호수. 열대뿐만 아니라 온대에도 있음. 또, 수위(水位)가 우계(雨季)에 높고 건계(乾季)에 낮은 호수를 이르기도 함.

열대 흑색 토양【熱帶黑色土壤】[―때―] 명〖지〗열대를 중심으로 아열대에 걸쳐 분포하는 점토질(粘土質)의 암색 토양(暗色土壤)의 총칭. 레구르(regur)가 그 전형(典型)임. 두터운 암갈 색의 A층(層)과 C층으로 됨. A층은 습(濕)하면 팽윤(膨潤)하고 건조하면 수축하여 땅에 금이 생기게 되며, 이 과정이 되풀이됨으로써 울퉁불퉁한 미지형(微地形)을 이룸.

열-댓 [―땓] 수 관 열다섯 가량.

열도[1]【列島】[―또] 명〖지〗줄을 지은 모양으로 죽 늘어선 여러 개의 섬. *군도(群島).

열도[2]【熱度】[―또] 명 ①신열(身熱)의 도수. ②열심의 정도.

열-도[3]【熱島】[―또] 명〖기상〗열섬.

열도[4]【熱禱】[―또] 명 열심히 기도함. ――-하다 자 여불

열독[1]【熱毒】[―똑] 명〖의〗더위로 말미암아 생기는 발진(發疹)의 한 가지. 온독(溫毒).

열독[2]【閱讀】[―똑] 명 책 등을 죽 훑어 읽음. ――-하다 타 여불

열독[3]【熱讀】[―똑] 명 책 따위를 열심히 읽음. ――-하다 타 여불

열독-창【熱毒瘡】[―똑―] 명〖의〗전신(全身)에 부스럼이 나고 몹시 아픈 병.

열동가리-돔 [―똥―] 명〖어〗〔*Apogon lineatus*〕동갈돔과에 속하는 바닷물고기. 몸길이는 10cm 정도이며, 몸빛은 담회색이고 몸에는 8-12줄의 폭이 좁은 회갈색의 띠가 있음. 7-9월에 산란하고 알을 입 속에 넣어 보호하며 내만(內灣)에서 깊이 100m 정도의 모래 진흙 속에 서식함. 우리 나라와 일본 중남부(中南部) 및 남중국해에 분포함.

열-두 [―뚜] 관 '열둘'의 뜻.

[열두 가지 재주에 저녁 거리 없다] 이것 저것 집적거리면 한 가지도 제대로 성사되는 일이 없다는 말. [열두 폭 치마를 좁게 싼다] 소문 난 일을 쓸어 덮어 버린다는 말.

열두 거리 [―뚜―] 명〖민〗①굿의 열두 가지 순서. ②농악 등에서 기본이 되는 열두 가락. 십이차(十二次).

열두거리 무:가【―巫歌】[―뚜―] 명〖문〗무가의 일종. '큰굿'에서 불려지는 각 거리의 무가.

열두발 고누 [―뚜―] 명 말밭이 열둘로 된 고누놀이의 한 가지. 서로 번갈아 놓되 한편 말 셋이 나란히 놓이면 상대편의 말 하나를 따 내며, 열 두 밭을 다 놓은 뒤에는 번갈아 서로 한 번씩 말밭을 옮기게 되는데, 이 때에도 세 밭이 나란히 되도록 두어 상대편의 말을 따 내어 먼저 따 내기를 다툼. 곤질고누.

열두 신장【―神將】[―뚜―] 명〖민〗판수나 무당이 경을 욀 때 부르는 신장. 십이신(十二神).

열두 제:자【—弟子】[—뚜—] 명 〖기독교〗 십이 사도(使徒). 십이 제자.

열두 지파【—支派】[—뚜—] 명 〖기독교〗 ①이스라엘의 열두 족파(族派). 곧, 시조(始祖) 야곱의 열두 아들의 자손. 따라서, 참다운 신의 선민(選民)인 이스라엘인이라는 의미로 쓰임. ② 모든 기독교 신자의 일컬음.

열두 진법【—陣法】[—뚜—뻡] 명 〖무〗 농악무(農樂舞)의 열두 가지의 구도(構圖). 옛날의 군사적 유습(遺習)에서 비롯되어 발전한 것임. 십이 진법(十二陣法).

열두-째 [—뚜—] 수 열둘을 셀 때의 맨 끝.

열두촌충-류【裂頭寸蟲類】[—뚜—뉴] 명 〖동〗 [Dibothriocephalus] 진정 촌충류(眞正寸蟲類)에 속하는 편형 동물(扁形動物). 촌충류 중에 가장 큰 광절 열두촌충(廣節裂頭寸蟲)이 이에 속하는데, 그 큰 것은 길이 10 m가 넘으며 마디수는 4,000 이나 됨. 뒷머리 양쪽에 있는 세로 홈으로 숙주(宿主)에 부착함. 몸빛은 대황색인데 애벌레는 물벼룩의 몸속에 들어가 연어·송어 등에 먹히어 그 근육 속에 기생하며 다시 사람에게 먹히어 기생하게 됨.

열두 하님 [—뚜—] 명 혼인 때에 신부를 따르는 열두 명의 하님.

열등【劣等】[—뜽] 명 등급이 낮음. 낮은 등급. 마이노리티. ↔우등(優等)❷.

열등-감【劣等感】[—뜽—] 명 〖심〗 〔inferiority feeling〕 체격·용모·능력 등이 열등하므로 생기는, 자신을 남보다 못한 무가치한 인간으로 낮추어 평가하는 감정. ¶～에 사로잡히다 / ～이 심하다.

열등 국가【劣等國家】[—뜽—] 명 문화·경제·정치 기타의 모든 부문이 다른 나라보다 상대적으로 열등한 나라.

열등 동:물【劣等動物】[—뜽—] 명 〖동〗 진화(進化) 따위의 정도가 뒤떨어진 동물. 하등(下等) 동물. 「(優等生).

열등-생【劣等生】[—뜽—] 명 성적이 보통보다도 낮은 학생. ↔우등생

열등-아 [—뜽—] 명 정신 지체아(精神遲滯兒).

열등 의:식【劣等意識】[—뜽—] 명 모든 부문에서 자신이 남보다 열등하다고 믿는 의식.

열등 콤플렉스【劣等—】〔complex〕 [—뜽—] 명 〖심〗 열등감이, 강한 잠재 의식이 되어 정상적인 판단·행동의 방해가 되는 것. 열등감과의 경계는 막연하여 정도의 차이라 생각되고 있음.

열때 명 〈방〉 열쇠(전남·경상).

열-떠리다 타 〈방〉 열어 젖뜨리다.

열뚜기 명 〈방〉 여드름(황해).

열-띠다【熱—】 형 열성을 띠다. 열기(熱氣)를 품다. ¶열띤 논쟁.

열락【悅樂】 명 ①기뻐하고 즐거워함. ②〖불교〗 유한적(有限的)인 욕구를 초탈하여 얻는 안위(安慰)와 만족. 큰 환희(歡喜). 열예(悅豫). ——-하다 자여불

열람【閱覽】 명 책 등을 죽 내리 훑어 봄. ¶～실. ——-하다 타여불

열람-권【閱覽券】[—꿘] 명 도서를 열람하기 위해 도서관 등에 들어가고자 할 때 필요로하는 표.

열람-료【閱覽料】 명 도서 등을 열람할 때 받는 요금.

열람-실【閱覽室】 명 도서관 등에서 도서를 열람하는 방.

열람-인【閱覽人】 명 도서를 열람하는 사람.

열람-표【閱覽表】 명 도서를 열람하려 할 때에 책명 등을 적어 제출하는 표.

열량【熱量】 명 〔quantity of heat〕 〖물〗 물질의 온도를 높이는데 소요되는 열의 양. 보통 칼로리(calorie)로 표시함. 국제 단위계(單位系)로는 줄(J).

열량-계【熱量計】 명 〔calorimeter〕 〖물〗 물체의 열량을 측정하고 비열(比熱)·잠열(潛熱) 등을 알아내는 장치. 수열량계(水熱量計)·금속 열량계·빙(氷)열량계 따위. 칼로리미터(calorimeter).

열량 등급【熱量等級】 명 〖천〗 복사(輻射) 에너지의 총량에 의해서 정한 항성의 광도(光度) 등급.

열량-식【熱量食】 명 칼로리의 섭취를 주목적(主目的)으로 한, 지방(脂肪)·탄수화물(炭水化物)을 위주로 한 식품.

열량 측광【熱量測光】 명 〖천〗 열량계 또는 방사계(放射計)로, 방사 에너지의 열량을 측정하여 천체의 광도를 평가하는 일. *사진(寫眞) 측광·실시(實視) 측광·분광(分光) 측광·광전(光電) 측광.

열렁-거리다 자 크고 긴 것이 계속하여 약간 흔들리다. 열렁-열렁 부. ——-하다 자여불

열렁-대다 자 열렁거리다.

열려라 참깨 명 〔open sesame〕 ≪아라비안 나이트≫의 '알리바바와 40명의 도둑' 이야기에 나오는 개문(開門)의 주문(呪文). 전(轉)하여, 난국(難局) 해결의 열쇠·수단.

열력【閱歷】 명 경력(經歷)²❶. ——-하다 타여불

열력 풍상【閱歷風霜】 명 오랜 세월을 두고 허다한 고생을 겪음. ——-하다 자여불

열렬¹【熱烈·烈烈】 명 주의·주장·애정·실행(實行) 등이 매우 맹렬함. ¶～한 사랑 / ～한 팬. ——-하다 형여불. ——-히 부

열렬²【熱裂】 명 〖광〗 열로 말미암아 광물이 갈라지는 현상.

열록【列錄】 명 죽 벌여서 기록(記錄)함. 열기(列記). 열서(列書). ——-하다 타여불

열뢰【熱雷】 명 열뇌우(熱雷雨).

열루【熱淚】 명 마음 속 깊이 사무쳐서 흐르는 뜨거운 눈물. *감루(感淚).

열류【熱流】 명 〔heat flow〕 〖역학〗 어떤 물질에서 다른 물질로 흐르는 에너지로서의 열. 정량적(定量的)으로는 단위 시간당 이동하는 열량(熱量)을 이름.

열릅 명 마소의 열 살.

열리¹【熱痢】 명 〖의〗 서리(暑痢).

열리²【熱離】 명 〖화〗 ↗열해리(熱解離).

열리다¹ 자 ①닫히거나 막히거나 가리어진 것이 트이다. ¶문이 저절로 ～. ②새로운 기틀이 마련되다. ¶새로운 시대가 ～. ③사업·흥행·경영 등이 시작되다. 경영되다. ④어떤 모임이 개최되다. ¶만찬회가 ～.

열리다² 자 열매가 맺혀서 달리다. ¶사과가 ～.

열린-계【—系】 명 〖물〗 에너지나 물질을 외계로부터 받아들이고 또 외계로 방출할 수 있는 물질계(系). 개방계(開放系). ↔닫힌계.

열린 사회【—社會】 명 〔프 société ouverte〕 〖철〗 베르그송이 ≪도덕과 종교의 두 원천(源泉)≫에서 사용한 말. 닫힌 사회에 대하여, 인류를 포용하고 종족이나 민족 등의 종적 제한(種的制限)이 없이 개방된 사회로서, 개인에게 위압으로써 임(臨)하지 않고 오히려 개인이 동경을 받으며 사랑의 비약(飛躍)으로 연결되는 동적(動的)·창조적 사회. ↔닫힌 사회.

열린핏줄-계【—系】 명 〖생〗 곤충에서와 같이 실핏줄이 없어서 동맥으로 운반되었던 피가 조직 틈으로 흐르다가 다시 정맥을 통하여 염통으로 들어가는 핏줄. ↔닫힌핏줄계.

열린 회로【—回路】 명 〔open circuit〕 〖전자〗 전기 회로에서, 도선(導線)의 일부가 끊겼거나 완전히 연결되지 못한 회로. 개회로(開回路). ↔닫힌 회로.

열림【熱痳】 명 〖의〗 오줌 빛이 붉고 아랫 배가 몹시 아픈 임질의 하나.

열립【列立】 명 여러 사람이 죽 벌여 섬. ——-하다 자여불

열립-군【列立軍】 명 여리꾼의 취음.

열망【熱望】 명 열렬하게 바람. 갈망(渴望). ——-하다 타여불

열매¹ 명 〔근대 : 열미〕 ①식물이 수정(受精)한 후, 자방(子房)이 자라 이룩된 것. 과실(果實). ②결과(結果)❶.

[열매 될 꽃은 첫 삼월부터 안다] 결과가 좋은 일은 처음부터 그 기미가 보인다는 말.

열매²【熱媒】 명 열교환기에서 목적으로 하는 유체(流體)에 열을 주기 위하여 사용되는 전열(傳熱) 매체. ↔냉매(冷媒).

열매³【熱罵】 명 몹시 심하게 꾸짖음. ——-하다 타여불

열매 나무 명 열매가 열리는 나무. 결실수(結實樹). 과수(果樹). 유실수(有實樹).

열매-따기 명 〖농〗 열매솎기. ——-하다 자여불

열매 맺는 버릇 명 〖식〗 결과 습성(結果習性).

열매-솎기 명 〖농〗 과실을 솎아 내는 일. 너무 많은 결실(結實)을 방지하며 양과(良果)를 얻기 위함임. 적과(摘果). ——-하다 자여불

열매 채:소【—菜蔬】 명 사람이 그 과실(果實)을 식용으로 하는 풀의 총칭. 호박·가지·참외·수박·오이 등. 과채류(果菜類).

열명【列名】 명 여러 사람의 이름을 나란히 벌여 적음. ——-하다 타여불

열명길 명 〈옛〉 시왕(十王)길. 저승길. ¶깃둔 열명길헤 자라오리잇가 ≪樂詞 履霜曲≫.

열명 영가【列名靈駕】 명 〖불교〗 세계의 모든 영혼.

열명 정장【列名呈狀】 명 〖역〗 여러 사람이 열명(列名)하여 관가(官家)에 소장(訴狀)을 제출하던 일. ——-하다 자타여불

열모【悅慕】 명 기뻐하며 사모함. ——-하다 타여불

열목-어【熱目魚】 명 〖어〗 열목이.

열목-이【熱目—】 명 〖어〗 [*Brachymystax lenok*] 연어과에 속하는 물고기. 냉수성 어족으로 일생 하천 상류에서만 서식하고 바다에 나가지 않는 송어 무리임. 몸빛은 은빛인데 눈 사이·옆구리·등지느러미·기름지느러미 등에 크고 작은 자홍색의 불규칙한 작은 무늬가 다수 산재함. 한국 각 하천 및 만주에 분포함. 연목어(蓮目魚)·열목어(熱目魚).

〈열목이〉

열목-카래 명 두 개의 가래를 연폭(連幅)한 것에 장부잡이 두 사람과 줄잡이 여덟 사람이 하는 가래질.

열무¹ 명 어린 무.

열무²【閱武】 명 임금이 친히 열병(閱兵)함. ——-하다 자여불

열무 김치 명 열무로 담근 김치. 세청근저(細靑根菹).

열무-날 명 조수의 간만(干滿)의 차를 볼 때에 음력 4일과 19일을 이르는 말.

열무-서【閱巫署】 명 〖역〗 조선 시대에 무격(巫覡)들로 하여금 구병(救病)을 맡게 하였던 기관.

열무장아찌 명 소금에 절인 열무를 볶은 후에 진장을 치고 양념하여 무친 장아찌.

열문【熱門】 명 권세가 있어 사람들이 많이 출입하는 집.

열문-무【烈文舞】 명 옛날 천신(天神)을 제향할 때에 영신(迎神)하고 난 뒤와 강신(降神)한 뒤에 추던 춤.

열븐 형 〈옛〉 엷은. '엷다'의 활용형. ¶열븐 어르믈(有薄之氷) ≪龍歌 30章≫.

열-바가지 명 ☞ 바가지.

열-바람【熱—】 명 열띤 기세. ¶뜻밖에 병정 하나이 ～ 있게 들어오며 주인을 찾는다≪李海朝 : 花世界≫.

열박¹ 명 ☞ 열바가지.

열박²【劣薄】 명 열등하고 경박함. ——-하다 형여불

열반【涅槃】 명 〖불교〗 ①〔범 nirvāṇa〕 도를 완전히 이루어 일체의 중고(衆苦)와 번뇌를 끊고 불생 불멸의 법성(法性)을 증험(證驗)한 해탈의 경지. 적멸(寂滅). 멸도(滅度). 해탈. 무생(無生). 진여 실상(眞如實相).

¶ ~에 들다. ②입적(入寂). ——-하다 자 여불

열반-경【涅槃經】명〖불교〗↗대반 열반경(大般涅槃經).

열반-당【涅槃堂】명〖불교〗중이 죽을 때에 거처하는 곳.

열반-도【涅槃圖】명〖미술〗석가가 사라 쌍수(娑羅雙樹) 아래서 열반에 들어갈 때의 모양, 곧 머리를 북쪽에 두고 얼굴은 서쪽을 향하고 오른쪽을 밑으로 하여 누워 있고, 그 주위에 제자를 비롯하여 천룡(天龍)·귀축(鬼畜)이 통곡하는 모양을 그린 그림 또는 조각.

열반 묘:심【涅槃妙心】명〖불교〗말로는 표현할 수 없는 미묘한 득도(得道)의 경지. 불생 불멸(不生不滅)의 불심(佛心).

열반-문【涅槃門】명〖불교〗①열반에 들어가는 문. ②사문(四門)의 하나. 밀교(密敎)에서, 수행의 한 단계로 북문(北門)을 말함. *수행문(修行門).

열반-상[1]【涅槃相】명〖불교〗팔상 성도(八相成道)의 하나. 석가의 입적(入寂)하는 상. 또, 부처가 머리를 북쪽에 두고 오른쪽 옆구리를 밑으로 하고 누운 모습.

열반-상[2]【涅槃像】명 석가 입멸(入滅)의 모양을 그린 그림.

열반 서풍【涅槃西風】명〖불교〗음력 2월 15일의 전후에 약 일 주일간 부는 연한 바람.

열반-설【涅槃雪】명 음력 2월 보름 전후에 내리는 눈.

열반-쇠【涅槃—】명〖불교〗열반종(涅槃鐘).

열반-연【熱飯宴】명〖역〗고려 때, 과거 급제자의 본가(本家)에 몰려 오는 하객(賀客)에게 베푸는 대접. 더운 밥을 대접하는 것이 고작이었으므로 이렇게 일컬음.

열반-인【涅槃印】명〖불교〗소승 불교의 삼법인(三法印)의 하나. 열반 적정(涅槃寂靜)을 설명하는 교리(敎理).

열반 적정【涅槃寂靜】명〖불교〗제행 무상(諸行無常)과 제법 무아(諸法無我)의 이치를 터득하고 집착(執着)을 버리면, 고요한 최고 행복의 경지에 이를 수 있음.

열반-절【涅槃節】명〖불교〗석가 여래의 입적(入寂)한 날을 추모(追慕)하는 경절(慶節). 음력 2월 15일. *강탄절(降誕節)·성도절(成道節).

열반-종[1]【涅槃宗】명〖불교〗오교(五敎) 양종(兩宗) 중의 하나. 신라 무열왕 때 보덕 화상(普德和尙)이 개종한 교파로 열반경을 그 근본 성전(聖典)으로 삼음. 시흥교(始興敎). 시흥종(始興宗).

열반-종[2]【涅槃鐘】명〖불교〗중이 입적할 때에 치는 종. 열반쇠.

열반-회【涅槃會】명 석가가 입적(入寂)한 2월 15일에 절마다 석가의 유덕(遺德)을 봉찬(奉讚)하고 추모하는 법회.

열방【列邦】명 열국(列國).

열-방사【熱放射】명〖물〗열복사(輻射).

열배【列拜】명 줄지어 서서 절함. ——-하다 자 여불

열백【裂帛】명 ①비단을 찢음. 또, 그 찢는 소리. ②소쩍새의 우는 소리.

열-벙거지【熱—】명〈속〉열화[2]. ¶ ~가 나서 고개를 홱 돌리다.

열-벡터【列—】〔vector〕명〖수〗몇 개의 수를 세로 늘어놓아 얻어지는 벡터를 이름.

열변[1]【熱辯】명 열렬한 변론. ¶ ~을 토하다.

열변[2]【熱變】명〖광〗광물이 열로 인해 그 질(質)이 변화하는 현상. ——-하다 자 여불

열변성-암【熱變成岩】명〖광〗열변성 작용의 결과로 된 변성암(變成岩). 접촉(接觸) 변성암.

열변성 작용【熱變成作用】명〖광〗열에 의하여 암석을 변질시키는 작용. 접촉 변성 작용.

열-변형력【熱變形力】[—녁] 명〔thermal stress〕〖역학〗물체의 일부 또는 전체가 팽창이나 수축이 되지 않을 때, 온도 변화에 응해서 그 물체 속에 발생하는 역학적 변형력. 열응력.

열병[1]【閱兵】명〖군〗군대를 정렬(整列)시켜 놓고 검열함. *사열(査閱). ——-하다 자 여불

열병[2]【熱病】명〖의〗①높은 신열(身熱)이 일어나는 병. 두통·불면증·헛소리·식욕 부진 등이 따라 일어남. 열성병(熱性病). 열증(熱症). ②장티푸스.

열병-식【閱兵式】명〖군〗정렬(整列)한 군대의 앞을 통과하며 검열하는 의식. *분열식(分列式).

열병합 발전【熱倂合發電】[—쩐] 명〔cogeneration〕한 에너지원에서 전기와 열 등 두 가지 이상의 유효한 에너지를 내는 발전. 주로 전기와 열의 사용량이 많은 병원·호텔·스포츠 센터·백화점·사무용 건물 등에서 자가 발전을 위해 사용하며, 발전에서 나는 배열(排熱)을 냉난방에 유효히 이용함.

열:-보라 명〖조〗비교적 흰 빛을 띤 보라매.

열복【悅服】명 기쁜 마음으로 복종(服從)함. 애복(愛服). *압복(壓服). ——-하다 자 여불

열-복사【熱輻射】명〔heat radiation〕〖물〗고온도로 열한 물질로부터 전자기파(電磁氣波)가 방사하는 현상. 열 전달의 원인이 되며 고온일수록 강하고, 또 파장이 짧음. 열방사. 열폭사(熱輻射). 온도 방사.

열-복통【熱腹痛】명〖의〗뱃속이 항상 뜨겁고 몹시 아프다가 별안간 그치기도 하는 병.

열-봉【熱峰】명〖지〗평안 남도 영원군(寧遠郡)과 맹산군(孟山郡) 사이에 있는 산. [1,595m]

열부[1]【烈夫】명 절개가 굳은 사람.

열부[2]【烈婦】명 열녀(烈女).

열-분석【熱分析】명〖화〗물질의 가열 또는 냉각의 과정에서 볼 수 있는 물질의 불연속적인 변화를 이용하여 상변화(相變化)를 일으키는 온도를 결정하는 실험 방법.

열분-수【熱粉水】명 쌀 가루나 보릿 가루를 냉수에 잘 풀어서 끓여 다시 식힌 음식. 병든 어린 아이에게 먹임.

열-분해【熱分解】명〖화〗물질에 열을 가했을 때 일어나는 분해 반응. 석유의 크래킹 따위. 분해 반응이 가역적(可逆的)일 때는 열해리(熱解離)라고 함.

열분해-법【熱分解法】[—뻡] 명〖화〗석유 정제 공정의 하나. 중질 석유 유분(重質石油溜分)을 고온 고압(高溫高壓) 아래서 분해하여 분해 가솔린을 채취하는 방법. 이 방법으로 채취한 가솔린은 옥탄가(價)가 높지 않고 안정성도 적기 때문에 최근에는 접촉 분해법(接觸分解法)으로 대체되었음.

열-분화【裂噴火】명〖지〗열선(裂線) 분화.

열-불【熱—】명 흥분되어 속에서 치밀어 오르는 뜨거운 분기(憤氣). ¶ 속에서 ~이 나다.

열-불이:경【烈不二更】명 ↗열녀 불경이부(烈女不更二夫).

열붕이 명〈방〉얼뜨기.

열브스름-하다 형 여불 부드럽게 엷다. >얄브스름하다. **열브스름-히** 부

열비【劣比】명〖수〗전항(前項)의 값이 후항(後項)의 값보다 작은 비. *우비(優比).

열-빠지다 자 ☞얼빠지다.

열사[1]【烈士】[—싸] 명 물질 상의 이해나 권력에 대하여도 굽하지 않고 절의(節義)를 굳게 지키는 사람. ¶ 순국 ~/~비(碑).

열사[2]【熱砂】[—싸] 명 뜨거운 모래. ¶ ~의 나라.

열사-병【熱射病】[—싸뼝] 명〖의〗온도가 높은 곳에서 체온의 방산이 곤란할 때 생기는 병. 머리가 무겁고 권태·피로·하품·현기 등 전구증(前驅症)이 있으며 마침내 의식을 잃음. 경련과 정신 착란을 수반함. 체온은 40°C 이상이며 땀이 나지 않고, 구토·설사를 일으킴. 치료는 시원한 곳에서 안정하고 대증 요법(對症療法)을 행함.

열사흘 부스럼 [—싸—] 명〈속〉마마의 속칭.
[열사흘 부스럼을 앓느냐] 망령된 말을 많이 하는 사람을 농으로 이르는 말.

열-산란【熱散亂】[—살—] 명〔thermal scattering〕〖물〗고체 가운데를 통과하는 전자(電子)·중성자·엑스선 따위가 격자 상(格子上)의 원자의 열운동에 의해 산란되는 일.

열:-삼【—蔘】명〖식〗씨를 받기 위하여 심어 기르는 삼.

열상[1]【裂傷】[—쌍] 명 피부가 찢어진 상처. 열창(裂創). ¶ ~을 입다.

열상[2]【熱傷】[—쌍] 명 화상(火傷)의 일종으로, 고온의 기체 또는 액체에 의해서 생긴 것. 이를테면 가스의 불꽃이나 뜨거운 물에 의한 화상.

열상[3]【熱想】[—쌍] 명 정열에 불타는 사상.

열상승 기류【熱上昇氣流】명 지표(地表)가 국지적(局地的)으로 달았을 때 그 부분에서 생기는 상승 기류.

열새 명〈방〉열쇠(경북).

열새-베【—쌔—】명 고운 베.

열색【悅色】[—쌕] 명 기뻐하는 얼굴빛.

열서[1]【列敍】[—써] 명 나열(羅列)함. 또, 나열하여 서술함. ——-하다 자 타 여불

열서[2]【列書】[—써] 명 열록(列錄). ——-하다 타 여불

열서[3]【烈暑】[—써] 명 혹서(酷暑).

열석[1]【列席】[—썩] 명 자리에 죽 벌이어 앉음. 열좌(列坐). ¶ ~하신 내빈 여러분. ——-하다 자 여불

열석[2]【列石】[—썩] 명〖고고학〗①선돌을 여러 개 열을 지어 세운 것. ②둘레돌.

열선[1]【列線】[—썬] 명〖수〗공선(共線).

열선[2]【裂線】[—썬] 명〖생〗골조직(骨組織)의 기질 섬유(基質纖維)가 배열된 방향으로, 점선 모양을 이루어 형성된 작은 갈라진 틈의 줄. 뼈의 표면을 여기저기 바늘로 콕콕 찌르고 먹칠을 한 다음, 먹이 뼈에 스며든 후에 먹을 닦아 내면 이 줄이 뚜렷하게 나타나 보임.

열선[3]【熱線】[—썬] 명 ①〔heat rays〕〖물〗복사선(輻射線) 중에 가시(可視) 광선보다 파장이 긴 것. 광휘선(光輝線)보다도 굴절률이 적어 다른 물질에 닿으면 흡수되어 열을 일으킴. 적외선(赤外線). ②〔hot wire〕〖전〗전류를 통하여 열을 발생하기 위한 도선(導線).

열선 마이크로폰:【熱線—】〔microphone〕[—썬—] 명〖물〗마이크로폰의 한 가지. 음파에 따라 공기의 흐름이 변화하면 그 공기 중에 노출되어 있는 가열선(加熱線)의 온도가 변화하여 그 결과 저항이 변하고, 전류가 변함. 이 전류의 변화의 정도에 따라 음성 전류(音聲電流)를 취하는 구조를 가짐.

열선 분화【裂線噴火】[—썬—] 명〖지〗지반(地盤)의 갈라진 틈을 통하여 용암(溶岩)이 분출(噴出)하는 분화(噴火)의 양식(樣式). 열분화(裂噴火). 열하 분출(裂罅噴出). ↔중심 분화.

열선 전:류계【熱線電流計】[—썬절—] 명〖전〗열선(熱線)의 팽창에 의하여 전류의 세기를 측정하는 계기(計器).

열선 추미형 유도【熱線追尾型誘導】[—썬—] 명〖군〗미사일 유도 방식의 하나. 목표가 내는 열선, 즉 적외선을 따라가는 유도 방식. 흐린 날씨, 태양이 앞쪽에 있을 때 등에는 효력이 없음.

열선 풍속계【熱線風速計】[—썬—] 명 풍속계의 일종. 공기류(空氣流) 가운데에 전기를 통한 가열선(加熱線)을 노출시키면 공기류의 속도에 따라서 가열선의 온도가 변하며, 따라서 전기 저항이 변하는데, 그 변화의 정도에 따라 공기의 흐름의 속도를 측정함. 주로, 가는 백금선(白金線)을 씀.

열설【熱泄】[—썰] 명〖한의〗배가 아플 때마다 설사가 나고 그 빛이 붉은 병. 화설(火泄).

열-섬【熱—】[—썸] 명〔heat island〕〖기상〗바람이 약할 때에 도시 지

역을 덮는, 국지적(局地的)으로 기온이 높은 대기(大氣) 덩어리. 그 모양이 섬 비슷한 데서 나온 말임. 열도(熱島).

열섭【閱涉】[一썹] 명 조사하여 살펴봄. ――-하다 타여불

열성[1]【劣性】[一썽] 명 〖생〗 유전학 용어. 멘델 법칙에 따라 유전하는 형질 중 한쪽 어버이로부터 받은 형질이 잡종 제일대에는 나타나지 않고 잠재하여 그 후대에 나타나는 말함. 잠성(潛性). ¶∼ 유전. ↔우성(優性).

열성[2]【列星】[一썽] 명 하늘에 있는 뭇 별.

열성[3]【列聖】[一썽] 명 ①대대의 임금. ②여러 성인(聖人).

열성[4]【熱性】[一썽] 명 ①걸핏하면 격앙(激昂)하기 쉬운 성질. ↔냉성(冷性). ②높은 열을 내는 성질. 특히, 고열을 수반하는 병의 이름 등에 쓰임. ¶∼ 소아 마비.

열성[5]【熱誠】[一썽] 명 열렬한 정성. ¶∼ 분자. ㊌열(熱).

열성 경련【熱性痙攣】[一썽一년] 명 〖의〗 젖먹이나 어린 아이가 고열을 냈을 때에 일어나는 경련. 후유증은 없음.

열성-껏【熱誠一】[一썽一] 부 열성을 다하여.

열성 발열【熱性發熱】[一썽一] 명 〖의〗 열사병(熱射病)의 한 형. 주로 병약(病弱)한 사람이 오래도록 고열(高熱)을 쐬게 되었을 때 걸리는데, 체온이 41°-43°C로 오르고 혈압이 오르며 호흡이 곤란해짐. 증상이 심하면 잠꼬대와 경련이 일어나며 사망률이 높음. 일사병(日射病) 같은 것은 이 형의 병임. *열경련(熱痙攣)·열피비(熱疲憊).

열성-병【熱性病】[一썽一] 명 열병.

열성 분자【熱誠分子】[一썽一] 명 어떤 일에 열성을 다하는 사람을 이르는 말.

열성-스럽다【熱誠一】[一썽一] 형ㅂ불 보기에 열성이 있다. **열성-스레**【熱誠一】[一썽一] 부

열성 유전【劣性遺傳】[一썽一] 명 〖생〗 열성 유전자(遺傳子)에 의하여 형질(形質)이 자손에게 전하여지는 현상. 일반적으로, 열성 유전자에 의하여 유전되는 형질은 우성(優性) 형질에 의하여 유전되는 형질보다 불리(不利)한 일이 많음.

열성 유전자【劣性遺傳子】[一썽一] 명 〔recessive gene〕 〖생〗 유전자의 하나. 열성 형질(形質)을 나타내는 유전자. ↔우성 유전자.

열성 인자【劣性因子】[一썽一] 명 〔recessive factor〕 〖생〗 우성 인자(優性因子)에게 패배하여 잠복(潛伏)하는 유전 인자. 이들 두 인자가 갖추어져서 비로소 형질(形質)로서 표면(表面)에 나타남. ↔우성 인자(優性因子).

열성-적【熱誠的】[一썽一] 명관 열성을 다하는 모양. ¶일에 ∼인 사원(社員).

열성-조【列聖朝】[一썽一] 명 여러 대의 임금의 시대. ㊌열조(列朝).

열성 지장 통기【列聖誌狀通記】[一썽一] 명 〖책〗 조선 태조(太祖)의 4대조인 목조(穆祖)로부터 영조의 원비(元妃) 정성 왕후(貞聖王后)에 이르기까지의 각 대의 지장록(誌狀錄). 각 대의 행록(行錄)·행장(行狀)·지문(誌文) 등 여러 글을 수집했음. 처음 숙종 14년(1688)에 목조 이후 원종까지를 5권과 보유(補遺) 1권으로 편집 간행했으나, 정재륜(鄭載崙)이 인조 이후 열조(列朝)의 글을 모아 전의 것과 합하여 10책으로, 또 숙종이 어유구(魚有龜)·홍계적(洪啓迪) 등에게 명하여 이를 교편(校編)하여 10권 20책으로 재간, 다시 1758년에 정성 왕후의 것을 증수(增修) 간행했음. 22권 14책. 활자본임.

열성 형질【劣性形質】[一썽一] 명 〖생〗 멘델(Mendel)의 우열(優劣)의 법칙에서 열성을 나타내는 형질의 총칭. ↔우성 형질(優性形質).

열세[1] 명 〈방〉 열쇠(전남·경남).

열세[2]【列世】[一쎄] 명 역세(歷世).

열세[3]【劣勢】[一쎄] 명 힘이나 세력이 못함. 또, 그 세력. ¶∼에 몰리다. ↔우세(優勢). ――-하다 형여불

열세[4]【熱洗】[一쎄] 명 〖천주교〗 화세(火洗).

열소【熱素】[一쏘] 명 〔caloric〕 〖화〗 19세기 초기까지 물체 속에 있어 열의 원인이 된다고 믿어지던 물질. 물체의 한란(寒暖)은 물체 안의 열소의 다소(多少)에 기인한다고 보았음. 지금은 부정(否定)됨.

열-소독【熱消毒】 명 소각·자비(煮沸)·일광·증기 등의 방식으로 열을 가하여서 하는 소독. ――-하다 타여불

열소-설【熱素說】[一쏘一] 명 〔caloric theory〕 〖화〗 19세기 초기까지 열을 일종의 물질로 생각하여 이것을 열소라고 부르고, 이에 의하여 열현상(熱現象)을 설명하고자 하던 학설.

열손【熱損】[一쏜] 명 〖물〗 전기 기계(電氣機械)에서 전력이 열로 변화하여 소실되는 현상.

열:-쇠 [一쐬] 명 ①자물쇠를 여는 쇠. 개금(開金). 건(鍵). 약건(鑰鍵). 약시(鑰匙). ¶∼로 열다. ②일을 해결하는 데 필요한 요소(要素). ¶문제 해결의 ∼.

〈열쇠❶〉

열:쇠-돈 [一쐬一] 명 〖역〗 흔히, 열쇠를 꿰어 두는 데 사용했으므로, 별전(別錢)을 일컫는 딴이름.

열:쇠-표【一標】[一쐬一] 명 열쇠로 태엽을 감게 되어 있는 손목 시계.

열수[1]【列樹】[一쑤] 명 줄을 지어 나란히 서 있는 나무.

열수[2]【洌水】[一쑤] 명 〖역〗 고조선 때의 '대동강(大同江)'의 이름.

열수[3]【熱水】[一쑤] 명 ①뜨거운 물. ②〖지〗 열수 용액(熱水溶液).

열수[4]【熱嗽】[一쑤] 명 〖한의〗 더위로 생기는 병의 한 가지. 발열·구갈(口渴)·기침·유연(流涎)·객혈(喀血) 등을 일으킴.

열수 광:상【熱水鑛床】[一쑤一] 명 〖광〗 열수의 작용으로 이루어진 광상. 바탕이 된 열수 용액(熱水溶液)의 온도·생성(生成) 위치에 따라서 300°-400°C의 심열수성(深熱水性), 200°-300°C의 중(中)열수성, 100°-200°C의 천(淺)열수성, 100°C 이하의 원(遠)열수성으로 구분함. 금·은·동·납·아연·수은 등 여러 종류의 금속 광상 및 일부 점토(粘土) 광상 따위가 이에 속함.

열수 변:질【熱水變質】[一쑤一] 명 〔hydrothermal alteration〕 〖지〗 열수액(熱水液)과 모암(母岩)의 상호 작용에 의하여 암석 또는 광물상(鑛物相)이 변화하는 일.

열수성 광:맥【熱水性鑛脈】[一쑤썽一] 명 열수의 침전, 교대 작용에 의해 생긴 광맥.

열수 용액【熱水溶液】[一쑤一] 명 〖지〗 마그마가 식어서 굳어질 때, 온도의 저하에 따라 차차 결정(結晶)하여, 물의 임계(臨界) 온도 이하가 되면 수증기가 응결하여 고온의 물이 되어 남은 마그마의 갖가지 성분을 용해·함유할 때의 수용액. 열수(熱水).

열수 작용【熱水作用】[一쑤一] 명 〖광〗 마그마가 지하의 깊은 곳에서 굳어질 때, 비휘발성(非揮發性) 성분 정출(晶出)의 잔액(殘液) 온도가 물의 임계 온도(臨界溫度) 약 374°C 보다 저하하면 휘발성 성분이 용액화함. 이것을 열수 용액(熱水溶液)이라고 하며, 이것이 여러 가지 금속 원소를 포함하고 있어 금속 광상(金屬鑛床)을 만들기도 하고 암석을 변질시키기도 하는데, 이들 작용을 열수 작용이라고 총칭함.

열수축 튜:브【熱收縮一】 명 〔heat-shrinkable tubing〕 가열하면 수축하는 플라스틱제 튜브. 단자(端子)나 딴 형태·크기가 다른 물건을 빈틈없이 꽉 쌈. 절연(絕緣), 그 밖의 용도에 쓰임.

열수 합성【熱水合成】[一쑤一] 명 〔hydrothermal synthesis〕 〖광〗 광물 합성법의 한 가지. 밑바탕이 되는 물질을 물과 함께 봉(封)하여 가열하는 방법. 2,000°C 또는 2,000기압쯤이 온도·기압의 한도임. 공업적으로는 수정(水晶)·에메랄드·루비 따위 단결정(單結晶)의 합성에 쓰임. 이 때는 용기 속에 온도 구배(溫度勾配)를 만들어 고온부(高溫部)에서 원료를 녹여 저온부(低溫部)의 결정핵(結晶核) 위에서 단결정을 성장시킴. 또, 천연적으로 광물이 생성(生成)되는 경우의 물리적·화학적 조건, 특히 물과 기타 휘발성 물질의 역할 따위를 연구하는 데 중요함.

열:-스럽다 형 〈방〉 창피하다.

열습【熱濕】[一씁] 명 뜨겁고 축축함. ――-하다 형여불

열시[1] 명 〈방〉 열쇠(경북).

열시[2]【閱視】[一씨] 명 조사함. 하나하나 밝혀 봄. ――-하다 타여불

열식 자동 점:멸 장치【熱式自動點滅裝置】 명 〔thermal flasher〕 〖전〗 바이메탈에 가열과 냉각이 차례로 가해지기 때문에 주기적인 회로의 개폐(開閉)가 자동적으로 행하여지는 전기 기구. 바이메탈은 제어되는 회로와 직렬(直列)의 저항 소자(抵抗素子)로써 가열됨.

열실 명 〈옛〉 핵실(覈實). ¶열실 힉(覈) ≪類合 下 21≫.

열심【熱心】[一씸] 명 열렬(熱烈)한 마음. 또, 한 가지 사물에다 깊이 마음을 쏟고 있음. 열지(熱志). ――-히 부. ¶∼히 공부하다.

열심-가【熱心家】[一씸一] 명 한 가지 일에 마음을 깊이 쏟는 사람. 열심히 하는 사람.

열심 단충【熱心丹衷】[一씸一] 명 열렬한 정성. 지극한 정성.

열심-당【熱心黨】[一씸一] 명 〔Zelotes〕 〖성〗 갈릴리의 유다에 의하여 조직된 반로마적(反 Roma 的) 국수(國粹) 단체. 예수의 제자 중의 한 사람인 시몬은 이 당원이었음.

열심-성【熱心性】[一씸썽] 명 사물에 마음을 깊이 쏟는 성질.

열심-으로【熱心一】[一씸一] 부 ☞ 열심히.

열십-부【一十部】[一씹一] 명 한자 부수(部首)의 하나. '千'이나 '博' 등의 '十'의 이름.

열십자-로【一十字一】[一씹一] 부 한문자 십(十)의 형상으로.

열:싸다 형 〈방〉 열쌔다.

열쌀 명 〈방〉 여울(평안).

열-쌍동가리 명 〖어〗 〔*Neopercis multifasciata*〕 양동미릿과에 속한 바닷물고기. 몸길이 약 15cm. 몸빛은 연붉은 빛이며 옆구리에 10줄의 암적갈색 가로띠가 있음. 연안성어로서 우리 나라 제주도와 일본 중부 이남에서 산출함.

열쌔 명 〈방〉 열쇠(경남).

열:쌔다 형 매우 재빠르고 날래다.

열씨[1] 명 〈방〉 열쇠(경남).

열:-씨[2] 명 〈방〉 삼씨.

열씨[3]【列氏】 명 온도를 재는 단위(單位)의 하나. 1730년에 프랑스의 레오뮈르(Réaumur)가 정한 것으로 어는점을 0°로 하고 구부(球部)의 1/1000의 체적마다 눈금을 매겼었으나 지금은 어는점을 0°, 끓는점을 80°로 정하고 있음. 열씨 온도. *섭씨 온도·화씨 온도.

열씨 온도【列氏溫度】 명 〖물〗 열씨(列氏). *화씨 온도.

열씨 온도계【列氏溫度計】 명 열씨 한란계.

열씨 한란계【列氏寒暖計】[一할一] 명 열씨의 눈금이 있는 한란계. 러시아·스위스·독일 등지에서 쓰임.

열-아문 관명 〈방〉 여남은.

열아믄 관 〈옛〉 여남은. ¶열아믄쌍 幢(十餘對幢幢) ≪朴解 下 43≫.

열악【劣惡】 명 ①품질·능력 따위가 몹시 떨어지고 나쁨. ②몹시 질이 낮음. ¶∼한 환경. ――-하다 형여불

열악-원【閱樂院】 명 〖역〗 고려 시대의 서경(西京)의 관부. 열악(閱樂), 즉 성률(聲律)의 교열(校閱)을 관장했음.

열안[1]【悅眼】 명 눈을 즐겁게 함. 사물을 보고 즐거움을 느낌. ――-하다 자여불

열안[2]【閱眼】 명 잠깐 열람(閱覽)함. ――-하다 타여불

열안[3]【熱眼】 명 붉게 충혈된 눈.

열안-보【悅眼步】 명 눈을 즐겁게 하는 태도.

열-압축기【熱壓縮機】명〖기〗증기를 대기압(大氣壓) 이상의 압력으로 압축하도록 설계된 증기 분사(噴射) 방출기.
열압축 증발기【熱壓縮蒸發器】명〖기〗증발에 필요한 에너지를 줄이는 장치. 단일 효용(單一效用) 증발기에서 나오는 증기를 가압(加壓)하여, 그 증발기의 가열 매체(加熱媒體)로서 쓰게 되어 있음.
열애[1]【悅愛】명 기뻐하고 사랑함. ――-하다 타여불
열애[2]【熱愛】명 열렬한 사랑. 열렬히 사랑함. ――-하다 타여불
열약[1]【劣弱】명 열등(劣等)하고 약함. ――-하다 형여불
열약[2]【熱藥】명〖약〗바르는 음제(淫劑).
열양 세:시기【洌陽歲時記】명〖책〗〔열양은 서울을 가리키는 말〕조선 헌종(憲宗) 시대의 학자인 김매순(金邁淳)이 지은 세시(歲時) 풍속에 관한 책. 주로, 서울 지방에서 행해지는 궁중 및 관청·민간의 풍속을 월별로 기록함.
열어【鱳魚】명〖어〗웅어.
열어-붙이다〔―부치―〕타 문 따위를 세차게 열어서 그 쪽에 붙이다. ¶장지문을 ～.
열어 재끼다 타〈방〉열어 젖뜨리다.
열어 재치다 타〈방〉열어 젖뜨리다.
열어 저떠리다 타〈방〉열어 젖뜨리다.
열어 저치다 타 ☞열어 젖뜨리다.
열어 젖뜨리다 타 문이나 창 등을 와락 넓게 열어 놓다.
열어 젖히다 타 열어 젖뜨리다.
열어 제치다 타 ☞열어 젖뜨리다.
열:-없다〔―업―〕형 ①조금 부끄럽다. ¶왼손으로 바다 수쇄하고 열업서 하는 말이《春香傳》/박장훈은 열없는 듯이 손바닥으로 턱을 슬슬 문지르다가…《朴花城 : 고개를 넘으면》. ②성질이 묽고 째이지 못하다. ③담이 크지 못하고 겁이 많다. 열적다.
〔열없은 색시 달밤에 삿갓 쓴다〕정신 없이 망동(妄動)함을 비웃는 말.
열:-없이〔―업씨〕부 열없게.
열:없-쟁이〔―업―〕명 '열없는 사람'의 별명.
열-에너지【熱―】〔energy〕명〖물〗분자(分子)·원자(原子)의 열운동(熱運動), 열진동(熱振動)에 의하여 물체내(物體內)에 저장되어 있는 에너지.
열-엑스선【熱X線】명〔thermal X rays〕〖전자〗주로, 연엑스선(軟X線) 영역의 전자 방사(電磁放射).
열-역학【熱力學】〔―력―〕명〔thermodynamics〕〖물〗열을 에너지로 보는 견지에서 열현상(熱現象)에 관한 근본 원칙 및 그 응용을 연구하는 물리학의 한 분과.
열역학-적【熱力學的】〔―력―〕명관 열역학에 관계되는 모양.
열역학 제:삼 법칙【熱力學第三法則】〔―력―〕명〔third law of thermodynamics〕모든 완전 결정 고체(完全結晶固體)의 엔트로피는, 절대 영도에서 영(零)이라는 법칙.
열역학 제:이 법칙【熱力學第二法則】〔―력―〕명〔second law of thermodynamics〕사이클 변화의 종점(終點)에서, 다른 아무런 효과도 낳는 일 없이, 열원(熱源)에서 열을 빼내어 등량(等量)의 일을 낳게 하는 것은 불가능하다는 법칙.
열역학 제:일 법칙【熱力學第一法則】〔―력―〕명〔first law of thermodynamics〕열은 에너지의 한 형태이며, 고립(孤立)된 계(系)의 전체 에너지의 합(合)은 일정하다는 법칙. 에너지 보존(保存)의 법칙의 한 응용례(應用例)임.
열연[1]【熱延】명 ↗열간 압연.
열연[2]【熱演】명 연기 따위를 열의(熱意)를 가지고 연기함. 또, 그 연기. ¶～을 펼치다. ――-하다 타여불
열-연결【列連結】〔―련―〕명〖물〗전지(電池)의 같은 극(極)끼리를 한데 매어 연결하는 일.
열열【咽咽】명 슬퍼서 목이 멤. ――-하다 자여불
열예【悅豫】명〖불교〗열락(悅樂). ――-하다 자여불
열오다 형〈옛〉엷다. =열우다[2]. ¶열온 祿을 資賴ᄒᆞ요라(資薄祿)《重杜諺 Ⅵ:52》.
열-오르다【熱―】자르불 ①신열이 올라 몸이 뜨거워지다. ②열성이 나다. ③일시적으로 흥분하다.
열-오염【熱汚染】명 공업용의 냉각용수(冷却用水)가 승온(昇溫)된 상태에서 대량으로 하천이나 해역에 버려진 경우에 어개류(魚介類)에 중대한 피해를 미치는 수질 오염. 온배수(溫排水) 공해.
열오져 타〈옛〉열고자. '열다'의 활용형. ¶내 ᄉᆞ랑호ᄃᆡ 三途ㅅ受苦애 열오져 ᄒᆞ며(予惟欲啓三途之苦)《序 14》.
열-올리다【熱―】자 ①열중하다. ②무슨 일에 열중해서 흥분하다. 매력에 사로잡혀 흥분하다. ③기염을 토하다.
열옹【蠮螉】명〖충〗나나니벌.
열왕-기【列王記】명〔Book of Kings〕〖성〗구약 성서 중의 한 편. 상하 두 권으로 되어 있음. 다윗왕이 아도니야의 반란(叛亂)에 의하여 솔로몬을 그 후계자로 세운 때부터 여호야긴 왕이 기원전 526년 바빌론의 포로(捕虜)에서 해방되기까지의 이스라엘 역사를 수록하였음.
열외【列外】명 ①늘어선 줄의 바깥. 대열(隊列)의 외부. ②어떠한 몫이나 축에 들지 않는 부분. ¶～로 취급을 받다.
열-용량【熱容量】〔―룡냥〕명〔heat capacity〕〖물〗물체의 온도를 1°C 높이는 데에 요하는 열량(熱量). 물체의 비열(比熱)에다 물체의 그램수(gram數)를 곱한 값으로 표시됨. 준용량.
열우다[1] 타〈옛〉열게 하다. ¶空앳 果實을 열우려 ᄒᆞᄂᆞ니(結爲空果)《楞嚴 Ⅳ:41》.
열우다[2] 형〈옛〉엷다. =열오다. ¶習氣 두터우며 열우며(習氣厚薄)《圓覺 上 二之一 3》.
열운【熱雲】명 ①높은 열의 구름. 열기를 띤 구름. ②〖지〗화산(火山)에서 분출하여 산복으로 흘러 내리는 고온(高溫)의 가스와 암석(岩石)이 합치어 된 유동체. 집을 태우고 생물을 죽임.
열-운동【熱運動】명〔thermal motion〕〖물〗물질을 구성하는 분자나 원자의 개개의 불규칙한 운동. 열(熱)에너지의 본질로서 온도가 높아질수록 빈번하고 활발하여짐.
열울【熱鬱】명〖한의〗열기가 몸 안에 뭉치어 구갈(口渴)이 나며 오줌이 붉고 흐리게 되는 병.
열움 형〈옛〉엷음. '엷다'의 명사형. ¶煩惱ㅣ 두터우며 열움과(煩惱厚薄)《圓覺 下 二之一 10》.
열워쎠니 형〈옛〉엷더니. '열우다[2]'의 활용형. ¶煙塵이 아득ᄒᆞ야 日色이 열워쎠니《蘆溪 太平詞》.
열원[1]【熱援】명 열렬한 응원. ――-하다 타여불
열원[2]【熱源】명〔heat source, heat reservoir〕열을 공급하는 근원.
열원[3]【熱願】명 열렬히 원함. ――-하다 타여불
열-원자로【熱原子爐】명〔heat reactor〕공업용의 열을 공급할 목적으로 가동되는 원자로.
열-원자핵【熱原子核】명〖물〗열핵(熱核).
열원자핵 반:응【熱原子核反應】명〖물〗열핵(熱核) 반응.
열월【閱月】명 한 달 동안을 지냄. ――-하다 자여불
열위[1]【劣位】명 남보다 못한 지위.
열위[2]【列位】인대 여러분.
열-융착【熱融着】〔―룡―〕명〔heat seal〕〖공〗두 장의 열가소성(熱可塑性) 플라스틱 표면을, 열과 압력을 가해서 융착시키는 일.
열은 형〈옛〉엷은. '엷다'의 활용형. ¶둗거우며 열은 나못 비츤 닙 픠니와 이우니로다(濃淡樹榮枯)《重杜諺 Ⅱ:7》.
열음 명〈방〉열매.
열-음극【熱陰極】명〖전〗열전자(熱電子)를 방출시킬 목적으로 전자관 안에 장치한 음극. 텅스텐 음극·산화물(酸化物) 음극 따위가 있음.
열-음기【閱陰氣】명〖역〗순라군(巡邏軍)이 밤중에 지나가는 수상한 사람을 잡아 일정한 곳에서 밤을 새우게 하던 일.
열음지 명〈방〉열매.
열읍【列邑】명 여러 고을.
열-응력【熱應力】〔―녁〕명〖역학〗열변형력.
열의【熱意】〔―/―이〕명 열심한 마음. 목적을 성취하려는 열성스런 마음.
열의 벽【熱―壁】〔―/―에―〕명〖물〗비행기의 속도가 그 이상이 되면 공기와 기체(機體)의 마찰열로 기체의 표면 온도가 200-250℃를 넘어 종래의 알루미늄 합금으로는 강도가 크게 떨어지는 그 한계. 곧, 마하 2.3-3의 속도. 마하 1 전후의 '소리의 벽'에 대하여 일컫는 말. 이 때문에 고온 강도(高溫强度)가 큰 기체(機體) 재료로서 티탄 합금·스테인리스강(鋼)·강화 플라스틱 따위가 실용화되고 있음.
열이 부〈옛〉엷게. ¶郞官 ᄃᆞ외요매 열이 노로ᄆᆞᆯ 더러이노라(爲郞忝薄遊)《重杜諺 Ⅻ:27》.
열-이온【熱―】〔ion〕명〔thermion〕〖전〗열전자관(熱電子管)의 열음극과 같은, 가열 물체에서 방출되는 음(陰) 또는 양(陽)의 하전 입자(荷電粒子).
열이온-관【熱―管】〔ion〕명〔thermionic tube〕〖물〗열음극을 갖추어서 열전자를 방출시키어 정류(整流)·증폭(增幅)·발진(發振) 등의 여러 가지 작용을 하는 진공관 및 방전관(放電管). 열전자관.
열인【閱人】명 널리 교제(交際)하여 사람을 많이 겪어 봄. ――-하다 자여불
열일【烈日】명 여름에 격렬하게 내리쬐는 태양. 전(轉)하여, 세찬 기세의 비유.
열입-군【閱入軍】명 '여리군'의 취음.
열입 성:품【列入聖品】명〖천주교〗성인 반열(聖人班列)에 들어감.
열자【列子】〔―짜〕명 ①〖사람〗중국 전국 시대 초기의 철인(哲人). 이름은 어구(禦寇). 노(魯)나라 사람(일설에는 정(鄭)나라 사람이라고 하며, 진(秦)의 무공(繆公)과 같은 시대의 사람이라고도 함). 사상적으로는 도가(道家)에 속함. 충허 진인(沖虛眞人)·지덕 충허 진인(至德沖虛眞人) 등의 칭호가 있음. ②〖책〗열 어구(列禦寇)의 철학설을 문인(門人)이 천서(天瑞)·황제(黃帝)·주목왕(周穆王)·중니(仲尼)·탕문(湯問)·방명(方命)·양주(楊朱)·설부(說符)의 편으로 나누어 기술한 책. 8권.
열-자리〔―짜―〕명〖수〗열의 단위. 정수(整數)에 있어서 오른쪽에서 왼쪽으로 향하여 둘째 자리. 예컨대, 2,560에서 6의 자리.
열자 마:크【―字―】〔mark〕〔―짜―〕명 에너지 관리 공단(管理公團)이 열(熱) 관련 제품을 검사한 후 안전성과 품질을 보증하여 열사용 기자재(機資材)에 붙이게 하는 표시. 난로·보일러·팬히터 등에 붙임. 동그라미 속에 '열'자를 썼음.
열잔류 자기【熱殘留磁氣】〔―잘―〕명〔thermoremanent magnetization〕〖지구 물리〗용융(熔融) 상태에서 냉각될 때에 부여된, 화성암(火成岩)의 영구 자기화(永久磁氣化).
열-잡음【熱雜音】명〔thermal noise〕〖전〗도체나 반도체에 있어서, 전자(電子)의 열교란(熱攪亂)에 의해서 생기는 전기 잡음.
열-장부【烈丈夫】〔―짱―〕명 절개가 굳은 남아.
열장-이음〔―짱―〕명〖건〗길이이음의 한 가지. 볼록한 열장장부촉과 오목한 열장장부촉을 끼어 맞춰 잇는 방법. 도브 테일링.
열장-장부촉【―鏃】〔―짱장―〕명〖건〗장부촉의 일종. 비둘기 꼬리 모양으로 끝이 넓게 퍼진 장부촉.

〈열장장부촉〉

열재[1]【劣才】〔―째〕명 보잘것 없는 재주 또는 사람.
열재[2]【悅齋】〔―째〕명〖사람〗이해조(李海朝)의 호(號).
열재생 전:지【熱再生電池】명〔thermal regenerative cell〕〖전〗전지 반응 사이에 생성된 생성물을 가열(加熱)함으로써, 반응 물질이 연속적으로 재생되는 연료 전지(燃料電池)의 하나.
열-저장【熱貯藏】명〔heat storage〕〖해〗해양이 가지는 열의 저장. 이 결과로서 매일 또는 매년의 해면 온도차가 생김.

열적 계:뢰【熱的界雷】[-쩍-] 명 『천』 열뢰(熱雷)와 한랭 전선 부근에서 상승 기류에 의해 생기는 계뢰의 두 요소가 합하여 생기는 천둥. 여름에 저녁 소나기를 내리는 것은 열뢰가 많으나 집중 호우(豪雨)와 집중 호설(豪雪)에 따르는 천둥은 계뢰임.

열:-적다 형 ☞ 열없다. ¶열적어서 머리만 긁적거린다.

열-적도【熱赤道】 명 『지』 평균 기온 분포도에서 최고 온도를 표시하는 지점을 연결하여 얻어지는 선. 위도 상의 적도와는 일치하지 않으며 각 계절을 통하여 북반구(北半球)에 있음. 7월에는 북위 20도 부근, 1월에는 적도 부근임.

열적 불안정【熱的不安定】[-쩍-] 명 〔thermal instability〕 『역학』 유체(流體)의 경계(境界)를 가열했을 때 생기는, 자유 대류(自由對流)에 의한 불안정성.

열전[1]【列傳】[-쩐] 명 많은 사람의 전기(傳記)를 차례로 벌여서 기록한 책. ¶사기(史記) ~.

열전[2]【烈傳】[-쩐] 명 열사(烈士)의 전기(傳記).

열전[3]【熱戰】[-쩐] 명 ①열렬한 쟁패전(爭覇戰). ②무력에 의한 본래의 전쟁. ↔냉전.

열-전기【熱電氣】 명 〔thermoelectricity〕 『물』 두 가지의 금속을 이어서 회로를 만들고 그 이어진 두 끝의 온도를 각각 달리할 때, 이 회로 속에 생기는 전기. 열전기쌍(熱電氣雙)에 응용됨. *열기전력(熱起電力).

열전기 더미【熱電氣-】 명 〔thermoelectric pile〕 『물』 여러 개의 열전기쌍(熱電氣雙)을 직렬(直列)로 접속한 장치. 이 들의 이은 자리에 복사선(輻射線)을 닿게 하여 생기는 방사(放射)에너지·열전류 등을 측정 또는 이용하는 데 쓰임. 열전퇴(熱電堆).

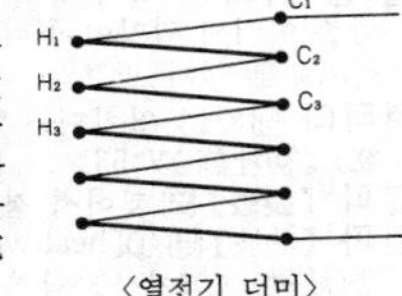

〈열전기 더미〉

열전기 발전【熱電氣發電】[-쩐] 명 두 종류의 금속을 환상(環狀)으로 접합해서 두 접합점에 온도차를 주면 기전력이 생기는 현상을 이용한 발전.

열-전기쌍【熱電氣雙】 명 〔thermocouple〕 『물』 두 가지 금속을 접합하여 고리 모양으로 만들어 접점(接點) 사이에 온도차(溫度差)를 주어 열기전력(熱起電力)을 일으키게 하는 장치. 두 가지 금속으로는 백금(白金)과 백금 로듐(rhodium), 구리와 콘스탄탄 등이 쓰임. 열전 온도계·열전퇴(熱電堆)에 이용됨. 열전쌍(熱電雙). 열전대(熱電對). 열전지(熱電池).

〈열전기쌍〉

열전 냉:각【熱電冷却】[-쩐-] 명 〔thermoelectric cooling〕 『공』 펠티에(Peltier) 효과를 이용해, 실내를 냉각하는 일. 전류를 열전기쌍(熱電氣雙)에 흐르게 하여, 그 냉접점(冷接點)을 실내로 접속해서 냉각하는 한편, 열접점(熱接點)은 열을 주변에 발산하게 하는 냉각 방식임.

열-전달【熱傳達】 명 『물』 열에너지가 이동하는 현상. 열전도·대류(對流)·열복사(熱輻射) 등의 형식이 있음.

열-전대【熱電對】 명 『물』 '열전기쌍(熱電氣雙)'의 구용어.

열-전도【熱傳導】 명 〔conduction of heat〕 『물』 어떤 물체에 열을 가할 때 그 열이 물질 속의 고온도의 부분으로부터 저온도의 부분으로 흐르는 현상. 물체 중 열전도가 잘 되는 것을 양도체(良導體), 그렇지 못한 것을 불량 도체(不良導體)라고 함.

열전도 계:수【熱傳導係數】 명 〔thermal conductance〕 『물』 물질에 의하여 전해지는 열량을, 그 물질의 표면 온도 변화로 나눈 값.

열전도-도【熱傳導度】 명 『물』 열전도율.

열전도-율【熱傳導率】 명 〔thermal conductivity〕 『물』 물체 속을 열이 전도하는 정도를 나타낸 수치. 단면적 1cm², 길이 1cm의 막대의 양 끝의 온도차를 1°C로 하였을 때 1초 동안에 한 끝에서 딴 끝으로 전도되는 열량(熱量)으로 표시됨. 열전도도(熱傳導度). 준전도율.

열-전력【熱電力】[-절-] 명 〔thermopower〕 『전』 도체(導體) 중에 온도차(溫度差)에 의해서 생기는 전압(電壓).

열-전류【熱電流】[-절-] 명 ①『생』 근육이나 신경에 온도가 불균등한 부분이 있을 때 저온도 부분이 전기적으로 음성이 되어 외부 매질(媒質) 속을 고온도 부분으로부터 저온도 부분으로 흐르는 전류. ②〔thermoelectric current〕 『물』 열전기의 회로에 생기는 전류.

열전 반:도체 소:자【熱電半導體素子】[-쩐-] 명 열전 소자(熱電素子).

열전 법칙【熱電法則】[-쩐-] 명 〔thermoelectric laws〕 『공』 온도 측정용의 열전기쌍(熱電氣雙)의 설계와 그 응용에 쓰이는 기본적 관계. 균일 회로의 법칙, 중간 금속(中間金屬)의 법칙, 중간 온도의 법칙 등이 이에 속함.

열전사 프린터【熱轉寫-】 명 〔heat transfer printer〕 열에 녹는 잉크를 바른 필름을 인자용(印字用)으로 사용한 출력용(出力用) 프린터.

열전 소:자【熱電素子】[-쩐-] 명 열(熱)에너지와 전기 에너지의 변환(變換)을 행하는 반도체 소자. 비스무트(bismuth)·텔루르(Tellur)·셀렌(Selen) 등의 금속간(金屬間) 화합물의 반도체를 사용한 것은 열전자 발전(熱電子發電)·전자 냉동(電子冷凍)에 사용됨. 열전 반도체 소자.

열-전쌍【熱電雙】 명 『물』 열전기쌍.

열전 온도계【熱電溫度計】[-쩐-] 명 〔thermoelectric thermometer〕 『물』 열전기쌍(熱電氣雙)을 이용하여 온도를 재는 장치.

열-전자【熱電子】 명 〔thermoelectron〕 『물』 물체에 가열(加熱)하여 온도를 높일 때 그 표면으로부터 방출되는 전자.

열전자-관【熱電子管】 명 『물』 열이온관.

열전자 발전【熱電子發電】[-쩐] 명 열전자를 전력원(電力源)으로서 이용하는 발전 방식. 진공 또는 플라스마(plasma) 속에 음극과 양극을 마주 놓아, 음극을 가열하고 양극을 냉각하면 음극에서 열전자가 방출되어 양극에 흡인(吸引)됨. 양극 간의 외부에 부하(負荷)를 접속하여 전력을 빼냄. 태양열·방사성 동위 원소·원자로 등을 열원(熱源)으로 하여 우주용의 용도가 연구되고 있음.

열전자 방:출【熱電子放出】 명 『물』 고온도로 가열된 고체가 열전자를 방출하는 현상. 모든 진공관(眞空管)은 이것을 이용한 것임. *냉전자(冷電子) 방출.

열전자 삼극관【熱電子三極管】 명 〔thermionic triode〕 『전자공학』 양극·음극·제어 전극(制御電極)을 가진 삼극 열전자관.

열전자 엑스선관【熱電子X線管】 명 10^{-6} mmHg 이상의 높은 진공(眞空)에서 백열(白熱) 필라멘트(주로 텅스텐선(線)으로 된)로부터의 열전자를 이용하는 X선관의 하나. 1913년에 쿨리지(Coolidge)가 고안하였음. 쿨리지관(Coolidge管).

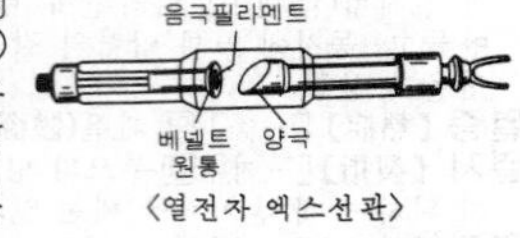

〈열전자 엑스선관〉

열전자 이:극관【熱電子二極管】 명 〔thermionic diode〕 『전자공학』 열음극(熱陰極)을 가진 이극 전자관(二極電子管).

열전자-학【熱電子學】 명 〔thermionics〕 『전자공학』 열전자 방출의 연구와 그 응용에 관한 학문.

열전 전류계【熱電電流計】[-쩐절-] 명 〔thermoammeter〕 『물』 줄열(Joule熱)에 의한 저항선(抵抗線)의 온도 상승을 열전기쌍(熱電氣雙)의 열기전력을 이용하여 재는 전류계.

열-전지【熱電池】 명 〔thermoelement〕 『물』 열전기쌍(熱電氣雙).

열전-체【列傳體】[-쩐-] 명 『문』 열전의 형식으로 기술한 문체. 중국 사마천(司馬遷)의 사기(史記)는 이 체의 효시(嚆矢)임.

열-전퇴【熱電堆】 명 열전기 더미.

열전퇴 온도계【熱電堆溫度計】 명 고온도계의 하나. 열전퇴를 이용한 일종의 열전기쌍 온도계임. *복사 고온계·백금 저항 온도계.

열전 효:과【熱電效果】[-쩐-] 명 제벡 효과.

열절【烈節】[-쩔] 명 썩 곧은 절조(節操).

열-점【熱點】[-쩜] 명 〔hot spot〕 『물』 주위보다 높은 온도를 가진 국소적(局所的) 영역(領域).

열:점-가위벌붙이【-點-】[-쩜-부치] 명 『충』 [*Anthidium septemspinosum*] 가위벌과에 속하는 곤충. 수컷은 몸길이 18 mm 내외, 몸빛은 검은데 후두연(後頭緣)의 횡반(橫斑)·소순판(小楯板)의 두 쌍의 점반(點斑) 등은 황갈색임. 복부(腹部) 제 1-6 절 양측의 불규칙한 반문(斑紋)은 황색. 제 5-6 절의 외후각(外後角)에는 한 쌍, 제 7 절 뒷면에는 세 개의 갈고리 돌기가 있음. 아시아 북부와 유럽에 분포함. 일곱점박이뾰족벌.

열점박이-가뢰【-點-】[-쩜-] 명 『충』 [*Mylabris calida*] 가뢰과에 속하는 곤충. 몸길이 12 mm 가량이고 몸빛은 검은 남색임. 머리와 전흉배(前胸背)에 긴 검은 털이 많고 날개 딱지는 담황색 또는 적갈색에 7-8 개의 검은 반점(斑點)이 있음. 한국·만주·중국·시베리아·유럽에 분포함. 검은점가뢰.

열정[1]【劣情】[-쩡] 명 비열한 생각, 또는 비열한 정욕(情慾).

열정[2]【熱情】[-쩡] 명 ①열렬(熱烈)한 애정. ②열중하는 마음. 정열(情熱). ¶~적.

열정 문학【劣情文學】[-쩡-] 명 비열한 정욕(情慾)을 촉발시키는 저속한 문학.

열-정산【熱精算】 명 공급된 열량과 출열(出熱)된 열량의 계산.

열정 소나타【熱情-】〔sonata〕[-쩡-] 명 베토벤의 피아노 소나타 제23번. F단조. 3악장(樂章)으로 된 중기(中期)(1806년)의 작품으로, 베토벤 소나타 중에서도 가장 많이 연주됨.

열정-적【熱情的】[-쩡-] 명관 열정이 있는 모양. ¶~ 사랑. ↔미온적(微溫的).

열조[1]【列朝】[-쪼] 명 ↗열성조(列聖朝).

열조[2]【烈祖】[-쪼] 명 공업(功業)이 있는 조상.

열조[3]【裂藻】[-쪼] 명 『생』 남조류(藍藻類).

열조 갱장록【列朝羹墻錄】[-쪼-녹] 명 『책』 갱장록.

열조 시집【列朝詩集】[-쪼-] 명 『책』 중국 명대(明代)의 약 2,000명에 이르는 시인의 선집(選集). 1652년 청(清)나라의 전겸익(錢謙益)이 편찬함. 편집·인쇄 양식 등은 금대(金代)의 시인 선집 ≪중주집(中州集)≫을 모방하였음. 작자(作者)마다 붙인 소전(小傳)은 사료(史料)로 중요함. 모두 81권.

열조 통기【列朝通紀】[-쪼-] 명 『책』 조선 태종(太宗) 1년(1392)부터 영조(英祖) 41년(1765)에 이르는 사실(史實)을 여러 책에서 뽑아 기록한 책. 편자(編者)는 안정복(安鼎福). 28권 16책.

열좌[1]【列坐】[-쫘] 명 여러 사람이 벌여 앉음. 열석(列席). ——-하다 자여불

열좌[2]【列座】[-쫘] 명 물건을 이리저리 벌여 놓음. ——-하다 타여불

열-좌욕【熱坐浴】 명 36-45°C의 탕수(湯水)를 넣은 통 안에 허리 이하를 담그는 일. 설사·월경통·위장병 등에 좋음.

열주【列柱】[-쭈] 명 줄지어 늘어선 기둥.

열중【熱中】[-쭝] 명 한 가지 일에 정신을 쏟아 골몰(汨沒)함. ——-하다 자여불

열-중성자【熱中性子】 명 〔thermal neutron〕 『물』 상온(常溫)의 기체 분자와 같은 정도의 에너지를 가지는 충돌 속도가 느린 중성자. 열중성자를 양성자(陽性子)에 충돌시키면 중양자(重陽子)를 만들어 γ선을 내거나 또는 단순한 산란(散亂)이 일어남.

열중성자-로【熱中性子爐】명 원자로의 일종. 열중성자를 핵연료의 촉매(觸媒)로 하는 장치의 원자로. 지속 중성자로(遲速中性子爐). *중속(中速) 중성자로.
열중성자 이:용률【熱中性子利用率】[—뉼] 명 〔thermal utilization factor〕〖원자〗흡수되는 열중성자 가운데서 핵분열성 물질 따위에 유효하게 흡수되는 확률.
열중-쉬어【列中—】[—쭝—] 감 '쉬어' 자세의 한 가지. 또, 그 구령(口令). 왼발을 약간 옆으로 벌리고 양손을 등허리에서 맞잡음.
열-중합【熱重合】명 〔thermal polymerization〕〖화〗저급(低級)의 탄화 수소 기체를 액체 연료로 전화(轉化)하기 위해서 쓰이는 열적(熱的) 석유 정제법(精製法). 파라핀계 탄화 수소는 분해되어 올레핀(olefin)을 만들고, 동시에 열과 압력의 작용으로 중합되어서 액체, 즉 중합 가솔린을 생성함.
열증【熱症】[—쯩] 명 체온(體溫)이 몹시 높은 증세. 열병(熱病).
열지[1]【裂指】[—찌] 명 부모의 병환이 위중할 때에, 깨끗한 산 피를 드리기 위하여 제 손가락을 째는 일. ——-하다 자여불
열지[2]【熱地】[—찌] 명 ①더위가 심한 곳. 열대 지방. ②권세(權勢) 있는 지위(地位).
열지[3]【熱志】[—찌] 명 한 가지 일에 열중하는 마음. 열심(熱心).
열-지수【熱指數】명〖천〗항성(恒星)의 실시 등급(實視等級)에서 열량(熱量) 등급을 뺀 차(差).
열진[1]【列陣】[—찐] 명 군사를 벌이어 진을 침. ——-하다 자여불
열진[2]【烈震】[—찐] 명〖지〗진도(震度) 6의 지진. 가옥 등이 30 %가량 도궤(倒潰)함.
열-진동【熱振動】[—찐—] 명 고체인 원자나 분자의 미소(微小) 진동. 온도가 높을수록 그 진동 에너지가 큼.
열-째 수 열을 차례로 셀 때의 맨 끝.
열:-쩍다 형 ☞열없다.
열쭝이 명 ①겨우 날기 시작한 어린 새새끼. ②작고 겁약(怯弱)한 사람.
열차[1]【列次】명 벌이어 놓은 차례. 순서.
열차[2]【列車】명 기관차(機關車)에 객차·화차 등을 연결하고 운전 장치를 설비한 차량(車輛). *기차(汽車).
열차 검:사【列車檢査】명 열차가 역에 도착하거나 중도에서 체류하는 사이에 차량(車輛)의 요부(要部)의 이상 유무를 검사하는 일.
열차 방해【列車妨害】명 투석·발포(發砲), 선로 위의 장애물 방치(放置) 및 신호·전철 설비(轉轍設備)의 훼손(毁損) 등에 의하여 열차의 운행을 방해하는 일.
열차 분리【列車分離】[—불—] 명 열차가 운행 도중에, 연결기(連結器)의 불완전 연결 또는 그 기능 부족으로 분리되는 일.
열차 사:무소【列車事務所】명〖교〗열차 수송과 열차 운전에 관한 업무를 분장(分掌)하는, 지방 철도청 소속의 현업(現業) 기관.
열차 시각표【列車時刻表】명 열차의 발착(發着) 시각을 적은 일람표.
열차 식당【列車食堂】명 열차에서 식당 설비를 갖춘 찻간. 식당차.
열차 신:호【列車信號】명 열차 운전의 보안상(保安上) 열차의 종류를 알아볼 수 있도록 열차의 앞뒤에 게시(揭示)하는 신호.
열차 운행표【列車運行表】명 열차의 종류, 각 역(驛) 사이의 거리, 열차의 접속 관계(接續關係), 교환역(交換驛) 등을 표시한 도표(圖表). 다이어그램.
열차-원【列車員】명 여객차에서 여객 전무(專務)나 차장을 도와 그 열차 내의 여러 가지 일을 보살피는 승무원.
열차 전:등【列車電燈】명 열차 안에 설비한 전등 장치.
열차 접속【列車接續】명 한 열차가 다른 선(線)의 열차와 서로 접촉되는 일.
열차 제:동【列車制動】명 제동기(機)나 제동축(軸)의 장치에 의하여 열차의 운행 속도를 조절하거나 정지시키는 일.
열차 집중 제:어 장치【列車集中制御裝置】명〔centralized traffic control〕전철기(轉轍機)·신호기 등을, 전자 기기(電子器機)를 이용하여 한 곳에서 집중적으로 원격 조작(遠隔操作), 열차의 운행(運行) 상황을 감시하는 장치. 시 티 시(CTC).
열차 킬로【列車—】〔kilo〕명 ①역과 역과의 거리에 그 역간(驛間)을 열차가 통과한 회수를 곱한 곱. ②한 열차가 운행한 킬로 수.
열:-창[1]【—窓】명 ①〈방〉미닫이(충남). ②〖건〗여닫을 수 있는 창의 총칭. ↔붙박이창.
열창[2]【裂創】명 열상(裂傷).
열창[3]【熱唱】명 열렬하게 노래 따위를 부름. ——-하다 타여불
열창[4]【熱瘡】명 종기의 일종으로 열이 몹시 남.
열:-채 명 챗열이 달린 채찍.
열-처리【熱處理】명 ①금속, 주로 합금(合金)을 고온으로 가열하여 담금질·이음·풀림 따위의 조작을 통해 그 성질을 변화시키는 일. ②가열하여 살균(殺菌) 따위를 하는 일. ——-하다 타여불
열처리-로【熱處理爐】명〖공〗열처리를 하기 위하여 금속을 가열하는 노(爐)·전기로·가스로·석탄로 등이 있음.
열천[1]【冽泉】명 차고 맑은 샘.
열천[2]【熱天】명 더위가 심한 날씨. 염천(炎天).
열천[3]【熱泉】명 온천(溫泉).
열-천칭【熱天秤】명〔thermobalance〕〖화〗고온도로 가열 중인 물체의 질량 변화를 직접 측정하는 장치. 천칭의 저울대의 한 쪽에서 백금선으로 시료(試料)를 전기로 속에 매달아 가열하면서, 각 온도에 있어서의 시료의 질량을 저울대의 딴 쪽의 접시에 얹은 분동(分銅)과 평형(平衡)시켜서 잼.
열철【熱鐵】명 고열로 녹은 쇠. 또, 달아오른 쇠.
열촌【列村】명 열을 지어 벌이어 있는 촌락(村落).
열치[1] 명〈방〉〖충〗여치(충남·전북).
열치[2]【列置】명 줄지어 놓음. ——-하다 타여불
열치[3]【涅齒】명 이를 검게 물들이는 일. 또, 그 이.
열치[4]【裂痔】명 치질의 한 가지. 항문에 미란(糜爛)·궤양(潰瘍)·파열(破裂)이 생김.
열:-치다 타 힘 있게 열다. 열어 젖뜨리다.
열친【悅親】명 부모의 마음을 즐겁게 함. ——-하다 자여불
열탁 명〈방〉여울(평안).
열-탄성【熱彈性】명〔thermoelasticity〕〖물〗탄성 고체(彈性固體)의 변형력(變形力)분포가 그 온도상태에 의존하는 일 또는 열 전도도(傳導度)가 응력 분포에 의존하는 일.
열탕【熱湯】명 뜨겁게 끓인 물. 또는 국.
열통【熱痛】명 ①열화(熱火)가 치밀어 가슴이 쓰리고 아픔. *분통(憤痛). ②간장 또는 담낭(膽囊)에 열이 있어 일어나는 동통(疼痛).
열통(이) 터:지다 구 열화(熱火)가 치밀어 가슴이 터질 것 같다. ¶열통 터지는 소리만 가려 가면서 하네.
열:-통-적:다 형〈방〉열퉁적다.
열퇴【熱退】명 환자의 신열(身熱)이 차차 식어짐. ——-하다 자여불
열투【熱鬪】명 열기 띤 시합·경기.
열:-퉁-적다 형 언어 동작이 데퉁스럽다. 언행이 용렬(庸劣)하다. ¶"외삼촌 아저씨 귀양이 풀리지 말아야겠소." 하고 열퉁적게 말참례하였다 ≪洪命憙 : 林巨正≫.
열티다 타〈옛〉열치다. ¶우스며 춤처셔 マ쇼窓을 열티노라(笑舞拓秋窓)≪初杜諺 XV:53≫.
열파[1]【裂破】명 찢어서 결딴냄. ——-하다 타여불
열파[2]【熱波】명 ①〔heat wave〕〖물〗열전도(熱傳導)에 있어서의 열의 파동(波動). ②〖기상〗남쪽 해양에서 더운 기단(氣團)이 파상(波狀)으로 밀려 오는 현상. 「여불
열패【劣敗】명 남보다 못하여서 패함. ¶우승(優勝) ~. ——-하다 자
열-팽창【熱膨脹】명〔thermal expansion〕〖물〗물체의 온도가 올라감에 따라 부피가 증대하는 현상.
열팽창-률【熱膨脹率】[—뉼] 명〖물〗일정한 압력(壓力) 아래서 물체(物體)의 열팽창의 온도에 대한 비율. 온도 1°C 상승에 따른 단위 체적당 팽창량을 체팽창률(體膨脹率), 단위 길이당 팽창량을 선(線)팽창률이라고 함. 등방성(等方性)의 고체(固體)에서는 체팽창률은 선팽창률의 약 3 배임.
열-펌프【熱—】명〔heat pump〕저온도(低溫度)의 물체(物體)로부터 고(高)온도의 물체로 열량(熱量)을 운반하는 장치. 냉동(冷凍) 장치와 전혀 같으나 고온도의 열온(熱溫)과 거기에 주는 열량을 목적으로 할 때 열펌프라고 함.
열편【裂片】명 찢어진 낱낱의 조각.
열-평형【熱平衡】명〖물〗온도가 다른 물질을 접촉시켰을 경우에 열이 흐르다가 같은 온도가 되었을 때 열의 유동(流動)이 정지(靜止)된 상태. 열평형 상태에 있는 물체의 온도는 같으므로 온도(溫度) 평형이라고도 함.
열-폭사【熱輻射】명〖물〗열복사.
열품【劣品】명 품질이 나쁜 물품.
열품 도문【列品禱文】명〖천주교〗'모든 성인(聖人)들의 호칭(呼稱) 기도'의 구용어.
열풍[1]【烈風·颲風】명 맹렬하게 부는 바람.
열풍[2]【熱風】명 열기(熱氣)가 있는 바람. 뜨거운 바람.
열풍 건조기【熱風乾燥機】명 열풍로(熱風爐) 등의 가열법에 의하여 온도가 높은 공기를 불어 넣어, 함수(含水) 물질과 접촉시키어 수분을 증발시키는 건조 장치.
열풍 건조법【熱風乾燥法】[—뻡] 명 가열한 공기를 불어 넣어 건조시키는 방법. 육류·어류·알 등 식품을 저장할 때 이용함.
열풍-로【熱風爐】[—노] 명 고로(高爐)에 불어 넣을 공기를 900°-1100° C로 가열하는 노(爐).
열프름-하다 형〈방〉열브스름하다.
열-피비【熱疲憊】명〖의〗열사병(熱射病)의 한 형. 습도가 높은 고열 환경(高熱環境)에서 발병하는데, 현기증·피로감·두통·안면 창백(顔面蒼白)·구토(嘔吐) 등의 주증상(主症狀)을 나타내며, 체온은 일반적으로 낮음. 중추 신경(中樞神經)으로의 혈액 순환(血液循環)이 불완전하여 순환 계통이 허탈(虛脫) 상태에 빠지기 때문에 일어남. *열성 발열(發熱)·열경련(熱痙攣).
열하[1]【劣下】명 ①못하여짐. 저하(低下)됨. ②〔deterioration〕〖공〗환경의 화학적·물리적 작용에 의하여, 시간이 경과함에 따라 장치(裝置) 또는 구조물(構造物)의 품질이 떨어지는 일. ③〔retrogradation〕〖물·화〗보다 간단한 물리적 형태로 되돌아가는 일. 또, 식물성 접착제(接着劑)가 간단한 분자 구조로 되돌아가는 화학적 반응. ——-하다 자여불
열하[2]【裂罅】명 째져서 틈이 남. 또, 그 틈. ——-하다 자여불
열하[3]【熱河】명〖지〗중국 승덕(承德)의 구칭.
열-하다[1]【熱—】타여불 덥게 하다. 뜨겁게 하다.
열-하다[2] 형〈방〉부끄럽다.
열하 분:출【裂罅噴出】명〖지〗마그마가 지각(地殼)의 째진 틈에서 분출하여 고결(固結)하는 일. 이 분출은 보통의 화산 분화보다도 훨씬 규모가 큰데 현재는 전혀 없고 지질 시대(地質時代)에 많이 있었음. 열선 분화(裂線噴火).
열하-성【熱河省】명〖지〗러허 성.
열하 우라늄【劣下—】〔uranium〕명〖화〗천연 우라늄보다 ^{235}U의 함

유율이 낮은 우라늄. 곧, ^{235}U가 0.712 % 이하 함유되어 있는 우라늄. 원자로에서 다 쓰고 난 핵연료나 농축(濃縮) 우라늄 공장에서 배출되는 것 따위. 감손(減損) 우라늄. ↔농축 우라늄.

열하 이궁【熱河離宮】(명) 러허 이궁.

열하 일기【熱河日記】(명)〖책〗연암(燕岩) 박지원(朴趾源)이 지은 책. 조선 정조(正祖) 4년(1780)에 청(清)나라에 가는 사신을 따라 열하까지 갔을 때의 기행문임. 자연과 인생과 역사에 대한 관찰(觀察)이 밝으며, 그 문장이 찬란함.

열하 전충【裂罅塡充】(명)〖지〗암석·광상(鑛床)의 갈라진 곳에 광물(鑛物)이 전충된 것.

열하-천【裂罅泉】(명)〖지〗불투수층(不透水層)의 위쪽에 있는 째진 틈이나 단층선(斷層線)에서 분출(噴出)하는 샘.

열학¹【熱學】(명)〔theory of heat〕〖물〗물질의 열에 관한 현상을 연구하는, 물리학의 한 부문. 열에 의한 물질의 상태 변화·전도(傳導)·대류(對流)·열역학(熱力學)·기체 운동론 따위를 포함함.

열학²【熱瘧】(명)〖한의〗학질의 한 가지. 더위를 먹어 신열이 몹시 나며 오한(惡寒)이 따르는 병. 단학(癉瘧). 서학(暑瘧).

열한¹【烈寒】(명) 몹시 심한 추위.

열한²【熱汗】(명) 심한 운동·흥분으로 흘리는 땀.

열한-째 (수) 열 하나를 차례로 셀 때의 맨 끝.

열-해리【熱解離】(명)〔thermal dissociation〕〖화〗열에 의하여 진행하는 해리. 복잡한 조성(組成)을 가진 원소나 화합물이 가열(加熱)에 의하여 간단한 성분·원소나 화합물로 분리하는 현상. 가역 반응(可逆反應)의 일종임. (준)열리(熱離).

열핵【熱核】(명) 격렬한 열에너지를 내는 원자핵. 열 원자핵.

열핵 반:응【熱核反應】(명)〖물〗핵반응의 하나. 수천만 도(數千萬度)의 고온(高溫)에서 원자핵이 고속도로 운동하여, 서로 격렬하게 충돌하여 일으키는 융합 반응(融合反應). 수소 융합 반응(水素融合反應)·헬륨 융합 반응 등으로 에너지가 발생하며, 핵분열 폭탄인 원자 폭탄으로 기폭(起爆)하는 수소 폭탄도 이 반응으로 핵융합이 일어남. 열원자핵 반응. 열핵 융합 반응.

열핵 병기【熱核兵器】(명) 기폭용(起爆用) 원자 폭탄에 의한 고온으로 중수소·삼중(三重) 수소 등의 가벼운 원자핵의 융합에서 생기는 에너지를 이용하는 핵무기. 수소 폭탄으로 대표됨.

열핵 융합 반:응【熱核融合反應】〔—늉—〕(명)〖화〗열핵 반응.

열핵 재료【熱核材料】(명)〔thermonuclear material〕수소 폭탄의 폭발이나 발전용 핵융합(核融合) 반응 장치에 쓰이는 재료. 중수소(重水素)·삼중 수소(三重水素)·중수소화 리튬 따위.

열행【烈行】(명) 여자의 행실이 곧고 정조가 굳음.

열-현상【熱現象】(명) 열이 관계하는 자연 현상. 곧 열팽창·열전도(傳導)·증발·융해 따위.

열헤 〈옛〉 열에. 열 중에. ¶禽獸ㅣ ᄒᆞ마 열헤 닐여들비 주그니(禽獸已斃十七八)≪重杜諺 V:49≫.

열혈【熱血】(명) ①더운 피. ②열정으로 끓는 피. 또, 열렬한 정신.

열혈 남아【熱血男兒】(명) 열정으로 피가 끓는 사나이. 혈기가 극히 왕성한 남자. 열혈한(熱血漢).

열혈-한【熱血漢】(명) 열혈 남아(男兒).

열협【烈俠】(명) 남을 위한 의협심이 강함. ——하다 (형)(여불)

열형【熱型】(명)〖의〗발열(發熱)의 시간적 경과를 그래프로 만든 곡선의 형(型). 병에 따라 그 형이 어느 정도 정해져 있으므로 병의 진단에 쓰임. 정형적(定型的) 열형으로는 계류열(稽留熱)·이장열(弛張熱)·간헐열(間歇熱) 따위가 있음.

열호【劣弧】(명)〖수〗켤레호(弧) 중의 작은 쪽의 호. ↔우호(優弧).

열화¹【烈火】(명) 맹렬하게 타는 불. ¶~같이 노하다.

열화²【熱火】(명) ①뜨거운 불. ¶~ 같은 성원. ②매우 급한 화증. ¶재촉이 ~ 같다. (준)열.

열-화상【熱畫像】(명)〔thermal imagery〕〖전자〗물체(物體)의 열방사(熱放射)를 전자적(電子的)으로 측정(測定)하여 기록함으로써 만들어지는 화상.

열화 우라늄【劣化—】〔uranium〕(명) 감손(減損) 우라늄.

열-화학【熱化學】(명)〔thermochemistry〕〖화〗열과 화학 변화와의 상관 관계를 연구하는 화학의 한 부문. 에너지 보존(保存)의 법칙(열역학 제일 법칙)에 기초를 둠.

열화학 반:응식【熱化學反應式】(명)〔thermochemical equation〕〖화〗어떤 물질계의 화학 변화에 따르는 열량의 출입(出入)을 나타내는 화학 반응식. $C+CO_2 \rightarrow O_2+97.2$cal.와 같은 것.

열-확산【熱擴散】(명)〔thermal diffusion〕〖물〗온도 분포가 같지 않은 혼합 유체에서, 한쪽 성분이 고온 쪽에, 다른 쪽 성분이 저온 쪽으로 이동하는 확산 현상.

열-활꼴【劣—】(명)〖수〗반원(半圓)보다도 작은 활꼴. 열궁형(劣弓形).

열-효율【熱効率】(명)〔thermal efficiency〕〖물〗기관(機關)에 공급된 열량과 그 기관이 발생한 출력(出力)과의 비율.

열후¹【列侯】(명) 제후(諸侯).

열후²【劣後】(명) 남보다 못하여 뒤떨어짐. ——하다 (자)(여불)

열후-주【劣後株】(명)〖경〗보통의 주식에 대한 배당이나 잔여 재산의 분배가 끝난 뒤에 그것을 받게 되는 주식. 후배주(後配株).

열훈【熱暈】(명)〖의〗신열(身熱)이 심하게 오르고 정신이 어지러우며 갈증이 몹시 나는 병.

열흔 〈옛〉 열은. '열'의 절대격형(絕對格形). ¶열흔 기픈 根源에 微妙히 마조미라(十則妙契玄源)≪永嘉 下 10≫.

열흘¹ (명) ①열 날. 십 일(十日). ②↗열흘날.

[열흘 굶어 군자(君子) 없다] 사람은 굶주리게 되면 점잖지 않고 옳지 못한 일까지 다하게 된다는 말. [열흘 길 하루도 아니 가서] 오래 두고 할 일에 처음부터 싫어하거나 배반할 때에 책망하는 말. [열흘 나그네 하룻길 바빠한다] 오래 걸릴 일은 처음에는 그리 바쁘지 않은 듯하더라도 급히 서둘러 하지 않으면 안 된다는 말. [열흘 붉은 꽃이 없다; 열흘을 그대로 피는 꽃이 없다] 권세나 영화 같은 것은 오래 못 가고 돌고 돈다는 말. 화무십일홍(花無十日紅).

열흘² 〈옛〉 열을. '열'의 목적격형. ¶져기 이 열흘 닐어(略說此十)≪般若 12≫.

열흘-날〔—랄〕(명) 그 달의 열째 날. 십일(十日). (준)열흘.

열희 〈옛〉 열의. ¶열희 ᄆᆞᅀᆞ물(維十人心)≪龍歌 18章≫.

열히 〈옛〉 열이. '열'의 주격형. ¶이 시름 닛쟈ᄒᆞ니 ᄆᆞ음의 미쳐이셔 骨髓의 쎄터시니 扁鵲이 열히 오다 이 병을 엇디ᄒᆞ리≪松江 思美人曲≫.

열홀 (명) 〈옛〉 열흘. ¶고을히 니ᄅᆞ런디 열홀이 몯ᄒᆞ여실제(到縣未旬)≪小諺 VI:27≫.

엷:다〔열따〕(형) ①두께가 두껍지 아니하다. ¶엷은 널빤지. ↔두껍다. ②사물의 밀도·농도·빛깔 따위가 짙지 아니하다. ¶엷은 빛깔/엷은 안개/엷은 구름. ③사람의 언행이 빤히 들여다보이다. ¶속이 ~. ④웃음 따위가 보일 듯 말 듯 은근하다. ¶입가에 엷은 미소를 띄다. ⑤학식·덕망(德望)·애정·감정 따위가 깊지 아니하다. ¶엷은 학식/엷은 인정. 1)-3):>얇다.

엷:-붉다〔열북—〕(형) 엷게 붉다.

엷:은잎-고광나무〔열븐닙—〕(명)〖식〗〔*Philadelphus tenuifolius*〕고광나뭇과의 낙엽 활엽 관목. 잎은 달걀꼴 또는 타원형, 4-5월에 흰 꽃이 총상(總狀) 화서로 정생(頂生)하여 핌. 삭과(蒴果)는 9월에 익음. 골짜기에 나는데, 전북·충남북을 제외한 전국 각지와 만주·아무르에 분포함. 관상용이며 어린 잎은 식용함.

엷:은잎-제비꽃〔열븐닙—〕(명)〖식〗〔*Viola blandaeformis*〕제비꽃과의 다년초. 무경성(無莖性)이고, 잎은 뿌리로부터 총생하며, 장병(長柄)이고, 신장형(腎臟形) 또는 심장형(心臟形)의 달걀꼴임. 4-5월에 잎 사이로부터 화경(花莖)이 나와 흰 꽃이 피고, 과실은 삭과(蒴果)임. 산지에 나는데, 강원도에 분포함.

엷다 (형) 〈옛〉 엷다. ¶열본 어르믈(有薄之氷)≪龍歌 30章≫.

엸쇠 (명) 〈옛〉 열쇠. ¶엸쇠(鑰匙)≪譯語 上 14≫.

염:¹ (명) 바윗돌로 된 작은 섬. ¶밤~/외~.

염:²【念】(명) 무엇을 하려는 생각.

염:도 없:다 (구) 무엇을 하려는 생각조차 없다.

염:도 못: 내:다 (구) 무엇을 하려는 생각조차 먹지 못하다.

염³【炎】(명) ↗염증(炎症).

염⁴【廉】(명) 성(姓)의 하나. 본관(本貫)이 현재는 파주(坡州) 하나뿐임.

염⁵【廉】(명)〖민〗풍수 지리에서, 무덤 속 시체 속에 드는 이상 상태. 곧, 물이 차 있는 수렴, 구들 속같이 시커멓게 되어 있는 화렴, 나무나 풀 뿌리 같은 것이 꽉 엉키어 있는 목렴, 벌레가 많이 있는 충렴 등이 있음. 이러하면 그 자손이 화를 입는다 하여 길혈(吉穴)을 택하여 몇 번이고 면례(緬禮)를 함. ↔황골(黃骨).

염⁶【塩】(명) ①소금. ②〔salt〕〖화〗산(酸)의 수소 원자를 금속이나 양근(陽根)으로 치환(置換)한 화합물의 총칭. 산을 염기(塩基)로 중화(中和)할 때 물과 함께 생김. 식염(食塩)·황산 나트륨·황산 아연·황산 칼슘 등.

염⁷【髥】(명) ↗수염(鬚髥).

염⁸【閻】(명) 성(姓)의 하나. 본관(本貫) 미상임.

염:⁹【殮】(명) 염습(殮襲). ——하다 (타)(여불)

염¹⁰【簾】(명) 한시(漢詩)에서 자음(字音)의 높고 낮음을 맞추는 방법. 가새염 등 여러 가지가 있음.

염:가¹【染家】(명) 염호(染戶).

염가²【廉價】〔—까〕(명) 싼 값. 또, 값이 쌈. 천가(賤價). 저가(低價). ¶~ 대매출. ——하다 (형)(여불)

염:가³【艶歌】(명) 고운 노래. 요염(妖艶)한 노래.

염가 노:자【閻家老子】(명)〖불교〗염라 대왕(閻羅大王).

염가-판【廉價版】〔—까—〕(명) 값을 싸게 만든 출판물.

염가 판매【廉價販賣】〔—까—〕(명) 특설 매장(賣場)에서 판매 시기가 지난 재고 상품 등을 낮은 값에 파는 일.

염가-품【廉價品】〔—까—〕(명) 값이 싼 물건.

염:간¹【念間】(명) 스무날의 전후. 스무날께.

염간²【塩干】(명)〖역〗고려 초에서 조선 시대 초에 걸쳐 염전(塩田)에서 소금을 만들던 사람. 신량 역천(身良役賤), 곧 신분은 양(良)이었으나 역(役)은 천하였음.

염강-수【塩薑水】(명) 생강즙(生薑汁)과 소금을 한데 넣고 끓인 물. 약으로 쓰임.

염개【廉介】(명) 염결(廉潔). ——하다 (형)(여불)

염객【廉客】(명) 몰래 사정(事情)을 염탐(廉探)하는 사람. 염탐꾼. 염문(廉問)꾼.

염-건어【塩乾魚】(명) 소금에 절여 말린 생선.

염검【廉儉】(명) 청렴(淸廉)하고 검소(儉素)함. ——하다 (형)(여불). ——히 (부)

염결【廉潔】(명) 청렴하고 결백함. 염개(廉介). 염백(廉白). ——하다 (형)(여불). ——히 (부)

염결-주의【廉潔主義】〔—/—이〕(명) 매사에 청렴 결백하게 행동하려는 주의.

염:경¹【念經】(명)〖천주교〗기도문을 욈. ——하다 (자)(타)(여불)

염경²【廉勁】(명) 청렴하고 강직함. ——하다 (형)(여불)

염:경 기구【念經祈求】(명)〖천주교〗'염경 기도(祈禱)'의 구용어.

염:경 기도【念經祈禱】명〖천주교〗기도문을 외우면서 올리는 기도. ↔묵상(默想) 기도. 구칭: 염경 기구(祈求).

염:계【染契】명〖역〗공물(貢物)로 관아에 바쳐 온 비단·무명 등을 물들이던 계.

염고[1]【拈古】명〖불교〗고인(古人)의 일사(逸事)를 끄집어 내어 비평하는 일. 염제(拈提). 염칙(拈則). ——-하다 타여불

염:고[2]【厭苦】명 싫어하고 괴롭게 여김. ——-하다 타여불

염:곡【艷曲】명 연가(戀歌)❶.

염:곡전【染谷典】명〖역〗신라 시대의 관청. 내성(內省)에 소속되어 있었는데, 관원으로는 간옹(看翁) 1인을 두었음.

염:공【染工】명 옷감이나 옷 등을 염색하는 직공. 염색공(染色工). 염색가(染色家). 염색사(染色師).

염과【塩課】명 중국에서, 제염 업자(製塩業者)와 소금 상인(商人)에 과(課)하던 세(稅).

염관【廉官】명 염리(廉吏). ↔탐관(貪官).

염관리-법【塩管理法】[—괄—뻡] 명〖법〗염전(塩田)의 개발과 염류 수급(塩類需給)을 조정, 염업(塩業)의 건전한 육성(育成)을 도모하고 국민 경제(國民經濟) 발전에 기여함을 목적으로 제정된 법률.

염교[1] 명 ①〖식〗[*Allium bakeri*] 백합과에 속하는 다년초. 화경(花莖)의 높이 30~60 cm이고, 지하에 인경(鱗莖)이 있으며, 잎은 인경에서 총생(叢生)하고 길이 20~30 cm임. 잎 사이에서 꽃줄기가 나와 가을에 자색의 둥근 종상화(鐘狀花)가 산형(繖形) 화서로 피고 결실을 하지 않음. 중국 남부 원산인데 한국 각지에서 재배함. 6~9월에 모래 땅에 가까운 밭에 심어 다음해 6~9월에 수확함. 인경(鱗莖)은 식용함. 교자(蕎子). 채지(菜芝). 해채(薤菜). ②〈옛〉부추. =염규. ¶염교 구(韮)≪字解 上 2≫.

〈염교[1]❶〉

염:교[2]【念校】명〖인쇄〗교료(校了)할 단계에서, 정정(訂正)이 많아 교료하기에 불안한 경우, 만일을 위하여 다시 교정하는 일. 또, 그 교정쇄(校正刷).

염괴 〈옛〉부추가. '염교'의 주격형. ¶서리옛 염괴 허여호믈 甚히 듣노니(甚聞霜薤白)≪初杜諺 Ⅶ:40≫.

염-구[1]【冉求】명〖사람〗중국 춘추(春秋) 시대 노(魯)나라 사람. 염유(冉有)라고도 함. 자는 자유(子有). 공문(孔門) 십철(十哲)의 한 사람으로, 정사(政事)에 뛰어나 노나라의 계씨(季氏)에 벼슬하여 재상이 되었음. 생몰 연대 미상.

염구[2]【奩具】명 화장(化粧)할 때에 쓰는 기구의 하나.

염:구[3]【殮具】명 염습(殮襲)할 때에 쓰는 기구.

염구[4]【簾鉤】명 발을 거는 갈고리.

염:군【捻軍】명〖역〗중국 청말(淸末) 19세기 중엽에 허난(河南)·안후이(安徽)·산둥(山東)·장쑤(江蘇)성을 중심으로 폭동을 일으킨 반청적(反淸的) 무장 집단. 장낙행(張樂行)을 중심으로 주로 파산한 농민(農民)이나 수공업자(手工業者)가 가입하여 세력을 확대해 나갔는데, 증국번(曾國藩)·이홍장(李鴻章) 등에 의하여 3년 후에 괴멸(壞滅)됨. 염비(捻匪). 염자(捻子).

염:궁【染宮】명〖역〗신라 시대의 관청. 내성(內省)에 소속되어 직물 관계의 염색을 담당했었음.

염규 명〈옛〉부추. =부치·염교. ¶외와 염귯 소식예 더 버리니(加點瓜薤間)≪初杜諺 XVI:72≫.

염:근[1]【念根】명〖불교〗오근(五根)의 하나. 정법(正法)을 기억하여 늘 생각하는 일.

염근[2]【廉謹】명 염직(廉直)하고 조심성이 많음. ——-하다 형여불

염근-리【廉謹吏】[—니] 명 마음이 청렴하고 매사에 조심성이 많은 관리. 염직리(廉直吏). 염관(廉官).

염글다 자〈옛〉여물다. ¶이우흔 몸 공경호믈 염글우니라(右實敬身)≪飜小 X:35≫.

염글리다 타〈방〉여물게 하다.

염:금【斂襟】명 삼가 옷깃을 바로잡음. 염임(斂袵). ——-하다 자여불

염:기[1]【厭忌】명 몹시 싫어하고 꺼림. 염오(厭惡). ——-하다 타여불

염:기[2]【艷氣】명 요염(妖艷)한 기운.

염기[3]【塩氣】[—끼] 명 염분이 섞인 축축한 기운. 소금기.

염기[4]【塩基】명 [base]〖화〗산(酸)과 반응하여 염을 만드는 물질. 물에 녹으면 수산화물(水酸化物) 이온이 나옴. 알칼리 금속 원소나 알칼리 토금속(土金屬) 원소의 수산화물·암모니아 따위가 있음. 넓은 뜻으로는 다른 물질에서 양성자(陽性子)를 받는 물질을 일컬음. *산(酸).

염기-도【塩基度】명 [basicity]〖화〗산(酸)의 한 분자(分子) 속에 포함된 수소 원자(水素原子) 중 금속 원자 또는 양성기(陽性基)로 대치할 수 있는 수소 원자를 말함. 그 수효에 따라 일염기산(一塩基酸), 이(二)염기산, 삼(三)염기산이라 함. *산성도(酸性度).

염기-산【塩基酸】명〖화〗산(酸)을 분류함에 있어서, 그 수소 원자수에 의할 때에 쓰는 명칭. 질산은 일(一)염기산, 황산은 이(二)염기산, 인산은 삼(三)염기산임.

염기-성【塩基性】[—썽] 명 [basic]〖화〗염기의 성질. 수용액(水溶液)에서는 수소 이온 지수(水素ion指數)가 pH > 7일 때, 금속 원소의 산화수(酸化數)가 적은 산화물을 일컬음. Na_2O, MgO, CaO 따위가 이러함. *알칼리성(alkali性).

염기성 물감【塩基性—】[—썽—깜] 명 [basic dye]〖화〗인조 물감의 한 가지. 유기 염기(有機塩基)와 염산 또는 다른 산류와 염류로 만듦. 중성 또는 알칼리성 용액 중에 담가, 비단·털 등의 동물 섬유에는 직접 물들이고, 식물 섬유에는 매염제(媒染劑)를 씀. 색조(色調)가 선명하고 색의 농도가 높지만, 햇빛에 대한 견뢰도(堅牢度)·내마찰도(耐摩擦度)가 낮음. 알칼리성 물감. 염기성 염료.

염기성 반:응【塩基性反應】[—썽—] 명 [alkaline reaction]〖화〗붉은 리트머스 시험지를 푸르게 변화시키는 화학 반응. 염기의 간단한 검출법(檢出法)으로서 중요함. 알칼리성 반응. ↔산성(酸性) 반응.

염기성 비:료【塩基性肥料】[—썽—] 명 [basic fertilizer]〖농〗염기성의 비료. 탄산 칼륨·재 등과 같이 비료 자체가 염기성 반응을 나타내는 화학적(化學的) 염기성 비료와, 칠레 초석(硝石)·어비(魚肥) 등과 같이 식물의 흡수 작용(吸收作用), 미생물의 생리적(生理的)작용 등을 받은 후에 염기성 반응을 나타내는 생리적 염기성 비료가 있음.

염기성 산화물【塩基性酸化物】[—썽—] 명〖화〗물과 반응하여 염기로 되고, 산(酸)과 반응하여 염(塩)을 만드는 산화물의 총칭. 산화철(酸化鐵)·산화 칼슘 따위.

염기성 수지【塩基性樹脂】[—썽—] 명〖화〗음이온 교환 수지(陰ion交換樹脂).

염기성 식물【塩基性植物】[—썽—] 명 염기성 토양(土壤)에서 흔히 볼 수 있는 식물의 총칭. 생육(生育) 장소는 사문암(蛇紋岩)·석회암(石灰岩)의 잘게 부서진 층과 그 표토(表土)이며 토양 수분(水分)의 보유(保有)가 낮음.

염기성 아세트산 구리【塩基性—酸—】[—썽—] 명 [basic copper acetate]〖화〗녹색 또는 갈색을 띤 녹색의 무거운 결정으로 된 덩어리 또는 가루. 안료(顏料)·염료로 쓰임. 녹청(綠青).

염기성-암【塩基性岩】[—썽—] 명 [basic rock]〖광〗규산(硅酸)을 비교적 소량, 곧 45~52 % 정도 함유하고 있는 화성암(火成岩). 철·마그네슘·칼슘 등을 비교적 많이 함유하며 검고 무거움. 현무암(玄武岩) 따위. 기성암(基成岩). *산성암·중성암·초(超)염기성암.

염기성-염【塩基性塩】[—썽념] 명 [basic salt]〖화〗산과 염기(塩基)와의 중화 반응에 의해 생기는 화합물 중, 염기의 수산기 또는 산소 원자를 함유하는 염(塩)을 말함. 수산기를 함유하는 것을 히드록시염(塩), 산소 원자를 함유하는 것을 옥시염(塩)이라 함. ↔산성(酸性)염.

염기성 염:료【塩基性染料】[—썽—뇨] 명〖화〗염기성 물감.

염기성 적정액【塩基性滴定液】[—썽—] 명 [basic titrant]〖화〗적정(滴定)에 쓰이는 염기(塩基)의 표준 용액.

염기성 제:강법【塩基性製鋼法】[—썽—뻡] 명〖화〗노상(爐床) 따위에 염기성 내화재(耐火材)를 사용한 제강로(製鋼爐)에 의한 제강법의 총칭. 원료의 품위에 제약(制約)이 적으므로 널리 쓰임. ↔산성 제강법.

염기성 크롬산 납【塩基性—酸—】[chrome] [—썽—] 명 [basic lead chromate]〖화〗크롬 레드(chrome red).

염기성 탄:산 구리【塩基性炭酸—】[—썽—] 명 [basic copper carbonate]〖화〗구리가 공기 속에서 수증기와 이산화 탄소 때문에 산화(酸化)되어 생긴 푸른 복염(複塩). 각종 조성(組成)의 수산화물염(水酸化物塩)이 있으며, 천연(天然)으로는 남동광(藍銅鑛)·공작석(孔雀石)으로서 산출되며, 안료(顏料)로 쓰임. 탄산 구리.

염기성 탄:산납【塩基性炭酸—】[—썽—] 명〖화〗납에 아세트산 증기(蒸氣)를 작용시켜 만든 무색(無色)·무미(無味)·무취(無臭)의 가루. 도기(陶器) 제조·건조제·살포분(撒布粉)·연고(軟膏)·경고(硬膏) 등을 만드는 데 쓰임. 연백(鉛白). 백연(白鉛).

염기-쌍【塩基雙】명〖화〗핵산을 구성하는 염기 가운데 두 개가 수소 결합으로 이루어진 것. 아데닌과 티민의 쌍, 구아닌과 시토신의 쌍 따위.

염꼴다 자〈옛〉여물다. ¶염골 실(實)≪石千 22≫.

염난-수【鹽難水】명〖지〗압록강(鴨綠江)의 옛 이름.

염낭【—囊】명 [←협낭(夾囊)] 아가리에 잔주름을 잡고 끈 두 개를 양쪽에 꿰어서 여닫게 된 주머니. 두루주머니.

〈염낭〉

염낭-거미【—囊—】명〖동〗왜염낭거미.

염낭거밋-과【—囊—科】명〖동〗[Clubionidae] 거미강(綱)에 속하는 한 과.

염낭 쌈지【—囊—】명 염낭 모양으로 된 쌈지.

염:내[1]【念內】명 염전(念前).

염-내[2]【塩—】명 두부나 비지에서 나는 간수의 냄새.

염냥 명〈방〉주머니(경기).

염:념【念念】명 ①'염(念)'은 찰나(刹那)의 뜻으로, 매우 짧은 시간(時間)을 이르는 말. 매우 짧은 시간에도 잊지 않고 생각한다는 뜻으로 쓰임. ¶~ 불망(不忘)/~ 재자(在玆). ②여러 가지 생각.

염:념 불망【念念不忘】명 자꾸 생각나서 잊지 못함. 염념 재자(念念在玆). ——-하다 타여불

염:념 상속【念念相續】명〖불교〗전념(前念)과 후념(後念)이 서로 잇대어 끊임없이 항상 한 가지를 수행(修行)하는 일.

염:념 생멸【念念生滅】명〖불교〗우주 일체의 사물은 시시 각각으로, 혹은 생(生)하고, 혹은 멸(滅)하여 끊이지 아니하는 일.

염:념 재:자【念念在玆】명 염념 불망(不忘). ——-하다 타여불

염:념 칭명【念念稱名】명〖불교〗잠시도 쉬지 않고 아미타불의 이름을 부름. ——-하다 자여불

염담[1]【恬淡·恬澹】명 욕심을 끊고 편안하고 깨끗하게 있음. 염연(恬然). ——-하다 형여불. ——-히 부

염:담[2]【艷談】명 염화(艷話).

염담-수【塩膽水】명 소금물. 간수.

염-대구【塩大口】명 소금에 절여 말린 대구.

염도[1]【塩度】명 소금기의 정도. 짠 정도.

염:도[2]【厭覩】명 이치(理致).

염도-계【塩度計】명 염분계(塩分計).

염독[1]【炎毒】명 여름 더위의 독기(毒氣).

염:독[2]【念讀】명 정신을 차려 읽음. ——-하다 타여불

염독하다 [타] 〈방〉 바라다.
염돈【塩豚】[명] 소금에 절인 돼지 고기.
염:동【念動】[명] 심령 현상의 하나. 초자연적 능력을 가지는 영매(靈媒)의 사념력(思念力)에 의하여, 다른 힘의 작용 없이, 떨어져 있는 물체가 움직이는 일. 격동 현상(隔動現象). ＊사이코키네시스·염력(念力).
염:두[1]【念頭】[명] ①생각의 시초. ¶그런 생각은 ～에도 없다. ②마음속. 심두(心頭). ¶항상 ～에 새겨 두다.
염두[2]【塩斗】[명] 소금을 되는 말.
염라【閻羅】[—나] [명] 〖불교〗 염라 대왕.
염라-국【閻羅國】[—나—] [명] 〖불교〗 염라 대왕(閻羅大王)이 다스리는 저승. 염마국(閻魔國). ＊저승.
염라 노:자【閻羅老子】[—나—] [명] 〖불교〗 염라 대왕(閻羅大王).
염라 대:왕【閻羅大王】[—나—] [명] 〔범 Yama-rāja〕〖불교〗 염라국의 임금. 지옥에 살며 십팔 장관(十八將官)과 팔만 옥졸을 거느리고 죽어서 지옥에 떨어지는 인간의 생전의 선악을 다스려 악을 방지하는 대왕임. 그 상(像)은 보통의 불상과 비슷하고 왼손에 사람의 머리를 붙인 기(旗)를 가지며 물소에 탄 모양이었으나, 근래에는 중국 복장에 분노의 상(相)을 하고 있음. 염가 노자(閻家老子). 염라. 염라 노자(老子). 염마(閻魔) 대왕. 염마 나자(閻魔羅闍). 염마왕(閻魔王). [준]염왕(閻王). 【염라 대왕도 돈 쓰기에 달렸다】 지옥을 다스리는 염라 대왕도 돈을 주면 선처해 주는 것이니, 하물며 이 세상에서는 돈 가지고 안 되는 일이 있겠는가 하는 뜻으로 쓰는 말. 【염라 대왕이 제 할아비라도】 큰 죄를 짓거나 중병(重病)에 걸려서 온전할 도리가 아주 없음을 이르는 말.
염라-인【閻羅人】[—나—] [명] 〖불교〗 염마졸(閻魔卒).
염라-졸【閻羅卒】[—나—] [명] 〖불교〗 염마졸(閻魔卒).
염라-청【閻羅廳】[—나—] [명] 〖불교〗 염마청(閻魔廳).
염락관민지-학【濂洛關閩之學】[—낙—] [명] 중국 송(宋)나라 때, 염계(濂溪)에 있던 주돈이(周敦頤), 낙양(洛陽)에 있던 정호(程顥)·정이(程頤), 관중(關中)에 있던 장재(張載), 민중(閩中)에 있던 주희(朱熹) 등의 성리학(性理學)을 이르는 말. 주정장주지학(周程張朱之學).
염락 풍아【濂洛風雅】[—낙—] [명] 〖책〗 중국 원(元)나라 김이상(金履祥)이, 염계(濂溪) 사람 주돈이(周敦頤), 뤄양(洛陽) 사람 정호(程顥)·정이(程頤)를 비롯하여 송(宋) 나라 성리학자(性理學者) 48 명의 시를 모아 모시풍아(毛詩風雅)를 본뜬 책. 6권(卷).
염래【拈來】[—내] [명] 〖불교〗 가지고 옴. 사량(思量)하기 위하여, 그 대상(對象)을 꺼내어 옴. ——-하다 [타][여불]
염량【炎涼】[—냥] [명] ①더위와 서늘함. ②선악(善惡)과 시비(是非)를 분별하는 슬기. ¶또한 그런 짓 하는 사람이 부끄러운 ～이 있을 것 같으면 어찌 감히 그런 짓을 하였을까?《崔瓚植：桃花園》. ③세력의 성함과 쇠함.
염량 빠르다 [구] 선악·시비를 분별하는 눈치가 빠르다. ¶게다가 염량 빠른 계집의 농락에 놀아나다간 그 언걸로 해괴한 변고를 겪을지도…《金周榮：客主》.
염량(이) 없다 [구] 사리를 분별하는 슬기가 없다. ¶이 강아지를 '선사품'으로 갖다 드리면…선사한 보람도 있을 것이라고 전하자, 늙은이도 그럴싸해 구는 것을 한쇠 어머니가 염량 없는 소리 말라고 거절해 버렸다《金東里：山火》.
염량 세:태【炎涼世態】[—냥—] [명] 세력이 있을 때에는 아첨하여 붙좇고, 권세가 없어지면 푸대접하는 세속의 형편. ¶～에 흔들리는 사람들의 마음.
염량-주의【炎涼主義】[—냥—/—냥—이] [명] 세력이 좋은 편으로 아첨「(阿諂)하며 붙좇는 기회주의.
염:려[1]【念慮】[—녀] [명] ①마음을 놓지 못함. ②걱정하는 마음. 근심. ——-하다 [타][여불]
염:려 놓다 [구] 마음 놓다. ¶너도 우리에게는 염려 아조 노아라《春香傳》.
염:려[2]【艶麗】[—녀] [명] 태도가 아리땁고 고움. ——-하다 [형][여불]
염:려-스럽다【念慮—】[—녀—] [형][ㅂ불] 염려가 되어 불안하다. 염:려-스레【念慮—】[—녀—] [부]
염:력【念力】[—녁] [명] ①생각과 힘. 곧, 일신(一身)의 온 정력(精力). ②〖심〗 정신을 집중하여 염(念)함으로써, 원격 작용(遠隔作用)을 하는 초능력(超能力)의 하나. 예를 들면, 물체(物體)에 손을 대지 않고 정신 작용만으로 그 물체의 위치(位置)를 옮기는 따위. ＊사이코키네시스·염동(念動)·투시(透視)·미래 감지(感知) 현상.
염:료【染料】[—뇨] [명] 염색(染色)에 쓰이는 재료. 또, 그 원료(原料). 물감. 염약(染藥).
염:료 식물【染料植物】[—뇨—] [명] 〖식〗 염료의 원료가 되는 물질을 함유하는 식물. 잇꽃·쪽·치자 등. 실제로 재배되는 것은 적고, 거의가 합성(合成) 염료로 바뀜. 물감 식물.
염류【塩類】[—뉴] [명] ①염분이 들어 있는 여러 가지 물질의 종류. ②산(酸)과 염기(塩基)가 화합하여 된 염(塩)의 총칭.
염류 기아【塩類饑餓】[—뉴—] [명] 〖의〗 염분이 신체 내에 결핍된 상태. 체중이 감소되며 온몸이 나른하고 얼굴이 창백해지며 어지럽거나 근육이 경련을 일으키며 아픔.
염류-샘【塩類—】[—뉴—] [명] 〔salt gland〕〖동〗 바다거북류(類)·뱀류·조류(鳥類) 따위에서, 눈이나 비공(鼻孔) 주위에 있는 관상 복합선(管狀複合腺). 고농도(高濃度)의 염류(塩類)를 함유(含有)한 수용액(水溶液)을 분비함.
염류-천【塩類泉】[—뉴—] [명] 〖지〗 염소 이온(塩素ion)의 염류를 다량으로 함유하고 있는 온천.
염류 하:제【塩類下劑】[—뉴—] [명] 〖약〗 물에 녹기 쉽고 장(腸)에는 흡수되기 어려운 알칼리 금속 염류로서, 설사가 나게 하는 약.
염류형 수소화물【塩類型水素化物】[명] 〔salt-like hydride〕〖화〗 수소화물의 하나. 알칼리 금속 및 알칼리 토금속(土金屬) 원소가 수소와 만드는 화합물로 무색의 결정(結晶). 녹는점은 높고 밀도는 금속보다 큼. 물과 반응하여 수소를 발생하며, 수산화물(水酸化物)을 만듦. 강한 환원제(還元劑)임. ＊수소화물.
염리[1]【廉吏】[—니] [명] 마음이 청렴(淸廉)하고 곧은 관리. 염관(廉官). 염근리(廉謹吏). 청리(淸吏). ↔ 오리(汚吏).
염:리[2]【厭離】[—니] [명] 〖불교〗 세상을 싫어하여 속세(俗世)를 떠남. ——-하다 [타][여불]
염:리 예:토【厭離穢土】[—니—] [명] 〖불교〗 온갖 더러움이 쌓인 이 속세를 싫어하여 떠남. ——-하다 [자][여불]
염마【閻魔】[명] 〖불교〗 염라 대왕(閻羅大王).
염마-국【閻魔國】[명] 〖불교〗 염라국(閻羅國).
염마 나자【閻魔羅闍】[명] 〖불교〗 염라 대왕(閻羅大王).
염마-당【閻魔堂】[명] 〖불교〗 염마집.
염마 대:왕【閻魔大王】[명] 〖불교〗 염라 대왕(閻羅大王).
염마 법왕【閻魔法王】[명] 〖불교〗 염라 대왕의 존칭.
염마-예【閻魔詣】[명] 〖불교〗 정월과 칠월의 열엿샛날에 염마집에 가서 염라 대왕에게 드리는 제사.
염마-왕【閻魔王】[명] 〖불교〗 염라 대왕(閻羅大王).
염마 왕궁【閻魔王宮】[명] 〖불교〗 염마왕이 사는 궁전.
염마-장【閻魔帳】[명] 〖불교〗 염라 대왕이 죽은 사람의 생전의 죄상(罪狀)을 치부해 둔 책.
염마-졸【閻魔卒】[명] 〖불교〗 염라국에 살며 죄인을 다루는 옥졸. 귀졸(鬼卒). 염라인. 염라졸. 야차(夜叉).
염마-집【閻魔—】[명] 〖불교〗 염라 대왕에게 제사(祭祀) 드리는 집. 염마당(閻魔堂).
염마-천【閻魔天】[명] 〖불교〗 염마 하늘.
염마 천공【閻魔天供】[명] 〖불교〗 염마 하늘 공양(供養).
염마-청【閻魔廳】[명] 〖불교〗 염라국에 있는 법정. 죽은 사람의 생전의 죄상을 문초한다 함. 염라청.
염마 하늘【閻魔—】[명] 〖불교〗 염마왕과 같으나, 특히 밀교(密敎)에서 받드는 신. 염마천(天).
염마 하늘 공:양【閻魔—供養】[명] 〖불교〗 밀교(密敎) 수법(修法)의 하나. 제병(除病)·안온(安穩) 등을 빌기 위하여 염마 하늘에 공양하는 일. 염마 천공(天供).
염-막[1]【簾幕】[명] 발과 장막(帳幕).
염막[2]【塩幕】[명] 소금을 고는 움막.
염:망【念望】[명] 소망(素望). 원망(願望). ——-하다 [타][여불]
염매[1]【廉買】[명] 싼 값으로 물건을 삼. ↔염매(廉賣). ——-하다 [타][여불]
염매[2]【廉賣】[명] 싼 값으로 물건을 팖. ↔염매(廉買). ——-하다 [타][여불]
염매[3]【塩梅】[명] ①신하가 임금을 도와서 정사를 바르게 하도록 함. ¶～지신(之臣). ②〖식〗 백매(白梅)❷.
염매-점【廉賣店】[명] 디스카운트 스토어(discount store).
염명【廉明】[명] 마음이 청렴하고 밝음. ——-하다 [형][여불]
염:모【染毛】[명] 염발(染髮). ——-하다 [자][여불]
염:몽【厭夢】[명] 불길한 꿈. 가위 눌리는 악몽(惡夢).
염문[1]【廉問】[명] 남 모르게 사정(事情)을 물어봄. 염탐(廉探). ——-하다 [타][여불]
염:문[2]【艶文】[명] 염서(艶書).
염:문[3]【艶聞】[명] 연애(戀愛)나 정사(情事)에 관한 소문. ¶～이 퍼지다.
염문-꾼【廉問—】[명] 염객(廉客).
염문 부:사【廉問副使】[명] 〖역〗 고려 공양왕(恭讓王) 3년(1391)에 경기 좌우도(京畿左右道)에 둔 외직(外職)의 하나. 삼품(三品) 이하 사품(四品) 이상으로 임명함.
염문-사【廉問使】[명] 〖역〗 고려 공양왕(恭讓王) 3년(1391)에 경기 좌우도(京畿左右道)에 둔 외직(外職)의 하나. 이품(二品)의 봉익(奉翊)·통헌(通憲)으로 임명함.
염물 [명] 〈방〉 ①여물[1]. ②여물[2](함경).
염:미[1]【染尾】[명] 〖악〗 부들.
염:미[2]【艶美】[명] 남의 장점(長點)을 부러워함. 염선(艶羨). ——-하다 [타][여불]
염-민어【塩民魚】[명] 〖어〗 암치.
염:박【厭薄】[명] 밉고 싫어서 쌀쌀하게 대함. ——-하다 [타][여불]
염반【塩飯】[명] 소금엣밥. 소금밥. ¶필경 시장할 터인데, 아무 반찬 없는 ～이나마 좀 자시지《李海朝：鳳仙花》.
염발[1]【炎魃】[명] ①가물음. ②가물음의 신(神).
염:발[2]【染髮】[명] 머리털을 염색함. 염모(染毛). ——-하다 [자][여불]
염:발[3]【斂髮】[명] ① 머리를 쪽찌거나 틀어올림. ②〈방〉 살쩍밀이. ——-하다 [자][여불]
염:발-대【斂髮—】[—때] [명] 〈방〉 살쩍밀이.
염:발-제【染髮劑】[—쩨] [명] 염발에 쓰는 약제. 질산은(窒酸銀)·황화(黃化) 나트륨·수산화 칼슘·납을 주성분으로 하여 만듦. 백발염(白髮染).
염방[1]【炎方】[명] 더운 곳이라는 뜻으로 '남방'의 일컬음.
염-방[2]【廉防】[명] 염치(廉恥)와 예방(禮防).
염-밭【塩—】[명] 염전(塩田).
염백【廉白】[명] 청렴(淸廉)하고 결백(潔白)함. 염결(廉潔). ——-하다 [형][여불]. ——-히 [부]
염-백우【冉伯牛】[명] 공자의 문제(門弟). 이름은 경(耕). 백우는 자(字). 공문 십철(孔門十哲)의 한 사람으로 덕행의 선비로 알려짐.

염:법[1]【念法】[一뻡] 명 〖불교〗 육념(六念)의 하나. 불법(佛法)의 승리묘덕(勝利妙德)을 생각하는 일.
염:법[2]【染法】[一뻡] 명 물감을 들이는 법. 염색법.
염:법[3]【染法】명 〖불교〗 청정(淸淨)한 마음을 더럽히는 일. 무명(無明)에 의해 생기는 제법(諸法). 정법(淨法)인 진여(眞如)에 대해서 이름.
염:병【染病】명 ①장티푸스(腸typhus). ②↗전염병(傳染病).
[염병에 까마귀 소리] 불길하여 아주 귀에 거슬리는 소리. [염병에 보리 죽을 먹어야 오히려 낫겠다] 난치(難治)의 병에 보리죽을 먹어 병을 돋구게 될지언정 그 사람의 말을 듣지 않겠다 함이니, 한 푼의 가치도 없는 말을 지껄인다는 뜻. [염병 치른 놈의 대가리 같다] 아무 것도 없이 모두 다 없어짐을 이름.
염:병에 땀을 못: 낼 놈 구 열병에 땀도 못 내고 피로워하다가 죽을 놈의 뜻으로, 저주하는 말.
염:병-할【染病—】관감 '전염병에 걸려 앓을'의 뜻. 주의 욕으로 쓰는 말. ¶～ 놈. *육시랄.
염-보다【廉—】자 한시(漢詩)를 지을 때에 자음(字音)의 고저(高低)를 맞게 하다.
염:복【艷福】명 아름다운 여자가 잘 따르는 복. 여복(女福).
염:복-가【艷福家】명 염복이 많은 사람.
염부[1]【廉夫】명 마음이 청렴한 사람. 염사(廉士).
염부[2]【閻浮】명 〖불교〗 ↗염부제(閻浮提).
염부[3]【塩釜】명 바닷물을 졸이어 소금을 만들 때에 쓰는 큰 가마. 염분(塩盆). 염창(塩倉).
염부 과:보【閻浮果報】명 〖불교〗 중생(衆生)이 속세(俗世)에서 받는 인과 응보(因果應報).
염부-나무【閻浮—】명 〔범 jambū-nada〕〖불교〗 염부제(閻浮提)의 북쪽에 있다고 전하는 상상(想像)의 큰 나무. 그 가지와 잎이 오십 유순(五十由旬)을 덮는다고 함. 염부수(閻浮樹).
염부 나타【閻浮那陀】명 〖불교〗 염부제(閻浮提)의 큰 삼림 속을 가로 흐르는 큰 강(江).
염부-단금【閻浮檀金】명 〖불교〗 염부제(閻浮提)의 큰 강 바닥에서 난다는 사금(砂金). 붉은 빛과 누른 빛에 자염(紫焰)을 띠었다 함.
염부-수【閻浮樹】명 〖불교〗 염부나무.
염부-신【閻浮身】명 〖불교〗 속세에 사는 범부(凡夫).
염부-제【閻浮提】명 〔범 Jambu-dvīpa〕〖불교〗 염부나무가 무성한 땅이라는 뜻으로, 수미 사주(須彌四洲)의 하나. 수미산의 남쪽 바다 가운데에 있다는 섬으로 삼각형(三角形)을 이루고, 가로 넓이 칠천 유순(七千由旬)이라 함. 후에 인간 세계의 총칭. 곧, 현세(現世)의 의미로 됨. 섬부주(贍部洲). 염부주(閻浮洲). 준염부(閻浮).
염부-주【閻浮洲】명 〖불교〗 염부제(閻浮提).
염부-진【閻浮塵】명 〖불교〗 현세(現世)의 더러운 티끌.
염-부추 명 〖식〗 〈방〉 염교.
염:분[1]【染粉】명 염료의 가루. 또, 가루로 된 염료.
염분[2]【塩分】명 ①바닷물 속에 함유된 염류의 양. ②다른 물질 속에 포함되어 있는 소금기. ③〖역〗 관아(官衙)나 궁방(宮房)이 소금 장수에게서 받던 세금.
염분[3]【塩盆】명 염부(塩釜).
염분-계【塩分計】명 〔salinometer〕 소금물 따위 염용액(塩溶液) 속에 함유된 염분의 비율을 재는 부칭(浮秤). 염도계(塩度計).
염불[1] 명 여자의 음문(陰門) 밖으로 자궁(子宮)이 병적(病的)으로 비어져 나온 것.
염불 빠:진 년 같다 구 어기적거리며 걸음을 잘 걷지 못한다는 말.
염불(이) 빠:지다 구 자궁이 음문(陰門) 밖으로 비어져 나오다.
염:불[2]【念佛】명 〖불교〗 육념(六念)의 첫째. 아미타불(阿彌陀佛)의 명호(名號)를 부르며 부처의 상호(相好)·공덕(功德)을 억념(憶念)하는 일. ——-하다 자여불
[염불도 몫몫이요 쇠 뿔도 각각이다] 저마다 지니고 있는 몫은 다 따로 있다는 말. 염주도 몫몫이요 쇠 뿔도 각각이다. [염불에는 맘이 없고 잿밥에만 맘이 있다] 맡은 일에 정성들이지 않고 다른 데에만 마음을 쓴다는 말.
염불[3]【塩拂】명 장례식(葬禮式)이 끝난 후 소금을 몸에 뿌려 부정을 씻는 일.
염:-불급타【念不及他】명 생각이 다른 곳에 미치지 못함. 다른 생각을 할 겨를이 없음.
염:불-당【念佛堂】[一땅] 명 〖불교〗 염불하기 위하여 지은 당.
염:불 도드리【念佛—】명 〖악〗 영산 회상(靈山會相) 9곡 중 일곱번째 곡.
염:불 만:일회【念佛萬日會】명 〖불교〗 아미타불(阿彌陀佛)과 관세음보살(觀世音菩薩)을 외며 1만 일 동안 매일 기도하는 행사. 신라 시대에 성행되었던 불교 의식임.
염:불-문【念佛門】명 〖불교〗 ①염불하여 정토(淨土)에 왕생(往生)하는 법문(法門). ②염불종(念佛宗).
염:불-방【念佛房】[一빵] 명 〖불교〗 절에서 염불하는 방. 참선(參禪)방.
염:불 보:권문【念佛普勸文】명 〖책〗 경상 북도 예천(醴泉) 용문사(龍門寺)의 중 명연(明衍)이 만든 염불문. 조선 숙종 30년(1704)에 된 ≪미타참 절요(彌陀懺節要)≫와 거의 같은 내용의 글과, 순 한글로 된 ≪회심곡≫·≪유마경≫·≪불설 아미타경≫의 언해가 있음. 영조(英祖) 52년(1776) 간행. 1권.
염:불 삼매【念佛三昧】명 〖불교〗 ①염불에 의하여 잡념을 없애고 영지(靈知)가 열려 부처의 진리를 보는 일. ②일심 불란(一心不亂)하게 아미타불(阿彌陀佛)의 이름을 부르고 부처만을 생각하는 경지.
염:불 송:경【念佛誦經】명 〖불교〗 마음 속으로 부처를 억념(憶念)하고 불경을 욈. 준염송(念誦). ——-하다 자여불
염:불 왕:생【念佛往生】명 〖불교〗 열심히 염불하여 극락 왕생을 이루는 일.
염-불위괴【恬不爲愧】명 옳지 않은 일을 하고도 조금도 부끄러워하는 기색이 없음.
염:불-종【念佛宗】명 〖불교〗 아미타불(阿彌陀佛)의 구원을 믿고, 그 불명(佛名)을 부르며 생각하여, 왕생을 원구(願求)하는 종문(宗門). 일본의 정토종(淨土宗) 같은 것. 염불문(念佛門).
염:불-중【念佛—】명 〖불교〗 염불을 하는 중.
염:불-타:령【念佛打令】명 〖악〗 ①조선 후기 유예지(遊藝志)에 전하는 곡 이름의 하나. ②무용 반주 음악에 쓰이는 삼현 육각(三絃六角)의 하나. 긴염불. 관악 염불(管樂念佛). 헌천수사(獻天壽詞).
염:불-회【念佛會】명 〖불교〗 염불 수행을 목적으로 하는 법회(法會). 염불 공덕에 의해 살아서는 편안한 생활을 하고, 죽어서는 극락(極樂)에 왕생(往生)할 것을 원하여 하는 법회임.
염:비【捻匪】명 〖역〗 염군(捻軍).
염:사[1]【念死】명 〖불교〗 팔념(八念)의 하나. 사람의 몸은 항상 죽음 속에 있음을 잊지 아니하는 일. 죽음은 피할 수 없음을 잊지 아니하는 일.
염:사[2]【念寫】명 마음 속으로 생각하는 것만으로, 건판(乾板)이나 필름을 감광(感光)시켜, 풍경이나 인물들의 상을 찍어낸다는 심령 현상(心靈現象).
염사[3]【蚺蛇】명 〖동〗 이무기❷.
염사[4]【廉士】명 마음이 청렴한 선비. 염부(廉夫).
염사[5]【塩沙】명 〖화〗 염화 암모늄(塩化 ammonium).
염:사[6]【艷事】명 남녀 간의 정사(情事)나 연애에 관한 일.
염산[1]【塩酸】명 〔hydrochloric acid〕〖화〗 염화 수소의 수용액. 순수한 것은 무색의 액체이고, 공업용 염산은 불순물을 함유하여 황색임. 시판(市販)되는 것은 염화 수소(塩化水素)를 37.2% 이상 함유한 진한 염산이며, 맹독성(猛毒性)이 있음. 강한 산의 일종으로 구리·은·수은을 제외한 금속을 용해하여 염화물(塩化物)을 만듦. 공업용·의학용 등 용도가 넓음. 염화수소산.
염:산[2]【斂散】명 〖역〗 ↗적렴 조산(糴斂糶散).
염산 가스【塩酸—】〔gas〕명 〖화〗 염산에서 휘발(揮發)되는 기체. 염화 수소.
염산 디아니시딘【塩酸—】〔dianisidine〕명 〖화〗 무색(無色) 결정체의 디아니시딘 염산염(塩酸塩). 식물 섬유의 물감으로 쓰임.
염산 모르핀【塩酸—】〔morphine〕명 〖약〗 백색 침상(白色針狀)의 비단 빛깔이 있는 결정. 물과 알코올에 녹으며, 진통·진경(鎭痙)·최면(催眠) 및 진정제(鎭靜劑)로 쓰임. [$C_{17}H_{19}O_3N \cdot HCl \cdot 3H_2O$]
염산 벤지딘【塩酸—】〔benzidin〕명 〖화〗 흰 광택이 있는 판상(板狀) 또는 침상(針狀) 결정의 벤지딘 염산염(塩酸塩). 색소 배합제(色素配合劑)로 쓰임.
염산 부화법【塩酸孵化法】[一뻡] 명 누에 알의 인공 부화법의 하나. 월동(越冬)해서 이듬해 봄에 부화될 것을 염산의 자극으로 연내(年內)에 부화시키는 일.
염산 소:다【塩酸—】〔soda〕명 〖화〗 염소산 나트륨.
염산 아닐린【塩酸—】〔aniline〕명 〖화〗 침상(針狀) 또는 판상(板狀)의 결정. 순수한 것은 빛이 없으나 공기에 닿으면 붉게 됨. 색소(色素)의 원료로 쓰임. [$C_6H_5NH_3Cl$]
염산 아포모르핀【塩酸—】〔apomorphine〕명 〖약〗 백색 또는 회색의 결정. 습기나 광선에 닿으면 녹색으로 변함. 최토(催吐)·거담제(祛痰劑)로 쓰임. [$C_{17}H_{17}O_2N \cdot HCl \cdot 1/2\,H_2O$]
염산 에메틴【塩酸—】〔emetine〕명 〖약〗 백색 결정(白色結晶)의 쓴 맛이 있는 에메틴의 염산염(塩酸塩). 아메바 이질(痢疾)·디스토마 증의 특효약임. [$C_{29}H_{40}O_4N_2 \cdot 2\,HCl \cdot (_xH_2O)$]
염산 에틸 모르핀【塩酸—】〔ethyl morphine〕명 〖약〗 무취(無臭) 백색 결정성(結晶性)의 가루. 쓴맛이 조금 있고 알코올에 녹음. 진통제(鎭痛劑)로 쓰임.
염산 에페드린【塩酸—】〔ephedrin〕명 〖약〗 마황(麻黃)에서 뽑은 무색(無色) 침상(針狀)의 알칼로이드 염산염(塩酸塩). 진해제(鎭咳劑) 등으로 쓰임. [$C_{10}H_{15}ON \cdot HCl$]
염산 칼륨【塩酸—】〔kalium〕명 〖화〗 ↗염소산 칼륨(塩素酸 kalium).
염산 코카인【塩酸—】〔cocaine〕명 〖약〗 냄새가 없고 맛이 쓴 백색 결정의 가루. 위통(胃痛)·멀미·임신 구토·백일해·천식(喘息) 등에 내복약(內服藥)으로, 또 국부 마취제로 쓰임. [$C_{17}H_{21}O_4N \cdot HCl$]
염산 퀴닌【塩酸—】〔quinine〕명 〖약〗 맛이 쓰고 가용성(可溶性)인 백색 침상(針狀)의 가루. 학질·간헐열(間歇熱)·신경통·두통·폐렴·유행성 감기·백일해 등에 해열·진통제로 쓰임. 규나염(規那塩). 금계랍(金鷄蠟). [$C_{20}H_{24}O_2N_2 \cdot HCl \cdot 2\,H_2O$] *기나염(幾那塩).
염산 트로파코카인【塩酸—】〔tropacocaine〕명 〖약〗 무색 또는 백색의 결정성 가루. 냄새가 없고, 맛이 쓴데, 물·알코올에 녹으며 중성(中性) 반응을 나타냄. 국부 마취제로 쓰임. [$C_{15}H_{19}O_2N \cdot HCl$]
염산 포타슘【塩酸—】〔potassium〕명 〖화〗 염소산 칼륨(塩素酸 kalium).
염산 프로카인【塩酸—】〔도 Procain〕명 〖약〗 냄새가 없고 맛이 쓴 백색의 결정(結晶) 또는 결정성(性) 분말(粉末). 국소 마취제(局所痲醉劑). 독성이 코카인보다 6분의 1 내지 10분의 1이므로 대신 자주 쓰이나, 과민(過敏)한 환자에게서는 부작용(副作用)으로 인(因)하여 경련을 일으켜 죽는 수가 있음. [$C_{13}H_{20}O_2N_2 \cdot HCl$]
염상[1]【炎上】명 불이 타 오름. ——-하다 자여불
염:상[2]【念相】명 〖불교〗 사물의 모습을 마음 속에 그림.

염:상³【念想】명 ①《불교》 염(念)과 상(想). 마음 속에 깊이 새겨 기억함. 대상(對象)을 마음 속으로 그림. ②마음 속으로 생각함.
염상⁴【塩商】명 소금 장사. 또, 소금 장수.
염:-상-관【念想觀】명《불교》염(念)과 상(想)과 관(觀). 염(念)은 억념(憶念)하는 일, 상(想)은 표상(表象)·지각(知覺)하는 일, 관(觀)은 지혜로써 관찰 사유(思惟)하는 일.
염-상(:)섭【廉想涉】명《사람》 소설가. 본명은 상섭(尙燮). 호는 횡보(橫步). 서울 출생. 1920년 '폐허(廢墟)'를 창간, 동인으로 자연주의의 문제작 소설 ≪표본실의 청개구리≫를 발표하는 등 전기(前期)에는 주로 암흑면을, 후기에는 ≪조그만 일≫·≪밤≫ 등 사실주의 작품을 썼고 만년에는 ≪임종≫·≪두 파산(破産)≫ 등 인륜 관계(人倫關係)의 갈등과 대립을 많이 묘사하였음. [1897-1963]
염새이 명 〈방〉《동》염소¹(경상).
염:색¹【染色】명 물을 들임. 색염(色染). ↔탈색(脫色). ——-하다 타여불
염색²【焰色】명 불꽃의 빛깔.
염:색³【艶色】명 요염(妖艶)한 얼굴.
염:색-가【染色家】명 ①물을 들이는 집. ②염색을 전문으로 하는 사람. 염색사(染色師). *염공(染工).
염:색 견뢰도【染色堅牢度】[-결-] 명 일광·세탁·땀·산(酸)·마찰·다림질 등 여러 가지 외적 조건에 대한 염색의 강한 정도. 그 측정·판정 등에 관해서는 달리 규정되어 있으나, 실용적으로는 1-8급(級)으로 나뉘는 내광(耐光) 견뢰도와 1-8급으로 나뉘는 세탁 견뢰도가 중요함.
염:색-공【染色工】명 염색하는 일에 종사하는 직공. 염공(染工).
염:색 공업【染色工業】명《공》섬유 제품에 물감·안료 및 그 밖의 착색료(着色料)를 사용하여 바탕·무늬 등을 물들이는 공업.
염:색 공정【染色工程】명 유기 염료(有機染料)를 사용하여 영구적으로 빛깔을 정착시키는 공정.
염:색-물【染色物】명 물을 들인 물건.
염:색 미술【染色美術】명 섬유 공예의 한 분야. 염료를 써서 섬유 자체에 색을 침투시키는 염색을 수단으로 하여, 직물·종이 따위 섬유 제품의 미적 가치를 높이는 일.
염색 반:응【焰色反應】명《화》'불꽃 반응'의 구용어.
염:색-법【染色法】명 염색술(染色術).
염:색-사¹【染色師】명 염색가(染色家).
염:색-사²【染色絲】명 [chromonema]《생》염색체의 핵분열의 초기에는 꼬인 모양을 하고 분열이 끝난 뒤에는 팽팽한 모양을 하고 있는 핵 속의 실. 염기성(塩基性) 색소에 물들며 뒤에 염색체가 됨. 유전자(遺傳子)를 지닌다고 생각되고 있음. 핵사(核絲).
염:색-소【染色所】명 피륙·옷 등을 염색하는 것을 업으로 삼는 집. 물집. 염색집.
염:색-술【染色術】명 피륙·옷감 등에 여러 가지 방법으로 물을 들이는 방법. 침염(浸染)·날염(捺染)·칠하기·훑치기·분무염(噴霧染) 등의 방법이 있음. 염색법(染色法).
염:색-액【染色液】명《생》생물 연구에 있어서 생물체 또는 세포·조직·세포내의 미세(微細)한 구조 등을 조사할 때에 산성·염기성 또는 중성 색소로 염색하는 데 사용되는 이들 색소의 용액.
염:색-인【染色仁】명 [karyosome]《생》염색체 또는 그 일부가 이상 응축(異常凝縮)한 것이라고 생각되는 인(仁). 카리오솜. *양성인(兩性仁).
염:색 조:제【染色助劑】명 ①섬유의 정련(精練)·표백·염색 등의 가공 공정(工程)에서 물감 외에 소요되는 약제의 총칭. ②염색할 때 물감과 함께 풀어서 염색 과정을 보조하는 약품.
염:색-질【染色質】명 [chromatin]《생》핵(核) 속에 있는, 염기성(塩基性) 색소에 잘 염색되는 물질. 크로마틴.
염:색-집【染色一】명 염색소(染色所).
염:색-체【染色體】명 [chromosome]《생》세포 분열할 때에 사상(絲狀)·봉상(棒狀)·입상(粒狀)의 형체를 하고 있는 유형체(有形體). 염기성 색소에 잘 염색되고 생물의 종류에 따라 그 수가 일정하며, 생물의 성을 결정하는 성염색체(性染色體)가 들어 있음.
염:색체 교차【染色體交叉】명《생》키아스마(chiasma).
염:색체 돌연 변:이【染色體突然變異】명《생》염색체 수 및 구조의 변화. 수의 변화에는 배수체(倍數體)·반수체(半數體)·이수체(異數體)등이 있으며, 구조의 변화에는 절단(切斷)·전좌(轉座)·결실(缺失)·중복(重複) 따위가 있음. 약품·방사능 등으로 인공적으로 일으킬 수도 있음. 유전자(遺傳子) 돌연 변이에 대한 말. 염색체 이상(異常).
염:색체 이:상【染色體異常】명《생》염색체 돌연 변이.
염:색체 이:상증【染色體異常症】[-쯩] 명 [syndrome by chromosomal aberrations]《의》염색체 돌연 변이로 일어나는 병증(病症). 염색체의 수가 47인 다운 증후군(症候群), 성염색체(性染色體)가 XO인 터너 증후군 따위.
염:색체 지도【染色體地圖】명《생》유전자(遺傳子)의 염색체 위에서의 위치를 표시한 도표. 유전 지도.
염생 식물【塩生植物】명《식》해중(海中)·해안·염호(塩湖) 등 염분이 많은 곳에 생육(生育)하는 식물. 건성적(乾性的) 특징이 있고, 세포 속에 식염(食塩)을 포함하며, 물을 잘 흡수하는 성질이 있음. 큰보리대가리·홍수·해안메꽃 등이 이에 속함. 염성(塩性) 식물.
염생이 명 〈방〉 염소¹(경상·경기·충청·전라).
염생 초원【塩生草原】명 염생(塩生) 식물로 형성된 초원. 중앙(中央) 아시아·몽골·북(北)아메리카·아르헨티나·헝가리 따위 대륙성 기후로 여름철에 건조한 지역에서 볼 수 있음.
염:서¹【念書】명 책을 읽음. 독서(讀書). ——-하다 자여불
염서²【炎暑】명 염열(炎熱).
염:서³【艶書】명 남녀간의 연애 편지. 염문(艶文).
염석【塩析】명 [salting out]《화》유기 물질의 용액 중에 가용성 염류(可溶性塩類)를 넣어 그 용질(溶質)을 석출(析出)하는 일. 비누 만들 때의 염석이 대표적임. ——-하다 타여불
염석-문【簾席門】명《역》각 지방 관아 내아(內衙)의 바깥문. 밖에서 들여다보이지 않게 하려고 발이나 풀자리를 쳐서 가림.
염-석산【閻錫山】명《사람》'옌 시산'을 우리 음으로 읽은 이름.
염석어-교【塩石魚膠】명 조기젓편.
염:선【艶羨】명 남의 좋은 점을 부러워함. 염미(艶美). ——-하다 타여불
염섬【廉纖】명 가는 비가 솔솔 내리는 모양. 또, 그 비.
염성【塩性】명 소금기가 있거나 소금기를 좋아하는 성질.
염성 시:신경 위축【炎性視神經萎縮】명《의》유두(乳頭)가 회백색이고, 경계가 판연하지 아니한 시신경 위축. 망막(網膜) 중심의 혈관에 흰 칼집과 같은 것이 보이는 일이 있음. 시신경염 또는 유두염의 경과 후에 일어남.
염성 식물【塩性植物】명《식》염생 식물.
염:세¹【厭世】명 세상을 괴롭고 귀찮게 여겨 비관함. ¶~ 자살. ——-하다 자여불
염세²【塩税】[-쎄] 명 소금을 만들어 파는 사람에게 물리는 세금.
염:세-가【厭世家】명 세상을 비관하는 사람. ↔낙천가(樂天家).
염:세-관【厭世觀】명 [pessimism]《철》①세계 및 인생을 전체적으로 반가치(反價値)·무의의(無意義)한 것 또는 추악한 것으로 보는 인생관의 하나. ②사물(事物)의 나쁜 면만을 보고, 또 나쁜 방향으로만 생각하려는 정신의 경향. 염세주의. 1)·2): ↔낙천관(樂天觀).
염:세 문학【厭世文學】명《문》문학의 소재 및 그 표현 방식이 비관적·염세적인 문학.
염세이 명 〈방〉 염소¹(경남).
염:세 자살【厭世自殺】명 세상을 비관하여 스스로 목숨을 끊음.
염:세-적【厭世的】명관 인생에 절망하고, 세상을 덧없이 여기는 경향이 있는 모양이나 성질. ↔낙천적.
염:세-주의【厭世主義】[-/-이] 명《철》염세관(厭世觀)을 품고 세상을 대하는 생각. 염세관. ↔낙천주의(樂天主義).
염:세주의-자【厭世主義者】[-/-이-] 명 ①염세관을 품고 있는 사람. ②염세주의적인 생활을 하는 사람. 1)·2): ↔낙천주의자.
염:세-증【厭世症】[-쯩] 명 세상이 싫어지고 귀찮게만 여겨지는 증세.
염:세 철학【厭世哲學】명 염세주의에 기반을 둔 철학. 곧, 인간 생활에서는 생(生)은 고(苦)를 뜻하며, 이 고를 벗어나기 위해서는 의지(意志)의 멸각(滅却) 이외에는 없다고 하는 설로, 쇼펜하우어(Schopenhauer)가 그 대표자임.
염-세포【焰細胞】명《생》불꽃 세포.
염소¹ 명《동》[*Capra hircus*] 솟과(科)의 양아과(羊亞科)에 속하는 짐승. 양(羊)과 비슷한데 뿔·턱수염이 있고 성질이 활발·민첩하며 젖과 고기를 이용하는 점이 틀림. 반추 동물(反芻動物)이며, 발굽은 두 개임. 뿔은 속이 비고 꾸부정한데 뿔이 없는 것은 그 자리에 골류(骨瘤)가 있음. 체질이 강하여 병이 없으며 독초(毒草)를 제외한 모든 풀 및 나뭇잎을 먹음. 가을부터 겨울에 걸쳐 암염소는 세 주간(週間)마다 성주기(性周期)가 오며, 한배에 보통 한두 마리의 새끼를 낳음. 젖의 영양가는 우유와 비슷한데 소화가 잘 됨. 고기는 쇠고기와 같으나 조금 노린내가 남. 3,500여 년 전 이란(Iran)의 유목 민족에 의하여 가축화(化)됨. 아시아 일대에 분포하는데, 여러 품종이 있음. 고력(羖羅). 완양(羱羊). 야양(野羊). *양(羊).
[염소 나물밭 빠댄다] 사람이 식물성만 먹다가 모처럼 양껏 고기를 먹게 됐다는 말. [염소 물똥 누는 것 보았나] 있을 수 없는 일에 이르는 말. [염소에 소지장 쓴다] 엉뚱한 데 청을 한다는 말.
염소²【塩素】명《화》기체 원소의 하나. 천연으로는 식염·염화 마그네슘으로서 존재함. 황록색으로 악취가 있으며 공기보다 무겁고 다른 원소와 잘 화합함. 산화제·표백제의 원료 및 살균제·독가스 등에 쓰임. 비중 2.491, 녹는점 −100.98°C, 끓는점 −34.1°C. [17번: Cl: 35.453]
염소-도【塩素度】명 [chlorosity] 1 리터의 바닷물 속에 있는 염화물(塩化物)과 브롬화물(化物)의 양(量). 염소량에 20°C 바닷물의 밀도를 곱한 값과 같음.
염소-량【塩素量】명 바닷물 1 kg에 들어 있는 염소의 그램 수.
염소-산【塩素酸】명 [chloric acid]《화》염소산 바륨 용액에 황산(黃酸)을 넣어 만든 액체. 40 %이상의 농용액(濃溶液)은 염소와 산소로 분해되며, 수용액으로서만 존재하는 강한산(酸)으로 종이가 탐. 산화제(酸化劑)로 씀. [$HClO_3$]
염소산 가리【塩素酸加里】명《화》염소산 칼륨(kalium).
염소산 나트륨【塩素酸—】[도 Natrium] 명 [sodium chlorate]《화》염소산염(塩素酸塩)의 하나. 무색·무취의 결정으로, 산화제로서 염색에 쓰임. 염소산 소다. 염소산 소듐. 염산(塩酸) 소다.
염소산 소:다【塩素酸—】[soda] 명《화》염소산 나트륨.
염소산 소듐【塩素酸—】[sodium] 명《화》염소산 나트륨.
염소산-염【塩素酸塩】[-념] 명 [chlorate]《화》염소산의 염류(塩類)의 총칭. 수용액은 대개 무색이고, 가열하면 산소를 냄. 염소산 칼륨·염소산 나트륨 등. [M^IClO_3]
염소산염 폭약【塩素酸塩爆藥】[-념-] 명 산소 공급체로서 염소산염을 포함하는 혼합 폭약. 너무 민감하므로 제조가 곤란함.
염소산 칼륨【塩素酸—】명 [potassium chlorate]《화》무색의 광택 있는 결정(結晶). 공업적으로는 염화(塩化) 칼륨 수용액(水溶液)을 전해(電解)하여 얻음. 산화력(酸化力)이 세고, 열을 가하면 산소를 내며,

충돌시키면 폭발함. 폭발물·약품·물감·화학 실험 등에 쓰이고, 의료상(醫療上)으로도 함수용(含漱用)으로 쓰임. 비중 2.326(39°C), 녹는점 368°C. 염산(塩酸) 가리. 염소산 가리. 염소산 칼리. 염산 포타슘(塩酸 potassium). ㈜염산 칼륨. [$KClO_3$]

염소산 칼리【塩素酸—】[kali] 명 『화』 염소산 칼륨.

염소-수【塩素水】명 [chlorine water] 『화』 염소의 수용액. 황록색인데, 농용액(濃溶液)은 산화 작용이 강해 표백제·살균제로 쓰이는 외에 분석 시약(分析試藥)으로 쓰임.

염소 아연 축전지【塩素亞鉛蓄電池】명 자동차의 연료유(油)를 대신하는 새로운 축전지. 상자형인데 출력(出力)은 40 kW, 1회 충전(充電)으로 240-360 km의 주행(走行)과 시속 88 km를 낼 수 있으며 종래의 연(鉛) 축전지보다 2배 반의 성능(性能) 향상이 입증됨. 1980년 미국의 걸프 앤드 웨스턴 사(Gulf and Western社)의 자(子)회사인 에너지 개발 협회가 개발함.

염소-이 명 『충』 [*Linognathus stenopsis*] 짐승잇과에 속하는 곤충. 몸길이 2 mm, 폭 0.7 mm 가량이고 두부는 원뿔 모양인데, 복부는 긴타원형을 이루고 각 복절(腹節)에 두 줄의 거친 털이 줄지어 났음. 염소·면양 등에 기생하는 세계 공통종임.

염소 인회석【塩素燐灰石】명 [chlorapatite] 『광』 염소를 함유하는 인회석. [$Ca_5(PO_4)_3Cl$]

염소-자리 명 [라 Capricornus] 『천』 톨레미(Ptolemy) 별자리의 하나. 황도 상(黃道上)의 제 11 성좌. 궁수(弓手)자리의 동쪽, 물병자리의 서쪽에 있음. 9월 하순 저녁에 남중(南中)함. 산양좌(山羊座).

염소-젖 명 염소에서 짜 낸 젖. 산양유(山羊乳).

염소족 원소【塩素族元素】명 『화』 할로겐 원소(halogen 元素).

염소 펄프【塩素—】[pulp] 명 화학 펄프의 일종. 볏짚 등을 염소 처리와 가성 소다 처리를 병용하여 펄프화한 것.

염소 폭명기【塩素爆鳴氣】명 『공』 염소(塩素)와 수소(水素)를 똑같은 비율로 혼합한 기체. 빛·열·방전(放電)·방사선(放射線) 등에 의해 폭발적으로 화합하므로 이런 이름이 있음. 상온(常溫)의 어두운 곳에서는 거의 변화하지 않음.

염소-하늘소 [—쏘] 명 『충』 [*Olenecamptus cretaceus*] 하늘솟과에 속하는 곤충. 몸길이 18-26 mm, 몸빛은 적갈색에 회갈색 털이 있음. 두부에서 날개 끝까지의 배면(背面)에 하얀 띠무늬가 있으며 시초(翅鞘)의 옆에 세 개의 반원형 무늬가 있고 백색 띠 속에는 각각 갈색의 점무늬가 한 개 있음. 한국에 분포함.

염소-화【塩素化】명 [chlorination] 『화』 할로겐화(halogen 化)의 한 가지. 유기(有機) 약품의 중간체(中間體) 제조의 한 단계로서, 주로 유기 분자 속에 염소 원자를 도입(導入)하는 일. ——-하다 자타여불

염소화 처:리【塩素化處理】명 [chloridization] 『화』 광석(鑛石)을 염산 또는 염소로 처리하여 주요 금속의 염화물(塩化物)을 만드는 일.

염:속【染俗】명 세속(世俗)에 물듦. ——-하다 자여불

염:송【念誦】명 『불교』 ↗염불 송경(念佛誦經). ¶경문을 ∼하다. ——-하다 타여불

염쇄 명 〈방〉 염소[1](제주).

염쇠 명 〈방〉 염소[1](경상·강원).

염쇼 명 〈옛〉 염소[1]. ¶염쇼 력(羖又曰山羊)《四聲 上 36》/염쇼 고(羔), 염쇼 력(羱)《字會 上 19》.

염수[1]【刻手】명 민첩한 솜씨.

염수[2]【塩水】명 소금기가 있는 물. 소금을 탄 물. 또, 짜디짠 물.소금물.

염:수[3]【斂手】명 ①하던 일에서 손을 뗌. 또, 아예 손대지 아니함. ②두 손을 마주 잡고 공손히 서 있음. ——-하다 자여불

염수-선【塩水選】명 『농』 소금물에 띄워서 벼·보리 등의 씨를 선택하는 일. 뜨는 것은 버리고 가라앉는 것만을 선택함. ——-하다 타여불

염수 주:사【塩水注射】명 『의』 식염(食塩) 주사.

염수-초【塩水炒】명 『한의』 약재(藥材)를 오래 변질시키지 않고 갈무리하기 위해서 소금물에 담갔다가 불에 볶는 일. ——-하다 타여불

염수 침입【塩水侵入】명 [saltwater intrusion] 담수(淡水)인 지표수(地表水)나 지하수(地下水)가 밀도(密度)가 높은 염수(塩水)로 치환(置換)되는 일.

염:슬 단좌【斂膝端坐】명 무릎을 거두어 옷자락을 바로잡고 단정히 앉음. ——-하다 자여불

염:습[1]【染習】명 습관.

염:습[2]【殮襲】명 죽은 사람의 몸을 씻긴 뒤에 옷을 입히고 염포(殮布)로 묶는 일. 습렴(襲殮). ㈜염(殮). ——-하다 타여불

염:승【念僧】명 『불교』 육념(六念)의 하나. 중은 부처의 법을 지키는 성현(聖賢)으로서 공양(供養)할 만한 복전(福田)이라 생각하고 항상 중을 생각함.

염:승-전【厭勝錢】명 『역』 중국에서, 엽전의 형식을 갖춘 일종의 부적. 기원(起源)은 한대(漢代)부터인데, 왕망전(王莽錢)이나 오수전(五銖錢) 뒷면에, 길상(吉祥)을 나타내는 말이나 귀사(龜蛇)·용호(龍虎) 등의 도안이 들어 있는 것도 있음. 우리 나라에도 전래되어 유행한 일이 있음.

염:식【饜食】명 배불리 먹음. ——-하다 타여불

염:심[1]【染心】명 『불교』 번뇌(煩惱)로 인하여 더럽혀진 마음.

염심[2]【焰心】명 불꽃심.

염아【恬雅】명 이익을 좇을 생각이 없고, 늘 마음이 화평하고 단아함. 염안(恬安). 염태(恬泰). 염연(恬然). ——-하다 형여불

염아자 명 『식』 [*Asyneuma japonicum*] 초롱꽃과에 속하는 다년초. 뿌리는 다소 비대(肥大)하고 줄기는 높이 90 cm 내외, 잎은 호생하고 유병(有柄)이며 긴 달걀꼴 또는 타원형을 이룸. 7-9월에 자색의 꽃이 줄기 위에 총상 화수(總狀花穗)로 피고, 삭과를 맺음. 산지에 나는데 지리산·강원·경기·평북·함남북 등지에 분포함. 어린 잎은 식용함.

〈염아자〉

염:아-장【念我章】[—짱] 명 『악』 임금이 적전(耤田)에서 친경(親耕)할 때에 아뢰던 악장(樂章).

염안[1]【恬安】명 염아(恬雅). ——-하다 형여불

염안[2]【塩安】명 『화』 염화 암모늄(塩化 ammonium).

염-알이【廉—】명 비밀하게 염탐함. ——-하다 타여불

염알이-꾼【廉—】명 비밀히 염탐하는 사람.

염야[1]【塩冶】명 바닷물로 소금을 만들고, 광물을 캐어 쇠붙이를 만듦. ——-하다 자여불

염:야[2]【艶冶】명 아리땁고 고움. ——-하다 형여불

염:약【染藥】명 염료(染料).

염-약거【閻若璩】명 『사람』 중국 청조(清朝)의 경학자(經學者). 자는 백시(百詩), 호는 잠구(潛邱). 산시 성(山西省) 타이위안(太原) 출생. 《고문상서 소증(古文尙書疏證)》을 발표, 《고문 상서》 및 《공안국 전주(孔安國傳註)》가 동진(東晉) 때의 위작(僞作)으로 한초(漢初)의 것과 다르다는 것을 단정, 청대 고증학의 선구를 이룸. 저서 《맹자 생졸 연월일고(孟子生卒年月日考)》. [1636-1704]

염양[1]【炎陽】명 몹시 뜨거운 햇볕. 폭양(曝陽). 불볕.

염양[2]【廉讓】명 청렴하여 남에게 양보를 잘함. ——-하다 자여불

염:양[3]【艶陽】명 따스한 봄날의 기후.

염어[1]【拈語】명 『불교』 선종(禪宗)에서, 염고(拈古)하는 말.

염어[2]【塩魚】명 소금에 절인 생선.

염:언[1]【念言】명 깊이 생각한 바를 나타낸 말.

염:언[2]【艶言】명 요염한 말.

염업【塩業】명 제염업(製塩業).

염업 조합법【塩業組合法】명 『법』 소금의 수급 조절과 품질 향상 및 검사와 소금 제조업자의 공동 이익과 복지 증진을 위한 염업 조합의 설립을 목적으로 제정된 법.

염:역【染疫】명 유행병에 전염됨. ——-하다 자여불

염연【恬然】명 욕심이 없어 마음이 화평한 모양. 염담(恬淡). 염아(恬雅). ——-하다 형여불. ——-히 부

염열【炎熱】[—녈] 명 매우 심한 더위. 염서(炎暑).

염열 지옥【炎熱地獄】[—녈—] 명 『불교』 지옥의 하나. 맹화(猛火)에 휩싸여 열(熱)로 고통을 겪는다고 함. 초열(焦熱) 지옥.

염염[1]【冉冉】[—념] 명 ①점점 거리가 멀어져서 스러져 없어지려는 모양. ②해나 달이 점점 기울어져 가는 모양. ③비나 이슬이 고요히 내리는 모양. ——-하다 형여불. ——-히 부

염염[2]【炎炎】[—념] 명 ①대단히 더운 모양. ②불이 활활 타는 모양. ——-하다 형여불. ——-히 부. ¶흉중의 정화는 꺼질 줄 모르는 화산처럼 일층 ∼ 타오르기만 하는 것이다《張德祚 : 누가 죄인이냐》.

염:오[1]【染汚】명 더러운 것이 옮음. 더러워짐. ——-하다 자여불

염:오[2]【厭惡】명 싫어서 미워함. 염기(厭忌). ——-하다 타여불

염:오-증【厭惡症】[—쯩] 명 염오하는 생각이나 증세.

염-온동【廉溫東】명 『사람』 독립 운동가. 호는 추정(秋汀). 3·1운동 때 3차례나 투옥되면서도 만주 땅을 내왕, 1921년 중국 상해(上海)로 건너가서 항일(抗日) 투쟁을 계속하고 난징(南京)에서 한국 혁명당 간부로 활약함. 중일(中日) 전쟁 때에는 충칭(重慶)에서 임정(臨政)일을 도왔음. [1898-1946]

염-옹【冉雍】명 『사람』 중국 춘추 시대 노(魯)나라 사람. 자는 중궁(仲弓). 공문 십철(孔門十哲) 중의 한 사람. 덕행과(德行科)에 참렬하고 예를 강조하였음. 순자(荀子)가 이 학통에서 나왔음.

염왕【閻王】명 『불교』 ↗염라 대왕(閻羅大王).

염왕-궁【閻王宮】명 염라 대왕의 궁전.

염:외【念外】명 생각 밖. 뜻밖.

염요 기문【炎徼紀聞】명 『책』 중국 명대(明代)의 견문록. 1558년 전여성(田汝成) 찬(撰). 당시의 광시(廣西)·구이저우(貴州)·윈난(雲南) 등 서남(西南) 각 성(省)의 사정, 특히 토관(土官)에 관한 것을 중심으로 썼음. 4권(卷).

염욕【塩浴】명 [salt bath] 강철의 담금질에 사용하는 가열용(加熱用)의 용융염(溶融塩).

염:용[1]【斂容】명 용모를 단정히 함. 자숙하여 조심스러운 몸가짐을 함. ——-하다 자여불

염:용[2]【艶容】명 아리따운 용모(容貌).

염우【廉隅】명 품행이 바르고 절조가 굳음. →염의·야무.

염우 염치【廉隅廉恥】명 염우와 염치. →야무 얌치.

염:원【念願】명 내심에 생각하고 바람. ¶칠천만 겨레의 ∼인 남북 통일. ——-하다 타여불

염위【炎威】명 복중(伏中) 더위의 무서운 기세.

염유【簾帷】명 ①발과 휘장. ②발로 된 휘장.

염으지다 형 〈방〉 여무지다.

염의[1] [—/—이] 명 ←염우(廉隅).

염:의[2]【念意】[—/—이] 명 엄두. ¶아무리 주책 없는 털이라도 생면부지의 사내가 자는 것을 덮어놓고 깨워 일으키자는 ∼는 없었다《玄鎭健 : 無影塔》.

염:의[3]【染衣】[—/—이] 명 『불교』 검게 물들인 승려(僧侶)의 옷. 또, 그것을 입는 일.

염-의[4]【廉義】[—/—이] 명 염치와 의리(義理).

염:의[5]【厭意】[—/—이] 명 싫은 생각.

염의-없다 [—업—/—이업—] 형 예의를 잊고 부끄러움이 없다.

염의-없이 [—업씨/—이업씨] 부 염의 없게. ¶소위 신랑 재목이라는 자식은 ∼ 저 모양으로 성례하기를 기다리고 있으니 그 아니 답답하냐?

염화 칼리

塩)으로 생산됨. 탄산 칼륨·염소산 칼륨·질산 칼륨 등의 칼륨염(塩)의
제조 원료 또는 비료로 사용함. 녹는점 770°C, 끓는점 1,510°C. 염화
칼리. 염화 포타슘. [KCl]

염화 칼리【塩化一】명〖화〗염화 칼륨.

염화 칼슘【塩化一】명〔calcium chloride〕〖화〗탄산 칼슘·수산화 칼
슘에 염산을 작용시켜 얻은 용액을 증발·농축하여 만드는 사방 정계 결
정(斜方晶系結晶). 녹는점 772℃, 끓는점 1600℃ 이상. 물·에탄올·아
세톤에 잘 녹으며, 조해성(潮解性)·흡습성(吸濕性)이 강하여 건조제로
쓰임. 1·2·4·6 수화물(水化物)이 있는데 ··수화물은 건조제, 6 수화
물은 삼방 정계(三方晶系)이며 녹는점은 ·.9℃. 200℃에서 무수물(無
水物)이 됨. 빙점(氷點)이 매우 낮으므 제빙(製氷)할 때 냉각의 매제
(媒劑) 또는 융설제(融雪劑)로 쓰이 지혈(止血)·분비물의 제지 작
용(制止作用)이 있으므로 의약으 쓰임. [$CaCl_2$]

염화 칼슘액【塩化一液】〔cal 명〖화〗염화 칼슘을 물에 녹인 용
액(溶液).

염화 코발트【塩化一】〔 ·alt chloride〕〖화〗염소와 코발트의 화합
물. ①염화 코발트 ·화 코발트. 무수염(無水塩)은 청색의 삼방
정계(三方晶系) ·점 735℃, 끓는점 1049℃. 흡습성(吸濕性)으
로 수증기를 ·석색(淡赤色)이 됨. 1, 1.5, 2, 4, 6 수화물(水
化物)이 있 ·물은 적색의 단사 정계(單斜晶系) 결정. 녹는점
86℃. · ·)·안료(顔料)의 원료·맥주의 거품 안정제(安定
劑) · ·제조 원료 등에 쓰임. 묽은 수용액은 담홍색(淡紅色)
· ·글씨를 쓴 다음 가열하면 청색으로 나타나 은현(隱顯)
· [$CoCl_2$] ②염화 코발트(Ⅲ). 삼염화 코발트. 암록색(暗
· ·. 불안정하여 쉽게 염화 코발트(Ⅱ)로 분해함. [$CoCl_3$]

염화 크롬【塩化一】명〔chromium chloride〕〖화〗크롬과 염소의 화합
·(體內)에 들어가면 독성(毒性)을 나타냄. ①염화 크롬(Ⅱ). 이
· 크롬. 무색의 사방 정계 결정(斜方晶系結晶). 녹는점 820℃, 산
·酸化)하기 쉬우나 건조한 공기 속에서는 안정(安定)함. 물에 잘 녹
·며 수용액은 아름다운 청색으로 강한 환원성(還元性)을 나타냄. 2·
3·4·6 수화물(水化物)이 있음. [$CrCl_2$] ②염화 크롬(Ⅲ). 삼염화 크롬.
적자색(赤紫色)의 인편상(鱗片狀) 단사 정계 결정(單斜晶系結晶). 녹는
점 1150℃, 유기 금속 착체(錯體) 합성 원료에 쓰임. 3·4·6·10 수화
물(水化物)이 있음. [$CrCl_3$] ③염화 크롬(Ⅳ). 사염화 크롬. 갈색의 분
말. 녹는점 −28℃, 끓는점 159℃. 물과 반응하여 CrO_3·$CrCl_3$·HCl로
분해됨 [$CrCl_4$]

염화 토류천【塩化土類泉】명〖지〗염화 나트륨 및 염화 마그네슘을 주
성분으로 하는 광천.

염화 토륨【塩化一】명〔thorium chloride〕〖화〗흡습성(吸濕性)과 독성(毒性)이 있는 무색(無色)의 침상 결정(針狀結晶). 알코올에 녹으며 녹는점 820°C, 분해점(分解點) 928°C. 백열광 조명에 쓰임. [$ThCl_4$]

염화 티오닐【塩化一】명〔thionyl chloride〕〖화〗유독성의 무색 액체. 자극적인 냄새가 있으며 물에 분해되나 벤젠에는 녹지 않음. 분해점(分解點) 140℃, 녹는점 −105℃, 끓는점 78.8℃. 화학 중간체·탈수제(脫水劑)에 쓰임. [$SOCl_2$]

염화 티탄【塩化一】명〔titanium chloride〕〖화〗염소와 티탄의 화합물. ①염화 티탄(Ⅱ). 이염화 티탄. 염화 티탄(Ⅳ)을 수소와 섞어 낮은 무전극 방전으로 환원하면 얻어지는 암적갈색 가루. 공기·물·에탄올과 만나면 분해됨. 산화되기 쉽고 산에 의해 초록색 용액이 됨. [$TiCl_2$] ②염화 티탄(Ⅲ). 삼염화 티탄. 암자색(暗紫色)의 육방 정계(六方晶系) 결정. 조해성(潮解性)이며, 물·염산·에탄올에 녹으나 에테르에는 녹지 않음. 4·6 수화물(水化物)이 있으며 모두 강한 환원제(還元劑)임. [$TiCl_3$] ③염화 티탄(Ⅳ). 사염화 티탄. 가열한 금속 티탄에 염소를 통하여 얻을 수 있는 무색의 액체. 녹는점 −25℃, 끓는점 136.4℃. 습기 있는 공기에 닿으면 흰 연기가 생김. 염화 수소산·알코올에 녹음. 금속 티탄 제조, 발연제(發煙劑) 등에 사용함 [$TiCl_4$]

염화 포스포릴【塩化一】명〔phosphoryl chloride〕〖화〗불쾌한 냄새가 나는 무색의 액체. 녹는점 2℃, 끓는점 105.3℃. 자극성이 심하고 유독함. 물 또는 수산기(水酸基)를 함유하는 유기 화합물과 작용하여 염산(塩酸) 또는 염화물과 인산(燐酸)으로 분해함. 각종 금속 염화물을 녹임. [$POCl_3$]

염화 포타슘【塩化一】〔potassium〕명〖화〗염화 칼륨(塩化 kalium).

염화 피크린【塩化一】〔picrin〕명〖화〗클로로피크린.

염화-황【塩化黃】명〔sulfur chloride〕〖화〗황의 염화물(塩化物). ①염화황(Ⅰ). 일염화황. 용융(溶融)한 황에 염소(塩素)를 가해서 만든 황적색(黃赤色)의 액체. 녹는점 −80℃, 끓는점 138℃. 자극적인 냄새가 있고 300℃ 이상에서 황과 염소로 분해하며, 또 습기를 만나면 천천히 황·이산화황 및 염화 수소로 분해하며 연기를 냄. 고무의 냉가황제(冷加黃劑)나 충전제(充塡劑)로 쓰임. 이염화 이황. [S_2Cl_2] ②염화황(Ⅱ). 이염화황. 이염화 이황(S_2Cl_2)에 염소를 부가하면 생기는 적색의 액체. 녹는점 −80℃, 끓는점 59℃. 방치하면 염소를 방출하고 이염화 이황으로 변하기 쉬움. 이염화 일황. [SCl_2] ③염화황(Ⅲ). 사염화황. 이염화 이황(S_2Cl_2)에 −80℃에서 염소(塩素)를 부가하면 생기는 황색 결정. −30℃에서 융해(融解)하면서 분해하여 이염화황과 염소가 됨. [SCl_4]

염:회-간【念晦間】명 스무날경부터 그믐까지의 사이.

염:후【念後】명 그 달의 스무날이 지난 후.

염-흥방【廉興邦】명〖사람〗고려 말 우왕(禑王) 때의 권신. 제신(悌臣)의 아들. 홍건적(紅巾賊)의 난 때 개경(開京)을 수복한 공으로 밀직 부사(密直副使)를 거쳐 제학(提學)에 오름. 이인임(李仁任)과 통하여 백성의 토지와 노비를 마음대로 빼앗고 국유(國有)의 땅까지 강점하는 등 횡포를 자행하다가 잡혀 죽음. [?-1388]

염희[1]【恬熙】[-히] 명 편안하고 조용함. 국가(國家)가 무사하고 태평함. ——하다 형 여불

염희[2]【恬嬉】[-히] 명 맡은 직무(職務)를 게을리함. ——하다 타 여불

엽【葉】의명 종이·잎·작은 배 따위를 셀 때 한 장을 이르는 단위. ¶복~(複葉)/오~(五葉)/일~ 편주(一葉片舟).

엽각【葉脚】명〖식〗잎의 밑동.

엽각-목【葉脚目】명〖충〗[Phyllopoda] 절지 동물 갑각류(甲殼類)의 한 목. 몸은 흔히 작고 체절(體節)은 명료하지 아니함. 흔히 등에 한두 개의 순갑(楯甲)이 있음. 촉각은 두 쌍임. 가슴에는 네 쌍 이상의 잎 같은 발이 있어 헤엄치기에 적당함. 물벼룩 등.

엽-검영【葉劍英】명〖사람〗'섭검영(葉劍英)'의 잘못.

엽견【獵犬】명 사냥개. 엽구(獵狗).

엽견-좌【獵犬座】명〖천〗'사냥개자리'의 구용어.

엽경채-류【葉莖菜類】명 주로 잎·꽃·잎줄기를 식용(食用)으로 하는 소채(蔬菜)의 총칭. 파·배추·아스파라거스·미나리 등.

엽고-병【葉枯病】[—뼝] 명 [leaf blight]〖농〗벼의 병의 한 가지. 이 병에 걸리면 잎에 황백색의 반점(斑點)이 생기거나 잎의 군데군데에 부정형(不正形) 황백색의 반문(斑紋)이 줄지어 생긴 후, 그 부분이 혹갈색으로 변하며 융모(絨毛)처럼 됨.

엽관【獵官】명 ①온갖 방법으로 서로 관직을 얻으려고 야심적으로 경쟁함. ②〖정〗↗엽관 제도. ——하다 자 여불

엽관-배【獵官輩】명 엽관 운동을 하는 무리.

엽관 운:동【獵官運動】명 관직(官職)을 얻으려고 벌이는 운동. 분경(奔競). ¶~을 벌이다.

엽관 제:도【獵官制度】명 [spoils system]〖정〗정당 국가에서 집권당이 교대될 때마다 그 정당에 소속된 전공무원이 일시에 갈리게 되는 제도. 자유 방임주의 시대의 산물로, 초기의 미국(美國)이 가장 전형적이었음. ㊥엽관.

엽구[1]【獵具】명 조수류(鳥獸類)를 사냥하는 제구.

엽구[2]【獵狗】명 엽견(獵犬).

엽구[3]【獵區】명 사냥하는 구역(區域). 사냥이 허락된 구역. ↔금렵구(禁獵區).

엽궁【獵弓】명 사냥에 쓰는 활.

엽-권연【葉卷煙】명 →엽궐련.

엽권-충【葉捲蟲】명〖충〗곤충의 유충 중에서 식물의 잎을 돌돌 말아 그 속에 사는 습성을 가진 것의 총칭.

엽-궐련【葉—】명 [←엽권연(葉卷煙)] 담배 잎을 통째로 돌돌 말아서 만든 담배. 여송연(呂宋煙). 시가(cigar). ↔지궐련.

엽기[1]【葉基】명〖식〗잎몸의 줄기 쪽 맨 끝 부분.

엽기[2]【獵奇】명 괴이(怪異)한 사물(事物)을 즐겨 좇아 다님. ——하다 자 여불

엽기[3]【獵期】명 ①사냥하기에 알맞은 시기. 수렵기(狩獵期). 수렵 기간. ②사냥을 허락하는 시기(時期). 법규상(法規上), 11월 1일부터 이듬해 2월 28일까지임.

엽기-가【獵奇家】명 괴이한 사물을 즐기고 이를 좇는 사람.

엽기 소:설【獵奇小說】명〖문〗도회 소설(都會小說)의 한 가지. 흥미 본위로 변태적인 기이한 세계를 소재로 한 소설.

엽기-적【獵奇的】명관 괴이한 것을 즐겨 찾아 다니는 모양. 그로테스크. ¶~ 살인 사건.

엽꿀 명 〈방〉 옆구리(경북).

엽-납석【葉蠟石】명〖광〗파이로필라이트.

엽-단자【葉單子】명 낱낱의 단자(單子).

엽-당【葉當】명 엽전과 당오전(當五錢).

엽등【躐等】명 등급(等級)을 건너뛰어 올라감. ——하다 자 여불

엽란【葉蘭】[—난] 명〖식〗[*Aspidistra elatior*] 백합과에 속하는 다년생 상록초. 지하경은 가로로 누웠으며 잎은 크고 근생(根生)하며 장타원형으로 길이 약 45 cm 내외임. 꽃은 암자색이며 4-5월에 피고 제주도·전남 거문도(巨文島)에 야생함. 중국 원산. 관상용.

엽량【葉量】[—냥] 명 잎을 사용하는 나무에서 나는 잎의 양(量). ¶~이 많은 나무.

엽렵【獵獵】[—녑] 명 ①바람이 부는 모양. 또, 바람이 부는 소리. ②매우 영리하고 날렵한 모양. 분별(分別) 있고 의젓한 모양. ¶군수의 처사가 ~한 것을 칭찬하고 곧 군수와 같이 행군을 하는데…≪洪命憙：林巨正≫. ——하다 형 여불. ——히 부

엽록-립【葉綠粒】[—녹닙] 명〖식〗엽록체(葉綠體).

엽록-소【葉綠素】[—녹—] 명 [chlorophyll]〖식〗녹색 식물·조류(藻類)의 세포 속에 포함되어 있는 엽록체 안의 녹색 색소(色素). 마그네슘과 결합한 포르피린(porphyrin). 적색(赤色) 광선을 흡수하며 탄소 동화 작용(炭素同化作用)을 함. 잎파랑이. 클로로필.

엽록-체【葉綠體】[—녹—] 명 [chloroplast]〖식〗녹색 식물·조류(藻類)의 잎·기타 녹색 조직에 있는 세포 소기관(小器官)으로 색소체(色素體)의 하나. 길이 5-8μm, 두께 2-4μm의 원반형 구조물(圓盤形構造物). 안은 틸라코이드(thylakoid)로 이루어진 그라나(grana)와 그 주위를 스트로마(stroma)가 채워져 있음. 모든 녹색 식물에 분포되어 있는 엽록소 a, b 등 여러 종류가 있으며, 빛의 에너지를 받아 광합성(光合成)을 함. 엽록립(葉綠粒). 잎파랑체. ＊색소체.

엽맥【葉脈】명 잎맥.

엽면 산:포【葉面散布】명『식』식물의 영양분(營養分)을 용액(溶液)으로 만들어 식물의 잎 표면에 산포(散布)하여 흡수시키는 일. 엽면 시비(葉面施肥).
엽면 시:비【葉面施肥】명『식』엽면 산포.
엽병【葉柄】명『식』잎을 지탱하는 꼭지. 잎을 햇볕의 방향으로 돌리는 작용을 함. 잎꼭지.
엽복【獵服】명 사냥할 때 입는 옷.
엽부【獵夫】명 사냥꾼.
엽-분석【葉分析】명『식』농작물의 잎의 성분을 조사하여 영양 상태를 진단하는 방법.
엽비【葉肥】명『농』녹비(綠肥)의 한 가지. 나뭇잎 등을 쌓아 썩혀 만든 거름. *녹비(綠肥).
엽사【獵師】명 '사냥꾼'의 높임말. *엽인(獵人).
엽산【葉酸】명『화』폴산(酸).
엽삽-병【葉澁病】명『농』녹병(病).
엽상【葉狀】명 잎처럼 생긴 모양. 납작한 타원형으로 된 모양.
엽상-경【葉狀莖】명〔phylloclade〕『식』모양이 잎과 같고 또 엽록소를 가지고 있어 동화 작용을 행하는 줄기. 선인장 등에서 볼 수 있음.
〈엽상경〉
엽상 관음【葉上觀音】명『불교』33 관음의 하나. 한 장의 연잎 위에 앉아, 물 위에 떠 있는 상(像). 일엽 관음(一葉觀音).
엽상 식물【葉狀植物】명『식』〔Thallophyta〕세포가 분화(分化)되지 않고 관다발이 없는 식물의 총칭. 줄기와 잎 등이 분화하지 않는 엽상체의 식물. 조류(藻類)·균류(菌類) 등이 포함되며, 선태(蘚苔) 식물을 포함시키는 경우도 있음. 형가리의 식물학자 엔들리허(Endlicher S.L. : 1804-49)가 1826년에 처음 명명함. 세포 식물. ↔경엽 식물.
엽상-신【葉狀腎】명『생』태아기(胎兒期)의 신장. 신장 표면에 소엽(小葉)과 일치하는 많은 요철(凹凸)이 드러나 있음.
엽상 조직【葉狀組織】명『광』평행(平行)으로 벗겨지기 쉬운 줄무늬 모양의 암석(岩石) 조직을 일컬음.
〈엽상신〉
엽상-체【葉狀體】명 ①〔thallus〕『식』바깥 쪽에 뿌리·줄기·잎의 구별이 없고, 안에는 관다발이 분화(分化)되지 않은 단계의 식물체. ↔경엽체(莖葉體). ②〔hydrophyllium〕『동』강장 동물인 해파리의 자낭(子囊)을 부분적으로 덮고 있는 투명체. 보호엽(保護葉)이라고도 함.
엽색【獵色】명 여색(女色)을 탐(貪)함. 어색(漁色). ¶～ 행각을 벌이다. ——-하다 자여불
엽색-가【獵色家】명 엽색꾼.
엽색-꾼【獵色―】명 엽색하는 사람. 엽색가.
엽서[1]【葉序】명『식』잎차례.
엽서[2]【葉書】명 ①↗우편(郵便) 엽서. ②↗그림 엽서.
엽선【獵船】명 고기를 잡는 배. 어선(漁船).
엽설【葉舌】명『식』엽초(葉鞘)의 끝이 줄기에 닿은 자리에 붙어 있는 작고 얇은 조각. 줄기와 엽초 사이에 불순물(不純物)이 들어가는 것을 막음. 잎혀.
엽쇼 감 ↗여보시오.
엽시【獵矢】명 사냥에 쓰는 화살.
엽신【葉身】명『식』잎몸.
엽아【葉芽】명〔foliar bud〕『식』잎눈. *화아(花芽)·혼아(混芽).
엽액【葉腋】명〔axil of leaf〕『식』식물의 가지나 줄기에 잎이 붙은 자리. 잎겨드랑이.
엽연[1]【葉緣】명〔leaf margin〕『식』잎의 가장자리. 잎가.
엽연[2]【曄然】명 기상(氣象)이 빛나고 성(盛)한 모양. 엽엽(曄曄). 엽욱(曄煜). ——-하다 형여불
엽-연초【葉煙草】명 잎담배.
엽엽【曄曄】명 엽연(曄然). ——-하다 형여불
엽우【獵友】명 함께 사냥 다니는 동무.
엽욱【曄煜】명 엽연(曄然). ——-하다 형여불
엽월【葉月】명 음력 팔월(八月)의 별칭.
엽육【葉肉】명『식』잎살.
엽이강【葉爾羌】명『지』'야르칸드(Yarkand)'의 한자명.
엽인[1]【葉印】명『식』엽흔(葉痕).
엽인[2]【獵人】명 사냥하는 사람. *엽사(獵師).
엽자[1]【葉子】명 ①↗엽자금(葉子金). ②↗엽자본(葉子本).
엽자[2]【鬣者】명 말[1].
엽자-금【葉子金】명 최상품(最上品)의 금. 얇게 불리어 잎사귀 모양으로 된 십품금(十品金). ㊟엽자(葉子). *십품금(十品金).
[엽자금 동자삼(童子蔘)이라] 사물이 지극히 고귀함을 비유한 말.
엽자-본【葉子本】명 첩장(帖裝). ㊟엽자.
엽장【獵場】명 사냥하는 곳. 사냥터.
엽장-석【葉長石】명『광』리튬 장석.
엽적【葉跡】명〔leaf trace〕『식』줄기의 관다발에서 갈라져 잎으로 들어가는 관다발.
엽전【葉錢】명 ①놋으로 만든 옛날의 돈. 둥글고 납작하며 가운데에 네모진 구멍이 있음. 삼한 중보(三韓重寶)·삼한 통보(三韓通寶)·동국 중보(東國重寶)·해동 중보(海東重寶)·해동 통보(海東通寶)·조선 통보(朝鮮通寶)·상평 통보(常平通寶) 등이 있음. 공방(孔方). 공방형(孔方兄). ②〈속〉한국 사람을 아직 봉건적 인습에서 탈피하지 못한 사람이라는 뜻으로 자학적(自虐的)으로 일컫는 말.

엽전-평【葉錢坪】명 엽전풀이.
엽전-풀이【葉錢―】명 다른 돈을 엽전으로 환산(換算)하는 일. 엽전평
(葉錢坪). 엽평(葉坪).
엽조【獵鳥】명 사냥을 허락한 새. ↔금렵조(禁獵鳥).
엽주【獵酒】명 술을 우려 먹기 위하여 아는 사람을 찾아 다님. 또, 그 술.
주렵(酒獵). ——-하다 자여불
엽-주머니 명〈방〉호주머니(강원).
엽지【葉枝】명 잎과 가지. 잎가지.
엽차【葉茶】명 ①찻잎을 달여서 만든 차(茶). ②한 번 우려 낸 홍차(紅
茶)를 재탕(再湯)한 멀건 ... ③차나무의 어린 잎을 따 쪄서 말린 차.
*전차(磚茶)·말차(抹茶).
엽-차게 명〈방〉호주머니(강 ...
엽채【葉菜】명 잎줄기 채소. ...황해·함남).
엽-채기 명〈방〉호주머니(강원. ...
엽채-류【葉菜類】명『식』잎줄기 ...
엽초[1]【葉草】명 잎담배.
엽초[2]【葉鞘】명〔leaf sheath〕『식』... 칼집 모양으로 되어 줄기
를 싸고 있는 것. 벼·보리 같은 볏과 ...에 많음.
엽초-부【葉鞘部】명『식』엽초가 붙어 ...
엽총【獵銃】명 사냥총.
엽축【葉軸】명『식』잎줄기.
엽충【葉蟲】명『충』잎벌레.
엽층【葉層】명〔lamina〕『지』지층(地層)이 ... 단층(單
層) 내부에서 입도(粒度) 또는 구성 물질의 거 ...자군(群)이
만드는 박층(薄層). 퇴적물이 정착할 때까지 이 ...의 최소 단
위임. 두께는 수 밀리미터 정도임.
엽치다 타 보리를 대강 찧다.
엽침[1]【葉枕】명〔pulvinus〕『식』잎이 붙은 곳. 또, 잎 ...
엽침[2]【葉針】명〔leaf spine〕『식』변태엽(變態葉)의 하나 ...
부가 변하여 바늘같이 된 것으로 선인장의 가시 따위. ...분.
엽탁【葉托】명『식』탁엽(托葉).
엽탄【獵彈】명 엽총에 쓰이는 탄환.
엽편【葉片】명『식』잎몸.
엽평【葉坪】명 엽전풀이.
엽호【獵戶】명 ①사냥으로 생계를 유지하는 사람의 집. ②사냥꾼.
엽황-소【葉黃素】명〔xanthophyll〕『식』엽록체 가운데에 엽록소와 함께 존재하는 황색의 색소(色素). 가을의 잎이 누른 것은 이 색소 때문임. 잎노랑이.
「병(葉柄)이 붙어 있던 흔적. 엽인(葉印).
엽흔【葉痕】명〔leaf scar〕『식』잎이 떨어진 뒤에, 줄기 위에 남는 엽
엿[1] 명 밥에 엿기름물을 부어 삭힌 뒤에 겻불로 밥이 물처럼 되도록 끓이고, 그것을 자루에 넣어서 짜낸 다음 진득진득해질 때까지 고아 식히어 굳힌 음식. 맛이 매우 달며 빛깔은 검붉은데 이것을 검은 엿이라 하며, 다시 자꾸 잡아 늘이어 빛깔이 희게 된 것을 흰엿이라 함. 밥은 보통 입쌀로 하나 밥의 재료에 따라서 찹쌀엿·좁쌀엿·수수엿·옥수수엿 등이 있고, 굳힐 때에 넣는 양념에 따라서 깨엿·콩엿·호두엿·잣엿 등이 있음. 이당(飴餹).
「弄)하는 말.
[엿을 물고 개잘량에 엎드러졌나] 수염이 많은 사람을 두고 조롱(嘲
엿 먹어라 구 골탕을 좀 먹으라고 방자하는 말.
엿 먹이다 구 남을 슬쩍 곯리거나 속이다.
「釋 Ⅱ:76》.
엿[2] 명〈옛〉여우[1]. =여스. ¶엿이 獅子ㅣ 아니며 燈이 日月이 아니며《月
엿[3] 관 ㄴ·ㄷ·ㅁ·ㅂ·ㅅ·ㅈ 등을 첫소리로 한 몇몇 명사 앞에 쓰여서 여섯임을 나타내는 말. ¶～ 냥/～ 되/～ 말/～ 발.
엿:- 두 '몰래'의 뜻. ¶～보다 / ～듣다 / ～살피다.
엿-가락 명 엿가래.
[엿가락 늘이듯 한다] 말 따위를 장황하게 늘어놓다.
엿-가래 명 가래엿의 낱개. 엿가락.
엿-가위 명 엿장수들이 들고 다니는 큰 가위.
엿-강정 명 잣·호두·땅콩·볶은 콩 등을 엿에 묻힌 과자.
엿-경단【―瓊團】명 끓인 엿물에 담갔다가 꺼낸 찹쌀 경단.
엿귀 명〈옛〉여뀌. ¶뉘 엿귀롤 쓰다 니르ᄂᆞ뇨 드로미나ᅀᅵ ᄃᆞᆯ도다(誰謂荼苦 甘如薺)《初杜諺 Ⅷ:18》/ 엿귀료(蓼)《字會 上 13》.
엿-기름 명 보리에 물을 부어서 싹이 나게 한 다음에 말린 것. 엿과 식혜를 만드는 데 쓰이며, 한방에서 거담(祛痰)·파적(破積)·개위(開胃)·진식(進食) 등의 약재로도 씀. 맥아(麥芽). 맥얼(麥糵). 엿길금.

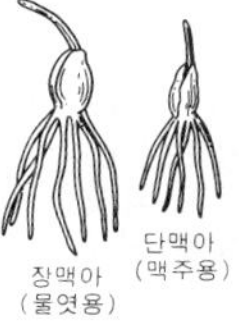

〈엿기름〉

[엿기름을 넣는다] 남의 것을 제 것처럼 감춘다는 말.
엿기름 가루 [―까―] 명 엿기름을 매에 타서 만든 가루.
엿기름-물 명 엿기름 가루를 우려 낸 물.
엿-길금 명 ☞ 엿기름.
엿-눈 명『식』'부정아(不定芽)'의 풀어 쓴 말.
엿다[1] 타〈옛〉엿보다. 넘겨 보다. ¶漁父 도라간 後 엿ᄂᆞ니 白鷺ㅣ로다《永言》.
「上搖車)《朴解 上 56》.
엿다[2] 타〈옛〉얹다. =얹다. ¶아기롤 다가 돌고지예 엿ᄂᆞ니라(把孩兒
엿다[3] 타〈옛〉엮다. ¶簫ᄂᆞᆫ 효ᄀᆞᆫ 대롤 엿거 부는 거시라《釋譜 XIII:53》.
엿-단쇠 감 엿장수가 엿을 사라고 외치는 소리.
엿-당【―糖】명『화』'말토오스(maltose)'의 관용명.
엿:-듣다 타ㄷ불 남몰래 가만히 듣다.
엿-목판【―木板】명 엿을 담는 목판. 흔히, 엿장수가 씀.
엿-물 명 엿기름물에 밥을 담가서 삭히어 짜 낸 물. 맛이 매우 달고 빛깔

엿반대기 이것을 고면 엿이 됨.

은 누르스름한데 이것을 되도록 곤란을 당했다는 말.

엿물을 흘렸다 구 녹초가 되 엿자박.

엿-반대기 명 엿으로 만든 반대기. 엿 밥찌끼. 이박(飴粕).

엿-밥 명 엿을 만들 때에 엿물을 짜 낸 …름의 한 가지. 세 짝이 내를 뽑아

엿-방망이 명 ①투전 노름이나 골패 ②↗엿죽방망이.

서 끗수 많은 사람이 이김. 준엿. 규시(窺視)하다. 점시(覘視)하다. ②

엿:-보다 타 ①남몰래 가만히 …다.

때를 노리다. ¶기회를

엿:-보이다 피동 엿봄이 모르게 가만히 살피다.

엿-비지 명 〈방〉 …일(六日). ②↗엿샛날.

엿:-살피다 타 …부터 여섯 번째 되는 날. 육일(六日). 준엿새.

엿새 명 ①… ¶엿쇄롤 뒷더니《內訓 Ⅰ:5》.

엿샛-날 …〉-어 있으라. -어라. ¶小船에 그믈 실흘제 酒樽 행혀

엿쇄 …讀에 달 도닷다 어서 배를 띄엿스라 아희야 臺 자로 부어라

-엿 …ᄒ여라 《…》

…다 타 〈방〉 엿듣다(강원·함경). …무를 뫼호디 말며 이페 엿오디 마

…보다 타 〈방〉 엿보다(강원·함경). ¶…門戶)《內訓 Ⅱ 上 12》.

…오다 자 〈옛〉 엿보다. =엿우다. ¶專혀 엿워 觀照의 볼고미 낫ᄃᆞᆫ 혼

…롬 ᄃᆞᆫᄒᆞ니 업스니(無聚會群輩 無…)《圓覺 下 三之一 54》.

엿우다 타 〈옛〉 엿보다. =엿… 명사형. ¶그스기 제엿우 미ᄃᆞᆫ호ᄆᆞᆯ 免ᄒᆞ

時節엔(專伺候觀照明顯…)《金三 Ⅱ:2》.

엿움 타 〈옛〉 엿봄.

리라ᄒᆞ니(免…) 〖식〗 여우오줌풀.

엿-자박 명 …는 사람.

엿잡… …대로 구 엿장수가 엿을 늘이듯이 무슨 일을 제마음대로 이

…다 하는 모양. 주의 뒤에 부정(否定)의 말이 따름.

엿… ↗엿죽방망이.

…방망이 명 ①엿을 골 때에 젓는 막대기. ②하기 쉬운 일을 놓으로

…는 말. 준엿방망이·엿죽.

…-치기 명 엿가래를 부러뜨려서 구멍이 있고 없는 것과 크고 작은 것을 비교하여 승부를 겨루는 내기. ——-하다 자 여불

엿-타령 【一打令】 명 〖악〗 남자들이 주로 부르는 잡타령의 하나. 익살스럽게 부르는 노래로서 일정한 가락이 없고, 그 지방에서 불리는 기존의 가락에 얹어 부르는 것이 보통임.

엳트다 형 〈옛〉 열다. 얕다. ¶엳트나 엳튼 우믈이니(淺淺的井兒)《老乞 上 28》.

엳다 타 〈옛〉 엮다. =엳다³. ¶엳글 편(編)《類合 下 37》.

-였- 선어미 ①'-었-'의 한 변칙. 어간 '하-' 뒤에만 쓰이는 과거 시제의 선어말 어미. ¶하~다. ②어간 형성 접미사 '-이-'가 바로 뒤의 선어말 어미 '-었-'과 합쳐 준 말. ¶먹~다.

-였습니다 어미 선어말 어미 '-였-'과 '-습니다'가 겹쳐 된 깍듯한 말씨의 종결(終結)어미. ¶제가 하~.

-였읍니다 어미 ☞-였습니다.

엿 명 〈옛〉 여우¹. =여ᅀᆞ. ¶해 엿의類 ᄃᆞ외ᄂᆞ니라(多爲狐類)《楞嚴 Ⅷ:120》/엿의갗 爲狐皮《訓例 終聲解》.

엿다 타 〈옛〉 엿보다. =여서보다. ¶窓ᄋᆞ로 여서 지블보니(窺窓觀室)《楞嚴 Ⅴ:72》.

엿오다 타 〈옛〉 엿보다. ¶그 ᄢᅴ 天魔ㅣ 엿와 그 便을 得ᄒᆞ야(爾時天魔候得其便)《楞嚴 Ⅸ:91》.

엿옴 타 〈옛〉 엿봄. '엿다¹'의 명사형. ¶눈 이시면 이셔지 엿옴도 能히 몯ᄒᆞ려니와(有眼不能窺旁觜)《南明 上 65》.

엿이니 〈옛〉 여우이니. ¶狐는 엿이니 疑心한 거시라《金三 Ⅲ:61》.

엿은 〈옛〉 여우는. '엿'의 절대격형. ¶힌 엿은 뛰놀오 누른 엿은 셧도다(白狐跳黃狐立)《杜諺 XXV:28》.

영¹ 명 〈방〉 〖동〗 여우(함남).

영:² 명 ↗이영.

영:³ 명 깨끗하게 잘 꾸민 집 안이나 방 안의 산뜻하고 생기 있는 밝은 기운. ¶~이 돌다.

영⁴ 【令】 명 ①↗명령. ②↗법령. ③↗약령(藥令). ④〖문〗 한문학에서, 문체의 명칭. '명(命)'과 같은 말. 중국 진(秦)나라 제도에서는 황후나 태자의 경우에만 '영'이라 불렀으나, 한대(漢代)에 와서는 임금들도 '영'이란 말을 썼음. ⑤〖문〗 한문학(漢文學)에서, '사(詞)'나 '곡(曲)'에서 사패(詞牌)나 곡패(曲牌) 이름에 붙이어 악곡(樂曲)의 일종을 가리키는 말. '여몽령(如夢令)'이나 '도도령(叨叨令)' 따위.

영⁵ 【令】 명 〖역〗 ①신라 때, 병부(兵部)·조부(調府)·경성 주작전(京城周作典)·사천왕사 성전(四天王寺成典)·봉성사(奉聖寺)성전·감은사(感恩寺)성전·봉은사(奉恩寺)성전·창부(倉部)·예부(禮部)·승부(乘部)·사정부(司正部)·예작부(例作部)·선부(船部)·영객부(領客部)·위화부(位和部)·좌이방부(左理方部)·우(右)이방부의 각 장관. ②고려 때, 전교시(典校寺)·전의시(典儀寺)·종부시(宗簿寺)·사복시(司僕寺)·전객시(典客寺)·내부시(內府司)·선공사(繕工司) 기타 여러 관아의 으뜸 벼슬. 품질(品秩)은 삼품에서 구품까지임. ③조선 시대 때, 종친부(宗親府)의 정오품 벼슬. 부령(副令)의 위, 부수(副守)의 다음. ④조선 시대 때, 소격서(昭格署)·종묘서(宗廟署)·사직서(社稷署)·평시서(平市署)·사온서(司醞署)·의영고(義盈庫)·장흥고(長興庫)·각 전(殿)·각 능(陵)의 으뜸 벼슬. 품질은 종오품임. ⑤대한 제국 때, 원구단 사제서(圜丘壇祠祭署)·종묘서·사직서·영희전(永禧殿)·목청전(穆清殿)·경효전(景孝殿)·각 능(陵)의 판임(判任) 벼슬.

영⁶ 【佘】 명 성(姓)의 하나. 우리 나라에는 현존하지 않음.

영:⁷ 【永】 명 성(姓)의 하나. 본관은 평해(平海)·강령(康翎)의 2 본(本)이 전함.

영⁸ 【英】 명 성(姓)의 하나. 우리 나라에는 현존하지 않음.

영⁹ 【郢】 명 〖지〗 중국 후베이 성(湖北省) 징난 도(荊南道) 장링 현(江陵縣)에 있는 땅. 춘추(春秋) 시대에 초(楚)의 장왕(莊王)이 도읍한 곳임. 기원전 278년에 진(秦)나라의 장수 백기(白起)에게 공격을 당하여 함락(陷落)되었음.

영¹⁰ 【零】 명 수(數)가 없는 것. 아무것도 없는 것. '0'을 그 기호로 함. 제로(zero).

영¹¹ 【鈴】 명 〖역〗 신라 때 무관(武官)의 말방울. 대감의 것은 황금으로 주위 한 자 두 치, 대장척 당주(大匠尺幢主)의 것은 주위 아홉 치, 제감(弟監)의 것은 은으로 주위 아홉 치, 소감(少監)의 것은 백동으로 주위 여섯 치임. 방울.

영¹² 【甯】 명 성(姓)의 하나. 우리 나라에는 현존하지 않음.

영¹³ 【榮】 명 성(姓)의 하나. 본관은 영천(永川) 단본임.

영¹⁴ 【領】 명 〖역〗 ①신라 시위부(侍衛府)의 무관 벼슬. 대두(隊頭)의 다음, 졸(卒)의 위임. 위계(位階)는 대나마(大奈麻)에서 사지(舍知)까지. ②고려 때, 이군 육위(二軍六衛)의 군대의 편제. 응양군(鷹揚軍)에 일령(一領), 용호군(龍虎軍)에 이령(二領), 좌우위(左右衛)에 보승(保勝) 칠령(七領), 정용(精勇) 삼령(三領), 신호위(神虎衛)에 보승 오령(五領), 정용 이령(二領), 흥위위(興威衛)에 보승 칠령(七領), 정용 오령(五領), 금오위(金吾衛)에 정용 육령(六領), 역령(役領) 일령(一領), 천우위(千牛衛)에 상령(常領) 일령(一領), 해령(海領) 일령(一領), 감문위(監門衛)에 일령(一領) 도합(都合) 45령을 두었는데, 군(軍)·위(衛)에 상장군(上將軍)·대장군(大將軍) 각 한 사람, 각 영(各領)에 장군(將軍) 한 사람, 중랑장(中郎將) 두 사람, 낭장(郎將) 다섯 사람, 별장(別將) 다섯 사람, 산원(散員) 다섯 사람, 오위(伍尉) 스무 사람, 대정(隊正) 마흔 사람, 군사(軍士) 천 사람이 있어, 이군 육위는 도합 사만 오천군(四萬五千軍)으로 조직됨. ③조선 왕조 국초(國初) 때, 의흥 친군(義興親軍)의 군대의 편제. 십위(十衛)에 상장군 각 한 사람, 대장군 각 두 사람, 각 위(各衛)에 중령(中領)·좌령(左領)·우령(右領)·전령(前領)·후령(後領)의 다섯 영이 있어, 각 영(領)에 장군 한 사람, 중랑장 세 사람, 낭장 여섯 사람, 별장 여섯 사람, 산원 여덟 사람, 위 스무 사람, 정(正) 마흔 사람을 두고, 도호 팔위(都護八衛)에 장군 두 사람, 도부외(都府外)의 좌령, 우령에 중랑장 각 한 사람, 낭장 각 두 사람, 별장 각 세 사람, 산원 각 네 사람, 위 스무 사람, 정 마흔 사람을 두었음. ④조선 시대 때, 금군(禁軍)에 딸린 무관 잡직(雜職)의 하나. 종구품임. 또, 승문원(承文院) 제원(諸員), 교서관 창준(校書館唱準), 도화서 화원(圖畫署畫員) 등에게 주는 종구품 서반 잡직(西班雜職).

영¹⁵ 【穎】 명 〖식〗 방동사닛과의 꽃의 기부(基部)에 있는, 보통 두 개의 작은 잎. 때로는 화영(花穎)을 포함하여 일컫기도 함.

영¹⁶ 【營】 명 ↗영문(營門)❶.

영¹⁷ 【嶺】 명 재².

영¹⁸ 【齡】 명 의명 〖충〗 누에가 뽕을 먹고 발육하는 시기. 보통 제5령(齡) 끝에 가서 실을 토하여 고치를 만들기 시작함. ↔면(眠).

영¹⁹ 【靈】 명 ①↗신령(神靈). ②↗영혼(靈魂)❹. ¶~과 육(肉).

영²⁰ 【靈】 명 성(姓)의 하나. 우리 나라에는 현존하지 않음.

영²¹ 〔young〕 명 젊음. 나이가 어림. 청춘 시기.

영²² 〔Young, Arthur〕 명 〖사람〗 영국의 농학자·농업 경제학자. 영국풍의 자본주의 대농 경영(大農經營)의 우위(優位)를 주장하여, 농업 기술의 근대화에 공헌하였음. [1741-1820]

영²³ 〔Young, Edward〕 명 〖사람〗 영국의 시인. 종교적인 명상시(瞑想詩) 《만가(挽歌)—죽음과 영생(永生)에 대한 야상(夜想)》은 그 시대의 시풍(詩風)과 현저한 대조(對照)를 이루어 '무덤 시인파'를 낳게 했으며 낭만파의 선구로 인정됨. [1683-1765]

영²⁴ 〔Young, Owen D.〕 명 〖사람〗 미국의 실업가·재정가·변호사. 일차 대전 후 독일의 배상 문제에 관한 도스안(Dawes案)을 개정하여 영안(Young案)을 입안하였음. [1874-1962]

영²⁵ 〔Young, Thomas〕 명 〖사람〗 영국의 의학자·물리학자·고고학자(考古學者). 처음으로 빛이 횡파(橫波)임을 제창하고 영률(Young率)·생물 발광(生物發光)·난시(亂視) 등을 발견함. 또한 고대 이집트 문자와 파피루스(papyrus)를 연구하여 로제타석(Rosetta石)의 해독(解讀)에 공헌하였음. [1773-1829]

영²⁶ 〔Young, Victor〕 명 〖사람〗 미국의 영화 음악 작곡가. 1935년 할리우드 진출 이래, 200편에 가까운 영화 음악을 작곡하였으며, 《80일간의 세계 일주》로 아카데미 영화 음악상을 받음. [1900-56]

영²⁷ 【令】 의명 가죽을 세는 말. ¶우피(牛皮) 다섯 ~.

영:²⁸ 【永】 부 ①↗영영(永永). ¶~ 소식이 없다. ②전혀. 아주. 도무지. ¶~ 글렀다/~ 딴판이다/~ 말을 안 듣는다.

영²⁹ 조 〈방〉 와⁴(제주).

영³⁰ 【英】 관 영국(英國). 영어(英語). ¶~문학/주(駐)~ 대사.

영- 【令】 접 남의 가족을 경의를 표하여 부를 때에 명사 위에 붙이는 말. ¶~부인(夫人)/~매(妹).

영:가¹ 【詠歌】 명 ①창가(唱歌). ②〖악〗 '음·아·어·이·우'의 오음(五音)을 처음에는 길게, 나중에는 빠르게 가락을 붙여 반복하여 부르는 일종의 종교적인 가요(歌謠). 조선(朝鮮) 시대 말엽부터 불리어지기 시작하였다 함. ——-하다 자 여불

영가² 【靈歌】 명 〖악〗 미국의 흑인들이 부르는 일종의 기독교적인 성가

(聖歌). 당김음의 리듬이 그 특징임. ¶흑인 ~.

영가[3]【靈駕】명〖불교〗영혼(靈魂)❷.

영:가 무:도【詠歌舞蹈】명 노래를 부르고 춤을 춤. ——-하다 자여불

영:가집 언:해【永嘉集諺解】명〖책〗↗선종(禪宗) 영가집 언해.

영:가학-파【永嘉學派】명〖역〗융자 학파.

영각[1] 명 암소를 찾는 황소의 우는 소리. ——-하다 자여불

영각(을) 켜다 구 황소가 암소를 부르느라고 영각한다. ¶최가는…눈알을 허공에 달고는 황소 ~켜는 소리로 소리질렀다《金周榮 : 客主》.

영각[2]【迎角】명 비행기 따위에서 기류(氣流)의 흐름의 방향과 익현(翼弦)이 이루는 각.

영:각[3]【影閣】명〖불교〗고승(高僧)의 초상을 모신 곳.

영각[4]【瀛閣】명〖역〗'홍문관(弘文館)'의 별칭.

영각[5]【靈覺】명〖불교〗영혼(靈魂)❷.

영간【零簡】명 영본(零本).

영:감[1]【令監】一명 ①〖역〗정삼품과 종이품의 관원(官員)을 일컫던 말. 관직 이름에 붙여서 부름. 영공(令公). ②좀 나이가 많은 남자 노인을 대접하여 일컫는 말. ③면장·군수·국회 의원·판검사 등 지체 있는 사람을 옛날 습성으로 존대하여 일컫는 말. 二인대 나이 든 남편을 일컫는 말. ¶이건 ~이 가지시구려. *당신. 三감 나이 든 남편을 부르는 말. ¶~, 이리 좀 와 보세요. *임자.

[영감 밥은 누워 먹고 아들 밥은 앉아 먹고 딸의 밥은 서서 먹는다] 남편(男便) 덕(德)에 먹고 사는 것이 가장 편하며, 아들 부양(扶養)을 받는 것도 견딜 만하나 딸의 집에서 붙여 먹는 것은 견딜 수 없다는 말. [영감의 상투] 물건의 하찮음의 비유. [영감의 상투 굵어서는 무엇을 하나 당줄만 동이면 그만이지] 적당하면 그만이지 쓸데없이 클 필요는 없다는 말.

영감[2]【靈感】명 신(神)의 영묘한 감응(感應). 신의 계시를 받은 것 같은 느낌. 인스피레이션(inspiration). 영상(靈想). ¶~을 얻다.

영감[3]【靈鑑】명 ①신불(神佛)의 영묘(靈妙)한 조감(照鑑). ②영묘한 감식(鑑識).

영:감-놀이【令監—】명〖민〗제주도에서 연극적으로 전개되는 굿의 한 가지. 도깨비신을 대상으로 한 연희적(演戲的) 의례임.

영:감-님【令監—】명 '영감[1]❷❸'의 경칭.

[영감님 주머니 돈은 내 돈이요 아들 주머니 돈은 사돈네 돈이다] 남편이 벌어다 주는 돈은 아내가 마음대로 할 수 있으되, 아들이 버는 돈은 며느리의 조종으로 마음대로 할 수 없다는 말.

영:감-마님【令監—】명 '영감[1]❶'의 경칭.

영감-무【靈感巫】명〖민〗영감을 받고 무당이 된 사람.

영감-쟁이【令監—】명 ①〈속〉'늙은이'의 멸칭(蔑稱). ②〈방〉늙은이(경상).

영감-타구【令監—】명〈방〉늙은이(경상).

영:감-타:령【令監打令】명〖악〗여자들이 부르는 부녀요(婦女謠)의 하나. 천박한 면도 있으나 유머러스한 노래임.

영:감-태기【令監—】명〈속〉'늙은이'를 익살스럽게 또는 홀하게 일컫는 말. *할망구.

영:감-하【永感下】명 부모가 돌아가서 계시지 아니한 경우.

영갑【令甲】명〖역〗법령(法令)❶.

영:강【永康】명〖역〗고구려의 연호.

영개 명〈방〉연기[7]❶(煙氣)(충북·경상·제주).

영객【領客】명〖역〗'예빈시(禮賓寺)'의 별칭.

영객-부【領客府】명〖역〗신라 때 외교(外交)를 맡아 보던 관아. 왜전(倭典)의 후신(後身). 진평왕(眞平王) 43년(621)에 영객전(領客典)이라 고치고, 경덕왕(景德王) 때에 사빈부(司賓府)라 고쳤다가, 혜공왕(惠恭王) 때에 다시 본이름으로 고침.

영객-전【領客典】명〖역〗신라 때 외교(外交)를 맡아 보던 관아. 진평왕(眞平王) 43년(621)에 영객부(領客府)를 고친 이름.

영갱이 명〈방〉〖동〗여우(강원).

영거[1]【領去】명 함께 데리고 감. 또, 보호(保護)하여 가지고 감. ——-하다 타여불

영거[2]【寧居】명 안심하고 편안히 삶. ——-하다 자여불

영거게 지대 부〈방〉여기[8](함북).

영거랭이 명〈방〉연기[7]❶(煙氣)(경남).

영거리 사격【零距離射擊】명〖군〗근거리의 적에 대하여 포탄이 발사 직후에 파열하도록 조절하여 하는 사격.

영거 제너레이션〔younger generation〕명 ①젊은이들. 청소년층(青少年層). ②젊은 세대(世代). 새로운 시대. 영 제너레이션.

영거 처:치〔younger church〕명 구미(歐美)의 그리스도교국(敎國)에 대하여, 근대 이후 선교사들의 전도에 의해 생겨난, 아시아·아프리카 등지의 비(非)그리스도교국의 교회(敎會). 특히, 세계 교회 운동에 있어서의 용어로 쓰임.

영건【營建】명 건물을 지음. 영구(營構). ——-하다 타여불

영건 도감【營建都監】명〖역〗조선 시대에 궁전·묘사(廟社)·성곽(城郭)의 건축 공사가 있을 때 임시로 설치하여 그 일을 관장하던 관청.

영걸【英傑】명 ①영웅과 호걸(豪傑). ②재지가 뛰어나고 기상이 걸출함. 또, 그 사람. *웅걸(雄傑)·영사(英士)·영웅·영호(英豪). ——-하다 형여불. ——-히 부

영걸-스럽다【英傑—】형ㅂ불 영민하고 뛰어나다. 영걸(英傑)한 데가 있다. 영걸-스레【英傑—】부

영걸지-주【英傑之主】[—찌—] 명 영걸스러운 기상(氣象)을 가진 군주(君主).

영검[1]【靈—】명〔←영험(靈驗)〕사람의 기원(祈願)에 대한 신불(神佛)의 영묘한 감응(感應). ——-하다 형여불 신이나 부처의 영묘한 감응이 있다. 준영하다.

영검[2]【靈劍】명 영묘(靈妙)한 검.

영검-스럽다【靈—】형ㅂ불 영검한 듯하다. 영검-스레【靈—】부

영:겁【永劫】명〖불교〗영원한 세월. 천겁(千劫). 백겁(百劫).

영:겁 회귀【永劫回歸】명〔도 ewige Wiederkunft〕〖철〗기쁨·슬픔 등을 인생(人生)이 영원히 반복(反復)한다고 하는 니체의 학설. 영원회귀(永遠回歸).

영게[1] 명〈방〉연기(煙氣)(경상).

영게[2] 지대 부〈방〉여기[8](함북).

영:격[1]【永隔】명 영원히 이별하거나 [...] 따위가 끊김. 또는 소식 따위를 끊음. ——-하다 자 타여불

영격[2]【迎擊】명 ①쳐들어오는 적을 나[...]아 침. 요격(邀擊). ②찾아오는 사람을 중로에서 만남. ——-하[...]

영견[1]【迎見】명 연견(延見). ——-하다 타[...]

영견[2]【鶯繭】명 고치틀기.

영:결【永訣】명 죽은 사람과 산 사람이 영원히 [...] ——-하다 자여불

영:결-사【永訣辭】[—싸] 명 영결식에서 고인을 [...]함.

영:결-식【永訣式】명 장례 때, 친지가 모여 [...] ¶~식장.

영:결 종천【永訣終天】[...] ——-하다 자여[...]

영경[2]【靈境】명 ①영묘한 경지(境[...]). ②속진(俗塵)을 떠난 경치 [...] 용한 곳.

영경[3]【靈慶】명〖악〗조선 세종(世宗) [...] 하나. 그 당시의 향악(鄕樂)과 고취악(鼓吹[...]) 상의 11곡 중에서 넷째 곡임.

영-경연사【領經筵事】명〖역〗①고려 때 경연(經[...])된 발상(發祥) [...] 경연사(知經筵事)의 위임. 공양왕(恭讓王) 2년(1390)[...] 창제한 발 [...] 대 때, 경연의 으뜸 벼슬. 의정(議政)이 겸임함. *영사[9][...]

영계[1]【—鷄】명〔←연계(軟鷄)〕병아리보다 조금 큰 닭.

영계[2]【靈戒】명〖대종교〗신자(信者)에게 자격(資格)을 주는 예[...]

영계[3]【靈界】명 ①영혼의 세계. 사람이 죽은 뒤에 영혼(靈魂)이 가서 [...]다는 곳. ②정신 또는 그 작용이 미치는 범위. 정신계(精神界). ↔육계(肉界).

영계[4]【靈溪】명〖사람〗길선주(吉善宙)의 호(號).

영계 구이【—鷄—】명 햇닭 고기를 저며서 양념을 해가지고 구운 음식. 연계구(軟鷄炙). 연계 구이.

영계 백숙【—鷄白熟】명 영계의 털을 뽑고 내장을 버린 다음 통으로 튀하여 삶은 음식.

영-계수【—係數】〔Young〕명〖물〗영률(Young 率).

영계-찜【—鷄—】명 영계를 온통으로 튀하여 삶은 다음에 뼈를 추려 낸 것에다가 밀가루·녹말을 풀어서 붓고, 양념을 치고 고명을 얹어 만든 음식. 연계증(軟鷄蒸).

영고[1]【迎鼓】명〖민〗옛날 부여국(扶餘國)에서 추수를 끝낸 후 섣달에 하늘에 제사 지내고 추수(秋收)를 감사하며 잘 먹고 가무(歌舞)하던 의식(儀式).

영-고[2]【榮枯】명 성함과 쇠함. 영락(榮落).

영고[3]【靈告】명 신령의 계시(啓示).

영고[4]【靈鼓】명〖악〗아악기에 속하는 타악기의 하나. 지신(地神)에게 제사를 지낼 때 치던, 북통을 누렇게 칠하여 틀에 매단 팔면고(八面鼓). 헌가악(軒架樂)에 쓰며, 주악(奏樂)할 때 진고(晉鼓)와 함께 침.

〈영고[4]〉

영고 성:쇠【榮枯盛衰】명 개인이나 사회의 성하고 쇠함이 서로 뒤바뀌는 현상. 침부(沈浮). 승침(昇沈).

영고이대【英固爾岱】명〖사람〗용골대(龍骨大)의 본디 이름.

영고-탑【寧古塔】명〖지〗〔영고(寧古)는 만주어(滿洲語)로 여섯의 뜻, 탑(塔)은 자리의 뜻으로, 중국 청조(清朝) 조상의 여섯 형제가 이 곳 언덕에 자리잡고 산 땅이라 함〕영안(寧安).

[영고탑을 모았다] 남모르게 재산을 모았을 때 이르는 말.

영곡[1]【郢曲】명〔중국 춘추 시대 초(楚)나라의 서울이던 영(郢)이 음탕한 고장이었다는 데서〕①영(郢)의 사람들이 부른 속곡(俗曲). ②비속(卑俗)한 음악.

영곡[2]【嶺曲】명 영남(嶺南)에서 나는 곡삼(曲蔘).

영공[1]【令公】명 영감(令監)❶.

영공[2]【領空】명〖정〗영토(領土)와 영해(領海) 위의 하늘. 그 나라의 배타적 지배권이 미침. 타국(他國)의 항공기는 허가를 얻지 않으면 비행할 수 없음.

영공[3]【靈供】명 부처나 죽은 이의 영전에 바치는 잿밥.

영공-권【領空權】[—꿘] 명〖법〗영공에 대한 권리. 특별한 조약(條約)을 맺지 않고는 외국의 항공기가 다른 나라의 영공상을 비행할 수 없음.

영공-설【領空說】명〖정〗세계 각국은, 국제 교통을 위하여 국제법 상의 규정에 따르지만 그러나, 국가 주권이 미치는 한의 영토와 영해의 상공을 영공으로 하고 완전 또는 배타적으로 국가 주권을 행사할 수 있다는 설.

영공 침범【領空侵犯】명 외국의 항공기가 국제법이나 해당국(該當國)의 법률을 위반하고 영공을 침범하는 일. 영공을 침범하는 경우, 우선 경고(警告)하고, 계속 침범하면 격추(擊墜) 등의 실력 행사(實力行使)가 인정됨.

영:과【穎果】명〔caryopsis〕〖식〗수과(瘦果)의 한 가지. 과피(果皮)가 건조하여 종피(種皮)와 꼭 붙어 있고 씨도 하나임.

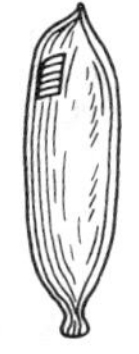

〈영과〉

(1853) ≪아미타경(阿彌陀經)≫·≪십육관경(十六觀經)≫·≪연종 보감(蓮宗寶鑑)≫을 간인(刊印)하였고, 동 6년 ≪화엄경 소초(華嚴經疏鈔)≫ 80권·≪별행(別行)≫ 등을 판각(板刻)하였음. 고종(高宗) 2년(1865)에는 ≪해인사 대장경(海印寺大藏經)≫ 두 벌을 박아 설악산 오세암(五歲庵)과 오대산 적멸궁(寂滅宮)에 보관함. 그 밖에 여러 곳의 암자·보탑(寶塔) 등을 중건·개수함. [1820-72]

영-기[4] 【令旗】 명 〘역〙 옛날 군중(軍中)에서 군령(軍令)을 전하던 기(旗). 사방 두 자 가량의 푸른 비단 바탕에 붉게 '令'자를 새겨 붙였음. 깃대 머리는 한 자 가량의 창인(鎗刃)으로 되었고, 창인 아래에 아주 작고 납작한 주석 방울을 끼어 흔들면 쩔렁쩔렁 소리가 남. 지금은 농악을 연희(演戲)할 때 장식용으로 쓰이는 기. *순시기(巡視旗).

〈영기³〉

영기[5] 【英奇】 명 영특하고 기걸(奇傑)함. ——-하다 형여불

영기[6] 【英氣】 명 우수한 재기(才氣). 뛰어난 기상(氣象).

영기[7] 【靈氣】 명 영묘한 기운.

영기[8] 【營奇】 명 〘역〙 조선 시대 기별(奇別) 제도의 하나. 각 도의 감영(監營)과 병영(兵營)·수영(水營)에서 일어났거나 처결(處決)된 사항 및 그 곳들에 보고된 소식을 영저리(營邸吏)가 취사 선택해서 필사(筆寫)하여 알리던 일종의 기별 제도.

영기-봉 【靈氣峰】 명 〘지〙 함경 남도 홍원군(洪原郡) 보현면(普賢面)에 있는 산. [1,272 m]

영-기호 【嬰記號】 명 〘악〙 '올림표'의 한자 이름.

영:길 【永吉】 명 〘지〙 길림(吉林).

영길리 【英吉利】 명 〘지〙 〔잉글리시(English)의 음역(音譯)〕 영국(英國).

영깽이 명 〈방〉 〘동〙 여우(강원).

영끼 명 〈방〉 〘동〙 여우(함남).

영남 【嶺南】 명 〘지〙 삼남(三南)의 하나. 조령(鳥嶺)의 남쪽. 곧, 경상 남북도. 교남(嶠南).

영남-가 【嶺南歌】 명 〘문〙 박인로(朴仁老)가 75세 때에 지은 가사. 이근원(李謹元)이 영남 순찰사로 부임하여 선정(善政)을 베푼 것을 찬양한 가사임. 114구.

영남 대학교 【嶺南大學校】 명 사립 대학교의 하나. 1967년 12월 대구(大邱) 대학과 청구(靑丘) 대학의 통합으로 발족함. 문과·이과·공과·법과·정치 행정·상경·의과·약학·농축산·가정·사범·미술·음악 대학이 있고, 도서관·박물관·민족 문화 연구소 등이 있음. 소재지 경상 북도 경산시(慶山市) 대동(大洞).

영남-루 【嶺南樓】 〔一누〕 명 〘지〙 밀양(密陽) 영남루.

영남 분지 【嶺南盆地】 명 〘지〙 낙동강 상류 지방(上流地方), 태백 산맥(太白山脈)·소백 산맥(小白山脈)을 비롯하여 태백산·백암산(白巖山)·국망봉(國望峰)·보현산(普賢山)·팔공산(八公山) 등 여러 고봉(高峰)에 둘러싸인 지역. 지형상으로 보아 분지라고 하나 내부가 평탄(平坦)한 일반적인 분지와는 달리 구릉 또는 산지가 많음. 평지는 낙동강 본류와 지류에 따라 수지상(樹枝狀)으로 발달됨. 안동(安東)·상주(尙州)·예천(醴泉) 등의 작은 분지로 나뉘어짐.

영남 악부 【嶺南樂府】 명 〘문〙 이학규(李學逵)가 1808년에 지은 악부. 그가 경상도 김해(金海)에 귀양가 있을 때 지은 것으로 신라에서 고려 말까지의 영남 지방 인물(人物)과 사적(史蹟)을 읊. 68수.

영남 알프스 【嶺南—】 〔Alps〕 명 〘지〙 경상 남도 북동부, 태백 산맥(太白山脈)의 남쪽 끝, 밀양(密陽)·울주(蔚州)·양산(梁山) 3군에 걸친 해발(海拔) 1,000 m급의 7개의 산, 즉 가지산(加智山)·운문산(雲門山)·천황산(天皇山)·신불산(神佛山)·재약산(載藥山)·취서산(鷲棲山)·고헌산(高獻山) 등의 속칭. 가파른 암벽과 험준한 봉우리, 그리고 겨울에 눈이 쌓인 능선(稜線)의 경치가 알프스와 같다는 데서 붙여짐.

영남 인물고 【嶺南人物考】 명 〘책〙 조선 정조(正祖) 때에 채홍원(蔡弘遠)이 왕명을 받아 경상도 출신의 인물 450여 명의 약전(略傳)을 기록한 책. 10권 10책.

영남 일보 【嶺南日報】 명 대구에서 발간되던 지방 일간 신문. 1945년 10월 1일 창간하여, 1980년 11월 폐간되었다가 1989년 4월 복간됨.

영남 작물 시험장 【嶺南作物試驗場】 명 농촌 진흥청 산하 농업 연구 기관. 식량 작물과 경제 작물의 품종 개량, 재배법의 개선 연구, 병충해와 잡초의 방제(防除) 연구, 토양 자원 조사·농토 배양 연구, 생물 공학의 실용화 연구 등을 수행함. 본장(本場)은 경상 남도 밀양시(密陽市) 내이동(內二洞)에 소재함.

영남 칠진 【嶺南七鎭】 〔一찐〕 명 〘역〙 안동(安東)·동래(東萊)·상주(尙州)·진주(晋州)·김해(金海)·선산(善山)·성주(星州)의 일곱 진(鎭)의 일컬음.

영남 학파 【嶺南學派】 명 〘역〙 조선 시대 중기, 이황(李滉)을 조종(祖宗)으로 한 성리학(性理學)의 한 파. 이황의 이기 이원론(理氣二元論)을 지지하는 영남 출신의 학자들을 이르는 말로, 이이(李珥)의 기호 학파(畿湖學派)와 함께 유학계(儒學界)의 쌍벽을 이루었음.

영남 화:력 발전소 【嶺南火力發電所】 〔一쩐一〕 명 경상 남도 울산시 남구 매암동 장생포(梅岩洞長生浦)에 있는 발전소. 1970년에 전력 생산을 개시했음. 중유 전소식(重油專燒式) 발전소로서, 연간 약 30억 kW/h의 전력을 생산할 수 있음.

영납 【營納】 명 〘역〙 감영(監營)에 바치던 돈이나 물건.

영-내[1] 【楹內】 명 현관 안. ¶삼공 이외에는 ~에 같이 앉지 못할 것≪金東仁 : 雲峴宮의 봄≫. ↔영외.

영내[2] 【領內】 명 영토(領土)의 안.

영내[3] 【營內】 명 〘군〙 병영(兵營)의 안. ↔영외(營外).

영내 거주 【營內居住】 명 〘군〙 군인이 외박하지 아니하고 영내에서 침식하는 생활. ↔영외 거주.

영-내다 【令一】 자 명령을 내다.

영녀 【令女】 명 영양(令孃). 영애(令愛).

영녀 문학 【令女文學】 명 〘문〙 ①여유 있는 따님들이 한가로이 읽어서 재미있도록 쓴 문예 작품. ②글재주 있는 처녀가 지은 소설이나 시(詩) 등. 영양 문학(令孃文學).

영:년[1] 【永年】 명 긴 세월. ¶~ 근속.

영년[2] 【迎年】 명 한 해를 맞이함. ↔송년(送年).

영:년 가속 【永年加速】 명 〘물〙 장년 가속(長年加速).

영:년 변:광성 【永年變光星】 명 〔secular variable〕 〘천〙 1세기 이상의 시간에 걸쳐 서서히 그 광도(光度)가 증감하는 별.

영:년 변:화 【永年變化】 명 〘지〙 지구의 자전(自轉)이나 지구 조석(潮汐)·지자기(地磁氣) 따위의 변화로, 연주(年周) 변화보다도 더 오랜 변화. 어떤 기간마다의 평균값의 변화.

영:년 섭동 【永年攝動】 명 〔secular perturbation〕 〘천〙 극도로 긴 주기(週期)로 나타나는 행성(行星) 또는 위성(衛星)의 궤도 변화.

영:년 시:차 【永年視差】 명 〔secular parallax〕 〘천〙 태양의 운동에 기인(起因)하는 항성(恒星)의 외관상의 각도 이동.

영:년 자기 변:화 【永年磁氣變化】 명 〔magnetic secular change〕 〘물〙 자기 요소(要素)의 값이 오랜 세월에 걸쳐 천천히 변화하는 일.

영:년-초 【永年草】 명 〘식〙 여러 해 동안 생육(生育)하는 목초(牧草).

영:념 【另念】 명 특별한 호의로 마음을 씀. ——-하다 타여불

영:녕-전 【永寧殿】 명 〘역〙 조선 시대의 임금 및 왕비로서 종묘(宗廟)에 모실 수 없는 분의 신위(神位)를 봉안(奉安)하던 곳. 종묘 안에 있는데 태조(太祖)의 사대조(四代祖) 및 그 비(妃), 대(代)가 끊어진 임금 및 그 비를 모시었음. 종묘와는 달리 영녕전은 일 년에 두 번(정월·칠월) 원칙으로 대관(代官)을 보내어 간소하게 제사를 지냈으며, 공상(供上)에도 차별이 많았음. 뒷전(殿).

영노[1] 명 〘민〙 통영 오광대(統營五廣大)·고성(高城) 오광대·가산(駕山) 오광대와 수영 야유(水營野遊)·동래(東萊) 야유에 등장하는 배역. 반인 반수(半人半獸)의 가상적 동물로서 괴물 탈을 쓰고 등장하는데, 통영 오광대의 영노 탈은 용두(龍頭) 모양이고, 가산 오광대의 영노 탈은 사자 모양임.

영노[2] 【營奴】 명 〘역〙 감영(監營)과 병영(兵營)에 딸린 사내 종. ↔영비(營婢).

영-노비 【營奴婢】 명 〘역〙 감영·병영에 딸린 관노비(官奴婢).

영농 【營農】 명 농업을 경영함. ¶~비/~ 방법. ——-하다 자여불

영농 자:금 【營農資金】 명 농업을 경영하는 데 소요되는 자금.

영단[1] 【英斷】 명 ①지혜롭고 용기 있게 처단함. ②뛰어난 결단(決斷). 과감한 결단. ¶~을 내리다. ——-하다 타여불

영단[2] 【營團】 명 〔↗경영 재단(經營財團)〕 국가 목적에 필요한 특수한 사업을 돕기 위하여 설치했던 반관 반민(半官半民)의 특수 재단. ¶주택 ~/식량 ~.

영단[3] 【靈壇】 명 〘불교〙 영혼의 위패(位牌)를 두는 단.

영:단-산 【永丹山】 명 〘지〙 평안 남도(平安南道) 영원군(寧遠郡)에 있는 산. [1,532 m]

영달[1] 【令達】 명 명령으로서 전함. 명령의 통지(通知). ¶예산(豫算) ~. ——-하다 타여불

영달[2] 【英達】 명 영명(英明). ——-하다 형여불

영달[3] 【榮達】 명 지위(地位)가 높고 귀하게 됨. 이달(利達). 현달(顯達). ——-하다 자여불

영:답 【影沓】 명 〘불교〙 ↗영위답(影位沓).

영당[1] 【令堂】 명 남의 어머니의 경칭.

영:당[2] 【影堂】 명 〘불교〙 개산조(開山祖)나 고승 등의 화상(畫像)이나 위패(位牌)를 모시어 둔 사당(祠堂). 영도(影圖). 영전(影殿).

영당[3] 【靈堂】 명 신불을 모신 당.

영:대[1] 【永代】 명 영세(永世).

영대[2] 【領帶】 명 〘천주교〙 성사(聖事) 집행시에 사제(司祭)가 목 뒤로 걸어서 몸 앞 양쪽으로 길게 늘어뜨린 띠 모양의 형겊.

영:대[3] 【影帶】 명 〔shadow band〕 〘천〙 개기 일식(皆既日食) 때, 개기의 직전이나 직후에, 지상(地上)에 명암(明暗)의 무늬 모양이 흔들려 보이는 현상.

영대[4] 【靈臺】 명 ①신령스러운 곳이라는 뜻으로 '마음'을 이르는 말. ②임금이 망기(望氣)하는 대(臺).

영:대-강 【永代講】 명 〘불교〙 죽은 사람의 명복을 빌기 위하여, 해마다 신도를 모아서, 불경을 강설(講說)하는 일.

영:대-경 【永代經】 명 〘불교〙 죽은 사람을 위하여 달마다 한 번씩 제사 지내며, 경전(經典)을 읽는 일.

영대-랑 【靈臺郎】 명 〘역〙 고려 태사국(太史局)의 정팔품 벼슬. 보장정(保章正)의 위, 승(丞)의 아래임.

영:대 소:작 【永代小作】 명 〘농〙 영소작(永小作).

영:대 차:지 【永代借地】 명 〘법〙 영대 차지권을 설정(設定)한 토지.

영:대 차:지권 【永代借地權】 〔一꿘〕 명 〘법〙 국내 거류(居留) 외국인에게 허여되는, 일정한 지대(地代)를 지불하고 영구히 토지를 사용할 수 있는 권리.

영덕[1] 【令德】 명 아름다운 덕.

영덕[2] 【盈德】 명 〘지〙 경상 북도 영덕군의 군청 소재지로 읍(邑). 군의 중부에 위치하여 동해에 임하며, 오십천(五十川)이 관류(貫流)하고 있음. 농산물의 집산지로, 해안에는 해안 단구(海岸斷丘)가 발달되어 있음. [14,439명(1990)]

영덕[3]【靈德】명 영묘한 덕.
영덕-군【盈德郡】명〖지〗경상 북도의 한 군. 관내 1읍 8면. 북은 울진군(蔚珍郡), 동은 바다, 남은 영일군(迎日郡), 서는 영양군(英陽郡)과 청송군(靑松郡)에 인접함. 주요 산물로는 쌀·보리·복숭아·양송이 등의 농산과 대게·은어(銀魚)·노가리·쥐치·명태·꽁치·오징어 등의 수산이 있고, 대게와 은어는 이 고장 특산임. 명승 고적으로는 죽도(竹島)·임경대(臨鏡臺)·반송정(盤松亭)·미실 팔경(美實八景)·대진(大津) 해수욕장 등이 있음. 군청 소재지는 영덕(盈德). [740.88 km² : 57,548 명(1996)]
영덕-대게【盈德—】명 경상 북도 영덕군(盈德郡)의 명산(名産)인 바「닷게의 속칭.
영덕-산【嶺德山】명〖지〗함경 남도 북청군(北靑郡) 성대면(星岱面)과 이원군(利原郡) 이원면(利原面) 사이에 있는 산. [1,488 m]
영덕 평야【盈德平野】명〖지〗경상 북도 영덕군(盈德郡) 영덕읍을 중심으로 오십천 유역(五十川流域)에 발달한 해안 평야.
영도[1]【英圖】명 뛰어난 계획. 영략(英略).
영도[2]【零度】명 도수(度數)를 계산(計算)할 때에 기점(起點)이 되는 자리.
영도[3]【領導】명 거느려 이끎. 앞장서서 지도함. ——-하다 타여불
영:도[4]【影島】명〖지〗부산항(釜山港)의 앞바다에 있는 섬. 부산항의 천연적인 대방파제(大防波堤)를 이루는데, 섬의 동북쪽으로는 좁은 해안(海岸) 평야가 벌어이 있고, 특히 서북쪽은 부산항과 마주 봄. 기후가 따뜻하여 후박나무·생달나무·동백나무 등이 자생함. 한국 수산(水產)의 전진 기지로 수산 기술 연구소·어업 기술 연구소 등의 기관과 조선소(造船所)가 밀집되어 핵심적 조선 공업 단지의 하나임. 태종대(太宗臺)·신선대(神仙臺) 등의 관광 명소가 있음. 행정적(行政的)으로 부산 광역시 영도구(區)를 이루며 시내와의 사이에 영도 대교(大橋)와 부산 대교가 놓여 교통(交通)이 편리함. 구칭 : 절영도(絕影島)·목도(牧島). [13.24 km² : 208,740 명(1995)]
영:도[5]【影圖】명〖불교〗영당(影堂).
영도[6]【靈都】명 성도(聖都).
영도[7]【靈鼗】명〖악〗아악기에 속하는 타악기의 하나. 북통을 누렇게 칠한 작은 북 네 개를 십자형(十字形)으로 어긋매끼어 긴 자루에 꿴 북. 자루를 수평(水平)으로 뉘어서 흔들면, 북통 양쪽에 달린 가죽끈이 북면을 두드려 소리를 냄. 사직제(社稷祭)에서, 주악을 시작하기 전에 세 번 흔듦. 조선 세종 때, 중국 명(明)나라로부터 들어옴.

〈영도7〉

영도-권【領導權】[—꿘] 명 영도하는 권한.
영도-력【領導力】명 영도하는 능력.
영:도-사【永導寺】명〖불교〗개운사(開運寺).
영도-자【領導者】명 영도하는 사람.
영도-적【領導的】명관 거느리어 이끌어 가는 모양. ¶～ 역할.
영-도첨의【領都僉議】[—/—이] 명〖역〗고려 때 중서령(中書令)의 후신(後身). 충렬왕(忠烈王) 21 년(1295)에 도첨의령(都僉議令)이라 고쳤다가 곧 판도첨의사사(判都僉議使司)라 고치고 뒤에 또 이 이름으로 고침. 공민왕(恭愍王) 18 년(1369)에 다시 영문하(領門下)로 고치었음.
영독【獰毒】명 모질고 독살스러움. ——-하다 형여불 ——-히 부
영-돈녕【領敦寧】명〖역〗↗영돈녕부사(領敦寧府事).
영-돈녕부사【領敦寧府事】명〖역〗조선 시대 돈녕부(敦寧府)의 으뜸 벼슬인 영사(領事). 정일품 벼슬로 국구(國舅)에게 내리었음. 준영돈녕(領敦寧).
영-돈녕원사【領敦寧院事】명〖역〗조선 말기, 돈녕원(敦寧院)의 칙임(勅任) 벼슬. *영사[9](領事).
영:동[1]【永同】명〖지〗충청 북도 영동군의 군청 소재지로 읍(邑). 경부선의 대전과 김천(金泉) 중간에 위치하며, 감·밤·호도의 산출이 많고, 잎담배의 집산지임. 명소 고적으로 중화사(重華寺)·낙화대(落花臺) 등이 있음. [22,824 명(1995)]
영동[2]【楹棟】명 기둥과 마룻대. 전(轉)하여, 가장 중요한 인물.
영동[3]【嶺東】명〖지〗강원도(江原道) 대관령(大關嶺) 동쪽의 땅. 관동(關東). ↔영서(嶺西).
영동 고속 도:로【嶺東高速道路】명〖지〗서울·강릉(江陵) 사이를 잇는 고속 도로. 1975년 9월에 개통됨. 정식 명칭은 '고속 국도 4 호'임. [201 km]
영:동-군【永同郡】명〖지〗충청 북도의 한 군. 관내 1읍 10면. 북은 옥천군(沃川郡), 동은 경상 북도 상주시(尙州市)와 김천시(金泉市), 남은 김천시와 전라 북도 무주군(茂朱郡), 서는 충청 남도 금산군(錦山郡)에 인접함. 주요 산물은 농산·임산·축산·광산이 있는데, 특산물로는 감·곶감 따위가 있음. 명승 고적으로는 영국사(寧國寺)·반야사(般若寺)·난계사(蘭溪祠)·강선대(降仙臺)·빙옥정(氷玉亭)·옥계(玉溪) 폭포 등이 있음. [844.99 km² : 62,956 명(1995)]
영:동 대:교【永東大橋】명 서울 특별시 성동구 성수동(聖水洞)과 강남구 청담동(淸潭洞) 사이를 잇는 한강 다리. 길이 1,040 m, 너비 25 m의 6 차선으로 1973 년 11 월 8 일 개통되었음. 한강에 놓인 일곱 번째 다리.
영동-선【嶺東線】명〖지〗경상 북도 영주(榮州)에서 봉화(奉化)·철암(鐵岩)·도계(道溪)·동해시(東海市)를 거쳐 강릉 경포대역(鏡浦臺驛)에 이르는 산업(產業) 철도. 영주에서 철암까지는 1955년 12월 31일에, 북평역(北坪驛)에서 경포대까지는 1963년 10월 30일에 개통하였음. *영암선(榮岩線)·철암선(鐵岩線). [193.6 km]
영동 팔경【嶺東八景】명〖지〗관동 팔경(關東八景).
영동 화:력 발전소【嶺東火力發電所】[—쩐—] 명 강원도 강릉시 강동면 안인리(江陵市江東面安仁里)에 있는 발전소. 1972 년 12 월에 전력 생산을 개시했음. 총 시설 용량 32 만 5,000 kW / h의 무연탄과 중유 혼소(混燒) 화력 발전소로서, 연간 약 28 억kW의 생산 능력을 가지고 있음.
영-둔전【營屯田】명〖역〗조선 시대 때 각 영문(營門)에 급전(給田)으로 사급(賜給)한 둔전(屯田). 영둔토(營屯土).
영-둔토【營屯土】명〖역〗영둔전(營屯田).
영득[1]【領得】명 ①취득(取得)하여 제것을 만듦. ②사물의 이치(理致)를 깨달음. ——-하다 타여불
영득[2]【贏得】명 남긴 이득(利得).
영득-죄【領得罪】명〖법〗범죄의 주관적 요소로서 불법 영득의 의사를 필요로 하는 죄. 절도죄·강도죄·사기죄·공갈죄·횡령죄 따위가 이에 해당함. ↔손괴죄(損壞罪).
영:등【影燈】명 등(燈)의 한 가지. 초롱 속에 회전하는 기구를 장치하고, 종이로 짐승 따위의 모양을 만들어 그 위에 붙여 바람이나 불 기운에 빙빙 돌게 하며 그 모양이 겉으로 나타나게 함. 주마등(走馬燈).
영등-굿【靈登—】명〖민〗제주도에서 음력 2 월에 영등신에게 올리는 당굿. 마을에서 하는 당굿이지만, 그 마을의 수호신인 본향당신(本鄉堂神)이 아닌 영등신을 맞이하여 어업과 해녀 채취물(採取物)의 풍요를 비는 굿임.
영등-날【靈登—】명〖민〗음력 2월 초하룻날. 영등할머니가 하늘에서 내려온다는 날로, 이 날 비가 오면 풍년(豐年), 바람이 불면 흉년(凶年)이 든다고 함.
영등 본풀이【靈登本—】명 제주도 무속 신화(巫俗神話)의 하나. 음력 초하루에 제주도에 들어와 바닷가를 돌면서 미역·전복·소라 등 해녀 채취물의 씨를 뿌려 주어 풍요를 주고, 또 어업과 농업에까지 도움을 준 뒤, 2 월 15 일에 떠나간다는 영등신의 내력담.
영등-사리【靈登—】명〖지〗'진도 개해 현상(珍島開海現象)'을 그 고장에서 일컫는 이름.
영등-신【靈登神】명 영등할머니.
영등포-구【永登浦區】명〖지〗서울 특별시 25 구(區) 중의 하나. 관내 22 동(洞). 동은 동작구(銅雀區), 서는 양천구(陽川區), 남은 구로구(九老區), 북은 한강을 사이에 두고 마포구(麻浦區)에 접함. 섬유·식품·음료 등 경공업이 발달함. 구내(區內)의 여의도동(汝矣島洞)에 국회의사당·방송국·증권 거래소 등이 있음. [24.56 km² : 415,785 명(1995)]
영등-풍【靈登風】명〖민〗영등날 무렵에 부는 폭풍(暴風). *바람[2]·바람올리다.
영등-할머니【靈登—】명〖민〗영등날 세상에 내려와서, 집집이 다니며 농촌의 실정을 조사하고 20일 만에 하늘로 올라간다는 할머니. 이월(二月)할머니. 영등신(靈登神). *풍신제(風神祭).
영:락[1]【永樂】[—낙] 명〖역〗①고구려 광개토왕(廣開土王)의 연호(年號). ②중국 명(明)나라 성조(成祖)의 연호. [1402-24]
영락[2]【零落】[—낙] 명 ①잎이 시들고 말라서 떨어짐. ②세력이나 살림이 아주 보잘 것 없이 됨. 낙박(落泊). 낙탁(落魄). 영체(零替). 몰락(沒落). ¶～한 지주(地主). ——-하다 자여불
영-락[3]【榮落】[—낙] 명 영고(榮枯).
영락[4]【榮樂】[—낙] 명 부귀(富貴)를 다한 때 맛보는 즐거움. 영화의 즐거움. 영화롭고 즐거움. ——-하다 형여불
영락[5]【瓔珞】[—낙] 명 목·팔 같은 곳에 두르는 구슬을 꿴 장식품.
영:락-궁【永樂宮】[—낙—] 명 중국 산시 성(山西省) 융지 현(永濟縣) 융러전(永樂鎭)에 있는, 당말(唐末)의 도사 여동빈(呂洞賓)의 묘(廟). 삼청전(三淸殿)·중양전(重陽殿) 등 원대(元代)의 건축이 남아 있고, 그 내벽(內壁)에는 벽화가 그려져 있는데 원대의 회화(繪畫)·풍속 자료(風俗資料)로서 귀중함.
영:락 대:왕【永樂大王】[—낙—] 명〖사람〗연호(年號)를 영락(永樂)이라고 한 고구려 광개토왕(廣開土王)의 생존시(生存時)의 칭호.
영:락 대:전【永樂大典】[—낙—] 명〖책〗중국 최대의 유서(類書). 명(明)나라 해진(解縉) 등이 영락제(永樂帝)의 명으로 편집한 것으로 1407년에 완성. 천문·지지(地誌) 등 백반에 걸친 책의 기사를 '홍무 정운(洪武正韻)'의 글자 순서로 배열했음. 원(元)나라 이전의 일서(逸書) 사건 등으로 많이 산일(散逸)하여 베이징 한림원(翰林院)에 있는 것은 800 권에 불과함. 22,877 권, 목록 60 권.
영락-없다【零落—】[—낙업—] 형 조금도 틀리지 아니하고 들어맞다.
영락-없이【零落—】[—낙업씨] 부 조금도 틀리지 아니하게.
영:락-요【永樂窯】[—낙—] 명 중국 명대(明代)의 영락 연간(永樂年間)(1402-24)에 장시 성(江西省)의 징더전(景德鎭)에서 구운 자기.
영:락-전【永樂錢】[—낙—] 명〖역〗중국 명(明)나라 영락 9년에 주조(鑄造)한 청동전(靑銅錢). 표면에 영락 통보(永樂通寶)라는 네 글자가 새겨져 있음. 영락 통보.
영:락-제【永樂帝】[—낙—] 명〖사람〗중국 명(明)나라의 제 3 대 황제. 태조(太祖)의 넷째 아들. 휘(諱)는 체(棣). 묘호(廟號)는 태종(太宗), 뒤에 성조(成祖). 1398 년에 태조의 손자 건문제(建文帝)가 즉위하자, 이듬해 내란을 일으키어, 1402 년에 난징(南京)을 함락시키고 제위에 올랐음. 태조의 뒤를 이어 국세를 떨쳤으며, 1421 년에 베이징(北京)으로 도읍을 옮겨, 안남(安南)을 정벌하고 몽고를 친정(親征)하였음. 문화 사업에도 관심을 쏟아 《영락 대전(永樂大典)》을 편찬하고, 《사서 대전(四書大全)》·《오경 대전(五經大全)》·《성리 대전(性理大全)》 등을 편찬하게 함. [1360-1424]
영:락 통보【永樂通寶】[—낙—] 명〖역〗영락전(永樂錢).
영란[1]【迎鑾】[—난] 명 어가(御駕)를 맞음. ——-하다 타여불
영란[2]【英蘭】[—난] 명〖지〗'잉글랜드(England)'의 음역(音譯).
영란 은행【英蘭銀行】[—난—] 명〖경〗'잉글랜드 은행'의 음역(音譯).
영랑[1]【令郞】[—낭] 명 남의 아들의 경칭(敬稱). 영식(令息). 영윤(令胤). 영자(令子). ↔영애(令愛).

영:랑[2]【永郎】[—낭] 명 〖사람〗 김윤식(金允植)의 호(號).

영랑[3]【玲琅】[—낭] 명 옥(玉)이나 쇠붙이가 쟁그렁쟁그렁 울리는 영롱(玲瓏)한 소리.

영:랑-봉【永郎峰】[—낭—] 명 〖지〗 강원도 회양군(淮陽郡)에 있는 산. 내금강(內金剛)의 한 봉우리임. [1,601 m]

영:랑-호【永郎湖】[—낭—] 명 〖지〗 강원도 속초시(束草市) 교외(郊外)에 있는 호수(湖水). 옛날 영랑(永郎)이라는 신선(神仙)이 놀았다는 전설(傳說)이 있음.

영략[1]【英略】[—냑] 명 영도(英圖).

영략[2]【領略】[—냑] 명 대강을 짐작하여 앎. ——-하다 타여불

영러 협상【英—協商】명 〔Anglo-Russian Entente〕 〖역〗 1907 년 영국과 러시아 사이에 체결된 협약. 아프가니스탄과 티베트에 대하여 내정 간섭(內政干涉)을 하지 않을 것과 페르시아의 북쪽은 러시아, 동남쪽은 영국의 세력권(勢力圈)으로 인정할 것 등을 협정했음. 영불 협상(英佛協商)과 함께 삼국 협상(三國協商)을 형성하여 제 1 차 대전 전의 국제 관계(國際關係)에 결정적인 영향을 주었음. 영로(英露) 협약.

영:력[1]【另力】[—녁] 명 특별한 노력. ——-하다 자여불

영력[2]【營力】[—녁] 명 〖지〗 지구 표면(地球表面)을 변화시키는 힘. 물·바람·동식물 등의 작용에 의한 외적 영력(外的營力)과 지진·화산 작용·지각 운동(地殼運動) 등의 작용에 의한 내적 영력(內的營力)이 있음. 지질 영력(地質營力).

영련【楹聯】[—년] 명 주련(柱聯).

영렬【英烈】[—녈] 명 ①뛰어나고 용맹스러움. ②뛰어난 공훈(功勳). 또, 그것이 있는 사람.

영렬 대:부【榮列大夫】[—녈—] 명 〖역〗 고려 충렬왕(忠烈王) 때 잠깐 있었던 문관(文官)의 관계(官階).

영령[1]【泠泠】[—녕] 명 물 소리·바람 소리·거문고 소리·목 소리 등이 듣기에 맑고 시원함. ——-하다 형여불. ——-히 부

영령[2]【玲玲】[—녕] 명 ①옥이 울리는 소리. ②곱고 투명한 모양. ——-하다 형여불

영령[3]【英領】[—녕] 명 영국의 영토. 영국령.

영령[4]【英靈】[—녕] 명 ①죽은 사람의 영혼의 경칭. 영현(英顯). ②산천(山川)의 아름답고 뛰어난 기운을 타고난 사람.

영령 버:진 아일랜드【英領—】[—녕—] 명 〔British Virgin Islands〕 〖지〗 서인도 제도, 푸에르토리코 동쪽에 있는 영국의 식민지. 주산업은 축산·어업·관광업. 주도는 로드타운(Road Town). [153 km² : 12,400 명(1991)]

영령 보르네오【英領—】〔Borneo〕 [—녕—] 명 〖지〗 동남 아시아 보르네오 섬의 사바(Sabah)·사라와크(Sarawak)·브루나이(Brunei)의 세 지역을 일컫던 말. 1963 년 사바와 사라와크는 말레이시아 연방 형성에 가담하고, 브루나이는 1984 년 1 월 영국으로부터 완전 독립함.

영령 쇄:쇄[1]【零零碎碎】[—녕—] 명 썩 잘게 부스러짐. 준영쇄(零碎). ——-하다 자여불

영령 쇄:쇄[2]【零零瑣瑣】[—녕—] 명 보잘것 없이 매우 자질구레한 모양. 준영쇄(零瑣). ——-하다 형여불

영령 혼듀러스【英領—】〔Honduras〕 [—녕—] 명 〖지〗 브리티시 혼듀러스(British Honduras). 1981 년 독립하여 벨리즈(Belize)가 됨.

영로[1]【泳路】[—노] 명 경영(競泳)에서, 레인 로프(lane rope)로 구획된 헤엄쳐나가는 길.

영로[2]【零露】[—노] 명 방울지어 떨어지는 이슬.

영로[3]【榮路】[—노] 명 출세의 길.

영로 협약【英露協約】[—노—] 명 영러 협상.

영록【榮祿】[—녹] 명 ①영화로운 복록(福祿). ②영예(榮譽)로운 관직(官職)과 봉록(俸祿).

영록 대:부【榮祿大夫】[—녹—] 명 〖역〗 고려 때 종이품 하(下)의 문관의 관계(官階). 공민왕(恭愍王) 5 년(1356)에 정하였다가 11 년(1362)에 폐하고, 18 년(1369)에 다시 종이품의 상(上)으로 고침.

영롱【玲瓏】[—농] 명 ①광채가 찬란함. ¶ ～한 아침 이슬. ②금옥이 울리는 소리. ——-하다 형여불. ——-히 부

영롱 박탁【玲瓏餺飥】[—농—] 명 양(羊)의 콩팥에 기름을 치고, 밀가루와 함께 냉수에 반죽하여 밀어서 가닥이 넓은 국수를 만들고, 이를 끓는 물에 넣어 익힌 뒤, 건져 내어 찬물을 끼얹고 장국에 말은 음식.

영롱 발어【玲瓏撥魚】[—농—] 명 밀가루를 된풀같이 만들고 쇠고기나 양의 고기를 콩알만큼씩 썰어서 밀가루에 섞은 다음에, 끓는 물에 넣고 그것이 익어서 빛이 영롱하게 된 다음에 장을 치고 후춧가루와 새앙·석이·표고 버섯 등을 넣고 초를 쳐서 먹는 음식.

영롱-장【玲瓏牆】[—농—] 명 〖건〗 화문장(花紋牆)의 일종.

영루[1]【零淚】[—누] 명 눈물을 흘림. 또, 그 눈물. 낙루(落淚). ——-하다 자여불

영루[2]【營壘】[—누] 명 보루(保壘).

영류【癭瘤】[—뉴] 명 혹[1]❶.

영류-왕【榮留王】[—뉴—] 명 〖사람〗 고구려의 제 27 대 왕. 휘(諱)는 건무(建武). 왕(王) 2 년(618)에 중국 당(唐)나라와 통호(通好)하고, 동(同) 5 년 수 양제(隋煬帝) 침입 때 사로잡은 중국인을 돌려보내고 고구려의 포로를 찾아왔음. 또, 8 년에는 도교(道教)를 처음으로 받아들였음. 24 년(642)에 연개소문(淵蓋蘇文)이 독재권(獨裁權)을 확립하는 과정에서 그에게 죽임을 당함. [？-642 ; 재위 617-642]

영륙【領陸】[—뉵] 명 한 나라의 주권이 미치는 육지. 영토를 영해·영공·영륙으로 세분할 때 쓰임.

영-륜【伶倫】[—뉸] 명 〖사람〗 중국 황제(黃帝) 때의 사람. 음률(音律)을 정하였다 함.

영-률【—率】[—뉼] 명 〔Young's modulus〕 〖물〗 탄성률(彈性率)의 한 가지. 굵기가 일정한 탄성봉(彈性棒)의 한 끝을 고정시키고 다른 쪽 끝을 잡아 당길 때에 생기는 변형(變形)의 외력(外力)에 대한 비율의 정도를 나타내는 양(量)으로, 장력(張力)과 단위 길이에 대한 신장(伸張)과의 비(比). 1807년 영(Young, Thomas)이 도입(導入)하였음. 영계수(Young係數). 영 탄성률. 종탄성 계수(縱彈性係數).

영:-릉[1]【永陵】[—능] 명 추존(追尊)한 조선 영조(英祖)의 맏아들 진종(眞宗)과 그 비(妃) 효순 왕후(孝純王后)의 능. 경기도 파주군(坡州郡) 조리면(條理面) 순릉(順陵)의 왼쪽 언덕에 있음.

영-릉[2]【英陵】[—능] 명 조선 세종(世宗)과 그 비(妃) 소헌 왕후(昭憲王后)의 능(陵). 경기도 여주군(驪州郡) 능서면(陵西面)에 있음.

영-릉[3]【寧陵】[—능] 명 조선 효종(孝宗)과 그 비(妃) 인선 왕후(仁宣王后)의 능(陵). 경기도 여주군(驪州郡) 능서면(陵西面)에 있는 영릉(英陵)의 동쪽에 있음.

영:릉가성 전:투【永陵街城戰鬪】[—능—] 명 융릉제청 전투.

영릉 신도비【英陵神道碑】[—능—] 명 조선 세종(世宗)과 소헌 왕후(昭憲王后)의 사적을 적은 비. 정인지(鄭麟趾)와 김조(金銚)가 찬(撰)하고 안평 대군(安平大君) 용(瑢)이 썼음. 예종(睿宗) 1 년(1469)에 영릉을 광주(廣州)에서 여주(驪州)로 옮길 때 그 곳에 묻었던 것을 1974 년 3 월에 발굴하여, 현재 세종 대왕 기념관에 보관함.

영릉-향【零陵香】[—능—] 명 〖식〗 [*Melilotus coerulea*] 콩과에 속하는 초본. 높이 70 cm 가량, 잎은 복엽(複葉)이며 호생함. 여름에 엽액(葉腋)에서 7 cm 가량 되는 꽃꼭지가 나와서 작은 나비 모양의 꽃이 핌. 유럽 원산(原產)으로 한국에도 분포함. 출혈(出血)·신통(腎痛)·결석(結石) 등에 약으로 쓰임. 혜초(蕙草).

〈영릉향〉

영:리[1]【怜悧·伶俐】[—니] 명 똑똑하고 민첩함. 성발(性發). ——-하다 형여불

【영리한 고양이가 밤눈이 어둡다】 매우 똑똑하고 약아서 못할 일이 없을 듯해 보이는 사람이라도 부족하고 어두운 점이 있다는 말.

영리[2]【鈴履】[—니] 명 〖역〗 고려 때, 왕사(王師)·국사(國師)가 신은 신. 검은 가죽으로 만들고, 방울을 닮.

영리[3]【榮利】[—니] 명 영화와 복리(福利).

영리[4]【營吏】[—니] 명 〖역〗 조선 시대 때 각 군영(軍營)이나 영명(營名)이 있는 관청에 딸린 이서(吏胥).

영리[5]【營利】[—니] 명 재산 상의 이익을 도모함. 이익의 획득을 목적으로 활동하는 일. ——-하다 자여불

영리[6]【營理】[—니] 명 사업을 일으키거나 물건을 만들거나 하여 그것을 관리하고 처리(處理)하는 일.

영리[7]【贏利】[—니] 명 남긴 이득(利得).

영리[8]【英里】[—니] 명 의명 마일(mile)❶.

영리 경제【營利經濟】[—니—] 명 영리를 목적으로 하는 경제 행위.

영리 기업【營利企業】[—니—] 명 영리를 목적으로 하는 기업.

영리 단체【營利團體】[—니—] 명 영리를 목적으로 조직(組織)한 단체. ↔비영리 단체(非營利團體).

영리 매매【營利賣買】[—니—] 명 영리를 목적으로 하는 물품의 매매.

영리 법인【營利法人】[—니—] 명 〖법〗 영리를 목적으로 하는 사단 법인(社團法人). 곧, 상법 상의 회사. 영리 사단. ↔공익(公益) 법인.

영리 보:험【營利保險】[—니—] 명 영리를 목적으로 하는 보험으로, 상호 보험(相互保險)에 대응하는 말. 영업(營業) 보험.

영리 사:단【營利社團】[—니—] 명 영리 법인.

영리 사:업【營利事業】[—니—] 명 영리를 목적으로 하는 사업. ↔비영리 사업.

영리 유괴죄【營利誘拐罪】[—니—쬐] 명 〖법〗 영리의 목적으로 사람을 약취(略取) 또는 유괴한 죄.

영리 자본【營利資本】[—니—] 명 영리 행위에 쓰이는 자본.

영리-주의【營利主義】[—니— / —니—이] 명 이익의 획득을 사업 활동의 제일의적(第一義的) 방침이나 원칙으로 삼는 일. 상업주의(商業主義).

영리 행위【營利行爲】[—니—] 명 영리를 목적으로 하는 행위.

영리 회:사【營利會社】[—니—] 명 영리를 목적으로 조직된 회사. 영업회사(營業會社).

영림【營林】[—님] 명 삼림(森林)을 경영하는 일. ——-하다 자여불

영림-서【營林署】[—님—] 명 국유림의 효율적 관리, 국유 임산 자원의 보호 조성, 선진 임업 기술에 의한 국유림의 경영 개선 및 국유림의 공익 증진에 관한 사무를 관장하는 산림청 소속의 관서.

영림-창【營林廠】[—님—] 명 〖역〗 대한 제국 때 압록강과 두만강 연안의 삼림(森林)에 관한 일을 맡아 보던 관아. 광무(光武) 11 년(1907)에 설치하여 융희(隆熙) 4 년(1910)에 폐함.

영립【迎立】[—닙] 명 맞아들이어 임금으로 세움. ——-하다 타여불

영-마루【嶺—】명 재의 맨 꼭대기. 영상(嶺上).

영만【盈滿】명 ①가득하게 참. ②성만(盛滿). ——-하다 자여불

영망【令望】명 좋은 명망(名望).

영매[1]【令妹】명 남의 누이에 대한 경칭.

영:매[2]【永買】명 토지(土地)·가옥(家屋) 등을 아주 삼. ——-하다 타여불

영:매[3]【永賣】명 토지(土地)·가옥(家屋) 등을 아주 팖. 영영 방매(永永放賣). ——-하다 타여불

영매[4]【英邁】명 성질이 영민하고 비범함. ——-하다 형여불

영매[5]【靈媒】명 신령이나 망자(亡者)의 영(靈)과 의사를 통하게 하는 매개자(媒介者).

영:매-가【咏梅歌】명〖문〗 조선 고종(高宗) 때 안민영(安玫英)이 지은 연시조(聯時調). 스승인 박효관(朴孝寬)의 산방에서 놀 때 박효관이 가꾼 매화를 보고 읊은 노래. 8수.

영매-술【靈媒術】명 영매의 매개에 의하여 죽은 이와 산 사람과의 의사를 통하게 하는 술.

영 맨〔young man〕명 젊은이. 청년(青年).

영맹【獰猛】명 성질이 모질고 사나움. 영악(獰惡). ——-하다 형여불. ——-히부

영:면【永眠】명 영원히 잠을 잔다는 뜻으로, 죽음을 이르는 말. 장면(長眠). 잠매(潛寐). 영서(永逝). ——-하다 자여불

영:멸【永滅】명 영원히 멸망(滅亡)함. 불이나 희망 따위가 아주 꺼짐. ——-하다 자여불

영명1【令名】명 ①좋은 명예. 영문(令聞). 영예(令譽). 영칭(令稱). 가칭(嘉稱). ②상대방의 이름의 경칭.

영명2【英名】명 ①뛰어난 명성. 훌륭한 명예. ②영국식 이름.

영명3【英明】명 뛰어나게 슬기롭고 총명함. 영달(英達). ¶~한 천품(天稟). ——-하다 형여불

영명4【榮名】명 영예(榮譽).

영:명-사【永明寺】명〖불교〗평양(平壤) 금수산(錦繡山) 속에 있는 절. 고구려의 광개토왕(廣開土王)이 지은 아홉 절의 하나로 추측되나 확실치 않으며, 종전에 본산(本山)의 하나였음.

영명 축일【靈名祝日】명〖천주교〗자신의 세례명(洗禮名)이 유래한 성인(聖人)의 축일.

영:모1【永慕】명 ①오래도록 사모함. ②죽을 때까지 어버이를 잊지 아니함. ——-하다 타여불

영모2【英髦】명 뛰어난 젊은이.

영모3【翎毛】명 새나 짐승을 그린 그림.

영모4【榮慕】명 남의 덕을 칭찬하고 흠모(欽慕)함. ——-하다 타여불

영모 절지화【翎毛折枝畫】[—찌—] 명〖미술〗동양화의 화과(畫科)의 하나. 새나 짐승을 곁들인 절지화(折枝畫). *기명(器皿) 절지화.

영목1【嶺木】명 영남(嶺南)에서 나는 무명.

영목2【靈木】명 신령이 깃들이어 있는 나무.

영몽1【靈夢】명 신이나 부처가 나타난 꿈. 신령한 꿈.

영몽2【檸檬】명〖식〗'레몬(lemon)'의 한자 이름.

영묘1【英妙】명 재능이 뛰어난 젊은이.

영묘2【靈妙】명 신령스럽고 기묘함. ——-하다 형여불. ——-히부

영묘3【靈廟】명 선조의 영혼을 모신 사당.

영묘-사【靈廟寺】명 신라 선덕 여왕(善德女王) 때 경주에 세워졌던 큰 절. 국가로부터 특별한 대우를 받았으며, 여러 번 재해를 입었으나 복구되었고 경덕왕(景德王) 때에는 판관을 두었다 함.

영묘사 성전【靈廟寺成典】명〖역〗신라 때 영묘사(靈廟寺)의 일을 맡아 보던 관아.

영묘-향【靈猫香】명 사향고양이의 회음선(會陰腺) 속의 분비물(分泌物)을 모은 것. 반(半)유동성의 갈색 물질로, 악취가 강하나 희석(稀釋)하면 향기를 발함. 고급 향료로 쓰임.

영무1【英武】명 영민하고 용맹스러움. ——-하다 형여불

영무2【榮茂】명 번화하고 무성함. ——-하다 형여불

영무3【靈武】명 ①인간으로서는 상상할 수 없는 뛰어난 무용(武勇). ②〖지〗중국 간쑤 성(甘肅省)의 옛 현명(縣名). 당(唐)나라 안녹산(安祿山)의 난에 현종(玄宗)이 촉(蜀)으로 피난하였을 때, 숙종(肅宗)이 이곳에서 즉위하였음.

영무장 농악【靈茂長農樂】명 우도(右道)농악 가운데 영광(靈光)과 무장(茂長)곧 지금의 고창(高敞) 지방에 전하여지는 농악. 가락이 느리지도 않고 빠르지도 않은 것이 특징임.

영문1 명 까닭. 형편. ¶어찌된 ~인지 알 수 없다.
영문(을) 모르다 구 까닭이나 형편을 모르다.

영문2【令聞】명 영명(令名)❶.

영문3【英文】①영서(英書). ②영어로 쓴 글. ¶~ 타자(打字).

영문4【榮問】명〖역〗새로 과거에 급제한 사람을 찾아 보고 하례함. ——-하다 타여불

영문5【營門】명 ①병영(兵營)의 문. 군문(軍門). ¶~ 보초. 준영(營). ②〖기독교〗구세군(救世軍)에서 개개의 교회를 일컫는 말. ③〖역〗감영(監營).

영문-과【英文科】[—꽈] 명 영문학과(英文學科).

영문 둔전【營門屯田】명〖역〗조선 시대 후기의 둔전의 하나. 각 군병 아문(軍兵衙門)에서 소유한 둔토(屯土). 군문 둔전. *아문(衙門) 둔전.

영문-록【榮問錄】[—녹] 명 영문한 사람의 방명록(芳名錄).

영-문법【英文法】[—뻡] 명 영어의 문법.

영문 사:관【營門士官】명〖기독교〗구세군의 직위(職位)의 하나. 교회의 목사를 이르는 말.

영문 소:속【營門所屬】명〖역〗조선 시대에, 각 군영(軍營)에 딸린 하급 군직(軍職)의 총칭.

영문 영무【英文英武】명 학문에 뛰어나고 무술에 뛰어남. 곧, 모든 것에 뛰어남. ——-하다 형여불

영-문자【英文字】[—짜] 명 영어를 표기하는 데 쓰는 문자. 영국 문자. 준영자(英字).

영-문전【英文典】명 영어의 문법을 기술한 책.

영문 출입증【營門出入證】명〖군〗일반인의 영문 출입을 허가하는 증명서.

영문 타이프라이터【英文—】〔typewriter〕명 영문 타자기.

영문 타:자기【英文打字機】명 영문을 칠 수 있는 타자기. 영문 타이프라이터.

영-문하【領門下】명〖역〗고려 공민왕 18년(1369)에 영도첨의(領都僉議)의 고친 이름. 우왕(禑王) 때 판문하(判門下)로 고침.

영-문하부사【領門下府事】명〖역〗조선 국초(國初) 때, 문하부(門下府)의 으뜸 벼슬. 정일품. *영사9(領事).

영-문학【英文學】명 ①영국의 문학. ②영어로 표현된 문학. 또, 그것을 연구하는 학문.

영문학-과【英文學科】명 대학에서 영문학을 전문으로 연구하는 학과. 영문과. 영어 영문학과.

영물1【英物】명 영특한 인물. 뛰어난 인물. 영걸(英傑).

영:물2【詠物】명〖문〗한시(漢詩)의 한 체. 조수(鳥獸)·초목(草木)·자연 그 자체를 주제(主題)로 하여 읊은 시.

영물3【靈物】명 신령한 물건이나 짐승.

영:미1【佞媚】명 아첨함. 또, 그 사람. ——-하다 자여불

영-미2【英美】명 영국과 미국.

영미-법【英美法】[—뻡] 명〖법〗영국의 법률 및 그것을 계승한 미국의 법률. 대륙법(大陸法)처럼 기본법에 있어서 성문법(成文法)을 갖지 않고 관습법(慣習法)과 관례법(慣例法)에 의한 불문법(不文法)으로 된 법률. *대륙법.

영-미-법-덕【英美法德】명 영국과 미국과 프랑스와 독일.

영미 전:쟁【英美戰爭】명〖역〗1812년 영미간에 일어난 전쟁. 나폴레옹 전쟁 때에 중립(中立)을 선언한 미국이, 나폴레옹의 대륙 봉쇄 및 그 보복 수단으로서 취하여진 영국의 대(對)프랑스 봉쇄로 인하여 무역의 이익을 잃을 뿐만 아니라 자국선(自國船)의 임검(臨檢)·포획·몰수 등의 위험을 피할 수 없어 미국은 자국선에 대한 봉쇄의 철폐를 영국에 요구하였으나 교섭이 잘 진행되지 않자 6월에 대영 선전(對英宣戰)을 하기에 이르렀음. 1814년 12월에 끝이 났으며 제2차 독립 전쟁이라고도 불림.

영미 차:관 협정【英美借款協定】명〖역〗1945년 12월 워싱턴에서 체결(締結)된 영미 양국간의 경제 협정. 제2차 세계 대전 후 영국 경제가 극도의 핍박(逼迫) 상태에 빠져 미국의 원조 없이는 대외 경제가 불가능하게 되자 60억 달러를 증여(贈與)의 형식으로 요청하였는데, 협상 결과 37억 5천만 달러를 50년 연부 상환(年賦償還), 연 금리 2%의 조건으로 제공키로 결정을 봄.

영민1【英敏】명 영특하고 민첩함. ——-하다 형여불. ——-히부

영:민2【穎敏】명 예민(銳敏)함. 영오(穎悟). ——-하다 형여불

영민3【靈敏】명 기억력이 뛰어나고 민첩함. ——-하다 형여불. ——-히부

영밀【寧謐】명 편안하고 조용함. ——-하다 형여불

영:-바람[—빠—] 명 양양한 의기(意氣). 뽐내는 기세.

영반【靈飯】명〖불교〗영가(靈駕)에 올리는 밥. 또, 그 의식.

영발1【英發】명 재기(才氣)가 현저하게 뛰어남. ——-하다 형여불

영:발2【暎發】명 광채가 번쩍번쩍 빛남. ——-하다 자여불

영방1【營房】명〖역〗조선 시대 때, 관아(官衙)에서 영리(營吏)가 사무를 보던 곳.

영방2【領邦】명 영방 국가.

영방 국가【領邦國家】명〔도 Territorium〕〖역〗13세기 이후, 신성 로마 제국 또는 독일 연방을 구성한 지방 국가. 성속(聖俗)의 영방 군주는 제권(帝權)으로부터 독립하여 영방(領邦) 내의 주권(主權)을 행사하였음. 1871년의 독일 통일 제국 출현 때까지 분립(分立)이 계속되었음. 영방.

영-방주【楹方柱】명〖건〗돌기둥 위에 세운 네모 기둥.

영배【嶺背】명 강원도와 함경도를 아울러 부르는 말. 척량(脊梁) 산맥의 뒤라는 뜻.

영백【嶺伯】명 조선 시대 때, 경상도 관찰사(觀察使)의 별칭.

영:벌【永罰】명〖천주교〗지옥(地獄)에서 받는 영원한 벌. ↔영복(永福).

영:범-장【永範章】[—짱] 명〖악〗악장(樂章)의 이름.

영:법1【泳法】[—뻡] 명 수영(水泳)하는 방법. 헤엄치는 법.

영법2【英法】[—뻡] 명 ①영국의 법률. 또, 그것을 연구하는 학문. ②영국의 법식.

영-벡터【零—】〔vector〕명〖수〗제로에 상당하는 벡터. 즉, 어떤 벡터 a에 대하여서도 $a+x=a$를 만족시킬 수 있는 벡터 x를 이름. 제로 벡터.

영:변1【佞辯】명 구변(口辯) 좋게 아첨함. 또, 그 말. 변영(辯佞). ——-하다 자여불

영변2【寧邊】명〖지〗평안 북도 영변군(寧邊郡)의 군청 소재지. 구룡강(九龍江) 하류에 있어서 군사상의 요지로 발달한 성곽 도시임. 비옥한 평야를 끼고 있는 농산물의 집산지이며, 양잠(養蠶)이 성하여 명주의 산지로 유명함. 부근에는 경치 좋은 약산 동대(藥山東臺)가 있음.

영변-가【寧邊歌】명〖악〗평안도 민요. 구조(舊調)와 신조(新調)가 있었는데, 구조는 사설(辭說)만 전해지고 있음.

영변-군【寧邊郡】명〖지〗평안 북도의 한 군. 관내 14면. 북은 운산군(雲山郡)과 희천군(熙川郡), 동은 평안 남도 덕천군(德川郡), 남은 평안 남도 덕천군과 개천군(价川郡)과 안주군(安州郡), 서는 태천군(泰川郡)과 박천군(博川郡)에 인접함. 주요 산물로는 농산·축산·광산·임산 등이 있고, 명승 고적으로는 동룡굴(蝀龍窟)·묘향산(妙香山)·약산 동대(藥山東臺)·철옹성(鐵甕城)·학귀암(鶴歸庵) 등이 있음. 군청 소재지는 영변(寧邊). [1,884.5 km²]

영:별1【另別】명 특별함. 또렷함. ¶대답하는 소리는 ~치 못하였다《洪命憙: 林巨正》. ——-하다 형여불. ——-히부

영:별2【永別】명 영원히 이별함. ——-하다 타여불

영병1【竛竮】명 쓰러질 듯이 비틀비틀하며 걸음.

영병2【逞兵】명 뛰어나게 강한 병사(兵士). 정병(精兵). 정예(精銳).

영:병[3]【影屛】명 주로 중국 사람 주택의 대문 안 바로 앞에 세워서 내부의 건물을 밖에서 볼 수 없도록 막아 놓은 담.

영병 철기【逞兵鐵騎】명 강한 병사와 철갑을 입은 군사란 뜻으로, 막강한 군사.

영보[1]【領報】명〖천주교〗성모(聖母) 영보.

영보[2]【靈寶】명 뛰어나게 훌륭한 보배.

영-보다【令一】자 ↗약령(藥令)보다.

영보 도:량【靈寶道場】명〖도교〗고려 시대의 도교 의례(道敎儀禮). 영보경(靈寶經)의 독송을 주로 하는 의식.

영:복[1]【永福】명〖천주교〗천국(天國)에서 누리는 영원한 복락(福樂). ↔영벌(永罰).

영복[2]【營福】명 복을 구함. ——-하다 자여불

영복-경【榮福經】명〖천주교〗'대영광송(大榮光誦)'의 구용어.

영:복 도감【永福都監】명〖역〗고려 충목왕(忠穆王) 때 금강산 유점사(楡岾寺)의 지응(支應)을 위하여 설치한 관아.

영본[1]【零本】명 낙길이 많아 잔존(殘存) 부분이 적은 책. 영간(零簡). 단본(端本).

영:본[2]【影本】명 탑본(榻本). 탁본(拓本).

영-본국【英本國】명〖지〗영국(英國)[1].

영봉[1]【零封】명 경기(競技) 따위에서, 상대편을 득점없이 패하게 함. 셧아웃. ——-하다 타여불

영봉[2]【靈峰】명 신령한 봉우리.

영부[1]【領付】명 영솔(領率)하여 부속(附屬)시킴. ——-하다 타여불

영부[2]【靈府】명 신령한 곳이라는 뜻으로 마음을 이르는 말.

영부[3]【靈符】명〖천도교〗1860년 4월 5일 교조(敎祖) 최제우가 영감으로 한울님에게서 받은, 천신(天神)을 그림으로 표상한 부도(符圖).

영부-배【鈴付杯】명〖고고학〗방울잔(盞).

영-부사【領府事】명〖역〗↗영중추부사(領中樞府事).

영부-심【靈符心】명〖천도교〗도를 닦아서 다시 얻은 천심(天心). ↔사심(邪心)❷.

영-부인【令夫人】명 남의 부인에 대한 경칭. 귀부인(貴夫人). 현합(賢閤). 영실(令室). 영정(令正).

영분[1]【領分】명 ①영지내(領地內). ②세력의 범위. 맡은 일의 한계.

영분[2]【榮墳】명〖역〗새로 과거에 급제(及第)하거나 또는 비로소 벼슬한 사람이 그 향리의 조상 묘에 찾아가 풍악을 잡히며 그 영예(榮譽)를 봉고(奉告)하던 일. ——-하다 자여불

영-불[1]【英佛】명 영국과 프랑스.

영불[2]【靈佛】명 영검이 현저한 부처.

영:-불서용【永不敍用】명〖역〗죄를 지어 파면된 관원(官員)을 영구히 다시 임용하여 쓰지 않는 일.

영:-불출세【永不出世】[—쎄] 명 집안에 들어박혀 영원히 세상에 나오지 않음. ——-하다 자여불

영불 협상【英佛協商】명〖역〗영프 협상.

영비[1]【營婢】명〖역〗각 군영(軍營)이나 영명(營名)이 있는 관청에 딸려 심부름하던 계집 종. ↔영노(營奴).

영비[2]【營裨】명〖역〗감사(監司)의 비장(裨將). 감사에 새로 임명되었을 때에 이(吏)·호(戶)·예(禮)·병(兵)·형(刑)·공(工)의 여섯 사람의 비장을 선임(選任)하여 데리고 가던 데서 생긴 말.

영빈【迎賓】명 손님을 맞음. ¶~관. ——-하다 자여불

영빙【伶俜】명 ①방랑하는 모양. ②영락(零落)한 모양.

영사[1]【令士】명 착한 선비.

영사[2]【令史】명〖역〗고려 때 주사(主事)에 버금가는 서리(胥吏)의 하나. 문부(文簿)를 맡아 봄.

영사[3]【令嗣】명 남의 사자(嗣子)의 경칭.

영:사[4]【佞邪】명 아첨을 잘하고 간사함. 또, 그런 사람. ——-하다 형여불

영사[5]【英士】명 뛰어나게 훌륭한 사람. 영걸(英傑). 영언(英彦).

영:사[6]【詠史】명 사실(史實)을 주제로 하여 시가(詩歌)를 지음. 또, 그 시가. ——-하다 타여불

영사[7]【映射】명 광선이 반사함. ——-하다 자여불

영사[8]【映寫】명 ①토지의 표면을 평면으로 그림. ②영화나 환등(幻燈) 따위를 영사기나 환등기를 이용하여 스크린에 비침. ③원도(原圖)와 같이 정밀하게 옮겨 그림. 사영(寫映). ——-하다 타여불

영사[9]【領事】명〖역〗①고려 때의 영삼사사(領三司事)·영춘관사(領春館事)·영경연사(領經筵事)·영전의시사(領典儀寺事)·영사복시사(領司僕寺事)·영선공사사(領繕工司事) 등의 통칭. 품질은 일품(一品)에서 이품(二品)까지인데 원칙으로 재신(宰臣)이 겸하였음. ②조선 시대 때의 영문하부사(領門下府事)·영삼사사(領三司事)·영돈녕부사(領敦寧府事)·영경연사(領經筵事)·영집현전사(領集賢殿事)·영홍문관사(領弘文館事)·영예문관사(領藝文館事)·영춘추관사(領春秋館事)·영관상감사(領觀象監事)·영중추부사(領中樞府事)·영돈녕원사(領敦寧院事) 등의 통칭. 품질은 정일품 또는 칙임(勅任)으로 재신이 겸하였음.

영사[10]【領事】명〖정〗외국에 있으면서 본국의 무역 통상의 이익을 도모하며 아울러 자국민(自國民)의 보호를 담당하는 공무원의 대외 직명. 총영사·부총영사·영사의 구분이 있음.

영:사[11]【影祀】명 영당(影堂)에 지내는 제사.

영:사[12]【影寫】명 그림이나 글씨를 밑에 받쳐 놓고 그 위에 종이 따위를 대고서 덧그림. ——-하다 타여불

영사[13]【營舍】명 군대가 거주하는 건물. 또, 그 건물이 있는 일정 지역.

영사[14]【靈砂】명〖한의〗수은(水銀)을 고아서 결정체로 만든 약재. 홍령사와 백령사가 있음. 곽란·토사·경기(驚氣) 등에 약으로 씀. *주사(朱砂).

영사[15]【靈祠】명 신령스러운 사당. 영검 있는 사당.

영사 공신【寧社功臣】명〖역〗조선 인조(仁祖) 6년(1628) 유효립(柳孝立) 등의 역모(逆謀)를 고한 공으로 허적(許穧) 등 열한 사람에게 내린 훈명(勳名).

영사-관【領事館】명〖법〗영사가 주차(駐箚)하는 곳에서 일을 보는 재외 공관(在外公館)의 하나.

영사-기【映寫機】명〖연〗전구(電球)의 강렬한 광원(光源)과 여러 가지 렌즈 장치에 의하여 실물 또는 필름을 확대하여 스크린에 영사하는 기계.

영사 기사【映寫技士】명 문화 관광부 장관의 면허를 받고 35mm 이상의 영사기의 조작 업무를 행하는 사람.

영사-막【映寫幕】명 영화나 환등(幻燈)을 비추는 막. 은막(銀幕). 스크린. 영화막(映畫幕).

영-사복시사【領司僕寺事】명〖역〗고려 충렬왕(忠烈王) 34년에 설치한 사복시(司僕寺)의 으뜸 벼슬. 종이품(從二品)이 겸함. *영사(領事).

영:사-본【影寫本】명 원본(原本)으로 투사(透寫)한 모사본(模寫本)의 하나. 투사본. ↔임사본(臨寫本).

영사 송:장【領事送狀】[—짱] 명〖경〗수출국에 주재(駐在)하는 수입국의 영사가 인보이스(invoice)의 기재 사항(記載事項)에 틀림없음을 증명한 송장.

영:사-시【詠史詩】명〖문〗①역사상의 사실을 객관적으로 서술하거나 또는 사서(史書)의 독후감 같은 주관적인 회고로서 읊은 시가(詩歌). ②기이한 고사(故事)를 인용하여 현세를 풍유(諷諭)하거나 또는 개인적 특정적인 사실을 회고하며 읊은 시가.

영사-실【映寫室】명 영사기(機)를 놓고 영사하는 방.

영사-언정【寧死一】부 차라리 죽을지언정.

영사 재판【領事裁判】명〖법〗영사 재판권에 의하여 행하는 재판.

영사 재판권【領事裁判權】[—꿘] 명〖법〗특별한 국제 조약에 의하여 영사가 주재국(駐在國)에서 자국민에 관계된 소송을 자기 나라 법률에 의하여 재판하는 권리.

영사 조약【領事條約】명 [consular agreement] 영사의 상대국에서의 지위와 활동의 보장을 명확히 하는 조약. 보통 영사관의 설치, 영사의 임명, 그 밖의 절차, 영사관과 영사의 특권·직무 범위 등이 규정됨.

영산[1] 명〖민〗참혹하고 억울하게 죽은 사람의 넋. 영선(靈仙).

영산[2]【零散】명 ①집안이 영락(零落)하여 가족이 흩어짐. ②무리가 헤어져 흩어짐. ——-하다 자여불

영:산[3]【影山】명〖사람〗조선 고종(高宗) 때의 이름난 중. 일생을 설법으로 지내었음. 경순(敬淳)의 호(號).

영:산[4]【影算】명〖수〗'삼각법'의 구칭. 영수(影數).

영산[5]【靈山】명 ①신령한 산. ②신불을 모시어 제사지내는 산. 신산(神山). ③〖악〗↗영산 회상(靈山會相).

영산[6]【靈山】명〖지〗①함경 남도 갑산군(甲山郡)에 있는 산. [1,438m] ②〖불교〗↗영취산(靈鷲山)❷.

영산-강【榮山江】명〖지〗전라 남도 담양(潭陽)에서 발원하여 광산(光山)·나주(羅州)·함평(咸平)·무안(務安) 등지를 지나 황해로 들어가는 강. 전남 평야가 대부분이 이 강의 유역임. 하구(河口)에 방조제(防潮堤)가 축조되었음. [136km]

영산-놀이【靈山一】명 농악의 한 부분. 연주 종목 가운데서 가장 절정이 됨.

영산 단오굿【靈山端午一】명〖민〗경상 남도 창녕군 영산면에서 매년 단오에 벌이는 단오제로서 문호장신(文戶長神)을 모시는 굿. 단오에 하는 굿이기 때문에 단오굿이라 함. 문호장굿.

영:산-도【永山島】명〖지〗전라 남도 서해상, 신안군(新安郡) 흑산면(黑山面) 영산리(永山里)에 있는 섬. 다도해(多島海)를 이루는 우이 군도(牛耳群島)에 속함. [2.22km²]

영산 마지【靈山麻旨】명〖불교〗①담배. ②담배를 피우는 일.

영산 만:년교【靈山萬年橋】명〖역〗경상 남도 창녕군(昌寧郡) 영산면(靈山面) 남천(南川)에 놓인 반원형의 돌다리. 조선 정조(正祖) 4년(1780)에 축조하여, 고종(高宗) 29년(1892)에 중수(重修)함. 보물 제 564 호로 지정되어 있음. 속칭 원다리.

영:산-백【映山白】명〖식〗[*Rhododendron indicum*] 석남과에 속하는 관목. 높이 1m 가량이고 가지가 많은데 잎은 호생하고 피침형에 광택이 나고 그대로 월동(越冬)하며 가지와 함께 잔털이 났음. 5-6월에 반점이 있는 흰 오판화(五瓣花)가 가지 끝에 핌. 품종이 많은데 담홍색의 것을 '영산홍(映山紅)'이라 하며, 이 밖에도 적색·자색의 것이 있음. 바닷가의 바위틈 등에 나는데, 한국·일본 등에 분포함. 화분이나 정원에 심는 관상용임. 백영산(白映山).

〈영산백〉

영:산-법【影算法】[—뻡] 명〖수〗'삼각법(三角法)'의 구칭.

영산-살【靈山一】[—쌀] 명〖민〗무속에서, 영산을 덧들여서 받는 살.

영산-상【靈山床】[—쌍] 명〖민〗무당이 굿을 할 때에 쓰는 제물상(祭物床)의 한 가지.

영산 석빙고【靈山石氷庫】명〖역〗경상 남도 창녕군(昌寧郡) 영산면(靈山面) 교리(校里)에 있는 석실(石室)로 된 옛 빙고.

영산 성:지【靈山聖地】명〖원불교〗원불교(圓佛敎) 교조(敎祖) 소태산(少太山)이 태어나 성도(成道)하고 원불교를 창립한 곳. 전라 남도 영광군 백수읍 길룡리 영촌(永村) 일대를 말함.

영산 쇠머리대기【靈山一】명〖민〗나무쇠싸움.

영산-오르다 자르불 〈속〉 신이 나다. 신이 나서 덤비다.

영:산-자【映山紫】명〖식〗영산백(映山白)의 한 품종. 자색의 꽃이 핌. 자영산(紫映山).

영산-재【靈山齋】명〖불교〗불교의 영혼 천도(薦道)를 위한 의식 중의 하나. 사십구일재(四十九日齋)의 한 형태임.

영산-전【靈山殿】명〖불교〗석가 모니와 팔상 탱화(八相幀畫)를 봉안한 사찰(寺刹)의 중요 당우(堂宇) 중의 하나.

영산 줄다리기【靈山―】명〖민〗경상 남도 창녕군 영산면에 전승(傳承)되는 민속 놀이. 정월 대보름에 벌여 온 민속 놀이인데, 마을은 동과 서의 두 편으로 나뉘어 줄다리기를 함.

영산-포【榮山浦】명〖지〗전에, 전라 남도 나주군(羅州郡)의 한 읍. 1981년에 나주읍(羅州邑)과 함께 금성시(錦城市)로 되었다가 1985년 나주시로 개칭됨.

영산-호【榮山湖】명〖지〗전라 남도 무안군(務安郡) 삼향면(三鄕面) 옥암리(玉岩里)에서 영암군(靈岩郡) 삼호면(三湖面) 산호리(山湖里)를 잇는 길이 4,351m의 영산강 하구언(河口堰)의 완성으로 그 우측(右側)에 이루어진 호수. 2억 5천 3백만 톤의 물을 담을 수 있는 동양 최대의 인공 담수호(人工淡水湖)임. 1981년 준공됨.

영:산-홍【映山紅】명〖식〗영산백(映山白)의 한 품종. 담홍색의 꽃이 핌.

영산-회【靈山會】명〖불교〗석가 여래가 영취산(靈鷲山)에서 제자들과 모인 일. 이곳에서 석가가 꽃 한 송이를 무리에게 보이었는데 가섭(迦葉)만이 그 뜻을 깨달았다 함.

영산 회:상【靈山會相·靈山會上】명〖불교〗①석가 여래가 설법하던 영산회의 불보살(佛菩薩)을 노래한 악곡. 고려 때부터 내려오는 속악(俗樂)으로 '영산 회상 불보살(靈山會相佛菩薩)' 일곱 자의 가사를 붙여 부름. 뒤에 기악곡에서 '상영산(上靈山)'을 이룸. ②〖악〗조선 시대 때의 궁중 연례악(宴禮樂)의 하나. 세종(世宗)이 지은 것으로 현악 영산 회상(絃樂靈山會相)·삼현 영산 회상(三絃靈山會相)·평조 회상(平調會相)의 세 가지가 전함. ㊀영산(靈山)·회상(會相).

영삼【嶺蔘】명 영남(嶺南)에서 나는 인삼.

영-삼사사【嶺三司事】명〖역〗①고려 때 삼사(三司)의 벼슬. 판삼사사(判三司事)의 위. 우왕(禑王) 때에 처음으로 둠. ②조선 국초(國初) 때 삼사의 으뜸 벼슬. 태종(太宗) 5년(1405)에 삼사를 파하여 호조(戶曹)에 합침. ＊영사(領事).

영상[1]【映像】명 ①〖물〗〔image〕광선의 굴절 또는 반사에 의하여 비추어진 물상(物像). 영상(影像). ②텔레비전으로 비추어진 것의 모양. ③머리 속에서 그려내는 것의 모습이나 광경.

영상[2]【零上】명 기온(氣溫)을 말할 때 '0°C 이상'을 이르는 말. ¶～5°. ↔영하(零下).

영상[3]【領相】명〖역〗'영의정(領議政)'의 별칭.

영상[4]【影像】명 ①영정(影幀). ②영상(映像)❶.

영상[5]【嶺上】명 고개 위. 영마루.

영상[6]【靈床】명 대렴(大殮)한 뒤에 시체를 두는 곳. 영침(靈寢).

영상[7]【靈想】명 신불의 감응(感應). 신령스런 생각. 영감(靈感).

영상[8]【靈像】명 신불의 상.

영상 레이더【映像―】명〔imaging radar〕비행기에 싣고 지형(地形)의 상(像)을 비치는 레이더.

영상-법【映像法】[―뻡] 명〔method of image〕〖공〗지질 단층(斷層)의 반대 쪽에 유층(油層)·경상(鏡像)을 가정하고, 유층내의 압력 변동 등을 계산하는 방법.

영상 신:호【映像信號】명 텔레비전 카메라로 촬영된 광영(光影)이 빛의 강약에 따라 변환(變換)되는 전기 신호.

영상 처:리【映像處理】명〖컴퓨터〗문자·그림·사진·도형·동영상 등의 화상 정보를 디지털 데이터로 컴퓨터에 입력한 다음 편집하여 모니터 화면이나 프린터 등의 출력 장치로 출력하거나 파일로 저장하는 일련의 작업. 이미지 프로세싱.

영상 표시 장치【映像表示裝置】명〖컴퓨터〗컴퓨터의 처리 결과를 화면으로 나타내 주는 모니터의 총칭. 브라운관이나 액정 디스플레이 장치를 사용하고 있음.

영상화 사회【映像化社會】명 유선(有線) 텔레비전을 기반으로 하여 형성되는 사회. 도시 전체가 유선 텔레비전망(網)으로 연결되어 각 가정에서는 텔레비전을 이용하여 각종 행정(行政) 뉴스라든가 의료·레저·기상(氣象) 등의 정보를 영상(映像)과 소리로 수신(受信)하게 됨.

영새【靈璽】명 국새(國璽).

영색【令色】명 남에게 아첨하려고 좋게 짓는 얼굴 빛. ¶교언(巧言)～.

영:생[1]【永生】명〖기독교〗예수를 믿고 그 가르치는 바대로 행함으로써 천국에 회생하여 영원 무궁토록 삶. 상생(常生). ――-하다 자여불

영생[2]【營生】명 삶을 영위(營爲)함. 곧, 살아 감. ――-하다 자여불

영:생 불멸【永生不滅】명 영원히 살아서 없어지지 아니함. ――-하다 자여불

영생이 명〖식〗박하(薄荷).

영서[1]【令書】명〖역〗왕세자(王世子)가 왕을 대신하여 정치할 때에 내리던 영지(令旨).

영서[2]【令壻】명 남의 사위에 대한 경칭. 서랑(壻郞).

영:서[3]【永逝】명 영면(永眠). ――-하다 자여불

영서[4]【英書】명 영자(英字)로 쓴 글씨 또는 서적. 영문(英文).

영서[5]【嶺西】명〖지〗강원도 대관령(大關嶺) 서쪽의 땅. ↔영동(嶺東).

영서[6]【靈犀】명 ↗영서 일점통. ――-하다 자여불

영서[7]【靈瑞】명 영묘(靈妙)한 서조(瑞兆).

영서 고원【嶺西高原】명〖지〗강원도 대관령의 서쪽, 고도 1,000m의 태백 산맥으로부터 500-600m의 융기 개석(開析) 준평원. 고원상에는 마식령 산맥·광주 산맥·소백 산맥 등이 있음.

영-서다【令―】자 ↗약령(藥令) 서다.

영서 일점통【靈犀一點通】[―쩜―] 명 피차의 마음이 말 없는 가운데 잘 통함의 비유. 영력(靈力)을 얻는 무소의 뿔 속에는 한 줄의 가는 구멍이 있어 밑에서부터 끝까지 통해 있다고 함. ㊀영서(靈犀).

영:서-창【詠敍唱】명〖악〗아리오소(arioso).

영선[1]【領船】명〖역〗조선 시대 때, 한 배의 조졸(漕卒)의 우두머리. 해운 판관(海運判官)이 임명함. ＊통령(統領).

영선[2]【縈旋】명 영회(縈廻). ――-하다 자여불

영선[3]【嶺扇】명 영남(嶺南)에서 나는 부채.

영선[4]【營繕】명 건축하고 수리(修理)함. ――-하다 타여불

영선[5]【贏羨】명 재물이 넉넉하여 여유가 있음. ――-하다 형여불

영선[6]【靈仙】명 ①〖민〗범에 물려 가서 죽은 귀신. ②장생 불사하는 신선. ③영산[1].

영-선공사사【領繕工司事】명〖역〗고려 충렬왕 34년(1308)에 베푼 선공사(繕工司)의 으뜸 벼슬. 종이품(從二品)이 겸함. ＊영사(領事).

영선-비【營繕費】명 건축물의 신축 또는 그 수리에 쓰이는 비용.

영선-사[1]【領選使】명〖역〗조선 고종(高宗) 18년(1881)에 외국의 신문화를 받아들이기 위해 김윤식(金允植)이 청년 학도 69명을 데리고 청(淸)나라에 유학(留學)갈 때의 김윤식의 직임(職任).

영선-사[2]【營繕司】명〖역〗조선 말기, 궁내부(宮內部)의 한 분장(分掌)으로 왕실(王室) 관계의 건축·수리 등 모든 토목 역사(役事)에 관한 일을 맡아 보던 관아. 고종 32년(1895)에 설치하여 융희 4년(1910)에 폐함.

영:설지-재【詠雪之才】[―찌―] 명 여자의 글재주.

영:성[1]【永城】명〖지〗'융청'을 우리 음으로 읽은 이름.

영성[2]【英聖】명 학덕이 뛰어나고 사리에 밝음. 또, 그런 사람.

영성[3]【盈盛】명 성만(盛滿). ――-하다 자여불

영성[4]【笭箵】명 다래끼[1].

영성[5]【零星】명 수효가 적어서 보잘것이 없는 모양. ¶우리가 …지회를 조직하매 백사가 진취되더니 이삼 년 후로부터 지방 관리가 민권을 비리로 속박하여 회원이 ～하여질 뿐 아니라…《具然學 : 雪中梅》. ――-하다 형여불

영성[6]【鈴聲】명 방울 소리. 영어(鈴語).

영성[7]【嬰城】명 농성(籠城)하여 굳게 지킴.

영성[8]【靈性】명 신령한 품성(品性) 또는 성질. 성령(性靈).

영성[9]【靈星】명〖역〗농업신(農業神). 고구려 때 10월 동맹(東盟)에 이 신(神)에 제사지낸 기록이 보이고, 조선 시대 때는 입추(立秋) 뒤의 진일(辰日)에 제사지냈음.

영성[10]【欞星】명〖건〗세살창.

영성자【榮城子】명〖지〗'룽청쯔'를 우리 음으로 읽은 이름.

영성자 고:분【榮城子古墳】명〖역〗룽청쯔 고분.

영-성체【領聖體】명〖천주교〗성체(聖體)를 영함.

영성체-경【領聖體經】명〖천주교〗'영성체송'의 구용어.

영성체-송【領聖體頌】명〔라 Communio〕〖천주교〗미사중 성체(聖體)를 영할 때 읊는 성영(聖詠). 영성체경(領聖體經).

영:세[1]【永世】명 영원한 세대(世代) 또는 세월. 몰세(沒世). 영대(永代).

영:세[2]【永稅】명〖역〗조선 시대 후기에서 말기에 걸쳐 황해도 신천군(信川郡)과 안악군(安岳郡) 일대에서의 도지권(賭地權)의 이름.

영세[3]【迎歲】명 새해를 맞이함. ――-하다 자여불

영세[4]【零細】명 ①작고 가늘어 변변하지 못함. ②수입이 적고 생활이 군색함. ――-하다 형여불

영세[5]【領洗】명〖천주교〗성세 성사(聖洗聖事)를 받음. 세례받음. 성세(聖洗). ――-하다 자여불

영세[6]【寧歲】명 풍년(豐年).

영세 기업【零細企業】명 경영 규모가 아주 작은 기업. 종업원의 수가 5명 이하인 기업을 말함.

영세-농【零細農】명〖사〗경지(耕地)가 적어서 그 수입이 겨우 생계를 유지하는 군색한 농민. 영세 농민. 세농민.

영세 농민【零細農民】명 영세농.

영:세 무궁【永世無窮】명 영원 무궁(永遠無窮). ――-하다 형여불

영세-민【零細民】명〖사〗영세한 백성.

영:세 불망【永世不忘】명 영원히 잊지 아니함. ――-하다 타여불

영세 서:원【領洗誓願】명〖천주교〗세례를 받기 전에 하는, 악(惡)을 끊어 버리겠다는 서약과 신앙 고백.

영세-성【零細性】[―썽] 명 영세한 성질이나 상태. ¶자본의 ～을 벗어나다.

영세 자본【零細資本】명 아주 적은 액수의 자본. ¶～으로 경영하는 빵가게.

영:세 중립【永世中立】[―닙] 명〖정〗어느 나라가 국제법상 영구히 다른 나라를 공격하지 아니하고, 또 다른 나라 사이의 전쟁에 가담하지 아니하는 일. 국제법상 조약을 체결함으로써 그것이 의무화됨과 아울러 조약 체결국으로부터는 영세 중립국으로서 영토의 보전과 독립이 보장됨. 영구 중립.

영:세 중립국【永世中立國】[―닙―] 명〖정〗영세 중립을 인정받고 있는 나라. 조약에 의해서 영구히 다른 나라 사이의 전쟁에 관여하지 아니할 의무가 있음. 스위스 등이 이에 속함. 영구 중립국. 영구 국외 중립국(永久局外中立國).

영소[1]【領所】명〖불교〗절의 사무소.

영소[2]【營所】명〖군〗군대가 주둔하여 있는 집. 군영(軍營).

영소[3]【營巢】명 개미 같은 것이 땅에 집을 짓는 일. ――-하다 자여불

영:-소작【永小作】명 ①조선 시대 후기에 도지(賭地) 제도에 따라서

소작 기간이 무기한(無期限)인 일. ②구민법(舊民法)하에서, 20년 이상 50년 이하의 기간을 정하고 소작 계약하에 임차 경작(賃借耕作)을 하던 일. 영대 소작(永代小作).

영:소작-권【永小作權】명 영소작의 권리. 구민법하(舊民法下)에서 물권(物權)의 하나였으나 현행 민법에서는 인정되지 않음.

영:속¹【永續】명 오래 계속함. ——-하다 자타여불

영속²【營屬】명〖역〗각 군영(軍營) 및 영명(營名)이 있는 관청에 딸린 영리(營吏)와 영노(營奴)의 총칭.

영:속 변:이【永續變異】명〖생〗개체의 세포질(細胞質)의 변화에 의하여 일어나는 변이. 일반적으로 자손에게 전하여지나, 대(代)가 지남에 따라 차차 소실(消失)됨. 약물(藥物)에 대한 저항성이나 내성(耐性)의 획득 증가 현상 같은 것. 계속 변이. ↔유전적 변이·비유전적 변이.

영:속-성【永續性】명 오래 계속되는 성질.

영:속 연금【永續年金】[—년—] 명 무기 연금(無期年金).

영:속-적【永續的】명관 오래 계속됨. 영속성이 있는 모양.

영:속적 배균자【永續的排菌者】명 지속 배균자(持續排菌者).

영:속 혁명론【永續革命論】[—논] 명〖사〗영구 혁명론.

영손¹【令孫】명 남의 손자에 대한 경칭. 영포(令抱).

영:손²【影孫】명 영정(影幀)의 후손.

영솔【領率】명 부하·식구·제자(弟子) 등을 거느림. 대솔(帶率). ——-하다 타여불

영송¹【迎送】명 맞는 일과 보내는 일. ——-하다 타여불

영:송²【詠誦】명 시가(詩歌)를 소리내어 읊음. ——-하다 타여불

영송 도감【迎送都監】명〖역〗고려 시대 국빈(國賓)의 대접을 담당하던 특수 관청.

영쇄¹【零碎】명 ↗영령 쇄쇄(零零碎碎). ——-하다 형여불

영쇄²【零瑣】명 ↗영령 쇄쇄(零零瑣瑣). ——-하다 형여불

영:수¹【永壽】명 장수(長壽). ——-하다 자여불

영-수²【英數】명 영어와 수학. ¶ ~ 학관(學館).

영수³【瓴水】명 동이의 물. 일설(一說)에는 지붕의 기와에서 흘러내리는 빗물의 뜻으로, 막지 못하는 형세를 비유하는 말이라고도 함.

영수⁴【零數】[—쑤] 명 10·100·1000 등의 정수(整數)에 차지 못하거나 차고 남은 수.

영수⁵【領水】명 〔territorial waters〕〖법〗①국가 영역(國家領域)에 속하는 일체의 수역(水域). 영해(領海) 외에 하천(河川)·호소(湖沼)·항만(港灣) 등 내수(內水)를 포함함. ②영해(領海).

영수⁶【領收·領受】명 돈이나 물품(物品) 따위를 받아들임. ¶ ~증(證). ——-하다 타여불

영수⁷【領袖】명 ①여러 사람 중의 우두머리. ¶ ~회담. ②〖기독교〗장로교에 있어서, 조직이 아직 완전하지 못한 교회를 인도하는 직분(職分).

영:수⁸【影數】명〖수〗영산(影算).

영:수⁹【潁水】명〖지〗'잉수이'를 우리 음으로 읽은 이름.

영수¹⁰【贏輸】명 승부(勝負).

영수¹¹【靈水】명 영험(靈驗)이 있는 물.

영수¹²【靈秀】명 뛰어남. 빼어남. ——-하다 형여불

영수¹³【靈獸】명 가장 신령한 짐승. 곧, 기린(麒麟)의 일컬음.

영수-각【靈壽閣】명〖역〗기로소(耆老所) 안에 있는 어첩(御帖)을 보관하던 누각(樓閣).

영수-서【領收書·領受書】명 영수증.

영수-원【領收員·領受員】명 신문 대금·집세 등을 영수하러 다니는 사람.

영수-인¹【領收人·領受人】명 돈이나 물건을 받아들이는 사람.

영수-인²【領收印·領受印】명 돈이나 물품을 받았다는 표로 영수인(人)이 찍은 도장.

영수-증【領受證·領收證】명 돈이나 물건을 받아들인 표로 쓰는 증서. 영수서. 송증(送證).

영수합 서씨【令壽閤徐氏】명〖사람〗조선 순조(純祖) 때의 여류(女流) 시인. 서형수(徐逈修)의 딸, 홍인모(洪仁謨)의 부인. 시재(詩才)가 뛰어났으며, 36편의 작품이 수록된 《영수합고(稿)》가 전함. 문장가로 이름이 높은 석주(奭周)·길주(吉周)·현주(顯周)의 세 아들과 여류 시인 유한당(幽閒堂) 원주(原周)를 낳음. [1753-1823]

영-순위【零順位】명 무조건 우선적(優先的)으로 1순위보다 앞선 차례에 길 수 있는 순위(順位).

영-숫자【英數字】명 〔alphanumeric〕〖컴퓨터〗영문자 A에서 Z와 숫자 0에서 9 및 특수 기호 —, /, *, $ 등의 총칭.

영숫자식 그리드【英數字式—】명 〔atlas grid〕지도 내지 사진상의 어떤 지점이나 지역의 위치를 지정함에 있어, 숫자와 영숫자를 가지고 행하는 모눈 시스템.

영숫자 표시 장치【英數字表示裝置】명 〔alphanumeric display device〕〖전자〗컴퓨터에서, 어떤 신호원(信號源)으로부터의 영문자와 숫자 출력 정보(出力情報)를 눈으로 볼 수 있도록 표시하는 장치.

영스-타운 〔Youngstown〕명〖지〗미국 오하이오 주 동쪽의 제철(製鐵) 도시. 약품(藥品)·고무 등의 공업도 행하여짐. [95,732명(1990)]

영승지-회【榮勝之會】명〖천주교〗개선지회(凱旋之會).

영시¹【迎諡】명〖역〗임금이 내리는 시호(諡號)를 전달하는 특사를 맞음. ——-하다 자여불

영시²【英詩】명 영어로 씌어진 시.

영:시³【詠詩】명 시를 읊음. ——-하다 자여불

영시⁴【零時】명 12시 또는 24시부터 1시까지의 사이.

영식¹【令息】명 남의 아들에 대한 경칭. 영랑(令郞). 영자(令子).

영식²【寧息】명 편히 쉼. ——-하다 자여불

영신¹ 명 〈방〉 무당(충남).

영신²【令辰】명 좋은 때.

영:신³【佞臣】명 간사하고 아첨하는 신하.

영신⁴【迎神】명 제사(祭祀) 때 신을 맞아들임. ↔송신(送神). ——-하다 자여불

영신⁵【迎晨】명 날이 밝아 올 때.

영신⁶【迎新】명 ①새해를 맞음. ②새로운 것을 맞음. ↔송구(送舊). ——-하다 자여불

영신⁷【靈神】명〖천주교〗영적(靈的)인 것. 영혼. ↔육신(肉身)❸.

영신군-가【迎神君歌】명〖문〗구지가(龜旨歌).

영신-초【靈神草】명〖식〗애기풀.

영실¹【令室】명 영부인(令夫人).

영실²【營實·榮實】명〖한의〗찔레나무의 열매. 한방(韓方)에서 하설제(下泄劑)와 이수약(利水藥)으로 씀.

영실³【靈室】명〖불교〗죽은 사람의 영혼을 모시는 곳. 궤연(几筵).

영싱 명 〈옛〉 영생이. 박하(薄荷). ¶ 薄荷 영싱이 《濟衆》.

영아¹【迎阿】명 남의 비위를 맞춤. 아첨함. ——-하다 자여불

영아²【嬰兒】명 젖먹이. 포유아(哺乳兒). ¶ ~기(期).

영아 세:례【嬰兒洗禮】명〖기독교〗영아에게 베푸는 세례.

영아 시:설【嬰兒施設】명〖법〗아동 복지 시설의 하나. 보호자가 없거나 이에 준하는 3세 미만의 아동을 입소시켜 보호·양육(養育)하는 시설. *육아 시설.

영아-원【嬰兒院】명 보호자가 없거나 이에 준하는 3세 미만의 젖먹이 아이를 보호·양육하는 곳.

영아이-악【靈阿伊岳】명〖지〗제주도 남제주군에 있는 화산. [681m]

영악¹【伶樂】명 영인(伶人)이 연주하는 음악.

영악²【獰惡】명 모질고 악착함. 영맹(獰猛). ——-하다 형여불

영악-스럽다 형ㅂ불 보기에 영악하다. 영악-스레 부

영악-쟁이 명 영악한 사람.

영악-하다 형여불 이해(利害)에 분명하고 약다.

영안¹【寧安】명〖지〗'닝안'을 우리 음으로 읽은 이름.

영-안²【—案】명 〔Young Plan〕〖정〗1930년의 헤이그(Hague) 회의에서 채택된 독일 배상(賠償) 문제 해결안. 미국의 영(Young, Owen)을 위원장으로 하는 위원회가 제안한 것인데, 연부(年賦)로 1988년까지 배상금을 지불 완료한다는 내용임. 독일 경제의 입장을 고려한 합리적인 형태로 배상을 청구하려는 것이었으나 세계 공황(恐慌)으로 1931년에 폐기되었음.

영-안두【迎鞍頭】명 몬다위❶.

영:안 상간【另眼相看】명 특별히 우대(優待)함. ——-하다 자여불

영안-실【靈安室】명 병원에서, 시신(屍身)과 위패를 안치하는 방.

영알【迎謁】명 출영(出迎)하여 배알(拜謁)함. ——-하다 타여불

영암【靈巖】명〖지〗전라 남도 영암군의 군청 소재지로 읍(邑). 군의 동남부 월출산(月出山)의 북쪽 기슭에 위치하며 비옥한 해안 평야에 임하여 농산물이 풍부함. 월출산 아래에서 마애 여래 좌상(磨崖如來坐像)이 발견됨. [11,758명(1990)]

영암-군【靈巖郡】명〖지〗전라 남도의 한 군. 관내 1읍 10면. 북은 무안군(務安郡)과 나주군(羅州郡), 동은 나주군과 화순군(和順郡)과 장흥군(長興郡), 남은 강진군(康津郡)과 해남군(海南郡), 서는 바다와 무안군에 인접(隣接)함. 주요 산물로는 쌀·보리·포도·배 등의 농산과 축산·임산 등이 있으며 참빗은 이 고장 특산임. 명승 고적으로는 도갑사(道岬寺)·천황사(天皇寺)·구림 왕인 박사 유적지(鳩林王仁博士遺蹟地)·회사정(會社亭)·월출산(月出山) 등이 있음. 군청 소재지는 영암(靈巖). [510.92 km²: 68,815(1991)]

영암-선【榮岩線】명〖지〗중앙선 영주역(榮州驛)에서 분기하여 봉화(奉化)를 지나 철암에 달하여 과거의 철암선(鐵岩線)과 접속하였던 철도선. 1955년 12월에 개통한 산업 개발선의 하나임. 지금은 철암선(鐵岩線) 등과 함께 묶어서 영동선(嶺東線)으로 부름. *영동선(嶺東線). [86 km]

영애【令愛】명 남의 딸에 대한 존칭. 영교(令嬌). 영양(令孃). 애옥(愛玉). ↔영식(令息)·영랑(令郞).

영액【靈液】명 영묘(靈妙)한 물. 특히, 옛 중국에서 천지간(天地間)에 있어서 생명력을 주는 등 영묘한 작용을 하는 것으로 생각하여 온 이슬을 이름.

영액 편재설【靈液遍在說】명〖철〗우주(宇宙)간에는 미묘한 작용을 하는 영액이 가득 차 있는데 사람이 그 한 부분을 받아서 기질(氣質)을 이루고, 활동력을 갖는다고 하는 학설.

영약【靈藥】명 신령스러운 약.

영양¹【令孃】명 영애(令愛).

영양²【英陽】명〖지〗경상 북도 영양군의 군청 소재지로 읍(邑). 군의 거의 중심 지대에 위치하며 농산물의 집산지이나 교통이 불편함. 현일동 삼층 석탑(縣一洞三層石塔)과 전탑(塼塔), 감천리(甘川里)의 천연 기념물 측백(側柏) 수림 등의 명승 고적이 있음. [11,895명(1990)]

영양³【羚羊·羱羊】명 〔antelope〕〖동〗포유류(哺乳類) 솟과(科)에 속하는 짐승으로, 소·양·산양을 제외한 무리의 총칭. 도합 89종인데 80종은 아프리카에, 3종은 아프리카에서 아라비아에 걸쳐 분포하고, 아라비아 1종, 인도·중앙아시아에 5종이 분포함. 큰 것은 어깨 높이 1.8 m에 900 kg에 이르고, 작은 것은 어깨 높이 25 cm에 3.6 kg 정도의 것도 있음. 달리기에 알맞게 몸통과 다리가 가늘고 목이 길. 뿔은 암수 모두 있는 것과 수컷만 있는 것도 있으며 그 모양도 코르크마개 뽑이와 같이 비틀린 것, 창 모양, 스파이크 모양 등 다양함. 안틸로프(antelope).

영양⁴【榮養】명 ①지위나 명망이 높아져서 부모를 영화롭게 봉양함. ②〖천주교〗인간으로서 천주를 잘 섬김. ——-하다 타여불

영양[5]【營養】명〖생〗생물체가 외부로부터 섭취하여 그 소화·호흡·순환·배설 등 모든 생활 기능을 조정하며 체질의 소모를 보충하여 활동·존속하는 데 불가결한 양분. 동물체는 주로 유기물을, 녹색 식물은 무기물을 섭취함. 단백질·지방·비타민 등.

영양-가【營養價】[—까] 명 〔nutritive value〕〖생〗영양소의 영양적 가치. 영양소 1g을 완전히 연소하였을 때에 발생하는 열량(熱量)으로 표시함. 탄수화물은 4.15kcal., 지방은 9.3kcal., 단백질은 4.2kcal.임.

영양-각【羚羊角】명〖한의〗영양의 뿔. 진경(鎭痙)·통경(通經)·명목(明目)·치간(治癎) 등에 약으로 씀.

영양-계【營養系】명 클론(clone).

영양 공:생【營養共生】명〔syntrophism〕〖생〗영양의 필요성에서 세포(細胞)가 서로 의존하는 관계. 특히, 박테리아의 종족간(種族間)에서 이르는 말.

영양-군【英陽郡】명〖지〗경상 북도의 한 군. 관내 1읍 5면. 북은 봉화군(奉化郡)과 울진군(蔚珍郡), 동은 영덕군(盈德郡)과 울진군, 남은 청송군(靑松郡), 서는 봉화군과 안동시(安東市)에 인접함. 농업이 주로 고추·담배 따위의 산출이 많으며, 임산(林產)도 있음. 명소로는 일월산(日月山)·울련산(蔚蓮山)·선바위 등을 꼽음. 군청 소재지는 영양(英陽). [814.96 km²: 26,044 명(1996)]

영양 권:장량【營養勸獎量】[—냥] 명〖생〗사람이 하루를 활동하고 건강을 유지하기 위하여 꼭 필요하다고 정하여 권장하는 열량(熱量). 여자는 2100-2300 칼로리 정도이며, 남자는 약 2500-3000 칼로리임.

영양-근【營養根】명〖식〗영양의 섭취 작용을 하는 뿌리.

영양 기관【營養器官】명〖생〗생물체의 영양을 맡아 보는 기관의 총칭. 동물체에서는 보통 소화 기관을 일컬으나, 널리 호흡·순환·배설 등의 여러 기관을 포함하며, 식물체에서는 뿌리·잎·줄기 등을 이름. 생식 기관에 대립시켜 일컫는 말.

영양-률【營養率】[—뉼] 명 음식물이 지니고 있는 영양소의 비율. 영양비(營養比).

영양 문학【令孃文學】명〖문〗영녀 문학(令女文學).

영양-물【營養物】명〖생〗영양소를 많이 함유한 음식물.

영양 번식【營養繁殖】명〖식〗영양 생식.

영양 부족【營養不足】명 영양분이 부족되는 일.

영양-분【營養分】명 영양소의 분량.

영양 불량【營養不良】명〖생〗영양 장애(障礙)나 영양 부족으로 인한 신체의 불건전한 상태.

영양-비【營養比】명〖생〗영양률(營養率).

영양-사【營養士】명 식품 위생법에 의한 소정의 면허를 받고 집단 급식소(集團給食所)에서, 영양 섭취 지도에 종사하는 사람. 식품학·영양학을 전공한 자라야 함.

영양 생식【營養生殖】명〖식〗식물의 모체(母體)로부터 영양 기관의 일부가 분리 발육하여 독립적인 한 개체로 발전하는 생식. 인경(鱗莖)·괴근(塊根)이 자연적으로, 접목(接木)·삽목(揷木)이 인위적으로 성장 번식하는 따위. 영양 번식. ↔포자 생식(胞子生殖).

영양 성장【營養成長】명〖식〗식물의 씨앗의 발아(發芽)에서 생식 기관의 분화에 이르는 시기의 성장.

영양 센터【營養—】[center] 명 전기 구이 통닭, 가벼운 양식(洋食) 따위를 파는 간이 식당. 참고 흔히, 옥호(屋號)로 많이 쓰임. *통닭집.

영양-소【營養素】명〖생〗생물체의 영양이 되는 물질. 보통, 단백질·지방·탄수화물·무기 염류(無機塩類)·비타민·물의 여섯 가지를 일컬음.

영양-식【營養食】명 영양가에 주안(主眼)을 두고 만든 음식. 또, 그 식사. ——-하다 자여불

영양 신경【營養神經】명〔trophic nerve〕〖동〗조직의 영양의 조절(調節)·유지(維持)에 관계되는 신경. 자율 신경·부교감(副交感) 신경 따위.

영양 실조【營養失調】[—쪼] 명〖의〗영양소의 섭취 부족 또는 섭취는 충분하나 소화·흡수가 나쁠 때, 체내의 총칼로리, 특히 단백질의 부족으로 인하여 나타나는 이상(異常) 상태. 빈혈(貧血)·부종(浮腫)·서맥(徐脈)·설사 등이 따름.

영양-액【營養液】명 ①〖생〗체내의 모세관에서 스미어 나오는, 혈액에서 생기는 무색 단백질의 액체. ②〖식〗식물의 성장에 필요한 물질을 용해시킨 수용액. 식물의 수재배(水栽培)에 쓰임.

영양 염류【營養塩類】[—뉴] 명 해수(海水)에 함유된 규산염·인산염·질산염 등 염류의 총칭. 식물 플랑크톤이나 바닷말의 몸을 만드는 증식(增殖)의 요인이 됨.

영양-엽【營養葉】명〖식〗생식 기관(生殖器官)을 분화(分化)하지 아니하는 잎의 총칭. 동화 작용에 따라서 영양만 섭취하며, 포자(胞子)를 만들지 않음. 나엽(裸葉).

영양-왕【嬰陽王】명〖사람〗고구려의 제26대 왕. 휘는 원(元). 일명 평양왕(平陽王). 왕 9년(598), 수나라 문제(文帝)의 30만 대군을 격퇴하였고, 왕 23년(612)에 수나라 양제(煬帝)가 113만 대군을 이끌고 침입하자, 을지 문덕(乙支文德)을 시켜 이를 섬멸 승리하였음. [재위 590-618]

영양 요리【營養料理】[—뇨—] 명 영양가가 높은 재료를 써서 만드는 요리.

영양 요법【營養療法】[—뇨뻡] 명〖의〗식이(食餌) 요법.

영양 잡종【營養雜種】명 영양체에 의하여 생겨나는 잡종. 보통의 교배(交配)에 의하지 않고, 접목(接木)에 의하여 대목(臺木)이 접수(接穗)의 형질(形質)에 영향을 미치는 경우와, 달걀의 난백(卵白)의 교환에 의한 경우와 같이, 상이한 영양체간의 영향에 의하여 상이한 형질이 나타나는 일.

영양 장애【營養障礙】명〖생〗섭취한 영양소가 체내에서 충분히 소화·흡수되지 아니하고 신진 대사(新陳代謝)의 기능이 순조로이 진행되지 아니한 상태. 특히, 유아(乳兒)에 많으며, 설사·구토 등이 주된 증세로 나타남.

영양 장애성 부종【營養障礙性浮腫】[—썽—] 명〖의〗질적·양적으로 영양이 부족할 때에 영양 실조가 되어서 생기는 부종.

영양-제【營養劑】명 영양을 보충하는 약제.

영양 조직【營養組織】명〔vegetative tissue〕〖식〗식물에서 유성 생식(有性生殖)에 직접 관계하지 않는 조직의 총칭. 즉, 뿌리·줄기·잎 따위와 같이 영양 기관(器官)을 구성(構成)하는 모든 조직, 꽃과 같은 생식 기관 중 배낭(胚囊)이나 약(葯) 등의 생식 세포를 만드는 조직 이외의 부분을 말함.

영양 지수【營養指數】명〖생〗영양의 상태를 나타내는 지수.

영양-질【營養質】명〖생〗체내에 소화·흡수된 후에 생활체를 구성하고 동작 발현(動作發現)을 하는 데 필요한 물질.

영양-체【營養體】명〖생〗생식(生殖)과는 직접 관계가 없이 개체(個體)의 영양에 관계하는 부분. 종자(種子) 식물에서는 뿌리·줄기·잎 등이고, 동물에서는 넓은 뜻으로는 생식 기관 이외의 부분이 이에 해당함.

영양-학【營養學】명 영양의 상태를 연구의 대상으로 하는 과학의 총칭. 영양 생리학·영양 화학·영양 병리학 등.

영양 화학【營養化學】명〖생〗인체 내의 영양질의 화학적 변화 현상을, 생리학·생리 화학을 기초로 하여 연구하는 학문.

영어[1]【囹圄】명 죄수를 가두는 곳. 감옥. ¶~의 몸이 되다. *교도소.

영어[2]【英語】명 인도 유럽 어족 게르만 어파(語派) 서(西)게르만 어군(語群)에 속하는 언어. 미국·영국 외에 캐나다·뉴질랜드·오스트레일리아 등에서 쓰이며, 분포 지역의 넓이로 해도 세계 공통어라 칭해도 좋음. 발음과 정서법(正書法)과의 차가 심한 점, 인도 유럽 어족 속에서는 어형 변화(語形變化)가 극히 적은 것 등이 특징으로서, 어휘(語彙)는 라틴어·프랑스어 등을 대량으로 받아들이고 있음.

영어[3]【鈴語】명 방울 소리. 영성(鈴聲).

영어[4]【營漁】명 어업을 경영함. ¶~자.

영:어[5]【潁漁】명〖사람〗김병국(金炳國)의 호(號).

영어 영문학과【英語英文學科】명〖교〗영문학과.

영:언[1]【永言】명 시(詩)와 노래. 시가(詩歌).

영언[2]【英彥】명 뛰어난 선비. 영사(英士).

영업【營業】명 영리(營利)를 목적으로 하여 경영하는 사업.

영업-가【營業家】명 영업자.

영업 감찰【營業鑑札】명 영업을 허가한 증거로 내어주는 감찰.

영업 계:수【營業係數】명〖경〗기업의 영업 활동의 비용과 수익(收益)과의 비율. 곧, 영업의 채산(採算)·능률의 정도를 나타내는 수치(數値). 영업 수지 계수. 영업 비율.

영업-국【營業局】명 회사나 공장 같은 데서 그 생산품의 판매·광고·수입 등의 일을 맡아 보는 부서.

영업-권【營業權】명〖법〗영업할 수 있는 권리. 그 영업이 보통 이상의 이익을 올릴 수 있는 경우 그 초과 이익을 취득할 수 있는 특권(特權)을 가리킨 것으로, 일종의 무형(無形) 재산임. 기업권.

영업 금:지【營業禁止】명 행정 처분으로 영업을 금지시키는 일.

영업-기【營業期】명 영업을 하는 기간. 영업하기에 알맞은 시기.

영업 면:허【營業免許】명 어떤 종류의 사업의 경영을 정부가 허가하는 행정 행위.

영업-범【營業犯】명〖법〗재산상의 이익을 목적으로 같은 범죄 행위를 계속 반복할 가능성을 구성 요건의 요소로서 내포하고 있는 범죄.

영업 보:고【營業報告】명 회사·은행 등이 결산기에 있어서 영업 연도 내의 영업 상황을 주주나 주무 관청에 보고하는 일.

영업 보:고서【營業報告書】명〖경〗주식 회사의 이사(理事)의 책임 사항으로서 작성되는 영업에 관한 보고서. 이사는 이 보고서를 작성하여 감사(監事)에 제출하며, 동시에 정기(定期) 주주 총회에서 승인을 받아야 함.

영업 보증금【營業保證金】명 일정한 업자가 영업상의 거래에 의한 채무의 변제(辨濟)를 담보로 하기 위하여 공탁(供託)해야 하는 보증금.

영업 보:험【營業保險】명〖법〗보험을 영업의 목적으로 하는 조직. 영업자가 보험료와 보험금 및 경비와의 차액(差額)을 영업 소득으로 하는 보험. ↔상호 보험.

영업-부【營業部】명 영업에 관한 일을 맡아 보는 부(部).

영업-비【營業費】명〖경〗영업에 필요한 비용. 원료 구매비·사용인의 급료 등.

영업 비:율【營業比率】명〖경〗영업 계수(營業係數).

영업 사용인【營業使用人】명〖경〗영업주(營業主)가 영업을 위하여 고용한 사람.

영업-세【營業稅】명〖경〗영업에 대하여 부과하는 국세(國稅). 광산업(鑛產業), 제조업, 전기·가스 및 수도업(水道業), 건설업, 도매업(都賣業), 소매업, 음식·숙박업, 운수·보관업, 금융·보험업, 부동산업, 서비스업 등을 하는 사람이 납세 의무자가 됨. 사업세. 1977년 부가 가치세법의 시행에 따라 폐지됨.

영업-소【營業所】명 영업을 하는 일정한 장소. 영업장.

영업 소:득【營業所得】명 영업 활동에서 생기는 소득. 영업 이익(利益).

영업 손:익【營業損益】명〖경〗기업의 주영업(主營業)에 의하여 발생하는 손익. 기업의 경영(經營) 활동에서 생기는 수익(收益)과 비용의 차액(差額)·매상고 또는 역무(役務) 수익에서 매상 원가 또는 역무 원가·일반 관리비 및 판매비를 공제해서 계산함.

영업 수익【營業收益】명〖경〗기업의 주영업(主營業)에 의하여 발생하는 수익. ↔영업외 수익.

영업 수지 계:수【營業收支係數】명〖경〗영업 계수(營業係數).

영업 시간【營業時間】명 영업하기 위하여 점포의 문을 연 때부터 닫을 때까지의 시간.
영업 신:탁【營業信託】명〖경〗신탁(信託)의 인수(引受)를 영업으로 할 때의 신탁.
영업 안:내【營業案內】명 ①영업소의 위치·영업의 상황(狀況) 등을 해설한 서적을 배포 선전하여 일반에게 알리는 일. 또, 그 문서. ②영업소 안에서 영업의 상황·부서(部署)·소속 등을 고객의 물음에 대하여 설명하는 일.
영업 양:도【營業讓渡】[—냥—] 명〖경〗영업 재산을 중심으로 한 조직체의 영업을 계약에 의하여 타인에게 양도하는 행위.
영업 연도【營業年度】[—년—] 명 영업의 수지·손익을 결산하기 위하여 설치한 연도. 결산기와 결산기와의 사이의 기간. 보통 1년 또는 반년임.
영업 예:금【營業預金】[—네—] 명〖경〗기업이 영업상의 지출에 충당하기 위하여 보유하는 예금. ↔소득 예금·저축 예금.
영업외 비:용【營業外費用】명〖경〗기업의 주요 영업과 직접 관계가 없는 비용. 지급 이자·할인료(割引料)·사채 이자 등의 금융 비용 및 유가 증권 매각손(賣却損) 따위를 이름.
영업외 손:익【營業外損益】명〖경〗영업외 수익과 영업외 비용과의 차액(差額).
영업외 수익【營業外收益】명〖경〗기업의 주요 영업 이외의 원인으로 생기는 여러 가지 수익. 유가 증권의 이자·배당금·유가 증권 매각 수익 따위. ↔영업 수익.
영업-용【營業用】[—뇽] 명 ①영업에 쓰임. ②↗영업용차. ↔자가용(自家用).
영업용-차【營業用車】[—뇽—] 명 자가용차에 대하여, 승객을 태우거나 화물을 운반하는 영업을 하기 위하여 면허를 맡은 자동차. ㊟영업용. ↔자가용차.
영업 위험【營業危險】명〖경〗사업가가 유행(流行)의 변천 또는 경쟁자의 출현 등 영업상으로 받는 위험. ＊인적 위험(人的危險)·산업적(產業的) 위험·정적 위험(靜的危險).
영업 이:익【營業利益】명 기업이 영위하는 주요 영업 활동에서 생긴 이익. 매상고에서 매상 원가·일반 관리비·판매비를 제한 것임. 영업 소득(所得).
영업-인【營業人】명 영업자.
영업 일기【營業日記】명〖경〗영업 일지(營業日誌).
영업 일지【營業日誌】[—찌] 명〖경〗영업상의 거래, 주로 회계 거래를 발생 순서로 기입하여, 모든 거래에 관한 연대적(年代的)·영구적·증거적 기록을 작성하는 장부. 영업 일기.
영업-자【營業者】명 영업하는 사람. 영업가. 영업인.
영업 자:금【營業資金】명〖경〗영업 활동을 위한 자금.
영업 자생【營業資生】명 영업을 하여 생활함. ——-하다 자 여불
영업-장【營業場】명 영업 장소.
영업 장소【營業場所】명 영업을 하는 장소. 영업소. ㊟영업장.
영업 재산【營業財產】명〖경〗특정한 영업을 하기 위하여 있는 조직적 재산. 상품·자금·점포(店鋪)·채권 따위.
영:업-전【永業田】명〖역〗고려 때 경군(京軍)을 우대하기 위하여 마련한 군전(軍田)의 일종. 경군은 나이 스물이 되면 군전 20결(結)을 받고 예순이 되면 퇴역(退役)하여 군전을 나라에 도로 바치는데, 자손이나 친척이 있으면 군전을 영업전(永業田)으로 이름을 바꾸어 세습(世襲)을 허락하였음.
영업 정지【營業停止】명〖법〗영업자가 단속 규정에 위반하였을 때에 행정 처분에 의하여 일정 기간 영업을 정지시키는 일.
영업 조합【營業組合】명〖경〗일정한 지역에서, 동업자(同業者)가 공동 이익을 도모하거나, 경쟁(競爭)으로 인한 손해를 방지하기 위하여 조직하는 공공 단체.
영업-주【營業主】명〖경〗영업상의 명의주(名義主). 영업상 생기는 모든 권리와 의무를 짐. ㊟업주(業主).
영업 준:비【營業準備】명 ①영업을 위한 준비. ②〖경〗은행 등에서, 예금을 찾아갈 것에 대비하여 자금을 준비하는 일. ——-하다 자 여불
영업-지【營業地】명 회사·은행·상점 등의 영업 활동이 행해지는 지역. 영업소가 있는 곳.
영업-질【營業質】명〖법〗①영업 재산을 객체로 하는 질권(質權). 부동산이 아니므로 질(質)이라고 불리지만 채권자에게 점유(占有)를 이전하지 않고 유형 무형의 영업용 재산의 집단을 포괄적으로 등기함으로써 담보로 하는 것이므로 실질은 저당임. ②전당포의 질권.
영업-집【營業—】명 영업하는 집. ＊살림집.
영업 창구【營業窓口】명 은행·회사·상점 등에서 영업실과 고객과의 사이에 설치하여 영업 직원과 고객과의 응대 거래(應對去來) 등을 행하는 창구.
영업-체【營業體】명 영업을 하기 위한 조직체.
영업 회:사【營業會社】명 영리 회사.
영여¹【零餘】명 여재(餘在).
영여²【贏餘】명 나머지.
영여³【靈輿】명 ①상여(喪輿). ②요여(腰輿).
영여-꾼【靈輿—】명 상여꾼.
영역¹【英譯】명 영어로 번역함. 또, 그 번역한 것. ——-하다 타 여불
영역²【塋域】명 산소(山所).
영역³【領域】명 ①〖법〗일국의 주권이 행사되는 범위. 영토·영해·영공으로 구성됨. ②[domain]〖수〗유클리드 공간의 연결된 개집합(開集合). 곧, 공통점을 갖지 않은 두 개의 개집합의 합(合)으로서 표시할 수 없는 개집합으로, 호상(弧狀) 연결이 됨. ③학문·연구 등에서 그 관계자가 관심을 기울이고 있는 부분.
영역⁴【營域】명 울안. 지경 안.
영역⁵【靈域】명 ①신령한 지역. ②산소(山所).
영역-권【領域權】명〖법〗영토권.
영연¹【泠然】명 ①맑은 모양. 시원한 모양. ②음성(音聲)이 성(盛)한 모양. ③물이 흐르는 모양. ④바람이 솔솔 부는 소리. ——-하다 형 여불 ——-히 부
영연²【靈筵】명 궤연(几筵). 영좌(靈座).
영-연방【英聯邦】[—년—] 명〖정〗영국 연방.
영연방 회:의【英聯邦會議】[—년— / —년—이] 명〖역〗제2차 세계 대전 후의 영국과 구속령(舊屬領)과의 협력 기구. 수상·외상·경제 관계상(經濟關係相)의 세 가지 회의가 있으며, 해마다 그 중의 어느 한 가지 회의가 열림. ＊제국 회의(帝國會議).
영영¹【盈盈】명 물이 그득히 괴어 있는 모양. ——-하다 형 여불
영영²【營營】명 세력이나 이익 같은 것을 얻기 위하여 열심히 노력하는 모양. ¶봉자는 지금 너의 오라범과 ～한 마음이 있는 고로 그런 말을 하는 것이지… ≪崔瓚植：雁의 聲≫. ——-하다 형 여불
영영³【嶺營】명〖역〗조선 시대 때 경상 남도 감영(監營)의 별칭.
영:영⁴【永永】부 영원히. ㊟영(永).
영영-거리다【營營—】자 세력이나 이득 따위를 얻으려고 연신 애를 쓰다. ¶그물에 빠져나기를 생각하여 바자울게 영영거릴 뿐이었다≪朴鍾和：錦衫의 피≫.
영영 급급【營營汲汲】명 영영 축축(營營逐逐). ——-하다 자 여불
영:영 무궁【永永無窮】명 영원 무궁(永遠無窮). ——-하다 형 여불
영:영 방:매【永永放賣】명 아주 팔아 버림. 영영 팔아 버림. 영매(永賣). ——-하다 타 여불
영영-전【英英傳】명〖문〗작자·창작 연대 미상의 한문 소설의 하나. 약관에 진사(進士)가 된 김생(金生)과 회산군(檜山君)의 궁녀 영영과의 연애 이야기. 상사동기(相思洞記). 상사동 전객기(相思洞錢客記). 회산군전(檜山君傳).
영영 축축【營營逐逐】명 명예나 이익을 얻기 위하여 매우 바쁘게 지냄. 영영 급급(營營汲汲). ——-하다 자 여불
영예¹【令譽】명 영명(令名)❶.
영예²【英銳】명 영민하고 기개(氣槪)가 날카로움. ——-하다 형 여불
영예³【榮譽】명 영광스러운 명예. 영명(榮名).
영예-권【榮譽權】[—꿘] 명 영예의 표창을 받거나 누릴 권리.
영예-롭다【榮譽—】형 ㅂ불 영예로 여길 만하다. 영예스럽다. 영예-로이【榮譽—】부
영-예문관사【領藝文館事】명〖역〗조선 시대 때 예문관(藝文館)의 으뜸 벼슬. 의정(議政)이 겸임함. ＊영사(領事).
영예-스럽다【榮譽—】형 ㅂ불 영예롭다. 영예-스레【榮譽—】부
영예 지급【榮譽支給】명〖법〗참가 지급(參加支給).
영예 혁명【榮譽革命】명〖역〗명예 혁명(名譽革命).
영오¹【英悟】명 준수하고 총명함. ——-하다 형 여불
영오²【領悟】명 깨달아 앎. ——-하다 타 여불
영:오³【穎悟】명 남보다 뛰어나게 총명함. ——-하다 형 여불
영오⁴【靈烏】명 상서로운 까마귀.
영-외¹【楹外】명 현관 밖. ↔영내.
영외²【營外】명 영문 밖. ↔영내.
영외 거주【營外居住】명〖군〗영내(營內) 거주를 원칙으로 하는 장병(將兵)이 허가를 받고 영외에서 침식(寢食)만을 취하여 거주하는 일. 흔히, 하사관급(下士官級) 이상의 사병과 장교(將校)가 허락됨. ↔영내 거주. ——-하다 자 여불
영요【榮耀】명 영광(榮光).
영-욕【榮辱】명 영예(榮譽)와 치욕(恥辱).
영용【英勇】명 영특(英特)하고 용맹(勇猛)함. ——-하다 형 여불
영용 무쌍【英勇無雙】명 영특하고 용맹하기가 비길 데 없음. ——-하다 형 여불
영우¹ 명〈방〉궤연(几筵).
영우² 명〈방〉〖동〗여우(평안·함남·강원).
영우³【零雨】명 ①큰 빗방울이 뚝뚝 떨어지는 비. ②가랑비.
영우⁴【榮遇】명 영화롭게 대우함. ——-하다 타 여불
영우⁵【縈紆】명 빙 돌아 얽힘. 또, 빙 둘러쌈.
영우⁶【靈羽】명〖역〗공작우(孔雀羽)❷.
영우⁷【靈雨】명 호우(好雨).
영욱【蘡薁】명 ①〖식〗까마귀머루·새머루 등과 같은 머루 종류의 총칭. ②까마귀머루.
영욱 정:과【蘡薁正果】명 머루 정과.
영운【嶺雲】명 산마루 위에 뜬 구름.
영웅【英雄】명 지력(智力)과 재능 또는 담력·무용(武勇) 등에 특히 뛰어나는 일. 또, 그 사람. 히어로(hero). 영걸(英傑). 영호(英豪).
영웅 교향곡【英雄交響曲】명〖악〗에로이카(Eroica).
영웅 기인¹【英雄忌人】명 영웅은 공명을 세우기 위하여 남을 시기함.
영웅 기인²【英雄欺人】명 영웅은 책략을 써서 남을 잘 속임.
영웅-담【英雄譚】명 영웅의 생활과 업적을 중심으로 한 전설(傳說).
영웅 비극【英雄悲劇】명〖문〗영웅시형으로 무용담(武勇談)·연애를 묘사한 비극.
영웅 서:사시【英雄敍事詩】명 영웅시(英雄詩).
영웅 소:설【英雄小說】명〖문〗고전 소설의 유형 분류에 쓰이는 용어. 일반적으로 군사적인 영웅의 활동을 다룬 군담(軍談) 소설을 가리킴.
영웅 숭배【英雄崇拜】명 영웅의 정신과 업적을 숭배함.
영웅-시【英雄詩】명 역사상·전설상의 영웅의 무용(武勇)이나 운명을 읊

은 서사시. 호메로스의 시나 ≪니벨룽겐의 노래≫ 등. 영웅 서사시(英雄敍事詩).

영웅 시대【英雄時代】명 영웅 서사시(敍事詩)의 배경(背景)이 되었던 시대. 대략 원시 공동체(原始共同體) 사회로부터 국가 사회로의 과도기에 해당함.

영웅 신화【英雄神話】명〔hero-myths〕영웅의 생장·결혼 및 그 초인간적 행동을 내용으로 한 신화.

영웅-심【英雄心】명 용략(勇略)과 기개(氣槪)가 뛰어남을 나타내려는 마음.

영웅의 일생【英雄一一生】[一쌩 / 一에一쌩] 명〖문〗고대 신화에서 신소설에 이르기까지 일관되게 나타나는 일정한 유형 구조를 지닌 영웅적인 주인공의 일대기(一代記)를 이름.

영웅-적【英雄的】명관 영웅다운 모양. ¶～인 행동.

영웅-전【英雄傳】명 영웅의 전기(傳記).

영웅-주의【英雄主義】[一 / 一이] 명 ①영웅을 숭배하거나 영웅적 행동을 사랑하여 영웅인 체하는 심정(心情). 헤로이즘(heroism). ②〖사〗다수 민중이나 계급의 힘을 경시(輕視) 또는 무시하고 영웅을 최상으로 여기는 개인주의의 한 가지.

영웅주의-자【英雄主義者】[一 / 一이一] 명 영웅주의를 주창(主唱)하는 사람.

영웅지-재【英雄之材】명 영웅이 될 재질(才質)을 갖춘 사람.

영웅 호걸【英雄豪傑】명 영웅과 호걸.

영웅 호:색【英雄好色】명 영웅은 여색(女色)을 좋아한다는 말.

영:원1【永遠】명 ①미래를 향하여 한없이 계속되는 일. 어느 상태가 시간적으로 끝없이 지속하는 모양. 영구(永久). 천고(千古). ¶～한 사랑. ②시간을 초월하여 존재하는 일. 시간에 좌우되지 않는 존재. ¶진리는 ～하다. ——-하다 형여불. ——-히 부

영원2【寧遠】명〖지〗평안 남도 영원군의 군청 소재지. 대동강(大同江) 상류 영원 분지의 중심지로 모범적인 산성 취락(山城聚落)임. 담배·양잠·소의 산지로 유명함.

영원3【蠑蚖·蠑螈】명〖동〗①도롱뇽류에 속하는 동물의 총칭. 도롱뇽. 사사(蛇師). 사의(蛇醫). 수석척(水蜥蜴). ②[*Triturus pyrrhogaster*] 도롱뇽과에 속하는 동물. 도롱뇽과 비슷하나 수컷은 몸길이가 8.5cm, 암컷은 10.5cm 가량. 배면(背面)은 빛이 검고 날카로우며 복부에는 선홍색에 불규칙한 검은 반점이 있음. 꼬리는 몸과 거의 같은 길이임. 4-5월에 200-300개의 알을 한 개씩 물 속의 다른 물건에 부착시켜 낳음. 하천·연못·무논 등에 살며 지렁이·곤충·썩은 풀 등을 먹고 늦가을에 물에서 올라와 돌 사이나 마른 나뭇잎 사이에 들어가 동면(冬眠)함. 일본·중국에 분포함. 생물 실험용·애완용으로 귀중함. ③도마뱀을 잘못 일컫는 말.

〈영원❷〉

영:원 공채【永遠公債】명〖경〗영구 공채(永久公債).

영원-군【寧遠郡】명〖지〗평안 남도의 한 군. 관내 9면. 북은 평안 북도 희천군(熙川郡)·강계군(江界郡)과 함경 남도 장진군(長津郡), 동은 함경 남도 장진군·함주군(咸州郡)·정평군(定平郡), 남은 맹산군(孟山郡)과 함경 남도 영흥군(永興郡), 서는 덕천군(德川郡)과 평안 북도 희천군에 인접함. 주요 산물로는 농산과 임산·축산 등이 있고, 명승 고적으로는 광성산(廣城山)·간삼현(干三峴)·흑연강(黑淵江)·고읍성(古邑城) 등이 있음. 군청 소재지는 영원(寧遠). [2,473.5km²]

영원-류【蠑螈類】[一뉴] 명〖동〗도롱뇽류.

영:원 무궁【永遠無窮】명 영원히 다함이 없음. 영세 무궁. 영영 무궁. ——-하다 형여불

영원 분지【寧遠盆地】명〖지〗평안 남도 동북 산지에 있는 침식 분지의 하나. 대동강(大同江) 상류에 위치함.

영:원 불멸【永遠不滅】명 영원히 없어지지 아니함. ——-하다 자여불

영:원 불변【永遠不變】명 영구(永久) 불변. ——-하다 자여불

영:원-성【永遠性】[一썽] 명 영구성(永久性).

영원-사【靈源寺】명〖지〗경상 남도 함양군(咸陽郡) 마천면(馬川面) 삼정리(三丁里) 지리산 속에 있는 절. 해인사(海印寺)의 말사(末寺)이며, 신라 때의 고승(高僧) 영원 조사(靈源祖師)가 창건함. 정확한 창건 연대는 미상.

영원 장군【寧遠將軍】명〖역〗고려 때 정오품의 무관(武官) 품계.

영:원 진리【永遠眞理】[一질一] 명〖철〗영구 진리(永久眞理).

영:원한 유태인【永遠一猶太人】명 방황(彷徨)하는 유태인.

영:원 회귀【永遠回歸】명〖철〗영겁 회귀.

영월1【令月】명 ①길월(吉月). ②음력 이월.

영월2【迎月】명 달맞이. ——-하다 자여불

영월3【盈月】명 만월(滿月)❶.

영월4【寧越】명〖지〗강원도 영월군의 군청 소재지로 읍(邑). 강원도·충청 북도·경상 북도를 연결하는 교통의 요충으로, 정선선·태백선의 연결점임. 영월 분지의 중심지이며 부근의 영월 탄전에서는 무연탄이 산출되고 화력(火力) 발전소가 있음. 북방 2km 지점에는 조선 단종(端宗)의 묘인 장릉(莊陵)이 있는데 그 사전(祀殿)은 매우 장려함. [26,370명(1996)]

영월-군【寧越郡】명〖지〗강원도의 한 군. 관내 2읍(읍) 7면. 북은 평창군(平昌郡)과 정선군(旌善郡), 동은 태백시(太白市), 남은 충청 북도 제천시(堤川市)와 단양군(丹陽郡) 및 경상 북도 영주시(榮州市)와 봉화군(奉化郡), 서는 강원도 횡성군(橫城郡)과 원주시(原州市)에 접함. 산악 지대에 있어 무연탄·중석·석회석·철·아연 등 지하 자원이 풍부하여 광공업이 성하며, 이 밖에 임산·축산·농산도 있음. 명승 고적으로는 장릉(莊陵)·법흥사(法興寺)·보덕사(報德寺)·관풍헌(觀風軒)·영모전(永慕殿)·청령포(淸泠浦)·고씨 동굴(高氏洞窟)·금강정(錦江亭)·자규루(子規樓) 등이 있음. 군청 소재지는 영월읍. [1,127.26 km²: 53,387명(1996)]

영월-대【迎月臺】[一때] 명 ①〖지〗충청 남도 부여(扶餘)에 있는 고적. 백제 때 임금이 달맞이하던 곳이라 함. ②달을 맞이하는 정자(亭子).

영월 분지【寧越盆地】명〖지〗강원도 서남부, 남한강(南漢江) 상류에 전개된 산간 분지.

영월-선【寧越線】[一썬] 명〖지〗'태백선(太白線)'의 구칭.

영월 화:력 발전소【寧越火力發電所】[一쩐一] 명〖지〗강원도 영월군 영월읍 정양리(正陽里)에 있는 발전소. 가스 터빈과 증기 터빈으로 구성된 복합 발전 설비 등에 의해 40만 kW를 발전함.

영위1【英偉】명 영명스럽고 위대함. ——-하다 형여불

영위2【榮位】명 영광스러운 지위(地位).

영위3【榮衛】명〖한의〗영혈(榮血)과 위기(衛氣).

영위4【領位】명 영좌(領座).

영위5【營爲】명 일을 경영함. ——-하다 타여불

영위6【靈位】명 상가(喪家)에서 모시는 혼백이나 가주(假主)의 신위(神位). 위패(位牌).

영위7【靈威】명 영묘(靈妙)한 위력(威力).

영:-위답【影位畓】명〖불교〗신자가 영상(影像) 앞에 향불을 피우기 위하여 절에 헌납한 논. ㊈영답(影畓).

영위-법【零位法】[一뻡] 명〖물〗어떤 주어진 물리량(物理量)을 측정할 경우, 그것과 크기가 같고 방향이 다른 물리량을 작용시켜 계량기의 눈금이 0이 되도록 한 다음, 작용시킨 물리량에 의하여 주어진 물리량을 측정하는 방법. 천칭(天秤)은 이 예임. 귀령법(歸零法).

영위-사【迎慰使】명〖역〗조선 시대 때, 청(淸)나라 사신을 영접하던 관원(官員).

영위 조정 장치【零位調整裝置】명〔zero adjuster〕〖공〗측정량을 영(零)으로 하여, 계기 지시 위치를 영에 조정하는 장치.

영:유1【永有】명 영원히 소유함. ——-하다 타여불

영:유2【佞諛】명 알랑거림. 아첨함. ——-하다 자여불

영유3【領有】명 점령(占領)하여 소유함. ——-하다 타여불

영유4【嶺儒】명 영남(嶺南) 지방의 선비.

영유 선언【領有宣言】명 공해상(公海上)에 생긴 새로운 섬 등 무주지(無主地)를 최초로 발견하고 영유의 뜻을 선언하는 일.

영-유아【嬰幼兒】명 젖먹이부터 6세 미만의 취학 전 어린이의 일컬음.

영유아 보:육법【嬰幼兒保育法】명〖법〗보호자가 근로 또는 질병, 그 밖의 사정으로 보호하기 어려운 영아(嬰兒) 및 유아(幼兒)를 심신(心身)의 보호와 건전한 교육을 통하여 건강한 사회 성원(成員)으로 육성함과 아울러 보호자의 경제적·사회적 활동을 원활하게 하여 가정 복지 증진을 도모하기 위하여 제정된 법률.

영육【靈肉】명 영혼과 육체.

영육 일치【靈肉一致】명〖철〗정신과 육체는 높고 낮은 차별이 있는 두 개의 것이 아니라 오직 하나라고 하는 사상. 본디 그리스의 사상으로 중세 기독교에서 부인(否認)되었으나 문예 부흥기(文藝復興期)에 부활한 사상임.

영윤1【令尹】명 ①중국 주대(周代)의 초(楚)나라의 관명(官名). 상경(上卿). ②중국 지방 장관의 별칭. 진(秦)·한(漢) 이래 현지사(縣知事)를 현령(縣令)이라 하고 원대(元代)에는 현윤(縣尹)이라 하였으므로 영(令)과 윤(尹)을 합쳐 부른 것임.

영윤2【令胤】명 영랑(令郞).

영윤3【榮潤】명 집안이 번영하고 재물이 넉넉함. ——-하다 형여불

영은-문【迎恩門】명〖역〗조선 초엽(初葉)부터 중국에서 오는 사신(使臣)을 맞아들이던 문. 중종(中宗) 31년(1536)에 모화관(慕華館) 남쪽 홍전문(紅箭門) 자리에 영조문(迎詔門)을 세웠는데 동왕 34년에 영은문으로 개칭하였음. 대한 제국이 성립되자 독립 협회의 서재필(徐載弼) 등이 이 문을 부수고 독립문을 세웠음.

영은문 주초【迎恩門柱礎】명 조선 시대에 중국의 사신(使臣)을 맞아들이던 모화관(慕華館) 앞에 세웠던 문의 두 기둥 주초. 서울 특별시 서대문구 현저동에 있음. 사적 제33호.

영:음【詠吟】명 읊음. 노래함. ——-하다 타여불

영음 기호【嬰音記號】명〖악〗'올림표'의 한자 이름.

영읍【營邑】명〖역〗영문(營門)과 고을.

영응【靈應】명 불보살의 영묘한 감응(感應).

영의【迎意】[一 / 一이] 명 남의 뜻을 맞추어 줌. ——-하다 타여불

영의 실험【一實驗】[一 / 一에一] 명〔Young's experiment〕〖물〗영국의 학자 T. 영이 행한 빛의 간섭(干涉) 실험을 이름. 하나의 단색 광원(單色光源)에서 나온 빛을 둘로 나누어, 광원에서 등거리에 있는 두 개의 평행 슬릿(slit: 빛의 제한 통과 장치)을 통과시키고 그 통과한 빛을 뒤쪽의 스크린에 투영(投影)하면 빛의 간섭에 의한 명암(明暗)의 줄무늬를 볼 수 있는데, 빛이 파동의 성질을 갖고 있음을 증명한 실험임.

영-의정【領議政】[一 / 一이一] 명〖역〗의정부(議政府)의 으뜸 벼슬. 내각(內閣)에 총할하는 최고의 지위임. 상상(上相). 수규(首揆). 수상(首相). 영규(領揆). 영상(領相). 영합(領閤). 원보(元輔).

영이1 명〈방〉〖동〗여우(함남·평안).

영:이2【穎異】명 영리하고 빼어남. ——-하다 형여불

영이3【靈異】명 신령하고 이상함. ——-하다 형여불

영이4【靈輀】명 영구차(靈柩車).

영:이 돌:다 형 집안의 꾸밈새가 명랑하고 청결(淸潔)한 태가 가득 차 있다.

영이-록【靈異錄】[명]〖문〗작자·창작 연대 미상의 고전 소설의 하나. 국문본. 12회의 장회(章回) 소설. 배경은 중국의 송(宋). 주인공 손기에 대한 일대기적(一代記的) 작품. 불교·도교적 사상이 전반의 기조(基調)가 됨.

영:-이별【永離別】[—니—] [명] 영원한 이별. ——-하다 [타][여불]

영인[1]【令人】[명]〖역〗조선 시대 때 정·종사품(正從四品)의 문무관의 아내의 봉작(封爵). 고종 2년부터 문무관·종친(宗親)의 아내의 봉작으로 병용(竝用)하였음.

영인[2]【伶人】[명] 악공(樂工)과 광대.

영:인[3]【佞人】[명] 간녕(奸佞)한 사람.

영인[4]【英人】[명] 영국 사람. 영국인(英國人).

영:인[5]【影印】[명] 서적 따위를 사진으로 복사 인쇄함. ——-하다 [타][여불]

영:인-본【影印本】[명] 원본을 사진이나 기타의 과학적 방법으로 복제(複製)한 인쇄물. 영인판. 경인본(景印本). *복각본(複刻本)·모각본(模刻本).

영:인-판【影印版】[명] 영인본(影印本).

영일[1]【令日】[명] 좋은 날. 경사스러운 날. 길일(吉日). 가신(佳辰).

영:일[2]【另日】[명] 다른 날.

영:일[3]【永日】[명] 온 종일. 긴 날. 장일(長日).

영-일[4]【英日】[명] 영국과 일본.

영일[5]【盈溢】[명] 가득 차 넘침. ——-하다 [자][여불]

영일[6]【寧日】[명] 무사하고 평화한 날. ¶국사 다망하여 ～이 없다.

영일-군【迎日郡】[명]〖지〗전에, 경상 북도의 한 군. 4읍 10면. 북은 영덕군(盈德郡)과 청송군(靑松郡), 동은 영일만(迎日灣)과 동해, 남은 경주군(慶州郡)과 경주시(慶州市), 서는 영천군(永川郡)에 인접함. 주요 산물은 농산과 임산·축산·수산 따위이고, 명승 고적으로는 죽도(竹島)·운제사(雲梯寺)·일월지(日月池)·묘봉산(妙峰山)·미질부성(彌秩夫城)·구룡포 해수욕장 등이 있음. 1995년 1월, 포항시(浦項市)에 통합됨.

영일 동맹【英日同盟】[명]〖정〗러시아의 동진(東進)을 견제하기 위하여 1902년에 일본과 영국 사이에 맺은 동맹. 중국에 있어서의 일본 세력, 인도에 있어서의 영국 세력의 현상 유지를 규정하였고, 또 한 나라가 다른 하나의 나라와 교전하는 경우는 중립, 두 나라 이상과 교전하는 경우는 참전할 것을 규정하였음. 1905년 공수 동맹(攻守同盟)으로 확장되었고 1910년 인도의 영토 보전을 규정하였으나 1921년 워싱턴 회의에서 폐기되었음.

영일-만【迎日灣】[명]〖지〗경상 북도 동해안 영일 반도에 안긴 만(灣). 종합 제철 공업 기지가 조성되면서 국내 최초로 10만 톤급의 대형 선박이 접안(接岸) 가능한 포항항(浦項港)이 건설됨. 1940년에 이미 현대적인 해수욕장으로 개장된 송도 해수욕장이 있고, 포항과 울릉도 사이의 정기 여객선 항로가 있음.

영일 반:도【迎日半島】[명]〖지〗경상 북도 동해안의 반도. 형산강 지구대(兄山江地溝帶)가 함몰되어 생성된 영일만의 동쪽에 있으며 장기 산맥(長鬐山脈)의 북단(北端)으로 그 끝에 장기갑(岬)이 있음.

영임【榮任】[명] 영광스러운 임무.

영입【迎入】[명] 환영하여 맞아들임. ——-하다 [타][여불]

영입력-치【零入力値】[—녁—] [명] [quiescent value]〖전자〗입력 신호(入力信號)가 가해지지 않았을 때의 전자관(電子管)의 전극 전압(電極電壓) 또는 전극 전류(電極電流).

영자[1]【令子】[명] ①훌륭한 아들. ②남의 아들에 대한 경칭. 영식(令息). 영랑(令郞).

영자[2]【令姉】[명] 남의 손위 누이의 존칭.

영:자[3]【泳者】[명] 특히, 경영(競泳)에서의 수영자.

영자[4]【英字】[—짜] [명] ↗영문자(英文字). ¶～ 신문.

영자[5]【英姿】[명] 영매(英邁)한 자태.

영자[6]【英資】[명] 영매(英邁)한 자질(資質).

영:자[7]【影子】[명] 그림자 ❶❸.

영자[8]【纓子】[명] ①↗구영자(鉤纓子). ②〖불교〗가사(袈裟)의 끈. ③문끈.

영자 신문【英字新聞】[—짜—] [명] 영어로 발간하는 신문.

영:자 팔법【永字八法】[—짜—뻡] [명] 영(永)한 자로써 모든 글자에 공통하는 여덟 가지 운필법(運筆法). 측(側)은 상점(上點), 늑(勒)은 평횡(平橫), 노(努)는 중직(中直), 적(趯)은 하구(下句), 책(策)은 좌도(左挑), 약(掠)은 우불(右拂), 탁(啄)은 좌별(左撆), 책(磔)은 우날(右捺)이라 함. 한(漢)나라 채옹(蔡邕)이 고안한 것임.

〈영자 팔법〉

영작[1]【英作】[명] ①뛰어난 작품. ②↗영작문.

영작[2]【榮爵】[명] 영예로운 작위(爵位). 현작(顯爵).

영작[3]【營作】[명] 영조(營造). ——-하다 [타][여불]

영-작문【英作文】[명] 영어로 지은 작문. [준]영작.

영작-서【營作署】[명]〖역〗조선 시대 때 영흥(永興)·함흥·평양·영변·경성(鏡城)의 각 부(府)에 두었던 토관(土官)의 동반(東班) 직소(職所).

영작-원【營作院】[명]〖역〗고려 시대에 서경(西京)에 설치되었던 관부. 영조(營造)·유막(帷幕) 등의 일을 관장했던 것으로 추정됨.

영:장[1] [명]〈방〉송장(경상).
[영장 치고 살인 난다] '송장 때리고 살인 났다'와 같은 뜻.

영장[2]【令狀】[—짱] ①명령을 적은 서장(書狀). 소집 영장·징발 영장 따위. ②형사 소송법상 사람 또는 물(物)에 대하여 법관 또는 법원이 강제 처분을 내용으로 하여 발하는 서면(書面). 소환장(召喚狀)·구속 영장(拘束令狀)·압수 수색 영장(押收搜索令狀)이 있음.

영:장[3]【永葬】[명] 안장(安葬). ——-하다 [타][여불]

영장[4]【英將】[명] 영용(英勇)한 장수.

영장[5]【領將】[명]〖역〗조선 시대 때, 지방 관아(官衙)에 소속된 하급 장교(將校).

영장[6]【營將】[명]〖역〗↗진영장(鎭營將).

영장[7]【靈長】[명] ①영묘(靈妙)한 힘을 가진 우두머리. ②인간의 일컬음. ¶인간은 만물의 ～이다.

영장[8]【靈場】[명] ①신불을 모신 신성한 곳. ②영묘한 힘을 가진 곳.

영장-목【靈長目】[명]〖동〗[Primates] 포유류에 속하는 한 목(目). 가장 고등한 동물로서 대뇌(大腦)가 발달하고 얼굴이 짧으며, 가슴에 한 쌍의 유방이 있고 사지(四肢)는 물건을 붙잡기에 적당하며 오지(五指)가 있음. 광의로는 사람도 포함하나, 협의로는 원류(猿類)·유인원류(類人猿類)만을 일컬음.

영:-장이 [명]〈방〉개초장이.

영:재[1]【永才】[명]〖사람〗신라 원성왕(元聖王) 때의 승려(僧侶). 향가(鄕歌)를 잘 지었음. 그가 지은 향가에 ≪우적가(遇賊歌)≫가 있음. 생몰년 미상(未詳).

영:재[2]【永災·永灾】[명]〖역〗전지(田地)가 냇물에 개개어 두레가 빠져서 아주 못쓰게 된 재(灾).

영재[3]【英才】[명] 탁월(卓越)한 재주. 또, 그러한 사람.

영재[4]【零在】[명] 조금 남아 있음. 또, 그것.

영:재[5]【穎才】[명] 특히 뛰어난 재주. 또, 그러한 사람.

영재[6]【贏財】[명] 여재(餘財).

영재 교:육【英才敎育】[명]〖교〗뛰어난 재능과 소질을 가진 아동·청소년을 조기 판별(早期判別)하여 그들이 가진 우수한 능력과 잠재력(潛在力)이 최대한 계발(啓發)될 수 있도록 돕는 교육.

영저[1]【鈴杵】[명]〖불교〗금강저(金剛杵) 형상으로 만든 자루가 달린 방울. 밀교(密敎)의 중요한 불구(佛具)의 하나임.

영저[2]【嶺底】[명] 높은 재의 아래 기슭.

영저 도고【營邸都賈】[명]〖역〗조선 시대 후기에, 영저리(營邸吏)와 지방 상인이 결탁하여 진상(進上) 물품의 독점 판매를 함으로써 지방 관아 도시에 성립된 관상(官商) 도고의 하나. *시전(市廛) 도고.

영저-리【營邸吏】[명]〖역〗각 감영(監營)에 딸려 감영과 각 고을의 연락을 취하던 아전. 영주인(營主人). *저인(邸人)·경저리(京邸吏).

영:적[1]【影迹】[명] 형적(形迹).

영적[2]【靈的】[—쩍] [명][관] 신령스러움. 정신·영혼에 관한 모양. ¶～ 감응/～ 세계. ↔육적(肉的).

영적[3]【靈蹟】[명] 신불(神佛)에 관한 신성한 사적(事蹟). 또, 그것이 있었던 곳.

영적 감:응【靈的感應】[—쩍—] [명] 정신상의 감응.

영적 교감【靈的交感】[—쩍—] [명] 멀리 떨어져 있는 사람 사이에 불가사의한 의사가 감통(感通)되는 일.

영전[1]【令前】[명] 명령이 내리기 전.

영전[2]【令箭】[명] 군령(軍令)을 전하는 화살.

영전[3]【迎餞】[명]〖역〗외국의 사신 또는 공무(公務)로 출장하는 높은 관원(官員)을 영접·환송하기 위하여 교외(郊外)에서 맞아 잔치하는 일. ——-하다 [타][여불]

영전[4]【迎戰】[명] 오는 적을 맞아 나가서 싸움. ——-하다 [자][여불]

영전[5]【榮典】[명] ①영광스러운 전례(典例). ②경사스러운 의식(儀式). ③〖법〗명예를 표창하기 위하여 정한 제도.

영전[6]【榮轉】[명] 먼저 있던 자리보다 좋은 자리나 지위로 옮김. 승전(升轉). ↔좌천(左遷). ——-하다 [자][여불]

영전[7]【零錢】[명] 쓰다가 조금 남은 돈.

영:전[8]【影殿】[명] ①임금의 진영(眞影)을 모신 전각. ②영당(影堂).

영전[9]【營田】[명]〖역〗조선 시대 때, 포(浦)의 선군(船軍), 진(鎭)의 둔수군(屯戍軍)의 경비에 충당하기 위하여 설치한 둔전(屯田)의 하나. *국둔전(國屯田).

영전[10]【靈前】[명] 신이나 죽은 사람의 영혼을 모셔 놓은 앞.

영전[11]【靈殿】[명] 신주(神主)를 모신 사당. 영묘(靈廟).

영전기장 방:출 전:류【零電氣場放出電流】[—절—] [명] [zero-field emission]〖전자〗음극 표면(陰極表面)의 전계가 영(零)일 때 음극에서 방출되는 전자류(電子流). 영전기장 방출(零電氣場放出).

영-전사【領殿事】[명]〖역〗↗영집현전사(領集賢殿事).

영-전위【零電位】[명] [zero potential]〖전〗전위(電位)가 없음을 이름. 비교(比較)의 편의적인 기준(基準)으로서, 대개는 대지(大地)의 전위를 가리킴.

영-전의시사【領典儀寺事】[—/—이—] [명]〖역〗고려 때 전의시(典儀寺)의 으뜸 벼슬인 영사(領事). 충렬왕(忠烈王) 34년(1308)에 둠.

영전 출타【令前出他】[명] 명령(命令)이 이르기 전에 외출(外出)함. ——-하다 [자][여불]

영:절[1]【永絕】[명] 영원히 끊어져 없어짐. ——-하다 [자][여불]

영절[2]【令節】[명] 가절(佳節).

영절-스럽다 [형][ㅂ불] ①말로는 그럴 듯하다. ¶말은 영절스러우나 두고 봐야지/혹시 화색을 모면할까 하였든지 거짓말을 꾸며서 영절스럽게 대답을 한다≪崔瓚植: 桃花園≫. ②역력한 듯하다. 영절-스레 [부]

영절-하다 [형][여불] ☞영절스럽다 ❶❷.

영점【零點】[—쩜] [명] ①득점(得點)이 없는 일. ②섭씨 온도계·열씨(列氏) 온도계에서의 빙점(氷點). ③어떤 일의 성과(成果)가 전연 없는 일. 제로(zero). ¶너의 하는 일은 ～이다.

영점 규정【零點規正】[—쩜—] [명] [zero in]〖군〗탄도벽 수정 사격(彈道癖修正射擊)의 결과에 의거하여 소총 따위의 조준구(照準具)를 바로 잡는 일. *탄도벽 수정 사격(彈道癖修正射擊).

영점 생략 계:기【零點省略計器】[—쩜—냑—] 명 〔suppressed-zero instrument〕〖공〗 지시기 또는 기록 장치 가운데서, 영점이 지시 척도(指示尺度)의 최하단보다도 아래에 있는 계기.

영점 에너지【零點—】[—쩜—] 명 〔zero-point energy〕〖역학〗 절대 영도(絶對零度)에 있어서의 물질 분자에 의해 보유되고 있는 운동(運動) 에너지.

영점 엔트로피【零點—】[—쩜—] 명 〔zero-point entropy〕〖역학〗 유리와 같이 열역학적 평형 상태에 있지 않은 물질이, 절대 영도하(絶對零度下)에서 보유하고 있는 엔트로피.

영점 진:동【零點振動】[—쩜—] 명 〔residual vibration〕 결정 격자(結晶格子) 중의 분자(分子) 또는 여하한 진동 퍼텐셜(振動 potential) 내에 있는 입자(粒子)라도 절대 영도에서 지니고 있는 진동 운동. 본질적으로는 양자 역학적(量子力學的)인 것임.

영접【迎接】명 손님을 맞아서 응접함. 연접(延接). ——-하다 타 여불

영접 도감【迎接都監】명 〖역〗 조선 시대에 중국에서 오는 칙사(勅使)를 영접하기 위해 설치한 임시 기구. 영접 사무를 총괄하는 도청(都廳)과 응판색(應辦色)·반선색(盤膳色)·군색(軍色)·연향색(宴享色)·미면색(米麵色)·잡물색(雜物色) 등으로 조직되었음.

영접 돌기【迎接突起】명 〖생〗 수정(受精) 돌기.

영접 위원【迎接委員】명 귀빈(貴賓)을 영접하는 일을 위임(委任) 받은 사람.

영정[1]【令正】명 영부인(令夫人).

영정[2]【零丁】명 영락(零落)하여 의지할 곳 없이 고독한 모양. 영락(零落)하여 기력(氣力)을 잃은 모양. ——-하다 형 여불. ——-히 부

영:정[3]【影幀】명 화상을 그린 족자(簇子). 영상(影像).

영정[4]【營庭】명 영문(營門) 안에 있는 마당.

영정[5]【鶺鴒】명 〖조〗 농병아리.

영:정 미사【永定—】〔라 Missa〕명 천주 교회에서, 신자가 토지·전답을 교회에 기증하여, 거기서 나오는 수익금을 미사 예물로 하여 봉헌(奉獻)되는 미사.

영:정-법【永定法】[—뻡] 명 〖역〗 조선 후기에 시행된 전세(田稅) 징수법. 영정 과율법(永定課率法).

영정-양【零丁洋】명 〖지〗 '링딩양'을 우리 음으로 읽은 이름.

영:정-절【永貞節】명 〖역〗 고려 예종(睿宗) 때 태자(太子)의 탄일(誕日)을 기념하던 날.

영:정 첨례【永定瞻禮】[—네] 명 〖천주교〗 '고정(固定) 축일'의 구용어.

영:정 축일【永定祝日】명 〖천주교〗 '고정 축일(固定祝日)'의 구용어.

영정-풀이 명 〖민〗 영정을 물리치는 제차(第次). 영정은 부랑(浮浪)하는 잡귀(雜鬼)·객귀(客鬼)·불결한 신 등으로 간주되는데, 부정굿의 경우처럼 굿을 하기 위해 먼저 굿당을 청결하게 하는 기능을 함.

영:정-하【永定河】명 〖지〗 융딩 강.

영제[1]【令弟】명 남의 아우의 존칭(尊稱).

영:제[2]【永制】명 영원히 시행하는 법. 영원한 제도.

영제[3]【禜祭】명 기청제(祈晴祭).

영제[4]【嶺制】명 〖악〗 영조(嶺調).

영제[5]【靈祭】명 〖불교〗 법사(法事)·추선 공양(追善供養) 등의 제사.

영:제-거【永濟渠】명 〖지〗 중국의 수양제(隋煬帝)가 개척한 대운하의 하나. 지금의 웨이허 강(衛河) 및 산둥 성 린칭(臨淸)에 있음.

영 제너레이션〔young generation〕명 영거 제너레이션.

영조[1]【英祖】명 〖사람〗 조선 제21대 왕. 탕평책(蕩平策)을 써서 당쟁의 제거에 노력하였음. 그 외에 사형수에 삼심법을 여행(勵行)하고, 균역법(均役法)을 시행하였으며, 신문고(申聞鼓)를 부활시켰음. ≪동국 문헌 비고(東國文獻備考)≫를 비롯하여 많은 서적을 발간하였음. 말년에 세자를 뒤주에 가두어 죽이는 등 비극이 있었으나 다방면에 재흥의 기틀을 마련한 임금이었음. [1694-1776; 재위 1725-76]

영:조[2]【映照】명 밝게 비춤. ——-하다 타 여불

영조[3]【零凋】명 말라서 시듦. 말라서 오므라 듦. ——-하다 자 여불

영조[4]【零條】[—쪼] 명 셈할 때 조금 모자란 남은 액수.

영조[5]【營造】명 건축물을 역사(役事)하여 지음. 영작(營作). ——-하다 타 여불

영조[6]【嶺調】[—쪼] 명 경상도에서 부르는 시조의 창법(唱法). 영제(嶺制). *경조(京調)·완조(完調).

영조[7]【靈鳥】명 신령스러운 새. 상서로운 새. 봉황. 영금(靈禽).

영조-국【營造局】명 〖역〗 고려 충렬왕(忠烈王) 34년(1308)에 장야서(掌冶署)를 파하고 둔 관아. 충선왕(忠宣王) 2년에 파하고 다시 장야서로 함. *장야서(掌冶署).

영조-문【迎詔門】명 〖역〗 조선 중종(中宗) 31년(1536)에 모화관(慕華館) 남쪽에 세운 문. 중종 34년에 영은문(迎恩門)으로 이름을 고침.

영조-물【營造物】명 ①건축물. ②〖법〗 학교·병원·철도·도로(道路)·공원·도서관·박물관 등과 같이 국가(國家)나 지방 자치 단체(地方自治團體)에서 계속적·조직적으로 직접 대중의 이익을 목적으로 하여 지은 건조물(建造物).

영:조-본【影照本】명 〖책〗 고서(古書)·비명(碑銘) 등의 문자를 사진으로 찍어서 현상 제판(製版)한 책.

영조-사【營造司】명 〖역〗 조선 시대 때 공조(工曹)의 한 분장(分掌). 궁실(宮室)·성지(城池)·공해(公廨)·옥우(屋宇) 등의 건축 토목 공사와 피혁(皮革)·전계(氈罽) 등의 일을 맡아 봄.

영조 실록【英祖實錄】명 〖책〗 조선 영조(英祖) 재위(在位) 52년간의 실록. 정조(正祖) 5년(1781) 7월에, 이휘지(李徽之) 등이 어명(御命)으로 찬수(撰修)함. 127권 83책.

영:조-전【永租田】명 〖역〗 중국의 명(明)·청(淸) 및 중화 민국 시대에 영소작권(永小作權)이 설정되어 있던 경지(耕地).

영조-척【營造尺】명 목수(木手)들이 쓰는 자. 주척(周尺)의 한 자 네 치 구푼(九分) 구리(九厘)에 해당함. 목척(木尺). 「재타 여불

영:존[1]【永存】명 ①영원히 존재함. ②영원히 보존함(保存). ——-하다

영존[2]【令尊】명 남의 아버지의 존칭. 춘부장(椿府丈).

영:존 조직【永存組織】명 〖생〗 〔permanent tissue〕 식물의 왕성한 세포 분열에 의하여 조직을 완성하여 그 이상 세포 분열을 행하지 아니하는 조직.

영졸【營卒】명 〖역〗 감영에 딸렸던 군졸.

영종[1]【令終】명 고종명(考終命). ——-하다 자 여불

영:종[2]【影從】명 그림자같이 따라다님. ——-하다 타 여불

영종[3]【癭腫】명 목의 혹.

영:종-도【永宗島】명 〖지〗 인천 광역시 중구에 있는 섬. 해변에서 서쪽으로 4.8 km 정도 떨어져 있음. 농업이 주산업으로 쌀·보리·콩·땅콩 등이 생산되는데, 연안에서는 굴과 백합(白蛤) 양식이 활발하고, 제염업(製鹽業)도 이루어지고 있음. 새 국제 공항 건설지로서 기초 작업이 진행중임. [45.29 km^2]

영-종정경【領宗正卿】명 〖역〗 조선 시대 때, 종친부(宗親府)의 으뜸 벼슬. 품위(品位)가 없음. 고종(高宗) 6년(1869)에 설치하여 대군(大君)·왕자군(王子君)에게 내리었음.

영좌[1]【領座】명 한 부락이나 단체의 우두머리가 되는 사람. 영위(領位).

영좌[2]【靈座】명 영위(靈位)를 모시어 놓은 자리. 궤연(几筵). 영궤(靈几). 영연(靈筵).

영:주[1]【永住】명 한 곳에 오래 삶. 또, 영원히 삶. ——-하다 자 여불

영주[2]【英主】명 영명한 임금. 뛰어난 임금.

영주[3]【領主】명 ①〖역〗 영지(領地)·장원(莊園)의 소유주(所有主). ②지주(地主)❶.

영주[4]【榮州】명 〖지〗 경상 북도의 한 시(市). 1 읍(邑) 9 면(面) 13 동(洞). 북쪽은 강원도 영월군(寧越郡), 동쪽은 봉화군(奉化郡), 남쪽은 안동시(安東市)와 예천군(醴泉郡), 서쪽은 충청 북도 단양군(丹陽郡)에 접함. 주요 산물은 농산과 축산·임산 따위인데, 특히 인삼(人蔘)과 사과의 산출이 많음. 명승 고적으로는 희방사(喜方寺)·부석사(浮石寺)·소수 서원(紹修書院)·마애 삼존 불상(磨崖三尊佛像)·희방 폭포(喜方瀑布)·죽령(竹嶺) 등이 있음. 1995년 1월, 영풍군과 통합, 개편됨. [668.50 km^2 : 138,612 명(1996)]

영주[5]【瀛州】명 ①삼신산(三神山)의 하나. ②진시황(秦始皇)과 한무제(漢武帝)가 불사약(不死藥)을 구하러 사신(使臣)을 보냈다는 가상적인 선경(仙境). 영주산(瀛州山).

영주-군【榮州郡】명 〖지〗 경상 북도에 속했던 한 군(郡). 영풍군(榮豐郡)으로 바뀌었다가 다시 1995년 1월 영주시에 통합됨.

영:주-권【永住權】[—꿘] 명 소정의 자격을 갖춘 외국인에게 주는 그 나라에 영주할 수 있는 권리. 영구 거주권(永久居住權).

영:주-민【永住民】명 한 곳에 오래 사는 사람. 또, 영원히 사는 사람.

영주 분지【榮州盆地】명 〖지〗 낙동강(洛東江) 지류(支流)인 내성천(乃城川)의 상류에 발달한 산간 분지. 중심지는 영주임.

영주-산【瀛州山】명 ①〖지〗 제주도 남동부 정의(旌義) 북방에 솟아 있는 산. 한라산의 측화산(側火山)의 하나임. [325m] ②영주(瀛州)❷.

영-주인【營主人】명 〖역〗「영저리(營邸吏)」의 별칭.

영주 재판권【領主裁判權】[—꿘] 명 〖역〗 서유럽 중세의 봉건 사회에서 장원(莊園)의 영주가 그의 예속민(隷屬民)에 대하여 관습적으로 행사한 재판권. 영주권의 중핵(中核)을 이룸. 장원법(莊園法)에 의한 것으로, 경제외 강제(經濟外強制)의 권리 중 가장 중요함.

영주-치자【瀛州梔子】명 〖식〗 [*Gardneria insularis*] 마전과에 속하는 상록 활엽 만초(蔓草). 잎은 타원형 또는 큰 난상 피침형이고 톱니가 없음. 꽃은 여름에 액생(腋生)하여 피고, 장과(漿果)는 가을에 붉게 익음. 숲 밑에 나는데, 제주도 및 전남의 완도·진도 등지에 분포함. 관상용으로 심음.

영준【英俊】명 영민하고, 준수(俊秀)함. 또, 그러한 사람. 준영(俊英). 「——-하다 형 여불

영-중추【領中樞】명 〖역〗 ↗영중추부사(領中樞府事).

영-중추부사【領中樞府事】명 〖역〗 조선 시대 때 중추부(中樞府)의 으뜸 벼슬인 영사(領事). 정일품의 무관 벼슬임. 준영부사(領府事)·영중추(領中樞).

영-증병【鈴蒸餠】명 방울 증편.

영지[1]【令旨】명 왕세자(王世子)의 명령서.

영지[2]【英志】명 훌륭한 뜻. 영특한 뜻.

영지[3]【英智】명 영민(英敏)한 지혜.

영지[4]【領地】명 ①영토(領土). ②봉토(封土). 소령(所領).

영지[5]【影池】명 〖지〗 경상 북도 경주시(慶州市) 외동 읍(外東邑)에 있는 못. 무영탑(無影塔)의 전설로 유명함.

영:지[6]【影紙】명 정간지(井間紙).

영지[7]【嶺紙】명 영남(嶺南)에서 나는 종이.

영지[8]【靈芝】명 〖식〗 [*Ganoderma lucidum*] 모균류(帽菌類)에 속하는 버섯. 높이는 10cm 내외이고, 전체가 혁상(革狀) 코르크질(質)로서 단단함. 삿갓의 하면만이 황백색이고, 그 밖의 것은 적갈색 또는 자갈색으로 평활(平滑)하며 광택이 남. 삿갓은 신장형(腎臟形) 또는 원형으로 직경 5-13cm이고, 하면에 많은 관공(管孔)이 있음. 활엽수의 그루터기에 나는데, 북반구(北半球)의 온대 지방에 분포함. 경고(硬固)하여 장식용·애완용(愛玩用)으로 하며 옛날에는 '복초(福草)'라고 하여 상서(祥瑞)로운 것으로 여겼음. 근래에는 각종 질병에 약효가 탁월하다고 하여 각처에서 인공 지배가 성함. 지초(芝草).

〈영지〉

영지[9]【靈池】명 영험이 있는 못. 신령이 깃들인 못.

영지[10]【靈地】명 신령스러운 땅. 신불의 영검이 현저한 땅. ↔범경(凡境).

영지¹¹【靈智】명 영묘(靈妙)한 지혜.
영지감-스럽다 형 〈방〉 영절스럽다.
영:지-무【影池舞】명 조선 순조(純祖) 때 창작된 향악 정재(鄕樂呈才)의 하나. 여섯 사람이 영지(影池)를 가운데 두고, 세 사람씩 서로 마주 보면서 춤.
영직¹【領職】명〖역〗조선 시대 때 종구품(從九品) 잡직(雜職)인 영(領)의 직위(職位).
영:직²【影職】명 차함(借銜).
영직³【嶺直】명 영남에서 나는 직삼(直蔘).
영진【榮進】명 벼슬이나 지위가 높아짐. ――-하다 자여불
영진-곡【營賑穀】명〖역〗곡가(穀價) 조절을 위하여 품귀(品貴)할 때 창곡(倉穀)을 풀어 포(布)와 바꾸고, 하락할 때 포(布)로써 바꾸어 곡식을 사들이는 제도. *진휼곡(賑恤穀).
영진-군【營鎭軍】명〖역〗조선 시대에 지방의 요새지인 영(營)·진(鎭)을 지키던 군대.
영질【令姪】명 남의 조카의 존칭. 함씨(咸氏).
영-집합【零集合】명〔null set〕〖수〗공집합(空集合).
영-집현전사【領集賢殿事】명〖역〗조선 시대 초기 집현전(集賢殿)의 으뜸 벼슬. 정일품. ㊟영전사(領殿事).
영:차 감 ↗이영차.
영차 반:응【零次反應】명〔zeroth order reaction〕〖물〗반응 속도가 반응 물질의 농도에 관계 없이 독립된 반응. 광화학 반응(光化學反應)에서는 반응 속도가 빛의 강도(強度)에 의해 결정되며 반응 물질의 농도와는 무관한 경우 등이 이에 속함.
영:찬¹【影讚】명 영상(影像)을 찬송한 글.
영찬²【營饌】명 음식을 장만함. ――-하다 자여불
영찰¹【寧察】명〖역〗조선 시대 때, 평안 북도 관찰사(觀察使)의 별칭.
영찰²【靈刹】명 영지(靈地)에 있는 절.
영:창¹【咏唱·詠唱】명〖악〗'아리아(aria)'의 역어(譯語).
영:창²【映窓】명〖건〗방을 밝게 하기 위하여 방과 마루 사이에 낸 두 쪽의 미닫이. ¶~을 열고 들어오다.
영:창³【影窓】명 유리를 끼운 창. 유리창.
영창⁴【營倉】명〖군〗범법(犯法)한 군인(軍人)을 가두어 훈계하는 영내에 있는 건물. 또, 거기에 가두는 벌(罰). 중영창(重營倉)과 경영창(輕營倉)이 있음. 함창(檻倉).
영:창-곡【咏唱曲】명〖악〗아리아❷.
영:창궁 성전【永昌宮成典】명〖역〗신라 때, 영창궁(永昌宮)의 일을 맡아보던 관아.
영:창-대【映窓一】[一때] 명〖건〗영창을 끼우기 위하여 홈을 파서 낸 긴 나무.
영:창 대:군【永昌大君】명〖사람〗조선 선조(宣祖)의 적자(嫡子). 휘(諱)는 의(㼁). 정비(正妃) 인목 왕후(仁穆王后)의 유일한 소생이었으나 대북(大北) 이이첨(李爾瞻)의 무고로 서인(庶人)으로 강등되어 강화(江華)에 위리 안치(圍籬安置)되었다가 강화 부사에게 증살(蒸殺)되었음. [1606-14]
영:채¹【映彩】명 환하게 빛나는 빛깔.
영처¹【令妻】명 ①양처(良妻). ②영부인. 영정(令正).
영처²【迎妻】명 아내를 맞이함. ――-하다 자여불
영척¹【英尺】명 ①영국에서 쓰는 자의 한 가지. ②길이의 한 단위. 피트(feet).
영척²【盈尺】명 ①한 자 남짓. ②한 자 미만의 넓이. 협소함을 이름.
영:천¹【永川】명〖지〗경상 북도의 한 시(市). 1읍(邑) 10면(面) 9동(洞). 북쪽은 군위군(軍威郡)과 청송군(靑松郡), 동쪽은 포항시(浦項市)와 경주시(慶州市), 남쪽은 경산시(慶山市)와 청도군(淸道郡), 서쪽은 경산시와 대구 광역시에 접함. 중앙선(中央線)과 대구선(大邱線)이 만나고, 경부 고속 도로 인터체인지가 있어서 교통의 요지임. 농산물 중 특히 사과와 양파의 산출이 많음. 명승 고적으로는 조양각(朝陽閣)·숭렬당(崇烈堂)·영천 향교 대성전·은해사(銀海寺)·임고 서원(臨皐書院)·보현산(普賢山)·팔공산(八公山) 따위가 있음. 1995년 1월 영천군과 통합, 개편됨. [919.46 km²: 123,022 명(1996)]
영:천²【潁川】명〖지〗영수(潁水).
영천³【靈泉】명 ①신기한 약효가 있는 샘. ②온천(溫泉).
영:천-군【永川郡】명〖지〗경상 북도에 속했던 군. 1995년 1월, 영천시에 통합됨.
영철【英哲·穎哲】명 영명(英明)하고 현철(賢哲)함. 또, 그러한 사람. ――-하다 형여불
영:청【影靑】명〖미술〗중국 송(宋) 시대, 강시 성(江西省) 징더전 요(景德鎭窯)에서 만들어 낸 연한 물빛의 청순(淸純)한 백자(白磁). 공청(空靑). 음청(陰靑). 침청(沈靑).
영체¹【零替】명 영락(零落)❷. ――-하다 자여불
영체²【靈體】명 신령한 몸. 신체(神體).
영초¹【英硝】명〖화〗황산 나트륨.
영초²【英綃】명 중국에서 나는 비단의 한 가지. 모초(毛綃)와 비슷한데 조금 낮음.
영:초³【潁樵】명〖사람〗김병학(金炳學)의 호(號).
영초⁴【靈草】명 약으로서 영검한 효력이 있는 풀.
영총¹【令寵】명 남의 첩의 존칭.
영총²【榮寵】명 임금의 은총(恩寵).
영총³【靈寵】명 신불이 내리는 은총.
영추【迎秋】명 가을을 맞이함. ――-하다 자여불
영추-문【迎秋門】명〖지〗경복궁의 서문(西門). 일반 관원들이 드나들었음. 1975년 재건(再建)함.
영추-송【迎秋頌】명 가을을 맞이하는 글.
영축¹【盈縮·贏縮】명 남음과 모자람.
영축²【零縮】명 수효가 줄어서 모자람. ――-하다 형여불
영춘【迎春】명 ①봄을 맞이함. ②〖식〗개나리. ――-하다 자여불
영춘-악【迎春樂】명〖악〗고려 시대에 궁중에서 연행(演行)되던 악장 가운데 당악(唐樂)의 하나.
영춘 악령【迎春樂令】[一녕] 명〖악〗고려 시대에 송나라에서 전래된 사악(詞樂)의 한 곡명. 당악(唐樂)의 산사(散詞)에 속하는 곡의 하나로서, 곡의 구조는 쌍조(雙調) 51자로 되어 있음.
영-춘추관사【領春秋館事】명〖역〗①고려 춘추관(春秋館)의 으뜸 벼슬. 충숙왕(忠肅王) 때에 두었는데, 정승(政丞)이 겸하였음. ㊟영관사(領館事). ②조선 시대 때 춘추관의 으뜸 벼슬. 영의정(領議政)이 겸하였음.
영춘-화【迎春花】명〖식〗목련(木蓮)❶.
영출 다문【令出多門】명 명령 계통(命令系統)이 문란하여 여러 곳에서 명령이 내림.
영-출력【零出力】명〔zero output〕〖전자〗①독해 조작(讀解操作) 또는 리셋 조작(reset操作)에 의하여 '0'의 상태에서 자기 기억 소자(磁氣記憶素子)에서 얻어지는 전압 응답(電壓應答)의 일컬음. ②독해 조작 또는 리셋 조작에 의해, '0'의 상태에서 자기 기억 소자에서 얻어지는 적분 전압 응답(積分電壓應答).
영췌【營悴·營瘁】명 기운이 좋음과 병에 시달림.
영-취락【嶺聚落】명 교통량이 많은 준령(峻嶺)과 높은 고개 양측에 발달한 취락. 위치에 따라 고갯마루에 있는 것을 영상(嶺上) 취락, 그 아래에 있는 것을 영하(嶺下) 취락이라 함.
영취-산【靈鷲山】명 ①〖지〗경상 남도 양산시(梁山市) 북쪽에 있는 산. 산중에 통도사(通度寺)가 있음. ②〖불교〗중인도(中印度) 마갈타국(摩竭陀國), 왕사성(王舍城) 동북쪽에 있는 산. 석가 여래가 이 곳에서 법화경(法華經)과 무량수경(無量壽經)을 강(講)하였다 함. ㊟영산(靈山).
영치【領置】명〖법〗법률상의 처분 행위. 국가가 피의자·피고인 또는 수용자(收容者)에게 속하는 물건을 강제력을 쓰지 아니하고 보관 및 처분하는 행위. ――-하다 타여불
영치-금【領置金】명 수용자(收容者)가 교도소의 관계 부서에 일시 맡겨 둔 돈.
영:치기 감 무거운 물건을 여러 사람이 목도하여 운반할 때 힘을 맞추기 위하여 내는 소리.
영치-부【詅癡符】명 어리석은 글을 파는 패(牌)라는 뜻으로 졸렬한 문장(文章)을 명문(名文)인 것처럼 자랑하다가 부끄럼을 당하는 일.
영칙【令飭】명 명령을 내리어 계칙함. ――-하다 타여불
영친【榮親】명 ①부모를 영화롭게 함. ②서울에 와서 과거에 급제하거나 또는 관직에 임명된 사람이 고향에 돌아가 부모를 영화롭게 하는 일. ――-하다 자여불
영-친왕【英親王】명〖사람〗대한 제국 최후의 황태자. 이름은 은(垠). 고종의 일곱째 아들이며, 엄비(嚴妃) 소생으로 순종(純宗)의 이복 동생임. 광무(光武) 4년(1900) 영친왕에 봉해지고 순종 1년(1907) 황태자에 책립되었으나 그 해 겨울 이토 히로부미(伊藤博文)에 의해 볼모로 일본에 끌려가 일본식 교육을 받음. 1910년 나라가 망하여 폐위된 순종이 이왕으로 격하되자 왕세제(王世弟)로 격하, 순종이 붕어하자 이왕으로 불리었음. 1920년 일본 왕족의 딸 마사코(方子)와 정략 결혼을 당하고 일본 육군 대학 등을 거쳐 육군 중장을 지냈으나, 해방 후 정부에 의해 귀국이 허락되지 않다가 1963년에 귀국함. [1897-1970]
영침【靈寢】명 영상(靈床).
영칭【英稱】명 영명(令名)❶.
영팽이 명 〈방〉〖동〗여우¹(황해).
영퀘 명 〈방〉〖동〗여우¹(황해).
영탁【鈴鐸】명 방울. 요령.
영:탄¹【永嘆·永歎】명 길게 한숨쉬며 한탄함. 장탄(長歎). ――-하다 자여불
영:탄²【詠嘆·詠歎】명 ①목소리를 길게 뽑아 심원(深遠)한 정회(情懷)를 읊음. ②감탄(感嘆). ――-하다 자여불
영:탄-곡【詠嘆曲】명〖악〗영탄하는 가락의 곡조.
영:탄-법【詠嘆法】[一뻡] 명〖문〗시문(詩文)에 있어서 영탄을 나타내는 '아아·오오·…는가…는고' 따위의 감탄사 또는 의문을 나타내는 말 등을 써서 간절한 마음을 나타내며, 글에 아취(雅趣)를 더하는 수사법(修辭法).
영 탄:성률【一彈性率】〔Young〕[一뉼] 명 영률.
영:탄-조【詠嘆調】[一쪼] 명 시문(詩文)에 있어서 주로 정회(情懷)를 노래하는 경향.
영:탈【穎脫】명 재능이 뛰어나게 우수함. ――-하다 형여불
영토【領土】명 ①영유하고 있는 토지. 땅. 영지(領地). ②〖법〗국제법상, 국가의 통치권이 미치는 구역. 흔히, 토지로 이루어진 국가의 영역을 이르나, 영해(領海)·영공(領空)을 포함하는 경우도 있음. ¶~적 야심.
영토 고권【領土高權】[一꿘] 명〖법〗영토 주권.
영토-권【領土權】[一꿘] 명〖법〗국가가 영토에 대하여 갖는 일체의 권능. 또, 영토를 타국에 대여하거나, 양도하거나 할 수 있는 권능. 영역권(領域權).
영토 보:전【領土保全】명 제 나라의 영토를 남의 나라에게 침범당하거나 간섭받지 아니하고 자주적으로 온전히 주권을 부림.
영토 주권【領土主權】[一꿘] 명〖법〗국가가, 영토(領土) 안의 사람

과 물건에 대하여 가지는 일체의 지배권(支配權). 영토 고권. ↔대인주권(對人主權).
영토-하다 형(여불) 영리하고 똑똑하다.
영-톤【英—】[ton] 명 ↗영국 톤(英國 ton).
영통【靈通】명 신령스럽게 통함. ——-하다 자(여불)
영특¹【英特】명 영걸(英傑)스럽고 특별함. 영기(英奇). ——-하다 형(여불)
영특²【獰慝】명 성질이 영악하고 간특함. ——-하다 형(여불)
영파【寧波】명〖지〗'닝보'를 우리 음으로 읽은 이름.
영-파워 [young+power] 명 현실에 참여하는 청소년들의 세력.
영-판¹ 명 영검이 현저하여서 길흉을 잘 맞히어 냄. 또, 그러한 사람.
영판²【嶺—】명 〈방〉 영조(嶺調).
영판³【嶺板】명 영남에서 출판한 책.
영-판⁴ 부 ☞아주.
영패【零敗】명 [skunk] 경기 등에서, 한 점의 득점도 없이 영점으로 패함. 셧아웃(shutout). 러브 게임(love game). ——-하다 자(여불)
영:폄【永窆】명 완폄(完窆). ——-하다 타(여불)
영:평-조개 명 〈방〉 명주조개.
영:폐【永廢】명 영영 폐지함. ——-하다 타(여불)
영포¹【令抱】명 영손(令孫).
영포²【嶺布】명 영남(嶺南), 곧 경상도 각지에서 산출되는 베. 그 중 안동포(安東布)를 침. *강포(江布).
영표【令票】명〖역〗각 영문(營門)에 주장(主將)의 명령을 전하는 표로 쓰던 것. 나무로 납작하고 둥글게 만들어 그 위에 '令票'라 썼음.

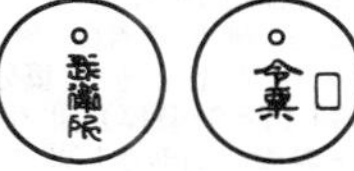
〈영표〉

영풍【英風】명 영걸스러운 풍채(風采).
영풍-군【榮豐郡】명〖지〗전에, 경상 북도의 한 군. 관내 1읍 9면. 북은 강원도 영월군(寧越郡), 동은 봉화군(奉化郡), 남은 안동군(安東郡)과 예천군(醴泉郡), 서는 충청 북도 단양군(丹陽郡)에 인접함. 주요 산물은 농산과 축산·임산 따위인데, 특히 인삼(人蔘)과 사과의 산출이 많으며, 방직업(紡織業)이 성함. 명승 고적으로는 희방사(喜方寺)·부석사(浮石寺)·소수 서원(紹修書院)·마애 삼존 불상(磨崖三尊佛像)·희방 폭포(喜方瀑布)·죽령(竹嶺) 등이 있음. 영주(榮州)가 시(市)로 승격됨에 따라 1980년 4월 영주군이 영풍군으로 되었다가 1995년 1월 영주시에 통합됨.
영프 협상【英—協商】명 [Anglo-French Entente]〖역〗1904년에 성립한 영국과 프랑스간의 협상. 독일의 세계 정책(世界政策)에 대항하여 영국과 프랑스간의 식민지 문제에 관한 이해(利害)의 대립을 조정(調整)하기 위한 것으로 프랑스는 이집트에 있어서의 영국의 지위를, 영국은 모로코에 있어서의 프랑스의 자유 행동을 승인한 것임.
영:-피다 자 기운을 펴다. 기운을 내다.
영:-피우다 자 ☞ 영피다.
영필【靈筆】명 ①붓의 미칭(美稱). ②아름답고 뛰어난 필적이나 시문(詩文).
영하¹【零下】명 온도계(溫度計)의 0°C 이하. 빙점하(氷點下). ¶~의 추위에 떨다. ↔영상(零上).
영하²【寧夏】명〖지〗중국 은천(銀川)의 구칭.
영하-관【營下官】명〖역〗각 영문(營門)의 판관(判官).
영-하다【靈—】형(여불) ↗영검하다.
영하-성【寧夏省】명〖지〗닝샤 성.
영하-읍【營下邑】명〖역〗감영(監營)이나 병영(兵營)이 있는 고을.
영학-당【英學黨】명 1898 년과 1899 년의 두 차례에 걸쳐 전라 남북도 일부 지역에서 봉기한 무장 농민 조직. 동학당(東學黨)의 잔여 세력들이 '동학'의 이름 대신 '영학'이라는 명칭을 사용하여 조직을 재건한 것임.
영-학생단【營學生團】명〖기독교〗구세군(救世軍)에서, 만 14세 이상 25세 이하의 남녀로 하여금 교역자(教役者)가 될 수 있도록 하는 기초 교육 기관. 보통과·고등과 각 3년으로 되어 있음. 통신 교육을 받고, 실지 훈련은 그 영문(營門)의 담임 사관에 의하여 시행됨.
영한¹【迎寒】명 ①한랭한 계절을 맞음. ②음력 팔월의 이칭. ——-하다 자(여불)
영한²【英韓】명 ①영국과 한국. ②영어와 한국 말.
영한 사전【英韓辭典】명 영어를 한국 말로 번역하여 풀이한 사전. ↔한영 사전.
영:할【穎割】명〖식〗갓 발아(發芽)한 어린 식물. 성체(成體)와 흔히 모양이 다르며, 특히 최초의 잎은 특수한 형체를 함.
영합¹【迎合】명 ①남의 마음에 들도록 뜻을 맞춤. 아첨하여 좇음. ¶시류(時流)에 ~하다. ②마음과 힘을 합하여 서로 맞게 함. ——-하다 자(여불)
영합²【領閤】명〖역〗영의정(領議政)의 별칭.
영합-주의【迎合主義】[—/—이] 명 자기의 주장은 없이 남의 뜻만 잘 맞추어 나가려는 태도.
영:항【永巷】명 ①궁중의 긴 복도. ②궁녀. 또, 그들이 거처하는 곳. 후궁(後宮). ③죄지은 궁녀를 유폐(幽閉)하던 곳.
영해¹【領海】명〖법〗그 나라의 연해(沿海)에 있어서 그 나라의 통치권을 행사할 수 있는 범위. 연안해(沿岸海)·내해(內海)·만(灣)·해협 등으로 되나, 좁은 뜻으로는 연안해를 이름. 영해의 폭은 최저 간조(最低干潮) 때의 수륙 분계선을 기준으로 하여 정하는데, 3 해리(海里)·4 해리·6 해리·12 해리 등 각국에 따라 서로 다르나, 우리 나라에서는 1978년 영해법의 시행에 따라 12 해리의 입장을 취하고 있음. 영수(領水). ↔공해(公海).
영해²【領解】명 ①깨달음. ②당(唐)나라의 제도에서, 향시(鄉試)에 급제하는 일. ——-하다 타(여불)
영해³【嬰孩】명 어린아이.
영해⁴【嬰害】명 거듭된 화(禍).
영해⁵【瀛海】명 큰 바다.
영:해-도【永海島】명〖지〗전라 남도의 서해안, 무안군(務安郡) 운남면(雲南面) 동암리(東岩里)에 있던 섬. 현재는 간척 사업으로 육지화 되었음.
영해-선【領海線】명 [territorial water-line]〖해〗영해의 한계선. 곧, 한 국가의 국내법이 외국인에게 미치는 영역의 한계선.
영해 어업【領海漁業】명 영해 안에서의 어업. 자국(自國)에서 자국인 및 자국 선박에 의하여 독점함. ↔공해(公海) 어업.
영해 영덕 소금 장수【寧海盈德—】명〖악〗서사 민요(敍事民謠)의 하나. 영해·영덕과 인접한 경상 북도 내륙 지방에서 부녀자(婦女子)들이 주로 길쌈을 하면서 부름.
영해 지략【瀛海志略】명〖책〗영환 지략(瀛環志略).
영해 평야【寧海平野】명〖지〗경상 북도 영덕군(盈德郡) 영해면(寧海面)을 중심으로 발달한 해안 평야.
영행 금:지【令行禁止】명 명령하면 행하고 금하면 그침. ——-하다 타(여불)
영:향¹【永享】명 길이 이어받음. 길이 누림. ——-하다 타(여불)
영:향²【影向】명〖불교〗불보살(佛菩薩)이 실지로 나타남. ——-하다 자
영:향³【影響】명 한 가지 사물로 인하여 다른 사물에 미치는 결과. ¶중대한 ~을 끼치다 / 음주는 기억에 ~을 미친다.
영:향-력【影響力】[—녁] 명 영향을 미치는 힘. ¶~을 행사하다.
영:향-석【影向石】명〖불교〗불보살(佛菩薩)이 영향(影向)하였던 사적(事跡)이 있는 돌.
영:향-선【影響線】명 [influence line]〖건〗구조물 특히 교량 따위의 설계에 있어서, 들보 등 임의 단면(任意斷面)에 작용하는 단면력 또는 반력(反力) 따위의 양(量)이 단위 하중(單位荷重)의 이동에 의해서 어떻게 변화하는가를 표시한 그림.
영:향-성【影響性】[—썽] 명 영향을 미치는 성질.
영:향-종【影響種】명 [influent]〖생〗공동체(共同體)의 생태적 평형(生態的平衡)을 깨뜨리는 생물(生物).
영:향-중【影向衆】명〖불교〗문수 보살(文殊菩薩)과 같이, 석가의 교화를 찬조(贊助)하여 불좌(佛座)를 장엄하게 하는 여러 보살.
영:향 함:수【影響函數】[—쑤] 명 [influence function]〖석유〗하나의 체수층(滯水層)에 다수의 석유 저류부(貯留部)가 있을 경우, 각 저류부의 압력(壓力)이나 생산량(生產量)에 미치는, 체수층의 영향에 대한 수학적 표현(數學的表現).
영허【盈虛】명 영휴(盈虧). ——-하다 자(여불)
영허지-리【盈虛之理】명 가득 차고 기우는 이치.
영험【靈驗】명 영검.
영험 약초【靈驗略抄】명〖책〗조선 명종(明宗) 5년(1550)에 출판된 불교 해설책. 진언(眞言)·다라니(陀羅尼)를 모아 한글로 번역하였는데, 희방사판(喜方寺版)이 남아 있음. 활자본. 1책.
영현¹【英賢】명 슬기롭고 뛰어남. 또, 그 사람. ——-하다 형(여불)
영현²【英顯】명 죽은 사람의 영혼의 높임말. 영령(英靈).
영현³【榮顯】명 영달(榮達)하고 귀현(貴顯)함. ——-하다 형(여불)
영혈【榮血】명〖한의〗음식의 양분이 위에서 폐로, 폐에서 장부(臟腑)로 전파되는, 그 혈맥 속에 있는 맑은 피. 원기를 왕성히 함.
영형【令兄】명 ①남의 형의 존칭. ②편지에 친구를 높이어 하는 말.
영혜¹【英慧】명 영민하고 지혜로움. ——-하다 형(여불)
영:혜²【穎慧】명 준혜(俊慧). ——-하다 형(여불)
영혜³【靈慧】명 성질이 신령스럽고 지혜로움. ——-하다 형(여불)
영호¹ 명 〈방〉〖동〗여우¹(평남·함남).
영호²【令狐】명 성(姓)의 하나. 본관으로 문화(文化) 단본이 있으나 현존하지 아니함.
영:호³【永好】명 오래오래 사이좋게 지냄. ——-하다 자(여불)
영호⁴【英豪】명 뛰어나고 훌륭함. 또, 그런 인물. 영웅(英雄). 영걸(英傑). ——-하다 형(여불)
영:호⁵【靈湖】명〖지〗강원도 고성군(高城郡)에 있는 못. [1.36 km²]
영:호-정【暎湖亭】명〖지〗평안 북도 초산(楚山)에 있는 정자. 압록강의 지류, 초산천(楚山川)에 면하여 있는 절경(絕景)임.
영:혹【佞惑】명 아첨하여 유혹(誘惑)함. ——-하다 타(여불)
영혼¹【英魂】명 ①훌륭한 사람의 혼. ②죽은이의 혼의 경칭.
영혼²【靈魂】명 ①죽은 사람의 넋. 식신(識神). 정혼(精魂). 혼령(魂靈). ②〖불교〗사람의 모든 정신적 활동의 본원이 되는 실체(實體). 영가(靈駕). 영각(靈覺). ③〖천주교〗신령하여 불사 불멸하는 정신. 영신(靈神). ④육체와 구별되어, 육체에 머물면서 마음의 작용을 맡고 생명을 부여하고 있다고 여겨지는 비물질적(非物質的) 실체. 혼(魂). 음영령(陰影靈). ㊀영(靈). 1)-4):↔육체(肉體). *생혼(生魂).
영혼 결혼식【靈魂結婚式】명 약혼(約婚)한 당사자 한편 또는 쌍방이 사망한 경우, 그 혼백을 위로하기 위하여 하는 결혼식.
영혼 불멸설【靈魂不滅說】명〖철〗죽은 후에도 인간의 영혼이 영원토록 지성과 의지의 힘을 발휘하며 생존한다고 하는 설.
영혼-설【靈魂說】명〖철〗육체 이외에도 영혼이 존재한다는 설. 현상계(現象界)의 모든 사물은 영혼의 작용에 불과하다는 학설.
영혼 신:앙【靈魂信仰】명 [soul belief] 사람의 영혼은 살아 있을 때나 죽었을 때를 막론하고 불가사의한 힘을 가진다고 하여 그 영향력을 두려워하고 영혼을 숭배하는 원시 종교적인 신앙.
영혼 절멸론【靈魂絕滅論】명〖종〗절멸론.

영-홍문관사【領弘文館事】명〖역〗조선 시대 때 홍문관(弘文館)의 으뜸 벼슬인 영사(領事). 정일품의 문관 벼슬로 영의정(領議政)의 겸직(兼職)이었음.

영:화[1]【永和】명〖역〗고구려 시대의 연호(年號), 정확한 연대는 불명(不明)임.

영화[2]【英貨】명 영국의 화폐. 파운드(pound).

영화[3]【映畫】명 ①영사기에 의하여 여러 토막으로 된 긴 필름을 계속적으로 영사막(映寫幕)에 영사하여 어떤 의미를 가진 일련의 움직이는 영상(映像)을 나타나게 한 것. 시네마(cinema). 키네마. ②극영화.

영화[4]【榮華】명 ①귀하게 되어 세상에 드러나고 이름이 빛남. ¶부귀 ~를 누리다. ②외부에 나타난 뛰어난 재능이나 명예 등. ③뛰어나게 운치가 있는 시(詩)나 문장.

영:화[5]【穎花】명〖식〗거의 화피(花被)가 없고 비늘 조각 모양의 포(苞)에 의해 화예(花蕊)가 덮여 있는 꽃. 볏과·방동사닛과의 꽃이 이에 속함.

영화[6]【嬰禍】명 화를 입은 일.

영화[7]【靈化】명 영적(靈的)인 것으로 변함. 또, 그렇게 되게 함. ——-하다 자타 여불

영화 각본【映畫脚本】명 시나리오(scenario). 준각본.

영화 감독【映畫監督】명 영화 제작에 있어서 연기·배역 등을 지휘 감독하여, 영화에 통일성을 주는 사람. *무대 감독.

영화-계【映畫界】명 영화에 관계 있는 사회. 은막(銀幕). 스크린. 제오계급(第五階級).

영화-관【映畫館】명 영화를 상시(常時) 상영하여 관객이 볼 수 있도록 설비한 건조물.

영화 교:육【映畫教育】명〖교〗영화에 의한 교육. 곧, 영화를 교구(教具)로 하는 교육. *시청각 교육.

영화-당【映花堂】명〖지〗서울 창덕궁(昌德宮) 안에 있는 당(堂). 옛날에 시사(試士)와 열무(閱武)를 하던 곳.

영화 도서관【映畫圖書館】명 필름 라이브러리.

영화-롭다【榮華―】형(ㅂ불) 몸이 귀하게 되어서 이름이 드러나다. 영화-로이【榮華―】부

영화-막【映畫幕】명 영사막(映寫幕).

영화 미:학【映畫美學】명 예술(藝術)로서의 영화를 연구 대상으로 하는 미학.

영화 배:급 협회【映畫配給協會】명〖법〗영화법에 따른 사단 법인. 영화업자(映畫業者)와 공연장(公演場)의 경영자들이, 제작 또는 수입한 영화의 국내 배급 업무(國內配給業務)를 담당함.

영화 배우【映畫俳優】명 영화 제작(製作)을 위하여 연기(演技)하는 배우.

영화-법【映畫法】[―뻡] 명〖법〗영화의 제작·검열 및 수출입에 관한 규정을 정함으로써 영화 산업의 육성 발전을 꾀하려는 법.

영화-사[1]【映畫史】명 영화의 역사.

영화-사[2]【映畫社】명 영화의 제작·배급 또는 수입·수출 등을 업으로 하는 회사.

영화-상【映畫賞】명 영화의 질적 향상 및 제작 판매상의 한 수단으로 작품 및 배우·감독·시나리오 등 각 부문을 선발하여 주는 상. 1929년에 비롯된 미국의 아카데미 상, 1946년에 창설된 칸 국제 영화제의 그랑 프리상 등이 국제적으로 유명함. 우리 나라의 경우 대종상(大鐘賞)이 있음.

영화 소:설【映畫小說】명〖문〗영화를 만들기 위하여 쓴 소설. 문장 표현보다도 내용과 이야기의 줄거리에 치중함.

영화-스럽다【榮華―】형(ㅂ불) 영화로운 듯하다. 영화-스레【榮華―】부

영화업-자【映畫業者】명 영화의 제작을 업(業)으로 하는 사람.

영화 예:술【映畫藝術】명 실용 본위나 흥미 본위를 떠난 순 예술로서의 영화.

영화 음악【映畫音樂】명 영화의 표현을 돕기 위하여, 필름 속에 대사(臺詞)나 음향 효과 등과 함께 녹음되었다가 화면(畫面)과 동시에 재생(再生)되는 음악.

영화-인【映畫人】명 영화 사업에 관계하는 사람. 배우나 영화 제작에 관계가 있는 사람.

영화-제【映畫祭】명 일정한 기간 동안에 제작된 영화 작품 중에서 영화의 질적 향상 및 제작 판매를 촉진하기 위하여, 각 부문에 걸쳐 수상자를 가리는 행사.

영화 진:흥 공사【映畫振興公社】명 한국 영화의 진흥 및 관련 산업의 지원·육성을 위한 제반 시설의 운영·기술의 향상 등에 필요한 사업 및 활동을 하기 위하여 설립된 특수 법인.

영화 촬영기【映畫撮影機】명 영화를 촬영하는 사진기. 35밀리 폭(幅)의 필름을 사용하는 극장 영화용을 표준으로 하고, 가정용의 8밀리 촬영기, 텔레비전 영화용 등의 16밀리 촬영기, 대형 영화용 70밀리 촬영기 등이 있음. 무비 카메라(movie camera). 키네토그래프(kinetograph).

영화-판【映畫―】명〈속〉영화인들이 일하는 현장. 영화 산업에 종사하는 사람들의 사회.

영화 편집【映畫編輯】명 영화 제작의 한 단계. 앞뒤 순서가 맞지 않게 촬영된 필름을 나열해서 일관된 작품이 되게 편집하는 일.

영화-학【映畫學】명 영화에 관련된 여러 요소·행위·현상을 학문적·기술적 대상으로 연구하는 학문.

영화-화【映畫化】명 소설·전기 등을 각색하여 영화로 만듦. ——-하다 타 여불

영환【鈴丸】명〖고고학〗방울알.

영환 지략【瀛環志略】명〖책〗중국 청(淸)나라의 푸젠 순무(福建巡撫) 서계여(徐繼畬:1795-1873)가 지은 세계 지리책. 1848년에 완성(完成)하여 1850년에 간행함. 10권. 영해 지략(瀛海志略).

영활【靈活】명 신통하게 살림. ——-하다 타 여불

영:회[1]【詠懷】명 회포(懷抱)를 시가(詩歌)로 읊음. ——-하다 자 여불

영회[2]【領會】명 깨달음. 이해함. ——-하다 타 여불

영회[3]【縈廻】명 휩싸여 빙빙 돌아감. 영선(縈旋). ——-하다 자 여불

영효【榮孝】명 부모를 영화롭게 하는 효도.

영후【令後】명 명령을 내린 뒤.

영:휘-원【永徽園】명〖지〗조선 고종(高宗)의 후궁(後宮) 엄비(嚴妃)의 묘소(墓所). 서울 특별시 동대문구 청량리동(清涼里洞)에 있음.

영휴【盈虧】명 ①〖천〗천체의 빛이 그 위치에 따라서 증감(增減)하는 현상. ②참과 이지러짐. 영허(盈虛). ——-하다 자 여불

영:흥【永興】명〖지〗함경 남도 영흥군의 군청 소재지. 함경선(咸鏡線)에 연한 영흥 평야의 중심지로서, 양잠과 축우(畜牛)가 성행하고, 예로부터 명주의 산지로 알려졌으며, 우시장(牛市場)이 있음.

영:흥-군【永興郡】명〖지〗함경남도의 한 군. 관내 1 읍 12면. 북은 정평군(定平郡)과 평안 남도 영변군(寧邊郡), 동은 정평군과 바다, 남은 고원군(高原郡)과 문천군(文川郡), 서는 평안 남도 맹산군(孟山郡)에 인접함. 주요 산물은 농산과 축산·임산 등임. 명승 고적(名勝古蹟)으로는 선원전(璿源殿)·화주영허(和州營墟)·안불사(安佛寺)·비류수(沸流水)·망경루(望京樓)·정변진(靜邊鎭) 등이 있음. 군청 소재지는 영흥(永興). [3,416.9km²]

영흥-도【靈興島】명〖지〗인천(仁川) 광역시 옹진군(甕津郡) 영흥면(靈興面) 선재리(仙才里) 덕적 군도(德積群島)의 동쪽에 있는 섬. 쌀·밀·콩 따위가 생산되며, 굴·바지락 등의 양식이 성함. [23.22km²]

영:흥-만【永興灣】명〖지〗함경 남도 동대한만(東大韓灣) 안에 있는 만. 만두(灣頭)에는 20여 개의 작은 섬이 점재하고, 다시 북은 송전만(松田灣), 남은 덕원만(德源灣)으로 나뉘어져 천연의 요새(要塞)를 이루고 있으며, 남쪽 구석에 원산항이 있음. 갈마 반도(葛麻半島)는 명사 십리(明沙十里)로 유명함.

영:흥-사【永興寺】명〖역〗경주시(慶州市) 황남동(皇南洞)에 있었던 신라 때의 사찰. 진흥왕(眞興王)의 비(妃)가 스스로 여승이 되어 여기서 살았음. 뒤에 신문왕(神文王) 4년(684)에 성전(成典)이라는 관청을 영흥사에 설치하여 사찰을 유지하는 데 힘을 썼음.

영:흥사 성전【永興寺成典】명〖역〗신라 때 영흥사(永興寺)의 일을 맡아 보던 관아.

영:흥 진사【永興辰砂】명 함경 남도 영흥군(永興郡)에서 나는 사기. 백사기에 진사가 있음.

영:흥 평야【永興平野】명〖지〗함경 남도 용흥강(龍興江) 및 그 지류 더 지강 유역에 전개된 평야. 동북부 지방은 미작(米作) 지대임.

영:흥 흑연 광:산【永興黑鉛鑛山】명〖지〗함경 남도 영흥군(永興郡) 장흥면(長興面)에 있는 흑연 광산. 매장량은 무진장임.

영:희-전【永禧殿】[―히―] 명〖역〗조선조(朝)의 태조·세조·원종·숙종·영조·순조의 영정(影幀)을 모신 전각. 남별전(南別殿)을 고친 이름.

영노솔갑다 형〈옛〉영리하고 슬기롭다. ¶해 진실로 영노솔갑고 스믯가올셔(咳眞箇好標致)《朴解 上 15》.

영노ᄒᆞ다 형〈옛〉영리하다. 슬기롭다. =양노ᄒᆞ다. ¶客卿이 영노ᄒᆞ더니(客卿敏慧)《內訓 Ⅱ:37》.

-영이다 어미〈옛〉-ㅂ니다. ¶臣이 罪ㅣ 맛당히 결에를 滅ᄒᆞᆯ디라 敢히 거즛되며 망녕되이 몯ᄒᆞ영이다(臣이 罪當滅族이라 不敢虛妄이니이다)《小諺 Ⅵ:42》.

열다 형〔중세 : 열다〕①수면(水面)이 밑바닥에 가깝다. ②빛이 옳다. ↔ 짙다. ③뜻이나 정의(情誼)가 두텁지 못하다. ④학문이나 지식의 분량이 적다. ¶학력이 ~. 1)·3)·4):>얕다.

열우다 타 ☞ 여투다.

옆 명 양쪽 곁. ¶~ 모서리/~면. *곁.

옆(을) 찌르다 구 비밀로 알려 주기 위하여 옆구리를 찌르다.

[옆 찔러 절 받기] 상대방은 할 생각도 없는데 자기 스스로가 요구하거나 알려줌으로써 대접을 받는다는 말. ¶옆 찔러 절 받기로 억지로 시킬 수는 없는 일《李人稙: 牡丹峰》.

옆-갈비 명〖생〗몸의 양쪽 옆구리에 있는 갈빗대.

옆-구리 명〔중세 : 녑구레〕몸의 양쪽 갈비가 있는 부분.

옆구리에 섬 찼나 구 많이 먹는 사람을 조롱하는 말.

옆구리 찌르다 구 팔꿈치나 손가락으로 옆구리를 쿡쿡 찔러서 비밀히 신호를 하다.

옆구리 운:동【―運動】명 몸의 옆구리를 좌우로 굽혔다 폈다 하는 운동.

옆-길 명 큰길 옆으로 따로 통한 작은 길.

옆-널 명 목기(木器)의 양편 옆의 널빤지. 옆판. 측판(側板).

옆-넓이 [―널비] 명 물체의 옆면의 넓이. 측면적(側面積).

옆-눈 명 ☞ 곁눈.

옆눈-질 명 ☞ 곁눈질. ——-하다 자 여불

옆-다리 명〔parapodium〕〖동〗복족류(腹足類)의 다리 옆으로 확장되어 지느러미 모양을 이룬 부분. 측족(側足).

옆-댕이 명〈속〉옆.

옆-들다 타 한 편만을 옆에서 도와 주다.

옆-떼기 명〖고고학〗긴 돌의 옆면을 쳐서 떼기를 베푸는 수법. 보통 이런 옆떼기에서 일차 떼기로 두꺼운 격지가 얻어짐. 횡타(橫打).

옆-막이 명 양옆을 가로막은 물건.

옆머리-뼈 명〖생〗섭유골(顳顬骨). 측두골(側頭骨).

옆-면【―面】명 앞 뒤에 대한 양옆의 면. 측면(側面).

옆-모서리 명〖수〗각기둥의 측면과 측면이 서로 만나서 이루는 모서리. 측릉(側稜).

옆무릎-치기 명 씨름에서, 상대가 몸의 중심을 오른 다리에서 왼다리로 옮기려 할 때 오른손으로 상대의 오른쪽 무릎 바깥 부분을 쳐서 옆으로 넘어뜨리는 손기술의 하나.

옆-바람 명 배의 돛에 옆으로 채는 바람.

옆-발치 명 누운 사람의 옆 아래.

옆-방【一房】명 ①옆에 있는 방. ②〖고고학〗 고구려 무덤에서 널방의 양 옆에 딸린 방. 측실(側室). 익실(翼室).

옆-배기 명 〈방〉 옆쇠.

옆-벽【一壁】명 양편 옆의 벽.

옆-뿌리 명 〖식〗 옆에 붙은 뿌리. 측근(側根).

옆-사리미 명 〖농〗 ☞ 비켜덩이.

옆-쇠 명 장롱이나 양복장 등의 기둥과 기둥을 옆으로 잇댄 나무.

옆-심【一心】명 배에 있는 뜸집의 서까래.

옆-아가미 [엽―] 명 〖동〗 측새(側鰓).

옆-얼굴 [엽―] 명 옆에서 본 얼굴. 프로필.

옆옆-이 [―녑―] 부 이 옆 저 옆에. ¶～ 조르는 사람뿐이다.

옆장봐 시:위【一牆一侍衛】감 〖역〗 사인교를 타고 행차할 때, 벽에 부딪히지 않도록 살펴보라는 시위 소리.

옆-줄 명 ①옆으로 난 줄. 측선(側線). ②〖동〗 측선(側線)❷.

옆-질 명 배·자동차 따위가 좌우로 흔들리는 일. ――-하다 자 여불

옆-집 명 옆의 집. 인가(隣家).

옆-쪽 명 옆이 되는 방향.

옆-차개 명 〈방〉 ①염낭. ②호주머니(함경).

옆-채기 명 〖체〗 씨름에서, 다리샅바를 잡은 왼손을 놓고 왼쪽으로 돌면서 오른다리를 상대방의 다리 사이에 깊숙이 넣고 허리샅바를 당기며 옆으로 채올려 넘어뜨리는 혼합 기술의 하나.

옆-판【一板】명 옆널.

옆-폭【一幅】명 옆에 박는 널빤지.

옆-훑이 [―훌치] 명 홈 등의 옆을 훑어 내는 연장. 뾰족한 집에 날이 옆으로 나오게 되었음.

옇다 타 〈방〉 넣다(경상·함경).

예[1] 명 〖언〗 한글의 합성 자모(合成字母) 'ㅖ'의 이름.

예[2] 명 〈방〉 모이(함북).

예[3] 명 〈옛〉 왜(倭). ¶請으로 온 예와 싸호샤(見請之倭與之戰門) ≪龍歌 52章≫/예 와(倭) ≪字會 中 4≫/부산개 예돌히 호터나와 도즉ᄒᆞ다가(釜山浦倭奴四散剽掠)≪三綱 孝子 24≫.

예[4] 명 〈옛〉 이에. 여기. ¶곧 두리본 모ᄉᆞᆯ 머거 예온 이ᄅᆞᆯ 뉘우쳐≪月釋 XIII:12≫.

예:[5] 명 옛적. 오래 전. ¶～나 이제나 변함 없는 인정.

예[6]【乂】명 성(姓)의 하나. 우리 나라에는 현존하지 아니함.

예[7]【劦】명 백제 8대성(大姓)의 하나. 현존하지 아니함.

예[8]【芮】명 성(姓)의 하나. 현재 우리나라에는 본관이 의흥(義興) 하나뿐임.

예:[9]【例】명 ①↗전례(前例). ¶이런 ～도 있었다/그런 ～가 없다. ②세상에 흔한 것. 늘 같은 것. ¶～의 그 가게. ③본보기. 전거(典據)와 표준이 되기에 족한 사물. ¶～를 들다.

예[10]【倪】명 성(姓)의 하나. 우리 나라에는 현존하지 아니함.

예[11]【羿】명 〖신〗 중국 고대의 전설적 영웅. 요(堯)의 신하. 활을 잘 쏘아, 당시 10개의 태양이 함께 떠올라 초목이 말라 죽게 되매 그 중 9개를 쏘아 떨어뜨렸다 함.

예:[12]【豫】명 〖민〗 ↗예괘(豫卦).

예:[13]【豫】명 〖지〗 중국 하남성(河南省)의 딴이름.

예[14]【濊】명 〖역〗 예맥(濊貊).

예:[15]【禮】명 ①사람이 마땅히 지켜야 할 의칙(儀則). 인사(人事). ②고마운 뜻을 나타내는 언행. 또, 사례(謝禮)로 보내는 금품. ③↗예법(禮法). ④↗경례(敬禮). ――-하다 자 여불
[예 짐 동이듯 한다] 짐을 찬찬이 동임을 이르는 말.

예:[16]【禮】명 〖책〗 ↗예기(禮記).

예:[17]【禮】명 성(姓)의 하나. 우리 나라에는 현존하지 아니함.

예[18] 지대 부 ↗여기. ¶～앉거라/～가 어디지.

예:[19] 감 ①존대하는 자리에 깍듯이 대답하는 말. 네. ¶～ 알겠읍니다. ②존대하는 자리에 재우쳐서 묻는 말. 네. ¶～ 무엇이라고요. *네[5]. ③때릴 기세로 나무랄 때 하는 소리. ¶～ 고약한 놈. *예기[9].

예[20] 조 〈옛〉 에. ¶狄人ㅅ 서리예 가샤(狄人與處) ≪龍歌 4章≫/놀애예 일훔 미드니(信名於謳) ≪龍歌 16章≫.

예:가【禮家】명 ↗예문가(禮文家).

예:각[1]【例刻】명 항례(恒例)로 되어 있는 시각.

예:각[2]【銳角】명 〖수〗 직각보다 작은 각. ↔둔각(鈍角).

예:각[3]【豫覺】명 예감(豫感). ――-하다 타 여불

예:각 삼각형【銳角三角形】명 〖수〗 내각(內角)들이 모두 예각인 삼각형.

예:각 지괴【銳角地塊】명 〖지〗 경사 방향(傾斜方向)으로 된 지층(地層)의 주행(走行)이 예각(銳角)으로 사교 단층(斜交斷層)과 교차되는 단층 지괴(斷層地塊).

예:감[1]【豫感】명 일이나 결과를 당하기 전에 암시적으로 또는 제육감(第六感)으로 미리 느낌. 예각(豫覺). ¶죽음의 ～. ――-하다 타 여불

예:감[2]【叡感】명 임금이 감동(感動)함. ――-하다 자 여불

예:거【例擧】명 예를 듦. ――-하다 자타 여불

예:건【例件】[―껀] 명 의례건(依例件).

예:격【例格】명 전례로 하여 온 격식(格式).

예:견【豫見】명 일이 있기 전에 미리 앎. 선견(先見). ――-하다 타 여불

예:결【豫決】명 ①예산과 결산. ②어떤 일을 미리 결정함. ――-하다 타 여불

예:겸[1]【例兼】명 〖역〗 관제(官制)에서 한 사람이 겸임(兼任)하도록 되어 있는 직제. ――-하다 타 여불 관제에서 한 사람이 제도적으로 그 직임(職任)을 겸임하다.

예-겸[2]【倪謙】명 〖사람〗 중국 명(明)나라의 문신(文臣). 자는 극겸(克謙). 벼슬이 남예부 상서(南禮部尙書)에 오름. 조선 세종 32년(1405)에 명나라 경종(景宗)의 즉위를 알리려 사신(使臣)으로 와서, 성삼문·신숙주·정인지 등과 교유하고, 그 견문록 ≪조선 기사(朝鮮紀事)≫를 지음. 시호는 문희(文僖). 생몰년 미상.

예:경【禮敬】명 부처님·성현(聖賢)에 예배함. ――-하다 자 여불

예:경 의식【禮敬儀式】명 〖불교〗 불교 의식에서 기본을 이루는 신앙 의례의 한 형태. 죄업(罪業)을 참회하고 대승 보살도(大乘菩薩道)를 실천하여 큰 소망을 이루고자 불보살께 서원(誓願)하는 내용을 담은 불교 의식임.

예: 경 제불가【禮敬諸佛歌】명 고려 광종(光宗) 18년(967)경 균여 대사(均如大師)가 지은 10 구체(句體) 향가. 그가 지은 보현 십종 원왕가(普賢十種願王歌) 11 수 중의 하나임. 이두(吏讀)로 지어졌으며, 마음으로 그리는 부처 앞에 법계(法界)가 끝나도록 절하고 공경하겠다는 내용임. ≪균여전(均如傳)≫에 실림.

예:계【豫戒】명 ①미리 경계함. ②〖일제〗 공공의 안녕 질서를 문란하게 할 염려가 있다고 인정할 때에, 그 혐의자로 하여금 미리 일정한 기간 동안 근신(謹愼)을 시키거나 경찰(警察) 상의 특별한 감독을 받게 하는 일. ――-하다 타 여불

예:계-령【豫戒令】명 〖일제〗 예계(豫戒)를 시키는 명령.

예:고[1]【豫告】명 미리 알림. ¶～ 없는 방문/영화의 ～편. ――-하다 타 여불

예:고[2]【豫稿】명 미리 써 두는 원고. 본원고(本原稿)에 대하여, 미리 써 두는 개요(槪要)를 이름.

예:고 기간【豫告期間】명 〖법〗 미리 통지한 뒤에 일정 기간을 경과함에 따라 그 법률 효력이 발생하는 기간. 예컨대 기간을 정하지 아니한 임대차(賃貸借)에 있어서는 해약(解約)의 통지 후, 토지에 있어서는 1년, 건물에 있어서는 3 개월, 동산(動產)에 있어서는 하루가 경과하지 않으면 그 효력이 발생하지 않음.

예:고 등기【豫告登記】명 〖법〗 등기 원인의 무효·취소에 따른 등기의 말소(抹消)나 회복의 소송이 제기된 경우에 하는 등기.

예:고 수당【豫告手當】명 〖법〗 사용자가 근로자를 해고(解雇)함에 있어서, 적어도 30 일 전에 예고를 하지 아니하였을 때 지급(支給)되도록 된 수당.

예:고-편【豫告篇】명 영화·텔레비전 프로의 내용 들을 미리 알리기 위하여, 그 일부를 뽑아 모은 것.

예:공【例貢】명 상례(常例)로서 바치는 공물(貢物). 예진(例進). ――-하다 타 여불

예:과【豫科】[―꽈] 명 〖교〗 본과(本科)에 들기 위한 예비 과정.

예:과-생【豫科生】[―꽈―] 명 〖교〗 예과에서 공부하는 학생.

예:관[1]【禮官】명 〖역〗 고려 때 상서 예부(尙書禮部)의 전신(前身)으로 육관(六官)의 하나. 성종(成宗) 2년(983)에 두었다가 14년(995)에 상서 예부로 고침.

예:관[2]【禮冠】명 〖역〗 ①예복(禮服)에 갖추어 쓰는 관(冠). ②족두리와 비슷한 부인의 관(冠). 둘레에 '부귀다남(富貴多男)'의 넉 자를 수놓고, 위에는 '수복(壽福)'을 수놓음.

예광-탄【曳光彈】명 〖군〗 꽁무니에서 빛을 내며 날아 가는 탄환(彈丸). 신호용(信號用) 또는 사격 지점 지시용(指示用)으로 씀. 예화탄(曳火彈). *신호탄.

예:괘【豫卦】명 〖민〗 육십 사 괘의 하나 . 진괘(震卦)와 곤괘(坤卦)가 거듭된 것으로, 우레가 땅에서 나와 떨침을 상징함. 준예(豫).

예:국【穢國】명 ①풍습(風習)이 더러운 나라. ②예토(穢土).

예:궁[1]【蕊宮】명 도교(道敎)의 묘우(廟宇).

예:궁[2]【禮弓】명 〖역〗 예식(禮式) 때에 쓰이는 활의 한 가지. 여섯 자 길이에 모양은 각궁(角弓)과 같으며, 애기찌·뿔·심줄·아교·실·옻 등으로 만듦. 궁중 연사(宮中燕射)·반궁 대사례(泮宮大射禮)·향음 주례(鄕飮酒禮) 때에 쓰임. 대궁(大弓). 노궁(弩弓).

예궁-전【濊宮典】명 〖역〗 신라 때의 관아 이름.

예 궁차오 〔葉公超〕 명 〖사람〗 중국의 외교관. 광둥(廣東) 출생. 케임브리지 대학 연구원에서 수학. 주미(駐美) 대사·외교부장 등을 역임함. 섭공초. [1904-]

예:궐【詣闕】명 대궐(大闕)에 들어감. 입궐(入闕). 참내(參內). ――-하다 자 여불

예:규[1]【例規】명 ①관례로 되어 있는 규칙. ②관례와 규칙.

예:규[2]【禮規】명 〖천주교〗 교회의 예식 지침서.

예:금[1]【預金】명 일정한 계약에 의하여, 은행이나 우체국 같은 데에 돈을 맡기는 일. 또, 그 돈. 계약의 내용에 의하여 당좌(當座) 예금·정기(定期) 예금·보통 예금 등으로 구분함. 예입금(預入金). ¶～주(主). ――-하다 타 여불

예:금[2]【禮金】명 사례금(謝禮金).

예:금 계:정【預金計定】명 계정 과목(科目)의 하나. ①은행 부기에서, 금융 기관이 중앙 은행 또는 모은행(母銀行)에의 예금을 기장(記帳)하는 계정. ②공업·상업 부기에서, 사업 회사나 상인이 금융 기관에의 예금을 기장하는 계정.

예:금 계:좌【預金計座】명 은행 부기에서, 은행이 개인이나 기업(企業)으로부터 받아들인 예금을 계상(計上)하는 대차 대조표상(貸借對照表

上)의 부채 과목(負債科目).

예:금 담보【預金擔保】명〖경〗은행으로부터 금전을 차용(借用)하는 경우에, 그 은행에 대하여 소유하는 적립금(積立金) 기타의 예금 채권을 담보하는 일.

예:금 보:험【預金保險】명〖경〗은행의 파산으로 생기는 예금자의 손해를 전보하기 위하여, 금융 기관으로부터 일정 요율의 보험금을 납입받아 적립하여, 기금(基金)으로 하는 보험.

예:금 보:험 기금【預金保險基金】명 금융 기관의 도산 등 예금 지급 불능 상태로부터 예금자를 보호하기 위한 기금. 현재 제 2 금융권의 신용 관리 기금·보증 보험 기금·새마을 금고 연합회 안전 기금 등이 이에 해당함.

예:금-액【預金額】명 예금한 액수.

예:금 어음【預金一】명〖경〗일정한 금액의 예탁(預託)을 받았다는 표로 은행에서 예금자에게 주는 증권.

예:금 원가【預金原價】[一까] 명〖경〗예금 코스트(預金 cost).

예:금 은행【預金銀行】명〖경〗예금을 맡아서 그 자금을 상공업자에게 단기(短期)의 경영 자금으로 융자하여 주는 은행. 「의 율.

예:금 이:율【預金利率】[一니一] 명〖경〗예금 잔고(殘高)에 대한 이자

예:금 이:자【預金利子】[一니一] 명〖경〗은행 예금·저금·부금(賦金) 등에 대하여 지급되는 이자. *대출(貸出) 이자.

예:금-자【預金者】명 예금을 한 사람. 예금주(預金主).

예:금-주【預金主】명 예금자(預金者).

예:금 증서【預金證書】명 예금한 표로서, 예금을 맡은 기관이 예금자에게 교부하는 증서. *예금 통장(預金通帳).

예:금 지급 준:비【預金支給準備】명〖경〗은행이 예금의 지급에 대비하여 자금을 준비하여 두는 일.

예:금 코스트【預金一】[cost] 명〖경〗은행이 예금을 수집하기 위한 비용. 곧, 예금 이자·영업비 같은 것. 예금 원가.

예:금 통장【預金通帳】명 은행 등이 예금자에게 교부(交付)하여 두고, 예금·지급 등의 내용을 기재(記載)하는 통장. *예금 증서(證書).

예:금 통화【預金通貨】명 [deposit currency]〖경〗수표의 발행으로 거래의 결제(決濟)를 대신할 수 있는 당좌 예금(當座預金)을 이르는 말. 주화(鑄貨)나 은행권(銀行券)과 똑같이 통용(通用)됨. 보통 예금·통지 예금·별단(別段) 예금 등 요구불(要求拂) 예금도 넓은 의미의 예금 통화임. 예금 화폐. ↔현금 통화.

예:금 협정【預金協定】명〖경〗예금 이율(利率)에 관한 협정. 은행끼리의 경쟁으로 인한 폐해를 제거하고, 경영의 건실(健實)을 도모하기 위하여 은행 사이에서 정함.

예:금 화:폐【預金貨幣】명〖경〗예금 통화.

예:금 회전율【預金回轉率】[一뉼] 명 [turnover of deposits]〖경〗일반 당좌 예금 잔고에서 은행 소유의 수표·어음의 재고(在高)를 뺀 순일반 당좌 예금 평균 잔고로 일반 당좌 예금의 월중(月中) 환불액(還拂額)를 나눈 몫. 자금 부족을 회전율의 증가로 보충하는 것이 되므로 대출이 억제되면 회전율이 높아지기에 그것으로 금융 시장의 핍박(逼迫) 상황을 알 수가 있음.

예:기[1] 명〈방〉이야기(경기·강원·경북).

예:기[2]【銳氣】명 성질이 굳세어 굽히지 아니하고 적극적으로 나아가려는 기세. ¶～에 찬 청년.

예:기(를) 지르다 구 남의 예기를 꺾다.

예:기[3]【銳騎】명 굳세고 날쌘 기병(騎兵).

예:기[4]【豫期】명 앞으로 닥쳐올 일에 대하여 미리 기대하거나 상정(想定)함. ¶～하지 않은 일. ——-하다 타여불

예:기[5]【禮記】명〖책〗오경(五經)의 하나. 주말(周末)부터 진한(秦漢) 시대의 유자(儒者)의 고례(古禮)에 관한 설을 수록한 책. 한무제(漢武帝) 때에 하간(河間)의 헌왕(獻王)이 고서(古書) 131편을 편술(編述)하여 뒤에 214편으로 된 대대례(大戴禮)와, 대덕(戴德)이 그것을 85편으로 줄이고, 선제(宣帝) 때에 그의 조카 대성(戴聖)이 다시 49편으로 줄인 소대례(小戴禮)가 있음. 지금의 예기는 소대례를 말함. 주례(周禮)·의례(儀禮)와 함께 삼례(三禮)라 함. 준예(禮).

예:기[6]【禮器】명 제기(祭器).

예:기[7]【藝妓】명 가무(歌舞)·서화(書畫)·시문(詩文) 등의 예능을 익혀 손님을 접대하는 기생. 현기(弦妓).

예:기[8]【穢氣】명 더러운 냄새.

예:기[9] 감 때릴 기세로 나무랄 때 내는 소리. 또, 마땅찮을 때 내는 소리. ¶～ 이 놈. 스예끼. *예[19].

예:기 대:문 언:독【禮記大文諺讀】명〖책〗조선 세종(世宗)이 성삼문(成三問)·신숙주(申叔舟) 등에게 명하여, 예기 본문(禮記本文)에 구두(句讀)를 붙인 책. 6권 6책.

예:기 방장【銳氣方張】명 예기가 한창 성함. ——-하다 형여불

예:기 신경증【豫期神經症】[一쯩] 명〖의〗자기가 실패할 것이라는 예기에 의해 일어나는 신경증. 수험(受驗)·성교(性交)·수면(睡眠) 등을 할 때, 한 번 실패했다 하여 또다시 실패를 예기하고 불안(不安)을 느끼는 상태(狀態).

예:기-재【禮記齋】명〖역〗조선 시대 때 성균관(成均館) 구재(九齋)의 하나. 예기를 공부하던 곳임.

예:기 지름【銳氣一】명 남의 예기를 꺾음. ——-하다 자여불

예:기-척【禮器尺】명 옛 척제(尺制)의 하나. 한 자가 지금의 9 촌 2 푼 6리(厘)에 해당함.

예:끼[1] 명〈방〉여우[1](함경).

예:끼[2] 감 때릴 듯한 기세로 나무랄 때 하는 소리. 또, 마땅찮을 때 내는 소리. 에끼[2]. ¶～ 이 자식아. 스예기.

예:나[Jena] 명〖지〗독일 튀링겐 주(Thüringen 州)에 있는 도시. 자르곡(Saar 谷)의 교통 중심지임. 공업이 발달하고, 특히 광학 기계(光學器械) 등 정밀 기계 공장이 있으며, 그 중 차이스(Zeiss)의 공장은 세계적으로 유명함. [107,610 명(1987)]

예:나 대학【一大學】[Jena] 명 독일의 예나에 있는 대학. 1558년 창립. 19세기에 피히테(Fichte)·셸링(Schelling)·헤겔·피테·실러(Schiller) 등이 이 곳을 중심으로 활약하여 철학 연구상에 큰 업적을 남겼음.

예:나 유리【一琉璃】[Jena] 명 동부 독일의 예나에서 연구·제조된 광학용(光學用)·온도계용의 질이 좋은 유리.

예:나 전:쟁【一戰爭】[Jena] 명 1806년에 나폴레옹 1세가 프로이센군(Preussen軍)을 대패시킨 전쟁. 라인(Rhein) 동맹의 성립 후, 나폴레옹의 정책에 위협을 느낀 프로이센(Preussen)이 영국과 러시아의 원조하에 선전하였으나 1806년 10월 14일 예나에서 완패하였음. 이것이 슈타인 하이덴베르크 개혁의 계기가 되었음.

예난자웅[Yenangyaung] 명〖지〗이라와디 강(Irrawaddy江) 중류의 도시. 미얀마에서 가장 큰 석유 산지임.

예:납[1]【例納】명 전례에 따라서 상납(上納)함. ——-하다 타여불

예:납[2]【豫納】명 기한 전에 미리 바침. 선납(先納). 전납(前納). ——-하다 타여불

예:납-금【豫納金】명 선납금(先納金).

예:납 증거금【豫納證據金】명 [prepaid margin]〖경〗청산 거래에 있어 매매 약정 증권(賣買約定證券)에 대한 증거금으로서 거래소에 납부하는 증거금의 일종.

예:냉-기【豫冷器】명 [precooler]〖기계〗기계에 사용하기 전에, 작동 유체(作動流體)의 온도를 떨어뜨리기 위해서 쓰이는 장치.

예:년【例年】명 ①별일 없이 보통으로 지나간 해. 여느 해. ¶～에 없던 추위. ②해마다. 매년.

예:농【隷農】명〖경〗일반적으론 봉건적 생산 양식에 있어서의 기본적 노동력이란 뜻으로 농노(農奴)와 같은 의미로 쓰이나, 좁은 의미에선 신분 내지 인격적인 자유마저 없는 농노와는 달리 신분적·인격적으로 자유이기는 하나, 생산물 지대(地代)나 또는 화폐 지대가 과해져 있는 농민을 가리킴. *반자유민(半自由民).

예:능【藝能】명 ①기예(技藝)와 기능(技能). ②연극·영화·미술·음악·무용 등의 총칭. ¶～계(界)/ ～시험.

예:능-과【藝能科】[一꽈] 명〖교〗예능에 관한 학과.

예:능 교:육【藝能敎育】명〖교〗예능에 관한 기술 교육 및 정서(情緖) 교육.

예-니레 명 엿새나 이레.

예니세이 강【一江】[Enisei] 명〖지〗시베리아의 큰 강. 사얀(Sayan) 산맥에서 발원하여 북빙양(北氷洋)에 들어감. 지류(支流)가 많고 수운(水運)이 편리함. [4,130 km]

예니세이 비문【一碑文】[Enisei] 명 예니세이 강 상류에서 발견된 돌궐 문자(突厥文字)에 의한 고대 터키어의 비문(碑文). 5-9세기의 것으로 보임.

예니세이스크[Eniseisk] 명〖지〗시베리아의 예니세이 강 상류 좌안의 항구 도시. 17-18 세기 예니세이 강 유역의 행정·상업의 중심지로 동 시베리아 개발에 중요한 역할을 담당했고, 19 세기에 발견된 금광 지대(金鑛地帶)가 있음.

예-닐곱 수관 여섯이나 일곱. 육칠(六七).

예-닐굽 명〈옛〉육칠(六七). ¶그리 이시며 업수믈 記錄 아니 ᄒᆞ얀지 또 예닐굽히니(莫記存沒又六七年矣)《杜諺 XI:5》.

예다 자〈옛〉가다. ¶ᄒᆞ나 둘 셋 기러기 西南北 난호여서 晝夜로 우러 예니《古時調》/古人도 날 못 보고 나도 古人 못 보애 古人을 못 보아도 예던 길 알픠 잇네《古時調》.

예다-제다 준 여기다가 저기다가. ¶～ 모두 쏟뜨리면 어쩌니.

예:단[1]【叡斷】명 성단(聖斷).

예:단[2]【豫斷】명 미리 판단함. 또, 그 판단. ——-하다 타여불

예:단[3]【禮單】명 예폐(禮幣)를 적은 단자(單子). 사례단(謝禮單).

예:단[4]【禮緞】명 예폐(禮幣)로 주는 비단.

예:담【例談】명 의례조로 하는 이야기.

예:답다【禮一】형ㅂ불 ↗예모(禮貌)답다.

예:당[1]【禮堂】명〖역〗조선시대 예조(禮曹)의 당상관(堂上官). 곧, 판서(判書)·참판(參判)·참의(參議)를 말함.

예:당[2]【禮堂】명〖사람〗김정희(金正喜)의 호(號).

예:당 평야【禮唐平野】명〖지〗당진 평야(唐津平野).

예:대[1]【禮待】명 예로써 대접함. 정중히 맞이함. 예우(禮遇). 예접(禮接). ——-하다 타여불

예:대[2]【藝大】명〖교〗↗예술 대학(藝術大學).

예:대 마:진【預貸一】[margin] 명 금융 기관이 고객에게 지급한 예금 이자와 대출처로부터 받아들이는 대출금 이자와의 차이. 금융 기관의 주요 수입원임.

예:대-율【預貸率】명 은행의 예금 잔액(預金殘額)으로 대출 잔액(貸出殘額)을 나눈 비율. 은행 경영상(經營上) 또는 국민 경제상 이것이 적정한 선을 유지함이 필요함.

예:덕[1]【睿德】명 왕세자(王世子)의 덕망.

예:덕[2]【穢德】명 임금의 불미(不美)한 행동.

예덕-나무 명〖식〗[*Mallotus japonicus*] 대극과에 속하는 낙엽 활엽의 작은 교목. 잎은 달걀꼴 또는 능형(菱形)에 톱니가 없거나 혹은 2-3 갈래로 얕게 째지며, 잎 뒤에 선체(腺體)가 흩어져 있음. 6월에 녹황색의 꽃이 자웅 이가(雌雄異家)로 된 원추(圓錐) 화서로 피고, 삭과(蒴果)는 가시가 있으며, 10월에 익고, 3개의 자흑색 씨가 있음. 산록 및 골짜기에 나는데, 전남북·경남·충남 및 일본·대만·중국에 분포

〈예덕나무〉

함. 상자재(箱子材)·신탄재·기구재, 정원수로 쓰임.

예:덕선생-전【穢德先生傳】명〖문〗조선 시대 때 박지원(朴趾源)이 지은, 한문 단편 소설. 무위 도식(無爲徒食)하면서도 허욕에 차 있는 양반과 고관들의 위선적인 생활을 풍자 비판한 것임.

예:도[1]【銳刀】명 ①〖군〗군도(軍刀)의 한 가지. 환도(環刀)와 같으나 끝이 뾰족함. 날의 길이 석 자 세 치, 자루 길이 한 자. 코등이가 있으며, 무게가 모두 한 근 여덟 냥임. ②〖역〗십팔기(十八技) 또는 이십사반 무예의 한 가지. 보졸(步卒)이 환도를 가지고 하는 검술.

〈예도[1]❶〉

예:도[2]【禮度】명 예의와 법도(法度). 예절(禮節).

예:도[3]【藝道】명 기예(技藝)의 길. 연예(演藝)의 길.

예:도-옛날 명부 아주 옛날.

예:둔【銳鈍】명 ①날카로움과 둔함. ②민첩함과 우둔함.

예따 감 ☞옜다.

예:라 감 ①아이들에게 비키라는 뜻으로 하는 소리. ②아이들에게 그리 말라는 뜻으로 하는 소리. ③무슨 일을 해 보겠다거나 또는 그만 두겠다고 작정한 때 내는 소리. ¶～ 집어 치워라/～ 모르겠다. *에라.

예라-께라 감〖역〗[‘예라 예라’의 뜻] 벽제(辟除) 소리의 하나.

예라-끼놈 감〖역〗[‘예라 이 놈’의 뜻] 벽제(辟除) 소리의 하나. ¶～ 게 비켜라.

예:락【醴酪】명 단술과 우유.

예:람[1]【睿覽】명 왕세자가 열람함. ——-하다 타여불

예:람[2]【叡覽】명 임금이 열람함. 상람(上覽). 어람(御覽). ——-하다 타여불

예:랑【禮郎】명〖역〗조선 시대 예조(禮曹)의 정랑(正郎)과 좌랑(佐郎).

예레미야 [Jeremiah] 명〖성〗유태 왕국(王國) 최후의 예언자. 기원전 626년경의 예언자로 알려졌는데, 여호와에 대한 백성(百姓)의 불신(不信)과 사회의 부정(不正)을 책했으며, 성전과 제사 중심의 의식적(儀式的) 종교를 힐난(詰難)하고, 종교는 사랑과 정신적인 것이라야 한다고 강조했음.

예레미야-서【—書】[Jeremiah] 명〖성〗구약 성서의 제24권으로 3대 예언서의 하나. 예언자 예레미야의 예언을 제자인 바루크(Baruch)가 기록 보완한 것으로 조국 유태가 점령되어 있는 가운데서 신(神)의 사랑과 진실에 의한 구원의 희망을 서술함. 모두 52장(章)임.

예레미야 애가【—哀歌】[Jeremiah] 명〖성〗구약 성서의 제25권. 예언자 예레미야가 바빌론 포수(捕囚) 이후의 예루살렘의 황폐를 애통히 여겨 읊은 노래로서, 긍휼(矜恤)을 간구하고 여호와의 심판에 복종할 것을 권하고 있음. 모두 5장(章)인데, 딴 사람에 의해서 지어진것으로 여겨지고 있음. 애가서(哀歌書). ㊟애가(哀歌).

예레반 [Erevan] 명〖지〗아르메니아 공화국의 수도(首都). 트빌리시(Tbilisi) 남쪽 177 km 지점에 있는 교통의 요지. 기계·화학·야금·직물·타이어 및 식품 등의 공업이 성함. 7세기부터 알려진 고도(古都)이나, 교외에서는 기원전 9-6세기의 우라르투(Urartu) 왕국의 유적이 발견됨. 1826-28년의 러시아와 페르시아 전쟁 후, 러시아령(領)이 됨. [1,168,000 명(1987)]

예:려【叡慮】명 임금의 심려(心慮). 천려(天慮). 성려(聖慮).

예:령【豫令】명 구령(口令)을 내릴 때에, 어느 동작인가를 알려, 그 동작을 하기 위해서 미리 준비할 수 있도록 하는 구령. ‘앞으로 가’·‘뒤로 돌아 가’에서 ‘앞으로’·‘뒤로 돌아’ 따위. ↔동령(動令).

예:론【禮論】명 예절에 관한 이론.

예:료【豫料】명 ①예측(豫測). ②[도 Antizipation]〖철〗선취(先取) 및 예상(豫想)이란 뜻의 칸트 철학 용어. 순수 이성 비판(純粹理性批判)에서 ‘지각(知覺)의 예료’를 순수 오성(純粹悟性)의 원칙의 하나로 하여, 감각(感覺)의 성질은 경험에 의하여 얻어지나, 감각이 어떤 내포량(內包量)을 가지는 일은 선험적(先驗的)으로 예료할 수 있다고 하였음. ——-하다 타여불

예루살렘 [Jerusalem] 명〖지〗이스라엘과 요르단에 걸치는 도시. 신구(新舊) 두 시가로 이루어지며, 1949년 구시가는 요르단이 차지하고 신시가는 이스라엘이 차지하여 그 수도(首都)가 됨. 신시가는 구시가와 대조적인 근대 도시로서 이스라엘의 정치·문화의 중심지가 됨. 역사상(歷史上) 그리스도교와 이슬람교의 성지(聖地)로, 십자군의 탈환 목표(奪還目標)가 되기도 하였음. 1967년 중동 전쟁(中東戰爭)의 결과 이스라엘이 전지역(全地域)을 점령(占領)함. 취음: 야로살령(耶路撒令). [500,000 명(1990 추계)]

예루살렘 성:전【—聖殿】[Jerusalem] 명 예루살렘의 동쪽 모리야 산(山)에 세워진, 여호와에 봉헌(奉獻)된 신전. 최초의 신전은 솔로몬왕(Solomon王) 시대인 기원전 1000년경에 세워졌는데, 파괴와 개축(改築)을 거듭, 지금은 그 자리에 이슬람교의 ‘바위의 모스크(mosque)’가 서 있음.

예루살렘 왕국【—王國】[Jerusalem] 명〖역〗제1차 십자군(十字軍)에 의하여 1099년에 건설되었던 나라. 1291년 터키에 멸망함.

예르네 [Jerne, Niels Kay] 명〖사람〗영국의 면역학자(免疫學者). 런던 태생. 현대 면역학의 가장 탁월한 이론학자로 1950년대에 이미 면역에 관한 자연 선택설을 주장. 1974년 네트워크 이론을 발표하였고 이 공로로 1984년 노벨 생리 의학상을 수상함. [1911-]

예:-릉【睿陵】명〖지〗서삼릉(西三陵)의 하나. 조선 철종과 철종비 철인(哲仁) 왕후의 릉. 경기도 고양시(高陽市) 원당동(元堂洞)에 있는 희릉(禧陵)의 오른쪽 언덕에 있음.

예:리[1]【銳利】명 ①날을 쓰는 연장 등이 날카로워 잘 듦. ¶～한 흉기. ②두뇌(頭腦)나 판단력(判斷力)이 날카롭고 정확(正確)함. ¶～한 판단력. ——-하다 형여불

예:리[2]【禮吏】명〖역〗각 지방 관아의 예방(禮房)의 이서(吏胥).

예리-성【曳履聲】명 신 끄는 소리.

예리커원 [也里可溫] 명 중국 원(元)나라 때의 기독교 선교사의 통칭. 원래는 경교승(景敎僧)이라 했음.

예리코 [Jericho] 명〖성〗요르단의 고도(古都). 사해(死海)의 북방 8 km 지점, 해면(海面)보다 250 m 낮은 데에 있음. 가나안 사람들이 거주하였으며 이스라엘인(人)이 공략하던 성터가 남아 있음. 아리하(Arīhā). 여리고. [6,809 명(1975)]

예리코 유적【—遺跡】[Jericho] 명 예리코의 북서쪽 언덕에 있는 신석기(新石器)로부터 청동기 시대(靑銅器時代)의 원시 농경 문화의 유적. 세계 최고(最古) 즉, 기원전 5,000년 경의 농경민(農耕民)으로서의 주거의 유구(遺構)가 있음. 토기(土器)가 없고 석기(石器)가 보급되어 있어, 돌낫·돌막대 등의 농구(農具)가 발견되고, 또 지모신(地母神) 숭배의 선구라고 생각되는 여성 토우(土偶)와 가축의 이상(泥像)이 출토(出土)됨.

예:림【藝林】명 예원(藝苑).

예:링 [Jhering, Rudolf von] 명〖사람〗19세기 독일의 대표적 법학자. 로마법(Roma法)의 기초(基礎)에 영국의 공리주의(功利主義)를 넣고 목적론적 입장에서 사회학·문화 철학적 법본질관(法本質觀)을 수립하고, 목적 법학(目的法學)을 제창했음. 저서에 ≪로마법의 정신≫·≪법의 목적≫·≪권리를 위한 투쟁≫ 등이 있음. [1818-92]

예:막【瞖膜】명〖의〗붉은 색·흰 색 또는 푸른 색의 막이 눈자위를 가리는 눈병.

예:망[1]【譽望】명 명예와 인망(人望).

예망[2]【曳網】명 ①끌그물. ②그물을 끌어 당김. ——-하다 자여불

예망 어업【曳網漁業】명 얕은 바다에 사는 도미·가오리·상어 등을, 배의 힘으로 그물을 당기면서 잡는 고기잡이.

예:매[1]【豫買】명 ①물건을 받기 전에 미리 값을 쳐서 사는 일. ②정한 시기가 되기 전에 미리 삼. *예매(豫賣). ——-하다 타여불

예:매[2]【豫賣】명 ①물건을 주기 전에 미리 값을 쳐서 팖. ②정한 시기가 되기 전에 미리 팖. 전매(前賣). 선매(先賣). ¶입장권의 ～. *예매(豫買). ——-하다 타여불

예:매-권【豫賣券】[—꿘] 명 정한 시기가 되기 전에 예매하는 차표·입장권 등.

예:매-처【豫賣處】명 예매하는 곳.

예맥[1]【濊貊】명〖역〗①한족(韓族)의 선민(先民)들을 총칭하는 일반적 칭호. ②고구려의 전신(前身)으로 고조선 안에 있었던 한 나라. 동은 압록강과 혼강(渾江)에서, 서는 중국 동북부에까지 걸친 광대한 지역을 지배하여 강성하였으나, 연(燕)나라 진개(秦開)에게 패하여, 동쪽 강원도 지방으로 물러나게 되어, 후한(後漢) 시대에는 동예(東濊)라 일컫게 되었음. 맥(貊). 예(濊).

예:맥[2]【藝脈】명 예술의 줄기. 예술의 계통이나 전통.

예멘 공:화국【—共和國】명 [Republic of Yemen]〖지〗1990년 5월, 북예멘(예멘 아랍 공화국)과 남예멘(예멘 인민 민주 공화국)이 통합하여 세운 나라. 주산물은 옥수수·면화·커피·보리·대추 야자 등인데 특히 모카 커피는 특산물임. 주민의 대부분은 아랍인(Arab人)임. 정치 수도는 북예멘의 수도 사나(Sanaa), 경제 수도는 남예멘의 수도 아덴(Aden)임. [527,968 km²: 11,280,000 명(1990 추계)] *예멘 아랍 공화국·예멘 인민 민주 공화국.

예멘 아랍 공:화국【—共和國】명 [Yemen Arab Republic]〖지〗아라비아 반도의 서남단(西南端), 홍해의 어귀를 차지했던 공화국. 1918년 터키의 철병(撤兵)으로 독립 왕국이 됨. 1962년 공화 정권이 수립되면서 왕정 옹호파와의 사이에 내전(內戰)이 계속되었으나, 1970년 정전에 합의하여 내전이 종식됨. 1990년 5월 남예멘과 통합하여 예멘 공화국이 됨. 수도는 사나(Sanaa). 통칭: 북예멘.

예멘 왕국【—王國】[Yemen] 명〖지〗‘예멘 아랍 공화국’의 전신(前身).

예멘 인민 민주 공:화국【—人民民主共和國】명 [People's Democratic Republic of Yemen]〖지〗아라비아 반도 서남부에 있던 인민 민주 공화국. 1967년 영국의 남(南)아라비아 보호령과 아덴 직할 식민지 등이 모여 예멘 인민 민주 공화국으로 독립. 급진 세력과 보수 세력간에 내분이 계속되다가 1970년 신헌법이 발포되면서 현재의 국명으로 개칭되었다가 1990년 5월 북예멘과 통합하여 예멘 공화국이 됨. 수도는 아덴(Aden). 통칭: 남예멘.

예:명[1]【叡明】명 예민(叡敏). ——-하다 형여불

예:명[2]【藝名】명 연예인(演藝人)이 본명 이외에 예도상(藝道上) 따로 지어 부르는 이름.

예:모[1]【豫謀】명 무슨 일을 하기 전에 미리 모계(謀計)함. ——-하다 타여불

예:모[2]【禮帽】명 예복을 입을 때에 쓰는 모자.

예:모[3]【禮貌】명 예절에 맞는 모양. ¶～를 갖추다.

예:모-관【禮貌官】명〖역〗예식 절차(禮式節次)를 맡은 임시 벼슬.

예:모-답다【禮貌—】형(ㅂ불) 태도가 예절에 맞다.

예:문[1]【例文】명 예(例)로서 드는 문장. *문례(文例).

예:문[2]【例問】명 ①〖역〗각 지방 방백(方伯)들이 정례에 따라 그 지방의 특산물을 서울의 대관에게 선사하던 일. *예봉(例封). ②예(例)로서 드는 문제. ¶～ 1을 풀어라. ——-하다 자여불

예:문[3]【叡問】명 임금의 물음. ——-하다 타여불

예:문[4]【禮文】명 ①예법의 명문(明文). 예법(禮法). ②〖불교〗예불(禮佛)하는 의식. ③예법과 문물.

예:문[5]【藝文】명 ①학예와 문학. ②기예(技藝)와 문필(文筆).

예:문[6]【譽聞】명 명예. 명성.

예:문-가【禮文家】명 예법(禮法)에 정통하고, 그를 지키는 사람. 또, 그러한 집안. ㊌예가(禮家).

예:문-관【藝文館】명〖역〗①고려 때, 사명(辭命)을 짓는 일을 맡은 관아. 충렬왕(忠烈王) 34년(1308)에 한림원(翰林院)과 사관(史館)을 합하여 예문 춘추관(藝文春秋館)으로 한 것을, 충숙왕(忠肅王) 12년(1325)에 예문·춘추의 이관(二館)으로 나누고, 공민왕(恭愍王) 5년(1356)에 다시 한림원으로, 동 11년에 본 이름으로, 공양왕(恭讓王) 원년(1389)에 또 춘추관을 합하여 예문 춘추관으로 하였음. *한림원(翰林院). ②조선 시대 때, 사명을 짓는 일을 맡은 관아. 태조(太祖) 원년(1392)에 고려의 제도를 본받아 예문 춘추관을 두었다가, 태종(太宗) 원년(1401)에 예문·춘추로 나누고, 고종(高宗) 31년(1894)에 경연청(經筵廳)에 합하였음. 문원(文垣). 한원(翰苑).

예:문관 검:열【藝文館檢閱】[—/—널] 명〖역〗고려·조선 시대의 정구품 벼슬. 고려 충렬왕 34년(1308)에 예문 춘추관(春秋館)에 처음으로 두었고, 예문관과 춘추관으로 분리되면서 예문관에 속하게 되었음. 사초(史草)를 기록하여 사관(史官)·사신(史臣)이라 불렸으며, 조선 시대에는 정구품으로 품계가 낮으면서도 중히 여겼음.

예:문관 대:제학【藝文館大提學】명〖역〗조선 시대 예문관(藝文館)의 정이품 벼슬인 대제학. 의정(議政)의 겸직(兼職)으로 영예문관사(領藝文館事) 밑에서 실무를 맡아 보던 으뜸 벼슬임.

예:문 유:취【藝文類聚】명〖책〗중국 당(唐)나라의 구양순(歐陽詢)이 625년에 고조(高祖)의 명을 받아 편찬한 유서(類書). 모두 100권으로 되어 있으며, 체재(體裁)는 천(天)·세시(歲時)·지(地)·주(州)·군(郡)·산(山)·천(川) 등 마흔 여섯 가지로 유별하여 설명·고증하고, 권말(卷末)에는 이에 관계되는 시문(詩文)이 실려 있음.

예:문-지【藝文志】명〖책〗정사(正史) 기록 가운데, 당시 존재하던 전적(典籍)의 목록을 수록한 책. 중국 한(漢)나라의 반고(班固)가 유흠(劉歆)의 ≪칠략(七略)≫에 근거(根據)하여 지은 ≪한서 예문지(漢書藝文志)≫가 맨 처음임.

예:문 춘추관【藝文春秋館】명〖역〗①고려 충렬왕(忠烈王) 34년(1308)에 한림원(翰林院)의 후신인 문한서(文翰書)와 사관(史館)을 합한 관아. 충숙왕(忠肅王) 12년(1325)에 예문관·춘추의 둘로 나누었다가, 공양왕(恭讓王) 원년(1389)에 다시 합하여 본 이름으로 함. *한림원(翰林院). ②조선시대 초에 교명(敎命)의 찬제(撰制), 국사의 편찬 등을 맡아 보던 관아. 태조 원년(1392)에 고려의 제도를 본떠서 두었다가, 태종 원년(1401)에 다시 예문·춘추의 이관(二館)으로 나눔.

예:물[1]【禮物】명 ①사례의 뜻을 표하거나 예의를 나타내기 위하여 보내는 금전이나 물품. 사물(謝物). ¶새 며느리의 ~. ②신부(新婦)로부터 첫 인사를 받은 시부모가 답례로 주는 물품. ③결혼식에서 신랑 신부가 주고받는 기념품. ¶~ 교환. ④제례(祭禮)에 쓰는 물품. ⑤전례(典禮)와 문물(文物).

예:물[2]【穢物】명 더러운 물건.

예:민[1]【銳敏】명 재지(才智)나 감각·행동 등이 날카롭고 민첩함. 민예(敏銳). ——-하다 형여불. ——-히 부

예:민[2]【叡敏】명 임금의 천성이 영명(英明)함. 예명(叡明). ——-하다 형여불

예:민-색【銳敏色】명〖물〗[sensitive color] 결정판(結晶板)에 의한 간섭(干涉)으로 생기는 색(色) 가운데, 근소(僅少)한 광로차(光路差)에 의해서 색상(色相)이 민감하게 변하며, 그 검출(檢出)에 이용되는 것의 일컬음. 광원(光源)이 달라지면 다른 예민색이 얻어짐.

예:-바르다【禮—】형르불 예절이 있다.

예-반[1]【—盤】명 [←왜반(倭盤)] 나무나 쇠붙이 등으로 둥글고 납작하게 만들어 칠을 한 그릇. 쟁반(錚盤).

예:반[2]【禮盤】명〖불교〗본존(本尊)의 앞에 베푼 높은 단. 주승(主僧)이 올라 예불하는 곳으로, 앞에는 경상(經床)이 있고, 오른쪽에 경(磬)과 왼쪽에 병향로대(柄香爐臺)가 있음.

예:방[1]【豫防】명 ①무슨 일이나 탈이 있기 전에 미리 막음. 방예(防豫). ¶화재 ~. ②〖민〗→이방. ——-하다 타여불

예:방[2]【禮防】명 중정(中正)을 잃지 아니하도록 예법으로써 막음.

예:방[3]【禮房】명〖역〗①조선 시대에, 승정원(承政院)에 딸린 육방(六房)의 하나. 상사의 명령을 받아 예악(禮樂)·제사(祭祀)·연향(宴享)·학교 등에 관한 사무를 맡아 봄. ②조선 시대에, 각 지방 관아에 딸린 육방의 하나. 상사의 명령으로 예악(禮樂)·제사(祭祀)·연향(宴享)·학교 등의 사무를 맡아 봄.

예:방[4]【禮訪】명 인사차 방문함. ——-하다 타여불

예:방 경:찰【豫防警察】명 공공(公共)의 안녕 질서(安寧秩序)에 대한 장애가 발생하기 전에, 그 위험을 제거하기 위한 경찰. ↔진압 경찰(鎭壓警察).

예:방 공사【豫防工事】명〖법〗손해 발생의 우려가 있을 때 그 발생을 미연에 방비(防備)하기 위한 공사.

예:방 구금【豫防拘禁】명 상습범(常習犯)을 형기(刑期)가 만료된 후에도 일정 기간(一定期間) 구금한 처분. 1908년 영국의 범죄 방지법(犯罪防止法)에서 처음 창설(創設)된 제도로, 우리 나라에서는 구국가 보안법(舊國家保安法)의 보도 구금(保導拘禁)이 이에 비슷한 것이었는데, 지금은 폐지되었음. 예방 처분(豫防處分).

예:방-법【豫防法】[—뻡] 명 질병이나 어떠한 사건의 발생 등을 미리 막는 방법.

예:방-선【豫防線】명 ①적의 공격이나 침입을 막기 위하여 또는 경계(警戒)나 감시를 위해, 미리 수배(手配)해 두는 구역. ②실수나 비난(非難) 따위에 대비(對備)하여 미리 써 두는 수단(手段)·방책(方策). ¶~을 치다.

예:방-액【豫防液】명〖약〗혈청(血淸) 속에 면역 물질(免疫物質)을 형성함으로써, 전염병을 예방하는 주사액. 세균의 배양액(培養液)인 독소액(毒素液)으로 만든 것, 세균 또는 독소들로 면역시킨 말의 혈청을 사용하는 것, 세균의 병원성(病原性)을 약화시키거나 살균하여 쓰는 백신 등이 있음. 「방제(豫防劑).

예:방-약【豫防藥】[—냑] 명〖약〗질병이나 부패 등을 예방하는 약. 예

예:방 의학【豫防醫學】명〖의〗병의 예방을 중심으로 건강의 증진과 생활 환경의 개선 따위를 목적으로 하는 의학. 예방 접종 등에 의한 특이(特異) 저항력의 부여, 상병(傷病)의 조기 진단(早期診斷)과 신속 정확한 치료, 합병증과 후유증의 예방 등 여러 단계를 포함함. 치료 의학(治療醫學)에 상대하여 쓰이는 말임.

예:방 전:쟁【豫防戰爭】명〖군〗군사력 충돌이 긴박하지는 않으나 궁극적으로 불가피하며, 또한 지연시킨다면 더욱 큰 위험이 예상될 때, 이를 방지하기 위해 선제(先制)하는 전쟁.

예:방 접종【豫防接種】명〖의〗전염병 등에 대한 면역성을 부여하기 위하여 인체에 예방액을 접종하는 일. 체내에 면역 물질(免疫物質)을 형성시키고, 전염병을 예방하는 것으로, 종두(種痘) 및 디프테리아·장티푸스·파라티푸스·백일해 예방 주사 등이 대표적인 예임.

예:방 조:사【豫防照射】명〖의〗재발을 예방하기 위하여, 악성 종양(腫瘍)을 적출(摘出)한 뒤에 국소(局所)에 행하여지는 방사선 조사.

예:방 주:사【豫防注射】명〖의〗주사기로 예방액을 체내에 주사하는 예방 접종.

예:방-주의【豫防主義】[—/—이] 명〖법〗형벌의 목적은 범죄인에게 이것을 과하는 것에 의하여 장래의 범죄를 예방하는 데 있다는 주장.

예:방-책【豫防策】명 예방하기 위한 방책(方策).

예:방 처:분【豫防處分】명〖법〗예방 구금(拘禁).

예:배【禮拜】명 ①경의(敬意)를 나타내어 절함. ②〖종〗신(神)이나 부처 앞에 경배(敬拜)하는 의식. *첨례(瞻禮). ——-하다 자여불
예:배(를) 보다 구 신자들이 예배당에 가서 의식에 참례하다.

예:배-당【禮拜堂】명〖기독교〗신자들이 모이어 예배를 보는 회당(會堂). 성전(聖殿). 교회당. 교회. 회당. *성당(聖堂).

예:배-소【禮拜所】명 신자들이 모여서 예배를 보는 곳.

예:배 음악【禮拜音樂】명〖악〗종교의 여러 종파가 각기 전통적 형식에 의한 예배를 할 때에 예배식문·전례문(典禮文)을 가창(歌唱)하기 위한 음악 형태 및 악곡. 천주교의 그레고리오 성가 따위. 전례(典禮) 음악. *종교 음악.

예:배-일【禮拜日】명 예배를 보는 날. *주일(主日).

예:배-학【禮拜學】명〖기독교〗전례학(典禮學).

예백【曳白】명〖역〗옛날 과장(科場)에서 글을 짓지 못하고 흰 종이대로 가지고 나오는 일. 타백(拖白).

예:번[1]【例燔】명 일상 생활에 쓰는 여러 가지 기명(器皿).

예:번[2]【禮煩】명 예의가 번폐(煩弊)스러움. ——-하다 형여불

예:번-즉난【禮煩則亂】명 예의가 너무 까다로우면 오히려 혼란(混亂)하게 됨.

예:법【禮法】명 ①예의의 법칙. 예문(禮文) 법례(法例). ¶까다로운 ~. ㊌예(禮). ②예절(禮節). ¶~에 어긋나는 짓.

예:벽【禮辟】명 예로써 청함. ——-하다 타여불

예:병【銳兵】명 ①정예(精銳)❷. ②날카로운 무기.

예:보【豫報】명 ①앞일을 미리 알림. ②[forecast]〖기상〗관측된 기상 등의 결과를 기초로 예상을 발표하는 일. 흔히, 일기 예보와 같은 뜻으로 쓰이며, 단기·중기·장기 예보 등이 있음. ¶~에 따르면 오늘은 흐릴 것이다. ——-하다 타여불

예:복[1]【隷僕】명〖역〗종[3]❶.

예:복[2]【禮服】명 의식 때에 입는 옷. 예절을 특별히 차릴 때에 입는 옷.

예:복-짜리【禮服—】명 예복 입은 사람을 낮추어 일컫는 말.

예:봉[1]【例封】명〖역〗예문(例問). ——-하다 자여불

예:봉[2]【銳鋒】명 ①날카로운 창 끝 또는 칼 끝. 기봉(機鋒). ¶~을 피하다. ②날카로운 논봉(論鋒), 필봉(筆鋒) 또는 기세(氣勢). ③정예한 선봉(先鋒).

예:부[1]【豫附】명 기뻐하여 붙좇음.

예:부[2]【禮部】명〖역〗①신라 때 의례(儀禮)를 맡아 보던 관아. 상서 예부(尙書禮部). ②고려 때 육부(六部)의 하나. 의례·제향(祭享)·조회(朝會)·교빙(交聘)·학교·과거의 정사를 맡아 봄. 성종(成宗) 14년(995)에 이 이름으로 고치고, 충렬왕(忠烈王) 원년(1275)에 이부(吏部)를 합하여 전리사(典理司)로 되고, 동 24년 정월에 충선(忠宣)이 즉위하여 의조(儀曹)로 독립하였다가, 동년 팔월에 충렬이 복위(復位)하여 도로 전리사가 되고, 동 34년에 이부·병부(兵部)를 합하여 선부(選部)로, 충숙왕(忠肅王) 때 전리사로, 공민왕(恭愍王) 5년(1356)에 다시 독립하여 본 이름으로, 동 11년에 예의사(禮儀司)로, 동 18년에 또 본 이름으로, 동 21년에 또 예의사로, 공양왕(恭讓王) 원년(1389)에 예조(禮曹)로 개변(改變)을 되풀이하였음.

예:부-시【禮部試】명〖역〗고려 시대 과거(科擧)의 최종 시험. 예부(禮部)에서 주관했었음.

예:부 운:략【禮部韻略】[—울—] 명〖책〗중국 송(宋)나라 정도(丁度)가 지은 운서(韻書). 배자 예부 운략(排字禮部韻略).

예:분[1]【禮分】명 예식과 분한(分限).

예:분[2]【蘂粉】명〖식〗꽃가루. 화분(花粉).

예:불【禮佛】명〖불교〗부처님에 경배(敬拜)함. ——-하다 자여불

예:불-상【禮佛床】명 예불할 때에 올리는 상.

예브게니 오네:긴 [러 Evgenii Onegin] 명 ①〖책〗푸슈킨이 지은 소설. 1823-30년 발표함. 러시아의 리얼리즘 문학의 고전(古典)으로서, 화려한 사교계의 부박(浮薄)한 청년 귀족 오네긴의 생활을 운문(韻文)으로

그렸음. 작자의 대표작으로 침. ②〖악〗 위 소설을 바탕으로 차이코프스키가 작곡한 가극. 3막. 1879년 초연(初演)함.

예블레 〔Gävle〕 [명] 〖지〗 스웨덴 동부, 보트니아 만(Bothnia 灣) 남서안(南西岸)의 항구 도시. 항구는 겨울 3개월 동안 동결(凍結)함. 어업의 중심지로, 조선·화학 등의 공업이 행하여짐. 〔88,000명(1982)〕

예:비[1] 【例批】 [명] 전례(前例)에 의한 임금의 비답(批答).

예:비[2] 【豫備】 [명] ①미리 준비함. ②〖법〗 범죄 실행의 착수 직전에 있어서의 일체의 준비 행위. ——-하다 [타][여불]

예:비-건 【豫備件】 〔—껀〕 [명] 본건(本件) 이외의 예비적으로 준비한 안건(案件).

예:비 고사 【豫備考査】 [명] 대학 입학 예비 고사. *예비 시험.

예:비 관제 【豫備管制】 [명] 방공(防空) 연습에 있어서, 본격적으로 등화 관제를 하기 전에 예비적으로 하는 관제.

예:비 교섭 【豫備交涉】 [명] 〔preparatory negotiation〕 〖정〗 전권단(全權團)의 본격적인 외교 교섭이 있기에 앞서 정식 교섭의 세목(細目), 기술적인 문제 따위에 관해 행해지는 예비적인 외교 교섭.

예:비 교:육 【豫備敎育】 [명] 〖교〗 어떠한 일을 하기 전에 또는 학과를 정식으로 가르치기 전에, 예비적으로 실시하는 교육. 준비 교육.

예:비-군 【豫備軍】 [명] 〖군〗 ①예비병으로 편성된 군대. ②예비대(豫備隊). 부군(副軍). ③↗향토 예비군.

예:비군 포장 【豫備軍褒章】 [명] 〖법〗 예비군의 육성 발전에 공적이 뚜렷한 사람과, 예비군으로서 직무에 정려(精勵)한 사람에게 수여하는 포장. 수(綬)는 소수(小綬)이며, 자색(紫色) 바탕 중앙에 백색 줄이 한 줄 있음.

〈예비군 포장〉

예:비-금 【豫備金】 [명] ①필요할 때 쓰기 위하여 미리 준비하여 둔 돈. ②예비비(豫備費).

예:비-기 【豫備機】 [명] ↗예비 항공기.

예:비 기지 【豫備基地】 [명] 〖군〗 작전 임무를 수행하는 데 필요한 전진(前進)·귀환(歸還)의 근거지.

예비다 [형] 〈방〉 여위다(경상·함남·강원).

예:비-대 【豫備隊】 [명] 〖군〗 부대의 일부로서 교전 초(交戰初)에 후방에 두거나 또는 교전에서 격리시켜 두었다가 결정적인 시기에 사용하기 위한 부대의 일부분. 예비군(豫備軍).

예:비 등기 【豫備登記】 [명] 〖법〗 종국(終局) 등기를 할 수 있는 요건을 갖추지 못한 경우에, 앞으로 행하여질 종국 등기의 준비를 위하여 하는 등기. 이에는 가등기(假登記)와 예고(豫告) 등기의 둘이 있음.

예:비-력 【豫備力】 [명] ①가외의 힘. ②무슨 일을 위하여 예비하여 둔 역량(力量).

예:비 미사 【豫備—】 〔라 Missa〕 [명] 〖천주교〗 '말씀의 전례'의 구용어. 미사의 예비적 부분이며, 또 예전에는 예비 신자만 참례하였으므로, 이렇게 불렀음. ↔본미사(本彌撒)·신자(信者) 미사.

예:비-범 【豫備犯】 [명] 〖법〗 어떠한 범죄의 예비 행위가 죄로 될 경우의 범인.

예:비-병 【豫備兵】 [명] 〖군〗 ①예비역에 복무하는 병사(兵士). ②직접 전투병에 대하여 지원 교체할 수 있는 예비의 병사.

예:비 병역 【豫備兵役】 [명] 〖군〗 예비역(豫備役)의 구병역법상의 말.

예:비 부력 【豫備浮力】 [명] 〔reserve buoyancy〕 〖해〗 선체(船體)가 침하(沈下)했을 때, 부력을 증가시킬 수 있도록 된 수선면상(水線面上) 수밀 부분(水密部分)의 용적.

예:비-비 【豫備費】 [명] 〖경〗 예산 편성상 필요한 예산의 부족을 보충하기 위하여 또는 예산 외에 발생할 필요한 비용에 충당하기 위하여 예산 속에 마련한 비목(費目). 예비금(豫備金).

예:비 비행장 【豫備飛行場】 [명] 항공기가 목적지까지 가서 착륙할 수 없을 때에 비행 계획상에 명시된 착륙 가능한 비행장.

예:비 사단 【豫備師團】 [명] 〖군〗 ①예비병(豫備兵)으로 편성된 사단. ②군단급(軍團級) 이상의 작전에서, 예비 부대로서 후방에 집결 또는 배치된 사단.

예:비 선:거 【豫備選擧】 [명] 〔primary election〕 〖정〗 미국의 대통령 선거 때에 각 정당에서 행하는 선거. 대통령 후보 예선 대회에 파견할 대의원(代議員)을 선출함. 4년마다 한 번씩 있음.

예:비 성형 【豫備成形】 [명] 〔preforming〕 〖야금〗 ①분말(粉末) 야금 때, 성형체(成形體)를 만들기 위하여, 금속 분말을 최초로 프레스(press)하는 일. ②예비 소결(燒結)한 후, 금속 콤팩트(compact)를 미리 성형하는 일.

예:비 세:포 【豫備細胞】 [명] 〖생〗 기관지 내표면(氣管支內表面)을 덮는 중층 원주 상피(重層圓柱上皮)의 기저(基底)에 있는 작은 미분화(未分化) 상피 세포.

예:비 소결 【豫備燒結】 [명] 〔presintering〕 〖야금〗 분말 야금(粉末冶金) 때, 성형물(成形物)을 소결 온도보다도 낮은 온도로 가열(加熱)하는 일. 성형물의 취급법을 개선하고, 결합제(結合劑)나 윤활제(潤滑劑)를 제거하기 위하여 행함.

예:비 시험 【豫備試驗】 [명] 본시험을 치르기 전에 예비적으로 치르는 시험. [준]예시(豫試).

예:비 신:자 【豫備信者】 [명] 〖천주교〗 천주교에 입교(入敎)할 뜻을 가지고 교리(敎理)를 배우며 신앙 생활을 실천하는 사람.

예:비 심:문 【豫備審問】 [명] 〖법〗 영미 형사 절차(英美刑事節次)에 있어서 공소 제기(公訴提起)에 앞서 피의자를 범인이라고 믿을 만한 상당한 이유가 있느냐 없느냐를 심사하는 절차.

예:비-역 【豫備役】 [명] 병역(兵役)의 한 가지. 현역을 마친 군인이 일정 기간 복역하는 병역. 보통 때는 시민 생활을 하다가 비상시 또는 연습 때에 소집되어 군무(軍務)에 복무함. ↔현역.

예:비 연소실 【豫備燃燒室】 [명] 예연소실.

예:비-자 【豫備者】 [명] 〖천주교〗 성세 성사(聖洗聖事)를 받기 위해 준비하고 있는 사람.

예:비-적 【豫備的】 [명][관] 미리 마련하는 것. 미리 갖추어져 있는 모양.

예:비 전:지 【豫備電池】 [명] 〔standby battery〕 〖전〗 방송국 등에서 정규의 전력 설비가 고장났을 때 비상 전력원(電力源)으로서, 예비적으로 갖추어 두는 축전지.

예:비 정:리 【豫備定理】 〔—니〕 [명] 〖수·물〗 보조(補助) 정리.

예:비 조사 【豫備調査】 [명] 어느 일을 효과적으로 수행하기 위한 준비적인 조사.

예:비 주권 【豫備株券】 〔—꿘〕 [명] 회사가 주주의 신청에 대비해서 주식 사무 상 준비하고 있는 주권.

예:비 증권 【豫備證券】 〔—꿘〕 [명] 상장 법인(上場法人)이 유가 증권을 발행(發行)하기 위하여 예비로 보관하고 있는 유가 증권 용지(有價證券用紙).

예:비-지[1] 【豫備枝】 [명] 〖농〗 노쇠지(老衰枝)를 바꾸기 위하여 예비로 남겨 두는 가지. 보통, 신생지(新生枝) 두서너 개를 남겨 두었다가, 다음해에 노쇠지와 바꿈.

예:비-지[2] 【豫備紙】 [명] 가장(加張).

예:비 지급인 【豫備支給人】 [명] 〖법〗 참가 인수(參加引受) 또는 참가 지급(支給)을 할 사람으로서, 소구(遡求)의무자, 곧 발행인(發行人)·배서인(背書人) 또는 그 보증인에 의하여 어음 면(面)에 미리 지정되어 있는 사람.

예:비 지식 【豫備知識】 [명] 어떠한 사물을 연구 또는 대처하는 데 미리 알아 두는 준비적인 지식.

예:비 진지 【豫備陣地】 [명] 〖군〗 방어가 불가능하거나 부여된 임무를 수행하기에 적합(適合)하지 않을 때 계속 임무 수행을 위해 예비로 마련한 진지.

예:비 판사 【豫備判事】 [명] 판사로 신규 임용하기 위하여 2년간 근무를 하게 한 후 그 성적을 참작하여 임용하는 판사 대상자.

예:비-품 【豫備品】 [명] ①필요할 때에 쓰기 위해 미리 준비해 둔 물품. ②〔spare part〕 〖공〗 설비의 주요 부분의 보전 및 수리를 위해서 준비해 두는 공급용(供給用)의 부품(部品)·완성 부품 또는 보조 조립 부품(補助組立部品).

예:비-함 【豫備艦】 [명] 〖군〗 재적 군항(在籍軍港)에 있어, 함대에 편입되지 않고 또는 경비·연습·측량 기타 특별 업무에 종사하지 않는 함정(艦艇). 비역함(非役艦).

예:비 항:공기 【豫備航空機】 [명] 〔reserve aircraft〕 〖항공〗 긴급시의 필요성 및 장래의 필요에 대비해서 여분으로 확보해 둔 항공기. [준]예비기.

예:비 행위 【豫備行爲】 [명] 〖법〗 범죄를 실행하기 전에 준비적으로 하는 행위.

예:비 회:담 【豫備會談】 [명] 본회담에 앞서 본회담에 필요한 여러 가지 부수적인 사항을, 사전에 협의하기 위한 준비적인 회담.

예:빈-성 【禮賓省】 [명] 〖역〗 고려 때 빈객(賓客)의 연향(宴享)을 맡아 보던 관아. 태조(太祖) 4년(921)에 처음으로 두고 성종(成宗) 14년(995)에 객성(客省)으로 고쳤다가 뒤에 다시 본이름으로 함. 충렬왕(忠烈王) 24년(1298)에 전객시(典客寺)로 고쳤다가, 곧 본이름으로, 동 34년에 또 전객시로, 공민왕(恭愍王) 5년(1356)에 다시 본이름으로, 동 11년에 또 전객시로, 동 18년에 다시 본이름으로, 동 21년에 또 전객시로, 공양왕(恭讓王) 2년(1390)에 예빈시(禮賓寺)로 개변(改變)을 되풀이함.

예:빈-시 【禮賓寺】 [명] 〖역〗 ①고려 공양왕(恭讓王) 2년(1390)에 예빈성(禮賓省)의 후신(後身)인 전객시(典客寺)를 고친 이름. 빈객(賓客)의 연향(宴享)을 맡아 봄. 별칭은 사빈(司賓). ②조선 시대 때 빈객의 연향과 종재(宗宰)의 공궤(供饋)를 맡아 보던 관아. 태조(太祖) 원년(1392)에 고려의 제도를 따라서 두었다가 고종(高宗) 31년(1894)에 폐하였음. 별칭은 사빈(司賓).

예:빙 【禮聘】 [명] 예를 갖추어서 초빙(招聘)함. ——-하다 [타][여불]

예:쁘다 [형] 생긴 모양이나 하는 짓이 아름다워서 보기에 귀엽다.

예:쁘디-예쁘다 [형] 아주 예쁘다.

예:쁘장-스럽다 [형][ㅂ불] 예쁘장한 데가 있다. 예:쁘장-스레 [부]

예:쁘장-하다 [형][여불] 좀 예쁘다.

예:쁜-두드럭조개 [명] 〖조개〗 〔*Schistodesmus lampreyanus*〕 석패과(石貝科)에 속하는 조개. 패각(貝殼)의 길이 50mm, 높이 41mm, 폭 22mm가량 됨. 껍데기가 두툼하고 단단하며 대합조개와 비슷한 담수산 조개임. 표면은 황갈색에 흑갈색의 방사상 색대(放射狀色帶)가 있고, 내면에는 회백색의 약한 광택이 있음. 대동강·양쯔강 하류 및 북부 중국에 분포함.

예:쁜이 수술 【—手術】 [명] 〈속〉 출산(出産) 따위로 인해서 확장된 질구(膣口)를 작게 하기 위하여 하는 질봉합 수술(膣縫合手術).

예:사[1] 【例事】 [명] ↗예상사(例常事).

예:사[2] 【銳師】 [명] 날랜 군대.

예:사[3] 【禮斜】 [명] 〖역〗 예조(禮曹)에서 양자(養子)의 청원(請願)을 허가해 주는 글.

예:사[4] 【禮賜】 [명] 예로써 대접하여 물건을 내려 줌. ——-하다 [자][타][여불]

예:사[5] 【禮謝】 [명] 감사한 뜻으로 사례함. ——-하다 [자][여불]

예:사 낮춤 【例事—】 [명] 〖언〗 보통 비칭(普通卑稱).

예:사-내기 【例事—】 [명] 보통내기.

예:사 높임 【例事—】 [명] 〖언〗 보통 존칭(普通尊稱).

예:사-로 【例事—】 [부] 보통 일처럼 아무렇지도 않게. ¶그는 사람이 죽어도 ~ 생각한다/~ 거짓말을 한다.

예:사-롭다 【例事—】 [형][ㅂ불] 예사로 있을 만하다. 흔한 일이다. ¶예사로운 일이 아니다. 예:사-로이 【例事—】 [부]

예:사-말【例事—】명 ①보통으로 예사롭게 하는 말. ¶~로 했는데, 화내지 마. ②겸사나 공대의 뜻이 없는 보통의 말. ↔겸사말·공대말.
예:사-소리【例事—】명〖언〗ㄱ·ㄷ·ㅂ·ㅅ·ㅈ 등과 같은 보통의 소리. 평음(平音). *된소리.
예:사-스럽다【例事—】형ㅂ불 예사로워 보이다. 보통일 정도이다. ¶남의 파산쯤 예사스럽게 여기다.
예:사-일【例事—】명 ☞예삿일.
예삭【曳索】명 끌줄.
예:산¹【叡算】명 임금의 연령.
예:산²【豫算】명 ①미리 비용을 계산함. 또, 그 금액. ②〖경〗국가 또는 지방 자치 단체가 다음 회계 연도의 세입 세출을 미리 계산하는 일. 또, 그 계산된 액수(額數). 국회 또는 의회의 의결을 얻어 성립함. 국가의 예산은 일반 회계 예산·특별 회계 예산·본예산·추가 경정 예산 등으로 구분됨. ¶추가 경정(更正) ~/~ 편성에 계상(計上)하다. ③진작부터의 작정. 예정. ——하다 타여불
예:산³【禮山】명〖지〗충청남도 예산군의 군청 소재지로 읍(邑). 군의 중앙부로부터 약간 동쪽에 위치하고, 장항선(長項線)에 연하며, 예로부터 담배·고추·쌀·보리·콩 등의 집산지이고 사과의 산출이 많음. 방적(紡績)·제사(製絲) 등의 공업이 행하여짐. 명소(名所)로는 1,400년 전에 창건한 향천사(香泉寺)가 있음. [39,573명(1996)]
예:산 결산 특별 위원회【豫算決算特別委員會】[—결싼—] 명 예산안과 결산을 심사하기 위하여 국회에 둔 특별 위원회. 이 위원회는 심사한 안건이 본회의에서 의결될 때까지 존속함.
예:산 과목【豫算科目】명〖경〗예산의 부(部)·항(項)·목(目) 등으로 구분된 것의 명칭.
예:산 관:리【豫算管理】[—괄—] 명 [budgetary control]〖경〗예산 제도를 통하여 기업의 경영 활동을 관리하려는 방법. 차기(次期) 기업 활동 계획의 계수적(計數的) 구체화로서의 예산을 편성, 실적을 파악하여 예산·실적의 비교 및 차이(差異) 분석을 행하고, 적절한 정정(訂正) 활동과 경영 관리 기능인 계획 및 통제를 효과적으로 하며, 기업 활동의 조정도 행함.
예:산 교:서【豫算敎書】명 연차 교서의 하나. 매년도의 예산안을 의회에 제출할 때에 함께 보내는 교서. *연차(年次) 교서.
예:산-군【禮山郡】명〖지〗충청남도의 한 군. 관내 2읍 10면. 북은 당진군(唐津郡)과 아산시(牙山市), 동은 아산시와 공주시(公州市), 남은 청양군(靑陽郡)과 홍성군(洪城郡), 서는 서산시(瑞山市)와 홍성군에 인접함. 주요 산물은 곡물 외에 사과·채소·누에고치 등의 농산과 축산·공산 등이 있음. 명승 고적으로는 충의사·수덕사(修德寺)·보덕사(報德寺)·대련사(大蓮寺)·임존성(任存城)·남연군묘(南延君墓)·덕산 온천(德山溫泉)·추사 고택(秋史古宅)·예당(禮唐) 저수지 등이 있음. 군청 소재지는 예산읍. [543.47 km² : 109,945명(1996)]
예:산-금【豫算金】명 예산에 계정(計定)된 돈.
예:산 단가【豫算單價】[—까] 명〖경〗예산 작성시에 그 계상(計上)의 기초로서 표준적인 인건비(人件費)나 물건비(物件費)에 대하여 정하는 단가(單價).
예:산 담당관【豫算擔當官】명〖법〗총무처 기획 관리실장의 보좌 기관의 하나. 정책 계획의 수립과 조정, 예산의 편성·집행에 관하여 실장을 보좌함. 서기관으로 보(補)함.
예:산 발안권【豫算發案權】[—꿘] 명〖법〗예산을 편성하여 국회에 제출하는 권한. 한국에서는 행정부가 가짐.
예:산 사정【豫算査定】명 국무 회의에서 결정한 예산 편성 방침에 의거하여, 각 부처로부터 제출된 세입·세출·국고 채무 부담 행위(國庫債務負擔行爲) 등의 견적서(見積書)를 경제 기획원 장관이 검토하여 필요한 조정을 행하는 일.
예:산 생활【豫算生活】명 미리 짠 예산대로 일상 생활을 해 나감. 또, 그 생활.
예:산-서【豫算書】명 수입·지출의 상황을 미리 대중하여 셈한 것을 적은 서면(書面).
예:산 선의권【豫算先議權】[—꿘/—이꿘] 명〖정〗양원제(兩院制)의 국회에서 하원(下院)이 상원(上院)에 앞서 예산안의 제출을 받아 이를 심의하는 권한.
예:산 순계【豫算純計】명〖경〗각 회계(會計) 사이의 중복된 계정(計定)을 공제(控除)·정리한 예산의 총액. *순계 예산.
예:산 심:의【豫算審議】[—/—이] 명〖법〗국회에서 예산안(案)을 확정하기 위하여 심의하는 일.
예:산 심:의권【豫算審議權】[—꿘/—이꿘] 명〖법〗행정부에서 발의(發議)한 예산안을 심의할 수 있는 권한. 한국에서는 입법부에서 가짐.
예:산-안【豫算案】명 ①예산의 초안(草案). ②〖법〗정부에서 국회에 제출하여 아직 심의 확정(審議確定)을 보지 못한 국가의 예산의 원안(原案). ③지방 자치 단체나 각종 단체의 집행 기관(執行機關)이 작성하여 아직 의회나 총회의 승인을 얻지 않은 예산의 원안. ↔성립 예산(成立豫算).
예:산-액【豫算額】명 ①미리 계산한 금액. ②예산에 계정(計定)된 금액.
예:산-외【豫算外】명 ①예산의 비목(費目)에 들지 아니한 것. ¶이것은 ~의 지출이다. ②예정 또는 예상 밖. ¶~로 돈이 많이 들었다.
예:산외 지출【豫算外支出】명〖법〗세출 예산 또는 계속비의 각 항에서 정한 목적 이외에 경비를 사용하는 것.
예:산 원안【豫算原案】명〖정〗①정부가 국회의 심의를 받기 위하여 국회에 제출하는 예산안. ②경제 기획원이 각 부처의 개산(槪算) 요구에 관하여 상세한 검토를 행한 후, 국무 회의에 제출하는 개산 사정안(査定案). 이에 의거하여 각 부처(部處)와의 부활 절충(復活折衝)이 행하여짐.
예:산 유용【豫算流用】[—뉴—] 명〖경〗같은 항(項) 안의 목(目) 상호간의 경비를 융통하여 사용하는 일. 경제 기획원 장관의 승인을 얻을 때 인정됨. *예산 이용(移用).
예:산 의결권【豫算議決權】[—꿘] 명〖법〗정부에서 제출하는 예산안에 대하여 국회가 당부(當否)를 의결하는 권한.
예:산의 단년도주의【豫算—單年度主義】[—/—에—이] 명 국가의 예산은 각 회계 연도마다 작성하고 수개 년에 걸치는 예산은 원칙적으로 인정하지 않는 방침.
예:산 의정권【豫算議定權】[—꿘] 명〖법〗행정부에서 제출하는 예산안에 대해 국회 또는 지방 자치 단체의 의회가 심의 의결하는 권한.
예:산의 증액 수정【豫算—增額修正】[—/—에—] 명 국회에서, 정부가 제출한 예산의 원안(原案)에 없는 새로운 비목(費目)을 증가하거나 또는 이들 금액을 증액하는 수정을 가하는 일.
예:산 이용【豫算移用】명〖경〗예산 집행상의 필요에 의하여 미리 예산으로서 국회의 의결을 얻은 경우에 예산이 정한 각 기관간(機關間)·각 장(章)·관(款)·항간(項間)의 금액을 상호 융통하여 사용하는 일. 경제 기획원 장관(經濟企劃院長官)의 승인을 얻어야 함. *예산 유용(豫算流用).
예:산 이월【豫算移越】명〖경〗연도내(年度內)에 사용하지 못한 세출(歲出) 예산의 금액을 다음 연도로 이월하여 다음 연도의 예산으로서 사용하는 일.
예:산 자문 위원회【豫算諮問委員會】명〖법〗경제 기획원 소속 기관의 하나. 예산의 편성 지침·운영 방침 및 재정 규모, 기타 예산에 관한 중요 사항에 관하여 경제 기획원 장관의 자문에 응하며, 필요한 사항을 건의함. 경제 기획원 예산실장을 위원장, 재무부 기획 관리실장을 부위원장으로 하여, 각 원·부·처·청의 기획 관리실장 또는 기획 관리관 등을 위원으로 함.
예:산 전:용【豫算轉用】명 예산 집행 상의 필요에 의하여, 각 중앙 관서의 장이 경제 기획원 장관의 개별적 승인 또는 미리 정한 범위 안에서 각 세항(細項) 또는 목간(目間)의 금액을 서로 융통하여 쓰는 일.
예:산 정:원【豫算定員】명〖법〗예산 편성 당시에, 각 부처마다 정해져 있는 직원의 정수(定數).
예:산-주의【豫算主義】[—/—이] 명 예산에 따라서 생활하는 방침.
예:산 집행【豫算執行】명〖법〗국가 또는 지방 자치 단체의 수입·지출을 실천하는 일체의 행위. 주로 세출 예산의 집행을 가리킴.
예:산-청【豫算廳】명 전에, 재정 경제부의 외청(外廳)의 하나. 정부 예산의 편성 및 그 집행의 관리에 관한 사무를 장리하였음. 1999년 기획 예산 위원회와 합병, 기획 예산처로 개편됨.
예:산 초과【豫算超過】명 ①〖경〗세입 세출(歲入歲出)이 예산액 이상에 달함. ②지출이 예정 금액보다 많아짐.
예:산 초과 지출【豫算超過支出】명 예산의 각 항(項)에서 정하는 금액을 초과하여 지출하는 일.
예:산 총:계주의【豫算總計主義】[—/—이] 명 국가나 지방 자치 단체의 세입·세출을 1회계로 통일하여 경리하는 주의. 국가 재정의 전반적 통관(通觀)이 쉽고, 재정의 팽창(膨脹)·문란(紊亂)을 막는 데에 그 목적이 있음.
예:산 총:괄관【豫算總括官】명〖법〗경제 기획원 예산실장의 보조 기관. 예산 편성과 집행 업무에 관하여 실장을 보좌함. 이사관 또는 부이사관으로 보(補)함.
예:산 총:칙【豫算總則】명〖법〗예산의 첫머리에 있는 총괄적 규정. 국채 발행 또는 차입금(借入金)의 한도액(限度額) 및 그 밖의 예산 집행에 관하여 필요한 일반 사항의 규정을 포함함.
예:산 통:제【豫算統制】명〖경〗예산과 실적(實績)과의 비교(比較) 분석(分析)을 통하여 합리적(合理的)인 경영 관리를 실시하는 경영 경제의 관리 방법.
예:산 편성【豫算編成】명 예산안을 작성하는 일. 국가의 예산은 각 중앙 관서의 장이 제출한 세입·세출 및 국고 채무 부담 행위 요구서에 의하여 경제 기획원 장관이 작성하게 되어 있음.
예:산 편성국【豫算編成局】명 전에, 국방부의 한 국(局). 군 예산의 편성·종합·조정에 관한 사항을 관장(管掌)함. 1981년 폐지됨.
예:산-표【豫算表】명〖경〗예산안의 조목(條目)들을 다시 자세히 나누어 나타낸 표.
예:산 회:계법【豫算會計法】[—뻡] 명 국가의 예산과 회계 및 이에 관련되는 기본적인 사항을 규정한 법.
예:산 회:계에 관한 특례법【豫算會計—關—特例法】[—네뻡] 명 예산 및 결산에 관한 특별 절차를 규정하여 국가 안전 보장 업무의 효율적인 수행을 꾀하기 위하여 제정된 법률.
예:산 회:계 제:도 심:의회【豫算會計制度審議會】[—/—이—] 명〖법〗예산 회계 제도 및 법규와 예산 회계에 관련되는 재정 운용에 관한 중요 사항을 연구·조사하고 심의하는, 경제 기획원 장관 소속 하의 기관. 위원장 1명을 포함한 30명 이내의 위원으로 구성됨.
예:삿-일【例事—】[—닐] 명 보통 있는 일. ¶이건 정말 ~이 아니야.
예:상¹【豫想】명 ①어떠한 일을 직접 대하기 전에 미리 상정(想定)함. 또, 그 상정. ¶~이 어긋나다. ②[prediction]〖군〗이동(移動) 목표가 일정한 시간 후에 도달할 위치를 미리 상정(想定)하는 일. ——하다 자여불
예상²【霓裳】명 무지개와 같이 아름다운 치마. 곧, 신선(神仙)의 옷.
예:상-고【豫想高】명 수입·수확 전에 미리 상정(想定)해 본 수량.
예:상 배:당【豫想配當】명 [prospective dividend]〖경〗예상되는 장래(將來)의 배당. 주식에 투자하려는 경우 과거(過去)의 배당뿐 아니라 현재·장래의 회사 수익 등을 감안(勘案)한 배당의 예상임.

예:상-사【例常事】명 보통으로 있는 평범(平凡)한 일. ㊜상사(常事)·예사(例事).

예:상 사격【豫想射擊】명〖군〗관측(觀測)에 의하여 성립된 예상을 기초로, 이동 목표를 사격하는 일.

예:상-액【豫想額】명 실제로 수입되기 전에, 미리 상정(想定)하여 본 액수·

예:-상왕래【禮尙往來】[一내] 명 예절은 서로 왕래교제함을 귀히여김.

예:상-외【豫想外】명 생각 밖. 뜻밖. 의외(意外). ¶~로 크다.

예상 우:의곡【霓裳羽衣曲】[一/一이一] 명〖악〗월궁(月宮)의 음악을 모방하여 만든 곡조의 이름.

예:상 적국【豫想敵國】명 가상(假想) 적국.

예:상 지점【豫想地點】명〖군〗사격 순간에 이동 목표가 도달하리라고 상정되는 지점.

예새 명〖고고학〗토기나 도자기를 만들 때 표면을 깎거나 문지르는 데 쓰이는 칼. 대부분 나무로 넓적하게 만들지만 돌이나 뼈 등도 이용함. 목도(木刀).

예:서¹【隸書】명 한자 서체(漢字書體)의 하나. 노예, 즉 천역자(賤役者)에게도 이해하기 쉽도록 한 글이라는 뜻으로, 진(秦)나라 운양(雲陽)의 옥사(獄史) 정막(程邈)이 전서(篆書)의 번잡함을 생략하여서 만들었음. 한대(漢代)에 와서 또다시 장식적(裝飾的)으로 되었는데, 후세에 이것을 한례(漢隸) 또는 팔분(八分)이라고 하여 진례(秦隸)·당례(唐隸)와 구별하여 말하나, 일반적으로는 한례를 말함.

隷書

〈예서¹〉

예:서²【豫壻·豫婿】명 데릴사위.

예:서³【禮書】명 ①예법에 관한 책. ②혼서(婚書).

예서⁴ 준 여기서. ¶~ 기다려라.

예선¹【曳船】명 ①배를 끎. 또, 다른 배를 끄는 배. ②〖역〗선유락(船遊樂) 춤을 출 때에 배를 끄는 여기(女妓). 세 사람씩 배의 좌우에 갈라서서 연해 춤을 추며, 끈으로 배를 끎. ——-하다 자여불

예:선²【豫選】명 본선(本選)에 앞서 미리 뽑음. 미리 하는 선거. ¶~을 통과하다. ↔결선(決選). ——-하다 타여불

예:선³【豫先】부 먼저. 미리.

예선⁴ 준 여기서는. ¶~ 보여줄 수 없다.

예:선 경:기【豫選競技】명 결승전에 나갈 선수를 뽑는 경기. 예선전(豫選戰).

예선-기【曳線器】명 전선(電線)을 잡아 늘이는 데에 사용하는 강철로 만든 기구.

예:선-전【豫選戰】명 예선 경기.

예:설¹【豫設】명 미리 설치함. ——-하다 타여불

예:설²【禮說】명 예절에 관한 설(說).

예:성¹【叡聖】명 임금의 덕(德)이 밝고 지대(至大)함. 임금의 덕을 칭송(稱頌)하는 말.

예:성²【譽聲】명 ①명예와 성문(聲聞). ②칭찬하는 소리.

예성-강【禮成江】명〖지〗황해도 언진산(彦眞山)에서 발원하여 남쪽으로 흘러 신계(新溪)·남천(南川)을 지나 경기도와의 도계(道界)에서 바다로 들어가는 강. [174 km]

예:성강-곡【禮成江曲】명〖문〗고려가요의 하나. 작자·제작 연대미상. 전후편(前後篇)으로 되어 있다는데 가사는 전하지 아니함. 어떤 사람이 중국 상인과 아내를 걸고 내기 바둑을 두어 아내를 빼앗기고 후회하며 아내가 실려간 예성강 나루에서 불렀다는 노래. ≪고려사≫ 악지(樂志)에 전함.

예:성 문무【叡聖文武】명 문무를 겸비한 임금의 성덕.

예:성-전【禮成典】명〖역〗신라 때의 관아. 경덕왕(景德王) 때에 인도전(引道典)을 고친 이름. 뒤에 다시 인도전으로 고침.

예:성-제【禮成祭】명 문묘(文廟)에 종사(從祀)하기 위하여 위판(位版)을 조성하여 승배(陞配)한 뒤에 올리는 의식.

예:성-항【禮成港】명〖역〗고려 때, 예성강(禮成江) 어귀의 나루를, 중국 송(宋)나라 사람들이 일컫던 이름. 그 곳 벽란도(碧瀾渡)의 벽란정(碧瀾亭)에서 송(宋)나라 사절에 대한 송영(送迎)의 예(禮)가 이루어졌으므로 이름.

예셔¹ 조〈옛〉에서. ¶雲臺예셔 나리 뭇도록 그리ᄂᆞ니(雲臺終日畫)≪杜諺 XX:11≫.

예셔² 조〈옛〉보다. ¶이 소리는 우리 나랏 소리예셔 엳브니≪訓諺 15≫.

예:속¹【隸屬】명 ①딸려서 매임. 지배나 지휘(指揮)를 받아 종속(從屬)함. ¶강대국(強大國)에 ~하다. ②윗사람에게 매여 있는 아랫 사람. 부하. ——-하다 자여불

예:속²【豫屬】명〖역〗제형⁴(諸兄).

예:속³【禮俗】명 예의 범절이나 풍속 습관.

예:속-국【隸屬國】명 속국(屬國).

예:속-적【隸屬的】명관 남의 지배 아래 있는 모양.

예:속-화【隸屬化】명 예속적으로 됨. 또, 그렇게 되게 함. ——-하다 자타여불

예손【裔孫】명 대수(代數)가 먼 자손. 후예(後裔). 예주(裔冑).

예:송¹【例送】명 정례(定例)에 따라 보냄. ——-하다 타여불

예:송²【禮訟】명 예절에 관한 논란.

예수¹ 명〈방〉여수(與受).

예수² 명〈방〉〖동〗여우¹(경상).

예:수³【豫受】명 미리 받아 둠. ——-하다 타여불

예:수⁴【豫修】명 ①미리 익혀서 수업(修業)함. ②〖불교〗죽은 뒤에 극락으로 가고자 생전에 미리 공을 닦음. ——-하다 자여불

예:수⁵【禮數】명 ①주객(主客)이 서로 만나 보는 예절. ②명성이나 지위에 알맞은 예의와 대우. 격식(格式).

예:수⁶ [Jesus] 명〖성〗기독교의 개조(開祖). 유태왕 헤롯 시대에 목수 요셉의 약혼녀 마리아에 성령으로 잉태되어, 북팔레스티나 베들레헴에서 출생. 나사렛에서 살다가 30세 때 요단강에서 세례자 요한으로부터 세례를 받고, 40일간 광야에서 기도 후 하늘 나라의 내림(來臨)과 유태 민족의 회개, 사해 동포주의, 정의·사랑의 생활에 의한 하느님의 은총을 절규하고 많은 이적(異蹟)을 행하였음. 공생애(公生涯)의 3년만에 바리새 교인들과 충돌하여 유다의 배반으로 십자가에 못박혀 죽음. 3일 만에 부활하여, 40일간 제자들과 있다가 승천하였다 함. 자신의 죽음이 만민을 위한 속죄(贖罪)의 희생임을 자각했고 그의 제자들은 예수의 부활(復活)을 확신하고 이를 구주(救主)로 섬겼으며, 이로부터 기독교가 생겼음. 야소(耶蘇). 기독(基督). 상주(賞主). *어린양²·예수 그리스도·그리스도·메시아¹. [4?B.C.-A.D.30]

예:수-교【一敎】[Jesus] 명〖기독교〗기독교의 신교. *기독교.

예:수교-도【一敎徒】[Jesus] 명 예수교인.

예:수교 서회【一敎書會】[Jesus] 명 예수교에 관한 책을 발행·판매하는 기관.

예:수교 신화【一敎神話】[Jesus] 명〖신〗기독교 신화.

예:수교-인【一敎人】[Jesus] 명 예수교를 믿는 사람. 크리스찬. 기독교인. 야소교인(耶蘇敎人). 예수교도.

예:수교-회【一敎會】[Jesus] 명 예수교 신도가 모여 예배를 보는 곳.

예:수 그리스도 [Jesus Christ] 명〖성〗'구세주 예수'의 뜻. *그리스도.

예:수-금【豫受金】명 영업상 또는 영업 외의 목적으로 일시적으로 예수하여 후일 현금으로 돌려 줄 금액.

예수-남은 명관 예순이 조금 더 되는 수. ¶~ 되어 보이는 노인/~ 사람이 모였다.

예:수-롭다 형〈방〉예사롭다.

예:수 성:심 성:월【一聖心聖月】[Jesus] 명〖천주교〗예수의 성심을 특별히 공경하는 달. 곧, 유월(六月)을 일컫는 말. ㊜성심 성월.

예:수 성:심회【一聖心會】[Jesus] 명〖천주교〗신인적(神人的) 사랑의 상징(象徵)으로서의 예수의 성심을 공경함을 특별한 목적으로 하는 신인회(信人會).

예:수 성:탄일【一聖誕日】[Jesus] 명 크리스마스(Christmas).

예:수-재【豫修齋】명〖불교〗죽어서 좋은 곳으로 가기 위해 생전에 불전(佛前)에 올리는 재.

예:수-쟁이 [Jesus] 명〈속〉예수교인.

예:수-증【豫受證】[一쯩] 명 예수금(豫受金)에 대한 증서(證書).

예:수-회【一會】[Jesus] 명〖천주교〗천주교회에 속하는 남자 수도회(修道會)의 하나. 로욜라(Loyola, J.)가 신교(新教)의 세력에 대항하여 창설하였으며, 천주교의 세계적인 포교에 힘씀. 1534년 일곱 사람이 단체를 조직, 1540년에 로마 교황의 정식 인가를 얻음. 동양에서는 사비에르·마테오리치·아담 샬·페르비스트 등의 전도 행적(傳道行蹟)이 유명함. 야소회(耶蘇會). 제수이트회(Jesuit 會).

〈예수회의 문장〉

예순 수관 열의 여섯 배. 육십(六十).

예:술【藝術】명 ①기예(技藝)와 학술. ②[art, 도 Kunst] 의식적으로 미(美)를 창조해 내는 활동이란 뜻으로, 특종(特種)의 재료·기교·양식(樣式) 따위에 의해 감상의 대상이 되는 미(美)를 창작·표현하는 인류 문화의 중요한 현상의 하나. 문학·미술·음악·연극·무용·건축·조각 등을 포함하며, 광의(廣義)로는, 그 기술·기교까지도 말함. 건축·조각·회화(繪畫) 등을 조형 예술, 무용·연극 등을 표정(表情) 예술, 음악을 음향 예술, 시·소설·희곡·평론 등을 언어 예술이라 함.

[예술은 길고 인생은 짧다] 구 [라 Ars longa, vita brevis] '인생은 짧고 예술은 길다'와 같은 뜻.

예:술-가【藝術家】명 예술 작품을 창작 또는 표현(表現)하는 사람. 예술인(藝術人).

예:술-계【藝術界】명 예술가들이 활동하는 사회 또는 분야.

예:술-관【藝術觀】명 예술의 목적(目的)·가치(價値) 등에 관한 일정한 견해(見解).

예:술 교:육【藝術敎育】명〖교〗예술에 의한 교육. 음악·미술·서예·문예·연극 따위를 가르침으로써 미적 정조(情操)를 풍부하게 하는 동시에 창조력을 높이는 데 목적을 둠.

예:술 대학【藝術大學】명〖교〗예술 과목을 교수하는 단과 대학 또는 종합 대학교 안의 단과 대학. ㊜예대(藝大).

예:술 동:화【藝術童話】명 문학가가 창작한 예술성이 풍부한 동화. 고전(古典) 동화. *구비 동화(口碑童話).

예:술-론【藝術論】명 [theory of art] 예술의 본질·기능·기법 따위에 관한 논의(論議)의 총칭. 흔히, 작가(作家)·미술가·사상가(思想家)들이 창작의 체험이나 자신의 세계관·인생관을 적용하여 일반 '예술이라는 것에 대하여 생각하고 주장하는 것.

예:술-문【藝術文】명 예술적으로 기교(技巧)를 베풀어 표현(表現)한 문장. ↔실용문(實用文).

예:술 문학【藝術文學】명 문예(文藝)❸.

예:술-미【藝術美】명 인간의 창조 의지에 의해 예술 작품의 형태로 표현된 미. 미술·음악·문학·연극·무용·건축 등 예술 분야에 속하는 작품의 아름다움. 인공미(人工美). ↔자연미.

예:술 본능【藝術本能】명〖심〗모방·유희·표현·장식 등과 같은 인간의 본능적인 충동(衝動).

예:술 비개성설【藝術非個性說】명 [impersonal theory of art] 예술은 개성의 표현이라는 낭만주의 예술관(觀)에 대하여, 예술은 개인적인 감정에서 벗어나 보편적인 비개성적 정서(情緖)를 노래해야 한다는 견해. 엘리엇(Eliot, T.S.)과 분석 비평가(分析批評家)들이 시(詩)의 독립된 객관적 존재를 주장한 고전주의적 견해임.

예:술 비:평【藝術批評】명 예술품의 특성·의의·가치 등을 측정하고, 결정 및 비평하는 일.

예:술-사【藝術史】[—싸] 명 예술의 기원·변천·발달 양식 등을 역사적으로 연구하는 학문. 또, 그것을 기록한 저술.

예:술 사진【藝術寫眞】명 피사체(被寫體)를 예술적인 시점(視點)에서 포착하여 감상하는 자에게 미적 감동이 일게 할 것을 목적으로 하여 제작된 사진. *기록 사진.

예:술 사회학【藝術社會學】명 〔도 Soziologie der Kunst〕 예술을 사회 현상으로서 연구하는 학문. 좁은 뜻으로는, 사회의 일정한 형(型)과 예술의 그것과의 사이에 법칙적인 연관을 찾는 학문.

예:술-성【藝術性】[—썽] 명 예술품이 지닌 또는 지녀야 할 예술적인 「성질.

예:술 심리학【藝術心理學】[—니—] 명 예술에 관한 여러 문제를 연구·해명하려고 하는 응용(應用) 심리학의 하나. 미적 구성 원리(美的構成原理)·제작 행동(製作行動)·감상 반응·예술 교육·예술 기능의 생활 적용 따위를 대상으로 함.

예:술 운:동【藝術運動】명 『사』 예술의 창조와 표현 활동에 있어 경향(傾向)이 같은 동시대의 사람이 모여 일으키는 운동.

예:술-원【藝術院】명 ↗대한 민국 예술원.

예:술원-상【藝術院賞】명 예술상의 공적이 현저한 예술가나 작품에 대해서 예술원으로부터 수여(授與)하는 상. *학술원상.

예:술원 회:장【藝術院會長】명 예술원을 대표하며, 원무(院務)를 장리(掌理)하는 사람. 예술원 총회에서 선출함.

예:술을 위한 예:술【藝術—爲—藝術】[—네—] 명 〔프 l'art pour l'art〕 예술의 목적은 예술 그 자체에 있고, 자신 독립된 가치가 있다고 생각하는 견지(見地). 1845 년 프랑스의 철학자 쿠쟁(Cousin, V)이 처음 쓴 말로, 미(美)의 해석 및 견해의 변천에 따라 많이 논의되어 왔으나 일반적으로 예술 지상주의(至上主義)와 와일드(Wilde, O.)의 탐미주의를 일컬음.

예:술 의:사【藝術意思】명 〔도 Kunstwollen〕 예술학에서의 한 개념. 모든 민족이 그 각각의 시대와 환경을 초월한 미적 표현의 의욕을 고유(固有)적으로 갖는다고 하는 생각. 예술 의욕.

예:술 의:욕【藝術意慾】명 예술 의사.

예:술의 자유【藝術—自由】[—/—에—] 명 예술에 관한 연구·발표 및 교수(教授)의 자유.

예:술의 전:당【藝術—殿堂】[—/—에—] 명 서울 특별시 서초구 서초동에 있는 복합 예술 센터. 1988 년 1 단계로 음악당·서예관을 개관하였으며, 93 년에 완공됨. 음악당·서예관·미술관·예술 자료관·축제 극장 등 옥내 공간과 장터·놀이마당·한국 정원·연못 등을 갖춘 종합 예술 공간임. 연(延) 건축 면적 80,850 m^2.

예:술-인【藝術人】명 예술 작품을 창작하거나 예술에 종사하는 사람. 「예술가.

예:술-적【藝術的】[—쩍] 명관 예술다운 상태. 예술의 성질을 갖추고 있는 모양.

예:술적 가치【藝術的價値】[—쩍—] 명 미적(美的)으로 창작되고 표현 「된 가치.

예:술적 사:실주의【藝術的寫實主義】[—쩍—/—쩍—이] 명 『문』 시적(詩的) 사실주의.

예:술적 양심【藝術的良心】[—쩍—] 명 예술 작품의 창작에 있어 공리(功利)를 떠나 순수·완벽을 기하려는 의식(意識).

예:술적 유물론【藝術的唯物論】[—쩍—] 명 『예』 예술 작품은 물질적 방면에서 이해되어야만 한다고 주장하는 설.

예:술-제【藝術祭】[—째] 명 예술의 향상·발전과 보급을 목적으로 하여 음악·연극·무용·문학을 주로 발표하는 예술의 제전(祭典).

예:술 지리학【藝術地理學】명 〔도 Kunstgeographie〕 예술학의 한 분과. 예술과 지리와의 상호 관계를 과학적으로 연구하는 학문. 지역성(地域性)에 의한 양식(樣式)과 전파 경로(傳播經路), 영향(影響)의 의미(意味) 따위를 주요한 연구 대상(對象)으로 함.

예:술 지상주의【藝術至上主義】[—/—이] 명 프랑스의 철학자 쿠쟁(Cousin.V.)이 주창한 '예술을 위한 예술'이란 말에 의거, 예술에 정치·철학·종교 등의 다른 문화 영역의 개입을 불허하고 또, 효용(効用)과 그 밖의 목적 실현을 위한 수단으로 하지도 않는 입장. 표현 기술의 고도의 세련과 유미적(唯美的) 경향을 수반함. 플로베르·보들레르·오스카 와일드 등이 대표적임. *예술을 위한 예술.

예:술 지지학【藝術地誌學】명 〔도 Kunsttopographie〕 유품(遺品)인 예술품을 지역·장소에 따라 분류·기술하고 연구하는 예술학의 한 분야. 고대 그리스의 여행가 파우사니아스(Pausanias)의 ≪그리스 안내기≫를 비롯하여 고대 예술에 관한 문헌은 모두 이와 같은 성질을 지님. 예술 지리학의 전(前)단계로 보임.

예:술 철학【藝術哲學】명 『철』 예술에 관한 근본 원리를 연구하는 철학의 한 분야. *미학(美學).

예:술-파【藝術派】명 『문』 예술 지상주의를 신봉하는 일파. 주로 예술상의 세련(洗練)에 중점을 두고 정치·실용·종교 따위를 고려하지 않는 입장. ↔인생파(人生派).

예:술-품【藝術品】명 예술가가 독자적(獨自的)인 양식(樣式)과 기능에 의하여 제작한 작품.

예:술-학【藝術學】명 〔도 Kunstwissenschaft〕 미학 외에 특히 개별(個別)의 예술을 연구 대상으로 하는 학문. 예술의 본질·창작·관조(觀照)·미적 효과·기원·발달·작용 및 종류 등에 관한 원리와 사실(事實)의 연구를 그 목적으로 함. *미학(美學).

예:술 해:부학【藝術解剖學】명 『미술』 미술 해부학(美術解剖學).

예:술 형식【藝術形式】명 예술 작품에서 예술적 효과를 갖도록 그 여러 부분을 배열·표현하는 방식.

예:술-화【藝術化】명 예술적으로 되게 함. ——-하다 타여불

예쉰 수 〈방〉 예순(함경·강원·경북).

예스〔Yes〕 감 긍정(肯定)이나 동의(同意)를 나타내는 말. '예'·'과연 그렇다'의 뜻. ↔노(No).

예:-스럽다 형ㅂ불 옛맛이 있다.

예스-맨〔yes-man〕 명 무엇이든지 예예하고 그대로 좇는 사람. 줏대 없는 사람. 유유 낙낙(唯唯諾諾)하는 사람.

예스페르센〔Jespersen, Jens Otto Harry〕 명 『사람』 덴마크의 언어학자. 코펜하겐 대학 교수. 언어의 진화적(進化的) 성격을 강조하였으며, 음성학(音聲學)과 영어학자로서 세계적 권위를 세웠음. 저서로 ≪현대 영문법≫·≪영어의 성장과 구조≫ 등이 있으며, 국제 보조어로서 노비알(Novial)을 창조했음. [1860-1943]

예:습【豫習】명 미리 학습함. 미리 익힘. ↔복습(復習). ——-하다 타 「여불

예:승【例陞】명 규례에 따라 벼슬을 올림. ——-하다 타여불

예:승-즉이【禮勝則離】명 예의가 지나치면 도리어 사이가 멀어짐. ——-하다 자여불

예시[1] 명 〈방〉 여우[1](경남).

예:시[2]【例示】명 예를 들어 보임. 예로서 보임. 시례(示例). ——-하다 타여불

예:시[3]【例時】명 항례(恒例)로 되어 있는 시간.

예:시[4]【豫示】명 미리 보여 줌. ——-하다 타여불

예:시[5]【豫試】명 ↗예비 시험(豫備試驗).

예시가 명 〈방〉 계집애(강원).

예시벳 명 〈방〉 놀[3](경북).

예:-시위【詣侍衛】감 『역』 봉도(奉導)에 쓰는 외침. '모시고 나가자'라는 뜻임.

예:식[1]【例式】명 정례(定例)에 따른 격식.

예:식[2]【禮式】명 예법에 따라 행하는 식(式).

예:식[3]【穢食】명 『불교』 더러운 밥.

예:식-서【禮式書】명 『천주교』 예규(禮規)의 고친 이름.

예:식-원【禮式院】명 『역』 대한 제국 때 궁내부(宮內府)의 한 분장(分掌). 외국과의 왕복 서류(往復書類) 등의 번역을 맡아 보던 관아. 고종(高宗) 광무(光武) 4년(1900)에 설치하여 동 10년에 폐함.

예:식-장【禮式場】명 예식을 하도록 설비를 갖춘 곳. 주로, 결혼식장(結婚式場)을 말함.

예신[1] 명 ①〈방〉 산신령(山神靈). ②『민』 동네가 1 년 동안 평안하며 풍년이 들기를 비는 제사.

예:신[2]【隷臣】명 신하(臣下).

예:신[3]【禮臣】명 『역』 신하(臣下)가 병들거나 곤궁할 때에 임금이 의약(醫藥)이나 물품을 하사하는 일.

예:신[4]【穢身】명 『불교』 깨끗하지 않은 몸.

예:실-즉혼【禮失則昏】명 예의를 잃으면 혼미하게 됨. ——-하다 자여불

예:심[1]【豫審】명 ①『법』 구형사 소송법(舊刑事訴訟法)에서, 공소(公訴)의 제기 후 피고 사건을 공판에 회부할 것인가의 여부(與否)를 결정하고 아울러 공판에서 조사하기 어렵다고 생각되는 증거를 수집·확보하는 공판권의 절차. ↔결심(結審). ②본(本)심사에 앞서 예비적으로 하는 심사. ¶~을 거쳐 출연하다.

예:심[2]【穢心】명 『불교』 깨끗하지 않은 마음.

예:심 결정서【豫審決定書】[—쩡—] 명 『법』 구(舊)형사 소송법상의 용어. 예심에 대한 결정서.

예:심-정【豫審廷】명 『법』 구(舊)형사 소송법에서, 예심을 행(行)하는 법정(法廷).

예:심 조서【豫審調書】명 『법』 구(舊)형사 소송법에서, 예심에 관한 조서(調書).

예:심 종결【豫審終結】명 『법』 구(舊)형사 소송법상의 용어(用語). 예심을 끝냄.

예:심 판사【豫審判事】명 『법』 구(舊)형사 소송법에서, 예심을 담당하는 판사.

예:악【禮樂】명 예법과 음악.

예:압-기【豫壓器】명 『기』 과급기(過給器).

예:약【豫約】명 ①미리 약속함. 또, 그 약속. ¶좌석을 ~하다. ②『법』 장래에 성립시켜야 할 본계약(本契約)에 관하여 미리 약속하여 두는 계약. 매매(賣買)의 예약 등. ——-하다 타여불

예:약-금【豫約金】명 ①예약할 때 지급하는 돈. 계약에 앞서 지급하는 돈. ②『법』 사인(私人)이 관공서에 대하여 어떤 행위를 함에 앞서 법률·명령이 규정하는 바에 따라 납부하는 보증금.

예:약-어【豫約語】명 〔reserved word〕 『컴퓨터』 코볼 프로그램에서 의미(意味)와 용법(用法)이 지정되어 사용되는 단어로서, 프로그래머가 임의로 다른 목적이나 의미로 바꿀 수 없는 단어.

예:약 연:주회【豫約演奏會】명 『악』 교향악단이나 그 밖의 단체가 예약 회원을 모집하여 연속적으로 행하는 연주회.

예:약-자【豫約者】명 예약을 한 사람. 예약의 당사자.

예:약 전:보【豫約電報】명 일정한 구간에 일정한 자수(字數)의 전보를 치고 요금을 후납(後納)하는 특수 전보의 하나. 신문사·통신사 등에서 이용함.

예:약 전:화【豫約電話】명 특정(特定)한 구간(區間)을 일정한 시간에 한하여 전화선을 전용(專用)하는 일. 주로 신문사·통신사·방송국 등에서 이용함.

예:약-처【豫約處】명 예약을 받는 곳.

예:약 출판【豫約出版】명 도서 출판업자가 출판물이 간행(刊行)되기 전에, 그 대금의 일부 또는 전부를 구매자로부터 미리 받고 그 예약 신

청자만을 대상으로 하여 서적을 출판하는 일.

예:약 판매【豫約販賣】 명 〖경〗 미리 구매자를 모집하여 그 신청자에 한하여 물품의 인도·지급을 약속하는 일. 또, 그러한 판매 방법. ②매주(賣主) 또는 매주(買主)가 상대방에 대하여 매매를 완료할 의사를 표시하였을 때부터 매매의 효력이 발생하는 계약.

예:-양[1]【豫讓】 명 〖사람〗 기원전 5세기, 중국 전국 시대(戰國時代) 진(晉)나라의 의사(義士). 진나라의 지백(智伯)을 섬겨 총애를 받았으나, 지백이 조양자(趙襄子)에게 피살되자 복수를 맹세하고, 이름을 바꾸어 형인(刑人)이 되기도 하고, 몸에 옻을 발라 문둥이 모양을 하고 또는 숯을 먹고 벙어리가 되기도 하여 기회를 엿보았으나 번번이 실패하여 자살하였음. 생몰년 미상(生沒年未詳).

예:양[2]【禮讓】 명 예의를 지키어 사양함. ——-하다 자 여불

예:어[1]【隷御】 명 종[3]❶.

예:어[2]【穢語】 명 ①더러운 말. ②욕지거리.

예어[3]【鱧魚】 명 〖어〗 '가물치'의 한자 이름.

예:언[1]【例言】 명 책 머리에 적어 미리 일러두는 말. 범례(凡例). 일러두기.

예:언[2]【豫言】 명 ①미래의 일을 미리 말함. 또, 그 말. ②〖성〗 신탁(神託)을 받은 자가 신의 말을 듣고, 신의 의지를 사람들에게 전하는 일. 또, 그 말. 예언은 장래 발생할 일을 미리 말하는 경우도 있으나, 본질은 인간(人間)의 마음 속에 감추어져 있는 신의(神意)를 알아내며 이를 말하는 것임. ——-하다 타 여불

예:언[3]【譽言】 명 칭찬하여 기리는 말.

예:언-서【豫言書】 명 ①예언이 적히어 있는 책. ②〖기독교〗 구약 성서에 실려 있는 전예언서(前豫言書) (여호수아·사사기(士師記)·사무엘기·열왕기)와 후예언서(後豫言書)(이사야·예레미야·에스겔·다니엘)의 사대(四大) 예언자와 호세아·요엘·아모스·오바댜·요나·미가·나훔·하박국·스바냐·학개·스가랴·말라기의 12 소(小)예언자의 서(書)를 일컬음)의 총칭. 일반적으로는 후예언서를 말함.

예:언-자【豫言者】 명 ①앞일을 예언하는 사람. 예언할 능력이 있는 사람. ②〖기독교〗 선지자(先知者).

예:연[1]【睿筵】 명 왕세자의 서연(書筵).

예:연[2]【禮宴】 명 예를 갖추어 베푼 연회.

예:연 소-실【豫燃燒室】 명 예연소식(豫燃燒式) 디젤 기관(機關)의 기통(氣筒) 상부에 있는 공실(空室). 연료유(燃料油)는 저압(低壓)에 있어 노즐(nozzle)로부터 먼저 이 곳에 분사되어, 다음에 하부(下部)의 연소실에 들어감. 연료유 분사 압력을 낮추어, 연료 펌프 및 노즐의 구조를 간단히 하는 것이 그 목적임. 예비 연소실. *연소실.

예열[1]【曳裂】 명 〖지〗 양쪽으로 당기는 힘에 의해 지반(地盤)이 갈라져 단층(斷層)이 생기는 일. 계단상(狀) 단층이나 지구(地溝)의 생성 원인이 됨.

예:열[2]【豫熱】 명 차 따위의 엔진을 보호하기 위하여 시동을 걸 때 미리 열을 가함. ——-하다 타 여불

예:열-기【豫熱器】 명 〔preheater〕 〖기〗 재료나 유체(流體) 따위를 주요 가열 장치로 보내기 전에 미리 가열시키는 장치.

예:열-로【豫熱爐】 명 〖공〗 금속 재료를 상당한 고온으로 가열하거나, 용접으로 국부적으로 가열할 필요가 있을 경우에, 비교적 낮은 온도로 미리 전체를 균일하게 가열하기 위한 노(爐).

예예[1]【芮芮】 명 〖역〗 유연(柔然).

예예[2]【芮芮】 명 풀이 뾰족뾰족 나는 모양. ——-하다 형 여불

예:예[3]【翳翳】 명 환하지 아니한 모양. 해가 질 무렵의 어스레한 모양.

예:오[1]【穢汚】 명 오예(汚穢).

예:오[2]【穢惡】 명 더러워하고 미워함. ——-하다 타 여불

예오[3] 감 벽제(辟除) 소리의 하나. 거둥 때에 도가 사령(導駕使令)이 앞서 나가며 지르는 소리. ¶ ~ 게 앉거라.

예:외【例外】 명 일반의 규칙이나 정례(定例)에 벗어나는 일. 격외(格外). ¶어떤 법칙에도 ~는 있다.

예:외-법【例外法】 〔—뻡〕 명 〖법〗 특수한 경우에 원칙법(原則法)의 적용을 배제하고 이것에 대신하여 적용되어야 할 법규. ↔ 원칙법.

예:외-적【例外的】 명 관 일반의 규칙이나 정례(定例)에 벗어난 상태.

예:외 품목【例外品目】 명 〖경〗 1964년 제네바에서 열린 가트(GATT)의 관세 일괄 인하 회담에 있어서, 각국이 현행 관세율을 유지하든가 또는 50 % 이하로는 안 된다고 하여 제시(提示)한 품목.

-예요 어미 ↗-이에요. ¶저 것이 저희 학교~/쓰레기를 버린 것은 누구~/제가 아니~. *-에요.

예:욕【穢慾】 명 더러운 욕심.

예:용【禮容】 명 예절 바른 태도.

예:용 해:부학【藝用解剖學】 명 〖미술〗 미술 해부학(美術解剖學).

예:우【禮遇】 명 예의를 다하여 정중히 대우함. 예대(禮待). ¶전관(前官)~. ——-하다 타 여불

예:원[1]【禮願】 명 신불(神佛)에게 소망을 비는 일. ——-하다 타 여불

예:원[2]【藝苑·藝園】 명 ①예술가들의 사회. 예림(藝林). ②〖역〗 전적(典籍)이 모이는 곳.

예-원로【倪元路】 〔—월—〕 명 〖사람〗 중국 명(明)나라의 문인·화가. 저장 성(浙江省) 사람. 자는 옥여(玉汝). 호는 홍보(鴻寶). 시문 서화(詩文書畫)에 능하여, 황도주(黃道周)와 더불어 명말(明末) 최고의 문인이라 일컬어짐. 이자성(李自成)이 베이징을 함락시켰을 때 자살함. [1593-1644]

예:월[1]【例月】 명 매월.

예:월[2]【禮月】 명 〖역〗 초상(初喪) 뒤에 장사 지내는 달. 천자(天子)는 일곱 달, 제후(諸侯)는 다섯 달, 대부(大夫)는 석 달, 선비는 한 달 만에 지냈음.

예:의[1]【銳意】 〔—/—이〕 ㊀명 열심히 잘 하려고 단단히 벼른 마음. ¶ ~를 꺾다. ㊁부 정신을 한 곳에 날카롭게 쏟아. ¶사태를 ~ 주시(注視)하다/~ 연구에 힘쓰다.

예:의[2]【豫議】 〔—/—이〕 명 미리 상의함. ——-하다 자 타 여불

예:의[3]【禮意】 〔—/—이〕 명 ①예로써 나타내는 경의. ②예(禮)의 정신.

예:의[4]【禮義】 〔—/—이〕 명 ①예절과 의리. ②사람이 행하여야 할 올바른 예(禮)와 도(道).

예:의[5]【禮誼】 〔—/—이〕 명 사람이 마땅히 지켜야 할 도리.

예:의[6]【禮儀】 〔—/—이〕 명 남과의 관계에서 지켜야 하는 존경심의 표현과, 넘어서는 안되는 말과 몸가짐.

예:의(가) 바르다 구 남에게 공손하고 삼가는 태도가 있다.

예:-의관【禮衣冠】 명 예의에 맞추어 의관을 갖춤. ——-하다 자 여불

예:의 범절【禮儀凡節】 〔—/—이—〕 명 일상 생활의 모든 예의와 절차.

예:의-사【禮儀司】 〔—/—이—〕 명 〖역〗 고려 공민왕(恭愍王) 11년(1362)에 예부(禮部)를 고친 이름. 동 18년에 다시 예부로 고쳤다가, 동 21년에 본이름으로 하고, 공양왕(恭讓王) 원년(1389)에 예조(禮曹)로 고치었음.

예:의 상정소【禮儀詳定所】 〔—/—이—〕 명 〖역〗 고려시대의 특수 관청. 고려 예종(睿宗) 8년(1113), 신분에 따른 의복 제도와 공문서 양식 및 예의 등을 새로 제정하기 위해 설치한 관청.

예:-의-염-치【禮義廉恥】 〔—/—이—〕 명 예절(禮節)과 의리(義理)와 청렴 및 부끄럼을 아는 태도.

예: 의-장【禮儀章】 〔—짱/—이짱〕 명 〖악〗 용비 어천가 제 54 장의 이름.

예:의지-국【禮儀之國】 〔—/—이—〕 명 예의지방(禮義之邦). ¶동방~.

예:의지-방【禮義之邦】 〔—/—이—〕 명 예의를 숭상하며잘 지키는 나라. 예의지국(禮儀之國).

예:의 판서【禮儀判書】 〔—/—이—〕 명 〖역〗 고려 때 예의사(禮儀司)의 으뜸 벼슬. 정삼품(正三品). 공민왕(恭愍王) 11년(1362)에 예부 상서(禮部尙書)를 고친 이름. 동 18년에 일시 폐지하였다가 다시 부활. 공양왕(恭讓王) 원년(1389) 예의사가 예조(禮曹)로 개칭되면서 예조 판서로 됨.

예:-이 감 위의(威儀)를 갖출 때에 길게 대답하는 소리.

예이다 타 〈방〉 여의다 (평안).

예-이레 명 〈방〉 예니레.

예이버 〔Giaever, Ivar〕 명 〖사람〗 노르웨이 태생의 미국 물리학자. 1956년까지 캐나다의 제너럴전기 회사에 근무. 고체(固體)에서의 터널 효과 연구로 1973년 조지프슨(Josephson, B.)·에사키(江崎)와 함께 노벨 물리학상을 수상함. [1929-]

예이츠 〔Yeats, William Butler〕 명 〖사람〗 아일랜드의 시인·극작가. 19세기 말 아일랜드 문예 부흥 운동의 중심인물로, 낭만파·상징파의 영향 및 켈트(Celt) 민족 특유의 신비적 경향을 합하여 시집 ≪어신(Oisin)의 방랑기≫ 이래 ≪이니스프리(Innisfree)의 호도(湖島)≫를 포함하는 우수한 서정시를 발표하였음. '아일랜드 문예 협회'를 창립하는 한편 연극(演劇)의 부흥에도 힘써 아일랜드 최대의 시인으로 꼽히며, 1923년 노벨 문학상이 수여되었음. [1865-1939]

예:인[1]【銳刃】 명 날카로운 칼날. ¶~ 섬광(閃光).

예:인[2]【隷人】 명 ①죄인(罪人). ②종[3]❶.

예:인[3]【藝人】 명 배우·만담가·곡마사 들처럼 여러 가지 기예를 닦아 발표하는 일을 업으로 하는 이.

예인-선【曳引船】 명 강력한 기관(機關)을 갖추고 딴 배를 끌고 가는 배. 터그보트(tug-boat).

예-일곱 수 〈방〉 예닐곱.

예일 대학【—大學】 〔Yale〕 명 〖교〗 미국의 코네티컷 주(州) 뉴헤이븐(New Haven)에 있는 미국에서 세 번째로 오래된 사립 대학. 1701년 전문 학교로서 창설되고, 1886년에 대학으로 승격(昇格)되었음. 철학·문학·신학·의학 및 법학 등의 여러 학과가 있으며 남녀 공학. 장서(藏書) 약 500만 권의 부속 도서관은 세계적으로 유명함.

예:입【預入】 명 맡겨 둠. 기탁(寄託)함. ¶돈을 은행에 ~하다. ——-하다 타 여불

예:입-금【預入金】 명 예입한 금액. 예금(預金).

예:자【隷字】 명 예서체(隷書體)의 글자.

예:작【例作】 명 〖역〗 공조(工曹)의 딴이름.

예:작-도【禮作島】 명 〖지〗 전라 남도의 남해상(南海上), 완도군(莞島郡) 노화면(蘆花面) 예송리(禮松里)게 위치한 섬. [0.33 km²]

예:작-부【例作府】 명 〖역〗 신라 때의 관아(官衙) 이름. 경덕왕(景德王)이 수례부(修例府)라 고쳤다가 혜공왕(惠恭王) 때 다시 본이름으로 함. 영선 사무(營繕事務)를 다룸. 예작전.

예:작-전【例作典】 명 〖역〗 예작부(例作府).

예:장[1]【銳將】 명 날쌘 장수.

예:장[2]【豫章】 명 〖지〗 ①중국 한대(漢代)에, 현재의 장시 성(江西省)의 땅에 설치되었던 군명(郡名). 중심은 난창 시(南昌市). ②중국 수대(隋代)에 현재의 장시 성(江西省) 북부, 난창 시(南昌市)에 설치되었던 현명(縣名).

예:장[3]【禮狀】 명 ①혼서(婚書). ②사례의 편지.

예:장[4]【禮裝】 명 ①예식상의 옷차림. ②예복을 입고 위의를 갖춤. ——-하다 자 여불

예:장[5]【禮葬】 명 ①예식(禮式)을 갖추어 치르는 장사(葬事). ②〖역〗 국장(國葬)❷.

예:장-초【鱧腸草】 명 〖식〗 한련초(旱蓮草).

예:장-함【禮狀函】 명 혼서지(婚書紙)와 채단(采緞)을 담는 함. 안엔 붉은 칠, 밖엔 검은 칠을 함. 봉치함.

예:재【叡裁】 명 임금의 재가(裁可). ——-하다 타 여불

예:저【預菹】 명 지레김치.

예:-저금【預貯金】 명 예금과 저금의 병칭.

예:전[1] [명] 퍽 오래 된 지난 날. 옛적. ¶ ~과는 많이 달라진 세상.

예:전[2]【例典】[명] 정해진 법식. 전례(典例).

예:전[3]【禮典】[명] ①예의에 관한 법칙. 예법(禮法). ②〖책〗 육전(六典)의 하나. 예조(禮曹)의 여섯 가지 사무를 규정한 책. ③〖기독교〗 새크라멘트(sacrament).

예:전[4]【禮奠】[명] 신불(神佛)이나 사자(死者)의 영전(靈前)에 예를 다하여 공물(供物)을 바침. 또, 그 공물.

예:전[5]【禮電】[명] ①사례의 전보. ②의례적인 전보.

예:전[6]【禮箭】[명] 〖역〗 화살의 한 가지. 길이가 석 자로 깃이 큰데, 반궁 대사례(泮宮大射禮)·궁중 연사(宮中燕射)·향음 주례(鄕飮酒禮)에 씀.

예:전-색【禮典色】[명] 〖천주교〗 각 축일(祝日)과 연중(年中) 예전 시기를 따라 사용하는 제복(祭服)의 빛. 백색·홍색·녹색·자색·흑색·장미색·금색 등이 있음.

예:절【禮節】[명] 예의와 범절. 예도(禮度). 예법(禮法).

예:접【禮接】[명] 예대(禮待). ——하다 [타][여불]

예:정[1]【豫定】[명] 미리 정함. 미리 내다보고 하는 작정. ¶ ~표(表)/~일(日). ——하다 [타][여불]

예:정[2]【豫程】[명] 미리 정한 노정(路程).

예:정[3]【穢政】[명] 악정(惡政).

예:정 납세 제:도【豫定納稅制度】[명] 〖법〗 전년도(前年度)의 납세 실적을 기초로 세액(稅額)의 일부를 전납(前納)시키고, 연도말의 확정 신고에 의해서 전납 세금과의 차액의 과부족을 청산하게 하는 제도. 주로 소득세에 적용됨. *신고 납세 제도.

예:정-도【豫定圖】[명] 어떠한 지면(地面)의 배정(配定)을 예정하여 그린 도면(圖面).

예:정-량【豫定量】[—냥] [명] 예정한 수량.

예:정-물【豫定物】[명] 예정하여 놓은 물건.

예:정 보:험【豫定保險】[명] 〖법〗 보험 계약 체결 당시에 보험 계약의 내용에 관하여 대체적으로 정하여 두고 후일(後日), 그 내용이 확정되고 또 위험이 개시한 때에 보험자가 당연히 위험을 보험하는 동시에 보험료 청구권을 취득하는 모든 보험의 총칭.

예:정-상【豫定相】[명] 〖언〗 동사의 동작상(動作相)의 하나. 상황이나 상태가 그렇게 전개됨을 나타냄. 현재 예정상, 과거 예정상, 미래 예정상이 있음.

예:정-설【豫定說】[명] [predestination] 〖기독교〗 ①우주 사이의 모든 사물이나 역사적인 사건은 자유로운 의사나 행위까지도 포함하여 모두 신의 예정에 의하여 된 것이라고 하는 설. 이 신을 운명(運命)으로 생각하면 단순한 숙명설(宿命說)로 됨. 대표자는 아우구스티누스·스피노자 등임. ②기독교 신학에서, 인간이 구원(救援)을 받느냐 또는 멸망(滅亡)될 것이냐는 이미 정하여져 있다는 설. 대표자는 아우구스티누스·칼뱅 등임.

예:정 신고【豫定申告】[명] 〖법〗 납세 의무자가 종합 소득세에 대하여 그 해의 도중에 일년간의 소득을 예산하여 세액(稅額)을 정부에 신고하는 일. ↔확정 신고.

예:정 원고【豫定原稿】[명] 신문 용어(新聞用語). 행사·사건 등이 끝나기 전에 행사·사건의 경위(經緯) 및 종말(終末) 등을 미리 상정(想定)하여 써 놓는 원고.

예:정-일【豫定日】[명] 예정한 날짜.

예:정 조화【豫定調和】[명] [도 Prästabillierte Harmonie] 〖철〗 라이프니츠 철학에서, 세계는 창이 없는 독립의 단자(單子)로 이루어지며, 이들 독립의 단자가 서로 관계되게끔 세계의 질서는 미리 신에 의해 정해져 있다고 하는 설.

예:정-지【豫定地】[명] 미리 작정한 곳.

예:정 통지【豫定通知】[명] 토지 소재지의 관할 세무서장이 과세 대상 유휴 토지 등을 조사하여 앞으로 결정될 과세 표준과 세액을 토지 소유자에게 미리 통지하는 일. 이를 받은 토지 소유자가 과세 표준과 세액에 대하여 이의가 있을 때엔 받은 날로부터 1개월 이내에 '고지전(告知前) 심사 청구서'를 제출할 수 있음.

예:정-표【豫定表】[명] 할 일의 순서를 미리 작정하여 만들어 놓은 표. 스케줄.

예-제[1] [명] ①여기와 저기의 구별. ¶ ~없이. ②여기와 저기.

예:제[2]【例祭】[명] 기일을 정해 놓고 지내는 제사.

예:제[3]【例題】[명] ①연습을 위해 보기로서 내는 문제. ②수학 따위에서 주로 정리(定理)의 성질과 응용 따위를 설명하기 위해 예로서 풀어 보인 문제. ③정례(定例)로 내리는 제사(題辭).

예:제[4]【睿製】[명] 왕세자나 왕세손(王世孫)이 글을 지음. 또, 그 글. ——하다 [타][여불]

예:제[5]【豫題】[명] 예상한 문제. 미리 넌지시 알려 준 문제. ¶ ~집(集).

예:제[6]【禮制】[명] 상례(喪禮)에 관한 제도.

예:제[7]【藝題】[명] 상연(上演)하는 연예물(演藝物)의 제목. 프로그램.

예제-없다 [—업—] [형] 여기나 저기나 구별이 없다.

예제-없이 [—업씨] [부] 여기나 저기나 구별이 없이.

예제이 [부] 〈방〉 몹시. 마구(함경).

예 젠잉 [葉劍英] [명] 〖사람〗 중국의 군인·정치가. 광둥 성(廣東省) 사람. 중국 전국 인민 대표회의 상임 위원회 위원장. 1926년 공산당 입당, 팔로군 참모장을 지내고 1949년 베이징(北京) 시장, 66년 중공당 중앙서기, 69년 당정치국원, 75년 국방상을 역임, 82년 정치국 상무 위원, 83년 국가 조사 위원회 부주석을 겸임함. 섭검영. [1897—1986]

예:조[1]【枘鑿】[명] ↗방예 원조(方枘圓鑿).

예:조[2]【銳爪】[명] 날카로운 손톱·발톱.

예:조[3]【禮曹】[명] 〖역〗 ①고려 때 육조(六曹)의 하나. 공양왕(恭讓王) 원년(1389)에 예부(禮部)의 후신인 예의사(禮儀司)를 고친 이름. 의례(儀禮)·제향(祭享)·조회(朝會)·교빙(交聘)·학교·과거의 일을 맡아 봄. ②조선 시대 때 육조의 하나. 예악(禮樂)·제사(祭祀)·연향(宴享)·조빙(朝聘)·학교·과거의 일을 맡아 봄. 태조(太祖) 원년(1392)에 설치하여 고종(高宗) 31년(1894)에 폐함. *육조(六曹).

[예조 담 모퉁이로] 예의를 차리느라고 겸사하는 버릇이 심한 사람을 조롱하는 말.

예조리 [명] 〈방〉 〖조〗 종다리[2] (함경).

예:조지-서어【枘鑿之鉏鋙】[명] 둥근 구멍에 네모진 물건이 들어가지 못한다는 뜻으로, 서로 용납되지 아니함의 비유.

예:조 취:재【禮曹取才】[명] 〖역〗 조선 시대 때, 예조(禮曹)에서 주관하여 뽑는 의학(醫學)·한학(漢學)·몽학(蒙學)·천문학(天文學)·지리학(地理學)·명과학(命課學)·율학(律學)·산학(算學) 등 잡직(雜職) 기술관 및 화원(畫員)·악생(樂生)·악공(樂工) 등의 취재. 제학생도(諸學生徒)·권지(權知)·전함(前銜) 등이 응시(應試)할 수 있으며, 4맹삭(孟朔)에 시행함. *병조(兵曹) 취재·이조 취재(吏曹取才).

예:조 판서【禮曹判書】[명] 〖역〗 조선 시대 때, 예조(禮曹)의 으뜸 벼슬로 정이품 문관. 대종백(大宗伯). [준] 예판(禮判).

예:졸【銳卒】[명] 날랜 병졸. 강한 군대.

예:종[1]【睿宗】[명] 〖사람〗 중국 당(唐)나라의 제5대 및 제7대의 황제. 고종(高宗)의 제8 왕자. 본명은 이단(李旦). 어머니인 측천 무후(則天武后)에 의하여 폐위되었으나 후에 복위(復位)하자 곧 현종(玄宗)에게 양위(讓位)함. [662-716; 재위 684-690, 710-712]

예:종[2]【睿宗】[명] 〖사람〗 고려 제16대 왕. 휘는 우(俁). 자는 세민(世民). 왕 3년(1108)에 윤관(尹瓘)을 보내서 여진을 토벌하여 구성(九城)을 쌓게 하고 이듬해 다시 여진에 반환하였음. 동 11년 이후에는 요(遼)나라와 교통이 두절되고 금(金)나라와 관계를 맺었음. 유학(儒學)을 좋아하여 학교를 세우고, 육경(六經)을 강론하게 하여 유학이 크게 일어남. [1079-1122; 재위 1105-22]

예:종[3]【睿宗】[명] 〖사람〗 조선 제8대 왕. 휘(諱)는 광(晄), 자(字)는 명조(明照), 초자(初字)는 평보(平甫), 세조(世祖)의 제2 왕자. 재위 1년 동안 직전 수조법(職田收租法)을 제정, 둔전(屯田)의 민경(民耕)을 허락하고, 최항(崔恒) 등에게 ≪경국대전(經國大典)≫을 찬진(撰進)하게 함. 한편 남이(南怡)·강순(康純)의 옥사(獄事), 민수(閔粹)의 사옥(史獄) 등이 있었음. 능은 경기도 고양시(高陽市)의 창릉(昌陵)임. 시호(諡號)는 소효(昭孝). [1441-69; 재위 1468-69]

예:종[4]【隷從】[명] 예속하여 복종함. ——하다 [자][여불]

예:종 실록【睿宗實錄】[명] 조선 예종의 재위 13개월간의 실록. 8권 5책.

예:좌【猊座】[명] ①부처가 앉는 자리. ②고승(高僧)이 앉는 자리. ③〖천〗 사자(獅子)자리.

예주[1]【裔胄】[명] 먼 자손. 예손(裔孫).

예:주[2]【蕊柱】[명] 〖식〗 수술과 암술이 결합하여 생긴 기관(器官). 난초과(科) 식물 등의 꽃에서 볼 수 있음.

예:주[3]【豫州】[명] 〖지〗 중국 고대의 행정 구획. 우(禹)의 아홉 주의 하나. 현재의 하남성(河南省) 부근임.

예:주[4]【禮奏】[명] 앙코르에 응한 답례의 연주.

예:주[5]【醴酒】[명] 단술.

예:주-경【蕊珠經】[명] 〖종〗 도교(道敎)의 경문(經文).

예:증[1]【例症】[명] ①늘 앓는 병. ②버릇❸.

예:증[2]【例證】[명] 예를 들어 증명함. 증거가 되는 전례. ¶ 여러 가지로 ~하다. ——하다 [타][여불]

예:-증권【預證券】[—꿘] [명] 〖법〗 창고업자가 화물 임치인(任置人)의 청구에 의하여, 화물 보관의 증서로서, 입질(入質) 증권과 함께 교부하는 증권.

예:지[1] [명] 〈방〉 〖식〗 여주[1].

예:지[2]【睿旨】[명] 〖역〗 왕세자가 왕의 대신으로 정치할 때 내리는 명령.

예:지[3]【銳志】[명] 예기가 있는 의지(意志).

예:지[4]【銳智】[명] 날카로운 지혜. 예민한 지식. ¶ 번뜩이는 ~.

예:지[5]【豫知】[명] ①미리 앎. ②[precognition] 〖심〗 이론적 추론(推論)에 의하여서는 예언이 불가능하다고 생각되는 장래의 사상(事象)에 관하여, 그 지식을 미리 얻는 일. 주로 이 에스 피(E.S.P.) 카드로 실험됨. 전지(前知). ——하다 [타][여불]

예:지[6]【叡智】[명] ①뛰어난 지혜. ②[intellect] 〖철〗 기억력·상상력·사고력을 써서 직면하는 이론적·실천적 여러 문제를 효과적으로 처리하는 정신 능력.

예지[7] [중 野鷄] [명] 중국에서 하등(下等)의 창부(娼婦). 가창(街娼).

예:지-계【叡智界】[명] 〖철〗 예지적 세계(叡智的世界).

예:지 능력【豫知能力】[—넉] [명] 〖심〗 초심리학(超心理學)에서 다루는, 미래(未來)를 아는 능력. 원감 현상(遠感現象)·제육감(第六感) 등도 이에 포함됨.

예:지 세:계【叡智世界】[명] 〖철〗 예지적 세계.

예:지-적【叡智的】[명][관] 〖철〗 오성(悟性)에 의해서만 포착·사유(思惟)할 수 있는 상태.

예:지적 성:격【叡智的性格】[—껵] [명] [도 intelligibler Charakter] 〖철〗 육체적 자기로서 감성적 경험계에 속하는 인간의 경험적 성격에 대하여, 자유 의지의 주체로서 예지적 세계에 속하는 인격을 말하는 칸트 철학의 용어.

예:지적 세:계【叡智的世界】[명] 〖철〗 가상계(可想界). ↔감성적 세계(感性的世界).

예:지적 직관【叡智的直觀】[명] [도 intellektuelle Anschauung] 〖철〗 보

통의 감성적(感性的) 직관에 대하여 예지적 세계를 보는 직관을 말함. 이 직관의 능력은 육체적 감관(感官)과는 달라 초감성적인 영성(靈性)이나 정신임. 지적(知的) 직관이라고도 함.

예:지적 허무주의【叡知的虛無主義】[-/-이] 명 『철』 예지에 의하여 보는 것은 허구(虛構)이므로 이성의 결정은 허무하다고 하는 주장.

예:진¹【例進】 명 예공(例貢). ——-하다 타 여불

예:진²【銳陣】 명 『악』 정대업(定大業) 춤의 내무(內舞)가 직진(直陣)으로부터 변하는 장면(場面). 흑(黑)이 북(北)에 한 줄로 나란히 서고, 청(靑)과 백(白)은 각기 흑의 양끝 옆으로부터 청은 동으로, 백은 서로, 한 줄에 벌여 서되, 머리로부터 양쪽(청과 백)의 둘째로부터 안으로 욱어 들어오기 시작하며, 홍(紅)의 첫째는 백의 첫째에 잇대어, 차차 더 욱 욱어 들어, 둘째·셋째를 거쳐, 넷째가 가운데의 절정(絶頂)이 되고, 다섯째·여섯째는 동으로 그와 같이 하며, 일곱째가 청의 머리의 첫째에 닿아서, 혓바닥의 형상을 이루고, 황(黃)은 곡진(曲陣)에서의 위치(位置) 그대로 있음.

예:진³【銳進】 명 용감하게 나아감. ——-하다 자 여불

예:진⁴【豫診】 명 『의』 미리 진찰함. 또, 그 일. ——-하다 타 여불

예:차¹ 명 〈방〉 여차¹.

예:차²【預差】 명 『역』 유사시에 쓸 차비관(差備官)을 미리 정함. ——-하다 타 여불

예:차 실차【預差實差】 명 『역』 예차와 실차.

예-찬¹【倪瓚】 명 『사람』 중국 원대(元代)의 화가·시인. 장쑤(江蘇) 사람. 자는 원진(元鎭), 호는 운림(雲林)·정명 거사(淨名居士) 등. 황 공망(黃公望)·오진(吳鎭)·왕몽(王蒙)과 함께 원말(元末) 사대가(四大家)로 불림. 고담(枯淡)한 정취가 넘치는 산수화를 그렸으며, 시집에 ≪청비각집(淸閟閣集)≫이 있음. [1301-74]

예:찬²【禮讚】 명 ①『불교』 삼보(三寶)를 예배하고 그 공적을 찬탄함. ②예로써 높이고 찬미함. ③예배와 찬미. ——-하다 타 여불

예:찬-게【禮讚偈】 명 『불교』 예찬의 뜻을 쓴 게(偈).

예:찬-자【禮讚者】 명 예찬을 하는 사람.

예:찰【豫察】 명 미리 살피어 앎. 미리 미루어 살핌. ——-하다 타 여불

예:참¹【禮參】 명 『불교』 부처나 보살 앞에 예배함. ——-하다 자 여불

예:참²【禮懺】 명 『불교』 부처나 보살 앞에 예배하고 죄과(罪科)를 참회(懺悔)함. ——-하다 자 여불

예처롭다 형 〈방〉 애처롭다.

예:척【禮陟】 명 승하(昇遐). ——-하다 자 여불

예:천¹【醴泉】 명 중국에서 태평한 때에 단 물이 솟는다고 하는 샘.

예:천²【醴泉】 명 『지』 경상 북도 예천군의 군청 소재지로 읍(邑). 낙동강 상류의 깨끗한 소도시로 농산물의 집산지이고, 전통 활의 산지임. [21,504 명(1996)]

예:천-군【醴泉郡】 명 『지』 경상 북도의 한 군. 관내 1읍 11면. 북은 영주시(榮州市)와 충청 북도 단양군(丹陽郡), 동은 안동시(安東市), 남은 의성군(義城郡)과 상주시(尙州市), 서는 문경시(聞慶市)에 인접함. 주요 산물로는 쌀·보리·콩·인삼·고추·잎담배·누에고치 따위의 농산과 임산·축산 따위가 있음. 명승 고적으로 보물 등을 간직한 용문사(龍門寺)와 청룡사(靑龍寺)·예천 권씨 종가 별당(醴泉權氏宗家別堂)·초간정(草澗亭) 등이 있음. 군청 소재지(所在地)는 예천읍(醴泉邑). [660.84 km^2 : 68,306 명(1996)]

예:천 분지【醴泉盆地】 명 『지』 경상 북도 서북부, 낙동강 상류의 분지. 중심지는 예천읍.

예:천 통명 농요【醴泉通明農謠】 명 『악』 경상 북도 예천군 예천읍 통명리에 전승되고 있는 토속 민요(土俗民謠). 모심기할 때부터 타작할 때까지 단계적으로 부르는 여러 마디로 된 농요로, 가락이 다양(多樣)하고 후렴(後斂)이 발달한 것이 특색임. 중요 무형 문화재 제 84 호.

예:철【睿哲】 명 지혜가 깊고 사리(事理)에 밝음. 또, 그 사람. ——-하다 형 여불

예:체능-계【藝體能系】 명 예능 계통과 체육 계통.

예초【刈草】 명 풀을 벰. 풀베기. ——-하다 자 여불

예초-기【刈草機】 명 풀을 베는 데 쓰는 기계.

예:총【禮銃】 명 경의를 표하기 위하여 쏘는 공포(空砲)의 총. *예포(禮砲).

예:축【豫祝】 명 미리 축하함. ——-하다 타 여불

예:축 행사【豫祝行事】 명 『민』 그 해의 풍작을 기원하여, 주로 음력 정월·이월에 가을의 풍작(豐作)의 모습을 본떠서 행하는 주술적(呪術的)인 행사. 나무시집보내기·볏가릿대·보리뿌리점·동신제(洞神祭) 따위가 있음.

예취【刈取】 명 곡식이나 풀을 벰. ——-하다 타 여불

예:측【豫測】 명 미리 짐작함. 미리 헤아림. 예료(豫料). 예탁(豫度). ¶ ~ 불허(不許). ——-하다 타 여불

예:치¹ 명 〈방〉 『충』 여치.

예:치²【預置】 명 맡겨 둠. ——-하다 타 여불

예:치³【齯齒】 명 늙은이의 이가 다시 남. ——-하다 자 여불

예:치-금【預置金】 명 ①『경』 보조부를 비치하여 수지 명세를 기록하든지 원장(元帳)에 한 과목을 만들어 그것만으로 정리하여도 좋은 예금. ②맡겨 둔 돈.

예:치기 명 〈방〉 『충』 여치(경북).

예:치-주의【禮治主義】[-/-이] 명 성현(聖賢)의 예(禮)를 규범(規範)으로 백성을 다스림을 정치의 요체(要諦)로 삼는 중국의 옛 정치 사상. 곧, 덕치(德治)주의.

예:칙【例飭】 명 정례(定例)로 하는 훈시.

예카테리나 이:세【一二世】[Ekaterina Ⅱ] 명 『사람』 러시아의 여제(女帝). 독일 출생으로 남편인 표트르(Pyotr) 3세를 죽이고 즉위하였음. 농노제(農奴制)를 강화하고, 폴란드를 분할함. 터키와 싸워 영토를 흑해(黑海) 연안에까지 넓혔음. 계몽 전제 군주(啓蒙專制君主)로 알려짐. 캐서린(Catherine) 2세. [1729-96; 재위 1762-96]

예카테리나 일세【一一世】[Ekaterina Ⅰ] [-쎄] 명 『사람』 러시아 최초의 여제(女帝). 농부의 딸로 표트르(Pyotr) 1세의 두 번째 황후. 남편의 사후 즉위하였으나 실권은 멘시코프(Menshikov, A.D.) 등에게 빼앗겨 권한을 행사하지 못함. 캐서린 1세. [1684-1727; 재위 1725-27]

예:-컨대【例一】 부 이를테면. 예를 들건대.

예타 운하【一運河】[Göta] 명 『지』 스웨덴 남부 카테갓(Kattegat) 해협 쪽의 예테보르이(Göteborg)와 발트 해안의 쇠데르최핑(Söderköping)을 연결하는 운하. 예타 강(Göta江), 베너른 호(Vänern湖), 베터른 호(Vättern湖) 등을 이용해서 전장 약 385 km에 이르며, 운하 부분은 88 km, 폭 15 m, 깊이 3 m임. 1832년에 완성. 동국(同國)의 남부 공업 지대의 동맥으로서 중요함.

예:탁¹【預託】 명 부탁하여 맡겨 둠. ——-하다 타 여불

예:탁²【豫度】 명 예측(豫測). ——-하다 타 여불

예:탁³【豫託】 명 미리 부탁함. ——-하다 타 여불

예:탁⁴【禮卓】 명 예식에 쓰는 탁자.

예:탁⁵【穢濁】 명 더럽고 탁함. ——-하다 형 여불

예:탁 저:금【預託貯金】 명 우편 저금의 하나. 전에, 국민 저축 조합원의 저축이나 근로자 재산 형성 저축 등을 우체국에서 예탁받던 저금임.

예:탁 증권【預託證券】[-꿘] 명 『경』 주식을 해외에서 거래할 때, 현물 주식(現物株式) 대신 사용하는 증권. 매매에 따르는 양국의 법률·거래 제도·언어 따위의 차이에 의한 문제를 해결하기 위해 발행됨.

예:탄【叡嘆·睿歎】 명 임금의 탄식(歎息). ——-하다 타 여불

예:탐【豫探】 명 ①미리 탐지함. ②→여탐. ——-하다 타 여불

예:탐-굿【豫探一】 명 『민』 →여탐굿.

예:탐-꾼【豫探一】 명 예탐하는 사람.

예테보리 [Göteborg] 명 『지』 스칸디나비아 반도의 남부 카테갓 해협에 임한 스웨덴 제일의 상항(商港). 조선업(造船業)이 세계적으로 유명하며, 볼 베어링(ball bearing)·자동차·기계·면직(綿織) 등의 생산도 많음. [437,313 명(1994)]

예:토【穢土】 명 『불교』 더러운 땅. 즉, 이 세상. 범인(凡人)이 살고 있는 사바 세계. 예국(穢國). ↔정토(淨土).

예:통【豫通】 명 미리 알림. ——-하다 자 여불

예:투【例套】 명 전례가 된 버릇. ¶ 그것도 ~로 얼굴이나 잠깐 내밀었다가……≪鄭飛石 : 靑春의 倫理≫.

예:판【禮判】 명 『역』 ↗예조 판서(禮曹判書).

예:팔【隷八】 명 예서(隷書)와 팔분(八分).

예:-팔 명 『식』 팥의 한 종류. 빛이 붉고 모양이 길쭉함.

예펜네 명 ☞여편네.

예펜 신방【一神房】 명 〈방〉 무당(제주).

예:편【豫編】 명 예비역에 편입함. ——-하다 자타 여불

예:폐【禮幣】 명 고마움과 공경하는 뜻으로 보내는 물건.

예:포【禮砲】 명 『군』 군대나 군함에서 경의를 표하기 위하여 쏘는 공포(空砲). 경의를 표하는 경우에 따라 또는 사람에 따라서 발포하는 예포의 수효가 규정되어 있음. *축포(祝砲).

예:풍【藝風】 명 예술·예도(藝道)의 풍취 또는 경향.

예프투셴코 [Evtushenko, Evgenii Aleksandrovich] 명 『사람』 러시아의 시인. 스탈린 사망 후 해빙(解氷) 시대의 기수(旗手)로 활약하고, 반권위(反權威)에 뿌리박은 적나라(赤裸裸)한 심정 고백으로 젊은 층의 압도적 지지(支持)를 얻음. ≪제3의 눈≫·≪스탈린의 후계자≫ 등 여러 장편시(長篇詩)가 있고, 1963년 프랑스에서 발표된 ≪성급한 자서전≫은 소련 공산당으로부터 심한 비난을 받았음. 1975년에는 중공을 비판하는 시를 발표함. 1988 년 제 52 회 서울 국제 펜 대회에도 참석함. [1933-]

예:필【睿筆】 명 왕세자가 쓴 글씨.

예:하¹【例下】 명 정례에 따라 내려 줌. ——-하다 타 여불

예:하²【猊下】 명 ①고승(高僧)의 곁. ②고승의 존칭. ③중한테 보내는 서장(書狀)의 한 쪽 옆에 써서 경의를 나타내는 말.

예:하³【隷下】 명 수하(手下)에 딸린 자. 휘하(麾下). ¶ ~ 부대(部隊).

예:학¹【睿學】 명 왕세자가 배우는 학문.

예:학²【禮學】 명 관혼상제(冠婚喪祭)에 관한 학문.

예:합【詣閤】 명 궁궐(宮闕)에 들어가 합문(閤門) 밖에서 명을 기다림. ——-하다 자 여불

예항【曳航】 명 다른 선박이나 물건을 끌면서 항해하는 일. 인항(引航). ¶ ~력(力). ——-하다 타 여불

예:해【例解】 명 예를 들어 풀이함. 또, 그것. ——-하다 타 여불

예행¹【曳行】 명 끌고 감. ——-하다 타 여불

예:행²【豫行】 명 미리 행함. 연습으로 행함. 또, 그 일. ——-하다 타 여불

예:행³【穢行】 명 더럽고 부도덕한 행위. 추행(醜行).

예행 비행【曳行飛行】 명 글라이더를 활공(滑空)시킬 때 비행기의 뒤에 달고 끌면서 비행하는 일.

예:행 연:습【豫行演習】[-년-] 명 학교 같은 곳에서 운동회나 학예회 등을 할 때에, 그와 꼭 같은 순서로 실행해 보는 종합적인 연습.

예:향【藝鄕】 명 전통 문화·예술이 잘 보존되어 있고 현재도 그 활동이 활발한, 문화·예술의 중심이 되는 고장.

예:혈【預血】 명 혈액을 혈액 은행에 맡김. ——-하다 자 여불

예호바 [Jehovah] 명 『성』 여호와.

예:화¹【例話】 명 예로 들어 하는 이야기.

예:화²【禮化】 명 예의와 교화(敎化).

예화 사격【曳火射擊】 명 『군』 예광탄으로 하는 사격.

예화-탄【曳火彈】명〖군〗예광탄(曳光彈).

예:-황제【一皇帝】명 별로 하는 일 없이 호의 호식(好衣好食)하고 안락을 누리는 임금.

[예황제 부럽지 않다] 매우 안락하게 지낸다는 뜻.

예:회【例會】명 일정한 기일에 늘 모이는 모임.

예:획【隸畫】명 예서(隸書)의 자획(字畫).

예:후【豫後】명 ①의사가 병자를 진찰한 다음 미리 그 병세의 진전을 단정한 병세. ②병후의 경과. *복후(服後).

옌볜〔延邊〕명〔지〕중국 지린 성(吉林省)의 조선족(朝鮮族) 자치주. 창바이(長白) 산맥을 낀 분지로, 제 2 쑹화 강(松花江)·두만강이 흐름. 주요 농업 지역으로서 쌀·콩·조를 재배하고, 지린 성 최대의 목재 산지(產地)임. 금·은·납 따위가 풍부하고, 제재(製材)·제지 등과 농기구·고무·메리야스·도자기·출판 등 조선족과 관련된 산업이 활발함. 주도는 옌지(延吉). 연변. [63,000 km²: 1,872,000 명(1982)]

옌볜 대학【一大學】〔延邊〕명 연변 대학.

옌샤두 유적【一遺跡】〔燕下都〕명 중국 허베이 성(河北省) 역현(易縣)에 있는 전국(戰國) 시대 연나라의 도성지(都城址). 동서 8 km 남북 6 km, 둘레에 성벽(城壁)을 둘러 쌓음. 성의 내외에 50 개 이상의 토대(土臺)가 있으며, 1930년에 그 중의 하나인 고모대(考姥臺)에서, 명도전(明刀錢)·회도(灰陶)·기와 등이 발견됨. 그 후로도 16호 묘(墓)에서 청동기(青銅器)를 모방한 솥·항아리 등의 도자기가 출토함. 연하도 유적.

옌센〔Jensen, Johannes Vilhelm〕명〖사람〗덴마크의 시인·소설가. 해외 여행 후, 고트족(Goth 族)의 우월을 인식하고, 태고 이래의 인류 역사를 상상하여 장편 소설 ≪긴 여행≫을 발표, 1944년 노벨 문학상을 받음. [1873-1950]

옌슈〔Jaensch, Erich Rudolf〕명〖사람〗독일의 심리학자. 실험 현상학(實驗現象學)에 의하여 지각(知覺)을 연구하고 직관상(直觀像)을 발표하였으며, 인간 유형을 통합형(統合型)·붕괴형(崩壞型)으로 나누었음. [1883-1940]

옌 시산〔閻錫山〕명〔사람〕중국의 군인. 산시 성(山西省) 출생. 일본 육사(陸士) 졸업. 산시 성 도독(都督)으로, 산시-먼로(Monroe)주의를 내걸고 한때 반장제스파(反蔣介石派)를 조직하기도 하였으나, 중일 전쟁 때는 대일(對日) 전쟁에 협력하고, 전후에는 국민 정부의 행정원장을 지낸 적도 있음. 염석산. [1883-1960]

옌안〔延安〕명〔지〕중국 산시 성(陝西省)의 한 현(縣). 예로부터 웨이허 분지(渭河盆地)와 북방의 오르도스를 연락하는 요지(要地)임. 1935년 중국 공산당이 장시 성(江西省) 루이진(瑞金)에서 25,000 km의 장정(長征)으로 이곳에 본거지(本據地)를 옮겨, 항일(抗日) 전쟁과 내전(內戰)을 치루어 나감. 부근 일대는 황토층(黃土層)이 펼쳐져 있고, 모직물업과 목축이 주업(主業)인데, 근년에 공업화가 성취되고, 옌안 대학(大學) 등의 학술 기관이 여럿 생김. 연안. [254,000 명(1984)]

옌워〔중 燕窩〕명 '연와(燕窩)'를 중국 음으로 읽은 이름.

옌 자간〔嚴家淦〕명〔사람〕중국의 정치가. 장쑤 성(江蘇省) 출생. 1939년 푸젠 성 재정청장(福建省財政廳長), 1950년 재정부장(財政部長), 1954년 타이완성 주석(臺灣省主席), 1966년 행정원 의장(行政院議長)겸 부총통을 역임. 1975년 장 제스(蔣介石)가 죽자 총통(總統)이 되고 1978년 사임함. 엄가감. [1905-]

옌장[1] 명〈방〉연장(강원).

옌:장[2] 감 실망의 뜻을 나타낼 때에 내는 소리. ¶~, 손해만 봤네.

옌젠[1]〔Jensen, Hans Daniel〕명〖사람〗독일의 물리학자. 이온 결정, 고압(高壓) 물리학으로부터 원자핵 구조의 연구로 옮겨, 1949년 마이어(Mayer, M.G.)와 독립적으로 원자핵의 각모형(殼模型)을 제창하였으며, 1963년 위그너(Wigner, E.P.), 마이어(Mayer, M.G.) 등과 함께 노벨 물리학상을 받음. [1907-73]

옌지【延吉】명〔지〕중국 지린 성(吉林省) 동부의 조선족 자치주의 주도. 두만강 북쪽에 위치함. 농산물 집산지이면서, 양조(釀造)·화학·식품 공업이 성하고 부근에서 금·은이 남. 19 세기 중엽에서 20 세기 초엽에 걸쳐 우리 나라 사람이 많이 이주하여 청(淸)에서는 쥐쯔제(局子街)라고 불렀음. 일제 강점기에 항일 운동의 중심지였음. 연길. [185,647 명(1987)]

옌쳐핑〔Jönköping〕명〖지〗스웨덴 남부의 베터른 호(Vättern湖) 남단(南端)의 도시. 13세기 이래의 오랜 도시로, 내륙(內陸) 교통의 중심지임. 세계적인 성냥 공업 외에 종이·화학·섬유·제화(製靴)·기계 등의 공업이 성함. [107,000 명(1982)]

옌타이〔煙臺〕명〔지〕중국 산둥성(山東省) 북동부에 위치한 공업 도시. 1858년 톈진 조약(天津條約)에 의하여 개항되었음. 중요 집산물은 작잠사(柞蠶絲)·견주(繭綢)·대두박(大豆粕)·낙화생·맥주·포도주·직물 등이며 이전에 공동 조계(共同租界)가 있었던 관계로 서양식 가옥이 많음. 연대. [699,000 명(1984)]

옌타이 조약【一條約】〔煙臺〕명〔역〕즈푸(芝罘) 조약.

옌타이 탄갱【一炭坑】〔煙臺〕명〔지〕중국 선양(瀋陽) 남부에 있는 탄갱. 원래 고구려 사람이 발견하여 채굴이 시작된 곳으로 유명하며, 탄질(炭質)은 아무연탄(亞無煙炭)임. 연대 탄갱.

옌 푸〔嚴復〕명〖사람〗중국 청말(淸末)의 사상가. 푸젠 성(福建省) 사람. 제1차 영국 유학생으로 유학한 후, 귀국하여 북양 수사 학당(北洋水師學堂) 교장, 경사 대학(京師大學) 번역국장 등을 거쳐 1910년 자정원(資政院) 의원이 됨. 헉슬리(Huxley, T.H.), 스미스(Smith, A.), 몽테스키외(Montesquieu) 저서의 명번역으로 청말 사상계에 커다란 영향을 주었으나 위안 스카이(袁世凱)의 제정 운동(帝政運動)에 관계하여 명성을 떨어뜨렸음. 엄복. [1853-1921]

옌하이저우〔沿海州〕명〔지〕'연해주'의 중국어명.

옐 명〈방〉모이(함북).

옐로:〔yellow〕명 노란 색. 노랑.

옐로:도그 콘트랙트〔yellow-dog contract〕명〖경〗노동자가 개별적으로 사용주와 맺는 계약의 한 가지. 차별 대우를 교환 조건으로, 조합의 불가입·쟁의에의 불참가 등을 약속하는 계약. 부당 노동 행위로서 금지됨. 황견(黃犬) 계약.

옐로: 북〔Yellow Book〕명 ①〖정〗황서(黃書). ②〖문〗1894-97년에 걸쳐 런던에서 발행된 유미(唯美)주의 운동의 계간(季刊) 잡지.

옐로:스톤: 공원【一公園】〔Yellowstone〕명〖지〗미국 와이오밍 주 북서부 로키 산맥 중에 있는 세계 최초의 국립 공원. 폭포·계곡·용암상(熔岩床)·온천 등의 기경(奇景)이 많음. 넓이 8,596 km²임. 황석 공원(黃石公園).

옐로: 저:널리즘〔yellow journalism〕명 독자를 끌기 위하여 흥미 본위의 선정적(煽情的)인 기사를 주로 보도하는 신문. 또, 그러한 신문 논조(論調). *옐로 페이퍼.

옐로: 카:드〔yellow card〕명 ①축구에서, 고의로 반칙한 선수에게 주심이 경고하고 보이는 종이 쪽지. ②[표지가 노란 데서] 해외 여행 때 필요한 예방 접종(豫防接種)을 받았음을 증명하는 카드. 국제 예방 접종 증명서.

옐로: 케이크〔yellow cake〕명 우라늄 광석에서 우라늄을 분리(分離)·추출(抽出)할 때, 조정련(粗精鍊)에 의해 그 함유율을 40-80%로 높인 중간 제품(中間製品). 황색의 물질이기 때문에 붙여진 이름임. 우라늄 정광(精鑛).

옐로: 페이퍼〔yellow paper〕명 야비·저속하고 선정적(煽情的)인 기사만을 주로 다루는 저급한 신문. 황색 신문(黃色新聞). 옐로 프레스. *옐로 저널리즘.

옐로: 프레스〔yellow press〕명 옐로 페이퍼.

옐리네크〔Jellinek, Georg〕명〖사람〗독일의 공법학자. 신칸트파의 입장에서 법의 사회학적인 파악을 주장하였으며, 국법학(國法學)의 기초를 세웠음. 저서 ≪일반 국가학(一般國家學)≫·≪공권 체계론(公權體系論)≫ 등. [1851-1911]

옐리바레〔Gällivare〕명〖지〗스웨덴 북부 북극권내의 세계적인 철광 도시. 1888년부터 채광(採鑛)함. [25,000 명(1980)]

옐친〔Yeltsin, Boris Nikolaevich〕명〔사람〕러시아의 정치가. 1981년 공산당 모스크바 시당(市黨) 제 1 서기, 90년 러시아 최고 회의 의장 등을 거쳐 소련의 해체로 91년 러시아 연방이 독립하면서 초대 대통령에 취임. 소련 대통령 고르바초프의 개혁 정책을 신랄히 비판하고 급진적인 개혁을 주장함. 독립 국가 연합의 창설을 주도함. 1999년 말 건강 등을 이유로 푸틴(Putin, V. V.)에게 대통령직을 인계하고 사임함. [1931-]

염:-집[一찝] 명 ☞여염집.

옛:[1] 관 지나간 때의. ¶~ 모습.

옛[2] 조〈옛〉에 있는. ¶東海옛 도ᄌᆞ기 智勇ᄋᆞᆯ 니기 아ᄉᆞᄫᅡ(東海之賊 熟知智勇)≪龍歌 59章≫.

-옛- 보간〈옛〉-었-. ¶沙羅樹王이 四百國ᄋᆞᆯ 거느렛더시니 ≪月釋 Ⅷ:77≫.

옛:-글 명 ①옛말로 적은 글. 고문(古文). ②옛사람들의 글.

옛:-길 명 지난날 다니던 길.

옛:-날 명 ①옛적의 날. 옛 시대. 옛적. 석일(昔日). 왕년(往年). 재석(在昔). 석년(昔年). ②지난날. ¶돈푼이나 벌었다고 ~ 일을 잊어서는 안 된다.

[옛날 시어미 범 안 잡은 사람 없다] 과거에 큰일깨나 한 것처럼 허풍을 떠는 사람을 비양하는 말.

옛:날 사:람 명 옛사람.

옛:날 옛:적[一렌一] 명 매우 오래 된 옛적.

옛:날 이야기[一리一] 명 ①옛날에 있었거나 또는 있었다고 가정(假定)하고 하는 이야기. 옛말. 고담(古談). ②지금은 있을 수 없는 지나간 날의 이야기.

-옛다 어미〈옛〉-어 있다. -었다. ¶거츤 ᄠᅳᆯ헤 橘柚ㅣ 드리옛고 (荒庭垂橘柚) ≪杜諺 Ⅵ:26≫.

옛:-등걸 명 오래 된 고목(古木)의 등걸.

옛:-말 명 ①옛날에 쓰이던 말. 고어. 고언(古言). ②옛사람의 말. ③〈방〉옛날의 이야기. ——-하다 자 여불 어려웠던 지난 날의 일을 회상하는 말을 하다. ¶장차 옛말하며 살 날이 올 게다.

[옛말 그른 데 없다] 옛날부터 전해 오는 말은 하나도 틀린 데가 없으니 명심해서 따르라는 말.

옛:말 사전【一辭典】명 고어(古語)를 모아 편찬한 사전. 고어 사전.

옛:-모습 명 전날의 모습. ¶~이 남아 있다.

옛비 부〈옛〉불쌍히. 가엾이. =어엿비. ¶어버ᅀᅵ 업슨 사ᄅᆞᆷ에옛비 너규믈 시급히 ᄒᆞ며(急於濟貧卹孤) ≪飜小 X:14≫.

옛:-사람 명 ①예전에 살던, 지금은 죽고 없는 사람. 옛날 사람. 고인(古人). ②고풍(古風)의 사람.

옛:-사랑 명 ①지난날 맺었던 사랑. ②지난날 사랑하던 사람.

옛수다 감〈방〉옜습니다.

옛:-스럽다 형 ㅂ불 '예스럽다'의 잘못.

옛:-시【一詩】명 옛사람의 시. 고시(古詩).

옛:-시조【一時調】명 옛날에 지은 시조. 주로 갑오 경장 이전의 시조들.

옛:-이야기[一니一] 명 옛날 이야기.

옛:-이응[一니一] 명 옛 한글의 자음 글자 'ㆁ'의 이름.

옛:-일[一닐] 명 옛적의 일. 지나간 일.

옛:-적 명 ①오랜 옛 시대. 석시(昔時). 재석(在昔). 왕석(往昔). 왕대(往代). 왕세(往世). 예전. 옛날. ②세태(世態)·물정(物情)이 판이하게 다른 때. ¶한 달 전은 벌써 ~이다.

옛:-정【一情】명 지난날에 사귄 정. 구정(舊情). ¶그에 대한 ~이 다시 금 새로워진다.

옛:-집 명 ①옛적 집. 오래 된 집. 고옥(古屋). ②이전에 살던 집. ¶고향의 ~.

옛:-책【一冊】명 옛날에 나온 책. 고서(古書).

옛:-추억【一追憶】명 지나간 추억. 옛날에 대한 추억. ¶~이 새로워진다/~을 못잊다.

옛:-친구【一親舊】명 사귄 지가 오래 된 친구.

옛:-터 명 옛 터전. ¶황성(荒城) ~.

옛:-터전 명 옛적에 사람이 자리를 잡고 살았거나 사건이 있던 곳. 옛터. 유적(遺跡).

옛:-풍속【一風俗】명 옛적의 풍속. 고풍(古風).

옜네 감 '여기 있네'가 줄어서 된 말. '하게'할 사람에게 무엇을 줄 때에 쓰임. ¶~ 가져 가게.

옜다 감 '여기 있다'가 줄어서 된 말. '해라'할 사람에게 주는 물건을 받으라는 뜻으로 하는 소리. ¶~ 먹어라.

옜소 감 '여기 있소'가 줄어서 된 말. '하오' 할 사람에게 무엇을 줄 때 하는 소리.

옜소이다 감 '여기 있소이다'의 준말. '하시오' 할 사람에게 무엇을 줄 때에 하는 소리.

옜습니다 감 '여기 있습니다'가 줄어서 된 말. '합쇼' 할 사람에게 무엇을 주려고 할 때 하는 소리.

옜어 감 '옜다'의 반말.

옜읍니다 감 ☞옜습니다.

옝기 명 〈방〉 연기(煙氣)❶(경남·전라·강원).

옝끼 명 〈방〉〖동〗 여우[1](함남).

옝이 명 〈방〉〖동〗 여우[1](평안).

오[1] 명〖언〗 한글의 모음(母音) 'ㅗ'의 이름.

오:[2]【午】명〖민〗 ①지지(地支)의 일곱째. ②↗오시(午時). ③↗오방(午方).

오:[3]【午】명 성(姓)의 하나. 우리 나라에는 현존하지 아니함.

오:[4]【伍】㊀명 ①〖역〗 행군할 때에 다섯 사람씩 편제(編制)한 일대(一隊). ②종대(縱隊)나 횡대(橫隊)에서 가로 벌인 일 조(一組). ㊁ 수 오(五)의 갖은 자(字).

오[5]【伍】명 성(姓)의 하나. 우리 나라에는 현존하지 아니함.

오[6]【吾】명 성(姓)의 하나. 우리 나라에는 현존하지 아니함.

오[7]【吳】명〖역〗 ①중국 춘추 12열국(列國)의 하나. 주(周) 문왕(文王)의 백부 태백(太伯)이 세웠다 하는데, 양쯔강 어귀의 지방을 영유하였으며, 황하 중류 유역의 주민과 풍속이 달랐기 때문에 만이시(蠻夷視)되었음. 초(楚)를 파(破)하여 한때 세력을 폈으나, 부차(夫差) 때 월왕(越王) 구천(勾踐)에게 멸망당함. [?-473 B.C.] ②중국 삼국(三國) 시대의 나라 이름의 하나. 손권(孫權)이 강남에 세웠으며 서울은 건업(建業). 건국 후 4대 만에 서진(西晉)에게 망함. [222-280] ③중국 오대(五代)의 십국(十國)의 하나. 양행밀(楊行密)이 화이난(淮南)·장둥(江東)에 세운 나라로 서울은 양저우(揚州). 남당(南唐)에 망함. [902-937] ④중국 장쑤성(江蘇省)의 별명.

오[8]【吳】명 성(姓)의 하나. 본관이 해주(海州)·동복(同福)·보성(寶城)·고창(高敞)·나주(羅州) 등 14본임.

오[9]【烏】명〖악〗 신라의 이문(泥文)이 작곡한 가야고 곡(曲)의 이름.

오[10]【墺】명〖지〗 ↗오지리(墺地利).

오:[11]〔O,o〕명 ①영어의 제15 자모. ②〖화〗 산소(酸素)의 원소 기호. ③ ABO식 혈액형의 하나. O형. ④〖수〗 해석 기하학에서, 두 줄의 좌표축이 교차하는 원점을 나타냄. ⑤시험 답안 등에서 옳음을 표시하는 부호. ¶~엑스(X) 문제. ↔엑스[1](X) ❻.

오:[12]【五】수 다섯.

오[13] 조 〈옛〉 고. 요. ¶왼녀긔 혼點을 더으면 뭇 노폰 소리오《訓諺 13》.

오[14] 조 〈옛〉 인고. ¶대버히ᄂᆞ닌 뉘 아ᄃᆞ리오(伐竹者誰子) 《杜諺 I:23》.

오:[15] 감 ①옳지. ②↗오냐. ¶~, 그렇고 말고. ③놀람·칭찬 등 절실한 느낌을 나타낼 때 내는 소리. ¶~, 참 아름답군. *아[9].

-오- 선어미 '-옵-'의 'ㅂ'이 모음 어미를 만난 때에 줄어진 선어말 어미. ¶가~니/생각이 나~면/하~아(→하와)/소인이 보~리다. *-사오-·-으오-·-옵-.

오:- 투 ↗올. ¶~사리/ ~조.

-오[1] 어미 받침 없는 어간에 붙어, '하오' 할 자리에서, 현재의 동작이나 상태의 서술·의문 및 동작의 명령을 나타내는 종결 어미. ¶그 꽃은 매우 희~/얼마나 크~/나를 보~/이것은 내 것이~/저 것은 내 것이 아니~/저리 가시~/당신이 주인이~? *-으오·-소·-우·-요[2].

-오[2] 어미 〈옛〉 고. 'ㄹ'과 'ㅣ' 아래의 'ㄱ'의 탈락형(脫落形). ¶됴호 일란 내게 보내오 구즌 일란 ᄂᆞᄆᆡ게 주ᄂᆞ니 《金剛 21》.

오:가[1]【五加·五佳】명〖식〗 오갈피나무❶.

오:가[2]【五家】명〖불교〗 선종(禪宗)에 있어서 임제종(臨濟宗)·위앙종(潙仰宗)·조동종(曹洞宗)·운문종(雲門宗)·법안종(法眼宗) 등의 다섯 종파.

오:가[3]【五歌】명〖문〗 판소리 열두 마당 중, 현재까지 판소리로 불려지는 춘향가·심청가·흥부가·수궁가·적벽가 등 다섯을 일컫는 말.

오:가[4]【五稼】명 오곡(五穀).

오-가다 자 거라불 오고 가고 하다. 왕래(往來)하다.

오:-가닥 명 〈방〉 오가재비.

오:가 도감【五家都監】명〖역〗 고려 시대에 설치되었던 임시 관청의 하나.

오가리[1] 명 ①박이나 호박의 살을 길게 오리어 말린 것. 고자리. 호박고지. ②식물의 잎이 병들고 말라서 오글쪼글한 모양. ③〈방〉 알뚝배기.
 오가리(가) 들다 구 식물의 잎 같은 것이 병들거나 말라서 오글쪼글하게 되다. 준오갈들다.
 오가리(가) 지다 구 〈방〉 오가리 들다.

오가리[2] 명 〈방〉 항아리(전남).

오가리[3] 명 〈옛〉 왜가리. =오과리. ¶오가리(青鶂)《四聲 下 38 鶂字註》.

오가리-솥 명 위가 옥은 솥.

오가리-지다 자 오갈병이 들어 오글오글해지다.

오가사와라 제도【一諸島】〔小笠原: おがさわら〕명〔Bonin Islands〕〖지〗 이즈 칠도(伊豆七島) 남방의 태평양상에 남북으로 나란히 있는 30여 개의 융기 화산도(隆起火山島). 열대(熱帶) 농업과 어업이 행하여짐. 제2차 세계 대전 때 미군이 점령하여 미국의 통치하에 들어갔었으나 1968년 6월 일본에 반환하여 현재 도쿄도(東京都)에 속해있음. [89 km²]

오:가-산【五佳山】명〖지〗 평안 남도(平安南道) 후창군(厚昌郡)에 있는 산. [1,198 m]

오가 소:립【吾家所立】명 자기가 도와서 출세(出世)시켜 준 사람이라는 뜻.

오:-가야【五伽耶】명〖역〗《삼국유사(三國遺事)》에 나오는 다섯 가야국. 여섯 가야 중 맹주 시대(盟主時代)에 맹주국을 제외한 다섯 가야를 가리킨 것으로 보임. *육가야(六伽耶).

오가-양【吳家樣】명〖미술〗 중국 당(唐)나라 때의 화가 오도현(吳道玄)의 화풍(畫風)으로 그리는 불화(佛畫)의 양식. 오장(吳裝).

오:가 작통【五家作統】명〖역〗 ①조선 숙종(肅宗) 원년(1675)에 다섯 민호(民戶)를 한 통(統)씩으로 정한 호적(戶籍) 제도. ②조선 헌종(憲宗) 때 천주교(天主教)를 철저히 금(禁)하기 위하여 다섯 집을 한 통으로 삼아 연대 책임(連帶責任)을 지도록 한 자치적(自治的) 인보(隣保) 제도. *작통. ——-하다 자여불

오:가-재비【五一】명 굴비나 자반 준치 같은 것을 다섯 마리씩 한 줄에 엮어서 세는 일컬음.

오:가 전집【五歌全集】명〖책〗 판소리 사설집. 판소리 창자(唱者)였던 진주(晉州) 사람 이 유선(李有善)의 창본을 김 택수(金澤洙)가 채록한 것을 1933년에 편찬함. 오가는 춘향가·심청가·흥부가·적벽가·수궁가임.

오:가-피【五加皮】명 →오갈피.

오:가피-나무【五加皮一】명〖식〗 오갈피나무.

오:가피-주【五加皮酒】명 ①오갈피술. ②빛이 붉고 향기가 있는 중국 술의 한 가지.

오:각[1]【五角】명 다섯 모가 진 형상. 다섯모.

오:각[2]【五覺】명〖불교〗 시각(始覺)·본각(本覺)·상사각(相似覺)·수분각(隨分覺)·구경각(究竟覺) 또는 중생각(衆生覺)·성문각(聲聞覺)·삼승각(三乘覺)·보살각(菩薩覺)·불각(佛覺)의 다섯 가지 깨달음.

오:-각[3]【O脚】명〖의〗 대퇴골(大腿骨)과 경골(脛骨)이 바깥쪽으로 구부러져 두 다리가 'O'자처럼 된 다리. 신생아부터 세 살까지는 생리적으로 오각이나, 대여섯 살에도 오각이면 구루병(佝僂病) 기타 외상(外傷)·염증에 의한 병적인 것임.

오:-각[4]【O殼】명〖물〗 오껍질.

오:각-기둥【五角一】명 다섯 모가 진 기둥 또는 각기둥. 오각주(五角柱).

밑면
옆면
〈오각기둥〉

오각-대【烏角帶】명〖역〗 ①품대(品帶)의 하나. 정칠품(正七品)으로부터 종구품(從九品)까지의 벼슬아치가 띠는 것으로, 은(銀) 테두리에 검은 뿔 조각을 붙이었음. ②품대(品帶)의 하나. 정일품 이하(以下)의 벼슬아치가 천담복(淺淡服)을 입을 때 띠는 띠. 검은 뿔 조각으로만 장식하였음.

오:각-뿔【五角一】명〖수〗 밑변이 오각형으로 된 각뿔. 다섯모뿔. 오각추(五角錐).

오:각 십이면체【五角十二面體】명 열두 개의 정오각형의 면으로 구성된 입체.

오:각-주【五角柱】명 '오각기둥'의 구용어.

오:각-추【五角錐】명〖수〗 '오각뿔'의 구용어.

오:각 프리즘【五角一】〔prism〕명 펜타프리즘(pentaprism).

오:각-형【五角形】명〖수〗 모가 다섯 있는 도형. 오변형(五邊形).

오:간[1]【午間】명 낮때.

오:간[2]【五姦】명〖역〗 조선 선조(宣祖) 2년(1569) 이 율곡(李栗谷)이 지은 《동호 문답(東湖問答)》에 나오는 말로, 을사사화(乙巳士禍)를 일으킨 다섯 사람을 가리킨 말. 곧, 정순붕(鄭順朋)·윤원형(尹元衡)·이기(李芑)·임백령(林百齡)·허자(許磁).

오:간[3]【五諫】명 휼간(譎諫)·장간(戇諫)·강간(降諫)·직간(直諫)·풍간(諷諫)의 다섯 가지 간하는 법.

오:간-수【五間水】명 예전에, 서울 성벽의 동대문과 수구문(水口門) 사이에 뚫린, 쇠창살을 박은 다섯 개의 구멍으로 흘러 내려가던 물.

오간지-검【吳干之劍】명 춘추 시대의 오(吳)나라 사람 간장(干將)이 만든 명검(名劍).

오갈-들다 자 ①↗오가리 들다. ②두려움에 기운을 펴지 못하다.

오갈-병【一病】[一뼝] 명 위축병(萎縮病).

오갈잎-병【一病】[一립一] 명〖식〗 축엽병(縮葉病).

오:갈피 명〖한의〗〔←오가피(五加皮)〕 오갈피나무 뿌리의 껍질. 성질이 온(溫)하며 소변 여력(小便餘瀝)·낭습(囊濕)·음위(陰痿)·요통(腰痛) 등의 약으로 쓰이고 오갈피술을 만드는 데 쓰임.

오:갈피-나무 명 〖식〗 [*Acanthopanax sessiliflorum*] 두릅나뭇과에 속하는 낙엽 활엽 관목(灌木). 높이 2m내외. 잎은 장상(掌狀)으로 다섯 개의 소엽(小葉)은 거꿀달걀꼴임. 5월에 황록색의 오판화가 길이 5-6cm의 화경(花梗) 끝에 자웅 이가(雌雄異家)의 산형(繖形) 화서로 밀생하고 핵과(核果)는 장과(漿果) 모양이며 9월에 까맣게 익음. 중국 원산으로 경남·충남을 제외한 한국 각지 및 중국·만주에 분포함. 인가 근처에 심고 뿌리의 껍질은 '오갈피'라 하여 약용함. 오가피(五加皮)나무. 오가(五加). *섬오갈피나무.

〈오갈피나무〉

오:갈피-술 명 오갈피 삶은 물로 담근 술. 요통약(腰痛藥)으로 장복(長服)함. 오가피주(五加皮酒).

오:감【五感】명〖생〗시(視)·청(聽)·후(嗅)·미(味)·촉(觸) 등의 다섯 가지 감각.

오:감-스럽다 형 ㅂ불 불만한 태도로 경망스럽다.

오감-하다 형 여불 분수에 맞아 만족히 여길 만하다. ¶ 그렇게 생각해 주니 오감하오《金周榮 : 客主》.

오강[1] 명 〈방〉 요강(평안·황해·충청).

오:강[2]【五江】명 서울 근처에 긴요한 나루가 있던 한강·용산·마포·현호(玄湖)·서강(西江) 등 다섯 군데의 강대. ¶ ~ 편싸움에 돌팔매 들어오듯…여기서도 걱정 저기서도 꾸지람이다《作者未詳 : 金菊花》.

오:강 사공의 닻줄 감듯 구 능숙하게 둘둘 감아 동이는 모양.

오-강[3]【烏江】명〖지〗'우장'을 우리 음으로 읽은 이름.

오:강-하다 동 〈방〉 오감하다.

오개[1] 명 〈옛〉 고개. ¶ 몰애 오개(沙峴)《龍歌 Ⅸ:49》.

오:개[2]【五蓋】명〖불교〗마음을 덮어 정도(正道)를 어둡게 하는 다섯 가지 번뇌(煩惱). 곧, 탐욕(貪慾)과 성내고 원망하는 진에(瞋恚)와 수면(睡眠)과 경멸하고 놀리는 조희(調戲)와 의회(疑悔).

오:개국 동맹【五個國同盟】명〖역〗1818년 러시아·오스트리아·프로이센(Preussen)·영국·프랑스의 5개국 사이에 맺어진 동맹. 1815년 11월 나폴레옹 타도(打倒)에 지도적 역할을 한 영·러·오스트리아·프로이센이 유럽 평화를 유지하고, 프랑스 혁명의 돌발을 방지하는 데 협력할 목적으로 맺은 4개국 동맹에, 1818년 11월 15일 새로 프랑스를 가입시켜 강화한 동맹으로, 영국이 다른 나라의 내정 간섭(內政干涉)에 반대하여 1822년에 붕괴되었음.

오:개년 계:획【五個年計劃】명〖경〗5개년에 일정한 목표(目標)를 달성하려는 사업의 계획. 국가 경제의 중점적 발전을 위하여 현재 여러 나라에서 실시하고 있는데, 소련에서 1928년에 제1차 5개년 계획이 시작되었으며, 우리 나라를 비롯한 중공(中共)·인도(印度)·동남아 제국(諸國) 등과 같은 개발 도상 국가들이 이러한 계획을 실시하고 있음.

오:개즘〔orgasm〕명 오르가슴(orgasme).

오:거[1]【五車】명 ①성좌(星座)의 이름. ②↗오거서(五車書).

오:거[2]【汚渠】명 더러운 도랑.

오:거나이저〔organizer〕명 ①노동자·농민들의 대중 사이에 들어가 조합(組合)이나 무산(無產) 정당을 조직하는 사람. 조직자(組織者). 준 오르그. ②〖생〗초기 발생 단계에 있는 척추 동물의 원구 상순부(原口上脣部). 이 부분은 쑥 들어가서 원장(原腸)의 배벽(背壁)을 구성하며 그 바깥쪽의 외배엽(外胚葉)에 작용이 미치어 척색(脊索)·뇌척추 및 기타의 신경 기관의 형성을 촉진함. 형성체(形成體).

오:거나이제이션〔organization〕명 조직. 구성. 편성. 기구.

오:거니즘〔organism〕명 유기체(有機體). 기구(機構). 생물체.

오:-거리【五一】명 길이 다섯 군데로 갈라져 있는 곳. *삼거리.

오:거-서【五車書】명 다섯 수레에 실을 만한 많은 책. 곧, 많은 장서(藏書). 오거지서. 준 오거(五車).

오:거 운:서【五車韻書】명〖책〗중국 명(明)나라 능치륭(凌稚隆)이 편찬한 책. 경(經)·사(史)·자(子)·집(集)·부(賦)의 다섯 부(部)로 나누고, 매부(每部)에 두 자(字), 석 자, 넉 자의 숙자(熟字)를 운초(韻礎)에 따라 배열하여 일일이 그 출전(出典)을 밝힘. 160권.

오:거지-서【五車之書】명 오거서(五車書).

오:건디〔organdy〕명 아주 얇은 반투명한 모슬린(muslin).

오:검 난:명【五劍難名】명 ①월왕(越王) 구천(句踐)이 설촉(薛燭)으로 하여금 다섯 자루의 보검(寶劍)을 감정(鑑定)케 하였을 때 그 어느 것도 다 명검(名劍)이었으므로 양부(良否)를 판별하지 못한 일. ②전하여, 시비(是非)를 가리기 어려움.

오:견【誤見】명 잘못된 견해. 옳지 못한 의견.

오:결【誤決】명 잘못 처결함. 그릇된 재결(裁決). ——-하다 타 여불

오:경[1]【五更】명 ①하룻밤을 다섯으로 나눈 일컬음. 곧, 초경(初更)·이경(二更)·삼경(三更)·사경(四更)·오경(五更)으로 나뉨. ②❶의 다섯째 부분. 지금의 오전 세 시에서 다섯 시까지에 해당함. *무야(戊夜)·오야(五夜).

오:경[2]【五京】명〖역〗발해(渤海)의 10대 왕 선왕(宣王) 때의 관제의 일부분. 상경 용천부(上京龍泉府:東京城)·중경 현덕부(中京顯德府:樺甸)·동경 용원부(東京龍原府:琿春)·서경 압록부(西京鴨綠府:通溝)·남경 남해부(南京南海府:北靑)로, 발해는 이 곳을 중요시하였으며 그 중 중경과 상경은 수도로서 오래 내려왔음.

오:경[3]【五硬】명〖한의〗어린아이 체질의 다섯 가지 뻣뻣한 병적 증상. 손·다리·허리·살·목이 뻣뻣한 증상을 이름. ↔오연(五軟).

오:경[4]【五經】명 ①유학(儒學)에서, 성인의 술작(述作)으로 존중되는 다섯 가지 경서. 즉 《시경(詩經)》·《서경(書經)》·《주역(周易)》·《예기(禮記)》·《춘추(春秋)》. *오경 박사(五經博士). ②〖성〗모세가 기록한 구약의 다섯 가지 경전. 즉, 창세기·출애굽기·레위기(Levi記)·민수기(民數記)·신명기(申命記)를 이름.

오경[5]【烏鏡】명↗오수경(烏水鏡).

오:경-고【五經庫】명 독서를 많이 하여 경서(經書)에 정통한 사람을 비유한 말. 오경사(五經笥).

오:경 대:전【五經大全】명〖책〗오경과 그에 대한 고인(故人)의 주석(註釋)을 모아 비판한 책. 중국 명(明)나라의 호광(胡廣) 등이 칙명(勅命)을 받아 편찬하였음. 117권.

오-경(:)림【吳慶林】[―님] 명〖사람〗조선 시대 말기의 문신. 자는 계일(桂一). 호는 균정(筠廷). 해주(海州) 사람. 오경석의 동생. 고종(高宗) 때 관찰사를 지냈으며, 글씨와 그림에 뛰어남. [1835-?]

오:경 박사【五經博士】명〖역〗백제 때, 나라에서 오경(五經)에 능통한 학자에게 주던 박사의 칭호. 이들은 특히 일본에 초빙되어 고대 일본 문명을 개화하는 데 공이 컸는데, 그 대표적인 인물은 무령왕(武寧王) 때의 고안무(高安武)·단양이(段楊爾), 성왕(聖王) 때의 왕유귀(王柳貴) 등이 있음. *오경(五經)·박사(博士)❶.

오:경-사【五經笥】명 [사(笥)는 네모 진 대상자의 뜻] 오경고(五經庫).

오-경(:)석【吳慶錫】명〖사람〗조선 말기의 역관(譯官)·서화가. 자는 원거(元秬), 호는 역매(亦梅)·진재(鎭齋). 세창(世昌)의 아버지. 중인(中人) 출신으로 역관이 되어 청나라에 왕래하며 신학문에 눈을 떠서 친구인 유대치(劉大致)를 통해, 김옥균(金玉均)·박영효(朴泳孝)·홍영식(洪英植) 등에게 개화 사상을 고취하였음. 1877년 숭록 대부(崇祿大夫)가 됨. 쇄국 정책을 반대하고 문호 개방을 역설함으로써 대원군(大院君)과의 사이가 멀어짐. 금석학(金石學)에도 조예가 깊고, 글씨는 전자(篆字)를 잘 썼음. [1831-79]

오:경 소지【五經掃地】명 공맹(孔孟)의 교(敎)가 쇠퇴하여 행하여지지 않음을 이름.

오:경 순라【五更巡邏】[―술―] 명 오경(五更)에 도는 순라.

오-경(:)원【吳慶元】명〖사람〗조선 시대 중기의 문신·학자. 자(字)는 선여(善餘), 호는 수양 일민(首陽逸民). 해주(海州) 사람. 고려·조선과 명(明)나라와의 교섭(交涉)을 기록한 《소화 외사(小華外史)》를 저술함. [1764-?]

오:경 이:의【五經異義】[―/―이] 명〖책〗중국 후한(後漢)의 학자인 허신(許愼)이 편찬한 책. 모두 10권으로 생각되나 송(宋)나라 때 이미 산일(散逸)되었다 함. 오늘날의 것은 구수(口授)에 의하여 전승(傳承)된 것인데, 오경에 관한 고금(古今)의 유설(遺說)이나 이의(異義)를 수록하고, 그에 대한 설의 시비를 판별하여 어느 설을 취할 것인가를 밝힌 책임.

오-경(:)자【吳敬梓】명〖사람〗중국 청(淸)나라의 문인(文人). 자(字)는 민헌(敏軒)·문목(文木). 성격이 호쾌(豪快)하고 문선(文選)에 정통했음. 만년에 장편 소설 《유림 외사(儒林外史)》를 써 관리의 폐풍(弊風)을 풍자했음. [1701-54]

오:경 정:의【五經正義】[―/―이] 명〖책〗오경을 주석한 책. 중국 당(唐)나라 태종(太宗)의 명을 받아 공영달(孔穎達)·안사고(顔師古) 등이 편찬함.

오-경(:)항【吳敬恒】명〖사람〗'우 칭헝'을 우리 음으로 읽은 이름.

오:계[1]【五戒】명 ①〖불교〗가정에 있는 신남(信男)·신녀(信女)들이 지킬 다섯 가지 금계(禁戒). 곧, 살생(殺生)·투도(偸盜)·사음(邪淫)·망어(妄語)·음주(飮酒). 오상(五常). ②〖역〗세속 오계(世俗五戒).

오:계[2]【五季】명〖역〗중국의 후오대(後五代)를 다섯 왕조가 자주 갈린 계세(季世)라는 뜻으로 간단히 이르는 말. 오대(五代).

오:계[3]【午鷄】명 한낮에 우는 닭.

오:계[4]【悟界】명〖불교〗오도(悟道)의 세계. ↔미계(迷界).

오계[5]【烏鷄】명 ①털이 온통 새까만 닭. ②↗오골계(烏骨鷄).

오:계[6]【誤計】명 ①그릇된 계획. 잘못된 생각. 실책(失策). ②오산(誤算). ——-하다 타 여불

오:계-성【午鷄聲】명 낮에 우는 닭의 울음 소리.

오:고[1]【五古】명 한 구(句)가 오언(五言)으로 된 고시(古詩).

오:고[2]【五考】명〖역〗이태 반 동안에 관원(官員)의 근무 성적을 다섯 번 고사하던 일. ——-하다 타 여불

오:고[3]【五苦】명〖불교〗①인생(人生)의 다섯 가지 괴로움. 생로병사고(生老病死苦)·애별리고(愛別離苦)·원증회고(怨憎會苦)·구부득고(求不得苦)·오음성고(五陰盛苦) 또는 생(生)·노(老)·병(病)·사(死)·옥(獄)의 괴로움. ②미계(迷界)의 다섯 가지 괴로움. 제천고(諸天苦)·인도고(人道苦)·축생고(畜生苦)·아귀고(餓鬼苦)·지옥고(地獄苦)의 괴로움.

오:고[4]【五鈷】명〖불교〗오고저(五鈷杵).

오:고[5]【午鼓】명〖역〗왕이 정전(正殿)에 임어(臨御)하여 있을 때에 정오(正午)를 알리기 위하여 치던 큰 북. ¶ 섬월의 등을 대전별감 ~ 치듯 뚝뚝 치며 칭찬이 늘어졌다《金敎濟 : 牧丹花》.

오:고[6]【OGO】명〔Orbiting Geophysical Observatory의 약칭〕미국의 지구 물리 관측 위성. 제1호는 1964년 9월 발사. 69년 6월의 제6호로 일단 그 임무가 마무리되었음. 근지점 283km, 원지점 149,420km. 지구의 자기장(磁氣場)·중력·대기(大氣)·전자 밀도·전리층 등 20항목에 대한 관측 장치를 가졌음.

오:고령【五鈷鈴】명〖불교〗불구(佛具)의 하나. 밀교(密敎) 수행(修行)에 많이 쓰이며, 상부 손잡이는 타원형으로 5고(鈷)의 금강령 형태를 취했고, 바로 그 아래 손잡이는 일반 금강저(金剛杵)와 동일함. 손잡이 아래에 요령(搖鈴)을 배치하여 흔들면 소리가 나게 되었음.

오:고-무【五鼓舞】명 정면에 3개, 양측면에 1개씩, 5개의 북을 틀에 걸어 놓고, 그 앞에 서서 북채로 이 북들을 다양하게 두드리면서 추는 춤.

오:고 삼상【五考三上】명〖역〗조선 시대 때, 일 년에 두 차례씩 있는

고과(考課)를 다섯 번 치르는 가운데 세 번 상등(上等) 평점(評點)을 받는 일. 품계(品階)가 오르게 됨. 육품(六品) 이상에 적용됨. *삼고 이상(三考二上)

〈오고저〉

오고-와【烏古瓦】명 옛 기와의 한 가지.

오고우에 강【一江】[Ogooué] 명〖지〗콩고 공화국의 북부에서 북서쪽으로 흘러 가봉(Gabon) 공화국의 중부를 관류(貫流), 대서양으로 흐르는 큰 강. 유역 면적 175,000 km². [1,010 km]

오:고-저【五鈷杵】명〖불교〗밀교(密敎)에서 쓰는 법기(法器). 양끝이 다섯 개의 가랑이로 된 금강저(金剛杵)의 하나임. 오고(五鈷).

오-고초장【熬苦草醬】명 볶은 고추장.

오고타이〔Ogotai〕명〖사람〗몽고 제국(帝國) 제2대 황제. 칭기즈칸(成吉思汗)의 셋째 아들. 금(金)나라를 멸망시키고, 수도를 카라코룸(Karakorum)에 건설함. 이어 남부 러시아 및 헝가리 지방을 경략(經略)하여 오고타이 한국(汗國)을 세우며 국내를 정비하는 등 제국의 정비에 큰 힘을 썼음. 시호(諡號)는 태종(太宗)임. 와활태(窩闊台). [1186-1241; 재위 1229-41]

오고타이 한국【一汗國】〔Ogotai〕명〖역〗몽고 제국의 사대 한국(四大汗國)의 하나. 오고타이가 세운 나라. 알타이 산맥 서편 에밀 고원을 중심으로 하여 건설되었는데, 차가타이 한국(汗國)에게 망함. 와활태한국(窩闊台汗國). [1224-1310]

오:곡【五穀】명 ①쌀·보리·조·콩·기장의 다섯 가지 곡식. ②곡식의 총칭.

오곡-도【烏谷島】명〖지〗경상 남도의 남해상, 통영군(統營郡) 산양면(山陽面) 연곡리(烟谷里)에 위치하는 섬. [0.54 km²: 156 명(1984)]

오:곡-반【五穀飯】명 오곡밥.

오:곡-밥【五穀一】명 찹쌀에 기장·차수수·검정콩·붉은 팥 등 다섯 가지의 곡식으로 지은 밥. 대개 음력 정월 보름에 지어 먹음. 오곡반(五穀飯).

오:곡 백과【五穀百果】명 온갖 곡식과 여러 가지 과실.

오:곡 불승【五穀不升】[一쑹] 명 흉년이 듦.

오:곡 수라【五穀水剌】명〈궁중〉오곡밥.

오:곡-충【五穀蟲】명 똥에 생긴 구더기.

오골-거리다 자〈방〉오글거리다.

오골-계【烏骨鷄】명 아시아 원산의 닭의 일종. 살·가죽·뼈가 모두 암자색(暗紫色)이며 체질이 약하고 산란수(產卵數)가 적음. 풍병·습증·허약증에 약으로 고아 먹음. ㊀오계(烏鷄).

오곰 명〈옛·방〉오금(경기·경상·제주). ¶오곰 곡(膕), 오곰 츄(脉)《字會 上 28》.

오곰(을) 박다 구〈방〉오금 박다(경상).

오곰-재기 명〈방〉오금¹❶❷(경상).

오곰-쟁이 명〈방〉오금¹❶❷(경상).

오곰지 명〈방〉오금¹❶❷(경북).

오곰-하다 형〈방〉오긋하다.

오곳-하다 형〈방〉오긋하다.

오공【蜈蚣】명 ①〖동〗지네. ②〖한의〗말린 지네. 유독(有毒)하며 빻아서 종기(腫氣)의 약으로 쓰임. 천룡(天龍). 낭저(螂蛆).

오공-계【蜈蚣鷄】명 닭의 내장을 빼 버리고, 말린 지네를 넣어 고은 국. 내종(內腫)이나 부족증(不足症)에 쓰임.

오:공-금【五孔琴】명 판에 구멍이 다섯 개 있는 거문고.

오:공신 회:맹문【五功臣會盟文】명〖역〗조선 세조(世祖) 2년(1456)에 왕세자와 개국 공신(開國功臣)·정사 공신(定社功臣)·좌명 공신(佐命功臣)의 친자(親子) 및 적장(嫡長) 자손, 정난 공신(靖難功臣)·좌익 공신(佐翼功臣) 및 그 친자 등이 북단(北壇)에서 동맹을 할 때 작성한 회맹문. 그 내용은 오공신과 그 자손에게 내린 나라의 은혜를 잊지 말고 동심 협력하여 국은(國恩)을 갚기에 힘쓸 것과, 왕에게 충성을 다하고 공신 자손 간에도 단결하고 협력할 것을 신명(神明)에 맹세한 것.

오:공-이【悟空一】명 잡상(雜像)의 손 오공(孫悟空)처럼 생겼다는 뜻에서, 몸이 작고 옹골찬 사람을 놓으로 이르는 말.

오공-철【蜈蚣鐵】명〖건〗지네철.

오:과【五果】명 ①복숭아·오얏·살구·밤·대추의 다섯 가지 과실. ②범서(梵書)에서 다섯 종류로 분류하여 일컫는 과실의 총칭. 핵과(核果)에 복숭아·살구·대추, 부과(膚果)에 사과·배, 각과(角果)에 콩·팥, 회과(檜果)에 잣, 각과(殼果)에 야자·호두 등.

오과²【烏瓜】명〖식〗하눌타리.

오:과-다【五果茶】명 오과차(五果茶).

오과리 명〈옛〉왜가리³. ¶오과리 장(鶬)《字會 上 15》.

오:과-차【五果茶】명 호두·은행·대추·밤·곶감의 다섯 가지 과실을 새앙과 짓이겨 두었다가 달인 차. 오과다(五果茶).

오:관¹ 명 골패나 화투로 혼자 소일(消日)하는 법의 한 가지.

오:관(을) 떼:다 구 골패나 화투로 오관 떼기를 하다.

오:관²【五官】명 ①〖생〗사람의 다섯 가지 감각 기관. 즉, 시각(視覺)의 눈, 청각(聽覺)의 귀, 후각(嗅覺)의 코, 미각(味覺)의 혀, 촉각(觸覺)의 피부. ②오감(五感)의 작용. ③귀·눈·코·입 및 마음.

오:관³【五款】명〖천도교〗교인의 다섯 가지 수도(修道) 행사. 즉, 주문(呪文), 청수(淸水), 시일(侍日), 성미(誠米), 기도(祈禱).

오:관⁴【五觀】명〖불교〗비구(比丘)가 식사할 때 생각하는 다섯 가지 관문(觀門). 공이 많이 든 음식이 어디서 왔는가, 자기의 덕행이 공양(供養)을 받을 만한가, 허물을 없애는 데는 삼독(三毒)보다 더한 것이 없다, 밥 먹는 것을 약으로 여긴다, 수행을 위해서 공양을 받는다는 5가지를 생각하는 일.

오:관-게【五觀偈】명〖불교〗승려가 식사 때 오관(五觀)에 관하여 독송(讀頌)하는 게송(偈頌).

오:관-기【五官器】명〖생〗오관의 기능을 맡은 각 부분을 구체적으로 「일컫는 말.

오:관 떼:기 명 화투나 골패로 오관을 떼는 일. ——-하다 자여불

오:관산-곡【五冠山曲】명〖악〗고려 가요(歌謠)의 하나. 고려 때의 효자 문충(文忠)의 작. 가사는 전하지 않음. 작자가 그 어머니의 늙어 감을 설워한 내용으로, 이제현(李齊賢)의 한역시(漢譯詩)가 전함. 목계가(木鷄歌).

오:관-왕【五冠王】명 육상·수영·체조 등의 경기에서, 다섯 종목에 우「승한 사람 또는 선수.

오:광¹【五光】명 화투에서, 송학·벚꽃·공산·오동·비 등 스무 끗짜리 다섯 장을 이르는 말.

오-광²【吳廣】명〖사람〗중국 진(秦)나라 말엽의 장군. 진승(陳勝)과 반란을 일으켜, 진승은 왕, 그는 가왕(假王)이 되었다가 후에 부하에게 살해되었음. [?-208 B.C.]

오:-광대【五廣大】명〖민〗↗오광대 가면극(五廣大假面劇).

오:광대 가:면극【五廣大假面劇】명〖민〗영남(嶺南) 해안 지방에서 음력 정월 보름에 탈을 쓰고 노는 민속 연극의 한 가지. ㊀오광대.

오: 광선【一光線】명〔O ray〕〖물〗단축 결정(單軸結晶)의 광축(光軸)에 대하여, 직각(直角)으로 진동하는 광선.

오:괴【迂怪】명 성질이 오활(迂闊)하고 기괴함. 『미거한 여식이 ~한 마음으로 불효됨을 생각지 못하옵고…《崔瓚植: 秋月色》. ——-하다 형여불

오:교¹【五交】명 세교(勢交)·회교(賄交)·논교(論交)·궁교(窮交)·양교(量「交)의 다섯 가지 옳지 못한 사귐.

오:교²【五敎】명 ①오륜(五倫)의 교(敎). ②〖역〗세속 오계(世俗五戒). ③〖불교〗신라 때, 대승(大乘) 불교의 열반종(涅槃宗)·계율종(戒律宗)·법성종(法性宗)·화엄종(華嚴宗)·법상종(法相宗)의 다섯 종파. '구산(九山)'에 대하여 이르는 말.

오:교³【誤校】명 잘못된 교정(校正).

오:교 구산【五敎九山】명〖불교〗통일 신라 및 고려 전기의 불교 종파에 대한 총칭. 오교는 열반종(涅槃宗)·계율종(戒律宗)·법성종(法性宗)·화엄종(華嚴宗)·법상종(法相宗)임. 구산은 실상산문(實相山門)·가지산문(迦智山門)·사굴산문(闍崛山門)·동리산문(桐裏山門)·성주산문(聖住山門)·사자산문(師子山門)·희양산문(曦陽山門)·봉림산문(鳳林山門)·수미산문(須彌山門)임.

오:교 십종【五敎十宗】명〖불교〗화엄종(華嚴宗)의 법장(法藏)이 석가 일대(一代)의 교설(敎說)을 그 깊이·난이도(難易度)에 따라 정리한 교판(敎判). 소승교(小乘敎)·대승시교(大乘始敎)·대승종교(大乘終敎)·돈교(頓敎)·원교(圓敎)의 오교와, 아법구유종(我法具有宗)·법유아유종(法有我有宗)·법무거래종(法無去來宗)·현통가실종(現通假實宗)·속망진실종(俗妄眞實宗)·제법단명종(諸法但名宗)·일체개공종(一切皆空宗)·진덕불공종(眞德不空宗)·상상구절종(相想俱絕宗)·원명구덕종(圓明具德宗)의 십종으로 나눔.

오:교 양:종【五敎兩宗】명〖불교〗고려 시대에서 조선 시대 초기에 걸친 불교 교파의 총칭. 곧 계율종(戒律宗)·법상종(法相宗)·열반종(涅槃宗)·법성종(法性宗)·화엄종(華嚴宗)의 오교와 선종(禪宗)에서 갈라진 조계종(曹溪宗)과 천태종(天台宗)의 양종 뒤에 조선 왕조의 억불(抑佛) 정책으로 세종(世宗) 때에 이 오교 양종은 선교(禪敎) 양종으로 통합 정리됨.

오:교-장【五敎章】명〖책〗화엄종(華嚴宗)의 제삼조(第三祖) 법장(法藏)이 저술(著述)한 책. 상권(上卷)은 교판론(敎判論)으로서, 선배 십사(十師)의 설(說)을 기초로 하여 동별 이교(同別二敎)·오교 십종(五敎十宗)의 체계를 전개하고, 중권(中卷)은 원리론으로서, 존재의 본질에 관한 삼성론(三性論)과 존재 상호의 무한한 관계를 가리키는 십현 연기 육상원융론(十玄緣起六相圓融論)을 풀었으며, 하권(下卷)은 실천론으로서, 심식론(心識論)·수도론(修道論)·단혹론(斷惑論)·불타론(佛陀論) 등을 논술하였음. 전 3권.

오구¹ 명 굵은 실로 용수 모양으로 뜨고, 아가리에 둥근 테를 메운 위에 '十'자형의 긴 자루를 맨 어구(漁具)의 한 가지.

오구²【汚垢】명 더러운 때.

오구³【烏口】명 제도(製圖)에 쓰이는 기구 '가막부리'의 일본식 이름.

오구⁴【烏韭】명〖식〗겨우살이풀.

오구-굿 명〖민〗죽은 지 한 해, 또는 두 해 지난 후에 망인(亡人)의 혼을 천도하는 굿. 남도에서 일컫는 말로, 중부 지방에서는 지노귀굿이라고 함.

오구라 신페이〔小倉進平: おぐらしんぺい〕명〖사람〗일본의 언어학자·한국어 학자. 경성 대학·도쿄 대학 교수를 역임함. 1926년 《향가(鄕歌) 및 이두(吏讀)의 연구》로 문학 박사 학위를 받았음. 저서에 《증정 조선어학사(增訂朝鮮語學史)》·《조선어에 있어서의 겸양법(謙讓法)·존경법의 조동사》·《조선어 방언의 연구》 등이 있음. [1882-1944]

오구라-지다 자〈방〉오그라지다(경상).

오구래 명〈방〉전병(煎餠)(함경).

오구러-지다 자〈방〉오그라지다.

오구리다 타〈방〉오그리다(경상·평안).

오구-목【烏臼木】명〖식〗[*Sapium sebiferum*] 대극과에 속하는 낙엽 교목. 높이 6m 가량이고, 잎은 호생하며 십장형에 끝이 뾰족한데, 가을에는 빛이 붉어짐. 여름에 황색의 단성화(單性花)가 총상(總狀) 화서로 피고, 삭과(蒴果)는 둥글며 흑갈색으로 익고 두세 개의 씨가 있음. 열대 아시아의 원산(原產)으로 각지에서 관상용으로 재배함. 씨의 껍질은 지방분(脂肪分)이 많으므로 비누와 양초의 원료로 씀. 남경황로(南京黃櫨).

〈오구목〉

오:구 사:십오【五九四十五】 명 〖수〗 구구법(九九法)의 하나. 다섯의 아홉 갑절은 마흔 다섯이라는 말.

오:-구족【五具足】 명 〖불교〗 불전(佛前)을 장식하는 다섯 개의 기구. 곧, 촛대 둘, 화병 둘, 향로 하나. 오기(五器).

오:국[1]【誤國】 명 나라의 전도를 그르침. ——-하다 자 여불

오:국[2]【墺國】 명 〖지〗 오스트리아(Austria).

오:국 소:인【誤國小人】 명 나라의 전도를 그릇되게 한 간사한 사람.

오-국정【吳國楨】 명 〖사람〗 '우 궈전'을 우리 음으로 읽은 이름.

오:군[1]【五軍】 명 ①다섯 갈래의 군대. ②〖역〗 고려 때 전(前)·후(後)·좌(左)·우(右)·중(中)의 다섯 군영(軍營). ③〖역〗 조선 중기 임진 왜란(壬辰倭亂) 이후, 오군영(五軍營)에 딸린 군대.

오군[2]【吾君】 명 ①우리의 임금. ②왕을 부를 때 신하가 쓰는 말.

오:군 도독부【五軍都督府】 명 〖역〗 중국 명(明)나라 때의 통수(統帥) 기관. 태조(太祖)가 천하를 통일한 뒤, 대(大)도독부를 설치하여 도사(都司)·위소(衛所)를 통할시키다가, 1380년에 이르러 대도독부를 중(中)·좌(左)·우(右)·전(前)·후(後)의 다섯으로 나누어 이렇게 일컬었음.

오군 만:년【吾君萬年】 감 만세(萬歲).

오:-군문【五軍門】 명 〖역〗 오군영(五軍營).

오:-군영【五軍營】 명 〖역〗 임진 왜란(壬辰倭亂) 이후, 오위(五衛)를 고쳐 둔 다섯 군영. 곧, 훈련 도감(訓鍊都監)·총융청(摠戎廳)·수어청(守禦廳)·어영청(御營廳)·금위영(禁衛營)의 총칭. 오군문(五軍門). 오영문(五營門). 준 오영(五營).

오굴채이 명 〈방〉 〖동〗 올챙이(경상).

오굼 명 〈방〉 오금[1]❶❷.

오굼-밑 명 〈방〉 오금[1]❶❷(강원·경북).

오굼-쟁이 명 〈방〉 오금[1]❶❷(경기·충북·전남·경상).

오굼지 명 〈방〉 오금[1]❶❷(전남).

오굼치 명 〈방〉 오금[1]❶❷.

오굼-타리 명 〈방〉 오금[1]❶❷(경기).

오굼-패그 명 〈방〉 오금[1]❶❷(강원).

오굼-팽이 명 〈방〉 오금[1]❶❷(경기·강원·충북).

오굿-하다 형 〈방〉 오긋하다.

오:궁【五宮】 명 바둑에서, 빈 집이 다섯 집인 형세. 생긴 모양에 따라, 직(直)오궁·곡(曲)오궁·방(方)오궁·오궁 도화(桃花)의 네 가지가 있음. *육궁(六宮).

오:궁 도화【五宮桃花】 명 바둑에서, 빈 집이 열십자(十字)로 벌여 선 다섯 집으로 이루어진 오궁(五宮). 상대방(相對方)이 중앙(中央)에 놓으면, 살지 못함. 준 화오(花五).

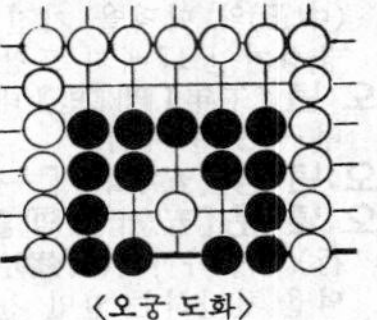
〈오궁 도화〉

오-권【吳權】 명 〖사람〗 월남(越南) 오왕조(吳王朝)의 시조(始祖). 중국 오대(五代) 때 남한(南漢)에서 자립(自立)한 양정운(楊廷云)의 부장(部將)으로 있다가 양정운이 부하(部下)에게 피살(被殺)되자 고라(古螺)에 도읍(都邑)하여 왕을 칭(稱)함. [898-944; 재위 939-944]

오:권-일【五卷日】 명 〖불교〗 《최승왕경(最勝王經)》의 오권(五卷)을 강(講)하는 최승강(最勝講)의 중앙에 당하는 날.

오:권 헌:법【五權憲法】 [—꿘—뻡] 명 〖법〗 입법·사법·행정·고시(考試)·감찰(監察)의 오권 분립으로 민권의 기초를 공고히 하려는 헌법 제도. 중국의 손문(孫文)에 의하여 주장되어, 중화 민국 헌법의 지도 이념이 되었음.

오귀【惡鬼】 명 〖민〗 무당 열두 거리 굿에서의 아홉째 거리. 죽은 이의 넋을 비는 굿. 무당이 원삼(圓衫)에 족두리를 씀. 마른 오귀와 지노귀가 있음.

오귀-발 명 〖동〗 불가사리[2]❶.

오:-규정소【五糾正所】 명 〖역〗 조선 시대 중기에 오대사(五大寺)에 설치하였던 승풍 정화 기관(僧風淨化機關). 봉은사(奉恩寺)·봉선사(奉先寺)·용주사(龍珠寺)·중흥사(重興寺)·개원사(開元寺)에 두었는데 전국의 승풍을 감독·지도·규정하였음.

오:균[1]【五均】 명 ①〖역〗 중국 왕망(王莽) 때의 제도(制度)로서, 정부에서 물가를 균일하게 하여 겸병(兼併)을 억제하고 빈부(貧富)의 차가 현격히 나지 않도록 하는 다섯 가지 정책. ②오성(五聲)의 가락.

오-균[2]【吳均】 명 〖사람〗 중국 남북 육조(六朝) 시대의 문인(文人). 시인으로서 일파(一派)를 이루어, 그 작풍(作風)은 '오균체(吳均體)'로 일컬어짐. 양(梁)나라 무제(武帝)의 명으로 《제춘추(齊春秋)》를 찬(撰)하던 중 끝을 맺지 못하고 죽음. [469-520]

오그던〔Ogden, Charles Kay〕 명 〖사람〗 영국의 언어학자·심리학자. 리처즈(Richards)와의 공저 《의미의 의미》로 언어 이론에 새 기원을 이루고, '베이식 잉글리시(Basic English)'의 창안으로 언어 교육의 개선에 힘썼음. [1889-1957]

오그라-들다 자 ①오그라져 우묵하게 들어가다. ②점점 오그라져서 작아지다. 1)·2): <우그러들다.

오그라-뜨리다 타 힘주어 세게 오그리다. <우그러뜨리다.

오그라-지다 자 ①가장자리가 안쪽으로 옥아들다. ②작아지다. 졸아들다. 물건 위에 주름이 잡히다. ③오므라지다. 1)-2): <우그러지다. [오그라진 개 꼬리 대롱통에 삼 년 두어도 아니 펴진다] 한 번 고질이 되면 영영 고치지 못한다는 말.

오그라-트리다 타 오그라뜨리다.

오그랑-망태 명 아가리에 돌려 꿴 줄로 오그렸다 벌렸다 하는 망태기.

오그랑-오그랑 부 여러 군데가 오그랑한 모양. 준 오글오글. <우그렁우그렁. ——-하다 형 여불

오그랑-이 명 ①오그랑하게 생긴 물건. <우그렁이. ②마음씨가 꼬부라진 사람.

오그랑-장사 명 이를 남기지 못하고 밑천을 먹어 들어가는 장사. 준 옥장사.

오그랑-쪼그랑 부 여러 군데가 오그라지고 쪼그라진 모양. <우그렁쭈그렁. ——-하다 형 여불

오그랑-쪽박 명 ①시들어서 쪼그라진 작은 박. ②덜 여문 박으로 만들어서 말라 오그라진 쪽박.

오그랑-하다 형 여불 안으로 조금 오그라져 있다. <우그렁하다.

오그르르[1] 부 적은 물이 좁은 그릇에서 야단스럽게 끓어 오르는 소리. <우그르르[1]. *와그르르. ——-하다 자 여불

오그르르[2] 부 작은 벌레 따위가 한 곳에 좁게 모여 있는 모양. <우그르르[2]. ——-하다 형 여불

오그리다 타 오그라지게 하다. <우그리다.

오그보모쇼〔Ogbomosho〕 명 〖지〗 나이지리아 서부, 이바단(Ivadan)의 북동쪽 88km 지점에 있는 도시. 교통의 중심지임. [514,000 명(1982)]

오그푸〔Ogpu〕 명 게 페 우(G.P.U.).

오:극【五極】 명 사람의 행할 바 가장 착한 일. 인(仁)·의(義)·예(禮)·지(智)·신(信)의 지극(至極)한 일.

오:극-관【五極管】 명 〔pentode〕 〖전〗 양극·음극·제어 전극(制御電極) 및 통상 그리드 모양의 두 개의 부가 전극을 가진 전자관(電子管). 오극 진공관(眞空管).

오:극 진공관【五極眞空管】 명 〖전〗 오극관(五極管).

오:극 트랜지스터【五極—】〔transistor〕 명 〖전〗 4개의 점접촉 전극(點接觸電極)을 가진 점접촉 트랜지스터. 이 중 3개는 에미터(emitter)이고, 하나는 콜렉터(collector)이며, 본체(本體)가 베이스(base)로서 작용하는 트랜지스터.

오:근【五根】 명 〖불교〗 ①외계를 인식하는 다섯 가지 기관. 곧, 안근(眼根)·이근(耳根)·비근(鼻根)·설근(舌根)·신근(身根). ②번뇌를 누르고 성도(聖道)로 이끄는 다섯 가지의 근원. 곧, 신근(信根)·정진근(精進根)·염근(念根)·정근(定根)·혜근(慧根).

오-근피지【吾謹避之】 명 자기가 스스로 삼가 피함. ——-하다 자 여불

오글-거리다 자 ①물이 자꾸 오그르르 끓다. ②벌레 같은 작은 것들이 오그르르 모여 자꾸 움직이다. 1)·2): <우글거리다. 오글-오글[1] 부. ——-하다 자 여불

오글-대다 자 오글거리다.

오글-보글 부 물이나 찌개가 오글거리고 보글거리며 뒤섞여 끓는 소리. 또, 그 모양. <우글부글. ——-하다 자 여불

오글-오글[2] 부 잘고 좁은 주름이 많이 잡힌 모양. ——-하다 형 여불

오글-오글[3] 부 ↗오그랑오그랑. <우글우글[2]. ——-하다 형 여불

오글-쪼글 부 오그라지고 쪼그라진 모양. <우글쭈글. ——-하다 형 여불

오금[1] 명 [중세 : 오곰] ①무릎의 구부리는 안쪽. 슬괵(膝膕). 곡추(曲脉). ¶ ~을 못 펴다. ②↗팔오금. ③↗한오금. [오금아 날 살려라] 도망칠 때 마음이 조급하여 다리가 빨리 놀려지기를 갈망하는 뜻. 다리야 날 살려라.

오금(이) 뜨다 구 침착하게 한 곳에 오래 있지 못하고 달떠서 나덤비다. ¶ 여기서 오금 뜨지 말고 진득하니 나루를 지키고 있게《金周榮 : 客主》.

오금 밀리다 구 〈방〉 오금 뜨다.

오금(을) 박다 구 여느 때에 큰소리하던 사람이 그와 반대되는 언행을 할 때에, 그 큰소리를 빌미잡아 논박하다. ¶ 지금까지의 두 남녀의 일을 왈가왈부, 시비를 따지고 오금을 박고 할 필요가 없게 되었다《安壽吉 : 제 2의 청춘》.

오금(이) 박히다 구 오금 박음을 당하다.

오금(을) 못: 쓰다 구 지질리어서 꼼짝못하다.

오금(을) 못: 펴다 구 오금을 못 쓰다.

오금이 굳다 구 꼼짝을 못하게 되다.

오금이 쑤시다 구 무엇을 하고 싶어서 잠자코 있을 수가 없다.

오금이 저리다 구 힘이 빠져 오금을 못 펼 지경이 되어 있다.

오:금[2]【五金】 명 금(金)·은(銀)·동(銅)·철(鐵)·주석(朱錫)의 다섯 가지 금속.

오금[3]【烏金】 명 ①구리 100에 1-10의 비율로 금을 섞은 합금. 빛이 검붉으며 장식품에 씀. ②적동(赤銅)의 별칭. ③철(鐵)의 별칭. ④먹의 별칭.

오금-걸이 명 〖체육〗 맞배지기 싸움에서 힘씨름이 되었을 때, 상대의 오른쪽 오금을 안쪽으로 걸어 밀어젖혀 넘어뜨리는 다리 기술의 하나.

오금-다리 명 〈방〉 오금[1]❶❷(충남).

오금-당기기 명 〖체육〗 씨름에서, 상대의 앞무릎이 굽어 있을 때 두 손으로 상대의 오금을 두 다리 사이로 끌어당겨 넘어뜨리는 손기술의 하나.

오금-대패 명 〖공〗 재목을 둥글게 우비어 깎는 대패.

오금-댕이 명 〈방〉 오금[1]❶❷(경기·충청).

오금-드리 명 다리의 오금에 찰 만큼 자란 초목이나 물건. ¶ 거친 풀과 ~ 잡목으로 뒤덮인 들판.

오금-매기 명 〈방〉 대님(함경).

오금-밑 명 〈방〉 오금[1]❶❷(충남).

오금-유【烏金釉】 명 〖미술〗 중국 청나라 건륭 황제(乾隆皇帝) 때에 당요(唐窯)에서 쓰던 도자기의 잿물. 양오금(洋烏金).

오금잠-제【烏金簪祭】 명 〖민〗 강원도 삼척(三陟)의 대청(大廳) 동우(東隅) 나무 밑에 오금제(烏金製) 비녀를 넣은 궤가 있어 매년 단오(端午)에 지내는 제사. 이것은 고려 태조(太祖) 때 것이라고 함.

오금-재기 명 〈방〉 오금[1]❶❷(경남).

오금-쟁이 명 〈방〉 오금¹❶❷(충남·전라·경상).
오금-젱이 명 〈방〉 오금¹❶❷(경남).
오금지 명 〈방〉 오금¹❶❷(전남).
오:금지-희【五禽之戲】[ㅡ히] 명 오금희(五禽戲).
오금-탱이 명 ☞ 오금팽이.
오금-텡이 명 〈방〉 오금¹❶❷(충남).
오금-팡이 명 〈방〉 오금팽이.
오금-팽이 명 꺾은 듯이 구부러진 물건의 굽은 자리의 안쪽.
오금:-하다 형 〈방〉 오굿하다.
오:금-희【五禽戲】[ㅡ히] 명 중국 후한(後漢)의 화타(華陀)가 시작한 불로(不老)의 술(術). 사지(四肢)의 관절을 여러 모양으로 굴신(屈伸)하여 혈액(血液)을 순환시키어 신체의 건전(健全)을 꾀하는 양생법(養生法)임. 오금지희(五禽之戲).
오:급 공무원【五級公務員】명 ①전에, 공무원 직계(職階)에 있어서 제5급인 공무원. 서기(書記)·경장(警長)·순경(巡警) 등이 이에 해당하였음. ②공무원 직급의 하나. 4급 공무원의 아래, 6급 공무원의 위로, 사무관(事務官) 등이 이에 해당함.
오굿-오굿 [ㅡ귿ㅡ] 부 여러 군데가 모두 오굿한 모양. <우굿우굿. **——-하다** 형여불
오굿-이 부 오굿하게. <우굿이.
오굿-하다 형여불 안으로 조금 옥은 듯하다. <우굿하다.
오-긍【吳兢】명〘사람〙 중국 당(唐)나라의 역사가. 널리 경사(經史)에 통달하여 사관(史館)에 들어가 역사를 편수(編修)함. 그의 편저(編著)로 ≪정관 정요(貞觀政要)≫ 10 권이 있음. [670-749]
오-긍선【吳兢善】명〘사람〙 의학자·사회 사업가. 호는 해관(海觀). 충남 공주 태생. 1898년 독립 협회 간사, 1901년 도미(渡美)하여 물리·화학·의학을 공부함. 1909년 귀국한 다음 여러 곳의 병원장·중고등 학교장을 역임함. 1934년 세브란스 의전 교장, 1942년 정년 퇴직한 후, 사회 사업에 전념함. [1878-1963]
오:기¹【五伎】명〘연〙 신라 시대의 다섯 가지 탈춤 놀이. 최치원(崔致遠)의 ≪향악 잡영 오수(鄕樂雜詠五首)≫라는 시에 전함. 곧, 금환(金丸)·월전(月顚)·대면(大面)·속독(束毒)·산예(狻猊).
오:기²【五紀】명 ①세(歲)·월(月)·일(日)·성신(星辰)·역수(曆數)의 총칭. ②[12년을 일기(一紀)라고 하는 데서] 60년.
오:기³【五氣】명 ①목·화·토·금·수(木火土金水)의 오행(五行)의 기(氣). 또, 중앙과 사방의 기(氣). ②비 오고, 볕 나고, 덥고, 춥고, 바람 부는 다섯 가지 날씨. ③〘한의〙 한(寒)·열(熱)·풍(風)·조(燥)·습(濕) 등 병증(病症)의 다섯 가지 기운. ④다섯 가지의 감정. 희(喜)·노(怒)·욕(欲)·구(懼)·우(憂)의 이름.
오:기⁴【五旗】명 옛날 중국에서, 천자의 거가(車駕)에 세우던 오색의 깃발.
오:기⁵【五器】명〘불교〙 오구족(五具足).
오-기⁶【吳起】명〘사람〙 중국 전국 시대 위(衛)나라의 병법가(兵法家). 초나라 도왕(悼王)의 정승이 되어 남월(南越)·진(晉)·진(秦)을 정벌하여 초나라의 위력을 떨치었음. 그의 병법서를 ≪오자(吳子)≫라 하여 고래로 ≪손자(孫子)≫와 더불어 유명함. [440?-381 B.C.]
오:기⁷【傲氣】명 ①남에게 지기 싫어하는 마음. ¶~로 버티다. ②오만스러운 기운.
[오기에 쥐 잡는다] ㉠쓸데없는 오기를 부리다가 낭패를 본다는 말. ㉡오기 부리는 것을 업신여겨 이르는 말.
오:기⁸【誤記】명 잘못 적음. 또, 그 기록. **——-하다** 타여불
오기노-법【ㅡ法】[荻野:おぎの] [ㅡ뻡] 명 [safe period]〘생〙 일본의 오기노 박사의 주창(主唱)에 의한 월경과 배란(排卵)과의 시기적 관계를 이용한 피임법. 사람의 배란일은 월경 전 12-16일이므로 이를 피하여 수태를 면할 수 있다는 것임.
오:기-력【五紀曆】명 중국 당(唐)나라 대종(代宗) 때 곽 헌지(郭獻之) 등이 칙명을 받아 편찬한 달력. 세(歲)·월·일·성신(星辰)·역수(曆數)를 기록하였으므로 이렇게 일컬음.
오-기장 명 〈방〉 옻기장.
오-기호【吳基鎬】명〘사람〙 구한말의 독립 투사. 을사조약(乙巳條約)이 체결되자 을사 오적(乙巳五賊) 처치를 위해 자신회(自新會)를 조직, 스스로 박제순(朴齊純) 암살을 기도하다 실패하여 5년의 유배형(流配刑)을 받음. [1863-?]
오:-껍질【O ㅡ】명 [O shell]〘물〙 원자핵(原子核)에 속박(束縛)되어 있는 궤도 전자(軌道電子)의 다섯 번째 층(層). 주양자수(主量子數) S로 특징지어지는 전자를 가짐. 오각(O殼). ＊오전자(O電子)·피(P)껍질·전자 껍질.
오끼 명 〈방〉 옻(평안).
오나-가나 부 오는 경우나 가는 경우나 모두. 가는 곳마다. ¶~ 말썽이다. ＊가나오나.
오나니 [도 Onanie] 명 오나니슴. ＊오난.
오나니슴 [프 onanisme] 명 자위(自慰). 수음(手淫). 오나니.
오나놀 자 〈옛〉 오거늘. ¶그 짓 ᄯᅳ리 ᄠᅡᆯ 가져 오나놀 ≪釋譜 Ⅵ:14≫.
오나든 자 〈옛〉 오거든. ¶또 사ᄅᆞ미 오나든(更有人來)≪妙蓮 Ⅵ:12≫.
오-나라【吳ㅡ】명〘역〙 중국의 '오(吳)'를 나라로서 똑똑히 일컫는 말. 주의 예전에는 '옷나라'로 발음했음.
오나시놀 자 〈옛〉 오시거늘. ¶分身地藏이 다 오나시놀 ≪月釋 XXI:3≫.
오나시든 자 〈옛〉 오시거든. ¶西廁 오나시든 東鄙 ᄇᆞ라ᅀᆞᄫᆞ니(我西來日 東鄙佇望)≪龍歌 38章≫. ＊'-나시든'.
오난 [Onan] 명〘성〙 구약 성서에 나오는 사람으로 유다의 아들. 그의 형이 죽은 후 형수를 아내로 삼았는데, 임신(姙娠)을 꺼리어 정액(精液)을 땅에 흘려, 신(神)으로부터 사벌(死罰)을 받았다 함. 이에서 '오나니'란 말이 생겼다고 함.
오날 명 〈방〉 오늘.
오날나라 명 〈심마니〉 오늘. 금일(今日).
오:납【誤納】명 잘못 바침. **——-하다** 타여불
오:낭【五囊】명 염습(殮襲)할 때에 죽은 이의 머리털, 좌우의 손톱, 좌우의 발톱을 베어 넣는 다섯 개의 작고 붉은 주머니.
오:내【五內】명〘한의〙 오장(五臟).
오:냐 감 아랫 사람에 대해서 또는 혼잣말로 긍정이나 결심을 나타내는 소리. ¶~, 들어오너라/~, 한 번 해 보자. 준오.
오너¹ [honor] 명 골프에서, 함께 경기하는 조 가운데서, 각 조마다 최초로 타구(打球)하는 영예를 가진 사람.
오:너² [owner] 명 회사 따위의 소유자. 특히, 직업 야구 구단(球團)의 소유자.
오:너 드라이버 [owner driver] 명 자기의 자동차를 자기가 운전하는 사람.
오너라-가너라 부 제 마음대로 괜히 남을 오라고도 하고 가라고도 하는 모양. ¶누구를 함부로 ~하느냐. **——-하다** 타여불
오:너먼트 [ornament] 명 예술품의 장식.
오너스 [Onnes, Heike Kamerlingh] 명〘사람〙 네덜란드의 물리학자. 물질의 저온(低溫) 연구 및 헬륨(helium)의 액화(液化) 성공으로 1913년 노벨 물리학상을 받았음. [1853-1926]
오널 명 〈방〉 오늘(경상·제주).
오네가 호【ㅡ湖】[Onega] 명〘지〙 러시아 연방 북서부(北西部)에 있는 유럽 제 2의 호수. 가장 깊은 곳은 115m임. 많은 섬이 있으며 운하로 백해(白海)와 볼가 강과 연결되어 있음. 12월부터 다음 해 5월까지는 동결(凍結)함. [9,986 km²]
오네게르 [Honegger, Arthur] 명〘사람〙 스위스인을 양친으로 프랑스에서 출생한 작곡가. '육인조(六人組)'의 지도적인 일원으로 대위법적(對位法的)인 구성과 율동적인 특징을 가지며, 현대 프랑스 악파(樂派)의 제일인자로, 작품은 다섯 개의 교향곡 외에 극음악·오라트리오 등이 있음. [1892-1955]
오네긴 [러 Onegin] 명 '예브게니 오네긴'을 줄여서 이르는 말.
오네시모 [Onesimos] 명〘성〙 골로새의 신도 빌레몬의 노예. 도주하여 로마의 바울 밑으로 가서 회심(回心)하여 기독교도가 되었으며, 바울에게 빌레몬서를 쓸 동기를 주었다 함.
오네톰 [프 honnête homme] 명〘사〙 [지식과 교양이 풍부하고 중정(中正)의 미덕을 가진 교양인(敎養人)이란 뜻] 고전주의(古典主義)의 융성기인 17세기 프랑스의 이상적인 인간상(人間像)을 표시하는 말.
오:년【午年】명〘민〙 태세의 지지(地支)가 오(午)로 된 해. 갑오년·병오년·무오년 따위.
오:년-장【五年章】[ㅡ짱] 명〘악〙 용비 어천가 제12장의 이름.
오:념-문【五念門】명〘불교〙 정토 왕생(淨土往生)의 다섯 가지 수행(修行). 즉, 아미타(阿彌陀)를 예배하는 일인 예배문(禮拜門), 아미타의 공덕을 찬탄하는 일인 찬탄문(讚歎門), 일심으로 정토(淨土)에 나기를 원하는 일인 작원문(作願門), 정토의 장엄과 공덕을 관찰하는 일인 관찰문(觀察門), 자기의 공덕을 일체의 중생에게 돌려 다 함께 성불(成佛)하기를 원하는 일인 회향문(廻向門)의 총칭.
오녕【洿濘】명 진창. 이녕(泥濘).
오:노【懊惱·懊憹】명 → 오뇌.
오노마토페 [프 onomatopée] 명〘언〙 오노매토피어.
오노매토피어 [onomatopoeia] 명〘언〙 의성어(擬聲語). 의태어(擬態語). 오노마토페.
오논 강【ㅡ江】[Onon] 명〘지〙 몽골의 켄테이 산지(Kentei 山地)에서 발원, 바이칼 동쪽 지방을 흐르는 강. 동류(東流)하여 실카 강(Shilka江)과 합류하는 헤이룽 강의 지류. 유역(流域)에서 주석(朱錫)과 몰리브덴을 산출함. [953 km]
오놀 명 〈방〉 오늘(함경).
오:뇌【懊惱】명 [←오노] 뉘우쳐 한탄하고 번뇌함. **——-하다** 자여불
오:뇌의 무:도【懊惱ㅡ舞蹈】[ㅡ/ㅡ에ㅡ] 명〘문〙 김억(金億)이 번역한 프랑스 상징파의 역시집(譯詩集). 1921년 한국 신시사상(新詩史上) 최초로 발행된 근대적인 시집. 수록된 작품은 베를렌(Verlaine)의 ≪가을 노래≫ 등 21편을 포함하여 77편 가량임.
오누¹ 명 〈방〉 오늬.
오-누² 명 ↗오누이.
오-누이 명 오라비와 누이. 남매(男妹). 준오누·오뉘.
오눌 명 〈방〉 오늘(전역).
오-뉘 명 ↗오누이.
오뉘-죽【ㅡ粥】명 멥쌀에, 간 팥을 섞어서 쑨 죽.
오:-뉴월【↑五六月】명 [←오륙월] 오월과 유월. 가장 덥고 해가 긴 철.
[오뉴월 감기는 개도 아니 앓는다] 여름에 감기 앓는 사람을 조롱하는 말. [오뉴월 개 가죽 문인가; 오뉴월 거적 문인가] 추운 때 문을 열어 놓고 다니는 사람을 핀잔 주는 말. [오뉴월 겻불도 쬐다 나면 서운하다] 당장에는 변변치 않게 생각되던 것도 없어진 뒤에는 아쉽다는 뜻. 여름 불도 쬐다 나면 섭섭하다. [오뉴월 녹두 깝대기 같다] 매우 신경질이어서 톡 건드리기만 하면 쏘아버린다는 말. [오뉴월 닭이 오죽하여 지붕에 올라가랴] 여름에 곡식이 흔하지 못하므로 닭이 초가집 지붕을 허비려 올라간다는 말로, 아쉬운 때 행여나 하고 무엇을 구함을 비유하는 말. [오뉴월 댑싸리 밑의 개 팔자] 편한 팔자의 비유. [오뉴월 더위에는 암소뿔이 물러 빠진다] 더위는 오뉴월에 가장 심하다는 뜻. [오뉴월 두룽다리] 제 철에 맞지 않아 쓸데 없이 된 물건을 이르는 말. ＊

한 더위에 털감투. [오뉴월 똥파리] ㉠멀리서도 먹을 것을 잘 알고 달려드는 사람을 조롱하는 말. ㉡떨어지지 않고 몹시 귀찮게 군다는 뜻. [오뉴월 바람도 불면 차갑다] 아무리 미약한 것이라도 계속되면 무시할 수 없는 결과를 가져온다는 말. [오뉴월 배 양반이오 동지 섣달은 뱃놈] 뱃사공이 여름철에는 물 위에서 더운 줄 모르고 지내고, 겨울에는 물 위에서의 생활이 매우 고생스럽다는 말. [오뉴월 병아리 하룻볕 쬐기가 무섭다] 짧은 동안이라도 자라는 정도의 차이가 심하다는 뜻. 주로 연장(年長)을 다툴 때 조금이라도 연장한 자가 이를 인유(引喩)함. [오뉴월 볕은 소리개만 지나도 낫다] 볕이 뜨거운 날에는 햇볕을 조금만 가려주어도 낫다는 말. [오뉴월 상한 고기에 구더기 끓듯] 사람 등이 우굴우굴 많이 끓는 모양. [오뉴월 소나기는 쇠 등을 두고 다툰다] 여름철의 소나기는 갑자기 쏟아지다 그쳤다 하므로, 소등의 이 편과 저 편 사이에도 내리고 안 내리는 경우가 있음을 나타내는 말. [오뉴월 손님은 호랑이보다 무섭다] 더운 오뉴월에 손님 대접하기는 매우 힘들다는 말. [오뉴월 송장이다] 대우하기 귀찮은 존장(尊長)을 이르는 말. [오뉴월 쇠불알] ㉠사물이나 행동이 축 늘어짐을 조롱하는 말. ㉡당장에 떨어질 것 같으면서도 안 떨어지는 횡재수. [오뉴월 쇠불알 떨어지기를 기다린다] 이루어질 수 없는 허망한 욕심을 내는 사람을 조롱하는 말. [오뉴월에 감주 맛 변하듯] 곧 변하여 못 쓰게 됨을 이르는 말. [오뉴월에 얼어 죽는다] 지나치게 추위를 못 이기는 사람을 두고 놀리는 말. [오뉴월 존장(尊長)이라] 더운 여름날 어른을 모시기는 매우 어려운 일이므로, 대접하기 어렵고 힘든 경우에 이름. [오뉴월 품앗이 논둑 밑에 있다] 빚 갚을 기일이 아직 까맣게 많이 남았다는 뜻. [오뉴월 품앗이도 진작 갚으랬다] 시일이 많다고 하여 끌어 갈 것이 아니라 갚을 것은 미리미리 갚아야 한다는 말. [오뉴월 하루 볕도 무섭다] '오뉴월 병아리 하룻볕 쬐기가 무섭다'와 같은 말.

오:뉴월 써렛발 같다 [구] 사물이 드문드문하다.

오:뉴월 염천(炎天) [구] 음력 오월과 유월의 더위가 한창 심한 때.

오늘 [명] ①이 날. 금일(今日). ②↗오늘날.

오늘-껏 [부] 〈방〉 오늘까지. 여태까지.

오늘-날 [-랄] [명] 지금의 시대. ㊂오늘.

오늘-내일【-來日】[-래-] [부] 오늘이나 내일 사이에. 당장에. ¶병석에 누워 ~ 한다.

오늘내일 하다 [구] ㉠죽을 때·해산 때 따위가 가까이 다가오다. ㉡그날이 오기를 고대하다.

오늘-따라 [부] 하필이면 왜 오늘에 와서. ¶~ 날씨는 왜 이렇게 찬고.

오늘-따레 [부] 〈방〉 오늘따라.

오늬 [-니] [명] 〔몽 oni〕 화살의 머리를 시위에 끼도록 에어 낸 부분. 광대싸리로 짧은 동강을 만들어 화살 머리에 붙임.

오늬 도피【-桃皮】[-니-] [명] 화살의 오늬를 싼 복숭아나무 껍질.

오늬-목【-木】[-니-] [명] 화살 오늬를 만드는 나무

오늬 쪽매 [-니-] [명] 널 옆을 화살의 오늬 모양으로 만든 쪽매.

오:니【汚泥】[명] 더러운 흙. 특히, 오염 물질을 포함하고 있는 진흙. 토니(土泥).

-오니 [어미] 〈옛〉 -으니. ¶이제 ᄒᆞ오ᅀᅡ 무덤 서리옛 나모 아래 이셔도 두려ᄫᅮ미 업소니 世間여ᄒᆡᆫ 樂ᄋᆞᆯ 念ᄒᆞ고 그리타이다 ≪月釋 Ⅶ:5≫.

-오니까 [어미] 받침 없는 형용사의 어간에 붙어, '하소서' 할 자리에서 현재의 상태를 묻는 종결 어미. ¶몸집이 크~. *-으오니까·-나이까.

오:니 퇴:비【汚泥堆肥】[명] 하수 처리장(下水處理場)에서 생긴 오니(汚泥)를 발효(發酵)시켜서 만든 퇴비.

오닉스 〔onyx〕 [명] 『광』 줄마노(瑪瑙).

오닐: 〔O'Neill, Eugene Gladstone〕 [명] 『사람』 미국의 극작가. 출세작 ≪수평선 너머로≫ 이후 사실극으로부터 표현주의적 상징주의 희곡으로 옮겨 특히 잠재 의식(潛在意識)의 연극화를 기도하였음. 대표작으로 ≪느릅나무 밑의 욕망≫·≪애너 크리스티(Anna Christi)≫ 등이 있으며, 1936년 노벨 문학상을 받음. [1888-1953]

오ᄂᆞᆯ [명] 〈옛〉 오늘. ¶오ᄂᆞᆯ 다ᄅᆞ리잇가(豈異今日)≪龍歌 26章≫.

오ᄂᆞᆳ-날 [명] 〈옛〉 오늘날. =오ᄂᆞᇗ날. ¶오ᄂᆞᆳ날 보ᅀᆞᆸ논 ≪釋譜 Ⅷ:32≫/오ᄂᆞᆳ날 ᄲᅮᆫ 아니라 ≪月釋 Ⅶ:7≫.

오ᄂᆞᇗ날 [명] 〈옛〉 오늘날. =오ᄂᆞᆳ날. ¶오ᄂᆞᇗ나래 내내 ᅀᅮᆼᄇᆞ리(當今之日曷勝其哂) ≪龍歌 16章≫.

오ᄂᆞᆽ날 [명] 〈옛〉 오늘날. =오ᄂᆞᆳ날. ¶姓 ᄀᆞᆯᄒᆡ야 員이 오니 오ᄂᆞᆽ나래 내내 ᅀᅮᆼ우리 ≪樂範 Ⅴ:7. 與民樂逃亡章≫.

오ᄂᆡ [명] 〈옛〉 오늬. =온ᄂᆡ. ¶활오ᄂᆡ 구(彄) ≪字會 中 28≫.

오다¹ [一] [자][너라불] ①공간적·시간적으로 가까이 닥치다. 이 곳이나 이 때를 향해 움직이다. ¶미국에서 온 손님/우리 학교로 오신 김 선생님. ②비·눈·서리 따위가 내리다. ¶첫눈이 오는 밤. ③잠·아픔 따위가 몸에 닥치다. ¶졸음이 ~/감기가 왔구나. ④때나 기한·차례·계절 따위가 돌아오다. ¶봄이 ~/기회는 드디어 왔다. ⑤말미암다. 유래(由來)하다. ¶불교에서 온 사상/파로에서 오는 병. ⑥어떤 일·사태가 닥치다. ¶결국 올 것이 왔구나. ⑦전등·가스·불 따위가 켜지다. ¶불이 들어왔다. ⑧어떤 곳이나 정도에 미치다. ¶발목까지 오는 긴 치마/인플레의 영향이 곧장 가정으로 온다. ⑨전화·전보 또는 연락이나 소식 따위가 전해지다. 알려지다. ¶기쁜 소식이 ~. ⑩개념이나 관념 따위가 이내 떠오르다. ¶추억이 되살아~. ⑪'와서·와서는'의 꼴로, 어떤 경우나 시기에 이르다. ¶이제 와서 무슨 딴 소리냐. 1)·4)·7)·9):↔가다. [二][타][너라불] 어떤 목적을 위해 이쪽으로 움직이다. ¶면회를 ~/구경을 ~/견학을 ~/연수(研修)를 ~. ↔가다. [三][보동][너라불] 동사나 형용사의 어미 '-아' 나 '-어'의 뒤에 쓰여, 그 동작이나 상태가 지금까지 또는 지금을 중심으로 진행되거나 가까워짐을 나타내는 조동사. ¶온갖 고생을 겪어 왔다/그럭저럭 5년이 되어 온다/날이 밝아 ~. ↔가다.

[오는 떡이 두터워야 가는 떡이 두텁다] 저 쪽에서 보내는 정분이 두텁고 얇음을 따라 이 쪽 태도가 결정된다는 말. [오는 말이 고와야 가는 말이 곱다] 남이 나를 헐어 말하면 나도 그를 욕하게 된다는 뜻. [오는 정이 있어야 가는 정이 있다] 남이 잘 해 주면 이 쪽에서도 그만큼 잘 해 주게 된다는 뜻. [오라는 데는 없어도 갈 데는 많다] 청하는 사람은 없어도 가야 할 곳은 그런 대로 많다는 뜻. [오라는 딸은 안 오고 원통 며느리만 온다; 오라는 딸은 안 오고 보기 싫은 며느리만 온다] 기다리는 사람은 오지 아니하고 올까봐 꺼리는 사람이 닥친다는 말.

오:다² [타] 〈방〉 외다²(경북).

오다-가다 [부] 가끔 어쩌다가. 지나는 길에 혹시. 우연히. ¶~ 만난 사람이다.

오다리 [명] 〈방〉 잠자리(경북).

오다 쇼:고 〔小田省吾: おだしょうご〕 [명] 『사람』 일본의 사학자. 도쿄 대학 사학과를 졸업 후, 1918년 조선 총독부 편집 과장으로 ≪조선 인명 사서(朝鮮人名辭書)≫ 편찬을 담당하고, 1924년 경성 대학 예과 부장(豫科部長), 1926년 교수가 됨. 정년 퇴직 후에는 ≪고종 실록(高宗實錄)≫·≪순종(純宗) 실록≫의 편찬을 감수함. [1871-1953]

오:닥-지다 [형] 〈방〉 오달지다.

오:단¹【五壇】[명] 『불교』 수법(修法)할 때에 오대 명왕(五大明王)을 안치하는 다섯 개의 단. 「——하다 [타][여불]

오:단²【誤斷】[명] 그릇되게 단정(斷定)함. 또, 그 단정이나 판정(判定).

오:단 교:수【五段教授】[명] 『교』 다섯 계단으로 하는 교육 방법. 새로운 관념(觀念)의 통각(統覺)에 필요한 기유(旣有)의 관념을 정리하여 교수 준비를 하는 예비(豫備), 새 교재를 제시하는 제시(提示), 새로운 관념과 구(舊)관념을 비교하는 연결(連結), 신구 관념을 하나의 체계로 조직화하는 총괄(總括), 체계화된 지식을 구체적 사실에 적용하는 응용(應用)의 다섯 단계. *교수 단계.

오:단 수법【五壇修法】[-뻡] [명] 『불교』 동·서·남·북·중앙의 다섯 단을 베풀어 오대 명왕(五大明王)과 또는 다른 부처·보살 들을 모셔 놓고 국가나 국왕을 위하여 행하는 수법(修法). 「현(武絃).

오:-단음【五短音】[명] 『악』 가야(伽耶)고의 열 두째 줄의 일컬음. *무

오:달¹【五疸】[명] 『한의』 황달(黃疸)·곡달(穀疸)·주달(酒疸)·황한(黃汗) 및 여로달(女勞疸)의 다섯 가지 달증(疸症).

오:달²【五達】[명] 길이 다섯 군데로 통함. ¶사통(四通) ~.

오달리스크 〔프 odalisque〕 [명] 〔터키어의 '오달리크(odalik)'에서 유래〕 하렘(harem)의 백인 여자 노예 또는 총희(寵姬)를 일컫는 말. 앵그르(Ingres)·마티스(Matisse)·르누아르(Renoir) 등 근대 프랑스 화가가 이것을 자주 그림의 주제(主題)로 삼았음.

오-달제【吳達濟】[-쩨] [명] 『사람』 조선 인조(仁祖) 병자 호란(丙子胡亂) 때의 삼학사(三學士)의 한 사람. 자(字)는 계휘(季輝), 호는 추담(秋潭). 해주 사람. 부교리(副校理)의 직에 있었는데 병자년에 척화신(斥和臣)으로서 만주 심양(瀋陽)에 잡혀 가 피살되었음. 시호는 충렬(忠烈). [1609-37]

오:달-지다 [형] 올차고 여무져 실속 있다. ㊂올지다·오지다.

[오달지기는 사돈네 가을 닭이다] ㉠사돈네 가을 닭이 아무리 살지고 좋기로 제게는 소용없음이니, 보기만 좋았지 도무지 실속이 없다는 말. ㉡사람이 지나치게 야무지고 실속 차리기에 급급하여 사돈집 가을 마당의 씨암닭 넘보듯이 예사로 남을 괴롭힌다는 말.

오:답【誤答】[명] 잘못된 대답을 함. 또, 그 대답. ↔정답(正答). ——하다 [자][여불]

오당¹【吾黨】[명] 우리 당(黨).

오당²【梧堂】[명] 『사람』 함화진(咸和鎭)의 호(號).

오대¹ [명] 〈방〉 오디(충청·전북).

오:대²【五大】[명] 『불교』 지(地)·수(水)·화(火)·풍(風)·공(空)의 다섯 가지 큰 요소(要素). 모든 물질에 널리 존재하여 있어 그를 구성하므로 대(大)라고 함. 오륜(五輪). *공대(空大)·사대(四大).

오:대³【五代】[명] ①다섯 대. ②『역』 중국 당(唐)과 송(宋)과의 사이 53년 동안에 흥망(興亡)한 다섯 왕조. 곧, 후당(後唐)·후량(後梁)·후주(後周)·후진(後晉)·후한(後漢)의 일컬음. '전오대(前五代)'와 대비하여 '후오대(後五代)'라고도 함. ③『역』 중국 당(唐)나라 때에 '전오대(前五代)'를 일컫던 말. ④『역』 예기(禮記)에서, 상고(上古)의 당(唐)·우(虞)·하(夏)·은(殷)·주(周)를 일컫던 말.

오:대⁴【五帶】[명] 『지』 지구 표면의 다섯 기후대(氣候帶). 즉, 열대(熱帶) 및 남북의 두 온대(溫帶)와 남북의 두 한대(寒帶).

오대⁵【烏臺】[명] 『역』 '사헌부(司憲府)'의 별칭.

오:대 강국【五大強國】[명] ①제1차 세계 대전 후 강화 회의의 주동이 된 다섯 강국. 즉, 미국·영국·프랑스·이탈리아·일본. ②제2차 세계 대전 후의 미국·영국·프랑스·중국·소련의 다섯 강국.

오:대-궁【五大宮】[명] 서울에 있는 조선 시대의 다섯 궁궐. 경복궁·창덕궁·창경궁·덕수궁 및 종묘(宗廟)를 이름.

오:대-당【五大堂】[명] 『불교』 ↗오대존당(五大尊堂).

오:-대력【五大力】[명] 『불교』 ↗오대력 보살.

오:대력 보살【五大力菩薩】[명] 『불교』 나라를 수호하는 다섯 명의 힘센 보살. 무량력후(無量力吼)·뇌전후(雷電吼)·무외 십력후(無畏十力吼)·용왕후(龍王吼)·금강후(金剛吼)를 이름. 임금이 삼보(三寶)를 믿으면, 부처가 이 보살들을 보내어 그 나라를 지켜 준다고 함. ㊂오대력.

오:대 명왕【五大明王】[명] 『불교』 ↗오대존 명왕(五大尊明王).

오:대-사【五代史】[명] 『책』 ①구오대사(舊五代史)와 신오대사(新五代史)의 총칭. ②신(新)오대사의 이칭(異稱). ③구오대사(舊五代史)의 이칭.

오:대사-기【五代史記】[명] 『책』 신오대사(新五代史)의 이칭(異稱).

오:대-산¹【五臺山】[명] 『지』 강원도 평창군(平昌郡) 진부면(珍富面)·홍

천군(洪川郡) 내면(內面)·강릉시(江陵市) 연곡면(連谷面) 경계에 있는 산. 태백 산맥(太白山脈)에 속하는 고봉으로 한강(漢江)의 발원지이며 화강암·화강 편마암으로 이루어져 설악산(雪嶽山)과 함께 금강산 다음가는 경승지(景勝地)로 알려져 있고 만월(滿月)·기린(麒麟)·장령(長嶺)·상산(象山)·지로(智爐)의 오봉과 불교의 본산인 월정사(月精寺)·상원사(上院寺) 등이 있음. 또, 고산 식물(高山植物)과 약초(藥草)가 풍부함. 국립 공원의 하나임. [1,563m]

오:대-산²【五臺山】명〖지〗 우타이 산.

오:대산 국립 공원【五臺山國立公園】[一닙一] 명〖지〗 강원도 강릉시(江陵市)와 홍천(洪川)군, 평창(平昌)군에 걸쳐 오대산을 중심으로 한 일대의 국립 공원. 1975년 2월 1일 지정됨. 비로봉(1,563m), 노인봉(1,338m), 상왕봉(1,450m) 등과 소금강 청학천 계곡, 구룡 폭포, 무릉 계곡, 만물상 등의 경승은 설악산과 더불어 동해안 제일의 명승지임. 월정사·상원사 등이 있음. [298.5 km²]

오:대산 사:고지【五臺山史庫址】명 강원도 평창군 진부면 동산리 소재 영감사(靈鑑寺) 뒤편에 있는 조선 후기 오사고지(五史庫址) 중의 하나. 사적 제 37 호.

오:대산 상:원사 중:창 권:선문【五臺山上院寺重創勸善文】명 오대산 월정사(月精寺)게 있는 상원사 중창 때에 내린 권선문. 조선 세조(世祖) 10년(1464)에 이루어짐. 대산 어첩(臺山御牒). 보물 140 호.

오:대 시화【五代詩話】명〖책〗 중국 오대(五代) 시대의 시에 관한 평론을 모아 엮은 시화집(詩話集). 처음 명(明)나라 때 왕세정(王世禎)이 시작하였으나 이루지 못한 것을 청(淸)나라 때 정방곤(鄭方坤)이 보정(補訂) 완성함. 10 권.

오:대 십국【五代十國】명〖역〗 ①중국에서, 당(唐)나라의 멸망에서 송(宋)나라의 건국 사이에 흥망한 왕조(王朝). 또, 그 시대. 중원(中原)을 중심으로 한 후량(後梁)·후당(後唐)·후진(後晉)·후한(後漢)·후주(後周)의 오 왕조(五王朝)와 중원 이외의 지방에서 할거(割據)·흥망(興亡)한 전촉(前蜀)·오(吳)·남한(南漢)·형남(荊南)·오월(吳越)·초(楚)·민(閩)·남당(南唐)·후촉(後蜀)·북한(北漢)의 열 나라를 이름. ②오대(五代) 때의 십국(十國)을 이름. ㊃십국(十國).

오:대 십이국【五代十二國】명〖역〗 오대 십국에 일대(一代)로 망한 기(岐)와 연(燕)의 두 나라를 합한 것을 일컬음. ㊃십이국.

오:-대양【五大洋】명〖지〗 지구 표면(地球表面)에 둘러 있는 태평양·대서양·인도양·남빙양(南氷洋)·북빙양(北氷洋)의 다섯 대양. *삼대양(三大洋).

오:대 연지【五大連池】명〖지〗 '우다롄츠'를 우리 음으로 읽은 이름.

오:대 연호【五大連湖】명〖지〗 오대 연지(連池).

오:대-조【五代祖】명 고조(高祖)의 어버이. 현조(玄祖).

오:대-존【五大尊】명〖불교〗 ①↗오대존 명왕(五大尊明王). ②오대존 명왕을 본존(本尊)으로 하는 수법(修法).

오:대존-당【五大尊堂】명〖불교〗 오대존 명왕을 모신 불당(佛堂). ㊃오대당(五大堂).

오:대존 명왕【五大尊明王】명〖불교〗 진언종(眞言宗)에서 신봉하는 다섯 명왕. 즉, 중앙의 부동(不動), 동방의 항삼세(降三世), 남방의 군다리(軍荼利), 서방의 대위덕(大威德), 북방의 금강 야차(金剛夜叉)를 말함. 오력 명왕(五力明王). ㊃오대존(五大尊)·오대 명왕(五大明王).

오:대 종지【五大宗旨】명〖대종교〗 교도들이 마땅히 행해야 할 다섯 주지(主旨). 즉, 공경으로 한얼을 받들고, 정성으로 성품을 닦고, 사랑으로 겨레를 합하고, 고요함으로 행복을 구하고, 부지런으로 살림에 힘쓸 것.

오:-대주【五大洲】명〖지〗 지구상의 다섯 대륙. 즉, 아시아 주·유럽 주·아프리카 주·오세아니아 주·아메리카 주. 또, 아시아 주·유럽 주·아프리카 주·북아메리카 주·남아메리카 주를 말하기도 하는데, 이제는 오세아니아 주를 넣어 육(六)대주라 일컬음. ㊃오주(五洲).

오:대 진언【五大眞言】명〖책〗 조선 시대 인수 대비(仁粹大妃)가 종래의 범자(梵字)·한자 대조의 진언에다 한글의 음역(音譯)을 더한 책. 곧, 사십 이 수 진언(四十二手眞言)·신묘 장구 대다라니(神妙章句大陀羅尼)·수구 즉득 다라니(隨求即得陀羅尼)·대불정 다라니(大佛頂陀羅尼)·불정 존승 다라니(佛頂尊勝陀羅尼). 성종(成宗) 16년(1485) 간행. 1권 3책. *수구 즉득 다라니.

오:대 진언 수구경【五大眞言隨求經】명〖책〗 일종의 진언집으로 범자(梵字)에 한글과 한자를 병기(倂記)한 책. 조선 선조(宣祖) 37년(1604) 간행. 1권 1책.

오-대(:)징【吳大澂】명〖사람〗 중국 청(淸)나라의 외교관·무장(武將). 자는 청경(淸卿), 호는 항헌(恒軒)·각재(愙齋). 조선 고종(高宗) 21년(1884) 갑신정변(甲申政變) 후 조선과 일본 사이에 진행 중이던 한성 조약(漢城條約) 회담 장소에 나타나, 조선의 외교권(外交權)을 부인하여 방해 공작을 하고, 이듬해 인천·의주(義州) 사이에 전선을 가설하기 위한 한청 전선 조약(韓淸電線條約)을 체결함. 1894년 청일 전쟁(淸日戰爭) 때 산하이관(山海關)에 출전, 대패하여 파면됨. 시문(詩文)에 능하고, 전서(篆書)를 잘 썼음. 금석학자(金石學者)로서 저서가 많으며, 특히 ≪고옥 도고(古玉圖攷)≫는 고대의 옥(玉)을 개설(槪說)한 책으로 유명함. [1835-1902]

오:대-호【五大湖】명 [The Great Lakes]〖지〗 북(北)아메리카 중부에 서로 연쇄되어 있는 다섯 개의 호수. 곧, 슈피리어 호(Superior 湖)·미시간 호(Michigan 湖)·휴런 호(Huron 湖)·이리 호(Erie 湖)·온타리오 호(Ontario 湖). 동쪽으로 향하여 순차로 고도(高度)가 낮아져서 세인트로렌스 강(Saint Lawrence 江)게 의하여 대서양(大西洋)과 통함. 미시간 호 이외의 넷은 캐나다와 미합중국(美合衆國)과의 국경(國境)을 이루고 있음. [240,000 km²]

오:대-화【五代畫】명 중국 오대 시대의 회화.

오댕이 명〈방〉 오디(강원).

오:더 [order] 명 ①순서. ②↗배팅 오더(batting order). ③주문(注文). ④〖건〗 고전 건축에 있어서, 기둥 각부의 형식·장식 등을 규정한 건축 형식의 규범.

오:더 메이드 [order made] 명 주문(注文)에 의하여 제조한 상품. ↔레디 메이드(ready made).

오:더블유 일에이치【五W—H】명 [five W's and one H] 육하 원칙(六何原則). who, what, when, where, why, how의 머리글자를 딴 말.

오:덕【五德】명 ①유교에서 말하는, 사람의 다섯 가지 덕. 온화·양순·공손·검소·겸양 또는 총명 예지(聰明睿知)·관유 온유(寬裕溫柔)·발강 강의(發強剛毅)·제장 중정(齊莊中正)·문리 밀찰(文理密察). ②병가(兵家)에서 중히 여기는 장군의 다섯 가지 덕. 즉, 지(智)·신(信)·인(仁)·용(勇)·엄(嚴). ③중국 고래(古來)의 학설에 의한 만물 형성의 다섯 원소(元素). 목(木)·화(火)·토(土)·금(金)·수(水). 오행(五行). ④〖불교〗 비구(比丘)가 중히 여기는 포마(怖魔)·걸사(乞士)·정계(淨戒)·정명(淨明)·파악(破惡).

오던-없:다 형〈방〉 철없다.

오덜개 명〈방〉 오디(충청·경남).

오덜기 명〈방〉 오디(경북).

오데르 강【一江】[Oder] 명〖지〗 유럽 중부의 강(江). 체코의 산지(山地)에서 발원(發源)하여 실레지아(Silesia) 지방을 서북으로 흘러 하류에서 나이세 강(Neisse 江)과 합류, 독일과 폴란드의 국경을 이루면서 발트 해(Balt 海)로 들어감. [898 km]

오데르 나이세 국경선【一國境線】명 [Oder-Neisse Line]〖정〗 1950년에 폴란드와 동독 사이에 맺어진 국경 협정에서, 폴란드의 서부 국경으로 정해진, 오데르 강과 그 지류인 나이세 강을 잇는 선. 1970년 서독·폴란드 조약의 조인으로 이 국경선이 명문화됨. 또한 1990 년 독일 통일에 즈음하여 이 경계선을 두 나라가 재확인함.

오데사 [Odessa] 명〖지〗 우크라이나 공화국의 도시. 흑해(黑海)에 임한 중요한 항구 도시이며 공업 도시로, 기계·화학·식료품 공업이 성하고 부근에서 광천(鑛泉)이 나와 해변 휴양지로도 알려짐. 19세기 곡물 수입의 중심 항구로서 발달하였음. [1,087,000 명(1993)]

오데츠 [Odets, Clifford] 명〖사람〗 미국의 극작가. 그룹 극단을 결성, ≪레프티를 기다리면서≫를 상연하여 유명하여졌음. 가난한 이민(移民)을 그린 ≪잠을 깨고 노래하자≫·≪황금아(黃金兒)≫, 영화 배우의 타락을 그린 ≪빅 나이프(The Big Knife)≫ 등 사실적인 작품이 많음. [1906-63]

오덴세 [Odense] 명〖지〗 덴마크 퓐(Fyn) 섬 북부에 있는 덴마크 최고(最古) 도시의 하나. 성카누트 성당(聖 Canute 聖堂)은 순수한 고딕 양식(Gothic 樣式)의 건물로서 유명함. 그 외에 역사적 건축물이 많음. 낙제품(酪製品)의 가공(加工) 집산(集散)과 제철·직물·유리 공업이 성함. 안데르센(Andersen)의 출생지로 그의 동상(銅像)과 기념관이 있음. [180,799 명(1993)]

오뎅 [일 おでん] 명 곤약(崑蒻)·생선묵·무·유부(油腐) 등을 여러 개씩 꼬챙이에 꿰어, 끓는 장(醬)국에 넣어 익힌 일본식 술안주 또는 반찬. 꼬치. 꼬치 안주.

-오뎌 어미〈옛〉 -고자. ¶ 親友ㅣ 드외오뎌 ≪永嘉 下 142≫.

오뎐된 형〈옛〉 방정맞은. ¶ 오뎐된 雞聲의 줌은 엇디 셰둣던고 ≪松江 續美人曲≫.

오:도¹【五道】명 ①〖역〗 고려 현종(顯宗) 때 전국 십도(十道)를 고쳐 일곱 행정 구역으로 나눈 오도 양계(五道兩界) 중 중부(中部) 이남의 다섯 구역을 이르는 말. 곧, 양광도(楊廣道)·경상도(慶尙道)·전라도(全羅道)·교주도(交州道)·서해도(西海道). ②〖불교〗 중생이 선악(善惡)의 업보(業報)에 의하여 가는 다섯 세계(世界). 곧, 천상(天上)·인간(人間)·축생(畜生)·아귀(餓鬼)·지옥(地獄). 오취(五趣). 오악취(五惡趣).

오-도²【吳島】명〖지〗 전라 남도의 남해안(南海岸), 고흥군(高興郡) 과역면(過驛面) 연등리(蓮燈里)에 위치한 섬. [0.39 km²]

오도³【吾道】명 유생(儒生)들이 유교의 도(道)를 일컫는 말.

오:도⁴【悟道】명〖불교〗 ①번뇌를 해탈하고 불계(佛界)에 들어갈 수 있는 길. ②불도의 묘리를 깨달음. ——-하다 자여불

오-도⁵【梧島】명〖지〗 ①전라 남도의 남해안(南海岸), 고흥군(高興郡) 포두면(浦頭面) 오취리(梧翠里)에 위치한 섬. [0.75 km²] ②전라 남도의 서해상(西海上), 영광군(靈光郡) 낙월면(落月面) 오도리(梧島里)에 위치한 섬. [0.47 km²] ③충청 남도의 서해상(西海上), 보령시(保寧市) 오천면(鰲川面) 외연도리(外煙島里)에 위치한 섬. [0.46 km²] ④인천 광역시(仁川廣域市) 옹진군(甕津郡) 북도면(北島面) 오도리(梧島里)에 위치한 섬. 인천에서 서북쪽 36 km 지점에 있음. [0.04 km²]

오:도⁶【誤導】명 그릇 인도함. ——-하다 타여불

-오도 어미〈옛〉 -고도. -어도. ¶ 兄이 모딜오도(兄雖悖焉) ≪龍歌 103章≫.

오도-계【奧陶系】명〖지〗 오르도비스계(Ordovice 系).

오도-기【奧陶紀】명〖지〗 오르도비스기(Ordovice 紀).

오도깝-스럽다 형ㅂ불 경망하게 나덤비는 태도가 있다. ¶ 오도깝스러워 남의 말을 가만히 앉아서 못 듣는다. 오도깝-스레 부

오:-도깨비 명 괴상망측한 잡것.

오도당-거리다 자 쌓아 둔 물건이 무너져 떨어지는 소리가 요란하게 자꾸 나다. <우두덩거리다. 오도당-오도당 부. ——-하다 자여불

오도당-대다 자 오도당거리다.

오도독 부 ①단단한 물건을 야무지게 깨무는 소리. ②작은 물건이 부러지는 소리. 1)·2): <우두둑. ——-하다 자타여불

오도독-거리다 자타 오도독 소리가 계속하여 나다. 또, 그런 소리를 연(連)하여 나게 하다. <우두둑거리다. 오도독-오도독 부. ——-하다 자타 여불

오도독-대다 자타 오도독거리다.

오:-도독부【五都督府】명〖역〗나당(羅唐) 연합군이 백제를 멸망시킨 후 백제의 고토(故土)에 두었던 통치 기관. 웅진(熊津) 도독부·마한(馬韓) 도독부·동명(東明) 도독부·금련(金漣) 도독부·덕안(德安) 도독부를 이름. 후에 이를 개편하여 웅진 도독부 아래 7 주(州) 52 현(縣)을 두고 옛 백제 땅을 지배하려 하였으나 신라의 저항에 부닥쳐 폐지됨. *구도독부(九都督府)·도독부.

오도독-뼈 명 소나 돼지의 여린 뼈.

오도독 주석【—朱錫】명〖광〗빛깔이 아주 노란 주석.

오도마니 부 ☞ 오도카니.

오:도 명관【五道冥官】명〖불교〗오도(五道)로 가는 중생의 죄를 다스리는 관인(官人).

오:-도미 명〖어〗옥돔. 준오돔.

오:도-미터 [odometer] 명〖기〗자동차 따위에 붙여 주행(走行) 거리를 측정하는 기계(器械). 주행계(走行計). 계거기(計距器).

오도-방정 명 ☞ 오두방정.

오도-산【吾道山】명〖지〗경상 남도 거창군(居昌郡) 가조면(加祚面)과 합천군(陜川郡) 묘산면(妙山面)과 봉산면(鳳山面) 경계(境界)에 있는 산. [1,134 m]

오:도-송【悟道頌】명〖불교〗고승(高僧)들이 인생관과 우주관의 진리를 깨닫고 지은 시가(詩歌).

오:-도신【五道神】명 중국에서, 성문(城門) 밖의 서쪽이나 북문(北門) 밖에 넷으로 통하는 작은 단을 만들고 모시는, 공공씨(共工氏)의 아들 수(修) 또는 황제(黃帝)의 아들 누조(累祖)인 중앙신(中央神) 및 동서남북의 네 도신(道神)의 총칭. 오도신은 도로(道路)의 신으로 뿐만 아니라 재신(財神)으로도 숭상됨.

오도아케르 [Odoacer] 명〖사람〗서(西)로마 제국에 고용된 게르만 출신의 용병(傭兵) 대장. 476년 로물루스 아우구스툴루스(Romulus Augustulus 461?-?; 재위 475-476) 황제를 폐하고 서로마 제국을 멸망시켰음. 동(東)로마 황제로부터 총독(總督)의 칭호를 받고, 이탈리아를 지배했으나, 동(東)고트 왕 테오도리크(Theodoric)에게 패하여 항복, 곧 암살되었음. [434?-493]

오-도(:)일【吳道一】명〖사람〗조선 숙종(肅宗) 때의 문신. 자(字)는 관지(貫之), 호는 서파(西坡). 윤겸(允謙)의 손자. 도승지·대사헌(大司憲)·각 조(各曹) 참판(參判) 등을 역임, 병조 판서 때 모함으로 장성(長城)으로 귀양가서 죽음. 문장에 뛰어났고 호주(豪酒)였다고 함. 뒤에 관작이 회복됨. 저서에 ≪서파집≫이 있음. [1645-1703]

오-도(:)자【吳道子】명〖사람〗중국의 '오도현(吳道玄)'을 자(字)로 일컫는 이름.

오도카니 부 무슨 걱정이나 생각하는 바가 있어 맥없이 서 있거나 앉아 있는 모양. ¶왜 그렇게 ~ 서 있니. <우두커니.

오도커니 부 ☞ 오도카니.

오-도(:)현【吳道玄】명〖사람〗중국 당(唐)나라 현종(玄宗) 때의 화가. 허난(河南) 사람. 자는 도자(道子). 불화(佛畫)·산수의 화법 등을 혁신하여 당대(唐代) 제일이라 일컬었음. 생몰년(生沒年) 미상.

오:독¹【五毒】명 ①오석(五石)을 불에 태워 만든 독약(毒藥)을 이름. ②오형(五刑).

오독²【汚瀆】명 ①더러운 도랑. ②작은 도랑. ③더러움. 또, 더럽힘. ——-하다 자 여불

오:독³【誤讀】명 잘못 읽음. 틀리게 읽음. ——-하다 타 여불

오독도기 명 ①〖식〗[*Lycoctonum pseudolaeve* var. *erectum*] 성탄꽃과(科)에 속하는 다년초(多年草). 뿌리는 다소 비후(肥厚)하고 흑갈색(黑褐色)이며 줄기는 높이 60 cm에 달함. 근생엽(根生葉)은 장병(長柄)이고 경엽(莖葉)은 단병(短柄)임. 8월에 엷은 자색(紫色) 꽃이 총상 화서(總狀花序)로 줄기 끝 잎사이에 두세 개씩 달리어 피고 과실은 골돌(蓇葖)임. 산지(山地)에 나는데, 제주·충북·강원·황해·평남 등지에 분포함. 뿌리는 '낭독(狼毒)'이라 하여 약용함. 진범(秦艽). ②〖악〗경기 민요(民謠)의 하나. 제주도 민요 오돌또기가 서울에 전해져서 변한 것임. ③화약을 재어 점화(點火)하면 연하여 터지는 소리를 내면서 떨어지게 만든 불꽃.

오독떼기〖악〗강원도 강릉 일대에 전승되고 있는 김매기 소리의 하나.

오독-오독 부 ↗오도독오도독. <우둑우둑. ——-하다 자타 여불

오돌개 명〈방〉오디(충청·전남·경상).

오돌기 명〈방〉오디(경북).

오돌독 [—똑] 명〖악〗서울 지방 민요의 하나. 굿거리 장단에 의하여 명쾌하게 불리고 있음. '오돌독'의 말뜻은 알 수 없음.

오돌또기 명〖악〗제주도 민요의 하나. *오독도기.

오돌-오돌¹ 부 ①연골(軟骨)이나 조금 말린 날밤처럼 깨물기에 좀 단단한 모양. ②작은 것이 잘 삶아지지 않은 모양. ¶콩이 좀 설익어서 ~해 보이는구나. ③오동통하고 부드러운 모양. 1)-3): <우둘우둘². ——-하다 형 여불

오돌-오돌² 부 ☞ 오들오들.

오돌-지다 형 ☞ 오달지다. ¶두루뭉수리 같은 그의 오돌진 머리가 그 무슨 굳세인 혼의 덩어리같이도 보여…≪李孝石 : 해바라기≫.

오돌-토돌 부 거죽이나 바닥면이 고르지 않게 여러 곳이 도드라져 있는 모양. ¶손등에 작은 무사마귀가 ~나 있다. <우둘투둘. ——-하다 형 여불

오:-돔 명〖어〗↗오도미.

오동¹ 명 배의 높이.

오동² 명〈방〉오디(제주).

오동³【吾東】명 옛날에, 동쪽에 있다는 뜻으로 우리 나라를 일컫던 말.

오동⁴【烏銅】명 검은 빛이 나는 적동(赤銅). 오금(烏金)과 같은 광택이 있어 장식품에 쓰임. ¶굴뚝에서 기어나온 사람처럼 ~이 된 두루마기. [오동 숟가락에 가물치국을 먹었나] 피부색이 검은 사람을 조롱(嘲弄)하는 말.

오동⁵【梧桐】명〖식〗오동나무.

[오동 씨만 보아도 춤을 춘다] 오동나무 씨를 보고 곧 오동나무를 연상하는 동시에 오동나무로 만든 거문고나 가얏고를 생각하고 춤을 춘다는 뜻으로, 조그만 동기나 또는 몇 계단을 거쳐야 연상될 만한 어떤 사물을 보고서 곧 목적(目的)의 사물(事物)을 본 것처럼 미리 좋아함을 비유하는 말.

오동개비 명〈방〉오디(제주).

오동-과【梧桐科】[—꽈] 명〖식〗[*Paulowniaceae*] 쌍자엽 식물 이판화류(離瓣花類)에 속하는 한 과. 오동나무와 참오동나무가 있는데 목재(木材)가 백색 견사(絹絲)의 광택이 나고 가볍고 아름다움. 특히, 흡습성(吸濕性)이 없고 내화성(耐火性), 재질(材質)의 균등(均等), 음향 전도(音響傳導)가 양호하여 가공(加工)에 많이 쓰임. 동남아의 특산으로, 한국·일본·중국·대만에 분포함.

오동-나무【梧桐—】명〖식〗[*Paulownia coreana*] 오동과에 속하는 낙엽 활엽 교목. 줄기 높이 10 m 가량이고 잎은 달걀꼴이며, 잎 뒤에 갈색의 짧은 털이 밀생함. 5월에 백색 또는 자색 꽃이 원추(圓錐) 화서로 정생(頂生)하여 피고, 삭과(蒴果)는 둥글고 달랑달랑 매달려서 10월에 익음. 촌락 부근의 비옥지(肥沃地)에 심는데 한국의 특산으로 평남·경기도 이남에 분포함. 목재는 장롱·나막신·상자·악기(樂器) 등을 만드는 데 쓰이며, 정원수로 심음. 오동(梧桐).

〈오동나무〉

오동-도【梧桐島】명〖지〗전라 남도 여수시(麗水市) 수정동(水晶洞)에 위치한 섬. 섬 전체가 동백나무와 해장죽(海藏竹 : 식대) 따위로 숲을 이루고, 기암 절벽으로 된 해안 경치도 뛰어남. 한려(閑麗) 해상 국립 공원의 기점 및 종점 구실을 함. [0.12 km²]

오동 딱지【烏銅—】명 오동(烏銅)으로 만든 몸시계의 껍데기.

오동-롱【梧桐籠】[—농] 명 오동나무로 만든 농장(籠欌). *먹감나무「농.

오동-보동 부 오동통하고 보동보동한 모양. ¶~ 예쁜 손. <우둥부둥. ¶유금지의 눈앞에…김상배의 학생 때의 오동보동하던 체격이 지나갔다≪朴花城 : 고개를 넘으면≫. ——-하다 형 여불

오동-빛【烏銅—】[—삗] 명 검붉은 구릿빛. 오동색.

오동 상장【梧桐喪杖】명 모친상(母親喪)에 짚는 오동나무 지팡이.

오동-색【烏銅色】명 오동빛.

오동 수복【烏銅壽福】명 백통으로 만든 기구에 오동으로 '壽'나 '福' 자를 박은 자형(字形).

오동 시계【烏銅時計】명 껍데기를 오동으로 만든 시계.

오동아 명〈방〉오리²(충청).

오동애 명〈방〉오리²(충청).

오동-장【梧桐欌】명 ①오동나무로 만든 장. ②오동 장롱(欌籠).

오동 장:롱【梧桐欌籠】[—농] 명 오동나무로 만든 장과 의롱(衣籠)을 이름. 오동장(梧桐欌).

오-동지¹【—冬至】명 음력 11월 10일이 채 못 되어 드는 동지. 애동지. 아기 동지. *늦동지.

오:-동지²【五冬至】명 음력 오월과 동짓달. 동짓달에 눈 오는 양(量)에 비례하여 다음 해 오월에 비가 많이 오거나 적게 온다고 하여 상대적으로 이르는 말.

오:동지 육섣달【五冬至六—】명 오동지와 육섣달.

오-동진【吳東振】명〖사람〗독립 운동가. 호는 송암(松菴), 의주(義州) 출신. 고향에 일신(日新) 학교를 세워 독립 정신을 고취하고 3·1 운동에 참가한 후, 만주로 망명하여 독립 운동을 함. 뒤에 정의부(正義府)의 군사 위원장 겸 총사령관, 고려 혁명당(高麗革命黨)을 조직 항쟁하다가 피체 옥사함. [1889-1930]

오동 철갑【烏銅—】명 때가 묻어 오동(烏銅)빛으로 까맣게 된 빛.

오동통-하다 형 여불 몸이 작고 통통하다. ¶오동통한 아가씨. <우둥퉁하다.

오동-포동 부 오동통하고 포동포동한 모양. ¶~ 탐스러운 아기. <우둥푸둥. ——-하다 형 여불

오되【乎大】〈이두〉-되. -오되.

오:-되다 자 ↗올되다¹·².

오두¹ 명〈방〉오디(강원·경북).

오두²【烏頭】명 ①〖식〗바곳²❶. ②〖한의〗↗천오두(川烏頭). ③〖한의〗「↗초오두(草烏頭).

오두³【鼇頭】명 ①서적의 본문 윗 난(欄)에 써 놓은 주해문(註解文). 두주(頭註). ②장원(壯元).

오두개 명〈방〉오디(전라·충남).

오두마니 부 ☞ 오도카니.

오두-막【—幕】명 작게 지어 사람이 겨우 거처할 만한 막. 준오막.

오두막-집【—幕—】명 사람이 겨우 거처할 정도로 아주 작고 초라한 집. 오두막의 집. 오막살이.

오:두-미【五斗米】명 ①닷 말의 쌀. ②얼마 안 되는 봉급.

오:두미-도【五斗米道】명〖종〗중국 후한말(後漢末)에 노자(老子)로부터 부수 주법(符水呪法)을 받았다고 하는 장릉(張陵)에 의하여 쓰촨(四川) 지방에서 시작된, 요병(療病)을 중심으로 하는 교법(敎法). 도교(道敎)의 전신(前身)으로 된 것인데, 요병의 보수(報酬)로서 쌀 다섯 말

을 내게 하였으므로 이렇게 일컬었음.
오:두-발광【一發狂】[명] 매우 방정맞게 날뛰는 짓.
오:두-방정 [명] 몹시 방정맞은 행동.
　오:두방정(을) 떨:다 [구] 몹시 방정맞은 행동을 하다.
오-두인【吳斗寅】[명]〖사람〗조선 숙종(肅宗) 때의 충신. 자(字)는 원징(元徵), 호는 양곡(陽谷). 해주(海州) 사람. 인현 왕후(仁顯王后) 민씨(閔氏)에 대한 폐비(廢妃) 하교(下敎)를 듣고 박태보(朴泰輔)·이세화(李世華)와 함께 상소하여 역간(力諫)하다가 의주(義州)로 귀양 가는 도중에 죽음. 시호는 충정(忠貞). [1624-89]
오두-잠【烏頭簪】[명] 옛날에, 부인들이 보통 때 쓰는 꼭대기를 턱지게 만든 비녀.
오:-두품【五頭品】[명]〖역〗신라 시대의 신분 제도인 두품제(頭品制)의 제2위. 육두품(六頭品)의 아래, 사두품(四頭品)의 위. 신라의 제10위 관등(官等)인 대내마(大奈麻)까지 오를 수 있음.
오:둔【五遁】[명] 도가(道家)에서 선인(仙人)이 금·목·수·화·토의 다섯 가지로 둔갑(遁甲)하여 없어진다는 술법(術法).
오둘개 [명] 〈방〉 오디(전남·경기·충청·경남).
오둘-막【一幕】[명] 〈방〉 오두막.
오둘-오둘 [부] 〈방〉 오돌오돌. ——-하다 [형]
오둠지 [명] ①옷의 깃고대가 붙은 어름. ②그릇의 윗 부분.
오둠지 진:상 [명] ①지나치게 높이 올라 붙었음을 이르는 말. ②상투나 멱살을 잡아 번쩍 들어올리는 짓. ¶힘꼴 든든한 자들이 양쪽 겨드랑 밑을 바짝 치켜들어서 ~을 하고 다른 자들이 전후에 옹위하고 산 아래로 몰려내려갔다《洪命憙 : 林巨正》. ——-하다 [자타][여불]
오둥아 [명] 〈방〉 오디(충북).
오뒤 [명] 〈방〉 오디(경북).
오:듀본〔Audubon, John James〕[명]〖사람〗미국의 조류학자(鳥類學者)·화가. 프랑스에서 그림 공부를 하다가 조류에 흥미를 가지고, 1803년 도미 후, 새의 그림을 그림. 1838년 435 매의 동판화 《아메리카의 조류》를 발행하여 명성을 얻음. 켄터키에 오듀본 기념 주립 공원이 있음. [1785-1851]
오:드〔ode〕[명] ①고대 그리스에서, 본래는 합창(合唱)의 노래. 뒷날에는 숭고(崇高)·장중(莊重)한 일을 노래하는 시를 가리킴. 송가(頌歌). ②근대 서양(西洋)에서, 특정한 사람·사물(事物)에 부치어 지은 서정시(抒情詩).
오드가:니 [부] 〈방〉 오도카니.
오드득 [부] ☞ 오도독. ——-하다 [자타][여불]
오드득-거리다 [자타] ☞ 오도독거리다. **오드득-오드득** [부]. ——-하다 [자타][여불]
오드득-뼈 [명] ☞ 오도독뼈.
오드막【一幕】[명] 〈방〉 오두막(경상).
오 드 콜로뉴〔프 eau de cologne〕[명] 원래 독일의 쾰른(Köln)에 사는 이탈리아 사람이 창제(創製)한 향수(香水). 지금은 일반적으로 화장수(化粧水)를 말함. 주정(酒精)과 향유(香油)를 혼합하여 만듦.
오:득【悟得】[명] 깨달아 얻음. ——-하다 [타][여불]
오:든〔Auden, Wystan Hugh〕[명]〖사람〗영국 출생의 미국 시인·평론가. 지적(知的)·좌익적(左翼的) 경향의 작품 《시집(詩集)》·《연설가들》 등에서 차츰 변천하여 종교적 철학적 경향이 농후한 《신년(新年)의 편지》·《불안의 시대》 등을 발표함. [1907-73]
오들개 [명] 〈방〉 오디(충남·전남·경상).
오들-막【一幕】[명] 〈방〉 오두막.
오들-오들 [부] 춥거나 무서워서 몸을 작게 떠는 모양. ¶~ 떨며 서 있다. <우들우들[1]. *발발.
오들오들-하다 [형] ☞ 오돌오돌하다.
오:등[1]【五等】[명] ①오등작(五等爵). ②예기(禮記)에서, 남편이 있는 여자의 다섯 가지 등급. 즉, 후(后)·부인(夫人)·유인(孺人)·부인(婦人)·처(妻). ③예기(禮記)에서, 죽음의 다섯 가지 이름. 즉, 붕(崩)·훙(薨)·졸(卒)·불록(不祿)·사(死).
오등[2]【吾等】[인대] 우리들.
오등애 [명] 〈방〉 오디(강원).
오:등-작【五等爵】[명]〖역〗고려 때부터 중국의 봉작(封爵) 제도를 모방한 다섯 등급의 작위(爵位). 곧, 공작(公爵)·후작(侯爵)·백작(伯爵)·자작(子爵)·남작(男爵). 오등(五等). [준]오작(五爵).
오듸 [명] 〈방〉 오디.
오디[1] [명] 뽕나무의 열매. 상실(桑實). 상심(桑椹).
오디[2]〔Ady, Endre〕[명]〖사람〗헝가리의 대표적 시인. 청년 시절에 파리에 유학, 프랑스 상징파(象徵派)의 영향을 받았음. 《신시집(新詩集)》·《혈(血)과 금(金)》 등 십수 편의 시집을 발표함. 또, 문예 잡지 《서양(西洋)》을 주재(主宰)하여 젊은 문학자들의 중심적 존재가 되었음. [1877-1919]
오디 괄약근【一括約筋】〔이 Oddi〕[명]〖생〗이탈리아의 외과 의사 옷디(Oddi, Ruggiero)가 발견한, 간장(肝臟) 및 담낭(膽囊)으로부터 담즙(膽汁)을 십이지장으로 인도하는 담관(膽管)의 하단 주위에 붙어 있는 평활근(平滑筋)의 집합.
오디기 [명] 〈방〉 오디(충남).
오디-나무 [명]〖식〗뽕나무.
오디-새 [명]〖조〗후투티.
오디세우스〔Odysseus〕[명] 그리스 신화에 나오는 영웅. 페넬로페(Penelope)의 남편이며, 오디세이(Odyssey)의 주인공. 트로이 전쟁에서 기지(機智)로 적군을 괴롭히고 그리스군을 승리로 이끎. 개선 도중, 해신(海神) 포세이돈의 노여움을 사서 갖가지 해상 모험을 치름. 10년 후에 고향 이타카(Ithaca)로 돌아와서 자기 아내에게 구혼한 자들을 보복함. 율리시스(Ulysses).
오디세이〔Odysseia〕[명]〖문〗일리아드(Iliad)와 더불어 호메로스 작(Homeros 作)의 이대(二大) 장편 서사시의 하나. 트로이 원정에서 개선하는 영웅 오디세우스의 표류담과 그가 고향인 이타카(Ithaca)로 돌아올 때까지 10년간을, 고독과 정절(貞節) 속에 지낸 아내 페넬로페(Penelope)와의 재회 및 그 여자에게 구혼한 자들에게 보복하는 이야기로 엮어졌음.
오디세이아〔Odysseia〕[명] '오디세이(Odyssey)'의 그리스어 이름.
오:디션〔audition〕[명] ①가수·배우 등을 출연(出演)시킬 때의 실기(實技) 테스트. ②라디오·텔레비전에서, 제작된 프로그램의 채택 여부를 결정하기 위한 시청(試聽).
오디-술 [명] 오디로 담근 술. 상실주(桑實酒). 상심주(桑椹酒).
오:디오〔audio〕[명] ①텔레비전의 음성이나 라디오 따위, 청각(聽覺)에 관한 것. ↔비디오(video)❶. ②라디오·텔레비전·스테레오 등의 음성(音聲) 부분. 음향 장치. ③일반적으로, 질 좋은 음성을 얻기 위한 장치.
오:디오 기기【一機器】[명] 라디오·전축·카세트 등과 같이, 귀로 들을 수만 있는 가전 기기(家電機器). ↔비디오 기기.
오:디오-미터〔audiometer〕[명] ①청력계(聽力計). ②라디오·텔레비전의 청취율(聽取率)·시청율(視聽率)을 기계적(機械的)·자동적(自動的)으로 측정하는 장치.
오:디오 팬〔audio fan〕[명] 하이파이(hifi) 애호자(愛好者).
오:디오-폰:〔audiophone〕[명] 보청기(補聽器). 집음기(集音機).
오: 디: 조사【OD調査】[명]〔Origin and Destination Survey〕미국에서 도입된 교통 조사법의 하나. 어떤 특정한 날, 자동차나 사람의 이동의 기점(起點)을 조사하는 일. 이 조사에 의하여 교통(交通)의 흐름이나 집중하는 지역을 밝혀, 장래의 도로 계획(道路計劃)의 자료로 함. 기점 조사(起點調査).
오:딘〔Odin〕[명] 북(北) 유럽 신화의 주신(主神). 싸움의 아버지·만물의 아버지 등으로 불림. 귀족·전사(戰士)가 신봉한 신으로, 농민이 신봉한 신 토르(Thor)를 밀어내고 주신이 됨.
오딕 [명] 〈옛〉 오디. ¶오딕 심(葚)《字會 上 12》.
-오딕 [어미] 〈옛〉 -으되. ¶훈혁피 닫 다마 두고 닐오딕《月釋 I:7》.
오:-때【午一】[명] 〈방〉 낮때.
오또기 [명] ☞ 오뚝이[1].
오또기-찌 [명] ☞ 오뚝이찌.
오똑 [부] ☞ 오뚝.
오똑-오똑 [부] ☞ 오뚝오뚝.
오똑-이[1] [명] ☞ 오뚝이[1].
오똑-이[2] [부] ☞ 오뚝이[2].
오똘-거리다 [타] 〈방〉 까불다(평안·함경).
오똘똘-하다 [타] 〈방〉 까불다(함경).
오뚜가리 [명] 〈방〉 옹자배기(강원).
오뚜기 [명] ☞ 오뚝이[1].
오뚝 [부] 물건이 높이 솟아 있는 모양. ¶~한 코. <우뚝. ——-하다 [형][여불]
오뚝-오뚝 [부] 군데군데 오뚝하게 솟은 모양. 또, 자꾸 오뚝 서는 모양. ¶오뚝이는 열 번 백 번 굴러도 ~ 선다. <우뚝우뚝. ——-하다 [형][여불]
오뚝-이[1] [명] ①오뚝한 것. ②아무렇게 굴려도 오뚝오뚝 일어나게 만든 장난감. 부도옹(不倒翁).
오뚝-이[2] [부] 오뚝하게. <우뚝이.
오뚝이-찌 [명] 오뚝이 모양으로 만든 낚시찌.
오띠기 [명] 〈방〉 오뚝이[1].
오:라[1] [명]〖역〗옛날에, 도둑이나 죄인을 묶을 때 쓰던 붉고 굵은 줄. 홍(紅)줄. 홍사(紅絲). 포승(捕繩). 누설(縲絏). 오랏줄. 색(色)등거리.

〈오라[1]〉

오라[2] [자] 〈옛〉 왔노라. ¶그저 굷픠 오라(大前日來了)《朴解 上 51》.
오라[3] [부] 〈방〉 오래[4].
오라[4] [감] 〈방〉 옳아.
-오라 [어미] 〈옛〉 -노라. 감탄(感歎)의 뜻으로 쓰임. ¶쁘디 다ᅌᅠᆻ업소라(意無窮)《杜諺 XXI:25》.
오라가다 [자] 〈옛〉 올라가다. ¶알포로 寒山이 重疊ᄒᆞ딕로 오라가(前登寒山重)《杜諺 I:3》.
오:라기 [명] 종이·헝겊·실 등의 좁고 긴 조각. *오리[1].
오라니에-가【一家】〔Oranje〕[명] 현재의 네덜란드 국왕의 가계(家系). 15세기초, 독일의 나사우가(Nassau家)가 남(南)프랑스의 오라니에 공령(公領)을 상속하고 합스부르크가(Habsburg家)를 섬기어 네덜란드 독립에 많은 공을 세움. 영국 왕가와 인척 관계에 있으며, 영국의 명예 혁명 때에 빌렘(Willem) 3세가 영국왕으로 추대되기도 함. 1814-15년의 빈 회의(Wien會議)에서 네덜란드 왕국이 성립되었을 때 왕위에 오름. 오렌지가(Orange家).
오라다 [형] 〈옛〉 오래다. ¶聖化ㅣ 오라샤(聖化旣久)《龍歌 9章》.
오라데아〔Oradea〕[명]〖지〗루마니아 북서부, 트란실바니아(Transylvania)의 상업 도시. 농축산물(農畜産物) 거래의 중심지. 제1차 세계 대전 후 루마니아령이 되었으나, 제2차 세계 대전중은 헝가리령(領)이었음. [213,846 명(1986)]
오라바니 [명] 〈방〉 오라버니(평안).
오라바님 [명] 〈방〉 오라버님(평안).
오라바이 [명] 〈방〉 오라버니.
오라바지 [명] 〈방〉 오라버니(평안).

오라방 명 〈방〉 오빠(제주).
오라방이 명 〈방〉 오라버니(경북·함경).
오리배 명 〈방〉 오빠(경북).
오라버니 명 여자의 같은 항렬(行列)되는 손위 남자. *오빠.
오라버님 명 '오라버니'의 공대말.
오라버지 명 〈방〉 오라버니.
오라범 명 '오라버니'의 좀 낮춤말.
오라범-댁【—宅】〔—땍〕 명 오라범의 아내, 곧 올케.
오라범이 명 〈방〉 오빠(강원·충북).
오라부니 명 〈방〉 오빠(강원).
오라비 명 ①'오라버니'의 낮춤말. ②여자가 자기의 사내 동생을 일컫는 말.
오라빗-댁【—宅】 명 ☞오라범댁.
오라빅 〈옛〉 오라비의. '오라비'의 소유격형. ¶文帝 皇后ㅅ 四寸 오라비 아드리라 ≪內訓 Ⅱ:46≫.
오라사 부 〈옛〉 오랜 뒤에야. ¶오라사 니르샤디(久乃曰) ≪金剛 下 4≫.
오라아 형 〈옛〉 오래서. '오라다'의 활용형. ¶오늘 모댓는 한 사르미 邪曲흔 道理 비환디 오라아 제노포라ᄒᆞ야 ≪釋譜 Ⅵ:28≫.
오라이 감 〔←all right〕'가도 좋다'는 뜻의 버스 따위의 안내원의 발차(發車) 신호.
오:라-지다 자 죄인이 손을 오라로 묶이어 뒷짐을 지다. 줄지다.
오:라-질 관 못된 짓을 하여 오라로 묶이어 잡히어 가서 '경칠'의 뜻.
오라토리오 〔이·라 oratorio〕 명 〖악〗〔기도장(祈禱場)의 뜻〕 기도장에서 행하여지는 종교적 악극. 보통, 성서에서 취재하고, 독창·합창·기악 반주를 사용함. 중세의 교회극에서 발달하여 뒤에 가극의 요소를 가미(加味)함. 헨델 이후에는 연주회용의 근대 오라토리오가 많이 작곡됨. 성담곡(聖譚曲). 성가극. 성극(聖劇).
오라티오 〔라 oratio〕 명 ①기념식·장례식 따위에서의 격식 차린 딱딱한 식사(式辭) 또는 연설. ②〖천주교〗 기도(祈禱)❸.
오:락¹【娛樂】 명 ①쉬는 시간에 게임·노래·춤 따위로 즐겁게 노는 일. 레크리에이션. ②환락(歡樂). ——하다 자여불
오:락²【誤落】 명 ①↗오자 낙서(誤字落書). ②잘못하여 높은 데에서 떨어짐. ——하다 자타여불
오락-가락 부 ①연해 왔다갔다 하는 모양. ②비나 눈이 내리다 그쳤다 하는 모양. ③생각이 떠오를 듯 말 듯하는 모양. 정신이 얼떨떨하여 아뜩아뜩한 모양. 정신이 있다 없다 하는 모양. ——하다 자여불
오:락-면【娛樂面】 명 신문이나 잡지에 오락이나 취미에 관한 기사(記事)를 실은 지면(紙面).
오:락-물【娛樂物】 명 오락을 위한 물건. 오락을 위주(爲主)로 하여 만든 연예물(演藝物).
오:락-비【娛樂費】 명 오락에 드는 비용.
오:락-성【娛樂性】 명 ①오락의 성질. ②오락으로서 즐길 수 있는 내용.
오:락-실【娛樂室】 명 오락에 필요한 시설(施設)이 되어 있는 방. 오락을 하는 방.
오락-장¹【於樂章】 명 〖악〗 대사례(大射禮)에 시사(侍射)할 때 연주하는 악장(樂章)의 이름.
오:락-장²【娛樂場】 명 오락을 위한 시설이 되어 있는 곳. 오락을 하는 장소.
오:락지 명 〈방〉 오라기(경기·강원·전라).
오:락-회【娛樂會】 명 오락을 하기 위한 모임.
오란비 명 〈옛〉 장마. ¶오란비 림(霖) ≪字會 上 3≫.
오람【吳藍】 명 〖식〗 마디풀과(科)에 속하는 쪽의 한 종류. 줄기는 길고 씨는 흼.
오람지 명 〈방〉 오라기(강원).
오랍-동생 명 〈방〉 오라비❷.
오랍의-댁 명 〈방〉 오라범댁.
오:랏-바람 명 오라를 차고 나선 포졸(捕卒)의 위풍.
오:랏-줄 명 '오라'의 힘줌말.
오랑 〔Oran〕 명 〖지〗 알제리 북서부의 항구 도시. 이 나라 제 2의 도시로, 항만과 철도의 건설로, 농산물·광산물의 수출, 공산품의 수입항으로 발전함. 스페인계의 이민으로 스페인풍의 건물이 많이 남아 있음. 카뮈의 소설 ≪페스트≫의 무대이기도 함. 〔644,907(1985)〕
오랑-우탄 〔말레이 orang-utan〕 명 〖동〗〔'산림 속의 사람'이란 뜻〕 성성(猩猩)이.
오랑캐 명 〔여진어 uriyangxai(숲속의 사람)〕 ≪龍歌≫ 兀郞哈 ≪太祖實錄≫ 吾郞改, 兀郞哈〕 옛날 두만강 일대에 살던 여진족(女眞族)의 일컬음. 왕화(王化)를 받지 못한 미개한 종족. 되. 외이(外夷). 이적(夷狄). 적인(狄人). 만적(蠻狄). 만이(蠻夷). *융이(戎夷)·융적(戎狄).
오랑캐-꽃 명 〖식〗 제비꽃❶.
오랑캐-장구채 명 〖식〗 〔*Silene repens*〕 너도개미자릿과(科)에 속하는 다년초(多年草). 줄기는 높이 60cm 가량이고 잎은 대생(對生)하며 거의 무병(無柄)임. 6-7월에 황백색 꽃이 총상양 원추(總狀樣圓錐) 화서로 정생(頂生)하여 피고, 과실은 삭과(蒴果)임. 산지(山地)에 나는데, 경기·평북·함남·함북에 분포함.
오랑 명 〈옛〉 말의 뱃대끈. ¶오랑ᄂᆞ추고(鬆了肚帶) ≪老乞 上 35≫/물 둘 다 오랑을 서오니ᄒᆞ고(把馬們都鬆了) ≪老乞 上 62≫.
오랑캐 명 〈옛〉 오랑캐. ¶我國之俗通稱幹東等處兀良哈 오랑캐 兀狄哈 우디거 及女眞諸種爲野人 ≪龍歌 Ⅰ:7≫.
오래¹ 명 한 동네의 몇 집이 한 골목으로 또는 한 이웃으로 되어 사는 구역(區域) 안.
오래² 명 〈방〉 올해(경기·강원·충청·전북·경상).
오래³ 명 〈옛·방〉 문(門)(황해·함북·평북). ¶오래 문(門) ≪字會 中 7≫.
오래⁴ 부 시간상으로 길게. ¶~ 살다/~ 기다렸읍니다.
〔오래 살면 손자 늙어 죽는 꼴을 본다〕 오래 살다 보면 생각지도 않던 갖가지 경우를 다 당하게 된다. 〔오래 앉으면 새도 살을 맞는다〕 이(利)를 바라서 한 곳에 오래 있으면 결국 화(禍)를 만나게 된다는 뜻. 〔오래 해 먹은 면주인(面主人)〕 여기저기 이 사람 저 사람에게 왔다갔다하면서 살살 좋은 소리로 발라맞추기를 잘하는 사람을 두고 이르는 말.
오래-가다 형 상태 따위가 시간상으로 길게 계속 또는 유지되다. ¶그 유행은 오래가지 않는다.
오래간-만 명 오래 지난 뒤. 오래 된 끝. ¶~에 날이 들다/참 ~입니다. ㈜오랜만.
오래기 명 〈방〉 오라기(경기·강원·충청·전라·경상).
오래다¹ 형 한때로부터 다른 때까지의 사이가 길다. ¶고향을 떠난 지 ~.
오래다² 형 〈옛〉 온전하다. ¶封疆이 샹녜 오래디 몯ᄒᆞ놋다(封疆不常全) ≪杜諺 Ⅴ:34≫. *오울다.
오래-도록 부 지난 시간이 오래 되도록. 오래오래. ¶~ 소식 전하지 못하여.
오래 되다 형 지난 동안이 오래다. ¶벌써 오래된 일일세.
오래-뜰 명 대문 앞의 뜰. 문정(門庭).
오래비 명 〈방〉 오빠(경기·강원·충북).
오래-살이 명 〖식〗 여러해살이.
오래-오래¹ 부 아주 오래 지나도록. 오래도록. ¶~ 살지어다.
오래-오래² 감 돼지를 연해 부르는 소리.
오래-전【—前】 명 부 오래된 이전. ¶~ 일이다.
오랜 관 '아주 오래 된'의 뜻. ¶~ 옛날.
〔오랜 원수를 갚으려다가 새 원수가 생겼다〕 무슨 일에나 보복을 하고 앙갚음을 하면 그 뒤가 더 좋지 않다는 뜻.
오랜-만 명 ↗오래간만.
오랫-동안 명 시간적(時間的)으로 썩 긴 동안. ¶~ 기다렸다.
오랭이 명 〈방〉 오라기(강원·전북·경상).
오:량【五樑】 명 〖건〗 보를 다섯 줄로 놓아 두 간통 되게 짓는 집의 제도.

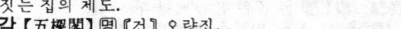

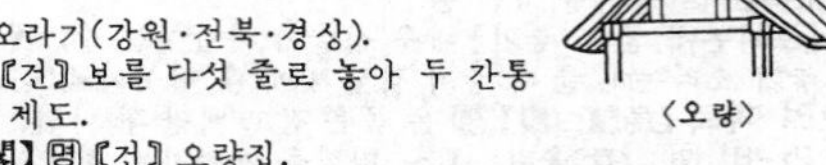
〈오량〉

오:량-각【五樑閣】 명 〖건〗 오량집.
오:량-관【五梁冠】 명 〖역〗 조선 시대 때, 일품(一品) 관원의 금양관(金梁冠). 흰 골이 다섯 줄 져 있음.
오:량-보【五樑—】〔—뽀〕 명 〖건〗 오량집의 한가운데 줄의 보.
오:량-집【五樑—】〔—찝〕 명 〖건〗 오량으로 지은 집. 오량각(閣).
오:량-쪼구미【五樑—】 명 〖건〗 오량보를 받치도록 들보 위에 세우는 짧은 기둥.
오러미 명 〈방〉 올케.
오러클 〔oracle〕 명 신탁(神託). 신응(神應).
오러토리 〔oratory〕 명 ①웅변술. ②예배당.
오:럴 메소드 〔oral method〕 명 외국어 교수법의 하나. 처음에는 책을 사용하지 않고 주로 말하는 방식, 듣는 방식부터 함.
오:럴-법【—法】 〔oral〕〔—뻡〕 명 〖교〗 구두법(口頭法).
오:럴 어프로:치 〔oral approach〕 명 외국어 교수법의 하나. 발음·악센트·인토네이션의 반복 연습 및 문형(文型)의 음성에 의한 반복 연습에 의해 외국어의 법칙을 터득하게 하여 외국어가 저절로 입에서 나오도록 함.
오렁 명 〈방〉 우렁이(전남).
오레스테스 〔Orestes〕 명 〖신〗 그리스 신화 중의 인물(人物). 아가멤논(Agamemnon)과 클루타임네스트라(Clutaimnestra)의 아들. 이피게네이아(Iphigeneia)의 동생. 아버지를 죽인 어머니와 그의 간부(姦夫)를 살해한 죄로 복수의 신에게 쫓기어 광인(狂人)이 되었다가 다시 회복되어 부왕(父王)을 이음.
오레스테이아 〔Oresteia〕 명 그리스의 비극 시인(悲劇詩人) 아이스킬로스(Aeschylos)의 삼부작(三部作) ≪아가멤논(Agamemnon)≫·≪코에포로이(Choephoroe)≫·≪에우메니데스(Eumenides)≫의 일컬음. 주인공 오레스테스의 이름에서 유래함. 아가멤논이 살해(殺害)되는 이야기(제1부)로부터 복수(제2부), 그리고 그 후의 오레스테스의 행적(行績)(제3부)으로 되어 있음.
오:레오-마이신 〔aureomycin〕 명 〖약〗 '클로로테트라사이클린'의 상품명. 1948년에 더거(Dugger)가 스트렙토미세스 오레오파시엔스(Streptomyces aureofaciens)라고 하는 일종의 방사균(放射菌)으로부터 분리한 황색 결정성(結晶性)의 항생(抗生) 물질. 여러 가지 세균에 의한 폐렴·복막염(腹膜炎)·방광염(膀胱炎)·디프테리아·임질·매독·발진티푸스·제사 성병(第四性病)·백일해·아메바 이질(amoeba 痢疾) 및 여러 가지 눈병 등에 유효함. 주사로 투여(投與)하는 것이 보통이나 경구투약(經口投藥)하여도 잘 흡수되며 효력이 있음. 계속 사용하여도 균의 저항성이 생기지 않으며 다른 화학 요법제(療法劑)에 저항성이 있는 균에 대하여도 잘 들으며 독성(毒性)도 극히 적음.
오레오피테쿠스 〔Oreopithecus〕 명 제3기(第三紀) 중신세(中新世)에서 선신세(鮮新世)에 걸쳐 살았던 유인원(類人猿)의 화석. 1959년 이탈리아 서해안 토스카나(Toscana) 지방의 갈탄갱(褐炭坑)에서 완전한 골격(骨格)으로 발굴됨. 뇌용적(腦容積)은 침팬지에 가까우나, 안면 돌출(顔面突出)·치열(齒列)·골반(骨盤)의 모양 등은 사람에 가깝기 때문에 사람으로 진화(進化)하고 있는 동물로 간주되고 있음.
오렌부르크 〔Orenburg〕 명 〖지〗 러시아 연방의 도시. 우랄 산맥 남서부 우랄 강에 면한 철도 교통의 요지(要地). 기계·제분 공업이 행해짐. 푸슈킨의 ≪대위(大尉)의 딸≫의 무대의 하나. 구명(舊名)은 치칼로

프(Chkalov). [537,000명(1987)]
오렌지 [orange] [명] 〖식〗 ①등자(橙子). ②↗네이블 오렌지.
오렌지-가 【一家】 [Orange] [명] 오라니에가(Oranje家).
오렌지 강 【一江】 [Orange] [명] 〖지〗 아프리카 남부의 큰 강. 드라켄즈버그(Drakensberg) 산맥 속에서 발원하여, 남아프리카 공화국내를 서류(西流)하여 대서양으로 흐름. 남아프리카 공화국의 대부분을 유역으로 함. 1962년부터 장기 개발 계획(長期開發計劃)에 따라, 댐·발전소 등이 건설됨. [2,092km]
오렌지 분광계 【一分光計】 [명] [orange spectrometer] 〖물〗 β선 분광계의 하나. 공통의 광원(光源)과 공통의 검출기(檢出器)를 사용하는 다수의 수정(修正) 이중 초점 분광계로 이루어지며, 대단히 높은 투과성(透過性)을 가지고 있음.
오렌지-색 【一色】 [orange] [명] 등색(橙色).
오렌지에이드 [orangeade] [명] 오렌지의 과즙(果汁)에 설탕을 타고 물을 약간 섞은 음료.
오렌지 자유주 【一自由州】 [Orange] [명] 〖지〗 남아프리카 연방의 한 주. 동부는 드라켄즈버그 산맥(Drakensberg 山脈), 서부는 경사진 고원임. 오렌지 강과 그 지류인 발 강(Vaal江)에 싸인 목축지로 소·말·양과 밀·다이아몬드를 산출함. 1830년 보어인(Boer人)이 건국하였으나 남아 전쟁(南阿戰爭)에서 영국에 패배하여 영령(英領)이 되었다가 1910년 남아 연방의 한 주가 되었음. 주도는 블룸폰테인(Bloemfontein). [128,000km²: 1,833,000명(1980)]
오렌지 주:스 [orange juice] [명] 오렌지의 과즙(果汁).
오려 [명] 〈옛〉 올벼. ¶오려논 물 실어 녹코 棉花밧 믜오리라 ≪海謠 371≫/숨 한 번을 오려 논의 새 쫓듯 위이 쉬고서…≪李海朝: 驅魔劍≫.
-오려 [어미] 〈옛〉 ①-으려고. -고자. ¶올모려 님금 오시며(欲遷以幸) ≪龍歌 16章≫/夫人이 …곳 것고려ᄒᆞ신대 ≪月釋 Ⅱ:36≫. *-우려. ②-고 싶은 것이여. ¶이믜셔 발조쳐 피 내오려(一發就蹄子放血着) ≪朴解 上 43≫. *-고려.
오려-논 [명] 올벼를 심은 논.
[오려논에 물 터 놓기] 매우 심술이 사납다는 말. ¶우물 밑에 똥누어 놓기 오려논에 물 터 놓기 잦힌 밥에 흙 퍼붓기≪興夫傳≫.
오려 백복 【烏驪白腹】 [명] 온 몸은 검고 배만 흰 나귀.
오려-벼 [명] ☞올벼. ¶～ 타작을 재촉하는 한낮의 따가운 볕≪朴鍾和: 錦衫의 피≫.
오려 은순 백복 【烏驪銀脣白腹】 [명] 온 몸은 검고 입술과 배만 흰 나귀.
오력[1] [명] 〈방〉 옰.
오력[2] [명] ☞오금. ¶그는 밤이 깊도록 ～을 잘 못 썼다≪桂鎔默: 최서방≫.
오:력[3] 【五力】 [명] 〖불교〗 신(信)·염(念)·정진(精進)·정(定)·혜(慧)의 다섯 가지 수행(修行)에 필요한 힘.
오력[4] 【吳歷】 [명] 〖사람〗 중국 청조의 화가. 사왕 오운(四王吳惲)의 한 사람. 자는 어산(漁山), 호는 묵정 도인(墨井道人). 창서우(常熟) 사람. 황 공망(黃公望)의 화법(畫法)을 배운 복고파(復古派)의 한 사람이며, 우산파(虞山派)의 대가임. 후에 야소회(耶蘇會)에 입교(入教)하여 서양 화풍을 가미하였음. [1632-1718]
오:력 명왕 【五力明王】 [명] 〖불교〗 오대존 명왕(五大尊明王).
오련-하다 [형][여변] ①보일 듯 말 듯 희미하다. <우련하다. ②빛깔이 엷고 곱다. **오련-히** [부]
오:렴 【誤廉】 [명] 염탐을 잘못함. 또, 잘못된 염탐. ——-하다 [타][여불]
오렵-매 【烏蘞莓】 [명] 〖식〗 거지덩굴.
오:렵-송 【五鬣松】 [명] 〖식〗 잣나무.
오:렵-쌀 [명] 〈방〉 오례쌀.
오:령[1] 【五嶺】 [명] 〖지〗 ①평안 남도 영원군(寧遠郡) 영락면(永樂面)과 평안 북도 희천군(熙川郡) 진면(眞面) 사이에 있는 재. [765m] ②'우링'을 우리 음으로 읽은 이름.
오:령[2] 【五齡】 [명] ①누에가 네 번째 잠을 잔 뒤부터 상족(上蔟)할 때까지의 사이. ②네 번째의 탈피(脫皮)를 마친 누에. *오령잠.
오:령[3] 【五靈】 [명] 다섯 가지의 신령한 동물. 곧, 기린·봉황·거북·용·백호(白虎). *사령(四靈).
오:령-산 【五苓散】 [명] 〖한의〗 소변을 순하게 하여 습증(濕症)을 다스리는 약. 임질·설사에도 유효(有効)함.
오:령-잠 【五齡蠶】 [명] 네 번째 잠을 자고 난 누에. *오령(五齡).
오:령-지 【五靈脂】 [명] 산박쥐의 똥. 이질·하혈(下血)·복통·산증(疝症)·학질 등에 유효(有効)함.
오:례[1] [명] [중세: 오려←올+벼] 〖농〗 ↗오례쌀.
오:례[2] 【五禮】 [명] 〖역〗 나라에서 지내는 다섯 가지 의례(儀禮). 곧, 모든 대사(大祀)·중사(中祀)·소사(小祀) 등의 제사에 관한 길례(吉禮), 본국(本國) 및 인국(隣國)의 국상(國喪)이나 국장(國葬)에 관한 흉례(凶禮), 출정(出征) 및 반사(班師)에 관한 군례(軍禮), 국빈(國賓)의 영송(迎送)에 관한 빈례(賓禮), 책봉(册封)·국혼(國婚)·사연(賜宴)·노부(鹵簿) 등에 관한 가례(嘉禮)를 이름.
오:례 송편 【一松一】 [명] 올벼의 쌀로 만든 송편. 조도병(早稻餠).
오:례-쌀 [명] 올벼의 쌀. [준]오례.
오:례-의 【五禮儀】 [一/一이] [명] 〖책〗 ↗국조 오례의(國朝五禮儀).
오로[1] [명] 〈방〉 두더지(제주).
오:로[2] 【迂路】 [명] 멀리 둘러 가게 된 길. 우로(迂路).
오로[3] 【烏鷺】 [명] ①까마귀와 해오라기. ②흑과 백. ③바둑❶.
오로[4] 【惡露】 [명] [lochia] 〖한의〗 산후(産後)에 몇 주 동안 음문(陰門)에서 흐르는 불그레한 물. 악로(惡露).
오로[5] 【奧魯】 [명] [터키 aghurug, 몽골 aul] 〖역〗 ①몽고 제국(蒙古帝國) 및 원조(元朝)의 병제(兵制)의 기본 구획 단위. 또, 그것을 기간으로 하여 구성된 징병 관구(徵兵管區) 내지 병참 기지. ②군(軍)에 출정(出征)한 장정(壯丁)의 급여(給與)를 담당하던 유목민(遊牧民) 내지 포로로써 묶어 조직한 소집단. 출정 병사의 진지(陣地)를 따라 이동하면서 급여 지원도 하였음.
오로[6] [부] 〈옛〉 온전히. 오로지. =오ᄋᆞ로·오롯이. ¶온 體 ㅣ 오로 업스며(擧體全無) ≪圓覺 上 一之二 140≫.
오로[7] [조] 〈옛〉 으로. ¶또 두루믜 지초로 살픠 고잣고(又是箇鵝鴰翎兒) ≪朴解 上 27≫.
오:로라[1] [Aurora] [명] 아우로라.
오:로라[2] [aurora] [명] 〖지〗 지구의 남북 양극에 가까운 지방의 공중에 나타나는 매우 아름다운 빛의 현상. 태양면의 폭발에 의해 생긴 대전 미립자류(帶電微粒子類)가 지구의 자기 공동(磁氣空洞) 속에 침입, 전리층(電離層) 속의 공기의 분자·원자를 자극해서 발광(發光)시키는 것으로, 반드시 자기 폭풍을 따라서 출현하며 태양 흑점의 11년 주기와 평행해서 증감함. 갓·활·실 모양 같은 것의 여러 가지가 있음. 빛은 보통 담황색에 백색이 섞이거나 녹색을 띨 때가 많음. 북광(北光). 극광(極光).
오:로-리 【五老里】 [명] 〖지〗 함경 남도 함흥(咸興) 북부에 있는 요역(要驛). 장진(長津)·송흥선(松興線)의 분기점으로 전력 자원(電力資源)의 개발지임.
오:로빈도 고:시 [Aurobindo Ghosh] [명] 〖사람〗 현대 인도(印度) 사상가. 케임브리지 대학을 졸업한 후 반영(反英) 운동에 참가. 후에 종교적 수행(修行)에 전념함. 인도 사상이 세계와 존귀한 인류를 구하는 사상임을 역설. 저서에 ≪성스러운 생활≫ 등이 있음. [1872-1950]
오로-산 【吾老山】 [명] 〖역〗 '올자산(兀剌山)'의 별칭.
오로스코 [Orozco, José Clemente] [명] 〖사람〗 멕시코의 화가. 멕시코 혁명(革命)에 참가, 혁명과 전란(戰亂)을 소재로 강렬한 색채와 대담한 구도의 거대한 벽화(壁畫)를 남김. 풍자적(諷刺的)인 작풍을 특색으로 함. [1883-1949]
오:로지 [부] 오직 한 곬으로. ¶～ 나라를 위한 마음/마음을 ～ 한 곬으로 쏟다. ——-하다 [타][여불]
오로촌-족 【一族】 [Orochon] [명] 레나 강(Lena江)의 동쪽 지류 올레크마 하안(Olekma 河岸)의 싱안링(興安嶺) 북부, 소(小)싱안링에 사는 북퉁구스계(北 Tungus 系)의 한 종족. 순록(馴鹿)의 사육과 수렵·어업이 생업이며 씨족(氏族) 사회를 이루고 있음. [3,200명(1978)]
오로크-어 【一語】 [Oroks] [명] 퉁구스 어족(Tungus 語族)의 남방파(南方派)에 속하는 언어. 주로 사할린의 포로나이 강(Poronai江) 하류에서 타라이카 호(Taraika湖) 지역 일대에 걸쳐 쓰임. 구어(口語)뿐이고 문어(文語)는 없음.
오로크-족 【一族】 [Oroks] [명] 퉁구스계(Tungus 系)의 한 지족(支族). 키는 작고 광대뼈가 나왔으며 눈이 가늚. 주로 사할린 북부(Sakhalin 北部)에 살고 있음. 순록(馴鹿)의 사육과 수렵·어업이 생업인데, 특히 사냥에 능함. [약 400명]
오로ᄒᆞ다 [타] 〈옛〉 오로지하다. 전일(專一)하게 하다. ¶ᄒᆞᆫ 觀ᄋᆞᆯ 오로ᄒᆞ시고(專於一觀) ≪楞嚴 Ⅴ:74≫.
오록[1] [명] 〈방〉 오금(평안).
오:록[2] 【誤錄】 [명] 잘못 기록함. 또, 잘못된 기록. ——-하다 [타][여불]
오록ᄒᆞ다 [형] 〈옛〉 온전(穩全)하다. 전일(專一)하다. ¶오록ᄒᆞᆯ 혼 渾 ≪類合 下 49≫.
오:론 【誤論】 [명] 이치에 닿지 아니한 말. 틀린 말. ——-하다 [자][여불]
오롬[1] [명] 〈방〉 봉우리(제주).
오롬[2] [형] 〈옛〉 완전함. 온전함. ¶그 오로미 物의 겻구미 ᄃᆞ외디 아니ᄒᆞ야(其完不爲物挫) ≪妙蓮 Ⅴ:3≫. *오로·오로ᄒᆞ다.
오롯-이[1] [부] 고요하고 쓸쓸하게. 호젓하게. ¶초겨울 바람이 먼지를 휘몰아치는 쓸쓸한 폼에 ～ 서서 나를 그윽이 바라보는……≪鄭飛石: 故苑≫
오롯이[2] [부] 〈옛〉 오로지. 온전히. =오로. ¶그 本은 오롯이 誠홈애 이시니(本專在乎誠事) ≪常訓 13≫.
오롯-하다 [형][여불] 모자람이 없이 완전하다. 원만(圓滿)하다. ¶미숙은 오롯하기 비길 데 없는 성품의 여인이라는 생각도 들었다≪孫素熙: 원색의 계절≫.
오롱이-조롱이 [명] 오롱조롱하게 제각기 달리 생긴 여럿을 이르는 말. ¶한어미의 자식도 ～다.
오롱-조롱 [부] 몸피가 작은 물건 여럿이 모양과 굵기가 다 각기 다른 모양. ¶～ 딸린 아이들 / 찌그러진 의롱 하나가 댕그렁 놓여 있었고 그 위엔 메줏덩이가 ～ 매달려 있었다≪金周榮: 客主≫. ——-하다 [형][여불]

〈오뢰기〉

오:뢰-기 【五雷旗】 [명] 〖역〗 의장기(儀仗旗)의 하나.
오:료[1] 【午療】 [명] 점심 요기(療飢). ——-하다 [자][여불]
오:료[2] 【悟了】 [명] 모두 깨달음. ——-하다 [타][여불]
오룔 [Oryol] [명] 〖지〗 러시아 연방의 도시. 모스크바 남쪽 약 320km에 있는, 오카 강(Oka 江)에 면하는 교통의 요지(要地). 기계 공업 외에 방적(紡績)·제화(製靴) 따위가 행해짐. 작가 투르게네프가 태어난 곳임. [335,000명(1987)]
오룡-차 【烏龍茶】 [명] 중국 푸젠성(福建省) 및 대만에서 나는 차의 한 가지. 독특한 방향(芳香)이 있음.
오:룡-천 【五龍川】 [명] 〖지〗 함경 북도 종성군(鐘城郡)·경원군(慶源郡) 등지를 거쳐 두만강(豆滿江)으로 들어가는 내. [66km]
오:룡-초 【五龍草】 [명] 〖식〗 거지덩굴.
오루로 [Oruro] [명] 〖지〗 볼리비아 서부의 광산 도시. 3,750m의 고지

(高地)에 있고, 철도의 분기점(分岐點)으로 상업의 중심지임. 주민은 인디오가 대부분임. 전에는 은(銀)이 많이 났는데, 근래 주석(朱錫)이 나고 그 제련소(製鍊所)가 있음. [184,101 명(1986)]

오:류[1]【五柳】[명] 다섯 그루의 버드나무. 도연명(陶淵明)이 그의 집에 심어서 가꾼 고사(故事)에서 나온 말. *오류 선생(五柳先生).

오:류[2]【五流】[명]〖역〗일등(一等)에서 오등(五等)까지 나눈 유형(流刑)의 일컬음.

오:류[3]【誤謬】[명] ①그릇되어 이치에 어긋남. ¶~를 범하다. ②〖논〗이치에 어긋난 인식(認識).

오:류[4]〔Hauriou, Maurice〕[명]〖사람〗프랑스의 공법학자(公法學者). 프랑스의 행정법을 체계화, 사회학적·전통 철학적인 이론에 의거하여 다면적(多面的) 제도 이론을 주장함. 주저에 ≪공법 원론(公法原論)≫·≪헌법 개론≫ 등이 있음. [1856-1929]

오:류 귀장【五柳歸莊】[명] 동양화 화제(畫題)의 한 가지. 도연명(陶淵明)이 귀거래사(歸去來辭)를 짓고 장원(莊園)으로 돌아가는 그림.

오류-마【烏騮馬】[명] 온 몸이 검은 말.

오:류 선생【五柳先生】[명] 도연명(陶淵明)이 그의 집에 버드나무 다섯 그루를 심어 놓고 스스로 일컫던 호(號). *오류(五柳).

오:륙【五六】[수관] 대여섯.

오:륙-개월【五六個月】[명] 다섯 달이나 여섯 달. 오륙삭(五六朔).

오:륙-백【五六百】[수관] 오백이나 육백.

오:륙-삭【五六朔】[명] 오륙개월(五六個月).

오:륙 삼십【五六三十】[명]〖수〗구구법(九九法)의 하나. 다섯의 여섯 갑절은 서른이라는 말.

오:륙-십【五六十】[수관] 오십이나 육십.

오:륙-월【五六月】[명] →오뉴월.

오:륙-일【五六日】[명] 대엿새.

오:륙-차【五六次】[명] 대여섯 번.

오:륙-천【五六千】[수관] 오천이나 육천.

오:륜[1]【五倫】[명] 다섯 가지의 인륜. 즉, 군신(君臣) 사이에 의리(義理), 부자 사이에 친애(親愛), 부부 사이에 분별(分別), 장유(長幼) 사이에 차서(次序), 붕우(朋友) 사이에 신의가 있어야 함을 이름. 오상(五常). 오전(五典). 인륜.

오:륜[2]【五輪】[명] ①〖불교〗오대(五大). ②〖불교〗↗오륜 성신(五輪成身). ③왼쪽으로부터 청색·황색·흑색·녹색·적색의 순서로 5대륙을 상징하여 'W'자 형으로 연결한 다섯 개의 고리. 올림픽 마크. ④오륜 대회.

〈오륜²③〉

오:륜-가【五倫歌】[명]〖악〗①오륜(五倫)을 다룬 경기체가(景幾體歌) 형식의 궁중악(宮中樂). 조선 시대 초기에 된 듯하고 작자는 미상. 모두 5장. ②조선 중종(中宗) 때 주세붕(周世鵬)이 오륜을 다루어 지은 6수의 시조. ③조선 인조(仁祖) 때 김상용(金尙容)이 오륜을 다루어 지은 5수의 시조. ④조선 선조(宣祖) 때 박인로(朴仁老)가 오륜을 다루어 지은 25수의 시조. ⑤조선 시대 때 학자 황립(黃岦)이 오륜을 다루어 지은 가사(歌辭).

오:륜-기【五輪旗】[명] 흰 바탕에 오대륙(五大陸)의 평화(平和)와 협력(協力)을 상징하는 오륜(五輪)을 그린 기. 1914년 제정된 것으로, 쿠베르탱(Coubertin)의 고안(考案)임. 올림픽기(旗).

오:륜 대:회【五輪大會】[명] 국제 올림픽 경기 대회. [준]오륜.

오:륜 성신【五輪成身】[명]〖불교〗오대(五大)가 육체를 형성한다는 뜻으로, 진언종에서 부모로부터 물려 받은 몸을 말함. 오륜 오체(五輪五體). [준]오륜(五輪).

오:륜 성:화【五輪聖火】[명] 올림픽 성화(聖火).

오:륜 오:체【五輪五體】[명]〖불교〗오륜 성신(五輪成身).

오:륜 전비기 언:해【五倫全備記諺解】[명]〖책〗김창집(金昌集) 등이 편찬(編纂)한 중국어 학습서. 조선 경종(景宗) 원년(1721) 간행(刊行). 8권 4책.

오:륜 전비 언:해【五倫全備諺解】[명]〖책〗중국 명(明)나라의 구준(丘濬)이 지은 ≪오륜전비(五倫全備)≫를 한글로 번역한 책. 조선 숙종(肅宗) 22년(1696)에 착수했다가 숙종 35년(1709)에 간행(刊行)됨. 역과 초시(譯科初試)·한학(漢學)의 강의서(講義書)로 쓰였음. 8권 5책. 인본(印本).

오:륜-탑【五輪塔】[명]〖불교〗오륜을 상징하는 다섯 부분으로 이루어진 탑. 맨 밑은 땅을 상징하여 직사각형이며, 다음은 물을 상징하여 원형, 그 위는 불을 상징하여 삼각형, 그 위는 바람을 상징하여 반월형, 맨 위는 하늘을 상징하여 보주형(寶珠形)으로 됨. 공양탑(供養塔)·묘표(墓標)·사리탑(舍利塔)으로 쓰이며, 석조(石造)나 금속 또는 진흙으로 만들기도 함.

오:륜 행:실도【五倫行實圖】[一또] [명]〖책〗조선 정조(正祖) 21년(1797)에 이병모(李秉模) 등이 지은 책. 오륜에 뛰어난 사람 150여명의 행적(行績)을 그림으로 그리고 한글로 설명하였음. 삽화(揷畫)는 매우 정교(精巧)하며 김홍도(金弘道)가 그렸다고 함. 5권 4책. 활자본(活字本).

오:륭【汚隆】[명] 땅의 높낮이. 전(轉)하여, 쇠함과 융성함. 성쇠(盛衰).

오르가논〔그 Organon〕[명]〖철〗아리스토텔레스의 논리학상의 모든 논문을 총괄하여 명명한 서명(書名). 원래 그리스어로 기관(機關)·도구(道具)를 의미하는 말로 연구나 변론의 방법이란 뜻으로 이런 이름이 있음.

오르가눔〔organum〕[명]〖악〗9-13세기에 행하여진 초기 다성악(多聲樂). 그레고리오 성가(聖歌) 선율에 하나 이상의 대성부(對聲部)를 부가한 다성 악곡.

오르가슴〔프 orgasme〕[명] 성교시의 쾌감(快感)의 절정. 아크메(acmé). 오개즘(orgasm).

오르간〔organ〕[명] ①〖생〗기관(器官). ②〖악〗본래는 교회용으로 발달한 파이프 오르간의 일컬음이나, 우리 나라에서는 리드 오르간·전기 오르간까지를 포함한 총칭. 풍금(風琴).

오르골〔네 orgel〕[명]〖악〗음악 상자(音樂箱子). 자명악(自鳴樂).

오르그 [명]〖정〗↗오거나이저(organizer)❶.

오르-내리 [명] 위로 오르고 아래로 내려감.

오르-내리다 [자타] ①올라갔다 내려갔다 하다. ②남의 입에 자주 말거리가 되다. ¶뭇 사람의 입에 ~. ③먹은 음식이 잘 삭지 아니하고 가끔 거꾸로 올라오는 느낌이 있다. ④어떤 기준보다 조금 넘쳤다 모자랐다 하다. ¶열이 40°를 ~.

오르다[1]〔斡魯朶; 斡耳朶 : 몽골 Ordu, 터키 Orda〕[명] ①〖사람〗칭기즈칸(成吉思汗)의 손자(孫子). 발도(拔都)의 형. 1236년 발도를 따라 서방 러시아의 원정(遠征)에 나가 공을 세웠음. 후에 백장한(白帳汗)이라 일컫고 아크 오르다(Ak Orda)의 시조가 되었음. ②중국 요(遼)·금(金)·원(元)나라 때의, 천자의 궁전(宮殿). 또, 전(轉)하여 행궁(行宮)·관아(官衙)·진영(陣營)을 나타냄.

오르다[2] [자타][르불]〔중세 : 오ᄅᆞ다〕①아래에서 위로 옮다. 낮은 곳으로부터 높은 데로 가다. ¶산에 ~/계단을 ~. ②지위·계급이 높아지다. 높은 자리에 나아가다. ¶왕위에 ~/벼슬이 ~. ③값이 비싸지거나 임금·세금 따위가 많아지다. ¶물가가 ~/봉급이 ~. ④성하여지다. ¶사기가 ~/기세가 ~. ⑤실적·효과가 나타나다. ¶성적이 ~. ⑥열이 높아지다. ¶열이 ~. 1)-6) : ↔내리다. ⑦술·약 따위의 기운이 몸 안에 퍼지다. ¶약기운이 ~. ⑧솟아 일어나다. ¶불길이 ~. ⑨탈 것에 타다. ¶기차에 ~. ↔내리다. ⑩물에서 육지로 옮다. 상륙하다. ¶해안에 ~. ⑪상류(上流)를 향해 나아가다. ¶물길을 거슬러 ~. ⑫울분·화 따위가 나다. 울컥하다. ¶약이 잔뜩 ~. ⑬병독이 옮아 앓게 되다. ¶옴이 ~. ⑭몸에 살이 많아지다. ¶군살이 ~. ↔내리다. ⑮남의 이야깃거리가 되다. ¶화제에 ~/남의 입에 ~. ⑯때 따위가 거죽에 묻다. ¶기름때가 ~. ⑰길을 떠나다. ¶망명의 길에 ~. ⑱기록에 적히다. ¶사전에 ~. ⑲어떤 정도에 달하다. ¶사업이 궤도에 ~. ⑳식탁·도마 따위에 음식물이 놓여지다. ¶밥상에 고기가 ~/도마 위에 오른 물고기. ㉑마귀·액기(厄氣) 따위가 몸에 덮치다. ¶신이 오른 무당.
[오르지 못할 나무는 쳐다보지도 마라] 불가능한 일은 처음부터 단념하고 바라지도 말라는 뜻.

오르도비스-계【一系】〔Ordovice〕[명]〖지〗오르도비스기의 지층(地層). 오도계(奧陶系).

오르도비스-기【一紀】[명]〔Ordovician Period〕〖지〗지질(地質)시대의 하나. 고생대(古生代) 중, 캄브리아기(紀)의 뒤, 실루리아기(紀) 이전의 시대. 약 5억년 전부터 약 4억 4천만년 전까지의 시대. 삼엽충(三葉蟲)·완족류(腕足類)·두족류(頭足類)의 선조격(先祖格)인 오르토케라스 직각패(Orthoceras直角貝)·필석류(筆石類)·산호·바다나리 등이 번성함. 오도기(奧陶紀).

오르도스〔Ordos〕[명]〖지〗중국 내몽고 자치구(內蒙古自治區)의 중남부. 북과 서는 황허(黃河)로 둘리고 남은 장성(長城)으로 한정되는 지역. 해발 1,000m 내외의 고원으로 사막도 있으나 한족(漢族)이 이주하여 농경에 종사하는 사람도 적지 않음. 목축을 주로 하며, 호소(湖沼)로부터 소금이 남.

오르도스 문화【一文化】〔Ordos〕[명] 중국 내몽고(內蒙古) 오르도스의 수이동거우(水洞溝)·칭수이 강(淸水河) 등의 오아시스에서 발견된 구석기 문화. 홍적세(洪積世) 말기의 황토 퇴적층(黃土堆積層)에서 석영(石英)·플린트(flint)를 써서 만든 첨두기(尖頭器)·칼 따위가 출토, 하이에나(hyaena)·타조·낙타 따위 온난계(溫暖系) 동물의 화석(化石)도 같이 나옴.

오르도스 청동기【一靑銅器】〔Ordos〕[명] 오르도스를 중심으로 하는 지역에서 출토되는 청동기. 중국의 은대(殷代)에서 남북조(南北朝) 시기에 이르는 북방 유목민의 무기·마구(馬具)·장신구(裝身具) 따위로, 사실적(寫實的)인 동물 무늬에 특징이 있음.

오르 되:브르〔프 hors-d'oeuvre〕[명] 서양 요리에서 식전(食前) 또는 술의 안주로 먹는 가벼운 요리(料理). 그 빛이나 향기·맛으로써 식욕(食慾)을 돋움. 전채(前菜).

오르드르〔프 ordre〕[명]〖악〗파르티타(partita).

오르락-내리락 [부] 계속해서 오르내리는 모양. ——하다 [자타][여불]

오르로 [부] 오른편으로 향하여. ↔외로❶.

오르르[1] [부] ①조그만 아이나 동물 들이 한번에 바쁘게 내닫거나 쫓아오는 모양. ¶삽사리가 제 주인이 나가는 걸 보고 어디선지 ~ 내달았다≪玄鎭健 : 無影塔≫. 〈우르르¹.

오르르[2] [부] ①갑자기 추워서 몸을 옹그리고 떠는 모양. ¶~ 떨고 있는 병아리떼 모양 석란을 쳐다보고 울고 있는 데는 철석 간장이라도 녹아날 것 같았다≪朴花城 : 벼랑에 피는 꽃≫. ②작은 물건들이 무너지거나 쏟아지는 모양이나 소리. 〈우르르². ③작은 그릇에서 물이 끓어 오르는 모양이나 소리. 〈우르르². ——하다 [자][여불]

오르를 [부] '오르르'의 힘줌말.

오르마즈드〔Ormazd〕[명]〖신〗아후라마즈다(Ahura-Mazda).

오르막 [명] 올라가는 길. ¶~길. ↔내리막.

오르막-길 [명] 오르막으로 된 길. ¶~을 오르다. ↔내리막길.

오르만디〔Ormandy, Eugene〕[명]〖사람〗헝가리 출생의 미국 지휘자. 14살에 부다페스트 음악 학원을 졸업하여 바이올린 연주가로 출발, 1921년 도미하여 귀화 후 필라델피아 대학을 졸업하고, 미니애폴리스 교향악단의 상임 지휘자를 거쳐 필라델피아 관현악단의 지휘자를 역

임. 레퍼토리(repertory)가 광범하고 강렬한 색채의 지휘로 현대 최고 지휘자 중의 하나로 꼽힘. [1899-1985]

오르머즈 [Ormuz] 명 『지』 호르무즈(Hormuz).

오르머즈 해:협【—海峽】[Ormuz] 명 『지』 호르무즈(Hormuz) 해협.

오-르부아르 [프 au revoir] 감 안녕. 헤어질 때 쓰는 말.

오르비토리나 [라 Orbitorina] 명 『동』 전멸한 원생 동물(原生動物) 유공충(有孔蟲)의 한 속(屬). 껍질은 등이 낮은 원추형으로 내부는 작은 방실(房室)로 나뉘어 있고, 원추의 표층 부분은 2차적으로 생긴 방실로 분화(分化)되어 있음. 제일 큰 것은 직경 5cm임. 중생대(中生代) 백악기(白堊紀) 전기에 나타나 백악기 후기의 초에 최고도(最高度)로 발달하였음.

오르스크 [Orsk] 명 『지』 러시아 연방의 도시. 우랄 산맥 남단(南端) 우랄 강에 면한 철도 교통의 요지(要地). 공업의 중심지로 카스피 해 연안과 파이프 라인으로 연결되어, 비철 야금(非鐵冶金)·기계·정유(精油) 등의 공업이 행하여짐. [270,000명(1986)]

오르신 [orcine] 명 『화』 이가 페놀(二價phenol)의 하나로 무색의 주상(柱狀) 결정. 달콤하면서도 불쾌한 맛이 나고·물·알코올·에테르에 녹음. 지의류(地衣類)에서 추출(抽出)됨. 의료(醫療)·분석 시약(分析試藥)으로 쓰임. 오르시놀(orcinol). [$CH_3C_6H_3(OH)_2 \cdot H_2O$]

오르조니키드제 [Ordzhonikidze] 명 『지』 러시아 연방(聯邦) 북오세티아(北Ossetia) 자치(自治) 공화국의 수도(首都). 테레크 강(Terek江)에 면하고, 아연·납·구리 등의 제련(製鍊)이 행하여짐. 1784년 성새(城塞)로서 창건(創建)되었음. 구칭(舊稱) 블라디카프카스(Vladikavkaz). [313,000명(1987)]

오르치 [Orczy, Emmuska] 명 『사람』 헝가리 출신의 영국의 여류 소설가. 프랑스 혁명기를 무대로 영국인이 활극(活劇)을 연출하는 많은 모험 소설을 써서 호평을 받았음. 추리(推理) 소설·역사 소설 등도 썼음. [1865-1947]

오르칠 [orchil] 명 어두운 갈색(褐色)을 띤 붉은 물감. 지의류(地衣類)에서 채취하는데, 주성분은 오르시놀과 오르세인. 카페트의 물감으로 쓰임.

오르카:냐 [Orcagna, Andrea] 명 『사람』 이탈리아의 건축가·조각가·화가. 피렌체파(派)의 대표적 예술가. 고딕적(Gothic的)인 영향을 받아 장엄한 작풍(作風)을 나타냄. 피렌체의 산타 마리아 노벨라 성당(聖堂)의 대제단화(大祭壇畵)는 확증(確證)된 그의 유일한 회화 작품임. [1308-68]

오르케스타 [스 orquesta] 명 『악』 오케스트라.

오르케스타 티피카 [스 orquesta tippica] 명 스페인어를 사용하는 나라의 표준 편성 관현악단.

오르코메노스 [Orchomenos] 명 『지』 그리스 중부에 있었던 고대 도시(古代都市). 기원전 3000년의 신석기(新石器)·초기 청동기(青銅器) 시대부터 번영했음.

오르콘 강【—江】[Orkhon] 명 『지』 외몽고 북부의 강. 항애(杭愛) 산맥에서 발원하여 동북쪽으로 흘러서 툴라 강(Tula江)을 합하여 알탄불라크(Altanbulak)의 서남에서 북류(北流)하는 셀렝가 강(Selenga江)에 합류함. 결빙기(結氷期) 외에는 주운(舟運)이 편리함.

오르콘 비문【—碑文】[Orkhon] 명 몽고 오르콘 강의 하안(河岸)에서 발견된 돌궐(突厥)의 비문. 빌게카간(毗伽可汗)과 그의 아우 퀼테긴(闕特勤) 등의 공적을 찬양하여, 732년과 735년에 세워졌으며, 톤유크(暾欲谷)의 비를 아울러 말할 때도 있음. 돌궐 문자와 한자(漢字)로 적혀져 있음. 1893년 덴마크의 언어학자 톰센(Thomsen, Vilhelm Ludvig Peter; 1842-1927)이 해독함. 돌궐 비문(突厥碑文).

오르 콩쿠르 [프 hors concours] 명 『미술』 심사(審査)나 감별(鑑別)을 거치지 아니하고 미술 전람회(美術展覽會)에 진열되는 미술품. *무감사(無鑑査).

오르타 [Horta, Victor] 명 『사람』 벨기에의 건축가. 기능주의를 제창, 아르 누보(art nouveau) 양식의 건축을 확립, 기능주의적인 건축가로 알려짐. 브뤼셀 예술 협회 회장을 역임함. [1861-1947]

오르테가이 가세트 [Ortega y Gasset, José] 명 『사람』 스페인의 철학자. 마드리드 대학 형이상학 교수. 코헨(Cohen)에게 배우고 ≪돈키호테(Don Quixote)에 대한 사색≫을 낸 이래 일종의 생(生)의 철학을 주창하였음. 1936년 내란 후 파시스트 정권에 반대하여 남미 페루(Peru)에 망명하였다가 1945년에 귀국하여 1948년 마드리드에 인문 학원(人文學院)을 설립하였음. 저서로는 ≪척추 없는 스페인≫·≪민중의 반란≫ 등이 있음. [1883-1955]

오르텔리우스 [Ortelius, Abraham] 명 『사람』 벨기에의 지도학자(地圖學者). 여행을 즐기고, 세계 각국의 지도(地圖)를 모아, 1570년에 ≪지구의 무대(舞臺)≫란 이름의 최초의 근대적(近代的) 지도책을 출판했음. [1527-98]

오르토- [ortho-] 早 [그리스어로 정규(正規)'의 뜻] 『화』 ①벤젠핵(benzene核)에 1·2위(位)의 치환기(置換基)를 가지고 있음을 나타내는 말. 기호 o-. *메타(meta)·파라(para). ②산소산(酸素酸)의 분류에서, 산성 산화물(酸性酸化物)의 수화(水化)에 의해 생기는 산 가운데에서 수화가 가장 높은 산에 대한 말.

오르토-산【—酸】 명 [ortho acid] 정산(正酸).

오르토 인산【—燐酸】 명 [orthophosphoric acid] 인산(燐酸)❷.

오르토크롬 건판【—乾板】[도 Orthochrom] 명 정색 건판(整色乾板).

오르토-크실렌 [ortho-xylene] 명 『화』 크실렌의 세 가지 이성체(異性體)의 하나. 물에는 녹지 않으나, 알코올·에테르에는 녹는 가연성(可燃性) 완독성(緩毒性) 액체. 화학 중간체·물감 중간체·용제(溶劑)·살충제(殺蟲劑)·항공기용 연료(燃料)로 쓰임. [o-$C_6H_4(CH_3)_2$] *메타크실렌·파라크실렌.

오르토-헬륨 [ortho-helium] 명 『물』 두 개의 전자(電子)의 스핀이 같은 방향인 헬륨 원자. *파라 헬륨.

오르트 구름 [Oort] 명 『천』 태양으로부터 약 1.5×10^4 천문 단위(天文單位)의 위치에 떨어져 있다고 가정되는 혜성의 발생원(源). 네덜란드의 천문학자 오르트(Oort, Jan Hendrik; 1900-)의 주창으로, 끊임없이 출현하는 혜성에 관한 가설(假說)임.

오르티콘 [Orthicon] 명 텔레비전 촬상관의 하나. 아이코노스코프를 개량한 것. 오르토아이코노스코프(ortho-iconoscope)를 약하여 미국의 아르 시 에이(R.C.A.) 회사에서 명명한 것.

오르페 [프 Orphée] 명 프랑스의 작가 콕토(Cocteau, J.)작의 희곡. 그리스 신화의 오르페우스(Orpheus)의 이야기를 현대극화(現代劇化)한 것. 1926년 초연. 1막.

오르페우스 [Orpheus] 명 『신』 고대 그리스의 전설적 시인·음악가. 오르페우스교의 창시자. 아내 에우리디케(Eurydike)의 죽음을 슬퍼하여 명부(冥府)에서 데려오고자 했으나 하데스(Hades)의 금령(禁令)을 어겨 실패하였다고 함.

오르페우스-교【—教】[그 Orpheus] 명 『종』 오르페우스가 신령의 계시(啓示)로 제창한 신령 종교(心靈宗教). 인간은 진정한 영혼이 사악(邪惡)한 육체에 갇혀 긴 윤회(輪回)의 업이 계속되므로, 일정한 행법(行法)으로 영혼을 신에 융합시켜야 한다고 함.

오르프 [Orff, Carl] 명 『사람』 독일의 작곡가. 제1차 대전 후 각지의 가극장 지휘자를 지낸 후 출생지인 뮌헨에서 활동. 음악·언어·동작의 합일(合一)을 목표로 한 극음악(劇音樂)을 많이 만든 외에, 어린이들의 리듬(rhythm) 교육에도 진력(盡力)함. 대표작으로 오페라 ≪안티고네(Antigone)≫ 등이 있음. [1895-]

오르피즘 [Orphism] 명 『미술』 본래는 오르페우스 교(Orpheus教)의 사상을 말하나, 회화(繪畫)에서는 들로네(Delaunay, R.)를 중심으로 한 큐비즘에서 파생한 그룹을 일컬음.

오르후스 [Århus] 명 『지』 북유럽 유틀란트 반도(Jutland半島) 동안(東岸)에 있는 덴마크 제2의 도시. 섬유·기계 공업이 성하고 농산물·낙제품(酪製品)의 가공도 행하여짐. 10세기경부터 항구로 번성하여 왔음. [195,152명(1986)]

오른 관 오른쪽의 뜻. 바른. ¶ ~손. ↔왼. *우(右).

오른-걸음 명 『건』 동자 기둥의 아래쪽 두 가랑이를 '◪' 형상처럼 오른 편으로 대각(對角)되게 만드는 방식. ↔왼걸음.

오른-나사【—螺絲】 명 시계 방향과 같은 방향으로 돌리는 나사. ↔왼나사.

오른나사의 법칙【—螺絲—法則】[—/—에—] 명 『물』 앙페르의 법칙.

오른-발 명 오른쪽 발. ↔왼발.

오른-배지기 명 씨름에서, 바깥살바잡기 또는 왼어깨 자세가 되었을 경우에 오른쪽 허리와 다리가 상대의 몸 안쪽으로 들어가면서 상대의 배를 공격하여 던지는 허리 기술의 하나.

오른-뺨 명 오른쪽 뺨. ↔왼뺨.

오른-새끼 명 오른쪽으로 꼰 새끼. 보통 새끼는 오른새끼임. ↔왼새끼.

오른-섶 명 저고리의 오른쪽으로 덮은 섶. 또, 그 저고리. ↔왼섶.

오른-손 명 오른쪽에 붙어 있는 손. 우수(右手). ↔왼손.

오른-씨름 명 어깨를 맞댄 뒤 왼손으로는 상대방의 허리샅바를, 오른손으로는 다리 샅바를 잡은 다음 동시에 허리를 펴고 일어남으로써 시작하는 씨름. ↔왼씨름.

오른-짝 명 ①↗오른편짝. ②좌우 두 짝으로 한 벌이 되는 물건의 오른쪽의 것. 1)·2):↔왼짝.

오른-쪽 명 북쪽을 향했을 때 동쪽을 가리키는 방향. 오른손이 있는 방향. 우측(右側). ↔왼쪽.

[오른쪽 궁둥이나 왼쪽 볼기나] 큰 다름이 없음의 비유.

오른쪽 염통방【—房】 명 『생』 '우심방(右心房)'의 풀어 쓴 이름. ↔왼쪽 염통방.

오른쪽 염통집 명 『생』 '우심실(右心室)'의 풀어 쓴 이름.

오른-치마 명 치맛자락을 오른쪽으로 여민 치마. *왼치마.

오른-팔 명 오른쪽에 달린 팔. ↔왼팔.

오른-편【—便】 명 오른쪽. 우편(右便). 우변(右邊). ↔왼편.

오른편 염통방【—便—房】 명 『생』 오른쪽 염통방.

오른편 염통집【—便—】 명 『생』 오른쪽 염통집.

오른-편짝【—便—】 명 오른쪽의 편짝. 우변(右邊). 오른편쪽. ㈜오른짝. ↔왼편짝.

오른-편쪽【—便—】 명 오른편짝.

오른-활 명 오른손으로 시위를 당기어 쏘는 활.

오를레앙 [Orléans] 명 『지』 프랑스 루아레 현(Loiret縣)의 주도(主都). 양조·식품 가공·기계 공업이 행하여짐. 1429년 백년 전쟁(百年戰爭) 때 잔 다르크(Jeanne d'Arc)가 영군(英軍)의 수중으로부터 이 도시를 탈환한 사실은 유명함. [103,000명(1982)]

오를레앙-가【—家】[Orléans] 명 프랑스의 왕족. 여러 개의 가계로 갈리었으나 부르봉 왕조 루이(Louis) 14세의 동생 필립(Philippe)의 가계가 가장 오래 계속되었음. 프랑스 혁명기에 국왕 처형에 찬성한 평등공(平等公) 필립 및 7월 혁명에서 즉위한 그의 아들 루이 필립(Louis Philippe)도 이 가계의 출신임. 「명.

오를레앙의 소:녀【—少女】[Orléans] [—/—에—] 명 잔 다르크의 별

오름 명 제주도에서, 기생 화산(寄生火山)의 일컬음. 지명(地名)으로 많이 쓰임. ¶ 당(堂)~.

오름-내림 명 오름과 내림.

오름-세【—勢】 명 시세·물가 따위가 오르는 형세. 등귀세. 등세(騰勢).

¶ 쌀값이 ~다. ↔내림세.

오름-차【一次】명〖수〗가장 작은 차(次)의 항(項)으로부터 차례로 높은 차의 항을 배열하는 일. 구용어:승멱(昇冪). ↔내림차(次).

오름차-순【一次順】명〖수〗다항식(多項式)에서 작은 차(次)의 항(項)으로부터 차례로 높은 차의 항으로 쓰는 일. $5-8y+5y^2-10y^3$ 따위. 구용어:승멱순(昇冪順). ↔내림차순(次順).

오:-릉【五陵】명〖역〗경상 북도 경주시(慶州市) 탑정동(塔亭洞)의 송림 속에 있는 능묘(陵墓). 신라 시조(始祖) 박혁거세(朴赫居世)·그 왕비 알영 부인(閼英夫人)·남해왕(南解王)·유리왕(儒理王)·파사왕(婆娑王)의 능이라고 전하여짐. 경내에 숭덕전(崇德殿)이 있음. 사적(史蹟) 제 172호. 사릉(蛇陵).

오리[1] 명 실·나무·대 등의 가늘고 길게 오린 조각. *오라기.

오:리[2] 명〖조〗①오릿과에 속하는 새의 총칭. 물오리·가창오리·청머리오리·상오리·홍머리오리 등이 있음. ②↗집오리.
[오리 새끼는 길러 놓으면 물로 가고 꿩 새끼는 산으로 간다] ㉠자식은 다 크면, 저마다 저 갈 길을 택해 부모 곁을 떠난다는 말. ㉡저마다 타고난 바탕대로 행동함의 비유. [오리 홰 탄 것 같다] 있을 곳이 아닌 곳에 있다 함이니, 엉뚱한 일을 함을 가리킴.

오리[3] 명〈방〉올해(충남·전북).

오리[4] 명〈방〉오라기(경기·강원·경북).

오:-리[5]【五里】명 십리(十里)의 절반되는 거리.

오:-리[6]【五厘·五釐】명 ①한 돈이나 한 푼의 절반되는 돈. ②돈의 절반되는 무게. ③분(分)의 절반되는 길이.
[오리를 보고 십리를 간다] 적은 일이라도 유익한 일이면 수고를 아끼지 않는다는 뜻.

오:리[7]【汚吏】명 청렴하지 못한 관리. ¶ 탐관(貪官) ~. ↔염리(廉吏)·청리(淸吏).

오리[8]【梧里】명〖사람〗이원익(李元翼)의 호(號).

오리가:키〔Origarchy〕명〖정〗과두(寡頭) 정치.

오리거넘-유【一油】〔origanum〕명 엷은 황색의 정유(精油). 오리거넘속(屬)의 식물에서 채취(採取)함. 카르바크롤(carvacrol)·시멘(cymene) 등을 함유하고 있음. 향미료·제약(製藥)에 쓰임.

오리건 주【一州】〔Oregon〕명〖지〗미국 서부 캘리포니아주 북쪽 태평양 연안에 있는 주. 1859년에 주로 승격됨. 임업과 그 관련 산업인 제재·제지 등이 성하며 어업·목양(牧羊)·과수 재배(果樹栽培)도 성함. 국립 공원(國立公園)을 위시하여 관광지(觀光地)가 많음. 주도(州都)는 세일럼(Salem). [249,117 km² : 2,842,321 명(1990)]

오:리-걸음 명 오리처럼 뒤뚱거리며 걷는 걸음.

오리게네스〔Origenes, Adamantius〕명〖사람〗그리스 교회의 성서석의학자(聖書釋義學者). 이집트의 알렉산드리아 출생으로, 알렉산드리아 신학교(神學校) 교장을 지냄. 기독교의 그노시스설(Gnosis說)과 신학을 창시하여 사계에 큰 영향을 주었으나, 성서의 주해에 우의법(寓意法)을 남용한 까닭에 후세에 와서 이단시되고 있음. [185-254]

오리겐〔Origen〕명〖사람〗오리게네스의 영어식 이름.

-오리까 어미 받침 없는 동사 어간에 붙어, '합쇼' 할 자리에서, '그리 할까요'의 뜻으로 자기의 의사에 대한 상대방의 의향(意向)을 묻는 종결 어미. ¶ 제가 가~. *-으오리까.

오리-나무 명〖식〗①자작나뭇과에 속하는 너른잎털오리나무·뾰족잎오리나무·섬오리나무·떡오리나무·산오리나무·참오리나무 등의 총칭. ②[*Alnus japonica*] 자작나뭇과에 속하는 낙엽 활엽 교목. 높이 20m 가량이고 잎은 호생하며 긴 타원형에 가에는 잔 톱니가 있고 뒷면에 털이 나기도 함. 꽃은 3월에 자웅 동가(雌雄同家)로 피는데, 웅화수(雄花穗)는 길게 늘어졌고 자화수(雌花穗)는 긴 타원형이며 견과(堅果)는 날개가 있고 과수(果穗)는 달걀꼴 또는 넓은 타원형으로 10월에 익음. 산이나 개울가·습지 또는 촌락 부근에 나는데, 한국 각지 및 일본·만주·우수리·시베리아에 분포함. 나막신·가구·나무그릇·상자의 제조, 신탄재로 쓰이며, 수피(樹皮)와 과수(果樹)는 타닌(tanin)을 함유하여 염료(染料)로 씀. 유리목(楡理木). 적양(赤楊).

암꽃이삭 수꽃 수꽃이삭 과수
〈오리나무〉

오리나무-바구미 명〖충〗[*Rhynchaenus excellens*] 바구밋과에 속하는 곤충. 몸길이 3.5-4.5mm이고 몸은 긴 달걀꼴에 흑색이며 촉각·다리 및 날개 끝은 적갈색, 몸의 등 쪽은 회갈색 인모(鱗毛)가 밀생하며 시초(翅鞘)에는 그 사이에 백색 인모의 반문이 산재함. 오리나무 등의 해충으로 한국·일본 등지에 분포함.

오리나무-잎벌레 명〖충〗[*Agelastica coerulea*] 잎벌렛과에 속하는 곤충. 몸길이 8-9mm이고 온 몸이 광택 있는 자남색 또는 녹남색에 촉각·소순판(小楯板)·경절(脛節)·부절(跗節) 등은 흑색임. 유충·성충이 모두 오리나무·사과나무 잎의 해충으로, 한국·일본·미국·시베리아·만주 등지에 분포함.

오리나무-좀 명〖충〗[*Xyleborus germanus*] 나무좀과에 속하는 곤충. 몸길이는 암컷이 2-2.3mm이고 짧은 원통형으로 생겨 적갈색 또는 흑색의 광택이 나고, 수컷은 1.5mm의 긴 타원형이며 갈황색의 긴 털이 있음. 오리나무·밤나무·소나무류 등의 재목 속에 기생하는데 한국에도 분포함.

오리냐크 문화【一文化】〔Aurignac〕명〖고고학〗프랑스 피레네 지방의 오트 가론 현(縣)의 오리냐크 동굴 유적을 표준 유적으로 하는 후기 구석기 시대 전반(前半)의 문화. C-14 측정에 의해 4만-3만년 전으로 추정되고 있으며 주저형(舟底形)의 삭기(削器), 수비형(獸鼻形)의 각기(刻器) 등 두꺼운 석기가 특색임.

오리-너구리 명〖동〗[*Ornithorhynchus anatinus*] 포유류 일혈목(一穴目) 오리너구릿과(科)에 속하는 짐승. 수달·너구리와 비슷한 소형(小形)의 동물로서, 몸길이 45cm, 꼬리 13cm 가량이고 몸빛은 암갈색에 부드러운 털이 나고 감각(感覺)이 예민한 피부로 덮였음. 주둥이는 길고 오리 부리 모양이며 사지(四肢)는 짧고 물갈퀴가 있어 헤엄을 침. 수컷의 뒷 굽에 독(毒)이 있음. 성수(成獸)는 이가 없음. 물가에 굴을 파 놓으며 조개·지렁이·작은 수생(水生) 동물을 많이 잡아 먹음. 10월경에 두 개의 흰 알을 낳고 10일 가량 품어 부화(孵化)하는 원시적 짐승으로 오스트레일리아 남부의 특산임.

〈오리너구리〉

오리노코 강【一江】〔Orinoco〕명〖지〗남아메리카 북부의 큰 강. 콜롬비아 산중에서 발원하여 베네수엘라 중앙을 동쪽으로 흘러 대서양(大西洋)으로 흐름. [2,200km]

오리다 타〔근대 : 오리다〕칼이나 가위 등으로 베다. ¶ 종이를 ~.

-오리다 어미 받침 없는 동사의 어간에 붙어, '합쇼'할 자리에서 '그리 하겠습니다'의 뜻으로 자기의 의사를 나타내는 종결 어미. ¶ 제가 보~/오늘은 일찍 자~. *-으오리다.

오:리-목[1] 명〈방〉가막쇠.

오리-목[2]【一木】명〖건〗가늘고 길게 켠 목재(木材).

오:리-무리 명〖동〗유금류(游禽類).

오:리 무:중【五里霧中】명 짙은 안개 속에서 길을 찾기 어려운 것처럼 무슨 일에 대하여 알 길이 없음을 일컫는 말. ¶ 범인(犯人)의 행방(行方)이 ~이다.

오:리-발 명 ①〖동〗물갈퀴. ②손가락이나 발가락 사이의 살가죽이 달라붙은 손발을 조롱으로 일컫는 말. ③〈속〉단짝. ④〈속〉[남의 닭을 잡아먹고 들키자 오리의 발을 내밀어 발뺌한다는 뜻에서] 돌아서서 갑자기 태도를 바꾸어 엉뚱하게 부리는 딴전. ¶ ~을 내밀다.

오리-방풀 명〖식〗[*Amethystanthus excisus*] 꿀풀과에 속하는 다년초. 줄기는 사각형이고 높이 1m 이상이며 잎은 대생(對生)하고 장병(長柄)에 난원형임. 6-8월에 자색 꽃이 취산(聚繖) 화서로 정생 또는 액출(腋出)하여 피고, 과실은 분과(分果)임. 산과 들에 나는데, 거의 한국 각지에 분포함.

오:리-병【一甁】명 목이 길고 잘록한 병.

오:리 볶음 명 오리 고기를 잘게 토막쳐서, 간장·파·후춧 가루를 치고 주물러서 물을 조금 붓고 볶은 음식. 압초(鴨炒).

오리봉-나무 명〈방〉오리나무.

오리사〔Orissa〕명〖지〗인도의 동부, 벵골 만(灣)에 연한 주(州). 주민의 대부분이 농업에 종사함. 쌀·콩 따위가 산출되고, 근년에는 철·망간·크롬 따위의 광물이 채굴되고 있음. 주도는 부바네스와르(Bhubaneshwar). [155,800 km² : 26,292,000 명(1981)]

오리사바 산【一山】〔Orizaba〕명〖지〗북아메리카 멕시코 고원에 솟아 있는 활화산(活火山). 멕시코의 최고봉. 1848년 첫 등정(登頂). 시틀랄테페틀 산(Citlaltépetl山). [5,699m]

오리-새 명〖식〗[*Dactylis glomerata*] 볏과에 속하는 다년초. 유럽과 서아시아 원산. 티머시(timothy)와 함께 세계적으로 유명한 목초의 하나임. 잎은 총생하고 넓으며 분녹색(粉綠色)인데 높이는 1m가량임. 꽃은 6-7월에 핌. 목초(牧草)로서 파종(播種) 후 2년 만에 줄기·잎 등을 베어 쓰며 연간 2-3회 벰. 추위에 강함. 오처드 그래스(orchard grass).

오리스〔orris〕명 방향성(芳香性)의 분말. 아이리스(iris)·흰붓꽃 등 식물의 근경(根莖)에서 채취한 분말로, 향수(香水)·의약품·치분(齒粉) 등에 쓰임.

오:리-알 명 오리의 알.
[오리알에 제 똥 묻은 격] 제 본색에 과히 어긋나지 않는 일이어서 별로 흠잡을 것이 못되며 수수하다는 뜻.

오:리알 구이 명 오리알을 많이 깨어 양념을 하여서, 대통 한 마디를 쪼개어 그 속에 넣고 동여 맨 뒤에 삶아서 꺼낸 다음 기름을 발라 구운 반찬. 압란구(鴨卵炙).

오:리-애비 명〈방〉기럭아비(함경).

오리엔탈〔oriental〕명 동양적. 동양식(東洋式).

오리엔탈리스트〔orientalist〕명 동양의 역사·문화·언어 등을 연구하는 구미(歐美)의 학자. 또, 동양에 관한 일을 전문(專門)으로 연구하는 학자.

오리엔탈리즘〔orientalism〕명 ①〖문〗동양풍(東洋風). 동양학(東洋學). ②〖미술〗동양의 사실(史實)이나 광경을 묘사하는 등, 동양에의 동경(憧憬)을 화면에 나타낸 19세기 유럽 미술의 한 경향(傾向). ≪알제이의 여인들≫을 그린 들라크루아(Delacroix)를 그 대표로 함.

오리엔테이션〔orientation〕명 신입 학생·신입 사원 등에 대한 진로 지도(進路指導).

오리엔트〔라 Orient〕명〔해가 뜨는 곳의 뜻〕①근동 및 서남 아시아와, 동북 아프리카 지방. ②동양. 동방.

오리엔트 문명【一文明】〔Orient〕명 이집트·메소포타미아·페니키아·페르시아 등 아시아의 서남부 및 동북 아프리카를 포함하는 고대 오리엔트에서 발달한 문명. 관개 농업에 기초를 두고, 종교적 색채가 농후한 중앙 집권제(中央集權制)와 강대한 왕권을 배경으로, 거대한 궁전·신전의 조영(造營) 외에, 문자·역법(曆法)·천문학·수학 등의 발달을 가져왔음.

오리엔티어링〔orienteering〕명 지도(地圖)와 나침반(羅針盤)에 의지하여, 출발점(出發點)에서부터 지정 지점(指定地點)을 통과하여 빨리 목적지에 도착하는 것을 겨루는 야외 스포츠의 하나.

오리온〔그 Orion〕명 ①〖신〗그리스 신화에 나오는 보이오티아(Boio-

tia)의 거인 사냥꾼. 아르테미스(Artemis)에게 살해되었다고도 하고, 플레이아데스(Pleiates)를 좇아서 같이 하늘로 올라가 별이 되었다고도 함. ②〖천〗↗오리온자리.

오리온 성무【一星霧】〔Orion〕명〖천〗오리온 성운(Orion 星雲).

오리온 성운【一星雲】명〔Orion Nebula〕〖천〗산광(散光) 성운의 하나로 오리온자리에 둥글게 퍼져 있는 가스상 대성운. 육안으로도 보임. 거리 약 1,500광년, 실직경(實直經)은 약 25광년. 망원경으로 보면 큰 물고기가 입을 벌리고 있는 형상과 같음. 달없는 맑은 밤에는 눈으로도 보임. 엠번호(M番號) 42. 오리온 성무(Orion 星霧).

오리온 성좌【一星座】〔Orion〕명〖천〗오리온자리.

오리온-자리〔Orion〕명〖천〗하늘의 적도 양측에 걸려 있는 아름다운 별자리의 이름. 겨울에 가장 뚜뚜이 보이는데, α성은 베텔게우스(Betelgeuse)로 거리 500광년, β성은 리겔(Riegel)인데 600광년의 거리에 있음. 이십 팔수(二十八宿)의 하나인 삼성(參星)이 이 별자리에 있음. 북쪽은 은하(銀河)에 들어가고, 남쪽에 걸쳐서는 오리온 성운(星雲)이 있음. ㊀오리온.

오리올〔Auriol, Vincent〕명〖사람〗프랑스의 정치가. 사회당원으로 재무·법무 장관 등을 역임함. 세계 제2차 대전 후 첫 국회 의장(國會議長)에 선출되었으며, 1947년 제4 공화국에서 대통령에 취임(就任)함. [1884-1966]

오:리 올무 명 오리를 잡는 올무.

-오리이까 어미 받침 없는 동사 어간에 붙어, '하소서' 할 자리에서, '그리 할까요'의 뜻으로 자기의 의사에 대한 상대방의 의향(意向)을 묻는 종결 어미. *-으오리이까.

-오리이다 어미 받침 없는 동사 어간에 붙어, '하소서' 할 자리에서, '그리 하겠습니다'의 뜻으로 자기의 의사를 나타내는 종결 어미. ¶그리 하~. *-으오리이다.

오리자닌〔oryzanin〕명 1910년에 각기병(脚氣病)에 대한 유효 성분으로 쌀겨에서 뽑아 이름붙인 물질. 비타민 B_1을 주성분으로 함.

오:리-젓 명 집오리 고기로 담근 젓. 집오리의 살을 잘게 썰어 소금과 술을 쳐서 하루 만에 국물을 따라 버린 다음 잘게 썬 파·새앙·후춧가루·술을 치고 모두 버무려서 담가 삭힘. 압초(鴨酢).

오:리-정【五里亭】명 옛날에 5리마다 만들어 놓은 이정표(里程標).

오리지낼리티〔originality〕명 독창(獨創). 독창력(獨創力). 창의(創意). 독창성(獨創性).

오리지널〔original〕명 ①본원. 근원. 원물(原物). ②독창적. ③미술·문학 작품의 원작 또는 원본. 원형.

오리지널 사운드 트랙〔original sound track〕명〖악〗원작 영화(原作映畫)의 사운드 트랙.

오리지널 시나리오〔original scenario〕명 창작(創作) 시나리오. 소설이나 무대극(舞臺劇)에서 각색(脚色)하지 않은 것.

오리지널 인터로크〔original interlock〕명 골프에서, 그립(grip)의 한 가지. 인터로킹(interlocking)과 같으나, 왼손 엄지손가락이 오른손 손바닥 안에 들어가지 않고 밖으로 나옴.

오리지널 칼로리〔original calorie〕명 쇠고기·달걀 등 축산물 자체가 함유하고 있는 칼로리에 대해서, 그것들을 생산하는 데 소요되는 사료(飼料)의 칼로리.

오리지널 프로그램〔original program〕명 프리스케이팅의 연기(演技) 내용을 규정한 것. 점프·회전(回轉)·스텝 등 여덟 가지 요소로 구성되어 있음. 시간은 2분 40초 이내.

오리지널 프린트〔original print〕명〖사진〗특히, 촬영자(撮影者) 자신이 완전 화학 처리하여 만든 영구 불변의 사진.

오리진〔origin〕명 기원. 근원. 출처(出處).

오:리-찜 명 오리 고기의 찜. 오리의 털과 내장(內臟)을 뽑아 내버리고 삶아서 뼈를 추린 뒤에, 그 국물에 녹말을 풀어 저어 가면서 불에 익히어 고기와 함께 소금과 후춧가루를 넣고 그 위에 온갖 고명을 얹음. 압증(鴨蒸).

오리치 명〈방〉올가미(강원).

오:리크〔Auric, Georges〕명〖사람〗프랑스 작곡가. 드뷔시(Debussy)에 대항하여 신운동을 일으킨 '육인조(六人組)'에 속하며, 작풍은 신선 경쾌함. 발레 음악·극음악·영화 음악 등을 썼음. 오페라 코믹 극장의 총감독. [1899-1983]

오:리-토기【一土器】명〖고고학〗낙동강(洛東江) 유역에서 출토(出土)되는 오리 모양의 토기. 압형 토기(鴨形土器).

오리피스 미터〔orifice meter〕명〖기〗유량계(流量計)의 하나. 관의 중간에 관의 단면적(斷面積)보다 작은 통과공(通過孔)이 있는 박판을 설치하고 유체가 흐를 때 생기는 그 판의 유입측(流入側)과 유출측과의 압력의 차를 측정하여 관 속을 흐르는 유체의 유량(流量)을 구하는 계기(計器).

오:림【五痳】명〖한의〗다섯 가지 임질. 기림(氣痳)·노림(勞痳)·고림(膏痳)·석림(石痳)·열림(熱痳). 또, 기림·노림·고림·석림·혈림(血痳).

오림-장이【一匠一】명 오리목 등을 켜는 일을 전문으로 하는 사람.

오:립-송【五粒松】명〖식〗잣나무.

오:릿-과【一科】명〖조〗〔Anatidae〕기러기목(目)에 속(屬)하는 한 과. 대형의 조류로 윗 부리의 끝에는 손톱 같은 것이 있고 아래위 부리의 가장자리의 안쪽에 빗 모양의 작은 돌기가 있음. 철에 따라 이동하는 종류도 있음. 번식기에 호수·강가의 땅 위나 물 위 또는 나무 틈 사이에다 너더댓 개의 알을 산란함. 알은 유백색·창백색 또는 자백색임. 전세계에 230여 종이 분포함.

오:링〔O-ring〕명 물 따위가 새는 것을 막는 데 쓰는, 합성 고무·천연 고무 또는 합성 수지로 만든 원형 단면(斷面)의 고리.

오ᄅᆞᄂᆞ리다 타〈옛〉오르내리다. ¶數 업슨 즌자리는 ᄆᆞᄌᆞ기 오ᄅᆞᄂᆞ리거놀(無數蜻蜓齊上下)≪初杜諺 Ⅶ:2≫.

오ᄅᆞ다 타〈옛〉오르다. ¶山脊에 몯 오ᄅᆞ거늘(干岡靡陟)≪龍歌 109章≫.

오:마【五魔】명〖불교〗사람의 마음을 해치는 다섯 악마(惡魔). 곧, 천마(天魔)·죄마(罪魔)·업마(業魔)·뇌마(惱魔)·사마(死魔).

오마니 명〈방〉어머니(평안).

오:마-도【五馬島】명〖지〗전라 남도의 남해안(南海岸), 고흥군(高興郡) 도양읍(道陽邑) 오마동(五馬洞)에 위치했던 섬. 1975년 간척(干拓) 사업으로 바다에 잠김. [1.25 km²]

오마르〔'Umar〕명〖사람〗이슬람교의 제2대 정통(正統) 칼리프. 마호메트의 사업을 이어 판도를 확장, 이슬람력(曆)의 확립 등 사라센 제국(帝國)의 기초를 구축함. [재위 634-644]

오마르 하이얌〔'Umar Khayyām〕명〖사람〗페르시아의 시인·천문학자·수학자. 그레고리오력(Gregorio曆)보다 정밀한 역법을 고안하였고 3차 방정식의 기하학적 해결을 연구하였음. 주저(主著)≪루바이야트(Rubā'īyāt)≫. [1040?-1123]

오:마 작대【五馬作隊】명〖역〗마병(馬兵)이 행군(行軍)할 때에 오열 종대(五列縱隊)로 편성(編成)하는 방식. ¶깊은 밤에 ~하여 그를 해치는 것은 무슨 까닭이냐?≪玄鎭健 : 無影塔≫. ——-하다 자여불

오마조마-하다 형〈방〉조마조마하다.

오마하〔Omaha〕명〖지〗미국 네브래스카 주(州) 동부의 상공업 도시. 옥수수 지대 서부의 중심지로, 교통의 요지. 농축산물의 중심지로 대규모의 가축·곡물 시장이 있으며, 식품 가공업·정유 공업 등이 성함. 서쪽 16 km 되는 곳에 1917년 설립된 '소년의 마을'이 있음. [335,795명(1990)]

오막 명↗오두막.

오막-살이 명 ①작고 낮은 초가(草家). 오두막집. ②오두막집에서 사는 살림살이.

오막살이-집 명 오막살이로 사는 살림집.

오막-집 명 ☞ 오두막집.

오:만[1]【傲慢】명 교만하여 사람을 업신여김. 또, 그 태도(態度). 거만(倨慢). ——-하다 형여불

오:만[2]【五萬】관 퍽 많은 수량. ¶~ 말을 다 한다. 참고 본디 만(萬)의 다섯 갑절을 나타내는 수사.

오:만-가지【五萬一】명 너저분하게 많은 여러 가지. ¶~ 물건을 다 사들인다.

오:만-날【五萬一】명 허구한 날. 만날. ¶~ 쏘다니기만 하다.

오만 만【一灣】〔Oman〕명〖지〗아라비아 해 북서에 있는 만. 동서 약 550 km, 최대 폭(幅) 약 300 km. 북서는 호르무즈(Hormuz) 해협으로 페르시아 만과 이어짐. 주요 항구는 이란 쪽에 반다르아바스(Bandar Abbas), 자스크(Jask), 오만 쪽에 무스카트(Muscat) 등이 있음.

오:만 무도【傲慢無道】명 오만하여 도의(道義)를 돌보지 아니함. ——-하다 형여불

오:만 무례【傲慢無禮】명 오만하여 예의(禮義)를 돌보지 아니함. ——-하다 형여불

오:-만물상【奧萬物相】〔-쌍〕명 내만물초(內萬物草).

오:만-상【五萬相】명 얼굴을 잔뜩 찌푸린 모양. ¶~을 짓다.
오:만상을 찌푸리다[찡그리다] 구 몹시 얼굴을 찌푸리다.

오:만 소리【五萬一】명 수다하게 지껄이는 구구한 소리. ¶~ 다 한다.

오만 수장국【一首長國】〔Oman〕명〖지〗오만 왕국.

오:만-스럽다【傲慢一】형ㅂ불 보기에 오만한 데가 있다. 오:만-스레【傲慢一】부

오만 왕국【一王國】명〔Sultanate of Oman〕〖지〗아라비아 반도 남동부의 왕국. 오만 만(Oman灣)과 아라비아 해에 싸여 있는데 북부의 오만 만 연안은 좁은 평야, 서부 및 남부는 사막이 많고, 기후는 열대성임. 아흐달 산지(Akhdal山地)의 남쪽 기슭과 오만 만 연안의 평야에서 농업이 성하여 대추야자·곡물·과실을 산출함. 1964년 내륙에서 석유가 발견되어 중요 수출품이 되고 정부 수입의 80%를 차지하고 있음. 18세기 말에 영국이 진출, 19세기 말부터 영국의 보호 아래 들어갔으나 1944년 11월 완전 독립. 수도는 무스카트(Muscat). [210,000 km² : 1,500,000명(1990 추계)]

오:말【午末】명〖민〗오시(午時)의 맨 끝. 즉, 오후 한 시 직전.

오:망[1]【五望】명 음력 보름날에 드는 망(望). *육망(六望).

오:망[2]【迂妄】명〔←우망(迂妄)〕오괴(迂怪)하고 요망(妖妄)스러운 태도.
오:망(을) 떨:다 구 몹시 경솔하게 오망부리다.
오:망(을) 부리다 구 오망스럽게 행동하다.
오:망(을) 피우다 구 오망(을) 부리다.

오망-부리 명 전체에 비하여 한 부분이 너무 볼품 없이 작게 된 형체.

오:망-스럽다【迂妄一】형ㅂ불 오괴(迂怪)하고 요망스럽다. 오:망-스레【迂妄一】부

오망이 명〈방〉어머니(함경·경북).

오망-자루 명 볼품없는 작은 자루. ¶~를 꽁무니에 차고.

오망-하다 형여불 물건의 바닥이 납작하고 오목하다. <우멍하다.

오:맞이-꾼【五一】명 약물터에 간 까닭으로 물맞고, 비맞고, 도둑맞고, 서방맞고, 매맞는다는 뜻에서 약물터에 가는 여자를 조롱하여 하는 말.

오매[1] 명〈방〉어머니(전라·경상).

오매[2]【烏梅】명〖한의〗껍질을 벗기고 짚불 연기에 그슬러서 말린 매실(梅實). 설사·기침·소갈(消渴)에 쓰며, 살충약(殺蟲藥)으로도 씀.

오:매[3]【寤寐】명 깰 때나 자는 때.

오매-간【寤寐間】부 자나깨나. ¶~ 잊을 수 없다.

오:매 구:지【寤寐求之】명 자나깨나 늘 찾음. ——-하다 타여불

오:매 불망【寤寐不忘】명 자나깨나 잊지 못함. ¶북에 두고 온 가족을 ~ 그리워하다. ——-하다 타 여불

오:매 사복【寤寐思服】명 자나깨나 생각함. ¶깜짝 놀라 눈을 크게 뜨고 살펴보니 또한 ~하던 최분이라≪作者未詳 : 恨月≫. ——-하다 타 여불

오매-육【烏梅肉】명 오매의 씨를 발라 낸 살. 오매차를 만들고, 불에 구워 약용(藥用)도 함.

오매-차【烏梅茶】명 오매육을 잘게 빻아, 백청(白清)을 끓이다가 타서 만든 차. 항아리에 담아 두고 냉수에 타서 먹음.

오매-탕【烏梅湯】명 오매를 달인 탕약.

오매-환【烏梅丸】명 오매를 조합(調合)해서 만든 환약.

오메 명 〈방〉 어머니(경북).

오메가【Ω, ω】명 〔omega〕 ①그리스어의 최종 자모. ②최종. 제일 끝. ↔알파. ③전기 저항(抵抗)의 실용 단위 옴(ohm)의 기호. ④스위스에서 생산하는 고급 시계의 상표.

오메가 시스템〔omega system〕명 〖공〗 선박이나 항공기의 새로운 전파 항법(電波航法) 시스템. 송신국에서 10.2, 11.33, 13.6킬로 헤르츠 등 세 종류의 초장파대(超長波帶)의 전파를 발사하면 그 전파를 선박 등이 수신, 위상차(位相差)로 위치를 알아내는 방식.

오메가 입자【Ω粒子】명 〔omega hyperon〕 약 1672 MeV의 질량을 가진 준안정(準安定) 바리온. 음전하(陰電荷)에 스핀 3/2, 양(陽) 패리티를 지님.

오메가 중간자【Ω中間子】명 〔omega meson〕 불안정(不安定)한 중성(中性) 벡터 중간자. 질량(質量)은 약 783 MeV. 음전하(陰電荷) 패리티와 G 패리티를 지님.

오메가 항:법【Ω航法】〔-뻡〕명 쌍곡선(雙曲線) 항법의 하나. 여덟 국(局)의 오메가 송신국(送信局)에서 송신되는 전파 가운데에서 임의의 한 쌍을 사용해서 위치를 결정함.

오:-메:기 명 〈방〉 여메기(경상).

오며【乎旀】어미 〈이두〉 며. 오며.

오면-가면 부 오면서 가면서.

오:면-잠【五眠蠶】명 〖충〗 한 세대 동안에 잠을 다섯 번 자는 누에의 품종. *삼면잠·사면잠.

오-면(:)직【吳冕稙】명 〖사람〗 독립 투사. 황해도 안악(安岳) 출신. 조선 일보·동아 일보 기자를 하다가 1921년 상해(上海)로 망명(亡命), 1929년 정화암(鄭華岩) 등과 함께 한인 무정부주의자 상해 연맹(韓人無政府主義者上海聯盟)에 가입하고, 1934년 김구(金九)의 초청으로 그 비서로 활약했으며, 뒤에 상해 일본 총영사관을 습격, 체포되어 사형됨. [1894-1937]

오:면-체【五面體】명 다섯 평면(平面)으로 둘러싸인 입체.

오:멸【汚衊】명 ①피를 흘려 더럽힘. ②전하여, 남의 명예를 더럽힘. 오욕(汚辱). ——-하다 타 여불

오:명[1]【五明】명 〔범 pañca-vidyā〕 〖불교〗 인도의 브라만 계급이 연구한 것으로 불교에서 답습한 다섯 가지 학술. 즉, 성명(聲明)·공교명(工巧明)·의방명(醫方明)·인명(因明)·내명(內明)을 내오명(內五明)이라 하고, 인명·내명 대신에 주명(呪明)·부명(符明)을 가한 다섯 가지를 외오명(外五明)이라 함.

오:명[2]【汚名】명 ①더러워진 이름. 나쁜 평판(評判). ②누명(陋名)❷. ¶~을 씻다.

오명-가명 부 〈방〉 오면가면.

오:명-마【五明馬】명 이마와 네 발이 흰 가라 말.

오-명(:)항【吳命恒】명 〖사람〗 조선 영조(英祖) 때의 공신. 자(字)는 사상(士常), 호는 모암(慕庵)·영모암(永慕庵). 해주(海州) 사람. 영조 3년(1727) 정미 환국(丁未換局) 때 기용되어 이조·병조 판서를 역임하고 그 이듬해에 역적 이인좌(李麟佐)의 난이 일어나자 이를 평정(平定)하여 해은 부원군(海恩府院君)에 봉군(封君)됨. 시호(諡號)는 충효(忠孝). [1673-1728]

오모가리 명 〈방〉 뚝배기(전북).

오모리 명 〈방〉 엉덩이(함북).

오:목[1]【五目】명 바둑판에 흑백의 돌을 번갈아 놓아, 가로 세로 또는 모로 다섯 개를 먼저 잇달아 놓는 사람이 이기는 놀이. 연주(連珠).

오목[2]【烏木】명 흑단(黑檀)의 심재(心材). 빛은 순흑색 또는 담흑색으로 단단하여 젓가락·담배 설대·문갑(文匣) 따위의 재료로 씀.

오:목-가래질【五-】명 ☞ 다섯목 가래질. ——-하다 자

오목-거울 명 〔concave mirror〕 〖물〗 반사경(反射鏡) 가운데서 반사면이 구면(球面)이거나 그와 비슷한 모양의 것. 초점에서 발하는 광선(光線)을 수차(收差) 없이 다른 초점에 모으는 타원면경(楕圓面鏡)은 영사기의 집광용(集光用)으로 쓰이고, 초점에서 발하는 광선을 수차 없이 축(軸)에 평행한 광선으로 하거나 반대로 축에 평행한 입사(入射) 광선속(光線束)을 수차 없이 초점에 모으는 포물면경(拋物面鏡)은 탐조등(探照燈)이나 반사 망원경에 쓰임. 요경(凹鏡). 요면경(凹面鏡). ↔볼록거울❷.

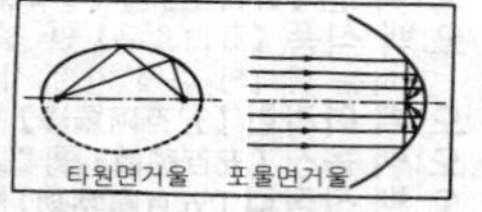

〈오목 거울〉

오목-날 명 〖고고학〗 날의 양 끝에서 가운데 쪽으로 오목한 부분. 구석기 시대에 오목날 모양의 긁개는 창끝이나 자루를 다듬는 데 쓰였음. 요상인(凹狀刃). 내만인(內彎刃).

오목-누비 명 솜옷이나 이불 등에 줄을 굵게 잡아 골이 깊게 된 누비.

오목-눈 명 오목하게 들어간 눈.

오목눈-이 명 ① 〖조〗 〔*Aegithalos caudatus caudatus*〕 박샛과에 속하는 새. 모양이 제주오목눈이와 비슷하나 두부(頭部)에 굵은 흑색 띠가 없고 털빛이 조금 다르고 몸이 좀 큼. 산간 수목 사이를 민활히 날아다니며 곤충·거미 등을 포식하고 4-6월에 백색 알을 낳음. 우리나라 북쪽 지방에서 번식하는 익조(益鳥)임. ②눈이 오목한 사람의 별명.

〈오목눈이❶〉

오목 다각형【-多角形】명 〖수〗 다각형의 한 변 또는 여러 변을 연장할 때 그 도형(圖形) 안을 통과하는 다각형. 적어도 한 각의 내각(內角)이 이직각(二直角)보다도 큰 다각형이어야 함. 요(凹)다각형. ↔볼록 다각형.

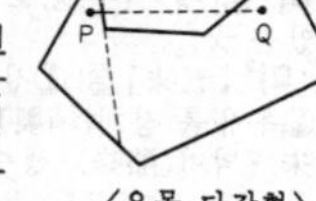

〈오목 다각형〉

오목-다리 명 누비어 지은 어린 아이의 버선. 앞에는 수를 놓고, 목에는 대님을 다는 것이 보통임.

〈오목다리〉

오목 렌즈 명 〔concave lens〕 〖물〗 복판이 얇고 가장자리로 갈수록 두꺼워지는 렌즈. 광선을 발산하는 작용을 하므로 근시의 교정에 쓰임. 요(凹)렌즈. 발산 렌즈. ↔볼록 렌즈.

오목면-경【-面鏡】명 오목거울.

오목-볼록 명 오목함과 볼록함. 요철(凹凸). 철요(凸凹). ——-하다 형 여불

오목볼록 렌즈 〔lens〕 명 요철(凹凸) 렌즈.

오목 설대【烏木-】〔-때〕명 오목으로 만든 담배 설대.

오목-식기【-食器】명 ☞ 오목주발.

오목-오목 부 바닥이 군데군데 조금씩 들어간 모양. ¶~ 파인 자국. <우묵우묵. ——-하다 형 여불

오목-이 부 오목하게. <우묵이.

오목-장【於穆章】명 〖악〗 조선 성종(成宗)의 아버지 덕종(德宗)의 제향 초헌(初獻)에 아뢰는 악장(樂章).

오목-조목 부 조금 큰 것과 조금 잔 것이 오목오목하게 섞이어 있는 모양. <우묵주묵. ——-하다 형 여불

오목-주발【-周鉢】명 속을 오목하게 만든 주발. 여자나 아이들의 밥그릇으로 많이 씀. <우묵주발. *바리.

오:목 카래【五-】명 ☞ 다섯목 한카래.

오목-판【-版】명 〖인쇄〗 요판(凹版). ¶~ 인쇄. ↔볼록판.

오목-하다 형 여불 가운데가 둥글게 깊다. <우묵하다.

오:목 한카래【五-】명 ☞ 다섯목 한카래.

오:몽【午夢】명 낮잠 자다 꾸는 꿈.

오:묘[1]【五妙】명 〖불교〗 오관(五官)의 대상(對象)인 색(色)·성(聲)·향(香)·미(味)·촉(觸)의 다섯 가지가 아름답고 맑고 훌륭함.

오:묘[2]【五廟】명 〖역〗 신라의 삼성 시조(三姓始祖)인 박혁거세(朴赫居世)·석탈해(昔脫解)·김알지(金閼智)와 무열왕(武烈王)·문무왕(文武王) 등 다섯 분을 모신 묘당(廟堂). 경주에 있음.

오:묘[3]【奧妙】명 심오(深奧)하고 미묘(微妙)함. ¶자연의 ~한 이치. ——-하다 형 여불

오:묘-스럽다【奧妙-】형 ㅂ불 오묘한 데가 있다. **오:묘-스레**【奧妙-】부

오묘-촌충【-寸蟲】명 〖동〗 〔*Hymenolepis diminuta*〕 진정 촌충류에 속하는 촌충의 하나. 길이 2-6cm의 백대상(白帶狀)으로, 두부에 네 개의 흡반(吸盤)이 있으며 수백 개로부터 1,000여 개에 달하는 마디가 있음. 쥐의 장내(腸內)에 기생하는데 때로는 사람의 장내에서도 발견됨. 중간 숙주(宿主)는 곤충임. 축소촌충. *꼬마촌충.

오:무【誤謬】명 오류(誤謬).

오무라지다 자 〈방〉 오므라지다.

오무래미 명 이가 죄다 빠진 입을 늘 오물거리는 늙은이.

오무리다 타 〈방〉 오므리다.

오묵-다리 명 〈방〉 오목다리.

오묵:-하다 형 〈방〉 오목하다.

오문[1]【吾門】명 우리 문중(門中).

오:문[2]【誤聞】명 그릇 들음. 잘못 들음. ——-하다 타 여불

오문[3]【澳門】명 〖지〗 '마카오(Macao)'의 한자 이름.

오:물【汚物】명 ①↗오예지물(汚穢之物). ②배설물(排泄物).

오물-거리다[1] 자 몸피가 작은 벌레나 물고기들이 한군데에 모이어 곰지락거리다. <우물거리다[1]. **오물-오물**[1] 부. ——-하다[1] 자 여불

오물-거리다[2] 자타 ①입 안에 든 음식을 이리저리 굴리면서 시원스럽지 아니하게 자꾸 씹는 시늉을 하다. ¶입 안에 사탕을 넣고 ~. ②말을 속시원스럽게 하지 아니하고 입 안에서만 중얼거리다. 1)·2): <우물거리다[2]. **오물-오물**[2] 부. ——-하다[2] 자타 여불

오물-대다 자타 오물거리다[1·2].

오:물-세【汚物稅】〔-쎄〕명 〈속〉 쓰레기·분뇨(糞尿) 등의 오물을 쳐 가는 데 대한 수수료(手數料)로서 시군(市郡)에서 징수하는 돈.

오:물-장【汚物場】〔-짱〕명 오물을 버리는 곳.

오물-쪼물 부 언동을 과단성 없이 흐리멍덩하게 하며 망설거리는 모양. <우물쭈물. ——-하다 자타 여불

오:물 처:리업【汚物處理業】명 오물의 수집·운반·처리를 하는 업.

오물-할미 명 〈방〉 오무래미.

오므라-들다 자 차차 오므라져 들어가다. <우므러들다.

오므라-뜨리다 타 '오므리다'의 힘준말. <우므러뜨리다.

오므-라이스 〔omelet rice〕 명 오믈렛 안에 밥을 고기 등과 섞어 볶아 넣은 요리.

오므라-지다 자 물건의 가장자리 끝이 한 군데로 향하여 모이다. <우므러지다.

오므라-트리다 타 오므라뜨리다.

오므러-지다 자 〈방〉 오므라지다.

오므리다 타 오므라지게 하다. <우므리다.

오믈렛 〔omelet〕 명 서양 요리의 일종. 고기·양파 등을 잘게 썰어 맛들

인 것을 프라이팬에 지진 계란으로 싼 요리.

오미[1] 명 평지(平地)보다 조금 얕고, 수초(水草)가 나며, 또 물이 늘 괴어 있는 곳.

오:미[2]【五味】명 ①신 맛, 쓴 맛, 매운 맛, 단 맛, 짠 맛의 다섯 가지 맛. ②우유를 정제(精製)할 때에 다섯 단계로 달라져 가는 맛. 즉 유미(乳味)·낙미(酪味)·생수미(生酥味)·숙수미(熟酥味)·제호미(醍醐味)의 총칭.

오:미[3]【五美】명 다섯 가지 아름다운 덕(德). 곧, 남에게 은혜(恩惠)를 베풀되 낭비(浪費)하지 않고, 수고(手苦)하되 원망(怨望)하지 않고, 욕심(慾心)을 갖되 탐(貪)하지 않고, 태연(泰然)하되 교만(驕慢)하지 않으며 위세가 있되 사납지 않은 일.

오미뇌 명〈옛〉꽁무니. ¶오미뇌 고(尻). 오미뇌 슈(脽)≪字會 上 27≫.

오:미-란【五味卵】명 삶은 달걀을 껍데기를 벗기고 둘로 짜개어 노른자를 겨자·강즙·설탕·소금과 함께 반죽하여 이를 도로 흰자 속에 넣어서 만든 음식.

오:미-산【五味山】명〖지〗경상 북도 울진군(蔚珍郡)과 봉화군(奉化郡) 사이의 산. [1,100 m]

오미-자【五味子】명〖한의〗오미자나무의 열매. 폐(肺)를 돕는 효능(效能)이 있으므로, 기침·갈증(渴症)에 쓰며, 땀과 설사를 그치게 하는 데도 씀.

오미자-과【五味子科】[—꽈] 명〖식〗[Schizandraceae] 쌍자엽 식물에 속하는 한 과. 오미자나무 등이 이에 속함.

오미자-국【五味子—】[—꾹] 명 더운 물에 오미자를 담가 붉게 우러난 국물. 화채나 녹말편 등을 만드는 데 씀.

[오미자국에 달걀] 달걀을 오미자국에 넣으면 녹아 버리므로, 형체가 완전히 녹아 없어진 것을 이름.

오미자-나무【五味子—】명〖식〗[*Maximowiczia chinensis*] 오미자과에 속하는 낙엽 활엽 만목(蔓木). 잎은 달걀꼴 또는 거꿀달걀꼴, 뒷면에 털이 났음. 6-7월에 황백색 꽃이 자웅 이가(雌雄二家)로 피고, 장과(漿果)는 과총(果叢)이 이삭 모양으로 아래로 늘어져 8-9월에 홍색으로 익음. 산록 특히 돌이 많은 비탈진 곳에 흔히 나는데, 거의 한국 각지 및 일본·사할린·만주·중국에 분포함. 꽃은 향기가 남.

〈오미자나무〉

오미자 응이【五味子—】명 오미자 즙에 녹두 녹말을 넣어 쑳인 응이.

오미자-차【五味子茶】명 오미자와 미삼(尾蔘)을 달이어 만든 차.

오미자-편【五味子—】명〈방〉녹말편.

오밀-조밀【奧密稠密】부 ①공예(工藝)에 관한 의장(意匠)의 기술이 세밀한 모양. ②사물에 대한 정리의 솜씨가 세밀하고 자상(仔詳)한 모양. ——-하다 형여불

오밋[omit] 명 ①제외. ②생략(省略). ——-하다 타여불

오바 놓다 타〈방〉오비어 놓다.

오바다-서【—書】[Obadiah] 명〖성〗구약 성서의 가장 짧은 한 편. 12 예언서의 하나로 선지자 오바댜가 그의 예언을 기록한 것으로, 에돔 족속의 오만한 죄에 대한 형벌, 에돔이 그 근친자에 가한 포학, 이스라엘에 대한 회복의 약속 등을 내용으로 함. 오바디아서(書).

오바드[프 aubade] 명〖악〗①경의(敬意)를 표하기 위하여 어떤 사람의 집 앞에서 여명(黎明)에 행하는 주악(奏樂). ②아침의 음악. ↔세레나드(sérénade).

오바디야-서【—書】[Obadiah] 명〖성〗오바댜서(Obadiah書).

오:-바라밀【五波羅蜜】명〖불교〗보살(菩薩)이 수행(修行)하는 데 필요한 보시(布施)·지계(持戒)·인욕(忍辱)·정진(精進)·선정(禪定)의 다섯 가지 바라밀.

오:반【午飯】명 점심밥.

오발[1]【烏髮】명 검은 머리. 흑발(黑髮).

오:발[2]【誤發】명 ①잘못하여 발포·발사함. ¶～ 사고. ②말을 잘못함. ——-하다 타여불

오:발-탄【誤發彈】명 잘못 발사한 탄환.

오:-밤중【午—中】[—쭝] 명 한밤중. 오야(午夜).

오:방[1]【午方】명〖민〗이십 사 방위(二十四方位)의 하나. 정남방(正南方)을 중심으로 한 15도 각도의 안. 준오(午).

오:방[2]【五方】명 ①동·서·남·북과 중앙. 즉, 사방과 가운데. ②〖역〗백제 후기, 서울을 제외한 지방을 그 위치에 따라 상방(上方)·전방(前方)·중방(中方)·하방(下方)·후방(後方)으로 나눈 다섯 구역.

오:방[3]【五房】명 ↗오방 재가(五房在家).

오:방-기【五方旗】명〖역〗대기치(大旗幟)의 한 가지. 대오방기·중오방기의 두 가지가 있음. 수효 각각 다섯씩. *대오방기(大五方旗)·중오방기(中五方旗).

오:방 낭자【五方囊子】명 오방주머니.

오:방-빛【五方—】[—빋] 명〖민〗다섯 방위를 상징하는 빛깔. 동쪽이 파랑, 서쪽이 하양, 남쪽이 빨강, 북쪽이 까망, 가운데가 노랑.

오:방 색실【五方色—】명 오방에 응(應)한 다섯 가지 빛깔, 곧 청(青)·백(白)·적(赤)·흑(黑)·황(黃)색의 색실.

오:방-신【五方神】명〖불교〗방위를 담당하는 불교의 수호신. 사방을 지키는 사천왕(四天王)에 중앙의 신을 합하여 오방신이라 함. 지국천(持國天)은 동쪽, 증장천(增長天)은 남쪽, 광목천(廣目天)은 서쪽, 다문천(多聞天)은 북쪽을 가리킴. 중앙의 신은 누구인지 확실하지 않음.

오:방 신장【五方神將】명〖민〗오방을 맡은 신장. 방위신(方位神).

오:방 잡처【五方雜處】명 여러 곳의 사람이 섞여 삶. ——-하다 자여불

오:방 장군【五方將軍】명〖민〗방위(方位)를 지키는 신. 즉, 동(東)의 청제(青帝), 서(西)의 백제(白帝), 남(南)의 적제(赤帝), 북(北)의 흑제(黑帝), 중앙(中央)의 황제(黃帝). 무당집에는 오방 장군과 그의 종장(從將)인 신장(神將)을 그려 붙이고 제사를 지냄.

오:방 재:가【五房在家】명 자기 집에서 영업하던, 황화전(荒貨廛). 서울 남대문 큰 길가에 여러 집이 있었음. 준오방(五房).

오:방 저미【五方豬尾】명 권세나 돈 많은 사람에게는 누구를 막론하고 아부를 잘하는 사람.

오:방 주머니【五方—】[—쭈—] 명 오방에 응한 다섯 가지 빛깔의 형겊 조각으로 지은 주머니. 동·서·남·북·중앙이 각각 청색·백색·적색·흑색·황색임. 재수가 오방에서 들어온다는 뜻에서 궁중·양반집에서 사용했음. 오방 낭자(五方囊子).

오방-지다 형〈방〉옹골지다.

오:방-진【五方陣】명〖민〗농악 판굿에서, 동·서·남·북·중앙의 다섯 군데에 나사 형태로 감아 돌아 들어서 둥글게 짜는 대형. *오방진놀이.

오:방진-굿【五方陣—】명〖민〗오방진놀이.

오:방진-놀이【五方陣—】명〖민〗농악 판굿에서, 오방진을 엮었다 풀었다 하면서 노는 놀이. 오방진굿.

오:방-체【五放體】명 [pinuls]〖동〗해면 골편(海綿骨片)의 하나. 보통 다섯개의 방사축(放射軸)을 갖는데, 그 하나에서 많은 가시가 돋아남. *육방체(六放體).

오방추 명〈심마니〉삼.

오:방-치기【五方—】명〖민〗씻김굿의 열 두째 거리. 집안의 오방의 부정을 깨끗이 치우는 뜻으로, 무당이 발원(發願)을 욈.

오:방 토룡제【五方土龍祭】명〖역〗옛날 동·서·남·북·중앙의 다섯 곳에 토룡단(土龍壇)을 쌓고 한 날 한 시에 하늘에 지내던 제사. 기우제(祈雨祭)를 열한 번 지내도 비가 오지 않을 때, 열두 번째로 단 위에 용(龍)을 그려 붙이고, 정삼품(正三品) 관원(官員) 중에서 제관(祭官)을 내어 지냄.

오배【吾輩】인대 우리들. 우리네. 오제(吾儕).

오:-배례【五拜禮】명〖천주교〗조과(早課)에 행하는 다섯 가지 예배(禮拜).

오:배-자【五倍子】명〖한의〗붉나무에 오배자벌레가 기생하여 된 혹 모양의 충영(蟲癭). 길이 8 cm, 폭 1-6 cm이고 다갈색인데 잎꼭지의 옆과 소엽(小葉) 사이에 생긴 것, 또 가지나 소엽 위에 생긴 것이 있음. 전자는 타닌(tannin)의 함유량이 많아 9-10월에 속의 벌레가 나가기 전에 따서 말리어 입병·치통·치질 등의 약제, 물감 원료, 잉크 제조 등에 쓰임. 문합(文蛤). 백충창(百蟲倉).

〈오배자〉

오:배자-나무【五倍子—】명〖식〗붉나무.

오:배자-벌레【五倍子—】명〖충〗[*Schlechtendalia mimifushi*] 진딧물과에 속하는 곤충. 암컷의 몸길이는 1 mm 가량, 날개는 투명한데 다갈색의 충영(蟲癭)을 지음. 이것이 곧 오배자로, 약용·물감 원료 등에 쓰임. 오배자충(五倍子蟲).

〈오배자벌레〉

오:배자-충【五倍子蟲】명〖충〗오배자벌레.

오:백-계【五百戒】명〖불교〗비구니(比丘尼)가 지켜야 할 삼백 사십 팔계(三百四十八戒)의 구족계(具足戒)를 가짓수가 많다는 뜻으로 어림수로서 일컫는 딴이름. *삼백 사십 팔계.

오:백 나한【五百羅漢】명〖불교〗석가(釋迦)의 제자(弟子)인 오백 사람의 나한(羅漢). 불멸(佛滅) 후에 유교(遺敎)를 집결(集結)하기 위하여 모였던 오백 명의 아라한(阿羅漢). 오백 응진(五百應眞). 오백 아라한(五百阿羅漢).

오:백 나한재【五百羅漢齋】명〖불교〗불교 의식의 하나. 오백 나한을 공양(供養)하는 법회(法會)임. 나한공(羅漢供).

오-백령【吳百齡】[—녕] 명〖사람〗조선 중기의 문신. 자는 덕구(德耉), 호는 묵재(默齋). 동복(同福) 사람. 광해군(光海君) 10년(1618), 폐모론(廢母論)에 반대하고 은거하다가 인조 반정(仁祖反正) 후 형조·이조 참판, 도승지, 대사간, 대사헌 등을 역임함. [1560-1633]

오:백-생【五百生】명〖불교〗몇 번이고 자꾸 태어남을 일컫는 말.

오:백 식품【五白食品】명 성인병(成人病)의 예방을 위하여 피하기를 권장하는 백색의 다섯 가지 식품. 곧, 쌀·밀가루·설탕·조미료·소금.

오:백 아라한【五百阿羅漢】명〖불교〗오백 나한(五百羅漢).

오:백 응진【五百應眞】명〖불교〗오백 나한(五百羅漢).

오:백 진점겁【五百塵點劫】명〖불교〗측량할 수 없는 무한한 시간.

오:버[over] ⊟명 ①〈속〉초과(超過)함. ¶시간이 ～하다/예산을 ～했다. ②↗오버코트(overcoat). ⊟감 통신(通信)에서 교신(交信)이 끝났을 때 상대방에게 응답(應答)을 요구하여 하는 말. ¶잘 알았다, ～. ——-하다 자타여불

오:버 네트[over net] 명 배구에서, 경기자의 몸의 한 부분이 네트를 넘어서 공에 닿았을 때를 이름. 네트 오버(net over).

오:버-드라이브[overdrive] 명 ①자동차의 변속(變速) 장치. 주행(走行) 속도를 떨어뜨리지 않고 엔진의 회전수(回轉數)를 줄이는 기어 장치로, 가속력(加速力)을 향상시키고 소음(騷音)을 줄이며, 연료 소비율을 낮추고, 엔진의 수명도 연장시킴. ②골프에서, 먼저 티 샷(tee shot)한 사람보다 더 멀리 공을 쳐 날림.

오:버 드래프트[over draft] 명 당좌 대월(當座貸越).

오:버-래핑[overrapping] 명 골프에서, 그립(grip)의 한 가지. 오른손 새끼손가락으로 왼손 집게손가락의 관절(關節)을 감음.

오:버-랩 [overlap] [명] ①〖연〗 영화의 화면 위에 다른 화면이 비추이면서, 먼저 화면이 차차 사라지는 촬영법. 오 엘(O.L.). 랩 디졸브(lap dissolve). ②요트 레이스에서, 두 척의 요트가 충돌할 위험이 있는 범위내에 있으며, 그 어느 것도 다른 하나의 클리어 어헤드(clear ahead)에 있지 않는 경우.

오:버-러닝 [overrunning] [명] 〖기상〗 상승중(上昇中)의 공기 덩어리가 지면(地面) 가까이에 있는, 밀도 높은 다른 공기 덩어리 위에 오른 상태. 흔히, 온난 전선(溫暖前線) 또는 준정체(準停滯) 전선의 앞쪽 위에 난기(暖氣)가 올라갈 때에 쓰임.

오:버-런 [overrun] [명] 야구 경기에서, 주자(走者)가 베이스(base)를 지나쳐 뛰어, 아웃이 될 우려가 있는 상태.

오:버-레이 [overlay] [명] ①어떠한 도표(圖表) 위에 씌워서 도표 내용의 진행 상황 등을 표시할 수 있도록 한 투명한 피복지(被覆紙). ②〖군〗 지도 위에 씌우는 투명한 피복지. 각 지점에 관한 군사상의 중요한 사항을 기입함. ③〖토〗 파손된 도로 표면에, 아스팔트·콘크리트 등을 깔아 보수(補修)하는 일.

오:버레이 트랜지스터 [overlay transistor] [명] 〖전자〗 높은 주파수로 최대 전력 증폭(增幅)을 주는 트랜지스터. 병렬(並列)로 접속된 여러 개의 전극이 있음.

오:버-로:드 [overload] [명] ①선박이나 차량에 제한 이상의 짐을 싣는 일. ②능력 이상의 일을 과(課)하는 일. 기계에 과대(過大)한 부하(負荷)를 하는 일.

오:버-론: [overloan] [명] 〖경〗 은행이 예금액(預金額) 이상으로 대출(貸出)을 행하고, 부족 자금을 중앙 은행으로부터의 차입(借入)에 의존하는 상태. 이는 은행 경영의 불건전함을 나타낼 뿐만 아니라 중대한 인플레의 요인(要因)이 됨. 초과 대부. 대출 초과.

오:버벡 [Overbeck, Johann Friedrich] [명] 〖사람〗 독일의 화가. 나사렛파(the Nazarenes)의 대표적 화가. 1810년 이후 로마에서 활동, 페루지노(Perugino), 라파엘로(Raffaello)를 이상(理想)으로 하면서 종교색이 짙은 작품을 남겼음. 대표작 ≪그리스도의 예루살렘 입성(入城)≫ 등. [1789-1869]

오:버-보로잉 [overborrowing] [명] 〖경〗 기업(企業)이 자기 자본(自己資本)에 비하여 거액(巨額)의 외부 부채(外部負債)를 지고 있는 상태. 은행의 오버론(overloan)과는 표리(表裏)의 관계에 있는데, 이러한 상태는 기업이 사업을 과대하게 운영하고 있다는 것을 의미하며 불건전할 뿐만 아니라 금융 자본의 지배하에 그 자주성을 상실하는 원인이 됨.

오:버-브리지 [overbridge] [명] 육교(陸橋)❶.

오:버-블라우스 [overblouse] [명] 웃단을 스커트나 바지 속에 넣지 않고 내놓은 채로 입는 블라우스. *언더 블라우스.

〈오버블라우스〉

오:버-센스 [over+sense] [명] 〈속〉 너무 예민(銳敏)함. 지나친 생각. 신경 과민.

오:버-슈:즈 [overshoes] [명] 비오는 날 방수용(防水用)으로 구두 위에 끼게 된 고무로 만든 덧신.

오:버-스로: [overthrow] [명] 오버핸드 스로(overhand throw).

오:버 스웨터 [over sweater] [명] 털실로 짠 상의(上衣)의 하나. 스웨터.

오:버-스커:트 [overskirt] [명] 드레스·스커트·핫 팬츠 등을 입은 뒤에 다시 겹쳐 입는 스커트의 총칭. 에이프런 스커트·튜닉 스커트 등이 이것임.

오:버-액션 [overaction] [명] 〖연〗 배우가 연기를 과장되게 하는 일.

오:버-올: [overall] [명] ①직공(職工)들이 입는 아래위가 한데 붙은 작업복. ②실험자(實驗者)·의사·여성들이 옷 위에 입는 긴 작업복.

오:버-워:크 [overwork] [명] 지나친 노동.

오:버-이:트 [overeat] [명] 〈속〉 과식(過食)·과음(過飮)으로 먹은 것을 게우는 일. *오버히트. ——-하다 [자][여불]

오:버 체크 [over check] [명] 작은 격자(格子) 위에 색실로 큰 격자를 배「열한 것.

오:버추어 [overture] [명] 〖악〗 서곡(序曲). 서악(序樂). 전주곡.

오:버-코:트 [overcoat] [명] 외투. [준]오버.

오:버-킬 [overkill] [명] 〖경〗 물가 상승에 대처(對處)하기 위해, 과도한 총수요 억제책(總需要抑制策)을 씀으로써 경기(景氣)를 지나치게 냉각(冷却)시키는 일.

오:버-타임 [overtime] [명] ①규정 시간 이외의 노동 시간. 초과 근무. ②배구에서, 한편 팀에서 3번 이상 공을 터치하는 반칙.

오:버 토니지 [over tonnage] [명] 수송 공급력 과잉.

오:버-톤: [overtone] [명] 〖악〗 ①배음(倍音). ②배진동(倍振動).

오:버-패스 [overpass] [명] 철로(鐵路) 또는 다른 길과 교차(交叉)하는 목에서 그 위를 고가 구조물(高架構造物)로 통과하는 길.

오:버 펜스 [over the fence] [명] 야구에서, 타구(打球)가 외야(外野)와 관중석 사이의 울타리를 넘는 일.

오:버-프루:프 [overproof] [명] 프루프 스피릿(proof spirit)보다 알코올을 더 많이 함유한 것. 약칭 : 오피(o.p.).

오:버-플로: [overflow] [명] ①수위(水位)가 넘침. ②인구의 과잉. ③회의장 같은 데에 입장하지 못하고 초과된 수.

오버-하우젠 [Oberhausen] [명] 〖지〗 독일 노르트라인 베스트팔렌 주(Nordrhein Westfalen 州) 루르(Ruhr) 지구의 공업 도시. 석탄·철강·유리·화학 공업이 성함. [221,542 명(1987)]

오:버-핸드 [overhand] [명] ①구기(球技)에서, 공을 치거나 던질 때에 어깨보다 팔이 올라갈 경우의 반칙. ②배구에서, 네트 위로 손이 넘어갔을 경우의 반칙.

오:버핸드 스로: [overhand throw] [명] 야구에서, 투수가 어깨보다 팔을 위로 올려 던지는 방법. 오버스로.

오:버-행 [overhang] [명] 등산 용어. 암벽(岩壁) 같은 것이 수직 이상으로 쑥 나와 있는 일.

오:버헤드 킥 [overhead kick] [명] 축구에서, 공중에 떠 있는 공을 뒤쪽으로 쓰러지면서 머리 너머로 뒤로 차는 재간.

오:버헤드 프로젝터 [overhead projector] [명] 교육 기기(機器)의 하나. 교탁(敎卓) 위에 놓고 쓰여진 문자·도표 등을 배후의 벽면이나 스크린에 투영(投影)하는 장치. 약칭 : 오 에이치 피(OHP).

오:버-홀: [overhaul] [명] 기계·장치류(裝置類) 특히 자동차, 비행기를 분해하여 점검·수리하는 일. 분해 검사. ——-하다 [타][여불]

오:버-히:트 [overheat] [명] 엔진 등이 어느 한도 이상으로 고온(高溫)이 되는 일. 과열(過熱).

오번 [명] 〈방〉 이번(경상).

오:번-제 【一制】 [Auburn] [명] 주간에는 침묵을 지키게 하면서 공장에서 작업을 시키는 주간 잡거제(雜居制)와 야간에는 독방에 수용하는 야간 독거제(獨居制)의 교도소 구금제(拘禁制). 1823년 미국 뉴욕주 오번 교도소에서 처음으로 실시한 데서 유래됨. 반독거제. 침묵제.

오:범 【誤犯】 [명] 〖역〗 과실로 죄를 범함. 또, 그 죄. ——-하다 [자][타][여불]

오베론 [Oberon] [명] ①요정(妖精)의 왕. 13세기 프랑스 문학에서 취급되었으며, 또 셰익스피어의 ≪한여름 밤의 꿈≫에서 활약함. ②〖악〗 베버(Weber) 작곡의 가극. ③〖천〗 천왕성(天王星)의 제4 위성. 1787년에 허셸(Herschel)에 의하여 발견(發見)되었는데, 공전 주기(公轉周期)는 13.46일임.

오베르 [Auber, Daniel François Esprit] [명] 〖사람〗 프랑스의 작곡가. 케루비니(Cherubini)에 사사, 그의 뒤를 이어 음악원장이 됨. 특히, 경(輕)오페라에 뛰어나 프랑스 가극(歌劇)의 건설자로 꼽힘. 대표작으로 가극 ≪포르티시의 벙어리 처녀≫, 희가극(喜歌劇) ≪프라디아볼로≫ 등. [1782-1871]

오베르뉴 대지 【一臺地】 [Auvergne] [명] 〖지〗 프랑스 중남부 마시프 상트랄 산지(Massif Central 山地) 중의 오베르뉴 산지 일대(一帶). 산악 부분에서는 방목(放牧)·낙농(酪農)이 행하여지고, 비옥한 평야 부분에서는 밀·콩 등이 재배됨. 화산(火山)이 많고 광천(鑛泉)이 풍부하여 관광지이기도 함. 민요·향토 무용이 잘 알려져 있음. 중심 도시는 클레르몽페랑(Clermont-Ferrand).

오베르트 [Oberth, Hermann] [명] 〖사람〗 루마니아 출생의 독일의 로켓 공학자(工學者). 뮌헨 대학에서 수학(修學), 1923년 ≪행성(行星) 공간으로의 로켓≫을 발표하여 우주 여행의 기초 이론을 수립. 1930년 W.v. 브라운 등을 조수로 하여 액체 추진제(液體推進劑) 로켓 개발에 성공함. 1955년 브라운 박사 초청으로 도미(渡美)함. [1894-]

오베핀 [프 aubépine] [명] 산사(山査)나무의 꽃으로 만드는 향료. 히아신스(hyacinth)와 비슷한 향기를 풍김.

오벨리스크 [obelisk] [명] 고대 이집트 왕조 시대에 태양 신앙(太陽信仰)의 상징으로 세워진 기념탑. 하나의 거대한 석재로 만들어, 단면은 방형(方形)이고 위쪽으로 갈수록 가늘어지며 정상이 피라미드형으로 되어있음. 기둥면에 상형 문자로 국왕의 공적이나 그 외의 명문(銘文) 또는 도안이 새겨져 있는 것이 대부분임. 방첨비(方尖碑). 방첨주(方尖柱). 방첨탑(方尖塔).

〈오벨리스크〉

오벼 넣다 [—너타] [타] ↗오비어 넣다. ㅆ호벼 넣다. <우벼 넣다.

오벼 파다 [타] ↗오비어 파다. ㅆ호벼 파다. <우벼 파다.

오:변-형 【五邊形】 [명] 〖수〗 오각형(五角形).

오병 【熬餠】 [명] 떡볶이.

오:보[1] 【午報】 [명] 정오(正午)를 알리는 일. 고동·포·종을 사용함.

오:보[2] 【五寶】 [명] 〖불교〗 금(金)·은(銀)·진주(眞珠)·산호(珊瑚)·호박(琥珀)의 다섯 가지 보물.

오:보[3] 【誤報】 [명] 잘못 보도함. 또, 그 보도. ——-하다 [자][타][여불]

오보록-이 [부] 오보록하게. [준]오복이. <우부룩이.

오보록-하다 [형][여불] 많은 풀이나 나무 따위가 한데 뭉쳐 다보록하다. [준]오복하다. <우부룩하다.

오보린 [Oborin, Lev] [명] 〖사람〗 소련의 피아니스트. 1927년 제1회 쇼팽 콩쿠르에서 우승, 이듬해부터 모교인 모스크바 음악원에서 가르침. 세련된 기교로 알려짐. [1907-74]

오보에 [이 oboe] [명] 〖악〗 관현악용의 높은 음을 내는 목관(木管) 악기. 하단은 깔때기 모양이고 상단은 금속관 위에 두 개의 혀가 있음. 아름답고 부드러운 목가적(牧歌的) 음색이 특징이며 관현악·실내악의 선율 악기로서 중요함. 음률이 안정되어 있어서 합주(合奏) 때의 기준음이 됨.

〈오보에〉

오보에 다모레 [이 oboe d'amore] [명] 〖악〗 [사랑의 오보에의 뜻] 오보에속(屬)의 목관 악기. 관의 아래쪽에 불룩한 곳이 있으며 음역(音域)도 보통의 오보에보다 낮은 메조소프라노임.

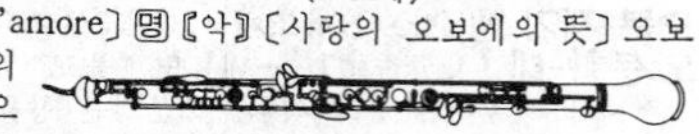
〈오보에 다모레〉

오보테 [Obote, Milton Apollo] [명] 〖사람〗 우간다의 정치가. 1962년 독립과 함께 초대 수상이 되고, 1966년 초대 대통령 무테사(Mutesa Ⅱ, *Sir* Edward)를 추방하고 대통령이 됨. 1971년 해외 여행중 군사 쿠데타로 실각하였다가 1980년 대통령에 복귀, 1985년 쿠데타로 다시 실각함. [1924?-]

오:복[1] 【五服】 [명] ①왕기(王畿)를 중심으로 하여 주위를 매복(每服) 오백 리씩 순차적으로 나눈 다섯 구역. 상고(上古)에는 전복(甸服)·후복

(侯服)·수복(綏服)·요복(要服)·황복(荒服), 주대(周代)는 후복(侯服)·전복(甸服)·남복(男服)·채복(采服)·위복(衛服). ＊구복(九服). ②참최(斬衰)·자최(齊衰)·대공(大功)·소공(小功)·시마(緦麻)의 다섯 상복. ③천자·제후·경·대부·사(士)의 의복.

오:복²【五福】명 수(壽)·부(富)·강녕(康寧)·유호덕(攸好德)·고종명(考終命)의 다섯가지 복. 유호덕과 고종명 대신, 귀(貴)와 자손 중다(子孫衆多)를 꼽기도 함.

오:복동 설화【五福洞說話】명 오복이 고루 갖추어진 이상촌(理想村)이 있다는 설화. 비슷한 것으로는 청학동 설화(青鶴洞說話)·도원 설화(桃源說話)가 있는데, 내용은 모두 이 세상 어딘가에 살기 좋은 이상향이 있다는 것으로 되어 있음.

오복-소복 부 오복하고 소복한 모양. <우북수북. ——-하다 형여불

오:복-음【五福飮】명 오장(五臟)을 보(補)하는 약.

오복-이 부 ↗오보록이.

오:복전-조르듯 부 〈방〉 오복조르듯. ——-하다 자

오:복-조르듯 부 심하게 조르는 모양. ——-하다 자여불

오:복-친【五服親】명 오복(五服)의 복상(服喪)에 해당하는 친족, 곧 유복친(有服親)의 딴이름.

오:복-탕【五福湯】명 도라지·닭고기·돼지고기·해삼·전복의 다섯 가지로 끓인 국.

오복-하다 형여불 ↗오보록하다.

오:봉¹【五峯】명 우리 나라의 다섯 명산(名山)인 금강산·묘향산·지리산·백두산·삼각산의 일컬음.

오:-봉²【五峰】명〖지〗①함경 남도 장진군(長津郡)에 있는 산. 다섯 개의 봉우리로 이루어짐. [1,812 m] ②함경 남도 신흥군(新興郡)에 있는 산봉우리. [1,454 m]

오:봉-산【五峰山】명〖지〗①강원도 금강산(金剛山)에 있는 산. [1,264 m] ②함경 남도 영흥군(永興郡) 횡천면(橫川面)과 고원군(高原郡) 수동면(水同面) 사이에 있는 산. [1,289 m] ③함경 북도 회령군(會寧郡) 보을면(甫乙面)과 창두면(昌斗面) 사이에 있는 산. [1,330 m] ④평안 북도 강계군(江界郡)과 후창군(厚昌郡) 사이에 있는 산. [1,081 m]

오:봉산-타:령【五峰山打令】명〖악〗경기 민요의 하나. 사설의 첫머리가 '오봉산'으로 시작하기 때문에 ≪오봉산 타령≫이라고 부름. 굿거리 장단에 의한 유절 형식의 노래임.

오:봉-술【五一】명 봉술을 다섯 개 연결한 술.

오:봉 일월도【五峯日月圖】[一또] 명〖미술〗한국의 다섯 명산(名山)과 해·달·소나무를 그린 그림. 예전에 용상(龍床) 뒤에 장식으로 그렸음. 준일월도(日月圖).

오:봉-초【五鳳草】명〖식〗등대풀.

오:부¹【五父】명 아버지로서 섬겨야 할 다섯 사람. 곧, 실부(實父)·양부(養父)·계부(繼父)·의부(義父)·사부(師父).

오:부²【五腑】명 오장(五臟).

오:부³【五部】명〖역〗①고구려 오부(高句麗五部). ②백제 오부(百濟五部). ③고려 때 개경(開京)을 동부·서부·남부·북부·중부로 나눈 다섯 구역. 태조(太祖) 2년(919)에 정한 것으로 고려 말년에 이르고, 그 제도가 근대(近代)까지 그대로 개성(開城)에 남아 있었음. 고려 오부. ④조선 시대에, 한성(漢城)을 중부·동부·서부·남부·북부로 나눈 다섯 구획 또는 그 각 구획 안의 소송(訴訟)·도로(道路)·금화(禁火)·택지(宅地)에 관한 사무를 맡은 다섯 관아의 일컬음. 태조 3년(1394)에 정하여 고종(高宗) 31년(1894)에 폐함.

오:부 대:승경【五部大乘經】명〖불교〗화엄경·대집경(大集經)·반야경(般若經)·법화경·열반경(涅槃經)의 다섯 불경.

오:부 방리군【五部坊里軍】[一니一] 명〖역〗고려 말기에 개경(開京)의 오부 방리의 장정으로 구성된 군인.

오:부 학당【五部學堂】명〖역〗고려 말기 공민왕 2년(1390) 무렵에 개경(開京)의 동서남북중(中)의 5부에 각각 설치했던, 동서 학당(東西學堂)의 후신.

오분 관 〈방〉 옹근(함경).

오:분-걷기【五分一】명〖건〗서까래를 중간 부분으로부터 끝걷기하는 일.

오분-자기 명〖조개〗①[*Sulculus diversicolor aquatilis*] 전복과에 속하는 연체(軟體) 동물의 하나. 패각(貝殼)은 소형의 타원형인데 긴 지름은 80 mm 정도이며, 6-8개의 구멍이 있음. 각표(殼表)는 녹색을 띤 적색이며 내면은 진주 광택(眞珠光澤)이 남. 산란기(産卵期)는 9-10월이고 암초에 삶. 식용함. ②〈방〉 떡조개(제주).

오:분 작법【五分作法】명〖논〗인도에서 1세기 이래(以來) 여러 파(派)에서 사용한 변론(辯論)의 한 형식. 곧, '종(宗)'이라 하여 단안(斷案), '인(因)'이라 하여 이유, '유(喩)'라 하여 기지(既知)의 실례(實例), '합(合)'이라 하여 종(宗)이 옳음의 설명, '결(結)'이라 하여 결론의 다섯 단계로 성립하는 논증 형식(論證形式).

오분-재기 명 〈방〉 ①떡조개. ②오분자기(제주).

오:분향-례【五分香禮】[一녜] 명〖불교〗우리의 사찰(寺刹)에서 아침 저녁으로 올리는 불교 의식. 오분향은 향을 부처가 갖추고 있는 5종의 공덕인 계신(戒身)·정신(定身)·혜신(慧身)·해탈신(解脫身)·해탈 지견신(解脫知見身)의 오분법신(五分法身)에 대비시켜, 계향(戒香)·정향(定香)·혜향(慧香)·해탈향(解脫香)·해탈 지견향(解脫知見香)으로 바꾼 것.

오:불【五佛】명〖불교〗①진언종(眞言宗)의 양부 만다라(兩部曼陀羅)의 법신불(法身佛), 곧 대일 여래(大日如來)와 그로부터 난 네 부처. 금강계(金剛界)와 태장계(胎藏界)의 오불이 있으나, 실은 동체(同體)라 함. 금강계에서는 중앙의 대일(大日), 동의 아축(阿閦), 남의 보생(寶生), 서의 아미타(阿彌陀), 북의 불공 성취(不空成就). 태장계에서는 중앙의 대일(大日), 동의 보당(寶幢), 남의 개부 화왕(開敷華王), 서의 아미타(阿彌陀), 북의 천고 뇌음(天鼓雷音)을 일컬음. ②아미타불을 중심으로 관음(觀音)·세지(勢至)·지장(地藏)·용수(龍樹)의 네 보살을 배치한 오존(五尊).

오불-고불 부 이리저리 고르지 않게 고불거리는 모양. <우불구불. 쓰오불꼬불. ——-하다 형여불

오:불-관【五佛冠】명〖불교〗오불 보관(五佛寶冠).

오-불관언【吾不關焉】명 나는 상관하지 아니함. 또, 그러한 태도. ¶~의 태도를 취하다.

오불-꼬불 부 이리저리 고르지 않게 꼬불거리는 모양. <우불꾸불. 스오불고불. ——-하다 형여불

오:불 보:관【五佛寶冠】명〖불교〗오지 원만(五智圓滿)을 상징하는, 다섯 부처가 있는 대일 여래(大日如來)의 보관(寶冠). 오불관(五佛冠). 오지관(五智冠).

오:-불효【五不孝】명 ①다섯 가지 불효. 즉, 게을러서 부모를 돌보지 아니하는 일, 도박과 술을 좋아하여 부모를 돌보지 아니하는 일, 재화(財貨)와 처자만을 좋아하여 부모를 돌보지 아니하는 일, 유흥(遊興)을 좋아하여 부모를 욕되게 하는 일, 성질이 사납고 싸움을 잘하여 부모를 불안하게 하는 일. ②품행이 방정하지 못한 일, 임금을 불충하게 섬기는 일, 관리가 되어서 임무를 소홀히 여기는 일, 친구끼리 믿음이 없는 일, 전장(戰場)에서 용기가 없는 일의 다섯 가지 불효.

오붓-이 부 오붓하게.

오붓-하다 형여불 ①허실(虛失)이 없이 필요한 것만 있다. ¶집안 식구끼리의 오붓한 놀이. ②살림이 포실하다. ¶오붓한 살림.

오브레히트 [Obrecht, Jacob] 명〖사람〗플랑드르(Flandre)의 작곡가. 플랑드르 악파(樂派) 중기(中期)의 대표적 음악가로 교회 음악에 많은 작품을 남김. [1450?-1505]

오브루체프 [Obruchev, Vladimir Afanas'evich] 명〖사람〗소련의 지리·지질학자. 1886년 이후 러시아령 투르키스탄(Turkistan)·시베리아·내륙 아시아의 각지를 조사 여행하고, 지질과 자원의 상태를 상세히 연구함. 주저(主著)에 ≪시베리아의 지질학적 연구사(研究史)≫가 있음. [1863-1956]

오브스트럭션 [obstruction] 명〖정〗의사 방해(議事妨害).

오브시치나 [obshchina] 명〖사〗원시 사회(原始社會)에 특유한 씨족 공동체·가족 공동체를 포함한 사회 공동체 일반을 뜻하는 말. 좁은 뜻으로는, 20세기 초두까지 러시아의, 주로 대(大)러시아 지방에 널리 존재하던 농촌 공동체를 이름.

오브신: 북 [obscene book] 명 음탕한 책. 외설(猥褻)한 책.

오브신: 픽처 [obscene picture] 명 음탕한 그림·사진. 춘화도(春畫圖).

오브제 [프 objet] 명〖예〗[객체, 물체의 뜻] 다다이즘(dadaisme)·쉬르레알리슴(surréalisme) 등의 전위(前衛) 예술에 있어서, 상징·몽환(夢幻)·괴기적(怪奇的) 효과를 얻기 위해 쓰이는 재료. 돌·차바퀴·머리털 등 여러 가지가 있음. 특히, 꽃꽂이에 있어서는 꽃 이외의 재료를 말함. 또, 그것을 사용한 조형(造形) 미술.

오브젝트 [object] 명 ①〖언〗목적어 ②객관. 객체. 대상.

오브젝트 볼: [object ball] 명 당구에서, 큐 볼로 맞히려는 공.

오븐¹ 관 〈방〉 옹근(함경).

오븐² [oven] 명 조리(調理) 기구의 하나. 밀폐(密閉)하여 상하 좌우에서 열을 보내어 재료를 굽는 요리 기구. 균일(均一)하게 가열(加熱)할 수 있는 것으로 비스킷·로스트 치킨 등을 만드는 데 쓰임. 전기 오븐과 가스 오븐이 있음.

오븐-토스터 [oventoaster] 명 주로 빵을 굽는 오븐형의 전기 기구.

오블라:투 [포 oblato] 명 전분으로 만든 얇은 원형 박편(薄片) 또는 삼각형의 낭체(囊體). 써서 먹기 어려운 산약(散藥)이나, 캐러멜 등을 싸는 데 씀.

오블로모프 [Oblomov] 명〖책〗[쓸모없는 인간의 뜻] 러시아의 작가 곤차로프(Goncharov)가 지은 장편 소설. 1859년에 발표. 착한 마음과 재능이 있으면서 전혀 실행력·결단력이 없는 청년 귀족 오블로모프의 덧없는 생애를 그림. 이로부터 '사회적인 불구자'의 대명사(代名詞)가 됨.

오블리가토 [이 obbligato] 명〖악〗필요 불가결한 성부(聲部) 또는 악기. 전(轉)하여, 독창이나 독주의 음악적 효과를 높이기 위하여, 반주 이외에 어떤 선율(旋律)을 협주하는 일. 조주(助奏).

오블리게이션 [obligation] 명 ①의무. 본분. 책임. ②채무. 부담.

오:비¹【奧秘】명 ①가장 깊은 비밀. ②가장 깊은 뜻.

오: 비:²【O.B.】명 [old boy의 약칭] 학교를 졸업한 사람으로 구성하는 팀. 또, 그 구성원. 노동(老童).

오: 비:³【OB】명 [out bounds ball의 약칭] 골프에서, 아웃 바운즈에 공을 쳐 넣는 일.

오비 강【一江】[Ob'] 명〖지〗러시아 중앙부 서(西)시베리아의 강. 알타이 산맥에서 발원하여 서북으로 흘러 북극해의 오비 만(灣)에 들어감. 중·하류에서는 광대한 하곡(河谷)을 가지고 많은 분류(分流)를 이루며 주운(舟運)은 약 3,500 km까지 가능함. [5,568 km]

오비다 타 ①구멍이나 틈의 속을 갉다. 쓰호비다. <우비다. ②〈소아〉 때리다. ¶그 자식 까불면 오벼라.

오비-도【烏飛島】명〖지〗경상 남도의 남해상(南海上), 통영군(統營郡) 산양면(山陽面) 풍화리(豐和里)에 위치한 섬. [1.0 km² : 303명(1984)]

오비디우스 [Ovidius Naso, Publius] 명〖사람〗고대 로마의 시인. 경묘한 기지가 풍부하여 사랑의 즐거움을 노래한 연애시(戀愛詩)로 유명하며, 작품의 양으로도 제일 많아, 로마 융성기(隆盛期)의 최대 시인임. [43 B.C.-A.D. 17]

오:-비밀【五秘密】명〖불교〗진언 밀교에서, 금강 살타(金剛薩埵)와 욕금강(慾金剛)·촉금강(觸金剛)·애금강(愛金剛)·만금강(慢金剛)의 다섯 금강 보살의 총칭. 욕·촉·애·만은 번뇌(煩惱)의 이름으로, 불덕(佛德)을 나타내므로 비밀이라 함.

오:비밀 만다라【五秘密曼陀羅】명〖불교〗진언 밀교에서, 오비밀의 존상(尊像)을 그린 만다라.

오:비밀-법【五秘密法】[一뻡] 명〖불교〗진언 밀교(眞言密敎)에서, 오비밀 만다라(曼陀羅)를 본존(本尊)으로 하여 경애(敬愛)·멸죄(滅罪)를 닦는 법.

오: 비: 브이【OBV】명 [On Balance Volume의 약칭] 거래량은 언제나 주가(株價)에 선행한다는 것을 전제로 주가를 분석하는 방법. 주가가 정체되어 있을 때 유용한 기술적 지표의 하나로, 시장이 매집(買集) 단계에 있는지 분산(分散) 단계에 있는지를 나타내는 특징이 있음.

오비 삼척【吾鼻三尺】명 자기의 곤궁이 심하여 남의 사정을 돌볼 겨를이 없음을 일컫는 말. 내 코가 석 자다.

오비어 넣:다 [一너타] 구 속을 헤치어 가면서 무엇을 욱이어 밀어 넣다. ㊀오벼 넣다. ㅆ호비어 넣다. <우비어 넣다.

오비어 파다 구 ①오비어서 깊게 파다. ②일의 속내를 자세히 캐다. ㊀오벼 파다. 1)·2):ㅆ호비어 파다. <우비어 파다.

오비에도 [Oviedo] 명〖지〗스페인 북서부, 칸타브리카(Cantábrica) 산맥의 북쪽, 비스케이 만(Biscay 灣)에 면하는 해안 평야의 중심 도시. 8세기에 창건된 도시로, 부근에 철광산이 있고, 철강·병기·화학·섬유·양조·시멘트 공업이 행하여짐. 14세기의 성당과 1604년에 창립된 대학이 있음. [195,673명(1992)]

오비 이락【烏飛梨落】명 우연한 일치로 남의 혐의를 받게 됨을 비유하는 말. 까마귀 날자 배 떨어지다. *까마귀.

오비 일색【烏飛一色】[一쌕] 명 날고 있는 까마귀가 모두 같은 빛깔이라는 뜻으로, 모두 같은 종류 또는 피차 똑같음을 이르는 말.

오비작-거리다 타 계속해서 오비다. ㅆ호비작거리다. <우비적거리다. 오비작-오비작 부. ——-하다 타(여불)

오비작-대다 타 오비작거리다.

오비-칼 명〈방〉호비칼.

오비 토주【烏飛兎走】명 [오(烏)는 해이고, (兎)는 달을 뜻하는 데서] 세월이 빠름을 이르는 말. *오토(烏兎).

오:비: 팀:【O.B.—】[team] 명 졸업생(卒業生)·교우(校友)들로 조직된 팀.

오-빈[1]【吳玭】명〖사람〗조선 선조(宣祖) 때의 의병(義兵). 자(字)는 영보(榮甫), 호는 성산(聖山). 함양(咸陽) 사람. 홍문관 정자(弘文館正字)로 있을 때 임진 왜란이 일어나자, 의병이 되어 고경명(高敬命)과 함께 금산(錦山) 싸움에 참가했고, 이듬해 고종후(高從厚)와 함께 의병을 모아 진주(晋州) 싸움에 참가, 성이 함락되려 할 때 김천일(金千鎰) 등과 함께 남강(南江)에 투신 자결함. [1547-93]

오-빈[2]【吳翻】명〖사람〗조선 중기의 문신. 자(字)는 빈우(賓羽), 호는 농재(聾齋). 해주 사람. 효종(孝宗) 1년(1650) 강계 부사(江界府使)가 되어 잠상(潛商)을 없애자 이들의 모함으로 아산(牙山)·연안(延安) 등지로 유배됨. 뒤에 오위장(五衛將)·공조 참의 등을 역임하고 숙종(肅宗) 11년(1685) 지중추부사(知中樞府事)에 승진, 기로소(耆老所)에 들어감. 시호는 숙헌(肅憲). [1602-85]

오빠 명 '오라버니'의 어린이 말.

오빠시 명〈방〉〖충〗땅벌❶.

오빠지 명〈방〉〖충〗땅벌❶.

오빼미 명〈방〉〖조〗올빼미(경상·강원·충청·전라).

오빼이 명〈방〉〖조〗올빼미(경남).

오:사[1]【五司】명〖역〗조선 문종(文宗) 원년(1451)에 군제(軍制)를 고치어 둔 다섯 사(司). 중군(中軍)에 의흥(義興)·충좌사(忠佐司)·충무사(忠武司), 좌군(左軍)에 용기사(龍騎司), 우군(右軍)에 호분사(虎賁司)로 함. 세조(世祖) 3년(1457)에 오위(五衛)로 고쳐짐.

오:사[2]【五事】명 ①홍범 구주(洪範九疇)의 하나. 예절상(禮節上) 다섯 가지 중요한 일. 즉, 모(貌)·언(言)·시(視)·청(聽)·사(思). ②옛 병법(兵法)상 중요한 다섯 가지의 근본 조건. 즉, 도(道)·천(天)·지(地)·장(將)·법(法). ③〖불교〗항상 조절하여야 할 다섯 가지의 중요한 일. 즉, 심(心)·신(身)·식(息)·면(眠)·식(食).

오사[3]【烏蛇】명〖동〗누룩뱀.

오:사[4]【誤死】명 형벌이나 재난을 당하여 비명(非命)에 죽음. ——-하다 자(여불)

오:사[5]【誤寫】명 잘못 베낌. 오서(誤書). ——-하다 타(여불)

오사나이 가오루 [小山内薫:おさないかおる] 명〖사람〗일본의 극작가·연출가·소설가. 히로시마(広島) 출생. 연극 연구를 위하여 유럽 여러 나라를 순유(巡遊)하고 일본의 신극(新劇) 실제 운동(運動)의 선구자로 활약하였음. 저서는 희곡 ≪제일의 세계≫ 등. [1881-1928]

오사-란【烏絲欄】명 ①검은 괘지(罫紙). 옛날 중국에서 염서(艶書)를 쓰는 데에 썼음. ②책지(冊紙)의 갓줄 아닌 선(線).

오:-사례【五謝禮】명〖천주교〗만과경(晩課經)의 한 가지. 다섯 가지 사례가 포함됨.

오-사리[1] 명 8월 초에서 처서(處暑) 때에 걸쳐서 일찍 피는 갈꽃. *중사리.

오:-사리[2]【五一】명 ①이른 철의 사리에 잡힌 해산물. ②이른 철의 사리에 잡힌 새우. 잡것이 많이 섞임.

오:사리 잡놈【五一雜一】명 ①온갖 지저분한 것을 거침없이 하는 심한 잡놈. 오색 잡놈. ②여러 종류의 불량한 잡배들.

오:사리-젓【五一】명 오사리로 담근 새우젓. ㊀오젓.

오-사모【烏紗帽】명 사모(紗帽).

오:사 문화 혁명【五四文化革命】명〖사〗1917년부터 1921년까지의 약 5년간, 오사 운동(五四運動)을 중심으로 전개된 중국의 문화 운동. 유교적(儒敎的)·봉건적인 구제도(舊制度)·구문화(舊文化)에 반대하여 천 두슈(陳獨秀)·후 스(胡適)·루 쉰(魯迅)·궈 모뤄(郭沫若) 등이 제휴(提携)하여 백화 운동(白話運動) 등을 중심으로 민주주의와 과학 정신을 표방한 신문화(新文化)의 수립과 사회의 근대화를 추진하였음. 반제(反帝)·반봉건적(反封建的) 성격을 띠고 오사 운동의 원동력이 됨. 신문화 운동이라고도 함. *오사 운동(五四運動).

오사바사-하다 형(여불) 마음이 부드럽고 사근사근하여 잔재미는 있으되 요리조리 변하기 쉽다.

오:사 배:작팔【五四倍作八】명〖수〗구귀가(九歸歌)의 하나. 다섯으로 넷을 나눔에는 그 넷을 몫 여덟으로 만들어 놓으라는 뜻.

오:사식-곡【五沙息曲】명〖악〗통일 신라 시대 옥보고(玉寶庫)가 지은 거문고 악곡 30곡 중의 한 곡.

오:사 운:동【五四運動】명〖사〗중화 민국 8년(1919) 5월 4일 북경(北京)에서 일어난 학생과 군경간의 충돌 사건으로 발단(發端)한 중국 민중의 반봉건·반제국주의 운동. 학생과 지식인을 중심으로 시작되었으나 나중에 상인(商人)·노동자도 참가하여 전국적 대중 운동으로 발전하고, 그 후 중국 혁명의 방향을 결정하는 운동이 되었음. *오사 문화 혁명(五四文化革命).

오:사카 [大阪:おおさか] 명〖지〗①일본 오사카 부(府)의 중앙 서부의 시(市). 부청 소재지. 오사카 만에 면한 항구 도시로 일본 제2의 도시. 1582년에 도요토미 히데요시(豐臣秀吉)가 오사카성(城)을 축성하였음. 상공업의 중심지로 철강·제지·기계·화학·방적 공업이 행하여지며, 무역 또한 매우 활발함. 일본 국유 철도(國有鐵道)의 중요 지역이며 사유(私有) 철도의 중심지(中心地)를 이룸. 2차 대전 때 시역(市域)의 3분의 1이 전재(戰災)를 입었음. [2,506,368명(1992)] ②오사카 부(府).

오:사카 부【一府】[大阪:おおさか] 명〖지〗일본 긴키(近畿) 지방 중부의 부(府). 33시 5군. 서부는 오사카 만에 연한 오사카 평야이고 요도가와 강(淀川)·야마토 강(大和川)의 삼각주에 있으며, 동부와 남부는 산지이나 채소·화초·과수 등 원예 농업이 행하여지며, 오사카 중심의 대공업 지대에서는 기계·조선(造船)·전기 기기(電氣機器)·화학·각종 금속·방적·직물·석유 화학 등의 공업이 발달하였음. 부청(府廳) 소재지는 오사카 시(大阪市). [1,883.84 km²: 8,552,322명(1992)]

오:삭 거려【五朔居廬】명 상제가 다섯 달 동안 여막에서 거처하는 일.

오삭-거리다 자〈방〉와삭거리다. 오삭-오삭[1] 부. ——-하다 자

오삭-오삭[2] 부 오슬오슬. ——-하다 형(여불)

오:산[1]【五山】명 다섯의 명산. ①화산(華山)·수산(首山)·태실(太室)·대산(岱山)·동래(東萊). ②발해(渤海)의 동쪽에 있다는 신선이 산다는 다섯의 산. 대여(代輿)·원교(圓嶠)·방호(方壺)·영주(瀛洲)·봉래(蓬萊). ③〖불교〗인도에서, 기원 정사(祇園精舍)·죽림(竹林) 정사·대림(大林) 정사·녹원(鹿園) 정사·나란타사(那爛陀寺)를 말함. ④〖불교〗중국 송대(宋代)의 경산사(徑山寺)·광리사(廣利寺)·천동 경덕사(天童景德寺)·영은사(靈隱寺)·정자사(淨慈寺)를 말함.

오:산[2]【五山】명〖사람〗차천로(車天輅)의 호(號).

오산[3]【烏山】명〖지〗경기도 남서부에 위치한 한 시. 6개동. 동·서·북은 화성군(華城郡), 남쪽은 평택시(平澤市)와 접함. 행정 구역 개편으로 1989년 1월 옛 화성군 오산읍(邑)이 오산시로 승격함. 원예·낙농이 성하며, 섬유·화학·전기 전자 공업이 활발함. 경부선·경부 고속도로가 지나는 교통의 요지로, 군용(軍用) 비행장이 있고, 궐리사(闕里祠)·세마대(洗馬臺)·유엔군 초전(初戰) 기념비 등이 유명함. [42.51 km²: 69,497명(1996)]

오:산[4]【誤算】명 ①잘못 셈함. 또, 그 셈. ②잘못한 추정(推定). 잘못 봄. 오계(誤計). ¶그것은 나의 ~이었다. ——-하다 타(여불)

오산[5]【鼇山·鰲山】명〖민〗산대놀음.

오:산-집【五山集】명〖책〗조선 시대 때의 문장가인 오산(五山) 차천로(車天輅)의 시문집. 저자가 죽은 뒤 오래도록 간행하지 못하던 것을 정조(正祖)가 평안 감사 홍양호(洪良浩)에게 명하여 유문(遺文)을 수집 교정(校訂)하여 평안 감영(監營)에서 간행함. 8권 4책.

오:산 학교【五山學校】명 대한 제국 시대, 광무(光武) 11년(1907)에 이승훈(李昇薰)이 평안 북도 정주군(定州郡) 오산면(五山面)에 창립한 사립 중등 학교. 해방 후에, 서울의 오산 중·고등 학교가 됨.

오:산화 바나듐【五酸化一】[vanadium] 명〖화〗메타 바나딘산 암모늄(meta vanadin酸 ammonium)을 가열하여 만든 다갈색(茶褐色)의 유독성(有毒性) 분말. 물에 잘 녹지 아니하고, 양쪽성 산화물이어서 알칼리·산(酸)에는 녹음. 녹는점 690℃. 황산(黃酸) 제조 등에 촉매로 쓰임. 통칭: 바나듐산 무수물(無水物). [V_2O_5]

오:산화 비스무트【五酸化一】명 [bismuth pentoxide]〖화〗산화 비스무트❷.

오:산화 안티몬【五酸化一】명 [antimony pentoxide]〖화〗산화 안티몬❸.

오:산화 요오드【五酸化一】명 [iodine pentoxide]〖화〗백색 결정으로, 물에는 잘 녹으나 순알코올·에테르·클로로포름에는 녹지 않음. 실내 온도에서 일산화 탄소를 이산화 탄소로 산화(酸化)하기 위한 산화제, 유기물 합성 등에 쓰임.

오:산화 이:비소【五酸化二砒素】명 [diarsenic pentoxide]〖화〗산화 비소❷.

오:산화 이:안티몬【五酸化二一】명 [diantimony pentoxide]〖화〗산화 안티몬❸.

오:산화 이:인【五酸化二燐】명 [diphoshorus pentoxide]〖화〗오산화

인.

오:산화 이:질소【五酸化二窒素】[ㅡ쏘] 명 〔dinitrogen pentoxide〕〖화〗 산화 질소❹.

오:산화 이:크롬【五酸化二ㅡ】 명 〔dichromium pentoxide〕〖화〗 산화 크롬❹.

오:산화-인【五酸化燐】 명 〔diphosphorus pentoxide〕〖화〗 오산화 이인. 인(燐)이 연소(燃燒)할 때 생기는 흰 빛깔의 가루. 물과 반응하여 각종 인산(燐酸)의 혼합물을 만들며, 탈수력(脫水力)이 강하고 피부에 닿으면 화상(火傷)과 같은 증상을 일으키는데, 탈수제(脫水劑)로서 사용됨. 인산 무수물(燐酸無水物). 십산화 사인(十酸化四燐). [P_2O_5 또는 P_4O_{10}] 「질소❹.

오:산화 질소【五酸化窒素】[ㅡ쏘] 명 〔nitrogen pentoxide〕〖화〗 산화

오:살[1]【五殺】 명 〖역〗 사형(死刑)의 일종. 주로 역적(逆賊)을 처형할 때 사용한 형벌로, 죄인의 머리를 찍어 죽인 다음 팔다리를 베었음. ¶ ~을 할 놈.

오:살[2]【誤殺】 명 살의(殺意) 없이 잘못하여 죽임. ——-하다 타여불

오살[3]【鏖殺】 명 모두 무찔러 죽임. ——-하다 타여불

오-삼계【吳三桂】 명 〖사람〗 중국 명나라 말년 산하이관(山海關)의 진장(鎭將). 자는 장백(長白). 산시(陝西)에서 이자성(李自成)이 반란을 일으켜 명조(明朝)를 멸망시킨 것을 보자, 즉시 청조(淸朝)의 중국 정복을 원조하였음. 청(淸)나라 세상이 되자 윈난(雲南) 지방을 차지하여 독립국과도 같은 세력을 자랑하더니 1673년에는 경정충(耿精忠)·상지신(尙之信)과 삼번(三藩)의 난을 일으키었으나 실패하였음. [1612-78]

오:삼 배:작륙【五三倍作六】[ㅡ늑] 명 구귀가(九歸歌)의 하나. 셋을 다섯으로 나눔에는 셋을 곱 여섯으로 만들어 놓으라는 뜻.

오:삼십 사:건【五三十事件】[ㅡ껀] 명 〖역〗 1925년 5월 30일 중국 상해(上海)에서 일어난 반영(反英) 운동. 상해(上海)에 있는 일본계(日本系) 방적 공장의 파업에 합류한 노동자와 학생의 데모대에 대해서 영국 관헌(官憲)이 발포하여 사상자를 낸 사건. 이를 계기로 외국 상품의 불매(不買) 운동과 반제(反帝) 투쟁이 전국에 파급됨.

오:상[1]【五相】 명 〖불교〗 불교의 진언 행자(眞言行者)가 초발심(初發心)으로부터 성불(成佛)에 이르기까지 수습(修習)하는 다섯 단계(段階)의 수행(修行). 곧, 통달 보리심(通達菩提心)·수보리심(修菩提心)·성금강심(成金剛心)·증금강심(證金剛心)·불신 원만(佛身圓滿).

오:상[2]【五常】 명 ①오륜(五倫). ②인(仁)·의(義)·예(禮)·지(智)·신(信)의 일컬음. ③아버지는 의리로, 어머니는 자애(慈愛)로, 형은 우애(友愛)로, 아우는 공경(恭敬)으로, 자식은 효도(孝道)로 대하여야 할 마땅한 길. 오전(五典). ④〖불교〗 오계(五戒).

오:상[3]【五傷】 명 〖천주교〗 그리스도가 수난(受難)한 때 입은, 양손·양발 및 옆구리의 다섯 상처.

오-상[4]【吳祥】 명 〖사람〗 조선 시대 중기의 문신. 자는 상지(祥之), 호는 부훤당(負暄堂). 해주 사람. 김안국(金安國)의 문인. 중종(中宗) 33년(1538) 사가 독서(賜暇讀書)하고, 헌납(獻納)·지평(持平) 등 벼슬을 거쳤음. 명종(明宗) 6년(1551) 청백리(淸白吏)에 녹선(錄選)되어 표리(表裏)를 하사받음. 선조(宣祖) 초 북변(北邊)이 소란해지자 평안도 관찰사가 되어 이를 평정했으며, 뒤에 병조·이조·예조 및 형조 판서를 두루 역임함. 문장에도 뛰어나 당시 팔문장(八文章)의 한 사람으로 일컬어졌음. [1512-73]

오:상[5]【誤想】 명 착각으로 인한 그릇된 생각. ——-하다 타여불

오:상 고절【傲霜孤節】 명 서릿발이 심한 속에서도 굴하지 않고 외로이 지키는 절개의 뜻으로, 국화(菊花)를 비유하는 말.

오-상렬【吳相烈】[ㅡ녈] 명 〖사람〗 대한 제국 때의 항일 의병장(抗日義兵將). 전라남도 광산(光山) 출신. 1906년 전해산(全海山) 등과 의병 1천여 명을 규합, 광주(光州) 무등산(無等山), 나주(羅州) 석문산(石門山) 등지에서 일본군과 접전(接戰)하여 공을 세웠으며, 1907년 도통장(都統將)으로 나주 용진산(聳珍山)에서 45일간 싸우다가 전사함. [?-1907]

오:상-방【五相方】 명 〖역〗 〔오상(五相)은 오방(五方)을 상징한 오색(五色)의 처용(處容)의 탈〕 조선 고종(高宗) 때, 악공(樂工)들에게 처용무(處容舞)를 가르치던 장악원(掌樂院)의 한 부서.

오:상 방위【誤想防衛】 명 〖법〗 정당 방위(正當防衛)의 요건이 구비되어 있다고 오신(誤信)하여 반격(反擊)을 가하는 위법적(違法的)인 방위 행위. 일반적으로 고의범(故意犯)은 성립치 아니하나 과실범(過失犯)을 성립시켜 민법상의 손해 배상 책임을 발생시킬 때가 있음. 착각(錯覺) 방위.

오:상-범【誤想犯】 명 〖법〗 환각범(幻覺犯).

오:-상사【五上司】 명 〖역〗 조선 시대 때의 다섯 상사(上司). 곧, 의정부(議政府)와 동반직(東班職)의 돈령부(敦寧府)·의빈부(儀賓府)·충훈부(忠勳府) 및 서반직(西班職)의 중추부(中樞府)를 하사(下司)에서 일컫는 말.

오-상(:)서【吳祥瑞】 명 〖사람〗 독립 운동가. 일명 청호(淸湖). 신흥 무관학교(新興武官學校)를 졸업하고, 1920년 청산리(靑山里) 전투에 참가함. 1925년 신민부(新民府)에 가입 제2 대대장 겸 성동 사관 학교(城東士官學校) 교관이 되어 항일 투쟁을 벌이면서 대종교(大倧敎)에 입교, 상교(尙敎)를 지냄. [?-1937]

오:상 성불【五相成佛】 명 〖불교〗 오상을 닦아 부처가 되는 일. ——-하다 자여불

오:상 성신【五相成身】 명 〖불교〗 오상을 구비한 몸.

오-상순【吳相淳】 명 〖사람〗 시인. 호는 공초(空超). 서울 출생. 일본 도시샤(同志社) 대학에서 종교 철학(宗敎哲學)을 전공함. 1920년 '폐허(廢墟)' 동인으로 ≪허무혼(虛無魂)의 선언≫·≪아시아의 마지막 밤 풍경≫ 등 장시(長詩)를 발표, 당시 범람하던 서정시(敍情詩)에 사상성(思想性)을 불어넣었음. 방랑과 참선(參禪)·애연(愛煙)으로 독신 생활을 하였음. 허무(虛無)를 관념적으로 긍정(肯定)하고 그것을 의지화(意志化)하려는 면이 그의 시를 지배하고 있음. [1893-1963]

오:상-악【五常樂】 명 〖악〗 아악의 곡명. 서(序)·파(破)·급(急)이 완비된 당악(唐樂)으로, 무인(舞人) 네 명이 춤을 춤. '급(急)'의 부분은 관현(管絃) 합주의 형식이나, 종종 단독으로도 연주됨. 당(唐) 태종(太宗)의 작곡으로, 곡명은 인(仁)·의(義)·예(禮)·지(智)·신(信)의 오상(五常)에 유래한다 하나 이설(異說)도 있음.

오-상원【吳尙源】 명 〖사람〗 소설가. 평안 북도 선천(宣川) 출생. 서울 대학 불문과 졸업. 장막극(長幕劇)《녹쓰는 파편》, 단편 소설《유예(猶豫)》로 문단에 등단. 6·25 전후 세태의 사회적·도덕적 문제를 통해서 전후 세대의 정신적 좌절을 행동주의적 안목으로 주제화(主題化)함. 1950년대의 대표적 작가의 한 사람. 대표작 ≪모반(謀反)≫·≪백지(白紙)의 기록≫·≪황선 지대(黃線地帶)≫ 등. [1930-85]

오:상 피:난【誤想避難】 명 〖법〗 긴급 피난의 요건이 구비되어 있다고 오신(誤信)하여, 긴급 피난에서 허용된 행위를 행할 의식(意識)으로써 행해진 위법 침해(違法侵害). 범의(犯意)를 조각(阻却)하여 범죄가 성립하지 아니함. 착각 피난(錯覺避難).

오:색[1]【五色】 명 ①청색·황색·적색·백색·흑색의 다섯 가지 빛깔. 오채(五彩). ②여러 가지 빛깔.

오:색[2]【汚色】 명 지저분하거나 더러운 빛깔.

오:색[3]【傲色·慠色】 명 오만(傲慢)한 기색.

오:색 경:단【五色瓊團】 명 콩가루·푸르대콩가루·삶은 밤 가루·검은 깨 가루·계피(桂皮) 가루 등의 다섯 가지 고물을 따로따로 묻힌 경단.

오:색 금룡기【五色金龍旗】[ㅡ뇽ㅡ] 명 〖역〗 의장기(儀仗旗)의 하나.

〈오색 금룡기〉

오:색-기【五色旗】 명 〖역〗 ①의장기(儀仗旗)의 하나. ②중화 민국 성립(1912) 이후 국민 정부 성립(1928) 때까지 사용하던 중화 민국의 국기(國旗). 한(漢:적색)·만주(滿洲:황색)·몽고(蒙古:남색)·회흘(回紇:백색)·티베트(흑색)의 오족 공화(五族共和)를 상징함.

오:색-나비【五色ㅡ】 명 〖충〗 [*Apatura ilia*] 네발나빗과에 속하는 곤충. 편 날개의 길이 70mm 내외로 날개는 흑갈색에 자색 광택이 나는데 바깥 가에는 황갈색 반점의 줄무늬가 있고 그 안쪽에 여섯 개의 황갈색 무늬가 있으며 중앙실(中央室)에는 네 개의 흑색 반문이 있음. 뒷날개 중앙에 황갈색의 비스듬한 띠무늬가 있고, 후각(後角) 안쪽에 흑갈색 무늬가 한 개 있음. 유충은 녹색에 한 쌍의 뿔이 있고 버드나무류의 잎을 먹음. 유충으로 월동함. 성충은 난지(暖地)에서는 6월과 9월에 2회, 한지(寒地)에서는 7월에 1회 발생함. 수액(樹液)·과실·길가의 습지에 모이는데, 한국·일본·중국·시베리아·유럽에 분포함. *번개오색나비.

〈오색나비〉

오:색 단갑【五色段甲】 명 〖역〗 정대업(定大業) 춤에 쓰는 갑옷. 오색 비단으로 만드는데, 푸른 갑옷과 검은 갑옷에는 안팎 소맷부리에 분홍 비단의 선(線)을 대고, 붉은 갑옷에는 녹색으로, 누른 갑옷과 흰 갑옷에는 붉은 빛으로 대며 겉소맷부리와 아랫도리에 오색 술을 붙임.

오:색 단청【五色丹靑】 명 ①오색으로 칠한 단청. ②오색의 칠.

오:색 대:하【五色帶下】 명 〖한의〗 여러 가지 빛깔로 섞이어 나오는 대하증의 하나.

오:색-딱따구리【五色ㅡ】 명 〖조〗 [*Dryobates majorhondoensis*] 딱따구릿과에 속하는 새. 날개 길이 13cm, 부리는 3cm 가량이고 혀는 매우 긺. 몸의 상면(上面)은 흑색에 백색 반문이 있고 뒷머리는 선홍색, 하면은 전부 오백색(汚白色)이며 아랫배 이하는 홍색임. 날개와 꽁지에는 여러 줄의 흰 가로띠가 있고 목 옆에는 검은 띠가 한 줄씩 있음. 나무 줄기에 구멍을 파고 벌레를 잡아먹고, 예닐곱 개의 알을 낳으며, 나무를 쪼아 소리를 울림. 한국·일본 사할린에 드물게 분포함. 보호조임. 적탁목(赤啄木).

오:색-리【五色痢】[ㅡ니] 명 〖한의〗 여러 가지 빛깔이 섞인 적백리(赤白痢).

오:색 무주【五色無主】 명 공포(恐怖)에 사로잡혀 연달아 안색(顔色)이 여러 가지로 변함. ——-하다 자여불

오:색 문기【五色門旗】 명 〖역〗 대기치(大旗幟)의 한 가지. 수효는 열을 씀.

〈오색딱따구리〉

오:색-선【五色線】 명 ①청색·황색·적색·백색·흑색의 다섯 가지의 빛깔의 선. ②여러 가지 빛깔의 선.

오:색-실【五色ㅡ】 명 ①청색·황색·적색·백색·흑색의 다섯 가지 빛깔의 실. ②여러 가지 빛깔이 어울려 알록달록한 실.

오:색 영롱【五色玲瓏】[ㅡ농] 명 여러 가지 빛깔이 한데 섞이어 찬란함. 오채 영롱(五彩玲瓏). ——-하다 형여불

오:색-운【五色雲】 명 〖건〗 오색으로 칠한 구름 무늬.

오:색 잡놈【五色雜ㅡ】 명 ①온갖 짓을 다 하는 잡놈. 오사리 잡놈. ②여러 종류의 잡놈.

오:색 찬:란【五色燦爛】[ㅡ찰ㅡ] 명 여러 가지 빛깔이 한데 섞이어 황홀하고 아름다움. ——-하다 형여불

오:색-필【五色筆】 명 〔중국 남조(南朝)의 양(梁)의 시인 강엄(江淹)이 꿈에 나타난 한 남자에게 5색의 붓을 도로 바친 후로 미구(美句)를 생각해 내지 못했다는 고사에서〕 시구(詩句) 문장의 교묘한 상(想).

오:색 한:삼【五色汗衫】 명 〖역〗 여자의 예장(禮裝)에나 무기(舞妓)들

이 사용하는 빨강·노랑·초록·파랑·하양 등 오색(五色)의 색동 헝겊으로 만든 한삼(汗衫).

오:색화 나물【五色花一】명 국수버섯을 간장이나 소금에 절이어 눌러 짠 뒤에, 미나리를 소금에 절이어 기름에 볶은 것과 배를 채친 것과 넘나물·도라지·기름에 볶은 표고·편육이나 저육을 넣고, 간장·기름·깨소금·후춧가루·설탕 등을 치고 한데 주물러서 그릇에 담고, 고명을 위에 얹은 잡채의 한 가지.

오:색 화산【五色花轍】명〖역〗의장(儀仗)의 하나. 모양이 일산(日傘)과 같되 가에 휘장(揮帳)을 둘러 달았으며, 전체에 각색 꽃무늬를 놓았음.

〈오색 화산〉

오:생¹【午生】명〖민〗태세(太歲)의 지지(地支)가 오(午)로 된 해에 난 사람.

오:생²【五生】명〖불교〗다섯 번 다시 태어나는 일.

오:생³【五牲】명 제물(祭物)로 쓰는 다섯 가지 짐승. 곧, 사슴·고라니·본노루·이리·토끼.

오:서¹【五瑞】명〖역〗중국에서 옛적에 제후(諸侯)를 봉할 때에 공(公)·후(侯)·백(伯)·자(子)·남(男)의 등급을 따라 주던 규(圭)와 벽(璧). 오옥(五玉).

오:서²【五署】명〖역〗조선 시대말 내부(內部)의 경무청(警務廳)에 딸려 서울 안에 설치한 다섯 경무서(警務署). 동·서·남·북·중의 다섯 곳이며, 고종 31년(1894)에 세워 융희(隆熙) 4년(1910)에 폐합.

오:서³【誤書】명 글씨를 잘못 씀. 또, 그 글씨. 오사(誤寫). ——-하다 타여불

오서⁴【鼯鼠】명〖동〗날다람쥐❶.

오서-각【烏犀角】명 코뿔소의 뿔. *서각(犀角).

오:서 낙자【誤書落字】명 오자 낙서(誤字落書). ——-하다 자여불

오:서독스〔orthodox〕명 정통파(正統派). 정통적. ——-하다 형여불

오:서독스 러버〔orthodox rubber〕명 탁구 라켓의 하나. 표면(表面)에 작은 돌기(突起)가 달린 고무판을 붙였음. 제2차 세계 대전 후에 많이 쓰임.

오:서 자내【五署字內】명〖역〗조선 시대말 서울 오서(五署)의 구역 안.

오:서-테스트〔orthotest〕명 기계식 정밀 비교 측정 장치의 하나. 측정기의 미소 변위(微小變位)를 지레로 확대하여 그 끝의 부채꼴 톱니바퀴 및 작은 톱니바퀴를 거쳐 같은 축(軸) 위의 지침(指針)의 진동으로 관측하게 되어 있음.

오:서팬 필름〔orthopan film〕명 정색성(整色性) 필름보다 더 파장(波長)이 긴 쪽, 곧 붉은 색에 가까운 쪽으로 잘 감광(感光)하는 필름.

오:석¹【五石】명 옛 중국에 있어서의 다섯 가지 약석(藥石). 곧, 석층(石層)·단사(丹砂)·웅황(雄黃)·백반(白礬)·청자석(青磁石).

오석²【烏石】명〖광〗흑요암(黑曜岩).

오:선¹【五善】명 ①사술(射術)에 있어서의 다섯 가지 선덕(善德). 곧, 화지(和志)·화용(和容)·주피(主皮)·화송(和頌)·흥무(興武). ②〖불교〗오계(五戒)를 잘 지키는 일.

오:선²【五線】명〖악〗악보(樂譜)에 쓰이는 다섯 줄의 평행선. 다섯 줄.

오:선-패【五線牌】명〖인쇄〗5선을 인쇄하는 데 쓰이는 괘. 악보 괘.

오:선-보【五線譜】명〖악〗악보의 한 가지. 다섯 개의 횡선(橫線)에 의하여 음(音)의 고저와 음 및 휴지(休止)의 장단 등 악곡의 구조나 연주법(演奏法)을 나타냄. 17세기 유럽에서 완성되어, 오늘날 기보법(記譜法)으로서 세계적으로 보급 사용됨.

오:선 선로【五線線路】[一설一] 명〖전〗정사각형의 네 구석에 위상(位相)이 있는 넉 줄의 도선(導線)이 있고, 정사각형의 중앙에 위상이 다른 도선이 있는 송전선(送電線).

오:선-주【五仙酒】명 오갈피와 어아리·쇠무릎·삽주·소나무의 마디를 넣어 빚은 술.

오:선-지【五線紙】명〖악〗악보(樂譜)를 그리기 위하여 다섯 줄씩 띄어서 줄을 그은 종이.

오섬-가【烏蟾歌】명〖악〗조선 고종(高宗) 때 신재효(申在孝)가 지은 단가(短歌) 중의 하나. 금오(金烏)와 옥섬(玉蟾)이 마주 앉아 주고 받는 인간의 울고 웃는 사랑과 슬픔을 노래한 것임.

오섭-선【烏摺扇】명 ☞ 오접선.

오:성¹【五性】명 사람의 다섯 가지 성정(性情). 곧, 기쁨·노함·욕심·두려움·근심.

오:성²【五星】명 ①〖천〗금성(金星)·목성(木星)·수성(水星)·화성(火星)·토성(土星)의 다섯 별. ②〖민〗풍수 지리(風水地理)에서 산의 모양을 금·목·수·화·토의 다섯 별에 비하여 이르는 말.

오:성³【五聖】명 ①고대 중국의 다섯 성인(聖人). 곧, 황제(黃帝)·요(堯)·순(舜)·우(禹)·탕왕(湯王). ②문묘(文廟)에 합사(合祀)하는 다섯 성인(聖人). 곧, 공자(孔子)·안자(顏子)·증자(曾子)·자사(子思)·맹자(孟子).

오:성⁴【五聲】명〖악〗오음(五音).

오:성⁵【悟性】명〔도 Verstand〕①〖심〗개념의 형성과 판단에 소요되는 마음의 능력. 지성(知性). ②〖철〗감성적 소여(感性的所與)를 대상으로 하여 그것에서 개념을 구성하고 판단 및 추론(推論)을 행하는 정신 활동 논리의 규칙에 따라 사고(思考)하는 능력. 칸트 철학(Kant 哲學)에서는 인식의 두 가지 제약(制約) 가운데 추상적 개념(抽象的概念)을 이루게 하는 제약을 말하며, 오성 상대적이고 유한(有限)한 것으로 경험계(經驗界)에만 관계되는 지성(知性)임. ↔ 감성(感性).

오:성 각별설【五性各別說】명〖불교〗유식 불교(唯識佛敎)에서 제시하는 다섯 가지 인간 유형(類型). 곧, 성문 정성(聲聞定性)·독각 정성(獨覺定性)·보살 정성(菩薩定性)·부정 정성(不定定性)·무유 정성(無有定性).

오:성 개:념【悟性概念】명〖철〗범주(範疇)❷.

오:성-계【悟性界】명〖철〗예지계(叡智界).

오성과 한음【鰲城一漢陰】명 조선 선조(宣祖) 때의 명신(名臣)이며 일화가 많은 친구였던 오성 이항복(李恒福)과 한음 이덕형(李德馨)을 함께 일컫는 말.

오:성-기【五星旗】명〖역〗의장기(儀仗旗)의 한 가지. 삼각 기폭에 동그라미를 그렸음.

〈오성기〉

오:성-론【悟性論】[一논] 명〖철〗감성적 소여(感性的所與)로 이루어진 경험 위에 개념의 통일을 이루는 이성(理性)의 능력이 오성이라는 주장. 곧, 모든 진리(眞理)의 인식(認識)은 오성의 선천적 작용으로 이루어진다는 이론. 이성론(理性論). 주리론(主理論). 순리론(純理論). 합리론(合理論).

오:성-산【五聖山】명〖지〗강원도 김화군(金化郡) 근동면(近東面)과 근북면(近北面) 사이에 있는 산. [1,062 m]

오:성 십이루【五城十二樓】명 ①신선(神仙)의 거처. ②천상(天上)의 백옥경(白玉京)에 있다는 성루(城樓).

오:성 장군【五星將軍】명 계급장(階級章)의 별이 다섯 달린 장군. 곧, 원수(元帥).

오:성-제【五星祭】명〖역〗신라 시대에 국가에서 지내는 오성(五星)에 대한 제사.

오성-진【吳城鎭】명〖지〗'우청전'을 우리 음으로 읽은 이름.

오:성 철학【悟性哲學】명〔도 Verstandesphilosophie〕〖철〗변증법(辨證法)의 견지(見地)에서 보아 아직 그 절대 부정(絕對否定)의 단계(段階)에까지 깊이 들어가지 않은 단순한 상대 부정(相對否定)의 견지에 서는 철학. 범주적 사유(範疇的思惟), 곧 오성만에 의하여 형식 논리적 동일률(同一律)에 기인(基因)하여 고찰(考察)하려는 철학적인 견지. 반성(反省) 철학.

오:성 형식【悟性形式】명〔도 Verstandesformen〕〖철〗칸트 철학에 있어서 직관 형식(直觀形式). 곧, 시간과 공간에 대하여 자연 인식(自然認識)을 구성하는 형식을 일컫는 말. 오성 개념(悟性概念). 범주(範疇).

오:성 홍기【五星紅旗】명 붉은 바탕에 다섯 개의 별을 그린 중국의 국기. 왼쪽 위의 큰 별은 중국 공산당을, 4개의 작은 별은 노동자·농민·지식 계급·애국적 자본가의 4계급을 상징하는 것이라 함. 1949년에 제정. *청천 백일 만지홍기(青天白日滿地紅旗).

오:세【汚世】명 더러운 세상. 탁세(濁世).

오세미 명〈방〉무당.

오세아니아〔라 Oceania〕명〖지〗①남태평양에 산재하는 섬들의 총칭. 멜라네시아(Melanesia)·폴리네시아(Polynesia)·미크로네시아(Micronesia)로 나뉨. ②육대주(六大洲)의 하나. 멜라네시아·폴리네시아·미크로네시아 및 오스트레일리아·뉴질랜드를 포함하는 섬들과 대륙으로 이루어진 지역의 총칭. 대양주(大洋洲).

오세인〔osseine〕명 뼈를 염산(塩酸)에 녹였을 때 생기는 유기 잔사(有機殘渣). 아교·젤라틴 제조에 쓰임.

오-세(:)재【吳世才】명〖사람〗고려 후기의 한문학자. 자는 덕전(德全). 고창(高敞) 사람. 벼슬하기를 싫어하여 이인로(李仁老)를 좇아 임춘(林椿)들과 사귀어 해좌 칠현(海左七賢)이라 일컬어졌으며, 죽림 고회(竹林高會)를 조직하였음.

오-세(:)창【吳世昌】명〖사람〗민족 대표 33인의 한 사람으로, 언론인·서예가. 서울 출생. 자(字)는 중명(仲銘), 호는 위창(葦滄). 경석(慶錫)의 아들. 고종 23년(1886) 박문국 주사(博文局主事)가 되어 한성 순보(漢城旬報) 기자를 겸하고, 그 뒤 농상공부 참의(農商工部參議)·우정국 통신국장(郵政局通信局長)을 역임함. 경술 정변(庚戌政變) 이후 천도교에 입교(入敎)하여 만세보(萬歲報)와 대한 민보(大韓民報)의 사장을 지냄. 3·1 운동 때 손병희와 더불어 기미 독립 선언에 참가함. 해방 후 서울신문사 사장·한국 민주당 당수를 지냄. 서도(書道)에도 능하여 전서(篆書)와 예서(隸書)에 뛰어났으며, 서화(書畫)의 감식(鑑識)에 조예가 깊었음. [1864-1953]

오세트-어【一語】〔Osset〕명 인도 유럽 어족(語族)의 이란어파(派)에 속하는 언어. 고립적으로 카프카스(Kavkaz) 지방에서 쓰이며, 동서 두 방언이 있으나, 문헌은 주로 동쪽 것에 한해 있음. 한때는 남러시아 지역에 널리 분포해 있었음.

오셀로〔Othello〕명 ①〖책〗셰익스피어의 사대 비극의 하나. 무어인(Moor 人)의 장군 오셀로가 부관(副官) 이아고의 간계에 넘어가, 명문 집안의 딸인 아내 데스데모나의 정조를 의심하여 그를 죽이나, 후에 진상을 알고 후회와 분노에 못이겨 이아고를 죽이고 자살한다는 줄거리. 1604년에 초연(初演)되었음. ②〖악〗베르디(Verdi)가 작곡한 가극. 1886년에 초연되었음.

오셀로 게임〔Othello+game〕명 가로 세로 8칸씩 64칸으로 된 판에서 두는 게임의 한 가지. 앞뒤를 흑과 백으로 칠한 원형의 말을 번갈아 두되, 상대방의 말을 내 말 사이에 끼우면 잡아서 내 말의 색깔로 바꾸기를 반복하여, 모든 칸이 다 메워지면 말 색깔의 수(數)에 따라 승패를 겨룸. 상품명.

오:션 섬〔Ocean〕명〖지〗태평양 중서부에 있는 키리바시령(Kiribati 領)의 섬. 융기 산호초도(隆起珊瑚礁島)로서 인광석(燐鑛石)이 풍부함. 섬 이름은 1804년 영국 선박 오션 호(號)가 발견한 데서 유래함. [5.2 km²: 2,300명(1980)]

오소¹【嗷訴】명 강소(強訴). ——-하다 타여불

오소:²【OSO】명〔Orbiting Solar Observatory의 약칭〕미국의 태양 관

측용 인공 위성. 대기권 밖으로 나가, 태양으로부터의 가시 광선(可視光線)·자외선·X선·전파·코로나·황도광(黃道光) 따위를 관측함. 제1호는 1962년 3월 7일 발사.

오:-소경【五小京】명〖역〗신라 때의 다섯 작은 서울. 곧, 김해(金海)의 금관 소경(金官小京), 충주(忠州)의 중원경(中原京), 원주(原州)의 북원경(北原京), 청주(淸州)의 서원경(西原京), 남원(南原)의 남원 소경(南原小京).

오소르노〔Osorno〕명〖지〗칠레 중남부 오소르노 주(州)의 주도(州都). 혼합 농업지의 중심으로, 소·보리·감자 등이 생산됨. 관광지로도 이름이 높음. 19세기 중엽 이래 독일 이민이 많음. [120,000명(1980)]

오소르노 산【一山】〔Osorno〕명〖지〗칠레 중남부 오소르노 시의 남동방에 있는 화산. 아름다운 원추(圓錐) 화산이며, 정상부(頂上部)는 항상 눈에 덮여 있음. 1869년 이후 활동을 멈추었다가 1960년에 다시 폭발함. [2,660 m]

오소리 명〖동〗[*Meles meles melanogenys*] 족제빗과에 속하는 짐승. 너구리와 비슷한데, 몸길이 40-50 cm, 꼬리 13 cm 가량이고, 몸의 배면(背面)은 갈색이며 털 끝에 회백색의 털이 섞여 있어 서리를 맞은 것 같음. 꼬리는 회갈색, 몸의 하면과 사지(四肢)·주둥이·머리 앞은 흑갈색(黑褐色)이나 여름과 겨울에 따라 몸빛이 다름. 밤에 나무 뿌리·과실·종자·곤충·뱀·쥐·토끼 등을 잡아먹는 잡식성(雜食性)이며, 2-4월에 서너 마리의 새끼를 굴 속에 낳음. 낮은 산의 숲 속에 서식하는데, 한국·일본·중국·만주·유럽 등지에 분포함. 모피는 방한구(防寒具)·모필(毛筆)·솔의 재료, 고기는 식용함. 환돈(貛㹠). 토저(土豬). 토웅(土熊).

〈오소리〉

오소리 감투 명 오소리의 가죽에 털이 있는 채로 만든 벙거지.
[오소리 감투가 둘이다] 주간(主幹)하는 자가 둘 있어 서로 쟁권(爭權)함을 가리키는 말.

오소리-강【烏蘇里江】명〖지〗'우쑤리 강'을 우리 음으로 읽은 이름.

오:소리티〔authority〕명 ①권위(權威). 권위자(權威者). ②관헌(官憲). 당국(當局). ③근거(根據). 전거(典據).

오소소 부 깨·좁쌀 등 썩 잔 물건이 소복하게 쏟아지는 모양. ¶ 갈빗대의 앙상한 백골이 손에 닿는 대로 ~ 헤어지다. <우수수.

오소-장【於昭章】[ㅡ짱] 명 악장(樂章)의 이름.

오:속[1]【五俗】명 시작상(詩作上) 피해야 할 다섯 가지 속습(俗習). 곧, 속체(俗體)·속의(俗意)·속구(俗句)·속자(俗字)·속운(俗韻).

오:속[2]【汚俗】명 나쁜 풍속.

오:손[1]【汚損】명 더럽히고 손상함. ——**-하다** 타여불

오:손[2]【烏孫】명〖역〗중국 한대(漢代)로부터 남북조(南北朝) 초기에 걸쳐 톈산(天山) 산맥 북쪽에 있었던 유목민(遊牧民). 인종(人種)에 관해서는 여러 설(說)이 있음. 한(漢)과 흉노(匈奴)의 항쟁(抗爭)의 틈에서 지위를 굳혔으나 5세기초에 선비(鮮卑)·유연(柔然)에 압박되어 망함.

오손-도손 부 정답게 이야기하거나 의좋게 지내는 모양. <오순도순.

오솔-길 [ㅡ낄] 명 호젓한 길.

오솔-질 명〈방〉오솔길(경북·함경).

오솔-하다 형여불 사위(四圍)가 괴괴하여 무서울 만큼 호젓하다.

오솟-길 명〈방〉오솔길(함남).

오송【吳淞】명〖지〗'우쑹'을 우리 음으로 읽은 이름.

오송-강【吳淞江】명〖지〗우쑹장.

오:송-산【五松山】명〖지〗함경 남도(咸鏡南道) 풍산군(豐山郡)에 있는 산. [1,720 m]

오:쇠【五衰】명〖불교〗천인(天人)이 죽을 때 나타나는 다섯 가지의 쇠상(衰相). 곧, 몸이 빛이 나지 않고, 화만(華鬘)이 마르며, 겨드랑이에서 땀이 나고, 몸에서 더러운 냄새가 나며, 제자리를 즐겨하지 아니하는 것. 환락(歡樂)이 다하여 애정(哀情)이 극(極)한 것을 비유하는 말.

오쇼그보〔Oshogbo〕명〖지〗나이지리아 서부, 이바단(Ivadan)의 북동 80 km에 있는 도시. 카카오 가공업을 중심으로 면직물·담배 등도 산출함. [344,500명(1983)]

오:수[1]【午睡】명 낮잠. 오침(午寢).

오:수[2]【汚水】명 더러운 물. 구정물.

오수[3]【吳須】명〔asbolite〕〖공〗유약(釉藥)으로서 사용하는 남색의 안료(顔料). 원래 중국에서 천연으로 산출하는 코발트·망간·철 등을 포함하는 흑갈색의 진흙을 구운 다음 부수어서 사용하였지만 지금은 인조(人造) 오수를 사용함. 코발트토.

오수-경【烏水鏡】명 오수정(烏水晶)의 알을 박은 안경. 준오경(烏鏡).

오-수기【吳壽祺】명〖사람〗고려 시대의 장군. 고종 4년(1217) 동북면 병마사(東北面兵馬使)가 되었고, 이듬해 좌군(左軍) 병마사로서 재침해 온 거란군을 서북면 원수(西北面元帥) 조충(趙冲)과 함께 요격하여 대파, 상장군이 됨. 1219년 의주(義州)에서 일어난 한순(韓恂) 등의 반란을 김취려(金就礪)와 함께 진압, 1222년 추밀 부사(樞密副使)·공부 상서(工部尙書)가 됨. 이듬해 중방(重房)의 여러 장수들을 모아 문신(文臣)들의 제거를 모의(謀議)하다가 발각(發覺)되어 좌천, 뒤이어 살해됨. [?-1223]

오수리 명〈방〉〖동〗오소리.

오:수 부동【五獸不動】명 닭·개·사자·범·고양이가 한 곳에 모이면 서로 두려워하고 꺼리어 움직이지 못한다는 뜻.
[오수 부동격(五獸不動格)이다] 세력 범위 안에서 저마다의 분수를 지켜 간다는 말.

오-수유【吳茱萸】명〖식〗[*Evodia officinalis*] 운향과에 속하는 낙엽 활엽 교목. 가지는 '十'자 모양으로 퍼지며 잎은 우상 복생(羽狀複生)하고 소엽(小葉)은 긴 타원형에 가에는 톱니가 없음. 5-6월에 녹황색 꽃이 취산(聚繖) 화서로 정생(頂生)하고, 삭과(蒴果)는 네 개의 심피(心皮)와 오방(五房)이 있으며, 가을에 익음. 인가 부근에 심는데, 경주(慶州)에 분포함. 과실은 한방(漢方)에서 구풍(驅風)·수렴(收斂)·건위(健胃)·살충(殺蟲) 등의 약재로 씀. 약수유(藥茱萸). 준오유(吳萸).

〈오수유〉

오:수-전【五銖錢】명 중국의 한무제(漢武帝) 때 쓰던 동전. 무게가 5수(銖)(약 3.35 g)이며, '五銖'의 문자를 넣었음.

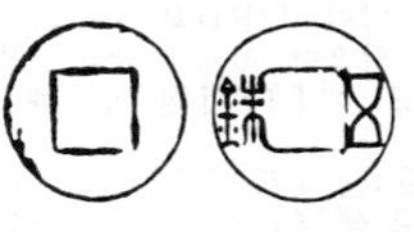
〈오수전〉

오-수정【烏水晶】명〖광〗빛이 검은 수정.

오순-도순 부 의좋게 노는 모양. 정(情)답게 얘기하는 모양. ¶ ~ 의좋게 지내는 부부(夫婦).

오:순-절【五旬節】〔라 pentecoste〕명〖성〗①구약의 삼대 축일의 하나로 유월절 후 50일째 되는 날. 유월절 다음날부터 50일째 되는 날이라 하여 이렇게 불리며, 헤브루인의 맥추절(麥秋節)이기도 함. ②성령 강림절.

오:순절-제【五巡節製】명〖역〗조선 시대 때 철을 따라 보이던 다섯 가지 과거(科擧). 곧, 인일제(人日製)·삼일제(三日製)·칠석제(七夕製)·구일제(九日製)와 황감제(黃柑製)의 총칭.

오-숭기 명〈방〉〖농〗이른모.

오슈〔Hoche, Louis Lazare〕명〖사람〗프랑스의 장군. 하사관에서 여단장(旅團長)에 이르렀고 1793-94년 모젤군(Moselle 軍) 사령관으로서 오스트리아·프로이센군과의 싸움에서 수차 공을 세웠으며, 1797년 모로(Moreau, J.V.) 장군과 함께 독일을 공략함. 당시 군인의 귀감으로 존경을 받음. [1768-97]

오스굿-병【一病】〔Osgood〕명〖의〗오스굿슐라터병.

오스굿슐라터-병【一病】〔Osgood-Schlatter〕[ㅡ뼝] 명〖의〗무릎 아래, 경골(脛骨)의 끝 부분이 붓고 아픈 병. 미국의 외과의 오스굿(Osgood, R. B.; 1873-?)과 스위스의 외과의 슐라터(Schlatter, C.)가 1903년에 처음으로 발견함. 13-17세의 남자에게 많은 경골 조면(脛骨粗面)이 돌출하여 압통(壓痛) 및 운동통(運動痛)을 느끼는 병. 장애의 원인은 외상(外傷) 및 슬개건(膝蓋腱)의 이상 견인(異常牽引)에 있다고 생각됨. 오스굿병.

오스나브뤼크〔Osnabrück〕명〖지〗서독 니더작센 주(Niedersachsen 州) 남서부의 도시. 교통의 요지(要地)로, 섬유 공업을 주로 하는 공업 도시로서 발달, 야금(冶金)·제강(製鋼)·기계 공업 등이 행하여짐. 중세기에 한자 동맹(Hansa 同盟)에 가입한 고도(古都)로서, 12-13세기의 성당, 15세기의 시청사(市廳舍)가 있음. [157,203명(1982)]

오스람〔osram〕명〖화〗〔영어의 오스뮴(osmium)과 독일어의 볼프람(Wolfram)과의 합성어〕오스뮴과 텅스텐의 합금.

오스람 전:구【一電球】〔osram〕명〖전〗오스뮴 전구를 개량하여 오스람을 발광선(發光線)으로 한 전구. 소비량이 적고 내구력이 큼.

오스 루시아다스〔포 Os Lusiadas〕명〖문〗카모잉슈(Camões)의 서사시. 마카오에서 기고(起稿)하여 1572년 완성됨. 바스코다가마의 공업(功業)을 중심으로 포르투갈의 역사의 자취를 구가(謳歌)한 것.

오스만리〔Osmanli〕명 오스만 제국을 구성한 기간적 부족. 소(小)아시아와 발칸 반도 일부에 살며, 터키 공화국의 주요 구성 분자임.

오스만-어【一語】〔Osman〕명 터키(Turkey) 공화국의 공용어(公用語). 현대 터키 공화국어(語)의 전신(前身). 오스만 제국 시대, 특히 19세기 중엽부터 1923년의 터키 공화국 성립까지의 것을 말함.

오스만 일세【一一世】〔Osman Ⅰ〕[ㅡ쎄] 명〖사람〗터키의 전신인 오스만(Osman) 제국의 건설자. 셀주크 술탄이 쇠퇴한 틈을 타서 독립을 선언하고 비잔틴 군후령(Byzantine 君侯領)을 차례로 공략하여 제국을 건설함. 오트만(Othman) 일세. [1259-1326; 재위 1299-1326]

오스만 제:국【一帝國】〔Osman〕명〖역〗오스만 1세(Osman Ⅰ)가 셀주크(Seljuk) 제국을 격파하고 세운 제국. 1453년 동로마 제국을 멸망시켜 이스탄불(Istanbul)에 천도한 이래 16세기에 가장 번성하여 아시아·유럽·아프리카의 삼대주에 걸치어 강성하였으나, 17세기말부터 점점 쇠퇴하여 제1차 세계 대전 후 국민 혁명에 의하여 36대로써 멸망함. 오스만 투르크. 터키 제국. 오토만 제국 (Ottoman 帝國). [1299-1922]

오스만 투르크〔Osman Turks〕명〖역〗오스만 제국.

오스만투르크-족【一族】〔Osman Turks〕명 소(小)아시아의 서북 변경에 살던 유목 민족. 13세기말 오스만 투르크 제국(帝國)을 건설함.

오스뮴〔osmium〕명〖화〗백금속(白金屬) 원소의 하나. 금속중에서 최대의 비중(比重)과 백금속 중에서 최고의 녹는점을 갖고 있으며, 청회색의 금속 광택이 있음. 합금(合金) 재료·촉매(觸媒) 등에 쓰임. 녹는점 2,700°C., 끓는점 약 5,500°C. [76: Os: 190.2]

오스뮴 전:구【一電球】〔osmium〕명〖전〗오스뮴을 필라멘트로 한 백열 전구.

오스미리듐〔osmiridium〕명〖화〗천연(天然)으로 나는 백금족 원소(白金族元素)의 합금(合金). 대체로, 이리듐(iridium) 40 %, 오스뮴 17-45 %를 함유하며, 그 밖에 로듐(rhodium)·루테늄(ruthenium)을 꽤 함유함. 육방 정계(六方晶系)에 속하는 편평한 결정임.

오:스미 반:도【一半島】〔大隅:おおすみ〕명〖지〗일본 가고시마 현(鹿兒島縣) 남부에 돌출한 반도. 서의 사쓰마 반도(薩摩半島)와의 사이에 가고시마 만(鹿兒島灣)을 이룸. 평야가 적고 고원 지대에서는 우마(牛馬)의 목축이 성함.

오스스 부 차고 싫은 기운이 몸에 일어나는 모양. >아스스. <으스스.

——-하다 형여불

오스카 〔Oscar〕 명 아마추어 무선가(無線家)를 위하여, 전파(電波)를 전파(傳播)하는 실험 위성. 1961년 12월 12일에 1호를 발사함.

오스카-상【一賞】 〔Oscar〕 명 『연』 〔상패가 '오스카(Oscar)'라는 인물상(人物像)과 비슷하다는 데서 나온 말〕 아카데미상.

오스타:데 〔Ostade, Adriaen van〕 명 『사람』 네덜란드 하를럼(Haarlem)의 화가. 마을의 의사·술집 등 농민의 일상 생활을 그려, 네덜란드 풍속화의 대표자가 됨. 대표작 ≪농민의 춤≫·≪연금술사(鍊金術師)≫ 등. 〔1610-85〕

오스탕드 〔Ostende〕 명 『지』 벨기에의 북해(北海)에 임한 이 나라 유수의 항구 도시. 영국의 도버 (Dover)와의 사이에 연락선(連絡船)이 다니고, 굴 양식(養殖)·수산 가공(水産加工)이 행하여지며, 국제적 휴양지(休養地)임. 〔69,129 명(1983)〕

오스탸크-어【一語】 〔Ostyak〕 명 서부 시베리아의 오브 강 유역에 사는 오스탸크족의 언어. 한티어(Khanty語).

오스탸크-족【一族】 〔Ostyak〕 명 러시아 오브강·이르티슈 강 유역에 사는 종족. 순록(馴鹿)의 목양(牧養)이나 어로(漁撈)·수렵이 생업임. 1979년 현재 종족수 약 2만 명. 한티족(Khanty族).

오:스테나이트 〔austenite〕 명 『공』 1,000°C 정도에서 철의 동소체(同素體) γ철에 탄소(炭素)가 녹아 든 조직. 이것을 얼음 또는 기름 속에 넣어 급랭(急冷)시키면 단단한 마텐자이트라는 조직이 됨. 성질은 연(軟)하고 내산성(耐酸性)이 큼.

오스트라바 〔Ostrava〕 명 『지』 체코의 폴란드 국경에 가까이 있는 도시. 부근에 좋은 탄전이 있어 석탄·야금 공업의 중심지이며, 이 나라 제1의 중화학 공업 도시임. 〔327,553 명(1991)〕

오스트라시즘 〔ostracism〕 명 『역』 도편 추방제.

오스트라키스모스 〔그 ostrakismos〕 명 도편 추방제.

오스트랄라시아 〔Australasia〕 명 『지』 〔남아시아의 뜻〕 오세아니아(Oceania)의 서남부를 가리키며, 오스트레일리아·태즈메이니아·뉴질랜드 섬에 걸치는 지역의 총칭.

오스트랄로피테쿠스 〔Australopithecus〕 명 『인류』 원인(猿人)의 하나. 1924년 남아프리카에서 발견된 오스트랄로피테쿠스 아프리카누스(*A. africanus*) 이후 여러 곳에서 발견된 한 무리의 최고(最古) 화석 인류. 오스트랄로피테쿠스 그라실리스(*A. gracilis*)와 오스트랄로피테쿠스 로부스투스(*A. robustus*)와 대별하는데, 전자는 맨 처음으로 발견된 오스트랄로피테쿠스 아프리카누스와 플레시안트로푸스 트란스발렌시스(*Plesianthropus transvaalensis*) 등이 있는데 비교적 가냘픈 형이며, 후자는 파란트로푸스 로부스투스(*Paranthropus robustus*)와 파란트로푸스 크라시덴스(*P. crassidens*) 등이 있는데 튼튼한 형임. 아우스트랄로피테쿠스. *원인(猿人).

오스트랄 제도【一諸島】 〔Austral〕 명 『지』 투부아이 (Tubuai) 제도.

오스트레일리아 〔Australia〕 명 『지』 오세아니아(Oceania)의 주요한 육지. 세계 최소(最小)의 대륙. 영국 연방의 자치국. 동쪽은 태평양, 서와 남은 인도양, 북쪽은 아라푸라 해(Arafura海)와 접함. 1770년 영국인 쿡(Cook, J.)이 동해안을 탐험하여 영국 영토임을 선언한 이래, 1788년 영국의 유형 식민지(流刑植民地)가 설치되었고, 1901년 자치 식민지인 빅토리아·서(西) 오스트레일리아 등 6주(州)로 연방을 형성함. 1926년 사실상의 독립국이 됨. 주민은 90%가 영국계(系), 공용어는 영어임. 세계 제일의 양모(羊毛) 산출지(產出地)로, 밀·설탕·낙농 제품(酪農製品)과 철·금·은·석탄 등의 산출이 많음. 수도는 캔버라. 호주(濠洲). 〔7,682,300 km²: 18,050,000 명(1995 추계)〕

오스트레일리아-구【一區】 〔Australia〕 명 『식』 남대(南帶)에 속하는 식물의 구계(區界)의 하나. 오스트레일리아·뉴기니·태평양 제도를 포함하는 지역으로, 아카시아 종류·남양 삼목(杉木)·야자 종류·목본성(木本性) 양치(羊齒) 식물이 풍부하며 개미와 공생(共生)하는 개미 식물도 유명함. *뉴질랜드구(區)·남아메리카 온대구(溫帶區).

오스트레일리아 동:물 지리구【一動物地理區】 명 〔Australian faunal region〕 오스트레일리아·뉴기니·태즈메이니아(Tasmania)·솔로몬과 그에 따르는 작은 열도(列島)를 포함하는 동물 지리학상의 지역.

오스트레일리아 알프스 〔Australia Alps〕 명 『지』 오스트레일리아 동부 습곡(褶曲) 산맥. 고생층(古生層)으로 산이 뾰족한 곳이 많음. 최고봉은 코지어스코 산(Kosiusko山: 2,241 m).

오스트레일리아 제족【一諸族】 〔Australia〕 명 오스트레일리아의 원주민의 총칭. 피부는 초콜릿 빛깔에 고수머리임. 미상궁(眉上弓)이 튀어나오고, 이마는 후퇴(後退)했으며, 턱의 발달이 나쁜 점 등 고인류적(古人類的) 특징을 갖춤. 활·창 등을 사용하여 원시적 채집(採集)·수렵(狩獵) 생활을 영위함.

오스트레일리아 캐피털 테리토리 명 〔Australian Capital Territory: ACT〕 『지』 오스트레일리아의 뉴사우스웨일스 주 남동쪽에 있는 연방 정부 직할 지구. 수도 캔버라를 포함함. 1911년에 연방 정부에 의해 설정됨. 〔2,400 km²: 236,600 명(1983)〕

오스트레일리아 항:원【一抗原】 명 〔Australian antigen〕 『의』 오스트레일리아 원주민의 혈청 가운데에서 미지(未知)의 항원(抗原)으로 발견된 특수한 항원. 그 뒤 혈청 간염(血淸肝炎)을 일으키는 바이러스임이 확인됨. AU 항원. HB 항원.

오스트로네시아 어족【一語族】 〔Austronesian Language Family〕 명 『언』 아시아 대륙의 동남방에 산재하는 섬들에 분포하는 어족. 서(西)는 마다가스카르로부터 동(東)은 폴리네시아 제도(諸島)에 이름. 이는 다시 인도네시아 어파(語派)·멜라네시아 어파·폴리네시아 어파로 나누어진다는 설이 있음. 말라요 폴리네시아 어족이라고도 함.

오스트롤로이드 〔Austroloid〕 명 쿡(Cook, J.)에 의하여 오스트레일리아 대륙이 발견되기까지, 수렵으로 원시적 문화를 영위하던 원주민. 호주 원주민.

오스트롭스키 〔Ostrovskii, Aleksandr Nikolaevich〕 명 『사람』 러시아의 극작가. 처녀작 ≪가정의 행복≫ 이래 50여 편의 극작을 발표, 고골(Gogol') 이래의 러시아 근대 사실극(寫實劇)을 발전시켰으며, 모스크바에 소극장(小劇場)을 세워 실제 운동을 지도하였음. 작품으로 ≪파산≫·≪수풀≫ 등이 유명함. 〔1823-86〕

오스트리아 〔Austria〕 명 『지』 중부 유럽의 내륙국. 제1차 대전 전에는 제국(帝國)으로 오스트리아 헝가리 군주국을 형성했으나, 1938년에 독일에 병합, 제2차 대전 후, 제1차 대전 이후의 국토와 헌법에 의하여 오스트리아 연방 공화국이 부활함. 강화 조약이 체결될 때까지는 미·영·프·소의 4개국이 분할 점령하였으나, 1955년 주권을 회복하고 영세 중립(永世中立)을 선언함. 수도는 빈(Wien). 오지리(墺地利). 오국(墺國). 〔83,853 km²: 8,530,000 명(1995 추계)〕

오스트리아 계:승 전:쟁【一繼承戰爭】 〔Austria〕 명 『역』 합스부르크가(Habsburg家)의 계승권을 둘러싼 전쟁. 신성 로마 황제 오스트리아공 카를(Karl) 6세는 왕자가 없어 자기 사후(死後)에 합스부르크가의 영토가 붕괴될 것을 두려워하여 남자 상속제(相續制)를 규정하는 독일법의 예외로, 남자가 없을 때는 여자가 상속할 것을 규정해 열국의 승인을 얻음. 1740년 카를 6세의 딸인 마리아 테레지아(Maria Theresia)가 오스트리아 여공(Austria女公)으로 즉위하게 되자 바이에른 공(Bayern 公)·프랑스 왕 등이 이의(異議)를 제기하고, 프로이센의 프리드리히 대왕(Friedrich 大王)도 이 기회를 타 슐레지엔(Schlesien)을 할양(割讓)할 것을 요구하여 오스트리아에 침입하였음(슐레지엔 전쟁). 마리아 테레지아는 부득이 슐레지엔을 프로이센에 양도하고 바이에른·프랑스군과 싸웠음. 1748년 아헨(Aachen)에서 강화하여 프러시아의 슐레지엔 영유(領有)를 확인하고, 서로 침입한 땅을 환부(還付)하여 오스트리아의 여자 상속권을 인정했음.

오스트리아 국가 조약【一國家條約】 〔Austria〕 명 1955년 5월에 빈에서 미국·영국·프랑스·소련 사이에 맺은 독립적이고 민주주의적인 오스트리아의 재건(再建)에 관한 국가 조약.

오스트리아 세르비아 조약【一條約】 〔Austria-Serbia〕 명 『역』 1881년 오스트리아와 세르비아 간에 체결된 비밀 조약. 이 조약에서 세르비아는 오스트리아의 양해 없이 타국과 정치적 조약을 맺지 않으며, 국내의 반(反)오스트리아적인 책동을 금지시킬 것을 약속하고, 오스트리아는 세르비아의 완전 독립 인정과 유사시의 원조를 약속함.

오스트리아파 경제학【一派經濟學】 〔Austria〕 명 『경』 오스트리아 학파(學派).

오스트리아 학파【一學派】 명 『경』 한계 효용(限界效用)을 경제 행위의 동기로 하는 주관학파(主觀學派). 주관주의적인 연역법(演繹法)을 방법론(方法論)의 기초로 하는 것이 특징이며, 심리학파(心理學派)라고도 부름. 1871년 오스트리아의 멩거(Menger)가 그의 저서 「국민 경제 원리(國民經濟原理)」에서 한계 효용 이론으로써 교환 가치(交換價值)를 설명하려고 한 이래 그의 후계자들에 의하여 발전·확립되었음. 그 후 이 이론에는 수정이 가해져 미제스(Mises, L.)·하이에크(Hayek, F.) 등의 빈(Wien) 학파에 계승되었음. 오스트리아파 경제학. 한계 효용 학파(限界效用學派).

오스트리아 헝가리 제국【一帝國】 〔Austria-Hungary〕 명 1867-1919년까지의 헝가리 독립까지 존속했던 오스트리아 왕을 맹주(盟主)로 하는 연합 제국. 프로이센 오스트리아 전쟁의 대패(大敗)로, 오스트리아 영내(領內)의 헝가리인이 독립을 요구하여, 별개의 정부·국회를 인정시켜 된 이중 제국(二重帝國).

오스트발트 〔Ostwalt, Friedrich Wilhelm〕 명 『사람』 독일의 물리 화학자. 오스트발트의 희석률(稀釋律)을 발견하여 화학 평형(化學平衡)·반응 속도(反應速度)·촉매 작용(觸媒作用) 등을 연구함. 또, 물리 화학 잡지를 창간하여 근대 물리 화학의 시조로 일컬어짐. 1909년 노벨 화학상을 받음. 〔1853-1932〕

오스트발트-법【一法】 〔Ostwald〕 〔一뻡〕 명 『화』 질산(窒酸)의 공업적 제조법의 하나. 암모니아와 공기의 혼합 가스를 800°-2,800°C로 가열한 백금망(白金網)에 접촉(接觸)시켜서 만듦. 이 방법에 의한 질산의 농도는 50% 정도. 현재, 질산 제조는 거의 이 방법에 의함. 암모니아 산화법.

오스트발트의 점도계【一粘度計】 〔Ostwalt〕 〔一/一에一〕 명 『물』 오스트발트가 고안한 액체의 점성률(粘性率)을 비교 측정하는 점도계.

오스트-프로이센 〔Ostpreußen〕 명 『지』 독일 동북부의 구주(舊州). 호소(湖沼)가 많음. 임업과 어업이 성하며, 감자·밀·귀리·라이보리 등을 산출함. 13-16세기에는 독일의 기사단령(騎士團領)이었음. 1945년 폴란드와 소련으로 분할됨. 동(東) 프로이센.

오스트프리:스-종【一種】 〔Ostfries〕 명 독일의 오스트프리슬란트(Ostfriesland) 지방 원산의 양(羊)의 한 품종(品種). 털·고기·젖의 세 용도에 쓰임. 모량(毛量)은 연 3-6 kg이나 그리 좋지는 못하고, 유량(乳量)은 1일 2-5 kg, 유질(乳質)은 양호하여 지방이 5-7% 들어 있음.

오스티아¹ 〔라 hostia〕 명 『천주교』 그리스도의 육체를 상징하는 성찬(聖餐)용의 빵.

오스티아² 〔Ostia〕 명 『지』 이탈리아 중부, 로마의 중심부로부터 약 20 km, 테베레 강(Tevere江) 하구(河口)에 가까운 작은 마을. 고대 로마의 외항(外港)으로서 제2차 포에니 전쟁(Poeni戰爭) 후 발전하여, 1-2세기에 최성기(最盛期)에 달했음. 부근에 로마 국제 공항이 있음.

오:스틴¹ 〔Austen, Jane〕 명 『사람』 영국의 여류 소설가. 일상 생활의 평범한 주제를 택하여 이에 가벼운 풍자와 애감(哀感)을 엮음. 대표작은 ≪자랑과 편견(偏見)≫. 〔1775-1817〕

오:스틴[2] [Austin] 명 영국 브리티시 회사의 승용차(乘用車). 1912년에 7형(型)을 발표한 이래 전통(傳統) 있는 차로, 미니 848cc로부터 웨스트민스터 2,912cc까지의 각급(各級) 차종(車種)이 있음.

오:스틴[3] [Austin] 명 『지』 미국 텍사스 주 중남부 콜로라도 강변에 위치하는 주의 수도. 교통의 요지이며, 농목산품(農牧產品)의 대집산지임. [492,329 명(1992)]

오:스틴[4] [Austin, Alfred] 명 『사람』 영국의 계관(桂冠) 시인. 런던 대학을 졸업, 변호사를 거쳐 문필 생활(文筆生活)을 함. 시집 20권이 있음. [1835-1913]

오:스틴[5] [Austin, John] 명 『사람』 영국의 법리학자(法理學者). 실정법(實定法)의 논리적 분석에 전념하여 분석 법학의 시조(始祖)라 일컬어짐. 자연법론을 배제하고, 공리주의적 윤리학의 입장에서 학설을 전개하였음. 주저(主著) ≪법학 강의(講義)≫. [1790-1859]

오스피탈레트 [Hospitalet] 명 『지』 스페인 북동부의 바르셀로나(Barcelona) 근처에 있는 공업 도시. 제강(製鋼)·화학·섬유·시멘트 등의 공업이 행하여짐. [269,241 명(1992)]

오슬러 [Osler, William] 명 『사람』 영국의 의학자. 비장(脾臟) 및 심장, 특히 협심증의 권위자이며 의학사가(醫學史家)로서도 유명함. 저서 ≪근대 의학의 개혁≫ 등. [1849-1919]

오슬로 [Oslo] 명 『지』 노르웨이의 수도. 노르웨이의 동남부, 오슬로 만(灣) 안쪽에 있는 이 나라 최대의 도시로 부동항(不凍港)을 지님. 상공·해운의 중심지이며, 조선·기계·화학·식품 공업이 행하여짐. 대학·왕궁·항해 박물관·민족 박물관·스키 박물관 등이 있음. 14세기에는 한자 동맹(Hansa 同盟) 자치령이었음. 1925년에 현재의 이름으로 개칭함. 구명은 크리스티아니아(Christiania). [480,000 명(1995 추계)]

오슬로 대학 【一大學】 [Oslo] 명 노르웨이의 서울 오슬로에 있는 종합 대학. 1811년에 창립함.

오슬로 선언 【一宣言】 명 [The Oslo Declaration] 1962년 6월 2일, 노르웨이의 오슬로에서 개최된 사회주의 인터내셔널 이사회가 채택한 선언. 1951년 프랑크푸르트 선언 이후 11년간에 걸친 세계 정세의 변화를 추적한 것으로서, 선진 공업 국가들의 저개발국에 대한 원조가 민주적 사회주의의 새로운 과제임을 지적하였음. *프랑크푸르트 선언.

오슬로 협정 【一協定】 [Oslo] 명 1932년 스웨덴·노르웨이·덴마크·핀란드·벨기에·네덜란드·룩셈부르크의 7개국이 맺은 협정. 세계 공황(恐慌)에 따르는 경제 위기에 직면한 소국(小國)의 이익을 지키기 위한 경제 협력을 목적으로 하고 정치적 중립 유지 문제도 다루었으나 제2차 대전이 일어나 무력화(無力化)함.

오슬-오슬 부 소름이 끼칠 듯이 몸이 움츠러지면서 추워지는 모양. 오삭오삭. ¶ ~ 추워지다. <으슬으슬. >아슬아슬. *어슬어슬[1]. ──하다 형 여불

오:습 【汚習】 명 더러운 습관.

오:승 【五乘】 명 『불교』 교법(敎法)의 다섯 종별(種別). 인승(人乘)·천승(天乘)·성문승(聲聞乘)·연각승(緣覺乘)·보살승(菩薩乘).

오-승은 【吳承恩】 명 『사람』 중국 명(明)나라의 문인. 자(字)는 여중(汝中), 호는 사양 산인(射陽山人). 장쑤성(江蘇省) 화이안(淮安) 사람. 가정(嘉靖) 때 공생(貢生)이 되어 저장 성(浙江省)의 현승(縣丞)이 됨. 박식과 해학(諧謔)으로 문명(文名)이 높았음. ≪서유기(西遊記)≫를 지음. [1500-82]

오:승-포 【五升布】 명 다섯 새의 베나 무명. 품질이 중쯤 됨. 정포(正布).

오:시[1] 【五侍】 명 『불교』 장로(長老) 좌우에 모시고 있는 다섯 사람. 곧, 시향(侍香)·시장(侍狀)·시객(侍客)·시약(侍藥)·시의(侍衣).

오:시[2] 【五時】 명 ①다섯 시. ②달력에서 계절이 변하는 시기. 곧, 입춘(立春)·입하(立夏)·대서(大暑)·입추(立秋)·입동(立冬)의 총칭. ③『불교』 ↗오시교(五時敎).

오:시[3] 【午時】 명 『민』 ①십이시(十二時)의 일곱째 시. 곧, 오전 11시부터 오후 1시까지의 동안. ②이십사시(二十四時)의 열셋째 시. 곧, 오전 11시 반부터 오후 12시 반까지의 동안. 준 오(午).

오시[4] 【忤視】 명 거슬러 봄. 흘겨 봄. ──하다 타 여불

오:시-교 【五時敎】 명 『불교』 석가 여래(釋迦如來)의 일생의 설교를 연대에 의하여 다섯 기(期)로 나눈 천태종(天台宗)의 교판(敎判). 화엄시(華嚴時)·아함시(阿含時)·방등시(方等時)·반야시(般若時)·법화 열반시(法華涅槃時). 준 오시(五時).

-오시니 어미 〈옛〉 -시오니. ¶ 天爲建國ᄒᆞ샤 天命을 ᄂᆞ리오시니(天爲建國 天命斯集) ≪龍歌 32章≫.

-오시라 어미 〈옛〉 -으시오라. -시오라. -으시오. ¶ 紅실로 紅글위 ᄆᆡ요이다 혀고시라 밀오시라 ≪樂詞 翰林別曲≫. *-고시라.

오시리스 [Osiris] 명 『신』 이집트 신화 중의 대지(大地)의 신(神). 이시스(Isis)의 남편. 명부(冥府)의 왕으로 사인(死人)을 심판한다 함.

〈오시리스〉

오시릴써 자 〈옛〉 오실 것이매. 오실 것이므로. ¶ 장ᄎᆞ 八萬菩薩와 ᄒᆞᆷᄭᅴ 오시릴써 몬져 이 祥瑞를 나토시니라 ≪月釋 XVIII:73≫. *-시릴써.

오:시마 [大島:おおしま] 명 『지』 ①일본 이즈 칠도(伊豆七島) 중 가장 큰 섬. 논은 없고 전작(田作)과 낙농(酪農)이 행하여지며 특산품으로 동백 기름이 있음. [91 km^2: 19,000 명] ②일본 규슈(九州) 남쪽에 있는 섬. 흑설탕이 특산임. [730 km^2: 17,000 명]

오시-목 【烏柹木】 명 ①『식』 먹감나무. ②감나무의 검은 심.

오:시-병 【五尸病】 [一뼝] 명 『한의』 사귀(邪鬼)의 기운이 몸에 덮치어 한열(寒熱)이 섞이어 일어나고 정신이 몹시 어지러워져서 마침내 죽게 된다는 병.

오시시 부 ☞아스스. ¶ ~ 몸이 떨렸다.

오:시:아:르 【OCR】 명 [optical character reader의 약칭] 광학(光學) 문자 판독기.

오시안 [Ossian] 명 3세기경의 켈트족(族)의 전설적 시인·영웅. 스코틀랜드와 아일랜드의 고지(高地)에 살며, 음유 시인(吟遊詩人)으로서 많은 시를 지었다고 함.

오:시:에이 【OCA】 명 [Olympic Council of Asia] 아시아 올림픽 평의회. 아시아 지역의 체육 진흥과 올림픽 운동의 활성화를 위하여 조직된 국제 올림픽 위원회의 공인(公認) 단체. 1982년 AGF를 발전적으로 해체하고 창설한 것임. 가맹국 43개국.

오시에츠키 [Ossietzky, Carl von] 명 『사람』 독일의 평화 운동가·저술가. 반전(反戰) 운동을 지도함. 나치스에 의해 투옥되어 옥사(獄死)함. 1935년 강제 수용소 안에서 노벨 평화상이 결정되었으나 나치스의 강압으로 받지 못하였음. [1889-1938]

오-시영 【吳時泳】 명 『사람』 시인. 함남 원산(元山) 출신. 강원도 송전(松田)에서 어업에 종사하면서 시를 쓰기 시작, 해방 후 이헌구(李軒求)·김진섭(金晋燮) 등과 함께 좌익 단체인 조선 문화 단체 총연맹에 대항하여 중앙 문화 협회 창립에 참여함. 작품에 ≪미래의 전설≫·≪성가(聖歌)≫·≪개구리의 죽음≫ 등이 있음. [1912-59]

오시예크 [Osijek] 명 『지』 크로아티아(Croatia) 공화국 북동부에 위치한 도시. 도나우 강(Donau 江)의 지류인 드라바 강(Drava 江)에 임하는 하항(河港)으로, 철도·도로 교통의 요지임. 직물·기계·식품 공업이 행하여짐. 고대 로마의 식민지였음. [129,792 명(1991)]

오:시 오:중 【五矢五中】 명 화살을 다섯 대 쏘아서 다섯 번을 다 맞힘. 준 오중(五中). ──하다 자 여불

오:시 팔교 【五時八敎】 명 『불교』 천태종(天台宗)에서, 석가 일대 50년의 설법에 대한 교판(敎判)의 일컬음. 오시교와 화의(化儀)의 사교(四敎) 및 화법(化法)의 사교를 이름. 화의의 사교는 돈교(頓敎)·점교(漸敎)·비밀교(秘密敎)·부정교(不定敎)이고, 화법의 사교는 삼장교(三藏敎)·통교(通敎)·별교(別敎)·원교(圓敎)를 이름.

오:시-화 【午時花】 명 『식』 금전화(金錢花).

오:식[1] 【五識】 명 『불교』 ①오근(五根)에 의하여 일어나는 색(色)·성(聲)·향(香)·미(味)·촉(觸)의 다섯 가지 심식(心識). 곧, 안(眼)·이(耳)·비(鼻)·설(舌)·신(身)의 지각 작용(知覺作用). ②기신론(起信論)의 업식(業識)·전식(轉識)·현식(現識)·지식(智識)·상속식(相續識).

오:식[2] 【誤植】 명 『인쇄』 활판에 활자를 잘못 꽂음. 또, 그 실수로 해서 생긴 인쇄상의 잘못. 미스 프린트. ──하다 타 여불

오식-도 【筽篒島】 명 『지』 전라 북도 군산시(群山市) 미성동(米星洞)에 위치(位置)하는 섬. [1.76 km^2: 925 명(1985)]

오:신[1] 【娛神】 명 『민』 무당이 굿을 할 때, 타령이나 노랫가락 등으로 흥겹게 신(神)을 찬양하고 즐겁게 하는 일. ──하다 자 여불

오:신[2] 【誤信】 명 그릇 믿음. ──하다 타 여불

오:-신명 【誤身命】 명 몸과 목숨을 그르침. ──하다 자 여불

오:신-반 【五辛盤】 명 입춘 절식(立春節食)의 하나. 다섯 가지 매운 생채 음식으로 움파·산갓·당귀싹·미나리싹·무싹 등을 가리킴.

오:-신채 【五辛菜】 명 오훈채(五葷菜).

오:-신통 【五神通】 명 『불교』 선(禪)을 닦는다든가 하여 얻을 수 있는, 다섯 가지의 초인간적인 신통력. 천안통(天眼通)·천이통(天耳通)·타심통(他心通)·숙명통(宿命通)·신족통(神足通).

오실 【奧室】 명 안방. 깊숙한 방.

오실로그래프 [oscillograph] 명 『물』 ①물리적인 진동이나 전기 진동, 즉 전류·전압의 시간적 변화를 가시(可視) 곡선으로 표시하는 장치. 즉, 기계적 진동을 전류의 진동으로 바꾸어 이것을 자극(磁極) 사이의 철사에 통하여 철사의 진동을 거울 같은 것을 이용하여 확대시켜 기록함. 기진기(記振器). ②↗음극선 오실로그래프.

오실로스코:프 [oscilloscope] 명 『물』 전압·전류 등의 시간적 변화를 직접 눈으로 관측하는 장치. 일반적으로는, 기록 장치를 떼어낸 음극선(陰極線) 오실로그래프를 말함.

오실-오실 부 〈방〉 오슬오슬. ──하다 형

오:심[1] 【五心】 명 [five centroids of triangle] 『수』 삼각형의 외심(外心)·내심(內心)·중심(重心)·방심(傍心)·수심(垂心)의 총칭.

오심[2] 【惡心】 명 『한의』 가슴 속이 불쾌해지면서 토할 듯한 기분이 생기는 현상. 「여불

오:심[3] 【誤審】 명 잘못 심판함. 또, 그 심판. 오판(誤判). ──하다 타

오:심-열 【五心熱】 [一녈] 명 『한의』 위경(胃經) 속에 화기(火氣)가 뭉쳐서 손발이 몹시 더워지는 병.

오심-즉여심 【吾心卽汝心】 명 『천도교』 [내 마음이 곧 네 마음이라는 뜻] 교조(敎祖) 최제우가 한울님과의 대화(對話)에서 인간은 근본에서 같다고 하는 일.

오:십 【五十】 수 관 쉰.

오:십보 백보 【五十步百步】 명 [중국 양(梁)나라 혜왕(惠王)이 정사(政事)에 관해서 맹자에게 물었을 때, 맹자가 전쟁에 패하여 어떤 자는 백보를 또 어떤 자는 오십보를 패주(敗走)하였다고 할 때, 백보를 물러간 사람이나 오십보를 물러간 사람이나 도망한 것에는 양자의 차이가 없다고 대답한 고사(故事)에서 나온 말] 피차의 차이는 있으나 본질적으로는 같다는 뜻. 오십보 소백보(五十步笑百步).

오:십보 소:백보 【五十步笑百步】 명 오십보 백보. 준 오십 소백.

오:십삼-불 【五十三佛】 명 『불교』 금강산(金剛山) 유점사(楡岾寺)에 있는 53개의 불상(佛像). 인도에서 문수 대사(文殊大師)가 삼억가(三億家)의 금을 모아 순금으로 만들어 부처의 인연이 깊은 금강산으로 보냈다 함.

오:십 소:백 【五十笑百】 명 ↗오십보 소백보.

오:십육억 칠천만세【五十六億七千萬歲】[—뉵 —] 명 석가의 입멸(入滅)로부터 미륵 보살(彌勒菩薩)의 출가(出家)까지의 연수(年數)를 이르는 말.

오:십-음【五十音】〖언〗 오십음도(五十音圖)로 나타내는 일본어의 기본적 음절의 총칭. 일본어의 47 종의 음절을 5 단(段) 10 행(行)으로 벌여 놓은 것인데, 동음(同音)으로 발음되는 3 자를 빼면 실제 자수(字數)는 44 음절임.

오:십음-도【五十音圖】 명 〖언〗 인도의 실담 자모(悉曇字母)의 배열을 본떠서, 일본 글자의 오십음을 성음(聲音)의 종류에 따라 자음(子音)이 같은 것은 같은 행(行)으로, 음운(音韻)이 같은 것은 같은 단(段)으로 배열한 표.

오:십이-위【五十二位】 명 〖불교〗 보살 수행(菩薩修行)의 단계(段階). 십신(十信)·십주(十住)·십행(十行)·십회향(十廻向)·십지(十地)·등각(等覺)·묘각(妙覺)을 이름. ＊십주(十住)·십지(十地).

오:십-작【五十雀】 명 〖조〗 동고비.

오:십-천【五十川】 명 〖지〗 강원도 삼척군(三陟郡)에서 발원하여 동해로 들어가는 강. 이 강가에 관동 팔경(關東八景)의 하나인 죽서루(竹西樓)가 있음. 1969 년 처음으로 연어(鰱魚) 새끼의 방류가 시작되어 현재까지 계속되고 있음. [52 km]

오:십 총:선거【五十總選擧】 명 〖정〗 1948 년 5 월 10 일 우리 나라 제헌(制憲) 국회를 구성하기 위해 최초로 실시한 국회 의원 총선거.

오ᄉᆞ리 명 〈옛〉 오소리. =오ᅀᆞ리. ¶오ᄉᆞ리 고기(猯肉)≪東醫 湯液篇 卷一 獸部≫.

오싹 부 추위나 무서움을 느껴 별안간 몸이 움츠러드는 모양. ¶생각만 해도 등골이 ~하다. ——**-하다** 자 여불

오싹-오싹 부 매우 무섭거나 추위서 몸이 연해 움츠러드는 모양. ¶소름이 ~ 끼친다. ——**-하다** 자 여불

오:쓰〔大津: おおつ〕 명 〖지〗 일본 시가(滋賀) 현 남서부의 시로 현청 소재지. 비와호(琵琶湖)에 임하는 수륙 교통의 요충. 섬유 공업 외에 전기(電機) 공업이 행해지며, 교토(京都)·오사카(大阪)의 위성 도시로 발전하고 있음. [261,902 명(1992)]

오ᅀᆞ리 명 〈옛〉 오소리. ¶獸似狐善睡 오ᅀᆞ리 ≪四聲 下 40≫/오ᅀᆞ리 단(猯)≪字會 上 19≫.

오올오다 타 〈옛〉 온전히 하다. ¶道ᄂᆞᆫ 本來 生ᄋᆞᆯ 오올오미라(道本全生)≪龜鑑 下 49≫.

오아나【OANA】 명〔Organization of Asia-Pacific News Agencies의 약칭〕 아시아 태평양 통신사 기구.

오: 아:르【O.R.】 명〔operations research〕 '오퍼레이션 리서치'의 약칭.

오: 아:르 비:【ORB】 명〔omnidirectional range beacon 의 약칭〕 전방향 무선 표지(全方向無線標識).

오아시스〔oasis〕 명 ①사막 가운데에서 물이 솟고 수목이 자라는 옥지(沃地). 취락(聚落)의 형성과 대상(隊商)의 휴게소로 이용됨. ②위안이 되는 것. 또, 그런 장소.

오아시스 국가【—國家】〔Oasis〕 명 유라시아의 건조 지대에서, 자연적 혹은 인공적인 수리 관개(灌漑)에 의해서 성립된 도시 국가. 이들 도시는 그 주변에 농경 지대를 가지며 그 외측(外側)은 사막·초원으로 둘러싸여 있었으므로 외계로부터 고립되어 독립하는 경향이 강했음. 실크로드의 중계지 역할을 하였음.

오아시스 농업【—農業】〔oasis〕 명 〖농〗 오아시스를 중심으로 건조지의 옥지(沃地)에서 행하여지는 농업. 집약적으로 단위 면적의 수확량은 상당히 많지만, 관개 용수(灌漑用水)의 양에 한계가 있으므로 경지 면적을 확대하기 어렵고 관개의 대부분은 지하 수로(水路)에 의함. 이 수로의 시설(施設)을 중앙 아시아와 이란에서는 카레즈(kārēz)라 하며, 그 서쪽에서는 가나트(Ganāt)라 이름.

오: 아이 아:르 티:【OIRT】 명〔Organisation Internationale de Radiodiffusion et Télévision의 약칭〕 국제 방송(放送) 기구.

오: 아이 티: 물자【OIT 物資】[—짜] 명〔Office of International Trade Goods 의 약칭〕 미국에서 1949년의 수출 통제법(輸出統制法)에 의해서 국제 통상국(國際通商局)이 외국에 대한 수출 할당을 행하는 중요 원료와 전략 물자. 품목(品目)은 130 종.

오아-장【於我章】[—짱] 명 용비 어천가 제121장의 이름.

오아펙【OAPEC】 명〔Organization of Arab Petroleum Exporting Countries 의 약칭〕 아랍 석유 수출국 기구.

오아후 섬〔Oahu〕 명 〖지〗 하와이 제도 북부의 주도(主島). 남쪽에 진주만(眞珠灣)이 있음. 파인애플·사탕수수 등이 산출(産出)됨. 1778년 쿡(Cook, J.)이 발견. 주도(主都) 호놀룰루(Honolulu)를 중심으로 세계적인 관광지로서 알려짐. [1,526 km²:630,528 명(1970)]

오:악¹【五惡】 명 〖불교〗 오계(五戒)를 파(破)하는 일. 곧, 살생(殺生)·투도(偸盜)·사음(邪淫)·망어(妄語)·음주(飮酒)의 다섯 가지.

오:악²【五嶽】 명 〖지〗 ① 우리 나라의 다섯 명산. 곧, 동의 금강산(金剛山), 서의 묘향산(妙香山), 남의 지리산(智異山), 북의 백두산(白頭山)과 중앙의 삼각산(三角山). ②중국의 고대에, 천자가 돌아가며 수렵(狩獵)을 하여 제후(諸侯)를 회동(會同)하게 하고 각 방면의 진산(鎭山)으로 한 다섯 영산(靈山). 곧, 동의 태산(泰山), 서의 화산(華山), 남의 형산(衡山), 북의 항산(恒山)과 중앙의 숭산(嵩山). ③〖민〗 사람의 이마·코·턱 및 좌우의 관골(顴骨). ¶그 청년의 얼굴을 자세히 살펴보니, ~이 분명하고 매우 똑똑한 지라…≪崔瓚植: 春夢≫.

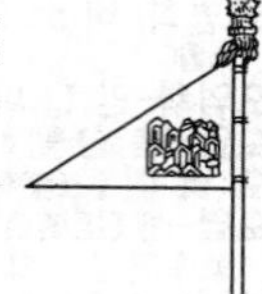

〈오악기〉

오:악-기【五嶽旗】 명 〖역〗 의장기(儀仗旗)의 하나.

오악사카〔Oaxaca〕 명 〖지〗 멕시코 남부 오악사 주의 주도(州都). 해발 1,545 m. 기후가 온화한 관광 도시로 16 세기에 건립된 산토도밍고 성당을 비롯하여 콜로니얼 양식의 건축물 등이 있고, 도기(陶器)·직물 등 전통적 민속품의 보고임. 부근에 몬테알반 및 미틀라 유적 따위가 있는 멕시코 유수의 관광지임. 오아하카. [135,601 명(1980)]

오:악-취【五惡趣】 명 〖불교〗 오도(五道).

오:안¹【五眼】 명 〖불교〗 불타(佛陀)의 다섯 눈. 곧, 육안(肉眼)·천안(天眼)·법안(法眼)·혜안(慧眼)·불안(佛眼).

오:안²【傲岸】 명 오만하여 남에게 굽히지 아니함. ——**-하다** 형 여불

오:안-악【娛安樂】 명 〖악〗 문묘 제향(文廟祭享)의 철변두(撤籩豆)할 때에 아뢰던 풍류.

오:애¹【五礙】 명 〖불교〗 오장(五障)❶.

오:애²【汚埃】 명 더러운 먼지.

오:야¹【午夜】 명 자정(子正). 오밤중.

오:야²【五夜】 명 오후 7 시부터 오전 5 시까지의 하룻밤을 갑야(甲夜)·을야(乙夜)·병야(丙夜)·정야(丁夜)·무야(戊夜)로 나눈 일컬음. ＊오경(五更)·시(時).

오야-스다 자 〈방〉 외어서다.

오야지 명 〈방〉 오얏(함경).

오약¹ 명 〈방〉 오얏(경상).

오약²【烏藥】 명 〖한의〗 천태 오약(天台烏藥) 또는 형주 오약(衡州烏藥)의 뿌리. 심복통(心腹痛)·곽란(霍亂)·토사(吐瀉)·각기(脚氣)·삭뇨(數尿) 등에 약으로 쓰임.

오약³ 관 〈방〉 왼³(충남·전북).

오얏 명 ☞ 자두.

오얏-나무 명 〖식〗 ☞ 자두나무.

오양 명 〈방〉 ①외양(外樣). ②외양간.

오양-간【—間】[—깐] 명 〈방〉 외양간(강원·경기·충청·전북).

오:-양선【五羊仙】 명 〖역〗 고려 때에 시작된, 정재(呈才) 때에 추는 춤의 한 가지. 죽간자(竹竿子) 두 사람이 좌우에 벌여 서고, 왕모(王母)는 가운데에 서며, 좌우협(左右挾) 넷이 네 귀에 벌여 서서 주악(奏樂)에 맞추어 사(詞)를 부르며 춤.

오양-피【烏羊皮】 명 흑양피(黑羊皮).

오얒 명 〈옛〉 오얏. ¶블근 오야지 므레 ᄃᆞ마도 ᄎᆞ디 아니ᄒᆞ고(朱李沉不冷)≪初杜諺 X:23≫.

오어¹【晤語】 명 마주 대하여 터놓고 이야기함. ——**-하다** 자타 여불

오어²〔OR〕 명 논리합(論理合)❷.

오:어니-바다수세미〔oweni〕 명 〖동〗〔*Euplectella oweni*〕 바다수세밋과에 속하는 해면 동물의 하나. 몸은 수세미 비슷한 원통형으로 길이 110-360 mm, 폭 16-62 mm 이고, 체벽(體壁)에 뚫린 구멍의 직경은 2 mm 가량임. 몸의 상단(上端)에는 반구상(半球狀)의 절상판(節狀板)이 있고 아래 끝에는 돌공판(突孔板)과 근모(根毛)가 있어 모래·진흙 땅이나 다른 물건에 부착함. 규석질(硅石質)로 뼈대를 이루고 강장(腔腸) 안에는 갑각류(甲殼類)의 새우가 한쌍이 들어가 사는 일이 있어서 '해로 동혈(偕老同穴)'이라고도 함. 깊은 바다 밑에 서식(棲息)하는데 대한 해협·일본 근해에 분포함.

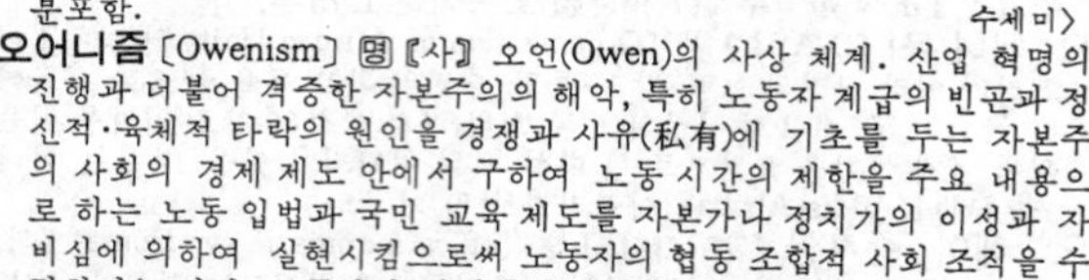

〈오어니바다수세미〉

오어니즘〔Owenism〕 명 〖사〗 오언(Owen)의 사상 체계. 산업 혁명의 진행과 더불어 격증한 자본주의의 해악, 특히 노동자 계급의 빈곤과 정신적·육체적 타락의 원인을 경쟁과 사유(私有)에 기초를 두는 자본주의 사회의 경제 제도 안에서 구하여 노동 시간의 제한을 주요 내용으로 하는 노동 입법과 국민 교육 제도를 자본가나 정치가의 이성과 자비심에 의하여 실현시킴으로써 노동자의 협동 조합적 사회 조직을 수립하려는 사상. ＊공상적 사회주의(空想的社會主義).

오어 회로【—回路】〔OR〕 명 논리합(論理合) 회로.

오-억령【吳億齡】[—녕] 명 〖사람〗 조선 선조(宣祖) 때의 문신. 자는 대년(大年), 호는 만취(晩翠), 동복(同福) 사람. 임진 왜란을 예언, 왜병이 침입하자 왕을 의주(義州)로 호종(扈從)하고, 우참찬(右參贊)을 역임하였음. 광해군(光海君) 때 개성 유수(開城留守)로 있으면서 폐모론(廢母論)을 반대하다가 탄핵(彈劾)을 받고 낙향하여 대죄(待罪)중에 죽음. 글씨에 능했음. 시호는 문숙(文肅). [1552-1618]

오:언¹【五言】 명 인(仁)·의(義)·예(禮)·지(智)·신(信)의 오덕(五德)의 말.

오:언²【五言】 명 〖문〗 한 줄이 다섯 글자씩으로 된 한시 작법(漢詩作法)의 한 형태.

오언³【烏焉】 명 언오(焉烏).

오:언⁴〔Owen, Richard〕 명 〖사람〗 영국의 비교 해부학자·고생물학자. 비교해부의 연구에 많은 업적을 올려, 상동(相同)과 상사(相似)의 개념 등을 도입함. 포유류의 '이'의 연구로부터 고생물학을 하게 되어 권위자가 됨. 퀴비에(Cuvier)의 강력한 영향을 받았으며, 다윈의 진화론에는 상당히 반대했음. [1804-92]

오:언⁵〔Owen, Robert〕 명 〖사람〗 영국의 사회 사상가. 모범적인 방적 공장의 경영에 성공하여 그 경험을 통해서 미국에 공산 사회(共産社會) 건설의 실험을 기도하였으나 실패하였음. 오랫 동안 노동 계급을 위하여 노동 조합 운동·노동 입법·협동 조합 운동에 종사하였음. 이 운동은 마르크스(Marx)에 의하여 공상적 사회주의(空想的社會主義)라 불림. [1771-1858]

오:언⁶〔Owen, Wilfred〕 명 〖사람〗 영국의 시인. 제1차 대전 때 전사했으나, 뛰어난 감각의 전쟁시(戰爭詩)가 ≪시집(詩集)≫(1920)에 수록되어 높이 평가되고 있음. [1893-1918]

오:언 고:시【五言古詩】 명 〖문〗 율시(律詩)와 같은, 염(簾)을 보는 일이

나 글귀수의 제한이 없이 운(韻)만 달아 몇 구로든지 짓는 고체(古體)의 오언시.

오:언 금성【五言金城】명〖문〗오언 장성(五言長城).

오:언 배율【五言排律】명〖문〗한시체(漢詩體)의 하나. 한 구(句)가 오언으로 성립된 배율. 중국 육조(六朝) 시대의 제(齊)·양(梁) 때에 시작되었다 함.

오언 성마【烏焉成馬】명 자체(字體)가 비슷하기 때문에 혼동하여 잘못 「씀을 이름.

오:언스〔Owens, Jesse〕명〖사람〗미국의 흑인 육상 경기 선수. 1936년 베를린 올림픽에서 100m 등 4종목에 우승하였으며 근래(近來)에까지 100m·넓이뛰기의 세계 기록을 지니고 있었음. [1913-80]

오:언 스탠리 산맥【一山脈】〔Owen Stanley〕명〖지〗뉴기니 섬, 파푸아 지구 남동단 반도부(半島部)를 북서로부터 남동으로 뻗은 산맥. 최고봉은 산맥 중앙부의 빅토리아 산(4,073m).

오:언-시【五言詩】명〖문〗오언으로 지은 한시(漢詩)의 총칭. 한(漢)나라의 천한(天漢) 3년(98 B.C.) 소무(蘇武)가 흉노(匈奴)의 땅에서 돌아올 때, 이릉(李陵)과 화답(和答)한 시(詩)인 하량지음(河梁之吟)에서 비롯한다 함.

오:언-율【五言律】[一뉼] 명〖문〗오언 팔구(八句)로 된 율시(律詩). 중국 육조(六朝)의 제(齊)·양(梁) 때에 비롯, 당(唐)초에 완성됨. ㈜오율.

오:언 율시【五言律詩】[一뉼씨] 명〖문〗오언율.

어:언 장성【五言長城】명〖문〗〔장성은 만리 장성의 뜻〕오언의 시(詩)에 능숙(能熟)함. 오언 금성(五言金城).

오:언 절구【五言絕句】명〖문〗오언 사구(四句)로 된 시. 오언 율시와 함께 근대적인 한시형(漢詩型)의 하나로, 중국 당(唐)나라 때에 성하였음. ㈜오절(五絕).

오얼 명〈옛〉앙화(殃禍). ¶오얼 얼(孽)≪類合 下 51≫.

오: 에스[1]【OS】명〔operating system의 약칭〕〖컴퓨터〗운영 체제.

오: 에스[2]【O.S.】명〔old style의 약칭〕낡은 형식.

오: 에스 에스【O.S.S.】명〔Overseas Supply Store의 약칭〕해외 공급 물자 판매점. 연합군 점령 당시 군인 이외의 연합국인(聯合國人)을 위하여 설치된 시설(施設). 현재는 일반에게 공개하고 있음.

오: 에스 오:【OSO】명〔Orbiting Solar Observatory 하늘을 나는 태양 관측소의 약칭〕미국의 태양 관측 위성. 1호는 1962년 3월 7일에 쏘아 올렸는데 무게 206kg, 9각형의 차륜(車輪)형 부분과 1860개의 태양 전지를 부착시킨 부채꼴 부분으로 되어 있음.

오: 에이【OA】명〔office automation의 약칭〕사무 자동화.

오: 에이 에스[1]【O.A.S.】명〔Organization for American States의 약칭〕미주 기구(美洲機構).

오: 에이 에스[2]【OAS】명〔organisation armée secrète의 약칭〕알제리 전쟁 말기의 1961년, 알제리 독립에 반대하는 프랑스 극우파의 군인·식민자, 즉 콜론(Colon) 등이 조직한 무장 지하 단체. 1962년 알제리 잠정(暫定) 정권과 정전 협정 체결 후 해체했음.

오: 에이 엔 에이【OANA】명〔Organization of Asian News Agencies의 약칭〕아시아 태평양 통신사 기구(太平洋通信社機構).

오: 에이 오:【O.A.O.】〔Orbiting Astronomical Observatory의 약칭〕명 미국의 천체 관측 위성의 머리글자. 이 위성의 1호는 1966년 4월 8일에, 높이 약 800km의 거의 진원 궤도(眞圓軌道)에 올렸음. 길이 3m, 직경 2.1m의 팔각주체(八角柱體)로 무게는 1.75톤.

오: 에이 유:【O.A.U.】명〔Organization of African Unity의 약칭〕아프리카 여러 나라의 협력·발전·독립·주권의 확보 등을 목표로 만들어진 국제 기구. 연 1회 이상의 수뇌 회의, 2회 이상의 각료 회의를 여는 외에 국제 연합을 모범으로 한 다섯 개의 위원회가 있음. 본부는 아디스 아바바(Addis Ababa). 아프리카 통일 기구.

오: 에이 증후군【OA症候群】명〔office automatic syndrome〕〖의〗사무 자동화 도입에 따라 컴퓨터 사용자들에게 발생하는 심신의 증상. 눈의 피로, 시력 저하로 시작하여 이에 따르는 어깨·팔의 통증, 두통, 식욕 감퇴, 생리 불순이나 임신·출산의 이상 등의 현상이 나타나고 심리적으로는 타인에 대한 무관심, 애정·공감성(共感性)의 저하, 고립감·절망감·망각증·무력감 등의 증상이 옴.

오: 에이치 피:【OHP】명 오버헤드 프로젝터(overhead projector).

오: 에프 케이블〔O.F. cable〕명〔oil filled cable의 약칭〕〖전〗케이블 안에 상시 절연유(絕緣油)를 대기압 이상으로 충만해 놓은 전기선. 케이블 안에 유도(油道)를 설치하고 케이블 부설 후에도 유량(油量) 조정 장치에 접속하여 적당한 유압(油壓)을 보존하게 되어 있음. 6-22만 볼트의 전력 케이블에 쓰임. 유입 케이블(油入 cable).

오:엑스 문:제【OX問題】명 문제를 읽고 맞은 곳에 오(O), 틀린 곳에 엑스(X)를 써서 답안을 작성하는 시험 문제.

오: 엘[1]【O.L.】명〔도 Orientierungslauf〕오리엔티어링(orienteering)의 약칭.

오: 엘[2]【O.L.】명 ①〔office+lady〕여자 사무원. 직장 여성(職場女性). *비 지(B.G). ②〖연〗오버랩(overlap)의 약칭.

오: 엠 아:르【OMR】명〔optical mark reader의 약칭〕광학(光學) 마크 판독기.

오: 엠 아:르 카:드〔OMR card〕명〔optical mark recognition card〕연필·수성 사인펜 등으로 기록한 표시를 광학적(光學的)으로 판독할 수 있도록 만들어진 카드. 전산 처리 채점 방식의 각종 입시(入試) 답안지가 대표적인 예임.

오: 엠 에이【OMA】명〔orderly marketing agreement의 약칭〕미국이 특정 상품의 수입 급증으로 자국(自國) 산업에 중대한 영향이 미칠 때 해당 수출국(輸出國)과 맺는 수입(輸入) 제한 협정. 시장 질서(市場秩序) 유지 협정.

오:엠-제【OM 制】명〔Organization and Method〕조직 및 운영의 개선에 관하여 조사 연구하는 직원을 행정 기관에 배치하는 제도. 이러한 직원을 OM관(官)이라 함.

오여 관〈방〉왼[3](충남).

오-여(:)륜【吳汝綸】명〖사람〗중국 청말(淸末)의 문인·정치가. 통청(桐城) 출신. 자(字)는 지보(摯甫). 일찌기 증국번(曾國藩)·이홍장(李鴻章)의 막객(幕客)으로서 문사(文事)를 맡아 보고, 뒤에 북경 대학당 총학습(北京大學堂總學習)에 취임함. 이른바 통청파(桐城派)로서 고문(古文)의 대가(大家)였음. 저서 ≪역설(易說)≫·≪동유 총록(東遊叢錄)≫ 등. [1840-1903]

오여-서다 자〈방〉외어서다.

오:역[1]【五逆】명 ①〖불교〗무간 지옥(無間地獄)에 떨어진다는 다섯 가지의 악행(惡行). 곧, 살부(殺父)·살모(殺母)·살아라한(殺阿羅漢)·파화합승(破和合僧)·출불신혈(出佛身血). ②주군(主君)·부·모·조부·조모를 시해(弑害)하는 일.

오:역[2]【忤逆】명 반역(反逆). ——-하다 타여불

오-역[3]【吳棫】명〖사람〗중국 남송(南宋)의 학자. 자(字)는 재로(才老). 벼슬은 천주 통판(泉州通判). ≪시 보음(詩補音)≫·≪논어 지장(論語指掌)≫·≪초사 석음(楚辭釋音)≫·≪자학 보운(字學補韻)≫ 등을 지어, 주자(朱子)로부터 근대 훈석학(訓釋學)의 제1인자로 꼽히었음. 생몰년 미상.

오:역[4]【誤譯】명 그릇된 번역. 또 그릇 번역함. ——-하다 타여불

오-역부지【吾亦不知】명 나도 역시 알지 못함. ——-하다 자여불

오:역-죄【五逆罪】명〖불교〗오역에 걸린 죄.

오:연[1]【五軟】명〖한의〗어린 아이의 체질(體質)의 다섯 가지 무력(無力)한 병적 증상(病的症狀). 고개가 무력하여 머리를 들지 못하고, 신체가 무력하여 가누어 서지 못하고, 입과 혀가 무력하여 말을 못 하고, 살이 무력하여 살가죽이 팽팽하지 못하고, 손발이 무력하여 버티거나 걷지 못하는 증상. ↔오경(五硬).

오연[2]【烏鳶】명 까마귀와 소리개.

오:연[3]【傲然】명 오만한 태도. 태도가 오만함. ¶고등학교 학생치고는 항상 ~하고 떳떳하였다≪李浩哲:越南한 사람들≫. ——-하다 형여불. ——-히 부

오:연[4]【誤嚥】명 모르고 잘못 삼켜 버림. ——-하다 타여불

오-연상【吳淵常】〖사람〗명 조선 중기의 문신. 자(字)는 사황(士黃). 해주(海州) 사람. 순조(純祖) 11년(1811) 영변 부사(寧邊府使)로서 홍경래(洪景來)의 난이 일어나자 민병(民兵)을 이끌고 성을 수비, 태천(泰川)을 탈환하고 적장 변대익(邊大益)을 주살함. 그 후 부제학(副提學)·이조 참판(吏曹參判) 등을 지냄. [1765-1821]

오:-연음부【五連音符】명〖악〗'다섯 잇단음표'의 한자 이름.

오:연자-포【五連子砲】명〖군〗조선 중기에 사용한 유통신(有筒身) 화기(火器)의 하나. 수철(水鐵)로 제작된 총신(銃身) 다섯 정을 한 포판(砲板)에 고정함으로써 다섯 발을 동시에 장전하고 발사할 수 있는 장점이 있음.

오-연총【吳延寵】명〖사람〗고려 예종(睿宗) 때의 문신. 해주(海州) 사람. 수차에 걸친 여진(女眞)의 침입을 격퇴, 공신(功臣)의 호를 받았으며, 이(吏)·예(禮)·병부(兵部) 판사(判事)를 지냈음. 시호는 문양(文襄). [1055-1116]

오:열[1]【五列】명 ↗제오열(第五列).

오:열[2]【午熱】명 한낮의 열기(熱氣).

오:열[3]【伍列】명〖군〗대열(隊列)을 짬. 또, 짜여진 대열. 항오(行伍).

오:열[4]【悟悅】명 깨닫고 기뻐함. ——-하다 자여불

오열[5]【嗚咽】명 목이 메어 욺. 흐느껴 욺. 또, 그 울음. ——-하다 자여불

오:염【汚染】명 ①더럽게 물듦. 더러워짐. ②〔contamination〕핵분열(核分裂) 생성물이나 방사능 무기(武器) 등의 방사성 물질이 목표물이나 지표(地表) 위 또는 대기(大氣) 속에 머무는 일. ③〔pollution〕생태계(生態界)에서, 환경(環境)을 파괴하거나 훼손(毁損)하는 일. ¶대기가 ~되다. ——-하다 자여불

오:염-도【汚染度】명 오염된 정도.

오:염 모니터【汚染一】명〔contamination monitor〕지표(地表)나 대기(大氣) 중의 방사능 오염을 검출(檢出)하는 데 쓰이는 계수관(計數管).

오:염-물【汚染物】명 더럽게 물든 물건. 오염된 물건.

오:염 방지 도료【汚染防止塗料】명 구리를 함유한 도료. 배의 밑바닥에 부착하는 바닷말 따위 해양 생물의 부착 방지에 쓰임.

오:염-원【汚染源】명 자동차의 배기 가스, 공장의 폐수 등 환경을 오염시키는 근본적 원인.

오:염 제거【汚染除去】명〔decontamination〕사람·물체 또는 어떤 지역으로부터 화학적·생물적 오염물이나 방사성 오염물을 제거 또는 중화(中和)하는 일.

오:염화-물【五塩化物】명〔pentachloride〕〖화〗구조 안에 5개의 염소 원자를 가지고 있는 염화물.

오:염화 비:소【五塩化砒素】명〔arsenic pentachloride〕〖화〗염화 비소❷.

오염화-인【五塩化燐】명〔phosphorus pentachloride〕〖화〗염화인❷.

오엽【梧葉】명 오동나무 잎사귀.

오:엽-매【五葉莓】명〖식〗오렴매(烏蘞莓).

오엽-선【梧葉扇】명 태극선(太極扇)의 살보다 굵은 살 끝을 휘어서 오동나무 잎의 엽맥(葉脈)과 비슷하게 만든 둥근 부채.

오:엽-송【五葉松】명〖식〗잣나무.

오엿 관〈방〉왼[3](충청).

오:영【五營】명〖역〗①서울에 있던 다섯 곳의 친군영(親軍營). 곧, 전

(前)·후(後)·좌(左)·우(右) 및 별영(別營)의 총칭. ②↗오군영(五軍營).

오:-영문【五營門】명〖역〗오군영(五軍營).

오-영(:)수【吳永壽】명〖사람〗소설가. 호는 월주(月洲). 경남 울주(蔚州) 출생. 일본 도쿄(東京) 국민 예술원(藝術院)에서 수학한 뒤 만주(滿洲)를 방랑하다, 해방 후 시인으로 데뷔, 1949년 단편 소설 ≪남이와 엿장수≫로 소설가로 전향, 많은 단편 소설을 발표함. 인정과 윤리 의식을 바탕으로 인간의 선(善)을 긍정하는 문학 세계를 서정미에 감싸인 에세이풍(風)의 문장에 담았음. [1914-79]

오-영진【吳泳鎭】명〖사람〗극작가. 호는 우천(又川). 경성 대학 법학부 졸업. 일본에 건너가 영화를 연구하였음. 시나리오 ≪맹진사댁 경사(孟進士宅慶事)≫로 문단에 등장, 해학과 풍자로 추악을 극복하고 진실과 아름다움을 추출하려 했음. 장막극 ≪인생 차압(人生差押)≫, 단막극 ≪허생전(許生傳)≫ 등이 있음. [1916-74]

오:예【汚穢】명 지저분하고 더러움. 더러워진 것. 예오(穢汚).

오:예-물【汚穢物】명 지저분하고 더러운 물건. 오물(汚物). 오예지물(汚穢之物).

오:예-장【汚穢場】명 오예물을 버리는 곳.

오:예지-물【汚穢之物】명 오예물(汚穢物). 준오물(汚物).

오:예-화【汚穢化】명 지저분하고 더럽게 됨. ——-하다 자여불

오오【嗷嗷】명 많은 사람이 원망하고 떠드는 일. ¶요사이 날이 몹시 가물어 백성들의 인심이 적지 않게 ~하옵니다≪朴鍾和 : 多情佛心≫. ——-하다 자여불

오오라 부〈옛〉온전히. 오로지. ¶엇뎨뻐 내모미 ᄒᆞ오아 오오라 이시리오(焉用身獨完)≪杜諺 Ⅳ:9≫.

오오로 부〈옛〉온전히. 오로지. ¶맛당이 오오로 몯홀가(應全未)≪初杜諺 XXI:11≫.

오:-오백년【五五百年】명〖불교〗석가 여래 입멸 후(入滅後) 2,500년간을 불법 성쇠(佛法盛衰)에 의하여 오분(五分)한 명칭. 첫째 500년을 해탈 견고(解脫堅固), 둘째를 선정 견고(禪定堅固), 셋째를 다문 견고(多聞堅固), 넷째를 조사 견고(造寺堅固), 다섯째를 투쟁 견고(鬪諍堅固)라 함. 첫째·둘째를 정법(正法), 셋째·넷째를 상법(像法), 다섯째 이후를 말법(末法)이라 함.

오:오:시:【O.O.C.】명〔Olympic Organizing Committee의 약칭〕올림픽 조직 위원회.

오:오 이:십오【五五二十五】명〖수〗구구법(九九法)의 하나. 다섯의 다섯 갑절은 스물 다섯이라는 말.

오:옥【五玉】명 ①5색(色)의 옥(玉). 곧, 창옥(蒼玉)·적옥(赤玉)·황옥(黃玉)·백옥(白玉)·현옥(玄玉). ②〖역〗오서(五瑞).

오-옥요【吳沃堯】명〖사람〗중국 청말(淸末)의 소설가. 자는 견인(趼人), 호는 아불 산인(我佛山人). 광둥성(廣東省) 출생. 1902년 잡지 '신소설'에 ≪통사(痛史)≫ 등의 장편을 발표하였음. [1867-1910]

오:온¹【五蘊】명〔범 skandha〕〖불교〗물질·정신을 오분(五分)한 색(色)·수(受)·상(想)·행(行)·식(識)의 다섯 가지 적취(積聚). 색은 물질·육체(肉體), 수는 감각(感覺)·지각(知覺), 상은 개념 구성(概念構成), 행은 의지(意志)·기억(記憶), 식은 순수 의식(意識)인데, 지상(地上)의 모든 중생(衆生)은 심신(心身)의 작용인 이 오온으로 이루어짐. 오음(五陰). 오중(五衆). *상온(想蘊).

오온² 관〈옛〉온. 전(全). ¶오온 蜀애 일훔난 士ㅣ 하니(全蜀多名士)≪杜諺 Ⅱ:3≫.

오:-온신【五瘟神·五溫神】명〖민〗동·서·남·북과 중앙의 다섯 방위(方位)에 있는 역신(疫神).

오올다 형〈옛〉온전하다. ¶微혼 班列에 목수믈 오올와 이슈라(微班性命全)≪杜諺 XX:18≫.

오왜【吳娃】명 중국 오(吳)나라의 미인. 오희(吳姬).

오왯 명〈방〉오얏(경상).

오요 관〈방〉왼³(충청).

오요요 감 강아지를 부르는 소리.

오:욕¹【五慾】명〖불교〗①오진(五塵). ②재물(財物)·색사(色事)·음식(飮食)·명예(名譽)·수면(睡眠)의 다섯 가지에 대한 욕심.

오:욕²【汚辱】명 남의 명예(名譽)를 더럽히고 욕되게 함. *오멸(汚衊). ——-하다 타여불

오욤 형〈옛〉그릇됨. 잘못됨. '외다'의 명사형. ¶그 오요믈 아디 몯홀씨(不知其非)≪楞嚴 X:60≫.

오:용【誤用】명 그릇 씀. 잘못 씀. ——-하다 타여불

오:우¹【五友】명 ①죽(竹)·매(梅)·난(蘭)·국(菊)·연(蓮)의 다섯 가지 절조 있는 식물. 명나라의 설선(薛瑄)이 찬(撰)한 화제(畫題)로서, 문인화(文人畫)에 많음. ②도우(道友)·의우(義友)·자래우(自來友)·오락우(娛樂友)·상보우(相保友)의 다섯 가지 뛰어난 벗.

오우²【吳牛】명 '물소'의 이칭(異稱). 중국 오(吳)나라에서 많이 나기 때문에 이름.

오우³【烏牛】명 털빛이 검은 소.

오우⁴【烏芋】명〖한의〗올방개의 뿌리. 지갈(止渴)·명목(明目)·개위(開胃) 등의 약으로 쓰임.

오우⁵【梧右】명 오하(梧下).

오:우-가【五友歌】명〖문〗고산 윤선도(孤山尹善道)의 시조 작품. 물·돌·솔·대·달의 다섯 가지 자연물을 벗으로 비긴 것인데, 서장(序章)까지 여섯 장으로 됨. ≪산중 신곡(山中新曲)≫에 수록됨.

오우다 타〈방〉외다²(전남·경상).

오우 천:월【吳牛喘月】명〔오우(吳牛)가 더위를 두려워한 나머지, 밤에 달 뜨는 것을 보고도 해인가 하고 헐떡거린다는 뜻〕간이 작아 공연(空然)한 일에 미리 겁부터 집어먹고, 허둥거리는 사람을 비웃는 말.

오:운¹【五運】명 ①오행(五行)의 운행(運行). ②달력에서 화성·수성·목성·금성·토성을 일컫는 말.

오-운²【吳澐】명〖사람〗조선 시대 때의 문신. 자는 태원(太源), 호는 죽유(竹牖)·죽계(竹溪). 고창(高敞) 사람. 이황(李滉)의 문인으로 벼슬이 광주 목사(光州牧使)에 이르렀고, 임진 왜란이 일자 의병을 일으켜 곽재우(郭再祐) 휘하에서 수병장(收兵將)으로 활약, 정유 재란에 다시 공을 세워 통정 대부(通政大夫)에 오르고 이후 공조 참의(工曹參議)까지 오름. 영주(榮州)의 산천 서원(山泉書院)에 제향(祭享)됨. [1540-1617]

오운³【烏雲】명 검은 구름. 흑운.

오:운 개서조【五雲開瑞朝】명〖악〗여민락(與民樂)의 현악 위주 편성일 때의 딴이름. 오양선무(五羊仙舞)를 시작할 때에 아뢰.

오:운-거【五雲車】명 오색(五色)의 구름을 그린 수레. 신선이 탄다고 함.

오:운-기【五雲旗】명〖역〗의장기(儀仗旗)의 한 가지.

〈오운기〉

오운지-진【烏雲之陣】명 까마귀나 구름이 집산(集散)하듯, 출몰(出沒) 변화(變化)가 자유 자재한 진법(陣法).

오울루〔Oulu〕명〖지〗핀란드 북서부 보트니아 만(Bothnia 灣) 깊숙이 들어간 곳에 있는 항구 도시. 오울루 강 하구(河口)에 위치하여 북부 핀란드의 교통의 요지이며, 목재의 집산·가공이 행하여짐. 1965년 세계 여자 스피드 스케이트 선수권 대회의 개최지. [95,000명(1981)]

오:원¹【五原】명〖지〗'우위안'을 우리 음으로 읽은 이름.

오:원²【五員】명〖역〗조선 시대 때, 경봉수(京烽燧)에 딸린 봉수군(烽燧軍)의 감독자. 다섯 봉화 아궁이에 한 사람씩 배치됨. *오장(伍長).

오원³【吾園】명〖사람〗장승업(張承業)의 호(號).

오-원⁴【吳瑗】명〖사람〗조선 영조(英祖) 때의 학자. 자(字)는 백옥(伯玉), 호는 월곡(月谷). 공조 참판·대제학을 지냈음. 위인이 곧고 소아(疎雅)하여 수식(修飾)을 좋아하지 않았음. 문집 ≪월곡집(月谷集)≫이 있음. 시호는 문목(文穆). [1700-40]

오:원 외:교【五元外交】명 1970년대 후반부터 두드러진, 미국·소련·중국·유럽 공동체 그리고 일본을 중심으로 했던 외교.

오:원-하다【迂遠—】형여불 우원(迂遠)하다.

오:월¹【午月】명〖민〗①월건(月建)이 오(午)로 된 달. 곧, 음양가(陰陽家)에서 이르는 음력 오월. ②오야(午夜)의 달.

오:월²【五月】명 일년 중의 다섯째 달.

[오월 농부 팔월 신선] 여름내 농사 지으면 팔월엔 편한 신세가 된다는 말.

오-월³【吳越】명 ①중국 춘추 전국 시대의 오나라와 월나라. ②오나라 사람과 월나라 사람. ③〔오나라와 월나라가 오랫 동안 적대(敵對)한 일에서〕서로 적의를 품고 있음을 두고 하는 말. 원수 같은 사이.

오월⁴【吳越】명〖역〗중국 오대(五代)의 열 나라 중의 하나. 당(唐)나라의 진해(鎭海)·진동(鎭東) 양절도사(兩節度使)를 겸하던 전유(錢鏐)가 양절(兩浙)에 세워 강남(江南)의 주요 지역을 차지함. 서울은 항저우(杭州). 5대(代) 만에 송(宋)나라에 항복함. [907-978]

오월⁵【梧月】명 음력 칠월의 딴이름. 오추(梧秋).

오:월-국【五月菊】명〖식〗국화의 한 종류. 오월에 꽃이 핌.

오월 동주【吳越同舟】명〔중국 춘추 전국 시대의 오왕 부차(吳王夫差)와 월왕 구천(句踐)이 항상 적의를 품고 싸웠다는 고사(故事)에서 유래〕서로 적의(敵意)를 품은 자들이 같은 처지나 한자리에 놓임을 가리키는 말. 또, 서로 반목(反目)하면서도 공통의 곤란·이해(利害)에 대하여 협력하는 일의 비유.

오:월-로【五月爐】명 필요는 없어도 없어지면 아쉬운 물건의 비유.

오월 비사【吳越備史】명〖책〗송(宋)나라 범동(范坰)·임우(林禹)가 찬(撰)한, 중국 오대 십국(五代十國) 시절의 오월(吳越)의 역사서(書). 무숙왕(武肅王) 전유(錢鏐)가 당말(唐末) 동란기에 진해(鎭海)·진동(鎭東) 양절도사가 된 때부터 국왕 전숙(錢俶)이 송조(宋朝)의 비호를 받게 되는 때까지의 사적(事績)을 편년체로 엮었음. 4권. 보유(補遺) 1권.

오:월-제【五月祭】[—째] 명 메이 데이(May Day)❶.

오:월-추【五月秋】명 음력 오월의 모내기로 바쁜 계절.

오월 춘추【吳越春秋】명〖책〗춘추 시대의 오(吳)와 월(越) 두 나라의 분쟁(紛爭)의 전말을 기록한 사서(史書). 후한(後漢)의 조엽(趙曄)이 찬(撰)함. 6권본과 10권본이 있음.

오:월 혁명【五月革命】명 1968년 5월에서 6월에 걸쳐 학생의 반란으로 발단된 프랑스의 사회적 위기. 파리 대학 등에서 시작된 대학 분쟁이 노동 운동과 연계되면서 내란(內亂) 직전의 위기로까지 악화되어, 드골 대통령은 의회를 해산하고 총선거를 실시하여 사태를 수습함.

오:웰〔Orwell, George〕명〖사람〗영국의 작가·평론가. 본명은 Eric Blair. 2차 대전 후, 스탈린의 독재를 풍자한 우화(寓話) 형식의 문제작 ≪동물 농장≫을 내어 주목을 끌었고, 다시 정치 소설 ≪1984년≫을 내어 전체주의를 풍자하였음. [1903-50]

오:위¹【五緯】명 ①〖천〗금성·목성·수성·화성·토성의 다섯 별. 이십 팔수(宿)에 속하는 별. 곧, 항성(恒星)을 경성(經星)이라 하고, 이와는 따로 독자(獨自)로 운행(運行)하는 다섯 행성(行星)을 위성(緯星)이라 함. ②다섯 가지 위서(緯書). ↔오경(五經).

오:위²【五衛】명〖역〗조선 세조(世祖) 3년(1457)에 군제(軍制)를 고치어 정한 다섯 위. 곧, 중위(中衛)로 의흥(義興), 좌위(左衛)로 용양(龍驤), 우위(右衛)로 호분(虎賁), 전위(前衛)로 충좌(忠佐), 후위(後衛)로 충무(忠武)를 두고, 한 위를 다섯 부(部), 한 부를 네 통(統)으로 나눠, 전국의 군사를 다 여기에 딸리게 하였는데, 장(將) 열두 사람이 있고, 그 밖에 많은 상호군(上護軍)·대호군(大護軍)·호군(護軍)·부호군(副護

軍)·사직(司直)·부사직(副司直)·사과(司果)·부장(部將)·부사과(副司果)·사정(司正)·부사정(副司正)·사맹(司猛)·부사맹(副司猛)·사용(司勇)·부사용(副司勇)의 군직(軍職)이 있어서 직품(職品)에 따라서 다른 관원 또는 군교(軍校)들로 겸하게 하였음. 임진 왜란(壬辰倭亂) 뒤에 이 오위병제(五衛兵制)는 사실상 소멸하여, 이름만 남게 되고 새로 훈련도감(訓鍊都監) 등 여러 군영(軍營)이 생겨나게 됨.

오:위[3] 【伍尉】 명 〖역〗 고려 시대의 무관직. 고려의 경군(京軍) 편제에서의 하급 지휘관.

오-위[4] 【吳偉】 명 〖사람〗 중국 명(明)나라의 화가. 자는 사영(士英) 또는 차옹(次翁), 호는 노부(魯夫) 또는 소선(小仙). 우창(武昌) 출생. 헌종(憲宗)·효종(孝宗)을 섬기어 화장원(畫狀元)의 인발을 하사 받음. 인물·산수를 잘 그렸으며, 술고래라 취필(醉筆)을 휘둘렀음. 독특한 필묵법(筆墨法)을 구사한 그의 작품에서 농담(濃淡)의 강렬함을 엿볼 수 있는데 오늘날의 절파 양식(浙派樣式)의 완성은 대문진(戴文進)보다 오히려 그의 영향이 크다고 함. [1459-1508]

오:위 도총부 【五衛都摠府】 명 〖역〗 조선 시대 때 중앙군인 오위(五衛)의 군무(軍務)를 맡아 보던 관아. 세조(世祖) 3년(1457)에 둔 오위 진무소(五衛鎭撫所)를 세조(世祖) 12년에 이 이름으로 고치어 병조(兵曹)에 매이지 아니한 독립(獨立)의 관아로 하고, 정이품(正二品) 도총관(都摠管) 다섯, 종이품(從二品) 부총관(副摠管) 다섯, 경력(經歷) 넷(숙종(肅宗)때 여섯으로 늚), 도사(都事) 네 사람(숙종 때 여섯으로 늚)이 있었는데, 도총관과 부총관은 다 타관(他官)으로 겸하게 하였음. 임진 왜란(壬辰倭亂) 뒤에, 오위 병제(五衛兵制)가 무너짐에 따라 실권(實權)은 없이, 이름만 남아 있다가 고종(高宗) 19년(1882)에 아주 혁파(革罷)함. ㊉도총부.

오-위업 【吳偉業】 명 〖사람〗 중국 청(淸)나라의 시인. 강남(江南) 사람. 자(字)는 준공(駿公), 호는 매촌(梅村). 처음에 명(明)나라에 벼슬살다가 청(淸)나라를 섬겨, 태조(太祖)·태종(太宗) 때 성훈 찬수관(聖訓纂修官)·국자감 좨주(國子監祭酒)가 됨. 시(詩)는 염려(艶麗)하나, 전란(戰亂)을 거친 뒤에는 비장(悲壯)한 시풍으로 바뀜. ≪영화궁사(永和宮詞)≫가 유명함. [1609-71]

오:위-장 【五衛將】 명 〖역〗 조선 시대 때 오위(五衛)의 군사를 거느리는 장수. 수효는 열 둘. 정조 때 열 다섯으로 늘림. 품질(品秩)은 종이품(정조 때 정삼품이 됨)으로, 끝의 둘을 조사 오위장(曹司五衛將)이라 함. 임진 왜란 뒤에 군제(軍制)의 개혁으로 실권(實權)을 훈련 도감(訓鍊都監) 등의 새 군영(軍營)에 빼앗기고 명목(名目)만 남아 있다가 고종(高宗) 19년(1882)에 없어짐. ㊉위장(衛將).

오:위 진:무소 【五衛鎭撫所】 명 〖역〗 조선 시대 때 오위(五衛)의 군무(軍務)를 맡아 보던 관아. 세조(世祖) 3년(1457)에 군제(軍制)를 개혁하여 오위 병제(五衛兵制)가 성립되면서 그 전의 삼군 진무소(三軍鎭撫所)를 개편한 것인데, 세조(世祖) 12년(1466)에 오위 도총부(五衛都摠府)라 고침.

오유[1] 【吳萸】 명 〖식〗 ↗오수유(吳茱萸).

오:유[2] 【迂儒】 명 우유(迂儒).

오유[3] 【烏有】 명 사물이 아무 것도 없이 됨. 무(無). ¶모든 재산이 ~로 돌아가다.

오:유[4] 【娛遊】 명 오락(娛樂)과 유희(遊戲). 즐기고 노는 일. ——-하다 자여불

오:유[5] 【誤謬】 명 '오류(誤謬)'의 잘못.

오:유[6] 【遨遊】 명 재미 있게 놂. ——-하다 자여불

오유란-전 【烏有蘭傳】 명 〖문〗 조선 영조·정조 때에 나온 지은이 미상의 한문 소설의 하나. 호색적인 양반 사류(士類)들의 치부(恥部)의 일면을 파헤쳐 풍자한 작품임.

오유 선생 【烏有先生】 명 실제에 없는 가공(假空)의 인물.

오-유충 【吳惟忠】 명 〖사람〗 중국 명(明)나라의 장군. 임진 왜란 때, 유격장(遊擊將)으로서 4천의 원군(援軍)을 거느리고 우리 나라에 와, 평양 탈환에 공을 세웠으나, 선산(善山) 싸움에서 패전함. 정유 재란(丁酉再亂) 때에도 부총병(副摠兵)으로 와서, 충주(忠州)·영천(永川)·양산(梁山) 등지에서 전공을 세움. 생몰년 미상.

오-윤(:)겸 【吳允謙】 명 〖사람〗 조선 인조 때의 상신(相臣). 자(字)는 여익(汝益), 호는 추탄(楸灘) 또는 토당(土塘). 해주 사람. 광해군(光海君) 9년(1617) 통신사(通信使)로 일본에 건너가 임진 왜란 때 잡혀간 포로를 데리고 왔음. 성품이 공평 무사하여 사람을 쓸 때 유능한 사람이면 친소를 가리지 않고 등용하고 무능하면 딱 잘라 거절했음. 문집(文集)으로 ≪추탄집(楸灘集)≫이 있음. 시호는 충정(忠貞). [1559-1636]

오:율 【五律】 명 ①↗오언율(五言律). ②율시 다섯 수(首).

오:음[1] 【五音】 명 〖악〗 궁(宮)·상(商)·각(角)·치(徵)·우(羽)의 다섯 음률(音律). 오성(五聲).

오:음[2] 【五飮】 명 다섯 가지 음료(飮料). 곧, 물·미음·약주·단술·청주.

오:음[3] 【五陰】 명 오온(五蘊).

오음[4] 【吳吟】 명 오(吳)나라의 노래를 읊는다는 뜻으로, 고향을 그리워함을 가리키는 말.

오음[5] 【梧陰】 명 〖사람〗 윤두수(尹斗壽)의 호(號).

오:음 약보 【五音略譜】 명 〖악〗 조선 세조(世祖)가 창안(創案)한 유량 악보(有量樂譜).

오:음 육률 【五音六律】 [—뉵뉼] 명 〖악〗 옛날 중국 음악의 다섯 가지 소리와 여섯 가지 율(律).

오:음 음계 【五音音階】 명 [pentatonic] 〖악〗 옥타브가 다섯 개의 음으로 된 음계. 장음계(長音階)나 단음계는 옥타브가 일곱 개의 음으로 되어 있으므로, 칠음 음계(七音音階)이나 한국 및 동양의 여러 나라와 서양의 스코틀랜드의 민요 등에 옥타브가 다섯 개의 음으로 되는 것이 많음.

오읍 【嗚泣】 명 오열(嗚咽). ——-하다 자여불

오-응(:)정 【吳應鼎】 명 〖사람〗 조선 선조(宣祖) 때의 무신. 자는 문중(文仲), 호는 완월당(翫月堂). 해주 사람. 선조 25년(1592) 임진 왜란이 일어나자 왕을 의주(義州)에 호종(扈從), 수탄장(守灘將)으로 평양 탈환전에 참가했으며, 동 27년 중군(中軍)이 됨. 동 30년(1597) 정유 재란(丁酉再亂)에 행호군(行護軍)이 되어 순천(順天)을 수비하고, 이어 남원(南原)을 수비하다가 전사함. [1548-97]

오:의[1] 【五儀】 [—/—이] 명 ①공(公)·후(侯)·백(伯)·자(子)·남(男)의 오작(五爵). ②다섯 등급의 인품(人品). 곧, 용인(庸人)·사인(士人)·군자(君子)·현인(賢人)·성인(聖人). ③고대 중국에서 제후(諸侯)가 추거(推擧)한 다섯 등위(等位)의 재사(才士). 곧, 수사(秀士)·선사(選士)·준사(俊士)·조사(造士)·진사(進士).

오:의[2] 【奧義】 [—/—이] 명 매우 깊은 뜻. 오지(奧旨).

오이[1] 명 〖식〗 [*Cucumis sativus*] 박과에 속하는 일년생의 만초(蔓草). 줄기는 땅 위나 다른 물건을 덩굴손으로 감아 벋으며, 잎은 장상(掌狀)으로 얕게 째짐. 여름에 누런 합판화(合瓣花)가 자웅 이화(雌雄異花)로 피고, 긴 타원형의 장과(漿果)를 맺는데 처음에는 녹색 또는 황백색이나 나중에는 누렇게 익음. 밭에 재배하는데, 인도와 히말라야 산맥 지방의 원산(原產)으로, 서남 아시아·유럽·동남 아시아에 분포함. 열매는 중요한 야채임. 호과(胡瓜). 황과(黃瓜). ㊉외.

수꽃 암꽃

〈오이[1]〉

[오이 덩굴에 오이 열리고 가지 나무에 가지 연다] '콩 심은 데 콩 나고 팥 심은 데 팥 난다'와 같은 뜻. [오이는 씨가 있어도 도둑은 씨가 없다] 도둑질은 내림으로 하는 것이 아니라는 뜻. [오이 덩굴에서 가지 열리는 법은 없다] '콩 심은 데 콩 나고 팥 심은 데 팥 난다'와 같은 뜻. [오이를 거꾸로 먹어도 제 멋] 남이 보아서 좋지 않더라도 제가 좋으면 그대로 두라는 말. [오이를 거꾸로 먹어도 제 소청] 어떻게 하든 제가 하고 싶어서 하는 짓은 내버려 두라는 뜻.

오이[2] 【烏伊】 명 〖사람〗 고구려 초기의 장군. 주몽(朱蒙)의 고구려 창건을 도왔고, 동명 성왕(東明聖王) 6년(32 B.C.) 행인국(荇人國)을 공취(攻取)하였으며, 유리왕(瑠璃王) 33년(14)에는 군사 2만 명을 거느리고 양맥(梁貊), 곧 동가강(佟佳江) 유역을 정벌함.

오이게놀: [도 Eugenol] 명 〖화〗 유제놀.

오이겐 [Eugen, Franz] 명 〖사람〗 오스트리아의 장군·정치가. 파리에서 태어났으나 루이 14세에게 기용되지 못하자 오스트리아로 가서 레오폴트(Leopold) 1세 이하 3대의 신성 로마 황제를 섬김. 군사적 천재로 대(對)터키 방위 전쟁, 대(對)프랑스 전쟁, 스페인 계승(繼承) 전쟁 등에서 무공을 세웠고, 정치·외교 분야에서도 활약, '사실상의 국왕'이라 불리었음. [1663-1736]

오이과-부 【—瓜部】 명 한자 부수(部首)의 하나. '瓤'나 '瓟' 등의 '瓜'의 이름.

오이 김치 명 오이로 담근 김치. 과저(瓜菹). ㊉외김치.

오이 깍두기 명 오이를 썰어서 젓국과 고춧가루와 고명을 넣어 버무려 담근 깍두기. 과홍저(瓜紅菹).

오이 나물 명 오이를 가로 썬 다음에 장·고기·파·깨소금·후춧가루를 치고 섞어 조금 볶은 음식. 소금에 절였다가 꼭 짜서 기름에 볶은 다음에 양념을 치기도 함. 과채(瓜菜). ㊉외나물.

오이 냉:국 【—冷—】 [—국] 명 오이 찬국.

오이다 타 〈방〉 외다[2](평안·충청·경북).

-오이다 어미 '이다'·'아니다'및 받침 없는 어간에 붙어, '하소서' 할 자리에서, 현재의 사실을 설명하는 종결 어미. ¶훌륭한 시조(時調)이~/머리가 희~/어머니께서 부르~. ㊉-외다. *-으오이다·-나이다·-사오이다.

오이-돼:지벌레 명 〈방〉 〖충〗 노린재❷.

오: 이: 디: 【O.E.D.】 명 [Oxford English Dictionary 의 약칭] 옥스퍼드 영어 사전.

오이디푸스 [Oidipous] 명 〖신〗 그리스 신화 중의 인물. 테베(Thebe) 왕의 아들. 부왕(父王)을 죽이며, 생모(生母)와 결혼하게 되리라는 신탁(神託)을 겁내어 이를 피하려 했으나, 그대로 되자 마침내 스스로 두 눈을 빼내고 방랑하다가 죽음. 테베 부근에서 행인(行人)을 괴롭히는 괴물 스핑크스(Sphinx)의 수수께끼를 풂. 에디퍼스(Oedipus). *오이디푸스왕.

〈오이디푸스〉

오이디푸스-왕 【—王】 [Oidipous] 명 〖연〗 그리스의 시인 소포클레스(Sophocles)의 비극. 그리스 신화에 나오는 오이디푸스 일가(一家)의 불행한 운명을 소재로 하였는데, 가혹한 운명에 휩쓸린 인간의 비극을 삼일치(三一致)의 법칙으로 묘사하였으며, 주인공 자신의 선의(善意)가 오히려 자신을 파멸로 이끄는 데에 비극의 가치를 높이고 있음. 에디퍼스왕. *오이디푸스.

오이디푸스 콤플렉스 [Oidipous Complex] 명 에디퍼스 콤플렉스.

오이라트 [Oirat] 명 〖역〗 중국 명(明)나라 때 몽고 서쪽에 있던 부족(部族). 15세기 중엽 에센(Esen)이 내외 몽고(內外蒙古)를 정복하여 전성(全盛)했으나, 1757년 청(淸)나라 고조(高祖)에게 정복됨. 와라(瓦剌).

오이려 부 〈방〉 오히려(경기·충남·전북).

오이로피데 [Europide] 명 현대인을 인종적(人種的)으로 3대별(大別)한 한 무리. 원향(原鄕)은 아시아의 키르기스(Kirgiz) 초원, 몽골(Mongol) 고원으로, 뒤에 유럽·소아시아·아프리카 북부로 퍼졌다고 함. 현재는 유럽 대륙을 중심으로 남북 아메리카·오스트레일리아 등 각지에 이주

(移住) 분산(分散)하고 있음. 인종적 특징은 두발(頭髮)이 물결 모양으로 부드럽고 체모(體毛)가 많으며, 피부는 일반적으로 색소가 적으나 명백색(明白色)에서 암갈색(暗褐色)까지 여러 가지임.

오이먀콘 〔Oimyakon〕 [명] 〖지〗 러시아 연방 야쿠트(Yakut) 자치 공화국 동부의 도시. 1933년 2월에 −67.7°C를 기록한, 세계에서 가장 추운 지방임. [약 500명]

오이 무름 [명] 어린 오이의 껍질을 벗기고 잠깐 쪄 내어 두 토막으로 자르고 세 골로 가른 다음에, 이겨서 양념하여 볶은 고기를 틈틈이 넣고 버섯과 석이와 알고명을 채쳐 얹거나 또는 오이에 고기를 끼운 것에 밀가루를 묻혀 달걀을 씌워 지진 반찬. 과숙(瓜熟). [준]외무름.

오이무름-국 〔一국〕 [명] 오이 속에 고기를 다져 넣고 맑은 장국에 끓인 음식.

오:이 배:작사 【五二倍作四】 [명] 〖수〗 다섯으로 둘을 나눔에는 그 둘을 몫 넷으로 만들어 놓으라는 구귀법(九歸法)의 하나.

오:이 산화 질소 【五二酸化窒素】 〔一쏘〕 [명] 〖화〗 '오산화 이질소'의 구용어.

오이 샐러드 〔salad〕 [명] 오이로 만든 샐러드.

오이 생채 【一生菜】 [명] 오이를 채쳐서 소금에 절인 것에 장·고추·기름·깨소금·파·설탕·후춧가루 따위를 치고 고기를 볶아 넣어서 주무른 생채.

오이-소박이 [명] ↗오이소박이 김치. [준]외소박이.

오이소박이 김치 [명] 오이의 꼭지를 따고 허리를 세 갈래로 에어 속에 파·마늘·생강을 다져서 고춧가루를 섞은 소를 넣고 파 잎으로 허리를 동여서 국물을 부어 익힌 김치. 과심저(瓜心菹). [준]오이소박이·외소박이·소박이·김치소박이.

오이-순 【一筍】 [명] ①오이의 어린 순. ②〈방〉 고광나무(전남).

오이스터 드릴 〔oyster drill〕 [명] 굴 껍질에 구멍을 뚫고, 그 살을 먹는 권패(卷貝)의 총칭.

오이스트라흐 〔Oistrakh, David Födorovich〕 [명] 〖사람〗 소련의 바이올린 연주가. 오데사 음악 학원에서 수학하여 1937년 이자이 콩쿠르에서 1위 입상, 38년 모스크바 음악 학원 교수가 됨. 안정된 기교 위에 신선한 서정(抒情)이 담긴 표현으로 격조 높은 연주를 함. 바로크에서 러시아 현대 음악에 이르기까지 레퍼토리가 넓은 것으로도 유명함. 만년에는 지휘자로도 활약함. 현대의 최고 연주가의 한 사람으로 꼽힘. [1908-74]

오: 이: 시: 【O.E.C】 [명] 〔Office of the Economic Coordinator의 약칭〕 1952년 5월 24일 체결된, '한미 경제 조정에 관한 협정'에 의한 대한(對韓) 경제 원조 사업에 관하여 아이 시 에이(I.C.A.)를 대표하던 기관. 1959년 유솜(USOM)으로 바뀌었음. 경제 조정관실. 주한(駐韓) 미국 경제 조정관실.

오: 이: 시: 디: 【O.E.C.D.】 〔Organization for Economic Cooperation and Development 의 약칭〕 [명] 경제 협력 개발 기구.

오이-씨 [명] 오이의 씨. [준]외씨.

오이씨 같다 [구] 버선 신은 여자의 발이 갸름하고 예쁘다. ¶오이씨 같은 버선발.

오: 이: 엠 【OEM】 [명] 〔original equipment manufacturing의 약칭〕 계약에 의해 공급 상대방의 상표로 상품을 내는 생산 형태. 주문자 상표 부착 생산 방식.

오: 이: 이: 시: 【OEEC】 〔Organization for European Economic Cooperation의 약칭〕 [명] 유럽 경제 협력 기구(經濟協力機構).

오이-장 【一醬】 [명] 오이를 어슷비슷 굵게 저며서 고기·파를 썰어 기름·깨소금을 치고 달걀을 넣고 고추장을 타서 모두 주무른 다음에 물을 조금 붓고 끓인 음식.

오이 장아찌 [명] 오이를 소금에 절인 다음 기름에 볶아 만들거나 또는 날오이를 진장에 넣어 만든 반찬.

오이-지 [명] 오이를 독이나 항아리에 담고 소금물을 끓여 식힌 것을 부은 뒤에 익힌 반찬. 과함저(瓜醎漬). [준]외지.

오이지 무침 [명] 오이지를 통으로 얇게 썰어서 물에 담고 잘 헤어서 꼭 짠 다음에 장·기름·설탕·고춧가루를 쳐서 무친 반찬.

오이지 지짐이 [명] 오이지를 썰어 젓국이나 고추장을 치고 고기와 파를 썰어 넣고 기름·깨소금을 친 다음 주물러서 물을 치고 끓인 음식. 과지전(瓜漬膞).

오이-지짐이 [명] 〈방〉 오이장.

오이 짠지 [명] 소금에 절인 오이에 통고추와 새앙을 섞고 진장에 넣어 만든 짠지. 과함저(瓜醎菹).

오이-찜 [명] 오이 꼭지를 따고 세 편을 짜개어 씨를 빼고, 고기·파·기름·깨소금·후춧가루·장을 쳐서 난도한 다음 밀가루를 조금 섞어 오이 속에 넣고 맑은 장국에 삶은 음식. 과증(瓜蒸). 황과증(黃瓜蒸).

오이 찬국 [명] 오이를 잘게 썰어 간장에 절인 다음, 냉국에 넣고 파·초·고춧가루를 친 음식. 오이 냉국.

오이-채 [명] 오이를 잘게 썰어 간장·기름·고추장·깨소금·초를 쳐서 무친 반찬.

오이켄 〔Eucken, Rudolf〕 [명] 〖사람〗 독일의 철학자. 예나(Jena) 대학 교수. 그의 철학은 19세기의 신이상주의(新理想主義)의 조류에 속하며, 신칸트파(新 Kant 派)의 인식론적(認識論的) 경향에서 형이상학적(形而上學的) 경향에의 이행(移行)의 선구를 이루었음. 그는 일종의 정신 생활의 주장자로 널리 해외에 영향을 주었음. 1908년 노벨 문학상을 받음. 저서에 ≪인류의 의식 및 행위에 있어서의 정신 생활의 통일≫ 등이 있음. [1846-1926]

오:이타 〔大分:おおいた〕 [명] 〖지〗 일본 오이타 현 중부의 시로 현청 소재지. 섬유·목재·식료품 공업이 발달함. 근년에 임해 공업 단지 조성으로, 제철·석유 화학·방적 등 공장이 진출함. [427,976명(1996)]

오:이타 현 【一縣】 〔大分:おおいた〕 [명] 〖지〗 일본 규슈(九州) 동북부에 있는 현. 11시 12군. 쌀·담배·귤·소금·은·동·주석·시멘트 등이 산출됨. 온천(溫泉)이 많음. 현청 소재지는 오이타 시(大分市). [6,337.0 km²: 1,230,300명(1996)]

오이타나지 〔도 Euthanasie〕 [명] 안락사(安樂死). 안사술(安死術).

〈오이풀〉

오이-풀 [명] 〖식〗 〔*Sanguisorba officinalis*〕 장미과에 속하는 다년초. 뿌리는 굵고 줄기는 높이 1.5m 가량임. 잎은 호생하고 유병(有柄)에 기수 우상 복생(奇數羽狀複生)하는데, 소엽(小葉)은 5-13개이고 달걀꼴 타원형 또는 긴 타원형임. 6-9월에 홍자색 꽃이 수상(穗狀) 화서로 가지 끝에 정생하여 피고, 과실은 수과(瘦果)를 맺음. 산이나 들에 나는데, 한국 각지 및 일본·중국·시베리아 등지에 분포함. 뿌리는 '지유(地楡)'라 하여 지혈제(止血劑)로 쓰고, 어린 잎은 물에 우려서 식용함. 수박풀. 옥시(玉豉).

오:인[1] 【午人】 [명] 〖역〗 남인(南人).

오:인[2] 【誤認】 [명] 그릇 인정함. 잘못보거나 생각함. 착인(錯認). ¶도둑으로 ~되다/아우를 형으로 ~하다. ——-하다 [타][여불]

오인[3] 【吾人】 [인대] ①나. ②우리 인류.

오:-인도 【五印度】 [명] 〖역〗 오천축(五天竺).

오-인수 【吳寅秀】 [명] 〖사람〗 조선 말기의 항일 의병장(抗日義兵將). 자는 경수(敬秀). 용인(龍仁) 출신. 1905년 용인에서 의병 3백을 거느리고 안성(安城)·죽산 등지에서 용전(勇戰), 중군장(中軍將)으로 안성에서 일본군 1개 대대(大隊)와 교전 중 붙잡혀 감옥에서 8년을 복역함. 뒤에 만주에서 죽음. 생몰년 미상.

오:인-조 【五人組】 [명] 〖악〗 1860-70년대의 러시아의 작곡가 단체. 상트페테르부르크에서 발라키레프(Balakirev, M.A.)를 지도자로 퀴(Cui, C.A.)·무소르크스키(Mussorgsky, M.P.)·림스키-코르사코프(Rimski-Korsakov, N.A.)·보로딘(Borodin, A.P.) 등 5명이 활동하면서 러시아 국민주의 음악을 완성시켰고, 20세기의 음악에 창작적·이론적 영향을 끼침.

오:일[1] 【午日】 [명] 〖민〗 일진(日辰)의 지지(地支)가 오(午)로 된 날. 갑오(甲午)·병오(丙午)·무오(戊午) 등.

오:일[2] 【五日】 [명] 닷새.

오일[3] 〔oil〕 [명] 기름.

오일 가스 〔oil gas〕 [명] 난방용 가스의 한 가지. 석유 원유 또는 석유 유분(溜分)을 열분해(熱分解)하여 만드는 연료 가스인데 각종 가스 모양의 탄화 수소와 수소 등의 혼합물로 도시 가스의 일부로 이용함. 발열량(發熱量) 5,000-12,000 Kcal/m³.

오:일 경조 【五日京兆】 [명] 〔중국 한(漢)나라 장창(張敞)이 경조윤(京兆尹)에 임명되었다가 며칠 후에 면직되었던 고사(故事)에서〕 오래 계속하지 못하는 일의 비유.

오일 달러 〔oil dollar〕 [명] 〖경〗 원유(原油) 거래로 축적되는 산유국(産油國)의 잉여 외화(剩餘外貨). 달러 이외의 통화도 포함되므로 오일 머니(oil money)라고도 함. 셰이크 달러(sheik dollar).

오일 댐퍼 〔oil damper〕 [명] 기름의 점성(粘性)을 이용하여 진동을 약하게 하거나 충격을 흡수하는 장치. 철도 차량·자동차·항공기·구조물 배관(配管) 등에 사용함. 유압(油壓) 댐퍼.

오-일도 【吳一島】 〔一또〕 [명] 〖사람〗 시인. 본명은 희병(熙秉). 경상 북도 영양(英陽) 출생. 1929년 일본 릿쿄(立敎) 대학 철학부 졸업. 1925년에 ≪한가람 백사장에서≫로 시단(詩壇)에 등장, 1935년에 시지(詩誌) '시원(詩苑)'을 간행하고, 이듬해 ≪을해 명시선(乙亥名詩選)≫을 편집 발행함. 부드러운 서정을 직정적으로 읊은 시를 지음. [1901-46]

오일러[1] 〔Euler, Leonhard〕 [명] 〖사람〗 스위스의 수학자·물리학자. 수학·물리학 전분야에 걸친 해박한 지식을 가졌으며, 변분학(變分學)을 창시(創始)하고 에테르(ether) 가설을 정립하는 한편 수력 터빈(turbine) 이론을 완성하였음. [1707-83]

오일러[2] 〔Euler, Ulf Svante von〕 [명] 〖사람〗 스웨덴의 생리학자. 오일러 켈핀(Euler-Chelpin)의 아들. 카롤린스카(Karolinska) 연구소 생리학 교수, 스웨덴 왕립 학술원 회원. 1953-65년에 노벨 생리 의학상 전형위원, 1965-75년 노벨 재단 이사장을 지냄. 말단(末端) 신경내의 체액 전도체(體液傳導體)와 그 저장·사출(射出) 및 불활성화(不活性化)에 대한 공헌으로 카츠(Katz. B.)·액설로드(Axelrod, J.)와 함께 1970년도 노벨 생리 의학상을 받음. [1905-83]

오일러의 정:리 【一定理】 〔一니/一에一니〕 [명] 〔Euler's theorem〕 〖수〗 〔스위스의 수학자 오일러의 이름에서 유래함〕 볼록 다면체(多面體)의 꼭지점의 수 E, 변의 수 K, 면의 수 F 사이에는 E−K+F=2가 성립된다는 정리.

오일러 켈핀 〔Euler-Chelpin, Hans Karl August Simon von〕 [명] 〖사람〗 독일 출생의 스웨덴 화학자. 아카데미 회원. 1929년 효소(酵素)의 연구로 하든(Harden)과 함께 노벨 화학상을 받음. [1873-1964]

오:일륙 군사 정변 【五一六軍事政變】 [명] 1961년 5월 16일에 반공(反共)과 구악(舊惡) 일소 및 국가 재건을 내세워, 박정희(朴正熙)를 중심으로 한 일부 국군(國軍)이 일으킨 정변.

오일리스 베어링 〔oilless bearing〕 [명] 다공성(多孔性)의 재료에 기름을 먹여 만든 함유(含油) 베어링. 기름은 모세관 현상(毛細管現象)과 축(軸)과의 마찰열로 팽창하여 배어나와서 축의 회전을 윤활(潤滑)하게 하고, 온도가 떨어지면 재료 속에 빨려 들어감. 넓은 뜻으로는, 기름이나 그리스를 필요로 하지 않는 흑연(黑鉛)·활석(滑石)·황(黃)·공기·물 따위를 이용한 베어링도 포함됨.

오일 배스 〔oil bath〕 [명] 〖화〗 유욕(油浴).

오:일 배:작이【五一倍作二】 명 〖수〗 구귀가(九歸歌)의 하나. 다섯으로 하나를 나눔에는 그 하나를 몫 둘로 만들어 놓으라는 뜻.

오일 버:너〔oil burner〕 명 중유 연소기(重油燃燒器).

오일 볼:〔oil ball〕 명 폐유괴(廢油塊).

오일 샌드〔oil sand〕 명 4-10%의 타르상(tar狀) 중질 원유(重質原油)를 함유하는 사암(砂岩). 열수 처리(熱水處理) 기타의 방법으로 원유를 추출하여, 약간의 예비 정제를 하면 원유에 가까운 것이 얻어짐. 캐나다의 앨버타 주(Alberta 州) 애서배스카(Athabaska) 지방 및 베네수엘라의 오리노코 강(Orinoco江) 주변에 많이 매장되어 있음. 타르 샌드(tar sand). *유사(油砂).

오일 샴푸:〔oil shampoo〕 명 세발법(洗髮法)의 한 가지. 머리털이 상했을 때에 식물성 기름을 머리에 붓고 뜨거운 물수건으로 한동안 감싸 두었다가 세발하는 방법.

오일 셰일〔oil shale〕 명 〖광〗 석유를 함유하는 일종의 암석. 수성암(水成岩)으로, 석탄층(石炭層)의 위를 덮은 암층(岩層)을 이름. 건류(乾溜)하여 혈암유(頁岩油)를 채취함. 석유 혈암(石油頁岩). 유모 혈암(油母頁岩). 유혈암(油頁岩).

오일 쇼크〔oil shock〕 명 유류 파동(油類波動). 석유 파동.

오일-스킨〔oilskin〕 명 삼씨 기름으로 방수 가공(防水加工)을 한 면(綿) 및 아마(亞麻) 직물.

오일스킨 스테인〔oilskin stain〕 명 벤젠·테레빈 등의 휘발성 기름으로 물감을 녹인 도료. 물에는 녹지 않음.

오일 스테인〔oil stain〕 명 기름에 진한 붉은색 물감이나 안료를 녹인 도료(塗料). 나무벽·기둥·마룻 바닥 등의 착색 혹은 방부제(防腐劑)로 쓰임.

오일-스토:브〔oilstove〕 명 석유 난로.

오일-스톤:〔oilstone〕 명 가막부리 또는 메스(mess) 등을 기름을 쳐서 가는, 석영질(石英質) 또는 알루미나질(alumina質)의 숫돌.

오일-시:드〔oilseed〕 명 기름을 빼낼 수 있는 유지 작물의 씨. 콩·해바라기씨 등은 식용뿐만 아니라 윤활유 등 공업용으로도 폭넓게 쓰임.

오일 실크〔oil silk〕 명 견직물에 기름 또는 수지 용액(樹脂溶液)을 도포한 것. 방수용 외투 등에 쓰임.

오일 엔진〔oil engine〕 명 〖공〗 석유 기관(石油機關).

오:일-열【五日熱】〔-렬〕 명 〖의〗 이가 매개(媒介)하는 전염병의 한 가지. 제1차 세계 대전 때, 전선(戰線)에서 유행했음. 대개 5일마다 고열을 내며 경골(脛骨)에 심한 통증을 느낌. 때로는 관절통·위장 장애·신경통을 수반함.

오일 옐로:〔oil yellow〕 명 버터 옐로(butter yellow).

오:-일오칠【O-157】 명 〖의〗〔O는 활동성이 없다는 뜻인 독일어의 Ohne의 머리 글자; 157은 157번째로 발견되었다는 뜻에서 붙인 번호〕 병원성 대장균(病原性大腸菌)의 하나. 매우 감염력(感染力)이 강한 균으로서 사람이 감염되면 복통(腹痛), 설사, 혈변(血便) 등 적리(赤痢)와 같은 증상을 일으키며, 중증(重症)이 되면 죽기도 함.

오:일-장【五日葬】 명 초상 난 지 닷새 만에 지내는 장사. ——하다 타여불

오:일-제【五日制】 명 〖교〗 일주일 가운데 닷새를 정규 수업(授業)에 충당하고, 나머지 하루(대개 토요일)는 특별한 교육 활동이나 학교 행사에 충당하는 교육 제도의 하나.

오일-클로스〔oilcloth〕 명 ①기름으로 방수(防水) 처리한 피륙. ②면플란넬(綿 flannel)이나 펠트(felt) 등 두꺼운 피륙에 에나멜(enamel)을 칠하고 여러 가지 무늬를 넣은 피륙. 책상보 등에 쓰임.

오일 클로:즈 방식【一方式】〔oil close〕 명 전기·가스 요금의 개정을, 석유 가격 상승(上昇)에 연동시키는 방식. 석유 가격이 오를 때마다 복잡한 절차(節次)를 거쳐 요금을 개정(改定)해야 하는 수고를 덜게 하는 것이 목적임.

오일 탱커〔oil tanker〕 명 유조선(油槽船).

오일 퍼실리티〔oil facility〕 명 〖경〗 국제 통화 기금(IMF)이 산유국(產油國)으로부터 돈을 빌려 비산유 개발 도상국(非產油開發途上國)에 융자해 주는 제도. 1974년 제1차 석유 파동 후에 생김.

오일 펌프〔oil pump〕 명 진공 펌프의 한 가지. 밸브나 피스톤을 기밀(氣密)하게 하기 위하여 비휘발성의 기름을 사용한 것으로, 회전식 진공 펌프가 있음.

오일 페니실린〔oil penicillin〕 명 〖약〗 페니실린을 정제하여 기름에 녹인 약. 근육 주사로 쓰임.

오일 펜스〔oil fence〕 명 배 따위에서 기름이 흘러 나왔을 때에, 그것이 퍼지는 것을 막기 위하여 수면(水面)에 설치하는 울.

오:입[1]【悟入】 명 〖불교〗 도(道)를 깨달아서 실상(實相)의 세계에 들어감. 증입(證入). ——하다 자여불

오:입[2]【誤入】 명 사내가 노는 계집과 상종하는 일. 외도(外道). 외입(外入). ——하다 자여불

오:입-쟁이【誤入―】 명 오입질하는 사내.

[오입쟁이 헌 갓 쓰고 똥 누기는 예사다] 방탕한 사람이 예를 지키지 아니하고, 실행(失行)을 해도 이상할 것이 없다는 말.

오:입쟁이-떡【誤入―】 명 대추·밤·석이의 채친 것을 얹어서, 찰전병을 넓고 모지게 부친 다음, 넓이 한 치 가량 되게 썰고 다시 그것을 어슷비슷하게 네모지게 썰어서 설탕·계피 가루를 뿌려 잰 웃기떡. 건달병(乾達餠).

오:입-질【誤入―】 명 오입하는 행동. ——하다 자여불

오:입-판【誤入―】 명 오입쟁이들이 노는 사회.

오ᄋᆞ로 부 〈옛〉 온전히. 전혀. 온통. =오로[6]. ¶壽數ᄅᆞᆯ 伐ᄒᆞ요ᄆᆞᆫ 반ᄃᆞ기 오ᄋᆞ로 懲戒ᄒᆞ노라(伐數必全懲)《杜諺 XX:25》/위안해 토란과 바ᄆᆞᆯ 거두워 드릴ᄉᆡ 오ᄋᆞ로 가난티 아니ᄒᆞ도다(園收芋栗不全貧)《杜諺 Ⅶ:21》.

오ᄋᆞᆫ 관 〈옛〉 온전한. 모든. ¶오ᄋᆞᆫ 蜀애 일훔난 名士ㅣ 하니(全蜀多名士)《杜諺 Ⅱ:3》/오ᄋᆞᆫ ᄆᆞ린 겨리겨리 ᄉᆡᆼ네 믈 아톰 ᄀᆞᄐᆞᆫ ᄒᆞ니(如全水之波波恒非水)《永嘉 下 100》.

오ᄋᆞᆯ다 형 〈옛〉 온전하다. ¶둘흘 오ᄋᆞᆯ에 호ᄆᆞᆯ 붓그리노라(愧雙全)《杜諺 Ⅵ:37》/力量이 오ᄋᆞᆯ며 ㅈ자(力量全備)《蒙法 46》/愛人相見ᄒᆞ샤 오ᄋᆞᆯ어신 누네《樂詞 處容歌》.

오ᄋᆞᆯ에 형 〈옛〉 온전하게. ¶둘흘 오ᄋᆞᆯ에 호ᄆᆞᆯ 붓그리노라(愧雙全)《杜諺 Ⅵ:37》. *오ᄋᆞᆯ다.

오ᄋᆞᆯ오다 타 〈옛〉 오로지하다. ¶衆生돌히 ᄆᆞᅀᆞᄆᆞᆯ 오ᄋᆞᆯ와 흔고대 고즈기 머겨《月釋 Ⅷ:5》. *오ᄋᆞᆯ다.

오이다 자 〈옛〉 왔나이다. '오다'의 활용형. ¶方辯이 머리셔 오이다(方辯이 遠來호이다)《六祖 中 110》.

오:자[1]【五子】 명 ①중국의 다섯 대학자와 그들의 저서. 곧, 노자(老子)·장자(莊子)·순자(荀子)·양자(楊子)·문중자(文中子). ②중국 도학(道學)의 정통(正統)으로 일컫는 주돈이(周敦頤)·정호(程顥)·정이(程頤)·장재(張載)·주희(朱熹)의 다섯 송유(宋儒).

오자[2]【吳子】 명 〖책〗 중국 춘추(春秋) 전국 시대에 오기(吳起)가 지은 병서(兵書). 손자(孫子)와 병칭(竝稱)되는 명저(名著)로서 도국(圖國)·요적(料敵)·치병(治兵)·논장(論將)·응변(應變)·여사(勵士) 등이 수록(收錄)되었음. 1권 6편.

오자[3]【烏瓷】 명 오자기(烏瓷器).

오:자[4]【誤字】 명 잘못 쓴 글자. 틀린 글자. 오식(誤植)한 활자(活字).

오-자기【烏瓷器】 명 오지 그릇. 오자(烏瓷).

오:자 낙서【誤字落書】 명 글자를 잘못 쓰는 일과 빠뜨리고 쓰는 일. 또, 그러한 글자. 오서 낙자(誤書落字). 준오락(誤落). ——하다 자여불

오자-대【梧子大】 명 오동나무의 열매만큼 큰 덩이.

오:자 등과【五子登科】 명 〖역〗 아들 다섯이 모두 문과(文科)나 무과(武科)에 합격함. 이러한 경우에는 나라에서 그 어버이에게 해마다 쌀을 하사(下賜)하고 특별히 가자(加資)하며, 그 어버이가 죽었으면 추증(追贈)하고 그 무덤에 치제(致祭)하였음.

오:-자서【伍子胥】 명 〖사람〗 중국 춘추(春秋) 시대 초(楚)나라 사람. 이름은 운(員). 아버지인 사(奢)가 그 형인 상(尙)과 함께 초나라 평왕(平王)에게 피살되자 오(吳)나라로 도망쳐 오군(吳軍)을 이끌고 초나라를 쳐서 원수를 갚는 동시에 국위를 크게 떨침. 후에 오왕(吳王) 부차(夫差)가 월왕(越王) 구천(句踐)을 사로잡자 그를 죽여 후환을 없애도록 권했으나 듣지 않고 군사를 일으켜 제(齊)나라를 치려 하니 강력히 만류하다가 죽음을 당함. [?-485 B.C.]

오자와 세이지〔小沢征爾: おざわせいじ〕 명 〖사람〗 일본의 음악 지휘자. 중국 선양(瀋陽) 출생. 도호 가쿠엔(桐朋学園) 단기 대학 음악과 졸업. 1959년에 프랑스 국제 오케스트라 지휘자 경연(競演)에서 1위를 하여, 뉴욕 교향악단 부지휘자, 샌프란시스코 교향악단 음악 감독을 거쳐, 73년 이후 보스턴 교향악단 음악 감독으로 있음. [1935-]

오:작[1]【五爵】 명 〖역〗 ↗오등작(五等爵).

오:작[2]【作作】 명 〖역〗 지방 관아에 딸려 수령(守令)이 시체(屍體)를 임검할 때에 시체를 주워 맞추는 일을 하던 하인(下人). 오작인(作作人).

오작[3]【烏鵲】 명 까막까치.

오작[4] 부 〈방〉 오죽[3].

오작-교【烏鵲橋】 명 ①〖민〗 칠월 칠석에 견우(牽牛)와 직녀(織女)의 두 별을 서로 만나게 하기 위하여 까막까치가 모이어 은하(銀河)에 놓는다고 하는 다리. 작교(鵲橋). ②〖지〗 전라 북도 남원(南原) 광한루(廣寒樓)에 있는 석재(石材)로 된 다리. 《춘향전(春香傳)》에서 춘향과 이(李)도령의 로맨스를 가져온 다리로 유명함.

오작-남【烏鵲南】 명 오작(烏鵲)이 남쪽을 향하여 난다는 말.

오작-오작 부 ①작고 가벼운 물건이 무너지거나 버그러지는 모양이나 소리. <우적우적. ② ☞와작와작. ——하다 형여불

오:작-인【作作人】 명 〖역〗 오작(作作).

오잔【烏盞】 명 〖미술〗 검정 잿물을 입힌 잔.

오-잠【吳潛】 명 〖사람〗 고려 충렬왕(忠烈王) 때의 간신. 여러 벼슬을 거쳐 지도첨의사사(知都僉議司事)가 되었으나 임금 부자(父子)를 이간시키고 어진 신하들을 모해(謀害)하는 등의 행위로 원성이 높자 원(元)나라로 압송되어 그 곳에서 귀양살이를 함. 훗날 충선왕(忠宣王) 때 다시 요직에 등용되고 충숙왕(忠肅王) 때에 구성군(龜城君)에 피봉되었으나 여전히 많은 해독을 끼쳤음. 생몰년 미상.

오:장[1]【五葬】 명 다섯 종류의 장의(葬儀). 곧, 토장(土葬)·화장(火葬)·수장(水葬)·야장(野葬)·임장(林葬).

오:장[2]【五障】 명 〖불교〗 ①여자에게 있는 다섯 가지 장애(障礙). 곧, 범천(梵天)·제석(帝釋)·마왕(魔王)·전륜 성왕(轉輪聖王)·불신(佛身)이 되지 못하는 일. 여자 오장(女子五障). 오애(五礙). ②수도(修道)하는 데 장애되는 다섯 가지 장애. 곧, 번뇌장(煩惱障)·생장(生障)·법장(法障)·소지장(所知障)·업장(業障).

오:장[3]【五臟】 명 〖한의〗 다섯 가지 내장(內臟). 곧, 간장(肝臟)·심장(心臟)·비장(脾臟)·폐장(肺臟)·신장(腎臟). 오내(五內). ¶~이 숯등걸이 다 되면서도 모진 목숨이 죽지도 아니하고…《李海朝: 鬢上雪》. *오중(五中)·오창(五倉)·오부(五負).

[오장까지 뒤집어 보인다] 마음 속속들이 털어 놓는다는 말.

오:장을 긁다 구 남의 비위를 건드리다.

오:장이 뒤집히다 구 분통이 터져서 견딜 수 없다.

오:장[4]【伍長】 명 〖역〗 ①옛 군대에서 한 오(伍)의 우두머리. ②조선 시대 때, 지방의 봉수(烽燧)에서, 봉수군(烽燧軍)을 감독하던 사람. 다섯 봉화 아궁이에 한 사람씩 배치됨. *오원(五員).

오장[5]【吳裝】 명 〖미술〗 중국 불화(佛畫)의 체(體)의 한 가지. 불상(佛像)을 그림에 있어서, 당(唐)나라 때 화가 오도현(吳道玄)의 화풍(畫風)과 같이, 웅경(雄勁)한 필세(筆勢)로 휘둘러 의복(衣服)을 휘날리게 그리

며 가볍고 옅은 채색을 함. 오가양(吳家樣). ＊조장(曹裝).

오:장[6]【奧藏】명 깊이 감추어진 곳. 또, 깊이 감춤. ──하다 타여불

오-장경【吳長慶】명〖사람〗중국 청(淸)나라의 장군. 이홍장(李鴻章)의 휘하로, 광둥 수사 제독(廣東水師提督)에 오름. 임오 군란(壬午軍亂) 때 민씨(閔氏) 일파의 요청으로, 4천 병력을 이끌고 서울에 진주, 대원군(大院君)을 청나라에 압송(押送)함. 이듬해 이홍장과의 알력으로 본국으로 철수함. [1833-84]

오:장-원【五丈原】명〖지〗'우장위안'을 우리 음으로 읽은 이름.

오:장 육부【五臟六腑】[─뉵─] 명〖한의〗내장의 총칭. 즉, 오장과 육부. 전하여, 능멸을 당하거나 부당한 처사를 보았을 때 분히 여기는 속 마음이나 자존심. ¶~가 없는 사람/~가 뒤틀리다. ㊢장부(臟腑).

오장이 명〈방〉오쟁이.

오장 차비【烏杖差備】명〖역〗조선 시대 때, 충찬위(忠贊衛)에 속한 병졸. 검은 지팡이를 들고 빈(嬪)·귀인(貴人) 등 내명부(內命婦)의 경비를 맡는 군사(軍士).

오장치 명 ① ☞ 오쟁이. ② ☞ 삼태기. ¶그 뒤에는 떠꺼머리 아이놈 하나이 무엇을 ~에다 잔뜩 넣어 꼬박꼬박 지고 따라오더니…《作者未詳: 恨月》.

오장팡〔Ozenfant, Amédée〕명〖사람〗프랑스의 화가. 르 코르뷔지에(Le Corbusier)와 함께 《입체파 이후(立體派以後)》를 출판하여 새로운 퓌리슴(purisme)을 주창하고, 뒤에 함께 《근대 회화》도 저작함. 뉴욕에서 미술 학교를 경영하였음. [1886-1966]

오-장환【吳章煥】명〖사람〗시인. 충북 회인(懷仁) 출생. 휘문(徽文) 중학 중퇴. '시인 부락(詩人部落)'의 동인. 산문시 《목욕간》으로 데뷔. 모더니즘적인 취향과 열정이 담겨 있었으며, 감상주의적인 측면도 있었음. 시집 《성벽(城壁)》·《헌사(獻辭)》·《병든 서울》 등이 있음. 월북 작가의 하나. [1916-?]

오:재【五材】명 다섯 가지의 재료. 곧, 금(金)·목(木)·수(水)·화(火)·토(土) 또는 금·목·피(皮)·옥(玉)·토.

오재기 명〈방〉오자기.

[오재기 안에서 소를 잡는다] 좁은 오재기 안에서 소를 잡으니, 소란이 보통이 아니라는 말.

오-재(:)순【吳載純】명〖사람〗조선 정조(正祖) 때의 문신·학자. 자(字)는 문경(文卿), 호는 순암(醇庵). 해주(海州) 사람. 정조 8년(1784) 양관 대제학(兩館大提學)이 됨. 제자 백가(諸子百家)에 정통하고, 특히 주역(周易)에 밝았음. 저서에《주역 회지(周易會旨)》·《독서 기의(讀書起疑)》 등이 있음. [1727-92]

오쟁이 명 짚으로 만든 작은 섬.

오쟁이(를) 지다 구 자기의 계집이 다른 사내와 사통(私通)하다. ¶성혼은 했다 하나 내 부실한 사내라 오쟁이를 지고 말았네《金周榮: 客主》.

오쟁이-뜨다 자 서로 가지려고 헐뜯으며 다투다.

오:저[1]【五渚】명〖지〗동정호(洞庭湖).

오:저[2]【奧底】명 깊은 속 또는 깊은 바닥.

오:적【五賊】명〖역〗한말, 을사 오조약(乙巳五條約)에 찬동하여 이의 체결에 참가한 다섯 민족 반역자. 곧, 외부 대신(外部大臣) 박제순(朴齊純), 내부 대신(內部大臣) 이지용(李址鎔), 군부 대신(軍部大臣) 이근택(李根澤), 학부 대신(學部大臣) 이완용(李完用), 농상공부 대신(農商工部大臣) 권중현(權重顯).

오:적-산【五積散】명〖약〗감기와 위장병을 겸해 다스리는 약. 창출(蒼朮)·마황(麻黃)·진피(陳皮) 등이 그 주재(主材)가 됨.

오적-어【烏賊魚】명〖동〗오징어.

오적어-탕【烏賊魚湯】명 오징어탕.

오:전[1]【午前】명 밤 열 두 시로부터 낮 열 두 시까지의 사이. 상오(上午). ↔오후(午後).

오:전[2]【五典】명 ①오륜(五倫). ②오상(五常)❸.

오:전[3]【誤傳】명 ①사실과 틀리게 전함. 또, 그 전달. ②전한 것이 사실과 틀림. ──하다 타여불

오전[4]【鏊腾】명 가재 지짐이.

오전[5]【鏖戰】명〔오(鏖)는 모조리 죽임의 뜻〕역전 고투(力戰苦鬪)하여, 전사자(戰死者)를 많이 낸 큰 싸움. 피아간(彼我間)에 전멸(全滅)할 때까지 싸우는 싸움. ──하다 자여불

오:전-반【午前班】[─빤] 명 이부제(二部制)로 수업을 하는 학교에서 오전에 수업을 하는 학급. ↔오후반(午後班).

오전-부리다 자〈방〉방정떨다(전라).

오전-스럽다 형〈방〉방정맞다(전라).

오:-전자【O電子】명〔O electron〕원자핵(原子核)을 둘러싼 전자각(電子殼)의 다섯 번째 오각(O殼) 안의 전자. 주양자수(主量子數)는 5임. ＊피(P)전자·오각(O殼).

오:절【五絕】명 ①사람이 비명(非命)에 죽는 다섯 가지. 곧, 목 매어 죽는 일, 물에 빠져 죽는 일, 눌려 죽는 일, 얼어 죽는 일, 몹시 놀라서 죽는 일. ②↗오언 절구(五言絕句).

오점[1] 명〈방〉오줌(경상).

오:점[2]【汚點】[─쩜] 명 ①깨끗한 바탕에 떨어진, 더러운 점. 얼룩. ②불명예스러운 점. 흠. 결점. ¶생애에 ~을 남기다.

오:접【誤接】명 전화 따위가 잘못 연결됨. 또, 교환수가 잘못 연결함. ──하다 자타여불

오-접선【烏摺扇】명 검은 칠을 한 접는 부채.

오:젓 명 ↗오사리젓.

오:정[1]【午正】명 낮 열 두 시. 태양이 자오선(子午線)을 통과하는 시각. 정오(正午). 탁오(卓午). ↔자정(子正).

오:정[2]【五情】명 사람의 다섯 가지 정. 즉, 희(喜)·노(怒)·애(哀)·낙(樂)·욕(慾) 또는 희·노·애·욕·오(惡).

오정-대【烏鞓帶】명〖역〗전악(典樂)·악생(樂生)·악공(樂工)이 공복(公服)에 띠는 띠.

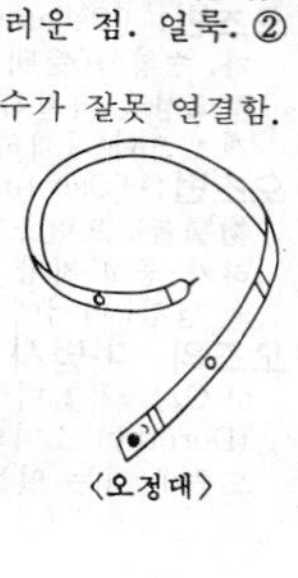

〈오정대〉

오-정방[1]【伍廷芳】명〖사람〗'우 팅팡'을 우리 음으로 읽은 이름.

오-정(:)방[2]【吳定邦】명〖사람〗조선 시대 중기의 무신. 자는 영언(英彦), 호는 퇴전당(退全堂). 해주 사람. 선조(宣祖) 16년(1583) 무과에 급제, 임진 왜란 때 공을 세워 부령 부사(富寧府使) 등을 거쳐 포도 대장(捕盜大將)을 지냄. 광해군(光海君) 때 폐모론(廢母論)에 반대, 사직하였다가 인조 반정(仁祖反正) 후 다시 포도 대장·경상 좌도(左道) 병마 절도사가 됨. 시호는 정무(貞武). [1552-1625]

오-정위【吳挺緯】명〖사람〗조선 숙종(肅宗) 때의 문신. 자(字)는 군서(君瑞), 호는 동사(東沙). 동복(同福) 사람. 호조·형조·공조·예조 판서를 역임함. 충청 감사 때 공주(公州)의 옛성을 개축하고 중을 모아 성을 지키게 하였고 숙종 6년(1680) 큰 흉년이 들었을 때 양주(楊州) 목사에서 경기 감사로 발탁되어 많은 백성을 구제함. [1616-92]

오정 일고【鰲亭逸稿】명〖책〗조선 숙종(肅宗) 때 사람 오정 김방한(金邦翰)의 문집(文集). 1911년 후손 김시준(金時駿)이 간행함. 상권은 소(疏)·책(策)·잡저(雜著)·서(序)·기(記)·축문(祝文)·애사(哀辭) 등을, 하권에는 부록을 실음. 2권 1책.

오:정-주【五精酒】명 솔잎·구기자(枸杞子)·천문동(天門冬)·백출(白朮)·황정(黃精)의 다섯 가지로 빚어 만든 술.

오:정-포【午正砲】명 오정을 알리는 대포. ㊢오포(午砲).

오:제[1]【五帝】명 ①고대 중국의 다섯 성군(聖君). 곧, 소호(少昊)·전욱(顓頊)·제곡(帝嚳)·요(堯)·순(舜). 사기(史記)에는 소호 대신에 황제(黃帝)로 되어 있음. ②〖민〗사방과 중앙을 맡은 다섯 신(神). 곧, 동의 청제(靑帝), 서의 백제(白帝), 남의 적제(赤帝), 북의 흑제(黑帝) 및 중앙의 황제(黃帝). ＊삼황(三皇).

오제[2]【梧製】명〖역〗'칠석제(七夕製)'의 별칭.

오제[3]【吾儕】인대 우리네. 오등(吾等). 아배(我輩). 오배(吾輩).

오: 제이 티:【OJT】명〖경〗〔on the job training의 약칭〕종업원 교육 훈련의 하나로서, 일상적인 일을 하면서 교육 훈련을 한다는 방식. 이 견해에서는 모든 관리자는 단지 업무 수행의 지휘 감독뿐 아니고 업무 수행 과정에서 부하의 능력을 향상시킬 책임이 있는 교육자이기도 하다는 것임.

-오져 어미〈옛〉-고자. ¶님그를 닐위오져 ᄒᆞ나 님그미 듣디 아니 ᄒᆞ시놋다《杜諺 XIX:34》/平生애 됴ᄒᆞᆫ딕 놀오져 ᄒᆞ던 이ᄅᆞᆯ 이루리로다(庶遂平生游)《杜諺 I:14》.

오:-조[1] 명〖식〗일찍 익는 조.

[오조 먹은 돼지 벼르듯 한다] 혼내어 주려고 잔뜩 벼르고 있다는 말.

오조[2]【惡阻】명〖의〗입덧. 악조(惡阻). ¶임신(妊娠) ~.

오:조 가사【五條袈裟】명〖불교〗다섯 가닥의 헝겊을 꿰매 붙여 만든 가사. 인도에서는 작업할 때, 잠잘 때 썼으나, 우리 나라와 일본에서는 법의(法衣)가 되었음.

오조니드〔ozonide〕명〖화〗—C=C—의 이중(二重) 결합을 가지는 화합물에 오존이 1분자 부가(附加)한 화합물의 총칭. 물로 분해하든가, 환원(還元)하면 그 분자의 카르보닐(carbonyl) 화합물이 되므로 불포화(不飽和) 화합물의 구조 결정(構造決定)에 쓰임. 폭발성임.

오:조-룡【五爪龍】명 ①발톱이 다섯 있다는 용. ②〖식〗오렴매(烏蘞莓).

오:조룡-보【五爪龍補】명〖역〗왕의 용보(龍補). 다섯 발톱의 용을 수놓음.

오:조룡 왕비보【五爪龍王妃補】명〖역〗왕비의 원삼(圓衫)이나 당의(唐衣)에 달던 표장(表章). 중요 민속 자료 제43호.

오조세라이트〔ozocerite〕명〖광〗지랍(地蠟).

오:-조약【五條約】명 ↗을사 오조약(乙巳五條約).

오조-증【惡阻症】[─쯩] 명〖의〗악조증(惡阻症).

오조케라이트〔ozokerite〕명〖화〗지랍(地蠟).

오:족[1]【五足】명 씨 다섯 올씩 배게 하고 간걸러서 짠 천.

오:족[2]【五族】명 ①고구려(高句麗) 오족. ②중국에 있는 다섯 민족. 곧, 한족(漢族)·만주족·몽고족·티베트족·위구르족.

오:족 공:화【五族共和】명 중국의 신해 혁명(辛亥革命) 당시 제정(帝政)을 폐지하고 오족의 공화 정체 수립을 목표로 한 표어.

오족-철【烏足鐵】명〖건〗문짝틀이 벌어지지 않도록 덧붙인 쇠.

오:족 항:라【五足亢羅】[─나] 명 씨 다섯 올씩 배게 하고 간걸러 짠 항라.

오존〔ozone〕명〖화〗산소(酸素)의 동위체(同位體). 특유한 냄새가 있는 미청색(微靑色)의 기체. 건조한 산소 가스 중에서 무성 방전(無聲放電)을 하여 얻음. 여러 가지 작용으로 공기 중에서 미량으로 존재함. 강한 산화력(酸化力)이 있어 유기 색소(有機色素)를 탈색시키고, 살균·소독·표백 등에 쓰임. 유독(有毒)하여 미량(微量)이라도 장시간 흡입하면 호흡 기관 등을 침해(侵害)함. 녹는점 −193℃, 끓는점 −111℃. $[O_3]$

오존-층【─層】명〔ozone layer〕오존을 많이 포함하고 있는 공기층. 대기 중의 산소가 자외선의 작용으로 광화학(光化學) 반응을 하여 생김. 지상 10-50 km 상공에 있으며 두께는 약 20 km이나 그 전량(全量)은 0℃, 1 기압에서 약 3 mm의 두께에 상당함. 태양 광선 중의 자외선을 흡수하여 부근의 대기 온도를 높이며, 생물에 유해(有害)한 자외선을 차단하므로 생물의 생존에 불가결한 존재임.

오존 홀:〔ozone hole〕명 남극(南極) 대륙 상공에 구멍처럼 생긴, 오존 농도가 낮아진 영역(領域). 평균 전량(全量) 두께 3 mm의 오존층이 1979년의 2.6 mm에서, 1992년 1.7 mm로 급감(急減)하였고, 그 넓이도 1,700만km^2로 넓어져 생물의 생존에 큰 위협이 되고 있음.

오졸【烏拙】명〖역〗고구려 후기(後期) 직제(職制)의 이품(二品)쯤 되는 벼슬. 울절(鬱折). 불과절(不過節).

오졸-거리다 자타 몸피가 작은 것이 율동적으로 멋있게 움직이다. 쓰오

쫄거리다. <우줄거리다. 오졸-오졸 뷔. ——-하다 자타여불

오졸-대다 자타 오졸거리다.

오좀 명 〈옛·방〉 오줌(강원·충북·경상). ¶ 오좀 뇨(尿)≪字會 上 28≫/똥과 오좀과(屎尿)≪永嘉上 36≫.

오좀 빼 명 〈옛〉 오줌통❶. ¶ 오좀빼 뷔트러 져근물 몯 보거든(胞轉小便不得)≪救簡 Ⅲ:86≫.

오좀깨 명 〈옛〉 오줌통❶, ¶ 오좀깨 포(脬), 오좀깨 방(膀), 오좀깨 광(胱) └≪字會 上 28≫.

오좀싸개 명 〈방〉〘충〙 버마재비(경기·충북).

오좀찌개 명 〈방〉〘충〙 버마재비(충북).

오좀찌끼 명 〈방〉〘충〙 버마재비(강원).

오종[1] 명〘농〙〈방〉 이른 모.

오:종[2] 【五宗】 명 ①고조(高祖)·증조부(曾祖父)·조부(祖父)·자(子)·손(孫). ②〘불교〙 대승(大乘)의 다섯 가지 종파(宗派). 즉 천태(天台)·화엄(華嚴)·법상(法相)·삼론(三論)·율(律). ③〘불교〙↗선가 오종(禪家五宗).

오:종[3] 【五種】 명 ①다섯 가지. 다섯 종류. ②오곡(五穀)❶.

오:종 경:기 【五種競技】 명 육상 경기 중 혼합 경기의 한 종목. 남자의 경우는 한 선수가 멀리뛰기·창던지기·200 m 달리기·원반던지기·1,500 m 달리기를 이 순서대로 하루에 하여, 그 총득점을 겨룸. 여자는 제 1 일에 포환던지기·높이뛰기·100 m 허들, 제 2 일에는 멀리뛰기·200 m 달리기의 5 종목으로, 이 순서대로 행함.

오:종 경제 【五種經濟】 명 〘경〙 중국 공산당이 신민주주의(新民主主義) 입장에서 공존을 인정한 다섯 종류의 경영 형태. 국영(國營), 합작사(合作社), 농민 수공업자의 개인 기업, 사적(私的) 자본주의에 의한 경영, 국가 자본주의에 의한 경영의 다섯 종류. 그 정책은 사회주의 경제 정책에의 과도적 성격을 띰.

오-종식 【吳宗植】 명 〘사람〙 언론인. 부산시 동래(東萊) 출생. 호(號)는 석천(昔泉). 일본 도요 대학(東洋大學) 졸업. 민중 일보(民衆日報)·경향 신문 편집국장, 한국 일보 주필, 서울 신문 사장 등을 역임하고, 사회부 차관(社會部次官)을 지냄. 저서에 수필집 ≪원숭이와 문명(文明)≫·≪연북 만필(硯北漫筆)≫ 등이 있음. [1905-76]

오종종-하다 형여불 ①잘고 둥근 물건이 빽빽하게 놓여 있다. ②얼굴이 작고 옹졸스럽다. ¶ 얼핏 보아 이목구비들이 오종종하게 박힌 꼴이 근본이 농투성이들이었고…≪金周榮 : 客主≫.

오:좌 【午坐】 명 〘민〙 오방(午方)을 등진 좌(坐).

오:좌 자향 【午坐子向】 명 〘민〙 오방(午方)에서 자방(子方)으로 향하고 앉은 판. 남쪽에서 북쪽을 향한 터의 판국.

오:주[1] 【五洲】 명 〘지〙 ↗오대주(五大洲).

오:주[2] 【五洲】 명 〘사람〙 이규경(李圭景)의 호(號).

오주[3] 【吾主】 명 〘천주교〙 우리의 주. 곧, 예수 그리스도.

오주[4] 【梧州】 명 〘지〙 '우저우'를 우리 음으로 읽은 이름.

오주개 명 〈방〉 오디(충청).

오:-주서 【五州誓】 명 〘역〙 신라 때 다섯 고을에 벌여 설치한 군대의 이름. 곧, 청주서(菁州誓)·완산주서(完山州誓)·한산주서(漢山州誓)·우수주서(牛首州誓)·하서주서(河西州誓). 문무왕(文武王) 12년(672)에 설치함.

오:주 연:문 장전 산:고 【五州衍文長箋散稿】 명 〘책〙 조선 헌종(憲宗) 때 이규경(李圭景)이 중국·우리 나라 등의 고금(古今)의 사물, 곧 천문·시령(時令)·지리·풍속·관작·궁실(宮室)·음식·금수(禽獸) 등을 기록하고, 의심되거나 잘못된 곳을 고증하고 해설한 책. 60권.

오죽[1] 【吳竹】 명 호죽(胡竹).

오죽[2] 【烏竹】 명 〘식〙 [*Phyllostachys nigra*] 댓과에 속하는 대의 한 가지. 줄기는 높이 3-20 m, 잎은 피침형이며 가지 끝에 한 개 내지 다섯 개씩 달림. 6-7월에 녹자색 꽃이 원추(圓錐) 화서로 피는데, 화수(花穗)는 넓은 타원형이고, 영과(穎果)는 11월에 익음. 약 60년을 주기로 개화 결실(開花結實) 후에 말라 죽음. 수피(樹皮)는 처음은 녹색이나 다음해부터 흑색으로 변함. 촌락 부근에 심어, 죽세공(竹細工)의 재료로 씀. 전북·경남 및 일본·중국·인도·유럽에 분포함.

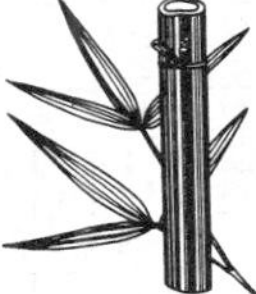

〈오죽[2]〉

오죽[3] 뷔 여간. 얼마나. 오죽이. 오죽이나. ¶ ~ 기쁘겠니/~하면 울겠니/혼자 손에 밥하랴 아이 키우랴 ~하겠니. *여북·작히나. ——-하다 보형여불

[오죽한 도깨비 낮에 날까] 하는 짓이 망측하여 가히 상대할 수 없으니, 오죽 못나서 그러겠는가, 버려두라는 뜻.

오죽-영 【烏竹纓】 명 검은 빛깔의 오죽 마디를 꿰어서 만든 갓끈.

오죽-이 뷔 오죽.

오죽-이나 뷔 오죽.

오죽-잖다 [—잔타] 형 보통 정도도 못 되다. ¶ 사람이 덩둘하니까 오죽잖은 꾀에 넘어간다.

오죽-헌 【烏竹軒】 명 〘역〙 강원도 강릉시(江陵市) 죽헌동(竹軒洞)에 있는 이율곡(李栗谷)이 태어난 집. 뜰 안에 오죽이 있어 이 이름이 있음. 조선 초기의 목조 건축으로 중요한 문화재적 가치를 지님. 보물 165호. 강릉 오죽헌.

오-준 【吳竣】 명 〘사람〙 조선 중기의 서가(書家). 자(字)는 여완(汝完), 호는 죽남(竹南). 벼슬이 판중추부사(判中樞府事)에 이름. 문장과 글씨에 능하여 왕가(王家)의 길흉책문(吉凶册文)을 베꼈고 비문(碑文)도 많이 씀. 인조(仁祖) 때 왕명으로 삼전도 비문(三田渡碑文)을 쓴 후 한을 안고 죽음. 저서에 ≪죽남당집(竹南堂集)≫이 있음. [1587-1666]

오줄-없다 [—업—] 형 줏대 없다. ¶ 어느 오줄없는 놈이 네놈에게 상목 두 필을 공으로 주겠나≪金周榮 : 客主≫.

오줌 명 혈액 가운데의 노폐물과 수분(水分)이 신장(腎臟)에 의해 여과(濾過)되어 방광(膀胱) 속에 괴어 있다가 요도(尿道)를 통해 몸 밖으로 배출되는 액체. 물·무기염류(無機塩類) 외에 대사(代謝)를 끝낸 산물(產物)의 하나인 요소(尿素)·요산(尿酸)을 포함함. 보통 약알칼리성(弱 alkali 性)이며, 당분(糖分)은 함유되어 있지 않고 색소(色素)도 적음. 성인(成人)의 하루 배출량(排出量)은 1.5-2 리터임. 소변(小便). 소수(小水). *수리대.

[오줌 누는 새에 십 리 간다] ㉠잠시 동안이라도 쉬는 것과 쉬지 않고 하는 것과는 상당한 차이가 있다는 말. ㉡무슨 일이나 매우 빨리 지나간다는 뜻. [오줌에도 데겠다] 사람이 너무 허약함을 비유하여 하는 말. [오줌에 뒷나무] 당치 않음을 이르는 말.

오줌(을) 누다 구 오줌을 몸 밖으로 내보내다. *소마 보다.

오줌(이) 마렵다 구 오줌을 누고 싶은 느낌이 있다.

오줌(을) 싸다 구 무의식적으로 또는 수습할 사이 없이 오줌이 나오다. ¶ 아기가 오줌 쌌다/바지에 ~.

오줌-관 【—管】 명 〘생〙 수뇨관(輸尿管).

오줌-길 [—낄] 명 〘생〙 요도(尿道).

오줌-깨 명 〈방〉 오줌통❶.

오줌-독 [—똑] 명 오줌을 누거나 모아 두는 독.

오줌-똥 명 오줌과 똥.

오줌 버캐 명 오줌을 담아 둔 그릇에 허옇게 엉겨 붙은 물질이나 또는 가라앉은 찌끼. 한방에서 약으로 씀. 인중백(人中白).

오줌 소태 명 〘의〙 방광염(膀胱炎)이나 요도염(尿道炎)으로 인하여 오줌이 자주 마려운 여자의 병. 삽뇨증(澁尿症).

오줌-싸개 명 ①오줌을 가누지 못하는 아이. ②오줌을 가눌 줄 알면서도 실수로 오줌을 싼 아이를 조롱하는 말. *똥싸개. ③〘충〙 버마재비 └❷.

오줌 장군 [—짱—] 명 오줌을 담아 나르는 장군. 준장군.

오줌-줄 [—쭐] 명 〘생〙 요도(尿道).

오줌-통 【—桶】 명 ①〘생〙 방광(膀胱). ②오줌을 누거나 모아 두는 통.

오줌-푸께 명 〈방〉 콩팥❷.

오중[1] 명 〈방〉 오줌(평안).

오:중[2] 【五中】 명 오장(五臟).

오:중[3] 【五中】 명 ↗오시 오중(五矢五中). ——-하다 자여불

오:중[4] 【午中】 명 정오(正午).

오:중[5] 【五重】 명 다섯 겹.

오:중[6] 【五衆】 명 〘불교〙 ①불제자 중에서 출가(出家)한 사람의 다섯 종류. 즉, 비구(比丘)·비구니(比丘尼)·식차마나(式叉摩那)·사미(沙彌)·사미니(沙彌尼). ②오온(五蘊).

오:중[7] 【誤中】 명 과녁이나 목표를 잘못 맞힘. ——-하다 타여불

오:중 나마 【五重奈麻】 명 〘역〙 신라의 벼슬 이름. 사중 나마(四重奈麻)의 위.

오:중 대:나마 【五重大奈麻】 명 〘역〙 신라 때 벼슬 이름. 사중 대나마(四重大奈麻)의 위.

오:중-례 【五中禮】 [—네] 명 신입한 사원(射員)이 처음 오시 오중(五矢五中)하였을 때, 교범(教範)과 사두(射頭), 행수(行首) 등 여러 사람에게 술잔치를 베풀어 사례하는 일. ——-하다 자여불

오:중-별 【五重—】 명 오중성(五重星).

오:중-성 【五重星】 명 〘천〙 천구상(天球上)에서 별이 서로 접근하여 육안으로 보면 하나로 보이나 망원경으로 보면 다섯 개로 분리하여 보이는 별. 상호간에 물리적 연관은 없으나 우연히 같은 방향에 있기 때문에 접근하여 보이는 것과, 실제로 접근한 다섯 별이 역학적(力學的)으로 체계를 만들고 있는 것 등이 있음. 오중별.

오중아 명 〈방〉〘동〙 오징어(충북).

오중애 명 〈방〉〘동〙 오징어(강원·경남).

오중어 명 〈방〉〘동〙 오징어(경상·충북).

오중에 명 〈방〉〘동〙 오징어(강원).

오:중 유식 【五重唯識】 명 〘불교〙 법상종(法相宗)에서, 그 근본 교의(教義)인 유식 중도(唯識中道)의 이치를 깨닫기까지에 이르는 다섯 단계.

오:중-음 【五中陰】 명 〘불교〙 사람이 죽은 뒤 내생(來生)을 얻지 못하여 생사의 중간에 있는 오칠일 동안. 곧, 35일간을 이름.

오:중-주 【五重奏】 명 〘악〙 다섯 개의 악기(樂器)에 의한 합주(合奏). ¶ 현악 ~.

오:중주-곡 【五重奏曲】 명 [quintet] 〘악〙 오중주에 의한 소나타 형식의 악곡(樂曲). 피아노 오중주곡은 피아노와 현악(絃樂) 사중주와 합치는 경우가 많음.

오:중-창 【五重唱】 명 〘악〙 다섯 성부(聲部)로 하는 성악의 중창(重唱).

오:중-탑 【五重塔】 명 〘불교〙 오층탑.

오즈번:[1] [Osborne, John James] 명 〘사람〙 영국의 극작가. 삼류 대학을 나온 청년의 자조(自嘲)와 분노를 그린 ≪성내어 돌아보라≫ (1956)로 일약 유명해지고 '성난 젊은이들' 모임의 중심 인물이 됨. [1929-]

오즈번:[2] [Osborne, Thomas Mott] 명 〘사람〙 미국의 교도소 개량 운동가. 수형자(受刑者)의 자치제를 주창하여 농원 교도소(農園矯導所)의 필요성을 역설하고, 이들로 하여금 상호 복지단(相互福祉團)을 실험하게 했으나 실패하였음. 저서에 ≪감옥의 담벽 안≫이 있음. [1859-1926]

오즈번:[3] [Osborn, Henry Fairfield] 명 〘사람〙 미국의 고생물학자(古生物學者). 프린스턴 대학 교수, 뉴욕 박물관 관장을 역임함. 미주·아프리카·몽고 지방 등을 탐험, 고생물학 및 진화 법칙의 연구 등에 업적을 남김. 저서에 ≪생명의 기원과 진화≫가 있음. [1857-1935]

오즈의 마법사 【—魔法師】 [—/—에—] 명 [The wonderful wizard of Oz] 〘문〙 미국의 작가 봄이 1900년 발표한 아동 문학. 도로시(Dorothy) 소녀와 강아지가 마법사(魔法師)인 오즈를 찾아 여행을 하는 도중에 겪는 일들을 환상적으로 그린 작품.

오즉 [부] 〈방〉 오직.
오즙 [명] 〈방〉 오줌.
오즘 [명] 〈방〉 오줌(경상).
오증어 [명] 〈옛·방〉 오징어(경기·강원·충북·전라). ¶오증어(烏鯽魚)≪四聲下 60≫.
오지[1] [명] ①↗오지 그릇. ②↗오짓물.
오지[2] [명] 〈방〉 오디(경기·전남).
오:지[3]【五地】[명] 오토(五土).
오:지[4]【五指】[명] 다섯 손가락.
오:지[5]【五智】[명]〖불교〗대일 여래(大日如來)의 다섯 가지 지혜의 내용. 곧, 법계 체성지(法界體性智)·대원경지(大圓鏡智)·평등성지(平等性智)·묘관찰지(妙觀察智)·성소작지(成所作智).
오:지[6]【汚池】[명] ①물이 더러운 못. ②검버섯.
오:지[7]【忤旨】[명] 임금의 뜻을 거역함. ——-하다 [타][여불]
오지[8]【洿池】[명] 웅덩이. 못.
오:지[9]【奧旨】[명] 오의(奧義).
오:지[10]【奧地】[명] 해안이나 도시에서 멀리 떨어진 대륙 내부의 땅.
오:지-관【五智冠】[명]〖불교〗오불 보관(五佛寶冠).
오지 그릇 [명] 붉은 진흙으로 만들어 볕에 말리거나 약간 구운 위에 오짓물을 입히어 다시 구운 질그릇. 검붉은 윤이 나고 질김. 도기(陶器). 오자기(烏瓷器). [준]오지. *질그릇.
오지끈 [부] 작고 단단한 물건이 부서지는 소리. <우지끈. ——-하다 [자][여불]
오지끈-거리다 [자] 작고 단단한 물건이 연하여 부서지는 소리를 내다. <우지끈거리다. 오지끈-오지끈 [부]. ——-하다 [자][여불]
오지끈-대다 [자] 오지끈거리다.
오지끈-뚝딱 [부] 크고 단단한 물건이 별안간 부서지며 여기저기 세게 부딪는 소리. <우지끈뚝딱. ——-하다 [자][여불]
오:지다 [형] ↗오달지다.
오지 동이 [명] 오지로 만든 동이.
오지락 [명] 〈방〉 옷자락(전남).
오지랖 [명] 웃옷이나 윗도리에 입는 겉옷의 앞자락.
오지랖(이) 넓다 [구] 주제넘어서 아무 일에나 참견하다. ¶시방 나으리의 처지가 어떠하시다고 오지랖 넓은 말씀하고 계십니까≪金周榮 : 客主≫.
오지리【墺地利】[명]〖지〗'오스트리아(Austria)'의 음역(音譯). [준]오(墺).
오지 벽돌 【一甓一】[명] 오짓물을 입혀 구워낸 벽돌. 도벽(陶甓).
오지-병【一甁】[명] 오지로 만든 병.
오지병격-변【一甁鬲邊】[명] 한자 부수(部首)의 하나. '鬴'나 '鬺' 등의 '鬲'의 이름.
오지브 [프 ogive] [명] 돔(dome)의 건축에서, 대각선(對角線) 상에 어긋매끼게 해서 보강(補強)하는 아치.
오:지-서【五指書】[명] 다섯 손가락에 힘을 주어 붓대를 꽉 잡고 쓴 글씨.
오지-암【鰲池岩】[명] 함경 북도 회령(會寧)에 있는 바위. 여기서 청(淸)나라 태조가 났다는 전설이 있음.
오지에 [Augier, Émile] [명]〖사람〗프랑스의 극작가. 사회극(社會劇)을 써, 부르주아 도덕을 옹호하였으며, 근대극(近代劇) 개척에 큰 공헌을 함. 작품(作品)에 ≪푸아리에씨(氏)의 사위≫·≪철면피≫ 등이 있음. [1820-89]
오: 지 : 엘 [O.G.L.] [명]〖경〗[Open General Licence의 약칭] 미리 일정한 상품에 대해서 포괄적으로 허가하여 놓고 그 범위 안에서 자유로이 수입을 인정하는 제도. 포괄 수입 허가제(包括輸入許可制).
오:지 여래【五智如來】[명]〖불교〗오지(五智)를 체득(體得)한 여래. 곧, 대일(大日)·아축(阿閦)·보생(寶生)·미타(彌陀)·불공(不空)의 다섯 여래. 오지 오불(五智五佛).
오: 지: 오:【OGO】[명] 오고(OGO).
오:지 오:불【五智五佛】[명]〖불교〗오지 여래(五智如來).
오:지 원만【五智圓滿】[명]〖불교〗오지 여래(五智如來)를 본존(本尊)으로 하여 관행(觀行)을 닦아 오지를 만족시키는 일.
오지 자배기 [명] 오지를 칠하여 만든 자배기.
오지-자웅【烏之雌雄】[명] 까마귀의 암·수를 구별하기 어렵다는 뜻으로, 선악(善惡)과 시비(是非)를 분별할 수 없다는 말.
오지 장군 [명] 찰흙으로 구워 만든 장군. 와부(瓦缶).
오지직 [부] ①잘 마른 짚 같은 것이 불에 타는 소리. ②물이 불에 바싹 졸아붙는 소리. ③단단한 조개 껍데기 같은 것이 바스러지는 소리. ④그리 굵지 않은, 잘 마른 나뭇가지 같은 것을 부러뜨릴 때 나는 소리. 1)-4): <우지직. ——-하다 [자][여불]
오지직-거리다 [자] 오지직 소리가 계속해서 나다. <우지직거리다. 오지직-오지직 [부]. ——-하다 [자][여불]
오지직-대다 [자] 오지직거리다.
오지 항아리 【一缸一】[명] 오지를 칠하여 만든 항아리.
오-지호【吳之湖】[명]〖사람〗양화가. 본명은 점수(占壽). 전라 남도 화순(和順) 출생. 일본 도쿄 미술 학교 서양화과 졸업. 인상주의 미학을 소화한 독자풍의 생동적인 필치로 주로 풍부한 색채 현상의 풍경화를 그림. 조선 대학 교수·국전(國展) 심사 위원 등을 지내고 예술원상을 받음. 대표작에 ≪사과밭≫·≪추광(秋光)≫·≪항구≫ 등이 있음. [1905-82]
오:직[1]【汚職】[명] 관리가 직권을 남용하여 이익을 꾀함. 독직(瀆職). ¶∼사건.
오직[2] [부] [중세 : 오직] ①다만. 단지. 오로지. ¶∼하라는 일만 한다. ②〈방〉 오죽[3]. ¶아 ∼좋아?
오직[3]【惟只】[부] 〈이두〉 오직. 다만.
오직률-부【一聿部】[—뉼—] [명] 한자 부수(部首)의 하나. '肆'나 '肅'·'肇' 등의 '聿'의 이름.
오:진[1]【五塵】[명]〖불교〗중생의 진성(眞性)을 더럽히는 다섯 가지 더러움. 곧, 색(色)·성(聲)·향(香)·미(味)·촉(觸)의 오욕(五慾). 오욕(五慾).
오:진[2]【五鎭】[명] 백악산(白岳山)을 중심으로 하여 동에 오대산(五臺山), 서에 구월산(九月山), 남에 속리산(俗離山), 북에 장백산(長白山)의 다섯 진산(鎭山).
오:진[3]【汚塵】[명] 더러운 먼지.
오-진[4]【吳鎭】[명]〖사람〗중국 원(元)나라 때의 화가. 자는 중규(仲圭), 호는 매화 도인(梅花道人). 저장(浙江) 사람. 시와 글씨에도 능함. 황공망(黃公望)·예찬(倪瓚)·왕몽(王蒙)과 함께 원말(元末) 남화(南畫)의 사대가(四大家)라 불리어지며, 특히 묵죽(墨竹)에 뛰어났음. 시집 ≪매화 도인 유묵(梅花道人遺墨)≫ 등이 있음. [1280-1354]
오:진[5]【悟眞】[명]〖사람〗신라 때의 중. 의상(義湘)의 10대 제자 중의 한 사람. 신통력(神通力)이 있어 하가산(下柯山) 골암사(鶻嵓寺)에 있으면서 멀리 떨어져 있는 부석실(浮石室)의 등불을 켰다고 전함.
오:진[6]【誤診】[명]〖의〗진단을 그릇함. 또, 그 진단(診斷). ¶의사의 ∼율. ——-하다 [타][여불]
오질 [명] 〈방〉 ①수질(首絰). ②깃.
오질개 [명] 〈방〉 오디(전남).
오짐 [명] 〈방〉 오줌(전남·강원·경상).
오집【烏集】[명] 까마귀같이 질서(秩序) 없고 규칙(規則) 없이 모임. 오합(烏合). ——-하다 [자][여불]
오집지-교【烏集之交】[명] 이욕(利慾)으로 맺어진 교제.
오짓-독 [명] 오지로 만든 독.
오짓-물 [명] 흙으로 만든 그릇에 올려서 구우면 윤이 나는 잿물. [준]오지.
오-징【吳澄】[명]〖사람〗중국 원(元)나라의 학자. 자(字)는 유청(幼淸), 초려 선생(草廬先生)으로 일컬어짐. 한림 학사(翰林學士)가 되어 강관(講官)을 맡아, ≪역(易)≫·≪서경(書經)≫·≪시경(詩經)≫·≪춘추(春秋)≫ 등을 교정(校正)함. ≪영종 실록(英宗實錄)≫의 편찬을 주재(主宰)함. 문장가로서도 이름이 높음. [1249-1333]
오징아 [명] 〈방〉〖동〗오징어(경기).
오징애 [명] 〈방〉〖동〗오징어(경기·강원·충북·전남·경남).
오징어 [명]〖동〗①오징어과에 속하는 연체 동물(軟體動物)의 총칭. 몸은 원통형으로 적갈색의 작은 반점(斑點)이 많은데, 몸빛은 신축(伸縮)하여 주위 환경(環境)에 따라 변하나 대체로 암갈색(暗褐色)이고 죽은 것은 희게 됨. 낙지와 비슷한데 두부(頭部)는 크고 삼각형의 지느러미가 있으며 다리는 열 개인데, 그 중 두 개는 뚜렷이 커서 먹이의 포획(捕獲)에 씀. 발에는 두 줄의 흡반(吸盤)이 있음. 먹줄 주머니인 고락이 있어 외적(外敵)을 만나면 검은 물을 뿜어 적의 눈을 어림. 몸통의 신축으로 물을 뿜어 내어 헤엄침. 난류(暖流)에 군서(群棲)하고 어린 물고기·새우 등을 포식(捕食)하며, 봄·여름에 한천질(寒天質)로 싸인 난괴(卵塊)를 해조(海藻) 등에 산란(産卵)함. 날로 먹기도 하고 말려 먹기도 함. 뼈오징어·왜오징어 등이 있음. 남어(纜魚). 묵어(墨魚). 오적어(烏賊魚). ②'마른 오징어'의 총칭.

〈오징어❶〉

오징어-과【一科】[—꽈] [명]〖동〗[Loliginidae] 두족류(頭足類) 십각목(十脚目)에 속하는 한 과. 삼각상(三角狀)의 지느러미가 한 쌍 있음. *낙짓과.
오징어 무침 [명] 말린 오징어를 가늘게 썰어서 장과 기름에 무친 음식.
오징어 물회 【一膾】[명] 채친 물오징어에 당근·양배추·피망·오이 등과 초고추장을 곁들인 음식. 냉면처럼 물을 부어 먹음.
오징어 순대 [명] 오징어 속에 쇠고기·풋고추·두부·숙주나물을 다져 갖은 양념을 한 속을 채워서 묶고, 찜통에 찐 다음, 뜨거울 때 썰어서, 초장을 찍어 먹는 음식.
오징어-채 [명] 잘게 찢어서 말린 오징어.
오징어-탕【一湯】[명] 토막 친 오징어에 달걀을 씌워 맑은 장국에 끓인 음식. 오적어탕(烏賊魚湯).
오징어-포【一脯】[명] 오징어 말린 것을 기계에 넣어서 얇게 편 가공품(加工品).
오징에 [명] 〈방〉〖동〗오징어(강원·전라·경남·제주).
오쫄-거리다 [자][타] 몸피가 작은 것이 율동적으로 멋있게 움직이다. 스오쫄거리다. <우쭐거리다. 오쫄-오쫄 [부]. ——-하다 [자][타][여불]
오쫄-대다 [자][타] 오쫄거리다.
오:차【誤差】[명] [error]〖수〗①참값과 근사(近似)값과의 차이. ②계산값·관측(觀測)값·측정(測定)값과 이론적으로 정확한 참값 사이의 차이(差異).
오:차 곡선【誤差曲線】[명]〖수〗오차의 분포(分布) 상태를 나타낸다고 인정되고 있는 곡선. 가우스 곡선. *오차론.
오:차-론【誤差論】[명]〖수〗수학의 한 분야. 몇 개의 측정값으로부터 가장 신뢰할 수 있는 값을 정하는 일이나 정하여진 값의 정밀도(精密度) 등을 연구함. *오차 곡선(誤差曲線).
오:-차물【五借物】[명]〖불교〗중생(衆生)이 빌려 사는 다섯 가지 물질. 곧, 흙·물·불·바람·공기.
오:차-율【誤差率】[명]〖수〗오차의 정도. 운산(運算)의 결과와 근사(近似)값과의 비율.
오:착[1]【五鑿】[명] 이(耳)·목(目)·구(口)·비(鼻)·심(心)의 다섯 구멍.
오:착[2]【誤捉】[명] 사람을 잘못 알고 잡음. ——-하다 [타][여불]
오:착[3]【誤錯】[명] 착오(錯誤). ——-하다 [타][여불]

오:찬 【午餐】 [명] 잘 차리어 먹는 점심. 주식(晝食). 주찬(晝餐). 디너(dinner).
오:찬-회 【午餐會】 [명] 손님에게 오찬을 대접하기 위하여 낮에 모이는 모임. 디너 파티(dinner party).
오:창 【五倉】 [명] 오장(五臟).
오-창석 【吳昌碩】 [명] 〖사람〗 '우 창쉬'를 우리 음으로 읽은 이름.
오:채 【五彩】 [명] ①다섯 가지의 아름다운 채색(彩色). 곧, 청(靑)·황(黃)·홍(紅)·백(白)·흑(黑)의 오색(五色). ②〖미술〗 경채(硬彩).
오:채 영롱 【五彩玲瓏】 [一농] [명] 오색 영롱(五色玲瓏). ——-하다 [형][여불]
오:채질굿 장단 【五一長短】 [명] 〖악〗 호남 우도(湖南右道) 농악 장단의 하나. 징을 다섯 번 치는 행진 농악 가락이라는 뜻.
오:채 파배 【五彩靶梧】 [명] 거죽에 오채로 그림을 그린 손잡이가 있는 술잔.
오:채 화문 【五彩花紋】 [명] 오채로 아롱다롱하게 그려낸 꽃무늬.
오:처드 그래스 [orchard grass] [명] 〖식〗 오리새.
오:천¹ 【五天】 [명] ①동·서·남·북 및 중앙(中央)의 하늘. ②↗오천축(五天竺).
오:천² 【午天】 [명] 한낮.
오천³ 【吳天】 [명] [중국 오(吳)나라의 하늘이라는 뜻] 머나먼 곳.
오천⁴ 【烏川】 [명] 〖지〗 경상 북도 포항시(浦項市)의 한 읍(邑). 군의 동남쪽에 위치하여 경주시(慶州市)와 접함. 주산업은 쌀농사인데 채소·양송이 재배도 활발함. 오어사(吾魚寺)와 오어 저수지 등이 명승 고적으로 알려짐. [35,763명(1996)]
오:천-간 【五天干】 [명] 〖역〗 《삼국 유사》에 전하는 수로왕(首露王) 신화에 나오는 9간(干)의 하나. *구간(九干).
오-천민 【吳天民】 [명] 〖사람〗 조선 중기의 학자. 자(字)는 중립(中立), 호는 양정당(養靜堂). 해주 사람. 김장생(金長生)의 문인. 과거에 뜻을 두지 않고 학문에만 정진(精進)하여 성리학(性理學)의 새 학자라 불림. 말년에는 후진 교육에 전심하는 한편 향약(鄕約)을 실시, 풍속 순화(醇化)에 힘씀. [1562-1645]
오:천-언 【五千言】 [명] 〖책〗 노자(老子)의 도덕경(道德經)의 별칭.
오:-천축 【五天竺】 [명] 〖역〗 고대 인도의 다섯 개의 정치적 구획(政治的區劃). 곧, 동·서·남·북과 중(中)의 다섯 천축국(天竺國). 오인도(五印度). [준]오천(五天).
오-철매 【吳鐵梅】 [명] 〖사람〗 중국 청(淸)나라의 화가. 이름은 장(璋), 철매(鐵梅)는 자(字)임. 아버지 호인(胡寅)도 화가였음. 산수·인물화에 능함. [1848-99]
오:첩 반상 【五一飯床】 [명] 칠(七)첩 반상보다 접시 두 개가 적은 반상(飯床).
오:청¹ 【五淸】 [명] ①〖미술〗 문인화(文人畫)의 소재가 되는 다섯 가지 깨끗한 물건. 곧, 송(松)·죽(竹)·매(梅)·난(蘭)·석(石). 또는 송·죽·파초(芭蕉)·난·석 또는 매·국(菊)·파초·죽·석. ②〖악〗 가야(伽耶)고의 12현(絃) 가운데 여섯째 줄의 이름.
오:청² 【五聽】 [명] 옛날에, 소송(訴訟)을 듣는 다섯 가지 방법. 곧, 사청(辭聽)(말이 번거로우면 옳지 않은 증거)·색청(色聽)(옳지 않으면 얼굴 빛이 발개짐)·기청(氣聽)(진실이 아닐 때 숨이 헐떡거림)·이청(耳聽)(진실이 아닐 때 곧잘 잘못 들음)·목청(目聽)(진실이 아닐 때 눈의 정기가 없음).
오:청³ 【誤聽】 [명] 잘못 들음. ——-하다 [타][여불]
오-청원 【吳淸源】 [명] 〖사람〗 '우 칭위안'을 우리 음으로 읽은 이름.
오:체 【五體】 [명] ①사람의 온 몸. ②〖불교〗 머리와 사지(四肢). ③다섯 가지 서체(書體). 곧, 전(篆)·예(隷)·진(眞)·행(行)·초(草).

〈오체❸〉

오:체 투지 【五體投地】 [명] 〖불교〗 불교의 경례하는 법의 하나. 먼저 두 무릎을 땅에 꿇고, 두 팔을 땅에 대고 그 다음에 머리를 땅에 닿도록 절을 함. ——-하다 [자][여불]
오:초 【午初】 [명] 〖민〗 오시(午時)의 첫 시각. 곧, 오전 열 한 시.
오초-사 【烏梢蛇】 [명] 〖동〗 누룩뱀.
오초:아 [Ochoa, Severo] [명] 〖사람〗 미국의 생화학자. 스페인 태생. 효소(酵素)를 써서 리보 핵산의 시험관내 합성에 성공, 1959년 노벨 생리 의학상을 수상함. [1905-93]
오초 칠국 【吳楚七國】 [명] 〖역〗 중국 한(漢)나라 경제(景帝) 때의 오(吳)·초(楚)·교서(膠西)·교동(膠東)·치천(淄川)·제남(濟南)·조(趙)의 일곱 나라. 조명(朝命)을 거역하므로 조조(鼂錯)의 헌책(獻策)을 써서 차차 봉지(封地)를 깎아내리었음. 후에 오(吳)나라가 처음 모반(謀叛)하자 각국(各國)도 이에 호응(呼應)하였으나, 주아부(周亞夫)에게 평정(平定)되었음. [준]칠국.
오:촌 【五寸】 [명] ①다섯 치. ②종숙(從叔) 또는 종질(從姪).
오:촌-정 【五寸釘】 [명] 길이 다섯 치의 쇠못.
오총-이 【烏驄一】 [명] 〖동〗 흰털이 섞인 검은 말.
오추 【梧秋】 [명] '음력 칠월'의 딴이름.
오추-마 【烏騅馬】 [명] ①검은 털에 흰털이 섞인 말. ②옛날, 중국의 항우(項羽)가 탔었다는 준마(駿馬).
오추 사마 【烏芻沙摩】 [명] [범 Ucchusmani] 〖불교〗 [부정결(不淨潔)이란 뜻] ①뒷간을 지키는 명왕(明王). 팔이 둘 또는 넷, 혹은 여섯이며 분노(忿怒)한 얼굴을 하고 화염(火焰)을 등에 지고 있음. 오추 사마 명왕(烏芻沙摩明王). 부정 금강(不淨金剛). 화두 금강(火頭金剛). ②더러운 것.

〈오추 사마❶〉

오추 사마 명왕 【烏芻沙摩明王】 [명] 〖불교〗 오추 사마❶.
오:축 【五畜】 [명] 다섯 가지의 가축(家畜). 곧, 소·양·돼지·개·닭.
오:충 【五蟲】 [명] 다섯 가지 종류의 벌레. 곧, 인충(鱗蟲)·우충(羽蟲)·모충(毛蟲)·나충(裸蟲)·개충(介蟲).
오:취¹ 【五臭】 [명] 다섯 가지의 냄새. 곧, 노린내·비린내·향내·타는 내·썩는 내.
오:취² 【五趣】 [명] 〖불교〗 중생(衆生)이 선악(善惡)의 업보(業報)에 따라 이르게 되는 천상(天上)·인간(人間)·축생(畜生)·아귀(餓鬼)·지옥(地獄)의 오도(五道)를 이름. 오악취(五惡趣).
오:취³ 【汚臭】 [명] 더러운 냄새.
오:층-탑 【五層塔】 [명] 〖불교〗 지(地)·수(水)·화(火)·풍(風)·공(空)의 오대(五大)를 본떠서 만든, 다섯 층으로 된 탑. 오중탑(五重塔).
오:칠 삼십오 【五七三十五】 [명] 〖수〗 구구법(九九法)의 하나. 다섯의 일곱 갑절이나 일곱의 다섯 갑절은 서른다섯이라는 말.
오:칠-일 【五七日】 [명] 〖불교〗 사람이 죽은 뒤의, 서른 닷새 동안. 또, 서른 닷새째 되는 날.
오:침 【午寢】 [명] 오수(午睡).
오:칭 【誤稱】 [명] 잘못 일컬음. 그릇된 명칭. ——-하다 [타][여불]
오카리나 [ocarina] [명] 〖악〗 진흙 또는 사기로 만든 취주(吹奏) 악기의 하나. 모양은 비둘기 같으며 양편에 다섯 개씩 모두 열 개의 구멍이 있고, 한쪽 끝이 뾰족하게 튀어나와 입에 물고 불며 양손의 손가락으로 구멍을 막았다 열었다 하여 소리를 냄.

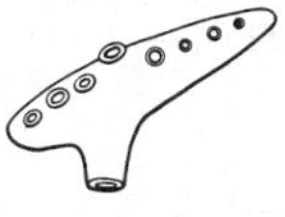
〈오카리나〉

오카생과 니콜레트 [명] [프 Aucassin et Nicolette] 13세기 프랑스의 작자 미상(作者未詳)의 모험 이야기. 보케르(Beaucaire) 백작(伯爵)의 아들 오카생과 사로잡힌 몸인 사라센의 처녀 니콜레트와의 사랑을 산문(散文)과 운문(韻文)을 적절히 섞어서 그림. 자연스럽고 소박하며 품위(品位)가 있고 기지(機智)와 해학(諧謔)이 교묘히 섞여 있음.
오카야마 [岡山:おかやま] [명] 〖지〗 오카야마 현(縣) 남부의 시로 현청 소재지. 섬유 공업 외에 기계·식품 공업이 성함. 대학 및 공항이 있음. [609,644명(1996)]
오카야마 현 【一縣】 [岡山:おかやま] [명] 〖지〗 일본 주고쿠(中國) 지방 남동부의 현. 10시(市) 18군. 남부는 세토 나이카이형(瀨戶內海型) 기후이며 북부는 적설 한랭(積雪寒冷)의 단작 지대(單作地帶)이나, 농업·어업이 성하며, 중화학 공업·경공업도 발달됨. 현청 소재지는 오카야마(岡山). [7,110.96 km² : 1,950,750명(1996)]
오카피 [okapi] [명] 〖동〗 [*Okapia johnstoni*] 기린과(科)에 속(屬)하는 소목(目)의 짐승. 몸은 기린보다는 당나귀와 비슷한데, 어깨 높이 1.6 m 가량이고 피부로 싸인 두 개의 짧은 뿔이 있고, 그 뿔의 선단에는 나출한 골편(骨片)이 있음. 몸빛은 암적갈색이며, 사지(四肢)의 상부(上部)와 함께 흰 띠무늬가 있어 보호색을 이룸. 나무의 잎을 먹으며, 5월에 한 마리의 새끼를 낳음. 삼림에 서식하는데, 아프리카 콩고 지방에 분포함.

〈오카피〉

오:커 [ocher] [명] ①토상(土狀)으로 된 연한 광물의 일군(一群). 백·회·황·등색 등으로 되어 있는데, 비화(砒華)·안티몬화·수은화(水銀華) 등이 있음. ②보통 점토와 섞이어 있는 분말상 산화철. 도료·리놀륨 등의 착색료로 쓰임. 오크르(ocre). 황토(黃土). ③황갈색.
오컬트 [occult] [명] 신비로운 일. 초자연적인 일.
오컬트 영화 【一映畫】 [occult] [명] 마술·투시술(透視術)·점(占)·명계(冥界) 및 사후(死後)의 생(生) 등 심령술적인 측면에서, 신비한 세계를 다룬 괴기(怪奇) 영화. 미국 영화 감독 알프레드 히치콕이 이 방면의 영화를 개척·추구한 이래 점차 발전해 가고 있음.
오컬티즘 [occultism] [명] 과학과 종교가 구별되기 이전의 주술적(呪術的)인 신앙과 사상. 자연과 정신에 관한 일반적인 경험으로는 알 수 없는 초자연적인 원인을 생각하는 것으로, 그 후 합리적인 과학 사상에 의해 부정됨. 점성술(占星術). 강령술(降靈術).
오컴 [Ockham, William of] [명] 〖사람〗 영국의 스콜라 철학자. 유명론(唯名論)을 주창, 실재(實在)하는 것은 개체(個體)뿐이지만 신앙은 또다른 것으로, 신(神)은 절대(絶對)라고 하여 이성(理性)과 신앙을 분리, 근대 사유(思惟)의 길을 엶. [1285?-1349?]
오케겜 [Ockeghem, Johannes] [명] 〖사람〗 네덜란드의 작곡가. 플랑드르(Flandre) 악파(樂派) 초기의 대표자로, 역대의 프랑스 왕을 섬김. 대위법(對位法)에 뛰어나 미사곡·교회 음악·샹송 등의 몇 곡이 남아 있음. [1430?-95]
오:케스트라 [orchestra] [명] ①관현악(管絃樂). ②관현악단(管絃樂團).
오:케스트라 박스 [orchestra box] [명] 〖악〗 가극에서, 오케스트라를 연주하는 자리. 무대의 전면(前面) 아래에 있음.
오:케스트레이션 [orchestration] [명] 오케스트라에 의한 연주를 위하여 작곡이나 편곡을 하는 일. 또, 그 기법(技法). 관현악법.
오케아노스 [Okeanos] [명] 〖신〗 그리스 신화의 수신(水神). 세계를 둘러싼 광대한 흐름 또는 바다를 신격화한 것임.
오케오 유적 【一遺跡】 [Oc-Éo] [명] 베트남 메콩 강 델타에 있는 2-7세기경의 항시(港市) 자리. 크메르인이 세운 부남국(扶南國) 문화를 전하는 사원·주거 등의 유구(遺構)가 판명되고, 로마의 금화·중국 한대(漢代)의 거울·간다라(Gandhara) 양식의 불상 조각 등이 출토되어 중국과 인도, 특히 인도의 강한 영향을 볼 수 있음.
오:-케이 [O.K.] [명] ['all correct'의 잘못된 철자(綴字)인 'oll korrect'의 약칭. 또, 마틴 밴 뷰런(Martin Van Buren) 미국 대통령의 재선(再選)을 지지하는 민주당의 일파가 그의 생지(生地)인 올드 킨더후크(Old

Kinderhook)의 지명을 따서 명명(命名)한 정치 단체 오케이 클럽(O.K. Club)에서 유래하였다고도 함] ①완료·만사 해결·합격·'옳다' 등의 뜻. ↔엔 지(N.G.). ②〖인쇄〗 교정(校正) 또는 검사를 마쳤다는 뜻. 교료(校了).

오:케이(를) 놓다 구 교정을 필하고 교료(校了) 놓다.

오케이시 [O'Casey, Sean] 명 〖사람〗 아일랜드의 극작가. 사실주의(寫實主義)로부터 상징주의(象徵主義)로 전향하여 ≪시민병(市民兵)의 그림자≫로 성공하였으며, 주로 더블린(Dublin) 빈민의 참상을 그린 ≪주노(Juno)와 공작새≫·≪붉은 장미를≫·≪은배(銀杯)≫로 아일랜드 연극의 신국면을 열었음. [1880-1964]

오:켄 [Oken, Lorenz] 명 〖사람〗 독일의 자연 철학자·박물학자. 의학을 배우고, 1807년 예나(Jena) 대학 조교수가 될 당시의 취직 논문에서 두개골도 척추골이 변화한 것이라고 하는 두개 추골설(頭蓋椎骨說)을 발표함. 그 후 정치적 논문으로 직을 쫓겨나, 1832년 이후 취리히 대학 교수가 됨. 셸링(Schelling)적 자연 철학에 의거한 생물학의 체계를 제창하였음. [1779-1851]

오코너 [O'Connor, Feargus Edward] 명 〖사람〗 영국의 차티스트 운동(Chartist運動) 지도자. 아일랜드 출신으로서 영국 하원 의원이며, 오코넬 밑에서 독립(獨立) 운동에 참여함. 과격한 전술을 주장한 '폭력파'에 속해 있었고, 1848년 차티스트 최후의 대시위(大示威) 운동을 지도하였음. [1794-1855]

오코넬 [O'Connell, Daniel] 명 〖사람〗 아일랜드 해방 운동의 지도자. 영국 하원 의원으로, 19세기초 아일랜드의 영국병합에 반대하고, 가톨릭 교도의 해방에 진력하였음. [1775-1847]

오콤 의명 〈방〉 옴큼(경상).

오쿨리 캉크리 [라 oculi cancri] 명 [게의 눈이란 뜻] 가재류(類)의 위(胃) 속에 있는 원판 모양의 분비물의 흰 덩어리. 이뇨제(利尿劑)·눈병의 약으로 씀.

오:크 [oak] 명 떡갈나무·졸참나무 등. 또, 그 목재. 재질(材質)이 단단하므로 가구(家具)·선박 등을 만드는 데 쓰임.

오:크니 제도 [—諸島] [Orkney] 명 〖지〗 영국 스코틀랜드 북방의 대소(大小) 약 70개의 섬들. 북방에는 농업·어업이 성함. 가장 큰 메인랜드(Mainland) 남방(南方)의 내해(內海)를 스캐퍼 플로(Scapa Flow)라고 하며 영국의 해군 근거지(海軍根據地)임. [974 km² : 19,000 명(1981)]

오크라 [okra] 명 〖식〗 [*Hibiscus esculentus*] 아욱과에 속하는 일년생 초본. 줄기 높이 2 m, 잎은 십장형이고 3-5열(裂)하며 긴 잎꼭지가 있음. 꽃은 액생(腋生)하며 면화꽃 같은 것이 한 송이씩 핌. 길이 15 cm 내외의 삭과가 열리며 오이 모양의 길이 6-9 cm의 깍지는 생식(生食)하거나 샐러드 또는 수프에 넣어 먹음. 미국 남부와 서인도 제도의 원산인데 전세계 온대의 각 지방에 분포함.

오크르 [프 ocre] 명 오커(ocher)❷.

오:크-리지 [Oak Ridge] 명 〖지〗 미국 테네시 주 동부, 녹스빌(Knoxville)의 서북서쪽 32 km에 있는 도시. 제2차 대전 중 원자 폭탄(原子爆彈) 제조 계획에 의하여 우라늄(Uranium) 분리 공장(分離工場)이 건설되었음. 미국 원자력에 관한 여러 연구 기관이 있는데 원자력 에너지 박물관은 특히 유명함. [27,310 명(1990)]

오:크스 [Oaks, the] 명 영국의 경마 오대(五大) 레이스의 하나. 에프섬(Epsom) 경마장에서 봄마다 행하여지는 네 살짜리 암말의 레이스로 경주 거리는 2,400 m.

오클라호:마 [Oklahoma] 명 〖악〗 미국의 대표적인 뮤지컬. 작곡은 로저스(Rodgers, R.), 대본과 작사는 해머스타인(Hammerstein, O.) 2세. 중서부 개척 시대의 농촌을 무대로 한 젊은이들의 사랑의 음악극. 1943년 초연, 55년 영화화됨.

오클라호:마-시티 [Oklahoma City] 명 〖지〗 미국 오클라호마 주의 주도. 1889년에 창건된 도시로 주의 중앙에 위치하여 정유(精油)·철강·전기 기기(電氣機器)·식품 가공 등의 공업이 행하여지며 농산물의 집산지임. [444,719 명(1990)]

오클라호:마 주 [—州] [Oklahoma] 명 〖지〗 미국 중남부에 있는 주. 1803년 프랑스로부터 사들여 1907년 46번째로 주(州)가 되었음. 농산물로는 면화·밀·옥수수 등이 있고, 광산물로는 석유·석탄·아연 등이 있음. 목축(牧畜)도 행하여짐. 주도는 오클라호마시티. [177,817 km² : 3,145,585 명(1990)]

오클랜드[1] [Auckland] 명 〖지〗 뉴질랜드 북(北)섬 북부 지역에 있는 뉴질랜드 제일의 상공(商工) 항만 도시. 낙농(酪農) 지역의 중심지이며 제당(製糖)·조선(造船)·기계·제약 공업이 성함. 1865년까지 수도였음. [850,900 명(1989)]

오:클랜드[2] [Oakland] 명 〖지〗 미국 캘리포니아 주의 항만 도시(港灣都市). 샌프란시스코 만(灣) 동안(東岸)에 있고, 샌프란시스코와 전장(全長) 8,700 m의 베이 브리지로 연결됨. 기계·통조림·조선(造船) 공업이 행하여지며, 대륙 횡단 철도의 종점임. [366,000 명(1987)]

오큼 의명 〈방〉 옴큼(경상).

오키나와 섬 [沖繩:おきなわ] 명 〖지〗 일본 오키나와 제도(諸島) 가운데의 최대의 섬. 남북 118 km, 폭 10 km 내외의 길쭉한 섬으로, 사탕수수·고구마 따위 농산물이 나며, 아열대(亞熱帶) 식물이 무성함. 태평양 전쟁 최후의 격전지로 오키나와 현(縣)의 현청 소재지 나하(那覇) 시가 있음. 2차 대전 후 미군의 민정(民政) 하에 놓였다가 1972년 일본에 반환되었음. [1,176 km² : 약 700,000 명]

오키나와 현 [—縣] [沖繩:おきなわ] 명 〖지〗 오키나와 섬을 비롯한 류큐(琉球) 제도로 이루어지는 현. 관내 10시(市) 5군(郡). 2차 대전 후 미군(美軍)의 민정(民政)하에 있다가 1972년 반환됨. 사탕수수·파인애플·고구마의 농산이 있으며, 제당·시멘트 공업이 성함. 현청 소재지는 나하(那覇)시. [2,264 km² : 1,247,658 명(1992)]

오타루 [小樽:おたる] 명 〖지〗 일본 홋카이도(北海道)의 서해안, 삿포로(札幌)의 북서방 이시카리 만(石狩灣)의 서쪽 끝에 있는 천연의 항구 도시. 이시카리 탄전(石狩炭田)의 석탄과 양곡을 수출하며 제관(製罐)·고무·차량·정유 공업이 성하고 어획량도 많음. 고대 문자(古代文字)의 사적이 있음. [161,989 명(1992)]

오타와 [Ottawa] 명 〖지〗 캐나다의 수도. 온타리오 주(Ontario州) 남동부, 오타와 강의 남안(南岸)에 있음. 여러 관청(官廳)·연구 기관·대학이 있으며, 철제품·주물(鑄物)·양지(洋紙)·시멘트·목재(木材) 등의 공업이 행해지는데, 최근에는 컴퓨터·우주 과학 등의 중심지로 주목받고 있음. [867,000명(1991추계)]

오타와 협정 【—協定】 [Ottawa] 명 1932년 오타와에서 열린 영연방(英聯邦) 경제 회의의 결과 성립된 협정. 영국 및 영국의 제자치령(諸自治領)이 상호간의 통상·통화·재정 및 산업 합리화 등에 관한 광범위한 협정으로 영연방 경제 블록(bloc)의 수립을 기도하였음.

오타와 회:의 【—會議】 [Ottawa] [—/—이] 명 〖역〗 1932년 오타와에서 열린 영국 연방 회의. 세계 공황의 대책으로서 영국 연방 제국에 특혜 관세 제도를 중심으로 하는 상호 통상 협정인 오타와 협정을 맺었음. *오타와 협정.

오:탁[1] 【五濁】 명 〖불교〗 이 세상의 다섯 가지 더러운 것. 곧, 명탁(命濁)·중생탁(衆生濁)·번뇌탁(煩惱濁)·견탁(見濁)·겁탁(劫濁).

오:탁[2] 【汚濁】 명 더럽고 흐림. ——-하다 형여불

오탁-골 【烏啄骨】 명 〖생〗 견갑골(肩胛骨)과 쇄골(鎖骨)과 함께 상지대(上肢帶)를 구성하는 뼈의 하나. 오훼골(烏喙骨).

오탁-목 【烏啄木】 명 〖조〗 까막딱따구리.

오:탁 부:하량 【汚濁負荷量】 명 어떤 일정한 물·지역에 오염 물질을 흘려 보내어도 자연 정화능(自然淨化能) 등에 의해, 오염이 발생하지 않는 범위의 오염 물질의 총량(總量).

오:탁 악세 【五濁惡世】 명 〖불교〗 ①오탁으로 가득찬 죄악의 세상. ②말세(末世)를 일컫는 말.

오:탁 증시 【五濁增時】 명 〖불교〗 오탁이 시대를 경과함에 따라 점점 그 정도를 더하여 감. ——-하다 자여불

오:탄[1] 【傲誕】 명 오만(傲慢)하고 방자(放恣)하여 허풍을 잘 떪. ——-하다 형여불

오:탄[2] 【懊嘆】 명 원통히 여겨 한탄함. ——-하다 타여불

오:탄-당 【五炭糖】 명 〖화〗 펜토오스(pentose).

오:탄당 인산 회로 【五炭糖燐酸回路】 명 〖생〗 칼빈 회로(Calvin 回路).

오:탈 【誤脫】 명 ①오자(誤字)와 탈자(脫字). ②틀림과 빠짐. 탈오(脫誤).

오:탑 【五塔】 명 중국에 있어서의 금강 보좌(金剛寶座)의 속칭.

오:탕 【五湯】 명 제상(祭床)에 올리는 다섯 가지 국. 곧, 소탕(素湯)·육탕·어탕·봉탕·잡탕.

오택 【鵝澤·鵝鸅】 명 〖조〗 사다새.

오터 보:드 [otter board] 명 기선 트롤(汽船 trawl)에 쓰이는 어구(漁具). 그물의 양옆줄에 하나씩 달려 있는 철판으로, 배가 가면 수압으로 인하여 좌측의 것은 왼쪽으로 우측의 것은 오른쪽으로 가서 그물을 여는 작용을 함.

오터 트롤: [otter trawl] 명 오터 보드로 그물을 좌우로 전개시키는 저인망(底引網). *오터 보드.

오터 하운드 [otter hound] 명 〖동〗 수달 수렵 전문의 사냥개의 일종. 영국원산. 머리가 크고 목이 다소 짧으며 입이 비죽하지 않고 턱이 강함. 털은 철회색(鐵灰色)·모래빛 등으로 흑반(黑斑)이 있음. 위털은 길고 곱슬곱슬하며 밑털은 양털 비슷한데 두텁고 지방질이 풍부함. 헤엄을 잘 침.

오:토[1] 【五土】 명 다섯 가지 토지(土地). 곧, 산림(山林)·천택(川澤)·구릉(丘陵)·분연(墳衍)·원습(原濕). 오지(五地).

오토[2] 【烏兎】 명 ①금오(金烏)와 옥토(玉兎). ②해와 달. ③세월. *오비토주(烏飛兎走).

오토[3] [Otto, von Freising] 명 〖사람〗 중세 독일의 역사가. 오스트리아 왕족 출신이며, 프라이징(Freising)의 사제(司祭). 주저(主著) ≪두 나라의 연대기(年代記) (De Duabus Civitatibus : The Two Cities)≫는 성(聖)아우구스티누스를 본떠 신(神)의 나라와 지상(地上)의 나라를 대비(對比)하는 가운데 1146년까지의 역사를 다루어, 중세적 역사 기술의 전형이 됨. [1114?-58]

오토[4] [Otto, Nikolaus August] 명 〖사람〗 독일의 기술자. 1866년 자유 피스톤 제작에 성공함. 1876년 4사이클 가스 기관을 완성하여 오토 사이클이란 이름으로 알려짐. [1832-91]

오토[5] [Otto, Rudolf] 명 〖사람〗 독일의 프로테스탄트 신학자. 마르부르크 대학 교수. 동양의 종교에도 정통(精通)하며, 그리스도교의 종교 철학적 해명에 공헌함. 주저에 ≪신성(神聖)한 것≫이 있음. [1869-1937]

오:토-너:스 [auto-nurse] 명 〖의〗 많은 입원(入院) 환자의 체온(體溫)·맥박수 등을 동시에 자동적(自動的)으로 잴 수 있는 전자 검진 장치(電子檢診裝置).

오:토 단청 【五土丹靑】 명 〖미술〗 분(粉)·먹·연녹색(軟綠色)·육색(肉色)·석간주(石間硃)로 칠하고 잡획을 그은 단청.

오토 대:제 【—大帝】 [Otto] 명 〖사람〗 오토 1세의 일반적 칭호.

오:토-도어 [auto-door] 명 자동문(自動門).

오:토-라디오 [auto-radio] 명 자동차의 차내용(車內用) 라디오. 카(car) 라디오.

오:토-라디오그래프 [autoradiograph] 명 〖물〗 라디오오토그래피(radioautography).

오:토-레이스 [auto+race] 명 ①자동차·오토바이 등의 경주(競走). ②모터보트의 경주.

오:토리 게이스케 [大鳥圭介:おおとりけいすけ] 명 〖사람〗 일본의 정치가. 도쿠가와 막부(德川幕府)의 군대의 양식 훈련(洋式訓鍊)을 담당하였으며, 조선 고종(高宗) 30년(1893) 공사(公使)로서 조선에 부임, 동학 농민 운동 후의 청(淸)나라와의 절충(折衝)을 통해 청일 전쟁의 실마리를 만듦. 뒤에 일본 추밀원 고문(樞密院顧問)이 됨. [1833-1911]

오:토-리버:스 [auto-reverse] 명 녹음(錄音)·재생 장치(再生裝置)에 있어서, 테이프가 거의 끝까지 감겼을 때는 자동적(自動的)으로 역전(逆轉)하는 방식.

오:토마톤 [automaton] 명 인간이 하는 행동과 같이, 어떤 목적에 맞는 다소 복잡한 동작을 하는 기계. 자동 판매기(自動販賣機)·자동 조종(操縱) 장치 따위.

오:토마티슴 [프 automatisme] 명 〖미술〗 자동법(自動法).

오토만 [ottoman] 명 ①긴 의자의 일종. 등받이·팔걸이가 없고, 앉는 자리를 두껍게 한 것. ②쿠션이 달린 발판. 의자(椅子)와 짝을 이루어 사용됨. ③천 짜는 방식의 하나. 가로 골이 진 줄 무늬가 있는 두꺼운 천. 재질(材質)로는 면(綿)·모(毛)·화섬(化纖) 등이 있으며, 양장용으로 흔히 쓰임.

오토만 제:국 【一帝國】 [Ottoman] 명 〖역〗 오스만 제국.

오:토매틱 [automatic] 명 ①자동(自動). 자동적(自動的). ②자동 권총(自動拳銃).

오:토매틱 드라이브 [automatic drive] 명 자동차의 자동 운전. 발진(發進)·정지·증감속(增減速)이 클러치 페달·변속기 레버의 조작을 필요로 하지 않고 액셀러레이터·브레이크의 양페달만으로 할 수 있는 방식. *오토클러치 (autoclutch)

오:토매틱 승용차 【一乘用車】 명 [automatic car] 자동차의 변속(變速) 장치가 자동식으로 된 승용차.

오:토매틱 텔레폰: [automatic telephone] 명 자동식 전화(電話).

오:토맷 [automat] 명 ①사진기의 셔터(shutter) 등이 자동적으로 걸리는 장치. ②자동 판매기와 같은 간단한 것부터 정보 처리 기계 같은 복잡한 것까지의 자동 기계의 총칭. 자동 장치(自動裝置).

오:토메이션 [automation] 명 [automatic operation의 약칭] 자동 조작(操作) 방식. 전자(電子) 장치를 이용한 자동 제어(制御)에 의하여 전체 생산(生産) 공정(工程)을 자동화하는 방식. 제2의 산업 혁명이라고 일컬어짐. *사이버네틱스.

오:토-메이커 [automaker] 명 자동차 제조업자.

오:토-모빌 [automobile] 명 자동차(自動車).

오:토-바이 [auto+bicycle] 명 발동기(發動機)를 장치하여 그 동력(動力)으로 바퀴를 회전(回轉)시키게 만든 자전거. 자동 자전거(自動自轉車). 모터바이시클.

오:토바이-치기 [auto+bicycle] 명 오토바이를 행인(行人)의 옆으로 스쳐 몰아, 오토바이에 탄 채 핸드백 따위를 차 가는 치기배(輩).

오토 사이클 기관 【一機關】 [Otto cycle] 명 〖기〗 사행정 기관(四行程機關).

오:토솜 [autosome] 명 〖생〗 상염색체(常染色體). ↔성염색체(性染色體).

오:토 쇼: [미 auto show] 명 자동차 전시회(展示會).

오:토-스톱 [autostop] 명 레코드 플레이어(record player) 등의 자동 정지(停止) 장치.

오토 일세 【一一世】 [Otto I] [一세] 명 〖사람〗 독일의 왕이며 신성 로마 제국(神聖 Roma 帝國)의 초대 황제(皇帝). 독일 제후(諸侯)의 세력을 누르고 이탈리아에 원정하여 교황(敎皇)을 도와 신성 로마 제국 황제의 관(冠)을 얻었음. 오토 대제(大帝). [912-973; 재위 936-973]

오:토-자이로 [autogyro] 명 〖항공〗 1922년 스페인의 후안 데 라 치에르바(Juan de la Cierva)가 발명한 항공기의 일종. 보통 비행기의 위쪽에, 날개 대신으로 세 쪽이나 네 쪽으로 된 회전(回轉) 날개를 달아서 비행기의 양력(揚力)을 증가시키며 이착륙(離着陸)할 때의 활주 거리(滑走距離)를 짧게 하여 좁은 지역에서도 이착륙할 수 있도록 한 것이 특징임. 이 회전 날개는 동력(動力)에 의해 회전되는 것이 아니고 기체(機體)가 전진할 때의 공기력(空氣力)에 의하여 회전되며, 그 회전에 의하여 양력(揚力)을 발생시키게 되는 것인데, 따라서 수직(垂直)의 상승(上昇)·하강(下降) 및 정지 비행(停止飛行)은 불가능함. 헬리콥터의 실용화(實用化)에 따라 점차 쇠미하여졌음. *헬리콥터(helicopter).

〈오토자이로〉

오:토 제노사이드 [auto genocide] 명 [제노사이드는 민족의 대학살의 뜻. 캄보디아의 폴 포트 정권이 300만 명의 자국민을 학살한 데서 유래] 자국민(自國民)의 대학살.

오:토-카: [autocar] 명 자동차(自動車).

오:토 캠핑 [auto-camping] 명 보통 1-2박 일정으로 여행을 떠나 차 안이나 텐트에서 자고 식사도 스스로 해결하는 형태의 여행.

오:토크러시 [autocracy] 명 독재 정치(獨裁政治). 전제 정치(專制政治).

오:토-클러치 [autoclutch] 명 자동차의 변속기(變速機) 레버를 조작할 때, 내장(內藏)된 스위치가 작용하여, 전자기력(電磁氣力)·원심력·진공·유압(油壓) 등에 의하여, 자동적으로 클러치가 단속(斷續)하는 기구. 클러치 페달은 필요 없고 운전이 간편함. 자동 클러치. *오토매틱 드라이브.

오:토-클레이브 [autoclave] 명 수소 첨가 등과 같은 고온 고압을 요하는 반응에 쓰이는 회분식(回分式) 반응 장치. 보통, 교반(攪拌) 장치·온도계 삽입공(揷入孔)·압력계·안전판 등을 갖추고 있는 원통형 내압 용기(耐壓容器)임.

오:토트랜스 [autotransformer] 명 〖물〗 변압기(變壓器)의 일종(一種). 철심(鐵心)에 코일(coil)을 감고 그 중의 일부분을 일차(一次) 코일, 다른 일부분을 이차(二次) 코일로 한 구조(構造). 코일의 어느 부분에서는 일차 전류(一次電流)와 이차 전류(二次電流)가 동시(同時)에 흐르게 됨.

오:토-파일럿 [autopilot] 명 〖기〗 항공기에 장비되어 항공기를 자이로컴퍼스(gyrocompass) 및 무선 장치 등의 작용에 의하여 자동적으로 일정한 진로(進路)로 유도하는 장치. 자동 조종 장치.

오:토-플레이어 [automatic player] 명 자동 장치가 되어 있는 레코드 플레이어.

오:토-피아노 [auto+piano] 명 〖악〗 자동 피아노(自動 piano).

오톨-도톨 부 물건의 거죽이나 바닥이 잘고 고르지 못하게 부풀어 오른 모양. <우툴우툴. ——하다 형 여불

오퇭 성:당 【一聖堂】 [프 Autun] 명 프랑스 리옹(Lyon) 근처의 도시 오퇭에 있는 로마네스크 건축. 서쪽 정문 입구의 조각 《최후의 심판》은 로마네스크 예술의 걸작의 하나임.

오:투나이트 [autunite] 명 〖광〗 우라늄의 광석 광물. 운모(雲母)처럼 된 박판상(薄板狀) 결정으로, 굳기는 2-2.5, 비중(比重)은 3.1임. 황(黃)·녹황(綠黃)·담녹색(淡綠色)으로 진주 광택이 남. 섬(閃)우라늄 등이 산화하여 2차적으로 생성됨. 인회 우라늄석. [$Ca(UO_2)_2(PO_4)_2$ 10-12 H_2O]

오툴: [O'Toole, Peter Seamus] 명 〖사람〗 아일랜드 출생의 영국 배우. 개성적인 용모와 중후한 연기로 인기를 얻음. 셰익스피어극(劇)에서 뮤지컬에 이르기까지 폭넓게 활동함. 1960년대부터는 영화에도 출연함. 주요 출연 영화는 《아라비아의 로렌스》·《로드 짐》·《겨울 사자》·《라만차의 사나이》 등. [1932-]

오:트 [oat] 명 〖농〗 귀리.

오트란토 해:협 【一海峽】 [Otranto] 명 〖지〗 이탈리아 남동단(南東端)의 풀리아 반도(Puglia半島)와 알바니아 남서부와의 사이에 있는 해협. 아드리아 해와 이오니아 해를 연결함. 폭 약 70 km. 이탈리아 쪽에 어항 오트란토가 있음.

오트레츠-석 【一石】 [도 Ottrez] 명 〖광〗 오트렐라이트(ottrelite).

오트렐라이트 [ottrelite] 명 〖광〗 독일의 오트레츠에서 결정 편암(結晶片岩) 중에 산출되는 광물. 경녹니석(硬綠泥石)과 매우 비슷하나 결정계는 삼방 정계(三方晶系)에 속함. 육안(肉眼)으로 보면 암회색 내지 녹회색임. 오트레츠석(ottrez 石).

오:트-밀: [oatmeal] 명 ①귀리의 가루로 죽을 쑤어 소금·설탕·우유 등을 쳐서 먹는 서양 음식. ②천의 표면에 ❶의 모양의 작은 무늬를 나타낸 직물. 또, 그 무늬.

오트볼타 공:화국 【一共和國】 [Haute-Volta] 명 '부르키나파소'의 구칭.

오트 쿠튀르 [프 haute couture] 명 고급(高級) 봉제(縫製)의 여성복. 전(轉)하여, 파리의 고급 양장점(洋裝店)을 이름. 또, 유명한 디자이너가 있는 점포.

오트프리트 폰 바이센부르크 [Otfrid von Weissenburg] 명 〖사람〗 엘자스(Elsass)의 바이센부르크 수도원(修道院)의 사제(司祭). 그의 저서 《복음서》는 개인의 작자(作者) 이름이 남은 독일 최고(最古)의 저작으로 《헬리안트(Heliand)》 다음가는 중요한 고(古)독일어의 문헌임. [800?-880?]

오틱 명 〈방〉 옷(강원·황해).

오티스[1] [Otis, Elisha Graves] 명 〖사람〗 미국의 기계 기술자. 1853년 뉴욕의 박람회에 안전 장치가 달린 증기 엘리베이터를 출품하였으며 1861년 특허를 얻고, 오티스 엘리베이터 회사를 창립, 전기 엘리베이터도 고안함. 그의 회사는 때마침 고층 건축 성행으로 크게 발전하여, 현재는 엘리베이터·에스컬레이터로 세계 시장(市場)의 과반을 차지하고 있음. [1811-61]

오티스[2] [Otis, James] 명 〖사람〗 미국의 변호사·정치가. 미국 독립 혁명 전기(前期)에 활약함. 식민지인의 권리를 옹호하는 법이론을 기술한 팜플렛을 저술하여, 1774년 이후의 영본국 정책에 대한 저항 운동에 영향을 주었으나, 반대파의 습격으로 중상을 입어, 만년(晩年)은 불우했음. [1725-83]

오: 티: 시: [O.T.C.] 명 〖경〗 [Organization of Trade Co-operation의 약칭] 무역 협력 기구(貿易協力機構).

오: 티: 아이 [OTI] 명 [Organization de la Televisión Iberoamericana의 약칭] 중남미 여러 나라의 텔레비전 방송국과 미국의 스페인어 텔레비전국, 스페인·포르투갈의 방송 기관을 회원으로 하는 국제 방송 조직. 본부는 멕시코시티. 1971년에 발족(發足)함. 중남미(中南美) 텔레비전 방송 연합(放送聯合).

오: 티: 에이치 아:르 [OTHR] 명 [Over the Horizon Radar의 약칭] '초지평선(超地平線) 레이더'의 원어의 머리 글자.

오:파[1] 【五派】 명 〖불교〗 선가 오종(禪家五宗).

오-파[2] 【吳派】 명 ①〖미술〗 중국 명나라 후반기 산수화(山水畫)의 한 유파(流派). 심주(沈周)·문징명(文徵明)의 두 대가(大家)가 모두 오(吳)의 땅 출신이고 이 남종화파(南宗畫派)의 화인(畫人)들에 비교적 오(吳)의 사람들이 많았으므로, 대문진(戴文進)에 의한 절파(浙派)에 대하여 일컫던 호칭(呼稱)임. ↔절파(浙派). ②중국 청조(淸朝)의 고증학(考證學)의 정통파(正統派)를 대표하는 한 파. 오(吳)의 땅 출신 혜동(惠棟)을 중심으로 발전하였는데, 그 학풍(學風)은 오직 한유(漢儒)의 설(說)을 충실히 조술(祖述)함을 본령(本領)으로 하였으며, 훈고(訓詁)는 반드시 한유를 종지(宗旨)로 하였음.

오파놀 [Oppanol] 명 이소부틸렌(isobutylen) 중합체(重合體)의 상품명.

약품에 잘 견디며 내수성이 풍부하여 고무 공업·특수 도료·접착제 등으로 널리 쓰임.

오파린 〔Oparin, Aleksandr Ivanovich〕 명 〖사람〗 소련의 생화학자. 산화 효소계(酸化酵素系)에 관한 신이론과 유기 물질의 발생을 논한 ≪생명의 기원≫에서 생명 현상의 설명과 진화의 생화학적 연구의 길을 열었음. [1894-1980]

오:판 【誤判】 명 ①잘못 봄. 잘못 판단함. ②〖법〗 잘못 한 판결(判決). ③오심(誤審). ——하다 타여불

오:판-화 【五瓣花】 명 〖식〗 복숭아꽃·벚꽃 등과 같이 꽃잎이 다섯 개 있는 꽃. 다섯잎꽃.

오팔 〔opal〕 명 〖광〗 단백석(蛋白石).

오:팔 사:십 【五八四十】 명 〖수〗 구구법(九九法)의 하나. 다섯의 여덟 갑절이나 여덟의 다섯 갑절은 마흔이라는 말.

오:패 【五覇·五伯】 명 〖역〗 중국 춘추 시대(春秋時代)에 제후(諸侯)의 맹주(盟主)로서, 패업(覇業)을 이룩한 다섯 사람. 곧, 제 환공(齊桓公)·진 문공(晉文公)·진 목공(秦穆公)·송 양공(宋襄公)·초 장왕(楚莊王). 일설(一說)에는 진 목공과 송 양공 대신에 오 합려(吳闔閭) 또는 오 부차(吳夫差) 및 월 구천(越句踐)을 칭.

오-패(:)부 【吳佩孚】 명 〖사람〗 '우 페이푸'를 우리 음으로 읽은 이름.

오패시파이어 〔opacifier〕 명 고체(固體) 로켓 연료를 보존(保存) 처리하는 데 쓰이는 물질. 빛이나 열(熱)을 흡수(吸收)하여 연료의 열화(劣化)를 방지함.

오:퍅 【傲愎】 명 교만하고 독살스러움. ——하다 형여불

오퍼[1] 〔offer〕 명 ①신청. 제공(提供). 제언. 제의. 매매의 신청. ②〖경〗 수출업자(業者)가 상대국의 수입업자에게 품명·가격·수량 그 밖의 거래 조건을 제시하여 거래를 신청하는 일. 수입업자의 회답(回答) 기한을 정하는 것을 펌 오퍼(firm offer)라 하며 수입업자로부터 반대로 어떤 조건(條件)을 제시(提示)하여 오는 경우를 카운터 오퍼(counter offer)라 함.

오퍼[2] 〔도 Oper〕 명 〖악〗 가극(歌劇).

오퍼레이션 〔operation〕 명 ①작전(作戰). ②수술(手術). ③투기 매매. 매매에 의한 시장 조작(市場操作).

오퍼레이션 리서:치 〔operations research〕 명 ①〖군〗 제2차 세계 대전 중 영미 양국에서 발달한 작전 방법. 과학자·수학자에 의한 과학적 수학적인 작전 계획의 연구. ②〖경〗 합리적 경영 방법의 연구. 또, 정량적(定量的) 모델을 가지고 문제의 가장 적합한 해결점을 구하는 수법 전반을 가리킴. 약칭 : 오 아르(O.R.). *관리 공학(管理工學).

오퍼레이터 〔operator〕 명 ①기계류의 조작에 종사하는 사람. 특히 전화 교환원·무선 통신사·컴퓨터 조작자를 가리킴. ②수술하는 사람. ③〖경〗 자사(自社)의 선박이든, 타사의 용선(傭船)이든 간에, 스스로 모든 비용과 위험 부담을 안고 이것을 운항(運航)하는 것을 업으로 하는 해운업자. ④〖생〗 작동 유전자.

오퍼레이팅 시스템 〔operating system〕 명 〖컴퓨터〗 운영 체제.

오퍼-상 【一商】 〔offer〕 명 오퍼 업무를 전문으로 하는 수출업자. 또, 그 영업.

오퍼튜:니스트 〔opportunist〕 명 편의주의자(便宜主義者). 기회주의자(機會主義者).

오퍼튜:니즘 〔opportunism〕 명 기회주의(機會主義). 편의(便宜)주의.

오페라 〔opera〕 명 〖연〗 17세기 초부터 이탈리아에 발달한 음악상의 한 형식. 독창의 아리아·중창(重唱)·합창 및 관현악 연주의 전주곡(前奏曲)·간주곡 등을 배합한 음악적 요소에, 무대 미술·연기(演技)·발레 등을 가한 종합 예술로서 발달함. 가극(歌劇). *대가극(大歌劇)·희가극(喜歌劇)·경가극(輕歌劇)·악극(樂劇).

오페라 가수 【一歌手】 〔opera〕 명 오페라의 가수.

오페라 극장 【一劇場】 〔opera〕 명 〔Théâtre National de l'Opéra〕 파리에 있는 국립 가극장. 1671년 창립됨. 코메디 프랑세즈에 대하여, 이 곳은 주로 그랜드 오페라를 상연함.

오페라 글라스 〔opera glass〕 명 관극(觀劇)할 때 쓰는 작은 쌍안경.

〈오페라 글라스〉

오페라 백 〔opera bag〕 명 원래는 관극용의 작은 가방이었으나, 지금은 여성들이 쓰는 소형(小型)의 손가방.

오페라 부파 〔이 opera buffa〕 명 〖악〗 경쾌(輕快)한 음악을 주로 한 우습고 풍자적(諷刺的)인 내용을 갖는 극. 보마르셰의 가극(歌劇) ≪세빌랴의 이발사≫ 따위.

오페라 세리아 〔이 opera seria〕 명 〖연〗 오페라 부파에 대(對)한 것으로 대개는 비극적인 제재(題材)로 된 가극.

오페라 코미크 〔프 opéra comique〕 명 〖악〗 대화(對話)가 섞인 가극. 비제(Bizet)의 ≪카르멘≫과 같이 비극적인 계통의 것도 포함함.

오페라 코미크 극장 【一劇場】 명 〔Théâtre National de l'Opéra Comique〕 오페라 극장과 비견(比肩)되는 파리의 가극장. 1714년 창립됨. ≪카르멘≫·≪마농≫ 등의 명작이 초연되었음.

오페라 하우스 〔opera house〕 명 오페라용(用)의 극장(劇場). 가극장(歌劇場).

오페라 해트 〔opera hat〕 명 용수철을 이용하여 납작하게 접을 수 있는 실크 해트(silk hat). 야회(夜會)나 관극(觀劇) 때 사용함.

오페레타 〔이 operetta〕 명 〖연〗 가벼운 희극(喜劇) 속에 통속적인 노래나 춤을 넣은 오락성이 풍부한 음악극의 총칭. 경가극(輕歌劇). 라이트 오페라(light opera). *징슈필(Singspiel).

오페레타 영화 【一映畫】 〔이 operetta〕 명 오페레타의 영화화 또는 그런 형식을 사용한 음악 영화.

오페론 〔operon〕 명 〖생〗 유전자(遺傳子)의 형질 발현(形質發現)에 관여하는 유전 단위(單位). 하나의 작동(作動) 유전자와 몇 개의 구조(構造) 유전자로 구성된 유전자군(群). 보통, 작동 유전자는 조절(調節) 유전자에 의해 합성된 억제 물질과 결합되어 있어 이와 연결된 구조 유전자가 불활성화(不活性化)되고 있음. 그러나 억제 물질이 유도(誘導) 물질과 결합하면 작동 유전자와의 결합은 풀리게 되며 이에 따라 작동 유전자와 구조 유전자는 기능을 하게 되어 효소 단백질을 합성함. 1961년 프랑스의 자코브(Jacob, F.)와 모노(Monod, J.L.)가 1 유전자 1 효소설을 발전시켜 단백질 합성 조절에 관한 기구로서 제창한 것임. *조절 유전자·작동 유전자·억제 물질.

오페르트 〔Oppert, Ernst Jacob〕 명 〖사람〗 독일의 항해가. 유태인(猶太人). 상인으로 중국·일본 등지를 여행하였고, 1868년 제3회째의 아산만(牙山灣) 탐험 때, 덕산(德山)에 있는 대원군의 양부(養父) 남연군(南延君) 구(球)의 능묘 발굴 사건을 일으켜 대원군의 격노를 사서 조선의 대외 관계를 악화시켰음. 귀국 후 지은 ≪금단의 나라, 조선에의 여행≫은 한국 소개의 중요 자료임. [1832-?]

오펙 【OPEC】 명 〔Organization of Petroleum Exporting Countries의 약칭〕 석유 수출국 기구(石油輸出國機構). 오 피 이 시(O.P.E.C.). *오아펙(OAPEC).

오펙 개발 원:조기금 【OPEC 開發援助基金】 명 〖경〗 원유가(原油價)의 인상으로 경제적 곤란을 겪게 된 비산유(非產油) 개발 도상국에 대하여 오펙 제국(諸國)이 제공하는 기금. 1976년에 결정되어, 당초 5년에 걸쳐 해마다 8억 달러를 갹출하기로 했다가, 1977년에 다시 8억 달러를 추가하기로 하였음. 장기 무이자(無利子)로 공여(供與)됨.

오펜바흐[1] 〔Offenbach〕 명 〖지〗 독일 헤센 주(Hessen 州) 프랑크푸르트(Frankfurt)의 동쪽에 접하는 공업 도시. 마인 강(Main 江)에 임(臨)하며, 피혁(皮革)·금속 공업이 발달하고 피혁 제품 견본시(見本市)로 유명함. [107,078 명(1987)]

오펜바흐[2] 〔Offenbach, Jacques〕 명 〖사람〗 독일 출생의 프랑스 오페레타 작곡가. 약 100편(篇)을 작곡하였는데, 그 중 ≪호프만(Hoffmann)의 이야기≫가 유명함. [1819-80]

오펜스 〔offence〕 명 운동 경기에서, 공격(攻擊). 또, 공격하는 사람이나 팀. ↔디펜스.

오펜하이머[1] 〔Oppenheimer, Franz〕 명 〖사람〗 독일의 사회학자·경제학자. 유태인. 사회 형식(形式)과 내용을 구별 않는 사회 과정(社會過程)의 이론을 수립하여 사회학적 국가관의 시조로 알려졌음. 저서에 ≪국가론≫ 등이 있음. [1864-1943]

오펜하이머[2] 〔Oppenheimer, John Robert〕 명 〖사람〗 미국의 원자 물리학자. 1943년 이래 미국 원자탄 제조의 총지휘자로 이를 완성하였음. 프린스턴(Princeton) 고등 연구소 소장으로 있다가, 1954년 공산주의에의 동조(同調), 수소 폭탄 개발에 반대하여 공직(公職)에서 제거되었음. [1904-67]

오펜하이머 필립스 반:응 【一反應】 명 〔Oppenheimer-Phillips reaction; 미국의 물리학자 오펜하이머(Oppenheimer, J.R.)가 밝혀 낸 데서 붙여진 이름〕 〖물〗 중양성자(重陽性子)가 핵(核) 근처를 지날 때 나타나는 스트리핑(stripping) 반응의 한 형태. 중양성자 중의 양성자(陽性子)가 핵으로부터의 쿨롱 척력(Coulomb斥力)을 받는 반면, 중성자(中性子)는 핵력(核力)에 의해 핵에 이끌리어 감. 그 결과, 중양성자를 이루고 있는 중성자와 양성자의 결합이 깨져, 중성자는 핵에 흡수되고 양성자는 배척됨.

오펜하임-병 【一病】 〔一뼝〕 명 〔Oppenheim's disease; 독일의 신경과 의사 오펜하임(Oppenheim, Hermann; 1858-1919)의 이름에서 유래〕 〖의〗 선천성 근무력증(先天性筋無力症).

오:평 【誤評】 명 그릇된 평론. 그릇 평론함. ——하다 타여불

오:-평생 【誤平生】 명 평생을 그르침. ——하다 자여불

오폐-부득 명 회피 부득(回避不得)의 잘못된 말.

오:포[1] 【五包】 명 〖건〗 촛가지가 다섯으로 된 건축.

오:포[2] 【午砲】 명 ↗오정포(午正砲).

오포르토 〔Oporto〕 명 〖지〗 포르투(Porto)의 영어명.

오폴레 〔Opole〕 명 〖지〗 폴란드 남서부의 오폴레 주의 주도(州都). 브로츠와프(Wrocław)의 남동 80 km 지점에 있으며, 오데르 강(Oder 江) 상류의 하항(河港)으로, 상슐레지엔(上 Schlesien) 지방의 산업·교통의 중심지임. 시멘트 제조·강가공(鋼加工)·건설 자재·농기구 제조 공장이 있음. [127,500 명(1987)]

오:풋-집 【五包一】 명 〖건〗 공포(拱包)가 다섯 겹으로 얹혀 있는 풋집.

오푸스 〔라 opus〕 명 〖악〗 ①예술 작품. 대작. 걸작. ②음악적 작품(音樂的作品). 보통, 생략해서 'op.'로 쓰며, 작품 몇 번이라는 것을 나타내기 위하여 op. 1, op. 2 등으로 씀.

오:품 【五品】 명 ①오전(五典)·오륜(五倫)·오상(五常) 등의 통칭. ②〖역〗 조선 시대 관직의 다섯째 품계. 당하관(堂下官)으로 정오품은 경관직 동반(京官職東班)의 통덕랑(通德郞)·통선랑(通善郞)과 경관직 서반의 과의 교위(果毅校尉)·충의 교위(忠毅校尉), 외관직 서반(外官職西班)의 여직(勵直) 등이고, 종오품은 경관직 동반의 봉직랑(奉直郞)·봉훈랑(奉訓郞), 경관직 서반의 현신 교위(顯信校尉)·창신 교위(彰信校尉), 외관직 동반의 도사(都事)·판관(判官)·현령(縣令), 외관직 서반의 부여직(副勵直) 등.

오:풍[1] 【午風】 명 마파람.

오풍[2] 【烏風】 명 〖한의〗 눈이 가렵고 아프며, 머리를 돌이키지 못하는 병.

오:풍 십우 【五風十雨】 명 닷새에 한 번씩 바람이 불고 열흘 만에 한 번씩 비가 온다는 뜻으로, 기후(氣候)가 순조롭고 풍년이 들어 천하(天下)가 태평한 모양을 일컫는 말. 우순 풍조(雨順風調).

오풍-증 【惡風症】 〔一쯩〕 명 〖한의〗 오한증(惡寒症)과 같이 급성은 아

니나 몸이 오슬오슬 추운 증세. 악풍증.
오:풍-차【五風車】 명 봉차(鳳車)❷.
오프 [off] 명 ①떨어짐. 벗어남. ¶시즌 ~. ②스위치나 기계 따위가 정지 중임.
오:프너 [opener] 명 병 따개. 깡통 따개.
오:프닝 [opening] 명 ①상점 등이 신장 개업하는 일. ②방송 프로 등을 시작하는 일. ¶~ 쇼.
오:프닝 나이트 [opening night] 명 영화의 시사(試寫), 배우의 인사와 실연 따위가 있는 야간 흥행.
오:프닝 넘버 [opening+number] 명 재즈 연주회나 연예 프로에서, 첫 곡.
오프 더 레코:드 [off the record] 명 기록에 남기지 아니하는 일. 또, 비공식적이거나 사적(私的)임. 보도 관계자에게 정보를 제공할 때 '보도·공표(公表)하지 않는' 조건을 붙이는 말. ㈜오프레코. ↔온 더 레코드(on the record).
오프-라인 [off-line] 명 컴퓨터의 본체(本體)와 단말기(端末機) 사이에 전기적 결합(電氣的結合)이 없고, 펀치 카드나 자기 테이프(磁氣 tape) 따위 매체(媒體)를 수송함으로써 데이터를 송수(送受)하는 방식. *온라인(online).
오프라인 시스템 [off-line system] 명 취득(取得)한 데이터를 종이 테이프나 자기(磁氣) 테이프 등의 중간 기억 매체(中間記憶媒體)에 기록하고, 적당한 시간이 지난 뒤에 컴퓨터에 투입하여 처리하는 방식.
오프라인 조작【一操作】 명 [off-line operation] 컴퓨터에서, 중앙 처리(處理) 장치의 직접 제어하(制御下)에 있지 않는 주변 기기(周邊機器)를 조작하는 일.
오프라인 처:리【一處理】 명 [off-line process] 컴퓨터에서, 중앙 처리 장치로부터 독립하여 행하는 처리의 총칭. 보조(補助) 장치를 써서 행하는 카드로부터 테이프로의 전환 따위.
오프-레코 명 ↗오프 더 레코드. ↔온레코.
오프 리미츠 [off limits] 명 [이 이상은 한계외(限界外)란 뜻] 출입 금지(出入禁止).
오프보디 스타일 [off-body style] 명 [off-body는 몸에서 떨어진다는 뜻] 몸이 옷 속에서 헤엄치듯 낙낙하게 만든 옷의 스타일.
오프-브로:드웨이 [off-Broadway] 명 『연』 미국 연극의 중심지인 뉴욕의 브로드웨이 연극에 대항해서 그 주변에서 상연(上演)되는 연극의 총칭. 브로드웨이에 받아들여지지 않는 것을 자랑하는 사람과 그 곳으로 진출하려고 기회를 엿보는 사람 등이 있음.
오프-사이드 [offside] 명 럭비·하키·축구 등에서 규칙(規則) 위반의 하나. 공의 현재 있는 위치로부터 전방(前方)으로 나가 플레이하는 일. *온사이드.
오프사이트 설비【一設備】 명 [off-site facility] 반응(反應)에 직접 관계하지 않는 보조적인 설비. 화학 공장에서 전기·가스·수도·스팀·폐액(廢液)·배기 처리(排氣處理) 설비 따위.
오프-셋 [offset] 명 『인쇄』 오프셋 인쇄.
오프셋 인쇄【一印刷】 [offset] 명 『인쇄』 평판 인쇄의 한 가지. 판(版)·고무 블랭킷(blanket)·압(壓)의 세 원통이 접촉하면서 회전하여 자동적으로 판면(版面)에 물과 잉크를 발라 판면으로부터 일단 고무 블랭킷에 인쇄되어 그 고무 블랭킷으로부터 종이에 전사(轉寫) 인쇄됨. 정밀한 판을 선명하게 빨리 인쇄할 수 있는 것이 특징임. 오프셋. 정판(精版).
오프쇼어 가스 [offshore gas] 명 해양(海洋) 대륙붕의 유정(油井)이나 가스정(井)에서 생산되는 천연 가스.
오프쇼어 생산【一生產】 [offshore] 명 개발 도상국(開發途上國) 등에서 공업화의 추진과 외화(外貨)의 획득을 목적으로, 세제상(稅制上)의 우대 조치(優待措置)를 강구(講究)한 보세 가공구(保稅加工區)를 설치하여, 외국의 민간 자본의 유치(誘致)를 촉진하고, 주로 수출을 위한 생산을 하게 하는 일.
오프쇼어 센터 [offshore center] 명 『경』 국제 금융 시장의 하나. 비(非)거주자를 위해 조세·환(換)관리 따위에 특혜를 주고 외국 기업이나 은행을 유치하여 과세 수입을 꾀함.
오프쇼어 시:장【一市場】 [offshore] 명 『경』 국외에서 조달한 자금을 금융·세제(稅制)·환관리(換管理) 따위의 규제를 받지 않고 자유로이 운용할 수 있는 시장.
오프쇼어 오일 [offshore oil] 명 해양(海洋) 대륙붕의 유정(油井)이나 가스정(井)에서 생산되는 기름.
오프쇼어 펀드 [offshore fund] 명 『경』 세금이 낮은 외국에 본사를 설립하는 투자 신탁. 세제 상의 혜택, 자산 운용상의 법적 제한이 매우 적은 이점이 있음.
오프숄:더 네크라인 [off-shoulder neckline] 명 [오프숄더는 어깨로부터 떨어진다는 뜻] 네크라인을 양어깨가 드러날 정도로 크게 파낸 옷. 이브닝 드레스와 같은 화려한 옷차림에 쓰임.
오프오프-브로:드웨이 [off-off-Broadway] 명 『연』 미국에서 1960년대 말부터 시작된 연극 운동. 50-60년대에 브로드웨이의 상업주의에 반발하여 순수 연극을 지향한 오프브로드웨이 연극이 점차 브로드웨이에의 등용문으로 변해 가자 이에 반기를 든 젊은 예술가들의 급진적·반체제적·실험적 연극 운동으로서 일어남.
오:픈 [open] 명 ①개방(開放). 공개(公開). ②↗오픈 게임. ③↗오픈 코스. ④↗오픈 카. ⑤럭비에서, 경기자가 적은 넓은 방면.
오:픈 게임 [open game] 명 ①정식 경기가 아니고, 참가 자격에 제한 없이 누구나 참가할 수 있는 경기. ②우리 나라에서, 연습 게임이나, 비(非)공식 게임의 뜻으로 쓰임. 영어에서는 엑시비션 게임(exhibition game)이라 함. ㈜오픈.
오:픈 골프 [open golf] 명 골프에서, 아마추어와 프로가 함께 하는 경기(競技).
오:픈 도어 [open door] 명 문호 개방(門戶開放).
오:픈 도어 제:도【一制度】 [open door] 명 상급 관리자, 특히 사장이 직접 일반 종업원과의 자유로운 대화로 의견·희망·제안·애로 따위를 청취함과 아울러, 근로 의욕의 향상을 꾀하는 제도. 상급자에 대한 불신·세대 격차감을 없애려는 자세이나, 경영자의 자기 만족에 불과하다는 비판도 있음.
오:픈 디스플레이 [open display] 명 상품을 유리로 막은 케이스에 넣지 않고 손님이 직접 손으로 만져 볼 수 있게 한 진열 방식.
오:픈 릴: [open reel] 명 녹음·재생 장치에 있어서, 테이프를 감는 릴이 독립하여 있어 자유로이 조작할 수 있는 형(型).
오:픈마:켓 오퍼레이션 [open-market operation] 명 『경』 공개 시장 정책(公開市場政策).
오:픈 병:원【一病院】 [open] 명 『의』 오픈 시스템을 활용하여 가까운 개업의(開業醫)에게 의료 시설을 개방하는 병원.
오:픈 샌드위치 [open sandwich] 명 7 mm 두께로 자른 식빵에 치즈·버터 따위를 바르고 커틀릿·소시지 등을 얹은 샌드위치. 차 마실 때, 또는 술 따위를 들 때의 안주, 파티 등에 쓰이는 요리.
오:픈 셔츠 [open shirt] 명 남방 셔츠.
오:픈 선:수권【一選手權】 [一꿘] 명 [open championship] 골프·테니스 등에서, 아마추어와 프로가 함께 하는 선수권 경기.
오:픈-세트 [open set] 명 『연』 촬영소 내의 옥외(屋外) 촬영 장치. 또, 그 장치를 이용한 촬영.
오:픈 숍 [open shop] 명 노동자 또는 종업원이 그 공장 또는 회사의 노동 조합에 가입하고 안 하는 것은 자유이며, 사용자도 고용자를 채용할 때 조합에 가입할 것을 조건으로 하지 아니하고, 또 조합원이 조합에서 제명되어도 사용자로부터 해고되지 않는다는 노동 협약상의 일종의 규정. 실질적으로는 오히려 조합원을 배척하는 취지가 됨. 개방 공장. ↔클로즈드 숍(closed shop).
오:픈 스쿨: [open school] 명 커리큘럼이나 건물의 구조 등 학습에 관한 조건을 아동 중심으로 유연하고 개방적으로 운영하는 학교.
오:픈 스탠스 [open stance] 명 골프·야구 등에서, 타구(打球) 때의 발의 자세의 하나. 타구 방향의 발을 뒤로 물리고 몸을 정면으로 향한 자세. ↔클로즈드 스탠스(closed stance).
오:픈 스페이스 [open space] 명 도시 안에서 건물 따위가 없는, 대중(大衆)이나 어린이들이 유용하게 사용할 수 있는 공간(空間). 자동차의 범람, 낮은 처마의 밀집(密集) 주택, 공장과 주택의 동거(同居) 등 이러한 도시(都市)의 현실에서 이의 확보는 도시 생활의 기본적 요건(要件)이 되고 있음.
오:픈 시스템 [open system] 명 지역의 개업의(開業醫)에게 종합 병원의 시설을 개방 이용시키는 제도. 개업의는 자기의 환자를 계약한 병원에 입원시키고 자기가 진료를 계속할 수가 있음.
오:픈 어카운트 [open account] 명 『경』 협정국간(協定國間)의 무역에서, 거래할 때마다 현금으로 일일이 결제(決濟)하지 않고 다만 그 대차(貸借)를 기입하여 두었다가 결산기(決算期)에 그 차액(差額)을 현금으로 청산하는 제도. 청산 계정(淸算計定).
오:픈 에어 [open air] 명 ①옥외(屋外). 야외(野外). 노천(露天). ②외기(外氣).
오:픈엔드 모:기지 [open-end mortgage] 명 『경』 회사가 공장이나 기계 등을 담보로 하여 사채(社債)를 발행하는 경우, 미리 일정한 액수를 정하고 여기에 담보를 설정하여 자금이 필요할 때마다 분할(分割)하여 자금을 모집하는 제도.
오:픈 전:법【一戰法】 [一뻡] 명 [open play] 배구에서, 토스를 길게 하여 사이드라인 바깥쪽으로부터 공을 쳐 보내는 전법.
오:픈 카: [open car] 명 뚜껑이 없는 자동차. 포장(布帳)으로 뚜껑을 한 자동차. 무개(無蓋) 자동차. ㈜오픈.
오:픈 칼라 [open collar] 명 남방 셔츠·노타이의 깃.
오:픈 케이슨 [open caisson] 명 개방 잠함(開放潛函).
오:픈 코:스 [open course] 명 스케이트·육상 경기 등에서, 주로(走路)에 경기자 각자(各自)의 주로를 나타내는 백선(白線)을 긋지 아니하고 자유로 뛸 수 있게 된 코스. 400 m 이상의 경기 코스는 모두 오픈 코스임. ㈜오픈.
오:픈 크레디트 [open credit] 명 『경』 신용장(信用狀)을 기초로 하여 발행된 어음의 매입(買入)을 어떤 은행이라도 자유롭게 할 수 있는 신용장. 일반적으로 신용장은 특별한 문언(文言)이 없는 한, 오픈 크레디트로 해석됨. ↔리스트릭티드 크레디트.
오:픈 토:너먼트 [open tournament] 명 각종 운동 경기에서, 참가 자격을 제한하지 않고 토너먼트식으로 행하는 경기.
오:픈 티켓 [open ticket] 명 탑승편(搭乘便)을 예약하지 않은 항공권.
오:픈 파:스너 [open fastener] 명 양끝으로 모두 열 수 있게 된 파스너.
오:픈 폴리시 [open policy] 명 『경』 여러 가지 상품을 각지로 빈번히 적출(積出)하는 일이 많은 적하 보험(積荷保險)·운송 보험(運送保險)의 피보험자인 하주(荷主)가, 개개의 운송물 보험에 거는 번잡을 피하기 위하여 미리 취급 상품 전부에 대하여 또는 상품별·항로별(航路別)로 보험자(保險者)와의 사이에 체결한 특약(特約). 지출할 때마다 그 명세(明細)를 보험자에게 통지하면 보험자는 자동적으로 책임을 지게 됨. ㈜오 피(O.P.).
오:픈 프라이머리 [open primary] 명 투표자(投票者)가 자기의 소속 정당(所屬政黨)을 밝히지 않고 투표할 수 있는 투표자 예선회(投票者豫選會).

오:픈 플랜 식【一式】명〔open plan system〕〖건〗칸막이를 하지 않고 공간을 넓게 사용할 수 있도록 설계한 건물의 평면 계획 방식.

오:픈핸드 서:비스〔open-hand service〕명 탁구에서, 손바닥을 펴서 공을 그 위에 놓고 손을 위로 움직여 공을 공중(空中)에 뜨게 하여 치는 서비스법.

오:픈 현상【一懸賞】〔open〕명 광고에서, 상품을 사지 않아도 응모할 수 있는 형태의 현상.

오:픈형 투자 신:탁【一型投資信託】명〔open-end investment trust〕〖경〗일정액의 범위 안에서 수시로 수익(受益) 증권을 발행하고 원자본(元資本)의 추가 설정이 가능한 투자 신탁. 언제든지 수익 증권을 사고 가입했다가 팔고 빠져나올 수 있음.

오: 피:[1]【O.P.】명 ①〖군〗〔observation post의 약칭〕관측소❷. ②〖경〗↗오픈 폴리시(open policy).

오: 피:[2]【o.p.】명〖악〗오푸스(opus)❷.

오피니언〔opinion〕명 여론(輿論). ¶퍼블릭 ~.

오피니언 리:더〔opinion leader〕명 사회 집단(社會集團)의 의지(意志) 형성에 큰 영향을 지닌 사람. 정당·압력 단체·서클 등의 이론가(理論家)라든가 저명한 평론가·신문 기자 등과 같은 여론(輿論)의 지도자. 퍼블릭 오피니언 리더.

오피서〔officer〕명 ①장교(將校). 사관(士官). ②공무원. 관리. ③상선(商船)의 고급 선원. ④회사·단체·클럽의 임원(任員).

오피셜〔official〕명 ①공무(公務)임. 공적(公的)임. 공식적(公式的)임. ¶~ 비지트(visit). ②관공리(官公吏). 공무원. 임원(任員).

오피스〔office〕명 사무소. 영업소.

오피스 걸:〔office+girl〕명 여자 사무원.

오피스 레이디〔office+lady〕명 '오피스걸'을 미화(美化)해서 이르는 말. 여자 사무원.

오피스 오:토메이션〔office automation〕명 사무 자동화.

오피스 컴퓨터〔office+computer〕명 일반 업무 처리용의 소형 컴퓨터.

오피스-텔〔office+hotel〕명 사무실 겸 주거 장소로 쓸 수 있도록 설계된 건물. 우리 나라에서는 1986년 서울 마포에 처음 등장한 이래 사무와 가사(家事)의 동시 해결, 효과적인 재산 증식, 세제 상의 유리함 등으로 새로운 주거·사무실로 보급되고 있음.

오피올라이트〔ophiolite〕명〖광〗감람암(橄欖岩)·반려암(斑糲岩)·현무암 등의 초염기성(超塩基性) 내지 염기성 암류(岩類) 및 처트(chert) 등의 원양성 심해 퇴적암류가 아래로부터 위로 성층(成層)한 복합체암(岩). 해양 지각(海洋地殼)과 그 바로 밑의 최상부(最上部)의 암석 구성과 흡사하기 때문에 해양 플레이트의 단편으로 보는 견해가 있음.

오피우커스-자리〔Ophiuchus〕명〖천〗뱀주인자리.

오: 피: 이: 시:【OPEC】명〔Organization of Petroleum Exporting Countries〕석유 수출국 기구, 곧 오펙(OPEC).

오: 피: 자석【O.P.磁石】명〖물〗〔oxide permanent magnet의 약칭〕자철광(磁鐵鑛)과 아철산 코발트(亞鐵酸 cobalt)의 고용체(固溶體)를 원료로 하는 영구 자석. 내산성(耐酸性)·내충격성 등 실용상 우수한 성질을 갖고 있으나 기계적으로는 약함. 벡톨라이트(Vectolite)라는 이름으로 제작되고 있음.

오피츠〔Opitz, Martin〕명〖사람〗독일의 시인. 바로크 문학의 지도적 입장에 있었던 학자. 30년 전쟁 후의 외국어의 범람으로부터 독일어를 순화(純化)하고, 문학 수준을 높이기 위하여, 독일 최초의 문학 이론서 ≪독일 시학(詩學)의 서(書)≫를 저술했음. 이 책은 당시의 최고(最高) 규범으로 레싱(Lessing, G. E.)에 이르기까지 독일 문학(文學)을 지배하였음. [1597-1639]

오필리아〔Ophelia〕명〖문〗셰익스피어의 비극 ≪햄릿≫ 중에 나오는 여자. 햄릿의 연인임.

오:핑턴-종【一種】〔Orpington〕명 영국의 오핑턴 마을 원산의 난육(卵肉) 겸용의 닭의 한 품종. 몸은 대형으로 체중이 수컷은 4.5kg, 암컷은 3.6kg이며, 날개는 보드랍게 부풀어 있음. 대개 뼈가 가늘며 살이 많고 육질이 좋음. 달걀은 연간 140개쯤 낢.

오:하[1]【午下】명 오후(午後).

오하[2]【梧下】명 편지 수신인의 이름 밑에 써서 경의를 표하는 말. 오우(梧右). 궤하(机下).

오하[3]〔Okha〕명〖지〗러시아 연방 사할린 북단에 있는 도시. 유전 지대(油田地帶)의 중심으로 원유(原油)는 송유관에 의하여 서안(西岸)의 모스카리오를 경유하여 바다 건너 하바로프스크(Khabarovsk)의 정유소(精油所)로 보내짐. [31,000명(1974)]

오하라〔O'Hara, John〕명〖사람〗미국의 작가. 저널리스트 출신. 컨트리 클럽을 풍자(諷刺)한 처녀작(處女作) ≪사마라(Samarra) 거리의 약속≫을 비롯해 ≪버터필드(Butterfield) 8≫·≪펄 조이(Pal Joey)≫ 등 도시 사회의 풍속(風俗)을 통속적(通俗的)으로 그린 작품들이 있음. [1905-70]

오하 아몽【吳下阿蒙】명〔노숙(魯肅)이 오래간 만에 여몽(呂蒙)을 만나 그가 전에 만났을 때와는 딴판으로 학식이 뛰어난 것을 보고 놀라 그대는 오(吳)나라에 있을 때의 몽군(蒙君)(아몽의 아(阿)는 어조사)이 아니라고 말한 고사(故事)에서 유래〕몇 해가 지나도 진취(進就)함이 없이 그냥 그 모양으로 있는 사람. 학문이 없는 쓸데 없는 사람.

오하이오 강【一江】〔Ohio〕명〖지〗미국, 미시시피 강 제2의 지류(支流). 항해하기 편리하고, 연안(沿岸)에는 여러 도시가 발달되어 있음. 개척 시대 이래, 교통·물자 운반에 중요한 역할을 하여 왔음. 유역 면적 528,000 km². [1,577 km]

오하이오 주【一州】〔Ohio〕명〖지〗미국 동북부 이리 호(Erie湖) 남안의 주. 오하이오 강이 남경(南境)을 이룸. 지형은 대체로 평야(平野)와 구릉(丘陵)으로 이루어지고, 공업과 농업이 주산업(主産業). 옥수수 지대에 속하여 옥수수·밀·귀리·콩·토마토가 주요 농산물. 석탄·석회석(石灰石)·암염(岩塩)·석유·천연 가스 등의 광산(鑛産)도 풍부함. 공업으로는 타이어·자동차·항공기·철강(鐵鋼)·전기 기기의 생산이 많음. 주도는 콜럼버스(Columbus). [106,201 km² : 10,847,115명(1990)]

오:학【五學】명 ①중국 하(夏)·은(殷)·주(周) 시대의 학교 제도로 동학(東學)·서학(西學)·남학(南學)·북학(北學)과 태학(太學)의 다섯 학교. ②육예(六藝) 중에서 주역(周易)을 제외한 다섯 가지. ≪악기(樂記)≫·≪시경(詩經)≫·≪춘추(春秋)≫·≪예기(禮記)≫·≪서경(書經)≫.

오한[1]【惡寒】명〖한의〗몸이 오슬오슬 춥고 괴로운 증세. 급성 열성병(急性熱性病)이 발생할 때, 피부의 혈관이 갑자기 오그라져서 일어나는 증세로 이 기운이 끝나면 열기(熱氣)가 생김.

오:한[2]【懊恨】명 회한(悔恨). ——하다 타여불

오한 두통【惡寒頭痛】명〖한의〗오한에 겸하여 두통이 있는 증세.

오한-증【惡寒症】〔一쯩〕명〖한의〗몸에 오한이 생기는 증세.

오:함【汚陷】명 땅바닥이 더럽고 우묵하게 패어 들어감. 요함(凹陷). ——하다 자여불

오합【烏合】명 까마귀가 모인 것처럼 질서가 없이 모이는 일. 또, 그러한 모임. 오집(烏集). ——하다 자여불

오:합 무지기【五合一】명 길이가 같지 아니한 다섯 벌의 무지기. 색을 층층이 한꺼번에 입음. *무지기.

오:합 잡놈【一雜一】명 ☞오사리 잡놈.

오합적 집합【烏合的集合】명〔도 Und-Summe〕〖심〗개개의 단편(斷片)이 서로 아무런 관련 없이 집합하여 있는 일. 곧, 심적 요소(心的要素)가 서로 관련되는 내적 요인(內的要因) 없이 집합하여 복잡한 구성체가 성립한다는 견해. 모자이크적 집합.

오합지-졸【烏合之卒】명 ①갑자기 모인 훈련 없는 군사. ②규칙도 없고 통일성도 없는 군중. 오합지중(烏合之衆).

오합지-중【烏合之衆】명 오합지졸(烏合之卒)❷.

오: 항:원【O抗原】명〔O antigen〕어떤 종류의 편모 미생물(鞭毛微生物)에 있는 균체(菌體) 항원의 한 가지.

오:해[1]【五害】명〖농〗흉년(凶年)의 다섯 가지 피해. 곧, 수해(水害)·한해(旱害)·풍무해(風霧害)·박상해(雹霜害)·병해(病害).

오:해[2]【誤解】명 ①그릇 해석함. ②뜻을 잘못 앎. ③사실이나 본인의 진의(眞意)와는 합치(合致)하지 않는 판단(判斷)을 내림. 또, 그 판단. ——하다 타여불

오해-돼지콩 명〖식〗콩의 한 가지. 껍데기와 알이 모두 흰데, 오월(五月)에 파종(播種)함.

오:행[1]【五行】명 ①〖민〗우주간에 운행하는 금(金)·목(木)·수(水)·화(火)·토(土)의 다섯 가지 원기(元氣). 오행 상생(五行相生)과 오행 상극(五行相剋)의 이치로 전우주 만물을 지배한다 함. ②〖불교〗보시(布施)·지계(持戒)·인욕(忍辱)·정진(精進)·지관(止觀) 등 다섯 가지 수행(修行). ③방(方)·원(圓)·곡(曲)·직(直)·예(銳) 등 지형(地形)을 따라 치는 다섯 가지 진형(陣形).

오:행[2]【汚行】명 더러운 행위. 수치스러운 행동. ——하다 자여불

오:행[3]【奧行】명 깊이 들어감. ——하다 자여불

오:행 병:하【五行並下】명 ①다섯 줄의 글을 한꺼번에 읽어 내려감. ②몹시 빨리 독서(讀書)함. ——하다 자여불

오:행 상극【五行相剋】명〖민〗오행이 서로 이기는 이치. 곧, 토극수(土剋水)·수극화(水剋火)·화극금(火剋金)·금극목(金剋木)·목극토(木剋土)의 이치.

오:행 상생【五行相生】명〖민〗오행이 순환(循環)해서 서로 생(生)하여 주는 이치. 곧, 금생수(金生水)·수생목(水生木)·목생화(木生火)·화생토(火生土)·토생금(土生金)의 이치.

오:행 생극【五行生剋】명〖민〗오행(五行) 관계를 해석하는 오행 상생(五行相生)과 오행 상극(五行相剋)의 병칭(並稱).

오:행-설【五行說】명〖철〗음양(陰陽) 오행설.

오:행-시【五行詩】명 다섯 행(行)으로 된 시(詩).

오:행-역【五行易】명 역의 육십 사 괘(卦)를 오행에 배정하여 길흉을 판단하는 역점(易占).

오:행 오:음표【五行五音表】명〖민〗궁(宮)·상(商)·각(角)·치(徵)·우(羽)의 다섯 음이 오행(五行)인 토(土)·금(金)·목(木)·화(火)·수(水)에 각각 응하여 육십 갑자(六十甲子)의 납음(納音)의 기초를 이루는 것을 적은 표.

오:행-점【五行占】명〖민〗주역 사상(周易思想)의 음양 오행(陰陽五行)의 이치로 치는 점. 다섯 개의 나무 쪽에 수·화·목·금·토의 글자를 새겨서 윷 놀듯 던져 풀이 책과 맞추어 점침.

오:행-초【五行草】명〖식〗쇠비름.

오:향【五香】명 ①〖불교〗전단향(栴檀香)·계설향(鷄舌香)·침수향(沈水香)·정자향(丁子香)·안식향(安息香) 등 다섯 가지의 향. ②〖한의〗감인(芡仁)·복령(茯苓)·백출(白朮)·인삼(人蔘)·사인(砂仁) 등 다섯 가지 약재(藥材).

오:향-고【五香糕】명 멥쌀과 찹쌀 가루에 오향의 가루를 넣어 설탕을 뿌리고 끓는 물에 반죽하여 시루에 찐 떡.

오:허【五虛】명 ①〖한의〗다섯 가지 병. 혈맥(血脈)이 가늘고, 살이 차고, 기(氣)가 적고, 설사(泄瀉)를 하며 음식을 못 먹는 병. ②중앙과 사방(四方).

오: 헨리〔O Henry〕명〖사람〗미국의 단편 작가(短篇作家). 본명은 William Sydney Porter. 1898년 은행원으로 있을 당시, 공금(公金) 횡령 혐의로 3년간 감옥살이도 경험하였음. 그의 작품은 처녀작(處女作)인 ≪캐비지와 임금님≫ 이외에는 거의가 단편인데 재수에 찬 능란한

화술(話術)로 미국 생활을 묘사, 대중적인 인기(人氣)를 얻음. 대표작은 ≪마지막 잎새≫·≪크리스마스 선물≫. [1862-1910]

오혁-장【於赫章】명 악장(樂章)의 이름.

오:현【五絃】명〖악〗①현악기의 다섯 줄의 현(絃). ②오현금(五絃琴).

오-현관【吳玄觀】명〖사람〗여류 독립 운동가. 서울 출신. 재령(載寧) 명신 여학교(明信女學校) 교사로 있다가, 3·1 운동 후 상경(上京)하여 혈성단 애국 부인회(血誠團愛國婦人會)를 조직, 대조선 독립 애국 부인회(大朝鮮獨立愛國婦人會)와 통합하여 대한 민국 애국 부인회(大韓民國愛國婦人會)를 조직, 총재(總裁)가 됨. 상해(上海) 임시 정부의 지도 아래 독립 운동을 전개하다가 동지의 배반으로 체포되어 애국 부인회도 해체됨. [1888-?]

오:현-금【五絃琴】명〖악〗다섯 줄로 된 옛날 거문고의 한 가지. 중국 고대 순(舜) 임금이, 처음으로 만들었다 함. 오현(五絃).

오현-장【於顯章】[—짱] 명 악장(樂章)의 이름.

오:-현제【五賢帝】명〖역〗로마 제정(Roma 帝政) 시대에 있어서, 원로원(元老院) 의원 중 가장 유능한 인물로서 황제로 지명된 96-180년 사이의 우수한 다섯 황제. 곧, 네르바(Nerva, Marcus Cocceius; 30?-98)·트라야누스(Trajanus, Marcus Ulpius Crinitus; 53-117)·하드리아누스(Hadrianus, Publius Aelius; 76-138)·안토니우스 피우스(Antonius Pius; 86-161)·마르쿠스 아우렐리우스(Marcus Aurelius; 121-180)의 다섯 사람. 이 시대에 로마 제국의 정치는 안정(安定)되고 경제가 번영하였으며, 영토(領土)가 또한 가장 크게 확장되어서 그 문화가 널리 퍼진 최성기(最盛期)를 이루었음.

오:형[1]【五刑】명〖역〗①옛날에 죄인을 다스리는 다섯 가지 형벌. 곧, 태형(笞刑)·장형(杖刑)·도형(徒刑)·유형(流刑)·사형(死刑). 오독(五毒). ②옛날 중국의 다섯 가지 형벌. 곧, 피부에 먹실을 넣는 묵(墨), 코를 베는 의(劓), 발뒤꿈치를 베는 비(剕), 불알을 까는 궁(宮), 목을 베어 죽이는 대벽(大辟). 오독(五毒).

오형[2]【吾兄】명 정다운 벗 사이의 편지에서 서로 상대자를 일컫는 말.

오:-형[3]【O 型】명〖의〗ABO식 혈액형의 하나. A형·B형·AB형·O형인 사람 모두에게 수혈(輸血)할 수 있으나, O형인 사람에게서만 수혈받을 수 있음. * 에이형(A型).

오:호[1]【五胡】명〖역〗중국의 한(漢)·진(晉) 무렵 서북방에서 중국 본토에 이주(移住)한 다섯 민족. 곧, 몽고계의 흉노(匈奴)·갈(羯), 몽고계와 퉁구스계(系)의 혼혈(混血)인 선비(鮮卑), 티베트계(系)의 저(氐) 및 강(羌)의 다섯 족속(族屬). 십육국(十六國) 시대에 중원을 풍미(風靡)하여 흥망을 되풀이하다가 차차 통합되어, 439년 선비족의 탁발부(拓跋部)가 세운 북위(北魏)에 의하여 통일되어 강남(江南)의 송(宋)나라와 상대하여 남북조 시대(南北朝時代)를 이룸.

오호[2]【嗚呼】감 슬플 때나 탄식(歎息)할 때 나는 소리. 아. 오. ¶～ 통재痛哉)/～ 애재(哀哉).

오:호 대:장기【五虎大將記】명〖문〗≪삼설기(三說記)≫에 들어 있는 소설의 하나. 포도 대장과 훈련 대장을 겸하고 있는 주인공이 부하들에게 자기에 대한 평(評)을 물었는데, 오직 한 포수만이 직언(直言)을 하였던 바, 오히려 그 포수를 칭찬하였다는 이야기. 지은이·연대 미상.

오호-라【嗚呼—】감 슬플 때 나는 소리. ¶～ 대한 제국의 말로.

오:호 십육국【五胡十六國】[—뉵—] 명〖역〗중국에서, 진(晉)나라 말엽(末葉)부터 남북조(南北朝) 시대에 이르기까지, 오호(五胡)가 세운 열세 나라와 한족(漢族)이 세운 세 나라. 동북부를 지반(地盤)으로 한 전조(前趙)·후조(後趙)·전연(前燕)·후연·남연·북연과 관중(關中)에 있던 전진(前秦)·후진·서진 및 하투(河套)의 하(夏), 사천(四川)의 성한(成漢), 하서(河西)의 전량(前涼)·후량·북량·남량·서량의 일컬음.

오호 애재【嗚呼哀哉】감 아아 슬프도다.

오:호 장군【五虎將軍】명〖역〗중국의 삼국 시대, 촉(蜀)나라 유비(劉備) 막하(幕下)의 범같이 무서운 다섯 장군. 곧, 관우(關羽)·장비(張飛)·조운(趙雲)·마초(馬超)·황충(黃忠).

오호츠크 [Okhotsk] 명〖지〗러시아 연방 동부 하바로프스크 북동부에 위치한 도시. 어항으로 수산 가공업이 발달함. 1735년 군항으로 지정되어 캄차카 등지에 대한 물자 공급지가 됨. 러시아 내 야쿠트 자치 공화국의 천연 가스 수송관의 종말지로 주목되고 있음. [약 10,000명]

오호츠크 문화【—文化】[Okhotsk] 명 7-8세기경 사할린·홋카이도 북동안(北東岸)·쿠릴 열도(Kuril 列島) 등 오호츠크 해 연안(沿岸)에 발달한 수렵·어로(漁撈) 문화. 골각기(骨角器)를 많이 썼으며, 또 간석기(石器)·뗀석기(石器)는 물론, 철제 이기(鐵製利器)도 동시에 썼음.

오호츠크 해【—海】[Okhotsk] 명〖지〗태평양 북서부 캄차카(Kamchatka) 반도(半島)와 쿠릴 열도(Kuril 列島) 및 사할린(Sakhalin) 섬에 싸인 해역(海域). 10월부터 이듬해 6월까지는 거의 동결(凍結). 세계 삼대 어장(三大漁場)의 하나임. [1,554,000 km²]

오호츠크해 기단【—海氣團】[Okhotsk] 명〖기상〗6-7월에 오호츠크해와 쿠릴 열도·캄차카 근해(近海)에 형성되는 해양성 한대 기단(海洋性寒帶氣團). 이로 인하여 우리 나라는 장마철에 접어들게 됨.

오호 통:재【嗚呼痛哉】감 아아 슬프고 원통하다.

오호호 부 자지러지게 웃는 여자의 웃음 소리. ——-하다 자여불

오-홉다【於—】감 감탄하여 찬미할 때 내는 소리.

오:화-당【五花糖】명 오색으로 물들여 만든 중국 사탕.

오-화섭【吳華燮】명〖사람〗영문학자. 인천(仁川) 출생. 일본 와세다(早稻田) 대학 문과 졸업 후, 연세대에서 교편을 잡았음. 연극에 관한 평론과 영미 희곡(英美戲曲) 번역을 통해 연극 발전에 기여함. 저서에 ≪현대 미국극≫이 있음. [1916-79]

오-화영【吳華英】명〖사람〗독립 운동가. 일명 하영(夏英). 호는 국사(菊史). 3·1 운동 때의 33인 중의 한 사람. 목사로 신앙 부흥 운동과 민족 정신 함양에 노력함. 광주(光州) 학생 운동에 관련하여 체포되었으며, 해방 후 반탁 투쟁(反託鬪爭) 등을 전개함. 6·25 전쟁 때 납북됨. [1880-?]

오환【烏桓·烏丸】명〖역〗중국 한대(漢代)에 동몽고(東蒙古)에서 흉노(匈奴)에게 쫓기어서, 남방 열하 지방(熱河地方)을 무대로 활동하던 동호족(東胡族)의 한 부족. 707년 위(魏)나라 조조(曹操)에게 멸망당함.

오:활【迂闊】명 [← 우활(迂闊)] ①실제와는 관련이 멂. ¶～한 의논을 물리치고 실지 민정을 익히 알며…≪具然學 : 雪中梅≫. ②사정에 어두움. 활소(闊疎). ③주의가 부족함. ——-하다 형여불

오:황【五黃】명〖천〗토성(土星).

오황-곡【於皇曲】명〖악〗조선 성종(成宗) 때 문소전(文昭殿)의 제례의식(祭禮儀式)에서 연주된 제례 악곡(祭禮樂曲)의 하나.

오황-장【於皇章】[—짱] 명 악장(樂章)의 이름. 진풍정(進豐呈) 때에 아뢰.

오:황화 안티몬【五黃化—】명 [antimony pentasulfide]〖화〗황화 안티몬❷.

오:황화 이:인【五黃化二燐】명 [triphosphorus pentasulfide]〖화〗황화인❷.

오:황화-인【五黃化燐】명〖화〗황화인❷.

오:회[1]【五悔】명〖불교〗직언 행자(直言行者)가 금강계법(金剛界法)을 수업(修業)할 때 외는 다섯 가지 법. 곧, 참외(懺悔)·권청(勸請)·수희(隨喜)·회양(回向)·발원(發願).

오:회[2]【迂回】명 우회(迂回). ——-하다 자여불

오회[3]【吳回】명 불의 신(神). 화신(火神).

오:회[4]【悟悔】명 잘못을 깨닫고 뉘우침. ——-하다 타여불

오:회[5]【懊悔】명 회한(悔恨). ——-하다 타여불

오-횡묵【吳宖默】명〖사람〗조선 시대 말기의 문신·학자. 자(字)는 성규(聖圭), 호는 채원(茝園). 여러 고을의 군수를 지내면서, 자신의 시문(詩文)과 내외에서 일어난 일들을 일기체로 엮어 ≪총쇄록(叢瑣錄)≫을 남겨, 오늘날 귀중한 자료가 됨. 관에서 물러난 뒤 평민 출신의 시인들과 칠송정 시사(七松亭詩社)를 결성하였음. 생몰년 미상.

오:후【午後】명 정오(正午)부터 밤 열 두 시까지의 사이. 하오(下午). ↔ 오전(午前).

오:후-반【午後班】[—빤] 명 이부제(二部制)로 수업하는 학교 등에서 오후에 수업을 하는 학급. ↔오전반(午前班).

오:후-청【五侯鯖】명 [중국 한(漢)나라 성제(成帝) 때에, 누호(婁護)라는 사람이 성제의 외삼촌인 오후(五侯)가 보내 준 갖가지 고기와 생선을 섞어 끓여서 맛있게 먹었다는 고사(故事)에서] 매우 맛이 있는 진미(珍味). 준후청(侯鯖).

오:-훈채【五葷菜】명 다섯 가지의 자극성(刺戟性)이 있는 채소(菜蔬). 불가(佛家)에서는 마늘·달래·무릇·김장파·실파, 도가(道家)에서는 부추·자총이·마늘·평지·무릇 등을 말하는데, 이것을 먹으면 음욕(淫慾)과 분노(憤怒)가 유발(誘發)된다 하여 불가·도가에서 모두 금식(禁食)함. 오신채(五辛菜).

오훼【烏喙】명 ①〖한의〗초오두(草烏頭). ②〖한의〗천오두(川烏頭). ③까마귀의 부리 같은 입. 욕심 많은 인상(人相)의 비유.

오훼-골【烏喙骨】명〖생〗척추 동물의 견대(肩帶)를 구성하는 뼈의 하나. 양서류(兩棲類)·파충류·조류에서 볼 수 있으며, 특히 조류에서는 날개의 운동을 도움. 단공류(單孔類) 이외의 포유류(哺乳類)에서는 퇴화하여 오훼 돌기(烏喙突起)가 됨. 오탁골(烏啄骨).

오훼 돌기【烏喙突起】명〖생〗단공류(單孔類) 이외의 포유류(哺乳類)에서 오훼골이 축소·퇴화(退化)하여, 견갑골(肩胛骨)에 붙어 작은 돌기로 변화한 것.

오:-휘【五—】명〖건〗머리초 끝에 대상(帶狀)으로 돌린 오색(五色) 무늬의 휘.

오휴-곡【於休曲】명〖악〗경모궁 제례악(景慕宮祭禮樂) 중 첫 곡인 '영신(迎新)'에 연주되던 음악.

오흐리드 호【—湖】[Ohrid] 명〖지〗알바니아 동부와 마케도니아에 걸쳐 있는 호수. 최대 수심 285 m. 투명도 약 20 m. 어업이 행해지고, 관광지로도 유명함. [347 km²]

오흥【吳興】명〖지〗'우싱'을 우리 음으로 읽은 이름.

오희[1]【吳姬】[—히] 명 오(吳)나라의 어여쁜 여자. 오왜(吳娃).

오:희[2]【娛嬉】[—히] 명 즐거워하고 기뻐함. ——-하다 자여불

오희[3]【於戲】[—히] 감 감탄하거나 탄미할 때에 내는 소리. *아[9].

오-희상【吳熙常】[—히—] 명〖사람〗조선 중기의 문신·학자. 자는 사경(士敬), 호는 노주(老洲). 해주 사람. 성리학을 깊이 연구하여 이황(李滉)·이이(李珥)의 양설 어느 쪽에도 치우치지 않았으며, 주리(主理)·주기(主氣)의 양설에 대해서는 주리를 옹호하였음. 문집에 ≪노주집≫ 등이 있음. 시호는 문원(文元). [1763-1833]

오희양 명 〈옛〉 외양간. ¶오희양에 쁘러두라(馬厩良中積置爲乎事)≪牛方 3≫.

오히려[1] 부 ①생각한 것보다는 도리어 좀. ¶형이 ～못하다/저것보다는 ～ 이것이 낫다. ②아직도 좀. 그래도 좀. 말하자면 좀 더. ¶～ 모자란다/～ 남았다. 준외려.

오히려[2]【猶亦】부 〈이두〉 오히려.

오힌【同】〈이두〉 같이. 한가지로. 상항(上項). 전조(前條).

오히양 명 〈옛〉 외양간. ¶오히양의 됴흔 무리 업스며(厩無良馬)≪飜小X:13≫.

옥[1] 명 〈방〉 옻(평안).

옥[2]【玉】명 ①구슬. 보석. ¶～같이 고운 손. ②아름다운 것. 훌륭한 것에 붙이는 미칭(美稱). ¶～전(殿)/～주(酒). ③천자에 관한 사물에 붙이는 미칭. ¶～음(音)/～좌(座)/～새(璽). ④남에 관한 사물에 붙이는 미

칭. ¶ ~고(稿)/~찰(札)/~함(函). ⑤〖광〗 각섬석(角閃石)의 한 가지로 반투명의 담록색·담회색의 보석. 경옥(硬玉)·연옥(軟玉)·백옥·비취·황옥(黃玉) 등속.

[옥 불탁(玉不琢)이면 불성기(不成器)] 아무리 소질이 좋아도 이것을 잘 닦고 기르지 않으면 훌륭한 것이 못 된다는 뜻. [옥에는 티나 있지] 물건의 바탕이나 사람의 마음이 매우 깨끗하여 흠이 없다는 말. [옥에도 티가 있다] 아무리 훌륭한 사람이나 물건이라도 한 가지 결점은 있다는 뜻. [옥에 티] 본 바탕은 썩 좋으나 아깝게도 흠이 있다는 뜻.

옥3【玉】명 성의 하나. 본관은 의령(宜寧) 단본임.

옥4【獄】명 죄인을 가두어 두는 곳. 복당(福堂). *감옥.

옥- 투 명사(名詞)나 동사(動詞) 위에 붙어서 안으로 오그라진 뜻을 나타내는 말. ¶ ~니/~장사/~갈다.

-옥1【屋】미 음식점이나 상점의 상호에 붙이는 접미어. ¶평양~.

-옥2 어미 〈옛〉 -고서. -곡. ¶모ᄃᆡ아로 ᄆᆞᆯ 求티 말옥 오직 語頭ᄅᆞᆯ 擧ᄒᆞ야보리라(不要求解會但提話頭看)《蒙法 28》.

옥가【玉駕】명 임금이 타는 가마.

옥-가락지【玉一】명 옥으로 만든 가락지. 옥지환(玉指環).

옥-가루【玉一】명 옥의 가루라는 뜻으로, 깨끗하고 썩 고운 가루를 비유하여 이르는 말.

옥각【屋角】명 지붕의 모서리. 곧, 용마루 끝.

옥간【玉澗】명 옛날 중국에서, 화가들이 별호(別號)처럼 쓰던 칭호. 송말(宋末)·원초(元初)에 옥간(玉澗·玉磵)이라고 칭한 화가로 천태종(天台宗)의 중 약분(若芬一芬玉澗), 서호(西湖) 정자사(淨慈寺)의 중 광영(光瑩一瑩玉澗) 및 빈옥간(彬玉澗)의 세 사람이 있었으며, 또 원대(元代)에는 맹진(孟珍一孟玉澗)이라는 사람이 있었음.

옥-갈다 타 칼이나 대패 등을 속히 갈기 위하여 날을 조금 세워 빗문질러 갈다.

옥-갈리다 자 옥갈아지다. 날붙이의 날이 옥갊을 당하다. ¶낫의 날이 옥갈렸다.

옥갑【玉匣】명 옥으로 만든 갑. 옥으로 장식한 갑.

옥갑-경【玉甲經】명〖민〗무경(巫經)의 대표적인 경문(經文). 질병을 구제하기 위한 악귀(惡鬼) 구축의 치병 독경(治病讀經)에서 많이 송독(誦讀)했음.

옥갑산-봉【玉甲山峰】명〖지〗강원도 정선군(旌善郡)에 있는 산봉우리 [1,242 m]

옥개【屋蓋】명 ①옥개석(屋蓋石). ②지붕❶.

옥개-석【屋蓋石】명 탑(塔)의 옥신석(屋身石) 위에 덮은 개석(蓋石). 옥개(屋蓋).

옥개석 받침【屋蓋石一】명 옥개석 밑을 층층이 받치고 있는 받침. 층급 받침.

옥결【玉玦】명 허리에 차는 옥으로 만든 고리.

옥경1【玉京】명 하늘 위의 옥황 상제(玉皇上帝)가 산다는 가상적인 서울. 백옥경(白玉京).

옥경2【玉莖】명 음경(陰莖).

옥경3【玉磬】명 옥으로 만든 경쇠.

옥경4【玉鏡】명 ①옥으로 만든 거울. ②'달'의 이칭(異稱).

옥계1【玉階】명 대궐 안의 섬돌.

옥계2【玉溪】명 옥같이 맑은 물이 흐르는 골짜기의 시내.

옥계3【玉鷄】명 빛이 흰 닭.

옥고1【玉稿】명 다른 사람의 원고(原稿)의 경칭.

옥고2【獄苦】명 옥살이하는 고생. ¶ ~를 치르다.

옥-고량【玉高粱】명〖식〗옥수수 ❷.

옥고량-병【玉高粱餠】명 옥수수떡.

옥곤 금우【玉昆金友】명 옥 같은 형과, 금 같은 아우라는 뜻으로, 남의 형제를 칭찬하는 말.

옥골【玉骨】명 ①옥과 같이 희고 깨끗한 골격. ②살빛이 희고 고결한 사람. ③'매화(梅花)'의 별칭. ④천자(天子)의 유해(遺骸).

옥골 선풍【玉骨仙風】명 살빛이 희고 고결하여 신선(神仙)과 같은 풍채.

옥공【玉工】명 옥장이.

옥관1【玉冠】명 옥으로 장식한 관(冠).

옥관2【玉關】명〖지〗옥문관(玉門關).

옥관3【獄官】명 옥리(獄吏).

옥관 문화 훈장【玉冠文化勳章】명 제4 등급의 문화 훈장. 수(綬)는 소수(小綬)이며, 백색 바탕에 적색 줄이 넉 줄 있음. *문화 훈장.

〈옥관 문화 훈장〉

옥-관자【玉貫子】명〖역〗옥으로 만든 망건(網巾) 관자. 왕(王)·왕족(王族)과 정종(正從) 일품(一品) 관원은 조각을 아니하고, 당상(堂上) 정삼품 관원은 조각을 하였음. 옥권(玉圈).

옥교【玉轎】명〖역〗임금이 타는 교여(轎輿). 위를 꾸미지 아니함. 보련(寶輦).

옥교-배【玉轎陪】명〖역〗옥교를 메는 사람. 호련대(扈輦隊) 차비(差備)의 하나임.

옥교 봉:도【玉轎奉導】명〖역〗임금이 궁중(宮中)에서 옥교(玉轎)를 타고 거둥할 때에 봉도 별감(奉導別監)이 앞채의 머리를 좌우(左右)에서 잡고 나아가면서 어가(御駕)를 편히 모시라 주의(注意)시키는 소리. 연(輦)을 탈 때에도 이와 같이 함. (1. 시위(侍衛), 뵈시위, 반듯이 안가 시위(安駕侍衛)=모셔라, 주의하여 모셔라, 모시고 가자, 반듯하게 대가(大駕)를 편안히 모셔라. 2. 충옥지 말고 반듯이 안가 시위=충이지 말고, 반듯하게 대가를 편안히 모셔라. 3. 가전 가후(駕前駕後) 충입지 말고 반듯이 안가 시위=대가의 앞뒤를 충이지 말고 반듯하게, 편안히 모셔라).

옥구1【玉具】명 옥으로 만든 기구. 옥으로 장식한 기구.

옥구2【玉鉤】명 ①옥으로 만든 갈고리. ②초승달.

옥구3【沃溝】명〖지〗전라 북도 군산시의 한 읍(邑). 시의 남서쪽에 위치하여 바다에 면함. 호남 곡창을 배후지로 하여 논농사가 주산업이고, 염전과 어업도 활발함. 지방도(地方道)와 철도가 지나고 있어 교통의 요지임. 최치원(崔致遠)이 공부했다는 자천대(紫泉臺)가 있음. [5,721 명(1996)]

옥구4【獄具】명 옥에서 형벌을 주는 데 쓰는 제구. 형구(刑具).

옥-구구【一九九】명 〈방〉 옥셈.

옥구-군【沃溝郡】명〖지〗전에, 전라 북도의 한 군. 1읍 10면. 북은 충청 남도 서천군(舒川郡)과 금강(錦江), 동은 익산군(益山郡), 남은 김제군(金堤郡)과 만경강(萬頃江), 서는 황해에 인접함. 우리 나라에서 손꼽히는 곡창지(穀倉地)로 주요 산물은 농산물과 더불어 황해(黃海)의 수산물. 명승 고적으로 불지사(佛智寺)·자천대(紫泉臺)·탑동탑(塔洞塔)·고군산도(古群山島)·선유도(仙遊島) 등이 있음. 1995년 1월, 군산시(群山市)에 통합됨.

옥구-선【沃溝線】명〖지〗군산(群山) 시내와 옥구읍 사이의 철도 선로. 1953년 3월 9일 개통. [11.8 km]

옥권【玉圈】명 옥관자(玉貫子).

옥궐【玉闕】명 '궁궐'·'대궐'의 미칭.

옥궤【玉几】명 옥으로 꾸민 책상. 옥안(玉案).

옥근【玉根】명 음경(陰莖).

옥기1【玉肌】명 옥과 같이 고운 살갗. 옥부(玉膚).

옥기2【玉器】명 ①옥으로 만든 그릇. ②옥과 같이 귀중(貴重)하고 훌륭한 그릇.

옥-나비【玉一】명 옥으로 나비 모양을 만들고 금으로 장식한 노리개의 한 가지.

옥-난간【玉欄干】명 옥으로 장식한 난간.

옥-낫 명 날 끝이 둥글게 오그라들었다 해서 일컫는 '접낫'의 딴이름.

옥낭자-전【玉娘子傳】명〖문〗조선 시대 후기에 쓰인 것으로 추측되는 국문본 소설의 하나. 작자·창작 연대 미상. 주인공 이시업(李時業)에 대한 그의 약혼녀 옥랑(玉娘)의 희생적인 사랑을 그린 작품. 지리적 배경은 함경도.

옥내【屋內】명 집의 안. 실내(室內). ↔옥외(屋外).

옥내 경:기【屋內競技】명 옥내에서 하는 경기. 실내 경기(室內競技).

옥내 기후【屋內氣候】명 실내(室內) 기후.

옥내 배:선【屋內配線】명 전등·전열기(電熱器)·전동기(電動機) 등을 사용하기 위하여, 건물 안에 끌어들인 전선 및 이에 부대(附帶)하는 시설(施設).

옥내 운:동【屋內運動】명 실내(室內) 운동.

옥내 유희【屋內遊戲】[一히] 명 실내 유희.

옥내 집회【屋內集會】명 옥내에서 하는 집회. ↔옥외 집회(屋外集會).

옥녀【玉女】명 ①마음과 몸이 옥같이 깨끗한 여자. ②남의 딸에 대한 미칭. ③선녀(仙女).

옥녀-봉【玉女峰】명〖지〗①강원도 고성군(高城郡) 서면(西面)과 회양군(淮陽郡) 내강금면(內金剛面) 사이에 있는 산봉우리. 금강산(金剛山) 12,000 봉 중의 하나임. [1,424 m] ②전라 북도 진안군(鎭安郡)에 있는 산봉우리. [737 m] ③전라 북도 임실군(任實郡)에 위치하는 산봉우리. [580 m] ④전라 북도 무주군(茂朱郡)에 있는 산봉우리. [716 m] ⑤전라 남도 순천시(順天市)에 있는 산봉우리. [549 m] ⑥경상 북도 문경시(聞慶市)에 있는 산봉우리. [544 m] ⑦경상 북도 문경시 문경읍과 마성면(麻城面) 사이에 있는 산봉우리. [632 m] ⑧경상 남도 함양군(咸陽郡)에 있는 산. [793 m]

옥노 명 〈방〉 올무1.

옥니1 명 안으로 옥게 난 이. ↔벋니.

옥니2【玉一】명 옥으로 만들어 박은 의치(義齒). 옥치(玉齒).

옥니-박이 명 옥니가 난 사람.

[옥니박이 곱슬머리와는 말도 말아라] 옥니박이에다 곱슬머리인 사람은 흔히 매섭고 몹시 깐깐하다고 해서 이르는 말.

옥다1【玉茶】명 녹다(綠茶)의 일종. 평평하고 둥글게 만든 차.

옥다2 ㊀형 안으로 오그라져 있다. <욱다. ↔벋다. ㊁자 장사 등에서 본전보다 밑지다. ¶…수가 좋으면 2,3 원 옥아도 7,80 전 꼴은 매일 셈이 되는 것이었다《金裕貞 : 金 따는 콩밭》.

옥다구니 명 ☞ 악다구니. ¶두 어린 아이들의 ~를 듣는 숙경의 가슴은 찢어지는 것 같았다《李無影 : 三年》.

옥단-전【玉檀傳】명〖문〗왕경룡전(王慶龍傳).

옥단춘-전【玉丹春傳】명〖문〗조선 시대 소설의 하나. 작자·제작 연대 미상. 국문본. 기생 옥단춘을 주인공으로 한 애정 소설류의 하나. 시대 배경은 숙종 때.

옥답【沃畓】명 기름진 논. ¶문전(門前) ~.

옥당【玉堂】명 ①화려한 전당. 또, 궁전의 미칭. ②〖역〗중국, 한대(漢代)에 문사(文士)가 출사(出仕)하던 곳. 전하여, 송대(宋代)부터 한림원(翰林院)의 별칭. ③〖역〗'홍문관(弘文館)'의 별칭. ④〖역〗홍문관의 부제학(副提學) 이하 교리(校理)·부교리(副校理)·수찬(修撰)·부수찬(副修撰) 등 홍문관의 실무에 당하던 관원의 총칭.

옥당 기:생【玉堂妓生】명〖역〗임금이 총애(寵愛)를 입어 관작(官爵)을 받고 옥관자(玉貫子)를 단 기생.

옥-당목【玉唐木】명 품질이 낮은 옥양목(玉洋木).

옥당-장【玉堂長】명〖역〗옥당의 우두머리. 곧, 부제학(副提學)을 이름.

옥대1【玉帶】명〖역〗벼슬아치가 공복에 띠던, 옥으로 꾸며 만든 띠.

〈옥대1〉

옥대[2]【玉臺】명 옥으로 만든 집. 곧, 천제(天帝)가 있는 곳.

옥대[3]【獄臺】명 사형수를 처형하는 대(臺). 교수대.

옥대 신영【玉臺新詠】명〖책〗중국 진(陳)나라의 서릉(徐陵)이 한(漢)나라·위(魏)나라에서 양(梁)나라에 이르기까지의 시문을 망라하여 수록한 시집. 모두 10 권.

옥대-체【玉臺體】명〖문〗옥대 신영(玉臺新詠)을 모방하여 지은 시문(詩文)의 체.

옥덱기 명〈방〉〖식〗옥수수(강원).

옥도[1]【玉度】명 임금의 기거(起居). 임금의 체도(體度).

옥-도[2]【玉島】명〖지〗①전라 남도의 서해상(西海上), 신안군(新安郡) 하의면(荷衣面) 옥도리(玉島里)에 위치한 섬. [4.46 km²:387명(1984)] ②전라 남도의 서남해상(西南海上), 진도군(珍島郡) 조도면(鳥島面) 옥도리(玉島里)에 위치한 섬. [1.59 km²:185 명(1984)]

옥도[3]【沃度】명〖화〗'요오드(Jod)'의 취음(取音).

옥도-가【沃度價】[—까] 명〖화〗요오드 값.

옥도 가리【沃度加里】명〖화〗요오드화 칼륨. 「이.

옥도 가리 전:분지【沃度加里澱粉紙】명〖화〗요오드화 칼륨 녹말 종

옥-도끼【玉—】명 옥으로 만든 도끼. 옥부(玉斧).

옥도 미령【玉度靡寧】명 [←옥도 미녕] 임금의 몸이 편치 않음. 임금의 건강이 나쁨.

옥도 반:응【沃度反應】명〖화〗요오드 녹말 반응.

옥도-산【沃度酸】명〖화〗요오드산(酸).

옥도 적정법【沃度滴定法】[—뻡] 명〖화〗요오드 적정법.

옥도 전:분 반:응【沃度澱粉反應】명〖화〗요오드 녹말 반응.

옥도 정기【沃度丁幾】명〖약〗요오드 팅크. ㊟옥정(沃丁).

옥도-제【沃度劑】명〖약〗요오드제(劑).

옥도 칼리【沃度—】[Kali] 명〖화〗요오드화 칼륨. 「옥석(玉石).

옥-돌【玉—】명 옥(玉)이 들어 있는 돌. 또, 가공(加工)하지 아니한 옥.

옥돌-장【玉—欌】명 색색(色色)의 옥(玉)돌을 붙여 무늬나 그림을 나타낸 장롱.

옥-돔【玉—】명〖어〗[*Branchiostegus japonicus*] 옥돔과에 속하는 바닷물고기. 몸길이 30-60 cm 로 길고 측편한데, 입은 무디고 작으며, 몸빛은 선적색임. 머리 및 등 쪽이 더 짙고 옆구리에 너더댓 줄의 황적색 가로띠가 있음. 한국 이남, 특히 제주도 및 일본에 분포함. 맛이 좋음. 오도미.

〈옥돔〉

옥돔-과【玉—科】[—꽈] 명〖어〗[Branchiostegidae] 농어목에 속하는 어류의 한 과. 이 과에는 옥돔·옥두어·황옥돔 등이 있음.

옥동【玉童】명 ①옥경(玉京)에 있다는, 맑고 깨끗한 용모(容貌)를 가진 가상적(假想的)인 동자(童子). ②옥동자(玉童子).

옥-동귀 명 까뀌의 한 가지. 양쪽에 날이 있으며 몹시 옥게 자루를 맞추었음.

〈옥동귀〉

옥-동자【玉童子】명 옥같이 예쁜 어린 아들. 몹시 소중한 아들. 옥동(玉童). ¶ ~를 낳다.

옥두【玉斗】명 옥으로 만든 국자.

옥두-어【玉頭魚】명〖어〗[*Branchiostegus argentatus*] 옥돔과에 속하는 바닷물고기. 옥돔과 비슷하나, 몸빛은 담홍색(淡紅色)이며 체측(體側)에 몇 줄의 황색 띠가 있고, 배지느러미는 회색임. 꼬리지느러미의 후연(後緣)을 따라 2-3줄의 황색 파상문(波狀紋)이 있고, 후두부(後頭部)와 등지느러미 사이는 검음. 한국 중부 이남 및 일본에 분포함.

옥등【玉燈】명 옥으로 만든 등.

옥등-화【屋燈火】명〖민〗복등화(覆燈火).

옥란【玉蘭】[—난] 명〖식〗백목련(白木蓮).

옥려【屋廬】[—녀] 명 살림집. 주택.

옥련【玉輦】[—년] 명〖역〗연(輦)을 높이어 이르는 말.

옥련-몽【玉蓮夢】[—년—] 명〖문〗조선 말기인 1840 년경에 창작된 51 회 장회(章回) 소설. 작자는 이설(異說)이 있으나 남영로(南永魯)로 보는 설이 유력함. 선관(仙官) 문창성(文昌星)과 다섯 선녀들이 한집에 모여 화합하는 내용. ≪옥루몽(玉樓夢)≫은 이 작품의 개작(改作)으로 알려져 있음. 강남홍전(江南紅傳).

옥련-산【玉蓮山】[—년—] 명〖지〗함경 남도 풍산군(豐山郡) 안수면(安水面)과 신흥군(新興郡) 동상면(東上面) 사이에 있는 산. [2,164 m]

옥렴【玉簾】[—념] 명 옥으로 장식한 발. 아름다운 발. 주렴(珠簾). 〈옥로²〉

옥령-화【玉鈴花】[—녕—] 명〖식〗쪽동백.

옥로[1]【玉露】[—노] 명 맑고 깨끗하게 방울진 이슬.

옥로[2]【玉鷺】[—노] 명〖역〗해오라기 모양으로, 옥으로 만든 갓머리에 다는 장식구(裝飾具). 고관(高官)이나 또는 외국에 가는 사신(使臣)이 썼음.

옥로-갓【玉鷺—】[—노—] 명〖역〗옥로를 단 갓. 옥로립(玉鷺笠).

〈옥로²〉

옥로-립【玉鷺笠】[—노—] 명〖역〗옥로갓.

옥뢰【獄牢】[—뇌] 명 옥사(獄舍).

옥루[1]【玉漏】[—누] 명 ①옥으로 장식한 물시계. 옛날 중국 궁중(宮中)의 물시계. 옥호(玉壺). ②〖민〗풍수설(風水說)에서 말하는 무덤 속의 누렇게 된 해골(骸骨)에 맺힌 이슬. 자손(子孫)이 복을 받는다 함. *황골(黃骨).

옥루[2]【玉樓】[—누] 명 ① ↗백옥루(白玉樓). ②옥으로 장식한 누각(樓閣). 화려하게 장식한 누각.

옥루[3]【屋漏】[—누] 명 ①지붕이 샘. ②방의 북서(北西)쪽 구석. 집안에서 가장 어둡고 구석진 곳. ③사람이 잘 안 보는 곳. ——-하다 짜여불

옥루-몽【玉樓夢】[—누—] 명〖문〗조선 시대 말기의 소설. 64 회 장회(章回) 소설로 ≪옥련몽(玉蓮夢)≫의 후행(後行) 이본(異本)으로 한문본(漢文本)과 국문본이 있음. 구성과 성격이 특히 잘 짜여져 있고 문장이 빼어난 작품으로, 고전 소설 가운데 백미(白眉)라 할 만함.

옥루-신【玉樓神】[—누—] 명〖민〗방을 지켜 주는 신(神)

옥루연-가【玉樓宴歌】[—누—] 명〖문〗작자 미상의 가사. 시대는 영조(英祖)·정조(正祖) 때인 듯함. 중국의 역대 제왕을 비롯하여 문필가·영웅·호걸·부처, 이름있는 가인(佳人) 등 역사상 수많은 인물을 등장시켜 그들의 대표적 행적을 읊고, 또 명산 대천(名山大川)의 수려함과 나라가 번영할 정기가 있음을 예찬한 노래. 총 863 구.

옥류-계【玉流溪】[—뉴—] 명〖지〗외금강(外金剛) 승지(勝地)의 하나. 옥녀봉(玉女峰)과 비로봉(毘盧峰)에서 발원하는 신계천(神溪川)의 상류는 절승(絕勝) 구룡연(九龍淵)·무봉폭(無鳳瀑) 등을 이루고 다시 옥류동의 절경을 이룸. 거대한 바위 위를 흘러내려 푸른 못으로 떨어지는 옥류계는 이름에 못지 않은 청려경(淸麗境)을 이룸.

옥-류수【屋霤水】[—뉴—] 명 낙숫물.

옥륜【玉輪】[—뉸] 명 '달¹❶'의 미칭(美稱).

옥리[1]【獄吏】[—니] 명〖역〗①감옥에 딸려 죄수를 감시하는 이원(吏員). 옥관(獄官). ②형옥(刑獄)을 심리(審理)하는 관리.

옥리[2]【獄裡】[—니] 명 옥내(獄內). 옥중(獄中). 형옥(刑獄).

옥린-몽【玉麟夢】[—닌—] 명〖문〗조선 숙종(肅宗)과 영조(英祖) 때의 문신(文臣) 이정작(李廷綽)이 지었다는 장편 장회(章回) 소설. 국문본(國文本)·한문본(漢文本)이 있음. 여부인(呂夫人)이 유부인(柳夫人)을 질투(嫉妬)하여 모함(謀陷)하나 결국 유부인이 승리하고 여부인이 회개(悔改)한다는 내용.

옥매【玉梅】명〖식〗[*Prunus glandulosa*] 장미과에 속하는 낙엽 활엽 관목. 줄기는 족생(簇生)하며 잎은 피침형(披針形)임. 4월에 담홍색 꽃이 한둘씩 피고 둥근 핵과(核果)는 여름에 홍색으로 익음. 인가(人家) 부근이나 정원(庭園)에 관상용(觀賞用)으로 심으며 과실은 식용함. 경기도 및 만주에 분포함.

옥매 광:산【玉埋鑛山】명〖지〗전라 남도 해남군(海南郡) 문내면(門內面)과 황산면(黃山面) 사이의 옥매산에 있는 납석(蠟石) 광산.

옥매기 명〈방〉올가미(강원).

옥-매다 타 ☞ 옭매다.

옥-매듭[1] 명〈방〉〖식〗마디풀.

옥-매듭[2] 명 ☞ 옭매듭.

옥면【玉面】명 ①옥과 같이 깨끗하고 아름다운 얼굴. 옥모(玉貌). ②남의 얼굴에 대한 미칭(美稱).

옥모[1] 명〈방〉올무.

옥모[2]【玉貌】명 ①위엄이 있고 거룩한 모습. 존용(尊容). ②옥과 같이 아름다운 얼굴. 옥면(玉面). ③남의 용모의 경칭.

옥모 경:안【玉貌鏡顔】명 옥같이 아름답고 거울같이 맑은 얼굴.

옥-모란잠【玉牡丹簪】명 모란꽃을 머리에 새긴 옥비녀.

옥모 방신【玉貌芳身】명 옥같이 아름다운 용모와 꽃다운 몸매.

옥모 화안【玉貌花顔】명 옥모 화용.

옥모 화용【玉貌花容】명 옥같이 아름답고 꽃다운 용모.

옥무 명〈방〉올무¹

옥-무지개【玉—】명 빛깔이 고운 무지개.

옥문[1]【玉文】명 아름다운 문장.

옥문[2]【玉門】명 ①하문(下門). 음문(陰門). ②대궐의 옥으로 장식한 화려(華麗)한 문.

옥문[3]【玉門】명〖지〗'위먼'을 우리 음으로 읽은 이름.

옥문[4]【獄門】명 감옥의 문. 효목(梟木).

옥문-관【玉門關】명〖지〗위먼관.

옥문-대【獄門臺】명 효목(梟木).

옥-문방【玉文房】명 옥으로 만든 문방구(文房具).

옥-물다 타 ☞ 악물다.

옥-물부리【玉—】[—뿌—] 명 옥으로 만든 물부리.

옥-밀이 명 새김질에 쓰는 연장. 도래송곳같이 생기고 안으로 옥은 자귀. 후비어 파는 데 씀.

옥-바라지【獄—】명 죄수에게 사사로이 옷과 음식 등을 대어 주는 일. ——-하다 짜여불

옥바치 명〈옛〉옥(玉)을 다루는 사람. ¶옥바치 훈 빈혀를 판ᄂᆞ니(玉工貨一釵)≪飜小 X:15≫.

옥반【玉盤】명 ①옥으로 만든 예반. ②'예반'의 미칭(美稱). ③'달¹❶'의 미칭(美稱).

[옥반에 진주 구르듯] 목소리가 청아(淸雅)하고 또렷함을 비유하는 말.

옥-발【玉—】명 옥으로 꾸민 발. 옥렴(玉簾).

옥-밟이【獄—】[—발미] 명 형사 사건을 논죄하는 일. ——-하다 짜여불

옥밤 명〈방〉올빼미.

옥-밥【獄—】명 감옥에서 먹는 밥의 일컬음.

옥밥 먹다 구 '감옥살이하다'의 속된 표현. 「는 곳.

옥방[1]【玉房】명 옥으로 여러 가지 물건을 만드는 곳. 또, 그런 물건을 파

옥방[2]【獄房】명 감옥의 방.

옥방 광:산【玉房鑛山】명〖지〗경상 북도 봉화군(奉化郡)과 울진군(蔚珍郡)에 걸쳐 있는 중석 광산. 1973년에는 183.6 t의 중석 정광(精鑛)을 산출하였으나, 1983 년에는 생산량이 5 t으로 격감하여 경제성이 없어 생산을 중단함.

옥-밭【玉—】명 좋은 밭.

옥배【玉杯】명 ①옥으로 만든 술잔. 옥치(玉巵). 경배(瓊杯). 옥작(玉爵). ②'잔'의 미칭(美稱). 옥상(玉觴). 옥작(玉爵).

옥백[1]【玉帛】명 ①옥과 비단. ②옛날 중국의 제후(諸侯)들이 조근(朝覲)이나 빙문(聘問) 때에 가지고 오던 예물(禮物).

옥백[2]【玉魄】명 '달[1]❶'의 미칭(美稱).

옥-백미【玉白米】명 옥같이 흰 쌀.

옥번【玉幡】명〖불교〗금속(金屬)이나 보석을 이어서 만든 번(幡)의 한 가지. 큰 경사(慶事)나 축제(祝祭) 등에 씀.

옥병[1]【玉屛】명 옥으로 장식한 아름다운 병풍.

옥병[2]【玉甁】명 옥으로 만든 병.

옥보[1]【玉步】명 ①걸음걸이에 대한 경칭. ②임금이나 왕후의 보행(步行). ¶～를 옮기시다.

옥보[2]【玉寶】명 임금의 존호(尊號)를 새긴 도장.

옥-보(:)고【玉寶高】명〖사람〗신라 경덕왕(景德王) 때의 악사(樂師). 사찬(沙飡) 공영(恭永)의 아들. 지리산 운산원(雲山院)에 들어가 금법(琴法)을 닦고, 거문고의 새로운 가락 30곡을 지었으며 금법을 속명득(續命得)에게 전하였음. 생몰 연대 미상.

옥-봉잠【玉鳳簪】명 머리에 봉황새를 새긴 옥비녀.

옥부[1]【玉斧】명 옥도끼.

옥부[2]【玉膚】명 옥과 같이 고운 피부. 옥기(玉肌).

옥분【玉粉】명 옥수수를 매에 타서 물에 담갔다가 곱게 간 가루.

옥비【玉妃】명 옥같이 어여쁜 후궁(後宮).

옥-비녀【玉一】명 옥으로 만든 비녀. 옥차(玉釵). 옥잠(玉簪).

옥사[1]【玉絲】명 쌍고치에서 뽑은 굵고 마디가 많은 명주실. 고급 직물에는 쓰이지 못하고, 막치 명주를 짜는 데 쓰임.

옥사[2]【玉詞】명 구슬같이 아름다운 말씀.

옥사[3]【屋舍】명 집. 가옥(家屋). 사옥(舍屋).

옥사[4]【獄司】명 감옥의 일을 맡아 보는 벼슬아치.

옥사[5]【獄死】명 옥에 갇히어 있는 동안에 죽음. 뇌사(牢死). ¶복역 중 ～하다. ――-하다 자여불

옥사[6]【獄舍】명 죄수를 구금(拘禁)하여 두는 건물. 감옥으로 쓰는 건물.

옥사[7]【獄事】명 역적(逆賊)·살인범 등의 중대한 범죄(犯罪)를 다스리는 일. 또, 그 사건. 죄옥(罪獄).

옥사-쟁이【獄一】명〖역〗〔←옥쇄장(獄鎖匠)〕옥에 갇힌 사람을 맡아 지키는 하례(下隷). 옥정(獄丁). 옥졸(獄卒). 준사쟁이.

옥산[1]【玉山】명 ①풍채가 수려(秀麗)한 사람. ②신선(神仙)이 사는 곳.

옥-산[2]【玉山】명〖지〗'위산'을 우리 음으로 읽은 이름.

옥산동-령【玉山洞嶺】[―녕] 명〖지〗함경 남도 풍산군(豐山郡)에 있는 재. [1,743 m]

옥산 서원【玉山書院】명〖지〗경상 북도 경주군(慶州郡) 안강읍(安康邑) 옥산리(玉山里)에 있는 서원. 조선 명종(明宗) 때의 성리학자(性理學者) 이언적(李彦迪)을 제향(祭享)하는 곳. 선조(宣祖) 5년(1572)에 부윤(府尹) 이재민(李齊閔)이 세워 이듬해 사액(賜額)되었으며, ≪회재문집(晦齋文集)≫ 등 1,000여 권의 문집과 책이 보관되어 있음. 사적 제154호.

옥살리스〔oxalis〕명〖식〗괭이밥과에 속하는 재배 식물의 총칭. 남아프리카 희망봉 원산(原産)으로 키는 대개가 작고, 잎은 세 개의 소엽으로 되어 있으며, 소엽은 거꿀심장형(心臟形)을 이룸. 광선에 대해서 민감하여 밤에는 꽃잎이 닫힘. 꽃은 종류에 따라 적색·분홍색(色)·황색·백색·홍색 등이고 일년 내내 핌.

옥살-산【一酸】명〔oxalic acid〕〖화〗카르복시산(酸)의 하나. 무색 주상(無色柱狀)의 결정(結晶)으로 된 이염기성산(二塩基性酸)인데, 괭이밥·수영·장군풀 같은 식물 속에 있으며 지방(脂肪)·사탕(砂糖) 기타 유기물을 질산(窒酸)으로 산화(酸化)시켜서 만듦. 가열하면 이산화 탄소와 포름산(酸)으로 분해되며, 물에 잘 녹는데 몹시 시며 환원력(還元力)이 강해서, 매염제(媒染劑)·현상액(現像液)·표백제(漂白劑)·분석 시약(分析試藥)·무두질용(用) 등으로 널리 쓰임. 구칭：수산(蓚酸). $[(COOH)_2]$

옥살산 세륨【一酸一】명〔cerium oxalate〕〖화〗세륨염(塩)의 수용액(水溶液)에 옥살산 암모늄을 가하여 침전시켜서 만드는, 백색 결정성의 분말. 9수화물(水化物)이 잘 알려짐. 물이나 알코올에 녹지 않으며, 욕지기를 가라앉히는 데 쓰임. 구칭：수산 세륨. $[Ce_2(C_2O_4)_3]$

옥살산 암모늄【一酸一】명〔ammonium oxalate〕〖화〗암모니아수와 옥살산(酸)과의 작용에 의해 생기는 무색의 사방 정계 결정(斜方晶系結晶). 칼슘의 정량(定量) 및 정성 분석(定性分析)과 그 밖에 분석 화학(分析化學)에서 용도가 넓음. 구칭：수산 암모늄. $[(NH_4)_2C_2O_4]$

옥살산-염【一酸塩】[―념] 명〔oxalate〕〖화〗옥살산의 수소(水素) 원자 2개 또는 1개가 금속 따위에 치환(置換)되어서 생기는 염. 여러 가지가 있는데 각종 식물에 널리 존재하며 어떤 것은 사람·동물에도 소량 함유되어 있으며 병적(病的)일 때는 증가함.

옥살산 제:이철【一酸第二鐵】명〔ferric oxalate〕〖화〗옥살산철❷.

옥살산 제:일철【一酸第一鐵】명〔ferrous oxalate〕〖화〗옥살산철❶.

옥살산-철【一酸鐵】명〔iron oxalate〕〖화〗옥살산과 철의 화합물. ①옥살산철(Ⅱ). 옥살산 제일철. 황산철(黃酸鐵)(Ⅱ)의 용액(溶液)에 옥살산(酸)을 가하여 만든 담황색(淡黃色)의 가루. 사진술(寫眞術)의 현상약(現像藥)으로 씀. 구칭：수산 제일철(蓚酸第一鐵)·수산 아산화철. $[FeC_2O_4]$ ②옥살산철(Ⅲ). 옥살산 제이철. 질산철(窒酸鐵)(Ⅱ)에다 옥살산 등을 가하여 만든 황색의 가루. 빛을 만나면 황록색(黃綠色)이 됨. 물에 잘 녹으며, 수용액에 강한 빛을 쬐면 금방 이산화 탄소와 옥살산철(Ⅱ)로 분해함. 현상액(現像液)과 매염제(媒染劑)에 씀. 구칭：수산(蓚酸) 제이철·수산 산화철. $[Fe_2(C_2O_4)_3]$

옥살산 칼슘【一酸一】명〔calcium oxalate〕〖화〗옥살산염(塩)의 한 가지. 물에 잘 녹지 않는 백색 분말. 생체(生體) 속에도 존재하며, 인체의 결석(結石)의 원인이 되기도 함. 칼슘 이온(Ca^{++})과 옥살산(酸) 이온($C_2O_4^{--}$)의 검출(檢出)·정량(定量)에 쓰임. 구칭：수산(蓚酸) 칼슘. $[CaC_2O_4]$

옥-살이【獄一】명 ↗감옥살이. ――-하다 자여불

옥상[1]【玉觴】명 옥배(玉杯)❷.

옥상[2]【屋上】명 지붕의 위.

옥상 가:옥【屋上架屋】명 지붕 위에 지붕을 얹는다는 뜻. 있는 위에 무익하게 거듭함의 비유.

옥상 돌출물【屋上突出物】명 지붕 위에 삐죽 튀어나간 굴뚝·피뢰침·안테나 등의 총칭.

옥상-옥【屋上屋】명 ①지붕 위에 거듭 세운 집. ②옥상 가옥(屋上架屋).

옥상 정원【屋上庭園】명 서양 건축에서, 옥상에 만들어 놓은 정원. 루프 가든(roof garden).

옥상-토【屋上土】명〖민〗육십 화갑자(六十花甲子)에서 병술(丙戌)·정해(丁亥)에 붙이는 납음(納音). 술(戌)은 토(土)요, 해(亥)는 천(天)이며 병정(丙丁)은 일월(日月)이라, 하늘 위에 흙이 있고 흙 위에 일월(日月)이 비치니 마치 지붕 위의 흙더미와 같다는 말.

옥새[1]명〖건〗잘못 구워서 안으로 오그라든 기와.

옥새[2]【玉璽】명 ①옥으로 만든 국새(國璽). 보새(寶璽). ②임금의 도장. 어보(御寶). 국새(國璽). 어새(御璽). 어인(御印). 인새(印璽). 부새(符璽).

〈옥새²〉

옥색【玉色】명 약간 파르스름한 빛깔. ¶～ 치마 저고리.

옥-생각명 ①순탄(順坦)하게 생각하지 않고, 옹졸하게 하는 생각. ¶서방님 말씀이 옳습니다. 입때 저는 ～을 하였습니다≪玄鎭健: 無影塔≫. ②사리를 잘못 깨닫고 그릇되게 하는 생각. ――-하다 자타여불

옥서[1]【玉書】명 ①신선(神仙)이 전하는 글. ②남의 편지의 경칭. 옥장(玉章). 옥찰(玉札).

옥서[2]【玉署】명〖역〗조선 홍문관(弘文館)의 별칭.

옥석【玉石】명 ①옥돌. ②옥과 돌. 좋은 것과 궂은 것. ¶～을 가리다. ③〖토〗모서리가 둥글고 큰 천연 석재(天然石材).
[옥석도 닦아야 빛이 난다] 수양(修養)을 해야 인격자(人格者)가 될 수 있다는 말.

옥석 구분【玉石俱焚】명 옥과 돌이 함께 탄다는 뜻으로, 착한 사람이나 악한 사람이 다 같이 재앙(災殃)을 당함을 비유해서 이르는 말.

옥석 동궤【玉石同櫃】명 옥석 혼효(玉石混淆).

옥석 동쇄【玉石同碎】명 옥석 구분(玉石俱焚).

옥석-산【玉石山】명〖지〗경상 북도 봉화군(奉化郡) 춘양면(春陽面)에 있는 산. [1,242 m]

옥석 혼:효【玉石混淆】명 옥과 돌이 한데 섞여 있다는 뜻으로, 착한 것과 악한 것 또는 좋은 것과 나쁜 것이 한데 섞여 있음을 비유하여 이르는 말. 옥석 동궤.

옥선【玉蟬】명〖고고학〗물리개.

옥선-몽【玉仙夢】명〖문〗조선 시대 탕옹(宕翁)이 지은 것으로 되어 있는 한문(漢文) 소설. 작중 인물 허거통(許巨通)이 꿈 속에 중국으로 날아가서 전 처사(錢處士)의 아들로 환생하여 온갖 부귀 공명을 누리다가 말년에 중을 만나 무상(無常)과 윤회(輪廻)를 논하던 중 깨달으니 한 꿈이었다는 내용.

옥설[1]【玉屑】명 ①〖약〗옥을 바수어 만든 가루. 선약(仙藥)으로 생각되어 오장(五臟)을 윤택하게 하는 데와 소아병(小兒病)의 한약재(韓藥材)로 쓰임. ②하늘에서 내리는 '눈'의 미칭(美稱). ③시문(詩文) 중에서 썩 잘 지은 글귀.

옥설[2]【玉雪】명 ①하늘에서 내리는 '눈'의 미칭(美稱). ②사물의 깨끗함을 이름.

옥설 화답가【玉屑和答歌】명 작자·제작 연대 미상의 가사(歌辭)의 하나. 팔도 강산 승경(勝景)을 열거하고, 고조선부터 신라 시대까지 중국 역대(中國歷代)와 병행하여 읊은 뒤, 과거에 급제, 팔도(八道) 감사(監司)를 다한 후 마침내 북망산(北邙山)으로 가게 되는 인생의 허무(虛無)를 내용으로 한 노래. 모두 342구.

옥섬【玉蟾】명 ①'달'의 이칭(異稱). ②달 속에 있다는 두꺼비.

옥-섬돌【玉一】[―똘] 명 대궐 안의 섬돌.

옥-섭옥【玉鑷玉】명 섭옥잠(鑷玉簪)을 은섭옥(銀鑷玉)이나 금섭옥(金鑷玉)에 대하여 이르는 말.

옥성[1]【玉成】명 완전 무결(完全無缺)하게 이룸. 완전한 인물(人物)이 됨. ――-하다 자여불

옥성[2]【玉聲】명 ①구슬끼리 맞닿아 나는 소리. ②아름다운 소리. 또, 타인의 말이나 시구(詩句) 등의 경칭.

옥성[3]【獄城】명 성처럼 높이 둘러싸여 있는 옥(獄).

옥-셈명 생각을 잘못하여서 제게 불리(不利)하게 계산(計算)하는 셈. ――-하다 타여불

옥:션〔auction〕명 경매(競賣). 주로, 미술품·골동품의 경우를 이름.

옥:션 브리지〔auction bridge〕명 카드놀이의 브리지놀이의 하나.

옥소[1]【玉簫】명 ↗옥통소(玉洞簫).

옥소[2]【沃素】명〖화〗'요오드'의 취음인 옥도(沃度)를 원소(元素)의 하나로서 일컫던 이름.

옥소 기봉【玉簫奇逢】명〖문〗소운전(蘇雲傳).

옥소시명〈방〉〖식〗옥수수(전라).

옥소-전【玉簫傳】명〖문〗소운전(蘇雲傳).

옥송【獄訟】명 형사상(刑事上)의 송사(訟事).

옥-송골【玉松鶻】명 좋은 송골매. *잡송골(雜松鶻).

옥쇄【玉碎】명 옥처럼 아름답게 깨어져 부서진다는 뜻으로, 공명(功名)

이나 충절(忠節)을 위하여 깨끗이 생명을 버림을 이르는 말. ↔와전(瓦全). ——-하다 자여불

옥쇄-장【獄鎖匠】명 →옥사쟁이.

옥수¹【玉水】명 썩 맑은 샘물.

옥수²【玉手】명 ①임금의 손. 어수(御手). ②옥같이 아름답고 고운 손. 미인의 손. ¶섬섬(纖纖) ~.

옥수³【玉樹】명 ①재주가 뛰어난 사람의 비유. ②〖식〗'회화나무'의 별칭.

옥수⁴【玉樹】명〖지〗'위수이'를 우리 음으로 읽은 이름.

옥수⁵【玉髓】명〖광〗가늘고 긴 결정(結晶)이 모여 공 모양이나 유방(乳房) 또는 종유(鍾乳) 모양을 한 흰 빛·잿빛·검은 빛 혹은 갈색(褐色)의 옥돌.

옥수⁶【獄囚】명 옥에 갇힌 죄수.

옥수깽이 명〈방〉〖식〗옥수수(충남).

옥수꾸 명〈방〉〖식〗옥수수(경기·강원·충청·경북).

옥수수 명〖식〗[*Zea mays*] ①볏과(科)에 속(屬)하는 1년초. 높이 2-3 m, 줄기는 한 개인데 곧으며, 잎은 줄기 마디에 붙어 수숫잎과 같이 길고 폭 5-7 cm가량임. 꽃은 자웅 이화(雌雄異花)로 암꽃은 무병(無柄)이고 줄기에 수상 화서(穗狀花序)로 피어 사상(絲狀)의 주두(柱頭)가 길게 나오고 8-16 줄로 박힌 영과(穎果) '옥수수'가 열림. 수꽃은 줄기 끝에 분지(分枝)하여 원추 화서(圓錐花序)로 핌. 풍매화(風媒花)로서 타화 수정(他花受精)을 함. 안데스 산맥 저지대와 멕시코가 원산으로 북미(北美)를 비롯한 전세계에서 재배함. 열매는 '옥수수'라고 하는데, 식용(食用)하거나 사료(飼料)로 함. 당서(唐黍). ②옥수수❶의 열매. 쪄 먹거나 떡·묵·밥·술 등을 만들어 먹음. 강냉이. 옥고량(玉高粱). 옥촉서(玉蜀黍). 옥출(玉秫). 직당(稷唐).

〈옥수수❶〉

옥수수 기름 명 옥수수의 배아(胚芽) 속에 함유된 기름. 샐러드유(油)·마가린·비누 제조 등에 쓰임.

옥수수-떡 명 옥수수를 맷돌에 타서 껍질을 버리고 물에 담갔다가 작말(作末)하여 만든 떡. 옥고량병(玉高粱餠). 옥촉서병(玉蜀黍餠).

옥수수-묵 명 ①옥수수를 맷돌에 타서 까분 다음에 물에 담갔다가 곱게 갈아서 쑨 묵. 옥촉서유(玉蜀黍油). ②올챙이묵.

옥수수-밥 명 옥수수를 맷돌에 타서 까분 다음에 곱삶아 보리밥 모양으로 지은 밥. 옥촉서반(玉蜀黍飯).

옥수수 소주【—燒酒】명 옥수수와 누룩을 버무린 다음에 고리에 내리어 만든 소주.

옥수수 속:대 명 옥수수의 낟알이 박혀 있는 속대.

옥수수 수염【—鬚髥】명 옥수수 낟알에 붙어 난 수염 모양의 털.

옥수수-쌀 명 옥수수를 맷돌에 타서 껍질을 벗긴 속 알.

옥수수-엿 명 옥수수로 고아 만든 엿.

옥수수 자:반【—佐飯】명 옥수수를 물에 불려서 장을 치고 볶여 조린 자반.

옥수수 지대【—地帶】명〖지〗미국 중서부의 옥수수 재배를 집중적으로 하는 지방. 오하이오·인디애나·일리노이·아이오와·미네소타 남부·네브래스카 동부·사우스다코타·미주리 주 등에 걸쳐 동서(東西) 약 1,500 km, 남북 약 1,000 km, 면적은 약 69 만 km^{2}에 이르며 귀리·밀·콩 등이 3년 윤작으로 재배됨. 콘 벨트(Corn Belt).

옥수수-탕【—湯】명〔중 包米湯〕풋옥수수 알을 칼로 저며 끓인 다음, 녹말가루를 풀어 넣고 소금으로 간한 중국 음식. 간단한 요기로 먹음.

옥수수 튀김 명 볶아서 부풀려 튀긴 옥수수 낟알. 팝콘(popcorn).

옥수숫-대 명 옥수수나무의 줄기.

옥수스 강【—江】〔Oxus〕명〖지〗아무다리아 강.

옥수시 명〈방〉〖식〗옥수수(전라).

옥숙구 명〈방〉〖식〗옥수수(경상·충청).

옥순【玉脣】명 옥같이 아름다운 입술. 미인의 입술.

옥쉬 명〈방〉〖식〗옥수수(함북).

옥쉬이 명〈방〉〖식〗옥수수(함경).

옥스-테일〔oxtail〕명 요리용(料理用)으로 쓰이는 쇠꼬리.

옥스퍼드¹〔Oxford〕명〖지〗영국 런던의 서북쪽 96 km 템스 강 상류의 전원 지대(田園地帶)에 있는 도시. 교통(交通)·상업(商業)의 요지(要地)이며, 옥스퍼드 대학을 중심으로 한 대학 도시. 자동차·전기 기기 등의 공업도 행하여짐. 10세기에 요새(要塞)가 만들어져 중세(中世) 건축물이 많음. [119,909 명(1981)]

옥스퍼드²〔oxford〕명 ①평직(平織)의 변화 조직인 바스켓 조직의 직물. 기공(氣孔)이 많아서 여름철 와이셔츠·블라우스·속옷 등에 이용됨. ②끈으로 매는 단화의 총칭. 17세기경 영국의 옥스퍼드 대학 학생이 끈달린 단화를 신은 데서 유래함.

옥스퍼드 그룹 운:동【—運動】명〔Oxford Group Movement〕〖사〗옥스퍼드를 중심으로 전세계에 퍼진 종교 각성 운동(宗教覺醒運動). 1921년부터 루터 교회의 목사 부크먼(Buchman F.; 1878-1961)이 주도(主導). 절대 정직·무사(無私)·순결·사랑을 목표로, 집회를 통해 회중(會衆)으로 하여금 신앙을 간증(干證)케 하여 종교적 각성을 촉구함. 1938년 엠 아르 에이(M.R.A.) 운동으로 다시 발족(發足)함.

옥스퍼드 대학【—大學】〔Oxford〕명 영국 옥스퍼드 시(市)에 있는, 영국에서 가장 오랜 대학. 12세기에 창건되어 13세기에 융성하였으나 한때 쇠퇴하고 19세기에 다시 흥성하여 학자·정치가 등 유명한 사람을 많이 배출(輩出)하였음.

옥스퍼드 대학 출판국【—大學出版局】〔Oxford〕명 옥스퍼드 대학에 설치(設置)된 출판국. 대학 출판국으로는 최고(最古)의 역사를 가짐. 1586년에 인쇄소(印刷所)를 설치함. 1630년대 성서(聖書) 출판을 허가받은 것이 발전의 계기(契機)가 됨. 인쇄 제본 공장은 영국 최대이며, 모든 분야의 학술서·일반 교양서·아동도서 등을 출판하는데, 특히 사서(辭書)·성서가 유명함.

옥스퍼드 영어 사전【—英語辭典】명〔The Oxford English Dictionary; 약칭 : O.E.D.〕옥스퍼드 대학 출판국 간행의 영어 사전. 낱말의 어형(語形)과 그 어의(語義)를 역사적으로 소급하여 용례를 보여, 사전 편집의 본보기라고 일컬어짐. 1933년 발행. 신영어 대사전, 곧 N.E.D.를 수정한 보급판(普及版)임.

옥스퍼드 조항【—條項】명〔Provisions of Oxford〕〖역〗1258년 영국 왕 헨리 3세의 실정(失政)에 반항하는 귀족이 시몽 드 몽포르(Simon de Montfort)를 중심으로 궐기(蹶起)하여 왕에게 인정시킨 국정 개혁안(國政改革案). 왕측(王側)·귀족측 쌍방의 대표자에 의하여 국정을 운영하며, 왕권 제한(王權制限)을 꾀했음. 얼마 후, 국왕이 이것을 부인(否認)함으로써 1264-65년 내란(內亂)이 일어났음.

옥스퍼드 학파【—學派】〔Oxford〕명〖철〗일상(日常) 언어의 논리를 해명하는 분석 철학의 학파. '케임브리지 학파'에 대하여, 영국의 철학자인 라일(Ryle, G. ; 1990-76)·오스틴(Austin, J.L. ; 1911-60)·스트로슨(Strawson, P.F. ; 1919-　)을 중심으로 옥스퍼드에서 전개되었음. 일상 언어 학파.

옥시【玉豉】명〖식〗오이풀.

옥시글-거리다 자 유별나게 여럿이 한데 모이어 오글거리다. ¶어시장에 사람들이 ~. <욱시글거리다. ㊀옥실거리다. **옥시글-옥시글** 부. ——-하다 자여불

옥시글-대다 자 옥시글거리다.

옥시기 명〈방〉〖식〗옥수수(충청·강원).

옥시끼 명〈방〉〖식〗옥수수(강원·충북).

옥시다아제〔oxydase〕명〖생〗산화 효소(酸化酵素).

옥시던트〔oxydant〕명〖물〗오존(ozone) 등의 강산화성(強酸化性) 물질의 총칭. 자동차 등의 배기(排氣) 가스에 내포된 물질이 태양의 자외선과 반응을 일으켜 생겨남. 대기 오염 물질의 하나로, 대기 중의 농도(濃度)는 옥시던트 농도라 불리며, 광화학 스모그(光化學 smog)의 지표(指標)가 되어 있음.

옥시돌〔oxydol〕명〖약〗과산화 수소의 2.5-3.5 % 수용액(水溶液)에 적당한 안정제(安定劑)를 가한 약품. 안정제로 0.1 %의 페나세틴을 가하면 3년간 저장(貯藏)하여도 분해는 0.1 %에 머무름. 무취(無臭) 또는 오존과 비슷한 냄새가 나는 무색 투명(無色透明)한 액체인데 약산성(弱酸性)이며, 살균 소독제·함수제 및 견모(絹毛) 등의 표백용으로 쓰임. 상품명은 옥시풀.

옥시미터〔oximeter〕명〖화〗산소 농도계(濃度計). 혈액 속의 헤모글로빈의 산소 포화도(飽和度)를 측정함.

옥시-산【—酸】명〔oxyacid〕〖화〗①산소산(酸素酸). ②히드록시산(酸).

옥시시안 수은【—水銀】〔oxycyan〕명〖약〗시안화 수은의 포화 수용액(飽和水溶液)을 황색 산화 수은과 끓여 만든, 용해도가 낮은 백색 침상 결정(白色針狀結晶). 소독제·국소 방부제(局所防腐劑)로 쓰임. 산화 시안 수은.

옥시-염【—塩】명〔oxide salt〕〖화〗산기(酸基) 외에 금속과 결합하고 있는 산소 원자를 가진 복염(複塩). 염기성염(塩基性塩)의 일종. 산화물염(酸化物塩). *히드록시염(hydroxy塩).

옥시카르복시-산【—酸】명〔oxycarboxylic acid〕〖화〗히드록시산.

옥시크롬산-납【—酸—】〔oxychrome〕명 크롬 레드(chrome lead).

옥시-테트라사이클린〔oxytetracycline ; 약칭 OT, OXT〕명〖약〗항생 물질의 하나. 방선균(放線菌)의 일종에서 산출되는 냄새가 없고 쓴맛이 있는 누른 빛깔의 결정성(結晶性) 가루. 독성이 적고, 폐렴·적리(赤痢)·티푸스 등의 세균 감염증(細菌感染症) 또는 트라코마, 특히 임질(淋疾)에 유효함. 1950년 미국의 핀레이(Finlay) 등이 발견하였음. 상품명은 테라마이신(Terramycin)임.

옥시토신〔oxytocin〕명〖약〗뇌하수체 후엽(腦下垂體後葉) 중에 있는 호르몬의 하나인 자궁 수축 성분(子宮收縮成分). 출산시(出産時)에 진통 촉진제(鎭痛促進劑)로서 불가결한 약품임. 또, 이 약 1γ를 정맥주사하면 20-30초 후에 젖이 분비되기 시작함.

옥시트롤 시스템〔oxytrol system〕명 고기나 청과물을 수송하는 컨테이너(container)나 또는 이를 저장하는 저장고·냉장고에 질소 가스나 이산화 탄소를 넣고 산소를 적게 해 고기나 청과물의 선도(鮮度)를 보전(保全)하는 시스템. 산소 부족으로 과일·야채(野菜)의 호흡 작용이 억제되고, 고기의 부패 진행이 2-3 배 더디어지기 때문에 그만큼 신선도를 유지함.

옥시풀〔Oxyful〕명〖약〗옥시돌(oxydol)의 상품명.

옥시-헤모글로빈〔oxyhemoglobin〕명〖생〗산소(酸素) 헤모글로빈.

옥식【玉食】명 ①맛있는 음식. 미식(美食). 취금(炊金). ②하얀 쌀밥.

옥:신〔auxin〕명 ①생장 호르몬(生長 hormone)의 일종. 식물의 생장(生長)을 촉진(促進)하는 작용이 있음. 식물의 싹과 뿌리의 생장점(生長點)에서 만들어지며 사람의 오줌·옥수수 기름·보리 싹 등에 포함되어 있음. 빛에 의하여 파괴(破壞)되며 식물의 굴광성(屈光性)도 옥신의 분포(分布)가 일정하지 않기 때문에 일어남. 식물 생장소(植物生長素). ↔안티옥신(anti-auxin). ②옥신과 유사(類似)한 작용을 갖는 물질의 총칭(總稱).

옥신-각신 부 옳으니 그르니 하고 서로 다투는 모양. ¶서로 ~하며 싸우다. ——-하다 자여불

옥신-거리다 자 ①작은 것이 여럿이 뒤섞여서 세게 복작거리다. ②몸의 탈 난 자리가 자꾸 쑤시면서 열이 치오르고 아파 오다. ¶상처가 ~. ③옳으니 그르니 하며 서로 다투다. ¶서로 옥신거리며 싸우다. 1)·2):

<옥신거리다. 옥신-옥신 부. ——-하다 자여불

옥신-굄【屋身—】명 석탑(石塔)에서 옥개석(屋蓋石)과 옥신석(屋身石)을 연접시키는 굄돌.

옥신-대다 자 옥신거리다.

옥신-석【屋身石】명 석탑(石塔)의 탑신(塔身)을 이루는 돌.

옥실-거리다 자 ↗옥시글거리다. 옥실-옥실 부. ——-하다 자여불

옥실-대다 자 옥실거리다.

옥심【玉心】명 옥같이 깨끗한 마음.

옥심 기둥【屋心—】명〖건〗다층 건물(多層建物)의 중심에 세우는 기둥. 옥심주(屋心柱). 심주(心柱).

옥심-주【屋心柱】명〖건〗옥심(屋心) 기둥.

옥쏘시 명〈방〉〖식〗옥수수(전남).

옥쑤시 명〈방〉〖식〗옥수수(전북).

옥씨기 명〈방〉〖식〗옥수수(경기·강원·충북).

옥아-지다 자 옥게 되다. 안으로 오그라지다. <욱어지다.

옥안[1]【玉案】명 옥으로 장식한 책상. 책상의 미칭(美稱). 옥궤(玉几).

옥안[2]【玉眼】명 수정(水晶)·주옥(珠玉)·유리 등을 끼어 박은 불상(佛像) 등의 눈.

옥안[3]【玉鞍】명 옥으로 꾸민 아름다운 안장.

옥안[4]【玉顔】명 ①임금의 얼굴. 천안(天顔). 용안(龍顔). ¶ ~을 우러러보다. ②옥과 같이 아름다운 얼굴. 미인의 얼굴.

옥안[5]【獄案】명 옥사(獄事)의 조서(調書). 형사 재판의 조서.

옥안 영풍【玉顔英風】명 옥 같은 얼굴에 영걸스러운 풍채.

옥안-하【玉案下】명 편지 겉봉에, 상대편의 이름 아래에 붙여서 쓰는 경칭.

옥액【玉液】명 ①옥에서 나는 즙(汁). 마시면 오래 산다 하여, 도가(道家)에서 선약(仙藥)으로 침. ②'맛이 좋은 술'의 비유. ¶ ~ 경장(瓊漿).

옥야【沃野】명 기름진 들.

옥야 천리【沃野千里】[—철—] 명 끝없이 넓은 기름진 땅.

옥양【沃壤】명 기름진 토지. 옥토(沃土).

옥-양목【玉洋木】명 생목보다 발이 고운 무명의 피륙. 빛이 썩 희고 얇음. 품질이 낮은 것을 '옥당목'이라 함. 카네킨(canequine).

옥-양사【玉洋紗】명 옥양목의 한 가지. 감이 비단같이 얇고 생사보다 고운 피륙.

옥여【玉輿】명 귀인이 타는 화려한 가마.

옥연[1]【玉硯】명 옥돌로 만든 벼루.

옥연[2]【屋椽】명 서까래.

옥엽【玉葉】명 ①임금의 일문(一門)을 존경하여 일컫는 말. ¶ 금지(金枝) ~. ②타인이 보내온 엽서의 경칭.

옥-엽잠【玉葉簪】명 머리에 댓잎을 새긴 옥비녀.

옥영【玉詠】명 남의 시가(詩歌)의 경칭(敬稱). 옥운(玉韻). 옥음(玉吟).

옥예【玉瞖】명〖한의〗각막(角膜)이 쑥 나오고 거죽은 옥색, 속은 청홍색으로 되는 눈병의 한 가지.

옥오지-애【屋烏之愛】명 그 사람을 사랑하면 그의 집 지붕에 있는 까마귀까지도 사랑스럽게 보인다는 뜻.

옥완[1]【玉椀】명 옥으로 만든 주발.

옥완[2]【玉腕】명 옥같이 고운 팔. 미인의 팔. 귀인의 팔.

옥외【屋外】명 집 밖. 한데. ¶ ~ 운동. ↔옥내(屋內).

옥외 가:선법【屋外架線法】[—뻡] 명〖전〗송전 전선(送電電線)을 가설하는 방법. 가공식(架空式)과 지중식(地中式)의 두 가지가 있음.

옥외 광:고【屋外廣告】명 [outdoor advertising] 옥외에 내거는 광고물의 총칭. 광고탑·광고 간판·네온사인·전주 광고·포스터·샌드위치맨·투광(投光) 광고·애드벌룬·비행선이나 비행기 등에 의한 광고 따위가 있음.

옥외-등【屋外燈】명 집 밖에 켜는 등불. ㊀외등(外燈).

옥외 운:동【屋外運動】명 집 밖에서 하는 운동.

옥외 유희【屋外遊戲】[—히] 명 집 밖에서 하는 유희. ↔옥내 유희.

옥외 집회【屋外集會】명 ①옥외에서의 집회. ↔옥내 집회. *가두 집회(街頭集會). ②〖법〗천장이 없거나 사방이 폐쇄되지 않은 장소에서의 집회. 옥내 집회라 할지라도 확성기 설치 등으로 옥외 참가를 유발(誘發)하는 집회는 옥외 집회로 간주됨.

옥요【沃饒】명 토지가 기름져서 산물이 많음. ——-하다 형여불

옥용【玉容】명 옥같이 고운 용모(容貌). 미인의 얼굴. 옥모(玉貌). *화용(花容).

옥우[1]【玉宇】명 ①천제(天帝)가 있는 곳. 곧, 하늘. ②옥으로 장식한 집. 호화로운 집.

옥우[2]【屋宇】명 집. 여러 집채들.

옥운【玉韻】명 타인의 시가(詩歌)의 경칭(敬稱). 주로 한시(漢詩)의 경우에 이름. 옥영(玉詠).

옥유【沃腴】명 기름짐. 비옥함. ——-하다 형여불

옥유-당【玉蕤堂】명〖사람〗한치윤(韓致奫)의 호(號).

옥윤【玉潤】명 '사위'의 미칭(美稱).

옥을-성【—性】[—썽] 명 오그라들거나 줄어드는 성질.

옥음【玉音】명 ①임금의 음성. ②미인의 음성. ③'음신(音信)'의 경칭(敬稱). ④옥이 울리는 소리. 맑고 뛰어난 소리. 경음(瓊音).

옥의[1]【玉衣】[—/—이] 명 옥으로 장식한 옷. 귀인의 의복. 아름다운 옷.

옥의[2]【獄衣】[—/—이] 명 수의(囚衣).

옥의 옥식【玉衣玉食】[—/—이—] 명 아주 좋은 옷을 입고 맛있는 음식을 먹음. 또, 그러한 의식(衣食). ——-하다 자여불

옥이【玉珥】명 옥으로 만든 귀고리.

옥이다 타 한 쪽으로 옥게 만들다. <욱이다.

옥익【屋翼】명 흔히 한옥(韓屋)에서 새의 날개처럼 끝이 올라간 처마.

옥인[1]【玉人】명 ①옥장이. ②용모와 마음이 아름다운 사람. ③옥으로 만든 인형.

옥인[2]【玉印】명 옥으로 만든 도장. 아름다운 도장.

옥자【玉姿】명 ①옥같이 고운 자태(姿態). ②귀인의 용자(容姿)를 존경하여 일컫는 말.

옥자강이 명〖식〗올벼의 한 종류.

옥-자귀 명 끝이 안쪽으로 옥은 자귀. 무엇을 후비어 파내는 데 쓰임.

옥자-둥이【玉子—】명 어린 아이를 옥같이 귀하고 보배롭다는 뜻으로 일컫는 말.

옥-자새 명 끝이 안쪽으로 꼬부라진 자새.

옥작【玉爵】명 옥배(玉杯).

옥작-거리다 자 여럿이 한 곳으로 많이 모여 복작거리다. ¶ 옥작거리는 시장 마당. <욱적거리다. 옥작-옥작 부. ——-하다 자여불

옥작-대다 자 옥작거리다.

옥작-이다 자 ☞옥작거리다. ¶ …동 너머 늪에는 아이들이 한눈 들어서서 오리 새끼들처럼 옥작이고 있다≪桂鎔默 : 子息≫.

옥잔【玉盞】명 옥배(玉杯).

옥잠【玉簪】명 옥으로 만든 비녀. 옥비녀.

옥잠-화【玉簪花】명〖식〗[*Hosta plantaginea*] 백합과(科)에 속하는 월년초. 높이 30cm 가량이며, 잎은 심장상의 달걀꼴이고, 표면에 광택이 나며 잎꼭지가 김. 7-8월에 벽자색(碧紫色) 꽃이 총상양(總狀樣) 원추(圓錐) 화서로 정생하여 피는데, 피기 전에는 옥비녀 비슷한 모양임. 열매는 원뿔 모양의 달걀꼴이고, 익으면 늘어지며, 뿌리는 참나리와 같음. 연못 등에 관상용으로 심음. *개옥잠화·산옥잠화.

〈옥잠화〉

옥잠화잎 나물【玉簪花—】명 옥잠화의 잎을 삶아 건진 후에 길이로 잘게 찢어서 찬물에 잠깐 담갔다가, 곱게 다진 연한 살코기와 한데 볶아서 간을 맞춘 나물.

옥잠화-전【玉簪花煎】명 옥잠화 봉오리에 찹쌀 가루나 녹말을 묻혀서 기름에 지진 음식.

옥장[1]【玉丈】명〖고고학〗고대 정치 집단 수장(首長)의 권위를 상징하는 의기(儀器)의 손잡이.

옥장[2]【玉匠】명 옥장이.

옥장[3]【玉章】명 ①남의 편지의 존칭. 옥서(玉書). 옥찰(玉札). ②아름다운 시문(詩文).

옥장[4]【玉帳】명 ①장수(將帥)가 거처하는 막영(幕營)의 미칭(美稱). ②옥으로 장식한 장막.

옥-장도【玉粧刀】명 칼집과 자루를 옥(玉)돌로 만들거나 꾸민 장도.

옥-장사 명 ↗오그랑장사.

옥-장이【玉匠—】명 옥(玉)을 다루는 사람. 옥공(玉工). 옥장(玉匠). 옥인(玉人).

옥-쟁반【玉錚盤】명 옥으로 만든 쟁반.

옥저[1]【玉邸】명 ①훌륭한 저택. ②천자의 행궁(行宮).

옥저[2]【玉箸·玉筯】명 ①옥으로 만든 젓가락. ②서체(書體)의 하나. 소전(小篆)을 이름.

옥저[3]【沃沮】명〖역〗읍루(挹婁)의 남쪽, 곧 함경도 일대에 위치하고 있던 고조선(古朝鮮)의 한 부족. 또, 이 족속들이 세운 나라. 남옥저·동옥저·북옥저 등이 있었으며, 모두 고구려 제6대 태조왕(太祖王) 때부터 고구려에 신속(臣屬)하였는데 사회·풍속·제도 등이 고구려와 흡사하였음. 협의로는 남옥저만을 일컬음.

옥적【玉笛】명〖악〗①청옥이나 황옥으로 만들었으며 모양이 대금(大笒)과 비슷한 취악기(吹樂器). ②신라 삼보(三寶)의 하나로, 옥으로 만든 저.

〈옥적❶〉

옥적-석【玉滴石】명 단백석(蛋白石)의 한 가지로 무색 투명하며 포도상 또는 괴상(塊狀)으로 된 광석.

옥전[1]【玉田】명 ①옥(玉)이 나는 밭. 한(漢)나라 양공(羊公)이 밭에 돌을 심어 미옥(美玉)과 좋은 아내를 얻은 고사(故事)에서 유래(由來)함. ②좋은 밭.

옥전[2]【玉殿】명 옥으로 꾸민 궁전(宮殿). 아름다운 궁전.

옥전[3]【沃田】명 기름진 논밭. *옥답(沃畓).

옥절[1]【玉折】명 재자(才子)나 가인(佳人) 등의 요절(夭折).

옥절[2]【玉節】명 옥으로 만든 부신(符信). 옛날에 관직(官職)을 제수(除授)할 때에 반던 증서(證書).

옥접 뒤:꽂이【玉蝶—】명 옥돌로 나비를 새긴 뒤꽂이.

옥정[1]【玉庭】명 궁중의 뜰.

옥정[2]【玉珽】명 옥홀(玉笏).

옥정[3]【沃丁】명 ↗옥도 정기(沃度丁幾).

옥정[4]【獄丁】명 옥사쟁이.

옥정[5]【獄情】명 옥사(獄事)의 정상(情狀).

옥정-반【玉井飯】명 연(蓮)뿌리와 연실(蓮實)을 넣어서 지은 멥쌀밥.

옥정-수【玉井水】명 옥이 나는 곳에서 나오는 샘물.

옥-정자【玉頂子】명 갓 꼭대기에 진옥(眞玉)으로 만들어 단 장식(裝飾).

옥제[1]【玉帝】명 ↗옥황 상제(玉皇上帝).

옥제[2]【玉製】명 옥으로 만듦. ——-하다 자여불

옥제[3]【玉題】명 '제첨(題簽)'의 미칭(美稱).

옥조【玉條】명 ①아름다운 나뭇가지. ②극히 중요한 조목이나 규칙. ¶ 금과(金科) ~.

옥조 근정 훈장【玉條勤政勳章】명 제5 등급의 근정 훈장. 수(綬)는 소수(小綬)이며, 주황색 바탕에 적색 줄이 두 줄 있음. *근정 훈장.

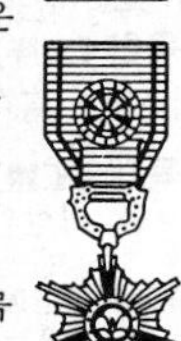

〈옥조 근정 훈장〉

옥조마 명 〈방〉 옥잠화.
옥조 소:성 훈장【玉條素星勳章】명 제5 등급의 소성 훈장. 수(綬)는 소수(小綬)이며, 황색 줄이 두 줄, 홍색 줄이 두 줄, 옥색 줄이 두 줄, 중앙에 백색 줄이 하나 있음. '옥조 근정 훈장'으로 바뀌었음.
옥조시 명 〈방〉〖식〗 옥수수(전남).
옥-조이다 타 옥죄다.
옥졸【獄卒】명 옥사쟁이.
옥좌【玉座】명 용상(龍床)이 있는 자리. 어좌(御座), 보좌(寶座). 보탑(寶榻). ¶ ~에 오르다.
옥-죄다 타 (몸의 한 부분을) 바싹 옥여 죄다. ¶ 목을 ~. <욱죄다.
옥-죄이다 피동 몸의 한 부분이 아프도록 옥여 죔을 당하다. <욱죄이다
옥주[1]【玉柱】명 ①옥으로 만든 기둥. 궁실(宮室)의 장려(壯麗)함을 형용하는 말. ②〖악〗 옥으로 만든 안주(雁柱). 옥진(玉軫).
옥주[2]【玉酒】명 썩 좋은 술.
옥주-산【沃洲山】명〖지〗 워저우 산.
옥죽【玉竹】명〖식〗 둥굴레.
옥중【獄中】명 ①옥 속. 감옥의 안. 옥창(獄窓). ¶ ~ 수기(手記). ②옥에 갇히어 있는 동안. 「앉아 탄식하는 대목.
옥중-가【獄中歌】명〖악〗 판소리 '춘향가' 중에서 춘향이가 옥중에 혼자
옥중 서한【獄中書翰】명〖성〗 에베소서·빌립보서·골로새서·빌레몬서 등 4권으로 된, 바울이 옥중에서 쓴 편지. 옥은 로마에 있었다는 설과 가이사랴에 있었다는 설이 있음.
옥중-화【獄中花】명〖문〗 이해조(李海朝)가 지은 신소설. ≪춘향전≫을 현대적으로 개작한 것으로, 융희 연간에 간행됨.
옥지[1]【玉支】명〖식〗 철쭉나무.
옥지[2]【玉池】명 ①아름다운 못. ②도가(道家)에서, 입을 이름.
옥지[3]【玉指】명 옥과 같이 아름다운 손가락. 천자나 귀인의 손가락. 또, 미인의 손가락.
옥지[4]【玉趾】명 ①임금의 발의 존칭. ②남의 발의 존칭.
옥-지르다 타르불 눌러 죄다. 두들겨 부수다. ¶ 네 결 하나 옥질러서 저고리나 하나 해 줄려구 그러는데? ≪李無影 : 三年≫. <욱지르다.
옥-지환【玉指環】명 옥으로 만든 가락지. 옥가락지.
옥진[1]【玉軫】명 옥주(玉柱)❷.
옥진[2]【玉塵】명 아름다운 먼지라는 뜻으로 백설(白雪)의 별칭.
옥진-각진 부 〈방〉 옥신각신. ──-하다 자
옥질【玉質】명 구슬같이 아름다운 자질(資質). 여질(麗質).
옥-집 명 바둑에서, 필요한 연결점(連結點)을 상대방이 차지하고 있기 때문에, 집처럼 보이면서 집이 아닌 곳.
옥차【玉釵】명 옥비녀.
옥찬[1]【玉饌】명 훌륭한 음식.
옥찬[2]【玉瓚】명 창주(鬯酒)를 담는 구기 비슷한 제기(祭器). 규찬(圭瓚).
옥찰【玉札】명 남의 편지를 높이어 일컫는 말. 옥서(玉書). 옥장(玉章).
옥창【獄窓】명 ①옥사(獄舍)의 창. ②옥중(獄中)❶.
옥책【玉册】명〖역〗 제왕(帝王)·후비(后妃)의 존호(尊號)를 올릴 때에 송덕문(頌德文)을 새긴 간책.
옥책-문【玉册文】명〖역〗 제왕(帝王)·후비(后妃)의 존호(尊號)를 올릴 때 옥책에 새긴 송덕문(頌德文).
옥처이-되다 자 〈방〉 부서지다(함경).
옥척[1]【沃瘠】명 기름짐과 메마름. 비옥(肥沃)함과 척박(瘠薄)함.
옥척[2]【玉尺】명 옥으로 만든 자. 전하여, 전시(典試)의 뜻으로 쓰임.
옥척[3]【屋脊】명〖건〗 용마루.
옥천[1]【玉泉】명 옥같이 썩 맑은 샘.
옥천[2]【玉釧】명〖역〗 옥으로 만든 팔찌.
옥천[3]【沃川】명〖지〗 충청 북도 옥천군의 군청 소재지로 읍(邑). 경부선에 연한 충청 북도의 요역(要驛)으로 농산물·목재 등이 산출되며, 옥천 지향사(沃川地向斜)는 바로 이 곳을 통과하고 있음. [29,870명(1996)]
옥천-군【沃川郡】명〖지〗 충청 북도의 한 군. 관내 1읍 8면. 북은 보은군(報恩郡), 동은 경상 북도 상주시(尙州市), 남은 영동군(永同郡)과 충청 남도 금산군(錦山郡), 서는 대전 광역시 동구(東區)와 인접함. 주요 산물은 농산과 임산·축산·공산·광산 등인데, 특히 포도와 감의 산출이 많고, 천연 기념물 238호인 어름치는 이 고장 특산임. 명승 고적으로는 용암사(龍岩寺)·송시열(宋時烈) 선생 유허비·조헌(趙憲) 선생 묘소·추소루(楸沼樓)·금강(錦江) 유원지 등이 있음. 군청 소재지는 옥천읍. [536.90 km² : 64,681명(1996)]
옥천 분지【沃川盆地】명〖지〗 충청 북도 남부에 있는 분지. 영동 분지(永同盆地)와 함께 진안 고원(鎭安高原)에서 발원하는 금강(錦江) 상류에 의하여 개석된 분지. 철·흑연이 산출됨.
옥천-사【玉泉寺】명〖불교〗 경상 남도 고성군(固城郡) 개천면(介川面) 북평리(北坪里)에 있는 절. 쌍계사(雙磎寺)의 말사(末寺)임.
옥첩【玉牒】명 ①황실(皇室)의 계보(系譜). ②하늘에 제사 지낼 때 제문(祭文)을 쓴 문서. 전(轉)하여, 비적(祕籍)을 이름. ③역사서(歷史書)를 이름.
옥체【玉體】명 ①임금의 몸. ¶ ~를 보전하소서. ②옥과 같이 아름다운 몸. 미인의 몸. ③남의 몸의 존칭. 한문식 편지에 많이 씀. 존체(尊體). ¶ ~ 만안하신지요.
옥촉[1]【玉燭】명 사철의 기후가 고르고 날씨가 화창하여 일월(日月)이 훤히 비치는 일.
옥촉[2]【玉鏃】명 옥으로 만든 살촉.
옥-촉서【玉蜀黍】명〖식〗 옥수수❷.
옥촉서-반【玉蜀黍飯】명 옥수수밥.
옥촉서-병【玉蜀黍餠】명 옥수수떡.
옥촉서-유【玉蜀黍油】명 ①옥수수묵❶. ②옥수수 기름.
옥촉 조화【玉燭調和】명 사철의 기후가 화합하는 일.
옥총【玉葱】명〖식〗 '양파'의 한자 이름.
옥추-경【玉樞經】명〖민〗 소경이 읽는 도가(道家)의 경문(經文)의 하나.
옥추-단【玉樞丹】명〖약〗 임금이 신하에게 반사(頒賜)하던 구급약의 한 가지. 단오(端午)에 내의원(內醫院)에서 만드는데 모양은 여러 가지이나, 가운데에 구멍을 뚫어서 끈을 꿰어 선초(扇貂)로 가지고 다니다가 곽란이나 서체(暑滯)가 생기면 갈아서 물에 타서 먹음.
옥춘-당【玉春糖】명 쌀가루로 여러 가지 모양이나 빛깔을 넣어 만든 사탕 과자의 한 가지.
옥출【玉秫】명〖식〗 옥수수❷.
옥취【玉翠】명 단 물이 많고 맛이 좋은 배의 한 품종.
옥치[1]【玉巵】명 옥으로 만든 술잔. 옥배(玉杯).
옥치[2]【玉齒】명 ①임금의 이. ②미인의 이. 아름다운 이. ③옥(玉)니.
옥치 무당【玉巵無當】명 귀중한 옥 술잔이라도 밑이 없으면 쓸데없다는 뜻으로, 쓸데없는 보배를 이름.
옥칙【獄則】명 감옥 안의 규칙.
옥침【玉枕】명 옥으로 장식한 베개.
옥침-관【玉枕關】명 뒤통수.
옥타보〔octavo〕명〖인쇄〗 책의 판형(判型)의 하나. 전지(全紙)를 팔절(八折)한 것. 또, 그 인쇄물. 보통 15.3×24 cm.
옥타브〔octave〕명〖악〗 음계의 어떤 음에 대하여 그것보다 위로 8음정이 되는 음. 또, 그 양자의 간격. 물리학적으로는 진동수가 2배가 되는 음정. 팔도 음정(八度音程).
옥타브 기호【―記號】〔octave〕명〖악〗 옥타브 연주를 나타내는 기호.
옥타브의 법칙【―法則】〔octave〕〔―/―에―〕명〖화〗〔옥타브는 8을 뜻하는 라틴어의 octavus에서 온 말〕 원소(元素)를 원자량(原子量)의 순으로 늘어놓으면 여덟 번째마다 성질이 비슷한 원소가 출현한다고 하는 법칙. 1864년 뉼런즈(Newlands)가 발견, 원소 주기율(週期律)의 선구가 됨. 음계율(音階律).
옥타브 진:동수대【―振動數帶】명〔octave frequency band〕〖물〗 고 진동수가 최저 진동수의 2배인 진동수대.
옥타비아[1]〔Octavia〕명〖사람〗 아우구스투스의 누이. 처음 마르켈루스와 결혼하였으나, 남편이 죽고 안토니우스와 재혼 후, 동생 아우구스투스와 남편의 화해에 주력, 양자간의 협약을 성립시킴. 그 후 남편이 클레오파트라의 미색에 현혹되었을 때도 남편에 대한 신뢰를 견지하였고, 이혼 후에도, 자녀 교육에 헌신하여, 정숙하고도 온화한 인품은 만인의 칭찬을 받았음. [?-11 B.C.]
옥타비아[2]〔Octavia〕명〖사람〗 로마 제정(帝政) 초기의 황제 클라우디우스의 딸. 53년 네로와 결혼하였으나, 버림 받아 이혼당하였음. 이에 여론이 비등하고 민중이 격노하였으나, 황제에게 살해되었음. [42?-62]
옥타비아누스〔Octavianus, Gaius Julius Caesar〕명〖사람〗 '아우구스투스'의 원이름.
옥탄〔octane〕명〖화〗 ①메탄계(系) 탄화 수소의 하나. 석유를 정밀 분류하여 얻어내는 무색의 액체. n-옥탄. 정(正)옥탄. [$CH_3(CH_2)_6CH_3$] ②메탄계 탄화 수소 중 탄소(炭素)의 수 8개를 가지는 화합물의 총칭. 존재 가능(存在可能)한 18개의 구조 이성질체(構造異性質體)가 있으나 광학(光學) 이성질체도 있으므로 이성질체 수는 더 많음. 이 중 2-2-4 트리메틸펜탄(trimethylpentane)은 이소옥탄이라 함. [C_8H_{18}]
옥탄-가【―價】〔octane〕〔―까〕명〖화〗 옥탄값.
옥탄-값〔―깝〕명〔octane number〕〖화〗 연료의 내폭성(耐爆性)을 나타내는 지수. 가솔린의 내폭성을 측정하는 데 쓰는 단위로 이소옥탄(isooctane)의 옥탄값을 100으로 하고, 그 가솔린이 몇 퍼센트의 이소옥탄을 함유하고 있는 것에 해당하는 내폭성을 보유하고 있는가를 계산하여 결정함. 옥탄가(價).
옥탄값 요구치【―要求値】〔―깝―〕명〔octane number requirement〕 내연 기관(內燃機關)의 효율적인 작동(作動)에 필요한, 연료의 옥탄값.
옥탄-산【―酸】명〔octanoic acid〕〖화〗 카프릴산(酸).
옥탄트〔octant〕명 360도를 8분한 것으로 각도를 측정하는 기계. 팔분의(八分儀).
옥탑[1]【玉塔】명 옥으로 만든 탑.
옥탑[2]【玉榻】명 옥으로 만든 좁고 기다란 평상.
옥탑[3]【屋塔】명〔penthouse〕 건물의 옥상에 붙여 지은 탑 모양의 칸. 엘리베이터 기계·물탱크·보일러 시설·옥상으로 올라가는 계단 등을 수용(收容)함.
옥태-봉【玉泰峰】명〖지〗 함경 북도 명천군(明川郡) 상고면(上古面)에 있는 산봉우리. [774 m]
옥텟〔octet〕명〖악〗 팔중창단(八重唱團). 팔중주단(八重奏團). 또, 그것을 위하여 작곡된 악곡.
옥토[1]【玉兎】명 ①옥토끼❶. ②'달'의 이칭(異稱). 「土).
옥토[2]【沃土】명 기름진 땅. 거름흙. 비토(肥土). 옥양(沃壤). ↔박토(薄
옥-토끼【玉―】명 ①달 속에 산다는 전설상의 토끼. 옥토(玉兎). ②털빛이 흰 토끼.
옥-퉁소【玉―】명〔←옥통소(玉洞簫)〕〖악〗 옥으로 만든 퉁소. 준옥소.
옥-파【玉―】명 ☞ 양파.
옥판【玉板】명 족두리·아얌·거문고·벼룻집 등에 붙여 꾸미는 잘게 새김질을 한 얇은 옥 조각.
옥판 선지【玉板宣紙】명 폭이 좁고 두꺼운, 서화(書畫)에 쓰는 선지의 한 가지. 옥판지. *광동 선지(廣東宣紙).

옥패【玉佩】 명 여자들이 지니는 옥으로 만든 패물.

옥편【玉篇】 명 ①한문 글자를 차례로 배열(排列)하고 그 글자의 음과 새김을 적어 엮은 책. 자전(字典). ②『책』 중국 양(梁)나라 고야왕(顧野王)이 엮은 30권으로 된 한자 자전(字典). 후에 당(唐)나라의 손강(孫強)이 증보(增補)하고, 송(宋)나라 때 진팽년(陳彭年) 등이 중수(重修)한 이래 세상에 널리 퍼짐.

옥폐【玉幣】 명 규폐(珪幣).

옥포 해:전【玉浦海戰】 명 『역』 조선 선조(宣祖) 25년(1592) 임진 왜란 때, 옥포(경상 남도 장승포시 옥포동) 앞바다에서 이순신(李舜臣)이 지휘하는 조선 수군이 도도 다카토라(藤堂高虎)의 왜군 함대를 무찌른 해전. 이로써 임진 왜란 중 해전에서 첫 승리를 거두었음.

옥피【玉皮】 명 옥수수 열매를 싸고 있는 껍질. ¶~ 방석.

옥-피리【玉—】 명 『악』 옥적(玉笛).

옥필【玉筆】 명 타인의 필적이나 시문을 높이어 일컫는 말.

옥하【玉瑕】 명 옥의 티.

옥하 가:옥【屋下架屋】 명 선인(先人)이 해 놓은 일을 후인(後人)이 무익하게 되풀이하여, 조금도 발전한 바가 없음을 이르는 말.

옥하 금:뢰【玉瑕錦纇】 [—뇌] 명 옥에 티, 비단에 흠이라는 뜻으로, 훌륭한 것에 흠이 있음을 이르는 말.

옥하 사담【屋下私談】 명 이루어질 수 없는 공론(空論). 쓸데없는 사사로운 이야기. ¶이렇게 ~할 것 없이 경찰서로 가서 재판을 합시다《李海朝 : 琵琶聲》. ——하다 자 여불

옥-할미【獄—】 명 『민』 옛날 옥의 부군당(府君堂)에 있었다는 할미 귀신.

옥함【玉函】 명 옥으로 만든 함.

옥함-산【玉函山】 명 『지』 위한 산(玉函山).

옥함산 석굴【玉函山石窟】 명 『지』 위한 산 석굴(玉函山石窟).

옥합【玉盒】 명 옥으로 만든 뚜껑이 있는 작은 그릇.

옥항【玉缸】 명 옥으로 만들거나 꾸민 항아리.

옥해【玉海】 명 ①옥과 같이 맑고 깊은 바다. 옥을 품은 바다. 기운(氣韻)의 높은 형용(形容). ②『책』 유서(類書). 중국 송(宋)나라 왕응린(王應麟)의 찬(撰). 천문(天文)·율력(律曆)·지리 등 24문으로 분류하여, 널리 경사자집(經史子集)에서 초록하였으며 고증에 뛰어남. 2백 권.

옥해 금산【玉海金山】 명 기운(氣韻)의 높은 형용(形容). 고상한 인품(人品)의 비유.

옥향【玉香】 명 ①여자들의 노리개의 한 가지. 옥을 잘게 새겨서 속이 비게 만들고, 그 속에 사향(麝香)을 넣음. ②옥의 향기. 아름다운 향기. 또, '향기'의 미칭(美稱).

옥형【玉衡】 명 『천』 북두 칠성(北斗七星)의 다섯째 별.

옥호[1]【玉虎】 명 『역』 옥으로 범 모양으로 만든, 무관(武官)의 갓머리에 다는 장식구(裝飾具).

옥호[2]【玉毫】 명 『불교』 부처의 미간(眉間)에 있는 흰 털.

옥호[3]【玉壺】 명 ①옥으로 만든 작은 병. ②옥으로 장식한 옛날 중국의 물시계. 옥루(玉漏).

옥호[4]【屋號】 명 가게나 술집의 이름.

옥호 광명【玉毫光明】 명 『불교』 부처의 미간(眉間)에 있는 옥호에서 나오는 빛.

옥호 빙심【玉壺氷心】 명 빙심 옥호(氷心玉壺).

옥홀【玉笏】 명 옥으로 만든 홀(笏). 옥정(玉珽).

옥화[1]【玉華】 명 가장 깨끗하고 순수한 미옥(美玉). 가장 뛰어난 패옥(佩玉)의 하나.

옥화[2]【沃化】 명 『화』 '요오드화(Jod化)'의 한자어.

옥화-궁【玉華宮】 명 중국 당(唐)나라 태종(太宗)의 이궁(離宮). 정관(貞觀) 20년(646)에 조영(造營)함. 현재의 산시 성(陝西省) 이쥔 현(宜君縣)의 서남쪽에 있음.

옥화 나트륨【沃化—】 [natrium] 명 『화』 '요오드화(Jod化) 나트륨'의 한자 이름.

옥화-납【沃化—】 명 『화』 '요오드화(Jod化) 납'의 한자 이름.

옥화 메틸【沃化—】 [methyl] 명 『화』 '요오드화(Jod化) 메틸'의 한자 이름.

옥화-물【沃化物】 명 『화』 '요오드화물(Jod化物)'의 한자 이름.

옥화 수소【沃化水素】 명 『화』 '요오드화(Jod化) 수소'의 한자 이름.

옥화 수소산【沃化水素酸】 명 『화』 '요오드화(Jod化) 수소산'의 한자 이름.

옥화 수은【沃化水銀】 명 『화』 '요오드화(Jod化) 수은'의 한자 이름.

옥화-은【沃化銀】 명 『화』 '요오드화은(Jod化銀)'의 한자 이름.

옥화 제:이 수은【沃化第二水銀】 명 『화』 '요오드화(Jod化) 제이 수은'의 한자 이름.

옥화 제:일 수은【沃化第一水銀】 명 『화』 '요오드화(Jod化) 제일 수은'의 한자 이름.

옥화 칼륨【沃化—】 [도 Kalium] 명 『화』 '요오드화(Jod化) 칼륨'의 한자 이름.

옥화 칼리【沃化—】 [도 Kali] 명 『화』 요오드화 칼륨.

옥화 포타슘【沃化—】 [potassium] 명 『화』 요오드화 칼륨.

옥황【玉皇】 명 ↗옥황 상제.

옥황 대:제【玉皇大帝】 명 옥황 상제.

옥황 상:제【玉皇上帝】 명 도가(道家)에서 말하는 하느님. 옥황 대제. 준 옥제(玉帝)·옥황(玉皇).

온[1]【溫】 명 성(姓)의 하나. 우리 나라의 주요 본관은 경주(慶州)·김구(金溝) 등임.

온[2] [on] 명 ①전기·가스 등의 스위치를 켜는 일. 점등(點燈). 또, 그 결과로 기계가 동작 중인 것. ↔오프. ②골프에서, 볼이 그린(green) 위에 오르는 일. ③↗온 라인(on line).

온[3] 수 〈옛〉 백(百). ¶온 사름 ᄃᆞ리샤(遂率百人)《龍歌 58章》/온 내히 나날 東ᄋᆞ로 흘러가ᄂᆞ니(百川日東流)《杜諺 IX:16》.

온:[4] 관 전부의. 모두의. 전(全). ¶~ 집안/~ 세상. *용근.
[온 바닷물을 다 켜야 맛이냐] 한없는 욕심을 비꼬는 말.

온[5] 감 〈방〉 원(경상).

온[6]【乎】 어미 〈이두〉 -니. -는. -은.

온[7]【乎隱】 어미 〈이두〉 -니. -는. -은. *은[8].

-온 어미 〈옛〉 -거든. -니. =-곤. ¶마아만 마아만ᄒᆞ니여 十二諸國이 모다 지어 세온 아으 處容 아비ᄅᆞᆯ 마아만 마아만ᄒᆞ니여 머자 외야자 綠李야 ᄲᆞᆯ리 나 내 신고흘 ᄆᆡ야라 《樂範 處容歌》.

온-가지 관 ☞ 온갖.

온가짓 관 〈옛〉 온갖. 여러 가지. ¶온 가짓 보비라 《月釋 Ⅷ:7》/徐公이 온가짓 이ᄅᆞᆯ 시름 아니ᄒᆞ요ᄆᆞᆯ 내 아노니(吾知徐公百不憂)《杜諺 Ⅷ:24》

온:-각[1]【—刻】 명 『악』 국악에서, 일정한 박자수(拍子數)로 되풀이되는 장단. 가곡에서 16 박자로 되는 한 장단은 온각이고, 그 뒤에 계속되는 8 박자는 반각임.

온각[2]【溫覺】 명 『심』 피부의 온도보다도 높은 온도를 갖는 대상에 자극되어 일어나는 감각. 온도 자극이 강하게 되면 통각(痛覺)이 됨. ↔냉각(冷覺). *피부 감각(皮膚感覺).

온간【溫簡】 명 남에게서 보내 온 서간(書簡)을 높여 일컫는 말.

온감【溫感】 명 ↗온도 감각.

온:-갖 관 모든 종류의. 여러 가지의. ¶~ 소리/~ 고통.

온갱【溫坑】 명 온돌.

온건[1]【溫乾】 명 따뜻하고 습기(濕氣)가 없음. 날씨가 따뜻하고 건조(乾燥)함. ——하다 형 여불

온:건[2]【穩健】 명 온당(穩當)하고 건전(健全)함. ¶말과 행동이 ~하다. ——하다 형 여불. ——히 부

온:건-파【穩健派】 명 사상이나 행동 등이 온당하고 건실한 사람이나 당파. ↔과격파(過激派).

온경-탕【溫經湯】 명 『한의』 여자들이 월경 불순·대하증에 쓰는 처방. 또, 그 약. 맥문동·당귀·인삼·반하(半夏)·백작약 등이 주재(主材)임.

온고【溫故】 명 옛 것을 익힘. 옛 것에 통달(通達)함. *온고 지신(溫故知新). ——하다 자 여불

온고 지신【溫故知新】 명 옛 것을 연구하여 거기서 새로운 지식이나 도리를 발견하는 일. ——하다 자 여불

온고지-정【溫故之情】 명 옛 것을 살피고 생각하는 정회(情懷).

온:-골 명 종이나 피륙 등의 전폭(全幅).

온공【溫恭】 명 온화하고 공손함. ——하다 형 여불. ——히 부

온:-공일【—空日】 명 반공일에 대하여 일요일을 일컫는 말.

온:-공전【—工錢】 명 전액을 한목에 다 주는 공장(工匠)의 품값.

온과【溫菓】 명 따스한 채로 먹는 과자. ↔냉과.

온광【溫光】 명 따뜻하고 부드러운 일광(日光).

온구[1]【溫灸】 명 『한의』 환부(患部)를 뜨겁게 뜸질하는 요법.

온구[2]【媼嫗】 명 늙은 할머니. 노파(老婆).

온구-기【溫灸器】 명 『한의』 환부(患部)를 뜨겁게 뜸질하는 기구.

온군해【溫君解】 명 『사람』 신라 때, 김춘추(金春秋)의 수행원(隨行員). 진덕 여왕(眞德女王) 2년(648) 당(唐)나라에 원병(援兵)을 청하고 돌아오는 김춘추를 호위, 도중에 고구려 군사를 만나자, 김춘추를 작은 배로 도망하게 하고, 그의 고관(高冠)과 대의(大衣)를 입고 김춘추를 가장, 고구려군에게 살해됨. 김춘추의 귀국 후 대아찬(大阿飡)에 추증(追贈)됨. [?-648]

온귀【瘟鬼】 명 역신(疫神).

온극【溫克】 명 [극(克)은 극기(克己)의 뜻] 온화하고 겸손함. 따뜻하고 너그러움. ——하다 형 여불

온근【溫謹】 명 온화하고 신중함. ——하다 형 여불

온기[1]【溫氣】 명 따뜻한 기운. 난기(暖氣). ¶몸의 ~. ↔냉기(冷氣).
온기(가) 돌:다 구 몸에 없어졌던 온기가 다시 돌기 시작하다.

온기[2]【溫器】 명 음식을 끓이거나 데우는 그릇.

온난【溫暖】 명 날씨가 따뜻함. ¶기후가 ~한 지방. ——하다 형 여불

온난 고기압【溫暖高氣壓】 명 [warm high] 대기(大氣) 중의 어떤 높이에서, 주위보다 중심 쪽이 따뜻한 고기압. 성층권에 차가운 공기가 모여 된 것으로, 아래의 대류권(對流圈)에서는 지상보다 꽤 높은 곳까지 주위보다도 가운데의 공기가 따뜻하고, 보통 정체성(停滯性)의 경우가 많음. ↔한랭 고기압.

온난 기단【溫暖氣團】 명 [warm air mass] 『기상』 따뜻한 지방에서 발생하여 추운 지방으로 이동해 온 기단. 밑에서 냉각되어 엷은 역전층(逆轉層)이나 안개·층운(層雲)이 동반됨. 난기단(暖氣團). ↔한랭 기단.

온난 다우【溫暖多雨】 명 『기상』 기온이 높고 우량이 많음. ——하다 형 여불

온난 사육【溫暖飼育】 명 잠실(蠶室) 안을 보온(保溫)하여, 누에의 발육을 빠르게 하는 사육법. ↔청량(淸涼) 사육.

온난 습윤 기후【溫暖濕潤氣候】 명 온대 습윤 기후(溫帶濕潤氣候).

온난 저:기압【溫暖低氣壓】 명 [warm low] 대기(大氣) 중의 어떤 높이에서, 주위(周圍)보다 중심 쪽이 따뜻한 저기압.

온난전선【溫暖前線】 명 [warmfront] 『기상』 차고 무거운 기단(氣團) 위에 따뜻하고 가벼운 기단이 올라 앉은 기상학 상(氣象學上)의 불연속선(不連續線). 이 전선이 가까워지면 털구름·높층구름, 이어서 비층구름이 발생하여 지속성(持續性)의 비를 내리고, 통과(通過)하면 기온이 상승(上昇)하여 날씨가 회복됨. ↔한랭 전선(寒冷前線).

〈온난 전선〉

온-냉【溫冷】명 ←온랭(溫冷).
온-냉방【溫冷房】명 온방(溫房)과 냉방(冷房). 또, 온방 장치(裝置)와 냉방 장치.
온:노【慍怒】명 성을 냄. ──-하다 자여불
온:녹화-머리초【一綠花一草】명〖건〗기둥이나 대들보 등의 머리에 그린 단청(丹靑)의 한 가지.
온놈 명〈옛〉백(百)놈. 온갖 놈. ¶님아 님아 온놈이 온 말을 ᄒᆞ여도 님이 짐작ᄒᆞ쇼셔≪古時調 鄭澈≫.
온눌【膃肭】명〖동〗←올눌(膃肭).
온눌-제【膃肭臍】명〖약〗←올눌제(膃肭臍).
온뉘 명〈옛〉백대(百代). ¶淨飯王ㅅ우흐로 온 뉘짜히 鼓摩王이러시니≪月釋 Ⅱ:2≫.
온니 명〈옛〉오늬. =오너. ¶온너 져고(弨子小些)≪老乞 下 28≫.
온:-달[1] 명 음력 보름달.
온달[2]【溫達】명〖사람〗고구려 평원왕(平原王) 때의 장수. 위인(爲人)이 못생겨 어려서 바보 온달이라고 불리었으나, 평원왕의 딸 평강 공주(平岡公主)와 결혼, 공주가 시키는 대로 무술을 연마하여 임금이 친림(親臨)하는 사냥 대회에서 좋은 성적을 올려 비로소 그의 신분을 드러냄. 그 후 중국 후주(後周)의 무제(武帝)가 쳐들어오자, 고구려군의 선봉이 되어 싸워 이겨, 제1의 전공(戰功)을 세워 대형(大兄)이 되었고, 한북(漢北)의 땅을 찾고자 출전(出戰)하였다가 전사하였음. [?-590]
온달 설화【溫達說話】명 온달의 전기(傳記). ≪삼국 사기≫ 열전(列傳)에 수록(收錄)됨.
온담-탕【溫膽湯】명〖한의〗불면증(不眠症)에 쓰는 약. 반하(半夏)·진피(陳皮)·백복령(白茯苓)·기실(枳實) 등이 주재(主材)임.
온:당【穩當】명 사리(事理)에 어그러지지 않고 알맞음. ──-하다 형여불. ──-히 부
온당ᄒᆞ다 형〈옛〉온당(穩當)하다. ¶온당ᄒᆞ다(穩便)≪老朴 單字解 5≫.
온대【溫帶】명〖지〗①열대(熱帶)와 한대(寒帶) 사이에 있는 지대. 곧, 남북 양반구(兩半球)의 회귀선(回歸線) 23.5도에서 극권(極圈) 66.5도의 위선(緯線) 사이에 있는 지대. 남온대와 북온대로 구분됨. ②등온선(等溫線)으로는 연평균(年平均) 기온이 0-20°C의 지대(地帶) 또는 연평균 기온이 20°C 이하이고 최난월(最暖月)의 평균이 10°C 이상의 지대. *한대·열대.
온대 계:절풍 기후【溫暖季節風氣候】명〖기상〗온대 기후 중 계절풍에 의해 나타나는 기후. 겨울철 계절풍은 저온 건조하며 여름철 계절풍은 고온 다습함. 한국·중국·일본 등이 그 대표적 지역임. 온대 몬순 기후.
온대-구【溫帶區】명〖지〗기후대(氣候帶)의 하나의 구분. 온대 기후의 지구(地區). 또, 식물의 대략적인 분포에 대하여도 쓰임.
온대 기후【溫帶氣候】명〖기상〗철의 네 구분이 확실하며, 춥고 더움의 차가 위도(緯度)가 높아짐에 따라 심하여지는 기후형(氣候型)의 한 가지. 이 기후의 지역에서, 지구상 가장 많은 농작물(農作物)이 생산(生産)됨. *열대 기후·한대 기후.
온대-림【溫帶林】명〖식〗아시아에서는 북위 37°-45° 사이의 연평균 기온 6°-13°C의 온대 지방에만 분포되어 있는 삼림(森林). 참나무·밤나무 등의 활엽수(闊葉樹)와 소나무·낙엽송(落葉松) 등의 침엽수(針葉樹)로 이루어짐.
온대 몬순: 기후【溫帶一氣候】[monsoon] 명〖기상〗온대 계절풍 기후.
온대 습윤 기후【溫帶濕潤氣候】명〖기상〗온대 기후의 하나. 건기(乾期)가 없이 강우량의 분포가 연간 거의 균일한데, 대륙의 동쪽과 서쪽에 분포함. 동아시아·서유럽·아메리카 대서양 연안·뉴질랜드 등지에서 볼 수 있음. 온난 습윤 기후.
온대 식물【溫帶植物】명〖식〗온대 지방에 생장하는 식물의 총칭. 기후가 온화하며 초목의 종류가 많은데, 상록(常綠)이나 낙엽의 활엽수(闊葉樹)와 침엽수(針葉樹) 등이 많음.
온대 식물구【溫帶植物區】명〖식〗식물 생태계(生態系)에서, 온대에 생육권(生育圈)을 갖는 생태계를 대충 가리키는 경우에 쓰는 말. 주로 낙엽 활엽 수림이 발달하는 지역.
온대 저:기압【溫帶低氣壓】명〖기상〗온대 지방에 발생하는 저기압. ↔ 열대(熱帶) 저기압.
온대-콩 명〈방〉온디콩.
온대-호【溫帶湖】명〖지〗①온대 지방에 흔히 있는 호수. 겨울은 눈이 내려 수위(水位)가 낮고 봄에는 눈이 녹아 높아지며, 여름에는 건조하여 다시 낮아지고 가을에는 폭풍우 따위로 높아지는 호수. ②표면의 수온(水溫)이 1년 동안 네 번 오르내리며 변화하는 호수. 여름은 4°C 이상, 겨울은 −4°C 이하임.
온대 혼:합림【溫帶混合林】[—님] 명 [temperate mixed forest] 두세 가지 활엽수(闊葉樹) 종류와 더불어 많은 구과(球果) 식물을 포함하는 북반구(北半球) 온대의 산림.
온 더 레코:드 [on the record] 명 신문 기자에게 담화를 발표할 때, 기록 보도하여도 무방한 사항. 준온 레코. ↔오프 더 레코드.
온 더 록 [on the rocks] 명 유리잔에 얼음 덩어리를 넣고, 거기에 주류, 보통은 위스키를 넣어 만든 음료.
온 더 마:크 [on the mark] 명 [‘제자리에’의 뜻] 경주에서 출발할 때, 신호자가 경주자에게 ‘각각 출발점에 서라’는 구령. 온 유어 마크.
온:-덧셈기【一器】명 [full adder]〖컴퓨터〗①더하려고 하는 두 개의 수와 하위(下位) 자릿수에서 전송된 올림수를 입력(入力)으로 받아들이어 이들을 더해서 새로운 올림수와 합(合)을 출력(出力)으로 산출하는 조합 논리 회로. ②반덧셈기 회로에 올림수 비트의 입력을 추가한 회로. 전가산기.
온데간데-없다 [—업—] 형 이제까지 있던 것이 감쪽같이 자취를 감추어 찾을 수가 없다. ¶선반에 둔 떡이 ~.
온데간데-없이 [—업씨] 부 온데간데없게. ¶~ 사라졌다.
온도【溫度】명 덥고 찬 정도(程度). 온도계가 나타내는 도수(度數). 섭씨(攝氏)·화씨(華氏) 따위 온도계 눈금으로 나타냄.
온도 감:각【溫度感覺】명〖심〗피부 감각의 하나. 냉(冷)·열(熱)·한(寒)·온(溫)·서(暑) 등에 대한 감각. 과학적으로는 냉각(冷覺)과 온각(溫覺)의 병칭(倂稱)으로, 피부나 점막(粘膜)의 냉점(冷點) 및 온점(溫點)에 주어지는 열자극(熱刺戟)에 의하여 생기는 감각을 이름. 준온감.
온도-계【溫度計】명 [thermometer]〖물〗물체의 온도를 재는 장치. 기체(氣體)나 액체(液體)의 부피의 변화를 이용한 정용(定容) 기체 온도계와 액체 온도계를 비롯해서, 기체의 압력 변화를 이용한 정압(定壓) 기체 온도계, 전기 저항의 변화를 이용한 저항(抵抗) 온도계, 열전류(熱電流)의 변화를 이용한 열전기(熱電氣) 온도계, 온도 복사(輻射)의 강도를 측정하는 광고온계(光高溫計) 등이 있음. *한란계(寒暖計).
온도 계:수【溫度計數】명 [temperature coefficient] ①〖물〗어떤 양(量)이 온도에 따라서 변화할 때, 온도 변화에 대한 그 양의 변화의 정도. 전기 저항이나 기체의 반응 속도(反應速度) 등이 온도의 변화에 따라 변하는 정도 같은 것임. ②〖생〗생물체에서 세포 분열의 속도, 호흡(呼吸)의 도수(度數), 심장(心臟)의 고동수(鼓動數) 등이 온도의 변화에 따라 변하는 정도.
온도-권【溫度圈】[—꿘] 명 [thermosphere]〖지〗대기(大氣)의 상층에 속하는 하나의 기권(氣圈). 열권(熱圈).
온도 눈금【溫度—】[—끔] 명 [temperature scale]〖물〗온도를 나타내는 데에 쓰이는 눈금. 어는점(點)·끓는점(點)과 같은 일정 온도를 기준으로 하고 그 사이를 등분(等分)하여 만듦. 가장 널리 쓰이는 섭씨(攝氏)와 그 밖에 화씨(華氏)·열씨(列氏)의 눈금이 있음.
온도대 기후【溫度帶氣候】명 [thermal climate] 온도(溫度)를 바탕으로 결정되는 기후. 온도대에 따라 지역적(地域的)으로 구분됨.
온도 방:사【溫度放射】명〖물〗열복사(熱輻射).
온도 변:환 장치【溫度變換裝置】명 [temperature transducer] 온도를 다른 에너지, 곧 기계적 운동(機械的運動)·압력(壓力)·전위(電位) 등으로 바꾸는 장치.
온도 분석【溫度分析】명 [thermometric analysis]〖물·화〗기본적으로는, 일정한 속도로 온도를 올렸다가 내릴 때 일어나는 물질의 변이(變移)를 결정하는 방법. 응고점(凝固點)의 결정은 그 예.
온도 수용【溫度受容】명 [thermoreception]〖생〗환경(環境) 온도가 감각 기관(感覺器官)에 영향을 미치는 과정.
온도 시험【溫度試驗】명 [temperature test]〖물〗전기 기기(電氣器機)의 온도 상승 상태를 측정하기 위한 시험.
온도 오:차【溫度誤差】명 [temperature error] 계기(計器)가 표준 온도를 지시(指示)하지 않음으로써 생기는 계기 오차.
온도 조절【溫度調節】명 특정 장소의 온도를 필요한 일정치(一定値)로 유지하도록 조절하는 일. 자동 온도 조절에서는 서모스탯(thermostat)으로 온도를 검지(檢知)하여 가열(加熱)·냉각 장치를 작동시킴.
온도 조절기【溫度調節器】명 바이메탈이나 수은(水銀)·톨루엔(toluen)의 팽창·수축을 이용하여 온도에 따라 전기 회로를 개폐함으로써 열원(熱源)을 제어하여 온도를 자동적으로 조절하는 장치. 서모스탯(thermostat). *항온기(恒溫器).
온도 주기성【溫度周期性】[—썽] 명 [thermoperiodicity]〖식〗변동하는 온도에 식물이 적절하게 반응하는 일.
온도차 발전【溫度差發電】[—쩐] 명 [sea-thermal power generation] 해면(海面) 가까이의 높은 온도의 물로 암모니아·프레온 등의 끓는점(點)이 낮은 액체를 가스화(化)하여, 그 증기압(蒸氣壓)이 높은 가스로 터빈을 돌리는 발전 방식. 터빈을 돌린 다음의 가스는 깊은 곳의 낮은 온도의 바닷물로 식혀서 액체로 되돌림. 20도 이상의 온도차를 유지해야 함.
온도차 시계【溫度差時計】명 공기(空氣)의 온도차에 의해 태엽이 감기는 구조의 시계.
온도-파【溫度波】명 [temperature wave] 온도 변화가 매질(媒質)을 통하여 전파(傳播)하는 파동(波動). 제2 음파 따위.
온도-표【溫度表】명〖의〗병원 등에서 환자의 매일의 체온·맥박·호흡수를 표시하고, 아울러 배뇨·배변의 횟수 등도 기입하여, 질병의 경과·현상을 한 눈으로 볼 수 있도록 만든 표. 체온은 청색, 맥박은 적색, 호흡수는 흑색 연필로 기입하기로 되어 있음.
온도-풍【溫度風】명〖지〗기온의 수평 분포(水平分布)가 원인이 되어 생기는 바람. 온도풍이 부는 기층(氣層)에서는 높이에 따라 풍향·풍속이 변화하고 있어, 기상 관측상으로는 상층의 바람과 하층의 바람의 벡터차(vector差)로 표시되는 바람의 성분을 온도풍이라고 정함. 온도풍은 기층내의 등온선(等溫線)에 평행하여 불며, 그 풍속은 기온 경도(傾度)에 비례하여 증대함. 대류권 내(對流圈內)에서는 높이가 높아질수록 강해지므로 대기 상층에 있어서 지배적인 바람이 됨.
온독【溫毒】명〖의〗열독(熱毒).
온돌【溫突·溫堗】명 아궁이에서 불을 때면 화기(火氣)가 방고래 사이를 통과하여 방을 덥게 하는 장치. 방구들.
온돌-방【溫突房】[—빵] 명 온돌 장치를 한 방. 요새는 보일러로 데워진 온수가 방바닥 밑의 파이프를 통과하는 방식이 쓰임. 구들방.
온되-콩 명〈방〉온디콩.
온두라스 [Honduras] 명〖지〗중앙 아메리카 니카라과 북쪽에 있는 공화국. 대부분이 산악 지대이며, 금·은·석탄·커피·면화(棉花)·설탕 등

이 나고 바나나의 수출이 많음. 수도는 테구시갈파(Tegucigalpa). 혼듀라스. 정식 명칭은 '온두라스 공화국(Republic of Honduras)' [112,088 km²: 5,260,000 명(1991 추계)]

-온디 어미 〈옛〉 -온 것이. ¶추계 生死를 滅코 涅槃을 니루와돈디 아니니(非滅却生死發起涅槃)《圓覺 上 二之一 169》/麤를 ᄇᆞ리고 妙를 取혼디 아니라(捨麤取妙)《圓覺 上 二之一 170》.

온디-콩 명 〖식〗 콩의 한 가지. 깍지는 회색이고 알은 잘고 누름.

온:땀-침【一鍼】명 온박음질. ＊반(半)땀침. ——-하다 자타 여불

온-라인 〔on-line〕 명 ①컴퓨터에서, 단말기(端末機)가 중앙 처리 장치와 연결되어, 직접 정보를 입력(入力) 및 출력(出力)하게 되어 있는 상태. ＊오프라인. ②↗온라인 시스템. ③↗온라인 실시간 처리 시스템. ¶∼으로 송금하다.

온라인 뱅킹 시스템 〔on-line banking system〕 명 은행 등의 금융 기관에서 중앙의 대형 주(主)컴퓨터와 각 지점의 단말기(端末機) 또는 소형 컴퓨터를 연결, 어디서든지 자유로이 거래를 할 수 있도록 한 시스템. 뱅킹 시스템.

온라인 분석기【一分析器】명 〔on-line analyzer〕〖광〗물질의 함유량을 탐지(探知)·분석하는 기계. 부선(浮選)이나 광물 처리 공정(鑛物處理工程), 화학적 처리 공정 등 여러 단계에서 쓰임.

온라인 시스템 〔on-line system〕 명 온라인으로 정보 처리가 가능한 시스템. 원격지(遠隔地)의 단말기(端末機)로 직접 중앙 처리가 가능함. 준온라인.

온라인 실시간 처:리 시스템【一實時間處理一】명 〔on-line real-time processing system〕 컴퓨터에서, 온라인 상태에서 데이터를 입력(入力)하여 필요한 정보를 즉시 얻을 수 있는 처리 방식. 좌석 예약, 은행 입·출금 등에 이용됨. 준온라인.

온라인 암:호 통신【一暗號通信】명 〔on-line operation〕〖통신〗통보(通報)가 암호화(化)됨과 동시에 전송(傳送)되며, 수신과 동시에 자동적으로 해독되는 장치를 사용하는 통신법.

온랭【溫冷】[올一] 명 따뜻함과 참. →온냉.

온량[1]【溫良】[올一] 명 성품이 온화하고 순량(順良)함. ——-하다 형 여불

온량[2]【溫涼】[올一] 명 따뜻함과 서늘함. ——-하다 형 여불

온량-거【轀輬車】[올一] 명 상여(喪輿).

온-량-보:-사【溫涼補瀉】[올一] 명 〖한의〗약의 성질을 네 가지로 나누어 말한 것. 온약(溫藥)은 음증(陰症)에, 양약(涼藥)은 양증(陽症)에 쓰고, 보약(補藥)은 허증(虛症)에, 사약(瀉藥)은 실증(實症)에 씀.

온량 지수【溫量指數】[올一] 명 〖지〗〔warmth index〕 적산 온도(積算溫度)의 하나. 월평균 기온 5℃ 이상인 달에서 5℃를 뺀 나머지 수를 1년간 가산한 적산 온도임. 식물의 생육에는 그 달 기온의 높고 낮음 뿐 아니라 어느 온도(여기서는 5℃) 이상의 온도의 적산값이 크게 좌우한다는 생각을 바탕으로 한 것임. 가령 4·5월의 기온이 낮더라도 6·7월의 기온이 높아서 봄의 저온을 보충하면 된다는 것. 예컨대 아열대·열대에서는 180℃ 이상, 수목 한계는 15℃, 또 쌀 경작에는 55℃가 최저값임. 온난(溫暖) 지수.

온 레코 명 〔on record〕 ↗온 더 레코드. ↔오프 레코.

온려【溫麗】[올一] 명 문장 등이 온화하고 아름다움. ——-하다 형 여불

온류【溫流】[올一] 명 〖생〗눈의 각막(角膜) 뒤쪽에 있는 방수(房水)가 냉각(冷却)됨으로 인하여 각막 뒤쪽에서는 아래로 흘러 내려오고 홍채 앞쪽에서는 위로 흘러 올라가는 방수의 대류(對流).

온-릉【溫陵】[올一] 명 〖역〗조선 중종(中宗) 원비(元妃) 단경 왕후(端敬王后)의 능. 경기도(京畿道) 양주군(楊州郡) 장흥면(長興面) 일영리(日迎里)에 있음.

온:리 〔only〕 명 오직. 유일(唯一).

온 리미츠 〔on limits〕 명 출입 자유. ↔오프 리미츠.

온:-마답 명 〈방〉 마디풀.

온:-마리 명 동물의 통짜. ¶굴비 ∼를 다 먹다.

온말 명 〈옛〉 백(百) 말. 온갖 말. ¶님아 님아 온놈이 온말을 ᄒᆞ여도 님이 짐작ᄒᆞ쇼셔 《古時調 鄭澈》.

온면【溫麵·溫麪】명 더운 장국에 만 국수. 국수 장국. ↔냉면(冷麵). [온면 먹을 제부터 그르다] 일의 시작부터가 틀렸다는 말.

온:-몸 명 몸의 전체. 전신(全身). 자정 지종(自頂至踵). ¶추워서 ∼이 떨린다.
[온몸이 입이라도 말 못 하겠다] 변명의 여지가 없다는 말.

온:몸 운:동【一運動】명 온몸을 고루 움직이는 운동(運動). 전신(全身) 운동.

온:몸 피돌기 명 〖생〗대순환(大循環). 큰피돌기. ↔허파 피돌기.

온:바탕-머리초【一草】명 〖건〗기둥이나 대들보의 머리에 그린 단청(丹靑)의 한 가지.

온박【鰮粕】명 멸치나 정어리의 기름을 짜 내고 말린 찌끼. 거름으로 씀.

온:-박음질 명 한 땀씩 잇대어 하는 박음질. 바늘을 앞 땀의 제자리에 꽂아 박음. 온땀침. ＊반(半)박음질. ——-하다 자타 여불

온반【溫飯】명 ①따뜻한 밥. ②장국밥❷.

온:-밤 명 온 하룻밤. 하룻밤의 온통. ¶∼을 뜬눈으로 보냈다.

온밥-시기 명 〈방〉 원밥수기.

온방【溫房】명 따뜻한 방.

온방 장치【溫房裝置】명 난방 장치.

온-배수【溫排水】명 화력 발전소나 원자력 발전소에서, 수증기(水蒸氣)를 냉각하는 데 사용된 후, 하천이나 바다에 도로 배출되는 따뜻한 물. 보통, 7-8도 가량 수온(水溫)이 높아져 있음.

온배수 공해【溫排水公害】명 〔thermal pollution〕 원자력 발전소·화력 발전소 등에서 배출되는 온배수와 주변 수역의 온도차로, 환경 생태계(環境生態系)의 파괴를 가져오는 일.

온배수 이:용 양:식【溫排水利用養殖】[一냥一] 명 발전소에서 나오는 온배수를 이용한 양식. 난류(暖流) 계통인 도미·방어·참새우·전복·은어 등에 이용됨.

온-백색【溫白色】명 약간 밝은 기운이 있는 백색. 조명(照明)에서 쓰는 말. ＊주광색(晝光色)·천연 백색(天然白色).

온백-원【溫白元】명 〖한의〗사상 의학(四象醫學)에서, 소음인(少陰人)의 적(積)과 취(聚)를 치료하는 데 쓰는 처방. 또, 그 약.

온:-벽【一壁】명 〖건〗창이나 구멍이 뚫리지 않은 벽.

온복【溫服】명 약을 데워서 먹음. ——-하다 타 여불

온부【溫富】명 풍족하고 여유가 있음. ——-하다 형 여불

온사거 〔Onsager, Lars〕 명 〖사람〗미국의 화학자·물리학자. 노르웨이의 오슬로에서 출생, 1928년 미국으로 건너가, 1945년 예일 대학 교수, 1972년 마이애미 대학 교수가 됨. 자연 현상에서 일종의 대칭성(對稱性)이 성립함을 밝힌 상반 정리(相反定理)를 발견하고 불가역 과정(不可逆過程)에 있어서의 열역학(熱力學)의 기초를 확립한 업적으로, 1968년 노벨 화학상을 수상함. [1903-76]

온-사이드 〔onside〕 명 럭비나 하키(hockey) 등에서, 경기를 할 수 있는 정규(正規) 위치에 있는 일. ＊오프사이드.

온상【溫床】명 ①〖농〗가열관이나 짚·낙엽 등 양열 재료(釀熱材料)를 다져 넣어 인공적으로 온열을 가해서 식물을 촉성(促成) 재배하는 설비를 한 묘상(苗床). 방열(放熱)을 막기 위하여 유리·비닐 따위로 덮음. ¶∼ 재배. ↔냉상(冷床). ②사물이나 사상 등의 양성(釀成)에 적당한 지반(地盤)이나 환경. ¶빈곤은 악의 ∼.

온상 가꿈【溫床一】명 〖농〗온상 재배(溫床栽培).

온상-모【溫床一】명 온상에서 기른 모.

온상 모판【溫床一板】명 온상모를 기르는 모판.

온상 육묘【溫床育苗】명 온상에서 모를 기르는 일. 주로, 가을에 파종하는 화초·선인장(仙人掌)·토마토·오이·가지 등을 기름.

온상 재:배【溫床栽培】명 〖농〗식물이나 화초 등을 온상에서 기르는 일. 촉성 재배(促成栽培). 온상 가꿈.

온:새미-로 부 가르거나 쪼개지 않고, 전체의 생긴 대로.

온:색[1]【慍色】명 성낸 얼굴 빛.

온색[2]【溫色】명 ①따스한 느낌을 주는 빛깔. 곧, 적(赤)·황(黃)·녹(綠) 및 그들의 간색(間色). 난색(暖色). ↔한색(寒色). ②온화한 얼굴 빛.

온석【溫石】명 따뜻하게 달군 돌. 헝겊에 싸서 환자의 품에 품어 몸을 덥게 하는 데 쓰임.

온-석면【溫石綿】명 〖광〗사문석질(蛇紋石質)의 광물. 단사 정계(單斜晶系)에 속하며 섬유상(纖維狀)을 이룸. 보통, 사문암(蛇紋岩) 속에 판온석(板溫石)과 함께 산출되는데, 섬유로 분리되기 쉽고, 유연성(柔軟性)이 있는 것은 보스토나이트(bostonite)라 하여 석면(石綿)으로서 채굴 가공되고 있음.

온:성【穩城】명 〖지〗함경 북도 온성군의 군청 소재지. 함경선(咸鏡線)의 요역으로 두만강에 임함. 경원(慶源)·경흥(慶興) 등과 더불어 육진(六鎭)의 하나였음. 갈탄의 산지이고 면양 목축이 성하며 목재의 생산지로 유명함.

온:성-군【穩城郡】명 〖지〗함경 북도의 한 군. 관내 6면. 한국 최북단(最北端)의 군으로 동·북·서는 두만강(豆滿江)을 격하여 만주(滿洲), 남은 경원군(慶源郡)과 종성군(鍾城郡)에 접함. 주요 산물로는 농산과 공산·수산·임산 등이 있고, 명승 고적으로는 입암탄(立巖灘)·구암봉(龜巖峰)·행성(行城) 등이 있음. 군청 소재지는 온성. [430 km²]

온:성 분지【穩城盆地】명 〖지〗한국 최북단에 위치하며, 두만강(豆滿江)에 의하여 개석(開析)된 분지. 농산물의 집산지임.

온수【溫水】명 따뜻한 물. 더운 물. ¶∼ 보일러. ↔냉수(冷水).

온수-기【溫水器】명 냉수를 덥게 하는 장치.

온수 난:방【溫水暖房】명 보일러에서 끓인 물을 건물 안의 각 방열기에 끌어서 실내를 덥게 하는 장치. ＊온풍(溫風) 난방·증기(蒸氣) 난방.

팽창탱크

〈온수 난방〉

온수-답【溫水畓】명 관개수(灌漑水)의 수온을 높이기 위해 만든 저수답(貯水畓).

온수-욕【溫水浴】명 더운 물로 하는 목욕. 준온욕(溫浴). ——-하다 자 여불

온수 풀:【溫水一】〔pool〕 명 수온(水溫)을 24°-25°C 정도로 인공적으로 덥게 하여 조절하고 있는 풀.

온:숙【穩宿】명 온침(穩寢). ——-하다 자 여불

온순[1]【溫純】명 온화하고 단순함. ——-하다 형 여불. ——-히 부

온순[2]【溫順】명 성질이나 마음씨가 온화하고 양순함. ——-하다 형 여불. ——-히 부

온:-쉼표【一標】명 〖악〗한 마디 전체를 쉬는 데 쓰이는 쉼표. 전휴부(全休符).

온스 〔ounce〕 의명 ①야드 파운드법의 중량(重量)의 단위. 상용(常用) 온스는 16분의 1 파운드(28.35g에 해당), 금·은·약품의 계량용(計量用) 온스는 12분의 1 파운드(31.103g에 해당)임. ②영국·미국에 있어서의 약제용 액량(液量)의 단위. 영국의 약액량(藥液量) 온스는 28.4123 cm³이고, 미국은 29.5729 cm³임.

온습[1]【溫習】명 복습(復習). ——-하다 타 여불

온습[2]【溫濕】명 따뜻하고 축축함. ——-하다 형 여불

온습-도[1]【溫濕度】명 온도와 습도.

온습-도²【溫濕圖】명〖기상〗기온·상대 습도(濕度)를 양축(兩軸)에 잡은 그래프(graph) 위에 각 달의 평균(平均)값에 상당하는 점(點)을 기입하고, 각 점을 달의 순으로 이은 기후도(氣候圖). 주로 체감(體感) 온도에 의한 기후 환경을 표현하는 목적에 쓰임.

온습 지수【溫濕指數】명 불쾌 지수(不快指數).

온습-회【溫習會】명 습득(習得)한 기예(技藝)를 발표하는 회. 학습 발표회(學習發表會).

온신¹【媪神】명 땅을 맡은 신. 지신(地神).

온신²【溫愼】명 온화하고 신중함. ——-하다 형여불

온신이 명〈방〉원숭이.

온실【溫室】명 ①난방 장치를 한 방. 난실(暖室). ↔냉실(冷室). ②〖농〗추운 때 또는 추운 지방에서 더운 지방의 식물을 재배하고, 또 일찍 개화(開花)·결실(結實)시키려고 내부의 온도를 덥게 장치한 건물. 지붕과 벽을 유리로 하고, 난방(暖房)·환기(換氣)의 장치가 되어 있음. 그린 하우스(green house).

온실 문학【溫室文學】명〖문〗온실에서 자라난 화초처럼, 아름다우나 약해서 시들고 병들기 쉬운 문학. 고이 자란 어린이나 학생들의 문예 작품 가운데 이러한 것이 많음.

온실-수【溫室樹】명〔온실은 중국 한(漢)나라 궁중의 집 이름, 온실수는 그 앞에 서 있던 나무 이름〕대전(大殿)에 가까운 곳이란 뜻.

온실 재:배【溫室栽培】명〖농〗온실에서 원예 식물·야채 따위를 기르는 일. ↔노지(露地) 재배.

온실 효:과【溫室效果】명〔greenhouse effect〕지구 대기(大氣)에 의한 가열 효과. 대기는 태양의 가시(可視) 광선을 잘 투과시키지만, 대기 중의 수증기나 이산화 탄소 등은 지표면에서 복사(輻射)되는 열선(熱線)인 적외선을 흡수하므로 지표면이 온실처럼 따뜻해짐. 온실 효과를 일으키는 기체로는 이산화 탄소·프레온 가스·메탄·오존 등 50 종이 넘는데, 근년에는 활발한 인간 활동으로 이산화 탄소 등의 배출이 늘어 지구의 평균 기온이 상승되고 있음. 「——-하다 형여불

온아【溫雅】명 모양·성격 등이 온화하고 아담함. 따스하고 부드러움

온안【溫顔】명 온화한 안색. 부드러운 얼굴빛.

온앙 명〈방〉은행²(銀杏)(충북).

온액【溫液】명 따뜻한 액체. 따뜻한 물.

온앵 명〈방〉은행²(銀杏)(충북·제주).

온양¹【溫陽】명〖지〗충청 남도에 속했던 시. 1995년 1월, 아산군과 통합하여 아산시(牙山市)로 개편됨으로써 현재는 아산시 온천동(溫泉洞)·온주동(溫州洞)·권곡동(權谷洞)·신정동(新井洞) 등이 됨. 장항선(長項線)의 요역(要驛)으로 천안(天安)과 연결되는 교통의 요지이며, 특히 우리 나라 굴지의 온천장이 있음. 명승 고적으로 신정호(神井湖)·서낭당·영괴대(靈槐臺) 등이 있고, 온양 관광 호텔을 비롯한 여러 숙박 시설이 완비되어 있어 사철 관광객이 많이 모여듦.

온:양²【醞釀】명 ①술을 담금. ②백방으로 손을 써서 무실한 죄를 꾸며 냄. ——-하다 타여불

온양 민속 박물관【溫陽民俗博物館】명 충청 남도 아산시 권곡동(權谷洞)에 있는 민속 박물관. 3개의 상설 전시실과 2개 특별 전시실로 구성되었으며, 야외에는 석조 미술품과 토속 가옥·방앗간 등이 복원되어 있음. 1978년 출판인(出版人) 김원대(金源大)가 설립하였음.

온양 온천【溫陽溫泉】명〖지〗온양에 있는 온천. 우리 나라 굴지의 온천으로, 천여 년 전부터 이용되어 온 알칼리천(Alkali泉)이며, 온도는 50°C쯤이고, 탕량(湯量)이 풍부함. 흥선 대원군(興宣大院君)이 이 곳에 욕실(浴室)을 설비하였다고 함.

[온양 온천에 헌 다리 모이듯 한다] 온양 온천에는 다리가 헌 병자들이 많이 모이니, 많은 사람들이 모임을 이르는 말.

온어¹【溫語】명 온언.

온어²【鰮魚】명〖어〗정어리.

온언【溫言】명 온화한 말. 부드러운 말씨. 온어(溫語).

온언 순:사【溫言順辭】명 따뜻하고 부드러운 말씨.

온엄-법【溫罨法】[—뻡] 명 더운 찜질. ↔냉엄법(冷罨法).

온 에어 명〔on the air〕방송국에서 프로그램 방송 중임을 이르는 말. 방송중. 「푸스.

온:역【瘟疫】명〖한의〗①봄철에 유행하는 전염병. ②여역(癘疫). 장티

온연【溫然】명 온화한 모양. ——-하다 형여불. ——-히 부

온열【溫熱】명 ①따스함과 뜨거움. ②따스하게 느껴지는 열. ③온열 요법 등에서 섭씨 33°에서 45° 정도의 온도.

온-열대【溫熱帶】[—때] 명〖지〗온대와 열대.

온열 요법【溫熱療法】[—료뻡] 명 온열을 이용하여 혈행(血行)·신진 대사(新陳代謝)를 양호(良好)하게 하며, 또 신경·근육의 피로를 제거하여 치료를 돕는 방법. 온욕(溫浴)·사욕(砂浴)·증기욕(蒸氣浴)·투열(透熱) 요법 등이 있음.

온:오【蘊奧】명 학문이나 지식이 쌓이고 깊음. ——-하다 형여불

온 오프 동:작【—動作】〔on off〕명 조절 동작이 온(on)과 오프(off)의 두 위치만을 취하는 자동 제어 동작 양식의 하나. 일정한 정도의 크기의 양으로 증가되면 자동적으로 오프로 되고, 다시 감소하면 온으로 됨. 전기 다리미 등에 있는 자동 스위치나 발전기의 자동 전압 조종 등에 쓰임.

온온¹【溫溫】명 ①온화한 모양. ②온순한 모양. ③윤택(潤澤)한 모양. ④열기(熱氣)가 나오는 모양. ——-하다 형여불

온:온²【穩穩】명 온화한 모양. 안온한 모양. ——-하다 형여불

온욕【溫浴】명 ↗온수욕. ——-하다 자여불

온욕-법【溫浴法】명〖농〗식물(植物)을 9-12시간 동안 약 30°C의 더운 물에 담가서 휴면(休眠) 중인 싹의 성장을 촉진시키는 방법. 독일의 식물학자 몰리시(Molish)의 창안임. 온탕 침법(溫湯浸法).

온용¹【溫容】명 부드럽고 온화한 모습.

온:용²【慍容】명 노한 얼굴.

온위【溫位】명 ①〖기상〗어느 높이의 대기 기압을 열(熱)을 차단한 채 표준 기압, 곧 1,000 hPa까지 변화시켰을 때 대기가 나타내는 온도. 퍼텐셜(potential) 온도. ②수심 1,000미터의 해수를 열을 차단한 채 수면까지 끌어올렸을 때의 온도. 포텐셜 수온(水溫).

온유¹【溫柔】명 ①인품이 온화하고 순직함. 부드럽고 유순함. ¶성질이 ～하다. ②따뜻하고 부드러운 느낌이 듦. ——-하다 형여불

온유²【鰮油】명 멸치나 정어리에서 짜 낸 기름. 기계유(機械油)·페인트·비누 등의 원료로 씀.

온유 겸손【溫柔謙遜】명 유순(柔順)하고 점잖으며 거만(倨慢)하지 않음. ——-하다 형여불

온유 돈후【溫柔敦厚】명 ①온화하고 친절·성실한 인품. ②〖문〗기교(奇巧) 또는 노골적(露骨的)이 아니고 독실한 정취(情趣)가 있는 경향. 중국에서는 이것을 시의 본분으로 하였음. ——-하다 형여불

온 유어 마:크〔on your mark〕명 온 더 마크(on the mark).

온유재-집【溫裕齋集】명〖책〗조선 시대 헌종 때의 윤종섭(尹鍾燮)의 시문집. 문인 김성익(金性翼)이 고종 16년(1879)에 간행. 시·문(文)·경의(經義)·잡지(雜識)·행장(行狀)·전(傳)·제문(祭文) 등을 수록함. 6권 3책. 인본.

온유한 자【溫柔一者】명〔the meek〕〖성〗곧은 마음으로써 자기의 죄에 울고 하느님의 용서와 사랑의 거룩한 뜻에 복종하는 사람. 마음이 가난한 자나 슬퍼하는 자와 같이, 하느님의 축복을 받을 것이 약속되어 있음.

온유-향【溫柔鄕】명 ①미녀의 부드러운 살결의 촉감. ②기가(妓家). 기루(妓樓). ③안방. 규방(閨房).

온육-기【溫育器】명 보육기(保育器).

온윤【溫潤】명 마음씨가 따뜻하고, 인정미가 있음. 따뜻하고 윤기가 있음. ——-하다 형여불

온:-음【—音】명〔whole tone〕〖악〗장음계에서 미-파, 시-도 이외의 음정. 반음의 두 배의 음정. 장 2도에 상당함. 전음(全音). ↔반음(半音).

온:-음계【—音階】명〔diatonic scale〕〖악〗옥타브(octave) 중에 다섯 개의 온음과 두 개의 반음을 포함하는 음계. 반음정의 위치에 따라 장음계와 단음계로 나뉨. 전음계. ↔반음계.

온:음 음계【—音音階】명〔whole-tone scale〕〖악〗반음계의 음(音)을 하나 건너로 두어 6개의 온음으로 한 음계. 이것의 구성 방법은 두 가지뿐이며, 주로 기악(器樂)에 쓰임. 전음 음계.

온:-음정【—音程】명〖악〗두 반음정(半音程)을 합한 음정(音程). 톤(tone). 전음정.

온:음-표【—音標】명〔whole note〕〖악〗음표 중 가장 긴 음표. '♩'의 4배 되는 음표. 기호는 '𝅝'. 전음부(全音符).

온의¹【溫衣】[—/—이] 명 난의(暖衣).

온:의²【慍意】[—/—이] 명 성낸 마음.

온:이-로 부 전체의 것으로. ＊온새미로·온통으로.

온인¹【溫人】명〖역〗조선 시대 때 오품 종친(宗親)의 처(妻) 되는 외명부(外命婦)의 품계.

온인²【溫仁】명 인품이 온화하고 어짊. ——-하다 형여불

온자¹【溫慈】명 온화하고 인자함. ——-하다 형여불

온:자²【蘊藉】명 마음이 넓어 포용력(包容力)이 크고 얌전함. 도량이 크고 온후함. ——-하다 형여불

온:-장¹【—張】명 종이나 피륙 등의 온통의 조각. 전장(全張).

온:장²【蘊藏】명 온축(蘊蓄). ——-하다 타여불

온장-고【溫藏庫】명 조리한 음식물을 넣어서 그대로 따뜻하게 유지하는 궤. ＊냉장고.

온재¹【溫材】명〖한의〗더운 성질의 약재(藥材). ↔양재(涼材).

온재² 부〈옛〉통째. ¶혼자 여섯치를 온재 모르디 아니ᄒᆞ야 뵈 가온대로 써 頂上을 조차 左右를 分ᄒᆞ야《家禮 Ⅵ:7》.

-온자 어미〈옛〉-온 것이로다. -온 것이로구나. -온 것이여. ¶樂只쟈 오놀이여 즐거온자 今日이야《古時調》.

온:전【穩全】명 결점이 없고 완전함. ¶～함을 얻다 / ～하게 보존하다. ——-하다 형여불. ——-히 부

온:-점¹【—點】명 가로쓰기에 쓰는 마침표. '.'의 이름. 종지부(終止符). ＊고리점.

온점²【溫點】[—쩜] 명〖생〗체온 이상의 온도 자극을 특히 감수(感受)하는 피부상의 감각점(感覺點). 그 내부(內部)에 온감(溫感)을 전달하는 말초 신경이 와 있는데, 피부 외에 구강(口腔)·비강(鼻腔)·식도(食道) 등의 점막(粘膜)에도 분포함. 보통, 1 cm²의 피부면에 3개 이내라 함. ↔냉점(冷點). ＊온각(溫覺).

온정¹【溫井】명 ①땅 속에서 솟는 더운 물. 또, 그 우물. ②온천(溫泉).

온정²【溫淸】명 ↗동온 하정(冬溫夏淸). ——-하다 자여불

온정³【溫情】명 따뜻한 정의(情誼). 정다운 마음. ↔냉정(冷情).

온:정⁴【穩定】명 온당한 결정.

온-정균【溫庭筠】명〖사람〗중국 당대(唐代)의 시인. 산시(山西) 출생. 자는 비경(飛卿). 시재(詩才)가 환발(渙發)하여서 이상은(李商隱)과 더불어 온리(溫李)라 병칭되었으며 송(宋) 시단의 서곤체(西昆體)의 비조(鼻祖)임. [812?-870?]

온정-리【溫井里】[—니] 명〖지〗강원도 고성군(高城郡)에 있는 마을. 신라 때부터 온천으로 유명하며 앞으로 해금강(海金剛), 뒤에는 외금강(外金剛)의 기승(奇勝)이 있어, 금강산 탐승객(探勝客)들이 많이 머무르는 까닭에 여관업(旅館業)이 성함.

온정 정:성【溫淸定省】명 자식이 효성을 다하여 부모를 섬기는 도리. 겨울에는 따뜻하게 하고, 여름에는 시원하게 하며, 저녁에는 자리를 편히 마련하며, 아침에는 안부를 여쭙는 일을 이름. 온정(溫淸). 동온하정(冬溫夏淸).

온정-주의【溫情主義】[—/—이] 명 ①손아랫사람에게 동정심이 있는 태도로 대하려는 생각. ②〖사〗 자본가나 윗사람이 노동자 또는 아랫사람에게 온정으로 임하는 태도. 특히, 노동 문제를 자본가의 온정에 의한 자발적인 노동 조건의 개선으로 해결하거나 미연에 방지하려는 주의 방침.

온제【溫劑】명〖한의〗몸을 덥게 하는 성질이 있는 약. ↔양제(涼劑).

온조【乎條】〈이두〉-인 것.

온조 수로【溫照水路】명〖농〗농경용(農耕用) 수온(水溫)을 높이기 위한 용수로(用水路). 특히, 일조(日照)나 기온(氣溫)의 열을 많이 흡수하도록 폭을 넓게 하고, 수심(水深)은 얕고 물매는 되도록 없이 하여 흐르는 속도가 느리게 설계함.

온조-왕【溫祚王】명〖사람〗백제의 제1대 왕. 주몽(朱蒙)의 차남으로 형 비류(沸流)와 함께 남으로 와서 비류는 미추홀(彌趨忽)에 머물고 온조는 위례성(慰禮城)에 도읍을 정하여 나라를 세웠음. 왕(王) 8년(11 B.C.)에 말갈(靺鞨)이 내침하고 17년에는 낙랑(樂浪)이 내침하였으나 24년부터 마한과 싸워 국토를 개척하였음. [재위 18B.C.-A.D.28]

온조왕-묘【溫祚王廟】명 백제의 시조인 온조왕을 제향(祭享)하기 위해 세운 사당. 경기도 광주의 남한 산성 안과 충청남도 직산(稷山)의 두 곳에 있음.

온족【溫足】명 부유함. 재산이 많음.

온존【溫存】명 ①소중하게 보존함. ②주로 좋지 못한 일을 고치지 않고 그대로 둠. ¶폐습(弊習) ~. ——-하다 타여불

온:-종일【一終日】명부 아침부터 저녁때까지. 진종일(盡終日). ¶~ 기다리다.

온주【溫州】명〖지〗'원저우'를 우리 음으로 읽은 이름.

온주-귤【溫州橘】명〖식〗[*Citrus unshu*] 귤나뭇과에 속하는 과수. 중국 원저우 지방이 원산지이며, 감귤류 중 상품(上品)에 속함. 높이 3m 가량이며 가시는 없음. 초여름에 흰 꽃이 피고, 과실은 등황색의 납작한 공 모양으로 11-12월에 익음. 우리 나라의 제주도·일본 등지에서 널리 재배되며, 관상용으로도 많이 가꾸어짐.

온중[1]【溫中】명〖한의〗약을 먹여서 속을 덥게 함. ——-하다 자여불

온:중[2]【穩重】명 하는 것이 조용하고 침착함. ——-하다 형여불

온짐-연【溫斟宴】명〖역〗중국에서 온 사신(使臣)에게 나라에서 베풀던 잔치. 사신이 온 지 닷새째 날에 열었음.

온-찜질【溫—】명 더운 찜질.

온:-채 명 집채의 전체. ¶~ 전세(傳貰).

온:챗-집 명 한 채를 전부 쓰는 집.

온처【溫處】명 더운 방에서 거처함. ——-하다 자여불

온천【溫泉】명〖지〗①지열(地熱)로 말미암아 땅 속에서 평균 기온(氣溫) 이상으로 데워져 솟아나는 지하수(地下水). 여러 가지 광물질(鑛物質)이 녹아 있어 의료(醫療)에 효험이 있는데 유황천(硫黃泉)·식염천(食塩泉)·탄산천(炭酸泉)·철천(鐵泉) 등이 있음. 열천(熱泉). 탕천(湯泉). 영천(靈泉). 온정(溫井). 탕정(湯井). ↔냉천(冷泉). ②온천장.

[온천에 전다리 모여들듯] 보기 흉한 자들이 다수 집합함을 이르는 말. '온양 온천에 헌 다리 모이듯 한다'와 같은 뜻.

온천 가스【溫泉—】[gas] 명 온천물에 섞여 뿜어 나오는 가스. 성분은 수증기에 이산화 탄소가 가장 많이 들어 있으며, 그 밖에 황화 수소·질소·메탄 등이 들어 있음.

온천 거리【溫泉—】명 온천장이 있는 거리.

온천 마을【溫泉—】명 온천장이 있는 마을.

온천 마:크【溫泉—】[mark] 명 지도나 간판에서, 온천이나 목욕탕을 표시하는 마크.

온천 생물【溫泉生物】명〖생〗온천 주위의 고온(高溫) 장소에서 살고 있는 생물. 식물 중 남조(藍藻)·규조(珪藻) 등 조류(藻類)와 박테리아 및 동물 중 주로 원생(原生) 동물로서, 근족충류(根足蟲類)·섬모(纖毛)충류·연체(軟體) 동물·갑각류(甲殼類)·수생 갑충류(水生甲蟲類) 등의 어떤 것은 이에 속함.

온천 여토【溫泉餘土】[—녀—] 명 온천이나 화산 가스 작용으로 말미암아 그 통로에 연(沿)한 부분이나 분출구(噴出口) 부근의 암석이 변질·점토화(粘土化)해서 생긴 것. 온천 점토(溫泉粘土).

온천 요법【溫泉療法】[—뇨뻡] 명〖의〗온천을 이용하는 일종의 치료법. 천질(泉質)·온도, 온천지의 기후, 병의 종류 등에 따라 일정하지 아니하고, 대개 욕료법(浴療法)·음용(飮用) 요법·흡입(吸入) 요법·함수(含嗽) 요법 등이 행하여지며, 비단 환자의 치료뿐만 아니라 건강자의 질병 예방·건강 증진에도 많이 응용됨.

온천-장【溫泉場】명 온천에 입욕(入浴)할 수 있는 설비가 있는 장소. 또, 온천이 있는 시가(市街). 온천(溫泉).

온천-지【溫泉地】명 온천이 있는 땅.

온천 취:락【溫泉聚落】명〖지〗온천으로 인하여 생기고, 온천을 찾아오는 사람을 상대로 각종 영업을 하며, 경제적으로 유지하여 나가는 취락.

온천-하다 형여불 모아 놓은 물건의 양이 축없이 온전하거나 상당히 많다. ¶세간이 꽤 ~. 온천-히 부

온천-화【溫泉華】명〖화〗지표(地表)로 솟아나는 온천물이 지하의 압력과 온천수의 온도 변화 및 대기 속의 산소와 상호 반응하여 생성되는 침전물. 탕화(湯華). 온천 양금.

온:축【蘊蓄】명 ①마음 속에 깊이 쌓아 둠. ②오랜 연구로 학식을 많이 쌓음. 온장(蘊藏). ——-하다 타여불

온:침【穩寢】명 편안하게 잠을 잠. 온숙(穩宿). ——-하다 자여불

온: 코:트 [own court] 명 자기 편의 코트.

온콜 회선【一回線】명 [on-call circuit]〖전〗사용자의 요구가 있을 때에만 작동 상태로 들어가게 설계된 회선. 보통, 일반 회선에 문제가 있거나 계속 사용할 수 없는 경우에 설치됨. 회선이 작동 상태에 있지 않을 때에는, 이 회선에 따른 통신 시설을 다른 용도에 쓸 수 있음.

온타리오: 주【—州】[Ontario] 명〖지〗북아메리카 캐나다 5대호 북방의 주. 동은 퀘벡 주(Quebec州), 서는 매니토바 주(Manitoba州), 북은 허드슨 만에 면함. 남동부는 풍부한 낙농 지대이나 도시화·공업화가 진척되어 철강·자동차·펄프 제지·섬유 등의 공업이 행하여짐. 중북부는 삼림 지대로 임업이 성함. 니켈·금·우라늄·구리 등의 광산물도 풍부함. [1,068,587 km²: 9,840,300명(1991추계)]

온타리오: 호【—湖】[Ontario] 명〖지〗미국 동북부 캐나다와의 국경 지방에 있는 5대호의 하나. 동단으로부터 세인트 로렌스 강(St. Lawrence江)이 되어 대서양에 들어감. 남서부는 나이아가라 폭포이고, 운하에 의하여 이리 호(Erie湖)와 연결됨. 호면 표고 75m, 최대 수심 244 m. [19,009 km²]

온탕【溫湯】명 ①온천의 따뜻한 물. ②적당한 온도의 탕(湯). ↔냉탕(冷湯).

온탕 침법【溫湯浸法】[—뻡] 명〖농〗①파종(播種)할 종자를 일정한 시간 동안 더운 물에 담가서 붙어 있는 병균(病菌)의 포자(胞子)나 유해(有害)한 미생물을 살균·예방하는 방법. ②온욕법(溫浴法).

온태 정지【溫態停止】명 [hot shutdown] 원자력 발전을 정지함에 있어 서서히 출력(出力)을 떨어뜨리면서 발전은 완전히 정지하지만 노심(爐心)의 온도는 일정한 수준을 유지하도록 조절한 상태.

온:토【穩討】명 조용하고 온당하게 토의함. ——-하다 타여불

온토스 온 [그 ontos on] 명〖철〗사물의 본질이나 이념.

온톨로기: [도 Ontologie] 명 존재학(存在學). 존재론(論).

온:-통 명부 통째로 전부. 모두 한목 쳐서. 전통(全統). ¶~ 틀렸다. 준 통.

온통-산【溫通山】명〖지〗함경 남도 장진군(長津郡)에 있는 산(山). [1,760 m]

온:통-으로 부 전부를 그대로 다. 통째로 전부.

[온통으로 생긴 놈 계집 자랑, 반편으로 생긴 놈 자식 자랑] 아주 멍텅구리는 자기 아내를, 좀 바보는 자기 자식을 자랑한다 함이니, 지나치게 사랑하면 눈이 어두워진다는 뜻.

온파[1]【溫波】명 온난한 공기가 진행하여 와서 기온이 갑자기 상승하는 현상. 난파(暖波). ↔한파(寒波).

온:파[2]【穩波】명 잔잔한 물결.

온:파[3]【穩婆】명 조산원(助產員).

온:-판 명 전체의 국면(局面). *전판[1].

온 퍼레이드 [on parade] 명 총출연(總出演).

온:편【穩便】명 온당하고 편리함. ——-하다 형여불. ——-히 부

온포[1]【溫飽】명 의식(衣食)이 넉넉함. 생활에 부자유를 느끼지 않음.

온:포[2]【縕袍】명 묵은 솜을 둔 도포.

온:포[3]【蘊抱】명 머리 속에 깊이 품은 재주.

온:-폭【一幅】명 피륙이나 종이의 온 넓이. 전폭(全幅).

온:-품 명 온 하룻일의 품. 또, 그 품값.

온풍【溫風】명 ①따뜻한 바람. ②장마가 개는, 음력 6월경에 부는 남풍(南風). ③봄바람.

온풍-기【溫風器】명 내장된 송풍기(送風機)로 공기를 열원(熱源)으로 보내어 덥힌 다음 실내로 보내는 난방 기구. 팬 히터(fan heater).

온풍 난:방【溫風暖房】명 연료의 연소·증기·온수·전열 등으로 공기를 덥게 하여 이것을 실내에 보내는 난방 방법의 하나. *복사(輻射) 난방.

온풍-로【溫風爐】[—노] 명 온풍 난방에 쓰이는 난로.

온피【溫被】명 따뜻한 이불. 또, 이불을 따뜻이 함.

온:-필【一疋】명 피륙 따위의 옹근 한 필. ¶~로 사다.

온-하다【溫—】형여불 약의 성질이 덥다.

온행 명〈방〉은행²(銀杏)(충북).

온혈【溫血】명 ①〖한의〗사슴이나 노루의 더운 피. ②〖동〗외기(外氣)의 온도에 관계 없이 늘 더운 피. ↔냉혈(冷血).

온혈 동:물【溫血動物】명〖동〗'정온(定溫) 동물'의 속칭.

온혜【溫鞋】명 운혜(雲鞋).

온-호[1]【—乎】명 ['온'은 어미(語尾) '-니, -는, -은'의 뜻으로 쓰이는 이두(吏讀)] 어조사(語助辭)로 쓰이는 한자(漢字) '호(乎)'의 훈(訓)과 음(音)을 아울러 읽은 말. *이끼야.

온호[2]【溫乎】명 온화한 모양.

온:-호장 명〈방〉삼회장.

온화[1]【溫和】명 ①기후가 따뜻하고 화창함. ¶~한 지방. ②성질·태도 등이 온순하고 유화함. ¶~한 성품. ——-하다 형여불

온:화[2]【穩和】명 조용하고 부드러움. ¶~한 품성. ——-하다 형여불

온:화[3]【穩話】명 ①온건한 말. ②부드럽고 조용하게 이야기함. ——-하다 자여불

온:화 조정【穩和調停】명 국제 분쟁의 당사국이 제3국의 조정에 의하여 분쟁을 평화적으로 해결하는 일.

온활【溫滑】명 따뜻하고 매끄러움. ——-하다 형여불

온:황【瘟黃】명〖한의〗몸빛이 누렇게 되어 죽는 돌림병의 한 가지. 양의학의 황열병(黃熱病)에 상당함.

온:회【穩會】명 조용하고 재미있게 모임. ——-하다 자여불

온:-회장 명〈방〉삼회장.

온후【溫厚】명 ①태도가 부드럽고 진실함. 온화하고 인정미가 있음. ②온화하고 차분함. ——-하다 형여불

온후 독실【溫厚篤實】명 성질이 온화하고 착실함. 태도가 부드럽고 성실함. ¶~한 청년. ——-하다 형여불

온훈-법【溫燻法】[—뻡] 명 햄·소시지·베이컨·생선 따위를 50°-90°C로 수시간부터 2-3일간 불에 그슬려 훈제하는 방법. 고기 맛이 좋고 연하며 향기도 좋으나 저장성이 적음.

옰바미 명〈옛〉올빼미. ¶옰바미 효(梟)≪字會 上 17≫/賈生 옰바밀 對ᄒᆞ야(賈生對鵩)≪杜諺 XXI:40≫.

올[1] 명 ↗올해. ¶~ 봄/~ 가을.

올[2] 명〈옛〉①골. ¶ᄆᆞ래올(楸洞)≪龍歌 X:19≫. ②올해. ¶진실로 올히 가난ᄒᆞ여라(其實今年艱難)≪老乞 上 49≫.

올[3] 명 ☞옰.

올:[4] ㊀명 실이나 줄의 가닥. 사조(絲條). ¶~이 풀리다. ㊁의명 실이나 줄의 가닥을 세는 말. ¶실 한 ~.

올:[5]〔all〕명 ①전부(全部). ②테니스나 탁구(卓球)에서, 서로 득점이 같은 경우. ¶원 ~(one all)/투 ~(two all).

올:- 부 열매가 자라거나 익는 정도(程度)가 빠름을 나타내는 말. ¶~밤/~콩/~벼. 준오-. ↔늦-.

-올 어미〈옛〉관형사형 어미의 한 가지. ①-을. ¶辟支佛의 몰롤 것이라≪釋譜 XIII:37≫. ②-알. ¶니르고져 홇배≪訓諺≫. ③-아는. ¶그 뼈 善慧라 홇 仙人이≪月釋 I:8≫.

올가미 명〔근대 : 올감이〕①새끼나 노·철선 같은 것으로 고를 맺어 짐승을 잡는 장치. 활고자. 활투(活套). ②사람이 걸려 들게 꾸민 깜찍한 꾀. ¶그 녀석의 ~에 걸렸다.
[올가미 없는 개장사] 자본이 없는 상인(商人)을 이르는 말.
올가미(를) 쓰다 구 남의 꾀에 걸려 들다.
올가미(를) 씌우다 구 계략을 써서 남을 그 꾀에 걸려 들게 하다.

올각-거리다 자타 작은 입에 물을 머금고 양볼의 근육을 움직여 계속해서 소리를 내다. ¶양치물을 머금고 ~. <울걱거리다. 올각-올각 부. ——-하다 자타여불

올각-대다 자타 올각거리다.

올:-감자 명〖식〗철 이르게 되는 감자. ↔늦감자.

올감지 명〈방〉올가미.

올강-거리다 자 입 안에 넣은 단단하고 탄력 있는 물건이 잘 씹히지 않고 미끄러지다. <울겅거리다. 올강-올강 부. ——-하다 자여불

올강-대다 자 올강거리다.

올강-볼강 부 올강거리며 볼강거리는 모양. <울겅불겅. ——-하다 자여불

올-같잖다[—잔타] 형 변덕이 심하다. ¶거, 오랜만에 외쪽눈 올같잖게 가진 상제한번 보겠군≪金周榮 : 客主≫.

올-개 명〈방〉올해(강원·경상).

올개미 명〈방〉①올가미. ②어레미(전남·경북).

올게심니 명〖민〗추석 또는 중양절을 전후하여 벼·수수·조 따위의 이삭을 묶어 방문·기둥 따위에 걸쳐 두는 풍습. 또는, 그 물건.

올:-게임〔all game〕명 제로 게임(zero game).

올게ᄒᆞ다 타〈옛〉온전하게 하다. ¶셤기는 바의 ᄆᆞᄋᆞᄆᆞᆯ 올게 ᄒᆞ야 그 결조ᄅᆞᆯ 두가지로 아니ᄒᆞᆫ다 ᄒᆞ샤(以專心所事不貳其操)≪東國三綱 忠臣圖 夢周隕命≫. *올에 홈.

올:-계 명〈방〉올벼(전남).

올:-고구마 명 철 이르게 되는 고구마.

올-고둥 명〖조개〗갈색이고둥.

올:-곡-하다 형여불 실이나 줄 같은 것이 너무 꼬여서 비비 틀려 있다.

올:-곧다 형 ①마음이 바르고 곧다. ¶나같이 올곧은 사람두 거짓말을 가다가다 더러 하지만…≪洪命憙 : 林巨正≫. ②줄이 반듯하다.

올곳다 형〈옛〉올곧다. 정직하다. 옳고 곧다. ¶암아도 올곳은 마음은 孔夫子ㅣ가 ᄒᆞ노라≪古時調≫.

올공-거리다 타 질긴 물건을 입 안에 깊이 넣고 계속해서 씹다. 올공-올공 부. ——-하다 타여불

올공-대다 타 올공거리다.

올공-볼공 부 입 속에 깊이 든 단단한 물건이 잘 씹히지 아니하고 요리조리 미끄러지며 볼가지며 하는 꼴. ——-하다 자여불

올공-쇠 명〈방〉〖악〗구철(鉤鐵).

올:-괴불나무[—라—] 명〖식〗[*Lonicera praeflorens*] 인동과(忍冬科)에 속하는 낙엽 활엽 관목. 수(髓)는 백색이고 잎은 달걀꼴 또는 타원형임. 꽃은 이른 봄에 액생하며 엷은 황백색으로 핌. 과실은 장과이고 가을에 홍색으로 익음. 산지(山地)의 숲 밑에 나는데 우리 나라에는 경남을 제외한 전국에 야생(野生)하며, 일본·만주에 분포함. 관상용(觀賞用)으로 심음.

올구챙이 명〈방〉올챙이(경상).

올-궁리【—窮理】명〈방〉그른 궁리(함경).

올근-거리다 타 질긴 물건을 입에 넣고 볼을 오물거리며 씹다. ¶순실이는 볼이 미어지게 나물을 거머넣고, 둘째는 닭발을 올근거렸다≪吳有權 : 방앗골 혁명≫. <울근거리다. 올근-올근 부. ——-하다 타여불

올근-대다 타 올근거리다.

올근-볼근[1] 부 서로 으르대며 맞서서 지내는 모양. ¶앞뒷집에서 ~ 시비가 많다. <울근불근[1]. ——-하다 자여불

올근-볼근[2] 부 올근거리며 볼근거리는 모양. ¶어린애가 불고기를 ~ 씹다. <울근불근[2]. ——-하다 타여불

올근-볼근[3] 부 몸이 여위어 갈빗대가 하나하나 드러나 있는 모양. ¶~한 가슴. <울근불근[3]. ——-하다 형여불

올긋-볼긋 부 여러 가지 짙은 빛깔이 다른 빛깔들과 야단스럽게 뒤섞인 모양. ¶단풍으로 온 산이 ~하다. <울긋불긋. ——-하다 형여불

올긔 명〈옛〉올가미. ¶趙州의 올긔ᄅᆞᆯ 자바든(捉敗趙州)≪蒙法 12≫.

올-기 명〈방〉올해(경북).

올기미 명〈방〉올가미(경상).

올긴〔Holguín〕명〖지〗쿠바 동부의 도시. 사탕수수·담배·커피 등 농업의 중심지임. 부근에서 금과 망간을 산출함.〔218,148 명(1988)〕

올긔잡다 타〈옛〉옭아 잡다. ¶사ᄅᆞᄆᆡ게 믜온고돌 올긔자보리니(捉敗得人憎處)≪法語 5≫.

올깍 부 어린 아이가 젖 따위를 별안간 토해 내는 소리. 또, 그 모양. 스올각. 쓰올칵. <울꺽. ——-하다 자타여불

올깍-거리다 자타 자꾸 올깍하다. <울꺽거리다. 올깍-올깍 부. ——-하다 자타여불

올깍-대다 자타 올깍거리다.

올깨 명〈방〉올케.

올:-나이트〔all night〕명 온밤.

올나ᄒᆞ니 타〈옛〉오르니. 오른즉. =올라ᄒᆞ니. ¶北寬亭의 올나ᄒᆞ니 三角山 第一峰이 ᄒᆞ마면 뵈리로다≪松江 關東別曲≫.

올-내년【—來年】[—래—] 명 올해와 내년.

올눌【膃肭】[—룰] 명〖동〗물개❶. →온눌(膃肭).

올눌-수【膃肭獸】[—룰—] 명〖동〗물개❶.

올눌-제【膃肭臍】[—룰—] 명〖약〗해구신(海狗腎). →온눌제(膃肭臍).

올:덤〔Oldham〕명〖지〗영국 맨체스터의 북동 약 10km에 있는 면방적(綿紡績) 공업 도시. 19세기초부터 면방적 공업이 발달하였고, 방적기계 공업도 행하여짐.〔107,800 명(1981)〕

올덴부르크〔Oldenburg〕명〖지〗독일의 북서부 니더작센 주의 주도(主都). 베저 강(江) 지류인 훈테 강(江) 좌안에 위치하며 고성(古城)과 박물관이 있음. 상업과 유리·방적·식육 제품(食肉製品) 공업 등이 성함.〔139,256 명(1987)〕

올덴부르크-가【—家】〔Oldenburg〕명 지금의 노르웨이의 왕가(王家). 독일 귀족 올덴부르크 백(伯)에서 비롯되며, 덴마크(1448-1863)·스웨덴(1751-1818)·러시아(1762-1917) 등의 왕·제실(帝室)도 그 가계(家系)임.

올돌【兀突】[—똘] 명 돌올(突兀). ——-하다 형여불. ¶기상이 ~하다.

올:-되다[1] 자 피륙의 올 같은 것이 바짝 죄어서 되다. 준오되다.

올:-되다[2] 자 ①나이보다 일찍 지각이 나다. ¶공손하긴 하나 이팔의 나이엔 올되고 방자한 대궁인지라 속으로 무척 놀라웠던 몽돌이가…≪金周榮 : 客主≫. ②일찍이 되다. 일되다. ¶올된 벼. 1)·2):↔늦되다. 준오되다.

올두【兀頭】[—뚜] 명 독두(禿頭).

올:두바이 유적【—遺跡】〔Olduvay〕명〖지〗아프리카 탄자니아 북부의 협곡에 있는 구석기(舊石器) 시대의 유적.

올:드〔old〕명 ①늙음. 나이 먹음. 묵음. ¶~ 미스. ②사물에 익숙함. 노련(老鍊). ③시대에 뒤짐. ④연상임. 손위.

올:드 가:드〔Old Guard〕명〖정〗미국 공화당(共和黨) 중의 보수파(保守派)에 대한 호칭.

올:드 로:즈〔old rose〕명 시든 장미(薔薇)빛. 짙은 분홍색(色). 회자색(灰紫色).

올:드 리버럴리스트〔old liberalist〕명 제2차 세계 대전 이후 전전(戰前)의 자유주의자를 이르는 말. '이미 낡아서 현재는 통하지 않는다'는 뉘앙스로 쓰임.

올:드 메이드〔old maid〕명 올드 미스(old miss).

올:드 미스〔old+miss〕명 노처녀. 올드 메이드. 하이 미스.

올:드 보이〔old boy〕명 ①교우(校友). 학교의 선배. 동창생. ②언제까지나 젊었던 학생 시절의 기분으로 있는 남자 노인을 놀리는 투의 말.

올:드 블랙 조:〔Old Black Joe〕명〖악〗포스터(Foster, S. C.)가 작사·작곡한 가곡(歌曲). 조는 포스터 집안의 늙은 흑인 노예임. 1860년 작.

올:드 빅〔Old Vic〕명 ①〔The Old Vic Theatre〕영국의 극장 이름. 1818년에 설립하여, 통속극이나 음악회에 사용되다가, 1915년에 개축되어 셰익스피어 전문 극장이 됨. 제2차 세계 대전중 파손되어 1950년에 재건, 준국립 극장으로서의 역할을 하고 있음. ②영국의 극단 이름. 셰익스피어 극을 전문으로 하며 세금 없이 국가의 보조를 받고 있음.

올:드-타이머〔oldtimer〕명 시대에 뒤떨어진 사람. 또, 그런 형(型).

올:드 패션〔old fashion〕명 ①형이나 스타일이 낡은 것. ②옛 풍습. 구식. ③칵테일의 일종. 위스키에 설탕·버찌·오렌지·고미제(苦味劑) 따위를 넣고 소다수를 타서 만듦.

올딱 부 먹었던 것을 전부 도로 게워 내는 모양. ¶~ 토하다. *왈딱·월떡.

올딱-거리다 자타 연해 먹었던 것을 도로 게워 내다. 올딱-올딱 부. ¶~ 토해 내다. ——-하다 자타여불

올딱-대다 자타 올딱거리다.

올똑-볼똑 부 성미가 변덕스럽고 조급하여 연해 까다롭게 성깔을 부리는 모양. <울뚝불뚝. ——-하다 자형여불

올똑-올똑 부 성비가 조급하여 발딱발딱 성깔을 부리는 모양. <울뚝울뚝. ——-하다 자형여불

올라 감〈방〉예.

올라-가다 자타거라불 ① 낮은 데서 높은 데로 가다. ¶산에 ~/언덕을 ~. ② 지위가 높아지다. 아래에서 위로 나아가다. ¶과장으로 ~. ③ 흐름을 거슬러 상류로 가다. ¶배가 ~/강을 ~. ④ 시골에서 서울로 가다. 상경하다. ⑤ 값이 비싸지다. ¶쌀 값이 ~. ⑥ 밑천이나 재산이 없어지다. ¶화재로 재물이 다 올라갔다. ⑦ 물에서 뭍으로 옮겨가다. 상륙하다. ⑧〈속〉죽다. 1)·3)·4)·5):↔내려가다.

올:라르〔Aulard, Alphonse〕명〖사람〗프랑스의 혁명사가(革命史家). 공화주의자로서 프랑스 혁명의 의의를 강조하고, 민주주의와 공화

제의 확립을 중심 사상으로 ≪프랑스 혁명 정치사≫를 저술하였음. [1849-1928]

올라-붙다 위 쪽 높은 데로 올라가 붙다. ¶눈썹이 올라붙어 있다/바위에 납작 ~.

올라-서다 자 ①낮은 데서 높은 데로 옮아 가 서다. 꼭대기에 다다르다. ¶산꼭대기에 ~. ②낮은 지위에서 높은 지위로 가다. ¶과장으로 ~. ③무엇을 디디고 그 위에 서다. ¶지붕 위에 ~.

올라-앉다 [-안따] 자 ①낮은 데서 높은 데로, 아래에서 위로 가 앉다. ¶지붕 위에 ~. ②지위가 높아져서 어느 자리를 차지하다. ¶사장으로 ~. ③어느 물건 위에 가 앉다. ¶그네 위에 ~/요강에 ~.

올라-오다 자 너라불 ①낮은 데서 높은 데로, 아래에서 위로 옮아 오다. ¶배 위로 ~. ②흐름을 거슬러 이편으로 오다. ¶강물을 거슬러 ~. ③시골에서 서울로 오다. 상경하다. ¶시골에서 갓 올라온 촌놈. ④물에서 육지로 옮겨 오다.

올:-라운드 [all round] 명 운동 경기 등에서 어떠한 기술에도 고루고루 통달(通達)하는 일. 만능(萬能).

올:라운드 플레이어 [all round player] 명 운동 경기에서, 공격·수비의 모든 기술이 뛰어나 결점이 없는 선수. 또, 모든 경기에 뛰어난 선수. 만능 선수.

올:-라이트 [all right] 감 '잘 되었다'·'좋다'·'옳다'의 뜻.

올라-채다 타 힘을 몰아 써서 올라가 버리다. ¶가풀막을 단숨에 ~.

올라-타다 자 ①탈것에 오르다. ¶말에 ~. ②몸 위에 오르다.

올라:프 오:세 【一五世】[Olaf V] 명 『사람』 노르웨이의 현 국왕(國王). 영국 왕 에드워드 7세의 증손(曾孫). 제2차 대전 중, 독일군에 쫓겨 영국으로 망명한 바 있었음. 요트의 명수로 유명함. [1903-91]

올라:프 일세 【一一世】[Olaf Ⅰ] [-쎄] 명 『사람』 노르웨이의 국왕. 덴마크의 세력하에서 자립하고, 바이킹을 지휘하여 프랑스·잉글랜드에 침입, 아일랜드까지도 지배하였음. 항해가(航海家) 레이프 에릭손(Leif Ericsson)을 원조하여 그의 북미(北美) 도달을 성공시키기도 하였음. 덴마크·스웨덴 연합 해군과 싸워서 패하고 전사하였음. [960?-1000; 재위 995-1000]

올라ᄒᆞ니 타 〈옛〉 오르니. 오른즉. =올나ᄒᆞ니. ¶외나모 ᄲᅧ근 ᄃᆞ리 佛頂臺 올라ᄒᆞ니≪松江 關東別曲≫.

올라ᄒᆞ다 자 〈옛〉 오르다. ¶東州밤 계오새와 北寬亭의 올라ᄒᆞ니≪松江 關東別曲≫.

올:란드 제도 【一諸島】[Åland] 명 『지』 발트 해의 북부, 보트니아 만(Bothnia灣) 입구에 있는 여러 섬. 올란드 섬 외에 약 6,500개의 작은 섬으로 이루어짐. 예로부터 러시아·스웨덴 사이 분쟁의 땅이 되어 왔는데, 1809년에 러시아령(領)이 되었다가 1921년 이후 핀란드령이 됨. 아베난마(Ahvenanmaa) 제도. [1,500 km²: 26,000명(1981)]

올랑-거리다 자 ①너무 놀라거나 두려워서 가슴이 설레다. ②물결이 연하여 흔들리다. ¶강물이 ~. 1)·2): <울렁거리다. **올랑-올랑** 부. **——-하다** 자 여불

올랑-대다 자 올랑거리다.

올랑-촐랑 부 ①작은 물결이 이쪽 저쪽에 부딪쳐서 오고 가고 하는 소리. ②작은 그릇에 담은 물이 흔들리는 모양. 1)·2): <울렁출렁. **——-하다** 자 여불

올래 명 〈방〉 이웃(제주).

올래기 명 〈방〉 오라기(강원).

올랭피아 [프 L'Olympia] 명 『미술』 마네가 1865년의 살롱에 출품한 그림. 근대 도시 생활에서 취재한 대담한 주제(主題)와 명쾌한 색조가 당시의 젊은 화가들에게 커다란 영향을 주었음.

올런 부 〈방〉 얼른(경상).

올레뇨크 석유 동:결호 【一石油凍結湖】[Olenyok] 명 『지』 시베리아 북부 레나 강(江)의 서쪽을 흘러 북극해로 들어가는 올레뇨크 강 유역에서 역청(瀝靑)의 형태로 발견된 호수. 탄화 수소의 화합물로서 석유를 추출(抽出)하여 이용하나 녹는점(點)은 불명(不明)함.

올레-보자 명 『악』 전라 남도 거문도(巨文島) 민요의 하나. 고사(告祀) 끝에 부르는데, 앞소리가 메기면 여럿이 '올레보자'하고 뒷소리로 받는 형식으로 되어 있음.

올레-산 【一酸】 명 [oleic acid] 『화』 대표적인 불포화 지방산. 황색·유상(油狀)의 액체로, 많은 동식물 유지(油脂) 안에 에스테르(ester)로서 널리 존재하며, 올리브유·편도유(扁桃油)·동백 기름 등의 주성분임. 환원하면 스테아르산이 되는데, 비누·방수제(防水劑)의 원료로 쓰임. 유산(油酸). [$C_{17}H_{33}COOH$]

올레산 나트륨 【一酸一】[도 Natrium] 명 [sodium oleate] 『화』 우지(牛脂) 냄새가 나는 백색 분말. 부분 분해를 수반하는 알코올로, 물에 녹음. 의료(醫療), 섬유의 방수(防水) 가공에 쓰임. [$C_{17}H_{33}COONa$]

올레산-납 【一酸一】 명 [lead oleate] 『화』 유독성 백색 연고상(軟膏狀)의 물질. 물에는 녹지 않고, 알코올·벤젠·에테르에 녹음. 니스·래커·페인트의 건조제(乾燥劑)로 쓰임. [$Pb(C_{18}H_{33}O_2)_2$]

올레산 수은 【一酸水銀】 명 [mercury oleate] 『약』 담황색 연고상의 물질. 독성(毒性)이 있으며, 물에 녹지 않음. 매독성 피부염의 외용약(外用藥)에 쓰임. [$Hg(C_{18}H_{33}O_2)_2$]

올레산 알루미늄 【一酸一】 명 [aluminium oleate] 『화』 알루미늄과 올레산에서 생성되는 비누 모양의 화합물. 윤활유·그리스의 점성(粘性)을 바꾸는 데 쓰임. [$Al(C_{18}H_{33}O_2)_2$]

올레:샤 [Olesha, Yurii Karlovich] 명 『사람』 우크라이나의 작가. 오데사 태생. 1920년대의 지식인의 문제를 다룬 ≪선망(羨望)≫으로 국제적으로 알려짐. 이 밖에 아동극으로 각색된 ≪세 사람의 뚱뚱이≫와 만년의 수필집 ≪펜을 들지 않은 날이라곤 없다≫ 등이 있음. [1899-1960]

올레안도-마이신 [oleandomycin] 명 『약』 방선균(放線菌) 항생 물질의 하나. 페니실린을 강화한 듯한 약효가 있어 폐렴(肺炎) 따위 각종 염증성 질환의 화학 요법에 새로운 위력이 되고 있음. 내복도 가능하며 부작용도 극히 적음.

올레오-댐퍼 [oleodamper] 명 고무나 코일·스프링 따위가 아니고, 유압(油壓)으로 충격을 흡수하는 완충 장치. 비행기의 강착(降着) 장치·자동차의 완충 장치 등에 사용됨.

올레오-레진 [oleoresin] 명 수지(樹脂)와 정유(精油)의 혼합물. 각종 식물에서 추출(抽出)하여, 제약제(製藥劑)로 씀.

올레오-미터 [oleometer] 명 수중(水中)의 유분(油分)을 단시간에 측정하는 장치. 기름이 섞인 물을 이 장치에 넣으면 적외선(赤外線)에 의해서 기름의 농도가 측정됨. 유분 농도계(油分濃度計).

올레인 [olein] 명 『화』 올레산(酸)의 글리세리드로, 황색(黃色)의 액체. 녹는점(點) −5°C. 알코올에 약간 녹고, 클로로포름·에테르·사염화 탄소에 녹음. 대부분, 유지(油脂) 중에 존재하며, 직물(織物)의 윤활(潤滑)에 쓰임. [$(C_{17}H_{33}COO)_3C_3H_5$]

올레일 알코올 [oleyl alcohol] 명 『화』 올레산(酸)에서 유도되는 지방족(脂肪族) 알코올. 투명한 액체로, 끓는점 282-349°C. 공업용은 순도(純度) 80-90%. 수지(樹脂)나 계면 활성제(界面活性劑)의 제조 및 화학 중간체로 쓰임. [$C_{18}H_{35}OH$]

올레핀 [olefin] 명 『화』 알켄(alkene).

올레핀계 탄:화 수소 【一系炭化水素】[olefin] 명 『화』 알켄(alkene).

올레핀 수지 【一樹脂】 명 [olefin resin] 『화』 올레핀 단위체(單位體)의 연쇄 반응으로 만들어지는 중합체(重合體). 에틸렌으로부터의 폴리에틸렌, 프로필렌으로부터의 폴리프로필렌 따위.

올렌하우어 [Ollenhauer, Erich] 명 『사람』 독일의 정치가. 젊어서 독일 사회 민주당에 입당, 국회 의원·당 중앙 집행 위원(1933)이 되고, 나치스 시대에는 체코슬로바키아·프랑스·영국 등으로 망명함. 제2차 대전 후 귀국하여 당을 재건함. 1952년 당수가 됨. [1901-63]

올려-놓다 [-노타] 타 ↗올리어 놓다. ¶선반 위에 접시를 ~.

올려다-보다 자타 ①아래쪽에서 위쪽을 바라보다. ¶산을 ~. ②존경하는 마음으로 높이 받들며 우러르다. ↔내려다보다.

올려본-각 【一角】 명 『수』 높은 데 있는 목표물을 관측할 때, 시선(視線)과 지평선이 이루는 각도. 구용어: 앙각(仰角). ↔내려본각.

〈올려본각〉

올려-붙이다 [-부치-] 타 ①높게 올리어서 붙이다. ¶문패를 더 ~. ②'거수 경례를 하다'를 낮게 이르는 말. ¶경례를 ~. ③따귀 따위를 때리다. ¶사정 없이 따귀를 ~.

올려-치기 명 권투에서, 상대방의 일정 부위, 곧 명치끝이나 아래턱을 올려 치는 일. 어퍼컷.

올로모우츠 [Olomouc] 명 『지』 체코 동부, 모라바 강 연변에 위치한 도시. 맥주 양조·제분·제당(製糖)이 성함. 12세기의 성당, 15세기의 시청사(市廳舍)가 있음. 11세기에 창건되고, 1640년까지 모라비아의 수도였음. 독일 이름은 올뮈츠(Olmütz). [106,300명(1987)]

올로본 [Olobon] 명 『사람』 페르시아의 네스토리우스파(Nestorius 派), 곧 경교(景敎)의 선교사 단장. 635년 중국의 장안(長安)에 도착, 당 태종의 보호를 받으면서 638년 포교를 허락받아 경교의 융성을 가져왔음. 생몰년 미상.

올록-볼록 부 물체의 거죽이나 면이 고르지 않게 높고 낮은 모양. <울룩불룩. **——-하다** 형 여불

올:론 [Orlon] 명 미국 뒤 퐁(Du Pont) 회사에서 만든 아크릴계 합성 섬유의 상품 이름. 천막·커튼·범포(帆布) 등으로 적당함. 화학 섬유 중 가장 양모(羊毛)에 가까우나 염색이 곤란한 것과 마찰하면 작은 섬유로 흩어지는 점이 결점임.

올롱-하다 형 여불 ☞회동그랗다❶. ¶눈알이 올롱해서 삼팔선을 오고가는 친구들도 있겠구≪鮮于煇: 깃발 없는 旗手≫.

올룽개 명 〈방〉 올가미(전북).

올름 [olm] 명 『동』 [*Proteus anguinus*] 유미목(有尾目) 프로테우스과에 속하는 동물. 영원(蠑螈)과 비슷한데, 몸길이 25cm 가량이며, 몸빛은 반투명한 백색에, 아가미는 붉고 아름다움. 몸은 뱀처럼 길고 사지는 극히 작으며, 눈은 퇴화하여 아주 작거나 맹목(盲目)이고 피부로 명암을 감각함. 작은 새우 같은 것을 주로 먹고, 땅 속이나 굴 속의 물이 괸 웅덩이 등에 서식하는데, 유럽에 분포함.

〈올름〉

올-리 명 〈방〉 올해(제주).

올리고-당 【一糖】 명 『화』 [oligosaccharide] 포도당이나 과당(果糖) 등의 단당(單糖)이 2-10개 결합한 당(糖). 자연적으로 존재하지만, 녹말·설탕 등에서 효소(酵素)를 작용시켜서 만들 수 있음. 감미료(甘味料)로서 쓰임. 소당(少糖). 소당류(少糖類).

올리고당 음료 【一糖飮料】 [-뇨] [oligo] 명 올리고당을 감미료(甘味料)로 사용한 음료.

올리고디나미 [oligodynamie] 명 『생』 미량(微量)의 금속 이온에 의하여 생물의 발육이 장애를 받거나 죽는 현상. 1893년에 스위스의 네겔리(Naegeli, O.)가, 구리로 만든 용기(容器)에서는 수면(水棉)이 발육하지 못하는 것을 보고 붙인 이름.

올리고머 [oligomer] 명 『화』 중합체(重合體)인 합성 수지. 합성 섬유의 중간 물질. 레이온의 원료 비스코스를 이에 연결하여 품질 개량이 시

도되었고, 특수지(特殊紙) 가공용·복사용 전자 사진의 감광층(感光層)용 수지(樹脂)·현상(現像) 접착제 따위로 이용됨.

올리고-세【一世】명〔Oligocene epoch〕〖지〗신생대(新生代) 제 3 기를 다섯으로 구분한 때의 셋째번 지질 시대. 약 3,800 만 년 전부터 2,400 만 년 전까지의 시대. 이 시대에는 화폐석(貨幣石)이 쇠퇴하고 포유류가 많았음. 구칭 : 점신세(漸新世). *에오세(世).

올리다[1] ㊀ 타 ①오르게 하다. ¶손을 ~. ↔내리다. ②칠·단청(丹靑)·도금(鍍金) 따위를 위에 입히다. ¶벽에 칠을 ~. ③웃사람에게 바치다. ¶잔을 ~/글을 ~. ↔내리다. ④병이나 병균을 옮기다. ¶옴을 ~. ⑤문서나 신문·입길 따위에 드러내다. ¶명단에 이름을 ~/입에 ~. ⑥재산·밑천 따위를 없애다. ¶한 밑천 잡으려다가 재산을 몽땅 올려 버렸다. ⑦거행하다. ¶혼례식을 ~. ⑧(기와 따위를) 이다. ¶청기와를 ~. ⑨따귀·매 따위를 때리다. ¶귀싸대기를 한 대 ~. ⑩〈궁〉 먹다. ㊁ 조동 동사의 어미 '-어'나 '-아' 뒤에 붙어, 남에게 무엇을 해 줌을 비하(卑下)하여 이르는 말. ¶전해 ~/읽어 ~.

올리다[2] 타 〈방〉 게우다(경북).

올리-닫다 자ㄷ불 위로 향하여 달리다. 치닫다.

올리-떠리다 타 〈방〉 치뜨리다(함경).

올리버 트위스트〔Oliver Twist〕명〖책〗영국의 작가 디킨스의 장편 소설. 1837-1838 년에 썼음. 고아원에서 학대를 받고 자란 올리버가 고아원을 탈출하여 갖은 고난을 겪으나 착한 마음을 잃지 않고 부친의 친구에게 구출된다는 소년 모험 소설인데, 당시 런던에 횡행하던 악(惡)의 세계를 생생하게 묘사하였음.

〈올리버 필터〉

올리버 필터〔Oliver filter〕명〖기〗진공 원통 여과기의 한 가지. 화학 공업에 널리 사용됨. 가는 금속으로 된 그물 또는 여포로 싸여 있는, 안이 빈 원통의 하반분(下半分)을 원액의 탱크 안에 넣어 회전시켜 여과하게 되었음.

올리베트〔olivette〕명 무대 양쪽 소매에 설치된 가동 스탠드(可動stand)가 달린 투광 조명(投光照明). 무대 입구(舞臺入口)와 연기(演技)하는 장소를 아주 가까운 거리에서 조명하기 위하여 쓰임. 전구의 와트수(watt 數)는 500-1500 W임.

올리브〔olive〕명〖식〗〔*Olea europaea*〕물푸레나뭇과에 속하는 상록 교목. 높이 6-10 m, 잎은 피침형 또는 긴 타원형에 상면은 담녹색이고 광택이 나며 하면은 인모(鱗毛)가 있음. 황백색 사판화(四瓣花)가 피는데 향기가 남. 과실은 거꿀달걀꼴이고 갈색에 암녹색을 띠며, 40-60 %의 지방질을 함유하고 세 개의 씨가 있음. 소아시아 지방의 원산(原產)으로 지중해 연안·이탈리아·스페인·그리스·프랑스·아메리카 등에서 재배함. 심은 지 8년 후에 열매가 열리고 수명은 100년 가량 됨. 열매로는 올리브유(olive 油)를 짬. 감람나무. 취음 : 아열포(阿列布).

〈올리브〉

올리브-색【一色】〔olive〕명 올리브의 과실처럼 황색을 띤 녹색 또는 암녹색을 말하기도 함. 감람색.

올리브-유【一油】명〔olive oil〕올리브의 열매로부터 채취한 녹색을 띤 황색의 불건성유(不乾性油). 지방질(脂肪質)이 많아, 식용·약용 또는 머리 기름·윤활유·고급 비누의 원료로 쓰임. *감람유.

올리브 혼:합유【一混合油】〔一뉴〕명〔olive infused oil〕합성 올리브유(油). 잘 익은 올리브의 열매를 짓이겨, 옥수수 기름을 섞어 만듦.

올리비에〔Olivier, Laurence〕명〖사람〗영국의 영화 감독·배우. 1922 년부터 무대에 서, 미국 영화 ≪폭풍의 언덕≫ 등에도 출연하였으며, 그가 감독·주연을 한 ≪헨리 5세≫·≪햄릿≫(1948) 등 셰익스피어 작품에도 새로운 스타일을 보임. 경(卿)의 작위를 받음. [1907-89]

올: 리스크스〔all risks〕명〖경〗무역품이 수출자의 점유(占有)에서 떠나 수입자의 점유로 옮겨갈 때까지의 모든 위험을 담보하는 보험 조건.

올:린〔Ohlin, Bertil〕명〖사람〗스웨덴의 경제학자. 지난 수십 년간 경제의 사회주의화를 방지하는 것을 생(生)의 목표로 삼아온 자유주의 경제 이론가. 고전적인 저서 ≪지역간의 국제 무역≫을 통해 현대적 국제 무역 이론의 토대를 마련한 공으로, 미드(Meade, J. E.)와 함께 1977 년 노벨 경제학상을 수상함. [1899-1979]

올림 명〖수〗어림수를 만드는 방법의 하나. 구하고자 하는 자리 미만의 끝수를 버리고 구하고자 하는 자리에 1을 더하는 일. 절상(切上).

올림-대〔一때〕명 ①〈속〉 시상판(屍床板). ②〈심마니〉 숟가락.
올림대(를) 놓다 구 〈속〉 죽다.

올림-조【一調】〔一쪼〕명〖악〗올림표로만 나타낸 조. ↔내림조.

올림-채 명〖악〗('올림채'는 처올리는 장단이라는 뜻. '쳐올린다'는 신을 눌러 좌정시킨다는 말) ①경기도 한강(漢江) 이남 지역의 무악(巫樂)에 쓰이는 장단의 한 가지. 8 분의 10 박자임. ②경기도 무악 장단의 한 가지. 도살풀이를 끝낸 다음 징과 장구만으로 치던 8 박자의 장단.

올림채-모리 명〖악〗경기도 한강(漢江) 이남 지역의 무악(巫樂)에서 사용되는 장단의 한 가지. 8 분의 6 박자임.

올림채 장단【一長短】명〖악〗올림채.

올림포스〔Olympos〕명〖지〗마케도니아(Macedonia)와 테살리아(Thessalia)의 경계에 가까운 그리스 최고(最高)의 산. 고대에는 그리스 신화의 신들의 거처(居處)라고 생각되었음. [2,918 m]

올림포스 십이신【一十二神】〔Olympos〕명〖신〗고대 그리스의 주된 열 두 신(神)들. 일이 생기면 주신(主神) 제우스(Zeus)에 의하여 모두 올림포스 산 꼭대기에 소집됨. 제우스를 중심(中心)으로 오른쪽에 비(妃) 헤라(Hera)와, 아레스(Ares)·아프로디테(Aphrodite)·헤파이스토스(Hephaistos)·헤르메스(Hermes)·데메테르(Demeter), 왼쪽에 포세이돈(Poseidon)·아테나(Athena)·아폴론(Apollon)·아르테미스(Artemis)·디오니소스(Dionysos)가 늘어섬.

〈올림표〉

올림-표【一標】명〖악〗음조(音調)의 반음(半音)을 높이는 기호. 악보에 '♯'로 표시함. 영기호(嬰記號). 영음(嬰音) 기호. 샤프.

올림피아〔Olympia〕명〖지〗그리스 고대의 신역(神域)으로 펠로폰네소스 반도(Peloponnesos 半島) 북서부에 있는 원야(原野). 페이디아스(Pheidias)의 제우스상(Zeus 像)이 유명함. 그리스 전민족의 경기 개최지이며 또한 올림픽 경기(Olympic 競技)의 발상지이기도 함.

올림피아드〔Olympiad〕명 ①〖역〗올림피아제와 다음 올림피아제 사이의 4 년간. 기원전 776년 이래, 고대 그리스인은 이것을 기준으로 연대(年代)를 계산하였음. ②올림픽 경기❶.

올림피아-제【一祭】〔Olympia〕명 올림피아에서 4 년마다 초여름 5일간에 걸쳐 행하여졌던 제우스 신(Zeus 神)의 대제. 여흥으로서 여러 가지 경기를 개최하였음. 394년 테오도시우스 대제(Theodosius 大帝)에 의하여 폐지되었다가 1896년에 다시 부활하였음.

올림픽〔Olympic〕명 ↗올림픽 경기·올림픽 대회.

올림픽 경:기【一競技】명〔Olympic Games〕①고대 그리스인이 올림피아제(祭) 때에 개최한 운동·시·음악 등의 경기. 기원전 776년에 시작하여 4 년마다 행하였음. 올림피아드. ②↗국제 올림픽 경기 대회. ③국제 올림픽 경기를 모방하여 행하는 경기. 준올림픽.

올림픽 고속 도:로【一高速道路】〔Olympic〕명〖지〗↗팔십팔 올림픽 고속 도로.

올림픽 국립 공원【一國立公園】〔一닙一〕〔Olympic〕명〖지〗미국 워싱턴 주 올림픽 반도에 있는 산악·해안 국립 공원. 해발 2,424 m의 올림퍼스 산(Olympus 山)을 비롯한 고봉(高峰)에는 빙하(氷河)와 고산 식물이, 아래 쪽 숲에는 야생 동물이 많음. 태평양 해안에는 아름다운 암석 해안이 계속됨. [3,600 km²]

올림픽-기【一旗】〔Olympic〕명 오륜기(五輪旗).

올림픽 대:교【一大橋】〔Olympic〕명〖지〗서울의 성동구(城東區) 구의동(九宜洞)과 송파구(松坡區) 풍납동(風納洞)을 잇는 한강 다리. 길이 1,470 m, 너비 30 m. 88 올림픽을 기념하기 위해 1985 년 11 월에 착공하여 89 년 11 월에 완공된 것으로, 한국 최초의 사장교(斜張橋)임.

올림픽 대:로【一大路】〔Olympic〕명〖지〗서울 강동구(江東區) 암사동(岩寺洞)에서 강서구(江西區)의 행주 대교(幸州大橋) 남단에 이르는, 한강 남쪽 강변의 도시 고속화 도로. 김포 국제 공항과 올림픽경기장이던 잠실의 종합 경기장 등지를 연결함. 총연장 36 km, 노폭 17.4-29 m. 1986 년 5 월 개통.

올림픽 대:회【一大會】명〔Olympic Games〕↗국제 올림픽 경기 대회. 준올림픽.

올림픽 대:회 조직 위원회【一大會組織委員會】명〔프 Le Comité Organisateur des Jeux, 영 The Organizing Committee for the Games; 약칭 OC〕국제 올림픽 위원회가 올림픽 대회의 개최 도시(開催都市)를 정하고, 그 도시가 있는 나라의 국내 올림픽 위원회에 대회 운영을 위임(委任)하였을 때, 그 재위임(再委任)을 받아 올림픽 대회 운영을 관장(管掌)하기 위하여 조직하는 위원회. 국제 올림픽 위원회의 지시와 승인에 따라 각국의 국내 올림픽 위원회에 초청장(招請狀)을 발송하는 등 모든 필요한 조처를 취하고, 기술면(技術面)에 관해서는 국제 경기 연맹(國際競技聯盟)과 협의하여 정함. 올림픽 대회 기간의 종료(終了)와 함께 소멸(消滅)됨.

올림픽 동계 경:기【一冬季競技】〔Olympic〕명 국제 올림픽 경기 대회가 열리는 해의 이른 봄에 열리는 빙상 경기. 1921년에 대회 종목으로 결정하여 제1회는 1924 년 프랑스 샤모니에서 개최된 후 4 년마다 열림. 종목은 스키·스케이트·아이스 하키·봅슬레이·바이애슬론·루지(luge) 등. 동계 올림픽 경기.

올림픽 레코그니션〔Olympic Recognition〕명 올림픽상(賞)의 하나. 1973년부터 해마다 올림픽에 공헌(貢獻)한 개인에게 수여됨.

올림픽-상【一賞】명〔Olympic Awards〕국제 올림픽 위원회가 수여하는 영예의 상. 1973년 IOC 총회에서, 올림픽 컵과 올림픽 리코그니션의 둘로 정해짐.

올림픽 선:수촌【一選手村】〔Olympic〕명 올림픽 대회에 참가하는 각국 선수와 임원(任員)들을 위해서 설비된 집합 숙사(宿舍)의 총칭.

올림픽 성:화【一聖火】명〔sacred Olympic fire〕올림픽 대회 개회식서부터 폐회식까지 주경기장(主競技場)의 성화대(聖火臺)에 켜 놓는 성화. 고대 올림피아 제전(祭典)의 개최지인 그리스 올림피아의 제우스(Zeus) 제단(祭壇) 유적(遺跡)에서 그리스의 여배우들에 의해 태양광선으로 점화(點火)한 불을 릴레이식(式)으로 대회장까지 운반함. 1928년 암스테르담 대회 때에 비롯되고, 성화의 토치 릴레이(torch relay)는 1936년의 베를린 대회 때부터 시작됨. 오륜(五輪) 성화.

올림픽 위원회【一委員會】〔Olympic〕명 ↗국제 올림픽 위원회.

올림픽의 노래〔一/一에一〕명〔Olympic Hymn〕올림픽 대회 개회식에 연주되는 노래. 제1회 아테네 올림픽 대회 때, 사마라스(Samaras, Spyridon)가 작곡하고, 팔라마스(Palamas, Costis)가 시(詩)를 붙인 것을 1958 년 IOC 총회에서 정식으로 공인(公認)하였음.

올림픽 정신【一精神】〔Olympic〕명 국제 올림픽 위원회 헌장(憲章) 중의, 근본 원칙에 명시된 목적과 이상. 요약하면 아마추어 스포츠의 기조(基調)가 되는 훌륭한 육체와 정신을 연마하며 경기 대회를 통하여 세계 여러 나라 국민간의 우호와 평화를 추진하고, 어떠한 국가·개인

에 대하여서도 인종·종교·정치에 의한 차별을 아니하며, 올림픽 경기는 아마추어에 의한 개인의 경기로서 국가나 민족의 경쟁이 아니라는 정신.

올림픽 조직 위원회【一組織委員會】〔Olympic〕 명 올림픽 대회 개최 도시로 선정된 나라의 국내 올림픽 위원회가 국제 올림픽 위원회에서 개최권을 위임받아 그 준비를 하기 위하여 개최 도시와 협력하여 조직하는 위원회. 오 오 시(OOC).

올림픽 종목【一種目】〔Olympic〕 명 국제 올림픽 경기 대회에 있어서의 경기 종목. 육상·수상·체조·역도·권투·레슬링·유도·펜싱·사격·양궁·마술·보트 경기·근대 오종 경기·자전거·요트·축구·배드민턴·테니스·수구·하키·핸드볼·농구 등 가운데서 15종목 이상의 경기를 행하도록 규정하고 있음.

올림픽 주간【一週間】 명 〔Olympic Week〕 근대 올림픽이 발족한 1894년 6월 23일을 기념하여, 6월 23일을 중심으로 각국의 국내 올림픽 위원회가 올림픽 운동을 보급하기 위해 1주일 동안 경기 대회나 올림픽 관계 전시회를 여는 행사.

올림픽 컵 〔Olympic Cup〕 명 올림픽상(賞)의 하나. 1905년 국제 올림픽 위원회의 결정에 따라, 1906년 쿠베르탱이 만들어, 해마다 스포츠에 대하여 특히 공헌한 개인·단체에 수여해 왔는데, 1951년부터 스포츠에 대하여 공헌한 학회(學會) 또는 협회(協會)에 줌.

올림픽 표어【一標語】〔Olympic〕 명 〔프 La Devise, 영 Olympic Motto〕 1926년 IOC가 채택한 표어. 라틴어 'Cicius, Altius, Fortius (보다 빠르게, 보다 높게, 보다 세게)'로, 원래 1895년경 프랑스의 디동 신부(神父)가 부르고뉴 지방의 한 고등 학교 럭비 선수들에게 당부한 말임.

올림픽 헌:장【一憲章】 명 〔Olympic Charter〕 1925년의 IOC 총회에서 결정된 올림픽 위원회와 올림픽 대회에 관한 규약. 1948년 '올림픽 규약(規約)과 규칙(規則)(Olympic Rules and Regulations)'으로 개정된 후 1978년 다시 본래의 명칭으로 됨.

올림픽 회:의【一會議】〔一/一이〕 명 〔Olympic Congress〕 올림픽에 관하여 국제 올림픽 위원회(IOC)와 각국의 국내 올림픽 위원회(NOC) 및 국제 경기 연맹의 대표자가 모여 개최하는 회의. 1894년 파리에서 IOC와 올림픽 대회 창설을 위한 회의를 연 것에서 비롯하여 수시로 열림.

올림-활 명 『악』 운궁법(運弓法)의 하나. 현악기의 활을 활 끝으로부터 왼 쪽으로 밀어 켜는 일. 일반적으로 여린박(拍)에 쓰임. 구용어 : 상궁(上弓). ↔내림활.

올립【兀立】 명 우뚝 솟음. ——-하다 자여불

올:마이티 〔almighty〕 명 ①(A-) 전능(全能)한 신(神). ②카드놀이에서, 가장 강한 패.

올막-졸막 부 작은 덩어리가 여럿 고르지 않게 벌이어 있는 모양. ¶초가집들이 ~ 들어서다. <울먹줄먹. ——-하다 형여불

올-망【一網】 명 깊은 바다에서 고기를 잡을 때에 쓰는 기다랗게 생긴 그물.

올망개 명 『식』 〈방〉 올방개.

올망-대【一網一】〔一때〕 명 바다에서 올망을 칠 때에 쓰는 긴 장대.

올망이-졸망이 명 올망졸망한 물건.

올망-졸망 부 귀엽게 생긴 작고 또렷한 여러 덩어리가 고르지 않게 벌여 있는 모양. ¶아이들이 ~ 모여 있다 / ~한 어린애들은 무심히 땅뺏기놀이만 하고 있었고…≪崔仁浩 : 죽은 사람≫. <울멍줄멍. ——-하다 형여불

올매 명 〈방〉 열마(경남).

올메 명 『식』 〈방〉 올방개.

올-모 명 제철에 앞서 일찍 내는 모. ¶~ 심기. *올벼.

올목-졸목 부 크고 작은 덩어리가 여러 개 고르지 않고 빽빽하게 벌이어 있는 모양. <울묵줄묵. ——-하다 형여불

올몸 자 〈옛〉 옮음. '옮다'의 명사형. ¶眞이 妄올 조차 올모미오(眞隨妄轉)≪圓覺 上 二之三 15≫.

올몽-졸몽 부 귀엽게 생긴 크고 작은 또렷한 여러 개의 덩어리들이 배게 벌여 있는 모양. ¶~한 무덤이 여기저기 옹기옹기 흐트러져 있는 틈을 휘돌아서 서기는 산길 끝까지 다 올라가서…≪廉想涉 : 新婚記≫. <울뭉줄뭉. ——-하다 형여불

올무[1] 명 〔근대 : 올모〕 새나 짐승을 잡는 올가미. 땅바닥에 놓아서 발을 옭거나, 길목의 공중에 놓아서 목을 옭아 잡음. ¶~꾼.

올:-무[2] 명 일찍 자란 무.

올무가지 명 〈방〉 올가미(충북).

올무-꾼 명 올무를 놓아서 짐승을 잡는 사람.

올뮈츠 〔Olmütz〕 명 『지』 올로모우츠(Olomouc)의 독일 이름.

올뮈츠 협약【一協約】〔Olmütz〕 명 『역』 3월 혁명 후 독일내의 주도권을 다툰 프로이센과 오스트리아가 1850년 올뮈츠, 곧 현재의 올로모츠에서 체결한 협약. 프로이센은 오스트리아의 요구에 굴하여 소(小)독일주의적인 독일 연맹 계획을 포기하였는데 그 때문에 '올뮈츠의 굴욕'이라 불리었음.

올미[1] 명 『식』 ①〔*Sagittaria pygmaea*〕 택사과에 속하는 다년초. 수염뿌리가 족생(簇生)하고, 가늘고 긴 가지가 땅 속으로 벋어 끝에 정아(頂芽)가 있는 괴경(塊莖)이 달렸음. 꽃 줄기는 높이 10-30 cm 내외이고, 잎은 뿌리에서 총생(叢生)하며, 선형(線形) 혹은 선상 피침형임. 6월에 백색 단성화(單性花)가 윤생(輪生)하여 총상 원추(總狀圓錐) 화서로 피고, 과실은 평구상(平球狀)으로 집합(集合)함. 논이나 연못에 나는데, 한국 각지 및 일본 등지에 분포함. ②〈방〉 올방개.

〈올미¹〉

올미[2] 명 〈방〉 올가미(충북·전북).

올ᄋᆞ삼 명 〈옛〉 옮으심. ¶岐山 올ᄋᆞ샴도(岐山之遷), 德源 올ᄋᆞ샴도 하ᄂᆞᆳ ᄠᅳ디시니(德源之徙實是天啓)≪龍歌 4章≫.

올:-바로 부 곧고 바르게. 곧고 바른 대로. ¶마음을 ~ 가져라.

올-바르다 형르불 옳고 바르다. ¶올바른 태도.

올바시 명 〈방〉 오라버니(경상).

올발라【嗢鉢羅】 명 〔범 utpala〕『불교』 팔한(八寒) 지옥의 하나. 찬 기운이 몹시 심하여 몸빛이 청색으로 변한다는 지옥.

올:-밤 명 철 이르게 익는 밤. ↔늦밤.

올방 명 『광』 〈방〉 물방❷.

올방개 명 『식』〔*Eleocharis kuroguwai*〕 방동사닛과에 속하는 다년초. 뿌리는 수염 뿌리가 총생(叢生)하고 말단에 직경 8-18 mm의 괴경(塊莖)이 있으며 밤색이고, 백색 육질(肉質)임. 줄기는 원주형이고 총생하며, 높이는 70 cm 가량에 잎은 없음. 7-8월에 화수(花穗)는 줄기 끝에 단립(單立)하며 선상 원주형으로 길이 1-3 cm이고, 과실은 수과(瘦果)임. 연못 등에 나는데, 전북·경남·경북·강원·경기 및 일본 등지에 분포함. 괴경은 한방에서 '오우(烏芋)'라 하여 약용하고 식용으로도 함. 지율(地栗).

〈올방개〉

올방개-아재비 명 『식』〔*Eleocharis pileata*〕 방동사닛과에 속하는 다년초. 줄기는 원주형이고, 높이 90 cm 가량이며 잎은 없음. 6-8월에 황갈색 화수(花穗)가 줄기 끝에 단립(單立)하여 난상 원주형으로 피고, 과실은 수과(瘦果)임. 못에 나는데, 전남·경남·강원·평북·함북 등지에 분포함. 성냥골.

올배 명 〈방〉 오라버니(경상).

올:-백 〔all+back〕 명 〔straight hair〕 머리의 가리마를 타지 않고 모두 뒤로 빗어 넘겨 붙이는 머리 모양의 한 가지.

올뱅이 명 〈방〉 달팽이(함남).

올:버니 〔Albany〕 명 『지』 미국 동부 뉴욕 주의 주도. 뉴욕의 북방 230 km 지점에 있는데 강 위로 솟은 구릉(丘陵)으로 연락되는 아름다운 도시이며, 식민지 시대의 옛 건물이 남아 있음. 교육 기관이 정비되어 있고, 인디언의 유물을 수집한 박물관도 있음. 교통의 요지로 여러 가지 공업이 성함. 〔101,082 명(1990)〕

올버:스 〔Olbers, Wilhelm〕 명 『사람』 독일의 의사·천체 관측가. 1779년 혜성 궤도의 신계산법을 고안했고 1802년 이래 몇 개의 혜성을 발견함. 1826년 '무한한 수의 별이 한결같이 분포한다면 밤 하늘은 한결같이 고르게 밝지 않으면 안 된다'는 올버스의 역설(逆說)을 주장하였음. 〔1758-1840〕

올:-벚나무 명 『식』〔*Prunus itosakura* var. *ascendens*〕 장미과에 속하는 낙엽 활엽 교목. 키는 15 m 내외이고 가지는 직립(直立)하며, 잎은 긴 타원형 또는 넓은 도피침형(倒披針形)이고, 끝은 극히 뾰족하고 날카로운 거치(鋸齒)가 있음. 꽃은 산형상(繖形狀)으로 여러 개 모여서 나며, 꽃자루에 약간의 털이 있고, 악통(萼筒)은 다소 팽대(膨大)하며 엷은 분홍색임. 3월에 잎에 앞서서 꽃이 피고, 과실은 핵과로서 구형이며 여름에 검게 익음. 산기슭 골짜기에 나는데, 황해도 장산곶에 야생하며, 일본에도 분포함. 관상용이며 과실은 식용함.

올:-베 명 〈방〉 올벼.

올벵이 명 〈방〉 고동(강원·충북).

올:-벼 명 철 이르게 익는 벼. 조도(早稻). 조양(早穰). 조종(早種). ↔늦벼.

올:벼 신미【一新味】 명 올벼의 쌀을 그 해에 처음 맛봄. 특히, 영남·호남에서, 칠팔월 중에 날을 가려 그 해의 햇벼를 가마솥에 말려 떡과 밥을 만들어 안방에 차려 놓고 조상에 제사드리는 천신(薦新). ——-하다 자여불

올:보르그 〔Aalborg〕 명 『지』 덴마크의 유틀란드(Jutland) 반도 북부에 있는 항구 도시. 영국·스칸디나비아의 여러 나라와 무역이 성하며 어업의 중심지임. 시멘트·담배·화학 약품 등의 근대 공업 외에 직물·조선업이 행하여짐. 표르드(fiord) 위에 300 m의 철교가 놓여 있음. 〔113,000 명(1986)〕

올:-보리 명 올되는 보리 품종(品種). ↔늦보리.

올브리히 〔Olbrich, Josef Maria〕 명 『사람』 오스트리아의 건축가·공업 디자이너. 빈 미술 학교 졸업 후 스승인 바그너(Wagner)에 협력함. 제체시온(Sezession)의 창립에 참가하여 주택 건축(住宅建築), 공예 디자인에 있어서 한 시대를 열었음. 1899년 헤센 대공(Hessen大公)의 초청을 받아 다름슈타트(Darmstadt)에 예술가촌을 계획, 주택·아틀리에 등을 설계(設計)함. 대표작은 ≪다름슈타트의 성혼(成婚) 기념탑≫. 〔1867-1908〕

올:비 〔Albee, Edward〕 명 『사람』 미국의 극작가. 현대인의 소외감(疎外感)을 그린 ≪동물원 이야기≫(1958) 이후 ≪모래밭≫·≪아메리카의 꿈≫ 등의 단막물과, 삼막물 ≪누가 버지니아 울프를 두려워하랴≫(1962) 등 통렬하고 상징적인 작품으로 알려짐. 〔1928- 〕

올빠미 명 〈방〉 올빼미.

올빰 명 〈방〉 올빼미(제주).

올빼미 명 『조』〔*Strix aluco ma*〕 올빼밋과에 속하는 새. 부엉이와 비슷한데 두정(頭頂)에 이개상(耳介狀)의 모각(毛角)이 없고 날개 길이 30-35 cm, 꽁지 22-26 cm임. 얼굴이 둥글고 눈가에 있는 털은 방사상(放射狀)으로 났음. 배는 희고 다리에는 우모(羽毛)가 밀생하며 등과 배에는 회백색(灰白色) 바탕에 갈색의 세로 반점이 있으며 아래쪽이 더욱 현저함. 3-5월에 수리·매 등의 둥지에 2-4 개의 알을 낳음. 낮에는 숲 속에서 쉬고 밤에 활동하여 들의 새·쥐·토끼·곤충 등을 포식함. 한국·일본 및 아시아 동북부·유럽 등지에 분포함. 계효(鷄鴞). 산효(山鴞). 야묘(夜猫). 치효(鴟鴞). 토효(土梟). 효치(梟鴟). 훈호(訓狐).

〈올빼미〉

올빼미 눈 같다 관 낮에 잘 보지 못함을 이르는 말.
올빼미 과외【一課外】명 남들이 다 자는 자정부터 새벽 4시까지 가르치는 과외.
올빼미-원숭이 명〖동〗[*Aotus trivirgatus*] 영장류 원숭잇과에 속하는 동물. 진원류(眞猿類) 중, 유일한 야행성(夜行性)으로 눈이 크고 모양과 색채도 올빼미와 비슷함. 털이 양모(羊毛)처럼 부드럽고 동작이 유연하고 빨라 나무를 썩 잘 탐. 낮에는 일정한 나무 구멍에서 온 가족이 낮잠을 자고 밤이면 큰 목주머니를 흔들어 소리를 내며 활동함. 분포가 대단히 넓고 지역에 따라 형태의 차이가 있어 10여 아종(亞種)으로 나뉨.
올빼밋-과【一科】명〖조〗[Strigidae] 올빼미목(目)에 속하는 조류(鳥類)의 한 과. 머리는 크고 목은 짧은데, 눈이 크며, 부리는 짧으나 강하고 끝이 굽어 있음. 둥지는 나무나 암석의 빈 틈을 이용하고 백색의 알을 서너 개 낳음. 전세계에 분포하는데, 한국에는 흰올빼미·수리부엉이·소쩍새·솔부엉이·올빼미 등 8속 13종이 있음.
올:-뽕 명〖식〗다른 것보다 잎이 이르게 피어 자라는 뽕나무.
올:-새 명 피륙의 올의 새. ¶ ~가 곱다.
올:-서리 명 예년에 비하여 이르게 오는 서리. ↔늦서리.
올:스타: 게임 [all-star game] 명 프로 야구 등에서, 팬 투표 등으로 뽑힌 우수 선수들이 팀을 편성하여 싸우는 경기.
올:스타:-전【一戰】[all-star] 명 올스타 게임.
올:스타: 캐스트 [all-star cast] 명〖연〗인기 배우의 총출연.
올:스타: 팀: [all-star team] 명 선발 팀❷.
올: 스틸: 카: [all steel car] 명 전(全)강철제의 전차나 열차.
올:-스파이스 [allspice] 명 ①〖식〗[*Pimenta officinallis*]도금양과(桃金孃科)에 속하는 상록 교목의 하나. 높이는 6-9m, 잎은 월계수의 잎과 비슷하며 여름에 잔 가지 끝에 작고 흰 꽃이 많이 핌. 열매는 지름이 약 1cm로 작은 종자가 1-2개 들어 있는데, 이 열매는 '올스파이스'라 하여 향신료로 쓰임. 서인도 제도 원산으로 자메이카에 많이 야생(野生)하며 멕시코·과테말라에도 분포함. ② ❶의 열매를 덜 익었을 때 채취하여 햇볕에 말려 만든 향신료. 굴 스튜·토마토 수프·스파게티 소스·케이크류(類) 등 여러 가지 식품에 널리 쓰임. 정향(丁香)·육두구(肉豆蔻)·육계(肉桂)를 합친 향미가 있어 붙여진 이름임.
-올습니다 [一씁一] 어미 ☞ -올시다.
올승【兀僧】[一씅] 명 대머리 중.
-올시다 [一씨一] 어미 '합쇼' 할 자리에서, '이다'·'아니다'의 어간에 붙어, '-ㅂ니다'의 뜻으로 쓰이는 종결 어미. ¶ 제것이 아니~ / 그 사람의 집이~.
올:-실 명 ① ☞ 외올실. ②섬유(纖維).
올:실-소【一素】명 피브린(fibrin).
올:실 식물【一植物】명〖식〗섬유 식물(纖維植物).
올:실 조직【一組織】명〖식〗섬유 조직(纖維組織).
올쏙-볼쏙 부 조그마한 모가 여기저기 불규칙(不規則)하게 솟은 모양. <울쑥불쑥. ――-하다 형여불
올씬-갈씬 부〈방〉옥신각신. ――-하다 자
올아 자〈옛〉올라. '오ᄅᆞ다'의 활용형. ¶ 神靈이 香내 맡고 올아가ᄂᆞ니라《月釋 Ⅰ:14》.
올앳다 타〈옛〉올라 있다. 올랐다. ¶ 돌히 어즈러운 ᄃᆡ헤 구룸 氣運이 올앳고(石亂上雲氣)《杜諺 Ⅵ:48》. *오ᄅᆞ다.
올-에미 명〈방〉올케(평안).
올에홈 타〈옛〉온전하게 함. 완전하게 함. ¶ 몸 올에호ᄆᆞ란 ᄆᆞᆯ바ᄅᆞᆯ 비호노라(全身學馬蹄)《初杜諺 ⅩⅤ:17》. *오올다.
올:여 명〈방〉올벼.
올연【兀然】명 홀로 우뚝한 모양. ¶ ~히 솟은 영봉(靈峰)/한 떨기 백합인 양 ~히 서 있던 석란은 광채가 날 만큼 청초하고 고상하였다《朴花城 : 벼랑에 피는 꽃》. ――-하다 형여불. ――-히 부
올연 독좌【兀然獨坐】명 혼자 단정히 앉음. ――-하다 자여불
올엽-쌀 명〈방〉오례쌀.
올:-예 명〈방〉올벼.
올오다 타〈옛〉온전히 하다. ¶ 사ᄅᆞ미…ᄆᆞᅀᆞᄆᆞᆯ 올오과뎌 ᄒᆞᄂᆞᆫ 마리라(欲人…專心之言也)《內訓 Ⅱ:12》.
올: 오어 너싱 [all or nothing] 명 전부거나 아니면 무(無)일 뿐이지 중간치는 없음.
올올[1] 부 ↗오르르오르르. ¶ ~ 떨다.
올올[2]【兀兀】부 꼼짝도 하지 않고 똑바로 앉아 있는 모양. 산이나 바위 등이 오뚝오뚝 선 모양. ――-하다 형여불. ――-히 부
올올 고봉【兀兀高峰】명 우뚝 높이 솟은 산봉우리.
올:올-이 부 오리마다. 가닥마다.
올우미【右味】〈이두〉오른쪽의 뜻.
올: 웨더 [all weather] 명 육상 경기에서, 경기 주로(走路)의 하나. 어떤 기상 조건에서도 평상시와 같은 조건으로 경기할 수 있음. 1969년 국제 육상 경기 연맹에서 이 명칭으로 통일함.
올: 웨이브 [all wave] 명〖물〗전파 수신기(全波受信機).
올: 웨이브 리시:버 [all wave receiver] 명 전파 수신기(全波受信機).
올: 웨이브 수신기【一受信機】[all wave] 명 전파 수신기(全波受信機).
올이다 타〈옛〉올리다. 드리다. ¶ 石壁에 ᄆᆞᄅᆞᆯ 올이샤(絶壁躍馬)《龍歌 48章》.
올자-산【兀剌山】명〖지〗우츠 산.
올:-작물【一作物】명 ①이르게 가꾸는 작물. ②다른 종류보다 이르게 익는 작물. 1)·2):↔늦작물.
올-적 [一쩍] 명〖언〗미래(未來)❷.
올적-끝남 [一쩍一] 명〖언〗미래 완료(未來完了).
올:-조 명〈방〉오조.
올지갈지-하다 [一찌一찌一] 자여불 올지갈지 망설이다. ¶ 부모 밑에서 그대로 지내기도 어렵지요. 어떻게 했으면 좋을는지 생각이 올지갈지해요《洪命憙 : 林巨正》.
올:-지다 형 ↗오달지다.
올:-차다[1] 형 야무지고 기운차다. ¶ 올차게 생기다/올찬 데가 없다.
올:-차다[2] 형 곡식의 알이 일찍 들다. ¶ 올찬 벼 이삭.
올창 명〈옛〉올챙이. =올창이. ¶ 올창爲蝌蚪《訓例 用字例》.
올창이 명〈옛〉올챙이. =올창. ¶ 올창이《(蠢今俗呼蝌蚪蟲)《四聲 上 1》/올창이 두(蚪), 올창이동(蠢)《字會 上 24》.
올채이 명〈방〉올챙이(경상).
올챙이[1] 명〖동〗개구리의 유생(幼生). 머리는 둥글며 꼬리는 가늘고 전체의 빛이 검으며, 물 속을 헤어 다니는데 차차 자라면 허파가 커지고 네 발이 생김에 따라 변태하여 꼬리가 없어져서 개구리가 됨. '활동(活蠢)'이라 하여 약에 씀. 현어(玄魚). 현침(懸針)❶. 과두(蝌蚪).
[올챙이 개구리 된 지 몇 해나 되나] 무슨 일에 조금 익숙하여진 사람이나 가난하게 지내다가 겨우 좀 펴인 사람이 지나치게 젠 체함을 핀잔주는 말. [올챙이 적 생각은 못하고 개구리 된 생각만 한다] 성공한 사람이 그 전의 미천(微賤)하던 때 일은 생각지 않고 오만한 행동을 한다는 뜻.
올챙이[2] 명〈방〉언청이(전남).
올챙이-고랭이 명〖식〗[*Scirpus juncoides*] 방동사닛과에 속하는 일년초. 줄기는 높이 50cm 가량이며 잎은 초상(鞘狀)을 이룸. 꽃은 6-8월에 두상(頭狀) 화서로 줄기 끝에 총생(叢生)하여 피고 수과(瘦果)를 맺음. 밭이나 들의 습지·무논 등에 나는데, 거의 한국 전역(全域)에 분포함. 올챙이골.
올챙이-골 명〖식〗올챙이고랭이.
올챙이-묵 명 옥수수 앙금으로 쑨 묵. 강원도 지방 향토 음식의 하나. 모양이 올챙이 같아서 붙여진 이름. 옥수수묵.
올챙이-배 명 몸집에 비하여 똥똥하게 내민 배.
올챙이-솔 명〖식〗[*Blyxa japonica*] 자라풀과에 속하는 일년초. 줄기는 높이 30cm 내외이고, 잎은 무병(無柄)의 선형(線形)으로 길이 5cm, 폭 2-3mm이며 자갈색을 띰. 7-8월에 백색 양성화(兩性花)가 액출(腋出)하며 무병(無柄)임. 무논이나 연못에 나는데, 제주·강원·경기 등지에 분포함.
올챙이-자리 명〖식〗[*Blyxa bicaudata*] 자라풀과에 속하는 일년초. 줄기가 없고 잎은 총생(叢生)하며, 무병(無柄)이고 피침상 선형(披針狀線形)을 이루며 길이 10-20cm, 폭은 5-7mm 내외임. 8-9월에 백색 양성화(兩性花)가 수면에 피며, 과실은 수과(瘦果)임. 연못·무논·얕은 물 속 등에 잠겨 나는데, 제주·경기·강원도에 분포함.
올챙이-하늘지기 명〖식〗[*Fimbristylis ferruginea*] 방동사닛과에 속하는 다년초. 하늘지기와 비슷한데, 꽃줄기의 높이 20-50cm이고 근경(根莖)은 길게 땅속으로 뻗으며, 선형(線形)의 잎은 총생(叢生)하고 녹색임. 8-9월에 잎 사이에서 나온 꽃줄기 끝에 다갈색 꽃이 산방(繖房) 화서로 피고 소수(小穗)는 긴 타원상 원주형을 이루고 3-8개 됨. 수과(瘦果)는 짙은 갈색으로 익음. 해변의 모래 땅에 나는데, 한국 남부·일본·중국 남부·대만·인도·말레이시아 등지에 분포함.

〈올챙이하늘지기〉

올칭이 명〈방〉올챙이(경남).
올칵 부 ①적은 분량을 갑자기 토할 때의 소리. 모양. ②분한 생각이 갑자기 치밀어 오르는 모양. 1)·2): ㅆ 올깍. <울컥. ――-하다 자타여불
올칵-거리다 자타 ①적은 분량을 연달아 세게 토하거나 토하려 하다. ②분한 생각이 자주 세차게 치밀어오르다. 1)·2): ㅆ 올깍거리다. <울컥거리다. 올칵-올칵 부. ――-하다 자타여불
올칵-대다 자타 올칵거리다.
올캐 명〈방〉올케(경상).
올캥이 명〈방〉올가미(경북).
올:컷 [Alcott, Louisa May] 명〖사람〗미국의 여류 작가. 교사·간호원 등을 하면서 문필 생활에 들어섬. 작품에는 민주주의적 자유 정신을 찬양한 가정 소설이 많고, 대표작으로《작은 아씨들》·《옛 기질의 소녀》등이 있음. [1832-88]
올케 명 오빠나 남동생의 아내.
올:코:트 프레싱 [all-court pressing] 명 농구에서, 코트 전체를 이용하여, 밀착 적극 수비를 펼치는 대인(對人) 방어. 체력(體力)의 소모가 심해서, 대개 경기 종반에 점수 차가 크게 벌어져 패색(敗色)이 짙은 경우에 쓰임.
올:콕 [Alcock, John William] 명〖사람〗영국의 항공가. 1919년 최초로 대서양(大西洋)의 무착륙 횡단 비행에 성공하였음. 후에 비행기 사고로 죽음. [1892-1919]
올:-콩 명 철 이르게 익는 콩. ↔늦콩.
올타 형〈옛〉옳다. ¶ 님금 말ᄊᆞ미 긔 아니 올ᄒᆞ시니(維王之言不其爲然)《龍歌 39章》/義士ᄅᆞᆯ 올타과 ᄒᆞ샤(深獎義士)《龍歌 106章》/부텨 니ᄅᆞ샤ᄃᆡ 올타 올타 네 말 ᄀᆞᄐᆞ니라《釋譜 Ⅸ:22》.
올: 토:키 [all talkie] 명〖언〗전발성 영화(全發聲映畫). ↔파트 토키.
올톡-볼톡 부 고르지 않고 험상궂게 여기저기 나오고 들어간 모양. <울툭불툭. ――-하다 형여불
올통-볼통 부 물체의 거죽이나 면이 고르지 않게 여기저기 나오고 들어간 모양. <울퉁불퉁. ――-하다 형여불

올:-파종【一播種】명 일반적인 파종 시기보다 이르게 하는 파종.

올:-팥 명 철 이르게 익는 팥. ↔늦팥.

올:퍼:퍼스 컷〔all purpose cut〕명 응용 범위가 넓은 머리 컷법. 유행이 심하므로 하나의 컷법으로 어떤 스타일도 만들 수 있게 고안된 것임. 어느 방향으로 머리를 빗어도 털끝이 가지런하여 다른 부분과 일치하는 것이 이 컷의 특징임. 다목적 컷.

올:포:트〔Allport〕명〖사람〗①〔Floyd Henry A.〕미국의 심리학자. 개인 심리학의 입장에서 사회 심리학을 다루고, 저서《사회 심리학》(1924)은 실증적 심리학의 체계를 쌓은 명저(名著)임. [1890-1948] ②〔Gordon Willard A.〕심리학자. ❶의 동생. 1942년 이래 하버드 대학 교수. 인격 심리학의 권위. 유언(流言)·편견(偏見) 등의 연구로도 알려짐. 주저(主著)《인격—심리학적 해석》, 기타《유언(流言)의 심리학》등. [1897-1967]

올:-풀이 명 규모가 작은 장사아치가 상품을 낱자나 낱개로 파는 일. *자풀이. ——하다 타 여불

올-해 명 이 해. 금년(今年). 본년(本年). 차년(此年). 차세(此歲). ¶~도 풍년이다. 준올.

올호라ᄒᆞ다 재타〈옛〉옳노라 하다. 옳다고 하다. ¶제 道理 올호라ᄒᆞ야 ᄂᆞᆷ 업시우는 사ᄅᆞ미라《月釋 Ⅱ:46》.

올흔 관〈방〉오른.

올히¹ 명〈옛〉오리. ¶그력 올히로 ᄒᆡ여 갓가온 이우즐 어즈러이디 아니호리라(不敎鵝鴨惱比鄰)《杜諺 XXI:3》/沐浴ᄒᆞᄂᆞᆫ 올히와 ᄂᆞᄂᆞᆫ 하야로비ᄂᆞᆫ 나조ᄒᆡ 悠悠ᄒᆞ도다(浴鳧飛鷺晩悠悠)《杜諺 Ⅸ:38》.

올히² 명〈방〉올해(제주).

올-히³〈옛〉올해가. '올'의 주격형. ¶진실로 올히 가난ᄒᆞ여라(其實今年艱難)《老乞 上 49》.

올히⁴ 부〈옛〉옳게. ¶正音은 正ᄒᆞᆫ 소리니 우리 나랏 마ᄅᆞᆯ 正히 반ᄃᆞ기 올히 쓰는 그릴씨 일후믈 正音이라 ᄒᆞᄂᆞ니라《釋譜 序 5》/邪曲ᄒᆞᆫ 마ᄅᆞᆯ 올히 드르시ᄂᆞ니《月釋 Ⅱ:74》.

올ᄒᆞᆫ〈옛〉㊀관 오른. ¶았ᄂᆞᆫ 올ᄒᆞᆫ 녀킷銘(座右銘)《內訓 Ⅰ:23》. ㊁형 옳은. ¶올ᄒᆞᆫ 일 ᄒᆞ기에ᄂᆞᆫ(於爲義)《飜小 Ⅹ:12》.

올ᄒᆞᆫ녁 명〈옛〉오른 편. ¶右ᄂᆞᆫ 올ᄒᆞᆫ녀기라《訓諺 12》/올ᄒᆞᆫ녀ᄀᆞ로 도ᄅᆞ샤 세번 감도ᄅᆞ시고(右繞三帀)《圓覺下 一之二》.

올ᄒᆞᆫ녑 명〈옛〉오른 옆구리. ¶올ᄒᆞᆫ 녀브로 드르시니《月釋 Ⅱ:22 之2止》.

올ᄒᆞᆫ손 명〈옛〉오른 손. ¶올ᄒᆞᆫ 소ᄂᆞ로 하ᄂᆞᆯ ᄀᆞᄅᆞ치시며《月釋 Ⅱ:38》.

올ᄒᆡ〈옛〉오리의. ¶몰애 우ᄒᆡᆺ 올ᄒᆡ 삿기ᄂᆞᆫ 어미ᄅᆞᆯ 바라셔 ᄌᆞ오ᄂᆞ다(沙上鳧雛傍母眠)《杜諺 Ⅹ:8》.

올힝다 형〈옛〉'올ᄒᆞ이다'의 약형(略形). 옳다. 옳으이. ¶帝 니ᄅᆞ샤ᄃᆡ 올힝다(帝曰然ᄒᆞ다)《內訓 Ⅱ 下 50》.

옭-걸다〔옥—〕타 옭아서 걸다.

옭노〔옥—〕명〈방〉올무.

옭다〔옥—〕타 ①칭칭 잡아 매다. ¶새끼로 짐을 ~. ②올가미를 씌우다. ¶개를 ~. ③꾀를 써서 남을 걸려들게 하다. ¶남을 옭아 넣다. *엮다².

옭-매다〔옥—〕타 잘 풀리지 않도록 고를 빼지 않고 마구 매다. 옭아 매다. ¶끈을 ~.

옭-매듭〔옥—〕명 잘 풀리지 않게 고를 내지 않고 마구 맨 매듭. ↔풀매듭.

옭-매이다〔옥—〕자 ①옭혀서 매이다. ¶오랏줄에 ~. ②옭매어지다. ¶옭매인 끈. ③어떠한 일에 옭혀서 몸을 빼지 못하다. ¶매일같이 일에 옭매이어 지내고 있네.

옭모〔옥—〕명〈방〉올무.

옭무〔옥—〕명〈방〉올무.

옭아-내다〔올가—〕타 ①올가미 등을 씌워서 끌어 내다. ②수단을 부려서 남의 것을 약빠르게 끄집어 내다. ¶남의 돈을 ~/무명 짜투리까지 옭아내어다가 장거리까지 나아가 술추렴까지 하는 놈도 생겨났습니다《金周榮: 客主》.

옭아-매다〔올가—〕타 ①올가미를 씌워서 잡아 매다. ¶미친 개를 ~. ②'옭다'의 강조어(強調語). ③없는 죄를 이리저리 조작(造作)하다. ¶무고한 사람을 살인죄로 ~.

옭아-지다〔올가—〕자 올가미에 걸리어 매어지다.

옭히다〔올키—〕자 ①올가미에 걸리어 꼭 매어지다. ¶사냥개가 덫에 ~. ②얽히어 풀리지 않게 되다. ¶끈이 ~. ③남의 수단에 애매하게 걸리다. ¶사기꾼에 옭혀들다. ④포박당하다.

옮겨 가다〔옴—〕재타 거라불 자리나 물건을 다른 곳으로 이동하여 가다. ¶짐을 ~/좋은 자리로 ~.

옮겨-묻기〔옴—〕명〖고고학〗한 곳의 무덤을 다른 곳으로 옮기는 일. 이장(移葬). 천장(遷葬). 개장(改葬).

옮겨-심기〔옴—끼〕명 이식(移植)❶. ——하다 타 여불

옮기다〔옴—〕타 ①사물의 자리를 바꾸어 정하다. 또, 자리를 바꾸어 놓다. ¶짐을 ~/세간을 ~. ②들은 말을 다른 데에 전하다. ¶말을 함부로 옮기지 말라. ③병을 전염시키다. ¶뇌염을 이리저리 옮기는 모기. ④주거·처소 따위를 바꾸어 가다. ¶셋집을 ~/하숙을 ~. ⑤글자·그림 따위를 본보기대로 쓰거나 그리다. ¶원문대로 ~. ⑥번역하다. ¶우리 말로 옮긴 글.

옮:다〔옴따〕자〔중세: 옮다〕①사물의 자리를 바꾸다. ②병·버릇·사상 등이 감염하다. ¶병이 옮았다. ③말이나 소문이 퍼져 가다. ¶말이란 옮아 갈수록 커지는 법이다. ④주소·거처 따위를 바꾸다.

옮ᄃᆞᆫ니다 자〈옛〉옮아 다니다. ¶하며 져근 衰殘을 사랏ᄂᆞᆫ 이레 飄零호미 옮ᄃᆞᆫ니ᄂᆞᆫ 다봇 ᄀᆞᆮ호라(多少殘生事 飄零似轉蓬)《杜諺 Ⅱ:28》/빅호 픎이 옮ᄃᆞᆫ녀(白虎風走轉)《救簡 Ⅰ:89》.

옮ᄃᆞᆫ니다 자〈옛〉옮아 다니다. ¶옮ᄃᆞᆫ녀 나조ᄒᆡ 도라가ᄂᆞᆫ 시르미로다(飄轉暮歸愁)《杜諺 Ⅸ:35》.

옮아-가다〔올마—〕자 거라불 ①다른 데로 자리를 바꾸어 정하다. ¶창가로 ~. ②소문이나 병 같은 것이 퍼지어 가다. ¶벌써 그 곳까지 병이 옮아갔다. ③주거·처소 따위를 이동하여 가다. ¶강남으로 ~.

옮아-오다〔올마—〕자 너라불 ①자리나 주소·처소 따위를 바꾸어 오다. ¶본사(本社)에서 옮아온 신임 부장. ②퍼지어 오다. ¶전염병이 ~.

옰〔올〕명 일을 잘못 한 갚음. ¶남에게 못된 짓한 ~으로 당하는 고통/밤낮 소설만 읽고 하라는 공부는 안 한 ~으로 대학 입시에 떨어지다.

옳거니〔올커—〕감 무슨 일을 문득 깨달았을 때, 또는 어떤 사실이 자기가 생각한 바와 같을 경우에 혼자말로 하는 말. ¶~, 바로 그거야.

옳다¹〔올타〕형〔중세: 올ᄒᆞ다〕사리에 맞다. 바르다. 틀리지 아니하다. ¶네 말이 ~/옳은 일이라면 발벗고 나선다.

옳다²〔올타〕감 무엇이 마음에 맞을 때 하는 소리. ¶~ 그 말이 맞구나.

옳다구나〔올타—〕감 '옳다²'의 힘줌말. ¶구경 가자는 말에 ~ 하고 따라 나섰다.

옳아〔올—〕감 '과연 옳구나'의 뜻으로 쓰는 말. ¶~, 그 뜻이었구나.

옳은-길〔올—〕명 바른 길. 정도(正道). ¶~로 인도하다.

옳은-말〔올—〕명 사리에 맞는 말. 정당한 말. ¶자네 말이 ~이다.

옳은-일〔올—닐〕명 바른 일. 정당한 일. ¶~을 위해서 싸우다.

옳은-쪽〔올—〕명 ☞오른쪽.

옳이〔올—〕부 옳게. 정당하게 ¶~ 여기다/~ 가르치다. ↔글리.

옳지〔올치〕감 무엇을 옳게 여길 때 내는 소리. 오. ¶~ 그렇게 하면 된다.

옴:¹ 명〖의〗개선충(疥癬蟲)의 기생에 의하여 생기는 전염성 피부병(傳染性皮膚病)의 한 가지. 손가락 사이나 발가락 사이가 진무르기 시작하여 차차 온 몸에 퍼지는 몹시 가렵고 흉악한 병임. 개선(疥癬). 개창(疥瘡). 충개(蟲疥).
[옴 덕에 보지 긁는다] 남이 꺼리는 일을 할 핑계 거리를 얻었음을 이르는 말.

옴:² 명 젖먹이를 가진 어머니의 젖꼭지의 가장자리에 오톨오톨하게 좁쌀알 모양으로 돋은 것.

옴:³ 명 ↗옴쌀.

옴:⁴〔Ohm, Georg Simon〕명〖사람〗독일의 물리학자. 금속의 전기 저항(電氣抵抗) 실험에서 '옴의 법칙'을 발견하였음. [1787-1854]

옴:⁵〔ohm〕의명〖물〗전기 저항의 실용 단위. 양단에 있어서 1볼트의 전위차(電位差)가 있는 도선(導線)에 1암페어의 전류가 흐를 때 그 도선이 나타내는 저항. 기호는 'Ω'로 표시함.

-옴¹ 미〈옛〉-씩. =-곰². ¶四天王 목수미 人間앳 쉰히ᄅᆞᆯ ᄒᆞᄅᆞ옴 혜여 五百히니《月釋 Ⅰ:37》/各 ᄒᆞᆫ볼옴 더주시다(各賜一具)《內訓 Ⅱ: 70》/제 슈공을 언모옴 받ᄂᆞ고(他要多少功錢)《朴解 上 43》.

-옴² 어미〈옛〉명사형 어미의 하나. ①-음. ¶應供ᄋᆞᆫ…供養 바도미 맛당호ᄊᆡ라《釋譜 Ⅸ:3》. ②-암. ¶天人濟渡호ᄆᆞᆯ 셜비아니호미 당다이 이 ᄀᆞᄐᆞ리라《月釋 Ⅰ:17》.

옴:-개구리 명〖동〗[*Rana rugosa*] 개구릿과에 속하는 동물. 몸길이 75mm 내외, 등쪽은 암청갈색에 원형의 담흑색 반문이 있고 도톨도톨한 피부 주름이 많음. 배는 담회색에 흑색 반점이 있고 다리에는 담흑색 띠 무늬가 있음. 물갈퀴는 뒷발에만 있음. 4-6월에 늪·논 같은 곳에 산란함. 알은 황갈색인데 30-60개가 한 덩이가 되어 물풀 따위에 붙어 있음. 한국에도 분포함.

〈옴개구리〉

옴:-게 명〖동〗옴부채게.

옴:-계【一計】명〔ohmmeter〕〖물〗저항계(抵抗計).

옴기다 타〈옛〉옮기다. ¶나조ᄒᆡ 도로 드려 집안에 옴기더니(暮運於齋內)《飜小 Ⅹ:7》.

옴기힐후다 타〈옛〉옮김질하다. ¶벼개와 几ᄅᆞᆯ 옴기 힐후디 아니ᄒᆞ며(枕几不傳)《小諺 Ⅱ:6》. *힐후다.

옴나위 명 꼼짝할 여유. ¶작은 방에 사람이 너무 많이 들어앉아서 ~도 없다.
옴나위(도) 못 하다 구 아주 비좁거나 들어차서 꼼짝달싹 못 하다.

옴나위-없다〔—업—〕형 아주 적은 여유도 없다. 꼼짝할 여유가 없다.

옴나위-없이〔—업씨〕부 옴나위없게.

옴니-레인지〔omnirange〕명〖항공〗시청식(視聽式) 레인지로서, 고주파(高周波)를 이용한 무선 비행 장치.

옴니레인지 비:컨 명〔Omni-directional range beacon〕〖물〗전방향 무선 표지(全方向無線標識).

옴니버스〔omnibus〕명 ①합승 마차·합승 자동차, 곧 버스 등, 많은 승객이 함께 타는 탈것. ②옴니버스 영화(映畫). ③〈속〉서방을 여러 명이나 가진 기생을 이르는 말.

옴니버스 영화【一映畫】〔omnibus〕명〈속〉몇 개의 단편 소설 또는 스케치풍(風)의 삽화(揷話)를 전체적으로 일관(一貫)된 분위기를 나타내도록 제작한 영화. 한 사람의 감독(監督)이 제작하기도 하고, 여러 감독이 각각 제작하기도 함. 옴니버스.

옴니-암니 명 이래저래 드는 비용(費用). 이런 비용 저런 비용. ¶~ 따질 것이 없이 피장파장해 버리세《洪命憙: 林巨正》.

옴:-두꺼비 명〖동〗두꺼비의 모양을 아주 흉하게 일컫는 말. 두꺼비의 몸이 옴딱지 붙은 것같이 보이므로 이렇게 일컬음.

옴두르만〔Omdurman〕명〖지〗수단 공화국(共和國) 중부의 고도(古都). 나일 강 좌안(左岸)에 위치하여, 수도 카르툼과 마주보고 있음. 예로부터 농업·상업의 중심지로, 상아 세공품(象牙細工品)을 산출(產出)함. [526,287명(1983)]

옴둗거비 명 〈옛〉 옴두꺼비. ¶옴둗거비(癩蝦)《四聲 下 31》.

옴:-딱지 명 옴이 올라 헐었던 자리에 말라 붙은 딱지.
[옴딱지 떼고 비상(砒霜) 세복 칠한다] 사리에 당치도 않게 하여 일을 더욱 악화시킴을 이르는 말. [옴딱지 떼듯 한다] 무엇이나 인정 사정 없이 내어 버린다는 말.

옴마 명 〈방〉 어머니(경상).

옴마니밧메훔【唵麼抳鉢訥銘吽】 명 〔범 Om mani padme hum〕〖불교〗 주로 티베트 불교도가 외는 밀어(密語). 티베트에서는 모든 기록물(記錄物)의 첫머리와 뒤 끝에 이 주문을 적으며, 또 일체 사업의 첫머리와 끝에도 이것을 윈다고 함. 한역(漢譯) 경전에는 '육자 대명주(六字大明呪)'라고 되어 있음.

옴마이 명 〈방〉 어머니(황해).

옴막-살이 명 〈방〉 오막살이.

옴막-집 명 〈방〉 오두막집.

옴매 명 〈방〉 어머니(경남).

옴미아드 모스크 〔Ommiad mosque〕 명 시리아의 다마스쿠스에 있는 이슬람 대성원(大聖院). 705-715년에 건설됨. 비잔틴 시대의 기독교회를 개조한 것으로, 초기 이슬람 건축의 정화(精華)임.

옴미아드 왕조【一王朝】〔Ommiad〕 명 〖역〗 ①전(前)옴미아드 왕조. 사라센(Saracen) 제국 제 1기의 왕조. 시조 무아위야(Muawiyah ; ?-680) 이하 14대 동안 중앙 아시아로부터 스페인까지를 영유하던 왕조. 수도는 다마스쿠스(Damascus). [661-750] ②후(後)옴미아드 왕조. 전 옴미아드 왕조에서 파생하여 스페인에 군림(君臨)하던 왕조. 서유럽에 이슬람 문화를 전하였음. 시조는 압두르 라만(Abder-Rahman). 수도는 코르도바(Cordoba). [753-1031]

옴바리 명 〈방〉 옴파리.

옴박지 명 〈방〉 ①옹자배기(전남). ②뚝배기(전남).

옴방 명 〈방〉 벼랑(강원).

옴밭다 형 〈방〉 ①짧다. ②모자라다.

옴배기 명 〈방〉 뚝배기(전남).

옴:-배롱【一焙籠】 명 옴약을 피울 때에 쓰는 배롱. 채나 댓개비로 결은 후에 안팎을 종이로 발라 고개만 위로 내놓고 온몸이 들어앉게 되어 있음.

옴버 〔ombre〕 명 ①염색법의 한 가지. 분무기를 사용하여 천 또는 실에 물감을 안개같이 뿜어 은하수(銀河水)처럼 염색하는 방법. ②17-18세기에 유행했던 세 사람이 하는 카드놀이.

옴:-벌레 명 〖동〗 [*Sarcoptes scabiei*] 옴진드깃과에 속하는 절지(節肢) 동물. 몸길이 0.4mm, 폭 0.3mm 가량이고 양귀비 알만 함. 몸 빛은 유백색이고 담홍백색의 귀갑상(龜甲狀)을 이루고, 네 쌍의 짧은 다리와 많은 옆주름과 긴 털이 있음. 다리 끝에 긴 흡반(吸盤)이 있어서 사람 피부에 굴을 파고 들어가 산란하는데, 1주일 만에 부화한 후 9주일 후에 성충이 되어, 손샅·겨드랑·음부 등에 담홍색의 구진(丘疹)·농포(膿疱)의 증상을 나타내는 개선(疥癬), 곧 '옴'을 일으킴. 전세계에 분포함. 개선충.

〈옴벌레〉

옴부즈-맨 〔ombudsman〕 명 행정 감사 전문원. 행정 기관에 대한 민원 처리나 행정의 적정 운용 등을 감사하는 대리인.

옴:-부채게 명 〖동〗 [*Actaea savignyi*] 부채겟과에 속하는 게. 배갑(背甲)의 길이 21mm, 폭 28mm 내외이고, 두흉갑(頭胸甲)과 다리의 뒤쪽에는 작은 혹 모양의 돌기가 밀집하여 마치 옴에 옮은 것 같음. 보각(步脚) 끝에만 두세 개의 털이 있음. 암초에 서식하는데, 한국·일본·미얀마·태평양에 분포함. 옴게.

〈옴부채게〉

옴빌린 〔Ombilin〕 명 〖지〗 인도네시아 수마트라 섬의 서해안 파당 주(Padang 州) 북방에 있는 탄전. 매장량 1억 1천 톤이며 탄질(炭質)이 좋음. 에마하벤 항(Emmahaven 港)으로부터 수출되고 있음.

옴:살 명 ①한몸같이 친밀한 사이. ¶나와 그와의 사이는 정말 ~이야. ② ☞ 엄살.

옴스크 〔Omsk〕 명 〖지〗 러시아의 서(西)시베리아 저지(低地) 남방에 있는 옴스크 주(州)의 수도. 옴 강(江)이 이르티시 강(Irtish 江)에 들어가는 지점에 있으며, 시베리아 철도가 통과함. 1717년 요새지(要塞地)로서 건설되었음. 부근의 농림목업(農林牧業)의 중심지이며 이를 원료로 하여 경공업(輕工業)도 행하여짐. [1,167,000명(1993)]

옴실-거리다 자 작은 벌레 따위가 모여서 연해 움직이다. <움실거리다. **옴실-옴실** 부. **——-하다** 자여불

옴실-대다 자 옴실거리다.

옴:-쌀 명 인절미에 떡메를 덜 맞아서 고루 뭉개어지지 않고 그 형체가 남아 있는 찹쌀 알. 준옴.

옴쏙 부 물체(物體)의 바닥이나 면(面)이 오목하게 쏙 들어간 모양. <움쏙. **——-하다** 형여불

옴쏙-옴쏙 부 여러 군데가 옴쏙한 모양. <움쏙움쏙. **——-하다** 형여불

옴씰-하다 자여불 ①갑자기 놀라서 몸을 움츠리다. ②갑자기 무서운 경우를 당하여 기운이 꽉 질리다. 1)·2): <움씰하다.

옴아-글 명 〈방〉 범서(梵書).

옴:의 법칙【一法則】[一/一에一] 명 〔Ohm's law〕〖물〗〔독일의 물리학자 옴(Ohm, G.S.)의 이름에서〕 어떤 전기 회로에 흐르는 전류의 세기는 그 회로에 가(加)하여진 전압(電壓)에 정비례하고 저항에 반비례한다는 법칙. 이 법칙은 금속성(金屬性) 회로나 전해질적(電解質的) 저항을 포함하는 많은 회로에 대하여 성립함.

옴:자-떡【唵字一】[一짜一] 명 〖불교〗 부처 앞에 공양하는 떡의 한 가지. 흰 떡을 직사각형으로 넓적하게 만들고 범문(梵文)의 옴(唵)자를 새긴 판으로 가운데를 찍은 떡. 옴자병(唵字餠).

옴:자-병【唵字餠】[一짜一] 명 〖불교〗 옴자떡.

옴:-쟁이 명 옴이 오른 사람을 놓으로 일컫는 말.

옴:-저항【一抵抗】 명 〔ohmic resistance〕 도체·회로(回路) 또는 장치에 흐르는 전류의 세기는 그들 양단(兩端)의 전위차(電位差)에 비례하는 성질.

옴:-종【一腫】 명 〖의〗 옴으로 인하여 생긴 헌데.

옴죽-거리다 자타 몸피가 작은 것이 몸을 조금씩 계속해 움직이다. ㅆ옴쭉거리다. <움죽거리다. **옴죽-옴죽** 부. **——-하다** 자타여불

옴죽-대다 자타 옴죽거리다.

옴:-중 명 〖민〗 양주별산대놀이·송파산대놀이·남사당패 탈놀음의 각각 둘째 마당에 나오는 옴오른 중. 또, 그가 쓰는 탈.

옴지락-거리다 자타 자꾸 느릿느릿 움직이다. <움지럭거리다. **옴지락-옴지락** 부. **——-하다** 자타여불

옴지락-대다 자타 옴지락거리다.

옴직-거리다 자타 계속해서 움직이다. ㅆ옴찍거리다. <움직거리다. **옴직-옴직** 부. ¶~ 무슨 말을 할 듯 할 듯 싶은 홍수의 입에서 마지막 유언을 듣기 위해서였다《李無影 : 三年》. **——-하다** 자타여불

옴직-대다 자타 옴직거리다.

옴질-거리다¹ 자 ①몸피가 작은 것이 많이 모이어 천천히 자꾸 움직이다. ②무슨 일을 하려 할 때 결단성 있게 하지 못하고 주저하다. ¶옴질거릴 게 무엇 있나, 아주 결정해 버리게. 1)·2): <움질거리다. **옴질-옴질**¹ 부. **——-하다**¹ 자여불

옴질-거리다² 타 질긴 물건을 입 안에 넣고 오물거리며 씹다. ㅆ옴찔거리다. <움질거리다². **옴질-옴질**² 부. **——-하다**² 타여불

옴질-대다 자타 옴질거리다¹·².

옴짝-달싹 부 꼼짝달싹.

옴짝달싹 못: 하다 구 꼼짝달싹 못 하다.

옴쭉 부 몸피가 작은 것이 몸을 아주 작게 움직이는 모양. ¶아무리 찔러도 ~도 하지 않는다. <움쭉. **——-하다** 자타여불

옴쭉-거리다 자타 몸피가 작은 것이 몸을 자꾸 움직이다. ㅅ옴죽거리다. <움쭉거리다. **옴쭉-옴쭉** 부. **——-하다** 자타여불

옴쭉-달싹 부 ☞ 꼼짝달싹. **——-하다** 자여불

옴쭉달싹 못: 하다 구 ☞ 꼼짝달싹 못 하다.

옴쭉-대다 자타 옴쭉거리다.

옴쭉 못: 하다 구 조금도 움직이지 못하다. ¶찻속이 만원이 돼서 ~. <움쭉 못 하다.

옴찍-거리다 자타 작은 것이 계속해서 조금 세게 움직이다. ㅅ옴직거리다. <움찍거리다. **옴찍-옴찍** 부. **——-하다** 자타여불

옴찍-대다 자타 옴찍거리다.

옴찔 부 깜짝 놀라 갑자기 몸을 뒤로 움츠리는 모양. ¶인기척에 ~ 놀라다. <움찔. **——-하다** 자타여불

옴찔-거리다 자타 옴찔하는 동작을 계속하다. ㅅ옴질거리다. <움찔거리다. **옴찔-옴찔** 부. ¶천둥 소리가 날 때마다 몸이 ~한다. **——-하다** 자타여불

옴찔-대다 자타 옴찔거리다.

옴츠러-들다 자 옴츠러져 들어가다. ¶추워서 몸이 ~/ 두려워서 목이 ~. <움츠러들다.

옴츠러-뜨리다 타 ①사람이나 동물이 갑자기 춥거나 놀라서 몸을 힘차게 옴츠리다. ¶매서운 추위에 몸을 바짝 ~. ②몹시 겁을 먹이어 상대편을 뒤로 물러나게 하다. ¶으름장을 놓아 상대를 ~. 1)·2): <움츠러뜨리다.

옴츠러-지다 자 ①춥거나 두려워서 몸이 작게 오그라지다. ②겁을 먹고 기가 꺾이어 무르춤해지다. 1)·2): <움츠러지다.

옴츠러-트리다 타 옴츠러뜨리다.

옴츠리다 타 ①몸을 작아지게 하다. ¶상대편 위엄에 눌리어 잔뜩 ~. ②놀라서 몸을 뒤로 조금 물리다. <움츠리다. 준옴치다.

옴치다 타 ↗옴츠리다. ¶마리아의 둥글고 좀 넓은 듯한 단려(端麗)한 얼굴은 피었다 옴쳤다 하는 연꽃을 연상시켰다《金東里 : 사반의 십자가》. <움치다.
옴치고 뛸 수도 없:다 구 어찌 도리가 없게 되다. 꼼짝할 수 없다.

옴치러지다 자 ☞ 옴츠러지다.

옴칠 부 놀랄 때 몸을 가볍게 갑자기 움직이는 모양. <움칠. **——-하다** 자타여불

옴칫 부 놀라서 갑자기 몸을 가볍고 작게 움직이는 모양. <움칫. **——-하다** 자타여불

옴칫-거리다 자 놀라서 갑자기 몸을 가볍고 작게 움직거리다. <움칫거리다. **옴칫-옴칫** 부. **——-하다** 자타여불

옴칫-대다 자타 옴칫거리다.

옴켜-잡다 타 손가락을 오그리어 무엇을 힘있게 잡다. ㅆ홈켜잡다. <움켜잡다.

옴켜-잡히다 피동 옴켜잡음을 당하다. <움켜잡히다.

옴켜-쥐다 타 ①손가락을 오므리어 힘있게 쥐다. ②일이나 물건을 수중에 넣고 마음대로 다루다. 1)·2): ㅆ홈켜쥐다. <움켜쥐다.

옴콤 의명 〈방〉 옴큼.

옴큼 의명 손으로 한 줌 옴켜쥔 분량의 단위. ¶한 ~ 쥐다. <움큼.

옴키다 타 ①손가락을 오그리어 물건을 놓치지 않도록 힘있게 손바닥 안에 넣다. ¶조그만 손으로 잔뜩 옴키어 쥐고 놓지 않다. ②새나 짐승 따위가 무엇을 발가락으로 힘있게 잡다. ¶매가 병아리를 옴키어 갔다. 1)·2): <움키다.

옴 테무앵 〔프 Homme Témoin〕 명 〔목격자·증인의 뜻〕 1948년 프랑스의 로르주(Lorjou, Bernard)·뷔페(Buffet, Bernard) 등 제2차 세계 대전 후에 두각을 나타낸 신진 화가들이, 사회나 인간의 비참·곤궁 등의 목격자가 될 것을 기약하고 결성한 청년 화가 단체. 전후(戰後), 구상화(具象畫)에 새로운 기틀을 마련했음.

옴-파다 타 속을 오목하게 오비어 파다. ㅆ홈파다. <움파다.

옴파리 명 〖공〗 사기로 만든 아가리가 작고 오목한 바리.
옴파리-같다 형 오목오목하고 탄탄하고 예쁘다.
옴파리-같이 〔―가치〕 부 옴파리같게.
옴팍 부 가운데가 오목하게 들어간 모양. <움퍽. ――하다 형여불
옴팍-옴팍 부 여러 곳이 다 옴팍한 모양. ¶총알 자국이 ~ 나 있다. <움퍽움퍽. ――하다 형여불
옴팡-눈 명 ①옴팍하게 들어간 눈. ②옴팡눈이. 1)·2): <움펑눈.
옴팡눈-이 명 눈이 옴팍하게 들어간 사람. 옴팡눈. <움펑눈이.
옴팡-하다 형여불 조금 옴팍하다. ¶옴팡하게 파진 눈이…≪金永壽 : 素服≫. <움펑하다.
옴-패다 자 속이 오목하게 오비어 파이다. ㅆ홈패다. <움패다.
옴포동이-같다 형 ①어린애가 살이 올라 포동포동하다. ②옷에 솜을 도도록하게 넣어 어린애의 살결처럼 포동포동하다.
옴포동이-같이 〔―가치〕 부 옴포동이같게.
옴폭 부 속으로 폭 들어가 오목한 모양. ¶땅이 ~ 패다/며칠을 앓더니 눈이 ~해졌구나. <움푹. ――하다 형여불
옴폭-날 명 〖고고학〗 긁개·밀개에서 밀면에 떼기가 베풀어져 옴폭하게 파이게 된 날.
옴폭-옴폭 부 군데군데가 옴폭한 모양. <움푹움푹. ――하다 형여불
옴:-피우다 자 옴 오른 사람이 옴배롱을 쓰고 약을 피우다.
-옵- 선어미 받침 없는 어간(語幹)에 붙어 공손함을 나타내는 선어말 어미. ¶가시~소서/그러하~나이다/짐이 크~기에/몹시 자랑하~시더니/아우는 물러가~지만/예전에는 부자이~더니. *-사옵-·-으옵-·-자옵-·-오-.
옵【內】 선어미 〈이두〉 -옵-.
-옵내다 어미 〈방〉 -옵니다.
-옵니까 어미 '-옵-'과 '-나이까'가 줄어 합한 종결 어미. ¶가시~/그러하~. *-으옵니까·-사옵니까.
-옵니다 어미 '-옵-'과 '-나이다'가 줄어 합한 종결 어미. ¶그러하~/계시~. *-이옵니다·-으옵니다·-사옵니다.
-옵디까 어미 '-옵-'과 '-더이까'가 줄어 합한 종결 어미. ¶그렇게 말씀하~. *-으옵디까·-사옵디까.
-옵디다 어미 '-옵-'과 '-더이다'가 줄어 합한 종결 어미. ¶그러하~/웃으시~. *-으옵디다·-사옵디다.
옵빼미 명 〈방〉 올빼미(전남·경상).
옵서:버¹ 〔observer〕 명 ①관찰자. 관측자. ②국제 회의에서 한 나라의 전권(全權) 이외의 사람으로 방청하면서 의견을 발표할 수 있으나 결의권은 없는 사람.
옵서:버² 〔Observer, The〕 명 1791년 런던에서 창간된 영국 최고(最古)의 일요 신문. 공정한 뉴스로 명성을 얻은 고급 독립지(高級獨立紙)의 하나.
옵션 〔option〕 명 ①선택. ②〖경〗 일정한 물품 또는 재산을 일정한 금액으로 일정한 기간 안에 사든지 안 사든지 또는 팔든지 안 팔든지 하는 선택권의 뜻.
옵션 거:래【―去來】 명 〔option trading〕 〖경〗 매매 선택권 거래(賣買選擇權去來). 일정 기간 안에 정하여진 가격으로 일정 수의 주식을 매매할 권리를 대상으로 하는 거래임. 권리를 매매하는 점에서 선물(先物) 거래와 다름.
옵소닌 〔opsonin〕 명 세균(細菌)이 백혈구(白血球)에 의한 식작용(食作用)을 받기 쉽도록 하는 혈청(血淸) 속의 물질.
옵소닌 작용【―作用】 명 〔opsonic action〕 옵소닌에 의하여 미생물(微生物) 등의 세포에 감수성(感受性)을 일으키는 일. 옵소닌은 이들로 하여금 식세포(食細胞)의 공격을 받기 쉽도록 만듦.
옵스 〔Ops〕 명 〖신〗 로마 신화에서 수확의 여신. 농업의 신(神) 사투르누스의 아내. 그리스 신화의 대지의 여신 레아(Rhea)에 해당함.
-옵시- 선어미 '-옵'의 한층 존경하는 공대말. ¶우리에게 빛을 주~고….
-옵시 어미 〈옛〉 -옵세. -옵사이다. ¶塵世에 難逢開口笑라 추지 말고 노옵시 ≪古時調 金壽長≫.
옵아 넣다 타 〈방〉 오비어 넣다.
옵-아트 〔op art〕 명 〖미술〗 기하학적(幾何學的) 구성을 중심으로 한 추상(抽象) 미술의 하나. 정서적·사상적 요소가 배제되고 철저한 형식주의에 입각하는 것이 특색이며, 선명한 색면(色面)의 대비 및 선(線)의 구성·운동 등의 눈에 주는 착각적(錯覺的) 효과 등 모든 광학적 트릭을 화면에 도입하여 새로운 이미지를 표현하려는 것. 광학적 미술.
옵타콘【OPTACON】 명 〔optical-to-tactile converter의 준말〕 점자 감각기(點字感覺器). 인쇄된 문자를 맹인이 읽을 수 있는 점자 형식으로 변환(變換)하는 기계. 미국의 스탠퍼드(Stanford) 대학에서 첫 개발, 1972년 미국에서 상품화함.
옵티마 〔optima〕 명 거주·작물 재배 등의 최적(最適) 조건. 인간의 활동은 15°C 전후가 최적함.
옵티마테스 〔optimates〕 명 〖역〗 고대 로마의 공화정(共和政) 말기에, 정계(政界)의 과두파(寡頭派) 집단을 지칭(指稱)한, 당시의 저널리즘적(的) 표현.
옵티미스트 〔optimist〕 명 낙천가(樂天家). 낙관론자(樂觀論者). 낙관주의자. ↔페시미스트(pessimist).
옵티미즘 〔optimism〕 명 낙천주의(樂天主義). 낙관론. ↔페시미즘.
옵티-미터 〔opti-meter〕 명 콤퍼레이터(comparator)의 하나. 측정자의 변위(變位)를 반사경(反射鏡)의 회전으로 바꾸어 광학적(光學的)으로 확대 측정함.
옵티컬 아:트 〔optical art〕 명 광학적 미술(光學的美術). ㉾옵아트.
옵티컬 파이로미터 〔optical pyrometer〕 명 〖물〗 광고온계(光高溫計).
옵티컬 플랫 〔optical flat〕 명 표면의 평면도를 관측하는 유리판. 광선정반(光線定盤).
옵틱 키아스마 〔optic chiasma〕 명 〖생〗 시신경 교차(視神經交叉). ㉾「키아스마.
옷¹ 명 ①피륙 등으로 만들어 추위를 막거나, 몸둥이를 가리기 위해 사람이 입는 물건. 의복(衣服). 피복(被服). 의전(衣纏). ②↗튀김옷.
[옷은 나이로 입는다] 옷차림은 나이에 어울리게 하여야만 한다는 말. [옷은 새 옷이 좋고 사람은 옛 사람이 좋다; 옷은 새 옷이 좋고 임은 옛 임이 좋다] 옷은 깨끗한 새 것이 좋고 사람은 오래 사귀어 정(情)이 두터운 사람이 좋다는 뜻. [옷은 시집 올 때처럼 음식은 한가위처럼] 잘 입고 잘 먹고 싶다는 말. [옷을 격해 가려운 데를 긁는다] 요긴한 데에 손이 닿지 않아 답답하고 시원스럽지 않다는 뜻. [옷이 날개고 밥이 분이다] 옷을 잘 입어야 풍채가 좋아지고, 밥을 잘 먹어야 신수가 좋아진다. [옷이 날개라] 옷이 좋으면 인물이 한층 더 훌륭하게 보인다는 뜻. [옷 입고 가려운 데 긁기] '옷을 격해 가려운 데를 긁는다'와 같은 뜻.
옷² 명 〈옛〉 옻. ¶디근 옷 곧도소니(如點漆)≪杜諺 I:3≫/옷나모 칠(漆)≪字會 上 10≫.
옷³ 조 〈옛〉 곧. 만. =곳⁸. ¶곳恭敬供養 호ᅀᆞᄫᆞ리옷 잇거든≪月釋 IX:61≫/ᄒᆞ다가 話頭옷 니즈면(若忘却話頭)≪蒙法 18≫.
옷-가게 명 〈속〉 기성복(旣成服)을 받아다 파는 가게.
옷-가슴 명 가슴에 닿는 옷의 부분. 가슴.
옷-가지 명 옷의 몇 가지. ¶~를 사다/~나 두고 입다.
옷-감 명 옷을 지을 거리. 의자(衣資). 의차(衣次).
옷-값 〔―갑〕 명 옷의 값. 의자(衣資).
옷-갓 명 웃옷과 갓. 의관(衣冠). ――하다 자여불 웃옷을 입고 갓을 쓰다.
옷-거리 명 옷을 입은 맵시. 옷매무시. ¶~가 좋아서.
옷-걸이 명 옷을 걸도록 만든 제구(諸具). 횃대·횃줄·말코지 같은 것. 의가(衣架).
옷-고대 명 〈방〉 깃고대.
옷-고름 명 저고리나 두루마기의 앞에 달아 양편 옷자락을 여미어 매는 끈. ㉾고름.
옷고시 부 〈옛〉 향기롭게. 정중(鄭重)하게. ¶俗ᄋᆞᆫ 옷고시 조ᄒᆞᆫ 거슬 삼ᄂᆞ니라(俗以爲香潔)≪妙蓮 II:111≫/宗廟애 恭敬ᄒᆞ야 옷고시 祭ᄒᆞᄂᆞ다(淸廟肅惟馨)≪杜諺 XXIV:6≫.
옷고ᄉᆞᆫ 형 〈옛〉 향기로운. ¶사ᄅᆞᆷᄇᆞ려 져재가 옷고ᄉᆞᆫ ᄡᆞᄅᆞᆯ 사고(遣人向市賒香粳)≪杜諺 III:50≫.
옷고외 명 〈옛〉 옷. ¶繡ᄒᆞᆫ 노 옷고외 暮春에 비취엿ᄂᆞ니(繡羅衣裳照暮春)≪杜諺 XI:17≫/내 眞實로 옷고외 ᄒᆞ오치로다(我實衣裳單)≪杜諺 I:19≫.
옷고의 명 〈옛〉 옷. 아래 옷마기(衣裳). ='옷ᄆᆞ외'. ¶옷고의(衣裳)≪朴解 上 52≫.
옷고홈 명 〈옛〉 옷고름. ¶옷고홈(衣系)≪四聲 上 77 釋字註≫.
옷-골 명 〈방〉 옷거리.
옷곳ᄒᆞ다 형 〈옛〉 향기롭다. =엇곳ᄒᆞ다. ¶香潔은 옷곳ᄒᆞ고 조ᄒᆞᆯ 씨라≪月釋 VII:65≫/巾拂에는 옷곳ᄒᆞᆫ 내 藥 디턴 드트리 기텃고(巾拂香餘搗藥塵)≪杜諺 IX:5≫.
옷긔 명 〈옛〉 객오(客忤). 갑자기 복통이 나는 어린애의 병. ¶모딘 긔운 마자 옷긔드러(中惡客忤)≪救簡 I:50≫/옷긔 드닌 모딘 긔운 마ᄌᆞ니와(客忤者中惡之類也)≪救簡 I:51≫.
옷-기장 명 옷의 길이.
옷-깃 명 저고리나 웃옷의 목에 둘러 대어 앞으로 여미는 부분. 의금(衣襟). ㉾깃.
옷깃을 여미다 구 경건한 마음으로 자세를 바로잡다.
옷깃-가시고둥 명 〖조개〗 가시고둥.
옷깃 차례【―次例】 명 옷깃이 바른 자락 위에 왼자락이 덮이는 데서, 왼자락이 덮이는 쪽으로 나아가는 차례. 곧, 오른 쪽으로 돌아가는 차례.
옷깆 명 〈옛〉 옷깃. ¶領은 옷기지라 ≪圓覺 上 一之二 76≫/먼티 가매 다시 옷기ᄌᆞᆯ 눈믈로 저지노라(適遠更霑襟)≪杜諺 II:26≫.
옷ᄆᆞ외 명 〈옛〉 옷. 의상(衣裳). =옷고의. ¶구루메 누어슈면 옷ᄆᆞ외 서늘ᄒᆞ도다(雲臥衣裳冷)≪杜諺 IX:27≫/碧海ㅣ 내 옷 ᄆᆞ외ᄅᆞᆯ 부더라(碧海吹衣裳)≪杜諺 XXV:5≫
옷나모 명 〈옛〉 옻나무. ¶옷나모 칠(漆)≪字會 上 10≫.
옷-농【―籠】 명 옷을 넣어 두는 농. 의롱(衣籠).
옷-니 명 〈방〉 옷엣니.
옷-단 명 웃옷의 자락이나 소매·가랑이 등의 끝 가장자리를 안으로 접어 붙이거나 감친 부분. ㉾단.
옷-답다 형ㅂ불 제법 옷맵시가 있다. ¶이제야 제법 옷다운 옷을 걸치다.
옷뚝이 명 〈방〉 오뚝이❷.
옷득이 명 〈방〉 오뚝이❷.
옷득-하다 형 〈방〉 오똑하다.
옷-롱【―籠】 〔―농〕 명 ☞옷농.
옷-매 명 옷의 모양. ¶~가 난다.
옷-매무새 명 매무새.
옷-매무시 명 매무시.
옷-맵시 명 옷의 맵시. *옷 답다.
옷밤이 명 〈옛〉 올빼미. ¶뎌놈들은 그저 옷밤이 오(那廝們只是夜猫)≪朴解 中 35≫.
옷-밥 명 옷과 밥. 의식(衣食). ¶~은 걱정 없다.
옷배미 명 〈방〉 올빼미(경상·전라·충청·강원).
옷-벌 명 옷의 몇 벌. ¶~이나 두고 입는다.

옷-보【一褓】명 옷을 싸는 보.
옷-본【一本】명 옷 마름질할 때 쓰는 본.
옷-사치【一奢侈】명 분에 넘치게 호화(豪華)로운 옷치레를 함. **——-하다** 자여불
옷-상자【一箱子】명 옷을 담아 두는 상자.
옷-섶 명 두루마기나 저고리의 깃 아래에 달린 긴 헝겊. ㈜섶.
옷-셋집【一貰一】명 ①옷을 세놓는 집. ②혼인 예복을 세놓는 집.
옷-소매 명 웃옷의 두 팔을 꿰는 부분. 소매.
옷-솔 명 옷에 낀 때나 먼지 따위를 터는 데 쓰는 솔. *솔.
옷-시중 명 곁에서 옷을 입고 벗는 일을 도와 줌. ¶~ 들다. **——-하다** 자여불
옷-안 [옫—] 명 옷의 속. 의복의 안쪽.
옷엣-니 [옫—] 명 옷에 있는 이를 머릿니에 대하여 일컫는 말.
옷의-변【一衣邊】[옫—/옫이—] 명 한자 부수(部首)의 하나. '衾'이나 '袋' 또는 '袖'나 '被' 따위의 '衣'·'衤'의 이름.
옷-자락 명 두루마기·저고리·치마 등의 앞 또는 뒤로 드리운 부분.
옷자락 넓다 형 〈방〉 오지랖넓다.
옷-장【一欌】명 옷을 넣어 두는 장. 의장(衣欌)·의사(衣笥).
옷-좀나방 명 『충』 [*Tinea pellionella*] 좀나방과에 속하는 곤충. 편 날개의 길이 10-14 mm이고, 몸빛은 회갈색에 앞날개의 반문은 암갈색, 뒷날개는 담회색임. 유충은 옷감·모피·기타의 해충으로, 전 세계에 분포함.

〈옷좀나방〉

옷-주제 명 옷을 입은 모양새. 입은 옷의 됨됨이. ¶~가 말이 아니다/~도 월등하게 나은 데서 오는 인상만은 아니었다《黃順元 : 인간접목》.
옷-지락 명 〈방〉 옷자락.
옷질-앞 명 〈방〉 오지랖(경상).
옷ᄌᆞ락 명 〈옛〉 옷자락. ¶衣裓은 곳 담는 거시니 옷ᄌᆞ락 ᄀᆞᄐᆞᆫ 거시라《月釋 Ⅶ:65》.
옷-차림 명 옷을 입은 차림새. 복장(服裝).
옷-치레 명 좋은 옷을 입고 몸을 가꾸는 짓. **——-하다** 자여불
옹1【邕】명 성(姓)의 하나. 현재 우리 나라에는 순창(淳昌)·부령(富寧)의 두 본관이 전하고 있음.
옹2【翁】명 남자 노인에 대한 존칭. ¶~께서는 일찌기….
옹3【翁】명 성(姓)의 하나. 우리 나라에는 현존하지 아니함.
옹4【雍】명 성(姓)의 하나. 현재 우리 나라에는 파평(坡平)의 단본(單本)이 전하고 있음. '옹(邕)'자를 잘못 적은 것이라 함.
옹5【癰】명 『의』 화농균(化膿菌)의 전염으로 생기는 혹의 한 가지. 빛이 벌겋고 가운데에 농점(膿點)이 생겨 봉와(蜂窩)와 같은 모양이 되며 온몸이 떨리고 열기(熱氣)가 생김. 흔히, 목·등·엉덩이·입술 등에 나는데, 얼굴에 나는 것을 특히 면종(面腫)이라 함.
옹6 감 남을 놀려 주는 소리.
옹- 무 명사 위에 붙어서 사람이나 물건이 작거나 옹졸함을 나타내는 말. ¶~생원/~자배기.
-옹【翁】미 노인의 성명 아래에 붙이어 존경을 나타내는 말. ¶이시영(李始榮)~.
옹:가【甕家】명 묘상각(墓上閣).
옹가지 명 〈방〉 옹배기(강원·경북).
옹강-샘 명 〈방〉 샘2(충북).
옹개-옹개 부 〈방〉 옹기옹기. **——-하다** 형
옹개-종개 부 〈방〉 옹기종기(경상). **——-하다** 형
옹거【雝渠】명 『조』 할미새.
옹:겁【壅劫】명 막아 누름. 임금과 신하의 정을 멀게 함. **——-하다** 타여불
옹-고【翁姑】명 시아버지와 시어머니.
옹:-고집【壅固執】명 억지가 매우 심한 고집. ¶~쟁이.
옹:고집-쟁이【壅固執一】명 옹고집이 있는 사람.
옹:고집-전【壅固執傳】명 『문』 판소리 계열의 고전 소설. 국문본. 부자이면서 인색하고 부도덕한 옹고집이 중을 학대하다가 그 중이 만들어 낸 가짜 옹고집에게 쫓겨나서 고생 끝에 자기의 잘못을 뉘우쳐 착한 사람이 된다는 이야기. *옹고집타령(打令).
옹:고집-타:령【壅固執打令】명 『악』 판소리 열 두 마당의 하나. 판소리 창본(唱本)인 사설(辭說)로서는 현재까지 전하여 오는 것이 없음. 《옹고집전》과 같은 내용이었을 듯함.
옹골-지다 형 실속 있게 꽉 차다. ¶옹골지게 익은 보리.
옹골-차다 형 ①견실하고 충만하다. ¶동기간이라 하더라도 배짱 맞기가 그토록 옹골찰 수가 없었을 것이었다《金周榮 : 客主》. ②다부지다. ¶몸매가 ~. ㈜옹차다.
옹:관【甕棺】명 『공』 도관(陶棺).
옹:관-묘【甕棺墓】명 『고고학』 '독무덤'의 구용어.
옹:관-장【甕棺葬】명 장법(葬法)의 하나. 토기(土器)를 관(棺)으로 사용한 것으로, 금석 병용(金石併用)시대에 많았음. 옹관을 수직(垂直)으로 한 수직장과 수평으로 눕힌 수평장이 있는데 낙랑(樂浪) 유적에, 그리고 동래(東萊)·김해(金海)·나주(羅州) 등지에서 발견되었음. 토기 하나만을 쓴 단식(單式) 옹관, 뚜껑이 돌로 된 석개(石蓋) 옹관, 토기 두 개를 붙인 합구(合口) 옹관이 있음.
옹구1 명 새끼로 망태처럼 엮어 만든 농구(農具)의 한 가지. 소의 길마 위에 걸쳐 얹어 거름 등을 나르는 데에 씀.

〈옹구1〉

옹구2 명 〈방〉 옹자배기(경상).
옹구3 명 〈방〉 질그릇(전남·경상).
옹-구4【翁嫗】명 늙은 남자와 늙은 여자.
옹구 그럭 명 〈방〉 질그릇(전남).
옹구 그륵 명 〈방〉 옹자배기(경남).
옹구 그릇 명 〈방〉 질그릇(전남·경남).
옹구 대기 명 〈방〉 옹자배기(전남).
옹구 바지 명 바지 통이 옹구의 불처럼 축 처지게 입은 모양.
옹구 소매 명 옹구 모양으로 생긴 중치막 등의 넓은 소매.
옹군 관 〈방〉 옹근.
옹굴 섬 [Ongul] 명 『지』 남극(南極), 뤼초홀름 만(Lützow-Holm 灣)의 동쪽에 있는 섬. 동(東) 옹굴 섬과 서(西) 옹굴 섬으로 나뉨.
옹굿-나물 명 『식』 [*Aster fastigiatus*] 국화과에 속하는 다년초. 줄기 높이 60cm 내외이고 근생엽(根生葉)은 총생(叢生)하며 유병(有柄)이고, 선상 피침형을 이룸. 8-10월에 백색 두상화(頭狀花)가 밀집한 방상(房狀) 화서로 핌. 들에 나는데, 한국 각지에 분포함. 어린잎은 식용함.

〈옹굿나물〉

옹그 그럭 명 〈방〉 질그릇(전남).
옹그 그릇 명 〈방〉 질그릇(강원·전남).
옹그리다 타 몸을 옴츠려 들이다. ¶옹그리고 앉다. ㉦옹크리다. <웅그리다.
옹근 관 옹글게 된 그대로의. ¶~ 밤/~ 사과/이처럼 마음의 주름을 못 펴 드리는 자기는 오관을 제대로 가진 ~ 사람 같지가 못하다《桂鎔默 : 별을 헨다》.
옹근-나이 명 한 해가 시작된 지 얼마 안 된 때에 태어나서, 거의 한 살을 꽉 채워 먹은 경우의 나이. *애먼나이.
옹글다 형 물건이 깨어져 조각이 나거나 축나지 않고 본디대로 있다.
옹:금【擁衾】명 몸을 이불로 휩싸 덮음. **——-하다** 자여불
옹긋-옹긋 부 군데군데 뿔이 고르게 삐죽삐죽 나온 모양. <웅긋웅긋. **——-하다** 형여불
옹긋-쫑긋 부 크고 작은 모가 군데군데 고르지 않게 쑥쑥 내민 모양. ¶산봉우리들이 ~하다. <웅긋쭝긋. **——-하다** 형여불
옹:기【甕器】명 『공』 옹기 그릇.
옹:기 가마【甕器一】명 『공』 옹기를 굽는 가마.
옹기 그럭【甕器一】명 〈방〉 질그릇(경북).
옹기 그륵【甕器一】명 〈방〉 옹자배기(경남).
옹:기 그릇【甕器一】명 『공』 질그릇과 오지 그릇의 통칭. 옹기.
옹:기-밥【甕器一】명 옹기 그릇에 지은 밥.
옹기-옹기 부 크기가 비슷한 사람이나 물건 따위가 여럿 귀엽게 모여 있는 모양. ¶아이들이 ~ 모여 있다. <웅기웅기. **——-하다** 형여불
옹:기-장【甕器匠】명 옹기장이. 도공(陶工).
옹:기 장수【甕器一】명 옹기를 파는 사람.
옹:기-장이【甕器匠一】명 옹기를 만드는 사람. 도공(陶工). 옹기장(甕器匠).
옹:기-전【甕器廛】명 옹기를 파는 가게. 옹기점.
옹:기-점【甕器店】명 ①옹기전(甕器廛). ②옹기를 만드는 곳.
옹기-종기 부 크기가 같지 않은 사람이나 물건 따위가 여럿 귀엽게 모여 있는 모양. ¶~ 모여 앉은 아이들/~ 모여 있는 작은 초가집들. <웅기중기. **——-하다** 형여불
옹끼다 타 ☞ 으깨다. ¶그렇잖으면 주둥아리를 옹껴 놀 게니 그런 줄 알아라!《李無影 : 農民》.
옹노 명 〈방〉 올가미(경기·강원·경북·황해).
옹누 명 〈방〉 올가미(강원·충북·황해).
옹다리 명 〈방〉 옹당이.
옹달- 무 명사 앞에 붙어서 작고 오목한 뜻을 나타내는 말. ¶~샘/~시루.
옹달-샘 [—쌤] 명 작고 오목한 샘.
옹달-솥 명 작고 오목한 솥. ㈜옹솥.
옹달-시루 명 작고 오목한 시루. ㈜옹시루.
옹달-우물 명 얇아서 바가지로 퍼 낼 수 있는 작고 오목한 우물.
옹당-샘 명 〈방〉 샘2(충북·경북).
옹당이 명 늪보다는 작게 옴폭 패어 물이 괸 곳. <웅덩이.
옹당이-지다 자 비나 큰 물에 평지(平地)가 옴폭 패어 옹당이처럼 물이 괴게 되다. <웅덩이지다.
옹댕이 명 〈방〉 옹당이.
옹뎅이 명 〈방〉 못(강원).
옹:-도【瓮島】명 『지』 충청 남도 서해상, 태안군(泰安郡) 근흥면(近興面) 가의도리(賈誼島里)에 위치한 섬. [0.17 km^2: 5 명(1984)]
옹도라지 명 〈옛〉 옹두리. ¶殊常ᄒᆞᆫ 옹도라지 길쥭넙쥭 어틀머틀《永言》.
옹도리 명 〈방〉 옹두리.
옹도 마르트노 [프 Ondot Martenot] 명 『악』 프랑스 사람 마르트노가 1924년에 발명한 전기 악기(電氣樂器). 해먼드 오르간(Hammond organ)과 동일하게 건반을 사용하면서 전기 조작으로 발진(發振)하여 풍부한 소리를 냄.
옹동고라-지다 자 바짝 옹그라져 들어가다.
옹동-그리다 타 바짝 옹그리다. ¶봉노에는 시골 물주들과 장주릅들이 쉴새없이 드나들며 아랫목에 옹동그리고 누운 최가를 힐끗거렸다《金周榮 : 客主》.
옹:-동이【甕一】명 옹기로 된 작은 동이.
옹:두【甕頭】명 처음 익은 술. *옹두춘(甕頭春).
옹:두라지 명 나무에 난 작은 옹두리.

옹:두리 [명] 〔근대 : 옹도, 옹도라지〕 나무의 가지가 병이 들거나 벌레가 파서 결이 맺히어 불퉁하여진 혹. 목류(木瘤). *옹이.
옹:두리-뼈 [명] 짐승의 정강이에 불퉁하게 나온 뼈.
옹:두-춘【甕頭春】[명] 옹두(甕頭)의 아칭(雅稱).
옹:리 혜계【甕裏醯鷄】〔—니—〕[명] 술독 속에 있는 날벌레라는 뜻으로, 식견(識見)이 좁음을 일컫는 말.
옹:립【擁立】〔—닙〕[명] 받들어서 임금의 자리 따위에 모시어 세움. ¶ 세자(世子) ~. ——-하다 [타][여불]
옹:망【顒望】[명] 우러러 크게 바람. ——-하다 [타][여불]
옹망-추니 [명] ①고부라지고 오그라진 작은 형체. ②옹춘마니.
옹무 [명] 〈방〉 올가미(경기).
옹무니 [명] 〈방〉 꽁무니.
옹미니 [명] 〈옛〉 꽁무니. ¶ 옹미니 고(尻)《倭解 上 17》.
옹바기 [명] 〈방〉 옹배기.
옹박지 [명] 〈방〉 옹자배기.
옹-방구리 [명] 자그마한 방구리.
옹배 [명] 〈방〉 옹자배기(충북).
옹-배기 [명] ↗옹자배기.
옹:벽【擁壁】[명]〖토〗흙이 토압(土壓)으로 인하여 무너지지 않도록 하기 위하여 만든 벽체(壁體).
옹사【翁師】[명] 노사(老師).
옹:산【甕算】[명] 독장수 셈.
옹:산 화:병【甕算畫餠】[명] 독장수 셈과 그림에 떡이라는 뜻으로, 실속이 없음을 이르는 말.
옹:-새【甕—】[명] 〈방〉 딱새.
옹:색【壅塞】[명] ①생활이 군색(窘塞)함. ¶ ~한 살림살이. ②매우 비좁음. ¶ ~한 방. ③막히어서 통하지 못함. 또, 사리에 어그러져 먹혀 들지 않음. ¶ ~한 변명. ——-하다 [형][여불]
옹:-생원【—生員】[명] 성질이 옹졸한 사람의 별명.
옹서【翁壻】[명] 장인과 사위. ¶ ~간에 의가 좋다.
옹:성【甕城】[명] ①↗철옹 산성(鐵甕山城). ②큰 성(城) 문 밖의 작은 성. 원형 또는 방형(方形)으로 성문 밖에 부설하여 성문을 보호하고 성을 든든히 지키기 위하여 만듦. 월성(月城). 곡성(曲城). 곱은성.
옹:성-문【甕城門】[명]〖건〗옹성(甕城)에 딸린 문(門).
옹손【饔飧】[명] 아침 저녁의 끼니.
옹송-그리다 [타] 궁상스럽게 옹그리다. ¶ 여편네는 진저리가 치이는 듯 몸을 옹송그렸다. ㅆ옹송크리다. <웅숭그리다.
옹송망송-하다 [형][여불] 옹송옹송하다. ¶ 정신이 ~ / 벌써 옹송망송하냐? 이건 내가 부어논 잔일세《洪命憙 : 林巨正》.
옹송옹송-하다 [형][여불] 정신이 흐리어 무슨 생각이 나다가 말다가하다. 옹송망송하다.
옹송-크리다 [타] 궁상스럽게 옹크리다. ¶ 혜숙은 옹송크리고 마루 툇돌 앞에 가 섰고《羅稻香 : 幻戲》. ㅅ옹송그리다. <웅숭크리다.
옹-솥[1] [명] ↗옹달솥.
옹:-솥[2]**【甕—】**[명] 옹기로 만든 작은 솥.
옹스트롬〔angstrom〕[의명] 〔스웨덴의 물리학자의 이름인 Ångström에서〕〖물〗길이의 단위로서 10^{-10} cm, 즉 1 cm의 1 백억분의 1. 광(光)의 파장(波長)이나 원자의 배열 등을 측정하는 데 씀. 기호는 Å.
옹스트롬〔Ångström, Anders Jōnas〕[명]〖사람〗스웨덴의 물리학자·천문학자. 프라운호퍼선(Fraunhofer線)의 파장 측정에 새 단위 '옹스트롬'을 도입함. [1814-74]
옹:슬【擁膝】[명] 무릎을 깍지끼어 안음. 시작(詩作)에 고심(苦心)하는 모양. ——-하다 [자][여불]
옹:시래미 [명] 〈방〉 새알심.
옹-시루 [명] ↗옹달시루.
옹:시미 [명] 〈방〉 새알심.
옹아 [명] 〈방〉 오얏(충청).
옹:아-산【擁兒山】[명]〖지〗함경 남도(咸鏡南道) 갑산군(甲山郡)에 있는 산. [1,560 m]
옹안-악【雍安樂】[명]〖악〗종묘(宗廟)와 사직(社稷)의 제향(祭享)에 변두(籩豆)를 거둘 때에 아뢰는 악장(樂章).
옹알-거리다 [자타] ①아직 말을 못 하는 어린아이가 노느라고 혼자 입속 말로 소리를 내다. ②혼자 입속 말로 똑똑하지 아니하게 재깔이다. ¶ 혼자 옹알거리지 말고 똑똑하게 말하여라. <웅얼거리다. 옹알-옹알 [부]. ——-하다 [자타][여불]
옹알-대다 [자타] 옹알거리다.
옹애 [명] 〈방〉 ①오얏(전라·경상·충청). ②오디(충남·전북).
옹:연【蓊然】[명] 초목이 울창한 모양. 또, 어떤 사물이 성한 모양. ——-하다 [형][여불]
옹-온【翁媼】[명] 할아비와 할미.
옹옹【雝雝】[명] 기러기의 우는 소리. ¶ ~히 울고 가는 기러기 소리. ——-하다 [형][여불]. ——-히 [부]
옹옹-하다【雍雍—】[형][여불] 음악이 부드러워 듣기에 좋다.
옹용【雍容】[명] 마음이 화락하고 조용함. ¶ 왁자히 떠들고 보면 남이 부끄러울 터이니까, 이러나 저러나 덮어 두었다가 ~히 처사를 하려는 의사인즉…《崔瓚植 : 雁의 聲》. ——-하다 [형][여불]. ——-히 [부]
옹용 불박【雍容不薄】[명] 마음이 화락(和樂)하고 조용하며 경박하지 아니함. ——-하다 [형][여불]
옹용 조처【雍容措處】[명] 화락(和樂)하고 조용하게 일을 처리함. ¶ 다시나 알륵이 생기지 않도록 양편을 누르시고 ~하시는 것이 마땅할 듯 합니다《洪命憙 : 林巨正》. —— 하다 [타][여불]
옹용 한아【雍容閒雅】[명] 마음이 화락하고 한가로움. ——-하다 [형][여불]
옹:울[1]**【蓊鬱】**[명] 초목이 매우 무성함. ¶ 산허리 돌 사이에 고송(古松)이 ~하여 붉은 용 같은 가지는 사방으로 엉키고…《李相協 : 눈물》. ——-하다 [형][여불]
옹:울[2]**【壅鬱】**[명] 통하지 아니하여 답답함. ——-하다 [형][여불]
옹:위【擁衛】[명] 부축하여 좌우로 호위함. ——-하다 [타][여불]
옹이 [명] 나무의 몸에 박힌 가지의 그루터기. *옹두리.
［옹이에 마디］ ㉠곤란이 겹치어 생김을 이르는 말. ㉡일이 상반되거나 공교(工巧)하게 됨을 일컫는 말.
옹이-눈 [명] 퀭하고 쑥 들어간 눈. ¶ 볼 나위 없이 볼이 파이고 더욱 ~이 되었다《吳永壽 : 은냇골 이야기》.
옹이-박이 [명] 옹이가 박혀 있는 나무.
옹이-지다 [자] ①옹이가 생기어 있다. ②마음에 응어리가 생기어 맺히다.
옹잇-구멍 [명] 옹이가 빠져 뚫린 구멍.
옹-자배기 [명] 아주 작은 자배기. [준]옹배기.
옹자빠기 [명] 〈방〉 옹자배기(경북).
옹잘-거리다 [자타] 마음 속으로 불평·원망·탄식하는 바가 있어 입속 말로 옹알거리다. ¶ 옹잘거리지 말고 말해 봐. <웅절거리다. 옹잘-옹잘 [부]. ——-하다 [자타][여불]
옹잘-대다 [자타] 옹잘거리다.
옹:장【甕匠】[명] 옹기장이.
옹재기 [명] 〈방〉 옹자배기(경기).
옹:저【癰疽】[명]〖한의〗큰 종기의 총칭.
옹전【翁錢】[명] 아버지의 돈.
옹:절【癰癤】[명]〖한의〗급성으로 곪기고 한가운데에 마개 같은 큰 근이 박히는 큰 종기.
옹:정【甕井】[명] 독우물.
옹정-제【雍正帝】[명]〖사람〗중국, 청조(淸朝) 제5대의 황제. 묘호(廟號)는 세종(世宗). 강희제(康熙帝)의 넷째 아들. 1723년 즉위 이래 내치(內治)에 힘을 기울이어 궁정 붕당(宮廷朋黨)의 일소(一掃), 천민(賤民)의 해방, 군기처(軍機處)의 설치, 변방(邊方) 행정의 추진 등 군주 독재 통치 체제의 정비를 꾀함. 대외적으로도 칭하이(靑海)·티베트 원정, 러시아와의 캬흐타(Kyakhta) 조약 체결, 그리스도교 포교(布敎)의 엄금 등의 일을 함. [1678-1735 : 재위 1722-35]
옹:졸【壅拙】[명] ①성질이 너그럽지 못하고 소견이 좁음. ¶ ~한 사람. ②됨됨이가 옹색하고 졸렬함. ¶ ~하게 생기다. ——-하다 [형][여불]. [준]옹하다. ↔걸걸(傑傑)하다.
옹:종【擁腫】[명] 작은 종기(腫氣).
옹종망종-하다 [형][여불] 몹시 오종종하다.
옹종-하다 [형][여불] 마음이 좁고 모양이 오종종하다. [준]옹하다.
옹주[1]**【翁主】**[명]〖역〗①임금의 서녀(庶女). *공주(公主). ②고려 때 내명부(內命婦) 궁녀직(宮女職)의 하나. 충선왕(忠宣王) 때 궁주(宮主)의 고친 이름. ③조선 시대 중엽(中葉) 이전의 왕의 서녀 및 세자빈(世子嬪) 이외의 임금의 며느리.
옹주[2]**【雍州】**[명]〖지〗중국 고대의 행정 구역의 하나. 우왕(禹王)이 전국을 지형(地形)에 따라 분할한 구주(九州)의 하나. 대략 현재의 산시(陝西)·간쑤(甘肅)의 두 성(省)과 칭하이 성(靑海省)의 일부분에 해당함.
옹주-방【翁主房】[명]〖역〗조선 시대 때 임금의 후궁(後宮)의 딸이 있던 처소.
옹중-석【翁仲石】[명] 돌하르방.
옹지 [명] 〈방〉 옹이(함경).
옹지 그릇 [명] 〈방〉 질그릇(충남).
옹:진【甕津】[명]〖지〗황해도 옹진군의 군청 소재지. 황해선(黃海線)의 종점에 있는 도시로 온천장(溫泉場)이 있음. 부근에는 금·은·구리의 산출이 있고 김의 양식이 성함.
옹:진-군【甕津郡】[명]〖지〗①황해도의 한 군. 관내 1읍 12면. 북은 장연군(長淵郡)과 벽성군(碧城郡), 동은 벽성군과 바다, 서와 남은 바다에 접함. 농산과 축산·임산·광산·공산·수산 등이 나고 명승 고적으론 청련사(靑蓮寺)·용천 약수(龍泉藥水)·마산(馬山) 온천·화산 산성(花山山城)·만하정(挽河亭)·수항문(受降門) 등이 있음. 군청 소재지는 옹진읍. [1062.22 km^2] ②인천 광역시의 한 군. 관내 7면. 광복 후 벽성군(碧城郡)과 장연군(長淵郡)의 일부 섬들을 합치어 황해도에서 경기도로 편입. 1953년 휴전 협정 조인 후 백령면(白翎面)과 송림면(松林面)만을 관할하다가 1973년 3월의 행정 구역 개편에 따라 경기도 북서쪽 바다의 128 개 도서(島嶼)를 관할하게 되었고, 1995년 1월 인천 광역시에 편입됨. 농경지가 적고 토박하여 도서 연안에서 양식(養殖) 사업이 성함. 명승 고적으로는 백령도(白翎島)의 첨사 진영 구지(僉使鎭營舊址)·분암(粉岩)·서포리(西浦里) 해수욕장·을왕리(乙旺里) 해수욕장·시도(矢島) 해수욕장 등이 있음. 군청 소재지는 인천 광역시(仁川廣域市) 중구(中區). [163.63 km^2 : 13,487 명(1996)]
옹:진 금산【甕津金山】[명]〖지〗황해도 옹진읍 수대리(秀岱里)에 있는 금산.
옹:진 반:도【甕津半島】[명]〖지〗황해도 서남부, 황해(黃海)에 돌출한 「반도.
옹:-차다 [형] ↗옹골차다.
옹:체【壅滯】[명] 막히어서 걸림. ——-하다 [자][여불]
옹총망총-하다 [형] 〈방〉 옹송망송하다.
옹추 [명] ←옹치(雍齒). ¶ 정말 돌이와 ~인 장쇠가 통 걸려들지를 않는 것이 돌이의 한이었다《李無影 : 農民》.
옹추리 [명] 〈방〉 자배기.
옹:축【顒祝】[명] 크게 축하함. ¶ 너의 합격을 ~한다. ——-하다 [타][여불]

옹춘마니 명 소견이 좁고 오그라진 사람. 옹망추니. ¶그런 ~를 3년을 따라다닌 내가 백 번 죽어 헐한 놈이지…《金周榮 : 客主》.

옹취 명 〈방〉〖식〗멸가치.

옹치【雍齒**】** 명〔중국 한(漢)나라 고조(高祖)가 미워하던 사람의 이름〕자기가 늘 미워하고 싫어하는 사람. →옹추.

옹치다 타 ☞동이다. ¶…그 나머지는 장사를 해나갈 예비 돈으로 유씨가 고의 끈에다가 챙챙 옹쳐매 두었었다《蔡萬植 : 濁流》.

옹치 잠바〔jumper〕명 허리 둘레에 펜 끈목을 졸라 매어서 입게 된 잠바.

옹카지 명 〈방〉 옹자배기(충북).

옹콤 의명 〈방〉 옹큼(경상).

옹크리다 타 몸을 옴츠려 작게 하다. ¶벽장 속에 잔뜩 옹크리고 숨다. ㅅ옹그리다. <웅크리다.

옹탕 명 〈방〉 웅덩이(함경).

옹태부리 명 〈방〉 ①옹망추니❶. ②옹춘마니.

옹탱이 명 〈방〉 웅덩이.

옹패기 명 〈방〉 옹자배기(경기·충북).

옹:폐【壅蔽**】** 명 웃사람의 총명(聰明)을 막아서 가림. ——-하다 타여불

옹:-하다 형여불 ①↗옹졸하다. ¶옹한 사람. ②↗옹종하다.

옹해야 ㊀ 명 〖악〗경상도 민요 '보리 타작 노래'의 별명. ㊁ 감 〖악〗경상도 민요 '보리 타작 노래'에서 메기고 받으며 내는 흥겨운 소리.

옹:호【擁護**】** 명 부축하여 보호함. 편역을 듦. ¶인권 ~/약자를 ~하다. ——-하다 타여불

옹:호 광:고【擁護廣告**】** 명〔advocacy advertising〕기업의 동향·실태를 알려서 이윤 획득(利潤獲得)이 적정하다는 것을 이해시키고, 그 기업을 지지하게 만들고 지원을 호소하기 위한 광고. 주장(主張) 광고.

옹:호-자【擁護者**】** 명 부축하여 보호하는 사람. 편들어 주는 사람.

옹화【雍和**】** 명 화목함. 온화함. ——-하다 형여불

-옹이다 어미 〈옛〉 -오이다. -배다. ¶臣이 浩의게셔 하옹이다(臣多於浩호이다) 《小諺 Ⅵ:42》.

옻 명 옻나무 진의 독기가 살에 닿아서, 가렵고 부풀어 오르는 피부 중독(皮膚中毒)의 한 가지. ¶~이 오르다.

옻-기장 명〖식〗기장의 한 가지. 껍질은 회색이고, 열매는 검은데 음력 3월경에 파종(播種)함. 흑서(黑黍).

옻-나무 명〖식〗[*Rhus verniciflua*] 옻나뭇과에 속하는 낙엽 활엽의 작은 교목. 높이 6-9m, 잎은 기수(奇數) 우상 복생(羽狀複生)하며 7-11개의 소엽(小葉)은 달걀꼴 또는 타원형, 뒷면에 잔털이 있음. 5-6월에 녹황색 꽃이 자웅 잡가(雌雄雜家)의 원추(圓錐) 화서로 액생(腋生)하여 피고 핵과(核果)는 10월에 익음. 촌락 부근이나 밭둑에 나는데 거의 한국 각지 및 중국·히말라야 지방에 분포함. 즙액(汁液)은 유독(有毒)해 약용(藥用)·물감 원료 및 관구재(棺具材)로 쓰이며 어린싹은 식용함. 칠목(漆木).

〈옻나무〉

옻나뭇-과【—科**】** 명〖식〗[Anacardiaceae] 쌍자엽 식물 이판 화류(離瓣花類)에 속하는 한 과. 전세계에 500여 종, 한국에는 붉나무·거망옻나무·개옻나무 등의 6종이 분포함.

옻나무-깨다시하늘소 [—쏘] 명〖충〗[*Mesosa myops japonica*] 하늘솟과에 속하는 곤충. 몸길이 10-17mm이고 몸빛은 흑색인데 온몸에 등황색의 털뭉치로 된 불규칙한 깨알 같은 반문(斑紋)이 산재함. 촉각은 암갈색이며 각 마디의 끝은 흑색이고 기부는 청백색임. 애벌레는 여러 가지 활엽수(闊葉樹)의 해충임. 북유럽에서 극동·사할린에 걸쳐 분포함.

옻-닭 [—닥] 명 옻나무의 가지와 함께 솥에 안쳐 삶은 닭. 여름철에 몸을 보함.

옻-독【—毒**】** 명 옻의 독기.

옻-돌 명〖지〗전라 남도 광산군(光山郡) 대촌면(大村面) 칠석리(漆石里)의 순 우리말 이름.

[옻돌 놈 징 치듯 한다] 고싸움놀이를 응원하는 농악대원(農樂隊員)이 흥분하여 징을 마구 쳐대듯, 지지 않으려고 악착같이 오기(傲氣)로 덤벼듦을 이르는 말.

옻-오르다 [옫—] 자르불 살갗에 옻의 독기가 오르다.

옻-올리다 [옫—] 자 옻의 독기(毒氣)가 올라 살갗이 헐어서 부스럼이 되다.

옻-접선【—摺扇**】** 명 〈방〉 오접선(烏摺扇).

옻-칠【—漆**】** 명 ①옻나무의 진(津). 끈끈하고 처음에는 회색이나 물건에 바르면 암갈색으로 윤이 남. ㊂칠. ②옻나무의 진에 착색제·건조제 따위를 넣어 만든 도료(塗料). ——-하다 자여불

옻칠 가:면【—漆假面**】** 명〖고고학〗나무로 만든 가면의 거죽에 옻칠을 한 것. 옻칠탈.

옻칠 그릇【—漆—**】** 명〖고고학〗나무로 만든 그릇의 거죽에 옻칠을 한 것.

옻-타다 자 살갗이 옻의 독기를 잘 받다.

와[1] 명〖언〗한글 자모(字母) 'ㅗ'와 'ㅏ'가 합한 'ㅘ'의 이름.

와[2] 부감 〈방〉 왜(경상·평안).

와:[3] 부 여럿이 한 목에 움직이거나 떠드는 소리. ¶~ 밀려 갔다/모두 ~ 하고 웃다.

와:[4] 감 ↗우아❷.

와[5] 조 ①받침 없는 체언(體言)과 다른 체언 사이에 쓰여 여럿을 열거할 때 쓰는 접속 조사. ¶개~ 말. ②받침 없는 체언에 붙어 다른 말과 비교하는 부사격 조사. ¶원숭이~ 비슷하다. ③받침 없는 체언에 붙어 함께 함을 나타내는 부사격 조사. ¶그이~ 같이 가다/생활고~ 싸우다/갑돌이~ 갑순이가 결혼한다. *과.

와[6] 준 오아. ¶이리 ~ 같이 놀자/이따가 우리 집으로 ~.

와[7]【果】〈이두〉-라고. -거니와.

-와 준 선어말 어미 '-오-'와 어미 '-아'가 합하여 된 말. ¶감사하~/미안하~. *-으와.

와:가【瓦家**】** 명 기와집. 와옥(瓦屋).

와가두:구〔Ouagadougou〕명〖지〗서아프리카 부르키나파소 공화국의 수도. 중앙부에 위치하며 철도·도로 교통의 요지이고 농산물의 집산지임. 공항도 있음. [440,000명(1990 추계)]

와:가리 명 〈방〉 왜가리.

와가-탕【—湯**】** 명 모시조개를 맹물에 끓인 국. 저합탕(紵蛤湯).

와각【蝸角**】** 명 ①달팽이의 촉각(觸角). ②매우 좁은 지경(地境)이나 지극히 작은 사물(事物)의 비유.

와각-거리다 자 ①여러 개의 단단한 물건이 서로 뒤섞여 부딪쳐서 자꾸 소리가 나다. <워걱거리다. ②〈방〉 와글거리다. **와각-와각** 부. ——-하다 형여불

와각-대다 자 와각거리다.

와각지-세【蝸角之勢**】** 명 사소한 일로 다투는 형세(形勢).

와각지-쟁【蝸角之爭**】** 명 작은 나라끼리의 싸움. 하찮은 일로 승강이하는 짓.

와:간-상【臥看床**】** 명 누워서 책을 읽을 때 책을 받쳐 놓는 책상.

와:갈-봉【臥碣峰**】** 명〖지〗함경 남도 장진군(長津郡) 장진면(長津面)과 평안 북도 강계군(江界郡) 용림면(龍林面) 사이에 있는 산. [2,262m]

와거【萵苣**】** 명〖식〗상추.

와거-병【萵苣餠**】** 명 상추떡.

와거-자【萵苣子**】** 명〖한의〗상추의 씨. 이뇨(利尿)·치루(痔漏)·하혈(下血)·유즙 분비(乳汁分泌) 등에 약으로 씀.

와거-포【萵苣包**】** 명 상추쌈.

와:견[1]【臥見】명 누워서 봄. ——-하다 자여불

와:견[2]【臥繭】명 서랍 고리 모양을 뇌문(雷紋) 비슷하게 여러 개 끝과 끝이 서로 겹쳐 물리게 늘어 놓은 무늬의 한 가지. 흔히, 미술품의 가장 자리를 장식하는 데 그림.

와:계【瓦鷄**】** 명 기와로 만든 닭이니, 곧 외형(外形)뿐으로 아무 소용이 못 됨을 이름. *그림에 떡.

와:공【瓦工**】** 명 기와 굽는 사람. 와사(瓦師). *기와장이.

와:-공후【臥箜篌**】** 명〖악〗공후의 일종. 나무로 만든 타원형의 공명(共鳴)통을 가지며 소나 양의 심줄로 만든 줄 13현(絃)을 매었음.

와:과【臥瓜**】** 명 금횡과(金橫瓜).

와:관【瓦棺**】** 명〖공〗도관(陶棺).

와:관-사【瓦官寺**】** 명 중국 진(晉)나라의 서울인 건업(建業), 곧 현재의 난징(南京)에 있었던 절. 애제(哀帝)가 창건함.

와:괴【瓦壞**】** 명 기와가 깨져 부서지듯이, 사물이 부서져 버림. ——-하다 자여불

와:구[1]【瓦溝】명 기왓 고랑.

와:구[2]【瓦甌】명 질흙으로 만든 옹자배기. 단지.

와:구[3]【臥具】명 누울 때에 쓰는 물건의 총칭. 침구(寢具).

와:구-토【瓦口土**】** 명〖건〗→아귀토.

와굴【窩窟**】** 명 소굴(巢窟).

와그너-법【—法**】**〔Wagner〕[—뻡] 명〖법〗〔입안자(立案者)인 상원 의원 와그너(Wagner, Robert F.; 1877-1953)의 이름에 의함〕1935년 미국에서 뉴딜 정책(New Deal 政策)의 일환(一環)으로서 제정된 노동 관계법. 노동자의 단결권, 단체 교섭권 및 단체 협약을 인정하고, 부당 노동 행위를 금지한 것으로, 이에 의하여 노동자의 지위가 향상되고 노동 조합 운동이 비약적으로 발전하였으나, 뒤에 폐단이 많아 대폭 수정되었음. 공식 명칭은 National Labor Relations Act. *태프트 하틀리법(Taft-Hartley 法).

와그르르 부 ①쌓이었던 단단한 물건이 갑자기 한꺼번에 무너지는 소리나 모양. ¶벽돌이 ~ 무너지다. ②적은 물이 넓은 면적으로 야단스럽게 끓어오르는 소리나 모양. ¶주전자의 물이 ~ 끓어 넘다. ③우레가 가까운 곳에서 야단스럽게 일어나는 소리. 1)-3):<워그르르. *와르르·오그르르. ——-하다 자여불

와그작-거리다 자 시끄럽게 복작거리다. ¶와그작거리는 시장(市場) 바닥. <워그적거리다. **와그작-와그작** 부. ——-하다 자여불

와그작-대다 자 와그작거리다.

와글-거리다 자 ①많은 사람이나 벌레 등이 모이어 붐비게 잇따라 복작거리다. ②적은 물이 넓은 곳에서 야단스럽게 소리를 내며 끓다. 1)·2): <워글거리다. **와글-와글** 부. ¶국이 ~ 끓는다/사람들이 ~ 떠든다. ——-하다 자여불

와글-대다 자 와글거리다.

와:기【瓦器**】** 명〖공〗토기(土器).

와:기-전【瓦器典**】** 명〖역〗신라 때 기와나 그릇을 굽는 일을 맡은 관아. 경덕왕(景德王) 때 도등국(陶登局)이라 고치었다가 뒤에 다시 본 이름으로 함.

와:내【臥內**】** 명 침실(寢室) 안.

와너메이커〔Wanamaker, John〕명〖사람〗미국의 실업가. 백화점업의 선구자로서 신문 광고를 이용한 상법(商法)을 개척함. [1838-1922]

와는 조 부사격 조사 '와'의 힘줌말. ¶그 이~ 다르다. *과는.

와니스〔varnish〕명〖화〗☞니스.

와ᄂᆞᆫ 조 〈옛〉 와는. ¶부텨와 難陁와는 머리 마티 셔시고《月釋 Ⅹ:10》/옷과 ᄆᆞᆯ와는 또 能히 가비야오며 ᄉᆞᆯ지디 몯ᄒᆞ니라(衣馬不復能輕肥)《杜諺 Ⅰ:10》.

와닥닥 [부] 놀라서 갑자기 뛰어나오는 모양이나 소리. ——하다 [자][여불]

와:당【瓦當】[명] 기와의 마구리. 기와의 한쪽에 둥글게 모양을 낸 부분. 막새와 내림새의 끝에 원형(圓形)이나 혓바닥 같은 반원형(半圓形) 또는 좁고 만곡(彎曲)된 긴 전이 붙어 있으며, 무늬가 있음.

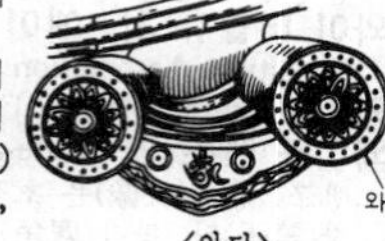

〈와당〉

와:당-문【瓦當紋】[명] 기와의 마구리에 새겨진 무늬나 문자.

와당탕 [부] 널빤지 위에 부딪쳐 요란하게 울리는 소리. ¶마루 위에 ～ 넘어지다. *우당탕. ——하다 [자][여불]

와당탕-거리다 [자] 자꾸 와당탕하다. *우당탕거리다. 와당탕-와당탕 [부]. ——하다 [자][여불]

와당탕-대다 [자] 와당탕거리다.

와당탕-퉁탕 [부] 널빤지 위에서 요란스럽게 뛰며 여기저기 부딪치어 울리는 소리. *우당탕퉁탕. ——하다 [자][여불]

와:대【瓦大】[명]〖공〗질로 만든 큰 충항아리.

-와뎌 [어미] 〈옛〉-고자. -고 싶다. =-과뎌. ¶佛乘에 들와뎌시니(意欲入佛乘)≪永嘉 下 71≫/나랏일 시름ᄒᆞ야 ᄒᆡ 가ᅀᆞᆷ 멀와뎌 願ᄒᆞ노다(憂國願年豐)≪杜諺 Ⅷ:52≫.

와:도¹【瓦刀】[명]〖건〗기와를 쪼개는 칼. 네모가 반듯한 쇳조각에 쇠 자루가 달렸음.

〈와도¹〉

와:-도²【臥島】[명]〖지〗①경상 남도의 남해상(南海上), 고성군(固城郡) 삼산면(三山面) 두포리(豆布里)에 위치한 섬. [0.17 km^2] ②인천 광역시의 서해상(西海上), 옹진군(甕津郡) 북도면(北島面) 와도리(臥島里)에 위치(位置)한 섬. [0.05 km^2]

와도³【渦度】[명]〖물〗'소용돌이도(度)'의 한자말.

와동【渦動】[명]〖물〗'소용돌이'의 한자말. ——하다 [자][여불] 소용돌이치다.

와동-륜【渦動輪】[-뉸] [명]〖물〗소용돌이 고리.

와동-환【渦動環】[명]〖물〗소용돌이 고리.

와:두【瓦豆】[명] 토제(土製)의 굽이 달린 제기(祭器). *두(豆).

와드득 [부] 단단한 물건을 깨물거나 마구 부러뜨릴 때 나는 소리. ——하다 [자][타][여불]

와드득-거리다 [자][타] 연해 와드득 소리가 나다. 또, 연해 와드득 소리가 나게 하다. 와드득-와드득 [부]. ——하다 [자][타][여불]

와드득-대다 [자][타] 와드득거리다.

와드등-와드등 [부] 그릇 같은 것이 서로 부딪쳐서 깨어지는 소리. ——하다 [자][여불]

와들-거리다 [자][타] 무섭거나 춥거나 하여 몸이 몹시 심하게 자꾸 떨리다. 또, 몸을 몹시 심하게 자꾸 떨다. 와들대다. ¶사반은 가슴 속이 사뭇 와들거리기 시작함을 깨달았다≪金東里:사반의 십자가≫. 와들-와들 [부]. ¶추워서 ～ 떨다. [준]왈왈. *벌벌. ——하다 [자][타][여불]

와들-대다 [자][타] 와들거리다.

와디 〔wadi〕 [명]〖지〗사막(砂漠) 지방에서, 비가 내릴 때만 물이 흐르고, 이내 고갈되어 버리는 강. 평소에는 대상(隊商)들의 교통로로 이용됨. 특히, 아라비아 및 북아프리카 지방에 많음.

-와든 [어미] 〈옛〉-거든. -니. ¶帝釋의 알핏 軍이 몬져 힛光ᄋᆞᆯ 펴아 阿脩羅의 누늘 쏘아 몯 보게 ᄒᆞ야든 阿脩羅ㅣ 소ᄂᆞ로 ᄒᆡᄅᆞᆯ 마리와든 日蝕ᄒᆞᄂᆞ니라≪釋譜 XIII:10≫.

-와디여 [어미] 〈옛〉-고자. -고 싶어. ¶건너고져 ᄒᆞ야 므리 ᄢᅴ와디여 ᄒᆞ야 願ᄒᆞ노라(欲濟願水縮)≪杜諺 XIII:9≫. *-과디여.

와:라¹【瓦剌】[명] '오이라트(Oirat)'의 취음.

와라²【蝸螺】[명]〖조개〗다슬기.

-와라 [어미] 〈옛〉-겠도다. ¶君子의 ᄆᆞᅀᆞᄆᆞᆯ 지조ᄅᆞᆯ 文章人 ᄀᆞᅀᅵ ᄡᅳ믈 알와라(乃知君子心用才文章境)≪杜諺 XXIV:42≫.

와락 [부] 급히 냅뜨거나 대들거나 잡아 당기는 모양. ¶개가 ～ 덤벼들다. <워럭. *왈칵·왈까.

와락-와락 [부] 더운 기운이 매우 성(盛)하게 일어나는 모양. <워럭워럭. *확확·활활·홧홧. ——하다 [자][여불]

와란 [조] 〈옛〉와는. ¶·와 —와 ㅗ와 ㅜ와 ㅛ와 ㅠ와란≪訓諺≫/ㅣ와 ㅏ와 ㅓ와 ㅑ와 ㅕ와란≪訓諺≫.

와람【蝸藍】[명]〖조〗노랑연새.

와려【蝸廬】[명] [달팽이의 껍데기처럼 작다는 뜻] ①작은 집의 비유. ②자기 집의 겸칭. 와옥(蝸屋).

와:력【瓦礫】[명] →와륵.

와로 [조] 〈옛〉와 더불어. ¶文字와로 서르 ᄉᆞᄆᆞᆺ디 아니ᄒᆞᆯᄊᆡ(與文字不相流通)≪訓諺 1≫.

와:롱-자【瓦礱子】[명]〖조개〗꼬막.

와:뢰¹【瓦罍】[명] 토제(土製)의 술그릇. 제사 때 씀.

와뢰²【渦雷】[명]〖기상〗저기압성 뇌우(低氣壓性雷雨).

와:료【臥料】[명] 일을 하지 아니하고 받는 급료(給料).

와:룡【臥龍】[명] ①엎드려 서리고 있는 용. ②장차 풍운 조화(風雲造化)를 일으킬 야(野)에 숨은 큰 영웅(英雄)을 일컫는 말. 복룡(伏龍). ¶～ 봉추(鳳雛).

와:룡-관【臥龍冠】[명] 말총으로 만든 관. 중국 삼국(三國) 시대에 제갈량(諸葛亮)이 이 관을 썼다 함.

〈와룡관〉

와:룡-묘【臥龍廟】[명] 중국 삼국 시대 촉한(蜀漢)의 정치가인 제갈공명(諸葛孔明)을 모신 묘사(墓祠). 서울 특별시 중구 예장동(藝場洞)에 있음. 서울 특별시 민속 자료 제5호.

와:룡-산【臥龍山】[명]〖지〗평안 남도 양덕군(陽德郡) 화촌면(化村面)과 함경 남도 고원군(高原郡) 오강면(吳江面) 사이에 있는 산. 낭림 산맥(狼林山脈) 중에 솟아 있음. [1,024 m]

와:룡-자【瓦龍子】[명]〖조개〗꼬막.

와:룡 장:자【臥龍壯字】[명] 엎드린 용과 같이 힘 있는 글씨.

와:룡 촉대【臥龍燭臺】[명] 와룡 촛대.

와:룡 촛대【臥龍-臺】[명] 놋쇠나 나무로 만들고 위에 용을 새긴 큰 촛대. 와룡 촉대.

〈와룡 촛대〉

와류¹【渦流】[명] 물이 소용돌이치면서 흐르는 일. 또, 그 흐름. ——하다 [자][여불]

와:류²【訛謬】[명] 오류(誤謬).

와류-손【渦流損】[명]〖물〗맴돌이 손실(損失).

와륭【窪隆】[명] ①우묵한 곳과 높은 곳. ②쇠(衰)함과 성(盛)함.

와르르 [부] ①쌓였던 돌무더기 등이 야단스럽게 무너지는 소리. 또, 그 모양. ¶돌담이 ～ 무너지다. ②천둥이 야단스럽게 나는 소리. ③괴어 있던 물이 갑자기 쏟아져 나오는 소리. ④물이 야단스럽게 끓는 소리. 1)-4): <워르르. *오르르·와그르르. ——하다 [자][여불]

와르샤바 〔Warszawa〕 [명]〖지〗바르샤바.

와르소 〔Warsaw〕 [명]〖지〗'바르샤바(Warszawa)'의 영어명(英語名).

와:륵【瓦礫】[명] [←와력] ①깨진 기왓조각. ②기와와 자갈. ③가치 없는 물건. 또, 아무 가치도 없는 사람.

와:리 [감] 〈방〉워리.

와ᄅᆞᆯ [조] 〈옛〉와를. ¶起와 滅와ᄅᆞᆯ 니저(忘起滅)≪圓覺 序 57≫.

와명 선조【蛙鳴蟬噪】[명] ①개구리와 매미가 시끄럽게 욺. 속물(俗物)들이 시끄럽게 변설(辯舌)을 농(弄)함을 이름. ②논설이나 문장(文章)이 졸렬함의 비유. 시끄럽기만하고 아무 쓸모가 없음을 이름. 선조 와명(蟬噪蛙鳴).

와목 점토【蛙目粘土】[명]〖공〗화강암질(花崗岩質)의 암석이 풍화 분해하여 된 진흙. 규산(珪酸)·산화 알루미늄·산화철·산화 마그네슘·칼륨 등을 성분으로 하며 석영(石英)의 작은 덩어리가 포함되어 있음. 도기(陶器)의 주요한 원료가 됨.

와문【渦紋】[명] 소용돌이 모양의 무늬.

와:방¹【瓦旊】[명]〖공〗질그릇을 전문으로 만드는 사람.

와:방²【臥房】[명] 침실(寢室). 침방(寢房).

와:변【臥邊】[명] 누운 변(邊).

와:병【臥病】[명] 병으로 누워 있음. 병와(病臥). ¶～ 중인 조부(祖父). ——하다 [자][여불]

와:복【瓦卜】[명]〖민〗기와를 던져 그 깨진 금에 의하여 길흉 화복(吉凶禍福)을 점치는 일. 와조(瓦兆).

와:부¹【瓦缶】[명] 토제(土製)의 장군. 술·물 같은 것을 담음. 오지 장군. 토부(土缶).

와:부²【瓦阜】[명]〖지〗경기도 남양주시(南楊州市)의 한 읍. 시의 남쪽 끝에 위치함. 팔당(八堂) 수력 발전소와 수종사(水鐘寺)·제2 신앙촌(信仰村)이 있음. [25,423 명(1996)]

와:부³【瓦釜】[명]〖공〗와요(瓦窯).

와:부 뇌명【瓦釜雷鳴】[명] [질솥이 우뢰처럼 울린다는 뜻] 배우지 못한 사람이 알지도 못하면서 과장(誇張)하는 것을 두고 이르는 말.

와:분【瓦粉】[명] 백분(白粉)❷.

와:비【瓦俾】[명] 와장(瓦匠)과 와공(瓦工)의 통칭.

와:사¹【瓦師】[명] 기와 만드는 사람. 와공(瓦工).

와사²【瓦斯】[명]〖화〗'가스(gas)'의 한역(漢譯).

와:사³【瓦肆】[명]〖역〗와자(瓦子).

와사⁴【喎斜】[명]〖한의〗↗구안 와사(口眼喎斜).

와사⁵【蝸舍】[명] ①작고 좁은 집. ②자기 집을 겸손하게 일컫는 말.

와사-관【瓦斯管】[명] 가스관(gas管)의 한역(漢譯).

와사-단【瓦斯緞】[명] 가스실로 짠 비단의 한 가지.

와사-등【瓦斯燈】[명] '가스등'의 한역(漢譯).

와:사-봉【臥獅峰】[명]〖지〗함경 남도 갑산군(甲山郡)에 있는 산봉우리. [2,146 m]

와사-사【瓦斯紗】[명] 주란사.

와사-증【喎斜症】[-쯩] [명]〖한의〗입과 눈이 한쪽으로 비뚤어지는 증세(症勢). 양의학의 안면 신경 마비(顔面神經痲痺)에 상당함.

와사-직【瓦斯織】[명] 주란사.

와사-탄¹【瓦斯炭】[명] 가스 카본(gas carbon).

와사-탄²【瓦斯彈】[명] 가스탄(gas彈).

와삭 [부] 풀이 센 빨래나 가랑잎 같은 바짝 마른 얇고 가벼운 물건이 서로 스치거나 부서질 때 나는 소리. ㅆ와싹¹. <워석. ——하다 [자][타][여불]

와삭-거리다 [자][타] 연해 와삭 소리가 나다. 또, 연해 와삭 소리를 나게 하다. ㅆ와싹거리다. <워석거리다. 와삭-와삭 [부]. ¶과자를 ～ 씹다. ——하다 [자][타][여불]. ¶낙엽 밟는 소리가 ～.

와삭-대다 [자][타] 와삭거리다.

와:상¹【瓦商】[명] 기와를 파는 장사. 또, 그 장수.

와:상²【臥牀】[명] 침상(寢牀).

와상³【渦狀】[명] 소용돌이 모양으로 빙빙 도는 형상. 와형(渦形).

와:상 마비【臥牀痲痺】[명]〖의〗중증 질환(重症疾患)으로 장기간(長期間) 병석(病席)에 누워 있었기 때문에 환자의 발끝이 마비 상태로 되는 일. 몸이 쇠약한 데다가 오랫동안 다리를 뻗고 있어서, 발 자체의 무게에 이불의 무게가 더하여, 하퇴근(下腿筋) 마비가 없이도 발을 놀릴 수 없게 됨.

와상-문【渦狀紋】명 지문(指紋)의 하나. 손가락 끝의 복면(腹面)에 있는 융기선(隆起線)이 소용돌이 모양으로 되어 있는 것. 소용돌이 무늬.

와상 성운【渦狀星雲】명〖천〗나선 성운(螺旋星雲).

와:서¹【瓦書】명〖역〗진흙 판에 쐐기 문자로 쓴 칼데아(Chaldaea)의 문서(文書).

와:서²【瓦署】명〖역〗조선 시대 때 관(官)에서 쓰는 기와·벽돌을 만들어 바치는 일을 맡아 보던 관아. 태조(太祖) 원년(1392)에 동요(東窯)·서요(西窯)를 두었다가, 뒤에 둘을 합하여 이 이름으로 고치고, 고종(高宗) 19년(1882)에 폐함.

와:석¹【瓦石】명 기와와 돌. 전(轉)하여, 아무 가치가 없는 것을 이름.

와:석²【臥席】명 병석에 누움. ——**-하다** 자여불

와:석 종신【臥席終身】명 제 명(命)에 죽음. ——**-하다** 자여불

와선¹【渦線】명〖수〗'소용돌이선(線)'의 구용어.

와선²【渦旋】명 소용돌이 침. ——**-하다** 자여불

와:설【訛說】명 와언(訛言)❶.

와성【蛙聲】명 ①개구리의 우는 소리. ②음란한 음악 소리.

와셔〔washer〕명 ①씻거나 빨래하는 사람. 세탁인. ②〖기〗세탁기. 세광기(洗鑛機). ③〖공〗볼트(bolt)를 죌 때 너트(nut)의 밑에 끼는 얇은 쇠붙이. 접촉면을 부드럽게 하며 나사못의 이완(弛緩)을 방지함. 좌철(座鐵). 좌금(座金). 똬리쇠. 자릿쇠.

와:송【瓦松】명〖식〗지부지기.

와:송-주【臥松酒】명 누운 소나무를 파고 술을 빚어 넣은 후에 뚜껑을 덮어서 열흘쯤 두었다가 꺼낸 술.

와수수 부〈방〉와스스. ¶ 낙락장송 파란 솔밭에 솔바람이 ~ 물결친다.

와스스 부 ①가랑잎이 요란스럽게 흔들리거나 떨어지는 소리. ②물건의 사개가 한꺼번에 물러나는 모양. ③가벼운 물건이 요란스럽게 무너져 헤지는 소리. ——**-하다** 자여불

와슬렁-거리다 자타〈방〉와삭거리다. ¶ 만산이 한참…… 웃는 것처럼 나뭇잎 와슬렁거리는 소리 뿐이었다《鄭飛石：城隍堂》.

와:시【瓦市】명〖역〗와자(瓦子).

와:식【臥食】명 일을 하지 아니하고 놀고 먹음. 좌식(坐食). ——**-하다** 자여불

와:신 상담【臥薪嘗膽】명〔옛날 중국에 월왕 구천(越王句踐)과 오왕 부차(吳王夫差)가 서로 나라를 빼앗기고 괴롭고 어려움을 참고 견디어 나라를 회복한 고사(故事)에서 나온 말〕섶에 누워 자고 쓸개를 핥으며 복수를 다짐한다는 뜻으로, 원수를 갚으려고 괴롭고 어려움을 참고 견딤의 비유. ¶ ~ 기회를 노리다. 준상담(嘗膽). ——**-하다** 자여불

와:실¹【臥室】명 침실(寢室).

와실²【蝸室】명 ①달팽이 껍질같이 좁은 방. ②자기 방을 겸손하게 일컫는 말. 와려(蝸廬).

와싹¹ 부 풀이 센 빨래와 가랑잎 같은 바짝 마른 얇고 가벼운 물건이 서로 스치거나 부서질 때에 세게 나는 소리. 스와삭. <워썩. ——**-하다** 자타여불

와싹² 부 단번에 거침없이 나아가거나 또는 갑자기 늘어나거나 줄어드는 모양. ¶ 강물이 하룻밤 사이에 ~ 줄었다. <우썩. *바싹·와짝.

와싹-거리다 자타 연해 와싹 소리가 나다. 또, 연해 와싹 소리를 나게 하다. 스와삭거리다. <워썩거리다. **와싹-와싹¹** 부. ¶ 과자를 ~ 씹다. ——**-하다** 자타여불

와싹-대다 자타 와싹거리다.

와싹-와싹² 부 단번(單番)에 거침없이 나아가거나 또는 갑자기 늘어나거나 줄어드는 모양. ¶ 국물이 ~ 줄어든다. <우썩우썩. *바싹바싹·우쩍우쩍.

와양〔인네 wayang〕명 인도네시아의 꼭두각시 전설극(傳說劇).

와:어【訛語】명〖언〗사투리.

와:언【訛言】명 ①잘못 전파(傳播)된 말. 거짓 떠도는 말. 와설(訛說). ②사투리.

와:연【瓦硯】명 차진 흙으로 기와처럼 구워 만든 벼루.

와:옥¹【瓦屋】명 기와집. 와가(瓦家).

와옥²【蝸屋】명 와려(蝸廬).

와:-와 감 ↗우아우아.

와:요【瓦窯】명 기와를 굽는 굴. 와부(瓦釜).

와우¹【蝸牛】명〖동〗달팽이.

와우² 감〈방〉우어.

와우-각【蝸牛殼】명〖생〗달팽이껍데기.

와우각-상¹【蝸牛角上】명 세상이 좁은 것을 일컫는 말.
[와우각상의 싸움] 작은 나라끼리 싸우는 일. 하찮은 일로 싸우는 일.

와우각-상²【蝸牛殼狀】명 달팽이 껍데기처럼 생긴 모양. 속이 비어 있고 나선형(螺旋形)으로 된 것을 말함.

와우-관【蝸牛管】명〖생〗달팽이관.

와우 나선관【蝸牛螺旋管】명〖생〗와우의 내강(內腔).

와우-창【蝸牛窓】명〖생〗정원창(正圓窓).

와우-형【蝸牛形】명〖수〗'달팽이꼴'의 구용어.

와:위¹【瓦葦】명〖식〗석위(石葦).

와:위²【訛僞】명 허위(虛僞)❶.

와:유 강산【臥遊江山】명 산수(山水)의 그림을 보며 즐기는 일. ——**-하다** 자여불

와:음【訛音】명 그릇 전하여진 글자의 음.

와:의【瓦衣】〔—/—이〕명 기왓장 위에 끼는 이끼.

와이【Y, y】명 ①영어의 스물 다섯째 자모. ②↗와이 엠 시 에이. ③↗와이 더블유 시 에이.

와이급 원자력 잠수함【Y級原子力潛水艦】〔—끕—〕명〖군〗소련에서 개발한 미사일 잠수함. 미국의 폴라리스 잠수함에 대응함.

와이더 룩〔wider look〕명 몸의 선(線)을 뚜렷하게 나타내지 아니하고 풍신한 느낌을 강조한 여자 양복의 스타일.

와이 더블유 시: 에이【Y.W.C.A.】명〖기독교〗〔Young Women's Christian Association의 약칭〕기독교(基督教) 여자 청년회. 준와이.

와이드〔wide〕명 (폭이) 넓음.

와이드 렌즈 명〔wide-angle lens〕표준 렌즈보다 화각(畫角)이 넓은 렌즈. 영상(映像)은 초점 심도(焦點深度)가 깊고, 원근감(遠近感)이 과장(誇張)됨. 광각(廣角) 렌즈.

와이드-보디〔widebody〕명 여객 수송기(旅客輸送機)로서, 종래 것보다 동체 단면적(胴體斷面積)이 크고, 보다 많은 수송 정원(定員)을 가진 기종(機種).

와이드 볼:〔wide ball〕명 크리켓에서, 타자(打者)의 손에 미치지 않는 무리한 방향으로 던져진 공. 타자측에 일점을 주게 됨.

와이드 스크린:〔wide screen〕명〖연〗시네라마·시네마스코프·비스터비전 등의 대형(大型) 스크린의 총칭. 대화면(大畫面)의 박력(迫力) 및 입체 음향 효과(立體音響效果)의 채용(採用)으로 보다 높은 입체감(立體感)을 줌.

와이드 텔레비전〔wide television〕명 대형(大型) 화면(畫面) 텔레비전. 화면의 가로 세로의 비(比)가 3대 4를 넘어 3대 5 내지 3대 6인 텔레비전을 말함.

와이드 프로〔wide programme〕명 라디오·텔레비전의, 장시간(長時間) 프로.

와이 레벨〔Y level〕명〖공〗망원경을 Y자형의 가대(架臺)로써 지지(支持)하는 측량용 수준기(水準器).

와이-셔츠 명〔white shirt: 흰 셔츠의 뜻〕남자의 신사복 밑에 입는, 소매가 달린 셔츠. 목에 넥타이를 매게 되어 있음. 최근에는 색채와 무늬로 된 것도 있음. 'Y셔츠'로도 씀.

와이어〔wire〕명 ①철사. ②전선(電線). ③전보. ④악기(樂器)의 줄.

와이어 게이지〔wire gauge〕명 철사의 굵기를 재는 기구(器具).

〈와이어 게이지〉

와이어 글라스〔wire glass〕명 깨어지지 않도록 철망을 넣은 유리. 철근 글라스(glass).

와이어 로:프〔wire rope〕명 강삭(鋼索).

와이어리스〔wireless〕명 ①무선 전신(無線電信). 무선 전화(無線電話). ②와이어가 없는 방식.

와이어리스 마이크〔wireless—〕명〖물〗코드(cord)가 없이 마이크 자신이 송신기(送信機)가 되어 보통의 방송(放送)과 같은 파장(波長)의 송신을 하는 마이크. 마이크에 작은 출력(出力)의 송신기가 장치되어 있음.

와이어 메모리〔wire memory〕명 컴퓨터의 주기억(主記憶) 장치에 사용되는 기억 소자(素子). 자기(磁器) 코어(core)와는 달리 퍼멀로이(permalloy)의 얇은 막(膜)으로 도금(鍍金)한 선을 세로로 하고, 절연(絶緣)된 구리선(線)을 가로로 하여 직물(織物)처럼 짜 낸 것임. 액세스 타임(access time)이 짧고(10억분의 1초 정도까지 가능), 사용 전력이 적으며 자동 직기(織機)를 이용하므로 값이 쌈.

와이어스〔Wyeth, Andrew〕명〖사람〗미국의 화가. 자연과 인물을 템페라·수채 등의 기법으로 세밀하게 묘사, 색감이 어둡고 애수적인 느낌을 주는 것이 특징. 대표작으로 《크리스티나의 세계》 등이 있음. [1917-]

와이어트¹〔Wyatt, John〕명〖사람〗영국의 방적(紡績) 기술자. 롤러로써 섬유를 잡아 늘이는 방적 기계를 발명, 산업 혁명의 기술적 출발점의 하나를 만들었음. [1700-66]

와이어트²〔Wyatt, Sir Thomas〕명〖사람〗영국의 시인·정치가. 헨리 8세의 외교를 맡아 활약. 이탈리아의 소네트(sonnet) 형식을 영국에 도입, 엘리자베스 시대 시(詩)의 황금기를 준비하였음. [1503?-42]

와이 엠 시: 에이【Y.M.C.A.】명〔Young Men's Christian Association의 약칭〕기독교 청년회. 준와이.

와이 염:색체【Y染色體】명〔Y-chromosome〕〖생〗성염색체(性染色體)의 한 가지. 암컷에는 없고 수컷의 몸 세포(細胞)에 짝이 없이 단독(單獨)으로 들어 있는 염색체 이외의 또 하나의 특수한 염색체. *엑스 염색체(染色體).

와이오:밍 주【—州】〔Wyoming〕명〖지〗미국 서부, 산악 지대의 주(州). 중부에는 로키 산맥(Rocky 山脈)의 주맥(主脈)이 지나고 있으며 서북쪽에는 옐로스턴 국립 공원이 있음. 고지가 많아 농경은 그다지 발달되지 못하고 관개(灌漑)에 의한 농업이 행하여지고 있음. 주로, 사료용의 연맥·옥수수·야채 재배가 행하여짐. 양과 소의 방목이 성하고 석유·천연 가스·철·우라늄·석탄의 광물 자원이 풍부함. 농산 가공, 임산 가공 외에는 두드러진 공업이 없음. 주도는 샤이엔(Cheyenne). [251,201 km²: 453,588 명(1990)]

와이 좌:표【y座標】명〔y-coordinate〕〖수〗점의 좌표의 구성 성분의 하나. 평면상의 점의 좌표(x, y)에 있어서의 y, 공간의 점의 좌표(x, y, z)에 있어서의 y를 이름. 세로좌표. 종좌표(縱座標). ↔엑스(x) 좌표.

와이즈뮬러〔Weissmuller, Peter John〕명〖사람〗미국의 수영 선수·영화 배우. 1924년 파리, 1928년 암스테르담 올림픽 대회에서 100m 자유형, 400m 자유형, 릴레이에서 모두 5개의 금메달을 획득함. 1929년 영화계에 들어가 타잔역(役)으로 유명함. [1904-84]

와이-축【y軸】명〔y-axis〕①〖수〗좌표축의 하나. 평면의 좌표계(系)의 좌표축 O_x, O_y, 공간 좌표계의 좌표축 O_x, O_y, O_z 중의 O_y를 이름. 평면의 경우에는 세로축(軸)이라고도 함. ↔엑스축. ②수정(水晶)의 서로 마주 보고 있는 두 개의 평행면에 수직인 직선.

와이키키 〔Waikiki〕 명 『지』 미국 하와이 주(州) 오아후(Oahu) 섬의 중심 호놀룰루(Honolulu) 해안. 캘리포니아에서 백사(白砂)를 운반해서 조성한 모래밭 해안으로 호텔·고급 주점이 즐비하고 해수욕·파도타기·일광욕을 즐기는 관광객이 많음.

와이키키 셔츠 〔Waikiki shirt〕 명 알로하 셔츠(aloha shirt).

와이투:케이 문:제 【Y 2 K問題】 명 〔Y 2 K는 Year 2 kilo의 약자, Year 2000의 뜻〕 일반적으로 서기 연호(西紀年號)의 위 2 자리를 생략하여 1999 년을 '99'로 표기하는데, 서기 2000 년이 되었을 때 '00'으로 표기할 때, 1900 년과의 혼돈 등으로 컴퓨터가 일으킬 오류 문제와 이를 대처하기 위한 방책을 일컫는 말.

와이퍼 〔wiper〕 명 자동차의 앞유리에 들이친 빗방울 따위를 자동적으로 좌우로 움직여서 닦아 내는 장치.

와이 펀치 〔Y punch〕 명 『전자』 보통의 펀치 카드에서, 맨 윗단(段)의 구멍.

와이-포 【Y砲】 명 『군』 구축함·호송함 등 잠수함을 공격하는 함정에 설치(設置)하는 포의 한 가지. 최대 사정(最大射程)은 457.2 m. 폭뢰(爆雷) 방사기.

와이프 〔wife〕 명 아내. 처(妻). ↔허즈번드.

와이프-아웃 〔wipe-out〕 명 『연』 영화 기술의 한 가지. 한 장면이 지워지듯이 한쪽으로 사라져 없어지고 곧 다음 장면이 나타나는 장면 접속법.

와이핑 〔wiping〕 명 『항해』 해군 함선(艦船)의 영구 자기(永久磁氣)를 감소시키는 방법. 함선 주위의 수평 위치에 단일 코일을 놓고, 여기 중(勵起中)에 현측(舷側)을 따라서 상하로 움직임.

와이 합금 【Y 合金】 명 『광』 가볍고 강력한 주물용(鑄物用) 알루미늄 합금. 표준 조성(組成)은 알루미늄에 구리 4 퍼센트, 마그네슘 1.5 퍼센트, 니켈 2 퍼센트를 첨가함. 내열성(耐熱性)이 있으며 내연 기관의 피스톤이나 항공기의 부품에 쓰임.

와이형 회로망 【Y形回路網】 명 〔Y network〕 『전』 세 가닥의 분기(分岐)를 가진 성형(星形) 회로망.

와인 〔wine〕 명 ①포도주(葡萄酒). ②양주(洋酒). 또, 술의 총칭. 주류(酒類).

와인-글라스 〔wineglass〕 명 ①양주용(洋酒用)의 컵. ②포도주, 특히 셰리주(sherry 酒)의 술잔.

와인드-업 〔wind-up〕 명 야구에서, 투수가 투구(投球)의 예비 동작으로 모션을 일으켜 팔을 뒤로 뻗쳐 반동(反動)을 붙이거나, 팔을 머리 위로 올리는 일.

와인버:거 〔Weinberger, Caspar W.〕 명 『사람』 미국의 정치가. 1941년 하버드 대학 졸업. 1973년 보건 후생 장관(保健厚生長官)을 지내고, 1975년 벡텔 그룹의 부사장을 거쳐 1981년 국방 장관을 지냄. [1917-]

와인버:그 〔Weinberg, Steven〕 명 『사람』 미국의 이론 물리학자. 1954년 코넬 대학을 졸업하여, 버클리 대학·엠 아이 티(MIT) 교수를 역임하고, 1973년 이후 하버드 대학 교수. 소립자(素粒子)의 전자기적 연구로 1979년 노벨 물리학상을 수상함. [1933-]

와일 〔Weill, Kurt〕 명 『사람』 독일 태생의 미국 작곡가. 오락적인 무대 음악을 다루었으며, 대표작으로 독일 시절에 브레히트(Brecht,B.)와 합작한 ≪삼류(三流) 오페라≫가 있음. [1900-50]

와일더¹ 〔Wilder, Billy〕 명 『사람』 미국의 영화 제작가·감독. 빈(Wien) 태생. 1933년 도미 후 예민한 정의파 감독으로 일가를 이루어, 1945년에 ≪잃어버린 주말≫, 1961년에 ≪아파트먼트≫로 아카데미 감독상을 받음. [1906-]

와일더² 〔Wilder, Thornton Niven〕 명 『사람』 미국의 극작가·소설가. 소설 ≪산 루이스 레이교(San Luis Rey 橋)≫, 희곡 ≪우리 마을≫ 등으로 세 번 퓰리처상(Pulitzer 賞)을 획득하였음. 상징적 서정파의 작가로 알려짐. [1897-1975]

와일드¹ 〔wild〕 명 사나움. 거칠고 난폭함. ——-하다 형여불

와일드² 〔Wilde, Oscar O'Flahertie Wills〕 명 『사람』 영국의 시인·소설가. 런던에서 기지(機智)와 화려한 문체로 탐미파(耽美派)의 거장이 되어 미의 추구를 실생활에까지 미치게 하였으나 젊은 귀족과의 남색죄(男色罪)로 투옥된 이후 명성이 떨어져 프랑스에서 객사(客死)하였음. 스스로 유미파(唯美派)의 사도(使徒)로 자칭하였는데, 세기말 문단의 제일인자로서, 희곡 ≪살로메(Salomé)≫, 소설 ≪도리안 그레이의 초상(肖像)≫, 동화집 ≪행복한 왕자≫, 회상록 ≪옥중기(獄中記)≫ 등이 있음. [1854-1900]

와일드 메이크업 〔wild make-up〕 명 인상이 강한 포인트 화장법의 하나로, 야성적인 화장법.

와일드캣 스트라이크 〔wildcat strike〕 명 『사』 노동 조합의 본부는 물론 지부(支部)의 의사에 반(反)하여 일부 조합원이 무통제적(無統制的)으로 벌이는 파업.

와일드 피치 〔wild pitch〕 명 야구에서, '폭투(暴投)'의 뜻.

와일러 〔Wyler, William〕 명 『사람』 미국의 영화 감독. 처음 ≪사막의 생령(生靈)≫의 감독으로 재능을 발휘한 이후, 예술적 영화 제작의 일선에 서서 뛰어난 연출로 수다한 걸작품을 남김. 대표작으로 ≪공작 부인(孔雀夫人)≫·≪흑란(黑蘭)의 여인≫·≪우리 생애 최고의 해≫ 등이 있고, 이 밖에도 ≪위대한 서부≫·≪벤허≫가 있음. 아카데미 감독상도 세 번이나 수상했음. [1902-81]

-와이다 어미 〈옛〉 -나이다. ¶부텻긔 ᄉᆞᆯᄫᆞ샤ᄃᆡ 죽사릿 어리예 버서난 이ᄅᆞᆯ 알와이다 ≪釋譜 XI:3≫. *-과이다.

와자¹ 【瓦子】 명 『역』 중국 송(宋)나라·원(元)나라 때에 도시에 발달되었던, 사람이 웅성웅성 많이 모여드는 장소. 곧, 연예장(演藝場)·약 파는 곳·점치는 곳·음식점·서화점(書畫店)·피복점·유곽(遊廓) 같은 곳. 와사(瓦肆). 와시(瓦市).

와:자² 【訛字】 명 잘못된 글자.

와자크-인 【—人】 〔Wadjak〕 명 『지』 현생 인류(現生人類)의 화석종(化石種)의 하나. 자바의 브란타스 강 상류, 윌리스 산록에서 1889-90년 남녀 각 한 개의 두골(頭骨)·하악골(下顎骨)이 발견되었음. 멜라네시아인(人)·오스트레일리아 원주민과 유사한 형질이 있음. 프로트 오스트레일리아인(Prot Australia 人).

와:작 【瓦雀】 명 참새.

와작-와작 부 ①억지로 급하게 일을 해 나아가는 모양. ②김치나 깍두기 등을 시원스럽게 씹는 소리. 1)·2): <우적우적.

와:잠 【臥蠶】 명 자고 있는 누에.

와:잠-미 【臥蠶眉】 명 누운 누에 모양으로 길고 굽은 눈썹.

와:장 【瓦匠】 명 기와장이.

와장창 부 쌓여 있는 것이 별안간 요란하게 무너지거나 깨지는 소리나 모양. ¶~ 무너지다. ——-하다 자여불

와:전¹ 【瓦全】 명 아무 보람도 없이 신명(身命)을 보전(保全)하여 감. 겨우 구명(救命) 도생(圖生)함. 전전(甎全). ¶~을 부끄러이 여기다. ↔옥쇄(玉碎). ——-하다 자여불

와:전² 【瓦磚】 명 기와와 벽돌.

와:전³ 【瓦甎】 명 기와.

와:전⁴ 【訛傳】 명 그릇 전함. 유전(謬傳). ¶내용(內容)의 일부가 ~되었다. ——-하다 타여불

와-전류 【渦電流】 〔—절—〕 명 『물』 '맴돌이 전류'의 한자말.

와전류-손 【渦電流損】 〔—절—〕 명 『전』 맴돌이 손실.

와:정 【瓦釘】 명 '방초(防草)박이'의 한자말.

와:조¹ 【瓦兆】 명 『민』 와복(瓦卜).

와:조² 【瓦竈】 명 기와 굽는 가마.

와주 【窩主】 명 도둑이나 노름꾼 소굴의 우두머리. 접주인(接主人).

와:준 【瓦樽】 명 토제(土製)의 술그릇.

와중¹ 【渦中】 명 ①소용돌이치며 흘러가는 물의 가운데. ②분란(紛亂)한 사건의 가운데. ¶사건의 ~에 휩쓸려 들다.

와중² 【窩中】 명 굴속.

와:즙 【瓦葺】 명 기와로 지붕을 임. ——-하다 타여불

와지 【窪地】 명 움푹 파이어 웅덩이가 된 땅.

와지끈 부 여러 가지 단단한 물건이 부서지는 소리. ¶판잣집이 ~ 부서지다. ——-하다 자여불

와지끈-거리다 자 와지끈 소리가 잇따라 나다.

와지끈-대다 자 와지끈거리다.

와지끈-뚝딱 부 크거나 작은 여러 가지 단단한 물건이 부서지는 소리. ¶~ 마구 때려 부수다. ——-하다 자여불

와집 〔아랍 wājib〕 명 『이슬람』 당연(當然). 의무 예배(義務禮拜).

와짝 부 한꺼번에 나아가거나 또는 늘거나 주는 모양. ¶하룻밤 사이에 ~ 추워졌다/~ 늙었다. *바짝·와싹²·우쩍.

와짝-와짝 부 한목에 줄기차게 나아가거나 또는 늘어 가거나 줄어 가는 모양. ¶쌀가마가 ~ 줄어간다. *바짝바짝·와싹와싹²·우쩍우쩍.

와:창¹ 【臥瘡】 명 『의』 병석(病席)에 오래 누워 있어서 엉덩이 같은 데에 생긴 부스럼.

와창² 【蝸瘡】 명 『한의』 손가락이나 발가락 사이에 뾰루지가 나서 몹시 가렵고 아픈 병. 나중에는 헤어져서 달팽이의 껍질 같은 모양이 됨.

와초 【蛙炒】 명 개구리 볶음.

와충-류 【渦蟲類】 〔—뉴〕 명 『동』 〔Turbellaria〕 편형(扁形) 동물에 속하는 한 강(綱). 짠물·단물·습지 등에 사는데 대개 자유 생활을 함. 몸은 편평한 잎 모양이며, 몸 표면에는 섬모(纖毛)가 밀생하여 있음. 입은 몸의 배 쪽 중앙선(中央線)에 있고 똥구멍은 없음. 대개, 자웅 동체로 복잡한 생식기를 갖춤. 물 속에 사는 것은 와류(渦流)를 일으키면서 운동하므로 이 이름이 있음. 무장류(無腸類)·단장(單腸)류·삼기장(三岐腸)류·다기장(多岐腸)류의 네 목(目)으로 나뉨. *촌충류(寸蟲類)·흡충류(吸蟲類).

와:치¹ 【瓦巵】 명 『공』 잿물을 덮지 않은 질그릇 잔.

와:치² 【臥治】 명 자면서 다스린다는 뜻으로, 쉽게 다스림. 또, 정치를 잘 함을 이름. ——-하다 자여불

와:치-천하 【臥治天下】 명 누워서 천하(天下)를 다스림. 곧, 태평 시대(太平時代)를 말함. ——-하다 자여불

와:칭 【訛稱】 명 그릇 일컫는 칭호.

와카 〔일 和歌:わか〕 명 일본에서 예로부터 내려온 정형(定型)의 노래. 장가(長歌)·단가(短歌) 등의 총칭. 협의로는 31 음(音)을 정형으로 하는 단가를 말함.

와카야마 〔和歌山:わかやま〕 명 『지』 일본 와카야마 현(和歌山縣) 북서부의 시. 현청(縣廳) 소재지. 중화학(重化學)·방직·염색·제혁(製革)·제재(製材) 등의 공업이 활발함. 교통의 중심지며 무역항이고, 교육 도시임. [400,741 명(1992)]

와카야마 현 【—縣】 〔和歌山:わかやま〕 명 『지』 일본 긴키 지방(近畿地方)의 현. 7 시 7 군. 산지가 대부분이고 경작지는 좁음. 귤·목재의 산출이 많고 면직물·인견직(人絹織) 등의 방직물 생산 외에 어업으로 고래잡이가 유명(有名)함. 현청(縣廳) 소재지는 와카야마 시(和歌山市). [4,722.34 km^2 : 1,094,502 명(1992)]

와키자카 야스하루 〔脇坂安治:わきざかやすはる〕 명 『사람』 일본 전국 시대(戰國時代)의 무장(武將). 도요토미 히데요시(豊臣秀吉)의 근신(近臣). 임진 왜란 때 70여 척의 군선(軍船)을 이끌고 침입, 한산도(閑山島)에서 대패함. 정유 재란(丁酉再亂) 때에는, 거제도(巨濟島)에서 원균(元均)을 죽이고, 고니시 유키나가(小西行長)와 함께 남원(南原)을 점령함. [1554-1629]

와:탈 【訛脫】 명 글자의 와전(訛傳)과 탈락(脫落).

와:탑 【臥榻】 명 침상(寢床).

와:탑지-측 【臥榻之側】 명 침상(寢床) 옆. 전(轉)하여, 영역(領域)의 안 또는 이웃.

와:태 【瓦胎】 명 흡수성(吸水性)이 있는 유색토(有色土).

와토 〔Watteau, Jean Antoine〕 명 『사람』 프랑스 로코코의 대표적 화가. 당시에 유행하던 이탈리아 희극과 궁정 생활, 병사들의 생활 등을 부드러운 색조로 화사하게 그림. ≪시테라(Cythera) 섬에의 출범≫·

≪정원(庭園)의 대화≫ 등. [1684-1721]

와:통【瓦桶】명〖건〗암키와를 만드는 데 쓰는 나무틀.

와트[1]〔Watt, James〕명〖사람〗영국의 기계 기사(技師). 1774년 증기 기관(蒸氣機關)을 개량 완성하여 산업 혁명에 공헌함. 이 밖에 복사용 잉크도 발명하였음. [1736-1819]

와트[2]〔watt〕의명〖전〗전기 공학(電氣工學)에서 쓰는 공률(工率)·전력(電力)의 단위. 즉, 1볼트의 전위차(電位差)를 가진 두 점 사이를 1암페어의 전류가 흐를 때 소비되는 일의 양(量)을 1와트라 하는데, 1와트는 1/746 마력(馬力)에 상당함. 기호는 W.

와트-계【一計】〔watt〕명〖물〗전력계(電力計).

와트만-지【一紙】〔Whatman〕명 도화 용지(圖畫用紙)의 한 가지. 1760년 영국의 켄트 주(Kent 州) 와트만 회사 특산인데, 두껍고 순백색으로 되어 수채화용으로 쓰임.

와트-미터〔wattmeter〕명 전력계(電力計).

와트-시【一時】〔watt〕의명〖물〗전기 에너지의 실용 단위(實用單位). 1와트의 공률(工率)로 한 시간에 하는 작업의 양(量). 기호는 Wh.

와트시 미터【一時一】명〔watt-hour meter〕〖물〗두 점 사이에 사용된 총전력(總電力)을 측정하는 장치.

와트시 용량【一時容量】[一냥] 명〔watt-hour capacity〕〖전〗온도와 방전(放電)의 속도 및 최종 전압에 관한 특정 조건 하에서, 축전지가 공급할 수 있는 와트시(watt時)의 값.

와트의 법칙【一法則】[一/一에一] 명〔Watt's law〕〖물〗어떤 온도(溫度)에 있어서의 수증기의 생성 잠열(生成潛熱)과, 0℃에서 그 온도로 물을 승온(昇溫)시키는 데 필요한 열의 합은 일정하다는 법칙. 실제로는 잘못된 법칙임이 드러나고 있음.

와트-초【一秒】명〔watt-second〕〖물〗1와트의 작업률(일률)로써 1초 동안 작용했을 때의 에너지량. 1줄(joule)과 같음.

와트 타일러의 난:【一亂】〔Wat Tyler〕[一/一에一] 명〖역〗1381년 영국 농노제(農奴制)가 무너질 시기에 일어난 농민의 반란. 1380년의 인두세(人頭稅) 부과를 계기로 농노제 폐지·지대 경감(地代輕減) 등을 요구하는 와트 타일러, 볼(Ball, J.) 등이 주동이 되어, 런던 시민과 짜고 왕(王)과 회견하여 일부 요구를 관철하였으나, 타일러가 살해되자 무너졌음. 그 뒤 농노제는 실질적으로 폐지되었음.

와:판【瓦版】명 옛날에 목판(木版) 대신에 마른 진흙에 문자나 그림을 조각하여 구워서 기와로 만들어 인쇄하던 인쇄판.

와편모-류【渦鞭毛類】명〖동〗와편모충목(渦鞭毛蟲目).

와편모 조류【渦鞭毛藻類】명 조류(藻類)의 일군(一群). 보통, 몸은 단세포이며, 가는 무늬가 있는 세포막과 두 개의 편모(鞭毛)가 있음. 그 중의 하나는 가로 몸을 감고, 다른 하나는 뒤로 뻗침. 해수(海水)·담수(淡水)의 플랑크톤(plankton)인데, 대량으로 번식하여 적조(赤潮)가 되는 일도 있음. 번식은 이분열(二分裂)에 의함.

와편모충-목【渦鞭毛蟲目】명〖동〗〔Dinoflagellata〕원생 동물 편모충강에 속하는 한 목(目). 편모는 두 개인데, 하나는 몸 뒤쪽으로 뻗어서 종편모(縱鞭毛)를 이루고, 다른 하나는 수평(水平)으로 자리 잡은 횡편모(橫鞭毛)임. 대개는 홀로 살지만 쇠사슬 모양의 군체(群體)를 이루는 것도 있음. 무구 아목(無溝亞目)·유구(有溝) 아목·포상(胞狀) 편모충 아목의 세 아목으로 분류됨. 대편모류(帶鞭毛類). 이편모류(二鞭毛類). 와편모류(渦鞭毛類).

와프트-당【一黨】〔Wafd〕명〖정〗〔와프트는 아랍어로 대표(代表)를 뜻함〕1919년, 자글룰(Zaghlul, 1853-1927)이 조직한 이집트 최초의 근대적인 정당. 이집트 내셔널리즘에 입각하여, 독립과 근대화를 목적으로 반영(反英) 운동의 중심 세력을 이루었다가, 1952년 쿠데타 발생으로, 나기브 장군에 의해 강제 해산을 당하였음.

와플〔미 waffle〕명 ①양과자의 한 가지. 달걀·설탕·우유 등을 잘 섞어, 이에 밀가루·베이킹 파우더를 가한 것을 와플틀로 굽고, 둘로 접어서 속에 잼이나 크림을 넣어서 만듦. ②핫 케이크의 한 가지.

와하브-파【一派】〔Wahhab〕명〖종〗이슬람교의 한 파(派). 아라비아인 와하브(1703-87)가 18세기 후반에 창설한 것으로, 일체의 개혁에 반대하는 복고주의(復古主義)의 기치(旗幟) 아래 기성(旣成) 종파(宗派)에 반대하고 금욕주의·원시 이슬람교에의 복귀(復歸)를 강조하여 아라비아 반도의 통일을 목표하였으나 1818년에 붕괴되었음. 뒤에 사우디 아라비아의 국교가 되었음.

와하하 부 거리낌 없이 떠들썩하게 웃는 소리. 또, 그 모양.

와:합【瓦合】명 ①깨진 기와가 모이듯이, 잘 정제(整齊)되지 아니함. 오합(烏合). ②자기의 방정(方正)함을 깨뜨리고 중인(衆人)에 영합(迎合)함을 이름.

와:합지-졸【瓦合之卒】명 오합지졸(烏合之卒).

와:해[1]【瓦解】명 사물(事物)이 헤어져 흩어짐. 분붕(分崩). ¶연립 내각은 ~되고 말았다. ──-하다 자여불

와해[2]【蛙醢】명 개구리젓.

와:해 토붕【瓦解土崩】명 기와가 깨어지고 흙이 무너진다는 말로, 사물이 크게 무너져 흩어짐을 이름. ──-하다 자여불

와형【渦形】명 소용돌이 모양으로 빙빙 도는 형상. 와상(渦狀).

와:화【瓦花】명〖식〗지부지기.

와:환【臥還】명〖역〗환자(還子) 곡식을 뉘어 두고 해마다 모곡(耗穀)만을 받아들임.

와활태【窩闊台】명〖사람〗'오고타이(Ogotai)'의 한자 이름.

와활태 한국【窩闊台汗國】명〖지〗'오고타이 한국(Ogotai 汗國)'의 한자 이름.

왁다그르르 부 작고 단단한 여러 개의 물건이 서로 부딪치며 굴러 가는 소리. ¶구슬이 ~ 구르다. <웍더그르르. *닥다그르르. ──-하다 자여불

왁다글-거리다 자 연해 왁다그르르 소리가 나다. <웍더글거리다. 왁다글-왁다글 부. ──-하다 자여불

왁다글-닥다글 부 작고 단단한 여러 개의 물건이 다른 물건들에 서로 야단스럽게 자꾸 부딪치며 굴러 가는 소리. <웍더글덕더글. *왁다글왁다글·닥다글닥다글. ──-하다 자여불

왁다글-대다 자 왁다글거리다.

왁달-박달 부 행동이 단정(端正)하지 못하고 조심성이 없이 수선스러운 모양. ──-하다 형여불

왁달-왁달 부〈방〉왁달박달. ──-하다 형

왁:대 명 ①☞악대[1]❷. ②↗왁댓값.

〈왁살고사리〉

왁:댓-값[一갑] 명 자기 아내를 간부(姦夫)에게 빼앗기고 받는 돈. ¶그 계집 움아갈 때 ~이라도 건넸더란 말이냐? ≪金周榮 : 客主≫. 준왁대.

왁살-고사리 명〖식〗〔*Leptorumohra miqueliana*〕고리고사릿과에 속하는 다년생 양치류(羊齒類). 잎은 근경(根莖)에서 나며 삼회 우상 복엽(三回羽狀複葉)인데, 길이 60cm 가량, 빛은 담갈색이며, 다갈색의 자낭군(子囊群)이 잎의 뒷면에 산재함. 깊은 산의 나무밑에 나는데, 전남·경남·경북·충북·강원·경기·평북·함북에 분포함.

왁살-스럽다 형ㅂ불 ↗우악살스럽다. ¶왁살스러운 팔뚝에 통겨져 벽에 가서 쿵하고 떨어졌다≪金裕貞 : 金 따는 콩밭≫. **왁살-스레** 부

왁새[1] 명〈방〉〖조〗왜가리(평안).

왁새[2] 명〈방〉〖식〗억새(충청·전북).

왁스〔wax〕명 ①납(蠟). 봉랍(封蠟). ②스키의 활주면(滑走面)에 바르는 납의 한 가지. 설질(雪質)과 용도(用途)에 따라 종류를 달리함. ③레코드 취입(吹入)에 쓰이는 납판(蠟板).

왁스먼〔Waksman, Selman Abraham〕명〖사람〗러시아 출생의 미국 세균학자. 1916년 미국에 귀화. 우즈 홀(Woods Hole) 대양 연구소 해양 세균부원을 지냄. 토양 생물학(土壤生物學)의 연구에서 1944년 항생 물질 스트렙토마이신(streptomycin)을 발견하고, 1952년 노벨 생리 의학상을 받았음. [1888-1973]

왁시글-거리다 자 많은 사람이나 동물이 들끓어 붐비며 복잡하게 움직이다. 왁시글-왁시글 부. *왁시글덕시글. ──-하다 자여불

왁시글-대다 자 왁시글거리다.

왁시글-덕시글 부 많은 사람이나 동물이 들끓어 서로 붐비며 변화가 많게 움직이는 모양. *왁시글왁시글. ──-하다 자여불

왁실-거리다 자 많은 사람이나 동물이 들끓어 붐비며 복잡하게 움직이다. ¶구경꾼들이 ~. 왁실-왁실 부. *왁실덕실. ──-하다 자여불

왁실-대다 자 왁실거리다.

왁실-덕실 부 많은 사람이나 동물이 들끓어 변화가 많고 어지럽게 움직이는 모양. *왁실왁실. ──-하다 자여불

왁자그르르 부 ①여럿이 한데 모여 시끄럽게 웃고 떠드는 모양이나 소리. ¶~ 웃어대다. ②소문이 퍼져 갑자기 시끄러운 모양. 1)·2): <웍저그르르. *왁자하다. ──-하다 자여불

왁자지껄-하다 자여불 여러 사람이 모이어 정신이 어지럽도록 소리를 높이어 지껄이다. ¶떠드는 소리가 ~다. ②왁자하다.

왁자-하다 형여불 ①정신이 어지럽도록 떠들썩하다. ¶왁자하게 떠들다.

왁작-왁작 부 ①〈방〉와글와글(경상·충청·평안). ②☞북적북적. ──-하다 자여불

왁:저기 명〈방〉왁저지.

왁:저지 명 무를 굵게 썰고 고기·다시마 등을 넣어서 고명하여 삶거나 볶은, 가을에 먹는 반찬의 한 가지.

왁친〔도 Vakzin〕명〖의〗'백신(vaccine)'의 독일어명.

완〔중 萬〕수 '만(萬)'의 중국말.

완각 명〖건〗맞배 지붕 및 팔작 지붕의 측면(側面).

완강[1]【頑剛】명 완고하고 강직함. ──-하다 형여불

완강[2]【頑強】명 태도가 완고하고 의지가 굳셈. ¶~한 저항. ──-하다 형여불. ──-히 부. ¶~ 거부하다.

완거【頑拒】명 완강하게 거절함. ──-하다 타여불

완:결[1]【刓缺】명 나무·돌·쇠붙이 따위에 새긴 글자가 닳아서 없어짐. ──-하다 자여불

완결[2]【完決】명 완전히 결정함. ──-하다 타여불

완결[3]【完結】명 완전하게 끝을 맺음. ¶사건을 ~짓다. ──-하다 타여불

완:-경사【緩傾斜】명 완만한 경사.

완:경-제【緩硬劑】명〔retarder〕〖건〗석고·시멘트 등의 응결을 늦추는 혼합제. 지연제(遲延劑).

완고[1]【完固】명 완전하고 견고함. ──-하다 형여불. ──-히 부

완고[2]【頑固】명 완강(頑強)하고 고루(固陋)함. ¶~한 집안. ──-하다 형여불. ──-히 부

완고-당【頑固黨】명 완고한 무리.

완:곡[1]【婉曲】명 ①말이나 행동을 빙 둘러서 함. 말씨가 노골적이 아님. ¶~한 표현. ②말씨가 곱고 차근차근함. ¶~한 말씨. ──-하다 형여불. ──-히 부

완:곡[2]【緩曲】명 느릿느릿하고 곡진함. ──-하다 형여불

완골[1]【完骨】명〖생〗귀 뒤에 조금 도도록하게 나온 뼈.

완:골[2]【腕骨】명〖생〗사람의 손목의 뼈. 짧고 작은 주상골(舟狀骨)·월상골(月狀骨)·삼각골·중심골·대다각골(大多角骨)·소다각골·유두골(有頭骨)·유구골(有鉤骨) 등으로 이루어짐. 수근골(手根骨). 손목뼈. *장골(掌骨)·지골(指骨).

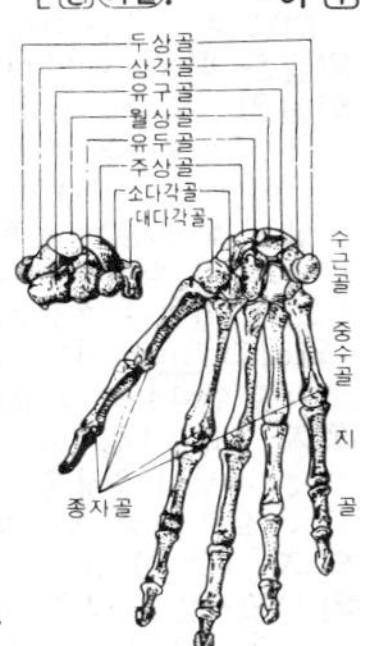

〈완골[2]〉

완공[1] 명〖건〗머름의 한가운데나 장지문 궁창 등에 새김질하는 일.

완공[2]【完工】명 공사(工事)를 완성함. 준공(竣工). ¶~ 기일. ──-하다 타여불

완구[1]【完久】명 완전하여 오래 견딤. ──-하다

형여불. ——-히 부
완구²【完具】명 완전히 구비(具備)함. 완비(完備). ——-하다 타여불
완구³【完救】명 완전하게 구제(救濟)함. ¶ 안해가 ~히 정신을 돌린 뒤에 황천왕동이가 비로소 안해 옆을 떠나서…《洪命憙:林巨正》. ——-하다 타여불. ——-히 부
완:구⁴【玩具】명 ①장난감. 노리개. 농구(弄具). ¶ ~점(店). ②완호지물(玩好之物).
완:구⁵【碗口】명 조선 시대의 화포(火砲)의 하나. 불씨를 손으로 점화하여 비격 진천뢰(飛擊震天雷)·단석(團石) 등의 탄환을 발사하는 화포. 크기에 따라 대완구·중완구·소완구·소소완구로 구분됨.
완:구⁶【緩球】명 야구에서, 느린 공. 슬로 볼(slow ball). ↔속구(速球).
완구개-류【完口蓋類】명〖어〗[Hyperoartia] 원구류(圓口類)의 한 목(目). 다목장어목(多目長魚目). 팔목류(八目類). *천구개류(穿口蓋類).
완구지-계【完久之計】명 완전하여 영구히 변하지 아니할 계교(計巧).
완국【完局】명 완전하여 결점이 없는 판국.
완:급【緩急】명 ①늦음과 빠름. 지속(遲速). ¶ ~을 가리지 않다. ②위급(危急).
완:급-기【緩急機】명〖기〗브레이크.
완:급 기호【緩急記號】명〖악〗악곡상(樂曲上) 어느 부분을 느리게 또는 빠르게 그 속도를 변경하여 주창(奏唱)하는 발상(發想) 기호.
완:급-법【緩急法】명〖악〗아고기크(Agogik).
완:급 열차【緩急列車】[—녈—] 명 완급차를 연결한 열차.
완:급-차【緩急車】명 차장실(車掌室)의 일부를 사용하여 사고 등에 대비, 수동 제동기(手動制動機)나 관통(貫通) 제동기를 장치한 객차나 열차. 후미(後尾)에 연결함.
완:기¹【椀器】명 주발이나 공기 같은 작은 식기(食器).
완:기²【緩期】명 기일(期日)을 느즈러뜨림. ——-하다 자여불
완납【完納】명 남김없이 완전히 납부(納付)함. ¶ 세금을 ~하다. ——-하다 타여불
완:낭【緩囊】명 게으름쟁이.
완:당【阮堂】명〖사람〗김정희(金正喜)의 호(號).
완:당 세:한도【阮堂歲寒圖】명 조선 헌종(憲宗) 10년(1844)부터 11년 사이에 추사 김정희(秋史 金正喜)가 그린 산수화(山水畫). 추사가 제주도에 유배(流配)당했을 때, 역관(譯官) 이상적(李尙迪)에게 그려 준 것인데, 송백(松柏) 같은 선비의 절조(節操)와, 유배 중인 추사 자신의 정신적 경애(境涯)가 화면에 십분 표출(表出)된 격조 높은 작품임. 길이 708.3cm, 화폭 26.2cm. 국보 제180호.
완:대【緩帶】명 ①허리띠를 늦추어 맴. 또, 그 허리띠. ②느슨함. ——-하다 자여불
완덕【完德】명 완전한 덕행.
완:-도【莞島】명〖지〗①전라 남도 남해상에 있는 섬. 지금은 해남군(海南郡) 북평면(北平面) 남창리(南倉里) 사이에 완도교(莞島橋)가 가설되어 육지와 연결됨. 목포(木浦)와 제주도(濟州道) 사이 항로의 중요 기항지(寄港地)이며, 김·미역·굴 따위의 양식업이 성하여 김·미역의 특산지(特產地)로 알려짐. [87.09 km²] ②완도군의 군청 소재지로 읍(邑). 완도의 남동단(南東端)에 위치함. 신라 때 청해진(青海鎭)이 있었던 곳임. 김·미역의 산출이 많고, 이의 가공업이 성함. 읍내 해상에 떠 있는 작은 섬 주도(珠島)에는 120여 가지 나무가 우거져 천연 기념물로 지정됨. [22,090명(1996)]
완:도-군【莞島郡】명〖지〗전라 남도의 한 군. 관내 3읍 9면. 완도를 비롯한 여러 섬들로 이루어지는데 북은 바다 건너 해남군(海南郡)과 강진군(康津郡)과 장흥군(長興郡), 동은 바다 건너 고흥군(高興郡), 남은 바다, 서는 완도교(莞島橋)를 통하여 해남군에 접함. 수산업이 성하며 특히 김·굴의 양식은 유명함. 명승 고적으로는 청해진지(青海鎭址)·고산(孤山) 윤선도(尹善道) 선생 유적지(流謫地)·주도(珠島)·신지도(薪智島) 해수욕장 등이 있음. 군청 소재지(所在地)는 완도읍(莞島邑)임. [384.88km² : 74,003명(1996)]
완독¹【完讀】명 완전히 다 읽음. ¶ 삼국지(三國志)를 ~하다. ——-하다 타여불
완:독²【玩讀】명 글 뜻을 깊이 생각하며 읽음. ——-하다 자타여불
완:독³【緩督】명 독촉을 늦추어 줌. ——-하다 자여불
완동【頑童】명 완고하고 우매한 아이.
완:두【豌豆】명〖식〗[*Pisum sativum*] 콩과에 속하는 월년생 만초(蔓草). 줄기 높이는 1-3m이고, 잎은 우상 복엽(羽狀複葉)이며, 기부(基部)에 큰 잎 모양의 탁엽(托葉)이 있으며, 중륵(中肋)의 끝은 권수(卷鬚)로 변함. 5월에 백색 또는 자색의 나비 모양의 꽃이 액출(腋出)한 화병(花柄) 끝에 두 개씩 피고 열매는 꼬투리이고 속에 둥근 종자가 있음. 종자를 '완두'라 하여 먹으며, 잎은 사료(飼料)로 함. 밭에 재배하는데, 아시아 및 유럽 남부의 원산(原產)으로 전세계에서 재배함.

〈완두〉

완:두-잠【豌豆簪】명 머리가 완두콩의 알 모양으로 생긴 비녀.
완:두-창【豌豆瘡】명〖의〗완두 모양으로 나는 종기.
완둔【頑鈍】명 완고하고 우둔함. ——-하다 형여불
-완ᄃᆡ 어미〈옛〉-관대. -기에. ¶ 엇던 行을 지스며 엇던 願을 세완ᄃᆡ 不思議엣 이를 能히 일우니잇고《月釋 XXI:15》.
완:려【婉麗】[왈—] 명 정숙하고 아름다움. ——-하다 형여불
완:력【腕力】[왈—] 명 ①주먹심❷. ¶ ~이 세다. ②육체적으로 억누르는 힘. 폭력(暴力). ¶ ~에 호소하다.
완:력-가【腕力家】[왈—] 명 주먹심이 센 사람. 완력을 잘 휘두르는 사람.
완:력가-큰가지나방【腕力家—】[왈—] 명〖충〗몸큰가지나방.
완:력-기【腕力器】[왈—] 명 완력을 기르는 운동 기구의 하나.
완:력 매:수【腕力買收】[왈—] 명 증권 시장에서 하락세(下落勢)를 멈추게 하기 위해 매주(買主)가 비싼 값을 마구 불러 사들이는 일.
완:력 사태【腕力沙汰】[왈—] 명 완력으로 일의 해결(解決)을 도모하는 일.
완:력 성당【腕力成黨】[왈—] 명 울력 성당. ——-하다 자타여불
완:력 시세【腕力時勢】[왈—] 명 거래(去來) 용어. 매매자(賣買者)의 술책이나 자력(資力)에 의하여 인위적으로 부자연하게 만든 시세.
완:련【婉孌】[왈—] 명 나이가 젊고 예쁨. 또, 미소년(美少年).
완로【頑魯】[왈—] 명 완고하고 우매함. 완우(頑愚). ——-하다 형여불
완:롱【玩弄】[왈—] 명 장난감이나 놀림감으로 삼음. ——-하다 타여불
완:롱-물【玩弄物】[왈—] 명 ①장난감. ②놀림감.
완뢰【完牢】[왈—] 명 견고함. 튼튼함. ——-하다 형여불
완료【完了】[왈—] 명 ①완전히 끝을 냄. 완제(完濟). ¶ 일을 ~하다. ②〖언〗완료상(完了相).
완료-상【完了相】[왈—] 명〖언〗동작상(動作相)의 하나. 동작의 완료를 표시함. -아 있다·-았다, -아 있었다·-았었다, -아 있겠다·-았겠다 등으로 표현됨. 완료. 완료태(完了態).
완료-태【完了態】[왈—] 명〖언〗완료상(完了相).
완루【頑陋】[왈—] 명 완고(頑固)하고 고루(固陋)함. ——-하다 형여불
완:류【緩流】[왈—] 명 느리게 흐름. 또, 그 물. ↔급류(急流). ——-하다 자여불
완:류-수【緩流水】[왈—] 명 느리게 흐르는 물. ↔급류수(急流水).
완:만¹【婉娩】명 ①여자의 태도가 의젓하고도 부드러움. ②수더분함. ——-하다 형여불
완:만²【晼晩】명 시일이 점점 늦어짐. ——-하다 형여불
완만³【頑慢】명 완악(頑惡)하고 거만함. ——-하다 형여불
완:만⁴【緩晩】명 늦어짐. ——-하다 자여불
완:만⁵【緩慢】명 ①느슨하고 급하지 않음. ¶ ~한 비탈길. ②동작이나 성질이 누긋함. 느릿느릿함. ¶ ~한 동작. ③굼뜸. ¶ 일을 ~하게 처리하다. ④활발치 않음. ¶ ~한 금융. ——-하다 형여불. ——-히 부
완매【頑昧】명 완고(頑固)하고 우매(愚昧)함. 완우(頑愚). ——-하다 형여불
완면-상【完面像】명〖광〗하나의 결정계(結晶系)에 속하는 결정 중에서, 가장 복잡한 대칭성(對稱性)을 가진 것. 결정면(面)이 가장 많이 발달함. *사반면상(四半面像).
완명¹【頑命】명 죽지 아니하고 모질게 살아 있는 목숨.
완명²【頑冥】명 완고하고 도리(道理)에 어두움. ¶ ~한 노인. ——-하다 형여불. 준완(頑)하다.
완명 불령【頑冥不靈】명 완명하고 무지(無知)함. ——-하다 형여불
완:목【腕木】명 전선을 매기 위해, 전주(電柱)에 가로 대는 횡목(橫木).
완몽【頑蒙】명 완미(頑迷). ——-하다 형여불
완문【完文】명〖역〗조선 시대 때, 증명·허가·명령 등 처분(處分)에 관하여 관사(官司)에서 발급(發給)하는 문서. 관문(官文). 관문서.
완:물【玩物】명 장난감.
완:물 상지【玩物喪志】명 쓸데없는 물건을 가지고 노는 데 팔려 소중한 자기의 본심(本心)을 잃음.
완:미¹【玩味】명 ①음식을 잘 씹어서 맛봄. ②시문(詩文)의 의미를 잘 음미(吟味)함. ——-하다 타여불
완:미²【婉媚】명 은근히 교태를 부림. ——-하다 자여불
완미³【頑迷】명 완강하여 사리(事理)에 어두움. 완몽(頑蒙). *집미(執迷). ——-하다 형여불
완민【頑民】명 완만(頑慢)한 백성.
완바오산 사:건【—事件】[중 萬寶山][—껀] 명〖역〗1931년 7월 2일 중국 지린 성(吉林省) 창춘(長春)의 완바오 산 지역에서 한·중 양국 농민 사이에 수로(水路) 문제로 일어난 분쟁. 한국 농민이 조차(租借)한 농토의 개간을 위해 수로 공사를 진행하자, 피해를 입게 된 토착 중국 농민들이 공사장에 집단 난입함으로써 발단됨. 이 사건이 국내 신문에 보도되자, 이리(裡里)·서울·인천(仁川)·평양(平壤)·신의주(新義州) 등지를 비롯하여 전국적 규모로 한국 민중들에 의한 중국인 박해 사건이 야기되고 사태가 복잡하게 발전했음. 이에 조선(朝鮮)·동아(東亞) 두 신문사에서 진상 조사를 한 결과, 이 사건의 이면에는 일본의 음모가 개재되어 있었다는 사실이 밝혀졌음. 만보산 사건.
완백【完伯】명〖역〗조선 시대 때 전라도 관찰사(觀察使)의 별칭.
완벽【完璧】명 ①흠이 없는 구슬. ②결점이 없이 훌륭함. ¶ ~한 솜씨/준비가 ~하다. ③[완벽 귀조(完璧歸趙)의 고사에서] 중요한 일을 완수하는 일. 중요한 물건을 되찾는 일. 또, 빌어 온 물건을 온전히 돌려보냄. *완벽 귀조. ——-하다 형여불
완벽 귀조【完璧歸趙】명 중국 전국 시대 조(趙)나라의 인상여(藺相如)가, 진(秦)나라 소양왕(昭襄王)이 열다섯 성(城)을 조나라의 화씨(和氏)의 벽(璧)과 바꾸고자 하여 진나라에 가져갔으나, 소양왕의 거짓말임을 알고, 신명을 걸고 그 벽을 고스란히 도로 찾아 가지고 귀국하였다는 고사(故事). 완벽(完璧)❸.
완보¹【完補】명 완전히 보충(補充)함. ——-하다 타여불
완:보²【緩步】명 느리게 걸음. 또, 느린 걸음. ——-하다 자여불
완:보-류【緩步類】명〖동〗[Tardigrada] 거미강(綱)에 속하는 한 목(目). 습지나 단물에 사는 작은 벌레로 유충은 체절(體節)이 있으나 성충은 없음. 네 쌍의 갈고리가 있는 보각(步脚)이 있으므로 지주류에 속

했으나 여러 가지 다른 점이 많음. 신경 계통은 식도(食道) 위의 뇌(腦)와 나눠진 네 쌍의 복신경구(複神經球)로 이루어지고, 기관(氣管)·혈관 계통은 없음.

완:-복영【阮福映】[명]〖사람〗베트남 완조(阮朝)의 시조. 프랑스의 원조를 받아 타이손당(黨)의 난을 진압하고 베트남을 통일하여 1802년 쟈롱(嘉隆)으로 개원(改元), 국도(國都)를 후에(Hue)에 두고 베트남 황제가 됨. [1762-1820]

완본【完本】[명] 질(帙)로 된 책 중에 한 권도 빠지지 아니하고 온전한 책.

완봉【完封】[명] ①완전히 봉함. 특히, 상대방의 활동·행동 등을 완전히 정지시켜 버림. ②야구에서, 투수가 완투(完投)하여 상대 팀에게 전혀 득점을 허용치 않음. 셧아웃. ¶ ~승(勝)을 거두다. ——-하다 [타][여불]

완부¹【完膚】[명] ①흠이 없이 완전한 채로 있는 살가죽. ②흠이 없는 곳의 비유.

완:부²【腕部】[명] 동물·곤충 등에서 팔이 되는 부분.

완부³【頑夫】[명] 완고(頑固)한 사내.

완부⁴【頑腐】[명] 완고하고 진부(陳腐)함. ¶ ~한 학설. ——-하다 [형][여불]

완불【完拂】[명] 남김 없이 완전히 지불함. ¶잔액 ~. ——-하다 [타][여불]

완비【完備】[명] 빠짐이 없이 완전히 구비(具備)함. 전비(全備). 완구(完具). ¶ ~된 설비. ——-하다 [타][여불]

완비-화【完備花】[명]〖식〗갖춘꽃.

완:사¹【緩射】[명] 완만(緩慢)하게 사격함. ——-하다 [자][여불]

완:사²【緩斜】[명] 완만한 경사. 급하지 아니한 경사.

완:-사면【緩斜面】[명] 완만한 경사면. ↔급사면(急斜面).

완:사-지【緩斜地】[명] 경사가 급하지 아니한 땅. ↔급사지(急斜地).

완산【完山】[명]〖역〗'전주(全州)'의 백제 때 이름.

완산 별곡【完山別曲】[명]〖문〗조선 세조(世祖) 2년(1456)에 전라도 관찰사 이석형(李石亨)과 전주 부윤(全州府尹) 변효문(卞孝文)이 제진(製進)한 노래. 그 뜻이 황비(荒鄙)하다 하여 관습 도감(慣習都監)에 보관하게 하였다고 함. 현전(現傳)하지 아니함.

완산-요【完山謠】[명]〖악〗견훤(甄萱) 일가의 내분을 틈타 왕건(王建)이 후백제를 차지한 일을 백성들이 예언하여 부른 노래. 《삼국 유사》에 전함.

완산-정【完山停】[명]〖역〗신라 때 육정(六停)의 하나. 신문왕(神文王) 5년(685)에 하주정(下州停)이 바뀐 이름. *아산정(兒山停).

완산-주【完山州】[명]〖역〗'전주(全州)'의 신라 신문왕(神文王) 때부터 경덕왕(景德王) 때까지의 이름.

완산주-서【完山州誓】[명]〖역〗신라 오주서(五州誓)의 하나. 문무왕(文武王) 12년(672)에 지금의 전주(全州) 땅에 둔 군대의 이름.

완산-지【完山紙】[명] 전주(全州)에서 나는 창호지.

완:상¹【玩賞】[명] 좋아서 구경함. 취미로 구경함. *감상(鑑賞). ¶화초를 ~하다. ——-하다 [타][여불]

완:상²【惋傷】[명] 슬퍼함. ——-하다 [자][여불]

완상³【頑喪】[명] 완악한 상제.

완:색【玩索】[명] 완역(玩繹). ——-하다 [타][여불]

완생【完生】[명]〖바둑〗완전히 삶. ——-하다 [자][여불]

완:서¹【緩徐】[명] 느릿느릿하고 천천함. ——-하다 [형][여불]

완:서²【緩舒】[명] 안한(安閒). ——-하다 [형][여불]

완:서 악장【緩徐樂章】[명]〔slow movement〕〖악〗안단테·아다지오와 같이 느릿한 박자(拍子)를 가진 악장으로서, 흔히 소나타·교향곡 등의 제2, 때로는 제3 악장을 말함.

완서우 산【—山】〔萬壽〕[명]〖지〗중국, 베이징(北京) 시 교외에 있는 경승지(景勝地). 청(清)나라 건륭제(乾隆帝)가 이궁(離宮)을 조영, 산 이름을 완서우 산으로 고침. 현재 이허위안(頤和園)이라는 이름으로 공원으로 개방되어 시민의 휴식처가 되었음. 만수산. 구칭은 옹산(甕山).

완석¹【完席】[명]〖역〗원의석(圓議席).

완:석²【惋惜】[명] 슬프고 아까움. 놀라 한탄하고 애석하게 여김. ——-하다 [자][여불]

완선¹【完善】[명] 결점이 없음. 나무랄 데가 없음. ——-하다 [형][여불]

완선²【頑癬】[명]〖의〗피부병의 한 가지. 피부가 붉게 헐고 몹시 가려움.

완:선³【蜿蟺】[명]〖동〗지렁이 ❶.

완성¹【完成】[명] 완전히 성취(成就)함. ¶ ~ 단계. ——-하다 [타][여불]

완성²【完城】[명] 성을 보전(保全)함. ——-하다 [자][여불]

완:성³【緩聲】[명]〖악〗국악에서, 느린 소리. 또는 낮은 소리.

완성 검:사【完成檢査】[명]〖심〗문장이나 그림 등 군데군데 비어 있는 곳을 채워서 완성하는 지능 검사.

완성 교:육【完成敎育】[명]〖교〗학교를 졸업하는 즉시로 사회에 진출함에 필요한 교양과 지식을 목표로 하는 교육. *준비 교육.

완성-품【完成品】[명] 완전히 이루어진 물품. 완성된 물품.

완셴〔萬縣〕[명]〖지〗중국, 쓰촨성(四川省) 동부 양쯔강(揚子江) 좌안(左岸)의 도시. 쓰촨 성 동부와 구이저우 성(貴州省) 북부의 물자의 집산지이며, 특히 동유(桐油) 시장으로 유명하며 석유도 산출함. 예로부터 양쯔 강을 거쳐 쓰촨 성으로 들어가는 문호(門戶) 구실을 했음. 만현. [141,692 명(1987)]

완소【頑素】[명] 완미(頑迷)한 성격. 우매한 성질.

완:속 물질【緩速物質】[—찔] [명]〖화〗감속재(減速材).

완:속-체【緩速體】[명]〖화〗감속재(減速材).

완수¹【完遂】[명] 완전히 수행함. ¶책임을 ~하다. ——-하다 [타][여불]

완수²【頑守】[명] 완강하게 지킴. ——-하다 [타][여불]

완숙¹【完熟】[명] 완전히 익음. 무르익음. ¶ ~한 과일/~한 솜씨. ——-하다 [형][여불]

완:숙²【婉淑】[명] 얌전함. 정숙함. ——-하다 [형][여불]

완숙-과【完熟果】[명] 완전히 익은 열매.

완숙-기【完熟期】[명] 완전히 익는 시기.

완:순【婉順】[명] 예쁘고 순함. ——-하다 [형][여불]

완습【頑習】[명] 완악(頑惡)한 습관.

완승¹【完勝】[명] 완전히 승리함. ——-하다 [자][여불]

완승²【頑僧】[명] 완악(頑惡)한 중.

완신-세【完新世】[명]〖지〗'충적세(沖積世)'의 구칭.

완실【完實】[명] 완전히 갖추어짐. 빠짐 없이 충실함. ¶준비가 ~하다. ——-하다 [형][여불]

완:악¹【惋愕】[명] 깜짝 놀람. ——-하다 [자][여불]

완악²【頑惡】[명] 성질이 완만(頑慢)하고 모짊. ——-하다 [형][여불]. [준]완(頑)하다.

완안【完顏】[명] 성(姓)의 하나. 우리 나라에는 현존하지 않음.

완안-민【完顏旻】[명]〖사람〗중국 금(金)나라 태조(太祖)의 이름. 초명은 아골타(阿骨打).

완안-부【完顏部】[명]〖역〗고려 말기 12-13세기에 만주·중국 북부 일대에 금(金)나라를 세운 여진(女眞)의 부족. 당시의 회령(會寧), 지금의 헤이룽장 성(黑龍江省) 아청 현(阿城縣) 일대를 근거지로 삼고 있었는데 추장 우꾸내(烏古迺) 시대에 와서 세력을 확장하였고, 그의 손자 아골타(阿骨打)가 금나라를 세웠음.

완:약【婉弱】[명] 성질이 유순(柔順)하고 아리잠직함. ——-하다 [형][여불]

완양【瑍羊】[명] 야양(野羊).

완:어【婉語】[명] 완곡(婉曲)하게 하는 말.

완-여반석【完如盤石】[명] 견여반석(堅如盤石).

완역¹【完譯】[명] 전문(全文)을 번역함. 또, 그 글. ↔초역(抄譯). ——-하다 [타][여불]

완:역²【玩繹】[명] 글의 깊은 뜻을 생각하여 찾음. 완색(玩索). ——-하다 [타][여불]

완연¹【完然】[명] 흠이 없이 완전한 모양. ——-하다 [형][여불]

완:연²【宛然】[명] ①뚜렷하게 나타남. ¶추색(秋色)이 ~하다. ②모양이 서로 비슷함. ——-하다 [형][여불]. ——-히 [부]

완:연³【蜿蜒】[명] ①뱀 같은 것이 꾸불꾸불 기어가는 모양. ②꾸불꾸불 길게 이어진 모양. ¶ ~ 천리 길. ——-하다 [형][여불]. ——-히 [부]

완:염-제【緩染劑】[명]〖공〗염색 속도를 완만히 하여 물감이 고르게 잘 들게 하기 위한 약제. 양모(羊毛) 염색에서 황산(黃酸) 나트륨 등.

완영¹【完泳】[명] 끝까지 헤엄침. ¶전 코스를 ~하다. ——-하다 [자][여불]

완영²【完營】[명]〖역〗전라 감영(全羅監營)의 별칭.

완 와이타야콘〔Wan Waithayakon〕[명]〖사람〗태국의 외교관. 왕족으로서 1917년부터 외교관으로 활약, 제2차 대전 후에는 주미(駐美) 대사·유엔 대표·유엔 총회 의장·외상·부수상을 역임함. 타이어(語)의 권위로 알려짐. [1891-1976]

완:완¹【婉婉】[명] ①태도가 예쁘고 맵시가 있음. 완전(婉轉). ②용(龍)이 날아가는 모양. ——-하다 [형][여불]

완:완²【緩緩】[명] 동작이 느릿느릿함. 천천함. ——-하다 [형][여불]

완:용【婉容】[명] 여자의 정숙한 자태(姿態). ——-하다 [형][여불]

완우【頑愚】[명] 완고(頑固)하고 우매(愚昧)함. 완매(頑昧). 완로(頑魯).

완:-원【阮元】[명]〖사람〗중국 청(清)나라의 학자. 장쑤(江蘇) 사람. 자는 백원(伯元), 호는 운대(雲臺). 서학(書學)에 정통하여 전례(篆隷)를 잘 하였음. 그의 남첩 북비(南帖北碑), 서파(書派)의 남북론은 서도계에 신시대를 이룩하였음. [1764-1849]

완:월【玩月】[명] 달을 완상(玩賞)함. ——-하다 [자][여불]

완:월-사【玩月砂】[—싸] [명]〖한의〗토끼의 똥. 안질(眼疾)·폐로(肺勞)·치루(痔瘻) 등의 약으로 쓰임.

완:월 장취【玩月長醉】[명] 달을 벗삼아 술에 오래도록 취함. 달을 즐기며 늘 술을 벗삼음. ——-하다 [자][여불]

완:월 회:맹연【玩月會盟宴】[명]〖문〗작자·제작 연대 미상의 장편 소설. 삼대(三代)에 걸친 가문(家門)의 여러 가지 갈등을 그린 180권 180책의 작품.

완읍【完邑】[명]〖역〗비교적 은성(殷盛)한 고을. *잔읍.

완의¹【完議】[—/—이] [명] 종중(宗中)·가문(家門)·동중(洞中)·계(稧) 등에서, 제사·묘위(墓位)·동중사(洞中事)·계 등에 관하여 의논하고 그 합의된 내용을 적어 서로 지킬 것을 약속하는 문서. 향약(鄕約)도 이에 해당됨. 입의(立議).

완:의²【浣衣】[—/—이] [명] 옷을 빪. 한의(澣衣). ——-하다 [자][여불]

완의-석【完議席】[—/—이—] [명]〖역〗원의석(圓議席).

완:이【莞爾】[명] 빙그레 웃는 모양.

완인【完人】[명] ①병이 완전히 나은 사람. ②신분(身分)이나 명예(名譽)에 흠이 없는 사람.

완:자¹ [명] 쇠고기를 잘게 이기어 달걀·두부 등을 섞고 둥글게 빚어서 기름에 지진 음식. 국의 고명으로 씀. 환자(丸子).

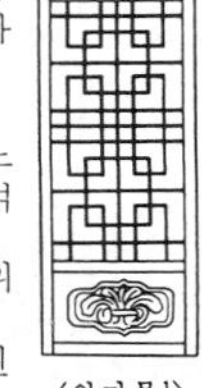

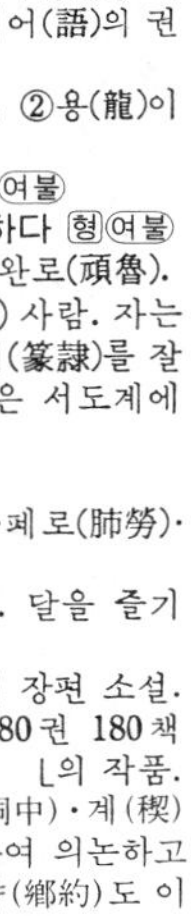
〈완자문¹〉

완:-자²【—字】〔중 卍〕[명] 만자(卍字).

완:자-걸이【—字—】〔중卍〕[명]〖악〗'부침새'의 하나. 노랫말이 주박(主拍)을 앞뒤로 비끼어 붙는 것이 서로 얽혀서 일어나는 형태.

완:자 교창【—字交窓】〔중卍〕[명]〖건〗완자(卍字) 모양의 교창.

완:자-문¹【—字門】〔중卍〕[명] 문짝 살대가 완자형으로 된 문.

완:자-문²【—字紋】〔중卍〕[명] 완자(卍字)를 이어서 만든 무늬.

완:자-운【—字雲】〔중卍〕[명] 운문(雲紋)의 하나.

완:자-창【—字窓】〔중卍〕[명] 완자(卍字) 모양의 창살이 있는 창. 만자창.

완:자-탕【—湯】[명] 완자를 넣고 끓인 국. 환자탕(丸子湯).

완:장¹【阮丈】[명] 남의 백부(伯父)·중부(仲父)·숙부(叔父)·계부(季父)의

존칭. ¶ ~께서도 편안하신지요.

완장²【完葬】명 완폄(完窆). ——-하다 타여불

완:장³【腕章】명 옷의 팔 부분에 두르는 표장(標章).

완장⁴【頑丈】명 견고하고 튼튼함. ——-하다 형여불

완재【完載】명 책·잡지 따위에 작품 전체를 마지막까지 완전히 실음. ——-하다 타여불

완:저【緩疽】명〖한의〗살빛이 자흑색(紫黑色)으로 되고 진무르는 병.

완:-적¹【阮籍】명〖사람〗중국 삼국 시대 위(魏)나라의 사상가. 죽림 칠현(竹林七賢)의 한 사람. 자는 사종(嗣宗). 허난(河南) 사람. 위선(僞善)과 권모(權謀)에 휩쓸린 정계(政界)에 실망하여 경세(經世)의 뜻을 버리고 술과 청담(淸談)으로 세월을 보냈음. 저서에 ≪영회시(詠懷詩)≫·≪달장론(達莊論)≫ 등이 있음. [210-263]

완적²【頑敵】명 완강한 적.

완전¹【完全】명 필요한 조건·요소가 모두 갖추어져 있음. 부족이나 흠이 없음. 십전(十全). ↔불완전(不完全). ——-하다 형여불. ——-히 부

완:전²【宛轉】명 순탄하고 원활하여 구차하지 아니함. 완전(婉轉). ——-하다 형여불

완:전³【婉轉】명 ①완전(宛轉). ②완완(婉婉). ——-하다 형여불

완전 간호【完全看護】명 밤낮으로 간호사가 환자의 병간호를 하는 일.

완전 경:쟁【完全競爭】명〖경〗근대 경제학에서의 이상적인 경쟁 모델. 시장에서 거래하는 매주(賣主)와 매주(買主)가 매우 많아서, 개개의 판매자와 구매자의 거래량이 가격에 영향을 미치게 함이 없이, 자본·노동력의 이동에 제한이 없는 상태로 이루어지는 경쟁. ↔불완전 경쟁.

완전 경험【完全經驗】명〔프 expérience intégrale〕〖논〗베르크송의 용어. 사물의 내부 깊이 깃들이고 있는 생명을 직관(直觀)으로써 파악하고 전체적인 실재(實在)와 공감(共感)하는 일. 과학적 지식은 사물의 외면적 관찰과 경험의 숙지(熟知)만을 필요로 하나, 형이상학(形而上學)은 이에 만족하지 않고 완전 경험을 필수 요건으로 함.

완전 고용【完全雇用】명〖경〗노동(勞動)의 능력(能力)과 의사(意思)를 가진 사람에게는 모두 직업이 보장되어 있는 상태. ↔불완전 고용.

완전 귀납법【完全歸納法】명 수학적 귀납법.

완전 기체【完全氣體】명〖물〗이상 기체(理想氣體).

완전 도시【完全都市】명 통계(統計) 개념상, 농가가 전혀 없는 상태인 「도시.

완전 독립국【完全獨立國】[—님—] 명 완전 주권국(完全主權國).

완전 독점【完全獨占】명〖경〗공급자가 한 사람인 완전한 독점 상태. 단순 독점.

완전 동:사【完全動詞】명〖언〗①여느 동사를 불구(不具) 동사에 대하여 일컫는 말. ②다른 단어를 보충하지 않아도 뜻이 완전한 동사. 완전 자동사(自動詞)와 완전 타동사(他動詞)로 구분됨. 1)·2):↔불완전 동사·불구(不具) 동사.

완전 명사【完全名詞】명〖언〗자립(自立) 명사.

완전 무결【完全無缺】명 완전하여 결점이 없음. 완전 무흠. ——-하다 형여불

완전 무:장【完全武裝】명〖군〗야전 근무를 하기 위하여 각자의 개인 장비로써 하는 무장. 전시(戰時) 무장. ¶ ~을 하고 출전하다.

완전 무흠【完全無欠】명 완전 무결(完全無缺). ——-하다 형여불

완전 반:자성【完全反磁性】명〔perfect diamagnetism〕〖물〗물체가 외부의 자기장(磁氣場)과 반대 방향으로 완전히 자화(磁化)되는 성질. 초전도체(超傳導體)에 볼 수 있음. 외부에서 가하여진 자기장과 동일한 힘으로 반대 방향에 자장이 생기도록 초전도(超傳導) 전류가 표면에 흐르는 것으로서, 외부 자장이 전혀 내부에 들어가지 않게 됨.

완전 배:서【完全背書】명〖법〗기명식(記名式) 배서.

완전 배:양액【完全培養液】명〔complete medium〕〖생〗주로 미생물 배양 때에, 그 생물의 생장(生長)·증식이 최고도로 일어나는 데 필요한 조건을 갖춘 배양액.

완전 배:합 사료【完全配合飼料】명〖농〗채란(採卵)·비육(肥肉) 등을 목적으로 한 양계·양돈용의 영양이 균형잡힌 사료. 옥수수·콩깻묵·어분(魚粉)·식물유(油)·동물유(油) 등을 혼합한 배합 사료에 아미노산(酸)·비타민류(類)·미네랄·칼슘·효소(酵素)·향료(香料)·색소 등을 혼합함.

완전 범:죄【完全犯罪】명 ①〖문〗탐정 소설의 용어(用語). 언뜻 보면 불가능한 것같이 보이지만 논리적(論理的)으로 완전히 가능한 범죄. 포(Poe, E.A.)의 명작 ≪모르그가(街)의 살인(殺人)≫ 속의 밀실(密室) 안의 살인 사건 등. ②〖법〗단서(端緖)나 증거 물품을 남기지 않고, 교묘하게 수사망(搜査網)을 피한 범죄.

완전-벽【完全癖】명〖심〗불가능한 기준을 두는 심적 경향(心的傾向). 강박 체험(強迫體驗)의 특징의 하나로서, 완전성을 구하는 나머지 적당한 곳에서 타협을 못 하고 결국 좌절이나 자책(自責)에 빠짐.

완전 변:태【完全變態】명〖충〗곤충류의 변태 형식의 하나. 곤충(昆蟲)이 발생 과정에 있어서 알·유충(幼蟲)·번데기의 삼단계(三段階)를 거쳐 성충(成蟲)으로 변하는 상태. 나비·모기·벌·파리 따위에서 볼 수 있음. 완전 탈바꿈. 갖춘 탈바꿈. ↔불완전 변태.

완전 비:료【完全肥料】명〖농〗질소·인산·칼륨의 삼요소(三要素)를 적당히 혼합한 비료.

완전 비탄성체【完全非彈性體】명〖물〗두 개의 물체의 충돌에 있어서, 반발 계수(反撥係數)가 영(零)인 물체. 충돌 후 두 개의 물체는 서로 반발함이 없이 일체(一體)가 되어 같은 속도로 나아감. *완전 탄성체.

완전 사:각형【完全四角形】명〖수〗평면상의 도형(圖形)의 하나. 어느 세 점도 같은 직선 상에는 없는 네 개의 점과, 그 두 점씩을 연결한 여섯 개의 직선으로 되는 도형. *완전 사변형.

완전 사:변형【完全四邊形】명〖수〗평면상의 도형(圖形)의 하나. 일 평면상에 있어 어느 세 변(邊)도 같은 점을 통하지 아니하는 네 개의 직선과 그 여섯 개의 교점(交點)으로 되어 있는 도형. *완전 사각형.

완전 사회【完全社會】명〔integral society〕〖사〗기딩스(Giddings, F.H.)의 용어. 모든 사회적 활동과 협동을 영위할 수 있을 정도로 규모가 크며, 다른 사회로부터 독립하여 지역 지배를 유지하는 지연(地緣) 사회를 이르는 말.

완전 색맹【完全色盲】명 전색맹(全色盲).

완전-설【完全說】명〖윤〗도덕의 본질을 인간의 완성, 곧 인간에게 잠재(潛在)하고 있는 적극적 소질(積極的素質)을 완전히 발전시키어 완성한다는 데 그 목적이 있다는 학설. 라이프니츠가 그 대표자임. 공리주의(功利主義)나 행복주의에 대립함.

완전 세:제곱【完全—】명〖수〗어떤 자연수의 세제곱이 되어 있는 자연수 1, 8, 27, 64…. 또는 어떤 정식(整式)의 세제곱이 되어 있는 정식. 완전 입방(立方).

완전 세:제곱식【完全—式】명〖수〗어떤 정식(整式)의 세제곱꼴로 나타낸 식. 이를테면, $a^3+3a^2b+3ab^2+b^3=(a+b)^3$ 따위. 완전 입방식.

완전 소:유권【完全所有權】[—꿘] 명〖법〗객체(客體)인 물건을 완전히 남의 간섭이나 제한을 받음이 없이 자기가 원(願)하는 대로 사용·수익(收益)·처분(處分)할 수 있는 권리(權利).

완전 소:절【完全小節】명〖악〗'갖춘마디'의 한자 이름. ↔불완전 소절(不完全小節).

완전-수【完全數】명〖수〗①정수(整數). ②어떤 정수에 있어서 그 정수와 같지 아니한 모든 약수(約數)의 합이 그 정수와 같은 때의 그 정수. 28=1+2+4+7+14일 때, 28은 완전수임. ↔불완전수. *부족수(不足數).

완전 순:열【完全順列】명〖수〗기준이 되는 순열의 모든 요소를 움직여서 얻는 순열. 기준이 되는 순열이 (1,2,3)일 경우 (3,1,2)·(2,3,1) 따위.

완전 시합【完全試合】명 퍼펙트 게임(perfect game) ❶.

완전 식품【完全食品】명 건강상 필요로 하는 영양소를 모두 함유하는 단독(單獨) 식품. 우유 따위.

완전 실업자【完全失業者】명〖사〗일을 할 의사와 능력이 있으면서도 취업의 기회를 얻지 못하여 전연 일에 종사하고 있지 않는 사람.

완전 어울림음【完全—音】명〖악〗어울림음 가운데, 완전 1도·4도·5도·8도의 음. 완전 협화음. ↔불완전 어울림음.

완전 어음【完全—】명〖경〗불완전 어음에 대하여 보통의 어음을 일컫는 말. ↔불완전 어음.

완전 여:부【完全與否】[—녀—] 명 부족함이 없이 갖추어 있는지 어떠한지의 사실. ¶ ~를 확인하다.

완전 연소【完全燃燒】[—년—] 명〖화〗산소가 충분히 공급되어서, 가연물(可燃物)이 충분히 연소하여 탄소립(炭素粒)을 내지 아니하는 일. 연소.

완전-엽【完全葉】명〖식〗갖춘 잎. ↔불완전엽.

완전 우성【完全優性】명〔complete dominance〕〖생〗두 개의 대립 유전자(對立遺傳子)가 공존(共存)할 때, 한쪽 유전자만의 중복(重複)에 의하여 생기는 것과 같은 형질(形質)을 나타낼 때의 우성. ↔불완전 우성.

완전 웅성【完全雄性】명〔holandry〕〖동〗두 개 이상의 정소(精巢)를 갖는 동물에서, 그것을 전부 갖추고 있는 것.

완전 원고【完全原稿】명〖인쇄〗인쇄 공정에 돌리는 문자 원고나 사진·도판(圖版) 등에서 조판·제판 과정에 이르러 가필·수정이 없도록 만전을 기하여 정리한 원고.

완전 유:가 증권【完全有價證券】[—뉴까—꿘] 명〖경〗권리의 발생·행사 또는 이전(移轉)의 모든 부면에 있어서 증권의 작성·점유 또는 이전을 필요로 하는 유가 증권. 어음·수표는 그 적례(適例)임. ↔불완전 유가 증권.

완전 유체【完全流體】[—뉴—] 명〖물〗유체 역학(流體力學)에서, 점성(粘性)도 압축성도 없다고 가정한 유체를 말함. 또, 단순히 점성이 없는 유체를 말하기도 함. 이상(理想) 유체. ↔점성 유체(粘性流體).

완전 음정【完全音程】명〔perfect〕〖악〗완전히 협화(協和)한 사도(四度)·오도(五度)·팔도(八度)의 음정(音程). 이 셋을 완전 4도, 완전 5도, 완전 8도라고 함. *불완전 음정.

완전 이:서【完全裏書】명〖법〗'완전 배서(背書)'의 구용어.

완전 입방【完全立方】명〖수〗'완전 세제곱'의 구용어.

완전 입방식【完全立方式】명〖수〗'완전 세제곱식'의 구용어.

완전 자동사【完全自動詞】명〖언〗①어미 활용(活用)이 완전하여 여러 가지 어미가 자유로이 붙는 자동사. ②다른 단어로 보충하지 아니하여도 뜻이 완전한 자동사. 갖은제움직씨. 1)·2):↔불완전 자동사.

완전 재:생【完全再生】명〔holomorphosis〕〖동〗잃은 몸 구조를 완전하게 재생하는 일. *재생.

완전 제곱【完全—】명〖수〗어떤 수 또는 식이 제곱으로 되는 수나 식. 완전 평방.

완전 제곱수【完全—數】명〖수〗정수(整數)의 제곱으로 된 수(數). 완전 평방수.

완전 제곱식【完全—式】명〖수〗단항식의 제곱으로 된 식. 이를테면, 제곱의 식을 전개한 $(a+b)^2=a^2+2ab+b^2$, $(a-b)^2=a^2-2ab+b^2$ 따위. 완전 평방식.

완전 종지【完全終止】명〖악〗'갖춘 마침'의 한자 이름. ↔불완전 종지.

완전 주권국【完全主權國】[—꿘—] 명〖법〗한 나라가 주권의 전부를 완전히 행사(行使)하고, 조금도 다른 나라의 제한(制限)이나 간섭을 받지 아니하는 나라. 완전 독립국. ↔불완전 주권국.

완전-주의【完全主義】[—/—이] 명〖기독교〗인간은 현세에서 죄로부

터 해방되어 덕(德)을 성취하는 사람이 될 수 있다는 기독교 윤리학 상의 한 사상. 중세의 수도원이나 18 세기의 메서디스트(Methodist) 교회 운동 등에서 볼 수 있음.

완전 중립국【完全中立國】[―닙―] 명 〖법〗 완전히 중립국의 의무(義務)를 이행(履行)하는 나라. ↔불완전 중립국(不完全中立國).

완전 집합【完全集合】명 〖수〗 위상 공간(位相空間)의 어느 부분 집합. 위상 공간의 부분 집합 M의 집적점(集積點) 전체로서 이루어진 집합 M′가 M과 같을 때의 M을 말함.

완전 타동사【完全他動詞】명 〖언〗 ①어미 활용(活用)이 완전하여 여러 가지 어미가 자유로이 붙는 타동사. ↔불완전 타동사❶. ②보어(補語) 없이 저만으로 뜻이 완전한 타동사. 갖은 남움직씨. ↔불완전 타동사.

완전 탄:성체【完全彈性體】명 〔perfect elastic body〕〖물〗 ①외력(外力)을 제거하면 동시에 변형(變形)도 완전히 없어지는 것과 같은 이상적인 탄성체. 이상 탄성체. ②두 물체의 충돌에 있어서, 반발 계수(反撥係數)가 1인 이상적인 탄성체. *완전 비탄성체.

완전 탄:성 충돌【完全彈性衝突】명 〔perfect elastic collision〕〖물〗 충돌 전의 두 물체가 갖는 운동 에너지의 합과 충돌 후의 두 물체가 갖는 운동 에너지의 합이 같은 경우의 충돌.

완전 탈:바꿈【完全―】명 〖충〗 완전 변태.

완전 통:회【完全痛悔】명 〖천주교〗 범죄한 것을 뉘우치는 심리(心理)의 한 형태. 범죄한 것이 천주의 만선 미호(萬善美好)함에 저촉된 것을 원통히 여기는 일. 상등 통회.

완전 평방【完全平方】명 〖수〗 '완전 제곱'의 구용어.

완전 평방수【完全平方數】명 〖수〗 '완전 제곱수'의 구용어.

완전 평방식【完全平方式】명 〖수〗 '완전 제곱식'의 구용어.

완전-품【完全品】명 흠이 없는 물품. ↔불완전품.

완전 항:조【頑佃抗租】명 〖사〗 항조(抗租).

완전 협화음【完全協和音】명 〖악〗 '완전 어울림음'의 한자 이름.

완전 형용사【完全形容詞】명 〖언〗 다른 낱말로 보충하지 아니하여도 뜻이 완전한 형용사. 갖은그림씨. ↔불완전 형용사.

완전-화【完全花】명 〖식〗 갖춘꽃. ↔불완전화.

완전 흑체【完全黑體】명 〖물〗 복사선(輻射線)을 흡수하고 조금도 반사(反射)하지 아니하는 검은 물체(物體).

완접【完楪】명 전부 갖춘 접시의 한 벌.

완정[1]【完定】명 확실히 결정함. 완전히 정함. ――-하다 타여불

완정[2]【完整】명 완전히 갖춤. 완전히 갖추어져 있음. ――-하다 자여불

완정-질【完晶質】명 〖광〗 화성암(火成岩)이 유리질(琉璃質)을 포함하지 아니하고, 전부가 결정질(結晶質)로 된 광물. 심성암(深成岩)에서 볼 수 있음.

완제[1]【完制】명 〖악〗 완조(完調).

완제[2]【完除】명 〖수〗 '나누어떨어짐'의 구용어. 정제(整除). ――-하다 자여불

완제[3]【完製】명 완전히 만듦. 또, 그 제품. 완제품.

완제[4]【完濟】명 ①채무를 완전히 변제함. 조금씩 갚아 가다가 전부 갚아 버림을 말함. ②완료(完了)❶. ――-하다 타여불

완제-품【完製品】명 완전하게 만들어진 물품. 완전히 제작 공정을 마친 제품. 완제. ¶ ~을 수입하다.

완조[1]【完調】[―쪼] 명 호남(湖南) 지방에서 부르는 시조의 창법(唱法). *경조(京調)·영조(嶺調)·내포제(內浦制).

완:조[2]【阮朝】명 〖역〗 구엔조.

완:족-류【腕足類】[―뉴] 명 〖동〗 [Brachiopoda] 전항 동물(前肛動物)에 속하는 한 강(綱). 등과 배 양쪽에 개각(介殼)이 있고 외투강(外套腔)이 있으며, 또 패쇄 혈관(閉鎖血管)이 있음. 개각 뒤 끝에는 근육질의 자루가 있어서 다른 것에 붙을 수 있는데, 이것으로 모래 또는 진흙 속에서 서기도 함. 자웅 이체임. 무교류(無鉸類)·유교류(有鉸類)의 두 목(目)으로 나눔. 두 닢의 개각을 가진 것은 조개와 비슷하므로 종래에는 독립된 한 문(門)으로서 의연체 동물(擬軟體動物)로 분류되기도 했고, 현재는 촉수(觸手)가 있다 하여 촉수 동물의 한 강(綱)으로 분류하기도 함.

완존【完存】명 완전하게 존재함. ――-하다 자여불

완주【完走】명 마지막까지 다 달림. ¶ 전구간을 ~하다. ――-하다 자여불

완주-군【完州郡】명 〖지〗 전라 북도의 한 군. 관내 2읍 11면. 북은 충청 남도 논산시(論山市), 동은 충청 남도 금산군(錦山郡)과 진안군(鎭安郡), 남은 임실군(任實郡)과 정읍시(井邑市), 서는 김제시(金堤市)와 익산시(益山市)에 접하고, 남부에서 전주시(全州市)를 둘러쌈. 주산업은 농업과 임업으로 쌀·보리 등 주곡과 감·밤·대추 등의 산출이 많음. 명승 고적으로 위봉사(威鳳寺)·위봉 폭포·대둔산(大芚山)·봉서사(鳳棲寺) 등이 있음. 군청 소재지는 전주시. [820.90 km² : 88,421 명(1996)]

완준【完準】명 준보는 일을 완료함. 교료(校了). ――-하다 자타여불

완증【頑憎】명 완악하고 미움. ――-하다 형여불

완직【頑直】명 완고하고 순직함. ――-하다 형여불

완질【頑質】명 완고한 성질.

완질-본【完帙本】명 한 질을 이루고 있는 책에 있어서 권책 수가 완전하게 갖추어진 책. ↔낙질본(落帙本).

완쯔〔중 萬子〕명 마작 용어(麻雀用語)로서 '만자(萬字)'의 패(牌)의 중국말.

완:착【緩着】명 바둑·장기에서, 형세를 호전시킬 기회를 놓치는 무른 수. ¶ 그 수는 ~이다.

완찰【完察】명 〖역〗 조선 시대 때 전라도 관찰사(觀察使)의 별칭.

완:초【莞草】명 〖식〗 왕골.

완:충【緩衝】명 대립하는 것 사이에 있어, 그것들의 충돌(衝突)이나 불화(不和)를 완화(緩和)시킴. ¶ ~ 지대. ――-하다 타여불

완:충 거:리【緩衝距離】명 〖군〗 ①규정된 위험 정도를 초과하지 아니하도록 안전 반경에 추가시킨 수평 거리. ②낙진(落塵)이 발생하지 아니하도록 필요한 안전을 보장하기 위하여 낙진 안전 폭발 고도에 추가한 수직 거리.

완:충-국【緩衝國】명 〖정〗 강국(強國) 사이에 끼어서 양국간의 충돌의 위험을 완화시키는 위치에 있는 나라.

완:충-기【緩衝器】명 〖기〗 기계나 기구에 있어서 급격한 충격을 완화하는 장치. 고무·용수철·기름·공기 따위의 탄력 효과를 이용하여 충격의 운동 에너지를 탄성(彈性) 에너지로 바꾸고, 점성(粘性)·고체(固體)의 내부 마찰 등에 의하여 에너지 소산(消散)을 행하는 것. 차량·항공기·화포(火砲) 등 각종 기계 장치 기구(機構)의 일부로서 이용됨. 완충 장치.

완:충 물질【緩衝物質】[―찔] 명 감속재(減速材).

완:충-액【緩衝液】명 〖화〗 완충 용액.

완:충 용액【緩衝溶液】명 〖화〗 외부로부터 가하여지는 산 또는 알칼리에 의하여서 검액(檢液)이 포함하는 산성 또는 알칼리성의 정도가 크게 변화하지 아니하도록 하기 위하여 검액에 섞는 여러 가지 용액. 약한 산과 염(塩)과의 혼합액 같은 것. 완충액. *완충 작용.

완:충 작용【緩衝作用】명 〖화〗 일반적으로, 용액(溶液)이 외부로부터의 자극에 대하여 그 영향을 감소시키려는 작용. 보통, 외부에서 산(酸)이나 염기(塩基)를 가하여도 용액이 그 수소 이온(水素 ion) 농도(濃度)를 거의 일정하게 갖는 작용을 이름. *완충용액.

완:충 장치【緩衝裝置】명 〖기〗 완충기.

완:충-재【緩衝材】명 두 가지 사이에 끼어서 그 충격을 완화하기 위한 재료. 고무·용수철 따위의 탄력성이 있는 것을 사용함.

완:충 재:고【緩衝在庫】명 〖경〗 가격의 불안정에서 오는 충격을 완화하는 재고(在庫). 곧, 생산 과잉에서 오는 부당한 가격 하락을 막기 위해 특설(特設)한 기관(機關)에서 과잉 생산물을 사들이며, 값이 오르면 재고품을 방출하여 가격의 안정·조절을 도모하는 방식.

완:충-제【緩衝劑】명 〔buffering agent〕〖화〗 pH를 조절할 목적으로 가공 식품에 가하는, 락트산(酸)·시트르산(酸)·아세트산(酸) 등 산(酸)의 나트륨염 같은 화학 물질.

완:충 지대【緩衝地帶】명 〖정〗 대립하는 두 나라 또는 그 이상의 나라의 충돌(衝突)을 완화시키기 위하여 설치한 중립 지대(中立地帶). 비무장(非武裝) 지대.

완취【完聚】명 ①성곽(城廓)을 완성하고 사람들을 모음. ②가족이 모두 한 곳에 함께 모이어서 삶. ③친밀감을 완수함. 부부의 금실이 좋음을 이름. ――-하다 타여불

완치[1]【完治】명 병을 완전히 고침. ¶ 숙환(宿患)을 ~하다. ――-하다

완:치[2]【緩治】명 병이나 죄를 느즈러지게 다스림. ――-하다 타여불

완:침【莞枕】명 왕골로 결어 만든 베개.

완쾌【完快】명 병이 완전히 나음. 전쾌(全快). ――-하다 자여불

완태【頑怠】명 성질이 완악하고 행동이 태만함. 둥한히 함. ――-하다 형여불

완투【完投】명 야구에서, 한 투수가 교대하지 아니하고, 한 경기를 끝까지 던지는 일. ――-하다 자여불

완판-본【完板本】명 〖문〗 조선 시대 말기, 주로 광무(光武)·융희(隆熙) 연간에 전주(全州)에서 간행된 고대 국문 소설의 목판본(木版本)의 총칭. 전라도 방언으로 판각(板刻)되어 있어 문체도 경판본(京板本)과 달라 향토색이 농후함. *경판본(京板本).

완패[1]【完敗】명 완전하게 패함. 여지없이 패함. ¶ 전경기 종목에서 ~하다. ――-하다 자여불

완패[2]【頑悖】명 성질이 완악하고 행동이 패악함. ――-하다 형여불

완폄【完窆】명 완전하게 장사(葬事)함. 영폄(永窆). 완장(完葬). ↔권폄(權窆). ――-하다 타여불

완피【頑皮】명 유들유들하여 순종하지 아니하는 사람의 별명. ¶ 아따, 젊은 놈이 뻔뻔도 하다. 저같이 ~로 되었으니 족히 사람도 궂힐 듯하다《作者未詳 : 恨月》.

완필【完畢】명 완전히 필함. 완료(完了). ――-하다 타여불

완-하다[1]【刓―】형여불 도장이나 책판(冊版) 같은 것의 글자가 닳아서 희미하다.

완-하다[2]【頑―】형여불 ①↗완명(頑冥)하다. ②↗완악(頑惡)하다.

완:-하다[3]【緩―】형여불 느리다. 더디다. 둔하다.

완:-하제【緩下劑】명 〖약〗 똥을 무르게 하거나 때로는 설사시키는 하제(下劑). 라키사돌·카스카라 등. *하제(下劑)·준하제(峻下劑).

완한[1]【頑漢】명 완악한 놈.

완:한[2]【緩限】명 기한을 느즈러뜨림. ――-하다 자여불

완:-함[1]【阮咸】명 〖사람〗 중국의 위·진(魏晉) 때의 죽림 칠현(竹林七賢) 중의 한 사람. 자는 중용(仲容). 비파(琵琶)의 명수(名手)로서, 명악(明樂)·청악(淸樂)에 쓰이는 완함이라는 비파는 그의 이름에서 유래함.

완:함[2]【阮咸】명 〖악〗 ①진나라의 완함(阮咸)이 비파를 개량하여 만들었다고 전해지는 중국의 현악기. 둥근 몸통에 긴 자루를 박고 네 줄을 매었는데, 명(明)·청(淸) 이후에는 몸통이 팔각형으로 변하였음. ②우리 나라에서, 월금(月琴)의 딴이름.

〈완함²❶〉

완합【完合】명 상처 따위가 완전히 아묾. ――-하다 자여불

완:항-령【緩項嶺】[―녕] 명 〖지〗 평안 북도 창성군(昌城郡) 우면(祐面)에 있는 고개. [589 m]

완:행【緩行】명 ①느리게 감. ②↗완행 열차. ↔급행(急行). ——-하다 자여불

완:행 열차【緩行列車】[—녈—] 명 각 역마다 정거하는, 빠르지 아니한 차. 준완행·완행차. ↔급행 열차. *보통 열차(普通列車).

완:행-차【緩行車】명 ↗완행 열차. ↔급행차.

완:행-표【緩行票】명 완행 열차의 차표.

완:협【緩頰】명 비유 등을 써가며 온건하게 천천히 말함. ——-하다 자여불

완:형【緩刑】명 형벌을 너그럽게 함. 형벌을 경하게 함. ——-하다 타여불

완호¹【完戶】명〖역〗조선 시대에, 식구(食口)가 여덟 이상이 되는 집의 일컬음.

완:호²【玩好】명 ①진귀한 노리갯감. 좋은 장난감. ②애완(愛玩)하여 좋아함. ——-하다 타여불

완:호지-물【玩好之物】명 신기하고 보기 좋은 물건. 완구(玩具).

완:화¹【芫花】명〖한의〗팥꽃나무의 꽃봉오리를 말린 약재(藥材). 부증(浮症)·창증(脹症)·해수(咳嗽)·담(痰) 등에 쓰며, 독(毒)이 조금 있음. 원화(芫花).

완:화²【緩和】명 ①급박(急迫)한 것을 느슨하게 함. ¶긴장 ~. ②〖물〗크리프(creep)에 의해 왜곡된 재료의 변형력이 제거되는 일. ③〖물〗응력이 작용하는 탄성체에서, 영구 변형(永久變形)에 의하여 탄성 저항(彈性抵抗)이 경감하는 일. ④〖물〗물리계(物理系)의 조건이 급격히 변화한 후, 계가 다른 정상 상태(定常狀態)에 접근하여 가는 과정(過程). ⑤〖지〗실험 구조 지질학에서, 크리프의 결과로 작용된 응력이, 시간이 갈수록 감소되는 일. ——-하다 타여불

완:화 곡선【緩和曲線】명 열차(列車)가 직선에서 곡선으로 들어갈 때는 곡선 반경이 무한대(無限大)에서 갑자기 일정치(一定値)로 변화하여 요동이 심해지므로 이를 막기 위하여 중간에 삽입하는 특수한 형태의 곡선. 일반적으로 $y=ax^3$의 식으로 표시되는 삼차(三次) 곡선이 사용됨.

완:화 시간【緩和時間】명〖물〗금속 속의 전자가 산란(散亂)되어, 그 운동량이 없어질 때까지의 운동 시간.

완:화 정책【緩和政策】명〖정〗유화 정책(宥和政策).

완:화-제【緩和劑】명〖약〗고통을 완화시키는 약제. 전(轉)하여, 사물의 상태를 완화시키는 수단.

완:화-책【緩和策】명 완화시키는 계책(計策). ¶~을 강구하다.

완:화 현:상【緩和現象】명〖물〗평형(平衡) 상태를 흐트러뜨렸을 때, 서서히 먼저의 평형 상태로 되돌아가는 현상. 대시 포트(dash pot).

완화 휘석【頑火輝石】명〖광〗사방 휘석(斜方輝石)의 하나. 순수한 것은 성분이 규산(珪酸) 마그네슘이지만 대부분 규산철(鐵)을 포함하고 있는데 황색·엷은 황색·회색·엷은 초록색·백색·갈색 따위이며 가는 침상(針狀)이나 섬유 방사상(纖維放射狀)을 이루고 있음. 변성암(變成岩)이나 인석(燐石) 중에 들어 있음.

-왇다 미〈옛〉힘줌을 나타내는 동사(動詞)의 접미사. ¶부텻긔 發心올 니ᄅ와다《釋譜 Ⅵ:19》.

왈【曰】㊀ 불자 '가로되', '가라사되'의 뜻. ¶공자 ~. ㊁ 관 소위. 이른바. ¶~ 학자라는 사람이 그럴 수가.

왈가닥 명 성질이 덜렁덜렁하며 수선스럽게 구는 여자.

왈가닥-거리다 자 여러 개의 단단한 물건이 서로 부딪쳐 소리가 나다. 준왈각거리다. 쓰왈카닥거리다. <월거덕거리다. **왈가닥-왈가닥** 부. ——-하다 자여불

왈가닥-달가닥 부 왈가닥거리고 달가닥거리는 소리. ¶~ 달구지 가는 소리. 준왈각달각. 쓰왈카닥달카닥. <월거덕덜거덕. ——-하다 자여불

왈가닥-대다 자 왈가닥거리다.

왈가닥-탕【—湯】명〈속〉강화도에서, 가막조개탕의 일컬음.

왈가 왈부【曰可曰否】명 어떤 일에 대하여 옳거니, 옳지 않거니 하고 말함. ¶서로의 주장을 내세워 ~하다. ——-하다 타여불

왈각-거리다 자 ↗왈가닥거리다. **왈각-왈각** 부. ——-하다 자여불

왈각-달각 부 ↗왈가닥달가닥. ——-하다 자여불

왈각-대다 자 왈각거리다.

왈강-달강 부 여러 개의 작고 단단한 물건이 어수선하게 서로 부딪치는 소리. ¶~ 방울을 울리면서 조그만 나귀는 곧잘 걷는다《李周洪：탈선 춘향전》. 쓰왈캉달캉. <월경덜경. ——-하다 자여불

왈:기다 타〈방〉①후리다❶(경남). ¶남의 소를 너무 왈기지 마라《吳永壽：머루》. ②으르다²(경남).

왈기-장【曰旣章】[—짱] 명〖악〗악장의 이름. 임금이 적전(籍田)에 나와 친경(親耕)을 마치고, 친경대(親耕臺)에 오를 때에 아뢰.

왈딱 부 ①먹은 것을 다 게워 내는 모양. ¶~ 토하다. *울딱. ②별안간 통째로 뒤집히는 모양. 1)·2): <월떡. *와락·왈칵. ③물이 끓어 그릇 밖으로 갑자기 넘치는 모양.

왈라비〔wallaby〕명〖동〗유대목(有袋目) 캥거루과의 동물 중 작은 캥거루 무리의 속칭. 발의 길이 25 cm 이하이며, 꼬리는 털이 많고, 길. 어느 것이나 초식성(草食性)이며, 습성은 캥거루와 비슷하고, 대개 작은 무리를 지어 생활함. 모피(毛皮)와 가죽은 유용하게 쓰임. 오스트레일리아·뉴기니 등지에 10종이 분포함.

〈왈라비〉

왈라키아〔Walachia〕명〖지〗루마니아 남부의 트란실바니아 알프스(Transylvania Alps)와 도나우 강(Donau江) 사이의 지역. 땅은 비옥하나 한서(寒暑)의 차이가 격심하여 농업에 많은 제약을 받음. 중세 말에 왕국(王國)이 되었으나 후에 터키와 러시아에 정복되었으며 1861년 루마니아의 성립과 더불어 그 영토가 됨. 주도(主都)는 부크레슈티. [76,599 km²]

왈론-족【—族】〔Walloon〕명 벨기에 남부 프랑스 국경 근방에 분포하는 민족. 켈트계(系)에 속하는데, 기질은 경쾌하며 권력에 대항하는 기풍이 있음. 언어는 프랑스어의 한 방언이라 할 수 있는 왈론어를 쓰며, 풍속도 프랑스와 비슷함. 종교적으로는 가톨릭임.

왈롱〔Wallon, Henri Paul〕명〖사람〗프랑스의 심리학자. 콜레주 드 프랑스(Collège de France) 교수. 프랑스의 교육 개혁(敎育改革)에 진력함. 정박아(精薄兒) 연구에서 출발하여, 인간 형성을 규정하는 사회적 조건(社會的條件)을 중시함. 주저(主著)에 《아동의 정신 발달》이 있음. [1879-1962]

왈시 왈비【曰是曰非】명 어떤 일에 대하여 잘 하였느니 잘못 하였느니 하고 말함. 시야 비야(是也非也). ——-하다 타여불

왈왈¹ 부 물이 빠르게 많이 흐르는 모양. ——-하다¹ 형여불

왈왈² 부 ↗와들와들. ¶~ 떨다.

왈왈-하다² 형여불 ①성질이 괄괄하다. ②성질이 매우 급하다. ¶매사(每事)에 왈왈하지 마라.

왈자【曰字】[—짜] 명 → 왈짜.

왈짜【曰—】명 ①왈패. ②미끈하게 생기어 여자를 잘 다루는 사람. ¶언행이 제법 골격을 갖춘 것으로 보아 지신거리던 ~들과는 신분이 달라 보였지만…《金周榮：客主》.

왈짜 자식【曰—子息】명 불량한 놈.

왈짜-타:령【曰—打令】명〖악〗무숙이 타령.

왈츠〔waltz〕명〖악〗①4분의 3박자의 약간 빠르고 경쾌한 무곡(舞曲). 오스트리아에서 발달된 것으로, 흐르는 듯한 리듬감(感)을 가지며 우아(優雅)·화려(華麗)함이 특징임. 뒤에 사교 무도용(社交舞蹈用) 음악 이외에 순수(純粹) 예술곡으로도 발전되었음. 원무곡(圓舞曲). ②사교 댄스의 한 가지. 남녀 한 쌍이 왈츠곡에 맞추어 원형(圓形)을 그리면서 춤. 원무(圓舞). 발스.

왈카닥 부 ①별안간에 힘껏 잡아 당기거나 밀치는 모양. ②갑작스럽게 마구 쏟아지는 모양. ——-하다 자여불

왈카닥-거리다 자 여러 개의 단단한 물건이 서로 부딪쳐 자꾸 소리가 나다. 스왈가닥거리다. <월커덕거리다. **왈카닥-왈카닥** 부. ——-하다 자여불

왈카닥-달카닥 부 왈카닥거리고 달카닥거리는 소리. 준왈칵달칵. 스왈가닥달가닥. <월커덕덜커덕. ——-하다 자여불

왈카닥-대다 자 왈카닥거리다.

왈칵 부 ①먹은 것을 별안간 다 게워 버리는 모양. ¶~ 토하다. ②별안간 통째로 뒤집히는 모양. ¶~ 뒤집히다. ③모았던 힘으로 별안간 밀치거나 잡아당기는 모양. ¶~ 떼밀다. 1)-3): <월컥. *와락·왈딱.

왈칵-달칵 부 ↗왈카닥달카닥. ——-하다 자여불

왈칵-왈칵 부 연달아 왈칵 하는 모양. ¶문을 ~ 잡아당기다. <월컥월컥.

왈칵-하다 형여불 성미가 매우 급하다.

왈캉-달캉 부 여러 개의 작고 단단한 물건이 어수선하게 서로 부딪치는 소리. 스왈강달강. <월컹덜컹. ——-하다 자여불

왈타리〔Waltari, Mika〕명〖사람〗핀란드의 작가. 근대 핀(Finn) 문학 운동의 대표자. 에로티시즘(eroticism)·추리·사회 풍자·문화사·역사 분야에 걸친 대소(大小) 수십 편의 작품이 있으며, 소설로는 《커다란 환상》·《낯선 사람이 집에 왔다》·《인류의 적》 등이 있음. 특히 《이집트인(人) 시누헤》는 세계적으로 유명함. 희곡·시작(詩作)도 많음. [1908-79]

왈패【曰牌】명 언행(言行)이 단정하지 못하고 수선스러운 사람의 별명. 흔히, 여자에게 많이 씀. 왈짜.

왈-하다【曰—】불자 말하다. 주의 주로, 한문의 현토문(懸吐文)에서, '왈하되' 및 그 준말인 '왈'의 꼴로만 쓰이었음. ¶왕(王)이 왈하되.

왈형 왈제【曰兄曰弟】[—쩨] 명 서로 친한 벗끼리 형이니 아우니 하고 부름. 호형 호제(呼兄呼弟). ¶그들은 ~하는 사이다. ——-하다 자여불

왓 조〈옛〉와의. ¶自와 他왓 믜움과 ᄃᆞ오ᄆᆞᆫ(自他憎愛)《圓覺 下 三之一 123》.

왔다-갔다 부 ①자주 오고 가고 하는 모양. 또, 반복해서 왕복하는 모양. ¶왜 밖에서 ~하느냐. ②정신이 맑았다 흐렸다 하는 모양. ¶정신이 ~하다. ——-하다 자여불

왕¹【王】명 ①〖역〗고구려·백제·신라 이후 고려·조선에 걸쳐 나라의 최고 권력을 가진 통치자의 칭호. 국왕(國王). 임금. ②천자·군주·황제 등 군주 국가의 통치자의 통칭. ③〖역〗중국 삼대(三代) 적에는 천하를 통일한 사람을 뜻하였으나 주말(周末)에는 제후(諸侯)들을 다 왕이라 일컬었으며, 진시황(秦始皇) 때에 황제의 명칭이 생긴 후로는 황족(皇族)·공신(功臣) 들의 작위(爵位)로 썼음. 곧 황제의 일등(一等) 아래 칭호. ④덕(德)으로써 천하를 다스린 사람. 왕자(王者). ↔패자(霸者)❷. ⑤실력으로 왕자(王者)·제일인자의 자리를 점하는 자. ¶사자는 동물의 ~이다/홈런 ~.

왕²【王】명 성(姓)의 하나. 현재 우리 나라에는 개성(開城)·강릉(江陵)·해주(海州) 등 세 본이 있음.

왕³ 감 ①말이나 소의 걸음을 멎게 하는 소리. ②〈방〉와.

왕-【王—】두 ①아주 큼을 나타내는 말. ¶~거미/~바구미/~파리. *대(大)-·말-·좀-. ②할아버지 뻘되는 항렬(行列)의 사람에게 대한 존칭. ¶~대인(大人)/~고모(姑母).

왕가¹【王家】명 왕의 집안. 왕실(王室). 왕족(王族). ¶~의 출신.

왕가²【王駕】명 거가(車駕)❷.

왕:가³【枉駕】명 왕림(枉臨). ——-하다 자여불

왕-가(:)도【王可道】명〖사람〗고려 현종(顯宗) 때의 문신. 초명은 자림

(子琳). 본성은 이씨(李氏), 왕씨는 사성(賜姓). 본관은 청주(淸州). 상장군(上將軍) 최질(崔質)·김훈(金訓) 등이 반란을 일으키고 정권을 잡아 나라의 기강이 문란해짐을 한탄하고 피를 써서 이들을 베고 무신 전권(武臣專權)의 폐를 없앰. 뒤에 벼슬이 참지정사(參知政事)·내사 문하 평장사(內史門下平章事)에까지 이름. 해서(楷書)를 잘 썼음. 시호(諡號)는 영숙(英肅). [?-1034]

왕-가뢰【王—】명 『충』 왕남가뢰.

왕-가시나무【王—】명 『식』 [*Rosa jackii*] 장미과에 속하는 낙엽 활엽 관목. 가시가 있고, 잎은 날개 모양으로 복생(複生)하며 타원형임. 5월에 백색 꽃이 산방(繖房) 화서로 가지 끝에 정생(頂生)하고, 과실은 구형(球形)인데 9월에 익음. 산기슭에 나는데, 한국 남부에 분포함. 과실은 약용하며 어린 싹은 식용함.

왕-가시오갈피나무【王—】명 『식』 [*Eleutherococcus koreanus*] 두릅나뭇과에 속하는 낙엽 활엽 관목. 잎은 장상(掌狀) 복엽이며 다섯 개의 소엽은 넓은 달걀꼴 또는 넓은 타원형임. 여름에 황록색 꽃이 산형(繖形) 화서로 많이 피고, 핵과(核果)는 10월에 흑색으로 익음. 삼림 속에 나는데, 한국 북부에 분포함. 수피는 약제로 씀.

왕-가위벌 【王—】명 『충』 [*Megachile sculpturalis*] 가위벌과에 속하는 곤충. 암컷은 몸길이 22-25mm이고, 몸빛은 흑색에 복부 제1절에는 황갈색의 긴 털이 밀생하며 제2절 이하에는 흑색의 짧은 털이 났음. 날개의 기부는 황갈색이고 바깥 쪽 절반은 흑갈색을 띠고 자감색(紫紺色)광택이 남. 한국·일본·중국·만주 등지에 분포함.

〈왕가위벌〉

왕가의 계곡 【王家—溪谷】[—/—에—] 명 〔Valley of Kings〕 『지』 이집트의 나일 강 중류, 룩소르(Luxor)의 서쪽에 있는 계곡. 고대 이집트의 수도였으며, 계곡에는 신왕국 시대의 역대 왕릉이 있음. 1922년에 고대 이집트 제 18왕조의 왕 투탕카멘(Tutankhamen)의 능이 거의 완전한 형태로 발굴됨. '왕릉의 계곡'이라고도 함.

왕-감[1] 【王—】명 아주 큰 감.

왕-감[2] 【王鑑】명 『사람』 중국 청(淸)나라 초기의 문인화가(文人畫家). 호(號)는 상벽(湘碧). 태창(太倉) 사람. 사왕 오운(四王吳惲)의 한 사람. [1598-1677]

왕-강[1]【王康】명 『사람』 고려 말기의 문신. 예조 판서를 거쳐 밀직부사 겸 전라 경상 양광 삼도 수군 도체찰사(密直副使兼全羅慶尙楊廣三道水軍都體察使)가 되어 염철(鹽鐵)·조전(漕轉)·초토(招討)·영전(營田)·선성(繕城)의 일을 겸하여 조운(漕運)의 공이 많았고, 어염(魚塩)의 이(利)로 국가의 재정을 튼튼히 하였음. 태안(泰安)과 탄포(炭浦)에 운하(運河)를 파서 조운을 편안케 하려 했으나 이루지는 못함. 조선 개국(開國) 때 화를 당하여 죽음. [?-1394]

왕강[2] 【王綱】명 제왕(帝王)이 나라를 다스리는 강기(綱紀).

왕-강충이 【王—】명 『충』 말매미충.

왕-개똥벌레 【王—】 명 『충』 [*Pyrocoelia tsushimana*] 개똥벌렛과에 속하는 곤충. 몸은 크고 길어 수컷은 15-18mm, 암컷은 17-20mm이고, 전흉배(前胸背)에 한 쌍의 투명한 무늬가 있음. 한국 남부 및 일본 등지에 분포함.

왕-개미 【王—】명 ①큰 개미. ②『충』 [*Camponotus ligniperda*] 개밋과의 곤충. 일개미의 몸길이는 7-13mm, 몸빛은 흑색 또는 갈색에 작은털이 밀생함. 머리는 타원형인데 일개미는 단안(單眼)이 없음. 암컷은 몸길이 17mm 내외이고 단안이 있으며, 수컷은 몸길이 11mm 내외에 단안·복안이 모두 크고 머리는 원형임. 건조한 양지(陽地)의 땅 속에 영소(營巢)하는데, 한국·일본 등지에 분포함. 마의(馬蟻). 비부(蚍蜉). 말개미.

〈왕개미〉

왕-개서나무 【王—】명 『식』 [*Carpinus eximia*] 자작나뭇과에 속하는 낙엽 활엽 교목. 잎은 달걀꼴 타원형 또는 타원형이고, 잎꼭지와 어린 가지에 털이 많음. 4-5월에 자웅 일가(雌雄一家)로 꽃이 피고, 견과(堅果)는 과포(果苞)로 싸였으며 10월에 익음. 산복 이하의 숲 속에 나는데, 전남·경남 등지에 분포함. 표고버섯의 원목(原木)·기구재·신탄재·나막신 등에 쓰임.

왕-개운 【王闓運】명 『사람』 중국 청나라 말기의 학자·문인. 후난 성(湖南省) 출생. 자는 임추(壬秋). 장시(江西) 고등 학당 총교습(總敎習) 등을 역임하고 중화 민국 수립 후에는 국사관(國史館) 관장을 지냄. 하휴(何休)의 학설을 계승하여 청말 고증학(考證學)의 정체성(停滯性)을 타파, 공양학(公羊學) 발흥(勃興)에 이바지함. 저서에 ≪춘추 공양전전(春秋公羊傳箋)≫·≪상기루 시문집(湘綺樓詩文集)≫·≪상군지(湘軍誌)≫ 등이 있음. [1832-1916]

왕거누:이 〔Wanganui〕 명 『지』 뉴질랜드 북(北)섬의 남서 해안에 있는 항구 도시. 1842년에 창건되었고 목양(牧羊) 지역의 중심으로 양털·낙농 제품·육류를 이출(移出)함. 1847년과 1864년 및 1868년에 영국인과 마오리족(Maori族)과의 전쟁이 있었음. [40,000명(1981)]

왕-거머리말 【王—】 명 『식』 [*Zostera asiatica*] 거머리말과에 속하는 다년생의 해초(海草). 줄기는 길이 3m 가량이고, 잎은 호생하며 가는 선형(線形)이고 길이 60cm, 폭 6-12mm이며 10-13개의 엽맥(葉脈)이 있음. 5-6월에 녹색의 육수화(肉穗花)가 길이 5-8cm로 피고, 과실은 원기둥꼴로 길이 3mm 내외임. 바닷물 속에 나는데, 전남·경남 및 일본 등지에 분포함.

왕-거미【王—】 명 ①큰 거미. ②『동』 [*Araneus ventricosus*] 호랑거밋과의 대형 거미. 몸길이는 수컷 15mm, 암컷 30mm 내외로, 몸빛은 황갈색에 다리는 적갈색, 복부배면은 검은 줄무늬가 있음. 체질이 강하며 다리는 굵고 길. 여름에 인가 근처나 처마 밑 또는 나무 가지 사이에 질긴 차바퀴 같은 그물을 치며, 알은 7-8월에 낳음. 한국·일본 등지에 분포함. 집왕거미. 말거미.

〈왕거미❷〉

왕-건【王建】명 『사람』 고려 태조(太祖)의 이름. *태조[5](太祖).

왕-건(:)장【王建章】명 『사람』 중국 명말(明末)의 화가. 자(字)는 중초(仲初), 호는 연(硯)·전장 거사(田莊居士). 취안저우(泉州) 사람. 이곽풍(李郭風)의 산수화·불화(佛畫) 등을 장기로 하고, 사생(寫生)은 입신(入神)의 경지였다고 전함. 생몰년 미상.

왕검【王儉】명 『역』 〔임금의 뜻〕 단군(檀君)의 일컬음.

왕검-성【王儉城】명 『역』 고대 평양(平壤)의 일컬음. 단군(檀君)이 도읍했던 서울로 '검잣' 또는 '검터'라고도 불림. 고조선(古朝鮮)·위만(衛滿) 조선의 도읍지이며, 고구려도 이 곳을 서울로 삼음.

왕-검정하늘소【王—】[—쏘] 명 『충』 [*Criocephalus quadricostulatum*] 하늘솟과에 속하는 곤충. 몸길이 10-29mm이고, 몸빛은 암갈색 내지 흑갈색에 회황색의 털이 있음. 각 시초(翅鞘)에는 두 개의 세로 융기선(隆起線)이 있음. 유충은 소나무류의 재목의 해충임. 한국에도 분포함.

〈왕검정하늘소〉

왕-게[1]【王—】명 〈방〉 왕겨(경기·강원·충청·경남).

왕-게:[2]【王—】명 〈방〉 바닷게.

왕-겨【王—】명 벼의 겉겨. 굵은 겨. 매조미겨. ↔쌀겨. *겉겨.

왕겨-숯【王—】명 왕겨를 가루로 만들어 고압(高壓)·고온(高溫)으로 굳힌 신탄(薪炭). 간단한 불쏘시개로 점화(點火)시킬 수 있고, 필요에 따라 토막으로 잘라 쓸 수 있으며, 유독 가스·매연(煤煙)·악취 등이 없으나, 연소 시간이 비교적 짧은 흠이 있음. 왕겨탄(炭).

왕겨-탄【王—炭】명 왕겨숯.

왕:견【往見】명 가서 봄. 왕관(往觀). ——-하다 (타)(여불)

왕경[1]【王京】명 『역』 고려 때 개경(開京)의 별칭.

왕-경[2]【王卿】명 왕과 대신(大臣).

왕경룡-전【王慶龍傳】[—뇽—] 명 『문』 조선 시대 때의 것으로 생각되는 작자·창작 연대 미상의 한문 소설. 중국 명(明)나라를 배경으로 기생 옥단(玉檀)과 귀공자 왕경룡(王慶龍)과의 애정을 그린 내용. 대한 제국 때에 '청루지열녀(靑樓之烈女)'라는 이름으로 국문 번역되어 발간됨. 옥단전(玉檀傳)

왕-계[1]【王—】명 〈방〉 왕겨(경기·강원·충북).

왕계[2]【王系】명 왕의 계통. 왕실의 계통.

왕고[1]【王考】명 조고(祖考).

왕:고[2]【往古】명 오랜 옛날. 전고(前古). 왕석(往昔).

왕:고[3]【枉告】명 사실을 거짓되게 아뢰. ——-하다 (자)(여불)

왕:고[4]【枉顧】명 〔남이 탈것의 진행 방향(進行方向)을 바꾸어 자기를 돌아본다는 뜻에서〕 남의 내방(來訪)에 대한 존칭. 왕가(枉駕). 왕림(枉臨). ——-하다 (자)(여불)

왕-고광나무【王—】명 『식』 [*Philadelphus robustus*] 고광나뭇과에 속하는 낙엽 활엽 관목. 잎은 달걀꼴 또는 달걀 모양의 타원형임. 4-5월에 백색 꽃이 총상(總狀) 화서로 피고, 삭과(蒴果)는 9월에 익음. 산기슭 및 골짜기에 나는데, 충북·황해·평남·함북 등지에 분포함. 관상용(觀賞用)으로 심음.

왕:고 내금【往古來今】명 예로부터 지금까지.

왕-고들빼기【王—】명 『식』 [*Lactuca laciniata*] 꽃상춧과에 속하는 1년 또는 2년초. 높이 1.5-2m이고, 잎은 큰 피침형에 대개 깊은 결각(缺刻)임. 7-9월에 담황색의 설상화(舌狀花)가 두상(頭狀)화서로 피며, 밤에는 꽃잎을 오므림. 줄기와 잎에서 독즙(毒汁)이 나옴. 산과 들에 나는데, 한국 각지에 분포함. 어린 잎은 식용함.

왕-고래【王—】명 『동』 흰긴수염고래.

왕-고모【王姑母】명 대고모(大姑母).

왕고-장【王考丈】명 돌아간 남의 할아버지의 존칭.

왕고지 명 〈방〉 무지개(제주).

왕-고집【王固執】명 아주 심한 고집. 또, 그런 고집을 부리는 사람.

왕:곡【枉曲】명 ①왕법(枉法). ②사곡(邪曲). ——-하다 (자)(형)(여불)

왕-굔【王艮】명 『사람』 중국 명(明)나라의 학자. 자는 여지(汝止), 호는 심재 선생(心齋先生). 타이저우(泰州) 출신. 가난하여 독학으로 독자적인 격물설(格物說)을 주장함. 38세에 왕양명(王陽明)의 문하에 들어가, 다년간 수학하여 스승을 도와 그 공이 컸으나, 언동(言動)이 기교(奇矯)하여 스승의 훈계(訓戒)를 많이 받음. 왕용계(王龍溪)와 더불어 왕문(王門)의 이왕(二王)으로 일컬어짐. [1483-1540]

왕-골 명 『식』 [*Cyperus exaltatus*] 방동사닛과에 속하는 일년초. 높이 90-150cm이고 잎은 근생(根生)하며 줄기 끝에 꽃꼭지가 나와서 잔 꽃이 핌. 줄기의 단면(斷面)은 삼각형으로, 대단히 질기고 강하여 피부(皮部)를 쪼개어 방석·돗자리 등을 만들고, 줄기 속은 모자·노끈·제지(製紙)의 원료가 됨. 4-5월에 무논에 심어 가을에 거두어 들임. 한국·일본 및 열대·온대 지방에서 재배함. 완초(莞草). *소완초(小莞草).

〈왕골〉

왕골 기직 명 굵게 쪼갠 왕골로 만든 기직. 왕골자리.

왕골 껍질 명 왕골의 겉껍질. 말려서 방석·짚신·새끼 따위를 만들거나 꼬는 데 씀.

왕골-논 〔—론〕 명 왕골을 심는 논.

왕골 방석 【—方席】명 왕골의 껍질로 짚을 싸서 결은 방석.

왕골-속 [-쏙] 명 왕골의 겉껍질을 벗겨 낸 속살. 말려서 신 삼는 데나 끈으로 꼬아서 씀. 준골속.

왕골 자리 명 왕골 기직.

왕-곰취【王―】 명 〖식〗[*Ligularia speciosa*] 국화과에 속하는 다년초. 줄기 높이 1m 이상이고 근생엽(根生葉)은 장병(長柄)이며, 심장상(心臟狀) 원형 또는 심장상 타원형임. 8월에 황색 두화(頭花)가 줄기 위에 호생(互生)하여 총상 화수(總狀花穗)로 피는데, 변화(邊花)는 설상화(舌狀花), 심화(心花)는 관상화(管狀花)이며 과실은 수과(瘦果)임. 깊은 산에 나는데 함남의 부전(赴戰) 고원에 분포함. 어린 잎은 식용함.

왕공¹【王公】 명 왕과 공. 신분이 고귀(高貴)한 사람. 귀현(貴顯).

왕공²【王功】 명 왕업을 도운 훈공.

왕공-국【王公國】 명 왕국과 공국.

왕공 대:인【王公大人】 명 신분이 고귀한 사람.

왕과【王瓜】 명 〖식〗 쥐참외.

왕관¹【王冠】 명 ①임금의 머리에 쓰는 관. ②유럽에서 고래로 존엄(尊嚴)을 표시하거나 고귀한 표상으로서 머리에 쓰는 것. ③〈속〉[모양이 왕관과 비슷하므로] 병을 밀폐하는 마개의 일종.

왕:관²【往觀】 명 가서 봄. 왕견(往見). ――-하다 타여불

왕관-장【王官莊】 명 〖지〗 덕주(德州).

왕-괴불나무【王―】[-라-] 명 〖식〗[*Lonicera vidalii*] 인동과에 속하는 낙엽 활엽 관목. 수(髓)는 백색이고 잎은 타원형이며 톱니가 없음. 초여름에 황백색 꽃이 액생(腋生)하고, 장과(漿果)는 가을에 붉게 익음. 산지에 나는데 한국 중부 이남 및 일본에 분포함.

왕-구사【王九思】 명 〖사람〗 중국 명(明)나라의 시인. 자(字)는 경부(敬夫), 호는 미파(渼陂). 벼슬이 이부 낭중(吏部郎中)에 이르렀다가 유근(劉瑾)의 죄에 연좌(連坐)되어 수주 동지(壽州同知)로 강등됨. 시문, 특히 악부 시체(樂府詩體)에 능하고 가곡(歌曲)을 잘하여, 강해(康海) 등과 십재자(十才子)로 일컬어짐. 저서에 《미파집(渼陂集)》·《벽산 악부(碧山樂府)》 등이 있음. 생몰년 미상.

왕국【王國】 명 ①왕을 원수(元首)로 하는 나라. 군주국(君主國). 모너키. *제국(帝國). ②하나의 큰 세력을 형성하고 있음을 나타내는 말. ¶ 석유의 ~.

왕 국유【王國維】 명 〖사람〗 '왕 궈웨이'를 우리 음으로 읽은 이름.

왕굴¹ 명 〈방〉 왕골.

왕:굴²【枉屈】 명 ①까닭없이 굽힘. ②귀인의 내방(來訪). 왕림(枉臨). ――-하다 자여불

왕-굼벵이벌【王―】 명 〖충〗[*Tiphia popilliavora*] 금치레벌과에 속하는 곤충. 암컷의 몸길이 8.5-13mm이고, 몸빛은 흑색에 날개는 암색 반투명, 두부 배면(背面)·복부·말단절(末端節)의 배면에는 점각(點刻)이 있음. 풍뎅이류의 유충에 기생하는데, 한국·일본·중국에 분포함. ㄴ왕금치레벌.

왕궁【王宮】 명 임금의 궁전(宮殿).

왕 궈웨이〔王國維〕 명 〖사람〗 중국의 문학자·사학자. 자(字)는 지안(靜安), 호는 관탕(觀堂). 중화 민국 성립 후에는 역사학과 고고학을 연구하여, 갑골(甲骨) 문자, 은주 금문(殷周金文), 한진(漢晉)의 죽통(竹筒)과 봉니(封泥)등 사료(史料)의 연구 정리에 업적을 남기었음. 저서에 《인간 사화(人間詞話)》·《송원 희곡사(宋元戲曲史)》·《관당 집림(觀堂集林)》 등이 있음. 청조(淸朝)의 앞날을 우려하여 베이징(北京) 쿤밍 호(昆明湖)에 투신 자살함. 왕국유. [1877-1927]

왕권【王權】[-꿘] 명 임금의 권리(權利). 군권(君權).

왕권 신수설【王權神授說】[-꿘-] 명 [Theory of Divine Right of Kings] 국왕의 권리는 신(神)으로부터 받은 것이므로 인민이나 의회에 의하여 제한되지 아니하고 절대 무한(絕對無限)이라는 학설. 절대 군주제의 뒷받침이 된 이론(理論)임. 유럽 근세 초두의 절대 왕제에서 군주권(君主權)을 정당화하고, 군주 비판을 누르기 위하여 제창됨. 영국의 필머(Filmer, Robert), 프랑스의 보댕(Bodin, Jean), 보쉬에(Bossuet, Jacques Bénigne) 등이 주창함. 군권(君權) 신수설. 제왕 신권설(帝王神權說). *신의설(神意說).

왕-귀뚜라미【王―】 명 〖충〗[*Gryllulus mitratus*] 귀뚜라밋과에 속하는 곤충. 귀뚜라미 중에서 가장 큰 것으로 몸길이 20-26mm이고, 몸빛은 갈색 또는 흑갈색이며 수컷의 앞날개는 꼬리보다 기나 때로는 암컷처럼 짧은 것도 있음. 밭이나 풀밭에 삶. 한국·일본 등지에 분포함.

〈왕귀뚜라미〉

왕규의 난:【王規―亂】[-/-에-] 명 〖역〗 고려 혜종(惠宗) 2년(945)에 태조(太祖)와 혜종의 국구(國舅)인 왕규(王規)가 일으킨 반란. 혜종이 후사(後嗣)를 정하지 못하고 죽으매, 왕의 동생 요(堯)가 즉위하여 정종(定宗)이 되니, 왕규가 자기의 외손(外孫)인 태조의 아들 광주원군(廣州院君)을 왕위에 앉히려고 반란을 일으켰는데, 태조의 종제(從弟)인 서경(西京)의 진장(鎭長) 왕식렴(王式廉)이 개경(開京)으로 들어와 정종(定宗)을 호위하고 왕규를 갑곶(甲串)에 귀양보냈다가 살해함.

왕-그늘나비【王―】[-라-] 명 〖충〗[*Aranda schrenkii*] 뱀눈나빗과의 곤충. 편 날개의 길이 75mm 내외, 날개는 암갈색에 앞날개 끝에 흑색 무늬가 한 개, 뒷날개에 다섯 개의 흑색 무늬가 있음. 날개 뒷면은 담갈색이며 앞날개에는 두 개, 뒷날개에는 여섯 개의 눈 모양의 무늬가 있고 각 날개의 외연(外緣)과 중실(中室) 사이에 짙은 갈색의 띠무늬가 있음. 한국·일본 등지에 분포함.

왕-금치레벌【王金―】 명 〖충〗 왕굼벵이벌.

왕기¹ 명 사기로 만든 큰 대접.

왕-기²【王―】 명 〈방〉 왕겨(경상).

왕-기³【王圻】 명 〖사람〗 중국 명대(明代) 후기 16세기경의 학자. 자는 원한(元翰). 상해 사람. 경세(經世)·실용(實用)의 학문에 뜻을 두었음. 저서에 《속문헌 통고(續文獻通考)》 254권 외에, 《삼재 도회(三才圖會)》·《동오 수리고(東吳水利考)》 등이 있음. 생몰년 미상.

왕기⁴【王氣】 명 ①왕이 날 징조(徵兆). 또, 왕이 될 징조. ¶ ~ 뜨이다. ②잘될 징조.

왕기(가) 뜨이다 구 임금이 될 징조나 날 징조가 보이다.

왕기⁵【王旗】 명 왕이 행차할 때 왕의 표로서 내거는 기.

왕기⁶【王畿】 명 왕도(王都) 부근의 땅. 제왕의 직할지(直轄地). 근기(近畿). ¶ ~ 천리(千里).

왕:기⁷【旺氣】 명 ①행복스럽게 될 징조. ②왕성한 기운.

왕:기(가) 뜨이다 구 행복스럽게 될 징조가 보이다.

〈왕기생파리〉

왕-기생파리【王寄生―】 명 〖충〗[*Servillia luteola*] 기생파릿과의 곤충. 몸길이 14-18mm이고 머리와 가슴은 황색, 복부는 흑갈색이며 등황색의 긴 털이 밀생하고 각 마디의 후연(後緣)에는 흑색 강모(剛毛)가 줄지어 났음. 한국·일본에 분포함. 왕침파리.

왕-김의털【王―】[-/-에-] 명 〖식〗[*Festuca rubra*] 볏과에 속하는 다년초. 근경(根莖)은 가늘고, 잎은 좁은 선형(線形)이며 총생(叢生)함. 꽃은 5월에 원추(圓錐) 화서로 피고, 소수(小穗)는 긴 타원형으로 길이는 1cm 내외임. 해변이나 산기슭에 나는데, 경북의 울릉도와 평북의 평창 등지에 분포함.

왕-꼬마불나방【王―】[-라-] 명 〖충〗 앞선두리불나방.

왕-꽃등에【王―】 명 〖충〗[*Megaspis zonata*] 꽃등엣과에 속하는 곤충. 몸길이 12-16mm이고, 몸빛은 흑색에 다소 갈색을 띰. 수컷의 이마는 삼각형이고 촉각은 흑갈색이며 어깨는 등색(橙色)임. 복부 제2절의 앞쪽은 황색 또는 황적색이며, 날개는 약간 회색을 띠고 기부와 중앙의 앞쪽에는 흑색 반점이 있음. 유충(幼蟲)은 더러운 물이나 분뇨(糞尿) 같은 곳에 서식하는데, 아시아에 분포하는 공통종임.

〈왕꽃등에〉

왕꽃벌렛-과【王―科】 명 〖충〗[Rhipiphoridae] 딱정벌레목(目)에 속하는 한 과. 몸은 소형 또는 중형이고 촉각은 톱 또는 빗살 모양이며 드물게 곤봉상(棍棒狀)도 있음. 대부분이 벌의 집에 서식하나, 바퀴에 기생하는 것도 있고, 또 목재 속에 서식하는 종류도 있음. 전세계에 300여 종이 분포함.

왕-나나니【王―】 명 〖충〗[*Ammophila aemulans*] 구멍벌과에 속하는 곤충. 암컷은 몸길이 26mm 내외이고, 몸빛은 흑색에 두부·흉부·복부는 긴 흑갈색 털과 회갈색의 잔털이 밀생함. 복부 제1 배판(背板)의 양측 및 후연(後緣)과 제2 배판은 적색임. 나무 구멍에 영소(營巢)하는데, 한국·일본·우수리 지방에 분포함.

〈왕나나니〉

왕-남가뢰【王藍―】 명 〖충〗[*Meloe violaceus*] 가뢰과의 곤충. 가뢰 중에서 가장 큰 종류로 몸길이 3cm이고 몸빛은 흑람색(黑藍色)이며 뒝벌의 집에 기생함. 한국·일본·중국 등지에 분포함. 왕가뢰.

왕:네【往―】 명 〈방〉 왕래(往來). ――-하다 자

왕녀【王女】 명 임금의 딸. ↔왕자.

왕:년【往年】 명 ①지나간 해. ②옛날. 왕세(往歲). 왕전(往前). 조년(徂年). ¶ ~의 운동 선수.

왕-노린재【王―】 명 〖충〗[*Pentatoma semiannulata*] 노린잿과에 속하는 곤충. 몸은 납작하고 주둥이는 뾰족하며, 몸에서는 빈대 냄새와 같은 고약한 냄새가 나는 대형의 노린재임.

왕눈-이【王―】 명 눈이 큰 사람의 별명.

왕-느릅나무【王―】 명 〖식〗[*Ulmus macrocarpa*] 느릅나뭇과에 속하는 낙엽 활엽의 작은 교목. 잎은 넓은 거꿀달걀꼴인데 잔 톱니가 있음. 꽃은 5월에 취산(聚繖) 화서로 총생(叢生)하며, 시과(翅果)는 초여름에 익음. 산록 지대에 나는데, 황해·평북·함남북 및 만주·중국에 분포함. 수피는 약재로 씀.

왕-니【王―】 명 〖충〗 큰 이.

왕:단【枉斷】 명 법률을 굽히어서 부정(不正)한 판결을 함. ――-하다 타여불

왕당【王黨】 명 왕권(王權)의 확장·유지를 주장하는 당파. ¶ ~파. ↔민당(民黨).

왕-대¹【王―】 명 〖식〗[*Phyllostachys bambusoides*] 볏과(科)에 속하는 상록 목본(木本). 근경(根莖)은 옆으로 땅에 뻗고 줄기는 높이 10-20m임. 잎은 길이 8-12cm의 피침형이며, 3-5 개씩 잔가지 끝에 남. 6-7월에 양성화(兩性花)와 불완전화(不完全花)가 3-5 개씩 원추(圓錐) 화서로 피고 오랜 기간의 주기(週期)를 가지며 영과(穎果)는 가을에 익음. 중국 원산(原產)으로 촌락 부근에 심는데 한국 중부 이남 및 일본·중국에 분포함. 세공재(細工材)로 쓰며, 죽순(竹筍)은 자색 반점이 있는데, 식용 또는 약용함. 왕죽(王竹). 황죽(篁竹).

[왕대 밭에 왕대 난다] 원인에 따라 결과가 생긴다는 말. ¶ 왕대 밭에 왕대 나는 법입니더. 빼다귀야 속일 수 있습니꺼《吳永壽 : 終車》.

〈왕대¹〉

왕대²【王代】 명 왕조 시대(王朝時代).

왕대³【王臺】 명 여왕벌이 될 알을 받아 기르는 벌집. 보통의 벌집보다

크고 민듯하게 길어 아래로 드리워짐.

왕:대[4]【往代】명 왕석(往昔).

왕대멀기 명 〈심마니〉 쌀밥.

왕-대부인【王大夫人】명 남의 할머니의 존칭.

왕-대비【王大妃】명 생존한 선왕(先王)의 비.

왕-대인【王大人】명 남의 할아버지의 존칭.

왕-대포【王一】명 대포를 큰 술잔으로 마신다 하여 이르는 말.

왕-대황【王大黃】명〖식〗장군풀.

왕덕-산【王德山】명〖지〗함경 남도 갑산군(甲山郡)에 있는 산. [1,063 m]

왕도[1]【王度】명 제왕(帝王)의 풍도(風度).

왕도[2]【王都】명 왕궁이 있는 도시. 연곡지하(輦轂之下). 왕성(王城).

왕도[3]【王道】명 ①임금이 마땅히 지켜야 할 길. 제도(帝道). ②유가(儒家)가 이상으로 하는 정치 사상으로, 인덕(仁德)을 근본으로 하는 정도(政道). ↔패도(霸道). ③로열 로드.

왕-도[4]【王導】명〖사람〗중국 동진(東晉)의 재상(宰相). 자는 무홍(茂弘). 진(晉)나라의 부흥을 도모하여 명제(明帝)·성제(成帝)의 두 임금을 보필하고 동진의 기초를 구축하였음. [267-330]

왕-도[5]【王韜】명〖사람〗중국 청말(清末)의 학자·번역가·비평가. 본명은 한(瀚). 22세 때 영국인 선교사(宣教師) 아래서 성서의 중국어 번역을 도움. 1862년 홍콩으로 가서 선교사 레그(Legge, J.)의 서경(書經)·시경(詩經)의 영역(英譯)을 돕고, 춘추 좌씨전(春秋左氏傳)·예기(禮記)의 영역에도 참가함. 1870년 순환 일보(循環日報)를 창간하여 논설(論說)을 써서 국제적 시야에서 개혁을 주장함. [1828-97]

왕:도[6]【枉道】명 정도(正道)를 굽혀 남에게 아첨함. ——하다 자여불

왕도-처【王都處】명 전대의 왕도(王都)였던 땅.

왕-돈【王一】명 둘레가 큰 돈. 왕전(王錢).

왕-동원【王東原】명〖사람〗'왕 둥위안'을 우리 음으로 읽은 이름.

왕-동흥【汪東興】명〖사람〗'왕 둥싱'을 우리 음으로 읽은 이름.

왕두 벽화묘【一壁畫墓】〔望都〕명 중국 허베이 성(河北省) 왕두 현(望都縣)에 있는 후한(後漢) 시대의 2기(基)의 전실묘(塼室墓). 벽화로 유명함. 제1호 묘(墓)는 팔실(八室)로 되어 있는데 전실(前室)과 전중실(前中室)간 통로에 한대(漢代)의 관청과 관리를 주제로 한 벽화가 있음. 제2호 묘는 도굴(盜掘)을 당하여 벽화가 거의 남아 있지 않음. 망도(望都) 벽화묘.

왕두-산【王頭山】명〖지〗경상 북도 봉화군(奉化郡) 춘양면(春陽面)에 있는 산. [1,044 m]

왕둥-발가락 [一까一] 명 굵은 발가락과 같다는 뜻으로, 올이 굵고 성긴 피륙을 가리키는 말.

왕 둥싱〔王東興〕명〖사람〗중국의 정치가. 1947년 옌안(延安)에 있을 때부터 마오 쩌둥(毛澤東)의 경호를 맡은 이래로 공안 차관(公安次官), 당 정치국원 후보·정치국원을 역임함. 1976년 이른바 사인방(四人幇) 소탕(掃蕩)에 앞장을 서서 1977년 당 부주석(副主席)이 되었으나, 문화 혁명 옹호의 책임을 지고 1980년에 공직(公職)에서 해임(解任)됨. 왕동흥. [?-]

왕 둥위안〔王東原〕명〖사람〗중화 민국의 외교관·정치가. 안후이 성(安徽省) 출생. 장 제스 총통 밑에서 북벌(北伐)에 참가하고, 후난(湖南)·후베이(湖北) 성 주석(主席)을 역임함. 1953-61년 주한(駐韓) 중화 민국 대사를 지냄. 왕동원. [1899-]

왕등【一燈】명 장사(葬事) 지내러 갈 때에 메고 가는 큰 등. 대개 열 한 자쯤 되는 대쪽 두 개를 각각 양 끝은 넉 자, 가운데는 석 자쯤 되게 휘어 서로 어긋맞춰 밑 끝과 중턱에 십자로 마구리를 건너질러 위 아래에 각각 초 네 개씩을 꽂고 한가운데에 긴 자루를 꿰.

왕-등게【王一】명〈방〉왕겨(경북).

왕-등이【王一】명 큰 피라미의 수컷. 생식 시기가 되면 몸의 양편에 붉은 무늬가 나타남.

왕-딩이【王一】명〈방〉왕겨(경상).

왕-딩기【王一】명〈방〉왕겨(경상).

왕-딱정벌레【王一】명〖충〗[*Carabus dehaanii*] 딱정벌렛과에 속하는 곤충. 몸길이 33 mm 내외이고, 몸빛은 흑색에 전배판(前背板)과 시초(翅鞘)에는 여덟 개의 줄무늬가 있고 개체에 따라 청색 또는 자색 광택이 남. 두부(頭部)와 전배판에는 점각(點刻)과 주름이 있고 시초 종구(縱溝)에 점각이 없는 개체도 있음. 돌 밑이나 썩은 나무 밑에서 서식하는데, 한국·일본에 등지에 분포함. 왕딱정이.

왕-딱정이【王一】명〖충〗왕딱정벌레.

왕-똥파리【王一】명〖충〗[*Scatophaga mellipes*] 똥파릿과에 속하는 곤충. 몸길이 9-13 mm이고, 몸빛은 대룩 암회색에 머리는 담황갈색, 흉배(胸背)에는 네 개의 갈색 세로줄이 있고 제1 복절(腹節) 및 양측에는 황색 털, 그 외에는 흑색 털이 있음. 한국·일본에 분포함.

왕:뚱이 명〖충〗꿉등이.

왕랑 반:혼전【王郎返魂傳】[一낭一] 명〖문〗작자·창작 연대 미상의 고전 소설의 하나. 국문본과 한문본이 있음. 불교를 배척하던 왕랑이, 죽은 아내가 꿈에 나타나서 지시하는 대로 불법(佛法)을 믿은 덕분에 화(禍)를 면하고 아내도 환생(還生)하여 부부 인연을 계속하다가 극락 세계에서 생을 누렸다는 이야기.

왕:래【往來】[一내] 명 ①오고 감. ¶ 차가 ～하다 / 편지의 ～. ②서로 교제함. ¶ 서로 ～하는 사이. ③노자(路資). ——하다 자여불

왕:래 방해죄【往來妨害罪】[一내一쬐] 명〖법〗교통 방해죄.

왕:래 부절【往來不絶】[一내一] 명 끊임없이 오고 감. ¶ 큰길에는 자동차들이 ～이다. ——하다 자여불

왕:래 시세【往來時勢】[一내一] 명〔rise and fall market〕〖경〗주가(株價)가 어느 한정된 시세의 폭(幅)으로 등락(騰落)을 반복하는 일.

왕:래-인【往來人】[一내一] 명 오고 가고 하는 사람.

왕려【王旅】[一녀] 명 왕사(王師)❶.

왕령[1]【王令】[一녕] 명 왕명(王命)❶.

왕령[2]【王領】[一녕] 명 제왕(帝王)의 영토. 임금의 권한 하의 영역.

왕령-관【王靈官】[一녕一] 명 도교(道教)에서, 산문(山門)을 지킨다는 신의 이름. 붉은 얼굴에 눈이 세 개이며, 갑옷 차림에 채찍을 든 형상임.

왕령 식민지【王領植民地】[一녕一] 명〔Crown Colonies〕영국의 식민지 중 영국 국왕, 곧 본국 정부의 직할(直轄) 식민지.

왕:로【往路】[一노] 명 가는 길. ↔귀로(歸路).

왕롱【王籠】[一농] 명 양봉에서, 여왕벌을 임시로 격리하거나 새로 들일 때, 또는 왕대(王臺)를 떼어 여왕벌을 방출할 때에 쓰는, 작은 철망롱(鐵網籠).

왕륜-사【王輪寺】[一뉸一] 명〖지〗고려 태조 왕건(王建)이 지은 개경 십찰(開京十刹) 중의 하나. 지금도 당시의 석불(石佛)이 남아 있음. 고려의 승과(僧科)의 교종선(教宗選)이 이 곳에서 시행되었음. 또 공민왕(恭愍王)은 노국 궁주(魯國公主)가 죽자 이 부근에 영전(影殿)을 세웠다 함. 조선 시대 때는 이 부근에 오관 서원(五冠書院)을 세웠다 하나 그 자리는 미상임.

왕릉【王陵】[一능] 명 임금의 무덤.

왕릉의 계곡【王陵一溪谷】[一능一 / 一능에一] 명〖지〗왕가(王家)의 계곡(溪谷).

왕:림【枉臨】[一님] 명 남이 자기 있는 곳으로 오는 일의 경칭. 내림(來臨). 왕가(枉駕). 왕고(枉顧). 왕굴(枉屈). 분림(賁臨). 혜고(惠顧). 혜림(惠臨). 혜왕(惠枉). ¶ ～해 주시면 영광이겠습니다. ——하다 자여불

왕립 과학 연:구원【王立科學研究院】[一닙一년一] 명 로열 인스티튜션(Royal Institution).

왕립 미술 협회【王立美術協會】[一닙一] 명 로열 아카데미(Royal Academy).

왕립 학회【王立學會】[一닙一] 명 로열 소사이어티(Royal Society).

왕-마디【王一】명 그중 큰 마디.

왕-마삭나무【王一】명〖식〗[*Trachelospermum asiaticum* var. *glabrum*] 마삭나뭇과에 속하는 상록 활엽 만목(蔓木). 잎은 혁질(革質)이고 타원형 또는 달걀꼴 피침형에 톱니가 없음. 초여름에 백색 꽃이 산방(繖房) 화서로 액출(腋出) 혹은 정생하며, 삭과(蒴果)는 가을에 익음. 산기슭이나 바위 위에 나는데, 전남·경남·충남 및 일본에 분포함. 관상용이며 줄기와 잎은 약재로 씀.

왕-만두【王饅頭】명 큰 만두.

왕-망【王莽】명〖사람〗중국 전한(前漢) 말기의 참주(僭主). 자는 거군(巨君). 책모(策謀)로써 평제(平帝)를 죽이고 한조를 빼앗아 즉위하여 '신(新)'이라는 나라를 세워 여러 가지 개혁을 단행하였으나, 내치 외교에 실패하고 재위 15년 만에 한(漢)의 유수(劉秀)에게 몰려 살해되었음. [45 B.C.-A.D. 23; 재위 8-23]

왕:망-일【往亡日】명〖민〗음양도(陰陽道)에서, 외출 또는 출진(出陣) 등을 기(忌)하는 흉일(凶日). 1년에 열 두 날이 있음.

왕망-전【王莽錢】명 중국의 왕망(王莽)이 재위 중에 발행한 화폐.

왕-매미【王一】명 말매미.

왕-매발톱나무【王一】명〖식〗[*Berberis amurensis* var. *latifolia*] 매자나뭇과에 속하는 낙엽 활엽 관목. 가시가 나고 잎은 넓은 달걀꼴 또는 원형(圓形)인데, 가시 모양의 톱니가 있음. 5월에 황색 꽃이 총상(總狀) 화서로 피며, 장과(漿果)는 타원형이고 9월에 홍색으로 익음. 산복 위에 나는데, 울릉도·금강산·함남북 등지에 분포함. 산울타리용으로 쓰이며, 줄기와 잎은 약용 또는 물감 원료로 쓰임.

왕-맵시벌【王一】명〖충〗[*Trogus arrogens*] 맵시벌과에 속하는 곤충. 암컷의 몸길이 27 mm이고, 두부와 중흉부(中胸部)는 황갈적색을 띠며 전신(前伸) 복절(腹節) 및 복부는 흑갈색이고 제1·제2 복절은 농적갈색임. 날개는 황적색에 외연(外緣)은 농갈색이고, 머리·가슴·배에는 점각(點刻)이 있음. 한국·일본에 분포함.

왕-맹【王猛】명〖사람〗중국 전진(前秦)의 재상. 자는 경략(景略). 박학(博學)하고, 병서(兵書)를 즐겼으며 부견(苻堅)의 초빙을 받고 중서 시랑(中書侍郎)이 된 후, 준엄(峻嚴)하게 정치를 하여 부견으로 하여금 후고의 염려를 없게 했음. 장군이 되어서는 전연(前燕)을 멸망시켰는데, 오호 십육국(五胡十六國) 굴지의 대정치가였음. [325-375]

왕-머루【王一】명〖식〗[*Vitis amurensis*] 포도과에 속하는 낙엽 활엽 만목(蔓木). 잎은 심상(心狀)의 원형(圓形)이고 3-5 갈래로 얕게 째지며 톱니가 있음. 꽃은 자웅 이가(雌雄二家)인데 5월에 밀추(密錐) 화서로 피며, 장과(漿果)는 9-10월에 흑색으로 익음. 산기슭과 골짜기의 숲 속에 나는데, 한국 각지 및 일본·중국·만주에 분포함. 과실은 식용·약용임. 머루. 산포도(山葡萄). 야포도(野葡萄).

왕명[1]【王名】명 임금의 이름. 어명(御名).

왕명[2]【王命】명 ①임금의 명령. 왕령(王令). 어명(御命). ¶ ～을 거역하다. ②임금의 목숨.

왕-명성【王鳴盛】명〖사람〗중국 청나라의 고증(考證)학자. 자는 봉개(鳳喈), 호는 예당(禮堂)·서장(西莊)·서지(西沚). 장쑤(江蘇) 출생. 한(漢)학파의 거두(巨頭)로서 강성(江聲)과 더불어 상서(尙書)를 연구하였음. 저서에 《상서 후안(尙書後案)》·《춘추지전고(春秋之傳考)》 등이 있음. [1720-97]

왕-명주잠자리【王明紬一】명〖충〗[*Acanthaclisis japonica*] 명주잠자릿과에 속하는 곤충. 몸길이 45 mm, 편 날개 115 mm 내외이고, 두부·흉부는 흑색에 회백색의 긴 털이 밀생하며 복부는 흑색인데 한 개

의 누런 중조(中條)가 있음. 날개는 투명하고 백색이며 갈색 반문이 많이 있음. 한국·일본에 분포함.

왕모【王母】명 ①할머니❶. ②〖악〗정재(呈才) 때 헌선도(獻仙桃) 춤에 선도반(仙桃盤)을 드리는 여기(女妓). 선모(仙母).

왕모대 가무【王母隊歌舞】명〖악〗고려 문종(文宗) 때에 들어온 당악 정재(唐樂呈才)의 하나. 일대(一隊)는 55명이고, 춤은 네 글자로 이루어지는데, '군왕 만세(君王萬歲)' 또는 '천하 태평(天下太平)'을 만들어 가며 춤. 현재의 매스 게임과 같은 형태의 춤임.

왕-모래【王—】명 굵은 모래. 왕사(王砂).

왕-모래미【王—】명〈심마니〉쌀밥.

왕-모시풀【王—】명〖식〗[*Boehmeria holoserisea*] 쐐기풀과에 속하는 다년초. 줄기는 높이 1.5 m 가량이고 다소 목질(木質)이며, 잎은 대생하고 장병(長柄)인데, 넓은 달걀꼴 또는 넓은 타원형이며 두껍고, 양면이 꺼칠꺼칠함. 8월에 엷은 녹색 꽃이 수상(穗狀) 화서로 액출(腋出)하여 피며 길이 10-15cm 가량이고, 과실은 수과(瘦果)임. 바닷가의 산이나 들에 나는데, 제주·전남·경남·경북 등지에 분포함.

왕모-주【王母珠】명〖식〗꽈리❶.

왕-몽【王蒙】명〖사람〗중국 원말(元末)의 문인화가(文人畫家). 저장(浙江) 우싱(吳興) 출생. 자는 숙명(叔明), 호는 황학 산초(黃鶴山樵). 조자앙(趙子昂)의 생질. 산수화에 능하였으며 남화(南畫)를 시작한 원말 사대가(四大家)의 한 사람임. 호 유용(胡惟庸)의 음모로 옥사하였음. [1322-85]

왕무늬-애기잎말이나방【王—】[—니—] 명〖충〗[*Olethreutes arcuella*] 애기잎말이나방과에 속하는 곤충. 편 날개의 길이 16-19 mm임. 앞날개는 짙은 등황색인데, 가로 줄무늬는 청연색(青鉛色)이며 중앙 후반(後半)의 큰 무늬는 흑색, 뒷날개는 회갈색임. 유충은 낙엽(落葉) 기타 식물질(植物質) 속에 서식(棲息)하는데, 한국·일본·시베리아·유럽 등지에 분포함.

왕-물맴이【王—】명〖충〗[*Dineutes orientalis*] 물맴잇과에 속하는 곤충. 몸길이 8-10 mm이고, 배면(背面)은 흑색에 청동색의 금속광택이 나며 몸의 하면·다리·수염은 황갈색이고 전배판(前背板)과 시초(翅鞘)의 외연은 황색임. 시초 외연 평압부(平壓部)와 날개 끝은 가시 모양을 이룸. 물 위에서 뱅뱅 도는 습성이 있음. 한국에도 분포함.

왕민【王民】명 왕자지민(王者之民).

왕-밀사초【王—莎草】명〖식〗[*Carex taquetii*] 방동사닛과에 속하는 다년초. 줄기는 삼릉주(三稜柱)로 총생(叢生)하며 높이는 50 cm 가량이고, 잎도 총생하며 넓은 선형(線形)임. 5-6월에 웅수(雄穗)는 한 개가 정생(頂生)하고 자수(雌穗)는 1-4개가 측생(側生)하며, 흔히 양성화(兩性花)로 피고 과낭(果囊)은 거꿀달걀꼴 모양의 타원형임. 해변에 나는데, 제주·전남 등지에 분포함.

왕-바구미【王—】명〖충〗[*Sipalus hypocrita*] 바구밋과에 속하는 곤충. 몸길이 12-15 mm이고, 몸은 극히 단단하며 흑색에 회갈색 반문이 있는 비늘이 밀생함. 시초(翅鞘)에는 융모상(絨毛狀)의 작은 흑색 무늬가 산재하며 전배판(前背板)에는 혹 모양으로 융기한 것이 많고 각 경절(脛節) 말단에 한 개의 갈고리가 있음. 활엽수의 나무진이나 고목(枯木)에 모이며 유충도 고목 속에서 서식함. 한국·일본에 분포함. 대상비충(大象鼻蟲).

〈왕바구미〉

왕-바다거북【王—】명〖동〗[*Caretta olivacea*] 바다거북과에 속하는 바다 동물. 배갑(背甲)은 길이 1 m 내외이고 표면은 갈색, 뒷면은 대황색임. 발톱은 새끼 때는 두 개, 어미는 한 개이고, 중앙 측판(側板)은 다섯 쌍, 연판(緣板)은 27장임. 6-7월에 10-170개의 알을 낳음. 태평양·대서양·지중해·인도양에 분포함. 식용함.

왕-바람【王—】명〖기상〗풍력 계급의 하나. 초속 28.5-32.6 m로 부는 바람. 폭풍(暴風). *풍력 계급.

왕-바랭이【王—】명〖식〗[*Eleusine indica*] 볏과에 속하는 일년초. 높이 30-50cm이고, 잎은 호생하며, 좁은 선형(線形)인데 길이 8-20cm, 폭은 2-5mm임. 꽃은 8-9월에 편측생(扁側生) 수상(穗狀) 화서로 정생하여, 산형(繖形)으로 2-7개가 핌. 들이나 길가·제방(堤防) 등에 나는데 전세계 열대(熱帶)·난대(暖帶)에 분포함. 사료(飼料)로 씀.

〈왕바랭이〉

왕-바위【王—】명 큰 바위.

왕-바퀴【王—】명〖충〗[*Panesthia angustipennis*] 바퀴과에 속하는 곤충. 몸길이 18-23 mm이고, 몸은 밤빛임. 두부(頭部)는 전흉배(前胸背)에 약간 드러나 있고 흑색임. 촉각은 몸보다 길고 전흉배가 수컷은 원형, 암컷은 사각형이며 암컷의 앞날개는 짧음. 각 부절(跗節)에는 작은 가시가 줄지어 남. 인가(人家) 안에 서식하는데, 한국·일본·중국에 분포함.

〈왕바퀴〉

왕:반【往返】명 왕복(往復). ——하다 자여불

왕-반날개【王半—】명〖충〗[*Creophilus maxillosus*] 반날갯과에 속하는 곤충. 몸길이 13-23 mm, 몸빛은 광택 있는 흑갈색에, 각 시초(翅鞘) 후반(後半)에는 회백색 털의 가로띠가 있고, 그 외의 부분에는 흑갈색 털이 있으며, 복부에는 회백색과 흑갈색의 털이 반문을 이룸. 동물의 시체(屍體) 등에 모임. 바닷가에 많이 서식하는데, 한국·일본에 분포함. *좀반날개.

〈왕반날개〉

왕-발【王勃】명〖사람〗중국 당초(唐初)의 시인. 자는 자안(子安). 산시(山西) 룽먼(龍門) 사람. 왕통(王通)의 손자. 재기(才氣) 넘치는 화려한 시로 당시의 시단(詩壇)을 압도하고 검남(劍南)으로 가서 도독(都督) 염백서(閻伯嶼)를 위하여 쓴 등왕각(滕王閣)의 서(序)와 시는 특히 유명함. 초당(初唐) 사걸(四傑)의 한 사람임. [650-676]

왕-밤【王—】명 굵은 밤.

왕밤송이-게【王—】명〖동〗[*Telmessus acutidens*] 털겟과에 속하는 게의 하나. 두흉갑(頭胸甲)의 길이 80 mm 내외, 표면에는 가시 모양의 혹이 많이 산포해 있고 그 사이에는 갈색의 짧은 털이 있음. 다리에는 많은 과립(顆粒)이 있고 그 사이에 갈색 털이 났음. 한해산(寒海產)인데, 한국·일본의 연안에 분포함. 식용으로 함.

〈왕밤송이게〉

왕:방【往訪】명 가서 찾아 봄. ↔내방(來訪). ——하다 타여불

왕-방연【王邦衍】명〖사람〗조선 시대 초기(初期)의 관원. 세조(世祖) 3년(1457) 폐위된 단종(端宗)이 강원도 영월(寧越)로 유배될 때 의금부도사(義禁府都事)로 호송하였으며, 그 때의 심정을 읊은 시조 1수가 전함. 생몰년 미상.

왕-방울【王—】명 큰 방울. ¶ ~만한 눈. 「름.

[왕방울로 솥을 가신다] 사람이 큰 소리로 정적(靜寂)을 깨뜨림을 이

왕배-덕배 부 이러니저러니 하고 시비(是非)를 가리는 모양. ¶그런 시덥잖은 일들을 가지고 ~하고 있을 텐가《金周榮 : 客主》.

왕배야-덕배야 감 여기저기서 시달림을 받아 괴로움을 견딜 수 없을 때에 부르짖는 소리. ¶어이구, ~.

왕백【王白】명 어백미(御白米).

왕-뱀【王—】명〖동〗①대형(大形)의 뱀. ②보아(boa). ③[*Python reticulatus*] 보아과에 속하는 뱀. 최대형(最大形)의 뱀으로 몸길이 9.7 m 가량이고, 몸빛은 상면(上面)이 담갈색에 마름모 또는 'X'자 모양의 암색 반문이 있음. 상악골(上顎骨)에 이가 있고, 꼬리는 궁곡성이 있음. 물가나 나무 위에 서식하며, 작은 동물·짐승·새 등을 감아 포식하고, 한배에 10-100개의 알을 낳음. 말라야·필리핀·태국(泰國) 등지에 분포함.

왕-버들【王—】명〖식〗[*Salix glandulosa* var. *glabra*] 버드나뭇과에 속하는 낙엽 활엽 교목. 잎은 긴 타원형 또는 넓은 타원형이며, 끝은 뾰족하고 톱니가 있음. 어린잎은 안으로 말림. 자웅 이주(異株)로 수술은 6개, 암술은 비스듬히 올라갔고 자방(子房)에는 자루가 있음. 4월에 꽃이 피고 열매는 삭과로서 털이 없는 달걀꼴이며 5월에 성숙함. 경기도 이남의 땅·일본·중국 등지의 물가에 야생함. 풍치목으로 많이 심으며, 나무는 신탄재(薪炭材)로 이용되고, 천연 기념물로 지정 보호되는 것도 있음.

왕-버마재비【王—】명〖충〗왕사마귀.

왕-버섯벌레【王—】명〖충〗[*Episcapha taishoensis*] 버섯벌렛과에 속하는 갑충(甲蟲)의 하나. 몸길이는 15mm 정도이고, 몸빛은 검음. 정수리·가슴·등 쪽에 점각(點刻)이 있으며, 겉날개에는 등적색(橙赤色)의 무늬가 두 개 있음. 버섯에 기생하며, 우리 나라의 제주도·일본·대만에 분포함.

왕-벌【王—】명〖충〗①호박벌. ②말벌❶.

왕법¹【王法】[—뻡] 명 국왕(國王)의 법령(法令). 황법(皇法).

왕:법²【枉法】[—뻡] 명 법을 굽힘. 왕곡(枉曲). ——하다 자여불

왕:법-장【枉法贓】명 법을 굽히어 뇌물(賂物)을 받은 죄.

왕-벚나무【王—】명〖식〗[*Prunus yedoensis*] 장미과에 속하는 낙엽 활엽 교목. 잎은 넓은 타원형 또는 거꿀달걀꼴이고 밑이 날카롭거나 둥글며, 끝이 뾰족하고 톱니가 있음. 잎자루에 약간의 털이 있음. 꽃은 방상 화서이고 꽃자루에도 약간의 털이 있음. 4월에 잎보다 먼저 꽃이 피는데, 처음에는 홍색이던 것이 곧 백색이 됨. 과실은 핵과이며, 구형(球形)이고 6월에 자흑색(紫黑色)으로 익음. 우리 나라 제주도에 자생하고, 일본에 널리 분포함. 과실은 식용함.

왕-별꽃【王—】명〖식〗[*Stellaria radicans*] 너도개미자릿과에 속하는 다년초. 줄기는 다소 경질(硬質)이고 높이는 1 m 내외이며, 잎은 대생하고 잎꼭지가 없으며 피침형임. 7월에 백색 꽃이 취산(聚繖) 화서로 줄기 끝과 가지 끝에 정생하고, 과실은 삭과(蒴果)임. 산지에 나는데, 초산(楚山)·백두산·관모봉·청진·나남(羅南) 등지에 분포함.

왕-병【王甁】명〈방〉소주고리.

왕-보리수나무【王菩提樹—】명〖식〗[*Elaeagnus crispa* var. *coreana*] 보리수나뭇과에 속하는 낙엽 활엽 관목. 잎은 넓은 타원형 또는 원형이고 톱니가 없으며, 뒷면에 은백색의 비늘 조각이 밀포(密布)함. 꽃은 5-6월에 자웅 일가(雌雄一家)로 1-7개가 액생(腋生)하며, 과실은 구형(球形) 또는 넓은 타원형이고 9-10월에 적색으로 익음. 산기슭에 나는데, 전남·경북·경기·황해도 등지에 분포함. 과실은 식용하며, 나무는 산울타리용임.

왕-복¹【王服】명 왕의 정복(正服).

왕:복²【往復】명 ①갔다가 돌아옴. 왕반(往返). 왕환(往還). ¶ ~표(票). *편도(片道). ②말이나 편지 등의 주고받음. ¶ ~ 문서. ——하다 자여불

왕:복-권【往復券】명 ①↗왕복 승차권. ②↗왕복 탑승권. ③↗왕복 승선권.

왕:복 기관【往復機關】명〖물〗증기나 가스 등으로 피스톤을 왕복 운동시켜, 이것을 회전 운동(回轉運動)으로 변환시키는 원동기의 총칭. 내연 기관·왕복기형 증기 기관(往復機型蒸氣機關) 등이 이에 속함. 왕복동 기관(往復動機關). ↔회전 기관(回轉機關).

왕:복-대【往復臺】명 (carriage)〖기〗선반(旋盤)에서, 베드(bed) 위를 왕복하면서 바이트(bite)를 움직여 부품·공작물을 절삭(切削)하는 장치. 바이트 대(臺)·새들(saddle)·에이프런(apron)으로 되어 있음.

왕:복대 제:어 장치【往復臺制御裝置】명 (carriage stop)〖기〗선반에

있는 왕복대의 작동을 제어하는 장치. 부품들을 정해진 두께로 깎거나 임의(任意)의 직경이나 길이로 절삭(切削)함.

왕:복동 기관【往復動機關】 명 〖물〗 왕복 기관.

왕:복-뜨기【往復―】 명 코바늘뜨기의 한 가지. 앞면과 뒷면을 번갈아 뜸.

왕:복 송:풍기【往復送風機】 명 왕복 압축기와 같은 구조를 가진 송풍용(送風用) 기계. 용광로나 코크스의 송풍에 쓰임.

왕:복 승선권【往復乘船券】[―꿘] 명 한 장으로 일정 구간을 왕복할 수 있는 승선권. ㈜왕복권.

왕:복 승차권【往復乘車券】[―꿘] 명 한장으로 일정 구간을 왕복할 수 있는 승차권. 왕복표. ㈜왕복권.

왕:복 압축기【往復壓縮機】 명 피스톤을 왕복시킴으로써 실린더 안의 기체(氣體)를 흡입(吸入) 압축하는 기계.

왕:복 엽서【往復葉書】[―녑―] 명 발신용(發信用)과 반신용(返信用)을 한데 붙여 만든 우편 엽서.

왕:복 운:동【往復運動】 명 〖물〗 시계 추(錘)의 운동과 같은 주기적 운동. 어느 점까지 질점(質點)의 변이(變移)가 생기어, 한때 멈췄다가 다시 본디 위치로 돌아옴. ↔회전 운동❶.

왕:복 차표【往復車票】 명 왕복 승차권.

왕:복 탑승권【往復搭乘券】[―꿘] 명 한 장으로 일정 구간을 왕복할 수 있는 탑승권. 흔히 항공기 탑승권을 이름. ㈜왕복권❷.

왕:복 펌프【往復―】[pump] 명 원통형(圓筒形)의 실린더 속을 피스톤 또는 플런저(plunger)가 왕복하면서 액체를 빨아 올려 배출관을 통해 내보내는 구조의 펌프.

왕:복 폭격【往復爆擊】 명 [shuttle bombing] 〖군〗 두 개의 기지(基地)를 사용하여 하는 폭격. 제1의 기지에서 출발한 폭격기 편대가 목표물(目標物)을 폭격한 다음, 제2 기지로 비행하여 거기서 탄약을 싣고, 다시 목표물을 공격한 다음, 본디 기지로 돌아옴.

왕:복-표【往復票】 명 한 장으로 일정 구간을 탈것으로 왕복할 수 있는 차표·비행기표·선표 따위.

왕-볼레나무【王―】 명 〖식〗 [*Elaeagnus nakaii*] 보리수나뭇과에 속하는 상록 활엽 관목. 잎은 타원형 또는 거의 원형(圓形)이고 톱니가 없으며 뒷면에 처음에는 엷은 색이 은백색으로 변하는 비늘 조각이 밀포(密布)함. 꽃은 1-3 개가 액생(腋生)하여 가을에 피고, 과실은 다음 해 4-5월에 홍색으로 익음. 해변의 산기슭에 나는데, 경남의 통영(統營) 및 일본에 분포함. 과실은 식용함.

왕봉【王蜂】 명 〖충〗 여왕벌.

왕부[1]【王父】 명 할아버지❶.

왕부[2]【王府】 명 〖역〗 조선 시대 때, '의금부(義禁府)'의 별칭.

왕-부[3]【王符】 명 〖사람〗 중국 후한(後漢)말의 학자. 자는 절신(節信). 입신 출세주의를 배격, 은거하여 저술에 전념하였는데, 특히 절조가 어지러운 당시의 기풍을 꾸짖은 ≪잠부론(潛夫論)≫으로 유명함. 생몰년 미상.

왕-부[4]【王溥】 명 〖사람〗 중국 송(宋)나라의 학자·정치가. 자(字)는 제물(齊物). 오대(五代)의 한(漢)·주(周)에서 벼슬하고 송나라 세종(世宗) 때 참지추밀원사(參知樞密院事)·태자 태사(太子太師)가 됨. 저서에 ≪당회요(唐會要)≫·≪오대 회요(五代會要)≫가 있음. [917-977]

왕-부모【王父母】 명 조부모(祖父母).

왕-부지【王夫之】 명 〖사람〗 중국 명말(明末)·청초(淸初)의 학자. 자는 이농(而農), 호는 강재(薑齋). 후난 성 헝양(衡陽) 사람. 복명(復明) 운동에 실패하여, 석선산(石船山)에 묻혀 저술에 전념하였으므로, 세상 사람들이 선산 선생(船山先生)이라 일컬음. 육왕(陸王)을 배격하고 주자학(朱子學)을 주장함. 반청적(反淸的)인 ≪주역 외전(周易外傳)≫·≪시담(詩譚)≫ 등이 있고, 특히 ≪황서(黃書)≫는 청말(淸末)의 혁명가에게 큰 영향을 끼침. [1619-92]

왕-불【王紱】 명 〖사람〗 중국 원말(元末)·명초(明初)의 학자. 장쑤(江蘇) 사람. 자는 맹단(孟端). 구룽산(九龍山)에 은퇴하여, 구룽 산인(九龍山人)이라 일컬었음. 왕몽(王蒙)·아운림(兒雲林)에 배워 수묵(水墨)의 산수(山水)·죽석(竹石)에 뛰어남. 그림에 시(詩)를 써 넣는 전형적 문인 화가(文人畫家)임. [1362-1416]

왕-불류행【王不留行】 명 〖한의〗 장구채의 씨. 빛이 까맣고 봉숭아의 씨와 같은데, 풍비(風痺)·난산(難産)·월경 부조(月經不調)·유종(乳腫)·임질(痳疾) 등에 쓰며 젖을 잘 나게 함.

왕-붉은점모시나비【王―點―】[―불근―] 명 〖충〗 [*Parnassius nomion*] 호랑나빗과에 속하는 곤충. 편 날개의 길이 72-90 mm, 무늬와 몸빛의 변이가 많은데 촉각은 회백색, 끝만은 흑색이고 시맥(翅脈)은 갈색인데 그 끝은 흑색임. 날개의 가는 흑백색이며 뒷날개의 홍색 무늬의 대개는 담색임. 한국·만주·시베리아·중국에 분포함.

왕비【王妃】 명 임금의 아내. 왕후(王后).

왕-비늘사초【王―莎草】 명 〖식〗 [*Carex maximowiczii*] 방동사닛과에 속하는 다년초. 줄기는 삼릉주(三稜柱), 총생(叢生)하며 높이는 50 cm이고, 잎은 호생하며 선형(線形)인데, 줄기와 거의 같은 길이이며, 폭은 4 mm임. 5-6월에 꽃이 피는데 소수(小穗)는 2-4 개, 수술은 한 개가 정생하며 암술은 1-3 개로 측생(側生)하며 긴 타원상 원기둥꼴이고 과낭(果囊)은 거꿀달걀꼴임. 밭둑에나 고랑에 나는데, 거의 한국 각지 및 일본에 분포함.

왕비-복【王妃服】 명 왕비의 정복(正服).

왕비전 별감【王妃殿別監】 명 〖역〗 중궁전 별감(中宮殿別監).

왕사[1]【王使】 명 임금의 사절(使節).

왕사[2]【王社】 명 임금이 스스로 세운 사당(祠堂).

왕사[3]【王事】 명 ①임금을 위하여 하는 나라의 일. ②임금에 관한 일. ――-하다 자여불 임금을 섬기다.

왕사[4]【王砂】 명 왕모래.

왕사[5]【王師】 명 ①임금의 군사. 관군(官軍). 왕려(王旅). ②임금의 스승.

왕사[6]【王蛇】 명 〖동〗 보아[3].

왕:사[7]【往事】 명 지나간 일. ¶ ～는 들출 것 없다.

왕:사[8]【枉死】 명 억울한 죄로 죽음. 원사(冤死). ――-하다 자여불

왕사때기 명 ☞억새(충북).

왕-사례【王思禮】 명 〖사람〗 고구려 출신의 중국 당(唐)나라 장군. 어려서부터 무예를 닦고 당나라에 가 절도사(節度使) 왕충사(王忠嗣)의 부하가 되어 공을 세워 금오위 장군(金吾衛將軍)·관서 병마사(關西兵馬使)가 됨. 뒤에 안녹산(安祿山)이 반란을 일으키자 곽자의(郭子儀)를 따라 난을 평정하고 동경(東京)을 수복하여 호부 상서(戶部尙書)가 됨. 재정을 잘 다루어 이름이 높았으며 벼슬이 사공(司空)에까지 이름. 시호는 무열(武烈). [?-761]

왕-사마귀【王―】 명 〖충〗 [*Paratenodera aridifolia*] 사마귓과에 속하는 곤충. 몸 길이 70-95 mm이고,

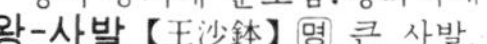

몸빛은 갈색 또는 황색에 앞날개는 흑갈색의 불규칙한 반문이 있으며, 기부에는 흑색의 큰 무늬가 있음. 들의 풀밭에 서식하는데, 한국·일본·중국 등지에 분포함. 왕버마재비. 큰사마귀.

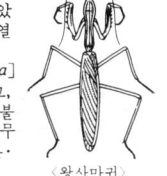

〈왕사마귀〉

왕-사발【王沙鉢】 명 큰 사발.

왕사-성【王舍城】 명 [범 Rājagrha] 〖불교〗 불타(佛陀) 시대의 강국(強國)인 마가다국(Mgaadha國)의 수도(首都). 불타 교화(佛陀敎化)의 중심지로 현재의 파트나 시(Patna市) 남쪽 비하르(Bihar) 지방(地方)의 라지기르(Rajgir)가 그 옛터라고 함. 석존 일대(釋尊一代)의 설법(說法)은 여기서 행하여졌으며, 불교에 관한 유적(遺蹟)이 많음. 라자그리하(Rājagṛha).

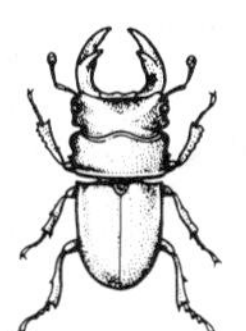

왕-사슴벌레【王―】 명 〖충〗 [*Dorcus hopei*] 사슴벌렛과에 속하는 곤충. 몸길이 35-60 mm, 몸빛은 흑색에 하면은 다소 갈색을 띠고 후흉편(後胸片) 양측에 황색 털이 있음. 수컷의 큰 턱은 굵고 집게나 사슴뿔처럼 돌출하여 먹이를 잡으며, 끝 가까이에 한 개의 긴 돌기와 작고 무딘 이가 있음. 한국·일본·중국에 분포함. 왕하늘가재.

〈왕사슴벌레〉

왕-사(:)정【王士禎】 명 〖사람〗 중국 청대(淸代)의 시인. 본이름은 사진(士禛). 자는 이상(貽上), 호는 완정(阮亭)·어양 산인(漁洋山人). 산둥 성 신청(新城) 사람. 벼슬은 형부 상서(刑部尙書)에 이름. 당송(唐宋)의 시풍을 받아 신운(神韻)을 중시하였으며, 청대를 대표하는 한 사람임. 주이준(朱彝尊)과 함께 '주왕(朱王)'이라 일컬었음. 저서에 ≪정화록(精華錄)≫·≪대경당집(帶經堂集)≫·≪당현 삼매집(唐賢三昧集)≫ 등이 있음. [1634-1711]

왕산【王山】 명 큰 산. ¶ 배가 ～만하다.

왕산 같다 구 부피가 불룩하고 크다.

왕-산악【王山嶽】 명 〖사람〗 고구려의 국상(國相)·음악가. 양원왕(陽原王) 8년(552)에 중국 진(晉)나라에서 칠현금(七絃琴)을 보냈으나 이것을 연주할 줄 몰라 왕산악이 이를 개조하여 1백여 악곡(樂曲)을 지었는데, 그것을 연주하자 현학(玄鶴)이 날아와 춤을 추었다고 함. 이것이 현학금(玄鶴琴) 또는 현금(玄琴)이며, 지금의 거문고임.

왕-산초나무【王山椒―】 명 〖식〗 왕초피나무.

왕-삿갓사초【王―莎草】 명 〖식〗 [*Carex laevirostris*] 방동사닛과에 속하는 다년초. 줄기는 삼릉주(三稜柱)이고, 높이는 1 m 이상이며, 잎은 호생하고 넓은 선형(線形)인데, 줄기보다 다소 김. 6-7월에 꽃이 피고, 과낭(果囊)은 둥근 달걀꼴임. 깊은 산의 연못 가나 물 가에 나는데, 평북·함남북 등지에 분포함.

왕:상【往相】 명 〖불교〗 자기의 공덕을 일체의 중생에게 베풀어, 함께 안락 정토(安樂淨土)에 왕생(往生)할 수 있도록 원하는 일.

왕:상 회향【往相回向】 명 〖불교〗 ①정토문(淨土門)의 두 가지 회향 중의 하나. 사바(娑婆)에서 정토로 가는 도중 자기가 닦은 오념(五念)의 공덕(功德)을 다른 중생에게 돌려 주어 불도(佛道)로 향하게 하는 일. ②중생 왕생(衆生往生)의 법을 미타(彌陀)로부터 돌려받는 일. ↔환상 회향(還相回向).

왕새 명 〈방〉 억새(전북·경남).

왕새기 명 총이 없이 돌기총을 띄엄띄엄 여덟 개 세운 짚신의 일종.

왕새깽이 명 〈방〉 억새(충북).

왕-새매【王―】 명 〖조〗 [*Butastur indicus*] 왕새매속(屬)의 새. 날개 길이 31-35 cm. 암수 빛깔이 다르며, 수컷은 등 쪽이 붉은 갈색, 꽁지 위 덮깃에는 흰 색의 가로 무늬가 있음. 꽁지깃에는 4 줄의 검은 갈색 띠가 있으며 이마와 목은 흼. 암컷은 이마와 머리위·뒷머리·윗목이 어두운 갈색이고 머리 위 깃 가장자리는 붉은 회색임. 숲에 한 마리 또는 암수가 살며, 나무 위에 나뭇가지를 모아 접시 모양의 집을 짓고, 5-6월에 2-4개의 알을 낳음. 쥐·새·뱀·개구리·메뚜기 따위를 잡아먹음. 한국·일본 중부 이남·대만·말레이 등지에 분포함.

왕-새우【王―】 명 〖동〗 ① [*Linuparus trigonus*] 왕새웃과에 속하는 새우의 하나. 몸길이 20 cm 내외이며, 온몸이 새빨간데, 각 마디의 측면에는 담청색의 반문이 있고, 촉각은 썩 김. 한국에도 분포함. 맛이 닭새우만 못함. ② 닭새우.

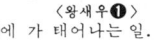

〈왕새우❶〉

왕:생【往生】 명 〖불교〗 이 세상을 떠나 정토(淨土)에 가 태어나는 일. ――-하다 자여불

왕:생-강【往生講】명〖불교〗극락 왕생을 원하는 사람들이 모여 아미타불(阿彌陀佛)의 상(像)을 안치하고 수행(修行)하는 법회.

왕:생 관염불【往生觀念佛】[一념一] 명〖불교〗극락정토(極樂淨土)에 가기 위하여 아미타불(阿彌陀佛)을 염(念)하는 염불.

왕:생 극락【往生極樂】[一낙] 명〖불교〗죽어서 극락 정토(極樂淨土)에 가서 연화(蓮花) 속에 태어남. 극락 왕생. ——-하다 자여불

왕:생-론【往生論】[一논] 명〖책〗염불 행자(念佛行者)의 수행 방법인 오념문(五念門)의 행(行)을 논한, 인도 세친(世親)의 저서. 531년 보리유지(菩提流支)가 중국어로 번역하였음. 스물넷의 송(頌)과, 그 송의 뜻을 해석한 장행석(長行釋)으로 된 단편이지만, 불교 여러 종파(宗派) 일반에 큰 영향을 준 책임. 무량수경론(無量壽經論). 왕생 정토론(往生淨土論). 정토론(淨土論).

왕:생 사:상【往生思想】명〖불교〗극락 왕생을 주장하는 사상.

왕:생 안락【往生安樂】[一알一] 명〖불교〗극락 세계에 가서 안락한 생활을 함. ——-하다 자여불

왕:생 일정【往生一定】[一쩡] 명〖불교〗신앙심을 얻어 극락 왕생함에 틀림이 없음.

왕:생 정토론【往生淨土論】명〖책〗왕생론(往生論).

왕:석【往昔】명 옛적. 옛날. 왕고(往古). 재석(在昔). 왕대(往代).

왕-선겸【王先謙】명〖사람〗중국 청대(淸代) 말기의 학자. 자는 익오(益吾), 호는 계원 노인(葵園老人). 벼슬은 국자감 좨주(國子監祭酒)에 이름. 경학(經學)·지리·역사에 조예가 깊어, 고서(古書)를 섭렵하여 고증(考證)·훈고(訓詁)의 업적을 남김. 교육에 힘썼으며 신해 혁명(辛亥革命) 후에는 저술에 전념함. 《속황청경해(續皇淸經解)》를 편찬하고 《십조 동화록(十朝東華錄)》·《순자 집해(荀子集解)》 등을 저술(著述)함. [1842-1917]

왕성[1]【王城】명 ①왕도(王都). ②왕도의 성.

왕:성[2]【旺盛】명 한창 성함. 성왕(盛旺). ¶~한 식욕. ——-하다 형여불. ——-히 부

왕:성-기【旺盛期】명 한창 왕성한 시기. ¶이십대의 ~.

왕:세[1]【往世】명 옛날. 옛 세상. 왕대(往代).

왕세[2]【王稅】명 왕국의 조세(租稅). 곧, 봉건 시대(封建時代)의 국세(國稅)의 일컬음.

왕:세[3]【往歲】명 왕년(往年).

왕-세손【王世孫】명 왕세자(王世子)의 맏아들. 준세손(世孫).

왕-세자【王世子】명 왕위(王位)를 이을 왕자(王子). 동궁(東宮). 이극(貳極). 저사(儲嗣). 저군(儲君). 저궁(儲宮). 춘궁(春宮). 춘저(春邸). 준세자(世子). *저위(儲位).

왕세자-비【王世子妃】명 왕세자의 정실 부인(正室夫人).

왕-세(:)정【王世貞】명〖사람〗중국 명대(明代)의 학자. 자는 원미(元美), 호는 봉주(鳳州). 장쑤(江蘇) 다창(大倉) 출신. 벼슬이 형부 상서(刑部尙書)에 이름. 고문(古文)과 시에 능하였음. 이반룡(李攀龍)과 함께 후칠자(後七子)의 중심 인물로서, 격조(格調)를 소중히 여기는 의고주의(擬古主義)를 주장함. 그가 지은 《금병매(金甁梅)》, 희곡 《명봉기(鳴鳳記)》가 유명함. [1526-90]

왕-세제【王世弟】명 왕위를 이을 왕제(王弟). 준세제(世弟).

왕-세줄나비【王一】[一라一] 명〖충〗[*Neptis alwina*] 네발나빗과에 속하는 곤충. 편 날개의 길이 82 mm 내외이고, 날개는 흑색에 반문은 백색이며, 앞날개 중실(中室)에 있는 백색 띠는 전연(前緣)이 톱날 모양임. 제6실(室)에는 세 개, 전연에 두 개의 백색 반문이 있으며, 앞날개 전연각(前緣角)은 백색, 뒷날개 뒷면 전연에 한 개의 백색 띠가 있음. 한국에도 분포함.

왕-소군【王昭君】명〖사람〗중국 전한(前漢) 원제(元帝)의 궁녀. 이름은 장(嬙), 소군은 자(字). 절세(絶世)의 미인이었는데 흉노(匈奴)와의 친화책 때문에 화번 공주(和蕃公主)로서 호한야 선우(呼韓邪單于)에게 출가하여 아들 넷을 낳고 호지(胡地)에서 자살하였음. 후세에 많은 문학 작품 등에 애화(哀話)로서 윤색(潤色)됨. 생몰년 미상. *왕소군 원가.

왕소군 원:가【王昭君怨歌】명〖문〗작자·창작 연대 미상의 가사의 하나. 왕소군의 고사(故事)를 소재로 읊은 내용. 총 146구. 《정선 조선 가곡(精選朝鮮歌曲)》·《교주 가곡집(校注歌曲集)》에 전함.

왕-소금【王一】명 굵은 소금.

왕-소등에【王一】명〖충〗[*Tabanus chrysurus*] 등엣과에 속하는 곤충. 몸길이 23-33 mm, 몸에 흑색과 황색의 가로 얼룩무늬가 있음. 흉배(胸背)에는 다섯 개의 회황색 세로 줄이 있고 각 복배(腹背)의 기부는 흑색, 후연(後緣)은 황색이며 중강(中腔)이 삼각형으로 되고, 제6절은 전부 황색임. 소·말의 피를 빨아 먹음. 한국·일본·만주에 분포함. 왕쇠등에.

〈왕소등에〉

왕손【王孫】명 임금의 손자 또는 후손. ↔왕조(王祖).

왕손 교:부【王孫敎傅】명〖역〗왕손을 가르치고 기르는 벼슬의 하나.

왕-솔나무【王一】[一라一] 명〖식〗[*Pinus palustris*] 소나뭇과의 교목. 나무 높이 25-35 m, 수피는 암갈색. 수형이 호화스럽고 수관은 넓은 타원형임. 습기가 많은 따뜻한 지방에서 잘 자람. 북미 동남부 원산의 삼엽송(三葉松)으로, 공원이나 정원 등에 관상수로도 많이 심음.

왕-쇠등에【王一】명〖충〗왕소등에.

왕수【王水】명〖화〗진한 염산(塩酸)과 진한 질산(窒酸)을 3 대 1의 비율로 혼합한 액체. 산(酸)에 잘 녹지 않는 금(金)·백금(白金) 등을 용해시키는 강한 작용을 가지므로 이 이름이 있음.

왕 수난〔王樹枏〕명 중국 청말(淸末)·민국(民國)의 학자. 자(字)는 진칭(晉卿). 진사(進士)에 급제하여 장 즈둥(張之洞)의 지우(知遇)를 얻어 이리 무비 학당(伊犁武備學堂)을 창설함. 민국 수립 후에 참정원 참정(參政院參政)·국사 편찬처 총찬(國史編纂處總纂) 등을 역임함. 시문(詩文)에 능함. 저서에 《상서 상의(尙書商誼)》·《이아 곽주 일존 보정(爾雅郭注佚存補定)》 등이 있음. 왕수남. [1857-1937]

왕-수남【王樹枏】명〖사람〗'왕 수난'을 우리 음으로 읽은 이름.

왕-수수 명〈방〉수수[1](충남).

왕-수인【王守仁】명〖사람〗왕양명(王陽明)을 본이름으로 일컫는 말.

왕-숙【王肅】명〖사람〗중국 삼국 시대 위(魏)나라의 학자. 산둥(山東) 탄청(郯城) 출생. 자는 자옹(子雍). 벼슬은 산기 상시(散騎常侍)에 이름. 가규(賈逵)·마융(馬融)의 학문을 닦아 노장(老莊)의 사상을 바탕으로 한 경서(經書)의 주석(註釋)에 힘썼고, 《공자 가어(孔子家語)》를 써서 마융의 고제(高弟) 정현(鄭玄)에 대한 비판론의 근거로 삼았고 《성정론(聖正論)》을 위작(僞作)하였다고 일컬어짐. [?-256]

왕:시【往時】명 지나간 때. 옛날. 왕일(往日). 구시(舊時).

왕-시민【王時敏】명〖사람〗중국 명말(明末)·청조(淸朝) 초기의 문인화가. 자는 손지(遜之), 호는 연객(烟客). 타이창(太倉) 출생. 사왕 오운(四王吳惲)의 한 사람으로 산수화에 뛰어났으며, 왕감(王鑑)과 같이 누동파(婁東派)를 이룩하였음. [1592-1680]

왕-식렴【王式廉】[一념] 명〖사람〗고려의 공신. 태조(太祖)의 종제(從弟). 오랫동안 평양(平壤)에 주둔하여 사직을 안전하게 하고 국토를 개척하였음. 왕규(王規)의 난을 평정한 공으로 광국 익찬 공신(匡國翼贊功臣)의 호를 받았음. [?-949]

왕:신[1] 명 마음이 올곧지 아니하여 건드리기 어려운 사람의 별명. ¶각골 원님들이 그 사람네를 ~처럼 끄리는 게 당연한 일입지요《洪命憙: 林巨正》.

왕신[2]【一神】명〖민〗처녀가 미혼(未婚)인 채 죽은 원귀(寃鬼).

왕신[3]【王臣】명 임금의 신하(臣下).

왕신[4]【王神】명〖민〗민간 신앙(民間信仰)에서, 왕을 신격화(神格化)하여 숭앙(崇仰)하는 국왕신. 민간인들이 신앙하는 왕신은 단군(檀君), 고려의 공민왕(恭愍王), 조선의 태조(太祖) 이성계·사도세자(思悼世子)·세조(世祖) 등임.

왕:신[5]【往信】명 보내는 통신(通信). 왕복(往復) 엽서의 보내는 부분. ↔반신(返信).

왕-신(:)중【王愼中】명〖사람〗중국 명대(明代)의 문인. 자(字)는 도사(道思), 호는 준엄 거사(遵巖居士)·남강(南江). 송(宋)나라의 고문(古文)을 배우고 당순지(唐順之)와 함께, '왕당(王唐)'이라 불리었음. 저서에 《준엄집(遵巖集)》이 있음. [1509-59]

왕실【王室】명 왕의 집안. 왕가(王家). 경실(京室). ¶~의 법도. *황실(皇室)·제실(帝室).

왕-실보【王實甫】명〖사람〗중국 원대(元代)의 극작가. 이름은 덕신(德信). 실보는 자(字). 관한경(關漢卿)·마치원(馬致遠)·백박(白樸)과 함께 원초(元初) 사대 작가의 한 사람. 《서상기(西廂記)》의 작자로서 유명함. 생몰년 미상.

왕-싱아【王一】명〖식〗왕호장.

왕-씀배【王一】명〖식〗[*Prenanthes ochroleuca*] 국화과에 속하는 다년초. 줄기 높이 1.5 m 이상이고, 근엽(根葉)은 장병(長柄)이며, 날개가 있고, 상부가 넓게 우상 심렬(羽狀深裂)함. 9월에 황색 두화(頭花)가 원추 화수(圓錐花穗)로 핌. 산지에 나는데, 제주도와 경기도 광릉(光陵)에 분포함.

왕씨 용손【王氏龍孫】명 고려 태조의 4대조(祖)가 용궁녀(龍宮女)를 아내로 삼았다는 전설에서 왕씨 후예(後裔)를 일컫는 말.

왕-악【王諤】명〖사람〗중국 명(明)나라의 화가. 자(字)는 정직(廷直). 독학으로 당송(唐宋)의 화풍을 익혀 독특한 기산 괴석(奇山怪石)의 취향(趣向)을 터득함. 효종(孝宗)의 총애를 입어 인지전(仁智殿)에 출사함. 그의 화재(畫才)는 남송(南宋)의 마원(馬遠)과 같다고 칭송을 받음.

왕-안석【王安石】명〖사람〗중국 송대(宋代)의 정치가·학자. 자는 개보(介甫), 호는 반산(半山). 장시(江西) 린촨(臨川) 출생. 신종(神宗) 때에 재상이 되어 소위 신법(新法)을 행하여 부국 강병(富國強兵)의 정책을 썼으나 실패하여 은퇴함. 시문(詩文)에도 능하여 당송(唐宋) 팔대가의 한 사람으로 꼽힘. 저서(著書)에 《주관 신의(周官新義)》·《임천집(臨川集)》 등이 있음. [1021-86]

왕:알【往謁】명 귀인(貴人)을 찾아 가서 뵘. ——-하다 타여불

왕-알락그늘나비【王一】[一라一] 명〖충〗[*Neope goschkevitschii*] 뱀눈나빗과에 속하는 곤충. 편 날개의 길이 55 mm 내외이고 날개는 암황색에 중실(中室)은 암갈색의 '<' 모양의 줄무늬가 있음. 뒷날개에는 주위가 황색인 여섯 개의 암흑색 무늬가 있고, 뒷면은 담황색이며, 앞날개에는 한 개, 뒷날개에는 여섯 개의 뱀눈 모양의 무늬가 있음. 한국에도 분포함.

〈왕알락그늘나비〉

왕-알락나비【王一】명〖충〗제주왕나비.

왕약【尫弱】명 허약(虛弱). ——-하다 형여불

왕-약수【王若水】명〖사람〗중국 원대(元代)의 화가. 이름은 연(淵), 자는 약수. 묵화의 화조(花鳥)에 뛰어났음. 생몰년 미상.

왕:양【汪洋】명 ①수면(水面)의 광막한 모양. 왕왕(汪汪). 양양(洋洋). ②미루어 헤아리기 어려움의 비유. ——-하다 형여불

왕양 노락【王楊盧駱】명〖문〗초당 사걸(初唐四傑)인 왕발(王勃)·양형(楊炯)·노조린(盧照隣)·낙빈왕(駱賓王)의 합칭(合稱).

왕-양명【王陽明】명〖사람〗중국 명(明)나라의 유학자·정치가. 이름은 수인(守仁). 자는 백안(伯安). 양명은 호. 저장(浙江) 위야오(餘姚) 출생.

벼슬이 우첨도 어사(右僉都御史)·양광 총독(兩廣總督)에 오름. 지행 합일론(知行合一論)과 심즉이설(心卽理說) 및 치양지설(致良知說)을 주장하여 그 일문(一門)을 양명학파·요강파(姚江派)라고 함. 광시(廣西)·광둥(廣東)의 유적(流賊)을 토벌하고 돌아오다가 장시(江西) 난안(南安)에서 죽었음. 저서에 ≪왕문성(王文成) 전서≫·≪전습록(傳習錄)≫ 등이 있음. [1472-1528]

왕언【王言】명 임금의 말씀. 왕자의 명령. 윤언(綸言). 「이 짚신.

왕-얽이【王―】[―얼기] 명 ①굵은 새끼로 얽은 얽이. ¶～ 짚신. ②왕얽

왕얽이 짚신【王―】[―얼기―] 명 아무렇게 마구 삼은 엉성한 짚신.

왕업【王業】명 임금의 국토 통치(國土統治)의 대업(大業). 또, 그 업적.

왕-연[1]【王衍】명〖사람〗중국 서진(西晉)의 정치가. 자(字)는 이보(夷甫). 왕융(王戎)의 종제(從弟). 벼슬이 사도(司徒)에 오름. 노장 사상(老莊思想)에 경도(傾倒)하여 청담(淸談)을 즐김. 뒤에 석늑(石勒)에게 항복하여 피살됨. 생몰년 미상.

왕:연[2]【汪然】명 ①물이 깊은 모양. ②눈물이 줄줄 흐르는 모양. ――-하다 형여불. ――-히 부

왕:연[3]【旺然】명 ①빛이 매우 아름다운 모양. ②사물이 매우 왕성한 모양. ――-하다 형여불. ――-히 부

왕-연덕【王延德】명〖사람〗중국 북송(北宋)의 정치가. 태종(太宗) 때 전전 승지(殿前承旨)가 되고 고창국(高昌國)에 사신(使臣)으로 갔다 옴. 그 여행기 ≪고창행기(高昌行記)≫에 의해 중앙 아시아·몽고(蒙古)의 정세가 소개됨. 진종(眞宗) 때 좌천우위 상장군(左千牛衛上將軍)이 됨. [939-1006]

왕-염(:)손【王念孫】명〖사람〗중국 청대(淸代)의 훈고학자(訓詁學者). 자는 회조(懷祖). 왕인지(王引之)의 아버지. 대진(戴震)의 제자. 1775년에 진사가 됨. 저서에 ≪광아 소증(廣雅疏證)≫·≪독서 잡지(讀書雜誌)≫ 등이 있는데, 음훈(音訓)·의훈(義訓) 두 방법을 구사하여 고전(古典)의 독법(讀法)에 신생면(新生面)을 엶. [1744-1832]

왕-오색나비【王五色―】명〖충〗[*Sasakia charonda*] 네발나빗과에 속하는 곤충. 편 날개의 길이 75-105 mm이고 날개는 흑갈색, 반문은 백색 또는 황색인데 날개 밑은 대부분 남자색임. 뒷날개 내연각(內緣角)은 홍색, 날개 뒷면은 수컷은 은백색, 암컷은 녹황색인데 앞날개 안쪽은 흑갈색에 백색 반문이 있어서 오색이 어울려 아름다움. 한국·일본·대만에 분포함.

〈왕오색나비〉

왕:오천축국-전【往五天竺國傳】명〖책〗신라 선덕왕 26년(727)에 신라의 중 혜초(慧超)가 10년 동안 인도의 5국(國)과 인근의 여러 나라를 순례하고 당(唐)나라에 돌아와서 그 행적(行績)을 적은 책. 그 동안 전해지지 않았으나 1908년 프랑스의 동양학자 펠리오(Péliot) 교수가 중국 간쑤 성(甘肅省)의 둔황 석굴(燉煌石窟)에서 2권을 발견했는데, 현재 파리 국립 박물관에 보관되어 있음. 당시의 중국과 인도와의 여로(旅路)를 아는 데 중요한 자료이며 사료적(史料的) 가치가 큼. 2권. 사본.

왕옥【王獄】명〖역〗금부옥(禁府獄).

왕-온【王溫】명〖사람〗고려의 왕족. 삼별초(三別抄)의 난(亂) 때에 강화에서 배중손(裵仲孫) 등의 추대로 왕이 되었으나 김방경·홍다구(洪茶丘) 등에게 쫓기어 진도(珍島)까지 내려갔다가 죽었음. 생몰년 미상.

왕-완【汪琬】명〖사람〗중국 청나라의 유학자. 장쑤 성(江蘇省) 창저우 현(長洲縣) 사람. 자는 초문(苕文), 호는 요봉(堯峰). 강희중(康熙中) 등과 ≪명사(明史)≫를 만들었음. 문장가로서 후방역(侯方域)·위희(魏禧)와 함께 청초(淸初)의 삼대가임. [1621-90]

왕:왕[1]【汪汪】명 ①물이 넓고 깊은 모양. ②도량이 넓은 모양. ③눈에 눈물이 가득히 괸 모양. ――-하다 형여불. ――-히 부

왕왕[2] 부 귀가 먹먹하게 울릴 정도로 큰 소리로 시끄럽게 떠드는 소리. ――-하다 자여불

왕:왕[3]【往往】부 이따금. 때때로. ¶～ 실수를 한다.

왕왕-거리다 자〈속〉시끄럽게 왕왕 떠들다.

왕왕-대다 자 왕왕거리다.

왕왕-이 명〈속〉라디오. 죄수(罪囚)들의 은어(隱語).

왕-우(:)칭【王禹偁】명〖사람〗중국 송대(宋代) 초기의 시인·명신(名臣). 자는 원지(元之), 호는 뇌하 선생(雷夏先生). 태종의 신임을 받아 한림학사(翰林學士)에 이르렀으나, 감언 직궁(敢言直躬)으로 자주 귀양을 감. 시에 뛰어나 당시(唐詩)의 모방에서 벗어난 송시(宋詩) 최초의 시인으로 꼽힘. 시문집 ≪소축집(小畜集)≫이 있음. [954-1001]

왕-운[1]【王惲】명〖사람〗중국 원(元)나라의 학자. 자(字)는 중모(仲謀). 국사 편수관(國史編修官)·감찰 어사(監察御史)를 거쳐, 세조(世祖) 쿠빌라이의 신임을 받아 태자(太子)의 부육관(傅育官)이 됨. [1228-1304]

왕운[2]【王惲】명 중국 청초(淸初)의 두 화가 왕휘(王翬)와 운격(惲格)의 병칭(竝稱).

왕:운[3]【旺運】명 왕성(旺盛)한 운수.

왕-운오【王雲五】명〖사람〗'왕 윈우'를 우리 음으로 읽은 이름.

왕-원기【王原祁】명〖사람〗중국 청초(淸初)의 화가. 자는 무경(茂京), 호는 녹태(麓台). 장쑤(江蘇) 태생으로 사왕 오운(四王吳惲)의 한 사람이며, 누동파(婁東派)의 시조임. [1642-1715]

왕-원장【王元章】명〖사람〗중국 원말(元末)·명초(明初)의 화가. 이름은 면(冕), 원장은 자(字)임. 저장(浙江) 태생. 고학을 했으나 과거에 실패하여 사관(仕官)을 단념하고 구리 산(九里山)에서 화업(畫業)에 전념했는데, 당시 묵매(墨梅)를 그리는 데는 그를 당하는 사람이 없었다고 함. [1335-1407]

왕월【王月】명 음력 '정월(正月)'의 별칭. 왕춘(王春). 왕춘월.

왕위[1]【王位】명 임금의 자리. 왕좌(王座). 정조(鼎祚). ¶～ 계승/～에 오르다. ＊제위(帝位).

왕위[2]【王威】명 임금의 위엄. 제왕(帝王)의 위광(威光).

왕-위[3]【王褘】명〖사람〗중국 명(明)나라의 학자. 자(字)는 자충(子充). 태조(太祖)의 명으로 송염(宋濂)과 함께 ≪원사(元史)≫의 편찬을 담당함. 뒤에 윈난(雲南)으로 사행(使行)하여 그 곳에서 피살(被殺)됨. 저서에 ≪대사기 속편(大事記續篇)≫이 있음. [1321-72]

왕위 상속법【王位相續法】명 [Act of Settlement]〖역〗1701년 영국에서 왕위 계승의 순서를 확정한 법률. 1689년의 권리 장전(權利章典)에 의하여 윌리엄(William) 3세 및 메리(Mary)에게 자식이 없게 되는 경우에는 메리의 누이동생인 앤(Ann) 및 그 자손에게 왕위를 물려 주게 되었으나, 1700년 앤의 자녀가 사절(死絶)하였으므로 영국 의회가 그 이듬해에 제정하였는데, 이 결과 왕위는 스튜어트 가(Stuart家)의 혈통(血統)을 받은 신교도(新敎徒)인 소피아(Sophia) 및 그 자손이 상속하게 되었음.

왕 윈우〔王雲五〕명〖사람〗중국의 학자·정치가. 자는 슈루(岫廬). 중산(中山) 출생. 독학으로 1913년 베이징(北京) 중국 대학 교수가 됨. 쑨원(孫文)의 비서(秘書)를 거쳐 1920년 상무 인서관(商務印書館)에 들어가 총경리 겸 연구소장(總經理兼研究所長)이 됨. '사각 호마 검자법(四角號碼檢字法)'을 안출하여 자전(字典)의 검자법을 개혁하였으며, 제2차 세계 대전 후 국민 정부의 행정원(行政院) 부원장·재정부장 등을 역임함. 저서에 ≪왕윈우 대사전≫이 있음. 왕운오. [1887-1979]

왕유[1]【王乳】명 로열 젤리(royal jelly).

왕-유[2]【王維】명〖사람〗중국 당(唐)나라 때의 궁정 시인·화가. 자는 마힐(摩詰). 태원(太原) 사람. 남종 문인화(南宗文人畫)의 시조(始祖)이며 벼슬은 상서 우승(尙書右丞)에 이름. 시는 자연(自然)을 주로 하는 오언 절구(五言絶句)에 뛰어나며 글씨도 잘 썼음. 시집 ≪왕우승집(王右丞集)≫. [699-759]

왕:유[3]【往諭】명 임금의 명령으로 가서 회유(懷柔)함. ――-하다 타여불

왕윤【王胤】명 왕의 자손.

왕-융【王戎】명〖사람〗중국 서진(西晉) 때의 죽림 칠현(竹林七賢)의 한 사람. 자는 준충(濬沖). 혜제(惠帝) 때 가후(賈后)에게 등용되어 사도(司徒)가 되었음. 완적(阮籍)과 교유하여 청담(淸談)을 즐겼으나 한편으로는, 성질이 탐욕(貪慾)하여 이재(理財)를 많이 밝혔다고 함. [234-305]

왕-은점표범나비【王銀點豹―】명〖충〗[*Argynnis nerippe*] 네발나빗과에 속하는 곤충. 편 날개 64-88 mm 내외이고 날개는 등황갈색이며 반문은 흑색이고, 뒷날개 바깥 선두리의 흑색 무늬는 'M'자 모양이며 뒷면은 황록색임. 한국에도 분포함.

왕-응(:)린【王應麟】[―닌] 명〖사람〗중국 남송(南宋)의 학자. 자는 백후(伯厚), 호는 심녕(深寧). 벼슬이 예부 상서(禮部尙書)에 오름. 송대 말기의 우국지사(憂國之士)로서 송나라가 망한 뒤에는 은거하여 학문·저술에 전념함. 저서에 ≪곤학 기문(困學紀聞)≫·≪옥해(玉海)≫·≪통감 지리 통석(通鑑地理通釋)≫ 등이 있음. [1223-96]

왕의[1]【王意】[―/―이] 명 왕도(王道)의 의의(意義). 왕자(王者)의 의의.

왕:의[2]【枉意】[―/―이] 명 의지(意志)를 굽힘. ――-하다 자여불

왕-의영【王懿榮】명〖사람〗중국 청(淸)나라의 학자. 산둥 성(山東省) 푸산(福山) 사람. 상서(尙書)와 금석학(金石學)에 뛰어나, 유악(劉鶚)과 더불어 갑골 문자(甲骨文字)의 최초의 발견자임. 1900년 의화단 사변(義和團事變)이 일어나자, 단련 대신(團練大臣)이 되어 연합군을 맞이하여 싸웠으나 패하여 자살함. 저서에 ≪남북조 존석목(南北朝存石目)≫ 등이 있음. [1845-1900]

왕-이[1]【王―】[―니] 명〖충〗☞왕니.

왕-이[2]【王彝】명〖사람〗중국 명(明)나라의 학자. 자는 상종(常宗), 호는 규유자(嬀蜼子). 원사(元史)를 편찬하고 한림(翰林)에 들어감. 저서에 ≪왕상종집(王常宗集)≫이 있음. 생몰년 미상.

왕인[1]【王人】명 왕명을 받들고 온 사람.

왕-인[2]【王仁】명〖사람〗백제의 박사(博士). 285년 일본의 초빙을 받고 ≪천자문(千字文)≫과 ≪논어(論語)≫ 10권을 가지고 건너가, 오진(応神) 천황의 태자 사부(師傅)가 됨. 그 자손은 대대로 왕실의 기적(記籍)을 맡아 보았다 함.

왕-인(:)지【王引之】명〖사람〗중국 청대(淸代)의 학자. 아버지 염손(念孫)의 학문을 이어 훈고학(訓詁學)에 큰 업적을 남김. 저서에 ≪경전 석사(經傳釋詞)≫·≪경의 술문(經義述聞)≫ 등이 있는데, 특히 ≪경전 석사≫는 주로 조사(助辭)의 특수 연구로 독보적(獨步的)인 견해(見解)가 많음. [1766-1834]

왕:일[1]【往日】명 지나간 날. 거일(去日). 왕시(往時).

왕:일[2]【旺溢】명 세차게 넘쳐 흐름 ――-하다 자여불

왕자[1]【王子】명 임금의 아들. ↔왕녀(王女).

왕자[2]【王者】명 ①임금. ②왕도(王道)로써 천하(天下)를 다스리는 사람. ↔패자(霸者)❷. ③으뜸 가는 것. ¶탁구계의 ～. ↔패자❷.

왕:자[3]【往者】명 지난 번. 왕시(往時).

왕자-군【王子君】명〖역〗왕의 서자(庶子). 공신(功臣)들에게 주던 군호(君號)와 구별하기 위한 말. 군(君).

왕-자귀나무【王―】명〖식〗[*Albizzia coreana*] 콩과에 속하는 낙엽 활엽의 작은 교목. 잎은 재우상 복생(再羽狀複生)하고 잔 잎은 도형(刀形)이며 톱니가 없고 밤에 폐합(閉合)함. 담홍색 두화(頭花)는 양성(兩性)이고 방상(房狀) 화서이며 액생(腋生) 또는 정생(頂生)하여 6-7월에 핌. 협과(莢果)는 10월에 익음. 산기슭의 양지에 나며 제주도·흑산도·목포 등지에 분포함.

왕자 기상【王者氣象】명 임금이 될 기상. 또, 임금의 기상.

왕자 대:군【王子大君】명〖역〗왕의 적자(嫡子). 공로 있는 종친(宗親)

벼슬이 여주 장사(汝州長史)에 이름. 호방한 성격 때문에 불우하게 일생을 마침. 칠언 절구(七言絶句)의 걸작 ≪양주사(涼州詞)≫로 알려짐. 생몰년 미상.

왕:항【往航】명 선박이나 항공기가 목적지로 향하여 운항함. ↔복항(復航). ——하다 자여불

왕-해국【王海菊】명〖식〗[*Aster oharai*] 국화과에 속하는 낙엽 활엽 아관목(亞灌木). 잎은 거꿀달걀꼴 또는 구두 주걱 모양임. 9월에 엷은 자색 두화(頭花)가 가지 끝에 하나씩 피며 수과(瘦果)는 11월에 익음. 바닷가의 바위 틈에 나는데, 울릉도·강원도에 분포함. 관상용임.

왕-헌(:)지【王獻之】명〖사람〗중국 진(晉)나라의 서도가(書道家). 왕희지(王羲之)의 일곱째 아들, 왕휘지(徽之)의 아우. 자는 자경(子敬). 벼슬이 중서령(中書令)에 이름. 예서(隷書)와 초서(草書)에 능하였음. 아버지와 함께 '이왕(二王)'·'희헌(羲獻)'이라 불리며 서도의 규범으로 삼음. 작품에 ≪낙신부 십삼행(洛神賦十三行)≫·≪지황탕첩(地黃湯帖)≫·≪이십구일첩(二十九日帖)≫·≪중추첩(中秋帖)≫ 등이 있음. [344-388]

왕호【王號】명 왕이라는 칭호.

왕-호장【王虎杖】명〖식〗[*Reynoutria sachalinensis*] 마디풀과에 속하는 다년초. 근경(根莖)은 비후(肥厚)하고 줄기는 높이 2-3 m, 태양에 쬐면 까맣게 됨. 잎은 호생하고 유병(有柄)이며 둥근 달걀꼴 또는 넓은 달걀꼴이고, 뒷면이 백색을 띰. 자웅 이가(雌雄異家)인데 6-8월에 흰 꽃이 복총상(複總狀) 화서로 정생 또는 액생(腋生)하고 과실은 수과(瘦果)임. 산이나 들에 나는데 울릉도에 분포함. 근경은 약용, 어린 줄기는 식용함. 왕싱아.

왕:혹【枉惑】명 도리를 어기어 현혹(眩惑)시킴. ——하다 타여불

왕-홍문【王洪文】명〖사람〗'왕 훙원'을 우리 음으로 읽은 이름.

왕-홍서【王鴻緖】명〖사람〗중국 청(淸)나라의 문인·정치가. 자(字)는 계우(季友), 호는 횡운 산인(橫雲山人). 벼슬이 호부 상서(戶部尙書)에 오름. 시문(詩文)과 서(書)에 능함. 저서로는 ≪사금원집(賜金園集)≫·≪명사고(明史稿)≫ 등이 있음. [1645-1723]

왕화【王化】명 임금의 덕화(德化).

왕-화상【王和尙】명〖사람〗신라 문무왕 때의 고승(高僧). 우리 나라 진언종(眞言宗)의 비조(鼻祖). 당(唐)에 가서 무외(無畏)를 스승으로 삼아 진언종을 배웠다 함. 법호(法號)는 혜통(惠通).

왕:환【往還】명 왕복(往復). ——하다 자여불

왕후¹【王后】명 임금의 아내. 왕비(王妃). 성모(聖母). 군부(君婦).

왕-후²【王侯】명 임금과 제후(諸侯).

왕후-궁【王后宮】명〖역〗대한 제국 때 왕후의 궁사(宮事) 및 내정(內廷)의 모든 일을 맡아 보던 궁내부(宮內府)에 딸린 한 관아. 고종 32년(1895)에 베풀어서 광무 원년(1897)에 황후궁(皇后宮)으로 고침.

왕후 장:상【王侯將相】명 제왕(帝王)·제후(諸侯)·장수(將帥) 및 재상(宰相)의 통칭.
[왕후 장상이 씨가 있나] 훌륭한 인물이 가계나 혈통에 있는 것이 아니고 노력만 하면 아무나 될 수 있다는 말.

왕 훙원〔王洪文〕명〖사람〗중국의 정치가. 상하이(上海)의 방적 공장 직공 출신으로, 1967년 상하이 시(市) 노동자 혁명 조반(造反) 사령부 책임자로 부상(浮上)하여, 1973년 당 부주석(副主席)으로 승격, 제3인자로 등장하였으나, 1976년 사인방(四人幇)의 한 사람으로 실각함. 왕홍문. [1935-92]

왕-휘【王翬】명〖사람〗중국 청조 초기의 문인 화가. 자(字)는 석곡(石谷), 호는 경연 산인(耕烟散人). 장쑤 성(江蘇省) 창서우(常熟) 사람. 왕감(王鑑)·왕시민(王時敏)에게 그림을 배웠는데, 사왕 오운(四王吳惲)의 한 사람으로, 남송(南宋)·북송의 화(畫)를 합쳐 당대의 화성(畫聖)으로 받들어졌으며, 우산파(虞山派)의 시조로 일컬어짐. [1632-1717]

왕-휘지【王徽之】명〖사람〗중국 동진(東晉) 때의 서가. 자는 자유(子猷). 왕희지(王羲之)의 다섯째 아들, 헌지(獻之)의 형. 벼슬은 황문 시랑(黃門侍郞)에 이름. 대를 심어 몹시 사랑하였음. 생몰년 미상.

왕-흠약【王欽若】명〖사람〗중국 송(宋)나라의 정치가. 진종(眞宗)·인종(仁宗)을 섬겨, 벼슬이 문하 시랑(門下侍郞)·동평장사(同平章事)에 오름. 체구가 단소(短小)하고 목덜미에 사마귀가 있어 영상(癭相)이라 불림. 성질이 경교(傾巧)하고 뇌물을 좋아하여 정위(丁謂)·진팽년(陳彭年)·유승규(劉承珪)·임특(林特)과 함께 오귀(五鬼)로 일컬어짐. 칙명을 받들어 ≪책부 원귀(册府元龜)≫·≪국사(國史)≫를 찬수(撰修)함. [962-1025]

왕:흥【旺興】명 흥왕(興旺). ——하다 형여불

왕흥-사【王興寺】명〖불교〗충남 부여군에 있던 백제 시대의 절. 무왕(武王) 1년(600)에 착공하여 35년(634)에 준공함. 전형적인 백제 가람(伽藍)으로 강가에 있었음.

왕-희지【王羲之】[—히—] 명〖사람〗중국 진대(晉代)의 서예가. 자는 일소(逸少). 산둥 성(山東省) 낭야(琅邪) 사람. 벼슬이 우군 장군(右軍將軍)·회계 내사(會稽內史)에 이르러 왕 우군(王右軍)이라 불림. 해서(楷書)·행서(行書)·초서(草書)의 삼체를 전아(典雅)하고 웅경(雄勁)하게 귀족적인 서체로 완성하여 '서성(書聖)'이라 불리며, 또 그의 아들 왕헌지(王獻之)와 함께 '이왕(二王)'이라 일컬어짐. 작품에 ≪난정서(蘭亭序)≫·≪상란첩(喪亂帖)≫·≪황정경(黃庭經)≫·≪악의론(樂毅論)≫·≪집자 삼장 성교서(集字三藏聖敎序)≫·≪십칠첩(十七帖)≫ 등이 있음. [307-365]

왜¹ 명 한글의 합성 자모(合成字母) 'ㅙ'의 이름.

왜² 명〈방〉오이(경북·함북).

왜:³ 명〈방〉참외¹(경상).

왜⁴【倭】명 ↗왜국(倭國). ¶~놈.

왜:⁵ 부 무슨 까닭으로. 어째서. ¶~ 안 오느냐.
[왜 감중련(坎中連)을 하였나] 교제하는 사이에 친압(親狎)하는 기색이 없고 위엄(威嚴)을 가장함에 이름. [왜 알 적에 안 곯았나] 사람의 용모가 추잡하고 하는 짓이 좋지 않을 때 하는 말이니, 곧 태시(胎時)에 죽었더라면 좋았으리라는 뜻.

왜⁶ 감 의문을 나타낼 때에 쓰는 말.

왜⁷ 조〈옛〉와가. '와'와 'ㅣ'가 겹친 것. ¶齒頭와 正齒왜 골히요미 잇느니(有齒頭正齒之別)≪訓諺 14≫.

왜⁸ 준 '외다'의 활용된 '외어'의 준말. ¶구구(九九)를 ~봐라.

왜-가다 자〈방〉벗나가다.

왜:가리 명〖조〗[*Ardea cinerea jouyi*] 백로과에 속하는 새. 날개 길이 45 cm 가량이고 머리는 백색인데 머리 꼭대기와 목 뒤와 목 밑에 있는 술 모양의 식우(飾羽)는 청흑색이며 목은 회백색이고 몇 개의 청흑색의 가로 무늬가 있음. 배면(背面)은 청회색, 복면(腹面)은 백색임. 다리는 길고 부리도 긴데 날카롭고 뾰족하며 셋째 발가락과 넷째 발가락 사이에 얇은 물갈퀴가 있음. 논·하천·호수에 떼지어 사는데, 4-6월에 큰 나무 높은 곳에 둥지를 짓고 청록색의 알을 네 개 가량 낳음. 아침 저녁 나와서 물고기·조개·개구리·게 등을 잡아먹음. 동부 시베리아·한국·일본 및 유럽·아프리카·오스트레일리아에 분포함. 창계(鶬鷄). 창괄(鶬鴰).
[왜가리새 여울 목 넘어다 보듯] ㉠먹을 것이 없나 하고 넘겨다 보는 모양. ㉡남에게 숨어 가면서 제 이익을 취하는 모양.

〈왜가리〉

왜각-대각 부 그릇 따위가 부딪거나 깨어져 요란스럽게 나는 소리. 쓰 왜깍대깍.

왜-간장【倭—醬】명〈속〉여염집에서 만든 재래식(在來式) 간장에 대하여, 양조장 등에서 만든 개량 간장을, 일제 강점기(日帝強占期) 이후에 일컫는 속칭.

왜-감【倭—】명〈방〉밀감(蜜柑).

왜-감자¹【倭—】명〈방〉고구마.

왜-감자²【倭柑子】명〈방〉귤(경북).

왜-감재【倭—】명〈방〉고구마(황해·평안).

왜-갓냉이【倭—】명〖식〗[*Cardamine valida*] 겨잣과에 속하는 월년초(越年草). 잎은 우상 복생(羽狀複生)하고 5월에 백색 꽃이 총상(總狀) 화서로 정생(頂生)하며 과실은 장각(長角)임. 산지의 물가에 나는데 묘향산·백두산 등지에 분포함.

왜-개싱아【倭—】명〖식〗[*Pleuropteropyrum divaricatum*] 마디풀과에 속하는 다년초. 줄기 높이 60 cm 가량이고 잎은 호생하며, 유병(有柄) 또는 무병(無柄)이고 달걀꼴의 긴 타원형 또는 피침형임. 5-6월에 녹백색 꽃이 총상(總狀) 화서로 정생하며 과실은 수과(瘦果)임. 산지에 나는데, 거의 한국 각지에 분포함.

왜-개연꽃【倭—蓮—】명〖식〗[*Nuphar pumilum*] 개연꽃과에 속하는 다년생의 수초(水草). 뿌리 줄기는 비후(肥厚)하고 가로 누우며 잎은 근생(根生)하고 장병(長柄)이며, 넓은 달걀꼴임. 8-9월에 뿌리에서 장경(長梗)이 나와 그 끝에 황색 꽃이 하나씩 달려 핌. 연못에 나는데, 전남의 해남(海南)·함남 등지에 분포함.

왜건 [wagon] 명 ①바퀴 넷이 달리고, 보통 두 필 이상의 말이 끄는 짐마차. ②무개 화차(無蓋貨車). ③뒷자리에 짐을 실을 수 있는 승용차. ④요리 따위를 나르는 손수레. ¶~ 서비스. ⑤바퀴 달린 상품 진열대(陳列臺).

왜검【倭劍】명〖역〗①십팔기(十八技) 또는 이십사반 무예(二十四般武藝)의 한 가지. 보졸이 일본도(日本刀)를 가지고 하는 무예(武藝)의 하나. 왜도(倭刀). ②일본도(日本刀).

왜경【倭警】명 일제 강점기(日帝強占期)에 '일본 경찰(警察)'을 낮추어 이르던 말. ¶~에 잡혀 가다.

왜계【倭鷄】명 당닭❶.

왜-고래 명〖동〗쇠고래.

왜곡【歪曲】명 비틀어 곱새김. ¶남의 말을 ~해서 듣다. →외곡(歪曲)·의곡(歪曲). ——하다 타여불

왜곡-선【歪曲線】명〖수〗한 평면 상에 포함되지 않는 공간 곡선.

왜골 명 허위대가 크고 언행이 얌전하지 아니한 사람.

왜골-참외 명 골이 움푹움푹 들어간 참외의 한 가지.

왜관¹【倭館】명〖역〗조선 시대 때 왜인(倭人)이 묵으며 통상(通商)하던 관사(館舍). 초기에는 삼포(三浦)와 서울에 각각 두었는데, 임신 약조(壬申約條)로 제포(薺浦)에만 두고, 중종 36년(1541) 부산포(釜山浦)로 옮겼다가 다시 숙종(肅宗) 4년(1678) 초량(草梁)으로 옮김.

왜관²【倭館】명〖지〗경상 북도 칠곡군(漆谷郡)의 군청 소재지로 읍(邑). 경부선의 요역(要驛)으로 성주(星州)와 칠곡군 일대의 농산물 집산지임. 담배와 사과의 산출지임. [28,197명(1991)]

왜관 무:역【倭館貿易】명〖역〗조선 시대에, 개항장(開港場)인 삼포(三浦)와 서울의 왜관(倭館)에서 이루어진 조선과 일본 상인 사이의 무역.

왜-광대【倭—】명 일본 사람의 광대.

왜-광대수염【倭—鬚髥】명〖식〗[*Lamium album*] 꿀풀과에 속하는 다년초. 줄기는 방형(方形)이고 높이는 50 cm 내외이며 잎은 대생(對生)하고 장병(長柄)이며 달걀꼴 또는 긴 달걀꼴임. 5-6월에 담홍자색 꽃이 줄기 위의 엽액(葉腋)에 윤산(輪繖) 화서로 밀착하고, 화관(花冠)은 통상 순형(筒狀脣形)이며, 과실은 수과(瘦果)임. 산이나 들에 나는데, 전남·경남·강원·평북·함남·함북 및 일본·사할린·중국 등지에 분포함. 어린 잎은 식용, 뿌리는 요통(腰痛)에 약용함.

왜구¹【倭寇】명〖역〗13-16세기에 중국과 우리 나라 근해(近海)에 출몰하며 약탈을 일삼던 일본 해적을 이르는 말. ¶~의 침범.

왜구²【矮軀】명 키가 작은 체구(體軀).
왜:국¹【—國】명〈방〉외국(外國)(경기·충남·경상·함북·평북).
왜국²【倭國】명 '일본(日本)'을 낮추어 이르는 말. 준왜(倭).
왜군【倭軍】명 '일본군'을 낮추어 이르는 말.
왜궤【倭櫃】명 남자 세간의 네모진 궤. 앞쪽에 두 짝의 문이 달리고 안에 서랍이 여러 개 있음. 가께수리.
왜귤【倭橘】명〈방〉밀감(蜜柑).
왜그르르 부 ①된 밥 같은 것이 호슬부슬 한꺼번에 헤어지는 모양. ②단단한 물건이 우수수 떨어지는 모양. ——-하다 형여불
왜글-왜글 부 잇따라 왜그르르하는 모양. ——-하다 형여불
왜금【倭錦】명〖식〗사과의 한 가지. 열매가 굵고 빛이 좋으며 나무가 강하여 병충해(病蟲害)가 적으나, 낙과(落果)가 많고 맛이 매우 심.
왜긋다 형ㅅ불 ☞뻣뻣하다.
왜기【倭器】명 일본 그릇.
왜-기름【倭—】명 석유(石油).
왜깁 명〈옛〉왜견(倭絹). ¶왜깁(倭絹)《老乞 下 23》.
왜깍-대깍 부 그릇 등이 요란스럽게 깨지는 소리. ㅅ왜각대각.
왜-나가다 자 빗나가다. 엇가다.
왜-나막신【倭—】명 게다(げた).
왜-난목【倭—木】명 내공목(內供木).
왜-납거미【倭—】명〖동〗납거미.
왜-낫【倭—】명 날이 짧고 얇으며 가볍게 만든 낫. ↔조선낫.
왜-냄비【倭—】명 알루미늄 같은 얇은 쇠로 만든 냄비.
왜냐-하면 부 '왜 그런가 하면'의 뜻의 접속 부사.
왜녀【倭女】명 일본 여자를 낮게 이르는 말.
왜-년【倭—】명 왜녀(倭女)를 낮게 또는 욕으로 이르는 말. ↔왜놈.
왜노【倭奴】명 옛날 중국인이나 고려 말기에 고려 사람이 일본 사람을 부르던 말. 왜이(倭夷).
왜노-국【倭奴國】명 고대 중국에서 일본의 규슈(九州) 지방을 일컫던 말.
왜-노비【倭奴婢】명〖역〗왜인(倭人)을 잡아서 삼은 노비. 특히, 왜구(倭寇)가 성했던 고려 말기에 많았음. *왜노(倭奴).
왜-놈【倭—】명 일본 남자를 낮게 이르는 말. ↔왜년.
왜니 조〈옛〉①'와 와 '이니'가 겹친 말. ¶五根은 信과 進과 念과 定과 慧왜니《圓覺上 二之三 115》. ②'과'와 '이니'가 겹친 말. ¶아릿 住는 過去엣 本來ㅅ生과 本來ㅅ 일왜니(宿住者 過去本生本事)《圓覺 上 二之二 94》.
왜단¹【倭緞】명 일본 비단의 한 가지.
왜단²【矮短】명 키가 작음. ——-하다 형여불
왜-당귀【倭當歸】명〖식〗[*Ligusticum acutilobum*] 미나릿과에 속하는 다년초. 향기가 나며 줄기는 잎자루와 함께 자흑색을 띠며 높이는 60-90 cm임. 잎은 막질(膜質)이며 1-2회 삼출하고 소엽(小葉)은 유병(有柄)이며 능상(稜狀)의 긴 타원형임. 8-9월에 백색 꽃이 가지 끝에 복산형 화수(複繖形花穗)로 피고, 과실은 긴 타원형임. 산지에 나는데, 각지에 재배함. 뿌리는 약용임.

〈왜당귀〉

왜도【倭刀】명 ①왜검(倭劍). ②일본도(日本刀).
왜-된장【倭—】명 일본식으로 담근 된장.
왜-딸기【倭—】명〈방〉딸기(경기).
왜-떡【倭—】명 밀가루나 쌀가루를 짓이기어 얇게 늘여서 구운 과자.
왜-떡쑥【倭—】명〖식〗[*Gnaphalium uliginosum*] 국화과에 속하는 일년초. 줄기 높이 5-20 cm이고 잎은 밀생하며, 침형(針形) 또는 선형(線形) 혹은 주걱 모양임. 5-7월에 갈색 두화(頭花)가 밀방상(密房狀)으로 배열하여 핌. 밭에나 들에 나는데, 전남·경남·경기·강원·함북 등지에 분포함. 어린 잎은 식용함.
왜뚜 부 피리나 뿔나팔 같은 것을 부는 소리.
왜뚜리 명 큰 물건.
왜뚝 명〈방〉둑²❶.
왜뚤-삐뚤 부 전후 좌우로 비뚤어진 모양. ——-하다 형여불
왜라 조〈옛〉①'와'와 '이라'가 겹친 말. ¶四衆은 比丘와 比丘尼와 優婆塞과 優婆夷왜라《月序 24》. ②'과'와 '이라'가 겹친 말. ¶닐오틴 作과 止와 任과 滅왜라(謂作止任滅이라)《圓覺 下 三之一 133》.
왜란【倭亂】명 ↗임진 왜란(壬辰倭亂).
왜력【歪力】명〖물〗변형력(變形力).
왜루【矮陋】명 ①몸이 작고 얼굴이 못생김. 단루(短陋). ②집 따위가 낮고 누추함. ——-하다 형여불
왜륵 명 ←와력(瓦礫).
왜림【矮林】명 키가 작은 나무의 수풀. ↔교림(喬林)·낮은 숲.
왜마【矮馬】명〖동〗조랑말.
왜-말【倭—】명 '일본말'을 낮추어 이르는 말. 왜어(倭語).
왜매자 명〈방〉오미자(五味子)(함경).
왜-먹【倭—】명 먹의 한 가지. 재래의 여섯 모 난 먹에 대하여, 흔히 네모 난 근래의 먹을 일컫던 말.
왜면【倭麵】명 밀가루나 메밀 가루로 만들어서 말린 국수.
왜-명충알벌【倭螟蟲—】명〖충〗[*Trichocramma japonicum*] 알벌과에 속하는 곤충. 암컷의 몸길이 5 mm이고 몸빛은 대체로 황갈색이며, 복부는 갈색임. 날개는 투명하고 긴 연모(緣毛)가 있음. 명나방류의 알에 기생하는데 한국·일본·대만·중국·인도 등지에 분포함. 명충나방알살이벌.

〈왜명충알벌〉

왜-모시【倭—】명 당모시보다 올이 굵은 모시의 한 가지.
왜-모시풀【倭—】명〖식〗[*Duretia longispica*] 쐐기풀과에 속하는 다년초. 줄기 높이 1 m 내외이고 잎은 대생하며 유병(有柄)이고 원형 또는 달걀꼴임. 자웅 일가(雌雄一家)인데 7-8월에 엷은 녹색 꽃이 수상(穗狀) 화서로 액출하며 과실은 수과(瘦果)임. 산이나 들에 나는데, 한국 중부 이남에 분포함.
왜-목【倭木】명〈방〉광목(廣木).
왜-몰개【矮—】명〖어〗[*Aphyocypris chinensis*] 잉어과에 속하는 민물고기. 몸길이 5-6 cm의 소형어로서 등지느러미가 짧으며 몸빛은 등쪽이 암갈색, 배 쪽이 은백색인데, 몸 옆구리에 폭 넓은 암갈색 세로 띠가 있음. 하천·못에 서식하는데, 낙동강에서 압록강 및 중국에 분포함.
왜물-고【倭物庫】명〖역〗경상 북도 달성군(達城郡) 화원(花園)에 있었던, 조선 시대에 왜인들이 가져온 물화(物貨)를 저장하던 창고. 화원창(花園倉).
왜-못【倭—】명 재래식 못에 대하여, 공장에서 대량으로 만들어 내는 끝이 뾰족하고 못대가리가 있는, 철사로 만든 못. 서양못.
왜-무【倭—】명〖식〗무의 하나. 재래의 짤막한 무에 대하여 밑둥이 굵고 긴 개량 품종.
왜무-잎벌【倭—】명〖충〗[*Athalia japonica*] 잎벌과에 속하는 곤충. 암컷은 몸길이 7 mm이며 두부(頭部)는 흑색에 암갈색 또는 적갈색 반문이 있고 흉부(胸部) 및 복부(腹部)는 황갈색이며 후흉배와 제1 복배절(腹背節)은 흑색임. 날개는 암색(暗色) 반투명임. 무·배추 등의 해충으로 동부 아시아의 북부에 분포함.

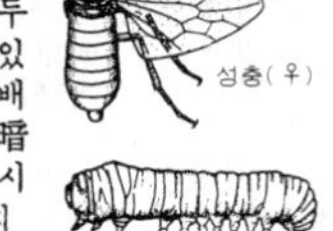

〈왜무잎벌〉

왜무-짠지【倭—】명 '다꾸앙' 곧 단무지의 딴이름. 준왜짠지
왜물【倭物】명 일본 물건.
왜미【倭米】명 일본에서 나는 쌀.
왜-미나리아재비【倭—】명〖식〗[*Ranunculus franchetii*] 미나리아재빗과에 속하는 다년초. 높이 15 cm 내외이고 근엽(根葉)은 총생(叢生)하며 장병(長柄)이고, 경엽은 무병(無柄)이며 가늘게 째져서 선형(線形)임. 4-5월에 황색 꽃이 한두 개씩 정생하고, 과실은 수과(瘦果)임. 산지에 나는데, 강원도의 세포(洗浦) 등지에 분포함.
왜-밀【倭—】명 ↗왜밀기름.
왜-밀기름【倭—】명 향료(香料)를 섞어서 만든 밀기름. 준왜밀.
왜-바람 명 이리저리 방향이 없이 함부로 부는 바람. 왜풍.
왜-박주가리【倭—】명〖식〗[*Tylophora floribunda*] 박주가릿과에 속하는 다년생 만초(蔓草). 줄기는 가늘고 잎은 대생하며 세 잎이 윤생(輪生)하고, 유병이며 달걀꼴 피침형임. 6-7월에 암자색 꽃이 잎 사이에서 액출(腋出)함. 산지에 나는데, 경기도의 광릉(光陵)·소요산 등지에 분포함.
왜반【倭盤】명 →예반¹.
왜-반물【倭—】명 남빛에 검은 빛이 섞인 물감.
왜-방풍【倭防風】명〖식〗[*Aegopodium alpestre*] 미나릿과에 속하는 다년초. 줄기 높이 60 cm 이상이고, 잎은 2-3회 삼출(三出)하며 열편(裂片)은 긴 타원형 또는 달걀꼴임. 6-7월에 백색 꽃이 복산형(複繖形) 화서로 피고 과실은 분과(分果)임. 산지에 나는데, 평남북·함남북 등지에 분포함.
왜-배기 명〈속〉겉보기에 좋고 질적(質的)으로 짭잘한 물건. ↔진상.
왜-별기【倭別技】명〖역〗조선 시대 말기에 일본 영향 밑에 신설된 별기군(別技軍)의 속칭.
왜병【倭兵】명 일본 병정(兵丁).
왜복【倭服】명 일본 옷.
왜-붓【倭—】명〈폐〉연필(鉛筆).
왜-비누【倭—】명〈속〉비누.
왜-사【倭紗】명 발이 잘고 고운 사(紗)의 한 가지.
왜-사기【倭沙器】명 일본에서 만든 사기.
왜-사시나무【倭—】명〖식〗[*Populus jesoensis*] 버드나뭇과에 속하는 낙엽 활엽 교목. 잎은 큰 달걀꼴에 톱니가 있음. 꽃은 자웅 이가(雌雄二家)인데, 4-5월에 유제(萎荑) 화서로 늘어져 피며 삭과(蒴果)는 5-6월에 익음. 산복의 사면(斜面)에 드물게 나는데, 평남의 양덕 및 일본에 분포함. 기구재(器具材)로 씀.
왜상-경【歪像鏡】명〔anamorphoscope〕〖광학〗원주형(圓柱形) 렌즈 또는 원주형 거울로 된 광학 기계(光學器械). 비뚤어진 상(像)을 본래의 바른 상으로 고침.
왜상 형성【歪像形成】명〔anamorphosis〕〖광학〗어떤 종류의 광학계(光學系)를 사용해서, 비뚤어진 상(像)을 만들어 내는 일.
왜선¹【倭扇】명 일본에서 만든 부채.
왜선²【倭船】명 '일본배'를 낮게 이르는 말.
왜성【矮星】명〔dwarf star〕〖천〗동일한 빛의 별 가운데서 발광량(發光量)이 적고 크기도 작은 별. 전형적인 예(例)로는, 표면 온도 5750°K, 반경 690,000 km, 질량 광도 2×10^{33}g, 광도 4×10^{33}erg/sec인 별. ↔거성(巨星).
왜소【矮小】명 키가 짧고 작음. ——-하다 형여불
왜-소금【倭—】명〈속〉소금.
왜소 조충【矮小絛蟲】명〖동〗꼬마촌충.
왜-솜【倭—】명 개량종(改良種)의 면화(棉花)를 따서 만든 솜.
왜-솜다리【倭—】명〖식〗[*Leontopodium japonicum*] 국화과에 속하는 다년초. 면모(綿毛)가 밀포(密布)하는데, 줄기는 높이 30 cm 내외, 잎은 호생하고 피침형 또는 긴 타원형임. 8-9월에 회백색 두화(頭花)가 잎 사이의 가지 끝에 산형(繖形)으로 밀

〈왜솜다리〉

중앙 행정 ... 의 외피(外皮)에 분
... 후두(後頭)와 ...
... (覺)에 의하는 경험의
... 말. ↔내(內)경험.
... (感覺)과 ... 범위. ②〖철〗 감각·사유
... (主觀化)를 ... 독립하여 존재하는 모든 사물
... 자기 ... 육계(六界)❷ 중에서 식계(識
... 用)에 ... (地)·수(水)·화(火)·풍(風)·공(空)
... 연계. ↔내계(內界).
... 幢).
... 편지(便紙)에서 일컫는 말. 빙모(聘母).
... 고리눈으로 된 사람이나 동물.
... 도 융통성이 없는 고집. ¶~쟁이.
... (産)의 곡물. ¶~ 도입(導入).
... 왜곡(歪曲). ——-하다 타여불
... 명 야구에서, 아웃 커브(out curve).
... 명 〔exoskeleton〕〖동〗 동물체(動物體)의 외피(外皮)
... 保護)하는 데 등에 유익하도록 딱딱해진 것. 일반적으로
... (軟體動物)의 경우에 쓰이지만, 척추(脊椎) 동물에서는 비
... 의 등딱지 같은 것을 이름. 겉뼈대. ↔내골격(內骨格). *
...).
... 명 단 하나뿐인 골목.
... 명 〈방〉 외골목.
... 골종【外骨腫】[—쫑] 명〖의〗 뼈 조직의 표면에 생기는 종양.
... 곬 [—골] 명 한 곳으로만 통한 길. ¶~으로 공부해야 성공한다 / ~으로만 생각하다.

외:-곳【外—】 명 타곳.

외:공¹【外空】 명〖불교〗 육공(六空)·십공(十空) 등의 하나. 육근(六根)의 대상인 색(色)·성(聲)·향(香)·미(味)·촉(觸)·법(法)의 육경(六境)은 실체(實體)가 없으므로 공(空)으로 여기는 일. ↔내공(內空).

외:공²【外供】 명 옷의 거죽 감. ↔내공(內供).

외:공³【外貢】 명〖역〗 지방에서 바치는 공물(貢物).

외:-공배【外空排】 명 바둑에서, 수상전(手相戰)에 들어간 돌들의 바깥 쪽의 공배. *내(內)공배.

외:-공장【外工匠】 명〖역〗 조선 시대 때에 지방 관청에 속했던 공장(工匠). 이들은 원칙적으로 양인(良人)이나, 때로는 공천(公賤)·사천(私賤)도 공장이 되는 수가 있었으며, 각 관청에 등록이 되어 있어서 필요한 경우에는 무상(無償)으로 공역(工役)에 종사하였고, 그 외에는 공장세(工匠稅)를 부담하며, 자유로운 수공업(手工業)을 영위하였음. ↔경공장(京工匠).

외:-과¹【外科】 [—꽈] 명〖의〗 의학의 한 분과(分科). 몸의 외부의 피부병·창상(創傷)이나 기타 내장 기관(內臟器官)의 여러 질병에 대해서 수술을 베풂. 뇌(腦)외과·흉부(胸部) 외과·내장 외과·심장 외과·항문(肛門) 외과 등으로 나뉨. ↔내과(內科).

외:과²【外踝】 명〖생〗 발회목 바깥 쪽의 복사뼈. ↔내과(內踝).

외:과-약【外科藥】 [—꽈—] 명〖약〗 외과에 쓰이는 약.

외:과-의【外科醫】 [—꽈— / —꽈이] 명 외과의 치료와 수술을 전문으로 하는 의사. ↔내과의(內科醫).

외:-과피【外果皮】 명〖식〗 열매의 가장 바깥 쪽에 있는 껍질. 익으면 빛이 변(變)하거나 연모(軟毛)가 생기는 수도 있음. 겉열매껍질. ↔내과피(內果皮).

외:곽¹【外廓】 명 ①성(城) 밖으로 다시 둘러 쌓은 성(城). ②바깥 테두리. ¶~ 지대. 1)·2):↔내(內)곽.

외:곽²【外槨】 명 관(棺)을 담는 곽(槨). 외관(外棺). 곽(槨).

외:곽 단체【外廓團體】 명〖사〗 관청·정당과 같은 기관(機關)이나 단체의 외부에서 이와 맥락을 같이 하며 그 활동이나 사업을 원조하고 지지하는 다른 단체

외:곽-문【外郭門】 명 성(城)이나 왕궁 등의 외곽에 있는 문.

외:관¹【外官】 명 ①지방의 관직(官職)이나 또는 관원(官員). 외직(外職). 외임(外任). ↔경관(京官). ②〖역〗 백제 때, 일반 서정(庶政)을 관장한 관부(官府)의 총칭. 사군부(司軍部)·사도부(司徒部)·사공부(司空部)·사구부(司寇部)·점구부(點口部)·객부(客部)·외사부(外舍部)·주부(綢部)·일관부(日官部)·도시부(都市部)의 10부.

외:관²【外棺】 명 곽(槨).

외:관³【外觀】 명 겉으로 본 바. 겉보기. 보임새. 외견(外見). 외구(外構).

외:관-상【外觀上】 명 '겉모양에 관하여'의 뜻. 외견상(外見上). ¶~ 좋지 않다.

외:관-직【外官職】 명〖역〗 지방 관직의 총칭. 곧, 지방 관청인 감영(監營)과 부(府)·목(牧)·군·현에 딸린 병영(兵營)·수영(水營) 등에 소속된 지방관과 문관(文官)·무관(武官)을 총칭하던 말. 외관(外官). 외직(外職). 외임(外任). ↔경관직(京官職).

외:광【外光】 명 창 밖의 빛.

외:-광선【外光線】 명 옥외의 태양 광선.

외:광-파【外光派】 명〖미술〗 근대 프랑스에 있어서 화파(畫派)의 하나. 옥외(戶外)의 빛의 연구와 표현을 중시하고, 풍경화뿐만 아니라 인물화에 있어서도 같은 입장에서 다루었음. 마네(Manet, Édouard)·모네(Monet, Claude)로부터 시작된 것이며, 인상파(印象派)와 같은 뜻으로 쓰이기도 하지만, 좁은 뜻으로는 인상파의 풍경화가(風景畫家)와는 구별.

외괴【崴魁】 명 평평하지 아니함. ——-하다 형여불

외:교¹【外交】 명 ①〖정〗 외국과의 교제. 국제간의 교섭. 국가간의 관계 처리. 디플로머시(diplomacy). 외치(外治). ↔내치(內治). ②외부에 대한 작용. 교섭·운동·주선 등. ③타인과의 사교. 교제(交際). ¶~가 능란하다. ④은행·회사 등에서, 권유·교섭을 위하여 밖에 나가 방문하는 일. 또, 그 담당자. ¶~원(員).

외:교²【外敎】 명 ①〖천주교〗 이교(異敎)❸. ②〖불교〗 불교 이외의 종교. ↔내교(內敎).

외:교-가【外交家】 명 ①외교의 당국자(當局者). ②사교(社交)에 능숙한 사람.

외:교-계【外交界】 명 ①외교에 관계하는 사람들의 사회. 외교관이나 외교 사절(使節)의 부인들도 포함됨. 외교 사회. ②외교에 관련되는 분야(分野).

외:교-관【外交官】 명 외국에 주재하며, 외무부 장관의 감독 아래 외교 사무에 종사하는 공무원. 특명 전권 대사(特命全權大使)·특명 전권 공사(公使)·대리(代理) 공사 및 그 밑의 참사관(參事官)·서기관 등의 총칭.

외:교 관계 조약【外交關係條約】 명 〔Vienna Convention on Diplomatic Relation〕〖정〗 1961년 국제 연합 주최하에 빈에서 조인된 외교 관계에 관한 법규를 정한 조약. 외교 사절의 임명·외교 특권 등에 관하여 종래의 국제 관습을 명문화(明文化)함. 빈 조약.

외:교관 여권【外交官旅券】 [—꿘] 명 외교 상의 공무(公務)로 해외에 여행하는 자와 그 가족에게 발급하는 여권. 유효 기간을 명시하지 아니하는 여권, 유효 기간을 5년으로 하는 여권, 유효 기간을 2년 이내로 하는 여권 등 3개 종류가 있음. *관용(官用) 여권·일반 여권.

외:교 교:서【外交敎書】 명〖정〗 미국에서, 대통령이 연두(年頭)에 의회에 보내는 국제 정세에 관한 특별 교서. 1970년 닉슨 대통령에 의해 비롯됨. 세계 정세 교서.

외:교 교섭【外交交涉】 명〖정〗 조약(條約)의 체결이나 분쟁(紛爭)의 해결과 같은 일정한 사정에 대하여 두 나라 또는 여러 나라 사이에서 진행되는 교섭. 그 절차는 보통 외무부와 외교 사절간에 행하여지며 특수한 경우에는 외교권이 없는 나라도 그 당사자가 될 수 있음. *외교 담판(談判).

외:교-권【外交權】 [—꿘] 명〖법〗 주권 국가로서 외국과 외교 교섭을 할 수 있는 권리.

외:교 기관【外交機關】 명〖법〗 외국과의 외교 관계를 처리하는 국가의 기관. 외무부 장관·외교 사절 등을 말함.

외:교 내:치【外交內治】 명 밖으로는 외국과 교제하고 안으로는 국내를 통치하는 일.

외:교 능력【外交能力】 [—녁] 명〖법〗 외교 교섭, 외교 사절의 교환, 조약의 체결, 국제 기관에의 가입 등을 할 수 있는 국제법 상(國際法上)의 능력. 피보호국(被保護國)·종속국(從屬國)·국제 기관도 특수 사항에 한하여서는 독립 국가와 마찬가지로 이 능력을 가짐.

외:교-단【外交團】 명 한 나라에 주재하는 여러 외교 사절의 총체. 필요한 경우에는 공동 행동을 취함. 보통, 외교 사절 가운데 최상 계급(最上階級)으로 최선임자(最先任者)가 그 단장(團長)이 됨.

외:교 단:절【外交斷絶】 명〖정〗 국가간의 분쟁이 극도로 긴장하여 외교교섭 기타 평화적 해결이 어렵게 된 결과, 당사국간의 외교 관계가 단절되는 일. 전쟁의 전제(前提)가 되는 수도 있고 전쟁이 일어난 경우는 반드시 외교가 단절됨. 보통, 외교 사절(使節)과 그 수원(隨員)은 퇴거(退去) 명령을 받는데, 영사(領事) 관계 등은 존속하는 부분도 있음.

외:교 담판【外交談判】 명〖정〗 외교의 목적을 이루기 위하여 관계국의 대표자가 회견하여 의사(意思)를 교환하고 의견의 일치를 꾀하는 일. *외교 교섭(交涉).

외:교 문서【外交文書】 명 〖법〗 ①외교 교섭에서 교환 또는 작성되는 모든 공문서. 신임장(信任狀)·위임장(委任狀) 등. ②국가가 외교 관계의 법적(法的) 의사 표시(意思表示)를 기재한 문서. 조약(條約)·선언(宣言)·통첩(通牒)·의정서(議定書) 등.

외:교 문:제【外交問題】 명〖정〗 외교에 관련된 여러 가지 사항(事項) 또는 사건(事件).

외:교 방책【外交方策】 명 외교에 관한 국가의 기본적인 정책.

외:교 방침【外交方針】 명 외교에 관한 사무(事務)를 처리하여 나아갈 방향.

외:교-비【外交費】 명 ①외무 행정상의 경비. 또, 재외 공관(在外公館) 등의 경비. ②외무와의 교섭에 필요한 경비.

외:교-사【外交史】 명〖역〗 역사의 한 분과(分科). 어떤 국가 또는 어떤 시대의 외교에 관한 역사.

외:교 사령【外交辭令】 명 자기의 감정(感情)을 감추고 교묘하게 상대방의 감정을 조정하여 상대편에게 호감(好感)을 주는 사교적인 말. 걸

치레말.

외:교 사:절【外交使節】명〖법〗외국과 외교 교섭을 하고 자기 나라 국민을 보호 감독하며 주재국(駐在國)의 정세를 관찰하여 본국에 보고하기 위하여 외국에 파견되는 국가의 대표자. 곧, 특명 전권 대사(特命全權大使)·특명 전권 공사(特命全權公使)·대리 공사 등의 상주(常駐) 외교 사절이 있고, 그 밖에 국제 회의(國際會議) 등에 참가하기 위하여 일시적으로 외국에 주재하는 사절이나 특파 대사(特派大使) 등의 임시(臨時) 외교 사절이 있음. ¶ ~단(團).

외:교 사:절의 특권【外交使節一特權】[-/-에-] 명 외교 특권.

외:교 사회【外交社會】명 외교계❶.

외:교상 기밀 누설죄【外交上機密漏泄罪】[-쬐] 명〖법〗국교(國交)에 관한 죄의 한 가지. 곧, 외교상의 기밀을 누설하거나, 누설할 목적으로 외교상의 기밀을 탐지 또는 수집(蒐集)함으로써 성립함.

외:교 수단【外交手段】명 외교술(外交術). 「가.

외:교 수완【外交手腕】명 외교의 일을 꾸미고 처리(處理)하는 데 능란

외:교-술【外交術】명 ①외국과 교제 또는 교섭하는 수단. ②남과 잘 교제 또는 교섭하는 수단. 외교 수단.

외:교 안보 연:구원【外交安保硏究院】명 외교 통상부 장관에 소속되어, 장관의 관장 사무를 지원하는 기관. 국가 안보 외교 문제에 관한 조사·연구 및 국내 관련 연구 기관에 대한 지원, 장관이 지정하는 외교 안보 문제에 관한 조사·연구, 외교 통상부 소속 공무원과 그 가족에 대한 교육 등을 담당함.

외:교 예:식【外交禮式】명 외교관의 계급·석차(席次)·대우·교제 등에 관한 예식.

외:교-원【外交員】명 은행·회사·상점 등에서 권유(勸誘)·선전·교섭·주문받는 일 등을 전담(專擔)한 사원(社員). 외무원(外務員). ¶ 보험 회사의 ~.

외:교-인【外敎人】명 이교(異敎)를 믿는 사람. 외인(外人). 이교도(徒).

외:교 자원【外交資源】명〖정〗외교 담판을 하는데, 상대편에게 이편 요구를 수용케 하기 위하여 이용하는 자원.

외:교-적【外交的】명관 외교에 관계가 있는 모양.

외:교적 보:호【外交的保護】명〖법〗외국에 있는 자국(自國)의 국민을 외교적 절차에 의하여 보호하는 일. 즉, 외국에 있는 자국민이 부당 또는 불법한 취급을 받았을 때 가해자의 처벌이나 손해 배상에 관한 외교상의 요구·보복·간섭 및 국제 재판소에의 출소(出訴) 등을 할 수 있는 권리임.

외:교-전【外交戰】명 자기 편에 유리하도록 교섭을 성공시키기 위하여 이면으로 맹렬한 공작과 술책을 써서 외교 교섭을 하는 모양.

외:교 정책【外交政策】명〖정〗한 나라가 외교상의 일정한 경륜(經綸)을 위하여 취하는 정책.

외:교직 공무원【外交職公務員】명 외무(外務) 공무원의 하나. 외무부에 소속하여, 외교 및 영사 업무를 담당함.

외:교 통상부【外交通商部】명 중앙 행정 각부의 하나. 외교, 외국과의 통상 교섭 및 이에 관한 총괄(總括)·조정, 조약(條約)·협정(協定), 재외 국민(在外國民)의 보호·지원, 이민(移民) 등에 관한 사무를 관장(管掌)함. 1998년 외무부와 통상 산업부의 일부가 통합하여 개편된 기관임.

외:교 통상부 장:관【外交通商部長官】명 외교 통상부의 장(長)인 국무위원.

외:교 특권【外交特權】명〖법〗외교 사절이 그 주재국에서 가지는 특권. 사절의 신체와 명예, 사무소와 주택 및 외교 문서의 침해를 받지 않는 불가침권(不可侵權)과 주재국의 재판권(裁判權)·경찰권·과세권(課稅權) 등이 미치지 못하는 치외 법권(治外法權)이 있음. 외교 사절의 가족이나 국제 기관의 직원들도 같은 특권이 있음. 외교 사절의 특권.

외:교 파우치【外交—】[pouch] 명 외교 행낭.

외:교 행낭【外交行囊】명 외교상의 기밀 문서나 자료 따위를 수송하는 데 쓰는 특수 우편 행낭.

외:구[1]【外口】명〖역〗거간(居間)의 수수료 중에서, 그 반을 받는 객주(客主)의 구전(口錢). ↔내구(內口).

외:구[2]【外球】명 글로브(globe).

외:구[3]【外寇】명 외적(外敵). ↔내구(內寇).

외:구[4]【外舅】명 장인(丈人)을 편지에서 일컫는 말. ↔외고(外姑).

외:구[5]【外構】명 ①외면. 외관(外觀). ②〖건〗건축의 외면의 구조.

외:구[6]【外懼】명 외국에 대한 두려움. 외환(外患).

외:구[7]【畏懼】명 무서워하고 두려워함. 담외(憺畏). ——-하다 타여불

외구[8]【煨灸】명 불에 구움. ——-하다 타여불

외:국[1]【外局】명 국가의 행정 조직에 있어서, 부(部)에 설치되지만, 그 내국(內局)의 계통 밖에 있고, 양적·질적으로 특수성을 가지는 사무를 처리하는 중앙 행정 기관. 문화 체육부의 문화재 관리국과 교통부 수로국(水路局)의 두 기관이 있음. ↔내국(內局).

외:국[2]【外國】명 자기 나라 밖의 딴 나라. 자기 나라 주권(主權)의 통치에 속하지 않는 국가나 국토. 이국(異國). 외방(外邦). 외지(外地). 이조(異朝). 수방(殊邦). ¶ ~인(人)/~어(語). ↔내국(內國). 「공사.

외:국 공사【外國公使】명 외국으로부터 파견되어 와서 주재하고 있는

외:국 공채【外國公債】명〖경〗정부·공공 단체 등이 외국의 자본 시장에서 발행(發行)하는 공채. 원칙적으로 액면 가액(額面價額)은 외화로 표시됨. ↔내국(內國) 공채.

외:국 금전 채권【外國金錢債權】[-꿘] 명〖법〗외화 채권(外貨債權).

외:국 도서【外國圖書】명 외국에서 발간된 책. 준외서(外書).

외:국-돈【外國—】명 외국의 돈. 외화(外貨).

외:국-류【外國流】[-뉴] 명 외국의 방식이나 방법.

외:국-말【外國—】명 외국어(語).

외:국 무:역【外國貿易…
책에 따라 자… 무역(…
눔. 국… 무역…
國) 무역…

외:국 무:역선【外…

외:국 문자【外國文…

외:국 문학【外國文…

외:국-물【外國物】…

외:국 물품【外國物…
품. 준외국…

외:국-미【外國米…

**외:국 민간 원:조…
활 보호·재해 구…
리 기관으로서, …
기관. 준외원 단체…

외:국-배【外國—】…

외:국-법【外國法】…
규. ②국제 사법(國…
률. 1)·2): ↔내국법…

외:국 법인【外國法…
법에 준거(準據)하여…
사(商社).

외:국 병사【外國兵士…

외:국 사:절【外國使…
使)·공사(公使) 및 임…

외:국-산【外國產】명…

외:국 상사【外國商社…
*외국 법인(法人).

외:국-선【外國船】명 외…
이국선(異國船). 준외선(外…

외:국선 추섭권【外國船追躡權…
(領海) 안에서 밀렵(密獵)이나, 그 …
자기 나라 군함(軍艦)이 영해 밖에까지 …
권리.

외:국 손님【外國—】명 외국에서 우리 나라로 …

외:국 시:장【外國市場】명 상품의 판매 시장으로…

외국-식【外國式】명 외국의 것을 닮은 양식(樣式)이…
식(外式).

외:국 신문【外國新聞】명 외국에서 발행되는 신문. 외자…

외:국-어【外國語】명 다른 나라의 말. 타국어. 외국말. 준외…

외:국어 대학【外國語大學】명 외국어에 대한 이론과 응용을 … 대학. 준외대(外大).

외:국어 의:식【外國語意識】명〖언〗외래어를 사용할 때에 말하… 람이 외국어로 여기는가 아닌가에 대한 의식.

외:국어 학교【外國語學校】명 ①외국어를 교수하는 학교. ②〖역〗조선 고종(高宗) 32년(1895)에 육영 공원(育英公院)의 후신으로 세운 국립 학교. 영어·불어·노어·중국어·독어·일본어 등 여러 나라 말을 가르쳤음. 후에 한성(漢城) 외국어 학교로 개칭함.

외:국어 학습 기관【外國語學習機關】명〖역〗외교의 필요상 이웃 언어인 중국어·일본어·몽고어·만주어 등을 가르치던 기관. 통문관(通文館)·사역원(司譯院)·한문 도감(漢文都監)·역학원(譯學院) 등의 총칭.

외:국 여권【外國旅券】[-녀꿘] 명 외국에 여행하려고 하는 자국민(自國民)의 신청에 의하여 외무부 장관이 발행한 여권. 여권.

외:국 영사【外國領事】[-녕-] 명 그 나라에 주재하고 있는 외국의 영사(領事). 「화(外畫).

외:국 영화【外國映畫】[-녕-] 명 외국에서 제작(製作)된 영화. 준외

외:국 우편【外國郵便】명〖법〗국제간의 조약(條約)이나 약정(約定)에 의하여, 외국으로 보내거나 외국으로부터 받는 우편물. 해외 우편.

외:국 우편환【外國郵便換】명〖법〗우편환에 관한 조약 또는 약정(約定)에 의하여 외국과의 사이에 교환되는 통상환(通常換) 및 전신환(電信換). 우리 나라와 외국과의 사이의 우편환.

외:국 우표【外國郵票】명 외국에서 발행한 우표.

외:국 원수에 대:한 죄【外國元首一對一罪】명〖법〗국교(國交)에 관한 죄의 하나. 우리 나라에 체재(滯在)하는 외국의 원수에 대하여 폭행·협박을 하거나, 모욕을 가하거나 명예를 훼손(毁損)함으로써 성립되는 죄.

외:국 유학생【外國留學生】[-뉴-] 명 ①학술 연구나 각종 기능 연수를 위하여 국가나 각종 단체 또는 개인 자금에 의해 외국에서 연구·연수하는 사람. ②외국으로부터 우리 나라에 와서 학술 연구나 기능 연수에 종사하고 있는 외국인.

외:국 은행【外國銀行】명〖경〗외국에 본점(本店)이 있는 은행. 외국의 은행의 총칭. 준외은(外銀).

외:국-인【外國人】명 ①다른 나라의 사람. 외객(外客). 외국 손님. 이국인(異國人). 타국인(他國人). 이방인(異邦人). 준외인(外人). ②〖법〗한국의 국적(國籍)을 갖지 않은 사람. 무국적자도 여기에 포함됨. 1)·2) ↔내국인(內國人).

외:국인 전용 수익 증권【外國人專用收益證券】[-꿘] 명〖경〗증권 회사가 외국인으로부터 투자의 청약을 받아 국내 기업 주식(企業株式)에 투자하고 그에 의해 얻은 수익을 투자자에게 분배함을 골자로 하는 수익 증권.

외:국 인종【外國人種】명 이인종(異人種).

외국인 추방권

외:국인 추방권【外國人追放權】[—꿘] 명〖법〗[illegible]가의 존립을 위태롭게 하거나, [illegible] 재류 외국인(在留外國人)을 국외(國外)로 [illegible] 자위권(自衛權).

[illegible] 명〖경〗어떤 나라에서 외국의 자본·기술·[illegible] 이전(移轉)되어 수용(受容國)에서 각종 생[illegible] 활동을 하는 일.

[illegible] 학교【[illegible]學校】명 외국인의 자녀 대상으로 교육을 실시 [illegible]

[illegible] 자본【[illegible]資本】명〖경〗외국 투자가에 의하여 투자되는 자본. [illegible] 형태로서 행하여 [illegible]·사채(社債)·대부금·채권 [illegible]

[illegible] 잡지. ㊀외지(外誌).

[illegible] 외국에서 발행 [illegible]. 또, 타국에서의 국내 전 [illegible]

외:국-잡지【外國雜誌】명 외국에서 [illegible]

외:국-전【外國戰】명 ①외국과 외국 [illegible] 자국(自國)과 외국과의 전쟁. ㊀외제(外製).

외:국-전:보【外國電報】명 해외나 외국간에 체결된 조약. ②외[illegible]

외:국-제【外國製】명 외국에서 국가간에 맺어진 조약.

외:국 조약【外國條約】명 ①종(品種). 이국종(異國種).

[illegible] 국과 외국간에 체결된 조[illegible] 장에서 기채(起債)하여, 납입(納入)[illegible]에서 행하는 공채나 사채. ㊀외채(外債).

외:국-종【外國種】명 [illegible]

외:국-채【外國債】명 [illegible]물에 통달해 있는 일. 또, 그런 사람.

[illegible] 과 원리불(元利拂)의 [illegible] 통신.

[illegible] 債). ↔내국채(內[illegible]) 외국 법원(法院)의 확정 판결(確定判決).

외:국-통【外國通】[illegible] 판결도 일정한 요건(要件)만 갖추면 국내

외:국 통신【外國通信】[illegible] 가지나 형사(刑事)에 있어서는 외국 판결의 [illegible] 하지 아니함.

외:국 판결【外國判決】[illegible] 외국 물품.

[illegible] 민사(民事) [—노] 명 국내에서 외국에 이르는 항로.

[illegible] 의 공채(公債)】명〖경〗액면 표시가 외국 화폐로 되어 있[illegible] 화 공채.

외[illegible] 貨物】명 ①수입 절차가 끝나지 아니한 외국산의 화[illegible] 가 끝난 국산품의 화물.

[illegible] 外國貨幣】명 외국의 화폐. 외국의 통화(通貨). ㊀외화(外貨)[illegible] 화폐(內國貨幣).

[illegible] 어음【外國貨幣—】명〖경〗어음의 금액이 외국 화폐로 표[illegible]는 어음.

[illegible]【外國換】명〖경〗①환(換)의 한 가지. 현금의 수송에 따르는 [illegible] 불편을 없애고, 국제간의 거래에서 생긴 대차를 채권 양도·지불 [illegible] 등 방법으로 결제하는 방식. 국제환(國際換). ㊀외환(外換). ↔내[illegible](內國換). ②↗외국환 어음.

[illegible]환 관리법【外國換管理法】[—괄—뻡] 명 대외 거래의 원활화를 기[illegible]고 국제 수지의 균형과 통화 가치의 안정을 도모하기 위하여, 외국환[illegible]와 그 거래, 기타 대외 거래를 합리적으로 조정 또는 관리하는 법률. ㊀외환 관리법.

외:국환 금융 채:권【外國換金融債券】[—꿘/—늉—꿘] 명〖경〗한국 외환 은행에서 발행하는 금융 채권. ㊀외환 금융 채권.

외:국환 시세【外國換時勢】명 종류가 다른 통화의 교환 비율. 외국환 어음이 매매되는 시세. 외환율. 환율. ㊀환시세·외환 시세.

외:국환 시:장【外國換市場】명〖경〗외국환에 대한 수급(需給)이 경합(競合)하여, 환시세가 형성되는 시장. ㊀외환 시장.

외:국환 어음【外國換—】명〖경〗어음 당사자의 한쪽이 외국에 있는 경우의 환어음. 어음의 액면(額面) 금액 표시는 두 나라나 또는 제삼국의 화폐로도 표시할 수 있으며, 그 효력은 쓰여지는 나라의 법률에 의하여 정해짐을 원칙으로 함. 국제 어음. ㊀외국환.

외:국환 은행【外國換銀行】명〖경〗외국환에 관한 업무를 취급하는 은행. 외국환의 매매(賣買), 해외(海外)에서의 대금 지급(代金支給), 신용장(信用狀)의 개설(開設) 등에 관한 일을 경영함. ㊀외환(外換) 은행·환(換)은행.

외:국환 자:금【外國換資金】명〖경〗환은행이 수출입 어음 및 송금환 어음의 매매를 위하여 쓰는 자금. 수출 어음의 수매(收買)에 소요되는 수출 자금과 매각(買却)한 수입환과 송금환의 결제(決濟)에 소요되는 대외 지불 결제 자금(對外支拂決濟資金)의 두 가지가 있음. ㊀외환 자금.

외:국환 집중 제:도【外國換集中制度】명〖경〗환관리를 행하고 있는 나라에서, 외화(外貨)의 보유 상황을 정확히 알고, 또 외화의 효율적인 운영을 꾀하기 위하여 일반인의 외화 보유를 금하고 정부 또는 외국환 은행에 외화를 집중시키는 제도. ㊀외환 집중 제도.

외:국환 통:계【外國換統計】명〖경〗①한 나라의 외국환의 거래량·보유량 등을 나타내는 통계. 그 나라의 무역 수준과 결부되는 문제임. ② 뉴욕·런던·파리·홍콩 등 세계의 주요 금융 시장에 있어서의 외국 통화의 교환 비율을 나타내는 통계. 각 통화의 대외(對外) 가치를 표시하고 있음. ㊀외환 통계.

외:국 회:사【外國會社】명 외국의 국적을 가진 회사. 외국의 법률에 의하여 설립된 회사. ↔내국(內國) 회사.

외:군【外軍】명 다른 나라의 군대.

외굴【嵬崛】명 산이 빼어나게 우뚝 솟아 있음. ——-하다 형여불

외-궁둥잡이 명 씨름의 재주의 하나.

외:-규장각【外奎章閣】명〖역〗조선 후기 정조(正祖) 5년(1781)에 강화도(江華島)에 둔 규장각(奎章閣)의 별고(別庫). 교명문(敎命文)과 각종 책보(冊寶)와 어제(御製)·선원 보략(璿源譜略) 등을 비롯하여 세자 책봉·왕비 간택·장례·궁궐 수리 등 궁중 의례(儀禮)에 관한 의궤(儀軌) 등 서적·기록물 1,042종, 6,130책을 보관함. 1866년 병인 양요(丙寅洋擾) 때 프랑스군이 철수하면서 일부 전적(典籍)을 약탈해 가고, 건물은 불탔음. 강화 외각(江華外閣).

외:-균근【外菌根】명〖식〗균류(菌類)가 주로 뿌리의 표면 부근의 조직층에 서식해 있는 균근을 이름. 소나무과·자작나무과·너도밤나무과 등의 생 수목에 많이 보이며, 송이버섯과의 균이 착생(着生)하고 있는 경우가 많음.

외:근【外勤】명 관청·회사·상점 등의 직원으로서 외부에 나가서 하는 근무(勤務). 외무(外務). ↔내근(內勤). ——-하다 자여불

외금강【外金剛】명〖지〗금강산(金剛山)의 일부분. 이곳에 옥류동(玉流洞)·구룡연(九龍淵)·만물초(萬物肖)·신계사(神溪寺) 등의 명승과 고적이 있음.

외:-금강부【外金剛部】명〖불교〗외금강부원.

외:-금강부-원【外金剛部院】명〖불교〗태장계 만다라(胎藏界曼荼羅) 13원(院)의 하나. 만다라의 맨 외부에 있으며 205존(尊)의 천(天)·용(龍)·신(神)이 그려져 있음. 외금강부(外金剛部). 외원(外院). 제천원(諸天院).

외:-금정【外金井】명 무덤의 구덩이를 팔 때에 그 길이와 넓이를 금정틀을 놓고 파 낸 곳.

외급【嵬岌】명 산이 우뚝 솟은 모양. 외외(嵬嵬). ——-하다 형여불

외:기¹【外技】명 잡기(雜技)❷.

외:기²【外記】명 ①본문(本文) 이외로 기록된 글. ②〖불교〗선종(禪宗)에서 문안(文案)을 맡아 보는 직명(職名).

외:기³【外氣】명 방 밖의 공기. 외부의 공기.

외:기⁴【畏忌】명 두려워하고 꺼림. 외탄(畏憚). ——-하다 타여불

외:기-권【外氣圈】[—꿘] 명〔exosphere〕 지상(地上) 500 km에서 1,000 km에 이르기까지의 지구 대기(大氣)의 최고층(最高層).

외-기러기 명 짝이 없는 한 마리의 기러기.

외기러기 짝사랑 구 짝사랑하는 사람을 놀리는 말.

외:기 복사【外氣輻射】명〖기상〗지구외(地球外) 방사선.

외-길 명 한 군데로만 난 길.

외길-목 명 여러 갈래의 길이 모이어 한 군데로 빠지게 된 목. ㊀외목.

외:-김치 명 ↗오이 김치.

외:-꼬부랑이 명 못생기게 비틀리고 꼬부라진 오이.

외:-꼬지¹ 명〖식〗조의 한 가지. 줄기가 희고 까끄라기가 짧으며 알이 누른데, 6월에 익음.

외-꼬지²【根—】명〈방〉〖건〗욋가지.

외끼 명〈방〉옻(함경).

외나 감〈방〉저라.

외:-나로도【外羅老島】명〖지〗전라 남도 의 남해안(南海岸), 고흥군(高興郡) 봉래면(蓬萊面)에 위치한 섬. [26.5 km²]

외나무-다리 명 한 개의 통나무로 놓은 다리. 독목교(獨木橋). 독량(獨梁). *쪽다리.

[외나무다리에 만날 날이 있다] 남의 원수가 되면 피하기 어려운 곳에서 만나는 화액(禍厄)이 있다는 뜻.

외:-나물¹ 명〖식〗오이풀.

외:-나물² 명 ↗오이 나물.

외-나피 명〈심마니〉잎이 하나 돋은 산삼(山蔘).

외:-난【外難】명 밖으로부터 닥치는 어려움.

외:-난막【外卵膜】명〖식〗외주피(外珠皮).

외:-난피【外卵皮】명〖식〗외주피(外珠皮).

외-날 명〔고고학〕자귀날.

외:남-봉【外南峰】명〖지〗함경 남도 장진군(長津郡) 하동면(下東面)에 있는 산봉우리. [1,461 m]

외:-내-분【外內—】명 내외(內外)분.

외내피 명〈심마니〉외나피.

외널-식【—式】명〖고고학〗한 봉토(封土)에 한 개의 나무널 또는 돌널 시설을 갖춘 무덤의 유형. 단곽식(單槨式).

외:노【外奴】명〖역〗조선 시대 때, 지방 관아에 속한 관노비(官奴婢). ↔경노(京奴).

외-누깔이 명〈방〉애꾸눈이(평안).

외누리 명〈방〉에누리.

외-눈 명 ①한 짝 눈. 척안(隻眼). 단안(單眼). ②〈방〉애꾸눈이.

외눈 하나 깜짝하지 아니하다 구 조금도 놀라지 않다.

외-눈깔 명 ①'외눈'의 속된 말. ② ☞애꾸눈이.

외눈-박이 명 애꾸눈이.

외눈-배기 명 ☞외눈박이.

외-눈부처 명 외눈의 눈동자. 대단히 귀중한 것을 가리킴.

외-눈이 명〈방〉애꾸눈이(평안).

[외눈이 바로 맞히는 때도 있다] 우연(偶然)과 요행(僥倖)이 있을 수 있다는 말.

외눈-통이 명 ☞애꾸눈이.

외다¹ 자〈방〉여위다(충청).

외:다² 타 ↗외우다.

외다³ 형〈옛〉그르다. ¶제 올호라 ᄒᆞ고 ᄂᆞᄆᆞᆯ 외다 ᄒᆞ야《月釋 IX:31》.

외:다⁴ 형 물건이 좌우가 뒤바뀌어 놓여서 쓰기 불편하다.

외다⁵ 조 ↗오이다. ¶최신형 자동차~. *이외다.

-외다 어미 ↗-오이다. ¶길이 험하~/오늘 떠나~. *-사오이다·-으외

다.
외다리-방아 명 방아 머리와 다리가 하나로 곧게 뻗은 디딜방아. 보통, 처마 밑이나 헛간 한 귀퉁이에 차려 놓고, 양념 등을 찧는 데 씀. *양다리방아.
외:달-도【外達島】[—또] 명 『지』 전라 남도 목포시(木浦市) 충무동(忠武洞) 앞바다에 위치한 섬. 목포의 서남쪽 7.5km 지점에 있고 달리도(達里島)의 서쪽에 인접함. [0.42km²]
외:당【外堂】 명 사랑(舍廊).
외:당-복【外黨服】 명 외척(外戚)과 외손(外孫) 간에 경중(輕重)에 따라 정해진 복제(服制). 일반적으로는 외척과 처척(妻戚)을 동일하게 취급하여 가례(嘉禮)와 그에 준한 예설(禮說)에서는 외당 처당복(外妻黨服)이라고 함께 규정하고 있음.
외-당숙【外堂叔】 명 '외종숙(外從叔)'의 친근한 일컬음.
외-당숙모【外堂叔母】 명 외종숙모(外從叔母)'의 친근한 일컬음.
외-대¹ 명 나무나 풀의 단 한 대.
외:대²【外大】 명 ①『역』 ↗외부 대신(外部大臣). ②『교』 ↗외국어 대학.
외:대³【外待】 명 푸대접. ¶손님을 ～하다/그 조부가 이다지 ～함은 야속하나 다시 그 어리석음을 민망히 여겨 …《金教濟:地藏菩薩》. ——하다 타 여불
외:대⁴【外帶】 명 『지』 만곡(彎曲)된 산맥(山脈)의 불룩하게 나온 쪽. ↔내대(內帶).
외:대⁵【外臺】 명 『역』 외방(外方)의 각 도(道)에 있는 도사(都事)의 통칭(通稱).
외-대다¹ 타 사실과 반대로 일러 주다. ¶서울 있는 걸 시굴 갔다구 외대 주지나 않았을까? 《洪命憙:林巨正》.
외-대다² 타 ①소홀하게 대접하다. ②싫어하고 꺼리어 배척하다.
외대-머리 명 정식 혼례를 하지 않고 머리를 쪽진 여자. 기생·갈보 등을 가리킴.
외대-박이 명 ①돛대가 하나뿐인 배. ② ☞애꾸눈이. ③배추나 무의 한 포기로 한 뭇을 만든 것.
외:대-선【外帶線】 명 자전거 경기장의 표준선의 하나. 측정선(測定線)으로부터 80cm 바깥 쪽에 그은 선으로 앞지르기를 할 때는 이 선의 바깥 쪽을 돌아야 함.
외대-으아리 명 『식』 [*Clematis brachyura*] 미나리아재빗과에 속하는 낙엽 활엽 만초(蔓草). 잎은 세 잎이 났거나 우상 복생(羽狀複生)하고, 소엽(小葉)은 달걀꼴이며 톱니가 없음. 자웅 일가(雌雄一家) 또는 이가(二家)인데 여름에 흰 꽃이 피고, 수과(瘦果)는 넓은 타원형으로 가을에 익음. 으아리에 비하여 꽃이 적고 과실의 미상체(尾狀體)는 날개 모양이 아님. 산록 양지의 숲 속에 나는데, 전북·충남·함북을 제외한 한국 및 중국·코카서스·만주 등지에 분포함. 뿌리는 약용, 어린잎은 식용함.
외덧널-무덤 명 『고고학』 봉분(封墳) 안에 피장자(被葬者)가 안치된 덧널이 하나만 설치된 고분(古墳). 단곽분(單槨墳).
외:-도¹【外島】 명 『지』 ①충청 남도의 서해상(西海上), 태안군(泰安郡) 안면읍(安眠邑)에 위치(位置)한 섬. [0.65km²] ②경상 남도의 남해상(南海上), 거제시(巨濟市) 일운면(一運面) 와현리(臥峴里)에 위치한 섬. [0.05km²]
외:도²【外都】 명 외국의 수도(首都).
외:도³【外道】 명 ①바른 길을 어김. ②오입(誤入). ③경기도(京畿道) 이외의 다른 도를 옛날에 일컫던 말. ④『불교』 불교 이외의 다른 교. ↔내도(內道)·일도(一道). ——하다 자 여불. ①오입(誤入)하다. ②다른 잡짓에 손을 대다.
외:-도고【外都庫】 명 『역』 관아에 송판(松板)·벚나무 등을 공물(貢物)로 바치던 계.
외:-도방【外都房】 명 『역』 고려 때, 최이(崔怡)가, 자신의 가병(家兵)의 내도방(內都房)에 대하여, 종전의 최충헌(崔忠獻)의 육번 도방(六番都房)을 일컫던 이름.
외-도투리 명 〈방〉 외돌토리.
외-독【一櫝】 명 신주(神主)를 하나만 모신 독. ↔합독(合櫝).
외독 무덤 명 『고고학』 한 개의 독만으로 이루어진 독무덤. ↔이음독 무덤.
외:-독소【外毒素】 명 균체외 독소(菌體外毒素). ↔내독소(內毒素).
외-독자【一獨子】 명 ☞외아들.
외-돌다 자 남과 어울리지 않고 외돌토리로만 베돌다.
외-돌토리 명 외톨이. 준외톨.
외-동¹ 명 ↗외동무니.
외:동²【外東】 명 『지』 경상 북도 경주시(慶州市)의 한 읍(邑). 시의 남동쪽에 위치함. 쌀·보리·콩·감자 등을 생산하며 사과·배 등 과수 재배도 활발함. [20,983명(1996)]
외동-고지로 부 〈방〉 외따로.
외동-덤 명 자반 고등어 따위의 배때기에 덤으로 끼워 놓는 한 마리의 새끼 자반. *남매덤.
외동-딸 명 '외딸'의 애칭(愛稱). ↔외동아들.
외동-무니 명 윷놀이에서 한 동으로 가는 말. 준외동.
외동-사니 명 〈방〉 외동무니(평안).
외동-아들 명 '외아들'의 애칭(愛稱). ↔외동딸.
외동-치기 명 〈방〉 단동치기.
외-두부【猥豆腐】 명 불에 구운 두부.
외:두 혈종【外頭血腫】[—쫑] 명 『의』 분만(分娩) 후 2-3일에 신생아(新生兒)의 두개(頭蓋) 표면에 생기는 종류(腫瘤). 원인은 대개 출산시에 협골반(狹骨盤)·거대아(巨大兒) 등으로 말미암은 두개와 골반과의 마찰(摩擦) 또는 겸자(鉗子) ... 血) 등임.
외-둥이 명 '외아들'의 애칭(愛 ...
외:등¹【外等】 명 『역』 시험 성적 ... (零點)인 것.
외:등²【外燈】 명 ↗옥등(屋外燈).
외:-등단【外登壇】 명 『역』 [외(外) ... (大將), '등단'은 장단(將壇)에 오르는 ... 制使)나 총융사(摠戎使) ... 한 군무(軍務)를 ... 되는 일. 통 ...
외-따님 명 남의 '외딸'을 ... 부름.
외-따로 부 홀로 따로 ... 한 경칭(敬稱) ...
외-따롭다 형 ㅂ불 홀로. ¶산 밑에 ...
외-따르다 형 〈방〉 외져 외딴 듯하다. ...
외-딴¹ 명 태껸 같은 ...
외딴² 관 외따로 있는. ... 판을 치는 일 ...
외딴-곳 명 외따로운 곳.
외딴-길 명 외따로이 휘 ...
외딴-몸 명 외로운 몸.
외딴-방【一房】 명 딴 방들은 ...
외딴-섬 명 외따로 있는 섬.
외딴-집 명 홀로 떨어져 외따 ... 떨어져 있는 ...
외딴-치다 자 태껸과 같은 놀이 ...
외-딸 명 ①아들 없이 단 하나뿐 ... 식 가운데 딸로는 한 사람뿐인 ... 치다.
외-떨다 형 홀로 떨어져 있다. ...
외-때기 명 〈방〉 『건』 욋가지. ... (無男獨女). ②여러 자 ...
외-떡잎 [—닙] 명 『식』 한 장의 ...
외떡잎 식물【一植物】[—닙—] 명 ... 子) 식물 가운데서 속씨 식물에 속 ... 의 떡잎을 갖춘 식물. 잎맥은 대개 평 ... 발은 불규칙하게 산재(散在)하며 꽃의 ... (倍數)의 요소로 되어 있음. 보리·벼·... 단자엽(單子葉) 식물. ↔쌍떡잎 식물.
외떡잎 씨앗 [—닙—] 명 『식』 떡잎이 하 ... 같은 것. 단자엽 종자(單子葉種子).
외-떨어지다 형 외롭게 따로 떨어져 있다.
외:람【猥濫】 명 분수에 넘쳐 죄송함. ——하 ...
외:람-되다【猥濫—】[—뙤—] 자 외람한 듯하 ... 씀 드리겠습니다.
외:람-되이【猥濫—】[—뙤—] 부 외람되게.
외:람-스럽다【猥濫—】 형 ㅂ불 보기에 외람하다. 부
외:랑【外廊】 명 집채의 바깥 쪽에 달린 복도.
외:랑-병【外郞餠】 명 찹쌀·멥쌀·칡뿌리의 가루를 ... 랑 때, 고운 검은 설탕을 섞고 다시 쪄 익혀 가늘게 ...
외:랑-식【外廊式】 명 『건』 여러 층인 집에서, 바깥 쪽 ... 리어 있는 형식. 외랑형(外廊型).
외:래【外來】 명 ①밖에서 옴. 외부에서 옴. ②외국에서 옴. ↔재래(在來). ③환자가 외부에서 병원에 다님. 또, 그 환자. ... 에서 그런 환자를 접수하는 부문도 이름. ¶～ 환자.
외:래 관념【外來觀念】 명 『철』 경험(經驗)의 결과로 얻은 관념. ↔본유(本有) 관념.
외:래 문화【外來文化】 명 외국에서 들어온 문화.
외:래-미【外來米】 명 외국미(外國米).
외:래 사:상【外來思想】 명 외국에서 전해온 사상.
외:래 생물【外來生物】 명 우연(偶然)히 도입(導入)된, 토착(土着)이 아닌 생물.
외:래-식【外來式】 명 ①전부터 있어 오던 것과 다른 식. ②외국에서 들어온 방식이나 양식(樣式). 1)·2):↔재래식(在來式).
외:래-어【外來語】 명 『언』 외국으로부터 들어온 말이 국어(國語)에 파고 들어 익게 쓰여지는 말. 곧, 국어화(化)한 외국어. 차용어(借用語). 들온말.
외:래어 표기법【外來語表記法】[—뻡] 명 외래어를 우리 나라 자모인 한글로 표기하는 방법.
외:래-자【外來者】 명 ①외부에서 온 사람. ②외국 사람.
외:래-종【外來種】 명 외국에서 들어온 씨나 품종. ↔재래종(在來種).
외:래-품【外來品】 명 외국에서 들어온 물품. 박래품(舶來品). ↔국산품(國產品).
외:래 하천【外來河川】 명 [exotic river] 『지』 습윤 지대(濕潤地帶)에서 시작하여 사막과 같은 건조 지대(乾燥地帶)를 관류(貫流)하는 큰 하천. 이러한 하천이 있으므로 하천이 발달하지 않는 건조 지대에서도 예로부터 농사가 가능함.
외:래 환:자【外來患者】 명 입원(入院)하지 않고, 밖으로부터 와서 진료(診療)를 받는 환자.
외:레¹ 부 〈방〉 오히려(경기).
외레² [스웨덴 öre] 의명 스웨덴·덴마크·노르웨이의 현행 통화 단위(通貨單位). 1 외레는, 스웨덴에서 백분의 1 크로나(krona), 덴마크·노르웨이에서 백분의 1 크로네(krone).
외레브로 [Örebro] 명 『지』 스웨덴 남부, 엘마렌 호(Hjälmaren 湖) 서단(西端)의 도시. 부근에 철·아연의 광산이 있고, 제화업(製靴業)이 성함.

11세기 이래 교통·상업의 중심지로, 이곳에서 여러 차례 국민 의회가 개최됨. [124,164 명(1994)]

외:려 부 ↗오히려. ¶ ~ 큰 소리 치네.

외:력【外力】 명 ①외부에서 작용하는 힘. 흔히, 재료나 구조 등에 외부에서 가해지는 힘을 이름. ②외적 영력(外的營力). 1)·2): ↔내력(內力).

외:로 부 ①왼쪽으로. ¶ ~ 도시오. ↔오르로. ②비뚤게. 뒤바꿔서. ¶옷을 ~ 입다.

외:로 지나 바로 지나 구 이렇게 되든지 저렇게 되든지. 가로 지나 세로 지나.

외:로-뒤기 명 씨름 재간의 하나. 상대자(相對者)를 안넘시나 혹은 연장걸이로 걸거나 또는 걸린 자가 몸을 외로 뒤어, 상대자를 넘어뜨리는 일.

외로외다 형〈옛〉외롭다. =외ᄅᆞ외다. ¶외로윌 고(孤) ≪字會 下 類合 下 44≫.

외로윈 형〈옛〉외로운. '외로외다'의 활용형. ¶회로리 ᄇᆞᄅᆞ미 외로윈 남ᄀᆞᆯ 부ᄂᆞ니(回風吹獨樹) ≪初杜諺 XXII:33≫.

외로움 명 홀로 쓸쓸함. 고독(孤獨)함.

외로이 부 외롭게. 혼자. ¶ ~ 길을 걸어간다/홀어머니를 모시고 ~ 살고 있다.

외:론【外論】 명 외부 사람의 논평(論評).

외롭다 형ㅂ불 ①의지할 곳이 없다. ¶외로운 신세. ②매우 쓸쓸하다. 고독하다. ¶외로운 밤.

외뢰【磈磊】 명 바위나 산 등의 험한 모양. ——-하다 형여불

외:료【外療】 명〖의〗외과(外科)의 치료.

외:루¹【外壘】 명 바깥 쪽에 있는 보루(堡壘).

외루² 부〈방〉①외로. ②가로.

외:륜【外輪】 명 ①바깥 쪽의 바퀴. ②바퀴 바깥 쪽에 단 쇠나 강철로 만든 둥근 테. ③원형을 이룬 바깥 쪽. 바깥 둘레.

외:륜-산【外輪山】 명〖지〗복성 화산(複成火山)에서 중앙의 분화구(噴火口)를 둥글게 둘러싸고 있는 환상(環狀)의 지형(地形). 오래 된 큰 화산의 화구벽(火口壁)이나 또는 칼데라(Caldera)임. 울릉도(鬱陵島)의 나리동(羅里洞) 같은 것.

외:륜-선【外輪船】 명 외차선(外車船).

외르스테드〔Örsted, Hans Christian〕명〖사람〗덴마크의 물리학자·화학자. 1820년 도선(導線) 옆에 둔 자침(磁針)이 전류에 의하여 힘을 받는 사실을 발견, 전자기 역학(電磁氣力學)의 단서를 열었음. 에르스텟 단위는 그의 이름에서 유래함. [1777-1851]

외ᄅᆞᄫᅵ니 형〈옛〉'외롭다'의 활용형. 외로우니. ¶艱難ᄒᆞ고 외ᄅᆞᄫᅵ니 ≪月釋 IX:22≫.

외ᄅᆞᄫᅵ다 형〈옛〉외롭다. =외ᄅᆞ외다. ¶艱難ᄒᆞ고 외ᄅᆞᄫᅵ니 ≪月釋 IX:22≫/우리 외ᄅᆞᄫᅵ야 ≪月釋 XVII:21≫.

외ᄅᆞ외다 형〈옛〉외롭다. =외로외다·외ᄅᆞᄫᅵ다. ¶孤ᄂᆞᆫ 외ᄅᆞ윌 씨오 ≪楞嚴 V:29≫.

외ᄅᆞ이 부〈옛〉외로이. 외롭게. ¶願ᄒᆞᆫᄃᆞᆫ 노피 예자만ᄒᆞᆫ ᄆᆞ리 등어리 외ᄅᆞ이 녀는 그려기 ᄀᆞᄐᆞ니ᄅᆞᆯ ᄃᆞ려가(願騰六尺馬背若孤征鴻) ≪杜諺 XII:16≫.

외롭다 형〈옛〉외롭다. =외롭다. ¶어시 아ᄃᆞ리 외롭고 입게 ᄃᆞ외야 ≪釋譜 VI:5≫.

외롭다 형〈옛〉외롭다. =외롭다. ¶艱難ᄒᆞ고 외ᄅᆞᄫᅵ니 ≪月釋 IX:22≫.

외:마【畏馬】 명 말을 두려워함. ——-하다 자여불

외-마디 명 ①양 쪽 끝 사이가 밋밋하게 한 결로 된 동강. ¶ ~ 설대. ②한 음절(音節)로 된 소리의 마디. ¶ ~ 소리.

외마디 설대 [—때] 명 외마디로 된 담배 설대.

외마디 소리 명 괴로움을 이기지 못하여 부르짖는 높고 날카로운 한 음절의 소리.

외-마치 명 ①혼자 외로 치는 마치. ②↗외마치 장단.

외마치 장단【—長短】 명〖악〗북이나 장구 등을 고저(高低)나 박자(拍子)의 변함이 없이 단조롭게 치는 장단. 준외마치❷.

외마치질-굿 명〖악〗호남 지방 농악(農樂)의 장단의 하나인 풍류굿의 속칭(俗稱).

외:-막¹【—幕】 명〈방〉원두막.

외:막²【外膜】 명 체내 기관(體內器官)의 겉 쪽에 있는 막(膜).

외:맥【外麥】 명 외국산의 밀이나 보리. ¶ ~ 도입.

외-맹이 명〖광〗광산에서 돌에 구멍을 뚫을 때 한 손으로 쥐고 정을 때리는 망치.

외-며느리 명 단 하나뿐인 며느리.

[외며느리 고운 데 없다] 며느리가 여럿이면 비교해서 좋은 점도 찾을 수 있겠으나 외며느리라 그럴 수 없고, 또 원래 며느리란 밉게 보기로 마련이어서 이르는 말.

외:면¹【外面】 명 ①겉면. ②밖으로 나타난 모양. 외구(外構). 겉모양. 1)·2):↔내면(內面).

외:면²【外面】 명 대면하기를 꺼려 얼굴을 다른 쪽으로 돌려 버림. ¶보자마자 ~하다. ——-하다 자여불

외:면 묘:사【外面描寫】 명〖문〗소설 등에서 인물을 묘사할 때에, 인물의 동작(動作)이나 태도 등 외면에 나타난 상태만을 묘사함으로써 성격이나 심리를 나타내려고 하는 방법. 근대 리얼리즘의 소설에 나타난 기법임. ↔내면 묘사(內面描寫).

외:면 수새【外面—】 명 마음에 없는 말로 그럴 듯하게 발라 맞춤. *면치레. ——-하다 자타여불

외:면 수습【外面收拾】 명 겉치레로 하는 수습. ——-하다 자여불

외:면-적¹【外面的】 명관 겉모양이나 사물의 외부에만 관계하는 모양. 내용(內容)이나 정신(精神)에는 관계가 없는 표면(表面)만의 일. ↔내면적(內面的).

외:-면적²【外面積】 명 물건의 거죽의 면적.

외:면-치레【外面—】 명 겉모양만 번드르르하게 꾸밈. 면치레. 사당치레. ——-하다 타여불

외:-명당【外明堂】 명〖민〗풍수 지리에서, 안산(案山)과 조산(朝山) 사이, 또는 청룡·백호와 안산 사이에 있는 비교적 넓은 평지.

외:-명부【外命婦】 명〖역〗조선 시대 때 왕족(王族)·종친(宗親)의 여자·처(妻) 및 문무관(文武官)의 처(妻)로서 그 부직(夫職)에 따라 봉작(封爵)을 받은 여자의 통칭. 곧 왕족으로 공주(公主)·옹주(翁主)·부부인(府夫人)·봉보 부인(奉保夫人)·군주(郡主)·현주(縣主)와 종친의 처(妻)로 부부인(府夫人)·군부인(郡夫人)·현부인(縣夫人)·신부인(愼夫人)·신인(愼人)·혜인(惠人)·온인(溫人)·순인(順人) 등과 문무관의 처로 정경부인(貞敬夫人)·정부인(貞夫人)·숙부인(淑夫人)·숙인(淑人)·영인(令人)·공인(恭人)·의인(宜人)·안인(安人)·단인(端人)·유인(孺人) 등의 일컬음. ↔내명부(內命婦). *종부직(從夫職).

외:모¹【外侮】 명 ①외국으로부터 받는 모욕(侮辱). ②외부로부터 받는 모욕. 외욕(外辱).

외:모²【外貌】 명 겉으로의 모습. 겉모양. 외양(外樣). 얼굴 모양. ¶ ~는 반듯하다.

[외모는 거울로 보고 마음은 술로 본다] 술이 들어가면 본심을 털어놓고 이야기하게 되므로 이르는 말.

외:모-도【外模島】 명〖지〗전라 남도의 남해상(南海上), 완도군(莞島郡) 노화읍(蘆花邑) 방서리(防西里)에 위치한 섬. [0.001 km²]

외-목¹ 명 ①↗외길목. ②↗외목 장사.

외:목²【外目】 명 ①〖건〗기둥의 바깥쪽. ↔내목(內目). ②바둑에서, 3선(線)과 5선의 교점(交點). 보통, 귀에 선착(先着)하는 경우에 두어짐. *고목(高目)·소목(小目).

외:목 도리【外目—】 명〖건〗포작(包作) 바깥에 서까래를 얹기 위해서 가로 얹는 도리.

외목 장사 명 자기(自己) 혼자만 단독(單獨)으로 팔아 먹는 장사. 준외목. ——-하다 자여불

외목 장수 명 외목 장사를 하는 사람.

외-목장이 명〈방〉외길목.

외-뭇 명〈방〉외길목.

외-몬다위 명 단봉(單峰) 낙타의 속칭.

외:-몽고【外蒙古】 명〖지〗현재의 몽골 공화국의 영역(領域)에 해당하는 고비 사막 이북의 예전 이름. *내몽고

외:무¹【外務】 명 ①외교에 관한 사무. 외국에 관한 정무(政務). ¶ ~ 당국. ②집 밖에 나다니며 보는 사무. ¶ ~원(員). ③외근(外勤). 1)-3):↔내무(內務).

외:무²【外舞】 명〖악〗선유락(船遊樂)을 출 때 바깥 줄에 동그랗게 빙 돌라 서서 추는 무기(舞妓).

외:무 고등 고시【外務高等考試】 명 5급 공무원의 공개 경쟁 채용(採用) 시험의 하나. 외교직(外交職)에 종사할 공무원 임용(任用)에 실시함. *고등 고시.

외:무 공무원【外務公務員】 명〖법〗외교직(外交職) 공무원·특임 공관장(特任公館長)·외무 행정직 공무원·외신직(外信職) 공무원의 총칭. 대외적으로 국가 이익을 보호·신장하고 외국과의 우호·경제·문화 관계를 증진하며 재외 국민(在外國民)을 보호함을 임무로 함. 외교관(外交官)의 관념보다는 훨씬 범위가 넓음.

외:무 관리관【外務管理官】 [—괄—] 명 외교직 공무원의 직급 명칭의 하나. 외무 이사관의 위. 1급임.

외:무 관인【外務官印】 명〖법〗외무부와 재외 공관에서 외교 문서에 사용하는 관인. 철인(鐵印)과 고무인(印)이 있음.

외:무 대:신【外務大臣】 명 ①〖역〗조선 시대 말에 있었던 외무 아문(外務衙門)의 우두머리. ②외무성(省)의 장(長).

외:무 독판【外務督辦】 명〖역〗독판 교섭 통상 사무(督辦交涉通商事務)의 별칭.

외무르미 명〈방〉오무래미.

외:-무릅 명 ↗오이무름.

외무릎-꿇기 [—꿀키] 명〖민〗줄타기에서, 한쪽 무릎을 꿇고 앞으로 나가는 재주.

외무릎꿇기-풍치기 [—꿀키—] 명〖민〗줄타기에서, 한 무릎을 꿇고 한 발은 줄을 디디고 앞으로 나가면서 일어섰다 앉았다 하는 재주. 외무릎풍치기.

외무릎-풍치기 명〖민〗외무릎꿇기풍치기.

외무릎-황새두렁넘기 [—끼] 명〖민〗줄타기에서, 외무릎을 꿇고 줄 위에서 황새걸음으로 논두렁을 넘듯이 걸어가는 재주. 황새두렁넘기.

외:무-부【外務部】 명 전에 외국과의 통상, 조약, 국제 협정 등 업무를 관장하던 행정 각부의 하나. 1998년 정부 조직 개편에 따라, 외교 통상부(外交通商部)로 개편됨.

외:무 부:이사관【外務副理事官】 명 외교직 공무원 직급 명칭의 하나. 외무 서기관의 위, 외무 이사관의 아래. 3급임.

외:무부 장:관【外務部長官】 명〖법〗외무부의 장이었던 국무 위원.

외:무 사:무관【外務事務官】 명 외교직 공무원 직급 명칭의 하나. 외무 서기관의 아래. 5급임.

외:무 사원【外務社員】 명 은행이나 회사 등에서 교섭이나 권유·선전·판매 등을 위하여 고객을 방문하는 일을 주로 하는 사원. 외무원.

외:무 서기관【外務書記官】 명 외교직 공무원 직급 명칭의 하나. 외무

사무관(外務事務官)의 위, 외무 부이사관의 아래. 4급임.
외:무-성【外務省】명 일본·러시아 같은 나라의 중앙 행정 기관인 성(省)의 하나. 우리 나라의 외무부에 상당함.
외:무 아:문【外務衙門】명 〖역〗 조선 시대 말 외국과의 교섭·통상(通商) 등의 사무를 총할(總轄)하던 관아. 고종(高宗) 31년(1894)에 통리 교섭 통상 사무 아문(統理交涉通商事務衙門)의 후신(後身)으로 베풀었다가 이듬해에 외부(外部)로 고치었음.
외:무-원【外務員】명 외교원(外交員).
외:무 이:사관【外務理事官】명 외교직 공무원 직급 명칭의 하나. 외무 부이사관의 위, 외무 관리관의 아래. 2급임.
외:무 장:교사【外務掌交司】명 〖역〗 장교사(掌交司).
외:-무주장【外無主張】명 집안에 살림을 주장할 만큼 장성한 남자가 없음. *내무주장(內無主張). ——-하다 형여불
외:무 통:일 위원회【外務統一委員會】명 국회 상임 위원회의 하나. 외무부 및 통일원의 소관 사항, 민주 평화 통일 자문 회의의 사무에 관한 사항 등을 심의함.
외:무 행정【外務行政】명 〖법〗 국가의 대외적(對外的) 작용, 곧 열국(列國)과 교섭하여 국가의 국제적 지위를 주장하며, 외국에 있어서의 자국민의 이익을 보호하며, 또 열국과 함께 세계 평화와 문화에 공헌하기 위한 작용.
외:무 행정 관리관【外務行政管理官】[—괄—] 명 외무 행정직 공무원의 직급 명칭의 하나. 외무 행정 이사관의 위. 1급임.
외:무 행정 부:이사관【外務行政副理事官】명 외무 행정직 공무원의 직급 명칭의 하나. 외무 행정 서기관의 위, 외무 행정 이사관의 아래. 3급임.
외:무 행정 사:무관【外務行政事務官】명 외무 행정직 공무원의 직급 명칭의 하나. 외무 행정 주사의 위, 외무 행정 서기관의 아래. 5급임.
외:무 행정 서기【外務行政書記】명 외무 행정직 공무원의 직급 명칭의 하나. 외무 행정 서기보의 위, 외무 행정 주사보의 아래. 8급임.
외:무 행정 서기관【外務行政書記官】명 외무 행정직 공무원의 직급 명칭의 하나. 외무 행정 사무관의 위, 외무 행정 부이사관의 아래. 4급임.
외:무 행정 서기보【外務行政書記補】명 외무 행정직 공무원의 직급 명칭의 하나. 외무 행정 서기의 아래. 9급임.
외:무 행정 이:사관【外務行政理事官】명 외무 행정직 공무원의 직급 명칭의 하나. 외무 행정 부이사관의 위, 외무 행정 관리관의 아래. 2급임.
외:무 행정 주사【外務行政主事】명 외무 행정직 공무원의 직급 명칭의 하나. 외무 행정 주사보의 위, 외무 행정 사무관의 아래. 6급임.
외:무 행정 주사보【外務行政主事補】명 외무 행정직 공무원의 직급 명칭의 하나. 외무 행정 서기의 위, 외무 행정 주사의 아래. 7급임.
외:무 행정직 공무원【外務行政職公務員】명 외무(外務) 공무원의 하나. 외무부에 소속되어 외무 행정 업무를 담당함.
외:무 협판【外務協辦】명 〖역〗 ①협판 교섭 통상 사무(協辦交涉通商事務)의 별칭. ②조선 시대 말 외무 아문(外務衙門)의 차관(次官) 벼슬.
외-문[1]【—門】명 외짝으로 된 문.
외:문[2]【外門】명 바깥문.
외:문[3]【外問】명 초상집에 가서 들어가지 않고 문 밖에서 위로하여 묻는 일. ——-하다 자여불
외:문[4]【外聞】명 바깥 소문.
외-문갑【—文匣】명 짝을 이루지 않고, 외짝으로 쓰게 된 문갑. ↔쌍(雙)문갑.
외:물【外物】명 ①외계의 사물(事物). ②〖철〗 마음에 접촉되는 객관적 세계(客觀的世界)에 존재하는 모든 대상(對象).
외:미【外米】명 ↗외국미(外國米). ¶ ~ 도입.
외-미닫이 [—다지] 명 한 짝으로 된 미닫이.
외:-민족【外民族】명 자기 민족 이외의 다른 민족. 타(他)민족.
외-바퀴 명 짝을 이루지 아니한 단 하나의 바퀴.
외바퀴-차【—車】명 일륜차(一輪車).
외:박[1]【外泊】명 일정한 숙소(宿所) 이외의 딴 데서 잠. 밖에 나가 잠. 외숙(外宿). ¶ ~이 잦다. ——-하다 자여불
외:박[2]【外舶】명 외국의 선박. 외선(外船).
외-박각시 명 〖충〗 줄박각시.
외:박 신고【外泊申告】명 기숙사나 병영(兵營) 등의 단체 생활에서, 외박할 때 소정(所定) 사항을 기입하여 신고하는 일.
외:반-슬【外反膝】명 엑스각(X 脚). ↔내(內)반슬.
외-발 명 두 발이 아닌, 한쪽만의 발.
외발-뛰기 명 외발로 뛰는 동작. 또, 외발로 멀리 뛰는 동작.
외발-제기 명 ①한 발로 차는 제기. ↔두발제기. ② ☞ 외알제기.
외-방[1] 명 〈방〉 단방(單放)❶.
외:방[2]【外方】명 ①서울 밖의 모든 지방. 외하방(外下方). 외지(外地). ②바깥 쪽. 외면. 외부.
외:방[3]【外防】명 외적에 대한 방어. ¶ ~을 튼튼히 하다.
외:방[4]【外邦】명 외국(外國). 타국(他國).
외:방[5]【外房】명 ①바깥에 있는 방. ②첩(妾)의 방.
외방-무덤 [—房—] 명 〖고고학〗 널방 하나만으로 이루어진 무덤. 단실묘(單室墓).
외:방 무:세【外方巫稅】명 〖역〗 예전에, 지방에 사는 무당에게서 받던 무세(巫稅)의 한 가지. ↔경무세(京巫稅).
외:방 별과【外方別科】명 〖역〗 임금의 특지(特旨)로 중신(重臣)이나 어사(御史)를 보내어, 제술(製述) 또는 무예(武藝)로써 평안도·함경도·강화(江華)·제주(濟州) 사람을 시취(試取)하던 일. 여기에 합격하면 문무과(文武科)의 전시(殿試)에 직부(直赴)할 수 있는 자격을 주었음.
외:방 사송【外方詞訟】명 〖역〗 조선 시대 때, 지방관인 수령·관찰사가 다루는 소송(訴訟).
외:방-살이【外方—】명 지방관으로 임명되어 외방에 가서 살림하는 일. ——-하다 자여불
외:방-인【外邦人】명 외국인.
외:방 출입【外房出入】명 딴 여자를 보고 다님. 계집질을 하고 다님. ——-하다 자여불
외:-밭 명 오이나 참외를 가꾸는 밭. 과전(瓜田).
[외밭 원수는 고슴도치고 녀하고 나하고의 원수는 중매쟁이라] 중매 결혼하고 불화(不和)하게 지내는 부부가 중매쟁이를 원망하여 이르는 말.
외:-배엽【外胚葉】명 [ectoderm] 〖생〗 발생 초기의 동물에 있어 수정(受精)된 난세포(卵細胞)가 분열하여 생긴 배낭(胚囊) 외부의 세포층(細胞層). 중추 신경(中樞神經)·감각 기관(感覺器官)·피부 등을 형성하는 부분임. ↔내배엽(內胚葉).
외:배엽성 중배엽【外胚葉性中胚葉】명 [mesectoderm] 〖생〗 척추 동물(脊椎動物)의 배(胚)에서 간충 조직(間充組織)·연골(軟骨)·색소 세포(色素細胞) 등의 중배엽성(中胚葉性) 조직을 형성하는 외배엽성 세포군(群). 무(無)척추 동물에서는 외배엽으로부터 분생(分生)하는 중배엽을 이름.
외:배엽-형【外胚葉型】 명 미국의 심리학자 셸던(Sheldon, William Herbert: 1898-1977)에 의하여 분류된 체형(體型)의 하나. 태생기(胎生期)의 외배엽에서 발생하는 피부 조직·감각 기관·신경 계통이 발달하여 있으며, 연약(軟弱)한 형(型)임.
외:-배유【外胚乳】명 [perisperm] 〖생〗 배낭(胚囊) 밖에 있는 주심(珠心) 조직이 양분을 저장하여 저장 조직으로 된 것. 참다운 배유가 아님. ↔내배유(內胚乳).
외:-백호【外白虎】명 〖민〗 백호 중에 가장 바깥 쪽에 위치한 백호. ↔내백호(內白虎).
외:번【外藩】명 ①외국 또는 외국인을 멸시하여 이르는 말. ②황제·왕후 직할지에 대하여, 제후·영주가 다스리는 나라를 이름.
외:번-족【外翻足】명 발목 관절의 이상에 의하여 발끝이 바깥 쪽으로 또는 새끼발까락이 위 쪽을 향하여 움직이는 상태에 있는 발. 발바닥의 바깥 쪽이 바닥에서 떨어지고 안 쪽이 강하게 바닥에 눌려서 서기 때문에 편평족(扁平足)이 됨. 버드렁발.
외벌-노 [—로] 명 얇은 종이로 비벼 꼰 노.
외벌 매듭 명 한 번만 맺은 매듭.
외:벌-적【外罰的】[—쩍] 명관 〖심〗 뜻대로 되지 아니하는 일이 생겼을 때, 그것을 타인에게 책임을 돌리는 경향. ↔무(無)벌적·내(內)벌적.
외:법【外法】명 〖불교〗 불교 이외의 교법(敎法). ↔내법(內法).
외:-법당【外法幢】명 〖역〗 신라 시대의 군부대. 소속 군관으로는 법당두상(法幢頭上) 102명과 법당 벽주(法幢辟主) 306명을 두었음.
외베를란 [Överland, Arnuf] 명 〖사람〗 노르웨이의 시인. 《쓸쓸한 제전》·《백개의 바이올린》 등에서는 고독에 파묻힌 시인이었으나, 니체·하이네·마르크스 등과 친교하면서 점차 급진화하여, 제2차 세계 대전에서 철저한 항전을 호소함. 전후에는 국민 시인으로서 경애를 받음. [1889-1968]
외-벽[1]【—壁】명 속에 욋가지를 엮어 넣고 흙을 바른 벽.
외:벽[2]【外壁】명 〖건〗 밭벽.
외:변[1]【外邊】명 바깥의 둘레. 바깥 쪽. ↔내변(內邊).
외:변[2]【外變】명 외국에서 일어난 사변(事變).
외:병【外兵】명 외국병.
외:-병도【外並島】명 〖지〗 전라 남도의 서남해상(西南海上), 진도군(珍島郡) 조도면(鳥島面) 외병도리(外並島里)에 위치한 섬. [0.73 km²: 86명(1984)]
외:-병조【外兵曹】명 〖역〗 조선 시대 때 병조(兵曹)의 이칭(異稱). ↔내병조(內兵曹).
외:보【外報】명 외국으로부터의 통신 보고.
외:-보도리 명 오이를 썰어서 소금에 절인 후에 기름에 볶은 음식.
외:보살 내:야차【外菩薩內夜叉】구 겉으로 보기에는 아주 착한 것 같으나 내심은 음흉한 사람을 이름.
외:복[1]【畏伏】명 두려워 엎드림. ——-하다 자여불
외:복[2]【畏服】명 남이 두려워 복종함. ——-하다 자여불
외:봉【外封】명 겉봉❶.
외:봉-선【外縫線】명 〖식〗 피자 식물(被子植物)에서 수꽃술로 변(變)한 잎의 주맥(主脈). ↔내봉선(內縫線).

〈외봉선〉

외-봉우리 명 외따로 떨어져 솟은 산봉우리.
외:봉 치다【外—】타 남의 물건(物件)을 훔쳐 딴 곳으로 옮겨 놓다. *외집(外執).
외:부[1]【外部】명 ①바깥 쪽. ②그 조직에 속하지 않은 범위. ¶ ~ 인사(人士). 1)·2): ↔내부. ③〖역〗 조선 시대 말엽 고종(高宗) 32년(1895)에 외무 아문(外務衙門)의 후신(後身)으로 베푼 관아. 광무 10년(1906)에 의정부(議政府) 외사국(外事局)이 됨.
외:부[2]【外婦】명 외첩(外妾).
외:부 감:각【外部感覺】명 〖심〗 외계(外界)의 자극에 의하여 일어나는 감각. 시각(視覺)·청각·미각·촉각 등. 외감각(外感覺). ㊀외감(外感). ↔내부 감각(內部感覺).
외:부 감사【外部監査】명 〖경〗 피(被)감사 조직과는 제삼자인 외부 사

…배를 받음. *내안

(外轉) 신경의, 나머지는 모두 동안(動眼)의 가지. 뇌저(腦底)의 종양·출혈·매독 등의 염증·종양 등 …이 마비되어, …가 마비되어 …하는 질환. 근(內眼筋). …시(複視)는 신경의 마비로 …

외:안근 마비【外眼筋痲痺】명 …

…(海上), 신안군(新安郡) … [0.14km²]

…원인으로 외안근 가운데 … 된 근육의 작용 … 원리)에서 말하는, 안산 가 … 자신의 … 개만 들어 있는 물건의 …

양(腫瘍)·출혈… 다 재

… 디디어서 걷는 마. ②나귀 따위 … 하는 것. ——-하다 재여불

… 종언을 번복하다.

… 압력. ¶~에 굴복 …

… 망함. ——-하다 명 … 이루·삼루를 뺀 베 …

①야구에서, 일루(一壘)·본루(本壘)와 일루 및 삼루를 맺 … 바깥 쪽으로서, 브. ②↗외야수(外野手). 1)·

… 싸인 지역. 아外野席).

… 인필드. ③↗외 …

… 외어서다. … 야 주위에 설치된 관람석(觀覽席).

…】명 야구 …

… 서, 외야를 맡아 지키는 선수. 곧, 우익수 … 中堅手)의 총칭. 아웃필더. 준외야. ↔내야

…外野手】명 … 좌익수·… 용약(外用藥). ↔내약(內藥).

…手)·인필 … 전라).

…【外藥】… 오얏(충청).

… 관 … 명 육지에서 멀리 떨어진 넓은 바다. 외해(外海). 원양(遠 …

…얏 명 (內海).

…:양(…樣) 명 겉 모양. 겉보기. 겉모골. 외모(外貌). ¶~이 흉하다.

…養) 명 ①↗외양간. ②마소를 기름. ——-하다 타여불

…간【喂養間】[—깐] 명 마소를 먹여 기르는 곳. ¶소 잃고 ~ 고친 … 준외양³.

외양간 두엄【喂養間—】[—깐—] 명 외양간의 똥오줌과 먹이 찌끼 등이 섞여 썩은 거름.

외:양-미【外樣美】명 외양으로 본 아름다움.

외:양-수【外洋水】명 하천(河川)의 물이 섞이지 않은 난바다의 물. ↔연안수(沿岸水).

외:양-치레【外樣—】명 〈방〉 면치레.

외양-풀【喂養—】명 마소를 기르는 데 쓰는 마른 풀이나 외양간에 깃으로 넣어 주는 풀. 흔히, 초가을에 베어서 말린 건초.

외얏 명 〈옛〉 오얏. =외얏·외엿. ¶짐즛 쁜 외야지나 어더먹놋다(故索苦李飡)《杜諺 I:12》.

외:어¹【外語】명 ↗외국어.

외:어²【猥語】명 난잡하고 음탕한 말. 외언(猥言).

외-어깨 명 한쪽 어깨.

외:-어기모【外禦其侮】명 …부의 부끄러운 모욕을 막음.

외:-어물전【外魚物廛】명 역 조선 시대 때 서울 서소문(西小門) 밖에 모여 있던 어물전. 유분(有分廛)의 하나로 국역(國役) 사분(四分)을 부담하였음. 순조 원년(1801)에 내어물전(內魚物廛)과 합하여 한 주비(注比)가 됨. ↔내어물 … *육주비전(六注比廛).

외어-서다 재 ①길을 비 … 서다. ¶자동차가 오니 외어서라. ②다른 쪽으로 방향을 바꾸어 … 다. ¶바람이 세게 불어 ~.

외어-앉다 [—안따] … ①자리를 비켜서 앉다. ②다른 쪽으로 몸을 돌리어 앉다.

외어-잡이 명 〈방〉 … 잡이.

외:언【猥言】명 … 고 음탕(淫蕩)한 말. 외어(猥語).

외-엮이【椳—】[… 명 토벽(土壁)을 하기 위하여 가로 세로 외를 엮는 일. 또, … ——-하다 재여불

외에 형 〈옛〉 … 릇되게. '외다'의 활용형. ¶던더디 녀를 외에 아 … 《法語 4》.

외:-여갑당【…幢】명 역 신라 때의 군대의 이름. 삼십구 여갑당(三十九餘甲幢)의 하나. … 니나라 …

외:여갑당-주【外餘甲幢主】명 역 신라 때 외여갑당의 무관(武官) 벼슬. 위계는 급찬(級湌)에서 사지(舍知)까지.

외:역【外役】명 ①밖에 나가서 하는 노동. ②외국으로 출병(出兵)하는 일. 외귀 … ——-하다 재여불

외:역-전【…田】명 역 향리(鄕吏)에게 주는 논밭.

외:연【外延】명 [extension] 논 ①개념(槪念)이 적용되는 사물 전체. 개념에 대한 일컬음. 이를테면, 금속이란 개념의 외연은 금·은·… 의 총임. ↔내포²(內包). ②조건을 충족시키는 것의 전체에서 은 집합(集合)의, 본디의 조건에 대한 일컬음.

외:연【外宴】명 역 ↗외진연(外進宴).

외:연【外緣】명 ①가장자리. 둘레. ↔내연(內緣). ②불교 밖에서 이 … 과(業果)를 생기게 하는 인연.

외:연【巍然】명 외외(巍巍)❶. ——-하다 형여불. ——-히 부

외:연 기관【外燃機關】명 [external combustion engine] 물 열기관(熱機關)의 하나로 연료를 기통(氣筒) 외부에서 직접 연소(燃燒)시키는 원동기(原動機)의 총칭. 증기 기관(蒸氣機關)·전기(電氣) 기관 등이 있음. ↔내연(內燃) 기관.

외:연-도【外煙島】명 지 충청 남도의 서해상(西海上), 보령시(保寧市) 오천면(鰲川面) 외연도리(外煙島里)에 위치한 섬. 마을 뒤 야산에 천연기념물로 지정된 동백나무 숲이 있으며, 근해에는 전복·해삼을 비롯해 삼치·큰새우·꽃게·우렁 등의 어장이 형성되어 있음. [0.53km²]

외:연-량【外延量】[—냥] 명 [도 extensive Größe] 논 칸트 철학의 용어. 동일한 종류의 두 가지 또는 그 이상의 양이 모여 전체를 이루었다고 생각되는 양. 도량형(度量衡)으로서 잴 수 있는 양은 모두 이 종류의 양임. ↔내포량(內包量).

외:연적 논리학【外延的論理學】[—놀—] 명 [extensional logic] 논 외연을 같이 하는 개체(個體)·술어(述語)·명제(命題)를 각각 동일한 것이라고 하여 취급하는 논리학. 이를테면, 술어 P와 술어 Q는, 만약 외연이 같다면 동일한 것으로 생각되는 따위.

외:-연합【外聯合】명 심 연상(聯想)의 한 가지. 관념(觀念)의 연합이 언어(言語)의 외형과 비슷하다는 이유(理由)만으로 내용에는 무관계(無關係)하게 행하여지는 것. 꿈 속에서의 사고(思考), 일부 동양인의 사고에서 볼 수 있는 '4는 사(死)와 통한다'는 따위의 미신적(迷信的) 태도를 이름.

외:열【外熱】명 ①밖의 더운 기운. ②한의 몸 거죽의 열기.

외:염【外焰】명 화 겉불꽃. ↔내염(內焰).

외엿 명 〈옛〉 오얏. =오얏. ¶외엿 니(李)《字會 上 11》.

외:예【猥穢】명 더러운 일. 또, 더러운 물건.

외오¹ 부 〈옛〉 그릇. 잘못. ¶외오 제 기리누다(謬自褒揚)《永嘉 下 75》/忠臣을 외오 주겨늘(擅殺忠臣)《龍歌 106章》.

외오² 부 〈옛〉 외따로. 멀리. ¶즈믄 히를 외오곰 녀신돌 信잇돈 그츠리잇가《樂詞 西京別曲》.

외오다¹ 타 〈옛〉 에우다. ¶한 비롤 아니그치샤 날므를 외오시니(洒回潢洋)《龍歌 68章》.

외오다² 타 〈옛〉 외다. ¶誦은 외올 씨라《月序 23》.

외:오아【畏吾兒】명 역 '위구르(Uighur)'의 취음.

외오이다 타 〈옛〉 외우게 하다. ¶后ㅣ小學書를 외오이시고(后命誦小學書)《初內訓 Ⅱ 下 50》.

외:-오포【外五包】명 건 공포(貢包)가 오중(五重)으로 된 외포(外包).

외-올¹ 명 여러 겹으로 겹치지 아니한 단 하나만의 올. ¶~실.

외:올²【畏兀】명 역 '위구르(Uighur)'의 취음.

외올-뜨기 명 외올로 뜬 망건(網巾)이나 탕건(宕巾).

외올 망건【—網巾】명 외올로 뜬 품이 좋은 망건.

외올-베 명 가제(Gaze)나 붕대 등으로 쓰이는 외올 무명실로 짠 얇고 부드러운 베. 난목.

외올-실 명 외올로 된 실. 외겹실. 홑실.

외올 탕:건【—宕巾】명 외올로 뜬 품이 좋은 탕건.

외:-왕모【外王母】명 외조모.

외:-왕부【外王父】명 외조부.

외외¹【嵬嵬】명 산이나 바위 등이 높은 모양. ——-하다 형여불

외외²【嵬嵬】명 외급(嵬岌). ——-하다 형여불

외외³【巍巍】명 ①높은 산이 우뚝 솟은 모양. 외아(巍峨). 외연(巍然). ¶~히 건너다 보이는 대각(臺閣)은 엎드러지면 코 닿을 듯하여도 급한 경사는 그리 쉽지 않았다《廉想涉: 標本室의 청개구리》. ②인격이 높고 뛰어남. ——-하다 형여불. ——-히 부

외:-외가【外外家】명 어머니의 외가.

외외 당당【巍巍堂堂】명 높은 산이 우뚝 솟아 있어 웅대(雄大)한 모양. ——-하다 형여불

외:욕【外辱】명 외모(外侮)❷.

외욕-지가리 명 〈방〉 욕지기. ——-하다 재

외욕-지기 명 〈방〉 욕지기. ——-하다 재

외욕-질 명 속이 좋지 않아 욕지기를 하는 짓. 준왹질. ——-하다 재여불

외욤 타 〈옛〉 그릇됨. '외다'의 명사형. ¶邪훈 외요물 기피 마가샤미니(深防邪謬)《楞嚴 Ⅸ:83》.

외:용¹【外用】명 몸의 외부에 씀. ¶~약.

외:용²【外容】명 거죽의 모양. 외형(外形).

외:용-약【外用藥】[—냑] 명 피부에 붙이거나 바르거나 씻는 데에 쓰는 약. 외과용(外科用)의 약. 외제약(外製藥). 피부약. 준외약(外藥). ↔내복약(內服藥).

외용죄용 부 〈옛〉 윙윙 우는 소리. ¶三年 묵은 뭘가죽은 외용죄용 우지는듸《古時調 달바즈 永言》.

외:우¹【外憂】명 ①외환(外患). ②외간(外艱).

외:우²【畏友】명 가장 아껴 존경하는 벗.

외우³ 부 ①외지게. ¶~ 서 있는 오막살이 집. ②멀리.

외우다 타 ①글을 눈으로 보지 않고 읽다. ¶시구(詩句)를 ~. ②암기(暗記)하다. 준외다².

외우-서다 재 〈방〉 외어서다.

외:원¹【外苑】명 궁궐(宮闕) 등의 바깥 쪽에 있는 넓은 정원. ↔내원(內苑·內園).

외:원²【外員】명 지방 관청의 벼슬아치.

외:원³【外院】명 불교 외금강부원(外金剛部院).

외:원⁴【外援】명 ①외부(外部)로부터의 지원(支援). ②외국의 원조(援助). ¶~ 물자.

외:원 단체【外援團體】명 ↗외국 민간 원조 단체.

외:위¹【外位】명 역 신라 때 오경(五京)과 구주(九州)에 둔 향직(鄕職).

악간(嶽干)에서 아척(阿尺)까지 열 등급이 있었음.

외:위²【外圍】명 ①바깥의 둘레. 외부의 범위. ②〖생〗생물체의 겉에 있는 모든 것.

외:위-선【外圍線】명 밖으로 둘린 선.

외:유¹【外油】명 외국산의 기름. 외국에서 수입한 원유(原油).

외:유²【外柔】명 성질이 겉으로 보기에는 부드러움. ¶~ 내강. ↔내유(內柔). ——-하다 형여불

외:유³【外遊】명 공부 또는 유람할 목적으로 외국에 여행함. ¶~하고 돌아왔다. ——-하다 자여불

외:유 내:강【外柔內剛】명 겉으로는 부드럽고 순(順)한 듯이 보이나 속은 꿋꿋하고 곧음. ↔외강 내유(外剛內柔). *강유 겸전(剛柔兼全). ——-하다 형여불

외:-유성【外遊星】명〖천〗외행성(外行星).

외:율¹【外律】명〖수〗외항(外項). ↔내율(內律).

외:율²【外率】명〖수〗외항(外項). ↔내율(內率).

외율³【猥栗】명 구운 밤.

외:은【外銀】명 ↗외국 은행(外國銀行).

외:은 유:전스 빌【外銀—】[usance bill] 명〖경〗수입에 따르는 유전스 빌의 결제에 임하여, 외환 은행의 코레스폰던스선(correspondence 先)의 외국 은행으로부터 자금의 융통을 받는 일. 수출상(輸出商)이 유전스 빌을 발행하면 외국 은행에 의하여 할인되어, 수입상 및 수입국에서 외화 자금의 조작을 쉽게 할 수 있음.

외:-음부【外陰部】명〖생〗생식기 중 몸 밖에 드러나 있는 부분. 남자에서는 음경(陰莖)과 음낭(陰囊), 여자에서는 대음순(大陰脣)·소음순(小陰脣)·질전정(膣前庭)·외요도구(外尿道口)·대전정선(大前庭腺)·처녀막(處女膜) 등임. 외생식기. 외성기(外性器).

외:음-염【外陰炎】[—념] 명〖의〗외음부의 피부(皮膚)에 생기는 염증. 외음부의 피부의 저항이 약한 소녀나 임부(姙婦)에게 흔한데 세균 감염(細菌感染) 및 임균(淋菌)·연성 하감균(軟性下疳菌)·결핵균 등에 의하여 생기며 붉은 종창(腫脹)과 농성(膿性)·점액성(粘液性)·장액성(漿液性)의 여러 가지 분비물(分泌物)이 나오며 국소(局所)에 동통(疼痛)·작열감(灼熱感)을 느낌.

외:읍【外邑】명 외딴 시골. 외시골.

외:응【外應】명 ①밖에 있는 사람과 몰래 통함. ②외부에서 일어나는 반응. ——-하다 자여불

외:의¹【外衣】[—/—이] 명 ①겉에 입는 옷. ↔내의(內衣). ②〖식〗피자 식물(被子植物)의 줄기 끝에 있는 분열 조직(分裂組織)의 바깥 쪽 층(層). 수직(垂直) 분열을 반복하여 표면의 증대(增大) 작용을 함.

외:의²【外儀】[—/—이] 명 겉으로 나타나는 위의(威儀).

외:의³【外議】[—/—이] 명 세평(世評).

외의⁴【嵬嶷】[—/—이] 부 높고 큰 모양. ——-하다 형여불

외-이¹ 명〖언〗〈방〉딴이.

외:이²【外耳】명〖생〗귀의 바깥 쪽 부분. 외이도와 이각(耳殼)으로 이루어졌는데 고막과 중이(中耳)를 보호하며 음향(音響)을 받아서 고막에 전함. 겉귀. ↔내이(內耳).

〈외이²〉

외:이³【外夷】명 미개한 다른 민족. 오랑캐.

외이다 타〈방〉외다³.

외:-이도【外耳道】명〖생〗이각(耳殼)에서 섭유골(顳顬骨)을 지나 고막으로 통하는 S자 모양의 관(管). 귓구멍. 외청도(外聽道).

외:이도-염【外耳道炎】명〖의〗외이도의 급성 염증(急性炎症). 작은 상처로부터 화농성(化膿性) 포도상 구균(葡萄狀球菌)이 들어가서 일어남. 이통(耳痛)·이명(耳鳴)·난청(難聽)·발열(發熱) 등의 증상이 일어남. 국한성(局限性) 외이도염과 미만성(瀰漫性) 외이도염의 두 가지가 있음. 외이염. 외청도염.

외이-숙도기 명〈방〉바람개비².

외:이-염【外耳炎】명〖의〗외이도염.

외:인¹【外人】명 ①한 집안·한 단체 또는 한 나라 밖에 있는 사람. ¶~이 알면 안 되오. ②어느 일에 관계 없는 사람. ¶~은 참견할 바 아니다. ③↗외국인❶. ¶~ 부대. ④외교인(外教人).

외:인²【外因】명 ①그것 이외의 원인. ②외적(外的)인 원인. ↔내인(內因)·심인(心因).

외:인³【外姻】명 외척(外戚)❷.

외:인-법【外人法】[—뻡] 명〖법〗외국인의 법률상의 지위(地位)를 규정(規定)하고 있는 국내 실질법(實質法). 외국인 토지법의 여러 규정 따위가 이에 속함.

외:인 부대【外人部隊】명 외국인으로써 편성된 용병(傭兵) 부대. 가장 유명한 부대는 알제리(Algérie)에 주둔(駐屯)하던 프랑스의 외인 부대로서 시디벨아베스(Sidi-bel-Abbes)와 *사이다(Saida)* 두 곳에 연대 본부(聯隊本部)가 *있었음. 전력(前歷)*을 일체 가리지 않으므로, 범죄자*(犯罪者)나 정치적* 망명자 또는 세상에서 버림을 받은 자들의 집합처로 알려짐. 제2차 세계 대전 후 북아프리카의 여러 식민지(植民地)가 독립한 후 거의 없어짐.

외:인성 정신병【外因性精神病】[—썽—뼝] 명〖의〗뇌의 질환·뇌의 손상·중독·중증(重症)의 신체적 질환 등에 의한 외인으로 일어나는 정신병. 노인성 치매(癡呆)·증후성(症候性) 간질·진행 마비·뇌매독(腦梅毒)·악액질(惡液質) 같은 것. ↔내인성(內因性) 정신병·심인성(心因性) 정신병.

외:인 영양소【外因營養素】[—녕—] 명 음식물로부터 섭취하는 질소(窒素) 함유

외:인적 성:질 … 이나 … 완전성(…

體)의 …

외:일【畏…

외:임【外任…

외:-임파【外… 路)와 막미로… 역할을 함. ↔내…

외:입【外入】명 …

외:입-장이【外入—

…벌레 명〖충〗… 몸… 7-8 mm이고 … 그 외는 모두 광택 … 의 횡구(橫…)가 있고 … 대해충(大害…)으로…

외잎-쑥 명〖식〗[Arte… 속하는 다년초. … 높 … 단병(短柄), 달걀… 월에 담황색 두상화(… 높은 산의 골짜기에 나… 부전 고원 등에 분포함.

외자¹ 명〈방〉외상(外上).

외-자²【一字】명 한 글자.

외:자³【外字】명 외국의 글… 자(文字).

외:자⁴【外資】명 ①외국으로… 금이나 물자. ¶~ 도입. ②… 자본. ③〖법〗외국 정부 또는 … 여(供與)된 원조 자금 또는 차… 도입된 물자 및 용역(用役)과 … (對充資金)과 이에 의하여 건설…

외자⁵【煨瓷】명〖미술〗장태(漿胎…

외:자계 기업【外資系企業】명 … 된 순외자 회사, 자국 기업·자국인… 설립된 합판(合辦) 회사, 외국 기업… 도입 회사의 세 가지의 총칭.

외자 관례【—冠禮】[—괄—] 명 약혼한 데도 없이 … 일. 외상 관례. *외자 상투. ——-하다 자여불

외:자 관리법【外資管理法】[—괄—뻡] 명〖법〗외자의 효율… 리와 사용의 적정(適正)을 기함을 목적으로 제정된 법.

외:-자궁【外梓宮】명 외재궁(外梓宮).

외:자 도:입【外資導入】명〖경〗정부나 공공 단체·사업체 등이 외국의 자본이나 기술을 끌어들이는 일. 자본 축적(資本蓄積)의 보완(補完), 경제의 발전, 국제 수지(國際收支)의 개선(改善) 등의 목적을 가지고 있음. 외국 자본의 형태에 따라 정부 투자와 민간 투자, 도입 형태에 따라 증권 투자·외채(外債) 발행·직접 투자·기술 도입 등으로 구분됨. 외자 수입(輸入).

외:자 도:입법【外資導入法】명〖법〗국민 경제의 건전한 발전을 위해 필요한 외자를 효과적으로 유치(誘致)·보호하고 이를 적절히 관리함을 목적으로 하는 법률. 외국인의 투자·차… 계약·기술 도입 계약·공공 차관 계약·지급 보증 등에 관하여 규함.

외:-자매【外姉妹】명 처의 자매. 처형(兄)·처제(妻弟) 등.

외자 상투 명 약혼한 데도 없이 틀어 … 상투. *외자 관례.

외:자 수입【外資輸入】명〖경〗외자 도… (外資導入).

외-자식【一子息】명 단 하나 뿐인 자식… 자(獨子).

외:자 신문【外字新聞】명 외국의 글자로 … 되는 신문. 외국 신문. 외자지(外字紙).

외:자-지【外字紙】명 외자 신문.

외:자-청【外資廳】명〖법〗전에, 부흥부 … 소속하의 외국(外局). 정부의 외자 도입과 도입된 외자의 관리에 … 사무를 관장하였음. 1961년에 해체되어 그 업무는 경제 기획원 … 수됨.

외:잡【猥雜】명 음탕(淫蕩)하고 난잡(亂雜)함. ——-하다 형여불

외-잡이 명〖고고학〗그릇의 한 쪽에만 달린 … 편이(片耳). *쌍잡이.

외:장¹【外庄】명 먼 곳에 있는 자기 전장(田庄…

외:장²【外場】명 도시의 밖에 있는 시장(市場).

외:장³【外裝】명 ①거죽의 포장. ¶~ 검사. ②… 비(裝備). 바깥쪽의 장식. 외식(外飾). ¶~ 공사. ↔내장.

외:장⁴【外障】명〖한의〗눈알 거죽에 백태가 끼… 안 보이는 병. ↔내장(內障).

외:장 검:사【外裝檢査】명 ①상품 등의 포장 검사 … 군대에서 겉의 장비를 검사하는 일.

외:장골 동:맥【外腸骨動脈】명〖생〗하지(下肢) 전… 있는 동맥.

외:장골 정맥【外腸骨靜脈】명〖생〗하지(下肢) 전… 있는 정맥.

외:장-도【外獐島】명〖지〗평안 북도 정주군(定州郡… 해상에 위치한 섬. [1.928 km²]

외:-장루【外腸瘻】[—누] 명〖의〗장관(腸管)이 어… 아 복벽(腹壁) 같은 곳에 개구(開口)하여 있는 상태. … 말미암아 … 핵(腸結核)·충수염(蟲垂炎) 등의 수술에 의한 장의 … ·장결 … 암음. … 로 말미

(科場) 밖에서 답안
의 하나로 침.

보호하기 위하여 외장

외장 서입
외:장 서입【外場書入】명〖역〗조선
지를 써서 내는 일. 과거(科擧) 제
외:-장조리 명〈방〉오이 장
외:장 케이블【外裝—】〔ca
을 한 케이블.
외재¹ 명〈방〉외상
외:재²【外在】명
대하여 외

가 되고 있는 사물(事物)에
부에 있는 일. ↔내재(內在)

의 장사(葬事)에 쓰는 외곽(外

비평 양식의 한 가지. 작품 내
내부의 분석·비평이 목적이 아
그 계급 의식, 사회적·역사적 의의
은 것으로서, 사회주의적 문예 이론에
평하는 방법. ↔내재 비평(內在批評).
❶. —원리나 기준에 의하여 작품이나 학설
외:-
어떤 것의 밖에 있는 일. 어떤 것의 다
침범하지 않는다는 성질.
재하는 모양·경향.
causa externa〕〖철〗아리스토텔레스 철학의
·변화할 때 그 물건 자체(物件自體) 속에 속하
서 그 운동·변화를 일으키는 원인(原因). 초월인

〖물〗외부 저항. ↔내저항(內抵抗).
명관 ①외부적(外部的). ¶ ~ 조건. ②육체적(肉體
·2): ↔내적(內的).
외부로부터 들어와 자기를 해롭게 하는 도적.
외부로부터 쳐들어오는 적. 외구(外寇). ↔내적(內敵).
명〖수〗3차원 공간의 두 벡터 A,B가 이루는 평행 사변
形)과 넓이가 같고 이 평행 사변형에 수직이며 또한 A의
의 방향으로 오른 나사를 우선(右旋)시킬 때, 그 진행 방향
으로 향하는 벡터를 가리킴. 이 벡터를 벡터 A,B의 외적이
터적(vector 積).
련【外的關聯】[—쩍괄—] 명〖논〗한 사물의 표상이 다른 사
논리적으로 맺고 있는 외적 관계. 외적 연관. ↔내적 관련(內的
生活
생활【外的生活】[—쩍—] 명 인간 생활에 있어서 물질적인 부
. ↔내적 생활.
적 억제【外的抑制】[—쩍—] 명〔external inhibition〕〖심〗정신적·생리적(生理的)인 기능이 어떤 자극(刺戟)을 받아서 다른 기능의 실현을 못하도록 억누를 때, 자극 그것에 의하여 일어나는 운동이 다른 운동과 대립하는 경우. 러시아의 생리학자 파블로프(Pavlov)가 억제를 분류한 말. 외제지(外制止).

외:적 연관【外的聯關】[—쩍년—] 명〖논〗외적 관련. ↔내적 연관(內的聯關).

외:적 연합【外的聯合】[—쩍년—] 명〖심〗접근 연합(接近聯合).

외:적 영력【外的營力】[—쩍녕녁] 명〖지〗유수(流水)·빙하(氷河)·지하수·파도·바람과 같은 지각(地殼)의 바깥에서 작용하는 영력(營力)의 총칭. 외부 영력(外部營力). 외력(外力). ↔내적 영력.

외:전¹【外典】명 ①〖기독교〗경외 성서(經外聖書). ②〖불교〗불경(佛經)이 아닌 다른 서적. ↔내전(內典)·내경(內經).

외:전²【外電】명 외신(外信). ↔내전(內電).

외:전³【外傳】명 정통적(正統的)인 역사·전기(傳記)·주석(註釋) 등에 대하여, 주요한 부분이 빠졌으나 그 보조(補助)가 될 만한 전기·역사·주석 등을 이름.

외:전⁴【外戰】명 ①두 나라 이상 사이의 국제적인 전쟁. ②외국과의 전쟁. 대외전(對外戰). ↔내전(內戰).

외:전-근【外轉筋】명〖생〗근육을 운동면에 의하여 분류한 명칭의 하나. 팔다리 자체는 돌리지 않고 체간(體幹)으로부터 멀리하는 근육.

외:전 신경【外轉神經】명 외선(外旋) 신경.

외:절【外切】명〖수〗외접(外接)❷. ↔내절(內切). ——하다 자여불

외:점【外點】[—쩜] 명〖수〗위상 공간(位相空間) X의 부분 집합 E에 대하여 점 P가 있는 부근이 E와의 공통점을 전혀 갖지 않을 때 P를 E의 외점이라 함. ↔내점(內點).

외:접【外接】명〖수〗①단 하나의 점에서 마주치는 두 개의 원이 서로 다른 편의 외부에 있는 일. ②하나의 다각형의 각 변이 다른 다각형의 각 꼭지점을 지날 때, 전자가 후자에 외접한다고 함. 또, 폐곡선이 하나의 다각형의 각 꼭지점을 포함하는 때도 말함. 외절(外切). ↔내접(內接). ——하다 자여불

외:접-구【外接球】명〖수〗①한 구체(球體)의 단 한 점에서 맞닿는 다른 하나의 구체. ②다면체의 각 꼭지점(點)을 통하는 구(球).

외:접 다각형【外接多角形】명〖수〗①각 변(邊)이 한 원(圓)에 외접하여 된 다각형. 다각형의 각 변이 원에 맞닿으면서 에워쌈. ②다각형의 각 변이 하나의 다른 다각형의 각 꼭지점을 통과하는 다각형. ↔내접 다각형(內接多角形).

외:접 사:각형【外接四角形】명〖수〗외접 사변형.

외:접 사:변형【外接四邊形】명〖수〗①각 변이 하나의 원에 접하는 사변형의 그 원에 대한 호칭. ②그 둘레가 다른 다각형 A의 각 꼭지점(點)을 지나는 사변형의 A에 대한 호칭. 외접 사각형.

외:접-원【外接圓】명〖수〗①한 원(圓)의 밖에 있으며, 또 이것과 접하는 원. ②한 다각형(多角形)의 모든 꼭지점(點)을 다 지나면서 그 다각형을 에워싼 원. ↔내접원(內接圓).

외:접-정【外接頂】명〖수〗한 원(圓)이 다각형(多角形)에 외접할 때에 이 다각형이 원과 맞닿는 각 꼭지점.

외:접-형【外接形】명〖수〗↗외접 다각형. ↔내접형(內接形).

외:정¹【外廷】명 외조(外朝)❶.

외:정²【外征】명 외국(外國)으로 출정(出征)함. 원정(遠征). 외역(外役). ——하다 자여불

외:정³【外政】명 외국에 관한 정치. ↔내정(內政)❷.

외:정⁴【外情】명 외부(外部) 또는 외국의 사정. ↔내정(內情).

외:제¹【外弟】명 ①손아래 처남(妻男). ②이종제(姨從弟). ③아버지가 다른 동생.

외:제²【外制】명〖역〗↗외지제고(外知制誥).

외:제³【外除】명〖역〗조선 시대에, 내직(內職)에 있던 사람을 내보내어 외방(外方)의 수령(守令)을 시키던 일. ——하다 타여불

외:제⁴【外製】명〖역〗↗외지제교(外知製敎).

외:제⁵【外製】명 ↗외국제. ¶ ~ 화장품.

외:제⁶【外題】명 ①겉장에 쓰는 책의 이름. 표제(標題). ↔내제(內題). ②글의 내용이 제목과는 틀림. ¶고명녀는 복내덕의 말을 ~로 듣고 딴청을 붙인다《金敎濟 : 地藏菩薩》. ——하다 자여불

외제니 그랑데〔프 Eugénie Grandet〕명〖문〗프랑스의 소설가 발자크(Balzac)의 장편 소설. 1833-37년에 발표. 부호 그랑데 노인의 인색함과 그의 딸 외제니의 첫사랑을 그렸음.

외:제-약【外劑藥】명〖약〗외용약(外用藥).

외:-제지【外制止】명〖심〗외적 억제(外的抑制).

외:제-차【外製車】명 외국에서 만든 자동차.

외:제 학문【外題學問】명 여러 가지 서적의 제목만은 잘 아나 실제로 그 내용은 잘 모름을 일컫는 말.

외:조¹【外助】명 외부로부터의 도움. ↔내조(內助).

외:조²【外祖】명 ↗외조부(外祖父).

외:조³【外朝】명 ①군왕(君王)이 국정(國政)을 듣는 곳. 외정(外廷). ②외국의 조정.

외조리 명〈방〉종다리(함경).

외:-조모【外祖母】명 외할머니. 외왕모(外王母).

외:-조부【外祖父】명 외할아버지. 외왕부(外王父). ㊟외조(外祖).

외:조 할머니【外祖—】명 ☞ 외할머니.

외:조 할아버지【外祖—】명 ☞ 외할아버지.

외:족【外族】명 ①어머니 쪽의 일가. 외편(外便). 여계친(女系親). ②제족속(族屬)이 아닌 외부의 족속. 다른 겨레.

외:종¹【外從】명 ↗외종 사촌. ↔내종(內從).

외:종²【外腫】명〖한의〗몸의 살가죽에 난 종기. ↔내종(內腫)❶.

외:종 사:촌【外從四寸】명 외삼촌의 아들이나 딸. 표종(表從). ㊟외종·외사촌. ↔내종 사촌(內從四寸).

외:-종숙【外從叔】명 어머니의 사촌형이나 아우.

외:-종숙모【外從叔母】명 외종숙의 아내.

외:종-씨【外從氏】명 남의 외종에 대한 존칭.

외:종-제【外從弟】명 외종 사촌 뻘되는 아우.

외:-종조모【外從祖母】명 외종조부의 아내.

외:-종조부【外從祖父】명 외할아버지의 형이나 아우.

외:-종피【外種皮】명〖식〗씨를 싸고 있는 맨 바깥쪽의 껍질. 겉씨껍질. ↔내종피(內種皮).

외:종-형【外從兄】명 외종 사촌 뻘되는 형.

외:종 형제【外從兄弟】명 외종 사촌 뻘되는 형이나 아우. ↔내종 형제(內從兄弟).

외:주¹【外主】명〈방〉외가(外家).

외:주²【外注】명〔subcontract〕①외부 또는 외국에 주문함. ¶ ~를 내다. ②〖경〗제품 생산에 필요한 재료·부품 등의 일부 또는 전부를 자기 회사의 설계와 규격에 맞추어 외부 기업에 발주하여 생산하는 일. ——하다 타여불

외:주³【外周】명 바깥쪽의 둘레.

외:주 가격【外注價格】[—까—] 명〖경〗어떤 상품(商品)·제품(製品)을 외주하였을 때의 가격.

외:주 관리【外注管理】[—괄—] 명〖경〗외주(外注)의 품목·수량·업자의 선정·납입 시기의 지정 등을 적절하고 합리적으로 수행하여 자사(自社)의 생산 흐름에 재료·부품의 원활한 투입을 도모하는 계획·통제·조정의 활동.

외-주둥이 명 단 하나뿐의 입을 속되게 이르는 말.
[외주둥이 굶는다] 혼자 살면 자연히 끼니를 굶는 수가 많다는 뜻.

외주물 구석 [—꾸—] 명 외주물집만이 옹기종기 모여 있는 곳.

외주물-집 [—찝] 명 마당이 없고 안이 길 밖에서 들여다보이는 보잘것없는 집.

외:-주방【外廚房】명〖역〗궁중에서 수라(水剌)를 만드는 방.

외:-주피【外珠皮】명〖식〗밑씨의 외표부(外表部)를 이루는 피막(被膜). 내주피와 함께 밑씨 속을 싸고 있음. 외난막(外卵膜). 외난피(外卵皮).

외-죽각 명〖건〗한쪽 모서리만이 둥글게 되어 있는 각재(角材).

외:-죽도【外竹島】명〖지〗전라 북도(全羅北道)의 서해안(西海岸), 고창군(高敞郡) 심원면(心元面) 만돌리(萬突里)에 위치한 섬. [0.41 km²]

외-줄 명 외가닥으로 된 단 한 줄. 단선(單線).

외-줄기 명 ①외가닥으로 된 단 한 줄기. ②가지가 없이 벋은 줄기.

외줄기 문서【一文書】[명] 여러 조목을 설정(設定)하지 않는 계약이나 적바림한 글.

외줄 롤러 〔roller〕 [명] 〈속〉 롤러 블레이드.

외:중-비【外中比】[명] 〔extreme and mean ratio〕 『수』 어떤 양(量)이 대소(大小)로 이분(二分)되어 그 작은 부분(部分)과 큰 부분과의 비(比)가 큰부분과 전체(全體)와의 비에 같을 때 그 양쪽 부분의 비. 비를 숫자로 나타내면 $\sqrt{5}+1:2$임. 중외비(中外比). 중말비(中末比). 황금비. *황금 분할(黃金分割).

외:중비 분할【外中比分割】[명] 황금 분할(黃金分割)을 외중비로 분할하는 데서 일컬음. 황금 분할.

외즐김 [명] 〈옛〉 홀로 즐김. ¶빡수랑 외즐김 ᄒᆞᆫ 뜻을 하ᄂᆞᆯ히 알오샤 「≪古時調≫.

외:증【外症】[ᅳ쯩] [명] 『의』 몸의 외부에 나타난 병 증세.

외:-지[1] [명] ↗오이지.

외:지[2]【外地】[명] ①자기 고장 밖의 남의 땅. ¶～ 생활. ②내지와는 다른 법이 시행되는 영토(領土). 식민지. 1)·2):↔내지(內地).

외:지[3]【外肢】[명] 『동』 본시는 이지류(二肢類)의 절지 동물의 다리로, 그 바깥쪽 다리의 일컬음임. 새우류(類)의 복부에 있는 유영지(游泳肢)는 내지(內肢)도 갖추어 있으나, 곤충 등 고등 절지 동물에서는 외지는 퇴화해 있음.

외:지[4]【外紙】[명] ↗외국 신문.

외:지[5]【外智】[명] 『불교』 묘법 연화경(妙法蓮花經)의 삼지(三智)의 하나. 밖으로 향하여 경(境)을 마치고 속(俗)에 통하는 지혜. ↔내지(內智).

외:지[6]【外誌】[명] ↗외국 잡지.

외-지다 [형] 사람의 왕래가 적어서 으슥하고 궁벽하다. ¶외진 산길.

외-지름 [명] 〈방〉 석유(石油)(경상).

외:지-산【外地産】[명] 외지(外地)에서 생산된 물품. ↔내지산(內地産).

외:-지제고【外知制誥】[명] 『역』 고려 때 문한(文翰)을 맡아 보던 지제고(知制誥)의 하나. 한림원(翰林院)·보문각(寶文閣)의 관원이 아닌 다른 사람으로 겸임(兼任)한 지제고를 일컫는 말. 외지제교(外知製敎)의 전 이름. [준]외제(外制)·외제(外製). ↔내지제고(內知制誥).

외:-지제교【外知製敎】[명] 『역』 ①고려 때 문한(文翰)을 맡아 보던 지제교(知製敎)의 하나. 한림원(翰林院)·보문각(寶文閣)의 관원이 아닌 사람으로 겸임한 지제교를 일컫는 말. 외지제고(外知制誥)를 고친 이름. ②조선 시대 때 홍문관(弘文館)·규장각(奎章閣)의 관원이 아닌 사람으로, 정삼품의 통정(通政) 이하 육품(六品) 이상에서 뽑아 겸임케 한 지제교. 문한을 맡음. [준]외제⁴(外製). ↔내지제교(內知製敎).

외:직【外職】[명] 『역』 지방 각 관아의 벼슬. 외관(外官). 외임(外任). 외관직(外官職). ↔내직²(內職)❶.

외:진[1]【外診】[명] 『의』 신체의 외부에서 진찰하는 일. 시진(視診)·촉진(觸診)·타진(打診)·청진(聽診) 따위를 하여 체격의 발육 상태(發育狀態)·맥박·체온·호흡·내장 변화(內臟變化) 등을 검사함. ↔내진(內診). *시진(視診).

외:진[2]【外塵】[명] 『불교』 외계의 대상이 되는 물건. 곧, 색(色)·성(聲)·향(香)·미(味)·촉(觸)·법(法)의 여섯 가지. 육진(六塵). *육근(六根)·육식(六識).

외진[3]【煨塵】[명] 불기가 있는 재. 뜨거운 재.

외:-진연【外進宴】[명] 『역』 조선 시대 때 외빈(外賓)만 모여 하는 진연(進宴). [준]외연(外宴). ↔내진연(內進宴).

외-질빵 [명] 한쪽 어깨로만 메는 질빵.

외짐치 [명] 〈옛〉 오이김치. ¶외짐치(苽菹) ≪痘方 13≫.

외:집【外執】[명] 남의 물건을 몰래 다른 데 옮겨 감추어 두는 일. ¶한 푼이 든 것이면 두 푼이나 서 푼이 들었다고 이배 삼배를 얹어 가며 돈 천 원이나 ～을 하였으나…≪崔璜植：金剛門≫. *외봉치다. ——-하다 [타][여불]

외:집 내다 [구] ☞ 외집하다.

외:-집단【外集團】[명] 〔out-group〕 『사』 미국의 사회학자 섬너(Sumner)에 의하여 적시(摘示)된 집단개념. 규범(規範)·가치·습관·태도 등에 있어서 자기와 공통성(共通性)이 없는 타인으로써 이루어진 집단. 곧, 자기들로 하여금 불쾌·혐오(嫌惡)·경쟁심·대립감·미움 등을 일으키게 하는 집단. 타인의 집단. ↔내집단.

외-짝 [명] ①완전한 하나를 이루지 못하고 단 한 짝만으로 된 것. *외쪽. ②여러 개가 아닌 단 한 짝. ¶～ 문.

외짝 다리 [명] ①상(床) 다리 등이 하나만 남아 있는 것. ②〈속〉 다리 하나가 없는 병신.

외짝 사랑 [명] 〈방〉 짝사랑.

외짝 열:개 [명] 『건』 한쪽 문은 고정되고 다른 한 짝이 개폐식(開閉式)으로 된 문.

외-쪽 [명] ①방향이 서로 맞서 있는 두 쪽 가운데의 한 쪽. *외짝. ②단 한 조각. ¶～ 마늘.

외쪽 미:닫이 [ᅳ다지] [명] 『건』 한 쪽으로 된 미닫이.

외쪽-박이 [명] 뒷발의 왼쪽이 흰 짐승.

외쪽 부모【一父母】[명] ☞ 외쪽 어버이.

외쪽 사랑 [명] 〈방〉 짝사랑.

외쪽 생각 [명] 상대방 속은 알지 못하고 한쪽에서만 하는 생각.

외쪽 어버이 [명] 〈속〉 편친(偏親).

외쪽 여:수【一與受】[ᅳ녀ᅳ] [명] 저쪽에서 주어 받는 일은 없이, 이쪽에서 꾸어 주기만 하는 일. ——-하다 [자][여불]

외쪽-지붕 [명] 앞이 높고 뒤쪽이 낮게 된 지붕.

외:차【外車】[명] ①외차선(外車船)의 고물이나 양쪽 중앙부에 있는 차륜 추진기(車輪推進器). 그 둘레에 물갈퀴 노릇을 하는 판대기가 방사상(放射狀)으로 달려 있음. ②외국산(外國産)의 자동차(自動車).

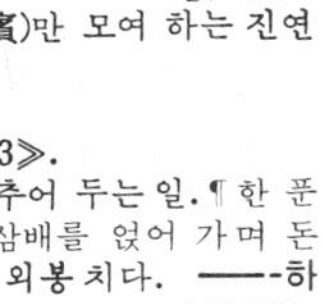

〈외차❶〉

외:차 기선【外…

외:차-선【外車…

에 붙인 기선. …

船). 외차 기선…

외:착【外錯】[명]…

외착(이) 나다 …

울서 왔다구 …

외채[1] [명] 외챗집.

외:채[2]【外債】[명] …

외챗-집 [명] 단 한 …

외:처[1]【外妻】[명] …

외:처[2]【外處】[명] …

외:척【外戚】[명] ①…

가의 친척. 이성친(…

외:천【外遷】[명] ①…

로 이주(移住)함. —…

외:철형 변:압기【外…

상의 철심(鐵心)이 둘…

외:첨 내:소【外諂內…

려 함. ——-하다 [자]…

외:첩【外妾】[명] 첩(妾)…

외:청【外廳】[명] 국가의…

에 설치되나, 그 내국(…

특수성을 가지는 사무를…

과학 기술부의 기상청 …

외:-청도【外聽道】[명] 『생…

외:청도-염【外聽道炎】[명]…

외:-청룡【外青龍】[ᅳ뇽] …

¶～ 외백호가 둘러싼 명당…

외:-청역【外聽域】[명] 『물…

域)을 끼고 음파가 원거리(…

대량의 화약(火藥)이 폭발한…

25-30 km, 85-90 km에 있는…

사하여, 100-200 km의 제1…

지 도달함. ↔내청역(內聽域)

외:초【外哨】[명] 『군』 밖에 서…

외:-초도【外草島】[명] 『지』 경…

욕지면(欲知面) 동항리(東港里)에…

외:-촉【外鏃】[명] 화살촉의 더데 아래…

외:촌【外村】[명] 고을 밖에 있는 마을.

외촐-하다 [형] 〈방〉 그윽하다.

외촘 [명] 〈옛〉 집의 으슥한 곳. 침실(寢室). ¶외…

외:축【畏縮】[명] 두려워서 몸을 움츠림. ——-하다…

외:출【外出】[명] 집에서 밖으로 잠시 나감. 딴 곳에 잠… ——-하다 [자][여불]

외:출 금:지【外出禁止】[명] 외출하는 것을 금지하는 일. 금…

외:출-복【外出服】[명] 외출할 때 입는 옷. 나들이옷.

외:출-부【外出簿】[명] 직장 따위에서, 근무 시간 중의 외출 상황을 하는 장부.

외:출 부재【外出不在】[명] 밖에 나가서 집 안이나 제자리에 없음. ——-하다 [자][여불]

외:출 시간【外出時間】[명] 외출하는 시간.

외출-옷【外出ᅳ】[명] 외출복(外出服). 나들이옷.

외:출-용【外出用】[ᅳ룡] [명] 외출할 때에 쓰임. 또, 그 물건.

외:출-증【外出證】[ᅳ쯩] [명] ①직장 따위에서 근무 시간 중에 외출을 허가하는 증명서. ②『군』 토요일 오후나 일요일에 영외(營外)로의 외출을 허가하는 증명서.

외:-출혈【外出血】[명] 『의』 혈액(血液)이 몸 밖으로 나오는 일. 또, 그 혈액. ↔내출혈.

외:측[1]【外側】[명] 바깥쪽. ↔내측(內側).

외:측[2]【外厠】[명] 남자 변소.

외:층【外層】[명] 바깥쪽의 층. ↔내층(內層).

외:치[1]【外治】[명] ①『정』 외교(外交)❶. ②『정』 조정의 공식적인 정치. 나라의 정치. ③『의』 피부에 난 병을 외과적(外科的)으로 치료함. 1)·2):↔내치(內治). ——-하다 [타][여불]

외:치[2]【外侈】[명] 가난한 사람이 분수 없이 사치함. ——-하다 [자][여불]

외:치[3]【外痔】[명] 『한의』 수치질.

외:치다 [자][타] 매우 큰 소리로 부르짖다. 큰 소리를 지르다. ¶도둑이야 하고 ～.

외:친【外親】[명] ①외척(外戚)❶. ②겉으로만 친한 척 해 보이는 일. ¶～ 내소(內疎).

외:친 내:소【外親內疎】[명] 겉으로는 가까운 체하면서도 속으로는 멀리함. ——-하다 [자][여불]

외:침【畏鍼】[명] 침 맞기를 두려워함. ——-하다 [자][여불]

외:-캘리퍼스【外ᅳ】〔callipers〕 [명] 곡면(曲面)이 있는 물체의 바깥지름을 재는 기구. ↔내(內)캘리퍼스.

외-코 [명] 솔기를 외줄로 댄 가죽신의 코.

외코-신 [명] 낮은 계급에서 신던 옛날 가죽신의 한 가지. 코가 좀 짧고 눈을 놓지 않음. ↔쌍코 줄변자.

외콜람파디우스 〔Oecolampadius, Johannes〕 [명] 『사람』 스위스 바젤(Basel)의 종교 개혁자. 독일에서 태어나, 바젤의 성직자가 되었으나, 루터의 개혁 운동(改革運動)에 공명, 츠빙글리(Zwingli, U.)의 사상적

외콜람파디우스

[명] 외차선(外車船).

(外車)를 선복(船腹)의 중앙의 양현(兩舷) 밖 …w)를 이용하기 이전의 기선. 외륜선(外輪…

어그러짐.

어그러지다.

않게 말하게 ¶나는 작년 올 설에 서 ≪洪命憙：林巨正≫.

외친(外親). ②외

補)함. ②타국으

를 두 개 이

는 해치

영향으로 바젤의 종교 개혁을 지도했음. [1482-1531]

외쿠메:네 〔도 Ökumene〕 명 『지』 지구상에서 인류가 영속적으로 거주·활동하고 있는 범위란 뜻의 지리학상(地理學上) 용어. 주거 지역(住居地域). ↔아뇌쿠메네(Anökumene).

외:타【外他】명 그 밖의 다른 것. ¶~는 더 말할 나위 없다.

외:탁【外一】명 용모나 성질이 외가 쪽을 닮음. ¶저 아이는 ~했군. ↔친(親)탁. ——-하다 자여불

외:탄【畏憚】명 외기(畏忌). ——-하다 타여불

외-탕【一湯】명 ☞ 독탕(獨湯).

외:택【外宅】명 남의 외가에 대한 존칭. ¶자네 ~은 어딘가?

외:토【外土】명 ①다른 곳. ②서울에서 멀리 떨어진 곳. ③다른 나라의 땅.

외-톨 명 ①밤송이나 마늘통 등의 한 톨만이 여문 알. ②↗외돌토리.

외톨 마늘 명 한 쪽으로 한 통을 이룬 마늘. 독두선(獨頭蒜).

외톨-박이 명 ① 외톨로 된 밤송이나 마늘통 따위. ②외돌토리.

외톨-밤 명 한 송이에 한톨만 든 밤.

[외톨밤이 벌레가 먹었다] 당연히 똑똑하고 분명하여야 할 것이 그렇지 못하고 부실(不實)할 때에 이르는 말.

외톨-이 명 의지할 데 없고 매인 데 없는 홀몸.

외-통 명 장기 둘 때에 한 편에서 부른 장군으로 상대 편이 꼼짝할 수가 없게 되는 형편. ¶~으로 지다.

외통-목 명 ①장기 둘 때에 외통 장군을 부르게 되는 길목. ¶이쪽 상(象) 발이 바로 ~이다. ② ☞ 외길목.

외통-배기 명 〈방〉 애꾸눈이(전라).

외통-수【一手】명 장기 둘 때에 외통 장군이 되게 두는 수. ¶~에 걸리다.

외통 장군【一將軍】명 장기 둘 때에 꼼짝할 수 없게 외통으로 부르는 장군. ¶자, ~ 받아라.

외통-장이 명 〈방〉 애꾸눈이.

외통-집 명 용마루 아래에 방들이 한 줄로 배치된 건물. 구조적으로는 맞걸이 3량집·전퇴집이 많으며, 전후 좌우 퇴집도 있음.

외:투【外套】명 겨울에 추위와 눈비를 막기 위하여 양복 위에 덧입는 긴 겉옷. 오버코트(overcoat).

외:투-강【外套腔】명 『동』 판새류(瓣鰓類)와 같은 연체(軟體) 동물에 있어 외투막(外套膜)과 내장(內臟)의 좌우 사이에 있는 빈 곳.

외:투-막【外套膜】명 ①『동』 연체 동물(軟體動物)의 외피에서 형성되어 몸 전체 또는 일부를 덮은 막. 오징어류에서는 원추형(圓錐形), 낙지·문어류에서는 주머니형으로 발달하고 조개류는 막의 가 부분에서 석회(石灰)를 분비하여 패각(貝殼)을 이룸. ②〔mantle〕 대뇌(大腦)의 바깥쪽 부분. 어류(魚類)에서는 엷고 후각(嗅覺)에 관계할 뿐이지만, 고등 동물에서는 점차 두꺼워져서 포유류(哺乳類)에서는 특히 잘 발달하여 뒤쪽 간뇌(間腦) 따위를 뒤덮게 됨.

외:투-부【外套部】명 『지』 맨틀²(mantle)❷.

외:투-안【外套眼】명 『동』 연체(軟體) 동물의 외투막(外套膜) 가에 있는 독특한 눈.

외:투-지【外套地】명 외툿감.

외:툿-감【外套一】명 외투를 지을 감. 흔히, 툭툭한 방모지(紡毛地)를 이름. 외투지(外套地).

외퉁이 명 〈방〉 애꾸눈이(평안).

외트뵈시 〔Eötvös, Roland〕 명 『사람』 헝가리의 물리학자. 작가이며 정치가인 외트뵈시(Eötvös, József: 1813-1871)의 아들. 1886년에 액체의 표면 장력(表面張力)과 온도의 관계를 나타내는 '외트뵈시의 법칙'을 발견하고, 또 1897년에는 중력 편차계(重力偏差計)를 발명하여 중력 질량(質量)과 관성(慣性) 질량이 비례함을 확인하여, 일반 상대성 이론의 실험적 근거의 하나가 됨. [1848-1919]

외-틀다 타 한쪽으로 또는 왼쪽으로 비틀다. ¶팔을 ~.

외-틀리다 피동 한쪽으로 또는 왼쪽으로 비틀리다.

외틀어-지다 자 한쪽으로 또는 왼쪽으로 비틀어지다.

외:파-음【外破音】명 〔explosive〕 『언』 개방의 단계, 곧 후과도(後過渡)를 가지는 파열음. ↔내파음.

외:판¹【外板】명 선체(船體)의 늑골 외측(肋骨外側)을 덮어서 선각(船殼)을 구성하고 부력(浮力)과 종강도(縱強度)를 갖게 하는 나무 또는 강철판. ↔내판(內板).

외:판²【外販】명 돌아다니면서 물건을 사라고 권하여 파는 일. ——-하다 타여불

외:판³【外辦】명 『역』 임금이 거둥할 때에, 의장(儀仗)·호종(扈從)들을 제자리에 정돈시키는 일.

외:판-원【外販員】명 외판에 종사하는 사람.

외-팔 명 한쪽 팔.

외팔-이 명 한쪽 팔이 없는 사람.

외패 부득【一覇不得】명 바둑에서 패(覇)를 쓸 자리가 한 군데도 없음을 이르는 말.

외패-잡이 명 처음부터 끝까지 한 번도 갈마들지 않고 메고 가는 가마. 또, 그런 가마를 메고 가는 가마꾼.

외:편¹【外便】명 어머니 편의 일가. 외족(外族).

외:편²【外篇】명 한 부의 책에서 총론(總論)을 쓴 부분.

외:평【外評】명 『역』 고구려 시대의 관직.

외:포¹【外包】명 『건』 건물의 바깥쪽에 짜인 공포(貢包).

외:포²【畏怖】명 두려워함. ——-하다 타여불 「치던 계.

외:포-계【外圃契】〔一께〕 명 『역』 관아에 푸성귀를 공물(貢物)로 바

외:표【外表】명 ①사물의 표면. 또, 겉으로 드러나는 일. ②겉에 드러난 풍채·표정.

외:-풀 명 『식』 〔*Torenia crustacea*〕 현삼과에 속하는 일년초. 줄기는 방형(方形)이고 가지가 많이 갈라져 나며 잎은 대생(對生)하고 유병(有柄)인데 넓은 달걀꼴에 톱니가 있음. 7-9월에 자색 꽃이 줄기 위의 엽액(葉腋)에 하나씩 달리며 화관(花冠)은 통상 순형(筒狀脣形)이고 삭과(蒴果)는 오이와 비슷한데 긴 타원형임. 들이나 밭·길가에 보통 나는데, 제주도·경남·전남의 남부(南部) 및 일본·중국·대만·인도 등지에 분포(分布)함.

〈외풀〉

외:풍【外風】명 ①밖에서 들어오는 바람. ¶이 방은 ~이 세다. ②외국에서 들어온 풍속. ¶~을 따르다.

외:피【外皮】명 ①겉껍질. 겉가죽. ↔내피(內皮). ②『동』 동물의 몸의 표면. 또, 체내의 여러 기관의 표면을 싼 세포층(細胞層)의 총칭. ③『식』 식물 기관의 바깥 표면이 내부에 대하여 분화(分化)해 있는 경우를 이름. 고등 식물의 줄기나 표층(表層) 맨 바깥 층에 있는 후막화(厚膜化)한 부분.

외:-하방【外下方】명 외방(外方)❶.

외:학【外學】명 『불교』 불교 이외의 학문.

외:한¹【外寒】명 바깥의 찬 기운.

외:한²【畏寒】명 추위를 두려워함. ——-하다 자여불

외-할머니【外一】명 어머니의 친정 어머니. 외조모(外祖母). ↔친할머니.

외-할미【外一】명 〈비〉 외할머니.

외-할아버지【外一】명 어머니의 친정 아버지. 외조부. ↔친할아버지.

외-할애비【外一】명 〈비〉 외할아버지.

외:합¹【外合】명 죽세공(竹細工)에서, 대나무의 바깥쪽이 겉으로 드러나게 쓰는 방식(方式). ↔내합(內合).

외:합²【外合】명 〔superior conjunction〕 『천』 어떤 행성(行星)이 지구에서 보아 태양과 같은 방향에 있고, 또 태양의 저 편에 있는 현상. 상합(上合). 순합(順合). ↔내합(內合).

〈외합²〉

외:항¹【外航】명 『해』 배가 외국으로 항행함. 외국 항해. ¶~용 선박. ↔내항(內航). ——-하다 자여불

외:항²【外港】명 『지』 ①항구가 육지 깊숙이 들어가 있거나 여러 개의 방파제(防波堤)로써 구분될 때 그 바깥쪽의 구역. 선박이 임시로 정박(碇泊)함. ↔내항(內港). ②어떤 도시와 가까이 있어 그 문호(門戶) 구실을 하는 항구.

외:항³【外項】명 『수』 한 비례식(比例式)에 있어서 바깥쪽에 있는 두 개의 항. 즉 $a:b=c:d$의 a와 d. 외율(外律). 외율(外率). ↔내항(內項).

외:항-류【外肛類】〔-뉴〕 명 『동』 〔Ectoprota〕 전항 동물(前肛動物)의 한 강(綱). 몇 가지를 빼 놓고는 모두 군체(群體)를 이룸. 출아법(出芽法)에 의하여 무성 생식(無性生殖)을 하는데 군체에는 나뭇가지 모양, 이끼와 같이 갈라지는 것, 다른 물체를 덮는 것 등 여러 가지 모양이 있음. 개체(個體)는 작고 환상(環狀) 또는 마제상(馬蹄狀)의 총담(總擔)이 있음. 순환계·배설계가 없고 아메바상(狀) 세포가 그 역할을 대행함. 자웅 동체(雌雄同體)에 체강(體腔)이 있음. 단물·짠물에 다 사는데, 물 속의 식물이나 돌에 붙어 마치 이끼처럼 보임. 나순류(裸脣類)·피순류(被脣類)의 두 목(目)으로 나눔. 촉수(觸手) 동물의 한 강(綱) 또는 독립된 한 문(門)으로 분류되기도 함. 태충류(苔蟲類). 태선충류(苔蘚蟲類). 「내항선(內航船).

외:항-선【外航船】명 국제 항로에 취항(就航)하는 선박. 외선(外船). ↔

외:해【外海】명 『지』 ①육지의 주위에 있는 바다. ↔내해(內海). ②외양(外洋). 대양(大洋). 원양(遠洋). ↔근해.

외:해-전【外醢廛】명 간장·된장 등속을 내다 파는 가게.

외:해 증식【外海增殖】명 연안 어업(沿岸漁業)의 대상(對象)이 되는 수산 자원(水產資源)의 유지·증가를 도모하는 방법. 금어기(禁漁期)·금어구(禁漁區)·어법(漁法)·어획량(漁獲量)·어획물의 체장 제한(體長制限) 등 조업(操業)의 제한을 행하는 외에 증식 사업으로서의 여러 가지 수단을 씀.

외:-행성【外行星】명 〔outer planets〕 『천』 지구보다 큰 궤도를 가진 행성. 화성·목성·토성·천왕성·해왕성·명왕성 따위. 외유성(外遊星).

외:향¹【外向】명 바깥으로 향함. 마음의 움직임을 적극적으로 밖으로 나타내는 경향. ¶~성(性). ——-하다 자여불

외:향²【外鄕】명 『역』 임금의 외가(外家)가 있는 곳.

외:향-성【外向性】〔-썽〕 명 『심』 스위스의 심리학자·정신병학자 융(Jung,Carl Gustav)의 분류에 의한 성격 유형(性格類型)의 하나. 바깥 세계에 대하여 관심(關心)을 표명하는 사교적·행동적인 성격의 형. ↔내향성(內向性).

외:향-약【外向葯】〔-냑〕 명 『식』 측생약(側生葯)에 있어서, 화사(花絲) 바깥쪽에 붙어 있는 약(葯). ↔내향약(內向葯).

외:향-형【外向型】명 『심』 개성(個性)의 형(型)의 하나. 리비도(Libido)의 방향이 외계(外界)로 향해 있어, 사고(思考)라든가 행동·감정이 외부에 집중(集中)하는 형. 보통, 활동적(活動的)이고 쾌활(快活)하다고 함. ↔내향형(內向型).

외:허【外虛】명 ①겉이 비어 있음. 외부(外部)가 허술함. ②『천』 태양의 흑점(黑點) 둘레의 침침한 부분. 또, 반암부(半暗部)의 일컬음. ——-하다 형여불

외:허 내:실【外虛內實】명 겉은 허술한 듯 보이나 속은 충실(充實)함. ——-하다 형여불

외:현【外現】명 겉으로 나타남. 밖으로 나타남. ——-하다 자여불

외:협【外協】명〖역〗↗외부 협판(外部協辦).

외:형¹【外兄】명 ①손위 처남. ②이종형(姨從兄). ③아버지가 다른 형.

외:형²【外形】명 겉으로 드러난 형상(形狀). 겉에서 본 모양. 외용(外容). ¶ ~ 거래액.

외:형³【畏兄】명 친구끼리 상대편을 극히 대접하여 이르는 말.

외:형-도【外形圖】명 구조물·기계 등의 외형을 표시한 도면. *개요도(概要圖).

외:형-률【外形律】[—뉼] 명〖문〗정형시(定型詩)에서, 시의 외형에 규칙적으로 나타내는 운율. 음수율(音數律)·음위율(音位律) 따위. ↔내재율(內在律).

외:형-미【外形美】명 외형의 미.

외:-형제【外兄弟】명 ①고모(姑母)의 아들. 고종(姑從) 형제. ②어머니는 같고 아버지가 다른 형제.

외:-형질【外形質】명〖생〗외부 원형질.

외:호¹【外濠】명 성(城) 밖으로 돌려 판 호(濠). 해자(垓字). ↔내호(內濠).

외:호²【外護】명 ①외부(外部)의 보호. ②밖에서 싸고 보호함. ——-하다 타여불

외:-호흡【外呼吸】명〔external respiration〕〖생〗호흡기에 의해서 공기 또는 물로부터 산소를 받아들이고 이산화탄소를 내보내는 일. 피부 호흡·폐 호흡·아가미 호흡 등. ↔내호흡(內呼吸).

외:-혹성【外惑星】명〖천〗외행성(外行星). ↔내혹성.

외:혼【外婚】명 족외혼(族外婚). ↔내혼(內婚).

외:화¹【外貨】명〖경〗①↗외국 화폐. ¶ ~ 획득. ↔내화(內貨). ②외국에서 오는 화물(貨物).

외:화²【外華】명 외관(外觀)이 화려한 차림새.

외:화³【外畫】명〖연〗↗외국 영화(映畫). ¶ ~ 개봉 극장(開封劇場). ↔방화(邦畫).

외:화 가득률【外貨稼得率】[—뉼] 명〖경〗상품 수출액에서 원자재 수입액을 뺀 백분율. ㊀가득률.

외:-화개【外花蓋】명〖식〗겉꽃뚜껑. 꽃받침. ↔내화개(內花蓋).

외:화 관리권【外貨管理權】[—괄—꿘] 명〖경〗자기 나라가 소유하는 외화(外貨)를 자국(自國)의 이름으로 보유(保有)·운용(運用)하는 권한. 한 나라의 주권(主權)의 일부(一部)임.

외:화 국채【外貨國債】명〖법〗국제 수지(國際收支) 개선을 도모함에 소요되는 외화 자금을 조달(調達)하기 위해 외국에서 외국 통화(外國通貨)로 표시하여 발행하는 국채.

외:화 금융【外貨金融】[—/—늉] 명〖경〗외환 은행이 해외 현지에서 자국(自國)의 기업에 외화로 융자하는 일.

외:화 대:출【外貨貸出】명〖경〗외국환(外國換)을 취급하는 은행이 수입업자의 의뢰에 의하여 수입 신용장을 개설(開設)하는 경우에, 적립(積立)하는 신용장 개설 보증금에 충당하기 위한 외화나 도착한 수입 어음의 결제(決濟)에 충당하기 위한 외화를 대출하는 일.

외:화 방채【外貨邦債】명〖경〗외화채(外貨債).

외:화 번역가【外畫飜譯家】명 외국 영화의 대사(臺詞)를 우리 말로 번역하는 일을 업으로 하는 사람.

외:화 보:류 제:도【外貨保留制度】명〖경〗수출 진흥(輸出振興) 정책의 하나로 환관리(換管理) 하에 있어서 외화 획득에 공헌(貢獻)한 수출업자·생산업자에 대해 일정한 조건에 따라 수출 대금(輸出代金)의 일부를 보류시키고 필요한 원자재(原資材)의 수입을 허가하는 제도. 1944년 네덜란드에서 처음 시작함.

외:화 보:유고【外貨保有高】명〖경〗한 나라가 가지고 있는 외화의 총액. 넓게는 한 나라의 금(金) 및 외화 보유액의 합계를 말하며 좁게는 정부와 중앙 은행이 보유하는 것을 뜻하나 후자의 경우를 이르는 것이 보통임. 외화 보유액.

외:화 보:유액【外貨保有額】명〖경〗외화 보유고.

외:화 어음【外貨—】명〖경〗외국의 화폐 단위로 표시된 어음.

외:화 예:금【外貨預金】명〖경〗①외화로 예금하고 외화로 인출하는 외화 표시 예금. ②외국환을 집중 관리하기 위해 국내 거주자 및 비거주자가 취득한 대외 지급 수단이나 대외 채권을 외국환 은행에 예치하도록 하는 예금. 외화 예금에 대하여는 예금주의 소유권은 인정되나 그 처분은 제한되며, 원화 예금과는 달리 예금 금리도 국제 금리를 기준으로 결정됨. *외화 예탁.

외:화 예:산【外貨豫算】명〖경〗외화 수지(外貨收支)의 균형을 맞추기 위하여 민간의 수입에 사용되는 외화에 관한 국가의 예산.

외:화 예:탁【外貨預託】명〖경〗환은행(換銀行)의 자력(資力)을 강화하고 국제 거래(國際去來)를 원활히 하기 위하여 정부가 소유하는 외화를 환은행에 예금하는 일.

외:화 자:금 특별 할당제【外貨資金特別割當制】[—땅—] 명〔retention quota〕〖경〗수출(輸出)로써 외화를 획득한 자에게 그 일정 비율의 외화 사용권을 주어, 외화 할당을 받기 곤란한 물자의 수입, 해외 도항(渡航) 등 일정한 대외 지불(對外支拂)에 충당시키는 제도. 우선 외화 제도(優先外貨制度).

외:화 자:금 할당제【外貨資金割當制】[—땅—] 명〖경〗수입 승인(輸入承認) 발급(發給)의 한 방식. 실수요자(實需要者)에게 수입 승인을 주기 위하여 일정한 업자에게 미리 외화 자금 할당 증명서를 교부하여 그 범위 안에서 수입을 승인하는 제도. *선착순 방식 자동 승인제(自動承認制).

외:화 준:비【外貨準備】명 한 나라의 중앙 은행이나 통화(通貨) 당국이 통화 발행(通貨發行)의 준비로서 또는 대외 결제(決濟) 준비로서 보유(保有)하는 외화(外貨).

외:화 준:비고【外貨準備高】명 정부나 중앙 은행이 외국에 대한 지급 등의 준비금으로서 보유하고 있는 금 및 외화의 총액.

외:화 증권【外貨證券】[—꿘] 명〖경〗외국 통화로 표시된 증권이나 또는 외국에서 지불받을 수 있는 증권.

외:화-채【外貨債】명〖경〗외국 시장에서 외화로 모집된 우리 나라의 공채·사채. 영화채(英貨債)·미화채(美貨債)·불화채(佛貨債) 등의 총칭. 외화 방채.

외:화 채:권【外貨債權】[—꿘] 명〖법〗외국 화폐의 급부(給付)를 목적으로 하는 금전 채권. 금액 채권과 금종(金種) 채권의 두 종류가 있으며 그 취급은 내국(內國) 금전 채권과 같음. 외국 금전 채권(外國金錢債權).

외:화 평:가 손:실【外貨平價損失】[—까—] 명 외화 자산(外貨資產)이나 외화 부채(外貨負債)에 대한 환율의 변동으로 발생하는 손실. *환차손(換差損).

외:화 표시 정부 보증채【外貨表示政府保證債】명〖금융〗정부가 원금 반제(元金返濟)와 이자(利子)의 지급을 보증한 채권(債券)으로서, 외화(外貨)로 표시하여 외국에서 발행된 것.

외:화 획득【外貨獲得】명 수입을 확충(擴充)할 자금을 얻기 위하여 수출을 늘리어 필요한 외화를 얻는 일.

외:환¹【外患】명 외국·외부로부터 압박이나 공격을 받을 근심. 외부에서 받는 걱정. 외우(外憂). 외구(外懼). ¶내우 ~. ↔내우(內憂)·내환(內患).

외:환²【外換】명〖경〗↗외국환(外國換)❶.

외:환 관리법【外換管理法】[—괄—뻡] 명〖법〗↗외국환 관리법. ¶~ 위반.

외:환 금융 채:권【外換金融債券】[—꿘/—늉—꿘] 명〖경〗↗외국환 금융 채권.

외:환 대:수【外換對數】명〖법〗통상 거래 가격(通常去來價格)에서 관세 및 내국 소비세와 정상 비용을 공제(控除)한 가격을 정상 도착 외화 가격으로 나눈 수치(數值).

외:환 시세【外換時勢】명〖경〗↗외국환 시세.

외:환 시:장【外換市場】명〖경〗↗외국환 시장.

외:환 유치죄【外患誘致罪】[—쬐] 명〖법〗외국과 통모(通謀)하여 자기 나라에 대하여 전단(戰端)을 열게 하거나, 외국인과 통모하여 자기 나라에 항적(抗敵)함으로써 성립하는 죄.

외:환-율【外換率】[—뉼] 명〖경〗환시세(換時勢). 외국환 시세. ㊀환율.

외:환 은행【外換銀行】명 ①↗외국환 은행. ②↗한국 외환 은행. *수출입 은행.

외:환의 죄:【外患—罪】[—/—에—] 명〖법〗외국과 통모(通謀)하여 대한 민국에 대하여 전단(戰端)을 열게 하거나, 외국인과 통모하여 대한 민국에 항적(抗敵)한 죄. 형법 제 2 편 제 2 장에 규정.

외:환 자:금【外換資金】명〖경〗↗외국환 자금.

외:환 증서 제:도【外換證書制度】명〖경〗외환을 소득 또는 취득(取得)한 자가 이를 외환 은행에 팔아 외환 증서를 일단 교부(交付)받은 후 필요에 따라 매각하거나 외환으로 대용하는 제도를 이름.

외:환 집중 제:도【外換集中制度】명〖경〗↗외국환 집중 제도.

외:환 차손【外換差損】명 환차손(換差損).

외:환 통:계【外換統計】명〖경〗↗외국환 통계.

외:환 평형 조작【外換平衡操作】명〔exchange equalization operation〕외환의 안정(安定) 또는 급격한 변동에 대한 조정(調整)을 꾀하기 위하여 정부 또는 중앙 은행이 직접·간접으로 외환 시장(外換市場)에 개입(介入)하여 외환의 매매 조작(賣買操作)을 통해 자국(自國) 통화의 가치를 유지(維持)하는 일.

외:황-란【外黃卵】[—난] 명〖동〗복합란(複合卵). ↔내황란(內黃卵).

외:-회전술【外回轉術】명〖의〗임부(妊婦)의 복벽(腹壁) 위에 양손을 대고 태아(胎兒)의 위치를 변화시키는 방법. 성숙아(成熟兒)로서 골반위(骨盤位) 또는 횡위(橫位)인 경우, 태아가 잘 이동하고 산도(產道)에 심한 협착(狹窄)이 없는 때에 행하는데 대개는 두위(頭位)로 회전하나 때로는 골반위로 회전하기도 함.

외:획【外劃】명〖역〗대한 제국 때 군수(郡守)가 징수한 조세(租稅)를 국고(國庫)에 납부하기 전에, 탁지부 대신(度支部大臣)이 군수에 대해 제삼자에게 그것을 인도하라고 명령을 내리는 재래의 금융 제도(金融制度). 국고에 차입금이 필요할 때에 일정한 상인에게서 돈을 빌려 쓰고, 중앙 정부는 군수를 지정하여 그 상인에게 그 금액을 직접 인도하도록 명령을 내렸었음.

외:훈¹【外暈】명 햇무리나 달무리 중, 바깥쪽의 큰 무리.

외훈²【巍勳】명 뛰어나게 큰 공훈.

외히려 부〈옛〉오히려. ¶외히려 비르머근 여서 몸도 얻디 몯ᄒᆞ리온(尙不得疥癩野干之身)《鑑 下 36》.

왹: 부〈방〉왝❷.

왹:-왹 부〈방〉왝왝¹❷.

왹:지가리 명〈방〉욕지기. ——-하다 자

왹:지기 명〈방〉욕지기. ——-하다 자

왹:-질 명 ↗외욕질. ¶토하려는지 ~을 한다. ——-하다 자여불

왼¹ 형〈옛〉그릇된. 잘못된. '외다'의 활용형. ¶醫률 맛나고도 왼 藥을 머겨 아니 주글 저긔 곧 橫死ᄒᆞ며《釋譜 IX:36》.

왼:² 관 ☞ 온⁴. ¶~몸을 깨끗이 씻다《張德祚 : 누가 죄인이냐》.

왼:³ 관 '왼쪽'의 뜻을 나타내는 말. ¶~편/~ 다리. ↔오른. *좌(左).
[왼 눈도 깜짝 아니한다] 조금도 놀라지 아니한다는 뜻.
왼: 고개(를) 젓다 구 부정이나 반대의 뜻을 표하다. 거절하다.
왼: 고개(를) 치다 구 왼 고개(를) 젓다. ¶그렇게 왼 고개 치고 허세 부

…令下 49≫.

요괴 명 〈옛〉 재앙. 요기(妖氣).

요기【妖氣】명 요사스럽고 간사한 기운.

…앗느냐. <이나마!. *고나마·조나마.

…것이나마. …〗구약 중의 예언서(豫言書)의 하나. 요…〔Jonah〕명령의 불순종(不順從)과 그 결과, 고래의 … 하느님이 니느웨(Nineveh)에서 한 요나의 전도와 니느… 요나의 …로 함.

…회개 등 부드럽고 길어서 간들거리다.

…이르는 말. <이날.

…'이날' 을 … <이날 이때.

…날. ¶~ 미루기만 한다. <이날 저날. ——

…끌며 미루다.

…류(爬蟲類)를 비롯하여 고등 척추 동물의 태아 … 하는 낭상(囊狀)의 기관. 배설물을 채우며, 어떤 …【尿囊】… (胎兒)의 … 됨.

…요대로. ¶~ 얹어 놓아라. <이냥. *고냥·조냥.

… 조 모양으로. ¶~ 넘어간다. <이냥저냥.

요낭 부 …

요낭-조 …

요:네 …ich Albert〕명〖사람〗독일의 수의학자(獸醫學者). …문 학교 교수로서 병리학·기생충학·세균학 방면에 … 특히, 소의 항산성균(抗酸性菌)에 의한 만성 장(腸)… 유명함. [1839-1910]

…〔-뼝〕명 〔Johne's disease〕〖수의〗〔독일의 수의학 … H.A.)의 이름에서〕양·소·사슴 등의 장관(腸管)에 발… 장염(腸炎). 파라 결핵균(para 結核菌)으로 말미암아 일…

…co, Eugène〕명〖사람〗프랑스의 극작가. 루마니아 출 … 이후 프랑스에 정주(定住)함. 처녀작 ≪대머리 여가수≫ … 업(授業)≫·≪의자(椅子)≫ 등을 발표, 명성(名聲)을 얻…

…:よねざわ〕명〖지〗일본 야마가타 현(山形縣) 남부의 시 … 분지(米沢盆地) 남단에 위치함. 오우 선(奧羽線)의 요 … 단·인견(人絹) 직물 공업, 목재 가공이 성하며, 특산물로 …沢織)·술 등을 산출함. [94,000명(1990)]

… 요사스럽고 간사한 계집. 요부(妖婦). 요희(妖姬).

… 요(堯) 임금이 재위(在位)한 해라는 뜻에서 태평 성대(太…)…하는 말

…상대방 여자를 향해 욕되게 호령하는 소리. <이년. ㊁인대

…는 여자를 욕되게 이르는 말. <이년. *고년·조년.

…상대방 사내를 향해 욕되게 호령하는 소리. <이놈. ㊁인대

…앞에 있는 사내나 어떤 작은 것을 얕잡아 욕되게 이르거나 …이르는 말. <이놈. *고놈·조놈.

…yoni〕명 여성 성기(性器). 여음(女陰).

…미 〈옛〉-오니. ¶첫 ᄀᆞ올히 이 亭子를 여희요니(初秋別此亭) …杜諺 Ⅲ:35≫.

…【饒多】명 풍요하고 많음. ——-하다 형여불

…다각형【凹多角形】명〖수〗'오목다각형'의 구용어. ↔철(凸)다각…

요-다음 명 뒤에 잇따라 오는 때나 자리. 차후(此後). ㊅요담. <이다음. *고다음.

요-다지 부 요러한 정도로. 요렇게까지. 요러하도록. ¶길이 ~ 험하여졌을까. <이다지. *고다지·조다지.

요다지-도 부 '요다지'를 강조하는 말. ¶~ 좁을까. <이다지도. *고다지도·조다지도.

요닥지 부 〈방〉 요다지(평안).

요단-강【一江】〔Jordan〕명〖성〗성서에서 '요르단 강'을 일컫는 말.

요-담[1] 명 ↗요다음. <이담. *고담.

요담[2]【要談】명 필요한 말. 요긴한 말. ¶~을 나누다. ——-하다 자여불

요당[1]【拗堂】명 움푹 팬 곳. 당요(堂拗).

요당[2]【僚堂】명〖역〗자기가 재직(在職)하고 있는 관아(官衙)의 당상관(堂上官).

요대[1]【腰帶】명 허리띠. 띠.

요대[2]【瑤臺】명 ①옥(玉)으로 만든 집. ②훌륭한 궁전.

요대[3]【繞帶】명 띠를 두름. ——-하다 자여불

요대[4]【饒貸】명 너그러이 용서함. ——-하다 타여불

요-대로 부 ①아무 변함없이 요 모양으로. ②요와 같이. ¶~ 그려 보아라. 1)·2): <이대로. *고대로.

요덕【要德】명 중요한 덕의(德義).

요도[1]【夭桃】명 ①꽃이 아름답게 핀 복숭아나무. ②젊고 예쁜 여자의 얼굴. ③시집갈 나이.

요도[2]【尿道】명〖생〗오줌이 방광에서 몸 밖으로 나오는 길. 수컷은 도중에 수정관(輸精管)이 합쳐서 정액(精液)을 사출하는 관(管)도 겸하여 비뇨 생식도(泌尿生殖道)로 되었음. 요관(尿管). 오줌길. 오줌줄. *요로(尿路).

요도[3]【要圖】명 필요한 것만을 간단히 그린 도면(圖面).

요도[4]【要道】명 ①요긴한 길. 중요한 길. ②중요한 교의(敎義).

요도[5]【腰刀】명 ①허리에 차는 칼. 요검(腰劍). ②〖역〗옛날 병기(兵器)로 쓰이던 칼의 한 가지. 날의 길이 석 자 두 치, 자루 길이는 세 치로, 조금 휘우듬하며, 코등이가 있고 순 강철로 만들었음. 집이 없는 칼로, 단병(短兵) 접전(接戰) 때에 쓰며, 허리에 참.

〈요도[5]❷〉

요도[6]【潦倒】명 ①거동(擧動)이 완만(緩慢)한 모양. ②노쇠(老衰)한 모양. ③이재(吏才)가 없는 모양. ④영락(零落)한 모양. ——-하다 형여불. ——-히 부

요도가와 강【一江】〔淀川:よどがわ〕명〖지〗일본 오사카 평야(大阪平野)를 관류(貫流), 많은 분류(分流)를 파생(派生)하고 오사카 만(大阪灣)으로 들어가는 강. [75km]

요도 결석【尿道結石】〔-썩〕명 방광 결석이 배출되는 도중에 요도에 정체한 것.

요도-경【尿道鏡】명 요도의 내부를 직접 검사하는 데 쓰이는 기구. 전부(前部) 요도용과 후부 요도용이 있으며, 각각 건조식(乾燥式)과 관류식(灌流式)이 있고, 특히 여자의 요도에만 쓰이는 것도 있음.

요도-성【耀渡星】명〖천〗'금성(金星)'의 별칭(別稱).

요도-염【尿道炎】명〖의〗주로 임균(淋菌)·대장균(大腸菌)·포도상 구균 등의 세균의 감염 또는 그 밖의 원인으로 일어나는 요도의 염증. 요도에 가려움과 아픔을 느끼며 배뇨통(排尿痛)이 있는데 심하면 요도에서 고름이나 점액(粘液)이 나옴.

요도 협착【尿道狹窄】명〖의〗임질이나 외상(外傷)이 원인이 되어서, 요도벽(壁)에 반흔(瘢痕)이 생기어 확장성을 잃고 요도가 좁아진 상태. 소변 보기가 힘이 듦. 요도염(尿道炎)·방광염·부고환염 등에서 걸리기 쉬움.

요:독시-벤젠〔iodoxybenzene〕명〖화〗투명한 무색 결정의 강산화제(強酸化劑). 크로르포름·아세톤·벤젠에는 녹지 않으나 뜨거운 물에는 녹음. 227-228°C에서 폭발함. [$C_6H_5IO_2$]

요독-증【尿毒症】명〖의〗신장염(腎臟炎)의 경과 중에 나타나는 신경계통의 중독 증상(中毒症狀). 오줌이 잘 빠지지 못하여 못 쓸 물건이 피 속에 들어 막히어 생김. 급성과 만성이 있으며, 구토(嘔吐)·식욕 부진(食慾不振)·불면(不眠)·두통(頭痛) 증상이 나타나고 나중에는 혼수 상태(昏睡狀態)에 빠짐.

요동[1]【妖僮】명 예쁘게 생긴 아이 종.

요동[2]【搖動】명 흔들리어 움직임. 흔들어 움직임. 요탕(搖蕩). ——-하다 자타여불

요동[3]【遼東】명〖지〗'랴오둥'을 우리 음으로 읽은 이름.

요동-만【遼東灣】명〖지〗랴오둥 만.

요동 반:도【遼東半島】명〖지〗랴오둥 반도.

요동-성[1]【遼東城】명〖역〗고구려의 요진(要鎭). 지금의 랴오닝 성(遼寧省) 랴오양 현(遼陽縣)에 있었음.

요동-성[2]【遼東省】명〖지〗랴오둥 성.

요동-시【遼東豕】명〔옛날 요동에서 어떤 돼지가 대가리가 흰 새끼를 낳아서 이상히 여겨 이것을 임금에게 바치려고 하동(河東)으로 가지고 갔더니 그 곳 돼지는 모두 흰 것을 보고 부끄러워 도로 돌아왔다는 고사(故事)에서 나온 말〕견문이 좁은 사람이 저 혼자 득의 양양하여 잘난 체하나 다른 사람이 보기에는 별수없음을 비유하는 말.

요두 명관 〈방〉 노두(露頭).

요두 전:목【搖頭顚目】명 머리를 흔들고 눈을 굴리면서 몸을 움직임. 곧, 침착성(沈着性)이 없이 행동함. ¶이놈이… 뻔뻔스럽게 우리 집에 가 턱 앉아서 ~을 하며 연회를 찾아 놓아라고 야료를 할 터이지≪李海朝: 琵琶聲≫. ——-하다 자여불

요두-채【搖頭菜】명 두릅나물.

요-뒤【褥一】명 요의(褥衣).

요듐〔라 jodium〕명〖화〗요오드(iode).

요:득[1]【了得】명 요해(了解)❶. ——-하다 타여불

요득[2]【料得】명 헤아려 앎. ——-하다 타여불

요들〔yodel, 도 Jodel〕명〖악〗스위스·오스트리아의 산악 지방 특유의 민요. 또, 그 창법(唱法). 가성(假聲)을 많이 쓰는 것이 특색임.

요들 송〔yodel song〕명〖악〗요들 창법으로 부르는 노래.

요딕 어미 〈옛〉-되. ¶세 닐웻 스싀를 스랑ㅎ요딕《釋譜 XIII:57》/平生에 願ㅎ요딕 흔딕 녜자 ㅎ얏더니《松江 思美人曲》.
요-따위 명 요러한 종류. 요런 것들. <이따위.
요-때기【褥一】명 요다운 형체를 갖추지 못한 요.
-요라 어미 〈옛〉-라. -노라. ¶ㄱ는 빗주를 또 긴 두들게 븨요라(弱纜且長堤)《杜諺 III:19》.
「하다 자타여불
요락【搖落】명 ①흔들어 떨어뜨림. ②늦가을에 나뭇잎이 떨어짐. ——
요란[1]【搖亂·擾亂】명 ①시끄럽고 어지러움. 요양(擾攘). ¶~한 기계 소리. ②〔disturbance〕『지질』암석·지층(地層) 등의 처음 생긴 장소에서 일어나는 습곡(褶曲) 운동이나 단층(斷層) 운동. ③〔disturbance〕『기상』저·고기압, 전선(前線), 뇌우(雷雨) 등 대기(大氣)의 일반적인 흐름을 흐트러뜨리는 일. ——-하다 형여불. ——-히 부
요란[2]【燎亂】명 불이 붙어서 어지러움. ——-하다 형여불
요란 사격【擾亂射擊】명『군』주로 야간에 적의 휴식을 방해하고 이동을 제한하며, 사기를 저하시키기 위하여 하는 포사격(砲射擊).
요란-스럽다【搖亂一·擾亂一】형ㅂ불 매우 요란하다. **요란-스레**【搖亂一·擾亂一】부
요란 태양 잡음【擾亂太陽雜音】명 태양의 흑점이나 플레어(flare)의 활동기에 발생하는 전파(電波) 잡음.
요람[1]【要覽】명 ①중요한 것만 뽑아서 보게 한 책. ¶백과(百科) ~. ②조선 시대에 우리 나라와 중국·일본의 문물을 기록한 책.
요람[2]【搖籃】명 ①〔cradle〕유아(乳兒)를 눕히거나 앉혀서 흔들어 즐겁게 하거나 잠재우는 채롱. ¶~에서 무덤까지. ②사업이 발전하는 실마리. ③고향 또는 어린 시절. ④사물이 발달하는 처음. ¶문명의 ~.
요람에서 무덤까지 구〔From the cradle to the grave〕『사』'나서 죽을 때까지'의 뜻. 사회 보장 제도의 충실함을 표현한 말로서, 제2차 세계 대전 후 영국의 노동당이 제창한 슬로건(slogan).
요람[3]【蓼藍】명『식』대청(大靑).
요람-가【搖籃歌】명『악』자장가.
요람-기【搖籃期】명 요람 시대(搖籃時代). 「범위.
요람 수역【搖籃水域】명 어린 바다 생물(生物)이 자라는 일정한 바다의
요람 시대【搖籃時代】명 ①요람에 들어 있던 어린 시절. ②사물이 발달하기 시작한 초창기. 요람기(搖籃期).
요람-지【搖籃地】명 ①요람에 들어 있던 곳. 고향. ②사물이 발달하기
요람-처【搖籃處】명 요람지(搖籃地). └시작한 곳. 요람처.
요래[1]【邀來·邀來】명 맞아서 옴. ——-하다 타여불
요래[2] 준 ①요리하여. ②요러하여 <이래. *고래·조래.
요래도 준 ①요리하게 하여도. ②요러하여도. 1)·2): <이래도. *고래도·조래도. 「<이래라 저래라.
요래라 조래라 구 요렇게 하여라 조렇게 하여라. ¶~ 간섭이 심하다.
요래-봬도 준 요러하게 보이어도. ¶~ 이용 가치는 크다. <이래 봬도. *고래 봬도.
요래서 준 ①요리하여서. ¶마냥 ~ 탈이다. ②요러하여서. ¶모양이 ~ 잘 팔리지 않는다. 1)·2): <이래서. *조래서.
요래서-야 준 요리하여서야. <이래서야. *고래서야.
요래야 준 요리하여야. 요러하여야. ¶언제까지 ~ 하나. <이래야.
요래-조래 부 '요리하고 조리하여'의 뜻. ¶~ 손해만 보았다. <이래저래. 「이랬다저랬다.
요랬다-조랬다 준 요리하였다 조리하였다. ¶~ 변덕이 죽 끓듯 하다. <
요략【要略】명 ①필요한 부분만 골라 뽑고 다른 것은 생략함. ②문장·저서(著書) 등의 중요한 대목을 정리하는 일. 개략(槪略). 요약(要約). ——-하다 타여불 「다. ——-하다 타여불
요량[1]【料量】명 앞일에 대하여 잘 생각하여 헤아림. ¶~ 없는 짓을 하
요량[2]【嘹喨】명 음성(音聲)이 낭랑(朗朗)하고 맑음. ¶먼산에 낙조가 드리었는데, 나팔 소리가 ~히 들리더라《鮮于日: 杜鵑聲》. ——-하다 형여불. ——-히 부
요러- 감 '요렇다'의 불규칙 어간(語幹). ¶~니/~면. <이러-.
요러고 준 요러하고. ¶~ 잠만 잘 텐가. <이러고. 「2): <이러나.
요러나 준 ①요러하나. ¶몸집은 ~ 담은 크다오. ②요렇게 하나. 1)·
요러나-조러나 준 ①요러하나 조러하나. ②요렇게 하나 조렇게 하나. ¶~ 결과는 마찬가지다. 1)·2): <이러나저러나.
요러니 준 ①요러하니. ¶몸집이 ~ 때릴 수도 없고. ②요렇게 하니. ¶공부를 ~ 성적이 떨어질 수밖에. 1)·2): <이러니.
요러니까 준 ①요러하니까. ¶모양이 ~ 자꾸 잃어버린다. ②요렇게 하니까. ¶~ 점점 더 예뻐 보이는데. 1)·2): <이러니까.
요러니-조러니 준 요러하다느니 조러하다느니. ¶~ 말이 많다. <이러
요러다 준 요렇게 하다. ¶~ 다치지. <이러다. └니저러니.
요러다가 준 요렇게 하다가. ¶~ 또 야단 맞지. <이러다가.
요러루-하다 형여불 대충 요런 것들과 비슷하다. <이러루하다.
요러면 준 ①요러하면. ¶크기가 ~ 안 되겠는데요. ②요리하면. ¶늘 ~ 못 쓴다. 1)·2): <이러면. 준요럼. *고러면.
요러므로 준 요러하므로. <이러므로. *고러므로·조러므로.
요러요러-하다 형여불 요러하고 요러하다. ¶요러요러한 물건을 사려고 합니다. <이러이러하다. *고러고러하다.
요러조러-하다 형여불 요러하고 조러하다. <이러저러하다.
요러쿵-조러쿵 부 요러하다는 둥 조러하다는 둥. ¶~ 말이 많다. <이러쿵저러쿵. ——-하다 자여불
요러-하다 형여불 ①요와 같다. 요와 비슷하다. ¶진상은 ~. ②요런 모양으로 되어 있다. ¶요러한 물건을 찾소. 1)·2): <이러하다. 준요렇다. *고러하다. 요러-히 부
요러한-즉 부 요와 같은 즉. <이러한즉. 준요런즉.

요럭-조럭 부 ①하는 일 … 낸다. ②되어 가는 대로. … 덧. ¶~ 3년이란 …
요런[1] 관 ↗요러한. ¶…
요런[2] 감 놀라운 일이 있 … 고런[2].
요런-대로 준 요러한 대로. …
요런 양으로 [—냥—] …
요런-즉 부 ↗요러한즉 …
요럼 준 요러면. ¶~ …
요렁-조렁 부 일정한 일 … 렁. ——-하다 자여불
요렇게 [—러케] 부 ↗요러하게 … 고렇게.
요렇다 [—러타] 형ㅎ불 ↗요러 …
요렇다-조렇다 [—러타—러타] … 이 많다. <이렇다저렇다. ——
요렇든-조렇든 [—러튼—러튼] 부 …
요렇든지-조렇든지 [—러튼—러튼—] … 지. <이렇든지저렇든지.
요렇듯 [—러틋] 부 ①↗요러하듯. … ¶~ 걱정을 해주니 정말 고맙구나. …
요렇듯이 [—러트시] 부 ↗요러하듯 …
요렇지 [—러치] 감 요와 같이 틀림없 …
요레 부 요러하게. 요러히. ¶어린것이 …
요-렌즈【凹—】〔lens〕명『물』오목렌 …
요려[1]【妖麗】명 요염하고 화려함.
요려[2]【寥戾】명 소리가 맑아 멀리 들림. - …
요력-도【要力島】명『지』전라 남도의 서 … 안좌면(安佐面) 산두리(山斗里)에 위치한 …
요련【遙輦】명『역』야율아보기(耶律阿保機 … 될 때까지 거란(契丹)의 주체를 이루는 여덟 … 족(氏族)의 명칭.
요령[1]【妖靈】명 요괴(妖怪).
요령[2]【要領】명 ①사물의 요긴하고 으뜸되는 … 립[1]. ¶~이 좋다. ③적당히 또는 어물거리어 … └¶~ …
요령[3]【曜靈】명 '태양'의 별칭.
요령[4]【鐃鈴·搖鈴】명 ①솔발(鏵鈸). ②『불교』불가 … (法要)를 행할 때 흔드는 솔발보다 좀 작은 기구.
[요령 도둑놈] 생김새가 흉악스럽고 눈알이 커서 늘 … 라리고 있는 사람을 두고 하는 말.
요령 부득【要領不得】명 말이나 글의 요령을 잡을 수 … 다 형여불
요령-성【遼寧省】명『지』랴오닝 성.
요로[1]【尿路】명『생』신장(腎臟)·요관(尿管)·방광(膀胱) …
요로[2]【要路】명 ①가장 긴요한 길. ¶교통의 ~. ②현요(… 요진(要津). ¶관계 ~.
요로 결석【尿路結石】[—썩] 명『의』요석(尿石).
요로 소독제【尿路消毒劑】명『의』내복(內服)이나 주사에 으 … 으로 나와 방부(防腐) 소독 효과를 발휘하는 약제. 요로의 … 에 일어나는 염증의 치료에 쓰임.
요로원 야:화기【要路院夜話記】[—냐—] 명『책』조선 숙종 … 박두세(朴斗世)의 수필집. 당시의 양반(兩班)과 경향(京鄕)의 … 가 사회 제도와 정책을 비판 풍자함.
요록【料祿】명『역』요미(料米)와 녹미(祿米).
요록-색【料祿色】명『역』관원(官員)과 잡직(雜職) 등에게 급료로 … 곡물과 포(布)를 맡은 호조(戶曹)의 한 분장(分掌).
요론【要論】명 요긴한 논설. 또, 그러한 논설을 함. ——-하다 자여불
요뢰【聊賴】명 남에게 의뢰하여 살아 감. ——-하다 자여불
요료 무문【寥寥無聞】명 요요 무문(寥寥無聞).
요루【尿瘻】명『의』외상(外傷)·악성 종양(腫瘍)·염증 등의 원인으 … 외요도구(外尿道口) 이외의 부분에서 오줌이 새어 나오거나 치료상(治療上)의 필요로 외요도구 이외의 부분으로부터 체외로 오줌을 끌어 … 는 일. 그 부위에 따라 신(腎)요루·신우(腎盂) 요루·요관(尿管) 요루·방광(膀胱) 요루라고 부름.
요루바-어【—語】〔Yoruba〕명 수단 기니 언어군(言語群)에 속하는 요루바족(族)의 언어. 오요 방언(Oyo 方言)이 가장 세력이 있어 초등 교육 외에 잡지·신문에도 쓰이고 있음.
요루바-족【—族】〔Yoruba〕명 아프리카의 나이지리아 서남부로부터 베냉에 분포하는 종족. 니그로계(系)에 아랍·베르베르인(Berber人)의 요소가 섞임. 총수(總數) 1,500만 명(1973). 17세기경 강력한 제국(帝國)을 형성했으나 이슬람 교도의 침략으로 붕괴(崩潰)됨. 정치성(政治性)·종교성(宗敎性)이 강한 사회를 구성, 농업이 주업으로, 요루바어(語)를 사용함.
요르단[1]〔Jordan〕명『지』아시아의 서쪽에 위치한 왕국. 아라비아 반도 북부의 고원상 대지를 차지하며 서북부는 지중해식 기후로 농사를 짓지만 국토의 약 95%는 건조 사막 지대. 주민은 대부분 베드윈계(系)의 아랍인(人)으로 이슬람교도임. 공용어는 아라비아어(語). 농업과 광업이 중요 산업으로 밀·과실·야채·올리브·담배 등 농산물과 인(燐)·망간·구리·소금도 산출함. 원수(元首)는 국왕, 국회는 양원제(兩院制)임. 제1차 대전 후 영국의 위임 통치령이었다가 1946년 왕국으로

과 알코올에 잘 녹고 맛이 씀. 수산화 칼륨에 요오드를 넣고 작용시킨 다음 탄소와 함께 가열하거나 요오드와 쇳가루를 섞은 반응 생성물에 탄산 칼륨 용액을 넣으면 생김. 의약(醫藥)으로서 이뇨제(利尿劑)로 쓰이며 다른 요오드 화합물의 원료나 분석 시약, 또는 사진의 현상액(現像液)과 건판(乾板)을 제조하는 데 쓰임. 요오드 칼륨. 옥도 가리(沃度加里). 옥화(沃化) 칼륨. [KI]

요오드화 칼륨 녹말 용액【一化一綠末溶液】명〔potassium iodide starch solution〕〖화〗적은 양의 가용성(可溶性) 녹말을 녹인 요오드화 칼륨 수용액(水溶液). 녹말 방부(防腐)의 목적으로 염화(塩化) 칼륨 또는 클로로포름(chloroform)을 첨가함. 오존(ozone) 등의 산화성 물질을 가하면 유리(遊離)한 요오드가 녹말에 작용하여 청자색(青紫色)을 띠므로 산화성 물질의 검출에 지시약(指示藥)으로 쓰임. 요오드화 칼륨 전분 용액(澱粉溶液).

요오드화 칼륨 녹말 종이【一化一綠末一】명〔potassium iodide starch paper〕〖화〗산화제(酸化劑)의 검출에 쓰이는 시험지의 하나. 요오드화 칼륨과 가용성(可溶性) 녹말의 용액에 거름종이를 담갔다가 건조(乾燥)한 것. 축축한 상태에서 미량(微量)의 산화제와 반응하여 푸른 빛을 띰. 요오드화 칼륨 전분지(澱粉紙). 옥도 가리(沃度加里) 전분지.

요오드화 칼륨 전:분 용액【一化一澱粉溶液】명〔potassium iodide starch solution〕〖화〗요오드화 칼륨 녹말 용액.

요오드화 칼륨 전:분지【一化一澱粉紙】명〔potassium iodide starch paper〕〖화〗요오드화 칼륨 녹말 종이.

요오드화 칼슘【一化一】명〔calcium iodide〕〖화〗탄산 칼슘을 요오드화 수소산(水素酸)에 녹이고 용액을 농축(濃縮)하여 얻는 무색의 장침상(長針狀) 결정. 녹는점 42℃, 끓는점 160℃. 공기 속에서 가열하면 산화(酸化) 또는 가수 분해함. [CaI_2]

요옥【瑤玉】명 아름답고 귀중한 구슬.

요왕〔Joan〕명〖천주교〗'요한'의 구칭.

요:외【料外】명 요량 밖. 생각 밖.

요요[1]【了了】명 똑똑한 모양. 분명한 모양. ¶"할 수 없이 그 양반을 뫼시고 갔다 왔소이다."하고 초향이가 ~하게 발명하였다≪洪命憙 : 林巨正≫. ——-하다 형여불

요요[2]【姚姚】명 어여쁨. 아리따움. ——-하다 형여불

요요[3]【寥寥】명 괴괴하고 쓸쓸함. ¶~한 황야. ——-하다 형여불. ——-히 부

요요[3]【撓撓】명 흔들리는 모양. ——-하다 형여불

요요[4]【嶢嶢】명 산이 높은 모양. ——-하다 형여불

요요[5]【擾擾】명 정신이 뒤숭숭함. 시끄러운 모양. ——-하다 형여불

요:요[6]〔yoyo〕명 자이로스코프(gyroscope)의 원리를 응용한 장난감. 만두형을 한 두 개의 나무쪽에 그 중심을 축(軸)으로 연결하여 고정시키고, 그 축에 실의 한쪽 끝을 묶어 매고, 다른 한쪽을 손에 쥐고 나무 쪽을 아래로 늘어뜨려, 회전에 의하여 상하 운동을 하게 함.

〈요요[6]〉

요요 무문【寥寥無聞】명 명예(名譽)나 명성(名聲)이 들날리지 아니함. ——-하다 형여불

요요-하다[1]【搖搖一】타여불 잇따라 흔들다.

요:요-하다[2]【夭夭一】형여불 ①나이가 젊고 아름답다. ②화색이 좋다. ③물건이 가냘프고 아름답다.

요요-하다[3]【遙遙一】형여불 멀고 아득하다.

요용【要用】명 긴요하게 씀. ——-하다 타여불

요용-건【要用件】[一껀] 명 요긴하게 쓸 물건. 아주 긴급한 일.

요용 소:치【要用所致】명 필요가 있어서 함. 또 그러한 일. ¶아마 아씨더러 ~로 위선 아쉬우신 데 쓰시라고… 이것을 편지 속에다 넣어 보내신 것인가 보오이다≪李海朝 : 花의 血≫.

요용-품【要用品】명 요긴한 물건.

요우【僚友】명 같은 일자리에서 일하는 같은 계급의 벗. 동료(同僚). 요배(僚輩).

요운[1]【妖雲】명 수상한 구름. 불길(不吉)한 낌새가 있는 구름.

요운[2]【腰韻】명〖문〗시가(詩歌)의 음률을 강조하기 위하여 구(句)나 행(行) 중간에 반복하여 다는 운. *각운·두운.

요원[1]【要員】명 ①어떤 부서 또는 일을 하는 데 필요한 인원. ②중요한 지위에 있는 임원(任員). ¶정부 ~.

요원[2]【遙遠·遼遠】명 아득히 멂. 요막(遼邈). ——-하다 형여불

요원[3]【寮元】명〖불교〗선사(禪寺)에서, 여러 가지 일을 맡은 소임.

요원[4]【遼源】명〖지〗'쌍료(雙遼)'의 구칭.

요원[5]【燎原】명 불이 난 벌판.

요원의 불길 [一낄] 구 무서운 형세로 타 나가는 벌판의 불. 세력이 대단해서 막을 수 없음의 비유. 요원지화(燎原之火).

요-원주【尿圓柱】명〖생〗오줌 속에 보이는 원주상(圓柱狀)의 물질. 주로 단백질이 신장(腎臟)의 세뇨관(細尿管) 내에서 응고하여 생긴 것.

요원-증【要員證】[一쯩] 명 어떠한 기관의 요원임을 증명하는 증명서. ¶전시 ~/국방 ~.

요원지-화【燎原之火】명 요원의 불길.

요위[1]【腰圍】명 허리통.

요위[2]【澆僞】명 도덕이 퇴폐하고 인정이 박하여져 거짓이 많음. 행동이 경솔하고 거짓이 많음. ——-하다 형여불

요유【擾柔】명 길들여져 유순함. 순하고 부드러움. ——-하다 형여불

요육[1]【腰肉】명 요부(腰部)의 살.

요육[2]【療育】명 치료를 하면서 교육함. ——-하다 타여불

요:율[1]【料率】명 요금의 정도·비율.

요율[2]【憭慄】명 ①구슬픔. 처창(悽愴)함. ②추위에 떠는 모양.

요의[1]【一衣】[一/一이] 명 바닥에 닿는 쪽의 요껍데기. 보통 나비는 1m, 길이 2m 가량임.

요:의[2]【了義】[一/一이] 명 진실의 의리(義理)를 직접적으로 명백하고 완전하게 나타내는 일.

요의[3]【尿意】[一/一이] 명 오줌이 마려운 생각.

요의[4]【要義】[一/一이] 명 중요한 뜻을 품은 요지(要旨).

요의[5]【僚誼】[一/一이] 명 동료 사이의 우의.

요:의-경【了義經】[一/一이一] 명〖불교〗요의교(了義教)에 의하여 강설(講說)한 경전(經典).

요:의-교【了義教】[一/一이一] 명 ①요의(了義)의 교법(教法). ②〖불교〗불법(佛法)의 도리(道理)를 직접 완전하게 또 명백하게 논술(論述)하고 있는 불교.

요의 빈삭【尿意頻數】[一/一이一] 명〖의〗임독성 방광염(淋毒性膀胱炎)이나 요도염(尿道炎) 때문에 오줌이 자주 마려운 생각이 나는 증세.

요-의자【搖椅子】명 흔들의자.

요이[1]【妖異】명 요사스럽고 괴이함. ——-하다 형여불

요이[2]【聊爾】명 구차한 모양. ——-하다 형여불

요-이[3] 인대 요 사람. >이이. *저이.

-요이다 어미 〈옛〉-오이다. ¶山 졉동새 난 이슷ᄒᆞ요이다≪樂範 鄭瓜亭≫.

요익【饒益】명 ①재물이 넉넉함. ②〖불교〗자비로운 마음으로 중생에게 이익을 줌. 또, 그 이익.

요인[1]【妖人】명 정도(正道)를 어지럽게 하는 요사스러운 사람.

요인[2]【要人】명 중요(重要)한 자리에 있는 사람. 윗자리에 있는 사람. ¶정부 ~.

요인[3]【要因】명 사물·사건의 성립 또는 발현(發現)에 직접 그 원인 또는 조건이 되는 요소. 사물의 성립에 중요한 원인.

요인 증권【要因證券】[一꿘] 명 증권에 의하여 표현되는 권리가 그 원인이 되는 법률 관계의 유효한 존재를 요건으로 하는 유가 증권. 선하(船荷) 증권·창고 증권이 이에 속함. 유인 증권(有因證券). ↔무인(無因) 증권.

요인 행위【要因行爲】명 유인 행위(有因行爲).

요일【曜日】명 일(日)·월(月)을 양요(兩曜), 여기에 화(火)·수(水)·목(木)·금(金)·토(土)의 오성(五星)을 더한 칠요(七曜)의 각칭(各稱).

요일-표【曜日表】명 칠요일(七曜日)의 위치를 기입하여 쉽게 어느 날의 요일(曜日)을 알아낼 수 있도록 만든 표.

요임【要任】명 중요한 책임을 맡은 임무.

요-임금【堯一】명 중국 태고의 천자 '요(堯)'를 임금으로서 똑똑히 일컫는 말. 주의 예전에는, '욧님금'으로 발음했음.

요-잇【褥一】명 〈방〉욧잇(경상·전라).

요:잉〔yawing〕명 ①배의 이물이 흔들리는 일. ②비행기가 침로(針路)를 벗어나 좌우로 흔들리는 일.

요-자【一者】인대 〈비〉요 사람. <이자.

요-자기 명 〈방〉요사이(제주).

요잡【繞匝】명〖불교〗부처를 중심으로 하고 그 둘레를 돌아다니는 일. 위요(圍繞). ——-하다 타여불

요재 지이【聊齋志異】명〖책〗중국 청(淸)나라 초기 포송령(蒲松齡)이 지은 괴기 소설(怪奇小說). 1766년 간행. 신괴(神怪)·귀호(鬼狐)를 취급한 단편(短篇) 4백여(餘)를 모은 것으로, 착상(着想)이 묘하고 문장이 현란(絢爛)하여 유명함. 8권 혹은 16권으로 됨.

요쟁【嶢崢】명 산이 높음. ——-하다 형여불

요적【妖賊】명 괴이한 도적이나 반역자.

요적-하다【寥寂一】형여불 적적하고 고요하다. 적요(寂寥)하다.

요-전[1]【一前】명 요새의 며칠 전. <이전(以前).

요전[2]【耀電】명 번쩍이는 번갯불.

요-전번【一前番】[一뻔] 명 얼마 되지 않는 전번. <이전번.

요전-상【澆奠床】[一쌍] 명 산소에 차리어 놓은 제물.

요:절[1]【夭折】명 나이 젊어서 죽음. 요수(妖壽). 절사(折死). 조서(早逝). 요사(夭死). 단절(斷折). ——-하다 자여불

요절[2]【要節】명 문장(文章)에 있어서 요긴한 마디.

요절[3]【腰折·腰絕】명 몹시 우스워서 허리가 부러질 듯함. ¶~ 복통. ——-하다 자여불

요절[4]【撓折】명 휘어져 부러짐. 휘어짐. ——-하다 자여불

요절-나다 [一라一] 자 ①못쓰게 될 만큼 깨어지거나 해어지다. ②꾸미고 있던 일이 깨어져서 실패하게 되다.

요절-내다 [一래一] 타 요절나게 만들어 버리다.

요절-병【腰折病】[一뼝] 명〖식〗담배·목화의 균류병(菌類病). 어린 모종의 지면 가까이 있는 부분이 침해당하여 쓰러지는 병. 라이족토니어 솔라니(Rhizoctonia solani)라는 균에 의하여 생김.

요-점[1] 명 〈방〉요즈음(전북).

요점[2]【要點】[一쩜] 명 가장 중요한 점. 요처(要處). 요부(要部). 급소(急所). 절점(切點). 골자(骨子). 주점(主點). ¶~을 말하면 아래와 같다.

요:정[1]【了定】명 ①끝을 마침. ②결정. ——-하다 타여불

요:정(이) 나다 구 일이 다 끝이 나다.

요:정(을) 짓:다 구 결정을 짓다. 끝을 내다. ¶범이 날개가 돋기 전에 아주 요정을 지어 버렸으면 합니다≪朴鍾和 : 多情佛心≫.

요:정(을) 내다 구 결판 내어 끝을 내다. ¶어찌하면 저놈을 요정 낼꼬 하는 악심을 품었다가…≪崔瓚植 : 雁의 聲≫.

요정[2]【尿精】명〖한의〗오줌에 정액(精液)이 섞이어 나오는 병증.

요정[3]【妖精】명〔fairy〕괴이쩍은 정령(精靈). 서양의 전설이나 이야기에 많으며, 여성으로서 여러 가지 불가사의(不可思議)한 일을 보임. 님프(nymph).

요정[4]【料亭】명 요릿집.

요정[5]【僚艇】명 같은 임무를 띤, 동료 선정(船艇).

요제프 이:세【一二世】〔Joseph Ⅱ〕명〖사람〗신성 로마 황제. 프란츠 1세의 아들. 전형적인 계몽 전제 군주로 종교의 자유를 인정하고, 농민 보호 정책을 폄. 그러나 모든 개혁이 국가 권력의 강화를 위한 것으로 이에 대한 국내(國內)의 불만과 더불어 외교 정책의 실패 때문에 그가 죽자 개혁은 와해됨. [1741-90: 재위 1765-90]

요제프 일세【一一世】〔Joseph Ⅰ〕[一쎄] 명〖사람〗신성 로마 황제. 레오폴트 1세의 아들. 스페인 계승 전쟁에 활약, 또 독일에서 황제권(皇帝權) 신장(伸張)을 위하여 진력했으나 결실을 보지 못하고 요절함. [1678-1711: 재위 1705-11]

요:조[1]【凹彫】명〖미술〗음각(陰刻). ↔철조(凸彫).

요:조[2]【窈窕】명 ①부녀의 행동이 얌전하고 조용함. ②깊고 조용한 경지. ③사물의 이치가 속 깊음. ——-하다 형여불

요:조 숙녀【窈窕淑女】명 안존(安存)한 여자.

요조숨 명〈옛〉요즈음. 이즈음. =요조음. ¶요조숨 누네보니 眞實로 微驗호미 잇도다(頃來目擊信有徵)≪初杜諺 XXV:47≫.

요조솝 명〈옛〉요즈음. =요조숨·요조음. ¶요조솝브터 오매 혼欲 글도 받디 몯ᄒ요라(從來不奉一行書)≪初杜諺 XXI:25≫.

요조옴 명〈옛〉요즈음. 이즈음. =요조숨·요조솝. ¶요조옴 아자비 마은 사ᄅᆞᆷ 보니(比看伯叔四十人)≪重杜諺 VIII:16≫.

요-족[1]【猺族】명 중국의 북부 광둥(北部廣東)·서부 광시(西部廣西)·동부 윈난(東部雲南)을 중심으로 저장 성(浙江省)·푸젠 성(福建省) 또는 구이저우(貴州)·남부 윈난(南部雲南), 그리고 인도차이나 반도의 북부 산악 지대까지 퍼져 살고 있는 원주민. 저장·푸젠에 사는 사람은 여(畬) 또는 사(畬)라고 칭하며, 퉁킹(東京) 지방의 사람은 만(Man)이라고 자칭(自稱)하고 있음. 야오족(Yao 族).

요족[2]【饒足】명 요부(饒富). ¶평생 의식은 ～하고도 남다. ——-하다 형여불

요좀 명〈방〉요즈음(황해·평안).

요:종【鬧鐘】명 예정한 시간이 되면 요란하게 치도록 장치를 해 놓은 시계. *자명종(自鳴鐘).

요좌【僚佐】명 속관(屬官).

요주[1]【瑤珠】명 아름다운 구슬.

요주[2]【寮主】명〖불교〗선사(禪寺)에서 요원(寮元)을 보좌하는 소임.

요-주의【要注意】[一/一이] 명 주의가 필요함. ¶～ 인물(人物).

요주의-자【要注意者】[一/一이一] 명 ①집단 검진이나 신체 검사에서 건강상 주의할 필요가 있다고 판정이 내려진 사람. 특히, 투베르쿨린 반응의 양성 전이자 따위. ②감시할 필요가 있는 사람.

요-줌 명〈방〉요즈음(경기·강원·충청).

요-즈막 명부 요즈음까지에 이르는 가까운 과거. <이즈막.

요-즈음 명부 요매의 즈음. 요사이. 작금(昨今). 근경(近頃). 저간(這間). ¶～의 경기 동태. 준요즘. <이즈음.

요-즘 명부 ↗요즈음. ¶～의 유행. <이즘.

요증【要證】명〖법〗입증(立證)을 요(要)함.

요증 사:실【要證事實】명〖법〗당사자(當事者)의 입증(立證)을 요(要)하는 사실. 민사(民事)에서는 다툼 없는 사실 및 현저한 사실 이외의 주요 사실을 가리키며, 형사(刑事)에서는 엄격한 입증을 요하는 사실을 가리킴. 주요 사실(主要事實).

요:지[1]【了知】명 깨달아 앎. ——-하다 타여불

요지[2]【要地】명 정치·문화·교통·군사 등의 가장 중요한 핵심이 되는 곳. ¶교통의 ～.

요지[3]【要旨】명 간요(肝要)한 취지. 대체의 내용.

요-지[4]【瑤池】명 중국 곤륜산(崑崙山)에 있다는 못. 선인(仙人)이 살았다고 함. 주(周)나라 목왕(穆王)이 서왕모(西王母)를 만났다는 이야기로 유명한 곳.

요지[5]【窯址】명 가마터.

요-지간 명〈방〉요사이(함경).

요지-경【瑤池鏡】명 확대경(擴大鏡)을 장치하여 놓고 그 속의 여러 가지 재미있는 그림을 돌리면서 구경하는 장난감.

요지-부동【搖之不動】명 흔들어도 꼼짝 아니함. ——-하다 자여불

요-지시약【要指示藥】명〖약〗의사의 지시 처방전(處方箋)이 없으면, 약국에서 살 수 없는 약. 수면제(睡眠劑)·극약 따위.

요:지-주의【了知主義】[一/一이] 명〖법〗격지자(隔地者) 사이의 의사 표시에 있어서, 그 내용이 상대방에게 요지(了知)된 때(예를 들면 상대방이 편지를 다 읽은 때)로부터 그 효과가 생긴다는 주의.

요:지-호【凹地湖】명〖지〗수면(水面)이 해면(海面)보다 낮은 호수.

요직【要職】명 ①중요한 직위. ¶정부의 ～을 차지하다. *청직(淸職). ②중요한 직업.

요진[1]【要津】명 ①배로 건너는 중요한 나루. ②요로(要路).

요진[2]【要鎭】명 중요한 요해처에 있는 병영(兵營).

요질【腰絰】명 상복(喪服)을 입을 때에 허리에 띠는 띠. 띠에 삼을 섞어서 굵은 동아줄같이 만듦.

요집【拗執】명 외통으로 고집함. ——-하다 타여불

요-쯔음 명〈방〉요즈음(전남).

요-쯤 명부 요만한 정도. ¶～ 해 두자. <이쯤.

요ᄌᆞ옴 명〈옛〉요즈음. 이즈음. ¶요ᄌᆞ옴 드로니 韋氏人 누의(近日韋氏妹)≪重杜諺 XI:2≫.

요:차[1]【了叉】명 팔짱을 낌. ——-하다 자여불

요차[2]【療次】명 ↗요기차(療飢次). ¶대궐 하인들을 잘 대접하고 후하게 ～를 주어라≪朴鍾和: 錦衫의 피≫.

요:찰[1]【夭札】명 요사(夭死). ——-하다 자여불

요찰[2]【瑤札】명 아름다운 편지. 요한(瑤翰).

요-참[1] 명〈방〉요즈음(전남).

요참[2]【腰斬】명〖역〗나라의 중죄인(重罪人)을 허리를 베어 죽이는 형벌. ——-하다 타여불

요:채【了債】명 ①빚을 모두 갚음. ②자기의 의무를 다함. ——-하다 자여불

요처[1]【凹處】명 오목하게 들어간 곳.

요처[2]【要處】명 ①중요한 데. 요점(要點). 요부(要部). ②변소(便所).

요-처럼 부 요와 같이. <이처럼.

요천【遙天】명 먼 하늘.

요철【凹凸】명 오목함과 볼록함. 철요(凸凹). ——-하다 형여불

요철 렌즈【凹凸一】〔lens〕명〖물〗한쪽은 오목하고 한쪽은 볼록한 렌즈. 작용은 볼록 렌즈와 같음.

요청【要請】명 ①요긴하게 청함. ②〖철〗공준(公準)❶. ③〖수〗공준❷. ——-하다 타여불

요청-서【要請書】명 요청하는 사연을 적은 서류.

요체[1]【拗體】명〖문〗일정한 평측식(平仄式)에 따르지 아니한 근체 한시(近體漢詩). 즉 절구(絶句)·율시(律詩)의 변격의 한 가지. 두보(杜甫)의 시에서 많이 볼 수 있음.

요체[2]【要諦】명 ①중요한 점. ②중요한 깨달음.

요:초[1]【料峭】명 이른봄에 조금 추운 추위. 봄바람이 피부에 닿아 찬 것을 뜻하는 말. ¶춘한 ～.

요초[2]【邀招】명 불러서 맞아들임. ——-하다 타여불

요:촉【夭促】명 요사(夭死). ——-하다 자여불

요추【腰椎】명 척추를 구성하는 추골(椎骨) 중의 하나. 흉추(胸椎)에 잇따라 천추(薦椎)의 위에 있는 것. 다섯 개로 됨. 허리 등뼈.

요추 마취【腰椎痲醉】명〖의〗수술할 목적으로, 제이·제삼의 요추(腰椎) 사이에 침을 넣어 척수강(脊髓腔) 속에 마취약을 주입(注入), 주로 하반신(下半身)의 지각(知覺)을 마비시킴.

요추 천:자【腰椎穿刺】명〔lumbar puncture〕〖의〗신경 계통의 질환(疾患)을 진단(診斷)하기 위하여 제삼·제사 요추 극상 돌기(腰椎棘狀突起) 사이를 바늘로 찔러 수강(髓腔) 속의 수액(髓液)을 채취하는 일.

요추 카리에스【腰椎一】〔라 caries〕명〖의〗요추에 일어나는 척추 카리에스.

요-축【饒一】명 살림이 넉넉한 사람들.

요충[1]【要衝】명 ↗요충지.

요충[2]【蓼蟲】명 여뀌풀의 잎을 갉아 먹는 벌레.

요충[3]【蟯蟲】명〖동〗[*Enterobius vermicularis*] 요충과에 속하는 선충류(線蟲類)의 기생충. 몸길이는 수컷이 3-5 mm, 폭 0.2 mm이고 암컷은 10 mm, 폭 0.4 mm 내외로 방추형임. 몸빛은 백색이며 체륜(體輪)이 있고, 입은 세 개의 입술로 둘러싸이며 구강(口腔)은 없음. 인체의 맹장(盲腸) 및 그 부근의 장관내(腸管內)에 기생하는데, 처음에는 소장(小腸) 밑이나 맹장에 기생하다가 성숙함에 따라 대장·직장으로 옮기며, 밤에 항문으로 나와 항문의 주위에 길이 0.058 mm의 알을 6,000-10,000개 가량 낳으며, 알은 손가락·옷 등에 묻어 입으로 들어감. 때때로 항문으로 배출됨. 유아(幼兒)에 많은데, 소화 불량·신경증·불면증을 일으킴. 좀거위. 실거위.

〈요충[3]〉

요충-지【要衝地】명 요해처(要害處)❶. 준요충(要衝).

요측 피정맥【橈側皮靜脈】명〖생〗팔의 피정맥의 하나. 손등의 피정맥이 모여 전박부의 바깥쪽 상박 이두근(上膊二頭筋)의 바깥쪽을 따라 올라간 후, 삼각근(三角筋)과 대흉근(大胸筋) 사이를 지나 쇄골(鎖骨) 밑에서 액와(腋窩) 정맥으로 흘러 듦. 오금의 부분에서 정맥 주사나 채혈(採血)을 할 때 이 정맥이 이용됨.

요치【療治】명 병을 고침. 치료. ——-하다 타여불

요-침윤【尿浸潤】명〖의〗요도병(尿道病)의 한 가지. 요도의 벽이 헐어서, 오줌이 주위의 조직에 스며들어 조직 괴사(組織壞死)·화농(化膿)·미만성(彌漫性) 염증을 일으키며 오한(惡寒)·전율(戰慄)·고열(高熱)이 나고 요독증(尿毒症)·패혈증(敗血症)이 됨.

요카이〔Jókai, Mór〕명〖사람〗헝가리의 소설가. 공상(空想)과 밝고 로맨틱한 사회 소설·역사 소설 등을 씀. 대표작으로 ≪헝가리의 부자(富者)≫가 있음. [1825-1904]

요-컨대【要一】부 ①중요(重要)한 점을 말하자면. ②여러 말 할 것 없이. ¶～ 합격하여야 한다.

요코스카〔横須賀: よこすか〕명〖지〗일본 가나가와 현(神奈川縣) 남동부 미우라(三浦) 반도 동쪽 기슭에 있는 항만 도시. 미해군(美海軍)과 자위대의 기지, 방위 대학교가 있어 군사적 성격이 강함. 자동차·조선(造船)·식품·기계 공업이 행해짐. [432,000명(1990)]

요코하마〔横浜: よこはま〕명〖지〗일본 가나가와 현(神奈川縣) 동부의 현청 소재지. 고베(神戸)와 함께 일본을 대표하는 국제 항만 도시임. 해안 매립지에는 철강·조선(造船)·화학·석유 정제 등의 대공장이 집중하여 게이힌(京浜) 공업 지대의 중심을 이룸. [3,220,000명(1990)]

요:크[1]〔yoke〕명 여성복이나 아동복을 재단(裁斷)할 적에 장식의 목적으로 어깨나 스커트의 윗부분을 딴 감으로 바꿔 대는 것.

요:크[2]〔York〕명〖지〗영국 잉글랜드 북동부 노스요크셔 주(North Yorkshire 州)의 도시. 우즈 강(Ouse 江)에 연하여 있는 교통의 요지이며 요크셔 농업 지대의 중심지임. 초콜릿과 코코아의 제조, 피혁·유리 공업이 행해짐. 7세기 이래 종교상의 중심으로 요크 성당이 있음. [102,700명(1983)]

요:크-가【一家】〔York〕명 중세 영국의 왕가(王家). 플랜태저넷 왕조(Plantagenet 王朝)의 지류(支流)로, 요크공(公) 에드먼드(Edmund)가 일으킨 에드워드 4세·에드워드 5세·리처드 3세의 3대에 이르는 왕가.

[1461-85]

요:크 갑【一岬】〔York〕 명 『지』 오스트레일리아의 북동부 퀸즐랜드(Queensland)로부터 북방에 돌출한 반도. 뉴기니(New Guinea)와의 사이에 토레스 해협(Torres海峽)을 만듦. 열대 초원지(熱帶草原地)가 넓고 개발(開發)이 불충분함.

요:크셔〔Yorkshire〕 명 『지』 영국 잉글랜드 북동부의 옛 주명(州名). 서부에서 석탄이 산출되며 직물·철강(鐵鋼)·피혁(皮革) 등의 공업이 행하여짐. 중앙부는 비옥한 평야로, 농업·목축이 성함. 1974 년 행정 구역의 개편에 따라 노스요크셔·웨스트요크셔·사우스요크셔로 나뉨.

요:크셔-종【一種】〔Yorkshire〕 명 『동』 돼지의 한 품종(品種). 영국의 요크셔 원산(原産). 대·중·소(大中小)의 세 종류가 있는데, 일반적으로 조숙(早熟)·다산(多産)·강건(強健)함을 그 특징으로 함. 흰 빛의 우량종(優良種)으로 가슴통이 굵고 동체(胴體)가 길며 넓적다리의 살이 발달되었고 사지(四肢)가 곧고 짧음. 우리 나라에서도 가장 많이 사육(飼育)하고 있음. 생육용(生肉用) 및 가공용(加工用)으로 널리 쓰임.

〈요크셔〉

요:크셔 테리어〔Yorkshire terrier〕 명 『동』 다리가 짧고 몸통이 길며 털이 비단결같이 부드러운 개의 한 품종(品種). 본디 1850년대에 영국 요크셔 지방의 광부(鑛夫)들이 여러 가지 테리어종(種)을 교배하여 쥐를 잡게 하려고 만들어 낸 것. 어두운 금속 광택이 있는 푸른 색이며, 머리·다리·가슴은 황갈색임. 애완용(愛玩用)으로 기름.

요:크 앤트워:프 규칙【一規則】 명 〔York-Antwerp Rules〕 『경』 공동 해손(共同海損)에 관한 국제 통일 규칙. 1860년 글래스고에서 유지(有志)들이 회합하여 공동 해손에 관한 약간의 규정을 제정한 것에서 비롯하여, 그 후 수차에 걸친 회의에서 토의·수정을 거쳐 1950년에 비로소 성립됨. 국제법 협회에 의한 일종의 합의 규약(合意規約)으로 조약은 아님. 용선(傭船) 계약서·선하 증권·해상 보험 증권 등에 널리 채용되고 있음.

요:크타운〔Yorktown〕 명 『지』 미국 동부 버지니아 주(Virginia 州) 동남부의 소읍(小邑). 1781년의 요크타운 싸움터로서 유명함.

요:크타운 전:투【一戰鬪】〔Yorktown〕 명 『역』 미국 독립 전쟁 중의 결전. 1781년 10월 19일, 버지니아 주의 요크타운에서 조지 워싱턴이 이끄는 미국·프랑스 연합군이 찰스 콘월리스(Charles Cornwallis)가 이끄는 영국군을 포위 공격하여 항복시킴으로써 독립군은 승리를 확정하고 사실상의 종전(終戰)에 들어감.

요:탁[1]【料度】 명 촌탁(忖度). ——-하다 타여불

요탁[2]【遙度】 명 먼 곳에서 남의 심정을 헤아림. ——-하다 타여불

요탓조탓-하다 자여불 요리 탓하고 조리 탓하다. <이탓저탓하다.

요탕【搖蕩】 명 요동(搖動). ——-하다 자타여불

요태【妖態】 명 요사스러운 태도.

요통【腰痛】 명 허리가 아픈 병. 허리 앓이.

요통-증【腰痛症】[一쯩] 명 〔lumbago〕 『의』 요근(腰筋)의 외상(外傷) 또는 류머티즘 등의 원인으로 일어나는 요통.

요트〔yacht〕 명 유람 항해·경주 등에 쓰이는 경쾌한 서양식의 작은 범선(帆船). 대형의 것은 발동기가 달린 것도 있음. 쾌주선(快走船).

요트 경:주【一競走】〔yacht〕 명 요트 레이스.

요트 레이스〔yacht race〕 명 요트를 사용하여 행하는 범주(帆走)경기. 1851년 영국 와이트(Wight) 섬 일주 레이스가 경기화(競技化)의 시초라고 함. 현재 올림픽 종목의 하나임. 요트 경주(yacht 競走).

요트 하:버〔yacht harbor〕 명 요트 전용항(專用港). 요트의 계류(繫留)·보관 기타 서비스 시설을 갖춤.

요팅〔yachting〕 명 요트를 조작(操作)하여 달리게 함. 또, 그 기술. ——-하다 자여불

요:판【凹版】 명 『인쇄』 동철(銅鐵)이나 동판(銅板)의 표면에, 인쇄하려고 하는 모양을 오목하게 새긴 인쇄판(印刷版)의 한 가지. 약품을 써서 침식시키어 만드는데 그라비아판과 조각 요판(彫刻凹版)의 두 가지가 있음. 오목판. ↔철판(凸版).

요:판 인쇄【凹版印刷】 명 『인쇄』 요판(凹版)으로 된 인쇄판을 사용하는 인쇄. 그라비아 인쇄 따위.

요패[1]【腰佩】 명 『역』 띠드리개.

요패[2]【腰牌】 명 『역』 군졸(軍卒)·조례(皁隷)들이 차던 나무 패. '嚴禁'이라고 새겼음.

〈요패²〉

요페[1]〔Ioffe, Abram Fyodorovich〕 명 『사람』 소련의 물리학자. 독일에서 뢴트겐에게 배우고, 귀국 후 페테르부르크 공과 대학 교수. 1932년부터 페테르부르크 물리 공학 연구소장을 지냄. X선·반도체(半導體)·고체론(固體論)·원자 물리학 등을 연구함. [1880-1960]

요페[2]〔Ioffe, Adolf Abramovich〕 명 『사람』 소련의 혁명가·외교관. 주일·주독·주오스트리아 대사를 역임. 1922-23년에 중국 및 일본과의 교섭에서 전권(全權)을 맡아 봄. 중국에서는 국공 합작(國共合作)을 알선하였음. 뒤에 스탈린에 항의하여 자살하였음. [1883-1927]

요-평【廖平】 명 『사람』 '랴오핑'을 우리 음으로 읽은 이름.

요폐【尿閉】 명 『한의』 방광병(膀胱病)의 한 가지. 하초(下焦)에 열이 생기어 요도(尿道)가 막히므로 오줌이 잘 안 나옴.

요:포【料布】 명 『역』 급료(給料)로 주던 무명이나 베.

요-포대기【褥一】 명 요로 쓸 수 있도록 만든 포대기.

요피 부득【要避不得】 명 회피 부득(回避不得). ¶ 잔약한 허리를 무지막지한 놈이 인정없이 잡아 끄니, ∼이라…《作者未詳 : 雪中梅花》.

요하[1]【腰下】 명 허리춤.

요-하[2]【遼河】 명 『지』 '랴오허'를 우리 음으로 읽은 이름.

요-하다【要一】 타여불 필요로 하다.

요한[1]【瑤翰】 명 요찰(瑤札).

요한[2]〔Johann〕 명 『사람』 오스트리아 대공(大公). 대(對) 나폴레옹 전쟁에서 활약하였음. 덕망이 높아, 1848년의 3월 혁명 때 프랑크푸르트의 국민 의회(國民議會)로부터 독일 연방 집정(執政)에 임명되었음. [1788-1859]

요한[3]〔Johann〕 명 『사람』 폴란드 왕. 1683년 빈(Wien)을 터키군(軍)의 포위로부터 해방시키고 로마 황제·로마 교황·베네치아(Venezia) 등과 더불어 반(反)터키의 신성 동맹(神聖同盟)을 결성하였음. [1624-96; 재위 1674-96]

요한[4]〔Johannes〕 명 『성』 ①사도(使徒) 요한. 예수 12 사도 중의 하나. 세베대의 아들이며 야고보의 동생으로 베드로 다음 가는 예수의 애제자였음. 신약(新約) 성서의 요한 복음(福音)·요한 서한·계시록(啓示錄)의 저자로 전하여지나 고문서(古文書)에 의하여 사도 요한은 40-50년대에 순교(殉敎)하였음이 밝혀졌으므로 저자는 다른 사람인 것으로 추측되기도 함. ②세례(洗禮) 요한. 예수의 선구자. 허리에 가죽 띠를 띠고 메뚜기를 먹으면서 요단 강가에서 금욕 생활을 하였음. 기원전 28년경 유대의 황야에 나타나 천국이 가까웠음을 말하고 많은 사람들에게 세례를 베풀었는데, 그 중에 예수도 끼어 있었음. 뒤에 헤롯왕에게 죽음. ③장로(長老) 요한. 요한 복음과 요한 서한의 저자로 지목되기도 하는 사람. 요왕(Joan).

요한 계:시록【一啓示錄】〔Johannes〕 명 『성』 신약 성서의 말권(末卷). 사도 요한이 80년경에 에베소 부근에서 저술하였다는 계시문(啓示文)으로 소아시아 여러 신도(信徒)들의 박해와 환난을 위로·격려하고 예수의 재림, 천국의 도래(到來), 로마 제국의 멸망 등을 상징적으로 저술했음. 요한의 묵시록. 묵시록(默示錄). 계시록(啓示錄).

요한 기사단【一騎士團】 명 〔Order of St. John〕 『역』 요한네스 기사단.

요한네스 기사단【一騎士團】〔라 Johannes〕 명 『역』 십자군 때, 예루살렘에서 이루어진 종교 기사단의 하나. 십자군의 중요 전력으로 활약하였으나 이슬람 세력에 밀려 13세기 말에 키프로스 섬·로즈 섬에 옮기고, 16세기에 몰타(Malta) 섬에 이동하여 몰타 기사단이라 하였으나 나폴레옹의 이집트 원정 때 공격을 받아 해체됨. 이후 수도회로 개편하여 본거지를 로마에 둠. 요한 기사단.

요한네스버:그〔Johannesburg〕 명 『지』 남아프리카 공화국 트란스발주(州)에 있는 아프리카 남부 최대의 도시. 세계적인 산금(產金) 지대의 중심으로, 금속·기계·화학·섬유·피혁·식품 공업이 성함. 백인을 위한 근대적 계획 도시로 아프리카인(人) 거주 지구는 시 외곽 지대로 지정됨. 철도·도로·항공로의 중심이기도 하며 교외에 국제 공항이 있음. 주민의 과반수는 아프리카인(人). [1,609,408 명(1985)]

요한 바오로 이:세【一二世】〔Johannes Paulus Ⅱ〕 명 『사람』 제265대 로마 교황(敎皇). 속명(俗名)은 카롤 보이티야 (Karol Wojtyla). 폴란드의 크라쿠프 주(州) 바도비체에서 태어나, 1946년 성직(聖職)에 임명되고, 1964년 크라쿠프 대주교(大主敎), 1967년 추기경(樞機卿)으로 서임(敍任). 1978년에 요한 바오로 Ⅰ세의 뒤를 이어 교황으로 선출됨. [1920-]

요한 바오로 일세【一一世】〔Johannes Paulus Ⅰ〕[一쎄] 명 『사람』 제264대 로마 교황. 속명(俗名)은 알비노 루치아니(Albino Luciani). 이탈리아의 베네치아 북부 포르노디카날레에서 태어나, 1935년 성직(聖職)에 임명되고, 1969년에 베네치아 주교(主敎), 이어 1973년 대주교(大主敎)가 됨. 1978년 바오로 6세의 뒤를 이어 교황에 선출되었으나, 재위 34일 만에 급서(急逝)함. [1912-78; 재위 1978-78]

요한 복음【一福音】〔Johannes〕 명 『성』 신약 성서의 제4 복음서. 장로 요한이 100년 전후에 에베소와 소아시아에서 저술한 것이라고 함. 21장으로 예수의 공적 생활(公的生活), 유태인과의 투쟁, 수난과 부활 등이 내용으로 되어 있음. 요한의 복음서.

요한 삼서【一三書】〔Johannes〕 명 『성』 요한 서한(書翰)의 셋째 권. 가이오에게 보낸 것. 요한의 셋째 편지.

요한-서【一書】〔Johannes〕 명 『성』 요한 서한.

요한 서한【一書翰】〔Johannes〕 명 『성』 신약 성서 중의 세 편의 요한의 편지. 하느님의 사랑과 교회의 윤리(倫理)에 관하여 기록했음. 저자는 장로 요한으로 추정됨. 요한서.

요한센〔Johannsen, Wilhelm Ludwig〕 명 『사람』 덴마크의 식물학자·유전학자. 코펜하겐 대학 교수. 처음 식물의 호흡과 개화 촉진(開花促進)을 연구하고, 뒤에 유전학으로 나아가, 통계학적 연구에서, 순계내(純系內)의 선택은 무효라고 하는 순계설(純系說)을 발표하였음. 저서에 《정밀(精密) 유전학 원리》가 있음. [1857-1927]

요한 수난곡【一受難曲】 명 〔도 Johannes Passion〕 『악』 수난곡의 하나. '요한 복음' 제18-19장의 그리스도 수난 이야기에서 취재한 것임. 쉬츠(Shütz,H.)·헨델 등의 많은 작곡가가 작곡하였으나 특히 바흐(Bach, J.S.)가 작곡한 것이 유명함.

요한의 둘째 편:지【一片紙】〔Johannes〕[一/一에一] 명 『성』 요한 이서(二書).

요한의 묵시록【一默示錄】〔Johannes〕[一/一에一] 명 『성』 요한 계시록.

요한의 복음서【一福音書】〔Johannes〕[一/一에一] 명 『성』 요한 복음.

요한의 셋째 편:지【一片紙】〔Johannes〕[一/一에一] 명 『성』 요한 삼서(三書).

요한의 첫째 편:지【一片紙】〔Johannes〕[一/一에一] 명 『성』 요한 일서(一書).

요한 이:서【一二書】〔Johannes〕 명 『성』 요한 서한의 둘째 권. 요한의 둘째 편지.

요한 이:십삼세【一二十三世】〔Johannes XXIII〕 명 『사람』 제262대 로마

교황(敎皇). 1935년 대주교(大主教), 1953년 추기경(樞機卿)에 임명되었고, 1958년 비오 12세의 서거로 교황에 취임하였음. 교황 취임 전에는 교황 사절로서 동(東)유럽 여러 나라에 주재, 동서 화해에 진력함. 또, 교회 합동을 추진, 제2회 바티칸 공의회를 소집하여 신앙의 자유를 선언함. 요안(Joan) 이십 삼세. [1881-1963; 재위 1958-63]

요한 일서【一一書】〔Johannes〕[一써] 명 〖성〗 요한 서한의 첫째 권. 여러 교회에 보낸 중요한 서한임. 5장(章)으로 이루어짐. 요한의 첫째 편지.

요:함[1]【夭陷】명 요사(夭死). ——-하다 자여불

요:함[2]【凹陷】명 오목하게 빠져 들어감. 오함(汚陷). ——-하다 자여불

요함[3]【僚艦】명 〖군〗 같은 임무를 띤 다른 큰 배.

요합【徭合】명 관고(官庫)와 민고(民庫)의 곡식을 서로 섞음. ——-하다 타여불

요항[1]【要項】명 중요한 사항. 요긴한 사항.

요항[2]【要港】명 교통·수송·군사 등의 면에서 중요한 항구.

요항 명 〈옛〉 요향. ¶요항 관(莞 莞蒲 一名葱蒲 俗呼水葱)《字會上8》.

요:해[1]【了解】명 ①깨달아 알아 냄. 요득(了得). 요오(了悟). 회득(會得). ②[도 Verstehen] 〖철〗 딜타이 (Dilthey, Wilhelm)의 용어. 넓은 뜻의 인식의 하나. ——-하다 타여불

요해[2]【要害】명 ↗요해처(要害處).

요:해-도【了解度】명 〔intelligibility〕〖통신〗 통신계에서, 수청자(受聽者)에게 똑바로 이해된 단어나 장구(章句)의 수와 이쪽에서 불러 준 전체 단어수와의 백분율. 통상은, 보통의 대화체 송화(送話)에서 쓰이며 명료도(明瞭度)와는 구별됨.

요:해 심리학【了解心理學】[一니一] 명 〔도 verstehende Psychologie〕 〖심〗 딜타이(Dilthey, W.)가 제창한 심리학의 한 입장. 정신은 자연 과학처럼 심적(心的) 행위를 분석하는 방법으로는 파악할 수 없기 때문에, 직관적 인식에 의한 요해적 방법으로 연구해야 한다고 주장함. 기술 심리학(記述心理學).

요해-지【要害地】명 요해처(要害處)❶.

요해-처【要害處】명 ①지세(地勢)가 적의 편에 불리하고 자기 편에는 긴요한 지점(地點). 요충(要衝). 요충지(要衝地). 요해지(要害地). ②몸의 중요한 부분. ㊣요해(要害).

요행【僥倖·徼幸·徼倖】㊀ 명 ①행복을 바람. ②뜻밖에 얻는 행복. 기복(奇福). ¶~을 바라다/~을 믿다. ㊁ 부 뜻밖에 다행히. 운수 좋게. ——-하다 자형여불. ——-히 부. ¶~도.

요행-수【僥倖數】[一쑤] 명 뜻밖에 얻는 행복의 운수. ¶~를 만나다.

요:향 명 〖식〗 방동사닛과에 속하는 일년초. 얕은 물에 흔히 나며, 왕골과 비슷하나, 조금 작음. 우리 나라의 중부 이남에서 많이 나며, 자리 재료로 쓰임. 소완초(小莞草).

요혈【尿血】명 〖의〗 오줌에 피가 섞이어 나오는 병. 요도 기관의 병이나 그 외의 중독 때문에 생김. 혈뇨(血尿·血溺).

요호[1]【窯戶】명 요업(窯業)에 종사하는 사람. 또, 그 집.

요호[2]【饒戶】명 넉넉한 살림을 하는 사람의 집.

요혹【妖惑】명 호림. 홀림. 미혹(迷惑)함. ——-하다 타여불

요화[1]【妖花】명 요사스러운 아름다움을 간직한 꽃이라는 뜻으로, 사람을 홀릴 만큼 요염한 계집의 비유.

요화[2]【蓼花】명 여뀌의 꽃.

요화[3]【燎火】명 화톳불.

요확【寥廓】명 ①텅 비고 끝없이 넓음. 휑함. ②하늘. 허공(虛空).

요환【妖幻】명 괴상한 술법으로 현혹함.

요활【寥闊】명 고요하고 쓸쓸함. 적막함. ——-하다 형여불

요핫-대【蓼花一】명 유밀과(油蜜果)의 한 가지. 속나깨에 설탕을 섞어서 끓는 물에 반죽하여, 여뀌꽃 모양으로 만들어 기름에 지지어 조청을 바른 음식.

요희【妖姬】[一히] 명 요녀(妖女).

요힘베 껍질〔yohimbé〕명 〖식〗 꼭두서닛과에 속하는 요힘베라고 하는 교목(喬木)의 껍질. 말려서 생약(生藥)으로 씀. 요힘베나무는 카메룬·콩고 등에 야생(野生)하는 나무로, 아프리카 원주민은 오래전부터 껍질을 최음제(催淫劑)로 쓰고 있었음. 요힘빈의 제조 원료임.

요힘빈〔yohimbine〕명 〖약〗 최음제(催淫劑)의 한 가지. 서(西)아프리카산 꼭두서닛과의 식물인 요힘베(yohimbé) 껍질에 들어 있는 알칼로이드. 물에 잘 녹지 않는 백색의 침상(針狀) 결정(結晶). 척수(脊髓)의 발기 중추(勃起中樞) 흥분 작용과 지각 신경(知覺神經) 말초 마비(末稍痲痺) 작용이 있고, 외음부(外陰部) 혈관을 확장시키기 때문에, 성욕 촉진제로서 신경성 음위(陰萎)에 쓰임. [$C_{21}H_{26}N_2O_3$]

요홀 〈옛〉 요를. '요'의 목적격형(目的格形). ¶나몬 깁을 니어 手巾과 요홀 밍ᄀ라 니르샤ᄃᆡ 몸이 富貴에 이션(餘帛 續爲巾褥曰身處富貴)《內訓 Ⅱ:89》.

요히 〈옛〉 요에. '요'의 처격형(處格形). ¶골이라 홈은 요히 선돗기오《小兒論 9》.

욕[1]【浴】명 〖화〗 물체를 어떤 온도로 유지하기 위한 매체(媒體). 또, 그 용기를 포함하여 이름. 액체를 사용하는 수욕(水浴) 또는 유욕(油浴)은 실험실에서의 간접 가열(間接加熱)에 가끔 쓰임.

욕[2]【辱】명 ①↗욕설(辱說). ②명예스럽지 못한 일. ¶~된 일을 당하다. ③〈속〉 수고(受苦). ¶~보십니다. ④〈방〉 꾸지람.

욕[3]【慾·欲】명 ↗욕구(欲求).

[욕가식 내강죽(欲加食乃糠粥)] 늘 좋은 음식을 배 불리 먹으려면 나중에는 빈곤해져서 조식(粗食)인 죽을 먹게 된다는 뜻. [욕보구수 신수출(欲報舊讎新讎出)] '오랜 원수를 갚으려 하다가 새 원수가 생겼다'와 같음. [욕조식침이졸(欲朝食枕而卒)] 그 시기에 이르러서 자기가 연모하던 일을 하여 버리라는 뜻. [욕투서이기기(欲投鼠而忌器)] 악한 자를 징계하려 하나 그 통에 선한 자가 함께 상하게 됨을 두려워 하여 하지 못한다는 뜻.

욕-가마리【辱一】명 욕을 먹어 마땅한 사람.

욕-감태기【辱一】명 늘 남에게서 욕을 먹는 사람의 별칭.

욕객【浴客】명 목욕하려고 오는 손님.

욕계【欲界】명 〖불교〗 삼계(三界)의 하나. 색욕(色欲)·식욕(食欲)·재욕(財欲) 등의 욕망이 강한 중생이 머무는 경계(境界). 위로는 육욕천(六欲天), 가운데는 인계(人界)의 사대주(四大洲), 아래로는 팔대 지옥(八大地獄)에 이르는 곳. *색계(色界)·무색계(無色界).

욕계 삼욕【欲界三欲】명 〖불교〗 욕계의 세 가지 욕심. 곧, 음식욕(飮食欲)·수면욕(睡眠欲)·음욕(淫欲).

욕곡 봉타【欲哭逢打】명 울려고 하는 아이를 때리어 마침내 울게 한다는 뜻. 불평을 품고 있는 사람을 선동(煽動)함을 비유한 말. *울려는 아이 뺨치기.

욕교【辱交】명 욕지(辱知).

욕교 반:졸【欲巧反拙】명 잘 만들려고 너무 기교를 다하다가 도리어 졸렬한 결과를 보게 되었다는 말로, 너무 잘 하려 하면 도리어 안 됨을 이르는 말.

욕구【欲求·慾求】명 욕심(慾心)껏 구함. 하고자 함. ¶~ 불만. ㊣욕(欲). ——-하다 타여불

욕구 불만【欲求不滿】명 〔frustration〕〖심〗 욕구(欲求)하는 것이 내부 또는 외부의 원인 때문에 저해되는 상태. 특히, 그것으로 생체(生體) 또는 자아(自我)에 중대한 영향을 끼치는 정동적(情動的) 긴장감이 높아지는 경우를 말함.

욕구 불만역【欲求不滿閾】명 〔frustration threshold〕〖심〗 목적을 이루지 못할 때에, 욕구 불만을 느끼거나 나타내는 일정한 한계점(限界點).

욕-급부형【辱及父兄】명 자제(子弟)의 잘못이 부형에게까지 욕되게 함. ——-하다 자여불

욕기【慾氣】명 사물에 대한 욕심의 기운. 욕심. 욕념(欲念).

욕기(를) 부리다 구 욕심을 내다.

욕기지-락【浴沂之樂】명 제자(弟子)와 같이 교외(郊外)에서 노는 즐거움.

욕-꾸러기【辱一】명 〈방〉 욕감태기.

욕념【欲念】명 가지고 싶어하는 마음. 하고자 하는 마음. 욕기(慾氣).

욕도이 부 〈옛〉 욕되게. ¶비 行宮의 비취엿거늘 글 주믈 辱도이 ㅎ니(雨映行宮辱贈詩)《杜諺 Ⅻ:34》/흐번 즌홁길헤 辱도이 잇다니 느저사 쁘시니라(一辱泥塗遂晩收)《杜諺 XXIII:47》.

욕동【浴童】명 미역감는 아이.

욕-되다【辱一】자 면목이 없게 되다. 불명예(不名譽)스럽게 되다. ¶욕된 인생/욕되게 살다. 「文」~.

욕례【縟禮】[一녜] 명 복잡하고 까다로운 예의. 번례(煩禮). ¶번문(煩文)~.

욕망【欲望】명 누리고자 탐함. 또, 그 마음. 부족을 느껴 그것을 채우려고 하는 마음.

욕망-이난망【欲忘而難忘】명 잊고자 하여도 잊기가 어려움. *불사이자사(不思而自思).

욕망이라는 이름의 전:차【欲望一電車】[一/一에一] 명 〔A Streetcar Named Desire〕〖연〗 미국의 극작가 윌리엄스(Williams, T.)가 지은 희곡. 1947년 완성. 그 해 뉴욕에서 초연(初演)됨. 뉴올리언스의 빈민가에 여동생인 스텔라를 의지하여 찾아온 남부의 몰락(沒落)한 대농원주(大農園主)의 딸 블랜치(Blanche)가, 동생의 남편 스탠리에게 난행당하여 미칠 때까지를 그림. 11장(場). 퓰리처상(Pulitzer賞)을 받음.

욕-먹다【辱一】자 ①남으로부터 욕설을 듣다. ②남으로부터 악평(惡評)을 듣다.

욕-바가지【辱一】명 한꺼번에 잔뜩 먹이거나 먹는 욕설. ¶~를 얻어먹다. *욕사발.

욕-보다【辱一】자 ①치욕을 당하다. ②곤란을 당하다. 몹시 고생하다. ③강간(強姦)을 당하다. ④〈방〉 수고하다.

욕-보이다【辱一】타 ①치욕을 주다. ②곤란을 당하게 하다. ③여자를 범하다.

욕부【褥婦·蓐婦】명 산욕부(産褥婦).

욕불【浴佛】명 〖불교〗 관불(灌佛)❶.

욕불-일【浴佛日】명 〖불교〗 파일(八日). 팔일장(八日粧).

욕사【褥奢】명 〖역〗 고구려 후기 직제의 오품(五品)쯤 되는 벼슬. 발위사자(拔位使者). 수위 사자(收位使者).

욕사니【辱一】명 〈방〉 욕감태기.

욕사 무지【欲死無地】명 죽으려고 하여도 죽을 만한 곳이 없음.

욕-사발【辱一】명 한꺼번에 몰아서 하는 욕설. ¶~을 먹다/~을 안기다.

욕사-행【欲邪行】명 〖불교〗 사음(邪淫)❷.

욕살【褥薩】명 〖역〗 고구려의 벼슬 이름의 하나. 부족(部族)의 장(長) 또는 지방 행정 구역의 장(長)인 듯함. 누살(耨薩).

욕-삼태기【辱一】명 〈방〉 욕감태기.

욕-새【辱一】명 〈방〉 욕설(辱說).

욕생【欲生】명 〖불교〗 서방 극락 세계(西方極樂世界)에 가서 태어나고 싶은 생각.

욕서【溽暑】명 장마 때의 무더운 더위. 욕열(溽熱).

욕설【辱說】명 ①남을 저주(咀呪)하는 말. ¶마구 ~을 퍼붓다. ②남을 미워하는 말. ③남의 명예(名譽)를 더럽히는 말. 방언(謗言). ㊣욕(辱). ——-하다 자여불

욕설-질【辱說一】명 욕질. 욕지거리. ——-하다 자여불

욕속 부달【欲速不達】명 일을 속히 하려고 하면 도리어 이루지 못함.

욕속지-심【欲速之心】명 속히 됨을 바라는 마음.
욕식【蓐食】명 아침 일찍이 떠나게 되어, 잠자리 속에서 아침을 먹는 일. ——-하다 자여불
욕-식기육【欲食其肉】명 그 사람의 고기를 먹고 싶다 함이니, 원수가 깊음을 뜻함.
욕실【浴室】명 ↗목욕실(沐浴室).
욕심【慾心·欲心】명 ①자기만을 이롭게 하고자 하는 마음. ②탐내는 마음. ③분수에 지나치게 하고자 하는 마음. 욕기(慾氣).
　욕심(이) 나다 구 욕심이 생기다.
　욕심(을) 부리다 구 욕심을 드러내다.
　욕심(이) 사납다 구 사악스럽게 욕심이 많다. ¶욕심 사나운 여자.
　욕심이 눈을 가리다 구 욕심이 사물의 판단을 흐리게 하다. ¶욕심이 눈을 가려서 불쌍한 마음은 손톱만치도 없고《崔瓚植:金剛門》.
욕심-꾸러기【慾心—】명 욕심이 많은 사람의 별명. *욕심쟁이.
욕심-장이【慾心—】명 ☞ 욕심쟁이.
욕심-쟁이【慾心—】명 욕심이 많은 사람. *욕심꾸러기.
욕언 미:토【欲言未吐】명 하고 싶은 말이 있는데 아직 다 하지 못했다는 뜻으로, 감정의 깊이가 있음을 이르는 말.
욕열【溽熱】명 욕서(溽暑).
욕왕-장【欲往章】[—짱] 명『악』악장(樂章)의 이름.
욕-요법【浴療法】[—뇨뻡] 명『의』온천 요법의 한 가지. 온천물에 입욕(入浴)하는 치료법.
욕용【浴用】명 목욕할 때에 씀. ¶～ 비누.
욕우【辱友】명 욕지(辱知).
욕의¹【浴衣】[—/—이] 명 목욕할 때에 입는 옷. 배스 케이프.
욕의²【浴醫·褥醫】[—/—이] 명 산부(産婦)의 진찰과 치료를 맡은 의사(醫師). 산과의(産科醫).
욕일【浴日】명 ①아침에 해가 떠서 물 위를 비침. ②국가에 큰 공이 있음의 비유.
욕자【欲刺】명『불교』바늘로써 몸을 찌르는 것과 같이 재욕(財欲)·색욕(色欲)·식욕(食欲)·명예욕(名譽欲)·수면욕(睡眠欲)의 오욕(五欲)이 심신을 괴롭게 함을 일컫는 말.
욕-자배기【辱—】명〈방〉욕감태기.
욕장【浴場】명 목욕하는 곳.
욕-쟁이【辱—】명 남에게 욕을 잘 하는 사람.
욕전【浴殿】명 욕실(浴室).
욕-전압【浴電壓】명〔bath voltage〕『전』전기 분해를 하고 있을 때의 전해조(電解槽)의 양전극간(兩電極間)의 전위차(電位差). 전해질(質)·전극의 종류·농도(濃度)·전류 밀도(電流密度)·온도 등에 의해 달라짐. 전해조 전압.
욕정【欲情】명 ①한 때의 충동으로 일어나는 욕심. ②색욕(色欲).
욕조【浴槽】명 목욕통. 탕조(湯槽).
욕주【浴主】명『불교』지욕(知浴).
욕-주갈 명〈방〉욕지기(함경).
욕-주머니【辱—】명〈방〉욕감태기.
욕지【辱知】명 자기와 교제하게 된 것이 그 사람에게는 욕이 된다는 뜻으로, 그 상대방(相對方)에 대하여 자기를 겸사하여 쓰는 말. 욕교(辱交). 욕우(辱友).
욕-지거리【辱—】명〈속〉욕설(辱說).
욕-지기 명〔근대 : 욕죽이〕토하려고 하는 짓. 구역(嘔逆). 역기(逆氣). 토기(吐氣). 토역(吐逆). 토역질. ——-하다 자여불
　욕지기(가) 나다 구 ㉠욕지기가 나오다. ㉡아니꼬운 생각이 나다. 구역(嘔逆) 나다.
욕지기-질 명 욕지기를 잇따라 하는 짓. ——-하다 자여불
욕지-도【欲知島】명『지』경상 남도(慶尙南道)의 남해상(南海上), 통영시(統營市) 욕지면(欲知面) 동항리(東港里)에 위치(位置)한 섬. [14.95 km²]
욕진【欲塵】명『불교』①욕정(欲情)이 마음을 더럽힘을 티끌에 비유하여 일컫는 말. ②육욕(六欲)과 오진(五塵).
욕-질【辱—】명 욕하는 짓. ——-하다 자여불
욕창【褥瘡·蓐瘡】명 장병(長病)의 환자가 오래 누워서 피부가 닳아 생긴 상처.
욕천【欲天】명 욕계(欲界) 가운데 있는 여섯 하늘. 육욕천(六欲天).
욕초【褥草·蓐草】명 가축을 기르는 우리에 까는 마른 풀.
욕탕【浴湯】명 ↗목욕탕(沐浴湯).
욕토 미:토【欲吐未吐】명 말을 금방 할 듯 할 듯하고 아직 아니함. ——-하다 타여불
욕통【浴桶】명 ↗목욕통(沐浴桶).
욕파 불능【欲罷不能】[—릉] 명 파하고자 하여도 파할 수가 없음. ——-하다 타여불
욕-하다【辱—】자타여불 ①욕설하다. ②〈방〉꾸짖다(충북·제주).
욕해【慾海】명『불교』애욕(愛慾)의 넓고 깊음을 바다에 비유한 말.
욕화¹【浴化】명 덕행(德行)의 감화를 입음. ——-하다 자여불
욕화²【欲火·慾火】명 ①애염(愛焰). ②『불교』불 같은 욕심.
욕후【浴後】명 목욕한 뒤.
-욘 어미〈옛〉-ㄴ. ¶ᄃᆞ와욘디라《楞嚴 Ⅱ:83》/傳ᄒᆞ욘《楞嚴 Ⅰ:36》/얼의욘 양지라《楞嚴 Ⅱ:18》. *-온.
욘손〔Jonson, Eyvind〕명『사람』스웨덴의 작가. 가난한 석공(石工)의 아들로 태어나, 초등 학교만 나오고 독학으로 박사 학위를 획득했음. 지적(知的)이고 구조적(構造的)인 문체로 서민 출신의 삶과 진실을 그렸음. 대표작에 4부작《울로프(Olof)에 관한 이야기》·《해변(海邊)의 파도》·《긴 생애》 등이 있으며, 1974년 노벨 문학상을 수상함. [1900-76]
욘:존〔Johnson, Uwe〕명『사람』독일의 현대 작가. 1959년 동독에서 서독으로 이주한 후 발표한 장편《야곱에 관한 추측》은 동서(東西) 분열의 현실을 다룬 최초의 작품으로, 전위적 수법에서도 주목을 끎. 그 후《아침에 관한 제3의 글》·《두 개의 견해》에서도 같은 테마를 추구함. [1934-84]
욜 명〈방〉모이(함북).
욜랑-욜랑 [—/—놜—] 부 ①가볍게 움직이는 모양. ¶조그만 것이 ～ 잘도 걷는다. ②촐싹거리는 모양.
욜래 명 제주도에서, 동네 골목에서 집마당으로 통하는 길. 대개, 직각으로 꺾이어 있음.
-욜셰라 어미〈옛〉-ㄹ세라. ¶즌ᄃᆡ롤 드ᄃᆡ욜셰라《樂範 井邑詞》.
-욤 어미〈옛〉-윰. 명사형 어미의 하나. ①-ㅁ. ¶ᄆᆞᅀᆞᄆᆡᆺ 行ᄒᆞ욤과 ᄆᆞᅀᆞᄆᆡᆺ 動作ᄒᆞ욤과《釋譜 XIX:24》. ②-음. ¶世間애 이쇼ᄆᆞᆫ 劫數ㅣ 四天下 微塵만 ᄒᆞ더니《釋譜 XIX:28》.
욥〔Job〕명『성』구약(舊約) 욥기(Job記)의 주인공. 부유한 집에 태어났으나, 하느님이 그의 신앙심을 시험하고자 재난으로 모든 재산을 잃게 하고 아울러 병마에 신음케 하였으나, 끝까지 그의 신앙을 지키어 건강도 회복되고 잘살게 되었다고 함. 노아·다니엘과 함께 구약의 세 의인(義人)의 한 사람임.
욥-기【—記】명〔Book of Job〕『성』구약 성서(舊約聖書) 중, 지혜 문학서의 하나. 욥을 주인공(主人公)으로 하는 이야기로, 기원전 400년경에 성립(成立). 재산·가정의 행복·건강을 잃은 욥과 세 사람의 친구가, 정의(正義)와 사랑의 유일신(唯一神)인 하느님이 만든 세상에 악(惡)과 고난(苦難)이 존재하는 이유는 무슨 까닭인가를, 시적(詩的) 상상력이 풍부하고 뛰어난 묘사(描寫)로 기술(記述)함.
욧-속 명 ①요에 두는 솜. ②털을 싸는 피륙.
욧-의【—衣】[욛—/욛이] 명 ☞ 요의.
욧-잇 [—닏] 명 요를 깔 경우, 위쪽에 시치는 헝겊.
용¹ 명〈방〉포대기(함북).
용:²【用】명 ①↗용돈. ②↗비용(費用). ¶어데 저야 분 바릅니까? 공연히 할아버님 ～만 과하시게, 고만두십시오《作者未詳:雨中奇緣》.
용:³【勇】명 ↗용기(勇氣).
용⁴【茸】명 ↗녹용(鹿茸).
용⁵【庸】명『역』중국 당(唐)나라 때의 세법(稅法)인 조용조(租庸調)의 하나. 민정(民丁)이 공역(公役)에 일정 기간 종사하는 것으로, 대신 내보내거나 물품을 바쳐 대신할 수도 있었음.
용⁶【龍】명 ①〔범 nāga〕상상의 동물의 하나. 거대한 파충류(爬蟲類)로 동부(胴部)는 뱀과 비슷하며 비늘이 있고, 네 개의 발을 가짐. 뿔은 사슴에, 눈은 귀신에, 귀는 소에 가깝다고 함. 깊은 못이나 바다에 잠재하고, 때로는 자유로 공중을 날아 구름과 비를 몰아 풍운(風雲) 조화를 부린다고 함. 유럽·인도·중국 등에서 신비적 민속적인 신앙·숭배의 대상이 되고, 불교에서는 사천왕(四天王)의 하나로, 중국에서는 기린(麒麟)·봉황·거북과 함께 상서(祥瑞)로운 사령(四靈)의 하나로 취급됨. *용왕(龍王). ②『민』풍수(風水)에서, 산(山) 또는 산의 정기(精氣)를 지칭하는 말.

〈용⁶〉

　[용 가는 데 구름 간다] 반드시 같이 다녀서 둘이 서로 떠나지 않을 경우에 이르는 말. ¶범 가는 데 바람 가고 용가는 데 구름 가고 구름 갈 제 비가 가고 바늘 갈 제 실이 가고《古本 春香傳》. [용 못 된 이무기] 의리나 인정은 도무지 없고 심술만 남았다는 말. [용이 물 잃은 듯] 처지가 매우 궁박하여 살 길이 끊어진 모양.
　용이 올라갔다 구 물이 하나도 없다고 할 때에 하는 말. ¶이 논엔 용이 올라갔구나.
용⁷【龍】명 성(姓)의 하나. 우리 나라의 주요 본관은 홍천(洪川)임.
용:⁸【踊】명 월형(刖刑)을 당한 사람이 신는 신.
-용【用】미 어떠한 명사 아래에 붙이어 '쓰임'의 뜻을 표하는 말. ¶아동～/자가(自家)～.
용가【龍駕】명 임금이 타는 수레. 용거(龍車).
용-가마 명 큰 가마솥.
용가 봉:생【龍笳鳳笙】명 맑고 깨끗하고 아름다운 소리를 내는 악기(樂器)들을 일컫는 말.
용-가시나무【龍—】명『식』[*Rosa maximowicziana*] 장미과에 속하는 낙엽 활엽 관목. 복와생(伏臥生)이고 줄기는 가로 뻗으며 가시가 돋고, 잎은 우상 복생(羽狀複生)함. 6월에 백색 꽃이 산방(繖房) 화서로 정생(頂生)하고, 과실은 구형(球形)이며 꼭지에 선점(腺點)이 있고, 9월에 적색으로 익음. 산기슭 양지나 골짜기에 나는데, 경남북·충북을 제외한 한국 각지 및 만주·우수리에 분포함. 관상용·산울타리용이고 과실은 약재로 씀.
용-가자미【龍—】명『어』[*Cleisthenes pinetorum herzensteini*] 봉넙칫과에 속하는 바닷물고기. 넙치와 비슷하나 몸길이 40cm 가량이며, 눈이 오른쪽에 있고 윗눈이 등의 정중선상에 위치함이 특색임. 비늘은 빗비늘이고, 몸빛은 오른쪽이 암갈색, 반대쪽이 흼. 한국 연해 일대와 일본에 분포함.

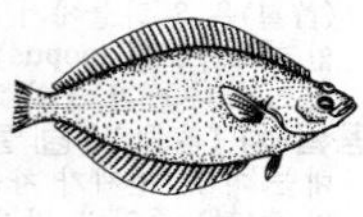

〈용가자미〉

용:간¹【用奸】명 간사한 꾀로 남을 속임. ——-하다 자여불
용:간²【用間】명 간첩(間諜)을 이용하는 방법.
용:감【勇敢】명 용기가 있어 사물에 임하여 과감(果敢)함. ¶～한 병사. ——-하다 형여불. ——-히 부
용:감 무쌍【勇敢無雙】명 용감하기 짝이 없음. ¶～한 해병. ——-하다 형여불. ——-히 부
용:감-성【勇敢性】[—썽] 명 용감한 성질.
용감 수감【龍龕手鑑】명『책』용감 수경(龍龕手鏡).
용감 수경【龍龕手鏡】명『책』중국 요(遼)나라의 중인 행균(行均)이

997년에 지은 자전(字典). '설문(說文)'·'옥편(玉篇)' 등에서 26,430 자를 뽑아, 그 글자의 정(正)·속(俗)·고(古)·금(今)의 자체(字體)를 나열하였음. 용감 수감(龍龕手鑑).

용:감-스럽다【勇敢—】형ㅂ불 보기에 용감하다. **용:감-스레**【勇敢—】 ㄴ부

용:강¹【勇剛】명 날쌔고 굳셈. ——-하다 형여불

용강²【龍岡】명『지』평안 남도 용강군의 군청 소재지. 군의 거의 중앙에 위치하며, 평남선(平南線)의 진지역(眞池驛) 서쪽 8km에 있음. 고구려 때의 고분(古墳) 쌍영총(雙楹塚)으로 유명할 뿐 아니라 기업(機業)이 성한 곳으로 널리 알려져 있음. 농산물(農產物)·면포(綿布) 등의 거래도 성하며, 2km 떨어진 조석산(鳥石山) 기슭에는 황룡성(黃龍城)이 있음.

용강-군【龍岡郡】명『지』평안 남도의 한 군. 관내 14면. 도의 서남단에 위치하며 동과 북은 강서군(江西郡)과 중화군(中和郡), 남은 대동강에 임하고, 서쪽 일대는 황해(黃海)에 임하였음. 고구려 때 '황룡성(黃龍城)' 또는 '군악(軍岳)'이라 일컫다가 용강으로 고쳤음. 근세 조선에 이르러 군으로 하고, 융희(隆熙) 2년(1908)에 함종군(咸從郡)을 없애고 그 일부를 본군(本郡)에 합쳤음. 주요 산물로는 농산물·소금·어패(魚貝)·면포(綿布)가 유명함. 명승 고적으로는 용강 온천·황룡성지(黃龍城址)·쌍영총(雙楹塚)·대총(大塚)·수렵총(狩獵塚)·성총(星塚)·용신총(龍神塚)·점제현(秥蟬縣)의 신사비(神祠碑) 등이 있으며, 귀성면에는 천연 기념물(天然記念物)인 떡갈나무가 있음. 군청 소재지는 용강(龍岡). [744.8 km²]

용강 온천【龍岡溫泉】명『지』평안 남도 용강군(龍岡郡) 해운면(海雲面) 온정리(溫井里)에 있는 온천. 염류천(塩類泉)으로 약한 알칼리성(Alkali性)을 띰.

용개-질 명〈방〉용두질. ——-하다 자

용객【傭客】명 고용된 사람.

용거【龍車】명 옛날 임금이 타던 수레. 용가(龍駕).

용:건¹【用件】[—껀] 명 볼일.

용:건²【勇健】명 용감하고 건실함. ——-하다 형여불

용검【龍劍】명 중국의 옛 칼의 이름.

[용검도 써야 칼이지] 아무리 값 있는 것이라도 실용되지 않는다면 쓸데없다는 말.

용:결【勇決】명 용기 있게 결단(決斷)함. ——-하다 자여불

용결 작용【溶結作用】명 [welding]『지질』압력에 의해서 퇴적물이 굳어지는 현상. 물은 압력으로 인해서 짜 내어지고, 입자(粒子)는 서로의 분자 인력의 한계까지 밀착함.

용경【傭耕】명 고용(雇傭)되어 밭을 갊. ——-하다 자여불

용경-룡【龍耕龍】[—농] 명『민』용의 밭갈기.

용고【龍鼓】명『악』국악의 타악기(打樂器)의 하나. 꿈틀거리는 용(龍)을 그린 북통 양쪽에 고리를 박아, 그 고리에 끈을 달고, 어깨에 메고, 두 손에 쥔 채로 위에서 내려침. 군중(軍中)에서 대취타(大吹打)에 편성되었었음.

〈용고〉

용-고뚜리【龍—】명 지나치게 담배를 피우는 사람.

용-고새 명〈방〉용마름.

용골【龍骨】명 ①『약』고생대(古生代)에 살던 코끼리류에 속하는 마스토돈(mastodon)의 화석(化石). 강장제로 씀. ②선박 등의 바닥의 중앙을 선수(船首)에서 선미(船尾)에 걸쳐 선체(船體)를 버티는 장대한 재료. 방형 용골(方形龍骨)·측판 용골(側板龍骨)·평판 용골(平板龍骨) 등이 있음. 킬(keel). 선골(船骨).

용골대¹ 명〈방〉용고뚜리.

용골대²【龍骨大】[—때] 명『사람』중국 청(淸)나라의 장군. 원명은 영고이대(英固爾岱). 청나라 태종(太宗)의 신임을 받던 장군으로, 병자 호란(丙子胡亂) 때 우리 나라에 쳐들어 왔고, 그 후도 수차 내왕하여 조선의 형편을 살폈음. 생몰년 미상.

용골 돌기【龍骨突起】명『동』조류(鳥類)의 흉골(胸骨) 중앙에 있는 돌기. 날개를 움직이는 근육이 붙어 있으므로 나는 힘이 강한 새들은 이 부분이 매우 발달됨.

용골때-질 명 심술을 부려 남을 부아나게 하는 짓. ——-하다 자여불

용골 세:포【溶骨細胞】명 [osteoclast]『생』골조직(骨組織)의 파괴·흡수를 한다고 생각되는 다핵(多核) 대형(大形)의 세포. 그 세포질은 포말상(泡沫狀)을 나타냄.

용골-자리【龍骨—】명 [라 Carina]『천』남쪽 하늘에 있는 별자리. 큰개자리의 남쪽에 있음. 삼월 하순(下旬)의 저녁에 남중(南中)하며, 수성(首星)은 온 하늘에서 제이(第二)의 휘성(輝星)인 카노푸스(Canopus)임. 아르고(Argo)자리를 넷으로 나눈 것 중의 하나임. 노인좌.

용골-차【龍骨車】명 물을 자아 올리어 논밭에 대는 기구. 전체가 차륜상(車輪狀)이며, 한 개의 축(軸) 주위에 많은 판(板)을 나선상(螺旋狀)으로 붙이고 발로 밟아 회전(回轉)시킴. 중국에서는 후한(後漢) 시대 이래 양수기(揚水機)로 사용함.

〈용골차〉

용공¹【容共】명 공산주의 또는 그 정책을 용인(容認)하는 일. ¶ ~ 정책. ↔반공(反共).

용공²【庸工】명 재주가 용렬한 장색(匠色).

용공³【傭工】명 공인(工人)을 고용함. 또, 그 공인. ——-하다 자여불

용:공⁴【聳空】명 하늘에 우뚝 솟음. ——-하다 자여불

용공 정책【容共政策】명 공산주의를 용인(容認)·동조(同調)하는 정책. ¶ ~을 배격(排擊)하다.

용관¹【冗官】명 중요하지 아니한 벼슬아치.

용관²【容觀】명 모습과 몸차림.

용관³【龍管】명『악』조선 초기에 궁중에서 사용하던 당악기(唐樂器)의 하나. 「는 빛.

용광¹【容光】명 ①빛나는 얼굴. 얼굴의 빛나는 풍채. ②틈으로 들어오

용광²【鎔鑛·熔鑛】명 광석을 녹여 쇠·구리 등을 얻어내는 일.

용광³【龍光】명 ①군자의 덕을 칭찬하여 이르는 말. ②남의 풍채(風采)의 경칭. ③『악』↗용광 정명(龍光貞明).

용광-로【鎔鑛爐】[—노] 명 고온도로 금속 광석을 녹여 제련(製鍊)하기 위한 노(爐). 내화(耐火) 벽돌로 쌓아 만들었고, 철(鐵) 용광로는 높고 원통형(圓筒形)으로 고로(高爐)라고 일컬어지며, 비철 금속용(非鐵金屬用)의 노(爐)는 비교적 소형이고, 단면(斷面)이 직사각형의 것이 많음. 위쪽에서 광석·연료(燃料)·용제(熔劑) 따위를 투입(投入)하고 아래쪽에서 열풍(熱風)을 보내 제련함. 녹은 금속은 광재(鑛滓)와 분리되어 노의 밑에 굄. 준용로(鎔爐).

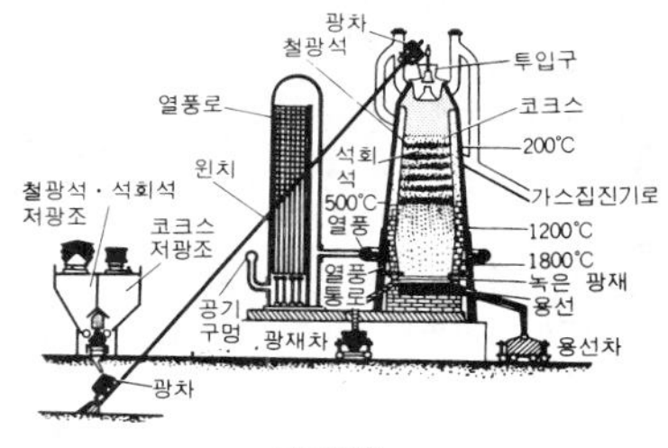

〈용광로〉

용광-장【龍光章】[—짱] 명『악』악장(樂章)의 이름.

용광 정명【龍光貞明】명『악』현행 종묘 제례악(宗廟祭禮樂) 중 초헌(初獻)의 헌례(獻禮)에 연주되는 보태평지악(保太平之樂)의 여덟 번째 곡으로 제 7 변(第七變). 준용광(龍光).

용-교의【龍交椅】[—/—이] 명 용의 형상을 새긴 임금의 교의. 곡교의(曲交椅).

용:구¹【用具】명 무엇을 하거나 만드는 데 쓰는 제구(諸具).

용구²【熔球】명『화』붕사구(硼砂球)와 염산구(塩酸球)의 총칭(總稱).

용구³【龍口】명『악』거문고의 오른쪽 좌단(坐團)의 끝의 옆에 있는 용의 아가리 같이 생긴 곳.

용구⁴【龍駒】명 ①잘 생긴 망아지. ②자질(資質)이 뛰어난 아이. 천재 소년. 기린아(麒麟兒).

〈용교의〉

용구뚜리 명〈방〉용고뚜리.

용구 반:응【熔球反應】명『화』용구 시험.

용구새 명〈방〉용마름(충북).

용구 시험【熔球試驗】명『화』정성 분석(定性分析)에 이용되는 건식(乾式) 예비 시험의 하나. 끝을 구부려서 작은 고리를 만든 백금선(白金線)에 붕사(硼砂)나 염산(塩酸) 가루를 붙여서 가열(加熱)하여 유리 모양이 된 것에다, 시료(試料)를 섞어 산화염(酸化焰)이나 환원염(還元焰)으로 가열하였을 때의 빛과 식은 후의 빛으로, 그 시료에 포함된 금속의 종류를 알아냄. 용구 반응.

용:군¹【用軍】명 군사를 씀. 용무(用武). ——-하다 자여불

용군²【庸君】명 어리석어서 잘 다스릴 자격이 없는 임금. 범용한 군주. 용주(庸主).

용궁¹ 명〈방〉맹구(盲溝).

용궁²【龍宮】명 전설에서 말하는, 바다 속에 있다고 하는 용왕(龍王)의 궁전.

용궁 부연록【龍宮赴宴錄】[—녹] 명『문』조선 시대 초기 김시습(金時習)이 지은 한문 소설. 고려 때 문사(文士) 한생(韓生)이 꿈 속에서 용왕(龍王)의 초대를 받아 용녀(龍女)의 별각(別閣)에 상량문을 지어주고, 잘 대접 받으면서 용궁을 샅샅이 구경하고 돌아온 이야기. 그의 단편집 《금오 신화(金鰲新話)》에 실리어 전함.

용:권¹【用權】명 권세를 부림. 용사(用事). ——-하다 자여불

용권²【龍卷】명 용을 수 놓은 천자의 옷. 용곤(龍袞).

용궐【龍闕】명 '궁궐(宮闕)'의 경칭(敬稱).

용:귀【踊貴】명 등귀(騰貴). ——-하다 자여불

용규【龍葵】명『식』까마종이.

용균-소【溶菌素】명 [bacteriolysin]『생』세균성 질환을 겪거나 또는 인위적(人爲的)인 면역(免疫) 조작에 의해 혈청(血淸) 중에 생긴 항체(抗體). 세균(細菌)에 대한 항체(抗體)로 세균을 녹여서 죽임.

용균 현:상【溶菌現象】명『생』세균에 의해 면역(免疫)이 된 또는 감염(感染)을 받은 동물의 체액(體液) 중에 그 세균을 용해하는 항체(抗體)가 생기는 현상.

용균 효소【溶菌酵素】명 라이소자임(lysozyme).

용:기¹【用器】명 기구를 사용함. 또, 그 사용하는 기구.

용:기²【勇氣】명 씩씩한 의기. 사물을 겁내지 않는 기개. ¶ ~를 내다/ ~를 꺾다. 준용(勇).

용기³【容器】명 물건을 담는 그릇.

용기⁴【蛹期】명『동』벌레가 완전 변태(完全變態)를 하는 과정의 한 동안. 즉 번데기로 있을 때.

용기⁵【龍旗】명『역』교룡기(蛟龍旗).

용:기 기관차【用氣機關車】명 압축 공기 기관차.

용:기 백배【勇氣百倍】명부 씩씩하고 굳센 기운을 백 갑절이 되게 함. 또, 그 모양. ——-하다 자여불

용-기병【龍騎兵】명 16-17세기 이래의 유럽에서, 갑옷에 총을 든 기병

용기 순위사

을 이름.

용기 순위사【龍騎巡衛司】명 ... 친군(義興親軍)의 십위(十衛)... 를. 문종(文宗) 원년(1451)...

ㄷ 태조(太祖) 4년(1395)에 의흥 ...나인 신호위(神虎衛)를 고친 이 ...衛)를 두면서 폐하였음.

용:기-화【用器畫】명 ...(器)기계를 써서 물체를 점이나 선으로 나타내는 기하학...도형(圖形). 토목·건축·기계 등의 설계에 쓰임. ↔자재...

용-꿈【龍—】명 ...보는 꿈. 대길(大吉)하다는 속설(俗說)이 있음. 용몽(...日)'의 속칭.

...길 징조다.

명 儒弱)함. ——하다 형여불

용꿈(을) 꾸 ...사내.

용나【庸懦】...마음으로 남의 언행을 받아들임. ②물건을

용-날【...】...하는 여자.

용남 ...전설에 나오는 용왕의 딸. ②용궁에 산다는 선

용납 ...

...]↗용뇌향(龍腦香). ②〖식〗↗용뇌수(龍腦樹).

...명〖식〗 영생이의 한 가지. 줄기...의 냄새가 남. 줄기와 잎은 약재로

...명〖식〗[*Dryobalarops aromatica*] 용...에 속하는 상록 교목. 높이 30m에 달...(互生)하고 난상 타원형이며, 두껍고... 꽃은 누르고 총상 화서(總狀花序)로...향기가 있고, 과실에는 한 개의 씨가 들...오·수마트라의 원산(原產)임. 준용뇌(龍

〈용뇌수〉

...腦香】명〖한의〗용뇌수로부터 채취한 방향(芳香)이 있는 무...판상 결정(板狀結晶). 향료의 조합 원료(調合原料) 또는 훈...구강제(口腔劑)·방충제(防蟲劑) 등에 씀. 빙뇌(氷腦). 편뇌(片...(氷片). 준용뇌(龍腦).

...과【龍腦香科】[—꽈] 명〖식〗[Dipterocarpaceae] 이판화류(離...)에 속하는 한 과. 이 과에는 17속(屬) 313종(種)이 있으며, 우...라에는 없음.

...【龍鈕】명 종(鐘)의 꼭지 부분의 장식(裝飾).

...【冗多】명 쓸데없이 많음. ——하다 형여불

...단[1]【勇斷】명 용기 있게 결단(決斷)함. 과단(果斷). ¶~을 내리다. ...—하다 타여불

...단[2]【溶斷】명 [blowout]〖전〗과전류(過電流) 때문에 퓨즈가 녹아 끊...어지는 일.

용:단-성【勇斷性】[—썽] 명 용단하는 성질이나 특성.

용-단지【龍—】[—딴—] 명〖민〗경북 지방에서, 풍년과 자식의 복을 비는 뜻에서 다락이나 집 뒤곁에 모시는, 벼를 넣은 단지.

용:달【用達】명 일과 물건을 전수(傳授)하거나 배달(配達)함. 또, 그 일. ¶~차(車). ——하다 타여불

용:달-사【用達社】[—싸] 명 용달을 업으로 삼는 기업체(企業體)의 하나. 용달 회사(用達會社).

용:달-업【用達業】명 손님의 요구에 따라 물건을 용달하는 영업.

용:달-차【用達車】명 손님의 요구에 따라 물건을 용달하는 일을 전문으로 하는 화물 자동차. 대개, 픽업 같은 작은 차가 쓰임.

용:달 회:사【用達會社】명 용달사(用達社).

용담[1]【冗談】명 ①쓸데없이 하는 말. 군말. ②희롱하는 말.

용:담[2]【用談】명 볼일에 관한 말. 필요한 이야기.

용:담[3]【勇膽】명 용감한 담력.

용담[4]【龍膽】명〖식〗[*Gentiana scabra* var. *buergeri*] 용담과에 속하는 다년초. 뿌리는 수염 모양이고, 줄기는 높이 30-100cm 가량이며. 잎은 대생하고 무병(無柄)에 피침형임. 8-10월에 청자색 꽃이 줄기 끝이나 그 잎 사이에 정생(頂生)하며, 삭과(蒴果)에는 양끝에 고리가 달린 종자가 있음. 산이나 들에 나는데, 거의 한국 각지·일본·중국 등지에 분포함. 근경(根莖)과 뿌리의 말린 것을 한방에서 '용담'이라 하여 고미 건위제(苦味健胃劑)로 씀. 과남풀. 용담초(龍膽草). 초용담.

〈용담[4]〉

용담-가【龍潭歌】명〖문〗동학(東學)의 창시자 최제우(崔濟愚)가 지은 가사의 하나. 조선 철종(哲宗) 11년(1860) 작. ≪용담 유사(龍潭遺詞)≫에 수록됨.

용담 가사【龍潭歌詞】명〖책〗용담 유사.

용담-과【龍膽科】[—꽈] 명〖식〗[Gentianaceae] 쌍자엽 식물 합판화류(合瓣花類) 회선화군(回旋花群)에 속하는 한 과. 초본(草本) 또는 드물게 반관목(半灌木)·관목(灌木)·소교목(小喬木) 혹은 다년생 수초(水草)로서, 열대(熱帶)를 비롯한 전세계에 64속(屬) 800여 종이 분포하는데, 한국에는 개쓴풀·과남풀·닻꽃·별꽃풀·산용담·용담·큰용담 등의 7속 30여 종이 퍼져 있음.

용담-말【龍膽末】명〖한의〗용담의 뿌리를 채취(採取)하여 말린 후에 빻아 만든 가루약. 건위제(健胃劑)로 쓰임.

용담 성:지【龍潭聖地】명〖천도교〗천도교(天道教)의 성지. 동학(東學) 교조 최제우(崔濟愚)의 탄생지. 무극 대도(無極大道)를 한울님으로부터 받아 포덕(布德)을 시작한 천도교의 발상지(發祥地)로 교조(敎祖)의 유해(遺骸)가 안치되어 있음. 경상 북도 경주군 견곡면 가정리에 있음.

용담 유사【龍潭遺詞】[—뉴—] 명〖책〗동학(東學)의 창시자 최제우(崔濟愚)의 가사집. ≪용담가≫·≪안심가(安心歌)≫·≪교훈가(敎訓歌)≫·≪도수사(道修詞)≫·≪검결(劍訣)≫·≪몽중 노소 문답가(夢中老少問答歌)≫·≪권학가(勸學歌)≫·≪도덕가(道德歌)≫·≪흥비가(興比歌)≫ 등 9편이 수록되어 있음. 서양 세력이 동양을 침략해 들어오는 데 대하여 깊은 위기 의식을 느끼고 이에 대항하기 위한 정신적 자세로서 동학을 내세우는 내용이 주가 됨. 용담 가사.

용담-초【龍膽草】명〖식〗용담(龍膽).

용대【容貸】명 용서(容恕). ——하다 타여불

용-대기【龍大旗】[—때—] 명〖역〗교룡기(蛟龍旗). ¶일패도지하여 비맞은 ~ 본새로 후주군하여 돌아 오면… 냉대 괄시하는 것은 면치 못할 형세라≪李海朝: 巢鶴嶺≫.

[용대기 내세우듯] 사소한 재주라도 있으면 말끝마다 내세우고 자랑삼음을 비유하는 말.

용-대두【龍擡頭】명 중국에서, 용왕(龍王)이 긴 동면(冬眠)에서 깨어 머리를 든다고 하는 말. 음력 2월 1일로 당대(唐代)에 제정된 명절. 조정에서는 연회를 베풀어 군신(群臣)에게 주식(酒食)을 내리고, 일반 백성에게는 곡물과 백과(百果)의 씨를 내리었는데, 농업 장려의 의의가 있는 연중 행사였음.

용대-선【傭貸船】명 물건의 운송을 위하여 선박의 일부 또는 전부를 용선(傭船)하거나 대선(貸船)하는 일. 해상 화물 운송 사업을 하는 사람 상호간, 또는 해상 화물 운송 사업을 하는 사람과 외국인 사이에 이루어짐. *용선(傭船).

용:덕[1]【勇德】명〖천주교〗사추덕(四樞德)의 하나. 어떠한 위험이라도 무릅쓰고 선행(善行)을 감행하는 덕.

용덕[2]【龍德】명 천자의 덕. 뛰어난 덕. 준덕(俊德).

용덕-궁【龍德宮】명〖역〗고려 예종 11년(1116)에 평안 남도 평양시(平壤市) 을밀대(乙密臺) 부근에 세웠던 궁궐. 예종은 음양 도참(陰陽圖讖) 사상을 믿어, 송경(松京)은 지덕(地德)이 쇠약하였다는 뜻에서 서경(西京)에 이 궁궐을 지었음. 응대·장려하여 서경의 자랑이 되었음.

용:도[1]【用度】명 ①쓸씀이. ②드는 비용(費用). ③관청이나 회사에서 물품을 공급하는 일. ¶~계(係).

용:도[2]【用途】명 쓰이는 길. 쓰이는 데. ¶이 약품은 ~가 많다.

용-도[3]【龍島】명〖지〗전라 남도의 서해상(西海上), 신안군(新安郡) 하의면(荷衣面) 능산리(陵山里)에 위치한 섬. [0.1km²]

용도[4]【龍圖】명 ①하도(河圖). ②동물화 화목 중의 하나. 용을 화제(畫題)로 그린 그림의 총칭.

용도[5]【龍韜】명 육도(六韜) 제3편의 이름. *육도(六韜).

용도[6]【鎔度】명〖물·화〗녹는점.

용도 공안【龍圖公案】명〖책〗[용도(龍圖)는 소설의 주인공 포증(包拯)의 직(職)이 용도각 학사(龍圖閣學士)이었던 데서 온 것] 중국 명대(明代) 17세기경의 백화(白話) 소설. 작자 미상. 송(宋)나라의 명재판관 포증의 각각 독립된 재판 이야기 100가지를 집록하였음.

용도리 명〖미술〗일점을 중심으로 하여, 하나의 선이 주위를 돌면서 뻗어 나가는 모양으로, 구성의 요소에서는 리듬에 해당됨. 용도리는 조개의 껍데기에서 흔히 볼 수 있음.

용:도 지역【用途地域】명 국토 이용 관리법에 의거, 공공(公共) 복리를 우선시키고 자연 환경을 보전하여, 양호한 생활 환경의 확보와 국토의 균형 있는 발전을 도모하기 위하여 그 용도가 지정된 지역. 도시 지역·준(準)도시 지역·농림 지역·준(準)농림 지역·자연 환경 보전 지역이 있음.

용:-돈【用—】[—똔] 명 개인이 날마다 잡용으로 쓰는 돈. 또, 특별한 목적을 갖지 않고, 자유로 쓸 수 있는 돈. 용전(用錢). 준용(用).

용:동【聳動】명 기쁘거나 즐거울 때, 몸을 솟구치어 뛰며 춤추듯이 함. ——하다 자여불

용동-궁【龍洞宮】명〖역〗칠궁(七宮)의 하나. 조선 명종(明宗)의 맏아들 순회 세자(順懷世子)의 궁. 처음에 지금의 덕수궁 일부에 설치했으나, 뒤에 종로구 수송동(壽松洞) 전(前) 숙명(淑明) 여자 고등 학교 자리로 옮김.

용-되다【龍—】자 변변하지 못하던 것이 크고 장(壯)하게 되다. ¶미꾸라지 용됐다.

용두[1]【龍頭】명〖역〗문과(文科)의 장원(壯元).

용두[2]【龍頭】명 ①〖건〗망새❷. ②팔뚝 시계 따위의 태엽을 감는 꼭지.

용두-각【龍頭刻】명 용두머리❶.

용-두레 명〖농〗낮은 곳에 있는 물을 높은 논에 퍼올리는 농구. 호두(戽斗).

〈용두레〉

용두-머리【龍頭—】명 ①건축물·승교·상여 등에 다는 용의 머리 모양을 새긴 장식. 용두각(頭龍刻). ②베틀 앞다리의 끝에 얹는 나무.

용두 박이【龍頭—】명〖건〗용두(龍頭)를 박아 꽂는 못.

용두-번【龍頭幡】명〖역〗의장기(儀仗旗)의 한 가지.

용두 보:당【龍頭寶幢】명〖불교〗고려 시대에 청동(青銅)으로 만들어진 당간 지주(幢竿支柱)와 용의 머리 형상을 한 당간(幢竿). 이성 기단(二成基壇) 위의 용두(龍頭)까지 합하여 여덟 마디로 된 간주(竿柱)로 이루어졌으며, 그 높이는 73.8cm임. 국보 제136호.

〈용두번〉

용두-사【龍頭寺】명〖불교〗지금의 충청 북도 청주시(清州市)에 있던 절.

용두 사미【龍頭蛇尾】명 [용의 머리와 뱀의 꼬리란 뜻] 처음은 왕성

(旺盛)하나 끝이 부진(不振)한 형상을 비유한 말. ¶그 계획은 ∼로 끝났다.

용두사지 철당간【龍頭寺址鐵幢竿】명 충청 북도 청주시(淸州市) 남문로(南門路)의 용두사 터에 있는 당간. 고려 광종 13년(962)에 건립. 화강석으로 된 지주는 네모 반듯한 쌍주(雙柱)로 중간에 철제 당간이 세워져 있고 20개의 철 원통을 쌓아 올리었으며 제3단의 원통 주위에는 철당기(鐵幢記)를 양각(陽刻)하였음. 그 내용은 당간 건립(建立)의 유래(由來)로, 김원(金遠)이 지었음. 총높이 12.7 m, 지주의 높이 4.2 m. 국보(國寶) 제41호.

용두-쇠【龍頭─】명 장구의 양쪽에 있는 쇠로 만든 고리.

용두 익수【龍頭鷁首】명 천자가 타는 배. 두 척이 한 쌍을 이루는데, 한 척은 이물에 용의 머리를, 다른 한 척은 익(鷁)새의 머리를 새기었음. 용은 물을, 익새는 바람을 이기어 낸다는 데서 장식함.

용두-질 명 남자가 제 성기를 주무르거나 다른 물건을 써서 성적 쾌감을 얻는 짓. 마스터베이션. ──-하다 자여불

용두-치다 자 용두질하다.

용두-회【龍頭會】명《역》문과(文科)에 장원(壯元)한 사람들만이 모이는 회. 새로 장원한 사람이 여러 선배(先輩)를 청하여 잔치를 베푸는 것으로, 고려 때에 성행(盛行)하였음.

용-둥굴레【龍─】명《식》〔*Polygonatum involucratum*〕은방울꽃과에 속하는 다년초(多年草). 키는 23-26 cm, 잎은 달걀꼴이며 호생함. 5-6월에 잎 사이로부터 1.7-2 cm의 꽃꼭지가 나와 그 끝에 두 개의 작은 잎 모양의 포(苞)가 대생(對生)하고 두 개씩의 담황록색 꽃이 액생(腋生)함. 둥근 장과(漿果)는 벽흑색(碧黑色)으로 익음. 산지(山地)에 나는데, 전남북·경남·강원·경기·평북·함남북에 분포(分布)하며, 어린 잎은 식용(食用)함.

〈용둥굴레〉

용등【龍燈】명 바다 가운데의 인광(燐光)이 등불처럼 연이어 나타나는 현상.

용등-선【龍登線】명《지》평안 북도 영변군(寧邊郡) 안에 있는 철도로 구장(球場)에서 용등(龍登)에 이르는 철로. 1934년 4월 1일에 개통(開通)함. [7.4 km]

용-떡【龍─】명《민》혼례 때, 신랑의 큰 상에 올려 놓는, 흰떡으로 빚어 만든 한 쌍의 봉황새.

용-띠【龍─】명《민》'진생(辰生)'을 용의 속성(屬性)을 상징하여 이르는 말.

용란[1]【慵懶】[─난] 명 용타(慵惰). ──-하다 형여불

용란[2]【龍卵】[─난] 명 용의 알.

용:략【勇略】[─냑] 명 용기(勇氣)와 지략(知略).

용:량[1]【用量】[─냥] 명《약》약제(藥劑)의 한 번 또는 하루의 사용 분량.

용량[2]【容量】[─냥] 명 ①용기 안에 들어갈 수 있는 분량. ②《물》전지를 어떤 조건하에서 방전(放電)하여 끌어낼 수 있는 전기 에너지 또는 전기량. 암페어 시(ampere時) 또는 와트 시(watt時)로 나타냄. ¶전기 ∼. ③《컴퓨터》저장할 수 있는 정보의 양《킬로바이트·메가바이트 따위의 단위로 나타냄》. ④↗정전 용량(靜電容量). ⑤↗열용량.

용량 백분율【容量百分率】[─냥─뉼] 명 액체 또는 기체의 혼합물 중에 존재하는 어떤 성분의 체적을 백분율로 나타낸 것. 기호 vol % 또는 % (v/v). 체적 백분율.

용량 분석【容量分析】[─냥─] 명〔volumetric analysis〕《화》부피분석.

용:량-학【用量學】[─냥─] 명 복량학(服量學).

용:려【用慮】[─녀] 명 마음을 씀. 걱정함. ──-하다 자타여불

용:력[1]【用力】[─녁] 명 심력이나 체력을 씀. ──-하다 자여불

용:력[2]【勇力】[─녁] 명 씩씩한 힘. 뛰어난 역량.

용련【熔鍊】[─년] 명〔smelting〕《야금》〔↗용융 제련(熔融製鍊)〕용해(融解)를 수반하는 금속 제련법. 야금학(冶金學)에서는 그 최초의 단계 곧 광석을 용광로·반사로(反射爐) 따위의 노 안에서 융해하여, 농축(濃縮)된 목적 금속의 반제품을 얻는 작업을 말함. 이 반제품은 다시 전로(轉爐) 제련·건식(乾式) 제련 등으로 정제됨.

용련-균【溶連菌】[─년─] 명《의》용혈성(溶血性) 연쇄 구균(連鎖球菌).

용:렬[1]【勇烈】[─녈] 명 용맹스럽고 장렬함. ──-하다 형여불

용렬[2]【庸劣】[─녈] 명 못생기어 재주가 남만 못하고 어리석음. ──-하다 형여불

용렬-스럽다【庸劣─】[─녈─] 형ㅂ불 용렬한 데가 있다. 용렬-스레【庸劣─】[─녈─] 부

용:례【用例】[─네] 명 쓰고 있는 예. 용법의 보기. ¶∼ 사전.

용로【鎔爐】[─노] 명《공》↗용광로(鎔鑛爐).

용룡-부【龍龍部】[─농─] 명 한자 부수(部首)의 하나. '龐'이나 '龕' 등의 '龍'의 이름.

용루【龍淚】[─누] 명 임금의 눈물.

용리【熔離】[─니] 명《화》①크로마토그래피(chromatography)에서, 전개(展開)된 성분을 종이 따위에서 녹여내는 일. ②금속의 혼합물 따위를 가열하여 행하는 분리 조작(分離操作). 또, 그 때 일어나는 현상. 조금속(粗金屬)의 정제(精製)에 이용됨.

용린【龍鱗】[─닌] 명 ①용의 비늘 또는 그러한 모양의 것. ②천자(天子)·영웅의 위엄을 비유하여 이르는 말. ③금은 보화 따위의 빛나는 모양. ④노송(老松) 따위 줄기의 나무 껍질이 용의 비늘처럼 된 것. ⑤《식》댕댕이덩굴.

용린-갑【龍鱗甲】[─닌─] 명《역》용(龍)의 비늘 모양으로 비늘을 달아 만든 갑옷.

〈용린갑〉

용린 벽려【龍鱗薜荔】[─… 명《식》담쟁이덩굴.

용:립【聳立】[─닙] 명 우뚝 … ──-하다 자여불

용마【龍馬】명 ①모양이 용… 중국 복희씨(伏羲氏) 때 황하강에서 팔괘(八卦)를 등에 싣고 나왔다는 상상의 말. ②매우 잘 달리는 좋은 말. 준마(駿馬). [용마 갈기 사이에 뿔 나거든] 가망이 없음을 이르는 말. ¶용마 갈기 사이에 뿔 나거든 오려 하오《古本 春香傳》.

용마-놀이【龍馬─】명《민》전… 었던 민속 놀이. 악귀(惡鬼)를 … 의 풍년과 흉년을 점치기 위하여 …

용-마라미 명〈방〉용마루(경북).

용-마람 명〈방〉용마름(강원·전…).

용-마루 명 지붕 위의 마루. 옥척(…).

용-마름 명《건》초가의 용마루나 … 지게 길게 엮은 이엉.

용마-산【龍馬山】명《지》경상 … 山). 산의 형상이 말 모양으로 생… 여러가지 설화가 있음. 산정(山頂)…

용마-석【龍馬石】명《지》강원도 … 위 이름. 마의 태자(麻衣太子)의 말…

용만【冗漫】명 용장(冗長). ──-하다 …

용만-관【龍灣館】명《역》조선 시대 … (使臣)의 접대 관소(接待館所).

용만 문견록【龍灣聞見錄】[─녹] 명 … 진 왜란으로 선조가 평안 북도 의주 … 탁(鄭琢)이 당시의 견문을 적은 책. 명신 … 送)한 일의 대략과 교환 문서·언사(言…)을 자세히 적었음. 1책. 사본.

용말【涌沫】명 솟아 오르는 거품.

용-말구 명〈방〉용마루(강원).

용매【溶媒】명〔solvent〕《화》액체에 물… 그 액체를 말함. 또, 액체에 액체를 녹일 … 용해제. ↔용질(溶質).

용매-도【龍媒島】명《지》황해도 서남 해…

용매-제【溶媒劑】명《의》물질을 녹여서 … 는 재료. 곧, 알코올·수은 등.

용매 추출【溶媒抽出】명〔solvent extracti…〕 또는 액체 시료(試料) 속에서 성분(成分) 물… 을 용해시켜서 분리하는 일. 특정 물질을 특별… 때가 있으며, 단순히 목적 물질을 용해시켜 추출… 학 반응을 일으키게 하여 추출되기 쉬운 물질로 변… 는 경우도 있음.

용매-화【溶媒和】명〔solvation〕《화》용액(溶液) 중에서 … 分子) 또는 이온(ion)이 그 주위로부터 약간의 용매 분자… 끌어 당겨서 하나의 분자군(分子群)을 형성(形成)하는 일.

용매화 작용【溶媒和作用】명《화》용매화.

용매 화합물【溶媒化合物】명《화》몇 개의 용질(溶質) 분자 … 온(ion)과 몇 개의 용매(溶媒) 분자나 이온 사이에 생긴 분자 화합물(分子化合物).

용맥【龍脈】명《민》풍수 지리(風水地理)에서 산(山)의 정기(精氣)가 흐르는 산줄기. 그 정기가 모인 곳이 혈(穴)임.

용:맹【勇猛】명 용감(勇敢)하고 사나움. 용기가 있고 억셈. 맹용(猛勇). 무맹(武猛). ──-하다 형여불

용:맹-스럽다【勇猛─】형ㅂ불 용맹하게 보이다. 용맹한 태도가 있다. 용:맹-스레【勇猛─】부

용:맹-심【勇猛心】명 용맹한 마음.

용-머리[1]【龍─】명《식》〔*Dracocephalum argunense*〕꿀풀과에 속하는 다년초. 줄기는 방형(方形)이고 높이는 30 cm 내외이며, 잎은 대생(對生)하고 무병(無柄)이나 밑의 잎은 때로는 유병(有柄)임. 6-7월에 자색 꽃이 줄기 끝에 총생(叢生)하여 윤산(輪繖) 화서로 피며, 화관(花冠)은 순형(脣形)이고, 수과(瘦果)는 달걀꼴임. 산지에 나는데, 거의 한국 각지 및 일본에 분포함.

〈용머리[1]〉

용-머리[2]【龍─】명《건》용두[2](龍頭)❶.

용:명[1]【用命】명 윗사람의 명령을 받듦. ──-하다 자여불

용:명[2]【勇名】명 용자(勇者)로서의 명성.

용:명[3]【勇明】명 용감하고 명민(明敏)함. ──-하다 형여불

용명[4]【溶明】명 페이드인. ↔용암(溶暗).

용모[1]【容貌】명 사람의 얼굴 모양. 인물(人物). 면상(面相). 모용(貌容). 신모(身貌). 상모(相貌). 형모(形貌).

용모[2]【氄毛】명 솜털.

용-모름 명〈방〉용마루(전남).

용모 파기【容貌疤記】명 어떠한 사람을 잡기 위하여 그 사람의 용모와 특징을 기록함. 또, 그 기록. ¶난정과 보우의 세력을 빌려 쓰는 까닭에 포교들이 한백량이의 ∼까지 다 짐작하면서 잡을 생의를 내지 못하였다《洪命憙: 林巨正》. ──-하다 타여불

용목【龍目】명 나뭇결이 불규칙(不規則)하고 고운 재목(材木). 또, 그러

용:시 용:활【用時用活】명 〖동학〗 때를 살려서 쓸 것을 강조한 동학(東學)의 2 대 교주 최시형(崔時亨)의 가르침.

용식1【容飾】명 몸치장. 몸차림. ──-하다 자여불

용식2【溶蝕】명 석회암(石灰岩)의 주성분인 탄산 칼슘이 이산화 탄소를 용해한 빗물에 의해 서서히 분해하여 용해되는 일. 용식에 의해 형성되는 지형을 용식 지형 또는 카르스트(Karst) 지형이라 이름. 카르스트 침식.

용식 작용【溶蝕作用】명 〖지〗 암석(岩石)이 물에 의해서 차차 용해(溶解)되어 파괴(破壞)되어 가는 작용. 석회암 지역(石灰岩地域)에 특히 심함. ＊용식(溶蝕).

용식-호【溶蝕湖】명 〖지〗 석회암(石灰岩) 지방의 지층(地層)이 용해되어 움푹 팬 곳에 물이 괴어 이루어진 호수.

용신1【容身】명 ①용슬(容膝). ②세상에서 겨우 몸을 붙이고 살아감. ──-하다 자여불

용신2【龍神】명 〖불교〗 용왕(龍王)❷.

용:신3【聳身】명 몸을 솟구쳐 세움. ──-하다 자여불

용신-경【龍神經】명 〖민〗 용왕경(龍王經).

용신-굿【龍神─】[─꾿] 명 〖민〗 무당이 용왕에게 기도하는 굿.

용신-제【龍神祭】명 〖민〗 유월 유둣날 논 가에서 용신에게 비와 풍년을 빌기 위하여 지내는 제사.

용:심1 명 남을 시기하는 심술. ¶말미 못 얻게 훼방 놀던 행수년이 ~이 나서 죽으려고 하겠지요《洪命憙 : 林巨正》.

용:심(을) 부리다 구 남을 시기하여 심술을 부리다.

용:심2【用心】명 정성스런 마음을 씀. ──-하다 자여불

용:심-꾸러기 명 용심을 많이 부리는 사람. 용심쟁이.

용:심-쟁이 명 용심꾸러기.

용-심지【─心─】명 실·종이·헝겊의 오라기를 꼬아 기름이나 밀을 묻히어 초 대신으로 불을 켜는 물건.

용:심 처:사【用心處事】명 마음을 써 알뜰히 일을 처리함. ──-하다 타여불

용:싸리 부 〈방〉 간신히.

용:-쓰다 자 ①기운을 몰아 쓰다. ②힘을 들이어 괴로움을 억지로 참다.

용아【龍兒】명 〖사람〗 박용철(朴龍喆)의 호(號).

용아-메뚜기 명 〈방〉 〖충〗 방아깨비.

용아-초【龍牙草】명 〖식〗 짚신나물.

용안1【容顔】명 얼굴❶.

용안2【龍眼】명 〖식〗 [*Nepherium longana*] 무환자과에 속하는 상록 교목. 줄기 높이 12m, 둘레 2m 이상이고, 나무 껍질은 검붉은 갈색임. 잎은 우수(偶數) 우상 복엽(羽狀複葉)으로 호생하고, 소엽(小葉)은 타원형에 혁질(革質)이며 톱니가 없음. 여름에 백색에 향기 있는 오판화가 엽액(葉腋) 또는 가지 끝에 원추(圓錐) 화서로 피고, 열매는 둥근데, 센털이 많으며, 껍질은 다갈색에 혹 같은 돌기가 있음. 가종피(假種皮)는 자양분이 많고 살이 많은데 단맛이 있으며, '용안육(龍眼肉)'이라고 하여 날로도 먹고, 또는 말리어서 먹기도 하며 약재로도 씀. 중국 남방이 원산(原產)으로, 동인도·대만·류큐 등지에 분포함. 여지노(茘枝奴). 원안(圓眼).

〈용안2〉

용안3【龍顔】명 임금의 얼굴. 천안(天顔). 옥안(玉顔).

용안-육【龍眼肉】[─뉵] 명 〖한의〗 용안의 가종피(假種皮). 말려서 식용하며 완화 자양제(緩和滋養劑)로 씀.

용안지-곡【容安之曲】명 〖악〗 고려 때 서릉씨(西陵氏)에게 제사지내는 의식인 선잠(先蠶)이라는 전례 의식(典禮儀式) 가운데에서, 폐백(幣帛)을 올리는 전폐(奠幣) 절차에서 연주되었던 악곡.

용-알【龍─】명 〖역〗 ↗용의 알.

용알-뜨기【龍─】명 〖민〗 정월의 첫 진일(辰日)에 부인들이 닭 울 때를 기다렸다가 바가지를 가지고 앞을 다투어 정화수를 길어 오던 풍속. 이것은 이 용날 전날 밤에 하늘에서 용이 내려와 우물 속에 알을 낳는데, 그 알을 낳은 우물 물을 먼저 길어다 밥을 지으면 그 해에 자기집 농사가 잘 된다는 풍습적인 관념에서였음.

용암1【溶暗】명 [fade-out] 〖연〗 영화 촬영상의 기법의 하나. 선명한 화면이 점차 어두워지는 일. 페이드아웃. ↔용명(溶明).

용암2【熔岩·鎔岩】명 [lava] 〖지〗 화산의 분화(噴火) 때, 분화구로부터 뿜어 나오는 마그마(magma). 또, 그것이 냉각·응고해서 된 바위. 그 대소·형상에 의해서 용암탑(塔)·용암괴(塊)·화산탄(火山彈)·화산력(礫)·화산사(砂)·화산회(灰)의 구별이 있음.

용암-구【熔岩丘】명 〖지〗 분화구(噴火口)에서 유출(流出)한 규산(珪酸)이 많이 섞인 산성(酸性)의 용암이, 화구(火口) 바닥에서 높이 솟아올라 냄비를 엎어 놓은 모양으로 된 언덕.

용암-굴【熔岩窟】명 〖지〗 용암에서 볼 수 있는 터널 모양의 공동(空洞). 용암류(熔岩流)의 표면은 냉각하여 굳었지만 내부는 유동성을 가지고 흘러 버렸기 때문에 공동(空洞)으로 남아 있는 것임. 현무암질(玄武岩質) 용암류에 많으며, 소형의 것은 용암 튜브(熔岩 tube)라고 불림. 용암 터널.

용암-대【熔岩臺】명 〖지〗 용암 대지(熔岩臺地).

용암 대지【熔岩臺地】명 〖지〗 유동성(流動性)이 많은 용암(熔岩)이 지면에 분출(噴出)하여 사방으로 퍼져서 이루어진 평탄한 대지(臺地). 용암대. ＊용암 평야(熔岩平野).

용암-류【熔岩流】[─뉴] 명 [lava flow] 〖지〗 비탈을 흘러 내리고 있는 유동성(流動性)이 많은 용암. 또, 그것이 냉각·응고한 무더기. 그 유출의 속도는 비탈진 정도, 화산구(火山口)의 크기, 용암의 화학적인 성분(成分)이나 양에 따라 다름.

용암-산【龍巖山】명 〖지〗 함경 남도 신흥군(新興郡) 동상면(東上面)에 있는 산. 노년기(老年期) 산이 융기되어 상정(上頂)은 평탄하고 개마 대지의 일부를 형성하고 있음. 계곡은 침식이 회춘(回春)되어 유년곡을 이루고 있음. [2,100m]

용암 수형【熔岩樹型】명 〖지〗 용암류(熔岩流)가 자라 있는 나무에 덮쳐 흘러 내려 나무가 즉시 타버려 구멍의 형태만 남기거나 용암에 휩싸인 채 썩은 나무의 형태. 1981년에 제주도 북제주군 한림읍(翰林邑) 월령리(月令里)에서 그 군집(群集)이 발견됨.

용암 원정구【熔岩圓頂丘】명 〖지〗 종상(鐘狀) 화산. 톨로이데(tholoide).

용암 첨탑【熔岩尖塔】명 〖지〗 용암탑.

용암-층【熔岩層】명 〖지〗 용암이 분출(噴出)하여 형성된 지층.

용암-탑【熔岩塔】명 〖지〗 분출(噴出)한 용암이 화산구(火山口)에 높이 쌓여 탑 모양을 이룬 무더기.

용암 터널【熔岩─】명 [lava tunnel] 〖지〗 용암굴.

용암 평야【熔岩平野】명 〖지〗 용암이 분출(噴出)하여 수평 또는 거의 수평으로 퇴적(堆積)되어 이루어진 평야. ＊호저(湖底) 평야·빙성(氷成) 평야·용암 대지(熔岩臺地).

용암-포【龍巖浦】명 〖지〗 평안 북도 신의주(新義州) 남단 압록강 하구에 있는 어항(漁港). 부동항(不凍港)인 다사도(多獅島)항을 보조항으로 사용하는 국경의 물산 집산지이며, 조기·화어(火魚)·새우 및 쌀과 석탄 등이 산출됨.

용암-호【熔岩湖】명 〖지〗 화산의 화구(火口) 안에 적열(赤熱) 용융(熔融) 상태의 용암이 괴어서 된 용암의 호수. 용암호 안에서 용암은 끊임없이 유동하여 대류(對流)를 일으킴.

용애-메뚜기 명 〈방〉 〖충〗 방아깨비.

용액【溶液】명 [solution] 〖물·화〗 가용성(可溶性) 물질이 용해한 액체. 각 부분이 균일(均一)한 조성(組成)을 가짐. 용해한 물질을 용질(溶質), 녹인 액체를 용매(溶媒)라 함. 용해액(溶解液). ＊용체(溶體).

용액 중:합【溶液重合】명 〖화〗 단위체(單位體)를 용제(溶劑)에 녹여, 촉매(觸媒)를 가하여 중합(重合)시키는 방법. 중합열(重合熱)의 제거가 용이하고 또 중합물(重合物)의 순도(純度)도 높지만 일반적으로 반응 속도(反應速度)가 늦고 중합도(重合度)도 낮은 경우가 많음. 용제에 용해한 상태로 사용할 수 있는 도료(塗料)·접착제(接着劑) 등의 제조에 이용됨.

용:약1【勇躍】명부 용감하게 뛰어 나아가는 모양. ¶~ 출정(出征)하다. ──-하다 자여불

용약2【庸弱】명 평범하고 약함. 범약(凡弱). ──-하다 형여불

용:약3【踊躍】명 좋아서 뜀. ──-하다 자여불

용약-원【龍躍騵】명 〖동〗 털이 붉고 배가 희고 갈기가 검은 말의 하나.

용양【龍陽】명 〖역〗 [중국 전국(戰國) 때에 위왕(魏王)의 행신(幸臣)을 용양군(龍陽君)이라 일컬은 고사(故事)에서] 남색(男色).

용양 봉:자정【龍驤鳳翥亭】명 〖지〗 수원(水原) 능행(陵幸) 때 주정소(晝停所)로 쓰던 행궁(行宮)의 이름. 지금의 한강 철교(漢江鐵橋) 남쪽 언덕에 있었음. 조선 정조(正祖) 14년(1790)에 선조(宣祖) 때의 대신(大臣) 이양원(李陽元)의 별업(別業)으로 자손이 세거(世居)하던 망해정(望海亭)을 사서 지었음. 원근(遠近)을 바라보면 북에 우뚝 솟은 삼각산(三角山)은 봉(鳳)이 훨훨 나는 것 같고, 동에서 합류(合流)한 한강(漢江)은 용(龍)이 꿈틀거리는 것 같다는 뜻을 취하여 이름하였음. 행궁의 대부분은 지금의 노량진 수원지(鷺梁津水源池)와 그 앞의 도로에 들어갔음.

용양 순위사【龍驤巡衛司】명 〖역〗 조선 태조(太祖) 4년(1395)에 의흥친군(義興親軍)의 십위(十衛)의 하나인 좌우위(左右衛)를 고친 이름. 문종(文宗) 원년(1451)에 오위(五衛)를 두면서 파하였음.

용양-위【龍驤衛】명 〖역〗 조선 시대 때, 오위(五衛) 중의 좌위(左衛). 문종(文宗) 원년(1451)에 베풀었는데, 별시위(別侍衛)·대졸(隊卒)이 이에 속하여 중(中)·좌(左)·우(右)·전(前)·후(後)의 다섯 부(部)로 나뉘고, 경상도 각 진(鎭)에 분속(分屬)되어 있었음. 임진 왜란(壬辰倭亂) 뒤에 오위병제(五衛兵制)가 무너지면서 명목만 남았다가 고종 19년(1882)에 혁파(革罷)됨.

용양 호:박【龍攘虎搏】명 용처럼 세차게 뿌리치고 범처럼 세차게 친다는 뜻으로, 맹렬히 싸우는 모양의 형용. ──-하다 자여불

용양 호:시【龍驤虎視】명 용처럼 날뛰고 범 같은 눈초리로 봄. 곧, 영웅의 기개가 높고 용맹스러운 태도를 이름. ──-하다 자여불

용어1【冗語】명 쓸데없이 수다스러운 말. 군더더기의 말.

용:어2【用語】명 사용하는 말. ¶군사 ~/문법 ~.

용어3【龍馭】명 ①천자의 마차를 어거함. ②천자가 백성을 다스림.

용어-법【冗語法】[─뻡] 명 [pleonasm] 논리적으로는 불필요한 말을 부가적(附加的)으로 쓰는 표현(表現). 부주의 또는 무학(無學)에 기인하여 쓰는 경우도 있지만 강조(強調)나 수사적 효과를 노려 고의(故意)로 쓰는 것임.

용:언1【用言】명 〖언〗 독립한 뜻을 가지고 어미(語尾)를 활용하여 서술어로 쓰이는 말. 곧, 동사·형용사의 총칭. 활어(活語). 풀이말. 풀이씨. ↔체언(體言).

용언2【庸言】명 ①평범한 말. ②일상 쓰는 말.

용:언-형【用言形】명 〖언〗 명사·대명사·수사 따위의 체언이 용언 곧 서술어로 바뀔 때 갖추는 어형(語形).

용:여1【用餘】명 쓰고 남은 것.

용여2【容與】명 태도나 마음이 태연함. 한가롭고 편안하여 흥에 겨움. ──-하다 형여불

용:역【用役】명〔service〕〖경〗물재(物財)의 형태를 취하지 않고 생산과 소비에 필요한 노무(勞務)를 제공하는 일.

용:역 경:비업【用役警備業】명 국가 중요 시설·산업 시설·주택·창고·주차장 등을 경비하는 시설 경비 업무, 운반 중에 있는 현금·유가 증권·귀금속·상품 등의 도난과 화재를 방지하는 호송 경비 업무, 신변 보호 업무 중 일부 또는 전부를 도급(都給)받아 하는 영업.

용:역-불【用役弗】명 주한 유엔군 관계 기관에 대한 노무(勞務)·서비스의 대가(代價)로서 획득한 달러. 건축(建築) 계약 및 연예(演藝)·오락(娛樂)의 제공 등의 대가임.

용:역 산:업【用役產業】명 상업·운수업·창고업 등과 같이 서비스를 제공하는 산업. *유통 산업(流通產業).

용:역 생산【用役生產】명〖경〗운수업이나 창고업처럼 물자를 욕구(欲求)하는 사람들을 위하여 운송하거나 저장(貯藏)하는 활동. ↔물적(物的) 생산.

용:역 수출【用役輸出】명 보험·은행 업무·운송 따위의 서비스를 외국에 제공(提供)하거나, 노무(勞務)를 직접 수출하는 인력(人力) 수출 등을 말함.

용연[1]【溶然】명 마음이 침착하고 여유가 있는 모양. ——-하다 형여불. ——-히 부

용연[2]【龍涎】명 용연향(龍涎香).

용연[3]【龍淵】①용이 사는 못. ②중국 초(楚)나라의 명검(名劍) 이름. 구야자(歐冶子)와 간장(干將)이 함께 만든 세 검(劍) 중의 하나. 당(唐)나라에서 고조(高祖)의 휘(諱)를 피하여 용천(龍泉)이라 이름.

용:연[4]【聳然】명 ①우뚝 솟은 모양. ②두려워서 몸을 고쳐 잡는 모양. ——-하다 형여불. ——-히 부

용연 기우제【龍淵祈雨祭】명〖민〗제주시(濟州市) 용담동(龍潭洞) 용연(龍淵)에서 가물 때 지내던 기우제.

용연-산【龍淵山】명〖지〗함경 북도 학성군(鶴城郡) 학상면(鶴上面)과 함경 남도 단천군(端川郡) 두일면(斗日面) 중간(中間)에 위치하는 산. [1,598m]

용연-향【龍涎香】명 고래로부터 채취하는 송진 비슷한 향료. 사향(麝香)과 같은 풍아(風雅)한 방향(芳香)이 있음. 용연(龍涎).

용열【容悅】명 영합(迎合)하여 기쁜 모양을 함. 아첨함. ——-하다 자여불

용-오름【龍一】명〔waterspout〕〖기상〗지름 50-100m 정도의 맹렬한 바람의 소용돌이. 적란운(積亂雲)의 운저(雲底)에서 거의 수직으로 지표를 향함. 해면(海面)에 도달하면 물을 빨아 올리며, 육상에서는 통과 지점의 지물(地物)을 파괴하는데, 열대 지방에 흔하고 온대 지방에서는 여름에 많은 편임. *토네이도(tornado).

용왕[1]【庸王】명 평범한 왕. 범용(凡庸)한 왕.

용왕[2]【龍王】명 ①용을 지배하고 다스린다는 우두머리. 한국에서는 흔히 수신(水神)·해신(海神)이라 하여 농민(農民)의 유력한 신으로 숭배(崇拜)됨. ②〔범 Magaraja〕〖불교〗용 가운데의 임금. 용궁(龍宮)에 거처하며, 용족(龍族)을 거느리어 구름을 일으키고 비를 내려 중생(衆生)의 번뇌(煩惱)를 식힌다 하는데 팔대(八大) 용왕이 있다 함. 용신(龍神). *용(龍).

용왕-경【龍王經】명〖민〗용제(龍祭) 때에 읽는 도교 경문(道敎經文). 용신경(龍神經).

용왕-굿【龍王一】명〖민〗인천을 중심으로 한 서해안의 갯마을에서, 정월 보름 전후에 마을의 안녕과 풍어(豐漁)를 빌던 옛 당(堂)굿.

용왕-담【龍王潭】명〖지〗'천지(天池)❶'의 별칭.

용왕 도:량【龍王道場】명〖불교〗기우 도량(祈雨道場).

용왕-맞이【龍王一】명〖민〗바다를 차지한 용왕을 맞아들여 축원하는 제주도 무당굿의 하나. 큰굿의 제차(第次)로 하기도 하고, 익사한 영혼을 건져 저승으로 고이 보내거나, 풍어를 빌기 위해 하기도 함.

용:왕 매:진【勇往邁進】명 거리낌없이 용감하게 나아감. 용왕 직진(勇往直進). 용왕 직전(勇往直前).

용왕-전【龍王典】명〖역〗신라 시대 동궁관(東宮官)에 소속된 관청의 하나.

용:왕 직전【勇往直前】명 용왕 매진(勇往邁進). ——-하다 자여불

용:왕 직진【勇往直進】명 용왕 매진(勇往邁進). ——-하다 자여불

용용[1]【冗用】명 쓸데없는 일. 쓸데없는 비용.

용용[2]【溶溶】명 강물이 넓고 조용하게 흐르는 모양. ¶한강은 ~하고 남산은 의의하여 의구한 고국 산천이 환영하는 뜻을 머금었더라≪崔瓚植 : 秋月色≫. ——-하다 형여불. ——-히 부

용-용[3]〔一뇽〕감명 엄지손가락 끝을 제 볼에 대고 나머지 네 손가락을 너울거리며 남을 약올리는 짓. 또, 그 때 외는 소리.
용용 죽겠지 구 '약이 올라 죽겠지'의 뜻으로 남을 약올리는 말.

용용-수【溶溶水】명 질펀히 흘러가는 물.

용우【庸愚】명 용렬하고 어리석음. ——-하다 형여불

용원[1]【冗員】명 쓸데없는 인원이나 직원.

용원[2]【傭員】명 ①관청에서 임시로 채용한 사람. ②품팔이꾼.

용원-균【溶原菌】명 무독성(無毒性)의 박테리오파지(bacteriophage)에 감염된 세균. 감염이 되는 것을 용원화(溶原化)라 함.

용원-부【龍原府】명〖역〗발해 오경(五京) 중 동경(東京)에 속하는 부(府). 예맥(濊貊)의 옛 땅이었는데 한때 발해의 수도였으며, 경주(慶州)·염주(塩州)·목주(穆州)·하주(賀州)의 네 주를 통할(統轄)하던 행정 구역(行政區域)이었음.

용위-도【龍威島】명〖지〗'용호도(龍湖島)'의 별명.

용유[1]【溶油】명〖미술〗유화용(油畫用) 물감을 녹이는 기름. 테레빈유(terebene油) 등의 휘발성 기름이나 아마인유(亞麻仁油)·개자유(芥子油) 등의 건성유(乾性油)가 사용됨.

용유[2]【庸儒】명 평범한 유생(儒生). 평범한 학자.

용유-도【龍游島】명〖지〗인천 광역시의 서해상(西海上), 중구(中區) 용유동(龍游洞)에 위치한 섬. 덕적 군도(德積群島)에 속하는 섬의 하나이며 부근 해안에서는 새우가 많이 잡힘. [13.90km²]

용육 조위탕【龍肉調胃湯】명〖한의〗사상 의학상 태음인(太陰人)이 오래 병을 앓고 난 뒤에 조리(調理)를 위하여 쓰는 처방.

용융[1]【溶融】명〖화〗녹아서 섞임. ——-하다 자여불

용융[2]【熔融·鎔融】명〖화〗용해(熔解). ——-하다 자여불

용융 도:금【熔融鍍金】명〖화〗용융 금속 속에 피도금물(被鍍金物)을 침지(浸漬)시켜 도금하는 방법. 알루미늄·주석·아연(亞鉛) 등의 도금이 행해지고 있으나 이용도는 낮음. *도금(鍍金).

용융 방사【熔融紡絲】명 합성 섬유의 방사법(紡絲法)의 하나. 고분자(高分子) 화합물의 중합체(重合體)를 녹는점(點)보다 높은 온도로 가열하여 용융시키고, 가스압(gas壓) 또는 기어 펌프(gear pump)로 꼭지쇠로부터 공기 중에 압출(壓出)하여 냉각하고, 섬유상(纖維狀)으로 만들어 냄. 나일론·테토론 따위는 이 방법에 의함. *습식(濕式) 방사·건식(乾式) 방사.

용융 시멘트【熔融一】〔cement〕명 알루미나 시멘트(alumina cement).

용융-염【熔融塩】〔一념〕명〖화〗용융하여 액체가 된 염류. 이온 전도(電導)에 의한 전도성(傳導性)을 나타냄.

용융염-로【熔融塩爐】〔一념노〕명 엠 에스 아르(MSR).

용융염 전:해【熔融塩電解】〔一념一〕명〖화〗용융염을 전해욕(電解浴)으로 하는 전기 분해. 용융염은 고온이 아니면 얻어지지 않으므로 일반적으로 용융염 전해는 고온에서 행함. 알칼리 금속·알루미늄 금속·희토류(稀土類) 금속의 석출(析出)이나 플루오르 가스 발생이 가능하며 화학 반응 속도가 빠른 것이 특징임.

용융-점【熔融點】〔一쩜〕명〖물〗녹는점.

용융-제【熔融劑】명〖화〗용제(熔劑).

용융 천:공【熔融穿孔】명〔fusion piercing〕〖공〗암석 중에서 연료를 연소시켜 암석을 녹이고, 수직(垂直)의 폭파공(爆破孔)을 뚫는 방법.

용융 합제【熔融合劑】명〖화〗탄산 나트륨과 탄산 칼륨을 당량비(當量比)로 혼합한 물질. 녹는점이 높은 것을 녹는점 이하에서 녹이어 가용성염(可溶性塩)으로 만듦.

용은【容隱】명 죄인을 숨겨 준 죄를 용서함. 숨겨 준 일 자체는 죄가 되나, 부자(父子)가 서로 숨겨 주는 일은 사람의 도리(道理)이므로, 옛날에는 골육지친(骨肉之親)의 은닉죄(隱匿罪)는 특별히 용서하였음.

용음[1]【庸音】명 평범한 소리. 평범한 시문(詩文). 평범한 작품.

용음[2]【龍吟】명 ①용이 소리를 길게 뺌. ②무악(舞樂)의 가락의 하나. ③금곡(琴曲)의 이름. ④피리나 거문고의 음향.

용:의[1]【用意】〔一/一이〕명 ①마음을 먹음. 뜻을 가다듬음. ②마음의 준비(準備). ——-하다 타여불

용의[2]【容儀】〔一/一이〕명 의용(儀容).

용의[3]【庸醫】〔一/一이〕명 범용(凡庸)한 의사.

용의[4]【容疑】〔一/一이〕명 범죄의 혐의.

용의 밭갈기【龍一】〔一/一에一〕명〖민〗그 해의 풍흉(豐凶)을 알아보는 점(占)의 한 가지. 동지(冬至)를 중심하여 합창(咸昌)의 공검지(恭儉池), 밀양(密陽)의 남지(南池), 당진(唐津)의 합덕지(合德池)와 연안(延安)의 남대지(南大池)에 언 얼음의 모양이 남쪽에서 북쪽으로 갈라지면 풍년, 서쪽에서 북쪽으로 향하면 흉년, 동서 남북으로 갈라지면 풍년도 흉년도 아니라고 함. 용경룡(龍耕龍).

용의 알【龍一】〔一/一에一〕명〖역〗궁중(宮中)에서 포구락(抛毬樂)을 연주할 때 던지는, 나무로 만든 공. 채구(彩毬). 용란(龍卵). 준용알.

〈용의 알〉

용의-자【容疑者】〔一/一이一〕명〖법〗범죄의 혐의가 있다고 의심을 받고 있는 사람. 피의자(被疑者).

용:의 주도【用意周到】〔一/一이一〕명 마음의 준비가 두루 미쳐 빈틈이 없음. ¶만사에 ~하다. ——-하다 형여불

용의 초리【龍一】〔一/一에一〕명 ①폭포의 내리 쏟아지는 줄기. ②옛날 처녀 총각이 땋아 느린 긴 머리.

용이【容易】명 쉬움. 어렵지 아니함. ——-하다 형여불. ——-히 부

용:익【用益】명 사용(使用)과 수익(收益). 또, 사용하여 이익(利益)을 얻는 일.

용:익-권【用益權】명〖법〗남의 소유물을 특정한 사람이 일정한 기간 동안 목적을 한정(限定)하지 아니하고 전반적으로 사용·수익(收益)할 수 있는 물권(物權). 또, 막연히 사용과 수익을 할 수 있는 권리(權利)나 권능(權能).

용:익 물권【用益物權】〔一꿘〕명〖법〗타인의 토지를 일정한 목적을 위하여 사용하고 수익(收益)할 수 있는 물권. 지상권(地上權)·지역권(地役權) 등이 이에 속함. ↔담보(擔保) 물권.

용:인[1]【用人】명 사람을 씀. ——-하다 자여불

용인[2]【容忍】명 너그러운 마음으로 참음. ——-하다 타여불

용인[3]【容認】명 용납하여 인정함. 인용(認容). ——-하다 타여불

용인[4]【庸人】명 범용한 사람. 범인(凡人). 속인(俗人).

용인[5]【傭人】명 ↗고용인(雇傭人).

용인[6]【龍仁】명〖지〗경기도의 한 시(市). 2 읍(邑) 8 면(面) 4 동(洞). 북쪽은 성남시(城南市)와 광주군(廣州郡), 동쪽은 이천시(利川市), 서쪽은 수원시(水原市)와 화성군(華城郡), 남쪽은 안성시(安城市)에 접함. 주요 산물로 농업·축산업·광산업 등이 있고, 명승 고적으로는 처인성지(處仁城址)·정포은묘(鄭圃隱墓)·보개산성(寶蓋山城)·서봉사(瑞峰

寺) 등과 한국 민속촌 및 에버랜드 등이 있음. 1996년 3월, 용인군이 승격하여 시(市)가 됨. [591.14 km² : 243,579 명(1996)]
용인-군【龍仁郡】명〖지〗경기도에 속했던 군(郡). 1996년 3월 용인시(龍仁市)로 승격함.
용인-율【龍仁栗】[―늘] 명 경기도 용인(龍仁) 지방에서 나는 재래종(在來種)의 밤.
용인 의:무【容認義務】명 묵인 의무.
용인 자연 농원【龍仁自然農園】명 경기도 용인시 포곡면 전대리(蒲谷面前垈里)·마성리·유운리·신원리 일대에 있는 450만 평 규모의 동양 최대의 자연 농원. 1976년 삼성 그룹에 의해 개장되었으며, 1977년 국민 관광지로 지정되었음. 국내 최대의 경제 조림 단지와 유실수 단지·양돈 단지·종합 묘포장·양어 저수지·종합 문화 센터·가족 동산·자연 동물원 등이 들어 있음.
용:일【涌溢】명 물이 솟아서 넘침. ――-하다 자여불
용임【傭賃】명 품삯.
용:자¹【勇者】명 용감한 사람. 용사(勇士).
용:자²【勇姿】명 용감한 자태.
용자³【容姿】명 용모(容貌)와 자태(姿態). 용의(容儀). 의용(儀容). ¶~단려(端麗).
용자⁴【傭者】명 고용된 사람.
용자⁵【龍子】명〖민〗①용의 아들. ②〖동〗도마뱀. ③옛날 중국 한(漢)나라 무제(武帝)가 탔다는 준마(駿馬).
용자⁶【龍姿】명 ①임금의 몸가짐. ②거룩한 모습. 고상한 풍채. ③준마(駿馬)의 형용.
용:자-례【用字例】[―짜―] 명 ①글자를 사용하는 보기. ②〖언〗≪해례본(解例本) 훈민 정음≫에서 보인 해례의 하나로, 초성·중성·종성의 순서를 명시하고 실제의 사용법을 보임.
용-자리【龍―】명 [라 Draco]〖천〗북천(北天)의 별자리. 큰곰·작은곰·백조(白鳥) 등의 별자리에 둘러싸임. 7월 하순(下旬) 저녁에 높이 보임. 용좌(龍座). 약자 : Dra.
용-자물쇠【龍―】[―쐬] 명 용의 모양을 한 큰 자물쇠.
용:자-법【用字法】[―짜뻡] 명〖언〗문자(文字)의 사용법(使用法). 특히 어구(語句)·문장을 표기(表記)함에 있어서의 한자의 용법.
용:자-창【用字窓】[―짜―] 명 가로살 두 개와 세로살 한 개로 '用'자 형으로 창살을 성기게 대어 짠 창.
용작¹【傭作】명 고용(雇傭)되어 일을 함. ――-하다 자여불
용작²【龍勺】명 옛날에, 제사에 쓰는 예기(禮器)의 하나. 헌작(獻酌)이나 관세(盥洗)에서 술이나 물을 뜨는 국자. 자루 끝에 용의 머리가 조각되어 있음.

〈용작²〉

용잠¹【龍潛】명 잠저(潛邸).
용잠²【龍簪】명 용의 머리 형상을 새기어 만든 비녀.

〈용잠²〉

용잡【冗雜】명 자질구레하고 대수롭지 아니함. 너절하게 잡다(雜多)함. ――-하다 형여불
용장¹【冗長】명 문장(文章)이나 말이 쓸데없이 장황(張皇)함. 용만(冗漫). ――-하다 형여불
용:장²【用杖】명 매를 치는 벌을 줌. ――-하다 타여불
용:장³【勇壯】명 날래고 씩씩함. ――-하다 형여불
용:장⁴【勇將】명 용맹(勇猛)스러운 장수. ¶~ 밑에 약졸(弱卒) 없다. ↔용장(庸將).
용장⁵【庸將】명 용렬한 장수. ↔용장(勇將).
용장⁶【龍章】명 ①용의 무늬. ②뛰어난 풍채. 고상한 용모.
용장⁷【龍欌】명 용(龍)의 무늬를 새겨 꾸민 옷장.
용:장-급【勇壯級】[―끕] 명 아마추어 씨름에서 체급의 하나. 국민 학교부 46.1 kg-49 kg, 중학교부 61.1 kg-64 kg, 고등 학교부 75.1 kg-80 kg, 대학 및 일반부 80.1 kg-85 kg인 체급.
용장-문【冗長文】명 대수롭지 않은 내용을 길게 늘어놓은 글. 장황하게 벌인 문장.
용:재¹【用材】명 ①연료(燃料) 이외의 용도(用途)를 가진 재목(材木). 건축(建築)·가구(家具) 등에 쓰이는 재목. ¶~림(林). ②재료(材料)로 쓰이는 물건.
용재²【容齋】명〖사람〗이행(李荇)의 호(號).
용재³【庸才】명 평범한 재주.
용재⁴【慵齋】명〖사람〗성현(成俔)의 호(號).
용재⁵【鎔滓】명〖광〗광석(鑛石)에서 금속을 분리시킬 때, 용융 금속(鎔融金屬)에서 분리하여 위로 떠오르는 찌끼. 광재(鑛滓). 슬래그(slag).
용:재-림【用材林】명 재목을 이용하기 위한 수풀.
용재 총화【慵齋叢話】명〖책〗조선 중기(中期) 사람 용재 성현(成俔)의 수필집. 문화(文話)·시화(詩話)·서화(書話)·화화(畫話)·인물평(人物評)·사화(史話)·실력담(實歷譚) 등이 실림. 문장이 아름다워 조선 시대 수필 중의 우수작으로 꼽힘. ≪대동 야승(大東野乘)≫에 실려 있는데, 시화 부분은 ≪시화 총림(詩話叢林)≫에도 실려 있음.
용저【舂杵】명 절굿공이.
용적【容積】명 ①물건을 담을 수 있는 부피. 용기 안을 채우는 분량. ②〖수〗입체(立體)가 차지하고 있는 공간의 부분. 부피. 체적. 들이.
용적-계【容積計】명 용적을 재는 계량기.
용적 돈수【容積噸數】[―쑤] 명 용적 톤수.
용적-량【容積量】[―냥] 명 용적의 분량.
용적-률【容積率】[―뉼] 명〖건〗대지(垈地) 면적에 대한 건물 연면적의 비율. *건폐율(建蔽率).
용적 적화 톤수【容積積貨―數】[ton] [―쑤] 명〖해〗적화 톤수의 한 가지. 선박의 화물을 적재할 수 있는 장소의 전용적을 1톤 40 ft³로 계산하여 표시한 톤수. *중량 적화 톤수.
용적 지역【容積地域】명 도시 계획(都市計劃)에 있어서의 토지 이용 계획의 일종. 양호한 도시 공간을 확보하기 위하여 용적률을 일정한 기준 이하로 잡도록 규제하는 지역.
용적 탄:성률【容積彈性率】[―뉼] 명〖물〗부피 탄성 계수.
용적 톤수【容積―數】[ton] [―쑤] 명〖해〗선박의 크기를 표시하는 톤수를 선박의 용적을 기준으로 하여 나타낸 것. 총톤수·순(純)톤수·적화(積貨) 용적 톤수 등이 있음. 용적 돈수. *톤수.
용:전¹【用箋】명 글을 쓰는 종이.
용:전²【用錢】명 용돈.
용:전³【勇戰】명 용감하게 싸움. 또, 그 전쟁. 용투(勇鬪). ¶~ 분투. ――-하다 자여불
용전⁴【傭錢】명 품삯.
용:전 여수【用錢如水】[―녀―] 명 돈을 물처럼 흔하게 씀. ――-하다 자여불
용절【龍節】명〖역〗의장(儀仗)의 한 가지. 마디는 금으로 만들고 용을 그려 새기었음.
용점【熔點】[―쩜] 명〖물〗용융점(熔融點).
용접¹【容接】명 ①찾아온 손을 맞아서 만나 봄. ②가까이하여 교제함. ――-하다 타여불
용접²【鎔接】명〖공〗두 금속에 고도(高度)의 전열 또는 가스열을 주어 접합시키는 일. 압접(壓接)과 융접(融接)의 구별이 있음. 접합(接合). ――-하다 타여불
용접-공【鎔接工】명 용접 일을 하는 직공.
용접-면【鎔接面】명 방광면(防光面).
용접 발전기【鎔接發電機】[―쩐―] 명 [welding generator]〖전〗아크 용접기 전원(電源)으로 사용하는, 특수한 직류(直流) 발전기.
용접-봉【鎔接棒】명〖공〗아크(arc) 용접·가스 용접에서, 접합부(接合部)에 녹여 붙이는 녹는점(點)이 낮은 금속봉(金屬棒).
용접 응:력【鎔接應力】[―녁] 명 [welding stress]〖야금〗용접을 행하는 동안 국부적으로 가열·냉각됨으로써 발생하는 잔류 응력.
용접 토:치【鎔接―】[torch] 명〖공〗가스 용접에 쓰는 화염 분출기(火炎噴出器). 산소와 아세틸렌 가스(acetylene gas)를 혼합하는 혼합실(混合室), 혼합 가스를 분출(噴出)하는 인젝터(injector), 화구(火口) 등으로 되어 있음.
용정【舂精】명 곡식(穀食)을 찧어서 쌀을 만듦. 곡식을 찧음. ――-하다 타여불
용정-자【龍亭子】명〖역〗나라의 옥책(玉冊)·금보(金寶) 등 보배를 운반할 때에 쓰는 견여(肩輿).

〈용정자〉

용정-장이【舂精匠―】명 용정을 업으로 삼는 사람. 조미(造米)장이.
용정-촌【龍井村】명〖지〗'룽진춘'을 우리 음으로 읽은 이름.
용제¹【溶劑】명 물질을 용해(溶解)하기 위해서 사용하는 액체 물질. 잘 사용되는 용제는 알코올·벤젠·에테르(ether)·아세톤(acetone)·테레빈유(terebene 油)·할로겐화(halogen 化) 탄화 수소(炭化水素) 등이 있음. *융제(融劑).
용제²【熔劑】명〖화〗금속을 제련할 때 광석의 용해(熔解)를 촉진하거나 광재(鑛滓)의 성상(性狀)을 조절하기 위해 광석에 첨가하여 노 속에 넣는 물질. 제철할 때의 석회석, 알루미늄 제련 때의 빙정석(氷晶石), 도자기나 법랑(琺瑯)의 유약(釉藥)에 가해지는 형석이나 붕사, 분석 화학에 쓰이는 탄산 나트륨, 용접 등에서 접합면의 산화 방지를 위해 첨가하는 염화물·붕사·수지 등. 용융제(熔融劑). 플럭스(flux). *융제(融劑).
용제³【龍祭】명〖역〗가물 때에 용왕에게 비를 비는 제사.
용제-봉【龍祭峰】명〖지〗대구 광역시 수성구(壽城區) 범물동(凡物洞)에 있는 산. [634 m]
용제 염:색【溶劑染色】명 [solvent dyeing]〖섬유〗합성 섬유 염색법(染色法)의 하나. 물 대신에 탄화 수소의 염화물(塩化物)을 용매(溶媒)로 씀.
용조¹【庸租】명 부역(賦役)과 조세(租稅).
용조²【鎔造】명 금속 따위를 녹여 물건을 만듦. 주형(鑄型)에 넣어 만듦. ――-하다 타여불
용조리 명 〈방〉〖어〗미꾸라지(함경).
용존 산소【溶存酸素】명〖화〗수중(水中)에 용해(溶解)되어 있는 분자상(分子狀)의 산소. 넓은 뜻으로는, 물 이외의 액체에 일컬음. 물고기나 호기성(好氣性) 미생물 따위는 이 산소를 호흡에 이용하고 있으므로, 이것이 없으면 살지 못함. 하천의 수질 오염(水質汚染)이 생기면 용존 산소가 감소하는 일이 많음.
용존 산소량【溶存酸素量】명 [disolved oxygen] 하천·호수 등 물 속에 녹아 있는 산소의 양. 깨끗한 하천의 경우 7-10 ppm이 포함되어 있음.
용졸【庸拙】명 용렬하고 졸렬함. ――-하다 형여불
용종¹【龍種】명 고려 때의 왕족(王族)을 이름.
용종²【龍鐘】명 용의 형상을 새긴 종.
용좌【龍座】명〖천〗용자리.
용주¹【庸主】명 범용(凡庸)한 군주. 용군(庸君).
용주²【龍舟】명 임금이 타는 배.
용주³【龍州】명〖지〗중국 광시장족(廣西壯族) 자치구 남서부에 있는

룽진(龍津)의 옛 이름.
용주⁴【鎔鑄】명 쇠붙이를 녹여 기물(器物)을 만든다는 뜻으로, 일을 성취시킴의 비유.
용주-사【龍珠寺】명〖불교〗경기도 화성군(華城郡) 태안읍(台安邑) 송산리(松山里)에 있는 25 교구 본사(敎區本寺)의 하나. 조선 정조(正祖) 14년(1790)에 장조(莊祖)의 능, 곧 융릉(隆陵)을 이 곳에 두고 이 능을 위해 절을 세웠다고 함. 또, 부모의 은혜를 갚기 위하여 은중경(恩重經)을 팠는데 지금도 남아 있음. 유명한 김홍도(金弘道)의 불화(佛畫)가 이 절에 있음. 종전에 31 본산(本山)의 하나였음.
용주사 범:종【龍珠寺梵鐘】명〖불교〗용주사에 있는 범종. 고려 시대의 것으로 추정됨. 몸체에 비천상(飛天像)과 삼존상(三尊像)이 새겨져 있음. 높이 1.44 m, 구경 87 cm. 국보 제120호.
용준【龍樽】명 용을 그린 술그릇.
용지¹ 명 솜이나 헝겊을 나무에 감아 기름을 묻히어 초 대신 불을 켜는 물건.
용:지²【用地】명 어떤 일에 쓰기 위한 토지. ¶건축 ∼.
용:지³【用紙】명 어떤 일에 쓰이는 종이. ¶답안 ∼.
용:지⁴【用智】명 바둑에서, 기력(棋力)의 단계(段階)를 나타내는 말의 하나. 지혜(智慧)를 운용(運用)할 줄 안다는 뜻으로 5단(段)을 이르는 말. *통유(通幽).
용:지⁵【勇智】명 용기와 지혜. 지용(智勇).
용지⁶【容止】명 기거 동작(起居動作).
용지⁷【龍智】명〔범 Nāgabodhi〕〖불교〗남인도의 전설적 인물. 진언종 부법(眞言宗附法)의 제사조(第四祖). 용수(龍樹)로부터 밀교(密敎)를 받아, 수백년 동안 이것을 간직하여 금강지(金剛智)에게 전수(傳授)했다고 함. 나가보디.
용-지렁이【龍一】명 큰 지렁이.
용:지-불갈【用之不渴】명 아무리 써도 닳거나 말라 없어지지 아니함. ——-하다 자여불
용지-연【龍池硯】명 용을 아로새긴 연지가 있는 벼루.
용지-판【一板】명〖건〗벽이 무너지지 아니하도록 지방(地枋) 옆에 대는 널쪽.
용:지-하처【用之何處】명 쓸 만한 곳이 없음.
용:진¹【勇進】명 씩씩하게 나아감. 용감히 전진함. ——-하다 자여불
용진²【龍津】명〖지〗'룽진'을 우리 음으로 읽은 이름.
용질¹【容質】명 용모(容貌)와 체질(體質).
용질²【溶質】명〔solute〕〖화〗용액 속에 녹아 풀리어 있는 물질. 둘 이상의 용액이 풀려 있을 경우에는 양(量)이 적은 쪽을 이름. 용해질(溶解質). ↔용매(溶媒).
용집 명 밥에 땀이 나서 버선 위로 내어 밴 더러운 얼룩. ¶일행은 모닥불 주변에 둘러앉아 ∼이 배 버선들을 세코짚신에 꿰고 신들메를 죄었다《金周榮 : 客主》.
용짓-감 명 용지를 만드는 데 쓰는 헌 솜이나 넝마.
용착 금속【鎔着金屬】명〖공〗용접(鎔接)할 때 접합 부분(接合部分)에 녹아 붙은 금속.
용착-률【鎔着率】[一뉼] 명〔deposition efficiency〕〖야금〗용접에서, 사용한 용접봉(鎔接棒)과 용착 금속(鎔着金屬)과의 중량비(重量比).
용:채【用一】명〈방〉용돈.
용:처【用處】명 쓸 곳.
용:천¹【湧泉】명 물이 솟아나는 샘.
용천²【龍泉】명 ①〖지〗중국 루난 시핑 현(汝南西平縣)에 있었던 영천(靈泉). 칼을 벼리는 데에 쓰면 좋았다고 함. 본디는 용연(龍淵)이라 하였는데, 당(唐)나라 사람이 고조(高祖)의 휘(諱)를 피하여 부른 이름. ②옛날 중국에 있었다는 보검(寶劍)의 이름. 용천검².
용천³【龍泉】명〖사람〗김안로(金安老)의 호(號).
용천-검¹【龍天劍】명〖악〗제주도에 전승되는 민요의 하나. 사당패들이나 잡가꾼들이 부르던 민요로 육지에서서는 거의 없어졌고, 제주도 성읍 지방에 전승됨.
용천-검²【龍泉劍】명 용천(龍泉)❷.
용천-군【龍川郡】명〖지〗평안 북도의 한 군. 관내 1읍 12면. 도의 서단(西端)에 위치하고 북은 의주군(義州郡), 동남은 철산군(鐵山郡), 서북은 압록강 건너 만주 안동현(安東縣)과 대하고 서남은 황해(黃海)에 인접(隣接)하였음. 각종 농산물·축산물·수산물 등이 많고, 고용주(古龍州)·유등정 폐현(柳等井廢縣) 등의 명승 고적이 있음. 군청 소재지는 용암포(龍巖浦). 「다 한다.
용천-맞다 형 용천한 데가 있다. ¶꿈도 용천맞아라/별 용천맞은 소릴
용천-뱅이 명〈방〉나병 환자.
용천-스럽다 형ㅂ불 보기에 용천한 데가 있다. **용천-스레** 부
용천-요【龍泉窯】명 룽취안 요.
용천지랄-하다 자여불 꼴사납게 지랄하다.
용천-하다 ㊀ 자여불 용천지랄하다. ¶해 주는 밥이나 처먹구 엎드렸다가 시집이나 가래두 그 용천을 하구 다니더니…《李無影 : 三年》. ㊁ 형여불 꼴사납거나 꺼림칙하다.
용:첨【聳瞻】명 발돋움을 하고 봄. ——-하다 타여불
용:청【聳聽】명 귀를 솟구어 자세히 들음. ——-하다 타여불
용체¹【容體】명 용태(容態)❶.
용체²【溶體】명〔solution〕〖화〗두 종류 또는 그 이상의 물질이 균질(均質)한 혼합물이 되어, 기계적 조작(操作)으로는 분리할 수 없는 것. 액체 모양의 것을 용액, 고체 모양의 것을 고용체(固溶體), 기체 모양의 것을 혼합 기체라고 함. *용상(溶相).
용초-도【龍草島】명〖지〗경상 남도의 남해상(西海上), 통영군(統營郡) 한산면(閑山面) 용호리(龍虎里)에 있는 섬. [4.50 km²: 1,016 명(1984)]
용촉【龍燭】명 몸통에 돌아가며 용틀임을 한 밀초.
용총【龍驄】명 용마(龍馬)❷.
용총-줄 [一쭐] 명 돛대에 매어 놓은 줄. 이 줄로 돛을 올렸다 내렸다 함. 마룻줄. 이어줄.
용추【龍湫】명 용소(龍沼).
용:출¹【湧出】명 물이 솟아나옴. ——-하다 자여불
용출²【溶出】명 성분(成分)의 일부가 물 따위에 녹아 흘러 나옴. ——-하다 자여불
용:출³【聳出】명 우뚝 솟아남. ¶산봉우리가 ∼하다. ——-하다 자여불
용출-도【龍出島】[一또] 명〖지〗전라 남도의 서해상(西海上), 신안군(新安郡) 압해면(押海面) 장감리(長甘里)에 위치한 섬. [0.12 km²]
용-춤 명 추어줌을 받아 좋은 마음으로 움직이는 것.
용춤(을) 추다 구 남의 추어줌을 받아 좋아서 하라는 대로 행동하다.
용춤(을) 추이다 구 남을 추어올려서 자기의 뜻대로 행동하게 만들다.
용치¹ 명〖어〗용치놀래기.
용:치²【聳峙】명 우뚝 솟은 모양. ——-하다 형여불
용치-놀래기 명〖어〗[*Halichoeres poecilopterus*] 양놀래깃과에 속하는 바닷물고기. 몸길이 25 cm 내외로 측편하며, 몸빛은 암수에 따라 다른데 수컷은 청색 바탕에 가슴지느러미 기부(基部)에 남청색의 얼룩무늬가 하나 있고, 체측 중앙에 폭 넓은 갈색의 얼룩 줄무늬가 있음. 암컷은 붉은데 등과 체측에 흑갈색 세로띠가 뚜렷함. 한국 남부해·일본·필리핀 등 연해에 분포함. 맛이 좋음. 용치.

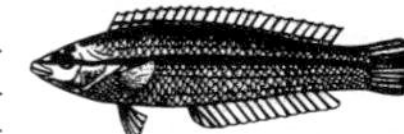
〈용치놀래기〉

용-치수【龍治水】명〖민〗음력 정월의 첫번 드는 진일(辰日). 초하루면 '일용치수(一龍治水)', 초엿새면 '육용치수(六龍治水)'라 하여, 몇 마리의 용이 물을 다스리느냐는 뜻으로, 그 해의 강수량(降水量)을 점침. *득신(得辛).
용킨트〔Jongkind, Johan Barthold〕명〖사람〗네덜란드의 풍경 화가. 일찍이 고국을 떠나 거의 프랑스에서 활약함. 파리(Paris)와 르아브르(Le Havre)의 해안 풍경을 잘 그렸는데, 그 밝고 청신한 빛깔과 자유로운 필치 때문에 인상파의 선구자 중 한 사람으로 지칭됨. 유화(油畫) 외에 수채화도 많음. [1819-91]
용타【慵惰】명 게으름. 용란(慵懶). ——-하다 형여불
용탈【溶脫】명〖지〗물이 암석 속에 있는 가용성(可溶性) 물질을 녹여서 암석을 파괴하는 작용. 이 작용이 대규모로 행하여지는 곳이 석회암(石灰岩) 지역임. 석회암은 이산화 탄소를 포함하고 있는 지하수(地下水) 또는 지표수(地表水)에 의해 급속히 녹아서 그 결과 카르스트 지형(Karst 地形)이라고 하는 특수 지형을 형성(形成)하는 일도 있음. ——-하다 자여불
용탑【茸闒】명 ①어리석고 둔함. ②쓸모가 없음. 탑용(闒茸). ——-하다 형여불
용태【容態】명 ①얼굴 모양과 몸 맵시. 용체(容體). ②병(病)의 모양. 병상(病狀).
용통-하다 형여불 ☞용퉁하다.
용:퇴【勇退】명 ①조금도 꺼리지 아니하고 용기 있게 물러나감. ②후진(後進)에게 길을 열어 주기 위하여 스스로 관직 같은 데에서 물러남. ——-하다 자여불
용:퇴 고답【勇退高踏】명 관직(官職)에서 용퇴하여 속세(俗世)를 떠나서 생활하는 일.
용:투【勇鬪】명 용감하게 싸움. 용전(勇戰). ——-하다 자여불
용투-장【龍鬪章】[一짱] 명〖악〗악장(樂章)의 이름.
용퉁-하다 형여불 소견머리가 없고 매우 미련하다. ¶영감장이가 그렇게 용퉁하답니다. 저것을 어찌하옵니까?《作者未詳 : 恨月》.
용-트림 명 거드름을 부리느라고 일부러 하는 트림. ¶미꾸라지국 먹고 ∼하다. ——-하다 자여불
용-틀임【龍一】명 ①전각(殿閣) 등에 장식한 용의 그림 또는 새김. 교룡(交龍). ②비비 꼬아 틀어 올림. ¶불전 앞에는 ∼ 봉틀임으로 산해진미를 가득히 괴어 놓았다《朴鍾和 : 多情佛心》.
용-평상【龍平床】명 임금이 앉는 평상. ㊊용상(龍床).
용포【龍袍】명〖역〗↗곤룡포(袞龍袍).
용:품¹【用品】명 쓰는 물품. 필요한 물품. ¶일상 ∼.
용품²【庸品】명 ①품질(品質)이 낮은 물건. ②낮은 품계(品階).
용필¹【冗筆】명 ①쓸데없는 글씨. ②보잘 것 없는 서화(書畫).
용:필²【用筆】명 붓을 놀림. 또, 그 방법. 운필(運筆). ——-하다 자여불
용:하【用下】명 비용을 내어 줌. 또, 그 돈. ——-하다 타여불
용:-하다 형여불 ①재주가 뛰어나고 특이하다. ¶용한 의사에게 보이다/용한 무당. ②갸륵하고 장하다. 착하고 훌륭하다. ¶일등을 했다니 참 용하구나. ③순하고 용렬(庸劣)하다. **용:-히** 부
용:한【勇悍】명 날래고 사나움. ——-하다 형여불
용합【溶合】명 녹이거나 녹아서 한데 합침. ——-하다 자타여불
용해¹【溶解】명 ①녹음. 또, 녹임. ②〔dissolution〕〖화〗기체·고체·액체의 물질이 다른 액체 속에서 녹아 균일한 액체가 되는 현상(現象). 이때 녹은 물질을 용질(溶質)이라 하며, 용질을 녹이는 액체를 용매(溶媒)라 하고, 생긴 액체를 용액(溶液)이라 함. 용융(熔融). *용체(溶體). ——-하다 자타여불
용해²【熔解·鎔解】명 고체 특히 금속이 열에 녹아서 액상(液狀)으로 되는 일. 또, 녹여서 액상으로 만드는 일. 용융(熔融). 융해(融解). ——-하다 자타여불

용-해[3]【龍一】 명 〖민〗 '진년(辰年)'의 속칭.
용해-도【溶解度】 명 〔solubility〕 〖화〗 포화 용액(飽和溶液)에 있어서의 용질(溶質)의 농도(濃度). 보통, 용액 100g 가운데 들어 있는 용질의 양(量) 또는 용매 100g에 대한 용질의 그램수(數)로 나타냄.
용해도 계:수【溶解度係數】 명 〔solubility coefficient〕 〖화〗 특정의 압력(壓力)·온도(溫度) 밑에서 단위 용적(容積)의 용매(溶媒)에 용해되는 기체의 용적.
용해도 곡선【溶解度曲線】 명 〔solubility curve〕 〖화〗 용해도(溶解度)와 온도와의 관계를 그래프(graph)로 표시한 곡선.
용해도-곱【溶解度一】 명 〔solubility product〕 〖화〗 포화 용액(飽和溶液)에 있어서 양이온(陽ion)과 음이온(陰ion)의 농도(濃度)의 곱. 일정 온도에 있어서는 일정한 값을 가짐.
용해-량【溶解量】 명 〖화〗 일정한 용매(溶媒) 가운데 용해되는 용액의 분량(分量).
용해-로【鎔解爐】 명 금속을 용해시키는 가마의 총칭. 용선로(鎔銑爐)·반사로(反射爐)·평로(平爐)·전로(轉爐)·전기로(電氣爐) 등이 있음. 융해로(融解爐).
용해-소【溶解素】 명 〔lysin〕 〖생〗 세포를 용해하는 능력이 있는 항체(抗體). 용혈소(溶血素)·용균소(溶菌素) 따위.
용해-액【溶解液】 명 〖화〗 용액(溶液).
용해-열【溶解熱】 명 〔heat of dissolution〕 〖화〗 용매(溶媒) 속에 용질(溶質)을 녹일 때에 발생 또는 흡수(吸收)되는 열량(熱量). 용질에 따라 발열(發熱)하는 경우와 흡수하는 경우가 있는데, 발열의 경우의 열을 양(陽), 흡수의 경우의 열을 음(陰)으로 나타냄. 혼합열(混合熱)의 일종임. 흡수열(吸收熱).
용해-제【溶解劑】 명 〖화〗 용매(溶媒).
용해-질【溶解質】 명 〖화〗 용질(溶質).
용해 펄프【溶解一】〔pulp〕 명 셀룰로오스계(cellulose系) 화학 섬유·필름·셀로판 등의 제조에 쓰는 펄프. 펄프를 일단 용해하여 섬유와 피막(皮膜)으로 가공하기 때문에 이렇게 부름.
용행【庸行】 명 평소의 소행(素行).
용향【龍香】 명 향의 이름.
용허【容許】 명 너그러운 마음으로 용납(容納)하여 허락함. 허용(許容). ——-하다 타여불
용:현【用賢】 명 어질고 총명한 사람을 등용함. ——-하다 자여불
용혈【溶血】 명 〔hemolysis〕 〖생〗 ①적혈구의 세포막이 파괴되어 그 안의 헤모글로빈(hemoglobin)이 혈구 밖으로 탈출하는 현상. 용혈 현상. ②용혈 반응.
용혈-독【溶血毒】 [一똑] 명 〖의〗 일반적으로, 적혈구를 파괴하고 혈색소(血色素)를 용출(溶出)시키는 물질. 사포닌(saponin)·사독(蛇毒)·세균성 용혈독이 대표적인 것임.
용혈 반:응【溶血反應】 명 〖의〗 적혈구를 항원(抗原)으로 하는 면역 혈청(免疫血清)이 그 적혈구를 용해하는 반응. 특이적(特異的)인 면역(免疫) 용혈 반응과 기타 요인에 의한 비(非)특이적인 것으로 대별함. 용혈(溶血).
용혈성 빈혈【溶血性貧血】 [一썽一] 명 〔hemolytic anemia〕 〖의〗 적혈구(赤血球)가 쉽게 파괴되는 병증. 빈혈·황달(黃疸) 및 관절의 통증, 피부의 발진(發疹)과 림프선이 붓는 증상을 보임. 선천성(先天性)의 것과 후천성(後天性)의 것이 있음. 선천성의 것은 유전하며, 후천성의 것은 결핵·매독·말라리아·암·출혈 등에 의하여 유발(誘發)되며, 또 약품의 중독으로도 생김.
용혈성 연쇄 구균【溶血性連鎖球菌】 [一썽一] 명 〖식〗 [*Streptococcus haemolyticus*] 연쇄상 구균의 하나. 용혈성이 있으며, 혈액을 가한 고형 배지(固形培地)에서 배양하면 취락(聚落)의 주위(周圍)에 용혈환(溶血環)을 만듦. 여러 가지 화농성(化膿性) 질환·패혈증(敗血症)·성홍열(猩紅熱) 등을 일으킴. 용연균(溶連菌).
용혈성 황달【溶血性黃疸】 [一썽一] 명 〖의〗 체내에서 적혈구가 대량으로 파괴되어 일어나는 황달.
용혈-소【溶血素】 [一쏘] 명 〔도 Hämolysin〕 적혈구를 파괴하고 헤모글로빈(hemoglobin)을 유출(遊出)시키는 물질. 형(型)이 다른 적혈구가 체내에 들어온 경우 이를 용혈시키는 것, 세균이 분비하는 용혈독, 한랭시 자기의 적혈구를 용혈시키는 자가(自家) 용혈소 등이 있음. 단백질의 일종임.
용혈-수【龍血樹】 [一쑤] 명 〖식〗 [*Dracaena draco*] 백합과에 속하는 상록 교목. 카나리아 제도 원산. 높이 20m에 이르는, 가장 장수(長壽)하는 나무로 수령(樹齡)이 수천 년에 이름. 줄기의 상단부(上端部)가 여럿으로 갈라져 검상(劍狀)의 잎이 밀생하며 대록색(帶綠色)의 꽃이 수상(穗狀)으로 핌. 줄기에서 용의 피를 연상시키는 수지(樹脂)를 분비함. 이것을 기린혈(麒麟血) 또는 드래곤스 블러드(dragon's blood)라 하며 착색제·방식제(防蝕劑)로 씀.

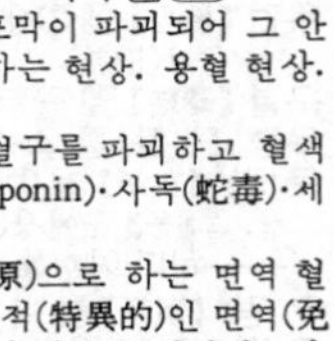

〈용혈수〉

용혈 현:상【溶血現象】 명 〖생〗 용혈❶.
용:혐【用嫌】 명 혐원(嫌怨)을 품음. ——-하다 자여불
용혐 저면흑【龍嫌豬面黑】 명 〖민〗 원진살(元嗔煞)의 하나. 용띠는 돼지띠를 꺼린다는 말.
용:협【勇俠】 명 의협심(義俠心)이 있어 남자다움. 또, 남자다운 의기(義氣). ——-하다 형여불
용:형【用刑】 명 형벌(刑罰)을 씀. ——-하다 자여불
용호[1]【龍虎】 명 ①용과 범. ②이상(異常)한 운기(雲氣). ③뛰어난 글의 작용. ④역량(力量)이 백중(伯仲)한 두 영웅(英雄)을 이르는 말.
용-호[2]【龍湖】 명 〖지〗 경상 남도 창녕군(昌寧郡) 대합면(大合面)에 있는 호수. 옛날에는 용상택(龍牀澤)이라고 불렀음. [1.43km²]
용호-군【龍虎軍】 명 〖역〗 고려 때 이군(二軍)의 하나. 두 영(領)이 있었는데, 군(軍)에 상장군(上將軍)·대장군(大將軍) 각 한 사람이 있고 영(領)마다 장군(將軍) 각 한 사람, 중랑장(中郎將) 각 두 사람, 낭장(郎將)·별장(別將)·산원(散員) 각 다섯 사람, 위(尉) 각 스무 사람, 대정(隊正) 각 마흔 사람이 있고 군졸(軍卒) 1,000명이 딸려 있었음.
용호-놀이【龍虎一】 명 〖민〗 음력 정월 대보름날, 경상 남도 밀양군 무안면 무안리(武安里)에서 동부를 용(龍)마을이라 하여 짚으로 용을, 서부를 범(虎)마을이라 하여 범을 만들어 서로 겨루기를 하며, 이 마을의 안녕과 그해의 풍년을 기원하는 놀이.
용호-도[1]【龍虎圖】 명 용과 호랑이를 한폭에 그리거나 대련(對聯)으로 그린 것. 정통화 속에서도 뚜렷한 화제로 되어 있고, 민화의 경우는 특히 그 상징성을 중요시하여 실용화(實用畫)로 발전시켰음.
용호-도[2]【龍湖島】 명 〖지〗 황해도 옹진군(甕津郡) 남쪽 해상에 위치한 섬. 별명: 용위도(龍威島). [2.19km²]
용호-방【龍虎榜】 명 〖역〗 조선 시대 때 문무과(文武科)에 합격한 사람의 이름을 게시하던 나무판. 나중에는 종이를 썼음.
용호 방:목【龍虎榜目】 명 〖역〗 조선 시대 때, 무과 출신의 방목. *사마(司馬) 방목.
용호 상박【龍虎相搏】 명 용과 범이 서로 싸움. 곧, 강한 두 사람이 서로 싸운다는 뜻. 양웅 상쟁(兩雄相爭). ——-하다 자여불
용호-영【龍虎營】 명 〖역〗 조선 시대 때 대궐의 숙위(宿衛)·왕가(王駕)의 호종(扈從) 등을 맡아 보던 관아. 영조(英祖) 31년(1755)에 금군청(禁軍廳)을 고친 이름인데, 고종(高宗) 19년(1882)에 무위영(武衛營)에 합쳤다가, 다시 전대로 회복하고, 동왕 31년(1894)에 재차 통위영(統衛營)에 합함.
용-호오복【龍護五福】 명 용이 다섯 가지 복을 지켜 준다는 말.
용혹【容或】 명 혹시 그럴 수도 있음. ¶～ 무괴(無怪).
용혹 무괴【容或無怪】 명 혹시 그럴 수도 있으므로 괴이할 것이 없음. ¶워낙 대공이라 이태쯤 걸리는 것 ～로되, 금년 파일까지도 끝을 못 내다니《玄鎭健: 無影塔》. ——-하다 형여불
용화[1]【冗話】 명 쓸데없는 이야기.
용화[2]【容華】 명 예쁘게 생긴 얼굴.
용:화[3]【蛹化】 명 곤충의 유충(幼蟲)이 번데기로 되는 일. ↔우화(羽化). ——-하다 자여불
용화[4]【熔化·鎔化】 명 열(熱)로 녹여서 모양을 변화(變化)시킴. 또, 열 때문에 녹아서 모양이 변함. ——-하다 자타여불
용화[5]【龍華】 명 〖불교〗 ①↗용화 삼회(龍華三會). ②용화수(龍華樹)❷.
용화[6]【龍華】 명 〖사람〗 김유신(金庾信)의 호(號).
용화[7]【鎔和】 명 금속(金屬)을 녹여서 혼화(混和)하는 일. 또, 혼화됨. ——-하다 자타여불
용화-교【龍華教】 명 〖종〗 훔치교(吽哆教) 계통의 한 파. 증산(甑山) 강일순(姜一淳)을 교조(教祖)로 함.
용화-도【龍華徒】 명 〖역〗 용화 향도.
용화-사【龍華寺】 명 〖불교〗 경상 남도 통영시(統營市) 미륵도(彌勒島) 봉평동(鳳坪洞)에 있는, 쌍계사(雙磎寺)의 말사(末寺). 조선 영조(英祖) 18년(1752)에 창건되었음.
용화-산【龍華山】 명 〖지〗 강원도 화천군(華川郡) 하남면(下南面)·간동면(看東面)과 춘천시(春川市) 사북면(史北面) 경계에 있는 산. [878m]
용화 삼회【龍華三會】 명 〖불교〗 미륵 보살이 56억 7천만 년 후에 세상에 나타나서 용화수 밑에서 도(道)를 이루고 제일·제이·제삼 세 번이나 여기에 모여서 설법할 것을 말함. ㊟용화(龍華).
용화-수【龍花樹·龍華樹】 명 〖불교〗 ①보리수(菩提樹)❶. ②미륵 보살(彌勒菩薩)이 석가 멸후(滅後) 56억 7천만 년 후 이 나무 밑에서 삼회(三會)의 설법을 한다는 나무. 높이·넓이 각 40리이며, 가지는 용이 백보(百寶)를 토하는 것처럼 백보의 꽃이 핀다고 함. 용화[5](龍華).
용화 향도【龍華香徒】 명 신라 진평왕(眞平王) 때의 화랑이었던 김유신(金庾信)이 이끄는 낭도 집단(郎徒集團)의 이름.
용화-회【龍華會】 명 〖불교〗 미래에 용화수 밑에서 미륵 보살이 설법하기 위하여 갖는 모임을 말함. *용화 삼회(龍華三會).
용후【龍喉】 명 내상(內相)❷.
용훼【容喙】 명 ①입을 놀림. ②옆에서 말 참견을 함. ¶문외한의 ～가 통하지 않아. ——-하다 자여불
용흥-강【龍興江】 명 〖지〗 함경 남도에 있는 강. 낭림 산맥(狼林山脈)에서 발원하여 영흥만(永興灣)으로 유입함. 지류로는 단속천(端厲川)·입석천(立石川)·덕지강(德地江) 등이 있음. [135km]
용흥-사【龍興寺】 명 〖불교〗 중국 허베이 성(河北省) 정딩 현(正定縣)에 있는 절. 자씨각(慈氏閣)·전륜장(轉輪藏)·마니전(摩尼殿)은 북송(北宋)의 전반기에 지은 것임. 대비각(大悲閣)의 42비(臂), 천수 천안(千手千眼)의 관세음 보살은 높이 22m로서 중국 제일의 불상임. 내벽(內壁)의 벽조각이 매우 훌륭함. 관세음·보현(普賢)·문수(文殊) 등은 송나라 초기의 전형적 걸작임.
우[1] 명 〖언〗 한글의 모음 글자 'ㅜ'의 이름.
우[2] 명 〈옛·방〉 위[2](경기·강원·충청·경상). ¶城 우희 닐흔 살 쏘샤(維城之上 矢七十射)《龍歌 40章》.
우[3] 명 〈방〉 월경(月經)(평안). 「뿐임.
우[4]【于】 명 성(姓)의 하나. 현재 우리 나라에는 본관이 목천(木川) 하나
우[5]【牛】 명 성(姓)의 하나. 우리 나라에는 현존하지 아니함.
우[6]【友】 명 벗. 친구. 동무.

우:[7]【右】 명 오른쪽의 뜻. ¶ ~편(便)/~방(方). ↔좌(左). *오른.

우:[8]【羽】 명 〖악〗 오음(五音)의 하나.

우:[9]【羽】 명 성(姓)의 하나. 우리 나라에는 현존하지 아니함.

우[10]【芋】 명 성(姓)의 하나. 우리 나라에는 현존하지 아니함.

우[11]【禹】 명 〖사람〗 중국 하왕조(夏王朝)의 시조(始祖)라고 전하여지는 전설상의 인물. 곤(鯀)의 아들. 태고의 요(堯)·순(舜) 시대에 대규모의 치수(治水) 공사에 성공하고 순의 선양(禪讓)을 받아 왕이 되어 제반 제도를 세우고 하왕조를 창시하였음. 치수 설화(治水說話)·지덕 상징 설화(地德象徵說話) 등의 주인공임. 연대는 지금으로부터 약 4천 년 전으로 추정(推定)됨.

우[12]【禹】 명 성(姓)의 하나. 현재 우리 나라의 주요 본관은 단양(丹陽) 하나임.

우[13]【祐】 명 성(姓)의 하나. 우리 나라에는 현존하지 아니함.

우[14]【隅】 명 성(姓)의 하나. 우리 나라에는 현존하지 아니함.

우[15]【優】 명 성적이나 등급 등을 심사할 때에 매우 좋거나 훌륭함을 표시하는 말. 수(秀)의 다음, 미(美)의 윗자리임. 또, 양(良)·가(可)의 첫째 자리임.

우:[16] 부 ①많은 떼가 일시에 몰려 오거나 가는 모양. ¶ 아이들이 ~ 몰려왔다. ②비바람이 지나가는 모양.

우[17]【又】 부 '또'의 뜻으로 쓰는 한문투의 말. ¶ 일배(一杯) 일배 ~ 일배하니.

-우- 미 모음 ㅏ·ㅐ·ㅓ·ㅣ로 끝난 동사의 어간에 붙어 사동(使動)을 만드는 어간 형성 접미사. ¶ 깨~다/지~다/낫~다/돋~다. *-구-·-리-·-이-·-히-·-치-.

-우 어미 〈방〉 -오. ¶ 너무 크~/나를 좀 보~/그게 짐승이지 사람이~/빨리 가시~. *-으우.

우가리트 [Ugarit] 명 〖역〗 시리아 북부의 고대 도시 유적. 기원전 15세기경부터 해륙 무역의 요충으로서 번영, 이집트·크레타·바빌로니아의 영향을 받아 문화가 성립되었음. 1928년 이래 프랑스가 발굴을 계속, 30자(字)의 설형 문자 알파벳을 발견, 구약 성서와 페니키아 문화의 연구에 신기원(新紀元)을 열었음.

우:가 원소【偶價元素】[—까—] 명 〖화〗 원자가(原子價)가 짝수인 원소. 이가(二價)인 산소나 아연, 사가(四價)인 규소(珪素) 등.

우가키 가즈시게 [宇垣一成: うがきかずしげ] 명 〖사람〗 일본의 군인·정치가. 육군 대장. 1929년 사이토 마코토(齋藤實) 조선 총독의 부재 중 총독 대리를 지내고, 1931년 제6대 조선 총독이 되어, 북선 개척(北鮮開拓)·남면 북양(南綿北羊) 정책을 시행, 산금 장려(產金獎勵)·토지령(土地令) 제정·만주 이민(滿洲移民) 등으로 식민지 수탈(收奪) 정책을 강행하였음. 1937년 조각(組閣)의 명을 받고 본국으로 돌아갔으나, 군부의 반대로 실패함. [1868-1956]

우각[1]【牛角】 명 쇠뿔.

우:각[2]【羽角】 명 새의 대가리에 뿔 모양으로 솟은 털.

우:각[3]【雨脚】 명 빗발.

우각[4]【隅角】 명 ①모퉁이. 구석. ②〖수〗 입체각(立體角).

우각[5]【優角】 명 〖수〗 켤레 각(角) 가운데의 큰 각. ↔열각(劣角).

우각 괘:서【牛角掛書】 명 소를 타고 책을 읽음. ——-하다 자 여불

우각-바리【隅角—】 명 〖어〗 [*Zalanthias azumanus*] 농어과에 속하는 바닷물고기. 몸길이 약 18cm로 몸빛은 선홍색이며 옆구리에 석 줄의 진한 붉은 띠가 있음. 온대성 물고기로 우리 나라 남동해에 분포함.

우각-사【牛角莎】 명 무덤의 좌우나 뒤를 흙으로 돋우고 떼를 심은 곳.

우각-새【牛角顋】 명 쇠뿔 속에 든 골.

우각 안:경【牛角眼鏡】 명 쇠뿔로 만든 안경테.

우각-유【牛脚油】 명 쇠발의 기름 고기를 고아 낸 기름. 응고점(凝固點)이 낮으며 윤활유·제혁유(製革油)로 중요함. *우골유(牛骨油)·우지유(牛脂油)·우지(牛脂).

우각형-배【牛角形杯】 명 〖고고학〗 뿔잔.

우간[1]【牛肝】 명 소의 간. 쇠간.

우:간[2]【羽幹】 명 깃털의 굵은 관 모양의 줄기. 깃대.

우간다 [Uganda] 명 〖지〗 아프리카 동부의 내륙에 있는 공화국. 국토는 일반적으로 평탄한 고원이며, 남서부 및 동부의 국경에 산악 지대가 있고 적도 직하에 있으나 기후는 온난함. 빅토리아 호(Victoria湖)를 비롯, 총면적의 18%가 호수와 소택지(沼澤地)임. 주민은 바간다족(族)이 최대 부족, 대부분이 이슬람교를 믿음. 공용어는 영어와 스와힐리어(Swahili語). 농업이 주이며 면화와 커피를 수출함. 1894년 영국 보호령이 되었으나 제2차 대전 후 독립 운동이 높아져 1962년에 독립함. 수도 캄팔라(Kampala). [235,880 km²: 18,790,000 명(1990 추계)]

우:간의 대:부【右諫議大夫】[—/—이—] 명 〖역〗 ①고려 중서 문하성(中書門下省)의 낭사(郎舍) 벼슬. 정사품(正四品). 예종(睿宗) 11년(1116)에 우사의 대부(右司議大夫)로, 충렬왕(忠烈王) 24년(1298)에 도로 본이름으로 고쳐 종사품으로 내렸다가, 그 해에 다시 우사의 대부로 고치고, 공민왕(恭愍王) 5년(1356)에 또 본이름으로 하여 종삼품으로 올리고 동 11년(1362)에 다시 우사의 대부로, 동 18년(1369)에 또 본이름으로, 동 21년(1372)에 다시 우사의 대부로, 여러 번 이름을 고쳤음. ②조선 국초(國初) 때, 문하부(門下府)의 낭사 벼슬. 종삼품. 태종(太宗) 원년(1401)에 낭사를 사간원(司諫院)으로 독립시킬 때 우사간 대부(右司諫大夫)로 고쳐 당상(堂上) 정삼품으로 올림. *좌간의 대부.

우:감【偶感】 명 우연히 일어나는 생각. ——-하다 타 여불

우:개[1]【右開】 명 우기(右記).

우:개[2]【羽蓋】 명 왕후(王侯)의 수레에 덮은, 녹색의 조우(鳥羽)로 된 덮개. 또, 그 수레. 우개 지륜.

우개[3]【憂慨】 명 근심하고 개탄함. ——-하다 자 여불

우:개 지륜【羽蓋芝輪】 명 우개(羽蓋).

우:객【羽客】 명 전설에 나오는, 날개가 있는 신선(神仙).

우거[1]【牛車】 명 〖불교〗 삼거(三車)의 하나. 보살승(菩薩乘)에 비유(比喩)하는 말.

우:거[2]【寓居】 명 ①임시 몸을 부쳐 삶. 또, 그 집. 교거(僑居). 교우(僑寓). 교접(僑接). 우접(寓接). ②자기의 주거(住居)를 낮추어 이르는 말. ——-하다 자 여불

우거리 명 〈방〉 오가리[1]❶.

우:거-왕【右渠王】 명 〖사람〗 위만의 손자. 위만 조선(衛滿朝鮮)의 마지막 왕. 기원전 109년 중국 한(漢)나라의 누선 장군(樓船將軍) 양복(楊僕), 좌장군(左將軍) 순체(荀彘)가 침입하자 화친(和親)을 주장하는 대신들의 의견을 물리치고 싸움을 벌였으나, 이듬해 주화파(主和派)인 이계상(尼谿相) 참(參)에게 시해됨. 참이 적군에게 항복함으로써 위만 조선은 망함. [? -108 B.C.]

우거지 명 [근대: 우거지] ①푸성귀의 위 껍데기. ②새우젓·김치 등의 위쪽에 있는 품이 낮은 것.

우거지 김치 명 배추의 우거지로 담근 하치의 김치.

우거지다 자 [근대: 우거지다] 초목(草木)이 무성해지다. ¶ 숲이 ~.

우거지-상【—相】 명 잔뜩 찌푸린 얼굴의 모양.

우거짓-국 명 우거지를 넣고 끓인 국.

우걱-뿔 명 안으로 굽은 뿔. ↔송낙뿔.

우걱뿔-이 명 우걱뿔이 난 소.

우걱-우걱 부 짐을 진 마소가 걸음을 걸을 때마다 나는 소리. ——-하다 자 여불

우걱-지걱 부 마소가 짐을 싣고 갈 때에 나는 소리. ——-하다 자 여불

우:걸【羽傑】 명 새 중에 가장 뛰어난 새.

우검이 명 〈심마니〉 식기(食器).

우게 명 〈방〉 위[2](전라).

우게비 명 〈심마니〉 바가지.

우겨-대다 타 계속해서 우기다. ¶ 옳다고 ~.

우겨 싸다 타 ☞욱여 싸다.

우:격【羽檄】 명 [옛날 중국에서 매우 급한 일이 있을 때에 날아 가듯 빨리 가라는 뜻으로 닭깃을 꽂아 보내던 일에서] 군사상(軍事上) 급하게 전하는 격문. 우서(羽書). *격(檄).

우격-다짐 명 억지로 우겨서 남을 굴복시킴. 또, 그 행위. ——-하다 자 타 여불

우격-으로 부 억지로 무리하게.

우견【愚見】 명 ①어리석은 생각. ②자기의 의견을 남에게 낮추어 하는 말. 졸견(拙見).

우결【憂結】 명 우울(憂鬱)❶. ——-하다 형 여불

우경[1]【牛耕】 명 소를 부려 밭을 갊. ——-하다 자 여불

우:경[2]【右傾】 명 ①우익(右翼)으로 기울어짐. 또, 그러한 경향. ¶ ~ 사상. ②〖문〗 문예상(文藝上) 전통을 존중하는 파. 1)·2):↔좌경(左傾). ——-하다 자 여불

우:경[3]【雨景】 명 비가 올 때의 경치.

우경[4]【耦耕】 명 두 사람이 나란히 서서 땅을 갊. ——-하다 자 여불

우경-학【優境學】 명 [euthenics] 〖생〗 환경을 개선함으로써 인간의 미래를 밝게 꾸미고자 연구하는 과학.

우:경-화【右傾化】 명 정치 동향이 우경으로 되거나 되게 함. ↔좌경화. ——-하다 자 타 여불

우계[1]【牛契】 명 농우(農牛)의 목양(牧養)을 목적으로 하는 계.

우계[2]【牛溪】 명 〖사람〗 성혼(成渾)의 호(號).

우계[3]【尤溪】 명 〖지〗 중국 당대(唐代)부터, 지금의 푸젠 성(福建省) 중앙부 난핑 시(南平市)의 남쪽에 있던 현(縣). 남송(南宋)의 유학자 주희(朱熹)의 출생지임.

우:계[4]【右契】 명 〖역〗 병부(兵符) 등을 둘로 쪼갤 때의 그 오른쪽. 우권(右券). ↔좌계(左契).

우계[5]【佑啓】 명 ①도와서 이루게 함. ②도와 주어서 발달(發達)시킴. ——-하다 타 여불

우:계[6]【雨季】 명 우기(雨期). ↔건계(乾季).

우계[7]【愚計】 명 ①어리석은 계획. 또, 계략. ②자기의 계획이나 계략의 낮춤말.

우계[8]【憂悸】 명 우구(憂懼). ——-하다 타 여불

우계-집【牛溪集】 명 〖책〗 조선 숙종(肅宗) 8년(1682)에 간행된 성혼(成渾)의 시문집. 시·장소(章疏)·간독(簡牘)·잡저(雜著) 등이 수록되어 있음. 6권 12책.

우고[1]【愚考】 명 ①어리석은 생각. ②자기의 생각을 낮추어 일컫는 말.

우고[2]【愚稿】 명 자기의 원고(原稿)를 겸손하게 일컫는 말.

우고[3]【憂苦】 명 근심하고 괴로워함. ——-하다 자 여불

〈우곡[2]〉

우곡[1]【迂曲】 명 꼬불꼬불함. ——-하다 형 여불

우:곡[2]【雨谷】 명 [gully, rill] 〖지〗 땅바닥이 빗물로 패어서, 비가 올 때에만 물이 흐르는 골짜기.

우곡[3]【紆曲】 명 얽혀 구부러져 있음. ——-하다 형 여불

우곡[4]【憂哭】 명 근심하여 슬피 욺. ——-하다 자 여불

우:곡-정【雨谷停】 명 〖역〗 신라 육기정(六畿停)의 하나. 북기정(北畿停).

우곤【愚悃】 명 어리석지만 진실함. ——-하다 형 여불

우골【牛骨】 명 소의 뼈.

우골-고【牛骨膏】 명 소의 뼈를 고아서 만든 고약.

우골-유【牛骨油】[—류] 명 저온도에서 우골지(脂)로부터 빼낸 기름. 응고점(凝固點)이 낮으며 윤활유(潤滑油)로 쓰임. *우지유(牛脂油)·우지(牛脂)·우각유(牛脚油).

우골-지【牛骨脂】명 쇠뼈로부터 뽑아 낸 지방. 비누·우골유(牛骨油)의 제조에 쓰임. *우수지(牛髓脂)·우락지(牛酪脂).
우골-탑【牛骨塔】명〈속〉〔우골은 학비 마련을 위해 학부형(學父兄)이 내다 판 소의 유골의 뜻〕 학생의 등록비(登錄費)를 재원으로 하여 건물이 섰다 해서, 대학(大學)을 빈정대어 이르는 말. *상아탑(象牙塔).
우공¹【牛公】명 소의 경칭.
우:공²【寓公】명 기공(寄公).
우:관【羽冠】명〖조〗도가머리❶.
우관-도【牛串島】명〖지〗전라 남도의 서해상(西海上), 신안군(新安郡) 압해면(押海面) 복룡리(伏龍里)에 위치한 섬. [0.73 km²]
우괴【迂怪】명 →오괴(迂怪). ——-하다 형여불
우구¹ 명〈방〉위²(전북).
우-구²【尤求】명〖사람〗중국 명(明)나라 말기의 화가. 자는 자구(子求). 호는 봉산(鳳山)·봉구(鳳丘). 장쑤 성(江蘇省) 쑤저우(蘇州) 사람으로 백묘(白描)의 인물·불상(佛像)에 뛰어났음. 1600년 전후에 활약함. 생몰년 미상.
우:구³【雨具】명 우비(雨備).
우:구⁴【禹韭】명〖식〗맥문동(麥門冬)❶.
우:구⁵【偶句】명 대구(對句).
우구⁶【愚鳩】명〖조〗도도(dodo).
우구⁷【憂懼】명 근심하고 두려워함. 우계(憂悸). ——-하다 타여불
우:구-화【雨久花】명〖식〗물옥잠.
우국【憂國】명 나라 일을 근심하고 염려함. ——-하다 자여불
우국 단충【憂國丹忠】명 나라를 걱정하는 참된 충성.
우국 봉:공【憂國奉公】명 나라 일을 근심하고 염려하며 나라를 위해 힘을 다함. ——-하다 자여불
우국-심【憂國心】명 우국지심.
우국지-사【憂國之士】명 나라 일을 근심하고 염려하는 사람.
우국지-심【憂國之心】명 나라 일을 근심하고 염려하는 마음. 우국심(憂國心).
우국 진:충【憂國盡忠】명 나라 일을 근심하고 충성을 다함. ——-하다 자여불
우국 충정【憂國衷情】명 나라 일을 근심하고 염려하는 참된 심정.
우군¹【友軍】명 자기편의 군대.
우:군²【右軍】명〖역〗↗우익군(右翼軍). ↔좌군(左軍).
우군-기【友軍機】명 우군의 비행기. 아군기(我軍機).
우:궁【右弓】명 시위를 오른손으로 잡아당겨 쏘는 활. ↔좌궁(左弓).
우:궁-깃【右弓—】[—긴] 명 새의 왼편 날개의 깃으로 꾸민 화살깃. ↔좌궁(左弓)깃.
우궁-형【優弓形】명〖수〗'우활꼴'의 구용어. ↔열궁형(劣弓形).
우 궈전【吳國禎】명〖사람〗중국의 정치가. 후난(湖南) 사람. 자(字)는 즈즈(峙之). 1926년 칭화 대학(清華大學)과 미국 프린스턴 대학을 졸업. 한커우(漢口)·충칭(重慶)·상해(上海)의 시장(市長)을 지내고, 1950년 대만(臺灣) 주석(主席)이 됨. 저서에 《중국 고대 정치 사상》이 있음. 오국정. [1903-]
우:권【右券】[—꿘] 명 우계(右契).
우:-권독【右勸讀】명〖역〗조선 시대, 세손 강서원(世孫講書院)의 종오품 문관 벼슬. ↔좌권독(左勸讀). *권독.
우귀¹【于歸】명 신부(新婦)가 처음으로 시집에 들어감. *우례(于禮). ——-하다 자여불
우귀²【牛鬼】명 소 모양을 한 귀신.
우:규【右揆】명〖역〗'우의정(右議政)'의 별칭. ↔좌규(左揆).
우그 명〈방〉위²(전북).
우그러-들다 자 ①우그러져서 우묵하게 들어가다. ②우그러져 작아지다. 1)·2):>오그라들다.
우그러-뜨리다 타 힘을 주어 우그러지도록 만들다. >오그라뜨리다.
우그러-지다 자 ①물건의 바닥이 안쪽으로 욱어 들다. ②물건 위에 주름이 잡히다. 1)·2):>오그라지다.
우그러-트리다 타 오그러뜨리다.
우그렁-우그렁 부 여러 군데가 우그러진 모양. 준우글우글². >오그랑오그랑. ——-하다 형여불
우그렁-이 명 우그렁하게 생긴 물건. >오그랑이.
우그렁-족박 명 ☞ 우그렁쪽박.
우그렁-쪽박 명 우그러진 쪽박.
우그렁-쭈그렁 부 우그러지고 쭈그러져 있는 모양. >오그랑쪼그랑. ——-하다 형여불
우그렁-하다 형여불 우그러져 있다. >오그랑하다.
우그르르¹ 부 깊은 그릇의 물이 끓어 오르는 소리나 모양. >오그르르¹. ——-하다 자여불
우그르르² 부 벌레 따위가 들끓는 모양. >오그르르². ——-하다 형여불
우그리다 타 우그러지게 하다. >오그리다.
우극¹【尤隙】명 다툼. 불화(不和).
우극²【尤極】부 더욱.
우:근¹【羽根】명 깃의 살갗에 박힌 부분.
우근²【藕根】명 연 뿌리. 연근(蓮根).
우근 응이【藕根—】명 연근(蓮根)에서 뺀 녹말에 녹두가루나 갈분(葛粉)을 섞어 끓인 응이.
우근-채【牛筋菜】명 십나물.
우글-거리다 자 ①물이 연해 우그르르 끓다. ②많이 모이어 자꾸 움직거리다. ¶구더기가 ~. 1)·2):>오글거리다. 우글-우글¹ 부. ——-하다 자여불
우글다 형 욱어 들어 보기에 곱지 아니하다.
우글-대다 자 우글거리다.
우글-부글 부 무엇이 우글거리고 부글거리는 모양이나 소리. >오글보글. ——-하다 자여불
우글-우글² 부 ↗우그렁우그렁. >오글오글³. ——-하다 형여불
우글-쭈글 부 주름이 우글우글하고 쭈글쭈글하게 함부로 잡힌 모양. >오글쪼글. ——-하다 형여불
우금¹ 명 시냇물이 급히 흐르는 가파르고 좁은 산골짜기.
우금²【牛禁】명 소 잡는 것을 금함. ——-하다 자여불
우금³【于今】부 지금까지. ¶열네 살에 시집을 와서 ~껏 가도를 다스리는 범절이 대단 갸륵하다 소문이 자자하옵니다《朴鍾和 : 錦衫의 피》.
우긋-우긋 [—귿—] 부 여럿이 안쪽으로 우그러진 모양. >오긋오긋. ——-하다 형여불
우긋-이 부 우긋하게. >오긋이.
우긋-하다 형여불 안쪽으로 좀 굽다. ¶수레가 통주를 지나가 기현 어귀에 잠아들 때 산은 우긋하고 골짜기는 깊었다《朴鍾和: 多情佛心》. >오긋하다.
우:기¹【右記】명 글을 쓸 때 그 오른쪽에 기록된 것을 가리키는 말. 우개(右開). ¶~건(件)에 관하여. ↔좌기(左記). *상기(上記).
우:기²【右旗】명〖역〗조선 시대 때의 문기(門旗)의 하나. 어가(御駕)가 거둥할 때 무예청(武藝廳) 오른쪽에 세워 둠. 깃대 길이 363 cm 이며 기면은 약 90 cm² 인데 바탕은 희고 가장자리는 노란 빛임. *문기(門旗)·좌기(左旗).
우:기³【雨氣】명 비가 올 듯한 기미. 우의(雨意). 우태(雨態).
우:기⁴【雨期】명 1년 중에 비가 가장 많이 오는 시기. 우리 나라에서는 대개 7-8월쯤 됨. 우계(雨季). ¶~로 접어들다. ↔건기(乾期).
우:기⁵【偶鰭】명〖어〗짝지느러미. ↔기기(奇鰭).
우기누르다 타〈옛〉우겨누르다. ¶ᄒᆞ다가 이에 오래 이시면 시혹 우기눌러 일 시기리로다 ᄒᆞ고《月釋 XIII:13》.
우기다 자〔중세 : 우기다〕 고집을 부리다. 억지를 쓰다.
우기 동조【牛驥同皁】명 ①느린 소와 천리마가 한 마구간에 매여 있음. 곧, 불초(不肖)한 사람과 준재(俊才)를 같이 취급함을 이름. ②소나 말과 같이 취급되어 대단히 냉대를 받음을 이름.
우:기-성【偶奇性】[—썽] 명〖물〗패리티❺.
우기-우기 부 ☞ 어귀어귀. ¶~ 짠지 쪽을 씹다.
우:기 청호【雨奇晴好】명 비가 올 때나 날이 개었을 때나 언제 보아도 좋게 보이는 경치. 청호 우기(晴好雨奇).
우김-성【—性】[—썽] 명 우기는 성질.
우김-질 명 우기는 짓. ¶내외간의 ~은… 모두 몰려 드는 바람에 호지부지 중판을 메고 묵묵하다《蔡萬植 : 濁流》.
우꾼우꾼-하다 자여불 여럿이 일시에 소리치며 자꾸 움직이는 모양이 나타나다.
우꾼-하다 자여불 여럿이 일시에 소리치며 움직이는 모양이 나타나다.
우낍다 형〈방〉우습다(함경).
우나〔Unna, Paul Gerson〕명〖사람〗독일의 의사·피부과 학자. 함부르크 대학 교수. 장관(腸管)의 적당한 국소(局所)에서 흡수되도록 환약(丸藥)의 겉을 싸는 것을 고안하였으며, 피부병에 대한 연구를 전문적으로 하여 많은 업적을 남김. 또, 염색법의 한 방식을 고안했으며, 문둥병의 조직학적 검사에 신기원을 이룸. [1850-1929]
우-나다 형 ☞ 유별나다. ¶그것도 있기만 있었다면야 달리 찢길 데가 없으니 고스란히 정 주사에게로 물려 내려 왔겠지만 별로 우난 것이 없었다《蔡萬植 : 濁流》.
우나무노〔Unamuno y Jugo, Miguel de〕명〖사람〗스페인의 문학자·철학자. 살라망카(Salamanca) 대학 총장. 키르케고르(Kierkegaard)의 영향을 받은 생(生)의 철학을 창도함. 문화와 문명간에 상용(相容) 안 되는 대립 중에 생의 비극을 보며, 이의 상징으로서 돈 키호테(Don Quxiote)를 논한 것은 유명함. 대표작에 《인생의 비극적 감정》과 소설 《안개》·《전쟁 속의 평화》 등이 있음. [1864-1936]
우-나무라다 타〈방〉으르렁거리다.
우나-전【—電】[이] 명〈방〉번개.
우나 코르다〔이 una corda〕명〖악〗〔현(絃)의 뜻〕 피아노의 왼편의 약음(弱音) 페달을 사용하는 기호(記號). 페달을 밟고 피아노 3현 중 1현만을 소리 내어 소리가 작고 부드럽게 울리게 함.
우날래스카 섬〔Unalaska〕명〖지〗북태평양 알류샨 열도(Aleutian 列島) 중의 폭스 제도(Fox 諸島)의 주도(主島). 미국 알래스카 주에 속하며, 동단 북쪽의 만내(灣內)에는 미국 해군 근거지인 더치 하버(Dutch Harbor)가 있음. 원주민인 알류트족(Aleut 族)이 거주함. [1,920 km²]
우:남¹【雩南】명〖사람〗이승만(李承晩)의 호(號).
우남²【愚男】명 어리석은 사내.
우낭【牛囊】명 →우랑(牛囊).
우내¹ 명〈방〉안개(경상).
우:내²【宇內】명 온 세계. 천하(天下).
우내-시【牛嬭柿】명〖식〗고욤.
우너리 명 가죽신의 운두.
우녀【愚女】명 ①어리석은 여자. ②자기의 딸을 겸손하게 일컫는 말.
우뇌【憂惱】명 근심하고 고민함. ——-하다 자여불
우 누〔U Nu〕명〖사람〗미얀마(Myanmar)의 정치가. 1929년에 양곤 대학을 졸업하고 이듬해 다킨 당(黨)에 입당, 정치 논문을 집필하는 한편 항일(抗日) 운동에 종사함. 1948년 독립과 함께 초대 수상(首相)이 되었으며, 1962년 군부 쿠데타로 실각(失脚)하고 1966년까지 감금됨.

[1907-95]

우누누늄 [Unununium] 명 『화』 11족(族)에 속하는 인공 방사성 원소의 하나. 독일 헤센 주(Hessen州)의 중이온(重ion) 연구소에서 발견함. 뢴트게늄. [111번 : Uuu : 272]

우누닐륨 [Ununnilium] 명 『화』 10족(族)에 속하는 인공 방사성 원소의 하나. 1994년 독일 헤센 주(Hessen州)의 중이온(重ion) 연구소에서 발견함. 다름슈타튬. [110번 : Uun : 269]

우눈븀 [Ununbium] 명 『화』 12족(族)에 속하는 인공 방사성 원소의 하나. 1996년 독일 헤센 주(Hessen州)의 중이온(重ion) 연구소에서 발견함. [112번 : Uub : 277]

우:는-살 명 끝에 속이 빈 나무때기 깍지를 달아 붙인 화살. 쏘면 나갈 때에 공기에 부딪쳐 소리가 남. 명적(鳴鏑). 향박두(響髇頭). 향전(響箭). 효시(嚆矢).

우:는-소리 명 일부러 엄살부려 어려운 체하는 소리. ¶～ 좀 작작 해라.

우:는-토끼 명 『동』 새앙토끼.

우니다 자 〈옛〉 우닐다. ¶내 님물 그리ᅀᆞ와 우니다니 ≪樂範 鄭瓜亭≫.

우니타 [이 L'unita] 명 [통일의 뜻] 이탈리아 공산당 기관지의 이름. 1924년에 창간됨.

우닐다 자 ①시끄럽게 울다. ②울고 다니다.

우다 명 〈방〉 오디(충청).

우다렌츠 [五大蓮池] 명 『지』 중국 헤이룽장 성(黑龍江省)의 중앙부에 위치하고 있는 동서 36km, 남북 25km에 걸치는 휴화산군(休火山群). 주로 현무암(玄武岩)으로 된 열네 개의 화산구(丘)와 광대한 석룡용암지(石龍熔岩地)와 1720년의 화산 활동으로 이루어진 다섯 개의 큰 호수를 포함하여 일컬음. 오대 연지. 오대 연호(蓮湖).

우다야기리 석굴 【一石窟】 [Udayagiri] 명 『지』 인도 오리사 주(Orissa州) 부바네스와르(Bhubaneswar)의 북서쪽에 있는 자이나교(Jaina敎)의 석굴 사원. 기원전 2-1세기에 건립된 것으로, 이 석굴의 조각은 특색 있는 지방 양식으로 주목을 받고 있음.

우다위 명 〈방〉 거간꾼.

우:단[1] 【右袒】 명 한쪽에 편을 듦. ——-하다 타여불

우:단[2] 【羽緞】 명 거죽에 고운 털이 돋게 짠 비단. 천아융(天鵝絨).

우:단-꼬리풀 【羽緞一】 명 『식』 산꼬리풀.

우:단-뾰족벌 【羽緞一】 명 『충』 [*Lithurgus collaris*] 가위벌과에 속하는 곤충. 암컷은 몸길이 15mm 내외이고, 몸빛은 흑색이며, 두부와 흉부 아래쪽의 털은 황갈색임. 복부 각절의 후연(後緣)에 있는 털은 백색, 두부 상반부·흉측면 및 다리에는 흑갈색 또는 암갈색의 털이 있음. 한국·일본·만주·대만 등지에 분포함.

우:단-애기아나나스 【羽緞一】 [ananas] 명 『식』 [*Cryptanthus bivittatus*] 아나나스과에 속하는 상록 다년초. 줄기는 거의 없고 잎은 방사선으로 20개가 총생하며 물결 모양임. 잎의 거죽은 석 줄의 암홍색과 두 줄의 백색 가로줄의 아름다운 무늬가 있음. 꽃은 백색이며, 3개의 작은 화판으로 되어 있고 개화기는 일정하지 않음. 브라질 원산으로, 관상용임.

우:단-쥐손이풀 【羽緞一】 명 『식』 [*Geranium yesoense* var. *nipponicum*] 쥐손이풀과에 속하는 다년초. 높이 50cm 가량이고 줄기 위쪽에 털이 있으며, 잎은 장상 심렬(掌狀深裂)하고, 열편(裂片)은 결각연(缺刻緣)임. 7-8월에 홍자색 꽃이 가지 위에 피며, 삭과(蒴果)는 길쭉한 분과(分果)임. 산지에 나는데, 한국 각지 및 일본 등지에 분포함.

우:단-하늘소 【羽緞一】 [一쏘] 명 『충』 [*Dithammus fraudator*] 하늘솟과에 속하는 곤충. 몸길이 20-27mm이고, 몸빛은 암갈색인데 담홍갈색의 우단 같은 털이 밀생함. 시초(翅鞘)는 다소 적색을 띠고 측각은 회갈색 또는 적갈색, 몸의 아래쪽에는 회색 털이 밀생함. 유충은 활엽수의 해충으로, 한국·일본·만주 등지에 분포함.

〈우단하늘소〉

우달 【疣疸】 명 『한의』 쥐부스럼.

우달치 【迂達赤】 명 『역』 고려 말기의 관직. 중국 원(元)나라의 영향을 받아 설치된 것으로, 임금의 신변을 호위하던 일종의 숙위병(宿衛兵)이라 추측됨.

우담 【牛膽】 명 소의 쓸개.

우담 남성 【牛膽南星】 명 『한의』 납일(臘日)에 남성(南星) 가루를 소의 쓸개에 넣어 바람이 잘 통하는 곳에 매달아 말린 것. ㊌담성.

우담-화 【優曇華】 명 ①[범 udumbara] 인도의 상상 상의 식물로서, 삼천 년에 한 번씩 꽃이 핀다는 것으로, 이 꽃이 필 때에는 금륜 명왕(金輪明王)이 나타난다 함. ②『식』 [*Ficus glomerata*] 뽕나뭇과에 속하는 무화과의 일종. 얇고 좁은 달걀꼴 또는 거꿀달걀꼴의 10-18cm의 잎이 달리는 인도산의 대형 낙엽 교목. 자웅 동주로 꽃은 화탁(花托)에 싸였고, 작아서 밖에서 보이지 않음. 거꿀달걀꼴의 3cm쯤 되는 열매는 식용, 잎은 가축 및 코끼리의 사료이며, 나무 진은 고무질이 있어 끈끈이를 만듦. 재목은 거친 건축재로 쓰임.

우답 불파 【牛踏不破】 명 소가 밟아도 안 깨어진다는 뜻으로, 사물의 견고함의 비유. 우수 불함(牛溲不陷).

우당[1] 【友黨】 명 우의적(友誼的)으로 지내는 당파.

우:당[2] 【右黨】 명 우익(右翼)의 정당(政黨). ↔좌당(左黨).

우당[3] [프 Houdan] 명 『조』 프랑스 우당 지방산의 닭의 품종. 날개는 흔히 검은 바탕에 흰 반점이 있고, 머리·얼굴을 덮는 장모(長毛)가 있음. 난육(卵肉) 겸용종임.

우당 산 【一山】 [武當] 명 『지』 중국 후베이 성(湖北省) 쥔 현(均縣)에 있는 산. 도교(道教)의 영지(靈地)임. 무당산.

우당탕 부 물건이 요란하게 떨어지는 소리. 또, 널마루에서 뛸 때 요란하게 나는 소리. ¶～ 소리가 들리다. *와당탕. ——-하다 자여불

우당탕-거리다 자 연달아 우당탕 소리가 나다. *와당탕거리다. 우당탕-우당탕 부. ——-하다 자여불

우당탕-대다 자 우당탕거리다.

우당탕-퉁탕 부 우당탕거리고 퉁탕거리는 소리. ¶～ 난리를 피우다. *와당탕퉁탕. ——-하다 자여불

우대[1] 명 서울 성내의 서북쪽에 위치하는 지역. 곧, 인왕산(仁旺山) 가까운 곳의 동네들. ↔아래대.

우:대[2] 【羽隊】 명 화살을 진 군대.

우:대[3] 【偶對】 명 ①마주 대함. ②짝. 대(對). 대구(對句). ——-하다 자여불

우대[4] 【優待】 명 특별히 잘 대우함. 위대(爲待). ——-하다 타여불

우대-권 【優待券】 [一꿘] 명 특별히 대우할 것을 나타낸 표. *할인권(割引券).

우대 금리 【優待金利】 [一니] 명 『경』 은행이 선정한 신용도(信用度) 높은 특정 기업체에 적용해 주는 일반 대출(貸出) 이자율보다 낮은 금리. *프라임 레이트.

우대부 주식 【優待付株式】 명 일정한 주식수(株式數)에 따라서 이용자 우대권 등을 발행하고 있는 철도나 흥행(興行) 관계 따위 회사(會社)의 주식.

우대-생 【優待生】 명 학업이 우수하고 품행이 방정(方正)한 까닭에 학교에서 특별한 대우를 받고 여러 가지 특전을 받는 학생.

우대손이 명 〈심마니〉 갓.

우:-대신 【右大臣】 명 『역』 '우의정(右議政)'의 별칭(別稱). ↔좌대신(左大臣).

우:-대언 【右代言】 명 『역』 ①고려 밀직사(密直司)의 한 벼슬. 정삼품(正三品). 우승선(右承宣)의 후신(後身)으로, 충렬왕(忠烈王) 원년(1275) 우승지(右承旨)로 고치었다가 충선왕(忠宣王) 2년(1310)에 이 이름으로 고침. ②조선 시대 때 승정원(承政院)의 정삼품 벼슬. 태종(太宗) 원년(1401)에 우승지를 이 이름으로 고쳤다가 뒤에 다시 우승지로 고침. 1)·2):↔좌대언(左代言). *대언.

우대후 【牛大喉】 명 『악』 고려 말기의 공민왕(恭愍王) 때에 불리던 참요(讖謠)의 하나.

우댓-사람 명 『역』 서울 성내(城內)의 우대에 사는 이서(吏胥)들. ↔아래댓사람.

우댕 [Houdin, Jean Eugène Robert] 명 『사람』 프랑스의 마술사(魔術師). 중세기적인 연출을 고쳐, 기계·전기를 사용한 대규모의 마술(魔術)을 고안하여 근대 마술의 아버지라 일컬어짐. '손님으로부터 토끼를 꺼내는 요술' 등 유명한 것이 있음. 파리에 '마술의 전당(殿堂)'을 창설하고 해설서를 펴냈음. [1805-71]

우더덕 부 〈방〉 우두둑. ——-하다 자

우더덕-우더덕 부 〈방〉 우두둑우두둑. ——-하다 자

우-덕순 【禹德淳】 명 『사람』 독립 투사. 충북 제천(堤川) 사람. 일본의 통감 정치(統監政治)에 불만을 품고 블라디보스토크로 가서 안중근(安重根) 등과 항일(抗日) 운동을 전개, 융희(隆熙) 2년(1908) 3백 명의 지사(志士)와 함께 국내에 잠입하여 경흥(慶興)·회령(會寧) 일대에서 일본군과 교전하다 체포됨. 탈출하여 다시 블라디보스토크로 건너가 이듬해 이토 히로부미(伊藤博文)가 하얼빈에 온다는 정보를 입수(入手), 안중근 등과 이토의 암살(暗殺)을 결의하고 콴청쯔(寬城子)에서 대기(待機)하고 있다가 안중근의 거사(擧事) 후 잡혀서 3년형(刑)을 복역함. [1876- ?]

우덜거지 명 허술하나마 위를 가리게 되어 있는 것.

우덩 부 〈방〉 일부러(평안).

우데 명 〈옛〉 폐[1]. ¶우데 부(部) ≪類合 下 37≫.

우데트 [Udet, Ernst] 명 『사람』 독일의 비행가. 제1차 세계 대전에 참전, 62대의 적기를 격추하여 용명(勇名)을 떨침. 전후 비행기 제작에 종사함. [1896-1941]

우도[1] 【牛刀】 명 소를 잡는 데 쓰는 칼.

우-도[2] 【友島】 명 『지』 경상 남도 진해시(鎭海市)의 앞바다, 웅천(熊川) 2동(洞)에 위치한 섬. [0.28 km²]

우도[3] 【友道】 명 친구와 사귀는 도리.

우-도[4] 【牛島】 명 『지』 ①제주도의 동쪽 북제주군(北濟州郡) 우도면(牛道面) 연평리(演坪里)에 위치한 섬. [6.03 km²] ②전라 남도의 남해상(南海上), 고흥군(高興郡) 남양면(南陽面)에 위치한 섬. [0.46 km²] ③경상 남도의 남해상(南海上), 통영시(統營市) 욕지면(欲知面) 연화리(蓮花里)에 위치한 섬. [0.6 km²] ④전라 남도의 남해상(南海上), 완도군(莞島郡) 금일읍(金日邑) 사동리(沙洞里)에 위치한 섬. [0.40 km²] ⑤전라 남도의 서해안(西海岸), 무안군(務安郡) 삼향면(三鄕面) 왕산리(旺山里)에 위치한 섬. [0.15 km²] ⑥충청 남도의 서해안(西海岸), 서산시(瑞山市) 지곡면(地谷面) 도성리(桃星里)에 위치한 섬. [0.56 km²] ⑦전라 남도 목포시(木浦市)의 앞바다, 충무동(忠武洞)에 위치한 섬. 목포의 남서쪽 4.5 km 지점에 있음. [0.02 km²]

우도[5] 【牛賭】 명 『역』 도지소에 대한 도조(賭租).

우:도[6] 【右道】 명 『역』 조선 시대 때 경기·충청·전라·경상·황해 각 도를 둘로 나눈 한쪽의 이름. 곧, 경기도의 북쪽 부분과, 충청도·전라도·경상도·황해도의 각각 서쪽. ↔좌도.

우:도-굿 【右道一】 명 『악』 전라도의 서쪽 평야 지대, 곧 정읍(井邑)·고창(高敞)·부안(扶安)·김제(金堤) 등지의 농악(農樂). 고깔을 쓰고 화려한 옷을 입으며, 단체 경기에 치중함. *좌도(左道)굿.

우:-도승록 【右都僧錄】 [一녹] 명 『역』 고려 시대의 불교 통제 기구인 우가 승록사(右街僧錄司)에 소속된 최고위 승직(僧職). 우가 도승록(右街都僧錄). 우가 승록(右街僧錄).

우도칸 [Udokan] 명 시베리아의 야블로노비(Yablonovyi) 산맥 중에 있는 동광상(銅鑛床). 추정 매장량 100억 톤이라고 함.
우도 할계 【牛刀割鷄】 명 소 잡는 칼로 닭을 잡는다는 뜻으로, 작은 일을 하는 데에 큰 기구를 씀의 비유.
우독 【愚禿】 명 중이 자기를 겸손하여 일컫는 말.
우독-초 명 〈방〉 버들옷.
우동[1] [Houdon, Jean Antoine] 명 『사람』 프랑스의 조각가. 후기 로코코(Rococo)로부터 다음 대의 신고전주의를 연결하는 조각가로, 볼테르상(Voltaire 像) 외에, 워싱턴·나폴레옹 1세 등 동시대의 저명 인사의 초상 조각을 많이 남겼고, 모델의 적확한 성격 묘사(性格描寫)로 알려짐. [1741-1828]
우동[2] [일 うどん] 명 일본식 밀국수. 가락 국수.
우동-뽑기 [일 うどん] 명 투전 노름의 한 가지. 각 사람이 한 장씩 뽑아서 끗수가 제일 많은 사람이 이김.
우-동선 【禹東鮮】 명 『사람』 항일 의병장(抗日義兵將). 황해도 신천(信川) 출신. 광무(光武) 9년(1905) 을사 조약(乙巳條約)이 체결되자, 의병(義兵)을 모아 정동 의려 대장(正東義旅大將)으로서 관서(關西) 일대에서 활약하다가 체포되어, 감옥에서 감시병의 총을 빼앗아 일본군과 교전하다가 피살됨. [1870-1908]
우:동 좌:서 【右東左西】 명 제상(祭床)을 차릴 때, 신위(神位)를 향하여 오른쪽을 동쪽, 왼쪽을 서쪽으로 본다는 말.
우두[1] 【牛痘】 명 [도 Kuhpocken] 『의』 천연두를 예방하기 위하여 피부에 접종하는 약. 원래, 소의 몸에 돋는 포창(疱瘡)인데 그 두독(痘毒)을 사람의 몸에 접종하여 천연두를 예방함. *종두(種痘).
우두[2] 【牛頭】 명 소의 머리.
우두[3] [아랍 wuzū'] 명 『이슬람』 예배에 앞서 노출된 몸의 일부를 씻는 일. 소정(小淨).
우두-골 【牛頭骨】 명 소의 머리뼈. ㊟두골(頭骨).
우두덩-거리다 자 쌓아 둔 물건이 무너져 떨어지는 소리가 자꾸 나다. >오도당거리다. 우두덩-우두덩 부. ——-하다 자여불
우두덩-대다 자 우두덩거리다.
우두둑 부 ①단단한 물건을 여무지게 깨무는 소리. ¶돌을 ~ 씹다. ②갑자기 세게 부러지는 소리. ¶나뭇가지가 ~ 부러지다. 1)·2):>오도독. ——-하다 자여불
우두둑-거리다 자 자꾸 우두둑 소리가 나다. >오도독거리다. 우두둑-우두둑 부. ——-하다 자여불
우두둑-대다 자 우두둑거리다.
우두둥-우두둥 부 〈방〉 우두덩우두덩. ——-하다 자
우두 마:두 【牛頭馬頭】 명 『불교』 우두 인신(人身)의 지옥의 옥졸(獄卒)과 마두 인신(人身)의 지옥의 옥졸.

〈우두 마두〉

우두망찰-하다 자여불 갑자기 닥친 일에 정신이 얼떨떨하여 어찌할 바를 모르다. ¶'불이야' 소리에 우두망찰하여 떨기만 한다 / 신씨와 삼월이 나인은 우두망찰하여 피할 도리가 없었다《朴鍾和: 錦衫의 피》.
우두머니 부 ☞ 우두커니. ¶아침이면 안방에 ~ 앉으셨다가 조반 잡숫구 나가시는데…《朴花城: 벼랑에 피는 꽃》.
우두머리 명 ①물건의 꼭대기. ②단체의 두령(頭領). 두취(頭取). 마스터. 머리. 수장(首長). ¶반대파의 ~. *장[5](長).
우두 신설 【牛痘新說】 명 『책』 조선 고종(高宗) 22년(1885) 지석영(池錫永)이 편찬한 종두(種痘)에 관한 책. 그의 지식과 경험을 종합하여 쓴 것임. 2권, 국판(菊判).
우두-약 【牛痘藥】 명 『의』 〈속〉 우두(牛痘).
우두커니 부 [←우둑ㅎ-+-거니] 정신없이 멀거니 있는 모양. ¶~ 서 있다. >오도카니.
우둑-우둑 부 ↗우두둑우두둑. >오독오독. ——-하다 자타여불
우둑ᄒᆞ다 형 〈옛〉 우뚝하다. ¶우둑홀 두(陡)《類合 下 56》.
우둔[1] 【牛臀】 명 소의 볼기짝에 붙은 살. 우둔(牛臀)살.
우둔[2] 【愚鈍】 명 어리석고 둔함. 우로(愚魯). ——-하다 형여불
우둔-살 【牛臀—】 명 우둔(牛臀).
우둔-우둔 부 가슴이 두근거리는 모양. ¶연희가 낙심 천만하여 가슴이 ~하며 얼굴에 상기가 부썩되어…《李海朝: 琵琶聲》. ——-하다 자여불
우둘-우둘[1] 부 ☞ 우들우들. ¶판수가 경을 읽을 때 신장칼이 ~ 떨던 어린 때 본 장면을…《姜龍俊: 우리 회장님》.
우둘-우둘[2] 부 ①크고 여린 뼈나 말린 날밤처럼 깨물기에 단단한 모양. ②삶긴 물건이 무르지 아니하여 이리저리 따로 밀리는 모양. ¶밥의 콩이 ~하다. ③우둥퉁하고 부드러운 모양. 1)-3):>오돌오돌. ——-하다 형여불
우둘-투둘 부 거죽이나 바닥면이 고르지 않게 여러 곳이 두드러져 있는 모양. ¶두드러기가 나서 얼굴이 ~하다. >오돌토돌. ——-하다 형여불
우둥-부둥 부 우둥퉁하고 부둥부둥한 모양. >오동보동. ——-하다 형여불
우둥-우둥 부 여러 사람이 황망하게 드나드는 모양. ¶두서너 줄기 성긴 빗발이 ~ 파초 잎새에 떨어지는 여름 빗소리를 내어 마음을 가라앉히고 정이 흩어지게 한다《朴鍾和: 錦衫의 피》.
우둥탕 명 〈심마니〉 햇불.
우둥퉁-하다 형여불 몸이 크고 퉁퉁하다. >오동통하다. ¶우둥퉁하고 부숭부숭한 종놈은이.
우둥-푸둥 부 우둥퉁하고 푸둥푸둥한 모양. >오동포동. ——-하다 형여불
우드[1] [아랍 ud] 명 『악』 아라비아·터키의 대표적 발현(撥絃) 악기. 길이가 75-80 cm 쯤 되고 만돌린보다 크며 기타보다 작음. 나무로 둥근 통을 만들고, 그 위에 5·7·11·12개의 줄을 늘인 것으로, 손으로 튀겨 연주함.

〈우드[1]〉

우드[2] [wood] 명 ①나무. 목재. ②장작.
우드[3] [Wood, Grant] 명 『사람』 미국의 화가. 오하이오주 태생. 뮌헨(München) 체재 중에 본 플랑드르(Flandre)와 고딕의 그림에 경도(傾倒)되어, 귀국 후 중서부의 농장생활·노동자 등을 견실한 기법으로 그려, '흙의 화가'로서 유명하게 됨. [1892-1942]
우드[4] [Wood, Robert Williams] 명 『사람』 미국의 실험 물리학자. 존스홉킨스 대학의 실험 물리학 교수. 언 수도관에 전류(電流)를 통하여 녹이는 방법을 고안함. 제1차 세계 대전 때는 비밀 신호법을 발명함. 전문은 음향학 및 광학(光學)으로, 기체 금속의 공명 퍼텐셜(共鳴 potential), 천연색 사진의 회절법(回折法), 음파(音波)의 회절선(線) 촬영, 초(超)음파 및 그 생리학적 효과 등의 연구가 있으며, 제2차 세계 대전 때 원자 폭탄 발명에 기여함. [1868-1955]
우드 가스 [wood gas] 명 목가스(木 gas).
우드득 부 ☞ 우두둑.
우드득-우드득 부 ☞ 우두둑우두둑. ——-하다 자여불
우드 메탈 [Wood's metal] 명 『화』 우드 합금(合金).
우드무르트 [러 Udmurt] 명 『지』 러시아 연방을 구성하는 자치 공화국의 하나. 수도는 이제프스크. 주민은 우드무르트인과 러시아인이 대부분이며, 야금(冶金)·기계 등의 공업과 농·축산업이 성함. [42,100 km^2 : 1,538,000 명(1983)]
우드워:드 [Woodward, Robert Burns] 명 『사람』 미국의 유기 화학자. 1941년 짝불포화(不飽和) 화합물의 자외선(紫外線) 흡수 스펙트럼의 규칙성을 발견, 1960년 엽록소의 합성에 성공함. 또, 스트리키닌(strychinine)이나 항생 물질 테라마이신(Terramycin) 등 복잡한 자연 물질의 구조를 결정함. 1965년 노벨 화학상 수상. [1917-79]
우드워:스 [Woodworth, Robert Sessions] 명 『사람』 미국의 심리학자. 컬럼비아 대학 교수. 구성주의(構成主義) 및 행동주의를 절충한 기능 심리학적 견지에서 역학적 심리학을 제창함. 특히, 동기(動機)의 요인을 중시한 점에 특색이 있음. [1869-1962]
우드 타르 [wood tar] 명 나무 타르. 목타르(木tar).
우드 펄프 [wood pulp] 명 목재 펄프.
우드-풀 [Wood] 명 『식』 [*Woodsia polystichoides* var. *Veitchii*] 우드풀과에 속하는 다년생 양치 식물(多年生羊齒植物). 잎은 총생(叢生)하며 곧게 서고 높이는 약 40 cm에 달함. 뿌리 줄기는 짧고 곧게 서며 밑에 수염 뿌리가 많이 나고 머리는 다수 집합하여 큰 괴상(塊狀)을 이룸. 산지의 바위 위에 남. 한국·일본·아무르·우수리·만주·중국·타이완 등지에 분포함.
우드 플라스틱 [wood plastic combination] 명 목재와 플라스틱을 혼합하여 만든 재료(材料). 목재보다 단단하고 나뭇결 방향에 따라 강약(強弱)이 없어지며, 썩지 않음. 스티렌·아세트산 비닐 등 합성 고분자(合成高分子)의 단위체(單位體)를 액상(液狀)으로 만들어 나무에 배어 들게 하여 목재 내부에서 플라스틱이 되게 하는 방법이 있으며, 톱밥과 플라스틱을 섞는 방법도 있음.
우드하우스 [Wodehouse, Pelham Grenville] 명 『사람』 영국의 작가. 1955년 미국에 귀화함. 다수의 희극적 장편·단편을 썼으며 유머 작가로서 세계적으로 유명함. [1881-1975]
우드 합금 [—合金] 명 [Wood's metal] 『화』 이융 합금(易融合金)의 하나. 비스무트 50%, 납 24%, 주석 14%, 카드뮴(cadmium) 12%의 비율로 된 합금. 녹는점(點)은 66°C-71°. 퓨즈(fuse) 등에 씀. 우드메탈(wood's metal).
우든 클럽 [wooden club] 명 골프에서, 헤드를 목재로 만든 클럽. 보통, 타면(打面)의 각도에 따라서 1번 우드에서 6번 우드까지 있음.
우들-우들 부 몸피가 큰 사람이 심하게 떠는 모양. >오들오들. ——-하다 자타여불
우듬지 명 나무의 맨꼭대기 줄기. 말초(末梢).
우등 【優等】 명 ①훌륭하게 빼어난 등급. ②성적이 높은 등급. ¶~생. 1)·2):↔열등(劣等). ——-하다 자여불
우등-불 명 〈방〉 화톳불(평안).
우등-상 【優等賞】 명 우등생 또는 우등한 사람에게 주는 상.
우등 상장 【優等賞狀】 [—짱] 명 우등생 또는 우등한 사람에게 주는 상장.
우등-생 【優等生】 명 성적이 우수하고 품행이 단정하여 다른 학생에게 모범이 되는 학생. ↔열등생(劣等生).
우등 열차 【優等列車】 [—녈—] 명 〈속〉 특급 열차보다 한 급(級) 격(格)이 높은 객차(客車). 좌석이 쾌적(快適)하고, 창문이 밀폐(密閉)된 조망식(眺望式)이며, 각 객차마다 자체 냉난방 시설이 갖춰져 있음. 전국의 전체 선로에 운행됨.
-우되 어미 〈옛〉 -으되. ¶혼두 句를 더으며 더러ᄇᆞ리며 뿌더 모ᄉᆞᆸ 다보ᄆᆞᆯ 닐웗ᄆᆞ장 ᄀᆞ지ᄒᆞ야《月序 20》. *-오되.
우뚜러니 부 〈방〉 우두커니.
우뚝 부 ①높이 솟은 모양. ¶~ 솟은 산/~한 빌딩. >오뚝. ②남보다 뛰어난 모양. ——-하다 형여불
우뚝-우뚝 부 군데군데 우뚝하게 솟은 모양. ¶~ 솟은 봉우리들. >

오뚝오뚝. ——-하다 혱여불

우뚝-이 뷔 우뚝하게. >오뚝이[2].

우라 [러 ura] 갑 '만세'의 뜻.

-우라 어미 〈옛〉 -어라. -노라. 감탄 종지형(感歎終止形). ¶浩蕩ᄒᆞ야 다ᄆᆞᆺ 갈ᄃᆡ 업수라(浩蕩無與適)≪初杜諺 Ⅶ:23≫.

우라노스 [Ouranos] 명〖신〗그리스 신화 중의 천공(天空)의 신(神). 많은 거인·신 들을 낳았으나 모두 암흑계(暗黑界)에 집어넣었고, 그로 인하여 막내 아들에 의해 생식기를 잘렸다 함.

〈우라노스〉

우라늄 [uranium] 명〖화〗천연으로 존재하는, 가장 무거운 방사성(放射性) 원소의 하나. 우라늄을 함유하는 광석을 정제(精製)하여 얻음. 녹는점(點) 약 1,132°C, 끓는점(點) 3,818°C. 은백색(銀白色)의 결정성(結晶性) 금속 원소로, 천연으로 ^{234}U·^{235}U·^{238}U의 세 가지 동위 원소(同位元素)가 있는데, 어느 것이나 방사능을 가지고 있음. 특히, 그 중의 질량수(質量數) 235는 중성자(中性子)를 흡수하여 원자핵 분열을 일으켜 막대한 에너지를 방출, 핵연료로 쓰임. 원자 폭탄·원자로(爐) 등 원자력의 이용에 필요한 중요한 원료이며, 라듐의 모체임. 우란(Uran). [92번:U:238.029]

우라늄-광【一鑛】 [uranium] 명〖광〗우라늄을 다량으로 함유하는 광석의 총칭. 섬(閃) 우라늄광·카르노타이트(carnotite) 같은 것. 우란광(Uran鑛).

우라늄-납법【一法】 [uranium] [一뻡] 명〖물〗방사성(放射性) 동위 원소(同位元素)에 의한 지질(地質) 연대(年代) 측정법의 하나. 우라늄의 동위 원소가 방사 붕괴(崩壞)에 의해 납의 동위 원소로 변하는 것을 이용함.

우라늄 라듐 계:열【一系列】 명 [uranium-radium series]〖화〗천연 방사성 핵종(核種)의 붕괴 계열(崩壞系列)의 하나. ^{238}U에서 α 붕괴, β 붕괴에 의해 라듐을 거쳐 납의 안정 동위 원소 라듐 G(Pb 206)에 이름. 이 계열 핵종(核種)의 질량수는 모두 $4n+2$(n은 양(陽)의 정수(整數))가 되므로 $4n+2$계(系)라고도 함.

우라늄 연대【一年代】 [一년一] 명 [uranium age]〖지〗우라늄과 평형 상태(平衡狀態)에 있는 이오늄(ionium)의 처음 있었던 수(數)와 현재의 수로 계산되는 광물의 연대.

우라늄 원:심 분리법【一遠心分離法】 [uranium] [一불一뻡] 명〖물〗농축(濃縮) 우라늄 제조법(製造法)의 하나. 천연(天然) 우라늄을 가스 형태의 6플루오르화(六 Fluor 化) 우라늄으로 만들어 원통(圓筒) 속에 넣고, 고속(高速)으로 회전시키면 원심력에 의해 우라늄 238과 235가 분리되어 가벼운 235쪽이 중심부로 모여 고농축(高濃縮) 우라늄 235를 얻을 수 있음.

우라늄 원자로【一原子爐】 명 [uranium reactor] 주연료(主燃料)가 우라늄인 원자로. ^{235}U와 ^{238}U와의 존재비(存在比)가 1:139인 천연(天然) 우라늄을 연료로 한 천연 우라늄 원자로와, 분열(分裂)할 수 있는 ^{233}U 또는 ^{235}U의 농도(濃度)가 높은 농축 우라늄을 연료로 하는 농축 우라늄 원자로가 있음.

우라늄 이:백 삼십 오 【一二百三十五】 명 [uranium 235]〖물〗방사성 원소 우라늄의 동위 원소(同位元素)의 하나. 질량수(質量數) 235. 핵분열을 일으켜 거대한 에너지를 방출하므로 원자탄이나 원자 발전(發電)에 이용됨. ^{235}U로 표시함.

우라늄 정광【一精鑛】 [uranium] 명 옐로 케이크.

우라늄 포탄【一砲彈】 [uranium] 명〖군〗미국이 개발한 우라늄 238을 내부 재료로 쓴 포탄. 상당한 거리에서도 탱크의 두꺼운 장갑판(裝甲板)을 관통할 수 있음.

우라늄 폭탄【一爆彈】 [uranium] 명〖군〗①^{235}U를 주재료(主材料)로 한 원자 폭탄. 핵병기로서는 지극히 초기의 것으로, 일본 히로시마(広島)에 투하된 폭탄이 이에 해당함. ②초수폭(超水爆)의 하나. 수폭의 둘레를 ^{238}U로 싼 것인데, 원폭으로 수폭을 폭발시켜, 그 수폭에서 나오는 강렬한 중성자로 둘러싼 ^{238}U을 분열시켜 수폭 이상의 에너지와 그 수천 배의 '죽음의 재'를 방출하게 됨. 가공(可恐)할 위력으로 7,000평방 마일 구역 안의 온 생물을 전멸시킨다고 함. 1954년 비키니에서 실험한 것이 이 폭탄이며, 티엔티(TNT) 폭약의 2,000만 톤 위력에 상당함. 삼 에프(三 F) 폭탄.

우라늄 플루토늄 혼:합 연료【一混合燃料】 [一열一] 명 [uranium-plutonium mixed fuel] 핵연료(核燃料) 재처리 과정(再處理過程)에서, 우라늄과 혼합하여 뽑아낸 플루토늄 연료. 플루토늄을 홑원소 물질로 뽑아내면 원자탄이나 수소탄을 만드는 데 이용될 염려가 있기 때문에 우라늄과 혼합하여 뽑게 됨.

우라니아 [Urania] 명〖신〗그리스 신화에서, 천문(天文)을 관장하는 여신(女神). 뮤즈(Muse) 아홉 여신의 하나임.

우라니즘 [uranism] 명 남성간의 동성애(同性愛).

우라닐 [uranyl] 명〖화〗2가의 양성(陽性) 원자단(原子團)인 UO_2를 이름. 산기(酸基)와 결합하여 우라닐염(塩)을 만듦. 우라닐염 중에서 질산 우라닐 따위는 물에 녹고 황색 또는 녹색의 형광을 나타냄. 이들은 균질 원자로(均質原子爐)의 연료재(燃料材)로 쓰임.

우라와 [浦和:うらわ] 명〖지〗일본 사이타마 현(埼玉縣) 남동부의 시. 현청 소재지. 도쿄(東京)의 위성 도시로서 통근자가 많음. 공업은 방적·식품·금속 제품·화학·인쇄 등이 성하며, 농산으로는 연근·묘목(苗木) 등이 알려짐. [418,000명(1990)]

우라-질 관 일이 뜻대로 아니되거나 마음에 들지 아니할 때 혼자 중얼거리거나 욕으로 하는 말. *육시랄.

우락[1]【牛酪】 명 ①버터(butter). ②우유로 끓인 죽.

우:락[2]【羽樂】 명〖악〗가곡의 한 가지. 우락 시조의 준말로 우조(羽調)에 속함.

우락[3]【憂樂】 명 근심과 즐거움.

우락-부락 뷔 ①몸집이 크고 얼굴이 험상한 모양. ¶~한 사나이. ②행동이나 말이 난폭한 모양. ¶성품이 ~하다. ——-하다 혱여불

우락-스럽다 혱 〈방〉 우악스럽다(평안).

우락-유【牛酪乳】 명 버터를 제조할 때 생기는 부산물(副産物). 지방의 함유량(含有量)이 적으며, 락토오스의 일부가 젖산 발효(醱酵)를 하여 카세인의 응고로써 된 젖. 유아의 영양물로서 쓰임. 버터 밀크.

우락-지【牛酪脂】 명 우유로부터 뽑아낸 지방. 버터 제조에 쓰임. *우골지(牛骨脂).

우:란[1]【右蘭】 명〖미술〗왼쪽에서 오른쪽으로 쳐가는 사군자(四君子)의 난. ↔좌란(左蘭).

우란[2] [도 Uran] 명〖화〗우라늄(uranium).

우란-광【一鑛】 [도 Uran] 명 우라늄광(uranium鑛).

우란분【盂蘭盆】 명 [범 ullambana]〖불교〗하안거(夏安居)의 끝날인 음력 칠월 보름날에 행하는 불사(佛事). 옛날 목련 존자(目連尊者)의 어머니가 죄를 지어 아귀도(餓鬼道)에 떨어져 있을 때, 대중에게 공양을 올려서 영혼의 위안을 준 사실에서 기원된 것으로, 이 날은 여러 가지 음식을 만들어 조상의 영전에 바치어 아귀에 시주하고, 조상의 명복을 빌며, 그 받는 고통을 구제한다고 함.

우란분-재【盂蘭盆齋】 명〖역〗음력 7월 보름날 조상(祖上)의 초혼 공양(招魂供養)을 하고 아울러 불·승·중생(佛·僧·衆生)에게 공양하여 부모의 장양 자애(長養慈愛)의 은혜를 갚는 불사(佛事).

우랄 [Ural] 명 ①우랄 지방. 소련의 전의 행정 지역의 하나로, 우랄 산맥 일대를 말함. ②↗우랄 산맥(山脈). ③↗우랄 강(江).

우랄 강【一江】 [Ural] 명〖지〗우랄 산맥 남부에서 발원하여 카스피 해(Caspi海)에 들어가는 강. 강구에서 1,450 km까지 주항(舟航)이 가능함. ㊣우랄. [2,530 km]

우랄라이트 [uralite] 명〖광〗녹색(綠色)의 이차생(二次生) 각섬석(角閃石)의 일종. 보통, 섬유상(纖維狀)이나 침상(針狀)이며, 휘석(輝石)의 변성으로 형성됨.

우랄 산맥【一山脈】 [Ural] 명〖지〗러시아 연방의 중부, 유럽과 아시아를 가르는 남북으로 뻗은 산맥. 북쪽은 카라 해(Kara海)에서 남쪽은 카자흐스탄 공화국의 초원(草原) 지대에 이름. 최고봉은 나로드나야 산(1,894 m). 중부는 지하 자원이 풍부하고 남부는 삼림(森林)이 발달함. 연장 2,000 km. ㊣우랄.

우랄스크 [Ural'sk] 명〖지〗카자흐 공화국 북서부에 있는 도시. 우랄스크 주(州)의 주도. 우랄 강 우안(右岸)에 위치하며, 피혁·식육 통조림·양조·기계 공업의 중심지임. 1613년-1622년 코사크 족의 요새로서 건설, 1773년에는 푸가초프의 반란의 한 중심지였음. [201,000명(1987)]

우랄-알타이 어:족【一語族】 [Ural-Altai] 명〖언〗우랄 어족과 알타이 어족을 동계(同系)로 보고 일컫는 말. 그러나 이 두 어족의 동격 관계는 아직 충분히 증명되지 않고 있음. *우랄 어족(語族)·알타이 어족(語族).

우랄 어:족【一語族】 [Ural] 명〖언〗세계 어족의 하나. 러시아·유럽 북동부에 걸친 언어의 일컬음. 특색은 교착성(膠着性)과 모음 조화(母音調和)가 있는 것임. 핀란드(Finland) 어·헝가리(Hungary) 어·사모예드(Samoyede) 어·에스토니아(Estonia) 어 등이 있음.

우람-스럽다 혱ㅂ불 우람하게 보이다. 우람-스레 뷔

우람-지다 혱 우람하게 생기다. 우람한 데가 있다.

우람-하다[1] 혱여불 큰 것이 모양이 웅장하여 위엄이 있다.

우람-하다[2]【愚濫一】 혱여불 어리석어 분수를 모르고 외람하다.

우랑【牛囊】 명 [←우낭(牛囊)] 소의 불알.

우래[1] 명 〈방〉 우뢰(경상).

우래[2] 명 〈방〉 대문(大門)(함북).

우랭이 명 〈방〉〖동〗우렁이(경기).

우:량[1]【雨量】 명 비가 온 분량. 강우량.

우량[2]【踽涼】 명 외롭고 쓸쓸함. ——-하다 혱여불

우량[3]【優良】 명 뛰어나게 좋음. ——-하다 혱여불

우:량-계【雨量計】 명〖기상〗강우량(降雨量)을 재는 기상 측기(氣象測器). 어느 시간 동안의 우량을 밀리미터 단위로 잼.

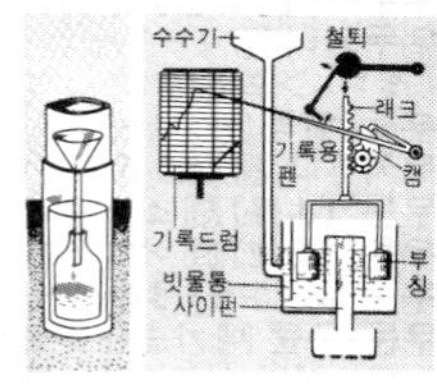

〈우량계〉

우:량 계:수【雨量係數】 명〖기상〗연평균 우량을 연평균 온도로 나눈 수치(數値). 단, 강우량(降雨量)에는 강설량(降雪量)도 포함되나, 0°C 이하의 온도는 연평균 온도에 가산(加算)하지 않음.

우:량-도【雨量圖】 명〖기상〗지도에 강우량(降雨量)의 다소에 따라 선으로 표시한 도표.

우량 도서【優良圖書】 명 국민의 정서 순화와 교양 함양에 이바지할 수 있는 도서. 정기 간행물 이외의 일반 도서로서 문학·철학·종교·역사·과학·일반 교양 등에 관한 도서를 말함.

우량-목【優良木】 명 뛰어나게 좋은 나무.

우량-아【優良兒】 명 ↗건강 우량아.

우량 업체【優良業體】 명〖경〗금융 기관(金融機關)의 대출 심사(貸出審査)에서, 재무 구조(財務構造) 등 종합 평가(綜合評價)가 우량(優良)으로 평정(評定)된 업체. 우량 업체에 대한 대출 금리(金利)는 여느 업체보다 낮음.

우량-종【優良種】 명 ①우량한 씨앗. ②우량한 종류.

우량-주【優良株】 명〖경〗수익(收益)과 배당(配當)이 높으며 경영 내용

이 좋은, 일류 회사의 주식. 블루 칩(blue chip).
우랑-품【優良品】명 뛰어나게 좋은 물건.
우러 명 〈방〉 울타리(제주).
우러곰 부 〈옛〉 울어. ¶아라녀리 그츤 이런 이본 길헤 눌 보리라 우러곰 온다《月釋 Ⅷ:87》. ＊-곰¹.
우러-나다 자 액체 속에 잠긴 물건의 빛이나 맛이 빠져 물에 풀려나다. ¶쓴 맛이 ～.
우러-나오다 자 마음 속에서 생각이 저절로 나오다. ¶진심에서 우러나오는 말.
우러러-보다 타 ①높은 데를 쳐다보다. ②앙모(仰慕)하다. ¶우러러볼 만한 인물.
우러르다 자 ①고개를 의젓이 쳐들다. ②공경하는 마음을 가지다.
우러리 명 얽어 만든 물건의 뚜껑.
우러리-창 명 〈옛〉 보꾹에 낸 창. ¶우러리窓(天窓)《譯語 上 17》.
우럭-바리 명 〖어〗 [*Epinephelus tsirimenara*] 농어과에 속하는 바닷물고기. 몸길이는 약 30 cm 정도로 몸빛은 주홍색(朱紅色)이고, 체측(體側)에 다섯 줄 가량의 불분명한 짙은 붉은 띠와 부정형(不定形)의 작은 흰 반문이 있으며, 등지느러미 기부(基部)는 흑갈색임. 제주도와 부근 근해의 암초 사이에 살며, 맛이 좋음.
우럭-볼락 명 〖어〗 [*Sebastes hubbsi*] 양볼락과에 속하는 바닷물고기. 몸길이 20 cm 가량으로 모양은 볼락과 비슷한데 몸빛은 회적색(灰赤色)이고 체측(體側)에 네 줄의 부정형 가로띠가 있으며 가슴지느러미 기부는 검음. 암초성 연안(暗礁性沿岸)에 사는 어종으로, 한국 중남부·일본에 분포함. 식용함.
우럭-우럭 부 ①불 기운이 세게 일어나는 모양. ②주기(酒氣)가 얼굴에 나타나는 모양. ③병이 점점 더하여 가는 모양. ——-하다 형 여불
우럴다 자 〈방〉 우러르다.
우렁 명 〈방〉 〖동〗 우렁이(경기·전라).
우렁쉥이 명 〖동〗 멍게.
우렁-우렁 부 소리가 아주 크게 울리는 모양. ¶～하고 정력이 넘치는 음성으로 외치기 시작했다《金承鈺 : 내가 훔친 여름》. ——-하다 형 여불
우렁이 명 ①〖동〗 우렁잇과에 속하는 담수산(淡水産)의 고둥의 총칭. 무논·웅덩이 등에 삶. 껍데기는 원뿔형으로 우선(右旋)이며 거죽은 암녹색. 각구(殼口)에 각질 딱지가 있음. 식용함. 귀안정(鬼眼睛). 전라(田螺). 토라(土螺). ②↗참우렁이.
[우렁이도 집이 있다] 사람으로서 몸을 의탁(依託)할 집이 없음을 빈정거리는 말.
우렁이-각시 명 〖설화〗 가난한 총각이 우렁이 속에서 나온 여자와 금기(禁忌)를 어기면서 혼인하였으나 관원의 탈취로 파탄(破綻)이 생겼다는 설화. 신이담(神異譚) 중 변신담(變身譚)에 속함.
우렁잇-과【—科】명 〖동〗 [Viviparidae] 광족류(廣足類)에 속하는 연체(軟體) 동물의 한 과. 흔히는 담수(淡水)에 서식하며, 자양(滋養)이 많아 식용함. 참우렁이가 이에 속함.
우렁잇-속 명 내용이 복잡하여 측량하기 어려운 일을 비유하는 말.
우렁-차다 형 소리가 크고 힘차다. ¶우렁찬 외침.
우레¹ 명 천둥. ¶～와 같은 박수.
우:레² 명 꿩 사냥할 때 장끼의 울음 소리처럼 내어 암꿩을 부르는 물건. 살구씨나 복숭아씨에 구멍을 뚫어 만듦.
우:레(를) 켜다 구 우레를 불어 장끼의 소리를 내다.
우레기 명 〈방〉 〖어〗 ①우럭바리(부산). ②강준치(경기).
우레아:제 〔urease〕 명 〖화〗 효소(酵素)의 한 가지. 요소(尿素)를 가수 분해하여 탄산 암모늄을 거쳐 암모니아로 만드는 효소. 미생물이나 식물, 특히 종자(種子)에 다량으로 함유됨.
우레아포름 〔ureaform〕 명 〖농〗 추비(追肥)가 불필요한 새로운 비료. 요소(尿素)와 포르말린(formalin)을 합성해서 만든 것임. 질소(窒素) 함유량이 40 %로 황산 암모늄의 20.5-21 %에 비해 배나 많아 이것을 기비(基肥)로 하면 추비의 수고가 생략됨.
우레탄 〔urethane〕 명 〖화〗 ①에틸 우레탄을 주요 성분으로 하는 무색 무취의 결정(結晶). 특이한 청량성(淸涼性)의 맛이 있음. 물·알코올 등에 쉽게 녹음. 진정 최면(鎭靜催眠) 작용이 있으나, 사람에게는 그 작용이 약하고 실험 동물의 마취용(痲醉用)으로 씀. 또, 최근에는 백혈병(白血病) 치료에 사용함. 녹는점(點) 48.19°C. 끓는점(點) 180°C. ②↗우레탄 수지(樹脂).
우레탄 고무 〔urethane＋프 gomme〕 명 〖화〗 우레탄 수지(樹脂).
우레탄 수지【—樹脂】〔urethane〕 명 〖화〗 합성 고무의 일종. 우레탄 결합·에테르 결합·에스테르 결합을 동시에 가진 망상 구조(網狀構造)의 고분자(高分子) 물질로, 기름에 녹지 않고 마멸도(磨滅度)가 적으며 타이어·접착제·방음재 등으로 널리 쓰임. 준우레탄.
우레탄 폼: 〔urethane＋foam〕 명 우레탄 수지에 기포(氣泡)를 주입시켜 만든 인조 고무. 의자·침대 등의 쿠션으로 쓰임. ¶～으로 만든, 바다 위를 걸어다닐 수 있는 구두.
우렛-소리 명 천둥 소리. 뇌성(雷聲).
우렝이 명 〈방〉 〖동〗 우렁이(경기·강원·충북·전남).
우려【憂慮】명 근심과 걱정. ——-하다 타 여불
-우려 어미 〈옛〉 -으려고. -고자. ¶龍올 자바 머구려 홀씨 《月釋 Ⅶ:39》. ＊-오려.
우려-내기 명 어떤 물건을 용액에 담가서 우리어 내는 일. ——-하다 타 여불
우려-내다 타 ①달래거나 청하여서 금품을 억지로 얻어 내다. 우리다. ¶돈을 ～. ②물건을 물에 담가 그것의 성분·맛·빛 등을 풀어서 내다. ¶쓴 맛을 ～.
우려-먹다 타 ①재탕·삼탕으로 여러 번 우려 내어 먹다. ②울궈질을 하다가 달래다가 하여 남의 물건을 억지로 빼앗아 먹다.
우:력【偶力】명 〔couple〕 〖물〗 '짝힘'의 한자 말.
우련【優憐】명 ①특별히 가엾게 여김. ②두터운 사랑. ——-하다 자 여불
우련-하다 형 여불 보일 듯 말 듯 희미하다. ¶세란은 제 스스로의 흥분을 못이겨 얼굴이 우련히 달아 간다《李孝石 : 花粉》. ＞오련하다.
우렴-하다 타 여불 〈방〉 ①보관하다(경기). ②준비하다(경기). ③간직하다(경기).
우렷-하다 형 〈방〉 우련하다. 우렷-이 부
우례¹【于禮】명 신부가 처음으로 시집으로 들어가는 예식. ＊우귀(于歸). ——-하다 자 여불
우례²【優禮】명 예를 두텁게 함. ——-하다 타 여불
우렛도다 자 〈옛〉 울리고 있도다. '울이다'의 활용형. ¶붑소리 다ᄋᆞ니 지즈로 坐床애 우렛도다(鐘殘仍殷床)《杜諺 Ⅸ:21》.
우로¹【迂路】명 오로(迂路).
우:로²【雨露】명 비와 이슬. 비이슬.
우로³【愚老】명 졸로(拙老).
우로⁴【愚魯】명 우둔(愚鈍). ——-하다 형 여불
우:로지-택【雨露之澤】명 ①넓고 큰 임금의 은혜. ②이슬과 비의 은혜. 고택(膏澤).
우로크롬 〔urochrome〕 명 〖화〗 동물 오줌의 황색 성분으로, 아세트산납에 의해 침전(沈澱)됨. 갈색 내지 암황색(暗黃色)의 비결정성(非結晶性) 분말. 분해하면 아미노산을 발생하는 고분자(高分子) 화합물임. [$C_{43}H_{51}O_{26}N$]
우로트로핀 〔urotropine〕 명 〖화〗 메테나민(methenamine)의 상품명(商品名). 무색·무취의 약간 달짝지근한 맛이 있는 결정. 포름알데히드와 암모니아와의 축합(縮合) 반응으로 생성됨. 물과 알코올에 녹으며, 요산(尿酸)을 용해하는 힘이 강함. 요로(尿路) 살균제로 쓰임. 헥사메틸렌 테트라민.
우록【麀鹿】명 암사슴.
우론【愚論】명 ①어리석은 의론. ②자기 논설이나 견해의 겸칭.
우:롱¹【羽弄】명 〖악〗 전통 성악곡(傳統聲樂曲)인 가곡 중의 하나. 반우반계(半羽半界)로 된 반엽(半葉)에서 파생되었음.
우롱²【愚弄】명 사람을 바보로 만들어 놀림. ——-하다 타 여불
우롱이 명 〈옛〉 우렁이. ¶이튼날 셔야보니 몸이 밧 가온데 누이엿고 겻티 우롱이 이시되 크미 말만ᄒᆞ더라 《太平 Ⅰ:34》.
우뢰¹ 명 〈방〉 우레².
우:뢰² 명 ☞ 우레¹.
우뢰-소리 명 ☞ 우렛소리.
우:료¹【雨潦】명 비가 와서 길바닥 같은 곳에 괸 물.
우료²【郵料】명 ↗우편 요금(郵便料金).
우:루¹【雨淚】명 눈물이 비오듯이 흐름. 우읍(雨泣). ——-하다 자 여불
우루²【愚陋】명 어리석고 더러움. ——-하다 형 여불
우루과이 〔Uruguay〕 명 〖지〗 남아메리카 남동부의 공화국. 주민은 스페인계(Spain系)와 남유럽계 백인이며 대부분이 가톨릭교를 신봉함. 온대 저지(溫帶低地)로 양·소·말·돼지의 목축이 성함. 농산물로는 밀·아마인(亞麻仁)·옥수수 등이 있으며 통조림 등의 식품 가공과 직물 공업(織物工業)이 행하여짐. 도로와 하천 교통(河川交通)이 발달되어 있음. 1726년 스페인 식민지가 된 후, 아르헨티나·포르투갈·브라질령(領)을 거쳐 1830년에 독립하였음. 수도(首都)는 몬테비데오(Montevideo). [186,926 km²: 2,900,000 명(1982 추계)]
우루과이 강【—江】〔Uruguay〕 명 〖지〗 남미 남동부, 우루과이와 아르헨티나와의 국경을 흐르는 강. 브라질의 해안 산맥(海岸山脈)의 서쪽 사면(斜面)에서 발원하여, 서류(西流) 및 남서류(南西流)한 다음 라플라타 강(La Plata江)으로 흐름. 유역은 남미 유수(有數)의 목우 지대(牧牛地帶)임. [1,580 km]
우루과이 라운드 〔Uruguay Round〕 명 〖무역〗 〔라운드는 관세(關稅) 등에 관한 일괄 협상(一括協商)〕 가트(GATT) 체제(體制)를 재구축(再構築)하기 위하여 1986년 9월에 우루과이 남부의 관광 도시 푼타델에스테(Punta del Este)에서 개최된 가트 각료 회의(閣僚會議)의 '푼타델에스테 선언(宣言)'으로 시작된 국제 간의 다각적(多角的) 무역 협상. 종래의 농산물·공산품 등의 무역 외에 금융·정보(情報)·통신 등 서비스 무역, 해외 투자, 지적 재산권 등이 대상으로 포함된 것이 특징이며, 긴급 수입 제한(緊急輸入制限)과 예외 없는 관세화(關稅化)에 대한 합의가 이루어짐으로써 1993년 12월에 타결됨.
우루다¹ 자 〈옛〉 울다. =우르다·우릴다·우르다. ¶먹고 우루디 엇더ᄒᆞ뇨(食而哭於義何害)《東三綱 烈女圖》.
우루다² 타 〈방〉 우리다.
우루루 부 〈방〉 우르르.
우루무치 〔烏魯木齊〕 명 〖지〗 중국 신장웨이우얼(新疆維吾爾) 자치구의 주도(主都). 고래(古來)로 톈산 산맥(天山山脈)의 요지로서, 준가얼 분지(準噶爾盆地)의 중심지임. 표고 915 m. 피혁·양피의 집산지이며, 란신 철도(蘭新鐵道)의 종점임. 구칭: 적화(迪化). [958,196 명(1987)]
우루시올 〔urushiol〕 명 〖화〗 〔←일 うるし〕 옻의 주성분(主成分). 페놀성(phenol性) 물질의 혼합물로 여러 종류가 있으며 끓는점은 약 200-210℃. 옻이 오르는 피부염은 우루시올의 작용 때문임.
우:루-처【雨漏處】명 비가 새는 곳.
우루크 문화【—文化】〔Uruk〕 명 우루크는 남부 이라크에 있어서 고대 바빌로니아의 중요한 도시 유적으로, 그 제6-14층(層)(우루크기(期))을 표준으로 하는 기원전 3000년기(紀) 전후의 문화. 우루크기 최

고(最古)의 제14층 출토의 토기에서는 녹로(轆轤)의 사용이 인정되고, 메소포타미아 원시 문명의 발전상(發展相)을 보이고 있음.

우루푸 섬 〔Uruppu〕 명 〖지〗 쿠릴 열도(Kuril列島) 남서부, 이투루프(Iturup) 섬 동북방의 화산도(火山島).

우룬디 〔Urundi〕 명 〖지〗 '부룬디(Burundi)'의 구칭.

우룸 명 〈옛〉 울음. ¶孝道ᄒᆞ 아ᄃᆞᆯ 우루믈 슬피 너겨 드르샤(孝子之哭 聽之傷歎) ≪龍歌 96章≫.

우:류 【羽類】 명 우속(羽屬).

우르 〔Ur〕 명 〖지〗 유프라테스 강(江) 하류 지방에 있는 바빌로니아의 옛 도시. 19세기 이래 조사가 진행되어 1929년 울리(Woolley, L.)의 발굴에 의하여 기원전 3300년경의 우르 제일 왕조(Ur 第一王朝)의 왕묘를 비롯하여 다수의 황금(黃金) 제품·모자이크(mosaic)의 기구 및 많은 순사자(殉死者) 등이 출토(出土)되었음.

우르가 〔Urga〕 명 〖지〗 '울란 바토르 호토(Ulan Bator Hoto)'의 구칭.

우르다 자 〈옛〉 울다. =우루다. ¶긴 ᄇᆞᄅᆞ믄 閣中에서 怒ᄒᆞ야 우르놋다(長風中怒號) ≪杜諺 Ⅰ:30≫.

우르두-어 【一語】 〔Urdu〕 명 〖언〗 인도 유럽 어족의 근대 인도어의 하나. 주로, 파키스탄으로부터 북인도의 이슬람 교도들이 사용하는 문어(文語). 힌두어의 한 방언(方言)에 페르시아·아라비아어의 단어를 대량으로 차용(借用)하여 형성된 것으로, 17세기경에 시작된 문학을 가짐. 페르시아 문자로 표기함.

「>오르르[1].

우르르[1] 부 덩치 큰 것 여럿이 한 번에 바쁘게 내닫거나 좇아오는 모양.

우르르[2] 부 ①물이 끓어 오르거나 쏟아지는 모양이나 소리. ②쌓였던 물건이 무너지는 모양이나 소리. 1)·2):>오르르[2]. ③천둥의 소리. ——-하다 자여불

우르를 부 〈방〉 우르르[1·2].

우르미아 〔Urmia〕 명 〖지〗 이란 북서부의 도시. 우르미아 호(湖) 서쪽에 있으며 서(西) 아제르바이젠 주(州)의 주도. 포도 등 과일과 질이 좋은 담배를 산출하며, 타브리즈(Tabriz)에서 호안(湖岸)을 순환하는 도로상(道路上)의 요지로 공항(空港)도 있음. 구칭 : 리자이예(Rizaiyeh). [263,000명(1982 추계)]

우르미아 호 【一湖】 〔Urmia〕 명 〖지〗 이란의 북서부에 있는 염호(塩湖). 배수 하천(排水河川)이 없고, 염분이 많기 때문에 어류(魚類)가 자라지 못함. 평균 수심 5m, 남부에 약 50개의 바위섬이 있음. 구칭 : 리자이예 호. [6,000km^2]

우르바누스 이:세 【一二世】 〔Urbanus Ⅱ〕 명 〖사람〗 클뤼니(Cluny) 수도원 출신의 교황. 그레고리우스(Gregorius) 7세의 신임을 받아 추기경으로서 교회 개혁을 추진하였음. 대립(對立)하는 교황의 방해를 받아 로마에는 들어가지 못하고, 프랑스 각지를 편력하였음. 1095년 클레르몽 공의회(Clermont 公議會)를 열어 십자군 원정을 호소했음. [1042?-99; 재위 1088-99]

우르적시다 자 〈옛〉 ①지저귀다. ¶우르적시ᄂᆞᆫ 黃雀이 딕주리ᄂᆞ니(啾啾黃雀啅) ≪初杜諺 XVIII:18≫. ②울부짖다. ¶가시 든 독으로 ᄇᆞᅀᅧ 알파 우르적시며(刺毒腫痛叫聲寃) ≪救簡 Ⅵ:29≫.

우륵 【于勒】 명 〖사람〗 가야국(伽倻國) 성열성(省熱省) 사람으로 뒤에 신라로 간 악사. 한국 삼대 악성(三大樂聖)의 한 사람. 가실왕(嘉實王)의 명으로 쟁(箏)을 본떠 십이 현금(十二絃琴), 곧 가야금을 만들고, 지명(地名)에서 발생한 악곡 12곡을 지었음. 가야국이 망하자 진흥왕(眞興王) 12년(551) 신라에 투항, 진흥왕에게 알려져 하림궁(河臨宮)에서 제자 이문(尼文)과 함께 작곡과 연주에 힘씀. 생몰년 미상.

우를다 자 〈옛〉 울다. =우르다. ¶三峽ㅣ ᄒᆞᆫ갓 우레 우르릿거니와(三峽徒雷吼) ≪杜諺 Ⅰ:40≫.

우를-빌다 형 〈방〉 우악스럽다.

우름 명 〈옛〉 울음. ¶우름 명(鳴) ≪字會 下 8≫.

우리[1] 명 〔근대 : 우리〕 짐승을 가두어 두는 곳. ¶돼지 ~.

우리[2] 【牛李】 명 〖식〗 갈매나무.

우리[3] 인대 자기나 자기 무리를 대표(代表)하여 스스로 일컫는 말. 아등(我等). ¶~ 아버지/~ 동포. 준울.

우리[4] 의명 기와를 세는 단위. 한 우리는 2,000장임. 준울.

우리-구멍 명 논물이 빠져나가도록 논두렁에 뚫어 놓은 작은 구멍.

우리 나이 명 만으로 세지 않고 난 해부터 한 살로 세어나가는 나이. 우리 나라 나이. ¶~로 스물이다.

우리-네 인대 우리의 무리. 아배(我輩). 여배(余輩). 오배(吾輩). 오제(吾儕).

우리다[1] 자 더운 볕이 직사(直射)하다.

우리다[2] 타 〔중세 : 우리다〕 ①물건을 물에 담가 그 잡맛이나 성분(成分)이 우러나게 하다. ¶쓴 맛을 ~. ②우려내다. ¶금품을 ~. ③힘주어 때리다. ¶한 도적이 벌떡 일어나 쫓아와서 서림이의 언 빰을 보기좋게 한번 우렸다 ≪洪命憙 : 林巨正≫.

우리-도 【牛里島】 명 〖지〗 ①평북 철산군(鐵山郡)의 남쪽 해상에 있는 섬. 조기의 어획이 많음. [2.436 km^2] ②평안 북도 철산군(鐵山郡)에 위치한 섬. [0.308 km^2]

우리-들 인대 자기와 관계되는 모든 사람의 총칭. 우리의 여럿. 아등(我等). 아배(我輩). 여등(余等). 오등(吾等).

우리-말 명 우리 나라 사람이 쓰는 말. 곧, 한국어(韓國語).

우리별 일호 【一一號】 명 한국 최초의 인공 위성인 과학 위성(科學衛星). 1992년 8월 11일 남아메리카의 프랑스령(領) 기아나 쿠루(Kourou) 우주 기지(宇宙基地)에서 프랑스의 아리안 로켓에 실려 극궤도(極軌道)에 발사(發射)됨. 한국 과학 기술원(科學技術院)이 영국 대학의 원조를 받아 설계(設計)한 것으로 50×50×80 cm에 무게 약 50 kg, 지상(地上) 약 1,003 km의 궤도를 112 분마다 한 번씩 돌아, 데이터 통신(通信)·음성(音聲) 방송·우주 방사선(放射線) 측정 등의 임무를 수행함. 영어명은 '키트샛(KITSAT)'.

우리부리-하다 형여불 ☞우락부락하다.

우리사주 저:축 【一社株貯蓄】 명 〖경〗 증권 투자 저축의 하나. 증권 투자 저축 기관에 저축하여, 그 자금으로 저축자가 고용되고 있는 사업장의 발행 주식을 매입하는 저축. *근로자 재산 형성 저축(勤勞者財產形成貯蓄).

우리사주 조합 【一社株組合】 명 〖경〗 회사 종업원이 자기 회사의 주식(株式)을 취득·관리하기 위해 조직한 조합.

우리집-사람 명 남에게 대해서 자기의 아내를 이르는 말. *집사람.

우리카아제 〔도 Uricase〕 명 효소의 일종. 사람 이외의 거의 모든 포유동물의 간·지라·신장 등에 존재함. 가스상(狀) 산소의 존재 하에서 요산(尿酸)을 알란토인(allantoin)으로 변환(變換)함.

우리티다 자타 〈옛〉 울리게 치다. 울리게 소리치다. ¶喝ᄋᆞᆫ 우리티시ᄂᆞᆫ 소리라 ≪月釋 X:93≫.

우리-판 【一板】 명 네 울거미 문골을 좋은 나무로 짜고 가운데는 널빤지를 낀 문짝.

우리판-문 【一板門】 명 〖건〗 우리판으로 된 문.

우:림 【雨林】 명 〖지〗 적도 다우림(赤道多雨林).

우:림-령 【雨林鈴】 [一녕] 명 〖악〗 중광지곡(重光之曲)의 딴이름.

우림령-만 【雨淋鈴慢】 [一녕一] 명 〖악〗 고려 시대에 송나라에서 전래된 사악(詞樂)의 한 곡명. 당악(唐樂)의 산사(散詞)에 속하는 곡의 하나이며, 곡의 구조는 쌍조(雙調) 104자로 되었음.

우:림-위 【羽林衛】 명 〖역〗 조선 시대 때 내삼청(內三廳)의 하나. 성종(成宗) 때 처음으로 두었는데 효종(孝宗) 3년(1652)에 내금위(內禁衛)와 겸사복(兼司僕)을 합하여 금군청(禁軍廳)을 베푼 데서 내삼청의 이름이 생겨남. 백 명씩의 두 부대가 여기에 속하여 장(將) 두 사람이 이를 통솔하였음. *금군(禁軍).

우:림위-장 【羽林衛將】 명 〖역〗 조선 시대 때 우림위(羽林衛)의 장(將). 성종(成宗) 때에 두었는데, 처음에는 종이품(從二品) 세 사람이었으나, 효종(孝宗) 3년(1652)에 우림위·내금위(內禁衛)·겸사복(兼司僕)이 합하여 금군청(禁軍廳)이 되면서, 당상(堂上) 정삼품 두 사람으로 됨. 금군(禁軍) 2백을 거느렸음. *금군장(禁軍將).

우:립 【雨笠】 명 갈삿갓.

[우립 만드는 동안에 날이 갠다] 미리미리 준비를 해야 한다는 말.

우릿-간 【一間】 명 우리로 사용하는 칸.

우링[1] 〔五嶺〕 명 〖지〗 중국 장시 성(江西省)과 광둥 성(廣東省) 경계의 산맥 중, 다위(大庾)·스안(始安)·린허(臨賀)·구이양(桂陽)·제양(揭陽)의 다섯 봉우리.

우링[2] 〔武陵〕 명 〖지〗 '창더(常德)'의 구명.

우링 산 【一山】 〔武陵〕 명 〖지〗 중국 후난 성(湖南省)에 있는 산. 위안장(沅江) 강이 흐르고 무릉 도원(武陵桃源)의 전설이 있는 산임. 무릉산.

우르다 자 〈옛〉 울다. =우르다. ¶虎와 豹와ᄂᆞᆫ 내 西ㅅ녀크ᄅᆞ셔 우르고(虎豹號我西) ≪重杜諺 Ⅰ:22≫.

우릐 명 〈옛〉 우레. ¶우릐ㅅ 소릐(雷響) ≪譯語 上 2≫.

우마 【牛馬】 명 소와 말.

[우마가 기린되랴] 본디 타고난 대로 밖에는 아무리 해도 안 된다는 말. ¶가마귀 학이 되며 우마가 기린될까. 요망 창여로다 ≪高大本 춘향전≫.

우마양저 염역병 치료방 【牛馬羊猪染疫病治療方】 명 〖책〗 가축의 질병을 치료하는 방법이 기술된 책. 조선 중종(中宗) 36년(1543) 간행. 목판본. 1권. 이두(吏讀)로 토를 달고 한글로 해석함.

우마이야 모스크 〔Umayya mosque〕 명 옴미아드 모스크.

우마이야 왕조 【一王朝】 〔Umayya〕 명 〖역〗 옴미아드 왕조.

우마-주 【牛馬走】 명 소나 말처럼 달리는 종이라는 뜻으로, 자기의 겸칭(謙稱).

우마-차 【牛馬車】 명 소나 말이 끄는 수레. 우차와 마차.

우망 【迂妄】 명 →오망(迂妄). ——-하다 형여불

우매[1] 【愚妹】 명 자기의 여동생의 겸칭.

우매[2] 【愚昧】 명 어리석고 사리에 어두움. 우몽(愚蒙). 우미(愚迷). ¶~한 사람. ——-하다 형여불

우매기 명 개성 지방에서 특히 많이 만들어 먹는 개성 특유의 떡.

우매-성 【愚昧性】 [一썽] 명 어리석고 몽매한 성질.

우맹 【愚氓】 명 우민(愚民).

우:-맹분위 【右猛賁衛】 명 〖역〗 발해(渤海)의 중앙군(中央軍)으로, 10위(衛) 중의 하나.

우-맹선 【禹孟善】 명 〖사람〗 조선 시대 중기의 무신. 단양(丹陽) 사람. 중종(中宗) 5년(1540) 병조 판서가 되었으나 참판(參判)을 거치지 않고 특진되었다는 대관(臺官)들의 물의로 지중추부사(知中樞府事)에 전임된 후 서북 지방이 소란해지자, 평안도 병마 절도사(兵馬節度使)에 특임되어 치안을 회복함. [1475-1551]

우맹 의관 【優孟衣冠】 명 〔옛날 중국 초(楚)나라의 이름난 배우 우맹이, 죽은 손숙오(孫叔敖)의 의관을 차리고 손숙오의 아들의 곤궁을 구했다는 고사(故事)에 유래〕 사이비(似而非)한 것의 비유로 쓰는 말.

우먼 〔woman〕 명 여성. 부인(婦人). ↔맨(man).

우먼 리버레이션 〔Women's Liberation〕 명 1960년대 이후, 미국을 위시하여 여러 나라에서 일고 있는 여성 해방 운동(女性解放運動). 약칭: 우먼 리브.

우먼 리브 〔Women's Lib〕 명 우먼 리버레이션(Women's Liberation)의 약칭(略稱).

우먼-파워 〔womanpower〕 명 여성의 힘. 여성의 노동력.
우멍거지 명 끝에 가죽이 덮이어 있는 어른의 자지. 포경(包莖).
우멍-스럽다 형 ☞ 의뭉스럽다.
우멍-하다 형여불 ①물건의 면(面)이 쑥 들어가서 우묵하다. ¶우멍한 그릇. >오망하다. ②〈방〉 의뭉하다.
우:면¹ 【右面】 명 오른쪽. ↔좌면(左面).
우면² 【優免】 명 특별히 면제(免除)함. ——-하다 자여불
우명¹ 【佑命】 명 하늘이 도와 주는 운수.
우명² 【優命】 명 두터운 은혜로 내리는 명령.
우명 청우계 【盂皿晴雨計】 명 청우계의 한 가지. 액체를 담은 그릇을 이용하여 만들었음.
우모¹ 【牛毛】 명 소의 털. 쇠털.
우모² 【牛毛】 명 '우무'의 취음.
우:모³ 【羽毛】 명 ①깃과 털. ②깃에 붙어 있는 새털.
우:모⁴ 【羽旄】 명 새의 깃으로 꾸민 기(旗)에 꽂는 물건.
우:모-직 【羽毛織】 명 《역》 남아메리카 안데스(Andes) 문화의 고층(古層)에서 발견되는 유물(遺物)의 하나. 우모(羽毛)·조가비·금속 원반(圓盤) 그 밖의 여러 가지 쇠붙이 조각 같은 것을 거죽에 결착(結着)시킨 옷감. 무명이나 모직물(毛織物). 잉카포(Inca布).
우목¹ 【牛目】 명 소의 눈. 잡차래의 한 가지임. *편육.
우목² 【犹目】 명 무사마귀.
우:목³ 【寓目】 명 눈여겨 봄. 주목함. ——-하다 타여불
우목-도 【牛目島】 명 《지》 전라 남도 신안군(新安郡) 안좌면(安佐面) 구대리(舊垈里)에 있는 섬. 내(內)우목도와 외(外)우목도 사이에 방조제가 건설되어 그 사이의 장고도(長古島)와 함께 세 섬이 합쳐서 된 섬임. [1.57 km² : 226 명(1985)]
우몽 【愚蒙】 명 우매(愚昧). ——-하다 형여불
우묘 【尤妙—】 형여불 더욱 묘하다. 더욱 신통하다.
우무¹ 명 한천³(寒天). 주의 '牛毛'로 씀은 취음(取音).
우:무² 【右舞】 명 《악》 오른쪽에서 춤추는 사람. ↔좌무(左舞).
우무러-들다 자 〈방〉 우므러들다.
우무러-뜨리다 타 〈방〉 우므러뜨리다.
우무러-지다 자 〈방〉 우므러지다.
우무리다 타 〈방〉 우므리다.
우무-묵 명 우무¹.
우무 장아찌 명 우무를 고추장 속에 넣어 두었다가 맛이 든 뒤에 꺼낸 장아찌.
우무-채 명 우무를 채쳐서 양념한 반찬.
우묵-날도래 명 《충》 [*Glyphotaelius admorsus*] 우묵날도랫과에 속하는 곤충. 몸길이 20-25 mm, 편 날개 55-70 mm이고, 두부·복부는 황갈색, 가슴은 갈색인데 앞날개의 외연(外緣)은 파상(波狀)이고 반투명이며 흐린 황색임. 뒷날개는 무색 투명하고, 날개 끝은 넓고 황갈색임. 한국·일본·사할린·시베리아에 분포함.

〈우묵날도래〉

우묵날도랫-과 【—科】 명 《충》 [Limnophilidae] 날도래목(目)에 속하는 한 과. 날개가 없는 것도 있고, 유충은 연충형(蠕蟲型)임. 대부분이 괸 물에 서식하며, 땅 위의 습기 있는 이끼류 속에서 생활하는 종류도 있음. 전세계에 400여 종이 분포함.
우묵다 형 〈옛〉 우묵하다. ¶또 네 활기옛 큰 모딧 우무근 되와(又方…四肢大節陷)《救方 上 76》.
우묵-다리 명 〈방〉 오목다리.
우묵-사스레피 명 《식》 [*Eurya emarginata*] 후피향나뭇과에 속하는 상록 활엽 관목. 잎은 거꿀달걀꼴에 혁질(革質)이고 가장자리가 밖으로 말려 있음. 6월에 연한 황록색 꽃이 두세 개씩 액생(腋生)하여 피고, 장과(漿果)는 11월에 흑색으로 익음. 해안(海岸)에 나는데, 전남·경남 및 일본·대만·중국·인도에 분포함. 관상용으로 재배함.
우묵시레 명 〈심마니〉 식기(食器).
우묵 식기 【—食器】 명 우묵 주발(周鉢).
우묵-우묵 부 군데군데 패어서 우묵하게 들어간 모양. 또, 여럿이 모두 우묵한 모양. >오목오목. ——-하다 형여불
우묵-이 부 우묵하게. >오목이.
우묵-주묵 부 군데군데 크고 작게 우묵하게 들어간 모양. >오목조목. ——-하다 형여불
우묵 주발 【—周鉢】 명 속을 우묵하게 만든 주발. 늙은이의 밥그릇으로 많이 씀. 우묵 식기. >오목 주발.
우묵-하다 형여불 어떤 것의 가운데가 조금 둥글게 깊숙하다. >오목하다.
우:문¹ 【右文】 명 무(武) 이상으로 문(文)을 높이 여김. 문을 숭상함. ¶~ 정책. ——-하다 자여불
우문² 【愚問】 명 어리석은 질문. ↔현문(賢問).
우:문-각 【宇文覺】 명 《사람》 중국 북주(北周)의 효민제(孝閔帝). 우문 태(泰)의 셋째 아들. 처음에 서위(西魏)의 주공(周公)에 봉(封)해졌으나, 공제(恭帝)를 내치고 자립(自立)하여 북주(北周)를 세움. 재위(在位) 1년 만에 재상(宰相)으로 있던 사촌형 우문 호(護)에 의해 제위(帝位)에서 쫓겨나 이윽고 죽임을 당함. [542-557]
우:문-술 【宇文述】 명 《사람》 중국 수(隋)나라의 장군. 자는 백통(伯通). 원래 선비족(鮮卑族). 주(周)나라에 벼슬하여 상주국(上柱國)이 되고, 진(陳)나라를 평정한 공으로 수문제(隋文帝)에 의해 안주 총관(安州總管)에 임명됨. 고구려 영양왕(嬰陽王) 23년(612) 제2차 고구려 원정 때 부여도군장(扶餘道軍將)으로서 우중문(于仲文)과 함께 30만 대군을 이끌고 침입했다가, 살수(薩水)에서 참패, 2,700명의 생존자를 수습하여 겨우 도망감.
우문 우답 【愚問愚答】 명 어리석은 질문에 어리석은 대답.
우:문-전 【右文殿】 명 《역》 고려의 시종 기관(侍從機關).
우:문 좌:무 【右文左武】 명 문무(文武) 두 가지의 도(道)로써 천하를 다스림. ——-하다 자여불
우:문-태 【宇文泰】 명 《사람》 중국 서위(西魏)의 재상(宰相). 효무제(孝武帝)의 청을 받아 동위(東魏)의 고환(高歡)에 항쟁(抗爭)함. 534년 효무제를 죽이고 문제(文帝)·공제(恭帝)를 차례로 세워 정권을 장악, 법률 관제(官制)를 정비하고, 양(梁)나라를 쳐서 괴멸적(壞滅的) 타격을 주는 등, 그의 아들 각(覺)이 세우게 될 북주(北周)의 기초를 닦음. 뒤에 태조(太祖)로 추존(追尊)됨. [505-556]
우문 현답 【愚問賢答】 명 어리석은 질문에 현명(賢明)한 대답. ↔현문우답(賢問愚答).
우:문-화(:)급 【宇文化及】 명 《사람》 중국 수(隋)나라 역신(逆臣) 우문 술(宇文述)의 맏아들. 수말(隋末)의 혼란한 틈을 타서 양제(煬帝)를 죽이고 양제의 조카 호(浩)를 옹립함. 그 마저 살해하고 제위(帝位)에 올라 국호(國號)를 허(許)라고 칭하였으나, 두건덕(竇建德)의 공격을 받아 패사(敗死)함. [?-619]
우물¹ 명 〔중세 : 우믈〕 음료수를 얻기 위하여 땅을 파서 맑은 지하수(地下水)를 괴게 한 설비.
[우물 길에서 반살기 받는다] 우연히 뜻밖의 음식이 생겨 잘 먹는다는 말. [우물 들고 마시겠다; 우물에 가 숭늉 찾겠다] 성미가 급하게 날뛴다는 말. [우물 밑에 똥 누기] 심술 사납고 고약한 짓. ¶아이 밴 계집 배 차기며 우물 밑에 똥 누어 놓기 오려논에 물 터 놓기《興夫傳》. [우물 안 개구리; 우물 안 고기] 넓은 사회의 사정을 모른다는 말. [우물 옆에서 목말라 죽는다] 기지(機智)와 융통성이 없다는 말. [우물을 파도 한 우물을 파라] 한 가지 일을 꾸준히 하는 것이 성공의 길이라는 말.
우물 공사 구 공동 우물 같은 데서 물을 긷거나 빨래 따위를 하면서 잡담을 즐기는 일.
우물² 【尤物】 명 ①가장 좋은 물건. ②얼굴이 잘 생긴 여자.
우물³ 【愚物】 명 아주 어리석은 사람. 우인(愚人). 우자(愚者). 우부(愚夫). ¶너야말로 ~ 중의 ~이다.
우물-가 【—까】 명 우물의 언저리.
[우물가에 애 보낸 것 같다] 어린 아이를 우물가에 내놓으면 아직 어려서 생사(生死)를 가리지 못하여 언제 우물에 빠질지 몰라 마음이 불안하다는 뜻이니, 곧 익숙하지 못한 사람을 무슨 일을 시켜 놓고 마음이 불안한 데 비유함.
우물가 공론 구 여자들이 우물가에서 물을 긷거나 일을 하며 주고받는 세정(世情)에 관한 얘기나 남의 소문.
우물-거리다¹ 자 벌레나 물고기 따위가 한 군데에 모여 움직이다. >오물거리다¹. 우물-우물¹ 부. ——-하다¹ 자여불
우물-거리다² 자타 ①음식을 입 안에 넣고 이리저리 굴리면서 시원스럽지 아니하게 자꾸 씹다. ¶노인이 날밤을 입에 넣고 ~. ②의사 표시(意思表示)를 시원스럽게 하지 아니하고 꽐끔거리다. ¶우물거리지 말고 속시원히 대답해라. 1)·2): >오물거리다². 우물-우물² 부. ——-하다² 자타여불
우물-결 【—껼】 명 우물 있는 근처.
우물-계 【—契】 명 촌락(村落) 사회에서 공동 우물을 새로 파거나 보수·관리하기 위해 만든 계조직.
우물 고누 명 '十'자의 세 귀를 둥근 원으로 막고 한쪽 귀를 터 놓은 판에 각각 말 두 개씩을 놓고 서로 먼저 가두어 이기는 고누. 먼저 두는 사람이 첫수에 가두지는 못함.
우물 고누 첫수 구 한 가지 방법밖에 달리 변통할 재주가 없음을 이르는 말. ¶우물 고누 첫수로 백성의 피를 긁어 바치기만 잘하면 그만이라《李人稙:銀世界》.
우물 귀:신 【—鬼神】 〔—뀌—〕 명 우물에 빠져 죽은 사람의 원혼.
[우물 귀신 잡아 넣듯 한다] 어려운 일에 자기는 빠져 나오고 남을 대신 밀어 넣는다는 뜻.
우물-대다 자타 우물거리다¹·².
우물 둔덕 명 우물 곁의 작은 둑 모양으로 된 곳.
[우물 둔덕에 아이 내논 것 같다] '우물가에 애 보낸 것 같다'와 같은 뜻.
우물 마루 명 《건》 짧은 널을 세로 놓고 긴 널을 가로 놓아 정(井)자 모양으로 짠 마루.
우물-물 명 ①우물에서 나는 물. ②우물에서 길어 낸 물.
우물 반자 명 《건》 소란 반자.
우물-지다 자 ①뺨에 보조개가 생기다. ②우묵하게 되다.
우물-질 명 우물물을 퍼 내는 일. ——-하다 자여불
우물쩍-주물쩍 부 '우물쭈물'을 강조하는 말. ——-하다 자타여불
우물-쭈물 부 언행(言行)을 우물거리며 흐리멍덩하게 하는 모양. ¶~ 하지 말고 툭 털어놓아라. >오물쪼물. ——-하다 자타여불
우물 천장 【—天—】 명 《건》 소란 반자로 한 천장.
우물-치다 자 우물 안의 더러운 것을 쳐내다.
우뭇-가사리 명 《식》 [*Gelidium amansii*] 우뭇가사릿과에 속하는 홍조류(紅藻類)의 하나. 높이 7-9 cm이고, 줄기와 잔 가지가 많아 수지상(樹枝狀)을 이루며 단면(斷面)은 방추형임. 가지는 우상(羽狀)으로 갈라지고 대생 또는 호생(互生)하며, 몸빛은 여러 가지임. 열대 및 간조선(干潮線)보다 깊은 곳에 군생(群生)하는데 암초(岩礁)에 증식(增殖)시키며 바다에 암석(岩石)을 넣어 번식(繁殖)하게 하고 긴 쇠갈퀴 등으로 채취

〈우뭇가사리〉

함. 우무의 원료가 됨. 석화채(石花菜). ㊟우뭇가시·가사리.

우뭇-가시 명 『식』 ↗우뭇가사리.

우므라 〔아랍 'umrah〕 명 『이슬람』 하즈(Hajj) 기간 이외에, 임의로 하는 순례(巡禮).

우므러-들다 자 점점 우므러져 가다. >오므라들다.

우므러-뜨리다 타 힘주어 우므리다. >오므라뜨리다.

우므러-지다 자 가장자리의 끝이 한 군데로 향(向)하여 모이다. >오므라지다.

우므러-트리다 타 우므러뜨리다.

우므리다 타 우므러지게 하다. >오므리다.

우믈 명 〈옛〉 우물¹. ¶우믌 므를 ᄒᆞᄅᆞ 五百 디위 옮길이더시니 ≪月釋 Ⅷ:91≫/우믈 정(井)≪字會 上 5≫.

우믈-거리다 자 ☞우물거리다. 우믈-우믈 부. ——-하다 자여불

우믈-쭈믈 부 ☞우물쭈물. ——-하다 자타여불

우믈츠다 자 〈옛〉 우물을 치다. ¶우믈츠다(淘井)≪譯語 上 8≫.

우믌믈 명 〈옛〉 우물물. ¶四月ㅅ 八日에 ᄆᆞᄅᆞᆷ과 우믌므리 다 넚디고 ≪月釋 Ⅱ:48≫. 「雙花店≫.

우믓룡 명 〈옛〉 우물의 용(龍). ¶우믓 龍이 내 손모글 주여이다 ≪樂詞

우믜여들다 자 〈옛〉 우므러지다. ¶陰根이 우믜여드르샤 龍馬ᄀᆞᆮᄒᆞ시며 ≪月釋 Ⅱ:40≫.

우미¹ 【愚迷】 명 우매(愚昧). ——-하다 형여불

우미² 【優美】 명 뛰어나게 아름다움. ——-하다 형여불

우미다 타 ☞매만지다. ¶머리를 ~/수염을 ~.

우미-량 【一樑】 명 『건』 가재 꼬리 모양으로 굽은 보.

우미-어 【牛尾魚】 명 『어』 양태¹.

우-미인 【虞美人】 명 『사람』 옛날 중국 초왕(楚王) 항우(項羽)의 총희(寵姬). 늘 항우를 따라다녔다는 절세(絶世)의 미인.

우미인-초 【虞美人草】 명 『식』 개양귀비.

우민¹ 【愚民】 명 ①어리석은 백성. ②백성이 통치자에 대하여 자신을 부르는 겸사말. 우맹(愚氓).

우민² 【憂民】 명 백성의 일을 근심함. ——-하다 자여불

우민³ 【憂悶】 명 근심하고 번민함. ——-하다 자여불

우민 정책 【愚民政策】 명 『정』 지배 계급이 민중의 정치 의식을 둔화시키고 비판력(批判力)을 빼앗음으로써 정치 체제(政治體制)의 안정을 얻으려는 정책. 이민족(異民族)과의 접촉의 경우 취해지는 일이 많음. 우민화 정책. *삼 에스 정책.

우민화 정책 【愚民化政策】 명 우민 정책.

우바꾸리 명 〈방〉 우격뿔이.

우바니사토 【優婆尼沙土】 명 〔범 Upanisad〕 『종』 바라문교(婆羅門敎)의 철학 사상을 나타내는 일군(一群)의 성전(聖典). 인도의 철학·종교의 원천(源泉)이 되는 것으로, 계시서(啓示書)인 베다(Veda)를 전승(傳承)한 범서(梵書) 문학 말기의 작품인데, 삼림서(森林書)의 일부라고도 함. 오의서(奧義書)라고도 하는데, 우주의 중심 생명인 범(梵)과 개인의 중심 생명인 아(我)와의 궁극적(窮極的) 일치 등의 사상을 역설하고 있음. 우파니샤드(Upaniṣad).

우바리 【優婆離】 명 〔범 Upali〕 『불교』 석가 여래의 십대 제자의 한 사람. 수다종(首陀種)의 천민(賤民) 출신으로 석족(釋族)을 섬기다가 석존(釋尊)의 제자가 됨. 불멸 후(佛滅後) 첫째 결집(結集) 때 율장(律藏)을 송출(誦出)함. *결집 삼인(結集三人).

우바새 【優婆塞】 명 〔범 Upāsaka〕 『불교』 ①속세(俗世)에 있으면서 불교를 믿는 남자. ②불교 믿는 남자의 총칭(總稱). 근사(近事). ↔우바이(優婆夷).

우 바 스웨 〔U Ba Swe〕 명 『사람』 미얀마의 정치가. 제2차 대전중 일본군에 협력하다가 후에 항일 활동에 참가했음. 전후(戰後), 반파시스트 인민 자유 연맹 서기장을 지내고 1963년 네윈 정권에 의하여 체포되었으나 1966년 석방됨. 〔1911- 〕

우바우르시-잎 〔Uva-Ursi〕 명 진달랫과의 작은 관목 우바우르시의 잎. 넓적한 스푼 모양을 하고 있으며, 길이 2 cm 내외, 폭은 1 cm 내외임. 유효 성분(有効性分)으로 갈산(酸)·아르부틴(arbutin)·메틸아르부틴(methylarbutin)·타닌산(tannine酸) 등을 함유하고 있어, 방광염(膀胱炎) 및 요도(尿道)의 여러 질환에 탕약(湯藥)으로서 예전부터 사용되고 있음.

우바이 【優婆夷】 명 〔범 Upāsikā〕 『불교』 ①속세(俗世)에 있으면서 불교를 믿는 여자. ②불교를 믿는 여자의 총칭. 근사녀(近事女). 우바니(優婆尼). ↔우바새(優婆塞).

우박¹ 명 ☞타박¹. ¶명주를 들보인 양 여기고 있는 어머니는 딸이 ~만 주면 질끔해 버리었다≪李無影 : 三年≫.

우:박² 【雨雹】 명 봄·여름, 더러는 가을에도 기상(氣象)의 급변으로 오는 비와 눈의 중간 상태의 백색 고체의 것. 누리. 백우(白雨).

[우박 맞은 잿더미 같고 활량의 사포 같다] 얼굴이 박박 얽은 사람을 조롱하는 말.

우박³ 【愚樸】 명 어리석고 꾸밈이 없음. ——-하다 형여불

우박⁴ 【憂迫】 명 근심하여 가슴이 막힘. ——-하다 자여불

우:-반분 【右半分】 명 오른쪽 절반. ↔좌반분.

우:반 전:직 【右班殿直】 명 『역』 고려 액정국(掖庭局)의 남반(南班) 종팔품(從八品) 벼슬.

우:발 【偶發】 명 일이 우연(偶然)히 일어남. 뜻밖에 일어남. ¶~ 사고. ——-하다 자여불

우:발 돌연 변:이 【偶發突然變異】 명 『생』 자연 돌연 변이.

우:발-범 【偶發犯】 명 『법』 범죄의 원인이 범인(犯人)의 성격(性格)에 기인한 것이 아니고, 외부의 우연한 사정에 의하여 발생되는 범죄. 기회범(機會犯).

우:발 사:고 【偶發事故】 명 우연히 일어난 사고.

우:발-적 【偶發的】 〔一쩍〕 명관 어떤 일이 예기치 않게 우연히 일어나는 모양. ¶~인 사건.

우:발 전:쟁 【偶發戰爭】 명 전쟁을 하고자 하는 의지(意志)에서가 아니고, 레이더 장치의 고장이라든가 군사 명령이나 감시병의 판단 착오, 핵폭발 사고 등 우연한 일로 일어나는 전쟁.

우:발 채:무 【偶發債務】 명 〔contingent liabilities〕 『경』 어음의 배서(背書) 또는 할인(割引)으로 생기는 소급 의무(遡及義務)와 같이 그 이행(履行)이 장래의 우발적인 사실의 발생에 관계된 특수한 성질의 채무. 환(換) 어음의 발행이나 어음의 보증 또는 보증 채무·연대 채무 등에도 부대(附帶)되어 발생함.

우방¹ 【友邦】 명 서로 친밀히 교통하는 나라. 우방국(友邦國).

우방² 【牛蒡】 명 『식』 우엉.

우:방³ 【右方】 명 오른편. ↔좌방(左方).

우:방⁴ 【右坊】 명 『악』 고려 시대의 왕립 음악 기관 및 조선 시대의 왕립 음악 기관에서 연주된 음악을 분류한 명칭의 하나. 고려 시대에는 향악(鄕樂)을 연주하는 갈래를 의미했고, 당악(唐樂)을 연주하는 갈래를 뜻하는 좌방(左坊)의 대칭으로 사용되었음. 조선 초기에 아악(雅樂)이 좌방의 위치를 차지하게 됨으로써, 우방의 뜻은 당악과 향악을 총괄하는 갈래의 명칭으로 변천되었음.

우방-국 【友邦國】 명 우방(友邦).

우방기 강 【一江】 〔Ubangi〕 명 『지』 아프리카 중앙부, 콩고 강의 지류(支流). 자이르와 중앙 아프리카 공화국, 콩고의 국경을 흘러, 적도(赤道)의 남쪽에서 콩고 강에 합류함. 상류(上流)는 우엘레 강(Uele江)과 음보무 강(Mbomu江)으로 갈라짐. 전장(全長) 1,160 km, 우엘레 강과 합치면 2,400 km.

우방기-샤리 〔Ubangi-Shari〕 명 『지』 아프리카 중앙부의 우방기 강과 샤리 강(江)과의 유역의 고원 지대. 1960년 독립하여 중앙 아프리카 공화국이 되었음.

우:방-악 【右坊樂】 명 『악』 고려 시대와 조선 시대에 궁중에서 연주된 음악을 계통에 따라 구분했던 갈래의 하나. 우방악은, 고려 시대에 우리나라 음악인 향악(鄕樂)을 의미하고, 중국계 속악(俗樂)인 당악(唐樂)을 가리키는 좌방악(左坊樂)의 대칭어로 사용되었음. 조선 초기에 이르러 우방악은 향악 이외의 당악을 포함하게 되었음.

우방-자 【牛蒡子】 명 『한의』 우엉의 씨. 해열(解熱)과 통경(通經) 등의 약제로 씀. 대력자(大力子). 서점자(鼠粘子). 악실(惡實).

우방지 명 〈방〉 『식』 우엉(제주).

우배 【友輩】 명 친구들.

우백 명 〈방〉 우박¹(충북·경남).

우:-백호 【右白虎】 명 『민』 주산(主山)의 오른쪽에 있다는 뜻으로 '백호(白虎)❸'를 이름. *좌청룡(左靑龍).

우벅-주벅 부 〈방〉 우적우적. ——-하다 형

우:번 【右番】 명 두 쪽 번으로 나눈 오른쪽 번. ↔좌번(左番).

우범 【虞犯】 명 성격·환경 등으로 죄를 범할 우려가 있음.

우범 소:년 【虞犯少年】 명 죄를 범하지는 않았으나 소년법에서 규정하는 일정한 불량 행적이 있고 장차 죄를 범할 우려가 있는 10세 이상 19세의 소년을 이름.

우범 지대 【虞犯地帶】 명 범죄 발생이 우려되는 지대.

우-벗어난끝바꿈 명 우 불규칙 활용.

우벙 명 〈방〉 『식』 우엉(전라·경상·강원·함남).

우벼 넣다 〔一너타〕 타 ↗우비어 넣다. ㅆ후비어 넣다. >오벼 넣다.

우벼 파다 타 ↗우비어 파다. ㅆ후비어 파다. >오벼 파다.

우:변 【右邊】 명 ①오른편. ②오른편 가장자리. ③『역』 우포도청(右捕盜廳). 1)-3): ↔좌변.

우:변-청 【右邊廳】 명 『역』 우포도청(右捕盜廳). ↔좌(左)변청.

우:-병영 【右兵營】 명 『역』 조선 선조(宣祖) 36년(1603) 이후에 경상도 진주(晋州)에 두었던 병마 절도사(兵馬節度使)의 주영(駐營). ↔좌병영(左兵營).

우보¹ 【牛步】 명 ①소걸음. ②느린 걸음.

우보² 【牛步】 명 『사람』 민태원(閔泰瑗)의 호(號).

우:보³ 【右輔】 명 『역』 ①고구려의 대신(大臣). 좌보(左輔)와 한가지로 군국(軍國)의 일을 다스렸음. 신대왕(新大王) 2년(166)에 국상(國相)으로 고침. ②백제의 대신. 고이왕(古爾王) 27년(260) 관제 개정(官制改正) 때까지 있었음. ↔좌보(左輔).

우:-보간 【右補諫】 명 『역』 고려 중서 문하성의 낭사(郎舍) 벼슬. 정육품(正六品). 우보궐(右補闕)의 뒷 이름으로 예종(睿宗) 뒤에 우사간(右司諫)으로 고침. ↔좌보간. *우보궐(右補闕).

우:-보궐 【右補闕】 명 『역』 ①고려 중서 문하성(中書門下省)의 낭사(郎舍) 벼슬. 정육품. 예종(睿宗) 때 우사간(右司諫)으로, 뒤에 우보간(右補諫)으로, 충렬왕(忠烈王) 24년(1298)에 우사간으로, 34년에 우헌납(右獻納)으로 고쳐 정오품으로 올리고, 공민왕(恭愍王) 5년(1356)에 다시 우사간으로 고쳐 종오품으로 내리고, 동 11년(1362)에 또 우헌납으로, 동 18년에 다시 우사간으로, 동 21년에 또 우헌납으로 개변(改變)을 되풀이하였음. ②조선 시대 초기의 문하부(門下府)의 낭사 벼슬. 정오품. 태종(太宗) 원년(1401)에 낭사가 사간원(司諫院)으로 독립하면서 우헌납으로 고침. 1)·2): ↔좌보궐(左補闕). *우보간(右補諫)·우사간(右司諫)·우헌납(右獻納).

〈우보당〉

우:보-당 【羽葆幢】 명 『역』 의장(儀仗)의 한 가지.

우:-보:트 〔도 U-Boot〕 명 『군』 〔도 Unterseeboot의 약칭〕 제 1·2 차 세계 대전 중 사용한 독일의 잠수함. 유보트(U-boat).

우복-동 【牛腹洞】 명 『민』 병화(兵火)가 침범하지 못한다는 신비한 동

네. 경상 북도 상주(尙州)와 충청 북도 보은(報恩) 사이의 속리산(俗離山)에 있다는 상상적인 동네.

우-복룡【禹伏龍】[―뇽] 명 〖사람〗 조선 중기의 문신. 자는 현길(見吉), 호는 구암(懼庵)·동계(東溪). 단양(丹陽) 사람. 선조(宣祖) 25년(1592) 임진 왜란 때 용궁 현감(龍宮縣監)으로 있으면서 용궁을 끝까지 방어, 그 공으로 안동 부사(安東府使)에 오름. 그 후, 홍주(洪州)·나주(羅州)·충주(忠州)의 각 목사를 역임하고 광해군(光海君) 4년(1612) 성천 부사(成川府使)가 됨. [1547-1613]

우:-복야【右僕射】 명 〖역〗 ①고려 때 상서 도성(尙書都省)의 정이품 벼슬. 상서령(尙書令)의 다음. 충렬왕(忠烈王) 원년(1275)에 폐하고, 동왕 24년(1298)에 첨의부(僉議府)에 다시 두었다가 곧 폐하고, 공민왕(恭愍王) 5년(1356)에 구제(舊制)를 회복하였다가 동 11년에 또 폐함. 상서 우복야(尙書右僕射). ②조선 시대 초기, 삼사(三司)의 정이품 벼슬. 정종(定宗) 2년(1400)에 우사(右使)로 고침. 태종(太宗) 원년(1401)에 삼사가 사평부(司平府)로 이름이 바뀌고, 동 4년에 참판 사평부사(參判司平府事)라 고쳤다가, 동 5년에 사평부와 더불어 혁파됨. 1)·2):↔좌복야(左僕射).

우본 [Ubon] 명 〖지〗 타이의 동부, 라오스와의 국경 근처의 메콩 강 지류인 문 강(Mun 江)에 임하는 도시. 철도의 종점으로 라오스의 파크세(Pakse)와의 무역 중계지. 쌀·사탕수수·담배·랙(lac) 등의 집산지이며, 제당 공장 등이 있음.

우봉 명 〈방〉 〖식〗 우엉(전남·경상·함경).

우:부[1]【右部】 명 〖역〗 소노부(消奴部).

우부[2]【愚夫】 명 어리석은 남자. 우자(愚者). 우인(愚人). 우물(愚物).

우부[3]【愚婦】 명 어리석은 여자.

우부-가【愚夫歌】 명 〖문〗 작자·창작 연대 미상의 가사의 하나. 어리석은 한량(閑良)이 부모 덕분에 호의 호식(好衣好食)하고 허랑 방탕(虛浪放蕩)하여 절제 없는 생활을 하다가, 마침내 패가 망신(敗家亡身)하는 것을 읊음.

우:-부대언【右副代言】 명 〖역〗 ①고려 밀직사(密直司)의 한 벼슬. 정삼품. 우부승선(右副承宣)의 후신(後身)으로, 충선왕(忠宣王) 2년(1310)에 우부승지(右副承旨)의 고친 이름. *우부승선(右副承宣). ②조선 초기에 승정원(承政院)의 정삼품 벼슬. 태종(太宗) 원년(1401)에 우부승지(右副承旨)를 이 이름으로 고쳤다가 뒤에 다시 우부승지로 고치었음. 1)·2):↔좌(左)부대언. *부대언.

우부룩-이 부 우부룩하게. 준 우북이. >오보록이.

우부룩-하다 형 여불 많은 풀이나 나무 등이 한데 뭉치어 더부룩하다. >오보록하다. 준 우북하다.

우:-부방【右阜傍】 명 한자 부수(部首)의 오른편에 붙는 부방 '阝'의 이름. ↔좌부방(左阜傍). *고을읍변.

우:-부빈객【右副賓客】 명 〖역〗 조선 때 세자 시강원(世子侍講院)에 딸린 종이품 문관 벼슬. ↔좌(左)부빈객.

우:-부수【右副率】 명 〖역〗 조선 시대 때, 세자 익위사(世子翊衛司)에 딸린 정칠품 무관(武官) 벼슬. ↔좌부수(左副率).

우:-부승록【右副僧錄】 [―녹] 명 〖불교〗 고려 시대의 불교 통제 기구인 우가 승록사(右街僧錄司)에 소속된 승직(僧職).

우:-부승선【右副承宣】 명 〖역〗 ①고려 중추원(中樞院)의 정삼품 벼슬. 왕명(王命)의 출납(出納)을 맡음. 충렬왕 2년(1276)에 우부승지(右副承旨)로 고치고, 동 24년에 종육품으로 내렸다가, 곧 다시 정삼품으로 올리고, 충선왕 2년(1310)에 우부대언(右副代言)이라 고쳤는데, 그 뒤에도 여러 번 고쳤음. *우부대언(右副代言)·우부승지(右副承旨). ②조선 말기 고종(高宗) 31년(1894)에 승정원(承政院)을 고친 승선원(承宣院)의 한 벼슬. 1)·2):↔좌부승선.

우:-부승지【右副承旨】 명 〖역〗 ①고려 밀직사(密直司)의 정삼품 벼슬. 왕명(王命)의 출납(出納)을 맡음. 충렬왕 2년(1296)에 우부승선(右副承宣)의 고친 이름. 동 24년에 잠시 종육품으로 내렸다가 곧 다시 회복함. *우부승선. ②조선 초기의 중추원(中樞院)의 정삼품 벼슬. ③조선 시대 때 승정원(承政院)의 정삼품 벼슬. 태종(太宗) 원년(1401)에 우부대언(右副代言)으로 고쳤다가, 뒤에 다시 본이름으로 함. 1)-3):↔좌(左)부승지.

우:-부승직【右副承直】 명 〖역〗 고려 내시부(內侍府)의 정육품 벼슬. 공민왕(恭愍王) 때에 둠. ↔좌(左)부승직.

우:부-우【雨覆羽】 명 〖조〗 새의 죽지를 덮은 깃. 우비깃.

우부 우맹【愚夫愚氓】 명 어리석은 백성들.

우부 우부【愚夫愚婦】 명 어리석은 남자와 여자.

우:-부풍【右扶風】 명 중국, 한(漢)나라 때 서울을 지키어 다스리던 벼슬. 좌풍익(左馮翊)·경조윤(京兆尹)과 함께 삼보(三輔)라 함. *경조윤·좌풍익.

우북-수북 부 우북하고 수북한 모양. >오복소복. ——-하다 형 여불

우북-이 부 ↗우부룩이.

우북-하다 형 여불 ↗우부룩하다. ¶고랑마다 잡초가 우북하였다.

우분[1]【牛糞】 명 쇠똥.

우분[2]【憂憤】 명 근심하며 분하게 여김. ——-하다 타 여불

우불-구불 부 이리저리 고르지 않게 구불거리는 모양. >오불고불. ㅆ 우불꾸불. ——-하다 형 여불

우 불규칙 활용【―不規則活用】 명 어간의 끝, '우'가 '어' 앞에서 줄어지는 불규칙 활용. '푸다' 하나뿐임.

우불-꾸불 부 이리저리 고르지 않게 꾸불거리는 모양. >오불꼬불. ㅗ 우불구불. ——-하다 형 여불

우붕 명 〈방〉 〖식〗 우엉(경상·충북).

우비[1]【于飛】 명 [암수 한 쌍의 봉황이 사이 좋게 날았다는 옛 시(詩)에서] 부부(夫婦)의 의가 좋음을 비유하여 이르는 말.

우비[2]【牛扉】 명 소를 부릴 때 신기는 짚신. 쇠짚신.

우:비[3]【雨備】 명 우산·유지(油紙)·삿갓·도롱이 등 사람의 몸이나 물건에 떨어지는 비를 가리는 제구(諸具). 우구(雨具). *우의(雨衣)·우장(雨裝).

우비[4]【愚鄙】 명 어리석고 비루(鄙陋)함. 또, 자기 재능의 겸칭(謙稱). ——-하다 형 여불

우비[5]【優比】 명 〖수〗 제1항이 제2항보다 큰 비(比). 8:4 따위. ↔열비(劣比).

우비[6]【憂悲】 명 근심과 슬픔.

우비강 [프 Houbigant] 명 프랑스의 화장품 회사. 또, 이 회사에서 만드는 고급 향수.

우:비-깃【雨備―】 명 새의 죽지를 덮은 깃. 우부우(雨覆羽).

우비다 타 구멍이나 틈 속을 긁어 내다. ¶귀를 ~. ㅆ후비다. >오비다.

우비어 넣:다 [―너타] 구 속을 이리저리 헤치고 무엇을 밀어 넣다. 준 우벼 넣다. ㅆ후비어 넣다. >오비어 넣다.

우비어 파다 구 ①구멍이나 틈을 우비어 깊이 파다. ②일의 내막을 자세히 캐다. 준 우벼 파다. 1)·2):ㅆ후비어 파다. >오비어 파다.

우:비위【右羆衛】 명 〖역〗 발해의 중앙군(中央軍)으로, 10위(衛) 중의 하나.

우비적-거리다 타 구멍이나 틈의 속을 헤치어 가면서 자꾸 우비어 파내다. ㅆ후비적거리다. >오비작거리다. 우비적-우비적 부. ——-하다 타 여불

우비적-대다 타 우비적거리다.

우:비 차사원【雨備差使員】 명 〖역〗 중국 가는 사신(使臣)에 따르는 한 수원(隨員). 우비를 들고 감.

우비-칼 명 〈방〉 호비칼.

우빈【愚貧】 명 우둔하고 빈곤함. ——-하다 형 여불

우:-빈객【右賓客】 명 〖역〗 조선 시대 세자 시강원(世子侍講院)의 정이품 문관 벼슬. ↔좌빈객(左賓客).

우:빙【雨氷】 명 냉각된 빗물이 빙점하(氷點下)의 지물(地物)에 닿아 얼음이 되어, 식물이나 암석 따위를 덮은 것.

우빅ᄌᆞ 명 〈옛〉 오배자(五倍子). ¶우빅ᄌᆞ(五倍子) ≪救簡 Ⅲ:1≫.

우뿌다 형 〈방〉 우습다(함경).

우쁘다 형 〈방〉 우습다(함경).

우:사[1] 명 〈방〉 ①우수[1]❶. ②우수리❶.

우사[2]【尤史】 명 〖사람〗 김규식(金奎植)의 호(號).

우사[3]【牛舍】 명 외양간.

우:사[4]【右使】 명 〖역〗 ①고려 때 삼사(三司)의 벼슬. 충렬왕 때 처음으로 두고, 공민왕 11년(1362)에 정이품으로 정함. ②조선 때 삼사(三司)의 정이품 벼슬. 정종(定宗) 2년(1400)에 우복야(右僕射)의 고친 이름. 태종(太宗) 원년(1401)에 삼사가 사평부(司平府)로 이름이 바뀌고, 동 4년에 참판 사평부사(參判司平府事)로 고쳤다가, 동 5년에 사평부와 더불어 혁파(革罷)됨. ↔좌사(左使).

우:사[5]【羽士】 명 [선인(仙人)은 날개가 있다는 데서 유래] 도교(道敎)의 중. 곧, 도사(道士)의 별칭.

우:사[6]【雨師】 명 〖역〗 비를 맡은 신(神). ¶풍신(風神) ~.

우:사[7]【雩祀】 명 〖역〗 비를 하늘에 비는 제사. 국가 공식(公式)의 제사의 하나로서, 중국에서는 은(殷)나라 탕왕(湯王) 때부터 비롯한 것이라 함. 우제(雩祭).

우사[8]【偶詞】 명 ①우연히 튀어 나온 시문(詩文). ②간간히 하는 말.

우:사[9]【寓舍】 명 우거(寓居)하는 집.

우사[10]【優賜】 명 후하게 내려 줌. ——-하다 타 여불

우:-사간【右司諫】 명 〖역〗 고려 중서 문하성(中書門下省)의 낭사(郎舍) 벼슬. 정육품. 예종(睿宗) 때 우보궐(右補闕)의 고친 이름. ↔좌사간. *우보궐(右補闕).

우:사간 대:부【右司諫大夫】 명 〖역〗 조선 태종(太宗) 원년(1401)에 사간원(司諫院)에 둔 당상(堂上) 정삼품 벼슬. 그 전의 우간의 대부(右諫議大夫)를 고친 이름. *좌(左)사간 대부.

우:-사경【右司經】 명 〖역〗 고려 때 동궁(東宮)의 육품 벼슬. 공양왕(恭讓王) 2년(1353)에 정함. ↔좌(左)사경.

우:사 낭중【右司郎中】 명 〖역〗 고려 상서 도성(尙書都省)의 정오품 벼슬. ↔좌사(左司) 낭중.

우:사-단【雩祀壇】 명 기우단(祈雨壇).

우:-사록관【右司祿館】 명 〖역〗 신라의 관아. 문무왕(文武王) 21년(681)에 둠.

우:-사어【右司禦】 명 〖역〗 조선 시대 세자 익위사(世子翊衛司)의 종오품 무관 벼슬. ↔좌사어(左司禦).

우:사 원외랑【右司員外郎】 명 〖역〗 고려 상서 도성(尙書都省)의 정육품 벼슬. ↔좌사(左司) 원외랑.

우:-사윤【右司尹】 명 〖역〗 고려 왕비부(王妃府)의 정삼품 벼슬. 공민왕(恭愍王) 때 둠. ↔좌(左)사윤.

우:사의 대:부【右司議大夫】 [―/―이―] 명 〖역〗 고려 중서 문하성(中書門下省)의 낭사(郎舍) 벼슬. 정사품. 예종(睿宗) 때 우간의 대부(右諫議大夫)의 고친 이름. ↔좌사의 대부.

우:사이 [Houssay, Bernardo Alberto] 명 〖사람〗 아르헨티나의 생리학자. 부에노스아이레스 대학 약학부 졸업. 사립(私立) 실험 생물학 의학 연구소 소장. 뇌하수체 전엽(腦下垂體前葉) 호르몬의 당대사(糖代謝)에 관한 연구로 1947년 노벨 생리 의학상 수상. [1887-1971]

우:-사정【右司政】 명 〖역〗 발해 때의 관직. 정당성(政堂省)에 속했던 벼슬이며, 지(智:兵)·예(禮:刑)·신(信:工)의 삼부와, 그 지사(支司) 삼부를 포함한 우육사(右六司)를 관할하였음.

우산[1] 〔巫山〕 명 〖지〗 중국 쓰촨 성(四川省)의 동쪽에 있는 다바(大巴) 산맥의 고봉. 산 위에는 우산 십이봉(巫山十二峰)이 있어, 고래(古來)로 한문 시가(漢文詩歌)에 많이 나옴. 무산.

우:산[2] 【雨傘·雨繖】 명 펴고 접을 수 있게 만들어 손에 들고 비가 올 때에 머리 위를 가리는 우비. 박쥐 우산·종이 우산·비닐 우산 따위가 있음.

우:산[3] 【雨霰】 명 비와 싸라기눈.

우:산 걸음 【雨傘—】 명 우산을 들었다 내렸다 하듯이 몸을 출썩거리며 걷는 걸음.

우산-국 【于山國】 명 〖역〗 '울릉도(鬱陵島)'의 옛이름.

우:산기 상시 【右散騎常侍】 명 〖역〗 ①고려 중서 문하성(中書門下省)의 낭사(郎舍) 벼슬. 정삼품. 문종(文宗) 뒤에 우상시(右常侍)로 고치고, 충렬왕(忠烈王) 24년(1298)에 본이름으로 고쳤다가, 곧 다시 우상시로, 공민왕(恭愍王) 5년(1356)에 또 본이름으로, 동 11년에 다시 우상시로, 동 18년에 또 본이름으로, 동 21년에 다시 우상시로 개변(改變)을 되풀이하였음. ②조선 시대초, 문하부(門下府)의 낭사 벼슬. 정삼품. 태종(太宗) 원년(1401)에 낭사가 사간원(司諫院)으로 독립(獨立)할 때 혁파(革罷)됨. 준우상시(右常侍). ↔좌산기 상시(左散騎常侍).

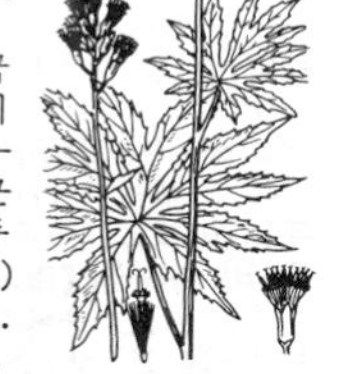
〈우산나물〉

우:산-나물 【雨傘—】 명 〖식〗 [*Cacalia krameri*] 국화과에 속하는 다년초. 줄기의 높이 60-90cm이고, 잎은 대형이며 방패 모양의 원형(圓形)으로 5-9갈래로 째진 열편(裂片)은 다시 중렬(中裂)함. 근생엽(根生葉)은 장병(長柄)이고 줄기 잎은 보통 두 개가 단병(短柄)임. 6-10월에 백색 관상화(管狀花)로 된 두상화(頭狀花)가 원추 화수(圓錐花穗)로 핌. 깊은 산의 숲 밑에 나는데, 한국 각지에 분포함. 어린 잎은 식용함.

우:산-대 【雨傘—】 [—때] 명 우산을 버티는 중간의 굵은 대.

우:산대-잔디 【雨傘—】 [—때—] 명 〖식〗 [*Deschampsia caespitosa*] 볏과에 속하는 다년초. 높이 60-90cm이고, 잎은 호생(互生)하며 가늘고 평행맥(平行脈)이 있음. 꽃은 소형이며 자웅(雌雄) 두 가지 꽃술이 있고 짧은 꽃수염은 두 개씩 모이어 작은 수상 화서(穗狀花序)를 이루고, 작은 수상 화서는 많이 모여 원추 화서(圓錐花序)를 이룸. 한국 각지에 분포함.

우:산-방동사니 【雨傘—】 명 〖식〗 [*Cyperus flavidus*] 방동사닛과에 속하는 일년초. 줄기는 삼릉주(三稜柱)로 총생(叢生)하며 높이 30cm가량이고, 잎은 근생(根生)하며 초상(鞘狀)임. 꽃은 8-9월에 포엽(苞葉) 사이에서 여러 줄기의 산경(繖梗)이 나와 각 선단(先端)은 다시 1-2회 산상(繖狀)으로 갈라져서 다수의 소수(小穗)가 달리어 피며, 과실은 수과(瘦果)임. 무논이나 습지(濕地)에 나는데, 제주·경남·강원 등지에 분포(分布)함.

〈우산뱀〉

우:산-뱀 【雨傘—】 명 〖동〗 [*Bungarus multicinctus*] 파충강(爬蟲綱)에 속하는 독사(毒蛇)의 하나. 몸은 길이 1m 가량이며, 두부는 작고 삼각형(三角形)을 이루지 아니하며, 몸은 흑색 또는 자갈색인데 약 64개의 흰 띠 무늬가 있음. 눈은 작고 독아(毒牙)는 날카로우며 독선(毒腺)은 극히 작으나 강력한 신경독(神經毒)이 있음. 물가에 서식(棲息)하는데, 지렁이·물고기 등을 포식(捕食)하며 때로는 인가(人家)에 침입하여 피해를 줌. 중국 남부·타이완에 분포(分布)함. *능구렁이.

우:산-살 【雨傘—】 [—쌀] 명 우산의 천을 얽어 받치는, 가는 대오리나 쇠로 만든 뼈대.

우:산-오이풀 【雨傘—】 명 〖식〗 [*Sanguisorba unsanensis*] 장미과에 속하는 다년초. 잎은 우상 복엽(羽狀複葉)이고 소엽은 긴 타원형이며 대생함. 가을에 흰 빛에 담홍색을 띤 꽃이 가지 위에 화수(花穗)를 이루어 피고, 길어서 비스듬하게 드리어 있는 특질이 있음. 습지에 나는데, 한국 각지에 분포함. 오이 냄새가 남.

〈우산이끼〉

우:산-이끼 【雨傘—】 [—니—] 명 〖식〗 [*Marchantia polymorpha*] 태류(苔類)에 속하는 이끼의 하나. 흔히 볼 수 있는데, 길이 20cm 가량이고, 엽상체(葉狀體)는 폭이 넓은 대상(帶狀)임. 표면에는 가는 귀갑상(龜甲狀)의 기실(氣室) 구획이 있고 하면에는 많은 자색 인편(鱗片)이 있음. 자웅 이주(雌雄異株)로서 암컷은 열 개 가량의 지상 돌기(指狀突起)가 있고, 그 하면의 삭(蒴) 안에 황색 구상(球狀)의 포자(胞子)를 많이 형성함. 수컷은 원반상(圓盤狀)이고 그 가에 여덟 개의 잔 돌기가 있음. 인가(人家) 부근의 습지나 돌담 등에 군생(群生)하는데, 북반구(北半球)에 널리 분포함.

우:산-장 【雨傘匠】 명 우산 만드는 장인.

우살미 명 경상 북도 문경 지방에서 신축 가옥의 지붕을 일 때, 마을 사람들이 무보수로 공동 작업을 해 주는 관습.

우:상[1] 【右相】 명 〖역〗 ① '우의정(右議政)'의 별칭. ↔좌상(左相). ②발해의 관직. 중앙 관청의 하나인 중대성(中臺省)의 장관.

우:상[2] 【羽狀】 명 새의 깃 같은 모양이나 상태.

우:상[3] 【偶像】 명 [idol] ①목석(木石)이나 쇠붙이로 만든 신불(神佛)이나 사람의 형상(形象). ②종교적(宗敎的)인 숭배의 대상이 되는 신불(神佛)을 본떠 만든 상. ¶ ~과 같은 존재. ③〖기독교〗 하느님에 대하여 인위적(人爲的)으로 만들어 낸 신(神)의 형상이나 개념(槪念). ④미신(迷信) 등의 대상이 되는 신 또는 신을 표현한 형상. ⑤선입견적(先入見的)인 오견(誤見).

우상[4] 【愚相】 명 ①어리석은 재상(宰相). ②어리석은 생김새.

우:상-교 【偶像敎】 명 〖종〗 우상을 종교적 주체로 하여 숭배하고 신앙(信仰)하며, 이로 인하여 고통을 벗고 위안을 얻고자 하는 종교. 우상을 숭배하는 종교.

우:상 단엽 【羽狀單葉】 명 〖식〗 단엽의 한 가지. 잎의 가장자리가 깊이 찢어져 새의 깃 모양을 이룬 잎. 민들레·무·엉겅퀴 따위의 잎. 깃꼴홑잎.

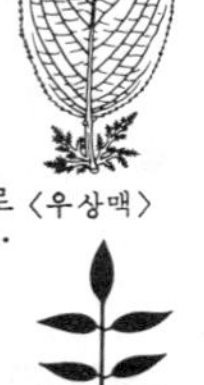
〈우상맥〉

우:상-맥 【羽狀脈】 명 〖식〗 엽맥(葉脈)의 한 가지. 한 주맥(主脈)의 좌우에 지맥(枝脈)이 벋고, 다시 세맥(細脈)으로 나누어져 새의 깃 모양을 이룬 것. 무궁화나무·매화나무·벚나무의 엽맥 따위. 깃꼴맥. *장상맥.

우:상-문 【羽狀文】 명 〖고고학〗 깃무늬.

우:상 복생 【羽狀複生】 명 〖식〗 잎이 우상 복엽으로 남. ——-하다 자여불

〈우상 복엽〉

우:상 복엽 【羽狀複葉】 명 〖식〗 복엽(複葉)의 한 가지. 잎꼭지의 연장부(延長部) 좌우 양쪽에 두 잎 이상의 작은 잎이 배열(配列)하여, 새의 깃 모양을 이룬 복엽. 가시나무·고비·고사리·소태나무·아카시아 등의 잎. 깃꼴겹잎. 준우상엽. *장상복엽(掌狀複葉).

우:상-설 【偶像說】 명 [도 Idolenlehre] 〖철〗 베이컨의 학설. 진정한 인식을 얻기 위하여 타파하지 않으면 안 되는 선입적인 유견(謬見). 곧, 종족(種族)의 우상, 동굴(洞窟)의 우상, 시장(市場)의 우상, 극장(劇場)의 우상 등 네 가지가 있음.

우:상 숭배 【偶像崇拜】 명 우상 또는 우상적인 감각적 대상(感覺的對象) 곧, 영물(靈物)이나 주물(呪物)을 종교적인 대상으로 숭배(崇拜)하는 일. ——-하다 자여불

우:상 숭배자 【偶像崇拜者】 명 우상 숭배를 하는 사람.

우:-상시[1] 【右常侍】 명 〖역〗 ↗우산기 상시(右散騎常侍). ↔좌상시.

우:상-시[2] 【偶像視】 명 어떤 사람이나 그의 사상 따위를 존경(尊敬)하고 사모(思慕)하는 나머지 이를 절대적인 가치를 가진 것으로 생각하는 일. ——-하다 타여불

우:상 심렬 【羽狀深裂】 [—녈] 명 〖식〗 잎이 날개깃 모양으로 깊이 째짐. ——-하다 자여불

우:상-엽 【羽狀葉】 명 ↗우상 복엽. 깃꼴잎. ↔장상엽(掌狀葉).

우:상-적 【偶像的】 명관 우상에 관한 상태(狀態). 우상과 같은 모양. ¶ ~인 존재(存在).

우상-전 【虞裳傳】 명 〖책〗 조선 영조(英祖) 때의 학자 박지원(朴趾源)이 지은 한문 소설. 우상이라는 사람의 개인 전기(個人傳記)를 빌려 그 당시 양반 사회(兩班社會)의 허례 허식(虛禮虛飾)을 풍자하였음. 《연암집(燕巖集)》에 수록됨.

우-상중 【禹尙中】 명 〖사람〗 조선 인조 때의 충신. 단양(丹陽) 사람. 인조 반정(反正)에 참가하여 정사 원종 공신(靖社原從功臣)에 책록(册錄)되고, 정묘 호란(丁卯胡亂) 때 쌍수산성 수어 대장(雙樹山城守禦大將)으로 활약, 병자(丙子) 호란에는 전주 영장(全州營將)으로서 삭녕(朔寧) 싸움에서 전사함. 시호(諡號)는 충장(忠壯). [?-1636]

우:상 파:괴 【偶像破壞】 명 ①[iconoclasm] 〖기독교〗 기독교에 있어서, 우상 숭배의 풍습을 배격(排擊)하는 주장. 4세기경부터 순교자(殉敎者)와 여러 성직자(聖職者)들의 우상을 숭배하는 미신(迷信)을 타파하려는 논의(論議)가 생겨, 8세기경에는 그 우상을 파괴하려는 계몽 운동(啓蒙運動)이 로마 제국에서 일어나, 종교적인 가치가 없는 우상을 배척하고, 사상적으로 권위가 없는 신조(信條)를 타파하는 주장이 일어남. ②일반적으로, 우상적인 것이나 전통적인 권위 등을 비판하여 배척하는 일. ——-하다 자여불

우:상 파:괴령 【偶像破壞令】 명 〖역〗 726년 비잔틴 황제 레오 3세(Leo Ⅲ)가 교회나 수도원에서 화상(畫像)을 예배에 사용하는 것을 금한 칙령(勅令). 이에 대한 교황의 반대 등 여러 곡절을 겪은 뒤, 869년에 콘스탄티노플 공의회(公議會)가, 화상은 경의(敬意)를 표하는 대상이라 결정하여 최종적으로 문제를 해결함.

우:상-화 【偶像化】 명 우상으로 됨. 또, 우상이 되게 함. ——-하다 자타여불

우색 【憂色】 명 근심하는 기색.

우생[1] 【友生】 명 벗. 우인(友人).

우:생[2] 【寓生】 명 남에게 붙어서 삶. 기생(寄生). ——-하다 자여불

우생[3] 【愚生】 명 자기의 겸칭. 졸생(拙生).

우생[4] 【優生】 명 〖생〗 양질(良質)의 유전 형질(遺傳形質)을 보존하여 자손의 자질(資質)을 향상시키는 일.

우생 수술 【優生手術】 명 〖생〗 유전적(遺傳的)으로 나쁜 형질(形質)을 가지고 있다는 것이 확정될 때에, 생식 능력(生殖能力)을 없애기 위하여 수정관(輸精管)이나 수란관(輸卵管)을 수술하여 수정(受精)이 안 되도록 하는 우생학적인 단종(斷種)의 수단. 단종 수술. *모자 보건법.

우생-학 【優生學】 명 [eugenics] 〖생〗 유전 원리(遺傳原理)를 이용하여 악질의 혈통을 제거(除去)하고 우량한 혈통을 보존할 목적으로 배우자(配偶者)의 선택 또는 결혼에 관하여 과학적으로 연구하는 학문. 1885년 영국의 골턴(Galton, F.)이 주창함. 유제닉스. 인종 개량학(人種改良學).

우생학-적 【優生學的】 명관 우생학에 관한 일. 우생학다운 모양. ¶ ~ 견지(見地).

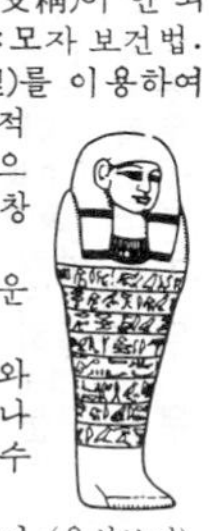
〈우샤브티〉

우샤브티 〔이집트 Ushabti〕 명 고대 이집트에서 죽은 자와 함께 매장되는 미라와 같은 모양을 한 작은 상(像). 흔히, 나무나 돌·쇠로 만들며, 손에 괭이·바구니 등을 들고 있는 수가 있음. 하계(下界)에서 사자의 심부름을 한다 함.

우샤스 〔Uṣas〕 명 〖신〗 고대 인도의 베다 신화에 나오는 여

신. 자연 현상을 신격화(神格化)한 것으로 아침놀의 여신. 만물에 생명을 가져다 준다고 함.

우:서[1]【羽書】명 우격(羽檄).

우서[2]【郵書】명 우편으로 보내는 편지.

우:서[3]【寓書】명 편지를 써 보냄. 편지를 부침. 기서(寄書). ——-하다 자여불

우서[4]【愚書】명 ①가치가 없는 서적. ②자기 편지의 겸칭.

우:-서자【右庶子】명〖역〗고려 때 동궁(東宮)의 정사품 벼슬. 빈객(賓客)의 다음. 문종(文宗) 22년(1068)에 정함.

우:석-목【偶石木】명 돌하루방.

우석-우석 부〈방〉워석워석. ——-하다 자

우선[1]【牛癬】명〖한의〗쇠버짐.

우:선[2]【右旋】명 오른편으로 돎. ¶～ 총열(銃列)/～성. ↔좌선(左旋). ——-하다 자여불

우:선[3]【羽扇】명 새의 깃으로 만든 부채.

우선[4]【郵船】명 ↗우편선(郵便船).

우선[5]【優先】명 딴것에 앞섬. ¶～ 순위. ——-하다 자여불

우선[6]【于先】부 ①먼저. 위선(爲先). ¶～ 인사부터 드려라. ②아쉬운 대로. 그럭저럭. ¶이만하면 ～ 한시름 놓겠다.

[우선 먹기는 곶감이 달다] 나중에는 어떻게 되든 간에 당장은 좋은 편을 취한다는 뜻.

우:선-경【右旋莖】명〖식〗회선 식물(回旋植物)의 줄기가 오른쪽으로 돌아 지주(支柱)에 감기어 점차 위쪽으로 뻗는 성질. 홉(hop)·등(藤)나무·한삼덩굴 따위에서 볼 수 있음. ↔좌선경(左旋莖).

우선-권【優先權】[—꿘] 명〖법〗①남보다 먼저 행사할 수 있는 권리. ②금전(金錢)이나 물건의 처분(處分)·이익 배당(利益配當) 등에 있어서 다른 유권자(有權者) 보다 먼저 그 특전(特典)을 받을 수 있는 권리. 우월권(優越權).

우:선-룡【右旋龍】[—뇽] 명〖민〗산줄기가 왼편으로부터 오른편으로 내려간 용. ↔좌선룡(左旋龍).

우선 배:당주의【優先配當主義】[—/—이] 명〖법〗많은 금전 채권자(債權者)가 같은 재산(財産)을 목적으로 경합(競合)하여 집행(執行)하는 경우, 각 채권자에게 그 집행 착수의 선후(先後)에 따라 압류 질권(押留質權), 그 밖의 우선권을 인정하는 주의. 압류 우선주의(押留優先主義). ↔평등(平等) 배당주의.

우선 변:제【優先辨濟】명〖법〗채무자의 재산이 전(全)채무를 변제하는 데 부족한 경우에 채권자(債權者) 중의 어떤 사람이 다른 채권자에 우선하여 변제를 받는 일. 질권(質權)·저당권(抵當權)의 설정 등 당사자(當事者)의 계약(契約)에 의해 발생하는 경우와 유치권(留置權)이 인정되는 경우의 두 가지가 있는데, '채권자 평등의 원칙'에 예외(例外)를 두는 것이기 때문에 특히 법률에 규정하는 경우에만 인정됨.

우선 부유선:광【優先浮游選鑛】명〖광〗광물의 자연 부유도(自然浮游度)의 차를 이용하여 순차적으로 부유(浮游) 채취하는 부유 선광법의 하나.

우:선-성【右旋性】[—썽] 명〖물〗우회전성(右回轉性).

우선 순:위【優先順位】명 특별한 대우로, 딴 것에 앞서 매겨진 차례나 위치.

우선 외:화 제:도【優先外貨制度】명〖경〗외화 자금 특별 할당제(外貨資金特別割當制).

우선-적【優先的】명관 무엇보다도 우선인 모양.

우선-주【優先株】명〖경〗한 주식 회사에 수종(數種)의 주식이 있는 경우, 이익 배당(利益配當)·재산 분배(財產分配)에서 보통주(普通株)에 대하여, 특히 우선적인 지위가 인정되는 주식. 우리 나라에서는 위와 같은 재산적인 내용의 것만 인정하고, 의결권(議決權)의 우선주는 인정하지 않음. 회사를 설립할 때 발기인(發起人)의 주식을 우대(優待)하거나, 새로 주식을 발행할 때에 주식의 모집 수단(募集手段)으로 이를 발행함. ↔후배주(後配株).

우선-하다 형여불 ①앓던 병이 조금 나은 듯하다. ¶우선하니 살 것 같다. ②몰리거나 급박하던 형편이 한결 완화된 듯하다.

우선 회:사【郵船會社】명 우편선(郵便船)을 관리하는 회사.

우설[1]【牛舌】명 소의 혀.

우:-설[2]【雨雪】명 비와 눈.

우설[3]【愚說】명 ①어리석은 설(說). ②자기 설(說)의 겸칭.

우설-어【牛舌魚】명〖어〗서대기.

우설-채【牛舌菜】명〖식〗소리쟁이[2].

우:섭다 형〈방〉우습다(황해·경상·경기·강원·충남).

우성[1]【牛星】명〖천〗별의 이름. 28 수(宿)의 아홉째 자리.

우:성[2]【右姓】명 지체가 좋은 겨레. 우족(右族).

우:성[3]【羽聲】명〖악〗오음(五音)의 다섯째 소리.

우:성[4]【雨星】명 별이 비오듯 쏟아짐. ——-하다 자여불

우:성[5]【雨聲】명 빗소리.

우:성[6]【偶成】명 우연히 성립함. ——-하다 자여불

우:성[7]【偶性】명 ①독립할 수 없는 성질. ②〖철〗본질적(本質的)이 아닌 우연히 발생한 성질.

우성[8]【優性】명 [dominant]〖생〗형질(形質)이 서로 다른 두 품종을 교배(交配)하였을 때 나타나는 잡종(雜種) 제일대의 형질. 우성은 반드시 잡종 제1대에 나타남. 완두의 자색 꽃과 백색 꽃의 유전자가 공존하는 개체에 있어서는 자색의 형질만 나타남과 같은 것. 현성(顯性). ↔열성(劣性).

우성-기【牛星旗】명〖역〗의장기의 한 가지. 삼각 기폭에 우성 모양을 그렸음.

〈우성기〉

우성 유전【優性遺傳】[—뉴—] 명〖생〗유전하는 형태나 형질이 반드시 그 다음 대(代)에 나타나는 유전. 현성(顯性) 유전.

우성 유전자【優性遺傳子】[—뉴—] 명 [dominant gene]〖생〗유전자의 하나. 우성 형질(形質)을 나타내는 유전자. ↔열성 유전자.

우성의 법칙【優性—法則】[—/—에—] 명〖생〗1865 년 멘델에 의해 비로소 지적된 유전 형질 발현(遺傳形質發現)에 관한 법칙 중의 하나. 대립(對立)형질을 갖는 양친의 교배에 의하여 잡종(雜種) F_1에 나타나는 형질, 곧 우성(優性)과 나타나지 않는 형질, 곧 열성(劣性)이 있음을 제시한 법칙. 우열(優劣)의 법칙.

우성 인자【優性因子】명 [dominant factor]〖생〗하나의 유전 형질(遺傳形質)을 결정하는 두 종류의 유전 인자 중, 한쪽 인자를 억압하여 잠복(潛伏)시키는 인자. 곧, 붉고 흰 것의 잡종(雜種)이 모두 붉은 것이면 그 붉은 인자가 우성 인자임. ↔열성(劣性) 인자.

우-성(:)전【禹性傳】명〖사람〗조선 선조(宣祖) 때의 유학자. 남인(南人)의 수령. 자는 경선(景善), 호는 추연(秋淵). 단양(丹陽) 사람. 임진 왜란 때, 김천일(金千鎰)과 강화(江華)에서 적병을 막다가 병사하였음. 저서에 ≪계갑 일록(癸甲日錄)≫이 있음. [1542-93]

우:성 조건【偶成條件】[—껀] 명〖법〗성립(成立)의 여부(與否)가 당사자간(當事者間)의 의사에 있는 것이 아니고, 외계(外界)의 사정이나 제삼자의 의사에 따라 결정될 때의 조건. '내일 날씨가 개면 하자'의 '날씨가 개면' 같은 것.

우성 형질【優性形質】명〖생〗대립 형질을 지닌 양친의 교배(交配)에 있어서, 그 잡종 F_1에 나타나는 형질. 1865년 멘델에 의해 명명(命名)됨. ↔열성 형질(劣性形質).

우세[1] 명 남에게서 받는 비웃음. ——-하다 자여불 남에게 비웃음을 당하다.

우:세[2]【雨勢】명 비가 내리는 형세.

우세[3]【郵稅】명 전에 우편 요금을 일컫던 속칭.

우세[4]【憂世】명 세상 일을 근심함. ——-하다 자여불

우세[5]【優勢】명 형세가 남보다 나음. 또, 그러한 형세. ¶～를 견지하다. ↔열세(劣勢). ——-하다 형여불

우-세(:)남【虞世南】명〖사람〗중국 당(唐)나라 초기의 서예가(書藝家). 자는 백시(伯施). 글은 고야왕(顧野王)에게 배우고, 글씨를 중 지영(智永)에게 배움. 태종(太宗) 때 홍문관 학사(弘文館學士)를 지냈으며, 덕행(德行)·충직(忠直)·박학(博學)·문사(文詞)·서한(書翰)의 오절(五絕)이란 태종의 칭찬을 받음. 구양 순(歐陽詢)·저수량(褚遂良)과 함께 해서(楷書)의 완성자(完成者)로 알려짐. 저서에 ≪북당서초(北堂書鈔)≫가 있음. [558-638]

우세-도【牛洗島】명〖지〗전라 남도의 서해상(西海上), 신안군(新安郡) 비금면(飛禽面) 신원리(新元里)에 위치한 섬. [0.51 km²: 6 명(1984)]

우:-세마【右洗馬】명〖역〗조선 시대 세자 익위사(世子翊衛司)의 정구품 무관 벼슬. ↔좌세마(左洗馬).

우세-스럽다 형ㅂ불 ↗남우세스럽다. **우세-스레** 부

우세-승【優勢勝】명 유도(柔道)에서, 판정승(判定勝)의 하나. '절반'을 얻었거나 '경고(警告)'가 있었을 때, '절반'에 가까운 기술을 발휘하였거나 '주의'가 있었을 때, 경기 태도·기술의 효과·교졸(巧拙) 등을 비교하여 차이(差異)가 인정될 때 내려짐.

우세지-사【憂世之士】명 세상 일을 근심하는 사람.

우셋-거리 명 우세를 당할 만한 거리. ¶한다는 것이 밤낮 남의 ～다.

우소[1]【迂疎】명 세상 물정에 어둡고 민첩하지 못함. ——-하다 형여불

우:소[2]【寓所】명 우거하고 있는 곳.

우속[1]【牛贖】명〖역〗우금(牛禁)을 범한 자에게 물리던 벌금.

우:속[2]【羽屬】명 날짐승류(類). 우족(羽族). 우충(羽蟲). 우류(羽類).

우송【郵送】명 물건이나 편지 따위를 우편(郵便)으로 보냄. ¶～료(料). ——-하다 타여불

우송 금:제품【郵送禁制品】명 우편 업무에 종사하는 자 또는 다른 우편물에 대한 상해(傷害)·손해를 막기 위해 금지된 물건. 사람에게 위해(危害)를 줄 우려가 있는 동물 등이 지정되어 있음.

우송-료【郵送料】[—뇨] 명 ↗우송 요금.

우송 요:금【郵送料金】[—뇨—] 명 우편으로 편지나 물건을 보내는 데 드는 요금. 준우송료(郵送料).

우수[1] 명 ①일정한 수효 밖에 더 받는 물건. ②↗우수리[1].

우수[2]【牛首】명 소의 목.

우수[3]【牛髓】명 쇠뼈 속에 든 골.

우:수[4]【右手】명 오른손. ↔좌수(左手).

우수[5]【迂叟】명 세상 일에 어두운 늙은이. 또, 노인이 자기를 낮추어 하는 말.

우:수[6]【雨水】명 ①빗물. ②24절기의 하나. 입춘(立春)과 경칩(驚蟄) 사이에 있는 절기. 천문학적(天文學的)으로는 태양의 황경(黃經)이 330°인 때로, 양력 2월 19일경임.

우:수[7]【偶數】명 2·4·6·8 등과 같이 2로 나눌 수 있는 자연수(自然數). 짝수. ↔기수(奇數).

우수[8]【憂囚】명 시름에 잠겨 헤어나지 못함. 또, 수심(愁心)에 잠긴 사람. ——-하다 자여불

우수[9]【憂愁】명 근심. 우울과 수심. ¶～에 잠기다.

우수[10]【優秀】명 여럿 가운데 아주 뛰어남. ——-하다 형여불

우수[11]【優殊】명 특별히 뛰어남. ——-하다 형여불

우수[12]【優數】명 많은 수. 수가 많음. ——-하다 형여불

우:수군 절도사【右水軍節度使】[—또—] 명〖역〗조선 시대 때, 전라도 해남(海南)과 경상도 거제(巨濟)에 두었던 우수영(右水營)의 우두머리. 정삼품 벼슬. 우수사(右水使).

우수꽝-스럽다 [형][ㅂ불] ☞ 우스꽝스럽다.

우수리[1] [명] ①물건 값을 제하고 거슬러 받는 잔돈. 잔돈. ②일정한 수량이나 수에 차고 남은 것. 단수(端數). [준]우수.

우수리[2] 〔Ussuri〕 [명] 〖지〗 우수리 강 부근의 지역.

우수리 강【—江】〔Ussuri〕 [명] 〖지〗 중국 동북 지방과 러시아 연방의 프리모르스키와의 경계를 흐르는 강. 창바이 산맥(長白山脈)의 북쪽에서 발원(發源)하여 북으로 흘러 하바로프스크(Khabarovsk)에서 헤이룽 강(黑龍江)에 합류함. 강구(江口)에서 이만(Iman)까지 소형 기선이 항행하며 겨울에는 얼고 강에는 물고기가 많음. 중국어명 : 우쑤리 강(烏蘇里江). [907 km]

우수리-사슴 〔Ussuri〕 [명] 〖동〗 〔*Cervus nippon hortulorum*〕 사슴과에 속하는 동물. 여름에는 몸의 상면이 초콜릿색이고, 하면은 회백색이며, 겨울에는 상면이 또렷한 밤색으로 변함. 사철을 통하여 몸에 반점이 있고, 꼬리는 주로 백색인데 가운데 또는 끝이 흑색임. 시베리아·우수리·만주·북한에 분포함. 만주 사슴.

우수리스크 〔Ussuriisk〕 [명] 〖지〗 러시아 연방의 프리모르스키에 있는 도시. 교통의 요지. 기계 공업이 발달했고 식료품 콤비나트가 있음. [162,000 명 (1989)]

우수 마:발【牛溲馬勃】[명] 쇠오줌과 말똥이란 뜻으로, 가치 없는 말이나 글. 또, 품질이 나쁜 약재(藥材)를 이름.

우수-변【牛首邊】[명] 〖역〗 신라 삼변수당(三邊守幢)의 하나. 지금의 춘천(春川) 땅에 두었던 군대의 이름.

우수 불함【牛遂不陷】[명] 우답 불파(牛踏不破).

우:-수사【右水使】[명] 〖역〗 우수군 절도사(右水軍節度使).

우수 사려【憂愁思慮】[명] 근심 걱정과 염려. ——-하다 [자][여불]

우수-성【優秀性】[—썽] [명] 우수한 성품·성질.

우수수 [부] ①물건이 수북이 쏟아지는 모양. >오소소. ②가랑잎이 떨어져 흩어지는 모양. 또, 그 소리. ¶ 낙엽이 ~ 떨어지다. ③물건의 사개나 묶어 놓은 것이 저절로 물러나는 모양. ——-하다 [형][여불]

우:-수영【右水營】 [명] 〖역〗 ①조선 세조(世祖) 때, 전라도 해남(海南)에 두었던 전라도 우수군 절도사(右水軍節度使)의 군영. ②조선 선조(宣祖) 37년(1604) 이후에 경상도 거제(巨濟), 후에 고성(固城) 곧 지금의 충무(忠武)로 옮겨 둔, 우수군 절도사(右水軍節度使)의 군영. ↔좌수영(左水營). *수영(水營).

우:수 우:상 복엽【偶數羽狀複葉】[명] 〖식〗 맨 끝의 홑잎이 없이 짝수로 만 된 우상 복엽. 짝수 깃꼴겹잎. ↔기수(奇數) 우상 복엽.

우:-수정[1]【右水晶】[명] 우선성(右旋性)이 있는 수정.

우수-정[2]【牛首停】[명] 〖역〗 신라 육정(六停)의 하나. 지금의 춘천(春川) 땅에 둠. 진흥왕(眞興王) 17년(556)에 함경 남도 안변(安邊) 땅에 두었던 비열홀정(比列忽停)을 문무왕(文武王) 13년(673)에 파하고, 이곳에 옮겨서 베푼 것임.

우수주 계당【牛首州罽幢】 [명] 〖역〗 신라 시대의 군부. 한산주 계당(漢山州罽幢)과 더불어 이계당(二罽幢)의 하나.

우수주-서【牛首州誓】[명] 〖역〗 신라 오주서(五州誓)의 하나. 문무왕(文武王) 12년(672)에 지금의 춘천(春川) 땅에 두었던 군대의 이름.

우수-지【牛髓脂】[명] 쇠뼈의 골수로부터 빼낸 지방. 약용(藥用)·포마드 제조용으로 쓰임. *우골지(牛骨脂).

우수-하다 [형] 〈방〉 으스름하다(전북).

우순【虞舜】[명] 〖사람〗 중국 고대의 전설상의 천자인 순(舜)의 호(號)가 유우씨(有虞氏)인 데서 순을 일컫는 이름.

우:-순열【偶順列】 [명] 〖수〗 '짝순열'의 구용어.

우:순 풍조【雨順風調】[명] 바람 불고 비 오는 것이 때와 분량이 알맞음. 오풍 십우(五風十雨). ——-하다 [형][여불]

우술-우술 [부] 〈방〉 부슬부슬.

우숩강-스럽다 [형] 〈방〉 우스꽝스럽다.

우숩다 [형] 〈방〉 우습다(전라·황해·평안).

우:숫-물【雨水—】 [명] 우수 때 오는 많은 빗물.
우:숫물(이) 지다 [구] 우숫물로 큰물이 지다.

우슈 〔중 武術〕 [명] 중국 무술에서 유래된 경기 종목의 한 가지. 선수는 맨주먹이나 정해진 무기를 사용하는데, 정식 종목에서는, 혼자서 일정한 시간 동안에 벌이는 공격 또는 방어 동작의 정확성·민첩성·유연성·독창성 등의 우열을 가려 점수를 매김. 경기 종목에는 권술(拳術)인 장권(長拳)·남권(南拳)·태극권(太極拳)과, 무기를 사용하는 도술(刀術)·검술(劍術)·창술(槍術)·곤술(棍術) 등이 있음.

우스개 [명] 남을 웃기려고 하는 짓이나 말. ¶ ~로 얘기한 거요.

우스갯-말 [명] 우스갯소리.

우스갯-소리 [명] 남을 웃기기 위한 악의 없는 말.

우스갯-짓 [명] 우스개로 하는 짓.

우스꽝-스럽다 [형][ㅂ불] 〔←우습광스럽다〕 됨됨이가 우습게 생기다. 꼴이 우습다. 매우 가소롭다. 우스꽝-스레 [부]

우스웁다 [형] ☞ 우습다.

우스터 〔Worcester〕 [명] 〖지〗 ①영국 잉글랜드 서부, 헤리퍼드 우스터 주(Hereford and Worcester 州)의 주도(州都). 세번 강(Severn 江)에 임하고, 제도업(製陶業)이 성하며, 우스터 소스로 유명함. 11세기에 창건(創建)된 성당이 있음. [75,000명(1981)] ②미국 매사추세츠의 공업 도시. 면직물·기계·정밀 기계(精密機械)·인쇄 등의 공업이 성함. 클라크(Clark) 등 대학이 있음. [126,000명(1988)]

우스터 소:스 〔Worcester sauce〕 [명] 영국의 우스터 시(市) 원산(原産)의 소스. 토마토·양파·당근 따위의 야채에 수십 종의 향신료(香辛料)·조미료를 섞어 착색(着色)함.

우스티노프 〔Ustinov, Dmitri Fyodrovich〕 [명] 소련의 군인·정치가. 원수(元帥)·기술 상급 대장(技術上級大將). 로켓 병기 행정(兵器行政)의 권위자. 1927년에 공산당 입당, 1946년 병기상(兵器相), 1953년 군사산업상(軍事産業相), 1963년 제일 부수상 겸 경제 위원회 의장, 1976년 국방상이 됨. [1908-84]

우스티드 〔worsted〕 [명] 모직물(毛織物)의 일종. 긴 양털을 꼬아서 짠 것. 주로, 남자의 양복감으로 씀. 소모직물(梳毛織物).

우스파야타 고개 〔Uspallata〕 [명] 〖지〗 안데스 산맥 남부 아콩카과 산(Aconcagua 山) 남남서에 있는 아르헨티나와 칠레 국경에 있는 고개. 아르헨티나의 멘도사(Mendoza)와 칠레의 산티아고(Santiago) 사이를 연결하는 안데스 횡단 철도와 도로가 지남. [3,853 m]

우스펜스키 〔Uspenskii, Gleb Ivanovich〕 [명] 〖사람〗 러시아의 작가. 자본주의 발달기(發達期)의 러시아의 농촌·지방 도시(地方都市)의 생태(生態)를 기록 문학풍(記錄文學風)으로 그렸음. 대표작에 ≪대지(大地)의 힘≫이 있음. [1843-1902]

우스풀룬 〔도 Uspulun〕 [명] 〖농〗 종자 소독제(種子消毒劑)의 한 가지. 독일의 바이에르 회사가 창제(創製)한 것인데, 유기 수은 화합물(有機水銀化合物)을 주성분으로 한 가루로, 물에 잘 녹음. 온갖 작물의 종자로부터, 전염되는 병해를 막을 뿐더러 종자의 발아(發芽)·발근(發根)을 촉진시킴.

우슬[1]【牛蝨】[명] 〖충〗 진드기.

우슬[2]【牛膝】[명] 〖식〗 쇠무릎지기.

우슬-초【牛膝草】[명] 〔그 hyssop〕 〖성〗 옛 그리스 사람들이 불제 의식(祓除儀式) 때에 사용했다고 하는 식물. 곧, 카파리스 스피노자(*Capparis spinosa*)라고 하는 식물의 줄기를 묶어서 물을 묻혀 뿌림으로써 몸을 깨끗하게 한다고 함.

우슭 [명] 〈옛〉 〖동〗 담비. ¶ 우슭 학(貉) ≪字會 上 19≫.

우:습【雨濕】[명] 비 때문에 생긴 습기.

우습광-스럽다 [형][ㅂ불] →우스꽝스럽다.

우:습다 [형][ㅂ불] 〔중세 : 웃ᄫᅳ다. 근대 : 우습다〕 ①웃음이 나올 만하다. ②하찮다. 가소롭다. ¶ 제가 반장이라고? 참 ~.
우:습게 보다 [구] ㉠남을 업신여기다. 얕보다. ㉡간단한 것으로 알다. ¶ 우습게 보고 덤볐다가 혼이 나다.
우:습게 알다 [구] 대수롭지 않게 여기다.
우:습게 여기다 [구] ㉠대수롭지 않게 여기다. ㉡쉽게 알다.

우:-습유【右拾遺】[명] 〖역〗 ①고려 때 내사 문하성(內史門下省)의 낭사(郎舍) 벼슬. 종육품. 예종(睿宗) 11년(1116)에 우정언(右正言)으로 고침. ②조선 시대 초의 문하부(門下府)의 낭사 벼슬. 정육품. 태종(太宗) 원년(1401)에 문하부를 없애고 낭사가 사간원(司諫院)으로 독립하면서 우정언으로 고침.

우승[1]【牛蠅】[명] 〖충〗 쇠파리.

우:승[2]【右丞】[명] 〖역〗 ①고려 상서 도성(尙書都省)의 종삼품 벼슬. 상서 우승(尙書右丞). ②조선 시대 초의 삼사(三司) 종삼품 벼슬. 1)·2):↔좌승(左丞).

우승[3]【愚僧】[명] ①어리석은 중. ②중의 자신의 겸칭.

우승[4]【優勝】[명] ①가장 뛰어남. ②첫째로 이김. ¶ 월드컵 축구 대회에서 ~하다. ——-하다 [자][형][여불]

우승-기【優勝旗】[명] 경기(競技)에서 우승한 사람이나 단체에 주는 영예(榮譽)의 기.

우승-단【優勝團】[명] 우승한 단체.

우승 마:필【優勝馬匹】[명] 마술(馬術)이나 경마(競馬) 등에 우승한 말.

우승-배【優勝盃】[명] 우승한 사람이나 단체에 주는 영예(榮譽)의 상배(賞盃). 트로피(trophy). 우승컵(優勝cup).

우:-승선【右承宣】[명] 〖역〗 ①고려 중추원(中樞院)의 정삼품 벼슬. 왕명(王命)의 출납(出納)을 맡음. 충렬왕(忠烈王) 2년(1276)에 우승지(右承旨)로 고치고, 동 24년에 종육품으로 내렸다가 곧 다시 정삼품으로 올리고, 충선왕(忠宣王) 2년(1310)에 우대언(右代言)이라 고쳤는데, 그 뒤에도 여러 번 개변(改變)하였음. *우승지(右承旨). ②조선 고종(高宗) 31년(1894)에 승정원(承政院)을 고친 승선원(承宣院)의 한 벼슬. ↔좌(左)승선.

우승 열패【優勝劣敗】[—널—] [명] ①나은 자는 이기고 못한 자는 패함. 강한 자는 번성(繁盛)하고 약한 자는 쇠멸(衰滅)함. ②적자 생존(適者生存). ——-하다 [자][여불]

우-승유[1]【牛僧孺】[명] 〖사람〗 중국 당(唐)나라의 정치가. 자는 사암(思黯). 헌종(憲宗) 때 진사(進士). 823년 재상(宰相)이 되자마자 이종민(李宗閔)과 결탁하여 이덕유(李德裕)를 추방, 우이(牛李)의 당쟁을 전개함. [779-847]

우:-승유[2]【右僧維】[명] 〖역〗 고려 시대의 불교 통제 기구인 우가 승록사(右街僧錄司)에 소속된 최말단 승직(僧職). 우가 승유(右街僧維).

우승-자【優勝者】[명] 우승한 사람.

우:-승정【右僧正】[명] 〖역〗 고려 시대의 불교 통제 기구인 우가 승록사(右街僧錄司)에 소속된 승직(僧職). 우승유(右僧維)와 우부승록(右副僧錄)의 사이에 해당됨. 우가 승정(右街僧正).

우:-승지【右承旨】[명] 〖역〗 ①고려 밀직사(密直司)의 정삼품 벼슬. 왕명(王命)의 출납(出納)을 맡음. 충렬왕(忠烈王) 2년(1276)에 우승선(右承宣)의 고친 이름. 동 24년에 잠시 종육품으로 내려갔다가 곧 다시 회복함. *우승선(右承宣). ②조선 시대 초기, 중추원(中樞院)의 정삼품 벼슬. ③조선 시대 때 승정원(承政院)의 정삼품 벼슬. 태종(太宗) 원년(1401)에 우대언(右代言)으로 고치었다가 뒤에 다시 본이름으로 바꿈. 1)~3): ↔좌(左)승지.

우:-승직【右承直】[명] 〖역〗 고려 내시부(內侍府)의 종오품 벼슬. 공민왕(恭愍王) 때에 처음으로 둠. ↔좌(左)승직.

우승-컵【優勝一】〔cup〕명 우승배.
우:시[1]【雨矢】명 빗발같이 수없이 쏟아지는 화살.
우시[2]【憂時】명 시국(時局)의 언짢음을 근심함. ——-하다 자여불
우시[3]〔無錫〕명〖지〗중국 장쑤 성(江蘇省) 쑤저우(蘇州) 북서쪽에 있는 도시. 큰 운하(運河)가 있고 후닝 선(滬寧線) 연선에 있어 교통이 편리하며, 쌀·고치·생사 등의 집산지(集散地)임. 후이산 사(惠山寺)·타이후(太湖) 호 등의 명승지가 많음. 무석. [724,600명(1987)]
우:시[4]〔Ouchy〕명〖지〗스위스, 로잔(Lausanne) 근처의 도시. 레만(Leman) 호반 제일의 경승지. 로잔과 케이블카로 연결됨.
우:-시금【右侍禁】명〖역〗고려 액정국(掖庭局)의 남반(南班)의 정팔품 벼슬. ↔좌시금(左侍禁).
우시아〔그 ousia〕명〖철〗실체(實體) 또는 본체의 뜻.
우-시장【牛市場】명 소를 팔고 사는 곳.
우:-시중【右侍中】명〖역〗↗문하 우시중(門下右侍中). ↔좌시중(左侍中).
우:-시직【右侍直】명〖역〗조선 시대 세자 익위사(世子翊衛司)의 정팔품 무관 벼슬. ↔좌시직(左侍直).
우:시카우풍키〔Uusikaupunki〕명〖지〗'니스타드(Nystad)'의 영어명(英語名).
우:식[1]【寓食】명 남의 집에 밥을 붙여 먹음. ——-하다 자여불
우식[2]【愚息】명 자기 아들의 겸칭. 약식(弱息).
우식-악【憂息樂】명〖악〗신라 19대 눌지왕(訥祗王)이 지었다는 노래. 전왕(前王)인 실성왕(實聖王) 때 고구려와 왜국(倭國)에 인질로 간 두 아우 복호(卜好)와 미사흔(未斯欣)이 박제상(朴堤上)의 외교적 수완으로 돌아오자, 이 삼 형제가 다시 만나게 된 기쁨을 나누는 그 축하연에서 왕이 지어 부른 노래라 하나, 가사는 전하지 않음. ≪삼국 사기(三國史記)≫ 열전(列傳)에 그 기록이 전함.
우식-조【憂息調】명〖악〗조선 초기에 향악(鄕樂)에 사용된 악조(樂調)의 하나. 최자조(崔子調). 하림조(河臨調).
우신[1]【牛腎】명 소의 자지.
우신[2]【郵信】명 우편을 이용하는 편지.
우신[3]【愚身】명 자기의 몸 또는 자기의 겸칭.
우신[4]【愚臣】명 ①어리석은 신하. ②임금에 대한 자기의 겸칭.
우신[5]【憂身】명 근심·걱정이 많은 몸.
우:-신모전【右新謀典】명〖역〗신라 시대의 관청. 대사(大舍) 1 명과 사(史) 2 명을 두었음.
우신스키〔Ushinskii, Konstantin Dmitrievich〕명〖사람〗제정 러시아의 교육가. 법률 전문 학교·고아원·여학교 등의 교사를 하면서, 교육의 연구와 개조에 노력했음. 모국어(母國語) 교육을 중시하고, 교육에 있어서의 국민성의 원칙을 탐구함. 주저 ≪교육의 대상으로서의 인간≫. [1824-70]
우신 예찬【愚神禮讚】[—녜—] 명〔라 Encomium Moriae〕〖책〗에라스무스(Erasmus, D.)가 쓴 종교 비판서. 우매(愚昧)한 여신의 자기 예찬(自己禮讚)을 빌려서, 철학과 종교 등을 통렬(痛烈)히 풍자(諷刺)하고, 소박(素朴)한 신앙심의 부활(復活), 자연스럽고 자유로운 인간상(人間像)의 회복을 꾀한 것으로, 르네상스 정신의 선구가 되었음. 1511년 출판. 치우신(痴愚神) 예찬.
우:-신책군【右神策軍】명〖역〗고려 시대 12 군(軍)의 하나.
우심[1]【牛心】명 소의 심장.
우:심[2]【寓心】명 마음을 둠. ——-하다 자여불
우심[3]【憂心】명 걱정하는 마음. 「자여불
우심 경경【憂心京京】명 시름하는 마음이 떠나지 아니함. ——-하다
우:-심방【右心房】명〖생〗심장(心臟) 안의 오른쪽 윗부분. 상하(上下)의 대정맥(大靜脈)에서 오는 피를 받아 우심실(右心室)로 보내는 구실을 함. 오른쪽 염통방. ↔좌심방(左心房).
우:-심실【右心室】명〖생〗심장(心臟) 안의 오른쪽 아랫부분. 우심방(右心房)에서 오는 피를 깨끗이 하여 폐동맥(肺動脈)으로 보내는 구실을 함. 오른쪽 염통집. ↔좌심실(左心室).
우심 여취【憂心如醉】[—녀—] 명 시름하여 마음이 술에 취한 것처럼 흐리멍텅함. ——-하다 자여불
우심 열렬【憂心烈烈】명 몹시 마음에 시름함. ——-하다 자여불
우심 유유【憂心愈愈】명 시름하는 마음이 심함. ——-하다 형여불
우심 유:충【憂心有忡】명 시름하는 마음이 가슴에 가득함. ——-하다 형여불
우심 은은【憂心殷殷】명 마음에 시름을 품음. ——-하다 자여불
우심 참참【憂心慘慘】명 시름하는 마음이 비참함. ——-하다 형여불
우심 충충【憂心忡忡】명 시름을 안고 견뎌 함. ——-하다 자여불
우심-하다【尤甚一】형여불 더욱 심하다. ¶이 점에는 어미도 마찬가지였지만 아버지는 특히 우심하셨다.
우심-혈【牛心血】명 소의 심장의 피. 보혈 강장제(補血強壯劑)로 씀.
우심 흠흠【憂心欽欽】명 시름하는 마음이 끊이지 않음. 또, 시름하여 잊지 아니함. ——-하다 자여불
우십다 형〈방〉우습다(경남).
우싱〔吳興〕명〖지〗중국 저장 성(浙江省) 서북, 타이후(太湖) 호 남안의 도시. 닝항 공로(寧杭公路)를 끼고 있으며, 시내에 수로가 있어 수운(水運)·육운(陸運)이 편리함. 남서의 모간 산(莫干山)은 피서지임. 구명(舊名)은 호주(湖州). 오흥. [960,000명(1984)]
우썩 부 단번에 거침없이 자꾸 나아가거나 갑자기 늘어가거나 줄어가는 모양. >와싹². *부썩·우쩍·버썩.
우썩-우썩 부 단번에 거침없이 자꾸 나아가거나 자꾸 늘거나 줄어가는 모양. >와싹와싹². *부썩부썩·우쩍우쩍.
우쑤리 강【一江】〔烏蘇里〕명〖지〗우수리 강.
우쑹〔吳淞〕명〖지〗중국 장쑤 성(江蘇省) 남동부의 항구. 황푸 강(黃浦江) 하구에 있으며 상해(上海)의 외항(外港)으로 쑹후(淞滬) 철도의 기점이자 군사·교통의 요지임. 오송.
우쑹 강【一江】〔吳淞〕명〖지〗중국 화둥 지구(華東地區) 동부의 강. 장쑤 성(江蘇省) 남부의 타이후(太湖) 호에서 발원하여 황푸 강(黃浦江)으로 흘러 들어감. 오송강(吳淞江). [58.5km]
우쓰노미야〔宇都宮:うつのみや〕명〖지〗일본 도치기 현(栃木縣) 중부의 도시. 현청 소재지. 교통의 요지(要地)이며, 차량·항공기(航空機)·재봉틀·농기구(農機具)·제지(製紙)·염색 등의 공업이 성함. 우쓰노미야 성터·오오야(大谷) 마애불(磨崖佛) 등 사적이 유명함. 국립 대학이 있음. [426,000명(1990)]
우서늘 자〈옛〉웃거늘. '웃다'의 활용형. ¶舍利弗이 젼ᄎ 업시 우ᅀᅥ늘 ≪釋譜 Ⅵ:35≫.
우션ᄒᆞ다 형〈옛〉후련하다. 속이 뚫려 시원하다. =우연ᄒᆞ다·우현ᄒᆞ다·위연ᄒᆞ다. ¶부텨 우션ᄒᆞ시고 ≪月釋 Ⅶ:50≫.
우숨 명〈옛〉웃음. =우움. ¶그 머근 後에 우숨 우ᅀᅳ니나니라 ≪月釋 Ⅰ:43≫/우숨 쇼(笑) ≪字會 上 29≫.
우아: 감 ①뜻밖에 기쁜 일을 당할 때 내는 소리. ②말이나 소를 멈추게 하거나 조용히 있으라고 달랠 때 하는 소리. 준와. *우어.
우-아래 명〈방〉위아래(경상).
우아랫-마기 명〈방〉위아랫막이.
우아랫물 지다 자〈방〉위아랫물 지다.
우아-스럽다【優雅一】형ㅂ불 우아하게 보이다. 우아-스레【優雅一】부
우아-우아 감 연달아 우아하는 소리. 준와와. *우어우어.
우아즈 강【一江】〔Oise〕명〖지〗벨기에 남부의 아르덴 고원(Ardennes 高原)에서 발원하여, 프랑스 북부를 남서로 흘러 퐁투아즈(Pontoise) 남쪽에서 센 강(Seine江)에 합류하는 강. 프랑스 내륙 수운(內陸水運)의 중요 수로임. [302km]
우아-체【優雅體】명〖문〗청초체(淸楚體).
우아-하다【優雅一】형여불 점잖고 아담(雅淡)하다.
우악[1]【愚惡】명 ①무지하고 포악(暴惡)함. ②미련하고 불량(不良)함. ——-하다 형여불
우악[2]【優渥】명 은혜가 넓고 두터움. ——-하다 형여불
우악살-스럽다 형ㅂ불 매우 밉살스럽게 우악스럽다. 준왁살스럽다. 우악살-스레 부
우악-스럽다【愚惡一】형ㅂ불 우악(愚惡)하게 보이다. 우악한 태도가 있다. 우악-스레【愚惡一】부
우안[1]【牛眼】명 ①소의 눈. ②〖의〗유아(幼兒)에게 녹내장(綠內障)이 생겨서 눈에 압력이 높아짐으로써 안구가 확장하여, 커다랗게 된 눈.
우안[2]【愚案】명 ①어리석은 안건. ②자기 안(案)의 겸칭.
우안[3]【憂顔】명 근심하는 얼굴.
우:-안거【雨安居】명〖불교〗안거(安居).
우암【尤庵】명〖사람〗송시열(宋時烈)의 호(號).
우암보〔Huambo〕명〖지〗아프리카, 앙골라의 중부에 있는 도시. 해발 1,700m의 고원에 있으며, 수도의 예정지임. 주변에서 곡물·채소·과일 등이 재배되며 대서양안(大西洋岸)의 로비토(Lobito)와는 철도로 연결됨. 구칭 : 노바리스보아(Nova Lisboa) [62,000명(1970)]
우암-선【牛岩線】명〖지〗부산 직할시 부전(釜田)에서 우암(牛岩)에 이르는 철도. 1951년 8월 1일에 개통. [5.8km]
우암-집【尤庵集】명〖책〗〔우암은 송시열(宋時烈)의 호〕송시열의 유고(遺稿). 조선 숙종(肅宗) 43년(1717)에 교서관(校書館)에 의하여 간행된 것으로 부(賦)·시·소(疏) 등 19 종류의 문장이 실려 있음. 후에 ≪송자 대전(宋子大全)≫에 합수되었는데 모두 158 권 53책임.
우암 후:집【尤庵後集】명〖책〗송시열(宋時烈)의 유고 중 우암집(尤庵集)에 빠진 것을 모아 엮은 책. 40권 40책.
우앙 명〈방〉우영(경기·충북).
우애[1]【友愛】명 ①형제 사이의 정애(情愛). ②벗 사이의 정분(情分). 우의(友誼). ——-하다 타여불
우애[2]【愚騃】명 썩 못나고 어리석음. ——-하다 형여불
우애 결혼【友愛結婚】명〔companionate marriage〕미국의 린제이 판사(Lindsay 判事)에 의하여 주창된 새로운 결혼 양식. 곧, 두 사람의 이성(異性)이 서로의 우애를 기초로 하여, 결혼 생활에 들어가기 전에 피임(避妊)과 이혼(離婚)의 자유를 인정하면서 시험적으로 동서(同棲)하는 결혼. *시험 결혼. ——-하다 자여불
우애-롭다【友愛一】형ㅂ불 보기에 우애(友愛)가 있다. 우애-로이【友愛一】부
우애-심【友愛心】명 형제간에 서로 사랑하고 위하는 마음.
우애 조합【友愛組合】명〔friendly society〕17세기 후반 이후, 영국에서 직인적(職人的) 노동자들이 생활 불안에 대처하기 위하여 조직한 공제(共濟) 조합. 조합원의 기부에 의한 기금(基金)으로 조합원이나 그 가족의 각종 사고에 대하여, 지급하는 것이 기능이었음.
우애추 명〈방〉오얏(경상).
우:야[1]【雨夜】명 비 오는 밤.
우야[2] 부〈방〉일부러(평안).
우-양[1]【牛羊】명 소와 양.
우:양[2]【雨暘】명 청우(晴雨).
우:어[1]【偶語】명 두 사람이 마주 상대하여 이야기함. ——-하다 자여불
우어[2] 자〈옛〉웃어. '웃다'의 활용형. ¶비춘 달화 놀애 브르며 우움 우어(理棹謳笑) ≪重杜諺 Ⅰ:29≫.
우어[3] 감 마소보고 멈추라고 외치는 소리. 준워. *우아.

우어-우어 감 연달아 '우어' 하는 소리. ㉰워워. *우아우아.

우:어-청【偶語廳】명〖역〗사역원(司譯院)에 딸린 관아의 하나.

우언[1]【迂言】명 시세(時世)나 사정에 밝지 못한 말.

우:언[2]【寓言】명 다른 사물에 비겨 의견이나 교훈을 은연중에 나타내는 말. 우화(寓話).

우:언 소:설【寓言小說】명 우화(寓話) 소설.

우엉 명〖식〗[*Arctium edule*] 국화과에 속하는 이년초. 뿌리는 육질(肉質)이며 줄기는 높이 1.5m 가량임. 경엽(莖葉)은 호생하고, 근생엽은 총생(叢生)하며 대형이고 장병(長柄)이며, 약간 심장형임. 7월에 암자색 혹은 백색 관상화(管狀花)가 방상(房狀) 화서로 핌. 유럽 원산(原產)으로 각지에서 재배하는 귀화(歸化) 식물임. 뿌리와 어린 잎은 식용, 과실은 약용함. 우방(牛蒡).

〈우엉〉

우엉 조림 명 우엉을 길게 잘라서 온갖 양념을 발라 조린 음식.

우엘바 [Huelva] 명〖지〗스페인 서남부의 항구 도시. 오디엘 강(Odiel 江) 강구로부터 14km 상류에 있음. 부근에서 질이 좋은 철광(鐵鑛)을 산출함. [96,689명(1970)]

우여: 감 새 따위를 쫓는 소리.

우여 곡절【迂餘曲折】명 뒤얽힌 복잡한 사정. ¶그가 자살한 이면에는 ~이 많았다.

우여량【禹餘糧】명〖한의〗못이나 여울에서 나는 석종유(石鍾乳)의 한 가지. 모양은 거위 알과 비슷하고, 빛은 황갈색, 껍질은 단단하며 속은 비고 적갈색의 가루가 들어 있음. 맛은 달고 혹은 짜나 무해(無害)하며, 지혈약(止血藥) 또는 빈혈성 위황병(貧血性萎黃病)·이뇨제(利尿劑)로 씀.

우역[1]【牛疫】명 ①소의 전염병. 우질(牛疾). ②[rinderpest]〖의〗소·양·산양에 나는, 급성 접촉 감염성의 치명적인 바이러스성 질환. 발열과 장관 점막(腸管粘膜)에 궤양 발현이 특징임.

우:역[2]【雨域】명 비가 내리는 구역.

우역[3]【禹域】명 우(禹)나라가 치수(治水)한 지역이라는 뜻으로, 중국 영토를 말함. 우적(禹跡).

우역[4]【郵驛】명〖역〗역(驛)❷.

우연[1]【禺淵】명 해가 지는 곳. 우연(虞淵).

우연[2]【偶然】명 ①뜻밖에 저절로 되는 일. 우이(偶爾). ¶~의 일치/~히 만난 사람. ②[도 Zufall]〖철〗필연(必然)의 반대 개념(反對概念), 곧 필연적 법칙(必然的法則)에 포섭되지 않는 개념. 필연적 법칙의 종류에 따라 우연의 의의(意義)도 같지 아니하고, 또 필연적 법칙을 우리의 인식(認識)하는 법칙이라는 점에서 본다면, 우연성(偶然性)도 주관(主觀)의 인식에 상관(相關)됨을 면할 수 없으며, 결국 객관적 정도(客觀的程度)의 차이가 있는 것에 불과함. 우연성(偶然性). ↔필연(必然). ——-하다 형여불. ——-히 부

우연[3]【虞淵】명 ①해지는 곳. 우연(禺淵). ②해질녘. 황혼(黃昏).

우연-론【偶然論】[-논] 명〖철〗①[도 Kasualismus] 법칙적 인과 관계를 부인하고 세계의 생기(生起)·질서(秩序)·발전(發展)은 모두 우연에 지배된다는 학설. ②우연에 관한 논의(論議).

우연만-하다 형여불 ①그대로 쓸 만하다. ¶우연만하거든 그대로 입어라. ②그저 그만하다. ㉰웬만하다. **우연만-히** 부

우연 발생【偶然發生】[-쌩] 명〖생〗우연 발생설.

우연 발생설【偶然發生說】[-쌩-] 명〖생〗생물은 무생물계(無生物界)로부터 생물의 종자 없이 발생하였다는 설. 아리스토텔레스 이후 많은 학자들이 믿어 왔으나, 파스퇴르에 의하여 틀렸음이 완전히 증명되었음. 자연 발생설(自然發生說). 우연 발생.

우연 변:이【偶然變異】명〖생〗돌연 변이(突然變異).

우연 변:이설【偶然變異說】명〖생〗돌연 변이설(突然變異說).

우연-사【偶然死】명 수명(壽命)이 다해서 죽는 것이 아니고, 다치거나 병 등의 우연적인 원인으로 말미암은 죽음. ↔자연사(自然死).

우연-성【偶然性】[-썽] 명 ①사물(事物)의 우연(偶然)한 성질. ②〖논〗우연[2]❷.

우연성 음악【偶然性音樂】[-썽-] 명〖악〗음악을 세부(細部)까지 작곡자(作曲者)가 고정하는 것이 아니고, 어떤 한정된 범위에서 연주자(演奏者)에게 우연에 따른 선택의 여지를 부여한 음악. 18세기에도 이런 시도(試圖)가 있었으나, 2차 대전 후 미국 음악가 존 게이지(John Gage) 등을 중심으로 더욱 대담하게 진행, 현대 음악의 상투 수단(常套手段)의 하나가 되고 있음.

우연-스럽다【偶然-】형ㅂ불 보기에 우연하다. **우연-스레**【偶然-】부

우연의 허위【偶然-虛僞】[-/-에-] 명 [fallacy of accident]〖논〗자료적(資料的) 허위의 하나. 사물의 본질적 속성(本質的屬性)에 대해서만 말하여야 할 때와, 어떤 특수한 사실에 대해서만 말하여야 할 때를 혼동(混同)함으로써 생김. '운동은 건강에 유익함'에서 중병 환자(重病患者)에게도 이것을 적용한다든지(단순 우연의 허위), 또는 이것과 반대로 '전쟁에서 살인함은 가함'에서 일반적으로 '살인은 가함'(도역(倒逆) 우연의 허위)을 연역(演繹)하는 것 등.

우연적 진리【偶然的眞理】[-질-] 명〖철〗영원한 진리에 대하여 경험 사실(經驗事實)에 입각한 주관적 진리. 곧, 우연히 그와 같이 나타난 표상적 결합(表象的結合)인 사실 세계의 관계를 말함.

우연지-사【偶然之事】명 우연한 일. 우연히 일어난 일.

우연ᄒᆞ다 형〈옛〉후련하다. 가슴이 뚫리어 시원하다. =우연ᄒᆞ다·우현ᄒᆞ다. ¶아비 우연ᄒᆞ야 ᄒᆞ여곰 다시 녀막으로 도라가라 ᄒᆞ다(父愈令復歸廬)《東三綱 孝子圖》.

우열[1]【牛裂】명 옛날 중국에서 행하던 극형(極刑)의 하나. 죄인의 손과 발을 두 마리나 네 마리의 소에 매어, 소를 전후 좌우로 뛰게 하여 죄인을 찢어 죽이던 형벌.

우:열[2]【右列】명 오른쪽의 열. ↔좌열(左列).

우:열[3]【雨裂】명〖지〗빗물의 침식(浸蝕) 작용에 의해서 생기는 작은 골짜기 모양의 지형(地形). 식물이 별로 덮이지 않은 연약한 지질의 완경사(緩傾斜)의 땅. 예를 들면, 화산 사면(火山斜面)·황토(黃土) 지대·선상지(扇狀地) 같은 데에 특히 잘 발달함. 굴수구(掘水溝).

우:열[4]【偶列】명 짝수의 열(列).

우열[5]【愚劣】명 어리석고 못남. ——-하다 형여불

우열[6]【優劣】명 우수함과 열등함. 낫고 못함. 승렬(勝劣). 웅자(雄雌). 고하(高下). ¶~을 가리기 어렵다.

우열의 법칙【優劣-法則】[-/-에-] 명〖생〗우성(優性)의 법칙.

우:열-장【右列將】[-짱] 명〖역〗우열(右列)의 군사를 거느리는 장수. ↔좌열장(左列將).

우:영[1]【右營】명〖역〗조선 시대 때 친군영(親軍營)의 하나. 고종(高宗) 20년(1883)에 설치, 동 25년에 후영(後營)·해방영(海防營)과 합하여 통위영(統衛營)이 됨. ↔좌영(左營).

우:영[2]【偶詠】명 우음(偶吟). ——-하다 타여불

우오릿-장사 명〈방〉얼렁장사.

우:온-도【雨溫圖】명 기후도(氣候圖)의 한 가지. 가장 기본적(基本的)인 기후 요소인 기온(氣溫)과 우량(雨量)을 양축(兩軸)으로 하고 어떤 지점의 월별(月別) 평균 기온·평균 우량의 수치(數值)를 결들여 기입한 도면(圖面).

우:와【雨蛙】명〖동〗청개구리.

우:완[1]【右腕】명 오른팔. ↔좌완(左腕).

우완[2]【迂緩】명 느리고 더딤. 지체.

우완[3]【愚頑】명 어리석고 완고함. ——-하다 형여불

우왕[1] 명〈옛·방〉〖식〗우엉(강원). ¶우왕 방(蒡)《字會 上 14》.

우-왕[2]【禑王】명〖사람〗고려의 제32대 왕. 신돈(辛旽)의 시녀 반야(般若)의 소생. 공민왕이 신돈의 집에 미행(微行)하여 낳은 아들이라 함. 아명(兒名)은 모니노(牟尼奴). 공민왕이 죽은 후 열 살에 왕이 되었으나, 점차 장성하여짐에 따라 음탕한 생활을 하다가, 14년(1388)에 위화도(威化島)에서 회군(回軍)한 이성계(李成桂)에 의하여 폐위되어 강화(江華)로 이배(移配)되고, 그 이듬해 강릉(江陵)에서 공양왕(恭讓王)이 보낸 자객(刺客)에 의해 살해당하였음. [1364-89; 재위 1375-88]

우왕 마:왕【牛往馬往】명 말 갈 데 소 갈 데 다 다녔다는 뜻. *말.

우:왕 좌:왕【右往左往】명 바른쪽으로 갔다 왼쪽으로 갔다 하며 종잡지 못함. ¶~하는 대혼란(大混亂)/숲 속에서 길을 잃고 ~하다. ——-하다 자여불

우외【憂畏】명 근심하고 두려워함. 우구(憂懼). ——-하다 자여불

우:요【右繞】명〖불교〗부처를 중심(中心)으로 하여 오른쪽으로 도는 짓. ——-하다 타여불

우우[1]【迂愚】명 어리석고 우둔함. ——-하다 형여불

우우[2]【嵎嵎】명 산이 중첩(重疊)하고 높음. ——-하다 형여불

우우[3]【憂虞】명 근심하고 걱정함. ——-하다 자여불

우우[4]【踽踽】명 혼자 가는 모양. 외로운 모양.

우우[5]【優遇】명 후하게 대접함. 또, 그 대접. ——-하다 타여불

우:-우[6] 부 ①바람이 세차게 부는 소리. ②많은 것이 한꺼번에 한 곳으로 몰려 달려드는 모양. ——-하다 자여불

우:-우[7] 감 시시하거나 야비한 것을 야유하며 지르는 소리.

우:운【雨雲】명 비 머금은 구름. 비구름.

우울【憂鬱】명 ①기분(氣分)이 맑지 못함. 마음이 막히어 찌무룩함. 우결(憂結). ¶~한 기분. ②〖심〗걱정이나 가벼운 슬픔으로 반성(反省)없이 공상함. ——-하다 형여불. ——-히 부

우울-병【憂鬱病】[-뼝] 명〖의〗정신병(精神病)의 하나. 마음과 몸이 다 침울하여 무능감(無能感)·번민(煩悶)·염세(厭世)·자살 기도(自殺企圖) 등을 나타내는 증세(症勢). 우울증.

우울-성【憂鬱性】[-썽] 명 사소한 일도 지나치게 생각하여 필요 이상의 애를 쓰며, 사람을 믿지 않고, 생기(生氣) 없는 어두운 성질(性質). 우울질. 흑담즙질(黑膽汁質).

우울-증【憂鬱症】[-쯩] 명 ①근심이나 걱정이 있어서 명랑하지 못한 현상. ②우울병(憂鬱病). 히포콘드리(Hypochondrie). ¶~ 환자.

우울-질【憂鬱質】[-찔] 명 우울성.

우움 명〈옛〉웃음. =웃음·우음. ¶우우믈 머거셔 吳鉤를 보노라(含笑看吳鉤)《重杜諺 V:30》.

우:-웅위【右熊衛】명〖역〗발해의 중앙군(中央軍) 10위(衛) 중의 하나.

우워치 명〈심마니〉〖동〗소.

우원 사고【迂遠思考】명 사고 장애(障礙)의 한 가지. 점착성(粘着性)이고 꼼꼼한 기질(氣質)을 가진 사람이, 면밀(綿密)히 이야기하려고 하는 욕구(慾求)로 말미암아 중요한 줄거리에 쓸데없는 잔소리가 섞이어서, 지루한 느낌을 주는 비경제적인 사고.

우원-하다【迂遠-】형여불 ①길이 구불구불 돌아서 멀다. 오원(迂遠)하다. ②방법·태도 등이 우회적(迂廻的)이다.

우월[1] 명〈방〉〖식〗우엉.

우:월[2]【雨月】명 음력 5월의 별칭(別稱).

우월[3]【優越】명 다른 것보다 뛰어나게 나음. ¶그는 기술이 나보다 ~하다. ——-하다 형여불

우월-감【優越感】명 자기가 다른 사람보다 뛰어나다고 자처하는 느낌. ¶~을 갖다.

우월-권【優越權】[-꿘] 명〖법〗우선권(優先權).

우월 복합【優越複合】명 우월감.

우월-성【優越性】[—썽] 명 우월한 성질이나 특성. ¶민족의 ~을 실증하다.
우웡 명 〈방〉 우엉(전라·충청·강원·함남·황해·경기·경상).
우웡 명 〈옛〉 우엉. =우왕. ¶우웡불휘(牛蒡根)≪救簡 1:105≫.
우웨이 〔武威〕 명 〖지〗 중국 간쑤 성(甘肅省) 우웨이 현의 현청 소재지. 허시 후이랑(河西回廊) 지대 및 칭하이(靑海)의 양모(羊毛) 집산지이며, 감초·가죽·석탄·소금이 산출됨. 오호 십육국(五胡十六國) 시대에는 다섯 왕조(王朝)의 도읍지여서 사적(史蹟)이 많음. 무위. 옛이름 : 양주(涼州). [764,000 명(1982)]
우:위[1]【右衛】명 〖역〗 조선 시대 초 의흥 친군위(義興親軍衛)의 하나. 상장군(上將軍)과 대장군(大將軍)의 통솔 아래 다섯 영(領)의 군대가 있었는데, 태조(太祖) 원년(1392)에 베풀어서 동 4년에 충좌 시위사(忠佐侍衛司)라 고치고, 문종(文宗) 원년(1451)에 오위(五衛)를 두면서 폐하였음. ↔좌위(左衛).
우위[2]【優位】명 ①남보다 유리한 위치나 입장. ¶~에 서다. ②〔도 Primat〕〖철〗 상위(上位). 우월적(優越的) 지위. 칸트는 이론 이성(理論理性)에 대한 실천(實踐) 이성의 우위를 설명하였음.
우:-위수【右衛率】명 〖역〗 ①고려 춘방원(春坊院)의 정오품(正五品) 벼슬. 공양왕(恭讓王) 3년(1391)에 처음으로 두었는데, 무관(武官)으로 시킴. ②조선 시대 세자 익위사(世子翊衛司)의 종육품 벼슬. ↔좌위수(左衛率).
우위안 〔五原〕 명 〖지〗 중국 내몽고 자치구 서부의 도시. 황허 좌안, 허타오(河套) 지구의 북변(北邊) 근처에 위치하며 역대 북방 민족의 침입에 대한 방어 기지가 됨. 양모·농산물을 집산(集散)하는 곡창 지대의 중심지임. 오원. [약 30,000 명]
우유[1]【牛乳】명 암소의 젖. 지방·단백질·비타민·당분(糖分) 등을 함유하며, 음료(飮料)로 쓰임. 또, 버터·치즈·젖산(酸) 음료 등의 원료가 됨. 쇠젖. 소젖. 밀크(milk). 타락(駝酪).
우유[2]【牛油】명 쇠기름.
우유[3]【迂儒】명 세상 물정에 어두운 선비. 오유(迂儒).
우:유[4]【偶有】명 우연히 구비(具備)하여 있음. ——-하다 자여불
우유[5]【優柔】명 ①마음이 매우 부드러움. ②사물에 임하여 끊고 맺지 못함. ——-하다 형여불
우유[6]【優遊·優游】명 편안하고 한가롭게 지냄. ——-하다 자여불
우유 감:염병【牛乳感染病】[—뼝] 명 〖의〗 불완전한 소독이나 오염(汚染)된 중간 조작(中間操作)의 우유를 먹음으로써 감염하는 질병. 이질과 장티푸스가 그 일례임.
우유-계【牛乳計】명 우유의 순수함과 순수하지 아니함을 알기 위하여 그 비중(比重)을 재는 계기(計器).
우:-유덕【右諭德】명 〖역〗 고려 때 동궁(東宮)의 정사품 벼슬. 서자(庶子)의 다음. 문종(文宗) 22년(1068)에 정함. ↔좌유덕(左諭德).
우유 도일【優遊度日】명 하는 일 없이 한가롭게 세월을 보냄. ——-하다 자여불
우유 배:양기【牛乳培養基】명 〖생〗 우유를 양분으로 하는 세균 배양기.
우유-병【牛乳甁】[—뼝] 명 우유를 담는 병.
우유 부단【優柔不斷】명 어물어물하며 딱 잘라 결단(決斷)을 내리지 못함. ¶~한 성격. ——-하다 형여불
우유 불박【優遊不迫】명 침착하고 여유가 있음. ——-하다 형여불
우유-사【牛乳舍】명 우유를 짜 내는 우리.
우유 살균법【牛乳殺菌法】[—뻡] 명 우유 속의 우형(牛型) 결핵균 등의 병원균을 풍미(風味)나 영양가 등을 떨어뜨리지 않고 살균(殺菌)하는 법. 보전(保全) 살균 또는 저온(低溫) 살균법과 초고온(超高溫) 살균법 등이 있음.
우:-유선【右諭善】명 〖역〗 조선 시대, 세손 강서원(世孫講書院)의 당하(堂下) 삼품 내지 종이품까지의 문관 벼슬. ↔좌유선(左諭善).
우:유-성【偶有性】[—썽] 명 〖철〗 우유적 속성(偶有的屬性). ↔고유성(固有性).
우유 소독기【牛乳消毒器】명 우유를 소독하는 데 쓰이는 제구.
우유 자적【優遊自適】명 유유 자적(悠悠自適). ——-하다 자여불
우:유적 속성【偶有的屬性】명 〖철〗 어떤 사물을 생각할 때 그것이 없어도 지장이 없는 성질. 필연적 원인 없이 일어나는 성질. 예컨대, 인간 일반을 생각할 때, 그 피부의 빛깔·체구의 대소(大小) 같은 것. 우유성(偶有性). ↔본질적 속성(本質的屬性).
우유-주【牛乳酒】명 우유에 효모(酵母)를 작용(作用)시켜 발효(醱酵)시킨 일종의 술. 크림 같은 상태(狀態)를 나타내는 데 먹으면 상쾌하고도 신 맛이 있음.
우유-체【優柔體】명 〔feeble style〕 〖문〗 문체의 한 가지. 문장이 부드럽고 우아함이 그 특색임. ↔강건체(剛健體).
우육【牛肉】명 쇠고기.
우:-육사【右六司】명 〖역〗 발해 시대의 최고 국정 기관인 정당성(政堂省)에 속한 중앙 관부.
우:윤【右尹】명 〖역〗 ①고려 삼사(三司)의 종삼품 벼슬. ②조선 시대 한성부(漢城府)의 종이품 벼슬. ↔좌윤(左尹).
우율【芋栗】명 토란과 밤.
우윳-빛【牛乳—】 명 우유의 빛깔과 같은 흰빛. ¶ ~ 살결.
우은【優恩】명 임금의 두터운 은혜(恩惠).
우을낫다 구 〈옛〉 웃을 것이었구나. ¶진실로 들나곳 ᄒᆞ더면 밤이조차 우을낫다 ≪古時調≫.
우음[1] 명 〈옛〉 웃음. =우숨·우움. ¶우음 쇼(笑)≪類合 下 7≫.
우음[2]【牛飮】명 소처럼 마심. ——-하다 타여불
우:음[3]【羽音】명 새의 날개 치는 소리.
우:음[4]【偶吟】명 얼핏 떠오르는 생각을 시가(詩歌)로 읊음. 우영(偶詠). ——-하다 타여불
우음-도【牛音島】명 〖지〗 경기도의 서해상(西海上), 화성군(華城郡) 송산면(松山面) 고정리(古井里)에 위치한 섬. [0.42 km²: 96 명(1984)]
우음 마:식【牛飮馬食】명 마소처럼 술·음식 따위를 많이 먹고 많이 마심. ——-하다 자여불
우음바탕 명 〈옛〉 웃음거리. ¶우음바탕으로도 회 太振舞를 ᄒᆞ고져 ᄒᆞ오니 엇더ᄒᆞ올고 ≪新語 IX:1≫.
우:읍【雨泣】명 우루(雨淚). ——-하다 자여불
우읍다 형 〈옛〉 우습다. ¶淸江에 비듯ᄂᆞᆫ 소리 긔 무어시 우읍관ᄃᆡ≪古時調 孝宗≫.
우의[1]【牛衣】[—/—이] 명 ①덕석. ②남루한 의복.
우의[2]【友誼】[—/—이] 명 친구 사이의 정의(情義). 우정(友情). 우애(友愛). ¶~를 저버리다.
우의[3]【牛醫】[—/—이] 명 소의 병을 치료하는 의사. *수의(獸醫).
우:의[4]【羽衣】[—/—이] 명 선녀나 도사(道士)가 입는다는 옷으로, 새의 깃으로 만든 옷. 깃옷. 날개옷.
우:의[5]【羽儀】[—/—이] 명 ①새가 나는 날개의 모양. 특히, 황새의 나는 모양을 당당한 것으로 칭찬하여 이름. ②일세(一世)의 모범이 됨. 또, 그와 같이 훌륭한 사람. ③복장(服裝)을 갖추고 당당한 모습으로 조정(朝廷)에 출사(出仕)함.
우:의[6]【羽蟻】[—/—이] 명 〖동〗 교미기(交尾期)에 날개가 돋친 개미.
우:의[7]【雨衣】[—/—이] 명 비옷. *우비(雨備)·우장(雨裝).
우:의[8]【雨意】[—/—이] 명 우기(雨氣).
우:의[9]【寓意】[—/—이] 명 다른 사물(事物)에 빗대서 은연중 어떤 의미를 넌지시 비춤. ¶~극. ——-하다 자여불
우의[10]【愚意】[—/—이] 명 ①자기 의견의 겸칭. ②어리석은 의견.
우의[11]【優毅】[—/—이] 명 사람의 마음이 부드러우면서도 굳센 점이 있음. ——-하다 형여불
우의다 타 〈옛〉 움키다. =우희다. ¶써를 그쳐 骨髓내오 두 눈ᄌᆞᅀᆞᆯ 우의여 내니라 ≪釋譜 XI:21≫.
우:의 소:설【寓意小說】[—/—이—] 명 〖문〗 어떤 의견(意見)이나 교훈(敎訓)을 어느 이야기에 빗대서 쓴 소설.
우의-적【友誼的】[—/—이—] 명관 우의(友誼)가 있는 모양.
우:-의정【右議政】[—/—이—] 명 〖역〗 조선 시대 의정부의 정일품 벼슬. 단규(端揆). 우규(右揆). 우상(右相). 우정승(右政丞). 우태(右台). 우합(右閤). ↔좌의정(左議政).
우이[1] 명 〈방〉 ①〖식〗 오이(충청). ②위²(경기).
우이[2]【牛耳】명 ①쇠귀. ②일당·일파·한 단체의 우두머리. ¶~를 잡다. 우이(를) 잡다 구 ㉠간부(幹部)가 되다. ㉡동맹의 맹주(盟主)가 되다. 단체·당파 등의 수령이 되다.
우:이[3]【偶爾】명 우연(偶然)❶. ——-하다 형여불
우이[4]【嵎夷】명 해가 돋는 곳.
우이[5]【優異】명 대우를 특별히 함. 남과 다르게 대우함.
우이[6] 〔프 oui〕 감 긍정하는 말. 네.
우이[7] 부 〈옛〉 우습게. ¶부모 효양 념불 동참 불공 보시 우이 너겨 불연 못 민 사룸드라 ≪普勸 海印板 31≫.
우이다 타 〈옛〉 웃기다. ¶힘혀 낫지런들 남 우일번 ᄒᆞ여라 ≪古時調≫.
우이-도【牛耳島】명 〖지〗 전라 남도의 서해상(西海上), 신안군(新安郡) 도초면(都草面) 우이리(牛耳里)에 위치한 섬. [10.70 km²: 683 명(1984)]
우이 독경【牛耳讀經】명 '쇠귀에 경 읽기'와 같음. 우이 송경(誦經). ¶그에게 훈계하는 것은 ~이다.
우:이 득중【偶爾得中】명 사물(事物)이 우연(偶然)히 맞음. ㊟우중(偶中). ——-하다 자여불
우:-이방부【右理方府】명 〖역〗 신라 때 율령(律令)을 맡아 보던 관아. 문무왕(文武王) 7년(667)에 둠. ↔좌(左)이방부.
우이 산【—山】〔武夷〕 명 〖지〗 중국 푸젠 성(福建省)과 장시 성(江西省) 경계에 있는 산. 명승지가 많고 죽림(竹林)이 무성함. 주자(朱子) 강학(講學)의 문공 서원(文公書院)이 있음. 무이산. [1,300 m]
우이 송:경【牛耳誦經】명 우이 독경(讀經).
우이-자【虞夷子】명 〖사람〗 안정복(安鼎福)의 호(號).
우이 주취 〔武夷九曲〕 명 〖지〗 중국 푸젠 성(福建省)에 있는 우이 산(武夷山)의 아홉 구비의 계곡. 경치가 매우 좋음. 일찍이 송(宋)나라의 주희(朱熹)가 구곡가(九曲歌)를 지은 데서 나온 말. 무이 구곡.
우:익[1]【右翼】명 ①오른쪽 날개. ②〖군〗 오른편의 부대(部隊). 또, 그 병사. 대열(隊列)의 오른편. ③〖정〗 〔프랑스 국민 의회(國民議會)에서 보수파가 오른쪽에 자리 잡았던 데서 나온 말〕 보수적 당파·국수주의(國粹主義)·파시즘 등의 입장(立場). 우파(右派). ¶~ 정당. ④야구에서, 외야(外野)의 오른쪽. 우익수(右翼手)가 지키는 쪽. 라이트. 라이트 필드. ⑤축구에서, 공격하는 다섯 사람 중 맨 오른쪽의 선수. 라이트 윙. ⑥↗우익수(右翼手). 1)-6):↔좌익(左翼).
우:익[2]【羽翼】명 ①새의 날개. ②보좌(輔佐)하는 일. 또, 그 사람. ③〖식〗 식물(植物) 등의 기관(器官)의 좌우(左右)에 날개 모양으로 달린 부속물(附屬物)의 총칭.
우:익-군【右翼軍】명 〖군〗 오른쪽에 있는 부대(部隊). 또, 그 군사. ㊟우군(右軍). ↔좌익군(左翼軍).
우익 단체【右翼團體】명 보수적(保守的)·국수적(國粹的)인 정치 사상(思想)을 가지는 사람들의 모임.
우:-익선【右翊善】명 〖역〗 조선 시대 세손 강서원(世孫講書院)의 종사품 문관 벼슬. ↔좌익선(左翊善).
우:익-수【右翼手】명 야구에서, 외야(外野)의 오른쪽을 수비(守備)하는

선수. 라이트 필더. ㊥우익. ↔좌익수(左翼手).

우:-익위【右翊衛】명〖역〗조선 시대 세자 익위사(世子翊衛司)의 정오품 무관 벼슬. ↔좌익위(左翊衛).

우:익-장【右翼將】명〖군〗우익(右翼)의 군사를 통솔하는 장수(將帥). ↔좌익장(左翼將).

우:익-적【右翼的】명관 우익(右翼)의 성질인 모양. ↔좌익적(左翼的).

우:익 정당【右翼政黨】명 보수적(保守的)·국수적(國粹的) 요소를 지닌 정당. ↔좌익(左翼) 정당.

우:-익찬【右翊贊】명〖역〗조선 시대 세자 익위사(世子翊衛司)의 정육품 무관 벼슬. ↔좌익찬(左翊贊).

우인[1]【友人】명 벗[1].

우:인[2]【右人】명 오른쪽에 있는 사람. 우자(右者). ↔좌인(左人).

우:인[3]【偶人】명 인형(人形)❷.

우:인[4]【偶因】명 사물의 근본이 되는 원인이 아니고, 그 사물의 발생을 조성(助成)하는 원인. 기회 원인(機會原因).

우인[5]【愚人】명 어리석은 사람. 우물(愚物). 우자(愚者). 우부(愚夫).

우인[6]【虞人】명 ①경험(經驗)이 많고 숙달(熟達)한 사냥꾼. ②경기(競技) 같은 모임에서, 잡인(雜人)을 제어하기 위하여 지키는 사람.

우인[7]【優人】명 ①침착(沈着)하며 성질(性質)이 느긋한 사람. ②배우. 광대(廣大).

우:인-극【偶人劇】명〖연〗'인형극'의 이칭(異稱).

우:인-론【偶因論】[─논] 명〖철〗기회 원인론(機會原因論).

우:일[1]【偶日】명 짝수로 된 날.

우일[2]【優逸】명 편안함. 안일(安逸)함. ──-하다 형여불

우임 명〈옛〉웃김. 웃음 감. ¶몸이 죽으며 나라히 亡ㅎ야 天下에 우이미 되오니(身死國亡 爲天下笑)《內訓 Ⅱ:107》.

우-임금【禹─】명〖역〗중국 하(夏)나라의 시조 우(禹)를, 임금으로서 똑똑히 일컫는 이름. 참고 예전에는 '웃님금'으로 발음했음.

우임보다 자〈옛〉웃음거리 되다. ¶속졀업시 우임 보다(空喫見笑)《譯語 補 60》.

우읍다 형〈옛〉우습다. ¶長沙王 賈太傅는 혜건대 우읍고야《古時調》.

우:자[1]【右者】명 우인(右人).

우자[2]【芋子】명〖식〗토란(土卵).

우자[3]【愚者】명 어리석은 사람. 우인(愚人). 우물(愚物). 우부(愚夫).

우자[4]【愚姉】명 자기 누이의 겸칭.

우자[5]【耦刺】명 두 사람이 서로 맞찔러서 죽음. ──-하다 자여불

우자-스럽다【愚者─】형ㅂ불 어리석어서 신분에 걸맞지 않는 행동을 하고 있다. 우자-스레【愚者─】부

우:-자의【右諮議】[─/─이] 명〖역〗조선 시대 국초(國初) 때 삼사(三司)의 정사품(正四品) 벼슬. ↔좌자의(左諮議).

우자이 산【─山】[武宅] 명〖지〗중국 산둥 성(山東省) 서남쪽 자샹 현(嘉祥縣)에 있는 고적. 한(漢)나라 무반(武班)의 묘와 무량사(武梁祠)가 있으며, 그 묘전에 있는 석실(石室)은 유명함. 무택산.

우자 일득【愚者一得】[─뜩] 명 어리석은 사람이라도 여러 가지 일을 하거나 생각하는 가운데 때로는 옳은 것도 있다는 뜻.

우:작[1]【偶作】명 우연히 만듦. 또, 그 물건. ──-하다 타여불

우작[2]【愚作】명 ①보잘 것 없는 작품. ②자기 작품의 겸칭.

우장 [烏江] 명〖지〗①중국 구이저우 성(貴州省)에 있는 강. 야츠 강(鴨池河)·칭수이 강(淸水河)이 합류하여 양쯔 강(揚子江)으로 흘러 들어감. 상류에는 급류가 많은데 근래에는 수력 발전에 이용되고 있음. 첸장(黔江) 강. 오강. [약 1,100 km] ②중국 안후이 성(安徽省)에 있는 도시. 화현(和縣)의 북동에 위치하며 양쯔 강 연안에 있음. 항우(項羽)가 유방(劉邦)에게 패하여 자결한 곳임.

우장[2]【牛漿】명〖의〗소로 하여금 천연두를 앓게 한 후, 그 두창(痘瘡)에서 뽑아 낸 물. 면역성이 있어 천연두를 예방하는 데 씀. *우두[1].

우:장[3]【雨裝】명 비를 맞지 않도록 차림. 또, 그 복장(服裝). 쓰거나 받는 우산·도롱이·갈삿갓 등의 제구(諸具)도 일컬음. 우비(雨備). *우의(雨衣). ──-하다 자여불

우장[4]【愚狀】명 자기의 편지의 겸칭.

우장[5]【愚將】명 어리석은 장수. 우둔한 장수.

우:-장례【右掌禮】[─녜] 명〖역〗대한 제국 때 장례원(掌禮院)의 주임(奏任) 벼슬. 고종(高宗) 광무(光武) 원년(1897)에 장례(掌禮) 한 사람을 두 사람으로 늘린 중의 하나. ↔좌장례(左掌禮).

우:-장사【右長史】명〖역〗①조선 시대 국초(國初) 때 삼사(三司)의 정오품(正五品) 벼슬. ②조선 시대 때 세손 위종사(世孫衛從司)의 종육품 벼슬. 영조(英祖) 때 처음으로 둠. ↔좌(左)장사.

우:장-옷【雨裝─】명 비가 올 때 비를 맞지 않도록 입는 옷. 우의(雨衣). 비옷. 레인 코트.

우장위안 [五丈原] 명〖지〗중국 산시 성(陝西省) 관중도(關中道) 메이 현(郿縣)의 서남쪽, 친링 산맥(秦嶺山脈)의 북록(北麓)에 있는 고전장(古戰場). 촉한(蜀漢)의 건흥(建興) 12년에 제갈공명이 위장(魏將) 사마의(司馬懿)와 대치 중 병사(病死)한 곳임. 오장원.

우-장춘【禹長春】명〖사람〗농학자. 일본 도쿄(東京) 대학을 졸업하고 농학 박사 학위를 받음. 육종학(育種學)의 권위자로서, 기존(既存) 식물의 합성을 제시하여, 육종학의 획기적인 발전을 기하였음. 일본에서 연구 생활을 하다가 1950년 귀국하여, 한국 농업 연구소장·중앙 원예 기술원장·원예 시험장장 등을 역임함. 씨없는 수박의 개발로 유명함. [1898-1959]

우재【愚齋】명〖사람〗이이(李珥)의 호(號).

우저우 [梧州] 명〖지〗중국 광시(廣西) 장족(壯族) 자치구 동부의 도시. 시장(西江) 강 수운의 중심지이며 구이저우(貴州)·광시 남부의 물산의 집산지임. 동(同) 자치구(自治區) 동부의 교역(交易)의 중심으로 조선(造船)·견(絹)·면직물(綿織物)·화학 약품 등의 공업이 활발함. 창오(蒼梧). 오주(梧州). [257,000 명(1984)]

우저위 명〈심마니〉유삼(油衫).

우적[1]【牛籍】명 소에 관한 여러 가지 사항을 기록한 장부.

우:적[2]【雨滴】명 빗방울.

우적[3]【禹跡】명〖지〗중국 본토. 우역(禹域).

우적-가【遇賊歌】명〖문〗향가의 하나. 신라 원성왕(元聖王:785-798) 때 중 영재(永才)가 지은 10구체(句體)의 노래. 그가 남악(南岳)으로 은거(隱居)하려 가는 길에 도둑의 무리를 만나 옳은 노래로, 도둑들은 그의 꾸짖음에 느낀 바 있어 함께 입산하여 중이 되었다고 함. 《삼국 유사(三國遺事)》 권 5에 전함.

우적-우적 부 ①일을 무리로 급하게 하여 나가는 모양. ②깍두기나 김치 등을 힘있게 씹는 소리나 모양. 1)·2): >와작와작. ③단단하고 무거운 물건이 무너지거나 버그러지는 소리. 또, 그 모양. ④거리낌없이 나아가는 모양. 2)-4): >오작오작. ──-하다 형여불

우전[1]【于闐】명〖지〗중국 한(漢)나라 때의 서역(西域)의 한 나라. 지금의 신장 성(新疆省) 허톈(和闐)의 땅. 후한 때 반초(班超)의 토벌 후, 한때 한에 복귀(復歸)하였음. 불교가 융흥(隆興)하여 위(魏)·진(晉) 이래 중국에 중으로 건너오는 자가 많았음. 청조(淸朝)에 이르러 중국 본토의 일부가 되었음. 주민은 인도 유럽어계(系)의 특수 방언을 사용했는데, 아리아 인종의 한 분파임.

우:전[2]【雨前】명 비가 내리기 전. ↔우후(雨後).

우-전[3]【郵電】명 우편(郵便)과 전보(電報).

우전[4]【郵傳】명 우편으로 전함. ──-하다 타여불

우전[5]【隅廛】명 과물전(果物廛).

우:점【雨點】명 빗방울이 떨어진 자국.

우:점-문【雨點文】명 빗방울 떨어지는 형상과 같이 점선을 집합한 무늬. 선사 시대 토기에서 비롯되는 원시 문양의 하나임.

우점-종【優占種】명 [dominant species]〖생〗생물 군집(群集) 가운데서 우점(優占)하는 종류. 전체의 성격을 결정하며, 그것을 대표하는 종류로 군집의 분류에도 쓰임. 일반적으로, 생산량이나 현존량(現存量)은 그것이 속하는 군집 중에서 최대임. 그 땅의 환경 조건에 가장 잘 적응하고 있는 것으로 여겨짐.

우:접【寓接】명 우거(寓居)❶. ──-하다 자여불

우-접다 자타 ①무엇을 넘어서 뛰어나게 되다. 낫게 되다. ②선배를 이겨 내다.

우정[1]【友情】명 친구와의 정. 우의(友誼).

우-정[2]【禹鼎】명〖사람〗조선 인조(仁祖) 때의 학자. 호(號)는 갈계(葛溪). 단양(丹陽) 사람. 병자 호란(丙子胡亂) 때 양무(兩廡)의 위패(位牌)를 뒷산에 묻고, 오성(五聖) 십철(十哲)의 위패는 남한 산성(南漢山城)으로 옮겨 두고, 공주(公州)로 내려가 있던 중 처와 같이 호인(胡人)에게 잡히자 함께 자살하였음. [?-1637]

우정[3]【郵政】명 우편(郵便)에 관한 행정(行政).

우정[4] 부〈방〉일부러(경기·함경·황해).

우정 박물관【郵政博物館】명 서울 특별시 중구 충무로의 서울 중앙 우체국 신관 안에 있는 특수 박물관. 우편 제도를 도입한 우정 총국(郵政總局) 시절부터 현재까지의 우편의 변천 과정을 국민에게 알리기 위해 1985년에 설립함.

우정-사【郵程司】명〖역〗조선 말기 교통 및 체신 업무를 맡았던 관청. 고종(高宗) 19년(1882)에 설치된, 통리 교섭 통상 사무 아문 소속 4 사(司) 중의 하나.

우:-정승【右政丞】명〖역〗우의정(右議政)의 별칭. ↔좌(左)정승.

우:-정언【右正言】명〖역〗①고려 때 중서 문하성(中書門下省)의 종육품(從六品) 벼슬. 예종(睿宗) 11년(1116)에 우습유(右拾遺)의 고친 이름. ②조선 시대 때 사간원(司諫院)의 정육품 벼슬. ↔좌정언(左正言).

우정 연:구소【郵政硏究所】[─년─] 명〖법〗체신부 장관 소속의 연구 기관. 우정에 관한 조사·연구 및 개발업무를 담당함.

우정워정 부〈옛〉어정어정. ¶우정워정ㅎ며 歲月이 거의로다《古時調 鄭澈》.

우정 총:국【郵政總局】명〖역〗조선 시대 말에 체신 사무를 맡아 보던 관아. 고종(高宗) 21년(1884)에 설치하였다가, 얼마 아니하여 폐지함. *갑신 정변(甲申政變).

우:제[1]【雩祭】명 ↗무우제(舞雩祭).

우제[2]【愚弟】명 ①자기 동생의 겸칭. ②형(兄) 대접하는 사람에 대한 자기의 겸칭. 흔히, 편지에 씀.

우제[3]【虞祭】명 초우(初虞)·재우(再虞)·삼우(三虞)의 총칭.

우:제-류【偶蹄類】명〖동〗소목(目).

우제 점법【牛蹄占法】[─뻡] 명〖민〗부여 시대에 쇠발굽의 모양을 보고 국가의 중대사를 예견하던 점법. 전쟁이 일어나면 하늘에 제사 지내고 그 길흉(吉凶)을 판단하기 위해 소를 죽여 굽의 모양을 보았는데, 합치면 길하게 여겼고, 벌어지면 흉하게 여겼음.

우:조[1]【羽調】명〖악〗①전통 음악에서 사용된 악조(樂調)의 하나. ②판소리·산조에 쓰이는 조(調)의 하나.

우조[2]【佑助】명 도움. 보좌(輔佐). 보필(輔弼). ──-하다 타여불

우조[3]【優詔】명 은혜가 두터운 임금의 말씀.

우:조 가락 도드리【羽調─】명〖악〗양청(兩淸) 도드리의 변주곡(變奏曲). '천년 만세' 중 세번째 곡.

우:조 시조【羽調時調】명〖악〗시조 창(唱)의 한 가지. 가곡(歌曲)의 우조풍(羽調風)의 가락을 시조 본연의 계면조(界面調) 가락에 섞어 부르

는 시조.

우:조 지름 시조【羽調一時調】명〖악〗시조 창(唱)의 한 가지. 가곡(歌曲)의 우조풍(羽調風) 가락을 섞어 부르는 시조.

우:-조창【右漕倉】명〖역〗가산창(嘉山倉)의 딴이름. ↔ 좌조창(左漕倉).

우:조-타:령【羽調打令】명〖악〗계면조(界面調)의 타령에 대하여 평조선법(平調旋法)에 의해 연주되는 타령. 별우조타령(別羽調打令).

우조화 함:수【優調和函數】[—쑤] 명 [superharmonic function]〖수〗조화 함수(調和函數).

우:족[1]【右足】명 오른 발.

우:족[2]【右族】명 ①적자(嫡子)의 계통(系統). ↔ 좌족(左族). ②고귀(高貴)한 집안. 우성(右姓).

우:족[3]【羽族】명 조류(鳥類)의 총칭. 우충(羽蟲).

우졸【愚拙】명 어리석고 못남. ——하다 형여불

우:종【寓宗】명〖불교〗다른 종(宗)에 부속되어 있는 종지(宗旨). 법상종(法相宗)에 부속하는 구사종(俱舍宗), 삼론종(三論宗)에 부속하는 성실종(成實宗) 등.

우:-종사【右從史】명〖역〗조선 시대 세손 위종사(世孫衛從司)의 종칠품 무관 벼슬. ↔좌종사(左從史).

우:좌【偶坐】명 마주 앉음. 대좌(對坐). ——하다 자여불

우주[1]【牛酒】명 쇠고기와 술.

우:주[2]【宇宙】명 ①천지 사방(天地四方)과 고왕 금래(古往今來). ②세계(世界) 또는 천지간(天地間). 만물(萬物)을 포용하고 있는 공간(空間). 자연. 두우(斗宇). ③〖철〗질서(秩序) 있는 통일체(統一體)로서의 세계. ④[cosmos, universe]〖물〗그 가운데 물질(物質)과 복사(輻射)가 존재(存在)할 수 있는 전공간(全空間). ⑤〖천〗천체(天體)를 포함(包含)한 전공간. 유니버스(universe).

우주[3]【隅柱】명〖건〗건물의 귀퉁이에 세운 기둥. 귀기둥.

우주[4]【虞主】명〖역〗옛날, 궁중에서 우제(虞祭)를 지낼 때 쓰던 뽕나무 신주(神主).

우:주 가스【宇宙—】[gas] 명〖천〗성간 가스(星間 gas).

우:주 개발【宇宙開發】명 인류의 활동 범위를 우주 공간에 확대하는 작업. 달·화성·금성·행성간(行星間) 공간의 탐색, 인공위성에 의한 천체나 지구 또는 지구 주변 공간의 과학적 조사, 기상(氣象) 위성·통신 위성·군사 위성 등과 같은 인공위성의 실리적 이용, 우주 항행(航行)·우주선(宇宙船)의 설계·우주 통신·우주 의학 등 여러 기술의 개발을 그 내용으로 함.

우:주 개발 도상국【宇宙開發途上國】명 인공 위성(人工衛星)의 제작(製作)·발사(發射) 등의 면에서 선진국(先進國)인 미국·소련에 뒤진 여타(餘他)의 나라들.

우:주 개벽론【宇宙開闢論】[—논] 명〖철〗우주의 기원(起源) 발생을 신화적(神話的)·종교적(宗敎的)·형이상학적(形而上學的) 혹은 과학적으로 풀이한 학설. 세계 개벽론(世界開闢論). 우주 발생론(宇宙發生論). 우주 생성론(宇宙生成論).

우:주-견【宇宙犬】명 인공 위성(人工衛星)에 실려서 발사된 실험용(實驗用)의 개. 대기권(大氣圈) 밖에서 사람은 어떤 상태를 이루게 되는가를 실험하기 위해서 사람 대신 발사된 것인데, 이 밖에도 원숭이·거미 따위가 있음.

우:주 경:쟁【宇宙競爭】명 주로, 미국과 소련의 우주 개발을 위한 경쟁을 이르는 말.

우:주 공간【宇宙空間】명 [space] 우주의 공간. 항성(恒星) 또는 행성(行星) 사이의 공간. 보통, 항공기가 비행할 수 있는 한도보다 더 먼 공간, 즉 고도(高度) 30km 이상의 공간을 이름.

우:주 공간 평화 이:용 조약【宇宙空間平和利用條約】명 우주·천체의 탐사와 이용·활동에 관한 기본 원칙을 정한 국제 조약. 1967년 1월 28일 워싱턴·모스크바·런던에서 동시 조인, 동년 10월 10일에 발효됨. 우주는 모든 국가에 개방되며 어느 나라도 영유권을 주장할 수 없고, 달 기타의 천체는 평화 목적을 위해서만 이용되며 천체나 우주 공간에 있어서 군사 기지(基地) 설치 및 무기 실험을 금지하도록 규정하고 있음. 우주 조약. 우주 천체 조약.

우:주 공학【宇宙工學】명 [space technology] 우주 비행체를 설계(設計)·제작·발사·추적(追跡)·관제(管制)하는 기술 또는 그에 관한 학문. 우주 기술.

우:주 공해【宇宙公害】명 인공 위성(人工衛星) 등이 지구 인력(地球引力)에 의하여 지구상에 낙하할 때의 그 파편 또는 방사능 등으로 해를 끼치는 일.

우:주-관【宇宙觀】명 ①물리학·천문학의 입장에서 본 우주에 관한 관찰이나 견해. 천동설(天動說)·지동설(地動說)·은하계 대우주설 등. ②〖철〗세계관·인생관과 마찬가지로 세계에 있어서의 인간의 문제에 관한 관찰이나 견해.

우:주 기기【宇宙機器】명 우주 개발(開發)과 이용을 하는 데 필요한 로켓·인공 위성(人工衛星)·우주선(宇宙船) 및 탑재 기기(搭載機器) 등의 총칭.

우:주 기술【宇宙技術】명 우주 공학(工學).

우:주 기원론【宇宙起源論】[—논] 명〖철〗우주 진화론(宇宙進化論).

우:주 기지【宇宙基地】명 [spaceport] 인공 천체를 발사하는 기지. 로켓 발사대, 로켓 조립대(組立臺), 레이더(radar)나 광학(光學) 관측 장치, 발사된 천체와의 전기 통신 장치, 유도 계산(誘導計算) 센터 등의 시설을 요함.

우:-주다 타 장사판에서 이를 남겨 주다.

우:주 대:국【宇宙大國】명 우주 개발·이용 및 우주 산업의 면에서 다른 나라보다 훨씬 앞선 큰 나라. 미국과 러시아 등.

우주 두율【虞注杜律】명〖책〗원(元)나라 우집(虞集)이 두보(杜甫)의 율시(律詩)를 모아 주해한 책.

우:주 로켓【宇宙—】[rocket] 명 우주 공간으로 발진하는 로켓. 달로켓·금성(金星) 로켓 등.

우:주-론【宇宙論】명 [cosmology] 우주에 관한 이론. 우주의 기원과 발전에 관한 자연 철학적인 가설(假說)과 이론의 총칭. 17세기 이후에는 뉴튼 역학(力學)에 바탕을 둔 고찰(考察)이 행해졌다가 20세기에 들어와 아인슈타인의 상대성 이론(相對性理論)이 나오고부터는 우주 전체의 공간적 구조(構造)와 그 시간적 변화에 관한 물리학적(物理學的)인 이론이 전개됨. 그 대표적인 것이 상대론적 우주론임. 세계 형질론(世界形質論).

우:주론적 증명【宇宙論的證明】명〖철〗신(神)의 존재를 증명하는 방법의 한 가지. 자연(自然)이 존재하는 이상 그의 창조자(創造者)가 있지 아니하면 아니된다는 생각에 바탕을 두고 자연계(自然界)의 인과(因果) 관계를 따라서, 제일 원인(原因)이 되는 신의 존재를 증명하려는 일.

우:주 무:기【宇宙武器】명 우주 병기(兵器).

우:주 물리학【宇宙物理學】명 천체(天體) 물리학.

우:주 발생론【宇宙發生論】[—쌩논] 명〖철〗우주 개벽론(開闢論).

우주 배:경 복사【宇宙背景輻射】명 백그라운드 음악처럼 우주 공간에 차 있는 전자기파. 마이크로파(波)라는 전파의 일종으로 어느 방향에서나 옴. 1965 년에 발견되었으며, 일찍이 고온이었던 세계가 고속으로 멀어져 가면서 발한 빛임. 100 억-200 억 년 전, 우주의 시초에 대폭발이 있었다는 빅뱅 이론에서는 갓 태어난 우주는 고온·고밀도였었는데, 이로써 그 흔적의 복사를 포착한 것이 되어 이론의 유력한 증거로 일컬어짐. 이 복사 탐사는 우주 탄생의 비밀을 여는 열쇠도 되는데, 미국은 1989년 우주 배경 복사 탐사 위성(COBE)을 발사했음.

우:주 버스【宇宙—】[bus] 명 우주 왕복선(往復船).

우:주-법【宇宙法】[—뻡] 명 우주 공간과 천체 및 그 곳에서의 인간 활동을 대상으로 하는 법규범(法規範). 1967년 10월 10일에 발효된 '우주 공간 평화 이용 조약' 등.

우:주-병【宇宙病】[—뼝] 명 [space sickness] 우주 비행의 무중력(無重力) 상태에 의해서 우주 비행사가 걸리는 일종의 멀미 증상.

우:주 병기【宇宙兵器】명 [space weapon] 인공 위성(衛星) 또는 우주 비행기에 폭탄을 싣고, 아무 때나 적지(敵地)에 떨어뜨리는 것을 주로 하여, 이것을 요격(邀擊)하거나, 적을 경계(警戒)·정찰(偵察)하거나, 사진 촬영(撮影) 등을 하는 병기의 총칭. 미국과 소련의 군사 위성(軍事衛星)은 이 범주에 듦. 우주 무기(武器).

우:주-복【宇宙服】명 [space suit] 인간이 입고 우주 공간 또는 월면(月面)에서 작업할 수 있도록 만든 옷. 옷 속에 신선한 공기 또는 산소를 항시 공급하고, 습도·온도를 일정하게 유지하여 방사선을 막는 일 외에 운동성이 좋고 진공(眞空) 속에서도 내압(內壓)에 견딜 수 있도록 만들었음.

우:주 비행【宇宙飛行】명 [space flight] 로켓과 우주선 등이 우주 공간에서 비행하는 일.

우:주 비행사【宇宙飛行士】명 [astronaut] 우주 비행을 하기 위하여 특별히 훈련된 비행사. 심리적·생리적 적성(適性)이 특히 필요하며, 무중력 상태와 중력(重力)의 몇 배나 되는 가속도에 견디는 등의 훈련을 받음. 최초의 우주 비행사는 1961년 4월 12일, 보스토크 1호를 타고 지구를 일주(一周)한 소련의 가가린(Gagarin, Y.) 소령임.

우:주 산:업【宇宙產業】명 우주 기기(宇宙機器)와 우주 개발 이용에 필요한 소프트 웨어 등을 개발·생산하는 산업(產業).

우:주 산:책【宇宙散策】명 우주 유영(遊泳).

우:주 생물학【宇宙生物學】명 [astrobiology] 지구(地球) 이외의 천체(天體)에 있는 것으로 생각되는 생물에 관한 연구.

우:주 생성론【宇宙生成論】[—논] 명〖천〗우주 개벽론(開闢論).

우:주-선[1]【宇宙船】명 [space ship] 우주 공간 항행을 위한 비행체. 우주 공간을 바다로 간주하여 배라고 하는데, 선내(船內)에는 탑승원의 생활에 필요한 여러 장치가 완비되어 있음.

우:주-선[2]【宇宙線】명 [cosmic rays]〖물〗우주에서 지구로 날아 오는 매우 높은 에너지의 입자선(粒子線)의 총칭. 우주에서 직접 날아 오는, 주로 양성자(陽性子) 및 중간자(中間子)를 1차 우주선, 그리고 대기 안에 있는 분자(分子)와 충돌하여 이차적으로 생긴 음전자(陰電子) 및 양전자(陽電子)를 2차 우주선이라 함.

우:주선 건판【宇宙線乾板】명 원자핵 건판(乾板).

우:주선 망:원경【宇宙線望遠鏡】명 [cosmic ray telescope] 우주선의 발생원(發生源)을 알아 내기 위한 관측 기계. 상하 좌우로 회전(回轉)하는 경체(鏡體) 위에 많은 가이거 계수관(Geiger 計數管)이 장치(裝置)되어 있음.

우:주선 샤워【宇宙線—】명 [cosmic ray shower] 우주선(宇宙線)이 대기(大氣) 중의 원자핵(原子核)에 부딪쳐 분열 과정(分裂過程)을 되풀이하면서, 많은 소립자(素粒子)를 방사상(放射狀)으로 발생하는 현상. 광자(光子)를 수반할 때와 수반하지 않을 때가 있음.

우:주선 추적【宇宙船追跡】명 [spacecraft tracking] 무선 통신이나 광학적(光學的) 방법에 의하여 우주선(宇宙船)의 위치(位置)와 속도(速度)를 측정하는 일.

우:주선 탐사 추적 시스템【宇宙船探査追跡—】명 [space detection and tracking system; SPADATS]〖공〗중앙 지령 시설(中央指令施設)에, 그 궤도 특성(軌道特性)을 보고할 수 있는 시스템. 지상으로부터 우주선을 탐지(探知)·추적할 수 있음.

우:주 속도【宇宙速度】명 지구에서 발진(發進)한 우주 비행체가 지구나 다른 천체의 인력(引力)을 역행(逆行)하여 우주 공간으로 탈출하는

데 필요한 속도. 지구의 인공 위성이 필요한 속도, 곧 초속 7.9 km를 제1 우주 속도, 태양의 둘레를 궤도로 하는 인공 행성이 필요한 속도, 곧 초속 11.2 km를 제2 우주 속도, 태양계에서 탈출하는 데 필요한 속도, 곧 초속 16.7 km를 제3 우주 속도라 함.

우주송 삼금【牛酒松三禁】명 소 잡기·술 빚기·소나무 베기의 세 가지를 금지하는 일.

우:주 스테이션【宇宙—】명〔space station〕행성간(行星間) 비행의 중계 기지로서 고안된 대형의 인공 위성. 미국에서는 아폴로 계획 후, 행성(行星) 비행 준비나 유인 궤도(有人軌道) 실험실로서 계획함. 우주 정류장(停留場).

우:주-식【宇宙食】명 우주 공간(宇宙空間)을 나는 비행사가 휴대하는 특수 식품. 대부분 탈수(脫水) 가공하여 포장한 것이거나 튜브에 든 유동식(流動食)임.

우:주 식민지【宇宙植民地】명〔space colonies〕지구(地球)로부터의 이주처(移住處)로 구상(構想)되고 있는, 지구를 도는 궤도 상의 거대(巨大)한 우주 스테이션. 규모(規模)에 따라서 1만 명에서 수백만 명이 살 수 있을 것이라고 함.

우:주 여행【宇宙旅行】명 달 또는 다른 행성(行星)으로의 여행. **——-하다** 자여불

우:주 연:구【宇宙研究】명〔space research〕지구(地球)의 대기권(大氣圈) 밖의 환경에 관한 연구.

우:주 왕:복선【宇宙往復船】명 미국이 개발한 반복 사용이 가능한 유인(有人) 우주선. 우주 버스.

우:주-운【宇宙雲】명 은하면(銀河面)을 따라서 볼 수 있는 희박한 가스상(gas狀)의 성간(星間) 물질. 수소·칼슘·나트륨 등 여러 가지 물질로 이루어짐. 성간운(星間雲).

우:주 위성【宇宙衛星】명〔space satellite〕지구(地球) 주위의 궤도(軌道)를 도는 무인(無人) 또는 유인(有人)의 비행체.

우:주 유도【宇宙誘導】명〔space guidance〕지구(地球)로부터 궤도(軌道)에로의 상승(上昇)·항행(航行)이나 유도(誘導)를 위해 필요한 우주 공간에서의 조작, 지구 또는 달 표면으로의 강하(降下) 등 세 단계로 된 유도 조작.

우:주 유영【宇宙遊泳】명〔space walk〕우주 비행사가 우주선 밖의 우주 공간에 나와 행동하는 일. 우주 산책. *무중력(無重力) 상태.

우:주 의학【宇宙醫學】명〔space medicine〕우주 비행과 더불어 인체에 생기는 갖가지 의학상의 문제를 연구하는 학문. 지상과는 전혀 다른 환경에 처하여 인체의 기능·조직·심리가 어떠한 영향을 받는지를 살피며, 또 그 대책을 연구하는 것 등이 주요 과제임.

우:주-인【宇宙人】명 ①〔extra-terrestrial〕지구 이외의 다른 행성(行星)에서 살고 있을지도 모를, 지능이 높은 생물의 일컬음. ↔지구인(地球人). ②〔astronaut〕우주 비행사.

우:주 인력【宇宙引力】〔—일—〕명〖물〗만유 인력(萬有引力).

우:주인에의 편:지【宇宙人—便紙】〔—/—에에—〕명 1972년 3월에 발사된 미국의 목성(木星) 탐사기 파이어니어 10호에 실린 편지. 편지의 내용은 파이어니어 10호의 발사 시기, 지구의 남녀 모습과 크기, 태양계 가운데의 지구 위치 등인데, 엽서 크기의 알루미늄판(板)에 조각됨. 다른 행성계에서 살는지도 모를 지능이 높은 생물이 이 파이어니어 10호를 발견하였을 때를 상정하여 이에 대비하기 위한 것임.

우:주 잡음【宇宙雜音】명〔cosmic noise〕우주 공간에서 밀려 오는 잡음 전파. 우주 전파.

우:주 재료 실험【宇宙材料實驗】명 로켓·인공 위성(衛星)·우주선(宇宙船) 안의 무중력(無重力) 상태를 이용하여, 지상(地上)에서 얻을 수 없는 균일(均一)한 조직의 합금(合金)이나 반도체(半導體)를 제조하는 실험.

우:주 전:파【宇宙電波】명 우주 잡음(雜音).

우:주 정류장【宇宙停留場】〔—뉴—〕명 우주 스테이션.

우:주 정복【宇宙征服】명 과학의 힘을 빌어 우주를 인류의 복리를 위한 활동의 장소로 만드는 일. *공중(空中) 정복.

우:주 정신【宇宙精神】명〖철〗세계 정신(世界精神).

우:주-제【宇宙製】명 우주의 무중력(無重力) 상태 아래에서 만든 제품. 순도(純度) 높은 재료·정밀 기계 등.

우:주 조약【宇宙條約】명 우주 공간 평화 이용 조약.

우:주 중계【宇宙中繼】명 통신 위성을 통한 중계 방송을 이름.

우:주-진【宇宙塵】명〖물〗우주 공간에 존재하는 미립자(微粒子) 모양의 물질. 별의 빛을 흡수·편광(偏光)하거나 적외선을 방사(放射)하는데, 이로 인해 관측됨. 지구로 낙하할 때 공기와 마찰하여 불을 내는 것을 유성(流星)이라 함.

우:주 진:화론【宇宙進化論】명〔cosmogony〕〖철〗우주가 어떻게 진화하여 왔나, 또 장차 어떻게 진화할 것인가를 고찰하려는 천문학의 한 부문. 우주 기원론(宇宙起原論).

우:주 채:원【宇宙菜園】명〔space farm〕장기(長期) 우주 비행 때에 우주선(宇宙船) 안에서 채소류를 자급 자족(自給自足)하기 위한 재배 시험(栽培試驗).

우:주 천문대【宇宙天文臺】명 망원경 등의 천문용 기계를 장치하고 자외선의 선원(線源)을 탐사하기 위한 유인 궤도(有人軌道) 스테이션의 하나.

우:주 천체 조약【宇宙天體條約】명 우주 공간 평화 이용 조약.

우:주 철학【宇宙哲學】명〖철〗우주 전체의 공간적 구조(構造)나 그 시간적 변화에 관한 자연 철학.

우:주-총【宇宙銃】명 우주 유영용(遊泳用) 가스 분사식(噴射式) 추진 장치(推進裝置)의 속칭. 미국의 화이트(White) 소령이 1965년 6월에 처음으로 사용함.

우:주 캡슐【宇宙—】명〔space capsule〕우주 공간을 비행하는 인간 등의 생물이 일정 기간 생활할 수 있도록 환경 조건을 갖춘 비행체의 기밀실(氣密室).

우:주 탐사【宇宙探査】명〔space reconnaissance〕우주선(宇宙船)이나 인공 위성(人工衛星)으로부터의 행성(行星) 표면 탐사.

우:주 탐측기【宇宙探測機】명〔space probe〕각종 계기(計器)를 싣고 달이나 다른 행성(行星) 또는 우주 공간으로 날기 위해 특별히 설계된 비행체(飛行體). 로켓 발진식(發進式)이며, 지구 궤도를 도는 인공 위성과 구별됨.

우:주 통신【宇宙通信】명〔space communication〕우주 공간을 이용한 무선 통신. 넓은 뜻으로는 인공 위성·우주선·지상 상호 간의 통신을 포함하나, 일반적으로 위성 통신을 가리킴.

우:주 팽창설【宇宙膨脹說】명 우주는 팽창하고 있다는 설. 은하계(銀河系) 밖의 성운(星雲)은 일백만 광년(光年)마다 일초간 20-30 km의 속도로 은하계에서 멀어져 가고 있다는 관측 사실에 바탕을 두고 르메트르(Lemaitre, G.E.) 등이 주장함.

우:주-학【宇宙學】명 우주의 원리(原理)를 연구하는 학문.

우:주 항:공 생물학【宇宙航空生物學】명〔biostronautics〕우주 항공학에 관한 생물학상 및 의학 상의 문제에 관한 연구.

우:주 항:공학【宇宙航空學】명 우주 공간의 비행을 연구하는 과학. 새로운 학문 분야임.

우:주 항:법【宇宙航法】〔—뻡〕명 유인(有人) 우주 비행에 필요한 기술 체계의 총칭. 항해나 항공의 항법과 근본적으로 다르기 때문에 우주선의 자세 제어(制御), 로켓 분사의 제어, 지상 기지와의 통신, 지상의 추적망 따위가 필요함.

우:주 항:행학【宇宙航行學】명 항주학(航宙學).

우:주 화학【宇宙化學】명〔cosmochemistry〕우주에 있어서의 원소(元素)의 분포(分布) 또는 그 생성(生成)·소멸(消滅)의 과정 등을 연구하는 학문.

우:주 환경【宇宙環境】명〔space environment〕우주 공간에서 공간 비상체(空間飛翔體)나 생물(生物)이 조우(遭遇)하는 환경. 대기(大氣)가 없는 것이 특징임.

우죽[1] 명 나무나 대의 우두머리 가지.

우죽[2]【牛粥】명 쇠죽.

우죽-거리다 자 공연히 무슨 일이나 있는 것처럼 몸짓을 하면서 바쁘게 걷다. 우죽-우죽 부. **——-하다** 자여불

우죽-대다 자 우죽거리다.

우죽-불 명 쇠죽을 끓이는 불.

우준【愚蠢】명 어리석고 재빠르지 못함. ¶참 무식한 자의 ~한 말이로다 / 사람마다 ~하고 무식하도다《구약 예레미야 X : 14》. **——-하다** 형여불

우줄-거리다 자타 몸이 큰 사람이나 짐승이 온 몸을 율동적(律動的)으로 멋있게 자꾸 움직이다. ¶합수진 한 줄기 물은 게서부터 고개를 서남으로 돌려 공주를 끼고 계룡산을 바라 보면서 우줄거리고 부여로…《蔡萬植 : 濁流》. ㅆ우쭐거리다. >오졸거리다. **우줄-우줄** 부. ¶반가운 듯 ~ 걸어 오던 사슴은 때아닌 말발굽 소리에 깜짝 놀라 몸을 피해 달아난다《朴鍾和 : 錦衫의 피》. **——-하다** 자타여불. ¶어둠속을 트며 솟아나는 햇빛과 같은 선명한 반가움이 전신을 우줄우줄하게 만들었다《洪性裕 : 사랑과 죽음의 세월》.

우줄-대다 자타 우줄거리다. 「**——-하다** 자여불

우줅-거리다〔—죽—〕자 어기적거리며 걷다. 우줅-우줅〔—죽—죽〕부.

우줅-대다〔—죽—〕자 우줅거리다.

우줅이다〔—줄기—〕타 말려도 듣지 아니하고 억지로 행하다.

우:중[1]【雨中】명 비가 오는 가운데. 빗속. ¶~에 어떻게 돌아가려느냐.

우중[2]【禺中】명 사시(巳時). 곧, 오전 10시쯤.

우:중[3]【偶中】명 ↗우이 득중(偶爾得中). 우합(偶合). **——-하다** 자여불

우:-중간【右中間】명 정면과 오른쪽의 가운데가 되는 쪽.

우-중문【于仲文】명〖사람〗중국 수(隋)나라의 장군. 주(周)나라의 하남도 행군 총관(河南道行軍摠管)으로서 하남 지방의 반란을 진압하고, 수나라의 좌익위 대장군(左翊衛大將軍)이 됨. 양제(煬帝)의 제2차 고구려 원정 때 우문술(宇文述)과 함께 내침하여 살수(薩水)에서 대패한 죄로 하옥(下獄)되어 울분으로 죽음. 생몰 연대 미상.

우:중 산수【雨中山水】명〖미술〗화제(畫題)의 하나. 우중의 경치(景致)를 묘사하는 산수화(山水畫).

우중-에 부〈방〉우환에.

우:-중지【又重之】부 더우기.

우:중 체조장【雨中體操場】명 우천 체조장(雨天體操場).

우중충-하다 형여불 ①어둡고 침침하다. ¶우중충한 방. ②색(色)이 오래되어 바래서 선명하지 못하다.

우:중 화만【雨中花慢】명〖악〗고려 시대 송나라에서 전래된 사악(詞樂)의 한 곡명. 당악(唐樂)의 산사(散詞)에 속하는 곡의 하나로서, 곡의 구조는 쌍조(雙調) 97자로 되어 있음. 악보는 현재 전하지 않음.

우:즈말 유적【—遺跡】〔Uxmal〕명〖지〗멕시코 유카탄 주(Yucatán州)에 있는 마야 전기의 유적. 유카탄 특유의 푸크 양식(樣式)에 의한 피라미드와 신전(神殿)이 많고, 그 중에서도 수도원(修道院)·총독관(總督館) 등이 유명함.

우즈베크〔Uzbek〕명〖지〗'우즈베키스탄'의 관용어.

우즈베크-어【—語】〔Uzbek〕명〖언〗투르쿠어의 한 방언(方言). 우즈베크족의 언어로서, 우즈베키스탄 공화국의 가장 유력한 언어임. 모음 조화가 있으나, 이란어의 영향을 받아 없는 것도 있음.

우즈베크-인【—人】〔Uzbek〕 명 터키계의 한 부족. 터키계의 여러 종족의 혼혈족으로서, 성격이 둔중하나 퍽 호전적이고 용감함.

우즈베키스탄〔Uzbekistan〕 명 〖지〗 중앙 아시아에 있는 공화국. 1924년 소련에 편입, 우즈베크 사회주의 공화국이 되었다가 90년 6월 주권 선언 발표, 92년 독립 국가가 됨. 아랄 해(Aral海)로부터 파미르 고원 사이에 위치함. 주민은 62%가 우즈베크인(人)이며 이슬람교도가 많음. 관개 농업(灌漑農業)이 발달하여 구소련 최대의 면화 지대(棉花地帶)를 형성(形成)하고, 밀·쌀·포도도 산출(產出)함. 수도(首都) 타슈켄트(Tashkent)를 중심으로 기계·화학·직물 공업(織物工業)이 행해짐. 정식 명칭은 '우즈베키스탄 공화국(Republic of Uzbekistan)'. 우즈베크. [20,322,000(1990)]

우즈 호【—湖】〔Woods〕 명 〖지〗 캐나다와 미국의 국경에 있는 빙하호(氷河湖). 넬슨 강(Nelson江) 수계(水系)에 속함. 호반이나 섬에 별장지가 많음. 호면(湖面) 표고 323 m. [3,845 km²]

우즐리〔Ousely, Frederic Authur Gore〕 명 〖사람〗 영국의 음악가. 피아노 및 오르간의 연주가로 알려졌으며, 아이들에게 음악, 특히 교회 음악을 교수하는 음악 학교를 설립함. 작곡가로서도 오라트리오·오르간곡(曲)·실내악곡 등의 작품이 있음. [1825-89]

우즑우즑ᄒᆞ다 자타 〈옛〉 우줄우줄하다. ¶ 두ᄉᆞ매 늘이치고 우즑우즑ᄒᆞᄂᆞᆫ ᄯᅳᄃᆞᆫ 人世에 걸린 일 업쓰니 그를 죠화ᄒᆞ노라《海謠》.

우지[1] 명 〖조〗 ↗가마우지.

우:지[2] 명 걸핏하면 잘 우는 성질이 있는 아이를 일컫는 말. 사내 아이는 '울남', 계집 아이는 '울녀'라 함. 울보.

우지[3]【牛脂】 명 〖화〗 소의 조직(組織)으로부터 녹여서 빼어 낸 지방(脂肪). 올레인산(olein酸)과 글리세린산(glycerine酸)으로 이루어지는 백색 또는 담황색(淡黃色)의 덩어리. 공업용 유지 원료로서 중요하며, 식용, 비누 원료, 공업용 스테아린산(stearin酸), 공업용 올레인산(olein酸) 원료, 윤활유 등으로 널리 쓰임. *우각유(牛脚油)·우골유(牛骨油)·우지유(牛脂油).

우:지[4]【羽枝】 명 우간(羽幹)에서 갈라져 깃털을 내고 있는 작은 관 모양의 가지. 깃가지.

우지[5]【盂只】 명 〖불교〗 놋쇠로 만든 큰 합. 행자(行者)들의 밥그릇.

우지[6]〔宇治:うじ〕 명 〖지〗 일본 교토 부(京都府) 동남부의 시. 우지(宇治) 강에 임한 관광지(觀光地)로 뵤도인(平等院)·만푸쿠사(万福寺) 등이 있음. 우지차(宇治茶)의 명산지임. [177,000명(1990)]

우지끈 부 단단하고 부피가 큰 물건이 부서지는 소리. >오지끈. ¶ ~하고 대들보가 부러지다. ——-하다 자여불

우지끈-거리다 자 단단하고 부피가 큰 물건이 부서지면서 우지끈 소리가 자꾸 나다. >오지끈거리다. 우지끈-우지끈 부. ——-하다 자여불

우지끈-대다 자 우지끈거리다.

우지끈-뚝딱 부 단단하고 부피가 큰 물건이 요란스럽게 부러지는 소리. >오지끈뚝딱. ——-하다 자여불

우지다[1]〔Oujda〕 명 〖지〗 모로코 북동부 알제리와의 국경에 가까운 도시. 농산물의 거래가 성하며, 철도의 중심지. 부근에 석탄·납·망간의 광산이 있음. [260,000명(1982)]

우:지다[2] 형 〈방〉 오지다.

우지-유【牛脂油】 명 저온(低溫)에서 우지로부터 채취한 기름. 윤활유 등으로 쓰임. *우각유(牛脚油)·우골유(牛骨油)·우지(牛脂).

우지지〔Ujiji〕 명 〖지〗 아프리카 남동부, 탄자니아 서부, 탕가니카 호(Tanganyika 湖) 동안(東岸)에 임한 항구 도시. 탕가니카 호의 어업·상업의 중심지로, 19세기까지 아랍인에 의한 노예 무역의 중심지였음. [12,000명(1975 추계)]

우지지다 자 〈옛〉 우짖다. ¶ 우지질 조(噪)《字會 下 8》.

우지직 부 ①잘 마른 보릿짚 같은 것이 불에 타는 소리. ②장국물 등이 불에 바싹 졸아 드는 소리. ③큰 조개 껍데기 같은 것이 밟히어 부서질 때에 나는 소리. ④잘 마른 솔가지 같은 것을 부러뜨릴 때에 나는 소리. 1)-4): >오지직. ——-하다 자여불

우지직-거리다 자 우지직하는 소리가 연달아 나다. >오지직거리다. 우지직-우지직 부. ——-하다 자여불

우지직-대다 자 우지직거리다.

우지진다 자 〈옛〉 우짖는가. 우짖고 있구나. ¶ 東窓이 ᄇᆞᆰ앗ᄂᆞ냐 노고지리 우지진다 《古時調》.

우:직[1]【右職】 명 ①현직(現職)보다 높은 벼슬. ②오른편에 적은 직분의 사람. ¶ ~의 자(者)는….

우:직[2]【羽織】 명 새의 깃으로 짠 직물(織物).

우직[3]【愚直】 명 어리석고 고지식함. ¶ ~한 사람. ——-하다 형여불

우진-각【隅—閣】 명 〖건〗 지붕이 우진각 지붕으로 된 집.

〈우진각〉

우진각 지붕【隅—閣—】 명 〖건〗 사우(四隅)의 추녀 마루가 동마루에 몰려 붙은 지붕.

우진-도【牛辰島】 명 〖지〗 전라 남도의 남해안(南海岸), 여천군(麗川郡) 삼일면(三日面) 적량리(積良里)에 위치한 섬. [0.11 km²: 37명(1971)]

우진 마:불경【牛嗔馬不耕】 명 〖민〗 원진살(元嗔煞)의 하나. 궁합(宮合)에 소띠는 말띠를 꺼린다는 말.

우질【牛疾】 명 우역(牛疫).

우질-부질 부 ①성질(性質)이 곰살궂지 아니한 모양. ②성질이 활발하고 모험적(冒險的)인 모양. ——-하다 형여불

우집다 자타 ①남을 업신여기다. ②☞ 우접다.

우:징【雨徵】 명 비가 올 징조(徵兆).

우:짖다 자 ①울며 부르짖다. 울부짖다. ②울어 지저귀다.

우짜다가 부 〈방〉 어쩌다가(경상).

우-짝 명 〈방〉 위짝(경상).

우짤라고 부 〈방〉 어쩌려고(경상).

우쩍 부 단번에 거침새없이 줄기차게 나아가거나 또는 갑자기 늘어 가거나 줄어드는 모양. *버쩍·부쩍·우썩·와짝.

우쩍-우쩍 부 단번에 거침새없이 나아가거나 늘어나거나 또는 줄어드는 모양. *부쩍부쩍·우썩우썩·와짝와짝.

우쭉-우쭉 부 ①걸어갈 때 몸을 위아래로 흔드는 모양. ②사람이나 초목 등의 키가 갑자기 커지는 모양.

우쭐-거리다 자타 온 몸이 율동적(律動的)으로 멋있게 움직이다 또는 몸을 멋있게 움직이다. ㅅ우줄거리다. >오쫄거리다. 우쭐-우쭐 부. ——-하다 자타여불

우쭐-대다 자타 우쭐거리다.

우쭐렁-거리다 자타 ☞ 우줄거리다.

우쭐-하다 자여불 자기가 잘난 듯이 느껴질 때 한 번 우쭐거리고 싶은 느낌이 들다.

우차【牛車】 명 소가 끄는 수레. 소달구지.

우:-찬독【右贊讀】 명 〖역〗 조선 시대 세손 강서원(世孫講書院)의 종육품 문관 벼슬. ↔좌찬독(左贊讀). *찬독.

우:찬선 대:부【右贊善大夫】 명 〖역〗 고려 때 동궁(東宮)의 정오품 벼슬. 문종 22년(1068)에 처음으로 둠. ↔좌찬선 대부.

우:-찬성【右贊成】 명 〖역〗 조선 시대 의정부(議政府)의 종일품 문관 벼슬. ↔좌찬성(左贊成).

우찰[1]【愚札】 명 자기 편지의 겸칭.

우찰[2]【愚察】 명 자기 추찰(推察)의 겸칭.

우:-참찬【右參贊】 명 〖역〗 조선 시대 의정부(議政府)의 정이품 문관 벼슬. ↔좌참찬(左參贊).

우:창[1]【右倉】 명 〖역〗 고려 때 왕실(王室)의 양곡(糧穀)을 맡아보던 관아. 충렬왕 34년(1308)에 고치어 풍저창(豐儲倉)이라 일컬음. ↔좌창(左倉).

우창[2]〔武昌〕 명 〖지〗 중국 후베이 성(湖北省) 우한 시(武漢市)의 한 지구(地區). 전에는 우한 삼진(武漢三鎭)의 하나. 양쯔 강 중류의 군사상의 요충에 있으며, 삼국 시대에 오(吳)의 손권(孫權)이 하구성(夏口城)을 쌓은 후부터 영주(郢州)·강하군(江夏郡)·악주(鄂州)·무창로(武昌路)·무창부(武昌府)의 중심 도시가 되었으며, 후광성(湖廣省)·후베이성의 성도(省都)가 되었음. 1911년의 신해 혁명(辛亥革命)의 발발지이며, 현재는 한양(漢陽)·한커우(漢口)와 함께 우한 시(武漢市)를 구성, 1954년 성(省) 직할시가 됨. 무창.

우 창쉬〔吳昌碩〕 명 〖사람〗 중국 청(淸) 말의 문인(文人)·화가. 이름은 쥔칭(俊卿), 창쉬(昌碩)·창스(倉石)는 자(字)임. 저장 성(浙江省) 사람. 석고 문자(石鼓文字)를 연구하여 전각(篆刻)의 제일인자로도 일컬어졌음. 그림은 마흔 살이 지나서 일가(一家)를 이루었는데, 화훼(花卉)·죽석(竹石)·산수(山水)를 잘 그렸고, 시문(詩文)에도 능했음. 오창석. [1844-1927]

우채 명 〈방〉 우차(牛車)(함경).

우책【愚策】 명 졸렬한 술책.

우처【愚妻】 명 자기 처의 겸칭. *형처(荊妻).

우천[1]【牛喘】 명 소가 더운 날씨에 숨이 차서 헐떡이는 모양.

우:천[2]【雨天】 명 ①비가 오는 날. ¶ ~ 불구(不拘)하고. ②비가 내리는 하늘.

우천[3]【優遷】 명 높은 자리로 영전(榮轉)함. ——-하다 자여불

우천-군【祐天軍】 명 〖역〗 고려 태조(太祖) 때의 군사 조직. 태조 19년(1936), 후백제(後百濟)와의 마지막 싸움이 된 일리천(一利川) 전투에서의 부대 편제에서 단 한 번 볼 수 있음.

우:천 순:연【雨天順延】 명 회합 등을 미리 정한 날에 비가 오면, 그 다음 날로 순차로 연기하는 일. ——-하다 자여불

우:천 체조장【雨天體操場】 명 우천(雨天)에도 아무런 지장이 없이 체조할 수 있도록 설비한 운동장. 우중 체조장(雨中體操場).

우:-첨사【右詹事】 명 〖역〗 ①고려 때 동궁(東宮)의 정삼품 벼슬. 인종(仁宗) 9년(1131)에 첨사부(詹事府)에 둠. ②고려 때 왕비부(王妃府)의 한 벼슬. 문종(文宗) 때에 정함.

우청[1]【一廳】 명 〈방〉 웃청.

우:청[2]【雨晴】 명 청우(晴雨).

우청-전〔吳城鎭〕 명 〖지〗 중국 장시 성(江西省) 북부의 도시. 포양 호(鄱陽湖)의 서안(西岸)에 있으며, 수로(水路) 교통의 중심지이고 산업이 성함. 간장(贛江) 강 유역에서 쌀·목재·종이 등을 산출하고 슈수이(修水) 강 유역에서 차(茶)를 집산함. 오성진.

우체【郵遞】 명 우편(郵便).

우체-국【郵遞局】 명 ①체신청(遞信廳)의 관할에 속하여, 우편물의 인수·배달 등의 우편 사무와, 우편환(郵便換)·전신환 등의 현업(現業) 사무를 맡아 보는 기관. *우편국. ②〖역〗 조선 시대말 공무 아문(工務衙門)에 있던 국. 고종 31년(1893)에 설치하였다가 그 이듬해에 폐지함.

우체-군【郵遞軍】 명 체전원(遞傳員).

우체-물【郵遞物】 명 우편물(郵便物).

우체-부【郵遞夫】 명 우편 집배원(郵便集配員).

우체-사【郵遞司】 명 〖역〗 대한 제국 때, 각 도시(都市)에 두어 체신(遞信) 사무(事務)를 맡아보던 관청(官廳). 도시의 크고 작음에 따라 일등사(一等司)·이등사(二等司)의 구별이 있고, 중앙(中央)에는 우체 총사(郵遞總司)를 두었음.

우체 사:령【郵遞使令】 명 〖역〗 우체국(郵遞局)·우체사(郵遞司)에 딸리어 우편물을 배달하던 사령. 체전부(遞傳夫).

우체 총:사【郵遞總司】명〖역〗대한 제국 때 한성(漢城)에 두어 체신(遞信) 사무를 맡아 보던 관청. 지방 도시(地方都市)에는 우체사(郵遞司)를 둠. 고종(高宗) 32년(1894)에 농상공부(農商工部)의 관할(管轄) 아래 두었다가 광무(光武) 4년(1900)에 통신원(通信院)의 관리(管理) 아래에 두었음.

우체-통【郵遞筒】명 우편물을 넣는 통. 우편통(郵便筒). 포스트(post).

우체-함【郵遞函】명 벽 등에 부착해 놓고 우편물을 넣는 함. 우편함.

우첼로〔Uccello, Paolo〕명〖사람〗르네상스 초기의 이탈리아의 화가. 피렌체 태생. 과학적인 원근법을 도입하여 세부를 정밀하게 묘사함. 대표작은 ≪전투도(戰鬪圖)≫. [1396?-1475]

우초【愚草】명 자기 초고(草稿)의 겸칭.

우:촌【雨村】명 비에 잠긴 마을. 빗 기운 때문에 부옇게 보이는 마을.

우:추【羽箒】명 날짐승의 깃으로 만든 비.

우:축【羽軸】명 깃대.

우:충[1]【羽蟲】명 우족(羽族).

우충[2]【愚忠】명 자기의 성의(誠意).

우충[3]【愚衷】명 자기의 충정(衷情)의 겸칭.

우췌【疣贅】명 혹 또는 쓸데없는 군 물건.

우취【郵趣】명 우표에 대한 취미.

우츠 산【一山】〔兀剌〕명〖지〗중국 랴오닝 성(遼寧省) 환런(桓仁)의 서북쪽 퉁자 강(佟佳江)의 우안(右岸)에 있는 산. 산정에 우츠 산성(兀剌山城)이 있음. 고려 공민왕 19년(1370)에 원(元)나라를 치려고 이성계(李成桂)를 파견하여 이 산성을 격파하고 진군(進軍)시킨 뒤부터 야인(野人)의 거주지가 되었음. 올자산. 우뉘 산(五女山). 우라오 산(吾老山).

우:측【右側】명 오른쪽의 옆. 오른쪽. ↔좌측(左側).

우:측 공:포증【右側恐怖症】[一쯩] 명〔dextrophobia〕〖심〗신체의 우측에 있는 물체에 대하여 매우 공포감을 갖는 병증.

우:측-면【右側面】명 우측의 방면. ↔좌측면(左側面).

우:측 통행【右側通行】명 길을 갈 때 오른쪽으로 감. ↔좌측 통행(左側通行). ——-하다 자여불

우-층【一層】명〈방〉위층(경상).

우치[1] 명〈방〉웃옷.

우치[2]【疣痔】명〖의〗피가 나오는 치질. 혈치(血痔).

우치[3]【愚癡】명 어리석고 못남. ——-하다 형여불

우치[4]【憂恥】명 고통스런 치욕(恥辱).

우치[5]【齲齒】명〖의〗충치(蟲齒).

우치[6]〔Łódź〕명〖지〗폴란드 제 2 의 도시. 19 세기 후반 면공업(綿工業)이 일어나면서부터 급속히 발전하여, 현재는 대섬유 공업 도시이며 기계·화학·피혁 공업도 행하여짐. 제 1 차 대전 때 독일과 러시아의 교전지(交戰地)였고, 제 2 차 대전 때에는 독일에 점령되어 전재(戰災)가 심하였음. [838,400 명(1993)]

우치무라 간조:〔内村鑑三: うちむらかんぞう〕명〖사람〗일본의 기독교 사상가·평론가. 무교회주의(無教會主義)를 주창하여 많은 지식인에게 감화를 주었음. 잡지 '성서(聖書)의 연구'를 창간함. 저서 ≪기독신도의 위안≫·≪구안록(求安錄)≫ 등. [1861-1930]

우치-스럽다【愚痴一】형ㅂ불 미욱스럽다. 멍청스럽다.

우-칭 명〈방〉위층(경상).

우 칭위안〔吳清源〕명〖사람〗일본에 사는 중국 기사(棋士). 중국 푸젠 성(福建省) 출생. 본명은 취안(泉). 칭위안은 자(字). 중국의 왕 윈펑(汪雲峰)·구 쓰하오(顧思浩)의 지도를 받고, 17 세 때 일본으로 건너가, 뒤에 한때 일본에 귀화(歸化)했었음. 기타니 미노루(木谷実)와 함께 신포석(新布石)을 창시(創始)함. 제 2 차 세계 대전 후, 일본 주요 기사(棋士)와의 십번기(十番碁)에서 모두 이김. 1950 년 일본 기원(日本棋院)으로부터 9 단을 받음. 오청원. [1914-]

우 칭헝〔吳敬恒〕명〖사람〗중국의 혁신주의자·인도주의자. 자는 즈후이(稚暉). 장쑤 성(江蘇省) 우시(無錫) 출생. 신해 혁명(辛亥革命) 후에 탕산 대학장(唐山大學長)을 지내고, 1913 년 교육부(教育部)의 독음통일회(讀音統一會) 회장이 되어 문자 개혁에 힘을 써서 정부로 하여금 주음 부호(注音符號)를 공포하게 함. ≪국음 자전(國音字典)≫을 간행했으며, 상무 인서관(商務印書館)의 편집에도 종사했음. 국민당 우파(右派)의 중진으로서 장 제스(蔣介石)를 도움. 오경항. [1864-1953]

우카얄리 강【一江】〔Ucayali〕명〖지〗아마존 강의 주요 원류(源流)의 하나. 페루 남부, 안데스 산맥 동쪽의 사면(斜面)에서 발원(發源)하여 북류(北流), 이키토스 남쪽 약 90 km에서 마라뇬 강(Marañón 江)과 합류하여 아마존 강이 됨. 상류 고지에는 잉카의 유적이 많고, 하류(下流)는 작은 선박(船舶)에 의한 주운(舟運)이 성(盛)함. [약 1,600 km]

우케[1] 명〈심마니〉물.

우케[2] 명〈옛〉찧기 위하여 말리는 벼. =욱케. ¶우케 爲未舂稻≪訓例 用字例≫/우케는 하놃 브르매 니겠도다(秔稻熟天風)≪杜諺 Ⅶ:16≫.

우쿨렐레〔미 ukulele〕명〖악〗기타(guitar)와 비슷한 넉 줄이 있는 현악기(絃樂器). 코(koa)의 목재로 만듦. 원래 하와이 원주민이 사용하였는데, 근래에는 미국 본토(本土)에서도 유행함. *하와이안 기타.

〈우쿨렐레〉

우쿰 양주〈방〉움큼.

우크라이나〔Ukraina〕명〖지〗독립 국가 연합의 한 공화국. 서(西)쪽은 카르파티아(Carpathia) 산맥, 남(南)은 흑해(黑海)에 임한 드네프르(Dnepr) 유역의 흑토(黑土) 평원임. 고래로 유럽의 곡창 지대임. 밀·첨채(甜菜)·철·망간·인·소금을 산출함. 도네츠 분지(Donetz 盆地)를 중심으로 중공업이 발달하였음. 1922 년 소련방의 가맹 공화국이 되었다가 1991 년 12 월 독립을 선언함. 수도는 키예프(Kiev). 유크레인(Ukraine). 별칭: 소러시아. [603,700 km²: 51,640,000 명(1995 추계)]

우크라이나-어【一語】〔Ukraina〕명〖언〗슬라브 어파(Slav語派)의 동부 슬라브 어군(語群)에 속하는 언어. 남부 러시아에서 카르파티아 산맥(Carphatia山脈) 남부에 이르는 지역에 분포함. 17세기 이래의 문헌(文獻)을 보유하였으며, 1918년 이후 우크라이나 공화국의 국어가 되었음.

우크라이나-인【一人】〔Ukraina〕명 러시아 서남쪽 우크라이나 지방에 사는 동부 슬라브인계의 러시아인. 키가 크고 피부색은 희며, 모발(毛髮)은 흑갈색임. 주로 농업을 경영하나 목축·임업도 행하며 종교는 그리스 정교(正教)로, 비잔틴 문화의 영향을 많이 받았음. 민족 의식과 독립심이 남달리 강하여, 우크라이나어(語)를 쓰며, 우크라이나 공화국 인구의 약 76.8 %를 점함. 그 밖에 헝가리·폴란드·루마니아·미국 등지에도 거주함. 현재 우크라이나인 총수(總數)는 약 45,000,000명. 소(小)러시아인.

우클라트〔러 uklad〕명〖경〗한 사회의 경제적 구조의 구성 부분을 이루는 여러 가지 경제 제도 및 경제 법식. 이를테면, 1920년대 초기의 소련에는 사(私)경제적 자본주의·국가 자본주의·사회주의 등의 여러 우클라트가 있었음.

우키타 히데이에〔宇喜田秀家: うきたひでいえ〕명〖사람〗일본 전국 시대의 무장(武將). 임진 왜란 때 왜군 제8진(陣) 1만 명을 이끌고 내침, 서울에 남아 있다가, 이듬해에 행주(幸州) 싸움에 대패하여 부상함. 정유 재란 때에도 감군(監軍)으로서 제2진으로 와, 남원(南原)·전주(全州)를 점령하고, 명량(鳴梁)에서 왜군이 대패하자 양산(梁山)을 거쳐 퇴각함. 뒤에 도쿠가와 이에야스(徳川家康)에 의해 섬에 유배되어 죽음. [1573-1655]

우타리 명〈방〉울타리(전남·경남).

우타리드〔Uṭārid, Muhammad〕명〖사람〗9세기의 아랍계 박물학자. 현존하는 최고(最古)의 아라비아어로 된 광물학서(鑛物學書) ≪보석과 암석의 서(書)≫·≪돌의 효용(効用)의 서≫를 지음.

우타이 산【一山】〔五臺〕명〖지〗중국 산시 성(山西省) 북동부에 있는 산. 다섯 봉우리로 되었으며, 대탑사(大塔寺)·청량사(清涼寺)·금각사(金閣寺) 등이 있음. 중국 불교 삼대 영장(靈場)의 하나임. 오대산. [3,040 m]

우-탁【禹倬】명〖사람〗고려 제26대 충선왕(忠宣王) 때의 학자. 단양(丹陽) 사람. 자는 천장(天章), 호는 역동(易東). 관은 성균관 좨주(祭酒)를 지냈는데, 물러나서 역학(易學)을 연구하였고, 중국 송(宋)나라에서 정주학(程朱學)에 관한 서적이 들어왔을 때 한 달 동안 두문 불출(杜門不出) 연구하여 해득(解得), 후진들을 가르쳤음. 시조(時調) 2 수가 전해지고 있음. [1263-1343]

우탄【牛坦】명 ↗도우탄(屠牛坦).

우 탄트〔U Thant〕명〖사람〗미얀마의 정치가. 양곤 대학을 졸업한 후 교사·신문 기자를 거쳐, 제2차 세계 대전 후에 정계(政界)에 투신, 주미(駐美) 대사 등을 역임하고, 1957년부터 유엔 대표, 1962년부터 1971년까지 2 차에 걸쳐 유엔 사무 총장직을 맡았음. [1909-1974]

우:태[1]【右台】명 우의정(右議政).

우:태[2]【雨態】명 우기(雨氣).

우태[3]【優台·于台】명〖역〗고구려 초기(初期)의 육등계(六等階)의 관계(官階) 이름.

우태수 사:자【優台水使者】명 태대사자(太大使者).

우:택【雨澤】명 비의 은택. 패택(沛澤). ¶여호와의 나무가 ~에 흡족함이여≪구약 시편 CⅣ: 16≫.

우터 조〈옛〉부터. =브터[2]. ¶언제우터나뇨(從幾時出來), 그제우터 나니(從前日箇出來)≪朴解 上 13≫.

우테 명〈방〉옷[1](황해·평남).

우통 명 ☞ 웃통.

우:-통례【右通禮】[一녜] 명〖역〗조선 시대 때 통례원(通禮院)의 으뜸 벼슬. 정삼품. ↔좌통례(左通禮).

우통-하다 형여불 빠르고 재지 못하다.

우투-나피시팀〔Utu-napishtim〕명 바빌로니아의 홍수(洪水) 전설의 주인공. 성서(聖書)에 나오는 노아에 상응(相應)함. 행복의 섬에서 영생(永生)을 즐기며, 길가메시(Gilgamesh)에게 불사(不死)는 신(神)들만의 것이라고 설파(說破)하였다 함.

우툴-두툴 부 물건의 면이 움쑥움쑥 들어가기도 하고 불룩불룩 솟기도 한 모양. 두툴두툴. ¶~한 자갈길. >오톨도톨. ——-하다 형여불

우틔 명 ①〈옛〉치마. ¶다룬 뵈우틔를 마라닙고(更著短布裳)≪飜小 Ⅸ: 59≫. ②〈방〉옷(충청·경기·강원·함경·평북·황해).

우티 명〈방〉옷[1](평남·경기·강원).

우 팅팡〔伍廷芳〕명〖사람〗중화 민국의 정치가. 광둥(廣東) 사람. 미국에 유학(留學), 1911 년 상하이(上海)에서 혁명파(革命派)에 호응하여 외교부장(外交部長)이 되고, 1919 년에는 남방 대표(南方代表)로서 베이징 정권(北京政權)과 남북 평화 회의의 절충(折衝)을 담당함. 이듬해에 광둥 정부(廣東政府)가 무너지자 쑨 원(孫文) 등과 함께 다시 군정부(軍政府)를 조직함. 오정방. [1842-1922]

우:파[1]【右派】명 ①우익(右翼)❸. ②온건주의적(穩健主義的) 경향을 지닌 파. ↔좌파(左派).

우파[2]〔도 UFA〕명〔Universum Film Aktiengesellschaft의 약칭〕〖연〗독일 최대의 영화 회사 이름. 1917년에 설립되었는데, 당시의 유력한 프로덕션을 합병하여, 제작·배급·흥행의 각 방면에 군림하였음. 한때 세계적인 명작을 내놓아 독일 영화의 황금 시대를 이루게 하였으나, 1933년 나치 정권 수립 후에 나치 정책의 앞잡이가 되어 국책(國策) 영

화를 만들어 내었으므로 패전되자 연합군에 의하여 해산되었음. 현재 소규모이지만 부활하고 있음.

우파[3] [Ufa] 명 『지』 러시아 연방의 서부, 바슈키르 자치 공화국(Bashkir 自治共和國)의 공업 도시로 동국의 수도(首都). 볼가(Volga)·우랄(Ural) 유전 지대(油田地帶)의 정유업(精油業)의 중심지이며 철도의 요지임. 기계·가죽·식료품·면방적업(綿紡績業)이 성함. 1586년에 창건됨. [1,034,000 명(1983)]

우파니샤드 [범 Upaniṣad] 명 『종』 '우바니사토(優婆尼沙土)'의 범어(梵語).

우패 【愚悖】 명 어리석고 패악함. ——-하다 형 여불

우:퍼 [woofer] 명 저음역용(低音域用) 확성기.

우 페이푸 【吳佩孚】 명 『사람』 중국의 군인. 베이양 군벌(北洋軍閥)의 한 파로서, 즈리 파(直隷派)의 총수(總帥)였음. 위안 스카이(袁世凱)가 죽은 뒤에 두각을 나타내어, 안후이 파(安徽派)·펑톈 파(奉天派)를 누르고 즈리 파의 황금 시대를 출현케 했으나, 1924년 봉직(奉直) 전쟁에 패(敗)하여 몰락함. 중일 전쟁(中日戰爭) 중에는 일본에 협력하였음. 오패부. [1873-1939]

우:편[1] 【右便】 명 오른편. ↔좌편(左便).

우:편[2] 【羽片】 명 ①한 편의 날개 털. ②『식』 우상 복엽(羽狀複葉)의 우상(羽狀)으로 갈라진 각 편.

우편[3] 【羽編】 명 『악』 전통 성악곡인 각곡 중의 하나. 이 곡은 '우조 편 삭대엽(羽調編數大葉)'의 준 이름임. 남창(男唱)으로만 불림.

우편[3] 【郵便】 명 일반 공중(公衆)의 의뢰를 받아, 서신(書信) 기타의 물품을 전국·전세계에 송달하는 통신 제도. 국가의 독점 사업(獨占事業)으로, 체신부 장관의 관리(管理)에 속함.

우편-국 【郵便局】 명 '우체국(郵遞局)'의 구칭.

우편 군사 【郵便軍士】 명 개화기(開化期)때 '체전부(遞傳夫)'를 일컫던 말. ¶편지 받아 들여가도 두세 번 소리하는 것은 ~라≪李人稙 : 血의淚≫ / ~ 불기 맞듯 한다.

우편 금:제품 【郵便禁制品】 명 법령으로 우편 발송을 금지한 물건. 폭발성·발화성 등 위험성이 있는 물건, 독약·극약(劇藥), 살아 있는 병원체(病源體) 및 그것을 함유하는 물건, 또는 법령으로 이동 또는 반포(頒布)가 금지되어 있는 물건 등.

우편-낭 【郵便囊】 명 우편물을 넣고 다니는 주머니.

우편 대:체 【郵便對替】 명 체신 관서에 계좌(計座)를 개설(開設)하고 송금 및 채권(債權)·채무 결제를 현금 대신 장부상의 대체로 행하는 방법. 우체국에서 취급함.

우편-료 【郵便料】 [—뇨] 명 ↗우편 요금(郵便料金).

우편 마:차 【郵便馬車】 명 우편물을 운반하는 마차.

우편-물 【郵便物】 명 우편에 의하여 송부하는 신서(信書) 및 물품. 곧, 우편법에 의한 통상 우편물과 소포 우편물을 총칭하는 말. 우체물(郵遞物).

우편물 보:험 【郵便物保險】 명 우체국을 통한 통상(通常) 우편·소포(小包) 우편에서, 유가 증권(有價證券)·어음·수표·지폐·귀금속·보석 등을 우송(郵送)할 경우에 발생하는 손해의 배상을 목적으로 하는 특수한 운송(運送) 보험.

우편물 운송법 【郵便物運送法】 [—뻡] 명 『법』 정부의 요구에 의하여 운송업자가 행하는 우편물 운송에 관하여 필요한 사항을 규정, 우편물 운송의 안전·정확·신속을 기함을 목적으로 하는 법.

우편 배:달 【郵便配達】 명 우편물을 받을 사람에게 가져다 주는 일.

우편 배:달부 【郵便配達夫】 명 '우편 집배원(郵便集配員)'의 구칭.

우편 번호 【郵便番號】 명 우편물의 분류 작업의 능률화·기계화를 위하여, 체신부가 전국의 우편구(郵便區)마다에 매긴 우편 구별 번호. 우편물 겉면의 상부에 아라비아 숫자로 씀. 영국에서는 1959년, 서독에서는 1962년, 미국에서는 1963년, 한국에서는 1970년부터 우편 번호 제도가 실시되었음.

우편 범:죄 【郵便犯罪】 명 『법』 우편 사업 또는 그 위탁자(委託者)의 이익을 침해하는 일.

우편-법 【郵便法】 [—뻡] 명 『법』 우편 이용에 관한 기본적인 사항을 정한 법. 우편물의 종류 및 요금, 요금의 납부 방법, 우편물의 취급, 손해 배상 등에 대하여 규정함.

우편 사서함 【郵便私書函】 명 우편물의 집배 사무를 취급하는 우체국에, 국장의 승인을 받아 비치하는 사인(私人) 전용의 우편함. ㊀사서함(私書函).

우편-선 【郵便船】 명 우편물을 싣는 배. 정부로부터 항로 보조금을 받음. ㊀우선(郵船).

우편 송:달 【郵便送達】 명 소송(訴訟)에 관한 서류의 송달 방법의 하나. 우편 집배원이 송달 기관이 되어 행하는 송달과, 법원 서기관이 등기 우편으로 발송하는 것으로 행하여지는 송달을 총칭함.

우편 열차 【郵便列車】 [—녈—] 명 우편물을 수송하는 열차.

우편 엽서 【郵便葉書】 [—녑—] 명 규격을 정하고 우편 요금을 표시한 증표(證票)를 인쇄하여, 제이종(第二種) 통상 우편물에 사용하도록 정부가 발행하는 각종 편지지(紙). 통상 엽서·왕복 엽서·봉함 엽서·소포 엽서의 네 종류가 있음. 통상 엽서와 왕복 엽서만은 정부 발행 엽서를 표준으로 사제(私製)할 수 있음. 포스트카드(postcard). 우체 엽서(郵遞葉書). ㊀엽서(葉書).

우편 요금 【郵便料金】 [—뇨—] 명 우편물의 발송인 또는 수취인이 그 송달의 대가로 납부하여야 하는 금액. 속칭: 우세(郵稅)·우표세(郵票稅). ㊀우편료·우료(郵料).

우편 일부인 【郵便日附印】 명 '통신 일부인'의 속칭.

우편 저:금 【郵便貯金】 명 우체국에서 맡아 하는 저금. 1978년에 그 업무(業務)가 농업 협동 조합으로 이관(移管)되었다가 1982년에 이 제도(制度)가 다시 생김.

우편 제:도 【郵便制度】 명 편지·소포 따위를 집배·전달하는 통신 제도. 우리 나라에서는 조선 고종(高宗) 21년(1884)에 우정 총국(郵政總局)을 개설하여 실시함.

우편 집배원 【郵便集配員】 명 우편물을 우체통으로부터 거두어 모으고, 또 각 집에 배달하는 직원. 우편 배달부. 우체부(郵遞夫). 우편 체전원(郵便遞傳員). ㊀집배원.

우편-차 【郵便車】 명 우편물을 운반하기 위하여 사용하는 차.

우편 체전원 【郵便遞傳員】 명 우편 집배원.

우편-통 【郵便筒】 명 우체통.

우편 투표 【郵便投票】 명 『법』 부재자 투표(不在者投票).

우편-함 【郵便函】 명 네모지게 생겨서 벽이나 대문 같은 데 달아 두고 우편물을 넣게 하는 작은 상자.

우편-환 【郵便換】 명 우체국에서 취급하는 환증서(換證書)에 의한 송금(送金) 방법. 통상환(通常換)·전신환·소액환(小額換)·국제환(國際換)이 있음.

우편환-금 【郵便換金】 명 우편환에 의하여 보내지고, 지급(支給)되는 돈. ㊀환금(換金).

우편환 송:금 의뢰서 용지 【郵便換送金依賴書用紙】 명 멀리 떨어진 곳에 송금(送金)하고자 할 때, 우편환(郵便換)의 취결(就結)을 의뢰하여 우체국에 제출하는 용지(用紙).

우:-평장사 【右平章事】 명 『역』 발해 시대의 관직. 중대성(中臺省)의 차관.

우-폐역 【牛肺疫】 명 『동』 '폐역(肺疫)'의 가축 전염병(家畜傳染病) 예방법 상의 용어.

우포 【牛浦】 명 『지』 경상 남도 창녕군(昌寧郡) 유어면(遊漁面)과 이방면(梨房面)에 걸쳐 있는 우리 나라 최대의 늪지성 호수. 낙동강(洛東江)의 배후 습지(背後濕地)로 수심(水深)이 얕고 많은 수초(水草)가 자라고 있어, 여러 가지 물고기·곤충류·조개류와 철새가 서식함. 개간·환경 오염 등으로 늪이 축소, 동식물의 감소를 초래하고 있음. [1.68 km²]

우:포도 대:장 【右捕盜大將】 명 『역』 조선 시대 우포도청(右捕盜廳)의 으뜸 벼슬로, 종이품의 무관직(武官職). ㊀우포장(右捕將). ↔좌포도 대장(左捕盜大將).

우:-포도청 【右捕盜廳】 명 『역』 조선 시대 포도청의 우청(右廳). 우변(右邊). 우변청(右邊廳). ㊀우포청(右捕廳). ↔좌포도청(左捕盜廳).

우:-포장 【右捕將】 명 『역』 ↗우포도 대장(右捕盜大將). ↔좌포장.

우:-포청 【右捕廳】 명 『역』 ↗우포도청(右捕盜廳). ↔좌포청.

우폴루 섬 [Upolu] 명 『지』 서(西)사모아의 주도(主島). 남태평양 중앙부에 있으며, 주로 산(山)으로 이루어졌는데, 최고점은 1,100 m임. 수도(首都)인 아피아(Apia)가 있어, 서(西)사모아의 정치·경제의 중심지(中心地)를 이루고 있음. 코프라·바나나·카카오 등을 산출(產出)함. [110,000 명(1976)]

우표 【郵票】 명 우편 요금을 표시하는 증표(證票). 우편물에 붙여 우편 요금을 냈다는 것을 나타냄. 체신부 장관이 발행함.

우표 딱지 【郵票—】 명 〈속〉 우표.

우표-세 【郵票稅】 명 전에 우편 요금(郵便料金)을 일컫던 속칭.

우표 수집 【郵票蒐集】 명 취미(趣味)로서 우표를 모으는 일.

우표-첩 【郵票帖】 명 우표를 수집하여 붙이는 책.

우풍 명 ☞외풍(外風).

우풍 자우 【友風子雨】 명 구름의 일컬음.

우피 【牛皮】 명 소의 가죽. 쇠가죽.

우피-동 【牛皮凍】 명 『식』 계뇨등(鷄尿藤)의 딴이름.

우피치 미술관 【—美術館】 [Uffizi] 명 『지』 이탈리아의 피렌체에 있는 미술관. 1560-84년에 바사리(Vasari, G.)가 메디치 가(Medici 家)의 공관(公館)으로 세운 것이어서 메디치가(家)의 수집품이 중심이 되어 있음. 보티첼리(Botticelli)를 비롯하여, 르네상스의 여러 대가(大家)들의 작품(作品) 외에 플랑드르 파(Flandre 派) 화가(畫家)들의 명작(名作)도 적지 않음.

우필 【愚筆】 명 졸필(拙筆)❶❷❸.

우:하 【宇下】 명 ①처마 밑. ②부하(部下).

우-하다 【愚—】 형 여불 어리석다.

우-하(:)영 【禹夏永】 명 『사람』 조선 정조(正祖)·순조(純祖) 때의 학자. 자(字)는 대유(大猶), 호는 취석실(醉石室). 단양(丹陽) 사람. 과거에 응시하여 초시(初試)에는 열 두 번이나 합격했으나, 회시(會試)에는 끝내 실패, 평생 학문에만 정진(精進)함. 정조 20년(1796) 구언 윤음(求言綸音)에 응지(應旨)하여 시무책(時務策) '수원 유생 우하영 경륜(水原儒生禹夏永經綸)'을 상소하고, 순조 4년(1804)에는 ≪천일록(千一錄)≫을 올림. 상업적 농업을 주장하고, 경제적 실력자의 신분 이동은 긍정적(肯定的)으로 받아들였음. [1741-1812]

우한[1] 【牛漢】 명 은하(銀河).

우한[2] 【憂恨】 명 근심하고 원망함. ——-하다 자 여불

우한[3] 【武漢】 명 『지』 중국 후베이 성(湖北省) 동부의 도시인 우창(武昌)·한커우(漢口)·한양(漢陽)의 세 도시가 합하여 된 성(省) 직할시(直轄市). 고래로 '우한 삼진(武漢三鎭)'이라 하여 창장(長江) 강 중류의 최대 요충(要衝)임. 징한(京漢)·웨한(粵漢) 두 철도의 교차점이며, 창장 강 수운의 요지이고 상공업 지대임. 1911 년 우창에서 신해 혁명(辛亥革命)이 발단하였고, 1926 년 우한 정부(武漢政府)가 성립되었음. 무한. ＊우창·한커우[2]·한양[4]. [3,570,000 명(1987)]

우한 삼진 【—三鎭】 [武漢] 명 『지』 중국 후베이 성(湖北省)에 있는 우

창(武昌)·한커우(漢口)·한양(漢陽)의 병합 명칭. 현재는 우한 시(武漢市). 무한 삼진. *우창·한커우·한양[4].

우한 정부【—政府】〔武漢〕 명 1927년 왕 자오밍(汪兆銘)을 수반으로 하여 우한에서 성립된 용공(容共) 국민 정부. 국민당 좌파(左派)와 공산당의 연합 조직으로 장 제스(蔣介石)의 난징 국민 정부와 대립하였으나, 1927년 7월 국민당 좌파는 공산당과의 분리를 선언, 9월에 난징 정부와 합류하였음. 무한 정부.

우:-함수【偶函數】[—쑤] 명〖수〗함수 $f(x)$가 x의 부호를 달리 해도 그 값이 변치 않을 때, 즉 $f(-x)=f(x)$일 때 $f(x)$를 우함수라고 함. 우함수의 그래프는 y축(軸)을 중심으로 하여 대칭(對稱)임. 짝함수. *기함수(奇函數).

우:합[1]【右閤】명〖역〗'우의정(右議政)'의 별칭. ↔좌합.

우:합[2]【偶合】명 우연히 맞음. 우중(偶中).¶그 환란을 피하느라고 입에 못 담을 고생을 하다가 ~으로 이리 온 일은 어찌던지 신명이 도와 지시한 것이 아니리요《作者未詳 : 恨月》. ——-하다 자 여불

우항 명 〈방〉〖식〗우엉(강원·경기).

우해【遇害】명 해(害)를 만남. 살해를 당함. ——-하다 자 여불

우:핵 비육【羽翮飛肉】명 ①가벼운 새의 깃이 새의 몸을 날림. ②약한 것도 합치면 강해짐.

우행 순추【禹行舜趨】명 겉으로만 우(禹)나 순(舜) 같은 성인(聖人)의 흉내를 냄. ——-하다 자 여불

우:향-우【右向右】명감 제식(制式) 훈련에 있어서의 각개 동작의 하나. 또, 그 구령. 동작은 오른발 뒤꿈치를 땅에 대고 돌며 왼발을 끌어 갖다 댐으로써 원 위치에서 오른쪽으로 90° 돌아서는 동작. 이는 정지간의 차려 자세에서만 행하여짐.

우:-헌납【右獻納】명〖역〗고려 때 도첨의사사(都僉議使司)의 낭사(郎舍) 벼슬. 우보궐(右補闕)의 뒷 이름으로 충렬왕(忠烈王) 34년(1308)에 우사간(右司諫)의 고친 이름. ↔좌헌납. *우보궐(右補闕).

우험【尤險】명 더욱 험함. ——-하다 형 여불

우:현[1]【又玄】명〖사람〗고유섭(高裕燮)의 호(號).

우:현[2]【右舷】명 오른쪽의 뱃전. ↔좌현.

우:현-묘【右舷錨】명 오른쪽 뱃전에 마련한 닻. ↔좌현묘.

우:현 변:이【偶現變異】명〖생〗돌연 변이(突然變異).

우:현-상【又玄賞】명〖미술〗한국 미술사 연구의 선구자인 우현(又玄) 고유섭(高裕燮)의 업적을 기념하기 위하여 1980년에 제정한 상. 해마다 뛰어난 업적을 올린 미술사 학자에게 수여함.

우현ᄒᆞ다 형 〈옛〉후련하다. 가슴이 뚫리어 시원하다. =우연ᄒᆞ다·우연ᄒᆞ다. ¶내 나랏 위ᄒᆞᄋᆞ와 주근줄 아ᄅᆞ시면 져그나 우현히 너기시리라(知我死國少解其無窮之悲也)《三綱 傳察》.

우:협【右挾】명〖악〗↗우협무(右挾舞). ↔좌협.

우:-협무【右挾舞】명〖악〗춤을 출 때에 주연자(主演者)의 오른쪽에서 추는 사람. ㊈우협(右挾). ↔좌협무(左挾舞).

우형[1]【愚兄】명 ①어리석은 형. ②자기 형의 겸칭.

우형[2]【愚形】명 바둑에서, 바둑돌이 한 군데에 뭉쳐 모이는 일.

우호[1]【友好】명 개인끼리나 나라끼리 서로 사이가 좋음. ¶~ 조약.

우호[2]【優弧】명〖수〗원주 상에 임의의 두 점을 주어 원주를 둘로 나누었을 때의 큰 쪽의 호(弧). 반원보다 큰 원호. ↔열호(劣弧).

우호-국【友好國】명 우호 관계를 유지하고 있는 국가.

우호-적【友好的】명관 개인(個人)끼리나 나라끼리 사이가 친한 모양.

우호 조약【友好條約】명〖법〗나라와 나라 사이의 우의를 위하여 맺는 조약.

우호 협력 조약【友好協力條約】[—녁—] 명 두 나라 사이의 주권 상호 보장, 영토 보전 및 평화를 위한 상호 협력 등을 규정하는 조약. 조약에 따라서는 군사 및 상호 방위 관계까지 포괄하는 동맹 조약일 경우도 있고, 군사 관계를 포함하지 않는 상호 협력 조약일 수도 있음.

우혹【愚惑】명 어리석어서 미혹(迷惑)함. ——-하다 자 여불

우:화[1]【羽化】명 ①〖생〗곤충의 번데기가 변태하여 성충이 되는 일. ↔용화(蛹化). ②↗우화 등선(羽化登仙). ——-하다 자 여불

우:화[2]【雨華】명〖불교〗하늘에서 꽃비를 내림. 부처가 설법할 때 등의 서조(瑞兆)라 함.

우:화[3]【雨靴】명 비 올 때나 땅이 질 때 신는 신. 흔히, 고무로 만들고 목이 달렸음. 레인 슈즈(rain shoes).

우:화[4]【偶話】명 두 사람이 서로 대하여 이야기함. ——-하다 자 여불

우:화[5]【寓話】명 교훈적(敎訓的)인 내용을 다른 사물, 주로 동물(動物)에 비겨 나타낸 이야기. 우언(寓言). ¶이솝 ~.

우화[6]【藕花】명 연꽃.

우:화 등선【羽化登仙】명 사람의 몸에 날개가 돋치어 하늘로 올라가 신선이 됨. ㊈우화(羽化). ——-하다 자 여불

우:화-법【寓話法】[—뻡] 명 풍유법(諷喩法).

우:화 소:설【寓話小說】명〖문〗무생물·동물·식물 등을 인간과 같이 언동(言動)을 부여하여 인격화(人格化)시킨 소설. 풍자적(諷刺的)인 성격을 띠고 있으며, 윤리적인 교훈이 제1차적인 목적이 되고 있음. 우언(寓言) 소설.

우:화-시【寓話詩】명〖문〗동·식물 등을 의인화(擬人化)하여 교훈이나 풍자를 포함시켜서 쓴 시.

우:화-집【寓話集】명 우화를 모아 엮은 작품집.

우환【憂患】명 ①근심이나 걱정되는 일. ¶식자(識字) ~. ②가족 가운데 병자(病者)가 있는 걱정.

우환-굿【憂患—】[—꾿] 명〖민〗집안에 우환이 있을 때 하는 굿. *재수굿.

우환-에 부 제 딴에 게다가. 언짢은 위에 또.

우환 질고【憂患疾苦】명 근심과 걱정과 질병과 고생.

우활【迂闊】명 →오활(迂闊). ——-하다 형 여불

우-활꼴【優—】명 〔major conjugate segment〕〖수〗원(圓)의 호(弧)와 호의 두 끝을 맺는 현(弦)으로 나누어진 평면 도형(圖形)인 두 개의 활꼴에서 더 큰 부분의 활꼴. 우궁형(優弓形). ↔열(劣)활꼴.

우황[1] 명 〈방〉〖식〗우엉(경남).

우황[2]【牛黃】명〖한의〗소의 쓸개에 병으로 생기는 뭉친 물건. 강장제(強壯劑)·경간약(驚癎藥)으로 씀.

[우황 든 황소 같다] 가슴 속의 분(忿)을 못 이겨 어쩔 줄 모르고 괴로워하다.

우:황[3]【又況】부 '하물며'의 뜻의 접속 부사.

우황 산약원【牛黃山藥元】명〖한의〗태음인(太陰人)이 중풍(中風)으로 말을 못하는 데 쓰는 처방.

우황 청심원【牛黃淸心元】명〖한의〗뇌질환(腦疾患)·중풍성 질환·심장성 질환·신경성 질환에 쓰이는 처방. 우황 청심환(丸).

우황 포:룡환【牛黃抱龍丸】명〖한의〗어린 아이의 경풍(驚風)·신열(身熱)·혼수(昏睡)·담열(痰熱)에 사용되는 처방.

우회[1]【友會】명 친구와 상회(相會)함. ——-하다 자 여불

우회[2]【尤悔】명 잘못과 뉘우침. 허물과 후회.

우회[3]【迂廻·迂回】명 멀리 돌아서 감. 오회(迂回). ¶~ 도로(道路)/~ 작전. ——-하다 자 여불

우회-로【迂廻路】명〖심〗문제 해결을 위한 학습 방법(學習方法)의 하나. 목표를 향해서 어떠한 행동을 할 경우, 직접적인 길이나 방법이 어떤 장애물 때문에 막혔을 때에 다른 방법에 의하여 간접적으로 달성하려는 길을 말함.

우회 무:역【迂廻貿易】명〔commodity shunting〕〖경〗업자가 공정(公定)환(換) 시세와 자유(自由)환(換) 시세와의 차이로 중간 이익을 얻을 목적으로 상품을 의식적으로 제3국을 통하여 우회적으로 하는 무역. *삼각 무역(三角貿易).

우회 생산【迂廻生産】명 〔round about production〕〖경〗어떤 소비재를 생산할 때, 본원적 생산 요소인 토지·노동 따위를 직접 그 생산에 모두 투입하지 않고, 그 일부를 생산재인 도구나 기계 따위 자본재 생산에 우회적으로 사용하고 그 다음에 그 자본재를 이용해서 소비재를 생산하는 것이 더욱 효율적이라는 생산 방법. 대량 생산이 능률적으로 단기간에 이루어짐.

우회-선【迂廻線】명 멀리 돌아서 가는 선.

우:-회전【右廻轉·右回轉】명 차(車) 따위가 오른쪽으로 돎. ↔좌회전(左回轉). ——-하다 자 여불

우:-회전성【右回轉性】[—썽] 명 〔dextorotatory〕〖화〗결정(結晶)이나 용액(溶液) 등의 어떤 종류의 물질이, 그 속을 통과하는 편광(偏光)의 진동면(振動面)을 오른쪽으로 회전시키는 성질. 젖산(酸)·포도당 등에서 볼 수 있음. 이 성질을 가진 물질을 우회전체(右回轉體)라 함. ↔좌(左)회전성.

우회 중계【迂廻中繼】명 많은 발·착신국(發着信局)이 있는 통신망(通信網)에서, 두 개의 발·착신국을 연결할 때, 최단(最短) 거리의 제일 경제적인 통신 회선(通信回線)이 통화중인 경우, 많은 중계 교환점을 경유해서 접속하는 중계.

우후[1]【牛後】명 소의 궁둥이. 전(轉)하여, 세력(勢力)이 큰 자(者)의 부하(部下)에 대한 비유.

우:후[2]【雨後】명 비가 온 뒤. ¶~ 죽순(竹筍). ↔우전(雨前).

우후[3]【虞候】명〖역〗조선 시대 때의 무관직(武官職)으로, 각 병영(兵營)의 종삼품 병마 우후(兵馬虞候) 및 각 수영(水營)의 정사품 수군 우후(水軍虞候)의 통칭.

우후[4]【優厚】명 다른 것에 비하여 썩 두터움. 후함. ——-하다 형 여불

우후[5]〔蕪湖〕명〖지〗중국 안후이 성(安徽省) 동부, 양쯔 강(揚子江)의 우안(右岸)에 있는 하항(河港) 도시로 닝우(寧蕪) 철도의 종점. 수륙 교통의 요지로서 쌀·밀·아마(亞麻)를 집산하며 부근에서 석탄·철을 산출하고, 공작 기계·자동차 수리·면방직도 성함. 무호. [100 만 명]

우후로 부 〈옛〉위로. =우흐로. ¶스스로 能히 우후로 ᄎᆞ자 向ᄒᆞ야 가아래로 비화 우후로 통달ᄒᆞᄂᆞ니라(自能尋向上去下學而上達也)《小諺 Ⅴ:86》.

우:후-요【雨後謠】명〖문〗윤선도(尹善道)가 지은 시조. 작자가 32세 때인 광해군 10년(1618)에 이이첨(李爾瞻) 일파의 난정(亂政)을 탄핵하다가 함경도 경원(慶源)에 귀양가서 지은 1수. 나라 일을 근심하는 작자의 심정을 은밀히 표현함.

우:후 죽순【雨後竹筍】명 [비가 온 뒤에 무럭무럭 여기저기 솟는 죽순이란 뜻] 어떠한 일이 한때에 많이 일어나는 것을 비유하는 말. ¶~처럼 군소 정당이 난립하다.

우후후 감 참던 끝에 터뜨린 웃음 소리.

우훔 양수 〈옛〉움큼. =우흠. ¶各各 보비 곳 우훔 ᄎᆞ게 가지샤(各寶寶華滿掬)《妙蓮 Ⅳ:129》/우훔 봉(捧)《字會 下 22》.

우휼【優恤】명 두텁게 은혜를 베풀어 구휼함. ——-하다 타 여불

우흐로 부 〈옛〉위로. =우후로. ¶우흐로 如理예 어우르시고(上冥如理)《永嘉 上 88》.

우:흔[1]【雨痕】명〖지〗지층(地層)의 성층면(成層面) 위에 남아 있는, 먼 옛날의 빗방울이 떨어진 자리. 육성(陸成)의 지층, 특히 건조(乾燥) 지대에 퇴적(堆積)한 이질(泥質)의 지층에서 발견되며, 해성(海成)의 지층에서는 볼 수 없음.

우흔[2] 〈옛〉위는. '우'의 절대격형(絶對格形). ¶우흔 所忘ᄋᆞᆯ 結ᄒᆞ실씨(上結所忘)《永嘉 上 62》.

우흘 〈옛〉위를. '우 의 목적격형. ¶우흘 마초아 ᄉᆞ랑ᄒᆞ라(準上思之)

≪永嘉 上 31≫.
우흠 의명 〈옛〉 움큼. =우훔. ¶몰미엿든 갑슬 며롤 혼 우흠 발을 줌이 곳 올타(絟馬錢與他一捧兒米便是)≪朴解 上 11≫.
우흡【優洽】명 인덕(仁德)이 널리 퍼지어 행함. ——-하다 자여불
우희 〈옛〉 위에. '우'의 처격형(處格形). ¶城 우희(維城之上)≪龍歌 40章≫/십ᄌ가 우희셔죽으셧네≪찬양가 : 20≫.
우희다 타 〈옛〉 움키다. =우의다. ¶ᄒ다가 사ᄅ미 香花롤 우희여(若人以掬香花)≪佛頂 上 5≫.
우희여 쥐다 타 〈옛〉 움켜쥐다. ¶우희여 쥐다(兩手掬)≪同文 上 29≫.
우희움 의명 〈옛〉 움큼. ¶회화가지 혼 우희움을(槐枝一握)≪救方 上 30≫. *우희다.
우히 〈옛〉 위에. '우'의 처격형(處格形). ¶孤舟解纜ᄒ야 亭子 우히 올나가니 ≪松江 關東別曲≫.
욱[1] 부 욱기를 쓰는 모양. ¶노여움이 ~ 치밀어 올랐다.
욱[2]【旭】명 〔일 あさひ〕 조생종(早生種) 사과 품종(品種)의 한 가지.
욱[3]【郁】명 성(姓)의 하나. 우리 나라에는 현존하지 아니함.
욱-걷다 자ㄷ불 기운차게 걷다. 걸음을 서둘러 걷다. ¶길을 욱걸은 까닭으로 발병이 나서 걸음을 잘 못 걸었다≪洪命憙 : 林巨正≫.
욱-걸음 명 욱걷는 걸음. ¶그 사이 곽무출이는 여삼의 완력에서 벗어나 ~으로 사라졌다≪劉賢鍾 : 들꽃≫.
욱광【旭光】명 솟아 오르는 햇빛. 욱휘(旭暉).
욱-기【一氣】명 욱하는 성질. 사납고 괄괄한 성질.
욱다 자 ①안으로 우그러지다. >옥다. ②기운이 남한테 굽혀지다.
욱-대기다 타 ①난폭하게 위협하다. ¶포로들은 이미 각오를 했는지 아무리 욱대겨도 태연한 태도로 입을 벌리지 않는다≪韓戊淑 : 역사는 흐른다≫. ②우락부락하게 우겨대다. ¶기어코 딸을 쫓아내라고 욱대기는 것이다≪吳有權 : 방앗골 혁명≫. ③억지를 부려 마음대로 해내다.
욱-둥이 명 욱기가 있는 사람.
욱렬【郁烈】[一녈] 명 향기가 몹시 남. 매우 향기로움. ——-하다 형여불
욱렬올【旭烈兀】[一녈一] 명〖사람〗'훌라구(Hulagu)'의 한자 이름.
욱리【郁李】[一니] 명〖식〗'산앵두'의 한자 이름.
욱리-인【郁李仁】[一니一] 명〖한의〗 산앵두의 씨의 알갱이. 소독약 또는 수종병(水腫病)에 씀.
욱리-자【郁李子】[一니一] 명〖한의〗 산앵두의 열매.
욱박-지르다 타 ☞욱박지르다.
욱-보【一補】명 약을 먹어 몸을 우쩍 보함. ——-하다 타여불
욱분【郁氛】명 향기가 좋은 기운.
욱시글-거리다 자 여럿이 한데 모여 우글거리다. >옥시글거리다. 준욱실거리다. 욱시글-욱시글 부. ——-하다 자여불
욱시글-대다 자 욱시글거리다.
욱시글-덕시글 부 ☞욱시글득시글. 준욱실덕실. ——-하다 자여불
욱시글-득시글 부 몹시 들끓는 모양. 준욱실득실. ——-하다 자여불
욱신-거리다 자 ①머리나 상처(傷處) 등이 쑤시면서 아프다. ②큰 것이 여럿이 뒤섞여서 세게 북적거리다. 1)·2):>옥신거리다. 욱신-욱신 부. ¶골치가 ~하다. ——-하다 자여불
욱신-대다 자 욱신거리다.
욱신-덕신 부 뒤끓는 모양. ——-하다 자여불
욱실【燠室】명 몹시 더운 방.
욱실-거리다 자 ↗욱시글거리다. 욱실-욱실 부. ——-하다 자여불
욱실-대다 자 욱실거리다.
욱실-덕실 부 ☞욱실득실. ——-하다 자여불
욱실-득실 부 ↗욱시글득시글. ——-하다 자여불
욱어-지다 자 욱게 되다. 안으로 우그러지다. >옥아지다.
욱여-들다 자 주위에서 중심 쪽으로 모여들다.
욱여-싸다 타 ①한가운데로 모아들여서 싸다. ②가엣것을 욱이어 속엣것을 싸다.
욱요【煜燿】명 환히 비침. 광휘(光輝)를 발함. ——-하다 자여불
욱욱[1]【郁郁】명 ①문물(文物)이 번성한 모양. ②향기가 가득한 모양. ¶치장한 그들의 뿜는 향기가 가게 안에 ~히 넘친다≪李孝石 : 日曜日≫. ——-하다 형여불 ——-히 부
욱욱[2]【昱昱】명 매우 밝음. ——-하다 형여불
욱욱[3]【煜煜】명 빛나서 환함. ——-하다 형여불
욱욱 청청【郁郁青青】명 향기가 대단히 높고 나무가 무성하여 푸른 모양. ——-하다 형여불
욱음-골 명〖건〗 재목을 욱여 판 골.
욱이다 타 안쪽으로 욱게 하다. >옥이다.
욱일【旭日】명 아침 해. ¶~의 기세(氣勢).
욱일 승천【旭日昇天】명 떠오르는 아침 해처럼 세력이 성대함의 비유.
욱적-거리다 자 여럿이 한 곳으로 모여 북적거리다. >옥작거리다. 욱적-욱적 부. ——-하다 자여불
욱적-대다 자 욱적거리다.
욱-죄다 자 살이 무엇으로 욱이어 죄는 듯한 아픔을 느끼다. >옥죄다.
욱-죄이다 자 몸의 어떤 부분이 아프도록 욱여 죄이다. >옥죄이다.
욱-지르다 타르불 욱대기어 기를 꺾어 버리다.
욱-질리다 피동 욱지름을 당하다.
욱케 명 〈옛〉 벼. 메벼. =우케. ¶노내 욱케는 집마다 이반놋다(秔稻供比屋)≪重杜諺 XIII:15≫.
욱큼 의명 〈방〉 움큼(충청).
욱키 명 〈심마니〉 물.
욱-하다 자여불 앞뒤의 헤아림이 없이 마구 말이나 행동을 불끈 내놓다. ¶욱하는 성질.
욱화【燠火】명 불이 일어남. 또, 그 불.
욱휘【旭暉】명 욱광(旭光).

운:[1] 명 어떤 일을 여럿이 한창 어울려 하는 바람.
운[2]【芸】명 성(姓)의 하나. 현재 우리 나라에는 본관이 전주(全州) 하나뿐임.
운[3]【雲】명 성(姓)의 하나. 현재 우리나라에는 함흥(咸興)·청주(清州) 등 세 개의 본관이 있음.
운:[4]【運】명 ↗운수(運數). ¶~이 좋았다.
운[5]【暈】명 →훈(暈).
운[6]【蕓】명 성(姓)의 하나. 우리 나라에는 현존하지 아니함.
운:[7]【韻】명 ①↗운자(韻字). ②↗운향(韻響). ③한자(漢字)가 나타내는 음절(音節)에서, 성모(聲母)를 제외한 부분. 성조(聲調)의 차이에 따라, 평(平)·상(上)·거(去)·입(入)의 사성(四聲)으로 분류하고 이것을 다시 분류하여, 당대(唐代)에는 206 운, 원(元)·명대(明代) 이후는 106 운으로 함. ④〖문〗 시(詩)에서, 운율적인 효과를 내기 위해 일정한 자리에 규칙적으로 되풀이하여 쓰는 같거나 비슷한 음. 두운(頭韻)·요운(腰韻)·각운(脚韻) 등이 있음. *율(律).
-운 어미 〈옛〉 -은. ¶五淨 비른 일후믈≪楞嚴 VI:100≫.
운가레티 〔Ungaretti, Giuseppe〕 명〖사람〗 현대 이탈리아의 대표적 시인. 이집트에서 태어나, 파리에서 공부함. 아폴리네르(Apollinaire)와 친교를 맺고, 프랑스 상징파의 영향을 받았음. 몬탈레(Montale)와 함께 이탈리아시(詩)에 큰 영향을 줌. [1888-1970?]
운각[1]【芸閣】명〖역〗 조선 시대 교서관(校書館)의 별칭.
운각[2]【雲刻】명 기구의 가장자리에 구름의 모양을 새긴 새김.
운각[3]【雲脚】명 아래로 드리워져 있는 것같이 보이는 구름의 모양.
운각[4]【雲閣】명〖건〗 궁전 등의 천장 밑에 돌려 붙인 장식판(裝飾板).
운:각[5]【韻脚】명〖문〗 시부(詩賦)의 구(句) 끝에 다는 운자(韻字).
운각 격간【雲閣格間】명〖건〗 운각(雲閣)에 칸막이한 격간(格間).
운각 활자【芸閣活字】[一짜] 명〖인쇄〗 실록자(實錄字).
운간【雲間】명 구름 사이.
운간 방:전【雲間放電】명 〔cloud-to-cloud discharge〕 어떤 구름의 양전하(陽電荷)의 중심과, 다른 구름의 음전하(陰電荷)의 중심 사이에서 일어나는 불꽃 방전.
운감[1]【雲監】명〖역〗 조선 시대 관상감(觀象監)의 별칭.
운감[2]【運感】명〖한의〗 열도(熱度)가 높은 감기.
운:감[3]【殞感】명 제사 때에 차리어 놓은 음식을 귀신이 맛봄. *흠향(歆饗). ——-하다 타여불
운강【雲岡】명〖사람〗 양기탁(梁起鐸)의 호(號).
운강 석굴【雲岡石窟】명〖지〗 윈강 석굴.
운객【雲客】명 선인(仙人)이나 은자(隱者)를 아름답게 이르는 말.
운거【雲車】명 ①높은 망루(望樓)가 있는 수레. 올라가서 적정을 살피는 데 쓰임. 누거(樓車). ②선인(仙人)이 수레처럼 타고 다니는 구름. ③제왕(帝王)이 타는 수레. 지붕이 높게 달렸고 구름이 그려졌음.
운거-산【雲居山】명〖지〗 전라 남도 해남군(海南郡) 화원면(花源面)에 있는 산. 1993 년 7 월 아시아나 항공사의 여객기가 추락하여 44 명이 죽음. [324 m]
운거-수【運車手】명 운전사(運轉士).
운검【雲劍】명〖역〗 의장(儀仗)에 쓰는 큰 칼.

〈운검〉

운경[1]【雲鏡】명 거울을 사용하여 구름의 진행·방향·속도를 재는 기구. *운속계(雲速計).
운:경[2]【韻鏡】명〖책〗 한문자의 음운(音韻)을 도시(圖示)한 책. 발음법(發音法)·청탁(清濁)·사성(四聲)·칠음(七音) 등을 도시함.
운계[1]【雲系】명 〔cloud system〕 구름의 모임이나 조직(組織).
운계[2]【雲髻】명 운환(雲鬟).
운고[1]【雲高】명 구름의 높이. 운저(雲底)의 고도(高度)를 말함.
운:고[2]【韻考】명 한문 글자의 상성(上聲)·평성(平聲)·거성(去聲)·입성(入聲)의 운자를 분류하여 놓은 책. 운책(韻册).
운고-계【雲高計】명〖기상〗 지상(地上)에서 구름을 향하여 규칙적으로 빔 광선(beam光線)을 보내어 되돌아오는 반사광(反射光)을 받아, 그 고도각(高度角)으로 구름의 높이를 측정하는 기계. 공항의 활주로(滑走路) 부근에 설치하는데, 항공기의 안전한 이착륙(離着陸)에 필요한 관측 장치임.
운고-집【雲皐集】명〖역〗 조선 헌종(憲宗) 때의 학자 김재육(金在堉)의 문집. 광무(光武) 3년(1899)에 간행함. 5권 2책.
운곡[1]【耘谷】명〖사람〗 원천석(元天錫)의 호(號).
운곡[2]【雲谷】명〖사람〗 이광좌(李光佐)의 호(號).
운곡-집【耘谷集】명〖책〗 고려 말기의 학자 원천석(元天錫)의 시집(詩集). 2책.
운공[1]【雲工】명〖건〗 이익공(二翼工)에 있어서 화반(花盤) 상부에 얹혀 장여와 도리를 가로 받친 물건.
운공[2]【雲空】명〖건〗 포살미집의 첨차(檐遮) 사이에 까는 조그마한 널쪽.
운관[1]【芸館】명〖역〗 조선 시대 교서관(校書館)의 별칭.
운관[2]【雲觀】명〖역〗 ↗서운관(書雲觀).
운광-암【雲鑛岩】명〖광〗 광상(鑛床) 생성의 원인이 되었거나 또는 그 원인이 되는 화성암(火成岩).
운교【雲橋】명 구름 다리.
운구【運柩】명 시체(屍體)를 넣은 널을 운반(運搬)함. *영구(靈柩). ——-하다 자여불
운궁【雲宮】명〖건〗 살미 내부의 중첩(重疊)된 부분.
운궁-법【運弓法】[一뻡] 명 〔bowing〕〖악〗 바이올린 따위 현악기에서 활을 쓰는 방법. 보잉.

운권 천청【雲捲天晴】명 ①구름이 걷히고 하늘이 맑게 갬. ②병이나 근심이 씻은 듯이 없어짐의 비유. ——-하다 자여불

운궐-증【暈厥症】[—쯩] 명 〖한의〗 어질증.

운귀 고원【雲貴高原】명 〖지〗 윈구이 고원.

운금-상【雲錦裳】명 ①아름다운 옷. ②전(轉)하여, 화려한 문장.

운급【雲級】명 〖기상〗 열 가지의 기본 운형(雲形)의 분류. 권운(卷雲)·권적운(卷積雲)·권층운(卷層雲)·고적운(高積雲)·고층운(高層雲)·난층운(亂層雲)·층적운(層積雲)·층운(層雲)·적운(積雲)·적란운(積亂雲)의 열 가지가 있음. 구름 분류.

운기[1]【雲氣】명 ①기상(氣象)이 달라짐에 따라 구름이 움직이는 모양. ②구름처럼 공중으로 떠오르는 기운.

운기[2]【運氣】명 ①전염하는 열병(熱病). ②운수(運數).

운:길【運—】[—낄] 명 〖민〗 운이 트인다는 길. 운로(運路).

운:-김 명 ①남은 기운. ②여러 사람이 한창 함께 일할 때에 우러나는 힘. ¶~에 그 일을 마쳤다. *훈김.

운남【雲南】명 〖지〗 '윈난'을 우리 음으로 읽은 이름.

운남 바둑 명 알쏭달쏭하여 분간하기 어려운 일.

운남-성【雲南省】명 〖지〗 윈난 성.

운-남전【惲南田】명 〖사람〗 중국 청초(淸初)의 문인 화가. 사왕 오운(四王吳惲)의 한 사람. 이름은 격(格), 자는 수평(壽平), 호는 남전(南田)·백운 외사(白雲外史) 등. 운씨(惲氏)는 비릉(毘陵)의 명족(名族)으로, 명(明)나라 멸망 후 청조(淸朝)를 섬기지 않고, 아버지와 함께 가난한 생활을 하였음. 시서화(詩書畫)에 모두 뛰어나, '비릉 육일(毘陵六逸)'의 한 사람으로 꼽히었음. 산수(山水)·화조(花鳥)를 잘 그리고, 특히 착색 몰골법(着色沒骨法)의 사생적 화조화(寫生的花鳥畫)는 이후의 청조 화조화의 전형이 됨. [1633-90]

운니【雲泥】명 구름과 진흙이란 뜻으로, 차이가 썩 심함을 일컫는 말. 운니지차.

운니지-차【雲泥之差】명 차이가 썩 심함을 이르는 말. *소양지판(霄壤之判)·운니(雲泥).

운니 홍조【雲泥鴻爪】명 홍조(鴻爪).

운:-달다[1] 자 운김에 따라서 하다. ¶운달아서 밥맛이 더 있다.

운:-달다[2]【韻—】자 〖문〗 글짓는 데 운을 달다. 압운(押韻)하다.

운달-산【雲達山】[—싼] 명 〖지〗 경상 북도 문경시(聞慶市) 문경읍(聞慶邑)에 있는 산. [1,097 m]

운담 풍경【雲淡風輕】명 〖악〗 판소리를 부르기 전에 목을 풀기 위하여 부르는 단가(短歌)의 하나. 그리 오래 되지 않은 단가로 일제 강점기(強占期)에 많이 불렸음.

운당【雲堂】명 〖불교〗 '승당(僧堂)'의 아칭(雅稱). 구름집.

운대[1]【雲臺】명 〖역〗 조선 시대 관상감(觀象監)의 별칭.

운대[2]【蕓薹】명 〖식〗 평지.

운대-관【雲臺官】명 〖역〗 조선 시대 때 관상감(觀象監)에 속하는 벼슬아치를 달리 이르던 말.

운도[1]【雲濤】명 ①구름과 파도(波濤). ②물결 치듯이 사납게 일어나는 구름.

운:도[2]【韻圖】명 중국 음운학(音韻學)의 술어. 당대(唐代) 말기부터 오대(五代)·송대(宋代)에 걸쳐서 소리가 같은 한자를 같은 행(行) 또는 같은 줄에 배열하여, 종횡의 도식(圖式)에 의하여 음계(音系)를 체계적으로 표시하는 방법에 쓰인 도표.

운:도 시래【運到時來】명 무슨 일을 이룰 운수(運數)와 시기가 한때에 옴. ——-하다 자여불

운동[1]【雲棟】명 높이 솟아 있는 지붕의 용마루.

운:동[2]【運動】명 ①물체가 이곳 저곳으로 돌며 움직임. 물체가 시간의 경과와 함께 그 위치를 바꿈. ¶회전 ~. ②모든 사물의 상태가 시간과 함께 변하여 감. ③보건의 목적으로 몸을 움직임. ¶~장/준비 ~. ④어느 목적을 이루기 위하여, 여러 방면에 작용함. ¶정치 ~/선거 ~/취직 ~. 1)·2):↔정지(靜止). ——-하다 자타여불

운:동-가【運動家】명 운동을 좋아하고 잘하는 사람. 스포츠맨.

운:동-각【運動覺】명 ↗운동 감각(運動感覺).

운:동 감:각【運動感覺】명 [sense of movement] 신체 각부(身體各部)의 운동에 따라 생기는 감각. 근육의 수축(收縮)·긴장(緊張)이 근육 조직(筋肉組織)·관절(關節)·건(腱)에 있는 특수한 감수기(感受器)를 자극시킴으로써 일어남. 넓은 뜻으로는 시각·청각·촉각을 매개(媒介)로 하여 몸의 운동을 지각(知覺)하는 경우 및 내이(內耳)의 반규관(半規管)에 의한 운동 지각을 포함함. 준운동각(運動覺).

운:동 경:기【運動競技】명 일정한 규칙에 따라, 속력(速力)·지구력(持久力)·기능(技能) 등을 경쟁(競爭)하는 운동. 스포츠(sports).

운:동-계【運動系】명 [motor system] 근육(筋肉)의 수축 활동(收縮活動)이나 샘의 분비(分泌) 활동을 조절·제어하는 신경계(神經系).

운:동-구【運動具】명 운동하는 데 쓰는 기구. *운동틀.

운:동-권【運動圈】[—꿘] 명 인권 운동·평화 운동·학생 운동 등, 어떤 목적을 달성하기 위하여 적극적으로 참여하여 진력하는 사람들의 테두리. ¶ ~ 학생.

운:동-기【運動器】명 ↗운동 기관(運動器官).

운:동 기계【運動器械】명 운동 기구(器具).

운:동 기관【運動器官】명 〖생〗 동물이 장소의 이동을 위하여 쓰는 기관의 총칭. 고등 동물은 근육·골격, 하등 동물은 섬모(纖毛)·편모(鞭毛)·위족(僞足) 등임. 준운동기(運動器).

운:동 기구【運動器具】명 체육 운동에 쓰이는 기구 및 장치. 철봉(鐵棒)·평행봉(平行棒)·안마(鞍馬)로부터 스키·스케이트 등 여러 가지임. 운동 기계. 운동 제구.

운:동 기능 감:퇴【運動機能減退】명 [hypomotility] 〖의〗 운동 기능 특히 위장관(胃腸管) 등의 운동 기능이 떨어지는 일.

운:동 기록기【運動記錄器】명 [kymograph] 〖의〗 장기(臟器)의 운동을 기록하기 위한 장치.

운:동 뉴:런【運動—】[neuron] 명 〖의〗 뇌와 척수에서의 흥분을 근육·선(腺) 등에 전달하는 뉴런.

운:동-량【運動量】[—냥] 명 ①[momentum] 〖물〗 물체의 질량(質量)과 속도의 곱으로 나타내는 물리량(物理量). 외부에서 힘이 작용되지 않는 한, 물체 또는 물체가 몇 개 모여서 된 한 물체계(物體系)가 가지는 운동량의 합(合)은 일정 불변함. ②운동하는 데 들인 힘의 분량. ¶이런 환자에게는 ~이 좀 많은 것 같다.

운:동량 모멘트【運動量—】[—냥—] 명 [moment of momentum] 〖물〗 질점(質點)의 운동에 있어서 원점(原點)으로부터 그 질점까지의 동경(動徑)과 그 질점의 운동량의 벡터(vector) 곱으로 나타낸 양.

운:동량 보:존 법칙【運動量保存法則】[—냥—] 명 [law of conservation of momentum] 〖물〗 질점계(質點系)에 외력(外力)이 작용하지 않으면 그 계의 운동량의 합은 변하지 않는다는 법칙. 곧, 물체가 서로 충돌·융합·관통(貫通) 등의 현상을 일으켜서 서로 힘을 미치면, 개개의 운동량, 곧 질량(質量)×속도(速度)는 변화하나, 전체 운동량의 합(合)에는 증감이 없음. 운동량 불변 법칙.

운:동량 불변 법칙【運動量不變法則】[—냥—] 명 〖물〗 운동량 보존(保存) 법칙.

운:동-력【運動力】[—녁] 명 운동하는 힘.

운:동-령【運動領】[—녕] 명 [motor cortex] 〖생〗 대뇌 피질(大腦皮質)에 있어서 수의 운동(隨意運動)에 관계되는 중추(中樞)가 분포(分布)한 부분. ↔감각령(感覺領).

운:동 마비【運動痲痺】명 〖의〗 운동의 기능(機能)을 상실한 질환. 의학(醫學)에서는 근(筋)의 의식적 수축 기능(意識的收縮機能)의 불능(不能) 상태를 말함.

운:동 마찰【運動摩擦】명 [kinetic friction] 〖물〗 한 물체가 다른 물체의 표면에 닿아서 운동할 때 그 운동하고 있는 물체(物體)를 정지시키려는 마찰. 운동 상태에 따라 미끄럼 마찰과 구름 마찰이 있음. 동(動)마찰. 활마찰(活摩擦). ↔정지(靜止) 마찰.

운:동-모[1]【運動毛】명 [motile cilium] 〖생〗 부동모(不動毛)에 대하여, 통상적으로 운동을 하는 섬모(纖毛)의 일컬음. ↔부동모.

운:동-모[2]【運動帽】명 ↗운동 모자.

운:동 모자【運動帽子】명 운동할 때 쓰는 간편한 모자. 보통, 반구형(半球形)에 혓바닥 모양의 챙이 앞에 달려 있음. 준운동모.

운:동 방정식【運動方程式】명 [equation of motion] 〖물〗 물체의 운동의 법칙을 수식(數式)으로 나타낸 방정식.

운:동 방침【動運方針】명 〖사〗 테제(These)❸.

운:동 법칙【運動法則】명 [laws of motion] 〖물〗 뉴턴이 확립한, 물체의 운동을 설명하는 삼대(三大) 기본 법칙. 제 1 법칙은 '힘을 받지 않는 물체는 처음에 정지하고 있었으면 정지를 계속하고, 움직이고 있었으면 그대로 속도를 바꾸지 않고 등속도 운동(等速度運動)을 계속한다'는 관성(慣性)의 법칙이고, 제 2 법칙은 '물체에 힘이 작용하면 힘의 방향으로 가속도가 생기며, 이 가속도의 크기는 물체에 작용하는 힘의 크기에 비례하고 물체의 질량에 반비례한다'는 가속도의 법칙이며, 제 3 법칙은 '두 개의 물체가 서로 힘을 미치고 있을 때, 그들의 힘의 크기는 항상 같고, 방향은 반대가 된다'고 하는 작용 반작용(作用反作用)의 법칙임. 뉴턴의 운동 법칙.

운:동-복【運動服】명 운동할 때 입는 간편한 옷. 체조·경기 등의 내용에 따라 여러 종류임. 체육복.

운:동-부【運動部】명 ①학교·회사 같은 데서 운동 경기를 함께 하는 그룹이나 서클. ②신문사 같은 데의 스포츠 기사를 취재하는 부서. 우리 나라에서는 체육부로 통칭함.

운:동-비【運動費】명 ①운동 경기를 하는 데 쓰는 비용. ②어떤 목적을 달성시키기 위하여 드는 비용. 운동 자금(運動資金). ¶선거 ~.

운:동-사【運動史】명 운동에 관한 역사.

운:동 선:수【運動選手】명 ①운동 경기에 특수한 재주가 있는 사람. ②운동 경기에 뽑힌 사람.

운:동-성【運動性】[—썽] 명 운동하는 성질.

운:동 성단【運動星團】명 〖천〗 동일한 공간(空間) 운동을 나타내는 항성(恒星)의 집단. 천구 상(天球上)에서 그 모두가 어떤 일점(一點)으로 모이는 듯한 방향의 운동을 나타내는 별의 집단인데, 황소자리에 있는 플레이아데스 성단(Pleiades 星團)을 중심으로 하는 것과 큰곰자리의 북두 칠성(北斗七星)을 중심으로 하는 것 등이 있음.

운:동성 실어증【運動性失語症】[—썽—쯩] 명 [motor aphasia] 〖의〗 다른 사람의 말을 듣고 이해는 하지만, 자신이 말할 수 없는 상태. 브로카의 중추(中樞)가 침범을 당했을 때 일어남. 브로카 실어증(Broca 失語症) 외에, 브로카의 중추와 상위(上位)의 개념 중추(槪念中樞) 사이의 전도로 장애(傳導路障礙)로 인한 초피질성(超皮質性) 운동 실어증 등이 있음. *피질 운동 실어증.

운:동성 언어 중추【運動性言語中樞】[—썽—] 명 언어·문자·몸짓 같은 것을 사용하여 의미를 표현하기 위하여, 대뇌 피질(大腦皮質)의 운동령(運動領)의 활동을 지배하는 중추(中樞). 이 중추가 완전히 장애를 받으면 운동성 실어증이 됨.

운:동성 포자【運動性胞子】[—썽—] 명 유주자(遊走子).

운:동 셔츠【運動—】[shirts] 명 운동하기에 편리한 셔츠.

운:동 시:차【運動視差】명 탈것을 타고 달리며 밖을 바라볼 때 원경(遠景)은 정지(靜止)하고 근경(近景)만 급속도로 움직이는 것처럼 느껴지

는 현상.

운:동 신경【運動神經】명 ①〔motor nerve〕〖생〗 뇌(腦)나 척수(脊髓)와 같은 중추(中樞)에서 근육과 같은 말초(末梢)에 자극(刺戟)을 전달하여, 운동을 일으키는 신경의 총칭. ②어떤 일에 반사적으로 몸을 움직이거나, 각종 운동을 솜씨 있게 하는 능력. ¶~이 둔하다. *원심성 신경(遠心性神經)·감각 신경(感覺神經).

운:동 실조【運動失調】[-쪼] 명〔ataxia〕〖의〗 운동을 하려고 할 때 신체 각부의 조화를 잃고 목적을 이루지 못하는 질환. 뇌나 척수의 고장이 원인(原因)임. 장애 부위(障礙部位)에 따라 척수성 실조증(脊髓性失調症)·소뇌성(小腦性) 실조증·대뇌성(大腦性) 실조증·미로성(迷路性) 실조증으로 나뉨. 실조(失調).

운:동 에너지【運動—】명〔kinetic energy〕〖물〗 물체가 운동하고 있기 위하여 갖는 에너지. 물체의 질량을 m, 속도(速度)를 v라고 하면 물체의 운동 에너지는 $\frac{1}{2}mv^2$이 됨.

운:동 에너지탄【運動—彈】명〔kinetic energy ammunition〕〖군〗 요새·장갑 차량(裝甲車輛)·함선(艦船) 등에 맞으면 비상체(飛翔體)가 갖는 운동 에너지에 의하여 손해를 주도록 설계된 탄약.

운:동-역【運動閾】명〖심〗 어느 정도에 이르면 지각 표상(知覺表象)이 생기는 그 일정한 속도.

운:동 요법【運動療法】[-뇨뻡] 명〔kinesiatrics〕〖의〗 몸을 움직임으로써 질환(疾患)을 치료하는 방법.

운:동-원【運動員】명 어떠한 목적(目的)을 이루기 위하여 운동하는 사람. 운동자(運動者). ¶선거 ~.

운:동 유희【運動遊戱】[-뉴히] 명 손발이나 몸을 움직이는 운동을 즐기는 유희의 하나. 어린이의 따로따로나 세발 자전거 타기·그네 타기·널뛰기 같은 것으로, 생후 삼 개월에 시작하여 초등 학교 때에 가장 많음. *모방 유희·감각 유희.

운:동의 지각【運動—知覺】[-/-에-] 명〖심〗 신체외(身體外)의 환경적 운동의 직접적(直接的) 인지(認知). 시각·촉각(觸覺)·청각 등의 각 감성(感性) 분야에 생기는데, 가장 대표적이고 잘 연구되어 있는 것은 시각적(視覺的) 운동임.

운:동-자【運動者】명 운동원(運動員).

운:동 자:금【運動資金】명 운동비❷.

운:동 잔상【運動殘像】명 일정한 운동의 지각(知覺)이 어느 정도 지속(持續)된 다음 생기는 정지 대상(靜止對象)의 역행(逆行) 운동 현상. 차창(車窓)에서 뒤로 지나가는 경치 등을 잠시 보다가 눈을 차 안으로 돌렸을 때, 차 안의 정지 대상이 최초의 운동 방향과 역방향으로 보이는 현상 따위.

운:동-장【運動場】명 운동 경기나 유희를 하기 위하여 기구나 설비를 갖춘 넓은 마당. 그라운드(ground).

운:동 장애【運動障礙】명 수의(隨意) 운동 또는 의지(意志) 운동의 장애. 운동이 전혀 불가능한 완전 마비(完全痲痺)와 다소는 가능한 부전 마비(不全痲痺)로 나뉨.

운:동-전【運動戰】명〖군〗 조우전(遭遇戰)·추격(追擊)·퇴각(退却)·방어 진지(防禦陣地)의 공방(攻防) 등과 같이 병단(兵團)의 운동(運動)중에 발생(發生)하여, 오랫 동안 한 자리에 고착(固着)하지 아니하는 전투(戰鬪).

운:동 정신【運動精神】명 운동 선수로서 요구되는, 정정 당당하게 전력을 다하여 경기를 하는 태도·정신. 스포츠맨십.

운:동 제구【運動諸具】명 운동할 때에 쓰는 모든 설비(設備)와 기구(器具). 운동 기구. *운동틀.

운:동 종판【運動終板】명〖생〗 단판(端板).

운:동 중추【運動中樞】명〖생〗 근육 운동을 주재(主宰)하는 신경 중추. 대뇌(大腦)·연수(延髓)·척수(脊髓) 등의 총칭.

운:동-틀【運動—】명 철봉(鐵棒)·평행봉(平行棒)·링 등과 같이 땅 위에 운동하도록 차려 둔 설비. *운동구·운동 제구(運動諸具).

운:동 폭발【運動暴發】명〖심〗 지성이 발달하지 못한 동물이 맹목적인 운동에 의하여 새로운 환경에 적응하려고 하는 행동.

운:동-학【運動學】명 ①〔kinematics〕〖물〗 물체의 질량(質量)이나 힘에 관계없이 그 운동에 관하여 기하학적 성질을 연구하는 역학(力學)의 한 분과(分科). ②체육학의 한 가지. 체육 운동의 분류·성질 등에 관하여 연구하는 학문.

운:동 학습【運動學習】명〖심〗 어떤 동일한 상황(狀況)에 대해서, 여러 번 되풀이되는 운동 동작의 숙달(熟達)에 의하여, 그 상황에 보다 낫게 적응(適應)할 수 있게 하기 위한 학습. 기계의 조업(操業), 도공(圖工)의 학습 같은 것. *변별(辨別) 학습.

운:동학적 해:석【運動學的解析】명〔kinematic analysis〕〖기상〗 기상 요소(氣象要素)의 관측치(觀測値)와 그 시간·공간 변수(空間變數)에 의한 편미분 계수(偏微分係數)를 써서 수치 계산으로 장래의 기상 요소를 예상하는 방법. 이 방법은 물리(物理) 법칙을 고려하지 않고 있기 때문에, 물리 법칙을 고려하여, 수치 예보(數値豫報)에서는 역학적(力學的) 해석이 쓰임.

운:동-형【運動型】명〖심〗 기억 재생(記憶再生)에 있어, 말하거나 글자를 썼을 때의 신체적 운동을 표상(表象)으로 하여 생각해 내는 타입. *시각형(視覺型)·청각형(聽覺型).

운:동-화【運動靴】명 운동 경기를 할 때 신는 신. 운동의 종목에 따라 모양이 각각 다름.

운:동-회【運動會】명 운동장이나 광장(廣場) 따위에 여러 사람이 모이어 단체적인 유희나 여러 가지 운동경기를 하는 모임. *체육회(體育會)·체육 대회.

운두[1] 명 그릇이나 신 같은 물건의 둘레의 높이. ¶~가 높은 그릇.

운두[2]【韻頭】〖언〗 중국 음운학에서, 운모(韻母)의 개모(介母)에 해당하는 부분.

운두-도【雲斗島】명〖지〗 전라 남도의 남해안, 여수시(麗水市) 화정면(華井面) 여자리(汝自里)에 위치한 섬. [0.48 km²]

운두-화【雲頭靴】명 코에 구름무늬를 떠붙인 가죽신.

운둔【雲屯】명 병사(兵士)들이 한군데로 구름처럼 많이 모여 주둔(駐屯)함. ——하다 자여불

운:-둔-근【運鈍根】명 사람이 성공하는 데 필요한 세 가지 요소. 곧, 호운(好運)·우직(愚直)·근기(根氣)를 일컫는 말.

운:-떼다【韻—】자 이야기의 첫머리를 말하기 시작하다.

운라[1]【雲羅·雲鑼】[울-] 명〖악〗 중국 청(淸)나라 때에 생긴 중국의 타악기. 모양이 운오(雲璈)와 비슷한데, 지름 10.5 cm의 작은 징(鉦) 10개를 나무 틀에 달아 작은 나무 망치로 침. 행군할 때에는 틀 밑의 손잡이를 왼손에 쥐고 연주하고, 연례(宴禮) 때에는 손잡이를 활처럼 휜 네발 받침에 꽂아 놓음. 음색이 맑고 영롱함. 우리 나라에서는 조선 후기부터 쓰이기 시작하여 취타(吹打)와 당악(唐樂) 계통의 음악에 사용됨.

〈운라〉

운라[2]【UNRRA】명〔United Nations Relief and Rehabilitation Administration의 약칭〕〖경〗 1943년 11월, 제2차 세계 대전으로 인한 여러 전재국(戰災國)의 구제를 목적으로, 연합국 48개국에 의해 설립된 국제적인 원조 기관. 처음에는 구제 사업 위주이었으나, 뒤에 세계 각지의 부흥을 촉진시키기 위한 대규모의 활동을 하였음. 1946년 8월에 해산(解散)되어 그 사무는 국제 연합에 인계하였음. 국제 연합 구제(救濟) 부흥 사업국.

운량[1]【雲量】[울-] 명 구름양.

운량[2]【運糧】[울-] 명 양식을 운반함. ——하다 자여불

운량-계【雲量計】[울-] 명 구름양계.

운량-관【運糧官】[울-] 명〖역〗 조선 시대 때 군량(軍糧)을 운반하던 임시 벼슬.

운력[울-] 명 ☞울력. ——하다 자여불

운력 성당[울-] 명 ☞울력 성당. ——하다 자여불

운로[1]【運路】[울-] 명 물건을 운반하는 길.

운:로[2]【運路】[울-] 명〖민〗 운(運)길.

운뢰【雲雷】[울-] 명 ①구름과 번개. ②구름 위의 번개.

운룡【雲龍】[울-] 명 ①구름을 타고 하늘로 오르는 용. 곧, 천자(天子)나 왕후·영웅을 이름. ②운룡문(雲龍文).

운룡-도【雲龍圖】[울-] 명 민화의 화제의 하나. 구름을 타고 조화를 부리는 용을 그린 그림. 악귀를 쫓고 오복을 지켜 줌을 상징함. 옛날에 기우제 때에 썼음.

운룡-문【雲龍文】[울-] 명 구름을 배경으로 나타낸 용의 문양(文樣). 운룡(雲龍).

운루-면【—麵】〔중溫滷〕명 끓는 조개 국물에 돼지고기·당근·표고·목이버섯·죽순·파·굴 등을 넣고 한소끔 끓인 뒤에 녹말을 풀어 넣은 다음, 삶은 국수 위에 얹은 중국식 국수. *따루면.

운륜【暈輪】[울-] 명 운위(暈圍).

운림【雲林】[울-] 명 ①구름이 걸친 숲. ②은서(隱棲)하는 땅.

운:명[1]【運命】명 운수(運數)와 명수(命數). 곧, 인간을 둘러싼 선악(善惡)·길흉(吉凶)·화복(禍福) 등의 온갖 것이 초인간적인 위력(偉力)에 의하여 조성(助成)되고 지배된다고 믿어지는 그 섭리(攝理). 전(轉)하여, 일이 되어가는 형편. 운수(運數). 숙명(宿命). 명운(命運). ¶~의 여신/~에 맡기다. 준명(命).

운:명[2]【殞命·隕命】명 사람의 명이 끊어짐. ——하다 자여불

운:명-관【運命觀】명 만사가 운명에 의해서 지배되고 있다는 사고 방식(思考方式). 숙명관(宿命觀).

운:명 교향곡【運命交響曲】명〖악〗 베토벤의 아홉개 교향곡 중 제5번. 베토벤의 중기 작품으로, 음악 이외의 정신적인 것을 표현하려고 할 때 작곡한 것이며, 제1 악장의 첫 동기가 유명함. 1808년에 작곡하고 1808년 12월 초연(初演)함.

운:명-극【運命劇】명〖문〗 운명 비극(運命悲劇).

운:명-론【運命論】[-논] 명〖철〗 모든 자연 현상이나 사람의 일은 선천적으로 정해져 있어서, 사람의 힘으로는 변경 못 시킨다는 체관(諦觀). 숙명론. 정명론(定命論). 숙명설(宿命說). 페이털리즘(fatalism). ↔결정론(決定論).

운:명론-자【運命論者】[-논-] 명 운명론을 신봉 또는 주장하는 사람.

운:명 비:극【運命悲劇】명〖문〗 인간의 온갖 일을 운명 또는 숙명(宿命)으로 해석하고 묘사(描寫)하여, 비극으로 끝마치려 하는 극문학(劇文學). 대개 주인공을 파멸(破滅)시켜 전율적(戰慄的)인 무대 효과를 얻으려고 함. 운명극(運命劇). ↔환경 비극.

운:명-선【運命線】명 수상(手相)에서, 중지(中指)를 향해 세로 선 줄을 이름. 사회 생활의 운을 나타낸다고 알려져 있음.

운:명-신【運命神】명 운명을 좌우한다는 신. 이집트의 샤이, 그리스의 모일러, 로마의 폴도나 같은 것.

운:명-애【運命愛】명〖철〗 적극적으로 운명을 긍정하고 그를 초월할 것을 주창한 철학의 이념(理念). 키르케고르·니체의 사상의 기본에 있는 이념의 하나.

운:명-적【運命的】명관 운명에 의하여 정하여져 있는 모양. 또, 금후의 운명이 정하여지는 모양. 숙명적(宿命的).

운모[1]【雲母】명〔mica〕〖광〗 판상(板狀) 또는 편상(片狀)의 규산(硅酸) 광물. 화강암(花崗岩) 중에 많이 들어 있으며, 박리(剝離)되는 성질이 있음. 백색·흑색 두 가지가 있는데, 백운모는 유리의 대용, 전기 절연

체(電氣絶緣體) 등에 씀. 돌비늘. 마이카.

운:모²【韻母】명〖언〗한자(漢字)의 음에서, 음절의 첫 부분인 성모(聲母)를 제외한 뒷부분의 음. '全(quán)'에서 'uán'을 말함. 단(單)운모·복(復)운모·부성(附聲) 운모·권설(卷舌) 운모의 4 종으로 분류하며 16 개가 있음. ↔성모.

운모-고【雲母膏】명〖한의〗옴이나 독창(毒瘡)에 쓰는, 운모를 고아 만든 고약.

운모-병【雲母屛】명 운모로 만든 병풍.

운모-석【雲母石】명〖광〗운모를 주성분(主成分)으로 한 암석(岩石).

운모-지【雲母紙】명 운모의 가루를 바른 종이.

운모-판【雲母板】명〖광〗백운모의 벽개면(劈開面)에 평행되도록 만든 판. 현미경에 끼워 넣어서 조암 광물(造岩鑛物)의 탄성축(彈性軸)의 방향 또는 광학(光學) 성질을 결정하는 데에 씀.

운모 편:마암【雲母片麻岩】명〖광〗장석(長石)·석영(石英)·백운모·흑운모를 주성분(主成分)으로 하는 편마암.

운모 편:암【雲母片岩】명〔mica schist〕〖광〗편암(片岩)의 일종(一種). 운모(雲母)·석영(石英) 따위를 주성분(主成分)으로 하는 결정 편암(結晶片岩).

운:목¹【韻目】명〖문〗중국 음운학(音韻學)에서, 압운(押韻)을 할 수 있는 운(韻)에 속하는 한자(漢字) 가운데, 그 대표가 되는 자(字)를 이르는 말. 우리 나라 운서(韻書)는 보통 106 운을 채택하고 있음.

운목²【上項】명〈이두〉앞의 항목(項目).

운몽-택【雲夢澤】명〖지〗중국 고대(古代)에 후베이 성(湖北省) 남부에서 후난 성(湖南省) 북부에 걸쳐서 있었다고 하는 대소택지(大沼澤地). 운몽(雲夢).

운-무【雲霧】명 ①구름과 안개. ②사람의 눈을 가리고 또는 흉중을 막고, 지식이나 판단을 흐리게 하는 것의 비유.

운무-도【雲霧島】명〖지〗평안 북도 정주군(定州郡)의 남쪽 해상에 위치한 섬. [$0.817\ km^2$]

운무-중【雲霧中】명 구름과 안개 속. 몹시 의심스러운 일의 비유.

운문¹【雲紋】명 구름 모양의 무늬. 구름문. *유운문(流雲紋).

운:문²【韻文】명〖문〗①일정한 운자(韻字)를 구말(句末)에 써서 성조(聲調)를 고른 글. 시(詩)·부(賦) 같은 것. 율어(律語). ②시의 형식을 갖춘 글. ③언어 문자의 배열(配列)에 일정한 규율이 있는 글. 율문(律文). ↔산문(散文).

운:문-극【韻文劇】명〖문〗운문으로 된 희곡. 괴테의 파우스트 같은 것. 시극(詩劇).

운문-단【雲紋緞】명 구름문이 있는 비단의 한 가지.

운문 대:단【雲紋大緞】명 구름 같은 무늬가 있는 대단.

운:문 문학【韻文文學】명 일정한 운문의 문장으로 된 작품. 가사 문학을 포함한 시 형식의 문학.

운:문-법【韻文法】[一뻡] 명〖문〗운문을 짓는 방법. 운법(韻法).

운문-사【雲門寺】명〖불교〗경상 북도 청도군(淸道郡)에 있는 절. 신라 말기에 고려 태조 왕건(王建)이 보양(寶壤)의 말을 듣고, 산적을 막아 내었으므로 그 감사의 대가(代價)로 매년 쌀 50석을 기부하여 이 절을 크게 만들게 하였음.

운문-산【雲門山】명〖지〗①경상 남도 밀양시(密陽市) 산내면(山內面)과 경상 북도 청도군(淸道郡) 운문면(雲門面) 사이에 있는 산. [1,188 m] ②동산(東山)❷.

운문산 석굴【雲門山石窟】명〖지〗윈먼 산 석굴.

운:문 소:설【韻文小說】명 운문으로 된 소설.

운:문-시【韻文詩】명 운문의 시가.

운문-종【雲門宗】명〖불교〗선가 오종(禪家五宗)의 하나. 중국 당말(唐末)의 선승(禪僧)인 운문 문언(雲門文偃)의 종지(宗旨)를 근본으로 하여 일어난 종파(宗派).

운:문-체【韻文體】명〖문〗문체의 한 가지. 외형적인 운율이나 자수(字數)에 맞춘 문체. 가사·시조 따위. ↔산문체(散文體).

운반¹【雲半】명 음력 동짓달.

운반²【運搬】명 ①사람이나 물건을 옮겨 나름. ②〖지〗강물·바람 등이 모래나 자갈 등을 유전(流轉)시킴. ③〔phoresy〕생태계(生態界)에서, 숙주(宿主)인 큰 생물(生物)이 기생 동물(寄生動物)인 다른 종류의 생물을 옮겨 나르는 일. ——-하다 타여불

운반 관리【運搬管理】[一괄一] 명 공장 안에서 물품을 일정한 방법에 의하여 옮기는 일을 관리하는 일.

운반-구【運搬具】명 운반하는 데 쓰는 기구.

운반 기계【運搬機械】명 엘리베이터·에스컬레이터·공기 수송기(空氣輸送機)·기중기(起重機)같이 건설 공사·하역(荷役) 작업에서 운반하는 데 사용하는 기계의 총칭. *산업 기계.

운반-력【運搬力】[一녁] 명 운반할 수 있는 힘.

운반-비【運搬費】명 운반하는 데 소용되는 비용.

운반-선【運搬船】명 물건을 실어 나르는 배.

운반-세【運搬稅】[一쎄] 명〖법〗소비물(消費物)이 거래 매매(去來賣買)되기 위하여 운반되었을 때에 부과(賦課)되는 소비세(消費稅)의 한 가지. 발송세(發送稅)·저장세(貯藏稅) 같은 것. 운송세(運送稅).

운반 아:르 엔 에이【運搬RNA】명〔transfer-RNA, t-RNA; RNA는 ribonucleic acid의 약자〕〖생〗세포질 안에 있다가, 특정의 아미노산과 결합한 다음 리보솜(ribosome)으로 옮겨 가서, 전령(傳令) RNA 가 가지고 있는 뉴클레오티드의 배열 순서에 따라, 단백질을 만드는 리보핵산(核酸). *전령 아르 엔 에이(傳令 RNA).

운반-업【運搬業】명 운송업(運送業).

운반 작용【運搬作用】명〔transportation〕〖지〗천연의 영력(營力)으로 어떤 장소에 있는 물질을 다른 곳으로 운반하는 작용. 풍력이나 수력이 흙을 운반하는 것 등.

운반-체【運搬體】명〔carrier〕〖화〗①미량(微量)의 방사성 동위 원소를 운반할 목적으로 첨가하는 안정(安定) 동위 원소. 이를테면 소량의 방사성 동위 원소를 내포하는 액체에 침전제(沈澱劑)를 넣어도 침전이 일어나지 않지만 동종(同種) 또는 유사(類似)한 원소의 안정 동위 원소를 첨가해 놓고 침전시키면 함께 침전함. 이 경우에 첨가되는 안정 동위 원소를 이름. ②소량의 촉매(觸媒)의 지지물(支持物) 또는 희석물(稀釋物). 담체(擔體).

운발【雲髮】명 여자의 탐스러운 머리 모양을 이르는 말.

운:-밟다【韻一】[一밥一] 타 ①다른 사람이 지어 놓은 한시(漢詩)에 화답(和答)하다. 또, 다른 사람이 지은 한시의 운(韻)을 따라서 한시를 짓다. ②남의 행동을 따라서 그와 같이 하거나 본받아 비슷하게 함을 이르는 말.

운:법【韻法】[一뻡] 명 운문법.

운벽【運甓】명〔甓은 기와〕후일(後日)을 위해 체력(體力)을 단련하는 일. 중국 진(晉)나라의 도간(陶侃)이 체력을 단련하기 위해 아침마다 기와를 운반한 고사(故事)에서 유래함.

운:보【韻譜】명 운자(韻字)를 배열(排列)한 책.

운봉¹【雲峰】명 ①여름날 산봉우리와 같이 피어 오르는 구름. ②머리 위에 구름이 떠 있는 산봉우리.

운-봉²【雲峰】명〖지〗함경 남도 영흥군(永興郡)과 평안 남도 맹산군(孟山郡)과 양덕군(陽德郡) 사이에 있는 산봉우리. [1,135 m]

운:봉³【運逢】명 좋은 운수(運數)를 만남. ——-하다 자여불

운봉-보【雲鳳補】명〖역〗어린 공주·옹주(翁主)의 당의(唐衣)의, 가슴과 등에 다는 보(補). 구름과 봉황새를 수놓음.

운봉 수:향낭【雲鳳繡香囊】명 침상(寢牀)의 벽면을 장식하던 향낭. 중요 민속 자료 제 41 호.

운부¹【芸夫】명 풀을 베는 사나이.

운:부²【韻府】명 운목(韻目)을 모아 놓은 책.

운:부³【韻符】명 표운(標韻)의 부호. 한자음의 반절법(反切法)의 운(韻)을 이름.

운:부 천부【運否天賦】명 운명의 길흉(吉凶)은 하늘이 내린다는 말.

운불-삽【雲黻翣】명 운삽(雲翣)과 불삽(黻翣). 운아삽(雲亞翣). 삽선(翣扇).

운비【運費】명 ↗운송비(運送費).

운빈【雲鬢】명 여자의 탐스러운 귀 밑의 머리를 이르는 말. ¶~이 탐스러운 귓바퀴와 목덜미에 젊음이 무르녹고…《朴花城: 벼랑에 피는 꽃》.

운빈 화용【雲鬢花容】명 탐스러운 귀 밑의 머리와 아름다운 얼굴을 가진 여자를 이르는 말.

운:빙【隕氷】명 지구 밖에서 지구의 대기 안으로 떨어지는 얼음덩이.

운:사¹【韻士】명 운치(韻致)가 있는 사람. 운인(韻人).

운:사²【韻事】명 운치(韻致)가 있는 일.

운산¹【雲山】명 구름 낀 먼 산.

운산²【雲山】명〖지〗평안 북도 운산군의 군청 소재지. 청천강(淸川江)의 지류와 구룡강(九龍江)의 상류에 있어서 농산물의 집산지이며, 부근에는 유명한 동양 최대의 운산 금산이 있음.

운산³【雲散】명 구름이 깨끗이 흩어져 사라짐. ——-하다 자여불

운산⁴【運算】명〖수〗연산(演算). ¶~법. ——-하다 자타여불

운산-군【雲山郡】명〖지〗평안 북도의 한 군. 관내 1읍 4면. 도의 중앙부에서 조금 남쪽에 위치하며, 동은 희천군(熙川郡), 서는 태천군(泰川郡), 북은 창성군(昌城郡), 남은 영변군(寧邊郡)에 인접함. 농산물로는 콩·조·수수·옥수수·누에고치 등이 있고 광산물의 매장량이 풍부하여 한국 제일의 산금 지대(產金地帶)를 이루고 있음. 명승 고적으로는 백골산(白骨山)·동림산(東林山)·약수·반야산 등이 있음. 군청 소재지는 운산. [$820\ km^2$]

운산 금산【雲山金山】명〖지〗평안 북도 운산군 북진읍(北鎭邑) 근처에 있는 금산. 1896년에 미국인 모스(Morse)가 한국 황실로부터 25년간의 특허를 얻어 채굴하기 시작하였음.

운산 무:소【雲散霧消】명 구름이 흩어지고 안개가 사라지듯이 의심이나 근심 걱정 등이 깨끗이 사라짐. 운산 조몰(雲散鳥沒). 무산(霧散). ——-하다 자여불

운산-법【運算法】[一뻡] 명 운산하는 방법.

운산 조몰【雲散鳥沒】명 운산 무소(雲散霧消). ——-하다 자여불

운산-증【運算症】[一쯩] 명〖의〗강박 관념으로 말미암아, 항상 눈에 보이는 물건의 수를 세거나 또는 수에 대하여 생각하는 정신병의 한 가지. 특수한 수에 대하여 병적인 공포를 갖는 증상도 있음. 공수증(恐數症). 계산광(計算狂).

운삽【雲翣】명 발인(發靷)할 때에 영구(靈柩) 앞뒤에 세우고 가는 구름무늬를 그린 부채 모양의 물건.

〈운삽〉

운상¹【雲翔】명 ①헤어져 흩어짐. ②줄달음을 치는 구름처럼 여기저기 서 일어남. ③구름처럼 빨리 달림. ——-하다 자여불

운상²【運喪】명 상여를 메고 운반함. ——-하다 자여불

운상 기품【雲上氣稟】명 속됨을 벗어난 고상한 기질과 성품.

운색【暈色】명 →훈색(暈色).

운서¹【雲棲】명 구름 속에 산다는 뜻으로, 세속을 벗어나 은거(隱居)함. ——-하다 자여불

운:서²【韻書】명 한자를 사성별(四聲別)·운별(韻別)·성모별(聲母別)로 배열해 놓은 자서(字書). 중국에서 만든《절운(切韻)》·《광운(廣韻)》등과 우리나라에서 지은《규장 전운(奎章全韻)》·《동국 정운(東國正韻)》등 종류가 많음.

운석¹【雲石】명〖광〗중국 윈난(雲南) 지방에서 나는 옥석(玉石).

운석²【雲石】명〖사람〗장면(張勉)의 호(號).

운:석³【隕石】명〖광〗지구상에 떨어진 별똥. 암석(岩石)이 주성분(主成

分)이며 흑색 또는 암갈색임. 주로 철·니켈로 된 것을 운철(隕鐵), 규산염류(珪酸塩類)로 이루어진 것을 석질 운석(石質隕石)이라고 함. 천운석(天隕石). 성석(星石). *운성(隕星)·운철(隕鐵).

운석-계【運石契】명〖역〗조선 시대 때, 서울 부근 한강(漢江) 연안에 있던 창고(倉庫)의 곡식을 운반하기 위하여 인부를 대는 계.

운:석-공【隕石孔】명〖지〗운석이 매초 수 km-수십 km의 속도로 낙하할 때에 발생하는 충격파로 지표면에 생기는 둥근 구멍. 떨어지는 각도(角度)에는 상관없이 둥근 모양이 되는 것도 실험 결과 밝혀졌는데 미국의 바린저(Barringer) 운석공이 유명함. 운석 구덩이.

운:석 이:론【隕石理論】[—니—] 명〖천〗소련의 슈미트(Schmidt, O. Y.)가 1944년에 제창한 태양계 생성 이론. 원시 태양이 우주진운(宇宙塵雲)을 만나, 그 입자를 포획(捕獲)하고, 그것이 회전하고 있는 동안에 각 부에 응집(凝集)이 일어나, 행성·위성·운석으로 성장했다고 함.

운선[1]【運船】명 배를 띄워 나아감. ——-하다 자여불

운선[2]【暈渲】명〖지〗그림·지도를 그릴 때 어떤 빛깔이 차차로 흐리게 그리는 방법. →훈선.

운선식 지형도【暈渲式地形圖】명〖지〗운선식을 사용하여 지표(地表)의 고저를 표시한 지형도. 사조법(斜照法)과 단층법(段層法)의 두 방식이 있음. →훈선식 지형도. *운옹식 지형도.

〈운선식 지형도〉

운:성[1]【運性】명 간지(干支)에 의하여 사람의 운명을 정하는 일.

운:성[2]【運城】명〖지〗'윈청'을 우리 음으로 읽은 이름.

운:성[3]【隕星】명〖천〗우주진(宇宙塵)이 지구의 대기 중에 들어올 때 빠른 속도로 떨어지므로, 공기의 압축이나 마찰로 인하여 빛을 내는 것. 100 km 이상의 높이에서 발광(發光)하는데, 평균 속도는 매초 약 50 km이며, 대개 대기 중에서 타 없어지거나, 큰 것은 지구 상에 떨어져 운석(隕石) 또는 운철(隕鐵)이 됨. 비성(飛星). 성우(星雨). 유성(流星). 성화(星火). *운석(隕石).

운세트〔Undset, Sigrid〕명〖사람〗노르웨이의 여류 작가. 유명한 고고학자(考古學者) I. 운세트의 딸. 화가 지망 여성의 불행한 사랑을 다룬 ≪예니(Jenny)≫가 출세작이며, 이어 14세기 귀족의 딸의 생애를 그린 3부작 ≪크리스틴 라브란스다터≫, 남성을 주인공으로 한 4부작 ≪올라브 아우둔스쇤≫을 쓰고 1928년도 노벨 문학상을 수상. 뒤에 나치스를 피하여 미국으로 망명하여 항독(抗獨) 운동에 종사함. [1882-1949]

운소[1]【雲霄】명 ①구름 낀 하늘. ②높은 지위를 비유하는 말.

운:소[2]【韻素】명〔프 prosodème〕〖언〗언어 연쇄(連鎖)에 있어 계기적(繼起的)으로 나타나는 음소(音素) 외에 이들과 더불어 동시적(同時的)으로 출현하는 운율적(韻律的)인 특징. 비분할(非分割) 음소. 상가(上加) 음소.

운속【雲速】명〖기상〗지상에서 관측한 구름의 속도. 구름의 움직임을 바라보고 완(緩)·중(中)·급(急)으로 나눔.

운속-계【雲速計】명〔nephoscope〕구름이 움직이는 속도를 측정하는 기계(器械). 운경(雲鏡)도 대체적인 속도를 측정할 수 있는 점에서 운속계의 일종임. 운속을 측정하기 위해서는 사진 경위의(寫眞經緯儀)를 사용하며, 기선(基線)을 설정하여 정식으로 삼각 측량(三角測量)을 함. *운경(雲鏡).

운손【雲孫】명 구름과 같이 멀어진 자손이라는 뜻에서, 팔대(八代)의 자손을 일컫는 말. 곧, 자(子)·손(孫)·증손(曾孫)·현손(玄孫)·내손(來孫)·곤손(昆孫)·잉손(仍孫)의 다음 자손.

운송【運送】명 ①물품을 나르고 보냄. ②화물 및 여객을 일정한 장소로부터 다른 장소로 나름. ——-하다 타여불

운송 계:약【運送契約】명〖법〗운송인(運送人)이 물건 또는 여객을 운송할 것을 약속하고, 하송인(荷送人) 또는 여객이 이에 대하여 운임(運賃)을 지불할 것을 보증하는 계약.

운송-료【運送料】[—뇨] 명 운임(運賃).

운송 보:험【運送保險】명〖경〗육상 (호천(湖川)·항만(港灣)을 포함)을 운송하는 화물에 대하여 화재·수재(水災)·도난 등으로 인해서 하주(荷主)가 받는 손해를 보상하기 위한 손해 보험.

운송-비【運送費】명 ①운임(運賃). ②운송하는 데 드는 비용. 준운비(運費).

운송-선【運送船】명 여객·화물 등을 운송하는 선박.

운송-세【運送稅】명〖법〗운반세(運搬稅).

운송 약관【運送約款】[—냐—] 명 육상·해상·항공의 운송 계약에서 사용되는 보통 계약 조관(條款). 미리 정형적(定型的) 획일적(劃一的)으로 설정된 것으로, 운송 계약의 내용은 이에 의하여 사실상 결정됨.

운송-업【運送業】명 운임 또는 수수료를 받고 여객·화물을 운송하는 영업. 운반업(運搬業).

운송업-자【運送業者】명 운송을 영업으로 하는 사람. 운송 영업인(運送營業人).

운송 영업인【運送營業人】[—녕—] 명 운송업자. 준운송인(運送人).

운송-인【運送人】명 ①↗운송 영업인. ②직접 운송을 하는 사람.

운송-장[1]【運送狀】[—짱] 명 ①운송인이 하주(荷主)에게 물건과 같이 발송하는 통지서(通知書). ②육상 운송에서, 운송인의 청구에 의하여 하송인(荷送人)이 교부하는 운송품·도착지·수하인(受荷人) 등을 기재한 서면. 송장(送狀).

운송-장[2]【運送場】명 운송하는 장소.

운송-점【運送店】명 운송업을 하는 상점.

운송 증권【運送證券】[—꿘] 명 운송 계약에 의거하여 운송품의 인도 청구권을 나타내는 유가(有價) 증권. 화물 인환증과 선하(船荷) 증권이 포함됨.

운송-품【運送品】명 운송의 목적이 되는 물품.

운수[1]【雲水】명 ①구름과 물. 수운(水雲). ②↗운수승(雲水僧).

운수[2]【雲岫】명 구름이 떠오르는 산에 있는 굴.

운수[3]【雲樹】명 구름이 걸릴 만한 높은 나무.

운:수[4]【運數】명 인간의 힘을 초월한 천운(天運)과 기수(氣數). 운명(運命). 신운(身運). 운기(運氣). 운회(運會). 성수(星數). ¶ ~가 나쁘다. 준수(數)·운(運).

운:수(가) 사납다 구 운수가 모질게 나쁘다.

운수[5]【運輸】명 운반(運搬)이나 운송(運送)보다 규모가 크게 화물이나 여객 등을 나름. 수운(輸運). ——-하다 타여불

운수 기관【運輸機關】명 여객·화물의 이동을 목적으로 하는 철도·선박·자동차·항공기 등과 그 노선의 총칭. 수송(輸送) 기관.

운:수 불길【運數不吉】명 운수가 좋지 아니함. 운수 불행(運數不幸). ——-하다 형여불

운:수 불행【運數不幸】명 운수 불길(運數不吉). ——-하다 형여불

운수 서기【運輸書記】명 행정직 국가 공무원 직급 명칭의 하나. 운수 직렬(職列)에 속하며, 운수 주사보의 아래, 운수 서기보의 위로 8급 공무원임.

운수 서기보【運輸書記補】명 행정직 국가 공무원 직급 명칭의 하나. 운수 직렬(職列)에 속하며, 운수 서기의 아래로 9급 공무원임.

운:수 소:관【運數所關】명 모든 일이 운수의 탓이라 하여 사람의 힘으로는 어찌할 수 없다는 말. 기수 소관(氣數所關).

운수-승【雲水僧】명 '탁발승(托鉢僧)'을 아름답게 이르는 말. 준운수(雲水).

운수 심:판소【運輸審判所】명〔Transport Tribunal〕영국의 운수 행정 기관의 하나. 철도나 그 밖의 운수 기관의 운임·요금·운송(運送) 조건의 제정(制定)·개정 또는 그에 관한 쟁송(爭訟)을 판결함을 목적으로 하는 기관임.

운수-업【運輸業】명 규모가 크게 여객이나 화물을 나르는 영업(營業).

운수 주사【運輸主事】명 행정직 국가 공무원 직급 명칭의 하나. 운수 직렬(職列)에 속하며, 행정 사무관의 아래, 운수 주사보의 위로 6급 공무원임.

운수 주사보【運輸主事補】명 행정직 국가 공무원 직급 명칭의 하나. 운수 직렬(職列)에 속하며, 운수 주사의 아래, 운수 서기의 위로 7급 공무원임.

운수지-회【雲樹之懷】명 친구를 그리는 회포(懷抱).

운수 통:계【運輸統計】명 운수에 관한 통계. 여객(旅客)이나 화물의 수송(輸送) 결과를 나타내는 수송 통계, 수송에 필요한 여러 시설(施設)의 상황을 나타내는 시설 통계, 수송의 과정에서 발생하는 인적(人的)·물적(物的) 피해의 상황을 나타내는 사고(事故) 통계 등으로 분류하며, 다시 이것을 그 기관에 따라 철도 통계·자동차 통계·해운(海運) 통계 등으로 나눔.

운:-수평【惲壽平】명〖사람〗중국 청대의 화가 운남전(惲南田)을 본이름으로 일컫는 이름.

운수 회:사【運輸會社】명 운수를 영업으로 하는 회사.

운:신【運身】명 몸을 움직임. ——-하다 자여불

운심 월성【雲心月性】[—썽] 명 담박(淡泊)하여 욕심이 없음을 비유하는 말.

운아-삽【雲亞翣】명 운불삽(雲黻翣).

운안 흉배【雲鴈胸背】명〖역〗조선 고종(高宗) 이전에, 정이품·종이품 문관(文官)이 달던 흉배. 구름 낀 하늘을 나는 기러기를 수놓음.

운암【雲岩】명 하늘을 찌를 듯이 높이 솟은 바위.

운암 발전소【雲巖發電所】[—쩐—] 명〖지〗섬진강 수계(水系)에 속하는 발전소. 섬진강을 개발하여 그 전력을 서남부 지방에 공급할 목적으로 1946년에 완성하였음. 발전량 7,000 kW.

운애[1]【雲崖】명〖사람〗박효관(朴孝寬)의 호(號).

운애[2]【雲靄】명 구름이 끼어 흐릿하게 된 공기. ¶ 뾰오얗게 운애가 끼였던 하늘이 벗겨졌다≪黃順元 : 카인의 후예≫.

운야【雲夜】명 구름이 낀 밤.

운양[1]【雲養】명〖사람〗김윤식(金允植)의 호(號).

운양[2]【雲壤】명 하늘과 땅.

운양호 사:건【雲揚號事件】[—껀] 명〖역〗운요호 사건(雲揚號事件).

운:어【韻語】명 압운(押韻)의 어구.

운역【運役】명 물건을 운반하는 일.

운연【雲煙】명 ①구름과 연기. ②운치(韻致)가 있는 필적(筆蹟)의 형용(形容).

운연 과:안【雲煙過眼】명 ①즐거운 일에 오래 마음을 두지 아니함. ②사물에 깊이 마음을 두지 아니함. ——-하다 자여불

운영[1]【雲影】명 구름의 그림자.

운영[2]【暈影】명 →훈영(暈影).

운영[3]【運營】명 조직(組織)·기구(機構) 따위를 운용(運用)하여 경영함. ——-하다 타여불

운영 예:산【運營豫算】[—녜—] 명〖경〗기업의 운영과 관계되는 판매비·광고비·제품 보관비·제품 발송비 등에 관한 판매 예산(販賣豫算)과 재료비·노무비·제조 경비 등에 관한 제조(製造) 예산.

운영 자:금【運營資金】명〖경〗경영 자금.

운영-전【雲英傳】명〖책〗작자·창작 연대 미상의 고전 소설의 하나. 작자를 유영(柳泳)이라고 하는 설이 있으나 확실하지 아니함. 내용은 유영이 안평 대군의 구택(舊宅)인 수성궁(壽聖宮)에 놀러 갔다가 궁녀 운

영과 그 애인 김진사를 만나 그들의 비련담(悲戀譚)을 듣고 세 사람이 술을 마셨는데 유영이 깨어보니 두 사람은 간데 없고 김진사가 기록한 두루마리만 남아 있더라는 몽유록계(夢遊錄系)의 소설. 수성궁 몽유록(壽聖宮夢遊錄). 유영전(柳泳傳).

운영 체제【運營體制】명 〔operating system〕〖컴퓨터〗효율적인 조작을 목적으로 하는 각종 제어(制御) 프로그램의 집합체.

운예[1]【雲霓】명 ①구름과 무지개. ②비가 올 조짐.

운예[2]【雲翳】명 구름의 그늘. 또, 그 그림자.

운예-망【雲霓望】명 가물 때 구름과 무지개를 바라보는 것처럼, 소원(所願)의 절실함을 이르는 말.

운오【雲璈】명〖악〗중국 원(元)나라 때에 궁중에서 쓰던 악기의 한 가지. 구리로 만든 조그만 징인데, 열 세 개의 소라(小鑼)를 자루 긴 틀에 달고 침. 청(淸)나라 때 운라(雲鑼)로 변하였음.

운옹【暈滃】명 그림이나 지도(地圖)를 그릴 때 명암(明暗)을 표시하기 위하여 한 쪽은 진하게, 다른 한 쪽은 흐리게 하는 수법. →훈옹.

〈운옹식 지형도〉

운옹식 지형도【暈滃式地形圖】명〖지〗운옹을 사용하여 지표의 기복(起伏)을 표시한 지형도. 수평 곡선에 직각으로 선을 그리어 넣는 수직법(垂直法) 운옹과 수평 곡선의 방향으로 그리어 넣는 수평법의 두 가지 방식이 있음. →훈옹식 지형도. *운선식 지형도.

운와【雲臥】명 구름과 잔다는 뜻으로, 세상을 피하여 산중에 사는 일.

운요:호 사:건【一號事件】〔雲揚：うんよう〕[一껀] 명〖역〗1875년 9월 한국과 일본 간의 관계 개혁을 위한다는 명목 아래, 시위 행동 중이던 일본 군함 운요호(雲揚號)와 강화도 포대와의 충돌 사건. *강화도 조약.

운용【運用】명 움직이어 씀. ¶ ~의 묘(妙). ——-하다 타여불

운용-비【運用費】명 운용하는 데 쓰이는 비용.

운용-술【運用術】명 운용하는 방법 또는 기술.

운우【雲雨】명 ①구름과 비. ②대업(大業)을 이룰 기회. ③남녀(男女) 간의 육체적인 어울림.

운우지-락【雲雨之樂】명 남녀가 육체적으로 어울리는 즐거움.

운우지-정【雲雨之情】명 남녀 간의 육체적으로 어울리는 사랑.

운운[1]【云云】명 ①글이나 말을 인용(引用) 또는 생략할 때에 이러이러함의 뜻으로 쓰는 말. ②여러 가지의 말. ——-하다 자여불

운운[2]【芸芸】명 ①왕성(旺盛)한 모양. 많은 모양. ②꽃이 노란 모양. ——-하다 형여불

운월【雲月】명 언월(偃月)❸.

운위[1]【云爲】명 ①말과 행동. 언행(言行). ②세태(世態)와 인정.

운위[2]【暈圍】명 무리의 범위(範圍). 운륜(暈輪).

운위-하다【云謂一】타여불 일러 말하다.

운유【雲遊】명 뜬 구름처럼 돌아다니며 놂. ——-하다 자여불

운:율【韻律】명 시문(詩文)의 음성적(音聲的) 형식에 대한 말. 음의 장단·강약·고저(高低) 또는 같은 음·비슷한 음을 규칙적으로 반복 배열하여 음악적인 느낌을 주는 일. 외형률과 내재율이 있음. 리듬.

운:읍【殞泣】명 눈물을 흘리면서 욺. ——-하다 자여불

운의[1]【運意】[一/一이] 명 이리저리 생각함. ——-하다 자여불

운:의[2]【韻意】[一/一이] 명 ①운치와 의의. ②높고 아름다운 품격을 갖춘 뜻.

운:인【韻人】명 운치가 있는 사람. 운사(韻士).

운임【運賃】명 화물 또는 여객을 운반하는 보수(報酬)로 받는 대가(代價). 운송료(運送料). 운송비(運送費). 짐삯. ¶ 비싼 ~을 치르다.

운임 동맹【運賃同盟】명〖경〗국제 정기 항로(國際定期航路)에서 관계 선박 회사(關係船舶會社)에 의해 결성된 해운 동맹(海運同盟)의 일종. 특정한 항로에 있어서 운임을 일정하게 하고 운송 상(運送上)의 경쟁을 제한하여, 해상 운임의 안정을 도모하고 독점적(獨占的)인 지위(地位)를 찾기 위한 동맹. 콘퍼런스(conference).

운임 보:험【運賃保險】명〖경〗해상 보험의 하나. 선박의 사용료 및 화물 운임의 전부나 일부를 선박 또는 화물의 감실(減失)이나 훼손(毁損)으로 인하여 받지 못하게 되는 경우, 선주(船主)나 운송자(運送者)가 입는 손해를 전보(塡補)하기 위한 보험.

운임 보:험료 포함 가격【運賃保險料包含價格】[一뇨一까一] 명 시 아이 에프(C.I.F., cif).

운임 지수【運賃指數】명〖경〗운임 시황(市況)의 추이(推移)를 표시하는 지수. 일정한 항로 및 품목에 대하여, 그 운임률을 조사하고, 이에 운송 수량·운임 등을 곱하여, 기준 시점(時點)을 100으로 하여 표시함.

운임-표【運賃表】명 여객(旅客) 또는 화물의 운임을 거리·무게 등에 의하여 분류하여 놓은 표.

운임 협정【運賃協定】명 운송업자들이 서로의 경쟁을 피하기 위하여 서로 간에 화물에 따른 운임의 율을 협정하는 일.

운잉【雲仍】명 운손(雲孫)과 잉손(仍孫). 원손(遠孫)을 일컫는 말.

운자[1]【耘耔】명 김 매고 북돋움. ——-하다 타여불

운:자[2]【運者】명 운이 좋은 사람. 좋은 운을 만난 사람.

운:자[3]【韻字】[一짜] 명 한시(漢詩)의 운각(韻脚)에 운(韻)으로 쓰는 글자. 준운(韻).

운:자(를) 떼다 구 말을 꺼내다.

운작【雲雀】명〖조〗종다리❷.

운잔【雲棧】명 높은 산의 벼랑 같은 데를 건너다니게 한 통로.

운재【運材】명 재목을 나름. ——-하다 자여불

운저【雲底】명〖기상〗구름 밑면.

운적-토【運積土】명〖지〗암석이 풍화(風化)하여 하수(河水)·해수(海水)·빙하(氷河)·풍우(風雨)·중력(重力)·화산(火山) 등의 작용으로 딴 곳에 운반되어 퇴적(堆積)한 흙. 이적토(移積土). ↔원적토(原積土).

운전[1]【雲箋】명 운한(雲翰).

운전[2]【運轉】명 ①기계(機械)나 수레 따위를 움직이어 굴림. ②다른 곳으로 돌림. ③자본이나 어떠한 일 같은 것을 움직이어 나아가게 함. ——-하다 타여불

운전 계:통【運轉系統】명 전차·열차·자동차 등의 운전 노선(路線)의 계통.

운전 기사【運轉技士】명 '운전사(運轉士)'의 미칭(美稱). 준기사(技士).

운전-대[1]【運轉一】[一때] 명〈속〉자동차 따위의 핸들. ¶ ~를 잡다.

운전-대[2]【運轉臺】명 운전석(運轉席).

운전 면:허【運轉免許】명 일정한 자격을 갖춘 자에 한하여 자동차 등의 운전을 할 수 있도록 하는 행정 처분. 자동차·열차·선박·항공기 등을 운전 또는 조정하려는 자에게 주어지는 면허임. 자동차 운전 면허에는 1종과 2종이 있는데, 운전 면허는 흔히 자동차 운전 면허를 지칭하는 경우가 많고, 도로 교통법에 따라 시·도지사가 이를 발급함.

운전-병【運轉兵】명〖군〗군용차를 운전하는 병사.

운전-비【運轉費】명 운전하는 데 드는 비용. 운전 자금.

운전-사【運轉士】명 전차·자동차·열차·선박·기계 등을 운전하는 사람. 운전수. 드라이버.

운전-석【運轉席】명 운전을 하는 자리. 운전대(運轉臺).

운전-수【運轉手】명 '운전사(運轉士)'의 구칭.

운전-실【運轉室】명 기계 따위를 운전·조작하는 방.

운전-원【運轉員】명 기계 기능직 국가 공무원 직급 명칭의 하나. 6급·7급·8급·9급·10급의 다섯 등급이 있음.

운전-자【運轉者】명 자동차·전동차·열차 따위를 운전하는 사람.

운전 자:금【運轉資金】명 운전 자본으로서 투입되는 자금. 운전비. ↔설비 자금(設備資金).

운전 자본【運轉資本】명〖경〗기업의 일상적인 활동을 위해 투입된 자본. 회계상, 넓은 뜻으로는 기업 자본 중 유동 자산을, 좁은 뜻으로는 유동 자산액에서 유동 부채액을 뺀 것을 말함. 기업의 일상적인 경영 활동에 충당되는 자금. ↔설비(設備) 자본.

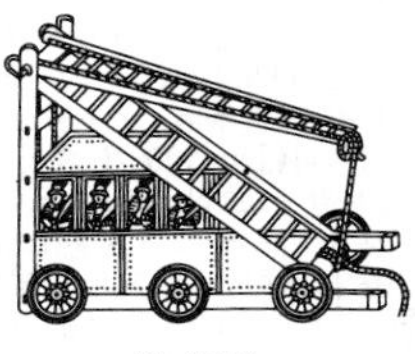
〈운제[1]❷〉

운:절【隕絶】명 떨어져서 끊어짐. ¶ 대명(大命) ~.

운제[1]【雲梯】명 ①높은 사닥다리. ②옛날에 성(城)을 공격할 때 썼던, 구름에 닿을 만큼 높은 사다리.

운제[2]【雲際】명 먼 하늘. 높은 하늘 또는 높은 산.

운제-당【雲梯幢】명〖역〗신라 사설당(四設幢)의 하나. 공성(攻城)할 때 구름 다리를 놓는 군대.

운제당-주【雲梯幢主】명〖역〗신라 운제당(雲梯幢)의 지휘관. 위계는 급찬(級飡)에서 사지(舍知)까지.

운제산 신모【雲梯山神母】명〖민〗신라 시대 운제산에 있다고 믿어졌던 신모(神母).

운:조[1]【運祚】명 ①돌아오는 운. 천운(天運). ②천자(天子)의 지위. ③천운을 입어 제위(帝位)에 오르는 일.

운조[2]【運漕】명 배로 짐을 나름. ——-하다 타여불

운조-술【運操術】명 배를 운전하고 조종(操縱)하는 기술.

운조-점【運漕店】명 운조를 영업으로 하는 상점.

운족【雲足】명〖악〗거문고·슬(瑟)·대쟁(大箏)·아쟁(牙箏)의 아래편을 괴기 위하여 몸체의 아래쪽 밑에 붙이는 구름 모양의 다리.

운종-가【雲從街】명〖역〗조선 시대 때 한성(漢城)의 거리 이름. 지금의 종로 네거리를 중심으로 한 곳인데, 이 곳에 육의전(六矣廛)이 설치되었음.

운종룡 풍종호【雲從龍風從虎】[一농一] 명 마음과 뜻이 서로 맞는 사람끼리 서로 구하고 좇음을 일컫는 말.

운종-산【雲從山】명〖지〗평안 북도 신미도(身彌島)에 있는 산. 신미도 중앙에 솟아 있으며 산자 수명(山紫水明)하고 풍광 명미(風光明媚)하여 여름철의 좋은 휴양지임. [533 m]

운:주[1]【運籌】명 이리저리 꾀를 냄. ——-하다 자여불

운주[2]【雲珠】명〖고고학〗말띠꾸미개.

운:주-루【運籌樓】명〖지〗약산 동대(藥山東臺).

운증【雲蒸】명 뭉게뭉게 피어 오르는 구름. 또, 그처럼 사물의 기세가 융성한 것.

운증 용변【雲蒸龍變】[一농一] 명 물이 증발하여 구름이 되고 뱀이 변하여 용이 되어 승천(昇天)한다는 말로, 영웅 호걸이 기회를 얻어 흥성(興盛)함의 비유. ——-하다 자여불

운지【雲脂】명 비듬.

운지-버섯【雲芝一】명〖식〗[*Coriolus versicolor*] 담자균류(擔子菌類)의 버섯의 하나. 크기 1-5 cm. 두께 1-2 mm의 갓은 얇되 튼튼한 가죽질(質)이고, 보통 반원형임. 표면은 거의 검정색 일색 또는 회색·황갈색·흑색 등의 빛을 띤 고리 무늬를 나타내며, 짧은 털이 덮여 있고 살은 흼. 밑면은 백색 내지 회갈색이고 침엽수·활엽수의 고목에 군생(群生)함. 항암제(抗癌劑)의 원료가 됨. 전세계에 분포함.

운지-법【運指法】[一뻡] 명〖악〗악곡(樂曲)을 정확하게 연주하기 위한 손가락의 움직이는 법. 핑거링(fingering).

운:진【運盡】명 운수(運數)가 다함. ——-하다 자여불

운집【雲集】명 구름처럼 많이 모임. 무집(霧集). ¶ ~한 수험생(受驗生). ——-하다 자여불

운집 무:산【雲集霧散】[명] 수많은 것이 구름처럼 모였다가 흩어지기를 되풀이하는 일.
운집-종【雲集鐘】[명]〖불교〗절에서 대중(大衆)이 모이라고 치는 종. ＊구름모임.
운창【芸窓】[명] 글 읽는 방의 창. 또, 그 서재(書齋)의 미칭(美稱). 옛적에 서책(書册)에 좀이 먹는 것을 막기 위하여 책장에 운초(芸草)를 끼운 데서 온 말.
운:책【韻册】[명] 운고(韻考).
운:철【隕鐵】[명]〖광〗철(鐵)을 주성분(主成分)으로 하는 별똥의 한 가지. ＊운석(隕石)·운성(隕星).
운초[1]【芸草】[명]〖식〗궁궁이.
운초[2]【雲楚】[명]〖사람〗조선 시대 중기의 기생·시인. 호(號)는 부용(芙蓉). 김이양(金履陽)의 소실(小室). 영천(永川)의 명기(名妓). ≪부용집(集)≫에 수록되어 있는 3백여 수(首)의 시는 규수(閨秀) 문학의 정수로 손꼽힘. 생몰년 미상.
운층【雲層】[명]〔cloud layer〕반드시 같은 종류는 아니더라도 구름 밑면이 거의 같은 높이에 있는 구름의 배열(配列). 각각 떨어져 있는 것과 연속되어 있는 것이 있음.
운치[1]【運置】[명] 물건을 운반하여 놓아 둠. ——-하다 [타][여불]
운:치[2]【韻致】[명] 고아(高雅)한 품위가 있는 기상. 풍치(風致). 흥치(興致). ¶ ~가 있는 시조.
운크라【UNKRA】[명]〔United Nations Korean Reconstruction Agency의 약칭〕〖정〗1950년 12월 UN 총회의 결의에 의하여 창설된 원조 기관. 한국 동란 후의 한국 경제 부흥·재건에 대한 원조 사업을 그 목적으로 함. 자금은 유엔 가맹 제국이 갹출하고, 대한 민국 정부와 긴밀한 협조 밑에서 사업을 추진시켰음. 1958년 6월 말에 사업 종료로 해체되었음. 한국 재건단.
운크타드【UNCTAD】[명]〔UN Conference on Trade and Development의 약칭〕〖경〗국제 연합 무역 개발 회의.
운키아르 스켈레시 조약【一條約】〔Unkiar Skelessi〕[명] 1833년 터키의 운키아르 스켈레시에서 조인된 러시아·터키 상호 원조 조약. 이에 의하여 러시아는 비밀 조항에서 독점적인 다다넬즈(Dardanelles) 해협 통행권을 획득하여 영불(英佛)과 대립, 동방 문제의 일인(一因)이 되었음.
운터〔도 Unter〕[명]〔Untergrundbahn의 약칭〕지하 철도.
운터-덴-린덴 [명]〖지〗〔도 Unter den Linden: '보리수(菩提樹) 밑'의 뜻〕베를린의 중심가.

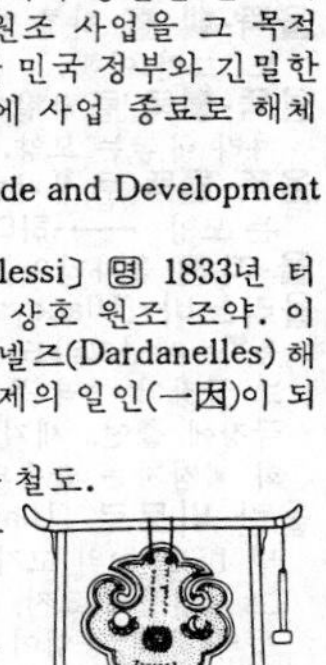
〈운판〉

운토【運土】[명] 흙을 나름. ——-하다 [자][여불]
운:통【韻統】[명]〖문〗한자 운서(韻書)에 있는 운자의 계통. 동자(東字) 운통·강자(江字) 운통 따위.
운판【雲版】[명]〖불교〗절에서 달아 놓고 신호(信號)로 특히 식사(食事) 시간 등을 알리기 위하여 치는 금속판. 청동(青銅)이나 쇠로 만듦.
운편【芸編】[명] '서책(書册)'의 미칭. 좀을 막기 위하여 책 갈피에 운초(芸草)를 끼운 데서 나온 말.
운평【運平】[명]〖역〗조선 시대 때, 연산군(燕山君)이 여러 고을에 널리 모아 둔 악기(樂妓). 이 중에서 뽑히어 대궐 안에 들어온 악기를 흥청(興淸)이라고 하였음.
운 포코〔이 un poco〕[명]〖악〗'작게'의 뜻.
운표【雲表】[명] 구름 밖. 구름 위.
운필【運筆】[명] 글씨나 그림을 그리기 위하여 붓을 놀림. 용필(用筆). 행필(行筆). ——-하다 [자][여불]
운하[1]【雲霞】[명] ①구름과 놀. ②봄의 계절(季節).
운하[2]【運河】[명] 수리(水利)·관개(灌漑)·배수(排水)·급수(給水)·선박의 항행·운조(運漕)·동력(動力) 등을 위하여 육지(陸地)를 파서 배가 다닐 수 있게 만든 수로(水路). 수에즈 운하·파나마 운하·킬 운하 등이 대표적임.
운하[3]【運荷】[명] 화물(貨物)을 운반함. ——-하다 [자][여불]
운:-하다【殞一】[자][여불] 죽다.
운하-세【運河稅】[一쎄] [명] 운하를 통과하거나 이용하는 데 대한 세금.
운하 지대【運河地帶】[명] ↗파나마 운하 지대.
운하 톤수【運河一數】〔ton〕[一쑤] [명]〖해〗수에즈 운하와 파나마 운하의 특별한 규칙에 의해서 결정되는 총(總)톤수와 순(純)톤수. 이에 의해서 운하 통항료(通航料)가 징수됨. ＊선박(船舶) 톤수.
운학[1]【雲鶴】[명]〖건〗구름과 학(鶴)을 새긴 무늬.

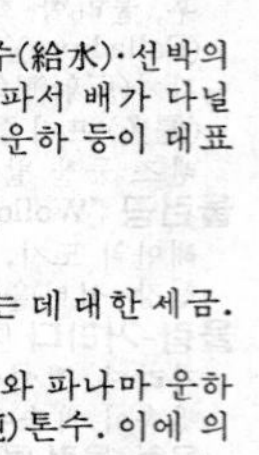
〈운학기〉

운:학[2]【韻學】[명] 한문 글자의 음운(音韻)을 연구하는 학문.
운학 금환수【雲鶴金鐶綬】[명]〖역〗조선 시대 때, 정일품에서 종이품까지의 관원이 착용한 후수(後綬). 붉은 바탕에 구름과 학을 수놓고, 위에 금(金)고리를 두 개 붙였으며, 아래에는 넓게 술이 있음.
운학-기【雲鶴旗】[명]〖역〗의장기(儀仗旗)의 한 가지.
운학-문【雲鶴文】[명] 상운(祥雲)·선학(仙鶴)의 개념으로 회화(繪畫)·조각·공예 등 조형 미술에 나타내는 무늬.
운학 청자【雲鶴青瓷】[명] 청자기 표면에 흑백토(黑白土)를 아로새긴 상감(象嵌) 청자의 하나. 무학(舞鶴)과 비운(飛雲)의 무늬를 놓은 것으로 고려 시대에 많이 만들었음.
운학 흉배【雲鶴胸背】[명]〖역〗조선 영조(英祖) 이후 고종(高宗) 8년(1871)까지 당상 문관(堂上文官)이 달던 흉배. 구름에 나는 학을 수놓음.
운한[1]【雲漢】[명] 은하(銀河).
운한[2]【雲翰】[명] 남의 편지의 존칭. 운전(雲箋). 귀함(貴函).
운함【雲函】[명] 귀함(貴函).
운항【運航】[명] 배 또는 항공기에 화물·여객 등을 싣고 항행함. ¶ ~선(船)/유럽 항로를 ~하다. ——-하다 [자][여불]
운해【雲海】[명] ①구름이 덮인 바다. ②바닷물이나 호수가 구름에 닿아 보이는 먼 곳. ③산꼭대기나 비행기 같은 데서 내려다보았을 때, 바다처럼 넓게 퍼져 보이는 구름.
운행[1]【雲行】[명] 구름이 떠 다님. ——-하다 [자][여불]
운행[2]【運行】[명] ①차량 등이 정하여진 노선(路線)에 따라 운전(運轉)하여 나감. ¶ 정시 ~/~증(證). ②〖천〗천체(天體)가 그 궤도(軌道)를 따라 운동(運動)함. ¶ 천체의 ~. ——-하다 [자][타][여불]
운행-표【運行表】[명] 운행 조직과 시간 등을 기록한 표.
운향[1]【雲向】[명] 구름이 움직이는 방향.
운:향[2]【韻響】[명]〖문〗시(詩)의 신비스러운 운치(韻致)와 음조. [준]운(韻).
운향-과【芸香科】[一꽈] [명]〖식〗[Rutaceae] 쌍자엽(雙子葉) 식물 이판화구(離瓣花區)에 속하는 한 과. 광귤나무·유자나무·산초나무·귤나무·황경피나무의 목본(木本)과 백선(白鮮) 등의 초본(草本)이 이에 속함.
운향-사【運餉使】[명]〖역〗조선 시대에, 군량(軍糧)의 운반을 맡아 보던 임시직.
운허【耘虛】[명]〖사람〗조계종(曹溪宗) 대종사(大宗師). 속명(俗名)은 이학수(李學洙). 춘원 이광수(春園李光洙)의 팔촌 형으로, 평안 북도 정주(定州)에서 태어나, 만주에서 독립 운동을 하다가 1922년에 경기도 광릉(光陵) 봉선사(奉先寺)에서 득도(得度)함. 동국 역경원장(東國譯經院長) 등을 지내며 역경(譯經) 사업에 평생을 바침. [1892-1980]
운현-궁【雲峴宮】[명]〖지〗흥선 대원군(興宣大院君) 이하응(李昰應)의 저택(邸宅). 서울 종로구 운니동(雲泥洞)에 있음.

〈운형자〉

운형【雲形】[명] ①구름의 모양. 구름처럼 생긴 모양. ②구름을 그린 그림이나 조각(彫刻).
운형-자【雲形一】[명]〖수〗곡선을 그리는 데 쓰는 만곡형(彎曲形)의 자. 곡선판(曲線板). 곡선자.
운형 정:규【雲形定規】[명] 운형자.
운혜[1] [명]〈옛〉가죽신. ¶ 운혜 옹(鞥)≪字會 中 23≫.
운혜[2]【雲鞋】[명] 여자의 마른신의 한 가지. 앞 코에 구름 모양의 무늬가 있음.
운화【運貨】[명] 화물(貨物)을 운반(運搬)함. ——-하다 [타][여불]
운확[1]【芸穫】[명] 농업에 종사함. 운확(耘穫). ——-하다 [자][여불]
운확[2]【耘穫】[명] 운확(芸穫). ——-하다 [자][여불]
운환【雲鬟】[명] 예쁜 여자의 쪽진 머리의 형용. 운계(雲髻).
운:회【運會】[명] 운수(運數)와 기회(機會).
운:회 옥편【韻會玉篇】[명]〖책〗조선 중종(中宗) 때, 최세진(崔世珍)이 지은 책. 중국 송(宋)나라 황공소(黃公紹)가 지은 운회(韻會)의 집자(集字)만 따서 새로 해석하여 만든 책. 2권 1책.
운휘 대:장군【雲麾大將軍】[명]〖역〗고려 때 무관(武官)의 종삼품(從三品) 품계(品階).
운휴【運休】[명]〔↗운전 휴지(運轉休止)·운항 휴지(運航休止)〕교통 기관이 운전이나 운항을 중지하는 일. ——-하다 [자][여불]
욷겁다 [형]〈옛〉사납다. ¶ 욷거울 한(悍)≪字會 下 26≫.
울[1] [명] 다른 개인이나 패에 대하여 이 편의 힘이 될 족속 또는 떨거지나 동아리. ¶ 그 사람은 ~이 세다.
울[2] [명] ①↗신울. ②↗울타리. ③속이 비고 위가 트인 물건의 가를 둘러싼 부분.
울:[3]〔wool〕[명] ①양모(羊毛). 털실. 모직물(毛織物). ②짧은 양털로 짠 모직물의 일종.
울[4] [인대] ↗우리[3]. ¶ ~ 아버지/~ 아기.
울[5] [의명] ↗우리[4].
-울 [어미]〈옛〉-을. 관형사형 어미의 하나. ¶ 첫소리를 어울워 뿛디면≪訓諺≫.
울가망-하다 [자][여불] ①마음이 편안하지 못하다. ¶ 계향이의 집에 쫓아와서 보니 계향이는 벌써 잡혀 가고 늙은이와 동자하는 여편네가 단 둘이 울가망하고 있는 중이었다≪洪命憙 : 林巨正≫. ②늘 근심으로 지내다.
울거-먹다 [타] ☞ 우려먹다.
울거미 [명] ①얽어 맨 물건의 거죽에 댄 테. ②짚신이나 미투리의 총을 꿰어 갱기 친 기다랗게 둘린 끈.
울거미 문골【一門一】[一꼴] [명]〖건〗방문이나 장지 등의 가장자리를 두른 테두리.
울걱-거리다 [타] 입에 물을 머금고 양볼의 근육을 움직여 자꾸 소리를 내다. ¶ 연해 냉수를 울걱거리다가 내뱉곤 하다. >올각거리다. 울걱-울걱 [부]. ——-하다 [타][여불]
울걱-대다 [타] 울걱거리다.
울겅-거리다 [자] 입 안에 넣은 단단하고 탄력 있는 물건이 잘 씹히지 않고 미끄러지다. >올강거리다. 울겅-울겅 [부]. ——-하다 [자][여불]
울겅-대다 [자] 울겅거리다.
울겅-불겅 [부] 울겅거리며 불겅거리는 모양. >올강볼강. ——-하다 [자][여불]
울겅이 [명]〈방〉우렁이(충북).
울결【鬱結】[명] 가슴이 답답하게 막힘. 발울(勃鬱). ——-하다 [자][여불]
울고도리 [명] ①〈옛〉우는 살. ¶ 울고도리 호(髇)≪字會 中 29≫. ②〖고

고학』 우는살. 명적(鳴鏑).
울:고-불고 부 원통하고 절통하여 울기도 하고 부르짖기도 하는 모양. ¶ ~ 야단 법석이 나다. ——-하다 자여불
울골 명 〈방〉 위협(평안).
울골-질 명 지긋지긋하게 으르며 덥비는 짓. ¶ 나 또한 반연을 잃어 심란한 터에 댁내까지 ~하면 둘마음 곳이 없게 됩니다《金周榮 : 客主》. ——-하다 자여불
울구다 타 〈방〉 우리다²(함경).
울궈-먹다 타 〈방〉 우려먹다(함경·경기).
울그다 타 〈방〉 우리다².
울: 그리:스 〔wool grease〕 명 『약』 양모(羊毛)의 지방(脂肪). 양의 땀샘 및 기름샘에서 분비되어, 양털에 내구성(耐久性)·유연성·광택 등을 줌. 다량의 콜레스테롤(cholesterol)을 함유하고 있어, 각종 스테로이드 계(steroid 系)의 약품의 원료로 쓰임.
울근-거리다 타 질긴 덩어리 따위를 연해 우물거리며 씹다. >울근거리다. 울근-울근 부. ——-하다 타여불
울근-대다 타 울근거리다.
울근-불근¹ 부 서로 으르대며 감정 사납게 맞서서 지내는 모양. ¶ 일시에는 최와 손 사이에 ~한 공기까지 떠돌았으나…《李無影 : 三年》. >울근불근¹. ——-하다 자여불
울근-불근² 부 울근거리며 불근거리는 모양. >울근불근². ——-하다 타여불
울근-불근³ 부 몸이 여위어서 갈빗대가 보이게 드러난 모양. >울근불근³. ——-하다 형여불
울금【鬱金】 명 『식』 심황.
울금-바위 명 겉이 몹시 얽은 바위.
울금-분【鬱金粉】 명 심황산(散).
울금-색【鬱金色】 명 등색(橙色).
울금-염【鬱金染】 명 심황의 뿌리를 우려 만든 물감.
울금-주【鬱金酒】 명 심황을 넣고 빚은 술.
울금-향【鬱金香】 명 『식』 ①백합과 튤립속(Tulip 屬)에 속하는 원예 식물의 총칭. 울초(鬱草). 창초(鬯草). ②튤립.
울긋-불긋 부 여러 가지 짙은 빛깔이 다른 빛깔들과 야단스럽게 뒤섞인 모양. >울긋불긋. ——-하다 형여불
울기【鬱氣】 명 답답한 기분. 후련하지 못한 기분.
울기다 타 〈방〉 울리다(함경).
울꺽 부 ①먹은 음식을 토하려고 하는 모양. >울깍. ②분한 생각이 한꺼번에 콱 치미는 모양. 1)·2): ᄴ울컥. ——-하다 자타여불
울꺽-거리다 자타 ①먹은 음식을 자꾸 토하려고 하다. >울깍거리다. ②분한 생각이 자꾸 거세게 치밀다. 1)·2): ᄴ울컥거리다. 울꺽-울꺽 부. ——-하다 자타여불
울꺽-대다 자타 울꺽거리다.
울:-남【—男】〔—람〕 명 울기를 잘하는 사내 아이. ↔울녀.
울:-녀【—女】〔—려〕 명 울기를 잘하는 계집 아이. ↔울남.
울녁 명 〈방〉 언저리.
울념【鬱念】〔—렴〕 명 우울한 마음.
울녘 명 〈방〉 언저리.
울:다 ㊀ 자 〔중세 : 울다, 우르다, 우름다〕 ①정신적·육체적 자극을 견디다 못해 소리를 내면서 눈물을 흘리다. ②새·짐승·벌레 따위가 소리를 내다. ③도배나 장판 또는 바느질 자리 등이 반듯하지 못하고 우글쭈글하여지다. ④건물이나 세간 등에서 저절로 소리가 나다. ⑤종(鐘)이나 천둥 등이 소리를 내다. ⑥귀에서 저절로 소리가 들리다. ⑦짐짓 어려운 체하다. ¶ 우는 소리를 하다. ㊁ 타 '울음'을 목적어로 하여 쓰는 말. ¶ 울음을 끄이끄이 ~. ＊울음.
[우는 가슴에 말뚝 박듯] 그렇지 않아도 마음이 아픈데 더욱 큰 상처를 입힌다는 뜻. [우는 아이 똥 먹이기] 몰인정하고 심술궂은 짓을 한다는 말. [우는 아이 젖 준다] '울지 않는 아이 젖 주랴'와 같은 뜻. [우는 애도 속이 있어 운다] 겉으로 나타난 행동은 속에 먹은 뜻의 표현이라는 말. [울려는 아이 뺨 치기] 화가 일어나면 잘 다스리지 못하고 도리어 화(禍)를 크게 한다는 뜻. ＊욕곡 봉타(欲哭逢打). [울며 겨자 먹기] 싫으나 마지못해 함의 비유. [울지 않는 아이 젖 주랴] 보채고 조르고 해야 얻기가 쉽다.
우:는 소리 구 엄살로 곤란한 사정을 늘어놓는 말.
울:다² 자 남포질로 바위에 금이 가다. 지진 따위로 벽에 금이 가다.
울-담¹ 〔—땀〕 명 담¹. ¶ ~도 없는 집에 살다.
울담²【鬱痰】〔—땀〕 명 『한의』 목구멍과 입 속이 마르고 해소가 나는 병. 조담(燥痰).
울-대¹ 〔—때〕 명 울타리를 만드는 데 세우는 기둥 같은 대.
울:-대² 〔—때〕 명 『조』 조류(鳥類)의 발성 기관(發聲器官). 사람이나 짐승처럼 성대(聲帶)가 후두(喉頭)에 있지 않고 기관에서 기관지(氣管支)로 갈라지는 곳에 있는 연골환(軟骨環)이 호기(呼氣)에 진동하여 소리를 내게 되어 있음. 명관(鳴管).
울:대-마개 〔—때—〕 명 『생』 후두개(喉頭蓋).
울:대-뼈 〔—때—〕 명 결후(結喉). 후골(喉骨). ¶ 꿀꺽꿀꺽 마신다… 양미간의 근육이 실룩실룩하고 ~가 오르락내리락 한다《吳永壽 : 終車》.
울-도¹【蔚島】〔—또〕 명 『지』 인천 광역시 서해상, 옹진군(甕津郡) 덕적면(德積面) 울도리(蔚島里)에 있는 섬. [2.06 km²]
울도²【鬱陶】〔—또〕 명 ①마음이 궁금하고 답답함. ¶ 아우에게서 소식이 없어 ~하다. ②정신이 상쾌하지 못하며 모든 일이 귀찮음. ③날씨가 무더움. ——-하다 형여불
울도-땃쥐 【鬱島—】〔—또—〕 명 『동』 [*Crocidura utsuryoensis*] 땃쥣과에 속하는 쥐. 땃쥐류 중 가장 작은데, 땃쥐에 비하여 담색이며, 꼬리의 강모(剛毛)도 적음. 몸의 위쪽은 암연갈색(暗鉛褐色), 아래쪽과 네 다리는 다소 담색임. 울릉도의 특산종임.
울도-하늘소【鬱島—】〔—또—쏘〕 명 『충』 [*Psacothea hilaris*] 하늘솟과에 속하는 곤충. 몸길이 19-27 mm 이고 몸빛은 흑색에 황회색 털이 있음. 시초(翅鞘)에는 여러 개의 담황색 둥근 반문(斑紋)이 산재하며, 몸의 아래쪽 측부(側部)에는 하얀 털 뭉치가 있음. 5-10월에 출현하며 등불에도 모이는데, 유충은 무화과·뽕나무 등에 모여드는 해충임. 한국·대만·중국·일본·인도차이나 등에 분포함. 노랑점박이하늘소.

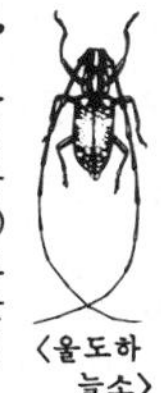
〈울도하늘소〉

울돌-목 〔—똘—〕 명 『지』 전라 남도 해남군 화원 반도(花源半島)와 진도(珍島) 사이에 있는 해협. 물살이 세고 소리가 요란하여 바닷목이 우는 것 같다고 하여 붙여진 '명량(鳴梁)'의 우리말 본이름.
울:-동이 명 〈방〉 우지.
울두¹ 명 〈방〉 불콩.
울두²【熨斗】 명 다리미.
울둥이 명 〈방〉 욱기.
울따리 명 〈방〉 울타리(강원·충북·경상).
울딸 명 〈방〉 울타리(경북).
울떡 부 〈방〉 울뚝. ——-하다 형
울떡-울떡 부 〈방〉 울뚝울뚝. ——-하다 형
울뚝 부 성미가 급하여 언행(言行)을 함부로 우악스럽게 내놓는 모양. ——-하다 형여불
울뚝-밸 명 화를 벌컥 내어 언행을 함부로 우악스럽게 내놓는 성미. 또, 그런 언행.
울뚝-불뚝 부 성질이 좀 변덕맞고 급하여 언행을 함부로 우악스럽게 잇따라 내놓는 모양. ᄴ울툭불툭. ——-하다 형여불
울뚝-울뚝 부 성미가 급하여 참지 못하고 언행을 우악스럽게 연해 내놓는 모양. ——-하다 형여불
울-띠 명 울타리의 안팎에 가로대고 새끼로 잡아 맨 나무.
울라노바 〔Ulanova, Galina Sergeyevna〕 명 『사람』 러시아의 여류 무용가. 레닌그라드 발레 학교 졸업. 1928 년 국립 키로프 극장에서 데뷔, 그 극장의 주역 무용수로 인기를 모음. 이후 볼쇼이 극장 등 수많은 대극장에 출연, 세기의 대 스타가 됨. 1957 년에 레닌상(賞)을 받음. 영화 《잠자는 숲속의 미녀》 등에도 출연. [1910-]
울란-바토르 〔Ulan Bator〕 명 『지』 몽골 인민 공화국의 수도(首都). 해발 1,300 m의 고지에 있는 몽골 제일의 도시임. 정치·문화의 중심지이고 상업상의 요지. 또, 축산 가공(畜産加工)·피혁·모직물·제화(製靴) 등의 근대 공업이 행하여짐. 구칭은 우르가(Urga), 한자명은 고륜(庫倫). [610,000 명(1995 추계)]
울란-우데 〔Ulan Ude〕 명 『지』 러시아 동부 시베리아, 부랴트(Buryat) 자치 공화국의 수도. 셀렝가 강(Selenga江)에 면하고 시베리아 철도에 연하여 있음. 외몽고(外蒙古)에의 교통의 요지이며, 부근의 철광 지대(鐵鑛地帶)의 중심지임. 또, 기계·유리·식품 가공 따위의 공장이 있음. 1666년에 창건되어 교역지로서 번영함. 구명(舊名)은 베르흐네우딘스크(Verkhne Udinsk). [365,000 명(1993)]
울:란트 〔Uhland, Ludwig〕 명 『사람』 독일의 시인. 민요풍의 시(詩)와 발라드(ballade)로 인기가 있었음. 성실한 민주주의자로서 정치적으로도 활약하고, 또 중세 이래의 민요나 전설의 연구도 많음. [1787-1862]
울러 내다 타 〈방〉 우려 내다.
울러스턴 〔Wollaston, William Hyde〕 명 『사람』 영국의 물리학자. 극히 가느다란 백금선(白金線), 곧 울러스턴선을 만드는 방법을 발견한 후, 물리학·화학의 연구로 전환하여, 전류와 스펙트럼을 연구, 팔라듐(Palladium)(1803), 로듐(Rhodium)(1804)을 발견하였으며, 또 반사 측각기(反射測角器), 방해석(方解石)의 직각 프리즘 2 개를 맞붙인 편광(偏光) 프리즘 및 2 개의 렌즈를 맞붙여 수차(收差)를 없앤 울러스턴 렌즈 등을 발견함. [1766-1828]
울런공 〔Wollongong〕 명 『지』 오스트레일리아 뉴사우스웨일스 주 동해안의 도시. 시드니의 남쪽 약 64 km 지점에 있음. 낙농의 중심지이며 철강·석탄을 수출함. [182,210 명(1993)]
울렁-거리다 자 ①놀란 일이나 두려운 일이 있어서 가슴이 자꾸 두근거리다. ¶ 가슴이 ~. ②물결이 연해 흔들리다. 1)·2): >울랑거리다. ③뱃속이 메슥메슥하여 토할 것 같아지다. ¶ 속이 울렁거려서 거북하다. 울렁-울렁 부. ——-하다 자여불
울렁-대다 자 울렁거리다.
울렁-이다 자 ①가슴이 설레며 뛰놀다. ②먹은 것이 토할 것같이 메슥거리다.
울렁-출렁 부 ①큰 물결이 이쪽 저쪽에 부딪쳐서 오고 가고 하는 소리. ②큰 그릇에 담긴 물이 흔들리는 모양. >울랑출랑. ——-하다 자여불
울려-오다 자 동물의 울음 소리나 종소리 같은 것이 좀 떨어진 곳으로부터 들려 오다. ¶ 산 너머 교회의 종 소리가 울려온다.
울:력 명 여러 사람들이 힘을 합하여 하거나 이루는 일. 또, 그 힘. ＊울력 성당. ——-하다 자여불
[울력 걸음에 봉충다리] 여럿이 하는 울력에 끌리어 평소에 못하던 사람도 할 수 있게 됨을 이르는 말.
울:력-다짐 명 여럿이 힘을 합하여 그 기세로 일을 해치우는 행동. ——-하다 자타여불
울:력 성당【—成黨】 명 〔←위력 성당(威力成黨)〕 떼를 지어서 으르고 협박하는 일. 완력 성당(腕力成黨). ¶ 모주 먹으러 다니는 자들은 모주 사발이나 두둑하게 얻어 먹을까 하고 ~으로 모주 장수 편을 들어《李海朝: 鬢上雪》. ＊울력. ——-하다 자여불

울루【鬱壘】 명 중국의 전설에 동해 도삭산(度朔山)의 귀문(鬼門)에 있고 백귀(百鬼)를 지배한다는 형제신(兄弟神)의 하나. 문신(門神)으로서 그 상을 문에 붙여 액막이로 함.

울룩-불룩 부 물체의 면이나 거죽의 여러 군데가 고르지 않게 높고 낮은 모양. >울룩불룩. ——-하다 형여불

울르 [Ullr] 명 북유럽 신화의 아사 신족(Asa神族)의 한 사람. 토르(Thor)의 양자. 뛰어난 사수(射手)이고, 또 스키의 명수라 함.

울름 [Ulm] 명 『지』 독일의 바덴뷔르템베르크 주(Baden-Württemberg 州) 동단, 도나우 강 (Donau江) 좌안(左岸)의 도시. 자동차·기계·전기(電機)·섬유 공업이 행하여짐. [114,066 명(1993)]

울름 성:당【一聖堂】[Ulm] 명 독일의 울름에 있는 성기(盛期) 고딕 교회당. 엔징거(Ensinger)의 설계에 의하여 1377년 기공되어, 19세기까지 조영(造營)이 계속되어 왔음. 높이 162 m에 이르는 서쪽의 대탑(大塔)은 교회당 전체가 그 기부(基部)로 보일 정도로 거대한데, 유럽 제2의 석조탑(石造塔)임.

울릉【鬱陵】 명 『지』 경상 북도 울릉군의 군청 소재지로 읍(邑). 울릉도의 동남쪽에 위치함. 저동(苧洞)에 어업 전진 기지가 있으며, 도동(道洞)에 항구가 있음. [7,751 명(1996)]

울릉-고사리【鬱陵一】 명 『식』 [*Dryopteris takesimensis*] 끄리고사릿과에 속하는 다년생 상록 양치류. 뿌리 줄기는 위로 빗겨 나며, 잎은 총생하고 이회(二回) 우상 복엽(羽狀複葉)임. 다소 가죽질이며, 포자낭(胞子囊)은 가장 작은 우편(羽片)의 뒷면에 두 줄로 붙어 있음. 울릉도에 분포하며 특산종임.

울릉-국화【鬱陵菊花】 명 『식』 [*Chrysanthemum lucidum*] 국화과에 속하는 다년초. 줄기는 홍자색을 띠고, 높이는 30 cm 내외인데, 근생엽(根生葉)은 총생(叢生), 2회 우열(羽裂)하며, 줄기 잎은 호생(互生)하고, 유병(有柄)이며, 엽편(葉片)은 달걀꼴 피침형을 이룸. 9-10월에 담홍색 꽃이 줄기 끝과 가지 끝에 하나씩 달리어 핌. 바닷가의 산지에 나는데, 경북 울릉도에 분포함.

울릉-군【鬱陵郡】 명 『지』 경상 북도의 한 군. 관내 1읍 2면. 강원도 죽변(竹邊)에서 동북 쪽으로 76마일 해상에 위치하는 울릉도를 주도(主島)로 하고 이에 부속된 관음도(觀音島)·독도(獨島) 등 여러 암초(岩礁)로 구성되었음. 농산물로는 감자·옥수수·콩·보리·삼·닥 등이 있고 근해는 오징어·방어의 세계적 어장임. 명승 고적으로는 성인봉(聖人峰)·독도(獨島) 등이 있음. 군청 소재지(所在地)는 울릉읍. [72.52 km²: 11,238 명 (1996)]

울릉-대다 타 힘이나 말로써 남을 위협하다.

울릉-도【鬱陵島】 명 『지』 한국 동해상에 있는 섬. 경상 북도 울릉군의 주도(主島)로서 포항(浦項)에서 268 km 동쪽에 위치하는 화산도(火山島)임. 원래 우산국(于山國)이라는 독립국이었는데, 신라 지증왕(智證王) 때에 신라에 귀속되었으며 한때 해적의 근거지가 되어 이를 토벌한 적도 있었으나, 조선 숙종(肅宗) 때부터 확실한 한국의 판도(版圖)로 되고, 본토에서 주민을 이주시켜 개척하였음. 1914년 이래 경상 북도에 속하여, 도사(島司)를 두어 다스리다가, 1949년에 부속 도서와 함께 군(郡)으로 승격되었음. 성인봉(聖人峰)은 한국 유일의 이중식(二重式) 화산을 이루고 있음. 해안은 해식 작용(海蝕作用)에 의하여 절벽을 이루어 양항(良港)의 발달이 거의 없음. 해양성 기후이며 겨울에 눈이 많은 것이 특색임. 주민의 대부분은 연안에서 오징어·방어·고등어·정어리·전복·김 등의 어업에 종사하고 일부에서 밭농사가 약간 행하여지고 있음. [71.7 km²]

울리¹【鬱李】 명 『식』 산앵두.

울:리² [Wooley, Charles Leonard] 명 『사람』 영국의 고고학자(考古學者). 1907년부터 이집트·메소포타미아 등의 각지에서 고고학적 조사를 하여, 이들 고대 문화의 상호 관련을 연구 주제로 하였음. 1922-34년, 대영 박물관(大英博物館)·펜실베이니아 대학의 공동 탐험 대장으로서 엘오베이드(El Obeid) 및 우르(Ur)를 발굴(發掘), 우르 문화의 전모를 밝혔음. [1880-1960]

울:리 가공【一加工】 명 [wooly finish] 합성 섬유인 필라멘트(긴 섬유)에 이것이 지닌 열가소성(熱可塑性)과 수축성을 이용하여 신축성과 부피가 많은 성질을 주어 양모(羊毛)와 비슷한 성질을 지니게 하는 방법. 울리 나일론이 대표적임.

울:리 나일론 [wooly nylon] 명 『화』 나일론 섬유를 물리적으로 꼬글거리게 하여 열(熱)처리로 권축(卷縮)시킨 것. 나일론 섬유는 횡단면이 둥글고 표면은 보드라워서, 그 직물은 비단 같은 감촉을 줌. 양복감·메리야스 내의·양말 따위에 이용됨.

울리다 一타 ①울게 하다. ¶ 동생을 ~. ②종 같은 것을 두드리거나 단추 같은 것을 눌러서 소리가 나게 하다. ¶ 종을 ~. ③세력이나 이름을 들날리다. ¶ 장안을 울리는 명망. 二자 ①소리가 나거나 퍼지다. 또, 소리가 반향하다. ¶ 자유의 종이 ~/포성에 온 산이 ~. ②널리 퍼지다. 알려지다. ¶ 한때는 울리던 부자.

울리야놉스크 [Ul'yanovsk] 명 『지』 러시아 서부 볼가 강 (Volga江) 중류, 쿠이비셰프(Kuibyshev) 호안(湖岸)의 하항(河港) 도시. 자동차·공작 기계 공업이 행하여짐. 구칭 심비르스크(Simbirsk). 1924년 이 땅에서 태어난 레닌을 기념하여 그의 본명 울리야놉스크로 개칭(改稱)함. 레닌 박물관이 있음. [485,000 명(1981)]

울림¹ 명 [beat] ①소리가 무엇에 부딪쳐 되울려 나오는 일. 또, 그 소리. ¶ 산~. ②진동수(振動數)가 다른 두 음을 동시에 들을 때 그것이 마치 진폭(振幅)이 주기적(周期的)으로 변화하는 하나의 소리처럼 들리는 일.

울림²【鬱林】 명 수목(樹木)이 울창한 숲.

울림 상자【一箱子】 명 공명 상자(共鳴箱子).

울림 소리 명 『언』 유성음(有聲音). ↔안울림 소리.

울림-통【一筒】 명 공명기(共鳴器).

울: 마:크 [wool mark] 명 순모울(純毛率)의 비율에서 새 울(wool)이 99.7 % 이상이며, 잡아당기는 강도(強度), 내광 염색 견뢰도(耐光染色堅牢度), 내수(耐水) 염색 견뢰도 등이 일정한 국제 품질 기준에 도달한 제품에 대하여 국제 양모 사무국(國際羊毛事務局: IWS)이 붙여 주는 품질 표시의 마크.

울먹-거리다 자 잇따라 울먹이다. 울먹-울먹 부. ——-하다 자여불

울먹-대다 자 울먹거리다.

울먹-이다 자타 복받치는 울음이 터져 나올 듯한 상태를 보이다. 또, 그리 되게 하다.

울먹-줄먹 부 큰 덩어리가 여러 개 고르지 않게 벌여 있는 모양. >울막졸막. ——-하다 형여불

울먹-하다 형여불 울 듯하다. ¶ 울먹한 표정으로 올려다보다.

울멍-줄멍 부 크고 뚜렷한 여러 귀여운 것이 고르지 않게 벌여 있는 모양. ¶ 애들이 ~ 따라오다. >울망졸망. ——-하다 형여불

울:며-불며 부 울고불고하면서. ¶ ~ 애원하다.

울모【鬱冒】 명 『한의』 별안간 현기증이 났다 그쳤다 하는 병.

울-목【一木】 명 울타리 삼아 심은 나무. ¶ 담 대신 ~을 심다.

울묵-줄묵 부 큰 덩어리가 여러 개 고르지 않고 빽빽하게 벌여 있는 모양. >울목졸목. ——-하다 형여불

울뭉-줄뭉 부 아름다운 여러 큰 덩어리가 배게 벌여 있는 모양. >울몽졸몽. ——-하다 형여불

울미 명 〈방〉 『식』 율무(함경).

울미-도【蔚美島】 명 『지』 충청 남도의 서해상(西海上), 태안군(泰安郡) 남면(南面) 거아도리(居兒島里)에 있는 섬. [0.29 km²]

울민【鬱悶】 명 마음이 답답하고 괴로움. ——-하다 형여불

울밀【鬱密】 명 나무가 무성하게 빽빽함. ——-하다 형여불

울-밑 명 울타리의 밑. ¶ ~에 선 봉선화.

울-바자 명 울타리에 쓰는 바자.

울발【鬱勃】 명 ①왕성한 모양. ②초목이 무성한 모양. ③가슴이 막히는 모양. ——-하다 형여불

울뱅이 명 〈방〉 우렁이(강원).

울버햄프턴 [Wolverhampton] 명 『지』 영국 잉글랜드 서부, 버밍엄(Birmingham) 북서 21 km 지점에 위치한 공업 도시. 닻·못 등의 금속 제품 생산에 특색이 있고, 근년엔 화학 공업·자동차 공업(自動車工業) 따위가 발달하고 있음. [247,500 명(1992)]

울벵이 명 〈방〉 우렁이(경기·강원·충북).

울병【鬱病】 [一뼝] 명 『의』 조울병(躁鬱病)의 한 형(型). 내인성(內因性)에서 오는 감정의 우울과 의욕의 억제를 주징(主徵)으로 함. 정신적으로는 불안·염세적 기분이 따르며, 나아가서는 절망감·자살 기도 등을 하게 됨. 멜랑콜리(melancholy).

울:-보 명 ☞ 우지².

울-부라리다 타 우악스레 부라리다. ¶ 그 청년은 송운이가 못마땅해서 눈을 울부라리는 통에 찔끔한 모양이었다《李無影 : 사랑의 화첩》.

울-부르짖다 자 〈방〉 울부짖다.

울-부짖다 자 울며 부르짖다. 우짖다. ¶ 울부짖는 아우성 소리.

울분【鬱憤】 명 분한 마음이 가슴 속에 가득히 쌓임. 또, 그 분기(憤氣). ¶ ~을 토(吐)하다. ——-하다 형여불

울불【鬱怫】 명 답답하여 불끈 성이 남. ——-하다 형여불

울브리히트 [Ulbricht, Walter] 명 『사람』 독일의 정치가. 1919년 독일 공산당에 입당하여 나치스(Nazis) 시대에 소련에 망명하였고, 1946년에 독일 통일 사회당을 만들어 서기장(書記長)이 됨과 동시에 동독(東獨) 정부의 부수상(副首相) (1949-60)을 거쳐 1960년 국가 평의회(國家評議會) 의장에 취임함. [1893-1973]

울: 블렌드 마:크 [wool blend mark] 명 국제 품질기준에 합격한 양모 혼방(混紡) 제품에 붙여지는 마크. 새 양모를 높은 율로 포함하고, 다른 한 가지의 섬유가 갖는 특징을 겸비한 혼방 제품에 국제 양모 사무국이 부착을 허락함. *울 마크.

울-뽕 명 울타리가 되도록 심은 뽕나무. 또, 그 뽕.

울사【鬱思】 [一싸] 명 우울한 생각. 후련하지 않은 마음.

울산¹【蔚山】 [一싼] 명 『지』 광역시의 하나. 4 구(區) 3 읍(邑) 11 면(面) 46 동(洞). 남쪽은 양산시(梁山市), 서쪽은 밀양시(密陽市), 북쪽은 경상 북도 경주시(慶州市)와 청도군(清道郡), 동쪽은 동해(東海)에 접함. 신라 때 굴아화촌(屈阿火村)의 땅으로 파사왕(婆娑王)이 처음으로 굴아현(屈阿縣)을 두었고, 경덕왕(景德王) 때에 이르러 이름을 하곡(河曲)으로 고침. 임관군(臨關郡)에 붙였다가 뒤에 조선 태조(太祖)가 진(鎭)을 여기에 두었으며, 다시 태종(太宗) 때에 진을 고치어 울산(蔚山)이라 함. 1962년 1월 특정 공업 지구로 결정 공포되고 나서부터 석유 화학을 비롯하여 조선·자동차 등 중공업이 발달하여 석유 화학 제품 원료·섬유·비료·자동차·선박 등을 산출하는 국내 최대 공업 도시가 됨. 주요 산물은 농산물·축산물과 방어·멸치·상어 등의 수산물 외에 광산(鑛產)·임산(林產)이 있음. 명승 고적으로는 학성(鶴城) 공원·일산(日山) 해수욕장·서생성지(西生城址)·병영성지(兵營城址)·문수암(文殊庵)·오봉사(五峰寺)·처용암(處容岩) 등이 있음. 1995년 1월 울산군을 통합, 개편되었다가 1997년 7월 광역시로 승격함. [1,055.34 km²: 966,611 명(1996)]

울산²【鬱散】 [一싼] 명 답답한 기분을 떨쳐 없애 버림. ——-하다 자여불

울산-군【蔚山郡】 [一싼一] 명 『지』 경상 남도에 속했던 군. 1962년 울주군으로 개칭하였다가 1991년에 다시 울산군으로 되었으나 1995년 1월 울산시에 통합됨.

울산 대학교【蔚山大學校】[―싼―] 명 사립(私立) 종합 대학교의 하나. 1969 년 정주영(鄭周永)이 운영하는 학교 법인 울산 공업 학원(蔚山工業學院)에서 울산 공과 대학으로 설립하여 이듬해에 개교함. 1985 년에 종합 대학인 울산 대학교로 개편하였고, 6 개 단과 대학과 3 개 대학원이 있음. 소재지는 울산 광역시 남구 무거동(無去洞).

울산-만【蔚山灣】[―싼―] 명 〖지〗 한국 동해안 동남단(東南端)에 있는 만(灣). 만 밖에 방어진(方魚津)과 장생포(長生浦)의 두 어항이 있음.

울산 민란【蔚山民亂】[―싼밀―] 명 〖역〗 조선 고종(高宗) 16 년(1879)에 경상도 울산부(蔚山府)에서 일어난 민란. 유리(由吏) 김양서(金養舒)가 사사로이 소비한 공전(公錢)을 민결(民結)에 분배하여 거두어들인 데서 발단되었음. 좌병사(左兵使) 정지용(鄭志容)의 여러 차례에 걸친 효유(曉諭)로 해산하였음.

울산-바위【蔚山―】[―싼―] 명 〖지〗 강원도 속초시 설악동(雪嶽洞) 설악산 국립 공원에 있는 바위산. 높이 650 m. 화성암으로 이루어진 한 덩어리의 거대한 바위로 동양에서 제일 큰 돌이라 함.

울산 병영성【蔚山兵營城】[―싼―] 명 〖지〗 울산 광역시 중구 병영동(兵營洞)에 있는 조선 시대의 성. 현재의 성터는 울산시 중구 서동·동동·남외동에 걸쳐 있음. 사적 제 320 호.

울산성-지【蔚山城址】[―싼―] 명 〖지〗 울산 광역시의 동방 약 1,300 m 지점에 있는 학성산(鶴城山)에 축조된 성지. 임진 왜란(壬辰倭亂) 때 왜군이 축성하여 농성(籠城)하였던 곳으로, 조선의 원병(援兵)인 명군(明軍)과의 치열한 싸움이 있었던 고전장(古戰場)으로 유명함. 현재는 공원으로 이 성지를 보존하고 있음. 울산 학성.

울산 싸움【蔚山―】[―싼―] 명 〖역〗 조선 선조 30년(1597) 정유 재란(丁酉再亂) 때 도산성(島山城)에 있던 왜군과 조·명 연합군(朝明聯合軍)과의 싸움. 개전(開戰) 십여 일 만에 큰비로 아군의 인마(人馬)가 많이 얼어 죽으므로 조·명 연합군은 공격을 중지, 포위를 풀고 경주로 철수했음. 이 전투에서 명나라 군사는 전사자 1,400 명, 부상자 3,000 명을 내고 우리 군사도 사상자 다수를 내었음.

울산 아가씨【蔚山―】[―싼―] 명 〖악〗 경상도 민요의 하나. 장단은 세마치 장단.

울산 학성【蔚山鶴城】[―싼―] 명 〖지〗 울산 광역시(蔚山廣域市)의 동쪽 약 1,300 m 지점의 학성산(鶴城山)에 있던 성(城). 임진 왜란 때 왜군이 축성하였음. 울산성지(蔚山城址).

울산항-선【蔚山港線】[―싼―] 명 〖지〗 울산 광역시 야음동(也音洞)에서 장생포동(長生浦洞)에 이르는 철도. 1951년 8월 10일에 개통(開通)함. [3.8 km]

울산 화력 발전소【蔚山火力發電所】[―싼―쩐―] 명 울산 광역시 남구 용연동(龍淵洞)에 있는 화력 발전소. 1968 년에 설립. 시설 용량 212 만 kW. 연간 약 111 억 4200 만 kW의 전력을 생산함.

울삼【鬱森】[―쌈] 명 초목이 무성한 모양. ――-하다 형 여불

울-상【―相】[―쌍] 명 울려고 하는 얼굴 모양. ¶ ~을 짓다.

울-새 명 〖조〗 [*Luscinia sibilans*] 지빠귓과에 속하는 새. 참새보다 조금 큰데, 날개 길이 65 mm 내외이고, 배면(背面)은 감람갈색, 꽁지는 밤색임. 몸의 하면은 백색, 목과 가슴의 깃털 가장자리는 감람갈색이고, 부리는 암갈색임. 우는 소리가 높고 맑음. 동남 시베리아·사할린에서 번식하고, 중국 남부 지방에서 월동함.

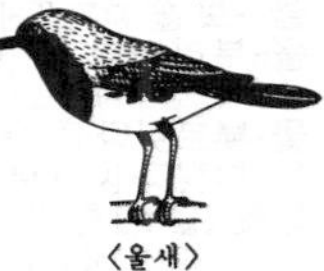
〈울새〉

울색【鬱塞】[―쌕] 명 기분이 답답하고 막힘. ――-하다 자 여불

울성【鬱盛】[―썽] 명 초목이 울창함. ――-하다 형 여불

울-섶 [―썹] 명 울타리를 만드는 데 쓰는 나뭇가지.

울-세다 형 멀거지가 많다. 죽속이 많고 번성하다.

울:-쇠 [―쐬] 명 〖악〗 해거울·달거울·몸거울·아왕쇠·보름쇠라는 다섯 개의 구리거울로 이루어진 제주도 무속 악기의 하나. 굿을 할 때 심방이 들고 흔들어서 소리를 내어, 선한 신(神)을 하강(下降)시키고 악신(惡神)의 범접을 방지해 줌. 천하 울쇠. 천하 울쇠 상쇠거리.

울스턴크래프트 [Wollstonecraft, Mary] 명 〖사람〗 영국의 여권(女權) 운동가·저작가. 무정부주의자 고드윈(Godwin, W.)의 아내. ≪여성의 권리 변호≫는 여권론의 고전(古典)으로 침. [1759~97]

울쑥-불쑥 부 산봉우리 등이 여기저기 불규칙하게 높이 솟은 모양. >올쏙볼쏙. ――-하다 형 여불

울-안 명 울타리로 둘러싼 안 쪽. ¶ ~에 꽃밭을 만들다.

울앙【鬱怏】명 재미가 없어 우울함. ――-하다 형 여불

울어-대다 자 자꾸 계속해서 울다. ¶ 왜 이리 시끄럽게 울어대느냐.

울어-어리 명 둘러싼 어리. ¶ ~를 벗어나다.

울어-예다 자 울고 가다. ¶ 기러기 울어예는 하늘 구만리…≪朴木月 : 離別의 노래≫/노들강변에 귀곡성 울어예는 사육신의 여섯 무덤≪朴鍾和 : 錦衫의 피≫.

울얼다 타 〈옛〉 우러러보다. ¶ 울얼 앙(仰) ≪類合下 5≫.

울에 명 〈옛〉 우뢰. ¶ 한 소릿 울에 三千界를 뮈우도다(一聲雷震三千界) ≪金三 Ⅱ:2≫.

울연-하다[1]【蔚然―】형 여불 ①초목이 무성하게 우거져 있다. ②사물이 흥성하다. **울연-히**[1]【蔚然―】부

울연-하다[2]【鬱然―】형 여불 ①마음이 답답스럽다. ②초목이 매우 무성하다. ③사물이 매우 왕성하다. **울연-히**[2]【鬱然―】부

울엿-이 부 ☞우련히.

울오 자 〈옛〉 울고. '우르다'의 활용형. ¶ 므리 울오 ᄇᆞᄅᆞ미 부놋다(馬鳴風蕭蕭) ≪杜諺 Ⅴ:30≫.

울-요【尉繚】[―료] 명 〖사람〗 중국 전국 시대 주(周)나라의 병가(兵家). 위(魏)나라 혜왕(惠王) 때 태어나, 상앙(商鞅)의 학문을 닦고, ≪울요자(尉繚子)≫를 지음. 혹 위(魏)나라 사람이라고도 하고, 제(齊)나라 사람으로 귀곡자(鬼谷子)의 제자라고도 함.

울요-자【尉繚子】[―료―] 명 〖책〗 중국 전국 시대의 병서(兵書). 울요(尉繚)의 저(著). 모두 5 권(卷). ≪손자(孫子)≫ 등과 함께 무학 칠서(武學七書)의 하나임.

울욱【鬱郁】명 향기로운 모양. 좋은 향기가 나는 모양. ――-하다 형 여불

울울【鬱鬱】명 ①마음이 상쾌하지 아니하고 가슴이 아주 답답함. ¶ 장마가 오래 계속하니 마음이 ~하다. ②나무가 빽빽하고 푸르게 우거진 모양. ――-하다 형 여불

울울 불락【鬱鬱不樂】명 마음이 답답하고 즐겁지 않음. ――-하다 형 여불

울울 창창【鬱鬱蒼蒼】명 큰 나무들이 빽빽하게 들어서 푸르게 우거져 있는 모양. 창창 울울(蒼蒼鬱鬱). ㊟울창(鬱蒼). ――-하다 형 여불

울울-총총【鬱鬱葱葱】명 ①나무가 무성하고 푸릇푸릇함. ¶ 원근 산색은 쪽빛같이 푸른데 ~한 수림 속에서…≪崔瓚植 : 雁의 聲≫. ②기력이 왕성한 모양.

울월 타 〈옛〉 우러러 볼. '울월다'의 활용형. ¶ 시혹 業重ᄒᆞ니ᄂᆞᆫ 恭敬ᄒᆞ야 울월 ᄆᆞᅀᆞᄆᆞᆯ 아니 내ᄂᆞ니 ≪月釋 XXI:32≫.

울월다 타 〈옛〉 우러러보다. ¶ 仰은 울월 씨라 ≪月序 16≫.

울월에 타 〈옛〉 우러러보게. '울월다'의 활용형. ¶ 내 이제 四衆을 法에 渴望ᄒᆞ야 울월에 호리라 ᄒᆞ시고 ≪月釋 XXI:4≫.

울음 명 ①우는 소리. ¶ 어디선가 어린아이의 ~이 들려 온다. ②우는 일. ¶ ~을 그치고. *울다.

울음-바다 [―빠―] 명 그 자리에 있는 많은 사람이 한꺼번에 울음을 터뜨리어 온통 울음 소리로 뒤덮임을 일컫는 말.

울음-보 [―뽀] 명 ①울음. ¶ ~가 터지다. ②☞울보.

울음-보따리 [―뽀―] 명 〈속〉 울음보. 울음.

울음 소리 [―쏘―] 명 우는 소리.

울음-주머니 [―쭈―] 명 〖생〗 개구리나 맹꽁이 따위의 수컷의 귀 뒤나 목 밑에 있는 주머니 모양의 소리를 내는 기관. 명낭(鳴囊).

울음큰-새 명 모양보다 우는 소리가 크다는 뜻으로, 실제보다 명성이 높다는 말.

울음-통【―筒】명 ①명기(鳴器). ②〈속〉 울음.

울이다 타 〈옛〉 울리다. ¶ 玉을 울이며 金을 울이ᄂᆞ닌 다 正ᄒᆞᆫ 臣下ㅣ니 (鳴玉鏘金盡正臣) ≪杜諺 Ⅴ:23≫.

울인【鬱刃】명 독약을 바른 칼.

울잣 명 〈옛〉 울타리. ¶ 니영이 다 거두치니 울잣신들 셩ᄒᆞᆯ소냐 ≪古時調 許珽≫.

울적[1]【鬱寂】[―쩍] 명 마음이 답답하고 쓸쓸함. ¶ ~한 심사. ――-하다 형 여불

울적[2]【鬱積】[―쩍] 명 불평 불만이 발산(發散)되지 않고 겹쳐 쌓임. ――-하다 자 여불

울절【鬱折】[―쩔] 명 〖역〗 고구려 후기 직제의 이품(二品)쯤 되는 벼슬. 국가의 기밀(機密)과 개법(改法)·징발(徵發)·관작 수여(官爵授與) 등을 맡아 봄. 오졸(烏拙).

울정【鬱情】[―쩡] 명 울적한 심정.

울주-군【蔚州郡】[―쭈―] 명 〖지〗 '울산군(蔚山郡)'의 구칭.

울주 천전리 석각【蔚州川前里石刻】[―쭈―니―] 명 울산 광역시 울주구 두동면(斗東面) 천전리(川前里)에 있는, 회화(繪畫)와 문자가 불규칙하게 새겨진 자연석 석벽(石壁). 신라 법흥왕(法興王) 12년(525)경 새겨짐. 동심원(同心圓)·동심 사각형(同心四角形)의 무늬, 인물·동물·어룡(魚龍)·기마(騎馬)·선박(船舶) 등의 그림 및 문자가 새겨져 있어 당시 사람들의 생활·풍속·사상(思想) 등 연구에 좋은 자료가 됨. 국보 제 147호로 지정됨.

울주 팔영【蔚州八詠】[―쭈―] 명 〖문〗 고려 말기의 문인 정포(鄭誧)가 지은 사(詞). 작자가 울주에 귀양가 있을 때 그 지방 명승의 경치를 읊음. 8수.

울증【鬱症】[―쯩] 명 가슴이 답답한 병증.

울지 을승【尉遲乙僧】[―찌―씅] 명 〖사람〗 중국 당(唐)나라 초기의 화가. 그림으로써 태종(太宗)을 섬겨 군공(郡公)에 봉(封)해짐. 아버지인 울지 발질나(跋質那)도 그림을 잘 그려 대울지(大尉遲)·소울지(小尉遲)로 병칭(並稱)되었음.

울진【蔚珍】[―찐] 명 〖지〗 경상 북도 울진군의 군청 소재지로 읍(邑). 군의 북쪽에 위치하여 동해에 임함. 연호정(蓮湖亭)과 죽변리(竹邊里)의 향나무가 명승(名勝)이며, 죽변 항구에서 울릉도 항로(航路)가 통함. [13,527 명 (1996)]

울진-군【蔚珍郡】[―찐―] 명 〖지〗 경상 북도의 한 군. 관내 2읍 8면. 도의 최동북단에 위치하여 동은 동해, 북은 강원도 삼척시(三陟市), 서는 봉화군(奉化郡)과 영양군(英陽郡), 남은 영덕군(盈德郡)에 접함. 1963년 이래 강원도에서 경상 북도로 편입됨. 주산물은 농산과 수산·임산·축산 등이며, 명승 고적으로 망양정(望洋亭)·월송정(越松亭)·성류굴(聖留窟)·불영사(佛影寺)·백암(白岩) 온천·덕구(德邱) 온천 등이 있음. 군청 소재지는 울진읍. [988.82 km² : 70,680 명 (1996)]

울진 원자력 발전소【蔚珍原子力發電所】[―찐―쩐―] 명 경상 북도 울진군 북면 부구동(富邱洞) 동해안에 있는 가압 경수로형(加壓輕水爐型) 원자력 발전소. 1982 년에 착공하여 1988 년에 1 호기, 1989 년에 2 호기가 준공되었음. 설비 용량은 190 만 kW임.

울-짱 명 ①말뚝 같은 것을 죽 벌여 박은 울. 책(柵). 목채(木寨). 목책(木柵). ¶ ~을 두르다. ②말뚝 같은 것을 죽 벌여 박아서 만든 울의 긴 말뚝. ③울타리.

울창[1]【鬱鬯】명 ↗울창주(鬱鬯酒).

울창[2]【鬱蒼】명 ↗울울 창창(鬱鬱蒼蒼). ¶ ~한 소나무숲. ――-하다 형

여불

울창-주【鬱鬯酒】명 제사의 강신(降神)에 쓰는 울금향(鬱金香)을 넣어 빚은 향기 나는 술. 자주(紫酒). 준울창.

울초【鬱草】명〖식〗울금향.

울칩【鬱蟄】명 마음이 울울(鬱鬱)하여서 집 속에만 꾹 들어앉아 있음. ──-하다 자여불

울컥 부 ①먹은 것을 급히 토하려는 모양. ②분한 생각이 한꺼번에 콱 치미는 모양. 1)·2):쓰울꺽. >울칵. ──-하다 자타여불

울컥-거리다 자타 ①먹은 것을 잇따라 세게 게우거나 게우려 하다. ②분한 생각이 자꾸 세게 치밀다. 1)·2):쓰울꺽거리다. >울칵거리다. 울컥-울컥 부. ──-하다 자타여불

울컥-대다 자타 울컥거리다.

울-콩 명〈방〉강남콩.

울타락 명〈방〉울타리(강원).

울타리 명 담 대신에 풀·나무 등을 얽어서 집 같은 것을 둘러 막거나 경계를 가르는 물건. 울짱. 번리(藩籬·樊籬). 파리(芭籬). 장리(牆籬). 번원(藩垣). 이락(籬落). 준울.

[울타리가 허니까 이웃집 개가 드나든다] 제게 약점이 있으니까 남이 업신여긴다는 말.

울타리 조직【─組織】명〖식〗책상(柵狀) 조직.

울툭-불툭 부 물체의 면(面)이나 거죽이 고르지 않고 험상궂게 여기저기 나오고 들어간 모양. 쓰울뚝불뚝. > 올톡볼톡. ──-하다 형여불

울퉁-불퉁 부 물체의 거죽이나 면(面)이 고르지 않게 나오고 들어간 모양. > 올통볼통. ──-하다 형여불

울트라〔ultra〕명〖사〗〔본디는 라틴어로서, 초(超)·과격(過激)·극단(極端)의 뜻〕①정치 상에서 극단주의를 신봉하는 일. 또, 그런 사람. 극단론자(極端論者). 과격론자(過激論者). ②좌익 진영 내의 극좌파(極左派). 특히 좌익 소아병(左翼小兒病)을 가리키는 말.

울트라-내셔널리즘〔ultranationalism〕명 극단적인 국가주의. 초(超)국가주의.

울트라-마린〔ultramarine〕명〖화〗군청(群青).

울트라-모던〔ultramodern〕명 초(超)근대적인 것. 첨단적인 것.

울트라-몬타니즘〔ultramontanism〕명〖천주교〗신앙 또는 도덕에 관하여 로마 교황의 절대 지상권(至上權)을 인정하는 주의. 교황 절대권론. 교황 지상권론. ↔갈리카니슴.

울트라 시:〔ultra C〕명 체조 경기(體操競技)에서, 최고 득점 기준(最高得點基準)인 C의 기술보다 더 어려운 몸틀기나 선회(旋回) 등을 도입(導入)한 기술.

울-파자 명〈방〉울바자.

울폐【鬱閉】명 물이 막혀 갇힘. 또, 기분이 우울함. ──-하다 형여불

울프[1]〔Wolfe, Thomas〕명〖사람〗미국의 작가. 자서전적 장편 《천사여 고향을 보라》로 문명(文名)을 높였음. 《거미줄과 바위》·《그대 다시는 고향에 돌아가지 못하리》, 미완(未完)의 장편 《저 언덕 너머》 따위는 모두 사후(死後)에 간행됨. 그 밖에 평론·희곡·시집 등이 있음. [1900-38]

울프[2]〔Woolf, Virginia〕명〖사람〗영국의 여류 소설가. '의식의 흐름'의 수법을 써서 현대 소설을 혁신하였음. 대표작은 하루의 사건으로 주인공의 과거를 그린 《댈러웨이 부인(Dalloway夫人)》·《등대(燈臺)로》·《파도》 등. 템스 강에 투신 자살하였음. [1882-1941]

울피아누스〔Ulpianus, Domitius〕명〖사람〗로마의 법학자. 선진 학자의 업적을 집대성(集大成)하여 방대한 저서를 남김으로써 '로마법 대전(大全)'에 다대(多大)한 영향을 끼침. [170-228]

울필라스〔Ulfilas〕명〖사람〗서고트족(西 Goths族)의 사제(司祭). 소아시아 동부 출신. 341년 서고트족의 사제로 동로마 제국에서 포교에 진력함. 그리스 문자·라틴 문자·룬 문자(rune文字)를 빌어서 고트 문자를 만들어 신약 성서를 번역함. 이것은 '은자 성서(銀字聖書)'라고 일컬어지며 그 일부가 스웨덴의 웁살라(Uppsala) 대학에 남아 있는데, 게르만어파(語派) 연구의 귀중한 자료임. [311?-383?]

울-하다【鬱─】형여불 가슴이 답답하다.

울헤〈옛〉울타리에. '울[2]❷'의 처격형(處格形). ¶녀를 依藉ᄒᆞ야 져근 울헤 ᄆᆞᄅᆞ디르고(藉汝跨小籬)《杜諺 XV:2》.

울혈【鬱血】명〖의〗한 국소(局所)의 정맥(靜脈)이 확대되어 정맥의 피가 막히어 충혈(充血)을 이루는 증세.

울혈-간【鬱血肝】명〖의〗심부전(心不全) 때에 울혈(鬱血)로 인하여 간장(肝臟)이 부어서 커진 상태.

울혈성 간:경변【鬱血性肝硬變】[─썽─] 명〔congestive cirrhosis of the liver〕〖의〗간장(肝臟)의 진행성 섬유증. 장기적(長期的)이며 중증(重症)인 심장 질환의 결과로서 정맥혈(靜脈血)이 오래 체류하는 데서 기인(起因)함.

울혈-신【鬱血腎】명〔congestion of the kidney〕〖의〗혈액의 순환 장애로 인하여, 신장(腎臟)에 울혈(鬱血)이 생긴 상태. 전신적(全身的)인 혈행(血行) 장애에서 생기는 경우와, 국소적(局所的)인 혈행 장애에서 생기는 경우가 있는데, 주증상(主症狀)은 울혈뇨(鬱血尿)가 나오며, 오줌의 양이 적고 농후(濃厚)하며 암갈색(暗褐色)을 띰.

울혈 요법【鬱血療法】[─료뻡] 명〖의〗급성 또는 만성의 염증을 치료하기 위해 병난 곳의 충혈(充血)을 더욱 활발하게 하여, 그 흡수를 촉진하는 요법. 귀·코·인후(咽喉)·생식기 등의 병에 응용함.

울화【鬱火】명 속이 답답하여 나는 심화. ¶~가 치밀다.

울화-병【鬱火病】[─뼝] 명〖한의〗울화로 인하여 난 병. 울화증(鬱火症). 준화병(火病).

울화-증【鬱火症】[─쯩] 명 울화병.

울화-통【鬱火─】명 '울화'의 힘줌말.
울화통(이) 터지다 구 몹시 울화가 나다.

울후다 타〈옛〉에두르다. ¶히여곰 드믄 울흘 울후미 도ᄅᆞ혀 甚히 眞實ᄒᆞ니라(使揷疏籬却甚眞)《杜諺 VII:22》.

울흘〈옛〉울을. 울타리를. '울[2]❷'의 목적격형. ¶히여곰 드믄 울흘 울후미 도ᄅᆞ혀甚히 眞實ᄒᆞ니라(使揷疏籬却甚眞)《杜諺 VII:22》.

울흥【蔚興】명 성하게 일어남. ──-하다 자여불

울히〈옛〉울이. '울[2]❷'의 주격형(主格形). ¶울히 즈모 그지 업스니(藩籬頗無限)《初杜諺 X:13》.

울히다 타〈옛〉에두르다. ¶울힐 옹(擁)《類合 下 28》.

울ᄒᆞ다 타〈옛〉둘러싸다. 에워싸다. ¶長松 울흔 소개 슬ᄏᆞ장 펴뎌시니《松江 關東別曲》.

욼ᄀᆞ 명〈옛〉울가. 울타리의 가. ¶욼ᄀᆞ싀 므른 城으로 向ᄒᆞ야 흐르ᄂᆞ다(籬邊水向城)《杜諺 X:2》.

움:[1] 명 ①초목의 어린 싹. ¶~이 트다. ②나무를 베어 낸 그루의 뿌리에서 나는 싹.

[움도 싹도 없다] ㉠사람이나 물건이 감쪽같이 없어져서 간 곳을 모르다. ㉡장래성이라고는 도무지 없다.

움(을) 지르다 구 자라나려는 기세나 세력을 미연에 꺾어 버리다. ¶에라, 저놈의 움을 질러 내 발뺌이나 진작하겠다《作者未詳 : 홍도화》.

움:[2] 명 땅을 파고 위를 거적 같은 것으로 덮고 흙을 덧덮어, 한서(寒暑)·풍우(風雨)를 피하거나, 겨울에 화초 또는 채소를 넣어 두는 곳. *움막·움집.

[움 안에 간장] 외양은 좋지 않으나 내용은 훌륭함을 일컫는 말. [움 안에서 떡 받는다] 이 편에서 구하지도 않았는데 뜻밖에 좋은 물건을 얻었음을 가리키는 말.

움:[3] 감 마음에 못마땅하거나 비분의 뜻을 나타내는 소리.

-움 어미〈옛〉-음. 명사형 어미의 하나. ¶利益 도외여 깃부믈 뵈야《釋譜 XIX:3》.

움:-나다 자 움이 돋아나다. *싹트다.

움:-나무 명〖식〗싹이 돋기 시작한 어린 나무.

움날철-밑 명 한자 부수(部首)의 하나. '屯' 등의 '屮'의 이름.

움:-누이 명 시집 간 누이가 죽고 다시 장가든 매부의 후실.

움:-돋다 자 초목의 움이 돋아 나오다.

움:-돋이[─도지] 명 초목의 뿌리나 베어낸 데서 나오는 움.

움:-딸 명 시집 간 딸이 죽은 뒤에 다시 장가든 사위의 후실.

움라우트〔도 Umlaut〕명〖언〗게르만어 특히 독일어에서, 모음 a·o·u가 뒤에 오는 모음 i 또는 e의 영향을 받아 음질(音質)이 변하는 현상. 또, 그 변한 모음. 독일어에서는 ä·ö·ü로 표시함. 변모음(變母音).

움:-막【─幕】명 움으로 지은 막. 움집보다 더 작음. 토막(土幕). *움집.

움:막-살이【─幕─】명 움막에서 사는 일. 토막살이. *움집살이. └──-하다 자여불

움:막-집【─幕─】명 움막으로 된 집.

움:-묻다 자 움을 만들다.

움물 명〈방〉우물(평안·경기·강원·충청·전북·경북·황해·함남).

움:-버들 명 움이 돋아난 버들.

움벙 명〈방〉웅덩이(경상·강원).

움베 명〈방〉움벼.

움:-벼 명〖농〗가을에 베어낸 그루에서 움이 자라난 벼. 그루벼.

움:-불[─뿔] 명 움집에서 피우는 불.

움브리아〔Umbria〕명〖지〗이탈리아 중부 아펜니노 산맥 속의 한 지방. 중세로부터 르네상스까지 이탈리아의 정치·문화의 중심지이며, 회화(繪畫)로는 움브리아파(派)가 일어난 곳임. 사적(史蹟)이 많고 포도·올리브 등의 명산지임. [8,456 km²: 808,000 명(1981)]

움브리아-어【─語】〔Umbria〕명 이탈릭 어파에 속하는 언어. 움브리아 지방에서 쓰이며, 주된 자료(資料)는 7매(枚)의 동판으로 된 비문(碑文)임. 오스칸어(Oscan語)와 공통된 특징을 가지며 라틴어와는 어휘 등에 상당한 차이가 있음.

움브리아-파【─派】〔Umbria〕명 젠틸레 다 파브리아노(Gentile da Fabriano)에서 시작하여 15세기에 성한 움브리아의 화파(畫派). 북(北)움브리아는 피렌체파(Firenze派), 남(南)움브리아는 시에나파(Siena派)의 영향 밑에, 각각 공간 구성·원근법에 독자적인 화풍(畫風)을 이룩함. 북에서는 피에로 델라 프란체스카(Piero della Francesca)를 비롯하여 멜로초 다 포를리(Melozzo da Forli) 등이, 남에서는 페루지노(Perugino)·핀토릭키오(Pintoricchio) 등이 나왔음.

움:-뽕 명 그 해에 두 번째 자란 뽕나무의 잎. 여상(女桑).

움실-거리다 자 벌레 같은 것이 많이 모이어 연해 우물거리다. >옴실거리다: 움실-움실 부. ──-하다 자여불

움실-대다 자 움실거리다.

움쑥 부 물체의 면이나 바닥이 쑥 들어가 우묵한 모양. ¶~ 들어간 눈. >옴쏙. ──-하다 형여불

움쑥-움쑥 부 물체의 면이나 바닥이 여러 군데 움쑥 들어간 모양. >옴쏙옴쏙. ──-하다 형여불

움:-씨 명 먼저 뿌린 씨가 잘 나지 않을 때 다시 덧붙여 뿌리는 씨.

움씰-하다 자여불 ①갑자기 놀라서 몸을 움츠리다. ②갑자기 무서운 경우를 당하여 기운이 꽉 질리다. 1)·2):>옴씰하다.

움:-잎[─닙] 명〖식〗화초나 채소 등의 움에서 돋아난 잎. 대개 빛깔이 노르파르스름함.

움:-저장법【─貯藏法】[─뻡] 명 식품 저장법의 하나로, 식품을 움 속에 저장하는 일. 파·당근 등의 저장에 이용되며, 온도는 10°C 전후, 습도는 85 %가 적당함.

움주쥐다 자 〈옛〉 움츠러들다. ¶그 腸이 비예 뷔트러 움주쥐여 잇ᄂᆞ니(其腸絞縮在腹) ≪救方 上 33≫.
움죽-거리다 자타 몸피가 큰 것이 연해 크게 몸짓을 하며 움직거리다. ㅆ움쭉거리다. >옴죽거리다. **움죽-움죽** 부. ——-하다 자타여불
움죽-대다 자타 움죽거리다.
움죽이다 자타 〈방〉 움직이다.
움즈기다 자타 〈옛〉 움직이다. ¶모ᄆᆞᆯ 죠고매도 움즈기디 아니ᄒᆞ며(身不少動) ≪飜小 X:26≫.
움즉다 자타 〈옛〉 움직이다. ¶ᄒᆞᆫ 일도 ᄆᆞᄉᆞᄆᆞᆯ 움즉디 아니ᄒᆞ야(不一動其心) ≪飜小 X:20≫.
움즉이다 자타 〈방〉 움직이다.
움지럭-거리다 자타 자꾸 느릿느릿 움직이다. >옴지락거리다. **움지럭-움지럭** 부. ——-하다 자타여불
움지럭-대다 자타 움지럭거리다.
움지혀다 타 〈옛〉 오므라뜨리다. ¶혓그틀 움지혀ᅀᅡ 비르서 能히 펴리라(縮却舌頭如解宜) ≪南明 下 18≫.
움직-거리다 자타 잇따라 자꾸 움직이다. ㅆ움찍거리다.>옴직거리다. **움직-움직** 부. ——-하다 자타여불
움직-대다 자타 움직거리다.
움직-도르래 명 〔movable pulley〕〖물〗 축(軸)이 고정되어 있지 않고 이동할 수 있는 도르래. 동활차(動滑車). 유동(遊動) 활차. 이동(移動) 활차. ↔붙음도르래.

〈움직도르래〉

움직-씨 명 〖언〗 동사(動詞).
움직-이다 자타 〔중세 : 움즈기다〕 ①자리를 옮기다. 위치를 바꾸다. ¶책상을 ~. ②정지하여 있지 않다. 동작을 계속하다. ¶나뭇가지가 바람에 ~/몸을 움직일 수 없다. ③일어나다. 활동하다. ¶계몽 사업이 활발히 움직이고 있다/기계적으로 ~. ④ 마음이 끌리거나 흔들리다. 또, 그리 되게 하다. ¶우리의 충고로 그의 마음도 움직였다. ⑤운영하다. 경영하다. 어떠한 집단을 이끌어 나가다. ¶공장을 ~/나라를 움직일 위대한 정치가. ⑥현상·정세 같은 것이 변동하다. 바뀌다. ¶격렬히 움직이는/움직일 수 없는 사실.
움직임 명 ①움직이는 일. ②변동. ¶마음의 ~에 따라 행동하다. ③동정(動靜). 동태(動態). ¶정계(政界)의 ~을 주시(注視)하다.
움질-거리다[1] 자 ①몸피가 큰 것이 많이 모여서 천천히 자꾸 움직이다. ¶우시장에 소가 ~. ②일을 앞두고 결단성 없이 자꾸 주저하다. ¶움질거리기만 하고 하나도 이룬 것이 없다. 1)·2):ㅆ움찔거리다.>옴질거리다[1]. **움질-움질**[1] 부. ¶바싹 회가 동해서 무릎을 ~하여 앞으로 바싹 다가앉았다. ——-하다 자여불
움질-거리다[2] 타 질긴 물건을 입 안에 넣고 우물거리며 씹다. >옴질거리다. **움질-움질**[2] 부. ——-하다 타여불
움질-대다 자 움질거리다[1·2].
움:-집 〔—찝〕 명 〖고고학〗 신석기 시대 사람들이 살았던 집. 땅을 얕게 파고 그 위에 지붕을 이었고, 깊이는 50-90 cm로, 길이·넓이 함께 3-6 m의 모가 둥근 방형(方形)이며 중앙에 화덕을 만들고, 옆에 식량을 저장하는 저장 구덩이가 있음. 규모는 4-5명이 살 수 있을 정도임. *막집.
움:집-살이 〔—찝—〕 명 움집에서 하는 살림살이. *움막살이. ——-하다 자여불
움집-터 〔—찝—〕 명 〖고고학〗 신석기 시대 사람들이 살았던 움집의 터. 주위에 배수구(排水口)가 있으며, 시대에 따라 각양 각색으로 됨. 수혈주거지(竪穴住居址). *움집.
움즈기다 자 〈옛〉 움직이다. ¶움즈기매 或도 거슬쁘게 말올띠니(動罔或悖) ≪小諺 題辭 3≫.
움쭉 부 몸의 부피가 큰 것이 세차게 움직이는 모양. >옴쭉. ——-하다 자타여불
움쭉-거리다 자타 몸피가 큰 것이 연해 좀 세차게 몸을 움직이다. ㅅ움죽거리다. >옴쭉거리다. **움쭉-움쭉** 부. ——-하다 자타여불
움쭉-달싹 부 작게 움직거리는 모양. ¶~ 못 하다. >옴쭉달싹. *끔짝달싹. ——-하다 자여불
움쭉-대다 자타 움쭉거리다.
움쭉 못: 하다 구 조금도 움직이지 못하다. ¶고양이라면 무서워서 움쭉 못 한다. >옴쭉 못 하다.
움찍-거리다 자타 몸피가 큰 것이 세게 자꾸 움직이다. ㅅ움직거리다. >옴찍거리다. **움찍-움찍** 부. ——-하다 자타여불
움찍-대다 자타 움찍거리다.
움찔 부 깜짝 놀라 갑자기 몸을 뒤로 움츠리는 모양.>옴찔. ¶송충이를 보자 ~하고 놀라다. ——-하다 자타여불
움찔-거리다 자타 자꾸 움찔하다. ㅅ움질거리다[1]. >옴찔거리다. **움찔-움찔** 부. ——-하다 자타여불
움찔-대다 자타 움찔거리다.
움처들다 자 〈옛〉 움츠러들다. ¶움처들 겁(怯) ≪類合 下 34≫.
움춤 명 〈옛〉 움츠러짐. ¶펴며 움추미 잇다(有舒縮) ≪楞嚴 Ⅱ:36≫.
움츠러-들다 자 몹시 춥거나 겁이 나서 몸이 점점 움츠러져 들어가다. ¶두려움에 ~. >옴츠러들다.
움츠러-뜨리다 타 ①사람이나 동물이 갑자기 춥거나 놀라서 몸을 힘차게 움츠리다. ②몹시 겁을 먹여 상대편을 뒤로 물러나게 하다. 1)·2): >옴츠러뜨리다.
움츠러-지다 자 ①춥거나 무서워서 몸이 몹시 작아지다. ¶찬바람에 몸이 ~. ②겁을 먹고 대어들 용기를 잃어버리다. ¶큰 개를 만나자 강아지의 몸이 움츠러졌다. 1)·2):>움츠러지다.
움츠러-트리다 타 움츠러뜨리다.
움츠리다 타 ①몸을 작게 하다. ¶좁은 곳을 빠져 나가느라고 몸을 ~. ②겁을 먹고 몸을 뒤로 조금 물리다. ¶호통치는 서슬에 몸을 뒤로 ~. 준움치다. 1)·2):>옴츠리다.

움츳 부 ☞움칫. ¶~하고 서다.
움치다[1] 자 〈옛〉 움츠러지다. ¶큰 거시 움처 져기 ᄃᆞ외니잇가(縮大爲小) ≪楞嚴 Ⅱ:35≫.
움치다[2] 타 ↗움츠리다. >옴치다.
움치러-지다 자 〈방〉 움츠러지다.
움칠 부 깜짝 놀라서 몸을 갑자기 움직이는 모양. >옴칠. ——-하다 자타여불
움칫 부 놀라서 몸을 가볍게 갑자기 움직이는 모양. >옴칫. ——-하다 자타여불
움칫-거리다 자타 놀라서 몸을 가볍게 갑자기 움직거리다. >옴칫거리다. **움칫-움칫** 부. ——-하다 자타여불
움칫-대다 자타 움칫거리다. >옴칫대다.
움켜 잡다 타 손가락을 오므리어 힘있게 잡다. ¶멱살을 ~/덥석 ~. >옴켜 잡다.
움켜 잡히다 피동 움켜 잡음을 당하다. >옴켜 잡히다. *꺼둘리다.
움켜 쥐:다 타 ①손가락을 오므리어 힘있게 움키어서 쥐다. ¶과자를 잔뜩 ~. ②일이나 또는 물건을 수중에 넣고 마음대로 다루다. ¶권력을 혼자 ~. 1)·2):>옴켜 쥐다.
움큼 의명 ☞움큼.
움큼 의명 손으로 한 줌 쥔 분량의 단위.>옴큼.
움키다 타 ①손가락을 오그려 물건을 놓치지 않도록 힘있게 잡다. ¶밥을 한 움큼 ~. ②새 또는 짐승 등이 발가락으로 물건을 힘있게 잡다. ¶독수리가 병아리를 ~. 1)·2):>옴키다.
움탈리 〔Umtali〕 명 〖지〗 '무타레(Mutare)'의 구칭.
움:-트다 자 ①움이 돋아 나오기 시작하다. ②사물이 일어나기 시작하다. ¶사랑이 ~.
움:-파 명 ①움 속에서 자란 빛이 누런 파. ②줄기를 베어 먹고 다시 줄기가 나온 파. →엄파.
움:-파다 타 속을 우묵하게 우비어 파다.>옴파다. ㅆ홈파다.
움:-파리 명 ①☞움막. ②우묵하게 들어가고 물이 괸 곳.
움:-패다 자 속으로 우묵하게 파지다. >옴패다. ㅆ홈패다.
움퍽 부 가운데가 약간 우묵하게 들어간 모양. >옴팍. ¶바닥이 ~ 들어갔다. ——-하다 형여불
움퍽-움퍽 부 여러 곳이 모두 움퍽한 모양. >옴팍옴팍. ——-하다 형여불
움펑-눈 명 움푹 들어간 눈.
움펑눈-이 명 눈이 움푹하게 들어간 사람. >옴팡눈이.
움펑-하다 형여불 약간 움퍽하다. >옴팡하다.
움푹 부 속으로 푹 들어가 우묵한 모양. ¶눈이 ~ 들어간 사람. >옴폭. ——-하다 형여불
움푹-움푹 부 군데군데 움푹한 모양. 또, 여러 개가 모두 움푹한 모양. >옴폭옴폭. ——-하다 형여불
움흘 〈옛〉 움을. '움[2]'의 목적격형. ¶漆沮 ᄀᆞ새 움흘 後聖이 니ᄅᆞ시니(漆沮陶穴 後聖以矢) ≪龍歌 5章≫.
웂다 자 〈옛〉 움츠러들다. ¶입시우리 드리디 아니ᄒᆞ며 웂디 아니ᄒᆞ며 디드디 아니ᄒᆞ며 ≪釋譜 XIX:7≫.
웁살라 〔Uppsala〕 명 〖지〗 스웨덴 동남부, 스톡홀름(Stockholm)의 북북서 약 70km에 있는 도시. 웁살라 대학을 중심으로 하는 종교·교육·문화 도시임. 출판 외에 각종 경공업과 최근에는 의약품 제조업이 성함. [178,011 명(1994)]
웁살라 대학 【一大學】〔Uppsala〕 명 스웨덴 최고(最古)의 대학. 1419년 국왕 에릭 13세에 의하여 웁살라에 설립되었으나, 1477년에야 개교(開校)되었음. 일시 폐교되었다가 재흥(再興)되어, 오늘날은 스웨덴에서 가장 완비된 대학이 됨.
웁쌀 명 잡곡으로 짓는 밥 위에 조금 얹어 안치는 쌀.
　웁쌀 얹다 구 잡곡으로 밥을 지을 때 그 위에 쌀을 좀 얹어 안치다.
웃- 투 명사 위에 붙어 위의 뜻을 나타내는 말. ¶~옷/~어른. *윗-.
웃-간 【一間】 명 ☞윗간.
웃-거름 명 〖농〗 씨앗을 뿌린 뒤나 또는 모종 따위를 옮겨 심은 뒤에 주는 거름. 추비(追肥). 보비(補肥). 덧거름. 뒷거름. ↔밑거름·원비(元肥)·기비(基肥). ——-하다 자여불 웃거름을 주다.
웃-거리 명 〈방〉 웃옷.
웃-걸기 명 〈방〉 웃옷(평안).
웃겁다 형 〈방〉 우습다(함남).
웃-고명 명 음식에 맛이나 빛을 더하기 위하여 음식 위에 치는 고명.
웃-국 명 간장이나 술 같은 것이 익은 뒤에 맨 처음에 떠내는 진한 국.
웃궃ᄒᆞ다 형 〈옛〉 향기롭다. ¶나죗히옌 ᄀᆞᄂᆞᆫ 프리 웃궃ᄒᆞ고(夕陽薰細草) ≪杜諺 XII:36≫.
웃기 명 ①↗웃기떡. ②과실 등을 굄질할 때 위를 꾸미는 재료.
웃기다 타 웃게 하다. 웃도록 만들다. ¶익살로 청중을 ~/그가 프랑스어를 가르치다니 웃기는구나.
웃기-떡 명 합이나 접시 등에 떡을 담고 그 위에 모양 내기 위하여 얹는 떡. 주악·돈전병·오입쟁이떡·산병(散餠)·색절편 등 여러 가지가 철따라 있음. 준웃기.
웃-길 명 ☞윗길.
웃깁다 형 〈방〉 우습다(함남).
웃-나룻 명 〈방〉 윗 수염.
웃날 들다 자 날이 개다. ¶웃날 들거든 빨래하러 가자.
웃-녘 명 ☞윗녘.
웃-니 명 ☞윗니.
웃-닛몸 명 ☞윗잇몸.
웃:다 ㊀ 자 ①기쁜 일·우스운 일·멋적은 일·서글픈 일·기막힌 일 따위로 소리를 내거나 기쁜 표정을 짓다. ¶큰 소리로 ~/잘 웃는 사람.

②꽃봉오리가 벌어져 꽃이 활짝 피다. ¶새가 울고 꽃이 웃는 봄. ③빈정거려 조롱하다. ㊁타 ①비웃다. 바보 취급하여 경멸하다. ¶서툴다고 ~/무식을 ~. ②'웃음'을 목적어로 하여 쓰는 말. ¶비굴한 웃음을 ~. ＊울다.
[웃고 사람 친다] 겉으로는 친한 체하고 속으로는 해롭게 한다는 뜻. [웃느라 한 말에 초상(初喪) 난다] 농담으로 한 말이 사람을 죽이는 수도 있다 함이니 말을 지극히 삼가라는 뜻. [웃는 낯에 침 뱉으랴] 좋은 낯으로 대하는 사람에게는 나쁘게 대할 수 없다는 뜻.
웃어 넘기다 ㉮ 웃어 버리고, 그 일은 없던 것으로 치고 넘기다. 웃고 그냥 말다.
웃으며 뺨치듯 ㉮ 겉으로는 부드럽게 대하면서 실상은 해치는 모양. ¶세력 있는 관찰사가 불러다가 웃으며 뺨치듯이 면새 좋게 뺏어 먹는 통에 ≪李人稙: 銀世界≫.

웃-대【一代】 명 ☞윗대.

웃-대님 명〈방〉중대님.

웃-더껑이 명 물건의 위를 덮어 놓는 물건. 더껑이.

웃-도드리 명〖악〗조선 시대 때, 궁중 연례악 수연장(壽延長), 곧 밑도드리를 한 옥타브 위로 이조(移調)한 변주곡. 잔도드리. 삭환입(數還入). 아명(雅名)은 송구여지곡(頌九如之曲).

웃-도리 명 ①☞윗도리. ②☞윗옷. ③흙일 같은 것을 할 때 주장하여 하는 사람.

웃-돈 명 물건을 서로 바꿀 때 그 값을 따져서 한 편에 모자라는 것을 보태어 내는 돈. 덧두리. 상가(上價). ¶~을 얹다.

웃-돌다 자 어떤 기준이 되는 수량보다 위가 되다. 상회(上廻)하다. ↔밑돌다.

웃-동 명〈방〉윗동아리(평안).

웃-동네【一洞一】 명 ☞윗동네.

웃-동아리 명 ☞윗동아리.

웃-두리 명 ☞윗도리.

웃딕 명〈옛〉귀댁(貴宅). ¶형님하 小人이 어제 웃더긔(哥小人昨日貴宅裏)≪朴解 上 58≫.

웃-마기 명 ☞윗막이.

웃-마을 명 ☞윗마을.

웃-마치 명〈방〉웃짐.

웃-목 명 ☞윗목.

웃-몸 명 ☞윗몸.

웃-묵 명〈방〉윗목(경상).

웃-물 명 ①☞윗물. ②겉물. ③담가서 우린 물건이나 죽 같은 것을 쑨 때의 위의 국물.

웃-바람 명 ☞윗바람.

웃-방【一房】 명 ☞윗방.

웃-배 명 ☞윗배.

웃부다 형〈방〉우습다(함경).

웃-비 명 아직 우기(雨氣)는 있는데 좍좍 내리다가 그친 비.
웃비 걷다 ㉮ 오던 비가 걷다. ¶웃비 걷자 해가 반짝인다.

웃ᄇᆞ니 형〈옛〉우스우니. 우스우냐. ¶跋提ㅣ 말이 긔 아니 웃ᄇᆞ니≪月釋 上 64≫.

웃-사람 명 ☞윗사람.

웃-사랑【一舍廊】 명 ☞윗사랑.

웃-수【一手】 명 ☞윗수.

웃-수염【一鬚髯】 명 ☞윗수염.

웃-아귀 [욷一] 명 ①엄지 손가락과 둘째 손가락의 뿌리가 서로 닿은 곳. ②활의 줌통 위.

웃-알 [욷一] 명 ☞윗알.

웃어-대다 자 자꾸 웃다.

웃-어른 [욷一] 명 나이나 지위·신분 등이 높아서 직접 간접으로 자기가 모셔야 할 어른. ＊윗사람.

웃-옷 [욷一] 명 ①맨 겉에 입는 옷. 도포(道袍)·두루마기 등의 총칭(總稱). 겉옷. ②☞윗옷. ③출입(出入)할 때에 입는 옷.

웃을 일 [一릴] 명 ①웃어야 할 일. ②웃고 치울 일. ¶~이 아니다.

웃음 명 ①웃는 소리. ②웃는 일. 소태(笑態).
[웃음 끝에 눈물] 웃음 끝에 괴로운 일이 생기는 것은 세상사라는 말. [웃음 속에 칼이 있다] 겉으로는 친절한 체하지만 뒤로는 은근히 해롭게 한다는 말.
웃음(을) 띠다 ㉮ 웃음을 머금다.
웃음을 사다 ㉮ 웃음 거리가 되다.
웃음을 팔다 ㉮ 여자가 화류계 생활을 하다.
웃음(을) 짓다 ㉮ 웃음을 얼굴에 나타내다.

웃음-가마리 [一까一] 명 남의 웃음거리가 되는 사람. 또, 그러한 일.

웃음-감 [一깜] 명〈방〉웃음거리.

웃음-거리 [一꺼一] 명 웃음을 받을 만한 일이나 사람 또는 물건. ¶~밖에 안된다.

웃음-기 [一끼] 명 얼굴에 웃음이 떠 있는 기색. ¶~ 머금은 얼굴.

웃음-꽃 명 유쾌한 웃음을 형용해서 이르는 말. ¶~이 피다.

웃음-바탕 [一빠一] 명〈방〉웃음판.

웃음-보 [一뽀] 명 무진장으로 터져 나오려는 웃음. ¶~를 터뜨리다.

웃음 소리 [一쏘一] 명 웃는 소리. 소성(笑聲).

웃음엣-소리 명 웃기느라고 하는 말.

웃음엣-짓 명 웃기느라고 하는 짓.

웃음-판 명 여러 사람이 모여 웃는 자리. 또, 그 판국. ¶한창 ~이 벌어졌다.

웃-이 [一니] 명 ☞윗니.

웃이다 타〈옛〉웃기다. =웃이다. ¶王이 褒姒ᄅᆞᆯ 웃요리라 ᄒᆞ야≪內訓 序 4≫.

웃-입술 [一닙一] 명 ☞윗입술.

웃-잇몸 [一닌一] 명 ☞윗잇몸.

웃-자라다 자 지나치게 많은 비료를 주거나 또는 이상 기온 등으로 말미암아, 식물의 줄기나 잎이 쓸데없이 길고 연약하게 자라다. 도장(徒長)하다.

웃-자리 명 ☞윗자리.

웃-장 명〈방〉웃돈.

웃-저고리 명〈방〉겉저고리(평안).

웃-중방【一中枋】 명 ☞윗중방(中枋).

웃-짐 명 짐 위에 더 싣는 짐. ¶가뜩이나 무거운데 또 ~이냐.
웃짐(을) 치다 ㉮ ㉠마소에다 웃짐을 싣다. ㉡사물을 덧붙이다.

웃-집 명 ☞윗집.

웃-짝 명 ☞위짝.

웃-쪽 명 ☞위쪽.

웃-청¹ 명〖악〗테너(tenor).

웃-청²【一廳】 명 ☞위청.

웃-층【一層】 명 ☞위층.

웃-통 명 ①사람의 윗도리의 두 어깨의 부분(部分). ¶~을 드러내다. ②몸의 윗도리에 입는 옷. ¶~을 벗어부치다. ＊위통¹.

웃다 자〈옛〉웃다. ¶우숨 우석 말ᄉᆞᄆᆞᆯ 친친히 ᄒᆞ디 몯게 ᄒᆞ더라(未嘗笑語款洽)≪飜小 Ⅹ:12≫/우슬 신(哂)≪字會 上 29≫.

웃ᄫᅳ다 형〈옛〉우습다. ¶오ᄂᆞᆯ나래 내내 웃ᄫᅳ리(當今之日 曷勝其哂)≪龍歌 16章≫.

웃비 부〈옛〉우습게. ¶世尊ㅅ 말ᄊᆞᆷ 웃비 너기니≪釋譜 Ⅶ:5≫.

웃우리 형〈옛〉우스우리. ¶오ᄂᆞᆯ나래 내내 웃우리≪樂範 Ⅴ:7 與民樂 逃亡章≫.

웃움 타〈옛〉웃김. 웃기움. '웃이다'의 명사형. ¶菩薩의 웃움 어두미 이에 잇ᄂᆞ니라(取笑菩薩)≪金三 Ⅳ:58≫.

웃이다 타〈옛〉웃기다. =웃이다. ¶位 업슨 眞人을 웃이리로다ᄒᆞ니(笑殺無位眞人)≪金三 Ⅱ:28≫.

웅강¹【雄強】 명 씩씩하고 굳셈. 세력이 강대함. 또, 그것이나 그 모양. ——하다 형 여불

웅강²【雄講】 명 웅건(雄健)한 강론(講論).

웅거【雄據】 명 어떤 땅에 자리잡고 굳세게 막아 지킴. ——하다 자 여불

웅거-지【雄據地】 명 웅거하는 땅.

웅건【雄健】 명 웅대하고 건전함. ¶~한 기상. ——하다 형 여불

웅걸【雄傑】 명 영웅다운 호걸(豪傑). 재지(才智)와 용력(勇力)이 뛰어난 사람. 영걸(英傑). 웅준(雄俊). 웅호(雄豪).

웅검【雄劍】 명 ①자웅(雌雄) 한 쌍의 이검(二劍), 웅검(雄劍)과 자검(雌劍) 중의 하나. 특히, 중국 춘추 시대, 오(吳)나라의 간장(干將)이 만든 명검. 오왕(吳王) 합려(闔閭)에게 바쳤다고 함. ＊간장 막야(干將莫耶) ②주(主)되는 칼.

웅게-중게 부〈방〉웅기중기.

웅경【雄耿】 명 강경(剛耿).

웅계【雄鷄】 명 수탉.

웅계 야:명【雄鷄夜鳴】 명 수탉이 밤에 욺. 한 나라의 왕이 타국을 정벌할 뜻을 가지면 이런 현상이 생긴다고 함.

웅구럭지 명〈방〉미꾸라지(전남).

웅굴 명〈방〉우물(경북).

웅그리다 타 춥거나 겁이 날 때 몸을 움츠러들이다. 쓰웅크리다. >옹그리다.

웅긋-웅긋 부 뿔이 군데군데 고르게 삐죽삐죽 나온 모양. >옹긋옹긋. ——하다 형 여불

웅긋-쭝긋 부 굵고 잔 여럿이 군데군데 고르지 않게 머리가 쑥쑥 불거진 모양. >옹긋쫑긋. ——하다 형 여불

웅긔다 형〈옛〉깊숙이 들어 앉아 우묵하다. ¶五香 마ᄐᆞ샤 웅긔어신 고해≪樂範 處容歌≫.

웅기¹【雄氣】 명 씩씩한 기력.

웅기²【雄基】 명〖지〗함경 북도 최북단의 항구 도시로 읍(邑). 1921년 개항(開港)하였음. 수산물·공업 제품·목재·지하 자원의 집산지임. 경도(京圖)·도문(圖們)선의 개통으로 급속히 발전하였음.

웅기-만【雄基灣】 명〖지〗함경 북도 동북단에 위치하는, 서수라(西水羅)와 나진(羅津) 사이에 있는 만.

웅기 분지【雄基盆地】 명〖지〗함경 북도 웅기를 중심으로 이루어진 분지. 독곡령·마대령·웅기령·관동령으로 둘러싸인 분지로 지형·기후·목초 등의 조건이 목마(牧馬)·목양(牧羊)에 적합함. 또, 웅기는 서수라(西水羅)와 함께 어업이 성함.

웅기-웅기 부 크기가 비슷한 물건이 듬성듬성 모여 있는 모양. 웅기중기. >옹기옹기. ——하다 형 여불

웅기-중기 부 크기가 같지 않은 큰 물건이 듬성듬성 많이 모여 있는 모양. ¶~ 서 있는 집들/… 송파 처소의 내권(內眷)들이 ~ 모여 앉아 있었다≪金周榮: 客主≫. >옹기종기. ——하다 형 여불

웅기-피나무【雄基一】 명〖식〗[*Tilia ovalis*] 피나뭇과에 속하는 낙엽 활엽 교목. 잎은 달걀꼴이고, 잎 뒤에 백색의 성상모(星狀毛)가 밀포하였음. 꽃은 6월에 방상(房狀) 화서로, 한 꽃 줄기에 1-3송이씩 피고, 과실은 둥근 달걀꼴 또는 달걀꼴로 10월에 익음. 깊은 산에 나는데, 함남 웅기군과 금강산 등지에 분포함. 수피(樹皮)는 새끼 대용(代用), 도구재(道具材)로도 씀.

웅-남행【雄南行】 명〖역〗위품(位品)이 높은 음관(蔭官).

웅녀【熊女】[명] 전설 상의 단군(檀君)의 어머니. 천제(天帝) 환인(桓因)의 아들 환웅(桓雄)으로부터 쑥과 마늘을 받아 먹고 사람이 되어 환웅과 혼인하여 단군을 낳았다고 함. 이는 우리 나라 고대 사회의 개국 신화 가운데 천지 양신족설(天地兩神族說)의 한 형태로, 웅 토템(熊 totem)의 여성을 신격화한 것임.
웅단【雄斷】[명] 씩씩한 결단.
웅담【熊膽】[명]〖한의〗곰의 쓸개. 안질·치루(痔漏)·경간(驚癎)·열병·치통 및 타박상(打撲傷) 등의 약재로 씀.
웅담-산【熊膽散】[명]〖한의〗태음인(太陰人)의 열병 후에 양기의 허약으로 몸이 찬 한궐(寒厥)이 심한 증세, 중풍으로 인사 불성(人事不省)인 경우 등에 쓰이는 처방.
웅대【雄大】[명] 웅장하고 큼. 으리으리하게 큼. ¶~한 건물. ——-하다 [형][여불]
웅더리 [명]〈옛〉웅덩이. ¶陂는 웅더리오 ≪無寃錄 Ⅲ:2≫.
웅덩이 [명]〔중세 : 웅더이〕 늪보다 작게 움푹하게 패어 물이 괸 곳. >옹당이.
웅덩이-지다 [자] 비나 큰물에 평평한 땅이 움푹 패어 웅덩이처럼 물이 괴게 되다. >옹당이지다.
웅뎅이 [명] ☞웅덩이.
웅도¹【雄途】[명] 큰 사업이나 여행을 위한 장한 출발. ¶~에 오르다.
웅도²【雄圖】[명] 크고 뛰어난 계획과 포부. ¶천하를 경륜할 ~. ＊붕도(鵬圖).
웅-도³【熊島】[명]〖지〗①충청 남도 서해상, 서산군(瑞山郡) 대산면(大山面) 웅도리(熊島里)에 있는 섬. [1.58 km²:219 명(1984)] ②평안 북도 철산군(鐵山郡) 운산면(雲山面)의 서해 상에 위치하는 섬. [0.940 km²]
웅도 거:읍【雄都巨邑】[명] 웅장한 도시와 큰 읍. 큰 도회지.
웅라-선【雄羅線】[—나—] [명]〖지〗함경 북도 웅기(雄基)와 나진(羅津) 사이의 철도선. [15.2 km]
웅략【雄略】[—냑] [명] 웅대한 계략(計略). 웅모(雄謀).
웅려【雄麗】[—녀] [명] 웅대하고 화려함. ——-하다 [형][여불]
웅렬【雄烈】[—녈] [명] 굳세고 맹렬함. ——-하다 [형][여불]
웅모【雄謀】[명] 웅략(雄略).
웅모-충【熊毛蟲】[명]〖충〗불나방❷의 유충(幼蟲). 풀쐐기.
웅묘【雄猫】[명] 고양이의 수컷. 수코양이.
웅무 시:위사【雄武侍衛司】[명]〖역〗조선 태조(太祖) 4년(1395)에 의흥친군(義興親軍)의 십위(十衛)의 하나인 응양위(鷹揚衛)를 고친 이름. 문종(文宗) 원년(1451)에 오위(五衛)를 두면서 파하였음.
웅문【雄文】[명] 기개(氣慨)가 뛰어난 문장(文章). 힘이 있고 뛰어난 시문(詩文).
웅문 거:벽【雄文巨擘】[명] 웅문에 능한 사람.
웅발【雄拔】[명] 웅대하고 발군(拔群)함. ——-하다 [자][여불]
웅백【熊白】[명] 겨울철 곰의 기름.
웅변【雄辯】[명] ①힘차고 거침없는 변설. 화술(話術)이 뛰어나며 설득력이 있는 말솜씨. 또, 그 모양. 준변(俊辯). 대변(大辯). ¶뛰어난 ~. ② ↗웅변가. ＊능변(能辯).
웅변-가【雄辯家】[명] 웅변에 뛰어난 사람. [준]웅변. ¶당대의 ~.
웅변 대:회【雄辯大會】[명] 공중 앞에서 자기의 사상 감정을 구두(口頭)로 발표하는 큰 모임. 웅변회(雄辯會). 변론 대회.
웅변-술【雄辯術】[명] 웅변의 기술. 웅변의 술법.
웅변-조【雄辯調】[—쪼] [명] 웅변하는 어조(語調). 또, 그와 같은 어조나 말투.
웅변-회【雄辯會】[명] 웅변 대회.
웅-보【雄—】[—뽀] [명] 웅장한 도량(度量).
웅봉¹【雄蜂】[명]〖충〗수벌. ↔자봉(雌蜂).
웅봉²【熊蜂】[명]〖충〗어리호박벌.
웅비【雄飛】[명] 기운차고 용기 있게 활동함. ¶신대륙으로 ~하다. ↔자복(雌伏). ——-하다 [자][여불]
웅비 흉배【熊羆胸背】[명]〖역〗조선 고종(高宗) 이전에, 삼품(三品) 무관이 달던 흉배. 곰을 수놓음.
웅사【雄辭】[명] 크게 뛰어난 말.
웅사 굉변【雄辭閎辯】[명] 뛰어난 문장과 깊이 있는 변설. 언사가 빼어나고 변설이 온축(蘊蓄)함.
웅산【雄算】[명] 뛰어난 계략.
웅석-봉【熊石峰】[명]〖지〗경상 남도 산청군(山淸郡) 삼장면(三壯面)과 산청면(山淸面) 및 단성면(丹城面)과의 경계에 있는 산. [1,099 m]
웅선【雄宣】[명]〖사람〗신라 때의 대신. 일성왕(逸聖王) 3년(136) 이찬(伊飡)이 되어 군사에 관한 일을 맡음. 동 9년(142)에 왕의, 말갈(靺鞨)에 대한 정벌 계획을 중지시킴. [? -151]
웅섬【熊閃】[명]〖역〗경기도 연천(漣川)의 고구려 때 이름.
웅성¹【雄性】[명] ①수컷. 남성(男性). ②수컷이 가진 성질. 수컷다운 성질. 1)·2):↔자성(雌性).
웅성²【雄城】[명]〖지〗함경 북도 길주(吉州)의 옛이름.
웅성-거리다 [자] 정숙해야 할 때 행동을 같이 하지 않는 일부 사람들이 수군수군하기 시작하여, 분위기가 소란하고 들썩하게 되다. ¶부결이 선포되자 장내는 웅성거리기 시작했다. 웅성-웅성 [부]. ——-하다 [자][여불]
웅성-기【雄性器】[명] 생식 기관의 하나. 정소(精巢)·수정관(輸精管)·섭호선(攝護線)·저정낭(貯精囊)·외부 생식기 등 웅성(雄性)을 나타내는 기관의 총칭.
웅성-깊다 [형] ☞웅숭깊다.
웅성-대다 [자] 웅성거리다.
웅성-란【雄性卵】[—난] [명]〖생〗난생(卵生) 동물·곤충의 알 중에서 웅성인 알. ↔자성란(雌性卵).
웅성 배:우자【雄性配偶子】[명]〖생〗배우자의 하나. 웅성의 생식 세포를 이르며, 정자(精子) 따위를 통틀어 일컫는 말.
웅성 생탄【雄性生誕】[명]〖생〗단위 생식(單爲生殖)에 의하여 생긴 개체(個體)가 모두 수컷이 되는 일. 벌의 경우가 이에 속함.↔자성(雌性) 생탄·양성(兩性) 생탄.
웅성 선숙【雄性先熟】[명]〖생〗동일한 개체 내에서 정자(精子)와 난자(卵子)가 만들어지는 자웅 동체의 동물의 웅성 생식선, 곧 정소(精巢)가 먼저 성숙하는 현상. ↔자성 선숙.
웅성 호르몬【雄性—】〔hormone〕[명]〖생〗동물의 수컷에서 볼 수 있는 성(性)호르몬. 주로 정소(精巢)에서 분비되는데, 웅성 생식기를 발달시켜 그 기능을 유지시킴.
웅소【熊蔬】[명]〖식〗곰취.
웅숭-그리다 [타] 춥거나 두려워서 몸을 궁상맞게 웅그리다. ¶궐자는 맞은편에 기대어, 웅숭그리고 서서 기다리는 모양이다≪廉想涉 : 萬歲前≫. ㅆ웅숭크리다. >옹송그리다.
웅숭-깊다 [형] ①도량이 크고 넓다. ②물건이 되바라지지 않고 깊숙하다. ¶험악한 석벽 틈에 맑은 물은 웅숭깊이 층층 괴었고…≪金裕貞 : 산골≫. ③거죽에 또렷이 나타나지 않다.
웅숭-크리다 [타] 몸을 궁상맞게 몹시 웅크리다. ㅅ웅숭그리다. >옹송크리다.
웅시【雄視】[명] ①위세(威勢)를 보이면서 남을 대함. ②영웅적 심리로 세상을 내려다 봄. ——-하다 [타][여불]
웅신-하다 [형][여불] ①웅숭깊게 덥다. ②불꽃이 괄하지 않다. ¶나무가 젖었는지 웅신하게 탄다.
웅심¹【雄心】[명] 웅장(雄壯)한 마음. 웅지(雄志).
웅심²【雄深】[명] 사람의 됨됨이나 뜻이 크고 깊음. ——-하다 [형][여불]
웅심 아:건【雄深雅健】[명] 문장에 힘이 있고 함축성(含蓄性)이 있어 품위가 빼어남.
웅심 화평【雄深和平】[명]〖악〗평조(平調)의 악상(樂想). 깊고 바르며 화평한 느낌의 음악이라는 뜻. ＊정대 화평(正大和平)·평조화(平調和).
웅싱-거리다 [자]〈방〉웅성거리다.
웅싱-깊다 [형]〈방〉웅숭깊다.
웅아【雄兒】[명] 뛰어난 남아. 걸출한 인물.
웅-악【雄嶽】[명]〖지〗제주도 서귀시(西歸市)에 있는 산. [749 m]
웅어 [명]〖어〗[*Coilia ectenes*] 멸칫과에 속하는 물고기. 몸은 길이 30 cm로 뾰족한 칼 모양이고, 비늘이 자디잚. 몸빛은 전체가 은백색이고, 기수(汽水)에 살며 봄·여름에 소강하여 산란하는데, 압록강·한강·금강에 분포함. 잔 뼈가 많아 맛은 그리 좋지 아니하나, 진어(珍魚)로 침. 근세 조선에서는 이 명산지인 한강 하류 고양(高陽)에 사옹원(司饔院) 소속의 '위어소(葦魚所)'를 두어 이것을 잡아 왕가(王家)에 진상(進上)하는 것이 항례이었음. 도어(魛魚). 제어(鮆魚). 열어(鮤魚). 멸어(鱴魚). 위어(葦魚).

〈웅어〉

웅얼-거리다 [자][타] 똑똑하지 않게 입속말로 혼자 자꾸 지껄이다. >옹알거리다. 웅얼-웅얼 [부]. ——-하다 [자][타][여불]
웅얼-대다 [자][타] 웅얼거리다.
웅예【雄蕊】[명]〖식〗수술. 수꽃술. ↔자예(雌蕊).
웅예 상:위【雄蕊上位】[명]〖식〗자방 상위(子房上位).
웅예 선숙【雄蕊先熟】[명]〖식〗수술 선숙. ↔자예(雌蕊) 선숙.
웅예 하:위【雄蕊下位】[명]〖식〗자방 하위(子房下位).
웅용【雄勇】[명] 빼어나게 용맹함. ——-하다 [형][여불]
웅위【雄偉】[명] 씩씩하고 뛰어남. ——-하다 [형][여불]
웅읍【雄邑】[명] 대읍(大邑).
웅의【雄毅】[명] 씩씩하고 굳셈. ——-하다 [형][여불]
웅자¹【雄姿】[명] 웅대한 자세 또는 모습. ¶금강산의 ~.
웅자²【雄雌】[명] 암컷과 수컷. 암수. 자웅(雌雄).
웅잠 사육【雄蠶飼育】[명] 누에의 암컷을 기르지 않고 수컷만 사육하는 방법. 고치의 형질(形質)·강건성(強健性) 등 여러 점으로 수컷이 유리(有利)함.
웅장¹【雄壯】[명] 으리으리하게 크고도 장함. ¶~한 건물이 즐비한 서울 거리. ——-하다 [형][여불]
웅장²【雄將】[명] 씩씩한 장수. 뛰어나게 굳센 장수. 전(轉)하여, 빼어난 영수(領袖).
웅장³【熊掌】[명] 곰의 발바닥. 팔진미(八珍味)의 하나로 풍한(風寒)을 물리친다고 함.
웅재【雄才】[명] 크고 뛰어난 재능. 또, 그 사람.
웅재 대:략【雄才大略】[명] 크고 뛰어난 재능과 원대한 지략(智略). 또, 그런 사람.
웅절-거리다 [자][타] 불평이나 원망 또는 탄식하는 것을 입속말로 혼자 가늘게 말하다. >옹잘거리다. 웅절-웅절 [부]. ——-하다 [자][타][여불]
웅절-대다 [자][타] 웅절거리다.
웅-정자【雄精子】[명]〖식〗홍조류(紅藻類)의 웅성 배우자(雄性配偶子). 정충(精蟲)에 상당하는데, 구형(球形)이고 운동성(運動性)이 없으며, 세포막(細胞膜)이 없음. 생란기(生卵器)에 부착하여 수정(受精)함.
웅-정체【雄精體】[명]〖생〗부동 정자(不動精子).
웅조【雄鳥】[명] 수새.
웅주¹【雄州】[명]〖지〗함경 북도 길주군(吉州郡)의 옛이름.
웅주²【雄株】[명]〖식〗수포기.
웅주³【熊州】[명]〖지〗공주(公州)의 구명(舊名). 곰나루.
웅주 거:목【雄州巨牧】[명] 땅이 넓고 물산(物産)이 많은 고을. 또, 그 고

을의 원.
웅주 거:읍【雄州巨邑】명 지역이 넓고 산물이 많은 고을.
웅주 도독부【熊州都督府】명〖역〗백제(百濟)의 멸망 후 중국 당(唐)나라의 장수 소정방(蘇定方)이 백제의 옛 땅에 세운 다섯 도독부(都督府)의 하나. 지금 부여(扶餘)인 사비성(泗沘城)을 중심으로 유인원(劉仁願)이 맡아 지키었으나, 뒤에 신라 문무왕(文武王) 때에 신라의 공격으로 없어짐. 웅진 도독부(熊津都督府).
웅준【雄俊】명 웅걸(雄傑).
웅지[1]【雄志】명 웅장한 뜻. 큰 뜻. 웅심(雄心). 장지(壯志). ¶청년이여 ~를 품어라.
웅지[2]【熊脂】명 곰의 기름.
웅진[1]【雄鎭】명 강성한 번진(蕃鎭).
웅진[2]【熊津】명〖지〗공주(公州)의 구명. 곰나루.
웅진 도독부【熊津都督府】명〖역〗웅주 도독부(熊州都督府).
웅진-성【熊津城】명〖지〗공주 공산성(公州公山城)의 구명.
웅창 자화【雄唱雌和】명 ①새의 암컷과 수컷이 의좋게 서로 지저귐. ②서로 손이 맞아서 일함. ——하다 자여불
웅천 명 마음이 허황(虛荒)한 사람의 별명(別名). ¶저 사람 말 듣지 말게, 정말 ~이야.
웅천 거:벽【熊川巨擘】명 유생(儒生)으로서 글 잘한다는 명성은 있으면서 그 저작은 낮고 천한 자를 조소하는 말.
웅천-도【熊川徒】명〖역〗홍문공도(弘門公徒).
웅치[1]【雄雉】명 수꿩. 장끼.
웅-치[2]【熊峙】명〖지〗①전라 북도 진안(鎭安)과 전주(全州) 사이에 가로놓인 재. 임진 왜란 때 웅치 싸움이 벌어졌던 곳임. 웅현(熊峴). ②충청 북도 보은(報恩) 북쪽 10km 지점에 있는 재. ③전라 북도 순창(淳昌)에서 남원(南原)으로 가는 길에 있는 재. ④전라 남도 장흥(長興) 남쪽에 있는 재. ⑤경상 남도 밀양(密陽) 동북부에 있는 재. ⑥경상 북도 상주(尙州)와 충청 북도 청산(靑山) 사이에 있는 재.
웅치다 타〈방〉욱대기다.
웅치-버슷스리 명〈심마니〉쇠고기.
웅치 싸움【熊峙一】명〖역〗조선 선조(宣祖) 25년(1592) 임진 왜란 때, 전라도 웅치에서의 왜병과의 싸움. 김제 군수(金堤郡守) 정담(鄭湛)과, 해남 현감(海南縣監) 변응정(邊應井)은 의용군을 인솔하여 웅치에서 적과 종일 싸웠으나, 중과 부적이라 두 사람이 다 전사하고 나머지 장사들도 같이 죽었음. 왜적도 그 충의에 감탄하여 아군의 시체를 길가에 묻고 표목(標木)에다 '조 조선국 충간 의담(弔朝鮮國忠肝義膽)'이라 적고 금산(錦山)으로 물러갔음. 이 싸움으로 전라도가 왜병의 유린에서 보호되었음.
웅카지 명〈방〉옹자배기(경북).
웅큼 의명 ☞움큼.
웅크리다 타 춥거나 겁이 날 때 몸을 우그려 들이다. ㄴ웅그리다. >옹크리다.
웅큼 의명 ☞움큼.
웅키다 타 ☞움키다.
웅탁 맹:특【雄卓猛特】명 굉장히 크게 뛰어남. ——하다 형여불
웅텡이 명〈방〉웅덩이(평안).
웅판【雄板】명 큰 일을 하는 데 있어서의 마음과 재간(才幹). 또, 그러한 판국.
웅편【雄篇】명 뛰어나게 좋은 글이나 작품. 대편(大篇).
웅풍【雄風】명〖기상〗'된바람'의 구용어.
웅피【熊皮】명 곰의 가죽.
웅피-장【熊皮匠】명〖역〗상의원(尙衣院)에 딸리어, 곰가죽을 다루는 공장(工匠).
웅필【雄筆】명 뛰어나게 잘 쓴 글씨. 웅장한 필력(筆力). 또, 그 필적.
웅핵【雄核】명 [male nucleus]〖생〗정핵(精核)❶.
웅호【雄豪】명 용맹스럽고 셈. 뛰어나고 무용이 있음. 또, 그런 사람. 웅걸(雄傑). ——하다 형여불
웅혼【雄渾】명 시문(詩文) 등이 웅대하고 거침이 없음. 언론·문장 등이 힘차고 세련되어 있어 원숙함. ——하다 형여불
웅화【雄花】명〖식〗수꽃.
웅화-수【雄花穗】명〖식〗수꽃이삭. ↔자화수(雌花穗).
웅황【雄黃】명〖광〗↗석웅황(石雄黃). 「≪字會 上 5≫.
웋덩이 명〈옛〉웅덩이. ¶웅덩이 오(洿)/웅덩이 황(潢)/웅덩이 뎌(瀦)
워[1] 명〖언〗한글의 합성 자모 'ㅝ'의 이름.
워:[2] [Waugh, Evelyn] 명〖사람〗영국의 소설가. ≪쇠망(衰亡)(1928)≫·≪싫은 사람들≫·≪검은 장난≫·≪한 줌의 먼지(1934)≫ 따위의 경쾌하고 잔혹(殘酷)한 현대 생활의 희화(戱畫)에 뛰어난 재능을 보임. 1930년 가톨릭으로 개종(改宗)함. [1903-66]
워:[3] 감 ↗우어.
워가-워가 [Wagga Wagga] 명〖지〗오스트레일리아의 뉴사우스웨일스 주 남부, 캔버라의 서쪽 약 160km 지점(地點)의 도시. 철도의 연락점(連絡點)이며, 밀·과일을 생산하고 목축(牧畜)의 중심지(中心地)임. [47,000명(1981)]
워걱-거리다 자 여러 개의 단단한 물건이 서로 뒤섞여 자꾸 부딪쳐 소리가 나다. >와각거리다. **워걱-워걱** 부. ——하다 자여불
워걱-대다 자 워걱거리다.
워: 게임 [war game] 명〖군〗군대의 도상 작전 연습(圖上作戰演習). 지도(地圖) 또는 컴퓨터 등을 이용하여 작전 계획을 세우는 등 전략(戰略) 연구를 위해 행함. *도상 연습(圖上演習).
워그르르 부 ①쌓여 있던 물건이 갑자기 무너지는 소리. ②많은 물이 넓은 면적(面積)으로 야단스레 끓어오르는 소리. ③가까운 곳에서 천둥이 야단스레 일어나는 소리. 1)-3): >와그르르. *와르르·우그르르. ——하다 자여불
워그적-거리다 자 시끄럽게 북적거리다. >와그작거리다. **워그적-워그적** 부. ——하다 자여불
워그적-대다 자 워그적거리다.
워글-거리다 자 ①많은 사람이나 벌레 같은 것이 너른 곳에서 복잡하게 뒤섞이어 움직이다. ¶장터에 사람들이 ~. ②많은 물이 넓은 면적으로 야단스러운 소리를 내며 끓다. 1)·2): >와글거리다. **워글-워글** 부. ——하다 자여불
워글-대다 자 워글거리다.
워낙 부 ①본디부터. 원래가. ¶~ 나쁜 것은 할 수 없다. 준원. ②아주. 두드러지게. 원체(元體). ¶~ 길이 험해서 가기가 힘들다.
워낭 명 마소의 턱 아래에 늘어뜨린 쇠고리 또는 마소의 귀에서 턱 밑으로 늘이어 단 방울. *쇠풍경.
워:너 브러더스 [Warner Brothers] 명 미국 영화 회사의 하나. 1923년에 해리 워너(Harry Morris W.; 1881-1958), 사뮤엘(Samuel Louis W.; 1887-1927), 앨버트(Albert W.; 1884-1967), 잭(Jack L.W.; 1892-1978)의 4형제에 의하여 설립. 1926년 세계 최초로 토키를 제작함. 영화의 제작 및 배급을 하는데, 무성 영화 시대에는 가벼운 오락 작품, 토키 초에는 갱 영화나 사회적인 폭로 영화로 유명하였으며, 현재는 대중적인 작품을 주로 제작함. 1967년 세븐 아츠(Seven Arts)와 합병하여 '워너 브러더스 세븐 아츠'라 일컬음.
워:너 브러더스 세븐 아:츠 [Warner Brothers-Seven Arts] 명 워너 브러더스가 1967년 세븐 아츠와 합병하여 이룩한 영화 제작 및 배급(配給) 회사명.
워느니 부〈방〉워낙(함경).
워:드 [word] 명 컴퓨터에서, 몇 비트(bit)의 집단(集團). 컴퓨터 내에서 연산 명령(演算命令), 수치(數値) 등의 기억, 전송(傳送)의 단위(單位)가 됨.
워:드 로:브 [ward robe] 명 양복장. 옷을 넣어 두는 방.
워:드 프로세서 [word processor] 명 문서(文書)의 입력(入力)·기억·편집(編輯) 및 인자(印字)의 기본 기능을 갖춘 사무 기계 장치. 타이프라이터와 같은 키를 눌러 쓰고자 하는 문장을 입력하면 모니터에 문자가 나타나며, 필요에 따라 인자(印字)할 수도 있고, 기억과 수정(修正) 및 영자(英字)·한자(漢字) 등 다른 글자로의 변환(變換)도 가능함.
워딩 [wadding] 명 부드러운 섬유에 넣는 솜 또는 부드러운 재료를 채워 넣은 천. 최근의 스키 웨어는 퀼팅(quilting) 대신에 열처리(熱處理)에 의한 워딩으로 된 것이 있음. 자켓·판탈롱 등에 사용됨.
워라 명〈방〉월화.
워라-말 명 ☞얼룩말.
워락 명〈방〉①행랑(行廊). ②〖건〗행각(行閣)
워럭 부 급히 대들거나 잡아당기는 모양. ¶개가 ~ 달려드는 바람에 옷을 버렸다. >와락. *월컥·월떡.
워럭-워럭 부 더운 기운이 매우 성하게 일어나는 모양. >와락와락. ——하다 자여불
워런 [Warren, Robert Penn] 명〖사람〗미국의 시인·소설가·비평가. 형이상(形而上) 시적(詩的)인 시작(詩作) 외에, 남부의 역사에서 취재한 소설도 많으며, ≪왕의 부하들(1946)≫은 유명함. 신비평파(新批評派)에 속함. [1905-89]
워런 부인의 직업 [一夫人一職業] [—/—에—] 명 [Mrs. Warren's Profession]〖문〗영국의 극작가 쇼(Shaw, G.B.)가 1893년에 지은 사막(四幕) 희곡. 로맨스를 잃어버린 기계적인 성적(性的) 생활을 취급한 작품. 워런 부인의 딸 비비는 어머니가 매춘 행위를 하여 자기를 낳은 사실을 모르고 자라났으나 어머니의 동업자 크로프츠 남작의 구혼을 거절하매, 남작이 어머니의 비밀을 폭로하자, 어머니를 떠나 직업 여성이 된다는 줄거리.
워르르 부 ①쌓였던 좀 큰 물건이 야단스럽게 무너지는 소리. 또, 그 모양. ②천둥 소리가 야단스럽게 나는 소리. ③괴었던 물이 갑자기 쏟아져 나오는 소리. ④물이 요란하게 끓어 넘는 소리. 1)-4): >와르르. *오그르르·와그르르. ——하다 자여불
워:리 감 개를 부르는 소리. 「↔쿨링 다운.
워:밍-업 [warming-up] 명 경기 개시 전의 가벼운 준비 운동. 예비 운동.
워: 베이비 [war baby] 명〈속〉전쟁 사생아(戰爭私生兒).
워새치 산맥 [一山脈] [Wasatch] 명〖지〗미국 서부 유타(Utah)·아이다호 주(Idaho州)의 산맥. 로키 산맥의 일부를 구성함. 길이 약 400km. 최고봉은 팀파노고스 산(Timpanogos 山; 높이 3,660m)임.
워석 부 빳빳하게 마른 얇고 가벼운 물건이 맞스치거나 바스라질 때 나는 소리. ㅆ워썩. >와삭. ——하다 자타여불
워석-거리다 자타 연하여 워석 소리가 나다. 또, 연하여 워석 소리를 나게 하다. ㅆ워썩거리다. >와삭거리다. **워석-워석** 부. ——하다 자타여불
워석-대다 자타 워석거리다.
워세크리:터 [wacecreter] 명〖기〗완전한 콘크리트를 만들기 위하여 시멘트·물·골재(骨材) 따위를 적절히 조합(調合)하고 계량(計量)하는 기계.
워시[2] [wash] 명 ①빨래. 세탁. 세척. ②수채화의 채료(彩料)를 엷게 온통 칠하는 일.
워시-스탠드 [washstand] 명 세면대.
워시 앤드 웨어 [wash and wear] 명 빨아도 모양이 흐트러지지 아니하고 곧 입을 수 있는 옷. 합성 섬유의 셔츠 등에 많음.
워싱턴[1] [Washington, George] 명〖사람〗미국의 정치가. 1775년 독립 전

쟁이 시작되자, 혁명군의 사령관으로 선출되어 전쟁을 승리로 이끌어 국민적 영웅이 됨. 1787년 합중국 헌법 회의의 의장을 거치고 헌법 발효와 동시에 전국민적 지지로 초대 대통령에 취임하고 이어 다시 재선(再選)됨(1789-97). 고립 외교(孤立外交)를 강조하였음. 미국의 국부(國父)로 불림. [1732-99]

워싱턴² [Washington] 명 『지』 미국의 수도. 메릴랜드·버지니아 양 주의 사이에 있으며, 포토맥(Potomac) 강에 면함. 행정적으로는 연방 정부 직할의 컬럼비아 구(區)(District of Columbia)와 같으며, 보통 워싱턴 디 시(D.C.)로 불림. 합중국의 정치·문화·교육의 중심지이며, 연방 의회 의사당·대통령 관저(官邸) 백악관(白堊館)·의회 도서관 등이 있음. 취음:화성돈(華盛頓). 화부(華府). [606,900 명(1990)]

워싱턴 군축 회:의 【一軍縮會議】 [─/─이] [Washington] 명 워싱턴 회의.

워싱턴 선언 【一宣言】 [Washington] 명 미소 핵전쟁(核戰爭) 방지(防止) 협정.

워싱턴 수출입 은행 【一輸出入銀行】 명 [Export-Import Bank of Washington] 『경』 미국의 수출입 특히 수출 촉진을 목적으로 하는 특수 은행. 1934년 산업 부흥법에 의거하여 정부 금융 기관으로서 설립되었고, 1945년 수출입 은행법에 의하여 항구적 독립 기관이 됨. 전후, 미국의 대외 원조 차관은 이 은행을 통하여 실시되었음. 본점은 워싱턴. 자본금은 1969년 현재 10억 달러.

워싱턴 조약 【一條約】 [Washington] 명 『역』 ①1818년 미국 워싱턴에서 미국과 스페인 사이에 체결된 조약. 미국 독립 전쟁 및 유럽의 여러 전쟁에 관련하여 야기된 두 나라 국민의 손해 배상 문제의 결정을 목적한 것으로, 이 조약에 의하여 스페인은 동·서 플로리다 주 및 부근 도서를 미국에 할양(割讓)하였음. ②1871년에 미국 워싱턴에서 영국과 미국 사이에 체결된 조약. 앨라배마 사건·샌환(San Juan) 경역(境域) 문제 및 어업 문제를 결정하였음. ③1922년에 워싱턴 회의의 결과 맺어진 조약.

워싱턴 주 【一州】 [Washington] 명 『지』 아메리카 합중국 북서부의 태평양안의 주. 남경(南境)에는 컬럼비아 강(Columbia江), 중앙에는 캐스케이드 산맥(Cascade山脈)이 달리며, 동부는 컬럼비아 고원의 일부이고, 서부는 해안 산맥 내측(內側)에 퓨젓 사운드(Puget Sound)와 연속되는 골짜기가 있음. 산업은 농업·제재·석재(石材)(화강암·사암·대리석)·어업·통조림 제조업 등임. 1930년대부터 수력 발전 개발과 더불어 공업이 발전하여 전기 화학·알루미늄·항공기 공업이 성함. 주도(州都)는 올림피아(Olimpia). [172,264 km² : 4,866,692 명(1990)]

워싱턴 포스트 [Washington Post] 명 미국의 일간(日刊) 신문. 1877년 창간. 정치적으로는 중립(中立)이며, 1986 년도 상반기 평균 발행 부수는 764,695 부임.

워싱턴 회:의 【一會議】 [Washington] [─/─이] 명 『역』 1921 년에서 1922 년까지 워싱턴에서 열린 국제 회의. 미국의 초청으로 열국(列國)의 해군 건함(建艦) 경쟁의 중지 및 중국 문제를 해결하기 위하여 미국·영국·프랑스·일본·이탈리아의 5대국을 비롯하여 중국·벨기에·네덜란드·포르투갈의 9개국이 참가함. 주력함(主力艦) 보유 비율, 중국에 관한 9개국 조약, 태평양에 관한 4개국 조약이 성립하였음. 워싱턴 군축 회의(軍縮會議).

워썩 부 뻣뻣하게 마른 엷고 가벼운 물건이 서로 스치거나 부서질 때 한 번 세게 나는 소리. ㅅ워석. >와싹. ──-하다 자타여불

워썩-거리다 자타 연하여 워썩 소리가 나다. 또, 연해 워썩 소리를 나게 하다. ㅅ워석거리다. >와싹거리다. **워썩-워썩** 부. ──-하다 자타여불

워썩-대다 자타 워썩거리다.

워:어:호 감 상여꾼이 상여를 메고 나갈 때 여럿이 함께 부르는 소리.

워:-워 감 ↗우어우어.

워: 위도: [war widow] 명 전쟁 미망인(戰爭未亡人).

워저우 산 【一山】 [沃洲] 명 『지』 중국 저장 성(浙江省) 동부, 신창 현(新昌縣)의 동쪽에 있는 산. 쓰밍 산(四明山)의 남쪽에 마주 보고 솟아 있음. 옥주산(沃洲山).

워전즈러니 부 〈옛〉 어수선하게. 수선스럽게. ¶겨울이어든 금으로 보셔에 젼 메워 워전즈러니 꾸민 뙤를 뙤며(冬裏繫金廂寶石鬧裝)≪老乞下 46≫.

워전즈런ᄒᆞ다 형 〈옛〉 어수선하다. 수선스럽다. =웨전즈런ᄒᆞ다. ¶西遊記는 워전즈런ᄒᆞ니(西遊記熱鬧)≪朴解 下 17≫.

워즈런ᄒᆞ다 형 〈옛〉 어수선하다. 수선스럽다. =워전즈런ᄒᆞ다. ¶그 지븨셔 차반 밍ᄀᆞ 쏘리 워즈런ᄒᆞ거늘≪釋譜 Ⅵ:16≫.

워:즈워:스 [Wordsworth, William] 명 『사람』 영국의 낭만 시인. 1798년에 콜리지(Coleridge, S.T.)와 공동으로 익명(匿名) 출판한 ≪서정(敍情) 시집≫은 낭만주의의 성전(聖典)임. 그의 철학적 공상적인 작품은 시단(詩壇)에 많은 영향을 주었음. [1770-1850]

워치 [watch] 명 ①휴대용(携帶用) 시계. 회중(懷中) 시계. 시계. ②당직(當直). 파수(把守). ③주의.

워치 마스터 [watch master] 명 시계의 정확 여부를 검사하는 장치. 시계 소리를 전기적으로 증폭(增幅)시켜서 종이에 점선(點線)으로 기록하여, 그 간격을 검사함으로써 늦고 빠름을 앎.

워:커¹ [Walker, Walton H.] 명 『사람』 미국의 군인. 육군 대장. 텍사스 주(州) 출신. 한국 전쟁 당시 미 제8군 사령관으로 재직하여, 1·4후퇴 때 서울 북방 전선(戰線)에서 자동차 사고로 사망함. [1889-1950]

워:커² [walkers] 명 〈속〉 목이 긴 군화(軍靴).

워:커빌리티 [workability] 명 『건』 콘크리트를 시공할 때의 유동성(流動性)·점성(粘性)·비분리성(非分離性) 등을 나타내는 수치(數値)로, 조골재(粗骨材)의 최대 치수, 골재의 조도(粗度), 시멘트의 성질에 의하여 정해짐. 시공 연도(施工軟度).

워:크¹ [work] 명 ①일·노동·작업. ¶팀 ~. ②업무. 사업. ③공부. 연구.

워:크² [Wouk, Herman] 명 『사람』 미국의 소설가. 컬럼비아(Columbia) 대학에서 수학, ≪케인 호(Caine號)의 반란≫으로 퓰리처상을 받았으며, 그 외에 ≪도시 소년≫·≪배반자≫ 등의 작품이 있음. [1915-]

워:크 디자인 [work design] 명 『경』 최적(最適)의 시스템을 만드는 방식이나 기법(技法). 종래의 시스템 설계는 현상 분석에서 문제를 발견하는 것을 중심으로 하였으나, 워크 디자인에서는, 필요 기능을 효율적으로 표현하는 가장 간단한 이상적 시스템의 설계를 목표로, 기능·투입(投入)·산출·설비·순서·방법을 설계하며, 따라서 이 수법은 미(未)착수 작업의 설계, 현상 개선에도 이용됨.

워크-맨 [Walkman] 명 휴대하기 편리한 헤드폰 전용의 소형 카세트 테이프 스테레오 재생 장치의 일종. 일본 소니(Sony) 회사 제품의 상표명임. 녹음할 수 있는 것도 있음.

워:크-북 [workbook] 명 『교』 아동·학생의 자습(自習)을 위하여 만든 지도서. 학습장. 자습장.

워:크 샘플링 [work sampling] 명 『경』 가동 분석(稼動分析) 방법의 하나. 분석자가 무작위(無作爲)로 직장을 순회하여, 분석 대상의 순간적인 가동 상황을 포착함으로써 가동률(稼動率)을 산출함.

워:크-숍 [workshop] 명 ①연구 발표회. ②일터.

워:크스테이션 [workstation] 명 『컴퓨터』 개인용 컴퓨터 정도의 규모에 미니 컴퓨터의 성능을 집약시킨 고성능 컴퓨터로서 비트 맵(bit map) 표시 장치·마우스 입력 장치·윈도 시스템 등을 갖춘 것을 이름. 문자열 정보뿐만 아니라 도형·화상(畫像)을 비롯한 멀티미디어 정보 처리를 할 수 있음. 운영 체제로는 유닉스(UNIX)계의 것을 사용하는 것이 많음. 한 대 단독으로 사용하기도 하지만 단말기를 접속하여 여러 사용자가 동시에 쓰는 것이 일반적임.

워:크-아웃 [walkout] 명 동맹 파업(同盟罷業).

워:키-루키 [walkie-lookie] 명 『연』 휴대용(携帶用)의 텔레비전 송신기(送信機). 텔레비전 카메라의 활동 범위를 확대하기 위하여 고안된, 휴대용의 비디콘(vidicon)을 사용한 소형 촬상(撮像) 장치. 카메라는 영화의 휴대용 촬영기 정도의 크기로 양손으로 촬영이 가능함. 이동 중계(移動中繼)하며 영상(映像) 신호를 근처의 텔레비전카(car)나 자국(自局)에 보냄.

워:키-토:키 [walkie-talkie] 명 『기』 ①휴대용(携帶用)의 소형 송수신기(送受信機). 경비(警備) 연락·라디오 방송 등에 사용되는데, 사용 파장(使用波長)은 초단파(超短波)가 보통임. ②『군』 제2차 대전 중 야전용(野戰用)으로 만들어진 발신 겸용(發信兼用)의 라디오 수신기. 근거리 내에서 간단한 연락을 취하는 데 쓰는 휴대용의 무선 전화기(無線電話器).

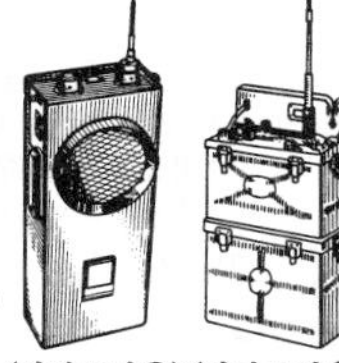
〈워키토키❶〉〈워키토키❷〉

워:키-토:키-루키 [walkie-talkie-lookie] 명 『연』 워키루키에 워키토키의 기능을 더한 신(新)발명품으로, 촬영(撮影)도 송신(送信)도 할 수 있는 고성능(高性能)의 장치. 휴대용으로서 영상 신호(映像信號)와 음성 신호(音聲信號)를 동시에 보냄.

워:킹 [walking] 명 ①보행(步行). 도보(徒步). ②걸음걸이. 걷는 모양. ③경보(競步).

워:킹 딕셔너리 [walking dictionary] 명 '살아 있는 사전(辭典)'이란 뜻으로, 지식이 매우 풍부하여 막힘이 없는 사람.

워:킹 레이스 [walking race] 명 경보(競步).

워:킹 슈:즈 [walking shoes] 명 여행·산책 또는 골프(golf)할 때 신는 구두. 걷기 쉽고 튼튼함.

워:킹 슈:트 [walking suit] 명 걷기 쉽고 활발한 느낌을 주는 슈트. 스커트의 아래쪽은 넓고 길이는 짧게 하여 운동량을 고려한 것으로 외출복으로도 편리함.

워:킹 스텝 [walking step] 명 무용에서, 기본 스텝의 하나. 보통 걸음으로 걷되, 발 끝으로 가볍게 걷는 스텝.

워:킹 파:트 [walking part] 명 『연』 한 마디의 대사(臺詞)도 외는 일이 없이, 그저 무대에 등장하는 단역(端役). 무대 위의 통행인(通行人)과 같은 역할.

워:터 [water] 명 물. ¶아이스 ~.

워:터 가스 [water gas] 명 『화』 수성 가스(水性gas).

워:터 게이지 [water gauge] 명 ①기관(汽罐)의 부속품으로서, 관(罐) 안의 수면(水面)을 표시하는 유리관(管). ②수면의 관측에 쓰는 척도(尺度). 종류가 극히 많은데, 가장 간단한 것은 눈금을 매긴 기둥을 냇가에 세운 것 등. 수면계(水面計). 양수표(量水標).

워:터게이트 사:건 【一事件】 [─껀] 명 [Watergate scandle] 1972년 6월 17일 미국 대통령 선거를 앞두고 닉슨 재선(再選)을 획책하는 사람들이 워싱턴에 있는 워터게이트란 이름의 빌딩 6층 민주당 본부 사무실에 침입하여 도청(盜聽) 장치를 설치하려다가 미수에 그친 사건. 하원 사법 위원회(下院司法委員會)가 대통령의 탄핵(彈劾)을 가결하기에 이르러 1974년 8월 9일 닉슨 대통령은 사임(辭任)하였으며, 그의 사임으로 사건은 일단락되었음.

워:터 글라스 [water glass] 명 ①물을 마실 때 쓰는 컵. ②물 속을 들여다보는 안경.

워:터 멜론 [water melon] 명 『식』 수박.

워:터 배스 [water bath] 명 『화』 물중탕(重湯).

워:터베리 [Waterbury] 명 『지』 미국 코네티컷 주의 공업 도시. 놋쇠의 제조로 유명함. 시계·화학 공업도 행해짐. [103,000 명(1980)]

워:터 보일러형 원자로 【一型原子爐】 [water boiler] 명 『물』 농축 우

라늄(濃縮 uranium)의 염(塩)을 경수(輕水)에 녹인 수용액(水溶液)을 연료로 하는 연구용 원자로 또는 중수(重水)에 녹인 수용액을 연료로 하는 동력용(動力用) 원자로. 감속재(減速材)인 중수나 경수가 균질(均質)하게 섞이어 있으므로 균질형(型) 원자로라고도 함.

워:터 슈:트 〔water chute〕 명 급사면(急斜面)에 궤도(軌道)를 설치하고, 보트(boat)를 활강(滑降)시켜 연못 등의 물 위에 뜨게 하는 유희. 또, 그 장치.

워터스 〔Watters, Thomas〕 명 〖사람〗 영국의 외교관·중국학자. 1863년 수습 통역관으로 중국에 부임, 조선 고종 23년(1886) 총영사 대리로서 조선에 왔음. 1895년 사직하여 귀국 후는 왕립(王立) 아시아 협회에서 활약함. 중국의 언어학과 불교에 정통하여, ≪중국 어학 논고(論考)≫와 사후에 출판된 ≪대당 서역기 역주(大唐西域記譯注)≫ 등의 저술이 있음. 또, 식물학에 흥미가 있어, 조선과 대만에서 많은 신종(新種)을 발견했음. [1840-1901]

워:터 스키: 〔water ski〕 명 수상(水上) 스키.

워:터 아이스 〔water ice〕 명 냉동(冷凍)한 물.

워:터 재킷 〔water jacket〕 명 〖기〗 수투(水套).

워:터 컬러 〔water color〕 명 〖미술〗 ①수채화. ②수채화용 물감. 또, 그러한 느낌을 주는 색조(色調).

워:터 쿨:러 〔water cooler〕 명 ①음료수나 청량 음료 등을 냉각하는 장치. 냉수기(冷水器). ②냉수를 사용하는 냉방기.

워:터 크레인 〔water crane〕 명 〖기〗 ①급수 기중기(給水起重機). ②기관차(機關車) 급수용(給水用)의 급수주(給水柱).

워:터 클로짓 〔water closet〕 명 수세식(水洗式) 변소(便所). 약칭: 더블류 시(W.C.).

워:터 튜:브 보일러 〔water tube boiler〕 명 수관식(水管式) 보일러.

워:터퍼드 〔Waterford〕 명 〖지〗 아일랜드의 남동, 세인트조지 해협 쪽에 있는 항구 도시. 낙농의 중심지. 가축, 낙농 제품을 수출하며 양조 공업도 행함. [38,473 명(1981)]

워:터 폴:로 〔water polo〕 명 수구(水球).

워:터 프레임 〔water frame〕 명 〖기〗 방적 기계(紡績機械)의 한 가지. 1769년에 영국의 아크라이트(Arkwright, R.)가 발명한 것으로, 오늘날의 방적 기계의 기원(起源)이 되었음.

워:터 프루:프 〔water proof〕 명 ①방수성(防水性). 내수성(耐水性). ②방수포(布). 방수복(服). ③시계의 방수. 또, 방수 시계.

워:터 해저드 〔water hazard〕 명 〖골프〗 코스 내의 바다·연못·내·배수구(排水口)·수로(水路) 따위 물에 관계 있는 장애(障碍) 지역.

워:털루 〔Waterloo〕 명 〖지〗 벨기에 중부 브뤼셀(Brussel) 남동쪽의 소읍(小邑). 1815년 나폴레옹이 패전(敗戰)한 곳임.

워:털루 대:회전 【一大會戰】 〔Waterloo〕 명 〖역〗 1815년 6월 18일, 영국의 장군 웰링턴과, 프로이센의 장군 블뤼허와의 연합군이 워털루에서 나폴레옹군을 결정적으로 격파시킨 큰 싸움. 이로써, 나폴레옹 1세의 백일 천하(百日天下)는 종막을 고하였음. ＊백일 천하.

워:튼 〔Wharton, Edith〕 명 〖사람〗 미국의 여류 작가. 뉴욕의 명문 출신으로, 1885년 은행가(銀行家)인 에드워드 워튼과 결혼하였음. 1907년 이후는 프랑스에서 살았으며, 상류사회에 들어가려고 인습(因習)과 대립하는 여성의 비극을 그린 ≪즐거운 집(The house of mirth)≫으로 명성을 확립함. [1862-1937]

워틀링 〔Watling〕 명 〖지〗 산살바도르❷.

워:프 〔Whorf, Benjamin Lee〕 명 〖사람〗 미국의 언어학자·인류학자. 개인의 세계관은 그의 모국어에 의해서 결정된다고 주장함. [1897-1941]

웍다리 명 〈방〉 억새(전북).

웍달 명 〈방〉 억새(전북).

웍더그르르 부 크고 단단한 여러 개의 물건이 서로 부딪치며 굴러 가는 소리. >왁다그르르. ＊덕더그르르. ——-하다 자여불

웍더글-거리다 자 자꾸 웍더그르르 소리가 나다. >왁다글거리다. **웍더글-웍더글** 부. ——-하다 자여불

웍더글-대다 자 웍더글거리다.

웍더글-덕더글 부 크고 단단한 여러 개의 물건이 다른 물건들에 야단스럽게 부딪치며 굴러 가는 소리. >왁다글닥다글. ＊웍더글웍더글. ——-하다 자여불

웍살 명 〈방〉 억새(전라).

웍새 명 〈방〉 ①참억새. ②억새(충청).

웍저그르르 부 ①여럿이 모여 시끄럽게 떠들거나 웃는 소리. 또, 그 모양. ②소문이 퍼지어 갑자기 시끄러운 모양. 1)·2:>왁자그르르. ——-하다 자여불

원[1] 【元】 명 〖수〗 원소(元素). 요소(要素).

원[2] 【元】 명 〖역〗 13세기 중엽(中葉), 몽고 민족(蒙古民族)이 중국에 침입하여 세운 나라. 1271년 몽고 제국(帝國) 제5대 대한(大汗) 쿠빌라이가 현재 중국 베이징(北京)인 대도(大都)에 도읍하여 세웠음. 중국 본토·몽고·티베트·중국 동북부를 영유하였음. 몽고 지상주의(至上主義)의 입장에서 민족적(民族的) 신분제(身分制)를 세웠으나 한민족(漢民族)의 반발과 과도한 주구(誅求)로 인한 재정 불안과 사회 불안이 홍건적(紅巾賊)의 난의 원인이 되었으며, 1368년 주원장(朱元璋)을 선봉으로 한 명(明)나라의 봉기로 98년 만에 망하였음. ＊원조(元朝)·몽고제국. [1271-1368]

원[3] 【元】 명 성(姓)의 하나. 본관(本貫)은 원주(原州) 단본(單本)임.

원:[4] 【怨】 명 ↗원한(怨恨).

원[5] 【袁】 명 성(姓)의 하나. 본관(本貫)은 비안(比安) 단본(單本)임.

원[6] 【原】 명 성(姓)의 하나. 우리 나라에는 현존하지 않음.

원[7] 【院】 명 ①우리 나라의 중앙 행정 기관의 이름. 경제 기획원과 통일원이 있음. ②〖역〗 고려 때로부터 조선 시대에 걸쳐, 역(驛)과 역 사이에 공용(公用)으로 여행하는 관원(官員)을 위하여 베풀던 국영(國營)의 여관(旅館). 후엔 일반 나그네도 이용하였는데, 고려 공양왕(恭讓王) 때 원의 유지비로 원위전(院位田)을 주었으나, 조선 시대에 와서 그 제도가 정비되었으며, 세종(世宗) 27년(1445)에 각 원에 원주(院主)를 두고, 원주전(院主田)도 따로 반급(班給)하였음. 중을 원주로 삼은 곳이 흔하여, 원 가까이에 조그마한 절이 있었음.

원[8] 【員】 명 〖역〗 수령(守令).

[원의 부인이 죽으면 조객(弔客)이 많아도, 원이 죽으면 조객이 없다] 세상 인심이 잇속에 밝아, 효과를 저울질하여 제게 이로운 쪽으로 움직인다는 말. 호장(戶長) 댁네 죽은 데는 가도 호장 죽은 데는 가지 않는다.

원[9] 【員】 명 성(姓)의 하나. 우리 나라에는 현존하지 아니함.

원[10] 【園】 명 〖역〗 ↗원소(園所).

원[11] 【圓】 명 ①동그라미. ②〔circle〕 〖수〗 평면상(平面上)의 곡선의 하나. 한 평면상의 한 정점(定點)으로부터 같은 거리에 있는 점(點)의 궤적(軌跡) 및 그 궤적에 둘러싸인 평면(平面). 그 한 정점을 중심(中心)이라 하며, 중심과 원 둘레 위의 한 점을 연결하는 직선(直線)을 반지름, 중심을 통한 현(弦)을 지름, 궤적을 이루고 있는 곡선(曲線)을 원주(圓周)라 함.

〈원[11]❷〉

원:[12] 【願】 명 바람. 바라는 바. 소원(所願). ¶너의 ~이 무엇이냐/~하옵건대. ——-하다 타여불 ①바라다. ②하고자 하다. ③부러워하다. ④청원하다.

원[13] 〔one〕 수 하나.

원[14] 의명 우리 나라 화폐의 단위. 일 전(錢)의 100 배. 1962년 6월 10일부터 시행함.

원[15] 【元】 의명 ①대한 제국 때의 화폐 단위의 하나. ②'위안(元)'을 우리 음으로 읽은 이름. ③중국의 참위설(讖緯說)에서 일컫는 시간의 단위. 육십년설(六十年說)·사천오백육십년설 등이 있음.

원[16] 【圓】 의명 ①1954년 2월 15일에 시행한 통화 개혁 전의 화폐 단위의 하나. 일 전(一錢)의 100 배. ②일본 화폐 단위 '엔'을 우리 음으로 읽은 이름. 약자(略字) '円'으로 표시함.

원[17] 부 ↗워낙❶.

원[18] 감 뜻밖의 일에나, 놀라울 때나, 마음에 언짢을 때에 하는 말. ¶~, 세상에 그럴 수가 있나.

원- 【元·原】 두 어떠한 명사 위에 붙이어 '본디·처음'의 뜻을 나타내는 말. ¶~주인(元主人)/~작자(原作者).

-원[1] 【元】 미 〖수〗 수(數)를 표시하는 글자 밑에 붙어, 대수 방정식(代數方程式)의 미지수(未知數)의 개수(個數)를 나타내는 말. ¶일~ 일차 방정식/n~ 방정식.

-원[2] 【苑】 미 ①'정원·동산'의 뜻. ¶창경(昌慶)~/녹야(鹿野)~. ②요정(料亭) 등의 이름으로 쓰이는 말.

-원[3] 【員】 미 어떠한 명사 아래에 붙이어, 그 일에 관계하는 사람을 표하는 말. ¶수행(隨行)~/검사(檢査)~.

-원[4] 【院】 미 어떠한 명사 밑에 붙어, 관청·사회 공공 기관 또는 학교·병원 등의 이름을 이루는 말. ¶감사(監査)~/재활~/대학~.

-원[5] 【園】 미 ①'위락용(慰樂用)의 정원'의 뜻. ¶동물~/식물~. ②어린이를 맡아 교육·보호하는 시설. ¶보육(保育)~/유치~.

-원:[6] 【願】 미 어떠한 명사 밑에 붙어, '원서(願書)'의 뜻을 나타내는 말. ¶휴직~/증명~.

원가[1] 【元嘉】 명 〖역〗 중국 남북조(南北朝) 시대의 송(宋)나라 문제(文帝) 때의 연호(年號). [424-453]

원:가[2] 【怨家】 명 자기에게 원한을 갖고 있는 사람.

원:가[3] 【怨歌】 명 〖악〗 향가의 하나. 신라 효성왕(孝成王) 원년(737)에 화랑 신충(信忠)이 지은 팔구체(八句體)의 노래. 처음에는 후구(後句)가 있었다 하나 현재는 없음. 옛 정을 저버린 임금을 원망하는 내용으로 이것을 나뭇가지에 걸었다 하며, 수목(樹木) 숭배에 입각한 주술적(呪術的)인 현상과 관련된 노래임. 일명 신충 백수가(信忠栢樹歌) 또는 원수가(怨樹歌)라고도 함.

원가[4] 【原價】 〔一까〕 명 ①〔cost〕 〖경〗 상품을 완성시킬 때까지 소비한 재화(財貨)·용역(用役)을 단위에 따라 계산한 가격. 생산비(生產費). 생산 코스트. ②↗매입(買入) 원가. ③본디 사들일 때의 값.

원가 계:산 【原價計算】 〔一까一〕 명 〖경〗 재화(財貨)나 용역(用役)의 한 단위당(單位當) 생산에 소요된 일체(一切)의 비용을 계산하는 일. 또, 그 절차. 재무 제표(財務諸表)의 작성, 가격 계산, 예산 통제 등 경영의 기초 자료가 됨.

원가 관리 【原價管理】 〔一까괄一〕 명 〖경〗 원가의 유지(維持)·인하(引下)를 목적으로 하는 관리 활동. 원가 자료(資料)를 경영(經營) 관리의 수단으로서 생산·판매 등의 경영 활동을 합리화하려는 관리 방법. ＊자재(資材) 관리.

원가 관리사 【原價管理士】 〔一까괄一〕 명 정부 공사에 필요한 건설 자재(資材)의 적정 가격을 산출하는 업무를 맡는 특수 기술자.

원가-력 【元嘉曆】 명 중국 남조(南朝) 송(宋)나라의 원가(元嘉) 20년(443)에 하승천(何承天)이 만든 달력.

원가-법 【原價法】 명 〔一뻡〕 〖경〗 재고 자산(在庫資產) 평가 방법의 하나. 재고 자산의 취득 원가(取得原價)를 그 자산의 평가액으로 하는 방법.

원가 소각 【原價消却】 〔一까一〕 명 〖경〗 감가 상각(減價償却).

원가-주의 【原價主義】 〔一까一/一까一이〕 명 〖경〗 재산 평가(財產評價)의 기준으로서 취득(取得)한 자산(資產)의 실제 구입 가격 또는 실제 제조 가격을 채용하는 주의. 저가주의(低價主義). 시가주의(時價主

義).
원-가지【原一】명 원줄기에 붙어 있는 굵은 가지. 주지(主枝).
원가 차액【原價差額】[一까一] 명 〔cost variance〕『경』 표준(標準) 원가와 실제(實際) 원가와의 차액. 이 차액에는 재료비·노무비와 직접·간접 경비(經費)에 대한 차액 외에도 각 공정간(工程間)의 내부 대체(對替) 손익이 포함됨.
원가-체【元嘉體】명『문』 시체(詩體)의 하나. 육조 시대(六朝時代) 송(宋)나라의 원가(元嘉) 시대의 대표적 시인 안연지(顔延之)·포조(鮑照)·사영운(謝靈運) 등의 시체. 세련된 기교(技巧)로 산수(山水)의 아름다움을 묘사하였음.
원각[1]【圓角】명『건』 귀를 둥글게 귀접이한 재목. 둥근귀.
원각[2]【圓覺】명『불교』 석가 여래의 각성(覺性). 원만(圓滿) 주비(周備)하여 조금도 결감(缺減)이 없는 우주의 신령스러운 깨침.
원각-경【圓覺經】명『불교』〔↗대방광 원각 수다라 요의경(大方廣圓覺修多羅了義經)〕 대승 경전(大乘經典)의 하나. 일승원돈(一乘圓頓)의 교의(敎義)와 관법(觀法)의 실천을 기록하고 석가 여래(釋迦如來)의 원만한 각성(覺性)을 밝힌 책 이름. 서분(序分)에는 문수(文殊)·보현(普賢) 등의 열 두 보살의 물음에 대한 여래의 답을 기록하고 정종분(正宗分)인 경의 본부분에는, 열 한 보살의 물음에 대한 여래의 답을 기록하였음. 당(唐)의 영휘(永徽) 6년(655)에 불타 다라(佛陀多羅)가 한문으로 번역하였는데, 1권임. 주서(註書)에는 당 종밀(宗密)의 약소(略疏) 4권, 약소지초(略疏之鈔) 21권, 대소(大疏) 12권, 석의초(釋義鈔) 13권, 원(元)의 원수(元粹)의 집주(集註) 2권 등이 있음.
원각경 언:해【圓覺經諺解】명『책』〔↗대방광 원각 수다라 요의경 언해(大方廣圓覺修多羅了義經諺解)〕 조선 세조(世祖)의 어정 구결 원각경(御定口訣圓覺經)을 중 신미(信眉)·효령 대군(孝寧大君)·한계희(韓繼禧) 등이 세조의 명으로 한글로 번역하여, 간경 도감(刊經都監)에서 세조 11년(1465)에 간행한 책. 옛말 연구에 귀중한 자료임.
원각-사[1]【圓覺寺】명『지』 조선 세조(世祖) 때에 지금의 서울 특별시 종로구(鐘路區) 종로 2가 탑(塔)골 공원 자리에 세운 절. 세조 11년(1465)에 완공되었는데, 그 부근의 인가(人家) 2백여 호를 헐고 그 자리에 청기와를 팔만 장이나 쓴 법당(法堂)을 지었으며, 5만 근이나 되는 구리 종을 달고 미술적 가치가 썩 높은 사리탑(舍利塔)을 세웠는데, 지금은 탑만이 남아 있음.
원각-사[2]【圓覺社】명『연』 1908년 7월 서울 특별시 종로구 신문로(新門路) 소재 새문안 교회 터에서 창설되었던 우리 나라 최초의 국립 극장. 우리 문단의 선구자 이인직(李人稙) 등이 궁내 대신(宮內大臣) 이용익(李容翊)의 양해를 얻어, 고종(高宗)의 칙허(勅許)로 내탕금(內帑金)으로써 지었음. 궁내부(宮內部) 직할(直轄)이었는데, 로마의 극장식(劇場式)을 본떠 지었으며, 2천 명의 관객을 수용할 수 있었음. 창극(唱劇) 등 고유(固有) 예술과 신극(新劇)의 발전에 크게 이바지함.
원각사-비【圓覺寺碑】명『지』 조선 성종(成宗) 2년(1471)에 세운 원각사의 유래를 적은 석비(石碑). 화강암(花崗岩)의 귀부(龜趺) 위에 비신(碑身)을 세움. 귀부의 길이 3.5m, 비신(碑身)과 이수(螭首)를 합한 높이 3.95m, 너비 1.4m임. 비문(碑文)은 김수온(金守溫)이 짓고 성임(成任)이 썼으며, 비음기(碑陰記)는 서거정(徐巨正)이 짓고 정난종(鄭蘭宗)이 썼음. 비문에는 중앙에 대원각사지비(大圓覺寺之碑)라 새겨 있고 사옥(寺屋)의 창건 결구(結構) 등의 사실이 적혀 있음. 서울 특별시 종로구(鐘路區) 종로 2가 파고다 공원에 있음.
원각사지 십층 석탑【圓覺寺址十層石塔】명『지』 조선 세조(世祖) 12년(1466)에 지금의 서울 특별시 종로구(鐘路區) 소재 탑골 공원에 세운 십 층의 대리석 사리탑. 삼 층의 기단(基壇) 위에 십 층의 탑신이 있으며 인물·화초 무늬 등이 양각되어 있고, 탑 전체의 균형미와 의장(意匠)이 뛰어남. 높이 12m. 국보 제2호.
원간[1]【原刊】명 어떤 간행물(刊行物)의 여러 차례의 간행이 있을 경우의 맨 처음의 간행. 초간(初刊).
원간[2] 부〈방〉 워낙(경상).
원간-본【原刊本】명 원간으로 나온 책. 초간본. ㊟원본(原本).
원감【園監】명『교』 유치원에 있어서, 원장의 명을 받아 원무(園務)를 장리(掌理)하며 원아(園兒)를 보육(保育)하고 원장 유고시(有故時) 원장을 대리하는 직책. 또, 그 사람.
원-강【沅江】명『지』 '위안장'을 우리 음으로 읽은 이름.
원개【圓蓋】명 '돔(dome)'의 역어(譯語).
원:객【遠客】명 먼 곳에서 온 손.
원거【圓鋸】명 둥근 톱.
원:-거리【遠距離】명 먼 거리. 장거리(長距離). ↔근거리(近距離).
원:거리 봉쇄【遠距離封鎖】명『법』 장거리(長距離) 봉쇄.
원:거리 신:호【遠距離信號】명『해』 만국 선박 신호(萬國船舶信號)의 한 가지. 원거리 또는 천후 관계로 신호기를 식별하기 어려울 때 원추형·구형(球形)·고형(鼓形)의 세 가지 형상(形象)에 의해서 하는 신호. ——-하다 자여불
원:거리 전:화【遠距離電話】명 장거리 전화.
원:거리 지진【遠距離地震】명『지』 관측점에서 2,000km 이상 멀리 떨어진 곳에서 일어나는 지진.
원:거리 체감법【遠距離遞減法】[一뻡] 명 운임(運賃)을 거리에 의해서 정할 경우에 거리가 멀수록 단계적(段階的)으로 할인(割引)하여 계산하는 방법.
원거 원처【爰居爰處】명 여기저기 옮겨 삶. ——-하다 자여불
원거-인【原居人·元居人】명 그 지방에 오래 전부터 사는 사람.
원격[1]【原格】명 본디의 격식. 제대로 어울리는 격식.
원:격[2]【遠隔】[一껵] 명 기한이나 거리가 멀리 떨어짐. ¶~지(地) / ~조작. ——-하다 형여불
원:격 감:각【遠隔感覺】[一껵一] 명 감각하는 주체(主體)로부터 자극원(刺戟源)이 멀리 떨어져 있을 때의 감각.
원:격 계:측【遠隔計測】[一껵一] 명 〔telemetering〕 계측하려는 대상에서 떨어진 장소에서 행하는 계측. 고공 상태(高空狀態)를, 로켓·인공 위성 등을 써서 하는 계측 따위. 텔레미터링.
원:격 계:측기 진단【遠隔計測器診斷】[一껵一] 명『의』 환자의 혈압치·심전도(心電圖) 따위를 무선(無線) 장치로써 검사하는 방법. 입원실과 수신 장치를 연결하는 방식과 환자로 하여금 병실 밖의 복도를 걸게 하여 무선으로 수신하는 방식 등이 있음.
원:격 단말기【遠隔端末機】[一껵一] 명 〔remote terminal〕『컴퓨터』 컴퓨터 본체와 물리적으로 떨어진 자리에서 컴퓨터와 통신하기 위한 장치.
원:격 수용기【遠隔受容器】[一껵一] 명 〔teleceptor〕 직접적인 접촉은 없이, 외부 환경(外部環境)에 관한 정보를 전달하는 귀·눈·코와 같은 감각(感覺) 수용기.
원:격 온도계【遠隔溫度計】[一껵一] 명 〔telethermometer〕 온도 측정(測定) 시스템의 한 가지. 열감지(熱感知) 부분이 지시부(指示部)로부터 멀리 떨어져 있음.
원:격 유도【遠隔誘導】[一껵뉴一] 명『물』 쏘아 올린 로켓의 궤도나 자세를 지구에서 전파로 조작하는 일.
원:격 의료【遠隔醫療】[一껵一] 명 〔telemedicine〕 텔레비전이나 통신 회선(通信回線)을 사용하여 원격지(遠隔地)의 환자를 진단·치료하는 시스템. 텔레메디신.
원:격 의료 진단 정보 시스템【遠隔醫療診斷情報一】〔system〕[一껵一] 명 가까운 병원에서 X선이나 초음파 사진을 찍은 다음 이를 종합 정보 통신망(ISDN)을 통하여 종합 병원으로 전송하여 진단을 받을 수 있는 시스템.
원:격 일괄 처:리【遠隔一括處理】[一껵一] 명 〔remote batch processing〕『컴퓨터』 원격 단말기에서 작업하려는 업무를 일괄적으로 컴퓨터 시스템으로 보내어 처리하게 한 후 그 결과를 다시 원격 단말기로 받아 보는 처리 방식.
원:격 작업 입력 시스템【遠隔作業入力一】[一껵一녁一] 명 〔remote job entry system〕『컴퓨터』 원격 단말기로부터 중앙의 컴퓨터에 입력되는 작업을 하는 장치.
원:격 작용【遠隔作用】[一껵一] 명『물』 ①공간을 사이에 두고 존재하는 두 물체 사이에서 중간 매질(媒質)의 상태를 변화시킴이 없이 직접 작동하는 작용. ↔근접 작용(近接作用). ②〔allelopathy〕『식』 어떤 생물이 떨어져 있는 곳의 다른 생물에 영향을 끼치는 일. 유독성(有毒性) 물질을 분비하는 어떤 식물이 다른 식물에 해(害)를 끼치는 따위.
원:격 제:어【遠隔制御】[一껵一] 명 떨어진 장소에 있는 기기(機器)·장치·설비 등을 먼 곳에서 제어(制御)·운전·조종(操縱)하는 일. 보통 제어 대상과의 사이에 조작·제어 회로(回路)를 설치하고 전기 신호로 제어함. 리모트 컨트롤. 원격 조작(操作).
원:격-조【遠隔調】[一껵一] 명 〔remote key〕『악』 5도권(圈)에 있어서, 원조(原調)로부터 떨어져 있는 조. 곧, 두 조가 서로 간단히 유도될 수 있는 친근성(親近性)이 희박한 관계에 있는 조. ↔관계조(關係調).
원:격 조:사 치료【遠隔照射治療】[一껵一] 명 〔teletherapy〕『의』 신체로부터 먼 위치에 선원(線源)을 두고 행하는 방사선 치료법. 보통, 방사성 동위체 선원으로부터 γ선 빔을 사용함.
원:격 조작【遠隔操作】명 〔remote control〕『물』 원격 제어(遠隔制御).
원:격 조종기【遠隔操縱機】[一껵一] 명 〔Remote Piloted Vehicle〕『군』 전파·광선 등으로 조종사가 후방(後方)에서 조종하는 무인(無人) 비행기. 정찰(偵察)·폭격·공중전(空中戰) 등 모든 활동을 할 수 있으며, 조종사의 눈이 되는 텔레비전 카메라 등 각종 전자 장비(電子裝備)를 실음. 아르피브이(RPV).
원:격 진단【遠隔診斷】[一껵一] 명『의』 원격 계측기(計測器) 진단.
원:격 측정【遠隔測定】[一껵一] 명 원격 계측(計測).
원:격 측정 장치【遠隔測定裝置】[一껵一] 명 〔telemetering system〕 먼 곳에서 어떤 양(量)을 지시(指示)하고 기록하는 장치. 측정(測定)·송신(送信)·수신(受信) 부분으로 되어 있음.
원:격 탐사【遠隔探査】[一껵一] 명 〔remote sensing〕『지』 인공 위성이나 항공기에서 특수한 파장대(波長帶)의 빛에 의한 지상의 영상 정보(映像情報)를 잡아, 이것을 해석 처리하여 지상 식물(植物)의 활력도, 자원의 유무, 환경 파괴의 상황, 지표(地表)나 해면의 온도 분포 등, 각종 데이터를 얻는 방법. 리모트 센싱.
원결[1]【元結】명『역』 원래의 결수(結數).
원결[2]【圓缺】명 달 따위가 차거나 이지러지는 일.
원경[1]【園耕】명〔도 Gartenbau〕『농』 농업 발달의 한 단계. 소규모의 농지에서 행하는 극히 집약적(集約的)인 농업. 괭이 등 소농구와 인력이 주체가 되고, 시비(施肥)·관개(灌漑)·재배는 면밀히 하는데, 축력(畜力)·기계의 이용은 적음.
원경[2]【圓徑】명『수』 원의 직경. 원지름.
원경[3]【圓鏡】명 ①둥근 거울. ②만월(滿月)을 비유해서 말함.
원:경[4]【遠景】명 ①먼 데서 바라보는 경치. ↔근경(近景). ②화면(畫面) 등에 나타나 있는 먼 쪽의 부분. 백(back).
원:경[5]【遠境】명 먼 국경(國境).
원경 국사【元景國師】명『사람』 담진(曇眞).
원:경 늦은 경으로 부 그렇게 느직이. ¶~ 시일을 연기하면 되나.
원경-류【原鯨類】[一뉴] 명『동』〔Archaloceti〕 고래류의 한 아목(亞目).

섯, 행덕에 열 내지 열두 개의 원덕을 들었음. 중세기 기독교가 지배하던 시대에는, 신앙·사랑·희망의 신학적(神學的) 삼원덕(三元德)이 주장되었음. 주덕(主德).

원:덕[2]【遠德】명〖지〗강원도 삼척시(三陟市)의 한 읍(邑). 시의 동남쪽, 동해에 면해 있음. [8,482명(1996)]

원덜랜드 〔wonderland〕명 불가사의(不可思議)한 나라. 꿈 같은 이상한 나라. 동화의 세계.

원덩 〔文登〕명〖지〗중국 산둥 성(山東省) 동쪽에 있는 원덩 현(文登縣) 현청 소재지. 옌타이(煙臺)·칭다오(青島) 등지로 통하는 교통의 요지로서 예로부터 정치·경제의 중요 도시임. 원(元)나라 때, 구처기(丘處機)의 수행지로서 유명했음. 중화 인민 공화국 정권 수립 후 도교의 성지인 쿤룬 산(崑崙山)의 이름을 따 한때 쿤룬으로 불렸음. 문등.

원도[1]【原道】명〖문〗중국 당대(唐代)의 문학자 한유(韓愈)가 지은 문장. '본래의 의미에 있어서의 도(道)란 무엇인가'를 논한 것으로, 회남자(淮南子) 중의 원도훈(原道訓)을 좇아 도(道)가 도가(道家)나 불교의 도에 의하여 어지럽혀져 있다고 비난(非難)하고, 본래의 도는 인의(仁義)의 가르침을 중심으로 하는 유교(儒教)에 있음을 명백히 하고자 한 논문(論文)임.

원도[2]【原圖】명〖미술〗모사(模寫)나 복제(複製) 등의 기본이 되는 그림. 본그림. 원(原)그림.

원-도[3]【圓島】명〖지〗①전라 남도의 남해상, 완도군(莞島郡) 고금면(古金面)에 위치한 섬. [$0.22 km^2$] ②평안 북도 철산군(鐵山郡) 서해상에 있는 섬. [$0.508 km^2$]

원:도[4]【遠到】명 높은 벼슬에 오름. ——-하다 자여불

원:도[5]【遠逃】명 멀리 달아남. ——-하다 자여불

원:도[6]【遠島】명 육지에서 멀리 떨어진 섬.

원도-장【原圖場】명〖미술〗원도(原圖)를 제작하는 처소.

원-도지[1]【元賭地·原賭地】명〖역〗조선 후기에, 평안 북도 의주군(義州郡)과 용천군(龍川郡) 일대에서의 도지(賭地)의 일컬음.

원도-지[2]【原圖紙】명〖미술〗원도(原圖)를 그리는 두꺼운 종이.

원-도표【圓圖表】명〖수〗'원그래프'의 구용어.

원:독【怨毒】명 원망이 지극하여 생긴 독기(毒氣).

원돈【圓頓】명〖불교〗〔원만 돈족(圓滿頓足)의 뜻〕일체(一切)를 빠짐없이 원만하게 갖추고 금세 깨달음에 이르게 하는 일.

원돈 신:해문【圓頓信解門】명〖불교〗불교의 수행 방법의 하나. 고려 중기에 보조 국사(普照國師)가 주창한 수행 방법으로, 성적 등지문(惺寂等持門)·경절문(徑截門)과 함께 우리 나라 선종(禪宗)의 3대 수행법임.

원-돌【原—】명〖고고학〗석기를 만들 때, 아직 가공하지 않은 원래의 돌. 원석(原石). ＊몸돌.

원동[1]【原動】명 운동(運動)을 일으키는 근원(根源). 운동·활동(活動)의 근원. ¶～력(力).

원:동[2]【遠東】명〖지〗극동(極東)❷.

원동-기【原動機】명〔prime motor〕〖물〗수력·풍력·조력(潮力) 등의 운동 에너지와 위치(位置) 에너지, 신탄(薪炭)·석탄·석유·원자력·지열(地熱) 등의 열(熱)에너지 등 자연에 존재하는 에너지를 기계적 에너지로 바꾸어 다른 기계류의 동력원(動力源)이 되는 장치. 증기 터빈(蒸氣 turbine)·풍차·증기 기관·내연 기관·가스 터빈·전동기(電動機)·원자력 기관 등.

원동기 단속법【原動機團束法】명〖법〗원동기의 구조·설치 및 관리 등을 규제하여 원동기로 인한 공안상(公安上)의 위해(危害)를 미연(未然)에 방지할 목적으로 제정된 법.

원동기 장치 자전거 면:허【原動機裝置自轉車免許】명 자동차의 제2종 운전 면허의 하나. 이 면허로 원동기 장치 자전거를 운전할 수 있음. ＊대형 면허·보통 면허·소형 면허·특수 면허.

원동-력【原動力】[—녁] 명 ①모든 사물(事物)의 활동의 근원이 되는 힘. 동력(動力). ¶조국 근대화의 ～. ②〖물〗물체나 기계의 운동을 일으키는 힘. 열(熱)·수력(水力)·풍력 등.

원:동 박고원【遠東博古院】명〔프 Ecole Française d'Extrême-Orient〕프랑스가 1900년 하노이에 설치했던 인문 과학 연구소. 동남아 각국의 고고학·언어학·역사학 등 연구에 업적이 많음. 2차 대전 후 사이공으로 옮겼다가 다시 파리로 옮겼음. 극동(極東) 학원.

원두[1]【原豆】명 흔히 '가공하기 전의 커피 열매'를 이르는 말.

원두[2]【原頭】명 들판 언저리. 들가.

원두[3]【圓頭】명 원로(圓顱)❶.

원두[4]【園頭】명 밭에 심은 오이·참외·수박·호박 등의 총칭.
원두(를) 놓다 구 밭에 오이·수박·호박 등을 심어서 기르다.
원두(를) 부치다 구 밭에 오이나 참외 등의 씨를 심다.

원두-당【圓頭黨】명〔Roundheads〕〖역〗영국 청교도 혁명기(清教徒革命期)에 있어서의 의회파(議會派)의 속칭. ＊기사당.

원두 덩굴【園頭—】명 밭에 심은 오이나 참외나 호박 등의 덩굴.

원두-막【園頭幕】명 참외·수박 따위를 심은 밭을 지키기 위하여 지은 막.

원두-밭【園頭—】명 오이나 참외나 수박 따위를 심은 밭.

원-두우【元杜尤】명〖사람〗'언더우드(Underwood)❶'의 한국 이름.

원두 은장 이음【圓頭隱—】명〖건〗대가리가 둥근 은장으로 두 목재나 석재(石材)를 길이 이음하는 이음의 한 가지.

〈원두 은장 이음〉

원두-장이【園頭—】명〈방〉원두한이.

원두-정【圓頭釘】명〖건〗대가리가 반구상(半球狀)으로 된 못.

원두 커:피【原豆—】〔coffee〕명〈속〉배전두(焙煎豆) 커피를 다방(茶房)에서 일컫는 속칭.

원-두표【元斗杓】명〖사람〗조선 인조 때의 상신(相臣). 자는 자건(子建), 호는 탄수(灘叟). 원주(原州) 사람. 인조 반정 때 포의(布衣)로서 공신이 되어 원평 부원군(原平府院君)에 봉군되었음. 서인(西人)의 공서(功西)에 속하여 청서(清西)를 탄압하다가, 같은 파인 김자점(金自點)과의 정권 다툼으로 분당(分黨)하여 원당(原黨)의 영수가 됨. 벼슬은 좌의정(左議政)에 이름. 시호는 충익(忠翼). [1593-1664]

원두-한【園頭干】명 원두한이.

원두-한이【園頭干—】명 원두를 부치거나 놓는 사람. 원두한.
[원두한이 쓴 외 보듯] 남을 멸시하거나 대수롭게 여기지 않음을 일컫는 말.

원-둘레【圓—】명〖수〗원주(圓周).

원둘레-각【圓—角】명〖수〗원주각(圓周角).

원둘레-율【圓—率】명〖수〗원주율(圓周率).

원둘-막 명〈방〉원두막(평안).

원등【元等·原等】명 원래의 등급. 또, 그 등수.

원 라이팅 시스템〔one-writing system〕명 사무에서, 전기(轉記)·재발행의 수고를 덜기 위하여 원시 전표(原始傳票)를 작성할 때, 몇 장씩 묶어 복제(複製)하여, 여러 가지 목적으로 사용하는 방법.

원락【院落】[월—] 명 ①울 안에 따로 막아 놓은 정원이나 부속 건물. ②굉장히 큰 집.

원래[1]【元來·原來】[월—] 명부 본디. 전부터. 원판. ¶～ 나쁜 사람이 아니다.

원래[2]【遠來】[월—] 명 먼 곳에서 옴. ¶～의 진객(珍客). ——-하다 자여불

원:략【遠略】[월—] 명 ①먼 나라를 칠 계략. ②원모(遠謀).

원량[1]【元良】[월—] 명 ①황태자(皇太子) 또는 왕세자(王世子). ②아주 선량한 사람. ③큰 선덕(善德).

원량[2]【原量】[월—] 명 원래의 분량.

원량[3]【原諒】[월—] 명 '용서(容恕)'의 뜻으로 편지 같은 데에 쓰는 말. 원유(原宥). ——-하다 타여불

원량-장【元良章】[월—짱] 명〖악〗악장(樂章)의 이름.

원:려[1]【遠慮】[월—] 명 앞으로 올 일을 헤아리는 깊은 생각. 원념(遠念). ¶심모(深謀) ～. ——-하다 타여불

원려[2]【鴛侶】[월—] 명 ①벼슬아치의 동료. 동관(同官). ②원앙의 자웅(雌雄). 부부(夫婦)의 뜻으로도 쓰임.

원력[1]【原力】[월—] 명 본 기운.

원력[2]【圓礫】[월—] 명〖지〗암석이 기계적으로 파쇄(破碎)된 후, 유수(流水) 등에 의한 원마(圓磨) 작용으로, 모난 곳이 둥글게 된 조약돌. 또, 그 집합체. ↔ 각력(角礫).

원:력[3]【願力】[월—] 명〖불교〗부처에게 빌어 목적하는 바를 이루려는 염력(念力).

원력-편【爰歷篇】[월—] 명 옛 자서(子書)의 하나. 중국 진(秦)나라 거부령(車府令) 조고(趙高)가 지음. 전하지 않음.

원령[1]【圓領】[월—] 명 목둘레가 둥근 깃의 총칭. 곡령(曲領)·반령(盤領)·단령(團領) 등이 이에 속함. 이 중에서도 U자형의 깃은 단령, 목에 바투 붙은 깃은 반령이라고 함.

원:령[2]【怨靈】[월—] 명 원한을 품고 죽은 사람의 혼령.

원례[1]【院隷】[월—] 명〖역〗조선 시대 때 승정원(承政院)의 하례(下隷).

원례[2]【援例】[월—] 명 전례(前例)를 끌어서 씀. ——-하다 타여불

원로[1]【元老】[월—] 명 ①관위(官位)·연령(年齡)·덕망(德望)이 높은 공신(功臣). ¶～ 중신(重臣). ②오래 그 일에 종사하여 공로가 있는 연로자(年老者). ¶악단(樂壇)의 ～.

원로[2]【圓顱】[월—] 명 ①둥근 머리. 원두(圓頭). ②박박 깎은 머리.

원:로[3]【遠路】[월—] 명 먼 길. 원정(遠程).

원로 대:신【元老大臣】[월—] 명 나이가 많고 덕망이 높은 영의정(領議政)·좌의정(左議政)·우의정 등의 대관(大官).

원로 방지【圓顱方趾】[월—] 명 '둥근 머리와 모난 발뒤꿈치'라는 뜻으로, 인류(人類)를 가리키어 일컫는 말.

원로-원【元老院】[월—] 명 ①〔라 senatus〕〖역〗고대 로마의 입법(立法)·자문 기관(諮問機關). 왕정 시대에는 씨족(氏族)의 장(長)으로 구성되었는데, 공화 시대에는 귀족과 임기(任期)가 끝난 정무관(政務官)에서 선출되었음. 강대한 권력을 가졌으며, 임기는 종신(終身)으로, 최초는 100명, 후에 600명, 900명으로 증가함. 제정 시대에는 무력화(無力化)함. ②프랑스 총재 정부(總裁政府) 시대의 상원(上院). 1795년에 창설. 오백인회(五百人會)가 제출하는 법안을 표결하였음. ③나폴레옹 시대의 상원. 1799년에 창설되고 1814년에 폐지됨. ④공화국 등에 있어서의 상원(上院)의 별칭.

원로원 의원【元老院議員】[월—] 명 원로원의 구성원(構成員)이 되는 사람.

원로지-도【圓顱之徒】[월—] 명 '머리를 박박 깎은 무리'라는 뜻. '중'을 낮추어 일컫는 말.

원록 체아【原祿遞兒】[월—] 명〖역〗직무(職務) 없이 순전히 봉록(俸祿)을 지급하기 위하여 임명하는 체아직(遞兒職).

원론【原論】[월—] 명 근본(根本)이 되는 이론(理論). 또, 그것을 기술(記述)한 것. ¶경제 ～.

원:뢰【遠雷】[월—] 명 멀리서 울리는 우레 소리.

원료[1]【元料】[월—] 명〖역〗본디 받고 있던 녹봉(祿俸). 원봉(元俸).

원료[2]【原料】[월—] 명 제조(製造)하거나 가공(加工)하는 데 재료가 되

는 거리. 생산에 쓰이는 소재(素材). 원재료(原材料). 밑감. *재료(材料)·소재(素材).

원료 견인성【原料牽引性】[월—썽] 명 〖지〗 원료의 산지(產地)가 공장을 그 근방으로 끌어오는 힘. 제철(製鐵)·제재(製材)·제분(製粉) 등이 특히 이러한 성질을 가짐.

원료 과세【原料課稅】[월—] 명 ①보세 공장에서 제조된 물품을 수입할 경우 그 물품의 원료에 대하여 관세를 부과하는 일. ②생산품의 원료에 대하여 물품세를 부과하는 일.

원료-당【原料糖】[월—] 명 정제(精製)하여서 설탕을 만드는 원료가 되는 조당(粗糖). 당밀(糖蜜) 기타의 잡물(雜物)을 포함(包含)하고 있음. ㊥원당(原糖).

원료-유【原料乳】[월—] 명 버터·치즈 등의 유제품을 만들 원료가 되는 우유. ↔음료유(飮料乳).

원료-탄【原料炭】[월—] 명 〖광〗 발열량(發熱量)·점결성(粘結性)이 큰 석탄. 선철(銑鐵) 제조용 코크스(製造用 cokes)의 원료와 가스 발생로(gas 發生爐)에 쓰임.

원료-품【原料品】[월—] 명 가공품의 원료가 되는 물품.

원루【寃淚】[월—] 명 원통한 눈물.

원룸: 시스템〔one-room system〕 명 〖건〗 방 하나로 침실·거실·주방·식당을 겸하게 하는 설계 방식. 욕실·화장실만 별도임. 방을 각기 따로 잡는 것보다 공간이 절약됨.

원류[1]【源流】[월—] 명 ①물이 흐르는 원천(源泉). 수원(水源). ②사물(事物)이 일어나는 근원(根源). 기원(起源). 원천(源泉). ③원천과 흐름. 사물의 본말(本末).

원:류[2]【遠流】[월—] 명 원배(遠配).

원:류[3]【遠類】[월—] 명 원척(遠戚).

원:류[4]【願留】[월—] 명 지방 사람들이 전임(轉任)되어 가는 관리의 유임(留任)을 상부에 청원하는 일. ¶그 치적을 가상히 여기사… 다른 고을로 전임을 시키시니 낭천 인민 남녀노소가 길을 가로막고 ~를 할 뿐 더러…≪李海朝 : 昭陽亭≫. ——-하다 타여불

원:류-서【願留書】[월—] 명 원류(願留)하는 글. 또, 그 문서.

원-릉【元陵】[월—] 명 〖지〗 동구릉(東九陵)의 하나. 조선 영조(英祖)와 영조 계비(繼妃) 정순 왕후(貞純王后)의 능. 건원릉(健元陵)의 왼쪽 언덕에 있음.

원-리[1]【元利】[월—] 명 본전과 이자. 밑천과 변리. 원리금(元利金). 본변(本邊). 자본(子本). ¶~ 합계(合計)/~를 상환(償還)하다.

원리[2]【原理】[월—] 명 〔pinciple〕 ①사물이 근거하여 성립하는 근본 법칙. 원칙(原則). ②〖철〗 기초가 되는 근거 또는 보편적(普遍的) 진리. 존재의 근거로서의 실재(實在) 원리, 인식(認識)의 근거가 되는 인식 원리, 행위의 규범(規範)이 되는 규범 원리가 있음. ③〖윤〗 인식 또는 행위의 근본이 도는 규범(規範).

원리-곡【元利穀】[월—] 명 〖법〗 원곡과 이곡.

원리-금【元利金】[월—] 명 〖경〗 원금과 이자. 또, 이것을 합친 돈. 원리(元利). 본리(本利).

원리 합계【元利合計】[월—] 명 원금과 이자의 합계. 그 공식은, 원리 합계=원금×(1+이율×기간)임.

원린【圓鱗】[월—] 명 〖어〗 둥근비늘.

원림[1]【原林】[월—] 명 원시림(原始林).

원림[2]【園林】[월—] 명 집터에 딸린 수풀. 정원과 숲.

원-마부【元馬夫】명 〖역〗 기구(器具)를 갖춘 말의 긴 경마를 끄는 마부. ↔곁마부.

원:-막치지【遠莫致之】명 먼 곳에 있어서 올 수가 없음.

원만[1]【圓滿】명 ①충분히 가득 참. 일이 되어감이 순조로움. 조금도 결함이나 부족함이 없음. ¶~한 해결. ②규각(圭角)이 없이 온화함. 감정이 급하거나 거칠지 아니함. ¶~한 인격. ③서로 의가 좋음. 사이가 구순함. ¶~한 사이. ④〖불교〗 공덕(功德)이 그득 차는 일. 소원(所願)이 충족되는 일. ——-하다 형여불. ——-히 부. ¶그 문제는 ~ 해결되었다.

원:만[2]【遠蠻】명 서울에서 멀리 떨어진 지방의 야만인. 또, 먼 미개지(未開地).

원만-스럽다【圓滿—】형ㅂ불 원만한 듯하다. 원만-스레【圓滿—】부

원-말【原—】명 변하기 전의 본디의 말. 본딧말.

원말 사:대가【元末四大家】명 중국 원대(元代) 말기의 남종(南宗) 화가인 황공망(黃公望)·오진(吳鎭)·예찬(倪瓚). 왕몽(王蒙) 등 네 사람을 일컬음.

원:망[1]【怨望】명 ①남이 한 일을 억울하게 또는 못마땅하게 여겨 탓함. ②분하게 여기고 미워함. 유감으로 생각하여 불평함. ③지나간 일을 언짢게 여기고 부르짖음. 원대(怨懟). ——-하다 타여불

원:망[2]【遠望】명 ①멀리 바라다봄. ②먼 앞날의 희망(希望). 먼 장래를 전망함. ——-하다 타여불

원:망[3]【願望】명 ①원하고 바람. 또, 그 원하는 바. ②〖심〗 의식(意識)된 욕망(欲望). ③정신 분석학(精神分析學)에서, 동기(動機)·목적의 의식 여부에 관계 없이 마음 속의 긴장을 해소하려는 경향(傾向). ¶자살 ~. ——-하다 타여불

원:망-스럽다【怨望—】형ㅂ불 원망하는 마음이 있다. 유감스럽다. 한스럽다. 원:망-스레【怨望—】부

원-매【袁枚】명 〖사람〗 중국 청(淸)나라 중기의 시인. 자(字)는 자재(子才), 호(號)는 간재(簡齋)·수원(隨園)이라고도 함. 저장 성(浙江省) 첸탕(錢塘) 사람. 시(詩)는 자기의 성정(性情)을 솔직 교묘하게 표현해야 한다는 성령설(性靈說)을 주장하였으며, 병문(騈文)에도 능함. 문하(門下)에서 규수 시인(閨秀詩人)을 배출함. 장사전(蔣士銓)·조익(趙翼)과 함께 건륭(乾隆)의 강좌 삼대가(江左三大家)로 일컬어짐. 저서는 ≪수원집(隨園集)≫·≪수원 시화(隨園詩話)≫ 등. [1716-97]

원:매-인[1]【願買人】명 사려는 사람. 작자. 원매자(願買者).

원:매-인[2]【願賣人】명 팔려고 하는 사람. 원매자(願賣者).

원:매-자[1]【願買者】명 원매인(願買人).

원:매-자[2]【願賣者】명 원매인(願賣人).

원맥【原麥】명 밀가루 제조의 원료로 하는 밀.

원맨〔one-man〕 명 ①다른 사람들의 의견이나 세평(世評)을 돌보지 아니하고, 자기 생각대로 일을 하는 사람. ②몇 사람이 할 일을 혼자 함. ¶~ 쇼.

원맨 버스〔one-man bus〕 명 운전사가 차장의 업무까지 겸하여 운행하는 버스.

원맨 쇼:〔one-man show〕 명 쇼 등에서, 그 태반을 혼자서 프로의 중심이 되어 리드하는 일. 또, 그 프로나 공연(公演).

원맨 카:〔one-man car〕 명 운전수만 있고 차장이 없는 버스나 노면(路面) 전차. 운전수는 자동적으로 승강문(乘降門)을 개폐하며 마이크로 승객에게 정류장을 알림.

원맨 컨트롤〔one-man control〕 명 ①한 사람의 조작(操作)으로 기계 전체를 자유로이 움직이는 일. ②한 사람의 의사로 전기구(全機構)를 움직이는 일.

원맨 팀:〔one-man team〕 명 뛰어난 선수 한 사람에게 의지하는 팀. 특히 야구에서, 투수(投手) 혼자만 뛰어나 그 투수력에 의지하는 팀을 이름.

원:맹【遠氓】명 원방(遠方)에서 유리(流離)하는 백성.

원면[1]【元面】명 ①본 얼굴. ②원래의 면(面).

원면[2]【原綿】명 면사 방직(綿絲紡織)의 원료(原料)가 되는 면화(綿花).

원명[1]【原名】명 본디의 이름. 원이름.

원명[2]【原命】명 본디 타고난 목숨.

원:명[3]【遠名】명 세상에 널리 전하여진 이름.

원명[4]【諢名】명 별명. 작호(綽號).

원:명왕-점【遠冥王點】[—쩜] 명 〔apoplutonian〕 〖천〗 명왕성(冥王星)의 위성(衛星)이 명왕성으로부터 가장 멀리 떨어지는 점. *원화점(遠火點).

원명-원【圓明園】명 〖역〗 중국 청대(淸代)의 이궁(離宮)의 하나. 1709년 옹친왕(雍親王)이 베이징의 서북쪽 10 km의 하이덴(海淀)에 건설하고 건륭제(乾隆帝)가 증개수(增改修)하여 장춘원(長春園)·기춘원(綺春園)을 추가함. 넓고 우미(優美)한 정원과 바로크식 건축으로 유명했었으나 1860년 영불(英佛) 연합군의 베이징 점령시 파괴됨.

원:모[1]【怨慕】명 무정한 것을 원망하면서도 오히려 사모(思慕)함. ——-하다 타여불

원모[2]【原毛】명 모직물의 원료품으로서의 짐승의 털. 주로, 양모(羊毛)를 일컬음. ¶오스트레일리아산 ~.

원:모[3]【遠謀】명 장래를 생각하는 먼 계책. 원략(遠略). ¶~ 심려(深慮). ——-하다 타여불

원-모양【圓—】명 원형(圓形).

원목【原木】명 가공하거나 톱질하지 않은 나무. 원나무.

원:목-점【遠木點】명 〔apojove〕 〖천〗 목성(木星)의 위성(衛星)이 목성으로부터 가장 멀리 떨어지는 점. *원토점(遠土點).

원몽【圓夢】명 꿈을 점쳐서 길흉(吉凶)을 판단하는 일. 해몽(解夢). ——-하다 자타여불

원묘[1]【原廟】명 〖역〗 ①본디의 종묘(宗廟). 으뜸되는 종묘. ②본디의 정묘(正廟) 외에 거듭 지은 종묘. 중국 한(漢)나라 혜제(惠帝) 때 숙손통(叔孫通)의 건의로 처음 세웠다고 함.

원묘[2]【圓妙】명 〖불교〗 ①삼체(三諦)가 원융(圓融)하여 불가사의(不可思議)한 일. ②대단히 명민(明敏)함. ——-하다 형여불

원무[1]【元舞】명 〖악〗 여러 사람이 춤을 출 때에, 주동이 되어 추는 춤. *협무(挾舞).

원무[2]【園務】명 유치원·동물원·학원(學園)·정원(庭園) 등 원(園)자가 붙은 곳의 업무.

원무[3]【圓舞】명 ①원진(圓陣)을 이루어 추는 춤. ②왈츠(waltz)·폴카(polka) 등과 같이 남녀(男女) 한 쌍이 추는 활발한 사교춤. 윤무(輪舞). ③↗원무곡(圓舞曲).

원무-곡【圓舞曲】명 〖악〗 '왈츠(waltz)'의 역어(譯語). ㊥원무(圓舞).

원문[1]【原文】명 ①번역·개찬(改竄)·가필(加筆)·개작(改作)한 것에 대한 본디의 문장. ②본문(本文).

원:문[2]【遠聞】명 ①멀리까지 소리가 들리는 일. ②멀리까지 퍼지는 소문(所聞).

원문[3]【圓紋】명 동그라미로 이루어진 모든 기하학(幾何學) 무늬. 즉 동심원(同心圓)·타원형·반원 등의 무늬임.

원문[4]【轅門】명 ①옛날 중국에서 전렵(田獵)할 때나 전진(戰陣)을 베풀 때에 수레로써 우리처럼 만들고, 그 드나드는 곳에는 수레를 뒤집어 놓아 서로 향하게 하여 만든 바깥문의 일컬음. 뒤에 '군영(軍營)'·'영문(營門)'의 뜻으로 씀. ②군문(軍門).

원:문[5]【願文】명 원하는 바를 적은 글. 또, 그 문서. 원서(願書).

원물[1]【元物】명 〖법〗 어떤 수익물(收益物)을 얻을 수 있는 근원이 되는 물건. 우유에 대해서 젖소, 과일에 대해서 과수 등을 일컬음.

원물[2]【原物】명 ①제품의 원료가 되는 물건. ②모조품·사진·그림 따위에 대해서 그 소재(素材)가 된 실제의 물건. 오리지널(original). 실물(實物). ③견본(見本) 또는 표준품(標準品) 판매의 계약상, 그 기준이 되는 물품(物品).

원미【元味】명 쌀을 굵게 동강나게 갈아 쑨 죽. 여름에 꿀과 소주를 타

서 차게 먹음.

원-밀이【圓一】 명 〖건〗 등이 반원형으로 된 문살의 살밀이의 한 가지.

원반[1]【元盤】 명 〖역〗 궁중에서 수라상에 주된 음식을 차리는 상. ↔곁반(盤)·곁상(床).

원반[2]【原盤】 명 복제한 레코드에 대하여 본디의 레코드. 또, 그것을 바탕으로 하여 도금(鍍金)해서 복제(複製)한 금속 레코드.

원반[3]【圓盤】 명 ①던지기에 쓰는 육상(陸上) 운동구(運動具)의 한 가지. 나무 바탕에 놋쇠의 둥글납작한 판을 박고 금속 테를 두른 둥근 판. 근대 올림픽 경기에서는 남자용은 무게 2 kg, 직경 219 mm, 여자용은 무게 1 kg, 직경 180 mm임. 디스커스(discus). 디스크. ②두리반(盤)의 한자 이름.

단위 mm 50~57
12
44~46(남)
37~39(여)
219~221(남)
180~182(여)

〈원반[3]❶〉

원반-던지기【圓盤一】 명 육상 경기의 한 종목. 그리스 시대부터 시작. 올림픽 경기에서는 직경 2.5 m의 원 안에서 몸을 한 바퀴 돌려서 원반을 던져 그 거리를 다투는 운동경기. 투원반(投圓盤). ——-하다 자여불

원반-상【圓盤狀】 명 원반 모양으로 둥글넓적한 형상.

원발성 면:역 부전증【原發性免疫不全症】[-씽-쯩] 명 〖의〗 종생 면역(終生免疫)을 얻지 못하는 특이 병증(病症)의 하나. 체질적(體質的)으로 면역 인자(免疫因子), 곧 감마글로불린이 부족(不足)한 데 근본 원인이 됨.

원발성 폐:고혈압증【原發性肺高血壓症】[-씽-] 명 〖의〗 심장에서 폐로 연결된 폐동맥(肺動脈)의 혈압이 높아서 호흡 곤란·흉부 통증·객혈 등을 일으키는 증상. 증상이 심해지면 폐동맥이 파열하여 급사(急死)하는 경우도 있음.

원발-소【原發巢】[-쏘] 명 〖의〗 신체의 어느 부분에 병변(病變)이 생기고, 그것이 번지어 다른 부분에 같은 병변이 생기는 경우의 처음으로 생긴 병변부(病變部).

원발-장【爰發章】[-짱] 명 〖악〗 악장(樂章)의 이름.

원-발진【原發疹】[-찐] 명 〖의〗 정상적이었던 피부에, 피부 병변(病變)으로서 처음 나타난 발진. ↔속발진(續發疹).

원밥-수기 명 떡국에 밥을 넣어서 끓인 음식.

원방[1]【原方】 명 어떤 약(藥)의 기본 표준이 되는 처방(處方). ¶～ 우황 청심원.

원:방[2]【怨謗】 명 원망하여 비방함. ——-하다 타여불

원:방[3]【遠方】 명 ①먼 지방(地方). 원지(遠地). ②서울에서 멀어진 시골.

원:방[4]【遠邦】 명 원국(遠國).

원:방 신:호기【遠方信號機】 명 장내(場內) 신호기나 출발 신호기에 종속하여, 그 바깥쪽에서 각기 주체되는 신호기의 신호 현시(現示)를 예고하는 철도 신호기의 하나. *통과(通過)신호기·유도 신호기(誘導信號機).

〈원방 신호기〉

원-방패【圓防牌】 명 〖역〗 방패(防牌)의 한 가지. 모양이 둥근데, 직경 90 cm의 널빤지에 뒷 면(面)은 무명으로 바르고, 가운데에 손잡이가 있음. 전면(前面)은 쇠가죽으로 싸고 그 위에 오색(五色)으로 물결과 수면(獸面)을 그렸는데, 중군(中軍)은 붉은 빛, 좌군(左軍)은 푸른빛, 우군(右軍)은 흰 빛으로 했음. ↔장방패(長防牌).

〈원방패〉

원배[1]【元配】 명 죽은 초취(初娶). 초배(初配). 전배(前配).

원:배[2]【遠配】 명 먼 곳으로 귀양 보냄. 원찬(遠竄). 원류(遠流). 원적(遠謫). ——-하다 타여불

원백-체【元白體】 명 중국 당(唐)나라 시인 원진(元稹)과 백낙천(白樂天)의 시문체(詩文體).

원범[1]【原犯】 명 정범(正犯).

원:범[2]【遠帆】 명 멀리 보이는 배의 돛 또는 범선.

원법【原法】[-뻡] 명 본디의 법.

원베이스 히트[one-base hit] 명 야구에서, 싱글 히트(single hit).

원:별[1]【怨別】 명 이별을 원통히 여김. 또, 그 이별. ——-하다 자여불

원:별[2]【遠別】 명 멀리 이별함. ——-하다 타여불

원:병【援兵】 명 구원(救援)하는 병정(兵丁). 도와 주는 군사(軍士). ¶～을 청하다.

원보[1]【元甫】 명 〖역〗 ①고려 국초(國初)에 태봉(泰封)의 관제를 본떠서 정한 문무(文武)의 관호(官號). ②고려 때 향직(鄕職)의 사품(四品).

원보[2]【元輔】 명 〖역〗 영의정(領議政)의 별칭.

원보[3]【元寶】 명 말굽은(銀).

원보[4]【原譜】 명 고치거나 바꾸기 전의 본디 악보.

원:보[5]【遠步】 명 멀리까지 걷는 일.

원복【元服】 명 예전에 중국과 우리나라에서, 남자가 20세, 곧 성년(成年)에 달하여 비로소 어른의 의관(衣冠)을 착용(着用)하던 의식. *관례(冠禮).

원본[1]【原本】 명 ①↗원간본(原刊本). ②등사·번각(飜刻)·초록(抄錄)·개정(改訂)·인용·번역 등을 하기 이전의 본디의 서책(書冊). 원서(原書). ↔역본(譯本). ③〖법〗 일정한 내용을 표시하기 위하여 확정적인 것으로서 최초에 작성한 문서(文書). 등본(謄本)·초본(秒本)에 대한 말. 판결 원본·어음 원본·공정 증서(公正證書) 원본 등. ↔사본(寫本). *부본(副本). ④근본. 근원(根源).

원본[2]【院本】 명 〖문〗 [당시의 연극의 상연자(上演者)인 관기(官妓)의 수용소를 행원(行院)이라 하였으므로, 그 행원에서 쓰인 각본(脚本)의 뜻] 익살 문답에 간단한 소리를 곁들인 풍자극. 중국 남송(南宋) 때에 금(金)나라에서 행하던 연극의 한 장르. 또, 그 희곡(戲曲). 북송(北宋)의 잡극(雜劇)을 계승한 것인데, 뒤에 원(元)나라의 원곡(元曲)도 이 원본에서 유래되고 개혁된 것임.

원봉[1]【元俸】 명 〖역〗 본디 받고 있던 녹봉(祿俸). 원료(元料).

원-봉[2]【圓峰】 명 〖지〗 강원도 고성군(高城郡) 간성읍(杆城邑)과 인제군(麟蹄郡) 서화면(瑞和面) 사이에 있는 산. [1,312 m]

원봉-성【元鳳省】 명 〖역〗 태봉(泰封) 때에 베풀어서 고려 초기까지 나라의 글짓는 일을 맡아 보던 관아(官衙). 뒤에 학사원(學士院)으로, 다시 한림원(翰林院)으로 고침.

원:부[1]【怨府】 명 대중의 원한(怨恨)이 쏠리는 단체나 기관.

원:부[2]【怨婦】 명 원한(怨恨)을 품은 여자. 원녀(怨女).

원부[3]【原簿】 명 ①등사하거나 고쳐 만들기 전의 본디의 장부. 원본(原本)이 되는 장부. ②부기(簿記)의 주요 장부로, 계좌별(計座別)로 증감(增減)을 기입하는 것. 원장(元帳). ③〖법〗 법률상 일정한 권리 관계를 공인(公認)하는 장부(帳簿). 사채(社債) 원부·광업(鑛業) 원부·특허(特許) 원부 등.

원:부-가【怨婦歌】 명 규원가(閨怨歌).

원:부-사【怨夫詞·怨婦詞】 명 규원가(閨怨歌).

원:분[1]【怨憤】 명 원망하고 분개함.

원분[2]【圓墳】 명 고분(古墳) 분류의 한 가지. 모양이 둥근 무덤.

원:불【願佛】 명 〖불교〗 사사(私私)로 모시고 발원(發願)하는 부처.

원-불교【圓佛敎】 명 〖불교〗 1916년 전라 북도 익산시(益山市)에 총본산(總本山)을 두고, 박중빈(朴重彬)이 개창한 종교로 1946년 원불교로 칭하였음. 불교의 현대화·생활화를 주장하는데, 신앙의 대상이 불상이 아니고, 법신불(法身佛)의 일원상(一圓相)이며, 시주(施主)·동냥·불공 등을 폐지하고, 각자 정당한 직업에 종사하면서 교화 사업을 시행하는 것이 특징임.

원-불실수【原不失手】[-쑤] 명 실수하지 아니하도록 하는 방법.

원 브러시 스리: 터치 메이크업[one brush three touch make-up] 명 한 자루의 붓에 살빛 팬케이크(pancake), 진한 살빛 팬케이크 및 흰 빛 고형(固形)분의 세 가지 분을 차례로 섞어 찍어 얼굴에 바름으로써 농담(濃淡)이 있는 입체감(立體感)을 낼 수 있는 새로운 기초 화장법(基礎化粧法).

원비[1]【元妃】 명 임금의 정실(正室).

원비[2]【元肥】 명 〖농〗 파종·이앙(移秧) 또는 식수(植樹)를 하기 전에 주는 거름. 밑거름. 기비(基肥). *추비(追肥)·웃거름.

원:비[3]【怨誹】 명 원망하여 비방함. ——-하다 타여불

원비[4]【媛妃】 명 아리따운 여자. 미녀(美女).

원비[5]【猿臂·猨臂】 명 ①원숭이의 팔처럼 팔이 길고 힘이 있음을 가리키는 말. ②팔을 내밀어 물건을 쥐는 모양을 가리키어 일컫는 말. ③긴 팔은 활을 쏘기에 알맞으므로 활쏘기에 능한 사람. 또, 궁마(弓馬)에 능한 군사.

원비지-세【猿臂之勢·猨臂之勢】 명 형세가 좋을 때는 진출하고 불리할 때는 퇴각하여 군대의 진퇴와 공수(攻守)를 자유로이 함을 일컫는 말.

원-뿌리【元一】 명 〖식〗 ①지주근(支柱根). ②주근(主根).

꼭지점
옆면
모선
높이
밑면

〈원뿔〉

원-뿔【圓一】 명 〖수〗 ①↗원뿔면. ②원뿔면의 꼭짓점과 밑면 사이에 이루어진 중간의 입체. 원추. 원뿔체. 원추체(圓錐體).

원뿔 곡선【圓一曲線】 명 [conic section] 〖수〗 원뿔면을 그 꼭짓점을 통하지 않는 임의의 평면으로 잘라 낸 면의 곡선. 축(軸)에 대하여 빗면으로 자른 타원형, 모선(母線)에 평행(平行)하도록 자른 포물선, 축에 평행하도록 자른 위 아래의 뿔면에 있어서의 두 개의 곡선, 즉 쌍곡선, 축에 수직하도록 자른 원(圓) 등이 있음. 원추 곡선(圓錐曲線). 포사선(拋射線).

〈원뿔 곡선〉

원뿔 굴절【圓一屈折】[-쩔] 명 원추(圓錐) 굴절.

원뿔-꼴【圓一】 명 〖수〗 원뿔 모양으로 된 형태. 원추형(圓錐形).

원뿔-나무【圓一】[-라-] 명 〖식〗 원추목(圓錐木).

원뿔-대【圓一臺】 명 〖수〗 원뿔체를 밑면에 평행하는 평면으로 잘랐을 때 그 윗부분을 버린 남은 부분으로 이뤄지는 입체(立體). 원추대. 추대(錐臺). 절두 원추.

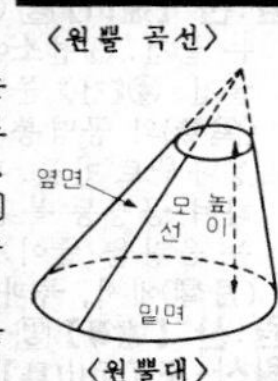

〈원뿔대〉

원뿔 도법【圓一圖法】[-뻡] 명 [conic projection] 〖지〗 지구의 어떤 위도선(緯度線)에 원뿔면을 접촉시키어, 그 위에 지구 표면의 형태를 투영(投影)하여 그리는 도법(圖法). 이러한 지도에서 경선(經線)은 한 점으로부터 방사(放射)하는 등간격(等間隔)의 직선군(直線群)이 되며, 위선(緯線)은 같은 점을 중심으로 하는 동심원(同心圓)이 됨. 원추 도법(圓錐圖法). 원추 투영법(投影法).

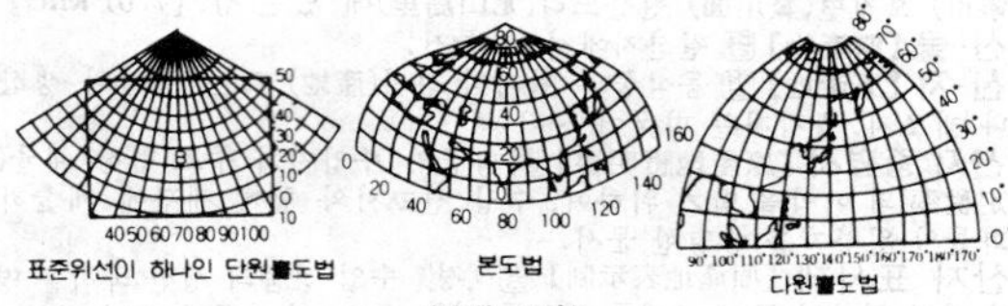

〈원뿔 도법〉

원뿔-면【圓一面】명〖수〗하나의 원주(圓周) 위의 각 점과 원의 평면 위에 있지 않은 한 정점(定點)을 지나는 모든 직선을 모선(母線)으로 하여서 생기는 곡면(曲面). 원추면(圓錐面). (준)원뿔.

원뿔 진:자【一振子】명〔conical pendulum〕〖물〗작은 물체를 가는 실에 매어 달아 위쪽을 고정시키고, 물체로 하여금 수평면 안에서 연직축(鉛直軸)을 중심으로 등속 원운동(等速圓運動)을 하도록 하는 장치. 원추 진자.

원뿔-체【圓一體】명〖수〗원뿔로 된 형체. 원뿔. 원추체(圓錐體).

원뿔-형【圓一形】명 원뿔 모양으로 된 형태. 원추형. 원뿔꼴.

원사[1]【元士】명〖군〗부사관 계급의 최고위. 일등 상사의 고친 이름.

원사[2]【元仕】명〖역〗조선 시대 때, 관리의 실제로 근무할 날수. *별사(別仕).

원:사[3]【怨詞】명〖문〗신라의 노래. 진평왕(眞平王) 때 기녀(妓女)인 천관녀(天官女)가 지었다고 하나 가사는 전하지 아니함. 김유신(金庾信)이 천관녀에게 놀러다니다 어머니의 훈계를 듣고 발을 끊었는데, 어느 날 술이 취해 돌아오는 길에 말이 그를 천관녀 집으로 데려가자, 김유신은 칼로 말의 목을 베고 돌아섰는데, 이에 천관녀가 이 노래를 불러 그 원망스러움을 하소연하였다 함.

원:사[4]【怨辭】명 원망하는 말.

원사[5]【院使】명〖역〗고려 때 중추원(中樞院)의 종이품(從二品) 벼슬.

원사[6]【原絲】명 섬유(纖維)를 가볍게 꼬아서 만든 가느다란 실. 편실·방직(紡織)의 가장 근본이 되는 실. ¶나일론 ~.

원사[7]【冤死】명 원통한 죄로 죽음. 원한(冤恨)을 품고 죽음. 왕사(枉死). ——-하다 자여불

원:사[8]【援師】명 도와 주는 군세(軍勢). 원군(援軍).

원:사[9]【遠寺】명 먼 곳에 있는 절. 중국의 소상 팔경(瀟湘八景)에서 생긴 팔경의 뜻으로 '원사의 만종(晩鐘)'을 답습한 용례가 많으며, 화제(畫題)로는 '원사 만종'으로 표기할 경우가 많음.

원:사[10]【遠射】명 ①활이나 총 같은 것을 먼 곳에서 쏨. ②멀리 쏨. ——-하다 타여불

원:사[11]【遠寫】명 ①영화(映畫)에서 장면(場面)을 넓게 박은 필름. ②롱숏(long shot). ——-하다 타여불

원사 시대【原史時代】명 고고학상(考古學上) 선사 시대 다음의 문헌적 사료가 단편적으로 존재하는 시대. *선사 시대·역사 시대.

원사이드 게임〔one-sided game〕명 강약(強弱)의 차이가 심해서, 한 편만 계속하여 이기는 게임. 일방적(一方的)인 시합(試合).

원-사진【原寫眞】명 복사하지 않은 본디 사진.

원사-체【原絲體】명〔protonema〕〖생〗이끼 식물의 포자(胞子)가 발아(發芽)하여서 발생하는 녹색의 사상(絲狀)의 배우체(配偶體). 태류(苔類)에서는 거의 발달하지 않으나 선류(蘚類)에서는 실 모양으로 자람. 원사체 위에 생기는 구상체(球狀體)가 자라서 이끼의 본체(本體)가 됨.

〈원사체〉

원삭-동물【原索動物】명〖동〗〔Prochordata〕동물계를 분류한 한 문(門). 유생기(幼生期)에 발생한 척추를 형성하는 척삭(脊索)이 종생(終生)토록 척삭 그대로 머물러 있는 동물. 중추 신경(中樞神經)은 대통 모양인데 척삭의 등 쪽에 있고, 호흡기는 소화관에서 발생하며, 모두가 바다에서 삶. 미삭류(尾索類)·두삭류(頭索類)의 두 강(綱)으로 분류하는데 의삭류(擬索類) 곧 반삭동물(半索動物)을 포함시키기도 함. 척추동물(脊椎動物)과 합쳐서 척삭동물(脊索動物)이라고도 함.

원산[1]【元山】명〖지〗함경 남도의 한 시. 도의 남단부 동한만(東韓灣)의 만두(灣頭)에 있음. 원래 원산진(元山津)이라고 일컫던 곳으로, 옛날에는 함경도 지방의 기근(饑饉) 구조를 위하여 상평창(常平倉)을 두고, 경상도 방면으로부터 미곡(米穀)이 집산 저장되었음. 항로선(航路船)이 왕복하며, 육지로는 경원선의 종점이고, 또 함경선과 동해 북부선의 기점으로 서울·평양에 이르는 교통의 요지임. 명태·청어·대구·연어 등의 수산물이 많고 양조·조선(造船)·정미·경금속·정유(精油)·제련 등의 공업이 성함. 명승 고적으로는 송도원(松濤園)의 해수욕장·명사 십리(明沙十里)·석왕사(釋王寺)·삼방협(三防峽) 등이 있음.

원산[2]【原産】명 본디, 생산(生産)되는 일. 또, 그 물건.

원:산[3]【遠山】명 ①먼 곳에 있는 산. 먼산. ②안경테의 좌우 쪽 알을 잇는 물건. ③변소에서 뒤 볼 때 앉으면, 생식기 있는 근처를 가리게 된 물건. ④〖건〗문짝이 걸리게 하기 위하여 문턱에 박는 쇠. ⑤〖악〗해금(奚琴)의 공명통 위에, 줄을 떠받치고 있는 나무쪽. 화류(樺榴)나 누른 뽕나무로 만듦. 관현 합주나 대풍류 때에는 음량(音量)을 크게 하기 위하여 공명통 복판에 세우고, 줄풍류나 세악(細樂) 또는 노래 반주 때에는 음량을 줄이기 위해 위쪽 가로 옮김. ⑥〖악〗향비파·당비파·월금(月琴)에서, 목과 머리의 경계를 이루는 곳. ⑦풍잠(風簪).

원:산[4]【遠算】명 원대한 계획. 사료 깊은 장래의 계책.

원산-도【元山島】명〖지〗①함경 남도 영흥만(永興灣) 안에 있는 원산 앞바다의 섬. 경승지(景勝地)로 유명함. 원산의 천연 양항(天然良港)은 이 섬을 연결하여 방파제를 만들었음. ②충청 남도 서해상, 보령시(保寧市) 오천면(鰲川面) 원산도리(元山島里)에 있는 섬. [7.01 km²]

원산-물【原産物】명 원산지에서 난 물건.

원산-지【原産地】명 동식물의 원래의 산지(産地) 또는 물건의 생산지나 제조지. ¶감자는 미국이 ~이다.

원산지 증명서【原産地證明書】명 화물의 수입자가 주로 협정 세율(協定稅率)의 이익을 받기 위하여, 수입 신고서와 함께 세관에 제출하는 화물의 원산지를 증명한 문서.

원산지 표시제【原産地表示制】명〖경〗수입 상품의 생산 국적을 명확히 하기 위하여 국적 표시를 하도록 하는 제도. 수입품의 쿼터 관리, 검역·방역 등이 목적임.

원산 학사【元山學舍】명 1883년 민간에 의해 함경 남도 원산에 설립된 우리 나라 최초의 근대 학교.

원삼[1]【元蔘】명〖한의〗현삼(玄蔘).

원삼[2]【圓衫】명〖역〗부녀의 예복(禮服)의 한 가지. 연두빛 길에 자주 깃을 달고, 색동을 달아 지음. 홑것·겹것의 두 가지가 있음.

원삼국 시대【原三國時代】명〖역〗선사 무문 토기(先史無文土器) 시대에서 신라(新羅) 시대에 이르는 시기. 기원전 2세기에서부터 기원후 3세기 무렵임. 김해(金海) 시대.

원상[1]【沅湘】명〖지〗'위안샹'을 우리 음으로 읽은 이름.

원상[2]【原狀】명 본디의 형편이나 상태. 이전의 모양. 원태(原態).

원:상[3]【院相】명〖역〗왕이 죽은 뒤 잠시 정무를 행하는 임시 벼슬. 왕이 죽은 후 세자(世子)가 즉위는 하였으나, 상중(喪中)이므로, 졸곡(卒哭)까지의 스무엿새 동안 중망(衆望)이 있는 원로(元老) 재상급(宰相級) 또는 원임자(原任者)가 이것을 맡게 함.

원상[4]【原象】명 본래의 형상(形象). 본디의 모습.

원상[5]【原像】명〖수〗사상(寫像)에 의하여, 집합 B로 옮겨진 것의 전체로 이루어진 집합을 B에 대하여 일컫는 말. B가 단 하나의 요소 b로 되어 있을 때는 b의 원상이라고도 함.

원상[6]【寃傷】명 ①억울한 죄에 걸린 사람을 애닯게 생각함. ②억울하게 죄를 씌워 사람을 해침. ——-하다 타여불

원상[7]【圓相】명〖불교〗①선종(禪宗)에서, 완전·원만의 상(相)으로, 깨달음의 표상(表象)으로 나타내는 둥근 형상(形象). 일원상(一圓相). ②만다라(曼荼羅)에서 부처·보살의 상(像)을 둘러싸고 있는 원륜(圓輪).

원상 회복【原狀回復】명 어떤 사정으로 인하여 생겨난 현재의 상태를 본디의 상태로 회복하는 일. 예컨대, 일단 체결(締結)한 매매(賣買) 계약이 해제되면 각 당사자는 서로 계약 체결 전의 상태로 회복하기 위하여 이미 받은 대금(代金)·물품을 상대편에게 돌려 주어야 하는 것 등. ——-하다 자타여불

원새-류【原鰓類】명〖동〗〔Protobranchia〕부족류(斧足類)에 속하는 한 목(目). 아가미는 원시적(原始的)으로 날개 모양을 이루고, 발은 아래쪽이 넓적함. 폐각근(閉殼筋)은 퇴화(退化)하여 매우 작든가 또는 아주 없어짐.

원:색[1]【怨色】명 원망의 얼굴빛. 원망하는 모양.

원색[2]【原色】명〖물〗기색(基色). ¶삼~. *보색(補色).

원:색[3]【遠色】명 여색(女色)을 멀리함. ——-하다 자여불

원색-동물【原索動物】명〖동〗☞원삭동물.

원색 사진【原色寫眞】명 천연색 사진.

원색-적【原色的】명관 언행(言行)이나 차림새 따위가 노골적인 모양. ¶~(인) 발언 / ~으로 비난하다.

원색-판【原色版】명〔primary color printing〕〖인쇄〗①컬러 필름·회화(繪畫) 등 색채가 있는 원고(原稿)를 빨강·노랑·파랑·검정 등의 단색(單色)으로 분해하여 판(版)을 만들고 겹쳐서 인쇄함으로써 본디의 빛깔을 재현(再現)한 것. 또, 그 방법. 잡지의 삽화(揷畫)·화보, 그림 엽서, 미술품의 복제(複製) 등에 쓰임. ②삼색(三色)판.

원생[1]【原生】명 발생(發生)한 채로 진보·발전을 하지 않은 일. 원시(原始). ¶~ 동물.

원생[2]【院生】명 ①감화원(感化院)·소년원(少年院) 같은 원(院)에 수용(收容)되어 있는 사람. ②조선 시대 중기 이후, 서원(書院)에 속해 있는 유생(儒生).

원생-계【原生界】명〖지〗원생대층(原生代層).

원생 광:물【原生鑛物】명 초생 광물(初生鑛物).

원생-대【原生代】명〔Proterozoic era〕〖지〗지질 시대의 하나. 선(先)캄브리아대(代)의 후기(後期)로 최고(最古)의 시생대(始生代)와 고생대(古生代)와의 중간 시대. 약 25억 년 전부터 5억 7천만 년 전까지로 암층(岩層)은 변질하고, 화석(化石)이 적으며, 원시 조류(原始藻類)·박테리아(bacteria) 및 단세포(單細胞) 동물이 있었던 유적(遺跡)이 있음. *시생대(始生代).

원생대-층【原生代層】명〖지〗지질 시대의 원생대(原生代)에 형성된 지질 계통. 선캄브리아대층(先 Cambria代層)의 후기(後期). 암석(岩石)은 변성 작용(變成作用)을 거의 받지 않아서 때로는 생물의 유적(遺跡)이 발견(發見)됨. 원생계(界).

원생-동물【原生動物】명〖동〗〔Protozoa〕원생생물계(原生生物界)의 진핵(眞核) 생물을 동물로 분류했을 때의 한 문(門). 몸은 단세포(單細胞) 또는 군체(群體)이고 종속 영양 생활을 하며 세포 분열이나 또는 포자(胞子)에 의해 번식함. 모양은 다양하며 편모(鞭毛)·섬모(纖毛) 또는 위족(僞足)을 가지고 이를 기준으로 형주(形走) 동물·유모(有毛) 동물의 두 아문(亞門)과 편모충류(鞭毛蟲類)·위족류(僞足類)·포자충류(胞子蟲類)·섬모충류(纖毛蟲類)의 네 강(綱)으로 분류함. 원시(原始)동물. 원충(原蟲). ↔후생(後生)동물.

원생-동물학【原生動物學】명〔protozoology〕원생동물을 연구 대상으로 하는 생물학의 한 분야.

원생-림【原生林】[一님] 명 원시림(原始林). ↔공용림(供用林).

원생 몽:유록【元生夢遊錄】명〖문〗조선 선조(宣祖) 때의 시인 임제(林悌)가 지은 몽유록계의 작품. 작자에 대하여 여러 설이 있었음. 세조(世祖)의 왕위 찬탈이란 역사적 사건을 소재로 하여 정치 권력의 모순을 폭로한 작품.

원생-생물【原生生物】명〖생〗〔Protista〕단세포(單細胞) 또는 분화(分化)가 제대로 되지 않은 다세포(多細胞)로 이루어지며, 식물(植物)이나 동물(動物) 어느 쪽에도 소속시키기 어려운 생물군(群). 원핵(原核)생물·진핵(眞核)생물 등으로 나누고 이에 세균류(細菌類)·남조

류(藍藻類)·편모충류(鞭毛蟲類)·섬모충류(纖毛蟲類)·위족류(僞足類)·포자충류(胞子蟲類)·점균류(粘菌類)·바이러스균(virus菌)을 포함시키고 있음. 또, 학자에 따라 동물계(界)·식물계(界)·균계(菌界)·모네라계(Monera界)와 더불어 오계(五界)의 하나로 분류하는 등 여러 가지 견해가 있음.

원생 세:포【原生細胞】[명]〔archeocyte〕〖생〗발생 초기의 미분화(未分化) 세포.

원생 식물【原生植物】[명]〖식〗원생 생물계(界)의 원핵(原核) 생물을 식물로 분류했을 때의 한 문(門). 단세포로 이루어진 최하등의 식물. 박테리아·남조류(藍藻類)·바이러스 따위가 포함됨.

원생식 세:포【原生殖細胞】[명]〖생〗동물의 배우자의 기원이 되는 세포. 형태나 구조는 보통의 체세포(體細胞)와 같으나 생장함에 따라서 분열하여 많은 정원 세포(精原細胞)와 난원 세포(卵原細胞)를 만듦. 원시 생식 세포.

원:생이 [명]〈방〉원숭이(경기·강원·충북·전라·경상·제주).

원생적 노동 관계【原生的勞動關係】[명]〖사〗산업 혁명(産業革命) 직후의 자본주의 비약 시대(飛躍時代)에 상응(相應)하는 노동 관계. 그 특색은 노동자가 저임금(低賃金)으로 장시간(長時間) 가혹한 감독의 지배(支配) 밑에 혹사(酷使)되었다는 것 등임.

원생 중심주【原生中心柱】[명]〖식〗관다발이 단일(單一)이고 중앙에 목부(木部)가 있으며, 주위를 겉부(節部)가 둘러싸고 있는, 가장 원시적인 중심주. *관상(管狀) 중심주·망상(網狀) 중심주.

원생-지【原生地】[명] 분포(分布)되기 이전의, 본디 난 곳.

원생-토【原生土】[명]〖지〗원적토(原積土).

원서[1]【爰書】[명] 죄인의 공초(供招)를 기록한 서류.

원서[2]【原恕】[명] 정상을 동정하여 용서함. ——하다 [타][여불]

원서[3]【原書】[명] ①번역하거나 복사한 책에 대하여 그 근본이 되는 책. 원전(原典). 원본(原本). ②구문(歐文)의 서책. 양서(洋書).

원:서[4]【遠逝】[명] ①먼 곳으로 떠남. ②〔멀리 가서 돌아오지 않는다는 뜻〕죽는 일. 장서(長逝). ——하다 [자][여불]

원:서[5]【願書】[명] 허가를 얻기 위하여 내는 서류. 특히, 입학 원서의 뜻으로 쓰는 일이 많음. ¶~ 제출.

원석[1]【元夕】[명] 음력 정월 보름 날 밤. 원소(元宵).

원석[2]【原石】[명] ①원광(原鑛). ②가공하기 전의 보석.

원석[3]【圓石】[명] 둥근 돌.

원-석기【原石器】[명]〖역〗구석기(舊石器)에 앞선 석기. 인류가 최초로 사용했다고 생각되는 석기. 이올리스(eolith).

원석조-류【原石藻類】[명]〖동〗〔Coccolithophoridea〕활편모류(滑鞭毛類)에 속하는 한 목(目). 몸은 단일 세포로 되고, 군체(群體)를 이루지 아니함. 편모(鞭毛)는 한 개 또는 두 개이며, 몸 거죽에 석회질판(石灰質板)을 가지고 있는 것이 특징(特徵)임. 종분열(縱分裂)에 의하여 번식(繁殖)함.

원선【圓扇】[명] 둥근 부채. 단선(團扇).

원선-장【圓扇匠】[명]〖역〗둥근 부채를 만드는 장인(匠人).

원설【原說】[명] 본래의 설. 최초의 설.

원-섬유【原纖維】[명]〔fibril〕〖생〗섬유를 구성하는 가는 실 모양의 조직. 근육 등에 보임.

원:성[1]【怨聲】[명] 원망하는 소리. ¶백성의 ~이 높다.

원성[2]【原性】[명] 본디의 성질.

원성[3]【圓成】[명] ①원만(圓滿)하게 이루어짐. ②〖불교〗원만하게 성취함. ——하다 [자][타][여불]

원성-군【原城郡】[명]〖지〗원주군(原州郡)의 구명.

원성 실성【圓成實性】[-썽] [명] 원만히 성취한 진실의 본성(本性).

원성-왕【元聖王】[명]〖사람〗신라 제38대 왕. 휘(諱)는 경신(敬信). 성은 김씨(金氏). 780년 이찬(伊湌)으로서 김지정(金志貞)의 난을 평정하고, 선덕왕이 즉위하자 상대등(上大等)에 오름. 선덕왕을 이어 왕이 된 후, 788년 독서 출신과(讀書出身科)를 설치하여 인재를 등용하고, 790년 벽골제(碧骨堤)를 증축하여 농사를 장려하였음. [재위 785-798]

원:성 자자【怨聲藉藉】[명] 원성(怨聲)이 여러 사람의 입에 오르내리어 떠들썩함. ——하다 [형][여불]

원:성-점【遠星點】[-쩜] [명]〔apastron〕〖천〗쌍성계(雙星系)에 있어서, 성간 거리(星間距離)가 최대(最大)로 될 때의 한 쪽 별의 궤도상(軌道上)의 점(點).

원:세【遠世】[명] 아주 먼 옛 시대.

원-세(:)개【袁世凱】[명]〖사람〗'위안 스카이'를 우리 음으로 읽은 이름.

원 세트〔one set〕[명] 한 벌. 한 조(組).

원-세포【原細胞】[명]〔proto-cell〕〖생〗세포의 원시체(原始體)라고 생각될 수 있는 구조(構造). 금속 원소의 농도(濃度)를 1,000-10만 배로 높인 개조(改造) 바닷물에 포름알데히드와 아미노산(酸)의 일종인 글리신을 봉입(封入)하여 약 2개월 동안 105°C로 가열해서 얻어진, 세포와 극히 흡사한 구조에 붙여진 이름. 이 구조 속에서는 아미노산을 합성하여 고분자(高分子)로 결합시키는 작용이 있는 것으로 생각되고 있음. *전세포(前細胞).

원:셍이 [명]〈방〉원숭이(경기·충남·전북).

원소[1]【元宵】[명] 원석(元夕).

원소[2]【元素】[명] ①물건을 만들어 내는 근본이 되는 것. 물건을 형성하는 근본이 되는 것. 구성 요소(構成要素). ②〔element〕〖화〗화학적으로 성립(成立)과 구조가 가장 간단한 성분. 같은 원자(原子)만으로 구성되는 물질. 현재, 원자 번호(原子番號) 1번인 수소로부터 109번 마이트너륨(meitnarium)까지의 인공적으로 만들어낸 원소 등이 확인됨. 화학 원소. ③만물의 근원이 되는, 그 이상 분할할 수 없는 요소. 그리스 철학의 4원소, 불전(佛典)의 사대(四大)·오대(五大) 따위. ④〖수〗집합(集合)을 이루는 낱낱의 대상(對象) 또는 복합적인 여러 대상을 구성하는 낱낱의 요소. 사물 a가 집합 A의 원소이면 $a \in A$, 원소가 아니면 $a \notin A$로 나타냄.

원소[3]【元霄】[명] 하늘.

원소[4]【苑沼】[명] 동산과 못.

원:소[5]【怨訴】[명] 원망하여 하소연함. ——하다 [자][여불]

원-소[6]【袁紹】[명]〖사람〗중국 후한(後漢) 말엽의 군웅(群雄)의 한 사람. 자(字)는 본초(本初). 루난(汝南) 루양(汝陽) 사람. 영제(靈帝)가 죽은 후 환관(宦官)을 몰살하고, 이어 헌제(獻帝)를 옹립(擁立)한 동탁(董卓)을 장안(長安)으로 몰아낸 후, 기주(冀州)를 중심으로 세력을 확대함. 건안(建安) 5년(200) 조조(曹操)와 대립하여 하남(河南) 관도(官渡)의 싸움에서 대패함. [?-202]

원소[7]【冤訴】[명] ①원통함을 호소함. ②불복을 청함.

원:소[8]【園所】[명]〖역〗왕세자(王世子)·왕세자빈(王世子嬪)과 왕의 사친(私親) 등의 산소. [준]원(園).

원소[9]【猿嘯】[명] 원숭이가 욺. 또, 그 울음 소리.

원소 가회사【元宵嘉會詞】[명]〖악〗정재(呈才) 때, 헌선도(獻仙桃) 춤에 왕모(王母)가 선도반(仙桃盤)을 드릴 때 부르는 가사(歌詞).

원소 광:물【元素鑛物】[명]〖광〗단일한 원소만으로 된 광물. 자연금(自然金)·자연은(自然銀) 등의 금속 광물, 자연 비소(砒素)·자연 창연(蒼鉛) 등의 아금속(亞金屬) 광물, 다이아몬드·황(黃) 등의 비금속 광물로 분류됨.

원소 기호【元素記號】[명] 원자 기호.

원소-명【元素名】[명] 원소의 이름.

원소 반:도체【元素半導體】[명] 실리콘이나 게르마늄처럼 원소로서 반도체의 특성을 나타내는 물질. ↔화합물 반도체.

원소 백십사【元素114】[명]〔element 114〕〖물〗1999년 러시아의 두브나(Dubna)에 있는 원자핵 합동 연구소에서, 가속(加速)한 칼슘 이온(^{48}Ca)으로 플루토늄(^{244}Pu)을 충격하여 만든 인공 방사성 원소. 원자량 298. 다음 마법수(魔法數)로 예상되는 양성자수 114, 중성자수 184라는 이중 마법수로 합성되어 가장 안정된 원소로 추정되고 있음. 반감기(半減期)는 비교적 길어서 약 30초. IUPAC에서 잠정적으로 명명한 명칭은 우눈쿼듐(ununquadium).

원소 백십육【元素116】[-뉵] [명]〔element 116〕〖물〗1999년 로렌스 버클리 연구소에서 생성한 인공 방사성 원소 118이 알파선(α線)을 방출하면서 붕괴하여 만들어진 인공 방사성 원소. 원자량 289. 반감기는 원소 118과 같은 수백 마이크로초(秒). IUPAC에서 정한 잠정 명칭은 우눈헥슘(ununhexium).

원소 백십팔【元素118】[명]〔element 118〕〖물〗1999년 미국의 로렌스 버클리 연구소에서 가속(加速)한 크립톤 이온(^{86}Kr)으로 납(^{208}Pb)을 충격하여 만든 인공 방사성 원소. 원자량 293. 반감기(半減期)는 수백 마이크로초(micro秒). IUPAC에서 잠정적으로 명명한 명칭은 우눈옥튬(ununoctium).

원소-병[1]【元宵餠】[명] 음력 정월 보름날 밤에 먹는 떡.

원-소병[2]【圓小餠】[명] 찹쌀 가루를 반죽하여 큰 환약만큼씩 빚어, 끓는 물에 익혀 꿀물에 담가 먹는 여름 음식. 오색 물을 들이기도 함.

원소 분석【元素分析】[명]〖화〗유기 화합물(有機化合物)의 구성 원소(構成元素)를 검출(檢出)하여, 그 중량 백분율을 구하고 화합물의 종류를 판별하는 방법. 백분율의 산출은 보통 미량 천칭(微量天秤)에 의한 미량 분석을 이용함.

원소 생활론【原素生活論】[명] 물활론(物活論).

원소-절【元宵節】[명] 음력 정월 보름의 명절.

원소 존재도【元素存在度】[명] 우주 또는 태양계의 행성(行星)이나 운석(隕石) 따위에 존재하는 각종 원소의 절대적 또는 상대적 존재량을 나타내는 수치(數値). 우주에 있어서의 각종 물질계에 대한 원소나 핵종(核種)의 존재량을 정하는 방법은, 망원경에 의한 분광학적(分光學的) 방법이거나, 직접 물질을 취득하여 분석하는 방법뿐임. 우주 전체의 원소 존재도에서는 수소가 가장 많고, 헬륨·산소·네온·탄소·질소·규소의 순서임.

원소 주기율【元素週期律】[명]〖화〗주기율(週期律).

원소 주기율표【元素週期律表】[명]〖화〗주기율에 따라 원소를 배열한 표. 1869년 러시아의 멘델레예프(Mendeleev, D.I.)가 처음 발표함. 원소를 원자 번호 순서로 왼쪽에서 오른쪽으로 가로로 배열하고, 유사한 성질이 있는 원소가 나타날 때마다 이것을 위아래로 겹쳐지게 배열하였음. 장주기형(長週期型) 주기율표와 단(短)주기형 주기율표가 있는데, 세로줄을 족(族), 가로줄을 주기라 함. [준]주기율표·주기표.

원손[1]【元孫】[명] 왕세자의 맏아들.

원:손[2]【遠孫】[명] 세대(世代)가 먼 자손. 원예(遠裔). 말손(末孫). 계손(系孫).

원숏 카메라〔one-shot camera〕[명] 한 번의 노출로 청색·황색·적색의 삼색 분해 촬영을 하게 되어 있는 특수 컬러 카메라.

원쉥이 [명]〈방〉원숭이(강원).

원수[1]【元首】[명] ↗국가 원수(國家元首).

원수[2]【元帥】[명] ①〖역〗장수(將帥)의 으뜸. 고려 때 전시(戰時)에 군(軍)을 통솔(統率)하던 장수. 또, 한 지방 군대를 통솔하던 주장(主將). ②〖역〗대한 제국 때 원수부(元帥府)의 으뜸 벼슬. 황태자(皇太子)로 임명했음. 고종(高宗) 광무(光武) 8년(1904)에 폐함. ③〖군〗군인의 가장 높은 계급. 국가에 대한 공적이 현저한 대장(大將) 중에서 임명함. 국방부 장관의 추천에 의하여 국무 회의의 심의를 거쳐 국회의 동의를 얻어 대통령이 임명함.

원수[3]【元數】명 ①근본이 되는 수. ②본디의 수.

원:수[4]【怨讐】명 ①자기나 자기 집 또는 자기 나라에, 참지 못할 해를 끼친 사람. 원구(怨仇). 구수(仇讐). 구수(寇讐). 적수(敵讐). 구원(仇怨). 구적(仇敵). 수적(讐敵). ②원한이 되는 물건. ¶은혜를 ~로 갚다.
[원수는 순(順)으로 풀라] 원수를 원수로써 갚으면 다시 원한을 사게 되어 한이 없는 것이니 순순히 풀어야 후환이 없다는 말. [원수는 외나무 다리에서 만난다] 남에게 악한 일을 하면 그 죄를 받을 때가 반드시 온다는 뜻.
원수(를) 갚다 구 원수에게 해를 입혀 원한을 풀다.
원수(를) 지다 구 원수가 되다.

원수[5]【原水】명 ①인공적 처리를 하지 않은 본디의 물. ②천연의 물. 또, 어떤 특정한 처리를 하기 직전의 물.

원수[6]【員水】명〖지〗'한강(漢江)'의 고명(古名).

원수[7]【員數】[—쑤] 명 사람의 수효. 수효.

원수[8]【冤囚】명 무고(無辜)한 죄인.

원수[9]【園樹】명 정가(庭柯).

원:수[10]【遠水】명 먼 곳에 있는 물. 먼 곳의 하천(河川).

원수-류【原獸類】명 [Prototheria] 포유류(哺乳類)에 속하는 아강(亞綱)의 하나. 포유 동물 중에서 진화상(進化上) 가장 원시적 일군(一群)으로 오리너구리 따위와 같은 일혈류(一穴類)가 포함됨.

원수-부【元帥府】명〖역〗대한 제국 때 국방·용병(用兵) 및 군사(軍事)에 관한 명령을 내리고, 군부(軍部) 및 경외 제군(京外諸軍)을 지휘 감독하던 관청. 고종(高宗) 광무(光武) 3년(1899)에 두었다가, 동 8년(1904)에 없어졌는데, 안에 군무(軍務)·검사(檢査)·기록(記錄)·회계(會計)의 네 국(局)을 두었음.

원수-정【元首政】명〖역〗아우구스투스(Augustus)가 확립한 로마 제국 초기의 정치 체제. 공화제의 체제를 살린 제정(帝政)으로, 황제는 제일인자(第一人者) 또는 원수라 불리고 원로원(元老院)에서 여러 가지 권한을 위탁받아 통치하였음. 프린키파투스(principatus).

원수 치:부【怨讐置簿】명 원수진 것을 오래 기억하여 둠. ——하다 타여불

원수-폭【原水爆】명 원자 폭탄과 수소 폭탄.

원-숙[1]【元肅】명〖사람〗조선 시대의 문신. 원주(原州) 사람. 태종(太宗) 원년(1401) 문과에 급제. 사관(史官)이 되고 우대언(右代言)을 거쳐 태종 18년(1418) 좌대언(左代言)이 됨. 직제학(直提學)을 거친 뒤, 세종(世宗) 3년(1421) 이조 참판(吏曹參判)으로 태상왕(太上王) 봉숭도감 제조(封崇都監提調)를 겸했고, 이듬해 태상왕 태종이 죽자 빈전도감 제조(殯殿都監提調)를 겸직했음. 이어 대사헌·지신사(知申事)를 역임, 세종 7년(1425) 인수부윤(仁壽府尹)에 이름. [?-1425]

원숙[2]【圓熟】명 ①무르익음. ②매우 숙련(熟練)함. ③인격·지식·기예(技藝) 같은 것이 충분히 발달하여 풍부한 내용을 가짐. ④빈틈이 없음. ——하다 형여불

원-숙강【元叔康】명〖사람〗조선 시대의 문신. 자는 화중(和仲). 원주(原州) 사람. 세조(世祖) 6년(1460) 별시 문과(別試文科)에 급제, 검열(檢閱) 등을 지내고 정언(正言)으로서 실록청(實錄廳) 기사관(記事官)이 됨. 예종(睿宗) 원년(1469) ≪세조 실록(實錄)≫을 편찬하기 위해 사초(史草)를 거두어 들일 때, 사초에 작성자의 성명을 쓰게 되자 대신들의 과오를 쓴 것이 두려워 사초를 몰래 수정한 사실이 발각되어 주살(誅殺)됨. [?-1469]

원순【圓盾】명 원형의 방패.

원순 모:음【圓脣母音】명 [round vowels]〖언〗입술을 둥글게 하여 조음(調音)되는 모음. ㅗ·ㅜ·ㅚ·ㅟ 따위.

원-순열【圓順列】명 [circular permutation]〖수〗몇 개의 물건에서 일정한 개수의 물건을 꺼내어 원형으로 벌이어 놓는 배열. n개의 물건에서 r개의 물건을 꺼낼 때 그 총수(總數)는 $n(n-1)\cdots(n-r+1)/r$임.

원술【元述】명〖사람〗신라의 장군. 김유신(金庾信)의 둘째 아들. 삼국 통일 후 문무왕 12년(672) 당군(唐軍)이 말갈군(靺鞨軍)과 함께 신라를 공격했을 때 화랑으로서 출전하였으나 후퇴하여, 스스로 부끄러이 여겨 태백산(太伯山)에 숨어 살던 중, 675년 당나라 군사가 매소성(買蘇城)을 공격해 오자, 적을 섬멸하여 크게 공훈을 세웠지만, 여전히 어머니의 용납을 받지 못해 세상을 비관하여 일생을 숨어 삶.

원:숭이 명〖동〗①영장류(靈長類) 중에서 사람을 제외한 대부분의 짐승. 늘보원숭이·비비·긴팔원숭이·성성이·침팬지 등이 있음. 신(申). 원후(猿猴). ②[*Macaca fuscata*] 원숭잇과에 속하는 동물. 몸길이 70-100 cm 내외이고, 머리와 몸통과 사지(四肢)는 일률적으로 암갈색이며, 황색의 무늬가 있고, 꼬리는 짧고 얼굴 주위와 볼기는 적색임. 입에는 식물(食物)을 모아 두는 볼 주머니가 있고, 콧구멍은 아래쪽을 향해 있으며, 양미간(兩眉間)이 좁음. 팔이 길어서 먹이를 자유로이 쥐어 까먹으며 새끼의 이를 잡아 주기도 하고, 나무에도 잘 오름. 임신한 후 9개월 만에 한 마리의 새끼를 낳음. 일본의 특산종으로 동물원에서 사육함. 목후(沐猴). 미후(獼猴). 호손(猢猻). 노유(猱狖).
[원숭이도 나무에서 떨어진다] 익숙하고 잘 하는 사람도 혹 실수하는 수가 있다는 말. [원숭이 똥구멍같이 맬갛다] 취할 것, 보잘 것이 하나도 없다는 말. [원숭이의 고기 재판하듯] 〔고깃점을 똑같이 나누어 준다면서 야금야금 제가 베어 먹어, 마침내 다 먹어 버린 이솝 우화의 원숭이 이야기에서〕 명분은 공정(公正)을 내세우되, 실지로는 교활하게 남을 속이고 제 잇속을 차리는 모양. ¶불의한 법관들을 가르쳐 말하기를 원숭이의 고기 재판하듯 한다 하니≪김 필수: 警世鐘≫. [원숭이 이 잡아 먹듯] ㉠샅샅이 뒤지는 모양. ¶원숭이 이 잡아먹듯 구석구석 뒤지다가≪李海朝: 牡丹屛≫. ㉡원숭이가 늘 이를 잡는 시늉을 하나, 실지로는 진짜로 이를 잡는 것이 아닌 것과 같이, 사람이 무슨 일을 하는 체하면서 실지로는 아무 것도 하지 않음의 비유. [원숭이 입내 내듯] 생각 없이 덩달아 남 하는 대로 따라 함을 나무라는 말. ¶강동지의 마누라는 원숭이 입내 내듯이 강동지 옆에 가서 마주 쓰러져 자는 시늉을 한다≪李人稙: 鬼의 聲≫.
원:숭이 볼기짝이라 구 얼굴이 붉어짐을 놀리는 말.

원:숭이-게 명〖동〗[*Carcinoplax longimanus*] 원숭이겟과에 속하는 게의 하나. 등딱지의 길이는 49 mm, 폭은 65 mm 내외이고 두흉갑(頭胸甲)은 타원형임. 보각(步脚)의 완절(腕節) 이하의 양가장자리에 긴 털이 있고 그 외에는 털이 없음. 다리는 길고 수컷의 겸각(鉗脚)은 갑장(甲長)의 3.5배 가량 됨. 30-100 m 되는 해저(海底)의 개흙땅에 서식하는데, 한국에도 분포함. 잔나비게.

원:숭이-날 명 〈속〉〖민〗신일(申日).

원:숭이동이-나물 명〖식〗눈동이나물.

원:숭이-띠 명〖민〗'신생(申生)'을 원숭이의 속성(屬性)을 상징하여 일컫는 말.

원:숭이-해 명 〈속〉〖민〗신년(申年).

원:숭잇-과【—科】명〖동〗[Cercopithecidae] 영장류(靈長類)에 속하는 한 과(科). 사람 다음 가는 고등(高等) 동물로서, 앞다리는 뒷다리보다 길고, 다섯 개의 발가락이 있으며, 그 발톱은 물건을 쥐는 데 적당함. 산지(山地)에서 수상 생활(樹上生活)을 하는 종류와, 해안의 암석 지대에서 생활하는 종류가 있음. 대체로 군서(群棲)생활을 하며, 한 배에 한 마리씩 새끼를 낳음. 아프리카·아시아·지브롤터(Gibraltar) 등지에 77종 가량 분포함. *사람과.

원쉬 명 〈방〉원숭이(경북).

원숭이 명 〈방〉원숭이(충북).

원스 모어 [once more] 감 한 번 더의 뜻.

원-스텝 [one-step] 명 ①일보(一步). 일단계(一段階). ②사교 댄스의 하나. 단순한 4분의 2박자로 폭스 트롯(fox trot)보다 빠른 변화의 스텝. 1910년경 영국에서 기원(起源)하여 미국의 캐슬(Castle, V.) 부부가 고안한 데서 캐슬 워크(Castle walk)라고도 함.

원:승이 명 〈방〉원숭이(경기).

원-승자【原乘子】명〖수〗소인수(素因數).

원:시[1] 명 〈방〉원숭이(경북).

원시[2]【元是·原是】명부 본디. 본시(本是).

원-시[3]【元詩】명 중국 원(元)나라 때의 시. 초기에는 송시(宋詩)보다는 금시(金詩)의 영향(影響)을 받았음. 공신(功臣)인 야율 초재(耶律楚材)가 유명한데, 왕조(王朝)가 짧았던 관계로 독자적(獨自的)인 시풍(詩風)은 없음.

원시[4]【院試】명〖역〗조선 시대 때, 훈련원(訓練院)에서 주관하여 보이던 식년 무과(式年武科)의 초시(初試). 70명을 뽑음.

원시[5]【原始·元始】명 ①시작되는 처음. ②문화가 피어 나지 않고 자연 그대로임. ③자연 그대로 사람의 손이 가해지지 않은 일. 자연에 가까운 본디의 모양. 원초(原初). ④원생(原生).

원시[6]【原詩】명 원작(原作)의 시. 번역하거나 개작(改作)한 경우의 본디의 시(詩).

원:시[7]【遠矢】명 멀리 쏘는 화살.

원:시[8]【遠視】명 ①먼 곳을 바라봄. 먼 곳까지 보임. ②〖물〗안구(眼球)의 안길이가 짧거나 각막(角膜) 또는 수정체(水晶體)의 굴절력이 약하여 가까이 있는 물체의 상(像)이 망막(網膜) 뒤쪽에 형성되기 때문에 선명하게 보이지 않는 일. 또, 그러한 눈이나 사람. 눈이나 머리가 아프기도 함. 볼록 렌즈로 교정함. 멀리보기. ③↗원시안(遠視眼). 1)·2): ↔근시(近視). ——하다 타여불

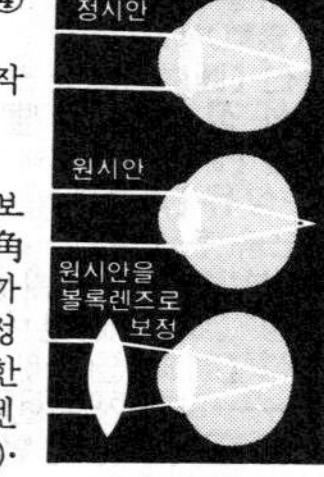

〈원시[8]❷〉

원:시-경【遠視鏡】명 원시안(遠視眼)의 사람이 쓰는 안경. 볼록 렌즈(lens)를 써서 물체의 영상을 조절함. 원안경(遠眼鏡). ↔근시경(近視鏡). *원시안(遠視眼).

원시 공:동체【原始共同體】명 원시 공산체.

원시 공:산제【原始共産制】명〖사〗고대 노예제 성립 이전의 사회 제도. 노동 생산성이 낮으므로 부족(部族) 단위로 공동 생산·공동 분배·공동 소비를 한 것으로 추정(推定)됨. 그 실재(實在)는 사가(史家)에 따라서는 거의 부정(否定)하고 있음.

원시 공:산체【原始共産體】명 [도 Urkommunismus]〖사〗원시 공산제의 사회 조직. 인류가 최초로 만들었다고 추정(推定)되는 부족(部族) 단위의 집단 사회. 생산력이 약하므로 공동 생산·공동 분배·전원(全員) 참가의 의사 결정으로 긴밀한 결합을 유지하였음. 19세기 후반 그 잔존(殘存) 형태가 발견되었다고는 하나, 역사적으로 그 존재를 실증(實證)하기가 거의 불가능함. 원시 공동체. 농업 공산체. 씨족(氏族) 공산체. *씨족 제도.

원시-권【原始權】[—꿘] 명〖법〗제일 권리(第一權利).

원시 기독교【原始基督教】명 서기 30년경부터 180년 경까지의 기독교. 기독교의 성립에 따르는 복음(福音)의 확립과 교회의 강화·확대 운동이 성했음.

원시 난:포【原始卵胞】명〖생〗발달의 초기에 있는 난포.

원시 농법【原始農法】[—뻡] 명 원시 시대의 한 조방(粗放) 농법.

원시 동:물【原始動物】명〖동〗고생대(古生代)에 번영한 동물에서 볼 수 있는 원시적인 동물. 현존(現存)하는 것으로는 완족류(腕足類)·절지(節肢) 동물 등에도 있고, 또 포유류 중의 유대류(有袋類)나 일혈류(一穴類) 등이 포함되며, 또 화석으로서 나오는 동물의 거의가 해당함. 이들 생존하는 동물 중 육상에 서식(棲息)하는 것은 열대 혹은 아열대에만 분포하는데, 이것은 빙하 시대에 심한 영향을 받지 않았기 때문에 현재까지 생존해 있다고 생각됨.

원시-림【原始林】명 벌채(伐採) 등 사람의 행위와 산불이 미치지 않아서 자연 그대로의 상태로 무성한 삼림. 협의(狹意)로는, 극상(極相)에 달하여 오랜 동안 변화하지 않은 삼림을 가리킴. 원림(原林). 시원림(始原林). 원생림(原生林). 처녀림(處女林). 자연림(自然林). ¶인적 미답(人跡未踏)의 ~.

원시 미:술【原始美術】명 미개(未開) 미술.

원시 민족【原始民族】명 문화가 발달되지 못하여 원시 생활을 하고 있는 민족.

원시 반:응【原始反應】명〔primitive reaction〕〖철〗 갑자기 강한 쇼크를 받았을 때에, 지성이 마비되어 하등 동물에서 보는 것과 같은 본능적인 적응을 보이는 반응.

원시 배설기【原始排泄器】명〔archinephridium〕〖생〗 일부 환형 동물(環形動物) 유생(幼生)의 각 체절(體節)에서 볼 수 있는 원시적인 신관(腎管).

원시-별【原始一】명〔protostar〕〖천〗 성간 물질(星間物質)이 응축(凝縮)하기 시작하여 항성(恒星)이 되어 가고 있는 것. 표면 온도는 낮고 실시 등급(實視等級)은 아주 어두움. 원시성(原始星).

원시 복족류【原始腹足類】[一뉴] 명 〔Archaeogastropoda〕 연체 동물(軟體動物) 전새류(前鰓類)의 한 목(目). 고생대의 캄브리아기(Cambria 紀)에 출현하여 현재까지 존속(存續)하는 패류(貝類)로서 전복·소라 등. 아가미나 근육(筋肉) 등의 배열(排列)에 원시적인 특징이 있고, 패각에는 수관구(水管溝)가 없음.

원시 불교【原始佛敎】명〖불교〗 부파 불교(部派佛敎)가 생기기 이전의 불교. 곧, 석가(釋迦) 재세(在世) 시대에서 그의 제자들까지의 불교. 연기설(緣起說)과 사제 팔성도(四諦八聖道)가 중심 교리(中心敎理)인데, 이 시대의 경전(經典)에는 석가나 그 제자의 말로 추정(推定)되는 원형적(原型的)인 것이 있음.

원시 빈모목【原始貧毛目】명〖동〗 물지렁이목(目).

원시 사회【原始社會】명 ①원시 시대의 사회. ②〔primitive society〕〖사〗 문명 세계에서 격리되어 고립(孤立)하고 있는 미개 부족(未開部族)의 사회. 미개 사회.

원시 산:업【原始產業】명 ①고대에 행하여진 산업. 수렵·어로·초보적인 농목축업 따위. ②농업·어업·광업 등 천연 자원의 획득을 목적으로 하는 산업. 제1차 산업.

원시 생식 세:포【原始生殖細胞】명〖생〗 원생식 세포(原生殖細胞).

원시 생활【原始生活】명 문화가 발달되지 못한 원시 시대에, 일정한 생업이 없이 나무 열매나 따 먹고 물고기나 잡아 먹던 생활.

원시-선【元詩選】명 중국의 원시(元詩)를 망라한 선집(選集). 청(淸)나라의 고사립(顧嗣立)이 1695년부터 1720년에 걸쳐, 한 권에 작가 100명씩을 수록하여 3권을 간행하였음.

원시 성운【原始星雲】명〖천〗 태양계·은하계의 기원을 논하는 성운설(星雲說)에서 말하는, 천체·항성계·소우주 등의 모체가 되는 가스괴(gas塊). *성운설(星雲說).

원시 시대【原始時代】명 인류가 원시적인 생활을 하던 유사(有史) 이전의 미개한 시대. 원인(原人) 시대.

원시 식물【原始植物】명〖식〗 원생(原生) 식물.

원시-신【原始腎】명〔archinephros〕〖동〗 원시적인 척추 동물 및 먹장어 따위의 유생(幼生)에서 볼 수 있는, 쌍(雙)으로 된 배설 기관.

원시 심성【原始心性】명〔프 mentalité primitive〕〖심〗 미개 사회에서 채택되고 있는 독특한 사고(思考). 또, 그 방법. 프랑스의 사회학자 레비브륄(Lévy-Bruhl)의 용어임. 미개인은 인과율(因果律)에 따른 논리적 사고를 사용하지 않고 정서(情緖)를 극단적으로 개입시켜 독특한 주술적(呪術的)·전논리적(前論理的)·미분화(未分化)된 사고를 한다고 함. 현재는 이러한 독자적인 것은 없으며 현대인의 사고와 본질상의 변함이 없는 것으로 간주함. 원시 심의(原始心意).

원시 심의【原始心意】[一 / 一이] 명 원시 심성(原始心性).

원:시-안【遠視眼】명〔hypermetropia〕〖생〗 조절근(調節筋)의 신축이 불충분하거나 또는 수정체(水晶體)가 평평한 까닭으로, 가까운 물체의 실상(實像)이 망막(網膜)의 뒤에 생기어, 가까이 있는 물건을 잘 보지 못하는 눈. 이것을 보정(補正)하기 위하여 볼록 렌즈(lens)의 안경을 씀. 원시(遠視). 돋보기눈. 멀리보기눈. ㊟원시(遠視)·원안(遠眼). ↔근시안(近視眼). *원시경(遠視鏡).

원시 언어【原始言語】명〔source language〕 컴퓨터에 의한 자동(自動) 프로그램 번역 과정에서, 입력(入力)으로 주어지는 프로그램 언어.

원시 예:술【原始藝術】명 원시적인 성격 내지 위치를 갖는 예술. 소박하고 장식적 요소(裝飾的要素)가 현저한 것이 특징임.

원시 요법【原始療法】[一뻡] 명 미개 사회에서 행하는 질병 치료법. 민간(民間) 요법.

원시 우:주【原始宇宙】명〖천〗 팽창 우주론에서, 팽창하기 시작한 원초적(原初的)인 우주. 고온(高溫)·고밀도(高密度)의 수축한 상태이며, 소우주나 항성(恒星) 등의 천체는 물론 원소(元素)도 형성되지 않았던 것으로 추정된다고 함.

원시 은하【原始銀河】명〖천〗 이론적으로 생각되고 있는 은하계 성운의 초기 단계. 구조를 갖지 않은 가스운(gas雲)이 각기 자체 중력(重力)으로 응집(凝集)하여 다수의 단편(斷片)으로 되었다고 봄. 영국의 천문학자 진스(Jeans, J. H.)의 설.

원시 음악【原始音樂】명 원시 시대의 음악. 또, 원시 시대 문화 단계에 있는 원시 민족의 음악.

원:시이 명 〈방〉 원숭이(경상).

원시-인【原始人】명 ①현재의 인류 이전의 고대 인류. ②원시 시대의 사람. 미개인(未開人).

원시 인도 유:럽 민족【原始一民族】〔Indo-Europe〕 명〖인류〗 인도 유럽어(語)가 분화(分化)하기 이전에 대략 단일 언어를 사용한 것으로 추정되는 언어학상의 가설(假說)의 민족. 기원 전 3,000년경으로, 신석기 시대 이전인 것으로 추측됨.

원시 인류【原始人類】[一일一] 명 화석 인류.

원시 일신관【原始一神觀】[一씬一] 명〖종〗 종교의 애니미즘(animism) 또는 토테미즘(totemism) 기원설에 대하여, 지상자(至上者)가 존재한다고 하는 일신관(一神觀)을 미개 종족간의 보편적인 관념으로 보고, 이에서 종교의 기원(起源)을 구하는 학설.

원시-적【原始的】명관 ①문명이 진보·발달하지 않은 모양. 자연의 형태에 가까운 모양. 문화적이 아닌 모양. ②유치한 모양.

원시적 반:응【原始的反應】명〖심〗 의식적인 반응에 대하여 의식하기 이전의 또는 의식하(意識下)의 반응.

원시적 불능【原始的不能】[一룽] 명〖법〗 채무(債務)의 이행(履行)이 불가능하다는 것이 채권(債權) 성립 이전에 확립되어 있는 일. 소실(燒失)한 가옥의 매매 계약의 경우 그 계약에 의거한 채권은 성립되지 않은 것 등임. ↔후발적 불능(後發的不能).

원시적 축적【原始的蓄積】명〖경〗 자본주의적 생산 양식의 기본 조건인 자본과 임금 노동이 형성되는 역사적 과정을 일컬음. 대토지 소유자·상인에 의하여 화폐 자본이 축적되는 한편, 농민·수공업자(手工業者)는 생산 수단에서 분리되어 무산자 계급이 형성됨. 원시 축적. 본원적(本源的) 축적.

원시 정:관【原始定款】명〖법〗 회사의 설립 당시의 정관. 회사는 사정에 따라서 정관을 변경할 수 있는데, 회사 성립 후의 변경된 정관에 대하여 회사 설립시에 발기인이 작성한 정관을 말함.

원시 종교【原始宗敎】명〖종〗 원시 시대 또는 미개 민족의 종교. 그리스도교·불교·회교에 대하여 사용되며, 영혼·정령(精靈) 등의 초자연적(超自然的) 존재의 신앙 및 이에 관한 이론·예의·집단 등을 총괄(總括)하여 이름. 애니미즘·애니머티즘·토테미즘 등.

원시 지각【原始地殼】명〖지〗 지구의 역사 중에서 가장 먼저 형성(形成)되었다고 생각되는 지각. 구체적인 내용·장소·시기 등은 아직 불분명함.

원시 천존【元始天尊】명〖종〗 도교에서 제일 높은 신. 천지가 생겨나기 이전에 자연의 기(氣)를 받고 태어났으며, 과거에 여러 번 거듭된 천지의 괴멸(壞滅)에도 멸망하지 않고 새로이 천지가 열릴 때마다 대도(大道)를 계속 내렸다 함.

원시 축적【原始蓄積】명 원시적 축적(原始的蓄積).

원시 취:득【原始取得】명〖법〗 어떤 권리(權利)를 남에게서 이어받지 아니하고 새로이 독립적(獨立的)으로 취득(取得)하는 일. 무주물 선점(無主物先占)·유실물 습득(遺失物拾得)·시효 취득(時效取得) 등으로 인한 취득.

원-시:터〔one-seater〕명 비행기·자동차 등의 일인승(一人乘). 단좌식(單座式).

원시 프로그램【原始一】〔program〕명〖컴퓨터〗 기계어로 번역되기 이전의 원래의 프로그램. 소스 프로그램.

원시 함:수【原始函數】[一쑤] 명〔primitive function〕〖수〗 도함수(導函數)에 대하여 원래의 함수를 일컫는 말. 기함수(基函數).

원:시-화【遠視畫】명〖미술〗 원근법을 이용하여 실경(實景)을 연상하여 볼 수 있도록 그린 그림.

원시 환충류【原始環蟲類】[一뉴] 명〖동〗 원환충류.

원식[1]【原式】명 본디의 식(式).

원:식[2]【遠識】명 미래를 내다볼 만큼의 높은 식견.

원-식구【原食口】명 그 집안의 본디 식구.

원신[1]【元辰】명 ①원단(元旦). ②좋은 때. 길신(吉辰).

원신[2]【原腎】명〖생〗 볼프체(Wolff體).

원신-관【原腎管】명〔protonephridium〕〖생〗 편형(扁形) 동물·유형(紐形) 동물·윤형(輪形) 동물의 원시적인 배설 기관(排泄器官). 가는 구관(溝管)이 몸 안에서 수지상(樹枝狀)으로 분포되고, 말단에 있는 불꽃 세포(細胞)에서 노폐물(老廢物)을 관 안에 유출(誘出)하여, 한 개 또는 몇 개의 배설공(排泄孔)을 통하여 몸 밖으로 내어보냄. 환형(環形) 동물·연체(軟體) 동물에서는 유생(幼生)에 한하여 있음.

원신-종【原腎腫】명〖의〗 생식 기관(生殖器官)에 발생하는 양성 또는 악성 종양의 총칭. 볼프체에서 발생되는 것으로 생각되고 있음.

원실 돈:오【圓實頓悟】명 조금도 결함이 없는 실상(實相)의 이법(理法)을 속히 깨달음. ——하다 자여불

원:심[1]【怨心】명 원망하는 마음. ¶~을 품다.

원심[2]【原審】명〖법〗 그 재판의 하나 앞의 단계에서 소송을 심리한 재판. 또, 그 법원.

원심[3]【圓心】명 ①〖수〗 원의 중심. ②〖불교〗 깨달음을 구하는 완전 청정(完全淸淨)한 마음.

원:심[4]【遠心】명 중심으로부터 멀어져 감. ¶~ 분리기(分離器).

원:심 가속도【遠心加速度】명 방향을 변화할 때의 가속도.

원:심 과:급기【遠心過給機】명〖기〗 원심 송풍기(送風機)를 사용하여 내연 기관의 출력을 증대시키는 공기 압축기.

원:심 뉴:런【遠心一】〔neuron〕명 원심 신경을 형성하고 있는 개개(個個)의 신경 세포와 그 돌기(突起).

원:심-력【遠心力】[一녁] 명〔centrifugal force〕〖물〗 원운동(圓運動)을 하고 있는 물체에 작용하는 관성(慣性)의 힘. 구심력(求心力)과 크기가 같고 방향이 반대임. 일반적으로는 회전의 중심에서 멀어지려는 힘을 말하며, 원심 분리기·원심 조속기(調速器)·속도계 등에 응용됨. ↔구심력(求心力)·향심력(向心力).

원심 법원【原審法院】名〖법〗 원재판을 행한 법원.
원:심 분리기【遠心分離機】[—불—] 名〔centrifuge〕〖물〗 회전에 의한 원심력(遠心力)을 이용하여 비중(比重)이 다른 두 가지 액체 또는 액체 중에 잘 침전(沈澱)되지 않는 미립자상 고체(微粒子狀固體) 등을 분리하는 장치. 액체를 용기에 넣어서 고속도(高速度)로 돌리면, 비중이 큰 액체 또는 고체는 바깥 쪽으로 분리됨. 분리·분석·정량(定量)·여과(濾過)·탈수(脫水)·농축·정제(精製) 등에 널리 쓰임.
원:심 브레이크【遠心—】名〔centrifugal brake〕 호이스트(hoist)의 드럼 속도가 설정 한계를 초과하면 브레이크로 작용하는 안전 장치.
원:심성 신경【遠心性神經】[—썽—] 名〔efferent nerve〕〖생〗 흥분(興奮)을 중추(中樞)에서 말초(末梢)로 전달하는 운동 신경·분비 신경(分泌神經)·억제 신경(抑制神經)·고무 신경(鼓舞神經) 등의 총칭. ↔구심성 신경(求心性神經). ＊운동 신경(運動神經).
원:심 송:풍기【遠心送風機】名 회전하는 날개바퀴에 공기를 통과시켜 그 원심력에 의해 송풍하는 장치.
원:심 압축기【遠心壓縮機】名〖기〗 공기나 가스를 고속(高速)으로 회전하는 날개바퀴 속을 통과시켜, 그 원심력을 이용하여 압축하는 기계. 터보(turbo) 압축기.
원:심 운:동【遠心運動】名〖물〗 중심에서 멀리 떨어져 나가려는 물체의 운동. ＊구심(求心) 운동.
원:심 조속기【遠心調速機】名 물체의 원심 작용을 응용하여서 회전 속도를 자동적으로 일정하게 하는 장치.
원:심 주:조법【遠心鑄造法】[—뻡] 名〖공〗 주형(鑄型)을 회전시키면서 용융(熔融) 금속을 부어 넣어 그 원심력을 이용하여 중공(中空)의 주물(鑄物)을 주조하는 방법. 조직이 조밀하고 내압성(耐壓性)을 요하는 데 알맞음.
원:심 추출기【遠心抽出器】名〔centrifugal extractor〕 원심력을 이용하여 용액(溶液)의 여러 성분을 분리하는 장치.
원:심 침강【遠心沈降】名〔centrifugal sedimentation〕 원심력을 이용하여 액체에서 고체를 제거(除去)하는 일. 입자는 액체 속을 회전의 중심에서 방사상으로 또는 반대로 중심 방향으로 향하여 침강함. 이 이동의 방향은 고체와 액체의 상대 밀도에 따라 결정됨.
원:심 침강기【遠心沈降機】名〔centrifugal settler〕 액체에서 고체 입자를 분리하는 회전 용기(回轉容器).
원:심 탈수기【遠心脫水機】[—쑤—] 名 탈수를 목적으로 한 원심 분리기(分離機). 원심력을 이용하여 물기 있는 물체에서 액체를 제거함. 액체가 묻은 결정(結晶)이나 젖은 섬유 등에 이용함.
원:심 펌프【遠心—】名〔centrifugal pump〕〖물〗 나선상(螺旋狀)의 날개바퀴를 고속도(高速度)로 회전시켜, 그 원심력에 의하여 압력 상승을 일으켜 높은 곳으로까지 양수(揚水)하는 펌프. 판(瓣)은 없음. 터빈 펌프(turbine pump).
원:심 화서【遠心花序】名〖식〗 유한 화서(有限花序).
원:심 회전 속도계【遠心回轉速度計】名〔centrifugal tachometer〕 축(軸)과 더불어 회전하는 질량의 원심력을 측정함으로써 축의 순간 각속도를 재는 장치.
원아[1]【院兒】名 육아원·고아원 같은 데서 양육되는 아동.
원아[2]【園兒】名 유치원에 다니는 아이.
원 아웃〔one out〕名 야구에서, 공격측(攻擊側)의 선수가 한 사람 아웃됨. 일사(一死).
원악【元惡】名 ①악한 일의 주모자. ②매우 악한 사람.
원악 대:대【元惡大憝】名 ①반역죄를 범한 사람. ②극히 악하여 온 세상이 미워하는 놈.
원:악-지【遠惡地】名 서울에서 거리가 멀고도 살기가 어려운 곳.
원:악지 정:배【遠惡地定配】名 원악지(遠惡地)에 귀양을 보냄.
원악 향리【元惡鄕吏】[—니] 名〖역〗 조선 초기에, 새 왕조의 정책에 복종하지 않은 토호적(土豪的) 향리(鄕吏)의 일컬음.
원안[1]【原案】名 본디의 안. 그것을 바탕으로 하여 토의(討議)하기 위한 안. 본안(本案).
원안[2]【圓眼】名〖식〗 용안(龍眼).
원:안[3]【遠眼】名〖생〗 ↗원시안(遠視眼). ↔근안(近眼).
원:안-경【遠眼鏡】名 원시경(遠視鏡).
원안-악【元安樂】名〖악〗 악장(樂章)의 이름.
원안-자【原案者】名 원안을 작성하는 사람.
원앙【鴛鴦】名〖조〗[*Aix galericulata*] 오릿과에 속하는 물새. 날개 길이 22 cm, 부리는 짧고, 끝에는 손톱 같은 돌기가 있음. 뒷머리에는 긴 관우(冠羽)가 있으며, 날개의 안 깃은 크고, 부채같이 펴져 은행잎 날개를 이룸. 하모(夏毛)는 머리·목이 회갈색, 등은 감람색, 가슴은 갈색 바탕에 흰 반점(斑點)이 있음. 암수 거의 같은 빛이나, 동모(冬毛)의 수컷은 볼기·목이 적갈색, 가슴은 자주색인데, 검은 가장자리에는 줄이 있는 두 색대(色帶)가 있어, 몹시 아름다움. 5-6월에 호소(湖沼) 가의 높은 나무 구멍에 열 개 가량의 알을 낳고, 가을에 평지(平地)의 물에 떼지어 삶. 곡류·풀의 씨·곤충 등을 포식하며, 암수가 서로 떨어지지 아니하며, 사이가 좋으므로, 예로부터 부부의 애정에 비유함. 동부 시베리아·중국·일본·한국에 번식함. 인제(隣提). 파라가(婆羅迦). 필조(匹鳥).

〈원앙〉

[원앙이 녹수(綠水)를 만났다] 적합한 배필(配匹)을 만났다는 말.
원앙-계【鴛鴦契】名 금실이 좋은 부부의 사이. 원앙지계.
원앙-곡【鴛鴦曲】名〖악〗 통일 신라 시대에 옥보고(玉寶高)가 지은 거문고 악곡 30곡 중의 하나.
원앙-국【鴛鴦菊】名〖식〗 바곳[2]❶.
원앙-금【鴛鴦衾】名 원앙을 수놓은 이불. 원앙피(鴛鴦被). ㊍앙금(鴦衾).
원앙 금:침【鴛鴦衾枕】名 원앙을 수놓은 이불과 베개.
원앙-등【鴛鴦藤】名〖식〗 겨우살이덩굴.
원앙-새【鴛鴦—】名 '원앙(鴛鴦)'을 분명히 일컫는 말.
원앙새-장【鴛鴦—欌】名 주로 원앙새 모양 무늬의 쇠장식으로 꾸민 장.
원앙-와【鴛鴦瓦】名 암키와와 수키와가 짝을 이룬 것. 또, 모양이 원앙 비슷한 기와.
원앙-우【鴛鴦偶】名 원앙의 쌍. 전(轉)하여, 화목한 부부.
원앙이-사촌【鴛鴦—四寸】名〖조〗[*Pseudotadorna cristata*] 오릿과에 속하는 새. 원앙과 비슷한데, 날개 길이 320 mm이고 머리는 녹흑색이며, 관우(冠羽)가 있음. 얼굴과 목은 담회색, 어깨 깃과 날개 끝은 밤색, 윗 가슴은 흑색, 암컷은 암갈색임. 동남 시베리아·한국·중국의 일부에만 분포하는 진기한 종류임.
원앙-잠【鴛鴦簪】名 머리에 원앙을 새긴 비녀.
원앙지-계【鴛鴦之契】名 원앙계.
원앙-침【鴛鴦枕】名 ①원앙을 수놓은 베개. ②부부가 함께 베는 베개.
원앙-피【鴛鴦被】名 원앙금(衾).
원액[1]【元額·原額】名 본디의 수효나 분량.
원액[2]【原液】名 가공하거나 묽게 하지 않은 본디의 진한 액체.
원액 염:색【原液染色】名〔solution dyeing〕 섬유를 방사(紡絲)하기 전에, 원액에 물감을 가(加)해서 하는 염색법.
원야【原野】名 미개척으로 사람의 손이 가지 않은 황무지. 인가(人家)가 없는 넓은 벌판과 들. 벌판. ¶황막한 ～.
원:양【遠洋】名 육지에서 멀리 떨어져 있는 넓은 바다. 외해(外海). 대양(大洋). 원해(遠海).
원:양 구역【遠洋區域】名 평수(平水) 구역·연해(沿海) 구역·근해 구역을 제외한 모든 항행 구역.
원:양-어【遠洋魚】名 원양 해역에 사는 물고기. 가다랑어·다랑어·대구·상어 등.
원:양 어선【遠洋漁船】名 원양 어업에 종사하는 어선. 그 구조나 설비가 외양(外洋)의 거센 파도에 대한 내구력(耐久力)을 가지고 있고, 잡은 어물(漁物)을 운반하며, 또 배 안에서 냉동 등 처리를 할 수 있는 배. 흔히, 두어 척의 어정(漁艇)을 싣고 어장(漁場)에 나가, 그 어정을 내려 어부(漁夫)가 타고, 모선(母船)을 떠나 고기를 잡음. ↔근해 어선.
원:양 어업【遠洋漁業】名 원양 어선(遠洋漁船)으로 원양 해역(海域)을 항해하며 하는 어업. 어구(漁具)와 어정(漁艇)을 싣고, 물고기의 저장·가공 설비를 갖추고 있음. 다랑어·연어·송어·게잡이 어업 및 트롤(trawl) 어업 등. 원해 어업(遠海漁業). ↔연안(沿岸) 어업·근해(近海) 어업·연해(沿海) 어업.
원:양-태【遠洋太】名 북양(北洋) 등, 육지에서 멀리 떨어진 대양(大洋)에서 잡히는 명태. ＊해안태(海岸太).
원:양 항:로【遠洋航路】[—노] 名〖해〗 멀리 바다를 항해하는 항로.
원:양 항:해【遠洋航海】名〖해〗 원양을 항해하여 내국(內國)과 외국(外國)과의 사이에 교통하는 일. ㊍원항(遠航).
원어【原語】名 번역하거나 고쳐 지었거나 한 말에 대하여 그 본디의 말. 밑말. ↔역어(譯語).
원어-민【原語民】名 어떤 특정 언어를 모국어로 사용하는 사람.
원억【冤抑】名 원굴(冤屈). ——하다 形(여불)
원:언【怨言】名 원망하는 말.
원업【冤業】名〖불교〗 과거 또는 전세에서 뿌린 악의 씨.
원:에【怨恚】名 원한을 품고 분노함.
원-여장【圓女牆】[—녀—] 名 윗변이 반월형인 여장.
원역[1]【員役】名〖역〗 이서(吏胥)의 한 가지. ＊아전(衙前).
원:역[2]【遠域】名 먼 지역. 원지(遠地).
원연체-류【原軟體類】名〖동〗 쌍신경류(雙神經類).
원염[1]【原塩】名〖화〗 소다 공업 등 화학 공업의 원료로 사용되는 조제(粗製)한 식염(食塩). 공업염(工業塩). 본염(本塩).
원염[2]【琬琰】名 아름다운 구슬의 한 가지.
원엽-체【原葉體】名〖식〗 전엽체(前葉體).
원영[1]【原營】名〖역〗 조선 시대 때 강원 감영(監營)의 별칭.
원:영[2]【遠泳】名 먼 거리를 헤엄치는 수영.
원예[1]【圓翳】名〖의〗 각막(角膜) 위에 둥근 점이 생기어, 볕이 비치는 곳에서는 작아지고, 그늘진 곳에서는 커지며, 시력이 약해지는 병.
원예[2]【園藝】名〖농〗 농업의 일부로, 화훼(花卉)·소채(蔬菜)·과수(果樹) 등의 재배(栽培)와 그 생산품(生産品)의 가공(加工), 취미(趣味)로서의 조원(造園) 기술의 총칭.
원:예[3]【遠裔】名 먼 후세의 자손. 먼 핏줄. 원주(遠胄). 원손(遠孫).
원예-가【園藝家】名 원예를 업으로 하거나 또는 연구하는 사람.
원예-농【園藝農】名〖농〗 원예 작물의 재배를 주로 하는 농업.
원예-부【園藝夫】名 원예에 종사하는 인부.
원예-사【園藝師】名 원예를 업으로 하는 이. 동산바치.
원예-술【園藝術】名 정원을 만들고 화초(花草) 등을 재배(栽培)하는 방법. 또, 그 기술.
원예 시험장【園藝試驗場】名 농촌 진흥청에 소속된 시험장의 하나. 채소·과수·화훼류(花卉類)의 품종 개량(品種改良)·재배 개선(栽培改善) 및 작물 환경에 대한 시험 연구와 원예 작물 종자 생산에 관한 사무를 관장(管掌)함.
원예 식물【園藝植物】名〖식〗 원예로서 재배되는 식물. 정원수(庭園樹)·화초·과수·야채 같은 것. 생산·가공·조원(造園)의 목적으로 재배함. ＊원예 작물.

잠수함. 한 번의 핵연료 장전(裝塡)으로 2년 이상 행동할 수 있으며, 수 파운드(pound)의 우라늄으로 3만 해리(海里) 이상을 항속(航續)할 수 있고, 50일 이상을 연속 잠항(潛航)할 수 있으며, 수백 미터의 잠항 심도(滑航深度), 30 노트 이상의 수중(水中) 속력을 낼 수 있음. 핵미사일 기타 강대한 장비를 갖춰 오늘날 해군력의 주력이 되고, 국제 전략으로도 중대한 영향을 미치고 있음.

원자력 전:지 【原子力電池】 명 〔radioisotope battery〕 인공 방사성 원소에서 나오는 방사선의 에너지를 전기 에너지로 바꾸는 장치. 1961년부터 미국에서 인공 위성(人工衛星)에 사용하고 있음. 아이소토프 전지. 원자 전지.

원자력 제:철 【原子力製鐵】 명 원자력을 이용한 제철. 원자로 냉각 가스의 열을 철광석 환원에 직접 이용하는 방법과, 500°-800°C의 냉각 가스로 고로(高爐)에 장입(裝入)한 광석의 예비 환원을 행하게 하는 방법이 있음.

원자력 주사 【原子力主事】 명 공업직(工業職) 국가 공무원 직급 명칭의 하나. 원자력 직렬(職列)에 속하며, 원자력 주사보의 위, 원자력 사무관의 아래로 6급 공무원임.

원자력 주사보 【原子力主事補】 명 공업직(工業職) 국가 공무원 직급 명칭의 하나. 원자력 직렬(職列)에 속하며, 원자력 서기의 위, 원자력 주사의 아래로 7급 공무원임.

원자력 추진 【原子力推進】 명 보일러의 연료 연소에 의하지 않고, 원자로의 핵에너지로 발생시킨 증기로 추진시키는 일.

원자력 평화상 【原子力平和賞】 명 원자력의 평화 이용에 관하여 특출한 연구가에게 수여하고 있는 상. 1955년 제네바 회담에서 원자력의 평화적 이용을 역설한 미국 아이젠하워 대통령의 뜻에 따라, 미국의 포드 자동차 회사의 100만 달러의 기금(基金)으로 설치한 평화상. 제1회 상은 1957년에 덴마크의 보어(Bohr, N.)가 수상하였음.

원자력 항:공 모함 【原子力航空母艦】 명 〖군〗 원자력을 동력으로 하는 항공 모함. 1961년에 진수(進水)한 미국의 엔터프라이즈호(Enterprise號)가 최초의 것임.

원자력 협정 【原子力協定】 명 원자력의 연구·개발을 위한 국제 협정. 원자로와 이에 필요한 핵연료를 임차(賃借)·매각하고, 정보의 교환, 기술자의 교류 등을 내용으로 함. 우리 나라는 1973년 3월 19일에 미국과 원자력의 민간(民間) 이용에 관한 협정을 맺었음.

원자-로 【原子爐】 명 〔nuclear reactor〕 〖물〗 우라늄·플루토늄 등의 원자핵 분열 연쇄 반응(連鎖反應)의 진행 속도를 인위적(人爲的)으로 제어하여 원자력을 서서히 도출(導出)해 내는 장치. 핵분열성(核分裂性)의 물질을 연료로 하고, 중성자(中性子)를 그 연료의 촉매(觸媒)로 하는 장치의 노(爐). 1942년 미국의 물리학자 페르미(Fermi, E.)가 만든 CP-1이 최초의 것임.

원자로 물리학 【原子爐物理學】 명 〔reactor physics〕 〖물〗 원자로 안에서의 중성자의 움직임, 방사선과 고상(固相)·액상(液相)·기상(氣相) 물질의 상호 작용 등을 연구하는 학문.

원자로 위성 【原子爐衛星】 명 〔nuclear reactor satellite〕 동력원(動力源)으로서 소형(小型)의 원자로를 적재(積載)한 인공 위성.

원자로 주기 【原子爐週期】 명 〖물〗 원자로 안의 중성자(中性子) 밀도가 e(e=2.718) 배로 되는 데 요하는 시간. 이 주기가 긴 것일수록 중성자 밀도의 시간적 변화는 더딤.

원자-론 【原子論】 명 원자설(說).

원자론적 국가관 【原子論的國家觀】 [—쩍—] 명 〖철〗 사회 관계로부터 추상(抽象)된 고립적(孤立的)·원자적 개인만을 실재(實在)라고 생각하는 원자론적 인간관을 기초로 한 국가관. 국가는 이러한 개인의 총계(總計)로서의 사회를 위한 필요에 의하여 조직된 의제(擬制) 기계에 불과하다고 생각하는 것임.

원자 모형 【原子模型】 명 〔atomic model〕 ①원자의 구조를 도식적(圖式的)으로 구성한 모형. ②〖화〗 화합물의 분자 구조를 시각적(視覺的)·직관적(直觀的)으로 이해할 수 있도록 원자를 입체적으로 결합시킨 모형. 각 원자와 그 결합 반경을 적당한 크기로 확대하여 조립한 것임. 러더퍼드(Rutherford)의 원자 모형에 의하면, 원자의 중심에 양하전(陽荷電)을 가지는 원자핵이 있고, 그 주위로 전자가 특정한 궤도를 그리면서 운행함.

원자 무:기 【原子武器】 명 원자 병기.

원자 물리학 【原子物理學】 명 〔atomic physics〕 〖물〗 물질의 기본적인 구성 단위로서의 원자·원자핵·소립자(素粒子) 등의 성질을 연구하고, 이것을 바탕으로 하여 물질의 성질이나 현상을 설명하려는 학문. 고대 그리스의 원자론에서 비롯되었는데, 근대적인 실증 과학(實證科學)으로서는 18-19세기에 성립되었으며, 물성론(物性論)·핵물리학·소립자론 등으로 발전하였음. 최근의 물리학의 분류에는 이 이름을 사용하지 않음.

원자 반:경 【原子半徑】 명 〖물〗 원자 반지름.

원자 반:지름 【原子半—】 명 〔atomic radius〕 〖물〗 ①결합하지 않고 있는 두 개의 유사 원자의 최근접 거리의 반. ②실험에 의하여 얻어진 공유 결합 화합물(共有結合化合物) 원자의 반지름.

원자 번호 【原子番號】 명 〔atomic number〕 〖물〗 본디, 각 원소가 주기율표(週期律表)에서 차지하는 위치의 순위를 나타내는 수. 원소의 각외 전자(殼外電子)의 수와 같고 원자핵(核) 중의 양성자수(陽性子數)와도 같음. 기호는 Z.

원자-병 【原子病】 [—뼝] 명 〔atomic diseases〕 〖의〗 인체가 방사성(放射性) 물질에서 나오는 방사능(放射能)의 조사(照射)를 받음으로써 일어나는 병. 백혈구(白血球)가 비정상적으로 많아지는 것이 특징이며, X선에 과도하게 쬐어서 일어나는 병과 공통된 점이 있음.

원자 병기 【原子兵器】 명 〖군〗 원자핵 분열의 연쇄 반응(連鎖反應) 또는 원자핵 융합(融合) 반응으로 방출되는 방대한 에너지를 이용하여, 초고온(超高溫)의 열방사 효과(熱放射効果)와, 폭풍(爆風)에 의한 기계적 파괴 효과 및 핵반응 생성물(生成物)에 의한 방사능 효과 등의 종합적 작용을 대량 살상 파괴력(大量殺傷破壞力)으로서 이용한 병기의 총칭. 원자 폭탄·수소 폭탄·핵탄두(核彈頭) 미사일 등. 핵병기(核兵器). 원자무기(原子武器).

원자 부피 【原子—】 명 〔atomic volume〕 〖화〗 홑원소 물질의 1g의 원자가 고체(固體)에서 가지는 체적을 cm^3 단위로 나타낸 수. 원자용(原子容).

원자 분광학 【原子分光學】 명 〔atomic spectroscopy〕 〖물〗 원자에 의한 전자기파(電磁氣波) 흡수나 방출에 따르는 스펙트럼의 측정·해석 등을 행하는 물리학의 한 분야.

원자-빔 【原子—】 명 〔atomic beam〕 〖물〗 원자선.

원자-선 【原子線】 명 〔atomic beam〕 〖물〗 진공(眞空) 중에서 단원자(單原子) 물질을 증발시켜, 원자의 평균 자유 행로(自由行路)보다도 좁은 슬릿(slit)을 여러 번 통하는 경우, 각 원자가 서로 충돌하지 않고 일정한 방향의 단일 궤도를 고속도로 진행하는 원자군(群). 원자빔.

원자-설 【原子說】 명 ①〔atomism〕 〖철〗 세계의 모든 사상(事象)을 원자와 그 운동으로 설명하려는 철학관(哲學觀). 고대 그리스의 레우키포스(Leukippos)와 데모크리토스(Demokritos) 등은 세계는 공허한 공간과 그 이상 분할할 수 없는 극히 미소한 물질, 곧 아톰(atom)으로 되어 있다고 하였음. ②〔atomic theory〕 〖물〗 각 원소는 각각 일정한 화학적 성질 및 일정한 질량(質量)을 가진 원자로써 이루어지고, 화합물(化合物)은 이들 원자가 결합한 분자(分子)로써 이루어진다는 설(說). 원자론(原子論).

원자 수소 【原子水素】 명 〔atomic hydrogen〕 〖물〗 수소 분자가 수소 원자로 해리(解離)한 기체 수소.

원자 수소 용접법 【原子水素鎔接法】 명 〖공〗 아크 용접법의 하나. 두 개의 텅스텐 전극(電極)을 V형으로 하여, 그 전극 사이에 아크 방전을 발생시키고, 거기에 수소 가스를 뿌리어 아크를 둘러싸서, 수소 가스가 발하는 다량의 열로써 용접을 행하는 방법. 1926년 미국의 랭뮤어(Langmuir, I.)가 발명함. 국부적으로 고온도로 가열할 수 있는 이점(利點)이 있으며, 용접한 부분의 기계적 성질이 우수하여, 특히 쉬이 산화되는 금속·경금속 및 니켈 크롬강(鋼)·초경합금(超硬合金)·스테인레스 스틸 등의 용접에 이용함.

원자 스펙트럼 【原子—】 〔spectrum〕 명 〖물〗 휘선(輝線) 스펙트럼.

원자-시 【原子時】 명 〔atomic time; 약자 AT〕 원자 시계에 의하여 정한 시간의 시스템. 시간의 단위로서의 세슘 원자가 발하는 마이크로파(波)의 진동수로써 정의(定義)되는 초(원자초)를 채택하여, 세계시(世界時)의 1958년 1월 1일 0시부터 이 단위로 잰 시간을 연속적으로 적산(積算)한 것임. 기호는 A_3. 지구의 자전 운동의 변동에 관계없이, 흘러가는 시각을 나타냄. ↔천문시(天文時)❷.

원자 시계 【原子時計】 명 일정 주파수(周波數)의 신호를 발생케 하여, 그 신호로써 움직이도록 만든 특수한 시계. 1948년 미국에서 처음 제작 발표됨. 한 기체(氣體) 속으로 전자기파(電磁氣波)가 통과할 때, 그 기체의 분자 또는 원자가 고유한 주파수의 전파로 공진(共振)을 일으켜, 같은 주파수의 전파의 에너지를 흡수하는 특성을 이용한 것인데, 이 때의 최대 흡수 주파수는 외계의 영향을 받지 않고, 항상 일정함. 현재 사용되고 있는 기체는 암모니아와 세슘임. 중력(重力)이나 지구 자전에 관계없이, 또 온도의 영향도 받지않으므로 시간의 정밀(精密) 측정에 사용됨.

원자 에너지 【原子—】 명 〔atomic energy〕 〖물〗 ①원자핵을 구성하는 양성자(陽性子)·중성자(中性子) 및 전자 또는 전자 상호간의 상태 변화에 수반하여 방출(放出)되는 에너지. 화학 반응(化學反應)에 있어서의 에너지 따위. ②원자핵 에너지.

원자 연료 【原子燃料】 [—열—] 명 핵반응을 일으키어 높은 에너지를 방출하는 물질. 플루토늄·천연 우라늄·농축(濃縮) 우라늄 등의 핵분열 물질과 중수소(重水素)·삼중(三重) 수소·리튬 등의 핵융합 물질로 나뉨. 핵연료.

원자-열 【原子熱】 명 〖화〗 어떤 원소의 1g 원자의 온도(溫度)를 1°C 높이는 데 필요한 열량(熱量). 곧, 원소의 비열(比熱)과 원자량(原子量)과의 곱.

원자열 용량 【原子熱容量】 [—룡냥] 명 〔atomic heat capacity〕 〖물〗 1g 원자량 원소의 열용량.

원:자외 복사 【遠紫外輻射】 명 〔far-ultraviolet radiation〕 파장(波長)이 200-300nm의 자외 복사(紫外輻射). 살균(殺菌) 작용은 이 영역(領域)에서 가장 큼.

원자-용 【原子容】 명 〖화〗 원자 부피.

원자-운 【原子雲】 명 핵무기가 공중 폭발할 때 수반하여 생기는 버섯 모양의 인공 구름. 이상 고온(異常高溫)에 따른 상승 기류가 생기고 강한 방사능을 지님. 원폭운(原爆雲). 버섯 구름.

원자의 기저 상태 【原子—基底狀態】 [—/—에—] 명 〖물〗 '원자의 바닥 상태'의 구용어.

원자의 들뜬 상태 【原子—狀態】 [—/—에—] 명 〖물〗 각각의 원자가 가질 수 있는 가장 높은 에너지 상태.

원자의 바닥 상태 【原子—狀態】 [—/—에—] 명 〖물〗 각각의 원자가 가질 수 있는 가장 낮은 에너지 상태.

원자의 에너지 준:위 【原子—準位】 [—/—에—] 명 〖물〗 원자가 가질 수 있는 가능한 에너지 값으로, 불연속적인 값. 원자의 바닥 상태·들뜬 상태에서의 값도 포함함.

원자의 입자 【原子—粒子】 [—/—에—] 명 〔atomic particle〕 원자를

구성하고 있는 입자의 하나. 이를테면, 전자(電子)·중성자(中性子) 및 양성자(陽性子) 따위.

원자의 자기 모멘트【原子—磁氣—】[—/—에—] [명] 〔atomic magnetic moment〕〖물〗항구적 또는 일시적으로 원자가 나타내는 자기(磁氣) 모멘트. 마그네톤(magneton)을 단위로 측정함.

원자 자석【原子磁石】[명] 〔atomic magnet〕〖물〗바닥 상태(狀態) 또는 들뜬 상태에서 자기 모멘트(磁氣moment)를 가지고 있는 원자.

원-자재【原資材】[명] 공업 생산의 원료가 되는 자재(資材). ¶외국에서 ~를 도입하다. ↔시설(施設) 자재·소비재(材).

원자 저지능【原子沮止能】[명]〔atomic stopping power〕〖물〗홑원소 물질을 통과하는 전리 방사선(電離放射線)에 대하여, 입자(粒子)의 경로에 수직으로 있는 단위 넓이에서 원자당(當) 입자가 잃는 에너지.

원자 전:지【原子電池】[명] 원자력 전지(原子力電池).

원자 질량【原子質量】[명]〔atomic mass〕〖물〗중성 원자의 질량. 흔히, 원자 질량 단위로 나타냄.

원자 질량 단위【原子質量單位】[명]〔atomic mass unit〕〖물〗원자나 원자핵의 질량을 나타내는 단위. 탄소(炭素)의 동위체인 ^{12}C의 원자 질량의 십 이분의 일에 상당함. 곧 $1.6605655\times10^{-24}g$과 같음. 전에는 산소 원자의 질량을 기준으로 하였음. 질량 단위. 물리적 원자량 단위.

원자-탄【原子彈】[명] ①원자 폭탄. ②〈속〉 낚시질의 밑밥으로 쓰는 깻묵 가루.

원자 탄:두【原子彈頭】[명]〖군〗로켓 따위에서, 원자탄을 장착(裝着)한 두부(頭部).

원자 파:쇄기【原子破碎機】[명]〖물〗원자 분체(分體)인 입자(粒子)에 속도를 가하여, 포사물체(抛射物體)를 만듦으로써 딴 원자들의 핵을 폭파시키는 기계. *가속 장치.

원자-포【原子砲】[명]〖군〗원자 탄두(彈頭)를 발사할 수 있는 대포.

원자 포탄【原子砲彈】[명]〖군〗원자포에서 발사되는 핵탄두를 장치한 포탄.

원자 폭탄【原子爆彈】[명]〔atomic bomb〕〖물〗핵분열성(核分裂性) 물질이 핵분열 연쇄 반응(連鎖反應)을 일으킬 때 순간적으로 좁은 공간에서 대량의 에너지를 방출하는 폭탄. 우라늄 235·플루토늄 239가 원료임. 1kg 우라늄 235가 전부 핵분열하면 2×10^{13}cal의 에너지가 방출되는데, 이는 고성능 폭약 TNT 2만 톤의 유효 에너지와 같음. 원자탄. [준]원폭(原爆).

원자 폭탄 전:쟁【原子爆彈戰爭】[명]〖군〗원자 폭탄을 써서 대량 파괴를 감행하는 전쟁. [준]원폭전(原爆戰).

원자 폭탄증【原子爆彈症】[—쯩] [명]〖의〗원자탄 폭발에 의한, 열·폭풍 및 방사성 물질의 방사능을 인체가 받음으로써 일어나는 병증. 전신 피로·탈력감(脫力感)과 고열이 있으며 토혈(吐血)·객혈(喀血)·자궁 출혈 및 구토증, 백혈구의 현저한 감소, 탈모증(脫毛症) 등을 보이며 사망률이 높음. [준]원폭증(原爆症).

원자-핵【原子核】[명]〔atomic nucleus〕〖물〗원자의 중핵(中核)이 되는 입자(粒子). 양성자(陽性子)와 중성자가 강한 핵력(核力)으로 결합한 것으로, 원자의 질량의 대부분을 차지하며 양(陽)의 전하(電荷)를 가짐. 크기는 10^{-12}cm 이하로 원자의 지름의 일 만분의 일 이하임. 양성자의 수, 질량수, 에너지에 따라 종류가 다르며, 불안정한 핵은 방사선을 방출하며 자연 붕괴(崩壞)하고 다른 안정한 핵으로 변환함. 양핵(陽核). [준]핵(核).

원자핵 건판【原子核乾板】[명]〖물〗하전 입자(荷電粒子)의 비적(飛跡)을 기록할 수 있는 특수한 사진 건판. 감도(感度)를 높이기 위하여 브롬화은 입자(Brom化銀粒子)를 작고 균일하게 하여 높은 밀도로 두껍게 하여 있음. 건판 위를 입자가 지나가면 현상(現像) 후에 검은 점(點)의 줄을 이룬 비적이 나타남. 핵반응·우주선·방사선의 연구에 쓰임. 우주선 건판(宇宙線乾板).

원자핵 공학【原子核工學】[명]〔nucleonics〕핵분열 연쇄 반응에 관한 연구와 기술의 총칭. 원자로(原子爐) 건설을 위한 기계 공학, 원자로 운전을 위한 제어(制御) 기술 등 광범위한 과학 및 공학이 관련하는 원자력에 관한 종합 기술 등이 포함됨. 뉴클리오닉스.

원자핵 모형【原子核模型】[명]〔nuclear model〕〖물〗원자핵의 구조나 핵반응에 대한 모형. 독립 입자 모형·α 입자 모형·집단 모형·광학(光學) 모형 등이 있음.

원자핵 물리학【原子核物理學】[명]〔nuclear physics〕〖물〗원자핵의 구조(構造)·성질(性質)·반응(反應) 등을 연구하는 물리학의 한 부분. 핵물리학(核物理學).

원자핵 반:응【原子核反應】[명]〔nuclear reaction〕〖물〗원자핵이 다른 원자핵이나 소립자(素粒子)의 충격으로 다른 원자핵으로 전환하는 일. 핵반응.

원자핵 분열【原子核分裂】[명]〖물〗질량수가 크고 무거운 원자핵이 다량의 에너지를 방출하고 같은 정도의 둘 이상의 핵으로 분열하는 일. 1938년 독일의 한(Hahn, O.)과 슈트라스만(Strassmann, F.)이 발견하였음. [준]핵분열. ↔원자핵 융합.

원자핵 붕괴【原子核崩壞】[명]〖물〗원자핵이 자연적으로 입자나 전자기파(電磁氣波)를 방출하여 다른 원자핵으로 변환하는 일. 알파(α) 붕괴·베타(β) 붕괴·감마(γ) 붕괴 등이 있음.

원자핵 에너지【原子核—】〔energy〕[명]〖물〗핵반응에 의해 방출되는 에너지. 핵분열·핵융합·방사성 붕괴 등에 의한 에너지. 핵에너지. 원자 에너지. *원자력.

원자핵 유제【原子核乳劑】[—뉴—] [명] 핵유제.

원자핵 융합【原子核融合】[—늉—] [명]〖물〗핵융합. ↔원자핵 분열.

원자핵 인공 변:환【原子核人工變換】[명]〖물〗원자핵 안의 양성자·중성자의 수를 인공적으로 증감시켜, 다른 원소를 만들어 내는 일. 양성자·중성자·중양자·알파 입자 등을 원자핵에 충돌시켜 행함. 1919년 영국의 러더퍼드(Rutherford, E.)가 알파 입자에 의한 질소 원자핵을 변환시키는 데 성공한 것이 최초임.

원자핵 화학【原子核化學】[명]〔nuclear chemistry〕〖화〗원자핵의 핵종(核種)의 여러 성질을 화학적으로 연구하는 학문. 천연 및 인공의 방사성 원소의 분리·정제(精製), 화합물의 합성, 화학적 성질 등을 연구함. 핵화학.

원작【原作】[명] ①본디의 저작(著作) 또는 제작(製作). *원저(原著). ②연극·영화에서 각색된 각본에 대하여 그 소재(素材)가 된 소설·희곡(戲曲) 따위.

원작-자【原作者】[명] 원저자(原著者) 또는 원제작자.

원-작전【元作錢】[명]〖역〗조선 시대 때 작전(作錢)의 이칭(異稱). 별작전(別作錢)에 대하여 이르는 말.

원잠【原蠶】[명] ①원잠종(原蠶種)을 만들기 위하여 계통을 바르게 한 누에. ②1년에 두 번 부화하는 누에. 또, 이 중 여름에 부화하여 사육하는 누에.

원잠-아【原蠶蛾】[명]〖충〗누에나비.

원잠-종【原蠶種】[명] 좋은 누에 종자를 얻기 위하여 계통을 바르게 한 누에씨.

원장[1]【元帳】[명]〖역〗조선 시대에 고친 양안(量案)에 대한 본디의 양안.

원장[2]【元帳】[—짱] [명]〖경〗거래 전부를 기록하며 계정(計定) 전부를 포함한 주요 장부(主要帳簿). 계정 과목(計定科目)마다 계좌(計座)를 설정하고 각기의 증감·변화를 기록·계산함. 총계정 원장(總計定元帳). 원장부(元帳簿). ¶~에 기입하다.

원장[3]【垣牆】[명] 담.

원장[4]【原狀】[—짱] [명] 처음에 내었던 소장(訴狀).

원장[5]【原腸】[명]〔도 Urdarm〕〖동〗동물의 발생에 있어서 포배(胞胚)의 함입(陷入)으로 생기는 내강(內腔)과 그 내벽(內壁). 내배엽(內胚葉)과 그 원구(原口)로 둘러싸여 있음. 소화관(消化管)의 원기(原基)이며 후에 주로 장관(腸管)·간장(肝臟)·췌장(膵臟) 등의 소화 기관으로 분화(分化)함.

원장[6]【院長】[명]'원(院)'자가 붙은 기관 또는 시설의 우두머리. ¶병~/원자력~/고아~.

원장[7]【園長】[명]'원(園)'자가 붙은 기관이나 시설의 우두머리. ¶동물~/유치~.

원장 결산【元帳決算】[—짱—싼] [명]〖경〗장부 폐쇄(帳簿閉鎖).

원장-배【原腸胚】[명]〖생〗낭배(囊胚).

원-장부【元帳簿·原帳簿】[명] ①근본이 되는 장부. ②〖경〗원장(元帳).

원장 잔액【元帳殘額】[—짱—] [명]〖경〗총계정(總計定) 장부에 있어서의 각 계정 과목마다의 차감 잔액(差減殘額).

원-재료【原材料】[명] 생산의 바탕이 되는 재료. 원료(原料).

원-재판【原裁判】[명]〖법〗현재의 재판 전에 받은 재판. 항소(抗訴)에서는 초심(初審)의 재판, 상고(上告)에서는 항소(抗訴)의 재판. *원판결(原判決).

원-재판소【原裁判所】[명]〖법〗원재판을 행한 재판소.

원저[1]【原著】[명] 본디의 저작(著作). 번역 또는 개작(改作)한 것에 대하여 이름. 원작(原作).

원저[2]【圓底】[명]〖고고학〗둥근바닥.

원저우〔溫州〕[명]〖지〗중국 저장 성(浙江省) 남부의 도시. 어우장(甌江)강 어귀에 위치하며 해양 기선(汽船)의 항운 기점(起點)임. 차·귤·죽재(竹材)·목재와 도자기·종이·옷감 등을 산출하고 연안 어업도 활발함. 온주. [375,000명(1987)]

원-저자【原著者】[명] 처음에 지은 사람. 원작자(原作者). *번역자.

원:적[1]【怨賊】[명] ①원수가 되는 적도(賊徒). ②〖불교〗인명(人命)을 해치고 재물을 겁탈하는 자.

원:적[2]【怨敵】[명] 원한의 적. 원한 맺힌 원수.

원적[3]【原籍】[명]〖법〗①호적법상 전적(轉籍)하기 전의 본적. ②본적❷.

원적[4]【圓寂】[명]〖불교〗원만 구족(圓滿具足)한 적멸(寂滅). 곧, 중의 죽음. 귀적(歸寂).

원:적[5]【遠的】[명] 멀리 놓아 둔 목표물. 또, 그 목표물을 보고 쏘는 일.

원:적[6]【遠謫】[명] 원배(遠配).

원적 문:제【圓積問題】[명]〔quadrature of circle〕〖수〗어떤 원과 면적이 같은 정사각형을 작도(作圖)하는 문제.

원:적외 복사【遠赤外輻射】[명]〔far-infrared radiation〕적외(赤外) 영역에서 가장 긴 파장(波長)을 갖는 적외 복사(赤外輻射). 파장은 약 50-10000 μm.

원:-적외선【遠赤外線】[명] 가시 광선보다 파장이 긴 적외선. 일정치는 않으나 흔히 5-25 마이크론의 눈에 보이지 않는 광선을 이르며, 파장이 길므로 물체에 깊숙이 침투함과 물질의 분자를 쉽게 진동시켜 스스로 열을 내게 하는 등의 성질이 있음. 이런 성질을 이용한 바이오 세라믹 용기 등이 개발되고 있음.

원적-지【原籍地】[명]〖법〗①전적(轉籍)하기 전의 본적지. ②본적지.

원적-토【原積土】[명]〖농〗암석의 풍화(風化)한 분해물이 다른 곳에 운반되지 아니하고 본래의 암석 위에 그대로 퇴적(堆積)하여 된 흙. 정적토(定積土). 원생토(原生土). 잔적토(殘積土). 풍화토(風化土). ↔운적토(運積土).

원전[1]【元田】[명]〖역〗조선 시대에, 양안(量案)을 고칠 때 원장(元帳)에 기록된 논밭.

원전[2]【院田】[명]〖역〗조선 시대에 각 원(院)에 반급(班給)하여, 그 소출로 경비에 충당케 한 논밭. 원주전(院主田). 원위전(院位田).

원전[3]【原典】명 ①기준이 되는 본디의 것. ②원서(原書)❶. ③〖책〗경제육전(經濟六典).

원전[4]【原電】명 ↗원자력 발전·원자력 발전소.

원전[5]【圓田】명 둥글게 생긴 밭.

원전[6]【圓轉】명 ①둥글게 빙빙 돎. ②〖문〗문의(文意)가 순하게 통함. ③언동(言動)이 모나지 않고 부드러움. ④사물(事物)이 지체없이 진행됨. ——-하다 자여불

원:전[7]【遠戰】명 서로 멀리 떨어져서 싸움. ↔근전(近戰). ——-하다 자여불

원전 비:판【原典批判】명 원전의 내용을 학문적으로 비판하는 일.

원전 석의【原典釋義】[─/─이] 명 원전을 해석 풀이하는 일.

원전 활탈【圓轉滑脫】명 말이나 일을 처리하는 데 모나지 않고, 잘 변화하여 자유 자재함. ——-하다 형여불

원점[1]【原點】[─쩜] 명 ①사물(事物)을 각도를 달리해서 생각할 때 되돌아갈 근원이 되는 점·지점. ¶~으로 돌아가다. ②길이 등을 잴 때의 기준이 되는 점. ③〖수〗좌표(座標)를 정할 때 기준이 되는 점. 수직선(垂直線) 위에 있는 0에 대응하는 점. 평면이나 공간의 좌표축의 교점(交點). ④〖지〗최초에 경위도(經緯度)를 정한 삼각점. ⑤〖악〗중요한 음(音)과 음 사이에 삽입된 경과적(經過的)인 음. 간점(間點). 본점(本點).

원점[2]【圓點】명 ①둥근 점. ②〖역〗조선 시대에, 성균관(成均館) 유생(儒生)의 출석과 결석을 점검(點檢)하기 위하여, 식당(食堂)에 들어갈 때에 식당지기가 찍는 점. 아침·저녁의 두 끼로써 한 점으로 하고, 쉰 점에 이르면 과거(科擧) 볼 자격을 얻음.

원:점[3]【遠點】[─쩜] 명 ①[apoapsis]〖천〗궤도상(軌道上)의 인력 중심(引力中心)으로부터 가장 떨어진 점. ②[far point]〖물〗물체를 똑똑히 볼 수 있는 가장 먼 점. 정상적인 눈에서는, 이론상 무한원(無限遠)에 있음. ③〖천〗↗원일점(遠日點).

원점 절목【圓點節目】명〖역〗조선 시대에 성균관의 거재(居齋) 유생(儒生)들을 대상으로 한 학사(學事) 규정. 유생들로 하여금 학업에 근면하게 하고, 문과 초시에 응시할 수 있는 자격을 부여하기 위해 제정하였음.

원:접-사【遠接使】명〖역〗조선 시대에, 중국의 사신(使臣)을 멀리까지 나아가 맞아들이는 임시 벼슬.

원정[1]【元正】명 정월 초하루. 원단(元旦). 원조(元朝). 정조(正朝).

원:정[2]【怨情】명 원망하는 심정.

원정[3]【原情】명 사정을 하소연함. ——-하다 타여불

원정[4]【園丁】명 ①정원을 맡아 보살피는 사람. 정원사. ②밭을 만드는 사람. ③공원(公園)에 고용되어 화단·나무의 손질이나 잡무(雜務)를 맡아 하는 사람.

원정[5]【園丁】명〖사람〗민영익(閔泳翊)의 호(號).

원정[6]【園亭】명 정원(庭園)에 만든 정자.

원정[7]【圓釘】명〖건〗와정(瓦釘) 등으로 쓰는 몸이 둥근 못.

원정[8]【園庭】명 정원(庭園)❶.

원:정[9]【遠汀】명 멀리까지 이어진 물가.

원:정[10]【遠征】명 ①멀리 정벌(征伐)을 감. ②먼 데로 경기 따위를 하러 감. ¶축구 팀의 일본 ~. ③연구·조사·탐험 등의 목적으로 원격지(遠隔地)에 조직적인 여행 또는 등산을 행함. ¶히말라야 ~. ——-하다 자여불

원:정[11]【遠情】명 멀리 있는 것을 그리는 마음. 여정(旅情). ¶~을 누를 길이 없다.

원:정[12]【遠程】명 원로(遠路).

원정-가【冤情歌】명〖문〗조선 중기에 홍섬(洪暹)이 지은 가사(歌辭). 내용은 김안로(金安老)에 대한 그의 원회(冤懷)를 읊은 것임.

원:정 경:기【遠征競技】명 야구·축구 등의 경기에서, 상대 팀의 본거지로 가서 하는 경기. 어웨이 게임. 로드 게임. 어웨이 경기. ↔홈 경기.

원정-구【圓頂丘】명 [dome]〖지〗화산에서 분출한 용암(熔岩)이 분화구(噴火口)의 위나 주위에 엉겨붙어 이룬 원형의 언덕.

원:정-군【遠征軍】명 ①먼 곳을 치러 가는 군사. ②먼 곳에 운동 경기 같은 것을 하러 가는 선수. 또, 그 팀. ¶~의 핸디캡.

원정-당【圓頂黨】명〖역〗라운드헤즈(Roundheads)의 역어.

원:정-대【遠征隊】명 ①멀리 치러 가는 군대나 단체. ②먼 곳에 운동 경기나 조사·답사·등반 같은 것을 하러 가는 단체.

〈원정 산지〉

원정 산지【圓頂山地】명〖지〗퇴적암(堆積岩)이 원정 형상으로 융기(隆起)된 산지.

원:정-요【怨情謠】명〖악〗우리 나라 서사 민요(敍事民謠) 가운데 대표적인 갈래의 하나.

원정 흑의【圓頂黑衣】[─/─이] 명 삭발하고 검은 옷을 입은 중의 모습.

원제[1]【元帝】명〖사람〗중국, 삼국(三國) 시대 위(魏)나라의 제5대 황제. 자는 경명(景明). 거기 장군(車騎將軍) 종회(鍾會)·등예(鄧艾)가 이끄는 위나라 군사가 촉(蜀)나라를 쳐서 이를 멸했으나 실권(實權)은 사마씨(司馬氏)가 장악하매 265년 마침내 진왕(晉王) 사마염(司馬炎)에게 양위(讓位)함. 이로써 위나라는 망하고 진(晉)나라가 들어섰음. [245-302; 재위 260-265]

원제[2]【元帝】명〖사람〗중국, 남북조(南北朝) 동진(東晉)의 초대 황제. 사마의(司馬懿)의 증손. 이름은 예(睿). 290년 서진제(西晉帝)에 오르고, 무제(武帝)의 사후(死後) 종실(宗室)이 문란해져서, 팔왕(八王)의 난(亂)으로 송조(宋朝)가 흔들리는 것을 틈타 왕도(王導)의 계략을 써서 동진(東晉)이라 칭하고 건업(建鄴)에 도읍함. [276-322; 재위 317-322]

원제[3]【元帝】명〖사람〗중국 남조(南朝) 양(梁)나라의 제3대 황제. 무제(武帝)의 일곱째 아들. 동위(東魏) 후경(侯景)의 반란을 평정하고 552년 제위(帝位)에 올랐으나 뒤에 서위(西魏)의 공격을 받고 패하여 살해됨. 아들 경제(敬帝)가 뒤를 이었으나 곧 진패선(陳覇先)의 진(陳)나라에 망함. [508-554; 재위 552-554]

원제[4]【原題】명 본디 제목. 원제목(原題目).

원-제목【原題目】명 원제(原題).

원조[1]【元祖】명 ①첫 대(代)의 조상. ②어떤 일을 처음으로 시작한 사람. ¶지압술(指壓術)의 ~. *창시자(創始者).

원조[2]【元朝】명 정월 초하룻날. 원단(元旦). 원정(元正). 정조(正朝).

원조[3]【元朝】명〖역〗쿠빌라이(Khubilai)가 세운 원나라 조정. 원나라. *원[2](元).

원:조[4]【怨鳥】명 원통하게 죽은 사람의 귀신이 바뀌어 된 새.

원조[5]【原條】명 [primitive streak]〖생〗조류(鳥類)·포유류(哺乳類) 등에서 배(胚) 초기 발생기의 배반엽(胚盤葉)에, 정중선(正中線)을 따라 빽빽하게 그어진 불투명한 가느다란 띠.

원:조[6]【援助】명 도와 줌. 조원(助援). ——-하다 타여불

원조[7]【圓鑿】명 둥근 구멍.

원:조[8]【遠祖】명 고조(高祖) 이전의 먼 조상.

원:조[9]【遠眺】명 아득하게 먼 곳을 바라봄. 원망(遠望). ——-하다 타여불

원:조-금【援助金】명 원조하기 위하여 내는 돈.

원조-류【圓藻類】명〖식〗볼복스류(volvox類)❷.

원조 방예【圓鑿方枘】명 방예 원조(方枘圓鑿).

원조 비:사【元朝祕史】명〖책〗몽고 제국의 칭기즈칸(Chingiz Khan)의 생애를 중심으로 그 조상으로부터 오고타이(Ogotai)까지의 전설·사실(史實)을 기록한 사서(史書). 원본은 몽고어로 기록되었으며, 1240년에 완성된 것이라는 설이 있음. 명나라 홍무제(洪武帝) 때 한자로 음사(音寫)·직역·초역(抄譯)되었음. 12권.

원조 시대【原祖時代】명 인류의 조상이 처음으로 지구상에 나타난 시대. 원시 시대(原始時代).

원:조-자【援助者】명 원조하는 사람.

원-조직【原組織】명 직물(織物) 조직의 기초로, 다른 조직을 유도하는 평직(平織)·사문직(斜紋織)·수직(繻織)의 총칭. 여기에 사(紗)·여(絽)·나(羅)를 추가할 경우도 있음.

원:족[1]【遠足】명 소풍(逍風)❶.

원:족[2]【遠族】명 혈통이 먼 일가. 소족(疏族).

원종[1]【元宗】명〖사람〗고려의 제24대 왕. 휘는 정(禎). 자는 일신(日新). 고종(高宗) 46년(1259) 왕의 대리(代理)로 몽고에 입조(入朝)하여 그들에게 굴욕(屈辱)을 겪고 다음해에 즉위함. 왕 10년(1269) 임연(林衍)의 반란(叛亂)으로 일시 폐위(廢位)되었다 다시 복위(復位)되었으며 왕 12년(1271)에는 삼별초(三別抄)의 난(亂)이 일어나는 등 편안한 날이 없었음. [1219-74; 재위 1259-74]

원종[2]【原種】명 ①〖식〗씨앗을 받기 위해 뿌리는 종자(種子). 또, 종자 육성을 위한 종자. ②품종 개량 이전의 원형(原型)인 동식물. 1)·2):↔변종(變種).

원종[3]【圓宗】명〖불교〗원돈종(圓頓宗)의 준말이며 대승 원만(大乘圓滿)한 교의(教義)의 종파(宗派)라는 뜻. 천태종(天台宗)·화엄종(華嚴宗) 등을 말함.

원종 공신【原從功臣·元從功臣】명〖역〗각 등급(等級)의 주장되는 공신 이외의 작은 공(功)이 있는 사람. 곧, 아들·사위·동생 그 밖의 수종자에게 주는 칭호(稱號).

원종-교【元倧教】명〖종〗수운(水雲) 최제우(崔濟愚)를 교조(教祖)로 하는 동학(東學) 계통의 교의 하나.

원종 문류【圓宗文類】[─물─] 명〖책〗화엄경(華嚴經)을 중심으로 한, 원종의 교리를 요약하고 역대 여러 사람의 저술을 모은 책. 고려의 대각 국사(大覺國師) 의천(義天)이 엮음. 22권. 현재는 겨우 몇 권만이 남아 있음.

원:종-하다【願從─】자여불 따라가기를 원하다.

원좌【圓坐】명 여러 사람이 삥 둘러앉음. 또, 그 자리. ——-하다 자여불

원:죄[1]【怨罪】명 원특(怨慝)한 행동의 죄.

원죄[2]【原罪】명 ①죄를 용서하여 형(刑)을 더하지 아니함. ②〖기독교〗[original sin] 인류(人類)의 조상(祖上)인 아담과 이브가 금단(禁斷)의 열매를 따 먹은 결과 그 자손인 인류가 날 때부터 가지고 있다는 죄(罪). ——-하다 자여불

원죄[3]【冤罪】명 억울하게 쓴 죄. 굴왕(屈枉).

원죄-설【原罪說】명〖기독교〗숙죄론(宿罪論).

원주[1]【元紬】명 중국에서 나는 비단의 한 가지.

원주[2]【原主】명 정당한 임자. 본디의 임자.

원주[3]【院主】명〖역〗조선 시대 때 역원(驛院)을 숙직하여 지키던 벼슬 아치.

원주[4]【原州】명〖지〗강원도의 한 시(市). 1읍(邑) 8면(面) 19동(洞). 도(道)의 남서쪽에 위치함. 동쪽은 영월군(寧越郡), 북쪽은 횡성군(橫城郡), 서쪽은 경기도 여주군(驪州郡)과 양평군(楊平郡), 남쪽은 충청북도 제천시(堤川市)와 충주시(忠州市)에 접함. 주요 산물은 농산물과 임산물·축산물 등이고, 명승 고적으로는 거돈사지(居頓寺址)·흥법사지(興法寺址)·법천사지(法泉寺址)·치악산(雉嶽山) 국립공원·루프식 터널(loop式 tunnel)·구룡사(龜龍寺)·상원사(上院寺)·원성 영원산성(原城領原山城)·강원 감영(江原監營) 등이 있음. 1995년 1월, 원주군과 통합, 개편됨. [865.78 km^2 : 237,409 명(1996)]

원주[5]【原住】명 ①본디부터 살고 있음. ②↗원주소(原住所). ——-하다 자여불

원주[6]【原株】명 곁가지에 대한 원줄기.
원주[7]【原酒】명 증류한 뒤, 익히기 위해 일정 기간 통에 담아 저장한 위스키의 원액(原液).
원주[8]【原註】명 본래부터 책에 적혀 있던 풀이.
원주[9]【圓周】명〖수〗원의 둘레. 한 점에서 같은 거리에 있는 폐곡선(閉曲線). 원둘레.
원주[10]【圓柱】명 ①두리기둥. ¶대리석(大理石) ～. ②〖수〗'원기둥'의 구용어.
원:주[11]【遠胄】명 원예(遠裔).
원:주[12]【願主】명 원인(願人).
원주-각【圓周角】명〖수〗원주(圓周) 위의 한 점으로부터 그은 두 개의 현(弦)이 만드는 각(角). 원둘레각.

〈원주각〉

원주-경[1]【圓柱鏡】명〖물〗원기둥 렌즈 의 구용어.
원주-경[2]【圓珠經】명 '논어(論語)'의 이칭.
원주 곡면【圓柱曲面】명〖수〗'원기둥 곡면'의 구용어.
원주-군【原州郡】명〖지〗강원도에 속했던 군. 1989년 1월, 원성군(原城郡)을 개칭한 군이었으나, 1995년 1월 원주시에 통합됨.
원주-도【元珠島】명〖지〗전라 남도의 남해안(南海岸), 고흥군(高興郡) 과역면(過驛面) 백일리(白日里)에 위치한 섬. [0.51 km² : 121명(1984)]
원주 도법【圓柱圖法】[—뻡] 명〖지〗원통 도법(圓筒圖法).
원주 렌즈【圓柱—】[lens] 명〖물〗'원기둥 렌즈'의 구용어.
원주-민【原住民】명 본디부터 살고 있던 사람들. ¶～ 부락. ↔이주민(移住民). *선주민(先住民).
원주 분지【原州盆地】명〖지〗태백 산맥 서부에 위치하며 남한강의 지류인 섬강(蟾江)에 면해 있는 침식 분지. 분지 일대는 강원도의 주요 미작 지대를 이루며, 중심지는 원주시. 지방 정치의 중심지로서 발달한 곳으로 지방 물산의 집산이 성함.
원주 상:피【圓柱上皮】명〖생〗동물의 상피의 하나. 원주형의 상피 세포가 배열·형성된 것. 표면에 배열되는 상피 세포의 길이가 크고 세포의 폭이 비교적 좁은 상피 조직의 하나인데, 위(胃)나 장(腸)의 내면(內面)에는 이러한 세포가 일렬로 덮여 있으므로 단층(單層) 원주 상피라 하며, 그 밖의 곳에서는 키 큰 세포가 표면에 배열되고, 그 사이나 아래에 키 작은 상피 세포가 있으므로 중층(重層) 원주 상피라 함. *편평 상피.
원주 세:포【圓柱細胞】명〖생〗시세포(視細胞) 중에서 외절(外節)의 모양이 봉상(棒狀)으로 되어 있는 세포. 봉세포(棒細胞).
원-주소【原住所】명 본디 살고 있던 곳. ㊂원주. ↔현주소(現住所).
원주-율【圓周率】명〖수〗원(圓)둘레와 그 지름과의 비례의 값을 나타내는 수. 3.1416 약(弱)으로 나타내며, 지름의 길이에 이 비(比)를 곱하면 원둘레의 길이를 알 수 있음. 파이(π)로써 표시함. 원둘레율.
원주-인【原住人】명 본디부터 살고 있는 사람.
원:주전【院主田】명〖역〗원전(院田).
원주 좌:표【圓柱座標】명〖수〗'원기둥 좌표'의 구용어.
원주-지【原住地】명 본디 살고 있던 곳. 과거에 살던 고향 땅. ↔현주지.
원주-체【圓柱體】명〖수〗원기둥❷.
원주 투영법【圓柱投影法】[—뻡] 명〖지〗원통 도법(圓筒圖法).
원주-형【圓柱形】명〖수〗'원기둥꼴'의 구용어.
원죽[1]【原竹】명 가공하거나 톱질하지 않은 대나무.
원죽[2]【圓竹】명〖건〗둥근 나무로 된 돌난대.
원-줄【原—】명 낚싯대 끝에서 목줄까지의 낚싯줄.
원-줄기【元—】명 근본이 되는 줄기. 본간(本幹).
원-중국인【原中國人】명 [Proto-Chinese]〖인류〗현대 중국인의 직계 조상. 인류학자 블랙(Black, D.)이 간쑤(甘肅)·허난(河南)·랴오닝(遼寧) 등 각 성(省)에서 발견된 선사(先史) 시대의 인골(人骨)을 조사, 구석기(舊石器) 시대말에 속하는 상동인(上洞人)이나 자양인(資陽人)과 다름을 밝혀내고, 그것이 현중국인의 조상, 곧 원중국인이라는 설(說)을 주장했으나 개념적인 것에 지나지 않음.
원:-증【怨憎】명 원망과 증오.
원증 국사【圓證國師】명〖사람〗'보우(普愚)'를 시호(諡號)로써 일컫는 이름.
원지[1]【原紙】명 ①닥나무 껍질을 원료로 하여 뜬 두껍고 질긴 종이의 한 가지. 잠란지(蠶卵紙)로 씀. ②등사판(謄寫板) 등의 원판(原版)에 쓰이는 초 먹인 종이. ¶～를 긁다.
원지[2]【圓池】명 둥근 못.
원지[3]【圓智】명〖불교〗원만하고 완전한 지혜(智慧).
원지[4]【園池】명 ①정원과 못. ②정원 안에 있는 못.
원:지[5]【遠地】명 멀리 떨어진 고장. 원방(遠方). 원역(遠域).
원:지[6]【遠志】명 멀고 큰 뜻. 앞날을 생각하는 마음.
원:지[7]【遠志】명〖식〗①[*Polygala tenuifolia*] 원지과(遠志科)에 속하는 다년초. 근경(根莖)은 경질(硬質)이고 줄기의 높이 30cm 내외, 잎은 호생하고, 무병(無柄)이며, 선형(線形)을 이룸. 7-8월에 자색 꽃이 총상(總狀) 화서로 가지 끝에 정생(頂生)하며, 삭과(蒴果)를 맺음. 산지에 나는데, 황해·함남북에 분포함. 뿌리는 보정 장양제(補精壯陽劑)의 약재로 씀. 영신초(靈神草). ②애기풀.

〈원지[7]❶〉

원:지-과【遠志科】[—꽈] 명〖식〗[Polygalaceae] 쌍자엽 식물에 속하는 한 과. 두메애기풀·원지 등이 이에 속함.
원지-국【爰池國】명〖역〗마한(馬韓)의 한 나라.
원-지름【圓—】명〖수〗원의 지름. 원경(圓徑).
원-지방【原地方】명 본디의 지방.
원:지-점【遠地點】[—쩜] 명 [apogee]〖천〗①지구를 도는 달이나 인공 위성이 그 타원 궤도에서 지구로부터 가장 멀어지는 지점. ②태양이 지구로부터 가장 멀어진 점. *원점(遠點). ↔근지점.
원:지 지진【遠地地震】명 [distant earthquake]〖지〗진원지(震源地)가 매우 먼 지진. 2,000-5,000km 범위 안에서 일어나는 지진. ↔근지(近地) 지진.
원-지형【原地形】명〖지〗침식 윤회(浸蝕輪廻)의 출발이 되는 초기의 지형. 곧, 새로이 침식 작용이 시작되려는 지형으로, 융기된 채로 있는 해저면(海底面)·준평원(準平原), 화산 활동으로 새로 생긴 지면 등이 이에 해당함. 본꼴. *차지형(次地形)·종지형(終地形).
원진[1]【元嗔】명〖민〗↗원진살(元嗔煞)❷.
원-진[2]【元稹】명〖사람〗중국 당대(唐代)의 시인. 자(字)는 미지(微之). 806년 친구인 백거이(白居易)와 함께 진사(進士)가 되어, 좌습유(左拾遺)·상서 좌승(尙書左丞)·무창군 절도사(武昌軍節度使) 등을 역임함. 시풍(詩風)은 평이 경묘(平易輕妙)함. 당시 유행하던 전기(傳奇) 소설의 발상(發想)에 영향을 받은 연애시를 지어 원화체(元和體)의 대표자가 됨. 자신의 체험을 토대로 하여 애정 소설≪앵앵전(鶯鶯傳)≫을 남겼음. 장편 서사시 ≪연창궁사(連昌宮詞)≫가 유명함. [779-831]
원진[3]【圓陣】명 둥근 진형(陣形).
원진 국사【圓眞國師】명〖사람〗고려 고종(高宗) 때의 고승(高僧). 속성은 신씨(申氏), 법호는 승형(承逈). 상주(尙州) 사람. 13세 때 중이 되고 이듬해 구족계를 받음. 능엄경(楞嚴經)의 오의(奧義)를 규명하고 그 법을 세상에 처음으로 펼쳤으며, 대선사(大禪師)로서 선풍(禪風)을 크게 앙양시킴. [1171-1221]
원-진동【圓振動】명〖물〗원 궤도를 그리는 진동.
원진-살【元嗔煞】[—쌀] 명 ①부부 사이에 일어나는 까닭없는 한때의 갈등을 일컫는 말. ②〖민〗궁합(宮合)에 서로 꺼리는 살. 서기양두각(鼠忌羊頭角)·우진마불경(牛嗔馬不耕)·호증계취단(虎憎鷄嘴短)·토원후불평(兎怨猴不平)·용혐저면흑(龍嫌猪面黑)·사경견폐성(蛇驚犬吠聲) 등. ¶～이 끼다. ㊂원진(元嗔).
원-진(:)해【元振海】명〖사람〗조선 효종(孝宗) 때의 학자. 자(字)는 윤보(潤甫), 호는 장륙당(藏六堂). 원주 사람. 효종의 잠저(潛邸) 때 사부(師傅)가 되고 만년에 횡성(橫城) 현감을 지냄. 글씨를 잘 써서 명필로 꼽혔으며 성학(聖學)에 몰두, 그 해박한 견문과 깊은 조예로 당대의 추앙을 받음. [1594-1651]
원질【原質】명 근본되는 성질·바탕.
원-집 명〈방〉본집.
원:차[1]【怨嗟】명 원망하고 차탄함. ——-하다 타여불
원차[2]【員次】명 직장(職掌)으로 매긴 관원(官員)의 석차(席次).
원:찬【遠竄】명 원배(遠配). ——-하다 타여불
원:찰【願刹】명〖역〗원당(願堂)❶.
원창【圓窓】명 ①〖건〗틀을 둥글게 짜서 만든 창. ↔각창(角窓). ②〖생〗내이(內耳)와 외이(外耳)의 경계(境界)에 있는 원형의 얇은 막(膜)으로 음파를 전달하는 역할을 함.
원-채[1]【原—】명 ①한 집터 안의 으뜸되는 건물. 본가(本家). ②몸채.
원채[2]【園菜】명 밭에서 나는 야채.
원챗-집【原—】명〈방〉몸채.
원챙이 명〈방〉언청이(경기).
원:처【遠處】명 먼 곳. ↔근처(近處).
원척[1]【元隻·原隻】명〖역〗①피고(被告). ②원고(原告)와 피고(被告).
원:척[2]【遠戚】명 먼 척분(戚分). 먼 친척. 원류(遠類). ¶～ 아저씨.
원:천[1]【怨天】명 하늘을 원망함. ——-하다 자여불
원천[2]【源泉】명 ①물이 흘러 나오는 근원. ②사물의 근원.
원:천[3]【遠天】명 먼 하늘.
원-천강【袁天綱】명 ①〖사람〗중국 당(唐)나라 때의 관상술자. 쓰촨 성(四川省) 청두(成都) 출생. 관상술에 정통하여 명성이 높던 중 당태종(唐太宗)에게 초빙되어 구성궁(九成宮)에서 잠문본(岑文本)의 운명을 점쳐 신망을 얻고 어린 측천 무후(則天武后)를 보고, 그 여제(女帝)가 될 미래를 예언함. 생몰년 미상. ②일이 확실하고 의심이 없는 것을 가리키는 말.
원천강 본풀이【袁天綱本—】명〖민〗제주도의 무속에서 구전(口傳)되던 본풀이의 하나. 이 본풀이는 본래 무속에서 점을 치게 된 근원과 내력을 설명하는 설화로 심방들 사이에 구전되던 것임.
원천 과세【源泉課稅】명〖법〗소득(所得)이나 수익(收益)에 대한 과세를 소득자(所得者)에게 종합해서 부과하지 않고 소득·수입을 지급하는 곳에서 개별적으로 부과하는 방법. *갑종 근로 소득세.
원: 천만에【—千萬—】감 '원 당치도 않은 말입니다'·'별 말씀을 다 하십니다'의 뜻으로 쓰는 말. ¶～, 그만두게.
원-천석【元天錫】명〖사람〗고려의 수절신(守節臣). 자는 자정(子正), 호는 운곡(耘谷). 원주 사람. 고려 말에 세상이 어지러움을 보고, 당시의 사적을 직기(直記)한 야사(野史) 6권을 저술하여 가묘(家廟)에 비치(祕置)하였으나 그 증손(曾孫)이 화(禍)가 미칠까 두려워 소각(燒却)하고, 다만 시집(詩集) 2권만이 전함. 생몰년 미상.
원:천왕-점【遠天王點】[—쩜] 명 [apouranian]〖천〗천왕성(天王星)의 위성(衛星)이 천왕성으로부터 가장 멀리 떨어지는 점. *원해왕점(遠海王點).
원:천 우인【怨天尤人】명 하늘을 원망하고 사람을 탓함. ——-하다 자여불
원천-지【源泉地】명 어떠한 사물·사건이 생기는 근원이 되는 곳.
원천 징수【源泉徵收】명〖법〗소득세의 징수 방법의 하나. 급여 소득·

등에 이용됨.

원형질 연락【原形質連絡】[―열―] 명 [plasmodesm]〖생〗원형질사(原形質絲)에 의하여 행하여지는, 생체 세포 사이의 원형질의 연락. 동물에서는 상피(上皮) 조직·결합 조직, 식물에서는 종자의 배젖·잎의 표피(表皮) 등에서 볼 수 있음.

원형질 운:동【原形質運動】명〖생〗아메바상 운동.

원형질 유동【原形質流動】명 [protoplasm streaming]〖생〗생체(生體)의 세포에서 세포질(質)이 유동하는 운동. 액포(液胞)가 발달한 식물 세포에서 흔히 볼 수 있음. 광의(廣義)로는 아메바상(狀) 운동을 포함함.

원형질 융합【原形質融合】[―륭―] 명〖생〗일부 원생 동물에 있는 세포질의 융합. 핵의 유합(癒合)이 일어나지 않으면 다핵 세포가 됨.

원형질-체【原形質體】명 [protoplast]〖생〗식물의 세포 중 세포막을 제외한 본체(本體). 세포막이 없는 동물 세포에서는 세포와 원형질체는 구별되지 않음. 원형체(原形體).

원형-체【原形體】명〖생〗원형질체.

원형 침윤【圓形浸潤】명〖의〗조기 침윤(早期浸潤).

원형 탈모증【圓形脫毛症】[―쯩] 명〖의〗탈모증의 한 가지. 머리털이 갑자기 원형 또는 타원형(楕圓型)으로 빠지는 증상. 때로는 눈썹이나 솜털에도 이러한 증상이 일어나는데, 그 빠진 경계가 뚜렷하며 피부는 반드럽고 붉은 빛을 띰.

원-호[1]【元昊】명〖사람〗생육신(生六臣)의 한 사람. 호는 관란(觀瀾). 원주(原州) 사람. 집현전 직제학(直提學)으로 있다가 수양 대군의 세력이 강하여지는 것을 보고, 원주 남송촌(南松村)에 들어가 세상과 절교하였음. 시호(諡號)는 정간(貞簡). 생몰년 미상.

원호[2]【元號】명 연호(年號).

원호[3]【原戶】명 한 집을 단위로 호적에 든 집.

원:호[4]【援護】명 도와 주며 보살핌. ――하다 타여불

원호[5]【圓弧】명〖수〗원주(圓周)의 한 부분. 그 길이가 전원주(全圓周)의 반보다 길 때 우호(優弧)라 하고 작을 때 열호(劣弧)라 함. 호(弧).

〈원호[5]〉

원:호-곡【遠岵曲】명〖악〗통일 신라 시대에 옥보고(玉寶高)가 지은 거문고곡 30곡 중의 하나. 6곡이 있음.

원:호-금【援護金】명 원호에 쓰이는 돈. 원호를 위하여 모은 돈.

원:호-미【援護米】명 원호에 쓰이는 쌀. 원호를 위하여 모은 쌀.

원:호-비【援護費】명 도와 주며 보살피는 데 드는 비용.

원:호-자【援護者】명 원호하는 사람.

원:호-처【援護處】명〖법〗'국가 보훈처'의 구칭.

원:호-회【援護會】명 원호를 목적으로 조직한 모임. ¶군경 ~.

원혼【冤魂】명 원통하게 죽은 사람의 넋.

원화[1]【芫花】명〖한의〗완화(芫花).

원화[2]【苑花】명 동산에 핀 꽃.

원화[3]【院畫】명 중국 송(宋)나라 한림 도화원(翰林圖畫院)에 속한 화공(畫工)이 그린 그림. 또, 그 화풍(畫風)을 답습한 원·명(元·明)나라 시대의 그림.

원화[4]【原畫】명 ①밑그림❶. ②복제(複製)가 아닌 본디의 그림.

원화[5]【源花】명〖역〗신라 시대의 화랑(花郞)의 전신(前身). 처음에 단체의 두령(頭領)을 귀족 출신의 여자로써 시켰는데, 진흥왕(眞興王) 때에 두령 남모(南毛), 준정(俊貞) 사이에 갈등이 벌어져서 깨어지고, 남성(男性)을 두령으로 하는 화랑으로 바뀌었음.

원:화[6]【遠火】명 멀리서 타는 불.

원:화[7]【遠禍】명 불행한 일을 물리침. ――하다 자여불

원화 군:현지【元和郡縣志】명〖책〗중국 당대(唐代)의 재상(宰相) 이길보(李吉寶)가 원화(元和) 8년(813)에 헌종(憲宗)에게 바친 지리서(地理書). 원래는 지도가 딸려 있어 《군현 도지(郡縣圖志)》라 불렸으나, 남송(南宋) 무렵에는 지도가 없어졌기 때문에 군현지라 부름. 본디, 목록(目錄) 2권과 본문(本文) 40권으로 되어 있는데 이 가운데 7권 반이 없어졌음.

원화-도【源花道】명 화랑도(花郞道).

원화 성:찬【元和姓簒】명〖책〗중국 당(唐)의 원화(元和) 7년(812)에 임보(林甫)가 임금의 명에 의하여 편찬한 성씨(姓氏)에 관한 책. 10권.

원:화 소복【遠禍召福】명 화를 멀리 하고, 복을 불러 들임. ――하다 자여불

원-화전【元火田】명〖역〗토지를 개량(改量)할 때에 원양안(元量案)에 화전으로 등록되어 있는 토지.

원:화-점【遠火點】[―쩜] 명 [apareon]〖천〗화성의 위성(衛星)이 화성으로부터 가장 멀리 떨어지는 점. *원목점(遠木點).

원화-창【圓華窓】명〖건〗창살을 꽃송이 모양으로 만든 둥근 창. 절에서 흔히 볼 수 있음.

원환【圓環】명 둥근 쇠고리.

원환-면【圓環面】명 원환체(圓環體)의 표면.

원환-체【圓環體】명〖수〗회전축(回轉軸)이 원(圓)에 마주치지 아니할 때, 이 직선을 축(軸)으로 하여 원을 회전시키면 만들어지는 입체. 윤환체(輪環體). 토러스(torus). *회전체.

〈원환체〉

원환충-류【原環蟲類】[―뉴] 명〖동〗[Archiannelida] 환형 동물(環形動物)에 속하는 한 강(綱). 가장 원시적인 것으로 종생(終生)토록 원신관(原腎管)을 지니는 것도 있으며, 피부에는 강모(剛毛)가 없음. 그 종류가 얼마 되지 아니함.

원활【圓滑】명 ①일이 거침없이 잘 되어 나감. ②규각(圭角)이 없고 원만함. ――하다 형여불. ――히 부

원회【元會】명 설날 아침 대궐 안의 조회.

원-회부【元會付】명〖역〗조선 시대 때, 세액(稅額)을 정한 문서.

원효【元曉】명〖사람〗신라의 중. 설총(薛聰)의 아버지. 해동종(海東宗)의 시조. 신라 10성(聖)의 한 사람으로 꼽힘. 일찍이 중국 당(唐)나라에 유학(留學)하러 가다가 도중에서 깨달은 바가 있어 되돌아와서 공부하여 많은 저서를 냈으며, 그의 사상은 신라 통일의 중요(重要)한 요소(要素)가 되었음. 저서(著書)에 《금강 삼매경 논소(金剛三昧經論疏)》·《십문화쟁론(十門和諍論)》·《화엄경소(華嚴經疏)》 등이 있음. [617-686]

원효 대:교【元曉大橋】명 서울의 한강(漢江) 위에 놓인 열 세 번째의 도로교(道路橋). 서울 용산구(龍山區) 원효로(元曉路) 4가와 영등포구 여의도동(汝矣島洞)을 연결하는 폭 20 m, 4 차선의 다리로, 국내 최초로 디비다그(Dywidag) 공법(工法)으로 건설됨. 1981년 10월 개통. [1,470 m]

원효 대:사【元曉大師】명〖사람〗'원효(元曉)'의 존칭.

원효-종【元曉宗】명〖불교〗법성종(法性宗).

원:후[1]【遠候】명 적군의 동정(動靜)·지형(地形) 등을 몰래 탐지하기 위하여, 먼 곳으로 파견되는 일. 또, 그 역(役). 척후(斥候).

원후[2]【猿猴】명〖동〗원숭이❶.

원후-류【猿猴類】명〖동〗[Lemuroidea] 포유류에 속하는 한 아목(亞目). 생물 발달의 계단으로 보아 영장목(靈長目)과 다른 짐승과의 사이의 계단에 속하는 짐승이라 보아지는데, 네 발은 물건을 잡을 수 있게 되어 있으며, 곧게 설 수 있고 발톱은 대개 평평하나 일정한 발가락에는 갈고리 발톱이 있음. 입술은 약간 돌출하며 대체로 꼬리는 크고 김. 나무 위에 살고, 흔히 밤에 활동하여 열매·곤충·새알 등을 먹음. 대부분은 마다가스카르 섬에 살며, 아프리카 및 동양의 열대 지방에도 약간 서식하는데, 원숭이·성성이·고릴라 등이 이에 속함. 원원류(原猿類). 의후류(擬猴類).

원후 취:월【猿猴取月】명 원숭이가 물에 비친 달을 잡으려고 하다가 빠져 죽는 것과 같이, 사람도 신분(身分)의 정도를 생각하지 않고 행동하다가는 도리어 화(禍)를 당한다는 말.

원훈【元勳】명 ①나라를 위한 가장 큰 공훈. ②나라에 큰 공이 있어 천자가 사랑하고 믿어 가장 가까이 하는 노신(老臣).

원흉【元兇】명 못된 짓을 한 사람의 우두머리. 수악(首惡). ¶부정 선거의 ~.

원흥-곡【元興曲】명〖문〗고려 가요의 하나. 작자·제작 연대 미상. 원가는 전하지 아니함. 원흥이라는 고을의 사람이 배를 타고 멀리 행상(行商)을 나갔다가 무사히 돌아온 것을 기뻐하여 아내가 이 노래를 지었다고 함. 《고려사(高麗史)》 악지(樂志)에 전함.

원호ᄃᆞᆫ 타〈옛〉원하건대. ¶願ᄒᆞᆫᄃᆞᆫ 내 그딋 가시ᄃᆞ외아지라 《月釋 1:11》.

월:[1] 명 글월. 문장(文章).

월[2]【月】명 달. ¶~ 평균/1~/3~.

월[3]【月】명 ↗월요일.

월[4]【鉞】명〖역〗의장기의 한 가지. *부(斧).

〈월[4]〉

월[5]【越】명〖역〗①중국 춘추 시대(春秋時代) 열국(列國)의 하나. 회계(會稽)를 서울로 한 저장(浙江) 지방. 기원 전 601년부터 사서(史書)에 그 이름이 있으나 기원 전 5세기초, 구천(句踐) 때에 북방의 오(吳)를 멸하고 장쑤(江蘇)·산둥(山東)에 진출, 기원 전 334년 초(楚)나라에 멸망됨. ②중국, 저장 성(浙江省)의 별칭(別稱).

월가[1]【越價】[―까] 명 ①값을 치름. ②에누리. ――하다 자여불

월:-가[2]【―街】[Wall] 명 ①〖지〗뉴욕 시의 맨해턴아일랜드의 남쪽 끝에 있는 한 구역의 이름. ②〖경〗월가에 있는 금융 시장의 통칭. 뉴욕 주식 거래소를 비롯하여 은행·보험 회사 그 밖의 국제적 금융 기관 등이 집결하여 국내 및 국제 금융의 일대 중심지를 이룸. 이곳의 거래가 미국은 물론 세계의 경제 변동(經濟變動)을 나타내는 척도 역할을 하므로, '미국 금융 자본'의 대명사(代名詞) 또는 미국 자본주의의 상징(象徵)으로 일컬어짐. *롬바드 가(Lombard 街).

월각[1]【月脚】명 땅 위에 비치는 달빛.

월각[2]【刖脚】명 죄를 저질러 발꿈치를 잘림. 또, 그 사람. 월족(刖足).

월각-차【月角差】명〖천〗달의 주기적 공전(公轉) 운동에 나타나는 주기적 오차(誤差)의 하나. 주기의 최대 진폭은 125초인데 태양 인력으로 생김. 이 때문에 달의 위치가 삭(朔)에서 망(望)까지는 평균 위치보다 늦어지고, 망에서 삭까지는 평균 위치보다 앞섬. 월차(月差).

월간[1]【月刊】명 다달이 한 번씩 간행하는 일. 또, 그 간행물(刊行物).

월간[2]【月間】명 한 달 동안. 한 달간. ¶~ 경제 동향.

월간-물【月刊物】명 월간으로 발행되는 출판물.

월간-보【―褓】명〖건〗공청(空廳)이 아닌 간과 간 사이에 얹는 대들보.

월간 잡지【月刊雜誌】명 한 달에 한 번씩 내는 잡지. 월간지(月刊誌).

월간-지【月刊誌】명 월간 잡지(月刊雜誌).

월:-갈 명〖언〗문장론(文章論)❷.

월강[1]【月講】명 한 달마다 선생 앞에서 외는 강. *순강(旬講)·일강(日講).

월-강[2]【粵江】명〖지〗'웨장'을 우리 음으로 읽은 이름.

월강[3]【越江】명 ①강을 건넘. ②압록강(鴨綠江)이나 두만강(豆滿江)을 건너 중국에 감. ¶~한 독립 운동가들. ――하다 자여불

월개【月蓋】명〖사람〗인도 비사리(毘舍離) 대성(大城)의 부호(富豪). 나라 안에 악역(惡疫)이 돌았을 때, 부처님의 가르침에 따라 서방(西方)의 삼존(三尊)에 빌어 제역(除疫)에 힘썼다 함.

월객【月客】명 월경(月經).

월거덕-거리다 자 여러 개의 크고 단단한 물건이 서로 부딪치어 자꾸 소리가 나다. >왈가닥거리다. (준)월걱거리다. **월거덕-월거덕** 부. ——-하다 자 여불

월거덕-대다 자 월거덕거리다.

월거덕-덜거덕 부 월거덕거리고 덜거덕거리는 모양. 쓰월커덕덜커덕. (준)월걱덜걱. >왈가닥달가닥. ——-하다 자 여불

월걱-거리다 자 ↗월거덕거리다. **월걱-월걱** 부. ——-하다 자 여불

월걱-대다 자 월걱거리다.

월걱-덜걱 부 ↗월거덕덜거덕. ——-하다 자 여불

월건【月建】명〖민〗달의 간지(干支). *십이 월건(十二月建).

월건-법【月建法】[—뻡] 명〖민〗매월 간지(每月干支)를 해당시키는 법. 정월을 인월(寅月), 2월을 묘월(卯月), 3월을 진월(辰月)이라 하여 열두 달을 12지(支)에 배정한 것으로 음력에서만 쓰임.

월겅-덜겅 부 여러 개의 작고 단단한 물건이 어수선하고 좀 세게 서로 부딪치는 소리. 쓰월컹덜컹. >왈강달강. ——-하다 자 여불

월견 폐설【越犬吠雪】명 중국의 월(越)나라는 일기가 사뭇 온화하여 좀체로 눈이 오는 일이 없으니 눈이 오면 개가 이상히 여기고 짖는다는 뜻으로, 어리석고 식견이 좁은 사람이 예사 일에 의심을 품거나 크게 놀람을 가리키는 말. 촉견 폐일(蜀犬吠日).

월경[1]【月頃】명 한 달 가량. 달포.

월경[2]【月經】명 [menstruation]〖생〗성성숙기(性成熟期)에 있는 여자의 자궁에서 주기적으로 출혈(出血)하는 생리적 현상. 보통, 12-17세부터 시작하여 50세 전후까지 계속되는데, 임신 중이나 수유기(授乳期)를 빼놓고는 평균 28일의 간격을 두고 3-7일간 지속(持續)됨. 달거리. 몸. 경도(經度). 경수(經水). 멘스(mens). 월사(月事). 월후(月候). 계수(癸水). 몸엣것. ——-하다 자 여불

월경[3]【越畔·越耕】명 경계를 넘어서 남의 땅을 경작함. ——-하다 자 여불

월경[4]【越境】명 국경(國境) 등의 경계선을 넘음. ——-하다 자 여불

월경 곤:란【月經困難】[—골—] 명〖의〗월경에 수반(隨伴)하여 오심(惡心)·구토(嘔吐)·두통·불면·식욕 부진·월경통 등이 일어나는 증세.

월경-대【月經帶】명 개짐. 생리대(生理帶).

월경 불순【月經不順】[—쑨] 명〖의〗부인병(婦人病)의 하나. 월경이 순조롭지 않은 병(病). 부조증(不調症).

월경-수【月經水】명〖생〗몸엣것❶.

월경 연령【月經年齡】[—녈—] 명 [menstruation age]〖생〗임신 전의 마지막 월경일을 기준으로 산정(算定)하는 태아(胎兒) 또는 유아(乳兒)의 나이.

월경 조업【越境操業】명 밀어(密漁)의 한 가지. 어선 등이 정해진 조업 범위를 벗어나 금어(禁漁) 해역에 들어가서 위법 조업을 함을 이름.

월경-지【越境地】명〖역〗고려·조선 시대에 전국적으로 광범위하게 존재했던 군현(郡縣)의 특수 구역. 소속 읍의 구역 안이나 소속 읍에 접해 있지 않고 중간에 개재(介在)하는 타읍(他邑)의 영역 안에 위치하던 곳으로, 가까운 소재 읍의 통치를 받지 않고 멀리 격리해 있는 소속 읍의 지배를 받았음.

월경-진【月經疹】명〖의〗월경 기간이나 월경이 끝난 수일 만에 나타나는 발진(發疹). 일종의 중독성(中毒性) 현상이라고 생각됨.

월경-처【越境處】명 월입처(越入處).

월경-통【月經痛】명〖의〗월경에 따라서 하복부(下腹部)나 자궁 등에 일어나는 통증. 생리통(生理痛).

월경 폐:쇄기【月經閉鎖期】명〖생〗여자가 50세를 전후하여 월경이 멈추는 시기. (준)경폐기(經閉期)·폐경기(閉經期).

월계[1]【月計】명 한 달 동안의 회계(會計) 또는 통계 ——-하다 타 여불

월계[2]【月桂】명〖식〗↗월계수(月桂樹).

월계[3]【越階】명 위계(位階)의 순서를 건너뛰어 승진함. ——-하다 자 여불

월계-관【月桂冠】명 ①고대 그리스에서, 아폴로신(神)의 영수(靈樹)로 치던 월계수의 가지와 잎사귀로 만들어, 경기(競技)의 우승자에게 씌우고 상찬(賞讚)의 뜻을 나타내던 관(冠). ②우승의 영예. ¶승리의 ~을 쓰다. (준)계관(桂冠).

〈월계관❶〉

월계-수【月桂樹】명〖식〗[*Laurus nobilis*] 녹나뭇과에 속하는 상록 교목. 높이 10-20m, 잎은 호생하는데 혁질(革質)이며, 녹색에 길이 5-8cm의 피침형(披針形) 또는 긴 타원형이고 톱니가 없음. 이른 봄에 담황색의 작은 꽃이 엽액(葉腋)에서 산형 화서(繖形花序)로 피고, 열매는 길이 15mm 가량의 앵두 모양이며, 10월에 흑자색으로 익음. 지중해 연안의 원산임. 잎의 상처에서 방향(芳香)이 나므로 채유(採油)하여 향수 원료로 사용함. 고대 그리스에서는 아폴론 경기의 우승자에게 '월계관'을 만들어 씌웠음. (준)월계(月桂).

암꽃 수꽃

〈월계수〉

월계 시종【月桂詩宗】명〖문〗계관 시종(桂冠詩宗).

월계-표【月計表】명 한 달 동안의 회계나 통계를 나타낸 표.

월계-화【月季花】명〖식〗[*Rosa chinensis*] 장미과에 속하는 낙엽 활엽 관목. 줄기에 가시가 나고 잎은 우상 복생(羽狀複生)하며, 소엽(小葉)은 넓은 난형 또는 난상의 긴 타원형임. 초여름에 홍색 내지 백황색의 꽃이 방상(房狀) 화서로 하나씩 피고 거의 둥근 이과(梨果)는 가을에 빨갛게 익음. 중국 원산으로 한국 남부·중부에 분포함. 관상용임. 사계(四季). 사계화(四季花). 장춘화(長春花).

〈월계화〉

월고【月雇】명 ①한 달을 기한(期限)으로 정하고 사람을 쓰는 일. 또, 그 사람. ②월급으로 품삯을 정하고 사람을 쓰는 일. 또, 그 사람.

월과[1]【月課】명 ①달마다 정례(定例)로 하는 일. ②다달이 보는 시험. ③정부에서 지방 관청에 매달 과하는 세금.

월과[2]【越瓜】명〖식〗[*Cucumis melo* var. *conomon*] 박과에 속하는 일년생 만초(蔓草). 참외의 한 변종(變種)으로, 잎은 오이잎 비슷하고, 줄기는 능각(稜角)이 있음. 꽃은 '동아'와 같이 누르나 작고, 수꽃과 암꽃이 같은 가지에 피며, 열매는 여름과 가을에 익는데 오이보다 크고 긴 타원상 통형(筒形)으로 털이 없음. 남부 아시아의 원산으로 일본·한국 등에 널리 분포함. 열매는 오이 대용으로 식용함.

〈월과²〉

월과 동:사【越過動詞】명〖언〗타동사(他動詞).

월과 화:약가미【月課火藥價米】명〖역〗조선 후기에 대동법(大同法) 실시에 따라 각 읍(邑)에 월(月) 단위로 부과(賦課)한 화약 값으로 바치는 쌀.

월광【月光】명 달빛. 월화(月華).

월광-곡【月光曲】명〖악〗베토벤(Beethoven)이 작곡한 피아노 주명곡(奏鳴曲)의 이름. 1801년경의 작곡인데, 달빛을 주제(主題)로 하여, 한 가난하고 눈먼 소녀를 위하여 즉흥적으로 작곡하였다고 함. 세 악장(樂章)으로 되어 있음. 문라이트 소나타(Moonlight Sonata).

월광-단【月光緞】명 달무늬를 놓은 비단.

월광 독서【月光讀書】명 달빛으로 책을 읽음. 곧, 집이 가난하여 고학(苦學)함을 이름. ——-하다 자 여불

월광 보살【月光菩薩】명〖불교〗약사 여래(藥師如來)의 오른편에 모시는 보살. 여래의 밑에 있는 보살 가운데 일광 보살(日光菩薩)과 함께 상수(上首)의 지위(地位)에 있음.

〈월광 보살〉

월구【月球】명〖천〗달[1]❶.

월궁【月宮】명 전설에서, 달 속에 있다는 궁전. 칠보(七寶)로 장식된 칠중(七重)의 담으로 둘러싸여 금(金)·은(銀)·청유리(靑瑠璃)의 누각(樓閣)으로 되어 있는데, 그 속에 월천자(月天子)가 부인과 함께 살며, 달의 세계를 통치한다고 함. 또, 항아(姮娥)가 살고 있다는 아름다운 전설이 있음. 월궁전(月宮殿).

월궁-전【月宮殿】명 월궁(月宮).

월궁 천자【月宮天子】명〖불교〗월천자(月天子).

월궁 항아【月宮姮娥】명 월궁 속의 선녀 항아(姮娥)라는 뜻으로, 절세의 미인을 두고 이르는 말.

월권【越權】[—꿘] 명 제 권한 밖의 일을 함. 남의 직권(職權)을 침범함. ——-하다 자 여불

월권 대:리【越權代理】[—꿘—] 명〖법〗대리인(代理人)이 그 대리권(代理權)의 범위를 넘어서 행한 법률 행위.

월권 행위【越權行爲】[—꿘—] 명 자기 권한 밖의 일에 관여하여 남의 직권을 침범하는 일. 월조(越俎).

월귤【越橘】명〖식〗[*Vaccinium vitis-idaea*] 진달랫과(科)의 상록(常綠)의 작은 관목(灌木). 높이 10-15cm, 잎은 넓은 타원형 또는 거꿀달걀꼴로 끝에 가는 톱니가 있음. 꽃은 백색 또는 붉은 빛을 띤 작은 합판화(合瓣花)가 총상 화서(總狀花序)로 핌. 가을에 둥글둥글한 장과(漿果)가 맺히어 선홍색(鮮紅色)으로 익음. 높은 산에 저절로 나는데, 강원·평북·함경도에 야생하며, 일본·북미(北美)에 분포함. 과실은 약간 신 맛이 있음.

〈월귤〉

월귤-잎【越橘—】[—립] 명 월귤나무의 잎. 요도(尿道)·방광 등의 병을 치유하는 데 쓰임.

월금【月琴】명〖악〗당악부(唐樂部)에 속하는 발현(撥絃) 악기의 하나. 당비파(唐琵琶)와 비슷하나 좀 작은데, 목이 길고, 바탕이 둥글넓적하며, 사현 십삼주(四絃十三柱)로 되어 있음. 뒷면에 끈을 달아 어깨에 멜 수 있음. 지금은 사용하지 않음. 완함(阮咸). 참고 중국에서는, 목이 짧은 것을 월금(月琴), 목이 긴 것을 완함(阮咸)이라 구별함.

〈월금〉

월급【月給】명 다달이 받는 급료. 월료(月料). 월봉(月俸).

월급-날【月給—】명 매달 월급을 받기로 정하여진 날. 페이 데이(pay day). 월급일.

월급 봉투【月給封套】명 직장(職場)에서 각 종업원에게 그 달의 월급을 넣어서 주는 봉투. ¶얄팍한 ~.

월급-일【月給日】명 월급날.

월급-쟁이【月給—】명 월급을 받고 일하는 사람. 또, 그것으로써 살아가는 사람. 샐러리 맨(salaried man). 봉급쟁이.

월급-제【月給制】명 정액제(定額制)의 한 가지. 직원·사원 등에 대하여 임금(賃金)을 다달이 지급하는 제도. *일급제(日給制)·연급제(年給制).

월-기【月旗】명〖역〗의장기(儀仗旗)의 한 가지. 기폭에 달을 그렸음.

〈월기〉

월기사【越幾斯】명〖약〗엑스트랙트(extract)의 한자 이름.

월길【月吉】명 매달 첫날. 초하루. 삭일(朔日). 월삭(月朔).

월남[1]【月南】[—람] 명〖사람〗이상재(李商在)의 호(號).

월남[2]【越南】[—람] 명 ①남쪽으로 넘어감. ②삼팔선 이북에서 이남으로 넘어옴. ¶~ 가족. 1)·2) : ↔월북(越北). ——-하다 자 여불

전으로 많은 석유를 산출하고 있음. 옥문. [158,000명(1984)]
위먼관 〔玉門關〕 명 『지』 중국 간쑤 성(甘肅省) 서쪽에 설치되었던 관. 한(漢)나라 때 서역(西域)으로 가던 통로(通路)임. 옥문관. 옥관(玉關).
위명¹【委命】명 ①목숨을 맡김. ②마음을 천운(天運)에 맡김. ──-하다 자여불
위명²【威名】명 위력을 떨치는 명성(名聲).
위명³【威命】명 위엄이 있는 명령. ¶천자의 ~.
위명⁴【偉名】명 위대한 명성. 뛰어난 이름.
위명⁵【違命】명 명령을 어김. ──-하다 자여불
위명⁶【僞名】명 거짓으로 일컫는 이름. 양명(佯名). ¶~으로 신분을 숨기다. *가명.
위명-하다【爲名—】자여불 '이름하다'의 뜻으로 남의 잘못을 드러낼 때 그 사람의 지위 밑에 붙여 지위를 얕잡아 이르는 말. ¶사회 사업가라 위명해 가지고 사기에만 능하다.
위모¹【僞冒】명 거짓 언행으로 남을 속임. ──-하다 타여불
위모²【蝟毛】명 일이 일시에 일어나는 일. 또, 그 격렬한 모양의 비유.
위모³【衛矛】명 『식』 화살나무.
위-모구【胃毛球】명 〔trichobezoar〕 『의』 입으로 삼켜진 털이 위나 장(腸) 속에서 모여 작은 공처럼 뭉친 것. 또, 이와 비슷한 결석(結石).
위모레스크 〔프 humoresque〕 명 『악』 유머레스크.
위목¹【位目】명 『불교』 성현이나 혼령의 이름을 종이에 쓴 것.
위목²【圍木】명 한 아름 정도의 큰 나무. 아름드리 나무.
위무¹【威武】명 ①위세와 무력. ②위엄 있고 씩씩함. 세력이 강함. 무위(武威). ¶~ 당당.
위무²【慰撫】명 위로하고 어루만져 달램. ──-하다 타여불
위무 경문【緯武經文】명 무(武)를 씨로 하고 문(文)을 날로 함. 곧, 문무를 겸비(兼備)함. ──-하다 자여불
위문【慰問】명 위로하기 위하여 문안하는 일. 곧, 재난·병 등으로 고통을 당한 사람을 방문 또는 서신으로 문안하여 위로함. ¶~품. ──-하다 타여불
위문-금【慰問金】명 위문의 뜻을 나타내는 돈.
위문-단【慰問團】명 출정한 장병(將兵)이나 불의(不意)의 이재민(罹災民) 등을 위문하는 단체.
위문-대【慰問袋】명 출정(出征)한 군경(軍警)이나 이재민(罹災民)들을 위문하기 위하여 오락물·일용품 등을 넣어 보내는 주머니.
위문-문【慰問文】명 위문의 뜻을 나타내기 위하여 쓴 글.
위문-사【慰問使】명 위문을 하러, 현지에 보내는 사자(使者).
위-문서【僞文書】명 ↗위조 문서.
위문-품【慰問品】명 ①위문에 쓰이는 물품. ②위문하기 위하여 출정 군인이나 이재민 등에게 보내는 물품.
위물【僞物】명 가짜 물건. 실물(實物)을 본떠서 비슷하게 만든 물건. 위조품(僞造品). 가짜.
위물-신【爲物身】〔—씬〕명 『불교』 중생(衆生)을 위하여 세상에 나타난 불신(佛身).
위미¹【位米】명 『역』 조선 후기(後期)에, 대동법(大同法) 실시에 따라, 종전의 전공(田貢) 대신 선혜청(宣惠廳)에 상납(上納)케 한 쌀. *위태(位太).
위미²【萎靡】명 시들고 느른해짐. 쇠하여 피로(疲勞)해짐. 활기가 없어짐. ──-하다 자여불
위미 부진【萎靡不振】명 시들고 약해져서 떨치지 못함. ──-하다 자여불
위-미태【位米太】명 『역』 조세(租稅)로 바치던 쌀과 콩.
위민【爲民】명 백성을 위함. ──-하다 자여불
위-민부모【爲民父母】명 옛날 군주주의 시대에 임금은 온 백성의 어버이가 되고, 각 고을의 원은 그 고을의 어버이가 됨을 뜻하는 말.
위박¹【危迫】명 위험이 눈앞에 닥침. ──-하다 형여불
위박²【威迫】명 위협과 압박. 내리 눌러 복종하게 하는 일. 협박(脅迫). ──-하다 타여불
위박³【僞薄】명 허위가 많고 인정이 없음. ──-하다 형여불
위반【違反】명 ①어기어 배반함. ②법령(法令)·계약(契約)·약속(約束)·협정(協定) 등을 지키지 않고 어기는 일. 위배(違背). ¶규칙 ~. ──-하다 타여불
위반-자【違反者】명 위반한 사람. 일이나 법이나 약속을 어긴 사람.
위발【危拔】명 형세가 위급하여 거의 함락하게 됨. ──-하다 자여불
위방【危邦】명 정세가 위태로운 나라.
위방 불입【危邦不入】명 위험함을 피함. 위험한 곳에 들어가지 아니함. ──-하다 자여불
위배¹【圍排】명 죽 둘러서 벌여 놓음. ──-하다 타여불
위배²【違背】명 위반(違反). 배위(背違). 반배(反背). ──-하다 타여불
위-백규【魏伯珪】명 『사람』 조선 정조 때의 학자. 자는 자화(子華), 호는 존재(存齋). 장흥(長興) 사람. 소년 시절부터 영리하여 천문·지리를 비롯하여 역(易)·예(禮) 등에 통하였으며, 학자들이 그를계항(桂巷) 선생이라 불렀음. 《정현 신보(政弦新譜)》·《고금(古琴)》 등의 저서가 있음. [1727-98]
위:버멘시 〔도 Übermensch〕 명 초인(超人). 위인(偉人).
위범【違犯】명 법을 어기고 죄를 범함. ──-하다 타여불
위범-자【違犯者】명 법을 위반하고 죄를 범한 사람.
위법【違法】명 법률이나 명령을 어김. 구체적인 낱낱의 규정(規定)을 어기는 동시에 널리 법률 정신을 어기는 일까지도 의미함. ¶~자(者). ↔적법. ──-하다 자여불
위법 명:령 규칙 심:사제【違法命令規則審查制】〔—녕—〕명 『법』 구체적인 사건을 재판함에 있어서, 그 적용하여야 할 명령·규칙 또는 처분의 효력을 심사하여 효력이 없다고 인정할 때는 그 적용을 거부할 수 있는 제도.
위법-성【違法性】명 『법』 어떤 행위가 범죄 또는 불법 행위로 인정되기 위한 객관적 요건(客觀的要件). 민법은 권리 침해(權利侵害)를 위법성의 요건으로 하고, 형법은 범죄 구성의 요건으로 어떤 행위가 정당 행위·정당 방위·긴급 피난 등에 해당하지 않음을 위법성의 구성 요건으로 규정함.
위법성 조각 사:유【違法性阻却事由】명 『법』 형식상으로는 범죄 행위나 불법 행위로서의 조건을 갖추고 있어도, 실질적으로는 특별한 사정이 존재하기 때문에 위법이 아니라고 인정하는 경우에, 그 특별한 사정. 법령 또는 정당(正當) 업무에 의한 행위, 정당 방위·긴급 피난 등은 위법성이 조각되는 사유의 하나임.
위법 자폐【爲法自弊】명 자기가 정한 법을 스스로 범하여 죄를 당함. 곧, 자기가 놓은 올가미에 자기가 걸림의 뜻. ──-하다 자여불
위법 처:분【違法處分】명 『법』 법규에 위반(違反)된 행정 처분(行政處分). 위법 처분에 의해서 자기의 권리가 침해된 자는 소원(訴願)이나 소송을 제기할 수 있음. ──-하다 타여불
위법 행위【違法行爲】명 『법』 행위자(行爲者)의 능력·고의(故意)·과실 등의 주관적인 사정과는 상관 없이, 행위의 객관적인 성질이 법의 규범(規範)을 위반한 행위. 곧, 형법상의 범죄 행위, 민법상의 불법 행위, 채무 불이행(債務不履行), 위법적인 행정상의 처분 등 널리 포함됨. ↔적법 행위(適法行爲).
위벽【胃壁】명 위를 형성하는 벽. 근육층(筋肉層)·점막(粘膜)·장액막(漿液膜)으로 이루어짐.
위변【違變】명 계약을 이행하지 않는 일. ──-하다 타여불
위병¹【胃病】〔—뼝〕명 『의』 위부(胃腑)에서 생기는 병의 총칭. 곧, 위카타르·위궤양·위확장(胃擴張)·위산 과다증·위산 결핍증 등임. 위장병(胃臟病).
위병²【萎病】명 몸이 만성적으로 시들어 쇠약해 가는 병. 시들병.
위병³【衛兵】명 ①『역』 대궐이나 능(陵)·관아(官衙)·군영(軍營)을 지키던 군졸. ②호위하는 병정. ③『군』 경비(警備)·단속(團束)을 위하여 영문(營門)이나 지정된 장소에 배치(配置)된 병사. ¶내무(內務) ~/~ 근무. ④『군』 위수병(衛戍兵)❶.
위병-소【衛兵所】명 『군』 위병 근무를 하는 병사가 들어 있는 건물. 보통 부대 정문(正門)에 설치하고 보초·경계 및 장병의 출입을 통제하는 병사가 근무하는 소형 건물.
위보【偉寶】명 기이한 보배.
위복¹【位服】명 벼슬에 따라서 입는 예복.
위복²【威服】명 ①권위로써 남을 복종시킴. ②위력에 굴복함. ──-하다 자여불
위복³【威福】명 ①위광(威光)과 복운(福運). 위압(威壓)과 복덕(福德). ②때로 위압을 가하고 때로는 복덕을 베풀어서 사람을 복종시키는 일. ¶~을 임의로 하다. ③위력 있고 부귀함. ④형벌을 주고 복을 주는 임금의 권력.
위복⁴【爲福】명 복되게 하는 일. ¶전화(轉禍) ~이 되다. ──-하다 타여불
위본【僞本】명 위조한 책. ↔진본(眞本).
위봉¹【危峰】명 높고 험하여 오르기에 위태로운 봉우리.
위봉²【僞烽】명 적을 현혹하게 하기 위하여 올리는 봉화.
위봉-루【威鳳樓】〔—누〕명 고려 때의 누각(樓閣). 왕부(王府)의 누각으로 여기에서 문무 백관(文武百官)과 백성들의 조하(朝賀)를 받기도 하고, 과거(科擧)의 방(榜)을 내걸어 급제(及第)를 하사하는 등 경사스러운 일을 많이 했음.
위봉-사【威鳳寺】명 『지』 전라 북도 완주군(完州郡) 소양면(所陽面) 대흥리(大興里)에 있는 금산사(金山寺)의 말사(末寺). 신라 진평왕(眞平王) 26년(1604)에 세운 것으로 고려 공민왕 8년(1359)에는 나옹 선사(懶翁禪師)가 더 크게 지었음. 종전에 31 본산(本山)의 하나였음.
위부¹【委付】명 ①맡기어 부탁하는 일. 맡기어 내어 주는 일. ②『법』 〔abandonment〕 해상법(海商法)의 한 제도. 해운(海運)의 발달을 도모하기 위하여, 선박 소유자에게 주어진 자기의 소유물 또는 권리를 상대방에게 부여하여 그 대신 책임을 면하거나 권리를 얻거나 하는 결과가 되는 일방적 의사 표시. 면책(免責) 위부와 보험(保險) 위부의 두 가지가 있음.
위부²【胃腑】명 『생』 위(胃)❶.
위-부모【爲父母】명 어버이를 위하는 일. ──-하다 자여불
위부모 보:처자【爲父母保妻子】명 부모를 위하고 처자를 보호함. ──-하다 자여불
위부 불인【爲富不仁】명 치부(致富)하려면 자연히 어질지 못한 일을 하게 됨. 부(富)와 인(仁)은 양립하기 어려움.
위-부인【衛夫人】명 『사람』 중국 서진(西晉)의 여류 서가(書家). 이름은 삭(鑠), 자(字)는 무의(茂猗). 정위(廷尉) 위전(衛展)의 딸. 여음 태수(汝陰太守) 이구(李矩)의 아내가 되었으므로 이부인(李夫人)으로도 불림. 정(正)·행(行)·전(篆)·예(隷)의 각 체를 다 잘 썼으며, 왕희지(王羲之)도 그 필법(筆法)을 이어받았다 함. 그가 만든 《필진도(筆陣圖)》는 세상에 널리 통용됨. 생몰년 미상.
위부인-자【衛夫人字】명 『역』 〔자체(字體)가 중국 서진(西晉)의 서가(書家) 위부인(衛夫人)의 필적(筆蹟)을 닮았으므로〕 갑인자(甲寅字)의 속칭(俗稱).
위불-없다【爲不—】〔—업—〕형 ↗위불위(爲不爲)없다. ¶어머니, 제 생각에는 위불없이 금선이 년의 짓인데, 도저히 증거를 얻을 수 없으니

…≪崔瓚植 : 春夢≫.

위불위-간【爲不爲間】[부] 되거나 안 되거나 좌우간(左右間). 아무렇거나. ¶ ~ 통지는 하겠다.

위불위-없다【爲不爲—】[—업—] [형] 틀림이 없다. 의심이 없다. [준]위불없다. 위불위-없이【爲不爲—】[—업씨] [부]

위비[1]【位卑】[명] 벼슬의 지위(地位)가 낮음. ——-하다 [형][여불]

위비[2]【委畀】[명] 나라의 큰 일을 신하에게 맡김. ——-하다 [타][여불]

위비 언고【位卑言高】[명] 낮은 지위에 있으면서 윗사람의 정치를 이렇다저렇다 비평(批評)함. ——-하다 [자][여불]

위:빙〔weaving〕[명] 권투에서, 머리를 좌우로 흔들어 상대방의 공격을 피해가면서 공격하기.

위사[1]【委蛇】[명] '위이(委蛇)'의 잘못 읽는 말.

위사[2]【偉辭】[명] 뛰어난 말. 훌륭한 말.

위사[3]【僞史】[명] 거짓으로 꾸민 역사.

위사[4]【僞辭】[명] 진실하지 아니한 말. 거짓 언설(言說).

위사[5]【衛士】[명]〖역〗대궐이나 능(陵)·관아(官衙)·군영(軍營)을 지키던 장교(將校).

위사[6]【緯絲】[명] 피륙의 가로 건너 짠 실. 씨실. ↔경사(經絲).

위사[7]【慰辭】[명] 위로(慰勞)하는 말. 위문의 언사.

위사 공신【衛社功臣】[명]〖역〗'보익 공신(保翼功臣)'의 고친 이름.

위사 좌:평【衛士佐平】[명]〖역〗백제 육좌평(六佐平)의 하나. 대궐의 숙위(宿衛)와 병사(兵事)를 총할함.

위사-하다 [자]〈방〉우세하다(경상).

위산[1]〔玉山〕[명]〖지〗타이완(臺灣)의 거의 중앙 척량 산맥(脊梁山脈)의 중심에 있는 타이완 제1의 고산(高山). 산기슭의 열대에서 난대(暖帶)·온대(溫帶) 및 정상(頂上)의 한대(寒帶)에 이르기까지 각 동식물을 구비하고 있음이 특색임. 일본이 영유할 때에는 신가오 산(新高山)으로 불리었음. 옥산. [3,997 m]

위산[2]【胃散】[명]〖약〗위병(胃病)에 쓰는 산약(散藥). 흔히, 중조(重曹)를 사용함.

위산[3]【胃酸】[명]〖생〗위액(胃液) 중에 함유하고 있는 산. 특히, 염산(塩酸)을 말함. 병적인 위액은 발효(醱酵)에 의하여 생기는 유기산(有機酸)도 포함되어 있음. 위산의 산도(酸度)를 측정하면 병의 진도(進度)를 알 수 있음.

위산[4]【違算】[명] ①계산이 틀림. 틀린 계산. ②계획이 틀림.

위산 결핍증【胃酸缺乏症】[명]〔anacidity〕〖의〗위에서 분비되는 염산(塩酸)이나, 다른 효소(酵素)가 감소(減少) 또는 결핍하는 병증. 위점막(胃粘膜)의 위축(萎縮)·위카타르·위암(胃癌)·위액 결핍 등으로 인하여 생김. 무산증(無酸症). 저산증(低酸症). 위액 결핍증.

위산 과:다증【胃酸過多症】[—쯩] [명]〔hyperacidity〕〖의〗위에서 분비되는 염산의 양이 너무 많아지고, 산도(酸度)가 정상보다 높은 병증. 신경질의 체질, 흡연·위궤양·십이지장 궤양·자극성 음식물 등의 원인으로 청장년에 많이 발생함. 식후(食後) 1-2시간이 되면 가슴에 작열감(灼熱感)·압박감·긴장감을 주며 위통(胃痛)·산미(酸味)의 구토증·구갈(口渴)·변비(便祕) 등이 나타남. 과산증(過酸症).

위-삼각【胃三角】[명]〖의〗위의 전벽(前壁)의 일부로서 전복벽(前腹壁)에 직접 접촉하여 삼각형을 이루고 있는 부분.

위상[1]【位相】[명] ①〔phase〕〖물〗주기적(周期的)으로 반복되는 현상에 있어서, 일주기(一周期) 내에서 어떠한 상태에 있는가를 특징지어 나타내는 변수(變數). 일반적인 진동(振動)·파동(波動)에 있어서 같은 상태에 있는 시간·장소를 같은 위상에 있다고 함. ②〔topology〕〖수〗집합(集合)의 요소의 연속 상태를 이름. 일반적으로 그 집합의 부분 집합으로 이루어지는 어떤 종류의 집합족(集合族)이라고 생각함. ③남녀·연령·직업·신분·지역 또는 회화와 문장 등의 차이에 따라 말씨의 차이가 나타나는 현상.

위상[2]【委詳】[명] 위곡(委曲). ——-하다 [형][여불]

위상-각【位相角】[명]〔phase angle〕〖물〗위상을 이루는 각. 특히, 교류 회로(交流回路)에서 전류파(電流波)와 전압파(電壓波)의 사이에 이루는 각.

위상-계【位相計】[명]〔phasemeter〕〖전〗전기적인 위상각(位相角)을 측정하는 장치.

위상 공간【位相空間】[명] ①〔phase space〕〖물〗물체의 위치와 운동량을 좌표(座標)로 한 공간. 곧, 위상이 주어진 집합(集合)임. 운동 상태를 기술(記述)함에 있어서 이 공간을 상정(想定)하는 것이 편리함. 추상 공간. *위상 기하학. ②〔topological space〕〖수〗위상(位相)이 정의된 집합(集合)을 이름. 이 공간에서는 점렬(點列)의 수렴(收斂)과 함수에 연속성 등을 논(論)할 수 있음.

위상 궤:도【位相軌道】[명]〔phase orbit〕〖물〗위상 공간에 있어서 그 대표점(代表點)이 이동하여 이루는 궤도.

위상 기하학【位相幾何學】[명]〔topology〕〖수〗협의(狹義)의 위상 수학. 위상상(位相像)에 의하여 불변한 기하학적 도형의 성질 및 연속 사상(連續寫像) 자체의 성질을 연구하는 연속의 기하학임. 곧, 공간의 위상적(位相的) 성질을 연구하는 것임. 프랑스의 수학자 푸앵카레(Poincaré)에 의하여 처음으로 조직적으로 연구되었으며, 질적(質的)인 양(量)을 취급하는 수학으로서 발전하여, 수학의 모든 부문과 역학(力學)에 응용되며, 근세 수학에 하나의 새로운 특징을 이룩하였음. 위치 기하학(位置幾何學). *위상 공간(位相空間).

위상-론【位相論】[—논] [명] 말의 위상을 역사적·체계적으로 연구하는 학문. 여성어·유아어·전문어 등을 대상으로 함.

위상 변:이【位相變移】[명]〔phase shift〕〖물〗①주기적(週期的)으로 변화하는 양(量)의 위상이 변하는 일. ②주기적으로 변화하는 두 개의 양(量) 사이의 위상의 차(差).

위상 변:조【位相變調】[명]〔phase modulation〕〖물〗부호(符號)나 음성(音聲)으로써 반송파(搬送波)를 변조(變調)할 적에, 그 반송파의 위상(位相)을 부호나 음성으로써 그 평상치(平常値)의 전후(前後)로 변화시켜서 변조하는 방법.

위상 사상【位相寫像】[명]〖수〗집합 A로부터 집합 B에의 연속 사상이 1대 1이고, 역(逆)사상이 동시에 연속인 사상.

위상 세:포【位相細胞】[명]〔phase cell〕〖물〗위상 공간의 세분(細分)된 부피가 한 개의 양자 상태(量子狀態)에 해당하게 된 것. 또, 이런 뜻의 분할(分割).

위상 속도【位相速度】[명]〔phase velocity〕〖물〗일정한 파동(波動)의 위상이 진행하는 속도.

위상 수:학【位相數學】[명]〔topology〕〖수〗①넓은 의미에서는 위상 기하학적 방법을 이용하여 연구하는 수학. 위상 대수학(代數學)·위상 해석학(解析學) 등의 총칭. ②좁은 의미에서는 위상 기하학.

위상 심리학【位相心理學】[—니—] [명]〖심〗독일의 심리학자 레빈(Lewin, K.)의 심리학. 곧, 그의 이론 및 실험적 연구 전반의 총칭. 레빈은 행동을 규정하는 여러 조건을 취급함에 있어, 위상 기하학의 개념을 이용하였음. 토폴러지 심리학.

위상-어【位相語】[명]〖언〗남녀·연령·직업 계층의 차이에 의하여 독특하게 쓰이는 어휘. 여성어·유아어·학생어나 예능계·화류계 기타 특수한 사회의 은어 따위.

위상 지연【位相遲延】[명]〔phase delay〕〖물〗사인파(sine 波) 신호가 어느 계(系) 또는 변환기(變換器)를 통할 경우의 위상 편차를 신호 주파수로 나눈 것.

위상차 현:미경【位相差顯微鏡】[명]〔phase-contrast microscope〕〖물〗생물체(生物體) 같은 것을 현미경으로 볼 때에, 각 부분의 투과광(透過光)의 위상차를, 명암(明暗)의 차로 바꾸는 장치를 한 현미경. 종래는 세균을 염색하여 관찰하였으나, 살아 있는 채로 염색할 필요도 없이, 미세(微細)한 구조까지 잘 볼 수 있음. 보통 현미경의 대물(對物) 렌즈의 후측 초평면(焦平面)에 위상판을 놓음. 1953년 네덜란드의 제르니케(Zernicke)가 발명하고 노벨상을 받음.

위상 편차【位相偏差】[명]〔phase deviation〕〖물〗사인파 반송파(sine 波 搬送波)와 변조파(變調波)의 위상의 차이의 피크(peak) 값.

위상 해:석학【位相解析學】[명]〖수〗주로 범함수(汎函數)의 이론으로 변분법(變分法)·적분 방정식(積分方程式)에 관련하여 발달한 해석학. 함수 해석학.

위새-강【圍鰓腔】[명]〖동〗멍게·활유어 등 원색 동물(原索動物)에서 볼 수 있는 새낭(鰓囊)과 체벽(體壁) 사이의 공간.

위-샘【胃—】[명]〔gastric gland〕〖생〗위벽(胃壁) 속에 있는 위액(胃液)을 분비하는 소화선(消化腺). 위선(胃腺).

위생【衛生】[명] 건강의 보전(保全)과 증진(增進)을 도모하고, 질병의 예방과 치유(治癒)에 힘쓰는 일.

위생-가【衛生家】[명] 자신의 몸을 중히 하여, 병의 예방과 건강의 증진(增進)에 힘쓰는 사람. 양생가(養生家).

위생 경:찰【衛生警察】[명]〖법〗공중(公衆)의 위생을 목적으로 하는 경찰. 곧, 공중에게 위험한 질병의 예방·박멸·의료(醫療) 등을 맡아 봄. *보건(保健) 경찰.

위생 곤충【衛生昆蟲】[명] 이·벼룩·빈대 등과 같이 스스로의 몸안에 바이러스·박테리아 또는 원생 동물을 지니고 있다가 병원 미생물(病原微生物)을 매개하는 곤충과, 파리나 왕바퀴처럼 병원 미생물을 지니고 있다가 사람에게 전염시키는 곤충.

위생 곤충학【衛生昆蟲學】[명] 병원체(病原體)를 전파(傳播)하는 곤충(昆蟲)을 연구하는 학문.

위생 공학【衛生工學】[명]〔sanitary engineering〕공중 위생의 보호·촉진을 위한 시설(施設)이나 계획에 관련한 토목 공학의 한 분야.

위생 공학과【衛生工學科】[명]〖교〗대학에서, 위생 공학을 전공하는 학과.

위생 관리【衛生管理】[—괄—] [명] 공장·사업장의 노동 환경을 정비하고, 직업병의 예방, 노동자의 건강을 유지 증진시키는 업무.

위생 관리자【衛生管理者】[—괄—] [명] 위생 관리 업무를 맡아 보는 사람.

위생-국【衛生局】[명]〖역〗대한 제국 때 내무 아문(內務衙門) 및 내부(內府)의 한 국(局). 위생 사무(衛生事務)를 맡아 봄.

위생 기상학【衛生氣象學】[명] 기상이 인체(人體)에 미치는 영향을 연구하는 학문. 기상 변화에 따르는 병과 지역적인 특수한 기상이나 기후가 원인이 되는 풍토병(風土病) 또는 기상 및 기후가 사람의 작업에 어떠한 작용을 하는가를 조사하여, 예방법·대책 등을 연구함.

위생 도기【衛生陶器】[명]〔sanitary ware〕건축물에 있어서의 급수(給水)·급탕(給湯) 및 오수(汚水)나 배설물(排泄物)의 처리 등의 위생 설비에 쓰이는 도기.

위생 미:인【衛生美人】[명] 용모는 추하나 건강한 여자라는 말로서, 추부(醜婦)의 뜻.

위생-법【衛生法】[—뻡] [명] 생리(生理)와 위생에 관한 법.

위생-병【衛生兵】[명]〖군〗장병(將兵)의 위생에 관한 사항을 맡아 보는 병사(兵士). 부상병(負傷兵)의 후송(後送)·치료 또는 건강 상태·전염병 예방 등에 관한 일을 함. 간호병.

위생-복【衛生服】[명] 위생을 지키기 위하여 특별히 입는 덧옷. 소독의(消毒衣).

위생-비【衛生費】[명] 위생을 위한 설비·예방·치료에 소요되는 비용.

위생-사【衛生士】[명] 보건 복지부 장관의 면허를 받고, 국민 보건 향상

을 위한 위생 업무 중 이화학(理化學) 또는 생물학적 기술 분야에 종사하는 사람. 등급(等級)은 1, 2급으로 분류함.

위생 시험사【衛生試驗士】 명 보건 사회부 장관의 면허를 받고, 국민 보건 향상을 위한 위생 업무에 관련된 실험 측정 및 판정에 종사하는 사람. 등급(等級)은 1, 2급으로 분류함.

위생 시험소【衛生試驗所】 명 위생에 관한 세균 검사·기생충 검사나 음식물·약품·화장품 등에 대한 위생 검사 등을 하는 곳.

위생-실【衛生室】 명 양호실(養護室)의 구칭(舊稱).

위생 업무【衛生業務】 명 〖법〗 인체의 발육·건강 및 생존에 관련되는 업무. 음료수의 처리, 쓰레기·분뇨(糞尿)·하수(下水) 기타 폐기물의 처리, 식품·식품 첨가물과 이에 관련된 기구(器具)·용기(容器) 및 포장의 제조와 가공, 유해 곤충 및 쥐의 구제, 환경 인자(因子)와 관련되어 보건에 영향을 미치는 업무 따위.

위생-원【衛生員】 명 보건 위생직 기능 공무원. 6급·7급·8급·9급·10급의 다섯 등급이 있음.

위생 인부【衛生人夫】 명 위생에 해가 되는 쓰레기나 분뇨를 치우는 사람. 똥통장이·쓰레기꾼의 총칭.

위생 장:교【衛生將校】 명 〖군〗 위생 사무를 담당하는 장교. 흔히, 의무 장교가 이를 담당함.

위생-저【衛生箸】 명 소독저(消毒箸).

위생-적【衛生的】 명 관 위생에 알맞은 모양.

위생-차【衛生車】 명 시내(市內)에 있는 집집의 분뇨나 쓰레기를 돌아다니며 치우는 자동차. 분뇨차(糞尿車)·쓰레기차 등.

위생-학【衛生學】 명 〖생〗 의학(醫學)의 한 분과(分科). 개인이나 사회 공중(社會公衆)의 건강의 보호·증진(增進)과 질병의 예방을 목적으로 하는 학문.

위생 행정【衛生行政】 명 〖정〗 국민의 건강을 보전하고 증진하기 위하여 국가나 자치 단체에서 행하는 행정. 보건 행정과 의약(醫藥) 행정으로 나눔.

위서[1]【僞書】 명 ①남의 필적을 흉내 내어 씀. 위필(僞筆). ②거짓 편지. ③거짓 꾸민 책. ④↗위조 문서. ——-하다 타 여불

위서[2]【緯書】 명 〖책〗 경서(經書)에 대하여 시위(詩緯)·역위(易緯)·서위(書緯)·예위(禮緯)·악위(樂緯)·춘추위(春秋緯)·효경위(孝經緯) 등 칠위(七緯)의 책. 공자(孔子)의 작(作)이라고 전해 오던 위서(僞書)로서, 유교에 입각하여 화복(禍福)·길흉(吉凶)·부서(符書) 등을 설명한, 전한(前漢) 말의 저작임.

위서[3]【魏書】 명 〖책〗 중국 이십오사(二十五史)의 하나. 북제(北齊)의 위수(魏收)가 지은 북위(北魏)의 사서(史書). 본기(本紀) 12권, 열전(列傳) 92권, 지(志) 10권. 북위서(北魏書).

위:-서다 자 ①혼인 때에 신랑이나 신부를 따라 가다. 후행하다. ②존귀한 사람의 뒤를 따라 가다.

위석[1]【委席】 명 자리에 누워서 일어나지 못함. ¶천만부당한 헛소리를 더럭더럭하며 ∼하여 앓다가 이내 살지를 못하니…《李海朝:彈琴臺》. ——-하다 자 여불

위석[2]【胃石】 명 〔gastrolith〕 〖동〗 가재·도적(桃赤)게 따위 갑각류의 위, 곧 저작위(咀嚼胃) 속에 있는 두 개의 결석(結石). 구형(球形) 또는 반구형으로 백색임. 칼슘을 함유함.

위석[3]【慰釋】 명 위로하여 근심을 풀어줌. 「여불

위선[1]【胃腺】 명 〖생〗 위샘.

위:선[2]【爲先】 명 〔↗위선사(爲先事)〕 조상(祖上)을 위함. ——-하다 자

위선[3]【僞善】 명 겉으로만 착한 체함. 외면 치레로 하는 일. 본심(本心)에 없는 착한 일. ↔위악(僞惡). ——-하다 자 여불

위선[4]【緯線】 명 〖지〗 적도(赤道)에 평행하게 지구의 표면을 남북으로 각각 90°씩 나누어, 위도(緯度)를 표시하여 지리학(地理學) 상의 위치를 나타낸 가상선(假想線). 위도선(緯度線). 씨금. 씨줄. ¶지도상의 횡선이 곧 ∼이다. ↔경선(經線).

위:선[5]【爲先】 부 우선(于先)❶.

[위선 먹기는 곶감이 달다] 뒤에는 어떤 어려움이나 좋은 것이 올지라도 현재의 좋은 것이 좋다는 말.

위:선-사【爲先事】 명 조상을 위하는 그 일. *위선(爲先).

위선-자【僞善者】 명 진심에서가 아니고 겉으로만 착한 체하는 사람.

위선-적【僞善的】 명 관 겉으로만 착한 체하는 모양.

위:선지-도【爲先之道】 명 조상을 위하는 도리.

위섭다 형 〈방〉 우습다(경북).

위성[1]【危星】 명 〖천〗 이십 팔수(二十八宿)의 하나. 위수(危宿). 준위(危).

위성[2]【胃星】 명 〖천〗 이십 팔수(二十八宿)의 하나. 위수(胃宿). 준위(胃).

위성[3]【威聲】 명 위광(威光)과 명성. 위세와 평판.

위성[4]【僞聖】 명 거짓 성인(聖人). 거짓 예언자.

위성[5]【衛星】 명 〔satellite〕 〖천〗 행성(行星)의 주위를, 그 인력(引力)의 작용(作用)에 의해서 운행하는 별. 지구(地球)에는 달이 하나 있으며, 화성(火星)에 2, 목성(木星)에 16, 토성(土星)에 21, 천왕성(天王星)에 5, 해왕성(海王星)에 2, 명왕성(冥王星)에 한 개가 있어, 태양계(太陽系) 전체에서 1982년 현재 모두 48개나 알려져 있음. 배성(陪星). 달별. ↔항성(恒星).

위성[6]【緯星】 명 〖천〗 오위(五緯)❶. ↔경성(經星).

위성 격파 실험【衛星擊破實驗】 명 〔satellite intercept tests〕 궤도상(軌道上)의 위성에 접근하여 격파하는 능력을 가진 위성의 실험.

위성 계:산기【衛星計算機】 명 〔satellite computer〕 위성 컴퓨터.

위성 공신【衛聖功臣】 명 〖역〗 조선 광해군 5년(1613)에, 임진 왜란 때 광해군을 호종한 최흥원(崔興源)·윤두수(尹斗壽)·이항복(李恒福)·윤자신(尹自新), 그 밖에 액정관(掖庭官)·환관·서리(書吏) 등 82인에게 내린 훈호(勳號). 뒤에 1623년 인조 반정(仁祖反正)으로 훈적(勳籍)에서 삭제됨.

위성 공업 도시【衛星工業都市】 명 중심 도시의 과대한 공업 생산의 분산(分散)에 의해 발달한 도시. *위성 도시.

위성-국[1]【衛星局】 명 새틀라이트국(satellite局).

위성-국[2]【衛星國】 명 ↗위성 국가.

위성 국가【衛星國家】 명 강대국(強大國)의 주변에 있어, 정치·경제·군사상(軍事上) 그 지배 또는 영향 밑에 있는 약소 국가. 사실상 보호국(保護國)의 지위에 있음. 제2차 세계 대전 이후 소련의 명령·지배를 받는 동유럽의 여러 나라들을 일컫는 말. 준위성국.

위성-기[1]【危星旗】 명 〖역〗 의장기(儀仗旗)의 한 가지.

위성-기[2]【胃星旗】 명 〖역〗 의장기의 한 가지. 황제의 노부(鹵簿)에 사용함. 조선 고종 때 대가(大駕)·법가(法駕)의 뒤를 따랐음.

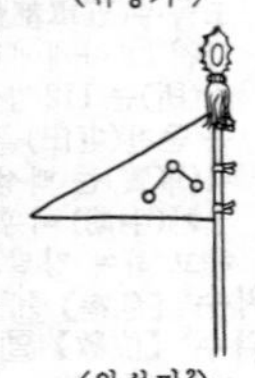
〈위성기[1]〉

위성 도시【衛星都市】 명 대도시의 주변에 있으면서 도시 자체로서의 주체성을 가지며, 대도시 기능의 일부를 지니는 중소(中小) 도시. 그 기능에 따라 주택 도시·공업 도시 등으로 구별됨. ↔모도시(母都市). *베드 타운.

위성-류【渭城柳】 [—뉴] 명 〖식〗 [*Tamarix juniperina*] 위성류과의 낙엽 활엽의 작은 교목. 잎은 선상(線狀) 피침형이고, 가는 가지에 비늘 모양으로 달리었음. 여름에는 묵은 가지에, 가을에는 풋가지에 엷은 홍색 꽃이 총상(總狀) 화서로 피며, 과실은 삭과(蒴果)임. 여름에 피는 것은 결실(結實)하지 아니함. 산에 나는데, 전남·경북·충북·경기·평남 및 중국에 분포함. 정원수로 심으며, 가지·잎은 약재로 씀.

〈위성기[2]〉

위성류-과【渭城柳科】 [—뉴꽈] 명 〖식〗 [Tamaricaceae] 이판화류(離瓣花類)에 속하는 한 과. 위성류 등이 이에 속함. 성류과.

위성 발전소【衛星發電所】 [—쩐—] 명 〔satellite power plant〕 인공 위성으로 태양 에너지를 받아 전력으로 바꾸어서 지상으로 보낸다는 우주 발전소. 미국의 아더 D. 리틀 회사와 그루먼(Grumman), 레이세온, 텍스트론의 4개 회사가 공동 개발, 나사(NASA)와도 제휴하여 계획을 진행한다 함.

〈위성류〉

위성 방:송【衛星放送】 명 적도상(赤道上)의 정지 궤도에 쏘아올린 방송 위성에서, 수신자에게 직접 수신할 수 있도록 방송하는 방식.

위성 백화점【衛星百貨店】 명 본점(本店)을 도심지에 둔 백화점의 교외(郊外)의 지점.

위성 비지니스【衛星—】 명 〔satellite business〕 통신 위성(通信衛星)을 사용한 전화·텔레비전·팩시밀리(facsimile)·데이터 통신 등 각종 정보 처리 서비스를 하는 사업.

위성-선【衛星船】 명 사람을 태우는 대형의 인공 위성. 또, 달이나 행성(行星)에도 날아 가는 유인 우주 비행체. 간혹 무인의 대형 관측용 우주 비행체를 이를 경우도 있음.

위성 속도【衛星速度】 명 인공 위성이 지구를 도는 궤도를 비행하기 위하여 필요한 속도.

위성 안테나【衛星—】 명 〔satellite antenna〕 지상(地上)으로부터의 지령(指令)을 수신하기 위한 인공 위성용 안테나. 추적용(追跡用) 비콘으로서 동작하거나, 지상에 데이터를 송신(送信)하기도 함.

위성 요격 위성【衛星邀擊衛星】 [—뇨—] 명 〖군〗 적국의 스파이 위성(衛星)을 격파하기 위한 인공 위성.

위성 전:화기【衛星電話機】 명 인공 위성을 통하여 전화를 주고받음으로써 지구상 어느 곳과도 통화할 수 있는 전화기. 무게가 34kg 정도여서 2,3명의 기자들이 충분히 휴대할 수 있으며, 배터리를 전원으로 쓸 수 있는 팩시밀리와 컴퓨터와도 연결 사용이 가능함. 위성 통신에 필요한 안테나도 우산처럼 폈다 접었다 할 수 있으며, 송수신 때는 우산을 뒤집어 놓은 모양으로 설치하면 됨.

위성 정찰【衛星偵察】 명 〔satellite reconnaissance〕 〖군〗 위성으로부터 얻어지는 정보를 이용하여 행하는 전략적(戰略的)인 정찰.

위성 주:택 도시【衛星住宅都市】 명 중심 도시의 인구 집중(人口集中)으로 인한 주택난(住宅難)의 해소(解消) 지구로서의 성격을 띤 도시. *위성 도시.

위성 중계【衛星中繼】 명 〔transmission via satellite〕 통신 위성(通信衛星)이 증폭(增幅)한 전파(電波)를 지구국(地球局)이 받아서 지상(地上)의 방송국을 경유하여 각 가정의 텔레비전 수상기(受像機)에 보내는 일. *방송 위성(放送衛星).

위성 추적【衛星追跡】 명 〔satellite tracking〕 위성(衛星)의 위치와 속도를 전파(電波) 및 광학적 방법에 의하여 결정하는 일.

위성 컴퓨터【衛星—】 명 〔satellite computer〕 컴퓨터의 본체(本體)와 떨어진 장소에 설치된 단말기(端末機)로서의 컴퓨터.

위성 통신【衛星通信】 명 인공 위성을 중계소로 하는 지상(地上)의 두 지점 사이의 무선 통신. *우주 통신.

위성 통신 지구국【衛星通信地球局】 명 한국 전기 통신 공사(韓國電氣通信公社)의 장거리 통신 지사(長距離通信支社)에 소속된 통신국. 인공 위성 통신에 관한 사무를 담당함. 충청 남도 금산(錦山)에 설치함.

위성 폭탄【衛星爆彈】 명 〔fractional orbital bombardment system〕 핵탄두를 달고 위성 궤도를 달리게 하다가 지상 목표에 투하하려는 폭격

방식의 핵폭탄. 궤도 폭탄. 포브스(FOBS).

위성 항:법【衛星航法】[一뻡] 명 항행(航行) 위성에 의해 함선이나 항공기의 위치를 측정하는 항법.

위세[1]【委細】명 상세(詳細). ——-하다 형여불

위세[2]【委蛻】명 매미나 뱀이 벗는 허물.

위세[3]【威勢】명 ①사람을 두렵게 여기게 하고 복종시키는 힘. ②위엄 있는 기세. ③맹렬한 세력. ¶~가 당당하게 덤비다.

위-세척【胃洗滌】명〖의〗독물, 다량의 수면제 등을 먹었을 때 혹은 각종 위장 질환으로 위내용물이 대량 괴었을 때에 쓰는 수단. 보통, 직경 약 1cm의 고무관을 식도를 통하여 위에 넣고, 미지근한 물 또는 갖가지 용액을 써, 사이펀의 원리를 이용하여 위내용물을 제거함. 몇 번이고 용액을 바꾸어 되돌아 나온 액이 깨끗하여질 때까지 행함. ——-하다 자여불

위소【危巢】명 높은 곳에 있는 새 집.

위-소식자【胃消息子】명〖의〗위액(胃液) 등을 검사하기 위하여 위 속에 삽입하는 고무관(管). ＊소식자.

위소-제【衛所制】명〖역〗중국 명대(明代)의 병제(兵制). 중앙에 오군도독부(五軍都督府)를 두고, 지방에 도지휘사사(都指揮使司)를 두어, 다시 그 아래에 위(衛)·천호소(千戶所)·백호소(百戶所)를 둔 군대 제도. 소(所)는 112명을 백 호소, 오천 호소를 일위(一衛)로 함. 위소(衛所)에는 둔전(屯田)을 두어 군사(軍士)가 스스로 경작하여 자급 자족하고, 군비(軍費)는 백성의 조세(租稅)로는 조달하지 아니함이 원칙이었으나, 중기(中期) 이후 둔전을 관료·호족(豪族)에게 빼앗기고, 군사가 도망하고 하여 명말(明末)에 이르러서는 유명 무실하게 됨.

위수[1]【危宿】명〖천〗위성(危星).

위수[2]【位數】명〖수〗수의 자리. 오른쪽에서부터 제일위(第一位), 제이위(第二位), ...로 왼쪽으로 나아감. 제일위는 단(單), 제이위는 십(十), 제삼위는 백(百)과 같이 순차적으로 천(千), 만(萬), 십만(十萬), ...으로 나아감.

위수[3]【胃宿】명〖천〗위성(胃星).

위수[4]【尉率】명〖역〗고려 동궁(東宮)의 정 5품 벼슬. 좌우 각 1인이 있었으며 공양왕 3년(1391)에 춘방원(春坊院)에 설치하여 동궁의 사무를 전담함.

위수[5]【偉秀】명 장대(壯大)하고 준수(俊秀)함. ——-하다 형여불

위수[6]【渭水】명〖지〗'웨이수이'를 우리 음으로 읽은 이름.

위수[7]【爲首】명 ①발두인(發頭人). 주모자(主謀者). ②으뜸으로 함. ——-하다 타여불

위수[8]【衛戍】명 ①〖군〗육군의 부대가 일정한 지역에 오래 주둔(駐屯)하는 일. ②육군의 주둔한 지구(地區) 내의 경비, 육군의 질서 및 군기(軍紀)의 감시와 육군의 건축물 기타 시설의 보호를 하는 일. ③〖역〗국경(國境)에 나가 지키던 일. 수자리.

위수[9]【衛率】명〖역〗조선 시대, 세자 익위사(世子翊衛司)에 소속된 정 6품 무관직. 좌우 각 1인이 있었으며 왕세자를 배호함.

위수관-계【胃水管系】명〔gastrovascular system〕〖동〗동물의 소화계(消化系)의 하나. 위장과 혈관계(血管系)가 따로 분리되어 있지 아니하고, 한데 어울리어 있는 기관계(器官系). 해면(海綿) 동물·강장(腔腸) 동물·편형(扁形) 동물 등에서 볼 수 있음.

위수 근무【衛戍勤務】명〖군〗①위수에 관한 모든 임무를 수행하는 일. ②주로 위수지의 경비 및 순찰을 하는 일.

위수-령【衛戍令】명〖법〗육군 군대가 일정한 지역에 주둔하여 당해 지역의 경비·질서 유지 및 군기(軍紀)의 감시와 육군에 딸린 건축물, 그 밖의 시설을 보호할 것을 규정한 대통령령(令). 재해 또는 비상 사태가 벌어졌을 때 지방 장관의 청구가 있으면 위수 사령관은 병력을 동원, 경찰을 지원할 수 있음.

위수-병【衛戍兵】명 ①〖군〗위수 근무(衛戍勤務)에 복무하는 병사(兵士). 헌병(憲兵) 병과(兵科) 이외의 장병(將兵)으로써 임함. 위병(衛兵). ②〖역〗수자리를 사는 병정.

위수 병:원【衛戍病院】명〖군〗위수지(衛戍地)에 설치한 육군 병원. 그 지구내의 부상병·환자를 수용·치료함.

위수 부대【衛戍部隊】명〖군〗위수 임무를 맡은 부대.

위수 분지【渭水盆地】명〖지〗웨이수이 분지.

위수 사령관【衛戍司令官】명〖군〗위수 사령부의 장(長). 위수 지구(衛戍地區)에 주둔하는 헌병대 이외의 군대의 장(長) 중 상급 선임자(上級先任者)로써 임명함.

위수 사령부【衛戍司令部】명〖군〗위수(衛戍) 근무에 관한 사항을 관장하는 사령부.

위수이〔玉樹〕명〖지〗중국 칭하이 성(靑海省) 남부에 있는 지방 교역 도시. 위수이짱족(玉樹藏族) 자치주(自治州)의 주도(主都)로, 부근에는 티베트족(族)이 많음. 목축 지대 안에 자리잡은 도시로 축산품의 집산과 사천차(四川茶)의 거래도 성함. 옥수. [54,000명(1982)]

위수 이연【渭水離筵】명 동양화(東洋畫)의 화제(畫題)의 하나. 중국 전국 시대의 사람 형가(荊軻)의 고사(故事)를 그림.

위수-지【衛戍地】명〖군〗위수 근무를 집행하는 일정한 지구(地區). 위수 지구.

위수 지구【衛戍地區】명 위수지.

위수 참모【衛戍參謀】명〖군〗위수 사령관의 명(命)을 받아 각 담임 사무를 처리하는 참모.

위순【委順】명 자연의 되어가는 형편. 또, 자연의 되어가는 형편에 순응함. ——-하다 자여불

위술【危術】명 위험에 빠지는 길.

위:스망:스〔Huysmans, Joris Karl〕명〖사람〗프랑스의 소설가·미술 평론가. 일생 동안 관리(官吏)로 지냈으나, 졸라(Zola)의 영향으로 ≪배낭을 지고≫·≪마르트(Marthe)≫ 등의 작품을 발표하였고, ≪피안(彼岸)≫과 신(神)에 귀의하는 ≪역로(逆路)≫ 등에서 예리하고 진실한 관찰력을 보였음. [1848-1907]

위스커〔whisker〕명 지름이 몇 미크론인 아주 가는 단결정(單結晶). 매우 큰 기계적 강도(機械的強度)를 가졌기 때문에 플라스틱과 금속의 강화 재료(強化材料)·전기 재료·절연(絶緣) 재료 등으로 개발(開發)되고 있음.

위스콘신 대학【一大學】〔Wisconsin〕명 미국 위스콘신 주의 주도인 매디슨에 있는 종합 대학. 1838년에 창립됨. 남녀 공학임.

위스콘신 주【一州】〔Wisconsin〕명〖지〗아메리카 합중국 중앙 북부 미시간 호(Michigan湖) 서안의 주. 낙농지(酪農地)이며 귀리·고추·보리·밀 등을 재배하며 철·구리·아연을 산출함. 주도(主都)는 매디슨(Madison). [140,964 km^2 : 4,891,769(1990)]

위스퀴다:르〔Üsküdar〕명〖지〗터키의 이스탐불의 일구(一區). 보스포러스(Bosporus) 해협에 면한 아시아 쪽. 상업·제조업 지구로 되어 있음. 현재 위스퀴다르와 유럽을 연결하는 대규모의 보스포러스 해협 가교(架橋) 계획이 진척되고 있음. 구명은 스쿠타리(Scutari).

위스크【WISC】명〔Wechsler intelligence scale for children〕〖심〗웩슬러 아동용 지능 척도의 약칭. 검사는 언어적 척도, 곧 언어의 발달 및 언어로 표현할 수 있는 정신 발달을 조사하기 위한 문제와 작업 척도, 곧 운동·작업 방면의 발달을 조사하기 위한 문제로 구성되며, 이것에 의하여 전체적인 지능 지수 이외에 언어 및 작업면에서의 지능 지수를 산출할 수 있음.

위스키〔whisky, whiskey〕명 양주의 한 가지. 밀·보리·수수 등에 맥아(麥芽)·효모(酵母)를 가하여 발효(醱酵)시킨 다음 이를 증류(蒸溜)하여 만든 술. 보통, 불그스름하고 특이한 향기가 있음. 알코올 함유량 41-61%. 오래 묵힌 것일수록 좋다 하며, 특히 영국산 스카치가 세계적으로 유명함.

위스키 글라스〔whisky glass〕명 위스키를 따라 마시기 위한 작은 유리잔. 위스키 잔.

위스키 소:다〔whisky and soda〕명 위스키에 탄산수(炭酸水)를 탄 음료. 하이볼.

위스키 잔【一盞】〔whisky〕명 위스키 글라스.

위스키 폭동【一暴動】명〔Whisky Rebellion〕〖역〗1792년 및 1794년, 독립 직후의 미국에서 펜실베이니아 주(州)의 농민들이 주조세(酒造稅)를 반대하여 일으킨 폭동. 1791년에 미국 중앙 정부가 국내 소비세(消費稅)를 위스키에 과(課)함으로써 발단(發端)되었으나 중앙 정부의 군대 파견(軍隊派遣)으로 진압(鎭壓)되었음.

위슬러〔Wissler, Clark〕명〖사람〗미국의 문화 인류학자. 아메리칸 인디언의 연구에 종사, 각 부족에 대하여 음식물·배·직물·토기·건축·사회 조직 따위의 문화 요소(文化要素)의 유무를 검토하여 15개의 문화 영역(文化領域)이 설정된다고 하였음. 저서 ≪아메리칸 인디언≫·≪인류와 문화≫. [1870-1947]

위습다 형〈방〉우습다(경북).

위시【爲始】명 ①첫 번을 삼아 시작함. ②비롯함. ——-하다 타여불

위식[1]【違式】명 ①일정한 규정·관습에서 벗어나는 일. ②격식에 어긋나는 일. 위격(違格). ——-하다 자여불

위식[2]【僞飾】명 거짓 꾸밈. ——-하다 자여불

위식 재판【違式裁判】명〖법〗판결(判決)의 형식(形式)으로 재판(裁判)하여야 할 사항(事項)에 대하여 결정(決定)이나 명령(命令)의 형식으로 재판을 하거나, 그와 반대로, 결정이나 명령으로 재판하여야 할 사항에 대하여 판결로써 재판을 하는 것 등, 재판의 방식(方式)을 그릇 적용(適用)한 재판.

위신[1]【危身】명 몸을 위태롭게 함. 몸을 위험한 곳에 두어 환난(患難)을 피할 길 없음. ——-하다 자여불

위신[2]【委身】명 어떤 일에 몸을 맡김. 헌신(獻身). ——-하다 자여불

위신[3]【委信】명 믿고 맡김. ——-하다 타여불

위신[4]【威信】명 위엄(威嚴)과 신용. 권위(權威)와 신망(信望). ¶~이 떨어지다.

위신[5]【威神】명 ①〖불교〗부처가 가진 인지(人知)로는 헤아릴 수 없는 영묘하고도 불가사의한 힘. ②위엄이 있고 고귀함.

위-신경증【胃神經症】[一쯩] 명〖의〗이렇다 할 기질성(器質性)의 변화가 없이 위의 운동·분비·지각 등의 장애가 나타나는 증상.

위신지-도【爲臣之道】명 신하가 된 도리.

위실[1]【委悉】명 어떤 뜻이나 일을 자세히 다 앎. 아주 자상(仔詳)하게 앎. ——-하다 타여불

위실[2]【違失】명 틀리어 잘못됨. 실패. 과실(過失).

위심-하다【爲甚一】형여불 심하게 하다. 지나치게 하다.

위-씨방【一房】명〖식〗상위 자방(上位子房).

위씨 조선【衛氏朝鮮】명〖역〗위만 조선.

위아[1]【偉雅】명 우아하며 걸출(傑出)한 모양. ——-하다 형여불

위아[2]【爲我】명 자기의 이익만을 생각하여 행동함. ——-하다 자여불

위-아래 명 위와 아래. 고하(高下). 상하(上下). 아래위.

위아랫-막이 명 아래윗막이.

위아랫물-지다 자 ①한 그릇 안에 있는 두 가지의 액체가 잘 섞이지 아니하고, 위아래로 나누어지다. ②연령이나 계급의 차이로 말미암아 서로 어울리지 아니하다.

위아-설【爲我說】명〖철〗중국 전국 시대(戰國時代)의 사상가 양주(楊朱)의 극단적(極端的)인 개인주의 학설. 자연(自然)을 따르는 것이 인간 본연(人間本然)의 길이라고 한 노자(老子)의 설(說)을 이어, 사람은 남을 위하거나 남을 해침이 없이, 오직 자기 자신의 욕망(慾望)만을 만족시키어야 한다고 주장하였음. 한때 당시의 중국 사상계(思想界)를

지배한 사상임.

위-아토니【胃—】〔atony〕 명 〖의〗 위근 쇠약증(胃筋衰弱症).

위악【僞惡】 명 짐짓 악한 체함. ↔위선(僞善). ——-하다 자여불

위안¹ 명 〈옛〉 동산. ¶위안해 토란과 바믈 거두워 드릴시(園收芋栗)《杜諺 Ⅶ:21》.

위안²【位案】 명 위기(位記)의 안문(案文).

위안³【慰安】 명 위로하여 마음을 편하게 함. ¶마음의 ~. ——-하다 타여불

위안⁴ 〔元〕 의명 중국의 화폐 단위. 1 위안은 10 자오(角)임. 원.

위안-물【慰安物】 명 위안을 시키기 위하여 쓰이는 물건.

위안-부【慰安婦】 명 전시(戰時)에 일선에 있는 군인을 위안하기 위하여 동원된 여자.

위안상 〔沅湘〕 명 〖지〗 중국 후난성(湖南省)에 있는 위안장(沅江) 강과 샹수이(湘水) 강의 병칭(併稱). 원상.

위안수이 〔沅水〕 명 〖지〗 '위안장(沅江)'의 이칭(異稱).

위안 스카이 〔袁世凱〕 명 〖사람〗 중국의 군벌 정치가(軍閥政治家). 호는 샹청(項城). 허난(河南) 샹청(項城) 사람. 1882년에 조선에 머물러 내치·외교에 간섭하여 친청 세력(親淸勢力)의 부식(扶植)에 힘썼으며, 청일 전쟁(淸日戰爭) 패배 후에는 톈진(天津)에서 신식 육군(陸軍)을 편성했고, 의화단(義和團) 사건에서는 의화단을 탄압함. 1912년에는 청(淸)나라 선통제(宣統帝)에게 퇴위(退位)를 요구하고, 임시 공화(共和) 정부를 수립. 쑨 원(孫文)의 양보(讓步)를 강요하여 중화 민국 초대 대총통(大總統)이 되었음. 독재 권력(獨裁權力)을 써서 스스로 제위(帝位)에 올랐으나, 1915년 일본의 대화(對華) 21개조(個條) 요구(要求)를 비밀리에 수락한 것이 폭로되어 제3혁명(革命)이 일어나자, 이내 제위(帝位) 즉위(卽位)를 취소하고 민사(悶死)함. 원세개. [1859-1916]

위안-장 〔沅江〕 명 〖지〗 중국의 큰 강. 구이저우 성(貴州省)의 동부에서 발원하여, 후난성(湖南省)에서 서부로 흘러 지류를 모아 창더(常德)의 동쪽에서 둥팅 호(洞庭湖)에 이름. 전양 강(鎭陽江)과 칭수이 강(淸水江)이 합류하는 후난성 첸양(黔陽) 서쪽의 하류(下流)임. 수운(水運)이 편리하고 하류는 작은 기선(汽船)이 통할 수 있음. 위안수이(沅水). 원강. [900 km]

위안-제【慰安祭】 명 〖민〗 산소나 신주의 경동(驚動)을 위안하기 위하여 지내는 제사.

위안-처【慰安處】 명 위안이 될 만한 곳.

위안-회【慰安會】 명 슬픈 경우에 있는 사람이나, 일이 고된 여러 사람을 위안하기 위하여 베푼 모임.

위안히 〈옛〉 동산이. '위안¹'의 주격형(主格形). ¶李生의 위안히 거츨도ᄯᅩ니(李生園欲荒)《初杜諺 XXII:2》.

위안ᄋᆞ로 〈옛〉 동산으로. 전원(田園)으로. '위안¹'의 조격형(造格形). ¶어버ᅀᅵ 이바도ᄃᆡ 오직 져고맛 위안ᄋᆞ로 ᄒᆞᄂᆞᆺ다(養親唯小園)《初杜諺 XXI:33》.

위안ᄒᆞᆯ 〈옛〉 동산을. 전원을. '위안¹'의 목적격형. ¶일흠난 위안ᄒᆞᆯ 얻도다(得名園)《初杜諺 VIII:11》.

위-알 명 ☞ 윗알.

위암¹【危岩】 명 깎은 듯이 절벽으로 되어 있는 높은 바위.

위암²【韋菴】 명 〖사람〗 장지연(張志淵)의 호(號).

위-암³【胃癌】 명 〔gastric cancer〕 〖의〗 위에 발생하는 암종(癌腫). 초기에 특별한 증상은 없으나 식후(食後)의 위의 압박감, 위통(胃痛)·구토(嘔吐)·식욕 감퇴·객혈(喀血)·빈혈의 여러 증상이 일어나는데 다발 부위(多發部位)는 유문부(幽門部)이며, 다음 위체(胃體)·분문(噴門)으로 이어짐. 위 주위의 림프절(lymph節)에의 전이(轉移)가 많음. 40-60세에 다발(多發)함. *위궤양.

위압【威壓】 명 ①억누름. ②〔프 contrainte sociale〕 뒤르켐(Durkheim)이 주창(主唱)한 사회 사실(社會事實)의 특성. 법률(法律)·관습(慣習) 등의 사회 사실이 개인의 외부에 있으면서 개인의 사상(思想)이나 행동 등을 강제적(強制的)으로 복종(服從)하게 하는 힘. *사회 위압·사회적 구속. ——-하다 타여불

위압-감【威壓感】 명 위압을 받는 느낌.

위압-적【威壓的】 명관 덮어놓고 짓누르는 모양. ¶~인 태도.

위앙-종【潙仰宗】 명 〖불교〗 선가 오종(禪家五宗)의 하나. 중국 당나라의 위산 영우(潙山靈祐)와 앙산 혜적(仰山慧寂)의 두 대사(大師)의 종지(宗旨)를 근본으로 하여 일어난 종파(宗派). 당대(唐代)에 융성(隆盛)하다가 송대(宋代)에 이르러서 쇠퇴(衰退)하여 임제종(臨濟宗)에 합병(合併)당함.

위-앞문【胃—門】 명 〖생〗 분문(噴門).

위액【胃液】 명 〔gastric juice〕 위(胃)의 내벽(內壁)에 있는 위샘에서 분비되는 무색 투명·무취(無臭)의 소화액. 강산성(強酸性)이고, 염산(塩酸)·펩신·티모겐·리파아제 등이 주성분임. 단백질을 분해하여 펩톤으로 변화시키는 외에 음식물의 살균도 함.

위액 검:사【胃液檢査】 명 주로 위암(胃癌)·위궤양을 알아내기 위한 검사로서, 경구적(經口的)으로 관을 위에 넣어 위액을 빨아내, 산도, 혈액의 존재, 종양 세포(腫瘍細胞)의 유무 등을 조사하는 일.

위액 결여증【胃液缺如症】〔—쯩〕 명 〖의〗 위액 결핍증.

위액 결핍증【胃液缺乏症】 명 〔gastric achylia〕 〖의〗 위액의 분비(分泌)가 저하(低下)하거나 소실(消失)되어 있는 상태. 선천적(先天的)인 위샘 기능(機能)의 쇠약, 빈혈(貧血), 신경 계통(神經系統)의 기능 장애 등으로 생기는데, 설사·위부(胃部)의 중압감(重壓感)·식욕 부진·오심(惡心) 등의 증상을 일으킴. 노인에 많음. 위액 결여증. 위산 결핍증. 위액 분비 결핍증.

위액 분비 결핍증【胃液分泌缺乏症】 명 〔achylia gastrica〕 〖의〗 위액 결핍증.

위약¹【胃弱】 명 〖의〗 ①소화력(消化力)이 약해지는 위의 여러 가지 병. ②위가 약함. ——-하다 형여불

위-약²【胃藥】 명 위병에 먹는 약. 건위제·소화제 등.

위약³【違約】 명 약속(約束)이나 계약(契約)을 어김. 부약(負約). ¶~ 행위. ——-하다 자여불

위약⁴【僞藥】 명 〔placebo〕 〖의〗 플라세보(placebo).

위약-금【違約金】 명 〖법〗 채무 불이행(不履行)의 경우에, 손해 배상(損害賠償) 또는 제재(制裁)로서 채무자가 채권자에게 지급할 것을 미리 정해 둔 금전(金錢). *위약벌(違約罰).

위약 배상【違約賠償】 명 ①위약함으로써 끼친 손해에 대한 배상. ②거래소의 매매에 있어서, 기일내에 물품을 내어 주지 아니함으로써 생긴 손해를 거래소가 배상하는 일. ——-하다 타여불

위약-벌【違約罰】 명 〖법〗 채무 불이행(不履行)의 경우에 채무자가 채권자에게 일정한 금전 또는 그 외의 것을 급부(給付)할 것을 미리 약속하는 일종의 사적 제재(私的制裁). *위약금.

위약 예:정 금:지【違約豫定禁止】〔—녜—〕 명 〖법〗 근로 기준법상(勤勞基準法上) 사용자(使用者)가 근로 계약 불이행에 대한 위약금·손해 배상액을 예정하는 계약을 체결하지 못하게 하는 일.

위약-자【違約者】 명 약속을 어긴 사람.

위-약조로【危若朝露】 명 위태롭기가 마치 해가 뜨면 곧 말라 없어질 아침 이슬과도 같음. 인생의 무상(無常)을 비유해서 이르는 말.

위약 처:분【違約處分】 명 〖법〗 계약을 어긴 자에 대한 제재(制裁)로서 하는 처분. ——-하다 자여불

위양¹【委讓】 명 다른 사람에게 위임(委任)하여 양보(讓步)함. 위촉하여 양도(讓渡)함. ——-하다 타여불

위양²【僞讓】 명 겉으로만 사양함. ——-하다 자여불

위양-장【渭陽丈】 명 남의 외숙(外叔)의 경칭.

위어¹【危語】 명 과격한 말.

위어²【葦魚】 명 〖어〗 웅어.

위어-소【葦魚所】 명 〖역〗 조선 시대 때 사옹원(司饔院)의 한 분장(分掌). 웅어의 명산지인 한강(漢江) 하류 고양(高陽)에 있었으며, 웅어를 잡아 왕가(王家)에 진상(進上)하던 곳.

위언¹【危言】 명 ①기품이 높은 말. 준엄(峻嚴)한 말. ②과격한 말.

위언²【偉彥】 명 도량과 재간이 위대한 사람.

위언³【違言】 명 ①자기가 한 말을 어김. ②이치에 어긋난 말. ③다른 의견(意見). 거역하는 말. ——-하다 타여불

위언⁴【僞言】 명 남을 속이어 거짓으로 하는 말. 허언(虛言).

위엄【威嚴】 명 위광(威光)이 있어서 점잖고 엄숙함. 으젓하고 드레짐. ——-하다 형여불 점잖고 엄숙하다.

위엄-성【威嚴性】〔—썽〕 명 위엄 있는 성품.

위엄-스럽다【威嚴—】 형ㅂ불 위엄 있는 태도(態度)가 있다. 위엄-스레【威嚴—】 부

위엄-차다【威嚴—】 형 대단히 위엄이 있다.

위업¹【爲業】 명 생업을 삼음. 사업을 경영함. ——-하다 자여불

위업²【偉業】 명 위대한 사업. 훌륭한 업적. ¶건국의 ~.

위-없다 〔—업—〕 형 ①그 위를 넘는 것이 더 없다. ②가장 높고 좋다.

위-없이 〔—업씨〕 부 위없게.

위에 〔Hué〕 명 〖지〗 베트남 북부의 고도(古都). 상업의 중심지로 정미·제재·상아 세공 등이 행하여짐. 19세기 이후 구엔조(阮朝)의 서울로 번성하여 웅장한 건물들이 많았으나 월남전 격전장이 되어 많이 파괴됨. 후에. 순화(順化).

위여 감 참새 떼 등을 쫓는 소리.

위여내다 타 〈옛〉 도리어 내다. ¶뼈를 그처 骨髓 내오 두 눈ᄌᆞᄉᆞ를 위여내니라《月釋 XXI:218》.

위-여누:란【危如累卵】 명 극히 위험한 일을 가리키는 말.

위-여일발【危如一髮】 명 아주 급한 순간. 위기 일발(危機一髮).

위여-하다【偉如—】 형여불 위대하다.

위-연륜【僞年輪】〔—열—〕 명 〖식〗 중연륜(重年輪)을 이루는 성장륜(成長輪)이, 상해(霜害)나 충해(蟲害)로 인하여 형성층(形成層)의 작용(作用)에 이상이 생기어, 정상적인 세포 형성(細胞形成)을 하지 않음으로써 생긴 비정상적인 나이테.

위연 탄:식【喟然歎息】 명 한숨을 쉬며 크게 탄식하는 일. ——-하다 자여불

위연-하다¹【喟然—】 형여불 한숨을 쉬는 모양이 서글프다. 위연-히【喟然—】 부. ¶이윽히 야색을 구경하다가 ~ 탄식하여 왈…《作者未詳 : 산천초목》.

위연-하다²【威然—】 형여불 위엄이 늠름하다. 위연-히【威然—】 부

위연ᄒᆞ다 형 〈옛〉 후련하다. =우연ᄒᆞ다. ¶위연ᄒᆞ며 되요믈 아로려홀딘댄(欲知差劇)《飜小 IX:31》.

위열¹【位列】 명 위계(位階)의 순위(順位).

위열²【威烈】 명 기세(氣勢)나 위력이 세참. 또 그 기세나 위력. ——-하다 형여불

위열³【偉烈】 명 ①위대한 공적. 위공(偉功). ②위대한 공로를 남긴 사람.

위열⁴【慰悅】 명 위안하여 기쁘게 함. ——-하다 타여불

위염【胃炎】 명 〖의〗 위점막(胃粘膜)에 염증(炎症)이 일어나는 질병(疾病). 급성(急性) 위염은 폭식(暴食), 불완전한 저작(咀嚼), 너무 뜨겁거나 차거나 부패한 음식물의 섭취로 인하여 일어나며, 위부(胃部)의 불쾌감, 식욕 부진·설태(舌苔)와 때로는 구토(嘔吐) 증상을 나타내고, 전신 권태(全身倦怠)를 느끼게 됨. 만성(慢性) 위염은 급성의 경우와 같

은 원인에 의하여 일어나는 외에, 식사를 급히 하거나, 흡연(吸煙)·음주(飮酒) 등에 의하여 일어남. 또, 위궤양(胃潰瘍)은 항상 만성 위염을 수반함. 위장염(胃腸炎). 위카타르(胃catarrh). 위가답아(胃加答兒).

위엽【僞葉】명 〖식〗 헛잎.

위오【違忤】명 거슬러 어김. ——-하다 타여불

위옹¹【胃癰】명 〖의〗 위장에 열기(熱氣)가 모여 생기는 종기. 구토·해소가 나고 혹은 피고름을 토함.

위옹²【圍擁】명 ①둘러쌈. ②그러안음. ——-하다 타여불

위와티다 피동 〈옛〉 위함을 받다. 받들리다. *위왇다. ¶온 세샹이 위와팀을 됴히너겨(擧世好承奉)≪小諺 Ⅴ:26≫.

위왇다 타 〈옛〉 받들다. 섬기다. *위와티다. ¶위와도믈 아비ᄀᆞ티 ᄒᆞ며(奉之如嚴父)≪飜小 Ⅸ:79≫.

위왈-장【位曰章】[―짱] 명 〖악〗 악장(樂章)의 하나.

위요¹【圍繞】명 ①싸고 도는 일. 둘러 쌈. 빙 둘러 앉음. ②〖불교〗 요잡(繞匝). ——-하다 타여불

위요²【圍繞】명 혼인 때에 가족 중에서 신랑이나 신부를 데리고 가는 사람. 상객(上客). 요객(繞客). 후배(後陪). →위우(位右). *후행(後行). 위요(로) 가다 구 혼인 때에 위요로 가다.

위요-지【圍繞地】명 〖법〗 ①어떤 토지를 둘러 싸는 주위의 토지. ②다른 한 나라에 의하여 완전히 둘러 싸인 영토.

위용¹【威容】명 위엄 있는 용모. 위엄스러운 자태(姿態).

위용²【偉容】명 훌륭하고 뛰어난 용모. 또, 그 모양. 당당한 모양.

위우【位右】명 ←위요²(圍繞).

위우다 타 〈방〉 외다²(경상).

위운【違韻】명 한문(漢文)의 시부(詩賦)에서 운자(韻字)가 틀리는 일.

위원¹【委員】명 ①일반 단체에 있어서 임명(任命) 또는 선거에 의하여 지명(指名)되어 그 단체의 특정한 사무의 처리를 위임 맡은 사람. ②〖법〗 위원회·심의회(審議會) 등의 구성원 또는 한정된 특정의 국가·지방 자치 단체(團體)의 사무를 행하거나 원조하는 사람. 국회·지방 의회의 상임 위원·특별 위원 같은 것.

위원²【渭原】명 〖지〗 평안 북도 위원군의 군청 소재지. 압록강 중류의 굴곡 지대에 있어서 소위 감입 사행(嵌入蛇行)의 지형으로 유명하며 목재의 집산지임.

위-원³【魏源】명 〖사람〗 중국 청(淸)나라의 학자. 후난(湖南) 사람. 주자학·고증학(考證學)에 대항하여 공양학(公羊學)에 입각한 경세 치용(經世致用)의 학문을 주창하여 1826년 ≪황조 경세문편(皇朝經世文編)≫을 편집. 1844년 아편 전쟁 때에는 저장 방면(浙江方面)의 영국군과 싸웠으며, 전쟁에 패배하자 감분(感憤)하여 세계 정세를 서술한 ≪해국도지(海國圖誌)≫, 청국의 현대사라 할 ≪성무기(聖武記)≫를 씀. 변법 자강(變法自強) 운동의 선구자임. [1794-1856]

위원-군【渭原郡】명 〖지〗 평안 북도의 한 군. 관내 7 면. 동북·남쪽은 강계군(江界郡), 서쪽은 초산군(楚山郡)에 인접하고 북쪽은 압록강(鴨綠江)을 경계로 만주의 지안 현(集安縣)과 대함. 주산물은 농산과 임산이고, 명승 고적으로는 동천산(銅遷山)·용복사(龍福寺)·읍성(邑城)·도을한보(都乙漢堡)·봉화대보(烽火臺堡) 등이 있음. 군청 소재지는 위원. [1,234 km²]

위원-단【委員團】명 어떠한 일의 처리를 맡은 위원들로써 구성된 단체.

위원 부:탁【委員附託】명 〖법〗 의회(議會) 같은 데에서 어떠한 의안(議案)의 심사를 전문 위원에게 부탁하는 일.

위원-장【委員長】명 위원 가운데의 우두머리.

위원-포【威遠砲】명 〖군〗 불씨를 손으로 점화(點火), 발사(發射)하는 유통식 화기(有筒式火器). 그 형체가 대형·중형·소형으로 구분되며, 무쇠로 만들고 포구(砲口) 쪽이 좁으면서 점차 약실(藥室) 쪽으로 퍼지다가 포미(砲尾)에서 마무리됨.

위원-회【委員會】명 〖법〗 ①어떤 특정한 목적 아래 임명 또는 선거로 지명된 위원(委員)으로 구성된 합의 기관(合議機關). ¶인권 옹호 ～. ②위원(委員)에 의한 회의(會議). ¶군축 소～.

위원회 중심주의【委員會中心主義】[―/―이] 명 〖정〗 모든 안건(案件)을 상임 위원회나 관계되는 특별 위원회가 중심이 되어 심의하며, 본회의는 최종 표결(最終表決)만을 행하는 주의. 전문적(專門的)인 지식을 가진 위원들로 하여금, 신중하고 자유로이 심의하게 하며, 본회의의 시간을 절약하는 이점(利點)이 있으나, 비밀 회의(祕密會議)로 인한 여론(輿論)의 무제약(無制約), 본회의의 형식화, 이해 관계자(利害關係者)와의 결탁(結託)·타협 위험성 등의 해점(害點)이 있음. 미국은 이 주의를 따르고 있음. ↔본회의 중심주의.

위월【違越】명 위반함. 어김. ——-하다 타여불

위위-시【衛尉寺】명 〖역〗 고려 때 의장(儀仗)을 맡아 보던 관아. 태조(太祖) 원년(918)에 내군(內軍)을 두고 광종(光宗) 11년(960)에 장위부(掌衛部)로, 뒤에 사위시(司衛寺)로, 성종(成宗) 14년(995)에 이 이름으로 함. 충렬왕(忠烈王) 34년(1308)에 이부(吏部)에 합쳤다가, 충혜왕(忠惠王) 원년(1331)에 예전대로 회복하고, 공양왕(恭讓王) 원년(1389)에 다시 파하여 중방(重房)에 합치었음.

위유¹ 명 〈방〉 위요(圍繞).

위유²【葳蕤】명 ①〖식〗 둥굴레. ②초목이 무성함. ——-하다 형여불

위유³【慰諭】명 위로하고 타일러 잘 달램. ——-하다 타여불

위유-사【慰諭使】명 〖역〗 지방에 천재(天災)·지변(地變)이 있을 때, 어명(御命)으로 백성을 위로하기 위하여 보내는 임시직.

위-으뜸음【―音】명 [supertonic] 〖악〗 음계의 제2음. 으뜸음 위에 있으므로 이 이름이 있음. 상주음(上主音).

위은【僞恩】명 애정을 가장한 은혜.

위의¹【危疑】[―/―이] 명 의심이 나서 마음이 편하지 아니하고 불안함. ——-하다 형여불

위의²【威儀】[―/―이] 명 ①위엄이 있는 의용(儀容). 엄숙한 몸차림. 엄의(嚴儀). 의관(儀觀). ②예법에 맞는 몸가짐. ¶～를 갖추다. ③〖불교〗 장사(葬事)에 쓰는 항오(行伍). ④〖불교〗 계율(戒律)의 이칭(異稱).

위의 당당【威儀堂堂】[―/―이―] 명 위의가 훌륭함. 위엄 있는 거동이 훌륭함. ——-하다 형여불

위의-장【威儀章】[―짱/―이짱] 명 〖악〗 악장(樂章)의 이름.

위이¹【委蛇】명 ①의젓하고 천연스러운 모양. 위타(委蛇). ②구불구불 에워 두름. 위타(委蛇). ——-하다 형여불

위이²【委迤·逶迤】명 위이(委蛇)❷. ——-하다 형여불

위이시도루스 문서【僞―文書】[Isidorus] 명 〖역〗 9세기 중엽 프랑스 북부 지방에서 서프랑크(西 Frank) 교회의 개혁을 목적으로 편찬된 대규모적인 교회 법령집. 편자로는 7세기 전반(前半)의 스페인 주교(主教) 이시도루스(Isidorus)의 이름을 붙이고 종교 회의의 결의와 몇몇 교황의 칙령을 엮은 것인데, 콘스탄티누스 대제(大帝)의 기증장(寄贈狀)이 포함되어 있었음. 이것은 11세기 이후의 교황권(敎皇權) 확대에 이용되었으나 17세기 초기에 위작(僞作)임이 입증되었음.

위이테【UIT】명 [Union International de Tir의 약자] '국제 사격 연맹'의 약칭.

위인¹【偉人】명 ①도량(度量)·재간(才幹)이 뛰어난 위대한 사람. 뛰어난 인물. 대인물(大人物). ②위대한 일을 한 사람.

위인²【爲人】명 사람의 됨됨이. 사람된 품. 사람됨.

위인³【僞印】명 위조(僞造)한 도장. 가짜 도장.

위인 모충【爲人謀忠】명 남을 위하여 정성껏 꾀함. ——-하다 자여불

위인 설관【爲人設官】명 사람을 위하여 벼슬 자리를 마련함. ——-하다 자여불

위인-전【偉人傳】명 위인 전기(偉人傳記).

위인 전기【偉人傳記】명 동서 고금(東西古今)의 위인들의 일생의 업적 및 일화(逸話) 등을 사실(史實)에 입각(立脚)하여 적어 놓은 글. 또, 그 책. 위인전.

위-일능사【爲一能事】[―릉―] 명 가장 익숙한 일로 삼음. ¶작시(作詩) ～라. ——-하다 타여불

위임【委任】명 ①맡김. 위기(委寄). ②사무의 처리를 타인에게 위탁하는 일. ③〖법〗 당사자(當事者)의 일방(一方)이 법률 행위 기타의 사무 처리를 상대방에게 위탁하여, 상대방이 이것을 승낙함으로써 성립하는 계약(契約). 곧, 재산의 매매(賣買), 법률 행위의 위탁, 재산의 관리(管理), 사무의 처리 위탁 등임. 수임자(受任者)에게는 사무 처리의 자유 재량의 범위가 어느 정도 있고, 무상 편무 계약(無償片務契約)이 원칙이나 보수(報酬)의 특약(特約)이 있는 유상 쌍무 계약(有償雙務契約)이 많고, 일반적으로 대리권(代理權)을 수반함. ④〖법〗 행정청이 그 권한 사무(事務)를 다른 행정청에 위탁하는 일. 법령의 근거를 필요로 함. ——-하다 타여불

위임 경리【委任經理】[―니] 명 특정(特定)의 경비를 어느 사람에게 주어 지출(支出)을 일임하고, 과부족(過不足)이 생기어도 추급(追給)·반납(返納)시키지 아니하는 경리. 장학금(獎學金)으로서의 기부금의 경리가 대학의 학장에게 위임되는 것과 같은 것.

위임 규정【委任規定】명 어떤 법령(法令)이, 스스로 규정해야 할 사항을 다른 법령에 의한 규정에 맡긴다고 정하고 있는 일. 또, 그 법조문.

위임 대:리【委任代理】명 〖법〗 위임 계약에 의하여 본인의 대신으로 법률 행위를 행하는 일. 임의(任意) 대리. ——-하다 자여불

위임 독재【委任獨裁】명 〖역〗 로마 공화정 치하에서 전란 때에 원로원(元老院)의 합의제를 일시 정지해서 한 사람의 독재관에게 비상 권한을 주던 일.

위임 명:령【委任命令】[―녕] 명 〖법〗 법률(法律)에서의 위임 받은 사항(事項)에 관하여 법률의 내용을 보충하기 위하여 제정되는 행정부의 명령. 위임 명령은 법률에서 위임 받은 사항에 대하여는 법률에 대신하는 것이며, 실질상 법률의 내용을 보충하는 것이므로 보충 명령(補充命令)이라고도 함. ——-하다 타여불

위임 사:무【委任事務】명 ①위임을 받은 사무. ②〖법〗 국가나 다른 공공 단체(公共團體)로부터 시·도·군·면에 위임된 사무. 특히, 이에 대해서는 법률의 규정 없이도 감독 관청(監督官廳)의 감독을 받음. *고유 사무·필요 사무.

위임 사:무비【委任事務費】명 〖법〗 지방 자치 단체가 위임을 받아 행하는 행정 사무에 필요한 경비. *고유 사무비.

위-임신【僞姙娠】명 상상(想像) 임신.

위임 예식【委任禮式】[―네―] 명 위임할 때 행하는 예식.

위임 입법【委任立法】명 〖법〗 입법부(立法府)에 의하여 위임된 입법 권한(立法權限)의 행사(行使) 또는 위임된 입법 권한의 행사의 결과로서 발표되는 규칙. 곧, 법률의 위임에 의하여 국회(國會) 이외의 국가 기관(國家機關)인 행정부(行政府)가 법규(法規)를 정립(定立)하는 일. *위임 명령.

위임-자【委任者】명 위임을 하는 사람. ↔수임자(受任者).

위임-장【委任狀】[―짱] 명 〖법〗 ①어떤 사람이 특정한 사무 처리(事務處理)를 다른 사람에게 위임한 취지(趣旨)를 적은 문서. ②위임에 부수(附隨)하는 대리(代理)가 있는 경우, 대리인의 권한을 증명하기 위하여 교부(交付)하는 문서. *백지(白紙) 위임장. ③국제법상, 파견국(派遣國)이 특정한 사람을 영사(領事)로 임명하는 취지의 문서. 상급(上級) 영사는 파견국 원수(元首)의 명의(名義)로, 하급(下級) 영사는 외무부 장관 명의로 행하여짐.

위임적 독재【委任的獨裁】명 〖정〗 현행 헌법의 존립(存立)이 위협을

받고 있는 경우에, 헌법을 실질적으로 옹호하기 위하여, 헌법 기타 특정한 위임을 받아, 그 형식적 효력을 일시적으로 정지하는 독재. 수임(受任) 독재. ↔주권적(主權的) 독재.

위임 전결【委任專決】[명]〖법〗기관의 장(長)이 소관 사무의 일부를 소속 직원에게 위임하는 전결. *내부 위임.

위임 통:치【委任統治】[명]〖정〗[mandate] 제1차 세계 대전 이후에 국제 연맹(國際聯盟)의 위임에 의하여 전승국(戰勝國)인 영국·프랑스·일본 등이 독일·터키의 구(舊)식민지를 통치하던 일. 또, 그 통치 형태. *신탁(信託) 통치.

위임 행정【委任行政】[명]〖법〗국가 또는 지방 자치 단체가 그 행정 사무를 본래 자기 기관(機關)이 아닌 자(者)에게 위임하여 행하는 일. 국가가 지방 자치 단체에 위임하는 것과 국가 또는 지방 자치 단체가 사인(私人)에게 위임하는 경우가 있음.

위자【慰藉】[명] 위로하고 도와 줌. ——하다 [타][여불]

위자-료【慰藉料】[명]〖법〗정신적 고통(精神的苦痛)과 손해에 대한 배상(賠償). 민법상(民法上), 재산·생명·신체·자유·명예·정조(貞操) 등을 침해(侵害)하는 불법 행위(不法行爲)에 의하여 발생한 정신적 손해에 대해서는 금전 배상을 원칙으로 하지만 명예 훼손(名譽毁損)의 경우에는, 사죄 광고(謝罪廣告) 등 명예를 회복시킬 만한 적당한 처분(處分)으로 대신하기도 함.

위:-자손【爲子孫】[명] 자손을 위하는 일. ——하다 [자][여불]

위:자손-계【爲子孫計】[명] 자손을 위하여 꾀함. 또, 그 계획. ——하다 [자][여불]

위자지-도【爲子之道】[명] 자식된 도리(道理).

위작[1]【位爵】[명] 위(位)와 작(爵). 벼슬.

위작[2]【僞作】[명] ①다른 사람이 그 작자(作者)가 만든 것처럼 본떠서 비슷하게 만듦. 또, 그 작품. 위조(僞造). 가조(假造). ②〖법〗다른 사람이 저작권자의 승낙을 얻지 않고, 그의 저작물을 복제(複製)하여 발행하는 일. ——하다 [타][여불]

위-장[1]【胃腸】[명]〖생〗위와 장(腸).

위장[2]【胃臟】[명]〖생〗위(胃)❶.

위장[3]【圍場】[명]〖역〗중국에 있던 관설(官設)의 수렵장(狩獵場). 요(遼)나라·금(金)나라 시대부터 이미 있었으나, 가장 발달한 것은 청대(淸代)였으며, 주로 만주 지방에 베풀었음.

위장[4]【圍障】[명] 경계선에 설치한 담. 울짱·철조망과 같은 장애물.

위장[5]【僞裝】[명] ①남의 눈을 속이기 위하여 어떤 태도(態度)나 행동을 짐짓 꾸며 하는 일. ¶ ~ 간첩. ②본체(本體)가 드러나지 않도록 다른 물체와 흡사한 빛깔이나 형체를 거짓으로 꾸미는 일. ③〖군〗무장(武裝)·장비·병기(兵器) 또는 건물 등 공격의 목적물이 적(敵)에게 보이지 않도록 하는 일. 카무플라주(camouflage). 의장(擬裝). *미채(迷彩). ——하다 [타][여불]

위장[6]【慰狀】[명] 위로하고 문안하는 편지.

위장[7]【衛將】[명]〖역〗①↗오위장. ②조선 후기 함경도에 설치되었던 오위(五衛)의 장. 주로 그 지방 수령(守令)이 겸했음. 함경도의 오위 제도는 주로 6진(六鎭) 지대를 방위하기 위해 설치된 것임.

위장-계【胃腸系】[명][gastrointestinal system] 위(胃)와 장(腸)을 비롯하여 그 밖의 모든 부속 기관(附屬器官)을 포함(包含)하는 소화기계(消化器系).

위장-망【僞裝網】[명]〖군〗위장에 쓰이는 망. 나뭇가지·풀·헝겊 등을 매어 달아 인체(人體)·포상(砲床)·군용 건물·장비 등을 덮어 가리도록 끈 따위로 얽어 만듦.

위장 문합술【胃腸吻合術】[명]〖의〗위와 소장(小腸), 특히 공장(空腸)을 봉합(縫合) 연결하여 위에서 소장으로의 교통로를 신설하는 수술. 즉, 유문부(幽門部)·십이지장 궤양 등에서 절제(切除)가 불가능할 때라든지, 위암의 근치 수술 불능일 때라든지 하는 여러 가지 유문 협착증(幽門狹窄症)인 경우에 함.

위장 번호【僞裝番號】[명] 주로 수사 기관 등에서 그 기관에 속한 차량임을 숨기거나 오인(誤認)시키기 위하여 달던 차량 번호.

위장-병[1]【胃腸病】[-뼝] [명] 위장에 일어나는 병. 대개 위병(胃病)과 장병(腸病)이 동시에 발생하기 때문에 일괄하여 일컬음.

위장-병[2]【胃臟病】[-뼝] [명]〖의〗위병(胃病).

위장-복【僞裝服】[명]〖군〗위장용으로 된 복장. 여러 가지 색과 무늬 등을 넣어 만듦.

위-장부【偉丈夫】[명] 위남자(偉男子).

위장-소【衛將所】[명]〖역〗오위장(五衛將)이 숙직하던 직소(職所).

위장 수출【僞裝輸出】[명]〖경〗수출에 링크(link)된 원자재(原資材)의 할당을 받아 이것을 국내에 유용(流用)하는 일. 외국 상사와의 의제 계약(擬制契約)에 의하여 원료를 가공(加工), 뒤에 수출 계약(輸出契約)이 취소된 형식을 밟아 제품을 국제 시세보다 유리한 값으로 국내 시장에서 처분하는 위법 행위.

위장 실업【僞裝失業】[명]〖경〗능력에 비하여 생산력이 낮은 직업에 비자발적(非自發的)으로 취업하고 있는 상태. *잠재적 실업.

위장-약【胃腸藥】[-냑] [명] 위 및 장의 장애에 대하여 사용하는 약의 총칭. 건위제(健胃劑)·제산제(制酸劑)·소화제·최토제(催吐劑)·지사제(止瀉劑)·구충제(驅蟲劑) 등이 있음.

위장-염[1]【胃腸炎】[-념] [명][gastroenteritis]〖의〗위장에 생기는 염증(炎症). 위염(胃炎)과 장염이 각각 발생하나, 대개 동시에 하나의 병증(病症)을 나타내기 때문에 일괄하여 일컬음. 흔히 식중독(食中毒)·콜레라균·티푸스균·기관지염(氣管支炎)·위산 과다증(胃酸過多症)에 의하여 발생하고, 소화 불량·구토·설사·복통(腹痛) 등이 돌발적으로 자주 일어나며, 발열(發熱)·점액변(粘液便)·혈변(血便)도 있음. 위장 카타르(胃腸 Katarrh). *위염·대장염(大腸炎).

위장-염[2]【胃臟炎】[-념] [명]〖의〗위염(胃炎).

위장 이민【僞裝移民】[명] 재산의 해외 도피(海外逃避)·탈세(脫稅) 기타의 목적으로 서류상 합법적 이민 절차(合法的移民節次)를 마치고 가족의 전부 또는 일부만을 이민시킨 채 본인은 계속 본국에 불법으로 체류(滯留)하는 일.

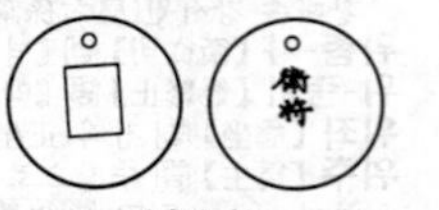
〈위장패〉

위장 카타르【胃腸─】[도 Katarrh] [명]〖의〗위장염(胃腸炎).

위장-패【衛將牌】[명]〖역〗오위장(五衛將)이 궐내(闕內)를 순찰(巡察)할 때 가지는 패.

위장 해:고【僞裝解雇】[명]〖경〗불황(不況) 따위로 조업 단축(操業短縮)이 불가피하나, 그렇다고 휴업 수당(休業手當)을 지불할 수 없고 하여 사업주(事業主)와 고용인(雇傭人)이 서로 짜고 해고 형식을 취하여, 그 기간 동안 관비(官費)로 실업 수당을 타게 하여 휴업시키는 궁여지책(窮餘之策)의 하나.

위장 호르몬【胃臟─】[명][gastrointestinal hormone] 위장계(胃臟系)에서 분비되는 호르몬의 총칭.

위재[1]【偉才】[명] 위대한 재주. 또, 그러한 재주를 가진 사람.

위재[2]【偉材】[명] 뛰어난 재간(才幹). 또, 그러한 재간을 가진 사람.

위-재조석【危在朝夕】[명] 아주 위험하여 하루 동안을 지내기가 몹시 어려운 형편.

위저-선【胃底腺】[명]〖생〗위의 저부(底部)와 위체(胃體)의 전부(前部)에 걸쳐 있는 수많은 소화샘.

위적[1]【偉績】[명] 위대한 공적. 위공(偉功).

위적[2]【偉蹟】[명] 위대한 사적(事蹟).

위적[3]【僞蹟】[명] 거짓으로 꾸며 만든 사적(事蹟).

위전[1]【位田】[명] ①〖역〗관아(官衙)·학교·사원(寺院) 등의 유지를 위하여 설정된 토지. 신라 때의 국행 수륙전(國行水陸田)·승위전(僧位田), 고려 때의 문묘 학전(文廟學田), 조선 시대의 공수 위전(公須位田)·원위전(院位田)·마위전(馬位田) 따위. ②↗위토전(位土田). *위토(位土). ↔위답(位畓).

위전[2]【偉戰】[명] 훌륭하게 싸움. 또, 훌륭한 싸움. ——하다 [자][여불]

위전[3]【圍田】[명]〖지〗'웨이톈'을 우리 음으로 읽은 이름.

위전[4]【僞電】[명] 위조한 전보. 거짓 전보.

위절【委折】[명] 곡절(曲折)❸. ——하다 [자][여불]

위-절제술【胃切除術】[─쩨─] [명]〖의〗위암(胃癌)·위궤양(胃潰瘍) 따위의 위질환(胃疾患)으로 환부(患部)를 절제하는 수술. 부분적(部分的) 절제술 또는 전위(全胃) 절제술이 있고 전자에는 범위에 따라 종류가 다르며, 수술 후 절단(切斷)된 위의 끝이나 식도(食道)를 소장(小腸)과 접합(接合)함.

위정[1]【爲政】[명] 정치를 행하는 일. 정치에 당함. ——하다 [자][여불]

위정[2] [부]〈방〉일부러(함경).

위정-자【爲政者】[명] 어떤 관직에 있으면서 정치를 행하는 사람. *당국자(當局者)·정치가.

위정 척사【衛正斥邪】[명]〖역〗조선 시대 후기에, 정학(正學)·정도(正道)로서의 주자학(朱子學)을 지키고, 사학(邪學)·사도(邪道)로서의 천주교를 물리치려던 주장.

위제【僞製】[명] 위조(僞造). ——하다 [타][여불]

위조[1]【萎凋】[명] ①쇠약하여 마름. ②〖식〗식물체의 수분(水分)이 결핍하여 시들고 마름. *위조병(萎凋病). ——하다 [자][여불]

위조[2]【僞造】[명] 거짓으로 속여서 진짜처럼 만듦. 가짜를 만듦. 위작(僞作). 안작(贋作). 위제(僞製). 안조(贋造). ¶문서 ~/통화 ~. ——하다 [타][여불]

위조[3]【僞朝】[명] 정통(正統)을 이어받지 아니한 조정(朝廷).

위조 문기【僞造文記】[명] 위조한 문서와 기록. *위권(僞券).

위조 문서【僞造文書】[명] 작성할 자격이 없는 사람이 거짓으로 꾸며 만든 문서. [준]위문서(僞文書)·위서(僞書).

위조-물【僞造物】[명] 위조한 물건. 또, 위조된 물건. 가짜 물건.

위조-병【萎凋病】[─뼝] [명]〖식〗식물의 뿌리·줄기의 밑 부분의 물관(管)이 곤충 등의 침해를 입어서 수분의 운반이 방해되어 잎·줄기가 시들어 마르는 병. *위조(萎凋).

위조-사【僞造史】[명] 거짓으로 꾸며 만든 역사.

위조-자【僞造者】[명] 위조한 사람.

위조-죄【僞造罪】[─쬐] [명]〖법〗인장(印章)·문서·통화(通貨)·유가 증권(有價證券) 등을 행사(行使)할 목적으로 위조함으로써 성립하는 죄. ¶통화 ~.

위조 지폐【僞造紙幣】[명] 위조한 지폐. 안찰(贋札).

위-조직【胃組織】[명]〖생〗균류(菌類) 및 지의류(地衣類)의 체내(體內)에 있어서 이차적(二次的)으로 많이 모인 세포군(細胞群).

위조-품【僞造品】[명] 위조한 물품(物品). 가짜 물품. 위물(僞物). 안조품(贋造品).

위족【僞足】[명][pseudopodium]〖생〗세포 표면에서 형성되는 원형질 돌기(原形質突起). 변형(變形)과 신축(伸縮)이 다양(多樣)하며 운동·부표(浮漂)·부착·생식·포식(捕食) 등의 일을 함. 조류(藻類)의 생식 세포, 원생 동물(原生動物)·해면(海綿) 동물의 백혈구(白血球)·림프구(lymph 球), 척추 동물은 조직 세포의 발생 초기 등에서 형성함. 헛발. 가족(假足). 허족(虛足). *관족(管足).

위족-류【僞足類】[─뉴] [명]〖동〗[Sarcodinea] 진핵 생물(眞核生物)에 속하는 원생(原生) 생물의 하나. 동물로 분류될 때는 원생 동물 형주아문(形走亞門)의 한 강(綱)이 됨. 위족(僞足)으로 운동하며, 먹이를 싸서 몸 속에 넣어 소화(消化)하는 단세포(單細胞) 생물임. 단단한 석회

질(石灰質) 등으로 껍질을 이룬 것도 있는데, 몸의 형태가 수시로 변하며 대부분 분열(分裂)로 번식함. 아메바·태양충(太陽蟲)·유공충(有孔蟲)·방산충(放散蟲) 등이 이에 속함. 육질충류(肉質蟲類).

위종【衛從】명 ①호위하기 위하여 배종(陪從)함. ②《역》 대한 제국 때 황태손 강서원(皇太孫講書院)의 판임(判任) 벼슬. ——-하다 타여불

위종-사【衛從司】명《역》↗세손 위종사(世孫衛從司).

위-종지【僞終止】명《악》'거짓 마침'의 한자 이름.

위좌【危坐】명 정좌(正坐).

위주【爲主】명 주장으로 삼는 일. 주장이 됨. ¶농업 ~/실력 ~로 채용하다. ——-하다 타여불

위:주 치명【爲主致命】명《천주교》 천주(天主)를 위해 목숨을 바침. 순교(殉敎). ㊎치명(致命). ——-하다 자여불

위중[1]【危重】명 병세(病勢)가 무겁고 위태로움. ——-하다 형여불

위중[2]【威重】명 위엄이 있고 태도가 무거움. ——-하다 형여불

위증[1]【危症】명 위험한 병의 증세.

위증[2]【僞證】명 ①거짓 증거. *망증(妄證). ②《법》 법률에 의하여 선서(宣誓)한 증인이 허위의 증언을 하는 일. ——-하다 타여불

위증-죄【僞證罪】[―쬐] 명 《법》 법원이나 국회 등에서 법률의 규정에 의하여 선서한 증인이, 고의로 허위의 진술(陳述)을 함으로써 성립하는 죄. *모해(謀害) 위증죄.

위지[1]【危地】명 ①위험한 곳. ¶~에 몰아 넣다. ②위험한 지위.

위지[2]【位地】명 지위(地位)❷.

위지[3]【違旨】명 취지나 뜻에 어긋남. ——-하다 자여불

위지[4]【魏志】명 《책》 중국 삼국(三國) 때의 위(魏)나라의 사서(史書). 서진(西晉)의 진수(陳壽)가 편찬함. 본기(本紀)는 4권, 열전(列傳)은 26권으로 표현이 간명하고, 문장이 질박(質朴)함. 촉지(蜀志)·오지(吳志)와 함께 삼국지(三國志)라 불림.

위지 삼잡【圍之三匝】명 겹겹으로 둘러 쌈. 삼지 위겹. ——-하다 타여불

위지위그〔WYSIWYG〕명 〔what you see is what you get의 약칭〕《컴퓨터》 워드프로세싱이나 전자 출판에서, 문서의 체제가 화면에 실제 그대로 출력되게 되어 있는 방식.

위지 협지【威之脅之】명 여러 가지 방법으로 위협함. ——-하다 타여불

위직【衛職】명《역》조선 시대 때 혜민서(惠民署)의 잡직(雜職)의 하나.

위질【痿疾】명《한의》감각을 잃어 마음대로 움직일 수 없는 질병.

위집【蝟集】명 고슴도치의 털과 같이 많은 것이 한 곳에 모여 드는 일. 곧, 사물이 한때에 많이 모임을 일컫는 말. ——-하다 자여불

위-짝 명 위의 짝. ↔아래짝.

위-쪽 명 위가 되는 쪽. ↔아래쪽.

위차【位次】명 자리의 차례. 계급의 차례.

위착[1]【違錯】명 말한 것의 전후(前後)가 모순(矛盾)이 있는 일.
 위착(이) 나다 구 말한 것의 전후에 서로 모순됨이 생기다.

위착[2]【僞着】명《역》본인 아닌 사람이 남의 이름을 본인 모르게 서명(署名)하는 일. ——-하다 자여불

위찰【僞札】명 위조한 지폐.

위-창[1] 명 〈속〉 밑창에 대하여, 맨 위의 바닥.

위창[2]【葦滄】명《사람》오세창(吳世昌)의 호(號).

위-채 명 여러 채의 집 가운데서 위쪽에 있는 채. ↔아래채.

위:-처자【爲妻子】명 처자를 위하는 일. ——-하다 자여불

위-천공【胃穿孔】명 《의》 궤양으로 위벽에 구멍이 생기는 일. 위·십이지장 궤양의 10%에서 위천공을 볼 수 있음. 위의 내용물이 복강으로 새어 나와 급성 복막염의 원인이 됨.

위철리〔Wycherley, William〕명 《사람》 영국 왕정 복고기(王政復古期)의 극작가. 노골적인 풍자(諷刺)를 특색으로 하는 희극을 씀. 대표작 ≪시골 아낙네≫·≪솔직한 사내≫ 등. [1640?-1716]

위-청[1]【―廳】명 ①윗사람이 있는 처소(處所). ②윗등급의 관청(官廳). 상청(上廳). ↔아래청.

위-청[2]【衛靑】명《사람》중국 전한(前漢)의 무제(武帝) 때의 무장(武將). 위 황후(衛皇后)의 동생. 누이와 함께 미천(微賤)한 몸에서 발탁(拔擢)되어 기원 전 129년부터 장군으로서 흉노(匈奴)를 치기를 일곱 번, 대공을 세웠음. [?-106 B.C.]

위:초 비위조【爲楚非爲趙】명 겉으로는 이것을 위하는 체하면서 실상은 딴 일을 위함을 이르는 말. 속과 겉이 다름을 일컫는 말.

위촉【委囑】명 특정한 일을 남에게 부탁하여 맡김. ¶~장. ——-하다 타여불

위총 구작【爲叢驅雀】명 자기를 이롭게 하려다가 도리어 남을 이롭게 하는 일. ——-하다 자여불

위축[1]【爲祝】명《불교》나라를 위하여 하는 기도. ——-하다 타여불

위축[2]【萎縮】명 ①마르고 시들어서 우그러지고 쭈그러 듦. ②어떤 힘에 눌려 기력이 없어짐. ¶어른 앞에서 ~되다. ③《생》정상적인 크기로 발달하였던 조직·장기(臟器)의 용적(容積)·수(數)가 감소하고, 그 기능도 저하(低下)하는 상태. 노인성(老人性) 위축·생리적 위축 등이 있음. ——-하다 자여불

위축[3]【蝟縮】명 고슴도치가 적을 만나면 두려워 몸을 움츠리는 것처럼 두려워서 움츠리는 모양. ——-하다 자여불

위축-감【蝟縮感】명 두려워서 움츠러 드는 느낌.

위축-병【萎縮病】명 식물체(植物體)의 전체 또는 일부가 오그라들며 약해지는 병. 해충(害蟲)에 의하여 전염(傳染)되며 벼·보리 등에 많이 생기는데 잎이 황록색으로 변하고, 가지가 많이 돋고 줄기는 크지 못함. 오갈병.

위축성 비:염【萎縮性鼻炎】명《의》비강(鼻腔)의 점막(粘膜)과 뼈가 위축(萎縮)하는 병. 만성(慢性)의 경과를 가지며, 사춘기(思春期)에 많음. 콧구멍과 목이 마르고, 진한 콧물이나 코딱지가 끼며, 머리가 무겁고 비출혈(鼻出血)·후각 감퇴(嗅覺減退) 등의 증상이 나타나는데, 원인에 대해서는 유전설(遺傳說)·매독설·자율 신경 이상설(自律神經異常說)·내분비설(內分泌說) 등이 있음.

위축성 위염【萎縮性胃炎】명〔atrophic gastritis〕《의》점막(粘膜)의 위축이 따르는 위의 만성 염증(慢性炎症).

위축-신【萎縮腎】명《의》신장(腎臟)이 굳어 좋아 드는 상태의 질병. 고혈압(高血壓)에 의하여 발생하고, 다뇨(多尿)·야간 다뇨(夜間多尿)·구갈(口渴) 등이 일어남.

위축-위【萎縮胃】명《의》위의 만성염(慢性炎) 등으로 위벽(胃壁)이 비대(肥大)하여지고 위 전체가 축소하는 증세.

위-출혈【胃出血】명《의》위궤양·위암(胃癌)·위동맥 경화(硬化) 등의 병증(病症)으로 위(胃)에서 출혈을 일으키는 증상(症狀).

위충【胃蟲】명《동》선형(線形) 동물 선충류(線蟲類)에 속하는 가축의 기생충. 위충증을 일으키는데, 종류가 많음.

위충-증【胃蟲症】[―쯩] 명《동》각종의 위충(胃蟲)을 원인으로 하는 말·닭·돼지·면양 등 가축의 기생충병. 늦가을에서 겨울에 걸쳐 많이 발생하는데 빈혈과 영양 실조를 일으킴.

위-층[1]【―層】명 ①위 쪽의 층. 상층(上層). ②일층(一層)에 대한 이층. ↔아래층.

위층[2]【僞層】명〔false bedding〕《지》 여러 가지 각도(角度)로 퇴적(堆積)된 얇은 층의 집합으로 된 지층. 강바닥·강어귀·해안 등에 퇴적된 수성암(水成岩), 특히 사암층(砂岩層)에서 흔히 볼 수 있음. 사교 층리(斜交層理).

위치[1]【位置】명 ①자리. 지위. 포지션. 위(位). ¶각자의 ~. ②있는 처지. 처소. ¶위험한 ~에 있다. ③곳. 장소. ——-하다 자여불 위치를 차지하고 있다.

위치[2]【胃齒】명〔gastric teeth〕《생》①연체 동물(軟體動物)인 군소류(類)에서 볼 수 있는, 위의 앞쪽에 가지런히 난 10여 개의 단단한 입상체(粒狀體). 소화 효소(消化酵素)를 함유(含有)하여 먹이를 부수는 작용을 하는 동시에, 효소도 공급(供給)함. ②새우 따위 갑각류(甲殼類)에 있어, 위의 내면에 있는 키틴질(chitin 質)의 돌기. 먹이를 부수는 작용을 함.

위치[3]〔witch〕명 마녀(魔女). 무당.

위치-각[1]【位置角】명《천》천구(天球) 위의 기준이 되는 한 점으로부터, 천구상의 어느 한 점에 대한 방향을 표시하기 위해 기준점과 북극 및 그 어느 한 점과를 연결한 두 선이 이루는 각도.

위치-각[2]【位置覺】명〔sense of position〕《심》 위치 감각.

위치 감:각【位置感覺】명 《심》 동물이 어떤 체위(體位)를 가질 때에, 거기에 관계되는 모든 감각(感覺). 시각(視覺)·평형 감각(平衡感覺)·촉각(觸覺)·근육 감각(筋肉感覺) 등이 이에 관계됨. 위치각(位置覺).

위치 결정【位置決定】[―쩡] 명〔fix〕《항공》 비행(飛行)에서, 전파에 의하여 방위각(方位角)·고저각(高低角)·직거리(直距離)를 측정하여 목표 공간에서의 위치를 알아내는 일.

위치 기하학【位置幾何學】명《수》위상(位相) 기하학.

위-치마 명 갈퀴의 앞초리 쪽으로 대고 새끼나 끈으로 엮은 코. ↔아래치마.

위-치매【僞癡呆】명《의》히스테리 등에서 볼 수 있는, 주위에 대하여 지나치게 무관심하여, 언뜻 보기에 치매처럼 보이는 상태.

위치-선【位置線】명《항공》어느 시각에 있어서의 비행기의 위치를 나타내는 선.

위치 습성【位置習性】명 동물이 어느 쪽으로 갈 것인가를 택할 때 언제나 같은 쪽을 택하는 습성.

위치 에너지【位置―】명〔potential energy〕《물》물체가 그 위치에서 잠재적(潛在的)으로 지니고 있는 에너지. 그 크기는 물체의 위치에 의하여 정해짐. 퍼텐셜 에너지(potential energy).

위치 이:상【位置異常】명〔malposition〕《의》기관(器官) 또는 다른 신체 부분의 위치가 정상(正常)이 아닌 일. 또, 태아(胎兒)의 위치가 비정상인 일.

위치 장애【位置障礙】명〔steric hindrance〕《화》분자내(分子內)의 치환기(置換基)의 특수한 입체 배치(立體配置)에 의하여 생기는 효과. 입체 장애(立體障礙).

위치 천문학【位置天文學】명 구면(球面) 천문학.

위치토〔Wichita〕명 《지》 미국 캔자스 주(州)의 중심 도시. 프레리(prairie) 농업 지대의 한 중심으로, 밀·축산의 대집산지. 부근에 유전(油田)이 있고 정유 공업(精油工業)도 성함. [292,730명(1988)]

위치 통보【位置通報】명〔position report〕《항공·해》비행기나 선박의 항행에 있어서 그 위치와 진행에 관해 명확(明確)한 정보(情報)를 제공하는 무선 통신.

위치 표지【位置標識】명〔marker〕《군》지상·해상에서 위치를 나타내기 위해서 쓰이는 표시(表示) 또는 신호. 흔히, 화공품(火工品)이 쓰임.

위치 효:과【位置效果】명〔position effect〕《생》①유전자(遺傳子)의 위치 변화에 의한 염색체(染色體)의 이상(異常)에 따르는, 유전자의 표현도(表現度) 변화. ②인접(隣接)하는 유전자에 의하여 본래의 표현형(表現型)이 받는 영향.

위칙【違勅·違敕】명 칙령(勅令)을 어김. ——-하다 자여불

위:친【爲親】명 부모를 위함. ——-하다 자여불

위:친-계【爲親契】명 부모의 상사(喪事) 등을 위하여 하는 계. 각 계원(契員)이 금전·곡물(穀物)을 갹출하여 이식(利殖)을 도모하고, 계원의

부모가 사망할 경우에 상수(喪需)·장례비 등을 부담하고 조위(弔慰)·협력함. 상계(喪契). 신종계(愼終契).

위:친지-도【爲親之道】 명 부모를 섬기는 도리.

위칭【僞稱】 명 거짓으로 꾸며 일컬음. ——-하다 타여불

위-카메라【胃—】 명 〔gastro camera〕『의』 위의 내벽(內壁)의 검사에 쓰이는 의료 기계. 선단(先端)에 초소형 카메라, 다른 끝에 이를 조작(操作)하는 장치가 있는 관상(管狀)의 기구로서, 위 안에 삽입하여 내벽을 촬영함.

위-카타르【胃—】〔도 Katarrh〕 명 『의』 위염(胃炎).

위-칸 명 위의 칸. ↔아래칸.

위:크〔week〕 명 주(週). 일 주간(一週間). 「평일(平日).

위:크-데이〔weekday〕 명 일요일(日曜日) 이외의 보통 날. 주일(週日).

위:크 보손〔weak boson〕 명 『물』 소립자(素粒子) 간의 약한 상호 작용을 매개(媒介)하는 입자. 와인버그살람(Weinberg-Salam) 이론의 중핵(中核)을 이루는 게이지(gauge) 입자로 스핀(spin)은 1. 전하(電荷)가 양·음인 W^+와 W^- 입자 및 중성(中性)인 Z^0입자가 있음. 더블유 중간자(W中間子).

위:크-엔드〔weekend〕 명 ①토요일의 오후 또는 금요일 밤부터 월요일 아침까지의 사이. 주말(週末). ②주말 휴가(週末休暇).

위:크 포인트〔weak point〕 명 약점(弱點). 급소(急所).

위-큰정맥【—靜脈】 명 『생』 상대정맥(上大靜脈).

위:클리〔weekly〕 명 주간(週刊)의 신문이나 잡지 같은 것. 주간 간행물(刊行物).

위클리프〔Wycliffe, John〕 명 『사람』 영국의 성직자(聖職者). 로마 교황의 영국 간섭을 애국적 태도에서 배척하여, 국가 권력의 교황으로부터의 독립을 주장하였고, 성서를 영역(英譯)하고 가톨릭 교회의 개혁을 주장하여 종교 개혁의 선구자가 되었음. [1320?-84]

위킷〔wicket〕 명 ①쪽문. ②크리켓 경기에서 사용하는, 나무로 만든 작은 삼각문(三脚門).

위킷-키:퍼〔wicketkeeper〕 명 크리켓 경기(競技)에서 위킷을 지키는 사람.

위타【委蛇】 명 ①위이(委蛇)❶❷. ②'미꾸라지'의 딴이름.

위탁【委託】 명 ①맡기어 부탁함. 의뢰(依賴)하는 일. ②『법』 법률상의 행위(行爲)나 사실상의 행위를 할 것을 다른 기관이나 사람에게 의뢰함. ——-하다 타여불

위탁 가공 무:역【委託加工貿易】 명 『경』 가공 무역의 한 가지. 해외의 위탁자가 국내의 수출업자 또는 제조업자와 계약을 맺고, 원료를 제공하여 가공시킨 다음, 재수출의 형식으로 자기 앞으로 출하(出荷)하게 하는 무역 방식.

위탁-금【委託金】 명 남에게 위탁하여 둔 돈.

위탁 매매【委託賣買】 명 『경』 거래하기 편리한 다른 사람에게 상품을 위탁하여 팔고 사는 일. 원격지(遠隔地)에서 상품의 매매 행위를 하는 경우에 그 지방의 상인에게 위탁하여 행하는데, 수탁자(受託者)는 경제상 수수료(手數料)를 받음에 그치지만, 제삼자(第三者)에 대하여서는 자기의 명의(名義)로써 매매하는 것으로, 스스로 권리와 의무를 가짐. ——-하다 타여불

위탁 모집【委託募集】 명 유가 증권을 발행할 때, 발행 회사가 모집 및 모집 사무를 제삼자(第三者)에게 위탁하는 발행 형태.

위탁-물【委託物】 명 어떤 계약 아래 남에게 위탁하여 둔 물건. 위탁품(委託品).

위탁물 횡령죄【委託物橫領罪】〔—녕죄〕 명 『법』 위탁되어 있는 물건을 횡령함으로써 성립하는 죄. 업무상 횡령죄 등, 배임죄(背任罪)와 공통성(共通性)이 있음. *횡령죄.

위탁-생【委託生】 명 ↗위탁 학생(委託學生).

위탁 수수료【委託手數料】 명 ①위탁자가 수탁자(受託者)에게 지불하는 수수료. ②증권 회사(證券會社)가 고객의 주문을 집행함에 있어서 고객으로부터 징수하는 수수료.

위탁 수표【委託手票】 명 『경』 발행인이 자기의 명의(名義)로 하되 제삼자의 위탁에 의하여 그 사람의 계산에 의하여 발행한 수표. 수취식 수표(受取式手票).

위탁 어음【委託—】 명 『경』 발행인이 지불 자금(支拂資金)을 제공하는 제삼자의 위탁을 받아서 그 삼자의 계산(計算)에 의하여 자기 명의로 발행한 어음.

위탁 영농 회:사【委託營農會社】 명 농어촌 발전 특별 조치법에 따라 농사를 지을 수 없게 된 사람들의 농토를 위탁받아 농사를 대신 지어주는 기업. 쌀농사뿐 아니라 채소·과수·원예 등의 경제 작물도 영농을 대행하고 농기계 임대·수리 사업 등도 함. 한편, 관계법에 따라 법인세·부가 가치세·취득세·재산세·등록세 등에 대한 면제 혜택도 받음.

위탁-인【委託人】 명 위탁한 사람. 위탁자(委託者). ↔수탁인(受託人).

위탁 임야【委託林野】 명 시·도·읍·면 등에 보호를 위탁한 국유(國有)의 임야.

위탁-자【委託者】 명 위탁인. ↔수탁자(受託者).

위탁 증거금【委託證據金】 명 증권 회사(證券會社)가 고객(顧客)으로부터 매매 주문(賣買注文)을 받고 고객에게 담보(擔保)로서 납부하도록 하는 증거금. 현금 또는 거래소(去來所)가 정하는 대용 증권(代用證券)으로 납부할 수 있음. 위탁 보증금(保證金).

위탁 증거금률【委託證據金率】〔—뉼〕 명 증권(證券)의 신용 거래(信用去來)에서, 위탁 증거금의 주식 시가(株式時價)에 대한 비율. 통칭: 증거금률.

위탁 증권【委託證券】〔—꿘〕 명 『경』 증권의 발행자가 스스로 급부(給付)의 의무를 부담하지 아니하고, 제삼자가 급부의 의무를 부담하도록 급부의 위탁을 기재(記載)한 증권.

위탁 출판【委託出版】 명 출판자가 출판물의 출판에 관한 사무의 일부 또는 전부를 다른 출판자에게 위탁하여 이루어지는 출판.

위탁 판매【委託販賣】 명 『경』 상품(商品)을 상인(商人)에게 위탁하여 팔게 하는 일. 손익(損益)은 위탁자에게 돌아가고 수탁자는 수수료를 받음. ——-하다 타여불

위탁 판매 수출 보:험【委託販賣輸出保險】 명 『경』 수출자(輸出者)가 위탁 판매를 위하여 화물(貨物)을 수출했을 경우, 일정 기간 안에 다 팔지 못할 때의 비용(費用)·손실을 전보(塡補)하는 수출 보험의 하나. *수출 대금 보험.

위탁-품【委託品】 명 남에게 위탁한 물품. 위탁물.

위탁 학생【委託學生】 명 학자(學資)를 지급(支給)하여 어떤 학교에 교육을 위탁하는 학생. 준위탁생(委託生).

위탁 화:물【委託貨物】 명 위탁한 화물.

위탁 회:사【委託會社】 명 『법』 담보부 사채(擔保付社債)를 모집하는 회사. 모집에 있어서 신탁(信託) 계약에 의하여 위탁자가 사채(社債)에 담보를 붙임으로써 신탁 회사에 위탁하게 됨.

위태[1]【危殆】 명 ①형세가 매우 어려움. ②마음을 놓을 수 없음. ③안전하지 못하고 위험함. ——-하다 형여불

위태[2]【位太】 명 『역』 조선 시대 후기에, 대동법(大同法) 실시에 따라, 종전의 전공(田貢) 대신 선혜청(宣惠廳)에 바치게 한 콩. *위미(位米).

위태-롭다【危殆—】 형 ㅂ불 위태한 듯하다. 위태-로이【危殆—】 부 위태롭게.

위태-범【危殆犯】 명 『법』 형법에서, 구성 요건이 법익 침해(法益侵害)의 결과를 요구하지 않고, 단지 법익 침해의 위험을 생기게 함으로써 충분한 범죄. 방화죄(放火罪) 등. ↔위험범(危險犯)·침해범(侵害犯).

위태위태-하다【危殆危殆—】 형여불 매우 위태하다.

위태 작포【位太作布】 명 『역』 위전(位田)에서 나는 콩의 전세(田稅) 대신에 베로 바치는 일. 콩 한 섬에 베 두 필 반이었음.

위태 책임【危殆責任】 명 『법』 위험 책임(危險責任).

위태-천【韋太天】 명 〔범 Skanda〕『불교』 불법(佛法) 수호(守護)의 신(神). 증장천 팔장군(增長天八將軍)의 하나로 어린아이의 병마(病魔)를 제거하는 신이라고도 함. 마왕 첩질귀(捷疾鬼)가 불사리(佛舍利)를 빼앗아 가지고 도망갈 때, 그를 쫓아가서 도로 빼앗아 왔다고 하며 달음질 잘하는 신으로 유명함. 그 상(像)은 갑주(甲胄)를 입고 양손에 보봉(寶棒)을 가졌음.

위-턱 명 ①위쪽의 턱. 상악(上顎). ¶~ 뼈. ↔아래턱. ②위쪽으로 턱처럼 내민 데.

위턱 구름 명 상층운(上層雲).

위턱-뼈 명 『생』 상악골(上顎骨).

위토【位土】 명 수확을 제향(祭享)에 관한 일에 쓰기 위하여 설정한 토지. 곧, 제전(祭田)과 묘전(墓田). 위토답(位土畓)과 위토전(位土田)의 통칭. *묘위전(墓位田)·위전(位田).

위토-답【位土畓】 명 위토로서의 논. 준위답(位畓).

위토-전【位土田】 명 위토로서의 밭. 준위전(位田). 「웃통❷.

위-통[1] 명 ①물건의 위가 되는 부분. ↔아래통. ② ☞ 웃통❶. ③ ☞

위통[2]【胃痛】 명 『의』 위가 아픈 증세. 위염(胃炎)·폭음 폭식(暴飮暴食)·위확장·위궤양 등으로 위부(胃腑)에 분포된 지각 신경이 이화학적(理化學的)인 약물(藥物)·독물(毒物)의 자극을 받을 때 위부(胃腑)에 동통(疼痛)이 생김.

위트〔wit〕 명 ①기지(機智). 해학(諧謔). ②재사(才士). ③희극 배우.

위트레흐트〔Utrecht〕 명 『지』 네덜란드의 중부, 라인 강 하류에 임하는 도시. 상업·철도의 중심지. 금속·기계·섬유·식품 공업(食品工業)이 성함. 1636년에 창립한 대학이 있음. 위트레흐트 조약의 체결지임. 유트레트. [234,170 명(1993)]

위트레흐트 동맹【—同盟】〔Utrecht〕 명 『역』 네덜란드 북부 7주(州)가 1579년 스페인으로부터의 독립 운동(獨立運動)에 즈음하여 결성한 동맹. 스페인왕 펠리페 2세의 신교(新敎) 탄압이 동기가 되어, 이에 반항하고, 1581년 독립을 선언함으로써 드디어 신국가 네덜란드 연방 공화국을 세우기에 이르렀음.

위트레흐트 조약【—條約】〔Utrecht〕 명 『역』 스페인 계승 전쟁(繼承戰爭) 후 1713-15년에 걸쳐, 열국(列國)이 위트레흐트에서 회합하여 체결한 일련(一連)의 조약의 총칭. 그 중 중요한 조항을 열거하면 펠리페 5세의 스페인왕 승인, 브란덴부르크·사보이의 왕호(王號) 허가, 영국과 오스트리아의 영토 취득 등임.

위트릴로〔Utrillo, Maurice〕 명 『사람』 프랑스의 화가. 소년 시절부터 알코올에 중독, 그의 어머니의 권유로 그림을 배웠다고 하며, 인상파풍(印象派風)으로, 주로 파리(Paris) 거리의 풍경을 그렸음. [1883-1955]

위판[1]【位版】 명 『역』 위패(位牌).

위판[2]【僞版】 명 일정한 절차를 밟지 않고 몰래 한 출판.

위-팔 명 어깨에서 팔꿈치까지의 부분. ↔아래팔.

위팔-뼈 명 위팔의 뼈. ↔아래팔뼈.

위패[1]【危悖】 명 위험하고 패악(悖惡)함. ——-하다 형여불

위패[2]【位牌】 명 『역』 단(壇)·묘(廟)·원(院)·절 등에 모시는, 신위(神位)의 이름을 적은 나무 패. 위판(位版). 영위(靈位). 목주(木主).

위패[3]【韋貝】 명 『사람』 베버(Veber, K. I.)의 한자명.

위패-당【位牌堂】 명 위패를 모시는 사당(祠堂).

위패-목【位牌木】 명 ①위패를 만들 나무. ②아직 글씨를 쓰지 아니한 위패.

위패 바탕【位牌—】 명 위패를 꽂아 놓는 바탕 나무.

위편【韋編】 명 책을 꿰어 맨 가죽 끈.

위편 삼절【韋編三絶】명〔공자(孔子)가 역(易)을 애독하여 가죽으로 맨 책끈이 세 번이나 끊어졌다는 고사(故事)에서〕독서(讀書)에 힘씀을 일컫는 말.

위폐【僞幣】명 위조한 화폐. 위조한 지폐.

위포【胃泡】명〖생〗위(胃)의 분문부(噴門部)에 나타나는 반원형(半圓形)의 공기상(空氣像). 식후(食後)의 위부(胃部)를 X선으로 투시(透視)할 적에 나타남.

위-포청【一捕廳】명〖역〗우포도청(右捕盜廳)의 속칭.

위품【位品】명 벼슬의 품계(品階).

위풍【威風】명 위엄 있는 풍채나 모습.

위풍 늠름【威風凜凜】[—늠] 명 풍채(風采)가 위엄(威嚴)이 있어 당당(堂堂)함. ——-하다 형여불

위피 공사【違避公事】명〖역〗공무(公務)를 꺼리어 기피함.

위필【僞筆】명 남의 필적(筆跡)을 모방하여 쓴 문자·문서. 위서(僞書). ——-하다 타여불

위핍【威逼】명 위협(威脅). ——-하다 타여불

위 핑보〔兪平伯〕명〖사람〗중국의 시인·고전 문학자. 근대 문학 초기에 서정 시인으로 알려졌으나 후에 수필과 고전 연구에 전향하였으며, ≪홍루몽(紅樓夢)≫ 연구로 유명함. 1954년에는 그의 홍루몽 연구의 방법으로 해서 비판을 받음. 유평백. [1899-1990]

위하[1]【威嚇】명 위협(威脅). ——-하다 타여불

위-하[2]【渭河】명〖지〗'웨이허[1]'를 우리 음으로 읽은 이름.

위-하[3]【衛河】명〖지〗'웨이허[2]'를 우리 음으로 읽은 이름.

위:-하다【爲—】타여불 ①잘 되도록 관계해 주다. ¶너의 취직을 위하여 노력하겠다. ②이롭게 하다. ¶교양을 쌓기 위해서 책을 읽어라. ③공경하여 말씨를 존대하다. ¶어른을 ~. ④어떤 것을 소중하게 알고 아끼다. ¶책을 신주(神主)처럼 위한다. ⑤어떤 사람이나 단체를 도우려고 생각하다. ¶민족을 위하여 몸을 바치다.

위하-설【威嚇說】명〖법〗형벌(刑法) 이론의 하나. 형벌(刑罰)의 목적 및 기능(機能)이 사회 일반(社會一般)을 두렵게 하여, 장래의 범죄(犯罪)를 막는다고 하는 설.

위-하수【胃下垂】명〔gastroptosis〕〖의〗위의 위치 이상(位置異常)으로 위가 배꼽 아래 심지어는 골반까지 처지는 현상. 선천성 이상이나 작은 옷을 입거나 끈으로 배를 졸라 매거나 하여 일어나며, 자각적(自覺的)으로 위에 충만(充滿)·중압을 느끼고 구역질·식욕 이상·두중(頭重)·불면·기억력 감퇴 등의 증상이 일어남.

위하-적【威嚇的】명관 위협적(威脅的).

위학[1]【胃瘧】명〖의〗위에 탈이 나서 생긴 학질.

위학[2]【僞學】명 ①정도(正道)에 어그러진 학문. ②그 시대에 있어서 정통파가 아닌 학파. 이학(異學). ③〖역〗조선 시대 성리학파(性理學派)의 유학자(儒學者)들이 사장파(詞章派)와 실학파(實學派)들의 학문을 가리키어 폄칭(貶稱)한 이름.

위한[1]【胃寒】명〖한의〗위가 냉해지는 증상. 위랭(胃冷).

위한[2]【爲限】명 기한이나 한도를 정함. ——-하다 타여불

위한[3]【違限】명 약속한 기한을 어김. ——-하다 타여불

위한-산【一山】〔玉函〕명〖지〗중국 산둥 성(山東省)의 지난(濟南) 남동쪽 약 17 km 지점에 있는 산. 이 산 밑에는 포위 사(佛峪寺)가 있고, 절벽면(絕壁面)에는 대소 92 체의 불상이 조각되어 있음. 옥함산(玉函山).

위한산 석굴【一山石窟】〔玉函〕명〖지〗중국 산둥 성(山東省)의 위한산 아래에 있는 포위 사(佛峪寺) 옆의 석회암(石灰岩) 절벽(絕壁)에 조각된 불단(佛壇). 584-600 년 작이라는 조상기(造像記)와 함께 수대(隋代)의 특징을 지닌 92 체의 부처·보살의 상이 5 층으로 나뉘어 조각되어 있음. 옥함산 석굴. ＊위한산.

위할【緯割】명〔latitude cleavage〕〖생〗수정란(受精卵)이 알의 주축(主軸)을 포함하는 면에 거의 직각(直角)되는 면(面)으로 분할하는 일. 횡할(橫割). ↔경할(經割).

위항【韋杭】명〖사람〗박제가(朴齊家)의 호(號).

위항 문학【委巷文學】명〖문〗조선 선조 때부터 시작된 중인(中人)·서얼(庶孽)·서리(胥吏)·평민 등 여항인(閭巷人) 출신의 시인·문사(文士)에 의하여 이루어진 문학. 양반 사대부(兩班士大夫)와는 다른 자기류 독특한 문학으로 조선 시대 문학에 중요한 위치를 차지하였음. 중인 서리 문학. 중인 문학. 여항 문학.

위항 시인【委巷詩人】명〖문〗조선 시대 후기, 중인(中人)·서리(胥吏) 출신의 시인으로, 여항(閭巷) 문학을 이룬 사람들. 대표적 인물로는 이상적(李尙迪)·이언진(李彦瑱) 등임. 여항 시인.

위해[1]【危害】명 위험한 재해(災害). 특히, 사람의 생명을 위협하는 위험이나 해(害). ¶~를 가(加)하다.

위해[2]【威海】명〖지〗'웨이하이'를 우리 음으로 읽은 이름.

위해-물【危害物】명 위험(危險)한 재해(災害)를 끼칠 만한 물건. 폭발물·석유 따위.

위해-위【威海衛】명〖지〗'위해(威海)'의 구명.

위행【危行】명 행동을 고상(高尙)히 하여 시속(時俗)을 좇지 아니함을 일컫는 말.

위허【胃虛】명 위가 허함. ——-하다 형여불

위헌【違憲】명〖법〗성문(成文)의 헌법 규정(憲法規定)에 위반함. 곧, 법률·명령·규칙·국무(國務)에 관한 행위·절차·처분 등이 헌법 규정에 위반되는 일. 헌법 위반. ——-하다 자여불

위헌 법령 심:사권【違憲法令審査權】[—녕—꿘] 명〖법〗법원이 재판을 행함에 있어 적용해야 할 법령의 효력을 심사하고, 그 법령이 헌법에 위반한다고 인정하였을 경우, 그 적용(適用)을 거부(拒否)하는 권한. 우리 나라에서는 명령·규칙·처분(處分) 등에 대한 심사는 대법원이 하게 하고 법률에 대하여는 헌법 재판소(憲法裁判所)에 심사권을 부여함. 법령 심사권.

위헌-성【違憲性】[—썽] 명〖법〗어떤 법률 행위(法律行爲)가 헌법의 조문(條文)이나 정신에 위배(違背)되는 일. 비합헌성(非合憲性). ↔합헌성(合憲性).

위헌 입법【違憲立法】명〖법〗헌법 조항(憲法條項)에 위배(違背)되는 법령의 제정(制定).

위헌 재판【違憲裁判】명〖법〗법원의 법령 심사권이 인정되는 나라에서, 법원이 어떤 법률·명령·규칙 또는 처분이 헌법에 위배된다고 판단하는 재판.

위험【危險】명 ①위태함. 손실(損失)·위해(危害)가 생길 우려가 있음. ②안전하지 못함. ——-하다 형여불

위험 계:수【危險係數】명〖물〗원자로에 물질을 삽입한 결과 생기는 물질의 단위 질량당(當) 반응도의 변화.

위험 관리【危險管理】[—괄—] 명〖경〗경영 활동에 따르는 각종 위험을, 최소 비용으로 최소한으로 막는 체계적 조치.

위험-률【危險率】[—뉼] 명 어떤 주장(主張)의 정부(正否)를 통계적 방법으로 판단했을 때 그 판단이 틀리는 확률.

위험-물【危險物】명 위험한 물건. 소방법에서의, 발화성·인화성이 있는 물건.

위험 반:원【危險半圓】명〖해〗가항(可航) 반원 이외의 반원. 바람이 매우 강하며, 바람에 밀리어 가다가는 태풍이나 열대 저기압의 중심에 휩쓸려 들어갈 위험성이 있음. ↔가항 반원.

위험-범【危險犯】명〖법〗형법(刑法)에서 그 구성 요건이 실해(實害)의 발생을 필요로 하지 않으며 법익(法益) 침해(侵害)의 위험이 발생하면 성립(成立)되는 범죄. 왕래 위험죄(往來危險罪)·방화죄(放火罪) 등. 위태범(危殆犯).

위험 부:담【危險負擔】명〖법〗매매를 계약한 물품이나 가옥 등이 인도(引渡)하기 전에 불 타 버린 경우와 같이 쌍무 계약(雙務契約)에 의한 한 쪽의 채무(債務)가 채무자의 책임이 될 수 없는 경우에 손실을 어느 쪽이 부담하느냐의 문제. 채무자 곧 매주(賣主)가 위험을 부담하는 것을 채무자주의, 채권자 곧 매주(買主)가 위험을 부담하는 것을 채권자주의라 함. 민법은 원칙적으로 채무자주의를 택하나, 특정물에 관한 물권(物權)의 설정(設定)·이양(移讓)을 목적으로 하는 계약에서는 채권자주의를 택하고 있음.

위험 부:담 자본【危險負擔資本】명〖경〗벤처 캐피털(venture capital)의 역어(譯語).

위험 사:상【危險思想】명 국가 사회의 존립(存立)·발달·안녕 질서에 위해(危害)를 끼칠 만하다고 생각되는 사상.

위험 사:업【危險事業】명 성공(成功)하기보다 실패(失敗)하기 쉬운 위험한 사업.

위험-성【危險性】[—썽] 명 위험한 성질. 위험해질 가능성.

위험 수심【危險水深】명〖해〗안전하게 항행할 수 있는 선박의 흘수 한계(吃水限界)를 나타내는, 최소 심도의 수심.

위험 수역【危險水域】명〔danger zone〕핵무기(核武器) 실험이나 해군(海軍)의 연습 등으로 발생(發生)된 위험을 예방하기 위하여 설정(設定)하는 수역.

위험 수위【危險水位】명 하천(河川)·호소(湖沼) 등의 범람(氾濫)으로 홍수(洪水)가 일어날 우려(憂慮)가 있을 정도의 수위(水位). ¶한강이 ~에 육박하다.

위험-스럽다【危險—】형ㅂ불 위험(危險)한 느낌이 있다. **위험-스레**【危險—】부

위험-시【危險視】명 위험하게 여김. ——-하다 타여불

위험 신:호【危險信號】명 ①선로 고장·차량의 탈선·전복 또는 발파(發破) 등의 경우, 열차나 통행인에게 위험을 알리는 신호. 붉은 깃발이나 등(燈)을 사용함. ②건강·경제 등의 상황이 위험한 상태가 되는 전조(前兆)를 비유한 말.

위험 업무【危險業務】명〖법〗근로 기준법에서 취업(就業)이 제한되어 있는 위험한 업무. 곧, 여자·연소자(年少者)·미경험자(未經驗者)로서는 사용할 수 없도록 제한되어 있는 폭파 작업·기중기(起重機) 운전·지하 작업·용접(鎔接)에 관한 일 등임.

위험 인물【危險人物】명 ①위험 사상(危險思想)을 품은 사람. ②믿을 수 없는 사람. 방심(放心)할 수 없는 사람. ③마음 놓고 사귈 수 없는 사람.

위험 지역【危險地域】명〖군〗비행중인 항공기나 사람·재산 그리고 육상 또는 해상 교통 기관에 잠재적인 위험이 되는 활동이 존재할 수 있는 특정 지역.

위험 책임【危險責任】명〖법〗무과실(無過失) 책임을 인정하는 근거로서, 사회에 대하여 가해(加害)의 위험을 작출(作出)하는 자는 그 위험에서 생기는 손해에 대하여, 과실의 유무를 불문하고 책임을 져야 한다고 하는 생각. 위태 책임(危殆責任).

위험 천만【危險千萬】명 매우 위험함. 위험하기 짝이 없음. ——-하다 형여불

위험 표지【危險標識】명 위험함을 나타내기 위하여 붙이는 표지.

위험 협동체【危險協同體】명 보험 단체(保險團體).

위협【威脅】명 위력(威力)으로 으르고 협박함. 위핍(威逼). 위하(威嚇). 협위(脅威). ——-하다 타여불

위협 사격【威脅射擊】명 위협하기 위하여 가하는 사격.

위협-색【威脅色】명 동물의 색채나 무늬 가운데, 상대를 위협하여, 그로 인하여 포식(捕食)을 면하는 효과를 가지는 색. 나비나 나방의 성충 또는 유충에서 볼 수 있는 안상문(眼狀紋)은 그 예의 하나임. 보통은 숨겨져 있는 일이 많고, 공격받을 때에 갑자기 그것을 보이는 행동과

결부되어 효과를 냄. *경계색·보호색.

위협-적【威脅的】[명][관] 으르고 협박(脅迫)하는 모양. 위협이 되는 모양. 위하적(威嚇的).

위형【威刑】[명] 위력(威力)과 형벌. 또, 단지 형벌을 일컫는 말.

위혜【威惠】[명] 위광(威光)과 은혜. 은위(恩威).

위호¹【位號】[명] 작위(爵位)와 명호(名號).

위호²【衛護】[명] ①호위(護衛). ②〖민〗 조상(祖上)의 신위(神位)를 무당에게 맡기고 노비(奴婢)와 재물(財物)을 주어 제사(祭祀) 지내는 일. ——하다 [타][여불]

위-호르몬【胃—】〔hormone〕[명]〖생〗 위에서 분비되는 호르몬. 위(胃)의 유문부 점막(幽門部粘膜)에서 분비되어 혈액(血液) 속에 들어가서 다시 위에 작용하여 위액 분비를 촉진시키는 가스트린(gastrin) 등이 있음. *위장(胃腸) 호르몬.

위-홍【魏弘】[명]〖사람〗 신라 진성 여왕(眞聖女王) 때의 총신(寵臣). 진성 여왕과 통하고 권리를 휘둘러 국정(國政)을 크게 어지럽혔음. 사후(死後)에 여왕이 그를 대왕(大王)으로 추봉하고 혜성(惠成)이라 시호(諡號)함. 여왕의 명으로 대구 화상(大矩和尙)과 함께 향가집 ≪삼대목(三代目)≫을 편찬하였다고 하나 전하지 아니함. ≪삼국 사기≫·≪삼국 유사≫에 전함. [?-888]

위화¹【委化】[명] 조화(造化)에 맡김. 운명에 맡김. ——하다 [타][여불]

위화²【違和】[명] 몸의 조화(調和)가 흐트러짐. 전(轉)하여, 다른 사물과 조화되지 아니하는 일. ¶ ~감(感).

위화³【僞花】[명]〔pseudanthium〕〖식〗 식물 생태학에서 한 개 이상의 화축(花軸)을 갖는 화서(花序)인데 작게 몰려서 한 개의 꽃으로 보이는 것을 말함. 국화의 두상 화서 따위.

위화⁴【僞貨】[명] 위조 화폐.

위화-감【違和感】[명] 조화(調和)가 아니 되고 어설픈 느낌.

위화도 회군【威化島回軍】[명]〖역〗 고려 말기 우왕(禑王) 14년(1388) 5월에 명(明)을 치려고 압록강 중류의 위화도에 출정하였을 때, 증수(增水)·질역(疾疫)을 이유로 왕명(王命)과 팔도 도통사(八道都統使) 최영(崔瑩)의 진군(進軍) 명령에 반대하고, 우군 도통사(右軍都統師) 이성계(李成桂)가 좌군 도통사(左軍都統使) 조민수(曺敏修)와 함께 군사를 돌이켜, 평양·개경(開京)으로 역전(逆轉) 진군한 일. 회군한 후 최영을 유배(流配)하고 왕은 강화(江華)로 내쫓고, 우왕(禑王)의 아들 창왕(昌王)을 즉위(卽位)시키어 조선 왕조(朝鮮王朝) 건국(建國)의 기반(基盤)을 닦았음.

위화-부【位和府】[명]〖역〗 신라의 관아 이름. 후세의 이조(吏曹)와 같음. 경덕왕(景德王) 때 사위부(司位府)라 고쳤다가 혜공왕(惠恭王)이 다시 전 이름으로 회복함.

위화-진【威化鎭】[명]〖역〗 고려 광종(光宗) 때, 거란(契丹)에 대비하여, 평안 북도 운산(雲山)에 베푼 진성(鎭城).

위-확장【胃擴張】[명]〔gastrectasis, dilation of the stomach〕〖의〗 위의 근육의 수축력(收縮力)이 약해져 아래로 늘어지는 병. 위의 유문부(幽門部)의 기계적 장애(機械的障礙)나 암종(癌腫)에 의하여 발생하며, 소화 불량·피부 건조(乾燥)·갈증(渴症). 포만감(飽滿感)·신 트림·위부(胃部)에 물 흔들리는 소리 등의 증세가 일어나며 위의 운동 기능이 현저히 저하(低下)됨.

위황【危慌】[명] 위험하고 황망함. ——하다 [형][여불]

위황-병【萎黃病】[—뼝] [명] ①〔chlorosis〕〖의〗 청춘기의 여자에 많은 진인 불명(眞因不明)의 빈혈병(貧血病)의 한 가지. 영양 부족·위산(胃酸) 결핍·철분(鐵分) 결핍 등이 원인이라고 하며, 빈혈의 일반적인 증상과 성기(性器) 발육 장애·월경 불순 및 피부 점막(粘膜)의 창백, 체력의 감퇴 등의 증상이 일어남. 일에 쉬이 권태를 느끼고 노동을 감당하기 어려움. ②〖식〗 엽록소(葉綠素)의 발달이 불량하고, 잎의 전부가 황색 또는 황백색을 띠는 식물(植物)의 병. 원인은 광선 부족(光線不足)·철분 부족(鐵分不足) 등 여러 가지임. 바이러스(virus)균에 의한 것은 벼·과꽃 등에 일어나는데 멸구·말멸구 등의 해충이 매개(媒介)함. 양배추·콩·밀·감·호밀 등에도 발생함. 황위병(黃萎病). 누른고갈병. 황화(黃化).

위회【慰懷】[명] 마음을 위로함. ——하다 [타][여불]

위효¹【偉效】[명] 위대(偉大)한 효험(效驗). ——하다 [형][여불] 위대한 효험이 있다.

위효²【慰曉】[명] 위로하여 깨우침. ——하다 [타][여불]

위-효소【胃酵素】[명]〔gastric enzyme〕〖화〗 위(胃)의 세포(細胞)로부터 분비되는 소화 효소의 총칭.

위훈【偉勳】[명] 위대한 훈공(勳功). 대훈(大勳).

위휼【慰恤】[명] 위로하고 구휼(救恤)함. ——하다 [타][여불]

위ᄒᆞ다 [타] 〈옛〉 위하다. ¶ 龍과 鬼神과 위ᄒᆞ야 說法ᄒᆞ더시다≪釋譜 Ⅵ: 1≫.

윈: [관] 〈방〉 왼³(경상).

윈강 석굴【—石窟】〔雲岡〕[명]〖지〗 중국 산시 성(山西省) 다퉁 시(大同市) 서방 약 20km 지점에 있는 북위 왕조(北魏王朝)의 석굴 사원(寺院). 다퉁의 석불(石佛)로 유명함. 우저우 강(武周江)의 남쪽에 있는 단애(斷崖)에 새긴 것으로, 대소(大小) 42개의 석굴이 동서 1km에 걸쳐 산재(散在)함. 제1기(460-493)는 대굴이며, 제2기(493-535)는 중굴. 제1기 초기의 석불은 풍부한 육체로 얼굴 표현도 야성적임. 소박한 생활력의 표현·건축적 구조·장식적 의장(意匠)은 서방적임. 석질(石質)은 백사암(白砂岩)임. 운강 석굴.

윈구이 고원【—高原】〔雲貴〕[명]〖지〗 중국 윈난(雲南)·구이저우(貴州) 두 성(省)의 대부분과 광시(廣西)·후난(湖南)·쓰촨(四川) 성의 일부를 포함한 지역. 표고(標高) 1,000-2,000 m. 여름에는 서늘하고 겨울에는 따뜻해서 쌀·보리·잡곡 따위의 농산물이 많음. 서변(西邊)의 다리(大理)와 그 밖에서 산출(産出)하는 대리석은 유명하며, 주석·수은의 산출액은 세계적임. 운귀 고원.

윈난〔雲南〕[명]〖지〗 윈난(雲南) 성의 성도(省都) 쿤밍(昆明)의 별칭.

윈난 성【—省】〔雲南〕[명]〖지〗 중국 서남 변경(邊境)에 있는 성. 미얀마·라오스·베트남 등과 접함. 묘(苗)·태(泰)·나라(玀玀)·회(回)의 제족(諸族)이 60%를 차지하고 있으며 교통이 불편함. 뎬웨(滇越)·촨뎬(川滇)의 두 철도와 뎬멘(滇緬)·중인 공로(中印公路)가 있음. 쌀·보리·콩·차·소·양피(羊皮)·돈모(豚毛)·햄(ham) 등을 산출하며, 광산으로는 주석·구리·코발트·석탄·철 등이 풍부함. 동기(銅器)·석기(錫器)·제혁(製革)·제다(製茶) 등이 행하여짐. 성도(省都)는 쿤밍(昆明). 운남성. [380,000 km²: 32,554,000 명(1982)]

윈더미어 부인의 부채【—夫人—】[—/—에—] [명]〔Lady Windermere's Fan〕〖문〗 영국의 극작가 와일드의 희극(喜劇). ≪살로메≫와 더불어 그의 희곡의 걸작임. 1892년에 초연(初演)됨.

윈덤〔Wyndham, John〕[명]〖사람〗 영국의 공상(空想) 과학 소설 작가. 초등 교육을 받은 후 여러 직업에 종사(從事)하는 동안 잡문(雜文)을 썼고, 1946년부터 공상 과학 소설에 전념함. 환상적(幻想的)인 문체(文體)가 특징임. 데뷔작은 ≪트리피즈(Triffids)의 시대≫임. [1903-69]

윈도:〔window〕[명] ①창(窓). ②↗쇼윈도(show window). ③〖군〗 적군(敵軍) 레이더의 추정 주파수(推定周波數)에 공명(共鳴)하도록 만들어진 금속편(金屬片) 등의 반사 방해재(反射妨害材). 레이더 대책(對策)으로서, 비행기에서 무더기로 투하(投下)하거나 포탄(砲彈)·로켓탄(彈)에서 방출(放出)함. ③〖컴퓨터〗 디스플레이 화면 상에 정보를 표시하기 위하여 마련된 직사각형의 영역(領域).

윈도: 글라스〔window glass〕[명] 창에 끼는 유리.

윈도: 드레싱〔window dressing〕[명]〖경〗 분식 예금(粉飾預金).

윈도:리스 계:사【—鷄舍】〔windowless〕[명] 자연 광선으로부터 완전히 격절(隔絶)하고 인공 광선에 의해서 사육하는 형식의 새로운 계사(鷄舍). 조명 시간·온도·습도를 조절하여 닭의 발육이나 산란(產卵)에 좋은 조건을 만듦.

윈도:-쇼핑〔window-shopping〕[명] 상점·백화점의 쇼윈도나 진열장 안의 상품(商品)을 돌아다니며 구경만 하고 사지 않는 일.

윈도: 시스템〔window system〕[명]〖컴퓨터〗 한 대의 디스플레이 안의 윈도를 관리·제어하여 이용자에게 각 윈도에서 다른 명령의 실행 결과를 표시할 수 있는 시스템.

윈도: 클리:너〔window cleaner〕[명] 윈드실드 와이퍼. [준]클리너.

윈도:-페인〔windowpane〕[명] 창문의 틀처럼 단순한 격자(格子) 모양으로 끼워 놓은 창유리.

윈드〔wind〕[명] 바람.

윈드 로:즈〔wind rose〕[명]〖기상〗 풍배도(風配圖). 바람 장미.

윈드-밀〔windmill〕[명] 풍차(風車)❶.

윈드-브레이커〔windbreaker〕[명] 야구 선수 등이 입는 잠바.

윈드 서:퍼〔wind surfer〕[명] 윈드 서핑을 하는 사람.

윈드 서:핑〔wind surfing〕[명] 요트타기와 파도타기를 결합시킨 수상(水上) 스포츠. 서프보드에 돛대를 세워 삼각돛을 달고 바람의 힘으로 물 위를 달림.

윈드 슬래브〔wind slab〕[명]〖등산〗 눈이 바람에 날리어 퇴적한 후 굳어서 판상(板狀)이 된 것. 이것을 밟으면 금이 가서 붕락(崩落)하여 건조 구설(乾燥舊雪) 눈사태가 일어남.

윈드실:드 와이퍼〔windshield wiper〕[명] 자동차 운전대의 앞 유리에 베풀어져, 유리면(面)에 붙는 먼지·비·눈 등을 자동적으로 닦아 내는 도구. 윈도 클리너.

윈드워:드 제도【—諸島】〔Windward〕[명]〖지〗 전에, 중미(中美) 소(小)앤틸리스(Antilles) 제도(諸島) 중의 세인트 빈센트·세인트 루시아·도미니카·그레나다 섬으로 이루어진 전 영국의 식민지(植民地). 그레나다가 1974년에, 도미니카가 1978년에, 나머지 두 섬이 각각 1979년에 독립함. [2,075 km²]

윈드워:드 해협【—海峽】〔Windward〕[명]〖지〗 서인도 제도(西印度諸島), 쿠바와 아이티 사이의 해협. 가장 좁은 부분은 폭 80km 남짓으로, 북동 무역풍(貿易風)이 세고, 범선(帆船) 시대에는 카리브 해의 난소(難所)의 하나였음.

윈드 재킷〔wind jacket〕[명] 윈드 점퍼.

윈드 점퍼〔wind jumper〕[명] 남자용 웃옷의 하나. 허리를 넓게, 깃은 이중(二重)으로, 얇은 가죽이나 개버딘(gaberdine)으로 만드는데, 앞에는 단추나 파스너(fastener)로서 채우고, 소매와 허리에는 메리야스를 붙여서 졸라 맴. 윈드 재킷. 빈트야케.

윈드 크러스트〔wind crust〕[명] 등산 용어(用語). 바람으로 인하여 굳어진 눈판.

윈드 크루저〔wind cruiser〕[명] 네 바퀴 달린 덱(deck)에 돛을 달고 조종간(操縱桿)을 조작하여 윈드 서핑의 묘미를 평지(平地)에서 즐기는 레저 스포츠.

윈드 팬〔wind fan〕[명] 창문에 장치하여, 환기 팬으로 내부의 공기를 밖으로, 밖의 공기를 안으로 끌어 들일 수 있게 한 팬. 창문을 열면 바깥 소음이 들어오는 빌딩가 등에 수요가 많음.

윈들러스〔windlass〕[명]〖기〗 무거운 물건을 감아 올리는 기계류(機械類)의 한 가지. 윈치(winch)와 비슷함. 특히, 배에서 닻을 닻줄로 감아 올리거나 내리는 장치(裝置). 큰 것은 동력(動力)으로서 기력(汽力)을 사용(使用)함.

윈먼산 석굴【—山石窟】〔雲門〕[명]〖지〗 중국 산둥 성(山東省) 이두(益都)에 있는 수당(隋唐) 시대의 석굴. 수굴(隋窟)은 아미타불상(阿彌陀

佛像)으로 딱딱한 인상을 주며, 727년에 만들어진 당굴(唐窟)은 부드러운 표현으로 된 오존상(五尊像)이 새겨짐. 석질(石質)은 회색(灰色)의 석회암(石灰岩)임. 운문산 석굴.

윈저[1] 〔Windsor〕 명 〖지〗 영국 런던 서방의 템스 강안(Thames 江岸)의 도시. 윌리엄 1세 이래의 영왕실(英王室)의 거주지로 윈저성(城)과 왕실 묘지가 있음. [130,000명(1981)]

윈저[2] 〔Windsor〕 명 〖지〗 캐나다 온타리오 주(Ontario 州) 남부의 상업·공업 도시로 기계·화학 공업이 행하여짐. 디트로이트 강(Detroit 江)을 사이에 두고 미국의 디트로이트 시(市)와 마주하고 있어, 디트로이트에 통근하는 시민도 많음. [193,111명(1986)]

윈저-가【一家】 명 〔House of Windsor〕 영국의 현왕실(現王室)의 일컬음. 구칭(舊稱)은 색스 코버그 고서 가(Saxe-Coburg-Gotha 家)이었으나 1917년 조지 5세가 개칭한 것임. 엘리자베스 2세도 이 왕가(王家) 출신임. *하노버 왕조.

윈저-공【一公】 〔Windsor〕 명 〖사람〗 1936년에 즉위한 영국의 에드워드(Edward) 8세 퇴위 이후의 칭호. 심프슨 부인(Simpson 夫人)과의 결혼 문제로, 11개월 만에 퇴위함. [1894-1972]

윈저 타이 〔Windsor tie〕 명 검은 비단으로 가를 두른 스카프식의 타이. 목 앞에서 느슨하게 나비 모양으로 매어서 사용함. 윈저공(公)이 창안(創案)하였음.

윈청 〔運城〕 명 〖지〗 중국 산시 성(山西省) 남부의 도시. 철도·도로의 중심지이며, 하동염(河東塩)의 산지로 유명. 제분·유지·황산·농기구의 공장 등이 있음. 운성. [428,000명(1984)]

윈체스터 〔Winchester〕 명 〖지〗 영국의 남부, 햄프셔(Hampshire)의 중심 도시. 옛적에는 웨섹스(Wessex) 왕국의 수도로서 양모(羊毛)의 집산지로서 번영함. [31,000명(1981)]

윈체스터-총【一銃】 〔Winchester〕 명 미국인 윈체스터(Winchester, O. F.)가 설립한 연발총 회사에서 만든 총. 특히, 모델 73은 서부 개척 시대에 널리 쓰이어 유명함.

윈치 〔winch〕 명 〖기〗 수평으로 된 원통상의 동체(胴體)를 손잡이로 돌리면서, 동체에 감긴 밧줄이나 쇠사슬의 한 끝에 무거운 물건을 매달아 올렸다 내렸다 하거나 잡아당기는 기계의 총칭. 수동(手動) 윈치와 동력(動力) 윈치가 있는데, 현금에는 후자가 일반적으로 사용됨. 기중기(起重機)·케이블 카·엘리베이터 그 밖에 광산 및 토목·건축 사업 등에 널리 쓰이며 형태도 여러 가지임. 자아틀. 권양기(捲揚機).

〈윈치〉

윈타테륨 〔Uintatherium〕 명 제3기 에오세(世)의 화석 포유류(化石哺乳類). 체고(體高) 2m. 세 쌍의 뿔과 엄니 모양의 견치(犬齒)를 가짐. 두골(頭骨)은 평평하고 두정(頭頂)은 접시 모양으로 움푹 들어가 있음. 뇌는 작고 초식성(草食性)으로 늪·습지(濕地) 등에서 부드러운 풀을 먹었다고 생각됨.

윈터 〔winter〕 명 겨울. 동계(冬季).

윈터 리:그 〔winter league〕 명 미국에서 프로 야구의 시즌 폐막(閉幕)부터 다음 시즌까지의 사이. 특히, 겨울 동안에 있는 선수의 쟁탈전(爭奪戰).

윈터 스포:츠 〔winter sports〕 명 겨울철에 행하는 운동 경기. 스키·스케이트·아이스하키 등.

윈터 코:트 〔winter coat〕 명 방한용(防寒用) 외투.

윌레마이트 〔willemite〕 명 〖광〗 백색·녹황색·녹색·대홍색(帶紅色)·갈색의 결정(結晶) 광물. 자외선에 강한 휘황색(輝黃色) 형광을 발함. 규산 아연광(硅酸亞鉛鑛). [Zn_2SiO_4]

윌리엄 삼세 【一三世】 〔William Ⅲ〕 명 〖사람〗 영국의 국왕. 본시, 네덜란드 통령(統領). 오렌지공(公). 영국왕 제임스 2세의 장녀 메리와 결혼, 1689년 명예 혁명 후 ≪권리 선언(權利宣言)≫을 승인하고 즉위함. [1650-1702; 재위 1689-1702]

윌리엄스[1] 〔Williams, Andy〕 명 〖사람〗 미국의 인기 가수. 1959년에 ≪하와이의 결혼 노래≫로 히트, 이어서 ≪문 리버≫를 비롯한 레코드와 엔비시(NBC) 텔레비전 ≪앤디 윌리엄스 쇼≫의 성공으로 인기 가수의 한 사람이 되었음. [1932-]

윌리엄스[2] 〔Williams, Betty〕 명 〖사람〗 에이레의 평화 운동가. 비폭력(非暴力)에 의한 평화 운동 전개로 코리건(Corrigan, M.)과 함께 1976년도 노벨 평화상을 수상함. [1943-]

윌리엄스[3] 〔Williams, Roger〕 명 〖사람〗 미국의 종교 지도자. 런던 태생. 1635년 매사추세츠 식민지로 건너갔으나, 정교(政教) 분리나 인디언의 권리 존중을 주장했기 때문에 이단(異端)으로 추방되어, 프로비덴스(Providence) 마을을 건설하고 로드 아일랜드(Rhode Island) 식민지의 기초를 쌓았음. [1603?-83]

윌리엄스[4] 〔Williams, Tennesse〕 명 〖사람〗 미국의 극작가. 1939년 ≪아메리칸 블루스(American Blues)≫로 인정된 이래 ≪유리 동물원≫·≪욕망이라는 이름의 전차≫·≪뜨거운 양철 지붕 위의 고양이≫·≪지난 여름 갑자기≫를 발표, 무대에서의 시적인 언어와 무대의 메커니즘(mechanism)의 교류(交流)중에, 극적(劇的)인 포에지(poesie)의 세계를 표현(表現)코자 한 점에 그의 특색(特色)이 있음. 본명은 Thomas Lanier Williams. [1911-83]

윌리엄스[5] 〔Williams, William Carlos〕 명 〖사람〗 미국의 시인·소설가. 개업의(開業醫)를 계속하며 창작, 생활에 뿌리박은 미국 독자(獨自)의 시를 대담한 어법으로 만들려고 했음. 다수의 시집 외에 소설·자서전이 있음. [1883-1963]

윌리엄 일세 【一世】 〔William Ⅰ〕 〔一쎄〕 명 〖사람〗 잉글랜드 왕. 노르만 왕조의 창시자. 왕권을 확립하고 봉건 제도에 의한 통일 국가의 기초를 확립함. 본디, 노르망디공(公)이었으나, 1066년 잉글랜드를 정복하였음. 정복왕(征服王). [1027-87; 재위 1066-87]

「(表記).

윌리엄 텔 〔William Tell〕 명 빌헬름 텔(Wilhelm Tell)의 영어식 표기

윌리-윌리 〔willy-willy〕 명 〖기상〗 태풍이나 허리케인과 같이 큰 열대성 저기압. 오스트레일리아의 북쪽의 주변 해상에서 발생하여 남반구(南半球)로 진행하므로, 태풍과 반대로 북동(北東)에서 남서(南西)로 진행함.

윌밍턴 〔Wilmington〕 명 〖지〗 미국 델라웨어 주(Delaware 州) 최대의 도시. 델라웨어 하구(河口)에 위치하는 항만 공업 도시로, 조선·화학 공업이 발달함. [71,529명(1990)]

윌버포:스 〔Wilberforce, William〕 명 〖사람〗 영국의 노예 해방 운동가. 1780년 하원 의원이 되고, 인도주의와 복음주의의 입장에서 노예 해방 운동을 전개하여 1807년에는 노예 무역 폐지에 성공함. 그가 죽은 후 노예 해방법이 성립하였음. [1759-1833]

윌스 〔Willes, George〕 명 〖사람〗 영국의 군인. 해군 중장으로, 중국 함대 사령관(中國艦隊司令官). 조선 고종(高宗) 19년(1882) 전권 위원(全權委員)으로 인천항(仁川港)에 와서, 전권 대관(全權大官) 조영하(趙寧夏), 부관(副官) 김홍집(金弘集)과 제물포(濟物浦)에서 한영 수호 통상 조약(韓英修好通商條約)을 체결함.

윌슨[1] 〔Wilson, Angus〕 명 〖사람〗 영국의 소설가. 대영 박물관에 근무하면서 단편집 ≪나쁜 친구(1949)≫를 발표, 이후 장편 ≪독약과 그 후(1952)≫·≪앵글로색슨의 자세(1956)≫로 영국 소설의 전통을 잇는 일류 작가의 지위를 쌓았음. [1913-]

윌슨[2] 〔Wilson, Charles Thomson Rees〕 명 〖사람〗 영국의 물리학자(物理學者). 1911년 윌슨의 '안개 상자'를 발표하고, 우주선(宇宙線)·원자핵(原子核) 연구(研究)에 크게 공헌(貢獻)함. 1927년 노벨 물리학상을 받음. [1869-1959]

윌슨[3] 〔Wilson, Colin〕 명 〖사람〗 영국의 비평가·소설가. 근대의 문학과 철학을 대담하게 논한 ≪아웃사이더(Outsider)(1956)≫로 일약 세계적 명성을 얻음. 이어 ≪종교와 반역자≫·≪패배(敗北)의 시대≫·≪성충동(性衝動)의 기원(起源)≫·≪아웃사이더를 넘어서≫와 소설 ≪어둠의 축제(祝祭)≫ 등이 있음. 앵그리 영 맨(angry young man)의 한 사람. [1931-]

윌슨[4] 〔Wilson, Edmund〕 명 〖사람〗 미국의 비평가·소설가. 상징(象徵)주의 문학을 통하여 현대 문학의 본질을 규명한 평론 ≪액셀(Axel)의 성(城)(1931)≫으로 유명함. [1895-1972]

윌슨[5] 〔Wilson, Edmund Beecher〕 명 〖사람〗 미국의 세포학자. 성염색체(性染色體)와 동물의 발생을 연구하였음. 저서 ≪발생과 유전≫이 있음. [1856-1939]

윌슨[6] 〔Wilson, Harold〕 명 〖사람〗 영국의 정치가. 1945년 이래 노동당 하원 의원. 경제 문제에 정통함. 1963년 노동당 당수가 되고, 1964-70년, 1974-76년 사이 양차에 걸쳐 수상을 지냄. [1916-95]

윌슨[7] 〔Wilson, Thomas Woodrow〕 명 〖사람〗 미국의 정치가. 제28대 대통령. 제1차 세계 대전에 참전을 결정, 대독(對獨) 선전(宣戰)을 포고하고, 말기에 민족의 자결, 국제 연맹 조직 등을 포함한 14개 조항을 제창, 파리 평화 회의에 스스로 참석하고, 국제 연맹의 성립에도 노력하였음. [1856-1924]

윌슨 무함 【一霧函】 명 〔Wilson's cloud chamber〕 〖물〗 안개 상자.

윌슨-병 【一病】 〔Wilson〕 〔一뼝〕 명 〖의〗 〔영국의 신경과 의사 윌슨(Wilson, S.A.K.: 1878-1936)의 이름에서 유래〕 가족성(家族性)·진행성(進行性)의 극히 드문 질환으로, 간경변(肝硬變)과 대뇌 기저 핵변화(大腦基底核變化)가 있고, 각막(角膜) 주변에 녹갈색의 색소 침착(色素沈着)이 일어나는 병. 병의 초기부터 진전(振顫)과 근강강(筋強剛)을 볼 수 있으며, 때로는 정신 변조(精神變調)와 정신적 능력 감퇴를 초래함. 간렌즈핵 변성(肝 lens 核變性).

윌슨 산 천문대 【一山天文臺】 명 〔Mt. Wilson Observatory〕 〖천〗 미국의 캘리포니아 주 윌슨 산에 있는 세계 유수(有數)의 천문대. 1904년에 카네기 연구소가 개설(開設)하여 1918년 100인치(257cm) 반사 망원경을 설비하였음. 현재 캘리포니아 공과 대학에 소속함. 1948년 팔로마 산 천문대와 함께 '윌슨 산 팔로마 산 천문대'라고 칭하다가 1971년에 헤일(Hale) 천문대로 바뀐 후, 1981년에 분리됨.

윌콕스 〔Wilcox, Stephen〕 명 〖사람〗 미국의 기계 기술자. 1856년 스틸만(Stillman)과 공동으로 수관(水管) 보일러의 특허(特許)를 얻고, 1867년 이것을 기초로 배브콕(Babcock, G.H.: 1832-93)과 협동(協同)하여 배브콕 윌콕스 보일러의 특허를 얻어, 1881년 배브콕 윌콕스 회사를 창립(創立)함. [1830-93]

윌크스 랜드 〔Wilkes Land〕 명 〖지〗 남극 대륙의 일부. 인도양에 면하고, 동경(東經) 102°-140°20′ 사이의 지역. 미국의 윌크스(Wilkes, C.; 1798-1877)가 1838-42년의 남태평양 탐험에서 발견함. 미국·오스트레일리아의 윌크스 기지 등이 있음.

윌킨스[1] 〔Wilkins, George Hubert〕 명 〖사람〗 오스트레일리아의 극지(極地) 탐험가이며 비행가. 1913년 스테판손(Stefansson, V.)의 북극 탐험에 참가한 이래, 탐험대장과 비행가로서 남북 양극에서 많은 탐험을 행하였음. [1888-1958]

윌킨스[2] 〔Wilkins, Maurice Hugh Frederick〕 명 〖사람〗 영국의 생물 물리학자. 1962년 핵산(核酸)의 분자 구조에 관한 연구로 노벨 생리 의학상을 수상하였음. [1916-]

윌킨슨 〔Wilkinson, Geoffrey〕 명 〖사람〗 영국의 화학자. 1956년 이래 런던 대학 무기 화학 교수로 재직함. 1973년 유기 금속 착물(有機金屬錯物)의 연구로 노벨 화학상을 수상함. [1921-]

윌턴 〔Wilton〕 명 윌턴 카펫. 또, 그 직조법(織造法).

윌턴 카펫 〔Wilton carpet〕 명 파일직(pile 織)의 융단(絨緞). 18세기

중엽(中葉)에 영국의 윌턴 시(市)에서 처음 만듦. 기계직(機械織)으로는 최고품으로 침.

윔블던 〔Wimbledon〕 [명] 『지』 영국 런던의 남서 약 13km의 교외에 있는 고급 주택지. 전영(全英) 테니스 선수권 대회, 즉 윔블던 테니스 대회의 개최지로서 유명함.

윔블던 선:수권 대:회【一選手權大會】〔Wimbledon〕〔一꿘一〕 [명] 테니스의 전영(全英) 선수권 대회. 윔블던에서 열리며, 전세계 유명 선수가 참가하는 실질적인 세계 선수권 대회. 전미·전호(全濠)·전불(全佛)과 더불어 테니스계 4대 선수권의 하나로, 1877년에 제1회 대회를 개최, 1968년 다른 나라들에 앞서서 오픈 선수권화(化)함. 세계에서 가장 오랜 역사를 가지며 사실상 세계의 개인 선수권 대회로 일컬어짐.

윔즈허:스트 기전기【一起電機】 [명] 〔Wimshurst influence machine〕 『물』 영국의 공학자 윔즈허스트가 1883년에 발명한 감응 기전기(感應起電機). 감응 작용을 이용하며, 다량의 정전기(靜電氣)를 얻는 데 편리한 것으로, 유리 원판(圓板)을 대립시켜 그 표면에 주석의 박막을 바르고, 금속 브러시로 이것을 마찰시켜서 정전기를 일으킴. 정전기에 관한 실험실에 필요 불가결한 장치임.

윕쌀 [명] 〈방〉 올쌀.

윗 [관] 위의. 위에 있는. ¶~ 것. ↔아랫. *웃-.

윗-간【一間】 [명] 방이 둘이나 셋으로 나뉘어 있는 한옥에서, 아궁이에서 먼 쪽에 있는 방. ↔아랫간.

윗강-여각【一江旅閣】〔一녀一〕 [명] 『역』 서울의 한강(漢江) 북안(北岸), 지금의 뚝섬·한남동(漢南洞)·서빙고(西氷庫)·마포(麻浦)·용산(龍山)·서강(西江) 등에 있던 여각. 주로, 어물(魚物)·나무·곡물 등을 다루었음. *아랫강 여각.

윗-거름 [명] 파종하거나 옮겨 심은 뒤에 주는 거름. 추비(追肥). 보비(補肥). ↔밑거름. ――하다 [자][여불]

윗-고명 [명] ☞웃고명.

윗-구멍 [명] 위에 뚫린 구멍. ↔아랫구멍.

윗-길 [명] ①위쪽에 난 길. ②질적(質的)으로 더 나은 등급(等級). ¶그의 솜씨가 훨씬 ~이다. ↔아랫길.

윗-나룻 [명] 〈방〉 윗수염.

윗-넓이 〔一널비〕 [명] 물체의 윗면의 넓이. 상면적(上面積). ↔밑넓이.

윗-녘 [명] 위쪽.

윗-누이 [명] 나이가 더 많은 누이.

윗-눈시울 〔一씨一〕 [명] 위쪽의 눈시울. ↔아랫눈시울.

윗-눈썹 [명] 위의 속눈썹. ↔아랫눈썹.

윗-니 [명] 〔←윗이〕 위의 잇몸에 난 이. 상치(上齒). ↔아랫니.

윗다 [자][타] 〈방〉 웃다(경상).

윗-당줄 〔一쭐〕 [명] 망건 당에 꿴 당줄. ↔아랫당줄. *망건 당줄.

윗-대【一代】 [명] 조상. 상대(上代). ¶~로부터 물려받은 재산. ↔아랫대(代).

윗-덧줄 [명] 『악』 악보의 오선(五線) 위에 붙는 덧줄. ↔아랫덧줄.

윗-도리 [명] ①몸뚱이의 허리 윗부분. 상체(上體). ②윗옷. 1)·2): ↔아랫도리.

윗-돈 [명] ☞웃돈.

윗-동 [명] ↗윗동아리.

윗-동강 [명] 둘로 갈라진 위쪽의 동강. ↔아랫동강.

윗-동네【一洞一】 [명] 위쪽에 있는 동네. 윗마을. ↔아랫동네.

윗-동아리 [명] 둘로 갈라진 토막의 위의 동아리. [준]윗동. ↔아랫동아리.

윗-마구리 [명] 위쪽의 마구리. ↔아랫마구리.

윗-마기 [명] 저고리·적삼 등 윗도리에 입는 옷의 총칭. 윗옷. ↔아랫마기.

윗-마을 [명] 이웃해 있는 마을들 중에서 위쪽에 있거나 지대가 높은 데에 있는 마을. 윗동네. ↔아랫마을.

윗-막이 [명] 물건의 위쪽 머리를 막는 부분. ↔아랫막이.

윗막이 문골【一門一】〔一꼴〕 [명] 『건』 문(門)짝의 위쪽에 가로 끼운 울거미.

윗-말 [명] ↗윗마을.

윗-머리 [명] 아래위가 같은 동아리의 위쪽의 끝부분. ↔아랫머리.

윗-면【一面】 [명] 위쪽의 겉면. 상면(上面).

윗-목 [명] 온돌방의 위쪽, 곧 굴뚝 가까이 있는 방바닥. ↔아랫목.

윗-몸 [명] 허리 위의 몸뚱이. 상반신(上半身).

윗몸 운:동【一運動】 [명] 몸의 윗도리를 앞뒤로 굽혔다 잦혔다 하거나, 좌우로 돌리거나 굽혔다 폈다 하는 운동.

윗-물 [명] 상류에서 흐르는 물 *웃물. ↔아랫물.
[윗물이 맑아야 아랫물이 맑다] 윗사람의 행실이 바르면 아랫사람도 그 본을 떠서 바르게 처신한다.

윗-미닫이틀 〔一다지一〕 [명] 『건』 장지나 미닫이 등이 끼이는 홈 파인 문미(門楣). ↔아래 미닫이틀.

윗-바람 [명] ①겨울에 방 안의 천장(天障)이나 벽 사이로 스며 들어오는 찬 바람. ②연을 날릴 때의 서풍(西風). ③물의 상류(上流) 쪽에서 불어오는 바람. ↔아랫바람.

윗-반【一班】 [명] ①먼저 입학(入學)한 사람으로 이룬 학급(學級). 상급반(上級班). ②여러 등분(等分)으로 나눈 반 가운데 위가 되는 반. 1)·2): ↔아랫반.

윗-방【一房】 [명] 잇닿아 있는 두 방에서 위쪽 방. ↔아랫방.

윗-배 [명] 가슴 아래 배꼽 위에 있는 부분의 배. ↔아랫배.

윗-벌 [명] 한 벌의 옷의 윗도리에 입는 옷. ↔아랫벌.

윗-변【一邊】 [명] 『수』 사다리꼴에 있어서의 위의 변. ↔밑변.

윗-분 [명] '윗사람'을 높여 이르는 말. 특히 상사(上司)의 일컬음.

윗-사람 [명] 자기보다 나이·지위·항렬(行列)·지식·인격·신분 등이 높아서 윗자리에 있는 사람. 장상(長上). ↔아랫사람.

윗-사랑【一舍廊】 [명] 위채에 있는 사랑. ↔아랫사랑❶.

윗-세장 [명] 위에 가로 지른 세장. ↔아랫세장.

윗-수【一手】 [명] 상수(上手). ↔아랫수(手).

윗-수염【一鬚髯】 [명] 윗입술의 가장자리 위로 난 수염. ↔아랫수염.

윗-아귀 〔윋一〕 [명] ①범아귀. ②활의 줌통 위. ↔아래아귀.

윗-알 〔윋-〕 [명] 수판의 가름대 위의 알. 하나로 5를 표시함. ↔아랫알.

윗-어른 〔윋一〕 [명] ☞웃어른.

윗-옷 〔윋一〕 [명] 윗몸에 입는 옷. 상의(上衣). 윗도리. ¶~을 벗다. ↔아래옷.

윗워:터즈랜드 〔Witwatersrand〕 [명] 『지』 남아프리카 연방 트란스발주(Transvaal州) 서부의 산지(山地). 세계 최대의 금산지(金産地)로, 요하네스버그(Johannesburg)·저미스턴(Germiston)·크류거스도르프(Krugersdorp)·스프링스(Springs) 등의 광업 도시(鑛業都市)가 있음.

윗-입술 〔一닙一〕 [명] 위쪽의 입술. ↔아랫입술.
[윗입술이 아랫입술에 닿느냐] 그런 불손(不遜)한 말을 감히 말할 수 있느냐는 뜻.

윗-잇몸 〔一닌一〕 [명] 위의 잇몸. 상치은(上齒齦). ↔아랫잇몸.

윗-자리 [명] ①웃사람이 앉는 자리. 상좌(上座). ¶손님을 ~에 모시다. ②높은 지위나 순위(順位). 상위(上位). 1)·2):↔아랫자리.

윗-조각 [명] 위쪽에 붙어 있는 조각. ↔아랫조각.

윗-중방【一中枋】 [명] 『건』 상인방(上引枋).

윗-짐 [명] 짐 위에 덧싣는 짐. ¶가뜩이나 무거운 데 또 ~이냐.
　윗짐(을) 치다 [구] ㉠마소에다 윗짐을 싣다. ㉡사물을 위에 덧붙이다.

윗-집 [명] 위쪽으로 이웃해 있는 집. 또, 높은 지대에 있는 집. ↔아랫집.

윙[1] 〔wing〕 [명] ①날개. ②건축물(建築物)의 주요부(主要部)의 좌우 측면으로 뻗은 부분. 특히, 극장 무대의 좌우 공간. ③축구에서 포워드나, 럭비에서 쿼터의 양단(兩端)의 위치(位置). 또, 그 위치의 선수. ¶라이트 ~과 레프트 ~. ④『군』 미국에서 비행단(飛行團).

윙[2] [부] 좀 큰 벌레나 돌 같은 물건(物件)이 매우 빠르게 날아갈 때나 기계(機械)의 바퀴가 돌아갈 때 또는 바람이 전선(電線) 기타 가느다란 철사(鐵絲)에 매우 빠르게 부딪칠 때 나는 소리. >왕. *앵·웽. ――하다 [자][여불]

윙-윙 [부] 계속해서 나는 윙소리. >왕왕. ――하다 [자][여불]

윙윙-거리다 [자] 계속해서 윙하다. >왕왕거리다.

윙윙-대다 [자] 윙윙거리다.

윙크 〔wink〕 [명] ①한 쪽 눈을 깜박거리며 하는 눈짓. ②색정(色情)을 띠고서 은근히 나타내는 눈짓. 매우 암시적(暗示的)인 추파(秋波). ――하다 [자][여불]

윙 펌프 〔wing pump〕 [명] 부채꼴의 날개를 가진 로터리 펌프의 한 가지. 피스톤이 없고, 손잡이를 앞뒤로 왕복하면 밸브 A와 B가 교대로 개폐하고, 이에 따라 밸브 C와 D도 교대로 개폐하여 물을 끌어 올림. 가정용 및 양조용(釀造用)으로 씀.

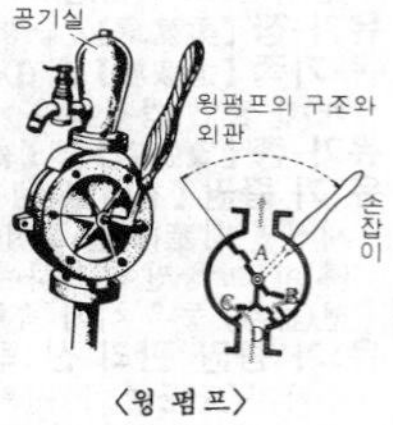

〈윙 펌프〉

유[1] [명] 『언』 한글의 모음 'ㅠ'의 이름.

유:[2]【有】 [명] ①있음. 존재함. ②『철』 직접 경험에 나타나는 실재(實在). ③『불교』 미(迷)로서의 존재. 12인연의 하나. ↔공(空). ④'또'의 뜻. ¶십~삼년(十有三年). 1)-3):↔무(無).

유:[3]【有】 [명] 성(姓)의 하나. 우리 나라에는 현존하지 않음.

유[4]【酉】 [명] 『민』 ①십이지(十二支)의 열째. ②↗유방(酉方). ③↗유시(酉時).

유[5]【兪】 [명] 성(姓)의 하나. 주요 본관(本貫)은 기계(杞溪)·창원(昌原)·인동(仁同)·장사(長沙)·고령(高靈)·무안(務安) 등이 있음.

유[6]【柳】 [명] 『천』 ↗유성(柳星).

유[7]【柳】 [명] 성(姓)의 하나. 주요 본관(本貫)은 문화(文化)·진주(晋州)·전주(全州)·서산(瑞山)·고흥(高興)·풍산(豐山) 등이 있음.

유[8]【留】 [명] 행성(行星)이 외견상 천구(天球)에 일시 정지하는 상태. 또, 그 시각. 천구상을 서쪽에서 동쪽으로 이동하는 순행(順行)에서 역행(逆行)으로 바뀌는 경우와 그 반대의 경우가 있음. 외(外)행성에서는 유에서 충(衝)을 거쳐 유가 되는 동안은 역행함. 내(內)행성은 최대 이각(最大離角)의 부근에서 유가 됨. *충.

유[9]【喩】 [명] ①비유(比喩). ②『불교』 인명(因明)에서, 명제(命題)를 성립시키기 위한 예증(例證)·실례(實例). *종(宗)·인(因).

유[10]【庾】 [명] 성(姓)의 하나. 본관(本貫)은 평산(平山)·무송(茂松)임.

유[11]【釉】 [명] 『미술』 잿물❷.

유[12]【鈕】 [명] ①인꼭지. ②『고고학』 꼭지▬❸.

유[13]【旒】 [명] 면류관(冕旒冠)의 주옥(珠玉)을 꿰어 늘어뜨린 끈. *면류관.

유[14]【劉】 [명] 성(姓)의 하나. 주요 본관(本貫)은 강릉(江陵)·충주(忠州)·거창(居昌)·연안(延安)·배천(白川) 등이 있음.

유:[15]【類】 [명] ①무리. ②↗종류. ¶같은 ~의 물건/~가 드물다. ③『생』 생물을 분류한 단위인 '강(綱)'이나 '목(目)' 대신에 통속적으로 쓰는 말. 포유강(哺乳綱)을 포유류(類), 인시목(鱗翅目)을 인시류(類)라고 함. ④『철』 ↗유개념(類概念).

유:[16] 〔U, u〕 [명] ①영어 자모의 스물 한째 자. ②〔U〕『화』 우라늄의 원소 기호. ③독일 해군의 함정 분류에서, 잠수함을 가리키는 기호. ¶~보트. ④〔U〕 유자형의 것. ¶~ 턴.

유[17] 〔you〕 [인대] 너. 당신. 그대.

유[18] 조 〈방〉 요[15]. ¶ 아직 안 갔어～ / 짧은데～ / 왜～ / 빨리～ / 좋아 ～.
유:-【有】 무 있음을 나타내는 말. ¶ ～자격자.
-유 어미 〈방〉 요[2]. ¶ 나～ / 이건 내거～.
유:가[1]【有價】[―까] 명 금전상의 가격이 있음.
유가[2]【乳痂】명〖의〗생후 6개월 이하 되는 유아(乳兒)의 뺨에 처음에는 뻘겋게 되었다가, 차차 진물러서 심하면 더덕더덕 진물과 누런 딱지가 함께 되어 생기는 습진(濕疹).
유가[3]【瑜伽】명 〔범 yoga〕〖불교〗주관·객관의 모든 사물이 서로 응하여 융합하는 일. 경(境)은 심(心)과, 행(行)은 이(理)와, 과(果)는 공덕(功德)과 응하는 것 같은 일. 상응(相應). *요가(yoga).
유가[4]【遊街】명〖역〗과거(科擧)의 급제자가 광대를 데리고 풍악을 잡히면서 거리를 돌며, 좌주(座主)·선진자(先進者)·친척 들을 찾아 보는 일. 보통, 사흘 동안 행함. ――-하다 자여불
유가[5]【儒家】명 유교(儒教)의 학파(學派). ¶ ～ 사상.
유가 관:정【瑜伽灌頂】명〖불교〗관정(灌頂)의 하나. 진언종(眞言宗)에서 하는 것임.
유:가 광:석【有價鑛石】[―까―] 명 〔commercial ore〕〖광〗광화(鑛化)를 받은 물질로, 금속 가격(金屬價格)으로 이익을 올릴 수 있는 광석.
유가-교【瑜伽教】명〖불교〗삼밀(三密)의 유가(瑜伽)를 주로 하는 교종, 곧 밀종(密宗)의 일컬음. 유가종(瑜伽宗).
유가-론【瑜伽論】명〖책〗↗유가사 지론(瑜伽師地論).
유:가 무가【有家無家】명 바둑에서, 수상전(手相戰)의 단계에, 한 쪽은 집이 있고 상대방은 집이 없는 상태. ¶ ～ 불상전(不相戰).
유:가-물【有價物】[―까―] 명〖법〗경제적 가치가 있는 물건.
유가 밀종【瑜伽密宗】[―쫑] 명〖불교〗진언종(眞言宗)의 이칭.
유가-사【瑜伽師】명〖불교〗유가의 관행(觀行)을 닦는 사람.
유가사 지론【瑜伽師地論】명〖책〗유가사 외 17지(地)를 설명한 책. 10권. 중국 당(唐)나라 현장(玄奘)이 번역하였음. ㊂유가론(瑜伽論).
유가 삼밀【瑜伽三密】명〖불교〗행자(行者)의 신(身)·구(口)·의(意)의 삼밀(三密)이 불보살(佛菩薩)의 삼밀과 상응(相應)하여 융합되는 일. 삼밀 유가(三密瑜伽). 삼밀 상응(三密相應).
유가 상:승【瑜伽上乘】명〖불교〗유가(瑜伽)의 행(行)은 무상(無上)의 불승(佛乘)이라는 뜻으로, 밀교(密教)의 미칭(美稱).
유가-서【儒家書】명 유교(儒教)의 서적.
유가 아사리【瑜伽阿闍梨】명 〔범 yoga-ācārya〕〖불교〗아사리(阿闍梨)의 한 지위(地位). 삼밀(三密)이 상응(相應)하여 진제(眞諦)를 조견(照見)하는 초지(初地) 이상의 자.
유가-장【柔嘉章】[―짱] 명〖악〗악장(樂章)의 이름.
유-가족【遺家族】명 ①죽은 사람의, 뒤에 남은 가족. ②특히, 전사(戰死)한 군인·경찰관의 가족. 유족. ¶ 군경 ～.
유가-종【瑜伽宗】명〖불교〗'밀교(密教)'의 이칭(異稱).
유:가 증권【有價證券】[―까―꿘] 명 〔securities〕〖경〗사법(私法)상의 재산권(財產權)을 표시한 증권. 권리의 발생(發生)·행사(行使)·이전(移轉)이 그 증권에 의하여 행하여지는 것으로, 어음·수표·채권(債券)·주권(株券) 등은 이에 속함.
유:가 증권 관리 신:탁【有價證券管理信託】[―까―꿘괄―] 명〖경〗수탁자(受託者)가 신탁 재산인 유가 증권에 대하여 배당금의 수령, 이자의 회수(回收) 및 공사채(公社債)의 경우의 상환, 주식의 경우의 신주(新株)의 납입 절차 등, 그 유가 증권의 관리에 속하는 일을 하는 유가 증권 신탁.
유:가 증권 대:부【有價證券貸付】[―까―꿘―] 명 유가 증권을 담보하고 자금을 대부하여 주는 일.
유:가 증권 매:각손【有價證券賣却損】[―까―꿘―] 명〖경〗소지(所持)하고 있는 유가 증권을 장부(帳簿) 가격보다 낮은 가격으로 팔았을 때의, 장부 가격과 매가(賣價)와의 차액(差額).
유:가 증권 매:각익【有價證券賣却益】[―까―꿘―] 명〖경〗소지하고 있는 유가 증권을 장부(帳簿) 가격보다 높은 가격에 팔았을 때의, 장부 가격과 매가(賣價)와의 차액.
유:가 증권 시:장【有價證券市場】[―까―꿘―] 명〖법〗증권 거래소(證券去來所)가 유가 증권의 매매 거래(賣買去來)를 위하여 개설(開設)한 시장(市場).
유:가 증권 신:탁【有價證券信託】[―까―꿘―] 명〖경〗수탁자(受託者)가 신탁을 인수할 때 주식·공채·사채(社債) 등의 유가 증권을 신탁 재산으로서 받아들이는 신탁. 신탁 목적에 따라 유가 증권 관리 신탁·유가 증권 운용(運用) 신탁의 두 가지로 구별됨.
유:가 증권 운용 신:탁【有價證券運用信託】[―까―꿘―] 명〖경〗수탁자(受託者)가 신탁 재산인 유가 증권에 관하여, 관리 업무 이외에, 운용 수익(收益)을 올려서 수익자(受益者)에게 교부(交付)하는 유가 증권 신탁의 하나.
유:가 증권 위조죄【有價證券僞造罪】[―까―꿘―쬐] 명〖법〗행사(行使)할 목적으로 유가 증권을 위조·변조(變造) 또는 허위(虛僞) 기입을 하거나 또는 이러한 것을 행사(行使)·교부(交付) 또는 수입함으로써 성립되는 죄.
유가 진:령【瑜伽振鈴】[―질―] 명〖불교〗유가 삼밀(瑜伽三密)의 행법(行法)을 수행(修行)할 때, 방울을 울리는 일. 전령(前鈴)과 후령(後鈴)으로 나누어 두 번 울림.
유가-파【瑜伽派】명 ①〖철〗인도 육파 철학(六派哲學)의 하나. 인도의 바라문(波羅門) 파탄잘리(Patanjali)가 창시(創始)한 것이라고 전하여지고 있으며, 수론파(數論派)의 사상을 배경으로 하여 성립되고, 명상(瞑想)에 의하여 여덟 가지의 초자연력(超自然力)을 얻는 일. 곧, 자재(自在)를 목적으로 함. 학파(學派)로서의 성립은 3-4세기경임. 유가경(瑜伽經)을 성전(聖典)으로 삼음. ②〖불교〗유가행파(瑜伽行派).
유가행-파【瑜伽行派】명 〔범 Yogacara〕〖불교〗인도에 성했던 대승 불교의 한 파. 일상 경험계를 주관의 아뢰야식(阿賴耶識)에 비친 내용으로 보고, 이 입장에서 현실 존재를 체계적으로 설명하고, 유가(瑜伽)에 의해서 객관계의 미망성(迷妄性)을 직관하고 해탈할 것을 꿈. 무착(無着)·세친(世親)이 유조(流祖)임. 법상종(法相宗)은 이것을 계승한 것의 하나임. 유식파(唯識派). 유가파(瑜伽派).
유-각-권【柔角拳】명 유도(柔道)와 각희(角戲), 곧 씨름 및 권투. ¶ ～ 시합(試合).
유각-론【唯覺論】[―논] 명〖철〗감각론(感覺論). 육감론(肉感論).
유:각-목【有角木】명〖건〗참나무나 다른 잡목(雜木)으로 된, 꼭대기 끝이 쇠뿔처럼 두 갈래로 벌어진 기둥 나무. 헛가게 같은 것을 지을 때에 쓰임.
유:각-호【有脚湖】명〖지〗물이 흘러 내리는 하천(河川)이 있는 큰 못. 「유구호(有口湖).
유:감[1]【有感】명 감상·소감(所感)이 있음.
유감[2]【乳柑】명〖식〗운향과(芸香科)에 속하는 나무. 열매는 밀감(蜜柑)처럼 달고 시며, 먹을 수 있음.
유-감[3]【柳鑑】명〖사람〗고려 때 학자. 문종(文宗) 때 사학(私學)을 세우고 제자들을 모아 경학(經學)·사학(史學)·문학(文學) 등을 가르쳤음. 이들이 십이도(十二徒) 중의 하나인 충평공도(忠平公徒)임. 시호 충평(忠平). 생몰년 미상.
유감[4]【遺憾】명 ①마음에 섭섭함. ¶ ～ 천만이다. ②언짢게 여기는 마음. ¶ 나에게 무슨 ～이라도 있나?
유:감각 지진【有感覺地震】명〖자〗유감 지진(有感地震).
유:감 반:경【有感半徑】명〖지〗유감 지진이 일어났을 때 진앙(震央)으로부터 가장 먼 유감 지점(有感地點), 곧 무감 지대(無感地帶)와의 경계점까지의 거리.
유감-스럽다【遺憾―】형ㅂ불 불만족하거나 섭섭하게 여기는 느낌이 있다. 유감-스레【遺憾―】부
유감-없다 [―업―]【遺憾―】형 마음에 흡족하다.
유감-없이 [―업씨]【遺憾―】부 마음껏. 충분히. ¶ ～ 실력을 발휘하다.
유:감 지대【有感地帶】명〖지〗지진동(地震動)을 인체(人體)가 감지(感知)할 수 있는 지역. 곧, 유감 지진(有感地震)이 일어난 지대. ↔무감 지대(無感地帶).
유:감 지점【有感地點】명〖지〗지진이 일어났을 때 지진동(地震動)을 인체(人體)가 느낄 수 있는 지점.
유:감 지진【有感地震】명 〔felt earthquake〕〖지〗지진계에는 물론, 직접 인체(人體)에도 지진동(地震動)이 뚜렷이 감지(感知)될 수 있을 정도의 지진. 유감각(有感覺) 지진. ↔무감(無感) 지진.
유:갑-류【有甲類】[―뉴] 명〖동〗[Lorica] 윤형(輪形) 동물 윤충류(輪蟲類) 유영류(遊泳類)에 속하는 한 아목(亞目). 몸 거죽에는 투명(透明)한 껍질로 된 투구를 쓰고 있는데, 때로는 조각 무늬가 있는 것도 있음. *무갑류(無甲類).
유:강[1]【柳江】명〖지〗유주(柳州).
유-강[2]【兪絳】명〖사람〗조선 시대 중기의 문신. 자는 강지(絳之). 기계(杞溪) 사람. 명종(明宗)·선조(宣祖) 때에 여러 벼슬을 거친 강직파(剛直派) 인물로 평안도 관찰사(觀察使)로 있을 때 인재를 모아 가르치고 문풍(文風)을 크게 일으켜 관서(關西)의 유생(儒生)들이 중앙에 진출할 계기를 만들어 줌. 벼슬은 공조(工曹)·호조(戶曹) 판서에 이름. 시호는 숙민(肅敏). [1510-70]
유:개[1]【有蓋】명 뚜껑이 있음. 화차(貨車) 같은 데에 지붕이 있음. *유개 화차.
유개[2]【流丐】명 거지[1]❶.
유:-개념【類概念】명 〔generic concept〕〖철〗두 종의 개념에 외연(外延)이 포괄(包括)·피(被)포괄의 종속적 관계에 있을 때에 모든 다른 것을 포괄하는 쪽의 개념. ㊂유(類). ↔종개념(種概念).
유:개-차【有蓋車】명 비·이슬·눈·서리 등을 맞지 않도록 지붕을 해 덮은 차량. 개차(蓋車). ↔무개차(無蓋車).
유:개-호【有蓋壺】명〖고고학〗뚜껑 항아리.
유:개 화:물차【有蓋貨物車】명 비·이슬·눈·서리 등을 맞아 손해를 입어서는 곤란한 화물을 싣기 위하여, 지붕을 마련한 화차. ㊂유개 화차.
유:개 화:차【有蓋貨車】명 ↗유개 화물차(貨物車). ↔무개(無蓋) 화차.

〈유개 화물차〉

유객[1]【幽客】명 세상 일을 멀리 피하여 한가히 사는 사람.
유객[2]【留客】명 손님을 머무르게 함. ――-하다 자여불
유객[3]【遊客】명 ①유람하고 다니는 사람. ②할일 없이 노는 사람. ③술이나 계집으로 소일하는 사람.
유객[4]【誘客】명 인객(引客). ――-하다 자여불
유객-우【留客雨】명 손님을 머물게 잇따라 오는 비.
유객-주【留客珠】명 한쪽 끈의 고리에 있는 구슬을 다른 쪽 끈의 고리로 옮기는 장난감.
유객-환【留客環】명 여러 개의 고리를 꿰었다 빼었다 하는 장난감.
유거[1]【杻炬】명 싸리나무로 만든 홰.
유:거[2]【柳車】명〖역〗나라나 민간(民間)에서 장사 지낼 때에, 재궁(梓宮)이나 시체를 실어 끄는 큰 수레. 바퀴가 넓은데 소가 끎. 조선 세종(世宗)의 왕비 소헌 왕후(昭憲王后)의 국휼(國恤) 때부터 이를 폐지하고 상여(喪輿)를 씀.

〈유거[2]〉

유거[3]【幽居】명 쓸쓸하고 궁벽(窮僻)한 곳에서 사는 일. 또, 그런 곳에 있는 집. 유처(幽處). ——-하다 자 여불

유:거[4]【謬擧】명 잘못 천거(薦擧)함. ——-하다 자 여불

유건【儒巾】명 검은 베로 만든 유생(儒生)의 예관(禮冠). 민자건(民字巾).

유:건 악기【有鍵樂器】명〖악〗건반(鍵盤)이 있는 악기. 피아노·오르간·아코디언 같은 것.

〈유건〉

유걸【流乞】명 거지[1]❶.

유게【流憩】명 이리저리 거닐며 쉼. ——-하다 자 여불

유:겐트-슈틸〔도 Jugendstill〕명〖미술〗독일·오스트리아에서 19세기 말엽부터 20세기 초엽에 걸쳐 유행하였던 미술 양식. 또, 그 미술 운동. 건축·공예·장식·디자인 따위의 분야에 유려(流麗)한 곡선으로 동식물(動植物)을 도안화(圖案化)하는 등의 장식적(裝飾的)인 양식을 보였음. 유겐트 양식.

유:겐트 양식【—樣式】〔도 Jugend〕명〖미술〗유겐트슈틸.

유격[1]【裕隔】명 기계에서, 작동 장치의 헐거운 정도. ¶자동차 클러치의 ~.

유격[2]【遊擊】명 ①처음부터 공격할 적을 정하지 아니하고 형편에 따라 우군(友軍)을 도와 적을 공격하는 일. ¶~ 활동. ②〖야구〗↗유격수(遊擊手). ——-하다 타 여불

유격-대【遊擊隊】명〖군〗①유격의 임무를 띠고 적의 배후나 측면을 치는 특정한 부대나 또는 함대(艦隊). ②중국에서, 게릴라 전술에 의하여 적군을 교란하는 군대. 빨치산. 게릴라.

유격대-원【遊擊隊員】명 유격대의 대원.

유격-병【遊擊兵】명 적지(敵地)를 기습(奇襲)하는 것을 특별히 훈련(訓練)받은 병사. 작은 집단(集團)으로 행동하며, 신속한 공격(攻擊)·철수(撤收)가 필요함.

유격-수【遊擊手】명 야구에서, 이루(二壘)와 삼루(三壘) 사이를 지키는 내야수(內野手). 쇼트 스톱(short stop). 준유격(遊擊).

유격 장군【遊擊將軍】명〖역〗고려 때 무관의 품계(品階). 종오품(從五品)의 하(下). 요무(耀武) 장군의 위, 유기(遊騎) 장군의 아래임.

유격-전【遊擊戰】명〖군〗임기 응변으로 적과 싸우는 싸움. 게릴라전(guerilla戰). ¶~을 벌이다.

유격 함:대【遊擊艦隊】명〖군〗유격하는 함대.

유:견[1]【有見】명〖불교〗존재(存在)하는 모든 것에는 실체(實體)가 있으며, 그 실체(實體)는 상주 불변(常住不變)이라고 집착(執着)하는 생각. ↔무견(無見).

유견[2]【油絹】명 기름 먹인 비단.

유:견[3]【謬見】명 틀린 견해(見解). 잘못된 생각.

유:결【有結】명〔범 bhava-saṃyojana〕〖불교〗사람을 미혹(迷惑)에 얽매이게 하는 번뇌. 유(有)는 생사(生死)의 과보(果報), 결(結)은 결박의 뜻으로 삶과 죽음에 집착시키는 만 가지의 번뇌라는 뜻.

유경[1]【幼莖】명〖식〗어린 줄기.

유:경[2]【有莖】명〖식〗줄기가 있음. ↔무경(無莖).

유:경[3]【有梗】명〖식〗화경(花梗)이 있음. ↔무경(無梗).

유경[4]【乳鏡】명 유용(乳用) 가축인 젖소 등의 유방 일부분의 명칭. 뒤에서 본, 젖소의 사타구니에서 항문 부위로 잔털이 그 주위와는 역방향(逆方向)으로 난 부분. 이 부분은 유징(乳徵)의 하나로서 유경이 클수록 젖이 많이 난다고 예로부터 알려짐.

유:경[5]【柳京】명〖지〗평양(平壤)의 이칭.

유-경[6]【柳璥】명〖사람〗고려 중기의 공신. 자는 천년(天年)·장지(藏之). 문화(文化) 사람. 최항(崔沆)의 아들 최의(崔竩)가 국정을 뒤흔들자 김준(金俊) 등과 함께 이를 제거, 정권을 왕에게 반환하였음. 벼슬은 우부승선(右副承宣)·평장사 판병부사(平章司判兵部事)·찬성사 판전리사사(贊成事判典理司事) 등을 거쳐 첨의 중찬(僉議中贊)에 이름. 문장에 뛰어나 신종(神宗)·희종(熙宗)·강종(康宗)·고종(高宗)의 4대의 실록(實錄) 편찬에 참여하였고, 이존비(李尊庇)·안향(安珦)·안전(安戩)·이혼(李混) 등 많은 인재(人材)가 문하(門下)에서 배출되었음. 시호는 문정(文正). [1211-89]

유경[7]【流景】명 낙일(落日)의 경색(景色).

유경[8]【幽境】명 심오(深奧)하고 조용한 곳.

유경[9]【留京】명 시골 사람이 서울에 와서 잠시 묵음. ¶~ 이후의 안부. ——-하다 자 여불

유경[10]【唯境】명〖불교〗객관적(客觀的)인 대상(對象)만이 존재(存在)한다는 뜻. 단, 불교에서의 설은 '공(空)'의 입장에 서서 설파(說破)하는 것으로, 유물론적(唯物論的) 또는 실체적(實體的)인 실재(實在)를 주장하는 것은 아님.

유경[11]【儒經】명 유서(儒書).

유경[12]【鍮檠】명 놋쇠로 만든 등잔 받침.

유-경(:)창【柳慶昌】명〖사람〗조선 숙종(肅宗) 때의 문신. 자는 선백(善伯), 호는 성탄(聲灘)·미천(薇川). 전주(全州) 사람. 벼슬은 예조 참판·대사헌·대사성을 지냈고 청백리(淸白吏)에 녹선됨. [1593-1662]

〈유경 촛대〉

유경 촛대【鍮檠—臺】명 유경을 걸게 만든 촛대.

유:계[1]【有界】명 ①경계(境界)가 있음. ②〖불교〗욕계(慾界)·색계(色界)·무색계(無色界)의 총칭. 미혹(迷惑)의 세계.

유계[2]【幽界】명 저승.

유-계[3]【兪棨】명〖사람〗조선 숙종(肅宗) 때의 유학자. 자(字)는 무중(武中), 호는 시남(市南). 기계(杞溪) 사람. 김장생(金長生)의 문인. 병자 호란(丙子胡亂) 때 남한산성(南漢山城)에서 척화(斥和)를 주장했음. 서인(西人)으로서 복상(服喪) 문제 때 남인(南人)을 공박하였고, 벼슬은 대사헌·이조 참판을 지냄. 특히, 그의 저서 ≪가례 원류(家禮源流)≫는 뒤에 숙종(肅宗) 15년(1715) 노소(老少) 사이에 치열한 논쟁을 일으키게 함. 시호(諡號)는 문충(文忠). 문집에 ≪여사제강(麗史提綱)≫이 있음. [1607-64]

유계[4]【遺戒】명 유훈(遺訓).

유계[5]【遺計】명 ①고인(故人)이 남긴 계략(計略). 유책(遺策). ②계략에 있어서의 미비(未備)한 점.

유:계[6]【謬計】명 잘못 헤아리는 일. 잘못된 계획. 유산(謬算). ——-하다 타 여불

유:계 집합【有界集合】명〖수〗수의 집합에서, 그 요소의 절대치가 일정한 값의 한도를 넘지 않는 집합.

유:계 함:수【有界函數】[—쑤] 명〖수〗값의 절대치가 어떤 실수치보다는 커지지 않는 함수.

유:고[1]【有故】명 사고가 있음. ¶~ 결근/사장 ~시에는 부사장이 직권을 대행한다. ↔무고(無故)❷. ——-하다 형 여불

유고[2]【油庫】명 유류(油類) 창고.

유고[3]【油袴】명 유바지.

유고[4]【油膏】명 유상(油狀)의 고약. 액고(液膏).

유고[5]【遺孤】명 부모가 다 죽은 외로운 아이.

유고[6]【遺稿】명 죽은 사람이 남긴 원고. 유초(遺草). ¶고인의 ~를 정리하다.

유고[7]【諭告】명 ①타이름. ②나라에서 결행할 어떤 일을 백성에게 일러줌. 또, 그 알림. ——-하다 타 여불

유:고[8] 명〖지〗'유고슬라비아(Yugoslavia)'의 약칭.

유고슬라비아〔Yugoslavia〕명〖지〗유럽 남동부 발칸 반도(Balkan半島) 서부에 있던 사회주의 연방 공화국. 여섯 공화국, 세르비아(Serbia)·크로아티아(Croatia)·슬로베니아(Slovenia)·마케도니아(Macedonia)·몬테네그로(Montenegro)·보스니아 헤르체고비나(Bosnia-Herzegovina)로 구성됨. 이탈리아·오스트리아·헝가리·루마니아·불가리아·그리스·알바니아에 접하며 주민은 세르비아(Serbia)인·크로아티아(Croatia)인 등 다섯 인종. 8세기에 슬라브족이 살다가 10-11세기에 세르비아 왕국을 건설, 뒤에 동로마 제국에 종속됨. 14세기 이래 터키의 지배 하에 들었다가 제1차 세계 대전 중, 오스트리아·헝가리 제국의 지배하에 들어갔으며 1918년에 입헌 왕국을 세움. 1945년에 연방 인민 공화국을 선언, 1963년의 신헌법(新憲法)으로 사회주의 연방 공화국이 됨. 1980년대 말, 소련과 동구권의 변혁으로 45년간에 걸친 공산당의 일당 독재가 무너지고 정치권력을 장악한 민족주의 세력은 서둘러 탈(脫) 연방, 독립의 길로 나아갔으며, 1992년 4월, 세르비아와 몬테네그로 의회가 유고 연방을 승계하는 새 헌법을 채택, '신유고'를 선포함으로써 여섯공화국으로 영위되어온 '유고 연방'은 정식으로 해체하였음.

유고슬라비아 내:전【—內戰】〔Yugoslavia〕명〖정〗1991년 6월 25일, 유고슬라비아 북부 지역에 위치한 슬로베니아와 크로아티아의 두 공화국이 유고 연방으로부터의 일방적인 독립을 선언함으로써 야기된 유고 연방 내의 내전. 세르비아 공화국이 사실 상의 지휘권을 잡고 있는 유고 연방군은 우세한 장비와 화력으로 슬로베니아의 수도 류블랴나(Lyublyana)에 침공하였고, 뒤이어 크로아티아에 있는 세르비아계(系) 주민들을 보호한다는 명목으로 크로아티아에 침입하여 크로아티아 내의 전략적인 중요 지역을 거의 점령 또는 제압하였음. EC를 비롯한 UN 기구에서는 내전 종식을 위한 조정(調停)에 힘쓰고 있으나, 1993년 2월 현재까지 원만한 해결을 보지 못하고 있음. ＊유고슬라비아 해체.

유고슬라비아 해:체【—解體】〔Yugoslavia〕명〖정〗1991년 6월 25일 행해진 크로아티아와 슬로베니아 두 공화국의 독립 선언, 1992년 3월에 행해진 보스니아-헤르체고비나 공화국의 독립 선언, 92년 4월 27일에 행해진 세르비아와 몬테네그로 양 공화국에 의한 '신(新)유고슬라비아 연방 공화국'의 창설 등으로 벌어진 유고슬로비아 사회주의 연방 공화국의 완전한 해체. 1989～90년에 불어닥친 동구(東歐) 여러 나라의 민주화 개혁의 바람은 정권을 잡고 있던 유고 공산주의자 동맹을 물러나게 하고 각 공화국에 민족적 색채가 짙은 정권이 들어서게 됐는데, 이는 각 공화국의 분리·독립의 움직임을 본격화시켜 내전과 더불어 구(舊) 유고슬라비아의 해체를 가져왔음.

유곡【幽谷】명 깊은 산골. 궁곡(窮谷). ¶심산 ~.

유곡 가인【幽谷佳人】명〖미술〗동양화의 화제(畫題). 단애(斷崖)에 춘란(春蘭)이 나 있는 곳을 그림. 춘란이 가인(佳人)에 비유되는 데서 붙은 이름임. 문인화(文人畫)에서 많이 볼 수 있음.

유곡 청성곡【幽谷淸聲曲】명〖악〗통일 신라 시대에 옥보고(玉寶高)가 지은 거문고 악곡 30곡 중의 하나.

유골【遺骨】명 ①죽은 사람을 화장(火葬)하고 남은 뼈. ¶~이 되어 돌아오다/~을 묻다. ②무덤 속에서 나온 뼈.

유:골 조직【類骨組織】명〖생〗골절 같은 뼈의 파괴나 뼈의 종양(腫瘍) 등으로 새로운 뼈가 나와야 할 때에, 정상적인 뼈가 나올 때까지의 과도적인 역할을 하는, 골조직과 비슷한 불완전한 대용물. 골막 또는 골수막(骨髓膜)에 유래하는 간엽(間葉) 세포로 형성되는데, 세포 사이를 메우고 있는 기질(基質)이 정상적인 뼈처럼 규칙적인 석회화(石灰化)와 골화(骨化)를 나타내고 있지 않음. 골절의 경우의 유골 조직은 특히 가골(假骨)이라 함.

유:공[1]【有功】명 공로가 있음. ——-하다 형 여불

유공[2]【遺功】명 죽은 뒤에까지 남아 있는 공.

유-공권[1]【柳公權】명〖사람〗중국 당(唐)나라 목종(穆宗) 때의 명필. 자는 성현(誠懸). 경조 화원(京兆華原) 사람. 벼슬은 공부 상서(工部尚書). 작품은 ≪현비 탑비(玄祕塔碑)≫ 등. [778-865]

유-공권[2]【柳公權】명〖사람〗고려 명종(明宗) 때의 명신(名臣). 자는 정

평(正平). 유주(儒州) 사람. 초서(草書)와 예서(隸書)를 잘하였음. 벼슬은 정당 문학 참지정사 판예부사(政堂文學參知政事判禮部事)에 이르렀음. 시호(諡號)는 문간(文簡). [1132-96]

유:공-류【有孔類】[─뉴] 명《동》 새공류(鰓孔類).

유:-공불급【猶恐不及】명 두려워할 바 못 됨. ──하다 자여불

유:공 불이【有空不二】명《불교》 현상(現象)으로서 존재(存在)하는 것은 잠시의 것이고, 불변 상주(不變常住)의 실체(實體)는 없으나, 후자(後者)는 전자(前者)를 떠나서 있는 것이 아니고, 전자도 후자를 떠나서 있는 것이 아님.

유:공-상【有功賞】명 공로가 있는 사람에게 주는 상.

유:공 상패【有功賞牌】명 공로가 있다고 인정될 때에 주는 상패. 박람회 같은 곳에 출품한 물품을 심사한 결과 우수한 물품에 대하여 주는 상패 같은 것.

유:공 석부【有孔石斧】명 중국의 신석기 시대부터 청동기 시대에 걸쳐 사용되었던, 얇고 구멍이 뚫려 있는 돌로 만든 도끼. 농구(農具)의 끝에 잡아매어 땅을 파는 데 사용했음. 그림 1.과 2.는 모두 신석기 시대의 것으로, 중국 난징 시(南京市) 주변에서 출토되었는데 1.의 길이 20cm, 2.의 길이는 약 7cm임. *양사오(仰韶) 유적.

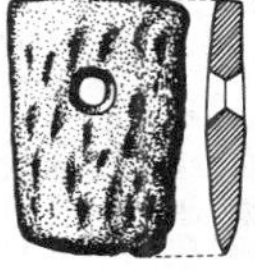

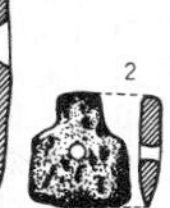

〈유공 석부〉

유:공-성【有孔性】[─썽] 명《물》 물질이 가지고 있는 성질의 하나. 모든 물체가 연속적인 실질(實質)로 되지 않고, 그 조직 사이에 틈이 있는 성질. 고체(固體)·액체(液體)가 기체(氣體)를 흡수하고, 또는 고체가 액체에 용해되는 것은 이 성질 때문임.

유:공-자【有功者】명 공로가 있는 사람.

유:공-전【有孔錢】명 구멍 뚫린 엽전(葉錢). ↔맹전(盲錢)·무공전(無孔錢).

유:-공-중【有空中】명《불교》 법상종(法相宗)의 불전 비판설. 불교를 유교(有敎), 곧 사람은 공(空), 법(法)은 유(有)라고 하는 설과, 공교(空敎), 곧 사람이나 법은 모두 공이라고 하는 설과, 중도교(中道敎), 곧 사람과 법은 모두 공이면서 또한 유라고 하는 설로 나누어 중도교를 가장 우수하다고 하는 비판설.

유:공-충【有孔蟲】명《동》 유공류(有孔類)에 속하는 원생(原生) 동물의 총칭. 석회질(石灰質) 또는 규산질(珪酸質)의 껍질을 가지며, 육안(肉眼)으로 보일 정도로 큰 단세포(單細胞)의 동물임. 껍질에 있는 작은 구멍에서 실 모양의 발을 내밀어 먹이를 얻음. 바닷속 또는 바닷물 위에 삶. 글로비게리나(Globigerina)·노도사리나(Nodosarina) 같은 것이 이에 속함.

〈유공충〉

유:공충-니【有孔蟲泥】명《광》 열대(熱帶)의 바다 밑에 유공충의 죽은 껍질이 쌓여 된 진흙. 그대로 육지(陸地)가 된 것은 백악(白堊)이 되고, 그대로 다져진 것은 석회가 됨.

유:공충-류【有孔蟲類】[─뉴] 명《동》 [Foraminifera] 원생(原生) 동물 위족류(僞足類)에 속하는 한 목(目). 민물·바닷물에 다 사는데 몸에는 겉껍질이 있고 실 모양의 위족(僞足)이 가지 모양으로 나눠지며, 또 합쳐져서 그물 모양을 이룸. 겉껍질은 속살이 변하여 된 것인데, 거의 다 탄산 석회질(炭酸石灰質)이나, 가끔 규산질(珪酸質) 또는 유기질(有機質)로 된 것도 있으며, 일방(一房) 또는 다방(多房)으로, 표면에는 많은 작은 구멍이 있음. 석회질의 것은 때때로 석회암의 원인이 됨. 유실류(有室類). *태양충류(太陽蟲類).

유:공충 석회암【有孔蟲石灰岩】명《광》 유공충(有孔蟲)의 화석(化石)을 많이 함유(含有)하는 석회암(石灰岩). 고운 무늬가 있어 장식용(裝飾用)으로 쓰임.

유:공충 연:니【有孔蟲軟泥】명 글로비게리나(Globigerina) 연니.

유:공 토기【有孔土器】명《고고학》 구멍무늬 토기.

유과[1]【油菓】명 ↗유밀과(油蜜菓).

유과[2]【乳菓】명 우유를 넣고 만든 과자.

유곽【遊廓】명 창기(娼妓)가 모이어 있어 손님을 맞아 들이는 영업을 하는 집. 또, 그런 집이 모여 있는 곳. 연곽(戀廓). 연리(戀里). ¶~에 드나들다.

유:관[1]【有關】명 관계가 있음. ¶~ 업무/~ 국가.

유관[2]【乳管】명《식》 세포가 이어져서 분기(分岐)한 관(管)으로 되어 그 속에 젖 모양의 액(液)을 담아 둔 것. 국화·민들레 같은 것에서 볼 수 있음. 젖관.

유관[3]【流官】명《역》 중국에서, 토사(土司)에 대하여 중앙 정부가 선임(選任)한 관리(官吏). *토사(土司)·개토 귀류(改土歸流).

유관[4]【流管】명 [stream tube]《물》 관(管)이 어떤 유동체(流動體) 가운데에서 주위가 유선(流線)으로 둘러싸였다고 가정(假定)하고, 이것을 유관이라 이름.

유-관[5]【柳寬】명《사람》 조선 세종(世宗) 때의 정치가. 초명은 관(觀). 자는 몽사(夢思) 또는 경부(敬夫), 호는 하정(夏亭). 문화(文化) 사람. 대제학(大提學)·대사성(大司成)을 거쳐 세종 6년(1424)에 우의정(右議政)에 올랐음. 청백리(淸白吏)에 녹선(錄選)되었으며 학문에 뛰어나고 시문(詩文)에 능하였음. 시호(諡號)는 문간(文簡). [1346-1433]

유-관[6]【柳灌】명《사람》 조선 명종(明宗) 때의 상신. 자는 관지(灌之), 호는 송암(松庵). 문화(文化) 사람. 대사간·대사헌을 거쳐 병조·형조·이조 판서를 지냈으며, 우의정·좌의정에 올랐다가 을사 사화(乙巳士禍) 때 원상(院相)으로 정순붕(鄭順朋) 일파에게 몰려 사사(賜死)됨. 시호는 충숙(忠肅). [1484-1545]

유관[7]【留官】명《역》 고을 원의 직무를 대리 보던 좌수(座首).

유관[8]【裕寬】명 너그러움. ──-하다 형여불

유관[9]【遊觀】명 돌아다니며, 구경함. 놀면서 구경함. ──-하다 타여불

유관[10]【儒冠】명 유생(儒生)들이 쓰는 관(冠).

유:관 사:업비【有關事業費】명《경》 전에, 아이 시 에이(ICA) 원조 계획(援助計劃)의 하나로 대충 자금(對充資金)으로 세워진 공장에 방출(放出)되던 기업 운영 자금(運營資金). 산업 은행을 통하여 융자되었음. ↔무관(無關) 사업비.

유관-속【維管束】명《식》 관(管)다발.

유관속 식물【維管束植物】명 [vascular plants]《식》 관다발 식물의 구칭. 원래 스위스의 캉돌(Candolle, A.P.de)이 모든 식물을 둘로 대별(大別)하여 비관속 식물(非管束植物)의 뜻인 Cellulares와 대비시켜 Vasculares를 쓴 데서 비롯됨.

유-관순【柳寬順】명《사람》 3·1 운동 때 순국(殉國)한 여열사(女烈士). 충청 남도 천안(天安) 출생. 16세 때 이화(梨花) 학당 고등과 1년생으로 3·1 운동에 참가, 천안·연기(燕岐)·공주(公州)·진천(鎭川) 등을 총궐기시켜 '아오내 장터 사건(事件)'을 일으키고 주모자로 검거되어 감옥에서 피살되었음. [1904-20]

유:관 식물【有管植物】명 [siphonogamous plant]《식》 ①스위스의 식물 분류학자 캉돌(Candolle ,A.P.de)의 용어. '경엽(莖葉) 식물'의 일컬음. ↔세포(細胞) 식물·무관(無管) 식물. ②↗유관 유배(有胚) 식물.

유:관 유:배 식물【有管有胚植物】[─뉴─] 명《식》 [Embryophyta siphonogama] 식물계를 대분(大分)한 문(門)의 하나. 화분관(花粉管)이 있고 배(胚)를 가지는 식물의 총칭. 곧, 종자(種子) 식물을 말하며 나자(裸子) 식물과 피자(被子) 식물이 이에 속함. 독일의 식물학자 엥글러(Engler)가 붙인 이름. 관정(管精) 유배 식물. ㊀유관 식물. ↔무관(無管) 유배 식물.

유:관작-하다【有官爵─】자여불 관작을 지니고 있다.

유:관절-류【有關節類】명《동》 유교류(有鉸類).

유광[1]【乳光】명《물》 단백광(蛋白光).

유광[2]【流光】명 ①물결에 비치는 달. ②흐르는 물과 같이 빠른 세월. 유수 광음(流水光陰).

유-광렬【柳光烈】[─녈] 명《사람》 언론인(言論人). 호는 종석(種石). 경기도 파주(坡州) 출생. 독학으로 신학문을 익혀, 1919년 매일 신보(每日申報) 기자로 언론계(言論界)에 투신(投身), 평생을 논설(論說)과 컬럼 집필(執筆)에 종사했음. [1898-1981]

유-광익【柳光翼】명《사람》 조선 영조(英祖) 때의 학자. 자는 사휘(士輝), 호는 풍암(楓巖). 전주(全州) 사람. 약관에 벌써 서사(書史)·과문(科文)에 통하였으나 특히 성리학(性理學)에 연구가 깊었는데, 많은 선비들이 따랐으며 항재(恒齋) 선생이라 불리었음. 저서에 《대학 집요(大學輯要)》·《강학 제요(講學提要)》·《동사 편년(東史編年)》 등이 있음. 시호는 정평(靖平). [1713-80]

유:광-지[1]【有光紙】명 겉이 번지르르하게 윤이 나는 종이.

유광-지[2]【油光紙】명 기름을 먹여 매끄러운 종이.

유:광-질【有鑛質】명 금속을 함유한 광석류. ↔무광질(無鑛質).

유:광-철【有鑛鐵】명 〈방〉 생철(함경).

유광 현:상【乳光現象】명《물》 단백광 현상(蛋白光現象).

유:괘[1]【有卦】명《민》 음양가(陰陽家)에서 사람의 생년을 오행(五行)·십이운(十二運)에 배당하여 정한 행운(幸運)의 해돌림. 이 해는 칠 년 동안 계속된다 함. ↔무괘(無卦).

유괘[2]【遺挂】명 죽은 사람이 남기고 간 옷 같은 것.

유괴【誘拐】명 사람을 속여 꾀어 내는 일. 괴인(拐引). ──-하다 타여불

유괴-범【誘拐犯】명《법》 유괴한 범인. 또, 그 범죄.

유괴 산:업【誘拐産業】명〈속〉 본격적인 유괴 행위로 몸값을 받아 내는 것을 산업에 비유한 말.

유괴-자【誘拐者】명 남을 꾀어 낸 사람.

유괴-죄【誘拐罪】[─쬐] 명 사람을 유괴함으로써 성립되는 죄.

유:교[1]【有敎】명《불교》 ①가르치는 바. 가르침. ②《불교》 소승(小乘)의 구사종(俱舍宗), 대승(大乘)의 법상종(法相宗)을 이름. ↔공교(空敎).

유교[2]【遺敎】명 ①유명(遺命). ②《불교》 부처와 조사(祖師)가 후인(後人)을 위하여 남긴 교법(敎法). 또, 특히 그 임종(臨終) 때 행한 설교(說敎). 불교 전체를 석가의 유교라 함.

유교[3]【儒敎】명 [Confusianism] 중국 고대(古代)에 공자(孔子)가 주장한 유학(儒學)을 받드는 교. 중국 사서(四書)·삼경(三經)을 경전(經典)으로 함. 명교(名敎).

유교-경【遺敎經】명《책》 대승 불교(大乘佛敎)의 경전. 후진(後秦)의 구마라집(鳩摩羅什)의 역서(譯書)라고 전하여짐. 석존(釋尊)이 임종할 때, 계법(戒法)을 지키고 빨리 깨달음을 얻고 펼쳐 나아갈 것을 설파(說破)한 당시의 정경을 그린 경전임. 1권. 선종(禪宗)에서 불조 삼경(佛祖三經)의 하나로서 존중되고 있음. 불수반 열반 약설 교계경(佛垂般涅槃略說敎誡經).

유교 도:덕【儒敎道德】명 유교의 가르침에 근거한 도덕.

유:교-류【有鉸類】명《동》 [Testicardines] 전항(前肛) 동물 완족류(腕足類)에 속하는 한 목(目). 껍질은 석회질, 배설강(腔)은 없으며, 좌우의 외투(外套)는 뒤쪽에 붙고, 완골(腕骨)이 있음. 유관절류(有關節類). ↔무교류(無鉸類).

유교 사:상【儒敎思想】명 중국의 공자가 주장한 가르침. 즉, 사서 삼경(四書三經)을 경전(經典)으로 하는 교(敎)의 사상.

유교 칠신【遺敎七臣】[─씬] 명《역》 조선 선조(宣祖)가 승하(昇遐)할 때 유명(遺命)을 내린, 신임하던 신하 일곱 사람. 유영경(柳永慶)·한응인(韓應寅)·박동량(朴東亮)·서성(徐渻)·신흠(申欽)·허성(許

箴)·한준겸(韓俊謙) 등. 유명의 내용은 자기가 죽은 뒤에 어린 영창 대군(永昌大君)을 잘 보호하라는 것이었음.

유구¹【乳狗】명 젖 먹는 강아지.

유구²【流求】명〖지〗중국 ≪수서(隋書)≫에 나오는 나라 이름. 지금의 차오저우(潮州)·취안저우(泉州)에서 동쪽 5일의 항정(航程)에 있었다고 전(傳)함. 607년 주관(朱寬)이란 자가 가 본 후, 이어 이 나라를 쳤다 하는데, 현재의 타이완 또는 류큐(琉球)라는 두 설이 있음.

유구³【流寇】명 유적(流賊).

유구⁴【琉球】명〖지〗'류큐'를 우리 음으로 읽은 이름.

유구⁵【悠久】명 연대가 길고 오램. 유원(悠遠). 구구(久久). ¶~한 역사. ——-하다 형여불. ——-히 부

유구⁶【遺構】명 옛날 토목 건축의 구조와 양식(樣式) 등을 알 수 있는, 실마리가 되는 잔존물(殘存物).

유:구⁷【類句】명 유사한 구(句).

유구-곡【維鳩曲】명〖악〗시용 향악보(時用鄕樂譜)에 실린 비둘기를 노래한 가사(歌詞). 음계(音階)는 평조(平調). 속칭 '비두로기'라 한다고 기록됨. 작자와 연대는 미상. 내용은 다음과 같음. '비두로기 새는 비두로기 새는 우루믈 우루듸 버곡댱이 사 난 됴해 버곡댱이 사 난 됴해'. 비두로기.

유구르타〔Jugurtha〕명〖사람〗로마 공화정(共和政) 말기의 북아프리카의 누미디아 왕(王). 기원전 111-106년에 로마와 싸웠으나 마리우스(Marius)에게 패하여 옥사(獄死)함. [?-106 B.C.]

유:구 무언【有口無言】명 입은 있으되 말이 없다는 뜻으로, 변명할 말이 없거나 변명을 하지 못함을 이름. 할 말이 없음. ¶아무리 공박을 하더라도 ~일세.

유:구 불언【有口不言】명 사정(事情)이 거북하거나 따분하여 말을 하지 않음.

유구-식【維口食】명〖불교〗네 가지 사명식(邪命食)의 하나. 비구(比丘)가 갖가지 방상(方相)·주술(呪術)·복점(卜占) 따위를 배워 사는 일.

유구-양지꽃【琉球陽地—】명〈방〉은양지꽃.

유구-어【琉球語】명 류큐(琉球)에서 쓰는 말. 고대(古代) 일본어(日本語)의 한 방언(方言)임.

유구 열도【琉球列島】[—또] 명〖지〗류큐 열도.

유구-장【油具匠】명〖역〗기름먹인 도구를 만드는 장인(匠人).

유-구조【柔構造】명 강성(剛性)이 낮은 부재(部材)를 사용하거나 접합부(接合部)의 일부에 핀(pin) 접합을 한 건축 구조. 강구조와 달리 지진(地震)의 경우 완만하게 진동하고 도괴(倒壞)할 위험이 적기 때문에, 초고층(超高層) 건축물의 건축에 많이 채용됨. ↔강구조(剛構造).

유:구 촌:충【有鉤寸蟲】명〖동〗갈고리촌충. ↔무구(無鉤) 촌충.

유:구-호【有口湖】명〖지〗유각호(有脚湖). ↔무구호(無口湖).

유군¹【幼君】명 나이 어린 임금. 유주(幼主).

유군²【遊軍】명 ①유식자(遊食者). ②〖군〗유격대(遊擊隊)에 속하는 군인. 유병(遊兵).

유궁【幽宮】명 깊숙한 곳에 있는 궁전.

유:권¹【有權】[—꿘] 명 권리가 있음.

유권²【誘勸】명 권유함. 권유(勸誘). ——-하다 타여불

유:권 대:리인【有權代理人】[—꿘—] 명〖법〗대리권(代理權)을 가진 대리인(代理人). 법정(法定) 대리인과 임의(任意) 대리인이 있음.

유:권력-하다【有權力—】[—꿜—] 형여불 권력이 있다.

유:권-자【有權者】[—꿘—] 명 ①권리(權利)가 있는 사람. 권력(權力)을 가진 사람. ②선거권(選擧權)을 가진 사람.

유:권적 해:석【有權的解釋】[—꿘—] 명〖법〗공권적 해석(公權的解釋). 유권(有權) 해석.

유:권 해:석【有權解釋】[—꿘—] 명〔authentic interpretation〕〖법〗공권적(公權的) 해석.

유귀【流鬼】명 중국 당대(唐代)에 있어서의 사할린 아이누, 또는 사할린의 일컬음.

유규¹【幽閨】명 부녀자가 거처하는 방.

유:규²【類規】명 같은 종류의 법규.

유-균【劉筠】명〖사람〗북송(北宋) 시인. 자는 자의(子儀). 허베이(河北) 출신. 벼슬은 용도 학사(龍圖學士)를 거쳐 여주 지사(廬州知事)로 전출, 뒤에 한림 학사·승지에 이름. 이상은(李商隱)의 시체(詩體)를 배워, 양억(楊億) 등과 함께 화려한 시체, 이른바 서곤체(西崑體)를 창시함. 저서에 ≪형법 서략(刑法敍畧)≫이 있음. [?-1024]

유:극 결합【有極結合】명〖화〗극성 결합(極性結合).

유-극량【劉克良】[—냥] 명〖사람〗조선 선조(宣祖) 때의 명장. 자는 중무(仲武). 연안(延安) 사람. 무과(武科)에 급제, 임진 왜란 때 조방장(助防將)으로서 누차 공을 세우고 임진강(臨津江) 방어 임무를 맡은 수어사(守禦使) 신할(申硈)의 예하에서 싸우던 중 적병을 경시하는 상관에게 용병(用兵)에 신중할 것을 거듭 간했으나 받아들여지지 않은 채 전사함. 시호는 무의(武毅) [?-1592]

유:극-류【有棘類】[—뉴] 명〖동〗선공류(線孔類).

유:극 분자【有極分子】명〖화〗극성 분자(極性分子).

유:극 적혈구증【有棘赤血球症】[—쯩] 명〔acanthocytosis〕〖의〗혈구 표면에 극상 돌기(棘狀突起)를 발생시키는 적혈구 장애.

유:극 전:령【有極電鈴】[—절—] 명 자석 전령(磁石電鈴).

유근¹【幼根】명〖식〗식물의 배(胚) 하단부에 있으며 발아(發芽)하면 땅속에 들어가 뿌리가 되는 것. 어린뿌리.

유-근²【柳根】명〖사람〗조선 선조(宣祖) 때의 공신. 자(字)는 회부(晦夫), 호는 서경(西坰). 진주(晉州) 사람. 정유 재란(丁酉再亂) 때 운량 검찰사(運粮檢察使)로 군량의 수송에 공을 세워, 진원 부원군(晋原府院君)에 봉군(封君)되었으며, 그 뒤 예조 판서·대제학·좌찬성을 지냄. 시호는 문정(文靖). [1549-1627]

유-근³【柳瑾】명〖사람〗대한 제국 때의 언론인. 호는 석농(石儂). 한학(漢學)과 문장에 능했으며 광무 2년(1898) 장지연(張志淵) 등과 함께 '황성(皇城) 신문'을 창간, 독립 정신 고취(鼓吹)에 힘썼음. 뒤에 사장이 되었으나 일본 통감부(統監府)의 탄압에 못이겨 사퇴함. 1920년 '동아 일보' 창간시 언론계의 원로(元老)로서 양기탁(梁起鐸)과 함께 편집 감독으로 추대됨. [1861-1921]

유-근⁴【劉瑾】명〖사람〗중국 명(明)나라 정덕(正德) 연간(1506-21)의 환관(宦官). 본성(本姓)은 담(談). 산시 성(陝西省) 출신. 정덕제(正德帝)의 측근으로 아첨으로 정치를 문란케 하고, 실권을 장악하여 만사를 전결(專決)하는 등 횡포가 극심했으며 공후 훈척(公侯勳戚)도 그 앞에 무릎을 꿇었음. 1510년 잡히어 죽음. [?-1510]

유글레나〔Euglena〕명〖동〗연두벌레의 통칭(通稱). *유글레나 비리디스.

유글레나-과【—科】〔Euglena〕[—꽈] 명〖동〗〔Euglenidae〕유글레나 목(目)에 속하는 한 과. 체내(體內)의 엽록체(葉綠體)에서 동화 작용(同化作用)을 함.

유글레나-목【—目】〔Euglena〕명〖동〗〔Euglenoidae〕원생(原生) 동물 식물성 편모충류(植物性鞭毛蟲類)에 속하는 한 목(目). 편모(鞭毛)는 보통 한 개인데, 때로는 부편모(副鞭毛)가 있으며, 몸 안에는 한 개의 큰 신축포(伸縮胞)와 색소체(色素體) 및 안점(眼點) 등이 있고, 몸의 겉은 원형질막에 덮여 있음. 미안류(美眼類).

유글레나 비리디스 명〖동〗〔*Euglena viridis*〕유글레나과에 속하는 원생 동물. 몸길이 52-57 μ의 방추형(紡錘形)인데 운동함에 따라 변하며 몸빛은 녹색임. 전단(前端) 중앙의 기부에서 몸길이와 같은 한 개의 편모(鞭毛)가 나와 있어서, 이것으로 몸의 모양을 변경하여 운동함. 몸속에 엽록체(葉綠體)가 있으며 일광을 받아 동화 작용을 하는 단세포 동물임. 핵은 핵양체(核樣體)의 후방에 위치하며, 안점(眼點)은 막대기 모양임. 이른 봄에 연못·논 등에 서식하며, 많이 모이면 물빛이 선록색(鮮綠色)이 됨. 연두벌레.

유글레나 아쿠스 명〖동〗〔*Euglena acus*〕유글레나과에 속하는 원생 동물(原生動物)의 하나. 몸은 장방추형(長紡錘形)이며, 끝이 뾰족함. 편모(鞭毛)는 몸길이의 3분의 1 가량. 눈은 투명하며 경부(頸部)에 위치함. 몸길이 140-180 μ, 폭 10 μ 내외임. 호소(湖沼) 특히 수중(水中) 식물이 풍부한 곳에서 부유(浮遊) 생활을 함.

유글레나 옥쉬리스 명〖동〗〔*Euglena oxyuris*〕유글레나과에 속하는 원생 동물(原生動物)의 하나. 몸은 길이가 350-400 μ, 폭은 길이의 10분의 1 정도의 긴 통형(筒形)으로 앞쪽은 원형(圓形), 뒤쪽에는 꼬리 모양의 돌기가 있음. 핵(核)은 한 개, 핵양체(核樣體)는 없고, 편모(鞭毛)의 길이는 몸길이의 반 가량임. 호소(湖沼)에서 부유(浮遊) 생활을 함.

〈유글레나옥쉬리스〉

유금¹【遊金】명 쓰지 아니하고 놀리는 돈.

유금²【游禽】명〖조〗유금류(游禽類).

유금-류【游禽類】[—뉴] 명〖조〗물 위를 헤엄쳐 다니는 새의 총칭. 다리는 짧고, 몸의 뒤쪽에 붙었으며, 발가락 사이에는 물갈퀴가 있고 눈은 머리의 조금 뒤쪽에 있으며, 꼬리에 지선(脂腺)이 발달하여 있는 등 수상 생활에 적당하게 되어 있음. 오리·기러기·갈매기 등이 이에 속함. 유금(游禽). 오리무리. *주금류(走禽類)·섭금류(涉禽類).

유-금필【庾黔弼】명〖사람〗고려 태조(太祖) 때의 무장(武將). 평산(平山) 유씨의 시조. 태조초부터 무장으로 북방을 개척하였고, 정서(征西) 대장군·정남(征南) 대장군·도통(都統) 대장군 등을 역임하면서 후백제(後百濟)를 쳐 멸망시켰음. 시호는 충절(忠節). [?-941]

유:급¹【有給】명 봉급(俸給)이 있음. 급료(給料)를 받음. ¶~ 휴가(休暇). ↔무급(無給).

유급²【留級】명 진급(進級)하지 못하고 그대로 남음. 낙제(落第). ——-하다 자여불

유:급-직【有給職】명 급료를 받는 직임(職任). ↔명예직(名譽職).

유:급 휴가【有給休暇】명〔vacation with pay〕봉급(俸給)이 지급(支給)되는 휴가.

유기¹【幼期】명 어린 시기.

유:기²【有期】명 ↗유기한(有期限). ↔무기(無期).

유:기³【有機】명 ①〖화〗탄소를 함유 주성분으로 함. ②생활 기능을 갖추고 생활력을 가지고 있음. ↔무기(無機).

유기⁴【乳氣】명 어린애 같은 모양. 또, 그 기분. 치기(稚氣).

유:기⁵【柳器】명 고리²❷.

유기⁶【留記】명〖책〗고구려의 역사서. 고구려가 한문을 사용한 이후로 남긴 역사 기록. 100권. 연대·찬자 미상. 그 뒤 영양왕(嬰陽王) 11년(600) 이문진(李文眞)이 이를 산수(刪修)하여 ≪신집(新集)≫ 5권을 만듦. 이상과 같은 내용이 ≪삼국 사기≫에 담겨 있을 뿐 모두 전하지 아니함.

유기⁷【遊技】명 오락(娛樂)으로 행하는 운동(運動). 당구 등. ¶~장(場).

유-기⁸【劉基】명〖사람〗중국 원말(元末) 명초(明初)의 유학자·정치가. 자는 백온(伯溫). 청전(靑田) 출생. 천문·병법에 통함. 명태조(明太祖)를 도와 중원(中原)을 얻어, 성의백(誠意伯)이 됨. 시호는 문성(文成). 저서 ≪복부집(覆瓿集)≫. [1311-75]

유기⁹【遺記】명 죽은 후에 남겨 놓은 기록. *유언·유언장.

유기¹⁰【遺基】명 남아 있는 옛 터. ¶인조 별서(仁祖別墅) ~비(碑).

유기¹¹【遺棄】명 ①내어버림. ¶시체 ~. ②〖법〗어떤 사람에 대한 종래의 보호(保護)를 거부하여, 그를 보호를 받지 못하는 상태에 두는 일. ——-하다 타여불

유기[12]【鍮器】명 놋그릇.

유:-기[13]【U機】명〔utility plane의 약칭〕미국 군용기의 기종(機種)의 하나로 다용기(多用機)를 이름.

유:기 감:각【有機感覺】명〔organic sensation〕〖심〗신체 내부의 모든 기관(器官)이 정상적인 상태를 잃는 경우에 막연하게 부분적으로나 전신(全身)적으로 일어나는 감각. 곧, 배고픔,목마름,추위,피로,내부의 아픔 같은 것으로 감정과 밀접한 관계를 맺고 있음. 일반 감각(一般感覺). 내장(內臟) 감각. 장기 감각(臟器感覺).

유:기 감:정【有機感情】명〖심〗유기 감각(有機感覺)에 수반하여 일어나는 복합적인 감정. 일반 감정.

유:기-계【有機界】명 자연계(自然界)의 편의상의 한 분류(分類)로 생명의 기능이 있는 유기적인 생물 세계. ↔무기계(無機界).

유기-공【硫氣孔】명〖지〗황기공(黃氣孔).

유:기 공채【有期公債】명〔redeemable debt〕〖경〗일정(一定)한 기간(期間)에 일정한 방법으로 원금(元金)을 상환(償還)할 의무를 부담(負擔)하는 공채. 유기 상환(償還) 공채. ↔무기 공채(無期公債). ↔영구 공채(永久公債).

유:-기관【類器官】명〖생〗세포(細胞) 기관.

유:기 광:물【有機鑛物】명〖광〗유기 화합물(有機化合物)로 된 광물. 동식물(動植物) 같은 것의 썩은 물건이 땅 속에 묻히어서 생긴 광물. 호박(琥珀)·석탄(石炭)·석유(石油) 따위, 유기물이지만 광물류(鑛物類)에 들어 있는 것들을 이름.

유:기 규소 화합물【有機珪素化合物】명〔organosilicic compound〕〖화〗규소 원자(珪素原子)가 유기 화합물과 직접 결합(結合)한 화합물. 또는 탄소(炭素)·규소의 결합이 없어도 유기기(有機基)를 포함하는 화합물의 총칭.

유기 그릇【鍮器一】명 놋그릇.

유:기 금:고【有期禁錮】명〖법〗기간(期間)이 정하여진 금고. 보통 1개월 이상 15년 이하임. ↔무기 금고(無期禁錮).

유:기 금속 화합물【有機金屬化合物】명〔organometal compound〕〖화〗각종 금속 원소를 함유하는 화합물. 특히, 금속 원자가 탄소(炭素) 원자와 직접 결합된 것을 가리키는 경우가 많음. 주로 아연 메틸(亞鉛 methyl)·아연 에틸(ethyl) 등으로서, 유기 합성 화학에 있어서의 촉매(觸媒), 때로는 농약 등에 이용됨.

유기-노【劉寄奴】명〖식〗유기노초(劉寄奴草).

유기노-초【劉寄奴草】명〖식〗국화과에 속하는 다년초. 줄기는 높이 1.5m 가량이고, 흔히 자색을 띠며, 잎은 쑥잎과 비슷하나, 조금 두꺼움. 누른빛의 단판화(單瓣花)는 탱알꽃과 비슷한데, 산후(產後)의 객증(客症) 또는 금창(金瘡) 등의 약으로 쓰임. 유기노(劉寄奴).

유:기 농업【有機農業】명〖농〗무농약(無農藥) 농업.

유:기 도형【有期徒刑】명〖역〗유기형의 한 가지. 기간을 정하여 섬에 두어서 정역(定役)을 과함. ↔무기(無期) 도형.

유:기-물[1]【有機物】명〖화〗①생물(生物)에서 유래되는 탄소(炭素) 원자를 함유하는 물질의 총칭. ↔무기물(無機物) ②↗유기 화합물(有機化合物).

유기-물[2]【遺棄物】명 ①유기하여 돌보지 않는 물건. ②〔derelict〕항해(航海)를 방해할 만큼 대형(大型)의 것으로, 해상(海上)에 유기된 재물(財物). 특히, 폐선(廢船)을 가리키는 수가 많음.

유:기물 감:속형 원자로【有機物減速型原子爐】명〔organic-moderated reactor; OMR〕〖원자〗원자로의 형(型)의 하나. 유기 화합물을 감속재(減速材)나 냉각재(冷却材)로 사용하는 원자로.

유:기물 냉:각형 원자로【有機物冷却型原子爐】명〔organic-cooled reactor〕〖물〗원자로의 형(型)의 하나. 혼합물 등 유기물을 냉각재로 사용하는 원자로.

유:기 반:도체【有機半導體】명〔organic semiconductor〕〖화〗반도체의 특성을 나타내는 유기 화합물(化合物). 다수의 짝 이중 결합(二重結合)을 갖는 프탈로시아닌(phthalocyanine)과 그 중합체(重合體), 벤젠핵(benzene核)이 다수 축합(縮合)한 다환 방향족(多環芳香族) 화합물 및 그 할로겐(Halogen) 부가(附加) 화합물 따위. 이중 결합에서 파이(π) 결합을 담당하는 파이 전자가 탈출해 자유 전자와 정공(正孔)이 발생, 이것이 도전성(導電性)을 생기게 하는 것으로 생각됨. 저항률(抵抗率)은 무기 반도체보다 약간 높음. 도전성 플라스틱 및 빛 전도(傳導)에 의한 전자 사진 등으로의 응용이 가능함.

유:기 비:료【有機肥料】명〖농〗유기질 비료.

유:기-산【有機酸】명〖화〗산(酸)의 성질을 가진 유기 화합물의 총칭. 주로 동식물에서 얻으나 인공적으로 합성할 수 있음. 포름산(酸)·아세트산(酸)·부티르산(酸)·락트산(酸) 같은 것. 주로 카르복시산과 술폰산. ↔무기산(無機酸).

유:기 상환 공채【有期償還公債】명〖경〗유기 공채.

유:기성 생물【有氣性生物】〔一썽一〕명 호기성(好氣性) 생물.

유:기 수은【有機水銀】명〖화〗유기 화합물 가운데에 포함된 수은. 특히, 알킬기(alkyl基)나 페닐기(phenyl基) 따위, 직접 탄소 원자와 결합된 수은을 말함.

유:기 수은제【有機水銀劑】명〖화〗수은을 지닌 유기 화합물로 된 약제. 흔히, 백색의 고체이며 맹독성(猛毒性)을 지님. 예부터 종자 소독용으로 쓰였음.

유:기 수은 중독【有機水銀中毒】명 유기 수은에 의해 일어나는 중독 증상. 공업 폐수(廢水) 속의 유기 수은과 농경지에 살포한 유기 수은제 등이 어패류(魚貝類)에 축적되어 사람이 이것을 먹었을 때 일어남. 체내 축적성이 커서 만성 중독이 문제가 되며, 시야(視野)가 좁아지고 언어 장애·운동 실조·보행 부자유·성장 억제·신장 장애 등의 증상이 나타나며 심한 경우에는 사망함.

유:기 시:약【有機試藥】명〖화〗화학 분석에 사용되는 유기 화합물 가운데 직접 반응에 관여하는 시약.

유:기 안:료【有機顏料】〔一알一〕명〔organic pigment〕〖화〗색(色)을 주로 유기 화합물로써 내는 안료. 천연의 염료(染料)를 불용화(不溶化)시킨 것과 합성(合成)에 의한 것이 있으며 레이크(lake) 등이 이에 포함됨. 널리 도료·인쇄 잉크·채료·화장품·합성 수지 제품 등의 착색(着色)에 이용됨. ↔무기 안료(無機顏料).

유:기-암【有機岩】명〖광〗동식물의 유해(遺骸)가 물 속에 침적(沈積)하여 된 암석(岩石)의 총칭. 석회암(石灰岩)·규조토(珪藻土) 및 석탄(石炭) 같은 것을 말함.

유:기 약품 공업【有機藥品工業】명〖공〗유기 약품을 제조하는 화학 공업의 총칭. ↔무기(無機) 약품 공업.

유:기 연금【有期年金】명〖경〗어떤 때부터 시작하여 일정한 기간까지 지급(支給)되는 연금. ↔무기 연금(無期年金).

유:기 염소제【有機塩素劑】명〖화〗염소를 함유한 유기 화합물로 된 살충제. 디 디 티(DDT)·비 에치 시(BHC)·알드린(Aldrin)·딜드린(Dieldrin)·엔드린(Endrin)·클로르데인(Chlordane) 따위. 인축(人畜)의 체내에 들어가면 해로움.

유:기 염소 중독【有機塩素中毒】명 농경지에 살포한 유기 염소제(有機塩素劑)가 폐수(廢水)와 혼합되어 흘러, 어패류(魚貝類)에 축적(蓄積)된 것을 사람이 먹었을 때 일어나는 중독. 포유류나 곤충류의 신경계에 중독 작용을 일으키며, 체내 축적성이 강하여 여러 가지 중독 증상을 나타냄. 지질(脂質)과의 친화력(親和力)이 강하여 지질 대사(脂質代謝)에 나쁜 영향을 미침.

유:기 영양【有機營養】명 종속(從屬) 영양.

유:기 영양 생물【有機營養生物】명 종속(從屬) 영양 생물.

유:기 용제【有機溶劑】명〔organic solvent〕〖화〗고체·기체·액체 등을 녹일 수 있는 액체 유기 화합물. 메타놀·벤젠 따위.

유:기 유리【有機琉璃】명〔organic glass〕〖화〗합성 수지(合成樹脂)의 한 가지. 아세톤·청산(靑酸)·메탄올에서 합성되는 메타크릴산(酸)을 중합(重合)하여 만드는 열가소성(熱可塑性) 투명 수지. 보통 유리에 비하여 비중이 작은데 성형이 쉽고, 기계 가공이 가능하며 무르지 않음. 단점은 흠이 나기 쉽고, 굴절률(屈折率)을 넓은 범위로 변화시킬 수 없으므로 렌즈는 못 만듦.

유:기-음【有氣音】명〖언〗숨이 거세게 나오는 파열음(破裂音). ㅊ·ㅋ·ㅌ·ㅍ·ㅎ 등. 거센 소리. 격음(激音). 기음(氣音). ↔무기음(無氣音).

유:기 인산 에스테르【有機燐酸一】명〔organophosphate〕〖화〗글루코스·글리콜·소르비톨 등의 인산 에스테르로 이루어진 가용성(可溶性)의 화학 비료. 깊은 뿌리에 인(燐)을 공급할 때 유용함.

유:기인-제【有機燐劑】명〖화〗인원자(燐原子)를 함유한 유기 화합물 가운데서 살충제(殺蟲劑)로 쓰이는 약제. 농약인 파라티온(Parathion; 상품명) 따위.

유:기-장[1]【柳器匠】명 고리장이.

유기-장[2]【遊技場】명 유기(遊技)를 할 수 있도록 시설을 갖추어 놓은 곳.

유기-장[3]【鍮器匠】명 놋쇠로 각종 기물(器物)을 만드는 장인(匠人). 놋갓장이. 중요 무형 문화재 제 77호.

유기 장군【遊騎將軍】명〖역〗고려 때 무관의 품계(品階). 종오품(從五品)의 상(上). 유격(遊擊) 장군의 위, 영원(寧遠) 장군의 아래임.

유:기-장이【柳器匠一】명 고리장이.

유:기 재:배 농산물【有機栽培農產物】명 농약과 화학 비료의 사용을 그만둔 지 오래 된 농지에서 농약·화학 비료 따위를 쓰지 않고 퇴비에만 의존하는 재배 방법으로 생산된 농산물.

유:기-적【有機的】명관 유기체(有機體)처럼 많은 부분이 모여 한 개의 물체를 만들고,그 각 부분 사이에 긴밀한 통일을 이루어 부분과 전체가 필연적 관계를 가지고 있는 모양. 사회·국가의 조직 같은 것. ¶~ 세계관/국가 권력의 ~ 조직. ↔무기적(無機的).

유:기적 관련성【有機的關聯性】〔一괄一썽〕명 부분과 전체가 필연적으로 맺어져 서로 관계하고 이어져 있는 성질. 예를 들면, 사회와 개인과의 관계 따위.

유:기적 단체【有機的團體】명 각 개체의 관계가 유기적으로 된 단체. 국가 사회의 조직 같은 것.

유:기적 사회형【有機的社會型】명〖사〗유기적인 연대(連帶)가 지배하는 사회형.

유:기적 세:계관【有機的世界觀】명〔도 organische Weltanschauung〕〖철〗세계를 한 덩어리의 커다란 유기체 또는 유기체적(有機體的) 구조(構造)로 보는 세계관. 기계론의 세계관에 대립하는 사상으로 목적론적(目的論的) 세계관과 상통하는 점이 많음.

유:기적 연대【有機的連帶】〔一년一〕명〔프 solidarité organique〕뒤르켐(Durkheim)의 용어. 사회의 발전에 따라 각 성원(成員) 사이에 기능적(機能的) 차별이 생기고, 분업(分業)이 일어나고 그로 말미암아 종래의 유사성(類似性)·동질성(同質性)이 무너지고 새로운 결합(結合) 관계가 성립하는 연대. ↔기계적 연대.

유:기 전:자론【有機電子論】명〖화〗유기 화합물의 성질, 특히 반응성(反應性)을 유기 화합물의 전자 구조로 설명하는 이론. 양자(量子) 화학의 발전에 따라 이론적 뒷받침이 이루어졌으며 1920년경 로빈슨(Robinson, R.) 등에 의해 시작되었음

유기-죄【遺棄罪】〔一쬐〕명〔abandonment, desertion〕〖법〗자기 힘으로는 생활(生活)할 수 없는 사람 곧, 늙은이·어린 아이·불구자(不具者)·질병자(疾病者) 등을 보호할 의무가 있는 자가 그 보호를 하지 아니하거나 보호(保護) 없는 상태로 버려 둠으로써 이루어지는 죄. 자

기 또는 배우자(配偶者)의 직계 존속(直系尊屬)일 때에는 형(刑)이 가중(加重)됨. 「것.
유:기-질【有機質】명〖화〗 유기물을 함유하고 있는 모양. 또, 그러한
유:기질 비:료【有機質肥料】명〖화〗 비료 성분이 유기 화합물의 형태로 함유된 동물질(動物質)·식물질(植物質)의 비료. 녹비(綠肥)·퇴비(堆肥)·어비(魚肥)·분비(糞肥)·골분(骨粉) 같은 것. 유기질(有機質) 비료. 유기 비료(有機肥料). ↔ 무기질 비료·광물 비료(鑛物肥料).
유:기 질소 황제【有機窒素黃劑】[—쏘—] 명〖화〗 유기황 살균제(有機黃殺菌劑).
유:기질 토양【有機質土壤】명 [organic soil]〖지〗 주로, 유기질로 된, 또는 유기물을 적어도 30% 이상 함유한 토양이나 토양 층위(土壤層位). 이탄토(泥炭土)나 흑이탄(黑泥炭) 등이 이에 해당함.
유:기 징역【有期懲役】명〖법〗 기한이 정해져 있는 징역. 정역(定役)에 복무하는 점에서 금고(禁錮)와 다름. 기간은 보통 1개월 이상 15년 이하임. ↔무기(無期) 징역.
유:기-체【有機體】명 [organism] ①물질이 유기적으로 구성되어 생활 기능을 가지게 된 조직체. 곧, 생물을 이름. 생물체(生物體). 유생물(有生物). ↔무기체(無機體). ②많은 부분이 한 목적 아래 통일되어 부분(部分)과 전체(全體)가 필연적 관계(必然的關係)를 가지게 된 조직체. 국가·사회 같은 것.
유:기체-론【有機體論】명 [organicism] 생명 현상의 기본은, 생물체를 구성하는 물질과 조직화의 과정이 어떤 특정한 질서·결합 상태가 유지되어 개개의 생명 현상에 고유한 평형(平衡) 또는 발전적 변화를 가능하게 하고 있다고 하는 학설.
유:기체-설【有機體說】명 [도 Organologie]〖사〗↗사회 유기체설(社會有機體說).
유:기체설적 심리학【有機體說的心理學】[—쩍—니—] 명 [organismic psychology]〖심〗 개체(個體)는 각 요소(各要素)가 조립(組立)되어서 하나의 단일한 유기적 시스템을 만들고, 시스템 안의 하나의 요소는, 그 위치와 무관계(無關係)하게 논할 수는 없으며, 서로 관련이 있다고 하는 이론에 의거한 심리학상의 한 학설. 생체론(生體論).
유:기-초【有機礁】명 [organic reef]〖지〗 거의가 산호류(珊瑚類)·조류(藻類)·선태류(蘚苔類)·해면류(海綿類) 등의 정착성(定着性)이나 군체생물(群體生物)의 유해(遺骸)로 된, 두드러지게 큰 퇴적암(堆積岩)의 구조(構造).
유:기 촉매【有機觸媒】명 [organic catalyst]〖화〗 화학적으로 구조가 알려진 유기 물질(有機物質)로서, 촉매 작용을 가진 것. 헤민(hemin)·티오 요소(thio尿素) 같은 것.
유:기태 질소【有機態窒素】[—쏘] 명〖화〗 물고기의 기름·깻묵·풋거름 같은 것에 들어 있는 단백질 또는 그 밖의 화합물.
유:기 피:막【有機被膜】명 [organic coating] 약품·대기(大氣)로 인한 부식(腐蝕)으로부터 금속면(金屬面)을 보호하기 위해 쓰이는 유기질 물질. 라텍스 도료(latex 塗料)·수지(樹脂)·아스팔트재(材)·고무·탄성재(彈性材) 따위.
유:-기한【有期限】명 일정한 기한이 있음. 시기가 일정해 있음. ㊌유기(有期). ↔무기한(無期限). ——하다 형여불
유:기 합성 살충제【有機合成殺蟲劑】명 유기 화합물을 합성하여 만든 살충제. 디 디 티(DDT)·비 에이치 시(BHC) 따위.
유:기 합성 화학【有機合成化學】명〖화〗 간단한 유기 화합물을 주원료로 하여 여기에 많은 무기(無機) 약품을 작용시켜 보다 복잡한 유기 화합물을 화학적으로 조성하는 응용 화학.
유:기-형【有期刑】명〖법〗 일정한 기간의 구금(拘禁)을 내용으로 하는 자유형(自由刑). 형법상으로 유기 징역·유기 금고 및 구류(拘留)가 이에 속함. ↔무기형(無期刑).
유:기 화학【有機化學】명 [organic chemistry]〖화〗 유기 화합물을 연구 대상으로 하는 화학.
유:기 화학 공업【有機化學工業】명 유기 화합물(有機化合物)을 분리 또는 합성하는 화학 공업. 원료면에서 보면 석탄 화학 공업·석유 화학 공업·가스 화학 공업 등이고 제품면에서 보면 염료(染料) 공업·약품(藥品) 공업·플라스틱 공업·유지(油脂) 공업 등으로 분류할 수 있음. ↔무기(無機) 화학 공업.
유:기 화합물【有機化合物】명 [organic compound]〖화〗 탄소(炭素)를 주성분으로 하는 화합물의 총칭. 이전에는 동식물을 이룬 화합물 및 동식물에 의해 생성되는 화합물을 생명력 없이는 인위적으로 합성할 수 없다고 생각하고 무기(無機)화합물 즉 광물성(鑛物性)의 물질과 구별하여 이렇게 써 왔으나, 1828년 독일의 뵐러(Wöhler)가 요소(尿素)를 무기 화합물에서 합성(合成)시킨 뒤로부터, 유기(有機)·무기(無機)의 구별이 없어졌음. 지금은 편의 상의 구별로 쓰일 뿐임. ㊌유기물(有機物). ↔무기 화합물.
유:기황 살균제【有機黃殺菌劑】명〖화〗 디티오카르바민산(dithiocarbamine酸)을 주제로 하는 농업용 살균제의 총칭. 이 화합물은 무기 살균제에 비하여 약해(藥害)가 적은 것이 특징임. 과수·야채의 병충 구제와 종자 소독 등에 사용함. 유기황제(有機黃劑). 유기 질소(窒素) 황제.
유:기황-제【有機黃劑】명〖화〗 유기황 살균제(有機黃殺菌劑).
유길-곡【維吉曲】명〖악〗 경모궁 제례악(景慕宮祭禮樂)의 하나. 초헌(初獻)의 인출장(引出章)으로 연출되던 음곡으로, 종묘 제례악의 보태평(保太平) 중 역성(繹成)을 축소시킨 음악.
유-길준【兪吉濬】[—쭌] 명〖사람〗 조선 시대 말기의 정치가·개화(開化) 운동가. 자는 성무(聖武), 호는 구당(矩堂). 기계(杞溪) 사람. 게이오 의숙(慶応義塾)을 나와 보스턴 대학에서 수업, 1885년 유럽을 시찰하고 돌아와 ≪서유 견문(西遊見聞)≫을 집필함. 1894년 갑오 개혁(甲午改革) 때 외무 참의(外務參議)가 되고 형조(刑曹)·이조(吏曹) 참의를 역임하고, 내무 대신이 되었으나 아관 파천(俄館播遷)으로 내각이 붕괴되어 일본으로 망명함. 개화기 최초의 유학생이며 위대한 선각자로서 교육과 계몽으로 대중을 지도하였고, 법률 등을 국문화하는 등 국어 운동에 공로가 큼. ≪대한 문전(大韓文典)≫등 저서는 모두 5권으로 된 ≪유길준 전서≫에 수록되어 있음. 국권 피탈 때, 일본에서 주는 작위(爵位)를 거절하였음. [1856-1914]
유나[1]【柔懦】명 유약하고 겁이 많음. ——하다 형여불
유나[2]【維那】명〖불교〗 재(齋)를 올릴 때 의식 절차(儀式節次)를 지휘하는 사람.
유나이티드 스테이츠 라인스 [United States Lines] 명〖경〗 미국 최대의 해운 회사(海運會社)의 이름. 1921년 미국 정부에 의해 설립되고, 1929년 채프맨사(Chapman社)가 불하(拂下)받았었으나, 곧 경영난에 빠져 1931년 국제 해운 회사(International Navigation Company)와 합병 재건되었음. 항로(航路)는 대서양·극동·오스트레일리아 등 전세계에 뻗치고 있음.
유나이티드 스테이츠 오브 아메리카 [United States of America] 명 '미국(美國)'의 정식 명칭. ㊌유 에스 에이.
유나이티드 스테이츠 호【—號】[United States] 명 유나이티드 스테이츠 라인스사(U.S. Lines社) 소유의 호화 객선(豪華客船). 당초 미국 정부가 건조(建造) 불하(拂下)한 것으로, 1952년 7월 대서양 횡단(橫斷)의 처녀 항해(處女航海)에서 신기록을 세웠음. 길이 302m, 폭 31m, 총톤수 53,330톤, 표준 속력(標準速力) 29노트임. 채산이 맞지 않아서 1969년 이후 계선(繫船) 중임.
유나이티드 아:티스츠 [United Artists] 명 1919년에 창립된 미국의 영화 배급 회사. 촬영소(撮影所)를 가지고 있지 않으며 독립된 영화 제작소의 작품만을 배급함. 1979년 MGM사(社)가 매수함.
유나이티드 킹덤 [United Kingdom] 명 영국.
유나이티드 프레스 [United Press] 명 유 피(U.P.).
유나이티드 프론트 [united front] 명 통일 전선(統一戰線). 공동 전선. 연합 전선.
유나이티드 항:공 회:사【—航空會社】명 [United Air Lines Inc. 약칭:UAL] 1919년 보잉 수송 회사로 설립(設立)된 미국 최대의 항공 회사. 국내선(國內線) 중심의 경영(經營)으로 1967년에 총수송량(總輸送量)은 30억 t/km으로 세계 제1을 기록함.
유:난 명 ①여러 가지로 생각하느라고 당장에 처리하지 아니함. ¶~을 떨고 오래 끌다. ②언행(言行)이 남과 달라서 추측(推測)할 수 없음. ¶성질이 ~해서 걱정이다. ③보통과 아주 다름. ——하다 형여불. ——히 부. ¶머리가 ~ 큰 아이.
유:난(을) 떨:다 구 유난스러운 태도를 말이나 행동으로 나타내다.
유:난 무난【有難無難】명 있으나 없으나 다 곤란함. ——하다 형여불
유:난-스럽다 형ㅂ불 유난한 태도가 있다. 유:난-스레 부
유남【幼男】명 어린 남자.
유납 명 놋쇠를 만드는 데 섞는 아연(亞鉛). *상납.
유내[1]【流內】명〖역〗 유품(流品) 안에 드는 관직(官職). ↔유외(流外). *유품(流品).
유내[2]【維乃】명〖역〗 신라 말기에 존재했던 호족 관반(豪族官班)의 하나.
유네스코【UNESCO】명 [United Nations Educational, Scientific and Cultural Organization의 약칭] 국제 연합 전문 기관(專門機關)의 하나. 1945년 11월 런던에서 제정된 유네스코 헌장에 입각하여 1946년에 설립됨. 그 목적은 교육·과학 및 문화의 보급과 교류를 통해 각 국민간의 이해와 인식을 깊이하고 국제 협력 관계를 촉진함으로써 세계 평화를 달성하려 함에 있음. 가맹국(加盟國)은 1991년 10월 현재 160개국에 달하며, 기구(機構)는 총회·집행 위원회 및 사무국으로 구성되고, 본부(本部)는 파리에 있음. 우리 나라는 1950년 6월에 가입하였음. 국제 연합 교육 과학 문화 기구.
유네스코 쿠:폰【UNESCO coupon】명 1948년의 유네스코 총회에서 문화 교류의 한 수단으로 채택된 일종의 국제 어음. 유네스코 본부에서 할당된 금액의 범위 안에서 단체 또는 개인이 국제환(換)이나 달러가 없어도 자국 화폐로써 외국의 학술 도서·과학 자료·교육 영화 등을 구입할 수 있는 제도.
유네스코 한국 위원회【UNESCO 韓國委員會】명 유네스코 헌장(憲章) 제7조 규정에 의하여 교육부 장관 관장 하에 둔 위원회. 유네스코 활동에 관한 건의(建議)·기획(企劃)·조사·연락·보급 등에 관한 일을 함. 1954년에 창립됨.
유네스코 헌:장【UNESCO憲章】명 유네스코의 목적·임무·기관·가맹국·예산 및 기타 국제 전문 기관과의 관계 등을 규정한 헌장.
유녀[1]【幼女】명 어린 계집아이.
유녀[2]【猶女】명 조카딸.
유녀[3]【遊女】명 노는 계집. 갈보 같은 부류. 홍녀(興女).
유년[1]【幼年】명 나이가 어린 때. 또, 그 사람. 유치(幼齒). 동년(童年). ¶~ 시절부터.
유:년[2]【有年】명 ①풍년(豐年). 숙세(熟歲). ②여러 해.
유년[3]【酉年】명〖민〗 태세(太歲)의 지지(地支)가 유(酉)로 된 해. 을유(乙酉)·정유(丁酉)·기유(己酉) 같은 해. 닭해.
유년[4]【流年】명 ↗유년 사주(流年四柱).
유년(을) 내:다 구 유년 사주(流年四柱)를 풀다.
유년[5]【踰年·逾年】명 해를 넘김. ——하다 타여불
유년-곡【幼年谷】명〖지〗 유수(流水)의 하방 침식(下方浸蝕)에 의해 횡

단면이 날카로운 브이자(V字) 모양을 한 골짜기. 장년곡(壯年谷)·노년곡(老年谷)에 대한 말.

유년-기【幼年期】명 ①어린이 발달의 단계를 나타내는 용어. 국민 학교 저학년(低學年)에 상당하는 시기. 유아기(幼兒期)와 소년기의 중간. ②〖법〗 14세 미만의 어린 시기. 이 시기에는 범죄를 범하여도 형의 집행을 받지 않음. ③〖지〗침식 윤회(浸蝕輪廻)에 있어서의 초기(初期). 원지형(原地形)이 미처 완전히 침식되지 않고 아직 남아 있는 시기. *장년기(壯年期)·노년기.

유년기 지형【幼年期地形】명〖지〗침식 윤회(浸蝕輪廻)에 있어서 초기에 볼 수 있는 지형. 이 시기의 하천은 하각 작용(下刻作用)이 심하고 브이자형(V字型)의 횡단면(橫斷面)을 가진 협곡상(峽谷狀)의 골짜기를 이룸. *노년기 지형·장년기 지형(壯年期地形).

〈유년기 지형〉

유년 사:주【流年四柱】명 해마다 운수를 점치는 사주. 준유년(流年).

유년성 진:행 마비【幼年性進行痲痺】[-썽-] 명〖의〗선천적으로 모친에게서 감염된 매독(梅毒)에 의하여, 15세경에 증상(症狀)이 나타나는 진행 마비.

유년 시절【幼年時節】명〖책〗①[러 Djetstvo] 톨스토이가 지은 자전(自傳) 소설. 1852년 발표. 톨스토이의 처녀작으로 뛰어난 심리 묘사와 극명(克明)한 기억에 의해 스스로 유년 시절을 그림. ≪소년 시절≫·≪청년 시절≫과 더불어 3부작을 이룸. ②고리키(Gor'kij)가 지은 장편 소설. 1914년 완성. 아버지의 죽음에서 시작하여 어머니의 죽음에서 끝나는 고리키의 다섯 살부터 열 살까지의 비운(悲運)의 나날을, 소년의 맑은 눈으로 그림. ≪세상에 나와서≫·≪나의 대학(大學)≫과 더불어 자전 삼부작(三部作)의 하나. ③[도 Eine Kindheit] 1922년에 간행. 카로사(Carossa)작의 중편 소설. 16장(章)으로 된 자전풍(自傳風)의 작품으로 유년기를 자기 존재(自己存在)의 서장(序章)으로 보고, 중학교 입학(入學)까지의 어린이의 의식(意識)을 성인(成人)의 예지(叡智)를 통하여 회상(回想)함.

유년 칭원법【踰年稱元法】[-뻡] 명 왕위(王位) 계승에 있어서, 왕이 죽은 그 해는 전 왕의 연호(年號)를 그대로 쓰고, 다음 해부터 새로 된 왕의 연호를 쓰기 시작하는 법.

유념【留念】명 기억해 두고 생각함. *유의(留意). ──-하다 타여불

유녕【諛佞】명 남에게 아첨함. ──-하다 자여불

유농【遊農】명 [shifting cultivation]〖농〗원시적인 농업의 한 양식. 비료를 쓰지 아니하고, 한 곳에서 여러 해 농사를 짓다가 지력(地力)이 쇠퇴하면 다시 새 토지로 옮기어 짓는 농업. 이동 범위가 일정한 경우에는 폐기한 경지로 되돌아오는 수도 있으나 화전(火田)을 일구는 것이 보통임. 동남 아시아·브라질 북동부 등에서 많음. 이동(移動)경작. 누농(耨農).

유뇨-증【遺尿症】[-쯩] 명〖의〗밤에 자면서 오줌을 싸는 병. 야뇨증(夜尿症).

유:능【有能】명 재능이 있음. 재주가 뛰어남. ¶ ~한 인재를 발굴하다. ──-하다 형여불

유:-능력【有能力】[-녁] 명 일을 해 나갈 만한 힘이 있음. ──-하다 형여불

유:능-자【有能者】명 유능한 사람.

유-능제강【柔能制剛】명 부드러운 것이 오히려 강하고 굳센 것을 이김. ──-하다 자여불

유니【油膩】명 →유이(油膩).

유니 박【UNIVAC】명〖기〗[Universal Automatic Computer의 약칭] 미국 레밍턴 스페리랜드 회사가 제작한 컴퓨터의 상표 이름. 사무 통계(事務統計)의 인공 두뇌(人工頭腦)로서, 통계·계산·회계·생산·계획 등에 사용됨. *에니악(ENIAC).

유니버:샐리티 [universality] 명 일반성(一般性). 보편성(普遍性).

유니버:설 [universal] 명 ①우주적(宇宙的). 세계적(世界的). ②일반적(一般的). 보편적(普遍的).

유니버:설리스트 [Universalist] 명 ①세계주의자(世界主義者). ②〖종〗만민 구제설(萬民救濟說)을 신봉하는 사람. 만민 구제론자. 동인교 신도(同仁教信徒). *동인 교회(同仁教會).

유니버:설리즘 [Universalism] 명 ①세계주의(世界主義). ②〖종〗만민 구제설(萬民救濟說). *동인 교회(同仁教會).

유니버:설 밀링 머신: [universal milling machine] 명〖기〗만능(萬能) 프라이즈반(盤).

유니버:설-사【-社】명 [Universal Picture Corporation Inc.]〖연〗미국의 영화 제작·배급 회사의 하나. 1921년 칼 레믈리(Carl Laemmle)가 설립함. 영화 흥행에서 배급·제작으로 진출하기까지 많은 변천을 거쳐 1921년 현재 사명(社名)으로 개칭. 1946년 인터내셔널 픽처 코포레이션을 합병, 상표(商標)를 유니버설 인터내셔널로 하였으나, 회사명은 종전대로 둠. 무성(無聲)영화 시대에는 블루 버드(blue bird)영화로 호평을 얻었었고, 현재는 괴물(怪物) 영화나 이국(異國) 취미의 역사극으로 이름을 떨치고 있음.

유니버:설 스페이스 [universal space] 명〖건〗건물(建物)의 내부(內部)를 될 수 있는 대로 제약(制約)하지 않기 위하여, 최소한으로 벽(壁)과 기둥을 배치(配置)한 공간(空間). 필요에 따라 간막이하여 사용함. 균질(均質) 공간.

유니버:설 에디션 [Universal Edition] 명 오스트리아의 수도 빈(Wien)에 있는 유명한 음악 출판사. 1901년 설립됨.

유니버:설 타임 [universal time] 명 만국 표준시.

유니버:스 [universe] 명 우주(宇宙). 세계(世界).

유니버:시아드 [Universiade] 명 국제 학생 체육 대회 (International Student Games)의 통칭(通稱). 1957년 파리에서 첫 대회를 개최하였음. 2년마다 열리며 기수년(奇數年)에 하계 종목(夏季種目), 우수년(偶數年)에 동계 종목을 실시함. 참가자는 대학 재학생과 졸업 후 2년 미만의 자로 국한되어 있음. 국제 학생 경기 대회(國際學生競技大會). *국제 대학 스포츠 연맹.

유니버:시티 [university] 명 대학교. 종합 대학(綜合大學). ↔칼리지(college).

유니세프【UNICEF】명 [United Nations International Children's Emergency Fund의 약칭]〖경〗개발 도상국의 아동 복지 향상을 목적으로 1946년에 세워진 국제 연합의 특별 기구의 하나. 본부는 뉴욕에 있으며 전세계에 8개의 지역 사무소가 있음. 1965년에 노벨 평화상을 받음. 국제 연합 아동 기금.

유니-섹스 [unisex] 명 남성과 여성의 일치된 성(性)이란 뜻으로, 의상(衣裳)·헤어 스타일 등에서 양성(兩性)의 구별이 어렵게 됨을 뜻함. 유니섹스는 패션계(界)에서 비롯된 말이지만, 널리 현대의 상황(狀況)을 설명하는 데 쓰여짐. 모노섹스.

유니섹스 직업 혁명【-職業革命】명 [unisex job revolution]〖사〗종전에 남성이 독점했던 직종(職種)에 여성이, 반대로 여성이 독점했던 직종에 남성이 진출(進出)하는 일.

유니스칸【UNISCAN】명 [Union Scandinavia의 약칭]〖경〗1950년 1월 30일 영국이 스칸디나비아 3국과 체결한 지역 경제 동맹. 출입국 사무의 간편화도 도모함.

유니언 [union] 명 ①결합(結合). 연합(聯合). 동맹(同盟). 조합(組合). ②동업 조합(同業組合). ③노동 조합(勞動組合).

유니언 레이버 [union labour] 명 노동 조합에 가입한 노동자.

유니언 숍 [union shop] 명〖경〗노동 협약(勞動協約)에 따라, 고용 노동자는 모두 노동 조합에 가입하며, 고용주는 탈퇴·제명으로 비조합원이 된 자를 해고토록 의무화한 제도. *오픈 숍(open shop)·클로즈드 숍(closed shop).

유니언 오브 소비에트 소:셜리스트 리퍼블릭스 [Union of Soviet Socialist Republics] 명〖지〗구(舊)소련의 정식 명칭, 소비에트 사회주의 공화국 연방(Soviet 社會主義共和國聯邦). 약칭:유 에스 에스 아르(U.S.S.R.).

유니언 잭 [Union Jack] 명 ①영국의 국기. ②'영국'의 별칭.

유니언 카:바이드 회:사【-會社】명 [Union Carbide Corporation]〖경〗미국에서 둘째로 큰 화학 공업 회사. 1917년, 네 회사가 대등한 합병에 의해, 종합적 화학 공업 회사인 유니언 카바이드 앤드 카본 회사로 되었다가 1957년 5월 이 명칭으로 고쳤음.

유:니즌 [unison] 명 ①조화(調和). 일치(一致). ②〖악〗제주(齊奏). 제창(齊唱).

유니크 [프 unique] 명 유일 무이함. 둘도 없음. 천하 일품(天下一品). 독특함. 독자적(獨自的). ¶ ~한 작품. ──-하다 형여불

유니테어리언 [Unitarians] 명〖기독교〗기독교 프로테스탄트의 한 파(派). 삼위 일체론(三位一體論)을 부정하고, 신격(神格)의 단일성(單一性)을 주장하며, 아울러 그리스도의 신성(神性)도 부정함. 일반적으로 자유주의적 경향을 띠고 교회와 그 교의(敎義)보다도 윤리적 운동을 중요시함. 1774년 런던에서 성립하여, 주로 미국·영국·캐나다 등지에 발달함.

유니티 [unity] 명 ①단일. 통일. 합동(合同). ②일치(一致). 조화(調和). 정신적 결합.

유니-폼 [uniform] 명 ①교복(校服). 제복(制服). ②운동복(運動服).

유닛 [unit] 명 ①한 개. 일단(一團). 단위(單位). ②〖교〗단원(單元). ③〖군〗부대(部隊). ④〖경〗투자 신탁(投資信託)에서 각 나라마다 설정하는 일정한 금액.

유닛 가구【-家具】[unit] 명 조립식(組立式)으로 된 가구. 규격(規格)이 정해져 있어 같은 것이라도 조립하는 방법(方法)에 따라 책상(冊床)이 되기도 하고 장(欌)이나 선반 등으로도 될 수 있음. 프리 퍼니처(free furniture).

유닛 설비【-設備】[unit] 명〖건〗조립식 주택에서 급배수(給排水) 위생 설비를 구성 단위로 하여 한 곳에 모아 그것을 중심으로 조립하는 방법. 또, 구조체(構造體)로서 구성 단위를 만들어 그것을 조립하여 전체를 구성하는 방법.

유닛 시스템 [unit system] 명 [unit construction system의 준말]〖공〗단위 조립 방식(單位組立方式). 동일(同一)한 표준 척도(標準尺度)로 통일적(統一的)으로 제조(製造)된 단위(單位)를 단독으로, 또는 복수(複數)로 조립하여도 쓸 수 있게 한 방식. 건축·기계·가구(家具) 등에 널리 응용됨.

유닛식 드릴링 머신【-式-】명 [unit drilling machine] 수직·수평(水平)·경사진 방향의 구멍을 한 번에 뚫을 수 있는 드릴링 머신.

유닛 원 [Unit One] 명〖미술〗1933년 영국에서 결성된 전위(前衛) 예술가 그룹. 하나의 이즘보다 현대 정신의 대표자로서의 공감으로 결합되었는데, 회원은 11명의 화가·조각가로 구성됨.

유닛 주:택【-住宅】[unit] 명〖건〗유닛 가구(家具)와 같은 원리의 조립(組立) 주택. '코어(core)'라고 불리는 핵(核)을 중심으로 대지(臺地)와 입지 조건(立地條件)에 맞추어 연결해 나감. 양산(量產) 주택의 전형적(典型的)인 것임.

유닛 카:드 시스템 [unit card system] 명 도서관 용어. 한 권의 도서에 한 장의 기본 카드를 작성, 이를 복제(複製)하여 각종 목록을 편성하는 시스템.

유닛 키친 [unit kitchen] 명〖건〗싱크대(sink臺)·가스대·조리대(調理臺)를 통일하여 한 단위로 구성한 부엌 설비.

유닛 패턴〔unit pattern〕명 새로운 무늬의 디자인 경향으로서 무늬의 집단을 이어서 맞춘 쪽모이 세공(細工)식의 프린트 무늬.

유닛 프라이싱〔unit pricing〕명 상품의 중량·용량 등 측정 단위 당의 가격 표시. 흔히 100g당 몇 원이라는 식으로 표시함.

유다〔Judah〕명 『성』 ①야곱(Jakob)의 넷째 아들. 그의 후손이 유다 왕국을 이루었다 함. ②갈릴리(Galilee)의 유다. 기원 전 7년 국세 조사에 반대하고 반로마군(反 Roma軍)을 일으켜 지도한 사람. ③예수의 형제. 처음에 예수를 믿지 않다가 예수의 부활 후 제자들의 무리에 가담, 유다서(書)의 저자로 알려짐. ④가룟 유다. 그리욧(Kerioth) 지방의 출신으로 예수의 열 두 제자 중의 한 사람. 이들의 회계(會計)를 맡고 있던 중, 예수를 은(銀) 30 냥에 팔고 배반, 후에 후회하여 자살하였다고 함.

유:-다르다【類―】형르불 다른 것보다 몹시 다르다. 특별나다.

유다-서【―書】〔Judah〕명 『성』 신약 공동 서간의 한 책(册). 예수의 동생인 유다가 썼다고 전해짐. 그 내용은 교회내에서 일어나고 있는 이단자(異端者) 또는 악덕자(惡德者)에 대하여, 강하게 경계를 가해서 정도(正道)로 인도(引導)하려는 것임. 유다의 편지.

유다 왕국【―王國】〔Judah〕명 『역』 현재의 팔레스타인 지방에 있었던 유태인 왕국(928-586 B.C.). 고대 헤브라이 왕국이 분열(分裂)한 뒤, 그 남반(南半)에 일어난 나라(남유다 왕국)로서, 북쪽의 이스라엘 왕국과 대립(對立)하였음. 수도(首都)는 예루살렘. 기원 전 586년, 신바빌로니아(新Babylonia)의 침입으로 거의 전원(全員)이 멸망했음.

유다의 편:지【―片紙】[―/―에―]〔Judah〕명 『성』 유다서(書).

유단【油單】명 기름에 결은 두껍고 질긴 큰 종이.

유단뽀〔일 ゆたんぽ〕명 각파(脚婆). 탕파(湯婆).

유:단-자【有段者】명 태권도·검도(劍道)·유도·바둑·장기 등에서 초단(初段) 이상의 사람.

유:-달리【類―】부 유다르게.

유-담년【柳聃年】명 『사람』 조선 시대, 중종(中宗) 때의 무신(武臣). 문화(文化) 사람. 중종 5년(1510)에 삼포 왜란(三浦倭亂)이 일어났을 때 출전하여 공을 세웠으며, 벼슬은 병조·공조 판서를 지냈고, 함경도 관찰사·좌참찬·한성부 판윤(漢城府判尹) 등을 지냄. 시호(諡號)는 양무(襄武). [?-1526]

유당【乳糖】명〔milk sugar〕『화』 '젖당'의 구칭.

유:대[1]【有待】명 『불교』 생멸 무상(生滅無常)의 덧없는 인간의 몸. 사람의 신체는 의식(衣食) 등에 의존하여 생존(生存)하게 됨을 이름.

유대[2]【紐帶】명 끈·띠의 뜻에서, 두 개의 것을 묶어서 연결을 맺게 하는 중요한 조건. 혈연(血緣)·지연(地緣)·이해(利害) 따위. ¶ ~감(感)/우방과의 ~를 공고히 하다.

유대[3]〔Judea〕명 『역』 유태(猶太).

유대-교【―教】〔Judea〕명 『종』 유태교.

유대-꾼【留待―】명 『역』 포도청(捕盜廳)에 딸려 상여(喪輿)를 메던 인부(人夫).

유대-력【―曆】〔Judea〕명 유태력(猶太曆).

유:대-류[1]【有帶類】명 『동』 [Dinoferidea] 원생(原生) 동물 와편모류(渦鞭毛類)에 속하는 한 아목(亞目). 몸에는 횡구(橫溝)가 있는데 그대로 드러낸 것도 있으나 껍질에 싸인 것도 있음. 껍질은 상추부(上錐部)·횡구부(橫溝部)·하추부(下錐部)의 세 부분(部分)으로 나누어짐. ↔무대류(無帶類).

유:대-류[2]【有袋類】명 『동』 [Marsupialia] 포유류 중 진수류(眞獸類)에 속하는 한 목(目). 암컷의 하복부에는 육아낭(育兒囊)이 있어 발육이 불완전한 채 태어난 새끼를 그 속에 넣어서 기름. 캥거루·주머니쥐 등이 이에 속하는데, 다문치류(多門齒類)·이문치류(二門齒類)의 두 아목(亞目)으로 분류함.

유:대-발【有臺鉢】명 『고고학』 굽다리바리.

유대-인【―人】〔Judea〕명 유태인(猶太人).

유대-주의【―主義】〔Judea〕[―/―이] 명 시오니즘.

유:대지-신【有待之身】명 ①장차 일을 하려고 시기를 기다리고 있는 몸. ②『불교』 남의 조력(助力)을 얻어 생멸 무상(生滅無常)의 이승에 사는 덧없는 사람의 몸.

유-대(:)치【劉大致】명 『사람』 유홍기(劉鴻基)를 아호(雅號)로서 일컫는 이름.

유:덕[1]【有德】명 덕이 있음. 덕을 갖추고 있음. ↔무덕(無德). ――하다 형여불

유덕[2]【遺德】명 죽은 사람이 남긴 덕. 후세에 남는 은덕.

유덕[3]【諭德】명 『역』 ①고려 때 동궁(東宮)의 정사품 벼슬. 서자(庶子)의 다음. 문종(文宗) 22년(1068)에 정하였는데, 좌우(左右) 한 사람씩 있었음. ②대한 제국 때 황태손궁 강서원(皇太孫宮講書院)의 칙임(勅任) 벼슬.

유덕 대:부【綏德大夫】명 『역』 조선 시대 때, '소덕 대부(昭德大夫)'를 고친 이름. 종일품임.

유:덕-자【有德者】명 덕이 있는 사람.

유-덕장【柳德章】명 『사람』 조선 시대 중기의 화가. 자(字)는 자고(子固)·성유(聖悠), 호는 수운(岫雲). 진주(晋州) 사람. 벼슬이 동지중추부사(同知中樞府事)에 이름. 대나무를 잘 그렸음. [1694-1774]

유:도[1]【有道】명 정도(正道)에 맞음. 덕행(德行)이 있음. 도덕을 몸에 갖추고 있음. ――하다 형여불

유도[2]【油桃】명 『식』 복숭아의 한 가지. 보통 복숭아보다 잘며, 기름을 바른 것과 같이 반드르우며, 비위(脾胃)에 해로움.

유도[3]【乳道】명 ①젖이 나는 분량. ②젖이 나오는 분비선(分泌腺).

유도[4]【幽都】명 저승.

유도[5]【柔道】명 일본의 독특한 무술의 한 가지. 상대편의 공격에 반항하지 아니하고 그 힘을 역(逆)이용하여 상대편을 던지어 넘기고 또는 누르며, 혹은 맨손 또는 몸으로 공격·방어의 재주를 부리어, 몸의 단련과 정신 수양을 목적으로 하는 무술. 우리 나라에도 일찍부터 보급되어 있음. 유술(柔術).

유도[6]【留都】명 ①천도(遷都) 이전의 옛 서울을 이르는 말. ②명대(明代)의 남경(南京).

유도[7]【誘導】명 ①꾀어서 이끎. 도유(導誘). ②『물』 전기와 자기(磁氣)가 전기장·자기장 안에 있는 물체에 미치는 작용. 도체(導體)가 대전체(帶電體)나 자석(磁石)에 접근할 때 전기 또는 자기를 띠게 하는 현상. 감응(感應). ③『생』 동물의 배(胚)의 일부분이 다른 부분의 분화를 일으키는 작용. ――하다 타여불

유도[8]【儒道】명 ①유교의 도(道). 공맹(孔孟)의 가르침. 유술(儒術). ②유교와 도교.

유도[9]【鍮刀】명 놋쇠로 만든 칼. 놋칼.

유도 가열【誘導加熱】명 『물』 가열되는 물체가 도체(導體)일 경우, 전자(電磁) 유도에 의해 피(被)가열물에 맴돌이 전류(電流)를 일으키게 하여 이에서 발생하는 줄열(joul熱)로 가열하는 방법. 금속의 용융(熔融)·열처리 야금(冶金) 등에 이용하는 외에 게르마늄(germanium)·실리콘(silicon) 등 반도체(半導體) 재료의 정제(精製)에도 이용됨. 고주파 유도 가열(高周波誘導加熱). *고주파 가열·유전(誘電) 가열.

유도 결합【誘導結合】명 전자기 결합(電磁氣結合)❷.

유도 계:수【誘導係數】명 『물』 인덕턴스(inductance).

유도 계:획【誘導計劃】명 『경』 기업(企業)의 자유 활동을 전제(前提)로 하는 자본주의의 경제 계획. 국가가 재정(財政)과 금융(金融)의 통제권(統制權)을 장악(掌握)하고, 이에 의하여 국민 경제(國民經濟)를 유도하여 나가는 일.

유도-관【誘導管】명 『물』 액체나 기체를 끌어 오는 관.

유도-기[1]【誘導期】명 ①〔lag phase〕『생』 새로운 배지(培地)에 세균을 접종한 뒤에, 세포 분열은 적으나 생리학적으로는 활성이 있는 기간. ②〔induction period〕『물·화』 화학 반응이 반응 개시 후, 반응 속도가 커질 때까지 필요로 하는 시간.

유도-기[2]【誘導機】명 『기』 전기 기계의 일종. 고정자(固定子)와 회전자(回轉子)가 다소의 공간을 두고 상대하여, 한쪽에 일차(一次) 코일을 다른 쪽에 이차(二次) 코일을 감고, 일차측(側)에 교류 전류를 흐르게 하면 전기의 유도 작용에 의하여 이차측에 유도 전류가 생겨서 회전함. 유도 발전기·승압기(昇壓機)·전압 조정기(電壓調整機)·이상기(移相器) 등의 종류가 있음.

유도 기전기【誘導起電機】명 『기』 정전 유도(靜電誘導)를 이용하여 전기를 집적(集積)시키는 실험용의 장치. 감응 기전기(感應起電機). 뭡기전기.

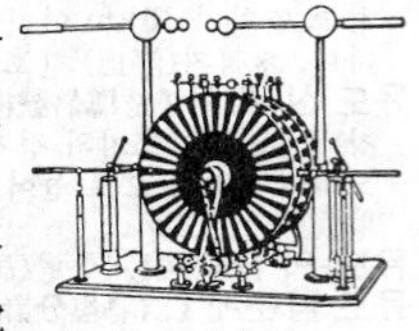
〈유도 기전기〉

유도 기전력【誘導起電力】[―녁] 명 〔induced electromotive force〕『전』 전자기 유도(電磁氣誘導)에 의하여 생기는 기전력. 발전기나 변압기에 발생하는 기전력, 도래 전파(到來電波)에 의하여 안테나에 발생하는 기전력 따위. 감응(感應) 기전력.

유도 기체【誘導氣體】명 〔dielectric gas〕『전』 높은 유전율(誘電率)을 가진 기체. 육플루오르화황(六Fluor化黃) 등이 이에 해당함.

유도 단백질【誘導蛋白質】명 〔derived protein〕 단백질의 한 가지. 몸 안에 섭취된 천연의 단백질에 열이나 그 밖에 효소 반응 등의 방법으로 변화를 줌으로써 생긴 단백질. 아미노산(amino酸)이 되기까지의 중간(中間) 물질로, 젤라틴(gelatine) 따위.

유도 단위【誘導單位】명 〔derived unit〕『물』 기본 단위와 보조(補助) 단위를 곱하거나 나누어서 유도한 단위. 7개의 기본 단위와 2개의 보조 단위에서 넓이(m^2)·부피(m^3)·에너지(J)·힘(N)·속도(m/s)·가속도 (m/s^2)·압력(Pa) 등의 유도 단위가 이루어짐. *절대 단위계.

유도 대:신【留都大臣】명 『역』 임금의 거둥 때에 서울에 머물러 정무(政務)를 행하던 대신.

유도 대:장【留都大將】명 『역』 왕의 거둥 때에 도성(都城) 안을 지키던 대장.

유도 동:전력【誘導動電力】[―절―] 명 『전』 유도 기전력. 뭡동전력.

유도-로[1]【誘導路】명 비행장에서, 에이프런(apron)과 활주로를 연결하는 항공기용의 통로.

유도-로[2]【誘導爐】명 『물』 유도식 전기로(誘導式電氣爐).

유도-뢰【誘導雷】명 딴 장소의 낙뢰 또는 운간 방전(雲間放電)의 영향으로 어떤 물건에 이상 전압이나 그 밖의 이상 현상이 나타나는 일. ↔직격뢰(直擊雷).

유도 무:기【誘導武器】명 무선 지령(無線指令)·관성(慣性)·레이더·적외선·열선(熱線)·레이저 따위에 의해 목표에 유도되는 병기의 총칭.

유도 물질【誘導物質】[―찔] 명 『생』 ①〔inducing substance〕 동물의 발생 과정에서, 형성체(形成體)에 포함되어 기관(器官)·조직의 분화(分化)를 유도하는 작용을 한다고 생각되는 물질. ②〔inducer〕 특정 유전자의 형질 발현을 유도하는 작용을 하는 물질. 효소 합성을 지시하는 작동(作動) 유전자와 결합하고 있는 억제 물질에 결합하여, 작동 유전자를 자유롭게 함으로써 구조(構造) 유전자로 하여금 효소 합성을 이루게 함. 대장균(大腸菌) 배양액(培養液)에 첨가하는 젖당(糖) 따위. ↔억제 물질. *유도 효소.

유도 미사일【誘導―】명 〔guided missile〕『군』 유도탄(誘導彈).

유도 미사일 잠수함【誘導―潛水艦】명 〔guided-missile submarine〕 떠 있는 상태에서, 유도 미사일 공격이 가능한 잠수함.

유도 미사일 함【誘導一艦】〔missile〕 명 〔guided-missile ship〕『조선』 유도 미사일 발사대(發射臺)를 장치한 군함. 포탑(砲搭)·장거리 소나(sonar)·대잠수함(對潛水艦) 병기를 탑재(搭載)하는 일도 있음.

유도 발동기【誘導發動機】〔一똥一〕 명 『물』 유도 전류(誘導電流)를 이용한 전동기(電動機).

유도 발전기【誘導發電機】〔一쩐一〕 명 『물』 유도 전동기의 단자(端子)에 교류 전원(交流電源)을 접속시킨 채, 축(軸)에 외력(外力)을 가하여 동기 속도(同期速度)보다 고속으로 회전시켜 보면 회전자(回轉子)의 코일(coil) 안을 흐르는 전류의 위상(位相)과 고정자(固定子)의 코일의 전류 위상은 전동기(電動機)가 운전될 때와 반대가 되어 전력(電力)이 전원(電源) 쪽으로 흐르게 되는데, 이러한 작용을 이용한 발전기가 유도 발전기임.

유도-법【誘導法】〔一뻡〕 명 『의』 유발 시험법(誘發試驗法).

유도-복【柔道服】 명 유도할 때 입는 옷. 바지는 광목(廣木) 같은 것으로 간단하게 만들었으나, 저고리는 투박하고 튼튼하여 상대편과 대결(對決)할 때 이것을 잡고 힘을 씀. 저고리 끈은 없고 대신 허리띠로 여미어 잡아 맴.

유도 살인죄【誘導殺人罪】〔一쬐〕 명 『법』 사람을 꾀어 내서 위험에 빠지게 하여 죽음에 이르게 하는 죄.

유도 선륜【誘導線輪】〔一설一〕 명 『물』 유도 코일(誘導 coil).

유도 수로【誘導水路】 명 〔taxi channel〕『항공』 수상 비행장(水上飛行場)에서, 수상 비행기를 유도하는 데 사용되는 수로.

유도식 전:기로【誘導式電氣爐】 명 〔induction furnace〕『전』 전자기(電磁氣) 유도 작용을 이용하여 금속을 용해시키는 전기로의 일종. 저(低)주파식과 고(高)주파식이 있음. 전자(前者)는 코일에 교류를 통하여 금속에 유도 전류를 일으키게 하고, 이것을 용해함. 후자(後者)는 철심(鐵心)을 쓰지 아니하고 코일 속에 도가니를 놓고, 주파수를 크게 하여 속에 있는 금속을 유도 전류로 용해(鎔解)함. 유도로(誘導爐). 전기 유도로.

유도 신:문【誘導訊問】 명 〔leading question〕『법』 신문(訊問) 방법의 하나. 검사나 경찰관이 범죄 혐의자(嫌疑者)를 신문할 때에, 예상하고 있는 죄상의 단서를 얻기 위하여 교묘한 질문으로 모르는 사이에 자백(自白)하도록 유도하는 신문. ¶ ~에 걸리다.

유도 신:호【誘導信號】 명 진로(進路)에 열차 또는 차량이 있음을 예고하고 열차가 15km 이하의 속도로 진행하도록 지시하는 철도 신호의 하나. *정지(停止) 신호.

유도 신:호기【誘導信號機】 명 열차가 역(驛)에 진입(進入)하려 할 때, 장내(場內) 신호기의 정지(停止) 신호에 따라 정지한 열차를 서서히 유도하여 정거장으로 들어 오도록 하는 철도(鐵道) 신호기의 하나. *원방(遠方) 신호기.

유도-약【誘導藥】 명 병(病)을 유출(誘出)하여 낫게 하는 약.

유도 염분계【誘導塩分計】 명 〔induction salinometer〕『공』 해수(海水) 가운데에 전류(電流)를 보내어 전압(電壓)을 기록함으로써 염분이 측정되는 장치.

유도 운:동【誘導運動】 명 ①체조(體操) 또는 운동 경기 같은 것을 시작하기 전에 주의력을 각성시키고 자세를 가다듬으며 혈행(血行)을 촉진할 목적으로 하는 간단한 운동. ②〔induced movement〕『심』 두 개의 대상(對象)이 있어서 대상간의 거리가 변화할 때에 유도되는 현상. 밤 하늘에서 구름이 흘러갈 때 다른 반대의 방향으로 질주하는 것같이 보이는 등의 운동.

유:도-자[1]【有道者】 명 정도(正道)를 행하는 사람. 또, 덕을 갖춘 사람.

유도-자[2]【誘導子】 명 『전』 ①자기 인덕턴스(自己 inductance) 또는 상호(相互) 인덕턴스의 표준이 되는 코일. ②코일을 가지지 아니하고 톱니바퀴를 가진 강자성체(強磁性體)로 된 회전자(回轉子).

유도-자[3]【誘導者】 명 ①남을 꾀어 내는 사람. ②〔inductor〕『생』 일정한 반응계(反應系)에 작용하여 유도를 야기(惹起)시킬 수 있는, 생명이 있는 또는 생명이 없는 물질계(系). 유도원(原).

유도 작전【誘導作戰】 명 『군』 전쟁할 때에 작전상 적이 알지 못하는 동안에 아군의 계획에 빠지도록 유도하는 작전.

유도 잡음【誘導雜音】 명 〔induction noise〕 흡입(吸入) 공기의 주기적인 유입(流入)으로 일어나는 잡음. 자동차 엔진의 실린더 또는 공기 압축의 흡입 밸브가 열리고, 피스톤이 흡입 과정에서 움직일 때에 발생함.

유도 잡종【誘導雜種】 명 〔derivative hydrid〕『생』 두 개의 잡종 사이에서 교잡(交雜)에 의해서 형성된 잡종의 총칭. 유도 잡종을 만드는 목적은, 차례차례로 유전자(遺傳子)를 도입(導入)하기 위해서임. 품종 검정(品種檢定)에도 이용됨.

유도 장애【誘導障礙】 명 〔inductive interference〕『전자』 전화선과 나란한 전력 장치나 전력선(電力線)에 의해서 전화선에 전압이나 전류가 유기(誘起)되어 일어나는 장애.

유도 장치【誘導裝置】 명 〔guidance system〕 ①차량·항공기·선박 따위를 유도하기 위하여 침로(針路)를 지시 또는 탐지하는 장치. 대부분의 경우 원격 제어 또는 자동 제어를 행함. ②항공기 또는 항주기(航宙機)의 유도에 쓰이는 제어 장치.

유도 전:기【誘導電氣】 명 자기장(磁氣場)의 변화에 따라 생기는 전기. 감응 전기.

유도 전:기로【誘導電氣爐】〔induction furnace〕 명 유도식(式) 전기로.

유도 전:기 요법【誘導電氣療法】〔一뻡〕 명 『의』 전류를 통하여 그 자극(刺戟)으로써 근육(筋肉)이나 신경의 흥분성의 회복(恢復) 혹은 보지(保持)를 기도하는 요법. 유도 코일을 이용하여 높은 전압이나 혹은 미약한 전류의 진동 전류(振動電流)로써 환부(患部)를 자극시킴.

유도 전:동기【誘導電動機】 명 〔induction motor〕『물』 교류(交流) 전동기의 한 가지. 회전하는 자기장(磁氣場) 안에 구리 막대로 만든 회전자(回轉子)를 넣어, 유도 전류와 회전하는 자기장의 상호 작용으로 회전(回轉)자기장을 만들어 동력(動力)을 얻는 기계. 장치가 간편하고 고장이 적어 사용하기 용이하여 공장에서 동력용으로 많이 쓰임. 단상(單相)·삼상(三相) 유도 전동기로 대별됨. 감응 전동기. 인덕션 모터.

유도 전:동력【誘導電動力】〔一녁〕 명 전자기 유도(電磁氣誘導)에 의하여 생기는 전동력. 감응 전동력.

유도 전:류【誘導電流】〔一절一〕 명 〔induction current〕『물』 전자기 유도(電磁氣誘導)에 의하여 회로(回路)에 일어나는 전류. 감응 전류(感應電流). 감전 전류(感電電流).

유도 전:압 조정기【誘導電壓調整器】 명 『전』 일차와 이차의 코일의 자기적(磁氣的)인 결합을 바꾸어, 일차 전압이 일정한데도 불구하고 이차 전압을 연속적으로 부하(負荷) 전류를 통한 채로 조정할 수 있는 변압기.

유도 전:하【誘導電荷】 명 〔inductive charge〕『전』 어떤 물체가 대전 물체(帶電物體)와 가까이 있어서 발생하는 그 물체상의 전하.

유도-체【誘導體】 명 〔derivative〕『화』 화합물의 분자 안의 일부가 다른 원자나 기(基)와 치환(置換)에 의하여 생성(生成)되는 화합물을 본디 화합물에 대하여 일컫는 말. 주로 유기 화학(有機化學)에서 쓰이는 말로 염화(塩化)에틸 C_2H_5Cl은 에탄 C_2H_6의 염소(塩素) 유도체임.

유도 코일【誘導一】 명 〔induction coil〕『물』 전류(電流)의 단속(斷續)을 이용하여 높은 전압(電壓)을 얻어 내는 장치. 감응 코일(感應 coil). 펌코일.

유도-탄【誘導彈】 명 〔guided missile〕『군』 전파(電波)·관성(慣性)·레이저 등에 의하여 목표에 유도되는 병기(兵器). 핵탄두(核彈頭) 등의 탄두를 장비하고 로켓이나 제트 엔진에 의하여 발사·추진(推進)됨. 발사 지점과 목표, 사정(射程), 유도 장치 등에 따라 여러 종류로 나뉨. 미사일. 유도 미사일. 지 엠(GM).

유도 탄:막【誘導彈幕】 명 『군』 지상 공격 부대의 전진(前進) 시간에 맞추어 그 전진 부대의 전방에 낙하되도록 사정(射程)을 늘여 사격하는 야포 사격(野砲射擊).

유도탄 제:어【誘導彈制御】 명 〔guided-missile control〕『군』 유도탄이 목표까지 비행하는 동안, 유도를 하거나 궤도(軌道) 수정을 하는 일.

유도탄 통:제 지휘망【誘導彈統制指揮網】 명 『군』 비행중인 유도탄을 유도하는, 몇 개의 유기적 통제 지휘소.

유도 폭탄【誘導爆彈】 명 〔guided bomb〕『군』 낙하 중에 거리와 방향이 유도되는 항공용 폭탄.

유도 함:수【誘導函數】〔一쑤〕 명 『수』 도함수(導函數).

유도 핵분열【誘導核分裂】 명 〔induced fisson〕『핵물리』 핵이 중성자나 감마선(γ線), 그 밖의 에너지 운반체에 의해서 충격을 받았을 때만 일으키는 핵분열.

유도-험【誘導一】〔hum〕 명 교류 전원(交流電源)을 사용하는 증폭기(增幅器) 등에서, 트랜스·배선 등으로부터의 전자기(電磁氣) 유도 결합에 의해, 교류가 출력측(出力側)에 나타나서 들리는 교류음(交流音).

유도형 계:전기【誘導型繼電器】 명 『기』 계전기의 한 가지. 여자 코일(勵磁 coil)에 교류(交流)가 흐르면 철심(鐵心) 끝에 있는 셰이딩 코일(shading coil)에 의하여 회전 자기장(回轉磁氣場)이 생겨서 원판이 회전되게 되어 있음. 이 때에 그 회전축(回轉軸)에 붙어 있는 판이 돌아서 접점이 닫히게 됨.

유도-화【柳桃花】 명 '협죽도(夾竹桃)'가 잎은 버들잎 같고, 꽃은 복숭아꽃 같다고 해서 이르는 말.

유도 효소【誘導酵素】 명 〔inducible enzyme〕『화』 세포에 유도(誘導) 물질을 첨가시켰을 때 형성되는 효소. 세포 안에서의 효소 단백질 합성을 유도하거나 합성 속도를 빠르게 함. *유도 물질.

유:독[1]【有毒】 명 독기가 있음. ↔무독(無毒). ——-하다 형 여불

유독[2]【幽獨】 명 쓸쓸하여 외로움. 조용히 홀로 있음. ——-하다 형 여불

유독[3]【流毒】 명 해독(害毒)이 세상에 퍼지는 일. 또, 그 해독. ——-하다 자 여불

유독[4]【遺毒】 명 ①해독을 끼침. ②남아 있는 해독. ——-하다 자 여불

유독[5]【惟獨·唯獨】 부 많은 가운데 홀로. ¶ ~ 저만 옳다고 한다.

유:독 가스【有毒一】〔gas〕 명 독성(毒性)이 있는 가스. 암모니아·일산화 탄소·이산화황·질소 산화물·염소 따위. 단, 메탄이나 질소 따위처럼 단순한 질식성의 가스는 포함되지 않음.

유:독-균【有毒菌】 명 유독 물질을 함유(含有)하고 있어, 이것을 먹으면 중독 증상(中毒症狀)을 일으키는 균류(菌類). 독버섯 등.

유:독-성【有毒性】 명 독이 있는 성질. ¶ ~ 가스.

유:독성 농약【有毒性農藥】 명 인축(人畜)의 기능(機能)에 위해(危害)를 가할 우려가 있는 농약. 독성의 정도에 따라 맹독성(猛毒性) 농약·고독성(高毒性) 농약·잔류성(殘留性) 농약으로 구분함.

유:독 식물【有毒植物】 명 『식』 알칼로이드 등 인체(人體)·가축(家畜)에 유독한 성분(成分)을 함유한 식물의 총칭. 일반적으로 유독균류(類)도 포함시키나 좁은 뜻에선 고등 식물(高等植物)만을 가리킴. 유독 식물인 동시에 약용(藥用) 식물이 되는 것도 있음. 옻나무·쐐기풀·디기탈리스·협죽도 따위.

유돌 봉소【乳突蜂巢】 명 『생』 유양 돌기(乳樣突起) 속에 있는 벌집 모양의 소실(小室)의 집단(集團). 이들 소실은 모두 중이(中耳)의 고실(鼓室)로 통하며 그 내면(內面)은 중이의 연속(連續)된 점막(粘膜)으로 덮여 있음.

유동[1]【油桐】 명 『식』 〔*Aleurites cordata*〕 대극과에 속하는 낙엽 활엽 교목(落葉闊葉喬木). 높이 10 m 가량이고 줄기와 가지는 회갈색, 잎은 호생하고 얇으며 세 개로 째진 심장상에 표면은 녹색, 뒷면은 담녹색이며 긴 잎자루가 있음. 자웅 동주(雌雄同株)로 5-6월에 적색 반점(赤

色斑點)이 있는 흰 꽃이 복총상(複總狀) 화서로 피고, 열매는 10월에 익는데 씨는 세 개 있음. 동양의 원산으로 호남 지방과 제주도 등지에 분포함. 씨에서는 기름을 짬. 기름오동. 앵자동(罌子桐). 동유수(桐油樹).

〈유동[1]〉

유동[2]【流動】명 ①액체 같은 것이 흘러 움직임. ②이리저리 자꾸 옮기어 다님. ——-하다 자타여불

유동[3]【遊冬】명〖식〗씀바귀.

유동[4]【遊動】명 자유로이 움직임. ——-하다 자여불

유동[5]【誘動】명 선동(煽動).

유동 공채【流動公債】명〖경〗발행 액수 또는 이윤이나 기한이 확정되지 아니한 단기(短期)의 공채. 미곡 증권(米穀證券) 같은 것. 단기 공채(短期公債). ↔확정 공채(確定公債).

유동-광【勳銅鑛】명〖광〗광물의 하나. 사면체(四面體)의 결정(結晶)으로 취약(脆弱)하고 금속(金屬) 광택이 나며, 불투명하고 회흑색(灰黑色)·갈색·홍색을 띰. 황화물(黃化物) 광맥 중에서 산출되며 구리의 광석으로 쓰임. 사면 동광(四面銅鑛).

유동-군【遊動軍】명〖군〗요새가 적에게 포위당하려는 기미가 있을 때 미리 밖에 나가서 이것을 방해하려고 동작하는 군대. 유동대.

유동-대【遊動隊】명〖군〗유동군(遊動軍).

유동-도【流動度】명〔dynamic fluidity〕유체 역학(流體力學)에서, 점도(粘度)의 역수(逆數). 물질이 얼마나 잘 흐르는가를 나타냄.

유동-량【流動量】〔—냥〕명 유동하는 양.

유동 레버【流動—】명〔floating lever〕〖기〗가동(可動)의 받침점을 가진 수평(水平)의 브레이크 레버. 철도 차량(鐵道車輛)에 쓰임.

유동 문학【流動文學】명〖문〗표박 문학(漂泊文學).

유동-물【流動物】명 이리저리 흘러 움직이는 물질. 액체 같은 것.

유동 바퀴【遊動—】명〔idler wheel〕〖기〗①운동을 전달하거나 무엇을 인도(引導)하거나 지탱하거나 하는 바퀴. ②녹음 재생(錄音再生) 장치에서, 마찰에 의하여 동력(動力)을 전달하기 위한, 표면(表面)을 고무로 만든 롤러(roller).

유동 배:양법【流動培養法】〔—뻡〕명〖식〗식물 재배법의 하나. 식물을 물로 재배할 때, 배양 중에 배양액의 조성(組成) 등이 변화하는 것을 피하기 위해, 미리 많은 양의 배양액을 탱크에 준비하고, 소량(少量)씩 치환(置換)하는 방법.

유:동-법【類同法】〔—뻡〕명〖논〗일치법(一致法).

유동 부:채【流動負債】명〔current liabilities〕〖경〗기업(企業)이 지고 있는 부채 중에서 물품의 매입금(買入金)·미불금(未拂金)·단기 차입금(短期借入金) 등 단기(보통 1년 이내)에 변제(辨濟)하여야 할 부채. ↔고정(固定) 부채.

유동 비:율【流動比率】명〔current ratio〕〖경〗기업의 지급 능력을 판정하는 지표(指標). 한 기업의 유동 자산(流動資產)을 유동 부채로 나눈 비율. 이것이 2 이상이면 지급 능력이 충분하다고 봄.

유동-성【流動性】〔—썽〕명 ①액체와 같이 이리저리 흘러 움직이는 성질. ②〖경〗기업(企業)의 자산(資產) 또는 채권을 손실 없이 화폐로 바꾸거나 거둬 들일 수 있는 난이(難易)의 정도.

유동성 딜레마【流動性—】〔dilemma〕〔—썽—〕명〖경〗어떤 한 나라의 통화를 국제 통화로서 사용할 때, 그 나라의 국제 수지가 적자가 되지 않으면 국제 유동성이 증가하지 않고, 유동성을 증가시키려 하면 그 국제 통화의 신용이 손상되는 모순.

유동성 배:열 방법【流動性配列方法】〔—썽—〕명〔current arrangement〕〖경〗대차 대조표(貸借對照表)의 항목 배열에 관하여 환금성(換金性)을 중시(重視)하고, 유동성이 높은 것으로부터 순차로 배열하는 방법. ↔고정성(固定性) 배열 방법.

유동성 선:호【流動性選好】〔—썽—〕명〔liquidity preference〕〖경〗재산을 유동성이 가장 높은 화폐의 형태로서 지니려는 욕구(欲求). 케인스(Keynes, J.M.)는 이자율(利子率)의 결정 요인으로서 화폐의 공급량과 이 욕구의 강도(強度)를 들었음.

유동성 예:금【流動性預金】〔—썽네—〕명 당좌 예금이나 보통 예금과 같이, 언제든지 찾을 수 있는 예금.

유동성 지반【流動性地盤】〔—썽—〕명〔running ground〕〖광〗소성(塑性)으로 압력에 의하여 쉽게 변형하는, 불안정하고 응고되지 않은 지면(地面).

유동-식【流動食】명 소화되기 쉽도록 만든 유동체의 음식. 미음·우유 같은 것. 중증(重症)이나 위장병에 먹음. *연식(軟食).

유동식 기관총【遊動式機關銃】명〖군〗선회 기관총.

유동식 반:응기【流動式反應器】명〔flow reactor〕〖공〗원료(原料)가 용기(容器) 안의 한쪽 끝에서 연속적(連續的)으로 공급되고, 다른쪽 끝에서는 생성물(生成物)이 연속적으로 배출되는 동적(動的) 반응기 시스템(system).

유-동열【柳東說】〔—녈〕명〖사람〗독립(獨立) 운동가. 일본 육군 사관 학교 졸업. 1911년 105인 사건에 관련 복역 후, 만주로 망명, 상해 임시 정부 참모 총장을 지내고 1935년 난징(南京)에서 민주 혁명당을 조직, 해방으로 귀국하여 초대 통위부장(統衛部長)이 되어 국군 창설에 힘썼으나 6·25 전쟁 때 납북되었음. 〔1878-〕

유:동 요인【類同要因】〔—뇨—〕명〖심〗동형 동색(同形同色)의 도형(圖形)과 같이 상호간에 질(質)이 유사한 도형은 질이 다른 것끼리보다는 더 잘 조화된다는 법칙. 동질 요인(同質要因).

유동 원목【遊動圓木】명 껍질을 벗긴 통나무를 쇠줄로 지면과 평행이 되게 나직이 달아 매고, 길이 쪽으로 자유로이 움직이게 만든 운동구. 흔들면서 그 위를 걸어감.

유동 응:력【流動應力】〔—녁〕명〔fluid stress〕〖역학〗고체 재료에서의 소성 변형(塑性變形)에 수반하는 응력.

유동 자:금【流動資金】명〖경〗유동 자본에 투입(投入)된 자금. ↔고정 자금(固定資金).

유동 자본【流動資本】명〖경〗원료나 보조 재료같이 한 번 생산 과정을 통과함으로써 그 전부의 가치가 생산물로 전화(轉化)되어 버리는 자본. 운전 자본(運轉資本). ↔고정(固定) 자본.

유동 자산【流動資產】명〔current assets, liquid assets〕〖경〗기업(企業) 자산 중에서 현유 상품(現有商品)·현금·물품 매상금(賣上金)·유가 증권(有價證券)·예금(預金)·가불금(假拂金) 같은 유동성의 자산. ↔고정(固定) 자산.

유동-적【流動的】명관 유동하는 성질을 띤 모양.

유동 전:류【流動電流】〔—절—〕명〔streaming current〕〖전〗격막(隔膜)·모관(毛管) 또는 다공성 고체를 통하여 액체를 강제로 흐르게 할 때 발생하는 전기의 흐름.

유동 전:위【流動電位】명〔streaming potential〕〖전〗격막(隔膜)·모관(毛管)·다공성 고체 따위의 속에 액체를 강제로 흐르게 했을 때, 고체의 벽과 액체 사이에 생기는 전위차(電位差).

유동-점【流動點】〔—쩜〕명〔pour point〕유체 역학에서, 액체가 흐르는 최저의 실험 온도.

유동점 강:하제【流動點降下劑】〔—쩜—〕명〔pour-point depressant〕첨가제(添加劑)의 하나. 납(蠟)을 함유(含有)하는 석유계(石油系)의 윤활유(潤滑油)에 첨가하여 납의 고화(固化)를 방지하고 유동점을 저하(低下)시킴.

유동 접촉 분해【流動接觸分解】명〔fluid catalitic cracking〕증기를 사용하여 유동화(流動化)한 촉매층(觸媒層)에 의해서 가스유(gas油)를 분해하는, 양질(良質) 휘발유의 대량 정제법(精製法).

유동-주【流動株】명 시장에서 언제나 매매(賣買)될 수 있는 유동성을 지닌 주식. 유동주가 많으면 주가(株價)의 상승을 억제하는 경향이 있음. 부동주(浮動株).

유동-주의【流動主義】〔—/—이〕명〔프 mobilisme〕〖철〗만물의 근저(根底)에 있는 것은 개별적·다양적이어서 끊임없이 유동 변화하는 것이라 하여, 고정적 법칙을 인정치 아니하며 모든 합리적 조직화의 시도를 배척하는 사상. 시드(Chide, M.)가 명명한 말.

유동 채:권【流動債權】〔—꿘〕명〖경〗상환 기간(償還期間)이 단기(短期)인 채권. ↔확정 채권.

유동 철학【流動哲學】명〖철〗베르크송의 철학의 속칭. *창조적 진화(創造的進化).

유동-체【流動體】명〖물〗유체(流體).

유동층 원자로【流動層原子爐】명〔fluidized reactor〕〖원자〗연료에 준유체(準流體)의 성질을 부여해서 사용하는 원자로. 기체나 액체 속에 연료의 미립자(微粒子)를 현탁(懸濁)시켜서 사용함.

유동 파라핀【流動—】명〔paraffin〕명〖화〗석유에서 분류(分溜)한 파라핀 유(油) 중, 저온(低溫)에서도 고체로 변화되지 않는 부분을 모은 것. 메탄계(methan系) 탄화 수소로 이루어진 것인데, 무색의 맑은 기름 모양의 액체로서, 물·에테르·석유 같은 것에 용해됨. 부패하지 않는 성질이 있어 연고(軟膏)·윤활제(潤滑劑)로 쓰고 요오드포름면(iodoform綿) 같은 것을 만드는 데에 씀. 백유.

유동-학【流動學】명〖물〗리올로지(rheology).

유동 현:미경【遊動顯微鏡】명 대(臺) 위에서 자유로이 이동시킬 수 있는 현미경. 아들자를 사용하여 1μ까지의 각종 길이의 정밀 측정에 쓰임. 이동 현미경.

〈유동 현미경〉

유동 화:물【流動貨物】명 술·기름·간장 따위 유동체의 화물.

유동화-탄【流動化炭】명〔fluid coal〕분쇄한 석탄. 공기와 혼합하여 파이프라인으로 수송이 가능함.

유동 활차【遊動滑車】명〖물〗움직도르래.

유두[1]【油頭】명 기름을 바른 머리.

유두[2]【乳頭】명〖생〗①젖꼭지. ②동물의 혀나 피부에 있는 젖꼭지 모양의 작은 돌기.

유두[3]【流頭】명〖민〗명절의 하나. 음력 유월 보름날. 신라 풍속에 이날 나쁜 일을 떨어 버리기 위하여 동쪽으로 흐르는 물에 머리를 씻었다 함. 지금은 수단(水團)·수교위 같은 음식을 만들어 먹고, 농촌에서는 논에 가서 농사가 잘 되라고 용신제(龍神祭)를 지냄.

유:두-류【有頭類】명〖동〗복족류(腹足類).

유두-면【流頭麪】명〖민〗옛날 유두(流頭)에 밀가루로 구슬 모양의 국수를 만들어 오색(五色)으로 물들이고, 세 개씩 포개어 색(色)실로 꿰어 맨 것. 몸에 차기도 하고 문짝에 걸기도 하여 악신(惡神)을 쫓는다 하였음.

유두-벼【流頭—】명〖민〗유두날에 조상(祖上)의 사당(祠堂)에 올리는 벼. *유두콩.

유두 분면【油頭粉面】명 기름 바른 머리와 분을 바른 얼굴. 부녀자의 화장을 이름. ——-하다 자여불

유두-연【流頭宴】명〖민〗유두에, 주효(酒肴)를 장만하여 계곡이나 수정(水亭)을 찾아가서, 풍류를 읊으며 즐기는 일.

유두-염【乳頭炎】명〖의〗시신경(視神經) 유두의 염증. 시신경염(炎)이 중증(重症)이어서, 시신경 유두가 종창(腫脹)·혼탁(混濁)하며 유리체 속으로 돌출하여, 그 부근에 출혈을 보는 상태. 시력이 감퇴되고, 흔히

나중에 시신경 위축(萎縮)을 보임.

유두-종【乳頭腫】명〔papilloma〕『의』상피성(上皮性) 양성 종양의 하나. 대부분은 유두상·융모상·수지상(樹枝狀)으로 돌출하며, 피부·후두·소화관 점막·생식기 등에 흔히 생김.

유두 천:신【流頭薦新】명『민』유둣날 아침에 밀국수와 떡을 곁들여, 오이·참외·수박 등의 햇실과(實果)를 조상에게 드리는 제사.

유:두-충【柳蠹蟲】명『충』버드나무의 벌레. 타박상(打撲傷)에 약제(藥劑)로 씀.

유두-콩【流頭一】명『민』유둣날에 조상(祖上)의 사당(祠堂)에 올리는 콩. *유두벼.

유두형 파수【乳頭形把手】명『고고학』꼭지잡이.

유둔【油芚】명 비가 올 때 쓰기 위하여 이어 붙인 두꺼운 유지(油紙). 가빠. 「계.

유둔-계【油芚契】[一꼐] 명『역』관아에 유둔을 공물(貢物)로 바치던

유둔 주인【油芚主人】[一쭈一] 명 유둔을 공물로서 바치던 사람.

유둣-물【流頭一】명『민』유두 또는 그 전후에 많이 내리는 비.
유둣물(이) 지다 구 유두 무렵에 장마로 큰물이 나다.

유-득공【柳得恭】명『사람』조선 정조(正祖) 때의 실학자(實學者). 자는 혜보(惠甫), 호는 혜풍(惠風) 또는 냉재(冷齋). 문화(文化) 사람. 이덕무(李德懋)·박제가(朴齊家)·이서구(李書九)와 더불어 한학 사가(漢學四家)의 한 사람으로 불림. 규장각 검서(奎章閣檢書)와 풍천 부사(豐川府使)를 지냄. 북학파(北學派)의 거장 박지원(朴趾源)의 제자로 박제가(朴齊家) 등과 함께 실사 구시(實事求是)의 방법으로 산업 진흥을 주장하였음. 또, 발해(渤海)를 우리 민족사에서 제외함은 잘못이라고 주장함. 회고시(懷古詩)와 기행문을 잘 지었음. 저서 ≪이십일도 회고시(二十一都懷古詩)≫. [1749-?]

유들-유들 [一류一] 부 부끄러운 줄 모르고 뻔뻔하게 행동하는 모양. ¶자네 어지간히 ∼하군 그래. ——-하다 형여불

유등【油燈】명 기름을 연료로 하여 불을 켜는 등. 기름불. *등잔(燈盞).

유:디오-미터〔eudiometer〕명『화』분석기(分析器)의 한 가지. 눈금이 있는 유리관의 한 쪽을 폐쇄하거나 또는 개폐 장치를 하고 백금(白金)의 전극(電極)을 삽입한 곳에 기체 혼합물을 넣어, 전극에 전기를 통하여 방전시켜 화합(化合)을 일으켜 용적(容積)의 변화를 측정하는 장치.

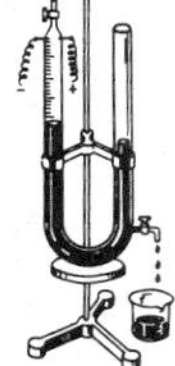
〈유디오미터〉

유: 디: 티:【U.D.T.】명〔underwater demolition team〕『군』수중(水中) 파괴반.

유라시아〔Eurasia〕명『지』유럽과 아시아의 총칭. 구아주(歐亞洲). ¶∼ 대륙(大陸).

유라시안〔Eurasian〕명 유럽 사람과 아시아 사람과의 사이에 난 사람. 구아 잡종(歐亞雜種).

유라톰【EURATOM】명〔European Atomic Energy Community의 약칭〕유럽 원자력 공동체. 프랑스·서독(西獨)·이탈리아·네덜란드·벨기에·룩셈부르크의 6 개국이 참가하는 원자력(原子力) 이용의 초국가(超國家) 기관. 1958 년에 발족하여, 1967 년에 유럽 공동체에 통합되었음.

유라프리카〔Eurafrica〕명『지』유럽과 아프리카.

유락¹【乳酪】명 우유(牛乳)로 만든 식품. 특히, 버터나 식용(食用) 크림(cream)의 일컬음.

유락²【流落】명 고향을 떠나 타향에 삶. ——-하다 자여불

유락³【唯諾】명 ①대답. 응답(應答). ②남에게 순종하는 모양. ——-하다 자여불

유락⁴【愉樂】명 유쾌(愉快).

유락⁵【遊樂】명 놀며 즐김. ——-하다 자여불 「다 자타여불

유락⁶【遺落】명 ①탈락(脫落). ②내버려 둠. ③남은 촌락(村落). ——-하

유람¹【流覽】명 전체를 죽 봄. ——-하다 타여불

유람²【遊覽】명 ①놀면서 봄. ②두루 돌아다니며 구경함. ¶전국 각지를 ∼하다. ——-하다 타여불

유람-객【遊覽客】명 유람하는 손님. 「(觀光團).

유람-단【遊覽團】명 유람하는 손님으로 이루어진 단체(團體). 관광단

유람 도시【遊覽都市】명 관광 도시(觀光都市).

유람 버스【遊覽一】〔bus〕명 명승·고적 등을 유람하기 위하여 운행하는 버스.

유람 비행【遊覽飛行】명 공중으로부터의 유람을 위한 비행.

유람-선【遊覽船】명 유람객을 태우고 다니는 배. 바지(barge).

유람 자동차【遊覽自動車】명 명승·고적 같은 곳을 유람하는 손님을 차삯을 받고 태우는 자동차.

유랑¹【流浪】명 일정한 목적 없이 떠돌아 다님. 정처 없이 떠돌아 다님. ¶∼ 극단. *부랑(浮浪). ——-하다 자타여불

유랑²【劉郞】명 난봉꾼.

유랑-민【流浪民】명 일정한 거처가 없이 떠돌아 다니는겨레.

유랑 생활【流浪生活】명 정처 없이 떠돌아다니며 사는 일. ——-하다 자여불

유랑-자【流浪者】명 정처 없이 이리저리 떠돌아 다니는 사람.

유래【由來】명 사물의 연유(緣由)하여 온 바. 내력(來歷). 내유(來由). ¶

유래-담【由來談】명 사물의 내력의 이야기. ∟∼를 더듬다.

유래-재【流來災】명『역』해를 거듭하여 계속되는 재해(災害).

유래지-풍【由來之風】명 옛적부터 전하여 오는 풍속.

유량¹【乳量】명 젖의 양.

유량²【油糧】명 유지(油脂)·유지 원료·유박(油粕) 따위의 총칭.

유량³【流量】명〔quantity of flow〕『물』일정한 시간(時間)에 흐르는 유체(流體)의 양(量). 흐르는 물 속에 가정한 그 어떠한 단면(斷面)을 단위 시간(單位時間)에 통과(通過)하는 물의 체적(體積)으로 나타냄. 유

유량⁴【留糧】명 객지에서 먹을 양식. ∟하량(流下量).

유량⁵【瀏喨】명 음악의 음색(音色)이 거침없고 똑똑함. ——-하다 형

유량-계【流量計】명『물』수량계(水量計). ∟여불. ——-히 부

유량-도【流量圖】명 수문 곡선(水文曲線).

유량 제:어【流量制御】명〔flow control〕『공』도관(導管) 또는 수로(水路)를 지나는 가스·증기·유체(流體) 또는 고체 입자의 유량을 조절하

유량 조절【流量調節】명『공』유량 제어(流量制御). ∟는 일.

유량 측정【流量測定】명〔flow measurement〕『공』액체(液體)·증기 또는 가스가 파이프나 개방(開放)된 도관(導管) 등을 지날 때의 유량(流量)을 측정하는 일.

유러너스〔Uranus〕명『신』오우라노스(Ouranos)의 영어명.

유:러-달러〔Eurodollar〕명『경』유럽 여러 나라의 은행과 회사에서 보유(保有)하는 미국 달러 자금으로서, 유럽 금융 시장을 중심으로 각국의 금리차(金利差)를 따라 부동(浮動)하는 핫 머니(hot money)의 일종. 1959년경부터 활발하게 거래되게 됨. 구주불(歐洲弗).

유:러달러-채【一債】〔Eurodollar〕명 유럽 등 미국 이외의 투자가를 대상으로 하여 발행되는 달러 채권.

유:러-본드〔Eurobond〕명『경』유럽 자본 시장에서, 그 기채 시장국 통화(起債市場國通貨) 이외의 통화 표시로 발행되어 국제적으로 인수(引受)되거나 판매(販賣)되거나 하는 외채(外債).

유:로-비전〔Eurovision〕명 서(西)유럽 여러 나라의 방송 기관을 중심으로 만든 텔레비전 프로의 국제 중계 조직. 운영은 유럽 방송 연합(EBU)이 담당하고 있음. 정식 개설은 1954년 6월, 뉴스 교환의 정식 개시는 1961년 5월임.

유:러-코뮤니즘〔Eurocommunism〕명『정』1970년대 이후의 서 유럽, 특히 이탈리아·프랑스·스페인의 공산당(共產黨)이 취하는 독자적(獨自的)인 공산주의 노선(路線). 의회 민주주의 체제(議會民主主義體制)에 적극 참가하며, 프롤레타리아 독재 및 레닌주의를 포기하고, 복수(複數) 정당제, 민주적인 정권 교체(政權交替)를 보장하면서, 사회주의를 지향한다고 하는 노선. 「(官僚)의 일컬음.

유:러-크래트〔Eurocrat〕명『정』유럽 공동체의 기관에서 일하는 관료

유:러-터널〔Eurotunnel〕명 도버 해협 밑을 뚫어 영국의 포크스턴과 프랑스의 칼레 근교의 싱가트를 잇는 터널. 전체 길이 50 km, 바다밑 38 km, 수면으로부터 100 m, 해상(海床)밑 40 m를 통과. 1987 년에 공사를 시작하여 1993 년 6 월에 완공.

유:러피언 플랜〔European plan〕명 호텔에서, 방값과 식사비를 따로 계산하는 방식. ↔아메리칸 플랜(American plan).

유:럽¹〔Europe〕명『지』유럽주(洲).

유:럽²〔Europe〕명『문』프랑스의 문예 잡지. 국제적 휴머니즘을 표방하였음. 후에 인민 전선파(人民戰線派) 작가가 중심이 됨.

유:럽 경제 공:동체【一經濟共同體】명〔European Economic Community〕『경』1958년 프랑스·이탈리아·서독·벨기에·네덜란드·룩셈부르크의 6 개국이 설립, 1973년 영국·아일랜드·덴마크의 3 개국이 가맹하여 확대 EEC로 발족함. 준(準)가맹국으로 그리스·터키가 있고, 특별 협정에 의하여 아프리카 18개국과 연합 관계를 유지하고 있음. 가맹국간의 지역 관세(地域關稅)의 철폐, 무역 확대, 지역내 사회 보장 제도와 노동 조건의 통일, 자본과 노동력 이동(移動)의 자유화 등을 목적으로 하고 있으며 최종적으로는 정치적 통합(政治的統合)까지를 계획함. 유럽 공동체 구성의 핵심이 됨. 유럽 공동 시장. 구주(歐洲) 경제 공동체. 구주 공동 시장. 약칭: 이 이 시(E.E.C.). *유럽 공동체.

유:럽 경제 위원회【一經濟委員會】명〔Economic Commission for Europe; ECE〕『경』국제 연합 경제 사회 이사회의 하부 기관으로 지역 경제 위원회의 하나. 1947년 3월 설치. 유럽 경제의 발전과 타지역과의 경제 협력의 촉진을 목적으로, 정보·통계의 수집 보고, 공동 조사 연구 등을 행함. 본부는 제네바. 가맹국은 유럽 여러 나라와 미국 등 34 개국. 구주 경제 위원회.

유럽 경제 지역【一經濟地域】명〔European Economic Area〕유럽 공동체(EC) 12 개 회원국(會員國)과 오스트리아, 핀란드, 아이슬란드, 노르웨이, 스웨덴 등 북유럽 5 개국이 하나로 결합하는 경제 단위. 1992 년 5 월에 조인(調印)되고, 1994 년 1 월 1 일 발족. 인구 3 억 8 천만, 국내 총생산 7 조(兆) 2 천억 달러를 포용하는 세계 최대의 공동 시장(共同市場)임. 이 이 에이(EEA).

유:럽 경제 협력 기구【一經濟協力機構】[一녁一] 명〔Organization for European Economic Cooperation〕『정』미국의 유럽 부흥 계획, 곧 마셜 플랜의 유럽측 수용(受容) 기관으로서, 1948 년 영국·프랑스 등 서구 피원조국(被援助國) 16 개국에 의해 결성(結成)된 국제 기관. 1961 년 경제 협력 개발 기구(OECD)로 발전적 해산(解散)을 함. 구주 경제 협력 기구. 약칭: 오 이 이 시(OEEC).

유:럽 공:동 시:장【一共同市場】명〔European Common Market〕유럽 경제 공동체. 약칭: 이 시 엠(E.C.M.).

유:럽 공:동체【一共同體】명〔European Communities〕『경』유럽 경제 공동체(EEC)·유럽 석탄 철강 공동체(ECSC)·유럽 원자력(原子力) 공동체(EURATOM)의 일반적 총칭. 당초 프랑스·이탈리아·서독 및 베넬룩스 3 국의 6 개국으로 구성되었다가, 1973년 영국·덴마크·아일랜드의 3 국과 1981년 그리스가 가입하여 모두 10 개 국으로 확대됨. 처음에는 각국의 독자적 집행 기관이 있었으나 1967년 3 공동체의 이사회 및 집행 기관을 통합함. 최고 결정 기관으로는 가맹국 대표로 구성되는 각료 이사회(閣僚理事會). 1986 년 현재 12 개국이 가맹하였음.

본부는 브뤼셀. 구주(歐洲) 공동체. 약칭: 이 시(EC).

유:럽-군【一軍】〔Europe〕명〖군〗유럽 연합군.

유:럽 대:전【一大戰】〔Europe〕명〖역〗제1차 세계 대전.

유:럽 러시아〔Europe Russia〕명〖지〗구(舊)러시아 제국(帝國) 시대의 우랄(Ural) 이서(以西)의 유럽에 속하던 영토(領土)의 일컬음. [5,571,000 km²: 182,503,000 명(1970)]

유:럽 방:송 연맹【一放送聯盟】[一넌一] 명〔European Broadcasting Union; EBU〕1950년에 결성된 유럽 방송 기관들의 국제 조직. 방송 단체의 국제 조직으로는 세계 최대의 규모로, 서(西)유럽 방송 단체를 중심으로 하여, 가맹 단체의 이익 옹호, 프로그램의 교환 촉진과 조정, 텔레비전 중계 운영 등을 주목적으로 함. 일반 본부는 제네바에, 기술 본부는 브뤼셀에 있음.

유:럽 방위 공:동체【一防衛共同體】명〔European Defence Community〕〖정〗1952년 5월에 집단 안전 보장을 위하여 서독(西獨)·프랑스·이탈리아·벨기에·네덜란드·룩셈부르크 사이에 조인(調印)된 공동 방위 기구. 그러나 1954년 프랑스가 이의 비준을 거부함으로써 발효하지 못하고 대신 서구 연합(西歐聯合)이 설립됨. *서구 연합.

유:럽-병【一病】〔Europe〕명 서유럽 선진국(先進國)의 문명병·사회병의 총칭. 국정(國情)이나 문화에 의한 차이가 적지 않지만, 공통적으로 경제의 정체(停滯), 재정의 파탄(破綻), 파업(罷業)의 만성화, 정국(政局)의 불안정 등이 지적됨.

유:럽 부:흥 개발 은행【一復興開發銀行】〔Europe〕명〔European Bank for Reconstruction and Development ; EBRD〕소련 및 동유럽의 경제 개혁을 지원할 목적으로 프랑스 미테랑 대통령의 제창에 의해 설립된 은행. 1991년 4월 파리에서 설립되었으며, 본부는 런던.

유:럽 부:흥 계:획【一復興計劃】명〔European Recovery Program〕〖정〗제2차 세계 대전 후의 황폐한 유럽의 경제 부흥 원조를 위한 미국의 계획. 1947년의 유럽 부흥 회의의 보고서를 검토 작성한 것으로 피원조국(被援助國)은 유럽의 17개국이었음. 마셜 플랜(Marshall Plan). 약칭: 이 아르 피(E.R.P.).

유:럽 부:흥 회:의【一復興會議】[一/一이] 명〔European Recovery Congress〕〖정〗제2차 세계 대전 후의 황폐한 유럽 경제의 부흥 및 미국의 원조를 촉진하려는 회의. 1947년의 미국의 마셜 국무 장관의 제안에 의하여 파리에서 동년 7월에 제1차 회의를 가짐.

유:럽 석탄 철강 공:동체【一石炭鐵鋼共同體】명〔European Coal and Steel Community〕〖경〗1952년 프랑스의 제안에 의해 설립된 석탄과 철강의 생산·유통에 관한 공동 관리체. 프랑스·서독·이탈리아·벨기에·네덜란드·룩셈부르크 등 6개국이 가맹하여 단일 시장(單一市場)을 설정함. 훗날 영국·덴마크·아일랜드가 가맹하여 유럽 공동체(EC) 결성을 촉진함. 구주 석탄 철강 공동체. 약칭: 이 시 에스 시(ECSC).

유:럽 안보 협력 회:의【一安保協力會議】〔Europe〕[一녁一/一녁一이] 명 1975년 7월 30일부터 3일간 핀란드의 수도 헬싱키에서 열린 유럽 여러 나라의 수뇌(首腦) 회의. 안보와 협력을 주요 의제로 한, 최종 문서(最終文書)에 조인(調印)한 나라는 미국·캐나다 등 미주국(美洲國)을 포함하여 35개국임. *헬싱키 정신.

유:럽 연맹【一聯盟】[一넌一] 명〔United States of Europe〕〖역〗프랑스의 외상(外相) 브리앙(Briand, Aristide; 1862-1932)이 1930년 5월에 27개국 정부에 발송한 유럽의 지방적 협력안(地方的協力案). 제1차 세계 대전 후의 유럽의 평화를 위협하는 정치적·경제적·사회적 위험에 대하여 협동하여 당하자는 연맹임.

유:럽 연합【一聯合】명〔European Union〕이 유(EU)의 역어(譯語).

유:럽 연합군【一聯合軍】명〔Allied Powers in Europe〕[一넌一] 북대서양 조약 가맹국의 군사적 협력과 공동 방위를 위하여, 1950년 런던의 북대서양 조약 이사회의 결의에 따라 1951년부터 활동을 개시한 군사 기구. 북은 노르웨이의 북단 노스케이프(North Cape)로부터 남은 북아프리카까지, 서는 대서양으로부터 동쪽은 터키 동부 국경까지의 전역을 관할 지역으로 하고 있음. 최고 사령부는 벨기에의 카스토에 있으며, 산하(傘下)에 사령부를 노르웨이에 둔 북유럽군, 사령부를 네덜란드에 둔 중부 유럽군, 사령부를 이탈리아의 나폴리에 둔 남유럽군 및 영국 방공군과 연합군(聯合軍) 기동 부대(機動部隊)가 있음. 북대서양 조약 기구에는 이 외에 사령부를 미국 버지니아 주의 노폭에 둔 대서양 연합군, 사령부를 영국 노스우드에 둔 영불(英佛) 해협 연합군이 있음. 나토군(NATO軍). 유럽군. 유럽 통합군.

유:럽 예:탁 증권【一預託證券】[一네一꿘] 명〔European Depository Receipt〕〖경〗유럽의 은행이 외국 주식의 예탁을 받아, 유럽 증권 시장에 유통시키기 위해 발행하는 대체 주권(代替株券). 이 디 아르(EDR).

유:럽 우:주 기구【一宇宙機構】명〔European Space Agency; ESA〕서유럽 각국의 우주 개발 계획을 일원화하여 효율적으로 추진하기 위하여, 기존의 유럽 우주 로켓 개발 기구와 유럽 우주 연구 기구를 일원화한 국제 조직. 1973년 파리에서 정식으로 발족됨. 가맹국은 서독·프랑스·영국·이탈리아·벨기에·네덜란드·덴마크·스위스·스웨덴·스페인의 열 나라였으며, 1991년 4월 현재 14개국이 가입하였음. 1979년 아리안 로켓을 개발함.

유:럽 우:주 로켓 개발 기구【一宇宙一開發機構】명〔European Launcher Development Organization〕인공 위성(人工衛星) 개발에서 미국·소련에 뒤진 영국·프랑스·서독(西獨)·오스트레일리아 등의 7개국이 이의 평화적 개발을 위하여 설립한 협력 기구로 1964년에 발족됨. 제1차 5개년 계획에서 이탈리아가 실험 위성(實驗衛星), 벨기에가 유도 스테이션(誘導 station), 네덜란드가 추적 시설(追跡施設) 따위를 담당함. 약칭: 엘도(ELDO). *유럽 우주 기구.

유:럽 우:주 연:구 기구【一宇宙研究機構】명〔European Space Research Organization〕순(純)과학적 우주 개발을 목적으로 하는 국제 협력 기구로 1964년 발족함. 가맹국은 영국·프랑스를 위시한 유럽의 10개국. 1968년 이 기구 최초의 인공 위성 에스로(ESRO) 2호를 미국의 로켓으로 발사함. 약칭: 에스로(ESRO). *유럽 우주 기구.

유:럽 원자력 공:동체【一原子力共同體】명〔European Atomic Energy Community〕프랑스·서독·이탈리아·베네룩스 3개국·영국·아일랜드·덴마크의 9개국으로 구성된 원자력 개발을 위한 협력 기관(協力機關). 1958년 발족. 본부 브뤼셀. 구주 원자력 공동체. 약칭: 유라톰(EURATOM). *유럽 공동체.

유:럽 의:회【一議會】명〔European Parliament〕1979년 6월 유럽 공동체 가맹국의 시민(市民)이 직접 선거로 구성한 초국가적인 회의. 통합(統合) 유럽을 지향하는 회의체로 410명의 의원으로 구성됨. 초대 의장은 프랑스 출신의 여성 의원 시몬 베유(Simone Weil).

유:럽-인【一人】〔Europe〕명 유럽 여러 나라의 사람들. 구라파인.

유:럽 인권 조약【一人權條約】〔Europe〕[一꿘一] 명 로마 조약❶.

유:럽 인종【一人種】〔Europe〕명 유럽에 분포되어 있는 여러 인종. 코카서스(Caucasus) 인종이 90%를 차지하고 있는데 그 중 라틴(Latin)족은 남부와 서부에 많이 살고 구교를 신봉하며, 튜튼(Teuton)족은 동부에 분포되어 희랍교도가 많고, 희랍족은 발칸 반도에, 켈트(Celt)족은 북서의 일부 지역에 살고 있음. 몽고(蒙古) 인종은 남동부의 터키족과 북부의 핀(Finn)족·랩(Lapp)족 및 헝가리의 마자르(Magyar)족임. 또, 셈(Sem)족인 유태족은 각지에 산재(散在)하여 살고 있으며, 경제상의 세력이 강함.

유:럽 자유 무:역 연합【一自由貿易聯合】[一넌一] 명〔European Free Trade Association〕〖경〗처음 유럽 경제 공동체(EEC)에서 제외된 영국을 중심으로 스웨덴·노르웨이·덴마크·오스트리아·스위스·포르투갈의 7개국이 1960년에 결성한, 무역 자유화를 위한 경제 블록. 뒤에 핀란드·아이슬란드가 가맹함. EEC에 비하여 결속력(結束力)이 약하고 1972년말 영국·덴마크가 유럽 공동체(EC) 가맹을 위해 탈퇴하자 잔류국(殘留國)들은 확대된 EC와의 긴밀한 관계를 추구, 새로이 유럽 자유 무역 지역 협정을 맺기에 이름. 구주(歐洲) 자유 무역 연합체. 약칭: 에프타(EFTA).

유:럽 자유 무:역 지역【一自由貿易地域】명〔European Free Trade Area〕〖경〗1973년 확대(擴大) 유럽 공동체 가맹 9개국과 유럽 자유 무역 연합(EFTA)에 남은 7개국을 합친 16개국에 의해서 결성(結成)된 공업 제품의 자유 무역권(貿易圈). 1977년 역내(域內) 상호 수입 관세가 전폐(全廢)되었음.

유:럽 작가 협회【一作家協會】〔Europe〕명 1960년 6월 22일 유럽 24개국 작가들이 로마에서 결성한 작가 협회. 구주 작가 협회.

유:럽-주【一洲】〔Europe〕명〖지〗육대주(六大洲)의 하나. 아시아의 서북부에 돌출한 거대한 반도상(半島狀)의 대륙과 이에 딸린 여러 섬으로 이루어짐. 북쪽은 북극해(北極海), 서쪽은 대서양에 임하고, 남쪽은 지중해를 건너 아프리카 대륙과 대치함. 대륙의 동부·중부는 광대한 평야로 전 면적의 6할을 차지하고 남쪽은 알프스 산맥을 중심으로 대소(大小)의 산맥이 줄져 고산 지대(高山地帶)를 형성함. 기후는 북쪽의 일부가 한대(寒帶)에 속하는 외에 거의 온대(溫帶)에 속하여, 농업·목축업·수산업 및 각종 공업이 발달하고, 철과 석탄의 산출(產出)이 많음. 현재 영국·독일·프랑스·에스파냐·이탈리아·독립 국가 연합 등의 여러 나라를 비롯하여 많은 독립국이 있고 문화의 진보(進步)가 현저함. 구라파. 구주(歐洲). [10,508,000 km²: 670,000,000 명(1988)]

유:럽 지불 동맹【一支拂同盟】명〔European Payments Union〕〖경〗서유럽 여러 나라 사이의 무역을 확대시키고 가맹국의 무역 수지(收支)를 다각적(多角的)으로 결제(決濟)하기 위한 목적으로, 1950년 8월에 유럽 경제 협력 기구 이사회(理事會)에서 체결(締結)된 동맹. 1958년 유럽 통화 협정 성립으로 해체됨. 구주 결제 동맹(決濟同盟). 구주 지불 동맹. 약칭: 이 피 유(E.P.U.).

유:럽 터:키〔Europe Turkey〕명〖지〗소아시아의 나라인 터키가 마르모라 해(Marmora海)를 건너 발칸 반도 동남부에 가지고 있는 약간의 판도(版圖). 유럽과 아시아 연락의 요지로 이스탐불이 있음. [22,623 km²: 2,655,768 명(1965)]

유:럽 통:합군【一統合軍】〔Europe〕명 유럽 연합군(聯合軍).

유:럽 통화 단위【一通貨單位】〔Europe〕명〖경〗에큐(ECU).

유:럽 통화 제:도【一通貨制度】명〔European Monetary System; EMS〕〖경〗영국을 제외한 유럽 공동체(共同體) 8개국이 1979년 3월에 발족시킨 통화 안정 제도. 공통의 계산 단위 에큐(ECU)를 설정하고, 가맹 통화 상호간의 변동폭(變動幅)을 2.25% 이내로 유지하기 위해 유럽 통화 협력 기금을 설정하기로 함.

유:럽 통화 협력 기금【一通貨協力基金】[一녁一] 명〔European Monetary Cooperation Fund ; EMCF〕유럽 통화 제도의 발족에 따라, 가맹(加盟) 각국의 금외화(金外貨) 준비를 출자하여 설정한 안정 협력 기금. 각국은 출자와 동시에 에큐(ECU)를 입수(入手)함.

유:럽 통화 협정【一通貨協定】명〔European Monetary Agreement〕〖경〗1958년 유럽 경제 협력 기구(OEEC) 가맹국간의 다각 결제(多角決濟)와 신용 공여(信用供與)를 목적으로 하여 성립한 협정. 다각 결제를 위한 다각 결제 기구(機構), 곧 국제 결제 은행과, 신용 공여를 위한 유럽 기금(基金)이 마련되어 있음. 1961년 이후 경제 협력 개발 기구 관리 하에 있다가 1972년 폐지되었음. 구주 통화 협정. 약칭: 이 엠 에이(EMA).

유:럽-푸른부전나비〔Europe〕명〖충〗[*Polyommatus icarus*] 부전나빗과에 속하는 곤충. 수컷은 편 날개 길이 38 mm 가량이고, 날개 표면은 수컷이 유리 빛, 암컷은 흑갈색이며, 날개 뒷면은 수컷은 백회색,

암컷은 흑회색이고 다 같이 뒷날개 후연(後緣)에 청람색 무늬가 있음. 한국에도 분포함.

유:레일-패스 〔Eurailpass〕 명 『관광』 유럽 철도 균일 주유권(周遊券). 유럽 철도에 가맹한 13개국의 국철(國鐵) 및 일부 민간 철도의 일등(一等)을 이용할 수 있음. 「다 형여불. ——-히 부

유려 【流麗】 명 글이나 말이 유창하고 아름다움. ¶~한 문장. ——-하

-유려 어미 〈옛〉 -이려고. -이고자. ¶누문 주규려거늘 《龍歌 77章》.

유:력[1] 【有力】 명 ①세력이 있음. 유세력(有勢力). ②목적에 달할 가능성(可能性)이 많음. ¶차기(次期) 대통령으로는 그가 가장 ~하다. ——-하다 형여불

유력[2] 【遊歷】 명 여러 곳으로 놀러 돌아다님. ——-하다 자여불

유:력-가 【有力家】 명 세력이나 재산이 있는 사람.

유:력-시 【有力視】 명 유력하게 봄. 가능성 있게 봄. ——-하다 타여불

유:력-자 【有力者】 명 세력이나 능력이 있는 사람. 유세객(有勢客).

유련[1] 【流連】 명 유락(遊樂)에 빠져 집에 돌아오지 아니함. ——-하다 L자여불

유련[2] 【留連】 명 객지에 묵고 있음. ——-하다 자여불

유련-비 【留連費】 명 객지에 묵고 있는 동안의 비용.

유련 황락 【流連荒樂】 〔—낙〕 명 놀러 다니기를 즐겨 주색에 빠짐. 유련 황망(流連荒亡). ——-하다 자여불

유련 황망 【流連荒亡】 명 유련 황락(流連荒樂). ——-하다 자여불

유렴-석 【黝簾石】 명 『광』 조이사이트(zoisite).

유렵 【遊獵】 명 놀러 다니면서 하는 사냥. 유익(遊弋). ——-하다 자여불

유렵-가 【遊獵家】 명 사냥꾼.

유렵-기 【遊獵期】 명 사냥하는 철.

유렵-지 【遊獵地】 명 사냥터.

유령[1] 【幼齡】 명 어린 나이.

유령[2] 【幽靈】 명 ①죽은 사람의 혼령. 망혼(亡魂). 유령(遺靈). ②죽은 사람의 혼령이 나타난 현상. ③이름뿐이고 실제(實際)는 없는 것. ¶~ 인구/~ 회사. ④『책』 입센(Ibsen)의 희곡. 1881년 작. 3막.

유-령[3] 【劉伶】 명 『사람』 중국 서진(西晉)의 사상가. 자는 백륜(伯倫). 죽림 칠현(竹林七賢)의 한 사람임. 장자(莊子) 사상을 실천(實踐)하고, 만물을 제동(齊同)하다고 보고, 신체(身體)를 토목(土木)으로 간주하여 의욕(意慾)의 자유(自由)를 추구(追求)하였음. 술을 즐겼으며, 저서에 《주덕송(酒德頌)》이 있음. 생몰년 미상.

유령[4] 【踰嶺】 명 재를 넘음. ——-하다 자여불

유령[5] 【遺靈】 명 유령(幽靈)❶.

유령-거미 【幽靈—】 명 『동』 [*Pholcus crypticolens*] 유령거밋과에 속하는 거미. 몸길이는 7mm 내외이며, 온 몸이 담황색이고, 배갑(背甲)의 흉부(胸部) 중앙에는 암갈황색 반문이 있음. 집안 또는 인가 부근에 사는데 한국·일본에 분포함.

유령거밋-과 【幽靈—科】 명 『동』 [Pholcidae] 절지 동물 거미목에 속하는 한 과. 유령거미가 이에 속함.

유:령-관 【有靈觀】 명 자연계의 무릇 사물이나 사상(事象)에는 생명이 있으며 영혼이 깃들여 있다고 믿는 사상. 애니미즘.

유령 도시 【幽靈都市】 명 광산 같은 것으로 인하여 인구가 급격히 늘어 번창하다가 채광량이 줄거나 경기 후퇴로 쇠망해진 도시.

유령-론 【幽靈論】 〔—논〕 명 유령의 실재(實在)를 인정하고 그것을 연구(研究)하는 이론.

유령-선 【幽靈船】 명 그 배에 타고 있던 사람이 어떤 원인으로 사멸(死滅)하고, 구제받지 못한 영혼이 그대로 배 안에 남아 바다를 표류한다는 전설 상의 배. 그 배를 만나면 재난을 입는다고 함.

유령 시:종 【惟令是從】 명 오직 명하는 대로 좇음. ——-하다 자여불

유령 인구 【幽靈人口】 명 거짓 신고에 의하여 서류 상(書類上)에만 있고 실제로는 없는 인구.

유령-주 【幽靈株】 명 『경』 ①실제로 납입을 하지 아니하고, 납입한 것 같이 위장하여 발행하는 주식. ②정당한 설립 절차를 밟지 아니하고 사기(詐欺)하여 만든 회사의 주식. ③위조한 주식.

유령-판 【幽靈版】 명 실제로는 적은 판수(版數)밖에 없는데도 수십 판(數十版) 따위로 과장해서 표시한 판(版).

유령-화 【幽靈火】 명 그림·연극 등에서, 유령의 곁에서 타고 있는 불.

유령 회:사 【幽靈會社】 명 법적(法的)인 절차를 밟지 않은 가공(架空)의 회사. 영업이 잘 되지 아니하는 불량 회사로서, 그 소재지가 확실하지 않거나 또는 간판만 내걸고 내용이 아주 건실하지 못함.

유례[1] 【流例】 명 유전(流傳)하여 온 항례(恒例). 널리 전하여 온 예.

유:례[2] 【謬例】 명 잘못된 사례(事例).

유:례[3] 【類例】 명 같거나 비슷한 예. ¶세계에 그 ~가 없다.

유:례-없다 【類例—】 〔—업—〕 형 그와 유사한 전례가 없다.

유:례-없이 【類例—】 〔—업씨〕 부 그와 유사한 전례가 없이.

유례-왕 【儒禮王】 명 『사람』 신라의 제14대 왕. 성은 석씨(昔氏). 조분왕(助賁王)의 장자. 왕 14년(297)에 이서고국(伊西古國)이 내침했을 때 죽장릉(竹長陵)의 음조(陰助)로 격파함. [재위 284-297]

유로[1] 【由路】 명 사물이 말미암아 온 길.

유로[2] 【油爐】 명 기름 가마.

유로[3] 【流路】 명 ①물이 흐르는 길. ②유통하는 길.

유로[4] 【流露】 명 진상(眞相)이 나타남. 또, 진상을 아무 숨김없이 나타냄. ——-하다 자타여불

유로[5] 【遺老】 명 ①살아 남은 노인. ②선조(先朝) 또는 망국(亡國)의 구신(舊臣).

유로 구간 【流路區間】 명 〔reach〕 하천이나 수류(水流) 또는 수로(水路)에 있어서, 그것이 똑바로 뻗은 부분.

유로구 사주 【流路口砂洲】 명 〔channel-mouth bar〕 『지질』 흐르는 물이 정수역(靜水域)으로 들어가는 목에 생겨난 사주. 속도의 감소가 그 원인임.

유:로 막승선 【有路莫乘船】 명 육로(陸路)가 있을 때에는 배를 타지 말라는 말. 곧, 될 수 있는 한 안전한 길을 택하라는 뜻.

유:로파 〔Europa〕 명 『신』 그리스 신화 중의 미소녀(美少女) 에우로페(Europe)의 영어명.

유:로-포:르트 〔Europoort〕 명 『지』 네덜란드의 로테르담 서쪽, 라인 강(江)과 마스 강(Maas江)에 둘러싸여 강(江) 어귀에 이르는 폭(幅) 약 4km, 길이 약 25km의 신흥 항만·공업 지대. 이 이 시(EEC) 여러 나라의 현관(玄關)으로써 개설된 항구.

유:로퓸 〔europium〕 명 『화』 희토류(稀土類) 원소의 하나. 홑원소 물질은 끓는점 약 1,150°C, 비중 약 5.2의 결정(結晶) 구조를 가짐. 무색의 2가(價), 담홍색인 3가(價)의 화합물을 만듦. [63번:Eu:152.0]

유:록[1] 【柳綠】 명 유록색(柳綠色).

유록[2] 【黝綠】 명 검은 빛을 띤 녹색.

유록 대:부 【綏祿大夫】 명 『역』 조선 시대 때 정일품 의빈(儀賓)의 품계. 성록 대부(成祿大夫)의 위임.

유:록-색 【柳綠色】 명 봄철의 버들 잎의 푸른 빛과 누른 빛과의 중간빛. ㊀유록(柳綠).

유:록-장 【柳綠帳】 명 휘늘어져 늘어선 버들을 이르는 말.

유:록 화홍 【柳綠花紅】 명 푸른 버들과 붉은 꽃이란 뜻으로, 봄철의 아름다운 자연을 이르는 말.

유:론 【謬論】 명 틀린 논설(論說).

유:료[1] 【有料】 명 요금(料金)을 내게 되어 있는 일. ¶~ 주차장/~ 시사회(試寫會). ↔무료(無料).

유료[2] 【釉料】 명 유약(釉藥).

유:료 대:부 【有料貸付】 명 『경』 유상 대부(有償貸付).

유:료 도:로 【有料道路】 명 통행하거나 사용하는 데 요금을 징수하는 도로.

유:료 변소 【有料便所】 명 요금을 내고 사용하는 변소.

유:료 우편물 【有料郵便物】 명 요금을 내야 하는 우편물.

유료 작물 【油料作物】 명 유지(油脂)를 채취할 목적에서 재배되는 작물. 들깨·삼·아마(亞麻)·오동·해바라기 등은 공업용 원료로, 올리브·땅콩·동백·피마자 등은 식용·등용·약용·화장용으로, 콩·깨·평지는 식용으로 쓰임.

유:료 텔레비전 【有料—】 명 〔pay television〕 특정한 계약자에게 시청료(視聽料) 등 특별 요금을 받고 특별한 프로를 제공하는 텔레비전 시스템. 보통, 유선(有線) 텔레비전이 이용됨.

유:루[1] 【有漏】 명 〔범 sāsrava〕 『불교』 〔'漏'는 번뇌(煩惱)의 뜻〕 번뇌에 얽매인 속세의 범부(凡夫). ↔무루(無漏).

유루[2] 【流淚】 명 유체(流涕).

유루[3] 【遺漏】 명 ①갖추어지지 아니하고 비거나 빠짐. ②새어 없어짐. 탈루(脫漏). ——-하다 자여불

유:루-도 【有漏道】 명 『불교』 유루의 인과(因果)를 초래하는 행법(行法). 또, 유루지(有漏智)에 의하여 수행하는 행법. ↔무루도(無漏道).

유:루-로 【有漏路】 명 『불교』 번뇌(煩惱)가 가득 찬 세상. 곧, 속세. ↔무루로(無漏路).

유:루-업 【有漏業】 명 『불교』 유루(有漏)의 업. 곧, 번뇌에 사로잡힌 행위·심신(心身)의 활동을 이름. ↔무루업(無漏業).

유루-증[1] 【乳漏症】 〔—쯩〕 명 『의』 폐쇄(閉鎖) 근육의 이완(弛緩)으로 젖샘의 구멍을 폐쇄하지 못함이 원인이 되어 수유(授乳)하지 않을 때에도 젖이 늘 새어 나오는 상태.

유루-증[2] 【流淚症】 〔—쯩〕 명 『의』 눈물이 이상하게 많이 나는 병증(病症).

유:루-지[1] 【有漏地】 명 『불교』 번뇌(煩惱)의 경애(境涯). ↔무루지(無漏地).

유:루-지[2] 【有漏智】 명 『불교』 속세의 정(情)에 기인한 지혜. 세속지(世俗智). ↔무루지(無漏智).

유:루-혜 【有漏慧】 명 『불교』 세속(世俗)의 법(法)을 대상으로 하여 일어나는 지혜. 예컨대, 인도(印度)의 외도(外道)들이 선정(禪定)을 닦아서 얻게 되는 오신통(五神通) 따위. ↔무루혜(無漏慧).

유류[1] 【油類】 명 기름 종류. 석유·휘발유(揮發油) 또는 참기름·콩기름 등의 총칭.

유류[2] 【儒流】 명 유가(儒家)의 유파(流派). 유자(儒者)의 집안.

유류[3] 【遺留】 명 남기어 놓음. 끼치어 둠. ——-하다 타여불

유류 금품 【遺留金品】 명 ①남겨 놓은 금품. ②교도소 같은 곳에서 수감자(收監者)나 수용자가 사망하였거나 도망하였을 경우에 남겨 놓은 돈과 물품.

유류 동:물 【遺留動物】 명 『생』 고대(古代)에는 퍽 번성했으나 지금은 거의 전멸(全滅)하여 특수한 주위 환경에만 남아 있는 동물. 뇌조(雷鳥) 같은 것.

유류-물 【遺留物】 명 잊어버리고 놓아 둔 물건 또는 남겨 놓은 물건.

유류-분 【遺留分】 명 『법』 일정한 상속인을 위하여 법률상 반드시 유류하여 두어야 할 유산(遺産)의 일정한 부분.

유류 파동 【油類波動】 명 석유류(石油類)의 품귀(品貴)로 일어난 사회 변동. 1973년 10월에 일어난 제4차 중동(中東) 전쟁 때 아랍의 여러 산유국(產油國)이 석유를 무기화(武器化)함에 따라 전세계가 경제적으로 큰 타격을 입었으며, 1978년 이란 혁명 이후 다시 석유 수급(需給)이 악화(惡化)되어 제2차 유류 파동이 닥침. 석유(石油) 파동. 오일 쇼크(oil shock).

유류-품 【遺留品】 명 ①죽은 뒤에 물리어 둔 물품. ②잊어버리고 놓고

온 물건. ¶ ~보관소.

유륜【乳輪】 명 〖생〗 젖꽃판.

유륜-선【乳輪腺】 명 〖생〗 유륜의 가에 산재하고 있는 일종의 땀샘.

유르타〔러 yurta〕 명 가죽이나 펠트(felt)로 만든, 가볍고도 쉽게 이동(移動)할 수 있는 둥근 천막. 키르기스족(Kirghiz 族)이나 시베리아의 유목민(遊牧民)들이 사용함.

유름【庾廩】 명 곡식 창고.

유-릉【裕陵】 명 〖지〗 ①고려 예종(睿宗)의 능. 경기도 개풍군(開豐郡) 청교면(靑郊面) 배야리(排也里)에 있음. ②조선 순종(純宗)과 순명 황후(純明皇后)의 능. 경기도 남양주시(南陽州市)에 있음.

유리[1] 명 〈방〉 누리[1](경상·충청·강원).

유리[2] 명 〈방〉 우박(경기·강원·충청·경북).

유리[3]【由吏】 명 지방 관아에 딸린 이방(吏房)의 아전(衙前). 이방 아전(吏房衙前).

유:리[4]【有利】 명 이익이 있음. 이로움. ¶~한 증언/~한 투자. ↔불리. ——-하다 형 여불

유:리[5]【有理】 명 ①사리(事理)에 맞음. 이치(理致)가 서 있음. ②〖수〗 유리 연산(有理演算) 이외의 관계를 포함하지 않는 일. 1)·2):↔무리(無理). ——-하다 형 여불

유리[6]【羑里】 명 〖역〗 중국 주(周)나라 문왕(文王)이 은(殷)나라 주왕(紂王)에게 잡혀 갇혔던 곳. 전하여, 옥사(獄舍). 뇌옥(牢獄).

유리[7]【流離】 명 ↗유리 표박(流離漂泊). ——-하다 자 여불

유리[8]【琉璃】 명 〖화〗 투명하고 단단하며 잘 깨지는 물질. 석영(石英)·탄산 소다(炭酸 soda)·석회암(石灰岩)을 원료로 하여 고온도로 용해시켜서 식힌 것으로, 착색(着色)한 것은 금속의 산화물을 섞어 만듦. 자색(紫色)에는 산화 망간, 붉은색에는 산화 제일 구리 또는 금, 녹색에는 산화 제이 구리를 각각 씀. 여러 가지 기구를 만드는 데 쓰임. 초자(硝子). 파리(玻璃). 글라스(glass). ¶ ~창.

유리[9]【遊離】 명 ①떨어져 헤어짐. ¶민심(民心)이 ~하다 / 대중으로부터 ~된 문학. ②〔liberation〕〖화〗 원소가 다른 원소와 화합하지 아니하고 홑원소 물질로 존재하거나, 화합물 가운데에서 원소가 단독으로 분리되어 있는 일. ¶ ~ 원자가. ——-하다 자 여불

유리[10]【瑠璃·琉璃】 명 ①〖광〗 황금 빛의 작은 점이 군데군데 있고 야청 빛이 나는 광물. 파리(玻璃). ②야청 빛이 나는 보석.

유:리[11]〔Urey, Harold Clayton〕 명 〖사람〗 미국의 화학자. 1932년 처음으로 중수(重水)를 분리하고 중수소(重水素)를 발견하였으며, 원자 에너지 응용의 기초를 확립하였음. 1934년 노벨 화학상(化學賞)을 받았음. [1893-1981]

유리 개:걸【流離丐乞】 명 이리저리 빌어 먹으며 돌아다님. 유리 걸식. ¶살기 좋은 낙토를 떠나 하루 아침에 ~하는 발가벗은 비렁뱅이가 되었다《朴鍾和 : 錦衫의 피》. ——-하다 자 여불

유리-거위벌레【瑠璃—】 명 〖충〗 [*Euops splendida*] 바구밋과에 속하는 곤충. 몸길이 3.5 mm 가량이고 몸빛은 금속 광택이 나는 연록색이며, 시초(翅鞘)는 남색 또는 연록색임. 전배판(前背板)에는 구리색의 반문이 있고 각 시초에는 아홉 개의 점각(點刻)이 배열되었음. 북가시나무류의 잎을 말아 집을 만들어 그 속에 들어가는 습성이 있음. 한국에도 분포함.

〈유리거위벌레〉

유리 걸식【流離乞食】[—씩] 명 유리 개걸. ——-하다 자 여불

유리-공【琉璃工】 명 각종 유리 및 유리 제품을 생산·가공하는 사람. 제조 공정에 따라 유리 원료 혼합공·성형공·냉각공·완성공의 네 유형으로 나뉨.

유리 공업【琉璃工業】 명 유리 제품을 만드는 공업. 판(板)유리·광학(光學)유리·유리 기구 곧, 병·가정용 기물·장식품 따위의 세 부문(部門)으로 대별됨. 판유리 부문은 대규모의 시설을 요하며, 광학 유리 부문은 광학 기계(器械) 기업이 병산(倂產)하는 경우가 많고, 유리 기구 부문은 병을 제외한 거의 모두가 중소 기업임.

유리 공예【琉璃工藝】 명 〖공〗 유리를 원료(原料)로 하여 제조(製造)하는 공예.

유리-관【琉璃管】 명 유리로 만든 관. 흔히, 화학 실험용으로 쓰임. 초자관(硝子管).

유리 관음【瑠璃觀音】 명 〖불교〗 33 관음의 하나. 용모가 단정하고, 연꽃을 타고 물 위에 떠 있으며, 손에는 향로(香爐)를 들었음. 향왕 관음(香王觀音).

유리-구【琉璃球】 명 공처럼 둥근 모양으로 된, 유리로 만든 구(球). 초자구(硝子球).

유리 구슬【琉璃—】 명 〖고고학〗 유리로 만든 장식용 구슬

유리 구조【流離構造】 명 〖광〗 광물이 규칙 바르게 배열하여 줄무늬 모양을 나타내는 화성암(火成岩)의 구조. 용암(溶岩)의 유동(流動)에 의하여 생기며, 유문암(流紋岩) 등에 보임.

유리 그릇【琉璃—】 명 유리로 만든 그릇. 유리 기명.

유:리-근[1]【有理根】 명 〖수〗 방정식에서 유리수인 근.

유리-근[2]【遊離根】 명 〖화〗 유리되어 존재하는 근(根).

유리-금【遊離金】 명 〔free gold〕〖야금〗 다른 물질과 결합하고 있지 않은, 유리 상태의 금.

유리-기【遊離基】 명 〖화〗 자유 라디칼(自由radical).

유리 기명【琉璃器皿】 명 유리 그릇.

유리-긴꽃등에【瑠璃—】 명 〖충〗 [*Zelima coquilletti*] 꽃등엣과에 속하는 곤충. 몸길이 10-11 mm이고 몸빛은 금속 광택이 나는 흑색인데 촉각은 흑갈색, 어깨는 다소 백색 가루로 덮이고 다리는 퇴절 이외는 대황색이며, 뒷다리는 경절의 기부(基部)만 황색임. 복부(腹部)는 가늘고 길. 한국·일본·대만 등지에 널리 분포함.

유리-꽃등에【瑠璃—】 명 〖충〗 [*Lathyrophthalmus viridis*] 꽃등엣과에 속하는 곤충. 몸길이 6-12 mm이고, 몸빛은 금속성 광택이 나는 청록색인데, 흉배(胸背)에는 두 쌍의 흑색 가로띠가 있고 바깥 쪽은 횡구부(橫溝部)에 의하여 절단됨. 복부(腹部) 제3절에는 'I'자 모양의 흑색 무늬가 있음. 한국·일본 등지에 널리 분포함.

〈유리나나니〉

유리-나나니【瑠璃—】 명 〖충〗 [*Sceliphron inflexum*] 구멍벌과에 속하는 곤충. 몸길이 2 cm, 날개 2.5 cm 내외이고, 몸빛은 광택 있는 청람색(靑藍色)이며, 황백색의 단모(短毛)가 있음. 날개는 반투명의 암갈색인데 자주빛을 띠고 다리는 청람색이나 경절(脛節)은 흑갈색임. 변소 부근에 서식하는데, 한국 각지·중국·인도·일본에 분포함. 파랑나나니.

유리-동에등에【瑠璃—】 명 〖충〗 [*Sargus nipponensis*] 동에등엣과에 속하는 곤충. 몸길이 11-15 mm, 몸빛은 청흑색에 복부는 금속성 광택이 나는 동흑색(銅黑色)이고, 촉각은 흑색, 날개의 연문부(緣紋部)는 흑갈색, 다리는 흑색이며, 경절(脛節) 이하는 황갈색임. 한국·일본에 분포함.

유리-등【琉璃燈】 명 유리를 낀 등.

유리-딱새【瑠璃—】 명 〖조〗 [*Tarsiger cyanurus*] 지빠귓과에 속하는 새. 날개 길이 75 mm 내외, 배면(背面)은 수컷이 암청색, 암컷은 감람갈색(橄欖褐色)이고, 허리 상미통(上尾筒) 및 날개의 일부는 하늘색, 날개 끝과 꽁지는 갈색이며 그 가장자리는 암청색(暗靑色)임. 아시아 북동부에서 번식을 하고, 그 남부에서 월동(越冬)함.

유리-령【遊離靈】 명 영혼(靈魂) 관념의 한 가지. 몸에서 분리하여 자유로이 출입할 수 있는 영혼. 유리혼. ↔신체령(身體靈).

유리-론【唯理論】 명 〖철〗 합리주의(合理主義).

유리론-자【唯理論者】 명 〖철〗 합리주의자(合理主義者).

유리-막【琉璃膜】 명 〖동〗 초자막(硝子膜).

유리-면【琉璃綿】 명 유리 섬유의 하나. 용융(熔融) 유리로 만든 단섬유(短纖維)로, 솜 모양으로 되어 있음. 단열(斷熱)·전기 절연재로 쓰임. 유리솜. 글라스 울(glass wool). ＊유리 섬유.

유리 명왕【瑠璃明王】 명 〖역〗 고구려 유리왕의 별칭.

유리-목【楡理木】 명 〖식〗 오리나무.

유리-문【琉璃門】 명 유리를 낀 문.

유리-물【琉璃—】 명 녹아서 물과 같이 된 유리의 원료.

유리-방【琉璃房】 명 벽·천장·바닥이 모두 유리로 된 방.

유:리 방정식【有理方程式】 명 〖수〗 미지수(未知數)인 원(元)에 관한 유리식만을 포함하는 방정식. ↔무리 방정식(無理方程式).

유리-배【琉璃杯】 명 〖고고학〗 경주시 황남동(黃南洞)의 천마총(天馬塚) 고분 관 머리에 있던 유물 수장궤에서 발견된 고신라 시대의 유리잔.

유리-병【琉璃甁】 명 유리로 만든 병.

유리 보:험【琉璃保險】 명 쇼 윈도(show window)의 값비싼 유리의 파손(破損)에 대한 전보(塡補)를 목적으로 하는 보험.

유리-봉[1]【琉璃峰】 명 〖지〗 강원도 인제군(麟蹄郡)에 있는 산. 태백 산맥(太白山脈)에 속함. [1,104 m]

유리-봉[2]【琉璃棒】 명 유리로 막대기 모양으로 만든 것.

유:리 분수【有理分數】[—쑤] 명 〖수〗 근호(根號)를 가지지 아니한 분수(分數).

유:리 분수식【有理分數式】[—쑤—] 명 〖수〗 정식(整式)이 아닌 유리식(有理式).

유리 분합【琉璃分閤】 명 〖건〗 유리를 낀 분합.

유리 블록【琉璃—】〔block〕 명 유리로 만든 건축용(建築用)의 속이 빈 블록. 벽재료(壁材料)나 도로(道路)에 나온 지하실(地下室) 천장(天障) 재료에 쓰임.

유:리 산:법【有理算法】[—뻡] 명 〖수〗 유리 연산(演算).

유리상-액【琉璃狀液】 명 〖생〗 눈의 렌즈와 망막(網膜)과의 사이에 있는 강소(腔所)를 가득 채우고 있는 투명(透明)하고 수분(水分)이 많은 교상액(膠狀液).

유리 상태【琉璃狀態】 명 〔vitreous state〕〖물〗 액체를 결정화(結晶化)하지 않고 냉각시켜, 그 점성도(粘性度)가 고체와 같게 된 무정형(無定形) 상태. 유리·황(黃)·셀렌(Selen)이나 각종 알코올의 유기 화합물, 유기 고분자(有機高分子) 등의 상태.

유리 섬유【琉璃纖維】 명 융해(融解)된 유리를 잡아늘리거나 원심력(遠心力) 또는 분출 기체(噴出氣體)로 날리거나 하여 100분의 몇 mm의 굵기로 한 것. 가늘게 되면 같은 굵기의 철사와 같은 인장 강도(引張強度)를 얻을 수 있음. 단열재(斷熱材)·흡음재(吸音材)·여과재(濾過材)·전기 절연재(電氣絕緣材)·축전지용 격벽(隔壁) 등에 쓰임. 종류가 많아 플라스틱으로 굳힌 에프 아르 피(FRP), 양모상(羊毛狀)으로 한 유리 솜, 곧 글라스 울, 화성암(火成岩)을 녹여 만든 록 파이버, 암면(岩綿) 또는 로크 울, 유리 섬유의 한 가닥의 빛의 굴절율(屈折率)을 이용하여 만든 파이버 스코프(fiber scope) 등 여러 가지가 있음. 유리실. 글라스 파이버(glass fiber).

유리 섬유 보:강 플라스틱【琉璃纖維補強—】 명 〔fiberglass reinforced plastics ; FRP〕 유리 섬유·탄소 섬유 등을 플라스틱 속에 분산시켜 강화·경량화한 재료. 항공기·자동차·선박 등의 몸체와 건축 재료·파이프·탱크·가구·낚싯대 따위 용도가 넓음. 강화(強化) 플라스틱의 일종임. 에프 아르 피. 섬유 강화 플라스틱.

유리 세:포【遊離細胞】[명]〖생〗다세포(多細胞) 동물의 세포 중에 일정한 조직을 이루지 않고 개개의 세포가 독립적으로 행동하는 것. 혈구(血球)·림프구(lymph球)·생식 세포가 이에 속함.

유리-솜 【琉璃—】[명]〔glass wool〕유리면(綿).

유:리-수[1]【有理數】[명]〔rational number〕〖수〗'무리수(無理數)'에 대하여 정수(整數)와 분수(分數)를 통틀어 일컫는 말. ↔무리수(無理數).

유리-수[2]【遊離水】[명]생체(生體)나 토양(土壤) 가운데에 함유된 수분 가운데서 자유로이 이동이 가능한 물. 곧, 생체 따위의 구성 분자와 결합되어 있지 않은 물. 생체 반응·영양물·이온 따위의 수송 등 중요한 역할을 함.

유:리수-체【有理數體】[명]〖수〗유리수 전체의 집합(集合).

유:리-식【有理式】[명]〖수〗근호(根號)를 가지지 아니한 대수식(代數式). 일정한 원(元)과 상수(常數)로부터 유리 연산(有理演算)으로만 이루어지는 식(式). ↔무리식(無理式).

유리-실【琉璃—】[명]유리 섬유(纖維).

유리-알【琉璃—】[명]유리로 만든 안경 알. *돌알[1].

유:리 연:산【有理演算】[명]〖수〗더하기·빼기·곱하기·나누기의 네 가지 연산. 유리 산법(有理算法).

유리 염산【遊離塩酸】[명]〖의〗단백질·염기(塩基) 등과 결합되지 아니하고 위액(胃液) 중에 존재하는 염산. 위암(胃癌) 환자의 위액에서는 이것이 결여(缺如)됨. ↔결합 염산.

유리-영【瑠璃纓】[명]흑자색의 유리 구슬을 꿰어 만든 갓 끈.

유리-왕[1]【瑠璃王】[명]〖사람〗고구려의 제2대 왕. 동명왕(東明王)의 아들. 휘는 유리(類利). 왕 22년(A.D. 3)에 국내성(國內城)으로 천도하고 왕 31년(12)에는 신(新)의 왕망(王莽)과 싸워 요서 태수(遼西太守)를 죽이었고, 왕 32년 부여의 침입을 격퇴하였고, 이듬해 양맥(梁貊)을 쳐서 멸망시키고 한(漢)나라의 고구려현(高句麗縣)을 빼앗음. ≪황조가(黃鳥歌)≫가 전함. [재위 19 B.C.-A.D.18]

유리-왕[2]【儒理王】[명]〖역〗신라의 제3대 왕. 남해왕(南解王)의 태자(太子). 부왕 사망 후, 탈해(脫解)에게 왕위를 양보하려 하였으나 군신의 추대로 왕위에 오름. 신라 가악(歌樂)의 기원인 ≪도솔가(兜率歌)≫·≪회소곡(會蘇曲)≫을 제정함. 그 후 유언으로 탈해에게 왕위를 물려주고 사릉원(蛇陵園)에 묻혔음. [재위 24-57]

유리 운모【琉璃雲母】[명]〖광〗절연재(絕緣材)의 하나. 분말(粉末) 유리와 천연 운모 또는 합성(合成) 운모의 분말과의 혼합물을 고온으로 압축하여 만듦.

유리-잔【琉璃盞】[명]유리로 된 술잔.

유리-잠【琉璃簪】[명]유리로 만든 비녀.

유리적 심리학【唯理的心理學】[—니—] [명]〖심〗사변적(思辨的)인 방법에 의하여 정신 현상을 연구하려는 심리학. 합리적(合理的) 심리학.

유리 전:극【琉璃電極】[명]〔glass electrode〕〖물〗수소 이온(水素 ion) 농도(濃度)가 다른, 두 용액(溶液)이 두께 약 0.025 mm 정도의 얇은 유리막(膜)으로 분리되어 있을 때에, 이 막을 통하여 전위차(電位差)가 생기는 원리를 이용하여 수소 이온 농도의 전기적 측정(電氣的測定)에 사용되는 전극.

유리 전:기【琉璃電氣】[명]〖전〗유리를 마찰하였을 때에 생기는 전기. *수지(樹脂) 전기.

유:리 정:수【有理整數】[명]〔rational integer〕〖수〗본래의 '정수(整數)'를, 고등 수학에서 다루는, 보다 넓은 뜻의 정수. 곧, 대수적(代數的) 정수와 구별하여 일컫는 말.

유:리 정:수론【有理整數論】[명]〖수〗유리 정수에 관한 학설.

유:리 정:식【有理整式】[명]〖수〗근호(根號)가 섞이지 아니한 정식(整式). 가감 승제(加減乘除)의 사칙 연산 부호(四則演算符號)로 연결된 식. ax^2+bx-c 같은 것.

유리-제【琉璃製】[명]유리로 만듦. 또, 그 물건.

유리 제:품【琉璃製品】[명] 유리로 만든 제품. 특히, 식기류(食器類)를 말할 때가 많음.

유리-종이【琉璃—】[명]〔glass paper〕①분쇄한 유리층(層)을 부착시킨 종이. 연마재(研磨材)로 씀. ②유리 섬유제(製)의 종이.

유:리 지수의 법칙【有理指數—法則】[—/—에—] [명] 〔law of rational indices〕〖물〗결정학(結晶學)의 기본 법칙의 하나. 결정에 있어서 기준이 되는 어떤 결정면(結晶面)을 골라 그것이 결정축(結晶軸)을 가르는 절편(截片)의 비(比)를 $a:b:c$라고 할 때, 다른 모든 결정면의 표축비(標軸比) $x:y:z$를 그것으로 나눈 값. 즉 x/a, y/b, z/c를 모두 유리수(有理數)가 되도록 할 수 있으며, 또 그렇게 되도록 하는 기준 결정면(基準結晶面)이 꼭 하나 존재(存在)한다는 법칙.

유리-질【琉璃質】[명]①유리와 같은 성질. 비결정(非結晶)으로 부정형의 고체. 응고점 이하에서 냉각시켰을 때 결정하지 않고 고체상(固體狀)이 된 것인데 과(過)냉각 액체라고도 함. 결정질에 대한 말. ②암석학에서, 등방성(等方性) 비결정질로 된 암석. 화성암·관입암(貫入岩) 등에 보임. 흑요석(黑曜石)이 그 대표적 예임.

유리-창【琉璃窓】[명]유리를 낀 창. *영창(影窓).

유리창-나비【琉璃窓—】[명]〖충〗[*Dilipa fenestra*] 네발나빗과에 속하는 곤충. 편 날개 60 mm 내외이고, 앞날개 끝 부근에 타원형의 투명한 막질(膜質)의 무늬가 있는 것이 특징임. 한국에서 가장 진기한 나비의 하나로서 만주·중국에도 분포함.

유리창-살【琉璃窓—】[—쌀] [명]유리창의 창살.

유리창-어리박각시【琉璃窓—】[명]〖충〗[*Haemorrhagia fuciformis affinis*] 박각싯과에 속하는 곤충. 편 날개의 길이는 45 mm 내외이고, 몸빛은 담녹색이며, 복절(腹節) 4-5 환절(環節)과 제6 환절 중앙은 흑색임. 날개는 투명하고 가장자리는 전부 흑색이며, 기부 및 후연(後緣)에 담녹색의 털이 있음. 한국·일본 등지에 분포함.

유리-청【釉裏青】[명]〖미〗청화 자기(青華瓷器).

유리-체【琉璃體】[명]〔vitreous body〕〖생〗안구(眼球) 중에서, 전방(前方)의 수정체(水晶體)·모양체(毛樣體)와 후방의 망막(網膜) 사이의 강(腔)을 채워 전후로 압축된 구형(球形)의 주머니에 들어 있는 반유동체(半流動體). 무색(無色)·투명하고 수분(水分)이 많음. 초자체(硝子體). *눈[1]·복안(複眼).

유리 칠보【琉璃七寶】[명]고온(高溫)으로 구워 내지 않고, 솔벤트와 카시온 등 화학 약품을 사용하여 무늬를 그려 고착(固着)시켜서 칠보(七寶)와 같은 효과를 내는 수공예(手工藝).

유리-칼【琉璃—】[명]유리를 자르는 기구. 펜대 모양의 자루 끝에 작은 다이아몬드를 부착하여 만듦.

유리-컵【琉璃—】〔cup〕[명]유리로 만든 컵.

유리 콘덴서 【琉璃—】〔condenser〕[명]〔glass capacitor〕〖전〗유리를 유전체(誘電體) 물질로 쓴 콘덴서.

유리 탄:소【遊離炭素】[명]〖화〗화합물 속에서 화학적으로 결합하지 않고 있는 탄소. ↔결합 탄소(結合炭素).

유리 탈색제【琉璃脫色劑】[—쌕—] [명] 유리 첨가물의 하나. 철염(鐵塩)에 의한 녹색(綠色)의 착색(着色)을 제거하기 위하여 유리에 넣는 이산화 망간(二酸化 mangan).

유:리 태자 설화【類利太子說話】[명]〖설화〗고구려 동명왕(東明王)의 원자(元子) 유리에 대한 설화. 부왕 주몽(朱蒙)이 부여를 떠날 때 임신 중인 부인에게 아들을 낳으면 일곱 모난 돌 위 소나무 밑에서 물건을 찾게 하라 하여, 후일 유리가 이를 찾아 부왕에게 보이어 왕자임을 인정받았다는 내용임.

유리-통【琉璃筒】[명]유리로 만든 통.

유리-판【琉璃板】[명]유리로 된 편평한 판.

유리 표박【流離漂泊】[명]일정한 집과 직업이 없이 이리저리 떠돌아 다님. [준]유리(流離). ——-하다 [자][여불]

유:리 함:수【有理函數】[—쑤] [명]〔rational function〕〖수〗상수(常數)나 변수(變數) 사이에 가감 승제(加減乘除)의 연산(演算)을 일정한 횟수(回數)로 행하여 얻어지는 함수. 변수 x의 유리 함수는

$$f(x)=\frac{a_0+a_1x+a_2x^2+\cdots+a_mx^m}{b_0+b_1x+b_2x^2+\cdots+b_nx^n}$$ 의 형태로 나타냄. 이 때에

a_0, a_1, a_2, …, a_m과 b_0, b_1, b_2, …, $b_n(b_n\fallingdotseq 0)$은 상수(常數)임. ↔무리 함수(無理函數).

유리-합【琉璃盒】[명]유리로 만든 합.

유리 핵분열【遊離核分裂】[명]〔free nuclear division〕〖생〗세포의 핵분열이 있을 때 격막(隔膜) 형성이 일어나지 않고 유리핵을 만드는 세포핵의 분열. 곤충의 초기(初期) 난할(卵割) 등에서 볼 수 있음.

유리-혼【遊離魂】[명]유리령(靈).

유리-홈【琉璃—】[명]유리를 끼기 위하여 판 홈.

유:리-화[1]【有理化】[명]〖수〗분모가 무리수 또는 무리식(無理式)인 분수에 대하여 분모와 분자에다 적당한 같은 수 또는 식을 곱하여 분모를 유리수 또는 유리식으로 만듦. ——-하다 [타][여불]

유리-화[2]【琉璃畫】[명]유리의 장식(裝飾)에 응용한 그림. 두 가지 종류가 있는데, 하나는 색유리 조각을 합쳐 만든 것으로 투과(透過) 광선으로 볼 수 있고, 하나는 판(板)유리의 이면에 아교를 용해시킨 물질로 인물이나 풍경 등의 여러 가지 그림을 그려 투과 광선과 반사 광선으로 볼 수 있게 되어 있음.

유린【蹂躪·蹂躏】[명]①짓밟음. ¶적을 마구 ∼하다. ②폭력으로 타인의 권리를 침해(侵害)함. ¶인권 ∼. ——-하다 [타][여불]

유린-기【遊麟旗】[명]〖역〗의장기(儀仗旗)의 한 가지. 기폭에 기린을 그리었음.

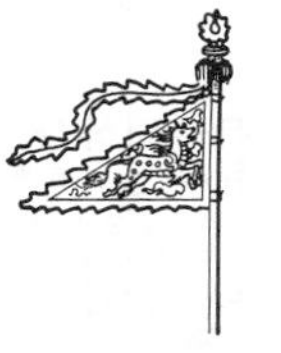

〈유린기〉

유:린-류【有鱗類】[—뉴] [명]〖동〗뱀목.

유-림[1]【柳林】[명]〖사람〗독립 운동가. 호는 단주(旦洲). 경북 안동(安東) 출생. 삼일 운동 후 중국으로 망명, 상해 임시 정부 의정원 의원(議政院議員)·국무 위원을 역임하고, 해방 후 귀국, 국민 의회 부위원장·독립 노동당수를 역임하였음. [1894-1961]

유-림[2]【柳琳】[명]〖사람〗조선 인조(仁祖) 때의 무신(武臣). 병자 호란(丙子胡亂) 때 평안도 병마 절도사(兵馬節度使)로 평양성을 지키다가 남하하는 청군(清軍)을 추격, 김화(金化)에서 크게 무찌름. 뒤에 청국의 요청으로 명(明)나라를 칠 때 싸움을 피하고 귀국하여 부하들은 화를 당했으나 병으로 화를 면하였음. 시호는 충장(忠壯). [?-1643]

유림[3]【榆林】[명]〖지〗'위린'을 우리 음으로 읽은 이름.

유림[4]【儒林】[명]유도(儒道)를 닦는 학자들. 사림(士林).

유림-가【儒林歌】[명] 〖악〗조선 건국 초기에 유생(儒生)들이 건국을 찬송하여 부른 노래. 모두 6장이고, 악장 가사(樂章歌詞)에 실려 있음. 작자(作者)는 미상(未詳).

유림-랑【儒林郞】[—낭] [명]〖역〗고려 때 문관의 품계(品階). 정구품(正九品)의 상(上). 문종(文宗) 14년(1060)에 정하였는데 충렬왕(忠烈王) 원년(元年)(1275)에 폐하고, 동 24년(1298)에 다시 회복됐다가 동 34년(1308)에 또 폐함. 등사랑(登仕郞)의 위, 승무랑(承務郞)의 아래.

유림 외:사【儒林外史】[명]〖책〗중국 청(清)나라의 오경자(吳敬梓)가 지은 장편 소설. 그 구성은 ≪수호전(水滸傳)≫과 닮은 데가 많으며, 많은 에피소드의 연속으로, 일관(一貫)한 주인공도 없는 작품. 관리 등용 시험에 급급하던 당시의 선비들을 묘사한 것으로 그 허위와 어리석음을 폭로한 각종의 이야기를 집성한 것임. ≪홍루몽(紅樓夢)≫과 더불어 청대(清代) 소설의 쌍벽을 이룸.

유림 종장【儒林宗匠】명 유림의 종장.
유립-장【襦笠匠】명 〖역〗 싸개갓장이.
유마[1]【油麻】명 〖식〗 호마(胡麻).
유마[2]【乳媽】명 젖마(媽).
유마[3]【留馬】명 마소를 징발(徵發)하여 사용함. ——-하다 타여불
유마[4]【維摩】명 〔범 Vimalakirti〕〖불교〗 인도 비사리국(毘舍離國)의 장자(長者). 대승 불교(大乘佛教)의 경전(經典)인 유마경(維摩經)의 주인공임. 석가 여래(釋迦如來)와 같은 시대의 사람으로 집에 있으면서 보살(菩薩)의 행업(行業)을 닦았으므로 유마 거사(維摩居士)라 일컬음. 비마라힐(比摩羅詰). 무구(無垢).
유마[5]【騮馬】명 〖동〗 갈기는 검고 배는 흰 말.
유마-경【維摩經】명 〖불교〗 유마 거사(維摩居士)와 문수 보살(文殊菩薩)의 대승(大乘)의 심의(深義)에 대한 문답을 기록한 불경(佛經). 불국품(佛國品)·방편품(方便品)·보살품(菩薩品) 등의 14품(品)으로 되어 있음. 정명경(淨名經). *유마(維摩).
유마경-소【維摩經疏】명 〖불교〗 중국 당(唐)나라의 승려 도액(道液)이 유마경을 주해(註解)한 책. 정식 이름은 정명경 집해 관중소(淨名經集解關中疏).
유마-잡다【留馬—】타 〖역〗 군용으로 마소를 징발(徵發)하다.
유마-회【維摩會】명 〖불교〗 유마경을 강설(講說)하는 법회.
유막【帷幕】명 ①진영(陣營). 본진(本陣). 유악(帷幄). ②기밀(機密)을 의논하는 곳.
유:만 부동【類萬不同】명 ①많은 것이 모두 서로 같지 아니함. ②정도에 넘음. 분수에 맞지 않음. ¶염치가 없어도 ~이지. ——-하다 형여불
유:만 산지【有灣山地】명 〔embayed mountain〕 〖지〗 해수(海水)가 주위의 육지 골짜기에까지 들어올 정도로 낮은 산지.
유-만수【柳曼殊】명 〖사람〗 고려말 조선 초의 대신. 자(字)는 득휴(得休). 문화(文化) 사람. 우왕(禑王) 때 조전 원수(助戰元帥)가 되어 이성계(李成桂)와 같이 황해도에 침입한 왜구를 쳐 물리침. 이태조(李太祖)가 개국하자 개국 좌명(開國佐命) 공신에 책록되어 영의정에 이름. 후에 정도전(鄭道傳)의 난에 관련되어 처형됨. [?-1398]
유말【酉末】명 〖민〗 유시(酉時)의 마지막. 곧, 하오 일곱 시쯤.
유:망[1]【有望】명 희망이 있음. 앞으로 잘 될듯함. ¶전도가 ~한 청년. ——-하다 형여불
유망[2]【流亡】명 일정한 주거(住居)가 없이 방랑함. 또, 그 사람. ——-하다 자여불
유망[3]【流網】명 고기의 통로인 수류(水流)를 횡단하여 그물을 쳐서, 그물 구멍에 고기가 끼거나 물리게 하여 잡는, 물고기 잡이의 한 방식. 또, 그 그물. 회유(回遊)하는 물고기를 잡을 때에만 사용함.
유망[4]【遺忘】명 잊어버림. ——-하다 타여불
유:망[5]【謬妄】명 종잡을 수 없고 터무니없음. ——-하다 형여불
유:망-주【有望株】명 어떤 분야(分野)에서 항상 발전될 가망이 많은 사람이나 단체.
유맥【流脈】명 〖광〗 흐르는 듯한 모양을 나타내는 광맥(鑛脈).
유맹【流氓】명 유민(流民).
유:머 〔humour〕 명 익살스러운 농담. 해학(諧謔).
유:머러스〔humorous〕명 풍자적(諷刺的). 해학적(諧謔的). ——-하다 형여불
유:머레스크〔humoresque〕명 〖악〗 기악곡(器樂曲)의 한 형식. 유머러스하고 경쾌한 곡. 드볼작의 작품이 유명함. 표일곡(飄逸曲). 해학곡(諧謔曲).
유:머리스트〔humorist〕명 유머러스한 작품을 쓰는 작가. 또, 유머에 능한 사람.
유:머 문학【—文學】〔humour〕명 해학(諧謔) 문학.
유:머 소:설【—小說】〔humour〕명 〖문〗 해학 소설(諧謔小說).
유면[1]【宥免】명 잘못을 용서하고 방면(放免)함. ——-하다 타여불
유면[2]【流眄】명 곁눈질함. ——-하다 자여불
유:명[1]【有名】명 ①이름이 세상에 널리 알려져 있음. ¶~세(稅). ②명성이 있음. 1)·2):↔무명(無名)❷. ——-하다 형여불
유명[2]【乳名】명 아명(兒名).
유-명[3]【幽明】명 ①어둠과 밝음. ②이승과 저승. 유현(幽顯).
[유명을 달리하다] 사별하여 이 세상에서 다시 만날 수 없게 되다.
유명[4]【幽冥】명 ①그윽하고 어두움. ②저승. 유명계.
유명[5]【遺命】명 임금이나 부모가 임종(臨終)할 때에 하는 명령. 유교(遺教). ¶부친의 ~에 따르다.
유명-계【幽冥界】명 ①신불(神佛)이 있는 세계. ②명토(冥土). 황천(黃泉). 저승. 유명(幽冥).
유:명 계:약【有名契約】명 〖법〗 법률이 일정한 명칭을 붙여서 규정을 두고 있는 계약. 매매(賣買)·교환·청부(請負)·위임(委任)·조합(組合) 따위. 전형(典型) 계약. ↔무명 계약.
유명-론【唯名論】[—논] 명 〔nominalism〕 〖철〗 개체(個體)만이 실재(實在)하고 보편(普遍)은 그 개체에서 추상(抽象)하여 얻은 명목(名目)일 뿐이며, 객관적 존재 또는 객관적 타당성이 아니라고 주장하는 이론. 명목론(名目論). ↔실념론(實念論).
유:명 무실【有名無實】명 이름만 있고 실상은 없음. 명존 실무(名存實無). 허명 무실(虛名無實). ——-하다 형여불
유:명-세【有名稅】[—쎄] 명 〈속〉 사회적으로 유명하다는 탓으로 거의 강제적으로 치러야만 하는 돈을 일컫는 말. 또, 그 때문에 치르는 애매한 곤욕을 이르기도 함.
유-명(:)웅【兪命雄】명 〖사람〗 조선 숙종 때의 문신(文臣). 자는 중영(仲英), 호는 만휴정(晩休亭). 기계(杞溪) 사람. 숙종 8년(1682)에 문과에 급제, 장령(掌令)에 이르렀으며, 동평군 항(東平君杭)의 서장관으로 청나라에 다녀옴. 시문에 능하고 필법이 뛰어남. 저서에 ≪정원 일기(政院日記)≫가 있음. [1653-1721]
유명 정:의【唯名定義】[—/—이] 명 〔nominal definition〕 〖논〗 언어 그 자체의 해석(解釋)에 지나지 아니하여, 더 일반적이고 기지적(旣知的)인 말로 인도하여야만 해명되는 정의(定義). 아리스토텔레스가 실질적(實質的) 정의와의 구별을 시작한 것인데, 이 구별은 상대적인 것임. 명목적(名目的) 정의(定義).
유:명지-인【有名之人】명 유명한 사람.
유:명짜-하다【有名—】형여불 '유명하다'를 힘 있게 쓰는 말.
유메【濡袂】명 눈물에 젖은 옷소매.
유모[1]【油母】명 〖광〗 함유 셰일 속의 유기물. 케로젠(Kerogen).
유모[2]【乳母】명 남의 아이에게 그 어머니 대신 젖을 먹여 주는 여자. 젖어머니. 별칭:아모(阿母).
유모[3]【柔毛】명 ①양(羊)의 이칭(異稱). ②부드러운 털.
유모[4]【蝤蛑】명 〖동〗 꽃게.
유모[5]【孺慕】명 돌아간 부모를 사모함. ——-하다 타여불
유:모-류【有毛類】명 〖동〗 〔Ciliophora〕 원생(原生) 동물에 속하는 한 아문(亞門). 섬모(纖毛)로 몸을 움직임. 섬모충류(纖毛蟲類)·흡관충류(吸管蟲類)의 두 강(綱)이 이에 속함. *적충류(滴蟲類).
유모방 손님【乳母房—】명 〈궁중〉 태자비나 왕비의 친정에서 궁중에 들어와, 왕비나 태자비의 유모의 방(房)에 딸려, 왕비나 태자비의 속옷을 빠는 비자(婢子).
유모유 영양법【乳母乳營養法】[—뻡] 명 어떤 사정으로, 생모(生母)가 스스로 수유(授乳)하지 않고, 유모에게 수유시키는 자연 영양법의 하나. ↔모유(母乳) 영양법.
유:모-일【有毛日】명 〖민〗 '털날'을 한자(漢字)로 일컫는 말. 모일(毛日). ↔무모일(無毛日).
유모-차【乳母車】명 동차(童車).
유모 혈암【油母頁岩】명 〖광〗 함유 셰일(含油 shale).
유목[1]【幼木】명 어린 나무. 작은 나무.
유목[2]【乳木】명 〖불교〗 호마(護摩)할 때에 불사르는 나무.
유목[3]【流木】명 물 위에 떠서 흐르는 나무.
유목[4]【楰木】명 〖식〗 쥐똥나무.
유목[5]【遊牧】명 거처(居處)를 정하지 않고 물과 풀을 따라 이주(移住)하며 소·양·말 등의 가축(家畜)을 기르는 일. ¶~민(民)/~ 생활. ——-하다 자여불
유목 국가【遊牧國家】명 〖역〗 유라시아 대륙의 건조 지대(乾燥地帶)에 성립된 유목민의 국가. 기원전 7세기경의 스키타이(Scythai), 기원전 4세기경의 흉노(匈奴) 등이 제일 오래된 것이며, 13-14세기의 몽고 제국(帝國)이 전성기를 이루었음.
유목-권【流木權】명 목재를 떠내려 보내어 수송하기 위하여 공공의 유수(流水)를 이용하는 권리.
유목-민【遊牧民】명 목축을 업으로 삼아 수초(水草)를 따라 이동하면서 살아 가는 사람들.
유목 민족【遊牧民族】명 유목을 하면서 이동생활을 하는 민족. 중앙 아시아·이란·아라비아 등의 사막·초원(草原) 및 아프리카에 분포함. 유목 인종(遊牧人種).
유목 인종【遊牧人種】명 유목을 하는 인종. 유목 민족.
유-목화【油木靴】명 진 땅에 신는, 기름에 결은 목화(木靴). 관복을 입을 때에 신음.
유몽【幼蒙】명 어린 아이.
유-몽(:)인【柳夢寅】명 〖사람〗 조선 시대의 문장가. 자는 응문(應文), 호는 어우당(於于堂). 흥양(興陽) 사람. 벼슬은 이조 참판에 이름. 북인(北人)으로 처음 이이첨(李爾瞻)과 교유하였으나 폐모론(廢母論) 때 반대하여 인조 반정(仁祖反正) 때는 화를 면하였음. 그러나 뒤에 기자헌(奇自獻) 등이 이괄(李适)과 동조할 우려가 있다 하여 체포되자 양주 서산(楊州西山)으로 들어가 은신(隱身)하다가 체포되어 그가 지은 ≪상부시(孀婦詩)≫로 화를 면하려 하였으나 끝내 사형됨. 조선 중기(中期)의 설화 문학(說話文學)의 대가였으며, 전서(篆書)·예서(隸書)·해서(楷書)·초서(草書)에 모두 뛰어났음. 저서에 ≪어우 야담(於于野談)≫·≪어우집(於于集)≫ 등이 있음. 시호(諡號)는 의정(義貞). [1559-1623]
유묘【幼苗】명 어린 모종.
유무[1] 명 〈옛〉 소식. 편지. =이무. ¶사랫ᄂᆞ니도 유뮈업고(存者無消息) ≪杜諺 Ⅳ:15≫.
유무[2]【由無】명 〖역〗 관원(官員)이 갈릴 때, 보관(保管)하는 물품(物品) 등의 인계(引繼)가 완료된 것을 나타내는 문자. 녹패(祿牌)에 먹으로 적음.
유:-무[3]【有無】명 있음과 없음. ¶재산의 ~에 관계 없이.
유:무-간【有無間】㊀명 있고 없음을 관계할 것 없음. ㊁부 있고 없고 간에.
유:무 상통【有無相通】명 있고 없는 것을 서로 융통(融通)함. ——-하다 타여불
유:-무세【有無勢】명 세력의 있음과 없음.
유:-무실【有無實】명 실상의 있음과 없음.
유:무죄-간에【有無罪間—】부 죄가 있든지 없든지 간에.
유:-무증【有無增】명 유상 증자(有償增資)와 무상(無償) 증자.
유묵[1]【儒墨】명 유자(儒者)와 묵자(墨者)의 도(道). 또, 그것을 닦는 사람.
유묵[2]【遺墨】명 살았을 때에 써 둔 필적(筆跡).
유:문[1]【有門】명 〖불교〗 자기의 편파(偏頗)한 고집으로 사물을 단정하는 망상(妄想)을 없이하는 법문(法門). *공문(空門).

유문[2]【幽門】명〔pylorus〕〖생〗위(胃)의 말단부 십이지장에 연이은 부분. 가늘지만 힘줄이 잘 발달되어 있고, 벽은 두꺼우며, 외면에는 몇 개의 홈이 있음. 괄약근(括約筋)이 있어서 항상 닫혀 있고 때때로 이것이 열리어 음식물이 장(腸)으로 감. ↔분문(噴門).

<유문[2]>

유문[3]【留門】명〖역〗조선 시대에, 특별한 사정으로 밤중에 궁궐 문이나 성문 닫는 것을 중지시키던 일. ——-하다 타 여불

유문[4]【遺文】명 죽은 사람의 생전에 지어 놓은 글. ¶~집(集).

유문[5]【儒門】명 ①유생(儒生)의 집. ②유생들의 무리.

유문 경련【幽門痙攣】[—년] 명〔pylorospasm〕〖의〗위궤양(胃潰瘍)·위카타르(胃 Katarh)가 생겼을 때, 국소 자극에 의하여 반사적으로 또는 부교감 신경 긴장증(副交感神經緊張症)으로 인하여 신경적으로 유문부 근육의 경련을 일으키는 일.

유:문-류【有吻類】[—뉴] 명〖충〗[Rhynchota] 매미목(目).

유문 반:사【幽門反射】명 유문의 개폐(開閉)를 행하는 반사. 위(胃)·십이지장 점막의 자극에 응하여 유문의 긴장이 풀려 유문이 열리면서 위 속의 내용물 일부가 십이지장으로 옮아 감.

유문성-전【柳文成傳】명〖문〗작자·연대 미상의 조선 시대의 구소설. 중국 원대(元代)를 배경으로 하여, 주인공 유문성의 사랑과 무용(武勇)을 그린 허구적인 영웅 소설.

유문-수【幽門垂】명〔appendix pylorica〕〖어〗많은 경골 어류(硬骨魚類) 및 일부의 경린 어류(硬鱗魚類)에 볼 수 있는, 위(胃)와 소장(小腸)과의 경계 부분에 부속되어 있는 하나 내지 다수의 소맹관(小盲管)으로 된 소화관(消化管)의 부속선(附屬腺). 크기·형상 등은 어류의 종류에 따라 다름. 아밀라아제·말타아제 등의 소화 효소(消化酵素)를 분비하며, 또 양분의 흡수 작용도 함.

유:문식 운하【有門式運河】명 갑문(閘門) 운하.

유문-암【流紋岩】명〖광〗정장석(正長石)·석영(石英)·운모(雲母) 등의 반정(斑晶)으로 이루어진 화성암(火成岩). 흰 빛을 띠고 있으며 규산(硅酸)을 가장 많이 포함하는 광석으로서, 반문(斑紋)이 물결 모양으로 이루어져 있어 유동(流動)하였던 형적(形跡)이 남아 있음. 도자기(陶瓷器)의 원료로 쓰임. 석영 조면암(石英粗面岩).

유문암질 마그마【流紋岩質—】명〔rhyolitic magma〕〖광〗현무암질(玄武岩質) 마그마의 분화(分化)로 형성되는 마그마의 일종. 규질 광물(珪質鑛物)의 동화(同化) 작용과 함께 일어나거나, 지구의 시알층(sial層) 용융(熔融)으로 형성됨.

유문 협착【幽門狹窄】명〔pyloric stenosis〕〖의〗위암(胃癌) 또는 위궤양(胃潰瘍)으로 인하여 유문부(部)가 좁아지고 음식물이 창자로 이행(移行)하기 곤란하여지는 상태. 이차적(二次的)으로는 위확장(胃擴張)을 일으키고, 구토가 빈발하며 영양 저하를 가져오고, 환자는 동통(疼痛)을 느낌. 치료는 협착부를 잘라 버리든지 위세척(胃洗滌)을 매일 반복함.

유물[1]【油物】명 기름을 발라 결은 물건.

유물[2]【留物】명 소용이 없어서 버려 둔 물건.

유물[3]【唯物】명 오직 물질(物質)만이 존재(存在)한다고 하는 일. ↔유심(唯心)❷.

유물[4]【遺物】명 ①사후(死後)에 남겨진 물건. 유품(遺品). ②유적에서 출토(出土)·발견된 고대인의 제작품.

유물-관【唯物觀】명〖철〗유물론에 입각(立脚)한 사물(事物) 관찰 방법. ↔유심관(唯心觀).

유물-군【遺物群】명〔assemblage〕고고학상(考古學上) 사람이 만든 것이 분명한 유적(遺跡)과 더불어 발굴(發掘)된 문화적 특색 및 인공 유물의 총체.

유물-론【唯物論】명〔materialism〕〖철〗우주 만유의 궁극적 실재는 물질이라고 보고 정신적·관념적 일체의 현상을 이에다 환원시켜서 고찰하려는 철학설. 이 학설에 의하면 일체의 정신 현상 또는 심적 과정은 물질의 부대(附帶) 현상 내지 파생 현상에 지나지 아니하며, 그 독자성·궁극성(窮極性)은 인정되지 아니함. 이 설은 고대 그리스의 물활론(物活論)·원자론에서 비롯하여 근대의 기계적·자연 과학적 또는 변증법적 유물론에 이르기까지 자연주의 감각론(感覺論) 등과도 결합하고 무신론(無神論)의 이론적 근거로 되어 있음. 유물주의. 마테리알리슴. 물질주의. ↔유심론(唯心論)·관념론(觀念論)·이상주의(理想主義). *이원론(二元論).

유물론과 경험 비:판론【唯物論—經驗批判論】[—논] 명〖책〗[러 Materializmi empiriokrititsizm] 철학에 관한 레닌의 대표적 저작. 1909년 간행. 경험 비판론·마하주의(Mach 主義)를 비판하고, 마르크스주의의 변증법적 유물론의 기본적 명제(命題)를 밝힌 것이 그 내용임.

유물론-자【唯物論者】명 유물론을 신봉(信奉)하는 사람. ↔유심론자(唯心論者).

유물론-적【唯物論的】명관 유물론을 근거로 하여 이론을 전개하는 모양. ¶~ 세계관.

유물 모듬새【遺物—】명〖고고학〗지역과 시기에서 밀접한 관계를 지닌 서로 다른 형태의 유물들의 모음.

유물 변:증법【唯物辨證法】[—뻡] 명〔dialectical materialism〕〖철〗마르크스주의의 방법적 입장. 변증법이 헤겔에 있어서는 관념론을 기초로 하였던 것을, 반대로 유물론에 기초하게 하여 물질적인 것의 변증법적 자기 전개(展開)를 기본으로 보고, 특히 부정(否定)과 실천과의 계기(契機)를 중시(重視)함. 변증법적 유물론.

유물 사:관【唯物史觀】[—싸—] 명〔materialistic interpretation of history〕〖사〗마르크스주의의 역사관. 경제적·물질적 생활 관계를 역사적 발전의 구극(究極)의 원동력으로 생각하는 입장. 이에 의하면 사회적·정치적 및 정신적 생활 과정 일반은 구극에 있어서 물질적·경제적 생활의 생산 방법에 의하여 규정되고, 또한 이 물질적 기반 그 자체는 그 자신의 변증법적(辨證法的) 발전의 필요성에 따라 전개되는 것으로 간주함. 사적(史的) 유물론. 역사적 유물론. 경제 사관. ↔유심 사관(唯心史觀).

유물 숭배【遺物崇拜】명 죽은 사람의 영혼과 통한다고 믿고, 다시 그 영혼으로부터 복지(福祉)를 구하기 위하여, 성인·현인·순교자들의 유물을 숭배하는 일. 미개인이나 천주교도들에게서 볼 수 있으며, 불교에서 불사리(佛舍利)를 숭배하는 것도 그 한 예임.

유물-적【唯物的】명관 ①정신의 실재를 부정(否定)하고 물질의 근원성(根源性)·독자성만을 인정하는 입장에 있는 모양. ②타산적인 모양. 향락주의적(享樂主義的).

유물-주의【唯物主義】[—/—이] 명〖철〗유물론.

유물 포함층【遺物包含層】명〖지〗토기나 석기 등의 유물을 포함하고 있는 지층. 문화층(文化層).

유미[1]【乳糜】명〔chyle〕〖생〗장벽(腸壁)에서 흡수된 지방의 소립(小粒) 때문에 유백색(乳白色)으로 된 림프(lymph). 보통 소화관벽(消化管壁)에 있는 림프관(lymph管) 속에 있음.

유:미[2]【柳眉】명 미인의 눈썹을 가리키는 말. 유엽미(柳葉眉).

유미[3]【柔媚】명 점잖은 체하며 아첨함. ——-하다 형 여불

유미[4]【唯美】명 탐미(耽美).

유미[5]【牖迷】명 어리석은 사람을 가르쳐 깨우쳐 줌. ——-하다 타 여불

유미[6]【諛媚】명 아첨함. ——-하다 자 여불

유미-관【乳糜管】명〔chyle duct〕〖생〗소장(小腸) 내면(內面)의 융모(絨毛) 속이나 그 부근에 분포된 림프관(lymph管). 그 속에 유미(乳糜)가 있음.

유미-뇨【乳糜尿】명 지방분(脂肪分)이 섞인 젖빛 같은 오줌을 누는 병증(病症).

유:미-류【有尾類】명〖동〗도롱뇽목(目). ↔무미류(無尾類).

유미-적【唯美的】명관 유미주의적인 입장에 있는 모양.

유미-주의【唯美主義】[—/—이] 명〖문·미술〗탐미주의(耽美主義).

유미-파【唯美派】명〖문·미술〗탐미파(耽美派).

유민[1]【流民】명 난세(亂世) 또는 혹심한 주구(誅求)에 견디지 못하여 고향을 떠나 타향을 떠도는 백성. 간민(間民). 유맹(流氓). 디 피(DP).

유민[2]【遊民】명 놀고 사는 백성.

유민[3]【牖民】명 민지(民智)를 깨우쳐 일깨워 줌. ——-하다 타 여불

유민[4]【遺民】명 망하여 없어진 나라의 백성.

유민-탄【流民歎】명〖악〗조선 광해군(光海君) 때 조위한(趙偉韓)이 백성들의 생활이 비참한 것을 보고 지은 노래. 전하지 않음.

유밀-과【油蜜菓】명 밀가루나 쌀가루를 반죽하여 적당한 넓이와 모양으로 빚어서 바싹 말린 후, 기름에 튀기어 꿀 또는 조청을 발라 튀밥이나 깨고물을 입힌 조과(造菓). 밀과(蜜菓). 준유과(油菓).

유-바지【油—】명 마부들이 비가 올 때에 입는 바지. 빗물이 배어 들지 않도록 기름에 결어 만듦. 유고(油袴).

유박【油粕】명 깻묵.

유반【鍮盤】명 놋쇠로 만든 쟁반.

유발[1]【乳鉢】명 막자 사발.

유발[2]【誘發】명 꾀어 일으킴. 어떤 일이 원인이 되어, 이에 이끌려 다른 일이 일어남. ¶전쟁을 ~하다. ——-하다 자타 여불

유발[3]【遺髮】명 고인(故人)의 머리털.

유:발-승【有髮僧】[—쑹] 명 ①머리를 깎지 아니한 중. ②불도를 닦는 속인(俗人).

유발 시험법【誘發試驗法】[—뻡] 명〖의〗어떤 병의 완쾌 여부를 알아보기 위하여, 화학적·기계적 또는 생물학적 자극을 가하여 잠복성(潛伏性) 질환의 증세가 현저하게 드러나도록 하는 방법. 흔히, 임질·학질 등의 치유(治癒) 판단에 쓰임. 유도법(誘導法).

유발-인【誘發因】명〔incentive〕〖논〗동기 부여(動機附與)의 원인이 되는 외적(外的) 자극. 굶주린 동물에서의 음식물이나, 명예심을 가진 자에 있어서의 상장(賞狀) 따위.

유발 투자【誘發投資】명 사회의 소득 수준의 증가에 유발되어 이루어지는 투자. ↔자생적 투자.

유방[1]【酉方】명〖민〗이십 사 방위(二十四方位)의 하나. 서쪽의 방위. 준유(酉).

유방[2]【乳房】명 포유 동물의 흉부 또는 복부에 있는 피부의 융기(隆起). 중앙에 젖꼭지가 있고 그 곳에 젖샘이 열려 있음. 사람은 흉부(胸部)의 양쪽에 하나씩 있는데, 여자의 것은 연령 및 시기에 따라 그 크기와 모양이 여러 가지며, 분만(分娩) 후 일정한 동안 젖을 분비함. 젖. 젖통이.

유방[3]【流芳】명 ↗유방 백세(流芳百世).

유방[4]【留防】명〖역〗조선 시대 때, 각 도(道)의 주진(主鎭)과 요진(要鎭)에 군대를 배치하여 항상 방비하게 한 일.

유방[5]【帷房】명 규방(閨房)❸.

유-방[6]【劉邦】명〖사람〗중국 한(漢)나라 고조(高祖)의 이름.

유방[7]【遺芳】명 후세에 남긴 빛나는 명예.

유방 백세【流芳百世】명 꽃다운 이름이 후세에 길이 전함. 준유방(流芳). ——-하다 자 여불

유방-석【黝方石】명 등축 정계(等軸晶系)의 사방(斜方) 12면체(面體) 또는 정팔면체(正八面體)의 결정. 순수한 것은 무색 투명한데, 대개 불순물 때문에 약간 검은 빛이 돎. 알칼리가 많은 화산암(火山岩), 특히 향

암(響岩)·백류석(白榴石)·현무암(玄武岩) 속에 있음.

유-방선【柳方善】명 『사람』 조선 초기의 학자. 자는 자계(子繼), 호는 태재(泰齋). 서산(瑞山) 사람. 권근(權近)·변계량(卞季良) 등에게 배워 문명(文名)을 날렸음. 태종 15년(1415) 모함을 받아 유배된 후 세종 9년(1427) 석방되어, 뒤에 주부(主簿)에 임명되었으나 사퇴함. 시문(詩文)에 뛰어나고 만년에는 역학(易學)에 정진함. 그의 문하에는 서거정(徐居正)·이보흠(李甫欽) 등의 학자가 배출되었음. [1388-1443]

유방-암【乳房癌】명 〔cancer of the breast〕 『의』 젖샘에 발생하는 암종(癌腫). 40세 이상(以上)의 여자에게 많이 생기며 처음에는 국한성(局限性)의 굳은 혹이 생기며 급속(急速)히 자라남. 조기 수술(早期手術)로 치유(治癒)됨. 유암. 내암(嬭巖).

유방-염【乳房炎】[-념] 명 〔mammitis〕 『의』 젖샘의 염증성(炎症性) 질환. 종창(腫脹)·발적(發赤)이 생기고 젖 같은 혼탁액(混濁液)을 분비하며 몹시 아픔. 초산부(初產婦)의 수유기(授乳期)에 많음. 유선염(乳腺炎). 유종(乳腫).

유방-운【乳房雲】명 『기상』 구름의 바닥에 많은 유방 모양의 돌기(突起)가 매달려 있는 것처럼 보이는 구름. 적란운(積亂雲), 곧 쌘비구름이나 층적운(層積雲), 곧 층쌘구름에 흔히 나타남.

유방 정:병【留防正兵】명 『역』 지방의 진관(鎭管)의 요충지에 근무하는 정병(正兵). *번상(番上) 정병.

유:배[1]【有配】명 주식 따위의 배당이 있음.

유배[2]【流杯】명 ①잔을 물 위에 띄움. ②곡수연(曲水宴)에서 물 위에 띄우는 술잔. ——-하다 자여불

유배[3]【流配】명 『역』 죄인을 귀양 보냄. 오형(五刑)의 하나로 그 경중에 따라 원근(遠近)의 등급이 있음. 적천(謫遷). ——-하다 타여불

유:배유 종자【有胚乳種子】명 〔albuminous seed〕 『생』 배유(胚乳)를 갖는 종자. 감·벼 따위에서 흔히 볼 수 있음. 배유(胚乳) 종자. ↔무배유(無胚乳) 종자.

유배-형【流配刑】명 『역』 유배의 형벌.

유-백색【乳白色】명 젖과 같이 불투명한 백색. 젖빛.

유-백승【劉伯承】명 『사람』 '류 보청'을 우리 음으로 읽은 이름.

유백 유리【乳白琉璃】[-뉴-] 명 유백색의 유리. 유리 속에 굴절률이 다른 물질의 미립자를 분산시켜, 흐리게 만듦.

유-백증【兪伯曾】명 『사람』 조선 중기의 문신. 자(字)는 자선(子先), 호는 취헌(翠軒). 기계(杞溪) 사람. 인조(仁祖) 5년(1627) 정묘 호란(丁卯胡亂) 때 왕을 강화도에 찾아가 사도시정(司導寺正)에 임명되어 화의를 반대함. 병자(丙子) 호란 때에도 왕을 남한산성에 호종(扈從), 화의를 반대하고 국가 자강책(國家自強策) 10여 조(條)를 올림. 시호(諡號)는 충경(忠景). [1587-1646]

유:버-배【-杯】〔Uber〕명 배드민턴의 세계 여자 선수권자 팀에 주어지는 상배(賞杯). 1956년에 영국의 챔피언이었던 유버(Uber, H.S.)의 부인(夫人)이 기증하였음.

유벌[1]【流筏】명 강물에 띄워 보내는 뗏목.

유벌[2]【儒罰】명 『역』 유생(儒生)들이 정한 벌칙. 부황(付黃)·삭적(削籍) 따위. *재임 벌인(齋任罰人).

유범[1]【柔範】명 부녀자에 대한 교훈.

유범[2]【遺範】명 고인이 남긴 모범.

유법【遺法】명 ①옛 사람이 남긴 법. ②『불교』 부처가 끼친 교법(敎法).

유벽【幽僻】명 깊숙하고 궁벽함. 한적하고 외짐. ——-하다 형여불

유:별[1]【有別】명 다름이 있음. 구별이 있음. ¶남녀 ~. ——-하다 형여불. ——-히 부

유별[2]【留別】명 떠나는 사람이 남아 있는 사람에게 작별함. ↔송별(送別). ——-하다 자여불

유:별[3]【類別】명 종류에 따라 나누어 구별함. 종별(種別). ——-하다 타여불

유:별-나다【有別-】[-라-] 형 구별이 뚜렷하다. ¶유별난 사람.

유:별-스럽다【有別-】형ㅂ불 유별난 데가 있어 보이다. 유:별-스레【有別-】부

유별-회【留別會】명 유별하기 위한 모임.

유:병[1]【有柄】명 ①병부(柄部)가 있음. ②『식』 엽병(葉柄)이 있음. 1)·2): ↔무병(無柄).

유:병[2]【有病】명 병이 있음. ↔무병(無病). ——-하다 형여불

유병[3]【誘兵】명 패하여 달아나는 체하며 적을 꾀어내는 군사.

유병[4]【遊兵】명 『군』 유군(遊軍)❷.

유-병(:)기【劉秉淇】명 『사람』 조선 말기의 항일 의병장. 전라도 구례(求禮) 출신. 융희 원년(1907) 한일 신협약(韓日新協約)이 체결되자 함평군(咸平郡) 나산(羅山)에서 의병을 일으켜 약 7백 명을 규합, 참모 대장(參謀大將)이 되어 담양(潭陽)·영광(靈光)·장성(長城)·광주(光州) 등지에서 활약함. 1909년 담양에서 싸우다가 부상을 입고 도피(逃避) 중 체포되어 교수형에 처해짐. [1883-1910]

유:병-류【有柄類】[-뉴] 명 『동』 〔Pelmatozoa〕 극피(棘皮) 동물에 속하는 한 아문(亞門). 대개가 고착성이 있어 뿌리·줄기·잎·꽃과 같은 부분이 있으므로 옛적에는 해면(海綿) 동물과 강장(腔腸) 동물의 한 부분과 함께 초형(草形) 동물이라 일컫던 부류임. *유재류(遊在類).

유:병-률【有病率】[-뉼] 명 『의』 일정한 시일(時日)에 임의(任意)의 지역의 병자수(病者數)를 그 지역 인구(地域人口)에 대해 나타낸 비율. *이환율(罹患率).

유:병-안【有柄眼】명 『생』 자루눈.

유-병(:)우【柳秉禹】명 『사람』 대한 제국 때의 의병장. 호는 해사(海史). 정읍(井邑) 출신. 광무 10년(1906) 하동(河東)에서 의병을 일으켜, 백낙구(白洛龜)를 대장으로 삼고 순천(順天)을 점령했으나 패퇴, 체포됨. 감옥에서 죄수 30여 명을 이끌고 탈옥, 일본 각 기관을 습격하다가 중상을 입고 피체, 옥사함. [1849-1910]

유보[1]【油褓】명 기름에 결은 보자기.

유보[2]【留保】명 ①뒷날로 미루어 둠. 멈추어 두고 보존함. 보류(保留). ②〔reservation〕 『법』 권리·의무를 잔류(殘留)·유지(有持)함. 특히, 조약에 있어서의 가입국의 일방이 특정한 조항 또는 적용 지역 등에 관하여 제한을 붙임. ——-하다 타여불

유보[3]【遊步】명 산보(散步). ——-하다 자여불

유보 약관【留保約款】명 『법』 외국법을 적용하여야 할 때에 그 적용을 배척할 경우를 규정하는 국제 사법 상(私法上)의 예외적 규정. 배척 조항(排斥條項).

유보-자【遊步者】명 유보하는 사람.

유보-장【遊步場】명 유보하는 장소.

유보 지역【留保地域】명 국토 이용 관리법(國土利用管理法)에 따라, 도시 지역(都市地域)·농업 지역·산림 지역·공업 지역·자연 및 문화재 보전 지역(文化財保全地域) 등으로 지정(指定)되지 아니한 지역의 일컬음. 1993년 법 개정으로 삭제됨.

유보-집【遺補集】명 윤집(閏集).

유:-보:트〔U-boat〕명 우보트(U-Boot)의 영어명.

유:복[1]【有服】명 ↗유복지친(有服之親).

유:복[2]【有福】명 복이 있음. ——-하다 형여불

[유복한 과수(寡守)는 앉아도 요강 꼭지에 앉는다] 복이 많은 사람은 하는 짓마다 운이 있다는 말.

유복[3]【裕福】명 살림이 넉넉함. ¶~한 가정. ——-하다 형여불

유복[4]【儒服】명 유생(儒生)들이 입는 의복.

유-복[5]【劉復】명 『사람』 '류 푸'를 우리 음으로 읽은 이름.

유-복립【柳復立】[-닙] 명 『사람』 조선 선조(宣祖) 때의 항왜 의병(抗倭義兵). 자(字)는 군서(君瑞), 호는 묵계(墨溪). 전주(全州) 사람. 선조 25년(1592) 임진 왜란이 일어나자 외숙(外叔) 김성일(金誠一) 휘하에서 진주성(晋州城)을 공격해 온 왜적을 격퇴, 이듬해 4월 김성일이 병사하자 성을 지키다가 함락될 때 창의사(倡義使) 김천일(金千鎰)과 함께 자결함. [?-1593]

유복-자【遺腹子】명 아비가 죽을 때 어미 뱃속에 있던 자식. 유자(遺子). ¶~로 태어나다.

유:복지-인【有福之人】명 복이 있는 사람.

유:복지-친【有服之親】명 상복을 입는 가까운 친척(親戚). 준유복(有服)·유복친(有服親).

유:복-친【有服親】명 ↗유복지친(有服之親).

유:본【類本】명 같은 종류의 책. 유사한 책. 유서(類書).

유봉[1]【酉峯】명 『사람』 윤증(尹拯)의 호(號).

유봉[2]【乳棒】명 유발(乳鉢)에 약을 넣고 갈 때에 쓰는 막자.

유:-봉(:)영【劉鳳榮】명 『사람』 언론인. 명예 문학 박사. 호는 원봉(圓峯). 평북 철산(鐵山) 출신. 일본 도쿄(東京) 영어 학원 수료. 조선 일보 편집국장·주필·부사장 등과 IPI 회원을 지냄. 숙명(淑明)학원 이사장, 신문 윤리 위원회 이사장, 민족 문화 추진 위원회 이사장, 백산(白山)학회장 등을 역임함. 문화 훈장 대한 민국장을 받음. 저서에 《조선 독립 운동사 Ⅰ·Ⅱ》·《새 문화의 창생》 등이 있음. [1897-1985]

유-봉(:)휘【柳鳳輝】명 『사람』 조선 영조 때의 상신(相臣). 자는 계창(季昌), 호는 만암(晩庵). 문화(文化) 사람. 상운(尙運)의 자(子). 소론 사대신(少論四大臣)의 한 사람. 영조 초에 우의정이 되었는데, 신임 사화(辛壬士禍)를 일으킨 주동자라는 민진원(閔鎭遠) 등 노론(老論)의 공격으로 몰려 경흥(慶興)으로 쫓겨났다가 그 곳에서 적사(謫死)함. 과격파였기 때문에 노론 집권 후 신원(伸寃)되지 못하였음. [1659-1727]

유부[1]【幼婦】명 어린 부녀.

유:부[2]【有夫】명 남편이 있음.

유:부[3]【有婦】명 아내가 있음.

유부[4]【乳腐】명 두부(豆腐)를 발효(醱酵)시켜 만든 중국(中國)의 일상 식품(日常食品).

유부[5]【油腐】명 두부를 얇게 썰어 기름에 튀긴 식품.

유부[6]【猶父】명 아버지의 형제. 곧, 삼촌(三寸).

유:부-간[1]【有夫姦】명 남편이 있는 여자가 다른 남자와 간통함.

유:부-간[2]【有婦姦】명 아내가 있는 남자가 다른 여자와 간통함.

유부 국수【油腐-】명 썬 유부를 위에 얹어 만 국수.

유:부-기【有夫妓】명 일정한 기둥 서방이 있는 기생. ↔무부기(無夫妓).

유:부-녀【有夫女】명 남편이 있는 여자. 핫어미.

유:부-도【有父島】명 『지』 충청 남도의 서해상(西海上), 서천군(舒川郡) 장항읍(長項邑) 송림동(松林洞)에 위치한 섬. [0.76 km²: 217명(1984)]

유부루-말 명 〈방〉 워라말.

유부 유자【猶父猶子】명 아재비와 조카.

유-부족【猶不足】명 아직도 모자람. 오히려 부족(不足)함. ——-하다 형여불

유분【留分·溜分】명 『물』 혼합 기체를 증류하여, 끓는점의 차를 이용하여 분별(分別) 증류된 각각의 부분.

유:분-곡【有芬曲】명 『악』 경모궁 제례악(景慕宮祭禮樂)의 하나. 철변두(徹籩豆)에 쓰이며, 일명 '강안지악(康安之樂)'이라고도 일컬음.

유분 농도계【油分濃度計】명 올레오미터.

유:-분수【有分數】명 분수가 있음. ¶남을 업신여겨도 ~지.

유:분-전【有分廛】명 『역』 조선 시대 때, 서울 도성 안의 국역(國役)을 부담할 의무가 있는 전(廛). 그 크기와 부담할 능력에 따라 평시서(平市署)에서 그 분수(分數)를 정하는데, 십분(十分)에서 일분(一分)까지 있음. ↔무분전(無分廛).

유:불[1]【有佛】명 『불교』 부처가 이 세상에 존재하는 일. 또, 부처가 현세(現世)에 있을 때. ↔무불(無佛).

유-불[2]【儒佛】명 유교와 불교.

유불[3]【濡佛】명 노천(露天)에 안치한 부처. 노불(露佛).

유-불-선【儒佛仙】[—썬] 명 유교와 불교와 선교.
유불선 삼도【儒佛仙三道】[—썬—] 명 유도·불도·선도의 세 가지 도.
유:-불여무【有不如無】명 있어도 없는 것만 못함.
유-불여불【唯佛與佛】명 〖불교〗 '오직 부처님과 부처님'의 뜻으로, 대승(大乘)의 깨달음의 경계(境界)는 그것을 이룩한 부처님만이 관여할 수 있는 것이며 범인(凡人)·성자(聖者)의 사려(思慮)가 미칠 수 없음을 이르는 말.
유불 일치론【儒佛一致論】명 유교와 불교는 서로 대치하는 것이 아니라 뜻이 일치한다는 이론. 이 유불 일치론은 중국에서 먼저 일어났음.
유: 브이【UV】명 〔ultraviolet rays의 약자〕 자외선(紫外線).
유: 브이 필터〔UV filter〕명 〔UV는 ultraviolet의 약칭〕 노출 배수(露出倍數)가 영(零)에 가까운 자외선 제거용의 필터. 또, 렌즈의 보호용으로도 쓰임.
유:비[1]【有備】명 방비·준비가 되어 있음. ¶ ～ 무환(無患). ↔무비(無備). ——-하다 형여불
유비[2]【油肥】명 동물성의 기름으로 만든 거름.
유:비[3]【類比】명 ①비교함. ②〖철〗 어떤 사물 상호 간에 대응적으로 존재하는 동등성(同等性)·동형성(同型性). 아날로지(analogy). ③〖논〗 유추(類推)❷.
유-비[4]【劉備】명 〖사람〗 중국 촉한(蜀漢) 초대의 왕. 자는 현덕(玄德). 일찍이 관우(關羽)·장비(張飛) 등과 더불어 황건적(黃巾賊)을 쳐서 공을 세우고, 후에 제갈공명(諸葛孔明)을 얻어, 조조(曹操)·손권(孫權)과 천하를 삼분(三分)하여 촉한을 건국하였음. 시호(諡號)는 소열제(昭烈帝). [161-223; 재위 221-223]
[유비가 한중(漢中) 믿듯] 매사를 굳게 신뢰하여 의심하지 않음을 이르는 말. [유비냐 울기도 잘한다] 잘 우는 사람을 이르는 말.
유:비-고【有備庫】명 〖역〗 조선 태조(太祖) 6년(1397)에 설치된, 군수품의 보급을 관장하던 관아.
유:비 군자【有匪君子】명 학식과 인격이 훌륭한 사람.
유:비 무환【有備無患】명 준비가 있으면 근심할 것이 없음.
유:-비저【類鼻疽】명 〖의〗 동남 아시아에 유행하는, 비저(鼻疽)와 비슷한 병. 사망률이 대단히 높은데, 급성의 경우에는 3-4주일 만에 죽고, 만성의 경우에는 폐와 관절(關節)에 병증이 생김.
유:비-창【有備倉】명 〖역〗 고려 후기의 구휼(救恤) 기관. 충선왕 때 재정 개혁책의 일환으로 설치되었음.
유비철-광【硫砒鐵鑛】명 〖광〗 '황비철광(黃砒鐵鑛)'의 구칭.
유:비 추리【類比推理】명 〖논〗 유추(類推)❷.
유비 통신【流蜚通信】명 〈속〉 유언 비어의 전파(傳播)를 통신(通信)에 빗대어 일컫는 말.
유-빈[1]【柳濱】명 〖사람〗 조선 중종(中宗) 때의 문신. 자(字)는 자청(子淸). 진주(晋州) 사람. 이조(吏曹) 참의·형조(刑曹) 참판 등을 지낸 후, 연산군 10년(1504) 갑자 사화(甲子士禍)에 전라도 배소(配所)에서 이과(李顆) 등과 진성 대군(晋城大君)을 추대하고자 거병(擧兵)을 협의, 격문을 돌렸으나, 반정(反正)이 이루어졌다는 소식을 듣고 중지함. 이조 판서를 거쳐 경기도 관찰사를 지냄. 시호는 충정(忠定). [?-1509]
유빈[2]【蕤賓】명 ①〖악〗 음계(音階) 12 율(律) 중의 일곱째 소리. 응종률(應鐘律)을 삼분 익일(三分益一)하여 내는 소리로, 율관(律管)의 길이는 6치 2푼 8리임. 양률(陽律). ②음력 오월의 별칭.
유빙【流氷】명 성엣장.
유:사[1]【有史】명 역사가 비롯함. 역사가 생겨 있음. ¶ ～ 이전.
유:사[2]【有司】명 ①어떠한 단체의 사무를 맡아 보는 직무. ②〖기독교〗 교회의 제반 사무를 맡아 보는 직무. 집사(執事).
유:사[3]【有事】명 일이 있음. 사변(事變)이 있음. ↔무사(無事). ——-하다 형여불
유사[4]【攸司】명 그 관청.
유사[5]【油砂】명 천연적으로 원유(原油)를 함유하고 있는 모래나 사암(砂岩). 오일 샌드(oil sand).
유사[6]【幽思】명 깊은 생각. 고요한 생각.
유:사[7]【柳絲】명 버드나무 가지.
유사[8]【流砂】명 ①물에 밀리어 흐르는 모래. ②물로 포화(飽和)된 유동(流動)하기 쉬운 모래. 표사(漂砂).
유사[9]【流徙】명 백성이 피난(避難)하여 유랑함. ——-하다 자타여불
유사[10]【瘐死】명 감옥에 갇히어 고생하다가 죽음. ——-하다 자여불
유사[11]【遊絲】명 ①아지랑이. ②시계·정밀 게이지 등에 쓰이는 작은 용수철의 하나. 탄성(彈性)이 있고 길고 가느다란 금속 박판(薄板)을 와상(渦狀)으로 감았음. 이것을 태엽의 풀리는 힘이 최종적(最終的)으로 전달되는 부분에 끼워, 이 탄력과 태엽의 힘의 조절로 시계 또는 정밀 게이지가 움직임.
유사[12]【諛辭】명 아첨하는 말씨.
유사[13]【儒士】명 ①유자(儒者). ②학자.
유사[14]【遺事】명 ①유전(遺傳)하여 오는 사적(事蹟). ¶ 삼국 ～. ②죽은 사람이 남긴 사적.
유사[15]【遺嗣】명 죽은 후에 남은 후사(後嗣).
유:사[16]【類似】명 서로 비슷함. ——-하다 형여불
유:사 각기둥【類似角—】명 〖수〗 평행인 두 평면 위에 있는 다각형을 밑면으로 하고, 옆면이 삼각형 또는 사다리꼴인 다면체(多面體).
유:사-고【有事告】명 집안에 관례(冠禮)·혼인 따위의 의식이 있거나 과거(科擧)에 급제한 사람이 있는 경우와 같이 중대한 일이 생겼을 때, 사당(祠堂)에 고하는 일.
유:사 난:수【類似亂數】명 난수(亂數) 대신으로 쓰는 수(數)의 열(列). 계산기에서 난수를 필요로 할 때, 외부에서 난수를 공급할 수 없을 경우, 기계로 하여금 난수와 유사한 것을 만들게 하여 이것을 난수 대신으로 씀.
유:사 당상【有司堂上】명 〖역〗 조선 시대 때 종친부(宗親府)·충훈부(忠勳府)·비변사(備邊司)·기로소(耆老所) 등의 사무의 책임을 맡은 당상. 각기 당상 중에서 계차(啓差)하거나 택정(擇定)함.
유:사 발기인【類似發起人】명 〖법〗 주식 청약서 기타 주식 모집에 관한 서면에 자기의 성명이나 회사의 설립에 찬조하는 뜻을 기재할 것을 승낙한 사람.
유:사 보:험【類似保險】명 〖경〗 복리 후생(福利厚生) 또는 공제(共濟)의 명목으로 보험 회사 아닌 조합(組合)이 하는 보험 유사 사업.
유:사 분열【有絲分裂】명 〔mitosis〕〖생〗 세포 분열에 있어, 핵(核)이 염색체(染色體)로 되어 이루어지는 핵분열(核分裂). 핵분열의 과정에 들어가지 않을 때를 정지기(靜止期), 핵분열에 들어가서 염색체가 형성되기까지의 시기를 전기(前期), 염색체가 방추체(紡錘體)의 중앙 부분의 직각 평면, 곧 적도면(赤道面)에 나란한 시기를 중기(中期), 염색체가 양극(兩極)에 분열할 때를 후기(後期), 양극에 다다른 염색체가 핵을 형성하는 시기를 종기(終期)라 함. 간접(間接) 분열. ↔무사(無絲) 분열.

a. 정지기 b.—d. 전기 e. 중기 f. 후기 g.—h. 종기 i. 완료한 2개의 핵
〈유사 분열〉

유:사 분열 저:해약【有絲分裂沮害藥】명 〔antimitotic drug〕 유사 세포 분열을 저해하는 약. 백혈병(白血病)의 화학 요법(化學療法)에 쓰임. 콜히친(Kolchizin)·빈크리스틴(Vincristine)·빈블라스틴(Vinblastine) 따위가 있음.
유:사 불여무사【有事不如無事】명 말썽이 있는 사물은 차라리 없는 것만 못함. ——-하다 형여불
유:사 상표【類似商標】명 〖경〗 기존의 등록 상표와 똑 같지는 않으나, 거래의 통념상(通念上) 이와 비슷하여 일반 사람의 식별을 그르칠 우려가 있는 상표. 상표법으로 사용을 불허함.
유:사 상호【類似商號】명 〖경〗 특정한 상호와 동일하지는 않으나 일반 거래상 이와 혼동 오인(誤認)될 우려가 있는 상호. 이것의 사용을 법으로 금지함.
유:사-성【類似性】[—썽] 명 비슷한 성질.
유:사-시【有事時】명 비상(非常)한 일이 생겼을 때. 유사지추(有事之秋). ¶ 일조(一朝) ～/～에 대비하다.
유:사 시대【有史時代】명 인간이 문헌적으로 역사 자료를 가지기 시작한 때부터 현재까지 이르는 시대. ＊선사 시대.
유:사 연합【類似聯合】명 〔association by similarity〕〖심〗 유사 관계에 의한 연합. 현재 어떤 의식 내용 또는 경험이 그것과 유사한 이왕의 의식 내용 또는 경험을 환기시키는 과정. 예를 들면, 이순신(李舜臣)과 넬슨 등의 경우임. 내적(內的) 연합. ↔접근 연합(接近聯合).
유:사 이:래【有史以來】명부 역사가 생긴 그 뒤.
유:사 이:전【有史以前】명 인류가 문명을 가지고 생활을 시작하기 전의 시대.
유사 입검【由奢入儉】명 사치(奢侈)를 폐하고 검소(儉素)하기를 힘씀. ——-하다 자여불
유:사-점【類似點】[—쩜] 명 서로 비슷한 점. ¶ ～이 너무도 많다.
유:사 종교【類似宗教】명 〖종〗 공인되지 아니한 종교.
유:사-증【類似症】[—쯩] 명 어떤 병과 증상이 유사한 병증(病症). 유증(類症).
유:사지-추【有事之秋】명 국가나 사회 또는 개인에게 비상한 사고가 있을 때. 유사시(有事時).
유사 충전【流砂充塡】명 〖광〗 두꺼운 석탄층(石炭層)을 파 낸 뒤에 상반(上盤)의 함몰(陷沒)을 방지하기 위하여 모래·자갈 등을 물로 흘려 보내어서 그 구멍을 메우는 방법.
유:사 타동사【類似他動詞】명 〔quasitransitive verb〕〖언〗 자동사 중 시간적·공간적 표시를 하는 말을 목적어처럼 '-을'·'-를'로 받는 특수한 동사. 예컨대 '사흘을 왔다' 등. 이것은 본질적인 자동사가 제한된 경우에만 타동사 역할을 하므로 제한 타동사(制限他動詞)라고도 함.
유:사-품【類似品】명 어떠한 물건에 유사한 물품. ¶ ～에 주의.
유:산[1]【有產】명 재산이 많음. ↔무산(無產).
유산[2]【油酸】명 '올레산(酸)'의 구칭.
유산[3]【乳酸】명 〖화〗 '젖산'의 구칭.
유산[4]【流產】명 ①태아(胎兒)가 달이 차기 전에 죽어서 나옴. 낙태(落胎). ②계획한 일이 중지됨의 비유. ¶ 조각(組閣)이 또 ～되었다. ——-하다 자여불
유산[5]【硫酸】명 〖화〗 '황산(黃酸)'의 구칭.
유산[6]【遊山】명 산으로 놀러 다님. 산유(山遊). ——-하다 자여불
유산[7]【遺產】명 사후에 남겨 놓은 재산. 소유권·채권 등의 권리 외에 채무도 포함함. ¶ ～을 둘러싼 암투.
유:산[8]【謬算】명 유계(謬計). ——-하다 타여불
유:산-가[1]【有產家】명 재산이 많은 사람. ¶ ～의 한 사람.
유산-가[2]【遊山歌】명 〖악〗 조선 시대의 십이 잡가(十二雜歌)의 하나. 작자와 연대 미상. 의성·의태어를 많이 구사하여 기발(奇拔)하고 과장(誇張)된 표현 구절이 많음.
유산-객【遊山客】명 산으로 놀러 다니는 사람.
유:산 계급【有產階級】명 자본가·지주 등 재산을 많이 가진 사람들의 계급. ↔무산 계급.
유산-균【乳酸菌】명 젖산균.
유산균 음료【乳酸菌飲料】[—뇨] 명 젖산 음료.

유산 나트륨【硫酸—】[natrium] 명 〖화〗 '황산 나트륨'의 구칭.
유산 내:각【流産內閣】 명 조각(組閣)의 위촉을 받은 사람이 각료의 인선(人選)이 뜻대로 되지 아니하여 마침내 성립을 보지 못한 내각.
유산-동【硫酸銅】 명 〖화〗 '황산(黃酸) 구리'의 구용어(舊用語).
유산 마그네슘【硫酸—】[magnesium] 명 〖화〗 '황산 마그네슘'의 구칭.
유산 바륨【硫酸—】[barium] 명 〖화〗 '황산 바륨'의 구칭.
유산 발효【乳酸醱酵】 명 젖산 발효.
유산 분할【遺産分割】 명 〖법〗 공동 상속에 있어서, 일단 상속인들의 공유(共有)로 된 유산을, 상속분(相續分)에 따라 분할하여 각 상속인의 단독 재산으로 하는 일.
유산 상속【遺產相續】 명 〖법〗 사망한 호주(戶主) 또는 가족의 재산 상(財產上)의 법률 관계를 포괄적(包括的)으로 하는 상속. *호주 상속. ——하다 자 여불
유산 상속세【遺產相續稅】 명 〖법〗 유산 상속을 개시한 때 그 재산에 대하여 부과하는 세금.
유산 상속인【遺產相續人】 명 〖법〗 사망한 호주 또는 가족의 유산을 상속 받는 사람. 상속의 법정 순위(法定順位)는 직계 비속(直系卑屬)·배우자·직계 존속(尊屬)·형제 자매·팔촌(八寸) 이내의 방계 혈족(傍系血族)의 순으로 되어 있음.
유산 석회【硫酸石灰】 명 〖광〗 '황산 석회'의 구칭.
유산 아연【硫酸亞鉛】 명 〖화〗 '황산 아연'의 구칭.
유산 아연액【硫酸亞鉛液】 명 〖화〗 '황산 아연액'의 구칭.
유산 암모늄【硫酸—】[ammonium] 명 〖화〗 '황산 암모늄'의 구칭.
유산 여행【遊山旅行】[—녀—] 명 지위 높은 사람이 시찰 또는 조사의 명목(名目) 아래 본래의 사명(使命)보다는 유산하는 기분으로 공비(公費)로 하는 호화로운 여행.
유산-염【硫酸塩】[—념] 명 〖화〗 '황산염'의 구칭.
유산 음료【乳酸飲料】[—뇨] 명 젖산균 음료.
유:산-자【有產者】 명 유산가(有產家). ↔무산자.
유산-지【硫酸紙】 명 〖화〗 '황산지(黃酸紙)'의 구칭.
유산 채:권자【遺產債權者】[—꿘—] 명 〖법〗 상속 채권자.
유산 채:무【遺產債務】 명 〖법〗 상속 재산의 일부를 이루는 채무. 피상속인(被相續人)이 부담하고 있었던 상속 채권자에 대한 채무와 피상속인의 사망에 의하여 발생한 수유자(受遺者)에 대한 채무의 양자(兩者)를 포함함.
유산-철【硫酸鐵】 명 〖화〗 '황산철(黃酸鐵)'의 구칭.
유산-탄【榴散彈】 명 무수한 작은 탄알을 큰 탄환 속에 넣어서 그 탄환이 폭발할 때에 튀어 나가게 만든 포탄.
유살【誘殺】 명 꾀어 내어 죽임. ——하다 타 여불
유삼【油衫】 명 비·눈 등을 막기 위하여 옷 위에 껴 입는 기름에 결은 옷. 유의(油衣).
유삼-지【油衫紙】 명 유삼을 만드는 데 쓰이는 종이. 창호지보다 약간 두꺼운 종이를 기름에 결어서 만듦.
유:상[1]【有相】 명 〖불교〗 ①존재하는 일. ②인연에 의하여 생멸(生滅)하는 모든 일. 1)·2):↔무상⁴(無相).
유:상[2]【有想】 명 (범 samjñin) 〖불교〗 상념(想念)을 가지고 있음. ↔무상(無想).
유:상[3]【有償】 명 어떤 행위의 결과에 대하여 보상이 있음. ¶～ 배급. ↔무상(無償).
유상[4]【油狀】 명 기름과 같은 모양.
유:상[5]【柳箱】 명 버들고리의 한자말.
유상[6]【柔桑】 명 어린 뽕잎.
유상[7]【流觴】 명 잔을 물에 띄워 보냄. ¶～ 곡수(曲水).
유상[8]【遊商】 명 행상인(行商人). 또, 행상(行商)을 함.
유상[9]【遺像】 명 ①광채의 자극을 받은 망막(網膜)에 잠깐 남아 있는 영상(映像). ②죽은 사람의 초상화.
유:상 계:약【有償契約】 명 〖법〗 당사자 상호 간에 있어서 대가를 서로 주고받을 것을 약속함으로써 재산상의 이득(利得)을 목적으로 하는 계약. 매매·임대차·고용 등의 계약. ↔무상 계약.
유상 곡수【流觴曲水】 명 삼월 삼짇날 곡수(曲水)에 잔을 띄워 그 잔이 자기 앞에 오기 전에 시(詩) 같은 것을 짓는 놀이.
유:상-교【有相教】 명 〖불교〗 상대 차별(相對差別)하는 존재(存在)를 인정(認定)하는 가르침. 가르침으로서는 정도가 낮은 가르침임. ↔무상교(無相教).
유:상 대:부【有償貸付】 명 〖법〗 유상으로 하는 대부. 유료 대부(有料貸付). ↔무상 대부. ——하다 타 여불
유상-론【唯象論】[—논] 명 〖철〗 현상론(現象論).
유:상 몰수【有償沒收】[—쑤] 명 〖법〗 몰수의 대상물에 대하여 적당한 대가(對價)를 지급하고 하는 몰수. ——하다 타 여불
유:상 무상【有象無象】 명 ①우주 간에 존재하는 물체의 전부. 만상(萬象). ②어중이떠중이.
유상 석회【乳狀石灰】 명 석회유(石灰乳).
유:상 소각【有償消却】 명 〖법〗 대가(對價)의 지급을 수반하는 주식(株式) 소각. ↔무상(無償) 소각.
유:상-업【有相業】 명 〖불교〗 서방 정토(西方淨土)의 존재를 믿으며, 그 교주(教主) 미타(彌陀)의 얼굴을 관상(觀想)하고 또는 그 명호(名號)를 염(念)하는 일. ↔무상업(無相業).
유-상(:)운【柳尙運】 명 〖사람〗 조선 숙종(肅宗) 때의 문신. 자는 유구(悠久), 호는 약재(約齋). 문화(文化) 사람. 숙종 5년(1679) 문신 정시(文臣庭試)에 장원, 대사간에 특진함. 그 후 영의정 두 번, 판중추부사(判中樞府事)를 세 번 지내는 동안 희빈 장씨(禧嬪張氏)의 폐립(廢立)에 얽힌 당쟁(黨爭)의 소용돌이 속에서 소론(少論)으로서 세자의 생모를 죽일 수 없다 하여 파직 혹은 부처(付處)되기도 함. 시호는 충간(忠簡). [1636-1707]
유:상 원:조【有償援助】 명 뒤에 상환(償還)받기로 하고 하는 원조. ↔「무상(無償) 원조.
유상-장【維上章】[—짱] 명 〖악〗 악장(樂章)의 이름.
유상 조직【癒傷組織】 명 〖식〗 상처를 입은 식물의 세포로부터 트라우마틴(traumatin)이라는 상해(傷害) 호르몬이 나와 주위의 세포가 분열 능력을 회복하여서 생긴 조직.
유:상-종【有相宗】 명 〖불교〗 법상종(法相宗)의 딴 이름.
유:상-주【有償株】 명 〖경〗 대가(代價)를 지불해야 취득할 수 있는 주(株). 유상 증자(有償增資) 때에 발행·취득하게 됨. ↔무상주(無償株).
유:상 증자【有償增資】 명 〖경〗 신주 발행(新株發行)으로 새 자금(資金)을 조달(調達)하여 회사 재산(會社財產)의 증가를 기하는 실질적인 증자. ↔무상 증자.
유:상 집착【有相執着】 명 〖불교〗 모습·형태가 있는 것, 즉 생멸 변화(生滅變化)하는 것에 집착하는 일.
유:상 취:득【有償取得】 명 〖법〗 상당한 대가를 지불하고 어떤 물건이나 권리를 얻음. ——하다 타 여불
유:상피 세:포【類上皮細胞】 명 〖의〗 간엽(間葉) 세포의 일종인 조직구(組織球)에 유래하는 독특한 세포. 언뜻 보기에 상피(上皮)와 비슷한 외관을 가짐. 결핵·매독·나병 등의 만성(慢性)의 증식성(增殖性) 질환에 나타남.
유:상 행위【有償行爲】 명 〖법〗 대가(代價)나 보수를 받고서 하는 행위. ↔무상 행위.
유상 호르몬【癒傷—】[hormone] 명 〖식〗 식물체의 상처를 메우는 조직을 만드는 식물 호르몬의 하나. 1937년에 처음으로 순수하게 분리하는 데 성공하여 트라우마틴(traumatin)이라고 명명하였음.
유상 황【乳狀黃】 명 〖화〗 종유상(鍾乳狀)의 황.
유새 명 〈방〉 모래(함경).
유:새 동:물【有鰓動物】 명 〖동〗 [Branchiata] 절지(節肢) 동물에 속하는 한 아문(亞門). 대개 물에 살고 아가미로 숨을 쉬며, 기관(氣管)은 없음. 무기관류(無氣管類). 무기관 동물.
유:색[1]【有色】 명 ①빛깔이 있음. ②〖불교〗 물질적 존재로서의 형체(形體)가 있는 것. ③〖불교〗 욕계(慾界)·색계(色界)의 이계(二界). 또, 그 색계. 1)·2):↔무색(無色).
유색[2]【愉色】 명 유쾌한 얼굴 빛.
유:색 광:물【有色鑛物】 명 〖광〗 암석을 구성하는 광물 중에서, 흑색·녹색·갈색을 띤 광물. 감람석·각섬석(角閃石)·운모 따위.
유:색 야:채【有色野菜】[—냐—] 명 비타민·카로틴(carotin) 따위의 색소(色素)를 풍부하게 함유한 채소. 당근·호박·토마토·양배추 등을 이름.
유:색 연막【有色煙幕】[—년—] 명 [colored smoke] 유색의 구름을 만드는 특징 있는 빛깔을 한, 가스상(狀)의 물질. 신호(信號)·표지(標識)에 쓰임.
유색 완:용【愉色婉容】 명 평화스럽고 화평한 얼굴 빛.
유:색-인【有色人】 명 ①황색·동색(銅色) 또는 흑색의 피부를 가진 사람. ②↗유색 인종.
유:색 인종【有色人種】 명 유색 피부를 가진 인종. 곧, 황색 인종·흑색 인종·동색 인종 등의 총칭. ㊀유색인. ↔백색 인종.
유:색-체【有色體】 명 〖식〗 카로틴·엽황소 등 엽록소 이외의 색소를 함유하고 있는 색소체(色素體)의 총칭. 고추 같은 것의 빛은 이 유색체 때문에 생김. 잡색체(雜色體).
유:색 편모충류【有色鞭毛蟲類】[—뉴] 명 〖충〗 황단충류(黃單蟲類).
유생[1]【幼生】 명 [larva] 〖동〗 변태(變態) 동물의 어릴 때를 이르는 말. 성체(成體)와는 전혀 다른 형상과 습성을 가짐. 노플리우스·에키노플루테우스 등. ↔성체(成體). *유충(幼蟲).
유:생[2]【有生】 명 생명이 있는 것. 생물(生物).
유생[3]【酉生】 명 유년(酉年)에 난 사람.
유생[4]【遊生】 명 일정한 직업 없이 놀면서 살아감. ——하다 자 여불
유생[5]【儒生】 명 유도(儒道)를 닦는 선비. 유자(儒者). 유학생(儒學生). 장보(章甫).
유:생-계【有生界】 명 생명이 있는 것의 세계.
유:생-관【有生觀】 명 〖철〗 애니머티즘(animatism).
유생 기관【幼生器官】 명 [larval organ] 〖동〗 동물의 어린 때에만 존재하고 완전히 자라서는 없어지는 기관. 올챙이의 꼬리나 아가미 같은 것. 일시적 기관(一時的器官).
유:생 기원설【有生起源說】 명 〖생〗 생물(生物)은 반드시 생물체(生物體)에서 기원(起源)·진화(進化)하는 것이라고 주장하는 학설. ↔무생 기원설(無生起源說).
유:생-물【有生物】 명 생명이 있는 것. 곧, 동물과 식물. 유기체(有機體). ↔무생물.
유생 생식【幼生生殖】 명 [p(a)edogenesis] 〖생〗 단위(單位) 생식의 한 형. 유생(幼生)의 체제(體制)를 가진 동물이 알·유충(幼蟲) 등을 낳는 일. 예를 들면 혹충은 유충이 유충을 낳음.
유서[1]【由緖】 명 ①사물이 유래(由來)한 단서. ②전(傳)하여 오는 까닭과 내력. ¶～ 있는 집안.
유서[2]【宥恕】 명 ①너그럽게 용서함. ②상대방의 비행(非行)을 허용하는 감정의 표시. ——하다 타 여불
유서[3]【幽棲】 명 그윽한 거주(居住). 은자(隱者)의 거주.
유:서[4]【柳絮】 명 버들개지.
유서[5]【儒書】 명 유가(儒家)에서 쓰는 책. 유학(儒學)의 서적(書籍). 유경

(儒經).
유서[6]【遺書】명 유언하는 글. 유언을 남긴 글.
유서[7]【遺緖】명 유업(遺業).
유서[8]【諭書】명〖역〗관찰사(觀察使)·절도사(節度使)·방어사(防禦使) 들이 부임할 때 왕이 내리던 명령서.
유:서[9]【類書】명 ①같은 종류에 속하는 책. 유본(類本). ②오늘날의 백과 사전 비슷한 것으로서, 많은 서책에서 발췌한 내용을 이용하기 좋게 분류 편찬한 서책. 중국에서 만들었음. ≪태평 어람(太平御覽)≫·≪고금 도서 집성(古今圖書集成)≫ 등 유명한 유서가 많음.
유:서[10]【鼬鼠】명〖동〗족제비.
유서 감:경【宥恕減輕】명〖법〗형법상 범죄의 구성 요건에 해당하는 위법 행위에 대하여 그 행위자의 정상을 보아 재판상 그 형벌을 가볍게 하여 주는 일. ——하다 타여불
유서 논죄【宥恕論罪】명〖법〗형사 재판상 피고인의 정상을 참작하여 형량(刑量)을 논의하여 정함. ——하다 타여불
유:서-재【柳絮才】명〔진(晉)나라의 사씨(謝氏)의 딸이 시(詩)를 짓는데 눈을 버들개지에 비유한 고사(故事)에서〕여자의 뛰어난 문재(文才)를 이름.
유서-통【諭書筒】명〖역〗왕의 유서(諭書)를 넣어 가지고 다니던 통. 직경 약 10cm, 길이 70cm 가량의 둥글고 긴 통으로, 겉에 검은 칠을 하고 주석 장식을 하여 잠그게 되어 있으며, 양끝 쪽으로 고리가 있어 등에 엇메게 되었음.
유서 필지【儒胥必知】[—찌]명〖책〗이두(吏讀)가 달린 한문의 각종 서식(書式)을 실어 놓은 일종의 서식 대전(書式大全). 저자(著者)와 간행 연대 미상. 책 끝의 이두 휘편(彙編)은 이두 연구에 귀중한 자료임. 1책.
유석[1]【流錫】명〖광〗암석(岩石)에 함유된 석석(錫石)이 암석의 풍화(風化)에 의하여 유출(流出)되어 하상(河床)에 괸 것.
유석[2]【維石】명〖사람〗조병옥(趙炳玉)의 호(號).
유석[3]【儒釋】명 유교(儒敎)와 불교(佛敎).
유석[4]【鍮石】명 놋쇠의 딴이름.
유-석영【乳石英】명〖광〗유백색 반투명의 석영.
유:선[1]【有線】명 전선(電線)에 의한 통신 방식. 유선 전신(有線電信). ↔무선(無線).
유선[2]【乳腺】명 젖샘.
유선[3]【油扇】명 유지(油紙)를 바른 부채.
유선[4]【油腺】명〖조〗오리·두루미·기러기 같은 수조(水鳥)의 꽁지 위쪽에 있는 기름을 분비하는 선(腺). 여기서 나오는 기름을 부리에 묻혀서 깃에 발라 물이 살갗에 스며들지 않게 함. 기름샘.
유선[5]【流線】명〔streamline〕〖물〗유체(流體)가 운동하는 장(場) 안에 각 점(點)의 접선(接線)이 그 점에서의 흐름의 속도(速度)의 방향과 일치하도록 그은 가상적 곡선(假想的曲線). 유체 안의 실질 경로(實質徑路)와는 일치하지 않음.
유선[6]【遊船】명 놀이를 할 때 타는 배. 유정(遊艇). 놀잇배.
유선[7]【儒先】명 학자 가운데의 연장자(年長者).
유선[8]【諭善】명〖역〗조선 시대 때 세손 강서원(世孫講書院)의 한 벼슬. 영조(英祖) 때 처음으로 베풀어 좌·우 각 한 사람씩 있었는데, 당하(堂下) 삼품에서 종이품 사이의 사람으로 임명함.
유선-가【遊船歌】명 선유가(船遊歌).
유-선굴【遊仙窟】명〖책〗중국의 전기 소설(傳奇小說). 당(唐)나라의 장문성(張文成)이 지은 것. 칙령(勅令)으로 여행 중인 장문성이 유선굴(遊仙窟)이라는 선계(仙界)에 다달아 최십랑(崔十娘)과 왕오수(王五嫂)의 두 선녀(仙女)의 환대를 받으며 하룻밤을 함께 지내는 연애(戀愛) 이야기. 변려(騈儷)를 구사한 화려(華麗)한 문체로, 증답시(贈答詩)가 풍부한 것이 특색임.
유선나【踰繕那】명〖불교〗유순(由旬).
유:선 로봇 기상계【有線—氣象計】〔robot〕명 통신선(通信線)을 사용하여 먼 곳의 기상을 관측하는 장치. 센서(censor)·데이터 변환 장치·부호(符號) 송신기로 이루어지는데, 각 관측소(觀測所)로부터의 기상 관측 데이터를 집신(集信)하여 기상 관측 본부의 센서(censor)가 점검·편집한 다음, 센서에서의 출력(出力)을 데이터 변환 장치가 계수(計數)·기억·표시하면, 부호 송신기가 본부로부터의 호출에 응하여 기억된 관측 데이터를 각지의 기상대(氣象臺)로 송신하게 됨.
유:선 방:송【有線放送】명 유선 전기 통신 시설을 이용하여 음성·음향 또는 영상(映像)을 공중(公衆)에게 전파(傳播)하기 위해 송신하는 것. 중계(中繼)·음악·자가(自家) 유선 방송이 있음.
유:선 방:송 전:화【有線放送電話】명 유선 방송을 위한 통신 설비에, 수신자 상호 간에 통화가 가능한 교환 설비를 병치(倂置)한 전기 통신 설비. 스피커에 의한 전달 방송과 전화의 통화 기능을 함께 가지고 있으며, 특히 농어촌 보급용으로 쓰임.
유선-서【諭善書】명〖책〗조선 시대 때에 양성지(梁誠之)가 왕명(王命)을 받아 엮은, 왕세자들을 위한 교훈서. 경전(經典)·사서(史書)·실록(實錄) 등에서 필요한 것을 발췌하여 엮었음.
유:선식 무선【有線式無線】명 반송식(搬送式) 무선 통신. 전신 부호 또는 음성 전류로 변조(變調)된 고주파를 용량 결합에 의하여 송전선·전화선 등에 전달하여 원거리에 보내는 방식임.
유선-염【乳腺炎】[—념]명〖의〗유방염.
유선 영업【遊船營業】[—녕—]명 고기잡이·관람(觀覽), 그 밖의 유락(遊樂)을 위하여 배를 대여(貸與)하거나 또는 유락하는 자를 승선(乘船)시키는 영업.
유:선 원:격 측정【有線遠隔測定】명〔wire-link telemetry〕〖통신〗전송선(傳送線)을 사용해서 전기 신호가 보내어지는 원격 측정.
유선 이륙【流線離陸】[—니—]명〔stream take-off〕〖항공〗항공기가 종대(縱隊)를 유지하고 차례차례 이륙하는 일.
유:선 전:송로【有線電送路】[—노]명 유선 통신에서 신호를 전송(電送)하기 위한 통신로(通信路).
유:선 전:신【有線電信】명 전신선(線)을 통하여 전신 부호를 원지(遠地)에 전기적(電氣的)으로 전달하는 통신 방식의 총칭. 유선(有線). ↔무선 전신.
유:선 전:화【有線電話】명 유선 방송과 전화의 통화 기능을 겸비(兼備)한 전기 통신 설비. 또, 그 장치. ↔무선 전화.
유:선 중계【有線中繼】명 무선 전신 전화(無線電信電話)를 유선 전신으로 중계하는 일.
유선-증【乳腺症】[—쯩]명〔mastopathy〕〖의〗젖샘에 종류(腫瘤)가 생기는 질환. 30세 전후에서 폐경기(閉經期)까지의 여성에 많음. 성(性) 호르몬의 실조(失調)에서 비롯되며, 젖샘에 증식(增殖)·섬유화·낭포(囊胞) 형성 등이 일어나는데, 유방암으로 이행(移行)하는 일은 드묾.
유:선 텔레비전【有線—】〔television〕명 ①텔레비전 카메라와 수상기(受像機)를 전선으로 연결하여 방영하는 텔레비전. 공장·교통 기관·상점·학교 등에서 관찰이나 감시용으로 널리 이용됨. 폐쇄 회로 텔레비전(CCTV). ②케이블 텔레비전(CATV).
유:선 통신【有線通信】명 전선(電線)을 사용하여 행하는 통신. 곧, 유선 전신·유선 전화를 가리킴.
유:선 통신 기기【有線通信機器】명 전선을 사용하는 전기 통신 기계의 총칭. 전화기·전화 교환기가 대표적임. ↔무선 통신 기계.
유:선 통신 무:기【有線通信武器】명〖군〗전신과 전화를 주로 하는 통신 병기의 하나. 비교적 단거리에 사용됨. 전화기·전신기·자동 기록 장치·인쇄 사진 전송 장치·암호 구성 해독 장치·고성(高聲) 장치 따위가 이에 해당됨. *무선 통신 무기.
유:선 팩시밀리 방식【有線—方式】명〔wire facsimile system〕〖통신〗전선(電線) 또는 케이블(cable)을 사용해서 통보(通報)가 전송되는 팩시밀리 방식.
유선-형【流線型】명 유체(流體)의 저항을 최소한으로 하기 위한 곡선(曲線)으로 구성한 형(型). 자동차·기관차·비행기 등 고속도를 위주로 하는 물체에 이용됨. 기류형(氣流型). 방추형(紡錘形).
유선형 긁개【流線型—】[—글깨]명〖고고학〗배모양 석기(石器).
유선-희【遊仙戱】[—히]명 그네뛰기.
유설[1]【流說】명 세간(世間)에 떠돌아 다니는 풍설.
유설[2]【濡泄】명〖의〗습설(濕泄).
유:설[3]【縲絏】명 죄인을 옥중에 매어 둠. ——하다 타여불
유:설[4]【謬說】명 이치에 어긋나거나 잘못된 말 또는 학설.
유설-봉【留雪峰】명〖지〗황해도 벽성군(碧城郡) 서석면(西席面)과 나덕면(羅德面) 사이에 있는 산. 수양 산맥(首陽山脈)의 최고봉(最高峰)임. [945m]
유:섬유소 괴:사【類纖維素壞死】명〔fibrinoid necrosis〕〖생〗알레르기 반응 때에 혈관 결합 조직(結合組織)에 나타나는 특이한 현상(現象).
유:성[1]【有性】명〖생〗동일종(同一種)의 개체에 암컷과 수컷의 구별이 있음을 이르는 말. ↔무성(無性).
유:성[2]【有聲】명 소리가 있음. 소리가 남. ¶~ 영화.
유성[3]【油性】명 ①기름의 성질. 기름과 같은 성질. ¶~ 페인트. ②〔oilness〕〖공〗접촉하는 고체면(固體面)의 마찰을 감소시키는 윤활유 효과를 나타내는 용어. 그 효과는 단지 점도(粘度)만으로는 설명되지 않는 것도 있음.
유:성[4]【柳星】명〖천〗이십팔수(二十八宿)의 하나. 유수(柳宿). 준유(柳).
유성[5]【流星】명〔meteor〕〖천〗지구의 대기권에 돌입한 우주진(宇宙塵)이 고속도로 낙하하여 공기의 압축과 마찰에 의해서 광(光)을 발하는 것. 높이 100-300km 부근에서 관측(觀測)되며 평균 속도 매초 20-100km 가량 됨. 흔히, 대기 속에서 타서 꺼져 버리지만 큰 것은 땅에 떨어져서 운석(隕石)이나 운철(隕鐵)이 됨. 별똥별. 운성(隕星). 유화(流火). 분성(奔星).
유성[6]【遊星】명〖천〗행성(行星).
유성[7]【儒城】명〖지〗충청 남도 대덕군(大德郡)에 있었던 한 읍(邑). 1983년 대전 직할시로 편입되고 1989년 유성구(區)가 됨. [28,878명(1980)]
유성-군【流星群】명〖천〗태양의 주위를 공전하는 유성 물질(流星物質)의 집합체(集合體). 혜성(彗星)이 붕괴하여 궤도 상(上)에 산란(散亂)한 것으로 여겨짐. 유성 무리.
유:성-기[1]【柳星旗】명〖역〗의장기(儀仗旗)의 하나.

〈유성기[1]〉

유성-기[2]【留聲機】명 '축음기(蓄音機)'의 초기의 이름.
유성 기어 장치【遊星—裝置】명〔planetary gear train〕〖기〗고정 중심(固定中心)의 둘레를 회전하는 톱니바퀴와, 그 둘레를 공전(公轉)하는 중심 상에서 회전하는 톱니바퀴로 이루어지는 톱니바퀴열(列). 고속 회전의 감속 장치 등에 이용됨.
유성기-판【留聲機板】명 레코드❸.
유성 니스【油性—】명 유지(油脂)에 천연 수지(天然樹脂)나 합성 수지를 넣고 높은 온도에서 고루 혼합시킨 다음, 건조제나 용제를 넣어 묽게 만든 것. 광택이 있고 물·마멸(磨滅)에 잘 견디므로 옥내 장식 등에 사용됨.
유성 도료【油性塗料】명 유성 페인트.
유성 로켓【遊星—】〔rocket〕명 행성(行星) 로켓.
유-성룡【柳成龍】[—농]명〖사람〗조선 선조(宣祖) 때의 명상(名相). 자는 이견(而見). 호는 서애(西厓). 풍산(豐山) 사람. 이황(李滉)의 문

인. 임진 왜란 때에 도체찰사(都體察使)·영의정으로서 중국 명(明)나라 장군들과 같이 국난을 처리하였음. 전란 후 북인(北人)의 탄핵을 받고 조용히 벼슬에서 물러났으며, 도학(道學)·문장(文章)·덕행(德行)·글씨로 이름을 떨쳤음. 저서로는 ≪징비록(懲毖錄)≫·≪문집(文集)≫·≪신종록(愼終錄)≫ 등이 있음. 시호는 문충(文忠). [1542-1607]

유성 무리【流星一】名〖천〗유성군(流星群).

유성 물질【流星物質】[一찔] 名〖천〗성간(星間) 물질의 하나. 별과 별 사이의 공간, 특히 행성계의 내부에 떠 있는 암석의 파편.

유:성 번식【有性繁殖】名〖생〗유성 생식. ——-하다 자여불

유:성 생식【有性生殖】名 [sexual reproduction]〖생〗수컷과 암컷의 구별이 있는 두 개의 생식 세포가 합일(合一)한 것으로부터 새로운 생명체가 발생하는 생식. 합성(合性) 생식. 유성 번식. ↔무성(無性) 생식. ——-하다 자여불

유:성 세:대【有性世代】名〖생〗자웅의 구별이 있는 세대. 세대 교번(世代交番)을 행하는 생물로서 유성 생식을 하는 세대. ↔무성 세대(無性世代).

유:성 영화【有聲映畫】[一녕一] 名〖연〗발성 영화. ↔무성 영화.

유성 온천【儒城溫泉】名〖지〗대전 직할시 유성구(儒城區)에 있는 온천. 천질(泉質)은 알칼리성, 온도(溫度)는 45°C로 라듐 성분을 다량 함유하는 한국 굴지(屈指)의 온천임.

유성-우【流星雨】名 태양의 주위를 공전(公轉)하는 유성군(流星群)가 운데를 지구가 통과할 때, 많은 유성이 비처럼 비산(飛散)하여 지구에 떨어지는 일. 성우(星雨).

유-성원【柳誠源】名〖사람〗조선 초기의 문장가. 사육신(死六臣)의 한 사람. 자는 태초(太初), 호는 낭간(琅玕). 문화(文化) 사람. 집현전(集賢殿)에 들어가 세종(世宗)의 문업(文業)을 도움. 세조(世祖)가 단종(端宗)의 자리를 빼앗자 성삼문(成三問) 들과 복위를 꾀하다가 자문(自刎)하였음. 시조 1수가 ≪가곡 원류(歌曲源流)≫에 전함. 시호는 충경(忠景). [?-1456]

유:성-음【有聲音】名〖언〗성대(聲帶)의 울림이 가는 소리. 모음(母音)·비음(鼻音)·유음(流音) 같은 것. 탁음(濁音). 목청 울림 소리. ↔무성음(無聲音).

유:성음-화【有聲音化】名〖언〗어떤 음성이나 음운이 유성음으로 실현되는 공시적인 음성 현상 또는 음성 규칙. 현대 국어에는 유성음과 무성음과의 음운론적 대립이 없고 양자 사이의 음성적 차이만 있기 때문에 유성음과 무성음의 각각의 짝은 해당되는 음운의 이음(異音) 또는 변이음(變異音)으로만 기능하고 있음.

유성-장[1]【維城章】[一짱] 名〖악〗용비 어천가 제40장의 이름.

유성-장[2]【維聖章】[一짱] 名〖악〗조선 영조(英祖)에게 존호(尊號)를 올릴 때 쓰던 악장의 이름.

유성 지루【油性脂漏】名〖의〗얼굴 특히 코·눈썹 사이 등에 개기름이 흐르는 지루의 한 형. ↔건성(乾性) 지루.

유성-진【流星塵】名〖천〗유성의 탄 찌끼 또는 그 공중 폭발로 흩어진 작은 티끌. 지름 수 μ 내지 수십 μ 가량의 구상(球狀) 물질로 자기성(磁氣性)을 띠는 것이 많은데 반투명 또는 투명함.

유-성춘【柳成春】名〖사람〗조선 중종(中宗) 때의 문신(文臣). 자(字)는 천장(天章), 호(號)는 나옹(懶翁). 선산(善山) 사람. 중종 9년(1514) 별시 문과(別試文科)에 급제, 사가 독서(賜暇讀書)하고 이조 정랑(吏曹正郞)에 이르렀으나, 기묘 사화(己卯士禍)에 유배됨. 윤구(尹衢)·최산두(崔山斗) 등과 시주(詩酒)로 벗하여, 호남 삼걸(湖南三傑)로 불리었음. 생몰년 미상.

유성 카메라【流星一】[camera] 名〖천〗유성을 촬영할 목적으로 만들어진 카메라. 시야(視野)가 넓고 밝음.

유성 크림【油性一】[cream] 名 콜드 크림.

유성 페인트【油性一】[paint] 名 보일유(boil油) 등의 지방유(脂肪油)를 전색제(展色劑)로 하여 여기에 안료(顔料)를 가하여 만든 착색 도료(着色塗料)의 총칭. 단순히 페인트라고 하면 보통 유성 페인트를 가리킴. 기름 페인트. 유성 도료.

유:성 포자【有性胞子】名〖생〗반대되는 성(性)의 배우자나 핵(核)의 접합(接合)에 의하여 되는 포자(胞子).

유성-화【流星火】名 유성 모양의 불꽃.

유성-흔【流星痕】名〖천〗유성이 소멸하고 그 통과 경로가 빛을 발하는 현상. 보통, 순간적이지만 몇시간 지속되는 경우도 있음.

유:세[1]【有稅】名 세금이 붙음. ——-하다 자여불

유:세[2]【有勢】名 ①세력이 있음. ②자랑 삼아 세도를 부림. ¶네가 대체 무언데 ~냐. ——-하다 형자여불

[유세가 좆대 같다; 유세가 등다락 같다] 유난히 유세를 피움의 비유.

유세(를) 떨:다 구 자랑 삼아 세도를 부리다.

유세(를) 부리다 구 자랑으로 알고 세도를 부리다.

유세[3]【遊說】名 각처(各處)로 돌아 다니며 자기 또는 자기 소속 정당(所屬政黨) 등의 주장을 설명 또는 선전함. ¶~ 여행/선거 ~. ——-하다 자타여불

유세[4]【誘說】名 감언 이설로 달래어 꾐. ——-하다 타여불

유세[5]【遺世】名 세상을 버림. 세상 일을 잊음. ——-하다 자여불

유:세-객[1]【有勢客】名 세력이 있는 사람. 유력자(有力者).

유세-객[2]【遊說客】名 유세하러 다니는 사람.

유세-대【遊說隊】名 유세(遊說)를 목적으로 조직된 단체.

유:-세력【有勢力】名 세력이 있음. 유력(有力). ——-하다 형여불

유세-문【誘說文】名 감정에 호소하여 독자를 감동시켜 자기의 의사에 따르게 함을 목적으로 하는 글.

유-세(:)신【庾世信】名〖사람〗조선 영조(英祖) 때의 가객(歌客). 호는 묵애당(默騃堂). ≪병와 가곡집(甁窩歌曲集)≫과 ≪악부(樂府)≫에 시조 6수가 전함. 속세(俗世)에 초연(超然)한 자세로 가인(歌人)다운 풍월을 읊음.

유세 여행【遊說旅行】名 자기의 의견이나 소속 정당의 주의 주장을 설명 또는 선전할 목적으로 하는 여행.

유:세이드【USAID】名〖경〗[United States Agency for International Development의 약칭] 유솜(USOM)의 후신(後身)(1968년 개편). 미국의 대한(對韓) 원조(援助)에 관한 계획과 조정(調停) 및 한국 경제의 안정과 발전에 관한 미국의 제안을 건의하는 기관. 에이 아이 디(A.I.D.)의 직속 기관(直屬機關)임. 미국 경제 협조처. 미국 경제 협조 기관. 주한(駐韓) 미국 경제 협조처.

유:세-지【有稅地】名〖경〗세금이 붙는 땅. ↔무세지(無稅地).

유-세차【維歲次】구 '이 해의 차례는'의 뜻으로 제문(祭文)의 첫머리에 쓰이는 문투.

유:세-통【有勢一】名 유세 부리는 서슬. ¶그놈의 ~에 못 견디겠다.

[유세통 겼나] 세력을 믿고 남에게 못되게 구는 것을 이름. [유세통 짊어지다] 거만하게 유세를 부리다.

유-세포[1]【乳細胞】名〖식〗분비 세포(分泌細胞). 유관(乳管).

유-세포[2]【柔細胞】名〖식〗식물의 유조직(柔組織)을 이루는 세포. 여러 곳에서 볼 수 있으며, 다량의 물·엽록체·전분·당류·색소 등을 가짐. 막(膜)은 얇음.

유:세-품【有稅品】名〖경〗세금이 부과된 물품. ↔무세품(無稅品).

유소[1]【幼少】名 나이가 어림. ——-하다 형여불

유-소[2]【柳韶】名〖사람〗고려 현종(顯宗)·덕종(德宗) 때의 대신. 정주(貞州) 유씨(柳氏)의 시조. 고성(古城)을 개축(改築), 위원진(威遠鎭)·정융진(定戎鎭)을 설치, 백성들을 옮겨 와 살게 하였고 덕종 2년(1033) 왕명으로 압록강(鴨綠江) 하구에서 동해안의 화주(和州) 곧, 함경 남도 영흥(永興)까지 1천여 리의 석성(石城)을 구축하여 추충 척경 공신(推忠拓境功臣)이 되었음. 시호는 양의(襄懿). [?-1038]

유소[3]【流蘇】名〖역〗기(旗)나 승교(乘轎) 등에 다는 술.

유소[4]【儒疏】名 유생(儒生)이 연명(連名)하여 올리는 상소.

유:소[5]【類燒】名 남의 집에서 난 불로 인(因)하여 자기 집이 탐. ——-하다 자여불

유-소(:)기【劉少奇】名〖사람〗'류 사오치'를 우리 음으로 읽은 이름.

유-소년【幼少年】名 유년과 소년.

유:-소문【有所聞】名 소문이 자자함. ¶총 잘 놓기로 ~한 이 총각 놈이 의병대장이 되어서…≪崔瓚植 : 春夢≫. ——-하다 형여불

유소 보:장【流蘇寶帳】名 술이 달린 비단 장막.

유소-성【留巢性】[一썽] 名 새끼의 발육이 늦어, 오래도록 보금자리에서 어미새의 보호를 받는 성질. 비둘기·제비 따위. ↔이소성(離巢性). *만성성(晩成性).

유소-시【幼少時】名 어릴 때.

유:소-씨【有巢氏】名 중국 고대의 전설적 성인(聖人). 새가 보금자리를 만들고 사는 것을 보고 사람에게 집을 만들 것을 가르쳤다 함.

유소 장성【柳韶長城】名〖역〗고려 때 유소(柳韶)가 압록강(鴨綠江) 어귀에서 동해안의 영흥(永興)까지 1천여 리에 구축한 석성(石城). 곧, 고장성(古長城).

유속[1]【流俗】名 옛날부터 전해 오는 풍속. 세상에 돌아다니는 풍속. 유풍(流風).

유속[2]【流速】名 흐르는 물의 속도. 단위 시간에 물이 흘러 지나간 거리.

유속[3]【遺俗】名 후세에 끼친 풍속. 유풍(遺風).

유속-계【流速計】名〖물〗물의 흐름의 속도를 재는 기계.

유속 단위【流束單位】名 [flux unit]〖우주물리〗전파(電波) 발생 천체의 에너지 유속 밀도(密度)의 단위. $10^{-26}W/m^2 \cdot Hz$와 같음. 기호(記號)는 fu.

유속 측정용선【流速測定用線】[一뇽一] 名 [current line]〖해〗항해술에 쓰이는, 눈금이 있는 밧줄. 커런트폴(current pole)에 달려 있으며, 조류 속도(潮流速度)를 재기 위한 것임. 조류 속도는 일정 시간에 풀려나간 밧줄의 길이로 측정함.

〈유속계〉

유-속헐후【猶屬歇后】名 보다 더 어려운 일이 있음. 다른 것보다는 오히려 훨씬 쉬운 편임.

유손【猶孫】名 형제의 손자.

유:솜【USOM】名 [United States Operations Mission의 약칭]〖경〗오이 시(OEC)의 개칭(改稱). 유세이드(USAID)의 전신.

유송[1]【油松】名〖식〗잣나무.

유송[2]【油送】名 유류(油類)를 보냄. 송유(送油). ——-하다 자여불

유송 가:능【流送可能】名 [flumed]〖광〗수력 채굴(水力採掘) 광산(鑛山)에서 고체 입자(固體粒子)를 현탁 상태(懸濁狀態)로 물에 흘려 보내어 수송(輸送)하기에 적합한 상태.

유송-관【油送管】名 석유·휘발유 등의 유류를 먼 거리까지 보내는 장치의 관(管). 송유관(送油管).

유송-선【油送船】名 유조선(油槽船).

유송-장【維松章】[一짱] 名〖악〗조선 경종(景宗)의 왕비인 심씨(沈氏)의 제사에 쓰던 악장의 이름.

유송진-류【油松津類】[一뉴] 名 소나무·잣나무 등의 진액을 휘발유와 섞어서 만든 기름.

유수[1]【幼樹】名 어린 나무.

유:수[2]【有數】名 ①손가락으로 셀 수 있는 몇몇 중에 들 만큼 두드러짐. ¶~한 인물/전국에서도 ~한 공장. ②운수가 있음. ¶흥망(興亡)이 ~

하니. ——-하다 형여불

유-수³【酉水】명〖지〗'유수이'를 우리 음으로 읽은 이름.

유수⁴【幽囚】명 잡아 가둠. ——-하다 타여불

유:수⁵【柳宿】명〖천〗유성(柳星).

유수⁶【幽愁】명 깊은 근심. 마음 속에 깊이 품은 수심.

유수⁷【幽邃】명 그윽하고 깊숙함. 비수(祕邃). 심수(深邃). ——-하다 형여불. ——-히 부

유수⁸【流水】명 흐르는 물. ¶세월은 ~와 같다.

유수⁹【留守】명〖역〗조선 시대에 개성·강화·광주(廣州)·수원·춘천(春川) 등 요긴한 곳을 맡아 다스리던 정이품 외관직(外官職).

유수¹⁰【遊手】명 일정한 직업이 없이 놀고 있는 사람.

유-수¹¹【劉秀】명〖사람〗중국 한(漢)나라의 광무제(光武帝)의 성명.

유:수-강【有鬚綱】명〖동〗[Pogonophora] 유완 동물문(有腕動物門)의 단일(單一)한 강(綱). 긴 몸은 세 체절(體節)로 되어 있으며 각각 독립된 체강(體腔)이 있음. 입·항문(肛門) 및 소화관(消化管)은 없으며 자웅이체(雌雄異體)임.

유수 객토【流水客土】명〖토〗인공적으로 유수를 이용하여 흙을 운반해서 농지 조성(農地造成), 또는 농토 개량을 하는 일.

유수-관【留守官】명〖역〗고려 때 남경(南京=漢陽)·광주(廣州)·서경(西京=平壤)에 두어 그 곳을 다스리게 한 외관직(外官職).

유수 광음【流水光陰】명 유광(流光).

유수-도【留守都】[—또] 명〖역〗조선 시대 때 유수(留守)가 주류하던 개성(開城)·강화(江華)·광주(廣州)·수원·춘천을 이름.

유수 도식【遊手徒食】명 아무 일도 하지 아니하고 놀고 먹음. 무위 도식. ——-하다 자여불

유수-류【游水類】명〖동〗고래목(目).

유수-림【遊水林】명 홍수 방지·토지 이용 등의 목적으로 하천·유수지(遊水池) 등에 심는 삼림(森林).

유수-부【留守府】명〖역〗고려·조선 시대에, 옛 도읍지나 행행지(行幸地) 및 군사적 요지에 베풀었던 행정 기관. 고려 시대에는 옛 도읍지인 서경(西京)·동경·남경 등지에 베풀었고, 조선 시대에는 개성, 태조(太祖)의 고향인 전주 및 강화·광주(廣州)·수원 등지에 설치했음.

유수 불부【流水不腐】명 흐르는 물은 썩지 않는다는 뜻으로, 늘 움직이는 것은 썩지 않음을 비유한 말.

유수 사:용권【流水使用權】[—꿘] 명〖법〗관개(灌漑)·동력(動力) 등에 이용하기 위하여 유수를 사용하는 권리.

유수성 플랑크톤【流水性—】[—썽—] 명 [rheoplankton]〖생〗흐르는 물 속에서 볼 수 있는 부유 생물(浮游生物).

유:수 신경【有髓神經】명〖생〗신경 세포에서 나온 축색 돌기(軸索突起)가 수초(髓鞘)와 신경초(神經鞘)로써 덮여진 신경. 척추 동물의 뇌척수 신경 등에서 볼 수 있음. 유수 신경은 무수 신경에 비하여, 흥분의 전도(傳導) 속도가 빠름. *수초(髓鞘).

유:수 신경 섬유【有髓神經纖維】명〖생〗수초(髓鞘)로 싸인 신경 섬유. 척추 동물의 운동 신경·지각 신경의 대부분 및 부교감 신경 등을 구성하는 섬유가 이에 속함. ↔무수(無髓) 신경 섬유.

유수-영【留守營】명〖역〗조선 시대 때, 유수(留守)의 영문(營門).

유-수원【柳壽垣】명〖사람〗조선 영조(英祖) 때의 문신·학자. 자(字)는 남로(南老), 호는 농암(聾菴)·농객(聾客). 문화(文化) 사람. 유봉휘(柳鳳輝)의 당질(堂姪). 벼슬이 장령(掌令)에 이르렀으나 정치적으로 불우한 생활을 보냄. 저서 ≪우서(迂書)≫를 통해 관제(官制)의 개편, 신분제(身分制) 철폐, 교육 기회 균등 등을 주장함. 영조 31년(1755) 토역 경하 정시(討逆慶賀庭試)에 나타난 변서 사건(變書事件)에 연루되어 대역죄(大逆罪)로 사형당함. [1694-1755]

유수이 [酉水] 명〖지〗중국 후난 성(湖南省)의 강. 후베이 성(湖北省)의 서남(西南)에서 발원(發源)하여 쓰촨 성(四川省)의 동남 경계를 지나 이메이 강(邑梅水)과 합류한 다음 후난 성을 동남으로 관류(貫流)하여 천저우(辰州)에 이르러 위안장(沅江) 강으로 들어감. 위안장 강의 지류(支流) 중 중요한 것으로서 쓰촨·후난의 양성(兩省) 사이의 교통 운수(交通運輸)는 이 강에 많이 의존(依存)하고 있음. 유수. [439 km]

유-수일인【唯授一人】명 비전(祕傳) 등을 오직 한 사람에게만 전하는 일. 또, 오직 한 사람만이 전수(傳授)받은 것.

유수 정책【誘水政策】명 [pump-priming policy]〖경〗펌프를 틀어도 물이 나오지 않을 때 물을 넣어서 틀면 물이 자연히 따라 올라 오는 것과 같이, 국가 경제가 자유 방임(自由放任)만으로는 경기의 회복이 어려운 경우, 정부가 공공 투자(公共投資)를 행하여 화폐(貨幣)를 경제계(經濟界)에 투입(投入)하여 사회적 수요를 증가시키면 그것이 자극이 되어 유효 수요(有效需要)의 증가가 점차로 파급(波及)하여 민간 기업(民間企業)의 생산이 오르며 경기가 상승(上昇)함. 이와 같이 정부가 국가 재정(國家財政) 중에서 경기 회복(景氣回復)을 위한 자극으로 공공 투자를 행하는 것을 말함.

유:수 존언【有數存焉】명 무슨 일이든 운수(運數)가 있어야 됨. ——-하다 형여불

유수-지【遊水池】명〖지〗하천(河川)의 홍수(洪水)의 수량(水量)을 조절(調節)하는 천연(天然) 또는 인공(人工)의 저수지(貯水池).

유수-필【流水筆】명 '만년필(萬年筆)'의 전에 일컫던 말. 자래필(自來筆).

유숙¹【乳熟】명 곡류(穀類)의 종자의 양분이 아직 유상(乳狀)이어서 세계 눌리면 반유동성의 백색체(白色體) 또는 녹색체(綠色體)가 나오는 시기. 종자가 충분히 익지 아니한 상태.

유-숙²【柳淑】명〖사람〗고려 공민왕(恭愍王) 때의 정치가. 자는 순부(純夫), 호는 사암(思庵). 서산(瑞山) 사람. 지추밀원사(知樞密院事)로 기철(奇轍) 일당을 숙청하는 데 공을 세워 안사 공신(安社功臣)이 되었고, 홍건적(紅巾賊)을 물리쳐 충근 절의 찬화 공신(忠勤節義贊化功臣)이 되었으며, 흥왕사(興王寺)의 변란을 진압하여 1등 공신이 되어 정당 문학(政堂文學)을 지내고 예문관 대제학(藝文館大提學)에 이름. 신돈(辛旽)의 무고로 고향에 있다가 교살됨. 시호는 문희(文僖). [?-1368]

유숙³【留宿】명 남의 집에서 묵음. ——-하다 자여불

유-숙⁴【劉淑】명〖사람〗조선 후기의 화가. 자(字)는 선영(善永), 호는 혜산(蕙山). 한양(漢陽) 사람. 필치(筆致)가 정묘하고 화풍이 아담하였는데, 특히 산수·인물·화조(花鳥)를 잘 그렸음. 작품 ≪추산 소림도(秋山蕭林圖)≫·≪하산 욕우도(夏山浴雨圖)≫ 등. [1827-73]

유숙-객【留宿客】명 유숙한 손님. 투숙인.

유-숙기【兪肅基】명〖사람〗조선 영조 때의 학자. 자는 자공(子恭), 호는 겸산(兼山). 기계(杞溪) 사람. 김창흡(金昌翕)의 문인으로 문학에 능하였고 지조가 굳었으며, 벼슬이 판관(判官)에 이름. 저서에 ≪겸산집(兼山集)≫이 있음.

유순¹【由旬】명 [범 yojana]〖불교〗고대 인도의 이수(里數)의 이름. 대유순(大由旬)·중유순(中由旬)·소유순(小由旬)의 세 가지이며, 대유순은 80리(里), 중유순은 60리, 소유순은 40리임. 유선나(踰繕那). 유순나(由旬那). 유암나(踰闍那). 유연(由延).

유순²【柔順】명 성질이 부드럽고 온순함. 유완(柔婉). ——-하다 형여불. ——-히 부

유-순³【柳洵】명〖사람〗조선 중기의 문신. 자(字)는 희명(希明), 호는 노포(老圃). 문화(文化) 사람. 연산군(燕山君) 때와 중종(中宗) 때 두 번 영의정을 지냈으며 중종 반정에 공을 세워 문성 부원군(文城府院君)에 봉해짐. 시부(詩賦)에 뛰어나 왕명으로 서거정(徐居正)·노사신(盧思愼) 등과 함께 ≪연주시격(聯珠詩格)≫을 우리 말로 번역함. 시호는 문희(文僖). [1441-1517]

유순나【由旬那】명 [범 yojana]〖불교〗유순(由旬).

유-순(:)정【柳順汀】명〖사람〗조선 초기의 명신. 자는 지옹(智翁). 진주(晉州) 사람. 중종 5년(1510)에 제포(薺浦)의 왜인 문제가 시끄러워지자 도체찰사(都體察使)가 되어 사건을 처리, 이어 경상도 도원수(都元帥)가 되어 삼포(三浦)의 왜란을 평정, 중종 7년 영의정에 이르렀으며 문무(文武)를 겸한 공신으로 명망이 높았음. 시호는 문성(文成). [1459-1512]

유술¹【柔術】명 유도(柔道).

유술²【儒術】명 유도(儒道)❶.

유-숭【兪崇】명〖사람〗조선 숙종 때의 문신. 자(字)는 원지(元之). 지평(持平)·사간(司諫)을 거쳐 공조 참판(工曹參判)에 이름. ≪해동 가요(海東歌謠)≫에 시조 2수가 전함. [1666-1734]

유-숭조【柳崇祖】명〖사람〗조선 성종(成宗) 때의 경학자(經學者). 자는 종효(宗孝), 호는 진일재(眞一齋)·석헌(石軒). 전주(全州) 사람. 관은 대사성·황해도 관찰사를 지냄. 도학 정치(道學政治)를 실현하려고 한 최초의 학자로 경사(經史)에도 통달하여 조광조(趙光祖) 등 많은 제자를 양성하였음. 저서 ≪칠서 언해(七書諺解)≫. 시호는 문목(文穆). [1452-1512]

유스타키오 [Eustachio, Bartolommeo] 명〖사람〗☞에우스타키오.

유스타키오-관【—管】명 [Eustachian tube]〖생〗고등 척추 동물의 중이(中耳)의 고실(鼓室)과 인두 측벽(咽頭側壁)과의 사이를 연결(連結)하는 길이 3.5 cm 내외의 편평한 관(管). 고실과 인두 사이의 기압(氣壓)을 균등히 하며, 고실의 배설물(排泄物)은 여기를 통하여 배설되고 고막(鼓膜)의 진동을 용이하게 함. 이관(耳管). 구씨관(歐氏管).

유스티누스 일세【—一世】[Justinus Ⅰ] [—쎄] 명〖사람〗동로마(東Roma) 황제. 아나스타시우스 일세(Anastasius 一世)의 사후(死後), 원로원(元老院)으로부터 후계자로 추대됨. 정교적(正敎的) 종교 정책을 수행, 로마 교황과의 34년 간의 불화를 씻음. 양자(養子)인 조카 유스티니아누스 일세((Justinianus—世)를 후계자로 지명, 그 통치는 사실상 양자(兩者)의 공동 통치였음. [450-527; 재위 518-527]

유스티니아누스 법전【—法典】[Justinianus] 명〖법〗유스티니아누스제(帝)가 트리보니아누스(Tribonianus) 등의 법학자에 명하여 황제 입법(皇帝立法)을 집대성(集大成)한 로마 법전. 529-534년 편찬. 칙법집(勅法集)·학설집(學說集)·법학 제요(法學提要)의 3부와 개별적 보충입법(補充立法)으로 이루어짐. 공법(公法)과 사법(私法)의 분리(分離) 등의 특징으로 근대법(近代法) 정신의 원류(源流)가 됨. 로마법 대전(大全). 로마법.

유스티니아누스-제【—帝】[Justinianus] 명〖사람〗동로마(東Roma)의 황제. 제국을 중흥(中興)하고, '로마 법전'을 편찬함. 일세(一世) 또는 대제(大帝)로 불림. [483-565; 재위 527-565]

유:스 호스텔 [youth hostel] 명 사이클링·하이킹 등을 하는 청소년(靑少年) 여행자를 위한 건전하고 비영리적인 숙박 시설. 19세기말 독일 청년 간에 유행한 반더포겔(Wandervogel)의 정신이 그 바탕이며 1909년 독일의 초등 학교 교사 시르만(Schirrmann, R.)이 알테나(Altena)에 개설한 것이 처음임. 현재 이 운동은 세계적인 것이 되어 국제 유스 호스텔 본부가 영국 런던에 있음. 거의가 회원제임.

유습¹【狃習】명 익숙함. ——-하다 형여불

유-습²【柳濕】명〖사람〗조선 태종(太宗) 때의 공신(功臣). 태조 때 과의 상장군(果毅上將軍), 태종 때는 원종 공신(元從功臣)으로 각 조의 판서를 지냈고, 세종(世宗) 때에는 우군 원수(右軍元帥)로서 대마도(對馬島)에 출정한 일이 있음. [1367-1439]

유습³【遺習】명 옛날부터 전하여 내려오는 풍습. 유풍(遺風).

유습⁴【謬習】명 못된 버릇. 그릇된 습관.

유-승단【兪升旦】명〖사람〗고려 고종 때의 문인. 초명은 원순(元淳). 인

동(仁同) 사람. 중국 원(元)나라의 침입 때 최우(崔瑀)의 강화(江華) 천도를 반대했음. 참지정사(參知政事)로 문장이 뛰어났으며 ≪명종 실록≫을 편찬하였음. [1168-1232]

유시[1]【幼時】명 어릴 때.

유시[2]【酉時】명〖민〗①십이시(十二時)의 열째 시. 곧, 오후 5시부터 7시까지의 동안. ②이십사시(二十四時)의 열아홉째 시. 곧, 오후 5시 반부터 6시 반까지의 동안. ㊌유(酉).

유시[3]【流矢】명 빗나간 화살. 누가 쏘았는지 모르는 화살. 비시(飛矢). 유전(流箭).

유시[4]【流澌】명 얼음이 흘러 내려감. ——하다 자여불

유시[5]【諭示】명 타일러 훈계함. 관청에서 구두나 문서로 타일러 가르침. 또, 그 문서. 효시(曉示). ——하다 타여불

유시[6]【遺屍】명 유기(遺棄)된 시체.

유:시-류【有翅類】명〖충〗[Pterygota] 곤충류의 한 아강(亞綱). 곤충 중, 보통 날개가 있고 유충(幼蟲)과 성충 사이에 형태의 변화를 하는 것의 총칭. 대부분의 곤충이 포함되며 날개가 퇴화(退化)한 벼룩·이 등도 포함됨. 하루살이목·잠자리목·딱정벌레목·파리목·매미목·뿔잠자리목 등 20목(目)으로 나눔. ↔무시류(無翅類).

유:시 무종【有始無終】명 시작은 있되 끝이 없음. ——하다 형여불

유:시 유:종【有始有終】명 시작할 때부터 끝을 맺을 때까지 변함이 없음. ——하다 형여불

유:시 필유종【有始必有終】명 사물에는 한정이 있어 시작이 있으면 반드시 끝이 있음.

유:시-호【有時乎】부 어떤 때에는. 혹 가다가는.

유:식[1]【有識】명 학식이 있고 견식이 높음. ¶～층(層). ↔무식(無識). ——하다 형여불

유식[2]【侑食】명 제사 지낼 때에 삼헌작(三獻酌)과 삽시(挿匙)한 후에 제관들이 문 밖에 나와 문을 닫고 십 분 가량 기다리는 일.

유식[3]【唯識】명〖불교〗일체의 제법은 심식(心識)의 표현으로, 실재하는 것은 오직 식(識)뿐이라는 말. 법상종(法相宗)의 근본 교의.

유식[4]【遊食】명 하는 일 없이 놀고 먹음. ——하다 자여불

유식[5]【遊息】명 편히 쉼. ——하다 자여불

유식[6]【遺式】명 옛날부터 전해 내려 오는 방식(方式).

유식-강【唯識講】명〖불교〗유식회(唯識會).

유식-론【唯識論】[—논] 명〖불교〗법상종(法相宗)의 중요 성전(重要聖典). 10권(卷)으로 되어 있으며 '성유식론(成唯識論)'이 그 옳은 이름임. 세친(世親)의 '유식 삼십송(唯識三十頌)'을 호법(護法)·안혜(安慧) 등의 십대 논사(十大論師)가 해석한 것을 취사(取捨)하여 중국 당(唐)나라의 현장(玄奘)이 합역(合譯)함. 유식(唯識)의 의리(義理)·진여(眞如) 및 수행(修行)의 위차(位次)를 분명하게 한 것임. 유식 이십론(唯識二十論). 성유식론(成唯識論).

유식 만다라【唯識曼荼羅】명〖불교〗법상종(法相宗)의 조사(祖師)를 그린 만다라. 중앙에 미륵 보살, 좌우에 인도의 무착(無着)·세친(世親)·십대론사(十大論師), 당나라의 현장(玄奘)·규기(窺基)·혜소(慧沼) 등을 그린 것임.

유식 사:상【唯識思想】명〖불교〗일체의 삼라 만상이 오직 마음에 의해 변화하며, 마음을 떠나서는 어떠한 존재도 있을 수 없음을 밝힌 불교 사상.

유식 삼십송【唯識三十頌】명〖책〗유식설(唯識說)의 대강(大綱)을 서른의 게송(偈頌)에 담은 책. 인도의 중 세친(世親)이 지은 것으로, 당나라 현장(玄奘)의 역서(譯書)가 있음. 유식론(唯識論)은 이에 주석을 단 것임.

유식 이:십론【唯識二十論】[—논] 명 유식론(唯識論).

유:식-자[1]【有識者】명 널리 학문(學問)·지식(知識)을 가지고 있는 사람. 유식한 사람.

유식-자[2]【遊食者】명 아무 일도 아니하고 놀고 먹는 사람. 유군(遊軍).

유식-종【唯識宗】명〖불교〗법상종(法相宗).

유식지-민【遊食之民】명 하는 일 없이 놀고 먹는 백성.

유식-파【唯識派】명〖불교〗유가행파(瑜伽行派).

유식-회【唯識會】명〖불교〗유식론(唯識論)의 오의(奧義)를 강찬(講讚)하는 법회(法會).

유:신[1]【有信】명 믿음성이 있음. 신용이 있음. ¶붕우(朋友) ～. ↔무신(無信). ——하다 형여불

유:신[2]【有神】명 신이 존재한다고 믿음. ¶～론(論).

유-신[3]【柳伸】명〖사람〗고려 문종(文宗) 때의 명필(名筆). 초명은 인(仁), 벼슬은 예부·이부 상서를 거쳐 상서 우복야 정당 문학(尙書右僕射政堂文學)에 이르렀음. 행서(行書)·초서(草書)를 잘 써서 신라의 김생(金生), 고려의 탄연(坦然)·최우(崔瑀) 다음가는 명필(名筆)로 꼽힘. 전남 순천시(順天市) 송광사(松廣寺)의 불일 보조 국사탑비(佛日普照國師塔碑)는 그가 쓴 것임. [?-1105]

유-신[4]【庾信】명〖사람〗중국 남북조(南北朝) 시대의 문인(文人). 자는 자산(子山). 남조의 양(梁)나라에서 무강현후(武康縣侯), 북주(北周)에서 표기 장군(驃騎將軍)·개부 의동 삼사(開府儀同三司) 등을 지냄. 그의 화려한 문체는 서릉(徐陵)과 더불어 서유체(徐庾體)라 불리어짐. 저서에 ≪유자산 문집(庾子山文集)≫ 20권이 있음. [512-580]

유신[5]【維新】명 모든 것을 고쳐 새롭게 함. 묵은 제도를 아주 새롭게 고침. ¶～ 과업. ——하다 타여불

유신[6]【諛臣】명 아첨하는 신하.

유신[7]【儒臣】명 ①유학(儒學)에 조예가 깊은 신하. ②〖역〗홍문관(弘文館) 관원의 통칭.

유신[8]【遺臣】명 ①왕실(王室)이 망한 뒤에 남아 있는 신하. ②선대(先代)의 구신(舊臣).

유:신-론【有神論】[—논] 명 [theism]〖철〗우주(宇宙)를 초월하여 존재하면서, 이를 창조하고 유지(維持)·섭리(攝理)하고 있는 인격적(人格的)인 신(神)의 존재를 주장하는 설(說). 다수(多數)의 신의 존재를 주장함을 다신론(多神論)이라 하고, 유일(唯一)의 신의 존재를 주장함을 일신론(一神論)이라 함. 인격신론(人格神論). *이신론(理神論)·무신론(無神論).

유:신론-자【有神論者】[—논—] 명 유신론을 신봉(信奉)하는 사람.

유신 정우회【維新政友會】명〖역〗제4공화국 때의 국회내 의원 단체. 1972년 유신 체제의 발동과 함께 국회 의원 정수의 3분의 1에 해당하는 의원을 '헌법'의 규정에 따라 대통령이 추천하면 통일 주체 국민 회의가 승인, 선출하는데, 이에 의한 의원들이 만든 단체. ㊌유정회(維政會).

유신지-초【維新之初】명 모든 사물이 바뀌어 새로워진 처음.

유신 헌:법【維新憲法】[—뻡] 명 1972년 10월 27일, 비상 국무 회의의 의결에 의하여 헌법 개정안을 공고하고 11월 21일 국민 투표로 확정된 제4공화국의 헌법. 조국의 평화적 통일과 한국적 민주주의의 토착화를 목적으로 한다고 되어 있음. 전문(前文)과 12장 126조 및 부칙(附則)으로 됨.

유-신환【兪莘煥】명〖사람〗조선 말기의 학자. 자(字)는 경형(景衡), 호는 봉서(鳳棲). 기계(杞溪) 사람. 후진(後進) 양성에 진력하여 많은 학자를 길러냈으며, 이기 신화론(理氣神化論)을 주장함. 성리학(性理學)의 대가(大家)로 경사(經史)로부터 율력(律曆)·산수(算數)에 이르기까지 정통하였으며, 정치·경제·군사 등 다방면에 박학하였음. 시호는 문간(文簡). [1801-59]

유실[1]【流失】명 떠내려 가서 없어짐. ¶～ 가옥/～ 전답(田畓). ——하다 타여불

유실[2]【幽室】명 조용하고 그윽한 곳에 있는 방.

유실[3]【遺失】명 ①가진 물건을 잃어버림. 떨어뜨림. ②〖법〗동산 소유자(動産所有者)가 그 동산의 점유(占有)를 잃어 그 소재(所在)를 알 수 없음. ——하다 타여불

유실 경:계사【柳室警戒詞】명〖악〗영남 대가 내방 가사(嶺南大家內房歌辭)의 하나. 풍산(豐山) 유씨(柳氏)에게 시집간 딸을 경계하여 부녀자의 행실을 가르친 노래.

유:실 난봉【有實難捧】[—란—] 명 채무자에게서 재물은 있어도 빚을 받아 내기가 어려움.

유:실-류【有室類】명〖동〗유공류(有孔類).

유:실 무실【有實無實】명 실상이 있는 것과 없는 것.

유실-물【遺失物】명 ①잃어버린 물건. ②〖법〗점유자(占有者)의 의사에 반하여 그 소지(所持)를 떠난 물품. *표류물(漂流物).

유실물-법【遺失物法】[—뻡] 명〖법〗1961년에 제정된 유실물에 관한 법률.

유실물 횡령죄【遺失物橫領罪】[—녕쬐] 명〖법〗유실물·표류물(漂流物) 기타 타인의 점유(占有)를 떠난 물품을 횡령하는 죄.

유:실-수【有實樹】[—쑤] 명 유용(有用)한 열매를 맺는 나무. 밤나무·잣나무·감나무·대추나무·살구나무 등. 결실수(結實樹).

유실 신고【遺失申告】명 물건을 잃어버린 사람이 관청 같은 데에 내는 신고(申告).

유실-자【遺失者】[—짜] 명〖법〗물품을 유실한 사람.

유심[1]【幽深】명 깊숙하고 그윽함. ——하다 형여불

유심[2]【留心】명 유의(留意). ——하다 타여불

유심[3]【唯心】명 ①〖범 citta-mātra〗〖불교〗일체(一切)의 제법(諸法)은 그 본성(本性)으로 말하면 성(性)의 표현이고 심성(心性)만이 일체의 근원(根元)이며 최고의 실재(實在)라는 설(說). 대승 불교(大乘佛敎) 특히 화엄경(華嚴經)의 중심 사상(中心思想)임. ②오직 정신만이 존재함. ↔유물(唯物).

유심-관【唯心觀】명〖철〗유심론(唯心論)에 입각하여 사물을 관찰 비판하는 일. ↔유물관(唯物觀).

유심-론【唯心論】[—논] 명 [spiritualism]〖철〗우주 만물의 궁극적 근원(窮極的根源)은 마음 또는 정신(精神)이며, 일상적(日常的)으로 나타나는 심적(心的) 또는 정신적 현상 아닌 제현상(諸現象)도 그 근원에 있어서는 마음 또는 정신의 발현(發現)이라고 하는 통일적(統一的)인 견해. ↔유물론(唯物論).

유심론-자【唯心論者】[—논—] 명 유심론을 믿거나 또는 주장하는 사람. ↔유물론자(唯物論者).

유심 사:관【唯心史觀】명〖사〗역사의 근본 동력(根本動力)을 인간의 이성(理性)·도덕 의식(道德意識) 또는 개인의 영웅적 행동 등의 정신 작용에 구하는 역사관(歷史觀). ↔유물 사관(唯物史觀).

유심 연기【唯心緣起】명〖불교〗만법(萬法)은 일심(一心), 곧 진여(眞如)의 동전(動轉)에 의하여 연기(緣起)가 있게 됨을 일컫는 말.

유:심 이:차 곡선【有心二次曲線】명〖수〗2차 곡선 가운데서, 타원(楕圓)이나 쌍곡선(雙曲線)과 같이 대칭(對稱)의 중심을 갖는 곡선.

유:심-재【有心材】명 수심(樹心)을 가진 재목.

유:심재-집【有心齋集】명〖책〗조선 영조(英祖) 때의 학자 유심재 이화보(李和甫)의 문집. 작자는 평생 실학(實學)에 힘쓰고 시사(詩詞)를 좋아하지 아니하여 이 책에는 시(詩)가 없고 서(書)와 경의 문답(經義問答)·예의 문답·잡저(雜著)·고문(告文)·지문(誌文) 등만 씌어 있음. 6권 3책.

유심-적【唯心的】명관 물질에 대한 정신의 근원성·독자성을 인정하는 입장에 있는 모양.

유:심-정【有心定】명〖불교〗삼계(三界) 가운데, 색계(色界)와 무색계(無色界)의 선정(禪定). 팔정(八定)이 있음. *무심정(無心定).

유심 정토【唯心淨土】 명 〖불교〗 정토(淨土)는 일심(一心)의 현현(顯現)으로서, 마음 밖의 실재(實在)가 아니라는 말.

유:심-하다【有心—】 형여불 마음을 유독(唯獨)히 한 곬으로 쏟고 있다. 유:심-히【有心—】 부. ¶ ~ 내 얼굴을 보더라.

유아[1]【幼兒】 명 어린 아이.

유아[2]【幼芽】 명 〖식〗 어린싹.

유아[3]【乳兒】 명 젖먹이.

유아[4]【幽雅】 명 고상하고 품위(品位)가 있음. 또, 그러한 모양. ¶ ~한 산하(山河). ——-하다 형여불

유아[5]【唯我】 명 오직 나 하나만이 제일이라는 뜻. ¶ 천상 천하(天上天下) ~ 독존(獨尊).

유아[6]【遺兒】 명 ①어버이가 죽고 남아 있는 아이. 유애(遺愛). 유윤(遺胤). ②내버린 아이. 기아(棄兒).

유아[7]【儒雅】 명 문아(文雅)❷. ——-하다 형여불

유아 각기【乳兒脚氣】 명 〖의〗 모유(母乳) 속의 비타민 B_1의 결핍으로 일어나는 유아의 각기. 구토·설사 등의 소화 불량의 증상과 함께 열이 없이 맥과 호흡이 빨라짐.

유아 결혼【幼兒結婚】 명 〖사〗 보통 계집애가 갓난 후 열 살까지의 사이에 결혼식(結婚式)을 올리고 성숙(成熟)한 후에 다시 제2의 결혼식을 하여 가정을 꾸미는 인도(印度)의 관습. 주로 힌두교도 사이에서 행해짐. 동혼(童婚).

유아 교:육【幼兒敎育】 명 〔infant or early childfood education〕 유아를 대상(對象)으로 하는 교육. 취학전(就學前) 교육. 보육(保育). 조기 교육(早期敎育).

유아 교:육과【幼兒敎育科】 명 〖교〗 대학에서 유아 교육학을 전공하는 학과.

유아-기[1]【幼兒期】 명 ①나이가 아주 어린 때. ②〖의〗 생후(生後) 1년 내지 1년 반부터 만 6세에 이르기까지의 시기. 만 3세까지를 유아 전기(幼兒前期), 그 이후를 유아 후기(幼兒後期)라 함. 이 시기는 자기 중심성(自己中心性)·정서성(情緖性)·구체성(具體性)에 의하여 특정지어지며 미분화(未分化)된 모양을 나타냄.

유아-기[2]【乳兒期】 명 〔infancy〕 〖의〗 사람의 생후 1년 동안. 젖에 의해서 영양(營養)을 취하며 일생 중에서 신체(身體) 발육이 가장 왕성한 시기임. *이유기(離乳期).

유아 독존【唯我獨尊】 명 ①〖불교〗 ↗천상 천하 유아 독존(天上天下唯我獨尊). ②이 세상에 자기 혼자만이 잘났다고 하는 일.

유아-등【誘蛾燈】 명 밤에 논이나 밭에 설치하여 놓고 해충이 날아 들어 물에 빠져 죽게 만든 등불. 전등이나 석유 등 밑에 물을 담은 그릇을 놓아 둠. 벌레잡 등불. 나방잡등.

유아-론【唯我論】 명 〖철〗 독아론(獨我論). 솔립시즘(solipsism).

유: 아:르 엘【URL】 명 〔Uniform Resource Locator〕 〖컴퓨터〗 인터넷에서 홈페이지나 사이트의 위치를 나타내는 방법. 맨 앞에 'http : //'를 입력하고 각 사이트의 주소를 붙임.

유아 매독【乳兒梅毒】 명 〖의〗 임신의 후반기에 병원체가 태반(胎盤)을 통하여 태아(胎兒)에 감염하여, 발생하는 유아의 매독. 어른의 제2기 또는 제3기의 증상을 나타내며 중증(重症)이 되기 쉬움. 피부의 특유한 발진(發疹), 뼈의 변화 등이 주요 증상인데 보통 출생 후 1-4개월에 나타남.

유아 보:호【幼兒保護】 명 〔baby care〕 유아를 적절(適切)한 교육적 영향 아래 둠으로써 소극적으로 사회(社會)에서 오는 나쁜 영향을 막고 적극적으로는 유아를 성장(成長) 지도(指導)하는 일.

유아 성:욕【幼兒性慾】 명 〖생〗 유아기에 볼 수 있는 원초적(原初的)인 성욕. 성욕의 대상은 미분화(未分化)로서 자기에게 향함. 성감역(性感域)이 처음에는 입술, 다음은 항문, 다음으로 성기(性器)에 정위(定位)함. 성행동으로서는 빠는 일, 배설에 흥미를 가지는 일, 성기를 만지는 일, 성기 노출 따위가 있음.

유아 세:례【幼兒洗禮】 명 〖기독교〗 유아(幼兒)에게 세례를 베풀어 그로 하여금 구제의 축복에 참례하게 하는 관례. 가톨릭 교회에서는 보통의 경우에는 일정한 기일에만 행하고, 동방 교회에서는 어린 아기의 돌날에 행함.

유아 심리학【幼兒心理學】〔—니—〕 명 〖심〗 유아를 대상으로 하는 아동 심리학의 한 분야.

유아-어【幼兒語】 명 〖언〗 유아기(幼兒期)에만 쓰이는 유아 특유의 언어. 맘마·응가 따위.

유아 영양 장애【乳兒營養障礙】 명 〖의〗 유아의 영양 기능을 해치는 전신(全身)의 병. 급성은 설사와 구토(嘔吐)를 주증상(主症狀)으로 하며, 만성은 몸이 여윔.

유아-원【幼兒園】 명 만 1-6세의 유아(幼兒)나 영아(嬰兒)를 맡아 보육(保育)하는 기관. 초기에는 보호자가 낮 동안 안심하고 업무에 종사할 수 있도록 아동을 맡아 주는 역할만을 했으나, 근래에 와서는 조기 교육의 중요성이 강조됨에 따라 유치원 이전의 조기 교육 기관으로서의 역할을 함께 담당하고 있음.

유아-이사【由我而死】 명 나로 말미암아 죽음. ——-하다 자여불

유: 아이 시: 시:【UICC】 명 〔라 Unio Internationalis Contra Concrum의 약칭〕 국제 대암 연합(國際對癌聯合). 1933년에 결성. 가맹(加盟) 각국의 공동 출자로써 암의 기초와 임상(臨床) 연구를 행함.

유아-장【惟我章】〔—짱〕 명 〖악〗 조선 인조(仁祖)의 왕비 인열 왕후(仁烈王后) 한씨(韓氏)를 책봉할 때 지은 악장(樂章) 이름.

유아지-탄【由我之歎】 명 나로 말미암아 남에게 해가 미친 것을 뉘우치는 탄식.

유아-차【乳兒車】 명 유모차. 동차(童車).

유아 체조【乳兒體操】 명 유아의 심신(心身)의 발달·발육을 촉진하고 강화하기 위하여, 주로 어머니가 능동적으로 시키는 체조. 일반적으로 운동은 물질 대사(物質代謝), 뼈의 형성·발달을 촉진하며 뇌의 활동을 활발하게 함.

유아-초【幼芽鞘】 명 〔coleoptile〕 〖식〗 벼나 보리의 싹이 터서 잎이 나오려고 할 때 그것을 싸고 있는 집. 자엽초(子葉鞘).

유악[1]【帷幄】 명 ①유막(帷幕). ②작전 계획을 하는 곳. 본진(本陣). 참모부(參謀部). ③모신(謀臣). 참모(參謀).

유-악[2]【劉鶚】 명 〖사람〗 '류 어'를 우리 음으로 읽은 이름.

유:악 토기【有鍔土器】 명 〖고고학〗 전토기의 구용어.

유안[1]【留案】 명 안건(案件)의 처리를 보류함. ——-하다 타여불

유안[2]【硫安】 명 〖화〗 〔←유산(硫酸) 암모늄〕 황산 암모늄.

유-안[3]【劉安】 명 〖사람〗 중국 한(漢)나라 고조(高祖)의 손자. 회남왕(淮南王)에 봉(封)하여짐. 문학·방술(方術)을 즐겨, 많은 학자·문인을 식객(食客)으로 맞아 《회남자(淮南子)》 21권을 편찬함. 예문(藝文)을 즐긴 무제(武帝)에게 존중(尊重)되었으나, 뒤에 모반의 죄에 걸려 자살함. [?-122B.C.]

유-안[4]【劉晏】 명 〖사람〗 중국, 당나라 중기의 정치가. 자는 사안(士安). 숙종(肅宗) 때, 재정을 맡아 명상(名相)이라 칭송되고, 대종(代宗) 때, 재상(宰相)으로서 안사(安史)의 난(亂) 뒤의 고갈(枯渴)한 재정(財政)의 재건에 진력하는 등 많은 공을 세웠으나 무실(無實)한 죄로 사사(賜死)됨. [715-780]

유안[5]【儒案】 명 〖역〗 청금록(靑衿錄).

유안 비:료【硫安肥料】 명 비료로서의 황산 암모늄.

유안-생【儒案生】 명 개성(開城)의 유생(儒生).

유암[1]【乳癌】 명 〖의〗 유방암.

유:암[2]【柳暗】 명 버드나무 잎이 무르녹아 어둡게 푸름. ——-하다 형여불

유암[3]【幽暗】 명 그윽하고 어두침침함. ——-하다 형여불

유:암[4]【類癌】 명 〖의〗 피부나 구강 점막(口腔粘膜) 등의 표면을 싸고 있는 편평 상피(扁平上皮)로 된, 각화(角化)가 강(強)한 암의 한 유형(類型). 편평 상피암(扁平上皮癌).

유암나【踰闍那】 명 〖불교〗 유순(由旬).

유:암 화명【柳暗花明】 명 ①버들은 무성하여 그윽히 어둡고 꽃은 활짝 피어 밝고 아름답다는 뜻으로 강촌(江村)의 봄 경치를 이르는 말. ②화류항(花柳巷).

유압[1]【油鴨】 명 〖조〗 농병아리.

유압[2]【油壓】 명 ①기름에 가해지는 압력. ②압력을 가한 기름에 의하여 피스톤 따위의 동력 기계를 작동시키는 일.

유압-계【油壓計】 명 〖물〗 유압식(油壓式)의 여러 가지 장치에 붙여 놓고 기름의 압력을 표시하는 계기(計器).

유압 굴착기【油壓掘鑿機】 명 〔hydraulic excavator digger〕 기계적인 굴착부를 유압 피스톤으로써 구동(驅動)하는 굴착기.

유압-기【油壓器】 명 〖기〗 밀폐한 부분에 기름을 채우고, 그 기름을 중개(仲介)로 하여 압력을 다른 데에 전하는 장치.

유압 기기【油壓器機】 명 유압에 의하여 구동(驅動)되는 기기(器機)의 총칭.

유압 댐퍼【油壓—】〔damper〕 명 〖기〗 오일 댐퍼(oil damper).

유압 모:터【油壓—】〔motor〕 명 〖기〗 고압(高壓)의 액체로부터 회전 동력(回轉動力)을 얻는, 대표적인 유압 기관. 구조는 유압 펌프와 거의 같은데 유압 펌프의 반대 작용(反對作用)을 함. 동력 변환(動力變換) 효율은 80-90% 정도임.

유압 브레이크【油壓—】〔brake〕 명 〖기〗 물체의 운동을 제지하는 힘을, 유압을 써서 전달하는 제동 장치. 흔히, 자동차용·철도 차량의 디스크 브레이크 등으로 많이 쓰임.

유압-식【油壓式】 명 〖기〗 고압을 가한 기름을 매개로 하여 동력을 전달, 기계를 작동·제어시키는 방식.

유압 실린더【油壓—】〔cylinder〕 명 〖기〗 실린더 속의 피스톤을 유압(油壓)으로 이동시키고 피스톤에 고정된 연접봉(連接棒)을 통하여 힘을 전달케 하여 기계적 일을 시키는 장치. 자동 제어계(自動制御系)의 조작부(操作部)로서 널리 사용됨.

유압 엘리베이터【油壓—】 명 〔hydraulic elevator〕 〖기〗 유압에 의해서 작동하는 승강기.

유압-유【油壓油】〔—뉴〕 명 〔hydraulic fluid〕 점성(粘性)이 낮은 액체. 유압 동력 전달(動力傳達)의 매체(媒體)로 쓰이는 기름.

유압 유닛【油壓—】〔unit〕 명 파워 유닛(power unit).

유압 전동 장치【油壓傳動裝置】 명 〖기〗 원동기(原動機)로 펌프를 돌려서 압력(壓力)을 높인 기름으로 다시 유압 모터(motor)를 돌려서 피동축(被動軸)을 구동(驅動)시키는 전동 장치. 건설 기계·작업용(作業用) 자동차 등에 쓰임.

유압 측정기【油壓測定器】 명 살로그(Sal-log).

유압 펌프【油壓—】〔pump〕 명 〖기〗 유압을 높이기 위한 용적식(容積式)의 펌프. 유압 제어 회로(油壓制御回路)의 유압원(油壓源)·유압 전동 장치·윤활유원(潤滑油源) 등에 이용됨.

유:애[1]【有涯】 명 〖불교〗 전변(轉變)하여 상주(常住)하지 않는 세계. 곧, 이승.

유:애[2]【有愛】 명 〖불교〗 ①집착(執着). ②무색계(無色界).

유애[3]【遺愛】 명 ①고인(故人)이 생전에 사랑하던 유물(遺物). ②유아(遺兒). ③고인의 인애(仁愛)의 유풍(遺風).

유액[1]【乳液】 명 ①〖식〗 식물의 유세포(乳細胞) 또는 유관(乳管) 가운데 있는 백색 또는 황갈색의 액(液). 등대풀·씀바귀 등에서 볼 수 있음. ②〖화〗 트래거캔스(tragacanth) 가루를 주제(主劑)로 하여 글리세린을 가

한 액상(液狀) 크림. 피부의 점활 화장제(粘滑化粧劑)로 씀.

유액²【幽厄】명 ①몸이 갇혀 있는 액운. ②숨은 재액.

유액³【誘掖】명 〔유(誘)는 앞에서 이끎, 액(掖)은 옆에서 부축한다는 뜻〕이끌어 도와 줌. ——-하다 타여불

유야【幽夜】명 그윽하고 쓸쓸한 밤.

유:야-무야【有耶無耶】명부 ①있는지 없는지 흐리멍덩한 모양. ②흐지부지한 모양. ¶～로 끝나다. ——-하다 형여불

유야이야코 산【一山】〔Llullaillaco〕명 『지』 칠레 북부, 아르헨티나와의 국경에 있는 안데스 산맥 중의 화산. [6,727m]

유약¹【幼弱】명 어리고 잔약함. 요약(幺弱). ——-하다 형여불

유:-약²【有若】명 『사람』 기원전 5세기, 중국 춘추 시대의 노(魯)나라 사람. 공자(孔子)의 제자. 공자와 모습이 닮아, 공자가 죽은 뒤 한때 공자의 대리로서 스승의 자리에 올랐으나 얼마 안 되어 물러났음. 생몰년 미상.

유약³【泑藥·釉藥】명 『화』 잿물❷.

유약⁴【柔弱】명 부드럽고 약함. ↔강건(強健). ——-하다 형여불

유약⁵【留約】명 뒷일을 미리 약속함. ——-하다 타여불

유:약⁶【類藥】명 ①비슷한 약방문으로 지은 약제. ②효력이 비슷한 약.

유:-약무【有若無】명 있기는 있으나 없는 것과 다름없음. ——-하다 형여불

유양【乳養】명 젖을 먹여 기름. ——-하다 타여불

유양 돌기【乳樣突起】명 『생』 외이도(外耳道) 뒤의 아래쪽에 있는 엄지손가락 끝만한 크기의 둥그스름한 돌기. 속에는 유돌 봉소(乳突蜂巢)가 발달하여 있음.

유양 돌기염【乳樣突起炎】명 〔라 mastoiditis〕 『의』 유돌 봉소(乳突蜂巢)의 점막(粘膜) 및 뼈의 염증. 흔히, 화농성 중이염(中耳炎)에 속발(續發)하는데, 귀 뒤쪽에 골막하 농양(骨膜下膿瘍)을 만들어 종창(腫脹)하여 귓바퀴가 바깥을 향해 번쩍 서게 됨.

유:양막-류【有羊膜類】〔—뉴〕 명 『동』 〔Amniota〕 척추 동물에서, 배종(胚種)이 양막(羊膜)으로 덮여 있는 동물. 허파로 숨을 쉬는 파충류(爬蟲類) 이상의 고등 동물임. ↔무양막류.

유양 잡조【酉陽雜俎】명 『책』 중국 당(唐)나라의 단성식(段成式)이 지은 수필(隨筆). 충지(忠志)·예이(禮異)·천지(天咫) 등 30 편(篇)으로 나누어져 있으며, 신괴(神怪)한 이야기가 많음. 정편(正編) 20권, 속편(續編) 10권.

유어¹【幼魚】명 어린 물고기.

유어²【游魚】명 물 속에서 노는 고기.

유어³【諛魚】명 『어』 청새치.

유:어⁴【類語】명 뜻이 비슷한 말. 유의어(類義語). 「여불

유어-예【遊於藝】명 육예(六藝)를 배움. 준유예(遊藝). ——-하다 자

유어 출청【游魚出聽】명 거문고 소리가 하도 묘하여 물고기마저 떠올라 듣는다는 뜻.

유-억겸【兪億兼】명 『사람』 교육자. 서울 출신. 일본 도쿄 대학 법학부를 졸업한 후, 중앙 중학교·연희 전문 학교에서 교편을 잡아, 연희 전문 학교 교장을 지냄. 해방 후 미 군정(軍政)의 문교부장, 대한 체육회장을 역임함. [1895-1947]

유언¹【幽言】명 ①깊고 그윽한 말. 유현(幽玄)하고 오묘(奧妙)한 말. ②귀신·도깨비의 말.

유언²【流言】명 터무니 없는 소문. 요언(謠言). 부설(浮說).

유언³【莠言】명 추한 말. 추언(醜言).

유언⁴【喩言】명 비유하는 말.

유언⁵【諛言】명 아첨하여 하는 말.

유언⁶【遺言】명 ①임종 때에 부탁하는 말. 유음(遺音). ②『법』 사람이 사망한 뒤에 그 효력을 발생시킬 것을 목적으로 하는 단독 의사 표시(單獨意思表示). 17세 이상의 사람은 누구나 할 수 있음. 유언은 일정한 방식에 따라야 하며 그 방식에는 자필 증서(自筆證書)·녹음(錄音)·공정 증서(公正證書)·비밀 증서·구수 증서(口授證書) 등의 다섯 가지가 있음. 유기(遺記). ——-하다 타여불

유-언(:)겸【兪彦謙】명 조선 중기의 문신. 자는 겸지(謙之). 창원(昌原) 사람. 이름 난 효자 효행으로 표리(表裏)를 하사받았으며, 여러 고을의 원과 형조 정랑(刑曹正郎)을 지냄. 청백리(淸白吏)에 녹선(錄選)됨. [1496-1558]

유언 비어【流言蜚語】명 도무지 근거 없이 널리 퍼진 소문. 부언 낭설(浮言浪說). 부언 유설(浮言流說).

유언-서【遺言書】명 유언장(遺言狀).

유언 양:자【遺言養子】〔—냥—〕 명 유언에 의하여 인연을 맺은 양자.

유언-자【遺言者】명 유언을 한 사람.

유언-장【遺言狀】〔—짱〕 명 유언을 적은 서장(書狀). 유언서(遺言書). 유기(遺記).

유언 증서【遺言證書】명 『법』 유언을 기록한 문서.

유언 집행자【遺言執行者】명 『법』 유언의 내용을 실현하는 데 필요한 행위를 할 수 있는 직무 또는 권한을 가지고 있는 사람. 유언자의 지정(指定)에 의하여 결정됨.

유얼【遺孽】명 ①죽은 뒤에 남은 서얼(庶孽). ②뒤에 남은 나쁜 사물.

유엄【流淹】명 달아나 숨음. ——-하다 자여불

유:엄-장【有儼章】〔—짱〕 명 『악』 악장(樂章)의 이름.

유업¹【儒業】명 유가(儒家)의 학업.

유업²【遺業】명 선대(先代)로부터 내려 오는 사업. 유서(遺緖).

유:업 인구【有業人口】명 직업이 있어 노동하고 있는 사람의 수. ↔실업(失業) 인구.

유에 명 〈방〉 모이(함북).

유: 에스【US】명 〔United States의 약칭〕 미국.

유: 에스 라인 〔US Line〕 명 〔United States Lines Co.의 약칭〕 미국 최대의 해운(海運) 회사. 1921년 정부가 설립, 후에 민간에 옮김. 정부 보조 아래 상선법 지정(商船法指定)의 중요 항로에 취항함. 월터키더사(社)가 주식을 매수하여, 1968년 그 산하에 들어감.

유: 에스 비: 방식【USB方式】명 『항공』 〔USB는 upper surface blowing의 약어〕 항공기의 이착륙 거리를 짧게 하기 위한 고양력(高揚力) 방식의 하나. 제트 엔진을 주익(主翼)의 윗면에 부착하고, 배기(排氣)를 비스듬히 밑으로 뿜게 하여 양력(揚力)을 높임.

유: 에스 스틸: 회:사【一會社】명 〔United States Steel Corporation〕 『경』 미국의 세계적인 제강(製鋼) 회사. 1900년 모건(Morgan J. P.)이 당시 미국 최대의 카네기 제강 회사를 매수하고, 이것을 중심으로 1901년 2-6위를 포함한 142 개 회사를 합병하여 사상 최초의 10억 달러 회사로서 발전시킴. 1986 년에 회사명(會社名)을 USX로 바꿈.

유: 에스 아이 에스【USIS】명 〔United States Information Service의 약칭〕 미국 공보원(美國公報院). *아이 시 에이.

유: 에스 아이 에이【USIA】명 〔United States Information Agency의 약칭〕 미국 해외 공보처(海外公報處).

유: 에스 에스 아:르【USSR】명 〔Union of Soviet Socialist Republics의 약칭〕 『지』 소비에트 사회주의 공화국 연방.

유: 에스 에이¹【USA】명 ①〔United States of America의 약칭〕 아메리카 합중국. ②〔United States Army의 약칭〕 미국 육군. ③〔Union of South Africa의 약칭〕 남아프리카 연방.

유: 에스 에이²【USA】명 『문』 미국의 작가 도스 패서스(Dos Passos)가 쓴 장편 소설. ≪북위(北緯) 42도선 (1930)≫·≪1919년 (1932)≫·≪대자본(大資本)(1936)≫의 3부로 이루어지며, 1937 년에 간행되었음. 20세기 초엽부터 1920년 말에 이르는 시대를 배경으로 하고 주로 미국 본토를 무대로 삼아 번영기(繁榮期)에 놓인 미국 사회의 파노라마를 12 명의 남녀를 중심으로 묘사한 작품임. 보통의 서술 이외에 세 가지 실험적 수법을 사용하여 주목을 끌었음. 곧, '뉴스릴(news-reel)'·'전기(傳記)' 및 '카메라 아이(camera eye)'의 세 수법(手法)인데, 이를 실험은 작품에 다양성(多樣性)과 시대적·사회적 배경을 줌과 동시에 작자(作者)의 사회 비판(社會批判)을 엿볼 수 있어, 20세기 소설의 문제작으로 꼽힘.

유: 에스 에이 에스 아이【USASI】명 〔United States of America Standards Institute의 약칭〕 미국에서 규격의 통일, 표준화의 추진 중심이 되어 있는 협회의 명칭. 이전의 아사(ASA)가 1967년에 명칭을 변경한 것인데, 영화·사진 관계의 규격에는 그전대로 아사의 명칭을 붙이고 있음.

유: 에스 엑스【USX】명 미국의 세계적인 제강(製鋼) 회사. 유 에스 스틸 회사의 고친 이름.

유: 에스 엠【USM】명 〔underwater-to-surface missile의 약칭〕 『군』 유도탄 종류의 한 가지. 잠수함에서 발사되어 적의 지상(地上) 목표를 공격하는 수중 대지(水中對地) 유도탄. 이를테면 미국의 유도탄 폴라리스(Polaris) 같은 것.

유: 에스 오:【USO】명 ①〔United Service Organizations의 약칭〕 해외 미군 위안 협회(海外美軍慰安協會). ②〔unknown swimming object〕 미지(未知)의 수영 물체(水泳物體). 곧, 스코틀랜드 네스 호(湖)의 괴물 네시(Nessi)의 일컬음. 「대(極超短波帶)'의 약호(略號).

유: 에이치 에프【UHF】명 〔ultra high frequency의 약칭〕 '극초단파

유: 에이치 에프 방:송【UHF放送】명 470-770 메가헤르츠의 극초단파에 의한 텔레비전 방송. 극초단파 방송.

유: 에이치 에프 텔레비전 〔UHF television〕 명 극초단파로 방송되는 텔레비전. VHF 텔레비전에 비해 50채널로 전파(電波)를 쪼개어 쓸 수 있고, 자동차의 소음(騷音)의 영향을 잘 받지 않으며, 화상(畫像)이 선명하다는 등의 이점(利點)이 있는 반면, 방송 지역(放送地域)이 좁고 많은 전력(電力)을 소비함. 우리 나라에서는 1981년부터 교육 방송에 이용되고 있음.

유: 에프 오:【UFO】명 〔unidentified flying object의 약칭〕 미확인 비행 물체(未確認飛行物體). 비행(飛行) 접시. '유포'로도 읽음. ↔아이 에프 오(IFO).

유:엔【UN】명 〔United Nations의 약칭〕 『정』 국제 연합(國際聯合).

유:엔 경:찰군【UN警察軍】명 국제 분쟁 지역의 치안 확보를 위하여 UN에서 파견되는 군대. 유엔군과 달라 전쟁 행위를 할 수 없음. 1956 년 11월 수에즈운하 문제 해결을 위하여 이집트에 파견된 군대는 그 예임. 국제 연합 경찰군.

유:엔-군【UN軍】명 『군』 UN이 세계 평화와 안전을 유지 회복하기 위하여 그 군사적 조치를 취할 경우에 사용되는 국제적 군대. 안전 보장 이사회의 요구에 의하여 UN의 각 가맹국에서 병력이 제공되며 현재까지 상비군(常備軍)은 아직 구성되지 아니하였음. UN군의 최초의 성립 및 출병은 한국 전쟁 때이며, 미국을 위시한 16개국이 이에 참전하였었음. 국제 연합군.

유:엔군 대:여금【UN軍貸與金】명 『경』 1950년 7월 한국 정부와 UN 군과의 사이에 체결된 협정에 의하여 UN군에 대여했던 환화(圜貨). 6·25 전쟁 당시 한국에 파견된 UN군의 현지 경비 충당용이었으나, 인플레이션에의 악영향, 상환 달러(償還dollar)의 상환 지연, 환율 적용에 대한 분규 등으로 1955년 8월 이래 중지되었음. 그 후 UN군은 달러를 한국 은행에 공정 환율로 직접 배도하여 환화를 획득하게 되었음. 국제 연합군 대여금.

유:엔-기【UN旗】명 국제 연합기(國際聯合旗).

유:엔 기술 원:조처【UN技術援助處】명 국제 연합 기술 원조처.

유:엔 다국적 기업 위원회【UN多國籍企業委員會】명〔UN Commission on Transnational Corporation〕유엔 경제 사회 이사회(經濟社會理事會)의 하부 기관으로서의 기능(機能) 위원회의 하나. 다국적 기업에 관한 국제 기구로, 1974년에 설치되어, 1975년 이후 해마다 한 차례 회의를 엶. 현재 회원국은 48개국. 한국은 1982년에 가입함.

유:엔 데이〔UN day〕명 국제 연합일(國際聯合日).

유: 엔 디: 피:【UNDP】명〔United Nations Development Program의 약칭〕국제 연합 개발 계획.

유:엔 묘:지【UN墓地】명 한국 전쟁에 참가한 UN군 전물 장병의 공동 묘지. 1955년 11월 UN 총회에서 채택된 의안에 입각하여 설치됨. 부산 교외에 있는데, UN군 전몰 영령이 안치되어 있음. 국제 연합군 묘지(國際聯合軍墓地).

유:엔 방:송【UN放送】명 국제 연합이 그 평화적인 활동을 세계의 가입국에 소개하는 방송. 국제 연합 총회나 이사회 또는 주요 위원회의 활동 상황 등을 라디오·텔레비전 뉴스 등으로 가입국의 방송 기관에 의뢰 방송함. 라디오는 35 개 국어, 텔레비전은 10 개 국어를 씀. 국제 연합 방송(國際聯合放送).

유:엔 분담금【UN分擔金】명〔financial contributions to the United Nations〕국제 연합 분담금.

유:엔 사:무 총:장【UN事務總長】명 국제 연합 사무 총장.

유: 엔 시:【UNC】명〔United Nations Charter의 약칭〕〖정〗국제 연합 헌장(國際聯合憲章).

유: 엔 에스 시:【UNSC】명〔United Nations Security Council의 약칭〕〖정〗국제 연합 안전 보장 이사회.

유:엔 옵서버〔UN observer〕명 유엔에 정식 의석을 가지고 있지 않지만, 회의장에 출석하거나 유엔 활동에 참가하고 있는 미가맹국.

유:엔 총:회【UN總會】명〖정〗국제 연합 총회.

유:엔 특별 기금【UN特別基金】명 국제 연합 특별 기금.

유:엔 한:국 위원회【UN韓國委員會】명〖정〗국제 연합 한국 위원회.

유:엔 헌:장【UN憲章】명〖정〗국제 연합 헌장.

유:엔 환경 개발 회:의【UN環境開發會議】[—/—이] 명〔United Nations Conference on Environment and Development〕지구 서밋.

유:엔 환경 계:획【UN環境計劃】명〔United Nations Environment Program ; UNEP〕환경 보호를 목적으로 한 유엔 기구(機構)의 하나. 1972년 스톡홀름에서 열린 유엔 인간 환경 회의에서 채택한 '인간 환경 선언'·'환경 국제 행동 계획'을 실시하기 위해 그 해의 제 27 회 유엔 총회에서 설립함. 지구 환경 문제의 심각성에 입각하여 그 활동도 중요시되어 오존층 보호를 위한 몬트리올 의정서를 위시하여 지구 온난화 방지나 유해 폐기물의 월경(越境) 이동 문제에서도 중심적인 활동을 하고 있음. 또한 사막화 저지, 열대림 보호 등 지구 전체에 걸친 환경 문제의 조정, 조사, 계발의 국제 기관의 중핵을 이루고 있음. 본부는 나이로비.

유: 엘 에스 아이【ULSI】명〔ultra large scale integration〕〖컴퓨터〗하나의 칩 위에 100 만 개 또는 그 이상의 소자를 집적한 집적 회로. 초 엘 에스 아이(超LSI)보다 집적도가 더 높음.

유: 엘 엠【ULM】명〔Ultra Light Machine의 약자〕초경량 항공기.

유: 엠 피:【UMP】명〔upper mantle project의 약칭〕지구 내부(地球內部) 개발 계획.

유:여[1]【有餘】명 넉넉함. 남음이 있음. ——-하다 형 여불

유여[2]【遺與】명 남겨 줌. ——-하다 타 여불

-유여【有餘】미 수(數)대명사에 붙어 '이상(以上)'의 뜻을 나타내는 말. ¶50~ 성상(星霜).

유-여대【劉如大】명〖사람〗독립 운동가. 3·1운동 때의 민족 대표 33인의 한 사람. 기독교 목사. 호는 낙포(樂圃). 의주(義州) 출신. 기독교 대표로 독립 선언에 참가하여, 의주(義州)의 시위 군중을 지도하였음. 저서에 ≪면무식(免無識)≫·≪위인 기담(偉人奇談)≫·≪강도 열전(講道列傳)≫ 등이 있음. [1878-1937]

유:여 열반【有餘涅槃】명〖불교〗살아 있을 동안에 증득(證得)하는 열반. ↔무여 열반(無餘涅槃).

유여히 부〈옛〉여가 있게. 한가히. ¶엇디 능히 유여히 여긔 오리오(怎生能句到這裏來) ≪老乞 上 46≫.

유여ᄒᆞ다 형〈옛〉넉넉하다. 여유가 있다. ¶ᄀᆞ는 주름도 유여ᄒᆞ고(細褶兒也儘勾了) ≪老乞 下 26≫.

유역[1]【流易】명 변천(變遷)함. ——-하다 자 여불

유역[2]【流域】명〖지〗강물이 흐르는 언저리의 지역. 어떤 강의 사방에 있는 분수계(分水界)에 의하여 둘러싸인 지역. 관역(灌域). ¶한강 ~.

유역 변:경식 댐【流域變更式—】〔dam〕명 하천에 댐을 건설하여, 저수된 물을 본래의 수로와는 다른 수로로 돌려서 역류(逆流)시킬 수 있게 설계한 댐.

유역 변:경식 발전【流域變更式發電】[—쩐] 명 하천을 댐으로 막아, 그 물을 본래의 유로(流路)와는 다른, 경사가 급한 곳으로 역류시켜서 발전하도록 설계된 댐. 곧, 부전강(赴戰江)·장진강(長津江)·허천강(虛川江) 발전소는 경사가 느린 개마 고원(蓋馬高原) 위를 흐르는 하천을 댐으로 막고, 저수된 물을 함경 산맥에 터널을 뚫어 경사가 급한 동해 사면으로 떨구어 발전하고 있는 것 따위.

유:역-인【有役人】명〖역〗향리(鄕吏)나 양민(良民)으로서 역(役)을 부담하는 사람.

유:역 잡색 위전【有役雜色位田】명〖역〗여말 선초(麗末鮮初)의 과전법(科田法)에서, 지방 관아(地方官衙)에 종사하는 유역인(有役人)을 위해 마련한 토지. 수조권(收租權)만 지급(支給)됨. 진부전(津夫田)·수부전(水夫田)·장전(長田)·급주전(急走田)·원주전(院主田) 따위. 잡색 위전(雜色位田).

유연[1]【由延】명〖불교〗유순(由旬).

유연[2]【由緣】명 인연(因緣)❹. ——-하다 타 여불

유:연[3]【有緣】명〖불교〗부처·보살 등을 만나 가르침을 듣는 기연(機緣)이 있음. 전하여 지연·혈연 등 연고가 있음을 이름. ——-하다 형 여불

유연[4]【油然】명 ①구름이 뭉게뭉게 피어남. 저절로 일어나 형세가 왕성함. 또, 그 모양. ②잘 전진하지 못하는 모양. ③개의치 않은 모양. 태연한 모양. ④여유 있고 침착한 모양. ⑤함축(含蓄)하여 나타내지 않는 모양. ——-하다 형 여불. ——-히 부

유연[5]【油煙】명 기름·관솔 등을 불완전 연소시킬 때 생기는 검은 색의 미세한 탄소(炭素) 가루. 먹을 만드는 데 씀.

유연[6]【柔軟】명 부드럽고 연함. ¶~한 몸/~한 동작. ——-하다 형 여불 ——-히 부

유연[7]【柔然】명〖역〗몽고의 땅에 자리 잡고 살던 고대의 유목 민족(遊牧民族). 동진(東晉) 초에 선비(鮮卑)의 탁발씨(拓跋氏)에 예속했다가 탁발씨의 남천(南遷) 후, 5세기 초에 그 옛 땅을 차지했으나 555년 돌궐(突厥)에 멸망함. 여여(茹茹). 예예(芮芮). 연연(蠕蠕).

유연[8]【幽然】명 속이 깊고 조용한 모양. ——-하다 형 여불

유연[9]【流涎】명 부러워하여 침을 흘림. 또, 먹고 싶어하여 침을 흘림. ——-하다 자 여불. ——-히 부

유연[10]【悠然】명 성질이 침착하고 여유가 있는 모양. ¶~한 태도. ——-하다 형 여불. ——-히 부

유연[11]【蚰蜒】명〖동〗그리마.

유-연[12]【劉淵】명〖사람〗중국 오호 십육국(五胡十六國)의 하나인 한(漢)의 창시자. 남(南)흉노의 족장(族長)이었으나, 서진(西晉)의 쇠미(衰微)에 편승하여 산시(山西)·허둥(河東)에서 세력을 뻗쳐 산시 성의 이석(離石)에 근거하여 건국하였음. [?-310; 재위 304-310]

유연[13]【遊宴】명 놀이로 베푼 잔치.

유연[14]【鍮硯】명 놋쇠로 만든 먹물을 담는 그릇.

유:연[15]【類緣】명 ①친척❶. ②〖생〗형상·성질 등에 유사한 관계가 있어, 그 사이에 연고(緣故)가 있는 것.

유:연 가솔린【有鉛—】〔gasoline〕명 4에틸(ethyl) 납을 섞은 휘발유. 엔진의 노킹(knocking) 현상을 감소시킴.

유:연-공【有緣孔】명〖식〗겉씨 식물(植物)의 헛물관(管)에 있는 이중(二重)의 윤상(輪狀)으로 보이는 구멍. 인접(隣接)한 세포와의 연락을 맡아 봄.

유:연 관계【類緣關係】명〔relationship〕〖생〗생물의 분류 상의 단위 또는 단위군(單位群) 계통 발생상(系統發生上) 어느 정도 근연(近緣)인가를 나타내는 관계.

유연 노:장【幽燕老將】명 전투에 경험이 많은 늙은 장수(將帥). 중국 한(漢)나라 이래 유주 연지(幽州燕地)에 나아가 북호(北胡)와 싸운 명장(名將)이라는 뜻.

유:연 무연【有緣無緣】명〖불교〗보살과 깊은 인연이 있음과 없음. 또, 그 사람.

유연-묵【油煙墨】명 유연(油煙)을 아교(阿膠)로 굳히어 만든 먹.

유연-성【柔軟性】[—썽] 명 유연한 성질. 또, 그 정도.

유연 세:포【柔軟細胞】명〖식〗세포막(膜)이 얇고 원형질(原形質)이 풍부한 세포.

유:연-약【有煙藥】[—냑] 명〖화〗질산칼륨·목탄(木炭) 및 황(黃)의 혼화(混和)로 된 화약(火藥). 흑색약(黑色藥)과 갈색약(褐色藥)이 있음. 유연 화약.

유연-어【柔軟語】명 부드러운 말. 온화한 말.

유연-전【柳淵傳】명〖책〗조선 선조(宣祖) 때 이항복(李恒福)이 지은 전기 소설(傳記小說). 억울한 죄로 몰려 죽게 되는 유연이라는 사람의 전기.

유연 전:술【柔軟戰術】명 보통, 정면 충돌을 피하고, 상대의 투쟁 의욕을 감퇴시키는 방법으로 끈질기게 싸우는 일.

유연 조직【柔軟組織】명〖식〗유조직(柔組織).

유:연 중생【有緣衆生】명〖불교〗전생에 어느 부처나 보살과 깊은 인연을 맺은 생자(生者). 부처가 교화할 때에 유연한 자에게는 특히 효험이 있다고 함.

유연-증【流涎症】[—쯩] 명〖의〗구강(口腔) 내의 염증. 간·위·췌장·자궁·성기 등으로부터의 반사 자극(反射刺戟)·신경 쇠약·히스테리 등의 원인으로 침의 분비가 앙진하는 증상. 하루에 3-4l, 때로는 10l에 달할 때가 있음.

유연 체조【柔軟體操】명 체조의 한 가지. 몸을 부드럽게 할 목적으로 맨손으로 행하며 사지(四肢)·몸뚱이·머리통의 관절(關節)을 충분히 굴신(屈伸)하여 행함.

유:연-탄【有煙炭·有烟炭】명〖광〗탈 때에 연기가 나는 석탄. 갈탄(褐炭)·역청탄(瀝青炭) 따위. ↔무연탄(無煙炭).

유:연 화:약【有煙火藥】명 유연약(有煙藥).

유열[1]【幽咽】명 조용히 흐느껴 욺. 또, 그와 같은 소리. ——-하다 자 여불

유열[2]【流悅】명 좋아하여 탐닉(耽溺)함. ——-하다 자 여불

유열[3]【愉悅】명 유쾌하고 기쁨. 즐거움.

유열[4]【遺烈】명 후세(後世)에 길이 남는 공적(功績).

유염[1]【柔艶】명 부드럽고 아름다움. ——-하다 형 여불

유염[2]【濡染】명 젖어서 물이 듦. ——-하다 자 여불

유엽[1]【幼葉】명 어린잎.

유:엽[2]【柳葉】명 버드나무의 잎.

유:엽-갑【柳葉甲】명〖역〗대략 두 치 평방(平方)의 쇠로 만든 미늘에 검은 칠을 하여 검은 녹비로 얽어서 만든 갑옷.

유:엽-도[1]【柳葉刀】명〖의〗랜싯(lancet).

유:엽-도[2]【柳葉桃】명〖식〗협죽도(夾竹桃).

유:엽-미【柳葉眉】명 유미(柳眉).

유:엽-색【柚葉色】명 농녹색(濃綠色).

유:엽-전【柳葉箭】명 살촉이 버들잎처럼 생긴 화살.

유-영[1]【柳永】명 《사람》 11세기, 중국 북송(北宋)의 사인(詞人). 자는 기경(耆卿). 구양수(歐陽脩) 등의 귀족적인 사(詞)에 대하여, 평속(平俗)한 사를 지었으므로 널리 유행하였음. 특히, 만사(慢詞)라 일컬어지는 장편의 사를 처음 지음. 사집(詞集)으로 ≪악장집(樂章集)≫이 있음. 생몰년 미상.

유영[2]【游泳】명 ①물 속에서 헤엄치며 놂. 헤엄. ②어떤 경지(境地)에서 즐김. ③처세(處世). ——-하다 자 여불

유영[3]【遺詠】명 고인(故人)이 생전에 읊은, 미발표(未發表)의 시가(詩歌).

유영[4]【孺嬰】명 젖먹이.

유영-각【遊泳脚】명 《동》 헤엄다리.

유-영(:)경【柳永慶】명 《사람》 조선 선조(宣祖) 때의 권신. 자(字)는 선여(善餘), 호는 춘호(春湖). 전주(全州) 사람. 선조 37년(1604) 호성 공신(扈聖功臣) 2등으로 전양 부원군(全陽府院君)으로 봉해지고 영의정이 됨. 북인(北人)이 대북(大北), 소북(小北)으로 분당될 때 소북의 영수(領袖)가 되었고 다시 같은 소북인 남이공(南以恭)과 불화하여 탁소북(濁小北)이 됨. 조선말 영창 대군(永昌大君)을 광해군(光海君) 대신 왕세자로 옹립하려 하였으나 선조가 죽고 광해군이 즉위하자 정인홍(鄭仁弘) 등 대북에 의해 탄핵을 받고 사사(賜死)됨. [1550-1608]

유영 기관【遊泳器官】명 유영 동물에 있어서 그 몸을 물에 떠 가게 하는 기관. 자라의 발, 해수(海獸)의 앞발, 펭귄(penguin)의 날개, 고래의 앞지느러미 같은 것.

유영 동:물【遊泳動物】명 《동》 수서(水棲) 동물 중, 물고기같이 자유로이 물에서 헤엄쳐 다니는 동물의 총칭. 헤엄 동물.

유영-류【遊泳類】[—뉴] 명 《동》 [Ploima] 윤형(輪形) 동물 윤충류(輪蟲類)의 한 목(目). 몸은 짧고 타원형이며 섬모환(纖毛環)으로 물결을 일으켜 물 속을 헤엄쳐 다님. 무갑류(無甲類)와 유갑류(有甲類)의 두 아목(亞目)으로 나뉨.

유-영(:)복【劉永福】명 《사람》 중국 청말의 군인. 광둥성(廣東省) 출신. 태평 천국(太平天國)의 난(亂)에 참가, 패배 후 베트남으로 도망하여 흑기군(黑旗軍)을 조직, 청불(淸佛) 전쟁에서 활약함. 청일 전쟁에서는 대만(臺灣) 방위의 임무를 맡음. [1837-1917]

유영 생물【遊泳生物】명 《생》 넥톤(necton).

유영-술【游泳術】명 ①헤엄치는 재주 또는 방법. ②처세술(處世術).

유-영일【柳榮日】명 《사람》 조선 순조(純祖) 때의 학자. 호는 태암(泰庵). 실학(實學)에 힘써서 천문·지리·병모(兵謀)·음양(陰陽)·율려(律呂)·계수(計數)에 정통함. 효자로 이름이 남. [1770-1831]

유영-자【遊泳者】명 헤엄치는 사람.

유영-장【遊泳場】명 수영장(水泳場). 풀(pool).

유영-전【柳泳傳】명 《문》 운영전(雲英傳).

유-영(:)정【劉永貞】명 《사람》 조선 전기의 내의(內醫). 연산군·중종 때에 궁중의 치료와 의학 연구에 공이 많음. 중종 20년(1525), 김순몽(金順蒙)·박세거(朴世擧)와 함께 ≪간이 벽온방(簡易辟瘟方)≫을 편찬함. 생몰년 미상.

유영-조【遊泳鳥】명 [swimming bird] 갈매기류(類)나 펠리컨(pelican)류와 같이 헤엄을 잘 치는 조류의 총칭.

유영-족【游泳足】명 《동》 헤엄발.

유영-지【遊泳肢】명 [swimmeret] 《동》 갑각류(甲殼類)의 복부(腹部)에 있는 부속지(附屬肢). 헤엄치는 데 적합한 모양으로 되어 있음.

유-영하【柳榮河】명 《사람》 조선 고종 때의 공조 참판(工曹參判). 자(字)는 선여(善汝), 호는 보산(甫山). 고흥(高興) 사람. 순조·헌종·철종·고종에 역사(歷事)는 하였으나 한 번도 권문 세가에 출입하지 않았음. 저서로는 ≪보산집(甫山集)≫ 등이 있음. [1787-1868]

유예[1]【猶豫】명 ①일이나 날짜를 밀어 감. 시일을 늦춤. ¶3일간의 ~를 주다. ②일을 할까 말까 망설임. 망설여 결행하지 않음. ③《법》 ↗집행 유예(執行猶豫). ——-하다 자 여불

유예[2]【遊藝】명 ↗유어예(遊於藝). ——-하다 자 여불

유예[3]【遺裔】명 선조·어버이들이 죽고 뒤에 남은 자손.

유예[4] 부 〈옛〉 넉넉하게. 여유 있게. ¶유예 옷밥을 장만ᄒᆞ야(足以共衣食)≪飜小 Ⅸ:89≫.

유예 계:약【猶豫契約】명 사정에 의하여 다시 일정한 기간만 그 이행(履行)을 연기하는 계약.

유예 기간【猶豫期間】명 당사자나 그 밖의 소송 관계인의 이익을 보호하기 위하여, 법률이 일정한 사항(事項)에 관하여 일정한 기간 유예를 주도록 규정하고 있을 경우의 그 기간.

유예 미:결【猶豫未決】명 유예하여 결정(決定)을 짓지 못함. ——-하다 타 여불

유예-지【遊藝志】명 《책》 조선 시대의 악보. 영조 때 서명응(徐明膺)이 저술함. 현금(玄琴)·생황(笙簧)·양금(洋琴)의 악보로 나누어 싣고, 특별히 시조 악보도 실렸음.

유:오【謬誤】명 과오(過誤). 오류(誤謬).

유옹【乳癰】명 《의》 유종(乳腫).

유와[1] 명 〈방〉 요화(蓼花).

유와[2]【釉瓦】명 색깔이 있는 유약을 칠해서 구운 벽돌.

유완[1]【柔婉】명 유순(柔順). ——-하다 형 여불

유완[2]【儒緩】명 유순함. ——-하다 형 여불

유:완 동:물문【有腕動物門】명 《동》 [Brachiata] 해산(海産) 무척추 동물의 한 문(門). 주로 심해(深海)의 진흙 속에 사는데, 자신이 분비(分泌)한 서관(棲管) 안에 들어가 있음. *유수강(有鬚綱).

유왓-대 명 〈방〉 요홧대.

유왕【幽王】명 《사람》 기원전 8세기경의 중국 주(周)나라의 12대 왕. 성명은 희열(姬涅). 황후·황태자를 폐위시키고 총희(寵姬) 포사(褒似)를 황후로 앉히고 그 아들을 태자로 책봉함. 포사를 웃게 하기 위하여 평시에도 종종 봉화(烽火)를 올리어서 제후(諸侯)를 모이게 하는 등 방자한 짓을 행하여, 후에 외척(外戚)인 신후(申侯)에 의하여 죽임을 당하였음. 생몰년 미상. [재위 782-771 B.C.]

유왕 유독【愈往愈篤】명 거거 익심(去去益甚). ——-하다 형 여불

유왕 유심【愈往愈甚】명 거거 익심(去去益甚). ——-하다 형 여불

유외【流外】명 《역》 유품(流品)에 들어가지 못한 잡직(雜職)의 품계(品階). ↔유내(流內). *유품(流品).

유:요[1]【有要】명 필요가 있음. ——-하다 형 여불

유:요[2]【柳腰】명 버들 가지처럼 가늘고 부드러운 미인의 허리.

유욕【油浴】명 《화》 어떤 반응을 100°C 이상에서 반응시키려 할 때 유지류, 곧 면실유·올리브유·피마자유 등을 끓여 그 속에 반응 기구를 넣어 반응시키는 일. 오일 바스(oil bath).

유:용[1]【有用】명 소용이 됨. 이용할 데가 있음. ¶~ 식물(植物). ↔무용(無用). ——-하다 형 여불

유용[2]【流用】명 ①융통하여 사용함. ②《법》 세출 예산(歲出豫算)에 정한 부(部)·관(款)·항(項)·목(目)·절(節)의 구분(區分) 가운데, 목과 절의 경비에 관하여 각각 상호간에 다른 데로 돌려 쓰는 일. ③일정한 용도 이외의 다른 일에 사용함. ¶공금(公金) ~. ④《불교》 날마다 쓰는 비용. ——-하다 타 여불

유용[3]【流庸】명 타관(他官)에 가서 고용살이함. 또, 그 사람. ——-하다 자 여불

유:용 가격【有用價格】[—까—] 명 《경》 수요자(需要者)를 표준하여 작정한 물건의 값. ↔교환 가격(交換價格).

유:용 광:상【有用鑛床】명 《광》 채굴(採掘)하여 경제적 타산(經濟的打算)이 맞는 광상.

유:용-성【有用性】[—썽] 명 소용에 닿고 이용할 만한 특성.

유용성 물감【油溶性—】[—썽—깜] 명 물에는 풀리지 아니하나, 휘발유(揮發油)·유지(油脂)·납(蠟) 등에 풀리어 이것들을 착색(着色)하는 데 쓰이는 물감.

유용성 수지【油溶性樹脂】[—썽—] 명 [oil-soluble resin] 수지(樹脂)의 일종. 비교적 저온에서 건성유(乾性油)에 용해되며, 분산 또는 반응에 의해 속건성(速乾性)의 니스가 얻어짐.

유:용 식물【有用植物】명 《식》 식용(食用)·공예(工藝)·약용·원예 따위에 쓰이는 식물. 수많은 종류가 있으나, 지역·민족·역사 등에 의해 종류를 달리함. 유용도(有用度)가 높은 보리·담배·달리아 따위는 원산지로부터 널리 세계 각지로 이식(移植)된 것이 많음.

유:용 우:량【有用雨量】명 관개 기간(灌漑期間) 중에 경지면(耕地面)에 내려 괴어서 관개에 이용할 수 있는 우량.

유용-종【乳用種】명 젖의 생산을 주목적으로 하여 기르는 소의 종류. 홀스타인 따위.

유우[1]【乳牛】명 《동》 젖을 짜는 것을 주된 목적으로 기르는 소. 몸은 말랐으며 우미 화사(優美華奢)하고 머리통은 좁고 길며 뿔이 가늘고 두부(頭部)와 흉부(胸部)가 모두 협소하나 몸통의 후반부(後半部)는 현저히 발달되었음. 젖통은 피부가 얇고 부드러우며 정맥(靜脈)이 잘 나타남. 유명한 종류로 홀스타인(Holstein)·에어셔(Ayrshire)·저지(Jersey) 등이 있음. 젖소.

유우[2]【幽愚】명 남이 모르는 어리석은 사람이란 뜻으로, 자기의 겸칭(謙稱).

유우[3]【幽憂】명 남 모르게 깊이 간직한 근심.

유-우[4]【柳藕】명 《사람》 조선 중종(中宗) 때의 학자. 자(字)는 양청(養淸), 호는 서봉(西峰). 진주(晋州) 사람. 출사(出仕)하지 아니하고 집에서 후진을 양성하였음. 의술을 비롯하여 천문·복서(卜筮)·음률(音律)·서화 등에 능하였음. [1473-1537]

유우[5]【流寓】명 방랑(放浪)하다가 타향(他鄕)에서 우거(寓居)함. ——-하다 자 여불

유우[6]【懦愚·儒愚】명 나약함. 의지가 약함. ——-하다 형 여불

유-우석【劉禹錫】명 《사람》 중국 당(唐)나라의 시인. 자는 몽득(夢得). 젊어서 감찰 어사(監察御史)가 되었으나, 혁신파 관료(官僚)인 왕숙문(王叔文)의 당(黨)에 연좌(連坐)하여 좌천되어 오래 지방관(地方官)을 역임함. 뒤에 중앙에 돌아와서 태자 빈객(太子賓客)이 되었음. 유종원(柳宗元)·백거이(白居易)와 친하여 응수(應酬)한 시(詩)도 많음. 시문집(詩文集)에 ≪유빈객집(劉賓客集)≫이 있음. [772-842]

유우중문-시【遺于仲文詩】명 《문》 을지 문덕 장군이 수장(隋將) 우중문(于仲文)에게 지어 보낸 시. 오언 사구(五言四句)의 한시로 현재까지 전하는 최고(最古)의 작품으로 알려짐.

유우춘-전【柳遇春傳】명 《문》 유득공(柳得恭)이 지은 한문 단편 소설. 필사본(筆寫本). 해금(奚琴)을 잘 타는 악사(樂師) 유우춘의 일생을 전기적(傳記的)인 형식으로 그림. 유득공의 문집 ≪영재집(泠齋集)≫에 전함.

유운[1]【油雲】명 비가 내릴 듯한 구름. 우기(雨氣)를 품은 구름.

유운[2]【幽韻】명 아련한 울림. 그윽한 운치.

유-운[3]【柳雲】명 《사람》 조선 중종(中宗) 때의 문인. 자(字)는 종룡(從龍), 호는 항재(恒齋). 문화(文化) 사람. 시가 희학(詩歌戲謔)을 잘 하였음. 기묘 사화(己卯士禍) 이후 죄인으로 몰려 양성(陽城)에 숨어 있었음. 저서에 ≪진수해범(進修楷範)≫이 있음. 시호(諡號)는 문경(文敬). [1485-1528]

유운[4]【流雲】명 ①흘러가는 구름. ②《건》 운문(雲紋)의 일종. 흘러가는

구름 모양을 본떠서 만든 무늬. 유운문(流雲紋).
유운[5]【遺韻】명 고인(古人)의 유풍(遺風). 유풍(流風).
유운 경룡【游雲驚龍】[-뇽] 명 뛰어나게 잘 쓴 글씨를 형용하는 말.
유:운-령【柳雲嶺】[-울-] 명〖지〗함경 남도 고원(高原)의 서쪽에 있는 재. 재 아래에 용고동(龍窖洞)이 있는데 바위가 독같이 되고 그 속에 물이 괴어 대단히 깊다 함.
유-운룡【柳雲龍】[-울-] 명〖사람〗조선 선조(宣祖) 때의 원주 목사(原州牧使). 자는 응견(應見), 호는 겸암(謙庵). 풍산(豐山) 사람. 성룡(成龍)의 형. 선조 5년(1572)에 음관(蔭官)으로 전감사(典監司) 별좌(別坐)를 지낸 후 원주 목사까지 지냈음. 시호는 문경(文敬). [1539-1601]
유운-문【流雲紋】명 중국 한대(漢代)에 비롯하여, 수(隋)·당(唐)에 걸쳐 사용된 유려(流麗)한 물결 모양의 무늬. 유운(流雲). *운문(雲紋).
유-운(:)홍【劉運弘】명〖사람〗조선 후기의 화원(畫員). 한양(漢陽) 사람. 자는 치홍(致弘), 호는 시산(詩山). 산수·도석(道釋) 인물·화조에서는 김홍도(金弘道)의 화풍을 따르고, 기생들의 풍속을 그린 기녀도(妓女圖)에서는 신윤복(申潤福)의 화풍을 반영하였음. ≪청산 고주도(靑山孤舟圖)≫·≪월야 소선도(月夜小仙圖)≫·≪부신 독서도(負薪讀書圖)≫ 등이 있음. [1797-1859]
유원[1]【柔遠】명 먼 곳의 백성을 화목하게 하여 붙좇게 함.
유원[2]【幽園】명 깊고 그윽한 동산.
유원[3]【幽遠】명 심오(深奧)함. 심원(深遠). ——-하다 형여불
유원[4]【悠遠】명 아득히 멂. 유구(悠久). ——-하다 형여불. ——-히 부
유원[5]【遊園】명 산책하며 놀 만하게 설비하여 놓은 공원.
유:원공 별무【有元貢別貿】명〖역〗원공(元貢)의 공안(貢案)에 들어 있되, 부족한 양을 사들이는 별무. ↔무원공(無元貢) 별무.
유원-관【留院官】명〖역〗고려 때 어서원(御書院)의 한 벼슬.
유원-위【柔遠衛】명〖역〗조선 시대에 함경도 종성(鐘城)·온성(穩城)·부령(富寧)·경흥(慶興)에 둔 토관(土官) 서반 직소(西班職所).
유:원-인【類猿人】명 미사리[2].
유-원주【劉元柱】명〖사람〗조선 후기의 여항 시인(閭巷詩人). 자는 중린(仲麟), 호는 묵재(默齋). 영·정조 때 송석원 시사(松石園詩社)의 대표적 시인임. 생몰년 미상.
유-원지[1]【柳元之】명〖사람〗조선 인조(仁祖) 때의 학자. 자(字)는 장경(長卿), 호는 졸재(拙齋). 풍산(豐山) 사람. 정경세(鄭經世)의 문인(門人). 이기(理氣)·상수(象數)·천문·지리·예악(禮樂)·율력(律曆)·의학·복서(卜筮) 등을 연구 통달하였다 하며, ≪상수 소설(象數小說)≫을 지어 십이괘도(十二卦圖)의 근원을 밝힘. [?-1674]
유원-지[2]【遊園地】명 유람(遊覽)이나 오락을 위하여 여러 가지 설비를 한 곳.
유원-진【柔遠鎭】명〖역〗고려 때 북계(北界)의 진(鎭)인 평로진(平虜鎭)을 고친 이름.
유:원 총보【類苑叢寶】명〖책〗조선 인조(仁祖) 때의 학자 김육(金堉)이 엮은 책. 일종의 백과 사전으로 인조 21년(1643)에 완성(完成)됨. 47권 22책.
유월[1]【†六月】명 한 해의 여섯째 달.
[유월 장마에 돌도 큰다] 장마비가 올 때에는 모든 것이 쑥쑥 잘 자란다는 말. [유월 저승을 지나면 팔월 신선이 돌아온다] 한창 더운 유월달에 죽을 고생을 하여 농사 지은 이의 추수의 기쁨을 이르는 말.
유월[2]【酉月】명〖민〗월건(月建)의 지지(地支)가 유(酉)로 된 달. 곧, 음력 팔월.
유월[3]【流月】명 [유두(流頭)가 있는 달이라는 뜻] 음력 유월의 별칭.
유월[4]【逾越】명 한도를 넘음. ——-하다 타여불
유월[5]【榴月】명 [석류(石榴) 꽃이 피는 달이라는 뜻] 음력 오월의 별칭.
유월[6]【踰月·逾月】명 달을 넘김. ——-하다 자여불
유월-도【†六月桃】[-또] 명〖식〗복숭아의 한 품종. 음력 유월에 열매가 익으며 매우 크고 겉에 털이 많으나 속살은 연하고 맛이 달며 시원하고, 빛이 아주 검붉음.
유월 도목【†六月都目】명〖역〗고려·조선 시대에, 6월에 실시되는, 주로 서리(胥吏)에 대한 도목 정사(都目政事). *세말(歲末) 도목.
유월-두【†六月豆】[-뚜] 명 콩의 품종의 하나. 조생종(早生種)으로, 주로 중부의 평야 지대에서 재배됨.
유월-무【由越無】명〖역〗해유(解由)와 월록(越祿)이 없음.
유월-이장【踰月而葬】명 죽은 다음 달에 장사를 지내는 일.
유월-절【逾越節·踰月節】[-쩔] 명 [Passover]〖성〗[유월(逾越)이란 말은 여호와가 이집트 사람의 맏아들을 모두 죽일 때 이스라엘 사람들의 집에는 어린 양(羊)의 피를 문기둥에 발라서 표를 하여 놓은 까닭에 그 재난을 면한 데서 유래함] 유태교의 3대절(節)의 하나. 봄의 축제(祝祭)로 이스라엘 민족이 이집트에서 탈출함을 기념하는 명절. *오순절(五旬節)·무교절(無酵節).
유:위[1]【有爲】명 ①능력이 있음. 쓸모가 있음. ¶~한 청년. ②일이 있음. 업무가 있음. ③〖불교〗여러 가지 인연(因緣)에 의하여 생긴 현상(現象). ↔무위(無爲)❷. ——-하다 형여불
유-위[2]【柳渭】명〖사람〗조선 선조(宣祖) 때의 시인·서예가. 자(字)는 수원(秀原). 문화(文化) 사람. 선조 25년(1592) 임진 왜란에 권율(權慄)의 종사관(從事官)으로 출정했다가 병사함. 시(詩)·서(書)·사(射)에 모두 뛰어나 삼절(三絕)로 알려졌음. [?-1592]
유위[3]【瘤胃】명〖동〗반추 동물의 제1위. 삼킨 음식물을 섞으며 박테리아의 작용으로 먹이의 거친 섬유(纖維)를 분해하여 다시 입으로 내보냄. 혹위.
유:위-법【有爲法】[-뻡] 명〖불교〗인연에 의하여 생멸(生滅)하는 만유 일체(萬有一切)의 법.
유-위부족【猶爲不足】명 오히려 모자람. 싫증이 나지 않음. ¶또 그래도 ~하여 우리 어머니를 못 만나 보게 하여 금족령을 놓으시게 해… ≪朴鍾和: 錦衫의 피≫. ——-하다 형여불
유:위-자【有爲者】명 유능하여 쓸모 있는 사람. 유위지사(有爲之士).
유:위 전:변【有爲轉變】명 이 세상(世上)은 인연(因緣)에 의해서 임시(臨時)로 되어 있기 때문에 잠시도 정주(定住)하지 않는 일. 세상 일이 변하기 쉬워 덧없는 일.
유:위지-사【有爲之士】명 유위자(有爲者).
유:위지-재【有爲之才】명 큰 일을 할 수 있는 재주.
유유[1]【幽幽】명 ①깊은 모양. ②어두운 모양. ③조용한 모양. ——-하다 형여불
유-유[2]【紐由】명〖사람〗고구려의 충신. 동부(東部) 출신. 동천왕(東川王) 20년(246) 중국 위(魏)나라의 관구검(毌丘儉)이 침입하여 환도성(丸都城)이 함락되자, 단신으로 적진에 나가 위장(魏將) 왕기(王頎)를 만나 항복하는 척하다가 그를 죽이고 자기도 같이 죽음으로써 왕의 위기를 구함. [?-246]
유유[3]【唯唯】명 ①네 네 하고 공손히 대답하는 소리. ②남의 뜻을 거스르지 않는 모양. 지당한 말씀이라고 그저 굽실거리는 모양. ③물고기가 줄지어 따라가는 모양. ——-하다 자여불
유유[4]【悠悠】명 ①아득하게 먼 모양. ②때가 오랜 모양. ③침착하고 여유가 있는 모양. 한가(閑暇)한 모양. ④많은 모양. ——-하다 형여변. ——-히 부
유유[5]【愉愉】부 좋아하는 모양. ——-하다 형여불
유-유[6]【劉裕】명〖사람〗중국 남조(南朝) 송(宋)의 초대 황제(初代皇帝)인 무제(武帝). 묘호(廟號)는 고조(高祖). 원래 동진(東晉)을 섬기고, 공제(恭帝)로부터 선양(禪讓)을 받아, 국호(國號)를 송(宋)이라 정하였음. [356-422; 재위 420-422]
유유[7]【儒儒】명 과단성(果斷性)이 없는 모양. 우유 부단(優柔不斷)한 모양. ——-하다 형여불
유유 낙낙【唯唯諾諾】명 명령하는 대로 순종(順從)하여 응낙(應諾)함. ——-하다 자여불
유유 도:일【悠悠度日】명 하는 일 없이 세월(歲月)만 보냄. ——-하다 자여불
유유 범:범【悠悠泛泛】명 무슨 일을 다잡아 하지 않음. ——-하다 형여불
유:유 상종【類類相從】명 동류(同類)끼리 서로 내왕(來往)하며 사귐. ——-하다 자여불
유유-아【乳幼兒】명 유아(乳兒)와 유아(幼兒). 학령(學齡)이 되기 전의 아이의 총칭.
유: 유: 엠【U.U.M.】명 [underwater-to-underwater missile] 수중대수중(水中對水中) 미사일.
유유일승-법【唯有一乘法】[-쌩뻡] 명〖불교〗부처의 가르침은 오직 일승 진실(一乘眞實)의 가르침뿐이라는 뜻으로, 법화경(法華經)에서 설파하는 말.
유유일-실상【唯有一實相】[-쌍] 명〖불교〗오직 존재하는 것은 진여 실상(眞如實相)뿐이라는 뜻으로, 우주의 일체의 제법(諸法)은 모든 것이 진여 실상 외에 아무 것도 아니라는 말.
유유 자적【悠悠自適】명 속세를 떠나 아무 것에도 속박되지 아니하고 자기가 하고 싶은 대로 마음 편히 삶. ——-하다 자여불
유유 창천【悠悠蒼天】명 한없이 멀고 푸른 하늘.
유유 한한【悠悠閑閑】명 바쁘지 아니한 모양. 한가로이 느릿느릿한 모양. ——-하다 형여불
유윤[1]【儒胤】명 유학을 닦은 사람의 자손. 유자(儒者)의 혈통.
유윤[2]【遺胤】명 유아(遺兒)❶.
유윤[3]【濡潤】명 적심. 또, 젖음. ——-하다 자타여불
유-윤(:)겸【柳允謙】명〖사람〗조선 초기의 문신. 자(字)는 형수(亨叟). 서산(瑞山) 사람. 방선(方善)의 아들. 일찍 두시(杜詩)를 배워 세종의 부름으로 두시 찬주(撰註)에 백의(白衣)로 참여함. 성종(成宗) 12년(1481) 조위(曺偉) 등과 함께 ≪분류 두공 부시 언해(分類杜工部詩諺解)≫ 25권을 강희안(姜希顔)의 필체인 을해자(乙亥字)로 간행함으로써 국문학사상 중요한 자료를 남김. 벼슬은 부제학(副提學)·공조 참의·호조 참의·돈령부 도정(敦寧府都正) 등을 역임함. 이 동안 성종(成宗)의 명으로 서거정(徐居正) 등과 함께 ≪연주시격(聯珠詩格)≫과 ≪황산곡 시집(黃山谷詩集)≫을 한글로 번역함. [1420-?]
유율【流率】명 [flux]〖수〗미분 계수(微分係數)를 이름. 뉴턴(Newton)이 사용한 말.
유은【遺恩】명 고인(故人)이 남긴 은혜. 고인에게서 받은 은혜.
유은-광【硫銀鑛】명〖광〗휘은광(輝銀鑛).
유:음[1]【有蔭】명〖역〗선조(先祖)의 공덕(功德)으로 인하여 음직(蔭職)을 받음. ——-하다 자여불
유음[2]【兪音】명〖역〗신하의 주품(奏稟)에 대한 임금의 하답(下答).
유:음[3]【柳陰】명 버들의 그늘.
유음[4]【流音】명 ①[liquid]〖언〗조음(調音)의 위치가 좁혀져도 기류(氣流)의 마찰을 일으키지 않고 성문(聲門)에서 발생하는 소리가 좁게 된 조음점(調音點)을 통하여 마치 물이 흘러가는 것과 같은 느낌을 주는 음. 곧, 혀를 위턱에 접근시켜, 그 중간 또는 양쪽으로부터 유성(有聲)의 숨을 통해 내는 음. 한글의 'ㄹ', 영어의 'r'·'l' 등인데, 설전음(舌轉音)·설측음(舌側音)의 두 가지가 있음. 흐름소리. ②〖역〗→흘림[3].
유음[5]【流淫】명 정도에 지나치게 음탕함. ——-하다 형여불
유음[6]【溜飮】명〖한의〗소화가 되지 않아 음식물이 위 속에 정체(停滯)

하여 신물이 나오는 증상(症狀). 위산 과다증·위카타르 등의 만성증을 이루게 됨.

유음⁷【遺音】명 ①남긴 소문. ②유언(遺言)❶.

유음⁸【遺陰】명 세택(世澤).

유:음 기광군【有蔭奇光軍】명〖역〗고려 때의 특수 군단(軍團)으로 문종 5년(1051)에 문무관 7품 이상의 아들과 경직(京職)의 대상(大常) 이상의 아들로써 유음 기광군을 삼았음. 이것은 군대라기보다 특혜 조직이었던 것 같음.

유-음료【乳飮料】[—뇨] 명 우유에 과즙 따위를 섞은 음료.

유:음-어【類音語】명〖언〗조음(調音)상 혹은 청각(聽覺)상 음이 유사한 두 개 이상의 단어. 일상 언어에서 장면이나 문맥에 따라서 오해를 일으키는 경우가 많음. 예를 들면, 은혜(恩惠)와 은애(恩愛), 경의(敬意)와 경이(驚異) 따위.

유음-화【流音化】명〖언〗일정한 음운론적 환경에서 'ㄴ'이 유음 'ㄹ'의 영향으로 유음 'ㄹ'로 동화되는 음운 현상. 이를테면 '잃+는→[일른]'에서와 같이 'ㄹ'이 자음 'ㅎ'을 개재시키고 다음의 'ㄴ'을 'ㄹ'로 간접 동화시키는 경우 따위.

유읍【流泣】명 눈물을 흘리며 욺. ——-하다 자여불

유-응(:)부【兪應孚】명〖사람〗조선 세조 때의 장군. 사육신(死六臣) 중의 유일한 무신(武臣). 자(字)는 신지(信之) 또는 선장(善長), 호는 벽량(碧梁). 기계(杞溪) 사람. 세조(世祖) 병자년에 동지중추원사(同知中樞院事)로 상왕(上王)을 복위하고자 하다가 피살되었음. 유학(儒學)에도 조예(造詣)가 깊었으며, 궁술(弓術)에 뛰어남. 시조 3수가 전함. 시호는 충목(忠穆). [?-1456]

유:-응집소【類凝集素】명 [agglutinoid] 응집력은 잃었으나, 그 응집원(原)과 결합하는 능력을 가진 응집소.

유:의¹【有意】[—/—이] 명 ①마음에 있음. 생각이 있음. ②의미가 있음. 유의의(有意義). ——-하다 형여불

유의²【油衣】[—/—이] 명 ①비를 막기 위하여 종이나 포목으로 옷을 지어 기름에 결음. ②유삼(油衫).

유의³【流議】[—/—이] 명 ①지엽(枝葉)의 이론. ②세속(世俗)의 의론.

유의⁴【留意】[—/—이] 명 마음에 둠. 유심(留心). ¶～ 사항 / 건강에 각별히 ～하다. ——-하다 자타여불

유의⁵【遊意】[—/—이] 명 ①마음을 기울임. ②놀고자 하는 마음.

유의⁶【遺衣】[—/—이] 명 영좌(靈座) 옆에 삼 년 동안 두는, 죽은 사람의 저고리와 적삼.

유의⁷【遺意】[—/—이] 명 고인(故人)이 남긴 뜻.

유의⁸【儒醫】[—/—이] 명 의유(醫儒).

유의⁹【襦衣】[—/—이] 명 동옷.

유의-계【襦衣契】[—께/—이께] 명〖역〗조선 시대 때 지금의 평안 북도(平安北道)의 국경 변방 및 바닷가에서 수자리 사는 군사가 입을 동옷을 공물(貢物)로 바치던 계. 유지의계(襦紙衣契).

유:의 막수【有意莫遂】[—/—이—] 명 마음은 간절하여도 뜻대로 되지 않음. 유의 미수(有意未遂). ——-하다 타여불

유:-의미【有意味】명 속에 뜻이 있음. 또, 그렇게 느껴지는 모양. ——-하다 형여불

유:의 미:수【有意未遂】[—/—이—] 명 유의 막수(有意莫遂). ——-하다 타여불

유:의-범【有意犯】[—/—이—] 명〖법〗고의범(故意犯). ↔과실범(過失犯)·무의범(無意犯).

유:의성의 확률【有意性—確率】[—썽—뉼/—이썽에—뉼] 명 [significance probability]〖통계〗검정 통계량(檢定統計量)의 어떤 값에 대하여, 그것이 실제(實際)로 관측(觀測)되는 값과 같은 정도거나 또는 그 이상으로 유의(有意)한 확률.

유:의 수준【有意水準】[—/—이—] 명 통계적 검정(檢定)에서 가설(假說)을 기각(棄却)할 때 그 가설이 옳은데도 불구하고 틀린 것으로 치고 기각하는 확률의 허용 수준(許容水準). 흔히, 백분율로 나타냄.

유-의(:)양【柳義養】명〖사람〗조선 영조(英祖)·정조(正祖) 때의 문신. 자는 계방(季方)·자장(子章), 호는 후송(後松). 전주(全州) 사람. 정조 5년(1781) 참의로 예조 이정당랑(釐正堂郎)이 되어 《춘관지(春官志)》와 《영희전지(永禧殿誌)》를 편찬하였고, 승지 때 《증보 문헌 비고(增補文獻備考)》의 수찬(修撰)에 참여함. 공조 참판 때는 《춘방지(春坊志)》를 저술, 다시 《오례의(五禮儀)》를 보집(補輯), 뒤에 《춘관 통고(春官通考)》를 저술함. [1718-?]

유:의-어【類義語】[—/—이—] 명 뜻이 유사한 말. 유어(類語).

유:의어 반:복【類義語反復】[—/—이—] 명 [tautology]〖언〗유의어를 필요 없이 반복하는 표현. 역전 앞·아침 조반(朝飯) 등.

유의 유식【遊衣遊食】[—/—이—] 명 하는 일 없이 놀면서 입고 먹음. ——-하다 자여불

유:-의의【有意義】[—/—이] 명 의의(意義)나 가치(價值)가 있음. 유의(有意). ↔무의의(無意義). ——-하다 형여불

유:의-적【有意的】[—/—이—] 명 관 ①뜻·생각이 있는 모양. ②의미가 있는 모양.

유:의 주:의【有意注意】[—/—이—이] 명〖심〗미리 주의하려는 의지를 가지고 하는 주의. 새로운 것을 애써 배우려고 할 때의 주의와 같은 것. 고의 주의(故意注意). ↔무의 주의(無意注意).

유:의-차【有意差】[—/—이—] 명 통계적 검정법(檢定法)에 의하여 통계적으로 유의미(有意味)하다고 결론된 평균이나 비율의 차.

유:의 추출법【有意抽出法】[—뻡/—이—뻡] 명〖통계〗모집단에서 표본을 추출할 때, 특히 조사하는 사람 자신의 지식과 경험에 의하여 가장 대표적인 것으로 생각하고 추출하는 방법. 주관적인 방법이지만 실제로는 많이 쓰임.

유:의 해:산【有意解散】[—/—이—] 명〖법〗설립자(設立者)나 사원(社員)의 의사에 의거한 법인의 해산. 정관(定款), 기부 행위(寄附行爲)의 규정, 총회의 결의 등에 의한 해산을 일컬음. ↔무의 해산(無意解散).

유:의 행동【有意行動】[—/—이—] 명〖심〗의지의 작용에 따라 행하는 행동. 유의 행위(有意行爲). ↔무의 행동(無意行動).

유:의 행위【有意行爲】[—/—이—] 명 유의 행동.

유이¹【油膩】명 [←유니(油膩)] ①음식이 기름짐. ②몸이 윤기 있게 살이 찜. ——-하다 형여불

유이²【柔易】명 유순하고 인자함. ——-하다 형여불

유-이손【柳耳孫】명〖사람〗조선 중종 때의 화가. 화원(畫員)으로 서예에도 능했음. 중종 38년(1543)에 예조령(禮曹令)으로 신정(申珽)·유항(柳沆) 등이 번역한 《유향 열녀전(劉向列女傳)》을 사자(寫字)했으며, 파주(坡州)의 심인(沈潾) 부인의 비갈(碑碣)을 썼음. 생몰년 미상.

유-이(:)승【柳以升】명〖사람〗조선 숙종(肅宗) 때의 문신·서예가. 자는 중진(仲進), 호는 동호(東湖). 전주(全州) 사람. 숙종 2년(1676) 정선 군수(旌善郡守)로 선정(善政)을 베풀어 표리(表裏)를 하사받음. 뒤에 목사(牧使)에 이르렀음. 서예가로도 이름이 높아 여러 곳에 비문(碑文)을 남김. [1638-?]

유:익¹【有益】명 이로움. 이익이 있음. 도움이 됨. ¶～한 사업. ↔무익(無益). ——-하다 형여불

유익²【游弋】명 ①유렵(遊獵). ②군함(軍艦)이 바다 위를 떠돌아 다니며 경계함. ——-하다 자여불

유익³【誘益】명 이끌어 도와 줌. ——-하다 타여불

유:익-비【有益費】명〖법〗물건을 개량하거나 이용하는 데 지출한 비용. 관리비(管理費)의 일종임. ↔필요비(必要費)·사치비(奢侈費).

유:익-탄【有翼彈】명〖군〗비행 방향으로 탄두(彈頭)를 안정시키기 위하여 뒤끝에 날개를 단 탄환. 박격포(迫擊砲)와 같은 활강포(滑腔砲)에 쓰임.

유:인¹【有人】명 차·배·비행기·우주선·인공 위성 등에 그것을 작동·운전하는 사람이 타고 있는 일. ¶～ 우주선.

유인²【油印】명 프린트(print). 등사. ——-하다 타여불

유인³【幽人】명 속세를 피하여 그윽한 곳에 숨어 조용히 사는 사람.

유인⁴【流人】명 유형(流刑)을 받은 사람.

유인⁵【柔靭】명 부드러우면서 질김. ——-하다 형여불

유인⁶【遊人】명 ①일정한 직업 없이 놀고 있는 사람. ②놀러 다니는 사람. 놀이꾼.

유인⁷【誘引】명 꾀어 냄. 인유(引誘). ¶취객(醉客)을 ～하다. ——-하다 타여불

유인⁸【誘因】명 어떤 작용을 일으키는 직접적인 원인.

유-인⁹【劉因】명〖사람〗중국 원(元)나라의 유학자(儒學者). 호는 정수(靜修). 훈고 주석(訓詁註釋)의 학을 배웠으며, 송학(宋學)을 보급시키는 데 허노재(許魯齋)·조복(趙復)과 더불어 공적이 큼. 시문(詩文)도 잘 하였으며, 저서에 《정수 문집(靜修文集)》이 있음. [1244-93]

유인¹⁰【孺人】명 ①〖역〗조선 시대 때 정·종구품 문무관(文武官)의 처(妻)인 외명부(外命婦)의 품계. 단인(端人)의 아래 품계에 해당함. ②생전에 벼슬하지 못한 사람의 아내의 신주(神主)나 명정(銘旌)에 쓰는 존칭(尊稱).

유-인궤【劉仁軌】명〖사람〗중국 당(唐)나라 고종(高宗) 때의 무장. 자는 정칙(正則). 허난 성(河南省) 사람. 당장 유인원(劉仁願)과 함께 백제 부흥군을 무찌르고 대방주 자사(帶方州刺使)가 됨. 신라 문무왕(文武王) 5년(665) 귀국하여 대사헌, 다음해 우의정이 되었고 동왕 8년 요동도 부대총관(遼東道副大摠管)이 되어 신라와 함께 평양(平壤)을 공략, 고구려를 멸망시킴.

유:인 궤:도 실험실【有人軌道實驗室】명 [manned orbiting laboratory] 미국에서 개발 중인 유인 군사 위성. 이 발사 계획은 몰(MOL) 계획이라고 불림. 무게 약 10t, 지름 약 2m, 길이 약 10m의 원통형 2인승 실험실을 우주 공간에 발사하여 지구 위를 사찰(査察)하려는 것임.

유인-물【油印物】명 등사한 물건.

유인 물질【誘因物質】[—찔] 명 생물을 끌어 들이는 작용을 가지는 물질. 예컨대, 모기의 유인 물질은 이산화 탄소, 파리의 유인 물질은 암모니아임. 대개의 곤충류는 특정한 유인 물질에 의해 먹이에 모이게 되는데, 어떠한 물질에 유인되는가는 종(種)에 따라 유전적(遺傳的)으로 정해져 있음. *유인제(誘引劑).

유-인석【柳麟錫】명〖사람〗조선 말기의 의병장(義兵將). 자(字)는 여성(汝聖), 호는 의암(毅庵). 고흥(高興) 사람. 이항로(李恒老)의 문인. 갑오 경장 이후에 친일(親日) 내각에 반대하고 의병 대장으로 충주(忠州)·제천(堤川) 등지에서 싸움. 실패 후 만주 회인현(懷仁縣)에 들어가 공맹(孔孟)의 학을 전공했음. 뒤에 블라디보스토크에서 13도 의군 도총재(義軍都總裁)에 추대되어 두만강(豆滿江) 연안으로 쳐들어오려고 기도하였으나 실패함. [1842-1915]

유인-성【柔靭性】[—썽] 명 부드럽고도 질긴 성질.

유-인숙【柳仁淑】명〖사람〗조선 중종(中宗) 때의 정치가. 자(字)는 원명(原明), 호는 정수(靜叟). 진주(晋州) 사람. 기묘 사화(己卯士禍) 때 한때 투옥되었다가 석방되어 벼슬은 삼사(三司)를 지내고 우찬성(右贊成)에 이름. 을사 사화(乙巳士禍) 때 소윤(小尹)의 참소를 입어 원사(冤死)하였음. 시호는 문정(文貞). [1482-1545]

유-인우【柳仁雨】명〖사람〗고려 공민왕(恭愍王) 때의 무신. 공민왕 5년(1356)에 동북면 병마사(東北面兵馬使)가 되어서 39년간 원(元)나라에 빼앗기었던 영흥군(永興郡)과 부근 땅을 탈환했음. 동왕 11년 찬

성사(贊成事)가 됨.

유:인 우:주선【有人宇宙船】명 사람이 탑승한 우주선.

유:인 우:주 센터【有人宇宙—】명〔Manned Spacecraft Center; MSC〕미국의 텍사스 주(州) 휴스턴에 있는, NASA의 유인 우주 비행의 관제(管制)를 담당하는 기지.

유-인원[1]【劉仁願】명〖사람〗중국 당(唐)나라의 장군. 신라 무열왕(武烈王) 7년(660) 백제가 망한 뒤 당이 사비성(泗沘城)에 설치한 도독부(都督府)의 도독(都督)이 되어 옛 백제의 영토를 다스렸으며, 뒤에 복신(福信) 등 백제 부흥군이 사비성을 포위했으나 나당 연합군(羅唐聯合軍)을 편성, 이를 격퇴함. 생몰년 미상.

유:-인원[2]【類人猿】명〖동〗원숭이류 중에서 가장 진화한 유인원과에 속하는 원숭이들의 총칭. 다른 원숭이보다 대형이며, 사람과 비슷하여 거의 직립(直立)하여 걸을 수 있고 손발가락으로 물건을 쥘 수 있음. 유인후(類人猴). 진원(眞猿).

유:인원-과【類人猿科】[—꽈] 명〖동〗〔Pongidae〕영장목(靈長目)에 속하는 한 과. 인류의 조상인 원시인과 그 외모가 거의 비슷한데 키는 1-2m, 무게는 350kg에 달하고 털이 적으며 뇌와 태반(胎盤)의 구조는 거의 사람과 비슷하며 맹장(盲腸)이 작고 충양 돌기(蟲樣突起)가 있음. 임신 기간은 210-275일, 월경 주기는 28일이 많음. 오랑우탄(orangutan)·고릴라(gorilla)·침팬지(chimpanzee)·기본(gibbon) 등이 이에 속함. 후원류(猴猿類).

유인 자제【誘引子弟】명 남의 자제를 그른 길로 꾀어 냄. ——-하다 자여불

유인-제【誘引劑】명 해충 따위를 잡기 위하여 유인하는 물질. 식초와 설탕을 섞어 파리를 모이게 하거나 탄산 가스로 모기를 모이게 하는 따위. 해충의 방제(防除)에 이용할 수 있음. ＊유인 물질.

유:인 증권【有因證券】[—꿘] 명〖경〗요인 증권(要因證券). ↔무인(無因) 증권.

유:인 행위【有因行爲】명〖법〗원인이 되는 법률 관계가 없으면 법률상의 효력이 발생하지 않는 행위. 어음 행위 등, 원인이 없어도 효력을 발생하는 무인 행위(無因行爲)에 상대되는 말. 보통의 법률 행위는 원칙적으로 유인 행위임. 요인 행위(要因行爲). ↔무인 행위(無因行爲).

유:인-후【類人猴】명〖동〗유인원(類人猿).

유:일[1]【有一】명〖사람〗조선 시대의 중. 자는 무이(無二), 호는 연담(蓮潭). 속성은 천(千). 18세에 법천사(法泉寺)에서 출가(出家)하고 호암 체정(虎巖體淨)에게 법을 배움. 30여 년간 강설(講說)하다가 장흥 보림사(寶林寺)에서 죽음. 저서에 ≪능엄 사기(楞嚴私記)≫·≪사집 사기(四集私記)≫·≪제경 회요(諸經會要)≫ 등이 있음. [1720-99]

유:일[2]【有日】명 날수가 많음. 오랜 동안임. 오래됨. ——-하다 형여불

유일[3]【酉日】명〖민〗일진의 지지(地支)가 유(酉)로 된 날. 을유(乙酉)·정유(丁酉)·기유(己酉) 같은 날.

유일[4]【柔日】명 육갑의 십간(十干) 중에서 을(乙)·정(丁)·기(己)·신(辛)·계(癸)의 날. 쌍일(雙日). ↔강일(剛日).

유일[5]【唯一】명 오직 그것 하나. 독일(獨一). ¶ ～한 희망(希望). ——-하다 형여불

유일[6]【愉逸·愉佚】명 유쾌하고 편안함. ——-하다 형여불

유일[7]【遊逸·遊佚】명 제멋대로 놂. 일은 안 하고 놀기만 함. ——-하다 자여불

유일[8]【遺佚·遺逸】명 ①유능한 사람이 등용되지 않아 세상에 나타나지 않음. 또, 그 사람. ②사물이 흩어져서 없어짐. 또, 그 사물.

유일교-도【唯一教徒】명〔Unitarian〕〖기독교〗프로테스탄트의 한 파. 삼위 일체(三位一體)의 교리를 인정하지 않으며 신(神)은 유일한 존재이고 그리스도의 신성(神性)을 부정하며 그를 다만 종교적 위인이라고 봄. 1774년 영국에서 성립하여 미국에서 발달하였음. 일반적으로 자유주의적 경향을 가지며 교회와 그 교의(教義)보다도 윤리적(倫理的) 운동을 중히 여김.

유일 교섭 단체 약관【唯一交涉團體約款】명〔exclusive bargaining right clause〕〖사〗노동 협약에서, 사용자가 그 협약의 당사자인 조합만을 단체 교섭의 상대로 할 것을 약속하는 조항. 상급 노동 단체 등 외부 세력과의 교섭을 배제시키려는 의도와 조합의 분열 방지, 제2 조합의 출현 방지를 노리는 두 가지 뜻이 있음.

유일교-회【唯一教會】명〖기독교〗유일교도의 교회.

유일 무이【唯一無二】명 오직 하나뿐이고 둘도 없음. 독일 무이(獨一無二). ——-하다 형여불

유일 부족【惟日不足】명 분주(奔走)하고 다사(多事)하여 날짜가 모자람. ——-하다 형여불

유일 사:상【唯一思想】명 강력한 독재 체제에서 특정 인물을 우상화(偶像化)하여 그 이외의 신(神)이나 인물을 용납하지 않는 사상.

유일-신【唯一神】[—씬] 명 단 하나밖에 없는 신.

유일신-교【唯一神教】[—씬—] 명〖종〗일신교(一神教).

유일신교-도【唯一神教徒】[—씬—] 명〖종〗유일신교를 신봉(信奉)하는 교도.

유일-자【唯一者】[—짜] 명〔도 Einzige〕〖논〗슈티르너(Stirner, M.)의 철학을 중심으로 한 개념. 모든 외적(外的)인 사물이나 관념에 제약(制約)을 받지 않으며, 그것을 받아들여 소비하는 소유인(所有人:Eigner)·자유인(自由人)을 뜻하는 말.

유-일한【柳一韓】명〖사람〗실업인·사회 사업가. 평양(平壤) 출생. 미국 미시간 대학 졸업. 1926년에 유한 양행(柳韓洋行)을 창설, 의약품(醫藥品)의 개발에 공헌하였으며, 1962년에 한국 고등 기술 학교를 창립함. [1895-1971]

유:임[1]【有賃】명 삯돈이 듦. ↔무임(無賃).

유임[2]【留任】명 ①어떤 자리에 머물러 사무를 맡음. ②전임(轉任)이나 퇴직을 보류·중지함. ¶ ～ 운동. ——-하다 자여불

유입[1]【流入】명 흘러 들어옴. ——-하다 자여불

유입[2]【誘入】명 남을 꾀어 들임. ——-하다 타여불

유입 변:압기【油入變壓器】명〖전〗철심(鐵芯)이나 코일(coil) 등을 냉각, 절연(絕緣)하기 위하여 기름에 담근 변압기. 주로 대전력(大電力)·대용량용(大容量用)임.

유입 케이블【油入—】〔cable〕명〖전〗초고압 송전용(超高壓送電用)의 케이블. 케이블 내부에 유도(油道)를 만들고 유압(油壓)을 가한 절연유(絕緣油)를 봉입(封入)한 케이블. 콘크리트의 관로(管路)에 넣어서 땅속에 매설(埋設)함. 오 에프 케이블(OF cable).

유:잉[1]〔Ewing, James〕명〖사람〗미국의 병리학자. 1899년 코넬 대학 교수. 종양(腫瘍)의 분류와 감별(鑑別)에 대하여 많은 업적(業績)을 남김. [1866-1943]

유:잉[2]〔Ewing, James Alfred〕명〖사람〗영국의 지진학자(地震學者)·물리학자. 지진계(地震計)를 개발하여 근대 지진 계측학(計測學)의 기초를 쌓았음. [1855-1935]

유:잉 육종【—肉腫】[—늑—] 명〔Ewing's sarcoma〕〖의〗〔미국의 병리학자 유잉(Ewing, J.)의 이름에서〕뼈의 원발성 악성 종양(原發性惡性腫瘍). 긴 관상(管狀) 뼈의 골수(骨髓) 종양으로 발생함.

유자[1]【幼子】명 어린 자식.

유자[2]【幼者】명 어린이.

유:자[3]【有子】명 자식이 있음. ↔무자(無子).

유:자[4]【有刺】명 가시가 있음. ¶ ～ 식물/～ 철선(鐵線).

유:자[5]【柚子】명〖식〗유자나무의 열매.

유자[6]【帷子】명 밑으로 늘어뜨리는 휘장.

유자[7]【猶子】명 ①조카. ＊유부(猶父). ②편지할 때, 조카가 나이 많은 삼촌에게 자기를 일컫는 말.

유자[8]【遊子】명 ①나그네. ②일정한 직업이 없이 놀고 지내는 사람.

유자[9]【遊資】명〖경〗↗유휴 자본(遊休資本).

유자[10]【遺子】명 유복자(遺腹子).

유자[11]【儒者】명 유생(儒生).

유자[12]【孺子】명 나이 어린 남자.

유:자[13]【類字】명 모양이 닮은 글자. 동류(同類)의 글자.

유:-자격【有資格】명 자격이 있음.

유:자격-자【有資格者】명 자격이 있는 사람.

유:자-곡【U字谷】[—짜—] 명〖지〗곡빙하(谷氷河)의 침식 작용으로 인하여 만들어진 골짜기. 빙식곡(氷蝕谷).

〈유자곡〉

유:자-관【U字管】[—짜—] 명〖물〗액체(液體)의 밀도(密度)나 비중(比重)을 비교(比較)하는 데 쓰는 U자 모양의 가는 관. 마노미터.

유:자관 압력계【U字管壓力計】[—짜—녀—] 명〖물〗U자관에 수은·물·알코올·에테르 등의 액체를 넣어 두 액면(液面)에 측정하려는 압력 P_1, P_2를 주어 균형이 잡혔을 때의 액면(液面)의 높이의 차를 재어, 압력을 구하는 액주형(液柱形) 압력계.

〈유자관 압력계〉

유-자광【柳子光】명〖사람〗조선 연산군(燕山君) 때의 간신(姦臣). 자는 우복(于復), 영광(靈光) 사람. 일종의 능신(能臣)임. 예종(睿宗) 때에 남이(南怡) 장군을 무고하여 죽이고, 연산군 때에는 무오 사화(戊午士禍)를 일으켜 김일손(金馹孫) 등을 죽이었음. 뒤에 성희안(成希顏)과의 관계로 중종 반정(中宗反正)에 참가하여 공신이 되었으나 삼사(三司)의 탄핵으로 중종 3년(1508)에 경상도 변군(邊郡)으로 추방되어 장님이 되어 죽었음. [?-1512]

유자-기【油榨器】명 기름틀.

유:자-나무【柚子—】명〖식〗〔*Citrus aurantium* var. *junos*〕운향과에 속하는 상록 교목. 다른 감귤류(柑橘類)와 달라서 추운 지방에 나며 높이 3-4m이고 단단하여, 가지에 가시가 있음. 잎은 긴 달걀꼴로 잎꼭지에 날개가 있음. 초여름에 희고 작은 오판화(五瓣花)가 피며 지름 4-7cm의 편편한 원형의 백황색 과실이 겨울에 익음. 티베트·중국을 거쳐 들어와 한국·일본 등지에 분포함. 열매를 '유자'라 하는데, 담황색의 살은 산미(酸味)가 있고 과피(果皮)는 향신료(香辛料)로 씀. ＊산유자나무.

〈유자나무〉

유-자녀【遺子女】명 ①죽은 사람의 자녀. ②특히, 전사 및 전병사(戰病死)한 군인이나 경찰관의 자녀. ¶ 군경 ～.

유:자-도【柚子島】명〖지〗경상 남도의 남해상(南海上), 통영군(統營郡) 한산면(閑山面) 창좌리(倉佐里)에 위치(位置)한 섬. [0.09km²]

유자례-관【遺子禮冠】명〖역〗신라 시대의 관명(冠名).

유자-망【流刺網】명 어망의 한 가지. 자망선(刺網船)과 함께 물의 흐름과 바람에 의하여 이리저리 떠다니면서 물고기가 그물코에 걸리거나 그물에 감싸이게 함.

〈유자례관〉

유-자미【柳自湄】명〖사람〗조선 시대의 문신. 문화(文化) 사람. 자는 원지(原之), 호는 서산(西山). 문종 원년(1451) 증광 문과(增廣文科)에 급제하여 감찰(監察)을 지냄. 세조 2년(1456) 사육신 사건이 일어나자 성삼문(成三問)의 딸을 데려다 숨겨 길러서 며느리로 삼았고, 상왕(上王)에의 절의를 지켜 일생을 은거함. 서화(書畫)에 능했음. 생몰년 미상.

유:자사 포자충류【有刺絲胞子蟲類】[-뉴] 명 〖동〗[Cnidosporilea] 원생 동물 포자충류의 한 목(目). 일정한 모양을 가진 기생충인데 대개가 어류나 절지 동물(節肢動物)에 기생하고 포자의 구조는 다른 유와 달라서 내부에 한 개 또는 수 개의 극낭(極囊)이라 일컫는 작은 포(胞)가 있으며, 그 포 안은 일종의 탄력(彈力)이 있어 자극을 받으면 포의 밖으로 쏘아 나오게 하여 포자를 숙주(宿主)의 몸에 부착하게 함.

유:자 생녀【有子生女】명 ①아들과 딸을 많이 낳음. ②아들도 두고 딸도 낳음. ——-하다 자 여불

유자-설【猶子說】명 [adoptionism] 예수는 본래 인간이며, 신이 아니라 다만 신의 양자(養子)라는 기독교 신학의 학설. 이 학설은 이단시(異端視)되었음. 「여불

유:-자손【有子孫】명 자손이 있음. 유자 유손(有子有孫). ——-하다 형

유-자신【柳自新】명 〖사람〗 조선 광해군(光海君)의 국구(國舅). 임진 왜란 때 동지중추부사(同知中樞府事)로 세자 광해군을 따라 강계(江界)에 갔으며, 광해군이 즉위하자 문양 부원군(文陽府院君)에 봉해졌으나 인조 반정(仁祖反正)으로 삭작(削爵)되었음. [1533-1612]

유:자 유:손【有子有孫】명 유자손(有子孫). ——-하다 형 여불

유:자 정:과【柚子正果】명 유자청(柚子淸).

유:자-주【柚子酒】명 유자를 넣고 담근 술.

유:자-즙【柚子汁】명 유자에서 짜낸 물.

유:자 철선【有刺鐵線】[-썬] 명 가시 철사.

유:자-청【柚子淸】명 정과의 하나. 유자를 꿀에 재인 음식. 유자 정과(柚子正果).

유:자포 동:물【有刺胞動物】명 〖동〗[Cnidaria] 강장(腔腸) 동물을 유즐(有櫛) 동물과 함께 둘로 구분했을 때의 한 아문(亞門). 지금은 독립되어 강장 동물문(門)이 됨. 자포 동물. *유즐 동물.

유:자형 배수관【U字型排水管】[-짜-] 명 [U-drain] 〖토〗 세로 직각인 절단면(切斷面)이 U자 꼴을 한 콘크리트제 배수관. 대개 도로의 가거(街渠)에 쓰임.

유:자형 자석【U字形磁石】[-짜-] 명 U자(字) 모양의 자석. 마제형(馬蹄形) 자석. 말굽 자석.

유:자-화【柚子花】명 유자나무의 꽃.

유-자후【柳子厚】명 〖사람〗 한국의 민속학자. 경기도 개풍군(開豐郡) 출생. 이준(李儁)의 사위. 일본 주오(中央) 대학에서 수학하고, 조선 일보 등 여러 신문사의 기자 생활을 하며 국사를 연구, 여성사(女性史)·풍속사(風俗史)에 조예(造詣)가 깊고, 특히 민속 자료(民俗資料) 연구에 공헌이 큼. 6·25 때 납치됨. 저서에 ≪조선 화폐고(朝鮮貨幣考)≫ 등이 있음. [1896-?]

유:작[1]【有作】명 〖불교〗 번뇌(煩惱)가 생기는 일. ↔무작(無作).

유작[2]【遺作】명 죽은 뒤에 남긴 작품. ¶~ 전시회.

유:작-자【有爵者】명 작(爵)이 있는 사람.

유잠-장【維蠶章】[-짱] 명 〖악〗 악장(樂章)의 이름.

유잠-충【油蠶蟲】명 〖충〗 버드나무벌레.

유장[1]【油長】명 [oil length] 니스 속의 수지(樹脂)에 대한 지방유(脂肪油)의 함유율. 100 lb(45.3 kg)의 수지에 대한 오일의 갤런수(數)로 표시함.

유장[2]【油帳】명 기름 종이로 만든 천막.

유장[3]【乳漿】명 젖의 성분에서 단백질과 지방을 제하고 남은 부분.

유-장[4]【油醬】명 기름과 장.

유장[5]【悠長】명 ①길고 오램. ②침착하여 성미가 느릿함. 서두르지 않음. ——-하다 형 여불. ——-히 부

유장[6]【帷帳】명 휘장과 장막.

유장[7]【誘葬】명 〖역〗 사람을 꾀어 다른 사람의 묘지(墓地)나 산림(山林)에 매장(埋葬)하는 일. ——-하다 타 여변

유장[8]【儒狀】명 유생들의 진정서(陳情書).

유장[9]【儒葬】명 유교 의식에 의한 장례식. 「장이.

유장[10]【鍮匠】명 〖역〗 조선 시대 때, 놋그릇을 만드는 장인(匠人). 놋갓

유:장 동:물【有腸動物】명 〖동〗[Enterozoa] 강장 동물(腔腸動物) 이상(以上)의 동물의 총칭.

유-장원【柳長源】명 〖사람〗 조선 영조(英祖)·정조(正祖) 때의 학자. 자(字)는 숙원(叔遠), 호는 동암(東巖). 전주(全州) 사람. 덕행이 높고 제자 백가(諸子百家)에 정통하였음. 만년에 이상정(李象靖)의 문하에서 학문의 정통을 터득, 저술에 힘썼음. 저서에 ≪사서 찬주 증보(四書纂註增補)≫ 32권·≪사서 소주 고의(四書小註考疑)≫ 등 여럿이 있음. 생몰년 미상.

유장-증【乳長症】[-쯩] 명 〖한의〗 유현증(乳懸症).

유장 찬:혈【窬牆鑽穴】명 유장 천혈(窬牆穿穴). ——-하다 자 여불

유장 천:혈【窬牆穿穴】명 담에 구멍을 뚫는다는 뜻으로, 남의 집 여자에게 탐심(貪心)을 가지고 몰래 들어감을 가리키는 말. 유장 찬혈(窬牆鑽穴). ——-하다 자 여불

유재[1]【幽齋】명 조용한 서재.

유재[2]【留在】명 머물러 있음. ——-하다 자 여불

유재[3]【留財】명 모아 둔 재물.

유-재[4]【劉載】명 〖사람〗 고려 중기의 문신. 본래 중국 송(宋)나라 천주(泉州) 사람. 선종(宣宗) 때 상선으로 들어와 귀화함. 시부(詩賦)로써 시험을 보아, 벼슬이 예부·이부 상서를 거쳐 수사공 상서 우복야(守司空尙書右僕射)에까지 이름. 문장에 능했고 소박 청렴하여 칭송을 받음. [?-1118]

유재[5]【遺在】명 남아 있음. ——-하다 자 여불

유재[6]【遺財】명 사후(死後)에 남은 재물.

유-재(:)건【劉在建】명 〖사람〗 조선 후기의 학자. 자(字)는 덕초(德初), 호는 겸산(兼山). 강릉(江陵) 사람. 한미(寒微)한 집안 출신으로서 벼슬은 서리(書吏)에 지나지 않았으나 어려서부터 신동(神童)으로 불렸고 시(詩)와 서(書)에 능했음. 특히, 전서(篆書)·해서(楷書)에 능하였고, 규장각(奎章閣)에서 오랫동안 ≪열성 어제(列聖御製)≫ 편찬에 공이 큼. 철종(哲宗) 8년(1857)에 최경흠(崔景欽)과 ≪풍요 삼선(風謠三選)≫을 편찬하고, 철종(哲宗) 13년(1862)에 ≪이향 견문록(異鄕見聞錄)≫을 편찬하여 위항 시인(委巷詩人) 308명의 전기(傳記)를 집성하였으며, ≪고금 영물 근체(古今詠物近體)≫를 지어 당(唐)나라 근체시(近體詩) 중에서 해·달·꽃·생물을 소재로 한, 700여 수(首)의 명시(名詩)를 수록함. [1793-1880]

유재-류【遊在類】명 〖동〗[Eleutherozoa] 극피 동물(棘皮動物)에 속하는 아문(亞門). 유병류(有柄類)와는 달라서 성체는 물론 발생 중의 어느 때에도 줄기가 없으며 입은 몸뚱이나 뱃바닥 또는 앞쪽에 있고 관족(管足)은 매우 발달되어 있는데, 그 끝은 흡반(吸盤)으로 된 것이 많음. 성게강(綱)·불가사리강·거미불가사리강·해삼강(海蔘綱)의 네 강(綱)으로 분류함. *유병류(有柄類).

유:재색-마【有才色馬】명 영리하고 털 빛깔이 설백 화홍(雪白火紅) 모양으로 곱게 생긴 말.

유-재(:)소【劉在韶】명 〖사람〗 조선 말기의 문인 화가(文人畫家). 자는 구여(九如), 호는 학석(鶴石)·형당(蘅堂)·소천(小泉). 강릉(江陵) 사람. 벼슬은 판관(判官)을 지냄. 전기(田琦)와 금란(金蘭)의 친교를 맺음. 주로 산수화를 즐겨 그렸는데, ≪미법 산수도(米法山水圖)≫·≪청송도(淸松圖)≫·≪추수 계정도(秋水溪亭圖)≫ 등이 있음. [1829-1911]

유:재 아:귀【有財餓鬼】명 ①〖불교〗 아귀의 일종. 제사 때 버린 음식을 주워 먹는 득기귀(得棄鬼), 거리에 버린 음식을 주워 먹는 득실귀(得失鬼), 야차(夜叉)·나찰(羅刹) 같은 세력귀(勢力鬼)의 총칭. ②재물이 있으면서도 욕심이 많고, 인색한 사람. 수전노(守錢奴).

유저[1]【遺著】명 죽은 사람이 생전에 지어 놓은 저서. 유편(遺編).

유:저[2] [user] 명 자동차·기계 따위의 생산자에 대하여, 그 사용자나 수요자(需要者). ↔메이커.

유-저당【流抵當】명 〖법〗 저당 채무(抵當債務)의 변제기(辨濟期) 전의 특약에 의하여 채무 불이행의 경우에 저당 목적물을 저당권자가 취득하고 또는 이것을 임의로 매각(賣却)하는 방법으로 우선 변제(優先辨濟)에 충당하는 것. 저당 직류(直流).

유적[1]【油滴】명 기름 방울.

유적[2]【幽寂】명 깊숙하고 고요함. 그윽하고 쓸쓸함. ——-하다 형 여불

유적[3]【流賊】명 이곳저곳으로 떠돌아다니면서 노략질하는 도적. 유구(流寇).

유적[4]【流謫】명 〖역〗 죄지은 사람을 섬으로 귀양보내고 그 곳에 있게 하던 형벌의 한 가지.

유적[5]【庾積】명 창고에 곡식을 쌓아 둠. ——-하다 자 여불

유적[6]【遺跡·遺蹟】명 ①건축물이나 전쟁이 있었던 곳. *고적(古跡). ②패총(貝塚)·고분(古墳)·옛 건축물 등 고고학적(考古學的) 유물이 남아 있는 곳. 유진(遺塵). 옛 터전.

유적[7]【遺籍】명 옛 사람이 남긴 서적. 유편(遺編).

유적-도【遺跡島】명 〖지〗 태고(太古)의 대륙의 대부분이 침강 소실(沈降消失)된 뒤 그 일부가 해상에 남아 있는 섬. 북극의 스피츠베르겐(Spitsbergen) 군도(群島)나 인도양의 마다가스카르(Madagascar) 섬 같은 것.

유적 박물관【遺跡博物館】명 유적과 그 유적으로부터 출토(出土)된 유물 등을 전시(展示)하는 박물관.

유적-선【流跡線】명 〖기상〗 공기가 어떤 코스로 흐르는가를 나타내는 선(線). 3,000-7,000 m의 상공에서 풍향·풍속(風速)을 관측하여 조사함. 태풍이 발생하는 저위도(低緯度) 지방의 일기(日氣) 변화를 알거나, 원수폭(原水爆) 실험에 의한 방사성 부유진(浮遊塵)의 이동 경로를 해석(解析)하는 데 중요함.

유적 지형【遺跡地形】명 〖지〗 홍적기(洪積期) 빙하 시대의 빙식(氷蝕)·퇴석 지형(堆石地形)이 현재까지 남아 있는 것. 북아메리카 북동부·북서 유럽 같은 데서 볼 수 있음.

유적 천목【油滴天目】명 중국산 천목 찻종(茶鍾)의 한 가지. 검은 유약(釉藥) 중에 기름 방울 같은 작은 반점(斑點)이 전면(全面)에 나타나 있음. ㊀유적(油滴).

유적 탄:층【流積炭層】명 〖광〗 식물이 무성했던 장소 이외의 딴 곳으로 흘러가서 침적(沈積)된 탄층. ↔현지(現地) 탄층.

유전[1]【油田】명 [oil field] 석유를 산출하는 곳. 석유 광상(鑛床)이 있는 지역. ¶~ 지대.

유전[2]【流典】명 〖법〗 '유질(流質)'의 고친 이름. 「여불

유전[3]【流傳】명 세상에 널리 전하여 퍼짐. 널리 전파함. ——-하다 자 타

유전[4]【流箭】명 유시(流矢).

유전[5]【流轉】명 ①여기저기 떠돌아다님. ②〖불교〗 번뇌업(煩惱業)에 의하여 삼계 육도(三界六道)를 표류(漂流)하고 생사 인과(生死因果)가 끊임없이 윤전(輪轉)하여 한이 없는 일. ↔환멸(還滅). ——-하다 자 여불

유전[6]【楡錢】명 유협전(楡莢錢).

유전[7]【遺傳】명 ①끼쳐 내려옴. ②[heredity] 〖생〗 조상으로부터 자손에게 몸의 모양이나 성질이 전하여지는 현상. 직접 유전과 격세(隔世) 유전이 있음. 내리기. ③[tradition] 〖성〗 유태의 율법 학자(律法學者)가 구약의 율법에 기초를 두고 그때그때의 필요에 따라 해석하여 만든 규칙. ——-하다 자 타 여불

유:전[8]【類典】명 ①비슷한 법전(法典). ②유취(類聚)한 법전.

유:전[9]【謬傳】명 와전(訛傳). ——-하다 타 여불

유전 가스【油田—】[gas] 명 석유 광상(鑛床)을 품은 지층이 발달하는 지역 안에서 그 지층으로부터 석유와 함께 또는 석유를 수반하지 않고

산출되는 가연성(可燃性)의 천연 가스. 유정(油井) 가스.

유전 가열【誘電加熱】[명]〔dielectric heating〕〖전〗 고주파(高周波) 전기장 속에 섬유·플라스틱(plastic)·고무 등의 가열한 절연물(絶緣物)을 놓고 그 고주파 전기장에 의해 발생하는 유전손실(誘電損失)에 의한 발열을 이용한 고주파 가열 방식. 고주파(高周波)유전 가열. *고주파 가열·유도(誘導)가열.

유전 고무【油展一】[명]〔oil-extended rubber〕싼 값으로 저온(低溫)에서의 유연성(柔軟性)과 탄성(彈性)을 높이기 위하여 합성(合成) 고무 속에 25-50 %의 석유 유제(石油乳劑)를 섞은 것.

유전 공학【遺傳工學】[명]〔genetic engineering〕유전자 재(再)조합·세포 융합·핵(核) 치환 등의 기술과 발효 기술·세포 배양 기술 등을 사용하여 생명 과학 분야 산업 발전을 도모하기 위한 학문과 기술. 유전자 공학.

유전 구조【油田構造】[명]〖지〗석유 광상을 성립시키는 지질 구조.

유전 독물【遺傳毒物】[명]〔genetic toxin〕〖생〗유전자를 상하게 하거나 돌연 변이를 일으켜, 염색체(染色體)의 이상을 유발하여, 인간의 유전적 상해의 근원이 되는 물질. 벤조산(酸) 나트륨·브롬산(Brom酸) 칼륨·과산화 수소·질산 나트륨·사카린 등이 알려져 있음.

유:전 면:목【有靦面目】[명] 무안한 빛이 얼굴에 나타남. 또, 그 얼굴.

유전-물【油煎物】[명] 기름에 지진 음식.

유전 법칙【遺傳法則】[명]〖생〗멘델 법칙.

유전-병【遺傳病】[―뼝][명]〖의〗선천적으로 어버이로부터 자손에게 유전하는 병.

유:-전분【類澱粉】[명]〖의〗아밀로이드(amyloid).

유전 분극【誘電分極】[명]〔dielectric polarization〕〖물〗절연체에 전기장을 가하면 분자와 원자 내의 전자 분포가 기울어져 분자의 한쪽에 양(陽), 다른 한쪽에 음(陰)의 전하(電荷)가 나타나는 일. 절연체를 대전체(帶電體)에 가까이 대면 유전 분극으로 인하여 대전체에 가까운 쪽의 표면에 이종(異種)의 전하가, 먼 쪽의 표면에 동종(同種)의 전하가 나타나 도체의 정전기(靜電氣) 유도와 비슷한 현상을 드러냄. 파라핀·유리·운모·합성 수지 따위에서 볼 수 있음.

유:전분 변:성【類澱粉變性】[명]〖의〗아밀로이드 변성.

유:전분-증【類澱粉症】[―쯩][명]〔amyloidosis〕〖의〗아밀로이드증(症).

유:전 사:귀신【有錢使鬼神】[명] 돈이 있으면 귀신도 부릴 수 있다는 말로, 돈의 힘이 큼을 이르는 말.

유전 생화학【遺傳生化學】[명]〔biochemistry of genetics〕〖생〗유전자(遺傳子)의 발현 작용(發現作用)을 생화학적(生化學的)으로 연구하는 학문. *생리 유전학(生理遺傳學).

유전-설【遺傳說】[명]〖생〗유전에 관한 학설.

유전-성【遺傳性】[―썽][명]〖생〗유전하는 성질. 특히, 병 같은 것이 어버이로부터 자손에게 유전할 때 많이 쓰이는 말. ↔변이성(變異性).

유전 손:실【誘電損失】[명]〔dielectric loss〕〖물〗유전체(誘電體)에 교류 전기장(交流電氣場)을 작용시켰을 때 전기장의 에너지의 일부가 유전체 속에서 열(熱)이 되어 산일(散逸)하는 현상.

유전 손:실각【誘電損失角】[명]〔dielectric loss factor〕〖전〗90°에서 유전 위상각(誘電位相角)을 뺀 값.

유전-수【油田水】[명]〖지〗석유 광상(石油鑛床)에서 유층(油層)의 속 및 그 부근의 지층 속에 존재하는 지하수(地下水). 나트륨 이온·염소 이온(塩素 ion)·탄산 가스·유기물(有機物) 등 많은 물질을 함유함. 유전 염수(油田塩水).

유:전스〔usance〕[명]〖경〗①환어음의 기한. 특히, 수입(輸入) 어음에 관하여 문제되는 것으로, 환어음이 수입지에 도착하여 수입업자에게 인수(引受)되고부터 실제로 지급될 때까지의 유예 기간(猶豫期間)을 말함. 시퍼즈 유전스(shipper's usance). ②↗유전스 빌.

유:전스 빌〔usance bill〕[명]〖경〗수입(輸入) 어음에 지급 유예(猶豫) 기한이 붙은 것. 기한부(期限附) 어음. [준]유전스. ↔사이트 빌(sight bill).

유전 암:호【遺傳暗號】[명]〔genetic code〕〖생〗유전자 속의 DNA가 결정하는, 단백질의 아미노산 배열 순서에 관한 유전 정보.

유전 염수【油田塩水】[―념―][명]〖지〗유전수(油田水).

유전 유후【由前由後】[―뉴―][명] 앞뒤가 같음.

유전 윤회【流轉輪廻】[―눈―][명]〖불교〗중생이 무명(無明)의 미혹(迷惑)으로 인하여 생사의 미계(迷界)를 끊임없이 유전(流轉)하는 일. 생사 유전(生死流轉).

유전-율【誘電率】[―뉼][명]〔dielectric constant〕〖물〗유전체(誘電體)의 전기 분극성(電氣分極性)을 표시하는 수치(數值). 축전기(蓄電器)의 양극(兩極) 간에 유전체(誘電體)를 넣었을 때의 전기 용량(電氣容量)과 진공(眞空)일 때의 전기 용량과의 비(比). 진공의 유전율은 1임. 전매상수(電媒常數).

유전 이:방성【誘電異方性】[―썽][명]〔induced anisotropy〕〖물〗자성체(磁性體)를 자기장(磁氣場) 가운데서 열처리(熱處理)했을 때 발생하는 일축성(一軸性)의 이방성.

유전 인자【遺傳因子】[명]〖생〗유전자(遺傳子).

유전-자【遺傳子】[명]〔gene〕〖생〗생물체의 개개의 유전 형질(形質)을 발현(發現)시키는 근원이 되는 것. 염색체 중에 일정한 순서로 배열되어, 생식 세포를 통하여 어버이로부터 자손에게 유전 정보(情報)를 전달함. 그 실체(實體)는 디옥시리보 핵산(deoxyribo核酸)의 분자로서, 리보 핵산을 거치어 세포 속에서 합성되는 단백질의 종류를 지령(指令)함. 유전 인자. 인자(因子). 진.

유전자 공학【遺傳子工學】[명] 유전 공학(遺傳工學).

유전자 돌연 변:이【遺傳子突然變異】[명]〖생〗생물의 돌연 변이 중, 유전자의 구조적 변화(構造的變化)에 기인(起因)하는 변이. ↔염색체(染色體) 돌연 변이.

유전자-량【遺傳子量】[명]〔gene dosage〕〖생〗하나의 핵(核) 안에 들어 있는 유전자의 수(數).

유전자 분석【遺傳子分析】[명]〔gene analysis〕〖생〗어떤 형질(形質)에 관계하는 유전자의 수(數)와 성질, 소속하는 연쇄군(連鎖群), 염색체 상의 위치 등을 분석하는 일.

유전자 빈도【遺傳子頻度】[명]〔gene frequency〕〖생〗하나의 생물 집단(生物集團) 안에 특정한 유전자가 존재하는 정도.

유전자 수술【遺傳子手術】[명]〔gene-operation〕〖생〗생물에 방사선·약품 등을 작용시켜 유전자에 변이를 일으키게 하고, 이와 같은 유전자의 변이를 갖는 생물과의 교배에 의해 유전적으로 달리하는 생물을 만드는 일. 곧, 유전 공학(遺傳工學)의 딴이름.

유전자 은행【遺傳子銀行】[명]〖생〗연구에 필요한 사람 및 동식물의 배양 세포(培養細胞)와 유전자의 수집·보존·공급 체계의 일컬음.

유전자 자리【遺傳子―】[명]〔gene locus〕〖생〗염색체(染色體)에서 유전자가 차지하는 자리.

유전자 자리 결정【遺傳子―決定】[―쩡][명]〔gene location〕〖생〗여러 가지 유전학적(遺傳學的) 방법에 의하여 어떤 유전자의 염색체 상(染色體上)에서의 위치를 결정하는 일. 그 유전자가 어떠한 연쇄군(連鎖群)에 포함되는가도 결정됨.

유전자 작용【遺傳子作用】[명]〔gene action〕〖생〗개체(個體)의 표현형(表現型)을 결정할 때의 유전자의 작용.

유전자 조작【遺傳子操作】[명]〖생〗유전 공학의 기법을 써서, 유전자의 분리(分離)나 인위적 교환 등을 하는 작업.

유전자 재:조합【遺傳子再組合】[명]〔gene-recombination〕〖생〗유전자의 길다란 분자(分子)의 사슬을 떼어내어, 다른 유전자에 결합(結合)시키는 일.

유전자 진단【遺傳子診斷】[명]〔gene diagnosis〕〖의〗유전자의 본체인 디 엔 에이(DNA)를 조사하여 병을 진단하는 방법. 유전병 진단에 이용되며, 암 등에서도 유전자 변이(變異)를 살펴서 악성도를 판단, 치료법 선택에 이용하고 있음.

유전자 치료【遺傳子治療】[명]〖의〗선천적인 유전자 이상(異常)으로 말미암은 유전병을 유전 공학의 기술을 써서 치료하는 일.

유전자-형【遺傳子型】[명]〔genotype〕〖생〗생물체(生物體) 개체(個體)의 특성을 결정짓는 유전자의 구성 양식. 환경과의 공동 작용에 의해 표현형(表現型)을 결정함. 유전자형이 같아도 표현형은 항상 같지 않음. 유전형(型). 인자형(因子型). ↔표현형.

유전자 확산【遺傳子擴散】[명]〔gene flow〕〖생〗어떤 교잡군(交雜群)에서의 유전자 특성이 교잡이나 되돌이 교잡으로 다른 군(群)에 들어가 정착(定着)하는 일.

유전적 변:이【遺傳的變異】[명]〖생〗유전자(遺傳子)의 조성(組成) 변환(變換)이나 변화에 의하여 일어나는 변이. 이 변화한 성질은 대대로 자손에게 전하여 감. ↔비유전적 변이·영속(永續) 변이.

유전 지도【遺傳地圖】[명]〔genetic map〕〖생〗①박테리오파지(bacteriophage)를 함유하는 디옥시리보 핵산(deoxyribo核酸)에 있어서의 유전 작용의 위치를 나타내는 지도. ②염색체 지도.

유전 진:화학【遺傳進化學】[명]〖생〗생물 변천(生物變遷)의 원인을 연구하는 학문. 종자가 어떻게 하여 생겼는가를 연구하는 학문. 원종학(源種學).

유전-질【遺傳質】[명]〖생〗생물의 자웅(雌雄) 두 생식 세포(生殖細胞) 중에서, 어버이의 형질(形質)을 자손에게 전하는 물질. 스위스의 네겔리(Nägeli, K. W. von)가 제창한 개념으로서, 유전자(遺傳子)보다 넓은 의미로 쓰임. 내림바탕.

유전-체【誘電體】[명]〔dielectrics〕〖물〗정전기적(靜電氣的) 유도(誘導) 작용을 매개(媒介)하는 물질. 도체(導體)가 아닌 물질은 모두 이에 속함. 전매질(電媒質).

유전체 렌즈【誘電體―】[명]〔dielectric lens〕〖전〗유전체로 만들어진 렌즈. 광학 렌즈가 광파(光波)를 굴절시키는 것처럼, 전파(電波)를 굴절시킴.

유전-학【遺傳學】[명]〔genetics〕〖생〗유전을 연구하는 생물학의 한 분야. 유전 인자(遺傳因子)의 본성, 유전 인자와 형질과의 관계, 어버이의 형질의 자손에 있어서의 전개 등을 연구함.

유전-형【遺傳型】[명]〖생〗유전자형. 인자형(因子型). ↔표현형(表現型)·현상형(現象型).

유절【幽絶】[명] 인가에서 멀리 떨어진 고요한 곳.

유절 쾌절【愉絶快絶】[명] 이 위에 더없이 유쾌(愉快)함. ――-하다 [형][여불]. ――-히 [부]

유점【油點】[명] ①오래 된 종이·피륙 같은 것에 생기는 누릇누릇한 점. ②〖식〗운향과(芸香科)·물레나물과 등의 잎에 보이는 반투명의 작은 점. 세포 간격에 기름 방울이 괸 것임.

유점-사【楡岾寺】[명]〖불교〗강원도 고성군(高城郡)에 있는 절. 신라 때 지은 것으로 추정됨. 임진 왜란 때에 이 곳에 사명당(四溟堂)이 있었는데 왜병도 그의 도에 압도되어 오히려 사명당을 모셨다고 함. 여러 차례의 화재를 입어 목조 건축물(木造建築物)은 모두 근세(近世)에 재건한 것임. 종전에 31 본산(本山)의 하나였음.

유접【遊蝶】[명] 너울거리며 날아다니는 나비.

유:정[1]【有頂】[명]〖불교〗↗유정천(有頂天).

유:정[2]【有情】[명] ①정이 있음. ②생물이 감각(感覺)·감정을 갖추고 있음. 또, 그 모양. ③〖불교〗마음이 있는 중생. 1)-3):↔무정(無情)·비정(非情). ――-하다 [형][여불]. ――-히 [부]. ¶옥골 선풍의 일개 여자가 문

을 의지하고 서서 소년들 앉은 곳으로 향하여 ~ 바라보니… ≪경제당 : 洞庭秋月≫.

유정[3]【酉正】명【민】 유시(酉時)의 한가운데, 곧 오후 여섯 시.

유정[4]【油井】명〔oil well〕 천연 석유(天然石油)를 채취(採取)하려고 판 우물. 석유정(石油井).

유정[5]【柔情】명 부드러운 인정.

유정[6]【幽靜】명 그윽하고 조용함. ──-하다 형여불

유정[7]【惟政】명【사람】 임진 왜란 때의 승병장(僧兵將). 자(字)는 이환(離幻), 호(號)는 사명당(四溟堂)·송운(松雲)·종봉(鍾峯). 속성은 임씨(任氏). 유정은 법명(法名). 풍천(豐川) 사람. 조선 선조 25년(1592) 임진 왜란 때 승병을 모집하여 휴정 대사(休靜大師)의 휘하(麾下)에 있다가 이듬해 휴정 대사의 뒤를 이어 승군 도총섭(僧軍都摠攝)으로 크게 공을 세웠으며, 정유 재란(丁酉再亂) 때도 공을 세움. 동왕 37년(1604) 국서(國書)를 가지고 일본에 건너가 강화(講和)를 맺고 우리 나라 포로(捕虜) 3,500명을 데리고 돌아왔음. 시호(諡號)는 자통 홍제 존자(慈通弘濟尊者). [1544-1610]

유정[8]【遊艇】명 ①옛날 중국에서 급용(急用)이나 군중(軍中)의 척후에 쓰던 작은 배. ②유선(遊船).

유정[9]【遺精】명【의】 성행위(性行爲) 없이 무의식 중에 정액(精液)이 나오는 일. 누정(漏精). ＊몽정(夢精).

유정 가스【油井一】〔gas〕명 유전 가스(油田 gas).

유정-관【油井管】명 석유 또는 천연 가스의 유정(油井)에 사용되는 철관(鐵管).

유:정 명사【有情名詞】명【언】 사람이나 동물을 가리키는 명사. ↔무정「(無情) 명사.

유정 시멘트【油井一】 명 〔oil-well cement〕 수경(水硬) 시멘트의 일종. 배관(配管)을 버티고 불필요한 암층(岩層)이 유입(流入)함을 방지하는 데 쓰임.

유정지-공[1]【惟正之供】명【역】 유정지공(貢).

유정지-공[2]【惟正之貢】명【역】 해마다 의례(儀禮)로 궁중 및 서울의 고관(高官)에게 바치던 공물(貢物). 유정지공(惟正之供).

유:정-천【有頂天】명 〔범 bhavāgra〕【불교】 구천(九天) 중에서 가장 높은 하늘. 욕계(慾界)와 색계(色界) 곧 형체 있는 세계의 가장 높은 곳에 있음. 비상 비 비상천(非想非非想天). ㊀유정(有頂).

유-정현【柳廷顯】명【사람】 고려와 조선 시대의 문신. 자는 여명(汝明), 호는 월정(月亭). 문화(文化) 사람. 고려 공양왕 때 좌대언(左代言)으로서 정몽주파(鄭夢周派)로 몰리어 유배되었다가 조선 개국 후 풀리어 벼슬에 올라, 태종 16년(1416) 좌의정에 이어 영의정으로 승진, 세종 원년(1419) 쓰시마(対馬) 정벌에 삼군 도통사(三軍都統使)로 활약함. 시호는 정숙(貞肅). [1355-1426]

유정-회【維政會】명【역】 ↗ 유신 정우회(維新政友會).

유제[1]【幼帝】명 어린 임금. 동제(童帝).

유제[2]【油劑】명 유상(油狀) 또는 기름기가 들어 있는 약제. 기름약.

유제[3]【乳劑】명【화】 기름·지방(脂肪)과 같은 불용성 물질(不溶性物質)에 아라비아 고무·난황(卵黃)·연유(煉乳) 등의 매질(媒質)을 가하여 물을 타고 잘 젓개어서 만든 유백색(乳白色)의 액체. 감광 유제(感光乳劑)·석유 유제·간유(肝油) 유제 같은 것. 유탁액(乳濁液).

유:제[4]【柳堤】명 버드나무를 심은 제방.

유제[5]【遺弟】명 스승의 사후(死後)에 남겨진 제자.

유제[6]【遺制】명 예로부터 전하여 오는 제도.

유제[7]【踰制】명 제도를 문란하게 씀. ──-하다 자여불

유제[8]【儒祭】명 유교 의식에 따라서 거행하는 제사.

유:제[9]【類題】명 비슷하거나, 같은 종류의 문제.

유제-꽃차례【葇荑一】명【식】 무한(無限) 꽃차례의 하나. 단성화(單性花)로 수꽃 이삭에는 각 꽃마다 포(苞)가 있고, 꽃이 질 때에 꽃마다 지는 것이 아니고 꽃차례 기부(基部)부터 떨어짐. 흔히 무화피화(無花被花)에 많음. 밤나무·버드나무·호두나무 등의 꽃이 이에 속함. 유제 화서.

〈유제꽃차례〉

유제놀〔eugenol〕명【화】 향기가 있는 담황색 액체. 향료·화장품·의약품 등에 쓰임. 오이게놀. [$C_{10}H_{12}O_2$]

유:제닉스〔eugenics〕명 우생학(優生學).

유:제-류【有蹄類】명【동】〔Ungulata〕 포유류(哺乳類)에 속하는 한 아강(亞綱). 초식성으로 각질(角質)의 발굽을 갖추었으며 몸이 크고 송곳니는 없거나 퇴화하여 작고 어금니는 매우 발달하여 있음. 우제류(偶蹄類)·기제류(奇蹄類)·장비류(長鼻類)의 세 목(目)으로 분류함.

유제-장【維帝章】〔一짱〕명【역】 용비어천가 제84장의 이름.

유제 증감【乳劑增感】명 사진 감광 재료에 있어서 유제의 감광성을 증감시키는 증감 방법의 하나. ↔색증감(色增感).

유-제품【乳製品】명 우유(牛乳)를 목적에 따라 가공한 제품. 즉 버터·치즈(cheese)·연유(煉乳)·분유(粉乳) 등의 총칭.

유제 화서【葇荑花序】명【식】 유제꽃차례.

유:조[1]【有助】명 도움이 있음. ──-하다 형여불

유조[2]【油槽】명 가솔린(gasoline)이나 석유 같은 것을 저장하는 거대한 용기(容器). ¶~차(車)/~선(船).

유조[3]【柔兆】명【민】 고갑자(古甲子)의 십간(十干)의 셋째. 병(丙)과 같음.

유조[4]【留鳥】명 계절적 이동(季節的移動)을 아니하고, 일 년 중 거의 일정한 지역에 사는 새. 참새·까마귀·물총새·꿩 등. 텃새. ↔후조(候鳥)·표조(漂鳥).

유조[5]【遊鳥】명 ①노닐고 있는 새. ②미끼삼아 매어 두는 새.

유조[6]【溜槽】명 빗물을 받는 통.

유조[7]【遺詔】명 임금의 유언.

유:조 동:물【有爪動物】명【동】〔Onychophora〕 무척추(無脊椎) 동물의 한 문. 환형(環形) 동물과 절지(節肢) 동물의 중간에 위치하는 동물 무리. 열대 지방의 습지에 약 70종이 알려져 있음. 몸빛은 종류와 개체에 따라 달리하고 있으나 일반적으로 회자색(灰紫色)이고 적갈색·갈색·흑색도 있음. 몸길이 15cm 이하. 장충형(長蟲形)으로, 한 쌍의 촉각과 여러 쌍으로 된 발이 있으며, 그 끝에는 날카로운 구조(鉤爪)가 있음. 근육·뇌(腦)는 환형 동물에, 심장·체강(體腔)·기관(氣管)·구기(口器) 등은 절지 동물에 가까움. 밤에 활동함. 연각류(軟脚類).

유:조 변장【柳條邊牆】명【역】 중국 청대(淸代)에 만주의 인삼(人蔘)이나 수렵지(狩獵地)를 확보하고 몽고인·한인(漢人) 등 외족(外族)의 침입을 막기 위하여 17세기 후반에 구축한 토루(土壘). 그 위에 버들가지를 꽂고 목책(木柵)을 둘렀음. 산하이관(山海關)에서 몽고와의 경계를 지나 카이위안(開原)에 이르고, 다시 지린 지방(吉林地方)에까지 뻗쳤음.

유조-선【油槽船】명 유조를 갖추고 석유 같은 것을 운반하는 배. 유송선(油送船). 탱커(tanker). 오일 탱커.

유조 열차【油槽列車】명 유조를 갖추고 유류(油類)를 나르는 열차.

유조-지【留潮地】명 수문(水門)으로 조수(潮水)가 들어왔다 나갔다 하는 개펄.

유-조직【柔組織】명〔parenchyma〕【식】 식물체의 대부분을 점(占)하는 유세포(柔細胞)로 이루어진 조직. 세포막은 얇으며 원형질(原形質)을 포함하고 있음. 동화(同化)나 저장(貯藏) 등의 여러 생리 작용을 행함. 유연 조직(柔軟組織).

유조-차【油槽車】명 유조(油槽)를 갖춘 차.

유:조-호【柳條湖】명【지】 '류탸오후'를 우리 음으로 읽은 이름.

유:조호 사:건【柳條湖事件】〔一껀〕명【역】 류탸오후 사건.

유:족[1]【有足】명 넉넉함. ──-하다 형여불. ──-히 부

유족[2]【裕足】명 쓰고도 남음이 있음. 여유 있게 풍족함. ¶~한 생활. ──-하다 형여불. ──-히 부

유족[3]【遺族】명 죽은 사람의 뒤에 남아 있는 가족. 유가족(遺家族).

유:족-류【有足類】〔一뉴〕명【동】 폭관족류(輻管足類).

유:족 면:역【類族免疫】명【의】 자연 면역(自然免疫).

유족 보:상【遺族補償】명 근로자가 직무상 사망한 경우, 유족이 고용주(雇傭主)로부터 받는 보상. 평균 임금의 천일분(千日分)을 지급하도록 되어 있음.

유족 연금【遺族年金】〔一년一〕명【법】 공무원 연금법 등 연금법에 의거, 연금을 받을 권리가 있는 사람이 사망했을 때 그 유족에게 지급하는 연금.

유족 일시금【遺族一時金】〔一씨一〕명 공무원 연금법에 의거, 공무원이 20년 미만 재직하고 사망하였을 경우, 그 유족에게 일시에 지급하는 금액.

유존-종【遺存種】명〔relict〕【생】 생물이 환경의 영향을 받아 이동 또는 변화하는 사이에 섬이나 높은 산·계곡 등에 격리되어 현재까지 생존하고 있는 종(種).

유:종[1]【有終】명 끝을 잘 맺음. ──-하다 형여불

유종[2]【乳腫】명【의】 유선염(乳腺炎)으로 젖이 곪는 종기. 유옹(乳癰). 젖멍울.

유종[3]【儒宗】명 유학(儒學)에 통달한 권위 있는 학자.

유-종개【柳宗介】명【사람】 조선 선조(宣祖) 때의 의병장. 자(字)는 계유(季裕). 예안(禮安) 사람. 선조 18년(1585) 식년 문과(式年文科)에 병과(丙科)로 급제, 정언(正言)·전적(典籍)을 역임함. 동 25년 임진 왜란이 일어나자 홀로 수백의 의병을 모집, 그 의병장이 되어 태백산을 근거지로 왜병을 무찌르다가 소천(小川)에서 전사함. 참의(參議)에 추증됨. [1558-92]

유:종-류【有鐘類】〔一뉴〕명【동】〔Calycophora〕 관(管)해파리목(目)에 속하는 한 아목(亞目). 한 개 또는 여러 개의 영종(泳鐘)을 가질 뿐으로 기포(氣泡)와 감각체는 없음. 간군(幹群)은 간상(幹上)에 같은 거리로 배열하여 있고, 영양체·촉수(觸手)·생식체(生殖體)와 많은 보호엽(保護葉)이 있음. 종영류(鐘泳類).

유-종신【流終身】명 죽을 때까지 귀양살이를 함. ──-하다 자여불

유-종원【柳宗元】명【사람】 중국 당대(唐代)의 문인. 당송 팔대가(唐宋八大家)의 한 사람. 자는 자후(子厚). 산시 허둥(河東) 사람. 왕숙문(王叔文)의 당(黨)에 연좌(連坐)되어 좌천되었으나, 선정(善政)을 베풀어 백성으로부터 숭앙을 받음. 육조(六朝) 이후의 병려체(騈儷體) 문학의 정체(停滯)를 타개하여 고문(古文) 부흥 운동을 한유(韓愈)와 더불어 제창했음. 시는 자연 묘사에 뛰어나 왕유(王維)·맹호연(孟浩然)과 병칭(並稱)됨. 저서는 ≪유하동집(柳河東集)≫ 등이 있음. [773-819]

유:종의 미【有終一美】〔一/一에一〕명 끝까지 잘하여 일의 결과가 훌륭하게 됨을 가리키는 말. 유종지미(有終之美). ¶~를 거두다.

유-종주【劉宗周】명【사람】 중국 명말(明末)의 학자·관리. 자(字)는 기동(起東), 호는 염대(念臺)·즙산(蕺山). 벼슬은 공부 시랑(工部侍郞)·좌도 어사(左都御史) 등을 역임함. 양명학(陽明學)에 경도(傾倒)하여 신독(愼獨)을 주장함. 절의(節義)의 선비로, 항저우(杭州)가 청병(淸兵)에게 공략(攻略)되었을 때 절식 순사(絶食殉死)함. 황종희(黃宗羲)는 그의 제자(弟子)임. 저서가 많은데, ≪도통록(道統錄)≫·≪양명 전신록(陽明傳信錄)≫ 등이 있음. [1578-1645]

유:종지-미【有終之美】명 유종의 미.

유-종환【兪宗煥】명【사람】 대한 제국 때의 의병장. 서울 출신. 선전관(宣傳官)을 지냄. 융희 원년(1907) 무주(茂朱)에서 2백여의 의병을 규합,

대장이 되어 황간(黃間)·함양(咸陽)·금산(錦山)·영동(永同) 등지에서 다대한 전과를 올렸으나, 1908년 거창(居昌)에서 일본 수비대와 교전중 부상으로 체포됨. [1861-?]

유-종흥【柳宗興】명〖사람〗조선 숙종(肅宗) 때의 학자. 자(字)는 진보(振甫), 호는 월곡(月谷). 고흥(高興) 사람. 숙종 15년(1689)에 왕비 민씨(閔氏)를 내쫓을 때 여러 선비들과 상소하여 그 불가함을 주장하였으나 불청(不聽)되자 산 속에 들어가 살다가 민비(閔妃)가 환궁(還宮)하자 시를 지어 기쁨을 표하고 다시 세상에 나오지 않음. 저서에 ≪상제례(喪祭禮)≫가 있음. 생몰년 미상.

유좌【酉坐】명〖민〗묏자리나 집터 등의 유방(酉方)을 등진 자리.

유좌 묘:향【酉坐卯向】명〖민〗유방(酉方)을 등지고 묘방(卯方)을 향한 좌향. 곧, 서쪽에서 동쪽으로 향한 좌향.

유:죄[1]【有罪】명 ①죄가 있음. ②〖법〗법원의 판결에 의하여 범죄 사실의 존재가 인정됨. 1)·2):↔무죄(無罪). ——-하다 형여불

유죄[2]【宥罪】명 죄를 너그러이 용서함. ——-하다 타여불

유죄[3]【流罪】명〖역〗유형(流刑).

유:죄-인【有罪人】명 죄가 있는 사람.

유:죄 파:산【有罪破産】명〖법〗파산 선고를 받은 사람이 재산을 숨기거나 장부를 만들지 아니하는 등 파산 채권자에게 불이익을 주는 행위. 사기 파산(詐欺破産)과 과태 파산(過怠破産)으로 나눔.

유:죄 판결【有罪判決】명〖법〗피고 사건에 대하여 범죄의 증명이 있을 때에 선고되는 재판. 형의 선고의 판결, 형의 면제 또는 선고 유예의 판결이 있음. ↔무죄 판결.

유주[1]【幼主】명 ①나이 어린 임금. 유군(幼君). ②나이 어린 주인.

유주[2]【乳酒】명 유즙(乳汁)을 발효시킨 것. 우유주(牛乳酒)와 마유주(馬乳酒)가 있음.

유:주[3]【柳州】명〖지〗'류저우'를 우리 음으로 읽은 이름.

유:주[4]【柚酒】명 유자의 즙을 넣어 만든 술.

유주[5]【遺珠】명 ①세상에서 잊은 준수한 인물. ②알려지지 아니한 걸작의 시문(詩文).

유주[6]【遺籌】명 실수. 실책.

유주 골저【流注骨疽】[—쩌] 명〖한의〗골막(骨膜)이나 골수(骨髓)에 염증이 일어나는 병.

유주-담【流注痰】명〖한의〗몸 군데군데가 욱신거리고 아픈 곳이 간혹 부어오르는 병. 주마담(走馬痰).

유주-력【流注瀝】명〖한의〗목의 림프선에서 시작하여 점점 온 몸과 사지의 림프선이 부어오르는 나력(瘰癧)의 하나. 양의(洋醫)의 림프선 결핵에 상당함. 천세창(千歲瘡).

유:주 무량【有酒無量】명 주량(酒量)이 아주 커서 술을 얼마든지 마심. ——-하다 형여불

유:주-물【有主物】명〖법〗소유주(所有主)가 있는 물건(物件). 유주지물(有主之物).

유주 세:포【遊走細胞】명〖생〗'이동 세포(移動細胞)'의 구용어.

유주-신【遊走腎】명〖의〗신장(腎臟)의 고정 조직(固定組織)이 풀리어 이상한 위치에 이동하는 상태. 허리의 불쾌감·통증과 아울러 혈뇨(血尿)를 일으키며 여자와 마른 사람에게 많음. 신하수증(腎下垂症).

유주-자【遊走子】명 〔zoospore〕〖생〗조류(藻類)·균류(菌類) 및 원생동물에서 무성 생식(無性生殖)을 하는 생식 세포. 편모(鞭毛) 또는 섬모(纖毛)를 가지며, 이것을 움직여 물 속에서 운동함. 후에 편모 등이 없어지고 직접 무성적(無性的)으로 발생함. 운동성 포자(運動性胞子). ↔비운동성 포자.

유주자-낭【遊走子囊】명〖생〗유주자, 곧 운동성 포자가 들어 있는 박막(薄膜)의 주머니.

유주-장【維周章】[—짱] 명 태자장(太子章).

유:주지-물【有主之物】명 유주물.

유주지-탄【遺珠之歎】명 마땅히 등용되어야 할 사람이 빠져서 한탄하는 일.

유-주현【柳周鉉】명〖사람〗소설가. 경기도 여주(驪州) 태생. 호는 묵사(默史). 일본 와세다 대학(早稻田大學) 문과 수학. 1948년 종합지 백민(白民)에서 단편 ≪번요(煩擾)의 거리≫로 데뷔한 후, 개인과 사회의 부조리를 소재로 한 풍속도적 소설 ≪장씨 일가(張氏一家)≫ 등을 발표함. 1964-65년에 발표한 대하 소설 ≪조선 총독부≫ 이외에 ≪대원군≫·≪통곡(慟哭)≫·≪대한 제국≫·≪파천무(破天舞)≫ 등의 역사 소설을 발표함. 중앙 대학교 문예 창작과 교수, 한국 소설가 협회 대표 위원 등을 역임함. [1921-82]

유준[1]【幽峻】명 깊숙하고 험준함. ——-하다 형여불

유준[2]【籲俊】명 어진 사람을 구하는 일.

유중【留中】명 임금이 신하(臣下)의 상주(上奏)를 보류해 둔 채, 처리하지 아니하는 일.

유-중교【柳重敎】명〖사람〗조선 고종(高宗) 때의 유학자. 자(字)는 치근(致根), 호는 성재(省齋). 고흥(高興) 사람. 이항로(李恒老)·김평묵(金平默)의 문인. 지평(持平)에 임명되었으나 응하지 않았고 설악산(雪嶽山)에 들어가 나오지 않았음. 처음 이항로의 주리설(主理說)을 따랐으나 뒤에 한원진(韓元震)의 호론(湖論)을 지지함. 저서에 ≪태극도설(太極圖說)≫·≪하도 낙서설(河圖洛書說)≫·≪역설(易說)≫·≪예설(禮說)≫ 등이 있음. 시호는 문경(文敬). [1821-93]

유:즈넷〔Usenet〕명〖컴퓨터〗인터넷에 여러 가지 뉴스를 싣거나 토론 따위를 벌이는 네트워크. 각종 사전이나 관심사를 실제 상황과 같은 시간 경과에 따라 접할 수 있음.

유:즐 동:물【有櫛動物】명〖동〗[Ctenophora] 무척추(無脊椎) 동물의 한 문(門). 원래 강장(腔腸) 동물의 한 강(綱)으로 분류되었으나 현재는 독립된 문으로 다룸. 몸의 외면에는 날줄처럼 늘어진 여덟 가닥의 빗판(板)을 갖추어서 이를 움직여 옮겨 다님. 촉수(觸手)가 있으나 자세포(刺細胞) 대신 점착(粘着) 세포가 있음. 세대 교번(世代交番)이 없으며, 폴립 형(polyp型)의 시기(時期)가 없고, 자웅 동체(雌雄同體)임. 유촉수류(有觸手類)인 띠해파리목(目)·풍선해파리목 등과 무(無)촉수류로 나뉨. *강장(腔腸) 동물.

유즙【乳汁】명 젖❶.

유즙 분비 부전【乳汁分泌不全】명〖의〗젖의 분비량이 적은 상태. 보통 초산부(初産婦)보다 경산부(經産婦)에게 흔한데, 일반적으로 유아(乳兒)의 흡유력(吸乳力)이 미약하거나 모체(母體)의 정신적 영향이 원인이 되는 수가 많음.

유증[1]【遺贈】명 ①물건을 보냄. ②〖법〗유언(遺言)에 의한 재산적 이익의 무상 양여(無償讓與). 유산(遺産)의 전부 또는 그 몇 분의 일이라는 형식으로 하는 포괄 유증(包括遺贈)과 개개의 재산을 지정하여 특정 명의(特定名義)로 행하는 특정 유증(特定遺贈)의 경우가 있음. ——-하다 타여불

유:증[2]【類症】[—쯩] 명 유사증(類似症).

유증 지옥【遊增地獄】명〖불교〗팔대 지옥(八大地獄)에 속한 열여섯의 소지옥(小地獄). 팔열 지옥(八熱地獄)의 각 사면(四面)의 문 밖에 노외증(爐煨增)·시분증(屍糞增)·발인증(鉢刃增)·열하증(烈河增)이 있음. 죄업(罪業)의 중생(衆生)이 여기에서 고뇌(苦惱)를 증장(增長)하는 데서 일컬음.

유:지[1]【有旨】명〖역〗임금의 명령서(命令書).

유:지[2]【有志】명 ①뜻이 있음. 어떤 일에 참가 또는 그것을 성취(成就)하려는 뜻이 있음. ②세상 일을 근심함. 또, 그 사람. ③↗유지자(有志者). ——-하다 형여불

유지[3]【乳脂】명 ①크림(cream)❶. ②유지방(乳脂肪). 젖기름.

유지[4]【油脂】명 동물 또는 식물에서 채취한 기름의 통칭. 고급 지방산(脂肪酸)과 글리세린과의 에스테르(esther)임. *식물(植物) 유지·동물(動物) 유지.

유지[5]【油紙】명 기름을 먹인 종이. 기름 종이.

유지[6]【宥旨】명〖역〗조선 시대에 임금이 죄인(罪人)을 특사(特赦)하던 명령.

유지[7]【揉紙】명 주름살을 잘게 친 종이.

유지[8]【維持】명 지탱하여 감. 지니어 감. ——-하다 타여불

유지[9]【遺旨】명 고인(故人)의 생전(生前)의 생각.

유지[10]【遺志】명 죽은 사람의 생전의 뜻.

유지[11]【遺址】명 전에 건물 등이 있던 자리.

유지[12]【諭旨】명〖역〗임금이 신하(臣下)에게 내리는 글.

유:지-가【有志家】명 유지자(有志者).

유:-지각【有知覺】명 지각이 있음. ——-하다 형여불

유지-계【乳脂計】명 우유·연유(煉乳) 그 밖의 유제품 속의 지방의 함유율을 측정하는 계기.

〈유지계〉

유지 공업【油脂工業】명 유지(油脂)를 만들고 또 그것에 수소(水素)를 가하여 경화유(硬化油)를 만들어, 수해(水解)·비누화(化)하여 고급 지방산(高級脂肪酸)·글리세린(glycerine)·비누·가소제(可塑劑) 등을 만드는 공업.

유:지 군자【有志君子】명 좋은 일에 뜻을 둔 점잖은 사람.

유-지기【劉知幾】명〖사람〗중국 당(唐)나라의 역사가. 자는 자현(子玄). 측천 무후(則天武后) 및 현종(玄宗)을 섬겼음. 사서(史書)·사학(史學)에 관한 평론 ≪사통(史通)≫을 지어 사서의 이상(理想)을 논하였음. [661-721]

유지-류【油脂類】명 지방(脂肪)·기름·납(蠟)의 총칭. 각기 식물성과 동물성이 있으며 동·식물체에 많이 포함되어 있음.

유지-매미【油脂—】명〖충〗[*Graptopsaltria nigrofuscata*] 매밋과에 속하는 곤충. 몸길이 36-38mm인데, 몸은 대체로 흑색임. 날개는 모두 불투명하고 암갈색이며, 앞날개에는 구름 모양의 짙고 엷은 무늬가 있음. 7-8월경에 양지바른 나무 줄기에 많이 있으며 때로는 10월경까지 있기도 함. 성충의 생존 기간은 짧아 1-2주간을 넘지 아니하나 유충은 흙 속에서 나무뿌리로부터 나뭇진을 빨아먹으면서 3-4년을 경과함. 탈피한 껍질은 한방약으로 쓰이며, 우는 소리는 무엇을 기름에 지지는 소리 비슷함. 한국·일본에 분포함. 기름매미.

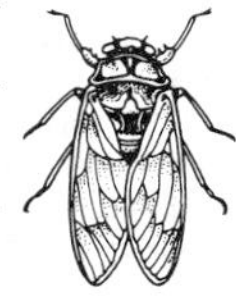

〈유지매미〉

유지 면:관【諭旨免官】명〖역〗임금의 유지(諭旨)로 벼슬을 면(免)함. ——-하다 타여불

유지 면:직【諭旨免職】명〖역〗임금의 유지(諭旨)로 소직(所職)을 면함. ——-하다 타여불

유:지 무지 교:삼십리【有智無智校三十里】[—니] 구 지혜 있는 사람과 지혜 없는 사람과의 차이가 대단함을 가리키는 말.

유-지방[1]【乳脂肪】명 젖, 특히 우유(牛乳)에 들어 있는 지방(脂肪). 유지(乳脂).

유:-지방[2]【類脂肪】명〖화〗유지질(類脂質)❶.

유지 방침【維持方針】명 유지하여 나갈 방침.

유지-비【維持費】명 유지하여 나가는 데 쓰이는 비용.

유:지-사【有志士】명 좋은 일에 뜻을 가진 선비.

유지 사료【維持飼料】명 가축의 성장이나 노역(勞役) 또는 알이나 고기 같은 것의 생산에 필요한 사료가 아니고 그 생명 유지에만 필요한 사료. *생산 사료(生産飼料).

유지 소이탄【油脂燒夷彈】명〖군〗벤졸(benzol)·파라핀(paraffin)·셀룰

로이드(celluloid) 등이 들어 있는 소이탄.

유지 연:마재【油脂硏磨材】[명]〖공〗산화철·알루미나·미정질 규산(微晶質珪酸) 등의 가루를 스테아린산(stearin酸)·경화유(硬化油)·우지(牛脂)·파라핀·목랍(木蠟)·계면 활성제(界面活性劑)·금속 비누 같은 것과 섞어서 이기어 굳힌 연마제. 봉상(棒狀)이 많으며 금속면의 연마나 도금면(鍍金面)의 연마에 사용됨.

유-지원【劉知遠】[명]〖사람〗중국 오대(五代) 후한(後漢)의 건국자. 묘호(廟號)는 고조(高祖). 후진(後晉)에 봉직(奉職)하였으나, 거란(契丹)에 의하여 후진이 멸망된 후, 즉위하여 국호(國號)를 한(漢)이라 정함. [895-948; 재위 947-948]

유지 원료【油脂原料】[—월—] [명] 유지를 만드는 데에 쓰이는 원료. 콩·아마(亞麻)씨·들깨 따위.

유지-율【乳脂率】[명] 젖, 특히 우유에 들어 있는 지방의 비율.

유지의-계【襦紙衣契】[—께 / —이께] [명]〖역〗유의계(襦衣契).

유:지 인사【有志人士】[명] 좋은 일에 뜻을 가진 인사.

유:지-자[1]【有志者】[명] 좋은 일에 뜻을 가진 사람. 유지가(有志家). [준]유지(有志).

유지-자[2]【維持者】[명] 유지하여 나가는 사람.

유:지자 사:경성【有志者事竟成】[명] 뜻이 있는 사람은 끝내 목적을 달성하게 된다는 말.

유지 작물【油脂作物】[명]〖농〗기름을 짜기 위해 심는 작물. 콩·깨·땅콩·아주까리·해바라기 따위.

유:지지-사【有志之士】[명] 세사(世事)를 근심하고 한탄하는 사람.

유:지-질【類脂質】[명]〖화〗①[lipoid] 동식물의 세포 가운데 있는 지방(脂肪) 및 이것과 유사한 물질, 곧 레시틴(lecithin)·콜레스테린(cholesterin)·에르고스테린(ergosterin) 등의 총칭. 어느 것이나 물에 녹지 아니하고 에테르·클로로포름(chloroform)·벤졸(benzol) 등 유기 용매(有機溶媒)에 용해함. 원형질막(原形質膜)의 구성 요소(構成要素)로서 그 투과성(透過性)에 중대한 구실을 하는 외에, 여러 가지 작용을 함. 유지체(類脂體). 유지방(類脂肪). 리포이드 (lipoid). ②복합 지질(複合脂質).

유지-창【油紙窓】[명] 기름 종이로 바른 창.

유지 청구권【留止請求權】[—꿘] [명]〖법〗주식 회사 또는 그 이사(理事)가 위법 행위를 할 염려가 있을 때, 주주(株主)가 사전에 그러한 행위의 유지(留止)를 청구할 수 있는 권리. 영미법의 금지 명령(禁止命令) 제도를 모방하여 상법(商法)에 채용되었음.

유:지 청년【有志靑年】[명] 뜻이 있는 청년. 세상 일을 근심하는 청년.

유:지-체【類脂體】[명]〖화〗유지질(類脂質).

유:-지표【U指標】[명] [U index]〖물〗지구 자기장(地球磁氣場)의 수평 성분(水平成分)에 있어서의 일평균치(日平均値)의 차.

유:직【有職】[명] 직업이 있음. ↔무직(無職).

유:직-자【有職者】[명] 직업이 있는 사람. ↔무직자(無職者).

유진[1]【幽眞】[명] 깊숙하고 천연 그대로임. ——-하다 [형][여불]

유진[2]【留陣】[명] 어떤 곳에 군사를 머물러 둠. ——-하다 [타][여불]

유진[3]【誘進】[명] 권유(勸誘). ——-하다 [타][여불]

유진[4]【遺塵】[명] 유적(遺跡)❷.

유:진[5] [Eugene] [명]〖지〗미국 오리건 주(Oregon州) 서부의 공업 도시. 주도(州都) 세일럼 시(Salem市)의 남쪽에 있으며 윌래미트 강(Willamette江) 연안(沿岸)에 면함. 오리건 대학과 금광(金鑛)·은광(銀鑛)이 있음. [106,680 명(1988)]

유-진(:)길【劉進吉】[명]〖사람〗조선 후기의 천주교인. 교명은 아오스딩. 역관(譯官) 집안 출신으로 사역원 당상 역관(司譯院堂上譯官)에 올랐으며, 사신을 수행하여 전후 8차에 걸쳐 청(淸)나라에 다녀옴. 순조 12년(1823) 천주교에 입교한 후 베이징(北京) 주재 파리 외방 선교회(外邦宣教會)와 연락을 취하면서 외국 신부 영입(迎入)에 노력했고, 헌종(憲宗) 2년(1836)에 모방(Maubant) 신부와 협의, 김대건(金大建)·최양업(崔良業)·최방제(崔方濟) 등을 선발하여 중국어를 가르쳐 마카오 신학교에 파견함. 헌종(憲宗) 5년(1839)의 기해 박해(己亥迫害)에 모방·앵베르(Imbert)·샤스탕(Chastan) 등 세 신부와 함께 체포되어 서소문(西小門) 형장에서 처형됨. 1925년 로마 교황청으로부터 조선 순교 복자(殉教福者)로 시복(諡福)되고, 1984 년 시성(諡聖)되어 성인품에 오름. [1791-1839]

유-진동【柳辰仝】[명]〖사람〗조선 명종(明宗) 때의 문신. 각도 관찰사·공조 판서 겸 오위 도총부(五衛都摠府) 도총관(都摠管)을 지냄. 문사(文詞)에 뛰어났고 죽화(竹畫)를 잘 그렸으며 글씨에도 능하여, 남대문(南大門)의 현판 '숭례문(崇禮門)'의 삼자(三字)를 썼다는 설이 있음. 시호는 정민(貞敏). [1497-1561]

유:진 무퇴【有進無退】[명] 앞으로 나아가기만 하고 뒤로 물러나지 않음. ——-하다 [자][여불]

유-진산【柳珍山】[명]〖사람〗정치가. 호는 옥계(玉溪). 충남 금산(錦山) 출생. 1942년 만주로 망명, 충칭(重慶) 연락원이 되었으나, 일본 경찰에 체포되어 강제 송환되었고, 1946년 대한 민주 청년 총동맹 회장을 거쳐 3·4·5·6·7·9대 국회 의원에 당선되고, 1970년 신민당(新民黨) 당수에 피선되었음. [1905-74]

유-진오【兪鎭午】[명]〖사람〗소설가·법학자·정치가. 호는 현민(玄民). 서울 출신. 1929 년 경성 제국 대학 법문학부 졸업. 고려대 교수·학장·총장을 역임. 1948 년 헌법 기초(起草)위원으로 대한 민국 헌법을 기초, 법제처장·한일 회담 대표로도 활약함. 1967 년 신민당(新民黨) 당수. 제 7 대 국회 의원, 70 년 신민당 고문으로 추대됨. 저서에 《헌법 해의(解義)》·《헌법 강의》 등 외에 문학 작품으로 장편 《화상보(華想譜)》, 단편 《창랑정기(滄浪亭記)》 등이 있음. [1906-87]

유-진(:)한【柳振漢】[명]〖사람〗조선 영조(英祖) 때의 문장가. 호는 만화당(晩華堂). 한문 춘향가(春香歌) 등 저서가 많음. [1711-91]

유질[1]【乳質】[명] ①젖의 성질이나 품질. ②젖과 같은 성질.

유질[2]【柔質】[명] 유순한 성질.

유질[3]【流質】[명]〖법〗채무자가 변제기가 지나도 채무를 이행하지 않는 경우에, 채권자가 질물(質物)의 소유권을 취득하거나 또는 질물을 매각하여 그 대금을 우선적으로 변제에 충당하는 일. 민법상으로는 금지되어 있으나, 상사 질권(商事質權) 및 전당포의 질권에는 예외적으로 인정됨. 유전(流典).

유질[4]【留質】[명] 볼모❷.

유:질[5]【類質】[명] 유사한 성질.

유질 계:약【流質契約】[명]〖법〗질권을 설정할 때 또는 채무의 변제기 이전에, 채권자와 채무자가 유질의 특약(特約)을 맺는 일. 민법상 금지되어 있음.

유:질 동상【類質同像】[명]〖광〗유사한 화학 조성(組成)을 가지고 유사한 모양의 결정(結晶)을 이루고 있는 광물. 방해석(方解石)과 능고토광(菱苦土鑛)과의 관계 따위.

유:질 혼:체【類質混體】[명]〖광〗같은 모양으로 결정(結晶)하고 또 성분이 유사한 광물이 혼합하여 되는 광물.

유징【油徵】[명]〖지〗지하에 천연 석유가 존재함을 나타내는 징후.

유ㅈ [명] 〈옛〉 유자(柚子). ¶유ㅈ 유(柚)《字會 上 11》.

유:차【類次】[명] 종류에 따라 차례를 매김. ——-하다 [자][여불]

유:착[1]【謬錯】[명] 틀림. 잘못.

유착[2]【癒着】[명] ①〖의〗분리되어 있어야만 할 생체(生體)의 기관의 조직면이 섬유성의 조직으로 연결·융합하는 일. 손가락의 화상(火傷)을 잘못 처치하여 유합(癒合)하는 것 따위가 그 예인데 내장 기관이나 관절 등에도 이런 현상이 일어남. ¶늑막 ~. ②사물이 깊은 관계가 있어서로 떨어지지 않게 결합되어 있음. ——-하다[1] [자][여불]

유:착-스럽다 [형][ㅂ불] 보기에 투박하고 크다. ¶더구나 궐내 차일이 어디 이 따위 차일인가. 유착스럽게 크지《洪命熹 : 林巨正》. 유:착-스레 [부]

유착 태반【癒着胎盤】[명]〖의〗분만(分娩) 때, 태반이 자궁벽(子宮壁)에 유착되어 잘 떼어지지 않는 상태. 후산기(後産期)에 강출혈(強出血)을 일으키는 일이 있음.

유:착-하다[2] [형][여불] 몹시 투박스럽고 크다. ¶유착한 항아리.

유찬[1]【流竄】[명] 귀양을 보냄. ——-하다 [타][여불]

유찬[2]【幽贊】[명] 남의 눈에 뜨이지 않는 곳에서 도와 줌. ——-하다 [타][여불]

유:찬[3]【類纂】[명] ①같은 종류의 것을 편찬(編纂)함. 또, 그 책. ¶법규 ~. ②각 종류로 분류하여 편찬함. ——-하다 [타][여불]

유찰【流札】[명] 입찰을 한 결과 낙찰(落札)이 결정되지 아니하고 무효로 돌아가는 일. 주로 입찰액이 내정(內定) 가격에 미달 또는 초과되는 경우에 일어남. ——-하다 [자][여불]

유창[1] [명] 소의 창자의 제일 긴 것. 국거리로 씀.

유창[2]【流暢】[명] ①말이 줄줄 나와 거침이 없음. 발음 등이 매끄러워 막힘이 없음. ②글을 거침없이 잘 읽어 흐르는 듯함. ——-하다 [형][여불]. ——-히 [부]

유-창[3]【劉敞】[명]〖사람〗중국 북송(北宋)의 유학자. 자는 원보(原父). 인종(仁宗) 때 거란(契丹)에 사신(使臣)으로 갔으며, 또 지방관(地方官)으로 치적(治績)을 올림. 박학(博學)하여 영종(英宗)의 신임을 얻고 제왕(帝王)의 학문을 강의함. 《춘추(春秋)》의 문구를 고쳐, 뒷날의 소식(蘇軾)·정이(程頤)·주자(朱子) 등의 경전 개정(經典改定)의 선구를 이루었음. 저서에 《춘추 권형(春秋權衡)》 등이 있음. [1019-68]

유-창[4]【劉敞】[명]〖사람〗조선 태조 때의 개국 공신(開國功臣). 초명은 경(敬), 자(字)는 맹의(孟義), 호는 선암(仙庵). 강릉(江陵) 사람. 공민왕 20년(1371)에 문과에 급제, 벼슬이 예문관 대제학에 이름. 태조가 죽은 후 3년 동안 능을 지킴. 천성이 부드럽고 너그러워 사람들이 당나라의 누사덕(婁師德)에 견줌. 문장에 뛰어나 《선암 문집(仙庵文集)》을 남김. 시호는 문희(文僖). [?-1421]

유-창돈【劉昌惇】[명] 국어학자. 평북 의주(義州) 출신. 일본 주오(中央) 대학 법학부 2년 수료. 해방후 연세대(延世大) 교수를 지냄. 저서에 《고어 사전(古語辭典)》·《이조어 사전(李朝語辭典)》 등이 있음. [1918-66]

유창-목【癒瘡木】[명]〖식〗[*Guajacum officinale*] 납가샛과에 속하는 상록 교목. 잎은 우상 복엽(羽狀複葉)이며, 꽃은 자남색으로 가지 꼭대기에 모여서 피고 재목은 갈록색(褐綠色)을 띠어 단단함. 서인도·중미의 원산(原産)으로 수지(樹脂)는 유창목지(脂)라 하여 매독(梅毒)을 치료하는 약재(藥材)로 쓰임.

유-창환【兪昌煥】[명]〖사람〗근대의 서도가. 초명은 명환(明煥). 자는 주백(周伯)·준백(準伯), 호는 우당(愚堂). 기계(杞溪) 사람. 경사 백가(經史百家)에 정통하고, 전서(篆書)·예서(隷書)·행서(行書)·초서(草書)의 각 체를 모두 잘 썼고 특히 초서에 빼어나 초성(草聖)이라고 찬양받았음. [1870-1935]

유채[1]【油菜】[명]〖식〗평지.

유채[2]【油彩】[명]〖미술〗유화구(油畫具)를 써서 그림을 그리는 법. 또, 그 그림. 유화(油畫).

유:채-색【有彩色】[명] 색상(色相)을 가진 빛깔. 빨강·주홍·노랑 같은 빛깔. ↔무채색(無彩色).

유채-화【油彩畫】[명]〖미술〗유화(油畫).

유:책[1]【有責】[명] 책임이 있음. ——-하다 [형][여불]

유책[2]【遺策】[명] 유계(遺計)❶.

유:책 행위【有責行爲】[명] 법률상 책임이 있는 행위.

유처【幽處】[명] 유거(幽居). ——-하다 [자][여불]

유:처 취:처【有妻娶妻】[명] 처(妻) 있는 사람이 또 처를 얻음. ——-하다 [자][여불]

유척【鍮尺】[명]〖역〗놋쇠로 만든 자. 지방 수령(地方守令)이나 암행 어

사(暗行御使)가 검시(檢屍) 때에 썼음. 조선 순조(純祖) 5년(1805)에 고쳐 만듦.

유-척기【兪拓基】명〖사람〗조선 영조(英祖) 때의 상신(相臣). 자(字)는 전보(展甫), 호는 지수재(知守齋). 기계(杞溪) 사람. 노론으로서 경종(景宗) 때의 신임 사화(辛壬士禍)에 절도(絕島)로 쫓겨났고, 영조 때 다시 돌아와 영의정까지 지냄. 신임 사화 때 죽은 김창집(金昌集)·이이명(李頤命)의 신원(伸冤)을 이루고, 조태구(趙泰耉)·유봉휘(柳鳳輝) 등의 죄를 엄히 다스리라고 주장하였으나 뜻을 이루지 못함. 문집에는 ≪지수재집(知守齋集)≫ 등이 있음. 시호는 문익(文翼). [1691-1767]

유:척 동:물【有脊動物】명〖동〗척추 동물(脊椎動物).

유천[1]【幽天】명 서북쪽 하늘.

유천[2]【幽賤】명 세상에 드러나지 않은 천한 사람.

유천-군【儒川君】명〖사람〗조선 선조(宣祖)의 증손(曾孫). 이름은 정(瀞). 그림과 글씨에 뛰어났음. ≪병와 가곡집(甁窩歌曲集)≫·≪해동가요(海東歌謠)≫에 시조 2수가 전함. 생몰년 미상.

유:-천우【柳天牛】명〖충〗버드나무하늘소.

유철[1]【柔鐵·鑐鐵】명 시우쇠.

유철[2]【鍮鐵】명 놋쇠.

유:청-군【有廳軍】명〖역〗①조선 시대 때 보충대(補充隊)·낙강군(落講軍)으로 조직하여 충순위(忠順衛)·충찬위(忠贊衛)·충장위(忠壯衛)의 삼위(三衛)에 예속시켜 포(布)를 받던 군대. 영조(英祖) 25년(1749)에 조직하였으며 한 사람이 포 한 필을 받았음. ②보충대(補充隊)·낙강군(落講軍) 및 충순(忠順)·충찬(忠贊)·충장(忠壯) 삼위(三衛)의 총칭.

유:청-색【有廳色】명〖역〗조선 시대 후기에 유청군(有廳軍)과 보충대(補充隊)·낙강군(落講軍)을 관장하는 병조(兵曹)의 한 분과(分科).

유-청신【柳淸臣】명〖사람〗고려 때의 간신. 원래 부곡(部曲) 아전 출신인데 몽고어에 능통하여 1321년 오잠(吳潛)과 함께 충숙왕(忠肅王)을 수행하여 원(元)나라에 입국, 심왕(瀋王) 고(暠)가 충숙왕의 왕위를 찬탈하고자 함을 알고 왕을 배반하였음. [?-1329]

유:청-안【有廳案】명〖역〗유청군(有廳軍)의 군적(軍籍).

유:체[1]【有體】명 실체가 있음. 형상이 있음. 또, 그런 물체.

유체[2]【流涕】명 눈물을 흘림. 유루(流淚). ——-하다 자여불

유-체[3]【流滯】명 흐름과 막힘.

유체[4]【流體】명〔fluid〕〖물〗액체와 기체의 병칭. 압축성 유체(壓縮性流體)와 비압축성 유체의 둘로 대별하고, 점성(粘性)이 전연 없는 것을 완전 유체(完全流體)라고 함. 유동체(流動體). 동체(動體).

유체[5]【留滯】명 머물러 쌓임. ——-하다 자여불

유체[6]【遺體】명 ①부모가 끼쳐 준 몸. 곧, 타고난 제 몸. ②송장.

유체[7]【濡滯】명 막히고 걸림. ——-하다 자여불

유체 노즐【流體一】명〔hydraulic nozzle〕〖기〗유체의 압력을 속도로 변환시키는 분무 장치(噴霧裝置).

유:체 동:산【有體動產】명〖법〗유체물(有體物)인 동산.

유체 동:역학【流體動力學】[一녁一] 명〔hydrokinetics〕〖물〗운동의 결과로써 유체에 생기는 힘에 관하여 연구하는 학문. *유체 정역학(靜力學).

유:체-론【類體論】명〖수〗정수(整數)의 성질을 연구하는 수학의 한 부문(部門).

유체 마찰【流體摩擦】명〔fluid friction〕〖물〗유체의 흐름에 있어서의 기계적 에너지의 열(熱)에너지로의 전환.

유:체-물【有體物】명 물리적으로 공간의 일부를 점하며, 유형적 존재로 된 물체. 형체가 있는 물건. ↔무체물❷.

유체 밀도【流體密度】[一또] 명〔fluid density〕〖물〗단위 체적당의 유체의 질량(質量).

유체 배:소법【流體焙燒法】[一뻡] 명 고압의 수증기를 배소로(焙燒爐)에 불어 넣는 습식(濕式) 제련법의 하나.

유체 변:속기【流體變速機】명〖물〗액체를 매개(媒介)로 하여 두 점 사이에 운동을 전달하는 변속 장치. 펌프와 수차(水車)를 짜맞춘 것 같은 구조로, 무단계(無段階)로 변속할 수 있으며 진동이 적음. 자동차의 자동 변속 장치 등에 쓰임.

유체 소자【流體素子】명 공기나 액체를 사용하여, 밸브를 개폐하거나 유동 방향(流動方向)을 바꾸는 등 제어 동작(制御動作)을 행하는 것. 기계적 또는 전자기적(電磁氣的) 밸브에 비하여 동작이 현저히 빠른 것이 특색임.

유체 숭배【遺體崇拜】명〖종〗유체의 일부 또는 전부에 신비적인 힘이 있는 것으로 생각하고 숭배하는 종교적 습속.

유체-스럽다 형ㅂ불 ①젠 체하며 짐짓 진중한 태를 부려 온화한 맛이 없다. ②말과 행실이 보통 사람과 다르다. **유체-스레** 부

유체 에너지 밀【流體一】명〔fluid-energy mill〕〖공〗고압의 노즐에서 나오는 기류(氣流)에, 분쇄할 시료 입자(試料粒子)를 흡인(吸引)시켜 입자 간의 충돌에 의하여 분쇄를 행하는 기계.

유체 역학【流體力學】명 ①〔fluid mechanics〕정지(靜止) 또는 운동 유체에 관한 과학. 유체의 변형·압축·팽창·속도·가속도·압력 등을 연구함. ②〔hydrodynamics〕유동 운동 및 유체와 그 경계(境界)와의 상호 간섭에 관하여 연구하는 과학. 특히, 비압축성(非壓縮性) 비점성 유체(非粘性流體)의 흐름을 규명함.

유체 연료【流體燃料】[一열一] 명 액체 연료와 기체 연료. *연료.

유체 연료로【流體燃料爐】[一열一] 명〔fluid fuel reactor〕〖물〗연료가 유체인 원자로(原子爐)의 형(型)의 하나. 융해염 원자로(融解塩原子爐) 따위가 이에 속함.

유체 온도 계:수【流體溫度係數】명〔flowing-temperature factor〕〖물〗유동 방정식(流動方程式)이 성립하는 온도, 즉 60°F 이외의 온도에서, 흐르는 기체의 계산을 위한 보정 계수(補正係數).

유체 운:동학【流體運動學】명〔hydrokinematic〕〖물〗운동의 원인과 관계없이, 유체의 운동을 연구하는 학문.

유체 자기학【流體磁氣學】명〔hydromagnetics〕〖물〗자기 유체 역학.

유:체 자산【有體資產】명〖법〗유체물인 자산.

유체 장치【流體裝置】명〔fluidic device〕〖공〗유체의 작용에 의해 조작되는 장치.

유체 저:항【流體抵抗】명〔fluid resistance〕〖물〗유체 속에서 운동하는 물체에 반대 작용을 하는 힘.

유체 정역학【流體靜力學】[一녁一] 명〔fluid statics〕〖물〗정지해 있는 액체와 기체가 작용하는 압력의 크기를 구하는 학문. *유체 동역학(動力學).

유체 정역학적 평형【流體靜力學的平衡】[一녁一] 명〔hydrostatic equilibrium〕〖물〗일정한 밀도를 가진 면이 수평면과 일치하는 유체의 상태. 중력(重力)과 압력이 완전 평형(完全平衡)을 유지하는 상태인데, 압력과 지면(地面)으로부터의 높이는 유체 정역학 방정식(方程式)으로써 얻어짐.

유체 조작기【流體操作器】명〔hydraulic actuator〕〖기〗유체력을, 유용한 기계적인 힘으로 변환하는 실린더나 유압 모터. 직선·회전·진동 따위의 기계적 운동을 베풂.

유체-톤【流體一】의명〔fluid ton〕〖물〗체적(體積)의 단위(單位). 약 9.0614×10^{-1} m^3임. 특히, 수야금학(水冶金學)·수역학(水力學) 분야에서 많이 쓰임.

유체 포:유물【流體包有物】명〔fluid inclusion〕〖광〗광물이 결정 작용(結晶作用)을 할 때 광물립(鑛物粒) 안에 갇힌 유체.

유체 회로【流體回路】명〔hydraulic circuit〕〖기〗전기 회로와 유사한 작동을 하는 회로로서, 전류 대신 물 따위의 유체가 흐름. 유압 제어(油壓制御) 따위.

유초[1]【酉初】명〖민〗유시(酉時)의 처음. 곧, 오후 다섯 시경.

유초[2]【遺草】명 고인(故人)이 생전에 써 놓은 시문의 초고(草稿). 유고(遺稿).

유:초신지-곡【柳初新之曲】명〖악〗평조 회상(平調會相)의 아명(雅名).

유초-안【硫硝安】명〖화〗황산 암모늄과 초산 암모늄으로 만들어진 비료. 주성분은 $(NH_4)_2SO_4 \cdot 2NH_4NO_3$.

유촉【遺囑】명 ①살아 있을 때의 부탁(付託). ②죽은 뒤의 일을 부탁함. ——-하다 타여불

유-최(:)진【柳最鎭】명〖사람〗조선 고종(高宗) 때의 서화가. 자(字)는 미재(美哉), 호는 학산 목재(學山木齋)·산초(山樵)·정암(鼎庵). 진주(晋州) 사람. 벼슬은 직장(直長)에 그쳤으며, 만년에 조희룡(趙熙龍) 등과 함께 오로회(五老會)를 만들어 술과 시로써 여생을 즐겼음. [1791-1869]

유:추【類推】명 ①어떤 사물에서 다른 사물의 성질·상태를 미루어 짐작함. ②〔analogy〕〖논〗간접 추리의 하나. 두 개의 특수한 사물에 있어 다수의 본질이 일치하는 데서, 다른 속성(屬性)도 유사하다고 하는 추론(推論). 곧, 비슷한 점을 기초로 한 비교 추리임. 'A는 a·b·c다', 'B도 a·b·c이며 또한 d이다', '그러므로 A는 d다'의 형식으로 나타냄. 유비(類比). 유비 추리(類比推理). 아날로지(analogy). ③〖법〗법규 조항을 확충(擴充) 해석하여 유사한 사실에도 추급(推及)하는 법규 해석의 한 방법. ④〔analogy〕〖언〗단어나 문법 형식이 의미상(意味上)·기능상·음성 형식상 유사점(類似點)을 가진 다른 일군(一群)의 단어나 문법 형식을 모델로 하여 새로 형성되는 심리적 과정. 언어의 시대적·지방적 변화의 원리로 중요함. 예를 들면 일어의 'マルタ'를 '삿대'·'돛대' 등의 '대'에 유추하여 '마룻대'로 또는 '撞球'를 '童'에 유추하여 '동구'로 읽는 따위가 그것이며, 또 영어에 있어서 'book'의 복수형(複數形)은, 'foot→feet'·'tooth→teeth'의 법칙이 무시되고, 일반적(一般的)인 복수형을 유추한 'books'로 되는 일 등 그 예가 많음. ——-하다 타여불

유:추 구조【類推構造】명〖언〗유추의 심리 작용에 의한 단어의 구성과 변화. 한 말의 형태와 사용법을 이미 안 말의 형태나 사용법에 의하여 새로 창조하는 것을 말함.

유:추 작용【類推作用】명 유추하는 심리 작용.

유:추 해:석【類推解釋】명 어떤 사항에 대하여 법률이 규정하고 있는 일을, 아무런 규정이 없는 다른 유사(類似)한 사항에 맞추어 해석하는 일. 사법(私法)에서는 대폭적으로 인정되지만, 형법에서는 허용되지 않음. ——-하다 타여불

유축[1] 명 〈방〉 구석.

유:축[2]【有畜】명 가축을 가지고 있음. ¶ ~ 농가.

유:축 농업【有畜農業】명〖농〗가축이 있는 농업. 가축의 노동력을 경작에 이용하며 또 거기에서 생기는 비료도 사용하고, 수확의 일부를 먹이로 하는 농업 경영 방법.

유:축-류【有軸類】[一뉴] 명〖동〗고르고니류(類).

유축-지다 형 〈방〉 구석지다.

유출[1]【流出】명 ①흘러 나감. 또 흘러 나옴. ¶ 부정 ~ / ~공(孔). ②화폐가 외국으로 나감. ¶ 외화 ~. ③〖철〗유출설(流出說). 발출(發出). ——-하다 자여불

유출[2]【溜出】명〖화〗증류(蒸溜)할 때 액체가 되어 방울방울 떨어져 나옴. ¶ ~물(物). ——-하다 자여불

유출[3]【誘出】명 꾀어 냄. ——-하다 타여불

유출-률【流出率】명〖토〗강수량(降水量)에 대하여, 하천이 하구(河口)에 물을 유출하는 비율. 어떤 기간에 강이 유출하는 수량(水量)을 유역 면적(流域面積)으로 나눈 몫과 그 유역의 평균 강수량과의 비(比)로써 나타냄.

유출-물【溜出物】 명 〔distillate〕〖화〗 증류기 또는 증류탑의 정부(頂部)에서 나오는 증기나 그것을 응축(凝縮)시킨 액체.

유출-설【流出說】 명 〖철〗 신플라톤파(新 Platon 派)·그노시스파(gnosis 派) 등이 제창한 우주론(宇宙論). 불가지(不可知)의 최고 존재의 신으로부터 단계적으로 여러 가지 존재가 전개(展開)되어, 최후에 악(惡)이나 불완전한 존재로 유출하기에 이른다는 학설. 분출설(分出說). 유출(流出). 에마나티오(emanatio).

유출 유괴【愈出愈怪】 명 점점 더 괴상함. ——-하다 형 여불

유출 유기【愈出愈奇】 명 점점 더 기이함. ——-하다 형 여불

유충[1]【幼沖】 명 나이가 어림. 충유(沖幼). ¶～하신 주상 전하. ——-하다 형 여불

유충[2]【幼蟲】 명 〖충〗 알에서 부화되어 아직 성충이 되지 못한 벌레. 애벌레. 자충(仔蟲). 새끼벌레. ↔성충. 「끈벌레.

유충[3]【紐蟲】 명 〖동〗 유형 동물(紐形動物)에 속하는 동물의 총칭(總稱).

유충렬-전【劉忠烈傳】〔—널—〕 명 〖책〗 작자·연대 미상의 고대 군담(軍談) 소설. 국가와 군주에 대한 충성을 권장하는 내용으로, 임진·병자 두 난리 이후에 작품화된 것으로 추측됨.

유충-류【紐蟲類】〔—뉴〕 명 유형(紐形) 동물에 속하는 동물의 무리. 끈벌레류.

유충-제【誘蟲劑】 명 〖약〗 곤충을 꾀어, 모이게 하는 약제. 흔히, 해충의 구제(驅除)에 사용함. 꾐약.

유충 호르몬【幼蟲—】〔hormone〕 명 〖생〗 알라타체(allata 體) 호르몬.

유취[1]【油臭】 명 기름에서 나는 냄새.

유취[2]【乳臭】 명 젖에서 나는 냄새. 젖내.

유취[3]【乳嘴】 명 〔papilla〕〖동〗 동물의 피부·젖샘·혀 따위에 있는 유두상(乳頭狀)의 작은 돌기(突起).

유취[4]【柔脆】 명 연하고 무름. 무르고 약함. ——-하다 형 여불

유취[5]【幽趣】 명 그윽한 풍치(風致).

유:취[6]【類聚】 명 같은 종류의 것을 갈래를 따라 모음. 휘집(彙集). ¶～국사(國史). ——-하다 타 여불

유취 만:년【遺臭萬年】 명 더러운 이름을 먼 장래에까지 끼침. ——-하다 자 여불

유취 석회석【油臭石灰石】 명 〔swinestone〕 검은 빛깔의 역청(瀝靑) 물질을 함유한 석회석. 마찰하면 악취(惡臭)를 냄.

유취 석회암【油臭石灰岩】 명 〔stinkstone〕 변질(變質)된 유기물(有機物)을 함유하고 있는 석회암. 문지르거나 두들기면 악취를 냄.

유:취 영화【有臭映畫】 명 스멜로비전.

유층【油層】 명 〖지〗 유정(油井)을 파서 석유를 얻을 수 있을 정도의, 석유를 함유(含有)하고 있는 지층(地層). 석유조(石油槽).

유층 공학【油層工學】 명 〖공〗 암석 속의 석유·물·가스 등의 동태를 운동학적(運動學的) 견지에서 연구하는 채유(採油) 공학의 한 분야.

유:치[1] 명 〈방〉 여치(경기).

유치[2]【由致】 명 〖불교〗 불보살(佛菩薩)을 청할 때 그 이유(理由)를 먼저 이르는 일.

유치[3]【幼稚·幼穉】 명 ①나이가 어림. ②정도(程度)가 낮음. 치유(稚幼). ¶～한 생각. ——-하다 형 여불

유치[4]【幼齒】 명 어린 나이. 유년(幼年).

유치[5]【乳齒】 명 〖생〗 세상에 난 뒤에 첫 번으로 나서 아직 갈지 않은 이. 배냇니. 젖니. *영구치(永久齒).

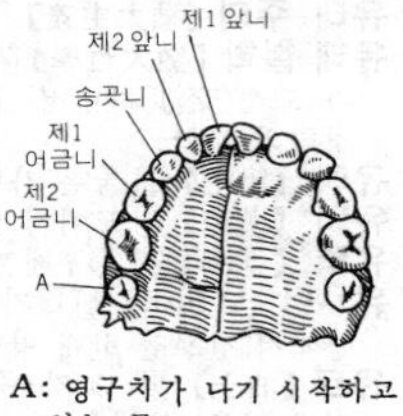

A: 영구치가 나기 시작하고 있는 곳

〈유치[5]〉

유치[6]【留置】 명 ①머물러 둠. ②〖법〗 사람이나 물건을 일정한 지배(支配) 아래 둠. 특히 형사 소송법에서, 사람을 구속하는 재판 및 그 집행. 또, 그 결과로서 구속이 되어 있는 상태. ——-하다 타 여불

유치[7]【誘致】 명 꾀어서 데려옴. 어떤 곳으로 유도하여 이르게 함. ¶관광객 ～. ——-하다 타 여불

유치-권【留置權】〔—꿘〕 명 〖법〗 다른 사람의 물건을 점유(占有)하고 있는 사람이 그 물건에 관하여 발생한 채권의 변제(辨濟)를 받을 때까지 그 물건을 유치하고 채무자의 변제를 간접으로 강제(强制)하는 담보 물권(擔保物權).

유-치(:)명【柳致明】 명 〖사람〗 조선 철종(哲宗) 때의 문신·학자. 자(字)는 성백(誠伯), 호는 정재(定齋). 전주(全州) 사람. 유 장원(柳長源)·남한조(南漢朝)에게 글을 배움. 벼슬은 동지춘추관사(同知春秋館事)에 이르렀음. 만년에 제자들이 지은 만우재(晩愚齋)에서 후진들을 지도했음. 저서에 ≪독서 쇄어(讀書瑣語)≫·≪예의 총화(禮疑叢話)≫·≪가례 집해(家禮輯解)≫ 등이 있음. [1777-1861]

유치-물【留置物】 명 〖법〗 유치권(留置權)의 목적물.

유치-미【留置米】 명 〖역〗 조선 시대 때, 대동법(大同法)에 의하여 거두어 들인 쌀 가운데, 지방의 각 도(道)의 영(營)·군(郡)에 저치(儲置)해 두는 쌀. 가을에 거두어 들이는 추등 수미(秋等收米)로써 충당(充當)함. 각 도(各道) 및 군현(郡縣)의 연간 경비(年間經費), 진상물(進上物)의 구입비 및 상납물(上納物)의 수운비(輸運費) 등의 지방 경비로 지출함. *상납미(上納米).

유-치(:)봉【兪致鳳】 명 〖사람〗 조선 철종(哲宗) 때의 서화가. 호는 하산(霞山). 기계(杞溪) 사람. 참봉(參奉)을 지냈으며, 글씨는 전·예(篆隷)에 뛰어났고, 그림은 산수(山水)에 능하였음. [1826-?]

유치 산:업【幼稚產業】 명 장래에는 성장(成長)이 기대되나 지금은 국가가 보호하지 않으면 국제 경쟁에 견딜 수 없는 산업.

유치 우편【留置郵便】 명 발신인(發信人)의 청구에 의하여 그 지정한 우체국에 유치하여 두었다가 수신인(受信人)을 출두시키어 교부하는 우편물의 취급.

유치-원【幼稚園】 명 〖교〗 학령(學齡) 미달의 어린이를 보육(保育)하여 그 성장·발달을 도모하는 교육 시설.

유치-인【留置人】 명 유치장에 유치된 사람.

유치-장【留置場】 명 수사상 피의자(被疑者)를 유치하는 곳. 각 경찰서 안에 딸려 있음.

유치적 효:력【留置的效力】 명 〖법〗 점유(占有)할 권리를 가지는 담보 물권자와 질권자(質權者)가 담보 목적물을 유치하여 간접으로 변제를 강제하는 효력.

유치 전:보【留置電報】 명 특수 취급 전보의 한 가지. 수신인이 여행·전거(轉居) 등의 이유로 배달 불능의 우려가 있을 때에 발신인의 청구에 의하여 착신(着信)하는 전신국에서 맡아 두었다가 수신인의 청구를 기다려 교부하는 전보.

유:치-조【有齒鳥】 명 〖조〗 시조(始祖)새.

유-치(:)진【柳致眞】 명 〖사람〗 극작가·연출가. 충무 태생. 호는 동랑(東朗). 유치환(柳致環)의 형. 일본 릿쿄(立敎) 대학 영문과 졸업. 인생을 풍부하게 하는 길은 예술뿐이라는 신념에서 예술 특히 연극에 투신함. ≪검찰관≫에 출연했고, ≪토막(土幕)≫을 창작·상연한 후부터 스스로 연출을 맡기도 함. 대표작으로 ≪별≫·≪나도 인간이 되련다≫·≪한강은 흐른다≫·≪원술랑(元述郞)≫·≪사육신(死六臣)≫ 등이 있음. [1905-74]

유-치(:)환【柳致環】 명 〖사람〗 시인·교육자. 충무(忠武) 태생. 호는 청마(靑馬). 유치진(柳致眞)의 아우. 1931년 시(詩) ≪정적(靜寂)≫으로 문단에 데뷔함. 그의 시는 생명에의 열애를 바탕으로 하고 있으며, 생명파 시인으로 일컬어짐. 시집에 ≪청마 시초(靑馬詩抄)≫·≪생명의 서(書)≫·≪울릉도≫·≪청령(蜻蛉) 일기≫ 등이 있음. [1908-67]

유칙【遺勅】 명 임금이 생전에 남긴 명령.

유칠【油漆】 명 들기름으로 만든 칠.

유칠-장【油漆匠】 명 〖역〗 공장(工匠)의 하나. 들기름에 당황단(唐黃丹) 또는 무명석(無名石)을 넣고 불에 쪄서 도료(塗料)를 만들던 사람.

유:침-류【有針類】〔—뉴〕 명 〖동〗 〔Enopla〕 유형(紐形) 동물의 한 강(綱). 구문(口吻)에 침이 있고 입이 뇌의 앞쪽에 있는데, 지렁이끈벌레 따위가 이에 속함. ↔무침류(無針類). *유형 동물.

유칩【幽縶】 명 붙잡혀 묶임. ——-하다 자 여불

유카기:르-어【—語】〔Yukag'hir〕 명 〖언〗 구(舊)시베리아 어군(語群) 동방파(東方派)에 속하는 언어. 다섯 모음 곧 i·e·a·o·u를 가지며 다소 모음 조화(母音調和)의 경향이 있음. 어순(語順)은 한국어와 일치하나 명사 어간(語幹)은 접미사(接尾詞)에 의하여, 동사 어간은 거의 전부 접두사(接頭詞)에 의하여 각각 형성됨. 현재 야쿠트(Yakut) 자치 공화국내의 일부 유카기르족(族)이 쓰고 있음.

유카기:르-족【—族】〔Yukag'hir〕 명 〖인류〗 시베리아의 북동부 야나강(Yana 江)·콜리마 강(Kolyma 江) 유역에 살고 있는 고(古)아시아 제족(諸族)에 속하는 한 종족. 퉁구스인과의 혼혈(混血)이 현저하나, 체질적(體質的)으로는 오히려 몽골로이드인에 가까운 특성을 나타내며, 오둘(odul; '강대한'의 뜻)이라고 자칭함. 생활 양식과 복장은 퉁구스인에 유사하며 종교는 샤머니즘을 신앙함. 계절을 따라 하구(河口)에서 상류를 오르내리며 수렵(狩獵)과 어로(漁撈)에 종사함. 인구는 감소 일로에 있어 1859년에는 2,350명, 1927년에는 700명 내외였음. [442명(1959)]

유:카라〔아이누 yukar〕 명 〖문〗〔사곡(詞曲)이란 뜻〕 아이누 종족간에 구전(口傳)되어 오는 서사시(敍事詩)의 하나. 영웅 전설(英雄傳說)로 포이야운페(Poiyaunpe)를 자칭적 서술(自稱的敍述)에 의하여 그의 눈부신 무용담(武勇譚)을 다룬 장대(長大)한 서사시.

유:카리스트〔Eucharist〕 명 ①〖종〗 성찬식(聖餐式). ②〖기독교〗 성체(聖體). 성찬(聖餐).

유카와〔Yukawa〕 의명 〖물〗 길이의 단위. 10조(兆)분의 1cm. 원자핵 물리학에서 쓰임. 중간자(中間子)의 존재를 제창한 유카와 히데키(湯川秀樹)의 이름을 따서 명명(命名)되었음. 기호는 Y.

유카와 히데키〔湯川秀樹:ゆかわひでき〕 명 〖사람〗 일본의 이론(理論) 물리학자. 이학 박사(理學博士). 1948년에 도미하여 컬럼비아 대학 객원 교수(客員敎授)로 있었으며, 원자 중간자론(原子中間子論)을 연구하여 1949년 노벨 물리학상을 받았음. [1907-81]

유카탄 반:도【—半島】〔Yucatan〕 명 〖지〗 멕시코 동남부에 돌출한 반도. 쿠바 섬과, 플로리다 반도와 함께 멕시코 만을 둘러싸고 있음. 토지는 대개가 저평(低平)하고 삼림이며 동쪽으로 좀 높은 산이 있음. 기후는 건강에 부적당하며 북서부 5분의 1은 개척되어 세계적인 사이잘(sisal)삼의 재배지임. 대부분이 멕시코령이나, 그 기부(基部)는 벨리세(Belize)·과테말라에 딸림. 주민은 대부분이 마야 계통의 인디언임. [175,000 km²]

유카탄 해:류【—海流】〔Yucatan Current〕 〖지〗 유카탄 해협(海峽)의 서편을 따라 북쪽으로 흐르는 빠른 속도(速度)의 해류. 일반적으로는, 북쪽을 향해 호(弧)를 그리며 플로리다 해류(Florida 海流)로서 외양(外洋)으로 나감.

유카탄 해:협【—海峽】〔Yucatan〕 명 〖지〗 중미(中美) 멕시코 남동부의 유카탄 반도와 쿠바 섬 사이의 해협. 칼리브해와 멕시코 만을 연결함. 카토체 갑(Catoche 岬)과 산안토니오 갑(San Antonio 岬)과의 사이의 폭 216km의 해면(海面).

유:칼리 명 〔eucalyptus〕〖식〗 유칼립투스.

유:칼리-유【—油】 명 〔eucalyptus〕〖화〗 유칼립투스의 어린 잎을 증류하여 얻은 정유(精油). 무색 또는 대황색(帶黃色)으로 특이한 방향을 갖고 있으며 비누의 향료·실내 향료·해열제·구충제로 사용함.

유:칼립투스 〔eucalyptus〕 명 〖식〗 〔*Eucalyptus globulus*〕 도금양과에 속하는 상록 교목(常綠喬木). 오스트레일리아 원산으로 키는 100 m 이상이며, 잎은 길이 30 cm 나 되는 피침형으로 혁질(革質)인데, 전체가 흰 분으로 덮여 있고 방향(芳香)을 발함. 봄에 녹백색(綠白色)의 꽃이 피며 반구형(半球形) 사릉(四稜)의 과실이 열림. 나무는 선박재·건축재로 쓰며, 잎에서는 유칼리유를 짬. 유칼리.

〈유칼립투스〉

유: 케이 【U.K.】 명 〔United Kingdom of Great Britain and Northern Ireland의 약칭〕 영국(英國).

유:콘 〔Yukon〕 명 〔Yukon Territory〕 〖지〗 캐나다 북서부(北西部), 알래스카(Alaska)에 인접(隣接)한 직할 영토. 전반적으로 고원상(高原狀)이며, 하곡(河谷)은 광대한 삼림(森林)과 광물 자원이 풍부함. 주도는 화이트호스 (Whitehorse). 〔483,450 km² : 22,000 명(1981)〕

유:콘 강 【—江】 〔Yukon〕 명 〖지〗 알래스카에 있는 큰 강(江). 캐나다의 유콘에서 발원하여 알래스카로 흘러, 모든 지류(支流)를 합하여 알래스카의 중앙을 서남(西南)으로 관류(貫流)하여 베링 해협(Bering海峽)으로 들어감. 상류 지방의 클론다이크(Klondike)에서는 금(金)이 많이 생산됨. 〔3,680 km〕

유쾌 【愉快】 명 즐겁고 기분이 좋음. 마음이 즐거움. 유락(愉樂). ↔불유쾌(不愉快). ——-하다 형 여불. ——-히 부

유:크레인 〔Ukraine〕 명 〖지〗 '우크라이나(Ukraina)'의 영어명.

유:클리드 〔Euclid〕 명 〖사람〗 기원전 3세기경의 그리스 수학자(數學者). 그의 편찬에 의한 ≪기하학 원본(幾何學原本)≫은 19세기까지 유일한 기하학의 표준적 체계(標準的體系)로서 쓰이었음. 에우클레이데스(Eucleides).

유:클리드 공간 【—空間】 〔Euclid〕 명 〖수〗 유클리드 기하학의 연구 대상이 되는 공간. 좌표가 각기 $(x_1, x_2, \cdots, x_n)$, $(y_1, y_2, \cdots, y_n)$ 따위의 두 점 사이의 거리가 공식(公式) $\sqrt{(x_1-y_1)^2+(x_2-y_2)^2+\cdots+(x_n-y_n)^2}$ 으로 얻어지는 공간을 말함.

유:클리드 기하학 【—幾何學】 〔Euclid〕 명 〔Euclidean geometry〕 〖수〗 유클리드에 의하여 시작된 기하학. 비(非)유클리드 기하학과의 상이점은 순수한 공리(公理)의 선택 방법에 있으며, 결합·순서·합동·평행·연속의 오군(五群)으로 정리(整理)되었음.

유:클리드의 호:제법 【—互除法】 〔Euclid〕 〔—뻡 / —에—뻡〕 명 〖수〗 두 개의 정수(整數)의 최대 공약수를 구하는 방법의 하나. 유클리드의 원론(原論)에 기재되어 있는 것임. 호제법(互除法).

유키구니 〔일 雪国:ゆきぐに〕 명 〖책〗 일본의 작가 가와바타 야스나리(川端康成)의 1968년도 노벨 문학상 수상 작품. 온천장(溫泉場)의 무용 연구가 시마무라(島村)와 기생 고마코(駒子), 그의 동생 요코(葉子)와의 사이에서 일어나는 심리(心理)의 전개를 통하여, 인간의 숙명적인 삶과 비극을 설향(雪鄕)을 배경으로 하여 섬세한 필치로 묘사함.

유타 【遊惰】 명 빈들빈들 놀기만 하고 게으름. ——-하다 형 여불

유타나지 〔프 euthanasie〕 명 안락사. 안사술(安死術).

유:타 주 【—州】 〔Utah〕 명 〖지〗 미국 서부의 주(州). 동부는 콜로라도 강(Colorado江)의 유역이고 서부는 그레이트솔트 호(Great Salt湖)를 포함하는 고원임. 주민의 60 %가 모르몬교도(Mormon敎徒)임. 광산물로는 석유·납·구리·은·금·아연·우라늄이 있고, 관개 농업(灌漑農業)과 목축을 함. 1847년 모르몬교도가 정주(定住)하였음. 주도는 솔트레이크시티. 〔212,569 km² : 1,722,850 명(1990)〕

유-탁 【柳濯】 명 〖사람〗 고려 공민왕(恭愍王) 때의 정치가. 자는 춘경(春卿). 고흥(高興) 사람. 전라도 만호(萬戶)로 있을 때 군기를 엄정히 하여 해구(海寇)들이 감히 침범치 못하게 하였으며, ≪장생포곡(長生浦曲)≫을 지어 악부(樂府)에 올렸음. 뒤에 홍건적(紅巾賊)을 토벌하여 좌승상(左丞相)이 되었으며 노국 공주(魯國公主) 영전(影殿)의 역사(役事)를 중지시킨 혐의로 투옥되었다가 석방, 신돈(辛旽)이 주살되자 그와 관련되었다는 무고로 교수형을 당함. 시호는 충정(忠正). 〔1311-71〕

유탁-액 【乳濁液】 명 〖화〗 유제(乳劑).

유탁-질 【乳濁質】 명 〖화〗 액체 미립자(微粒子)가 이것과 혼합(混合)하지 않는 다른 액체를 매질(媒質)로 하여 분산(分散)해 있는 콜로이드질(colloid 質).

유:탄[1] 【柳炭】 명 〖미술〗 그림을 그릴 때 윤곽을 그리는 데 쓰는 버드나무를 태워 만든 숯.

유탄[2] 【流彈】 명 빗나간 탄환(彈丸). 유환(流丸). ¶ ～에 맞다.

유탄[3] 【榴彈】 명 탄체(彈體) 안에 작약(炸藥)을 다져 넣은 포탄. 탄착점(彈着點)에서 터짐.

유탄-포 【榴彈砲】 명 〖군〗 구포(臼砲)와 카농포(canon 砲)의 특징을 합쳐서 만든 대포의 한 가지. 포신은 구포보다 훨씬 길고 카농포보다는 짧으며, 장약(裝藥)의 약은 사격할 때에 가감함. 사각(射角)은 45° 내외이고 어떤 각도에서나 사격이 가능함.

유탈 【遺脫】 명 글자나 활자(活字) 따위가 책이나 활판(活版) 가운데서 빠짐. ——-하다 자 여불

유탕 【遊蕩】 명 ①만판 놂. ②음탕하게 놂. ——-하다 자 여불

유탕 문학 【遊蕩文學】 명 음탕한 생활 등을 그린 문학.

유탕-아 【遊蕩兒】 명 유탕한 생활을 하는 사람. 탕아(蕩兒).

유태[1] 【油太】 명 기름콩.

유:태[2] 【柳態】 명 버드나무 가지와 같은 고운 맵시. 곧, 미인(美人)의 자태(姿態).

유태[3] 【猶太】 명 〔Judea〕 〖역〗 기원전 10-6세기경 지금의 팔레스타인 지방에 있었던 유태인의 왕국. 기원전 586년에 바빌로니아인의 입구(入寇)로 멸망하고, 국민은 바빌론에 잡혀갔다가 바빌로니아의 멸망 후 팔레스타인에 새 국가를 건설하였음. 뒤에 알렉산드로스 대왕의 지배 아래 있게 되었으며, 뒤이어 로마에 정복되어 왕국은 영원히 멸망하였음. 유대. 유태국(猶太國). *이스라엘.

유태-교 【猶太敎】 명 〔Judaism〕 〖종〗 모세(Mosheh)의 율법을 기초로 기원전 4세기경부터 발달한 유태인의 민족 종교. 유일신(唯一神) 여호와를 신봉하며 유태인은 신의 선민(選民)이라고 자처하고 천국(天國)을 지상(地上)에 세우고, 구세주(救世主)의 내림(來臨)을 주장·신봉함. 유대교.

유태교적 기독교도 【猶太敎的基督敎徒】 명 〖종〗 생활 양식은 유태교도와 비슷하나 회당(會堂)에 나가지 아니하고, 각각 자기 집에 모여 예수의 인격(人格)과 사명(使命)을 추상(追想)하는 점이 특별히 다른 교도(敎徒).

유태교 회:당 【猶太敎會堂】 명 〖종〗 시나고그(synagogue).

유태-국 【猶太國】 명 〖역〗 유태(猶太).

유태 기원 【猶太紀元】 명 유태력(猶太曆)에 의하여 기원전 3761년을 원년(元年)으로 삼는 기원. *창세 기원.

유태-력 【猶太曆】 명 유태에서 행하여지던 태음 태양력(太陰太陽曆)의 한 가지. 달은 신월(新月)의 날에 시작하고 연초(年初)는 추분(秋分)경에 시작함. 평년(平年)은 열두 달, 윤년(閏年)은 열석 달로 하되, 윤달은 유월 다음에 둠. 서력 기원전 3761년 10월 7일을 창세(創世) 기원으로 함. 유대력(曆).

유:태반-류 【有胎盤類】 〔—뉴〕 명 〖동〗 〔Placentalia〕 진수류(眞獸類)에 속하는 포유류(哺乳類)의 한 아강(亞綱). 태아(胎兒)와 모체의 자궁벽(子宮壁) 사이에 태반(胎盤)이 있고 항문과 비뇨 생식기(泌尿生殖器)는 완전히 구별되어 있음. 생식기는 일실(一室)로 이루어짐. 유구조수류(有鉤爪獸類)·유제수류(有蹄獸類)·유수수류(游水獸類)·영장류(靈長類) 등이 있음.

유태-어 【猶太語】 명 〔Yiddish〕 〖언〗 헤브라이어(Hebrai語)와 유럽어, 특히 고지(高地) 독일어가 섞여 된 언어. 중부 유럽·미국 등의 유태인 사이에서 쓰임.

유태-인 【猶太人】 명 팔레스타인을 원주지(原住地)로 하는 셈족(Sem族)의 일파인 아람족(Aram 族)의 일부. 유태국의 멸망 후에 전세계에 흩어져 돌아다니다가, 중세(中世) 이래 금융·상업 방면에 성공하여 근세 자본주의의 발달과 더불어 경제권을 장악하고 과학과 사상 방면에 인재를 내어 반(反)유태 운동에도 불구하고 시오니즘(Zionism)의 대두로 이스라엘 공화국 건설에 성공했음. 유대인. 이스라엘인(Israel 人). *시오니즘(Zionism).

유태인 기독교도 【猶太人基督敎徒】 명 〖종〗 기독교 초기에 있어서 기독교로 개종(改宗)한 유태인으로 유태교의 여러 규정을 엄수하려고 하던 교도.

유태-주의 【猶太主義】 〔— / —이〕 명 〖역〗 시오니즘(Zionism).

유태 철학 【猶太哲學】 명 〖철〗 중세기(中世紀)에 있어서 아라비아 철학과 교섭(交涉)하면서 유태인 사이에 일어난 종교 철학적(宗敎哲學的) 경향의 철학.

유택[1] 【幽宅】 명 죽은 사람의 집이란 뜻으로 '무덤'을 가리키는 말.

유택[2] 【遊宅】 명 모여서 놀이하는 집.

유택[3] 【遺澤】 명 ①후세까지 남아 있는 은혜. ②남아 있는 은덕.

유:-턴 〔U-turn〕 명 U자형 선회(字形旋回). 특히, 자동차 따위가 도로상에서 진로를 반대 방향으로 바꾸는 일.

유토 【油土】 명 조각·주금(鑄金) 등의 원형을 만드는 데 쓰이는 기름을 섞은 진흙. 녹색을 띤 암회색(暗灰色)의 연한 덩어리로서 오랫동안 내버려 두어도 굳어지거나 마르는 일이 없음.

유:토 궁방전 【有土宮房田】 명 〖역〗 조선 시대 후기에 있었던 궁방전의 하나. 유토 면세지(有土免稅地)와 영작 궁둔(永作宮屯)의 두 가지로 나뉘는데 다 함께 면세의 특전이 주어졌음.

유:토 면:세 【有土免稅】 명 〖역〗 궁방(宮房)·관아(官衙)에 과전(科田)으로 반급(班給)한 토지의 조세(租稅)를 면제함.

유:토 면:세전 【有土免稅田】 명 〖역〗 조선 시대 후기의 내수사전(內需司田) 등 왕실의 사유지와 대군(大君)·군·공주·옹주 등 왕족들의 사유지. 조선 후기의 궁방전(宮房田)에는 왕실·왕족들이 직접 지배하는 사유지와 왕실·왕족들의 지배 하에 있는 일반 민전(民田)인 수조지(收租地)가 있었는데 전자를 유토 면세전 또는 영작 궁전(永作宮田), 후자에 해당하는 수조지를 무토(無土) 면세전 또는 원결 궁둔전(元結宮屯田)이라 했음.

유:토피아 〔라 Utopia〕 명 ①〖문〗 〔무가유향(無可有鄕) 곧 어느 곳에도 없는 장소라는 뜻〕 영국의 모어(More, T.)가 1515-16년에 쓴 공상적 사회 소설. 원저(原著)는 라틴어로 되었음. 유토피아는 가상(假想)의 섬나라로 당시의 영국과 대조적인 하나의 이상국(理想國)의 모습과 그 사회 생활의 구석구석까지 자세히 그린 바, 그 곳에는 일종의 민주주의가 행하여지고 공산주의적 경제 기구가 확립된 동시에 교육과 종교의 자유가 있다고 함. 위대한 휴머니즘의 책으로서, 오늘날 세계적인 고전(古典)의 하나로 손꼽히며, 유럽 사상사(思想史)를 통하여 독자적인 한 계보(系譜)를 형성하기에 이르렀음. ②〔모어의 작품에서 유래〕 실현(實現) 가능성이 없는 이상 사회(理想社會). 이상향(理想鄕). ③실현 불가능한 공상. 실현성이 없는 계획.

유:토피아니즘 〔utopianism〕 명 유토피아적인 이상(理想). 유토피아적인 정치 및 사회 개량주의.

유:토피아 사회주의 【—社會主義】 〔Utopia〕 〔— / —이〕 명 〖사〗 공상적(空想的) 사회주의.

유:토피안 〔Utopian〕 명 공상가(空想家). 몽상가(夢想家).

유통[1] 【乳痛】 명 〖한의〗 유현증(乳懸症).

유통²【乳筩】명 소·돼지 따위의 젖통이의 고기. 소의 유통에는 찰유통·메유통의 구별이 있음.

유통³【流通】명 ①막히는 데 없이 흘러 통함. 융통(融通). ②세상에 널리 통용됨. ——하다 자타여불

유통⁴【儒通】명〖역〗유생 사이에 통지하는 글. 유림(儒林) 간에서 자기파의 주장과 반대파를 비난하는 데 사용하였음. 조선 숙종(肅宗) 이래 성행하였는데 송시열(宋時烈)을 받든 화양 서원(華陽書院)이 발행하던 묵패(墨牌)라는 통문은 왕의 명령처럼 위력을 발휘했었음.

유통 가격【流通價格】[—까—] 명〖경〗화폐와 재물(財物)과의 교환에 있어서, 재물의 가격.

유통 경제【流通經濟】명〔도 Verkehrswirtschaft〕〖경〗자급 자족 경제에 대하여 상품 교환을 기초로 하는 경제 조직. 재화(財貨)가 경제계를 이전(移轉)함으로써 영위되는 경제. 화폐 경제나 영리(營利) 경제는 그것의 가장 발달한 것임.

유통 광:고【流通廣告】명〖경〗메이커 등이 소비자용 상품의 매상(賣上) 증진을 목적으로 하여, 소매업자 또는 도매업자를 대상으로 행하는 광고. 주로 다이렉트 메일(direct mail)·업계지(業界紙)를 사용함.

유통 근:대화【流通近代化】명〖경〗유통 산업의 경영의 합리화를 꾀하고, 유통 비용의 인하(引下)를 목표로 하는 일.

유통 기구【流通機構】명 상품이 생산자로부터 소비자의 손에 이전(移轉)되기까지의 기구의 총체(總體). 곧, 상품의 수송(輸送)·시장·판매의 구조.

유통 단지【流通團地】명 도시 계획으로 결정된, 유통 업무 설비를 갖춘 「단지.

유통-분【流通分】명〖불교〗경전(經典)의 주해(註解)의 마지막에, 그 법(法)을 후세에 널리 전하기 위하여, 제자(弟子)에게 준다는 것을 기술(記述)한 부분.

유통 비:용【流通費用】명〖경〗생산 과정에서 만들어진 상품이 소비자의 손에 들어갈 때까지 쓰인 비용. 상품 매매를 위하여 쓰인 매매 비용·보관 비용·운반 비용 등이 이에 포함됨.

유통 산:업【流通產業】명〖경〗유통 기구를 담당하는 산업. 광의(廣義)로는 상품의 물적(物的) 유통을 담당하는 운송업·창고업을 포함하여 일컬음. *용역 산업(用役產業).

유통-세【流通稅】[—쎄] 명 과세 대상(課稅對象)에 의한 세(稅)의 분류(分類)의 하나. 재산의 이전(移轉) 사실에 착안(着眼)하여 과해지는 세. 유통 경제의 발달에 수반하여 수득세(收得稅)와 소비세 그 어느 것에도 속하지 않는 제3의 분류로서 나타났음. 인지세·등록세 등이 이에 해당함. 교통세(交通稅).

유통 센터【流通—】〔center〕명〖경〗유통 시설 즉, 트럭 터미널·창고 등과 각종 도매 센터를 병설한 종합적 유통 활동의 거점(據點). 도시 중심부의 교통 체증(滯症)에 의한 비능률을 피하고, 아울러 도시 재개발을 목적으로 하여 건설됨.

유통 수단【流通手段】명 상품의 매매를 매개(媒介)하는 화폐의 기능.

유통 시:장【流通市場】명〖경〗이미 발행된 유가 증권(有價證券)의 거래가 행하여지는 추상적(抽象的) 시장. 증권 거래소(去來所)가 여는 시장 같은 것.

유통 신:용【流通信用】명〖경〗기업과 기업 사이, 기업과 소비자 사이의 재화 유통(財貨流通)을 위한 금융. 곧, 이미 생산된 재화를 이동하기 위한 금융. ↔자본 신용(資本信用).

유통 자본【流通資本】명〖경〗상품 자본·화폐 자본으로서 유통하는 자본. ↔생산 자본. 「자가 소유하는 재고품.

유통 재:고【流通在庫】명〖경〗도·소매업자 등, 유통 산업에 종사하는

유통 좌:표【流通座標】명〔current coordinates〕〖물〗주어진 곡선상(曲線上)의 점의 좌표. 이것은 어떤 특정한 점을 표시함과 동시에 일정한 관계를 만족(滿足)시키는 다른 많은 점도 표시함.

유통 증권【流通證券】[—꿘] 명〔negotiable paper〕〖법〗법률상 배서(背書)에 의하여 자유로이 권리의 양도(讓渡)를 할 수 있으며 전환 유통(轉換流通)할 수 있는 증권.

유통 창고【流通倉庫】명〖경〗유통 상황에 맞는 입지(立地) 조건을 갖추고 있으며 상품의 선별(選別)·배송(配送)의 효율화에 주안(主眼)을 둔 창고. 보관 기능을 중심으로 한 저장 창고에 대하여 이름.

유통 혁명【流通革命】명 상업 부문에 있어서의 근대적 경영에로의 변혁. 대량 생산 체제에 대응하는 대량 유통 체제의 발달에 따라, 소매(小賣) 단계에서는 셀프서비스 방식의 슈퍼 마켓 등 대자본에 의한 대점포가 출현하는 반면, 도매상 등 중간 업자가 쇠퇴하여, 전체적으로 유통 루트가 크고 짧아지는 경향이 있음.

유통 화:폐【流通貨幣】명 세간에 통용하는 화폐. 통화(通貨).

유:트렉트〔Utrecht〕명〖지〗'위트레흐트'의 영어명.

유틀란트 반:도【—半島】〔Jutland〕명〖지〗독일의 서북쪽에 있는 반도. 스칸디나비아 반도와 서로 마주 보고 있으며 발트 해(Balt海)와 북해(北海)를 나눔. 덴마크의 주요부로 토지가 저평(低平)하고 서쪽에서 북쪽으로는 사주(砂洲)가 발달함. 기후는 따뜻하고 해양성(海洋性)이어서 농업·목축업이 성행함. [29,526 km²]

유틀란트 해:전【—海戰】〔Jutland〕명〖역〗1916년 5월 31일에 유틀란트 반도(半島) 앞바다에서 벌어진, 독일 함대의 주력(主力)과 영국 함대와의 해대전. 영국측이 대패(大敗)하였으나, 영국 제해권(制海權)은 빼앗지 못하였음.

유: 티:【UT】명〔universal time의 약칭〕세계시(世界時).

유: 티: 시:【U.T.C.】명〔universal time coordinated〕원자 시계를 기초로 하여, 국제적으로 협정된 방법으로 정해진 세계시(世界時). 1972년부터 시작되었는데, 지구 자전각(地球自轉角)에 약 1초 이내로 맞추는 방법이 쓰이고 있으며 이 시각 조절(時刻調節) 때문에 윤초(閏秒)가 도입되었음. *세계시(世界時).

유:티:엠 도법【UTM圖法】[—뻡] 명〔universal transverse Mercator〕국제 횡축 메르카토르(橫軸 Mercator) 도법.

유:티:엠 좌:표계【UTM座標系】명〔universal transverse Mercator grid system〕〖지〗횡축 메르카토르 도법에 의한 특별한 형태의 지도 좌표. 경도(經度) 180°에서 동쪽으로 6°마다 존(zone)으로 나누어 존 중앙의 표준 자오선(子午線)을 기준으로 하여 각각 투영(投影)함. 미국의 군용 지도로 쓰임.

유:티카〔Utica〕명〖지〗미국 뉴욕 주의 중앙에 위치한 상공업 도시. 1825년 에리 운하(Erie運河)의 개통 이후 발전함. 섬유·가구·전기 기기(機器) 등의 공업이 행하여짐. [68,637 명(1990)] 「리설(功利說).

유:틸리테리어니즘〔utilitarianism〕명〖철〗공리주의(功利主義). 공

유:틸리티 프로그램〔utility program〕명〖컴퓨터〗컴퓨터 시스템을 편리하게 이용할 수 있도록 표준화된 지원 프로그램의 총칭. *서비스 프로그램.

유파¹【流派】명 어떠한 파에서 갈려 나온 갈래.

유파²【渝破】명 빛깔이 변하고 깨어져서 못 쓰게 됨. ——하다 자여불

유:파우시아〔Euphausia〕명〖동〗크릴(krill).

유:판-류【有板類】[—뉴] 명〖동〗〔Placophora〕쌍신경류(雙神經類)에 속하는 연체 동물의 한 목(目). 머리통은 분명하지 아니하며 눈과 촉각이 모두 없음. 발은 잘 발달하여 있는데 이것으로 바닷가 바위에 붙어 다님. 등 쪽에는 여덟 개의 패각(貝殼)이 한 줄로 널려 있고, 작은 가시와 비늘이 있음. 등측류(等側類). ↔무판류(無板類).

유:패 회신【有敗灰燼】명 패하고 타서 없어짐. ——하다 자여불

유-팽로【柳彭老】[—노] 명〖사람〗조선 선조(宣祖) 때의 의사(義士). 자는 군수(君壽), 호는 월파(月坡). 문화(文化) 사람. 임진 왜란 때 의병 대장 고경명(高敬命)의 종사관(從事官)이 되어 종군하다가 금산(錦山) 싸움에서 전사함. [1554-92]

유편¹【遺編】명 유저(遺著).

유:편²【類編】명 분류하여 편찬함. 또, 그 책.

유:편-류【有鞭類】[—뉴] 명〖동〗편모충강(鞭毛蟲綱).

유편지-술【俞扁之術】명 옛날의 명(明)나라의 유부(俞跗)와 편작(扁鵲)의 의술. 전(轉)하여, 명의(名醫)의 훌륭한 치료법.

유평【流萍】명 떠내려가는 부평초(浮萍草).

유 평백【俞平伯】명〖사람〗'위 핑보'를 우리 음으로 읽은 이름.

유폐¹【幽閉】명 아주 깊이 가두어 둠. 외출을 하지 아니하고 깊이 들어박힘. ——하다 자타여불 「之弊).

유폐²【流弊】명 일반적으로 행하여지고 있는 나쁜 풍속. 말류지폐(末流

유폐³【遺弊】명 예전부터 내려와 남아 있는 폐해.

유:폐-류【有肺類】명〖동〗〔Pulmonata〕연체 동물(軟體動物) 복족강(腹足綱)에 속하는 한 목(目). 아가미가 없이 폐(肺)로 공기를 호흡함. 달팽이·괄태충(括胎蟲) 같은 것이 이에 속함. 자웅 동체(雌雄同體)이며 기안류(基眼類)·병안류(柄眼類)의 두 아목(亞目)으로 나누임. *후새류(後鰓類).

유포¹【油布】명〔oil cloth〕①기름과 점토(粘土)를 먹인 천. 방수(防水) 카버로 쓰임. ②유성(油性) 페인트로 처리한 무거운 천. 마룻바닥의 깔개로 쓰임.

유포²【流布】명 널리 퍼짐. 또, 널리 퍼뜨림. ——하다 자타여불

유포³【流逋】명 오랜 기간에 걸쳐 공화(公貨)를 사사로이 흠내는 일. ——하다 타여불

유포⁴【遊布】명〖역〗조선 현종(顯宗) 이후 논의되었던 양역 대가(良役代價)의 명칭. 하급의 교생(校生)·군관(軍官) 등으로 된 유호(遊戶)에도 한 필의 포(布)를 부과하자는 논의도 있었으나 실천을 보지 못하고 균역법(均役法)이 시행될 때까지 구구하게 논의됨.

유:포⁵〔UFO〕명 유 에프 오(UFO).

유:포니〔euphony〕명〖언〗발음이 쉽거나 듣기에 유쾌한 음의 특질(特質). 한 단어(單語)의 내부에서 혹은 두 단어가 연속될 때 인접한 음소(音素)들 사이에 일어나는 특수한 음의 변화를 설명하기 위한 것. 활음조(滑音調).

유:포니움〔euphonium〕명〖악〗튜바의 한 가지. 놋쇠로 만든 저음 관악기. 바리톤·소베이스(小Bass)와 거의 같음.

유:포-류【有胞類】명〖동〗〔Physophora〕관해파리목에 속하는 아목(亞目). 기포(氣胞)는 있으나, 영종(泳鐘)·보호엽(保護葉) 또는 감촉기(感觸器)가 없는 것이 있음. 촉수(觸手)는 가늘고 길며, 때로는 여러 개의 작은 가지가 있고 거기에 많은 자포(刺胞)가 있음. 포영류(胞泳類).

유포-본【流布本】명 통행본(通行本).

유폭【誘爆】명 하나의 폭발이 원인이 되어, 그 근처에 있는 폭발물이 폭발을 일으킴. 순폭(殉爆). ——하다 타여불

유:표¹【有表】명 여럿 중에 특히 두드러짐. 얼른 눈에 뜨임. ¶그런 것이 입술만 ~하게 새까맣게 탔다. 페렴을 덧들였던 것이다《蔡萬植: 濁流》. ——하다 형여불. ——히 부

유:표²【有標】명 표지(標識)가 있음. ——하다 형여불

유표³【遊標】명 계산(計算)자 등의 부속품의 하나. 사각형의 투명한 기구로 한가운데에 눈금이 있어 좌우로 움직여 계산자의 눈금과 맞추게 되어 있음. 커서(cursor).

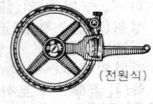

유표⁴【遺表】명 신하(臣下)가 죽을 때에 임금에게 올리는 글.

유표 각도기【遊標角度器】명 유표에 의하여 정확하게 각도를 측정할 수 있는 반원(半圓) 또는 전원

(전원식)

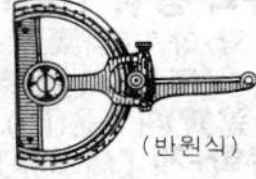
(반원식)

〈유표 각도기〉

(全圓)의 각도기.

유품[1]【流品】명〖역〗고려·조선 시대 때, 문무 관료(文武官僚)의 품계(品階). 또, 구품(九品) 안의 관도(官道)에 올랐음을 뜻하는 말. *유내(流內)·유외(流外).

유품[2]【遺品】명 유물(遺物)❶. ¶전사자(戰死者)의 ~.

유:품 잡기관【有品雜岐官】명〖역〗품계(品階)가 있는 의과(醫科)·역과(譯科)·율과(律科)·음양과(陰陽科) 등의 기술관.

유풍[1]【流風】명 유속(流俗).

유풍[2]【遺風】명 ①선배(先輩)나 조상을 닮은 전형(典型). ②유속(遺俗). ③유습(遺習).

유풍 선:정【流風善政】명 선왕(先王)의 미풍과 은택(恩澤) 있는 정치.

유풍 여속【遺風餘俗】[-녀-] 명 오래 전하여 오늘에 이른 풍속.

유:프라테스 강【-江】[Euphrates] 명〖지〗서부 아시아의 큰 강. 아르메니아 고원에서 발원하여 서쪽으로 흘러 터키에 들어가 남하하여 시리아를 지나, 메소포타미아 평원을 동남으로 흘러 티그리스 강과 합하여 페르시아 만으로 들어감. 그 유역인 메소포타미아 평원은 하수(河水)가 범람(氾濫)하여 땅이 비옥하며 4,200년 전의 바빌로니아·아시리아 문명의 발상지임. [2,800 km]

유피[1]【乳皮】명 크림❶.

유피[2]【柔皮】명 부드럽고 연한 가죽. 인피(靭皮).

유피[3]【楡皮】명 느릅나무의 껍질. 약으로 씀.

유피[4]【鞣皮】명 무두질한 가죽. 다룸 가죽.

유: 피:[5]【U.P.】명 [United Press의 약칭] 1907년 스크립스(Scripps, Edward Wyllis; 1854-1926)가 창설한 미국의 통신사의 하나. 1958년 INS와 병합, UPI로 발족하였음.

유:피미즘 [euphemism] 명 노골적으로 이야기하지 아니하고 멀리 돌려서 상대방의 기분을 상하지 않게 말하는 법. 또, 그 말. 완곡 어법(婉曲語法).

유: 피: 아이【UPI】명 [United Press International의 약칭] 미국의 통신사. 1958년 5월 UP가 경영난에 빠진 INS를 병합하여 새로 발족함. AP와 더불어 미국 2대 통신사의 하나로, 국내 약 2,000 사, 국외(國外) 약 4,000 사에 배신(配信)하며, 25개 통신사와 계약을 맺고 있음. 본사는 뉴욕.

유피-업【鞣皮業】명 무두질하는 직업. 가죽을 다루는 직업.

유: 피: 에스【UPS】명 [uninterruptable power supply]〖컴퓨터〗무정전 전원 장치.

유: 피: 유:【UPU】명 [Universal Postal Union의 약칭] 만국 우편 연합(萬國郵便聯合).

유:피-화【有被花】명〖식〗화피(花被), 곧 꽃받침과 꽃잎을 갖춘 꽃. 이피화(異被花)와 등피화(等被花)의 두 가지가 있는데, 피자(被子) 식물은 대개 이에 속함. 꽃덮이꽃. ↔무피화(無被花).

유필【遺筆】명 죽은 사람이 생전에 써서 남겨 놓은 글씨.

유하[1]【流下】명 흘러 내림. ——-하다 자여불

유하[2]【流霞】명 ①떠도는 운기(雲氣). ②신선(神仙)이 마신다는 미주(美酒)의 이름. 유하주.

유:-하다[1]【有-】자여불 '있다'의 뜻의 예스러운 말.

유-하다[2]【留-】자여불 ①자다❶. ②묵다[1]❸.

유-하다[3]【柔-】형여불 ①부드럽다. ↔강(剛)하다. ②걱정이 없다.

유하-량【流下量】명〖물〗유량(流量).

유하-주【流霞酒】명 신선(神仙)이 마신다는 좋은 술. 유하(流霞).

유학[1]【幼學】명 ①벼슬하지 아니한 유생(儒生). ②[예기(禮記) 곡례편(曲禮篇)의 '人生十年曰幼學(幼를 열 살이라 하고 이 나이가 되면 학문을 익히게 된다는 뜻)'에서 유래] 열 살을 일컫는 말. *약관(弱冠)❶.

유:학[2]【有學】명 ①학식이 있음. ②[범 śaikṣa]〖불교〗불도(佛道) 수행상 성자(聖者)의 위치에 있으면서도 소승교(小乘敎)의 사과(四果) 중 최후의 아라한과(阿羅漢果)를 아직 얻지 못하여 더욱 수학(修學)을 필요로 하는 사람. 1)·2):↔무학[2](無學).

유학[3]【幽壑】명 깊숙한 동학(洞壑).

유학[4]【留學】명 외국에 재류(在留)하면서 공부함. ——-하다 자여불

유학[5]【遊學】명 고향을 떠나 타향에 가서 공부함. ——-하다 자여불

유학[6]【儒學】명 공자(孔子)를 시조(始祖)로 하는 중국 고래의 정교 일치(政教一致)의 학문. 공자는 요(堯)·순(舜)을 조술(祖述)하고 옛 선성(先聖)의 도(道)를 집대성해서 역(易)·시(詩)·서(書)·예(禮)·악(樂)·춘추(春秋)의 육경(六經)을 가지고 교(敎)를 세우고부터 중국 학계의 권위가 되었으며, 후세의 학자들은 공자를 종사(宗師)로 하고 그의 언설(言說)을 조술하며 자사(子思)·맹자(孟子) 등의 소설(所說)을 참조하여 사서(四書)·오경(五經)을 경전(經典)으로 삼았음. 그 사상은 천명(天命)을 근본으로 하여 인(仁)에 의해서 일관(一貫)된 인도(人道)를 도(道)로 하고, 도를 실행(實行)함을 덕(德)으로 삼고, 충서(忠恕)로써 이상(理想)의 도덕인 인(仁)에 도달하고자 하며, 윤리상·정치상의 가르침을 논술하여, 수기 치인(修己治人)을 목적으로 함. 곧, 격물(格物) 치지(致知)·성의(誠意)·정심(正心)·수신(修身)·제가(齊家)·치국 평천하(治國平天下)의 도(道)를 상설(詳說)한 것으로, 중국·한국·일본을 비롯한 동양 각지의 정치·사회·제도·문화 각 방면에 결정적인 영향을 끼쳤음. 공맹학(孔孟學). 추로학(鄒魯學). 수사학(洙泗學).

유학 경위【儒學經緯】명〖책〗유학을 해설한 책. 조선 고종 때 사람 양원(陽園) 신기선(申箕善)의 저술. 유학을 경위(經緯)로 보아 이기(理氣)·천지 형체(天地形體)·인도(人道)·학술(學術)·우주 술찬(宇宙述贊)의 5문(門)으로 나누어 기술함. 건양 1년(1896)에 간행. 1책 인본.

유학-계【儒學界】명 유학의 사회.

유학-생[1]【留學生】명 외국에 유학(留學)하는 학생(學生).

유학-생[2]【遊學生】명 타향(他鄕)에 가서 공부하는 학생.

유학-생[3]【儒學生】명 유학을 공부하는 학생. 유생.

유학생-회【留學生會】명 유학생들로 조직된 모임. 또, 그 단체.

유학-승【留學僧】명 외국에 가서 불교를 연구하고 불도를 닦는 중. 유학중.

유학-자【儒學者】명 유학(儒學)에 조예(造詣)가 깊은 사람. 유학을 깊이 연구하는 사람. 사문(斯文).

유학-중【留學-】명 유학승(留學僧).

유한[1]【由限】명 수유(受由)의 기한(期限).

유:한[2]【有限】명 ①수(數)·양(量)·물체의 크기, 공간의 넓이, 시간 및 사상(事象)의 계속 등에 한(限)이 있음. ②〖수〗하나의 집합(集合)·계열(系列) 등에 속하는 원소(元素)의 개수(個數)가 다함. 어떤 변수(變數)의 절댓(絕對)값의 크기에 한이 있음. 1)·2):↔무한(無限). ——-하다 형여불. ——-히 부

유:한[3]【有閑】명 ①시간의 여유가 있어 한가함. ②재산이 있어 노동할 필요가 없이 여가가 많음. ¶~ 계급. ——-하다 형여불

유한[4]【油汗·柔汗】명 진땀.

유한[5]【流汗】명 흘러나오는 땀.

유한[6]【幽閒·幽閑】명 그윽하고 한가함. ——-하다 형여불

유한[7]【遺恨】명 생전에 남은 원한(怨恨). 잊을 수 없는 원한. 잔한(殘恨). ¶~을 품다/~이 많다.

유한[8]【踰限】명 기한을 넘김. ——-하다 자여불

유:한-개【有限箇】명〖수〗대상이 되는 것의 집합(集合)의 원소의 개수가 유한한 일.

유:한 계급【有閑階級】명 재산이 많아 생활하기 위한 직업을 갖지 않고 오락으로 시간을 보내는 계급. 유한층(有閑層).

유:한-군【有限群】명〖수〗요소(要素)의 개수(箇數)가 유한한 군(群).

유:한 급수【有限級數】명〖수〗항수(項數)에 한정이 있는 급수. ↔무한 급수(無限級數).

유:한-꽃차례【有限-】명〖식〗꽃차례의 하나. 꽃이 꽃줄기의 상부 또는 내부에 있는 것부터 피기 시작하여 순차적으로 하부 또는 외부(外部)의 것이 피는 꽃차례. 수국(水菊) 같은 것의 꽃이 이에 속함. 원심(遠心) 화서. 중심 선개(中心先開) 화서. 상화 선개 화서(上花先開花序). 유한 화서(花序). ↔무한꽃차례.

유한당 홍씨【幽閑堂洪氏】명〖사람〗조선 헌종(憲宗) 때의 여류 시인. 이름은 원주(原周). 풍산(豐山) 사람. 홍인모(洪仁謨)의 딸, 어머니는 영수합 서씨(令壽閤徐氏). 심의석(沈宜奭)의 부인. 홍석주(洪奭周)·홍길주(洪吉周)의 누이로 시재(詩才)에 뛰어나 정서(情緖)와 긴장미를 띤 작품집≪유한당 시고(詩稿)≫에는 200편의 작품이 실려 있음. 생몰년 미상.

유:한 마담【有閑-】[madam] 명 시간적·경제적 여유가 있어, 날마다 오락이나 사교로 시간을 보내는 부녀(婦女). 유한 부인.

유:한 부인【有閑夫人】명 유한 마담.

유:한 성장【有限成長】명 [determinate growth]〖식〗축(軸)이나 중심경(中心莖)이 한없이 성장하거나 장대화(長大化)하지 않는 성장. 화부(花部)의 생식 구조(生殖構造)의 발달로 말미암음.

유:한 소:수【有限小數】명〖수〗소수점(小數點) 아래의 어떤 자리에 이르러서 그치는 소수. ↔무한 소수.

유:한 수:열【有限數列】명〖수〗항(項)의 수가 유한인 수열. ↔무한 수열(無限數列).

유한 임리【流汗淋漓】[-니] 명 땀이 마구 흘러 떨어짐.

유-한(:)전【兪漢雋】명〖사람〗조선 순조(純祖) 때의 학자. 자는 만청(曼倩)·여성(汝成), 호는 저암(著庵)·창애(蒼厓). 기계(杞溪) 사람. 남유용(南有容)의 문인(門人). 김포 군수·형조 참의를 지냈음. 중년부터 문단에 두각을 나타내어 당대에 백년 이래의 대문장가(大文章家)라는 격찬을 받음. [1732-1811]

유:한-점【有限點】[-쩜] 명〖수〗사영(射影) 기하학에서, 무한 원점(無限遠點)이 아닌 점(點).

유한 정정【幽閑靜貞】명 부녀(婦女)가 인품이 높아 매우 얌전하고 점잖음. ——-하다 형여불

유-한(:)지【兪漢芝】명〖사람〗조선 후기의 서도가. 자(字)는 덕휘(德輝), 호는 기원(綺園). 기계(杞溪) 사람. 한전(漢雋)의 종제(從弟). 영춘 현감(永春縣監)을 지냈으며, 전·예(篆隷)로 이름이 있음. 유필(遺筆)에 문익점 신도비(文益漸神道碑)·은해사 영파 대사비(銀海寺影波大師碑) 등이 있음. [1760-?]

유:한 직선【有限直線】명〖수〗①길이에 한정이 있는 직선(直線). 선분(線分). ②사영(射影) 기하학에서, 무한 원직선(遠直線) 이외의 직선.

유:한 집합【有限集合】명〖수〗원소의 개수(個數)가 유한인 집합. 1에서 100까지의 소수(素數)의 집합 따위.

유:한 책임【有限責任】명〖법〗채무자의 일정한 재산에 한정되거나 일정액을 한도(限度)로 하여 채무를 갚을 경우의 책임. ↔무한(無限) 책임. *물적 유한 책임.

유:한 책임 사원【有限責任社員】명〖법〗합자(合資) 회사에서 회사의 채무에 대하여 그 출자액의 한도 내에서 직접 또는 연대(連帶)하여 책임을 지는 사원. ↔무한 책임 사원.

유:한 책임 조합【有限責任組合】명 조합 재산으로 책임(責任)을 완제(完濟)할 수 없는 경우, 조합원이 출자액(出資額)의 한도까지 책임을 지는 조합.

유:한 책임 회:사【有限責任會社】명〖법〗유한 회사.

유:한-층【有閑層】명 유한 계급(有閑階級).

유:한-치【有限値】명 한도가 있는 수치.

유:한 화서【有限花序】명〖식〗유한 꽃차례. ↔무한 화서.

유:한 회:사【有限會社】 명 〖법〗 상행위 기타의 영리 행위를 목적으로 상법 제3편 제5장의 규정에 의하여 설립된 사단 법인. 인적(人的) 회사의 전형(典型)인 합명 회사와 물적(物的) 회사의 전형인 주식 회사의 장점을 채택한 중간적 기업 형태로 사원(社員)의 유한 책임을 인정하면서 설립·조직을 간이화(簡易化)하며, 사원 총수(總數)를 50인 이하로 하고, 영업 상태(營業狀態)의 공고(公告)를 필요로 하지 않는 점 등이 특징(特徵)임.

유합[1]【癒合】 명 피부나 근육이 아물어 붙음. ——-하다 자여불

유:합[2]【類合】 명 〖책〗 조선 성종(成宗) 때, 서거정(徐居正)이 지었다는 한자(漢字) 교본. 언해(諺解)한 사람은 미상이나 고어(古語) 연구에 귀중한 책임.

유항【幽巷】 명 깊숙이 들어간 통로(通路).

유-항(:)검【柳恒儉】 명 〖사람〗 조선 후기의 천주교도. 교명은 아오스딩. 전주(全州) 사람. 일찍이 자치적 조선 교회(自治的朝鮮教會)의 신부로 활약했고, 베이징 교구(北京教區)의 명으로 이 교회가 해산되자, 성직자 영입(迎入)의 주동자가 되어 주문모(周文謨) 신부의 입국을 도움. 신유 박해(辛酉迫害) 때 순교함. [1756-1801]

유해[1]【幼孩】 명 젖먹이. 어린 아이.

유:해[2]【有害】 명 해가 있음. 해로움. ↔무해(無害). ——-하다 형여불

유:해[3]【有海】 명 〖불교〗 삼계(三界)의 생사(生死)를 이름. '유(有)'는 과보(果報), '해(海)'는 생사의 무변(無邊)에 비유함.

유해[4]【儒孩】 명 유아(乳兒). 유영(儒嬰).

유해[5]【遺骸】 명 죽은 사람의 몸. 유체. 망해(亡骸).

유:해 가스【有害―】〔gas〕 명 현저한 독성은 없으나 농도에 따라서는 위험을 수반하는 가스. 이산화 탄소·메탄 가스 등.

유:해 곤충【有害昆蟲】 명 사람·농작물·삼림 등에 해가 있는 곤충. 해충(害蟲).

유:해 무익【有害無益】 명 해는 있으되 이익은 없음. ——-하다 형여불

유:해-물【有害物】 명 해를 끼치는 물질.

유:해 식품【有害食品】 명 인체(人體)에 유해한 물질이나 세균(細菌)이 들어 있는 식품.

유:해 조수【有害鳥獸】 명 사람·농작물·삼림(森林) 등에 해를 끼치는 새나 짐승.

유:해 진애【有害塵埃】 명〔harmful dust〕 공기 속의 유해한 진애. 실리카(silica) 등은 1 m³ 당(當) 1억 8000만 개 정도 이상이 되면, 폐(肺)에 상해(傷害)를 줌. 유독(有毒)한 먼지나 방사성 진애는 더 적은 양, 곧, 3500만 개/m³ 로도 유해함.

유행[1]【流行】 명 ①개인 사상(個人事象)이 사회인의 모방심에 의하여 사회적 사상(事象)으로 되는 일. 의복·화장·사상 등의 양식(樣式)이 일시적으로 널리 퍼지는 현상. ②병이나 재해가 일시적으로 세상에 널리 퍼지는 일. ——-하다 자여불

유행[2]【遊行】 명 ①유람하기 위하여 각처로 돌아다님. ②〖불교〗 중이 각처로 돌아다니며 포교(布教)함. ——-하다 자여불

유행[3]【遊幸】 명 임금이 대궐 밖으로 거둥함. 행행(行幸). ——-하다 자여불

유행[4]【儒行】 명 유교에 기반을 둔 행위. 유자의 행위.

유행-가【流行歌】 명 어떤 시기에 널리 유행하는 가요(歌謠).

유행 가수【流行歌手】 명 유행가(流行歌)를 잘 불러 그것으로 업(業)을 삼는 사람.

유행-류【游行類】[―뉴] 명 〖동〗 [Errantia] 환형 동물 갯지렁이강(綱)에 속하는 한 목(目). 헤엄쳐 다니며 먹이를 잡아먹음. 갯지렁잇과(科)가 이에 속함. 표박류(漂泊類). *관주류(管住類).

유행-병【流行病】[―뼝] 명 전염(傳染)하여 유행하는 병. 돌림병. 시역(時疫).

유행-복【流行服】 명 유행하는 복장(服裝). ¶최신 ～.

유행-성【流行性】[―썽] 명 유행하는 성질(性質).

유행성 각결막염【流行性角結膜炎】[―썽―념] 명 〖의〗 아데노바이러스(adenovirus)에 의한 전염성의 각결막염. 처음에 결막염 증상으로 시작하여, 뒤에 각막염을 일으킴. 전염성이 극히 강하고 시력(視力) 장애를 남기는 일이 있음.

유행성 간:염【流行性肝炎】[―썽―] 명 〖의〗 바이러스(virus)에 의하여 늦은 여름에 4-10세쯤 되는 아동에게 감염되는 간염. 심한 열·권태·식욕 부진·구토·설사·복통(腹痛) 등의 증상이 일어나며 나중에는 황달이 됨. 전염성(傳染性) 간염.

유행성 감:기【流行性感氣】[―썽―] 명 〖의〗 인플루엔자 바이러스에 의하여 일어나는 급성(急性) 전염병. 대개는 열이 심하여 사지 동통(四肢疼痛)·두통·전신 권태·식욕 부진 등의 증상이 있으며, 급성 폐렴 등을 일으키기 쉬움. 인플루엔자.

유행성 결막염【流行性結膜炎】[―썽―념] 명 〖의〗 세균에 의해서 눈의 결막에 일어나는 유행성의 염증.

유행성 뇌염【流行性腦炎】[―썽―] 명 〖의〗 바이러스(virus)에 의한 전염성의 뇌염증(腦炎症). 증상은 기면(嗜眠)·안검 하수(眼瞼下垂)·복시(複視)·근강직(筋強直)·진전(震顫) 등이며 사망률이 높고 치유(治癒)된 후에도 마비 증상이 있는 일이 있음. 기면성(嗜眠性) 뇌염과 일본 뇌염으로 구분함.

유행성 뇌척수막염【流行性腦脊髓膜炎】[―썽―념] 명 〖의〗 수막 구균성 수막염(髓膜球菌性髓膜炎).

유행성 설사【流行性泄瀉】[―썽―싸] 명 〖의〗 바이러스(virus)의 위장내(胃腸內) 감염으로 인하여 생기는 설사.

유행성 신경 근무력증【流行性神經筋無力症】[―썽―] 명 〔epidemic neuromyasthenia〕 〖의〗 성인의 신경계의 천연성(遷延性)·쇠약성(衰弱性) 질환(疾患). 피로·두통·근육통·부전 마비(不全痲痺)와 정서(情緖) 및 정신 장애를 일으킴. 발증 인자(發症因子)는 아직 분리(分離)되지 않음.

유행성 이하선염【流行性耳下腺炎】[―썽―념] 명 〖의〗 법정(法定) 전염병의 하나. 이하선 또는 다른 타액선의 종창(腫脹)이 주되는 증세의 병임. 여과성 병원체(濾過性病原體)에 의한 병으로 4-14세까지의 어린 아이에게 잘 걸림. 식욕 부진·두통·구토·사지통(四肢痛)·발열(發熱) 등의 증세가 나타남. 항아리 손님.

유행성 출혈열【流行性出血熱】[―썽―렬] 명 〖의〗 전염성 질환의 하나. 두통·권태·근육통 등의 증세와 열이 나며 좁쌀 크기의 출혈진(出血疹)과 함께 단백뇨(蛋白尿)·혈뇨(血尿)가 생김. 음벌레에 의해 감염됨. 잠복기는 1-3일임.

유행성 황달【流行性黃疸】[―썽―] 명 〖의〗 황달을 현저한 증상(症狀)으로 하는 간장의 병. 곧, '전염성 간염(肝炎)'의 별칭.

유행성 흉막통【流行性胸膜痛】[―썽―] 명 〖의〗 급성 유행병의 하나. 원인은 콕사키 비형 바이러스(Coxsackie B 型 virus). 흉곽(胸廓) 하부와 상복부(上腹部)의 격통(激痛)이 특징이며, 열과 권태감(倦怠感)을 수반함.

유행-어【流行語】 명 어떤 기간 동안 신기(新奇)한 어감을 띠고 여러 사람들에게 많이 쓰이는 말. '복부인'·'귀하신 몸'·'사바사바' 등. 요샛말.

유행 잡지【流行雜誌】 명 새로운 유행의 디자인 스타일·옷감·색채·액세서리 또는 미용 등을 소개하는 전문 잡지. 프랑스의 '보그(Vogue)'가 대표적인 것임.

유행-지【流行地】 명 유행병(流行病) 또는 새로운 디자인 스타일 등이 유행하는 곳.

유행-품【流行品】 명 유행하고 있는 물품(物品). 또, 유행하리라고 생각되는 물품.

유:향[1]【有香】 명 향기가 있음. ——-하다 형여불

유향[2]【乳香】 명 감람과(橄欖科)에 속하는 열대 식물인 유향수(乳香樹)의 분비액을 말려 만든 수지(樹脂). 옹저(癰疽)·창양(瘡瘍)·복통 등의 약재로 씀. 옛날에 향(香)·방부제(防腐劑)로 사용하였음.

유향[3]【留鄕】 명 〖역〗 수령(守令)이 궐(闕)이 났을 때에 그 지방의 좌수(座首)를 이르는 말.

유-향[4]【劉向】 명 〖사람〗 중국 전한(前漢) 시대의 학자. 자는 자정(子政). 선(宣)·원(元)·성(成) 3제(帝)를 섬기었음. 기원전 26년 광록 대부(光祿大夫) 때에 칙명을 받아 궁중의 장서를 바탕으로 하여 여러 가지 책의 교정을 시작하였음. 저서는 《설원(說苑)》·《신서(新序)》·《열녀전(列女傳)》 등. [77 B.C.-A.D. 6]

유향[5]【遺香】 명 ①남아 있는 냄새. ②고인(故人)이 남긴 미덕(美德).

유향[6]【儒鄕】 명 ①유생(儒生)과 향청(鄕廳)의 직원. ②선비가 많이 살고 있는 고을.

유:향 선분【有向線分】 명 〖수〗 길이 외에 방향을 가지는 선분(線分). 기호로는 $\overline{AB}$ 등과 같이 나타냄.

유향-소【留鄕所】 명 〖역〗 고려 말에 생긴 수령(守令)의 자문 기관. 즉, 수령을 보좌하고, 풍속을 바로잡고 향리(鄕吏)를 규찰(糾察)하며, 정령(政令)을 민간에 전달하고, 민정(民情)을 대표하는 지방 자치 기관이었는데 직원에는 장(長)에 향정(鄕正) 혹은 좌수(座首) 한 사람과 별감(別監) 약간 명이 있었음. 향청(鄕廳). 향소(鄕所).

유향 열녀전 언:해【劉向列女傳諺解】[―려―] 명 〖책〗 중국 한(漢)나라 유향(劉向)의 《열녀전》을 번역한 책. 조선 시대 중종(中宗)의 명으로 중종 38년(1543) 간행. 한문 소설 번역의 시초인 듯함. 4권 1책이 전함.

유향 품:관【留鄕品官】 명 〖역〗 여말 선초(麗末鮮初)에, 지방에 토착(土着)해 있는 전직(前職)의 품관(品官).

유허【遺墟】 명 남아 있는 옛터. ¶～비(碑).

유허-비【遺墟碑】 명 선인들의 자취가 남아 있는 곳에 그들을 기리기 위해 세운 비.

유:헐-복【有歇福】 명 유복(有福)과 헐복(歇福).

유:험【有驗】 명 기도나 약 등의 효험이 있음. ——-하다 형여불

유혁【鞣革】 명 동물의 가죽을 약품으로 처리하여 부패성을 없애고 유연성(柔軟性)·요성(撓性)·탄성(彈性) 등이 있게 한 것.

유-혁연【柳赫然】 명 〖사람〗 조선 숙종 때의 장수. 자는 회이(晦爾), 호는 야당(野堂). 삼도 통제사(三道統制使)를 지내고 병조 판서(兵曹判書)에 이름. 경신 출척(庚申黜陟) 때에 옥사(獄死)함. 시호(諡號)는 무민(武愍). [1616-80]

유현[1]【幽玄】 명 사물의 이치 또는 아취(雅趣)가 헤아리기 어려울 만큼 깊음. ——-하다 형여불

유현[2]【幽顯】 명 ①남이 보이지 않는 곳과 남이 보는 곳. ②유명(幽明)❷.

유현[3]【遊絃】 명 〖악〗 ①가야금(伽耶琴)의 일곱째 줄의 이름. *일단음(一短音). ②거문고의 둘째 줄의 이름. 가장 가늚. *대현(大絃). ③향비파(鄕琵琶)의 다섯째 줄의 이름. *무현(武絃).

유-현[4]【劉炫】 명 〖사람〗 중국 수(隋)나라의 학자. 자(字)는 광백(光伯). 수 문제(文帝)의 칙명(勅命)으로 왕소(王劭)와 함께 수서(隋書)를 찬(撰)하고, 양제(煬帝) 때 수나라의 대업률(大業律)을 만드는 데 힘을 쏟음. 고전(古典)을 주석한 저술이 많음.

유현[5]【儒賢】 명 유교(儒教)에 대하여 조예(造詣)가 깊고 행적(行績)이 바른 사람.

유현[6]【遺賢】 명 벼슬하지 아니하고 초야(草野)에 묻혀 있는 현인(賢人).

유현상-론【唯現象論】[―논] 명 인간이 인식(認識)할 수 있는 것은 현상뿐이고, 현상의 배후(背後)에 있는 본체(本體)는 인식하지 못한다는

입장. 현상론.

유현-증【乳懸症】[—쯩] 명 〖한의〗 산후(產後)에 양쪽 젖이 아랫배까지 늘어지고 몹시 아픈 병. 유장증(乳長症). 유통(乳痛).

유현-체【幽玄體】 명 언외(言外)에 심오한 정취(情趣)가 있는 가체(歌體).

유현호-이【猶賢乎已】 명 아니함보다는 나음.

유혈【流血】 명 흘러나오는 피. ¶ ~이 낭자하다/~ 사건(事件).

유혈-극【流血劇】 명 칼부림 따위로 피 흘린 싸움판.

유혈 성천【流血成川】 명 피가 흘러 내를 이룬다는 뜻. 곧, 심한 전투(戰鬪)를 이르는 말.

유-혈암【油頁岩】 명 〖광〗 오일 셰일.

유혈-제【流血祭】[—쩨] 명 〖천주교〗 피를 흘려 장만한 제물(祭物)을 드리는 제사. 구약(舊約) 시대의 여러 제사와 그리스도의 십자가 수난(十字架受難) 같은 것. 혈제(血祭). ↔무혈제(無血祭).

유혈 표저【流血漂杵】 명 유혈이 무거운 공이를 떠내려 가게 할 만큼, 전쟁이 격렬함을 뜻하는 말.

유협[1]【遊俠】 명 협객(俠客).

유협[2]【誘脅】 명 유혹하고 협박함. ——-하다 타 여불

유-협[3]【劉勰】 명 〖사람〗 중국 육조(六朝) 양(梁)나라의 학자. 처음에 고승(高僧) 승우(僧祐)가 있는 정림사(定林寺)에서 경론(經論)을 배우고 양무제(梁武帝)를 섬겨, 소명 태자(昭明太子)의 애호를 받음. 뒤에, 정림사에서 출가(出家)하여, 이름을 혜지(慧地)로 바꿈. 502년경에 지은 ≪문심 조룡(文心雕龍)≫은 당시 유행한 사륙문(四六文)으로 씌었는데, 고금(古今)의 문체(文體)와 그 교졸(巧拙)을 논(論)한 문학 평론(文學評論)임. [465-521]

유:협 식물【有莢植物】 명 〖식〗 콩과에 속하는 식물같이 꼬투리가 맺히는 식물. 꼬투리 식물.

유협-전【楡莢錢】 명 얇은 옛날 돈. 유전(楡錢).

유:형[1]【有形】 명 ①형체(形體)가 있음. ↔무형(無形). ②〖불교〗 육체(肉體)를 가진 것. 욕계(欲界)·색계(色界)의 생물. 유상(有相). ——-하다 형 여불

유형[2]【幼形】 명 〖생〗 생물(生物)의 개체(個體) 발생의 초기(初期)에 나타나는 형.

유-형[3]【柳珩】 명 〖사람〗 조선 선조 때의 장군. 자(字)는 사온(士溫), 호는 석담(石潭). 진주 사람. 1594년 무과에 급제, 정유 재란(丁酉再亂) 때는 이순신을 도와 수군 재건(水軍再建)에 노력하였으며, 노량 해전(露梁海戰)에서는 적탄으로 부상을 입고도 전투를 지휘함. 시호는 충경(忠景). [1566-1615]

유형[4]【流刑】 명 〖역〗 형벌로 죄인을 섬 또는 변경 지방(邊境地方)에 보내어 그 곳에 있게 하는 형. 도망할 염려가 있으면 그 곳의 옥에 가둠. 유죄(流罪).

유형[5]【流螢】 명 날아다니는 개똥벌레.

유형[6]【遺形】 명 뒤에 남는 모양. 사후(死後)에 남는 형해(形骸). 특히, 불사리(佛舍利)를 말함.

유:형[7]【類型】 명 〔type〕 ①일정한 종류에 속하는 다수의 개별 형식(個別形式)을 포섭하는 형식. 어떤 특징을 공통(共通)으로 하고 있는 한 무리의 사물에 대하여, 그 특징을 추출(抽出)하고 이상화(理想化)한 형식. ②그 자신 하나의 개체이고, 따라서 구상적(具象的)이면서 보편적인 것을 모범적으로 표시하는 대표적인 것. 전형(典型). ③흔한 형(型). 특히, 소설 등에서, 비개성적(非個性的)이며 본질이 깊이 묘사되지 못한 인물상(人物像)을 이르며, 전형(典型)과 구별함.

유:형-계【有形界】 명 모양이 있어 눈에 보이는 물질(物質)의 세계. ↔무형계(無形界).

유:형 고정 자산【有形固定資產】 명 고정 자산 가운데서 구체적인 물재(物財)·토지(土地)·건물·차량·기계 장비·비품(備品) 따위. 유형 자산. *고정 자산.

유형 동:물【紐形動物】 명 〖동〗 [Nemertinea] 동물계의 한 문(門). 발달학상 선형(線形) 동물과 편형(扁形) 동물의 중간에 위치하는 것으로, 몸은 가늘고 길며 납작하기도 하고, 둥글기도 하나 길이가 긺. 대개 색채가 아름다우며 꼬리 마디는 없고, 소화관의 위쪽에 자유로이 신축되는 입술이 있음. 거의 바다의 풀 사이나 흙 속에 사나, 간혹 담수 또는 습지에 사는 것도 있음. 머리 끝에는 대개 두 개 또는 여러 개의 눈이 있으나 없는 것도 있음. 몸거죽에는 가는 털이 있고 항문(肛門)이 있으며 대개 자웅 이체(雌雄異體)임. 유침류(有針類)와 무침류(無針類)로 분류함.

유:형-론【類型論】[—논] 명 유형에 바탕을 둔 분류 기술(分類記述)을 주로 하는 과학. 개개(個個)의 존재 혹은 현상(現象) 사이에 유형을 설정함으로써 본질을 이해하려고 함.

유형-류【幼形類】[—뉴] 명 〖동〗 [Lavacea] 미색류(尾索類)에 속하는 한 목(目). 물에 헤엄쳐 다니는 작은 동물로 몸은 가는 몸뚱이와 긴 꼬리의 두 부분으로 나누어짐. 꼬리는 몸의 등쪽에 있으며 길이는 몸뚱이의 몇 갑절이나 됨. 그 중축(中軸)에 척색(脊索)이 있고 생식기는 몸뚱이 뒤 끝에 있으며 대개 자웅 동체(雌雄同體)인데 원생 동물(原生動物)을 포식함.

유:형 명사【有形名詞】 명 〖언〗 형체가 있는 물건을 나타내는 명사. '사전'·'개'·'별' 등. ↔무형(無形) 명사.

유:형 무:역【有形貿易】 명 〖경〗 상품의 수출입, 곧 통관(通關)을 수반하는 뚜렷한 무역. ↔무형(無形) 무역.

유:형 무적【有形無跡】 명 혐의(嫌疑)는 있으나 증거가 드러나지 않음. ——-하다 형 여불

유:형 무형【有形無形】 명 ①유형과 무형. ②형체의 있고 없음이 분명하지 아니함. ——-하다 형 여불

유:형 문화재【有形文化財】 명 건조물·회화·조각·공예품·서적·전적(典籍)·고문서 등 유형의 문화적 소산으로 역사상 또는 예술상 가치가 높은 물건. 고고 자료(考古資料)를 이름. ↔무형(無形) 문화재. *인간 문화재(人間文化財).

유:형-물【有形物】 명 형체(形體)가 있는 물건. ↔무(無)형물.

유:형 민속 자료【有形民俗資料】 명 문화재를 고고 자료(考古資料)·미술 자료·역사(문서) 자료·민속 자료 등으로 분류할 경우, 민속 자료 가운데서 물질 문화(物質文化)에 관한 것을 가리킴.

유:형-성【類型性】[—썽] 명 어떤 유형에 딸릴 만한 성질.

유형 성숙【幼形成熟】 명 〖생〗 동물의 성장(成長)이 일정한 단계에서 정지되나, 생식선(生殖腺)만은 성숙하여 번식할 수 있게 되는 현상. 양서류(兩棲類)의 아홀로틀(axolotl) 등.

유-형원【柳馨遠】 명 〖사람〗 조선 효종(孝宗) 때의 실학자(實學者). 자(字)는 덕부(德夫), 호(號)는 반계(磻溪). 문화(文化) 사람. 효종(孝宗) 4년(1653)부터 부안(扶安) 우반동(愚磻洞)에서 저술과 학문 연구에 전심하였으며, 옛날 정전제(井田制)의 부활을 주장하였고 실사 구시(實事求是)의 학풍이 시작되는 맹아기(萌芽期)에 실학(實學)을 학문으로서의 위치에 올려 놓았으며, 실학은 뒤에 이익(李瀷)·홍대용(洪大容)·정약용(丁若鏞) 등으로 이어짐. 저서에 ≪반계 수록(磻溪隨錄)≫ 등이 있음. [1622-73]

유:형 위조【有形僞造】 명 권한이 없는 자가 타인 명의(他人名義)의 문서를 제멋대로 작성하는 일.

유:형-인【有形人】 명 〖법〗 법인(法人)에 대하여 개인을 가리키는 말. 자연인(自然人). ↔무형인(無形人).

유형-자【流刑者】 명 유형을 당한 사람. 유형수.

유:형 자본【有形資本】 명 〖경〗 일정한 형체를 가지고 있는 자본. 곧, 화폐·토지·가옥·기계 등. ↔무형(無形) 자본. *자본.

유:형 자산【有形資產】 명 유형 고정(固定) 자산.

유:형-재【有形財】 명 〖경〗 유형 재산(有形財產).

유:형 재산【有形財產】 명 〖경〗 화폐·동산·부동산·상품 등과 같이 형체를 가진 재산. 유형재. ↔무형(無形) 재산.

유:형-적[1]【有形的】 명 관 형체가 있는 모양. ↔무형적(無形的).

유:형-적[2]【類型的】 명 관 일정한 다수(多數)에 공통적인 특징을 갖추고 있는 상태. 대표적이고 전형적인 모양.

유:형적 손:해【有形的損害】 명 물건을 망그러뜨리거나 비용이 들게 하는 등 재산상으로 받는 손해. 재산적 손해.

유형-지【流刑地】 명 유형자가 유형당하여 있는 곳.

유형 진:화【幼形進化】 명 〔paedomorphosis〕 〖생〗 성체(成體)가 유생적(幼生的) 특징을 유지하고, 재차 일어나는 변화에 대응하는 능력을 증가시키는 계통 발생학적(系統發生學的) 변화.

유:형-체【有形體】 명 형상이 있는 물체.

유:형-학【類型學】 명 〔typology〕 ①심리학 연구의 한 방법. 개개의 존재나 현상(現象) 사이의 차이 중에 유사점(類似點)을 추상(抽象)하여, 이것을 기초로 그 존재 또는 현상 사이에 몇 개의 군(群), 곧 유형(類型)을 설정함으로써 본질을 이해하려고 하는 학문. 특히, 생물적·생리적·병리적·문화적인 각 유형을 중시하고, 기질·성격·인격·지능·작업·표현·서술·연상(聯想) 직관상(直觀像)·경향성(傾向性)·사상 등에 유형을 설정함. ②여러 학과 특히 생물학(生物學)·인간학(人間學)·심리학(心理學)·문화(文化) 철학(哲學)·예술학(藝術學) 등에서 여러 가지 유형의 천명(闡明)을 목적으로 하는 학문. ③〖고고학〗 형식학(型式學).

유혜[1]【油鞋】 명 진신.

유혜[2]【鍮鞋】 명 놋신.

유호[1]【乳虎】 명 새끼에게 포유(哺乳)할 때의 암범. 성질이 가장 사나운 때라고 함.

유호[2]【流戶】 명 일정한 주거(住居) 없이 떠돌아 다니는 백성들.

유-호덕【攸好德】 명 오복(五福)의 하나. 도덕(道德) 지키기를 낙(樂)으로 삼는 일.

유-호(:)인【兪好仁】 명 〖사람〗 조선 성종(成宗) 때의 문신·시인. 자(字)는 극기(克己), 호는 임계(林溪). 고령(高靈) 사람. 김종직(金宗直)의 문인. 장령(掌令)을 거쳐 합천 군수(陜川郡守)를 역임하였음. ≪동국 여지 승람(東國輿地勝覽)≫ 편찬에 참여하고, ≪유호인 시고(詩稿)≫를 편찬, 왕으로부터 표리(表裏)를 하사 받았음. 시문(詩文)·글씨에 뛰어나 당대의 삼절(三絶)로 불리었음. [1445-94]

유혹[1]【誘惑】 명 ①남을 꾀어서 정신(精神)을 어지럽게 함. ②나쁜 길로 꾐. ¶ ~자(者). ——-하다 타 여불

유:혹[2]【謬惑】 명 잘못에서 일어나는 마음의 미혹(迷惑).

유혹[3]【猶或】 부 설령(設令).

유혹 가:야【猶或可也】 명 오히려 그럼직함.

유혹-색【誘惑色】 명 몸빛이 이성(異性)을 유인하거나 이성에게 흥분을 일으키게 하는 경우의 총칭. 조류(鳥類)의 혼의(婚衣), 어류·양서류·파충류 등의 혼인색(婚姻色) 등이 포함됨. 유혹색은 정소(精巢)로부터의 웅성(雄性) 호르몬의 지배를 받음.

유혹-선【誘惑腺】 명 이성을 유혹하는 물질을 배출하는 분비선(分泌腺). 암나방의 복부(腹部) 말단(末端)에 있는 측포(側胞)에서 분비되는 봄비콜(bombykol) 따위가 이성 유인 물질의 대표적인 것임.

유혹-자【誘惑者】 명 유혹하는 사람.

유혹-적【誘惑的】 명 관 유혹을 하는 것 같은 모양.

유혹 취:재죄【誘惑取財罪】[—쬐] 명 〖법〗 준사기죄(準詐欺罪).

유혼[1]【幽魂】 명 죽은 사람의 넋.

유혼[2]【遊魂】 명 영혼이 육체를 떠나 부유(浮遊)함. 또, 그 영혼.

유혼-일【遊魂日】 명 〖민〗 술가(術家)의 말. 생기법(生氣法)으로 본 해롭지 않은 날의 하나. *생기법.

유홀【悠忽】 명 한가하게 세월을 보냄. ——-하다 자 여불

유-홍[1]【兪泓】명〖사람〗조선 선조(宣祖) 때의 상신(相臣). 자(字)는 지숙(止叔), 호는 송당(松塘). 기계(杞溪) 사람. 종계 변무(宗系辨誣)의 공으로 광국 공신(光國功臣)이 되었음. 임진 왜란 때 세자를 시종하였고 전란이 끝난 다음 선조 25년(1592)에 좌의정(左議政)이 되었음. 시호는 충목(忠穆). [1524-94]

유-홍[2]【柳洪】명〖사람〗고려 문종(文宗)·선종(宣宗) 때의 문신. 정주(貞州) 사람. 뛰어난 무략(武略)으로 등용되어 이부·호부 상서 등을 거쳐 문하 시랑 평장사 판병부사(門下侍郎平章事判兵部事)를 지냄. ≪춘추 좌전(春秋左傳)≫과 병법(兵法)에 정통하여 외환(外患) 등이 생길 때마다 방책을 세워 해결함. 시호는 광숙(匡肅). [? -1091]

유-홍기【劉鴻基】명〖사람〗조선 말기의 선각자(先覺者). 한양(漢陽) 사람. 자는 성규(聖逵), 호는 대치(大致·大癡)·여여(如如). 역관(譯官)의 집안에 태어나 한의업(韓醫業)에 종사함. 친구인 역관 오경석(吳慶錫)이 청(淸)나라에서 가져온 선진 문물에 관한 서적을 탐독, 개화(開化)에 눈뜨고, 김옥균·박영효·홍영식(洪英植)·서광범·김윤식(金允植) 등을 지도하였으므로 정계 막후(政界幕後)에서 '백의 정승(白衣政丞)'으로 불리었음. 김옥균 등과 함께 갑신 정변(甲申政變)이 실패하자 집을 나가 행방 불명이 됨. [1831-?]

유화[1]【乳化】명 유탁액(乳濁液)을 생성하는 현상. 일반적으로 휘저어 섞거나, 흔들어 섞거나 또는 분사(噴射)하는 등의 기계적 조작을 가해서 생성시킴. *유제(乳劑).

유화[2]【油畫】명〔oil painting〕〖미술〗유화구(油畫具)로 그린 서양식의 그림. 보통, 캔버스 등에 붓으로 그림. 15세기 초엽(初葉)에 플랑드르(Flandre)의 반 아이크 형제(Van Eyck 兄弟)가 이 그림의 기법(技法)을 확립하였으며, 근세 이후 서양화 기법의 주류를 이루었음. 유채(油彩). 유채화(油彩畫). *유화구·수채화(水彩畫).

유:화[3]【柳花】명 버들의 꽃.

유화[4]【柳花】명〖사람〗고구려 시조 동명 성왕(東明聖王)의 어머니. 하백(河伯)의 딸. 전설에 의하면 천제(天帝)의 아들 해모수(解慕漱)와 만나 생란(生卵)하였는데, 그 속에서 주몽(朱蒙)이 나왔다 함.

유화[5]【柔和】명 성질이 부드럽고 온화함. ——-하다 형여불

유화[6]【宥和】명 상대방의 태도를 너그럽게 보아 사이좋게 하는 일. ——-하다 자여불

유화[7]【流火】명 유성(流星).

유화[8]【硫化】명〖화〗황화(黃化)❶. ——-하다 자여변

유화[9]【遊化】명〖불교〗중이 유행(遊行)하여 중생을 교화하여 선(善)으로 이끎. ——-하다 타여불

유화[10]【遊禍】명 음양도(陰陽道)에서 의사를 부르거나 복약(服藥)·기도(祈禱) 등을 하는 것을 꺼리는 날. 정월·오월·구월은 사(巳), 이월·유월·시월은 인(寅), 삼월·칠월·동짓달은 해(亥), 사월·팔월·섣달은 신(申)의 날 등.

유화[11]【榴花】명 석류나무의 꽃.

유화[12]【遺畫】명 사후(死後)에 남은 그림.

유:화[13]【類化】명 ①동화(同化)❶. ②신교재(新敎材)를 기득(旣得)의 지식(知識)으로 비추어 보아 해석(解釋)·취득(取得)하는 작용. ——-하다 자타여불

유화-구【油畫具】명〖미술〗①유화(油畫)를 그리는 데 쓰이는 기구. 물감·붓·기름 등. ②유화의 채색 물감. 주로 광물질 또는 식물질·동물질의 안료(顏料)에 아마인유(亞麻仁油)·테레빈유(terebin油) 등의 건조성(乾燥性) 식물유를 넣어 갠 것임. 유화 채료(油畫彩料).

유화 염:료【硫化染料】[―뇨] 명〖화〗황화 염료(黃化染料).

유화 인욕【柔和忍辱】명〖불교〗부처의 가르침에 귀의(歸依)하고, 그 가르침을 지켜 유순 온화하고, 밖으로부터의 치욕(恥辱)이나 위해(危害)를 잘 견디어 냄. 또, 그 모양. ——-하다 형여불

유화 정책【宥和政策】명〔appeasement policy〕〖정〗①상대방의 적극적인 요구에 양보(讓步) 타협(妥協)하여 직접 충돌(直接衝突)을 피하고, 상대방의 강경책(強硬策)을 위무(慰撫)·무마(撫摩)하는 정책. ②팽창주의(膨脹主義) 국가의 여러 요구 가운데, 현상 유지(現狀維持) 정책과 양립(兩立)할 수 있는 한도 안에서 타협하려는 외교(外交) 정책. 완화 정책(緩和政策).

유화-제【乳化劑】명〔emulsifying agent〕〖화〗유탁액(乳濁液) 제조를 용이하게 하고 또한 안정을 유지하는 작용을 하는 물질. 분자(分子) 안에 친수기(親水基)와 친유기(親油基)를 포함하여 액체(液體)의 표면 장력(表面張力)을 감소시키는 작용이 있는 계면 활성제(界面活性劑)가 쓰임.

유화 중합【乳化重合】명〔emulsion polymerization〕〖화〗중합법(法)의 하나. 단위체(單位體)를 유화제(乳化劑)에 의하여 물에 유화·분산(分散)하여 중합시키는 방법. 합성 고무·아세트산(酸) 비닐·염화(塩化) 비닐 등의 합성에 응용됨.

유화 질직자【柔和質直者】[―찍―] 명〖불교〗부처의 가르침에 귀의하여, 그 가르침대로 마음이 유화하고 질박(質朴)·정직한 사람.

유화 채:료【油畫彩料】명〖미술〗유화를 그리는 채료. 유화구(油畫具).

유환[1]【宥還】명 귀양간 죄인(罪人)이 용서를 받고 돌아옴. ——-하다 자여불

유환[2]【流丸】명 빗나간 탄환(彈丸). 유탄(流彈).

유:환관-증【類宦官症】[―쯩] 명〖의〗청춘기(青春期) 전에 고환(睾丸)을 양쪽 다 잃었을 경우에 생기는 여성적(女性的) 남성 현상. 성기(性器)의 외관(外觀)이 소아형(小兒型)으로, 성욕(性慾)이 없으며, 정신적으로도 여성적이 됨.

유활【柔滑】명 부드럽고 매끈함. ——-하다 형여불. ——-히 부

유홧-대 명 〈방〉 요홧대.

유황【硫黃】명〔sulphur〕〖화〗황[3](黃)❷.

유황 가루【硫黃―】[―까―] 명 황의 분말(粉末).

유황 감관【硫黃監官】명〖역〗조선 후기에, 유황점(硫黃店)을 경영하던 구실아치.

유황-광【硫黃鑛】명 황(黃)을 함유하는 광물.

유황-군【硫黃軍】명〖역〗조선 후기에, 유황점(硫黃店)의 채굴 노동자로서 일하는 각 군아문(軍衙門)의 병졸.

유황 박테리아【硫黃―】〔bacteria〕명〖생〗황세균(黃細菌).

유황-불【硫黃―】[―뿔] 명 황이 탈 때 생기는 청색의 불.

유황-빛【硫黃―】[―삗] 명 황처럼 연한 노란 빛. 유황색.

유황-색【硫黃色】명 유황빛.

유황-샘【硫黃―】명〖지〗유황천(硫黃泉).

유황 성냥【硫黃―】명 성냥개비의 끝을 황의 용액에 담가 황을 묻히어서 만든 성냥.

유황 세:균【硫黃細菌】명 황세균.

유황 시멘트【硫黃―】명〔sulphur cement〕금속으로 만든 부품(部品)의 접합(接合)에 쓰이는 시멘트. 같은 양(量)의 황과 피치(pitch)를 섞어서 만듦.

유황 시험【硫黃試驗】명〖화〗황시험(黃試驗).

유황 연:고【硫黃軟膏】[―년―] 명〖약〗황(黃)으로 만든 연고. 승화 황분말(昇華黃粉末)·돼지 기름·칼리(kali) 비누 등을 혼합하여 만듦. 누른 빛으로 살균력이 강함. 각종 피부병에 씀.

유황-점【硫黃店】명〖역〗조선 후기에, 황을 채굴하는 광산. 오군문(五軍門)이나 비변사(備邊司), 지방의 병수영(兵水營) 등에 속해 있었음.

유황-천【硫黃泉】명〔sulphur spring〕〖지〗광천의 하나. 다량의 황화수소(黃化水素)를 함유하는 온천. 욕요법(浴療法)에 의한 당뇨병·류머티즘·신경통의 치료 및 흡입(吸入) 요법에 의한 기관지염(炎) 등의 치료에 이용함. 유황샘. 유황탕(湯).

유황-탕【硫黃湯】명 유황천(泉).

유황 피:복 요소 비료【硫黃被覆尿素肥料】[―뇨―] 명〖농〗황을 요소에 피복한 지속성(遲速性)의 비료.

유황-화【硫黃華】명〖화〗황화[6](黃華).

유회[1]【油灰】명 기름·재·솜을 섞어 만든 물질. 유리를 끼울 때나 나무의 구멍을 메우는 데 씀.

유회[2]【幽懷】명 그윽한 회포.

유회[3]【流會】명 예정한 회의가 성원 미달(成員未達)이나 기타의 원인으로 진행되지 못하고 끝나는 일. ↔성회(成會). ——-하다 자여불

유회[4]【遊回】명 떠돌아다님. ——-하다 자여불

유회[5]【儒會】명 유생(儒生)의 모임.

유회-색【黝灰色】명 회색을 띤 검푸른 색.

유:효【有効】명 ①효능(効能)이 있음. 효과가 있음. ②유도 경기의 판정의 하나. 매치기에서, 또 누르기 선언 후 20초 이상 25초 미만 경과 때 유효를 얻음. ——-하다 형여불. ——-히 부

유:효 감:퇴 속도【有効減退速度】명〔effective decline rate〕어떤 기간에 있어서의 석유나 가스의 산출 비율(產出比率)의 감소. 그 기간의 초기 생산 속도의 역수(逆數)임.

유:효-경【有効徑】명 수나사와 암나사에 있어서 축선(軸線)에 평행인 나사산(螺絲山)의 폭(幅)과 나사골의 폭이 똑같은 상태로 된 가상적(假想的)인 원통(円筒)의 지름.

유:효 구인 배:율【有効求人倍率】명 직업 안정소에의 구직 신청자수에 대한 구인수(求人數)를 나타내는 비율. 구직자 1인에 구인 1인의 경우 유효 구인 배율은 1임.

유:효 기간【有効期間】명 효력(効力)이 있는 기간. 유효(有効)한 기간.

유:효 기복【有効起伏】명〔available relief〕〖지〗고지(高地)의 원면(原面)과 최초로 평형(平衡)에 달한 하상(河床)과의 사이의 수직(垂直) 고도차(高度差).

유:효 낙차【有効落差】명 수차(水車)에 있어서 급수면(給水面)과 방수면(放水面)의 차(差)를 자연 낙차라 하는데, 자연 낙차에서 각종의 마찰(摩擦)에 의한 손실을 뺀 값.

유:효-량【有効量】명 무효량(無効量)을 초과하여 약리(藥理) 작용을 일으키게 되는 약물(藥物)의 양. *치사량(致死量)·내량(耐量)·중독량.

유:효-면【有効面】명 펜싱 경기에서, 찌르기·베기 등이 유효가 되는 몸의 부분.

유:효 면:적【有効面積】명 건물에서, 벽이나 기둥 따위가 차지하는 면적을 뺀 나머지의 유효한 면적.

유:효 범:위【有効範圍】명〔service area〕〖통신〗무선 또는 텔레비전 송신기나 항공 원조(航空援助) 시설로부터의 신호를 유효하게 이용할 수 있는 범위.

유:효 복사 전:력【有効輻射電力】[―절―] 명〔effective radiated power〕〖전〗안테나의 입력(入力)과 전력 이득(電力利得)의 곱을 kW 단위로 나타낸 것.

유:효 비행 궤:도【有効飛行軌道】명〔effective launcher line〕중력(重力)이 작용하지 않는다고 가정(假定)하였을 때의 로켓이 비행하는 궤도.

유:효 사거리【有効射距離】명〖군〗사격에서, 탄환이 소기(所期)의 살상(殺傷) 및 파괴 효과를 발휘할 수 있는 거리. 유효 사정(射程). *최대 사거리(最大射距離).

유:효 사격【有効射擊】명〖군〗적에게 손해를 입히는 사격. 또, 유효 사거리(有効射距離) 내에서의 사격.

유:효 사정【有効射程】명〖군〗유효 사거리. *최대 사정(最大射程).

유:효 성분【有効成分】명 효력이 있는 성분.

유:효 수소【有効水素】명 연료가 연소할 때 발열(發熱)에 기여할 수 있는 수소의 양(量).

유:효 수요【有効需要】명〖경〗실제(實際)로 구매력(購買力)이 있는 수요. ↔잠재(潛在) 수요.

유:효 수요의 원리【有効需要―原理】[―월―/―에월―] 명〖경〗'현재 사회의 경제 활동의 크기(국민 소득의 크기로 나타낼 수 있음)를 결정하는 것은 유효 수요이다'라는 케인스가 제창한 이론.

유:효 숫:자【有効數字】명〖수〗① 0 이외의 1에서 9까지의 숫자. ② 측정값·근사(近似)값 등 수치(數值)를 나타내는 숫자 가운데, 유효한 또는 유의의(有意義)한 자릿수(數)의 숫자.

유:효 에너지【有効―】명 [available energy]〖기〗기계의 힘으로 변환 가능한 에너지.

유:효 열량【有効熱量】명 [available heat]〖기〗작동 매체(作動媒體)에 주어진 단위 중량당(單位重量當)의 열량(熱量) 가운데서 기계적 힘으로 변환될 수 있는 단위 중량당 열량.

유:효 염소【有効塩素】명 표백분(漂白粉) 따위에서, 표백 등의 목적에 사용될 수 있는 염소량(塩素量)의 전체량(全體量)에 대한 비율. 백분율로 나타냄.

유:효 온도【有効溫度】명〖천〗천체와 같은 표면적을 가지고 그 천체의 전복사(全輻射) 에너지와 같은 양의 에너지를 복사하는 천체의 온도. 또, 그 방법으로 계산한 천체의 온도.

유:효-율【有効率】명 유효한 비율이나 정도.

유:효 작동 거:리【有効作動距離】명 [operating range]〖항공〗어떤 항공 원조 시설(航空援助施設)로부터의 정보 수신(情報受信)이 가능한 최대 거리.

유:효 적재량【有効積載量】명〖항공〗항공기의 전비 중량(全備重量)에서 기체(機體) 자체의 중량을 뺀 중량. 연료·윤활유·승무원(乘務員) 등을 포함함.

유:효 전:력【有効電力】[―절―] 명 [active power]〖전〗교류 회로 분기(分岐)의 단자 전압(端子電壓)과 이것과 위상(位相)이 같은 전류 성분과의 곱의 일컬음.

유:효 전:압【有効電壓】명 [active voltage]〖전〗교류 회로에 있어서의 전류와 동상(同相)의 전압 성분.

유:효 증명【有効證明】명 유효함을 나타내는 증명.

유:효 지구 복사【有効地球輻射】명 [effective terrestrial radiation]〖물〗지구 표면(表面)으로부터 일산(逸散)하는 적외선(赤外線) 지구 복사 가운데서, 공중으로부터 지구로 쏟아져 내리는 적외선 복사를 뺀 잔량(殘量).

유:효 추력【有効推力】명 [effective thrust]〖항공〗로켓 모터나 로켓 엔진에서, 불완전 연소 또는 노즐에서의 마찰 효과가 없다고 가정했을 때의 이론적인 추력.

유-효(:)통【兪孝通】명〖사람〗조선 초기의 의학자. 자는 행원(行源). 기계(杞溪) 사람. 태종(太宗) 때 식년 문과(式年文科)에 급제하고 벼슬은 대사성을 거쳐 집현전 직제학에 이르렀음. 문장에 능하고 의약에 정통하여 ≪향약 채취 월령(鄕藥採取月令)≫·≪향약 집성방(鄕藥集成方)≫ 등을 편찬하였음. 생몰년 미상.

유:효 투과율【有効透過率】명 [effective permeability]〖물〗어떤 유체(流體)가 다른 유체상(流體相)과의 사이에 물리적인 상호(相互) 작용을 유지하면서 다공성 매체(多孔性媒體)를 투과할 때 실측(實測)되는 투과율.

유:효 피치【有効―】명 [effective pitch]〖항공〗프로펠러가 완전히 1회전하는 동안에, 비행 경로(飛行徑路)를 따라 비행기가 전진(前進)하는 거리.

유:훈[1]【有勳】명 ①공훈(功勳)이 있음. ②훈장을 가지고 있음.

유훈[2]【柔訓】명 부녀자에 대한 교훈.

유훈[3]【遺訓】명 죽은 사람이 남긴 훈계. 유계(遺戒).

유훈[4]【遺勳】명 후세에까지 남아 있는 공훈.

유-훈[5]【蕕薰】명 악취 나는 풀과 향내 나는 풀이란 뜻으로, 선악(善惡)을 가리키는 말.

유:훈-자【有勳者】명 훈공(勳功)이 있는 사람.

유-휘【劉徽】명〖사람〗중국 삼국 시대 위(魏)나라의 수학자. 263년, 중국 최고(最古)의 수학서(數學書)인 ≪구장 산술(九章算術)≫의 주석(注釋)을 지었음. 그 속에는 원주율(圓周率)의 계산이나 입체(立體)의 부피 계산법 등이 논술되어 있음. 생몰년 미상.

유휴【遊休】명 운행(運行)이나 기능(機能)을 쉬고 있음. 활용을 하지 아니함.

유휴 노동력【遊休勞動力】[―녁] 명 유휴 노력.

유휴 노력【遊休勞力】명 생산 부문에 동원되지 아니하고 놀고 있는 노력. 유휴 노동력.

유휴 설비【遊休設備】명 활용하지 아니하고 놀려 두고 있는 설비.

유휴 시:설【遊休施設】명 활용(活用)하지 아니하고 놀려 두고 있는 시설(施設).

유휴 자본【遊休資本】명 활용(活用)되고 있지 아니한 자본. 운용(運用)·이식(利殖)을 목적으로 하는 자금(資金)이면서, 적당한 대부선(貸付先) 혹은 투자물(投資物)이 없어서 사장(死藏)되어 있는 자금. ㊀유자(遊資).

유휴-지【遊休地】명 사용하지 않고 묵히고 있는 땅.

유흔【遺痕】명 끼친 자취. 남은 흔적.

유-흠【劉歆】명〖사람〗중국 전한(前漢) 말의 학자. 자는 자준(子駿) 또는 영숙(穎叔). 유향(劉向)의 아들. 애제(哀帝)의 명에 의하여 그 아버지의 업(業)을 계승하여 ≪칠략(七略)≫을 완성, 경적 목록(經籍目錄)의 학(學)을 일으킴. 경학자(經學者)로서는 ≪모시(毛詩)≫·≪좌전(左傳)≫·≪주례(周禮)≫ 등의 고문(古文)의 경전(經典)의 현창(顯彰)에 힘써 후한(後漢) 시대의 학풍(學風)을 열었음. [32?B.C.-A.D.23]

유흥【遊興】명 흥취(興趣) 있게 놂. ――-하다 자여불

유흥-가【遊興街】명 유흥장이 많이 있는 거리.

유흥-비【遊興費】명 유흥에 쓰이는 비용.

유흥 시:설【遊興施設】명〖법〗유흥 주점에서, 유흥 종사자 또는 손님의 노래·춤·만담·곡예 등 유흥을 위하여 설치한 무대 장치·무도장·조명 시설·음향 시설 따위.

유흥-업【遊興業】명 유흥 시설을 갖추고, 손님에게 유흥을 할 수 있게 하여 요금을 받는 영업. 풍속(風俗) 영업.

유흥업-소【遊興業所】명 유흥업을 경영하는 곳.

유흥 음:식세【遊興飮食稅】명〖법〗요리점·음식점·다방·무도장 등에서 음식을 먹거나 즐긴 데 대한 요금에 매기는 간접세. ㊀유흥세.

유흥 음:식점【遊興飮食店】명 유흥 접객 업소.

유흥-자【遊興者】명 유흥하는 사람.

유흥-장【遊興場】명 유흥하는 장소(場所).

유흥 접객원【遊興接客員】명 손님과 함께 술을 마시거나 노래 또는 춤으로 손님의 유흥을 돋구는 부녀자.

유흥 종사자【遊興從事者】명 유흥 주점에서 손님의 유흥을 돋우는 일을 하는 사람. 유흥 접객원·댄서·가수 및 악사(樂士)·무용수·만담가·곡예사·유흥 사회자 등.

유흥 주점【遊興酒店】명〖법〗주로 주류(酒類)를 조리·판매하며, 유흥 종사자를 두거나 유흥 시설을 설치할 수 있고, 손님이 노래를 부르거나 춤을 추는 행위가 허용되는 업소.

유흥-지【遊興地】명 유흥을 할 수 있는 시설을 한 곳.

유-희[1]【柳僖】[―히] 명〖사람〗조선 순조(純祖) 때의 한글 학자. 자는 계신(戒伸), 호(號)는 서파(西陂) 또는 방편자(方便子)·남악(南嶽). 실학파(實學派) 정동유(鄭東愈)의 문인(門人). 순조 29년(1829) 황감 제시(黃柑製試)에 장원했으나 벼슬을 하지 않음. 한글을 독창적으로 분석, 훈민 정음의 자모(字母)를 분류 해설하여 순조 24년(1824)에 ≪언문지(諺文志)≫를 저술하였음. 그 밖에 경서(經書)·천문(天文)·지리(地理)와 농정(農政)·충어(蟲魚)·조류(鳥類) 등 자연 과학 부문에도 조예가 깊어 ≪물명유고(物名類考)≫ 등을 저술함. [1773-1837]

유희[2]【遊戲】[―히] 명 ①즐겁게 놂. 장난으로 놂. 놀이. ②유치원·국민 학교에서 일정한 방법에 의하여 재미있게 하는 운동. 실내 유희와 옥외(屋外) 유희가 있음. ――-하다 자여불

유희[3]【儒戲】[―히] 명 조선 시대의 소학지희(笑謔之戲)의 하나. 좁은 뜻으로는 노유희(老儒戲)를 일컬으며, 넓은 뜻으로는 궐희(闕戲)도 이름.

유-희강【柳熙綱】[―히―] 명〖사람〗서예가. 호는 검여(劍如). 인천(仁川) 출신. 명륜(明倫) 전문 학교를 나와, 중국 베이징 동방 문화 학회(東方文化學會)에서 서예와 금석학(金石學)을 연구함. 인천 시립 박물관장을 지냄. 1968년 중풍에 걸리자, 종전의 우수서(右手書)에서 좌수서(左手書)로 새 경지를 개척함. 육조체(六朝體)의 강건하고 웅혼(雄渾)한 필세(筆勢)가 특징임. [1911-76]

유-희경【劉希慶】[―히―] 명〖사람〗조선 중기의 시인(詩人)·현사(賢士). 자는 응길(應吉), 호는 촌은(村隱). 강화(江華) 사람. 남언경(南彦經)의 문인. 예문(禮文)에 매우 밝아 국상(國喪) 등 상례(喪禮)에 대한 의문(疑問)이 생길 때, 그가 궁중에 들어가 밝히었음. 임진 왜란 때 의병을 모아 관군을 도왔으며, 광해군 때 폐모론(廢母論)을 반대하고 은거함. 시(詩)는 한가롭고 담담하여 당시풍(唐詩風)이라는 평을 받음. 시집으로 ≪침류대 시첩(枕流臺詩帖)≫이 있음. [1545-1636]

유희 관음【遊戲觀音】[―히―] 명〖불교〗삼십삼(三十三) 관음의 하나. 왼손을 한 쪽 무릎에 올려 놓고 오색(五色) 구름을 타고 유희하는 모습을 나타내고 있음.

유희 본능【遊戲本能】[―히―] 명〖심〗사람의 기본적인 본능의 하나. 환경에 적응(適應)및 심신(心身) 발달의 본능으로 스스로를 즐겁게 하는 동작(動作)·언어(言語)로 표현됨. 어린이에게서 볼 수 있는 것이 가장 기초적인 것임.

유-희분【柳希奮】[―히―] 명〖사람〗조선 광해군(光海君) 때의 권신. 자는 형백(亨伯), 호는 화남(華南). 문화(文化) 사람. 자신(自新)의 아들, 광해군의 처남. 광해군이 즉위하자 대북(大北)의 정인홍(鄭仁弘) 등과 함께 권필(權韠)·임해군(臨海君)·영창 대군(永昌大君)·능창(陵昌) 대군을 무고하여 몰아죽이는 데 가담함. 뒤에 이이첨(李爾瞻)과 더불어 폐모론(廢母論)을 일으켜 인목 대비(仁穆大妃)를 서궁(西宮)에 유폐(幽閉)시킴. [1564-1623]

유희 삼매【遊戲三昧】[―히―] 명 ①유희에 열중함. ②〖불교〗부처의 경지에서 노닐며 그 무엇에도 사로잡히지 않음.

유희 신통【遊戲神通】[―히―] 명〖불교〗불보살(佛菩薩)이 신통에 의해 중생을 교화하고 스스로 즐김.

유희-실【遊戲室】[―히―] 명 유희하는 방.

유희-요【遊戲謠】[―히―] 명〖문〗유희를 하면서 부르는 노래. 생활상의 일정한 기능을 가진 민요로서, 노동요(勞動謠)나 의식요(儀式謠)와 구별됨. 유희요는 무용 유희요·경기(競技) 유희요·기구(器具)유희요·극적(劇的) 유희요 등으로 분류할 수 있음. 무용요(舞踊謠).

유희 요법【遊戲療法】[―히―뻡] 명〖심〗심리 요법의 하나. 유희로써 감정의 긴장을 풀어 주는 것을 목표로 하여 연소(年少)의 문제아(問題兒)에 적용됨.

유희-장【遊戲場】[―히―] 명 유희를 할 수 있도록 시설(施設)하여 놓은 곳.

유희-적【遊戲的】[―히―] 명관 진정이 아니고 반(半)놀이삼아 일을 하는 모양.

유희 조각【遊戲彫刻】[―히―] 명 플레이 스컬프처.

유희 집단【遊戱集團】[—히—] 명 어린이들이 놀이 동무로서 모여 공통의 감정 위에 입각한 집단으로서의 활동을 계획하고 실행하는 일시적인 집단. 남녀의 성별에 관계 없이 이웃에 지역이 한정되며 단체 의식이 없는 것이 특징임.

유-희춘【柳希春】[—히—] 명 〖사람〗 조선 명종(明宗) 때의 유학자. 자는 인중(仁仲), 호는 미암(眉巖). 선산(善山) 사람. 을사 사화(乙巳士禍)에 관련되어 20년 간 귀양살이를 하였음. 선조(宣祖) 초에 출사(出仕)하여 벼슬이 부제학(副提學)에 이름. 저서로 ≪미암 일기(眉巖日記)≫ 18권이 있음. 시호는 문절(文節). [1512-77]

유희 충동【遊戱衝動】[—히—] 명 〔도 Spieltrieb〕 〖철〗 실러(Schiller, F. v.)의 용어. 인간은 유희를 함으로써 비로소 진실한 인간일 수 있다는 그의 입장에서, 인간의 가장 근원적인 충동을 유희적 성격(遊戱的性格)에서 파악(把握)함.

육[1]【六】 명 성(姓)의 하나. 우리 나라에는 현존하지 아니함.

육[2]【肉】 명 ①짐승의 고기. ②살[1].

육[3]【陸】 명 성(姓)의 하나. 본관(本貫)은 옥천(沃川) 하나뿐임.

육[4]【六】 수관 여섯. ¶ ~ 더하기 일은 칠 / ~ 명.

육-가【陸賈】 명 〖사람〗 중국 한대(漢代)의 공신(功臣). 초(楚)나라 사람. 고조(高祖)를 좇아 천하를 평정하고, 남월왕(南越王) 위타(尉陀)를 설유(說諭)하여, 그 공(功)으로 중대부(中大夫)에 봉직됨. 저서로 인의 왕도(仁義王道)를 설(說)한 ≪신어(新語)≫ 12편과 ≪초한 춘추(楚漢春秋)≫가 있음. 생몰년 미상.

육-가야【六伽倻】 명 〖역〗 삼한(三韓) 시대에 낙동강 하류 유역에 자리잡고 있던 여섯 가야. 기록에 따라 명칭이 약간 다른데, 삼국 유사(三國遺事)의 오가야조(五伽倻條)에는 아라 가야(阿羅伽倻)·고령 가야(古寧伽倻)·대가야(大伽倻)·성산 가야(星山伽倻)·소가야(小伽倻)의 오가야(五伽倻)의 이름만 들고 있고, 본조 사략(本朝史略)의 삼국 유사 오가야조 소인(三國遺事五伽倻條所引)에는 금관 가야(金官伽倻)·고령 가야·비화 가야(非火伽倻)·아라 가야·성산 가야의 다섯 가야 이름만 들고 있으나, 실상은 전자는 금관 가야(金官伽倻) 맹주 시대(盟主時代)의 다섯 가야를 가리킨 것이고, 후자는 대가야 맹주 시대의 다섯 가야를 가리킨 것으로 보임.

육가 잡영【六家雜詠】 명 〖책〗 조선 현종(顯宗) 9년(1668)에 된 한 시집(詩集). 최기남(崔奇男)·남응침(南應琛)·정예남(鄭禮南)·김효일(金孝一)·최대일(崔大一)·정염수(鄭枏壽) 등 이서(吏胥)·중인(中人) 출신의 한시를 모은 것.

육가 크롬【六價—】 〔chrome〕 명 〖화〗 원자가(原子價)가 육가(六價)인 크롬. 크롬산염(酸塩)·중(重)크롬산염 등에 보임. 극히 강한 산화력(酸化力)이 있으나 황산 제일철(黃酸第一鐵) 등의 환원제(還元劑)로 환원되면 산화력은 없어짐.

육각[1]【六角】 명 ①〖악〗 북·장구·해금·피리 및 대평소(大平簫) 한 쌍의 총칭. 육자비. *삼현(三絃). ②육모[1].

육각(을) 잡히다 구 육각을 갖추어 음률(音律)을 아뢰다.

육각[2]【肉刻】 명 〖건〗 실감(實感)이 나도록 돋을새김을 하는 일. ——하다 타여불

육각-등【六角燈】 명 육각주(六角柱)로 된 등.

육각-정【六角亭】 명 육모정.

육각-형【六角形】 명 〖수〗 여섯 개의 직선(直線)으로 싸인 평면형(平面形). 육모꼴.

육간【肉間】 명 ☞ 푸주.

육간 대:청【六間大廳】 명 여섯 칸의 대청. 큰 대청임.

육감[1]【六感】 명 ↗제육감(第六感). ¶ ~으로 알다.

육감[2]【肉感】 명 ①육체에서 풍기는 느낌. ②성적(性的)인 느낌.

육감-론【肉感論】 [—논] 명 〖철〗 유각론(唯覺論).

육감-적【肉感的】 명관 육체적 실감이 나는 모양. 성적인 느낌을 주는 모양. ¶ ~인 여자.

육갑【六甲】 명 ①↗육십 갑자(六十甲子). ②남의 언행(言行)을 얕잡아 일컫는 말. ¶ 병신 ~하네. ——하다 자여불

육갑(을) 떨:다 구 남의 언행을 얕잡아 이르는 말.

육-개장【肉—】 명 쇠고기를 삶아서 알맞게 뜯어, 갖은 양념을 하고 얼큰하도록 맵게 끓인 국. 육개탕(湯).

육개-탕【肉—湯】 명 육개장.

육경[1]【六卿】 명 〖역〗 ①육조 판서(六曹判書)의 아칭(雅稱). ②중국 주대(周代)의 육관(六官)의 장(長). 천관(天官)의 장으로서 궁중의 일을 통할한 총재(冢宰), 지관(地官)의 장으로서 내정(內政)·교육을 통할한 사도(司徒), 춘관(春官)의 장으로서 제사·예악(禮樂)을 통할한 종백(宗伯), 하관(夏官)의 장으로서 군사를 장악한 사마(司馬), 추관(秋官)의 장으로서 사법(司法)·외교를 장악한 사구(司寇), 동관(多官)의 장으로서 영조(營造)·공작(工作)을 장악한 사공(司空).

육경[2]【六經】 명 〖책〗 중국의 여섯 가지 경서(經書). 곧, 역경(易經)·서경(書經)·시경(詩經)·춘추(春秋)·예기(禮記)·악경(樂經). 또는 악경 대신에 주례(周禮)를 넣기도 함. 육적(六籍).

육경[3]【六境】 명 〖불교〗 육식(六識)의 대상이 되는 여섯 경계(境界). 곧, 색(色)·성(聲)·향(香)·미(味)·촉(觸)·법(法)의 총칭(總稱).

육계[1]【六界】 명 〖불교〗 ①지옥·아귀(餓鬼)·축생(畜生)의 삼악도(三惡道)와 아수라(阿修羅)·인간·천상(天上)의 삼계(三界). 육도(六道). ②육대(六大).

육계[2]【肉界】 명 육신의 세계. 육체 또는 그 작용의 범위. ↔영계(靈界).

육계[3]【肉桂】 명 〖약〗 계수(桂樹)나무의 두꺼운 껍질. 건위(健胃)·강장제(強壯劑)로 씀. 관계(官桂). 판계(板桂).

육계[4]【肉髻】 명 〖불교〗 부처의 정수리에 상투처럼 돋기한 살의 혹. 부처 32상(相)의 하나.

〈육계[4]〉

육계[5]【肉鷄】 명 식육용의 닭. 즉, 육용(肉用)의 영계와 채란계(採卵鷄)의 폐계(廢鷄)인 어미닭의 총칭.

육계-도【陸繫島】 명 〖지〗 육지와 가까운 섬이 연안류(沿岸流)의 작용으로 발달한 사주(砂洲)에 의하여 육지와 이어진 것. 평안 북도 용천군(龍川郡)의 다사도(多沙島) 같은 것.

육계 사주【陸繫砂洲】 명 〖지〗 사취(砂嘴)가 뻗쳐서, 육지와 육지에 가까운 섬과를 연결하게 된 사주(砂洲). 연사주(連砂洲). 톰볼로(tombolo).

육계-산【肉桂酸】 명 계피산(桂皮酸).

육계-유【肉桂油】 명 계피유(桂皮油).

육계 정기【肉桂丁幾】 명 육계의 진액(津液)으로 만든 물약.

육계-주【肉桂酒】 명 육계 껍질을 소주에 넣고, 설탕을 타서 발효(醱酵)시킨 술.

육고【肉庫】 명 〖역〗 각 관아에 딸려 육류(肉類)를 공급하던 푸주.

육고-자【肉庫子】 명 〖역〗 육고에 딸려, 관아에 육류를 진공(進供)하는 관노(官奴). 육직(肉直).

육곡【六穀】 명 여섯 가지의 곡물(穀物). 곧, 벼·기장·피·보리·조·콩. 육미(六米).

육골【肉骨】 명 뼈에 살을 붙인다는 뜻으로, 갱생(更生)시키는 일을 일컬음.

육공【六工】 명 여섯 가지 공인(工人). 곧, 토공(土工)·금공(金工)·석공(石工)·목공(木工)·수공(獸工)·초공(草工).

육공육-호【六〇六號】 [—뉵—] 명 〖약〗 살바르산(Salvarsan).

육과[1]【六科】 명 〖역〗 당(唐)나라 초기의 과거의 여섯 과목. 수재(秀才)·명경(明經)·진사(進士)·명법(明法)·명서(明書)·명산(明算)의 총칭.

육과[2]【肉果】 명 〖식〗 다육과(多肉果).

육관【六官】 명 ①〖역〗 고려 때 상서 육부(尚書六部)의 전 이름. 선관(選官)·병관(兵官)·민관(民官)·형관(刑官)·예관(禮官)·공관(工官)의 여섯인데, 성종(成宗) 14년(995)에 선관을 이부(吏部)로, 병관을 병부(兵部)로, 민관을 호부(戶部)로, 형관을 형부(刑部)로, 예관을 예부(禮部)로, 공관을 공부(工部)로 고치었음. *육부(六部). ②〖역〗 중국 주대(周代)의 여섯 개의 중앙 행정 기관. 즉, 천관(天官) 곧 치(治), 지관(地官) 곧 교(敎), 춘관(春官) 곧 예(禮), 하관(夏官) 곧 병(兵), 추관(秋官) 곧 형(刑), 동관(多官) 곧 사(事)를 담당함. 육직(六職).

육-관음【六觀音】 명 〖불교〗 육도(六道)의 중생을 제도하는 육체(六體)의 관세음. 곧, 지옥·아귀(餓鬼)·축생(畜生)·아수라(阿修羅)·인간·천상(天上)을 각각 제도하는 성관음(聖觀音)·천수(千手) 관음·마두(馬頭) 관음·십일면(十一面) 관음·준제(准提) 관음·여의륜(如意輪) 관음 등 보살(菩薩)의 총칭.

육괴【肉塊】 명 ①고깃덩이. 살덩어리. ②살진 사람을 농(弄)으로 이르는 말.

육교[1]【肉交】 명 남녀의 교접(交接). 성교(性交). ——하다 자여불

육교[2]【陸橋】 명 ①육상의 우묵한 곳이나 철로, 도로, 하천이 없는 골짜기 등의 위에 가로 질러 놓은 다리. 오버브리지(overbridge). ②보행자를 위하여 가설한 도로 횡단 전용의 다리. ③〔land bridge〕 〖지〗 두 개의 대륙(大陸)을 잇는 가늘고 긴 육지. 일시적 해진(海進)을 받는 경우도 있으나, 보통은 생물의 이동이 가능함.

육교-설【陸橋說】 명 〖지〗 현재 바다를 사이에 두고 있는 두 육지 사이에 이전에는 육교, 곧 지협(地峽)이 있었다고 생각하는 설. 아시아 대륙과 미국 대륙과의 사이, 일본과 아시아 대륙과의 사이 등에 있었다고 함.

육구【肉灸】 명 뜸[2].

육-구만【六—】 명 〈심마니〉 잎이 여섯 난 산삼.

육-구몽【陸龜蒙】 명 〖사람〗 중국 만당기(晩唐期)의 시인(詩人). 자(字)는 노망(魯望). 고향에서 자적(自適)하는 생활을 보내어 강호 산인(江湖散人)·보리 선생(甫里先生)이라 호(號)함. 피일휴(皮日休)와 친하여 많은 창화시(唱和詩)를 남김. [? -881]

육-구연【陸九淵】 명 〖사람〗 중국 남송(南宋)의 유학자. 자는 자정(子靜), 호는 상산(象山). 장시성(江西省) 진시(金溪) 사람. 심즉리(心卽理)의 주관적 유심론(主觀的唯心論)을 주창하고, 주자(朱子)의 성즉리(性卽理), 천리 인욕설(天理人欲說)과 대항하였음. 이 때부터 이학(理學)은 주(朱)·육(陸)의 두 파로 갈림. 육구연의 학설은 왕양명(王陽明)에 계승됨. 저서에 ≪육상산 전집≫이 있음. [1139-92]

육구 오:십사【六九五十四】 명 〖수〗 구구법(九九法)의 하나. 여섯의 아홉 갑절, 또는 아홉의 여섯 갑절은 쉰넷이라는 말.

육구인-류【陸蚯蚓類】 [—뉴] 명 〖동〗 [Lumbricomorpha] 환형 동물(環形動物) 빈모류(貧毛類)에 속하는 한 아목(亞目). 습지(濕地)에 사는 큰 빈모류로, 강모(剛毛)의 발달은 뚜렷하지 아니하고, 환대(環帶) 외에는 몸의 각 부분이 거의 비슷한 모양의 환절로 이루어졌고 무성 생식(無性生殖)을 하는 일이 없음. 육주류(陸住類). 대구인류(大蚯蚓類).

육국[1]【六國】 명 중국 전국 시대(戰國時代)에 각지에 할거(割據)한 제후(諸侯) 중에서, 진(秦)나라를 제외한 여섯 나라. 곧, 초(楚)·연(燕)·제(齊)·한(韓)·위(魏)·조(趙).

육국[2]【育鞠】 명 양육(養育). ——하다 타여불

육군[1]【六軍】 명 〖역〗 중국 주(周)나라 때의 군대 편제로서, 천자(天子)가 통솔한 여섯 개의 군(軍). 1군은 12,500명으로, 곧 75,000명. *삼군(三軍)·일군(一軍).

육군[2]【陸軍】 명 〖군〗 육지에서 적을 공격·방어하기 위하여 조직된 군대. *해군·공군.

육군 감옥서【陸軍監獄署】 명 〖역〗 대한 제국 때의 관청. 광무(光武) 4년(1900)에 설치된 신(新)제도로서 군부(軍部)에 예속되어 있었음. 지금의 육군 교도소와 같음.

육군 건:설 공병단【陸軍建設工兵團】명〖군〗육군에 둔 한 단(團). 육군의 후방 건설 공사에 관한 사항을 관장함. 준건설 공병단.

육군 경리 학교【陸軍經理學校】[―니―] 명〖군〗전에, 군의 경리에 관한 학술 및 기술의 교육을 실시하던 학교. 준경리 학교.

육군 공병 정:비 보:급단【陸軍工兵整備補給團】명〖군〗육군에 둔 한 단(團). 육군 공병 보급품의 수급(受給)·저장 및 정비에 관한 사항을 분장(分掌)함.

육군 공병 학교【陸軍工兵學校】명〖군〗공병에 관한 전술·학술 및 기술의 교육을 실시하는 학교. 준공병 학교.

육군 교:도소【陸軍矯導所】명〖군〗육군의 형정(刑政)에 관한 사항을 관장하는 기관. 징역·금고의 형을 선고받은 육군 범법자를 가두어 교화시키는 곳.

육군 군사 정보 부대【陸軍軍事情報部隊】명〖군〗전에, 육군에 둔 한 부대. 전략(戰略) 및 전투에 관한 군사상의 정보 수집을 임무로 했음. 준군사 정보 부대·정보대.

육군 군수 학교【陸軍軍需學校】명〖군〗군수(軍需)에 관한 학술 및 기술의 교육을 실시하는 학교. 준군수 학교.

육군 군의 학교【陸軍軍醫學校】[―/―이―] 명〖군〗군의 의무(醫務)에 관한 학술 및 기술의 교육을 실시하는 학교. 준군의 학교.

육군 기갑 학교【陸軍機甲學校】명〖군〗기갑(機甲)에 관한 전술 및 학술의 교육을 실시하는 학교. 준기갑 학교.

육군 대학【陸軍大學】명〖군〗육군의 고급 지휘관 및 참모(參謀)들의 기능(機能)의 숙달과 지성(知性)을 세련·배양시키는 육군 최고의 교육 기관. 준육대.

육군 무:관 학교【陸軍武官學校】명〖역〗대한 민국 임시 정부가 항일 독립 전쟁을 수행하기 위해 1920년 3월에 상하이(上海)에 설립한 사관 학교.

육군 방첩 부대【陸軍防諜部隊】명〖군〗육군 특무 부대의 후신(後身)이며 육군 보안 사령부의 전 이름. 준방첩대.

육군 법원【陸軍法院】명〖역〗대한 제국 때, 군인의 민·형사(民刑事)에 관한 일을 관장하던 관청. 광무(光武) 4년(1900)에 설치, 군부(軍部)에 예속되어 있었음.

육군 병기단【陸軍兵器團】명〖군〗육군에 속해 있는 한 단(團). 육군 병기 부대의 운영·기술 및 행정에 관한 사항을 분장함.

육군 병기 학교【陸軍兵器學校】명〖군〗병기에 관한 학술 및 기술의 교육을 실시하는 학교. 준병기 학교.

육군 병:원【陸軍病院】명〖군〗전에, 육군 부대의 환자 및 부상자를 수용 치료하며 의료와 위생에 관한 사항을 관장하던 기관. 국군 통합 병원으로 개편되었음.

육군 병참 기지창【陸軍兵站基地廠】명〖군〗육군에 둔 한 기지창. 육군 병참 보급품(補給品)의 조달·저장 및 분배에 관한 사항을 관장함. 준병참 기지창.

육군 병참단【陸軍兵站團】명〖군〗육군에 둔 한 단(團). 병참 물자의 수급(受給), 그 폐품 수집(廢品收集) 기타 병참 업무와 영현(英顯)에 관한 사항을 관장함. 준병참단.

육군 병참 학교【陸軍兵站學校】명〖군〗육군의 병참에 관한 학술 및 기술의 교육을 실시하는 학교. 준병참 학교.

육군 보:병 학교【陸軍步兵學校】명〖군〗보병에 관한 전술 및 학술의 교육을 실시하는 학교. 육군 장교를 재교육함.

육군 본부【陸軍本部】명〖군〗육군의 편제(編制)·장비·인사·작전·교육·훈련 및 군수 등에 관한 사항을 관장하는 육군의 최고 통수 기관. 준육본(陸本).

육군 부:관 학교【陸軍副官學校】명〖군〗전에, 군의 인사(人事) 및 서무(庶務)·행정(行政)에 관한 학술과 기술의 교육을 실시하던 학교. 준부관 학교.

육군 사:관 학교【陸軍士官學校】명〖군〗육군의 정규(正規) 사관(士官)을 교육·양성하기 위하여 설치한 학교. 준육사(陸士).

육군 수송 학교【陸軍輸送學校】명〖군〗전에, 군의 수송에 관한 학술 및 기술의 교육을 실시하던 학교. 준수송 학교.

육군 야:전 공병단【陸軍野戰工兵團】명〖군〗육군에 둔 한 단(團). 야전 공사(工事)에 관한 사항을 관장함. 준야전 공병단·야공단.

육군 연:성 학교【陸軍研成學校】명〖역〗대한(大韓) 제국 때의 육군 군사 교육 기관. 광무(光武) 8년(1904)에 설치되었으며, 위관(尉官)·영관(領官)급 장교 교육을 담당했음.

육군 유년 학교【陸軍幼年學校】명〖역〗대한(大韓) 제국, 광무(光武) 8년(1904)에 설치하였던 군관(軍官) 학교.

육군 의무 기지창【陸軍醫務基地廠】명〖군〗육군에 둔 한 기지창(基地廠). 육군에 소요되는 의료품(醫療品)과 의료 용구(用具)의 보급·제조 및 경비에 관한 사항을 관장함. 준의무 기지창.

육군 인쇄창【陸軍印刷廠】명〖군〗육군에 둔 한 창(廠). 육군에 소요되는 인쇄물의 인쇄와 발간의 사항을 관장함.

육-군자【六君子】명 옛 중국에서 여섯 사람의 덕(德)이 높은 이. 곧, 우(禹)·탕(湯)·문(文)·무(武)·성왕(成王)·주공(周公)을 이름. 이 밖에 한(漢)·송(宋)·명(明)·청(清)나라의 육군자도 있음.

육군자-탕【六君子湯】명〖한의〗보기약(補氣藥)으로 위(胃)가 약하고 식욕(食慾)이 없고 설사를 잘 하는 데 쓰이는 탕약(湯藥)의 하나. 백출(白朮)·백복령(白茯苓)·반하(半夏)·진피(陳皮)·백두구(白豆寇)·후박(厚朴)에 향부자(香附子)·사인(砂仁) 등을 가미함.

육군 정보 학교【陸軍情報學校】명〖군〗전에, 군사 정보에 관한 학술 및 기술의 교육을 실시하던 학교. 준정보 학교.

육군 정훈 학교【陸軍政訓學校】명〖군〗전에, 정훈(政訓)에 관한 학술 교육을 실시하던 학교. 준정훈 학교.

육군 조:병창【陸軍造兵廠】명〖군〗전에, 육군에서 쓰는 무기·장비를 만들던 공장(工廠). 준조병창(造兵廠).

육군 종합 학교【陸軍綜合學校】명〖군〗1950년 6·25 전쟁이 발발한 후, 각 병과(兵科)의 초급 장교의 조기 양성(早期養成)을 위해 2-3개월 간의 단기(短期) 군사 교육을 실시하던 군사 학교.

육군 참모 차장【陸軍參謀次長】명 육군 참모 총장 다음 가는 지위.

육군 참모 총:장【陸軍參謀總長】명 육군 본부의 장.

육군 첩보 부대【陸軍諜報部隊】명〖군〗전에, 육군에 둔 한 부대(部隊). 육군의 첩보 수집에 관한 사항을 관장하였음. 준첩보대.

육군 통신단【陸軍通信團】명〖군〗육군에 둔 한 단(團). 통신 기재(通信器材)의 보급·정비와 통신 시설의 가설·관리 및 운용에 관한 사항을 관장함. 준통신단.

육군 통신 학교【陸軍通信學校】명〖군〗통신에 관한 전술·학술 및 기술의 교육을 실시하는 학교. 준통신 학교.

육군 통:어사【陸軍統禦使】명〖역〗↗삼도(三道) 육군 통어사.

육군 특무 부대【陸軍特務部隊】명〖군〗육군의 방첩(防諜)에 관한 사항과 범죄(犯罪) 수사를 관장(管掌)하던 기관. 1960년 방첩대(防諜隊)로 개칭(改稱)되었다가 1968년 다시 육군 보안 사령부(陸軍保安司令部)로 개칭되었다가 국군 기무 사령부(國軍機務司令部)에 통합됨. 준특무대.

육군 포병 학교【陸軍砲兵學校】명〖군〗포병에 관한 전술 및 학술의 교육을 실시하는 학교. 준포병 학교.

육군 피복창【陸軍被服廠】명〖군〗육군에 둔 한 창(廠). 육군에 소요되는 피복의 제조·수선(修繕) 및 연구에 관한 사항을 관장하는 기관.

육군 항:공창【陸軍航空廠】명〖군〗육군에 둔 한 창(廠). 육군 항공기의 정비, 항공기 및 항공기 자재의 보급과 그 폐품 처리에 관한 사항을 관장하는 기관.

육군 항:공 학교【陸軍航空學校】명〖군〗육군 항공대의 항공술(術)을 훈련시키는 학교.

육군 항:만 사령부【陸軍港灣司令部】명〖군〗육군에 둔 한 사령부. 항만에 있어서의 군수 물자(軍需物資)의 하역 작업(荷役作業)과 육군의 관할에 속하는 항만·부두 및 항만 시설의 운영에 관한 사항을 관장함. 준항만 사령부.

육군 형무소【陸軍刑務所】명〖군〗'육군 교도소'의 구칭.

육군 회:계 감사단【陸軍會計監査團】명〖군〗전에, 육군에 둔 한 단(團). 육군과 육군의 감독에 속하는 기관 또는 단체의 회계 감사에 관한 사항을 장리(掌理)함.

육군 훈:련소【陸軍訓練所】[―훌―] 명〖군〗육군의 신병(新兵)에 대한 기본 군사(軍事) 훈련과 교육에 관한 사항을 관장하는 기관.

육굴【陸掘】명 노천굴(露天掘).

육궁【六宮】명 ①중국의 궁중에서 황후(皇后)의 궁전과 부인(夫人) 이하의 다섯 궁실(宮室). ②바둑에서, 빈 집이 여섯 집인 형세. 정육궁(正六宮)과 매화(梅花) 육궁이 있음. *구궁(九宮).

육권【陸圈】명 지구상의 육지의 범위.

육권-학【陸圈學】명 육지의 분포(分布)·구성(構成)·변동(變動) 등에 관한 학문.

육극【六極】명 ①여섯 가지의 큰 불길(不吉). 흉단절(凶短折), 곧 변사(變死)·요사(夭死)를 비롯하여, 질(疾)·우(憂)·빈(貧)·악(惡)·약(弱). ②인체의 중요한 여섯 곳. 곧, 기극(氣極)·혈극(血極)·근극(筋極)·골극(骨極)·기극(肌極)·정극(精極). ③천지(天地)와 사방(四方). 육합(六合).

육근【六根】명〖불교〗육식(六識)을 낳는 여섯 가지 근. 곧, 안(眼)·이(耳)·비(鼻)·설(舌)·신(身)·의(意)의 총칭. 육입(六入). *근(根)·육식(六識)·육진(六塵).

육근 청정【六根清淨】명〖불교〗육근(六根)의 집착을 끊고, 무애(無礙)의 묘용(妙用)을 발하여 깨끗해짐.

육금【六禽】명 여섯 가지의 짐승. 곧, 고라니·노루·사슴·곰·멧돼지·토끼. 또는 기러기·메추리·종달새·꿩·산비둘기·집비둘기.

육급 공무원【六級公務員】명 공무원 직급의 하나. 5급 공무원의 아래, 7급 공무원의 위로, 주사(主事) 등이 이에 해당함.

육기[1]【六氣】명〖철〗천지간(天地間)의 여섯 가지 기운(氣運). 음(陰)·양(陽)·풍(風)·우(雨)·회(晦)·명(明). 또는 한(寒)·서(暑)·조(燥)·습(濕)·풍(風)·우(雨).

육기[2]【六器】명〖불교〗밀교(密教) 법구(法具)의 하나. 작은 종지에 그릇 받침이 붙은 금동제(金銅製)의 그릇. 대단(大壇) 위에 화사(火舍)를 놓고 그 좌우에 세 개씩 놓으며, 알가(閼伽)·도향(塗香)·화만(華鬘)을 쌓음. 여섯 개가 한 벌이므로 육기라 함.

육기[3]【肉氣】명 ①몸의 살진 상태. ②육미(肉味)❶.
육기(가) 좋:다 구 몸이 뚱뚱하게 살지다.

육-기[4]【陸機】명〖사람〗중국 진(晉)나라의 문인. 자는 사형(士衡). 동생인 육운(陸雲)과 더불어 이륙(二陸)이라 칭송(稱頌)됨. 오(吳)나라의 멸망 후, 동생과 같이 진나라에 봉직하였음. 뒤에 팔왕(八王)의 난(亂)에 관여하여 진중(陣中)에서 살해됨. 화려한 시부(詩賦)의 명인으로, 조식(曹植) 이후의 제1인자로 꼽힘. 주저에 ≪문부(文賦)≫·≪변망론(辨亡論)≫·≪육사형집(陸士衡集)≫ 등이 있음. [261-303]

육-기정【六畿停】명〖역〗신라 때 경주(慶州) 근방에 두고 궁궐과 서울의 경비를 맡은 여섯 군영(軍營). 곧, 모지정(毛只停) 즉 동기정(東畿停), 도품혜정(道品兮停) 즉 남기정(南畿停), 근내정(根乃停) 즉 중기정(中畿停), 두량미지정(豆良彌知停) 즉 서기정(西畿停), 우곡정(雨谷停) 즉 북기정(北畿停), 관아양지정(官阿良支停) 즉 막야정(莫耶停)의 여섯 군영.

육-기통【六氣筒】명〖기〗여섯 개의 실린더를 가진, 주로 자동차용 내연 기관(內燃機關).

육-농기【陸隴其】명〖사람〗중국 청(淸)나라 때의 주자학(朱子學)으로 유명한 학자. 자는 가서(稼書). 저장(浙江) 사람. 육세의(陸世儀)와 함께 당시의 이륙(二陸)이라 불리었음. 저서 ≪송양 강의(松陽講義)≫·≪독서 지의(讀書志疑)≫가 있음. [1630-92]

육니[1]【忸怩】명 부끄럽고 창피함.

육니[2]【蚰蜒】명〖동〗그리마.

육다 골소【肉多骨少】[—쏘] 명 살이 많고 뼈가 적음. ——-하다 형여불

육단【肉袒】명 웃옷의 한쪽을 벗어 상체(上體)의 일부(一部)를 드러내는 일. 옛 중국에서 사죄(謝罪)·복종(服從)·항복(降伏)의 표시로 이렇게 하였음.

육단 견양【肉袒牽羊】명 웃옷 한쪽을 벗고 양을 끌고 가는 일. 항복하여 음식 만드는 신하가 될 뜻을 나타냄.

육단 부:형【肉袒負荊】명 웃옷 한쪽을 벗고 등에 형장(刑杖)을 지고 가는 일. 이 매로 때려 달라고 사죄(謝罪)의 뜻을 나타냄.

육달월-변【肉—月邊】명 한자 부수(部首)의 하나. '胎'·'育' 등의 '月'의 이름. '月'은 '肉'의 변형임.

육담【肉談】명 ①음담(淫談) 등과 같은, 야비한 이야기. ②품격(品格)이 낮은 말.

육당【六堂】명〖사람〗최남선(崔南善)의 호(號).

육대【六大】명〖불교〗일체의 만상(萬象)을 만드는 여섯 가지의 근본 실체(根本實體). 곧, 지(地)·수(水)·화(火)·풍(風)·공(空)·식(識)의 총칭. 육계(六界).

육대-강【六大綱】명〖악〗십육 정간보(十六井間譜)에 쓰인 여섯 개의 굵은 가로 줄, 곧 강(綱)의 총칭.

육대 반낭【肉俗飯囊】명 이렇다 할 재주가 없이 먹기만 잘 하는 사람을 가리키는 말. ¶ 행낭에 해죽거리고 앉아서 ～으로 야마리 없는 식객 노릇만 할 게 아니라…≪金周榮 : 客主≫.

육대-손【六代孫】명 곤손(昆孫).

육-대주【六大洲】명 ①〖지〗아시아주·아프리카주·유럽주·북아메리카주·남아메리카주·대양주의 총칭. ②전세계(全世界)라는 뜻. ¶ 오대양(五大洋) ～.

육덕[1]【六德】명 ↗육원덕(六元德).

육덕[2]【肉德】명 몸에 살이 많아서 덕스러움. ¶ ～이 저만하고 무엇을 못 하랴.

육덕[3]【六德】수 ①소수(小數)의 단위의 하나. 찰나(刹那)의 억분(億分)의 일, 허(虛)의 억 배, 곧 10^{-96}. ②소수의 단위의 하나. 찰나의 십분의 일, 허공(虛空)의 십 배, 곧 10^{-19}.

육-덕명【陸德明】명〖사람〗중국 당(唐)나라의 학자. 이름은 원랑(元朗), 덕명은 자(字)임. 처음에 수(隋)나라를 섬겼으나, 당고조(唐高祖)의 초빙으로 대학 박사(大學博士)·국자 박사(國子博士)가 됨. 그가 편찬한 ≪경전 석문(經典釋文)≫은 유교의 경전과 노장(老莊)의 자구(字句)에 음주(音註)를 베풀고 여러 책의 이동(異同)을 밝힌 것으로, 경학 원전(經學原典) 정리의 효시(嚆矢)로 일컬어짐.

육도[1]【六度】명〖불교〗육바라밀(六波羅蜜).

육-도[2]【六島】명〖지〗경기도의 서해상(西海上), 안산시(安山市) 대부동(大阜洞)에 위치한 섬. 대부도(大阜島) 서남쪽 13.8 km 지점에 있음. [0.009 km^2]

육도[3]【六道】명〖불교〗일체의 중생이 선악의 업인(業因)에 의하여 필연적으로 이르는 여섯 가지의 미계(迷界). 곧, 지옥·아귀·축생(畜生)·아수라(阿修羅)·인간·천상(天上). 육계(六界). 육취(六趣).

육도[4]【六韜】명〖책〗중국 주(周)나라의 태공망(太公望)이 찬(撰)한 병법서. 문도(文韜)·무도(武韜)·용도(龍韜)·호도(虎韜)·표도(豹韜)·견도(犬韜)의 6권 60편. ＊삼략(三略).

육도[5]【陸島】명〖지〗↗대륙도(大陸島). ↔양도(洋島).

육-도[6]【陸島】명〖지〗충청 남도(忠淸南道)의 서해상(西海上), 보령시(保寧市) 오천면(鰲川面) 효자도리(孝子島里)에 위치한 섬. [0.063 km^2]

육도[7]【陸稻】명 밭벼. ↔수도(水稻).

육도[8]【陸圖】명〖지〗육지의 형태를 그린 지도. 지형도(地形圖).

육도 능화【六道能化】명〖불교〗육도에 머물러, 부처 없는 동안 중생을 교화하는 자. 곧, 지장 보살(地藏菩薩).

육도 뒤:꽂이【六桃—】명 복숭아 열매 여섯 알을 새긴 뒤꽂이.

육도 만:행【六度萬行】명〖불교〗육바라밀(六波羅蜜)을 완전·원만히 수행하는 일.

육도 사:생【六道四生】명〖불교〗육도에 있어서의 네 가지의 생. 곧, 태(胎)·난(卵)·습(濕)·화(化).

육도 삼략【六韜三略】[—냑] 명〖책〗태공망(太公望)의 찬(撰)이라 하는 육도와 황석공(黃石公)의 찬이라 하는 삼략. 중국 병법(兵法)의 고전(古典). 준도략(韜略).

육도 윤회【六道輪廻】명〖불교〗선악(善惡)의 응보(應報)에 의하여 육도를 유전(流轉)함을 말함.

육도 풍월【肉跳風月】명 글자의 뜻을 잘못 써서 보기 어렵고 가치가 없는 한시(漢詩)를 가리키는 말.

육-도호부【六都護府】명〖역〗중국의 당대(唐代)에, 변경(邊境) 지대에 설치되었던 주변(周邊) 민족의 통치 기관(統治機關). 곧, 안서(安西)·북정(北庭)·안북(安北)·선우(單于)·안동(安東)·안남(安南)의 여섯 부(府)를 이름.

육-돈바리【六—】명〖어〗[*Plesiops semion*] 육돈바릿과에 속하는 바닷물고기. 몸길이 12cm 가량으로 몸은 측편하며, 몸빛은 암갈색으로 체측에 폭이 넓고 검은 색의 가로 띠가 여섯 줄 뻗어 있으며, 온 몸은 빗 비늘로 덮여 있음. 위턱의 주골(主骨)에는 부골(副骨)이 없으며 이빨은 융모상(絨毛狀)임. 한국·아프리카·오스트레일리아·폴리네시아에 분포함.

육돈바릿-과【六—科】명〖어〗[Plesiopidae] 농어목에 속하는 어류의 한 과. 육돈바리가 이에 속함.

육동【六同】명〖악〗육려(六呂).

육-두구【肉豆蔲】명〖식〗[*Myristica fragrans*] 육두구과에 속하는 상록 교목. 높이 20 m에 달하고 잎은 혁질(革質)이며 10 cm 내외, 표면은 짙은 녹색으로 광택이 있음. 꽃은 자웅 이주(雌雄異株)로 황백색이고, 화피(花被)는 육질(肉質)의 종상(鐘狀)으로서 삼렬(三裂)하며 방향(芳香)이 있음. 과실은 난상(卵狀) 구형으로 길이 5-6 cm, 누른 주황색으로 익어 늘어지며 둘로 갈라져 씨를 드러냄. 씨는 타원형으로 3 cm, 건조하여 종피(種皮)를 제거한 배유(胚乳)는 회색으로 주름이 있음. 몰루카 제도(諸島) 원산으로 열대 지방에 널리 재배됨. 배유 및 붉은 주황빛 가종피(假種皮)는 약용 또는 조미료로서 용도가 넓음. 준두구(豆蔲).

〈육두구〉

육두구-과【肉豆蔲科】[—꽈] 명〖식〗[Myristicaceae] 이판화류(離瓣花類)에 속하는 한 과.

육두구-유【肉豆蔲油】명 육두구의 씨를 증류(蒸溜)하여 채취한 기름. 건위약(健胃藥)·조미료·교취약(矯臭藥)으로 유명함.

육두 문자【肉頭文字】명 육담(肉談)으로 된 말.

육-두품【六頭品】명〖역〗신라 시대의 신분 제도(身分制度)인 두품제(頭品制)의 최상위. 오두품(五頭品)의 위. 아찬(阿飡) 이하의 벼슬을 할 수 있음. 차지하기 어렵다 하여 득난(得難)이라고도 하였음.

육락【肉樂】[—낙] 명 육체 상의 즐거움. 육체의 쾌락.

육랍【六臘】[—납] 명 ①유월과 섣달을 아울러 이르는 말. ②도가(道家)에서 행하는 여섯 가지 제사. 곧, 천랍(天臘)·지랍(地臘)·초랍(初臘)·사랍(蜡臘)·궁랍(窮臘)·정랍(正臘).

육랍 도정【六臘都政】[—납—] 명〖역〗유월과 섣달 두 차례의 도목 정사(都目政事)를 합쳐서 일컫는 말.

육랍 전:최【六臘殿最】[—납—] 명〖역〗해마다 유월과 섣달에 각 관아의 우두머리가 아랫사람의 근무 성적을 조사하여 아뢰는 일.

육랑【六郞】[—낭] 명〖역〗조선 시대 후기에, 이조(吏曹)·병조(兵曹)를 제외한 각 조(曹)의 정랑(正郞) 세 사람과 좌랑(左郞) 세 사람의 일컬음.

육량[1]【肉量】[—냥] 명 고기를 먹는 양.

육량[2]【陸梁】[—냥] 명 ①어지러이 달림. ②마음대로 날뜀. ——-하다 자여불

육량[3]【陸梁】[—냥] 명 육지(陸地), 곧 본토(本土)에 본관(本貫)을 두고 사는 양씨(梁氏)를 제량(濟梁)에 상대하여 일컫는 말.

육려【六呂】[—녀] 명〖악〗십이율(十二律) 중 음성(陰聲)에 속하는 여섯 가지 소리. 곧, 대려(大呂)·협종(夾鐘)·중려(仲呂)·임종(林鐘)·남려(南呂)·응종(應鐘).

육력【戮力】[—녁] 명 서로 힘을 모아 합함. 협력함. ——-하다 자여불

육련-성【六連星】[—년—] 명〖천〗묘성(昴星).

육례【六禮】[—녜] 명 ①인륜(人倫)의 대례(大禮). 곧, 관(冠)·혼(婚)·상(喪)·제(祭)·향음주(鄕飮酒)·상견(相見)의 총칭. ②혼인(婚姻)의 대례. 곧, 납채(納采)·문명(問名)·납길(納吉)·납폐(納幣)·청기(請期)·친영(親迎)의 총칭.

육례 의집【六禮疑輯】[—녜—] 명〖책〗조선 숙종 때 박세채(朴世采)가 지은 책. 관(冠)·혼(婚)·상(喪)·제(祭)·향례(鄕禮)·상견례(相見禮)의 육례에 대한 의의(疑義)를 판정(辦定)한 책. 33권 14책.

육로【陸路】[—노] 명 육상의 길. 한로(旱路). ↔수로(水路)·해로(海路).

육룡【六龍】[—농] 명 ①여섯 마리의 용. ②건괘(乾卦)의 육효(六爻). ③수레를 끄는 여섯 마리의 말이라는 뜻으로, 임금의 어가(御駕)를 이르는 말. 육비(六飛). 육마(六馬).

육류[1]【肉類】[—뉴] 명 식용이 되는 짐승의 고기.

육류[2]【肉瘤】[—뉴] 명 육혹.

육륜【肉輪】[—뉸] 명 아래위의 눈꺼풀.

육률【六律】[—뉼] 명〖악〗십이율(十二律) 중 양성(陽聲)에 속하는 여섯 가지 소리. 곧, 태주(太簇)·고선(姑洗)·황종(黃鐘)·이칙(夷則)·무역(無射)·유빈(蕤賓). 준율(律).

육리【陸離】[—니] 명 ①여러 빛이 뒤섞이어 눈이 부시게 아름다움. ②뒤섞이어 많고 성한 모양. ——-하다 형여불

육림[1]【肉林】[—님] 명 (고기의 숲이란 뜻) 연석(宴席) 같은 데에 고기가 많이 있는 호사한 모양을 말함. ¶ 주지(酒池) ～.

육림[2]【育林】[—님] 명 산이나 들에 계획적으로 나무를 심어 숲을 가꾸는 일. ——-하다 자여불

육림-업【育林業】[—님—] 명 임목(林木)을 길러서 손질하여, 목재를 생산하는 사업. 용재(用材)를 생산하기 위한 용재 임업과 신탄(薪炭)을 생산하기 위한 신탄재 임업으로 대별됨.

육림의 날【育林—】[—님—/—님에—] 명 국토 녹화 사업을 조속히 이룩하기 위하여, 국민 식수(植樹)와 육림을 연계(連繫)시켜, 봄에 심은 나무를 가을에 잘 가꾸는 날. 가지치기·시비(施肥) 등을 함. 11월 첫째 토요일로 정함.

육마【六馬】명 육룡(六龍)③.

육막[1]【六幕】명 천지 사방(天地四方)의 일컬음.

육막[2]【肉膜】[명] 가로무늬근(筋) 섬유의 외부를 싼 얇은 막.
육막[3]【育膜】[명]〖생〗근초(筋鞘).
육맥【六脈】[명]〖한의〗여섯 맥박. 즉, 부(浮)·침(沈)·허(虛)·실(實)·삭(數)·지(遲)의 총칭. 또는 심(心)·간(肝)·신(腎)·폐(肺)·비(脾)·명문(命門)의 총칭.
육면-체【六面體】[명]〖수〗여섯 개의 면(面)을 가진 다면체. 입방체·직방체(直方體) 등이 그 일종임.
육-모[1]【六一】[명] 여섯 개의 직선에 싸인 평면. 육각(六角).
육모 얼레의 연줄 감듯 [구] 무엇을 줄줄 잘 감는 모양.
육모[2]【六母】[명] 적모(嫡母)·계모(繼母)·양모(養母)·자모(慈母)·서모(庶母)·유모(乳母)의 총칭.
육모-끌【六一】[명]〖수〗육각형.
육모 방망이【六一】[명] 여섯 모 지게 깎아 만든 방망이.
육모 썰:기【六一】[명] 야채를 써는 방법의 하나. 두부나 당근·무 따위를 대략 육면체 모양으로 써는 것으로, 왜된장국·카레라이스 등을 만드는 데 쓰임. *다지기.

〈육모정〉

육모-정【六一亭】[명] 육모가 지게 지은 정자. 육각정(六角亭).
육모-초 [명] ☞익모초(益母草).
육목【六目】[명] 타짜꾼이 쓰기 위하여 일부러 맞추어 만든 60장으로 된 투전(鬪牋).
육몽【六夢】[명] 여섯 가지의 꿈. 정몽(正夢) 곧 안락한 꿈, 악몽(愕夢) 곧 놀라는 꿈, 사몽(思夢) 곧 생각하는 꿈, 오몽(寤夢) 곧 현실의 꿈, 희몽(喜夢) 곧 즐거워하는 꿈, 구몽(懼夢) 곧 두려워하는 꿈을 이름.
육묘【育苗】[명] 묘목(苗木)이나 모를 기름. ——-하다 [자][여불]
육물【六物】[명]〖불교〗중이 평소에 지니고 다니는 여섯 가지의 제구(諸具). 곧, 복의(複衣)·상의(上衣)·내의(內衣)·녹수낭(漉水囊)·바리때·좌구(座具).
육미[1]【六米】[명] 육곡(六穀).
육미[2]【六味】[명] 여섯 가지의 맛. 곧, 고(苦)·산(酸)·감(甘)·신(辛)·함(鹹)·담(淡).
육미[3]【肉味】[명] ①짐승의 고기로 만든 음식. 육기(肉氣). ②고기의 맛.
육미-끝【肉味一】[명]〈방〉육미붙이.
육미당-기【六美唐記】[명]〖문〗조선 고종(高宗) 때의 학자(學者) 김재육(金在堉)이 지은 한문 장회 소설(章回小說). 한글로 번역된 이본(異本)《김태자전(金太子傳)》이 있음. 주인공이 중국에 들어가 등과(登科), 벼슬하고 공주(公主)와 여섯 미녀를 얻어 금의 환향(錦衣還鄕)한 후, 왜구(倭寇)를 격파하여 혁혁한 공을 세우고 90 향수(享壽) 후 등선(登仙)하는 내용.
육미-붙이【肉味一】[一부치] [명] 육미(肉味) 등속. 고기붙이. 육속(肉屬). [준]육붙이.
육미 지황탕【六味地黃湯】[명]〖한의〗보신(補腎)으로 쓰이는 탕약(湯藥)의 하나. 숙지황(熟地黃)·생지황에, 산약(山藥)·산수유(山茱萸)·백복령(白茯苓)·맥문동(麥門冬)·백출(白朮)·진피(陳皮) 등을 조제(調劑)하여 달임.
육미-탕【六味湯】[명]〖한의〗숙지황(熟地黃)·산약·산수유·백복령·목단피(牧丹皮)·택사(澤瀉) 등으로 짓는 가장 흔히 쓰는 보약(補藥). 지황탕(地黃湯).
육민【戮民】[명] 죄지은 백성.
육-바라밀【六波羅蜜】[명]〔범 ṣaṭ-pāramitā〕〖불교〗열반(涅槃)의 피안(彼岸)에 이르기 위한 보살(菩薩)의 여섯 가지 수행. 곧, 보시(布施)·지계(持戒)·인욕(忍辱)·정진(精進)·선정(禪定)·지혜(智慧). 육도(六度).
육박[1]【肉縛】[명] 살결박(結縛). ——-하다 [타][여불]
육박[2]【肉薄】[명] 바싹 가까이 다가감. ¶적진에 ~하다 / 인구가 백 만에 ~하다 / 강물이 위험 수위에 ~하다 / 기술력이 세계 수준에 ~하고 있다. ——-하다 [자][타][여불]
육박-나무【六駁一】[명]〖식〗[*Iozoste lancifolia*] 녹나무과에 속하는 상록 활엽 교목. 잎은 긴 타원형 또는 피침형(披針形)이고, 톱니가 없고 잎 뒤가 흼. 7월에 황색 꽃이 자웅 이가(雌雄異家)의 취산(聚繖) 화서로 액생(腋生)하고, 장과(漿果)는 구형(球形)이며 8월에 붉게 익음. 산록(山麓)에 나는데, 전남·경남 및 일본·중국에 분포함. 기구재(器具材)로 쓰임.
육박-전【肉薄戰】[명] 마주 덤비어 돌격하는 싸움.
육-반구【陸半球】[명]〖지〗지구상(地球上)의 육지를 많이 포함하는 반구(半球). 지구면을, 프랑스의 빌렌 강구(Vilaine 江口) 부근을 극(極)으로 하는 반구와, 뉴질랜드 남(南)섬의 동남해 앤티퍼디스(Antipodes) 섬을 극으로 하는 반구로 이분(二分)한 때의, 북쪽 반구. 이에 포함되는 육지의 면적은 유럽·아시아·아프리카 및 미대륙(美大陸)의 대부분이며, 전세계 육지의 약 90%, 전표면(全表面)의 54.5%에 해당함. ↔수반구(水半球).

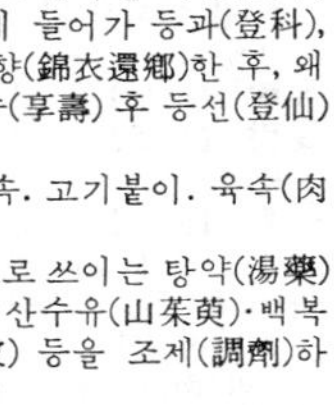

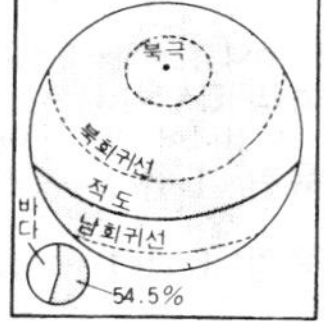

〈육반구〉

육반 산맥【六盤山脈】[명]〖지〗류판 산맥.
육발-이【六一】[명] ①발가락이 여섯 개 달린 사람. *육손이. ②〈속〉바퀴가 여섯 개 달린 자동차. 앞에 두 개, 뒤에 네 개 달림.
육방[1]【六方】[명] ①여섯 방위. 곧, 동·서·남·북·상·하. ②〖수〗여섯 개의 평면으로 둘러싸인 입체(立體).
육방[2]【六房】[명]〖역〗조선 시대에, 승정원(承政院) 및 각 지방 관아에 두었던 이방(吏房)·호방(戶房)·예방(禮房)·병방(兵房)·형방(刑房)·공방(工房)의 총칭.
육방 관속【六房官屬】[명]〖역〗지방 관아의 육방에 딸린 이속(吏屬).
육방-류【六放類】[一뉴] [명]〖동〗[Hexaradiata] 강장 동물(腔腸動物) 산호강(珊瑚綱)에 속하는 한 아강(亞綱). 격막(隔膜)은 크고 작은 것이 섞여 있는데 그 수는 대개 여섯 또는 그 갑절임. 홀로 사는 것도 있고 모여 사는 것도 있어 큰 산호초(珊瑚礁)를 이루기도 함. 말미잘목(目)·석산호목(石珊瑚目)·각산호목(角珊瑚目)의 세 목으로 나눔. 육방 산호류(六放珊瑚類). 다방류(多放類).
육-방망이【六一】[명] 방망이 여섯 개를 가로 꿰어 열두 사람이 메는 상여(喪輿).
육방산호-류【六放珊瑚類】[명]〖동〗육방류(六放類).
육방-성【六放星】[명]〖동〗육방성류(六放星類)의 육방체(六放體)의 각 폭의 끝에 돋은 가는 가지.
육방성-류【六放星類】[一뉴] [명]〖동〗[Hexasterophora] 육방 해면류(六放海綿類)에 속하는 한 아목(亞目). 양반체(兩盤體)를 갖지 않음.
육방 승지【六房承旨】[명]〖역〗승정원(承政院)의 육방에 딸린 승지. 도승지(都承旨)는 이방(吏房), 좌승지(左承旨)는 호방(戶房), 우승지(右承旨)는 예방(禮房), 좌부승지(左副承旨)는 병방(兵房), 우부승지(右副承旨)는 형방(刑房), 동부승지(同副承旨)는 공방(工房)의 사무를 맡음.
육방 정계【六方晶系】[명]〖광〗결정계(結晶系)의 하나. 한 수평면(水平面) 위에 길이가 같은 세 개의 결정축(結晶軸)이 서로 120°의 교각(交角)을 이루면서 교차하고 이것들과 상하(上下)로 직각이 되게 교차하는 결정축으로 되어 있는 일군(一群)의 결정. 형태는 육각주(六角柱)가 기본형이며 축률(軸率)은 1:1:1:c임. 수정·녹주석(綠柱石)·방해석(方解石) 등. 삼방(三方) 정계를 이에 포함시키는 경우도 있음. *삼방 정계(三方晶系).
육방-주【六方柱】[명]〖물〗육방 정계(六方晶系)의 기둥꼴. 각각 60°의 각을 이루어 6면의 주축(主軸)에 평행된 평면에 의해서 구성된 개형(開形)임.
육방-체【六放體】[명]〖동〗해면 동물(海綿動物)의 형체의 하나. 세 개의 축(軸)이 직각으로 교차되어 있는 모양임. *오방체(五放體).
육방 최:밀 충전【六方最密充塡】[명] 공간(空間)에 같은 크기의 구(球)를 채울 때, 가장 조밀(稠密)하게 채우는 두 가지 방법 중, 구의 배열 방법(排列方法)이 결정계(結晶系) 중의 육방 정계(六方晶系) 배열이 되어 있는 것.
육방 해:면류【六放海綿類】[一뉴] [명]〖동〗[Hexactinellida] 해면(海綿) 동물 무석회 해면류(無石灰海綿類)에 속하는 한 목(目). 깊은 바다에 사는데 주성분(主成分)은 규소(珪素)이며 골편(骨片)은 삼축 육방체(三軸六放體)이지만 원형·오방(五放)·일방체(一放體)인 것도 있음. 대개 몸은 크나 산(酸)에 넣어도 거품을 뿜지 아니하므로 석회 해면류(石灰海綿類)와 쉽게 구별할 수 있음. 초자 해면류(硝子海綿類). 삼축 해면류(三軸海綿類).
육밭 고누【六一】[명] 말밭이 여섯으로 된 고누 놀이의 한 가지. 노는 법은, 네밭 고누와 같음. *넉줄 고누.
육-백【六百】[명] 화투놀이의 한 가지. 득점수(得點數)가 600이 되기까지 겨룸.
육백-산【六百山】[명]〖지〗강원도 삼척군(三陟郡) 도계읍(道溪邑)에 있는 산. 태백 산맥에 속함. [1,220 m]
육번 도방【六番都房】[명]〖역〗고려 때, 최충헌(崔忠獻)의 가병(家兵)의 하나. 최충헌이 경대승(慶大升)이 설치(設置)하였던 도방을 모방하여 사병(私兵) 3천여 명을 6개의 번(番)으로 편성하여 교대로 호위하게 한 것으로, 육번 도방의 명칭은 여기에서 유래함.
육범【六凡】[명]〖불교〗십계(十界)의 안에 있는 여섯 가지 범부(凡夫)의 세계. 곧, 지옥(地獄)·아귀(餓鬼)·축생(畜生)·수라(修羅)·인간(人間)·천상(天上).
육법【六法】[명] ①〖법〗여섯 가지의 기본되는 법률. 곧, 헌법·형법·민법·상법·형사 소송법·민사 소송법. ②〖미술〗그림에 있어서의 여섯 가지 화법(畫法). 곧, 기운 생동(氣韻生動)·골법 용필(骨法用筆)·응물 상형(應物象形)·수류 부채(隨類賦彩)·경영 위치(經營位置)·전사 이사(轉寫移寫). 화론 육법(畫論六法). ③제작(製作)하는 데 있어서의 여섯 요구(要具). 곧, 규(規)·구(矩)·권(權)·형(衡)·준(準)·승(繩).
육병【六柄】[명] 정치를 실행하는 여섯 가지 권력. 곧, 신하나 백성의 생(生)·살(殺)·빈(貧)·부(富)·귀(貴)·천(賤)을 자유로 하는 권력.
육-병풍【肉屛風】[명]〔옛날 중국 당(唐)나라의 양국충(楊國忠)이 겨울에 그의 비첩(婢妾) 중 뚱뚱한 자를 골라서 줄 세우고, 찬 바람을 막은 고사(故事)에서 유래〕여자를 줄 세워서 병풍의 대용으로 한 것. 육장(肉障). 육진(肉陣).
육보[1]【肉補】[명] 짐승의 고기를 먹어서 몸을 보함. ——-하다 [자][여불]
육보[2]【肉譜】[명]〖악〗국악(國樂)에서, 구음(口音)을 채록(採錄)한 악보(樂譜).
육복【六服】[명] ①옛날 중국에 있어서 왕기(王畿) 밖의 각각 오백 리를 한 구(區)로 한 여섯 지역. 곧, 후복(侯服)·전복(甸服)·남복(男服)·채복(采服)·위복(衛服)·만복(蠻服)을 이름. ②중국 주대(周代)의 천자와 왕후의 여섯 가지 의복.
육본【陸本】[명]〖군〗↗육군 본부(陸軍本部).
육봉[1]【肉峰】[명]〖동〗낙타의 등의 살가죽 밑의 지방이 모여서 이룬 큰 혹. 단봉(單峰)과 쌍봉(雙峰)이 있음.
육봉[2]【陸封】[명]〖동〗바다 속 또는 해수(海水)와 육수(陸水)를 회유(回遊)하면서 생활하던 동물이 지형이나 환경의 변화로 인하여 육수(陸水) 속에 격리되어 대대로 거기서 생활하는 현상. 연어·송어 같은 소하어(溯河魚)에 육봉형(型)이 잘 생김.

육봉-형【陸封型】명〖어〗담수역(淡水域)에서 산란(產卵)하며 그 생활사(生活史)의 일부분을 해역(海域)에서 보내는 습성(習性)을 가진 어류(魚類)가, 지형(地形) 기타의 환경 조건(環境條件)의 변화 때문에 바다에 나가지 않고 호수나 강 등에 남아서 번식(繁殖)을 거듭하게 된 것을 이름.

육부[1]【六府】명 ①여러 가지 재용(財用)의 구성 요소(構成要素)인 수(水)·화(火)·금(金)·목(木)·토(土)·곡(穀)의 일컬음. ②〖역〗중국 고대(古代)의 토목 기구(土木器具) 등을 관장(管掌)한 여섯 관직(官職). 곧, 사토(司土)·사목(司木)·사수(司水)·사초(司草)·사기(司器)·사화(司貨). ③육부(六腑).

육부[2]【六部】명〖역〗①신라 때 씨족 중심으로 나눈 경주의 행정 구획. 즉, 급량부(及梁部)(지금 남천(南川)의 남쪽)·사량부(沙梁部)(지금 남천의 북쪽)·본피부(本彼部)(지금 월성(月城) 및 그 동쪽)·점량부(漸梁部) 혹은 모량부(牟梁部)(지금 서천(西川)의 지류 모량천(牟梁川) 유역)·한기부(漢祇部)(지금 북천(北川) 북쪽의 백률사(柏栗寺) 부근)·습비부(習比部)(지금 명활산(明活山) 서남 기슭의 보문리(普門里) 일대)의 여섯 구획으로 나뉘어 있었는데, 그 중 급량부는 박씨족(朴氏族), 사량부는 김씨족(金氏族), 본피부는 석씨족(昔氏族)이 살고 가장 세력이 강대하여 처음에는 여기에서 왕(王)이 교대로 나오다가 뒤에 김씨가 독점하게 되었음. ②고려 때 상서성(尙書省)의 예하에서 주요한 국무를 맡아보던 이부(吏部)·호부(戶部)·병부(兵部)·예부(禮部)·형부(刑部)·공부(工部)의 여섯 관아의 일컬음. 성종(成宗) 14년(995)에 육관(六官)을 고쳐서 만들었는데, 충렬왕(忠烈王) 원년(1275)에 사사(四司)로, 동 24년에 육조(六曹)로, 곧 다시 사사로, 34년에 삼부(三部), 즉 선부(選部)·민부(民部)·언부(讞部)로, 뒤에 다시 사사로, 공민왕 5년(1356)에 도로 이(吏)·호(戶)·형(刑)·병(兵)·예(禮)·공(工)의 육부로, 동 11년에 육사(六司)로, 동 18년에 도로 선(選)·민(民)·총(摠)·이(理)·예(禮)·공(工)의 육부로, 동 21년에 다시 육사로, 공양왕 원년(1389)에 육조로 개변(改變)을 되풀이함. 상서(尙書) 육부. *육관(六官).

육부[3]【六腑】명〖한의〗뱃속의 여섯 기관(器官). 곧, 담(膽)·위(胃)·대장(大腸)·소장(小腸)·삼초(三焦)·방광(膀胱). 육부(六府). ¶오장 ~.

육부[4]【肉部】명〖역〗백제 시대에 궁중 사무를 관장하던 관청. 육미(肉味) 관계의 업무를 담당했음.

육부 사:성【六部賜姓】명〖역〗신라 초기에 육부의 백성에게 내린 성. 곧, 급량부(及梁部)의 이(李), 사량부(沙梁部)의 최(崔), 점량부(漸梁部)의 손(孫), 본피부(本彼部)의 정(鄭), 한기부(漢祇部)의 배(裵), 습비부(習比部)의 설(薛).

육부 삼사【六部三事】명 수(水)·화(火)·금(金)·목(木)·토(土)·곡(穀)의 육부와 정덕(正德)·이용(利用)·후생(厚生)의 삼사.

육부-전【六部廛】명〖역〗육주비전(六注比廛).

육북【肉北】명〖역〗조선 시대 때의 당파(黨派)의 하나. 선조(宣祖) 말에서 광해군(光海君) 초에 이루어진 대북(大北) 중의 이산해(李山海)를 중심으로 한 일당으로 인조 반정(仁祖反正) 때 전멸함. *골북(骨北)·중북(中北).

육분【肉粉】명 비료(肥料)·사료(飼料) 등을 만들기 위해 짐승의 살을 건조하여 만든 가루. 고깃가루.

육분-의【六分儀】[ㅡ/ㅡ이] 명 ①〖물·수〗임의(任意)의 두 점 사이의 각도를 재는 기계. 흔히 배의 위치를 알기 위해 또는 천체(天體)의 고도를 잴 때 씀. 섹스턴트(sextant). ②〖천〗↗육분의자리.

중심거울 / 선글라스 / 수평거울 / 망원경 / 선글라스 / 지표대 / 눈금 / 손잡이 / 부척

〈육분의❶〉

육분의-자리【六分儀―】[ㅡ/ㅡ이ㅡ] 명 [라 Sextans]〖천〗사자(獅子)자리의 남쪽 곁에 있는 봄철의 작은 별자리. 밝은 별이 드묾. ㈜육분의(六分儀). 약자(略字) : Sex.

육-분전【六分廛】명〖역〗육주비전(六注比廛).

육붕【陸棚】명〖지〗대륙붕(大陸棚).

육붕-상【陸棚相】명 [shelf facies]〖지〗탄산염(炭酸塩)의 암석과 화석패각(化石貝殼)이 특징인 퇴적상(堆積相). 연변 육붕해(陸棚海)의 천해성(淺海性) 환경으로 생성됨.

육붕-파【陸棚波】명 [edge wave]〖해〗해안에 평행(平行)하게 움직이는 파도. 파두(波頭)는 해안선에 수직임.

육-붙이【肉―】[ㅡ부치] 명 ↗육미붙이.

육비【六飛】명 임금의 수레를 끄는 여섯 마리의 말. 육룡(六龍).

육빙【陸氷】명 [land ice]〖지〗주로 강우(降雨)의 동결(凍結)로 생성되는, 육지를 널리 덮는 얼음. 계절적(季節的)인 것과 영속적(永續的)인 것이 있음.

육사[1]【六司】명〖역〗고려 공민왕(恭愍王) 11년(1362)과 동 21년에 각각 육부(六部)를 고친 관아. 곧, 전리사(典理司)·판도사(版圖司)·군부사(軍簿司)·전법사(典法司)·예의사(禮儀司)·전공사(典工司). 각각 공민왕 18년(1369)에 육부로, 공양왕(恭讓王) 원년(1389)에 육조(六曹)로 개칭되었음.

육사[2]【六邪】명 나라에 해로운 여섯 종류의 신하. 곧, 사신(邪臣)·구신(具臣)·유신(諛臣)·간신(奸臣)·참신(讒臣)·적신(賊臣). 망국신(亡國臣). 육사신(六邪臣). ↔육정(六正).

육사[3]【六事】명〖역〗①중국 주대(周代)의 육경(六卿). ②사람으로서 지켜야 할 자(慈)·검(儉)·근(勤)·신(愼)·성(誠)·명(明)의 여섯 가지 일.

육사[4]【六師】명 육군(六軍).

육사[5]【陸士】명〖군〗↗육군 사관 학교(陸軍士官學校).

육사[6]【陸史】명〖사람〗이활(李活)의 호(號).

육-사신【六邪臣】명 육사(六邪).

육사 외:도【六師外道】명〖불교〗석가 재세(在世) 시대에 중부 인도에서 세력이 있던 6인의 외도의 사상가.

육삭-동이【六朔童―】명 ☞육삭둥이.

육삭-둥이【六朔―】명 아이를 밴 지 여섯 달 만에 낳은 아이.

육산[1]【肉山】명 ①↗육산 포림. ②비만한 육체의 비유.

육산[2]【陸產】명 해산물(海產物)이나 수산물(水產物)에 대하여, 육지에서 산출되는 것. 또, 이를 재료로 한 제품. 육산물(陸產物).

육산-물【陸產物】명 육산(陸產).

육산 주해【肉山酒海】명 고기와 술이 많음을 형용하여 이르는 말.

육산 포림【肉山脯林】명 회(膾)가 산처럼 많고 건포(乾脯)가 숲처럼 많음. 곧, 호사(豪奢)를 극한 연회(宴會)를 말함.

육삼 사:태【六三事態】명〖역〗1964년 6월 3일 전후에 한일 회담(韓日會談) 반대 시위와 관련하여 일어났던 일련의 정치 소요 사태.

육삼삼-제【六三三制】명〖교〗재학 연수(在學年數)를 초등 학교 6년, 중학교 3년, 고등 학교 3년으로 한 학교 교육 제도.

육상[1]【陸上】명 ①육지의 위. ¶~ 근무. ②↗육상 경기(競技).

육상[2]【陸商】명 해상(海商)에 대하여, 육상에 있어서의 상기업(商企業).

육상 경:기【陸上競技】명 달리기·뛰어오르기·던지기를 기본으로 하여 지상(地上)에서 이루어지는 운동 경기의 총칭. 주로 트랙 및 필드에서 이루어지는 각종 경기. ㈜육상.

육상 교통【陸上交通】명 도로와 철도(鐵道)를 교통로(交通路)로 하는 육상의 교통. 우마차(牛馬車)·자전거·자동차·열차·전차(電車) 등이 교통 기관으로 이용됨.

육상-궁【毓祥宮】명〖역〗조선 숙종(肅宗)의 후궁(後宮)이며 영조(英祖)의 생모(生母)인 숙빈 최씨(淑嬪崔氏)의 사당. 영조 20년(1744)에 묘호(廟號)를 육상묘(毓祥廟)로 하다가 29년(1753)에 궁(宮)으로 올림. 융희(隆熙) 2년(1908)과 1929년에 다른 여섯 신위(神位)를 모두 이 궁에 합사(合祀)하여 칠궁(七宮)으로 불리어지게 됨.

육상-기【陸上機】명 ↗육상(陸上) 비행기.

육상 비행기【陸上飛行機】명 차륜(車輪)·스키 등에 의하여 지상(地上)을 활주(滑走)하여 이착륙(離着陸)하는 비행기. ㈜육상기. ↔수상(水上) 비행기.

육-상산【陸象山】명〖사람〗'육구연(陸九淵)'을 호(號)로써 일컫는 이름.

육상 선:수【陸上選手】명 육상 경기를 하는 선수.

육상 식물【陸上植物】명 육상에서 생활하는 식물.

육상 운송【陸上運送】명 육상에서, 철도·트럭 따위에 의하여 행하여지는 물품·여객의 운송.

육상 원융【六相圓融】명〖불교〗화엄종(華嚴宗)의 교의(敎義). 모든 존재는 모두 총상(總相)·별상(別相)·동상(同相)·이상(異相)·성상(成相)·괴상(壞相)의 육상을 갖추고 있으며, 부분(部分)과 부분, 전체와 부분이 일체화(一體化)하여 원만히 융합하고 있음을 이름.

육상 자위대【陸上自衛隊】명 일본의 독립·평화를 지킴을 주된 임무로 하는 조직 중에서 육상 임무를 맡은 자위대. 육상 자위대 외에 해상·항공 자위대가 있음. 총리 대신(總理大臣)이 통솔하며, 방위청 장관(防衛廳長官)이 대무(隊務)를 통괄함. 1950년에 발족하여, 1952년에 보안대(保安隊)로 개칭된 경찰 예비대가 1954년의 자위대법의 성립에 의해 개편된 것임.

육상 컨테이너【陸上―】[container] 명〖경〗수송용(輸送用) 컨테이너를 공장에 넣어 물건을 적재하고 그대로 트레일러로 끌어 직접 수용자(需用者)에게 운반하는 일. 신선한 야채와 어패류(魚貝類)를 생산자로부터 소매로 직송(直送)하는 콜드 체인(cold chain)의 대표적(代表的)인 방법임.

육색[1]【六色】명〖불교〗절에서 큰 불사(佛事)가 있을 때에, 음식을 분담하여 만드는 소임. 육소(六所).

육색[2]【肉色】명 ①살빛. ②살빛처럼 불그스름한 빛.

육색-방【六色榜】명〖불교〗육색의 소임을 정하여 이름을 적은 방(榜).

육생[1]【六牲】명 고대 중국에서, 희생(犧牲)으로 쓴 여섯 가지 동물. 곧, 말·소·양·닭·개·돼지.

육생[2]【陸生】명 육지에서 남. 또, 그것. ――하다 자여불

육서[1]【六書】명 ①한자(漢字)의 구조(構造)및 사용에 관한 여섯 가지의 구별 명칭. 곧, 상형(象形)·지사(指事)·회의(會意)·형성(形聲)·전주(轉注)·가차(假借). ②한자의 여섯 가지 서체(書體). 곧, 고문(古文)·기자(奇字)·전서(篆書)·예서(隷書)·무전(繆篆)·충서(蟲書). 육의(六義). 육체(六體).

육서[2]【陸棲】명 육상에서 삶. ↔수서(水棲). ――하다 자여불

육서 동:물【陸棲動物】명 육상에서 사는 동물. 공기를 호흡(呼吸)하는 동물로, 육상(陸上)의 복잡한 환경(環境)에 적응(適應)하기 위하여 진화(進化)와 분화(分化)가 뚜렷함. 곤충류(昆蟲類)·다족류(多足類)·파충류(爬蟲類)·조류(鳥類)·양서류(兩棲類)·포유류(哺乳類) 등을 포함함. 뭍살이 동물.

육서 심원【六書尋源】명〖책〗1938년에 간행된 자전(字典)과 자학(字學)을 겸한 권병훈(權丙勳)의 저서. 한자의 구성 원리와 법칙을 분석·연구한 것으로 자수(字數) 6만여에 달함. 중국의 설문(說文)과 같이 주해(注解)·연역(演繹)에만 그치지 않고 독창적인 경계를 보이고 있음. 특히 췌획론(贅劃論)·은의설(隱義說)은 전인 미답(前人未踏)의 창견(創見)임. 31권.

육선【肉膳】명 육찬(肉饌).

육선생 유고【六先生遺稿】[ㅡ뉴ㅡ] 명〖책〗조선 시대 때 박팽년(朴彭年)의 후손인 박숭고(朴崇古)가 편집하여 효종(孝宗) 9년(1695)에 발간한 사육신(死六臣)의 시문집(詩文集). 제1권에는 박팽년의 시, 제2권에는 성삼문(成三問)의 시, 제3권에는 그 외 4인의 작품이 실려 있음.

부록은 여섯 사람의 필적(筆跡)과 소전(小傳)이 실려 있음. 3권 3책.

육선생 유묵【六先生遺墨】[―뉴―] 명 〖책〗 사육신(死六臣)의 단편적인 유묵을 모은 책. 윤사국(尹師國)이 간행함. 간행 연대 미상. 1책.

육-섣달【六―】명 유월과 섣달.

육성[1]【六省】명 〖역〗 중국 당대(唐代)의 중앙 정부(中央政府)의 여섯 관성(官省). 곧, 상서(尙書)·문하(門下)·중서(中書)·비서(祕書)·전중(殿中)·내시(內侍).

육성[2]【肉聲】명 확성기·전화·라디오 등을 통하지 않고 인간의 입으로부터 직접 나오는 소리.

육성[3]【育成】명 길러 냄. 길러서 키움. ――하다 타여불

육성-종【育成種】명 〖생〗 육종(育種)에 의하여 만들어진 품종. 개량종(改良種). ↔재래종(在來種).

육성-지【育成地】명 길러 내는 땅. 또, 그 곳.

육성-층【陸成層】명 〖지〗 비해성층(非海成層)의 총칭. 협의의 육성층과 육수성층(陸水成層)으로 대별됨. 전자는 사막이나 사구(砂丘)의 퇴적물, 화산의 주변에서의 화산회(火山灰)의 퇴적물 등이 있고, 주로 풍성층(風成層)임. 후자는 하천·호소(湖沼)·빙하(氷河)의 주변 등의 퇴적물로, 담수성층(淡水成層)이 많음.

육성-회 【育成會】명 〖교〗 학교를 중심으로 하여 학부모(學父母) 및 유지(有志)들로 조직된 모임. 학교 운영(學校運營)을 지원하고 학생의 복리(福利)를 증진(增進)하여 학교 교육의 정상화(正常化)를 기하기 위하여 1970년 3월에 종래의 사친회(師親會)를 없애고 결성함. 회원은 보통 회원(普通會員)과 특별 회원(特別會員) 두 가지로 하여 보통 회원은 당해 학교(當該學校)에 재적하는 학생의 보호자, 특별 회원은 회의 취지(趣旨)와 사업에 찬동하고 자진(自進)하여 학교 육성에 협조할 그 지방의 유지와 기관장(機關長) 등으로 함.

육성회-비【育成會費】명 〖교〗 육성회의 운영을 위하여 회원들로부터 거두는 돈.

육-세(:)의【陸世儀】[―/―이] 명 〖사람〗 중국 청(淸)나라의 문인. 장쑤 성(江蘇省) 사람. 자(字)는 도위(道威). 유종주(劉宗周)에 사사(師事)함. 육농기(陸隴其)와 더불어 이륙(二陸)으로 병칭된 주자학자(朱子學者)로, 당시에 성했던 붕당 비주(朋黨比周)를 배척함. 저서로 ≪논학수답(論學酬答)≫·≪종례 절충(宗禮折衷)≫ 등 많음. [1611-72]

육소[1]【六所】명 〖불교〗 육색(六色).

육소[2]【戮笑】명 비웃음. ――하다 타여불

육속[1]【肉屬】명 육미붙이.

육속[2]【陸續】명 계속하여 끊이지 아니함. ――하다 자여불

육손-이【六―】명 손가락이 여섯인 사람. *육발이.

육송[1]【陸松】명 〖식〗 소나무❷.

육송[2]【陸送】명 육상의 운송(運送). ――하다 타여불

육수[1]【肉水】명 고기를 삶아 낸 물.

육수[2]【肉垂】명 닭 따위 조류(鳥類)의 수컷의 두부 경측(頭部頸側)에 늘어져 있는 육질 융기(肉質隆起). 일반적으로 우모(羽毛)가 없고 나출(裸出)되어 있음.

육수[3]【陸水】명 바닷물을 제외한, 지구상(地球上)의 물의 총칭. 크게 지표수(地表水)와 지하수(地下水)로 나눔. 빙하(氷河)·강(江)·호수 등의 물 및 지하수. ↔해수(海水).

육수[4]【陸輸】명 육상의 운수. 육운(陸運). ――하다 타여불

육수-꽃차례【肉穗―】명 〖식〗 무한(無限) 꽃차례의 하나. 수상(穗狀)꽃차례와 매우 비슷한데, 꽃대의 주위에 꽃자루가 없는 수많은 잔 꽃이 모여 핀 꽃차례. 옥수수·두여머조자기의 꽃차례 같은 것. 육수 화서.

〈육수꽃차례〉

육-수부【陸秀夫】명 〖사람〗 중국 남송말(南宋末)의 충신. 자(字)는 군실(君實). 옌청(塩城) 사람. 몽고군(蒙古軍)이 침입하자, 1277년에 푸저우(福州)에서 단종(端宗)을 옹립(擁立)하여 거병(擧兵), 다음해 왕이 죽자 다시 위왕(衛王)을 받들어 광둥(廣東)의 야산(崖山)에 옮겼으나, 1279년에 야산이 함락하자 해상(海上)으로 도망하여 위왕을 업고 투신 자살(投身自殺)하였음. [1236-79]

육수-학【陸水學】명 [limnology] 해양 이외의 육지의 수괴(水塊), 곧 지표(地表) 및 지하의 물의 상태·유래·분포·이동 등에 대하여 연구하는 학문. 강수(降水)·증발(蒸發)·하천 유량(河川流量)·침투(浸透) 등의 현상을 종합적으로 연구함. 하천학(河川學)·호소학(湖沼學)·지하수학(地下水學)·빙설학(氷雪學) 등으로, 또는 기초 수문학(基礎水文學)·수문 지리학(水文地理學)·사회 경제 수문학 등으로 분류됨.

육수 화서【肉穗花序】명 〖식〗 육수꽃차례.

육순[1]【六旬】명 ①예순 날. ②예순 살. ¶ ~에 접어들다.

육순[2]【六順】명 사람으로서 좇아야 할 여섯 가지 도리(道理). 곧, 군의(君義)·신행(臣行)·부자(父慈)·자효(子孝)·형애(兄愛)·제경(弟敬). ↔육역(六逆).

육순-절【六旬節】명 〖기독교〗 사순절의 2주일 전 일요일. 부활절 전의 60일째.

육숫-국【肉水―】명 ☞육수(肉水).

육시[1]【六時】명 ①고대 인도에서 일 년을 여섯으로 나눈 점열(漸熱)·성열(盛熱)·우시(雨時)·무시(茂時)·점한(漸寒)·성한(盛寒)의 여섯 기간. ②〖불교〗 하루를 여섯으로 나눈 염불 독경의 시간. 곧, 신조(晨朝)·일중(日中)·일몰(日沒)·초야(初夜)·중야(中夜)·후야(後夜). 여섯 때.

육시[2]【六詩】명 〖문〗 한시(漢詩)의 여섯 체. 곧, 부(賦)·비(比)·흥(興)·풍(風)·아(雅)·송(頌). 육의(六義).

육시[3]【戮屍】명 이미 죽은 사람의 시체에 참형(斬刑)을 행함. ¶ ~처참. ――하다 자여불

육시-경【六時經】명 〖기독교〗 낮 12시경에 드리는 성무 일도(聖務日禱). 전례(典禮) 상의 시간으로 제6시에 해당.

육시-랄【戮屍―】관 '이미 죽은 몸에 다시 더 육시를 해야 할'의 뜻. ¶ ~ 년. 주의 욕으로 쓰는 말. *우라질·염병할·오살할.

육시 부단【六時不斷】명 〖불교〗 주야 육시로 끊임없이 염불을 함.

육시 삼매【六時三昧】명 〖불교〗 주야 육시로 염불 독경(念佛讀經)에 전심함.

육시 예:찬【六時禮讚】명 〖불교〗 ①주야 육시로 아미타불(阿彌陀佛)을 예배(禮拜)·찬탄(讚嘆)하는 일. ②선도 대사(善導大師)의 ≪왕생 예찬(往生禮讚)≫에 있는, 주야를 육시로 나누어 아미타불을 예찬한 게문(偈文).

육시-형【戮屍刑】명 〖역〗 죽은 사람의 시체에 다시 참형(斬刑)을 가하는 형벌(刑罰)의 하나. 시체의 목·팔·다리·몸통의 여섯으로 찢어 소금에 담아 각처로 보내 전시함.

육식[1]【六識】명 〖불교〗 색(色)·성(聲)·향(香)·미(味)·촉(觸)·법(法)의 육경(六境)을 지각하는 안식(眼識)·이식(耳識)·비식(鼻識)·설식(舌識)·신식(身識)·의식(意識)의 총칭. *육진(六塵)·육근(六根).

육식[2]【肉食】명 ①동물의 고기를 먹음. 특히, 조수(鳥獸)의 고기를 먹음. ↔채식(菜食). ②일반적인 동물에 대하여 동물을 먹이로 하는 일. ¶ ~ 동물. ↔초식(草食). ――하다 자여불

육식-가【肉食家】명 육식을 즐기는 사람. ↔채식가.

육식 동:물【肉食動物】명 〖동〗 육식성의 동물. 먹이로 하는 동물을 잡기 위하여 날카로운 후각(嗅覺)·이빨·발톱, 커다란 입, 강대(強大)한 몸집을 갖춘 것이 많음. 식육류(食肉類). *잡식 동물(雜食動物).

육식-류【肉食類】[―뉴] 명 〖동〗 식육류.

육식-성【肉食性】명 식육성(食肉性).

육식-수【肉食獸】명 〖동〗 식육성(食肉性)의 짐승의 속칭.

육식 식물【肉食植物】명 〖식〗 식충(食蟲) 식물.

육식 인종【肉食人種】명 육식을 상식(常食)으로 하는 인종.

육식-조【肉食鳥】명 〖조〗 솔개·매 등과 같이, 다른 새나 짐승을 잡아먹는 맹금류(猛禽類)에 속하는 새.

육식 처대【肉食妻帶】명 〖불교〗 중이 고기를 먹고 아내를 가짐. ――하다 자여불

육식-충【肉食蟲】명 곤충 또는 작은 동물을 잡아먹는 곤충. 물방개·잠자리·무당벌레 등. 포식충(捕食蟲). 식육성(食肉性) 곤충.

육신[1]【六神】명 〖민〗 오방(五方)을 지킨다는 여섯 가지 신. 곧, 청룡(青龍)은 동, 백호(白虎)는 서, 주작(朱雀)은 남, 현무(玄武)는 북, 구진(句陳)·등사(螣蛇)는 중앙을 각각 지킴.

육신[2]【肉身】명 ①고깃덩어리인 사람의 산 몸뚱이. 육체(肉體). ↔영혼(靈魂). ②육질(肉質)로 되어 단단하지 아니한 몸. ③〖종〗 영혼(靈魂)의 현신(現身)으로, 곧 인성(人性). ↔영신(靈神).

육신-묘【六臣墓】명 〖지〗 조선 세조(世祖) 때 단종(端宗)의 복위(復位)를 꾀하던 사육신(死六臣)의 묘. 서울 특별시 동작구(銅雀區) 노량진(鷺梁津) 1동(洞)에 있음. 사육신묘.

육신 보살【肉身菩薩】명 〖불교〗 부모로부터 생(生)을 받은 육신 그대로 보살의 위치에 이른 사람. 생신(生身)의 보살. 선지식(善知識)을 높이어 이름.

육신 승천【肉身昇天】명 〖종〗 백일 승천(白日昇天).

육신 오:행【六信五行】명 이슬람교(敎)에서, 교도(敎徒)가 지켜 가져야 할 여섯 가지 믿음과 다섯 가지 신앙 행위(信仰行爲). 곧, 알라신(神)·코란경(經)·예언자(豫言者) 마호메트·내세(來世) 및 우주의 현상이 모두 알라신의 뜻에 따른다는 대명(大命)을 믿으며, 신앙 고백(信仰告白), 하루 다섯 차례의 예배(禮拜), 이슬람 달력에 의한 9월 한 달 동안의 단식(斷食), 가난한 사람을 위한 희사(喜捨), 성지(聖地) 메카(Mecca)의 순례(巡禮).

육십【六十】수관 예순.

육십 갑자【六十甲子】명 〖민〗 천간(天干)의 갑(甲)·을(乙)·병(丙)·정(丁)·무(戊)·기(己)·경(庚)·신(辛)·임(壬)·계(癸)에 지지(地支)의 자(子)·축(丑)·인(寅)·묘(卯)·진(辰)·사(巳)·오(午)·미(未)·신(申)·유(酉)·술(戌)·해(亥)를 순차로 배합하여 예순 가지로 늘어 놓은 것. 육십 화갑자(六十花甲子). 준육갑(六甲).

갑자 을축 병인 정묘 무진 기사 경오 신미 임신 계유
(甲子)(乙丑)(丙寅)(丁卯)(戊辰)(己巳)(庚午)(辛未)(壬申)(癸酉)
갑술 을해 병자 정축 무인 기묘 경진 신사 임오 계미
(甲戌)(乙亥)(丙子)(丁丑)(戊寅)(己卯)(庚辰)(辛巳)(壬午)(癸未)
갑신 을유 병술 정해 무자 기축 경인 신묘 임진 계사
(甲申)(乙酉)(丙戌)(丁亥)(戊子)(己丑)(庚寅)(辛卯)(壬辰)(癸巳)
갑오 을미 병신 정유 무술 기해 경자 신축 임인 계묘
(甲午)(乙未)(丙申)(丁酉)(戊戌)(己亥)(庚子)(辛丑)(壬寅)(癸卯)
갑진 을사 병오 정미 무신 기유 경술 신해 임자 계축
(甲辰)(乙巳)(丙午)(丁未)(戊申)(己酉)(庚戌)(辛亥)(壬子)(癸丑)
갑인 을묘 병진 정사 무오 기미 경신 신유 임술 계해
(甲寅)(乙卯)(丙辰)(丁巳)(戊午)(己未)(庚申)(辛酉)(壬戌)(癸亥)

육십-령【六十嶺】[―녕] 명 〖지〗 전라 북도 장수군(長水郡) 계내면(溪內面)과 경상 남도 함양군(咸陽郡) 서상면(西上面) 경계에 있는 재. 신라 때부터 요해지(要害地)로 유명함. 옛날에 이 재를 넘으려면 60인 이상의 도적을 만난다 하여 이 이름이 생겼다고 함. [734 m]

육십 만:세 운:동【六十萬歲運動】명 〖역〗 1926년 6월 10일, 곧 융희 황제(隆熙皇帝)의 인산일(因山日)을 기하여 일어난 만세 운동. 중앙 고보(中央高普)의 이광호(李光鎬)·이황희(李晃熙), 경성 대학의 이천진(李天鎭), 천도교의 박내원(朴來源)·권동진(權東鎭)·양재식(楊在植)·손재기(孫在基)·박내홍(朴來弘)·백명천(白明天), 사회주의측의 권오설

(權五卨)·박민영(朴民英)·김단야(金丹冶)·이지탁(李智鐸) 등이 주동(主動)이 되어 일으키었는데, 우리의 교육은 우리들 손에 맡겨라, 일본 제국주의(日本帝國主義)를 타파하라, 토지(土地)는 농민에게 돌려라, 8시간 노동제(勞動制)를 채택하라는 등의 내용을 적은 격문(檄文)을 뿌리며 만세를 불러 민중이 이에 호응(呼應), 확대(擴大)되었음. 병인(丙寅) 만세 운동.

육십분-법【六十分法】[一뻡] [명] 각도(角度)의 단위를 정하는 법. 직각의 90분의 1을 1도, 1도의 60분의 1을 1분, 1분의 60분의 1을 1초로 하는 각의 측정법. *백분법(百分法).

육십사-괘【六十四卦】[명]〖민〗주역(周易) 팔괘(八卦)를 여덟 번 겹쳐 얻은 괘. 곧, 건(乾)·곤(坤)·둔(屯)·몽(蒙)·수(需)·송(訟)·사(師)·비(比)·소축(小畜)·이(履)·서합(噬嗑)·비(賁)·박(剝)·복(復)·무망(无妄)·대축(大畜)·이(頤)·대과(大過)·감(坎)·이(離)·함(咸)·항(恆)·둔(遯)·대장(大壯)·진(晉)·명이(明夷)·가인(家人)·규(睽)·건(蹇)·해(解)·손(損)·익(益)·태(泰)·부(否)·동인(同人)·대유(大有)·겸(謙)·예(豫)·수(隨)·고(蠱)·임(臨)·관(觀)·쾌(夬)·구(姤)·췌(萃)·승(升)·곤(困)·정(井)·혁(革)·정(鼎)·진(震)·간(艮)·점(漸)·귀매(歸妹)·풍(豐)·여(旅)·손(巽)·태(兌)·환(渙)·절(節)·중부(中孚)·소과(小過)·기제(旣濟)·미제(未濟).

육십이-견【六十二見】[명]〖불교〗원시 불교 경전 ≪범망경(梵網經)≫에 전해지는 사문(沙門) 바라문이 가졌던 철학적 견해 62종. 과거 즉 생전(生前)의 생활에 관한 것 18, 미래 즉 사후(死後)의 생명에 관한 것 44이며, 모두 윤회 전생(輪回轉生)을 기정(旣定) 사실로 인정함.

육십진-법【六十進法】[一뻡] [명]〖수〗60을 한 단위로 하여 자릿수를 셈하는 기수법(記數法). 고대 바빌로니아(Babylonia) 때에 비롯하여 지금도 시간의 시(時)·분(分)·초(秒), 각도(角度)의 도(度)·분(分)·초(秒) 등은 이 법에 따르고 있음.

육십진법 환:산표【六十進法換算表】[一뻡一] [명] [sexagesimal counting table]〖수〗60진법의 수를 10진수로 고치는 데 필요한 표.

육십-현【六十峴】[명]〖지〗'육십령(六十嶺)'의 딴이름.

육십 화갑자【六十花甲子】[명]〖민〗육십 갑자(六十甲子). [준]육갑(六甲).

육-쌈【肉一】[명]〈방〉고기 쌈.

육아¹【肉芽】[명] ①주아(珠芽). ②육아 조직(肉芽組織).

육아²【育兒】[명] 어린 아이를 기름. ¶~ 일기. ──-하다 [자][여불]

육아-낭【育兒囊】[명] 캥거루 따위 유대류(有袋類) 짐승의 암컷의 아랫배에 있는 새끼를 넣어 기르는 주머니. 피부(皮膚)의 주름으로 이루어져 내부에 수개의 젖꼭지가 있음.

〈육아낭〉

육아-법【育兒法】[一뻡] [명] 어린 아이를 기르는 방법. 젖먹이를 보호·양육(養育)하고 심신(心身)의 발달을 조성하는 방법.

육아 시간【育兒時間】[명]〖법〗아기를 기르는 시간. 근로 기준법(勤勞基準法)에서, 생후 1년 미만의 유아(幼兒)를 가진 여자 근로자는 보통의 휴게 시간(休憩時間) 외에 하루에 두 번 각각 30분 이상의 유급(有給) 수유(授乳) 시간을 청구할 수 있음.

육아 시:설【育兒施設】[명]〖법〗①아동 복지 시설의 하나. 보호자가 없거나 이에 준하는 3세 이상 18세 미만의 아동을 입소시켜 보호·양육(養育)하는 곳. *영아(嬰兒) 시설. ②근로 여성의 계속 취업을 위해 사업주가 설치하는 시설. 생후 2개월부터 취학 전까지의 영아(嬰兒) 및 유아(幼兒)의 수유(授乳)·탁아(託兒)에 필요한 인원 및 설비 등을 갖추어 놓은 곳.

육아-실【育兒室】[명] 어린 아이를 기르기 위하여 따로 설비한 방. 너서리(nursery).

육아-원【育兒院】[명]〖사〗고아·기아(棄兒) 또는 의뢰를 받은 어린 아이를 기르기 위하여 따로이 설비한 집. *고아원(孤兒院).

육-아일【六衙日】[명]〖역〗매달 여섯 번씩 백관(百官)이 조회(朝會)하여 임금에게 정무(政務)를 아뢰는 날. 고려 중엽(中葉)부터 생기었는데 아일(衙日)의 날짜는 ≪이조 실록(李朝實錄)≫의 기사(記事)에 의하면, 고려 때에는 초하루·초닷새·열 하루·열 닷새·스무 하루·스무 닷새였던 것 같고, 조선 시대에는 처음에 초하루·초엿새·열 하루·열 엿새·스무 하루·스무 엿새로 날짜에는 다소(多少) 변화가 있으나 육아일을 지키다가 뒤에 아일이 줄어서 ≪경국 대전(經國大典)≫에는 초닷새·열 하루·스무 하루·스무 닷새의 사아일(四衙日)로 되어 있음. *양아일(兩衙日).

육아 조직【肉芽組織】[명]〖생〗외상(外傷) 같은 것 때문에 조직이 훼손(欠損) 또는 염증(炎症)을 일으키었을 때에, 그 파괴부를 고치기 위하여, 심부(深部)로부터 발달하여 나오는 선홍색(鮮紅色)·과립상(顆粒狀)의 결체(結締) 조직을 말함. 육아(肉芽).

육악【六樂】[명] 중국 주대(周代)에 있었다는 황제(黃帝) 이하 육대(六代)의 무악(舞樂). 곧, 황제악(黃帝樂)(운문(雲門))·요제악(堯帝樂)(함지(咸池))·순제악(舜帝樂)(대소(大韶))·우왕악(禹王樂)(대하(大夏))·탕왕악(湯王樂)(대호(大護))·무왕악(武王樂)(대무(大武)).

육안¹【六安】[명]〖지〗'류안'을 우리 음으로 읽은 이름.

육안²【肉眼】[명] ①안경을 쓰지 않은 천생의 시력(視力). 맨눈. ¶~으로는 볼 수 없다. ②〖불교〗오안(五眼)의 하나. 인간의 육체에 갖추어져 있으며 가시적(可視的)인 것만을 볼 수 있는 범부(凡夫)의 눈. ③눈으로 보는 표면적인 안식(眼識). ↔심안(心眼).

육안-성【肉眼星】[명] 육안(肉眼)으로 볼 수 있는 별. 흔히 육등성(六等星) 이상을 이름.

육안 암석학【肉眼岩石學】[명] [lithology]〖지〗육안이나 저배율(低倍率) 확대경으로 확인할 수 있는, 암석의 빛깔·구조·광물학적 성분·입경(粒徑) 등에 기초를 둔, 암석의 물리적 성질을 연구하는 분야.

육양¹【育養】[명] 양육(養育). ──-하다 [타][여불]

육양²【陸揚】[명] 바다에 있는 것을 뭍으로 올림. 양륙(揚陸). ──-하다 「[타][여불]

육양 잔교【陸揚棧橋】[명] 육양을 위하여 특별히 설치한 잔교.

육언【六言】[명] 한시(漢詩)에서 여섯 자로써 한 구(句)를 이루는 형식.

육여【六如】[명]〖불교〗육유(六喩).

육역【六逆】[명] 인륜(人倫)의 도리에 어긋나는 여섯 가지 악행(惡行). 곧, 귀(貴)한 사람을 방해하며, 연장자를 능모(凌侮)하며, 가까운 사람을 이간(離間)하며, 오래된 사람을 갈라 놓으며, 큰 사람을 침범하며, 음탕한 짓을 하는 일. ↔육순(六順).

육-연풍【陸軟風】[명]〖기상〗육풍(陸風). ↔해연풍(海軟風).

육영¹【肉癭】[명] 육혹.

육영²【育英】[명] 영재(英材)를 가르침. 곧, 교육(教育)을 일컫는 말. ¶~ 사업. ──-하다 [자][여불]

육영³【育嬰】[명] 어린 아이를 기르고 가르침. ──-하다 [자][여불]

육영 공원【育英公院】[명]〖역〗조선 시대 말 고종(高宗) 23년(1886)에 내무부 수문사(內務府修文司)에서 미국인 교사를 초빙하여 양반 자제(兩班子弟)를 뽑아 수학·지리학·외국어·역사·정치·경제학 등을 교수하던 학원. 한국 현대식 공립 학교의 효시(嚆矢)의 하나이었으며, 고종 31년에 폐지되었음.

육영 사:업【育英事業】[명] 육영 단체·교육 기관 등을 직접 운영하거나 육영 재단 등을 설정하여 육영에 전심하는 사업.

육-영수【陸英修】[명]〖사람〗박정희 전 대통령의 부인. 충북 옥천(沃川) 출생. 1974년 8월 15일 조총련계(朝總聯系) 공산 분자의 손에 저격당하였음. [1925-74]

육영 재단【育英財團】[명] 육영 사업을 목적으로 결성한 재단.

육영 제:도【育英制度】[명]〖교〗학자(學資)가 넉넉하지 못한 우수한 학생의 학자를 원조하여 영재(英才)를 기르는 제도. 보통으로 고등 학교 이상의 학생을 그 대상으로 함.

육예【六藝】[명]〖교〗고대 중국 교육의 여섯 가지 과목. 곧, 예(禮)·악(樂)·사(射)·어(御)·서(書)·수(數). 육학(六學).

육왕지-학【陸王之學】[명] 중국 송(宋)나라 육상산(陸象山)과 명(明)나라 왕양명(王陽明)의 학풍(學風).

육왕 학파【陸王學派】[명] 육상산(陸象山)과 왕양명(王陽明)의 학파. 상산의 입장은 주자(朱子)의 궁리(窮理)에 반대하여 심즉이(心卽理)를 입각점으로 하고 양지(良知)·양능(良能)을 연구함을 주로 하는 것으로 왕양명이 이것을 이어 대성하였음.

육욕¹【六慾】[명]〖불교〗육근(六根)의 욕정. 곧, 색욕(色慾)·형모욕(形貌慾)·위의 자태욕(威儀姿態慾)·언어 음성욕(言語音聲慾)·세활욕(細滑慾)·인상욕(人相慾)의 여섯.

육욕²【肉慾】[명] 육체에 관하여 느끼는 욕정. 남녀가 각각 이성(異性)의 육체를 바라는 욕망. 성욕. 색욕(色慾). *수욕(獸慾).

육욕³【戮辱】[명] 큰 치욕.

육욕-적【肉慾的】[명][관] 관능적(官能的).

육욕-주의【肉慾主義】[一/一이] [명] 육욕의 만족만이 인생의 목적이고, 이의 추구(追求)만이 가치 있다고 생각하는 주의. 센슈얼리즘(sensualism).

육-욕천【六欲天】[명]〖불교〗욕계(慾界)의 여섯 하늘. 곧, 사천왕천(四天王天)·도리천(忉利天)·야마천(夜摩天)·도솔천(兜率天)·낙변화천(樂變化天)·타화 자재천(他化自在天). 욕천(欲天). [준]육천(六天).

육욕 천국【肉慾天國】[명] 육욕을 마음대로 충족(充足)시킬 수 있는 장소나 사회. 화류계. 유곽(遊廓).

육용【肉用】[명] 식육(食肉)으로 씀. ──-하다 [타][여불]

육용-종【肉用種】[명] 소·양·닭 등의 짐승이나 새 가운데서, 식용의 살을 얻는 것을 목적으로 하는 품종. ↔난용종(卵用種).

육우¹【肉牛】[명] 식용(食用)할 목적으로 기르는 소.

육-우²【陸羽】[명]〖사람〗중국 당(唐)나라 때의 학자. 경릉(竟陵) 출신. 자(字)는 홍점(鴻漸)·계자(季疵), 호는 상저옹(桑苧翁)·동강자(東崗子). 고종(高宗) 초 소계(苕溪)에 은거하고 벼슬을 사양함. 차를 좋아했으며 ≪다경(茶經)≫ 세 편을 저술함. 뒤에 차를 즐기는 사람이 그를 다신(茶神)으로 모심. [?-804]

육-운¹【陸雲】[명]〖사람〗중국 진(晉)나라의 시인(詩人). 육기(陸機)의 아우로, 형과 함께 문재(文才)를 날리어 이륙(二陸)으로 병칭됨. 팔왕(八王)의 난에 가담하여 형과 함께 피살됨. [263-302]

육운²【陸運】[명] 육상(陸上)의 운수(運輸). 육수(陸輸). ↔공운(空運).

육-원덕【六元德】[명] 중국 주(周)나라 때 지관(地官) 대사도(大司徒)가 국민 교육의 필수로서 가르친 것으로, 사람으로서 갖추어야 할 여섯 가지 도의(道義). 곧, 지(知)·인(仁)·성(聖)·의(義)·충(忠)·화(和). [준]육덕(六德).

육원 퇴적물【陸源堆積物】[명] [terrigenous sediment]〖지질〗침식된 육성 물질(陸成物質)로 된 천해(淺海) 퇴적물.

육위¹【六位】[명] ①천지인(天地人)의 도리. 곧, 군(君)·신(臣)·부(父)·자(子)·부(夫)·부(婦)의 도. ②천도(天道), 곧 음(陰)과 양(陽), 지도(地道) 곧 유(柔)와 강(剛), 인도(人道) 곧 인(仁)과 의(義)를 상징하는 역괘(易卦)의 효(爻).

육위²【六衛】[명]〖역〗고려 때의 중앙 군제(軍制)인 여섯 위(衛). 곧, 좌우위(左右衛)·신호위(神虎衛)·흥위위(興威衛)·금오위(金吾衛)·천우위(千牛衛)·감문위(監門衛). 성종(成宗) 14년(995)에 완비(完備)됨.

육유¹【六喩】[명]〖불교〗제행(諸行)이 무상(無常)함을 꿈·환상·그림자·물거품·번개·이슬의 여섯 가지에 비긴 비유. 육여(六如).

육유²【六諭】 명 중국 명(明)나라의 태조(太祖) 홍무제(洪武帝)가 발표한 여섯 조목의 교훈. 곧, 부모에게 효순(孝順)하고, 장상(長上)을 존경하고, 향리(鄕里)를 화목하게 하고, 자손에게 교훈을 하고, 각각 삶에 만족하고, 비(非)를 시(是)라고 하지 말 것.

육-유³【陸游】 명 『사람』 중국 남송(南宋)의 대표적 시인. 저장성(浙江省) 사오싱(紹興) 사람. 자(字)는 무관(務觀), 호는 방옹(放翁). 송조의 위기에 직면하여 우국(憂國)의 정을 읊은 작품이 많고, 한적 소요(閑適逍遙)의 작품과 능서(能書)로도 유명함. 널리 고금(古今)의 시를 읽고 그 장점을 취하여 독특한 시풍(詩風)을 세웠는데, 1만여 수(首)의 시작(詩作)이 있어 고금(古今) 제일의 다작가(多作家)로도 유명함. 시집 ≪검남 시고(劍南詩稿)≫와 기행문 ≪입촉기(入蜀記)≫, 사서(史書) ≪남당서(南唐書)≫ 등이 있음. [1125-1209]

육-유산【肉乳酸】 명 『화』 우선성(右旋性)의 광활성(光活性)을 띤 젖산(酸). 처음 근육(筋肉) 중에서 발견되었으므로 이 이름이 있음.

육읍-도【陸邑島】 명 『지』 황해도 벽성군(碧城郡)의 남쪽 해상에 위치한 섬. [0.231 km²]

육의¹【六義】 [―/―이] 명 ①시경(詩經)의 육체(六體)의 분류법. 곧, 풍(風)·부(賦)·비(比)·흥(興)·아(雅)·송(頌). 육시(六詩). ②육서(六書).

육의²【六儀】 [―/―이] 명 중국에서, 제사(祭祀)·빈객(賓客)·조정(朝廷)·상사(喪祀)·군려(軍旅)·거마(車馬)의 여섯 일에 관한 의식.

육의-전【六矣廛】 [―/―이―] 명 『역』 육주비전(六注比廛).

육의 화음【六一和音】 [―/―에―] 명 『악』 본위치에 있어서의 삼화음(三和音)의 근음(根音)을 옥타브(octave) 올린 것. 곧, 제삼음(第三音)의 최저 음이 되며, 삼화음이 제일 전위(第一轉位)로 된 화음. 삼육(三六)의 화음.

육이구 선언【六二九宣言】 명 『정』 1987년 6월 29일, 당시 민주 정의당(民主正義黨) 대표 위원인 노태우(盧泰愚)가 대통령 중심 직선제 개헌·김대중(金大中) 사면 복권·반정부 운동 구속자 석방 등, 그 때까지 야당 및 반정부 세력이 주장해 온 정치적 요구들을 전면적으로 받아들이겠다고 발표한 8개항의 선언. '6·29 특별 선언' 또는 '육이구 민주화 선언'이라고도 함.

육이삼 선언【六二三宣言】 명 『역』 1973년 6월 23일에 박정희(朴正熙) 대통령이 발표한, 7개항의 평화 통일 외교 정책에 관한 선언. 곧, 조국의 평화적 통일(平和的統一)을 위한 계속적인 노력, 남북한의 상호 내정 불간섭(內政不干涉), 남북 대화(南北對話)의 계속 추구, 북한의 국제 기구 참여 및 남북한의 유엔 동시 가입(同時加入)을 반대하지 않으며, 세계 각국과의 상호 문호 개방(門戶開放), 그리고 앞으로도 우방 제국(友邦諸國)과의 기존 유대 관계를 공고(鞏固)히 한다는 등의 내용을 국내외에 천명(闡明)하였음.

육-이오【六二五】 명 ↗육이오 전쟁(六二五戰爭).

육이오 동:란【六二五動亂】 [―난] 명 육이오 전쟁.

육이오 사:변【六二五事變】 명 육이오 전쟁(六二五戰爭).

육이오 사:변일【六二五事變日】 명 육이오(六二五)를 상기(想起)하여 국민의 안보 의식을 고취하는 날. 6월 25일.

육이오 전:쟁【六二五戰爭】 명 1950년 6월 25일 미명(未明), 38°선 전역(全域)에 걸쳐 북한 공산군이 불법 남침함으로써 야기된 한국에서의 전쟁. 불의의 기습으로 초전(初戰)엔 한국군의 전세가 불리하였으나 유엔군의 참전(參戰)으로 낙동강 작전에서 승전(勝戰)하여 총반격을 개시, 1950년 10월 말경에 압록강 유역까지 거의 전역을 한국군이 장악했음. 이 무렵 중공군(中共軍)의 개입으로 전쟁은 더욱 국제적 성격을 띠게 되고 일진 일퇴의 국지전(局地戰)에서 무수한 희생을 내면서 3년 1개월간 계속되었음. 1953년 7월 27일에 휴전이 성립되어, 거의 38°선에 가까운 경역(境域)에 휴전선(休戰線)을 획정(劃定)하고, 판문점(板門店)에서 오늘날까지도 정전(停戰) 위원회가 계속 회담하고 있음. 한국 동란. 육이오 사변. 육이오 전쟁. ㊜육이오.

육인-조【六人組】 명 1920년 프랑스의 젊은 6인의 작곡가에게 주어진 명칭(名稱). 뒤레(Durey)·오네게르(Honeger)·미요(Milhaud)·풀랑크(Poulenc)·타이유페르(Tailleferre)·오리크(Auric)의 6명의 그룹을 가리키며, 1차 대전 후에 나타난 이들은 격조(格調) 높고 세련된, 신(新)고전주의와는 다른, 간결·명쾌한 작곡(作曲) 활동으로 악계(樂界)로부터 신운동으로 환영받았음.

육일¹【六日】 명 ①엿새❶. ②엿샛날.

육일²【六逸】 명 ↗죽계 육일(竹溪六逸).

육일 거사【六一居士】 명 『사람』 중국 송(宋)나라 '구양수(歐陽修)'의 별호(別號).

육일-니【六一泥】 [―리] 명 『약』 구인니(蚯蚓泥).

육-일무【六佾舞】 명 『역』 종묘나 문묘 제향 때, 36명 또는 48명이 여섯 줄을 짓고 추는 춤.

육일 전:쟁【六日戰爭】 명 『역』 1967년 이스라엘과 아랍 제국(諸國) 사이에 일어난 제3차 중동 전쟁(中東戰爭)의 일컬음. 1966년 시리아에 혁명(革命)이 일어나 좌파(左派) 정권이 들어서고 아랍 민족주의(民族主義)가 고조(高調)됨에 자극을 받은 이스라엘이 1967년 6월에 선제 공격(先制攻擊)을 취하여, 1주일 사이에 시나이 반도(Sinai半島) 전역(全域)과 예루살렘을 포함한 요르단 영토, 시리아 국경 지대를 점령하매, 국제 연합이 휴전(休戰)을 결의했으나, 쌍방의 이해가 얽혀 소규모의 무력 충돌이 계속되었음.

육임¹【六壬】 명 『민』 골패 등을 가지고 길흉(吉凶)을 점치는 한 방법.

육임²【六任】 명 『역』 동학(東學)의 교직(敎職). 1884년에 정한 것으로, 교장(敎長)·교수(敎授)·도집강(都執綱)·집강(執綱)·대정(大正)·중정(中正)의 여섯 등(等)임.

육입【六入】 명 『불교』 육근(六根).

육자¹【六字】 명 『불교』 ①↗육자 명호(六字名號). ②↗육자 다라니(六字陀羅尼).

육자²【肉刺】 명 티눈.

육자 다라니【六字陀羅尼】 명 『불교』 문수 보살(文殊菩薩)의 진언(眞言)인 암파계타나마(闇婆計陀那摩) 또는 암박계담납막(唵縛鷄淡納莫)의 여섯 자. 육자 진언(六字眞言). ㊜육자(六字).

육자 명호【六字名號】 명 『불교』 여섯 자로 된 미타(彌陀)의 명호. 곧, '나무아미타불(南無阿彌陀佛)'. ㊜육자(六字).

육자-배기【六字―】 명 『악』 남도 민요의 하나. 가락이 굴곡이 많고 활발함.

육자-법【六字法】 [―뻡] 명 『불교』 ①문수 보살(文殊菩薩)의 육자 진언(六字眞言)을 외는 밀교(密敎)의 수법(修法). ②육자 하림법(六字河臨法).

육자-복【六字服】 명 천담복(淺淡服).

육-자비【六―】 명 『악』 육각(六角)❶.

육자 염:불【六字念佛】 명 『불교』 나무아미타불의 여섯 글자를 외며 하는 염불.

육자 진언【六字眞言】 명 『불교』 육자 다라니(六字陀羅尼).

육자 하림법【六字河臨法】 [―뻡] 명 『불교』 밀교(密敎)에서, 배를 강에 띄우고 단(壇)을 만들어 육관음(六觀音)을 본존(本尊)으로 하여 평안을 빌기 위하여 육자 진언(六字眞言)을 외는 수법(修法). 육자법(六字法).

육장¹【六場】 ㊀ 명 한 달에 여섯 번씩 열리게 되는 장. 예를 들면 4일·9일·14일·19일·24일·29일 등 대개 5일 간격을 두고 장이 섬. ㊁ 부 항상. 늘. ¶만나기만 하면 ~ 돈 얘기다 / 적굴 사람들이 ~ 여기 와서 산다는데 모른단 말이 될 말이오≪洪命憙 : 林巨正≫.

육장²【肉將】 명 힘은 무척 세나 날래지 못하고 꾀가 없는 장사.

육장³【肉障】 명 육병풍(肉屛風).

육장⁴【肉漿】 명 조수(鳥獸)의 고기를 끓인 국물.
육장(을) 내:다 구 〈속〉 초주검되게 치도곤 놓다. ¶까불면 육장내겠다.

육장⁵【肉醬】 명 쇠고기를 잘게 썰어서 간장에 넣어 만든 장조림. 천리찬(千里饌). 담해(醓醢).

육장-없이【六場―】 [―업씨] 부 ☞육장¹ ㊁. ¶다락원이란 한 달 ~ 저자가 서는 곳이라 쇠전이며 시겟전들을 둘러 보았다≪金周榮 : 客主≫.

육장-장【六獐章】 [―짱] 명 용비 어천가 제86장의 이름. 여섯놀이장.

육-장전【六長廛】 명 『역』 육주비전(六注比廛).

육재¹【六材】 명 육공(六工)에 필요한 재료.

육재²【育材】 명 인재(人材)를 키움. 유용(有用)한 인물(人物)을 길러냄. ――-하다 자여불

육재-일【六齋日】 명 『불교』 한 달 중 깨끗이 재계(齋戒)하는 6일. 곧, 음력의 8·14·15·23·29·30일. 이 날은 귀신이 득세(得勢)하여 사람을 잘 해친다고 하므로 매사를 꺼리고 삼가는 풍습이 있음.

육-재자서【六才子書】 명 『책』 중국 청초(淸初)의 문예 비평가(文藝批評家) 김성탄(金聖嘆)이 중국 역대의 저술 가운데서 가장 뛰어났다고 지적하여 각각 평을 붙여 찬양한 여섯 가지 책에 대한 별칭. 곧, 장자(莊子)·이소(離騷)·사기(史記)·두시(杜詩)·수호전(水滸傳)·서상기(西廂記)에 대한 평서(評書).

육적¹【六賊】 명 『불교』 육진(六塵).

육적²【六籍】 명 육경(六經).

육적³【肉的】 명관 육체적. 육욕적(肉慾的).

육적⁴【肉炙】 명 고기 산적. 제사나 잔치 때에 쓰임.

육적⁵【肉積】 명 『한의』 늘 육식(肉食)만을 하여 위(胃)가 탈이 나고 무엇이 단단히 뭉쳐서 거죽에서 만져지는 병.

육전¹【六典】 명 『역』 ①육조(六曹)의 집무 규정. 곧, 이전(吏典)·호전(戶典)·예전(禮典)·병전(兵典)·형전(刑典)·공전(工典)의 총칭. ②[전(典)은 경(經) 또는 법(法)] 중국 주대(周代)의 나라를 다스리는 육종(六種)의 법. 곧, 치전(治典)·예전(禮典)·정전(政典)·형전(刑典)·사전(事典).

육전²【肉錢】 명 살돈.

육전³【陸田】 명 밭. ↔수전(水田).

육전⁴【陸戰】 명 『군』 육지에서의 싸움. ↔해전(海戰).

육전-대【陸戰隊】 명 『군』 해군에 소속되어 작전을 돕고, 필요시에 육전에 종사하는 군대. 오늘날의 해병대(海兵隊).

육전 법규【陸戰法規】 명 『법』 교전(交戰) 법규의 하나. 육전에 관한 국제법상의 규칙의 총칭. 주로 1907년의 헤이그(Hague) 평화 회의에서 체결된 ≪육전의 법규 관례에 관한 조약≫ 및 그에 부속하는 ≪육전의 법규 관례에 관한 규칙≫을 가리키는데, 교전 자격·포로·해적(害敵) 수단·간첩·군사(軍使)·항복·휴전·점령 등에 관하여 규정하고 있음. *해전(海戰) 법규·공전(空戰) 법규.

육전 소:설【六錢小說】 명 '십전 소설(十錢小說)'에 이어 나온 것으로, 1913년-38년경, 신문관(新文館)에서 발행한 권당 6전의 염가 문고본 소설책. 판형은 B6판, 신식 활판 인쇄로 고대 소설과 신소설 등을 다룬 얇은 이야기책이었음. ≪홍길동전≫·≪심청전≫·≪흥부전≫·≪던우치던≫ 등 10여 종이 발간됨.

육전 조례【六典條例】 명 『책』 경국 대전(經國大典)·속대전(續大典)·대전 통편(大典通編)·대전 회통(大典會通) 등 기본 법규(法規)를 보충하고, 육전의 할 일과 시행 조목을 유취(類聚)하여 엮은 책. 조선 고종(高宗) 4년(1867)에 완성됨. 10권 10책.

육점-날개【六點―】 명 『어』 [*Opisthocentrus zonope*] 양장갱잇과에 속하는 바닷물고기. 등지느러미에 6개의 검은 안상반(眼狀斑)이 있음. 한국 동해 북부와 일본의 홋카이도 남부 해상에 분포함.

육점박이-대모벌【六點―玳瑁―】 명 『충』 [*Anoplius fuscus*] 대모

벌과에 속하는 곤충. 암컷은 몸길이 14-16mm이고, 몸빛은 흑색에 복배(腹背) 제1-3절의 기부 양측에 황적색의 타원형 반문이 한 쌍씩 있음. 날개는 흑갈색이고, 몸에는 회갈색 미모(微毛)가 있음. 풀 사이의 거미를 잡아서 땅 속에 있는 유충의 먹이로 하는 습성이 있는데 한국·일본에 분포함.

육-젓【六—】명 유월에 잡은 새우로 담근 젓.

육정[1]【六正】명 나라에 이로운 여섯 신하. 곧, 성신(聖臣)·양신(良臣)·충신(忠臣)·지신(智臣)·정신(貞臣)·직신(直臣). ↔육사(六邪).

육정[2]【六停】명〖역〗신라 때 각 지방에 설치한 여섯 군영(軍營). 곧, 대당(大幢)·귀당(貴幢)·한산정(漢山停)·우수정(牛首停)·하서정(河西停)·완산정(完山停)의 총칭. *정(停).

육정[3]【六情】명 사람의 여섯 가지 성정(性情). 희(喜)·노(怒)·애(哀)·낙(樂)·애(愛)·오(惡).

육정[4]【肉情】명 육욕(肉慾). 색정(色情).

육정[5]【毓精】명 정기를 받음. ——-하다 자여불

육정 육갑【六丁六甲】[—뉵—] 명〖민〗둔갑술(遁甲術)을 할 때에 부르는 신장(神將)의 이름.

육정-적【肉情的】명관 육정을 일으키는 모양. 색정을 자극 받는 모양.

육-제품【肉製品】명 조수(鳥獸)의 살이나 내장 등을 이용하여 만든 음식의 총칭.

육조[1]【六曹】명〖역〗①고려 때 있던 여섯 관부. 충렬왕(忠烈王) 24년(1298)에 사사(四司)를 개편하여 정한 이부(吏部) 해당 전조(詮曹), 예부(禮部) 해당 의조(儀曹), 병조(兵曹), 호부(戶部) 해당 민조(民曹), 형조(刑曹), 공조(工曹) 및 공양왕(恭讓王) 원년(1389)에 육사(六司)를 개칭한 이조(吏曹)·호조(戶曹)·병조(兵曹)·형조(刑曹)·예조(禮曹)·공조(工曹)의 총칭. *육사(六司)·육부(六部). ②조선 시대 때 의정부(議政府)의 아래 주요한 국무(國務)를 처리하던 여섯 관부. 곧, 이조(吏曹)·호조(戶曹)·예조(禮曹)·병조(兵曹)·형조(刑曹)·공조(工曹)의 총칭. 조선 국초(國初)부터 있다가 고종(高宗) 31년(1894)에 폐함. 각 조(曹)에 판서(判書)·참판(參判)·참의(參議), 단 병조(兵曹)에만 참지(參知)의 삼당상(三堂上)과 정랑(正郎)·좌랑(佐郎) 등의 낭관(郎官)이 있었음.

육조[2]【六朝】명 ①중국의 왕조(王朝) 이름으로서, 후한(後漢) 멸망 이후 수(隋)의 통일까지 건업(建業), 곧 지금의 난징(南京)에 도읍한 오(吳)·동진(東晉)·송(宋)·제(齊)·양(梁)·진(陳)의 총칭. ②육조 시대에 행하여지던 서풍(書風).

육조[3]【陸鳥】명〖동〗육서(陸棲)의 새. 수조(水鳥)·해조(海鳥)에 상대되는 말이나, 보통 섭금(涉禽)은 포함하지 않음. 수상서(樹上棲)·지상서(地上棲)·초원서(草原棲)의 새의 총칭.

육조 대:사【六祖大師】명〖사람〗선종(禪宗)의 제육조(第六祖)인 '혜능(慧能)'의 경칭.

육조 문화【六朝文化】명〖역〗중국 육조 시대의 문화. 문화의 중심이 황허(黃河) 강 유역으로부터 점차 양쯔 강(揚子江) 유역으로 옮겨져 유려 정교(流麗精巧)한 풍을 이룬 시대로, 북조(北朝)에 대하여 중국의 전통적 문화를 유지하여, 강남(江南)의 풍물과 함께 우아한 문화를 이루었음. 도연명(陶淵明)·왕희지(王羲之)·고개지(顧愷之) 등의 명인이 나왔음.

육조 법보단경 언:해【六祖法寶壇經諺解】명〖책〗중국 당나라의 육조 대사 혜능(慧能)의 어록(語錄)인 ≪육조 법보단경≫을 국어로 번역한 책. 3권 3책인 듯하나, 현재 2책만이 전함. 조선 연산군 2년(1496) 인수 대비(仁粹大妃)의 명으로 간행하였다 함. 옛말 연구에 좋은 자료가 됨. ㊟육조 언해.

육-조비전【六調備廛】명〖역〗육주비전(六注比廛).

육조 시대【六朝時代】명〖역〗중국 육대(六代)의 왕조(王朝)가 있던 시대. 삼국(三國) 이후 당(唐) 이전, 곧 위진(魏晉)·남북조 시대(南北朝時代)에 해당하는 육조 및 수(隋)의 존속 기간으로, 특히 문화사상(文化史上)의 시대 구분에 쓰여짐.

육조 언:해【六祖諺解】명〖책〗↗육조 법보단경 언해.

육조 판서【六曹判書】명〖역〗육조(六曹)의 판서. 육경(六卿). ㊟육판서(六判書).

육족【六足】명〔발이 모두 여섯 개란 뜻〕말과 마부(馬夫).

육족-존【六足尊】명〖불〗대위덕 명왕(大威德明王).

육종[1]【肉腫】명〖의〗종양(腫瘍).

육종[2]【育種】명〖농〗재배 식물이나 사육(飼育) 동물을 개량(改良)하여 이용 가치(利用價值)가 더욱 높은 품종으로 만들어내는 일. 선발(選拔) 육종·교배(交配) 육종·접목(接木) 육종·인위 돌연 변이(人爲突然變異) 육종·배수체(倍數體) 육종 등의 여러 방법에 의함. 보통, 농업상의 기술로서 쓰이는 말인데 품종 개량(品種改良)과 거의 같은 뜻임. *품종 개량. ——-하다 타여불

육종-력【六種力】[—녁] 명〖불교〗여섯 가지의 힘. 곧, 어린 아이는 울, 계집은 성냄, 왕(王)은 교만함, 나한(羅漢)은 정진(精進)함, 비구(比丘)는 인욕(忍辱)함, 부처는 자비(慈悲)함으로써 그 힘을 삼음.

육종-법【育種法】[—뻡] 명 육종에 필요한 방법과 기술.

육-종용【肉蓯蓉】명〖식〗[*Boschniakia glabra*] 열당과(列當科)에 속하는 기생(寄生) 식물의 한 가지. 줄기는 육질 주상(肉質柱狀)이고, 잎은 비늘같이 호생하며, 줄기와 함께 엽록(葉綠)이 없어 황갈색임. 여름에 줄기의 맨 위에 이삭 모양을 이룬 꽃이 밀생(密生)하여 솔방울과 같음. 깊은 산 속에 나는데 한국에도 분포함. 폐병의 특효약이라 함.

〈육종용〉

육종 진:동【六種震動】명〖불교〗부처가 설법하거나 신력(神力)으로 대지를 감동시키어, 악마(惡魔)의 항복(降伏)을 받기 위한 여섯 가지 진동의 서상(瑞相). 곧, 동(動)·기(起)·용(踊)·진(震)·후(吼)·격(擊). ㊟육진(六震).

육종-학【育種學】명 육종에 관하여 연구하는 과학.

육좌【戮挫】명 죄를 힐책(詰責)하고 죽임. ——-하다 타여불

육주【肉酒】명 고기와 술. 주육(酒肉).

육주-류【陸住類】명〖동〗육구인류(肉蚯蚓類).

육-주부전【六主夫廛】명〖역〗육주비전(六注比廛).

육-주비전【六注比廛】명〖역〗한양(漢陽)이 도읍이 된 뒤부터 서울 백각전(百各廛) 중의 으뜸이 되는 여섯 전(廛). 금난전권(禁亂廛權)을 가지며, 궁중(宮中)·관부(官府)의 수요품(需要品)과 중국에의 진헌품(進獻品) 조달을 부담함. 처음에 선전(縇廛)·면포전(綿布廛)·면주전(綿紬廛)·지전(紙廛)·저포전(苧布廛)을 각각 한 주비(注比)로 하고, 내어물전(內魚物廛)과 청포전(靑布廛)을 합하여 한 주비로 하였음. 정조(正祖) 18년(1794) 내어물전과 청포전을 주비전에서 내치고, 포전(布廛)을 올리어 여섯 주비로 하더니, 순조(純祖) 원년(1801)에 다시 내어물전과 외어물전(外魚物廛)의 두 전을 합하여 한 주비로, 포전을 저포전에 붙여서 한 주비로 하여 그 수 여섯을 충당하였으나, 실제에 있어서 시전(市廛)의 수효는 여덟이었으므로 '팔주비전(八注比廛)'의 명칭이 생기게 되었음. 갑오 경장(甲午更張) 때 다 폐지함. 육의전(六矣廛). 육부전(六部廛). 육장전(六長廛). 육조비전(六調備廛). 육주부전(六主夫廛). *선전(縇廛)·포전(布廛)·외어물전(外魚物廛).

육중【肉重】명 투박하고 무거움. ——-하다 형여불

육중 나마【六重奈麻】명〖역〗신라의 벼슬 이름. 오중 나마(五重奈麻)의 위.

육중 대:나마【六重大奈麻】명〖역〗신라의 벼슬 이름. 오중 대나마(五重大奈麻)의 위.

육중-주【六重奏】명〖악〗실내악(室內樂)의 하나. 여섯 사람의 연주가가 각각 독주(獨奏)할 수 있는 악기로 연주하는 음악.

육중주-곡【六重奏曲】명〔sextet〕〖악〗육중주에 의한 소나타(sonata) 형식의 악곡(樂曲).

육즙【肉汁】명 쇠고기를 다져 삶아 짠 국물.

육지【陸地】명 물에 덮이지 않은 지구 표면. 뭍.
육지(와) 같다 구 사물이 매우 튼튼하고 안정성(安定性)이 있다.

육지-괭이눈【陸地—】명〖식〗[*Chrysosplenium alterni*] 범의귀과에 속하는 다년초. 줄기는 높이 15cm 가량이고 잎은 호생하며, 둥근 심장형으로 둔한 톱니가 있고, 본엽(本葉)은 아랫 부분에 긴 잎꼭지를 갖춤. 여름에 작은 무판화(無瓣花)가 화경(花梗) 끝에 피고, 삭과(蒴果)는 익으면 둘로 쪼개짐. 산의 습지에 나는데, 한국에도 분포함.

육-지기【肉—】명〖역〗육고자(肉庫子).

육지-꽃버들【陸地—】명〖식〗[*Salix pseudolinearis*] 버드나뭇과에 속하는 낙엽 활엽의 작은 교목. 잎은 피침상 선형에 거의 톱니가 없고 바깥쪽으로 말림. 4월에 자웅 이가(雌雄異家)로 된 꽃이 유제(葇荑) 화서로 피는데 수꽃이삭은 타원형, 수술은 두 개, 암꽃이삭은 원주형이고, 삭과(蒴果)는 5월에 익음. 개울 가에 나는데, 평북 및 사할린·유럽에 분포함. 관상용임.

육-지니【育—】명 아직 날지 못할 때에 잡아다 길들인 어린 매로, 채 한 살이 못 된 것. 사냥하기에 좋음. *보라매.

육지-면[1]【陸地面】명 육지의 표면.

육지-면[2]【陸地棉】명〖식〗목화의 대표적인 한 품종. 잎이 크고 3-5 갈래로 깊이 째졌으며 꽃은 큼직한데 흰 빛 또는 담황색이고, 씨의 면모(棉毛)가 긺. 미국 원산(原産)으로 동양에도 널리 재배되고 있음. 미국면. ↔재래면(在來棉).

육지-버들【陸地—】명〈방〉육지꽃버들.

육지-인【陸地人】명 육지에 사는 사람. ↔도인(島人).

육-지장【六地藏】명〖불교〗육도(六道)에서 중생의 고환(苦患)을 구한다는 여섯 지장(地藏). 곧, 단타(檀陀)·보주(寶珠)·보인(寶人)·지지(持地)·제개장(除蓋障)·일광(日光)의 총칭.

육지 측량표【陸地測量標】[—냥—] 명〖토〗육지 측량을 위하여 설치한 측량표. 삼각점 표석(三角點標石)·수준점(水準點) 표석·점표(覘標)·측기(測旗)·표항(標杭)·가항(假杭)의 여섯 가지.

육지 행선【陸地行船】명 육지로 배를 저으려 함. 곧 되지 않을 일을 억지로 하고자 함의 비유.

육직[1]【六職】명〖역〗중국 주대(周代)의 육관(六官)의 직(職). 곧, 치직(治職)·교직(敎職)·예직(禮職)·정직(政職)·형직(刑職)·사직(事職). *육관(六官).

육직[2]【六職】명 사람의 여섯 가지 천직(天職). 곧, 왕공(王公)·사대부(士大夫)·백공(百工)·상려(商旅)·농부(農夫)·부공(婦功).

육직[3]【肉直】명〖역〗육지기. 육고자(肉庫子).

육진[1]【六塵】명〖불교〗심성(心性)을 더럽히는 육식(六識)의 대상계(對象界). 색(色)·성(聲)·향(香)·미(味)·촉(觸)·법(法)의 육경(六境). 이것에 더럽혀지지 않는 일을 육근 청정(六根淸淨)이라 함. 육적(六賊). 외진(外塵). *육근(六根)·육식(六識).

육진[2]【六震】명〖불교〗↗육종 진동(六種震動).

육진[3]【六鎭】명〖역〗조선 세종(世宗) 때 여진족(女眞族)에 대비(對備)해 김종서(金宗瑞)를 시켜 지금의 함경 북도 북변(北邊)을 개척하여 설치한 여섯 진(鎭). 곧, 경원(慶源)·경흥(慶興)·부령(富寧)·온성(穩城)·종성(鐘城)·회령(會寧). 동북 육진(東北六鎭).

육진[4]【肉陣】명 육병풍(肉屛風).

육-진랍【陸眞臘】[—질—] 명〖역〗8세기초부터 9세기초까지 인도차이나 반도 메콩 강 유역에 있었던 크메르인의 국가의 중국 이름. 진랍이 수(水)진랍·육진랍으로 분열하여 성립하였음. *진랍.

육진 장포【六鎭長布】명 함경 북도 육진이 있던 곳에서 나는 척수(尺

數)가 지나치게 긴 베.
육진-포【六鎭布】명 육진이 있던 곳에서 나는 삼베.
육질【肉質】명 ①살로 되어 있는 질. 살이 많은 성질. ¶ ~의 잎. ②고기의 품질(品質).
육질-류【肉質類】명〖생〗위족류(僞足類).
육질충-류【肉質蟲類】[一뉴] 명〖동〗위족류(僞足類).
육징【肉癥】명 자꾸 고기가 먹고 싶은 생각이 나는 증세. *소증(素症).
육쪽 마늘【六一】명 쪽이 6-8개인 한지형(寒地型) 마늘.
육찬【肉饌】명 쇠고기 등으로 만든 반찬. 육선(肉饍).
육참【陸參】명〖군〗↗육군 참모 총장.
육창【六窓】명〖불교〗육근(六根)을 여섯 개의 창으로 비유하는 말.
육채【肉叉】명 '포크(fork)'의 한자말.
육처[1]【六處】명〖불교〗십이 인연(十二因緣)의 하나. 소승(小乘)에서는 중생이 육근(六根)을 내어 모태(母胎)에서 나옴을 말하고, 대승(大乘)에서는 안(眼)·이(耳)·비(鼻)·설(舌)·신(身)·의(意)의 육근을 내는 명언 종자(名言種子)를 말함.
육처[2]【陸處】명 물 위에 있음. 육상(陸上)에 있음. ──-하다 자여불
육-처소【六處所】명〖역〗조선 때, 궁중의 안살림을 분담한 여섯 군데의 부서(部署). 곧, 침방(針房)·수방(繡房)·세수간(洗水間)·생과방(生果房)·소주방(燒酒房)·세답방(洗踏房)의 총칭. *처소 나인.
육척【六戚】명 ①부모(父母)·형제(兄弟)·처자(妻子)의 총칭. 육친(六親). ②모든 혈족(血族).
육척지-고【六尺之孤】명 [일 척(一尺)은 두 살 반에 해당] ①십사오 세의 고아(孤兒). ②나이가 젊은 후계자.
육천【六天】명 ①하늘의 뜻. 중국 한(漢)나라 때의 학자 정현(鄭玄)이 천제(天帝)와 창(蒼)·염(炎)·황(黃)·백(白)·흑(黑)의 오제(五帝)와를 합해 부른 데서 비롯함. ②〖불교〗↗육욕천(六欲天).
육천만 동포【六千萬同胞】명 우리 나라 동포를 인구수로 부를 때의 호칭. 1981년서부터 이렇게 부름.
육천-설【六天說】명〖철〗중국 고대의 천(天)의 사상을 정리 체계화한 한(漢)나라의 정현(鄭玄)의 학설. 오행(五行) 사상에 따라 하늘의 주재자(主宰者) 상제(上帝)의 작용을 목(木)·화(火)·토(土)·금(金)·수(水)의 다섯으로 하고, 이 다섯 작용에 각각 제(帝)를 배치하고 여기에 상제(上帝)를 보태어 육제(六帝)로 하고, 하늘이 여섯 있다고 설명한 것으로 뒤에 위(魏)의 왕숙(王肅)에 의해서 부정되었음.
육체[1]【六體】명〖역〗①과거(科擧)에 시험 보이던 시(詩)·부(賦)·표(表)·책(策)·논(論)·의(疑)를 통틀어 이름. ②육서(六書)❷.
육체[2]【肉滯】명 고기를 먹고 생긴 체증.
육체[3]【肉體】명 구체적인 물체로서의 인간의 몸뚱이. 신체(身體). 육신(肉身). ↔정신(精神)❶·영혼(靈魂).
육체 관계【肉體關係】명 남녀의 성적인 교섭. ¶ ~를 맺다.
육체 노동【肉體勞動】명 육체를 움직여 그 물리적 힘으로써 하는 노동. 근육 노동. ↔정신 노동.
육체 문학【肉體文學】명〖문〗인간의 육욕 생활 및 이의 추구만을 위주로 묘사한 관능적(官能的)인 문학.
육체-미【肉體美】명 육체의 아름다움. *건강미(健康美).
육체의 악마【肉體一惡魔】[ㅡ/ㅡ에ㅡ] 명 [Le Diable au Corps]〖문〗프랑스의 작가 라디게(Radiguet)의 장편 소설. 1923년 작. 제 1 차 대전 중 남편을 전장에 보낸 18세의 유부녀와 16세의 소년 간의 관능(官能)과 사랑의 미묘한 심리(心理)를 고전적인 문체로 그렸음.
육체-적【肉體的】명관 육체에 관한 상태. 육체를 중시하는 모양. 외적(外的). ↔정신적(精神的).
육체-파【肉體派】명 기술이나 능력은 대단찮으나 체격이나 육체미가 뛰어난 사람. 흔히, 배우(俳優)에게 씀.
육-초【肉一】명 ①쇠기름으로 만든 초. 육촉(肉燭). ②고깃국이 식은 뒤에 굳어서 하얗게 뜨는 기름 덩이. ¶ 해산국을 뜨러 나가 솥 뚜껑을 밀치니 국 위에는 어느덧 ~가 꽉 덮이고 솥에서 훅 끼치는 누렁 냄새가 소스라치게 거슬리었다《金東里 : 山火》.
육촉【肉燭】명 육초❶.
육-촌[1]【六寸】명 ①여섯 치. ②재종(再從)간의 형제(兄弟)·자매(姉妹)의 서로간에 일컫는 말. 재종(再從).
육-촌[2]【六村】명〖역〗신라의 부족 연맹(部族聯盟) 형성의 주체(主體)가 된 여섯 부락. 곧, 알천 양산촌(閼川楊山村)·돌산 고허촌(突山高墟村)·취산 진지촌(觜山珍支村)·무산 대수촌(茂山大樹村)·금산 가리촌(金山加利村)·명활산 고야촌(明活山高耶村). 뒤에 자비 마립한(慈悲麻立干) 시대부터 지증 마립한(智證麻立干) 시대 전후에 육부(六部)로 개편(改編)됨.
육추【育雛】명 알에서 깐 새끼를 키움. 또, 그 새끼. ──-하다 자여불
육추-매【育雛一】명 〈방〉 육지니.
육축【六畜】명 집에서 기르는 대표적인 여섯 가지 가축(家畜). 곧, 소·말·돼지·양·닭·개.
육출-화【六出花】명 육화(六花)❶.
육-치【陸治】명〖사람〗중국 명(明)나라 때의 화조(花鳥) 화가. 자는 숙평(叔平). 호는 포산(包山). 장쑤 성(江蘇省) 우 현(吳縣) 사람. 시서(詩書)를 잘 하며 그림은 문징명(文徵明)에게 배우고, 문인파(文人派) 화훼화(花卉畫)의 대가임.
육치-류【肉齒類】명〖동〗[Creodonta] 식육류(食肉類)에 속하는 한 아목(亞目). 지금은 멸종되고 없음.
육친[1]【六親】명 ①육종(六種)의 친족(親族). 곧, 부(父)·모(母)·형(兄)·제(弟), 처(妻)·자(子). 또는 부(父)·자(子)·형(兄)·제(弟)·부(夫)·부(婦). 또는 부(父)·자(子)·종부 곤제(從父昆弟)·종조 곤제(從祖昆弟)·증조 곤제(曾祖昆弟)·족곤제(族昆弟). 또는 부자(父子)·형제(兄弟)·고자(姑姉)·생구(甥舅)·혼구(昏媾)·인아(姻亞)를 일컬음. 육척(六戚). ②〖민〗점괘(占卦)를 볼 때에 부모·형제·처재(妻財)·자손·관귀(官鬼)·세응(世應)의 여섯 가지를 일컬음.
육친[2]【肉親】명 부자·모녀·형제 등의 혈족 관계. 또, 그 관계가 있는 사람. ¶ ~의 정(情).
육칠 사:십이【六七四十二】명〖수〗구구법(九九法)의 하나. 여섯의 일곱 배 또는 일곱의 여섯 배는 마흔둘이라는 말.
육칠-월【六七月】명 유월과 칠월. 또, 유월이나 칠월.
[육칠월 늦장마에 물 퍼내어 버리듯] 끝이 없고 한이 없는 모양.
육침[1]【肉針】명〖동〗해면질(海綿質)로 되어 있는 침골(針骨).
육침[2]【陸沈】명 ①현인(賢人)이 속세에 숨는 일. ②나라가 적에게 멸망되는 일. ──-하다 자여불
육-탁평【六啄評】명〖역〗양서 신라전(梁書新羅傳)에 나오는 말. 경주도(慶州都) 내의 육부(六部)와 도외(都外)의 육기정(六畿停)을 합칭(合稱)한 것으로 보고 있음.
육탄【肉彈】명 적진에 돌진 육박하는 일. 또, 그 육체. ¶ ~전(戰).
육탄-당【六炭糖】명〖화〗헥소오스(hexose).
육탈【肉脫】명 ①몸이 여위어 살이 빠짐. ②시체(屍體)를 매장한 후, 살이 완전히 썩어 떨어져 뼈만 남음. ──-하다 자여불
육탈 골립【肉脫骨立】명 몸이 몹시 여위어 뼈만 남도록 마름. ──-하다 자여불
육-탐미【陸探微】명〖사람〗중국, 남북조 시대의 화가. 송(宋)나라 명제(明帝)를 받들어 섬겼으며, 연속된 아름다운 선을 구사(驅使)하여 그리는 일필화(一筆畫)를 창시하였고, 인물·초상화를 장기(長技)로 하였음. 육조 삼대가(六朝三大家)의 한 사람. 생몰년 미상.
육탕【肉湯】명 고깃국. 곰국.
육태【陸駄】명 배에서 육지로 운송(運送)하는 짐.
육태-질【陸駄一】명 배에서 짐을 육지로 운송(運送)하는 일. ──-하다 타여불
육통 터:지다【六通一】구 [옛날 강경과(講經科) 과거에 칠서(七書) 중 여섯 가지는 외고 한 가지만 못 외었다는 일에서 나온 말] 일이 거의 되려다가 틀려짐을 이르는 말. *일불(一不)이 살육통(殺六通).
육파 철학【六派哲學】명〖철〗굽타(Gupta) 왕조의 인도에서 확립된, 정통 바라문 사상(正統婆羅門思想)에 속하는 여섯 가지의 철학 체계. 곧, 삼키야(sāmkya) 학파·요가(yoga) 학파·미만사(mimānsā) 학파·베단타(vedantā) 학파·바이세시카(vaisesika) 학파·니야야(nyāya) 학파의 총칭. 모두 베다 성전(Veda聖典)의 권위를 그 철학의 근거로서 원용(援用)함.
육판덕-산【陸坂德山】명〖지〗함경 남도 덕원군(德源郡) 풍하면(豐下面)과 황해도 곡산군(谷山郡) 이령면(伊寧面) 사이에 위치(位置)하는 산. [1,325 m]
육-판서【六判書】명〖역〗↗육조 판서(六曹判書).
육판-화【六瓣花】명〖식〗여섯잎꽃.
육팔【六八】명 주역(周易)의 괘(卦)에 있어서 음(陰)의 수(數).
육팔 사:십 팔【六八四十八】명〖수〗구구법(九九法)의 하나. 여섯의 여덟 곱이나 여덟의 여섯 곱은 마흔여덟이라는 말.
육편【肉片】명 고기 토막. 고깃점.
육포[1]【肉包】명 고기쌈.
육포[2]【肉脯】명 쇠고기를 얇게 저미어 말려 만든 포.
육-포단【肉蒲團】명〖책〗중국의 호색본(好色本). 일명(一名) 각후선(覺後禪). 명말(明末) 이어(李漁)의 작(作)이라 함. 4권 20회(回)로 됨.
육표【陸標】명 항로(航路) 표지의 하나. 육지에 설치되며, 점등(點燈) 장치가 없고, 채색(彩色)되어 있음. 랜드 마크(land mark).
육품【六品】명〖역〗관계(官階)의 여섯째 구분. 정(正)·종(從)의 구별이 있음.
육풍【陸風】명〖기상〗밤에 바다보다 육지(陸地)가 쉬이 기온이 내리는 탓으로 육지에서 바다로 부는 바람. 육연풍(陸軟風). ↔해풍(海風).

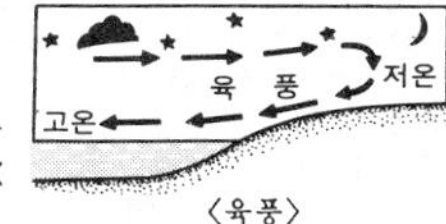

〈육풍〉

육플루오르화-황【六一化黃】명 [sulfur hexafluoride]〖화〗플루오르(Fluor)와 황이 서로 반응(反應)하여 생성된 화합물 중 가장 안정된 물질. 무색 무취의 기체로, 비중은 공기의 5배이며 용기인 유리가 녹도록 가열해도 불변하며, 특히 가압(加壓)하면 극히 우수한 전기 절연 기체로서 사용할 수 있음. 녹는점 −50.8°C, 승화점(昇華點) −63.8°C, 임계 온도(臨界溫度) 45.5℃ [SF_6]
육필【肉筆】명 당자(當者)가 직접 손으로 쓴 글씨. 정필(正筆). ¶ ~의 원고.
육하 원칙【六何原則】명 [five W's and one H] 언론계 등에서, 뉴스 보도에 반드시 담겨야 할 여섯 가지 기본 요소, 곧 '누가, 무엇을, 언제, 어디서, 왜, 어떻게'를 일컫는 말.
육학【六學】명 ①육경(六經)의 학문(學問). 육예(六藝). ②중국 당(唐)나라 때, 국자감(國子監)에 예속한 여섯 학과. 곧, 국자학(國子學)·태학(太學)·사문학(四門學)·율학(律學)·서학(書學)·산학(算學).
육합【六合】명 ①천지(天地)와 사방(四方). 곧, 하늘과 땅과 동서 남북. 온 우주(宇宙). 육극(六極). ②맹춘(孟春)과 맹추(孟秋), 중춘(仲春)과 중추(仲秋), 계춘(季春)과 계추(季秋), 맹하(孟夏)와 맹동(孟冬), 중하(仲夏)와 중동(仲冬), 계하(季夏)와 계동(季冬)을 서로 짝하여 부르는 명칭.
육합-화【六合靴】명〖역〗여섯 조각의 가죽으로 만든 신.
육항 단자【六行單子】명〖역〗과거(科擧)의 생원과(生員科)·진사과(進士科)·문무과(文武科)에 급제한 사람이 사은(謝恩)하기 위하여 임금께

바치는 여섯 줄로 쓴 글.

육해[1]【六骸】명 두 팔·두 다리와 머리 및 몸뚱이.

육해[2]【陸海】명 육지와 바다.

육해공-군【陸海空軍】명 육군과 해군과 공군. 곧, 삼군(三軍).

육해-군【陸海軍】명 육군과 해군.

육행[1]【六行】명 여섯 가지의 덕행(德行). 곧, 효(孝)·우(友)(형제간의 우애)·목(睦)(구족(九族)간에 화목함)·인(婣)(외척과 친함)·임(任)(친구에 신(信)이 있음)·휼(恤)(없는 자를 구휼(救恤)함).

육행[2]【肉杏】명 살구.

육행[3]【陸行】명 육로(陸路)로 감. ——-하다 자 여불

육향【六鄕】명 중국 주대(周代)의 행정 구획 이름. 왕성(王城)으로부터 50-100 리 이내의 땅으로서, 대사도(大司徒)의 소관(所管). 오가(五家)가 비(比), 오비(五比)가 여(閭), 사려(四閭)가 족(族), 오족(五族)은 당(黨), 오당(五黨)이 주(州), 오주(五州)가 향(鄕)으로 모두 75,000 가(家)를 이름.

육허【六虛】명 천지(天地)와 사방(四方).

육-허기【肉虛飢】명 육욕(肉慾)에 걸신이 들렸다는 뜻으로, 지나치게 남녀간에 사랑함을 이름.

육현-가【六賢歌】명 〔문〕 조선 중종(中宗) 때의 학자 주세붕(周世鵬)이 지은 경기체가(景幾體歌)의 하나. 중종 31년(1536)에 만듦. 중국 송대(宋代)의 정이(程頤 : 伊川)·장재(張載 : 橫渠)·소옹(邵雍 : 康節)·사마광(司馬光 : 溫公)·한기(韓琦 : 魏公)·범중엄(范仲淹 : 文正) 등 여섯 현인(賢人)의 높은 덕행을 찬양한 노래. 《무릉집(武陵集)》에 전함. ㄴ*도덕가(道德歌).

육혈【衄血】명 코피.

육혈-포【六穴砲】명 탄알을 재는 구멍이 여섯 있는 권총.

육-형【肉刑】명 〖역〗 육체에 대하여 과하는 형벌. 신체의 어떤 부분을 손상시키는 형벌. 묵(墨)(입묵(入墨))·의(劓)(코를 벰)·비(剕)(발뒤꿈치를 벰)·궁(宮)(불알을 썩힘)·대벽(大辟)(목을 벰)의 총칭.

육-형질【肉形質】명 〖생〗 근형질(筋形質).

육호【六號】명 ①↗육호 활자(六號活字). ②↗육호란(六號欄). ③↗육호 기사(六號記事).

육호 기사【六號記事】명 잡지 등의 육호 활자로 조판(組版)되는 기사. 잡문(雜文)·잡보(雜報) 등. 준 육호.

육호-란【六號欄】명 특히 동인 잡지(同人雜誌) 등에서 육호 활자로 조판하는 소식·휘보(彙報) 등의 난. 준 육호.

육호 활자【六號活字】[—짜] 명 〖인쇄〗 크기가 삼호 활자의 반인 활자. 약 3mm 사각의 활자로 7 포인트보다 약간 큼. 준 육호.

육-혹【肉—】명 살로만 된 혹. 육류(肉瘤). 육영(肉癭).

육혼【陸渾】명 〖지〗 중국, 한대(漢代)에 지금의 허난 성(河南省) 뤄양 시(洛陽市)의 동남, 쑹현(嵩縣)의 동북 땅에 설치되었던 현의 이름. 당(唐)나라의 송지문(宋之問)의 산장(山莊)이 있었음.

육화【六花】명 ①[여섯 모 결정(結晶)을 이루는 데서 나온 말] '눈[5]'의 이칭(異稱). 육출화(六出花). ②중국 당(唐)나라의 이정(李靖)이 제갈량(諸葛亮)의 팔진(八陣)을 본떠서 시작한 진법(陣法).

육화대-무【六花隊舞】명 〖역〗 고려 때에 시작된 궁중 무용. 당악(唐樂)의 일종으로 9명의 무기(舞妓) 중 6명이 3명씩 두 패로 갈라져 각각 홍(紅)·남(藍)으로 춤을 추는 데, 여섯 송이의 꽃으로 왕을 송축(頌祝)하는 뜻을 나타냄.

육-화음【六和音】명 〔sixth chord〕 〖음〗 삼화음의 첫째 자리바꿈. 베이스에 제 3 음을 둠. 삼륙 화음.

육화-탕【六和湯】명 〖한의〗 여름철의 더위병에 쓰는 처방.

육환-장【六環杖】명 〖불교〗 고리가 여섯 개 달린 지팡이. ¶~을 끌며 천천히 걸어 간다.

육회【肉膾】명 소의 살코기나 간·처녑·양 등을 잘게 썰어, 익히지 않고 양념한 음식.

육효【六爻】명 〖민〗 점괘(占卦)의 여섯 가지 획수(畫數).

육후【肉厚】명 살이 두툼함. ——-하다 형 여불

육-휘【六—】명 〖건〗 머리초 끝에 띠 모양으로 돌린 여섯 가지 색의 휘.

윤[1]【尹】명 성(姓)의 하나. 현재 우리나라에는 파평(坡平)·해평(海平)·남원(南原) 등 20여 본관(本貫)이 있음.

윤:[2]【閏】명 달력의 계절(季節)과 실지 계절과의 차(差)를 조절하기 위해, 1년 중의 날수·달수가 어느 해보다 많은 일. 태양력에서는 2월을 하루 늘리고, 태음력에서는 5 년에 두 번 어떤 달을 두 번 되풀이함. * 윤초(閏秒).

윤:[3]【閏】명 성(姓)의 하나. 우리 나라에는 현존(現存)하지 않음.

윤:[4]【潤】명 ↗윤기(潤氣).

윤:-【閏】튼 음력 달 차례에 붙여서 '윤(閏)으로 든'의 뜻을 나타내는 말. [윤동짓달 스무 초하룻날 주겠다] 윤달은 동짓달에는 좀처럼 들지 않으므로 결국 준 돈을 떼어 먹겠다는 말. [윤이월 제사냐] 자꾸 빼먹고 거름을 나무라는 말.

윤:가【允可】명 임금이 허가함. 윤준(允準). 윤유(允兪). 윤재(允裁). 윤허(允許). ——-하다 타 여불

윤-각【尹慤】명 〖사람〗 조선 중기의 무신. 자(字)는 여성(汝誠). 본관은 함안(咸安). 숙종(肅宗) 25년(1699) 무과(武科)에 급제, 여러 벼슬을 거쳐 숙종 38년(1712) 함경 남도 병마 절도사가 되어 청(淸)나라 사신과 함께 백두산(白頭山)의 경계를 사정(査定), 백두산 남쪽의 지형을 그려 바침. 뒤에 총융사(摠戎使)에 이르렀으나, 신임 사화(辛壬士禍) 때 장살(杖殺)됨. 시호는 충민(忠愍). [1665-1724]

윤간【輪姦】명 한 여자를 여러 남자가 돌려가며 강간(強姦)함. 혼간(混姦). ——-하다 타 여불

윤감【輪感】명 돌림 감기.

윤강【輪講】명 여러 사람이 차례로 강의(講義)함. 순강(順講). ——-하다 타 여불

윤거【輪車】명 ↗화륜거(火輪車).

윤-거형【尹居衡】명 〖사람〗 조선 숙종(肅宗) 때의 학자. 자(字)는 임중(壬重), 호는 송파(松坡). 파평(坡平) 사람. 힘이 장사였으며, 구경(九經)·백가(百家)를 비롯하여 고금(古今)의 치란(治亂)·국도(國都)·인물(人物) 등에 이르기까지 통달했으며, 유학에도 정통하여 격물 치지(格物致知)에 주력하였음. [1654-1715]

윤건【綸巾】명 윤자(綸子)로 만든 두건(頭巾)의 한 가지.

윤-경남【尹景男】명 〖사람〗 조선 선조 때의 학자. 자(字)는 여술(汝述), 호는 영호(瀯湖). 파평(坡平) 사람. 일찍부터 학문에 뜻을 두고, 과거를 포기, 경사(經史)에 열중했음. 선조 25년(1592) 임진 왜란이 일어나자, 의병을 모집, 의병장 김면(金沔)의 막하에 들어가 참모로 활약, 그 공으로 군기시 주부(軍器寺主簿)로 임명되었으나 사퇴함. 선조 32년(1599) 유일(遺逸)로 천거되어 감찰(監察)이 되고 장수 현감(長水縣監)에 이름. 대사헌에 추증(追贈)됨. [1556-1614]

윤-곤강【尹崑崗】명 〖사람〗 시인. 본명은 명원(明遠). 충남 서산(瑞山) 출생. 1934년을 전후하여 경향 시인(傾向詩人)으로 등장, 시집 《대지(大地)》·《만가(輓歌)》 등을 내고, 해방 후에는 경향 문학(傾向文學)에서 전환하여 고문체적(古文體的)인 시집 《피리》·《살어리》 등을 내었음. [1909-49]

윤공【綸恭】명 성실하고 공근(恭謹)함. ——-하다 형 여불

윤곽【輪廓】명 ①사물(事物)의 대강의 테두리. 개관(槪觀). 아우트 라인. ¶사건의 ~이 드러나다. ②겉 모양. ③얼굴의 모양. ¶~이 뚜렷한 얼굴. ④둘레의 선(線).

윤곽 가공【輪廓加工】명 〔contour machining〕 〖기〗 불규칙한 표면의 기계 가공.

윤곽 게이지【輪廓—】〔gauge〕 명 〖기〗 어떤 기계 제품의 윤곽을 검사하는 데 사용하는 게이지. 보통, 검사할 부위(部位)와 거푸로의 형상을 하고 있어 부위에 맞대었을 때 그 윤곽선과 게이지 사이를 빛이 통과하지 않으면 합격이 됨. 반(半)지름 게이지 같은 것.

윤곽 투영기【輪廓投影器】명 〖기〗 나사·게이지 등 정밀 기계의 확대 실상(實像)을 스크린 위에 투영하여 두 눈으로 관찰해서 윤곽의 형상이나 치수를 검사·측정하는 장치. 광원(光源)·스크린·콘덴서·투영 렌즈 및 반사경 또는 프리즘으로 구성됨.

윤-관[1]【尹瓘】명 〖사람〗 고려 예종(睿宗) 때의 학자·장군. 자는 동현(同玄). 파평(坡平) 사람. 문종(文宗) 때 문과(文科)에 급제, 어사 대부(御史大夫)·한림 학사(翰林學士)·이부 상서 등을 지내고 예종 2년(1107) 여진 정벌의 원수(元帥)가 되어 부원수 오연총(吳延寵)과 더불어 여진(女眞)을 정복하고, 구성(九城)을 쌓았음. 시호는 문경(文敬). 후에 문숙(文肅)으로 고침. [?-1111]

윤관[2]【輪關】명 〖역〗 상관(上官)이 하관(下官)에게 회람시키는 공문.

윤구【輪矩】명 자동차의 좌우 두 바퀴 사이의 거리. 좌우의 타이어가 노면(路面)과 접지(接地)하는 면의 중심 사이의 길이. 더블(double) 타이어의 경우는 각 두 바퀴의 중심으로부터 중심까지의 길이를 이름.

윤:군【允君·胤君】명 윤옥(允玉·胤玉).

윤-극영【尹克榮】명 〖사람〗 아동 문학가·동요 작곡가. 일본 도쿄 음악학교·도요(東洋) 음악 학교 등에서 수학함. '색동회' 창립 동인으로 참여하고, 동요 단체 '다알리아 회'를 조직, 동요 보급과 어린이 사랑 운동에 앞장섬. 1956 년 제 1 회 소파상(小波賞)을 수상하고, 1970 년 국민 훈장 목련장을 수상함. 《반달》·《따오기》·《고드름》·《할미꽃》 등 수많은 동요를 남김. [1903-88]

윤-근수【尹根壽】명 〖사람〗 조선 선조(宣祖) 때의 문학자·공신. 자(字)는 자고(子固), 호는 월정(月汀). 해평(海平) 사람. 두수(斗壽)의 아우. 임진 왜란이 일어났을 때 예조 판서로 등용되어 왕을 호종(扈從)하였고, 문안사(問安使)·주청사(奏請使) 등이 되어 명(明)나라와의 외교를 담당, 광녕(廣寧)에 세 번, 요동(遼東)에 여섯 번씩이나 왕래하며 국난 극복에 힘썼음. 뒤에 좌찬성(左贊成)·판의금부사(判義禁府事)를 지냄. 성리학(性理學)을 깊이 연구하였으며 이이(李珥)·성혼(成渾)과는 막역한 벗이었고, 글씨에 능하여 영화(永和)의 체라 일컬어짐. 저서에 《사서 토석(四書吐釋)》 등이 있음. 시호는 문정(文貞). [1537-1616]

윤-급【尹汲】명 〖사람〗 조선 영조(英祖) 때의 서가(書家). 자(字)는 경유(景孺), 호는 근암(近庵). 해평(海平) 사람. 관은 이조 판서(吏曹判書). 영조의 탕평책(蕩平策)을 반대하여 누차 파직과 좌천을 당하였음. 소장(疏章)을 잘 하였고 필법과 그 체가 독특하여 윤상서체(尹尙書體)라고 평하였음. 시호는 문정(文貞). [1679-1770]

윤-기[1]【倫紀】명 윤리와 기강(紀綱).

윤:기[2]【潤氣】[—끼] 명 윤택한 기운. ¶살림에 ~가 돌다. 준 윤(潤).

윤-기헌【尹耆獻】명 〖사람〗 조선 때의 학자. 자(字)는 원옹(元翁), 호는 장빈자(長貧子). 남원(南原) 사람. 이이(李珥)의 문인. 선조 때 사마시(司馬試)에 합격, 선조 33년(1600) 죽산 현감(竹山縣監), 뒤에 한성부 좌윤(漢城府左尹)을 지내고, 용성군(龍城君)에 봉해짐. 성리학(性理學)에 밝고 문명(文名)이 있었음. 생몰년 미상.

윤:-나다【潤—】자 윤택한 기운이 나타나다.

윤:납[1]【允納】명 허락하여 받아들임. ——-하다 타 여불

윤납[2]【輪納】명 서로 돌려 가며 바침. ——-하다 타 여불

윤:-내다【潤—】타 윤택한 기운을 나타나게 하다.

윤:년【閏年】명 〖천〗 윤달이나 윤일(閏日)이 든 해. 지구가 태양을 일주하는 데 365일 5시간 48분 46초 걸리므로, 그 단수(端數)를 모아, 태양력(太陽曆)에서는 4년마다 한 번 2월을 29일로 하루 늘리고, 태음력(太陰曆)에서는 평년을 354일로 정하므로, 계절과 역월(曆月)을 조절

하기 위하여 5년에 두 번의 비율로 1년을 13개월로 함.

윤노리-나무 명 〖식〗 ①능금나뭇과에 속하는 떡잎윤노리나무·꼭지윤노리나무·털윤노리나무 등의 총칭. ②[*Pourthiaea laevis*] 능금나뭇과에 속하는 낙엽 활엽의 작은 교목. 전체에 털이 없으며, 잎은 타원형 또는 난상 타원형이고 5월에 백색의 꽃이 복산방(複繖房) 화서로 정생(頂生)하여 피며, 이과(梨果)는 10월에 붉게 익음. 산복에 나는데, 거의 한국 각지 및 일본에도 분포함. 도구재·코뚜레·신탄재로 씀. *민윤노리.

〈윤노리나무❷〉

윤:-달【閏一】명 〖천〗 윤년에 드는 달. 태양력(太陽曆)에서는 2월이 평년보다 하루 더 많은 29일로 하고, 태음력(太陰曆)에서는 평년보다 한 달을 더하여 윤달을 만듦. 윤월(閏月).

[윤달 만난 황양목(黃楊木)] ㉠황양은 윤년이면 한 치씩 줄어 든다는 전설에서, 일이 대단히 더딤의 비유. ㉡'키 작은 사람'을 놓으로 이르는 말.

윤:당【允當】명 진실로 마땅함. ——-하다 형여불. ——-히 부

윤대[1]【輪對】명 〖역〗 조선 시대 때, 매월 세 번씩 각부(各部)의 낭관(郎官)이 차례로 임금께 알현하고 직무에 대하여 상주하던 일. *독대(獨對)·소대(召對). ——-하다 타여불

윤대[2]【輪臺】명 물레.

윤대-관【輪對官】명 〖역〗 윤대(輪對)의 차례가 된 낭관(郎官).

윤-덕영【尹德榮】명 〖사람〗 조선 말기(末期)의 문신(文臣). 순정효(純貞孝) 황후의 삼촌. 고종(高宗) 31년(1894) 병과(丙科)로 급제, 광무(光武) 6년(1902) 철도원 부총재(鐵道院副總裁)로서 경부선(京釜線) 부설(敷設)에 관계함. 친일파로 국권 상실 때, 시종원경(侍從院卿)으로서 이완용(李完用) 등과 함께 순종(純宗)을 강요하여 조약 문서에 옥새(玉璽)를 찍게 했음. [1873-1940]

윤-덕희【尹德熙】[—히] 명 〖사람〗 조선 후기의 화가. 자는 경백(敬伯), 호는 낙서(駱西)·연포(蓮圃)·연옹(蓮翁). 해남(海南) 사람. 글씨와 그림에 능했으며, 특히 말·신선(神仙) 등을 잘 그렸음. 아버지 두서(斗緖)와 함께 쌍절(雙絕)이라 일컬어짐. [1685-1776]

윤도[1]【輪道】명 〖물〗 전기의 회로(回路). 전로(電路).

윤도[2]【輪圖】명 가운데에 지남침(指南針)을 꽂아 놓고 가장자리에 원을 그려 이십사 방위(二十四方位)로 나누어 놓은 기구. 방위(方位)를 아는 데 쓰임.

윤독【輪讀】명 여러 사람이 한 책을 차례로 돌려 가며 읽음. 윤번으로 독서(讀書)함. ——-하다 타여불

윤돈【倫敦】명 〖지〗 '런던(London)'의 음역.

윤동【蝡動】명 '연동(蠕動)'의 잘못 일컫는 말.

윤-동규【尹東奎】명 〖사람〗 조선영조(英祖) 때의 실학자(實學者). 자(字)는 유장(幼章), 호는 소남(邵南). 파평(坡平) 사람. 안정복(安鼎福)·이가환(李家煥)·채제공(蔡濟恭) 등과 교유하면서, 상위(象緯)·역법(曆法)·천문·지리·의학 등 실생활에 필요한 실용적인 학문의 수립을 주장함. 여러 역사를 참고하여 자수(嵫水)·열수(洌水)·패수(浿水)·대수(帶水)의 ≪사수변(四水辨)≫을 저술함. [1695-1773]

윤-동야【尹東野】명 〖사람〗 조선 정조(正祖) 때의 학자. 자(字)는 성교(聖郊), 호는 현와(弦窩). ≪예기(禮記)≫·≪주역(周易)≫·≪춘추(春秋)≫ 등을 도해(圖解)하여 알기 쉽게 풀이하고, 또 여러 유학자(儒學者)들의 문집(文集)의 와전(訛傳)·오기(誤記)를 바로잡음. 저서 ≪현와집(弦窩集)≫이 전함. [1757-1827]

윤-동주【尹東柱】명 〖사람〗 시인. 만주 북간도(北間島) 출생. 연희 전문 학교를 나와 일본 도시샤(同志社) 대학 영문과에서 수업 중, 1943년 독립 운동자의 죄목으로 피검되어, 후쿠오카 형무소에서 사망하였음. 해방 후 그의 유고(遺稿)를 모아 발간한 ≪하늘과 별과 바람과 시≫가 있음. [1917-45]

윤두 명 〈방〉 인두[1](함경).

윤-두서【尹斗緖】명 〖사람〗 조선 후기의 서화가. 자(字)는 효언(孝彦), 호는 공재(恭齋) 또는 종애(鍾厓). 해남(海南) 사람. 시문(詩文)에 능하고 동식물·인물 등을 잘 그렸는데 현재(玄齋)·겸재(謙齋)와 더불어 조선의 삼재(三齋)라 불림. 작품에 ≪마상 처사도(馬上處士圖)≫·≪노승도(老僧圖)≫ 등이 있음. [1668-?]

윤-두수【尹斗壽】명 〖사람〗 조선 선조(宣祖) 때의 문신. 서인(西人)의 거두. 자(字)는 자앙(子仰), 호는 오음(梧陰). 해평(海平) 사람. 임진왜란 때 어영 대장(御營大將)·우의정, 평양에 가서 좌의정이 됨. 함흥(咸興)으로 몽진(蒙塵)하자는 것을 막고 의주(義州)로 갈 것을 주장하여 그의 선견지명을 칭찬받음. 선조 37년(1604) 영의정(領議政)에 올랐음. 문장이 뛰어났고 글씨에도 문징명체(文徵明體)를 본떠 일가를 이루었음. 저서로 ≪연안지(延安志)≫·≪평양지(平壤志)≫·≪기자지(箕子志)≫ 등이 있음. 시호는 문정(文靖). [1533-1601]

윤뒤 명 〈방〉 인두[1](경상·함경).

윤등【輪燈】명 불전(佛前)에 매다는 윤상(輪狀)의 등.

윤디 명 〈방〉 인두[1](경상·함경).

윤-똑똑이 명 저만 잘나고 영리한 체하는 사람.

윤락【淪落】[율—] 명 영락함. 타락함. ¶ ~ 여성. ——-하다 자여불

윤락 행위【淪落行爲】[율—] 명 〖법〗 불특정인(不特定人)으로부터 금전 기타 재산 상의 이익을 받거나 받을 것을 약속하고 하는 성(性) 행위.

윤락 행위 등 방지법【淪落行爲等防止法】[율—뻡] 명 〖법〗 선량한 풍속을 해치는 윤락 행위를 방지하고, 윤락 행위를 하거나 할 우려가 있는 사람을 선도할 것을 목적으로 하는 법률.

윤리【倫理】[율—] 명 ①사람이 지켜야 할 도리. 곧, 실제의 도덕 규범이 되는 원리. 인륜(人倫). ②↗윤리학(倫理學).

윤리-관【倫理觀】[율—] 명 윤리에 대한 사고 방식(思考方式).

윤리-덕【倫理德】[율—] 명 〖천주교〗 사람이 모든 일을 정리(正理)에 맞도록 윤리 생활을 영위하게 하는 덕. 사추덕(四樞德) 외에 효성(孝誠)·순명(順命)·진실(眞實)·관대(寬大)·인내(忍耐)·겸손(謙遜)·정결(淨潔) 같은 것이 있음.

윤리 신학【倫理神學】[율—] 명 〔moral theology〕 신학의 한 분과. 기독교의 도덕 및 생활을 연구하는 학문.

윤리-적【倫理的】[율—] 명관 윤리의 법칙에 따르는 모양.

윤리적 관념론【倫理的觀念論】[율—논] 명 〔도ethischer Idealismus〕 〖윤〗 피히테(Fichte)의 관념론이 가장 윤리성을 기본적 성격으로 하고 있는 점에서, 셸링(Schelling)의 미적(美的)관념론, 헤겔의 논리적 관념론에 대하여 특색적으로 일컫는 말. 윤리적 유심론.

윤리적 법규【倫理的法規】[율—] 명 〖법〗 주로 윤리적 규범(規範)을 내용으로 하는 법규(法規). 형법(刑法)·친족법(親族法) 등. ↔기술적 법규(技術的法規).

윤리적 사회주의【倫理的社會主義】[율—/율—이] 명 〔ethical socialism〕 〖정〗 도덕적 관념을 기초로 성립한 사회주의 사회 사상(社會思想)을 이름. 곧, 정의관(正義觀)·평등관(平等觀)·국가주의(國家主義) 등의 중심 관점을 도덕적으로 설명하려는 경향임.

윤리적 실존【倫理的實存】[율—쫀] 명 〔도 ethische Existenz〕 〖철〗 키에르케고르(Kierkegaard)의 용어로, 미적(美的) 실존과 종교적 실존의 중간(中間)에 위치하는 것. 인간 최초의 실존으로서의 미적 실존이 점차 내면화(內面化)됨에 따라 인간 본연적(本然的) 졸렌(Sollen)으로서의 윤리를 중심으로 한 이 윤리적 실존에 달한다 함. 다시 이로부터 자기의 죄악·죄에 대한 불안·절망을 통하여 고차(高次)의 종교적 단계에 이른다 함.

윤리적 유심론【倫理的唯心論】[율—논] 명 〖윤〗 윤리적 관념론(倫理的觀念論).

윤리적 종교【倫理的宗教】[율—] 명 〔ethical religion〕 고도로 발달하여 국민적 내지 세계적 규모의 윤리성을 갖는 종교. 기독교·불교 등. 틸레(Tiele)가 제창한 호칭임. ↔자연 종교.

윤리파 경제학【倫理派經濟學】[율—] 명 〖경〗 경제 생활에 있어서, 도덕적인 면을 강조하는 시스몽디 파(Sismondi派)의 경제 학설. 사회 전체적(全體的)인 경제 이익(經濟利益)을 위해서는 개인의 이익은 희생되어야 할 것이라는 설(說).

윤리-학【倫理學】[율—] 명 〔ethics〕 〖윤〗 사회적 인간 관계에 있어서 도덕적 의욕(意慾) 및 행위의 원리를 연구하는 학문. 도덕의 현상을 기술(記述), 설명하는 도덕 과학(道德科學)과 도덕의 본질(本質)·법칙(法則)·규범(規範)을 철학적으로 연구하는 도덕 철학(道德哲學)으로 대별(大別)함. ㈜윤리(倫理).

윤리학-사【倫理學史】[율—] 명 〖윤〗 윤리의 사상·학설사(學說史). 고대로부터 현대에 이르기까지의 윤리학설 및 그 변천·발달의 과정을 해명하는 학문. 철학사(哲學史)의 일부로서 사회의 도덕적 실제의 변천을 기술하는 도덕사(道德史)와 밀접한 관계가 있으나 구별됨.

윤멸【淪滅】명 멸하여 없어짐. ——-하다 자여불

윤명【綸命】명 천자(天子)의 명령. 윤언(綸言).

윤목【輪木】명 ①〖민〗 승경도(陞卿圖) 놀이에 쓰는 일종의 주사위. 한 자 가량의 다섯 모 진 나무 막대에 눈금을 에어서, 한 끗에서 다섯 끗까지의 끗수를 표시해 놓았음. ②〖농〗 남태.

윤몰【淪沒】명 ①물에 빠져 들어감. ②죄(罪)에 빠짐. ——-하다 자여불

윤:무[1]【允武】명 무덕(武德)이 성함. ↔윤문(允文).

윤무[2]【輪舞】명 원무(圓舞)❷. ¶ ~가(歌).

윤:문[1]【允文】명 문덕(文德)이 매우 성함. ↔윤무(允武).

윤문[2]【胤文】명 혈통을 기록한 문서. 가전(家傳)의 사기(私記).

윤:문[3]【潤文】명 글을 윤색(潤色)함. ——-하다 타여불

윤-문거【尹文擧】명 〖사람〗 조선 중기의 학자. 자(字)는 여망(汝望), 호는 석호(石湖). 파평(坡平) 사람. 선거(宣擧)의 형. 인조(仁祖) 때 급제하여 여러 벼슬을 거친 다음 대사간·대사성에 임명되었으나 사퇴함. 만년(晩年)에 주자(朱子) 연구에 심혈을 기울임. 글씨에도 능했음. 시호는 충경(忠敬). [1606-72]

윤문-병【輪紋病】[—뼝] 명 〖식〗 불완전균(不完全菌)이나 자낭균(子囊菌)에 의해서 잎이나 과실에 농갈색(濃褐色) 또는 적갈색의 동심원(同心圓)을 가진 병반(病斑)이 생기는 식물의 병.

윤:문 윤:무【允文允武】명 천자가 문무의 덕을 겸비(兼備)하고 있음을 칭송해서 쓰는 말.

윤:미【潤美】명 윤이 나고 아름다움. ——-하다 형여불

윤박-법【輪泊法】명 〖역〗 조선 시대에 일본의 사송선(使送船)·흥리 왜선(興利倭船: 상선) 등이 삼포(三浦)에 무질서하게 입항하므로 이를 규제하기 위해 삼포에 교대로 입항하도록 만든 법.

윤발【綸綍】명 윤음(綸音).

윤발 서리【綸綍書吏】명 〖역〗 조선 시대, 규장각(奎章閣)에 딸린 서리.

윤-백남【尹白南】명 〖사람〗 소설가·극작가. 본명은 교중(教重). 충남 공주(公州) 출신. 일본 도쿄 고등 상업 학교 졸업. 매일 신보(每日新報) 편집장을 거쳐, 동아 일보에 입사하면서부터 소설을 집필하는 한편, 신극 운동·영화 사업 등에 참가하여, 연극 동호회(演劇同好會)·극예술 연구회(劇藝術研究會) 등을 조직함. 해방 후, 서라벌 예술 대학 학장(學長)·한국 예술원(韓國藝術院) 회원 등을 지냄. 작품으로 ≪대도전(大盜傳)≫ 등이 있음. [1888-1954]

윤번【輪番】명 ①돌려가며 차례로 번듦. ②돌아가는 차례. 윤차(輪次).

——-하다 타여불

윤번-제【輪番制】명 돌아가며 차례로 일을 담당하는 제도. 순번으로 부담하는 제도.

윤번 투자【輪番投資】명〖경〗과점(寡占) 상태에 있는 업계에서 행하여지는 일종의 설비 투자의 조정 방식. 각 회사가 동시에 설비 투자를 행하는 일로 수급(需給) 밸런스가 무너지게 되는 것을 피하기 위해서 시기를 빗나가게 하면서 교대로 대형의 설비 투자를 하는 일.

윤벌【輪伐】명 해마다 삼림(森林)의 일부씩을 순차적(順次的)으로 벌채(伐採)해 나가는 일. ——-하다 타여불

윤벌-기【輪伐期】명 벌기(伐期).

윤:법【閏法】[—뻡] 명 치윤법(置閏法).

〈윤보〉

윤보【輪寶】명〖불교〗인도 사상에서 우내(宇內)를 통일·지배하는 전륜 성왕(轉輪聖王)의 칠보(七寶)의 하나. 본디 인도의 병기(兵器)로서, 수레바퀴 모양을 하고 팔방에 봉단(鋒端)을 내밀게 한 것. 이 보기(寶器)는 스스로 전진하여, 산을 무너뜨리고, 바위를 부수며, 땅을 평탄하게 하고, 가는 곳마다 모조리 귀복(歸服)시켰다고 함.

윤-보선【尹潽善】명〖사람〗정치가. 대한 민국 제 4 대 대통령(1960년 8월-62년 3월). 충청 남도 아산(牙山) 출신. 호는 해위(海葦). 영국 에든버러 대학에서 고고학 전공. 1948-50년 서울 시장, 상공부 장관, 적십자사 총재 역임. 1954 년 정계에 투신하여, 민주당(民主黨) 소속 제 3 대 민의원으로 당선된 후, 4·5·6 대 민의원을 지냄. 60 년 4·19 의거 후, 민의원·참의원 양원 합동 회의에서 대통령으로 당선되었으나, 61 년 5·16 군사 혁명으로 1 년 6 개월 만에 대통령직에서 하야(下野). 63 년 제 5 대 대통령 선거, 67 년 제 6 대 대통령 선거에 각각 후보로 나섰으나 모두 패배. 71 년 정계를 은퇴하고 유신 체제에 항거하는 재야 지도자로 활약함. 79 년 신민당 총재 상임 고문으로 야권 단일화를 위해 노력함. 저서에 회고록 《구국(救國)을 위한 가시밭길》이 있음. [1897-1990]

윤-봉(:)구【尹鳳九】명〖사람〗조선 영조(英祖) 때의 학자. 자(字)는 서응(瑞膺), 호는 병계(屛溪) 또는 구암(久庵). 파평(坡平) 사람. 권상하(權尙夏)의 문인. 가야산중(伽倻山中) 옥병계상(玉屛溪上)에서 학자들과 학문을 강론하였음. 한원진(韓元震)과 함께 호론(湖論)을 주장했으며, 강문 팔학사(江門八學士)의 한 사람임. 문집 《병계집(屛溪集)》. 시호는 문헌(文獻). [1681-1767]

윤-봉(:)길【尹奉吉】명〖사람〗의사(義士). 충남 예산(禮山) 출신. 상해(上海)에서 한중 항일(韓中抗日) 동맹에 가입. 1932년 4월 29일 훙커우(虹口) 공원에서 열린 일본 천황(天皇)의 생일인 천장절(天長節)의 축하 식장에 폭탄을 던져, 시라카와 요시노리(白川義則) 대장을 죽이고, 시게미쓰 마모루(重光葵) 공사·노무라 기치사부로(野村吉三郎) 해군 대장에게 부상(負傷)을 입히고 피검(被檢)되어 오사카(大阪)에서 순국함. [1908-32]

윤-봉춘【尹逢春】명〖사람〗영화 감독. 함북 회령(會寧) 출생. 무성 영화(無聲映畫) 시대인 1927년부터 영화계에 종사하면서 《유관순》·《고향의 노래》 등 많은 작품을 감독하였으며, 1963년 예총(藝總) 이사를 거쳐 예총 상임 고문(常任顧問)을 역임하였음. [1902-75]

윤:사【胤嗣】명 대(代)를 이을 자손.

윤:삭【閏朔】명〖천〗음력의 윤달.

윤-삼산【尹三山】명〖사람〗조선 명종(明宗) 때의 문사(文士). 호(號)는 수옹(壽翁). 파평(坡平) 사람. 이원(李原)의 사위. 벼슬은 첨지중추부사(僉知中樞府事)에 이르렀으며, 문장·필법·화죽(畫竹)에 다 능하여 삼절(三絕)이라 일컬어졌음. 생몰년 미상.

윤상¹【倫常】명 인륜(人倫)의 상도(常道).

윤상²【輪狀】명 바퀴같이 된 모양. 바퀴 모양.

윤색¹【淪塞】명 칩체하여 막힘. 불운(不運)함. ——-하다 자여불

윤:색²【潤色】명 ①글이나 채료(彩料)를 가하여 수식함. 윤식(潤飾). ②윤이 나도록 매만져 곱게 함. ——-하다 타여불

윤생【輪生】명〖식〗줄기에 잎이 붙는 형식의 하나. 한 마디에 세 개 이상의 잎이 윤형(輪形)으로 나는 일. 돌려나기. ¶ ~아(芽)/~엽(葉). *대생(對生)·호생(互生). ——-하다 자여불

〈윤생〉

윤서【倫序】명 차례. 순서(順序).

윤선¹【輪扇】명 모양이 둥근 부채. 단선(團扇).

윤선²【輪船】명 ↗화륜선(火輪船).

윤선³【輪旋】명 빙빙 돌아감. 선회(旋回). ——-하다 자여불

윤-선(:)거【尹宣擧】명〖사람〗조선 중기의 학자. 자(字)는 길보(吉甫), 호는 미촌(美村)·노서(魯西)·산천재(山泉齋). 파평(坡平) 사람. 병자 호란(丙子胡亂) 때 가족들이 변을 당하매, 금산(錦山)에 은거하여 성리학(性理學)에 힘써 그 이름이 알려짐. 뒤에 송시열(宋時烈)과 불화하여, 노소 분열(老少分裂)의 전조를 만들었고, 유계(兪棨)와의 공편(共編) 《가례 원류(家禮源流)》는 그가 죽은 뒤 노소 당쟁(黨爭)의 불씨가 됨. 《노서유고(魯西遺稿)》·《계갑록(癸甲錄)》 등의 저서가 있음. [1610-69]

윤-선(:)도【尹善道】명〖사람〗조선 중기의 문신·시조 작가. 자(字)는 약이(約而), 호는 고산(孤山)·해옹(海翁). 해남(海南) 사람. 여러 관직을 역임하였으나, 남인(南人)의 거두로 성격이 곧고 강하여, 그의 전생애 중 복상(服喪) 문제를 포함한 여러 사정으로 20여 년을 귀양살이했고 19년간을 은거 생활함. 그 동안의 생활이 그의 전작품에 반영되어 있으며, 문집인 《고산 유고(孤山遺稿)》에 시조 77 수와, 한시문 외에 2 책의 가첩(歌帖)이 전함. 가사 문학의 대가인 정철(鄭澈)과 더불어 시조 문학의 대가로 국문학사상 쌍벽을 이룸. 특히, 국어미(國語美) 조탁(彫琢)의 천재였으며, 속화된 자연을 시로써 승화시킨 뛰어난 시인이었음. 작품으로는 《견회요(遣懷謠)》·《우후요(雨後謠)》·《산중신곡(山中新曲)》·《산중 속신곡》·《어부 사시사(漁父四時詞)》 등이 있음. 시호는 충헌(忠憲). [1587-1671]

윤-선(:)좌【尹宣佐】명〖사람〗고려 충숙왕(忠肅王)·충혜왕(忠惠王) 때의 학자. 자는 순수(淳叟). 파평(坡平) 사람. 충렬왕(忠烈王) 때 문과(文科)에 장원, 여러 벼슬을 거쳐 예문관 대제학(藝文館大提學)·감춘추관사(監春秋館事)를 지냄. 경학(經學)에 밝고 노자(老子)·장자(莊子)·형명(刑名)의 학(學)도 연구하였으며, 문장이 뛰어났음. [1265-1343]

윤-섬【尹暹】명〖사람〗조선 선조(宣祖) 때의 문신·의인(義人). 자(字)는 여진(汝進), 호는 과재(果齋). 남원(南原) 사람. 임진 왜란 때 종사관(從事官)으로 상주(尙州)에 내려가 싸웠는데, 순변사(巡邊使) 이일(李鎰)은 도망가고 박호(朴箎)·이경류(李慶流)와 최후까지 선전하다가 전사하였음. 세상에서 이들 세 사람을 삼종사(三從事)라 불렀음. 시호는 문렬(文烈). [1561-92]

윤:수【潤水】명〖지〗'룬수이'를 우리 음으로 읽은 이름.

윤-순【尹淳】명〖사람〗조선 영조 때의 문신·서예가. 자(字)는 중화(仲和), 호는 백하(白下). 해평(海平) 사람. 벼슬은 대제학 등을 거쳐 공조·예조 판서에 이르렀으며, 당시 서가(書家)로서도 유명하였음. 그의 서체는 문징명(文徵明) 서체로서 오히려 그보다 낫다고 하였음. 문집에 《백하집(白下集)》이 있음. [1680-1741]

윤-순거【尹舜擧】명〖사람〗조선 중기의 지사(志士). 자(字)는 노직(魯直), 호는 동토(童土). 파평(坡平) 사람. 선거(宣擧)의 형. 성문준(成文濬)에게서 문학을, 강항(姜沆)에게서 시를, 김장생(金長生)에게서 예(禮)를 배움. 병자 호란 후 고향에서 종약(宗約)·동약(洞約)을 개정하고 문교(文敎) 진흥에 힘씀. 뒤에 대군(大君)의 스승으로 불리어 조정에 들어가 여러 벼슬을 지내면서 남효온(南孝溫)의 사당(祠堂)을 세우고 단종(端宗)의 능 곁의 승사(僧舍)를 중수함. 문장에 능하고 글씨는 청송(聽松)·종왕(鍾王)의 필법을 따랐음. [1596-1668]

윤:습¹【潤濕】명 젖음. 또, 젖어 있는 모양. ——-하다 형여불

윤습²【輪襲】명 차례로 돌아가며 모조리 습격함. ——-하다 타여불

윤시【輪示】명 돌려 가며 차례로 보임. 회람(回覽). ——-하다 타여불

윤:식【潤飾】명 윤색(潤色)❶. ——-하다 타여불

윤심【輪心】명 철도 차량의 바퀴의 중앙 부분.

윤-심덕【尹心悳】명〖사람〗여류 성악가·배우. 호는 수선(水仙). 평양 출신. 일본 도쿄 음악 학교에서 성악을 전공하고 돌아와, 순회 공연에 출연하여 성악가로 명성을 떨치고, 토월회(土月會) 등에서 배우(俳優)로 활약함. 1925년 유행 가수(流行歌手)로 전향, 《사(死)의 찬미(讚美)》로 인기를 끎. 애인 김우진(金祐鎭)과 현해탄에서 투신 정사(情死)함. [1897-1926]

윤언【綸言】명 군주(君主)가 아랫 사람에게 내리는 말. 군주의 말은 그 본래는 실과 같이 가늘지만, 이것을 하달(下達)할 때는 벼리처럼 굵어진다는 뜻. 윤명(綸命).

윤언 여한【綸言如汗】명 군주의 말이 한 번 떨어지면 취소하기 어려움이 마치 땀이 다시 몸 속으로 들어갈 수 없음과 같다는 뜻.

윤-엄【尹儼】명〖사람〗조선 중기의 서화가. 자(字)는 사숙(思叔), 호는 송암(松巖·松庵). 파평(坡平) 사람. 호조 좌랑(戶曹佐郞)·장수 현감(長水縣監)을 지냈음. 서화(書畫)에 뛰어났으며, 서화 감식(鑑識)의 제일인자(第一人者)였음. [1536-81]

윤업【輪業】명〖물〗'사이클(cycle)¹❸'의 한자 말.

윤:여¹【閏餘】명 실지의 한 해의 일시(日時)가 달력상의 일년치보다 더 있는 일.

윤여²【輪輿】명 수레를 만드는 사람.

윤예【胤裔】명 혈통(血統)을 받은 자손.

윤:옥¹【允玉·胤玉】명 남의 아들을 높여 일컫는 말. 윤군(允君·胤君).

윤:옥²【潤屋】명 집을 치장함. 전(轉)하여, 재산(財產)을 이룩함. ——-하다 자여불

윤왕【輪王】명〖불교〗전륜왕(轉輪王).

윤-용【尹愹】명〖사람〗조선 영조 때의 화가. 자(字)는 군열(君悅), 호는 청고(靑皐)·경헌(莄軒). 해남(海南) 사람. 아버지가 그림에 능하였고, 할아버지가 또한 화명이 높아 3대가 모두 화예가 정묘하였음. 그의 유작으로 《연강 우색도(烟江雨色圖)》가 전함. [1708-?]

윤-용(:)구【尹用求】명〖사람〗대한 제국 때의 상신·서화가. 자는 주빈(周賓), 호는 석촌(石村)·해관(海觀)·장위 산인(獐位山人). 해평(海平) 사람. 예조·이조 판서를 역임했고, 법부(法部)·탁지부(度支部)·내부 대신으로 10여 회 임명되었으나 모두 거절하고 은거함. 글씨와 그림에 모두 뛰어났고 특히 해서(楷書)·행서(行書)·금석문(金石文)을 많이 썼으며, 죽란(竹蘭)을 잘 그렸음. [1853-1939]

윤:우【允友·胤友】명 웃어른에 대하여, 그의 열댓 살 이상된 아들을 이르는 말.

윤-웅렬【尹雄烈】[—녈] 명〖사람〗조선 말의 무신. 해평(海平) 사람. 치호(致昊)의 아버지. 철종(哲宗) 7 년(1856) 무과(武科)에 급제. 남양 부사(南陽府使)를 지낸 다음, 고종(高宗) 17 년(1880) 별군관(別軍官)으로 김홍집(金弘集)을 따라 일본에 다녀옴. 이듬해 별기군(別技軍)의 영관(領官)이 되었으나 임오 군란(壬午軍亂)이 일어나자 일본으로 피했다가, 갑신 정변(甲申政變)으로 형조 판서가 됨. 뒤에 갑오 경장(甲午更張)으로 경무사(警務使)·군부 대신(軍部大臣)이 됨. 일본 정부로부터 남작(男爵)을 받음. [1840-1911]

윤-원로【尹元老】[—월—] 명〖사람〗조선 중기의 권신. 파평(坡平) 사

람. 원형(元衡)의 형. 문정 왕후(文定王后)의 오빠. 명종(明宗) 즉위 후 동생 원형과 권세를 다투다가 파직, 유배되어 사사(賜死)됨. [?-1547]

윤원형【尹元衡】명〖사람〗조선 명종 때의 권신(權臣). 자는 언평(彦平). 파평(坡平) 사람. 소윤(小尹)의 거두. 문정 왕후(文定王后)의 동생. 명종 원년(1546)에 문정 왕후(文定王后)가 수렴 청정(垂簾聽政)할 때, 대윤(大尹)을 숙청하기 위해 정순붕(鄭順朋)·이기(李芑) 등과 음모를 꾸며 을사 사화(乙巳士禍)를 일으켜 윤임(尹任) 등을 죽이고 많은 인사를 몰아 냈음. 뒤에 문정 왕후가 죽자 실각하여 관작을 삭탈당하고 첩 난정(蘭貞)과 함께 자살함. [?-1565]

윤:월[1]【閏月】명 윤달.

윤:월[2]【潤月】명 달불이.

윤:위【閏位】명 정통이 아닌 임금의 자리.

윤:유[1]【允兪】명 임금이 허가함. 윤가(允可). 윤준(允準). 윤허(允許). ——-하다 타여불

윤-유[2]【尹游】명〖사람〗조선 영조(英祖) 때의 문신. 자(字)는 백수(伯修)·백숙(伯叔), 호는 만하(晩霞). 이조(吏曹)·형조(刑曹)·호조(戶曹) 판서를 역임하고, 글씨를 잘 썼음. ≪해동 가요(海東歌謠)≫에 시조 2수가 전함. 시호는 익헌(翼憲). [1674-1737]

윤음【綸音】명 임금의 말씀. 윤발(綸綍). 윤지(綸旨).

윤음 언:해【綸音諺解】명 윤음을 널리 보급시키기 위하여 한글로 번역한 것을 이름. 영조(英祖) 이후 많은 윤음이 언해되어 있음.

윤의[1]【倫擬】[—/—이] 명 비김. 견주어 봄. ——-하다 자여불

윤의[2]【淪漪】[—/—이] 명 잔 물결. 세파(細波).

윤-의립【尹毅立】명〖사람〗조선 인조(仁祖) 때의 문신·서화가. 자는 지중(止中), 호는 월담(月潭). 파평(坡平) 사람. 함경도·충청도·경기도 관찰사를 역임하고 형조·예조 판서를 지냄. 그림과 글씨에 능했고 특히 그림은 산수화를 잘 그렸음. 저서에 ≪야언 통재(野言通載)≫ 등이 있고, 그림은 ≪산수도(山水圖)≫ 등이 전함. [1568-1643]

윤:익【潤益】명 점점 더 불어 감. ——-하다 자여불

윤-인【尹訒】명〖사람〗조선 광해군(光海君) 때의 문신. 자(字)는 인지(訒之). 파평(坡平) 사람. 선조 34년(1601) 생원을 거쳐 문과에 급제, 벼슬이 대사헌·대사간에 이름. 이이첨(李爾瞻) 등의 사주를 받아 이각(李覺)·정조(鄭造) 등과 같이 폐모론(廢母論)을 주창, 인목 대비(仁穆大妃)를 서궁(西宮)에 유폐시킴. 인조 반정(仁祖反正)이 일어난 후 사형됨. [?-1623]

윤:일【閏日】명〖천〗태양력에서 윤년에 드는 특별한 날. 곧, 2월 29일.

윤-일선【尹日善】[—썬] 명〖사람〗의학자·의학 박사. 충남 아산(牙山) 출신. 일본 교토(京都) 대학 의학부 졸업. 서울 대학교 대학원장·동 총장을 지냄. 그후 원자력원장·과학 기술 진흥 재단 이사장 등을 역임하면서 우리 나라의 과학 기술 개발에 노력하는 한편 암학회장 등을 지내면서 암퇴치에도 노력하였음. 학술원 종신 회원·원로 회원이 됨. 문화 훈장 대한민국장을 받음. [1896-1987]

윤-임【尹任】명〖사람〗조선 중기, 대윤(大尹)의 거두. 파평(坡平) 사람. 장경 왕후(章敬王后)의 오빠. 소윤(小尹)의 거두 윤원형과 세력 다툼을 하다가, 인종(仁宗)이 죽고, 명종(明宗)이 즉위, 윤원형의 누이인 문정 왕후(文定王后)가 수렴 청정(垂簾聽政)할 때, 소윤 일파가 일으킨 을사 사화(乙巳士禍)로 아들 3형제와 같이 사사(賜死)되었음. 뒤에 신원(伸寃)되었음. 시호는 충의(忠毅). [1487-1545]

윤:자【胤子】명 맏아들. 사자(嗣子).

윤작【輪作】명 ①〖농〗돌려짓기. ②같은 주제·소재 밑에, 여러 작가가 돌아가며 작품을 씀. ——-하다 타여불

윤장【輪藏】명〖불교〗법당(法堂)의 복판에 축(軸)을 세우고 여덟 개의 면(面)을 가진 경가(經架)를 만들어 여기에 일체경(一切經)을 넣어 자유로이 선전(旋轉)하는 장치. 전륜장(轉輪藏).

윤:재[1]【允裁】명 윤가(允可). ——-하다 타여불

윤재[2]【輪栽】명 윤작(輪作)❶. ——-하다 타여불

윤적-법【輪積法】명 점토를 반죽하여 떡가래처럼 늘인 다음 코일을 감듯이 둥그렇게 쌓아올려 그릇을 형성하는 그릇 성형법(成形法). 타렴 성형(coiling)이라고도 함.

윤전【輪轉】명 바퀴가 돎. 바퀴 모양으로 회전함. ——-하다 자타여불

윤전 그라비야 인쇄【輪轉一印刷】〔gravure〕명〔rotogravure〕〖인쇄〗윤전기를 사용해서 행하는 요판(凹版) 인쇄. 또, 그 인쇄물.

윤전-기【輪轉機】명〖인쇄〗↗윤전 인쇄기(輪轉印刷機).

윤전-의【輪轉儀】[—/—이] 명 자이로스코프.

윤전 인쇄기【輪轉印刷機】명〖인쇄〗인쇄 기계의 한 가지. 원통(圓筒) 모양의 판(版)과 인압 원통(印壓圓筒) 사이에 감은 인쇄지를 끼워서 인쇄하는 기계. 인쇄 능률이 높아서 신문 같은 대량 인쇄에 많이 쓰임. ㊟윤전기(輪轉機).

윤정-계【輪程計】명〔peramulator〕손잡이가 있는 바퀴의 축(軸)에 윤전의 길이를 나타내는 작은 표시기(表示器)를 연동(聯動)시킨 장치. 측정(測定)하는 거리의 선(線)을 따라 이 바퀴를 추진(推進)시키면 거리가 측정됨.

윤-정기【尹廷琦】명〖사람〗조선 후기의 학자. 자(字)는 기옥(奇玉)·경림(景林), 호는 방산(舫山)·한금(寒琴). 해남(海南) 사람. 외조부 정약용(丁若鏞)에게 학문을 배워, 경사(經史)에 밝았음. 정약용의 문장과 송(宋)나라 미불(米芾)의 체(體)를 터득한 글씨로 유명함. [1810-?]

윤-정립【尹貞立】[—닙] 명〖사람〗조선 중기의 화가. 자는 강중(剛仲). 호는 학산(鶴山)·매헌(梅軒). 파평(坡平) 사람. 군수를 지냈으며, 시문과 그림으로 이름을 떨침. 작품에 ≪관폭 쌍로도(觀瀑雙老圖)≫가 있음. [1571-1627]

윤-제(:)홍【尹濟弘】명〖사람〗조선 정조(正祖) 때의 문신·화가. 자(字)는 경도(景道), 호는 학산(鶴山)·찬하(餐霞). 파평(坡平) 사람. 벼슬은 대사간에 이르렀으며, 글씨와 그림에 모두 뛰어났는데, 특히 그림에는 산수화(山水畫)에 독특한 경지를 이루었음. 작품에 ≪월하 우배 적성도(月下牛背笛聲圖)≫가 있음. [1764-?]

윤조-류【輪藻類】명〖식〗차축조 식물(車軸藻植物).

윤-종의【尹宗儀】[—/—이] 명〖사람〗조선 시대 말의 문신·학자. 자는 사연(士淵), 호는 연재(淵齋). 파평(坡平) 사람. 공조 판서를 지냈으며, 제자 백가(諸子百家)에 정통했는데, 병법(兵法)·농사(農事)·천문(天文) 등에도 조예가 깊었고, 특히 예학(禮學)에 밝았음. 저서에 ≪예기 사문록(禮記思問錄)≫ 등이 있음. 시호는 효정(孝貞). [1805-86]

윤좌【輪座】명〖불교〗전륜왕(轉輪王)의 좌위(座位). 뜻이 변하여, 부처의 자리를 말함.

윤좌 쌍정【輪座雙晶】명〖광〗반복 쌍정(反復雙晶)의 한 형태. 쌍정이 순차로 반복되어 윤상(輪狀)을 이룬 것으로, 특히 사방 경계(斜方晶系)에서 단위 주면(單位柱面)을 쌍정면(雙晶面)으로 하는 것에 많이 나타남. 근청석(菫靑石)·금홍석(金紅石) 등.

윤:주【潤州】명 중국 수(隋)나라 때, 지금의 장쑤 성(江蘇省) 전장 현(鎭江縣)에 두었던 주명(州名).

윤:준【允準】명 임금이 허가함. 윤가(允可). 윤유(允兪). 윤허(允許). ——-하다 타여불

윤중-제【輪中堤】명 강섬의 둘레를 둘러쳐서 쌓은 제방. ¶여의도(汝矣島) ~.

윤-증[1]【尹拯】명〖사람〗조선 숙종(肅宗) 때의 학자. 소론(少論)의 거두. 자는 자인(子仁), 호는 명재(明齋)·유봉(酉峰). 파평(坡平) 사람. 유계(兪棨)·송시열(宋時烈)의 문인이었으나 뒤에 부친 윤선거(尹宣擧)의 비문 관계로 송시열과 틀린 후, 소론의 영수(領袖)가 되어 노론(老論)과 치열한 당쟁(黨爭)을 벌임. 여러 번 조정에서 판서·우의정 벼슬을 내렸으나 모두 사양함. 시호는 문성(文成). [1629-1711]

윤증[2]【輪症】명 돌림병. 윤질(輪疾).

윤지【綸旨】명 임금의 말씀. 윤발(綸綍). 윤음(綸音).

윤-지교【尹智敎】명〖사람〗조선 숙종(肅宗) 때의 학자. 자(字)는 숙정(叔正)·숙우(叔愚), 호는 숙야재(夙夜齋). 파평(坡平) 사람. 순거(舜擧)의 손자. 윤증(尹拯)의 문인. 과거에 뜻을 두지 않고 성리학을 전공, 경사(經史)로부터 제자 백가(諸子百家)의 서(書)에 이르기까지 연구함. 특히 예서(禮書)에 치중하여 사소한 절목(節目)까지 정밀히 연구, 한 질(帙)의 책으로 만들어 윤증의 격찬을 받음. 생몰년 미상.

윤:지당 유고【允摯堂遺稿】[—뉴—] 명〖책〗조선 정조(正祖) 때의 신광유(申光裕) 의처(妻) 윤지당 임(任)씨의 유고(遺稿). 조선 정조(正祖) 20년(1796)에 남편(男便)과 동생 임정주(任靖周)가 편찬 간행(刊行)함. 2권 1책.

윤-지완【尹趾完】명〖사람〗조선 숙종(肅宗) 때의 문신. 자(字)는 숙린(叔麟), 호는 동산(東山). 파평(坡平) 사람. 현종(顯宗) 3년(1662) 형 지선(趾善)과 함께 증광 문과(增廣文科)에 급제, 한때 삭직(削職)되었다가 숙종 6년(1680) 경신 대출척(庚申大黜陟) 때 다시 등용되어 예조·병조 판서를 거친 다음 평안도 감찰사가 됨. 동 14년 기사 환국(己巳換局)으로 파직되었다가 동 20년 갑술 옥사(甲戌獄事)로 복직, 좌참찬·우의정을 지냄. 청백리(淸白吏)에 녹선된 후 영돈령부사(領敦寧府事)가 됨. 시호는 충정(忠正). [1635-1718]

윤지의 난:【尹志一亂】[—/—에—] 명〖역〗조선 영조(英祖) 때, 소론(少論)의 윤지가 주동이 되어 난을 일으키려다 발각되어 벌어진, '나주(羅州) 괘서(掛書)의 변(變)'의 딴이름.

윤-지충【尹持忠】명〖사람〗조선 정조(正祖) 때의 천주교 교인. 교명(敎名)은 바오로. 진산(珍山) 사람. 정약용(丁若鏞)의 외사촌. 25세 때 진사(進士)가 되었고 이듬해 정약용의 가르침에 따라 천주교를 믿고 영세를 받음. 정조 13년(1789) 베이징(北京)에 가서 견진 성사(堅振聖事)를 받고 귀국함. 동 15년 어머니 장사 때 천주교 의식에 따라 초상을 치른 것이 관가에 알려져 피신했다가 자수, 불효·불충·악덕의 죄로 사형당하여 우리 나라 최초의 천주교 순교자가 됨. [1759-91]

윤직【輪直】명 윤번(輪番)으로 하는 숙직(宿直).

윤-진【尹軫】명〖사람〗조선 선조(宣祖) 때의 장수. 자(字)는 계방(季邦), 호는 율정(栗亭). 남원(南原) 사람. 정유 재란(丁酉再亂)에 왕명에 의하여 장성(長城) 입암산성(笠巖山城)을 혼자 굳게 지키다가 처 권씨(權氏)와 함께 순절(殉節)하였음. [1548-97]

윤질【輪疾】명 돌림병. 윤증(輪症). 특히, 콜레라.

윤-집[1]【尹集】명〖사람〗조선 인조(仁祖) 때의 충신. 자(字)는 성백(成伯), 호는 임계(林溪). 병자 호란(丙子胡亂) 때의 3학사의 한 사람. 벼슬은 교리(校理)에 이름. 인조 5년(1637)에 척화신(斥和臣)으로 선양(瀋陽)에 잡혀가 피살되었음. 시호는 충정(忠貞). [1606-37]

윤:집[2]【閏集】명 원본에서 빠진 글을 따로 모아, 편집한 문집(文集). 유보집(遺補集).

윤차[1]【倫次】명 신분(身分)의 차례.

윤차[2]【輪次】명 돌아가는 차례. 윤번(輪番).

윤차[3]【輪差】명 벼슬을 돌려 가며 차례로 시킴. 윤함(輪銜). ——-하다 타여불

윤창【輪唱】명〖악〗'돌림노래'의 한자 이름.

윤:채[1]【潤彩】명 윤이 나는 채색.

윤채[2]【輪彩】명 '태양(太陽)'의 이칭(異稱).

윤척【輪尺】명〔callipers〕나무의 지름을 측정(測定)하는 기계(器械)자. 캘리퍼스.

윤척-없다【倫脊一】[—업—] 형 이 말 저 말을 되는 대로 지껄여 줄거리 되는 요점이 없다. ¶윤척 없는 말을 함부루 지껄여 조좌(朝座) 중에 창피케 하오니 역일 변괴올시다≪李海朝 : 花의 血≫.

윤척-없이【倫脊―】[―업씨] 부 윤척없게.

윤첩【輪牒】명 ①돌려 가며 넘겨 주는 통첩(通牒). ②돌림 편지.

윤:초【閏秒】명 표준시(標準時)와 실제 시각과의 오차(誤差)를 조정하기 위해서 그리니지 표준시로 7월 1일과 1월 1일의 0시에 보정(補正)하는 초(秒). 1972년부터 실시됨. 윤초는 윤년(閏年)과는 별개이며, 직접적으로는 무관한 것임.

윤축【輪軸】명 축(軸)에 바퀴를 고정시켜 바퀴와 축을 동시에 회전시키는 장치. 무거운 물체를 작은 힘으로 끌어 올리는 데에 쓰이는 것으로서, 축에 감은 줄을 당겨서 그 물체를 올리고 내리고 함. 힘점(點)·받침점·중점(重點)의 관계는 지레와 같음. 축과 바퀴 간의 비율은 아래의 공식으로 나타남. $FR=Wr$, 여기서 F는 힘, R는 바퀴의 반지름, W는 짐의 무게, r는 축의 반지름.

〈윤축〉

윤-춘년【尹春年】명〖사람〗조선 시대의 문신. 자(字)는 언문(彥文), 호는 학음(學音)·창주(滄洲). 파평(坡平) 사람. 대·소윤(大小尹)간에 정권 다툼이 일어나자 소윤 윤원형(尹元衡)에 아부하여 을사사화(乙巳士禍) 때 많은 선비들을 추방함. 명종 20년(1565) 윤원형이 실각하자, 예조 판서로 있다가 파직당하고 은퇴함. 음률(音律)에 솜씨가 있었음. 문집에 ≪학음고(學音稿)≫가 있음. [1514-67]

윤충[1]【輪蟲】명〖동〗윤충류에 속하는 동물의 총칭. 바퀴벌레.

윤충[2]【蝡蟲】명〖동〗'연충(蠕蟲)'의 잘못.

윤충-류【輪蟲類】[―뉴] 명〖동〗[Rotifera] 윤형(輪形)동물에 속하는 한 강(綱). 아주 작은 벌레인데, 담수에 살며 물속을 헤엄치는 것도 있고 물 밑 흙 위를 기어 다니는 것도 있음. 모양은 타원형, 몸 앞쪽에는 미세한 털이 많이 나고, 뒤쪽은 뾰족한 꼬리를 이룸. 자웅 이체로 수컷은 암컷보다 더 작음. 마른 곳에서도 오래 견디는데, 습기가 차면 다시 활동함. *복모류(腹毛類)·동문류(動吻類).

윤-치(:)호【尹致昊】명〖사람〗조선 말엽의 정치가. 호는 좌옹(佐翁). 해평(海平) 사람. 웅렬(雄烈)의 아들. 고종(高宗) 18년(1881) 신사 유람단(紳士遊覽團)의 수원(隨員)으로 미국에 가서 신학문을 배우고, 미국 공사(公使) 푸트(Foote)의 통역으로 귀국함. 갑신 정변(甲申政變)에 가담했다가 미국으로 망명(亡命), 1895년 돌아와서 학부 협판(學部協辦)이 됨. 독립 협회 창립에 참여, 광무(光武) 2년(1898) 제2대 회장이 되고, 만민 공동회(萬民共同會)를 개최함. 광무 10년(1906)에 대한 자강 협회장(自彊協會長), 융희(隆熙) 4년 (1910)에 기독 청년회장·독립 신문 사장을 역임함. 일제 말엽에 한 때 변절, 해방 후 일본에 협력한 것을 자탄하다가 자결하였음. [1865-1946]

윤-탁【尹倬】명〖사람〗조선 중종(中宗) 때의 학자. 자(字)는 언명(彥明), 호는 평와(平窩). 파평(坡平) 사람. 김굉필(金宏弼)의 문인. 벼슬은 대사성·개성부 유수(開城府留守)를 지냄. 당시 새로 등장한 사림파(士林派)의 거두로 심오한 학문과 연구로 대학자로 추대되었음. 송인수(宋麟壽)·이황(李滉) 등이 그에게 수학함. [1472-1534]

윤-탁연【尹卓然】명〖사람〗조선 중기의 문신. 자(字)는 상중(尙中), 호는 중호(重湖). 칠원(漆原) 사람. 명종 20년(1565) 알성 문과(謁聖文科)에 병과(丙科)로 급제, 사관(史官)이 됨. ≪명종 실록(明宗實錄)≫ 편찬에 참여했으며, 임진왜란이 일어나자 함경도 관찰사로 임해군(臨海君)을 호종(扈從), 함경도 순찰사가 되어 의병을 모집하고 왜군에 대한 방어 계획을 세우던 중 객사함. 시호는 헌민(憲敏). 저서에 ≪계사 일록(癸巳日錄)≫이 있음. [1538-94]

윤탑【輪塔】명 오륜(五輪)의 탑.

윤:태【潤態】명 윤택(潤澤)❶.

윤:택【潤澤】명 ①윤기 있는 광택. 윤태(潤態). ②물건이 풍부함. ¶~한 살림. ――하다 형여불

윤:통【閏統】명 정통(正統)이 아닌 계통.

윤판-나물 명〖식〗[*Disporum sessile*] 백합과에 속하는 다년초(多年草). 높이 30-60 cm이며 가지는 두 개 정도 갈라지고 잎은 호생하며 타원형이고 끝이 뾰족함. 4-6월에 초록색과 백색의 꽃이 피며, 장과(漿果)는 지름 1 cm 가량으로 까맣게 익음. 산과 들의 숲속에 나며, 거의 한국 각지 및 일본에 분포함. 어린 잎은 식용함. 보탁초(寶鐸草). 대애기나리.

〈윤판나물〉

윤:-포[1]【―布】명 무당들이 쓰는 굵은 베.

윤-포[2]【尹誧】명〖사람〗고려 중기의 학자·문신. 횡성(橫城) 사람. 벼슬은 수사공 상서 좌복야 판공부사(守司空尙書左僕射判工部事)를 지냈음. 왕명으로 ≪정관 정요(貞觀政要)≫를 주해(註解)했고, 인종(仁宗) 33년(1133)에는 왕명으로 고사(古詞) 3백 수를 선집(選集)≪당송 악장 일부(唐宋樂章一部)≫라 이름했으며, ≪태평 광기(太平廣記)≫를 편찬, 시 100수를 촬요(撮要)하여 바쳤음. 또, 당(唐)나라 현장 법사(玄奘法師)의 ≪서역기(西域記)≫에 의거 ≪오천축국도(五天竺國圖)≫를 찬(撰)하여 바치기도 함. 음률(音律)·가사(歌詞) 등에 뛰어났으며, 만년에는 불경(佛經)에 전심함. 시호는 정렬(靖烈). [1063-1154]

윤:필【潤筆】명 ①[붓을 적신다는 뜻] 시문(詩文)을 쓰고, 서화를 그림. ②↗윤필료(潤筆料). ――하다 자여불

윤:필-료【潤筆料】명 서화(書畫)·문장(文章)을 쓴 보수. 휘호료(揮毫料). ㊀윤필(潤筆).

윤-필상【尹弼商】[―쌍] 명〖사람〗조선 중기의 문신. 자(字)는 양좌(陽佐). 파평(坡平) 사람. 세조(世祖)의 총애를 받고 이시애(李施愛)의 난 때 도승지로 공을 세워 우참찬으로 특진하고 적개 공신(敵愾功臣) 1등이 됨. 그 후 좌참찬을 거쳐 우의정에 오르고 명(明)나라 건주위(建州衛) 야인(野人)들의 정세를 탐지 보고했으며, 성종(成宗) 10년(1479) 좌의정으로서 서정 도원수(西征都元帥)가 되어 이를 토벌하였음. 동 15년(1484) 영의정에 올랐고 기로소(耆老所)에 들어감. 뒤 갑자사화(甲子士禍) 때 유배되어 자결함. [1427-1504]

윤:필지-자【潤筆之資】[―찌―] 명 윤필료(潤筆料).

윤:하【允下】명 임금이 윤가(允可)를 내림. ――하다 타여불

윤:하-수【潤下水】명〖민〗육십 화갑자(六十花甲子)에서, 병자(丙子) 정축(丁丑)에 붙이는 납음(納音). 자(子), 곧 북방의 왕성한 물이 병정화(丙丁火)에 의해서 증발되고, 흙더미, 곧 축(丑)에 묻히니, 땅을 기름지게 하는 윤하수로 변한다는 말.

윤하정 삼문 취:록【尹河鄭三門聚錄】명〖문〗작자·제작 연대 미상의 장편 소설. ≪명주 보월빙(明珠寶月聘)≫의 속편으로, 윤씨·하씨·정씨 세 가문의 이야기. 주로 여러 가지 가문내(家門內)에서의 갈등을 다룬 작품(作品)임.

윤-하중【輪荷重】명 차량(車輛)의 한 개의 바퀴를 통하여 노선(路線)에 가하여지는 연직(鉛直) 하중.

윤함【輪銜】명 윤차(輪差). ――하다 타여불

윤-행임【尹行恁】명〖사람〗조선 정조(正祖) 때의 문신. 자(字)는 성보(聖甫), 호는 방시한재(方是閑齋) 또는 석재(碩齋). 남원(南原) 사람. 시파(時派)로 정조의 은총을 입어 20년간 지밀(至密)에서 왕명(王命)을 받들었으며, 정조가 죽은 다음 이조 판서가 됨. 시파를 제거하기 위해서 일으킨 신유박해(辛酉迫害) 때 투옥되어 참형(斬刑)됨. 시호는 문헌(文獻). [1762-1801]

윤:허【允許】명 임금이 허가함. 윤가(允可). 윤유(允兪). 윤준(允準). ――하다 타여불

윤-현【尹鉉】명〖사람〗조선 때의 문신. 자(字)는 자용(子用), 호는 국간(菊磵). 파평(坡平) 사람. 중종 26년(1531) 진사(進士)가 되고 동 32년(1537) 식년 문과(式年文科)에 장원이 됨. 명종 5년(1550) 장악원정(掌樂院正)으로 ≪중종 실록(中宗實錄)≫ 편찬에 참여함. 청백리(淸白吏)에 녹선(錄選)되었고, 문집으로 ≪국간집(菊磵集)≫이 있음. 시호는 충간(忠簡). [1514-78]

윤-현(:)동【尹顯東】명〖사람〗조선 시대의 학자. 자는 성중(誠中), 호는 석운(石雲). 해평(海平) 사람. 일생을 향리에 묻혀 학문 연구에 힘썼으며, 특히 성리학(性理學)에 밝았음. 문집에 ≪석운집(石雲集)≫이 있음. [1713-82]

윤-현(:)진【尹顯振】명〖사람〗독립 운동가. 호는 석산(石山). 경남 양산(梁山) 출신. 일본 메이지(明治) 대학을 나온 후 대동 청년당(大東靑年黨)을 조직했었으며, 독립 운동 자금을 조달하기 위하여 부산(釜山)에서 안희제(安熙濟) 등과 백산 상회(白山商會)를 경영하는 등 두 차례에 걸쳐 31만 2천 원을 상해 임시 정부에 보냄. 뒤에 상해로 탈출, 임시 정부 재무 차장이 됨. [1892-1922]

윤-형[1]【尹泂】명〖사람〗조선 시대 전기의 문신. 자(字)는 이원(而遠), 호는 퇴촌(退村). 본관은 무송(茂松). 선조 19년(1586) 문과에 급제, 1589년 서장관(書狀官)으로 명(明)나라에 가서 종계(宗系)를 변무(辨誣)하고 돌아옴. 임진왜란 때 왕을 호종(扈從), 벼슬이 호조 판서에 이름. 광해군 3년(1611) 임진왜란 때의 호종의 공으로 무성 부원군(茂城府院君)이 됨. 시호는 충정(忠靖). [?-1614]

윤형[2]【輪刑】명〖역〗죄인을 연로(沿路) 각 읍(邑)으로 끌고 다니며 욕보이는 형벌.

윤형[3]【輪形】명 바퀴 같은 모양.

윤형-동물【輪形動物】명〖동〗[Trochelminthes] 원체강(原體腔) 동물의 한 문(門). 아주 작은 다세포(多細胞) 동물로 유영성(遊泳性) 또는 고착성(固着性)이 있고 몸은 자루 모양이며 두부(頭部)에 섬모환(纖毛環)이 있어 섬모 운동으로 먹이를 포식함. 흔히 담수(淡水)에 살며, 자웅 이체로 봄부터 가을까지 암컷은 단위 생식(單爲生殖)을 하고 그 이후에는 양성(兩性) 생식을 함. 윤충류·복모류(腹毛類)·동문류(動吻類)의 세 강(綱)으로 분류함. 담륜동물(擔輪動物). *대형(袋形)동물.

윤형-진【輪型陣】명 함대 진형(艦隊陣形)의 하나. 항공모함·전함 등 주력함을 중심으로 경순양함·구축함·잠수함 등의 쾌속 부대가 그 주위를 몇 겹으로 둘러 싸고 항해하는 대형.

윤화【輪禍】명 전차·자동차 등 육상(陸上)의 교통 기관에 의해 입는 재해. 교통사고.

윤환[1]【輪奐】명 집이 크고 아름다움.

윤환[2]【輪環】명 ①둥근 고리. 둥근 바퀴. 또, 바퀴처럼 돎. ②순환(循環).

윤환 방:목【輪換放牧】명 방목지(放牧地)를 목책(木柵)으로 몇 구(區)로 구분하여 계절의 이행(移行)에 따라 차례차례 이동해 가며 가축을 방목하는 형식.

윤환-체【輪環體】명〖수〗원환체(圓環體).

윤:활【潤滑】명 습윤하여 매끄러움. ――하다 형여불. ――히 부

윤:활-유【潤滑油】[―류] 명 기계가 맞닿는 부분의 마찰을 덜기 위하여 쓰이는 기름. 주로 석유를 높은 끓는점(點)에서 유출(溜出)한 것이나, 동식물성 유지(油脂)를 씀. 용도에 따라 기계유·스핀들유·모빌유·실린더유 등으로 나눔.

윤:활-제【潤滑劑】[―쩨] 명 감마제(減磨劑).

윤-황【尹煌】명〖사람〗조선 인조(仁祖) 때의 척화신(斥和臣). 자(字)는 덕요(德耀), 호는 팔송(八松). 파평(坡平) 사람. 성혼(成渾)의 문인. 정묘(丁卯)의 난 때 사간(司諫)으로서 화의(和議)를 배척하였고 병자호란(丙子胡亂) 때에도 척화(斥和)하다가 김상헌(金尙憲)·정온(鄭蘊)이 청나라에 붙잡혀 갈 때 대신 갈 것을 자청했으나 허락되지 않음. 뒤에 상소문에 불손한 구절이 있다 하여 유배(流配)됨. 시호는 문정(文貞). [1571-1639]

윤-회[1]【尹淮】[명]〖사람〗조선 세종(世宗) 때의 명신·학자. 자(字)는 청경(淸卿), 호는 청향당(淸香堂). 무송(茂松) 사람. 세종(世宗) 14년(1432) 예문관 제학(藝文館提學)으로 신장(申檣)과 더불어 ≪팔도 지리지(八道地理志)≫를 편찬하였으며, 대사성이 되어 대제학(大提學) 정초(鄭招)와 함께 사대 문서(事大文書)를 감장(監掌)함. 동 16년 집현전에서 왕명으로 ≪자치 통감 훈의(資治通鑑訓義)≫의 찬집(纂輯)을 맡았으며 벼슬은 병조 판서(兵曹判書), 예문관 대제학(藝文館大提學)에 이름. 시호는 문도(文度). [1380-1436]

윤회[2]【輪廻】[명] ①차례로 돌아감. 유전(流轉). ②〔범 saṁsāra〕〖불교〗중생(衆生)이 성도 수업(聖道修業)의 결과, 해탈(解脫)을 얻을 때까지 그의 영혼이 육체와 함께 업(業)에 의하여 다른 생(生)을 받아 무시 무종(無始無終)으로 생사(生死)를 반복함. ③〖지〗미국의 데이비스(Davis) 교수의 용어. 지형(地形) 발달의 단계를 유년(幼年)·청년(靑年)·장년(壯年)·노년(老年)의 각 기(期)로 나누고, 지각(地殼)의 침강 융기(沈降隆起)의 결과로서 지형이 도로 젊어지는 지형 변천 과정을 되풀이함을 일컬음. 암석 윤회. ④〖정〗페르겐부르크(Fergenburg) 교수의 용어. 유년·청년·장년·노년의 각 기를 국가의 발전 단계와 결부시켜 그 성쇠가 반복됨을 이름. ——-하다 [자][여불]

윤회-결【輪回結】[명]〖역〗조선 시대 후기에, 3년 또는 10년마다 도내 각 읍에서 돌려가면서 각 궁방(宮房)에 획급(劃給) 수세(收稅)하게 한 민전(民田), 곧 무토 면세(無土免稅)의 궁방전(宮房田)의 딴이름. 각 읍에서 수세하여 호조(戶曹)에 바치면, 호조에서 그것을 각 궁방에 지급하였음.

윤회 사:상【輪廻思想】[명]〖불교〗중생은 끊임없이 삼계 육도(三界六道)의 미혹의 세계에서 생사를 반복한다고 보는 사상.

윤회 생사【輪廻生死】[명]〖불교〗사람의 살고 죽음이 모두 영혼의 윤회에 말미암는다는 말.

윤회-설【輪廻說】[명]〖불교〗불가(佛家)에서 윤회를 말하는 설(說).

윤회-쇄【輪廻鎖】[명]〔endless chain〕〖기〗긴 사슬의 양끝을 톱니에 물린 체인의 일종. 자전거 등과 같이 톱니의 둘레를 돌려서 회전시키는 데와, 동력(動力) 전달 등에 쓰임.

윤회 전:생【輪廻轉生】[명]〖불교〗수레바퀴가 돌아 끊임이 없듯, 중생이 사집(邪執)·유견(謬見)·번뇌(煩惱)·업(業) 등으로 인하여 삼계 육도(三界六道)에 죽어서는 다시 나고 또 다시 죽으며 생사를 끝없이 반복해 감을 이름.

윤-효(:)중【尹孝重】[명]〖사람〗조각가. 경기도 장단(長湍) 태생. 일본 도쿄(東京) 미술 학교 조각과 졸업. 홍익 대학 교수를 거쳐 국전(國展) 심사 위원·한국 미술 협회 부이사장을 역임하였음. 선전(鮮展)에 출품하여 최고상 수상. 힘찬 구도를 바탕으로 대작(大作)을 주로 제작함. 대표작 ≪현명(弦鳴)≫·≪희망≫·≪피리 부는 사람≫ 등과 주요 기념상으로 진해에 있는 ≪이 충무공 동상≫·≪민 충정공 동상≫ 등이 있음. [1917-67]

윤-휴【尹鑴】[명]〖사람〗조선 효종(孝宗)·현종(顯宗) 때의 학자. 자(字)는 희중(希仲), 호는 백호(白湖)·하헌(夏軒). 남원(南原) 사람. 경전(經典) 해석에 있어 종래의 주자(朱子) 학설을 맹종하는 관습을 떠나 독창적 견해를 가지고 주해를 많이 고치었고 이황(李滉)·이이(李珥)의 이기설(理氣說)에도 비판을 가하고 두 학설을 절충 ≪사단 칠정 인심 도심설(四端七情人心道心說)≫을 지어 정설(定說)이 없었던 심성설(心性說)에 대한 해석을 꾀하였음. 남인(南人)으로 현종 1년(1660) 1차 복상(服喪) 문제 때 쫓겨났으며 2차 예송(禮訟) 후 공조 판서·우찬성(右贊成)을 지냄. 숙종 6년(1680) 경신 대출척(庚申大黜陟) 때 옥사(獄死)함. [1617-80]

윤-흔【尹昕】[명]〖사람〗조선 인조(仁祖) 때의 문신. 자(字)는 시회(時晦), 호는 도재(陶齋)·청강(晴江). 해평(海平) 사람. 선조 28년(1595) 별시 문과(別試文科)에 병과(丙科)로 급제, 내외 관직을 거쳐 우승지(右承旨)에 이름. 이괄(李适)의 난·정묘 호란(丁卯胡亂)·병자 호란 등 여러 차례 왕을 호종(扈從)함. 저서에 ≪계음 만필(溪陰漫筆)≫·≪도재집(陶齋集)≫·≪도재 수필(陶齋隨筆)≫ 등이 있음. 시호는 정민(靖敏). [1564-1638]

윤:흡【潤洽】[명] 두루 젖음. 전(轉)하여, 은덕(隱德)이 두루 미침. ——-하다 [자][여불]

윤-희구【尹喜求】[一히一] [명]〖사람〗한문학자. 자는 주현(周賢), 호는 우당(于堂). 해평(海平) 사람. 광무 1년(1897) 사례소(史禮所)에서 장지연(張志淵)과 함께 ≪대한 예전(大韓禮典)≫을 편찬하였으며 ≪문헌비고(文獻備考)≫를 증수(增修)하였고, ≪양조 보감(兩朝寶鑑)≫을 편찬하였음. 국권 상실 후 총독부 중추원(中樞院) 촉탁(囑託)이 되어 경학원 부제학(經學院副提學)을 겸했으며, 1916년 오세창(吳世昌)·장지연 등과 ≪대동시선(大東詩選)≫을 편찬함. [1867-1926]

율[1]【律】[명] 성(姓)의 하나. 우리 나라에는 현존하지 아니함.

율[2]【律】[명] ①↗음률(音律). ②〖음〗↗육율(六律). ③↗기율(紀律). ④풍류. ⑤범죄자를 처벌하는 법. 형률(刑律). ⑥〖문〗율시(律詩). ⑦〖문〗율격(律格). ⑧〔범 vinaya〕〖불교〗불법의 금계(禁戒). 계율(戒律). ⑨〖불교〗↗율종(律宗).

율[3]【率】[명] ①↗비율(比率). ②↗능률(能率).

-율[1]【律】[미] 받침이 없거나 ㄴ받침이 있는 명사 밑에 붙어 '법칙'·'율격(律格)' 등의 뜻을 나타내는 말. ¶인과~ / 음수(音數)~ / 칠언(七言)~. ＊-률.

-율[2]【率】[미] 받침이 없거나 ㄴ받침이 있는 명사 밑에 붙어 비율의 뜻을 나타내는 말. ¶백분~/전기 전도~. ＊-률.

율객【律客】[명] ①음률(音律)에 밝은 사람. ②가객(歌客).

율격【律格】[一껵] [명] ①격식. 규격. ②한시(漢詩)의 구성법에서 언어·음률을 가장 음악적으로 이용한 격식. 평측(平仄)·운각(韻脚)·조구(造句)의 세 가지가 있음. ③〖문〗음절(音節)의 수, 소리의 강약·고저·장단 등이 연쇄적·규칙적으로 반복되어 나타나는 격식. 율(律).

율곡【栗谷】[명]〖사람〗이이(李珥)의 호(號).

율곡 사:업【栗谷事業】[명]〖군〗〔임진 왜란 전에 10만 양병설(養兵說)을 주장한 이이(李珥)의 호에서 유래〕1974년부터 추진되었던 국군의 새 무기 구입과 장비 현대화를 위한 전력 증강 사업의 암호명(暗號名).

율곡 전서【栗谷全書】[명]〖책〗조선 순조(純祖) 14년(1814)에 출판된 율곡 이이(李珥)의 전집(全集). 시집·문집·속집·외집·별집·습유(拾遺)로 되어 있는데, 조선 후기의 유학(儒學)뿐만 아니라, 정치(政治)·사상(思想)·사회 제도(社會制度)의 연구에도 귀중한 자료가 되고 있음. 44권 38책.

율-과【律科】[명]〖역〗조선 시대 때 잡과(雜科)의 하나로, 형률(刑律)에 밝은 사람을 시취(試取)하는 과거(科擧). 일종의 기술관(技術官) 시험으로 초시(初試)·복시(覆試)가 있음.

율관[1]【律官】[명]〖역〗과거의 율과(律科)에 급제하여 임명된 관원(官員).

율관[2]【律管】[명]〖악〗옛 중국·한국·일본에서 음악에 쓰이는 음의 높이를 규정하기 위하여 사용하는 죽관(竹管). 12율(律)의 각 음에 상당하는 12개의 가는 대통을 한 벌로서 사용함.

〈율관[2]〉

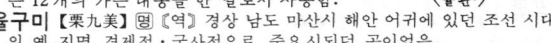

율구미【栗九美】[명]〖역〗경상 남도 마산시 해안 어귀에 있던 조선 시대의 옛 지명. 경제적·군사적으로 중요시되던 곳이었음.

율기[1]【律己】[명] ①안색을 바로잡아 엄정히 함. ¶춘식이는 그 말을 듣고 분이 나서 ~를 하고 대답을 하는데…≪崔瓚植 : 능라도≫. ②자기 자신을 다스림. 율신(律身). ——-하다 [자][여불]

율기[2]【律紀】[명] 기율(紀律).

율기 제:행【律己制行】[명] 자기 자신의 마음을 단속하고, 행동을 삼감. ——-하다 [자][여불]

율당【栗糖】[一땅] [명] 밤엿.

율-도【栗島】[一또] [명]〖지〗①전라 남도의 서해상(西海上), 신안군(新安郡) 지도읍(智島邑) 태천리(台川里)에 위치한 섬. [0.51 km^2] ②전라 남도의 서해상(西海上), 신안군(新安郡) 장산면(長山面) 마진도리(馬津島里)에 위치한 섬. [0.43 km^2] ③충청 남도의 서해상(西海上), 태안군(泰安郡) 이원면(梨園面)에 위치한 섬. [0.27 km^2]

율동【律動】[一똥] [명] ①주기적인 운동. 규율에 따라 움직임. 일정한 때마다 변환하여 움직임. ②〖악〗'리듬'의 역어(譯語). ③↗율동 체조(律動體操).

율동 교:육【律動教育】[一똥一] [명] 리트미크(rythmique).

율동-법【律動法】[一똥뻡] [명]〔도 Rhythmik〕시(詩)나 문학에 있어서의 각종 율동의 구성법. 동률법(動律法).

율동 부정【律動不整】[一똥一] [명]〔dysrhythmia〕〖의〗뇌파(腦波)의 부정(不整)한 리듬.

율동-성【律動性】[一똥썽] [명] 율동의 요소가 있는 성질.

율동-적【律動的】[一똥一] [명][관] 규칙과 절도가 있게 되풀이 되는 운동의 모양.

율동 체조【律動體操】[一똥一] [명] 음악의 장단에 맞추어 하는 체조. 심신의 조화적 발달과 운동의 미적(美的) 표현을 목적으로 함. 오스트리아의 달크로즈(Dalcroze)에 의하여 시작됨. [준]율동.

율려【律呂】[명]〖악〗①율(律)의 음과 여(呂)의 음. 곧, 음률(音律)·악률(樂律)의 의미로 음악을 이름. ②육율(六律)과 육려(六呂).

율려 정:의【律呂正義】[一/一이] [명]〖책〗중국의 대표적인 음악 이론책. 청(淸)나라 강희(康熙) 52년(1713)에 황제의 명으로 당시 베이징에 살던 선교사인 이탈리아 사람 페드리니(Pedrini, Theodorico:중국명은 덕리격(德利格))와 포르투갈 사람 페레이라(Pereira, Thomas: 중국명은 서일승(徐日升)) 두 사람이 지었음. 상편은 2권으로 중국 음악의 악률론(樂律論), 하편은 2권으로 중국 음악의 음률론(音律論), 속편은 1권으로 양악 이론으로 되어 있는데, 중국에서 처음으로 오선식 악보를 사용하여 해설하였음.

율력 연원【律曆淵源】[명]〖책〗중국 청(淸)나라 강희제(康熙帝)가 중국인 학자를 동원하여 편찬한 음률·수학·천문에 관한 책. 100권. ＊역상 고성(曆象考成).

율렬【凓烈】[명] 추위가 맵고 심함. ——-하다 [형][여불]

율령【律令】[명] ①중국의 수당(隋唐) 시대의 법전(法典). ②형률(刑律)과 법령(法令). 곧, 법률의 총칭. 격령(格令).

율-령-격-식【律令格式】[명]〖역〗중국에서 수(隋)·당(唐)대에 완성한 국가적 성문법 체계. 율은 형법, 영은 공사 제반(諸般)의 제도에 관한 규정, 격은 율령을 수정 증보한 명령 곧 칙령(勅令)의 편집, 식은 율령의 시행 세칙임.

율령 박사【律令博士】[명]〖역〗신라에서 율령에 관한 사무를 담당한 관리.

율령-제【律令制】[명]〖역〗형벌 및 행정에 관한 법규. 중국 수(隋)·당(唐) 시대에 완성된 중국 고대의 법전 체계로, 우리 나라 고대 국가에서 그 영향을 받아 법체계를 이루었음.

율례【律例】[명] ①형률(刑律)의 작용에 관한 범례. ②형벌법(刑罰法)의 총칭. 곧, 법규(法規).

율률[1]【栗栗】[명] ①많은 모양. ②두려워하는 모양. 전전긍긍(戰戰兢兢)하는 모양. ——-하다 [형][여불]

율률[2]【慄慄】[명] ①두려워 떠는 모양. ②찬 기운이 몹시 몸에 스며드는 모양. ——-하다 [형][여불]

율리시:스〔Ulysses〕[명]〖문〗①'오디세우스(Odysseus)'의 라틴명. ②

영국의 작가 제임스 조이스(James Joyce)의 장편 소설. 1922년 파리에서 출간. 전체의 구성은 호메로스의 오디세이아(Odysseia)를 본떠서 서사시(敍事詩)의 형태를 취하고 3부(部)로 나뉜 18편의 에피소드로 되어 있음. 아일랜드 독립 운동 당시의 더블린 시(Dublin市)를 배경으로 평범한 한 유태인과 청년 예술가의 하루의 생활을 '의식의 흐름'을 좇아 축차적(逐次的)으로 더듬어 묘사한 것인데 그 '내적 독백(內的獨白)'의 수법(手法)으로 신심리주의(新心理主義) 소설의 대표작(代表作)으로 일컬어짐.

율리아나 〔Juliana〕 명 『사람』 네덜란드 여왕. 제2차 대전 중에는 캐나다·영국으로 망명하였다가 1945년 귀국함. [1909- ; 재위 1948-80]

율리아누스 〔Julianus, Flavius Claudius〕 명 『사람』 로마 황제. 신플라톤파 철학의 연구에 열중하여 그리스 고전 문화에 심취, 신앙의 자유와 각종 신전(神殿)의 재건을 명함. 이교(異敎)의 부활을 꾀했기 때문에 '배교자(背敎者)'로 불림. 사산 왕조(王朝) 페르시아 정벌에서 전사함. [331-363; 재위 361-363]

율리우스-력 【一曆】 〔Julius〕 명 〔Julian calendar〕 태양력(太陽曆)의 하나. 로마의 집정관(執政官) 율리우스 카이사르(Julius Caesar)가 기원전 46년에 이집트의 천문학자 소시게네스(Sosigenes)의 의견에 따라 개정한 세력(歲曆). 365일 6시를 1년으로 하고 4년마다 하루의 윤일(閏日)을 두었음. 후에 수차의 개정을 거쳐 현행의 태양력이 되었음. 줄리앙력. 카이사르력(Caesar曆). 구태양력(舊太陽曆).

율리우스 통일 【一通日】 〔Julius〕 명 기원전 4713년 1월 1일 그리니치(Greenwich) 평균 정오(平均正午)를 기점(起點)으로 하여 계산한 통일. 1582년 스칼리제(Scaliger, J.J.)가 창안(創案)한 것으로, 연대학(年代學)·천문학 등에서 쓰임.

율리 유곡 【栗里遺曲】 명 조선 인조(仁祖) 때의 문신 김광욱(金光煜)이 지은 노래. 《청구 영언》과 《해동 가요》에 전함. 단시조 형식의 14수로 된 연형 시조(聯形時調)로, 자연에 묻혀 자연 그대로 살고 있음을 노래함.

율모 명 〈방〉 율무.

율모기 명 『동』 ①뱀과에 속하는 파충(爬蟲). 대륙율모기·율모기 등의 총칭(總稱). ②[*Natrix tigrina*] 뱀과에 속하는 뱀의 하나. 흔히 있는 것으로 몸길이 70-90cm이고, 비늘은 가늘고 길며 광택이 없음. 등은 감람 녹색 또는 암청 회색으로 네 줄의 크고 검은 얼룩점이 있으며, 옆으로는 누른 빛을 띠고 불규칙하게 붉은 무늬가 있음. 복부(腹部)의 앞쪽은 누른 빛, 뒤쪽으로 가면서 차차 검은 빛으로 됨. 독아(毒牙)는 없음. 무논·냇가에서 개구리·쥐·고기 등을 포식(捕食)함. 한국·일본·중국에 분포(分布)함. *늘메기.

〈율모기〉

율목 【栗木】 명 『식』 밤나무❷.

율목 봉산 【栗木封山】 명 『민』 신주(神主)와 그 궤를 만드는 데에 쓰려고 산에 밤나무를 심고 그 산을 봉(封)하여 잡인(雜人)이 들지 못하게 함. ——-하다 자여불

율무 명 『식』 [*Coix agrestis*] 볏과에 속하는 일년초. 높이 1.5m 가량이고, 잎은 호생하며 피침형임. 꽃은 7월에 피며, 열매는 타원형임. 의이(薏苡). *율무쌀.

〈율무〉

율무-쌀 명 율무의 껍질을 벗긴 알맹이. 한방(韓方)에서 약재로 쓰임. 의이인(薏苡仁).

율무-쑥 명 『식』 [*Artemisia megalobotrys*] 국화과에 속하는 다년초. 줄기 높이 1m 내외이고, 잎은 호생(互生)하며 거의 무병(無柄)이고 길이 4-12cm이며 우상 중렬(羽狀中裂)하고 열편(裂片)은 달걀꼴의 긴 타원형 또는 피침형임. 두화(頭花)는 전부 관상화(管狀花)로서 달걀꼴이며, 황백색으로 8월에 핌. 과실은 수과(瘦果)이고, 산지에 나며 부전 고원·백두산에 분포함.

율무응이 명 율무의 녹말로 끓인 죽. 별미 음식이자 보양(補陽) 음식임.

율무-죽 【一粥】 명 율무쌀을 불려 갈아서 쑨 죽.

율문 【律文】 명 ①법률의 조문. ②『문』 율격에 맞추어 지은 글. 운문(韻文).

율믜 명 〈옛〉 율무. ¶율믜 爲薏苡《訓例用字例》/율믜 의(薏), 율믜 이(苡)《字會 上 13》.

율방[1] 【律房】 명 풍류방(風流房).

율방[2] 【栗房】 명 밤송이.

율법 【律法】 [一뻡] 명 ①법률(法律). ②『기독교』 종교적(宗敎的)·도덕적(道德的)·사회적(社會的) 생활에 관하여 신이 인간에게 지키도록 내린 규범(規範). 모세(Moses)의 십계명이 대표적임. 법계(法戒). ③『불교』 계율(戒律).

율법-경 【律法經】 [一뻡一] 명 『불교』 다르마 수트라(dharma-sūtra).

율법-교 【律法敎】 [一뻡一] 명 〔legal religion〕 소정의 율법(律法) 또는 계율(戒律)을 준수함을 생명으로 하는 종교. 대표적(代表的)인 것은 유태교.

율법-사 【律法司】 [一뻡一] 명 〔ruler of the synagogue〕 『성』 유태교의 회당(會堂)을 관리하던 사람. 건물의 관리 및 안식일례(安息日禮)의 집행 순서 등을 정하고 그 일을 보살피는 일을 하였음.

율법-주의 【律法主義】 [一뻡一/一뻡一이] 명 『종』 유태교의 특질의 하나. 율법을 그대로 신의 말씀으로 믿고, 율법과 자기 생활과의 일치를 지상으로 여기는 입장. 예수는 율법의 말이 아니라 율법의 정신에 살 것을 주장하고 율법주의를 배제하였음.

율부 【律賦】 명 『문』 한시(漢詩) 부(賦)의 한 체(體). 변려문(騈儷文)에 운(韻)을 달고 염을 봄.

율사[1] 【律士】 [一싸] 명 법률가.

율사[2] 【律師】 [一싸] 명 『불교』 ①십법(十法)을 갖추고, 계율을 잘 지키는, 계율의 사범인 고승(高僧). ②승관(僧官)의 하나. 정률사(正律師)와 권율사(權律師)의 두 가지가 있음.

율서[1] 【律書】 [一써] 명 법률에 관한 책.

율서[2] 【栗鼠】 [一써] 명 다람쥐.

율선 【律旋】 [一썬] 명 『악』 선율(旋律).

율승 【律僧】 명 율종(律宗)의 중.

율시 【律詩】 [一씨] 명 『문』 한시(漢詩)의 한 체. 여덟 구로 되어 있는데, 다섯 자씩 되어 있는 것을 오언 율시(五言律詩), 일곱 자씩 되어 있는 것을 칠언 율시(七言律詩)라 함. 율(律).

율신 【律身】 [一씬] 명 제 스스로 자신을 단속함. 율기(律己). ——-하다 자여불

율어 【律語】 명 운율(韻律)이 있는 글. 운(韻)을 밟은 글. 운문(韻文).

율연 【慄然】 명 두려워 떠는 모양. ——-하다 형여불

율원[1] 【律院】 명 『불교』 ①계율(戒律)의 실천(實踐)을 종지(宗旨)로 삼는 율종(律宗)의 사원(寺院). ②율종 이외에서, 주로 계율을 배우는 사원. *선원(禪院).

율원[2] 【栗園】 명 밤나무 동산.

율의[1] 【律衣】 [一/一이] 명 『불교』 율승(律僧) 등 소승(小乘)의 계율을 지키는 사람이 입는 회색(灰色)의 법의(法衣).

율의[2] 【律儀】 [一/一이] 명 〔범 Samvara〕 악행(惡行) 또는 과실(過失)에 빠지는 것을 방지(防止)하기 위하여 세운, 사람으로서 해서는 안 될 행위의 규제(規制).

율자[1] 【栗子】 [一짜] 명 밤. 율황(栗黃).

율자[2] 【栗刺】 [一짜] 명 밤송이의 가시.

율장 【律藏】 [一짱] 명 경장(經藏)·논장(論藏)과 함께 삼장(三藏)의 하나. 석존(釋尊)이 제정한 계율의 조례를 모은 교전(敎典).

율-절 【律絕】 [一쩔] 명 『문』 율시(律詩)와 절구시(絕句詩)의 합칭.

율조 【律調】 [一쪼] 명 『악』 '선율(旋律)'의 속칭.

율종 【律宗】 [一쫑] 명 『불교』 계율종(戒律宗). 준율(律).

율줄 【嵂崒】 [一쭐] 명 산이 높고 험준한 모양. ——-하다 형여불

율척 【律尺】 명 자[1].

율초 【葎草】 명 『식』 한삼덩굴.

율포 해:전 【栗浦海戰】 명 『역』 1592년 6월, 임진 왜란 중 이순신이 거느린 수군이 율포에서 왜선을 크게 무찌른 해전.

율학 【律學】 명 형률(刑律)에 관한 학문.

율학 교:수 【律學敎授】 명 『역』 조선 시대 형조(刑曹)의 율학청(律學廳)에 딸린 종육품 문관 벼슬. 율학을 가르침.

율학 박사 【律學博士】 명 『역』 고려 때에 상서 형부(尙書刑部)·국자감(國子監)에 소속되었던 관직. 율령(律令)을 가르쳤음. 정원은 1명에 품계는 종팔품이었음.

율학-청 【律學廳】 명 『역』 조선 시대 때 율령(律令)·형구(刑具)에 관한 사무를 맡아 보던 형조(刑曹)의 한 분장(分掌).

율학 훈:도 【律學訓導】 명 『역』 조선 시대 형조(刑曹)의 율학청에 딸린 정구품 문관 벼슬. 율학을 가르침.

율황 【栗黃】 명 율자(栗子).

윷 명 〈방〉 이웃(전라).

윷:집 명 〈방〉 이웃집(전라).

융[1] 【戎】 명 ①싸움. ②병기(兵器). ③옛날 중국의 서쪽에 있던 만족(蠻族).

융[2] 【絨】 명 감의 거죽이 보드랍고 부풋한 피륙의 한 가지.

융[3] 〔Jung, Carl Gustav〕 명 『사람』 스위스의 심리학자·정신병학자. 프로이트(Freud)의 정신 분석학에서 출발하여 리비도(Libido)의 개념을 확충하고, 콤플렉스(complex)의 개념도 제창하였음. 그 밖에 꿈과 무의식에 관한 연구도 있음. [1875-1961]

융간 【戎間】 명 융마지간(戎馬之間).

융갈 【戎羯】 명 〔갈(羯)은 산시 성(山西省)에 살던 흉노(匈奴)의 한 종족〕 오랑캐.

융거[1] 【戎車】 명 싸움에 쓰는 수레. 병거(兵車). 융헌(戎軒).

융거[2] 〔Junger〕 명 『사람』 ①〔Ernst J.〕 독일의 작가. 제1차 대전의 체험을 바탕으로 한 일기 문학 《강철(鋼鐵)의 폭풍우 속에서》 등을 써서 마술적 표현력으로 인정을 받음. 나치스의 우대(優待)를 받았으나 전향하여 저항 문학 《대리석의 낭떠러지 위에서》를 발표함. 제2차 대전에도 종군, 종군 일기 《정원(庭園)의 길》·《평화론(平和論)》 등을 쓰고 전후(戰後)에는 미래 소설(未來小說) 《헬리오폴리스(Heliopolis)》를 씀. 정밀한 문체(文體)가 특필할 만함. [1895-] ②〔Friedrich Georg J.〕 독일의 시인. ❶의 아우. 고전적인 감정과 표현을 지닌 서정 시인으로, 미(美)의 강조를 특색으로 함. [1898-1977]

융구 【戎具】 명 병기(兵器).

융국 【戎國】 명 야만의 나라.

융궁 【戎弓】 명 전쟁에 쓰는 활.

융그너 전:지 【一電池】 〔Jungner〕 명 『전』 니켈카드뮴 전지(nickel cadmium電池).

융기[1] 【戎器】 명 『군』 병장기(兵仗器).

융기[2] 【隆起】 명 ①높게 일어나 들뜸. 또, 그 부분. ②『지』 땅이 기준면(基準面)에 대하여 상대적으로 높아짐. 또, 그 높아진 지반(地盤). ——-하다 자여불

융기[3] 【隆基】 명 『역』 발해의 부흥 국가인 대원국(大元國, 일명 大渤海國)의 연호.

융기-도【隆起島】명〖지〗지반(地盤)의 변동에 의하여 한 부분이 특히 융기하여 생긴 섬.

융기 도감【戎器都監】명〖역〗고려 때 군기(軍器) 만드는 일을 맡아보던 관아. 고종 10년(1223)에 설치하였으나 뒤에 폐지하고, 충렬왕 1년(1275)에 원(元)나라의 명령에 의하여 다시 설치(設置)했으며, 이는 원나라가 일본 정벌(征伐)을 위해 둔 것 같음. *군기 조성 도감(軍器造成都監).

융기문 토기【隆起文土器】명〖고고학〗'덧무늬 토기'의 구용어.

융기-부【隆起部】명 높게 일어나 그 언저리가 두두룩한 부분.

융기 산호초【隆起珊瑚礁】명 산호초의 생성 후에, 지반(地盤)과 함께 융기한 산호초.

융기-서【戎器署】명〖역〗조선 시대 때, 영흥(永興)·함흥(咸興)·평양(平壤)·영변(寧邊)·의주(義州)와 경성(鏡城)·경원(慶源)·경흥(慶興)·부령(富寧)·온성(穩城)·종성(鐘城)·회령(會寧)의 각 부에 두었던 토관(土官)의 동반(東班)의 직소(職所).

융기-선【隆起線】명〖지〗지반(地盤)의 융기로 이루어진 선.

융기 준:평원【隆起準平原】명〖지〗산지(山地)가 유년기(幼年期)·장년기(壯年期)를 거치지 않고 침식 기준면(浸蝕基準面) 가까이에 준평원이 생성(生成)되고 이 후에 융기가 일어난 준평원. 융기 속도가 침식 속도보다 느릴 때 생김. *개석(開析) 준평원.

융기 해:식대【隆起海蝕臺】명〖지〗바다 물결의 침식 작용으로 이루어진 평평한 해식대가 지반(地盤)의 운동으로 말미암아 융기하여 수면 위에 나타난 지형. 바다 쪽으로 느린 경사를 이룸.

융기 해:안【隆起海岸】명〖지〗지반(地盤)이 해면에 대하여 상대적으로 융기하여 육지에 접한 해저 부분(海底部分)이 해면상(海面上)으로 나타나서 생긴 해안. 이수 해안(離水海岸).

융-노인【隆老人】명 융로²(隆老).

융단¹【戎壇】명 대장(大將)의 자리. 융원(戎垣).

융단²【絨緞】명 모직물의 한 가지. 염색한 털로 그림을 짜 낸 것도 있는데 마루에 깔거나 벽에 걸기도 하며 가방의 겉, 슬리퍼 등도 만듦. 좁은 뜻으로는 깔개만을 가리킴. 카펫(carpet).

융단 폭격【絨緞爆擊】명 일정한 지역을 남김없이 철저하게 폭격하는 방식.

융독【戎毒】명 큰 해독. 큰 폐해.

융동【隆冬】명 추위가 지독한 겨울. 엄동(嚴冬).

융동 설한【隆冬雪寒】명 엄동 설한(嚴冬雪寒).

융딩 강【一江】〔永定河〕명〖지〗중국의 화북 지방 바이허(白河) 강의 대(大)지류. 고래로 범람이 심하여 유역이 자주 바뀌어 무딩 강(無定河)이라 불리었음. 강희(康熙) 연간에 하도(河道)를 개수(改修)하여 융딩(永定)이라고 명명했음. 영정하. 〔650 km〕

융랑【融朗】[一낭] 명 투명하고 밝음. ——-하다 형여불

융로¹【戎虜】[一노] 명 옛날 중국에서 일컫던 미개 종족. 미개의 야만인.

융로²【隆老】[一노] 명 칠팔십 세 이상 되는 노인. 융노인(隆老人).

융륭【隆隆】[一늉] 명 ①소리가 큰 모양. ②세력이 융성(隆盛)한 모양. ——-하다 형여불

융-릉【隆陵】[一능] 명〖역〗사도 세자(思悼世子)가 장조(莊祖)로 추존(追尊)된 후의 현륭원(顯隆園)의 이름.

융마【戎馬】명 ①군마(軍馬). ②병거(兵車)와 병마(兵馬). 전하여, 군대. ③전쟁. 군사(軍事).

융마 관산북【戎馬關山北】명 두보(杜甫)의 시구(詩句)에 있는 말로, 토번(吐蕃)의 관중(關中) 침범이 끊이지 아니하여 관산(關山)의 북쪽에는 전쟁이 멎을 때가 없음을 가리켜 하는 말.

융마 생교【戎馬生郊】명 군마(軍馬)가 국경에서 태어난다는 뜻으로, 인국(隣國)과의 사이에 전쟁이 끊이지 않음을 이름.

융마지-간【戎馬之間】명 전쟁을 하고 있는 동안. 융간(戎間).

융만【戎蠻】명 옛날 중국에서 일컫던 남쪽 오랑캐. 남만(南蠻).

융모【絨毛】명 융털.

융모-막【絨毛膜】명〖생〗태막(胎膜)의 일부로서, 탈락막(脫落膜)과 양막(羊膜)의 사이에 있는 막.

융모막성 생식선 자:극 호르몬【絨毛膜性生殖腺刺戟一】명〔chorionic gonadotropin〕융모막의 소포(小胞)로부터 분비되는 생식선 자극 호르몬. 하수체(下垂體)에서 분비되는 황체(黃體) 형성 호르몬과 같은 작용을 함.

융모 상:피종【絨毛上皮腫】명〖의〗융모 상피 세포의 이형 증식(異型增殖)에 의하여 발생하는 종양(腫瘍). 임신(妊娠)과 관련하여 발생하는 것이 보통이며 자궁 내막(子宮內膜)이나 난관(卵管)·난소(卵巢) 등에 발생함. 통속적으로는 '괴'라고 함.

융모성 건초염【絨毛性腱鞘炎】[一썽一] 명 〔villous tenosynovitis〕〖의〗건초의 만성 염증(慢性炎症) 반응의 하나. 내층(內層)에 비후(肥厚)가 생기고, 많은 주름과 융모를 만듦.

융-모포【絨毛布】명 모직물로 만든 모포.

융병¹【戎兵】명 군병(軍兵). 병사(兵士).

융병²【癃病】명 노인들이 늙어져 몸이 수척하게 되는 병.

융복【戎服】명〖역〗철릭과 주립(朱笠)으로 된 옛 군복(軍服)의 한 가지. 철릭은 길이가 길고 허리에 주름을 잡았으며, 주립은 호박(琥珀)·마노(瑪瑙)·수정(水晶) 등으로 장식하였음. 무신이 입었으며 문신이라도 전시에 임금을 호종(扈從)할 때엔 입었음. 융의(戎衣).

〈융복〉

융복 패:영【戎服貝纓】명〖역〗융복에 쓰는 주립(朱笠)의 끈을 호박(琥珀)·마노(瑪瑙)·수정(水晶) 등으로 장식한 것.

융부【戎部】명〖역〗발해의 중앙 관부. 지부(智部)에 속하며 병부(兵部)에 해당하는데, 군사 행정을 총괄했음.

융비¹【戎備】명 군비(軍備). 전비(戰備).

융비²【隆鼻】명 우뚝한 코. 융준(隆準).

융비-술【隆鼻術】명 납작코 또는 외상(外傷)·매독(梅毒) 등으로 코가 모양이 없을 때 인공적(人工的)으로 높이는 성형 외과 수술. 코의 피하(皮下)에 파라핀을 주사하든지 상아(象牙)를 적당히 깎아 넣든지 또는 국소(局所)에 결체 조직(結締組織)을 증식(增殖)시키는 방법(方法) 등이 있음.

융사¹【戎士】명 병사. 군인.

융사²【戎事】명 군사(軍事).

융상 작용【融像作用】명〖생〗복시(複視)를 조정하기 위하여 대뇌 후두엽(大腦後頭葉)의 시각령(視覺領)에 있는 한 중추(中樞)가 두 눈의 망막(網膜)에 비친 상(像)이 합치하도록 두 눈에 운동 충격(運動衝擊)을 전달하는 작용.

융서【隆暑】명 대단한 더위.

융석【融釋】명 ①풂. 또, 풀림. ②의혹(疑惑) 따위가 깨끗이 풀림. ——-하다 자타여불

융성【隆盛】명 기운차게 높이 일어남. 기운이 매우 성함. 흥성(興盛). 융창(隆昌). ——-하다 형여불

융성-기【隆盛期】명 융성한 시기.

융성-물【融成物】명〔melt〕〖화〗용제(熔劑)와 함께 용융 분해(熔融分解)한 시료(試料)가 냉각(冷却)·응고(凝固)한 것.

융숭【隆崇】명 ①매우 존중함. ②극히 정성스러이 대접함. ¶ ~한 대접. ——-하다 타여불. ——-히 부

융스트룀 터:빈〔Ljungström turbine〕명 대표적인 반경류(半徑流) 반동(反動) 터빈. 서로 반대 방향으로 회전하는 두 개의 터빈 축(軸)의 마주 대하는 축 끝에 날개 바퀴를 고정하고 날개는 축 방향으로 부착하며, 증기는 중심에서부터 반지름 방향으로 바깥쪽으로 흐름. 소형(小型)이면서 고온 고압 증기(高溫高壓蒸氣) 사용에 적합하고 효율(效率)도 좋으나, 구조(構造)가 복잡하며 발전기는 두 대가 필요함. 1910년 스웨덴의 융스트룀 형제(兄弟)가 발명함.

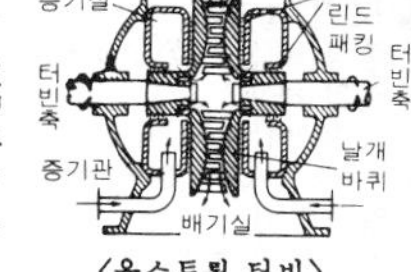

〈융스트룀 터빈〉

융악【隆渥】명 군주(君主)의 두터운 은혜.

융안-악【隆安樂】명〖악〗임금의 어가(御駕)가 궁문(宮門)을 드나들 때 쓰는 풍류.

융액【融液】명 녹아 액체가 됨. 또, 그 물.

융연【隆然】명 높은 모양. ——-하다 형여불

융염【戎塩】[一념] 명 청염(靑塩·淸塩).

융왕【戎王】명 중국 고대의 서방 민족의 왕. 야만인의 군주.

융우【隆遇】명 융숭(隆崇)한 대우.

융운【隆運】명 성운(盛運).

융원【戎垣】명 융단(戎壇).

융융¹【融融】명 화기(和氣)가 있는 모양. ——-하다 형여불. ——-히 부

융:융² 부 센 바람이 나뭇가지 등에 걸려 나는 소리. ——-하다 자여불

융:융-거리다 자 센 바람이 나뭇가지 등에 걸려서 소리가 나다. ¶밤새도록 융융거리는 바람소리.

융:융-대다 자 융융거리다.

융은【隆恩】명 임금이나 또는 윗사람의 높은 은혜.

융의¹【戎衣】[一/一이] 명 융복(戎服).

융의²【絨衣】[一/一이] 명 나사(羅紗)로 만든 옷.

융이【戎夷】명 옛날 중국에서 일컫던 동쪽 오랑캐. 곧, 미개한 나라 및 그 토인(土人). *융적(戎狄).

융자【融資】명 자금(資金)을 융통함. 또, 그 자금. ¶ ~ 신청/은행의 ~를 받다. ——-하다 타여불

융자 경색【融資梗塞】명〖경〗금융(金融)의 길이 막힘. 곧, 융자 기관인 시중 은행에서 특정한 부면(部面)에 융자(融資)를 극도로 제한(制限)함을 이름.

융자 매:유【融資買油】명〖경〗유전 자원(油田資源)이 있는 개발 도상국에 개발 자금 따위를 제공하고 생산이 궤도에 올랐을 때 원유로 반환받는 방법.

융자 잔액【融資殘額】명〖경〗대차(貸借) 거래에서, 증권 금융 회사(證券金融會社)가 증권 회사에 대부(貸付)한 채로 있는 자금액(資金額).

융자 학파【一學派】〔중 永嘉〕명〖역〗〔융자(永嘉)는 지금의 저장 성(浙江省)의 한 군명(郡名)〕중국 남송(南宋)의 유학(儒學)의 한 파(派). 주자학파(朱子學派)·육학파(陸學派)의 성리학(性理學)에 대항, 예악제도(禮樂制度)를 주로 하고, 경제·실용의 공리(功利)에 의한 치국(治國)을 목표로 함. 융자(永嘉) 사람인 설계선(薛季宣)·정백웅(鄭伯熊)에서 비롯되어 진부량(陳傅良)을 거쳐 섭적(葉適)에 이르러 대성(大成)됨. 영가학파(永嘉學派).

융자 회:사【融資會社】명〖경〗금융 회사의 일종으로, 특정 기업에 대한 자금 융통을 위하여 설립된 회사.

융장¹【戎場】명 싸움터.

융장²【戎裝】명 출진(出陣)의 몸차림. 무장(武裝). 군장(軍裝).

융적【戎狄】명 옛날 중국에서 일컫던 북쪽 오랑캐. 곧, 미개인 또는 미개한 나라. *융이(戎夷).

융점¹【戎點】명〖역〗각 영문(營門)의 군사를 조련(操鍊)하는 일.

융점² 【融點】 [—쩜] 명 〖물〗↗융해점(融解點).

융점 강하 【融點降下】 [—쩜—] 명 〖물〗↗융해점 강화.

융정 【戎政】 명 군사에 관한 정치. 군정(軍政).

융제 【融劑】 명 야금(冶金)에서는 광석(鑛石)을, 분석(分析)에서는 잔재(殘滓)를 가열하여 녹일 때, 그 물질의 녹는점보다 낮은 온도로 녹이기 위하여 혼합하는 약제(藥劑). ＊용제(熔劑).

융족 【戎族】 명 오랑캐의 무리들.

융준 【隆準】 명 우뚝한 코. 융비(隆鼻). 고비(高鼻).

융준 용안 【隆準龍眼】 명 우뚝한 코와 용의 눈.

융중-산 【隆中山】 명 〖지〗 룽중 산.

융즉 【融卽】 명 [participation] 〖사〗 프랑스의 사회학자 레비브뤌(Lévy-Bruhl)이 미개인의 집단적 표상(表象)에 대하여 사용한 말. 세계(世界)의 객관성(客觀性)과 타인(他人)의 타자성(他者性)을 의식하지 않고 현존(現存)하는 것 이상의 존재(存在)에 자기를 합체(合體)시키는 상태를 일컬음.

융진 【戎陣】 명 군세(軍勢)의 배치. 군진(軍陣).

융질 【癃疾】 명 곱사등이.

융차 【隆車】 명 큰 수레. 높은 수레.

융창 【隆昌】 명 거센 기운으로 널리 흥성(興盛)함. 융성(隆盛). ——하다 자여불

융천-사 【融天師】 명 〖사람〗 신라 진평왕 때의 고승. 향가(鄕歌)를 잘 하였는데 ≪융천사 혜성가(融天師彗星歌)≫를 지었다 함.

융청 〔永城〕 명 〖지〗 중국 허난 성(河南省) 동쪽 끝의 현. 한대(漢代)의 망현(芒縣)의 땅. 수대(隋代)에 비로소 융청 현을 두었었음. 면화·낙화생·잡곡 등의 집산현으로 널리 알려져 있음. 영성.

융체¹ 【隆替】 명 성하고 쇠함. 성쇠(盛衰). ——하다 자여불

융체² 【融體】 명 열(熱)을 받아 융해(融解)한 물체.

융체 초급랭법 【融體超急冷法】 [—냉뻡] 명 고속으로 회전하는 롤러 위에 고온(高溫)으로 녹인 재료(材料)를 떨어뜨려, 굉장히 빠른 강온 속도(降溫速度)로 냉각함으로써 그 융체를 순간적으로 고화(固化)하는 공법(工法). 냉각(冷却)이 무척 빨라 원자가 제대로 재배열(再配列)하기 전에 고체화(固體化)하므로, 비정질(非晶質) 재료(材料)를 쉽게 얻을 수 있음.

융추 【戎醜】 명 악당들의 괴수.

융커 〔도 Junker〕 명 〔원래는 왕공(王公)·귀족(貴族)의 아들의 뜻〕 19세기 중엽 이후 독일의 동엘베(東 Elbe) 지방의 대지주·귀족을 일컫던 말. 봉건 귀족 정체를 주장하고, 1848년에는 반동 운동으로 합동, 후에 독일 보수당(保守黨)을 형성하였음.

융커:스 〔Junkers, Hugo〕 명 〖사람〗 독일의 기술자. 항공용 발동기 및 비행기 따위의 연구·제조를 하고, 세계 최초의 전금속제(全金屬製) 비행기 등을 개발함. [1859-1935]

융-털 【絨—】 명 ①융단의 거죽에 난 보드라운 털. ②〖생〗 소장(小腸), 특히 십이지장 및 공장(空腸)이나, 태반(胎盤)과 자궁벽(子宮壁)의 접촉면에서 볼 수 있는 손가락 모양 또는 나뭇가지 모양의 돌기. 표면적을 크게 하며 소화 흡수(吸收)를 용이하게 함. 융털 돌기. 주름 돌기. ③〖식〗 식물의 꽃잎·잎 등에 있는 작고 가는 털. 많이 밀생하며 그 안에 공기를 머금고 있어서 물의 침윤(浸潤)을 막는 작용을 함. 융모(絨毛).

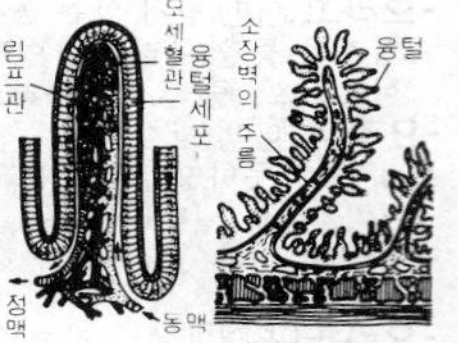

〈융털❷〉

융털 돌기 【絨—突起】 명 〖생〗 융털❷.

융통 【融通】 명 ①지체없이 통용함. 유통(流通). ②금전·물품 등을 서로 돌려 씀. ¶돈을 ~하다. ③임기 응변(臨機應變)으로 일을 처리함. 변통(變通)의 재주가 있음. ——하다 타여불

융통-량 【融通量】 [—냥] 명 융통되는 금전의 액수 또는 물품의 양.

융통 무애 【融通無碍】 명 일정한 사고 방식에 구애되지 않고 어떤 사태에도 지체없이 대응할 수 있음. ——하다 형여불

융통-물 【融通物】 명 ①융통되는 물건. ②〖법〗 거래의 대상이 되는 물건의 총칭. 공유물(公有物)·공용물(公用物)·금제품(禁制品) 이외는 모두 이에 포함됨. 1)·2): ↔불융통물.

융통-성 【融通性】 [—썽] 명 ①지체없이 통용될 수 있는 성질. ②금전·물품을 서로 돌려 쓰는 성질. ③시세에 맞추어 변통(變通)하는 재주. ¶~이 없는 사람.

융통 어음 【融通—】 명 〔accommodation bill〕 〖경〗 실제의 상거래가 없이 단지 자금 융통을 위하여 발행·배서(背書)·인수(引受) 등 어음 행위가 이루어진 어음. 호의(好意) 어음. 공(空)어음. ↔상업 어음.

융풍 【融風】 명 입춘(立春) 때 부는 바람. 동북풍(東北風).

융프라우 〔Jungfrau〕 명 〖지〗 스위스의 동남방 베른 알프스(Bernese Alps)의 고봉. 등산(登山) 철도가 통하며 경치가 매우 아름다움. [4,161 m]

융프라우-요흐 〔Jungfraujoch〕 명 〖지〗 스위스 알프스의 명산(名山) 융프라우와 묀히(Mönch)에 있는 등산 철도의 종점. 해발(海拔) 3,457 m. 호텔·고산(高山) 연구소·기상(氣象) 관측소 따위의 시설이 있으며, 여름·겨울에는 많은 관광객이 옴.

융프라우 철도 【—鐵道】 [—또] 명 〔Jungfraubahn〕 스위스 융프라우 산(山)의 등산 철도. 종점(終點)은 융프라우요흐(Jungfraujoch). 아프트식(Abt式)으로 1912년에 개통하였음. 연장 9.3 km.

융한 【隆寒】 명 대단한 추위. 엄한(嚴寒).

융합 【融合】 명 ①녹아서 또는 녹여서 하나로 합침. ②〖생〗 섬모충(纖毛蟲) 이하의 원생 동물에서 두 개체가 합쳐 하나의 개체가 되는 현상. 합체(合體). ③세포·핵·조직 등이 하나로 합침. ¶핵~/세포 ~. ——하다 자타여불

융합 반:응 【融合反應】 명 〖화〗 핵융합(核融合)❶.

융합-핵 【融合核】 명 〖생〗 ①몇 개의 핵이 융합하여 하나의 커다란 핵이 되는 일. 원생 동물에서 볼 수 있음. ②수정(受精)에 의해 난핵(卵核)과 웅핵(雄核)이 융합하여 하나가 된 것. 배수(倍數)의 염색체를 지니며, 양쪽 배우자의 유전자를 둘 다 가지고 있음.

융해 【融解】 명 ①녹음. 녹임. ②〔melting, fusion〕 〖물〗 고체에 열을 가했을 때, 액체로 되는 현상. 용융(熔融). 용해(溶解). ——하다 자타여불

융해 고도 【融解高度】 명 〔melting level〕 〖기상〗 빙정(氷晶)이나 설편(雪片)이, 대기 속을 강하(降下)할 때에 녹는 높이.

융해-로 【融解爐】 명 〖물〗 용해로(鎔解爐).

융해-열 【融解熱】 명 〖물〗 녹는열.

융해 온도 【融解溫度】 명 〖물〗 녹는점(點).

융해-점 【融解點】 [—쩜] 명 녹는점. 준융점(融點).

융해점 강:하 【融解點降下】 [—쩜—] 명 〖물〗 녹는점 내림. 준융점 강하.

융행 【戎行】 명 ①군대의 행렬(行列). ②진군(進軍)함. 행군(行軍)함. ——하다 자여불

융헌 【戎軒】 명 ①전쟁에 쓰이는 큰 수레. 병거(兵車). 융거(戎車). ②전쟁. 전투.

융화¹ 【戎華】 명 미개한 오랑캐와 문화가 발달한 중화(中華).

융화² 【隆化】 명 현행 종묘(宗廟) 제례악 중 초헌(初獻)의 헌례에 연주되는 보태평지악(保太平之樂)의 여섯 번째 곡. 제5번에 속함.

융화³ 【融化】 명 ①융해하여 변화함. ②융화(融和)하여 화합함. ——하다 자여불

융화⁴ 【融和】 명 서로 어울려 갈등(葛藤)이 없어짐. 의사가 소통되어 화목하게 됨. ——하다 자여불

융화-장 【隆化章】 [—짱] 명 악장(樂章)의 이름.

융화-책 【融和策】 명 서로 이해(理解)하고 소통(疏通)하여 화목(和睦)하게 하는 방책(方策).

융회 【融會】 명 자세히 이해함. ——하다 타여불

융흥 【隆興】 명 세차게 일어남. ——하다 자여불

융희 【隆熙】 [—히] 명 〖역〗 조선 시대 말 순종(純宗) 때의 연호. 대한 제국의 마지막이 됨. [1907-10]

윷: 명 ①작고 둥근 통나무 두 개를 반으로 쪼개어 네 쪽으로 만든 놀잇감. 도·개·걸·윷·모의 다섯 등급을 만들어 승부를 다투는 놀이에 씀. 한국 특유의 것으로 설날·보름 등 명절에 많이 하며, 편을 짜 말판에 말을 써 가면서 놀이를 함. ¶~놀이. ②윷을 놀 때에 윷짝 네 개가 모두 잦혀진 경우. ¶~이 나오다.

윷:-가락 명 윷짝.

윷:-가치 명 〈방〉 윷짝.

윷:-노래 명 〖문〗 작자·제작 연대 미상의 가사의 하나. 윷놀이의 형식, 곧 도·개·걸·윷·모의 네 부분을 그 해당된 명칭에 따라 풀이하는 민요풍의 노래.

윷:-놀다 자 편을 가르고 윷을 던져 승부를 겨루다.

윷:-놀이 명 편을 갈라 윷으로 승부를 다투는 놀이. 척사(擲柶). ——하다 자여불

윷:놀이-채찍 명 〖역〗 대궐을 지키는 병정이 가지던 채찍.

윷:-말 명 윷판에 쓰는 말.

윷:-밭 명 윷의 말밭.

윷-사위 명 윷을 던졌을 때 나오는 도·개·걸·윷·모의 다섯 가지 사위.

윷:-점 【—占】 명 〖민〗 윷을 던져 나오는 수(數)로 그 나온 수에 따라 따로 정한 육십사괘(六十四卦)에 배당(配當)하여 점(占)을 침. 사점(柶占).

윷:-짝 명 윷의 낱개. 윷가락.

윷:짝 가르듯 구 판단이 분명함의 비유.

윷:-판¹ 명 윷을 놀고 있는 그 자리.

윷:-판² 【—板】 명 윷밭을 그린 판. 말판.

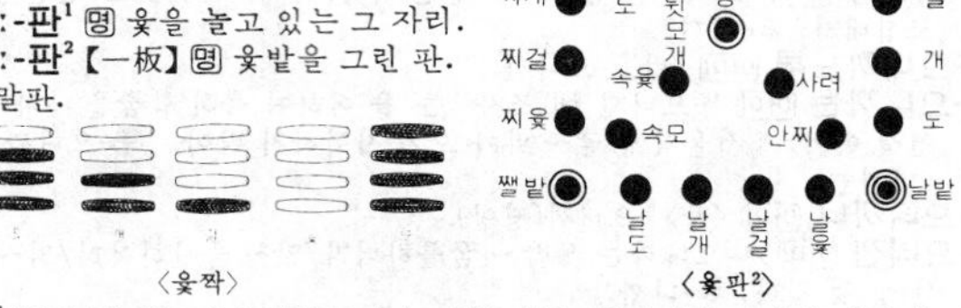

〈윷짝〉 〈윷판²〉

으¹ 명 〖언〗 ①모음(母音) 글자 'ㅡ'의 이름. ②어간과 어미의 사이에 소리를 고르는 음절. ＊조음소(調音素).

으² 조 〈방〉 을(함경).

으³ 조 〈방〉 의(경기·평안).

으그러-뜨리다 타 물건의 거죽을 으그러지게 하다. ㅆ으끄러뜨리다. ㅆ으크러뜨리다.

으그러-지다 자 물건의 거죽이 찌그러지다. ㅆ으끄러지다. ㅆ으크러지다.

으그러-트리다 타 으그러뜨리다.

으그르르 부 먹은 음식이나 물이 목구멍으로 끓어 오르는 소리.

으그리다 타 ①으그러지게 하다. ② ☞응그리다.

으깍 명 [←읍각 부동(邑各不同)] 서로 의견이 달라서 생기는 감정의 불화(不和). ¶두 사람 사이에 ~이 나다.

으깍(이) 나다 구 으깍이 생기다.

으깨다 타 ①굳은 물건을 눌러 부스러뜨리다. ¶호도를 ~. ②억센 물

건을 부드럽게 만들다.
으깨-이다 자 으깸을 당하다.
-으께 어미 '-을게'를 어리숭하게 나타내는 말. ¶말 잘 들~/얌전히 앉아 있~. *-을게·-ㄹ게·-께.
으끄다 타 〈방〉 으깨다.
으끄러-뜨리다 타 힘있게 으깨다. ㄴ으그러뜨리다. ㅆ으크러뜨리다.
으끄러-지다 자 ①굳은 물건이 눌려서 부스러지다. ㄴ으그러지다. ㅆ으크러지다. ②뭉그러지다. ③으츠러지다.
으끄러-트리다 타 으끄러뜨리다.
으끄-지르다 타르불 버릴 목적으로 물건을 으깨다.
으끼다 타 〈방〉 으깨다.
-으나 어미 ①받침 있는 어간(語幹)에 붙어서 뒷 말의 내용이 앞 말의 내용에 따르지 아니함을 나타내는 연결 어미. ¶마음은 좋~ 돈이 없다/사전은 있~ 찾을 줄을 모른다. ②어떤 동작이나 상태를 가리키어 말할 때, 받침 있는 어간에 붙이는 연결 어미. ¶양복을 입~ 한복을 입~ 다 잘 어울린다. ③형용(形容)을 과장(誇張)하기 위하여 어간을 겹쳐 쓸 때, 받침 있는 윗 어간에 붙는 연결 어미. ¶떫~ 떫은 감/좁~ 좁은 방. *-나.
-으나따나 어미 〈방〉 -으나마(경상).
-으나마 어미 받침 있는 어간에 붙어 만족하지 아니한 것을 참고 아쉬운 대로 함을 나타내는 연결 어미. ¶찬은 없~ 많이 들게/적~ 받아 두게. *-나마.
-으나 마:나 구 받침 있는 용언의 어간에 붙어, '그렇게 하거나 아니 하거나 또는 그러하거나 그러하지 아니하거나 매한가지'의 뜻을 나타내는 말. ¶날씨가 좋~ 틈이 있어야 놀러 가지/먹~, 배고프긴 마찬가지다. *-나 마나.
-으냐 어미 '있다'·'없다'를 제외한 받침이 있는 형용사의 어간에 붙어 '해라'할 자리에서, 의문을 나타내는 종결 어미. ¶방은 넓~/빨간 것이 좋~. *-냐·-느냐·-으니[3].
-으냐고 어미 ↗-으냐 하고. ¶어느 길이 옳~ 물어 보아라/어느 쪽이 많~ 묻는다. *-냐고·-느냐고.
-으냐는 어미 ↗-으냐고 하는. ¶가는 것이 당연하지 않~ 대답이다/어느 것이 좋~ 문제만이 남는다. *-냐는·-느냐는.
-으냔 어미 ①↗-으냐고 한. ¶무엇이 옳~ 말이 생각난다. ②↗-으냐고 하는. ¶어떻게 하는 것이 좋~ 말이다/정말 그래야 옳~ 말이다. *-냔·-느냔.
-으냘 어미↗-으냐고 할. ¶어디가 좋~ 수 있어야지/그 사람 보고 마음이 왜 좁~ 수만은 없다. *-냘·-느냘.
-으녀 어미 〈옛〉 -느냐. -는가. =-녀. ¶잇ᄂᆞ녀 업스녀(有阿沒)≪老朴單字解 2≫.
으늑-하다 형여불 ①깊숙하고 안온하다. ¶암자는 으늑한 골짜기에 있었다. >아늑하다. ② ☞으슥하다. 으늑-히 부
으능 명 〈방〉 은행(銀杏).
-으니[1] 어미 ①장차 하려는 말에 대하여 먼저 이유나 원인을 말할 때, 받침 있는 어간에 붙이어 쓰이는 연결 어미. ¶그 길은 좋지 않~ 이 길로 가라/약속을 했~ 가야지. ②받침 있는 어간에 붙어서, 사실을 설명하여 끝맺지 아니하고, 다시 설명하는 말을 계속시키는 연결 어미. ¶그 때에 나타난 소년이 있었~ 그가 바로 복남이었다. *-니[1].
-으니[2] 어미 이렇기도 하고 저렇기도 함을 나타낼 때, 받침 있는 형용사 어간에 각각 붙이는 연결 어미. ¶많~ 적~ 하고 투정만 한다/옳~ 그르니 하고 싸움질만 한다. *-니[4].
-으니[3] 어미 받침 있는 형용사 어간에 붙어 '-으냐'를 보다 더 친밀하고 부드럽게 이르는 종결 어미. ¶어머니가 좋~/그 모자가 싫~. *-냐·-느냐·-니[2].
-으니[4] 어미 '하게'할 자리에 진리나 의당 있을 사실을 일러 줄 때, 받침 있는 형용사 어간에 붙이는 종결 어미. ¶여행하기에는 가을이 좋~. *-니[3].
-으니까 어미 '으니[1]'를 강조하는 연결 어미. ¶좋~ 하지/그 산은 높~ 조심해라. *-니까.
-으니까느루 어미 〈방〉 -으니까.
-으니까는 어미 '-으니까'에 조사 '는'을 더하여 특히 힘줌을 나타내는 연결 어미. ¶서울역에 닿~ 비가 오기 시작하지 뭐야. ㊟-으니깐. *-니까는.
-으니까니 어미 〈방〉 -으니까(평안).
-으니깐 어미↗-으니까는. ¶밟~ 꿈틀하더라/앉~ 푹신하더라/먹~ 우선 살 것 같다. *-니깐.
-으니깐드루 어미 〈방〉 -으니까(충청).
-으니라 어미 받침 있는 형용사의 어간에 붙이어 손아랫 사람에게 어떤 사실을 가르쳐 주는 종결 어미. ¶약한 사람을 돕는 것이 좋~/시골 길은 대개가 좁~. *-니라.
-으니이다 어미 〈옛〉 -읍니다. -ㄴ 것입니다. -은 것입니다. ¶뻐 달오미 업스니이다(無以異也)≪孟諺 梁惠王 上≫.
-으니이다 어미 〈옛〉 -읍니다. -ㄴ 것입니다. -은 것입니다. =-ᄋᆞ니이다. ¶이文殊ㅣ 업스니이다(無是文殊ᄒᆞ니이다)≪楞嚴 Ⅱ:58≫.
-으니잇가 어미 〈옛〉 -나이까. -읍니까. ¶가히ᄂᆞᆫ 佛性이 잇ᄂᆞ니잇가 업스니잇가(狗子還有佛性也無)≪蒙法 11≫.
-으닝까 어미 〈방〉 -으니까(경상).
-으닝께 어미 〈방〉 -으니까(경상).
-으되 어미 'ㅆ'이나 'ㅆ'으로 끝나는 어간에 붙는 연결 어미. ①앞말의 사실을 인정하면서 뒷말로 조건을 붙이거나, 뒷말의 사실이 앞말의 사실에 구애되지 아니함을 나타냄. ¶인물은 없~ 마음씨가 곱다/재주는 있~ 게으르다. ②다음 말을 인용할 때, 그에 앞서 쓰이는 말. ¶옛 어른들이 일렀~, '착하고 부지런하라' 하시었다. *-되.
으드득 부 ①매우 단단한 물건을 힘껏 깨물어 깨뜨리는 소리. ②이를 가는 소리. 1)·2): >아드득. ——-하다 자타여불
으드득-거리다 자타 연해 으드득 소리가 나다. 또, 연해 으드득 소리를 나게 하다. ¶으드득거리며 이 가는 소리. >아드득거리다. **으드득-으드득** 부. ——-하다 자타여불
으드득-대다 자타 으드득거리다.
으드등-거리다 자 거친 말을 쓰며 자꾸 으르렁거리다. ¶만나기만 하면 으드등거리며 싸운다. >아드등거리다. **으드등-으드등** 부. ——-하다 자여불
으드등-대다 자 으드등거리다.
으드름 명 〈방〉 여드름(전남).
으드이 명 〈옛〉 야생하는 거위. ¶으드이(鴐鵝)≪農家 月俗≫.
으등-거리다 자 말라서 함부로 우그러지다.
으등그러-지다 자 ①말라서 비틀어지다. ②날씨가 점점 찌푸려 궂을 듯 궂을 듯하여지다. 1)·2): >아등그러지다.
으등-대다 자 으등거리다.
으뜸 명 ①첫째나 우두머리의 뜻. ¶경치로야 금강산이 ~이지. ②기본, 근본의 뜻. ¶효도는 윤리의 ~이다.
으뜸-가다 자 많은 중에서 첫째가 되다.
으뜸-꼴 명 『언』 어떤 낱말의 기본이 되는 모양. 원형(原形).
으뜸-덧널 명 『고고학』 한 봉토(封土) 안에 이루어진 여러 덧널 가운데 무덤의 중심이 되는 부분으로, 주인공의 시체가 묻힌 덧널. *덧널무덤.
으뜸-뿌리 명 『식』 주근(主根).
으뜸 삼화음 【一三和音】 명 〔도 Hauptdreiklange〕 『악』 으뜸음·딸림음·버금딸림음으로 구성된 화음 중에서 가장 주요한 역할을 하는 삼화음. 주삼화음(主三和音).
으뜸 움직씨 명 『언』 본동사(本動詞).
으뜸-월 명 『언』 '주문(主文)'의 풀어 쓴 이름. ↔딸림월.
으뜸-음 【一音】 명 〔tonic〕 『악』 음조(音調)의 기초가 되는 음(音). 주음(主音).
으뜸 화음 【一和音】 명 『악』 으뜸음 위의 화음(和音). 장조(長調)에서 '도·미·솔', 단조(短調)에서는 '라·도·미'의 화음을 이름. 주화음(主和音).
-으라 어미 ①받침 있는 동사의 어간 및 형용사 '있다'의 어간에 붙어 예스럽게나 막연하게 시키는 뜻을 나타내는 종결 어미. ¶신의 축복이 있~/밥을 먹~/가만히 앉아 있~. ②↗-으라고. ¶옷을 입~ 하시오/잡~ 하시오. *-라[1].
-으라고 어미 받침 있는 동사의 어간 및 형용사 '있다'의 어간에 붙어, 명령의 뜻을 나타내는 연결 어미. ¶손을 깨끗이 씻~ 하시오/꼭 잡~ 이르시오. ㊟-으라. *-라고.
-으라나 어미 받침 있는 동사 및 형용사 '있다'의 어간에 붙어, 시키는 일에 대해 못마땅하게 또는 귀찮게 여기는 뜻을 나타내는 반말투의 종결 어미. ¶또 날더러 읽~. *-라나.
-으라네 어미 ①↗-으라 하네. ¶얌전히 앉아 있~/빨리 내쫓~. *-라네.
-으라느냐 어미↗-으라고 하느냐. ¶나더러 먹~/날보고 아예 죽~. *-라느냐.
-으라느니 어미 이리 하라 하기도 하고, 저리 하라 하기도 함을 나타낼 때, 받침 있는 동사 및 형용사 '있다'의 어간에 붙이는 연결 어미. ¶신을 벗~ 신~ 주문이 갖가지다/서라느니 앉~, 정말 너무 하다. *-자느니·-라느니.
-으라는 어미 ↗-으라고 하는. ¶죽~ 말이나 다름이 없다/앉~ 말도 없다. *-라는·-으란.
-으라니 어미 ↗-으라고 하니. ¶꽃을 심~ 꽃씨가 있나/먹~ 먹긴 먹어야지. *-라니.
-으라니까 어미 ①↗-으라고 하니까. ¶웃~ 웃을 뿐. ②받침 있는 동사의 어간 및 형용사 '있다'의 어간에 붙어, 그리 하라고 일렀는데도 듣지 않는 상대에게, 재차 강력히 촉구하는 뜻을 나타내는 종결 어미. ¶가만히 있~/빨리 먹~. 1)·2): *-라니까.
-으라니까는 어미 '-으라니까'의 힘줌말. ㊟-으라니깐. *-라니까는.
-으라니깐 어미↗으라니까는. *-라니깐.
-으라든지 어미↗-으라고 하든지. ¶갚~ 그만 두라든지 말을 하오/잡~ 놓~ 딱 부러지게 시키시오. *-라든지.
-으라며 어미↗-으라면서. ¶빨리 찾~ 재촉한다. *-자며·-라며.
-으라면 어미↗-으라고 하면. ¶믿~ 믿지요/앉~ 앉지 웬 말이 그리 많으냐. ㊟-으람. *-라면.
-으라-면서 어미 ①받침 있는 동사 어간 및 형용사 '있다'의 어간에 붙어, '-으라고 하면서'의 뜻을 나타내는 연결 어미. ¶많이 먹~ 연해 권한다. ②받침 있는 동사 어간 및 형용사 '있다'의 어간에 붙어, 직접 간접으로 받은 명령을 다짐하거나 빈정거려 묻는 데 쓰이는 종결 어미. ¶남아 있~. ㊟-으라며. *-자면서·-라면서.
-으라오 어미 ↗-으라 하오. ¶그만 참~. *-라오.
-으라우 어미 〈방〉 -으라(평안).
-으라지 어미↗-으라고 하지. ¶잡을 테면 잡~/있고 싶다면 있~/죽으려면 죽~. *-라지.
-으락 어미 뜻이 상대되는 두 동사나 형용사의 받침 있는 어간에 각각 붙어 그 두 가지 동작이나 상태가 번갈아 되풀이함을 나타내는 연결 어미. ¶잡~ 놓~/검~ 붉~/먹~ 말락 한다. *-락.
으란 조 〈옛〉 을랑. 을랑은. ¶德으란 곰비예 받줍고 福으란 림비예 받

좁고≪樂範 動動≫.

-으란 어미↗-으라고 한·-으라고 하는. ¶책을 읽~ 말이지/잡~ 말이오, 놓~ 말이오. *-란·-으라는.

-으란다 어미↗-으라고 한다. ¶빨리 제비를 뽑~. *-란다.

-으랄 어미↗-으라고 할. ¶꽃을 꺾~ 리가 없다/너보고 그걸 다 먹~ 리가 없다/누추한 곳이라 앉~ 수가 없었네. *-랄.

-으람 어미 ①받침 있는 동사의 어간 및 형용사 '있다'의 어간에 붙어서 손아랫 사람에게나 혼잣말로 '-으란 말인가'의 뜻으로 쓰는 종결 어미. ¶네 말을믿~/이렇게 당하고도 가만히 있~. ②↗-으라면. ¶죽~ 죽을까. *-람.

-으랍니까 어미↗-으라고 합니까. ¶어디에 앉~. *-랍니까.

-으랍니다 어미↗-으라고 합니다. ¶그러담~/푹 삶~/앉~/이걸 잡~. *-랍니다.

-으랍디까 어미↗-으라고 합디까. ¶더운데도 창문을 닫~/누가 당신 보고 앉~. *-잡디까·-랍디까.

-으랍디다 어미↗-으라고 합디다. ¶우선 이걸 받~/부지런히 새를 쫓~/이걸 꽉 잡~. *-랍디다.

-으래 어미↗-으라고 해. ¶책을 읽~/밥을 먹~. *-래.

-으래서 어미↗-으라고 하여서. ¶앉~ 앉았다. *-ㄴ대서·-는대서·-대서·-래서.

-으래서야 어미 ↗-으라고 하여서야. ¶이런 것을 먹~ 될 말입니까. *-대서야·-는 대서야·-대야·-래서야.

-으래야 어미↗-으라고 하여야. ¶날더러 참~ 옳은가. *-ㄴ대야·-는대야·-대야·-래야.

-으래요 어미↗-으라고 하여요. ¶모자를 벗~. *-래요.

-으랬자 어미 받침 있는 동사 및 '있다'의 어간에 붙어, '-으라 하였자'의 뜻을 나타내는 연결 어미. ¶그 아이에게 말 잘 들~ 소용없을걸. *-랬자.

-으랴 어미 ①사리로 미루어 판단하건대 어찌 그러할 것이냐의 뜻으로 받침 있는 어간에 붙여 쓰는 종결 어미. ¶네 은혜를 어찌 잊~. ②말하는 사람이 장차 자기가 할 일에 대하여, 상대자의 승낙을 구할 때에 받침 있는 동사의 어간 및 형용사 '있다'의 어간에 붙여 쓰는 종결 어미. ¶그럼, 네 말을 믿~. ③받침 있는 동사 및 '있다'의 어간에 붙어, 두 가지 이상의 동작을 열거할 때에 쓰는 연결 어미. ¶강의를 들~ 공책에 적~ 몹시 바쁜 학생들. *-랴[1].

-으랴거든 어미 〈방〉-으려거든.

-으랴고 어미 〈방〉-으려고.

-으랴는 어미 〈방〉-으려는.

-으랴는데 어미 〈방〉-으려는데.

-으랴든 어미 〈방〉-으려던.

-으랴면 어미 〈방〉-으려면.

-으랴오 어미 〈방〉-으려오.

-으러 어미 받침 있는 동사 어간에 붙어서 그 다음에 오는 동작의 직접 목적을 나타내는 연결 어미. 뒤에 '오다·가다·다니다' 따위의 말이 옴. ¶점심을 먹~ 간다 / 낚시란 꼭 고기를 잡~ 가는 건 아니다 / 일꾼을 모~ 다니는 중이오. *-러.

으런 명 〈방〉어른(전라).

으레 부 두 말할 것 없이. 당연히. ¶그 학생은 ~ 책 얘기다/~ 가보아야 할 것으로 여긴다/염치없게도 ~ 먹으려니 한다니까.

-으려 어미↗-으려고. ¶그 말을 믿~ 합니다/더도 말고 한 밑천만 잡~ 합니다/잡~ 하는데 날아갔다. *-려[1].

-으려 들다 구 ↗-으려고 들다.

-으려거든 어미↗-으려고 하거든. ¶밥을 먹~ 일을 해라/신용을 얻~ 성실하여라/그러고 있~ 아예 가 버려라. *-려거든.

-으려고 어미 받침 있는 동사의 어간 및 형용사 '있다'의 어간에 붙어서 장차 하고자 하는 뜻 또는 그렇게 될 듯하다는 뜻을 나타내는 연결 어미. '하다'꼴 앞에서만 쓰임. ¶나무를 심~ 한다 / 차가 식~ 하니 어서 마셔라. 준-으려. *-려고.

-으려고 들다 구 받침 있는 동사의 어간에 붙어서 곧 시작할 듯이 행동함을 나타내는 말. ¶제 각기 먹~. 준-으려 들다. *-려고 들다.

-으려구 어미 〈방〉-으려고.

-으려기에 어미 ↗-으려고 하기에. ¶혼자 먹~ 야단을 쳤다/손목을 잡~ 뿌리쳤다. *-려기에.

-으려나 어미 ↗-으려고 하나·-으려는가. ¶자네는 어떤 옷을 입~/정말 가지 않~. *-려나.

-으려네 어미 ↗-으려고 하네. ¶내가 참~. *-려네.

-으려느냐 어미 ↗-으려고 하느냐. ¶무슨 노래를 들~/새를 쫓~, 원두막을 지키려느냐. 준-으련. *-려느냐.

-으려는 어미↗-으려고 하는. ¶그를 믿~ 사람은 없을 게다/앉~ 사람들 뿐이니 차라리 난 서서 가겠다. *-려는.

-으려는가 어미↗-으려고 하는가. ¶점심을 먹~/가져간 돈 언제 갚~/자네넨 언제 모를 심~. 준-으려나. *-려는가.

-으려는고 어미↗-으려고 하는고. ¶왜 헤어지지 않~/그대는 내 말을 들~/이 옷은 낡은 것이지만 입~. *-려는고.

-으려는데 어미 ↗-으려고 하는데. ¶밥을 먹~ 손님이 찾아왔다/떨어진 돈지갑을 집~ 도둑이 홱 낚아챘다. *-려는데.

-으려는지 어미 ↗-으려고 하는지. ¶그가 나를 믿~ 걱정이 된다/밥을 먹~ 일어나 앉았다. *-려는지.

-으려니 어미 ①받침 있는 어간에 붙어서 혼자 속으로 추측하는 '그러하겠거니'의 뜻을 나타내는 연결 어미. ¶그와 나와는 처지가 같~ 생각하고 있었는데…. ②받침 있는 어간에 붙어서 '…으려고 하니'의 뜻을 나타내는 연결 어미. ¶막상 죽~ 두렵기만 하구나. 1)·2):*-려니[1].

-으려니와 어미 받침 있는 어간에 붙어 '그러하겠거니와'·'-지마는'과 같은 뜻으로 장래의 일을 추측하거나 또는 말을 끝맺지 않고 어떤 말을 부가하여 말할 때에 쓰는 연결 어미. ¶산도 좋~ 물도 좋다/오지도 않~ 소식도 없다. *-려니와.

-으려다 어미↗-으려다가. ¶도둑을 잡~ 놓쳤다/고기를 삶~ 나물만 무쳤다/늑대를 쫓~ 호랑이를 만났다. *-려다[1].

-으려다가 어미↗-으려고 하다가. ¶돈을 좀 얻~ 무안만 당했다/이 나무를 정원에 심~ 그만두었다. 준-으려다. *-려다가.

-으려더니 어미 ↗-으려고 하더니. ¶책을 읽~ 어느새 그만두고 누워 버렸구나. *-려더니.

-으려더라 어미 ↗-으려고 하더라. ¶작은 뜰에다가 나무를 심~. *-려더라.

-으려던 어미↗-으려고 하던. ¶잡~ 사람들도 그 말을 듣더니 놓아 버렸다/갚~ 돈을 다 썼다고 울상이다. *-려던.

-으려던가 어미↗-으려고 하던가. ¶그 사람 또 꽃을 꺾~. *-려던가.

-으려도 어미↗-으려고 하여도. ¶잊~ 잊을 수가 없네/아무리 잡~ 잡히질 않네. *-려도.

-으려면 어미↗-으려고 하면. ¶신용을 얻~ 우선 정직하게 하라. *-려면.

-으려면야 어미↗-으려고 하면야. ¶그를 믿~ 믿을 수도 있겠지/정 굶~ 말릴 수는 없겠지. *-려면야.

-으려면은 어미 ↗-으려고 하면은. ¶집을 지~ 기초를 튼튼히 다져야 하느니/이걸 먹~ 심부름을 해야 한다. *-려면은.

-으려무나 어미 '해라'할 자리에서 받침 있는 동사 및 '있다'의 어간에 붙어서 아랫 사람에게 시키거나 그러할 의사가 있으면 해보라는 뜻을 나타내는 말. ¶더우면 벗~/있고 싶으면 있~/빨리 먹~. 준-으렴. *-려무나.

-으려서는 어미↗-으려고 하여서는. ¶남의 돈을 거저 먹~ 안 되네/취했다고 아무 곳에나 앉~ 곤란하지. *-려서는.

-으려서야 어미 ↗-으려고 하여서야. ¶남의 길을 막~ 되나/악으로 은혜를 갚~ 되나. *-려서야.

-으려야 어미 ①↗-으려고 하여야. ¶먹~ 먹이지. ②'-으려도'의 힘줌말. ¶믿~ 믿을 수가 없네. *-려야.

-으려오 어미↗-으려고 하오. ¶이 곳에 꽃씨를 심~/난 여기 앉~. *-려오.

-으련 어미↗-으려느냐. ¶무엇을 먹~. *-련.

-으련다 어미↗-으려고 한다. ¶그를 찾~. *-련다.

-으련마는 어미 받침 있는 어간에 붙어서, '-겠건마는'과 같은 뜻으로 앞으로의 일을 추측하여 말할 때에 쓰이는 연결 어미. ¶시간이 있으면 책도 읽~/때맞춰 와 주었으면 좋~. 준-으련만. *-련마는.

-으련만 어미 ↗-으련마는. ¶같이 갔으면 좋~. *-련만.

-으렬 어미 ↗-으려고 할. ¶책을 읽~ 때에 불이 나갔다/막 자리에 앉~ 때에 전화 벨이 울렸다. *-렬.

-으렴 어미↗-으려무나. ¶다리 아프면 앉~. *-렴.

-으렵니까 어미↗-으려고 합니까. ¶무슨 노래를 들~/도대체 돈을 얼마나 갚~/왜 바구니에다 담~. *-렵니까.

-으렵니다 어미↗-으려고 합니다. ¶양식을 먹~/한 밑천 잡~/내복을 입~ / 그이를 꼭 잡~. *-렵니다.

-으렷다 어미 ①받침 있는 어간 및 '-았-'·'-었-' 등의 뒤에 붙어, 경험이나 이치로 미루어, 일이 으레 그렇게 될 것을 또는 그러할 것을 추정(推定)하는 데 쓰는 종결 어미. ¶내일은 날씨가 좋~ / 지금쯤은 도착했~. ②받침 있는 어간에 붙어, 추상(推想)되는 사실에 대하여 인정하는 뜻을 다지는 데 쓰는 종결 어미. ¶두 말 없~ / 돈은 받지 않았~. ③받침 있는 동사나 '있다'의 어간 및 '-았-'·'-었-' 등의 뒤에 붙어, 명령을 나타내는 종결 어미. 예스런 표현에 쓰임. ¶당장 죄인을 묶~ / 조용히 앉아 있~. *-렷다.

으레 부 ☞ 으레.

으레-히 부 '으레'의 잘못.

으로[1] 조 'ㄹ 받침' 이외의 받침 있는 체언에 붙는 부사격 조사. ①수단·방법 또는 연장을 나타냄. ¶쌍안경~ 보다 / 돈~ 때우다. *으로써. ②재료를 나타냄. ¶헌 궤짝 ~ 책상을 만들다. *으로써. ③이유·원인을 나타냄. ¶병~ 결석하다. ④장소·방향을 나타냄. ¶동쪽~ 가시오 / 공원~ 통하는 길. ⑤신분·지위·자격을 나타냄. ¶사람~ 태어나다 / 말단 사원~ 늙다. *으로서. ⑥그렇게 되는 대상임을 나타냄. ¶반장~ 뽑히다 / 이 상은 저를 격려해 주시는 것~ 알고…. ⑦때·시간을 나타냄. ¶출발은 내일 밤~ 한다. ⑧결과를 나타냄. ¶청천 백일의 몸~ 밝혀졌다 / 비는 오후부터 눈~ 변했다. ⑨구성·비율 등을 나타냄. ¶종교가 다른 민족~ 구성된 국가. ⑩근거·표준·목표 등을 나타냄. ¶절약을 으뜸~ 한다. *로[8].

으로[2]【以】조 〈이두〉으로.

-으로 미 'ㄹ' 이외의 받침 있는 일부 명사에 붙어, 그것을 부사로 만드는 말. ¶우격~ / 공~ / 참~ 예쁘다. *-로[1].

으로는 조 '으로'와 '는'이 겹쳐 된 부사격 조사. ¶북~ 백두산, 남~ 한라산/그 쪽~ 갈 생각도 마시오. 준으론. *로는.

으로 더불어 구 받침 있는 체언에 붙어서 '와 함께'의 뜻을 예스럽게 나타내는 말. ¶책~ 벗을 삼다.

으로도 조 조사 '으로'와 '도'가 겹쳐 된 부사격 조사. ¶돈~ 살 수 없다/네 힘~ 안 되니 어쩌겠느냐. *로도.

으로-부터 조 ㄹ받침' 이외의 받침 있는 체언에 붙어 '에서부터'의 뜻을 나타내는 부사격 조사. ¶동~ 흘러 바다로 들어가는 강/국민~ 불신을 받는 정권. *로부터.

으로뻐 조 〈옛〉으로써. *로뻐. ¶텬즈는 공으로뻐 고굉을 삼고(天子以公爲股肱)≪五倫 Ⅱ:40≫.

으로서 조 'ㄹ받침' 이외의 받침 있는 말에 붙는 부사격 조사. ①'어떠한 자격·지위·신분을 가지고'의 뜻으로 씀. ¶특사의 자격~ 오다/

사람~ 어찌 그런 참혹한 짓을 할 수 있나. *으로. ②동작이 일어나는 곳을 나타내는 '으로부터'의 뜻을 나타냄. ¶남쪽~ 햇빛이 들어온다. *로서.

으로셔 조 〈옛〉 으로부터. =로셔. ¶病ᄒᆞ녀 넉시 도로 저긔ᄲᅮᆷ므로셔 ᄡᅵ 돗ᄒᆞ야《月釋 Ⅳ:51》.

으로써 조 'ㄹ받침' 이외의 받침 있는 체언에 붙어, '을 가지고서'의 뜻을 나타내는 부사격 조사. ¶용기와 신념~ 작전에 임하라/죽음~ 죄를 씻다. *으로·로써.

으로 하여금 구 'ㄹ받침' 이외의 받침 있는 체언에 붙어서 '을'·'에게'의 뜻을 나타내는 말. 뒤에 반드시 사역(使役)의 뜻을 가지는 말이 이어짐. ¶그것이 적~ 패주하게 만든 원인이다/부모님~ 걱정하시게 만들어 죄송할 따름이다. *로 하여금.

으론[1] 조 ↗으로는. ¶입~ 먹고 손~ 쓴다. *론.

으론[2] 조 〈옛〉 보다는. ¶다몬 그 구차히 사ᄅᆞ시므론 ᄒᆞᆫ번 주금만 ᄀᆞᆮ디 몯ᄒᆞ다 ᄒᆞ더니(與其苟且而生莫如一死)《東國新續三綱 烈女圖 Ⅶ:11 德心縊死》.

으론새로이【以乎新反】〈이두〉 에 반(反)해서.

으롯 조 〈옛〉 으로부터. ¶二禪으롯 우흔 말ᄊᆞ미 업슬씨《釋譜 ⅩⅢ:6》/二禪으롯 우흔 이 世界 여러번 고텨 ᄃᆞ외야ᅀᅡ《月釋 Ⅰ:38》. *롯.

-으롸 어미 〈옛〉 -었노라. ¶論語 孟子 小學을 닐그롸(讀論語孟子小學)《老乞 上 2》. *-롸.

으르다[1] 타 르불 물에 불린 쌀 같은 것을 방망이로 으깨다.

으르다[2] 타 르불 상대자를 말이나 행동으로 겁을 먹도록 위협하다.

으르-대다 타 계속적으로 으르며 딱딱거리다.

으르딱딱-거리다 자 으르대며 딱딱거리다.

으르딱딱-대다 자 으르딱딱거리다.

으르렁 부 사나운 짐승이 성내어 우는 소리. >아르렁.

으르렁-거리다 자 ①범이나 개 등이 성이 나서 물려고 소리를 내어 부르짖다. ¶사자가 자꾸 ~. ②불화한 말로 서로 다투다. ¶앙숙끼리 서로 ~. 1)·2):>아르렁거리다. **으르렁-으르렁** 부. ——-하다 자 여불

으르렁-대다 자 으르렁거리다.

으르르 부 춥고 으스스할 때나 위협을 받을 때에, 몸이 몹시 떨리는 모양. ¶봄비치고는 철이 좀 이른 것 같아서 또 다시 ~ 얼어 붙으면 보리마저 얼어 죽는다고…《李無影 : 흙의 노예》. >아르르. ——-하다 자 여불

으:른 명 〈방〉 어른(경남·경기·강원·충청·전라).

으름 명 으름덩굴의 열매. 연복자(燕覆子). 임하 부인(林下夫人).

으름-나무 명 〈방〉 으름덩굴.

으름-난초【一蘭草】명 〖식〗 [*Galeola septentrionalis*] 난초과에 속하는 다년 기생초(寄生草). 근경(根莖)은 굵고 매우 길어 땅 속에 뻗어 나가며, 줄기도 비대(肥大)하며 곧고, 높이 50-100cm임. 잎은 없으나 인편엽(鱗片葉)은 호생함. 6월에 황갈색 꽃이 총상(總狀) 화서로 원추상(圓錐狀) 가지 끝에 정생하여 핌. 열매는 길이 6-8cm, 긴 타원형으로 붉게 익어 으름 비슷하고, 종자에는 날개가 있음. 깊은 산의 그늘에 나는데, 제주도·일본에 분포함. 산산호.

〈으름난초〉

으름-덩굴 명 〖식〗 [*Akebia quinata*] 으름덩굴과에 속하는 낙엽 활엽 만목(蔓木). 잎은 장상 복엽(掌狀複葉)이고 다섯 개의 소엽(小葉)은 거꿀달걀꼴 또는 타원형이며 톱니가 없음. 4-5월에 담자색 꽃이 자웅일가(雌雄一家)로 된 총상(總狀) 화서로 액생(腋生)하며 육질(肉質)의 삭과(蒴果)는 긴 타원형이고 9-10월에 암자색으로 익으며 열개(裂開)함. 산록의 숲속에 나는데, 황해도 이남 및 일본 남부·중국에 분포함. 과실은 '으름'이라 하여 식용하며, 말린 줄기는 '목통(木通)'이라 하여 약용함. 줄기는 곡물 세공재(曲物細工材)로 씀.

〈으름덩굴〉

으름덩굴-과【一科】[一꽈] 명 〖식〗 [Lardizabalaceae] 이판화류에 속하는 한 과. 대부분 아시아에 나는데 7속(屬) 11종, 한국에는 멀꿀·여덟잎으름덩굴 등이 분포함.

으름-장 [一짱] 명 말이나 짓으로 남을 위협(威脅)하는 행동(行動). ——-하다 타 여불

으름장(을) 놓다 [一짱一노타] 구 위협(威脅)하는 말로 으르다. ¶다시는 두 말 못 하게 ~.

-으리- 선어미 받침 있는 용언의 어간에 붙어, 미래(未來)를 나타내는 시제(時制) 표현의 선어말 어미. ¶읽~다 / 가보면 있~라. *-리-.

-으리 어미 ①↗-으리요. ¶그 슬픔을 내 어찌 잊~. ②↗-으리라. ¶그 놈을 내 기어이 찾~. *-리[4].

-으리까 어미 '합쇼'할 자리에 장래의 일을 물을 때 받침 있는 동사 어간 및 '있다'의 어간에 붙여 쓰이는 종결 어미. ¶무엇으로 낙을 삼~/어찌해야 좋~. *-리까.

-으리니 어미 받침 있는 용언의 어간에 붙어서 '-을 것이니'의 뜻을 나타내는 연결 어미. ¶내가 잡~ 보고만 있거라/내가 읽~ 듣고만 있거라/악마는 곧 죽~ 이로써 모든 어둠이 걷히리라. *-리니.

-으리니라 어미 받침 있는 용언의 어간에 붙어서 '-을 것이니라'의 뜻을 나타내는 종결 어미. ¶상(賞)을 받~. *-리니라.

-으리다 어미 ①'하오'할 자리에서 받침 있는 동사 및 '있다'의 어간에 붙어 '기꺼이 그리 하겠소'의 뜻으로 자기 의사를 서술하는 종결 어미. ¶뒷일은 내가 맡~. ②'하오'할 자리에서 받침 있는 어간에 붙어 '그러 할 것이오'의 뜻으로 추측·경고하는 뜻을 나타내는 종결 어미. ¶그만하고 가시는 것이 좋~. *-리다.

-으리라 어미 받침 있는 어간에 붙어 '-을 것이다'의 뜻으로 추측이나 미래의 의사를 나타내는 종결 어미. ¶그는 이미 가고 없~/크게 해를 입~/그만하면 가도 좋~. *-리라[1].

-으리로다 어미 받침 있는 어간에 붙어서 '-으리라'의 뜻으로 감탄을 나타내는 종결 어미. ¶내 기어코 그것을 잡~/명을 어기는 자는 벌을 받~. *-리로다.

-으리-만큼 어미 '-을 정도로'의 뜻으로 받침 있는 어간에 붙는 연결 어미. ¶알아 들~ 충고를 했다. *-리만큼.

-으리야 어미 〈옛〉 -으랴. ¶丘壑애 도라가ᄆᆞᆯ 일즉 니즈리야(丘壑曾忘返)《杜諺 Ⅱ:9》.

-으리요 어미 받침 있는 용언의 어간에 붙어서 '-으랴'의 뜻으로 혼자 스스로의 물음이나 한탄을 나타내는 말. ¶나 싫어 떠나는 님을 무엇으로 잡~/내 어이 잊~. 준-으리. *-리요.

으리으리-하다 형 여불 매우 굉장하거나 삼엄하여 엄숙한 느낌이 있다. ¶으리으리한 호화 주택/으리으리하게 차린 음식상.

-으마 어미 '해라'할 자리에서 받침 있는 동사 및 '있다'의 어간에 붙어 아랫 사람에게 자기의 하려는 생각을 즐거이 베풀어 이르는 종결 어미. ¶내가 맡~/내가 가지고 있~. *-마.

으말무지로 부 〈방〉 에멜무지로(충청).

-으매 어미 받침 있는 어간에 붙어서 어떤 사실을 미리 인정할 때 쓰는 연결 어미. ¶그가 내 손을 잡~ 난 기꺼이 그의 손을 흔들어 주었다/그가 맛있게 먹~ 마음이 흡족했다. *-매.

-으며 어미 ① 두 가지 이상의 동작 또는 상태를 아울러 말할 때 받침 있는 어간에 붙여서 쓰는 연결 어미. ¶웃~ 살아 가자. ②↗-으면서. ¶밥을 먹~ 말하다. *-며.

-으면 어미 받침 있는 어간에 붙어서 가설적 조건을 나타내는 연결 어미. ¶놓~ 달아난다. 준 -음[2]. *-면.

-으면서 어미 ①어떤 동작·상태(狀態)가 다른 동작·상태를 겸함을 나타낼 때 받침 있는 어간에 붙는 연결 어미. ¶책을 읽~ 식사하다 / 우리 걸~ 얘기하세. 준-으며. *-면서. ②받침 있는 어간이나 '-았-'·'-었-' 따위의 뒤에 붙어, 서로 맞서는 관계를 나타내는 연결 어미. ¶먹었~도 안 먹은 척한다.

-으면은 어미 '-으면'의 힘줌말. ¶앉~ 존다. *-면은.

으물-거리다 자 〈방〉 우물거리다.

으물-으물 명 〈방〉 우물우물.

으뭉-스럽다 형 ㅂ불 ☞ 의뭉스럽다.

-으므로 어미 'ㄹ 받침' 이외의 받침 있는 용언의 어간 또는 '-았-'·'-었-' 따위의 뒤에 붙어 까닭을 나타내는 연결 어미. ¶돈이 없~. *-므로.

으밀-아밀 부 남모르게 비밀히 이야기하는 모양. ¶그 일에 대하여 ~할 것 없이 자네 이 양반 좀 다시 보게《崔瓚植 : 雁의 聲》. ——-하다 자 여불

으밀-으밀 부 ☞ 으밀아밀.

으변칙 활용【一變則活用】명 〖언〗 으불규칙 활용.

으불규칙 활용【一不規則活用】명 〖언〗 어간의 끝 '으'가 '아'나 '어' 앞에서 줄어지는 불규칙 활용으로 '크다'가 '커', '쓰다'가 '써', '모으다'가 '모아서'로 되는 따위. 통일 학교 문법에서는 규칙적인 음운 탈락으로 보아 불규칙 활용으로 인정하지 않음.

-으사이다 어미 '하소서'할 자리에서 받침 있는 동사 어간에 붙어, 청유(請誘)함을 나타내는 종결 어미. ¶사연을 읽~/가만히 앉~. *-사이다.

으새 명 〈방〉 피[1](함경).

-으샤 어미 〈옛〉 -으시어. =ᄋᆞ샤. ¶聖化ㅣ 기프샤《龍歌 9章》/九重에 드르샤《龍歌 110章》.

-으샤ᄃᆡ 어미 〈옛〉 -으시되. ¶討賊이 겨를 업스샤ᄃᆡ《龍歌 80章》.

-으샨 어미 〈옛〉 -으신. ¶御製는 님금 지ᅀᅳ샨 그리라《訓諺 1》.

-으세요 어미 -으셔요. ¶편히 앉~. *-세요.

-으셔요 어미 ↗-으시어요. ¶앉~/받~. *-셔요·-으세요.

-으소서 어미 '하소서'할 자리에서 받침 있는 동사 및 '있다'의 어간에 붙어, 바라거나 시킴을 나타내는 뜻으로 쓰이는 종결 어미. ¶한 번 더 참~/드리는 것이니 꼭 받~. *-소서.

-으쇼셔 어미 〈옛〉 -으소서. ¶縷中에 드르쇼셔《月釋 Ⅶ:37》/그 기리 愆이 업스쇼셔(其永無愆)《書諺》.

으스-대다 자 어울리지 않게 으쓱거리며 뽐내다. ¶부자라고 ~.

으스러-뜨리다 타 덩어리를 깨뜨려 부스러뜨리다. >아스러뜨리다.

으스러-지다 자 ①덩어리가 으깨어져 부스러지다. ¶손이 으스러지도록 꼭 잡다. ②살이 터지거나 벗어지다. ¶종아리가 으스러지도록 때리다. 1)·2) : >아스러지다.

으스러-트리다 타 으스러뜨리다.

으스럼-하다 형 〈방〉 으스름하다(충북).

으스렁-하다 형 〈방〉 으스름하다(충남).

으스른-하다 형 〈방〉 으스름하다(경기).

으스름-달 [一딸] 명 으슴푸레한 빛을 내는 달.

으스름 명 달빛이 으슴푸레함. ¶~한 달빛. * 어스름. ——-하다 형 여불

으스름 달밤 [一빰] 명 으슴푸레한 달빛의 밤.

으스스 부 차고 싫은 기운이 몸 안에 스르르 돌면서 소름이 끼치는 듯한 모양. ¶어느 낯선 마을에서 병들어 죽을 것 같은 예감이 들어 ~ 해졌다《金承鈺 : 내가 훔친 여름》. >아스스·오스스. ——-하다 형 여불

으스-하다 형 〈방〉 으스름하다(전북).

으슥-하다 형 여불 ①무서운 느낌이 들 만큼 구석지고 고요하다. 으늑하다. ¶으슥한 골목길. ②몹시 조용하다.

[으슥한 데 꿩 알 낳는다] ㉠뜻밖의 장소에서 좋은 것이 발견되었을 때

하는 말. ㉡평소에 조용한 듯한 사람이 남 보지 않는 데서 이상한 행동을 함을 이름.
으슬렁-거리다 [자] 〈방〉 어슬렁거리다. **으슬렁-으슬렁** [부]
으슬-으슬 [부] 소름이 끼칠 듯이 연해 차가운 느낌이 드는 모양. ¶날씨가 ~ 춥다. >아슬아슬·오슬오슬. **——하다** [형][여불]
으슴푸레-하다 [형][여불] 달빛이 침침하고, 흐릿하다.
-으시- [선어미] 받침 있는 동사나 형용사의 어간에 붙이어 존경의 뜻을 나타내는 선어말 어미. ¶선생님의 덕은 하늘처럼 높~다/손을 꼭 잡~었다. *-시-.
-으시니이다 [어미] 〈옛〉 -으십니다. ¶創業規模 ㅣ 머르시니이다《龍歌 81章》.
으시-대다 [자] ☞ 으스대다.
-으시라 [어미] 받침 있는 동사 어간에 붙어, 불특정 다수에 대한 공손한 명령을 나타내는 종결 어미. ¶모두 제비를 뽑~. *-시라.
으시름-하다 [형] 〈방〉 으스름하다(충남).
-으시어요 [어미] 선어말 어미 '-으시-'와 어말 어미 '-어요'가 합친 종결 어미. ¶손을 잡~/이제 그만 앉~/이 책을 읽~. ㊂-으셔요.
-으실쎄 [어미] 〈옛〉 -으시매. ¶威惠 너브실쎄《龍歌 56章》. *-ㄹ쎄.
으실-으실 [부] 〈방〉 으슬으슬(경상).
으썩 [부] 단단한 물건을 이로 되게 깨무는 모양. 또, 그 소리. *어썩. **——하다** [타][여불]
으썩-거리다 [타] 연해 으썩 소리를 내면서 깨물다. *어썩거리다. **으썩-으썩** [부]. ¶이가 좋으니 무를 ~ 잘도 씹는다. **——하다** [타][여불]
으썩-대다 [타] 으썩거리다.
으쓱[1] [부] 갑자기 무섭거나 차가울 때 몸이 움츠러지는 모양. >아쓱. **——하다** [형][여불]
으쓱[2] [부] 잘난 듯이 느껴 어깨를 들먹이는 모양. **——하다** [자][타][여불]
으쓱-거리다 [자][타] 멋멋하거나 제 잘난 멋에 어깨를 으쓱으쓱 치키다. ¶어깨를 ~. **으쓱-으쓱** [부]. **——하다** [자][타][여불]
으쓱-대다 [자][타] 으쓱거리다.
으아 [감] ①젖먹이가 우는 소리. ②감탄(感歎)하여 스스로 외치는 소리.
으아리 [명] 〖식〗 [*Clematis mandshurica*] 미나리아재빗과에 속하는 낙엽 활엽 만목(蔓木). 잎은 우상 복생, 여름에 흰 꽃이 기산(岐繖) 화서로 액생함. 과실은 수과(瘦果)이고 미상체(尾狀體)는 날개 모양의 백색 털이 나고 가을에 익음. 야생으로 남부를 제외한 한국 각지 및 중국·만주에 분포함. 뿌리는 약용, 어린 잎은 식용함.
으악 [감] ①음식을 토하는 소리. ②자신이 놀랐을 때나 또는 남을 놀라게 하기 위하여 지르는 소리.
으악-새 [명] 〈방〉 ①억새(경기). ②왜가리(평안).
으앙 [감] 젖먹이 아이가 우는 소리.
으앙-으앙 [감] 연해 젖먹이 아이가 우는 소리.
으양-스럽다 [형] 〈방〉 야속하다.
-으오- [선어미] '-옵-'의 'ㅂ'이 모음으로 시작된 어미를 만나서 줄어진 선어말 어미. 받침 있는 어간에 붙어 겸손함을 나타냄. ¶옷이 젖~니/은혜를 입~ㄴ바/둘러 앉~면/모습이 같~와(→같으와). *-오-·-으오-·-와-·-사오-.
-으오 [어미] 받침 있는 용언의 어간에 붙어, '하오'할 자리에서, 현재의 동작이나 상태의 서술·의문을 나타내고, 또 동사와 형용사 '있다'의 명령형을 이루는 종결 어미. ¶대학을 읽~/꽃이 붉~/새를 잡~/나는 여기 있을 테니 당신은 거기 있~. *-오·-소·-으우.
-으오니까 [어미] 받침 있는 형용사의 어간에 붙어, '하소서'할 자리에서 현재의 상태를 묻는 종결 어미. ¶책이 많~/무엇을 잡~. *-오니까·-나이까.
-으오리까 [어미] 받침 있는 동사 어간 및 형용사 '있다'의 어간에 붙어, '합쇼'할 자리에서, '그리 할까요'의 뜻으로 자기의 의사에 대한 상대방의 의향(意向)을 묻는 종결 어미. ¶대신 갚~/이 자리에 남아 있~. *-오리까.
-으오리다 [어미] 받침 있는 동사 및 '있다'의 어간에 붙어, '합쇼'할 자리에서 '그리 하겠습니다'의 뜻으로 자기의 의사를 나타내는 종결 어미. ¶많이 읽~/앉아 있~/꾹 참~. *-오리다.
-으오리이까 [어미] 받침 있는 동사 어간 및 형용사 '있다'의 어간에 붙어, '하소서'할 자리에서, '그리 할까요'의 뜻으로 자기의 의사에 대한 상대방의 의향(意向)을 묻는 종결 어미. ¶소인이 도장을 대신 찍~. *-오리이까.
-으오리이다 [어미] 받침 있는 동사 어간 및 형용사 '있다'의 어간에 붙어, '하소서'할 자리에서, '그리 하겠습니다'의 뜻으로 자기의 의사를 나타내는 종결 어미. ¶한 번 더 읽~/머물러 있~/말끔히 잡~/내년에는 꼭 갚~. *-오리이다.
-으오이다 [어미] 받침 있는 어간에 붙어, '하소서'할 자리에서, 현재의 사실을 설명하는 종결 어미. ¶산이 높~/굳게 믿~. ㊂-으외다. *-오이다·-나이다·-사오이다·-사외다.
-으옵- [선어미] '-옵-'의 뜻으로 받침 있는 어간에 붙여 겸손함을 나타내는 선어말 어미. ¶책을 읽~시다/손을 잡~다가/물이 깊~니까/키는 작~지만/하늘은 맑~고. *-옵-·-사오-.
-으옵니까 [어미] '-으옵-'과 '-나이까'가 줄어 합한 종결 어미. ¶많이 검~. *-옵니까·-사옵니까.
-으옵니다 [어미] '-으옵-'과 '-나이다'가 줄어 합한 종결 어미. ¶책을 읽~. *-옵니다·-사옵니다.
-으옵디까 [어미] '-으옵-'과 '-더이까'가 줄어 합한 종결 어미. ¶얼굴에 주름이 많~. *-옵디까·-사옵디까.
-으옵디다 [어미] '-으옵-'과 '-더이다'가 줄어 합한 종결 어미. ¶나무를 심~. *-옵디다·-사옵디다.
-으와 [준] 선어말 어미 '-으오-'에 어미 '-아'가 합친 말. ¶하도 물이 맑~. *-와.
-으외다 [어미] ↗-으오이다.
-으우 [어미] 〈방〉 -으오. ¶책을 읽~/예 있~. *-우.
으응 [감] ①'해라'나 '하게'할 자리에 반문(反問)하거나, 긍정할 때에 하는 말. ¶~, 알겠다. ②마음에 덜 차거나 짜증이 날 때에 쓰는 말. ¶~, 겨우 그거야/~, 귀찮게 왜 이래.
-으이 [어미] '하게'할 자리에 생각을 베풀어 말할 때 받침 있는 형용사 어간에 붙는 종결 어미. ¶이젠 싫~/과연 넓~/이만해도 좋~. ㊂-의. *-이·-네·-ㄹ세.
으지적 [부] 단단하고 질긴 물건을 깨무는 소리. >아지작. **——하다** [자][타][여불]
으지적-거리다 [자][타] 단단하고 질긴 물건을 연해 깨물다. >아지작거리다. **으지적-으지적** [부]. **——하다** [자][타][여불]
으지적-대다 [자][타] 으지적거리다.
으지직 [부] 짜여진 물건이 짜그러지는 소리. >아지직. **——하다** [자][타]
으지직-거리다 [자][타] 연해 으지직 소리가 나다. 또, 연해 으지직 소리를 나게 하다. >아지직거리다. **으지직-으지직** [부]. **——하다** [자][타][여불]
으지직-대다 [자][타] 으지직거리다.
으징가미 [명] 〈방〉 이징가미.
으쩍 [부] 이로 단단한 물건을 되게 깨무는 소리. **——하다** [자][타][여불]
으쩍-으쩍 [부] 연해 으쩍 깨무는 소리. **——하다** [자][타][여불]
으찌 [부] 〈방〉 어찌(경상).
으츠러-뜨리다 [타] 으츠러지게 하다.
으츠러-지다 [자] 푸성귀 같은 것이 다른 물건에 닿아서 으끄러지다.
으츠러-트리다 [타] 으츠러뜨리다.
으크러-뜨리다 [타] ①힘있게 으끄러뜨리다. ②세차게 뭉그러뜨리다. 느으그러뜨리다. ㅆ으끄러뜨리다.
으크러-지다 [자] 굳은 덩어리 같은 것이 몹시 눌리어 바스러지다. 느으그러지다. ㅆ으끄러지다.
으크러-트리다 [타] 으크러뜨리다.
으흐름 [명] 〈옛〉 으름. ¶으흐름 너출(通草木通) 《湯液》.
으흐흐 [감] 짐짓 지어서 음침하게 웃는 소리.
윽-각부동 [명] ←읍각부동(邑各不同).
윽-물다 [타] 치밀어 오르는 화나 심한 고통·굴욕을 참아 내려고 하거나, 또는 단단히 결심할 때에 이를 잔뜩 힘주어 마주 물다. ¶이를 윽물고 참다. >악물다.
윽-물리다 [피동] 윽묾을 당하다. >악물리다.
윽-박다 [타] 억지로 몹시 짓누르다.
윽박-지르다 [타][르불] 윽박아 기를 꺾다. ¶되게 ~/어린 것을 그토록 윽박질러서야 되겠나.
윽:새 [명] 〈방〉 〖식〗 억새(경기).
은[1] 【恩】 [명] ↗은혜·은공·은덕.
은[2] 【恩】 [명] 성(姓)의 하나. 본관(本貫) 및 시조(始祖) 미상(未詳).
은[3] 【殷】 [명] 〖역〗 중국 고대의 왕조. 하(夏)·주(周)와 합쳐 삼대(三代)라고 함. 원래는 '상(商)'이었으며 시조는 탕왕(湯王)임. 제17대 왕 반경(盤庚)이 도읍을 박(亳)으로 옮기어 은(殷)이라고 칭하였으며 제28대 주왕(紂王)에 이르러, 기원전 1122년경 주나라 무왕(武王)에게 멸망됨. 그 역사는 명확하지 않으나, 근자에 은허(殷墟)의 발굴에 의하여 연구가 진척되고 있음.
은[4] 【殷】 [명] 성(姓)의 하나. 본관(本貫)은 행주(幸州) 단본(單本)임.
은[5] 【銀】 [명] 〖광〗 금속 원소의 하나. 금보다는 약간 가벼우며, 백색의 미려한 광택을 지님. 공기 중에서는 산화하지 않으나, 황(黃)의 화합물에서는 흑색으로 변함. 열 및 전기의 가장 좋은 도체(導體)이며 전성(展性)·연성(延性)은 금(金) 다음으로 큼. 멕시코·미국·캐나다·페루에서 많이 산출됨. 화학용 기구·화폐·장식품 등에 쓰임. 백은(白銀). 실버. [47번: Ag: 107.868]
[은 나라 뚝딱 금 나라 뚝딱] 시끄러운 것을 이름. [은에서 은 못 고른다] 많은 것 중에서 제가 원하는 것을 찾으려면 어렵다는 말.
은[6] 【隱】 [명] 성(姓)의 하나. 우리 나라에는 현존(現存)하지 않음.
은[7] [조] 받침 있는 말에 붙어, 사물을 구별하거나 초들어 말함을 나타내는 보조사. 주격·보격·목적격·부사격 등으로 쓰임. ¶길~ 멀다/꽉~ 모르오/사람~ 빵으로만 사는 것이 아니다. *-는[1].
은[8] 【隱】 [조] 〈이두〉 은[7].
-은 [어미] 받침 있는 어간에 붙어 그 말로 하여금 이미 되어 있는 사실을 나타내어 그 아래의 체언(體言)의 뜻을 꾸미게 하는 관형사형 어미. 동사 어간에 붙을 때는 과거, 형용사 어간에서는 현재의 모습·사실 등을 나타냄. ¶검~ 모자/젊~ 나이/숨~ 인재/죽~ 사람. *-ㄴ[1]·-는.
은가 【銀價】 [-까] [명] 은의 값.
-은가 [어미] 받침있는 형용사 어간에 붙어서 현재의 어떠함에 대하여 '하게'할 자리에 물음을 나타내는 종결 어미. ¶건강에 좋~/밥이 싫~. *-ㄴ가·-는가.
은-가락지 【銀—】 [명] 은으로 만든 가락지. 은지환. 은환(銀環).
은-가루 【銀—】 [-까—] [명] ①은이 부서진 가루. 은분(銀粉). ②은빛깔 재료의 가루.
-은가 보다 [구] '-은가'에 보조(補助) 형용사 '보다'가 합쳐, 짐작의 뜻을 나타내는 말. ¶일등을 하니 좋~. *-ㄴ가 보다·-는가 보다.
은갈-마 【銀褐馬】 [명] 서라말.
은감 【殷鑑】 [명] 〔은(殷)의 국민은 전대(前代)의 하(夏)가 멸망한 것을 감(鑑)으로 하라는 뜻〕 거울삼아 경계하여야 할 전례.
은감 불원 【殷鑑不遠】 [명] 멸망의 선례(先例)는 옛 시대에 찾지 않아도 바로 전대(前代)에 있다는 뜻으로, 다른 사람의 실패를 보고 자신의 경

계로 삼으라는 말.

은갑【銀甲】명 ①은으로 된 갑옷. ②비파 등을 탈 때에 손가락에 끼우는 물건.

은-개산【殷開山】명〖사람〗중국 당(唐)나라의 창업 공신. 이름은 교(嶠), 개산(開山)은 자(字)임. 이연(李淵)이 태원(太原)에서 군사를 일으키자 초빙되어 각지에서 전전(轉戰), 이세민(李世民)의 장사(長史)로서 관중(關中)의 군웅(群雄)을 회유하는 한편 수장(隋將) 위효절(衛孝節)을 패배시킴으로써 진군공(陳郡公)이 됨. 연(淵)이 즉위하자 이부 상서(吏部尙書)에 오르고 뤄양(洛陽)의 왕세충(王世充)을 쳐서 운국공(隕國公)에 봉작됨. [? -622?]

은객【隱客】명〖식〗'창포'의 별칭.

은갱【銀坑】명〖광〗은을 채굴하는 광갱(鑛坑).

은거【隱居】명 세상을 피하여 숨어서 삶. 은서(隱棲). 퇴거(退去). 둔거(遁居).

-은 거냐 준 -은 것이냐'. ¶네가 잡~/좋~ 나쁜거냐. *-ㄴ 거냐·-는 거냐.

은거 방:언【隱居放言】명 은거하여 살면서 자기의 생각을 모두 토파(吐破)함. ——-하다 자여불

-은 거야 준 ↗-은 것이야. ¶이것은 건강에 좋~/도망치려기에 묶~. *-ㄴ 거야·-는 거야.

은-거울【銀—】명 유리에 얇은 은의 막을 입힌 반사경. 그 표면을 여러 가지 재료로 보호하여 은이 변색함을 방지한 것이 보통의 거울임.

은거울 반:응【銀—反應】명〖화〗은염(銀塩)의 수용액(水溶液)에 적당한 환원제를 가하고 가열할 때, 금속은(金屬銀)이 석출(析出)되어 그릇의 안쪽이 거울처럼 도은(鍍銀)되는 현상. 은경 반응.

은거-자【隱居者】명 세상을 피하여 숨어서 사는 사람.

-은걸 어미〔↗-은 것을〕이미 있는 사실에 대하여 자기 생각으로는 이러이러하다고 스스로 감탄하거나 또는 상대자에게 다시 생각하기를 요구하는 태도를 말할 때, 받침 있는 어간에 붙는 종결 어미. ¶너무 작~/벌써 먹~. *-ㄴ걸·-는걸.

은격【隱格】[—껵] 명 겉으로 나타나지 아니한 상격(相格).

은견【隱見】명 은현(隱現). ——-하다 자여불

은견-포【隱見砲】명 은현포(隱現砲).

은-결[1]【銀—】[—껼] 명 은빛과 같이 번쩍거리는 물결. 은파(銀波).

은결[2]【隱結】명〖역〗일부러 양안(量案)에 올리지 않고 사사로이 경작하는 은토(隱土)에 매긴 결세(結稅). 은복(隱卜).

은결-들다 자 ①상처가 내부에 있다. ②원통한 일로 속이 남몰래 상하다.

은경[1]【銀經】명〔galactic longitude〕〖천〗은하 좌표에서의 경도(經度). 은하계의 중심 방향, 궁수(弓手)자리의 적경(赤經) 17시(時) 42.4분(分), 적위(赤緯) 마이너스 28도 55분인 점을 0도로 하여, 북쪽으로 360도까지 잼. *은위(銀緯).

은경[2]【銀鏡】명 은거울.

은경 반:응【銀鏡反應】명〖화〗은거울 반응.

은-계[1]【銀契】[—계] 명〖역〗공물(貢物)로 은을 바치던 계.

은계[2]【銀鷄】명〖조〗[*Gennaeus nycthemerus*] 꿩과에 속하는 새. 날개 길이 20cm, 꽁지 길이 약 90cm임. 금계와 비슷한데, 수컷의 관모(冠毛)는 붉은색이고 목과 꽁지는 흰 바탕에 청흑색의 횡반(橫斑)이 있으며 몸의 아랫부분은 흰색임. 배면(背面)은 청색이 주색(主色)이고, 녹·황·적색 등으로 채색됨. 암컷은 작고 담갈색(淡褐色)임. 중국 남서부·티베트의 고산(高山)에 분포함.

은고[1]【恩顧】명 은혜로 보살펴 줌. ¶~를 입다. ——-하다 타여불

은고[2]【銀庫】명 은을 넣어 두는 창고.

-은고 어미 '-은가'의 예스러운 말투. ¶산은 얼마나 깊~/입술이 어이 그리 붉~. *-ㄴ고·-는고.

은-골타【銀骨朶】명〖역〗의장(儀仗)의 한 가지.

은공【恩功】명 은혜(恩惠)와 공로(功勞). ¶~을 잊다. 준은(恩).

은공 좌:전【隱公左傳】명〔은공(隱公)은 중국 춘추 시대의 노(魯)나라의 국왕, 좌전(左傳)은 춘추 좌씨전(春秋左氏傳)의 약칭〕좌전을 읽을 결심을 하고서, 처음의 은공의 조목에서 싫증이 남. 공부 따위를 오래 하지 못함의 비유.

은과 명〈방〉〖어〗은어(銀魚)(황해).

은관 문화 훈장【銀冠文化勳章】명 제2등급의 문화 훈장. 수(綬)는 중수(中綬)이며, 백색 바탕에 적색 줄이 여덟 줄 있음. *문화 훈장.

〈은관 문화 훈장〉

은광[1] 명〈방〉〖어〗은어(銀魚)(함남).

은광[2]【恩光】명 ①하늘이 내리는 우로(雨露)의 은택. ②임금이나 웃어른으로부터 받는 혜택.

은광[3]【銀鑛】명〖광〗①은을 캐내는 광석. ②은의 광석을 매장하고 있는 광산.

은괴【銀塊】명 은의 덩어리.

은괴 시:세【銀塊市勢】명 순은(純銀)의 시장 시세. 40푼쭝에 37푼의 순은을 포함하는 표준은 온스(ounce)에 대하여 얼마라고 정함.

은괴 시:장【銀塊市場】명〖경〗은의 수요 공급이 모여 드는 시장.

은굉【銀觥】명 은으로 만든 술잔.

은구[1]【恩舊】명 오랜 정의(情誼). 오랜 교제.

은구[2]【銀鉤】명 ①발을 거는 은으로 만든 고리. ②유려한 초서(草書)의 형용.

은구[3]【隱溝】명 땅 속에 묻은 수채.

은-구기【銀—】명 은으로 만든 구기. 은작(銀勺).

은-구슬【銀—】명 은으로 만든 구슬.

은구-어【銀口魚】명 은어(銀魚).

은-구장【銀毬杖】명〖역〗의장(儀仗)의 한 가지. 지팡이와 같이 둥글고 긴 몽둥이 꼭대기에 구멍이 뚫린 공이 붙어 있으며, 오색실로 만든 술을 꿰어 늘이고, 온 몸에 은빛칠을 하였음. 큰 예식에 씀. 준구장(毬杖).

은국[1]【銀國】명〖지〗'아르헨티나(Argentina)'의 중국식 이름.

은국[2]【銀麴】명 누룩.

은국-전【銀麴廛】명 누룩을 파는 가게.

은-군자【隱君子】명 ①부귀 공명(富貴功名)을 구하지 않는 숨은 군자. ②은근짜❶. ③'국화(菊花)'의 이칭.

은권【恩眷】명 ①어여삐 여겨 돌보아 줌. ②군주(君主)의 정이 어린 대우. ——-하다 타여불

은-그릇【銀—】명 은으로 만든 그릇. 은기(銀器).

은근【慇懃】명 ①태도가 겸손하고 정중함. ¶~한 태도. ②은밀하게 정이 깊음. 정성되고 다정함. ¶~한 사이. ③전하여, 음흉스럽고 은밀함. ¶~히 골려주다/~히 반대하다. ——-하다 형여불. ——-히 부

은근 무례【慇懃無禮】명 지나치게 은근하게 대접하여 오히려 무례함. 은근 미롱. ——-하다 형여불

은근 미롱【慇懃尾籠】명 은근 무례. ——-하다 형여불

은근-살짝【慇懃—】부〈속〉은근하게 살짝. ¶~ 미는 척하더니 지갑을 훔쳐 갔다. <은근슬쩍.

은근-슬쩍【慇懃—】부〈속〉은근하게 슬쩍. ¶~ 일러주더군. >은근살짝.

은근짜 명〈속〉①몰래 정조를 파는 여자. 흔히, 기생 퇴물이었으나, 젊은 방랑녀나 유한 부녀도 낌. 은군자(隱君子). ¶~ 집. ②의뭉스러운 사람을 이르는 말.

은금[1]【恩金】명 연금(年金).

은-금[2]【銀金】명 은과 금.

은금 보:배 명〔←銀金寶貝〕금은 보석을 아울러 일컫는 말. 금은 보화. 은금 보화.

은금 보:화【銀金寶貨】명 은금 보배.

은급【恩給】명〖역〗정부가 법정 조건(法定條件)을 갖추어 퇴직한 사람에게 죽을 때까지 주는 연금.

은급의 예【殷及—禮】[—/—에—] 명 은례(殷禮).

은급 주일【恩給主日】명 기독교회에서, 그 날의 헌금(獻金)을 은퇴한 원로 목사 등의 연금으로 충당하기로 정한 주일.

은기【銀器】명 ①은으로 만든 그릇. 은기명. 은그릇. ②〖역〗궁중(宮中)에서 사용하는 은제(銀製)의 기구를 보관하는 곳.

은-기명【銀器皿】명 은기(銀器)❶.

은기 성상【銀器城上】명〖역〗임금이 쓰는 은그릇을 맡아 보던 별감(別監).

〈은꿩의다리〉

은-꿩의다리【銀—】[—/—에—] 명〖식〗[*Thalictrum actaefolium*] 미나리아재빗과의 다년초. 높이 50cm 내외, 잎은 호생하며 재삼출(再三出)하고 잎 뒤가 분처럼 흼. 7-8월에 홍백색 꽃이 원추(圓錐) 화서로 정생(頂生)하며, 수과(瘦果)는 다소 달걀꼴임. 산지에 나는데, 전남의 백양산(白羊山)·지리산, 경남의 마산 등지에 분포함. 어린 잎과 줄기는 식용함. 자금 당송초(紫金唐松草).

은:나 감〈방〉응가.

은-나라【殷—】명〖역〗중국의 '은(殷)'을 나라로서 똑똑히 일컫는 말.

〈은난초〉

은-난초【銀蘭草】명〖식〗[*Cephalanthera erecta*] 난초과에 속하는 다년초. 금난초와 비슷한데 높이 20-40cm이고, 잎은 호생하며 달걀꼴의 타원형임. 5-6월에 흰 꽃이 길이 7-9cm의 수상(穗狀) 화서로 정생(頂生)하여 핌. 산야의 나무 그늘에 나는데, 제주·경남·울릉도 및 일본·중국 등지에 분포함.

은-니[1]【銀—】명 은을 입혔거나 또는 은으로 메운 이. 또, 은으로 세공한 의치(義齒).

은니[2]【銀泥】명 은가루를 아교(阿膠)물에 갠 것. 글씨와 그림에 씀. 이은(泥銀).

은니-경【銀泥經】명〖불교〗은니로 베껴 쓴 경전(經典).

은닉【隱匿】명 ①싸서 감춤. 비밀로 함. ¶~ 물자(物資)/범인을 ~하다. ②물건의 효용(效用)을 잃게 하는 행위. 참고 은익(隱匿)은 잘못. ——-하다 타여불

은닉-색【隱匿色】명 주위(周圍)의 빛깔과 헛갈려, 몸을 숨기는 데 유효(有效)한 동물의 빛깔. 특히, 공격을 피하는 데 유효(有效)한 경우를 보호색(保護色)이라고 말함.

은닉-죄【隱匿罪】명〖법〗①↗범인(犯人) 은닉죄. ②범인이나 남의 물건을 숨기어 타인(他人)의 발견을 방해함으로써 성립되는 죄. 장닉죄(藏匿罪).

은닉 행위【隱匿行爲】명〖법〗상대방과 내통(內通)하여 어떤 행위를 은닉(隱匿) 가장하는 행위. 증여(贈與)를 은닉하고 매매(賣買)를 가장(假裝)하는 일 등.

은단충-류【隱單蟲類】[—뉴] 명〖동〗[Cryptomonadina] 원생(原生)동물 편모충류(鞭毛蟲類)에 속하는 한 목(目). 몸은 대개 타원형에 무색이고 한 두 개의 신축포(伸縮胞)와 두 개의 편모(鞭毛)가 있음. 무색충류.

은대[1]【恩貸】명 ①은혜(恩惠). ②특별한 용서.

은대² 【銀帶】 [명] 〖역〗 가장자리에 은으로 새겨, 장식을 붙인 품대(品帶)의 하나. 정삼품으로부터 종육품까지의 문무관(文武官)이 띰. 은띠.
은대³ 【銀臺】 [명] 〖역〗 조선 시대 승정원(承政院)의 별칭.
은대-류 【隱帶類】 [명] 〖동〗 [Cryptozonia] 극피(棘皮) 동물 불가사리강(綱)에 속하는 한 목(目). 등과 배의 한계가 분명하지 아니하고, 보대판(步帶板)은 매우 좁음. 피새(皮鰓)는 등 및 그 밖의 곳에도 있음. ↔현대류(顯帶類).
은대 선생안 【銀臺先生案】 [명] 〖책〗 승정원(承政院) 승지(承旨)의 선생안. 조선 태조의 개국 초부터 고종 31년(1894)까지에 취임했던 승지의 성명이 기록됨. 은대는 승정원의 별칭임. 5책. 사본.
은대 조례 【銀臺條例】 [명] 〖책〗 고종 7년(1870)에 출판된, 승정원의 정무 집행의 사례(事例)를 모은 책. 사무 처리에 참고하고자 흥선 대원군(興宣大院君)의 명으로 편찬되었음. 1책. 인본.
은대:지 제:도 【恩貸地制度】 [명] 〖역〗 봉건 제도 하에서 군주가 가신(家臣)에게 은혜로 토지를 주는 제도. 그 보유권은 일대에 한함.
은대 학사 【銀臺學士】 [명] 〖역〗 조선 시대 승정원(承政院) 승지의 예칭(譽稱).
은덕¹ [명] 〈방〉 언덕(경남).
은덕² 【恩德】 [명] 은혜와 덕. 은혜로 입은 신세. [준]은(恩).
은덕³ 【隱德】 [명] 남이 모르게 베푸는 은덕(恩德).
-은데 [어미] ①다음 말을 끌어 내려고, 직접·간접으로 관련될 만한 어떤 사실을 먼저 베풀 때, 받침 있는 형용사 어간에 붙는 연결 어미. ¶ 물건은 많~ 돈이 없네. ②받침 있는 형용사의 어간에 붙어, 남의 의견을 듣고자 하는 태도로 스스로 감탄할 때 쓰는 종결 어미. ¶경치가 참 좋~. *-는데·-데·-ㄴ데·-던데.
-은뎌 [어미] 〈옛〉 -는 것이며. -는 것이로다. ¶이제 업슨뎌(今亡矣夫) ≪論語 衛靈公≫. *-ㄴ뎌.
은도¹ 【銀刀】 [명] ①은으로 만든 칼. ②희고 긴 칼. ③빛은 희고 모양은 칼 같은 조그만 물고기.
은도² 【銀濤】 [명] 은파(銀波).
은-도금 【銀鍍金】 [명] 다른 금속 표면에 은(銀)의 얇은 막(膜)을 입히는 일. ——-하다 [타][여불]
은-돈 【銀—】 [명] 은으로 만든 돈. 은자(銀子). 은전(銀錢). 은화(銀貨).
은-동거리 【銀—】 [명] 물부리의 끝에 은을 물리는 일.
은-동곳 【銀—】 [명] 은으로 만든 동곳.
은-두구리 【銀—】 [명] 은으로 만든 약 두구리.
은두-꽃차례 【隱頭—】 [명] 〖식〗 유한(有限)꽃차례의 하나. 꽃대가 오목하며 그 안에 많은 꽃이 달리는 꽃차례. 무화과 등에서 봄. 은두 화서.

〈은두꽃차례〉

은두-화 【隱頭花】 [명] 〖식〗 비후(肥厚)한 화축(花軸) 끝이 움쑥 들어가고 그 가운데 많은 꽃이 붙은 것. 무화과(無花果)나무·보리수나무의 꽃 같은 것.
은두 화서 【隱頭花序】 [명] 〖식〗 은두(隱頭)꽃차례.
은둔 【隱遁·隱遯】 [명] 세상 일을 피하여 숨음. 둔은(遯隱). ¶~ 생활. ——-하다 [자][여불]
은둔 사상 【隱遁思想】 [명] 도피(逃避) 사상.
은둔 생활 【隱遁生活】 [명] 세상 일을 피하여 숨어 사는 생활.
은둔의 나라 한국 【隱遁—韓國】 [—/—에—] [명] [Corea, The Hermit Nation] 〖책〗 미국인 그리피스(Griffis, W. E.)가 지은 영문판(英文版) 한국 역사 책. 고종(高宗) 19년(1882) 초판 간행. 제 1 부 고대사·중세사, 제 2 부는 정치와 사회, 제 3 부는 근세사·현대사 등으로 구분되어 있음.
은둔-자 【隱遁者】 [명] 은인(隱人).
은둔-주의 【隱遁主義】 [—/—이] [명] 세상의 부귀 공명을 멸시하고, 일신 상의 안일과 사색에 잠겨 숨어서 사는 주의.
은둔-처 【隱遁處】 [명] 숨어 사는 곳.
-은들 [어미] 양보와 반문을 겸하여 '-다 할지라도 어찌'의 뜻으로 받침 있는 어간에 붙는 연결 어미. ¶축~ 원통하랴/그 산이 제아무리 높~ 금강산의 아름다움을 당하랴. *-ㄴ들.
-은디라 [어미] 〈옛〉 -은지라. ¶다른 所懷ㅣ 업슨디라(別無所懷) ≪朴解下 11≫.
은-딱지 【銀—】 [명] 은으로 된 몸시계의 껍데기.
은-딴 [명] 반군의 우두머리.
은-띠 【銀—】 [명] 〖역〗 은대(銀帶).
은라 【銀羅】 [을—] [명] 중국에서 나는 얇은 비단의 한 가지.
은랍 【銀鑞】 [을—] [명] 〖공〗 은과 놋쇠 또는 여기에 카드뮴 또는 주석을 가한 합금. 금속을 접합하는 데 씀. 접합한 데가 은빛을 띰.
은량 【銀量】 [을—] [명][의명] 테일(tael)¹❷.
은력 【殷曆】 [을—] [명] 중국 한대(漢代)의 초기에 전하던 음양력(陰陽曆) 역법의 하나. 1년의 길이를 365¼일로 함.
은령¹ 【銀鈴】 [을—] [명] ①은으로 만든 방울. 은색의 방울. 은방울. ②맑은 소리의 비유. ¶~이 울리는 듯 하던 그 목소리.
은령² 【銀嶺】 [을—] [명] 눈이 새하얗게 덮인 재나 산.
은령-총 【銀鈴塚】 [을—] [명] 〖역〗 경상 북도 경주시 노서동(路西洞)에 위치한 고신라 시대의 고분.
은례 【殷禮】 [을—] [명] 중국 은(殷)나라 예제(禮制)에서 비롯된 형망 제급(兄亡弟及)의 예(禮)의 딴이름. 은급(殷及)의 예.
은로 【銀露】 [을—] [명] 달빛에 빛나는 밤이슬.
은록 【恩祿】 [을—] [명] 임금이 주는 고마운 녹.
은뢰 【恩賴】 [을—] [명] 은혜를 받음. ——-하다 [자][여불]
은룡 철산 【銀龍鐵山】 [을—싼] [명] 〖지〗 황해도 장수산(長壽山) 북쪽 재령군(載寧郡) 은룡면(銀龍面)에 있는 철광산. 광석은 갈철광(褐鐵鑛)이며 함철 품위(含鐵品位)는 51%.
은루 【隱漏】 [을—] [명] 〖역〗 논밭을 숨기어 양안(量案)에 올리지 아니함. ——-하다 [타][여불]
은류 【隱流】 [을—] [명] 보이지 않게 속으로 흐름. ——-하다 [자][여불]
은륜¹ 【銀輪】 [을—] [명] ①은 바퀴 또는 은빛의 바퀴. ②'자전거'의 미칭(美稱).
은륜² 【隱淪】 [을—] [명] ①물건이 가라앉아 보이지 않음. ②세상을 피해 은둔함. 또, 그 사람. ——-하다 [형][여불]
은륜-왕 【銀輪王】 [을—] [명] 〖불교〗 전륜왕(轉輪王)을 감득(感得)하는 윤보(輪寶)에 따라 나눈, 네 윤왕(輪王) 중의 하나.
은린 【銀鱗】 [을—] [명] ①은빛의 비늘. ②뜻이 변하여, 물고기.
은린 옥척 【銀鱗玉尺】 [을—] [명] ①모양이 좋고 큰 물고기. ②'물고기'의 미칭(美稱).
은립 【銀粒】 [을—] [명] 은의 작은 알갱이.
은막 【銀幕】 [명] ①영사막(映寫幕). 스크린. ②영화계(映畫界). ¶ ~의 여왕/그녀는 ~에서 사라진 지 이미 오래다.
은맥 【銀脈】 [명] 〖광〗 은의 광맥. 은줄.
은-메달 【銀—】 [medal] [명] 은으로 만든 메달. 국제 올림픽 경기 등에서는 2위(位)를 차지한 선수에게 줌. 은패(銀牌). ¶ ~을 따다.
은멸 【隱滅】 [명] ①숨어서 보이지 않게 됨. ②〖천〗 한 천체가 다른 천체에 가리어서 보이지 않게 됨. ——-하다 [자][여불]
은명 【恩命】 [명] 임관(任官)·유죄(宥罪) 등 임금이 내리는 고마운 명령.
은모 【隱謀】 [명] 음모(陰謀)❶. ——-하다 [타][여불]
은-목감이 【銀—】 [명] 목을 은으로 감은 물부리 등.
은목-전 【銀木廛】 [명] 〖역〗 은을 겸하여 파는 면포전(綿布廛).
은-몰¹ 【銀—】 [포 mogol] [명] [silver braid] ①은을 도금한 장식용의 가느다란 줄. ②은실을 씨로, 견사(絹絲)를 날로 하여 짠 직물.
은몰² 【隱沒】 [명] 없어짐. 산실(散失)함. ——-하다 [자][여불]
은-못 【隱—】 [명] 〖건〗 기둥에 보를 끼우기 위하여 기둥의 몸에 장부처럼 깎아 박고 보에 낸 구멍을 거기에 맞추게 된 나무못.
은못-촉 【隱—鏃】 [명] 〖건〗 두 재목을 접합시킬 때, 다른 나무로 깎아서 두 재목이 떨어지지 않게 박는 장부촉.

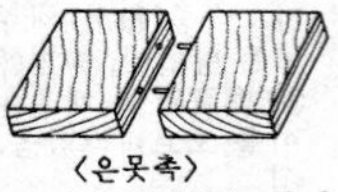
〈은못촉〉

은문¹ 【恩門】 [명] 〖역〗 고려 때 감시(監試)의 급제자가 시관(試官)을 일컫던 말. 평생 문생(門生)의 예를 다하였음. 좌주(座主).
은문² 【恩問】 [명] 남의 방문(訪問)에 대한 존칭.
은문-연 【恩門宴】 [명] 과거에 급제한 사람이 시관(試官)을 초대하여 그 은혜에 감사하는 연회를 베풀던 제도.
은-문자 【銀文字】 [—짜] [명] 은니(銀泥)로 쓴 글자. 은가루·은박(銀箔)으로 나타낸 글자.
은물¹ 【恩物】 [명] ①〖불교〗 은사(恩師)로부터 전하여 받은 물건. ②[gifts] 유치원에서, 유희 또는 작업에 쓰이는 기구. 집짓기·판대기 늘어놓기·종이접기·진흙 세공 등에 쓰는 재료 및 그 제작물. 독일의 대교육가이며 유치원의 창시자인 프뢰벨(Fröbel)이 창안함.
은-물² 【銀—】 [명] 용해되어 유동체(流動體)가 된 은.
은-물결 【銀—】 [—껼] [명] 은파(銀波).
은미 【隱微】 [명] ①겉으로 그리 드러나지 않음. ②작아서 알기 어려움. 「——-하다 [형][여불]
은-미정질 【隱微晶質】 [명] 〖광〗 비현정질(非顯晶質)의 하나. 배율이 높은 현미경으로도 결정의 하나하나를 볼 수 없고, 직교(直交) 니콜(nicol)을 사용하여야 비로소 분간할 수 있음. 잠정질(潛晶質).
은밀 【隱密】 [명] 숨어 있어서 형적(形迹)이 나타나지 아니함. ¶~한 계획. ——-하다 [형][여불]. ——-히 [부]
은밀-성 【隱密性】 [—썽] [명] 은밀한 특성.
은밀-스럽다 【隱密—】 [형][ㅂ불] 보기에 은밀한 데가 있다. ¶그정도의 약속인데 뭘 그리 은밀스럽게 구나. 은밀-스레 【隱密—】 [부]
은-밀타 【銀密陀】 [명] 〖화〗 색상(色相)의 농도에 따라 구분한 밀타승(密陀僧)의 한 이름.
-은바 [어미] 받침 있는 동사의 어간에 붙어서 '어떠어떠하니까'·'하였더니'의 뜻으로 쓰이는 말. ¶그 책을 읽~ 과연 재미 있었다. *-ㄴ바·-는바.
은-바둑 【銀—】 [명] 은으로 방울같이 만든, 부인의 옷에 다는 장식품.
-은 바에 [구] 받침이 있는 어간에 붙어서 '어차피 그리 된 일이면'의 뜻으로 쓰이는 말. ¶기왕 늦~ 저녁이나 먹고 가게. *-ㄴ 바에·-는 바에·-ㄹ 바에·-을 바에.
은박 【銀箔】 [명] 은을 마치로 두드려서 얇은 종이처럼 만든 것.
은박(을) 입히다 [구] 은박 가루를 써서 책 뚜껑이나 장식품 따위에 글자나 무늬를 놓다. ¶은박 입힌 장서본(藏書本).
은박-지 【銀箔紙】 [명] ①종이처럼 얇고 넓은 은박. ②알루미늄을 종이처럼 얇고 넓게 만든 것. 수분 증발 및 습기 방지용·포장용으로 쓰임.
은반 【銀盤】 [명] ①은으로 만든 쟁반. ②달의 별칭. ③얼음판의 미칭(美稱). ¶ ~의 여왕(女王).
은반-계 【銀盤界】 [명] 빙상(氷上) 경기의 세계. ¶ ~의 왕자(王者).
은-반상 【銀飯床】 [명] 은으로 만든 반상. 「讎). ——-하다 [자][여불]
은-반위구 【恩反爲仇】 [명] 은혜가 도리어 원수가 됨. 은반위수(恩反爲
은-반위수 【恩反爲讎】 [명] 은반위구. 『 혈혈 고아를 거두어 애지중지하게 양육하실 때에 이같이 ~할 줄을 어찌 꿈에나 생각하였으리…≪崔瓚植 : 春夢≫. ——-하다 [자][여불]
은반 일사계 【銀盤日射計】 [—싸—] [명] 〖공〗 태양의 직사 광선 측정에 쓰이는 은반을 이용한 장치.

고 흐릿하다. ②먼 데서 울리는 소리가 아득하여 똑똑하지 아니하다. ¶절에서 들려오는 은은한 종소리. 은은-히[2]【隱隱—】부

은음【恩蔭】명 덕택. 혜택.

은의[1]【恩意】[—/—이] 명 은혜를 베풀고자 하는 뜻.

은의[2]【恩義·恩誼】[—/—이] 명 ①갚아야 할 의리(義理)있는 은혜. ②은혜와 덕의(德義). 혜택(惠澤).

은의 이행【銀—移行】[—/—에—] 명 [silver migration] 〖전〗 절연 저항의 감소와 유전체(誘電體) 불량을 야기시키는 한 과정. 고온도에서 전위(電位)를 받고 있는 절연물과 접촉하고 있는 은이 한 장소로부터 다른 장소에 이온 상태로 보내어지는 것임.

은이 명 〈방〉〖어〗 은어(銀魚)(경남).

은익[1]【銀翼】명 ①비행기의 은빛의 날개. ②비행기의 미칭(美稱).

은익[2]【隱匿】명 ☞ 은닉(隱匿). ——하다 타여불

은인[1]【恩人】명 은혜를 베풀어 준 사람. 신세 진 사람. ¶생명의 ~.

은인[2]【隱人】명 속인과의 교제를 끊고 산야(山野)에 묻혀서 명상에 잠긴 사람. 벼슬을 않고 초야(草野)에 묻힌 사람. 은자(隱者). 은둔자(隱遁者). 둔세자(遁世子).

은인[3]【隱忍】명 꾹 참음. 마음 속에 감추어 밖으로 드러내지 않고 참음. ——하다 자여불

은인 자중【隱忍自重】명 마음 속으로 참으며 몸가짐을 자중함. ——하다 자여불

은일【隱逸】명 ①세상을 피하여 숨음. 또, 그 사람. ②〖역〗 숨은 학자로서 임금이, 특히 벼슬을 준 사람. ——하다 자여불

은일 사상【隱逸思想】명 세상에 나타내지 않은 사상.

은-입과【銀立瓜】명 〖역〗 의장(儀仗)의 하나. 참외 모양으로 되고, 은칠한 것을 창대와 같은 붉은 막대기 꼭대기에 세워 박은 것. 모두 나무로 만들었음.

은-입사【銀入絲】명 은줄을 새겨 넣어 장식한 주석 그릇.

은-잉어【銀—】[—닝—] 명 〖어〗 [*Safole taeniura*] 아롱잉어과에 속하는 바닷물고기. 몸길이는 15 cm 남짓하며 긴 타원형인데, 측편하고 몸빛은 등 쪽이 선청색(鮮靑色), 배 쪽이 은백색이고, 꼬리지느러미에 흑갈색 세로 띠가 있음. 열대성 어종으로, 한국 남해·제주도 연해·일본 중부 이남·대만·하와이 등지에 분포함.

〈은입과〉

은잎-드라세나【銀—】[dracaena] [—닙—] 명 〖식〗 [*Dracaena sanderiana*] 백합과에 속하는 관엽 식물(觀葉植物). 잎은 피침형이며 길이 10-20 cm인데 가장자리에 은백색의 줄 얼룩이 있어 매우 아름다움. 아프리카 원산으로, 온실 재배용임.

은자[1]【恩資】명 〖역〗 임금에게서 받은 가자(加資).

은자[2]【銀子】명 은돈.

은자[3]【銀字】명 ①은가루로 쓴 글씨. ②은빛이 나는 글자.

은자[4]【隱者】명 은인(隱人).

은자[5]【隱疵】명 감춰진 하자(瑕疵). 숨은 흠.

은자메나 [N'Djamena] 명 〖지〗 아프리카 중부 차드 호(Chad湖) 남방에 위치하는, 차드 공화국의 수도. 예로부터 사하라 사막 남부 대상로(隊商路)의 요지로 내륙(內陸) 물자의 집산지임. 공항·대학·박물관 등이 있음. [590,000 명(1991 추계)]

은자 부호【隱字符號】[—짜—] 명 글짓기 퀴즈 등에 있어서, 감춘 말 대신에 그 자리에 넣는 부호. 대개 ○○ 또는 □□로 나타냄. 숨김표.

은자의 황혼【隱者—黃昏】[—/—에—] 명 [도 Abendstunde eines Einsiedlers] 〖책〗 페스탈로치(Pestalozzi)의 교육 철학서. 인간의 본분과 인간 교육의 근본 원리를 생활권(生活圈)의 사상으로서 전개(展開)하였음. 1781년 간행(刊行).

은작【銀勺】명 은구기.

은-작자【銀斫子】명 〖역〗 의장(儀仗)의 하나. 나무로 만든 두쪽 날이 있는 도끼에 붉은 창대를 꿰었으며, 은칠을 했음.

은잔【銀盞】명 은으로 만든 잔. 은배(銀盃).

은잠【銀簪】명 은비녀.

은장[1]【恩獎】명 은혜를 베풀어 장려함. ——하다 타여불

은장[2]【銀匠】명 은장이.

〈은작자〉

은-장도【銀粧刀】명 ①은으로 만든 장도로서 노리개의 한 가지. 칼 자루의 대강이를 둥글리되 아래로 부리가 조금 내어밀게 하고, 칼집의 끝은 둥글리되 부리를 반대 쪽으로 내어밀게 하고, 여러 무늬와 꽃을 아로새긴 것도 있음. 꽃판의 화심(花心)에 파란을 물림. 여러 모양이 있음. ②〖역〗 의장(儀仗)의 한 가지. 나무로 만들고 칼집에 여러 가지 무늬를 아로새겼으며 온 몸에 은칠을 하고 끈이 있음.

〈은장도❶〉

은-장색【銀匠色】명 은장이.

은-장식【銀粧飾】명 은으로 장식함. ——하다 타여불

은-장이【銀匠—】명 금·은·구리 등으로 그릇 등속을 만드는 장색. 은장(銀匠). 은장색(銀匠色).

은장-홈【隱—】명 〖건〗 은살대붙임을 하기 위하여, 맞붙일 널빤지의 맞붙는 면을 은살대가 끼이도록 파낸 홈.

은재【隱才】명 숨은 재주 또는 그런 재주꾼.

은저리 명 〈방〉 언저리(경상).

은-저울【銀—】[—쩌—] 명 금(金)·은(銀) 등을 다는 저울. 은형(銀衡). 은칭(銀秤).

은적[1]【銀笛】명 〖악〗 플라지올레토.

은적[2]【隱迹】명 종적을 감춤. ——하다 자여불

은-적정【銀滴定】명 [argentometry] 〖화〗 질산은(窒酸銀) 용액을 표준액으로 하여 불용성(不溶性) 은염(銀塩)을 침전시키는 용량 분석법(容量分析法). 불용성 은염으로, 크롬산은(chrome酸銀)·염화은(塩化銀) 등이 있음.

은전[1]【恩典】명 나라에서 내리는 혜택(惠澤)에 관한 특전(特典). ¶~을 베풀다/~을 입다.

은전[2]【殷奠】명 넉넉한 제물(祭物).

은전[3]【銀錢】명 은으로 만든 돈. 은돈. 은화(銀貨). 은자(銀子).

은전[4]【隱田】명 〖역〗 은결(隱結).

은-전어【銀錢魚】명 〖어〗 대전어(大錢魚).

은점[1]【銀店】명 〖역〗 조선 시대 때 은을 파내고 제련(製鍊)하던 곳.

은점[2]【銀點】[—쩜] 명 〖물〗 은의 융해 온도. 곧, 96.08°C.

은점박이-뾰족날개나방【銀點—】명 〖충〗 [*Bombycia argemteopicta*] 뾰족날개나방과에 속하는 곤충. 편 날개 길이는 41-48 mm이며 몸빛은 회색(灰色)임. 복부 배상(背上)에는 암갈색(暗褐色)의 털이 다발을 지어 한 개가 났고, 앞날개 기부(基部) 부근에 있는 하나의 실(室) 속에는 백색(白色) 점무늬가 하나 있음. 아기선(亞基線)과 내횡선(內橫線) 사이는 암갈색으로 된 네 개의 암색선(暗色線)이 있음. 한국에도 분포(分布)함.

은점선-표범나비【銀點線豹—】명 〖충〗 [*Boloria iphigenia*] 네발나빗과에 속하는 곤충. 편 날개 길이는 40-50 mm이며 날개의 표면은 등황갈색(橙黃褐色)이고 반문(斑紋)은 흑색임. 뒷날개 뒷면의 밑에 있는 하나의 방(房)과 중앙 황색 띠의 네 방에는 은색 무늬가 있고 외연(外緣)에도 은색 무늬가 나란히 있음. 한국·일본·아무르(Amur)·시베리아 등지에 분포함.

은점-어리표범나비【銀點—豹—】명 〖충〗 [*Melitaea dictynna*] 네발나빗과에 속하는 곤충. 편 날개의 길이 48 mm 내외이고 날개는 등색(橙色) 바탕에 흑색 반문이 있는데 그 외연(外緣)의 무늬는 화살 모양이며, 뒷날개 뒷면은 암녹색에 은색 반문이 산재함. 한국·일본·사할린·중국·유럽에 분포함.

은점-표범나비【銀點豹—】명 〖충〗 [*Argynnis cydippe*] 네발나빗과에 속하는 곤충(昆蟲). 편 날개의 길이는 36-80 mm 내외이고 날개는 등황갈색이며 반문은 흑색, 반점은 은색이고, 뒷날개 하면(下面)에는 여러 개의 은백색 반점이 있음. 6월에 출현하여 가을까지 있으며, 알로 월동함. 제비꽃에 많이 모이는데, 한국·일본 등지에 분포함.

〈은점표범나비〉

은정[1]【恩情】명 은혜로 사랑하는 마음. 은애(恩愛)의 마음.

은정[2]【隱釘】[—쩡] 명 은혈못.

은제[1]【垠際】명 가장자리 끝.

은제[2]【殷祭】명 성대한 제사.

은제[3]【銀梯】명 〖지〗 금강산의 구룡연(九龍淵)에서 비로봉(毗盧峰)으로 가는 길에 있는 심히 가파른 고갯길.

은제[4]【銀製】명 은으로 만듦. 또, 그 물건. ¶~품.

은제-마【銀蹄馬】명 사족발이.

은조[1]【恩詔】명 왕의 은혜로운 조칙(詔勅).

은조[2]【隱操】명 속세를 떠나고 싶어하는 마음.

은-조롱【銀—】명 〈방〉〖한의〗 새박뿌리.

은조-사【銀造紗·銀條紗】명 중국에서 만드는 사(紗)의 한 가지. 여름 옷감으로 씀.

은조-어【銀條魚】명 〖어〗 은어(銀魚)❶.

은족-반【隱足盤】명 밑이 평평한 둥그런 소반.

은졸【隱卒】명 임금이 죽은 신하에게 애도(哀悼)의 뜻을 표하는 일.

은졸지-전【隱卒之典】[—찌—] 명 은졸의 은전. 관직을 추봉(追封)한다든지 시호(諡號)를 내리는 따위.

은종【隱腫】명 속에서 곪는 종기.

은종-마【銀鬃馬】명 표절따.

은-종이【銀—】명 ①은가루 또는 은박(銀箔)을 입힌 종이. 은지(銀紙). ②납과 주석의 합금을 종이처럼 편 것.

은주[1]【恩主】명 은혜를 베푼 사람.

은주[2]【銀主】명 금주(金主)❷.

은주[3]【銀硃】명 수은으로 된 주사(硃砂). 주묵(朱墨)이나 약제로 씀. 수화주(水花硃).

은주둥이-벌【銀—】명 〖충〗 [*Crabro continus*] 구멍벌과에 속하는 곤충. 암컷의 몸길이 9-14 mm, 몸빛은 흑색이고, 복부의 복면과 다리의 끝은 다소 흑갈색임. 온 몸에 회색의 짧은 털이 있고 복배(腹背) 제2절 및 제4절 양측의 타원형 무늬와 제5 절 중앙의 가로 줄 등은 황색임. 한국·일본·시베리아·유럽에 분포함.

은주 시대【殷周時代】명 〖역〗 기원전 16세기부터 3세기경까지의 중국 최고(最古)의 유사(有史) 시대. 동기(銅器)나 청동기를 쓰고 있었으나 일반적으로는 아직 석기가 널리 쓰여지고 있었음. 그 범위는 황허(黃河)의 중류역(中流域)으로, 농경을 주요한 생업으로 하고, 정치적으로는 제정 일치(祭政一致), 사회적으로는 귀족·평민·노예의 계급이 있었음. 은(殷)은 상(商)이라고도 하는데, 이 시대의 가장 중요한 사건은 문자(文字)의 발명이며, 도시 국가의 형태를 이루고 있었던 것으로 추정됨. 주대(周代)를 봉건 제도의 시대라고 하나 그 구조·기능에 대해서는 그다지 잘 알려져 있지 않음. 주는 서주(西周) 시대와 동주(東周) 시대로 나뉘며, 동주 시대는 다시 춘추(春秋) 시대와 전국(戰國) 시대로 나누어지지만, 동주에서는 많은 소(小)왕국이 일어났고, 국왕은 명목적인 것에 지나지 않았음.

은죽【銀竹】명 소나기 또는 큰 비를 형용하는 말.

은-죽절【銀竹節】명 은으로 대마디 형상으로 만들어 여자의 쪽에 꽂는 장식품.

은-줄[1]【銀—】명 은으로 실처럼 만든 줄.

은-줄[2]【銀—】[—쭐] 명 〖광〗 은맥(銀脈).

은줄-멸【銀—】 명 〖어〗 [*Atherina tsurugae*] 색줄멸과에 속하는 바닷물고기. 몸길이 10cm 내외, 몸빛은 담황갈색에 회색을 띠고 배는 은백색, 옆구리 위쪽엔 암녹색(暗綠色)의 은빛 띠가 있음. 비늘이 몸에 밀착하고 있어, 정어리류(類)와는 다름. 우리 나라 중부 이남 및 일본 중부 이남에 분포함.

은줄-표범나비【銀—豹—】 명 〖충〗 [*Argynnis paphia*] 네발나빗과에 속하는 곤충. 편 날개의 길이는 70mm 내외이고 날개는 등황갈색에 흑색 반문이 있음. 암컷의 앞날개 뒷면 끝에 있는 털은 수컷보다 짙은 녹색(綠色)이고 앞 선두리에 한 개의 백색(白色) 무늬가 있음. 한국에도 분포함.

은-중감【殷仲堪】 명 〖사람〗 중국 동진(東晉)의 무장(武將). 청렴하고 청담(淸談)을 잘했으며, 효무제(孝武帝)에게 중용되었으나 훗날 환현(桓玄)과의 싸움에 패하여서 자살함. [?-399]

은중-경【恩重經】 명 〖책〗 부모의 은혜가 큼을 적은 불경의 하나. 본명은 '불설 대보 부모 은중경(佛說大報父母恩重經)'.

은중경 언:해【恩重經諺解】 명 〖책〗 ≪불설 대보 부모 은중경(佛說大報父母恩重經)≫을 언해(諺解)한 책. 조선 명종(明宗) 8년(1553)의 화장사판(華藏寺版)을 비롯하여 현종(顯宗) 4-5년(1563-1564)의 송광사판(松廣寺版) 등 여러 판본이 있음. 부모 은중경 언해(父母恩重經諺解).

은중-부【恩重符】 명 드나드는 안방 문 위에 붙여서 액(厄)을 막는 부적(符籍).

은-중용【殷仲容】 명 〖사람〗 중국의 초당(初唐), 측천 무후(則天武后) 때의 화가. 대대로 서화에 뛰어난 집안에 태어나, 초상화와 화조화(花鳥畫)를 잘 그렸음. '먹을 써서 오채(五彩)를 겸했다'라는 ≪역대 명화기(歷代名畫記)≫의 기술(記述)로 보아 수묵화(水墨畫)의 시조(始祖)로 간주(看做)됨. 생몰년 미상.

은중 태산【恩重泰山】 명 은혜가 태산같이 큼.

-은즉 어미 받침 있는 어간에 붙어 어떤 할 말에 대하여 이미 완료한 행위를 논할 때나, 원인을 가볍게 조건삼아 곧 결과가 생김을 말할 때 쓰이는 연결 어미. ¶밥을 먹～ 배가 부르다/버선을 벗～ 발이 편합디다. ＊-ㄴ즉.

-은즉슨 어미 '-은즉'의 뜻을 강조하는 연결 어미. ¶책이 좋～ 많이 읽힌다. ＊-ㄴ즉슨.

은지[1]【恩地】 명 〖역〗 중세 봉건 국가에서 신하(臣下)가 특수(特殊)한 훈공(勳功)을 세워 받은 토지.

은지[2]【銀紙】 명 은종이❶.

-은지 어미 받침 있는 어간에 붙어서 막연하게 의심을 나타내는 종결 어미 또는 연결 어미. ¶얼마나 높～/얼마나 많～ 몰라/어느 정도 먹～ 모르겠다. ＊-ㄴ지·-ㄴ가·-ㄴ고·-는지·-ㄹ지·-을지.

-은지고 어미 받침 있는 어간에 붙어 매우 심각한 감정을 독백하는 종결 어미. 흔히, 문어로 쓰임. ¶물도 맑～/아아 가엾～. ＊-ㄴ지고.

-은지라 어미 받침 있는 어간에 붙어서, 앞으로 하려는 말에 대한 까닭이나 사실을 말하는 연결 어미. ¶그는 원체 머리가 좋～ 공부를 잘 한다/그는 돈이 많～, 무엇이든 할 수 있다/너그러운 데가 있～ 그에게는 따르는 사람이 많았다. ＊-ㄴ지라·-는지라.

은-지환【銀指環】 명 은가락지.

은진[1]【恩津】 명 〖지〗 충청 남도 논산시(論山市)에 있는 옛 읍. 현재는 면소재지로 농산물의 집산 시장임. 부근의 반야산(般若山)에 미륵 석불(彌勒石佛)이 있음.

은진[2]【殷賑】 명 흥성흥성하여 매우 성함. ——-하다 형 여불

은진[3]【癮疹】 명 〖한의〗 두드러기.

은진 미륵【恩津彌勒】 명 〖불교〗 충청 남도 논산시(論山市) 은진면(恩津面) 관촉사(灌燭寺)에 있는 석조(石造) 미륵 보살의 입상(立像). 고려 광종(光宗) 18년(967) 혜명 대사(慧明大師)가 세움. 높이 24.5m로 동양에서 제일 큼. 보물 제 218 호임.

은진 산:업【殷賑産業】 명 경기가 좋아 수지 맞는 산업. 특히, 시국 관계로 호경기에 있는 산업.

은짬 명 은밀한 대목. ¶도대체 옆에 자던 봉삼은 이 ～에 어디로 튄 것일까? ≪金周榮 : 客主≫.

은창【殷昌】 명 번창함. 번성함. ——-하다 형 여불

은채【銀釵】 명 은비녀.

은처-승【隱妻僧】 명 〈속〉 내연(內緣)의 처(妻)를 거느린 중.

은천[1]【銀川】 명 〖지〗 '인촨'을 우리 음으로 읽은 이름.

은천[2]【銀釧】 명 〖역〗 은으로 만든 팔찌.

은-천도【銀天桃】 명 은으로 복숭아처럼 만든 단추. 흔히, 아이들에게 달아 줌.

은천 학월리 패:총【銀泉鶴月里貝塚】 명 〖고고학〗 황해도 은천군(신설) 학월리에서 조사된 신석기 시대의 조개 무지 유적. 1957 년 발견.

은-첩지【銀—】 명 〖역〗 은으로 만든 첩지. 내명부(內命婦)가 씀. ＊금첩지·흑각(黑角) 첩지.

은청 광록 대:부【銀靑光祿大夫】 [—녹—] 명 〖역〗 고려 때 정삼품(正三品) 문관(文官)의 품계(品階).

은청 영록 대:부【銀靑榮祿大夫】 [—녹—] 명 〖역〗 고려 때 종이품(從二品) 문관(文官)의 품계(品階).

은초[1]【銀—】 명 ①백랍(白蠟)으로 만든 초. ②곱게 비치는 촛불. 은촉(銀燭).

은초[2]【銀硝】 명 〖화〗 초석(硝石).

은촉[1]【銀燭】 명 은초[1]❷.

은촉[2]【隱鏃】 명 〖건〗 두 널빤지를 마주 잇기 위하여 한 쪽 널빤지의 맞닿는 면의 가운데로 길게 엔 돌기(突起). 은촉 홈에 끼우게 됨.

은촉-붙임【隱鏃—】 [—부침] 명 〖건〗 은촉을 은촉홈에 끼워서 두 널빤지를 마주 잇는 일. 개탕붙임. ——-하다 타 여불

〈은촉붙임〉

은촉-이음【隱鏃—】 명 〖건〗 나비은장이음·원두은장이음과 같이 은촉을 사용하여 두 재목을 이음. ——-하다 타 여불

은촉-홈【隱鏃—】 명 〖건〗 은촉붙임을 하기 위하여, 은촉이 끼이도록 맞붙는 한 쪽 널빤지에 가늘고 길게 개탕처럼 낸 홈.

은총【恩寵】 명 ①높은 이로부터 받는 특별한 은혜와 사랑. ②〖기독교〗 하느님의 인류에 대한 사랑. ③〖천주교〗 천주(天主)가 내리는 초성 은혜(超性恩惠)를 일컬음. '생명(生命)의 은총'과 '도움의 은총'이 있음. 성총(聖寵).

은총의 나라【恩寵—】 [—/—에—] 명 〖기독교〗 기독교 사상에 있어서 초자연적 대상의 세계를 가리키는 말. 도덕·종교의 세계가 이에 속한다고 생각되고 있음. ↔자연(自然)의 나라.

은총의 빛【恩寵—】 [—/—에—] 명 〖철〗 스콜라 철학 용어로서, 신을 알기 위하여 지성에 주어진 은총. 초자연성이 없이 인간 이성 그 자체가 가지는 인식력임. ↔자연의 빛.

은-총이【銀—】 명 불알이 흰 말.

은침【銀鍼】 명 은으로 만든 침.

은칭【銀秤】 명 은저울.

은-커녕 조 '커녕'의 힘줌말. 받침 있는 명사에 붙여 씀. ¶천 원～ 백 원도 없다. ＊는커녕·새로에.

은-컵【銀—】 [cup] 명 은으로 만든 컵.

은크루마 [Nkrumah, Kwame] 명 〖사람〗 가나(Ghana)의 정치가. 일찍부터 범(汎)아프리카주의 독립 운동에 참가. 1949년 회의 인민당(會議人民黨)을 조직하고 1957년의 독립(獨立)과 함께 초대 수상이 됨. 이어 1960년 대통령이 되어 아프리카 통일, 신식민주의 타도 운동의 지도적 존재였으나 1966년의 군부 쿠데타로 실각함. 저서(著書)에 ≪아프리카의 통일≫·≪신식민주의≫가 있음. [1909-72]

은탑 산:업 훈장【銀塔産業勳章】 명 제2 등급의 산업 훈장. 수(綬)는 중수(中綬)이며, 하늘색 바탕에 황색 줄이 여덟 줄 있음. ＊산업 훈장.

〈은탑 산업 훈장〉

은-택[1]【恩澤】 명 은혜와 덕택. 인택(仁澤).

은택[2]【隱宅】 명 은퇴한 사람이 살고 있는 집.

은-테【銀—】 명 은으로 두른 테. ¶～ 안경/～ 파이프.

은-테두리【銀—】 명 은으로 테를 두른 온갖 물건.

은토[1]【銀兎】 명 ①달의 미칭(美稱). ②달 속에 있다는 흰 토끼. ③흰 토끼의 미칭.

은토[2]【隱土】 명 〖역〗 양안(量案)에 올리지 않고 결세(結稅)를 받는 땅.

은퇴【隱退】 명 직임(職任)에서 물러나거나, 세속의 일에서 손을 떼고 한거(閑居)함. 퇴은(退隱). ¶공직 생활에서 ～하다/～한 왕년의 대(大)스타. ——-하다 자 여불

은파[1]【恩波】 명 천자(天子)의 은혜. 군은(君恩).

은파[2]【銀波】 명 달빛이 비쳐 은백색(銀白色)으로 보이는 물결. 은결. 은도(銀濤). 은물결.

은판【銀板】 명 은으로 만든 판자.

은판 사진【銀板寫眞】 명 잘 닦은 은판을 요오드(iode) 가스로 처리하여 빛을 쬔 다음, 수은(水銀)의 증기(蒸氣)를 받게 하여 상(像)을 나타내는 사진법. 프랑스의 화가 다게르(Daguerre)가 발명하였음.

은패【銀牌】 명 ①〖역〗 홍문관(弘文館) 관원이 탄 말 앞에 내세우고 가던 은니(銀泥)로, '옥당 학사지패(玉堂學士之牌)'라고 쓴 패. ②은메달.

은평-구【恩平區】 명 〖지〗 서울 특별시의 25 구(區)의 하나. 관내(管內) 20동(洞). 동은 종로구(鐘路區), 남은 서대문구(西大門區), 서북은 경기도 고양시(高陽市)와 접함. 통일로(統一路)가 서북(西北)으로 달리고 있으며, 북한산(北漢山), 역촌동(驛村洞)의 인조 별서 유기비(仁祖別墅遺基碑), 문수암(文殊庵), 승가사(僧伽寺), 진관동(津寬洞)의 검암기적비(黔岩紀績碑), 삼천사(三川寺)의 마애 여래 입상(磨崖如來立像) 등 명승 고적이 있음. [29.71km² : 502,173명(1996)]

은폐[1]【隱閉】 명 숨어 틀어박힘. ——-하다 자 여불

은폐[2]【隱蔽】 명 가리어 숨김. 덮어 감춤. ¶숲속에 ～한 적군. ＊엄폐(掩蔽). ——-하다 타 여불

은폐 광:물【隱蔽鑛物】 명 [occult mineral] 현미경으로는 알아볼 수 없으나 화학 분석(化學分析)으로 그 존재(存在)가 인정(認定)되는 조암(造岩) 광물.

은폐-력【隱蔽力】 명 [hiding power] 〖화〗 단위량(單位量)의 도료(塗料)가 피도면(被塗面)을 덮어 싸서 소지(素地)가 보이지 않게 되었을 때의 도포(塗布) 면적. 피복력(被覆力).

은폐-물【隱蔽物】 명 〖군〗 적의 원망(遠望)으로부터 인원·기재 등을 가리어 숨기기 위한 지물(地物).

은폐-부【隱蔽部】 명 〖군〗 인원과 전투 기술·기재 등을 적의 감시·화력으로부터 은폐할 수 있는 곳.

은폐-소【隱蔽所】 명 무엇을 덮어 감추거나 가려 숨기는 장소.

은폐-호【隱蔽壕】 명 무엇을 감추어 두기 위해 판 구덩이나 굴.

은-포일【銀—】 명 [silver foil] 〖광〗 대단히 얇게 종이처럼 만든 은의 박막(薄膜) 또는 은색으로 착색한 금속 박막.

은표【銀表】 명 은시계(銀時計).

은피【隱避】 명 ①숨어서 피함. ②〖법〗 범인 장닉 행위(藏匿行爲)의 하나. 은닉 이외의 방법으로 범인 또는 도피자의 발견 및 체포를 방해하는 일. 즉 변장 의복의 공급, 고소·고발의 방해, 관헌을 기만하는 등의 행위. ——-하다 타 여불

은하【銀河】명〖천〗①은하계(系), 또 천구(天球)상의 은하수를 일컬음. 특히 우리 태양계가 속해 있다 하여 '우리 은하'라고도 함. 우한(牛漢). 성하(星河). 성한(星漢). 운한(雲漢). 은한(銀漢). 은황(銀潢). 천하(天河). 천한(天漢). 하한(河漢). ②〔galaxy〕은하계 밖에 있으면서, 우리 은하계와 동렬(同列)의 규모와 구조를 갖는 항성(恒星)과 성간 물질(星間物質) 따위를 포함하는 물질계(物質系). 나선(螺旋)은하·타원(楕圓) 은하·렌즈형(lens型) 은하·불규칙 은하 등으로 분류하며, 은하군(群)·은하단(團)을 이루면서 분포함. 안드로메다 은하(銀河) 따위. 우리 태양계가 속해 있지 않으므로 '외부 은하'라고도 함. 소우주(小宇宙). 섬우주. ＊은하군(群).

은하-계【銀河系】명〔Galaxy, galaxies system〕〖천〗태양을 포함한 다수의 항성 및 성운의 집단. 우리 눈에 보이는 대부분의 천체(天體)는 이 은하계에 속함. 2,000억 이상의 항성과 산광 성운(散光星雲)·암흑 성운을 포함한 성간물질(星間物質)이 존재하며, 그 크기는 직경 약 10만 광년, 두께 약 1만 5천 광년의 원반(圓盤) 모양임. 중심(中心)에 이를수록 별의 분포(分布)는 조밀하며, 소용돌이 모양으로 회전 운동을 하고 있음. 우리 태양계가 속해 있다 하여 '우리 은하', '우리 은하계'라고도 함. 은하❶.

은하계내 성운【銀河系內星雲】명〔galactic nebula〕〖천〗은하계 안에 존재하는 성운. 주로 가스와 미립자로 이루어짐. 모양에 따라 행성상(行星狀) 성운·산광(散光) 성운 및 암흑(暗黑) 성운으로 분류되며, 게성운·장미 성운·오리온 성운·망상(網狀) 성운 등이 있음. 은하 성운. 가스 성운. ↔은하계외 성운.

은하계외 성운【銀河系外星雲】명〔extragalactic nebula〕〖천〗은하❷의 별칭. ↔은하계내 성운.

은하계 창문【銀河系窓門】명〔galactic windows〕〖천〗은하 적도(赤道) 부근의 영역. 성간 물질(星間物質)에 의한 흡수가 적어, 여기를 통하여 먼 은하계외 성운이 보임.

은하계 헤일로【銀河系一】명〔galactic halo〕〖천〗은하 중심 부근에 집중하고 있는 노령기(老齡期) 별들의 구상(球狀) 분포.

은하-군【銀河群】명〔group of galaxies〕〖천〗수 개로부터 수십 개의 은하가 모여 이룬 비교적 규모가 작은 은하 집단. 특히, 우리 은하계와 인접한 안드로메다 은하(M 31) 및 그 근처의 M 32, NGC 205 은하 등을 아울러 국부(局部) 은하군이라 함. 성운군(星雲群). ＊은하단(團).

은하-극【銀河極】명〖천〗은하 좌표(銀河座標)에 있어서의 남극(南極)과 북극(北極).

은하-단【銀河團】명〔cluster of galaxies〕〖천〗수백 내지 수천 개의 은하가 1,000만 광년 정도 크기의 영역에 밀집해 있는 집단. 은하의 수가 많은 것으로는 머리털자리 은하단(1,500개)·처녀자리 은하단(2,500개)이 유명하며, 중심부에 태양 질량의 10^{13}배나 되는 거대한 타원 은하를 포함하는 것도 있음. 성운단(星雲團). ＊초은하단(超銀河團).

은하-면【銀河面】명〔galactic plane〕〖천〗은하계 원반부(圓盤部)의 중심면(中心面), 또는 천구(天球) 상의 은하수의 거의 중앙을 지나는 대원(大圓)을 포함하는 가상의 평면.

은하 성단【銀河星團】명〔galactic cluster〕〖천〗산개 성단(散開星團).

은하 성운【銀河星雲】명〖성〗은하계내(銀河系內) 성운.

은하-수【銀河水】명〔Milky way〕〖천〗〔중국 등지의 전설에, 칠석(七夕)날 견우(牽牛)와 직녀(織女)가 이 강을 건너서 만났다고 함〕은하계 원반부(圓盤部)의 항성이 천구(天球)에 투영된 것. 수억 이상의 별들이 희미하게 띠 모양의 강처럼 보이는 데서 나온 이름. ＊은하❷.

은하-원【銀河圓】명〖천〗은하 좌표(銀河座標)에서, 은하가 차지하는 대원(大圓).

은하 자기장【銀河磁氣場】명〔galactic magnetic field〕〖천〗은하계에 존재하는 자기장. 그 세기는 3×10^{-6}가우스(gauss) 정도임. 방향은 은하면에 평행하고, 태양 부근에서는 소용돌이의 가를 따라 존재함.

은하 작교【銀河鵲橋】명 칠월 칠석(七月七夕)에, 견우(牽牛)·직녀(織女)가 서로 만날 수 있도록 은하수(銀河水)에 까막까치가 놓는다는 다리.

은하 잡음【銀河雜音】명〔galactic noise〕〖천〗태양계 밖에 기원을 갖는 전파 영역(電波領域)의 잡음. 열잡음(熱雜音)에 가깝고, 은하 방향에서 가장 강함.

은하 적도【銀河赤道】명〖천〗은하 좌표(銀河座標)의 적도(赤道). 천구상(天球上)을 대체로 대원(大圓)에 따라서 일주하는 은하의 평균 중심선(平均中心線).

은하 전:파【銀河電波】명 은하계(銀河系) 안의 성간(星間) 공간에서 오는 전파. 1931년에 미국의 벨(Bell) 전화 연구소의 잰스키(Jansky)가 공전(空電)의 연구 도중에 우연히 발견했음. 미터파(meter波)에서 센티파(centi波) 영역에 걸친 연속 스펙트럼(連續 spectrum)을 나타내는 것과, 중성 수소 원자(中性水素原子)가 복사하는 21 cm의 휘선(輝線) 스펙트럼, CO분자가 복사하는 2.6 mm파(波), 싱크로톤 복사 등이 있음.

은하 좌:표【銀河座標】명〖천〗은하의 한가운데를 연결한 대원(大圓)을 은하의 적도(赤道)로 정하고, 은하의 적도와 은하의 양극(兩極)과를 기준으로 하여 은경(銀經)·은위(銀緯)를 설정(設定)하여 항성(恒星)의 위치(位置)를 나타내는 데 사용하는 구면(球面) 좌표의 하나. ＊지평좌표(地平座標).

은하 중심【銀河中心】명〔galactic center〕〖천〗은하계의 중력(重力) 중심. 태양, 기타 은하계의 항성(恒星)은 이 중심의 주위를 공전(公轉)함. 태양과의 거리는 약 30,000 광년.

은하-핵【銀河核】명〔galactic nucleus〕〖천〗은하계의 중심역(中心域). 구상(球狀)으로 분포한 별의 대집단이 있으며, 여기서 소용돌이에서 뻗어나온 줄기가 나오고 있음.

은하 회전【銀河回轉】명 은하계가 그 핵(核)을 중심으로 하여 회전 운동을 하고 있는 일. 은하 중심을 일주(一周)하는 시간은 중심 부근일수록 짧음. 태양계 및 부근의 항성(恒星)은 일초간에 약 250 km의 속도로 회전하여 약 2억 5천만 년에 일주함.

은한【銀漢】명 은하(銀河).

은합【銀盒】명 은으로 만든 합.

은항 명〈방〉〖식〗은행(銀杏)(경북).

은해【隱害】명 남 몰래 사람을 해침. ——-하다 타여불

은해-사【銀海寺】명〖불교〗경상 북도 영천군(永川郡) 청통면(淸通面) 신원리(新源里) 팔공산(八公山)에 있는 25 교구 본사(敎區本寺)의 하나. 신라 헌덕왕(憲德王) 원년(809)에 지은 것이며 해안사(海眼寺)라 하여 왔던 것을 조선 인조 대왕(仁祖大王) 때에 은해사라 하게 되었음. 종전에 31본산(本山)의 하나였음.

은해사 거조암 영산전【銀海寺居祖庵靈山殿】명 경상 북도 영천군(永川郡) 은해사(銀海寺)에 있는 조선 초기에 지은 목조(木造) 불교 전각(殿閣). 정면(正面)은 일곱 간, 측면(側面)은 세 간, 단층(單層)은 맞배지붕임. 국보 제14호.

은행[1]【恩倖】명 ①은혜(恩惠). 은애(恩愛). ②임금이 특히 총애(寵愛)하는 근신(近臣).

은행[2]【銀行】명〔bank〕〖경〗저축자로부터 예금을 맡고, 한편으로는 대부·어음 할인 및 증권의 인수 등을 업무로 하는, 대표적인 금융 기관. 보통 은행·특수 은행의 두 가지가 있고, 특수 은행에는 은행권(券)과 채권을 발행할 수 있는 것이 있음. 은행소(銀行所).

은행[3]【銀杏】명〖식〗은행나무의 열매. 백과(白果).

은행-가【銀行家】명 은행업을 경영하는 사람. 은행업자.

은행간 예:탁【銀行間預託】〔—네—〕명 외국의 은행간에 통화(通貨)를 서로 예탁하는 일. 무역 결제(貿易決濟)를 원활(圓滑)히 하는 데 도움이 됨.

은행간 차:관【銀行間借款】명〖경〗뱅크 론(bank loan).

은행 감독원【銀行監督院】명〖법〗한국 은행에 속하는 한 기구. 금융 통화 운영 위원회의 지시하에 금융 기관에 대한 감독(監督)·정기 검사를 행함.

은행 거:래【銀行去來】명 ①은행이 영업으로써 행하는 행위. 곧, 예금의 수납(收納)·채권(債券)의 발행(發行)·어음 할인(割引)·대부(貸付) 따위. ②일반적으로는 은행에 당좌 예금 계정(當座預金計定)을 개설(開設)하고 있는 것을 이름.

은행 공:황【銀行恐慌】명〖경〗화폐 공황이 심하여, 은행이 예금을 지급할 수 없게 되어 은행의 파산(破産)이 속출(續出)하는 상태. ＊신용(信用) 공황.

은행 관리【銀行管理】〔—괄—〕명〖경〗거래하던 기업체가 경영난에 빠져 거래 은행이 적자 융자(赤字融資)를 할 경우, 은행이 채권의 확보와 기업의 구제(救濟)를 위하여 직접 사람을 파견하여 경영의 일부 또는 전부를 인수 관리하는 일.

은행-권【銀行券】〔—꿘〕명〖경〗발권(發券) 은행이라고 하는 특정 은행이 발행하는 지폐(紙幣). 태환(兌換) 지폐·불환(不換) 지폐가 있음. 은행 지폐(銀行紙幣).

은행권 발행 한:도【銀行券發行限度】〔—꿘—〕명 은행권을 발행할 수 있는 최고 한도액(額).

은행-나무【銀杏—】명〖식〗〔*Ginkgo biloba*〕은행나뭇과에 속하는 낙엽 교목. 잎은 한군데서 여러 개가 나고 선형(扇形)에 가운데가 깊게 또는 얕게 째지고, 평행맥(平行脈)이 있음. 자웅 이주(雌雄異株)이며 5월에 수꽃은 수상 화서(穗狀花序)로, 암꽃은 화경(花梗) 끝에 두 개가 피고 핵과(核果)는 10월에 익음. 중국 원산(原産)으로 한국 각지 및 일본·중국에 분포(分布)함. 풍치목·가로수·정자목(亭子木)으로 심으며 조각(彫刻)·기구용재, 특히 상재(床材)에 적당함. 과실은 '은행'이라고 하며, 냄새 나는 외종피(外種皮)에 싸이고 속에 들어 있는 배유(胚乳)를 식용 및 약용함. 공손수(公孫樹). 압각수(鴨脚樹).

〈은행나무〉

[은행나무도 마주 서야 연다] 은행나무의 수나무와 암나무가 서로 바라보고 서야 열매가 열리듯이, 사람도 마주 보고 앉는 것이 더 인연이 깊다는 말.

은행나무 격 구 자웅 이주(雌雄異株)인 은행나무처럼, 서로 사랑하면서도 교섭을 갖지 못하는 남녀의 처지.

은행나뭇-과【銀杏—科】명〖식〗〔Salisburyaceae〕나자(裸子) 식물에 속하는 한 과. 중국 원산으로 한국·일본에 은행나무의 1속(屬) 1종이 분포함.

은행 대:부【銀行貸付】명 은행 업무의 하나. 대부해 줄 상대방의 신용이나 그가 제공하는 담보물(擔保物)을 저당(抵當) 잡아 또는 보증인을 세우게 하고, 상환 기한이나 이율(利率) 등을 약정하여 자금을 융통하는 일. 증서 대부(證書貸付)와 어음 대부가 있음.

은행리 감:전【銀行利減錢】명〖경〗수표에서 변리의 액수를 감함.

은행-법【銀行法】〔—뻡〕명〖법〗금융 기관의 건전한 운영을 기하고 예금자를 보호하며 신용 질서를 유지시키기 위해 제정된 법률. 총칙 외에 자본금과 적립금, 은행 업무, 금지 사항, 은행 업무에 대한 통제, 예금 지급 준비금과 예금 지급 준비 자산, 검사 등에 관한 사항을 규정함.

은행 부기【銀行簿記】명〖경〗은행업에서 쓰는 부기. 복식(複式) 부기를 은행의 업무에 적용한 것. 현금 분개법(分介法)과 완전한 전표제를 쓰며, 수다한 계(係)에 보조 원장(元帳)을 각기 분속시켜서, 그것에 보

다 많은 통괄 계정(計定)을 총(總)계정 원장에 기재하는 일과 일일(日日) 잔액 시산표를 작성하는 일 등이 특징임.

은행-불【銀行拂】명〖경〗어음 발행에서 은행이 지급을 맡는 일.

은행-빗조개【銀杏—】명〖조개〗[*Arcopagia diaphana*] 빗조개과에 속하는 조개. 패각(貝殼)은 길이 45mm, 높이는 33mm, 직경 15mm 내외의 달걀꼴에 백색이며 약한 광택이 남. 뒤쪽 끝은 약간 우측으로 구부러져 부정 곡륵(不正曲肋)을 이루고 세밀한 공심원(共心圓)과 사상맥(絲狀脈)이 있음. 한국·일본·중국에 널리 분포함.

은행-색【銀杏色】명 은행의 빛. 곧, 연한 녹색.

은행-소【銀行所】명 은행(銀行).

은행 수표【銀行手票】명〖경〗은행에 당좌 예금(當座預金)을 하고 있는 자가 그 은행 앞으로 발행하는 현금 지급의 위탁서(委託書).

은행 신디케이트【銀行—】[syndicate] 명〖경〗한 대상(對象)에 대하여 몇 개의 은행이 공동으로 융자하는 융자단(融資團).

은행 신:용【銀行信用】명〖경〗①은행이 고객(顧客)의 예금을 지급 준비금으로 설정(設定)한, 보다 많은 액수의 대체(對替) 예금. 그 기능을 '은행의 신용 창조'라고 함. ②은행이 일반으로부터 받고 있는 신용. 은행권·예금 따위.

은행 신:용장【銀行信用狀】[—짱] 명〖경〗어음이 은행 앞으로 발행되든 매주(買主) 앞으로 발행되든 간에 신용장 발행 은행이 어음의 인수 지급을 확약 또는 보증하는 신용장.

은행 어음【銀行—】명〖경〗①은행을 발행인 또는 보증·배서인(背書人)으로 하는 어음. ↔개인(個人) 어음·상업(商業) 어음. ②↗은행 인수(引受) 어음.

은행-업【銀行業】명 은행을 경영하는 사업.

은행업-자【銀行業者】명 은행업을 경영하는 사람. 은행가.

은행 예:금【銀行預金】[—네—] 명 은행에 맡긴 돈.

은행-원【銀行員】명 은행 업무에 종사하는 직원. ㊉행원.

은행 이:율【銀行利率】[—니—] 명〖경〗중앙 은행이 주로 일정한 조건을 갖춘 어음을 할인하는 이율.

은행 인수 어음【銀行引受—】명〖경〗은행이 지급을 인수한 어음. 보통 상업 신용장에 의하여 수익자(受益者)가 발행한 어음을 신용장 발행 은행이 인수함. ㊉은행 어음.

은행 인증【銀行認證】명〖경〗수출물의 대금 결제(代金決濟)의 한 방법. 수출물의 대금이 유동적(流動的)인 성격을 가진 외화(外貨)로 회수될 것을 확보하기 위하여, 국가가 정한 표준 결제 방법(標準決濟方法)에 의하여 행하여진다고 하는 것을 외국환 공인 은행(外國換公認銀行)이 인증하는 일.

은행 자본【銀行資本】명 은행의 여신(與信)·수신 업무(受信業務)를 통하여 수익을 목적으로 운영되는 자본. 은행 자체의 건물·설비 등을 의미하는 것이 아니라 대부(貸付) 자본을 의미하며 산업 자본·상업 자본과 구별됨.

은행-장【銀行長】명 특수 은행이 아닌 보통 은행의 직무상의 최고 책임자. ㊉행장(行長).

은행 정책【銀行政策】명 경제의 성장·안정을 도모하기 위하여, 정부가 행하는 은행의 제도·업무 등에 관한 정책.

은행-주의【銀行主義】[—/—이] 명〖경〗은행권(銀行劵)을 발행함에 있어서, 정화(正貨) 준비 등의 제한을 설정하지 아니하고, 자유로 발행하게 하여도 태환(兌換)이 유지되는 한(限), 화폐는 결코 과도하게 유통되지 아니하며 물가를 등귀시키지 아니한다는 설. 19세기 초에 영국의 통화(通貨) 논쟁에서 일어난 주장임. ↔통화주의(通貨主義).

은행 준:비금【銀行準備金】명〖법〗지급 준비금(支給準備金)❶.

은행 지폐【銀行紙幣】명〖경〗은행권(銀行劵).

은행 집중【銀行集中】명 은행업에 있어서의 독점 경향(獨占傾向). 즉 여러 은행이 합치어서 몇 개의 대은행이 되는 일 또는 자기 자본·예금의 증대·지점망(支店網)의 확대, 소지주(所持株)에 의한 다른 은행의 지배 등.

은행 집회소【銀行集會所】명〖경〗일정한 지역내의 은행가(銀行家)들이 친목(親睦)을 도모하고 영업상(營業上)의 이익을 강구하기 위하여 모이는 장소.

은행-표【銀行票】명 은행과 거래하는 데 필요한 표의 총칭.

은행 할인【銀行割引】명 은행이 행하는 어음 할인.

은행 화:폐【銀行貨幣】명 현금 화폐에 대한 예금(預金) 화폐의 일컬음. 은행권.

은행-환【銀行換】명〖경〗은행에서 발행하는 환전표(換傳票).

은향-초【銀香草】명〖식〗도박[1].

은허【殷墟】명〖역〗중국 허난 성(河南省) 안양 현(安陽縣) 샤오툰춘(小屯村)에 있는 은대(殷代) 중기 이후의 도읍의 유적. 1899년에 발견되어 1928년부터 1937년 사이에 열 다섯 번, 또 그 후에도 여러 번 발굴되었음. 그 결과 서경(書經)이나 사기(史記)에 전하는 은왕조(殷王朝)의 존재가 실증되었으며, 갑골문(甲骨文)·청동기·토기·상아(象牙) 등 발굴된 많은 유물들이 은대(殷代)의 정치·사상·생활·교역권(交易圈) 등을 밝혀 주었음.

은허 문자【殷墟文字】[—짜] 명〖역〗은허에서 발견된 골기·석기·토기·동기 등에 새기어 있는 상형(象形) 문자. 갑골 문자(甲骨文字). *귀판문(龜判文).

은허 복사【殷墟卜辭】명〖역〗은허 문자. 은 왕조의 복사(卜師)가 쓴 점(占)의 기록이었으므로 일컫는 말. ㊉복사(卜辭).

은현【隱現·隱顯】명 숨었다 나타났다 함. 또, 숨는 일과 나타나는 일. 은견(隱見). ——-하다 자여불

은현 잉크【隱顯—】[ink] 명 종이 위에 쓴 것은 무색이거나 엷어서 읽을 수가 없으나, 가열하거나 적당한 화학 약품으로 처리하면 용이하게 읽을 수 있게 글씨가 나타나는 잉크. 아세트산(酸)납으로 쓰고 현색제(顯色劑)로서 황화 수소를 사용하거나, 명반수(明礬水)로 쓰고 불에 쬐는 방법 등이 있음.

은현-포【隱現砲·隱顯砲】명 은현 포가(砲架)의 장치가 있는 대포. 은견포(隱見砲).

은현 포가【隱現砲架】명 대포를 낮은 위치에 놓고 발사할 때는 포신(砲身)을 높은 위치에 올릴 수 있는 포가.

은혈[1]【銀穴】명〖광〗은을 산출하는 광갱(鑛坑).

은혈[2]【隱穴】명 겉에서 잘 보이지 아니하는 숨은 구멍.

은혈-로【隱穴—】부 남이 모르게 비밀로 해치는 모양.

은혈-못【隱穴—】명 나무를 깎아서 만든 아래위가 뾰족한 못. 은정(隱釘).

은혈-자물쇠【隱穴—】[—쐬] 명 자물쇠통이 겉으로 드러나지 않고, 열쇠 구멍만 밖으로 뚫린 자물쇠. 서랍이나 문짝에 박아서 씀.

은혈 장색【隱穴匠色】명 은혈 장식을 전문으로 하는 사람.

은혈 장식【隱穴裝飾】명 방세간 등의 장식을 겉에서 잘 보이지 아니하게 은혈로 박는 장식.

은형[1]【銀衡】명 은저울.

은형[2]【隱形】명 주술(呪術)로써 몸을 감춤. ——-하다 자여불

은형-귀【隱形鬼】명 몸을 감추고 여러 화난(禍難)을 일으키는 못된 귀신(鬼神).

은형-법【隱形法】[—뻡] 명 ①몸을 감추는 법. ②〖불교〗진언(眞言)의 비밀 술법의 하나. 마리지천(摩利支天)의 은형의 인(印)을 띠고 은형 진언을 외어 몸을 감추는 술법.

은형-약【隱形藥】[—냑] 명 몸을 감추기 위하여 인도의 선인(仙人)이 몸에 발랐다고 하는 약.

은혜【恩惠】명 ①베풀어 주는 혜택. 보권(寶眷). 은대(恩貸). 덕(德). ㊉은(恩). ②하느님의 은총.

[은혜를 원수로 갚는다] 입은 은혜에 보답해야 할 터에 도리어 해를 끼친다.

은혜 기간【恩惠期間】명〖군〗국제법에서, 개전(開戰)의 경우에 자기 나라 항구에 있는 적국(敵國)의 상선(商船)이나 개전하였음을 모르고 입항한 적의 상선에 대하여 억류하지 아니하고, 출항(出港)을 허가하는 일정한 기간(期間).

은혜 기일【恩惠期日】명〖법〗채무의 이행에 대하여, 특전(特典)으로서 규정한 기일 외에 더 주는 유예 기일(猶豫期日).

은혜-롭다【恩惠—】형ㅂ불 은혜를 입어 매우 고마움을 느끼다. **은혜-로이**【恩惠—】부

은혜-일【恩惠日】명〖법〗영국법(英國法)에서, 어음이나 수표의 채무자의 지급에 대하여 부여된 3일의 유예 일수(猶豫日數).

은호【銀狐】명 여우의 모피(毛皮) 빛깔의 한 가지로, 흑색(黑色)과 백색의 털이 섞인 것. 또, 그런 털을 가진 모피. 캐나다와 사할린(Sakhalin)에서 남.

은혼-식【銀婚式】명 [silver wedding] 결혼 기념식의 하나. 부부(夫婦)가 결혼한 후 25주년을 기념하여 행하는 식 또는 잔치. *상아혼식·진주혼식.

은홍-색[1]【殷紅色】명 '안홍색(殷紅色)'의 잘못.

은홍-색[2]【隱紅色】명 썩 엷은 분홍빛.

은화[1]【恩化】명 은덕이 백성에게 미침. 은혜로써 백성을 교화함. ——-하다 자여불

은화[2]【銀花】명 ①은색의 꽃. 또, 여러 가지 장식에 쓰이는 은으로 만든 꽃. ②밝은 등불. 또, 밝은 촛불을 이름. ③눈(雪)을 이름.

은화[3]【銀貨】명 은돈. 실버.

은화-과【隱花果】명〖식〗[syconium] 복과(複果)의 하나. 자방(子房)이 큰 화탁(花托) 속에 형성되고 살이 많음. 무화과 열매 같은 것.

〈은화과〉

은화 단본위제【銀貨單本位制】명〖경〗은화만을 본위 화폐로 하고, 다른 것은 보조 화폐로 하는 제도. *금화 단본위 화폐.

은화 본위 제:도【銀貨本位制度】명〖경〗은화를 본위 화폐(本位貨幣)로 하는 제도.

은화 식물【隱花植物】명〖식〗[Cryptogamia] 재래에 식물계를 꽃의 유무에 따라 두 가지로 분류하던 때 꽃이 없는 식물의 일컬음. 수술과 암술의 구별이 없고, 포자(胞子)로 번식하고, 발달된 것은 뿌리와 잎과 줄기의 구별이 있음. 세균류(細菌類)·균류(菌類)·조류(藻類)·선태류(蘚苔類)·양치류(羊齒類) 등이 이에 속함. 무화(無花) 식물. 민꽃식물. ↔현화(顯花) 식물.

은환【銀環】명 ①은가락지. ②은으로 만든 고리.

은황[1]【銀黃】명 ①은과 금. 금은. ②은빛과 금빛. 흰 빛과 누른 빛.

은황[2]【銀潢】명 은하(銀河).

은회【隱晦】명 ①자취·모습을 감춤. ②사물이 심오하여 헤아릴 수 없음. ——-하다 자여불

은-회색【銀灰色】명 은빛을 띤 잿빛. 실버 그레이.

은휘【隱諱】명 꺼리어 숨기고 피함. ¶네, 그래도 감히 죄상을 ~할 수 있을꼬. ——-하다 타여불

은휼[1]【恩恤】명 은혜로 도움. ——-하다 타여불

은휼[2]【隱恤】명 가엾이 여김. 불쌍히 여겨 은혜를 베풂. ——-하다 타여불

은흥 명 〈방〉〖식〗은행(銀杏)(경남).

을[1]【乙】명 ①차례·등급의 둘째를 표하는 말. 갑(甲)의 아래, 병(丙)의 위. ②〖민〗십간(十干)의 둘째. ③〖민〗↗을방(乙方)·을시(乙時).

을[2]【乙】명 성(姓)의 하나. 우리 나라에는 현존하지 아니함.

을[3] 조 받침 있는 체언에 붙어서 그 말이 목적격(目的格)으로 되게 하는 목적격 조사. ¶마음~ 가다듬다/옷~ 입다. *를.

을[4]【乙】 조 〈이두〉 을.

-을[1] 어미 ①받침 있는 어간에 붙어, 현재의 일반적인 사실을 나타내는 관형사형(冠形詞形) 전성(轉成) 어미. ¶믿~ 사람이 없다/지금은 사람이 많~ 때다. ②받침 있는 어간에 붙어 미래의 일을 나타내는 관형사형 전성(轉成) 어미. ¶오늘부터 이 집에 같이 있~ 사람이다/네가 먹~ 밥이다/믿~ 수 없는 일. *-ㄹ. ③'-았-'·'-었-' 등의 뒤에 붙어 과거의 추측 등을 나타내는 관형사형 전성 어미. ¶방에 있었~ 것이다/가보았~ 텐데.

-을[2] 어미 〈옛〉 -는. ¶製논 글 지슬 씨니 御製는 님금 지스샨 그리라 《訓諺》. *-ㄹ.

-을-값에 어미 〈방〉 -을망정(경상). *-ㄹ값에.

-을거나 [—꺼—] 어미 받침 있는 동사 어간에 붙어서, 영탄조(詠嘆調)로 '그렇게 하자꾸나'의 뜻을 나타내는 종결 어미. ¶이제 그만 먹~. *-ㄹ거나.

-을거냐 [—꺼—] 어미 받침 있는 동사 및 '있다'의 어간에 붙어 '-을 것이냐'의 뜻을 나타내는 종결 어미. ¶믿~ 안 믿~/그대로 앉아 있~. *-ㄹ거냐.

-을거다 [—꺼—] 어미 받침 있는 용언의 어간에 붙어 '-을 것이다'의 뜻을 나타내는 종결 어미. ¶이제는 더 없~/네 것이 더 많~. *-ㄹ거다.

-을거야 [—꺼—] 어미 〔↗-ㄹ 것이야〕 ①받침 있는 동사 및 '있다'의 어간에 붙어 상대방의 의사를 묻는 종결 어미. ¶먹~ 안 먹~. ②받침 있는 동사 및 '있다'의 어간에 붙어 자기의 의사를 표시하는 데 쓰는 종결 어미. ¶이 밤 안으로 읽~/더 있~. ③받침 있는 용언의 어간에 붙어 사실에 대한 가능성 또는 추측을 나타내는 종결 어미. ¶그렇지 않~/저러다가는 곧 죽~/더는 없~. *-ㄹ거야.

-을걸 [—껄] 어미 ①'-을 것을'이 줄어 된 말로서, 이미 완료한 동작에 대하여 후회하는 뜻으로 받침 있는 동사 및 '있다'의 어간에 붙이는 종결 어미. ¶학교에 다닐 때에 책을 많이 읽~/많이 모아 놓~. ②받침 있는 어간에 붙어서, 확실하지 못한 추측을 나타내는 종결 어미. ¶그렇지 않~/많이 읽었~. *-ㄹ걸.

-을게 [—께] 어미 받침 있는 동사 및 '있다'의 어간에 붙어, '장차 할테야'의 뜻을 나타내는 반말의 종결 어미. ¶기다리고 있~/꼭 잡~. *-ㄹ게.

을고【乙遣】〈이두〉 이고.

을골【乙骨】 명 범의 가슴 양쪽에 있는 '乙'자형의 뼈. 위골(威骨).

을과【乙科】 명 〖역〗 ①조선 시대 때, 문과(文科)에 급제(及第)한 사람들에게 예조(禮曹)에서 전시(殿試)를 보여, 성적에 따라 나눈 등급의 둘째. 모두 일곱 명임. 정팔품(正八品)의 품계(品階)를 내려줌. 을방(乙榜). ②고려 숙종(肅宗) 이후, 제술과(製述科)의 합격자 성적의 으뜸 차례. 3명임. *병과(丙科)·갑과(甲科).

을근-거리다 자 미워서 해치려는 의사를 드러내어 으르대다. 을근-을근 부. ——-하다 자 여불

을근-대다 자 을근거리다.

을기【乙耆】 명 〖역〗 상위 사자(上位使者)❷.

을길-간【乙吉干】 명 〖역〗 일길찬(一吉飡).

-을까 어미 받침 있는 어간에 붙어, 미래나 현재의 일을 추측할 때, 의문·의심 또는 자기의 의사를 아랫사람 혹은 스스로에게 나타내는 종결 어미. ¶그 사람이 지금 있~/무엇을 먹~/지금쯤은 도착했~/이것이 더 좋~. *-ㄹ까.

-을까 말:까 구 ①받침 있는 동사 및 '있다'의 어간에 붙어, 행동을 망설이는 뜻을 나타내는 말. ¶밥을 먹~/우비를 입~/책을 읽~ 하다. ②받침 있는 동사의 어간에 붙어 어떤 정도에 이를 것 같기도 하고 그렇지도 않은 것 같은 상태를 나타내는 말. ¶20m를 넘~ 한 큰 나무/손이 천장에 닿~ 하다. *-ㄹ까 말까.

-을까 보냐 구 받침 있는 어간에 붙어서, '어찌 그러할 리가 있겠느냐'의 뜻을 나타내는 말. ¶어찌 돈이 남았~/어찌 잊~. *-ㄹ까 보냐.

-을까 보다 구 ①받침 있는 어간에 붙어 미래나 과거의 일을 추측하되 의심스러움을 나타내는 말. ¶이것이 더 좋~. ②받침 있는 동사 및 '있다'의 어간에 붙어 불확정(不確定)한 자기 의사(意思)를 나타내는 말. ¶내가 먹~. *-ㄹ까 보다.

-을꼬 어미 받침 있는 어간에 붙어, 미래 또는 현재의 일을 깊은 생각을 가지고 추측할 때, 아랫사람 혹은 스스로에게 묻거나 일반적인 의심을 나타낼 때에 쓰는 예스러운 말투의 종결 어미. 흔히, 지정하지 않은 대명사나 부사 같은 것이 앞에 있을 때에 씀. ¶무슨 꽃을 심~/누구 말이 옳~/어떻게 해야 좋~. *-ㄹ꼬.

을낭【乙良】 조 〈이두〉 을랑은. *을안(乙良).

-을는지 [—른—] 어미 받침 있는 어간에 붙어 '하게' 할 자리에 의문의 뜻을 나타내는 종결 또는 연결 어미. ①자신의 의문이나 물음을 나타냄. ¶저것보다 이게 더 좋~ 모르겠다. ②동사의 어간에 붙어 주로 상대방의 의지를 물어보는 뜻을 나타냄. ¶여건만 좋았으면 이미 끝냈~. ③동사의 어간에 붙어 가능성의 뜻을 나타냄. ¶그 일을 해낼 수 있~. *-ㄹ는지.

-을다 어미 〈옛〉 -겠느냐. ¶네 므슴 밥을 머글다(你喫甚麼飯) 《老乞上 18》.

을당하야【乙當爲】〈이두〉 을 당하여.

을두【乙置】 조 〈이두〉 도.

을드대여【乙導良】〈이두〉 에 따라.

-을 듯이 [—뜻—] 구 받침 있는 어간에 붙어 '줄기의 내용과 같게'의 뜻을 나타내는 말. ¶잡아먹~ 덤빈다. *-ㄹ 듯이.

을뜨기 명 〈방〉 열뜨기.

-을라[1] 어미 받침 있는 어간에 붙어서 아랫사람에게 혹시 잘못될까 염려하여 조심하게 하는 종결 어미. ¶차시간에 늦~/잘 두어야지 고양이가 먹~. *-ㄹ라[1].

-을라[2] 어미 〈방〉 -으려(경상).

-을라고 어미 ①☞-으려고. ②받침 있는 어간에 붙어, 의심과 반문을 나타내는 종결 어미. ¶벌써 문을 닫았~/설마 아우보다 작~/오죽하면 까무러친 사람이 다 있~. *-ㄹ라고.

-을라-치면 어미 여러 번 경험한 일을 추상적으로 가정할 때 받침 있는 동사 및 '있다'의 어간에 붙는 연결 어미. ¶그 사진을 보고 있~ 먼 옛날이 머리에 떠오르곤 한다. *-ㄹ라치면.

-을락 어미 주로 '-을락 말락'의 꼴로, 받침 있는 동사 어간에 붙어서 거의 그렇게 될 듯하다가 맒을 나타내는 연결 어미. ¶그것에 손이 닿~ 말락 한다. *-ㄹ락.

을란 조 〈옛〉 을랑. 을랑은. ¶아ᄋᆞ와 아ᄃᆞᆯ을란 두고 《二倫 12 王密易弟》. *으란.

을람【乙覽】 명 임금이 글을 봄. ——-하다 타 여불

-을랏다 어미 〈옛〉 -으리라. ¶君山을 削平턴들 洞庭湖ㅣ 널을랏다 《海謠》.

을랑 조 '은'의 뜻으로 특별히 강조하는 뜻을 나타내는 보조사. ¶이런 책~ 읽지 말게/그 정도의 돈~ 일찍일찍 갚게. *ㄹ랑.

을랑두【乙良置】〈이두〉 라도.

을랑ᄉ【乙良沙】 조 〈이두〉 이라야. 이야말로.

을랑-은 조 '을랑'을 더 힘있게 하는 말. ¶그 사람~ 이번 차로 보내게/그 따위 수작~ 할 생각도 말게. *ㄹ랑은.

-을래 어미 받침 있는 동사 및 '있다'의 어간에 붙어 해라할 자리에 씀. ①'-으련'의 구어 및 소아어. ¶안 먹~/누가 잡~. ②'-으련다'의 구어 및 소아어. ¶내가 잡~. *-ㄹ래.

-을러니 어미 '-겠더니'의 뜻으로 받침 있는 어간(語幹)에 붙는 연결 어미. ¶지금까지는 보리밥을 먹~, 이제 더는 못 먹겠다. *-ㄹ러니.

을:러-대다 타 마구 우격으로 으르다. 을러메다.

-을러라 어미 자기가 겪은 일을 상대자에게 직접 말해 줄 때 '-겠더라'의 뜻으로 받침 있는 어간에 붙는 종결 어미. ¶약이 너무 써서 너는 못 먹~/작아서 못 입~. *-ㄹ러라.

을:러-메다 타 우격으로 으르다. 을러대다. ¶말을 듣지 않으면 학원을 폐쇄시키겠다고 ~.

을:러-방망이 명 때리려고 으르는 짓. ——-하다 타 여불
을:러방망이(를) 치다 구 을러방망이하다.

-을런가 어미 받침 있는 어간에 붙어서 '-겠던가'의 뜻으로, 상대자의 경험을 직접으로 물을 때에 쓰는 종결 어미. ¶이 산보다 높~/그의 말이 옳~. *-ㄹ런가·-을런고.

-을런고 어미 ☞-을런가.

-을레[1] 어미 '-겠데'의 뜻으로 받침 있는 어간에 붙는 종결 어미. ¶그의 말이 옳~. *-ㄹ레[1].

-을레[2] 어미 ①☞-으련. ¶누가 잡~. ②☞-으련다. ¶내가 잡~. *-ㄹ레[2].

-을레라 어미 막연하게 '-겠더라'의 뜻으로 받침 있는 어간(語幹)에 붙는 종결 어미. ¶그 말만은 못 믿~. *-ㄹ레라.

-을려고 어미 ☞-으려고. ¶먹~ 한다. *-ㄹ려고.

-을려야 어미 ☞-으려야.

을로【乙以】 조 〈이두〉 으로.

을류 농지세【乙類農地稅】 [—쎄] 명 농지세의 하나. 특수 작물을 생산하는 농지의 소유자에게 그 농지에 대한 소득 금액을 과세 표준으로 하여 부과함. *농지세·갑류 농지세.

을르다 타 〈방〉 으르다[2].

을:리다 자 〈방〉 어울리다.

을릭 명 〈방〉 은닉(隱匿). ——-하다 타 여불

을마 명 〈방〉 얼마(경남·전남).

을마나 부 〈방〉 얼마나(경상).

을마-쯤 부 〈방〉 얼마쯤(경상).

-을 말로는 구 '-을 것으로 말하고 보면'의 뜻으로 받침 있는 어간에 붙는 말. ¶네 말이 옳~, 난들 안 믿겠느냐/그 일이 좋~, 왜 아니 하겠는가. *-ㄹ 말로는.

-을 말로야 구 '-을 것으로 말하고 보면야'의 뜻으로 받침 있는 어간에 붙이어 쓰는 말. ¶잠시 일하고 한 밑천 잡~, 누군들 일을 않겠나. *-ㄹ 말로야.

-을망정 어미 받침 있는 어간에 붙어서 '-다 하더라도'·'-는다 하더라도'의 뜻을 나타내는 연결 어미. ¶배운 것은 없~ 마음만은 곧소/몸은 작~ 담은 크오/죽을 먹~ 궁한 소리는 않네/죽~ 절개는 굽힐 수 없소. *-ㄹ망정.

을모 명 세모 진 것. 책이나 책상의 귀 같은 모.

을묘【乙卯】 명 〖민〗 육십 갑자(六十甲子)의 쉰두째.

을묘 박해【乙卯迫害】 명 〖역〗 조선 정조 19년(1795) 을묘년에 중국인 신부 주문모(周文謨)를 체포하려다 놓친 것을 계기로 일어난 천주교도 박해 사건.

을묘 왜란【乙卯倭亂】 명 〖역〗 을묘 왜변(乙卯倭變).

을묘 왜변【乙卯倭變】 명 〖역〗 조선 명종(明宗) 10년(1555)에, 왜선(倭船) 60여 척이 전라 남도 해남군(海南郡)의 달량포(達梁浦)에 쳐들어온 사건. 전라 병사(全羅兵使) 원적(元績) 등을 죽이고 한때 영암(靈巖)까지 침범하였으나 곧 평정됨. 이 사건을 계기로 비변사(備邊司)가 설치되었음. 을묘 왜란(乙卯倭亂).

을미【乙未】 명 〖민〗 육십 갑자(六十甲子)의 서른두째.

을미 사:변【乙未事變】 명 〖역〗 조선 고종(高宗) 32년(1895)에, 일본 공사 미우라 고로(三浦梧楼) 등이 일으킨 변란. 일본은 친로적(親露的) 세력인 민비(閔妃) 일파를 없애고 자기네 세력을 펴려고 하였으며, 흥선 대원군(興宣大院君)은 일본 공사와 제휴하기에 이르렀음. 이 사건으로 민비(閔妃)는 일인 자객(刺客)에게 시해되고 고종은 러시아 공관으로 파천(播遷)함. 민비 시해 사건.

을밀-대【乙密臺】[—때] 명 〖지〗 평양 금수산(錦繡山) 한 모퉁이, 모란대(牡丹臺)와 맞선 대(臺) 및 그 위에 세워진 정자의 이름. 정자의 이름을 사허정(四虛亭)이라고도 부르는데, 약 6 백 년 전에 건축한 것으로, 높이 수장(數丈)의 석루 위에 있어서 평양 시내를 관망할 수 있음. 임진 왜란과 청일 전쟁(清日戰爭) 당시의 탄환 흔적이 기둥에 아직도 남아 있음.

을밋-을밋 [—믿—믿] 부 차일피일 기한(期限)을 밀어 가는 모양. ——-하다 자여불

-을 바에 [—빠—] 구 '어차피 이미 하기로 된 일이면'의 뜻으로 받침 있는 어간에 붙는 말. ¶기왕 늦~, 천천히 가자. *-ㄹ 바에·-ㄴ 바에·-은 바에·-는 바에.

-을 바에야 [—빠—] 구 '-을 바에'를 힘있게 하는 말. ¶죽~ 무슨 일은 못 하겠는가. *-ㄹ 바에야.

-을 밖에 [—빢—] 구 '-을 수밖에 다른 수가 없다'의 뜻으로 받침 있는 어간에 붙는 말. ¶내 놓으라면 내 놓~/약을 먹으니 나~. *-ㄹ 밖에.

을반【乙班】 명 둘이나 그 이상되는 학급 또는 군중의 모임에서 편리상 구별한 반의 둘째. 갑반(甲班)의 다음.

을방[1]【乙方】 명 〖민〗 24 방위(方位)의 하나. 정동(正東)으로부터 남쪽으로 15 도째의 방위를 중심으로 한 15 도의 각도 안. ㊗을(乙).

을방[2]【乙榜】 명 〖역〗 을과(乙科).

을번【乙番】 명 〖역〗 두 편이 번갈아 일할 때, 나중에 당하는 편. ↔갑번(甲番).

을부【乙部】 명 〖책〗 사부(史部).

-을뿐더러 어미 받침 있는 어간에 붙어서 어떤 일이 그것만으로 그치지 아니하고 그 외에 다른 일이 더 있음을 말하는 연결 어미. ¶집도 좋~, 정원도 훌륭하오/교양이 있~, 마음씨도 곱군. *-ㄹ뿐더러.

을사라【乙依良】 〈이두〉 에 따라.

을사[1]【乙巳】[—싸] 명 〖민〗 육십 갑자(六十甲子)의 마흔두째.

을사[2]【乙沙】 조 〈이두〉 이야말로.

을사 늑약【乙巳勒約】[—싸—] 명 〖역〗 을사 조약.

을사 보:호 조약【乙巳保護條約】[—싸—] 명 〖역〗 을사 조약.

을사 사:화【乙巳士禍】[—싸사—] 명 〖역〗 조선 명종(明宗) 원년(1545)에 일어난 사화. 명종의 외숙(外叔)이자 소윤(小尹)의 거두인 윤원형(尹元衡)과 인종(仁宗)의 외숙이자 대윤(大尹)의 거두인 윤임(尹任)과의 불화로, 인종이 승하하자 명종이 등극하고 그 어머니 문정 왕후(文貞王后)가 수렴 청정(垂簾聽政)하게 됨을 이용하여 윤원형·이기 李芑)·정순붕(鄭順朋) 등이 음모를 꾸며 윤임의 일가(一家) 및 유관(柳灌)·유인숙(柳仁淑) 등을 죽이고 많은 명사를 몰아낸 일.

을사 오:적【乙巳五賊】[—싸—] 명 〖역〗 을사 조약을 체결할 때 이에 찬동 혹은 묵인하여 조인을 용이하게 한 다섯 매국노(賣國奴). 곧, 이완용(李完用)·박제순(朴齊純)·이지용(李址鎔)·이근택(李根澤)·권중현(權重顯) 들.

을사 오:조약【乙巳五條約】[—싸—] 명 〖역〗 을사 조약.

을사 조약【乙巳條約】[—싸—] 명 〖역〗 대한 제국 광무(光武) 9 년(1905)에 한국을 대표한 외무 대신(外務大臣) 박제순(朴齊純)과 일본의 특명 전권 공사(特命全權公使) 하야시 곤스케(林權助) 사이에 체결된 조약. 한국의 외교권을 빼앗는 다섯 조문으로 되었음. 을사 오조약. 을사 늑약. 제이차 한일 협약(第二次韓日協約).

-을새 [—쌔] 어미 어떤 일을 설명할 때에, 받침 있는 어간에 붙어서 그 일의 전제(前提)나, 이유(理由)로서 이미 사실화하거나 또는 바야흐로 행하여지고 있는 일을 나타내는 연결 어미. ¶샘이 깊~, 물이 맑고 차니라. *-ㄹ새.

-을세라 [—쎄—] 어미 행여 그렇게 될까 염려하는 뜻으로 받침 있는 어간에 붙는 연결 또는 종결 어미. ¶더우면 녹~/남이 먹~ 허겁지겁 먹어대다/그러다간 헐벗고 굶~. *-ㄹ세라.

-을세-말이지 [—쎄—] 어미 받침 있는 어간에 붙어서 남이 어떤 전제 조건을 예상하고 말함에 대하여, 그 전제 조건을 객관적 태도로 부인하는 뜻을 나타내는 종결 어미. ¶내 말을 믿~/날씨가 좋~. *-ㄹ세말이지.

-을셔 어미 〈옛〉 -구나. ¶더러볼셔 엇뎨 이런 더러븐 일 ᄒᆞ거뇨 《月釋 Ⅰ:44》.

-을수록 [—쑤—] 어미 받침 있는 어간에 붙어서, 어떤 일이 더하여 감에 따라 다른 일이 그와 정비례 또는 반비례로 더하여짐을 나타내는 연결 어미. ¶씹~ 맛이 난다/들~ 재미있다/많~ 좋다/물건이 좋~ 많이 팔리는 법이다. *-ㄹ수록.

을숙-도【乙淑島】[—쑥—] 명 〖지〗 부산 광역시 사하구 하단동(下端洞)에 위치한 섬. 원래 김해시(金海市)에 속했던 섬이나, 1978 년 부산시에 편입됨. 한때는 철새 도래지로 유명했으나, 현재는 낙동강 하구둑 공사로 일웅도(日雄島)와 합쳐지고 일부는 침수되었음. [3.3 km²]

을시【乙時】[—씨] 명 〖민〗 이십사시(二十四時)의 여덟째 시. 곧, 오전 6 시 반부터 7시 반까지의 동안. ㊗을(乙).

-을싸록 어미 〈방〉 -을수록.

-을쏘냐 어미 받침 있는 어간에 붙어 '-을 것인가'의 뜻을 나타내는 종결 어미. ¶겉이 검은들 속조차 검~. *-ㄹ쏘냐.

-을 쓴 어미 〈옛〉 -을 것은. -은 것은. ¶白鷗야 헌사하랴 못믿을쓴 桃花ㅣ로다 《古時調》. *-ㄹ 쓴.

을쓰아【乙用良】 〈이두〉 으로써.

-을씨고 어미 〈옛〉 -구나. ¶天朗氣清ᄒᆞ온 적의 惠風和暢 죠흘씨고 《海謠》. *-ㄹ씨고.

을씨년-스럽다 형ㅂ불 ①남이 보기에 퍽 쓸쓸하다. ②살림이 매우 군색하다. 을씨년-스레 부

을야【乙夜】 명 오야(五夜)의 둘째. 곧, 오후 9시부터 11시까지. 이경(二更).

을야 적마【乙夜績麻】 명 〖민〗 신라 시대에 있었던 풍속의 하나. 유리왕(儒理王) 때 왕녀(王女) 두 사람을 각각 나누어 통솔자로 하고 신라 육부(六部)의 여자들을 모아, 음력 7월 16일부터 8월 15일까지 매일 아침부터 을야(乙夜)까지 길쌈을 경쟁하던 풍속임. 오늘날 경상도 지방에 전해 내려오는 두레삼과 비슷하여, 두레삼이 여기에서 유래된 것으로 추측되고 있음.

을야지-람【乙夜之覽】 명 천자(天子)의 독서. 천자가 정무(政務)를 끝내고 취침하기 전 열 시경에 독서를 하므로 이르는 말임.

-을 양으로 [—량—] 구 '-을 예정으로'의 뜻으로 받침 있는 동사 및 '있다'의 어간에 붙는 말. ¶내 손에 든 것을 빼앗~ 을렀다/죽~ 모든 것을 체념도 했었소. *-ㄹ 양으로.

-을 양이면 [—량—] 구 '-을 예정이면'의 뜻으로 받침 있는 동사 및 '있다'의 어간에 붙어서 쓰이는 말. ¶좋은 음악을 들~, 우리 집으로 오게. *-ㄹ 양이면.

을유【乙酉】 명 〖민〗 육십 갑자(六十甲子)의 스물 두째.

을유-자【乙酉字】 명 조선 세조 11년(1465)인 을유년에 만든 동활자(銅活字). 세조가 원각경(圓覺經)을 찍기 위하여 만든 것으로, 정난종(鄭蘭宗)의 서체를 자본(字本)으로 한 것임. 글자 하나하나로서는 좋으나, 활자 자체(字體)로서는 정연(井然)하지 못한 흠이 있음. 현존하는 활자는 없고, 인쇄본으로는 《구결 원각경(口訣圓覺經)》·《금강경계청(金剛經啓請)》·《문한 유선 대성(文翰類選大成)》 등 여러 가지가 있음.

을자-집【乙字—】[—짜—] 명 〖건〗 용마루가 '乙'자 모양으로 된 집.

을자-형【乙字形】[—짜—] 명 길·강의 굽이나 건물 등이 '乙'자 모양으로 생긴 것을 이르는 말.

을자형 동기【乙字形銅器】[—짜—] 명 〖고고학〗 초기 철기 시대에 쓰던 수레의 부속품. 지름 1 cm 가량의 구리관(管)으로 만든 乙자 모양의 청동기.

-을작시면 [—짝—] 어미 '어떠어떠한 경우에 이르게 되면'의 뜻으로 받침 있는 동사(動詞) 및 '있다'의 어간(語幹)에 붙는 연결어미(連結語尾). ¶그의 하는 양을 보고 있~, 하도 우스워 허리가 꺾일 지경이오. *-ㄹ작시면.

을제【乙第】[—쩨] 명 옛날 중국에서 진사(進士)에 합격한 사람들 중에서 성적이 약간 떨어진 사람.

을제【乙齊】 〈이두〉 한다. 하라. 할지어다.

을조【乙鳥】[—쪼] 명 '제비'의 별칭.

을종【乙種】[—쫑] 명 둘째 등급(等級)의 종류. 갑종(甲種)의 다음. ¶~ 면허(免許).

을종 근로 소:득【乙種勤勞所得】[—쫑글—] 명 〖법〗 급여(給與) 중에서 원천 징수를 하지 않는 근로 소득. 우리 나라 안에 있는 외국 기관이나 국제 연합군(미국군은 제외)으로부터 받는 급여, 국외에 있는 외국인 또는 외국 법인(국내 지점(支店)·국내 영업소는 제외)으로부터 받는 급여 따위를 이름. *갑종 근로 소득.

을종 근로 소:득세【乙種勤勞所得稅】[—쫑글—] 명 〖법〗 을종 근로 소득자로부터 징수하는 세금.

을종 기술원【乙種技術員】[—쫑—] 명 기술원의 하나. 1·2·3급이 있는데, 1급은 고등 기술 학교 3 년 졸업자, 2급은 2 년 이상 수료한 자, 3급은 1년 이상 수료한 자가 됨. *기술원.

을좌【乙坐】[—좌] 명 〖민〗 묏자리나 집터 등의 을방(乙方)을 등진 좌(坐).

을좌 신향【乙坐辛向】[—좌—] 명 〖민〗 을방(乙方)을 등지고 신방(辛方)을 향한 좌향.

을지【乙支】[—찌] 명 성(姓)의 하나. 우리 나라에는 현존(現存)하지 아니함.

-을지 [—찌] 어미 받침 있는 어간에 붙어서 추측으로 의심을 나타내는 연결 어미. ¶막차가 있~ 모르겠다. *-ㄹ지·-은지.

-을지나 [—찌—] 어미 '마땅히 할 것이나'의 뜻으로 받침 있는 어간에 붙는 연결 어미. ¶책을 많이 읽~ 시간이 있어야 읽지/그래야만 좋~ 형편이 안 되네. *-ㄹ지나.

-을지니 [—찌—] 어미 '마땅히 할 것이니'의 뜻으로 받침 있는 어간에 붙는 연결 어미. ¶군자는 덕을 닦~ 언행에 조심하라. *-ㄹ지니.

-을지니라 [—찌—] 어미 '마땅히 할 것이니라'의 뜻으로 받침 있는 어간에 붙는 종결 어미. ¶내 말을 믿~. *-ㄹ지니라.

-을지라 [—찌—] 어미 '마땅히 할 것이라'의 뜻으로 받침 있는 어간(語幹)에 붙는 연결 및 종결 어미. ¶고난이 많~, 각오해야 하느니. *-ㄹ지라.

-을지라도 [—찌—] 어미 '비록 어떠어떠하더라도'의 뜻으로 받침 있는 어간에 붙는 연결 어미. ¶몸은 작~, 담은 크다. *-ㄹ지라도.

을지 무:공 훈장【乙支武功勳章】[—찌—] 명 〖법〗 제2 등급의 무공 훈장. 수(綬)는 중수(中綬)이며, 주황색 바탕에 백색 줄이 여덟 줄 있음. ㊗을지 훈장. *충무 무공 훈장.

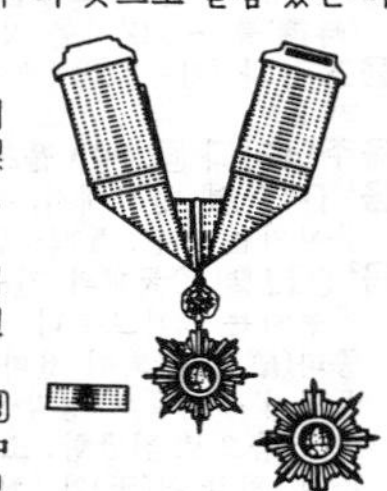
〈을지 무공 훈장〉

을지-문덕【乙支文德】[—찌—] 명〖사람〗고구려 영양왕(嬰陽王) 때의 명장. 동왕 23년(612)에 수양제(隋煬帝)가 200만 대군을 거느리고 고구려에 내침하고자 우선 우문술(宇文述)·우중문(于仲文)이 인솔한 별군 30만 5천이 압록강을 건너오매 그 군사를 꾀어, 살수(薩水)에서 반격하여 섬멸하였음. 침착 대담하고 지략과 무용에 뛰어났으며, 시문(詩文)에도 능했음. 생몰년 미상.

을지복녀【乙茂火】〈이두〉과 함께.

-을지어다 [—찌—] 어미 '마땅히 하여라'의 뜻으로 받침 있는 동사 및 '있다'의 어간에 붙는 종결 어미. ¶악인은 벌을 받~. *-ㄹ지어다.

-을지언정 [—찌—] 어미 서로 반대되는 두 가지 일에 대하여 그 중 한 가지를 양보적(讓步的)으로 시인하거나 부인하고 다른 한 가지를 부인하거나 시인할 때에 받침 있는 어간에 붙어서 쓰는 연결 어미. ¶곤란을 받~, 지조야 굽히랴. *-ㄹ지언정.

을지 연:습【乙支演習】[—찌—] 명 국가 비상 사태에 능동적으로 대처하기 위해 정부 차원에서 종합적으로 비상 대비 업무를 수행하는 훈련.

을지즈로[1]【乙仍于】〈이두〉에 따라. 이기에.

을지즈로[2]【乙因于】〈이두〉에 따라.

을지 훈장【乙支勳章】[—찌—] 명 ↗을지 무공 훈장(乙支武功勳章).

-을진대 [—찐—] 어미 '가령 할 터이면'·'-을 것 같으면'의 뜻으로, 받침 있는 어간에 붙는 연결 어미. ¶하겠다고 나섰~, 끝까지 해 보게. *-ㄹ진대.

-을진대는 [—찐—] 어미 '-을진대'의 힘줌말. 준 -을진댄. *-ㄹ진대는.

-을진댄 [—찐—] 어미 ↗-을진대는. *-ㄹ진댄.

-을진들 어미〈옛〉-을망정. ¶졸여 죽을진들 採薇도 ᄒᆞ는 것가 ≪海謠≫.

-을진저 [—찐—] 어미 '마땅히 그러할 또는 그리 할 것이다' '아마 그럴 또는 그리 할 것이다'의 뜻으로 받침 있는 어간에 붙는 종결 어미. ¶죄인이여 나를 믿~/돈이 싫은 자는 적~/친구여 나를 좇~. *-ㄹ진저.

을축【乙丑】명〖민〗육십 갑자의 둘째.

을축 갑자【乙丑甲子】명 무슨 일이 제대로 되지 아니하고 순서가 뒤바뀜을 비유하여 이르는 말.

을축 갑자라 구 순서가 바뀐 것을 이르는 말.

을축년 홍수【乙丑年洪水】명〖역〗1925 년(을축년)에 우리 나라를 휩쓴 대홍수. 이 해에 도합 네 번의 홍수가 일어났는데, 사망자 647 명, 가옥 유실 6,363 호, 붕괴 17,045 호, 침수 46,813 호, 유실된 논 32,183 단보, 밭 67,554 단보의 피해가 있었음. 을축년 장마.

을크러-지다 자 물크러지다. ¶곁에 앉았던 커다란 입귀가 처지고 콧등이 을크러진 계집애가…≪廉想涉 : 萬歲前≫.

-을 테다 구 받침 있는 용언의 어간에 붙어, '-을 터이다'의 뜻을 나타내는 말. 주의 '-을 테면'·'-을 테야'·'-을 텐데'·'-을 테니'·'-을 테냐' 등으로만 쓰임. ¶내가 먹~. *-ㄹ 테다.

을파소【乙巴素】명〖사람〗고구려의 명상(名相). 일찍이 압록곡(鴨綠谷) 좌물촌(左勿村)에 숨어 있다가 고국천왕(故國川王) 13년(191) 안류(晏留)가 추천하여 국상(國相)이 됨. 빈민 구제책인 진대법(賑貸法)을 실시함. 유리왕(琉璃王) 때의 대신 을소(乙素)의 손(孫). [?-203]

을프다 타 ☞ 읊다.

을해【乙亥】명〖민〗육십 갑자(六十甲子)의 열두째.

을해 박해【乙亥迫害】명〖역〗조선 순조(純祖) 15 년(1815) 을해년에, 경상도와 강원도에서 일어난 천주교도 박해.

을해 옥사【乙亥獄事】명〖역〗조선 영조(英祖) 31년(1755) 을해년(乙亥年)에 일어난 나주 괘서(羅州掛書)의 변(變)의 딴이름.

을해-자【乙亥字】명 조선 세조(世祖) 원년(1455)에 주조된 동활자(銅活字). 강희안(姜希顔)의 서체를 자본(字本)으로 하였는데, 대·중·소의 3 종이 있고, 갑인자(甲寅字)보다 획이 곧고 바르며 약간 옆으로 벌어져 있는 것이 특색임. 현존하는 활자는 없고, 활자본으로 ≪훈사(訓辭)≫ 2책과 ≪분류 두공부시(分類杜工部詩)≫·≪대명 일통지(大明一統志)≫ 각 1책씩이 있음.

을호-증【乙號證】[—쯩] 명〖법〗법원의 관례로서, 당사자가 민사 소송에서 제출하는 서증(書證)에 관하여, 그것을 누가 제출했는가를 명백히 하기 위하여 쓰이고 있는 부호(符號). 피고(被告)가 제출한 서증을 말함. *갑호증(甲號證).

읇다 타〈옛〉읊다. ¶년구ᄒᆞ기 ᄆᆞᆺ고 글 읇기ᄒᆞ고(句罷吟詩) ≪老乞 上 3≫.

-읈 어미〈옛〉-을. ¶내 이제 衰老ᄒᆞ야 주긇 時節이 다ᄃᆞ랫ᄂᆞ니 ≪月釋 XVII:20≫.

읊다 [읍—] 타 ①소리를 내어 시를 운에 맞추어 읽거나 외다. ¶시조(時調)를 ~. ②시를 짓다.

읊조리다 [읍—] 타〔중세 : 입주리다〕시를 곡조를 붙여 낮은 소리로 내리 읊다.

읊주어리다 타〈방〉읊조리다.

음[1]【吟】명 한시에서, 시체(詩體)의 하나. 대체로 슬픈 내용의 시가에 붙여지는 명칭. ¶백두(白頭)~.

음[2]【音】명 ①물체의 진동으로 일어나는 청관(聽官)의 감각. 급속하게 진동하는 물체로부터 일어나서 그 주위의 탄성 매질(彈性媒質) 속을 종파(縱波)로 되어 전파함. 1초간의 진동수(數)가 약 16-20,000의 것들만이 우리들의 청각을 일으키는데, 그 이상이나 이하의 진동수의 것들도 음으로 취급함. 소리. ②↗자음(字音). ③한자(漢字)를 읽을 때의 소리. 하늘 천(天)의 '천' 같은 것. ↔새김.

음[3]【陰】명 ①〖철〗태극(太極)이 나누인 두 가지 기운의 하나. 어두움·땅·달·없음 등의 소극적인 방면을 상징함. ②〖수〗음수(陰數)를 나타내는 말. 마이너스. ↔양(陽).

음[4]【陰】명 성(姓)의 하나. 현재 우리 나라에는 죽산(竹山)·괴산(槐山) 등 두 개의 본관(本貫)이 있음.

음[5]【蔭】명 ↗음보(蔭補).

-음[1] 미 받침 있는 동사나 형용사의 어간에 붙어 명사로 만드는 접미사. ¶믿~ / 웃~ / 울~ / 얼~. *-ㅁ[1].

-음[2] 어미 ①받침 있는 어간에 붙어 그 말을 명사 구실을 하게 하는 어미의 하나. '-기'와는 달리 관념적으로 나타냄. ¶잃~과 얻~ / 적~과 많~. *-기. ②고지문(告知文)이나 기록문 등에 쓰이는 서술형 종결 어미. ¶오늘 강의는 없~ / 어제로 선거전은 끝났~ / 오늘은 점심으로 국수를 사 먹~. ③↗-으면. ¶비라도 좍좍 왔~ 좋겠다 / 돈 좀 많아 봤~ 원이 없겠다. *-ㅁ[2].

음가【音價】[—까] 명〖언〗발음 기관의 어떤 기초 조건에 의한 단위적 작용에 의하여 생기는 성음(聲音) 현상. 소릿값.

음각[1]【陰角】명〖수〗삼각법에서, 각을 낀 두 직선 중의 한 직선(直線)이 시계 바늘과 같은 방향(方向)으로 돌아서 생기는 각. 부각(負角). ↔양각(陽角).

음각[2]【陰刻】명〖미술〗물건의 면에 무슨 무늬나 형상이나 자획(字畫) 등을 요형(凹形)으로 새김. 또, 그 조각. 요조(凹彫). ↔양각(陽刻). ——-하다 타여불

음간[1]【淫姦】명 간음(姦淫). ——-하다 타여불

음간[2]【陰姦】명 숨어서 부정한 짓을 행함. 뒤에서 악사(惡事)를 행함. ——-하다 타여불

음간[3]【陰乾】명 →음건(陰乾). ——-하다 타여불

음감[1]【音感】명 음에 대한 감각(感覺). 음의 높낮이·음색(音色) 등을 감별하는 능력.

음감[2]【陰鑑】명 달에서 맑은 물을 뜬다는 그릇. 방제(方諸).

음감 교:육【音感敎育】명 ①음의 절대적 음도(音度)를 식별시키기 위한 교육. ②넓은 뜻으로, 선율감·화성 음감·속도감·강약감·음색감 등의 음악적 감각을 예민하게 하고, 음악의 표현이나 감상에 필요한 기초를 기르는 교육.

음강-증【陰強症】[—쯩] 명〖의〗설단증(舌短症).

음:객[1]【吟客】명 시인(詩人).

음객[2]【飮客】명 주객(酒客).

음건【陰乾】명〔←음간(陰乾)〕그늘진 곳에서 말림. 그늘 말림. ¶~법(法). ——-하다 타여불

음경[1]【音經】명〖책〗조선 헌종(憲宗) 때의 국어학자 권정선(權靖善)의 저서(著書). 광무(光武) 10년(1906)에 완성된 것으로, 문자의 사용의 혼란을 막고 모든 사람이 바르게 학습할 수 있는 준거(準據)를 삼도록 하며, 어떤 음이라도 표기(表記)할 수 있도록 고안(考案)하자는 데 목적을 둔 저서.

음경[2]【陰莖】명〖생〗남자의 외부 생식기. 해면체로 되어 있고, 요도(尿道)가 통해 있음. 자지. 남경(男莖). 남근(男根). 양경(陽莖). 양도(陽道). 양물(陽物). 옥경(玉莖). 옥근(玉根). ↔음문(陰門).

음경-암【陰莖癌】명〖의〗음경(陰莖)에 생기는 암종(癌腫). 처음 포피(包皮)·귀두부(龜頭部)에 생겨, 종류(腫瘤)가 차차 커져서 수개월 지나면 일부가 떨어지거나 하여 악취(惡臭)를 내는 병인데 그대로 방치해 두면 2-3년 만에 사망함. 중년 이후(中年以後)의 남자, 특히 포경(包莖)에 많음.

음계[1]【音階】명〖악〗개개의 음(音) 사이에 다른 음(音)을 질서 있게 높이의 순으로 배열한 계단. 악곡(樂曲)을 조직하는 근저(根柢)로 동양 음악은 오음(五音) 음계, 서양 음악은 칠음(七音) 음계를 기초로 하는데, 후자에는 장음계·단음계·온음계·반음계 등의 구별이 있음. 스케일.

음계[2]【淫戒】명 음욕(淫慾)을 억제하는 훈계. 사음계(邪淫戒).

음계[3]【陰界】명 귀신의 세상. ↔양계(陽界).

음계[4]【陰計】명 음모(陰謀). ——-하다 타여불

음계-율【音階律】명〖악〗옥타브의 법칙.

음고【音高】명〖악〗'음높이'의 한자 말.

음곡[1]【吟曲】명 음곡(音曲)을 음송(吟誦)함. ——-하다 자여불

음곡[2]【音曲】명 악곡을 악기로 연주하거나 또는 육성(肉聲)으로 노래를 부르는 일의 총칭. 음절(音節). 성곡(聲曲).

음곡[3]【陰谷】명 그늘진 골짜기.

음공【陰功】명 ①뒤에서 돕는 공. 음으로 돕는 공. ②세상이 모르는 숨은 공덕.

음관[1]【音觀】명〖사람〗대한 제국 때의 중. 호는 수월(水月), 성은 전씨(田氏). 충청도 홍성(洪城) 출신. 고종 24년(1887) 서산(瑞山) 천장사(天藏寺) 성원(性圓)의 법을 이었으며, 오대산 상원사(上院寺)에서 한암(寒巖)과 함께 도를 닦았음. 뒤에 묘향산(妙香山)·만주 등지에서 수도하다 죽음. 근세의 도인(道人)으로 유명함. [1855-1928]

음관[2]【陰款】명 고기(古器)의 명문(銘文) 등에서, 문자(文字) 부문이 들어간 것. 음자(陰子).

음관[3]【蔭官】명〖역〗음직(蔭職)을 얻어 음사(蔭仕)하는 관원(官員).

음:광【飮光】명〖사람〗'가섭(迦葉)❷'의 한역명(漢譯名).

음광 식물【陰光植物】명〖식〗음지 식물.

음괘【陰卦】명〖민〗팔괘(八卦)에서, 음에 속하는 괘. 곧, 곤(坤)·이(離)·태(兌)·손(巽)을 일컫는 말. ↔양괘(陽卦).

음교[1]【淫巧】명 함부로 기교를 부림. ——-하다 형여불

음교[2]【淫驕】명 음란하고 교만함. ——-하다 형여불

음구[1]【音溝】명〖연〗발성 영화 필름의 가에 있는 음성이 녹음된 부분. 사운드 트랙.

음구[2]【陰溝】 명 지하(地下)의 도랑.
음구[3]【飮具】 명 술 마시는 데 쓰는 기구.
음국【陰國】 명 북쪽 나라. ↔양국(陽國).
음궐【陰厥】 명 〖의〗 오한이 나고 수족(手足)의 궐랭(厥冷)이 생기는 열병(熱病).
음귀【陰鬼】 명 죽은 사람의 넋. 망령(亡靈).
음극[1]【音隙】 명 난청자(難聽者)에게 있어서, 일정한 좁은 범위의 진동수(振動數)의 소리밖에 들을 수 없는 그 범위.
음극[2]【陰極】 명 〔cathode, negative electrode〕 〖물〗 ①두 개의 전극간(電極間)에 전류가 흐를 때, 전위(電位)가 낮은 쪽의 극(極). 음전극(陰電極). ↔양극(陽極). ②전자관(電子管)에서, 전자의 주요 발생원(發生源). 직열관(直熱管)에서는 필라멘트 자체가 음극으로 되어 있으며, 방열관(傍熱管)의 경우에는 피복(被覆)된 금속 음극 히터를 둘러싼 꼴로 되어 있음.
음극-관【陰極管】 명 〖물〗 음극선을 방출(放出)시키기 위하여 사용하는 진공관(眞空管).
음극 구리【陰極―】 명 〔cathode copper〕 야금(冶金)에서, 전해 정련(電解精鍊)을 할 때, 음극에서 석출(析出)된 구리. 녹여서 전해(電解) 구리로 판매함.
음극 반:응【陰極反應】 명 〖화〗 음극을 향해서 흘러 온 양이온(陽 ion)이 전극(電極)에서 받는 화학 반응. 그 전부가 환원(還元) 반응임. 음극 환원 반응.
음극-선【陰極線】 명 〔cathode ray〕 〖전〗 전자관(電子管) 안의 가열(加熱) 필라멘트에서 방출되는 전자의 흐름. 또, 기체 방전관(氣體放電管)의 음극에 양(陽)이온이 충돌했을 때, 음극에서 방출(放出)되는 전자(電子)의 흐름.
음극선-관【陰極線管】 명 〔cathode ray tube〕 〖물〗 음극선을 이용하여 가시상(可視像)을 만드는 전자관(電子管). 브라운관(管)이나 가이슬러관(Geissler 管) 따위.
음극선 루미네슨스【陰極線―】 〔luminescence〕 명 〖물〗 진공관 안에 있는 고체(固體)를 통하여 음극선을 쬐면 형광(螢光)을 내는 현상.
음극선 오실로그래프【陰極線―】 명 〔cathode-ray oscillograph〕 〖물〗 음극선이 전기장(場)에서 진로를 바꾸는 성질을 이용하여, 전류나 전압의 변화 따위를 브라운관에 비치게 해서 관측 또는 기록하는 장치. ㊂ 오실로그래프.

〈음극선 오실로 그래프〉

음극-액【陰極液】 명 〔catholyte〕 〖화〗 전지(電池) 속의 음극 주위에 있는 전해액(電解液).
음극-점【陰極點】 명 〔cathode spot〕 〖물〗 방전관(放電管) 안에서 아크 방전이 시작된 것처럼 보이는 작은 음극 영역.
음극 클리:닝【陰極―】 명 〔cathode cleaning〕 야금(冶金)에서, 음극에 연결된 소재(素材)의 더러움을 전해(電解)에 의해 제거하는 일.
음극 환원 반:응【陰極還元反應】 명 〖화〗 음극 반응.
음기[1]【淫氣】 명 음란한 기분. 성적인 욕망. 정욕(情慾).
음기[2]【陰記】 명 비갈(碑碣)의 등 뒤에 새긴 글.
음기[3]【陰氣】 명 ①음침한 기운. ②〖한의〗 몸 안의 음(陰)의 기운 1)·2): ↔양기(陽氣).
음기[4]【飮器】 명 술잔.
음-꼴【音―】 명 〖악〗 음형(音型).
음-나무 명 〈방〉 〖식〗 엄나무.
음낭【陰囊】 명 〖생〗 불알을 싸고 있는 주머니. 신낭(腎囊).
음낭 수종【陰囊水腫】 명 〔hydrocele〕 〖의〗 고환(睾丸)의 고유 초막(鞘膜) 사이에 장액(漿液)이 괴는 질환(疾患). 함수 헤르니아(含水 Hernia).
음-넓이【音―】 [―널비] 명 〖악〗 사람 소리나 악기 소리에 쓰이는 음의 넓이. 낼 수 있는 넓이와 연주할 수 있는 음넓이에는 실제적으로 차이가 있음. 음역(音域).
음녀【淫女】 명 음탕한 계집. 음부(淫婦).
음-높이【音―】 명 〔pitch〕 〖악〗 음의 높음과 낮음. 음고(音高).
음달【陰―】 명 →응달.
음담[1] 명 〈옛〉 음달(飮啖). 음식(飮食). ¶長常 病ᄒᆞ야 시드러 음담 몯ᄒᆞ고 ≪釋譜 Ⅸ:29≫.
음담[2]【淫談】 명 음탕한 이야기.
음담 패:설【淫談悖說】 명 음탕하고 상스러운 이야기.
음덕[1]【陰德】 명 남이 모르는 덕행. 숨은 덕행. ↔양덕(陽德).
음덕[2]【蔭德】 명 조상의 덕.
음덕-가【陰德家】 명 음덕을 쌓은 사람. 또, 그 집.
음덕 양보【陰德陽報】 [―냥―] 명 남이 모르게 덕을 쌓은 사람은 뒤에 남이 알게 행복을 받는다는 뜻.
음도[1]【音度】 명 〔pitch〕 소리의 높낮이의 정도.
음도[2]【音圖】 명 어떤 언어(言語)에 있어서의 음운(音韻)을 표시한 도표(圖表).
음도[3]【陰道】 명 ①음(陰)의 원리(原理). 군신(君臣)·부자(父子)·부부(夫婦)의 의(義)를 음양(陰陽)의 도에 비유한 신하·자식·아내된 사람의 도(道). ②달의 궤도(軌道). ③산(山)의 북쪽 길. ④방사(房事)의 술(術). ⑤질(膣).
음도[4]【蔭塗】 명 음관(蔭官)의 벼슬 길.
음독[1]【音讀】 명 ①소리 내어 읽음. ↔묵독(默讀). ②한자(漢字)를 음으로 읽음. ↔훈독(訓讀). ――-하다 타 여불
음독[2]【陰毒】 명 ①〖한의〗 병독(病毒)이 몸 속에 모이어 목이 아프고 살빛이 검푸르게 되는 병. ②성질이 음험(陰險)하고 독함. ――-하다 형 여불
음독[3]【飮毒】 명 독약을 먹음. ¶～ 자살(自殺). ――-하다 자 여불
음독 자살【飮毒自殺】 명 독약을 먹고 자살함. 음약 자처(飮藥自處). ――-하다 자 여불
음동【陰冬】 명 음랭한 겨울.
음두【音讀】 명 자음(字音)과 구두(句讀).
음락[1]【淫樂】 [―낙] 명 과도한 환락. ＊음악(淫樂).
음락[2]【飮樂】 [―낙] 명 술을 마시며 즐거워함. ――-하다 자 여불
음란【淫亂】 [―난] 명 음탕하고 난잡(亂雜)함. ――-하다 형 여불
음랭【陰冷】 [―냉] 명 응달이 지고 차가움. 음산(陰散)함. 음한(陰寒). ――-하다 형 여불
음량[1]【音量】 [―냥] 명 ①악기나 사람의 소리의 풍부한 정도. ＊성량(聲量). ②음장(音長).
음량[2]【陰涼】 [―냥] 명 그늘져서 서늘함. ――-하다 형 여불
음량[3]【飮量】 [―냥] 명 마시는 분량(分量).
음려【陰呂】 [―녀] 명 십이율(十二律) 가운데의 육려(六呂)의 일컬음. ↔양률(陽律).
음력[1]【音力】 [―녁] 명 음성학(音聲學)에서, 음의 강약(强弱)을 이르는 말. 음세(音勢).
음력[2]【陰曆】 [―녁] 명 〖천〗 ↗태음력(太陰曆). ↔양력(陽曆).
음렬【陰裂】 [―녈] 명 여성의 외음부(外陰部)의 갈라진 곳.
음로【陰路】 [―노] 명 그늘진 길.
음롱【音聾】 [―농] 명 청각(聽覺)은 결함이 없으면서도 성악·기악상(器樂上)의 악음(樂音)을 이해하지 못하거나 식별하지 못하는 사람.
음료【飮料】 [―뇨] 명 술·차·물·사이다 등 마시는 물건의 총칭.
음료-수【飮料水】 [―뇨―] 명 먹는 물. 식수(食水). 음용수(飮用水). 음수(飮水).
음료-유【飮料乳】 [―뇨―] 명 직접 마시는 데 충당하는 우유. ↔원료유(原料乳).
음루【淫淚】 [―누] 명 그치지 않고 자꾸 흐르는 눈물.
음률【音律】 [―뉼] 명 〖악〗 ①소리·음악의 가락. 성률(聲律). ㊂ 율(律). ②오음(五音)과 육률.
음리화-정【音里火停】 [―니―] 명 〖역〗 신라 때 군부대의 명칭. 십정(十停)의 하나. 진흥왕(眞興王) 5년(544)에 지금의 경상도 상주(尙州) 땅에 둠.
음림[1]【陰林】 [―님] 명 산의 북쪽 숲. 그늘진 숲.
음림[2]【霪霖·淫霖】 [―님] 명 음우(霪雨).
음막【陰膜】 명 〖생〗 처녀막(處女膜).
음매[1]【淫賣】 명 매음(賣淫). ――-하다 자 여불
음매:[2] 부 소의 우는 소리.
음매-부【淫賣婦】 명 매음부. 매춘부.
음맥【陰脈】 명 〖한의〗 맥박의 음양(陰陽)으로 나눈 상태에서, 음에 해당하는 맥. 맥박이 약한 맥. ↔양맥(陽脈).
음면【淫湎】 명 주색(酒色)에 침면(沈湎)함. 주색에 빠짐. ――-하다 자 여불
음명【音名】 명 〖악〗 '음 이름'의 한자 말.
음명 창:법【音名唱法】 [―뻡] 명 〖악〗 '음이름 부르기'의 한자 이름.
음모[1]【音耗】 명 음신(音信).
음모[2]【音貌】 명 음성과 용모. 음용(音容).
음모[3]【陰毛】 명 거웃[1]❶.
음모[4]【陰謀】 명 ①남이 모르게 일을 꾸미는 꾀. 은모(隱謀). 음계(陰計). ②범죄에 관한 행위.
음모-자【陰謀者】 명 음모를 꾸미는 사람.
음목【陰木】 명 겨울에 잎이 떨어지지 않는 나무. 곧, 상록수 또는 산의 북쪽에 자라는 나무.
음무【陰霧】 명 짙은 안개.
음문[1]【音問】 명 음신(音信)으로 안부를 물음. ――-하다 자 여불
음문[2]【陰文】 명 인장(印章)·명(銘) 따위의 문자를 음각(陰刻)한 것. ↔양문(陽文).
음문[3]【陰門】 명 여자의 외부 생식기. 보지. 옥문(玉門). ↔음경(陰莖).
음물[1]【淫物】 명 음탕한 사람.
음물[2]【陰物】 명 음침한 물건 또는 사람.
음미[1]【吟味】 명 ①시(詩)나 노래를 읊어 감상(鑑賞)함. ②사물의 의미를 새겨서 궁구(窮究)함. ――-하다 타 여불
음미[2]【淫靡】 명 남녀 교제나 풍속·몸차림 따위에 절도(節度)가 없고, 흐트러진 느낌이 듦. 음란하고 사치함. ――-하다 형 여불
음미 도:달【吟味到達】 명 철저하게 사고하면서 목적하는 바에 이름. ㊂미도(味到). ――-하다 자 여불
음밀【陰密】 명 ①숨어 나타나지 아니함. 또, 숨겨 내놓지 아니함. ②으슥하게 그늘짐. 은밀(隱密). ――-하다 형 여불
음바바네 〔Mbabane〕 명 〖지〗 아프리카 남부 스와질란드(Swaziland)의 수도(首都). 남(南)아프리카 공화국과의 국경 근처에 있으며 부근에 주석 광산이 있음. [40,000명(1992 추계)]
음반【音盤】 명 축음기의 레코드(record). 소리판.
음반다카 〔Mbandaka〕 명 〖지〗 자이르(Zaïre) 북서부, 콩고 강(江) 좌안(左岸)의 도시. 적도(赤道) 바로 아래에 있음. 상업의 중심지(中心地)로 조선(造船)·선박 수리 등이 행하여짐. 의과 대학·공항(空港)이 있음. [125,263명(1984)]
음방[1]【淫放】 명 음란하고 방탕함. 음황(淫荒). ――-하다 형 여불
음방[2]【陰房】 명 ①어둠침침한 방. ②감옥(監獄).
음범【淫犯】 명 〖불교〗 음욕(淫慾)의 계율(戒律)을 범함. ――-하다 자

여불

음벽【音壁】 명 〔sonic barrier〕〖물〗비행기가 음속을 돌파할 때 나타나는 물리 현상. 비행 물체가 음속에 가까워지면 충격파(衝擊波)가 발생, 따라서 비행 물체의 항력(抗力)이 늘고 양력(揚力)이 줄어 실속(失速) 상태가 됨. 또, 충격파에 따른 소용돌이 때문에 기체(機體)가 심하게 진동(振動)함.

음병[1]【吟病】 명 병으로 신음함. ——-하다 자 여불

음병[2]【陰病】 명 음랭(陰冷)한 기운을 받아 생긴 병.

음보[1]【音步】 명〖언〗시가(詩歌)를 읽을 때, 한 호흡 단위로 느껴지는 운율(韻律) 단위. 우리 나라 시가는 보통 3음보·4음보 단위임. '동창이 / 밝았느냐 / 노고지리 / 우지진다'는 4음보의 운율임.

음보[2]【音譜】 명〖악〗악보(樂譜). 곡보(曲譜).

음보[3]【蔭補】 명 조상의 덕으로 벼슬을 얻음. 준음(蔭). ——-하다 자 여불

음복[1]【陰伏】 명 엎드리어 숨음. ——-하다 자 여불

음복[2]【飮福】 명 제사를 마치고 제관이 제사에 쓴 술이나 다른 제물을 먹음. ——-하다 타 여불

음복-례【飮福禮】[一네] 명〖민〗국가적인 대제(大祭)에서 종헌례(終獻禮)가 끝난 뒤, 초헌관이 신위 앞에 있는 조(胙)와 술을 먹는 의식.

음복 함:수【陰伏函數】[一쑤] 명〖수〗음함수(陰函數).

음부[1]【音符】 명〖악〗음표(音標).

음부[2]【淫婦】 명 음녀(淫女).

음부[3]【陰府】 명〖기독교〗사후에 축복을 받지 못하는 사람이 떨어져서 가는 곳. *저승·황천(黃泉).

음부[4]【陰阜】 명〖생〗음부(陰部)의 바로 위에 조금 두드러진 둔덕. 불두덩.

음부[5]【陰部】 명〖생〗남녀의 외(外)생식기가 있는 곳. 국부(局部). 치부(恥部). 전음(前陰).

음부[6]【陰符】 명 ①병서(兵書). 군서(軍書). ②〖민〗부적(符籍).

음부 기호【音部記號】 명〖악〗'음자리표'의 한자 이름.

음부 소양증【陰部搔痒症】[一쯩] 명 여자의 음순(陰脣)·음핵(陰核)·질구(膣口)에 일어나는 심한 가려움. 남자도 회음부(會陰部)나 음낭(陰囊)에 걸쳐 생기는 일이 있음. 음양(陰痒).

음-부호【陰符號】 명〖수〗음수(陰數)임을 나타내는 부호. 곧, '−'.

음분[1]【淫奔】 명 부녀(婦女)의 음란한 행동. ——-하다 자 여불

음분[2]【陰分】 명 몸 속에 있는 물기.

음-분극【陰分極】 명 〔cathodic polarization〕〖물·화〗전지(電池)의 음극에서 생기는 분극.

음비[1]【淫非】 명 음란하고 바르지 아니함. ——-하다 형 여불

음비[2]【陰庇】 명 비호(庇護)함. 감싸줌. ——-하다 타 여불

음비[3]【陰祕】 명 성질이 음험(陰險)함. ——-하다 형 여불

음-빛깔【音一】 명 음색(音色).

음사[1]【淫事】 명 ①음란한 일. ②성교(性交). 상중(桑中).

음사[2]【淫祀】 명 함부로 제사지냄. 부정(不正)한 귀신을 제사지냄.

음사[3]【淫祠】 명 내력이 바르지 아니한 귀신을 모시어 놓은 집채.

음사[4]【淫辭】 명 음탕한 말.

음사[5]【陰司】 명 지옥(地獄).

음사[6]【陰私】 명 개인의 비밀. 공개(公開)하는 것을 꺼리는 일.

음사[7]【陰邪】 명〖한의〗음증 외감(陰症外感).

음사[8]【陰事】 명 ①비밀한 일. ②남녀가 잠자리를 함. ——-하다 자 여불

음사[9]【陰祠】 명 미신으로 귀신을 모시어 놓은 집채.

음사[10]【飮射】 명〖역〗향사(鄕射).

음사[11]【蔭仕】 명〖역〗음직(蔭職)을 얻어 하는 벼슬살이. ——-하다 자 여불

음산[1]【陰山】 명 ①두 개의 산이 있을 때, 한 쪽의 완만한 쪽의 산. 예전에 병법가(兵法家)의 말로, 공략하기 쉬운 쪽의 산을 이름. ↔양산(陽山). ②음산 산맥.

음산[2]【陰散】 명 날씨가 조금 흐릿하고 쓸쓸하게 추움. 음침하고 으스스함. ——-하다 형 여불

음산 산맥【陰山山脈】 명〖지〗인산(陰山) 산맥.

음살 명 〈방〉 엄살. ——-하다 자

음삼【陰森】 명 ①수목이 무성해서 어두움. ②어둡고 쓸쓸함. ——-하다 형 여불

음상[1]【音相】〔phonic phase〕〖언〗한 단어의 모음 또는 자음을 교체함으로써 그 단어의 뜻은 그대로 두고 어감(語感)만 다르게 하는 것. 예를 들면, '가풀'과 '거풀', '가짓말'과 '거짓말', '댕강'과 '뎅겅', '살랑살랑'과 '설렁설렁' 따위.

음상[2]【音像】 명 소리를 들어서 머리에 떠오르는 공간상(空間像).

음-상사【音相似】 명 글자는 다르나, 음(音)은 서로 같음. ——-하다 형 여불

음색【音色】 명 악기(樂器)나 사람의 소리 따위 발성체(發聲體)에 의해서 각기 다른 음의 빛깔·소리의 맵시. 음빛깔. *성량(聲量).

음생【蔭生】 명 조상의 공덕으로 벼슬을 얻은 사람. 음자(蔭子).

음생-충【陰生蟲】 명〖충〗하루살이❶.

음서[1]【淫書】 명 음탕한 사실을 기록한 책.

음서[2]【飮暑】 명 더위를 먹음. 복서(伏暑). ——-하다 자 여불

음서[3]【蔭敍】 명〖역〗고려·조선 시대 때, 공신(功臣) 또는 현직 당상관(堂上官)의 자손이나 친척을 과거(科擧)에 의하지 아니하고 관리로 채용하는 일. ——-하다 자 타 여불

음석【陰石】 명 음문(陰門)을 닮은 돌.

음선[1]【陰線】 명 〔shade line〕〖미술〗제도(製圖)에서, 실물의 현상을 밝게 하기 위하여 물체의 요철(凹凸)과 광선이 비치는 면(面)과 비치지 아니하는 면을 구별하는 데 사용하는 선.

음선[2]【陰癬】 명〖의〗피부의 쓸리기 쉬운 곳에 생기는 피부병. 담홍색을 띤 만성의 사상균증(絲狀菌症).

음설[1]【音舌】 명〖악〗관악기(管樂器)를 부는 데 쓰는 혀.

음설[2]【淫媟·淫褻】 명 음란하고 외설(猥褻)함. ——-하다 형 여불

음성[1]【吟聲】 명 시(詩)나 노래를 읊는 소리.

음성[2]【音聲】 명 목소리. 말소리. 음토(音吐).

음성[3]【淫聲】 명 음탕한 소리.

음성[4]【陰性】 명 ①밖으로 드러나지 않는 숨은 성질. ¶~ 수입. ②소극적인 성질. ③↗음성 반응. 1)-3): ↔양성(陽性).

음성[5]【陰城】 명〖지〗충청 북도의 한 읍. 음성군의 군청 소재지로, 충북선(忠北線)의 요역(要驛)임. [19,624명(1996)]

음성[6]【陰聲】 명〖악〗12율(律)에서, 6음에 속하는 여섯 음. 곧, 대려(大呂)·협종(夾鐘)·중려(仲呂)·임종(林鐘)·남려(南呂)·응종(應鐘)의 여섯 소리. ↔양성(陽聲).

음성 공:양【音聲供養】 명〖불교〗법사(法事) 공양의 하나. 범음(梵音)을 낭송(朗誦)하는 데 사물(四物), 곧 목어(木魚)·운판(雲版)·법고(法鼓)·대종(大鐘)으로써 반주함. 법식은 신라 때의 진감 국사(眞鑑國師)에서 비롯되었다고 함.

음성-군【陰城郡】 명〖지〗충청 북도의 한 군(郡). 2읍(邑) 7면(面). 동쪽은 충주시(忠州市), 북쪽은 경기도 여주군(驪州郡)과 이천시(利川市), 서쪽은 안성시(安城市)와 진천군(鎭川郡), 남쪽은 괴산군(槐山郡)에 접함. 농업이 주인데, 특히 잎담배·인삼(人蔘)·사과·고추를 많이 산출하며, 군내 무극(無極) 광산에서는 금도 산출함. 명승 고적으로는 수정산(水晶山)·지천(知川) 서원·경호정(景湖亭) 등이 있음. 군청 소재지는 음성읍. [522.10 km²: 83,628명(1996)]

음성 굴일성【陰性屈日性】[一씽] 명〖생〗배광성(背光性).

음성 굴지성【陰性屈地性】[一찌씽] 명〖식〗배지성(背地性).

음성-기【陰性期】 명 〔negative phase〕두 번째의 항원 접종(抗原接種) 후에 금방 생기는 혈청 항체(血淸抗體)의 일시적인 양적 감소(量的減少).

음성 기관【音聲器官】 명〖생〗동물, 특히 사람이 소리를 내는 데 필요한 기관. 곧, 구강(口腔)·비강(鼻腔)·인후 등.

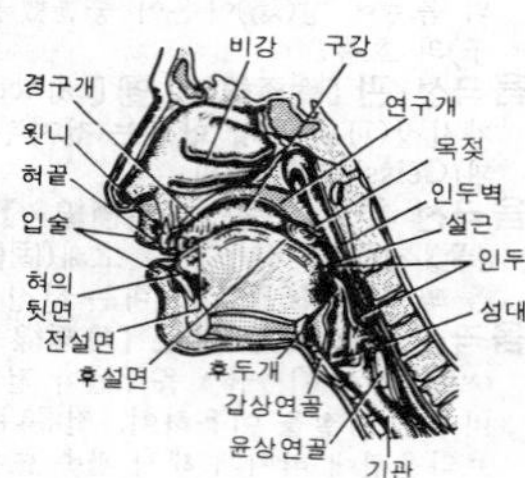

〈음성 기관〉

음성 기호【音聲記號】 명〖언〗언어음(言語音)을 음성학적으로 기술하기 위하여 쓰이는 기호. 주로 단음(單音)이나 음소(音素)를 로마자(字)로 나타낸 것을 사용하는데, 이 밖에 단음을 전혀 새로운 기호로 나타내어 그 기호를 자모적(字母的)으로 쓰는 것과, 발음할 때의 음성 기관의 작용을 분석적으로 가리키고 기호를 자모적으로 쓰지 않는 것이 있음. 음성 자모.

음성 다이얼 전:화【音聲一電話】 명 수화기를 들고 전화 번호를 말하면 상대방과 접속이 되는 전화.

음성 다중 방:송【音聲多重放送】 명 〔multiplex broadcasting〕텔레비전 전파의 짬을 이용하여 주된 음성과는 별개의 음성을 보내는 방송. 외국 영화 등의 2개 국어 방송이나 스테레오 방송 등에 이용됨.

음성-률【音聲律】[一뉼] 명〖언〗음의 성질, 곧 음의 장단(長短)·고저(高低)·강약(強弱) 등이 한 단위로서 규칙적으로 이루어지는 운율. 우리 나라에서는 뚜렷하게 나타나지 않음.

음성 모:음【陰性母音】 명〖언〗우리 말의 중성(中聲)에서 'ㅓ·ㅕ·ㅔ·ㅖ·ㅜ·ㅠ·ㅝ·ㅞ·ㅟ·ㅡ·ㅢ'와 같은 모음. 발음이 어두우나 어감(語感)이 큼. 모음 조화에 있어서 중성(中性) 모음과는 잘 어울리나 양성(陽性) 모음과는 서로 피하는 경향이 있음. 약모음(弱母音). 여린 홀소리. 어두운 홀소리. ↔양성(陽性) 모음.

음성 반:응【陰性反應】 명〖의〗투베르쿨린 반응의 하나. 투베르쿨린을 접종하여 피부에 생기는 붉은 반응이 양성에 비하여 미약한 것. 준음성. ↔양성 반응(陽性反應).

음성 변:화【音聲變化】 명 발음 변화.

음성 부호기【音聲符號器】 명 〔voice coder〕음성 입력(入力)을 전송(傳送) 부호화(化)하기 전에 디지털형(型)으로 전환(轉換)하고, 수신기(受信機)로 디지털 신호를 음성으로 전환하는 장치.

음성 상징【音聲象徵】 명 〔sound symbolism〕〖언〗언어 기호의 형식과 내용 사이에 자의적(恣意的)이 아니고 필연적인 관계가 성립되어 음성 자체가 표현 가치를 가지게 되는 것을 이름. 직접 모방(直接模倣)에 의한 것과 간접 모방(間接模倣)에 의한 것이 있음.

음성-서【音聲署】 명〖역〗신라 때 예부(禮部)에 딸려 음악에 관한 일을 맡아보던 관청. 관원은 장(長)·대사(大舍) 각 2명, 사(史) 4명이 있었음. 경덕왕(景德王) 때 대악감(大樂監)으로 고쳤다가 혜공왕(惠恭王) 때 다시 본이름으로 고침.

음성 소채【陰性蔬菜】 명 그늘에서 견디며, 혹은 그늘을 좋아하는 소채. 토란·생강·파 따위.

음성 속도【音聲速度】 명 〔sound speed〕유성(有聲) 영화 필름의 속도. 1초당 24프레임으로 표준화되어 있음.

음성 송:신기【音聲送信機】 명 〔aural transmitter〕텔레비전 방송국에서, 음성 신호를 송신하기 위하여 사용하는 무선 장치.

음성 신:호【音聲信號】 명 〔audio signal〕①가청음(可聽音)을 전기 신호로 변환(變換)한 것. ②텔레비전 신호의 음성 부분.

음성 언어【音聲言語】 명 음성으로 나타내는 언어. 음조·표정·몸짓 등의 도움을 받기도 함. 경어(敬語)·조사(助詞) 등이 쓰이는 것이 그 특징의 하나임. 글자·몸짓에 의한 언어에 대하여 쓰이는 말.

음성 원소【陰性元素】명〔negative element〕〖화〗원자가 전기적으로 음성인 원소. 전자 친화력(電子親和力)이 커서, 음이온 또는 전자를 받게 되기 쉬우며 비금속 원소에 많음. 할로겐 원소·산소(酸素)·황(黃) 등이 대표적인 것임.

음성 응:답【音聲應答】명〔audio response〕컴퓨터가 인간에 대하여 소리로 응답하는 일. 인간의 발성(發聲)의 메커니즘(mechanism)과 같은 원리(原理)를 응용하는 것과, 미리 테이프에 반복(反復) 사용하는 말을 따로따로 기억시켜 두고 필요한 말을 끄집어 내어 합성(合成)하는 방법이 있음.

음성 인식【音聲認識】명〔speech recognition〕〖전자공학〗컴퓨터가 인간 음성의 의미 내용을 인식하는 일. 음성 인식의 기술은 최근 상당히 진전되어 수백 어 정도의 어휘를 알아듣는 인식 장치도 개발되었고, 기계 조작의 일부나 컴퓨터로의 데이터 입력 작업의 일부를 음성으로 하는 일에도 이용되고 있음.

음성 입력 장치【音聲入力裝置】[—임녁—] 명〖컴퓨터〗마이크를 이용하여, 음성으로 데이터를 입력하는 장치. 음성을 인식하고 디지털 코드로 바꾸어 입력함.

음성 자:금【陰性資金】명 ①생산에 투입(投入)되지 않은 자금. 숨겨진 자금. ②부정(不正)한 뒷거래에 쓰이는 돈.

음성 자모【音聲字母】명 음성 기호(音聲記號).

음성 장마【陰性—】명〖기상〗궂은 비가 오랫동안 계속되는 장마. ↔양성(陽性) 장마.

음성 저:항【陰性抵抗】명〔negative resistance〕〖전〗전압을 증가시키면 전류가 감소하는 성질을 가진 저항.

음성-적【陰性的】명관 음성인 상태(狀態). 음성에 가까운 모양. ↔양성적(陽性的).

음성 전:류【音聲電流】[—절—] 명〖물〗음성이 기계 장치에 의하여 전류로 변화되어 흐를 때의 전류.

음성 정보 서:비스【音聲情報—】〔service〕명 생활에 필요한 정보를 전화를 이용해서 서비스 받을 수 있는 통신의 일종.

음성 주성【陰性走性】명〖물〗자극과 반대 방향으로 움직이는 주성(走性). ↔양성(陽性) 주성.

음성 주파수【音聲周波數】명〔voice frequency〕통신에서, 통화(通話)를 전송(傳送)하는 데 필요한 가청 주파수(可聽周波數)의 범위 가운데, 약 300-3,400 Hz까지의 일컬음.

음성 증폭기【音聲增幅器】명 전축(電蓄) 같은 데서 음성 주파수를 증폭하기 위한 앰프.

음성 콜로이드【陰性—】〔colloid〕명〖화〗양극(陽極)을 향하여 전기영동(泳動)을 하는 콜로이드. 양이온(陽 ion)을 가하면 침전함. 금속 황화 비소(黃化砒素)·규산(硅酸)의 콜로이드 같은 것.

음성-파【陰性波】명〔wave of negativity〕〖동〗동물의 수정(受精)에 있어서, 일란 일정(一卵一精)을 설명하기 위해, 최초의 정자가 난자에 들어가서 수정막(受精膜)이 형성될 때까지, 다른 정자의 침입을 막기 위해 난자의 표층(表層)에 생기지 않으면 안 되는 것으로 가정(假定)되는 파동(波動).

음성 표기【音聲表記】명〖언〗음성을 음성 기호(音聲記號)로 적는 일 또는 그 체계(體系)를 가리킴. 간략 표기(簡略表記)와 정밀 표기(精密表記)가 있음.

음성-학【音聲學】명〔phonetics〕〖언〗음성의 발음 운동과 그에 따라 생겨나는 음성을 관찰·연구하는 언어학의 한 부문. 생리학적·음향학적 방법을 포함하지만, 어디까지나 언어 음성을 대상으로 하기 때문에 항시 음소(音素)와의 관계를 고려하여야 함. 말소리갈. 소리갈. 성음학(聲音學).

음성 합성【音聲合成】명 반도체(半導體) LSI를 사용한 장치로 음성의 전기 신호(電氣信號)를 발생시키는 일. 자명종(自鳴鐘)·경보 장치 등의 기계에서 사람의 목소리로 응답이나 지령(指令)이 나오는 것은 이것을 응용한 것임.

음성 합성 기기【音聲合成機器】명 음성을 합성하여 사람과 똑같이 말하는 정보 기기(情報機器). 목소리로 답이 나오는 컴퓨터 등이 있음.

음성-화【陰性化】명 음성(陰性) 또는 음성적(陰性的)으로 됨. 또, 그렇게 되게 함. ——-하다 자타여불

음세【音勢】명 소리의 기세. 소리의 강약(強弱). 음력(音力).

-음세 어미 받침 있는 동사 및 '있다'의 어간에 붙어 '하게'할 자리에 자기의 하려는 생각을 즐거이 베풀어 이르는 서술형 종결 어미. ¶곧 갚~. *-ㅁ세.

음소¹【吟嘯】명 ①시가(詩歌)를 소리 높이 읊음. 음송(吟誦). ②슬퍼하고 한탄하여 내는 소리. ——-하다 타여불

음소²【音素】명〔phoneme〕〖언〗그 이상 더 작은 음운적(音韻的) 단위로 나눌 수 없는 음운학적(音韻學的) 단위. 몇 개의 음소가 모여 음절(音節)을 이룸.

음소-론【音素論】명〖언〗음운론(音韻論)이라는 술어와 같은 자격으로 또는 음운론 안에서의 음성학에 대립되는 학문.

음소 문자【音素文字】[—짜] 명〔alphabetic writing〕〖언〗개개의 글자가 단어의 음(音)을 음소(音素)의 단위까지 분석하여 표기하는 성질을 가진 문자. 로마자·한글 등. 낱소리글. 알파벳 문자. ↔단어 문자·음절 문자.

음속【音速】명〔speed of sound〕〖물〗음파(音波)가 전파되는 속도. 매질(媒質)에 따라 각기 다른데, 공기 중에서는 0°C인 때의 초속(秒速)이 약 331.5 m이고 온도가 1°C 올라감에 따라 매초(每秒) 약 0.6 m 빨라짐.

음송【吟誦】명 시가(詩歌)를 소리 높이 읊음. 또, 소리를 내어 책을 읽음. 음창(吟唱). 음소(吟嘯). ——-하다 타여불

음수¹【陰水】명〖생〗정수(精水).

음수²【陰數】명 ①음성적(陰性的)인 술수(術數). ②〖수〗영(零)보다 작은 실수(實數). 부호 '−'를 수 앞에 붙여서 나타냄. 부수(負數). 1)·2) : ↔양수(陽數).

음수³【陰樹】명 ①자웅 이주(雌雄異株)의 식물로서 암꽃만 가진 쪽의 나무. 암나무. ②그늘에서 자라며 적은 일광 밑에서도 자랄 수 있는 수목. 가문비나무·주목·전나무류(類) 따위. ↔양수(陽樹).

음수⁴【陰獸】명 음성의 짐승. 특히, 여우를 말함.

음수⁵【飮水】명 음료수(飮料水).

음수⁶【蔭樹】명 잎과 가지를 벌려 그늘을 짓고 있는 나무.

음-수관【陰樹冠】명〖식〗숲 속에 있는 나무의 수관의 아랫부분. 곧, 햇볕이 닿지 않는 부분.

음수-림【陰樹林】명 그늘에서 잘 생육·번식(繁殖)하는 음수(陰樹)가 주로 된 숲.

음수용 기관【音受容器官】명 청각기(聽覺器).

음수-율【音數律】명〖언〗시의 자·구(句)·행(行)을 구성함에 있어서 음절의 수가 규칙적으로 반복되는 것. 우리 나라의 민요·시조·가사·민요풍 시 등은 3·4 조(調), 4·4 조, 정형시 등은 7·5 조 등임. 음절률(音節律).

음순【陰脣】명〖생〗여자 외(外)생식기의 시울.

음슬【陰虱】명〖충〗사면발이 ❶.

음습¹【淫習】명 음란(淫亂)한 버릇. 음풍(淫風).

음습²【陰濕】명 ①응달의 습기(濕氣). ②그늘지고 축축함. ——-하다 형여불

음시¹【吟詩】명 시를 읊음. ——-하다 자여불

음시²【音詩】명〔도 Tondichtung〕〖악〗표제 음악(標題音樂)의 일종으로, 시적(詩的) 기분이나 이야기의 줄거리가 음악화한 작품에 붙여지는 말. 리스트(Liszt)·슈트라우스(Strauss)의 작품에서 흔히 볼 수 있으며 '교향시'는 이 형식을 발전시킨 것임.

음시³【淫視】명 곁눈으로 봄. 또, 곁눈질. ——-하다 타여불

음:식【飮食】명 ↗음식물(飮食物).

[음식 같잖은 개떡수제비에 입천장 덴다] 우습게 알고 대한 일에 뜻밖에 큰 손해를 입었다는 뜻. [음식 싫은 건 개나 주지 사람 싫은 건 할 수 있나] 아내가 아무리 미워도 어쩔 수 없이 참고 산다는 말. [음식은 갈수록 줄고 말은 갈수록 는다] 말을 삼가라는 말. [음식은 한데 먹고 잠은 따로 자라] 먹는 일엔 차별을 하지 말고 잠자리는 유별(有別)하라는 말.

음:식-기【飮食器】명 음식을 담는 그릇. 식기(食器).

음:식-량【飮食量】[—냥] 명 음식의 분량(分量).

음:식 목록【飮食目錄】[—녹] 명 식단(食單). 차림표.

음:식-물【飮食物】명 먹고 마시는 물건. 찬선(饌膳). 식선(食膳). 준음식(飮食).

음:식 발기【飮食—記】명 음식 이름을 적은 글발. 찬품 단자(饌品單子)라고도 하는데, 특히, 궁중에서 엄격히 실시되었고, 주로 큰 잔치 때에 흔히 쓰였음.

음:식 백화점【飮食百貨店】명 각가지 종류의 음식 장수가 한군데 몰려 있는 가게.

음:식 범백【飮食凡百】명 온갖 음식.

음:식-상【飮食床】명 음식을 차려 놓은 상.

음:식-용【飮食用】[—뇽] 명 음식에 쓰이는 것.

음:식-점【飮食店】명 음식을 파는 가게.

음식-창【陰蝕瘡】명〖의〗남녀의 음부에 나는 창병. 투정창(妬精瘡). 하감(下疳). 하감창. 변독(便毒).

음신¹【音信】명 소식이나 편지. 신식(信息). 음모(音耗). 성식(聲息).

음신²【陰臣】명 ①사신(私臣). ②부인(婦人).

음신 불통【音信不通】명 소식이 서로 통하지 아니함.

음실【陰室】명 햇빛이 잘 들지 않는 음침한 방.

음심【淫心】명 음탕한 짓을 즐기는 마음.

음아¹【吟哦】명 시를 읊음. ——-하다 타여불

음아²【瘖瘂】명 말을 하지 못하는 병. 설음(舌瘖)과 후음(喉瘖)의 두 가지가 있는데, 전자는 혀가 굳어서 말을 못하고, 후자는 성대에 탈이 나서 말을 못함.

음아 질타【喑啞叱咤】명 분기가 일시에 터져 나와서 꾸짖음. ——-하다 타여불

음악¹【音樂】명 소리에 의한 예술. 박자·가락·음빛깔·화성 등을 일정한 방법으로 취사 선택하여 갖가지 형식으로 조화·결합시켜 사상과 감정을 나타내는 것. 예술 가운데 가장 그 기원이 오래 되고 가장 널리 보급되어 있음. 성악(聲樂)과 기악(器樂)의 두 가지로 크게 구분하는데, 보통 작곡자(作曲者)와 연주자(演奏者)가 별도로 분담하게 됨. 뮤직. *노래.

음악²【淫樂】명 음탕한 풍악.

음악-가【音樂家】명 음악을 썩 잘하거나 업으로 삼는 사람.

음악-계【音樂界】명 음악의 세계. 음악가들의 사회.

음악-과【音樂科】명 학교 교육의 교과(教科)의 하나로 음악에 대하여 배우는 교과 또는 음악을 배우기 위한 학문(學問)의 과정을 짠 학과(學科).

음악-광【音樂狂】명 음악을 열광적(熱狂的)으로 좋아하는 버릇. 또, 그러한 사람.

음악 교:실【音樂教室】명 학교에서, 음악 수업에 쓰이는 교실. 음향 효과·방음 등을 위하여 특별히 배려한 설비와 음악 교육에 필요한 교구(教具)들을 비치함. 음악실.

음악 교:육【音樂教育】명 음악에 대한 표현력이나 감상력을 높이기 위한 교육. 예술 교육의 한 부문으로, 전문가 양성과 일반 교육의 두 분야로 나뉨.

음악 교:육과【音樂教育科】명〖교〗대학에서, 음악 교육에 관한 학문을 전공하는 학과. *미술 교육과.

음악-단【音樂團】명 음악의 연주를 목적으로 한 음악인의 단체.

음악-당【音樂堂】명 청중들을 위하여 음악을 연주(演奏)하는 건물. 콘서트 홀. ¶야외(野外) ~.

음악-대【音樂隊】명 여러 가지 악기(樂器)로 음악을 연주하는 단체. 악대(樂隊).

음악 대학【音樂大學】명 음악을 전문으로 교수 연구하는 대학.

음악 도서실【音樂圖書室】명 뮤직 라이브러리.

음악-사【音樂史】명 음악에 관한 역사.

음악 사회학【音樂社會學】명 음악과 사회(社會)와의 관계를 연구(研究)하는 학문.

음악 상자【音樂箱子】명〔music box〕태엽이나 전지(電池)에 의해, 간단한 음악을 되풀이해서 연주하는 상자 모양의 장난감. 전에는 자명악(自鳴樂)으로 번역하였음. 오르골.

음악-성【音樂性】명〔musicality〕〖음〗음악적인 성질 또는 자질. 즉 음악의 감상·이해·표현의 가능성을 종합한 것. ¶여염집 아낙의 한탄하는 소리에서도 ~을 찾아낼 수 있다.

음악-실【音樂室】명 ①음악을 연주할 때만 쓰이는 방. 악실(樂室). ②음악 교실.

음악 심리학【音樂心理學】[—니—] 명 음향(音響) 심리학의 한 분야. 음악을 듣고 느끼는 청각적 감정 변화를 연구함.

음악 영화【音樂映畫】[—녕—] 명〖연〗음악을 주체(主體)로 하는 영화. 주로 음악가의 전기(傳記)나 특정한 가곡·악곡·오페라·오페레타(operetta) 등의 가극적 작품 등을 주제(主題)로 하거나, 무대의 뮤지컬 쇼(musical show)를 영화화한 것으로, 발성 영화의 발생과 동시에 미국에서 확립된 영화의 한 장르(genre)임.

음악 요법【音樂療法】[—뇨뻡] 명 음악을 듣거나 연주함으로써, 신체 장애나 정신병의 치료를 촉진하는 요법. 주로 영국과 미국에서 행하여지고 있음.

음악-인【音樂人】명 음악에 종사(從事)하는 사람. 또, 음악을 즐겨하는 사람.

음악-적【音樂的】명관 음악과 비슷한 모양. 음악과 관계 있는 모양. ¶~인 율동미.

음악-제【音樂祭】명 기념일이나 축제일을 기념하여 여는 특별 음악회나 일정한 시기에 여는 대규모의 일련의 음악회 행사.

음악-학【音樂學】명〔도 Musikwissenschaft〕〖악〗음악에 관한 모든 사상(事象)을 과학적인 연구의 대상으로 하는 학문의 총칭. 곧, 화성학(和聲學)·대위법(對位法)·악식론(樂式論)·악전(樂典)·민족 음악 등을 비롯하여 역사학·철학·사회학·생리학·물리학·심리학·미학(美學) 등에 의하여 음악을 분석 연구한 지식의 총괄임.

음악학-과【音樂學科】명〖교〗대학에서, 음악학을 전공(專攻)하는 학과. *작곡과.

음악 학교【音樂學校】명 음악에 관한 이론·기술을 가르치고, 음악가의 양성을 목적으로 하는 학교.

음악-회【音樂會】명 음악을 연주하여 청중들로 하여금 감상케 하는 모임. 콘서트.

음악 희극【音樂喜劇】[—히—] 명〖연〗음악이 섞인 희극. 뮤지컬 코미디.

음암【陰暗】명 음침하고 어두움. 음산(陰散)하고 암담(暗澹)함. ——-하다 형여불

음압【音壓】명〔acoustic pressure〕〖물〗음(音)에 의하여 매질(媒質) 중의 한 점에 생긴 압력(壓力)의 변화 부분. 기호는 p.

음압 감:도【音壓感度】명 마이크로폰 등에 음파(音波)를 보냈을 때 발생하는 전기 단자(端子)의 개방 유기 전압(開放誘起電壓)과 진동판(振動板)에 가해진 음압의 비(比).

음압 교:정【音壓校正】명〔acoustic pressure calibration〕마이크로폰 등의 전기 음향 변환기의 음압 감도를 측정하는 일.

음압 레벨【音壓—】명〔sound pressure level; SPL〕어떤 음의 음압과 기준 음압과의 비(比)가 상용 대수(常用對數)의 20 배(倍)와 같은 값. 보통 사용되는 기준 음압은, 0.0002 마이크로바(μbar) 또는 1 μbar임.

음애【陰崖】명 햇빛이 들지 아니하는 낭떠러지. 산의 북쪽에 있는 낭떠러지.

음액【陰液】명〖생〗정수(精水).

음약¹【淫藥】명〖약〗미약(媚藥)❶.

음약²【陰約】명 몰래 약속함. ——-하다 타여불

음약³【飮藥】명 약을 마심. ——-하다 자여불

음약 자처【飮藥自處】명 독약을 먹고 자살함. 음독 자살(飮毒自殺). ——-하다 자여불

음양¹【陰痒】명〖한의〗여자의 음부가 가려운 병. 흔히, 빈혈·임신에 생김. 양의학의 음부 소양증(陰部搔痒症)에 상당함.

음-양²【陰陽】명 ①천지 만물의 서로 반대되는 두 가지 성질. 곧, 음과 양. 해·남성·남(南) 등은 양이고, 달·여성·북(北) 등은 음임. 양음(陽陰). 이기(二氣). 건곤(乾坤). ②전기(電氣) 또는 자기(磁氣)의 음극(陰極)과 양극(陽極).

음양-가【陰陽家】명 천문(天文)·역수(曆數)·풍수 지리 등에 의하여 일월(日月)의 행사(行事)를 정하거나, 길흉·화복을 예언하는 사람. 음양사(陰陽師). 음양쟁이.

음양-각【陰陽刻】명 ①음각(陰刻)과 양각(陽刻)을 섞어서 새김. ②음각(陰刻)과 양각(陽刻).

음양갑 명〈옛〉점친 값. 복채(卜債). ¶음양갑 五分을 두라(五分卦錢留下着)《老乞 下 5》.

음양-객【陰陽客】명 음양가 노릇을 하는 사람.

음양-과【陰陽科】명〖역〗조선 시대 때 잡과(雜科)의 하나. 천문·지리·명과학(命課學) 삼과(三科)에 밝은 사람을 시취(試取)하던 과거로, 초시(初試)와 복시(覆試)가 있었음. *율과(律科).

음양-곽【淫羊藿】명〖한의〗삼지 구엽초(三枝九葉草)의 잎. 사지(四肢)가 불인(不仁)한 데와 음위(陰痿)·냉풍(冷風)·노기(勞氣) 등에 약으로 씀. 선령비(仙靈脾).

음양-도【陰陽道】명 음양 오행설에 근거를 두고 모든 자연계의 활동은 인사(人事)의 변천에 밀접한 관계가 있다고 하여 길흉·화복을 논하는 학문.

음양-력【陰陽曆】[—녁] 명 음력과 양력.

음양-립【陰陽笠】[—닙] 명〖역〗갓의 일종. 말총으로 모자를 만들고 모시나 진사(眞絲)로 양태를 싼 갓. 육품(六品)이상 당하(堂下) 삼품(三品)의 벼슬아치가 씀.

음양 배:합【陰陽配合】명 남녀가 화동함. ——-하다 자여불

음양-사【陰陽師】명 음양가.

음양사-립【陰陽絲笠】명 갓모자에 명주(明紬)실로 등사(縢絲)를 놓아서 만든 갓.

음양 상균【陰陽相均】명 음과 양이 서로 잘 어울림. ——-하다 형여불

음양 상박【陰陽相薄】명 음(陰)과 양(陽)이 서로 합하지 아니함. ——-하다 형여불

음양-석【陰陽石】명 남녀(男女)의 음부(陰部)를 닮은 모양의 돌. 여성의 음부의 모양을 닮은 것을 음석(陰石), 남성의 음부의 모양을 닮은 것을 양석(陽石)이라 함. 속신(俗信)에 의해서 이 두가지 돌을 함께 모시기도 함.

음양-설【陰陽說】명 음양의 두 기(氣)가 서로 소장(消長)하고 조화함으로써 자연계의 질서가 유지되듯이, 정치·도덕·일상 생활 등 인간의 모든 일은 모두 음양의 변화에 순응함으로써 잘 되어간다고 하는 설(說). 한대(漢代)에 크게 유행하였는데, 음양 오행설로 발전하였음.

음양-소【陰陽梳】명 빗살이 한쪽은 성기고 한쪽은 빽빽한 빗. *월소(月梳).

〈음양소〉

음양-수【陰陽水】명 끓는 물에 찬 물을 탄 물.

음양 숭배【陰陽崇拜】명 생식기 숭배.

음양 쌍보【陰陽雙補】명 몸 속에 있는 양기와 음기, 곧 기혈(氣血)을 함께 보함. ——-하다 자여불

음양 오:행설【陰陽五行說】명〖철〗중국 고래의 세계관으로 우주나 인간 사회의 모든 현상을 음·양의 두 원리의 소장(消長)으로부터 설명하는 음양설과 이 영향을 받아 만물의 생성(生成) 소멸(消滅)을 목(木)·화(火)·토(土)·금(金)·수(水)의 변전(變轉)으로부터 설명하는 오행설. 오행설(五行說).

음양-쟁이【陰陽—】명 음양가(陰陽家).

음양지-교【陰陽之交】명 음양의 이기(二氣)가 교합하는 일.

음양지-리【陰陽之理】명 음양에 관한 이치.

음양 착행【陰陽錯行】명 음양의 운행이 흐트러짐.

음양-학【陰陽學】명 ①음양에 대한 학문. ②명초(明初)에 둔 학관(學官)의 하나. 흔히, 음양생(陰陽生)이라 일컬음.

음양 화합【陰陽和合】명 음양 이기(二氣)가 교합(交合)하여 만물을 조화(造化)·창성(創成)하는 일. 전하여, 남녀의 성교를 말함.

음양ᄒᆞ다 타〈옛〉점치다. ¶내 임의셔 음양ᄒᆞ여 가고져 ᄒᆞ노라(我一發待算一卦去)《老乞 下 63》.

음어¹【陰語】명〔code word〕〖군〗정규적인 의미 이외의 다른 뜻을 전달하는 어구(語句). 교신자(交信者)들을 위하여 사전(事前)에 재정(裁定)됨. '독수리, 독수리, 여기는 낙동강'하는 따위.

음어²【鱏魚】명〖충〗반대좀.

음-에너지【音—】명〔sound energy〕음파(音波)가 존재할 때의 총(總) 에너지와 음파가 존재하지 않을 때의 에너지의 차(差).

-음에도 어미 명사형 어미 '-음'에 조사 '에'와 '도'가 붙은 것으로, 주로 '불구하고'와 연결되기 위하여 쓰이는 연결 어미. ¶몹시 비좁~ 불구하고/속이 썩~ 불구하고. *-ㅁ에도.

-음에랴 어미 받침 있는 어간에 붙어, 반문(反問)의 뜻을 나타내는 종결 어미. ¶나라의 녹을 먹~. *-ㅁ에랴.

음역¹【音域】명 '음넓이'의 한자 이름. ¶~이 넓다.

음역²【音譯】명 한자(漢字)의 음을 빌려 외국어의 음을 표시하는 일. Washington을 화성돈(華盛頓)으로 표기(表記)함과 같은 것. ——-하다 타여불

음역³【陰易】명 심하던 열병이 고비를 지나 음증으로 바뀜.

음역 지장경【音譯地藏經】명〖책〗지장경 언해(地藏經諺解).

음연¹【淫宴】명 음탕한 잔치. 문란한 주연(酒宴).

음연²【陰煙】명 흐림. 또, 침침하게 연기 낀 경치.

음열【音列】[—녈] 명〔도 Tonreihe〕〖악〗무조(無調) 음악 작곡에서, 독특한 계단을 지닌 한 줄의 계열. 쇤베르크(Schönberg, A.)의 작품 23번인 피아노곡에 현저하게 나타남. *십이음(十二音) 음악.

음염【淫艷】명 색정(色情)을 일으키게 할만큼 음탕(淫蕩)하고 요염(妖艷)함. ——-하다 형여불

음엽【陰葉】명〖식〗직사 일광을 받지 않는 식물의 잎. 양엽(陽葉)에 비하여 엷고 큼. 음지엽(陰地葉). ↔양엽(陽葉).

음영¹【吟詠】명 시부(詩賦)를 읊음. ——-하다 타여불

음영²【陰影】명 ①그림자. ②그늘. ③음(音)·색조(色調)·감정 따위에 미묘한 차이가 있어, 깊은 취향(趣向)이 있음. 뉘앙스.

음영 감:쇠【陰影減衰】명〔shadow attenuation〕전파(電波)가 평면(平面) 위를 전파하는 경우보다 구면(球面) 위를 전파하는 경우에 감소(減少)가 큰 일.

음영-령【陰影靈】[—녕] 명 영혼. ↔형상령(形像靈).

음영-법【陰影法】[—뻡] 명 명암법(明暗法).
음영 식물【陰影植物】명 〖식〗 음지 식물.
음-영역【陰領域】[—녕—] 명 〖수〗 함수값이 음(陰)인 정의역(定義域)의 점 전체가 만드는 영역. 독립 변수가 두 개 이상인 함수에 대하여 쓰일 때가 많음. ↔양영역(陽領域).
음영-핵【陰影核】명 ①해가 완전히 감추어진 지구 또는 달의 그림자의 부분. ②해의 흑점의 부분.
음영 화:법【陰影畫法】[—뻡] 명 물건의 그림자를 이용하여 그림을 그리는 법.
음영 효:과【陰影效果】명 〔shadow effect〕 송신점(送信點)과 수신점(受信點) 사이에 있는 물체, 곧 산(山)이나 높은 빌딩 등의 영향으로 극초단파(極超短波) 신호의 강도가 감소(減少)하는 일.
음예[1]【淫穢】명 음란하고 더러움. ——-하다 형여불
음예[2]【陰翳】명 침침한 그림자. 구름이 하늘을 덮어 어두움.
음예-석【淫豫石】명 〖지〗 '인위스'를 우리 음으로 읽은 이름.
음외【淫猥】명 음탕(淫蕩)한 짓. 또, 음탕하게 굶. 외설(猥褻). ——-하다 형여불
음욕【淫慾】명 음탕(淫蕩)한 욕심(欲心). 호색(好色)하는 마음. 색욕(色慾). ¶ ~을 억제하다.
음용[1]【音容】명 음성과 용모. 음모(音貌).
음용[2]【飮用】명 마시는 데 씀. ——-하다 타여불
음용-수【飮用水】명 음료수(飮料水).
음용 요법【飮用療法】[—뇨뻡] 명 온천 요법의 한 가지. 여러 가지 화학 성분이 들어 있는 온천물을 적당히 마심으로써 의약(醫藥)과 같은 효과를 거두려는 치료법.
음우[1]【陰佑】명 남 몰래 도움. 뒤에서 도움. ——-하다 타여불
음우[2]【陰雨】명 ①몹시 흐린 가운데 오는 비. ②오래 내리는 궂은 비.
음우[3]【霪雨】명 궂은 비. 음림(霪霖).
음우지-비【陰雨之備】명 미리 위험한 것을 방비함.
음우 회명【陰雨晦冥】명 ①비가 몹시 내려 캄캄함. ②'난세(亂世)'의 비유. ——-하다 형여불
음운[1]【音韻】명〖언〗①한자(漢字)의 음과 운. 곧, 성모(聲母)와 운모(韻母). ②언어의 외형(外形)을 구성하는 음과 운의 배합·고저(高低)·억양(抑揚) 등에서 나오는 목소리. 어운(語韻). 성운(聲韻).
음운[2]【陰雲】명 검게 하늘을 덮은 구름.
음운 교체【音韻交替】명 〖언〗 문법적 기능을 다치지 않는 범위 내에서, 어떤 어(語) 가운데 있는 음소(音素)가 다른 음소와 서로 교체(交替)하는 일. '듣다:듣고·듣지·들으니·들으면…'에서 동사 '듣다'는 ㄷ—ㄹ의 교체를 보여 주는 것 따위.
음운 대:응【音韻對應】명 음운 법칙.
음운 도:치【音韻倒置】명 〖언〗 한 단어나 어군(語群)의 내부에서 두 음소(音素) 또는 그 연속이 서로 위치를 바꾸는 일. '하야로비→해야로비→해오라비'는 음소 도치이며, '얼마→마얼, 반찬(飯饌)→찬반' 등은 음절(音節) 도치에 해당함.
음운 동화【音韻同化】명 〖언〗 어떤 소리가 그 앞이나 뒤의 다른 소리를 닮아서 소리값이 그것과 같게, 혹은 성질(性質)이 같게 바뀌는 일. '먹이다'가 '멕이다'로, '개어서'가 '개여서'로 발음(發音)되는 것과 같은 따위.
음운-론【音韻論】[—논] 명 〖언〗 언어의 음운 조직과 체계, 그리고 역사적 변천 원리 등을 연구하는 학문. 음운학(音韻學).
음운 법칙【音韻法則】명 〔phonetic law, sound law〕 〖언〗 어떤 시기의 어떤 언어에 일어난 규칙적이며 보편적인 음운 변화를 공식화(公式化)한 것을 말함. 음운 대응(音韻對應).
음운 변:화【音韻變化】명 〖언〗 음운 체계 안의 어떤 음운 또는 그 체계 자체가 시대와 더불어 변화하는 현상을 말함. 보편적 변화와 개별적 변화로 구별됨.
음운-부【音韻部】명 〖언〗 변형 생성 문법 이론(變形生成文法理論)의 세 중심 구성부의 하나. 의미부(意味部)와 함께 문법의 해석부(解釋部)를 이룸. *의미부.
음운 분석【音韻分析】명 〔phonemic analysis〕 〖언〗 어떤 언어나 어느 시기의 음자료(音資料)를 최대한으로 수집, 이를 정리·분석하여 그 언어의 음운의 수를 결정하고, 그 체계를 세우는 일.
음운 상통【音韻相通】명 〖언〗 한 단어 가운데의 어떤 음소가 의미의 분화(分化)를 가져옴이 없이 비슷한 다른 음소로 교체되는 일. '나모—나무', '이렁—이랑', '누룩—누룩' 따위. 잘못 듣거나 기억 상의 결함 때문에 생김. 호전(互轉).
음운 첨가【音韻添加】명 〖언〗 말소리를 발음할 때에, 그 말의 원꼴과는 관계 없는 어떤 음이 첨가되어 바뀌는 현상을 말함.
음운 첩고【音韻捷考】명 한자(漢字)의 음운을 쉽게 찾아볼 수 있게 만든 책.
음운 체계【音韻體系】명 한 언어가 가지는 음소(音素)들 상호간에 존재하는 일정한 유기적(有機的) 관계.
음운-학【音韻學】명 〖언〗 ①한자(漢字)의 음운·사성(四聲)·반절(反切) 등에 관하여 연구하는 언어학(言語學)의 한 부문. ② 음운론(音韻論). ↔음성학(音聲學).
음울【陰鬱】명 밝지 못하고 텁텁함. 날이 흐리고 무더움. ——-하다 형여불. ——-히 부
음월【陰月】명 음력 사월(四月)의 딴이름.
음위[1]【淫威】명 대단한 위세(威勢).
음위[2]【陰痿】명 〖의〗 남자 생식기병의 한 가지. 방사 과도·수음(手淫)·만성 임질 또는 정신적인 영향 등으로 인하며, 음경(陰莖)의 불발기(不勃起)·불완전 발기·교합(交合) 불능·사정(射精) 불능 등을 일으키는 일. 임포텐츠. 성교 불능증(性交不能症).
음위-율【音位律】명 비슷한 음이나 같은 음을 시구(詩句)나 시행(詩行)의 처음이나 중간, 또는 끝 등 일정한 위치에서 규칙적으로 되풀이하여 운율을 나타내는 것. 두운(頭韻 : alliteration)·요운(腰韻 : assonance)·각운(脚韻 : rhyme) 등으로 분류함.
음유【吟遊】명 시가(詩歌)를 지으면서 각지를 여행함. 여행처에서 시가를 지음. ——-하다 자여불
음유-맥【陰維脈】명 〖한의〗 기경 팔맥(奇經八脈)의 하나. *기경(奇經).
음유 시인【吟遊詩人】명 고대 그리스의 서정 시인이 각지에서 시(詩)를 영창(詠唱)하면서 다닌 데에 비롯하여, 중세 유럽에서 연애가나 민중적 노래를 부르면서 여러 나라를 편력한 시인 음악가. 특히, 12-13세기에 무훈시(武勳詩)를 음유하고 연애시를 지은 남(南)프랑스의 트루바두르(Troubadour), 북(北)프랑스의 트루베르(Trouvère), 독일의 미네젱거(Minnesänger)를 일컬음.
음-으로【陰—】부 남이 모르는 가운데에. ¶ ~ 돕다. ↔양으로.
음으로 양으로 구 남이 모르는 가운데서나, 아는 가운데. 남이 알게 모르게. ¶ ~ 입은 은덕이 크다.
음음 적막【陰陰寂莫】명 어둡고 쓸쓸함. 어둡고 조용함. ——-하다 형여불
음음-하다【陰陰—】형여불 날이 흐리고 어둡다.
음읍【飮泣】명 흑흑 느끼어 울. ——-하다 자여불
음-의【音義】[—/—이] 명 글자의 음과 뜻.
음의-설【音義說】[—/—이—] 명 〖언〗 일음 일의설(一音一義說).
음의-학【音義學】[—/—이—] 명 〖언〗 일음 일의설(一音一義說)에 입각하여 음의를 연구하는 학문.
음의 항【陰—項】[—/—에—] 명 〖수〗 양(陽)의 부호와 음(陰)의 부호가 붙은 수(數) 또는 식(式)을 덧셈표로써 연결하여 얻어지는 식의 음의 부호를 갖는 항(項). 예를 들면 (+3)+(−5)+(−2)에서 −5와 −2. 부항(負項).
음-이름【音—】[—니—] 명 〔pitch name〕 〖악〗 일정한 진동수(振動數)를 갖는 각각의 높이의 음에 붙이는 음악상 고유(固有)의 명칭. 으뜸음의 변화에 따라 자리를 옮기는 '계이름'과 구별됨. 우리 나라의 '다라마바사가나', 미국·영국의 'CDEFGAB', 이탈리아의 'do re mi fa sol la si' 따위. 음명(音名).
음이름 부르기【音—】[—니—] 명 〖악〗 개개의 음의 음이름을 붙여서 노래하는 방법. 음명 창법(音名唱法). 솔미제이션(solmization).
음-이온【陰—】〔ion〕 명 ①〔anion〕 〖화〗 음전하(陰電荷)를 띤 이온. 아니온(anion). ②〔negative ion〕 〖물〗 음(陰)으로 대전(帶電)한 원자 또는 원자단(原子團).
음이온 계:면 활성제【陰—界面活性劑】〔ion〕[—쌍—] 명 〖화〗 물에 용해·전리(電離)하여 생기는 음이온(陰 ion)이 계면 활성 작용을 나타내는 물질. 비누·알킬 알릴 술폰산염(Alkyl Allyl sulfon 酸塩) 등이 대표적인 예임.
음이온 교환 수지【陰—交換樹脂】〔ion〕 명 〖화〗 이온 교환 수지의 한 가지. 염류(塩類) 용액 속에서 염소(塩素) 이온·황산 이온 등을 흡착(吸着)하여 자기가 가지는 음이온과 교환하는 성질이 있음. 염기성 수지(塩基性樹脂). ↔양이온(陽 ion) 교환 수지.
음일【淫佚】명 마음껏 음탕하게 놂. ——-하다 자여불
음자[1]【音子】명 〔phonon〕 〖물〗 양자론(量子論)에서, 탄성체(彈性體)의 진동을 입자(粒子)의 집합이라고 볼 때의 입자를 이름. 포논. 음향 양자(音響量子).
음자[2]【音字】[—짜] 명 〖언〗 ↗표음 문자(表音文字).
음자[3]【陰子·蔭子】명 남모르게 숨기어 두는 자식.
음자[4]【陰字】명 〖인쇄〗 음각(陰刻)한 활자로 인쇄하여 획이 희게 나타난 글자.
음자[5]【蔭子】명 조상의 공덕으로 벼슬을 얻은 사람. 음생(蔭生).
음자리-표【音—標】명 〔clef〕 〖악〗 악보(樂譜)의 왼쪽 끝에 기입하여 음의 높이를 정하는 기호. 높은음자리표·낮은음자리표·가온음자리표 등이 있음. 음부 기호(音部記號).

높은음자리표
낮은음자리표
가온음자리표
〈음자리표〉

음자제 취:재【蔭子弟取才】명 〖역〗 문음(門蔭) 취재.
음자 호:산【淫者好酸】명 호색하는 사람은 신 것을 좋아함.
음장[1]【音長】명 〔length〕 〖언〗 한 음성 및 음성군(音聲群)의 발음에 소요되는 시간. 음량(音量).
음장[2]【音場】명 〔sound field〕 〖물〗 음파(音波)가 존재하고 있는 매질(媒質)의 영역(領域).
음장[3]【陰帳】명 부정을 음폐(陰蔽)하기 위하여 원장부와는 별도로 기입하는 비밀 장부.
음장[4]【陰藏】명 ①음기(陰氣)를 감추어 겉으로 나타내지 않는 일. ②부처의 음경(陰莖). 복중(腹中)에 숨어서 보이지 않으므로 이름.
음장[5]【飮章】명 필자(筆者)의 이름을 밝히지 않은 글. 익명서(匿名書).
음전[1] 명 말이나 행동(行動)이 곱고 점잖음. ¶ ~한 태도. *얌전. ——-하다 형여불
음전[2]【音栓】명 〖악〗 '스톱(stop)'의 역어(譯語).
음전[3]【陰電】명 〖물〗 ↗음전기(陰電氣).
음전[4]【飮餞】명 이별의 주연(酒宴).
음-전극【陰電極】명 〖전〗 음극(陰極). ↔양전극.
음-전기【陰電氣】명 〔negative electricity〕 〖전〗 전기의 한 형태. 비교적 적은 힘을 가진 전기로, 봉랍(封蠟)이나 수지(樹脂)를 플란넬에 문

지를 때 일어나는 전기 같은 것이 이에 속함. ㊟음전(陰電). ↔양전기(陽電氣).

음-전자【陰電子】명 〔negative electron〕〖물〗음전기를 띤 전자. 일반적으로 전자라 하면 음전자를 일컬음. ↔양전자(陽電子).

음-전하【陰電荷】명 〖물〗 음전기를 띤 전하. 음하전(陰荷電). ↔양전하(陽電荷).

음절【音節】명 ①〖언〗하나의 종합된 음의 느낌을 주는 단어(單語)의 구성 요소로서의 음(音)의 단위. 몇 개의 음소로 이루어지며 모음의 경우 한 자 한 음절을 이루기도 함. 소리 마디. 낱내. 실러블(syllable). ②음률(音律)의 곡조. 음곡(音曲). 음조(音調).

음절-률【音節律】명 음수율(音數律).

음절 문자【音節文字】[―짜] 명〖언〗표음 문자의 하나. 한 음절이 한 글자로 되어 그 이상 나눌 수 없게 된 문자. 일본의 가나(かな) 같은 것. ↔음소 문자·단어 문자·단음 문자.

음절-순【音節順】명 가나다순.

음정[1]【吟情】명 시가를 읊을 때의 정취(情趣).

음정[2]【音程】명〖악〗두 음의 진동수(振動數)의 비. 곧, 높낮이의 간격.

음정[3]【陰挺】명〖생〗음핵(陰核).

음정[4]【陰精】명 음양(陰陽) 중의 음의 정기. ↔양정(陽精).

음-정수【陰整數】명 〖수〗 음(陰)으로 대응(對應)하는 정수(整數). 부정수(負整數).

음정-증【陰挺症】[―쯩] 명〖의〗자궁병의 한 가지. 산후나 외상(外傷) 등으로 인하여 자궁이 내려앉거나 염불이 빠지는 병. 양의학의 자궁탈(子宮脫)에 상당함.

음조[1]【音調】명 소리의 높고 낮음과 강하고 약함과 느리고 빠른 정도. 음절(音節). 토낼리티(tonality).

음조[2]【陰助】명 음으로 도와 줌. ──-하다 타여불

음종[1]【淫縱】명 색에 대하여 지나치게 난잡함. ──-하다 자여불

음종[2]【陰腫】명〖의〗여자의 외음부(外陰部)가 헐어서 붓고 아픈 종기. *양종(陽腫).

음종[3]【陰縱】명〖의〗음경(陰莖)에 열이 생기고 발기(勃起)하여 시그러지지 아니하는 병.

음주【飮酒】명 술을 마심. ¶～ 운전(運轉). ──-하다 자여불

음주 운전【飮酒運轉】명 술에 취한 상태에서 하는 자동차 운전. 우리나라의 도로 교통법(법 41 조, 시행령 31 조)에서는, 혈중 알코올 농도가 0.05 퍼센트 이상에서 자동차 운전을 하면 음주 운전으로 취급되며, 적발되었을 때 2 년 이하의 징역 또는 300 만원 이하의 벌금형이 과해짐.

음주 측정기【飮酒測定器】명 음주량을 혈중 알코올 농도로 측정하는 기구. 음주 운전을 단속하기 위해 사용됨.

음중【陰中】명 ①'가을'의 이칭(異稱). ↔양중(陽中). ②음험한 수단으로 남을 중상함. ──-하다 타여불

음중 팔선【飮中八仙】[―썬] 명 여덟 사람의 주선(酒仙). 특히, 중국 당(唐)나라 두보(杜甫)가 '음중 팔선가' 속에서 노래한 하지장(賀知章)·왕진(王璡)·이적지(李適之)·최종지(崔宗之)·소진(蘇晉)·이백(李白)·장욱(張旭)·초수(焦遂)의 8 명을 가리킴. 이 8인의 취태(醉態)를 '음중 팔선도'라 하여 흔히 남송화(南宋畫)의 화제(畫題)로 취하였음. ㊟팔선(八仙).

음즐【陰騭】명 하늘이 은미(隱微)하게 사람을 도움. ──-하다 타여불

음즐-문【陰騭文】명 남에게 음덕(陰德)을 베풀기를 권하는 글.

음증[1]【淫蒸】명 손위의 여자와 사통(私通)하는 일. ──-하다 타여불

음증[2]【陰症】명 ①음침한 성격. ②〖한의〗오후(午後)에 더하는 병의 통칭. ③〖한의〗↗상한 음증(傷寒陰症). 1)-3): ↔양증(陽症).

음증 상한【陰症傷寒】명〖한의〗상한 음증(傷寒陰症).

음증 외:감【陰症外感】명〖한의〗 내부적 원인으로 생기는 만성 허증(虛症)의 병. 음사(陰邪). ↔양증 외감(陽症外感).

음지[1]【音旨】명 말. 언사(言辭).

음지[2]【陰地】명 볕이 잘 들지 아니하는 곳. 그늘진 곳. ↔양지(陽地). [음지가 양지 된다; 음지도 양지 된다] 운이 나쁜 사람도 좋은 운을 만날 때가 있다는 말. ¶부귀 빈천도 수레바퀴 돌 듯하여 음지도 양지될 때가 있다고 ≪李海朝: 鬢上雪≫.

음지[3]【陰識】명 중국 한대(漢代) 이전의 종·세발솥 등에 새겨진 음각(陰刻)의 문자. ↔양지(陽識).

음지[4]【飮至】명 싸움에 이기고 돌아와서 조상(祖上)의 묘에 아뢰고 주연을 베푸는 일.

음지-꿩의다리【陰地―】[―/―에―] 명〖식〗[*Thalictrum osmorhizoides*] 미나리아재빗과의 다년초. 높이 28 cm 가량, 잎은 호생하며 2-3 회 삼출(三出)하고 소엽(小葉)은 원형 또는 거꿀달걀꼴 설형(楔形), 3-5 갈래로 얕게 째짐. 7월에 흰 꽃이 정생(頂生)하여 원추(圓錐) 화서로 피고, 과실은 수과(瘦果)임. 산지에 나는데, 함북의 관모봉(冠帽峰) 등지에 분포함.

음지-도【陰地島】명〖지〗경상 남도 진해시(鎭海市)의 앞바다, 웅천동(熊川洞)에 위치한 섬. [0.08 km^2]

음지 식물【陰地植物】명〖식〗그늘에서 잘 자라는 식물. 이끼·메밀·잣·밤나무·양치류(羊齒類)·지의류(地衣類) 등이 있음. 음광(陰光) 식물. 음영(陰影) 식물.

음지-엽【陰地葉】명 음엽(陰葉). ↔양지엽.

음지-짝【陰地―】명 ☞음지쪽.

음지-쪽【陰地―】명 볕이 잘 안드는 쪽. 응달쪽. ↔양지쪽.

음직【蔭職】명〖역〗①고려·조선 시대 때, 과거(科擧)에 의하지 않고, 부조(父祖)의 공으로 자손·친척이 얻어하거나, 천거에 의해 하는 벼슬. 백골 남항(白骨南行). ②생원(生員)·진사(進士)·유학(幼學)으로서 하는 벼슬의 통칭. 남항(南行). 음관(蔭官). 음사(蔭仕).

-음직-스럽다 미ㅂ불 받침 있는 동사 어간에 붙어 그럴 만한 값어치나 특성을 가지고 있다는 뜻을 나타내는 접미사. ¶믿음직스러운 학생 / 먹～. *-ㅁ직스럽다.

-음직-하다 미여불 받침 있는 동사 및 '있다'·'없다'의 어간과 '-았'·'-었' 등의 뒤에 붙어, '할 것 같다'·'해도 좋다'·'할 수 있다'·'하면 좋을 것 같다' 등의 뜻으로 쓰이는 말. ¶그 자리에 있～ / 왔음직한데 / 먹음직한 과일 / 불로초였음직한 약초를 발견했다. *-ㅁ직하다.

음진동 측정기【音振動測定器】명 토노미터(tonometer).

음질[1]【音質】명 음의 질. 음(音)의 좋고 나쁨. ¶라디오의 ～ 조정/～이 맑다. ↔음량(音量).

음질[2]【陰疾】명 〈속〉 임질(淋疾).

음질 조정기【音質調整器】명 음질을 조절(調節)하는 장치. *하이파이(hifi).

음-집 [―찝] 명 짐승의 아기집으로 통한 길.

음집벌-국【音汁伐國】명〖역〗변진(弁辰) 중의 한 나라. 경북 안강(安康) 지방에 있었던 부족 국가로 신라 5대 왕 파사왕(婆娑王) 때 신라에 합병됨.

음-짚신【陰―】명 상제가 여막(廬幕)에서 신는 짚신.

음차[1]【音叉】명〖물〗'소리굽쇠'의 한자 이름.

음차[2]【音差】명 음을 고르는 기구.

음찬【飮饌】명 술과 음식. 주식(酒食).

음창[1]【吟唱】명 음송(吟誦). ──-하다 타여불

음창[2]【陰瘡】명〖의〗부녀의 음부에 나는 부스럼.

음청[1]【陰靑】명〖미술〗영청(影靑).

음-청[2]【陰晴】명 흐린 날과 갠 날. 청음(晴陰).

음청-계【陰晴計】명 청우계(晴雨計).

음청-표【陰晴表】명 음청(陰晴)을 측정하여 기록한 표.

음축【陰縮】명 음경(陰莖)이 차고, 겉에서 보이지 않을 정도로 바짝 줄어드는 병.

음충【陰蟲】명 ①음증의 성질을 가진 벌레. 빈대 따위. ②음습한 곳에 사는 벌레.

음충-맞다 형 성질이 매우 음충하다. ¶또 음충맞게 겨드랑이에 손을 넣어 껴안아 일으키고 수선을 피웠겠구나≪玄鎭健 : 無影塔≫.

음충-스럽다 형ㅂ불 음충한 태도가 있다. **음충-스레** 부

음충-하다 형여불 마음이 검고 내흉스럽고 불량하다.

음취【飮醉】명 술을 마시고 취함. ──-하다 자여불

음측【陰測】명 ①넌지시 측량함. ②남 모르게 넌지시 헤아림. ──-하다 타여불

음치【音癡】명 소리에 대한 음악적 감각이나 지각이 둔하여 바른 음의 감상·인식·발성이 안 되는 일. 또, 그 사람.

음침-스럽다【陰沈―】형ㅂ불 보기에 음침하다. ¶또 무슨 음침스러운 계교가 있던지. **음침-스레**【陰沈―】부

음침-하다【陰沈―】형여불 ①기분·성격·분위기 등이 명랑하지 못하고 음울하다. 의뭉스럽고 흉하다. ¶음침한 성격 / 분위기가 ～. ②날씨가 흐리고 컴컴하다. 해가 비추지 않아 밝지 못하고 어둡다. ¶내가 사망(死亡)의 음침한 골짜기로 다닐지라도 해를 두려워하지 않을 것은 주께서 나와 함께 하심이라≪구약 시편 XXⅢ : 4≫.

음탐【淫貪】명 음란한 것을 좋아함. ──-하다 자여불

음탕【淫蕩】명 주색에 빠져 방탕함. ──-하다 형여불

음탕-스럽다【淫蕩―】형ㅂ불 음탕하게 보이다. **음탕-스레**【淫蕩―】부

음택【陰宅】명 술가(術家)에서, '뫼'를 사람 사는 집에 상대하여 일컫는 말. ↔양택.

음택 풍수【陰宅風水】명〖민〗묏자리의 길흉(吉凶)을 점쳐 판단하는 풍수. *도읍(都邑) 풍수.

음토【音吐】명 음성(音聲).

음통【陰通】명 남녀(男女)가 처음으로 색정(色情)을 알게 됨. ──-하다 자여불

음퇴【蔭退】명〖역〗음관(蔭官)이 문과(文科)에 급제(及第)함. ──-하다 자여불

음특[1]【淫慝】명 음탕하고 간악함. ──-하다 형여불

음특[2]【陰慝】명 음흉(陰凶)하고 간특(奸慝)함. ──-하다 형여불

음파【音波】명 〔sound wave〕〖물〗발음체(發音體)에 접촉(接觸)한 공기 또는 그밖의 매질(媒質)이 발음체의 진동을 받아서 생기는 파동(波動). 이 파동이 고막(鼓膜)에 부딪칠 때 소리를 감각하게 됨. 광의(廣義)로는 소리로서 들을 수 없는 2만 사이클 이상의 초음파(超音波)도 포함됨. 소리. 소리결. 성랑(聲浪).

음파 간섭계【音波干涉計】명 〔acoustic interferometer〕간섭법(干涉法)에 따라, 기체 또는 액체 속의 음속(音速) 측정이나 음(音)의 세기를 조정(調整)하는 장치.

음파 고도계【音波高度計】명 〔sonic altimeter〕음파를 이용하여 비행기의 고도를 재는 장치. 비행기로부터 나온 음파가 지표(地表)에 달하는 데 드는 시간과, 다시 비행기까지 되돌아가는 데 드는 시간을 측정(測定)하여 계산함.

음파 기상 관측 장치【音波氣象觀測裝置】명 음파의 전파(傳播) 속도가 기온이나 바람 등에 의해 변화하는 점을 이용하여 기상을 측정하는 장치. 초음파 풍속계·초음파 온도계 등이 있음.

음파 세:척【音波洗滌】명 〔sonic cleaning〕물질이 담겨 있는 액 중에 강력한 음(音)을 작용시킴으로써, 더러워진 물체를 세척하는 일.

음파 액체 준:위 측정계【音波液體準位測定計】명 〔sonic liquidlevel meter〕음파 반사(反射) 기술의 응용(應用)으로 액체의 높이를 재는 계기(計器).

음파 온도계【音波溫度計】 명 〔sonic thermometer〕 음파 속도는, 그것이 통과하는 매체(媒體)의 온도와 함수 관계에 있다는 원리를 응용하여 만든 온도계.

음파의 산:란【音波―散亂】[―살―/―에살―] 명 〔acoustic scattering〕 음(音)이 여러 방향으로 불규칙하게 반사 굴절하는 일.

음파 집진【音波集塵】 명 〖물〗 음파에 의한 입자(粒子)의 응집(凝集)을 보조 수단(補助手段)으로 한 연무질(煙霧質) 입자(粒子)의 포집 조작(捕集操作).

음파 집진기【音波集塵器】 명 〖물〗 음파에 의한 입자의 응집(凝集)을 이용하여, 입자경(粒子徑)을 증대시켜 효율을 높이는 집진 장치. 진동수 1-5킬로헤르츠의 사이렌(siren)과 응집탑(塔)·입자 분리기(粒子分離器)로 구성(構成)되며, 입자 분리기에는 보통 사이클론(cyclone)이 사용됨.

음파 탐상법【音波探傷法】[―뻡] 명 〔sonic flaw detection〕〖공〗 음파가 물체 속을 통과할 때의 내부 반향(內部反響) 또는 산란(散亂)을, 진행 위치의 함수(函數)로 관측함으로써 고체(固體) 중의 결함(缺陷)을 발견하는 방법.

음파 탐지【音波探知】 명 〔acoustic detection〕 물체로부터의 음파의 반사(反射)를 측정함으로써, 해양(海洋)의 지형(地形)이나 바닷속의 물체를 탐지하는 일.

음파 탐지기【音波探知機】 명 〖물〗 소나(sonar).

음파 화학 분석기【音波化學分析器】 명 〔sonic chemical analyzer〕 샘플 속을 통과하는 음파 속도의 감속(減速)이나 변화(變化)에 따라 가스·액체·고체의 성분을 결정하는 장치. 그 효과는 분자 구조(分子構造)나 분자내(分子內) 상호 작용에 관계함.

음팡 명 〖역〗 승정원(承政院)에 속한 사령(使令)들이 있는 방.

음편【音便】 명 〖언〗 음이 연속될 때 발음하기 쉬운 다른 음으로 변하는 현상. 'ㄹ' 아래에서 '이'가 '리'로 되는 따위.

음표【音標】 명 〔note〕〖악〗 음의 장단(長短)을 표시하는 기호. 장단을 표시하는 데에는 배(倍)온음표·온음표·이분 음표·사분 음표·팔분 음표·십 육분 음표·삼십 이분 음표·육십 사분 음표 등의 구별(區別)이 있는데, 보표(譜表) 위에 기재하면 음의 높낮이도 나타낼 수 있음. 음부(音符). 소리표.

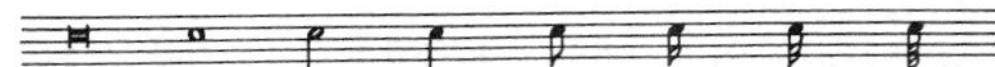

〈음표〉

음표 문자【音標文字】[―짜] 명 〖언〗 ①음성 기호(音聲記號). ②표음 문자. ↔표의 문자(表意文字).

음풍[1]【吟諷】 명 읊음. 노래부름. ――-하다 자여불

음풍[2]【淫風】 명 음란(淫亂)하고 더러운 풍속. 음습(淫習).

음풍[3]【陰風】 명 ①겨울 바람. 북풍. 삭풍(朔風). ②음랭(陰冷)한 바람. 음산한 바람.

음풍 농:월【吟風弄月】 명 맑은 바람과 밝은 달에 대하여 시를 짓고 즐겁게 놂. 음풍 영월(吟風咏月). 준풍월(風月). ――-하다 자여불

음풍 영:월【吟風咏月】[―녕―] 명 음풍 농월. ――-하다 자여불

음-하다[1]【淫―】 형여불 색정(色情)에 대하여 지나치게 마음과 몸을 쓰다.

음-하다[2]【陰―】 형여불 ①날씨가 흐리다. ②마음이 음험하다.

음하 만:복【飮河滿腹】 명 많은 물이 있더라도 실상 마시는 분량은 배 하나를 채울 정도에 지나지 않는다는 뜻으로, 모든 사람이 자기 분수에 넘지 않게 조심하라는 경계의 말.

음-하전【陰荷電】 명 〖물〗 음전하(陰電荷).

음학【淫虐】 명 음탕(淫蕩)하고 잔학(殘虐)함. ――-하다 형여불

음한【陰寒】 명 음랭(陰冷). ――-하다 형여불

음-함수【陰函數】[―쑤] 명 〖수〗 두 개의 변수(變數) 사이의 함수 관계를 정한 방정식에서 종속(從屬) 변수의 값을 직접 독립(獨立) 변수의 값으로부터 산출(算出)할 수 없는 함수. 음복 함수(陰伏函數). ↔양함수(陽函數).

음해【陰害】 명 넌지시 남을 해함. ――-하다 타여불

음핵【陰核】 명 〖생〗 여자의 외음부에 있는 감씨 모양의 돌기(突起). 성감(性感)이 가장 예민함. 음정(陰挺). 공알. 클리토리스(clitoris).

음행【淫行】 명 음란한 행실.

음행 매개죄【淫行媒介罪】[―죄] 명 〖법〗 영리(營利)를 목적하여 미성년이나 음행(淫行)의 상습(常習) 없는 부녀를 매개하여 간음(姦淫)하게 하는 죄.

음향【音響】 명 소리의 울림.

음향 관제【音響管制】 명 시끄럽게 소리를 내지 못하도록 통제(統制)하는 일.

음향-기【音響器】 명 전신(電信)의 모스(Morse) 부호 따위 전류의 변화에 의한 신호를, 전자석(電磁石)의 작용에 의해 접극자(接極子)가 아래 위로 움직여 접점(接點)을 두드리어 그 소리로 판단하는 수신 장치(受信裝置).

음향 기뢰【音響機雷】 명 〔acoustic mine〕 음향을 매개(媒介)로 하여 작동(作動)하는 기뢰.

음향 렌즈【音響―】 명 〔acoustic lens〕 빛에 관한 기하 광학(幾何光學)의 원리(原理)에 따라 음파(音波)를 굴절(屈折)시키도록 성형(成形)한 물질.

음향 리액턴스【音響―】 명 〔acoustic reactance〕〖물〗 음향 임피던스의 허수부(虛數部).

음향 마하계【音響―計】 명 〔acoustic Mach meter〕 마하수(Mach 數)를 계산하기 위하여 음(音)의 전파(傳播)에 관한 데이터(data)를 기록(記錄)하는 장치.

음향 병기【音響兵器】 명 〖군〗 음파 전파(音波傳播)의 특성을 이용한 군용 기재(器材) 장치의 총칭. 대상에 따라 공중·수중·육상으로 나누며, 물리적 특성에 따라 저주파(低周波)·고주파의 구별이 있고, 용도에 따라 수중(水中)의 경계 감시, 방위 거리를 재는 탐신(探信), 지향성(指向性) 통신, 병기(兵器) 구조 부분, 음파 방해 장치 등이 있음. *광학 시각 통신 병기.

음향 분석기【音響分析機】 명 ↗음향 스펙트럼 분석기.

음향 설계【音響設計】 명 음향을 조절하기 위한 건축상의 설계. 생활 환경을 조용한 상태로 유지하고, 강연이나 음악을 적당한 음향 상태에서 들으며, 생산을 높이고 생활을 즐길 수 있는 환경을 조성(造成)하기 위한 것임.

음향 스펙트럼 분석기【音響―分析機】〔spectrum〕 명 음성의 복합파(複合波)를 분석하기 위하여 고안된 기계의 하나. 태양 광선의 분광 현상(分光現象)과 같이 복합파를 이 기계에 넣으면 음파의 스펙트럼인 성분 사인파(成分 sine波)의 분포가 분석·기록되어 나옴.

음향 신:호【音響信號】 명 음향을 이용한 신호의 총칭. 기적(汽笛)·경적(警笛)·사이렌 따위. ↔가시(可視) 신호.

음향 심리학【音響心理學】[―니―] 명 청각(聽覺)에 관한 여러 현상을 다루는 심리학의 하나. 특히 음악에 관한 것을 음악 심리학이라 하여 구별하기도 함. 쿠르트(Kurth, E.) 등이 주장(主張)한 것으로, 음악 재능·음악 학습·음악 요법(療法) 등도 여기서 탐구됨.

음향 양자【音響量子】[―냥―] 명 〖물〗 음자(音子).

음향 어뢰【音響魚雷】 명 〔acoustic torpedo〕 목표(目標)에서 나오는 소음(騷音) 또는 소리를 좇아가는 어뢰. *호밍 어뢰.

음향 예:술【音響藝術】[―네―] 명 소리로 나타내는 예술. ↔언어 예술(言語藝術).

음향-옴:【音響―】 의명 〔acoustic ohm〕〖물〗 음향 임피던스·음향 저항(抵抗)·음향 리액턴스의 단위. MKSA 단위계(單位系)에서는, 1 N/m^2의 음압(音壓)이 1 m^3/s의 체적 속도(體積速度)를 발생할 때의 음향 저항으로 정의(定義)되며, CGS 단위계에서는 음압을 1 dyn/cm^2, 체적 속도를 1 cm^3/s로 함.

음향 음성학【音響音聲學】 명 〔acoustic phonetics〕〖언〗 공기 중의 진동으로서의 음성의 파형(波形)을, 그 연구 대상으로 하는 음성학의 한 분야.

음향 임피던스【音響―】 명 〔acoustic impedance〕 소리의 파면(波面)에 있어서 음압(音壓) p와 파면 위의 어떤 면적을 지나는 체적 밀도(體積密度) Sv(S는 면적, v는 매질(媒質)의 속도)와의 비(比) $Z_A=p/Sv$.를 말함. 임피던스라는 이 개념은 음향계(系)를 전기적 등가 회로(電氣的等價回路)에 의하여 표현할 때 흔히 쓰임.

음향 저:항【音響抵抗】 명 〔acoustic resistance〕〖물〗 음향 임피던스의 실수부(實數部).

음향 처:리【音響處理】 명 〔acoustic treatment〕 실내(室內)의 반향(反響)과 잔향(殘響)을 흡음(吸音) 재료를 사용하여 원하는 상태로 만듦.

음향 측심【音響測深】 명 〔echo sounding〕 음파(音波)를 해저(海底)로 보내어 그것이 반사되어 되돌아올 때까지의 시간을 재어서 바다의 깊이를 측정하는 방법. 음파의 초속(秒速)은 수중(水中)에서 약 1,500 m임. *색측심(色測深).

음향 측심기【音響測深機】 명 〔echo sounder〕 선박(船舶)에서 수중(水中)에 음파(音波)를 보내어, 수저(水底)에서의 반사파(反射波)를 잡아 바다의 깊이를 측정(測定)하는 기계. 보통 초음파(超音波)를 사용하여 지향성(指向性)을 갖게 함.

음향-학【音響學】 명 〔acoustics〕〖물〗 음향의 성질·현상·진동·이용 등에 대해서 연구하는 학문. 동양에서는 전국 시대(戰國時代)의 삼분 손익법(三分損益法), 서양에서는 피타고라스(Pythagoras)의 평균율(平均律)이 알려지고 있으며, 근대에 와서는 초음파의 발견, 지진학(地震學)의 진보 등으로 가청 주파수 밖에까지 범위가 넓어졌으며, 요즈음은 전자기(電磁氣)의 기술과 이론을 도입한 전기(電氣) 음향학, 물성(物性)에 관련된 물리(物理) 음향학, 기타 건축 음향학·음향 생리학·음향 심리학 등 여러 방면으로 발전되어 가고 있음.

음향 호:밍【音響―】 명 〔acoustic homing〕 음향이 음(音)에너지의 진로(進路)에 따라 발신원(發信源) 또는 반사점(反射點)으로 향하여 나아가는 일.

음향 효:과【音響効果】 명 ①〔sound effect(s)〕〖연〗 연극·영화·라디오 등에 쓰는 의음(擬音)·모방음(模倣音) 등의 효과. 사운드 에펙트. ②건물 안에서 음악 등을 연주할 때, 소리가 울리는 상태의 양부(良否)를 이름. 그 건물의 구조(構造)·재질(材質)이 음향에 영향을 줌으로써 생기는 것임.

음향 흡수 계:수【音響吸收係數】 명 〔sound absorption coefficient〕〖물〗 표면이나 매질(媒質) 속에 흡수되는 음(音) 에너지의, 입사(入射) 에너지에 대한 비율.

음허【陰虛】 명 〖한의〗 ①날마다 오후에 춥고 조열(潮熱)이 나는 병. ②방사(房事) 과다로 정력이 허함. ――-하다 형여불

음허-천【陰虛喘】 명 〖한의〗 음허로 나는 병. 조열(潮熱)·도한(盜汗)·객담(喀痰) 같은 증상을 일으키며, 천식(喘息)을 심히 함.

음허 화:동【陰虛火動】 명 〖한의〗 음허하여 생기는 병. 조열(潮熱)·도한·기침이 나며, 혈담(血痰)을 뱉고, 유정(遺精)과 몽설(夢泄)이 됨. 신허(腎虛) 화동.

음험【陰險】 명 마음씨가 내흉스럽고 우악함. ¶ ~한 인물. ――-하다 형여불

음혈【音穴】명 피리 같은 악기의 몸통에 파 놓은 구멍.
음형¹【音型】명 [figure] 〖악〗 음의 모양을 말하는데, 몇 개의 음이 연속되어 어떤 가락이나 악곡의 요소가 되는 것. 가락의 모양, 리듬 형식, 화성 구성 등에 있어서 특색을 지니고 있음. 음꼴.
음형²【淫刑】명 음란하고 추잡스런 형벌.
음형³【陰刑】명 〖역〗 옛날 중국에서, 간음의 죄에 관한 형벌. 남자는 거세(去勢)하고 여자는 음문을 꿰매어 봉했다고 함. *궁형(宮刑).
음호¹【陰戶】명 하문(下門). 보지.
음호²【陰號】명 〖수〗 뺄셈표. 부호(負號). 마이너스.
음호³【飮豪】명 술을 잘 마시는 사람. 주호(酒豪).
음혹【淫惑】명 음란하고 미혹(迷惑)함. ——-하다 타 여불
음혼【淫昏】명 마음이 혼미(昏迷)하여 문란(紊亂)한 짓을 함. ——-하다 자 여불
음화¹【音畫】명 〖악〗 ①사상(事象)의 인상(印象)을 음악에 의해 묘사(描寫)·표현하는 수법(手法). 또, 그 작품. 폭풍·새 소리·물이 흘러가는 것 따위의 인상을 음악화하는 것에서부터 이야기나 시간적인 경과 따위도 소리의 템포나 구성·흐름으로 상징적(象徵的)으로 나타냄. 톤말레라이(Tonmalerei). ②발성 영화.
음화²【陰火】명 야간(夜間)에 산야(山野)·묘지(墓地) 등에서 유령·요괴(妖怪) 등이 나올 때 탄다고 하는 으스스한 불. 실제로는 인(燐) 따위가 타는 불임. 일반적으로 도깨비불이라고 함.
음화³【陰畫】명 사진의 건판(乾板) 필름에 감광(感光)시켜 현상한 화상(畫像). 명암(明暗)이 실물과는 반대임. 컬러 사진에서는 피사체(被寫體)의 색의 보색(補色)에 의한 화상을 만듦. 네가(nega). ↔양화(陽畫).
음화⁴【飮禍】명 술을 마시고 받는 화.
음황¹【淫荒】명 ①정도(正道)를 벗어남. ②주색(酒色)에 빠짐. 음방(淫放). ——-하다 형 여불
음황²【陰黃】명 〖한의〗 양기(陽氣)는 줄고 음기(陰氣)가 성해서 일어나는 병. 살빛이 누르고 몸이 느른하며, 춥고 소화가 잘 되지 아니하며, 땀·오줌 같은 것이 많이 나고 맥박(脈搏)이 촉급(促急)함.
음회【陰晦】명 날이 흐리고 어두움. ——-하다 형 여불
음효【陰爻】명 역(易)의 괘(卦)를 구성하는 효(爻)의 하나. '--'로 나타냄. ↔양효(陽爻).
음-훈【音訓】명 〖언〗 표의 문자(表意文字)의 음과 뜻.
음휼【陰譎】명 마음씨가 음침(陰沈)하고 간사(奸詐)하며 내숭스러움. ——-하다 형 여불
음흉【陰凶】명 마음이 음침하고 흉악함. ——-하다 형 여불
음흉-스럽다【陰凶—】형 ㅂ불 음흉한 태도(態度)가 있다. 음흉-스레【陰凶—】부
음흉 주머니【陰凶—】[—쭈—] 명 마음씨가 매우 음흉한 사람의 별명(別名).
음희【淫戲】[—히] 명 음란한 장난.
읍¹【邑】①〖정〗 군(郡) 또는 시(市)의 관할 구역 안에 있는 행정 구역의 하나. 도시의 형태를 갖추고 인구 2만 이상 5만 미만인 곳이나 인구 2만 미만이라도 군사무소 소재의 면과 읍이 없는 시에서 그 면중 1개면으로 정함. 밑에 이(里)를 둠. ②↗읍내.
읍²【揖】명 인사하는 예(禮)의 하나. 공수(拱手)한 손을 얼굴 앞으로 들어 올리고 허리를 앞으로 공손히 구부렸다 펴면서 내림. ——-하다 자 여불
읍-각부동【邑各不同】명 ①규칙이나 풍속(風俗)이 각 고을마다 같지 아니함. ②사람마다 의견(意見)이 서로 다름을 가리키는 말. →육각부동. ——-하다 형 여불
읍간【泣諫】명 울면서 간함. ——-하다 타 여불
읍곡【泣哭】명 소리를 내어 몹시 욺. ——-하다 자 여불
읍군【邑君】명 〖역〗 우리 나라 초기 국가의 관리명.
읍권【邑權】명 읍(邑)에 속한, 행정권(行政權)·징세권(徵稅權) 같은 권리(權利).
읍기【邑基】명 읍의 터.
읍내【邑內】명 ①읍의 안. ¶~에 가다. ②〖역〗 관찰 관아(觀察官衙)를 제외한 지방 관아(地方官衙)가 있던 마을. 읍저(邑底). 읍중(邑中). 읍하(邑下). 준읍(邑).
-읍닌다 [—닌—] 어미 ☞-습닌다.
-읍니까 어미 ☞-습니까.
-읍니다 어미 ☞-습니다.
읍다 타 〈옛〉 읊다. ¶南녁 뫼ᄒᆞ로 올아가며 白華篇을 읍ᄂᆞ니(南登吟白華)≪重杜諺 Ⅷ:20≫.
읍-도¹【邑島】명 〖지〗 경상 남도의 남해상(南海上), 통영시(統營市) 도산면(道山面) 오륜리(五倫里)에 위치한 섬. [0.14 km²]
읍도²【邑圖】명 한 읍의 지도.
읍도³【泣禱】명 눈물을 흘리며 하는 기도. ——-하다 자타 여불
-읍디까 어미 ☞-습디까.
-읍디다 어미 ☞-습디다.
-읍딘다 어미 ☞-습딘다.
읍락【邑落】[—낙] 명 ①읍리(邑里). ②〖역〗 삼국 시대 성립 이전 우리 나라의 여러 부족 국가 시대에 존재하였던 지역 공동체. ≪후한서(後漢書)≫·≪삼국지(三國志)≫에 나타나 있는데 국가별로 그 전하는 바가 조금씩 다르며 해석하는 바도 각각임.
읍례¹【邑例】[—네] 명 그 고을의 관례(慣例). 그 고을의 예규(例規).
읍례²【揖禮】[—네] 명 읍을 하는 예. ——-하다 자 여불
읍루【挹婁】[—누] 명 〖역〗 중국의 한(漢)·위(魏) 시대에, 중국의 동베이(東北) 지방에서 활약하던 부족(部族). 본거지는 장백산(長白山) 북쪽, 즉 목단강(牧丹江) 유역에서 연해주(沿海州)와 두만강(豆滿江) 사이에 있었던 것 같으나, 그 계통(系統)이나 주거지(住居地)에 대하여 이설(異說)이 많음.
읍륵【邑勒】[—늑] 명 〖역〗 신라 때 지방 행정 단위의 하나. ≪양서(梁書)≫ 신라전(新羅傳)의 기록에 따르면 신라에는 52 읍륵이 있었다 함.
읍리¹【邑吏】[—니] 명 〖역〗 지방 읍(邑)에 속했던 아전(衙前).
읍리²【邑里】[—니] 명 읍과 촌락. 읍락(邑落).
읍막【邑瘼】명 읍폐(邑弊).
읍무【邑務】명 읍에 속한 모든 사무.
읍민【邑民】명 읍에 사는 사람. 읍인(邑人).
읍-선생【邑先生】명 〖역〗 전에 그 고을의 수령(守令)이 되었던 사람.
읍성【邑城】명 한 도읍(都邑) 전체를 성벽으로 둘러싸서, 곳곳에 문을 만들어 외계(外界)와 통하게 만든 성. 중국의 성곽(城郭)에서 흔히 볼 수 있음.
읍세【邑稅】명 읍이 읍민(邑民)으로부터 받는 세. 국세 부가세(國稅附加稅)·도세(道稅) 부가세 및 독립세(獨立稅)를 보통세(普通稅)로 하고 있었으나, 현재는 폐지되었음.
읍소【泣訴】명 눈물을 흘리면서 간절히 하소연함. ——-하다 타 여불
읍속¹【邑俗】명 〖역〗 읍의 풍속.
읍속²【邑屬】명 〖역〗 지방의 읍에 속했던 이속(吏屬)의 총칭.
읍손【揖遜】명 읍하며 자기를 낮춤. 읍양(揖讓). ——-하다 자 여불
-읍쇼 어미 ↗-읍시오. ¶제 손을 잡~/도련님, 어서 읽~/제 말을 믿~. *-ㅂ쇼.
-읍시다 어미 받침 있는 동사 어간에 붙어, '하오'할 자리에서, 존대하여 청유(請誘)할 때 쓰는 종결 어미. ¶어서 빨리 걸~/그 분을 믿~. *-ㅂ시다.
-읍시다요 어미 '합쇼'할 자리에, 받침 있는 동사 어간에 붙어서 존대(尊待)하여 청유(請誘)할 때 쓰는 종결 어미. ¶어서 읽~. *-ㅂ시다요.
-읍시오 어미 '합쇼'할 자리에, 받침 있는 동사 어간에 붙어, 존대하여 명령의 뜻을 나타내는 종결(終結) 어미. ¶이것을 읽~/하느님을 믿~. 준-읍쇼. *-ㅂ시오.
읍안【泣顔】명 우는 얼굴.
읍양¹【邑樣】명 읍내의 모양.
읍양²【揖讓】명 ①읍하여 자기를 낮춤. 예를 다하여 사양함. 읍손(揖遜). ②읍하는 동작과 사양하는 동작. ——-하다 자 여불
읍양지-풍【揖讓之風】명 읍양의 예를 잘 지키는 풍속.
읍울【悒鬱】명 근심하여 가슴이 답답함. ——-하다 형 여불
읍읍-하다【悒悒—】형 여불 마음이 매우 불쾌하고 답답하다.
읍인【邑人】명 읍민(邑民).
읍자【邑子】명 읍내에 사는 유생(儒生).
읍장【邑長】명 〖법〗 읍의 행정 사무를 통할하는 우두머리.
읍재【邑宰】명 한 고을을 다스리는 사람.
읍저【邑底】명 읍내(邑內).
-읍죠 어미 ☞-습죠. *-ㅂ죠.
읍중【邑中】명 읍내(邑內).
읍증【邑贈】명 〖역〗 조선 시대 때, 중국 청(淸)나라에서 파견되어 온 통관(通官)이나 수령(守令)에게 내려 주는 쌀 또는 포목(布木).
읍지【邑誌】명 고을의 연혁(沿革)·지리·풍속 같은 것을 기록한 책.
-읍지요 어미 ☞-습지요.
읍진【浥塵】명 겨우 먼지를 추길 정도로 적게 온 비.
읍징【邑徵】명 〖역〗 읍의 아전이 공금을 사용(私用)하였을 때 그 쓴 금액을 친척에게서 징수하고도 부족할 때에 그 부족한 금액을 읍에서 징수하던 일. ——-하다 타 여불
읍차【邑借】명 〖역〗 삼한(三韓) 때 군장(君長)의 한 칭호. 가장 큰 군장인 신지(臣智)에 대해, 가장 작은 지방의 군장.
읍참 마:속【泣斬馬謖】명 중국 촉(蜀)나라 제갈양(諸葛亮)이, 마속이 군령(軍令)을 어기어 가정(街亭) 싸움에서 패했을 때, 울면서 그를 참형(斬刑)에 처하였다는 고사(故事). 전(轉)하여, 큰 목적을 위하여 자기가 아끼는 자를 버리는 것의 비유.
읍청【泣請】명 울면서 간절히 청함. ——-하다 타 여불
읍체【泣涕】명 눈물을 흘리면서 욺. 체읍(涕泣). ——-하다 자 여불
읍촌【邑村】명 ①읍에 속한 마을. ②읍과 촌.
읍취-헌【挹翠軒】명 〖사람〗 '박은(朴誾)'의 호(號).
읍취헌 유고【挹翠軒遺稿】명 〖책〗 조선 연산군(燕山君) 때의 시인 박은(朴誾)의 유고집(遺稿集). 그의 친우(親友)인 이행(李荇)이 수집·간행함. 모두 4권.
읍폐【邑弊】명 고을의 폐해. 읍막(邑瘼).
읍프다 타 〈옛〉 읊다. ¶읍플 영(詠)≪類合 下 6≫/센 머리예 읍퍼 ᄇᆞ라고(白頭吟望)≪重杜諺 Ⅵ:11≫.
읍하【邑下】명 읍내(邑內).
읍혈【泣血】명 어버이 상사(喪事)를 당하여 눈물을 흘리며 슬프게 욺. ——-하다 자 여불
읍호¹【邑豪】명 고을에서 재력(財力)이나 권력이 으뜸가는 사람.
읍호²【邑號】명 〖역〗 조선 시대 때, 부원군(府院君)·군(君)과 삼품(三品) 이하의 종친(宗親)·의빈(儀賓)·왕비모(王妃母) 및 왕세자(王世子)·종친 이품(二品) 이상인 자의 아내에 대하여, 봉작 위에 그 출신(出身) 관계를 지명(地名) 따위로 붙여 부르는 호칭(號稱). 청천 부원군(青川府院君)의 '청천(青川)', 능성위(綾城尉)의 '능성(綾城)' 따위.
읎:다 형 〈방〉 없다(경상·충청).
웃듬¹ 명 〈옛〉 으뜸. 근본. ¶지셩으로 웃듬을 사마(以至誠爲本)≪飜小

Ⅹ:26≫/웃듬 듀(株), 웃듬 간(幹)≪字會 下 3≫.

웃듬² 㖪 〈옛〉 얻음. ¶이럴씨 ᄌ오롬과 雜念괘 다ᄆᆞᆺ매 드러 웃드미 ᄃᆞ외리라(是故昏沉掉擧皆入作得) ≪蒙法 2≫.

웃듬나니 명 〈옛〉 으뜸된 이. 가장(家長). ¶웃듬나니 모든 ᄌ데ᄅᆞᆯ 모도고(家長會衆子弟)≪二倫 30 陸氏義居≫.

웃듬난이 명 〈옛〉 으뜸된 이. 가장(家長). ¶새배 이러 웃듬난이 모든 ᄌ데 ᄃᆞ리고(晨興家長率衆弟子)≪二倫 30 陸氏義居≫.

응:¹【應】명〖천주교〗두 사람 이상이 교송(交誦) 또는 교창(交唱)하여 기도문을 읽거나 창(唱)할 때 계(啓)에 대답으로 받는 일. 또, 그 부분. ↔계(啓). *답사(答辭). ——-하다 자여불

응:²【應】명 조선 초기에 아악에 쓰인 타악기의 하나. 악기 분류법에 의하면 목부(木部) 또는 체명 악기(體鳴樂器)에 속하는 작은 나무북.

응³ 감 ①나이가 비슷한 벗의 사이나 손아랫 사람에게 대답하는 소리. 또는 대답을 구하는 소리. ¶～, 그렇지. ②무슨 일이나 남의 말이 자기 마음에 들지 아니할 때 불평을 나타내는 말.

응가 명감 〈소아〉 어린 아이에게 똥을 누일 때에 하는 소리.

응가미 호【—湖】[Ngami] 명〖지〗아프리카 남부, 보츠와나(Botswana) 서북부에 있는 호수. 오카방고(Okavanggo) 소택지(沼澤地)의 일부를 이룸. 길이 약 65km, 폭 6.5-13km로 대부분이 소택지임. 한때는 현재의 10배 가까운 호수였던 것으로 추정됨. 1849년 리빙스턴(Livingston, D.)이 탐험함.

응:감【應感】명 마음에 응하여 느낌. ——-하다 자여불

응:거【應擧】명〖역〗과거(科擧)에 응시(應試)함. ——-하다 자여불

응견【鷹犬】명 ①사냥하는 데 쓰이는 매와 개. ②주구(走狗)❷.

응결【凝結】명 ①한데 엉기어 뭉침. 응집(凝集). ②[coagulation]〖화〗'엉김'의 한자 말. *응고(凝固). ③[condensation]〖물〗기체가 액화(液化)하는 현상. 응축(凝縮). ④[cementation]〖공〗소성(塑性) 물질이 경화(硬化)하는 일. ——-하다 자여불

응결-가【凝結價】[—까] 명〖화〗일정한 시간 동안에 교질(膠質)을 응결시키는 데 필요한 전해질(電解質)의 농도.

응결 고도【凝結高度】명〖기상〗지면(地面) 부근에서 상승하는 공기가 포화(飽和) 상태에 이르러, 그 속의 수증기가 응결하기 시작할 때의 고도(高度).

응결-기【凝結器】명 응결시키는 기구. 응축기(凝縮器).

응결 기관【凝結機關】명〖기〗복수식(復水式) 기관.

응결-력【凝結力】명 응결하는 힘.

응결-운【凝結雲】명 [condensation cloud]〖기상〗비교적 습윤(濕潤)한 대기 중에서 원자 폭탄이 폭발했을 때 화구(火球)를 일시적으로 둘러싸는 수증기의 안개나 아지랑이.

응결-제【凝結劑】[—쩨] 명 [flocculating agent]〖화〗미세 입자를 합체(合體)시켜 면상 침전(綿狀沈澱)을 일으키기 위하여, 액체 안에 넣어 둔 고체에 첨가하는 시약(試藥).

응결-체【凝結體】명 ①굳어진 물체. 엉긴 덩이. ②[concretion]〖지〗퇴적암이나 쇄설 화산암(碎屑火山岩)의 틈새기에 있는 단단히 뭉쳐진 광물질의 덩이. 함유 암석·교착 광물(膠着鑛物)의 작은 구성 성분이 모인 것임.

응결-핵【凝結核】명 [condensation nucleus]〖기상〗과포화 증기(過飽和蒸氣) 등이 응결하여 물방울을 생기게 할 때의 핵이 되는 미립자(微粒子). 기상학(氣象學) 부문에서 다루며, 인공 강우(人工降雨)·도시(都市)의 스모그(smog) 등에서 연구됨.

응고¹【凝固】명 ①엉겨서 뭉쳐 딱딱하게 됨. ¶혈액이 ～하다. ②[solidification]〖물〗액체 또는 기체가 고체로 되는 현상. 기체의 응고는 승화(昇華)라고도 함. ③콜로이드 용액의 응결(凝結). ——-하다 자여불

응:고²【應鼓】명〖역〗아악기에 속하는 북의 하나. 삭고(朔鼓)와 비슷한데, 약간 작고 북통이 긴 북을 단 틀 위에 달 모양을 새기고 주홍빛을 칠했음. 조하(朝賀) 때 헌가악(軒架樂)에 쓰이는 데, 풍악을 마칠 때 침. 응비(應鼙).

〈응고²〉

응고 수축【凝固收縮】명 [solidification shrinkage]〖물〗금속이 고화(固化)할 때, 부피가 축소하는 일.

응고 억제 물질【凝固抑制物質】[—찔] 명 [anticoagulant]〖생〗시트르산(酸) 나트륨과 같이, 콜로이드 상태의 물질. 특히 혈액의 응고를 방지하는 물질. 항응혈제.

응고-열【凝固熱】명 [heat of freezing]〖물〗액체 또는 기체가 응고하여 고체로 될 때에 방출(放出)하는 열. 보통, 물질 1그램에 대한 열량으로 나타냄. 열량(熱量)이 융해열(融解熱)과 같음.

응고-점【凝固點】[—쩜] 명 [freezing point]〖물〗액체나 기체가 응고할 때의 온도. 일정 압력(一定壓力) 하에서는 응고가 시작되면서부터 끝날 때까지 온도는 일정하게 유지됨. 물질 특유의 수치(數值)로, 물의 경우는 어는점(點)이라 함. 일반적으로 액체의 경우 응고점은 녹는점(點)과 일치함.

응고점 강:하【凝固點降下】[—쩜—] 명 [freezing point depression]〖물〗용매(溶媒)에 다른 물질이 녹을 때 용매의 응고점이 낮아지는 현상. 식염수(食塩水)가 섭씨 영도(零度)에서 얼지 않는 것은 그 예(例)의 하나임. 녹는점(點) 내림.

응고 효소【凝固酵素】명〖화〗액체 속에 용해된 복잡한 물질에 작용하여 그것을 침전시키려는 효소. 혈액을 응고시키는 트롬빈(thrombin) 따위는 그 예(例)임.

응:공【應供】명 [범 arhat]〖불교〗여래 십호(如來十號)의 하나. 중생(衆生)의 공양(供養)을 받을 자격이 있다는 뜻으로 불타(佛陀)를 일컫는 말. *정변지(正遍知).

응괴【凝塊】명 응고하여 된 덩어리.

응:교【應教】명〖역〗①고려 때의 관직. 충렬왕(忠烈王) 34년(1308)에 문한서(文翰署)와 사관(史館)을 합병하여 예문 춘추관(藝文春秋館)을 두면서 베풂. 정오품. 그 뒤 관청의 변천에 따라 한때 없어졌다가 공민왕(恭愍王) 11년(1362)에 예문관을 설치하면서 다시 두었음. ②조선 시대 때 홍문관(弘文館)의 정사품(正四品) 벼슬. 부(副)응교의 위, 전한(典翰)의 아래. ③조선 시대 때, 홍문관 직제학(直提學) 이하 교리(校理) 가운데에서 겸임시키던 예문관(藝文館)의 한 벼슬.

응구러지 명 〈방〉〖어〗미꾸라지(전북).

응:구 첩대【應口輒對】명 물음에 응하여 거침 없이 대답함. ——-하다 자여불

응:구-하다【應口—】자여불 물음에 응하여 대답하다.

응군【鷹軍】명〖역〗응방(鷹坊)에 속하여 매로 꿩을 잡던 군사.

응그리다 타 ①얼굴을 찌푸리다. ②손으로 움키다.

응:금-물【應禁物】명 법으로 가지지 못하게 하는 물건.

응:급【應急】명 급한 대로 우선 처리함. ——-하다 타여불

응:급-수단【應急手段】명 응급 조처하는 수단. 응급책(應急策). ¶～을 강구하다.

응:급 수술【應急手術】명〖의〗방치(放置)하여 두면 병이 시시 각각으로 악화하여 드디어는 생명을 잃게 될 경우에 정확한 진단을 행할 겨를이 없어 부득이 조급하게 행하는 구명적(救命的)인 수술. 급성 복막염·장폐색(腸閉塞)·외상(外傷) 등의 수술은 이에 해당함. 구급 수술.

응:급-실【應急室】명 응급 환자를 일시 수용하는 병실. 여기서 환자에게 응급 처치를 함.

응:급-조처【應急措處】명 응급으로 하는 조처. 응급조치(應急措置). ——-하다 자여불

응:급-조치【應急措置】명 응급조처. ——-하다 자여불

응:급-책【應急策】명 응급 수단.

응:급 처:치【應急處置】명 응급 치료. ——-하다 자여불

응:급 치료【應急治療】명 응급으로 하는 치료. 응급 처치(應急處置). 구급(救急) 치료. ——-하다 자여불

응:급 치료법【應急治療法】[—뻡] 명 응급으로 치료하는 방법.

응:급 환:자【應急患者】명 불의(不意)의 사고를 당해 부상하거나, 급병(急病)을 일으켜 응급 처치를 받아야 할 환자.

응:기【應器】명〖불교〗바리때.

응기-기【凝汽器】명〖기〗응축기.

응:낙【應諾】명 응하여 승낙함. ——-하다 타여불

응:낙-법【應諾法】명〖언〗문체법(文體法)상으로 본 서법(書法)의 하나로, 무엇을 응낙하는 뜻을 나타내는 화법(話法). '-하마·-있으마' 따위.

응:납【應納】명 꼭 상납(上納)해야 하는 물품.

응:능-주의【應能主義】[—/—이] 명〖경〗조세 부담의 공평을 기함에 있어서, 과세의 표준을 각 개인의 부담 능력에 두어야 한다는 주장. ↔응익주의(應益主義). *능력설.

응달 명 〔중세 : 음(陰)달〕 볕이 들지 않아 그늘진 곳. ¶～에서 말리다. ↔양달.

[응달에도 햇빛 드는 날이 있다] 역경(逆境)에 처해 있는 사람에게도 길운(吉運)이 오는 때가 있다는 말.

응달(이) 지다 구 빛이 직접 비치지 아니하다. 그늘(이) 지다.

응달-골무꽃 명〖식〗[*Scutellaria stachydifolia*] 꿀풀과에 속하는 다년초. 줄기는 사각형이고 높이 30cm 내외임. 잎은 대생하는데 달걀꼴이고 자루가 있음. 5-6월에 자색의 꽃이 정생(頂生)하여 총상 화서(總狀花序)로 핌. 산지(山地)에 나는데, 전남·전북·강원·경기 등지에 분포함.

응달-쪽 명 응달진 쪽. ↔양달쪽.

응:답【應答】명 ①물음에 응하여 하는 대답. 답응(答應). ②[response] 심리학이나 비교 심리학에서, 일반적으로 자극(刺戟)에 대한 생체(生體)의 반응을 일컫는 말. 세포·조직 또는 기관(器官)의 단계에서도 적용됨. ——-하다 자여불

응:당【應當】부 당연히. 꼭. 으레. ¶～ 가야지/～ 주어야 한다. ——-하다 형여불 ①어떤 현상이나 사실이, 지극히 마땅하다. ¶학생이 공부하는 것은 ～한 일이다. ②상당(相當)하다. ¶～한 벌을 받아야 한다. ——-히 부

응:대¹【應待】명 응접(應接)❶. ——-하다 타여불

응:대²【應對】명 ①상대하여 응답함. 손님을 접대함. ②어떤 문제에 대하여 서로 이야기함. 응하여 대함. ——-하다 자여불

응덕-령【鷹德嶺】[—녕] 명〖지〗함경 남도 풍산군(豐山郡) 풍산면과 웅이면(熊伊面) 사이에 있는 재. [1,548 m]

응뎅이 명 〈방〉 엉덩이(충청·전라·경북).

응-도【鷹島】명〖지〗경기도의 서해상(西海上), 인천 직할시 중구 영종동(永宗洞)에 딸린 섬. 영종도(永宗島)에서 동북쪽 8km 지점에 있음. [0.04 km²]

응:-둥이 명 ↗응석둥이. ¶비록 호패 찰 나이 되었지마는 ～로 자라서 아모 철이 없는데…≪李海朝 : 九疑山≫.

응등그러-지다 자 ①마르거나 졸아지거나 굳어지면서 뒤틀리다. ②춥거나 겁이 나서 근육이 줄어지다. 1)·2):>앙당그러지다.

응등-그리다 타 춥거나 겁이 나서 근육을 줄어뜨리다. >앙당그리다.

응:력【應力】[—녁] 명 [stress]〖물〗변형력(變形力).

응:력 부식【應力腐蝕】[—녁—] 명 [stress corrosion] 금속 재료(金屬材料)에 작용하고 있는 응력 또는 잔류(殘留) 응력에 의하여 가속(加速)되는 부식(腐蝕).

응:력 부식 균열【應力腐蝕龜裂】[―녁―] 명 〔stress corrosion breaking〕〖공〗 응력과 부식의 공동 작용으로 생기는 합금 재료의 균열. 순금속에서는 일어나지 않음.

응:력 안전율【應力安全率】[―녁―뉼] 명 〖물〗 재료의 강도(强度)와 허용(許容) 응력과의 비.

응:력 제거【應力除去】[―녁―] 명 〔stress relieving〕 금속 재료(金屬材料)의 잔류(殘留) 응력을 제거하기 위하여 저온(低溫)으로 가열(加熱)하는 일.

응:력 집중【應力集中】[―녁―] 명 〖물〗 응력이 국부적(局部的)으로 급격히 증가(增加)함.

응리【凝離】[―니] 명 〔segregation〕〖화〗 증기(蒸氣)로부터 액체가 응결(凝結)하는 것과 같이 한 모체(母體)로부터 분리하여 상(相)이 달라지는 현상. ――-하다 자여불

응립【凝立】[―닙] 명 꼼짝하지 아니하고 서 있음. ――-하다 자여불

응망【凝望】 명 뚫어지게 바라봄. ――-하다 타여불

응명1【凝命】 명 세종 때 창제된 발상(發祥)의 한 곡명.

응:명2【應命】 명 명령에 응함. ――-하다 자타여불

응:모【應募】 명 모집에 응함. ¶현상에 ~하다/~ 작품(作品). ――-하다 자여불

응:모 가격【應募價格】[―까―] 명 〖경〗 공채(公債)·사채(社債)·주식 등을 모집할 때에 응모자가 실제로 내는 가격. 응모액(應募額).

응:모-액【應募額】 명 〖경〗 응모 가격.

응:모-자【應募者】 명 모집에 응하는 사람.

응:모자 수익률【應募者收益率】[―뉼] 명 〖경〗 투자자가 채권을 구입할 때의 수익률. 납입 가액(納入價額)에 대한 이자와 상환 차익(償還差益)의 비율로 나타냄. *발행자 수익률.

응:문【應門】 명 ①중국에서, 궁성(宮城)의 정문(正門). ②방문자(訪問者)를 응대함. 또, 그 사람. ――-하다 자여불

응:문-아【應門兒】 명 응문지동(應門之童).

응:문 오:척지동【應門五尺之童】 명 응문지동(應門之童).

응:문지-동【應門之童】 명 문 앞에서 손님을 응대하는 아이. 응문 오척지동(應門五尺之童).

응:문 팔갑【應門八闔】[―쌉] 명 정문(正門)이 여덟 겹이라는 뜻.

응:-받다 자 ↗응석 받다.

응방【鷹坊】 명 〖역〗 고려 말과 조선 시대 때 매를 길러 궁중의 수렵에 당하던 직소(職所). 조선 숙종(肅宗) 41년(1715)에 폐함.

응방-자【鷹坊子】 명 〖역〗 응방(鷹坊)에 딸린 매부리.

응방 체아직【鷹坊遞兒職】 명 〖역〗 조선 시대 때, 응방에 소속된 체아직.

응:변【應變】 명 임기 응변(臨機應變). ――-하다 자여불

응:보【應報】 명 ①〖불교〗 선악(善惡)의 인연에 응하여 화복(禍福)의 갚음을 받음. ②행위에 대하여 받는 갚음. ¶나쁜 일을 행한 당연한 ~. *인과 응보(因果應報).

응:보-주의【應報主義】[―/―이] 명 죄에 대한 응보로서 형벌을 가하는 주의.

응:보-형【應報刑】 명 응보주의에 입각한 형벌. ↔교육형(敎育刑)·목적형(目的刑).

응:보형-론【應報刑論】[―논] 명 형벌의 본질을 응보(應報)라고 하며, 범죄 행위에는 그에 상응(相應)하는 형벌을 가하는 것이 정의의 실현이라고 하는 형법상의 학설. 응보형(應報刑)주의. 형벌 응보주의. *탈리오(Talio)의 원칙.

응:보형-주의【應報刑主義】[―/―이] 명 〖법〗 응보형론(應報刑論). ↔교육형론·목적형주의.

응-봉【鷹峰】 명 〖지〗 서울 특별시 성동구(城東區) 왕십리(往十里) 남방에 있는 산. 신석기 시대의 유물인 무문 토기(無文土器)와 마제 석기(磨製石器) 등이 발견되었음. [120 m]

응봉-산【鷹峰山】 명 〖지〗 ①경상 북도 의성군(義城郡) 안평면(安平面)의 팔공(八公) 산맥 중에 솟은 산. [386 m] ②황해도 해주(海州)에 있는 수양산(首陽山) 중에 솟은 높은 산의 하나. [646 m] ③강원도 홍천군(洪川郡) 서면(西面)과 남면(南面)과의 사이에 있는 산. [650 m]

응:분【應分】 명 제 신분·능력에 맞음. ¶~의 보상.

응:비【應鼙】 명 〖악〗 응고(應鼓).

응사1【凝思】 명 응상(凝想). ――-하다 자타여불

응:사2【應射】 명 ①궁술(弓術) 대회의 경사(競射)에 응함. ②한편의 사격에 대응하여 마주 사격함. ――-하다 자여불

응사3【鷹師】 명 매사냥에서 쓰는 매를 기르는 사람.

응사-계【鷹師契】[―께] 명 〖역〗 각 궁방(宮房)에서 탄일(誕日)·제사 등에 쓸 꿩을 사옹원(司饔院)에 공물(貢物)로 바치던 계.

응:사-원【應射員】 명 응사한 사원(射員).

응상【凝想】 명 일심(一心)으로 생각함. 마음을 가다듬고 정신을 집중함. 응사(凝思). ――-하다 자타여불

응:석 명 어른에게 사랑을 믿고 어려워하는 기색이 없이 버릇없게 구는 언행. ――-하다 자여불

응:석(을) 받다 구 응석을 받아 주다. 준응받다.

응:석(을) 부리다 구 어른에게 사랑을 믿고 어려워하지 않고 버릇없는 언행을 하다. ¶아이가 어머니에게 ~.

응:석-꾸러기 명 응석을 잘 피우는 아이.

응:석-둥이 명 응석을 부리며 자란 아이. 응석받이. 준응둥이.

응:석-받이 [―바지] 명 ①응석을 받아 주는 일. ②응석둥이. ¶~로 자라서 통 버릇이 없다.

응:성【應聲】 명 소리에 응함. ――-하다 자여불

응성-깊다 형 〈방〉 웅숭깊다.

응:성-충【應聲蟲】 명 ①사람의 목구멍 속에 있어서 말하는 것을 흉내낸다고 하는 벌레. ②일정한 주견이 없이 남이 하는 대로 따라 하는 사람을 이르는 말.

응:세1【應世】 명 세상 형편에 따름. ――-하다 자여불

응:세2【應稅】 명 징세(徵稅)에 응함. ――-하다 자여불

응:소1【應召】 명 소집(召集)에 응함. ――-하다 자여불

응:-소2【應劭】 명 〖사람〗 중국 후한(後漢) 말기의 학자. 여남(汝南) 남돈(南頓) 사람. 자는 중원(仲遠). 후한말의 혼란기를 당해 제도(制度)·전례(典禮)·고사(故事) 등이 잊혀질 것을 염려하여 《한관(漢官)》·《예의 고사(禮儀故事)》를 저술(著述)하고 사물(事物)의 명칭(名稱)을 옳게 하려고 《풍속 통의(風俗通義)》를 씀. 생몰년 미상.

응:소3【應訴】 명 〖법〗 송사에 응함. 원고(原告)가 일으킨 소송에 대하여 피고가 됨. 응송(應訟). ――-하다 자여불

응:소-장【應訴狀】[―짱] 명 응소하기 위하여 해당 기관(該當機關)에 제출하는 문건(文件).

응:속【應贖】 명 속죄(贖罪)할 수 있는 일.

응:송1【應訟】 명 응소(應訴). 대송(對訟). ――-하다 자여불

응:송2【應誦】 명 응답하여 노래를 부름. ――-하다 타여불

응수1【凝水】 명 흐르지 않고 괴어 있는 물.

응:수2【應手】 명 바둑·장기 등을 둘 때에 상대편이 놓는 수에 응함. 또, 그 수(手). ¶~를 타진하다.

응수3【膺受】 명 ①선물 등을 받음. ②의무·책임 등을 짐. ――-하다 타여불

응:수4【應酬】 명 상대편의 말이나 일에 대하여 응함. 응하여 수작함. 대수(對酬). ¶지지 않고 ~하다. ――-하다 자여불

응:수5【應需】 명 수요(需要)에 응함. 요구(要求)에 응함. ――-하다 자여불

응수-석【凝水石】 명 암염(岩塩)이 응고(凝固)한 고체(固體).

응시1【凝視】 명 한참 동안 뚫어지게 자세히 봄. ――-하다 타여불

응:시2【應試】 명 시험에 응함. ――-하다 자여불

응시3【鷹視】 명 매처럼 노려 봄. ――-하다 타여불

응시-백【鷹屎白】 명 〖한의〗 매의 똥의 흰 부분. 어루러기를 고치는 데 씀.

응:시-이출【應時而出】 명 때를 맞추어 남. ――-하다 자여불

응:시-자【應試者】 명 시험에 응한 사람.

응:식【應食】 명 직무에 응하여 받는 녹. ¶이는 여호와의 화제(火祭) 중 네 ~과 네 아들의 ~인즉 너희는 그것을 거룩한 곳에서 먹으라 《구약 레위기 X : 13》. *벌초(伐草) 사례. ――-하다 자여불

응:신【應身】 명 〖불교〗 ①〔범 nirmāṇa-kāyā〕 삼신(三身)의 하나. 중생(衆生)을 제도(濟度)하기 위하여 그 기근(機根)에 따라 여러 가지 모습으로 나타난 부처. 변화신(變化身). 화신(化身). ↔법신(法身)·보신(報身). ②〔범 sambhoga-kāyā〕 부처의 삼신(三身) 중의 보신(報身)의 일컬음. ↔진신(眞身).

응:신-불【應身佛】 명 〖불교〗 삼신불(三身佛)의 하나로, 석가 여래(如來)를 이르는 말.

응:아【應我】 명 남이 자기를 따름. ――-하다 자여불

응아-응아 감 ☞응애응애.

응안-악【凝安樂】 명 〖악〗 풍악의 이름.

응애-응애 감 갓난 아이의 울음 소리.

응앵이 명 〈방〉 진딧물(강원).

응양【鷹揚】 명 매가 하늘을 날듯 으젓이 무용(武勇)이나 예명(藝名) 등을 떨침. ――-하다 자여불

응양-군【鷹揚軍】 명 〖역〗 고려 때 이군 육위(二軍六衛)의 이군(二軍)의 하나. 군대는 한 영(領). 위로 상장군(上將軍)·대장군(大將軍) 각 한 사람이 있고, 아래로 여러 군관(軍官)이 있었음.

응어리 명 ①근육이 뭉쳐서 된 덩어리. ¶~가 가시지 아니하다. ②사물의 속에 깊이 박힌 것. ③과실의 씨가 박힌 부분.

응얼-거리다 자타 글이나 노래 또는 불평 같은것을 입 속으로 읊다. ¶왜 응얼거리기만 하고 일을 않느냐. 응얼-응얼 부. ――-하다 자타여불

응얼-대다 자타 응얼거리다.

응에 명 〈방〉〖어〗 잉어(함경).

응:역【應役】 명 공역(公役)에 응함. ――-하다 자여불

응연1【凝然】 명 단정하고 점잖은 모양. ――-하다 형여불

응:연2【應然】 부 당연(當然). ――-하다 형여불. ――-히 부

응:용【應用】 명 원리나 지식을 실제적인 사물에 적용하여 이용함. *순정(純正). ――-하다 타여불

응:용 경제학【應用經濟學】 명 이론 경제학의 성과를 실제의 경제 현상에 응용하여 실천하는 경제학의 한 부문. 경제 정책학(經濟政策學). ↔이론 경제학.

응:용 곤충학【應用昆蟲學】 명 곤충학 중에서 인간과 이해 관계가 깊은 곤충에 대하여 연구하는 학문.

응:용 과학【應用科學】 명 의학(醫學)·농학(農學)·공학(工學) 등과 같이 실제로 인간 생활에 응용함을 주목적으로 하는 과학. ↔이론(理論) 과학·순정(純正) 과학.

응:용 기술 위성【應用技術衛星】 명 에이 티 에스(A.T.S.).

응:용 문:제【應用問題】 명 학습한 기본 지식(基本知識)을 응용해서 답을 내는 문제.

응:용 물리학【應用物理學】 명 〔applied physics〕 실제로 인간 생활에 응용함을 주목적으로 하는 물리학의 한 부문. 협의(狹義)로는 계측(計測)·자동 제어·진공(眞空) 등의 기술 분야를 지칭하기도 함. ↔이론 물리학.

응:용 물리학과【應用物理學科】 명 〖교〗 대학에서, 응용 물리학을 전공

하는 학과. *응용 화학과.

응:용 미술【應用美術】명 실용에 적용(適用)시키는 미술. 회화(繪畫)나 조각(彫刻)의 기법(技法)을 응용한 의장(意匠)·도안(圖案)·장정(裝幀)·장치 등을 말함.

응:용 사회학【應用社會學】명〔applied sociology〕이론 사회학에 대해서, 그 이론을 응용하여 사회 생활 개선을 위해 실제적 수단 또는 방책(方策)을 연구하는 사회학의 한 부문.

응:용 생리학【應用生理學】[—니—] 명〔applied physiology〕실제 문제에의 적용을 목적으로 하는 생리학의 한 부문. 의용(醫用) 생리학을 가리키기도 하나, 인체 생리학·체육 생리학·노동 생리학 등이 이에 해당됨. 또, 농학적(農學的) 생리학을 포함하기도 함.

응:용 수:학【應用數學】명〔applied mathematics〕통계 수학(統計數學) 등과 같이 응용을 주목적으로 하는 수학의 여러 분야를 이름. ↔순정(純正) 수학.

응:용 식물학【應用植物學】명 실제로 응용함을 주목적으로 하는 식물학의 한 분야.

응:용 심리학【應用心理學】[—니—] 명〔applied psychology〕〖심〗실제 문제의 해결에 응용된 심리학. 주로 의학적 심리학·산업 심리학·법률 심리학 등을 가리킴.

응:용 언어학【應用言語學】명〖언〗언어의 사용에 의해 생기는 모든 문제를 다루는 학문.

응:용 역학【應用力學】[—녁—] 명〔applied mechanics〕넓은 뜻으로는, 기술적 부문에서 문제가 되는 역학 현상을 연구하는 학문. 좁은 뜻으로는, 재료의 파괴에 대한 강도(強度)를 연구하는 재료 역학(材料力學)·구조 역학(構造力學) 등을 이름.

응:용 인류학【應用人類學】[—일—] 명〔applied anthropology〕인류학의 성과를 이용하여 인류의 생활 개선을 도모하는 인류학의 한 부문. 특히, 원주민의 사회나 경제의 발전, 복지 향상에 유용하게 되었고, 또 최근에는 친자(親子)의 감별, 시체(屍體)의 식별, 기성복 제조, 공장의 능률 증진 등에 널리 이용되고 있음.

응:용 전:술【應用戰術】명 실제에 적용하는 전술.

응:용 정신 분석【應用精神分析】명 의료 이외의 인간에 관한 과학에 응용한 정신 분석. 예컨대, 문화적 현상을 정신 분석적으로 해석하는 일로, 문학·예술에의 응용 등이 있음.

응:용 지질학【應用地質學】명〖지〗지질학과 딴 응용 과학 특히 토목·농학 등의 분야와의 경계를 취급하는 학문.

응:용 프로그램【應用—】〔program〕명〖컴퓨터〗특정 업무를 처리하기 위하여 사용자나 전문가가 만든 컴퓨터 프로그램. *시스템 프로그램.

응:용 화학【應用化學】명〔applied chemistry〕〖화〗①공업적 생산 과정 중의 화학적 방면을 연구하는 화학의 부문. 공업 화학. ②생물화학·약(藥)화학·의(醫)화학·공업 화학 같은 화학의 응용적 부문의 총칭. ↔이론(理論) 화학·순정(純正) 화학.

응:용 화학과【應用化學科】명〖교〗대학에서, 응용 화학을 전공하는 학과. *응용 물리학과.

응:원【應援】명 곁들어 도와 줌. 뒤에서 성원함. ——-하다 타여불

응:원-가【應援歌】명 운동 경기 등에서, 선수들의 사기를 고취(鼓吹)하기 위하여 여럿이 부르는 노래.

응:원-군【應援軍】명 응원하기 위하여 파견되는 군대. 응원대.

응:원-단【應援團】명 주로, 운동 경기를 응원하는 단체. 또, 단체로서 응원하는 무리. 응원대.

응:원-대【應援隊】명 ①응원단. ②응원하기 위하여 파견되는 부대. 응원군(應援軍).

응:원-석【應援席】명 뒤에서 성원하여 사기를 북돋우어 주는 자리.

응:원-자【應援者】명 응원하는 사람.

응유 효소【凝乳酵素】명〔milk-clotting enzyme, rennin〕〖생〗유즙(乳汁)의 카세인(casein)의 응고를 촉진하는 효소. 레닌(rennin).

응:윤【應允】명〖사람〗조선 정조(正祖)·순조(純祖) 때의 중. 호(號)는 경암(鏡巖), 속성은 민씨(閔氏), 응윤은 법명(法名). 여흥(驪興) 사람. 한퇴지(韓退之)의 배불론(排佛論)을 배격하고 시문(詩文)으로 선도(禪道)를 앙양함. [1743-1804]

응-응 감 ①연해 '응' 소리로 대답하는 모양. ②소리 높여 울거나 아이들이 응석을 부리는 모양. 또, 그 소리. ——-하다 자여불

응응-거리다 자 자꾸 응응하다.

응응-대다 자 응응거리다.

응의[1] [—/—이] 명〈방〉〖식〗율무.

응의[2]【凝意】[—/—이] 명 마음을 집중함. 열심히 함. ——-하다 자여불

응의[3]【凝議】[—/—이] 명 여러 가지 상의(相議)를 거듭함. 정성껏 의논(議論)함. ——-하다 타여불

응이 명 ①〈방〉〖식〗율무. ②녹말에 물을 넣어 쑤는 죽 종류의 하나. 의이(薏苡).

응:익-주의【應益主義】[—/—이] 명〖경〗조세 부담의 공평을 기함에 있어, 과세의 기준을 각 개인이 국가 또는 지방 자치 단체로부터 받는 이익에 두어야 한다는 주장. ↔응능(應能)주의.

응:인【應人】명 ①인도(人道)에 따름. ②〖불교〗인천(人天)의 공양(供養)을 받을 사람.

응:입【應入】명 마땅히 들어올 물건. 경상(經常)의 수입.

응장 성:식【凝粧盛飾】명 얼굴을 단장하고 옷을 훌륭하게 차림. ——-하다 자여불

응적【凝寂】명 겨울에 모든 것이 얼어 붙은 듯이 적막(寂寞)한 모양. ——-하다 형여불

응:전【應戰】명 싸움에 응함. ——-하다 자여불

응절-거리다 자타〈방〉응얼거리다.

응:접【應接】명 ①맞이하여 접대함. 접응(接應). 응대(應待). ②사물에 접촉함. ——-하다 타여불

응:접 무가【應接無暇】명 응접 불가. ——-하다 형여불

응:접 불가【應接不暇】명 응접에 바빠 겨를이 없음. 일이 몹시 바쁨. 응접 무가(應接無暇). ——-하다 형여불

응:접 세트【應接—】〔set〕명 손님을 응대(應待)하는 데에 쓰이는 탁자와 의자. 소파(sofa)의 한 벌.

응:접-소【應接所】명 손님을 응접하는 곳.

응:접-실【應接室】명 손님을 응접하려고 특별히 정하여 놓은 방. 접대실. 접빈실(接賓室).

응:제【應製】명〖역〗①임금의 특명에 의하여 임시로 행하던 과거(科擧). ②임금의 명령에 응하여 시문을 지음.

응:제-시【應製詩】명 왕의 명으로 지은 시의 총칭.

응:종[1]【應從】명 응하여 그대로 따름. ——-하다 자여불

응:종[2]【應鐘】명 ①〖악〗십이율(十二律) 가운데 음려(陰呂)의 하나. ②음력 시월의 딴이름. ③〖민〗해(亥)에 해당하는 방위(方位).

응:준【應俊】명〖사람〗조선 중기의 중. 호(號)는 회은(晦隱·悔隱), 속성은 기(奇). 본관은 남원(南原). 16세 때 중이 되고 각성(覺性)의 법을 이어받음. 인조(仁祖) 11년(1636) 입암성장(笠巖城將)이 되고 병자 호란 때는 각성과 함께 승병(僧兵)을 이끌고 싸웠음. 뒤에 절충 장군(折衝將軍)·가선 대부(嘉善大夫) 등을 거쳐 현종(顯宗) 원년(1663) 자헌(資憲) 대부에 승대장(僧大將), 동 4년 정헌(正憲) 대부가 됨. [1587-1672]

응-지다 자 ↗응어리지다. ¶그 웃음으로 말미암아 응졌던 마음이 활짝 풀려지는 것도 같았다《李孝石 : 풀잎》.

응:진[1]【應眞】명〖불교〗아라한(阿羅漢)❷.

응:진[2]【應診】명 의사가 진찰 의뢰를 승낙함. ——-하다 자여불

응집【凝集】명 ①엉기어 모임. 응결(凝結). 응착(凝着). 응취(凝聚). ②〔cohesion〕〖물〗유사한 요소로 된 집합체의 각 부분이 서로 모이려고 하는 성질. 분자간 인력(分子間引力)에 의한 것임. ——-하다 자여불

응집-력【凝集力】[—녁] 명〔cohesive force〕〖물〗같은 종류의 분자 사이에 작용하는 인력(引力). 물체를 조직하고 있는 분자 사이에는 빈틈이 있는데도 물체가 일정한 체적과 형상(形狀)을 유지함은 이 힘에 의하는데, 일반적으로 고체가 액체에 있어서보다 큼. 응취력. *부착력(附着力).

응집력-설【凝集力說】[—녁—] 명〖생〗식물의 뿌리에서 지엽(枝葉)으로 수분(水分)이 상승하는 기구(機構)에 관한 학설의 하나. 그 원인이 물의 분자 사이의 응집력에 의한 증산류(蒸散流)에 있다고 함. 딕슨(Dixon, H.H.) 및 졸리(Joly, J.)가 제창하였음.

응집 반:응【凝集反應】명〔agglutination〕세균 또는 적혈구(赤血球)를 주사한 동물의 면역 혈청(免疫血淸)에 같은 종류의 세균이나 적혈구를 가할 때, 응집소(凝集素)의 작용으로 말미암아 한데 응집하는 현상. 때때로 정상(正常) 혈청에 있어서도 사람의 혈액형과 같이 동종류 이개체(同種類異個體) 사이에 이 반응이 일어남. 혈액형의 결정, 급성 전염병의 진단 따위에 응용됨. *침강 반응.

응집-법【凝集法】명 응집하게 하는 방법 또는 응집 현상(現象)을 이용하는 방법.

응집-소【凝集素】명〔agglutinin〕〖의〗①응집 반응을 일으키는 항체(抗體). ②사람의 혈청(血淸) 중에 있으며 동종(同種)의 혈액 응집 반응의 경우 항체(抗體)가 되는 물질. ABO식 혈액형에서는 α와 β의 두 종류가 있음. 응착소(凝着素).

응집-원【凝集原】명〔agglutinogen〕〖의〗①응집 반응을 일으키는 항원(抗原). ②사람의 적혈구(赤血球) 중에 있으며, 혈액의 응집 반응 때에 항원이 되는 물질. ABO식(式) 혈액형(血液型)에서는 A와 B 두 종류가 있음. 응착원(凝着原).

응징【膺懲】명 ①잘못을 회개하도록 징계함. ②적국을 정복함. 징응(懲膺). ——-하다 타여불

응-짜 명 핀잔하는 투로 대꾸하는 말. ¶'… 토설이 나오도록 되게 치지 못해…' 하시고 ~를 놓으시었다《朴鍾和 : 錦衫의 피》.

응착【凝着】명〖물〗종류가 다른 물질들을 접촉시킬 때에 분자간(分子間)의 힘에 의하여 서로 부착하는 현상. 응집(凝集). ——-하다 자여불

응착-력【凝着力】[—녁] 명〖물〗서로 응착하는 두 물질의 분자 사이에서 작용한다고 생각되는 힘. 응집력.

응착-소【凝着素】명〖의〗응집소.

응착-원【凝着原】명〖의〗응집원.

응:찰【應札】명 입찰(入札)에 응함. ——-하다 자여불

응:창【應唱】명〖천주교〗예배나 미사를 행할 때에 사제(司祭)의 낭영(朗詠)에 대하여 합창대나 회중(會衆)이 창화(唱和)하는 일. 또, 그 가곡. ——-하다 자여불

응천【凝川】명〖지〗경상 남도 밀양(密陽)의 옛 이름.

응:천-부【應天府】명〖지〗중국 명(明)나라 태조(太祖)가 도읍을 정했던 곳. 지금의 난징(南京). *강녕(江寧).

응:천 순:인【應天順人】명 천의(天意)에 응하고 민의(民意)에 순종함. ——-하다 자여불

응체[1]【凝滯】명 막히거나 걸림. ——-하다 자여불

응체[2]【凝體】명 응고한 물체.

응축【凝縮】명 ①엉기어 줄어듦. ②〔condensation〕〖물·기상〗기체에서 액체로 변하는 일. 포화 증기(飽和蒸氣)의 온도를 내리거나 또는 온도를 일정하게 하고 이를 압축하면 증기의 일부가 액화하는 현상. 흔히, 공기 중의 수증기가 미소한 먼지 또는 공기 중의 이온 등을 핵(核)으로 하여, 안개·구름·이슬 또는 눈으로 변하는 일이 이에 포함됨. 응

결(凝結).
응축-기【凝縮機】명【기】기체를 냉각 응축하여 액화하는 장치. 냉동기·증류기·증발기·냉난방(冷暖房)장치·증기 보일러 따위의 부속 장치로 널리 쓰임. 실험실용은 냉각기, 증기 터빈용(蒸氣turbine用)은 복수기(復水器)라고 함. 콘덴서. 응기기(凝汽器). 응결기.
응축-물【凝縮物】명 응축한 물질.
응축-액【凝縮液】명〔condensate〕【화】①응축기에서 생기는 액체. ②기체 순환 장치에서, 가스 팽창과 냉각으로 액체가 되는 저급(低級) 탄화 수소 혼합물.
응축-열【凝縮熱】[―녈] 명〔heat of condensation〕【물】기체가 응축하여 액체가 될 때 방출하는 열.
응취【凝聚】명 응집(凝集). ――하다 자여불
응취-력【凝聚力】명【물】응집력(凝集力).
응컬-거리다 자〈방〉으르렁거리다. 응컬-응컬 부. ――하다 자
응크리다 자〈방〉으르렁거리다.
응:판【應辦】명 수용(需用)에 응하여 판출함. ――하다 타여불
응:판-색【應辦色】명【역】외국 사신이 쓰는 것을 내어 주는 사무를 맡아 보던 호조(戶曹)의 한 분장(分掌).
응:포【應砲】명 상대 편에 응해 쏘는 대포. ――하다 자여불
응:-하다【應―】자여불 ①따르다. ②대답하다. ③시키는 대로 하다. ④갚다.
응:하지-수【應下之數】명 지급할 액수.
응:험【應驗】명 드러난 징조가 맞음. ――하다 자여불
응헤야 명【악】메기고 받는 데 '응헤야' 소리를 내므로 일컫는, 경상도 민요 '보리 타작 노래'의 딴이름.
응:현【應現】명【불교】응화(應化)❶. ――하다 자여불
응혈【凝血】명 몸 밖으로 나온 피가 공기와 접촉하여 엉기어 뭉침. 또, 그 피. ――하다 자여불
응혈 효소【凝血酵素】명【생】혈액 중의 피브리노겐(fibrinogen)을 피브린(fibrin)으로 바꾸어 혈액을 응고시키는 효소.
응:화[1]【應化】명 ①【불교】불보살(佛菩薩)이 미혹에 빠진 자를 구출하기 위하여 여러 가지 형태로 변신(變身)하여 나타나는 일. 응현(應現). ②적응(適應). ――하다 자여불
응:화[2]【應和】명 서로 대답함. ――하다 자여불
응:화 법신【應化法身】명【불교】응화한 법신.
응:화 성문【應化聲聞】명【불교】본지(本地)는 부처나 보살이면서 중생을 교화하기 위하여 성문의 몸을 나타낸 이.
응:화 이:생【應化利生】명【불교】보살이 응화하여 중생에게 법을 가르치어 불도(佛道)에 들어가는 이익을 줌.
응회【凝灰】명 엉기어 굳어진 재.
응회 각력암【凝灰角礫岩】[―녁―] 명【지】화산 쇄설암(碎屑岩)의 한 가지. 화산암괴(火山岩塊) 등이 화산회에 의하여 뭉쳐 굳어진 것. 암괴의 양이 전체의 반 이하의 경우를 이름.
응회-석【凝灰石】명【지】응회암.
응회-암【凝灰岩】명〔tuff〕【지】화산이 터질 때 분출된 재나 모래가 엉기어 된 바위. 응회석.
응회질 암석【凝灰質岩石】명【지】화산회(火山灰)·화산사(火山砂) 등의 화산 쇄설물(碎屑物)과 수성(水成) 쇄설물이 혼합하여 된 암석. 응회질 사암(砂岩)·응회질 혈암(頁岩) 등이 있음.
응회질 혈암【凝灰質頁岩】명【지】화산회(火山灰)·화산사(火山砂) 등이 혼유(混有)하는 혈암. 응회암과 혈암의 중간적인 것으로서, 화산 쇄설물과 수성 쇄설물이 혼합 응결하여 된 것임.
읖다 타〈옛〉읊다. ¶ 더르며 긴 으프믈 虛費히 호라(虛費短長吟)≪杜諺 Ⅱ:5≫.
의[1] 명【언】한글의 합성 모음 'ㅢ'의 이름.
의[2]【衣】명 ①↗의복. ②↗책의(冊衣).
의:[3]【意】명 ①마음. 마음의 움직임. 생각. ¶ 지정(知情)～. ②〔범 manas〕【불교】넓은 뜻으로는 사고(思考) 활동 일반. 좁은 뜻에서는 감각적이 아닌 또는 추상적인 지각 능력(知覺能力).
의:[4]【義】명 ①자기의 이익을 생각하지 않고 인도(人道)를 위하여 진력(盡力)하는 일. ¶ ～를 위하여 싸우다. ②옳은 행위. ¶ ～ 아니거던 행하지 마라. ③다른 사람과 골육(骨肉)의 관계를 맺는 일. ¶ ～를 맺다. ④글자나 글의 뜻. ⑤【역】경서(經書)의 뜻을 해석시키던, 과거 시문(試問)의 하나.
의[5]【疑】명【역】경서(經書) 속의 의의(疑義)를 설명시키던, 과거 시문(試問)의 하나.
의:[6]【誼】명 정의(情誼).
[의가 좋으면 처가집 말뚝에도 절한다] '아내가 귀여우면 처가집 말뚝 보고도 절을 한다'와 같은 뜻.
의[7]【醫】명 의원(醫員). 의사(醫師).
의[8]【議】명 한문학에서, 문체의 일종. 일의 올바른 방향을 밝히는 글이어서 문장이 간결하고도 뜻이 명확해야 함. '주의(奏議)'와 '사의(私議)'의 두 가지가 있는데, '주의'란 나랏일을 논하여 임금에게 올리는 글이며, '사의'란 개인의 의견을 적어 남에게 공개하는 글임.
의[9] [―/에] 조 ①체언과 체언 사이에 쓰이어 앞의 체언을 관형어로 만드는 관형격 조사. ㉠소유·소속을 나타냄. ¶ 나～ 책 / 김씨～ 승용차. ㉡때·장소·방향 등을 나타냄. ¶ 밤하늘～ 별 / 고려～ 청자 / 학교 앞～ 가게 / 아프리카～ 내전 / 깊은 산～ 맑은 물 / 동해～ 독도 / 서울～ 서북쪽 / 서울～ 봄 / 겨울～ 스키장. ㉢특성·속성·형상 등을 나타냄. ¶ 평화～ 댐 / 미～ 제전 / 절세～ 미인 / 제왕～ 자리 / 장미～ 향기 / 예술～ 고장 / 한국～ 멋 / 연극～ 재미 / 바위～ 무게 / 산～ 높이. ㉣수·양을 나타냄. ¶ 한 쌍～ 부부 / 한 톨～ 쌀. ㉤정도를 나타냄. ¶ 지상 최대～ 작전 / 최신～ 기술. ㉥행위·상태 등을 나타냄. ¶ 교전 중～ 두 나라 / 근무 중～ 잡담 / 교통～ 무질서. ㉦행위의 주체를 나타냄. ¶ 선생님～ 훈시 / 어머니～ 눈물 / 민중서림～ 사전 / 국민～ 소리. ㉧전체와 부분의 관계, 범위·영역을 나타냄. ¶ 국민～ 한 사람 / 전체～ 일부분 / 공기 속～ 수증기. ㉨'(으)로서'에 붙어 자격 등을 나타냄. ¶ 사람으로서～ 도리 / 공인(公人)으로서～ 거동. ㉩근원·목적을 나타냄. ¶ 상사로부터～ 명령 / 성공으로～ 길. ㉪재료·용도 등을 나타냄. ¶ 콘크리트～ 벽 / 소설～ 소재(素材) / 동물～ 먹이 / 공업용～ 물. ㉫관계를 나타냄. ¶ 아버지～ 아버지 / 장군～ 아들. ㉬'와 같은'의 뜻을 나타냄. ¶ 현하(懸河)～ 변(辯) / 백조～ 꿈 / 주지 육림 속～ 방탕 생활 / 철～ 장막. ㉭'이라는'의 뜻으로 두 체언의 관계를 나타냄. ¶ 사람～ 탈 / 예～ 문제 / 백두(白頭)～ 성지(聖地) / 시간～ 세계 / 악덕인～ 낙인. ②뒤에 오는 동작·상태의 주체임을 나타내는 주격 조사. ¶ 나～ 원하는 바 / 사람～ 사는 목적.
의[10] 조〈옛〉에. ¶ 山미틔 軍馬 두시고(山下設伏)≪龍歌 58章≫.
의[11]【矣】〈이두〉㊀조 의[9]. ㊁인대 저. 자기.
-의[1] 미〈옛〉-이[1]❶. ¶ 킈 져도 크도 아니ᄒᆞ고 ≪月釋 Ⅰ:26≫.
-의[2] 어미 ↗-으이. ¶ 정말 좋～.
-의[3] 어미〈옛〉-게. ¶ 後人사ᄅᆞᄆᆞᆯ 알의ᄒᆞᄂᆞᆫ 거시라 ≪釋譜 序 1≫.
의가[1]【衣架】명 옷걸이.
의가[2]【縊架】명 죄인(罪人)을 올려 놓고 교수하는 데 쓰이는 대(臺). 교수대(絞首臺).
의가[3]【醫家】명 ↗의술가(醫術家).
의가 반낭【衣架飯囊】명 옷걸이와 밥주머니란 뜻으로, 아무 쓸모가 없는 사람을 일컫는 말. 주대 반낭(酒袋飯囊).
의가사 제대【依家事除隊】명 가정 사정으로 인한 제대. 다음의 다섯 가지 경우에 현역 복무 기간을 6개월로 단축하여 제대할 수 있음. ①가족(家族), 곧 동일 호적 내에서 세대(世帶)를 같이 하는 사람 중 2인 이상이 동시에 재영(在營)함으로써 가족의 생계 유지가 곤란한 경우의 한 사람. ②재영 중 본인이 아니면 가족의 생계를 유지할 수 없는 자. ③부선망(父先亡)의 독자(獨子) 또는 부모가 60세 이상인 독자. ④2대 이상의 독자 또는 형제 중 1인의 전사로 인하여 독자가 된 자. ⑤부(父) 및 형제 중 2인 이상의 전사자(戰死者)가 있는 때의 1인.
의가-서【醫家書】명 의서(醫書).
의가지-락【宜家之樂】명 실가지락(室家之樂).
의:각【義脚】명 만들어 끼운 다리. 의족(義足). ↔의수(義手).
의각지-세【犄角之勢】명 양쪽에서 잡아 당겨 찢으려는 양면 작전의 태세. 기각지세(掎角之勢).
의:갈【義渴】명【천주교】하느님의 의(義)를 실현하려고 애타함.
의갑【衣甲】명 ①갑옷. ②갑옷을 입음. ――하다 타여불
의:개【意改】명 출판물의 교정(校訂)에서 따로 확실한 근거는 없으나 의미로 미루어 뜯어 고침. ――하다 타여불
의거[1]【依據】명 ①증거대로 함. ②산수(山水)에 의지하여 웅거함. ③의지하고 빙자(憑藉)함. 의빙(依憑). ――하다 자타여불
의:거[2]【義擧】명 의(義)를 위하여 일으키는 거사(擧事). ¶ 4·19 ～.
의거긔 조〈옛〉에게. ¶ 大衆의거긔 놈 위ᄒᆞ야 ᄀᆞᆯᄒᆡ내 니르며 ≪釋譜 XIX:8≫.
의:거-민【義擧民】명 의거를 일으킨 민중.
의건[1]【衣巾】명 ①의복과 수건(手巾). ②의복과 두건.
의건[2]【議件】[―껀] 명 의논할 안건(案件).
의건모-하다 자여불 살아 나아갈 계획을 세우다.
의-걸이【衣―】명 ↗의걸이장.
의걸이-장【衣―欌】명 위는 옷옷을 걸어 두고 아래는 미닫이 모양으로 옷을 개어 넣게 된 장. ㊥의걸이.
의게 조〈옛〉에게. ¶ 즁의게 브리일써니라≪楞嚴 Ⅵ:85≫.

〈의걸이장〉

의게셔 조〈옛〉에서. 보다. ¶ 臣이 浩의게셔 하옴이다(臣多於浩)≪小諺 Ⅵ:42≫. *에서.
의:견[1]【意見】명 마음속에 느낀 바 생각. 소견(所見). ¶ ～ 대립/～ 충돌/소수(少數)의 ～/～을 진술하다.
의:견[2]【義犬】명 의구(義狗).
의:견 광:고【意見廣告】명〔opinion advertising〕개인 및 단체가 특정한 중요 사항에 관하여 의견을 진술(陳述)하는 광고.
의-견사【擬絹絲】명 면화(棉花)·아교·단백질(蛋白質) 등을 짙은 수산화 나트륨으로 처리하여 천연 견사(天然絹絲)와 같은 광택이 나게 한 실. 실켓(silket).
의:견-서【意見書】명 어떠한 의견을 기록한 글. 또, 그 문서. ¶ ～를 작성하다.
의결[1]【議決】명 의논하여 결정함. 결의(決議). ¶ 새해 예산안을 ～하다/만장 일치로 ～하다. ――하다 타여불
의결[2]【議決】명【역】신라 시대의 관직. 궁내 관원을 규찰하는 관청인 내사정전(內司正典)에 소속.
의결-권【議決權】[―꿘] 명【법】①회의에 참석하여 의결할 수 있는 권리. 의회나 사단 법인의 의결권은 평등하나, 주주(株主)의 경우에는, 출자액에 따라 제한되는 것이 보통임. ¶ ～을 부여하다. ②의결 기관이 어떤 사항을 의결할 수 있는 권리. 결의권(決議權).
의결권-주【議決權株】[―꿘―] 명〔voting stock〕【경】주주 총회에 제출된 의안의 채부(採否)를 결정하는 권리를 가진 주식. 이 의결권은 주주의 기본적 권리의 하나로 각 주주는 일주(一株)에 대하여 하나의 의결권을 가짐.
의결 기관【議決機關】명【법】국회·지방 의회·주주 총회 등과 같이 공

공 단체나 회사 등의 의사를 의결하기 위하여 설정한 합의 기관. 결의(決議) 기관. ↔집행 기관(執行機關)❶.

의결 정:족수【議決定足數】[명]〖법〗합의체 기관의 의결이 성립하는 데 필요한 구성원의 찬성 표수. 국회는 재적 의원 과반수의 출석과 출석 의원 과반수의 찬성으로 의결함. 이것을 일반 의결 정족수라 함. 또, 대통령이 환부한 법률안에 대한 재(再)의결, 국무 총리 또는 국무 위원에 대한 해임 결의 의결, 의원의 제명 의결, 탄핵 소추 의결, 헌법 개정안의 의결 따위는 특별 의결 정족수가 요구됨.

의결 특권주【議決特權株】[명]〖경〗딴 주식에 비하여 몇 배의 의결권을 가지는 특수(特殊)한 주식. 복수 의결권주(複數議決權株). *방위주(防衛株).

의:경[1]【義警】[명] ↗의무 경찰.

의경[2]【疑驚】[명] 의심하며 놀람. ——-하다 [자][여불]

의경[3]【蟻逕】[명]〔개미길의 뜻〕썩 작은 길.

의경[4]【醫經】[명] 의학(醫學)의 경전(經典).

의:경-대【義警隊】[명]〖역〗1930 년 중국 상하이(上海)에서 창립된 대한 교민단의 경찰 기구.

의계[1]【醫戒】[명] 의사의 지켜야 할 도리나 교훈.

의계[2]【醫界】[명] 의학·의술의 세계.

의고【擬古】[명] ①옛 풍(風)을 모방함. ¶ ~적(的). ②시가·문장 등을 옛 형식에 맞추어 지음. ——-하다 [타][여불]

의고-문【擬古文】[명] 옛 문장을 본받아 지은 글.

의고문-하다【依古文—】[자][여불] 옛글에 의거하다.

의고전-주의【擬古典主義】[—/—이] [명]〖문〗의고주의(擬古主義).

의고-주의【擬古主義】[—/—이] [명] 고대의 전형(典型)을 숭배 모의(模擬)하는 주의. 의고전주의(擬古典主義). *고전주의·상고(尙古)주의.

의곡【歪曲】[명] ☞왜곡(歪曲). ——-하다 [자][타][여불]

의공[1]【醫工】[명] 의학에 관한 지식과 기술.

의공[2]【蟻孔】[명] 개미 구멍❶.

의공[3]【議功】[명]〖역〗공신(功臣)에게 벼슬 가자(加資)나 상(賞)을 주거나, 공신의 호(號)를 정하기 위하여 그 공로를 의논하는 일.

의-과【醫科】[—꽈] [명] ①의학을 연구하는 대학의 한 분과(分科). ②〖역〗조선 시대 때의 잡과(雜科)의 하나. 의학(醫學)에 밝은 사람을 시취(試取)하던 과거(科擧)로, 초시(初試)·복시(覆試)가 있었음. *음양과(陰陽科)·의업(醫業).

의과 대학【醫科大學】[—꽈—] [명] 의학을 연구하는 대학. [준]의대(醫大).

의관[1]【衣冠】[명] ①옷과 갓. 옷갓. ¶ ~ 속대(束帶). ②문물이 열리고 예의가 바른 풍속. ——-하다 [자][여불] 의관을 차리다.

의관[2]【儀觀】[명] 위엄이 있는 의용(儀容). 엄숙한 몸차림. 위의(威儀).

의관[3]【醫官】[명]〖역〗의술에 종사하던 관원.

의관[4]【議官】[명]〖역〗대한 제국 때 중추원(中樞院)의 한 벼슬. 고종(高宗) 32년(1895)에 베풀어 광무(光武) 9년(1905)에 찬의(贊議)로 고침.

의관-객【衣冠客】[명] 의관지인(衣冠之人).

의관 문물【衣冠文物】[명] 그 나라 사람들의 옷차림과 인문(人文)·물질 등 모든 방면의 상황. 그 나라의 문명.

의관 열파【衣冠裂破】[—녈—] [명] 옷을 찢거나 갓을 부수는 일. 또, 점잖음을 버리고 서로 다투는 일. ——-하다 [자][여불]

의관 장세【倚官仗勢】[명] 관리가 관위(官威)를 믿고 뻐김. 관리가 직권을 방패 삼아 백성을 괴롭힘. ——-하다 [자][여불]

의관지-인【衣冠之人】[명] 의관을 단정히 차린 사람. 곧, 중류(中流) 이상의 사람. 의관객(衣冠客).

의관지-회【衣冠之會】[명] ①예의바른 문명의 사회. ②평화로운 회합(會合). 의상지회(衣裳之會). ↔병거지회(兵車之會).

의구[1]【衣裘】[명] 옷과 갖옷. 즉, 의복(衣服)을 말함.

의구[2]【衣屨】[명] 의복과 신발.

의구[3]【依舊】[명] 옛 모양과 변함 없음. ¶산천은 ~하다. ——-하다 [형][여불]. ——-히 [부]

의:구[4]【義狗】[명] 주인에게 충성을 바친 개. 의견(義犬).

의구[5]【儀具】[명]〖역〗왕의 행차 또는 조현(朝見) 등 의식에 쓰는 물건.

의구[6]【疑懼】[명] 의심하고 두려워함. ——-하다 [타][여불]

의구[7]【蟻寇】[명] 좀도둑. 소구(小寇).

의구-심【疑懼心】[명] 의심하고 두려워하는 마음.

의:구 전설【義狗傳說】[명]〖민〗고대 설화(說話)의 일종. 주인을 위해 죽은 개에 관한 전설로 경상 북도 선산군(善山郡) 도개면(桃開面) 임동(林洞)에 있는 의구총(義狗塚)에 관한 전설 등 여러 가지임. 우리 나라의 기록은 고려 고종(高宗) 때의 최자(崔滋)의 ≪보한집(補閑集)≫에 처음 보임.

의:구-총【義狗塚】[명] 주인에게 충성을 바친 개의 무덤.

의국【醫局】[명] ①의무(醫務)를 다루는 방. ②약국·사무국에 대하여, 병원에서 의사들이 있는 방.

의-국회【擬國會】[명] ↗모의 국회(模擬國會).

의:군[1]【義軍】[명] 정의를 위하여 스스로 일어난 군대. 의병(義兵).

의군[2]【蟻軍·蟻群】[명] 개미떼.

의:군-단【義軍團】[명]〖역〗1920 년대에 만주에서 조직된 항일 무장 단체. 의군 산포대(義軍山砲隊)라고도 하며, 청산리 전투와 어랑촌(漁郎村) 전투에서 큰 전과를 올림.

의:군-부【義軍府】[명] 1922년 만주 환런현(桓仁縣)에서 통의부(統義府)의 직제(職制)와 인물 배치(配置)에 불만을 가진 군민(軍民) 대표가 조직한 독립 운동 단체. *통의부.

의궤[1]【儀軌】[명] ①본보기. 모범. ②〖불교〗밀교(密敎)에서, 제불(諸佛)·제보살(諸菩薩)·제존(諸尊)의 조상(造像)·염송(念誦)·공양 등에 관한 모든 방법·규칙. 또, 이를 기록한 전적(典籍). 비밀 의궤(祕密儀軌). 공양법(供養法).

의궤[2]【蟻潰】[명] 개미떼가 흩어지는 것처럼 도망함. ——-하다 [자][여불]

의궤[3]【懿軌】[명] 좋은 법칙.

의궤-도【儀軌圖】[명]〖역〗나라에서 큰일을 치를 때 그 의식의 모습을 그린 기록화. ¶ 진연(進宴) ~.

의궤 원역【儀軌員役】[명]〖역〗도감(都監)의 의식(儀式)과 행사를 편집하는 이서(吏胥).

의귀【依歸】[명] 몸이나 정신이 가서 의지함. ——-하다 [자][여불]

의그에 [조]〈옛〉에게. =이그에. ¶겨지븨그에 보튼 더러븐 이스리 업스며 ≪月釋 1:26≫.

의그에셔 [조]〈옛〉에게서. ¶衆生의 福이 쥬의그에셔 남과 ≪釋譜 Ⅵ:19≫. *쥬의그에셔.

의:근【意根】[명]〖불교〗육근(六根)의 하나. 마음에 의해서 인식(認識) 작용이 행하여질 때의 의지하는 근거가 되는 기관(器官).

의-금[1]【衣衾】[명] 옷과 이부자리.

의금[2]【衣錦】[명] 비단옷을 입음. 전(轉)하여, 부귀의 몸이 됨. ——-하다 [자][여불]

의금[3]【衣襟】[명] 옷깃.

의:금[4]【義金】[명] 의연금(義捐金).

의금[5]【擬金】[명]〖화〗황화 제이주석(黃化第二朱錫)으로 된 인편상(鱗片狀)의 황금색 분말. 물에 용해되지 아니하고 산화하지도 아니하여 금박(金箔)·도금(鍍金)·안료(顔料) 등에 씀.

의금 귀향【衣錦歸鄕】[명] 금의 환향(錦衣還鄕). ——-하다 [자][여불]

의:금-부【義禁府】[명]〖역〗조선 시대 때 임금의 명령을 받들어 죄인을 추국(推鞫)하는 일을 맡아 보던 관아. 왕족(王族)의 범죄, 반역죄·모역죄 등의 대죄(大罪), 부조(父祖)에 대한 죄 등 강상죄(綱常罪), 사헌부(司憲府)가 논핵(論劾)한 사건, 이(理)·원리(原理)의 조관(朝官)의 죄 등을 다룸. 태종(太宗) 14년(1414)에 의용 순위사(義勇巡衛司)를 고친 이름인데, 고종(高宗) 31년(1894)에 다시 의금사(義禁司)로 고쳤음. 왕부(王府). 금오(金吾). [준]금부(禁府).

의:금-사【義禁司】[명]〖역〗조선 시대 말 고종(高宗) 31년(1894)에 의금부(義禁府)를 고쳐 법무 아문(法務衙門)에 속하게 한 관아. 각 재판소의 상소(上訴)를 재판하였음. 이듬해 고등 재판소로 고침.

의금 야:행【衣錦夜行】[—냐—] [명] 금의 야행(錦衣夜行).

의금-지【擬金紙】[명] 금박을 입힌 종이.

의금지-영【衣錦之榮】[명] 금의 환향(錦衣還鄕).

의기[1]【欹器】[명] 중국 주(周)나라 때에 임금을 경계하기 위하여 만들었다는 그릇. 물이 가득 차면 엎어지고 알맞으면 반듯하고 비면 기울어진다고 함.

의:기[2]【意企】[명] 하려고 기도(企圖)함. ——-하다 [타][여불]

의:기[3]【意忌】[명] 사람을 의심하고 꺼림. ——-하다 [타][여불]

의:기[4]【意氣】[명] ①득의(得意)한 마음. ②장한 마음. 인기(人氣). ③기상(氣象)❶.

의:기[5]【義妓】[명] 의로운 일을 한 기생.

의:기[6]【義氣】[명] 정의의 마음에서 일어나는 기개(氣槪).

의:기[7]【義旗】[명] 의병(義兵)의 군기(軍旗).

의기[8]【疑忌】[명] 의심하고 꺼림. ——-하다 [타][여불]

의기[9]【醫妓】[명]〖역〗의녀(醫女).

의:기 남아【義氣男兒】[명] 의기가 있는 남자. 의기 남자.

의:기 남자【義氣男子】[명] 의기 남아(義氣男兒).

의:기 상투【意氣相投】[명] 마음이 서로 맞음. 의기 투합(投合). ——-하다 [자][여불]

의:기 소침【意氣銷沈】[명] 의기가 쇠하여 사그라짐. 의기 저상(意氣沮喪). ——-하다 [자][여불]

의:기 양양【意氣揚揚】[명] 득의(得意)한 마음이 얼굴에 나타나는 모양. 득의 양양(得意揚揚). ——-하다 [형][여불]

의:기 저:상【意氣沮喪】[명] 의기 소침. ——-하다 [자][여불]

의:기지-용【義氣之勇】[명] 의기에 불타 일어나는 용맹(勇猛).

의기 집설【儀器輯說】[명]〖책〗고래로 우리 나라에서 사용해온 천문 기구(天文器具)의 구조 및 사용법과 그 산법(算法)을 설명한 책. 조선 말기(末期)의 남병철(南秉哲)이 저술했음. 혼천의(渾天儀)·혼개(渾蓋)·통헌의(通憲儀)·간평의(簡平儀)·지구의(地球儀)·험시의(驗時儀)·적도 일구의(赤道日晷儀)·혼평의(渾平儀)·구진 천추령의(勾陳天樞令儀)·양경규일의(兩景揆日儀)·양도의(量度儀)의 10의(儀)가 수록되었음. 2권 2책. 인본(印本).

의:기 충천【意氣衝天】[명] 득의(得意)한 마음이 하늘을 찌를 듯이 솟아 오름. ——-하다 [자][여불]

의:기 투합【意氣投合】[명] 의기 상투. ——-하다 [자][여불]

의-나무【椅—】[명]〖식〗[*Polycarpa maximowiczii*] 산유자나뭇과에 속하는 낙엽 활엽 교목. 잎은 심장형 또는 넓은 달걀꼴로 잎 뒤가 거의 희며, 5월에 흰 꽃이 정생하여 총상 또는 원추 화서로 피고, 비장질(非漿質)의 과실이 11월에 붉게 익음. 산지의 숲 속에 나는데, 전남북 및 일본·대만·중국 등지에 분포함. 정원수(庭園樹)로 심으며, 세공재(細工材)로 쓰임.

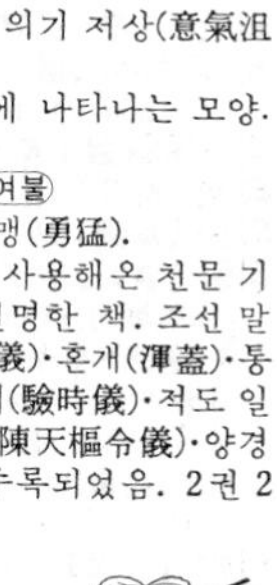

〈의나무〉

의난-처【疑難處】[명] 의심이 나는 곳.

의:-남매【義男妹】[명] ①의로 맺은 남매. ②아버지나 어머니가 서로 다른 남매.

의남-초【宜男草】[명]〖식〗원추리.

의낭【衣囊】명 옷에 붙은 주머니.
의내【矣徒】인대 〈이두〉 저희. 저희들.
의내들【矣徒等】인대 〈이두〉 저희. 저희들.
의내싼【矣徒段】〈이두〉 저희들은.
의:녀[1]【義女】명 의붓딸.
의녀[2]【醫女】명 『역』 조선 시대 때, 각 도(道)에서 뽑아 간이(簡易)한 의술을 가르쳐 내의원(內醫院)·혜민서(惠民署)에서 심부름하게 한 여자. 후에 차츰 기생과 같이 대우되어 의기(醫妓)라고도 불리었음.
의념【疑念】명 의심스러운 생각.
의:념 왕:생【意念往生】명 『불교』 임종시에 소리를 내어 염불하지 못하고 마음으로만 부처를 염송하여 왕생함.
의:노【義怒】명 공의(公義)로운 분노.
의논【議論】명 [←의론(議論)❸] ①서로 일을 문의함. 논의(論議). ②서로 일을 꾀함. ——-하다 타여불
[의논이 맞으면 부처도 앙군다] 여러 사람이 뜻을 합치면 무슨 일이라도 해낼 수 있다는 말.
의:논-조【議論調】[-쪼] 명 의논하는 말투.
의농【衣籠】명 ☞ 의롱(衣籠).
의:단[1]【義斷】명 의절(義絕). ——-하다 자여불
의단[2]【疑端】명 의심스러운 일의 실마리.
의단[3]【疑團】명 속에 늘 풀리지 않는 의심.
의:담【義膽】명 의(義)로운 담력(膽力).
의당【宜當】부 마땅히. 으레. ¶～ 그래야 한다. ——-하다 형여불 마땅하다. 아주 당연하다. ——-히 부
의당-당【宜當當】부 '의당'을 강조하는 말. ¶그분의 제일(祭日)에는 ～ 참석해야 한다. ——-하다 형여불
의당-사【宜當事】명 ①마땅한 일. ②옛날 관아의 명령문 끝에 쓰던 문투(文套). '그대로 마땅히 실행하라'의 뜻.
의대[1]【衣帶】명 옷과 띠.
의대[2]【衣襨】명 ①임금의 옷. 주로, 겉에 입는 평복을 일컬음. ②무당이 굿할 때에 입는 옷.
의대[3]【醫大】명 ↗의과 대학.
의대 반사【衣襨頒賜】명 〈궁중〉 임금이나 왕비가 입은 진솔옷을 신하나 나인들에게 나누어 주는 일.
의덕[1]【宜德】명 좋은 덕행(德行). 의덕(懿德).
의:덕[2]【義德】명 『천주교』 사추덕(四樞德)의 하나. 의(義)로운 일을 지향하고 생명·자유·명예 등의 인간 권리(權利)를 보호하는 덕.
의덕[3]【懿德】명 좋은 덕행(德行). 의덕(宜德).
의덕 대:부【宜德大夫】명 『역』 조선 시대 때, 동반(東班)의 관계(官階). 종친(宗親)에게 주는 벼슬로, 유덕 대부(綏德大夫)의 고친 이름. 종일품(從一品).
의도[1]【宜稻】명 벼를 심기에 적당함.
의:도[2]【義徒】명 의(義)를 주창하는 무리. 의중(義衆).
의:도[3]【意圖】명 ①생각. ②장차 하려고 하는 계획. ¶적의 ～를 간파하다. ——-하다 타여불
의:도[4]【儀刀】명 『역』 의장(儀仗)에 쓰는 칼.

〈의도[4]〉

의:도-적【意圖的】명관 목적이나 의도가 분명한 모양. ¶그는 ～으로 그녀에게 접근했다.
의-돈【猗頓】명 『사람』 중국 춘추 시대 또는 전국 시대의 대부호(大富豪). 하동(河東)에서 제염업(製鹽業)을 경영했다고 전해짐. 일설(一說)에는 노(魯)나라의 가난한 선비였는데, 도주공(陶朱公)의 말대로 서하(西河)에 소와 양을 길러 부(富)를 쌓았다고 함. 전하여, 부(富)를 이름.
의돈지-부 【猗頓之富】명 막대한 부(富). 거대한 재산.
의-동삼사【儀同三司】명 『역』 고려 때 문산계(文散階). 공민왕(恭愍王) 5년(1356) 관제(官制) 개혁 때, 정일품의 하(下)로 제정함.
의:-동일실【義同一室】[-씰] 명 한 집안 식구와 같이 정의가 두터움.
의들【矣等】인대 〈이두〉 저희들.
의란【猗瀾】명 잔 물결과 큰 물결. 물결.
의랑【議郞】명 『역』 ①고려 충렬왕 34년(1308)에 전리사(典理司)·군부사(軍簿司)·판도사(判圖司)·전법사(典法司)의 사사(四司)를 폐하고 선부(選部)·민부(民部)·언부(讞部)를 두고 그 전의 시랑(侍郞)을 고친 정사품 벼슬. 뒤에 폐하고 공민왕 18년(1369)에 회복하였다가 동 21년에 다시 폐함. ②조선 태조 원년(1392)에 둔 육조(六曹)의 정사품 벼슬. 전서(典書)의 다음 벼슬. 태종 5년(1405)에 좌·우참의(左·右參議)로 고치고 정삼품으로 올림.
의량[1]【衣糧】명 옷과 양식.
의:량[2]【意量】명 의사(意思)와 국량(局量).
의려[1]【倚閭】명 [閭는 이문(里門), 곧 마을 입구의 문] ①어머니가 마을 입구의 문에 의지하여 자녀(子女)가 돌아오기를 마음 졸여가며 기다림. *의려지망(倚閭之望). ②부모(父母)의 상중(喪中)에 임시로 거처(居處)하는 암자(庵子).
의:려[2]【義旅】명 의군(義軍).
의려[3]【疑慮】명 의심하여 염려함. ——-하다 타여불
의려-이망【倚閭而望】명 의려지망(倚閭之望). ——-하다
의려지-망【倚閭之望】명 자녀(子女)가 돌아오기를 기다리는 어머니의 마음. 의려이망. *의문이망(倚門而望)·의려(倚閭).
의려지-정【倚閭之情】명 의려지망(倚閭之望).
의령【宜寧】명 『지』 경상 남도 의령군의 군청 소재지로 읍(邑). 군의 남쪽에 위치하여 동으로 남강(南江)에 임함. 부근 평야 일대의 농산물·생우(生牛) 등을 집산(集散)함. 보천사지(寶泉寺址) 삼층 석탑(三層石塔)은 보물(寶物)로 지정되어 있고, 정암진(鼎岩津)은 명승지(名勝地)임. [10,204명(1996)]
의령-군【宜寧郡】명 『지』 경상 남도의 한 군. 관내 1읍 12면. 동은 창녕군(昌寧郡)과 함안군(咸安郡), 서는 산청군(山淸郡), 남은 진주시(晋州市), 북은 합천군(陜川郡)에 인접함. 특산물로 한지·장판지가 있으며, 명승 고적으로는 충익공(忠翼公) 홍의 장군(紅衣將軍) 전적비(戰蹟碑)·봉황대(鳳凰臺)·정암진(鼎岩津)·수도사(修道寺)·탑암(塔岩)·보천사지 삼층 석탑(寶泉寺址三層石塔) 등이 있음. 군청 소재지는 의령읍(宜寧邑). [482.84 km²: 39,099명(1996)]
의례[1]【依例】명 ↗의전례(依前例). ——-하다 자여불
의:례[2]【義例】명 서적의 범례(凡例).
의례[3]【儀禮】명 형식을 갖춘 예의(禮儀). 예식(禮式). 의식(儀式). 전례(典禮). ¶～적.
의례[4]【儀禮】명 『책』 중국의 경서(經書)의 하나. 관혼 상제(冠婚喪祭)를 비롯하여 중국 고대 사회에 있어서의 사회적 의식을 자세히 기록한 것으로, 고대 사회의 종교학적·사회학적 연구에 대단히 귀중한 자료가 됨. 전통적으로는 주공(周公)의 작(作)이라고 하나 그 후의 것으로, 원래 57편이던 것이 현재 17편만이 전하여짐.
의례[5] 부 ☞ 으레.
의례-건【依例件】[-껀] 명 의례로 할 일. 관례(慣例)에 의하여 행할 사건. 예건(例件).
의례 문:해【疑禮問解】명 『책』 예론(禮論)을 모은 책. 조선 인조(仁祖) 때, 김장생(金長生)이 편찬. 널리 전대(前代)의 예서(禮書)를 참고하고 여러 사람의 예에 관한 설을 모아 분류(分類)한 것으로 인조 24년(1646)에 간행됨. 4권 4책. 인본(印本).
의례-복【儀禮服】명 사회복(社會服).
의례 상정소【儀禮詳定所】명 『역』 조선 초기에 설치한 특별 기구의 하나. 국가 전례·사서의 예제·정치·사회 제도 등을 연구, 제정하고 기타 중요 국가 정책을 심의함.
의례-수【依例手】명 한국 고유의 순장 바둑에서, 지금의 정석(定石)에 해당하는 수를 일컫던 말.
의례 유:설【疑禮類說】명 『책』 조선 경종(景宗) 때의 사람 신근(申近)이 지은 책. 예법(禮法)에 의심(疑心)되는 바를 들어서 설명하였음. 정조 16년(1792)에 간행. 5권 2책. 인본(印本).
의례-적【儀禮的】명관 ①의례에 맞는 모양. ②격식이나 형식만을 갖추는 모양.
의례-히【依例一】부 ☞ 으레.
의론【議論】명 →의논.
의:-롭다【義一】형ㅂ불 ①의기가 있다. ②의리가 있다. ③의분(義憤)이 있다. 의:-로이【義一】부 의롭게.
의롱【衣籠】명 옷을 담아 두는 농짝. 옷농.
의뢰【依賴】명 ①남에게 의지함. 뇌비(賴庇). ②남에게 부탁함. ——-하다 타여불
의뢰-서【依賴書】명 어떤 일을 남에게 부탁하는 글발.
의뢰-심【依賴心】명 남에게 의지하는 마음.
의뢰-인【依賴人】명 남에게 어떤 일을 의뢰한 사람. ¶감정 ～.
의료[1]【衣料】명 옷감이나 입을 거리의 총칭.
의료[2]【醫療】명 의술로 병을 치료함. ——-하다 타여불
의료[3]【議了】명 회의·의사·의결(議決) 등이 끝남. ——-하다 자여불
의료-계【醫療界】명 의료에 종사하는 사람들의 사회. 의료의 분야(分野). ¶～의 중진(重鎭).
의료-기【醫療器】명 의료에 쓰는 기구.
의료 기계【醫療器械】명 의료에 쓰는 기계.
의료 기관【醫療機關】명 의료인(醫療人)이 공중(公衆) 또는 특정 다수인을 위하여 의료·조산(助産)의 업을 하는 곳. 병원·의원·조산소(助産所) 따위.
의료 기사【醫療技士】명 의사 또는 치과 의사의 지시·감독을 받아 진료 또는 의화학적(醫化學的) 검사 업무에 종사하는 사람. 임상 병리사(臨床病理士)·방사선사·물리 치료사·작업 치료사·치과 기공사(齒科技工士)·치과 위생사가 있음.
의료-법【醫療法】[-뻡] 명 의료(醫療)의 적정(適正)을 기하여 국민의 건강을 보호 증진함을 목적으로 하는 법률. 의료 기관의 개설 및 시설 기준, 의료에 대한 과대 광고의 금지(禁止), 감독 등에 대하여 규정하고 있음.
의료 법인【醫療法人】명 의료법에 따라, 의료업(醫療業)을 목적으로 설립된 법인. 병원을 개설 경영하고, 의학 연구 및 의료 관계자의 양성 등의 사업을 할 수 있음.
의료 보:장【醫療保障】명 모든 국민이 상병(傷病)에 당하여 필요하고도 가장 효과적인 의료(醫療)를 받을 기회를 보장하는 일. 이를 위해 사회 보장적 의료의 충실, 공비(公費) 부담의 의료, 공중 위생(公衆衛生)의 확충, 공적 보건 의료 기관을 중심으로 한 의료 공급 체제의 확립 등이 필요함. 국제적으로는 세계 보건 기구(世界保健機構: WHO)·국제 노동 기구(國際勞動機構: ILO)의 활동을 들 수 있음.
의료 보:험【醫療保險】명 사회 보험의 하나. 질병·부상·분만(分娩) 등을 대상으로 한 보험. 수입에 따라 보험료를 치르고, 질병이나 부상이 생기면 그 질병·부상이 나을 때까지 치료를 받을 수 있는 제도. 의료 보험 조합(組合)을 설립하여 운영함.
의료 보:험 관리 공단【醫療保險管理公團】[-괄-] 명 의료 보험자의 의료 급여를 관리하기 위해 설립된 특수 법인체.
의료 보:험법【醫療保險法】[-뻡] 명 『법』 국민의 질병·부상·분만 또는 사망에 대하여 보험 급여를 실시함으로써 국민 보건을 향상시키고

사회 보장의 증진을 도모하기 위하여 제정된 법률.

의료 보:호【醫療保護】명 생활 유지의 능력이 없거나, 생활이 어려운 사람이 발병(發病)하였을 때 진찰(診察)·수술(手術)·입원 치료(入院治療) 등을 받게 하여 주는 일. 보호 비용은 의료 보호 기금(基金)에서 그 전부 또는 일부를 부담함.

의료 보:호 기금【醫療保護基金】명 의료 보호 비용의 재원(財源)에 충당하기 위하여 서울 특별시·각 직할시·각 도에 설치된 기금. 국고 보조·지방 자치 단체의 출연금 등으로 조성됨.

의료-비【醫療費】명 병을 치료하는 데 드는 비용.

의료 사:고【醫療事故】명 진단·치료의 잘못, 시설의 불비(不備) 등에 의해 일어나는 의료상의 사고. 그 상황에 따라 민사·형사상의 책임이 추궁될 수 있음.

의료-업【醫療業】명〖의〗의술(醫術)로써 병을 고치는 직업. 의사·치과 의사 등의 직업.

의료 은행【醫療銀行】명〖의〗생체(生體)의 일부를 자기 자신 또는 남을 위해 맡기어 사용케 하는 시설. 혈액 은행(血液銀行)·골수(骨髓) 은행·아이 뱅크 등.

의료-인【醫療人】명 보건 사회부 장관의 면허를 받고, 국민 보건의 향상을 도모하고 국민의 건강한 생활 확보에 기여하는 의사·치과 의사·한(韓)의사·조산사(助産師) 및 간호사를 일컬음.

의료 인접【醫療隣接】명〔paramedical〕〖의〗의학(醫學)과 보조적 또는 2차적 관계를 갖는 일.

의료 전:자 기기【醫療電子機器】명 메디컬 엘렉트로닉스(medical electronics).

의료 촉탁【醫療囑託】명 보건 사회부 장관 또는 도지사가 의료 시책상 그 관할 구역 안에 거주하는 의료인이나 의료 기관에게 보건 의료 업무를 촉탁하는 일.

의료-품【醫療品】명 의료에 쓰이는 물품.

의류【衣類】명 옷 등속의 총칭. ¶ ～ 판매업.

의류-품【衣類品】명 의류에 속하는 물품.

의류-학【衣類學】명 인간의 의생활 전반에 대하여 연구하는 학문.

의:-릉[1]【義陵】명〖지〗함경 남도 함흥군에 있는 조선 태조(太祖)의 증조부모인 도조(度祖) 내외의 능.

의-릉[2]【懿陵】명〖지〗조선 경종(景宗)과 그의 계비(繼妃) 선의 왕후(宣懿王后)의 능. 서울 특별시 성북구 석관동(石串洞)에 있음.

의:리【義理】명 ①사람으로서 행하여야 할 옳은 길. ②신의를 지켜야 할 교제상의 도리. ¶ ～를 모르는 사람.

의:리-감【義理感】명 의리를 느끼는 마음.

의:리 당연【義理當然】명 사람으로서 지켜야 할 도리(道理)에 당연함. ──-하다 형여불

의:리 부동【義理不同】명 의리에 어그러짐. ──-하다 형여불

의:림-지【義林池】명〖지〗충청 북도 제천(堤川)에 있는 저수지. 김제(金堤)의 벽골제(碧骨堤), 밀양의 수산제(守山堤)와 함께 삼한 시대의 삼대 수리 시설의 하나.

의르뷔 부〈옛〉의롭게. ¶ 사르미 義의르뷔 너겨 ≪三綱 烈女 12≫.

의:마【意馬】명 변하기 쉬운 마음을, 분마(奔馬)의 격렬한 움직임에 비유한 말. *의마 심원(意馬心猿).

의마 가:대【倚馬可待】명 빠르게 잘 짓는 남의 글 재주를 부러워함을 일컫는 말.

의:마 심원【意馬心猿】명〖불교〗〔날뛰는 말과 떠드는 원숭이를 진정시키기 어려운 데서〕번뇌(煩惱)와 정욕(情慾) 때문에 산란한 마음을 억누를 수 없음을 비유한 말. 심원 의마(心猿意馬).

의마지-재【倚馬之才】명 글을 빨리 잘 짓는 재주.

의막[1]【依幕】명 임시로 의지하여 거처하게 된 곳. 막사(幕舍)로 쓰이는 천막(天幕)이나 장막(帳幕).

의:막[2]【義膜】명〖생〗위막(僞膜).

의만【擬娩】명〖민〗아내가 분만(分娩)할 때, 남편도 함께 자리에 누워 진통(陣痛), 분만에 유사한 터부(taboo)를 수반하는 행위를 하는 미개인의 풍습. 남아프리카의 토인들 사이에 아직도 존속하는데, 주로 산아(産兒)에 대한 부권(父權)의 획득을 목적으로 하는 풍습임.

의:망[1]【意望】명 바라는 마음. 소망(所望).

의망[2]【擬望】명〖역〗삼망(三望)의 후보자로 추천함. 비의(備擬). ──-하다 타여불

의망[3]【懿望】명 높은 인망(人望).

의:매【義妹】명 의로 맺은 누이 동생.

의-매독【擬梅毒】명〖의〗실제로는 매독이 아니면서, 매독의 혈액 검사에서 양성(陽性)으로 나타나는 것. 수두(水痘)·마진(痲疹)·홍반성 낭창(紅斑性狼瘡)·유행성 간염(肝炎)·비정형 폐렴(非定型肺炎) 및 각성제(覺醒劑)의 상용자(常用者)에게서, 그리고 매독을 충분히 치료한 어머니로부터 출생한 아이에게서도 혈액 검사가 양성(陽性)으로 나타나는 수가 있음.

의명【依命】명 명령에 의거함.

의-명반【擬明礬】명〔pseudo-alum〕〖화〗보통 명반의 K_2 대신에 2가(價)의 금속 원소가 결합한 복염(複塩). [$M^{II}SO_4 \cdot Al_2(SO_4)_3 \cdot 24H_2O$]

의명 통첩【依命通牒】명 행정 관청에서 장관 등의 명을 받아, 차관·국장 등의 보조 기관이 지방 기관 등의 하급 관청에 대하여 지휘하는 명령. 통달(通達).

의:모[1]【義母】명 ①의붓어미. ②수양 어미. ③의로 맺은 어머니.

의모[2]【擬毛】명 약품·기계 등을 써서 면(綿)·인견(人絹) 등의 섬유를 가공하거나 양모를 섞어서, 수모(獸毛), 특히 양모와 비슷한 감촉·외관 등을 갖게 하는 일. 또, 그런 섬유.

의몸【矣身】인대〈이두〉저.

의몸들【矣身等】인대〈이두〉저희들.

의몸싸녀【矣身耳亦】〈이두〉저뿐.

의몸쌴【矣身段】〈이두〉저는.

의몸안하여【矣身向爲良】〈이두〉저에 대하여.

의몸여【矣身亦】〈이두〉제가.

의몸을【矣身乙】〈이두〉저를.

의:무[1]【義務】명 ①아니 하지 못할 일. 곧, 맡은 직분. ②〖법〗법률(法律)로써 강제(強制)하는 작위(作爲) 또는 부작위(不作爲). ↔권리(權利).

의무[2]【醫務】명 의사(醫事)에 관한 사무. 의사(醫師)로서의 업무. ¶ ～과(課)/～실(室).

의:무-감[1]【義務感】명 의무를 느끼는 마음.

의무-감[2]【醫務監】명〖군〗의무감실의 장(長).

의무감-실【醫務監室】명〖군〗의무에 관한 사항을 분장하는 한 실(室). 육해공군의 각 본부에 둠.

의:무 경찰【義務警察】명 ↗의무 전투 경찰 순경.

의:무 교:육【義務教育】명〖교〗교육법에 의하여, 국민이 그 보호하는 아동에게 의무로서 일정 기간 받게 하지 않으면 아니 되는 초등 교육. 우리 나라의 현행 학제에서는 국민 학교 6년간의 초등 교육(初等教育)을 말함.

의무-국【醫務局】명〖역〗조선 고종(高宗) 31년(1894)에 군무 아문(軍務衙門)에 설치한 관아. 군사 위생 및 의학에 관한 사무를 맡아 보았음.

의무 기록사【醫務記錄士】명 소정의 면허를 받고 의료 기관에서 진료 기록부 등 의무에 관한 기록을 업무로 하는 사람.

의무 기지창【醫務基地廠】명〖군〗↗육군 의무 기지창.

의:무 능력【義務能力】[-녁] 명 의무를 부담할 수 있는 법적 자격.

의:무-론【義務論】명〖윤〗도덕의 근본 원리를 행복 등의 목적에 두지 않고 의무에 두는 학설의 총칭.

의:무 면:제【義務免除】명 의무의 부담을 어떠한 특정인이나 특정의 경우에 면제하는 일.

의:무 병역제【義務兵役制】명 의무병 제도.

의:무병 제:도【義務兵制度】명 법령에 의거, 일정 연령에 이른 국민이 의무적으로 군에 복무하여야 하는 제도. 의무 병역제(義務兵役制). ↔지원병 제도·용병 제도(傭兵制度).

의무 부:이사관【醫務副理事官】명 의무직(醫務職) 국가 공무원 직급 명칭의 하나. 의무 직렬(職列)에 속하며, 의무 서기관(書記官)의 위, 의무 이사관의 아래로 3급 공무원임.

의:무-비【義務費】명 법률상 그 지불이 정부의 의무로 되어 있는 세출(歲出). 공채(公債)의 원리 상환금(元利償還金) 같은 것.

의무 사:무관【醫務事務官】명 의무직(醫務職) 국가 공무원 직급 명칭의 하나. 의무 직렬(職列)에 속하며, 의무 서기관(書記官)의 아래로 5급 공무원임.

의무 서기관【醫務書記官】명 의무직(醫務職) 국가 공무원 직급 명칭의 하나. 의무 직렬(職列)에 속하며, 의무 사무관(事務官)의 위, 의무 부이사관(副理事官)의 아래로 4급 공무원임.

의:-무애【義無礙】명〖불교〗온갖 법의 뜻을 훤히 알아 아무 거리낌이 없음.

의:무 연한【義務年限】명 의무로서 어떤 임무(任務)에 종사(從事)하여야 할 기한.

의무 이:사관【醫務理事官】명 의무직(醫務職) 국가 공무원 직급 명칭의 하나. 의무 직렬(職列)에 속하며, 의무 부이사관(副理事官)의 위, 관리관(管理官)의 아래로 2급 공무원임.

의:무-자【義務者】명 어떤 의무를 부담(負擔)하여야 하는 사람. 보호 의무자·신고 의무자 등.

의무 장교【醫務將校】명〖군〗의료 사무(醫療事務)에 종사하는 장교. 군의관(軍醫官).

의:무-적【義務的】명관 의무로서 하는 모양. 마음은 내키지 않으나 하는 수 없이 하는 모양. ¶ ～ 규정.

의:무적 국제 재판【義務的國際裁判】명〖법〗재판 의무에 의하여 행하여지는 국제 재판. ↔임의적 국제 재판.

의:무적 중재 재판【義務的仲裁裁判】명〖법〗재판 의무에 의하여 행하여지는 중재 재판. 국제 분쟁 또는 특종의 국제 분쟁을 중재 재판에 의무적으로 부탁하는 제도임.

의:무적 학습【義務的學習】명〖교〗학생 전체에 대하여 행해진 시간표의 범위 안에서 일정한 과업(課業)을 의무적으로 과하는 교과(教科) 학습의 방식. ↔자유 연구.

의:무 전:투 경:찰 순경【義務戰鬪警察巡警】명 전투 경찰 순경❷.

의무 참모【醫務參謀】명〖군〗사단급(師團級) 이상의 부대에서 의무에 종사하는 특별 참모인 영관급(領官級) 장교. ¶ ～부(部).

의무 참모부【醫務參謀部】명〖군〗의무 참모가 그 일을 맡아 보는 부서.

의문[1]【倚門】명 ↗의문이망(倚門而望).

의문[2]【疑問】명 ①의심하여 물음. ②의심스러운 점이나 문제. ──-하다 타여불

의문[3]【儀文】명 의식(儀式)의 표(標). 의장(儀章).

의문[4]【懿文】명 아름다운 문장.

의문 대:명사【疑問代名詞】명〖언〗의문에 쓰는 대명사. 누구·어디·무엇 등. 물음 대이름씨.

의문-문【疑問文】명〖언〗의문을 나타내는 문장.

의문-법【疑問法】[-뻡] 명〖언〗문체법(文體法) 상으로 본 서법(敍法)의 하나로, 의문의 뜻을 나타내는 화법(話法). 말끝에 '-느냐·-ㄴ가'

등의 의문을 나타내는 종결 어미를 씀. 물음법.
의문 보:감【醫門寶鑑】명〖책〗조선 경종(景宗) 4년(1724)에 간행(刊行)된 의약서. ≪동의 보감(東醫寶鑑)≫을 발췌하여 주로 임상용(臨床用) 처방을 편찬한 것으로 주명신(周命新)이 찬(撰)하고 이명석(李命錫)이 교정함. 8권.
의문-부【疑問符】명〖언〗물음표.
의문-사【疑問詞】명〖언〗의문을 나타내는 말. '-ㄴ가'·'-냐' 등.
의문-스럽다【疑問―】형ㅂ불 의문나는 데가 있다. 의문-스레【疑問―】
의문-시【疑問視】명 의문스럽게 여김. ――하다 타여불 ⌊부
의문이-망【倚門而望】명 어머니가 자녀의 돌아오는 것을 마음을 졸여 가며 기다림. 의려이망(倚閭而望). ㊟의문(倚門). *의려지망(倚閭之望). ――하다 타여불
의문-점【疑問點】[―쩜] 명 의심나는 점. 의심스러운 대목.
의문-표【疑問票·疑問標】명 의문의 뜻을 표하는 부호. 물음표.
의문-형【疑問形】명〖언〗어미 변화의 한 가지로, 종결 어미에 나타나는 서법의 하나. 화자(話者)가 무엇을 묻고 대답을 요구하는 꼴임. '-느냐·-는가·-오·-ㄹ까' 등. 물음꼴.
의물【儀物】명〖역〗정재(呈才)를 상연할 때 의장(儀仗)으로 쓰이는 여러가지 물건.
의뭉 명 겉으로는 어리석은 것 같으면서도 마음 속은 엉큼함. 음흉스러운 마음. ――하다 형여불
[의뭉하기는 노전 대사(爐殿大師)라] 알면서도 잘 모르는척 하는 사람을 이름. *노전대사. [의뭉하기는 음창(陰瘡) 벌레라] 겉으로는 어리석은 체하면서도 실속은 깐깐한 사람의 비유. [의뭉한 두꺼비 옛말 한다] 의뭉한 사람이 남의 말이나 옛말을 하는 체하면서 제 속의 말을 하는 것을 말함.
의뭉-스럽다 형ㅂ불 의뭉한 태도가 있다. ¶의뭉스러운 녀석 / 위인의 본색이 의뭉스럽고 또 뒤가 없는 무골충이었는지…≪金周榮 : 客主≫. 의뭉-스레 부. ¶~ 굴다.
의:미【意味】명 사물의 뜻. 뜻. ――하다 타여불 뜻하다.
의:미-깊다【意味―】형 의의(意義) 깊다.
의:미-론【意味論】명〖언〗①언어의 의미와 그 변화 등을 연구하는 부문. 역사적인 연구·심리학적인 연구 외에 새로이 구조론(構造論)에 바탕을 둔 연구가 있음. 어의론(語義論). ②넓은 뜻으로는 구문론(構文論)·어용론(語用論)을 포함하는 부호(符號)와 기호(記號)에 관한 일반이론. 논리 계산식의 의미와 해석에 관한 이론. 의의학(意義學). 시맨틱스(semantics).
의:미-부【意味部】명〖언〗변형 생성 문법 이론(變形生成文法理論)의 세 중심 구성부의 하나. 음운부(音韻部)와 함께 문법의 해석부(解釋部)를 이룸. *음운부.
의:미-소【意味素】명〖언〗의의소(意義素)❶.
의:미 심장【意味深長】명 말이나 글의 뜻이 매우 깊음. ¶~한 한 마디. ――하다 형여불
의:미 없다【意味―】[―업―] 형 내세울 만한 내용이나 뜻이 없다.
의:미 없이【意味―】[―업씨] 부 의미없게.
의미-하다【依微―】형여불 어렴풋하다.
의:민【義民】명 의로운 백성.
의:민-단【義民團】명 1919년 간도(間島)에서 천주교인을 중심으로 조직된 독립 운동 단체. 2백여 명의 단원이 2백 자루의 무기를 가지고 무력 활동을 전개함. 단장은 방우룡(方雨龍), 부단장은 김연(金演). 1920년 간도 국민회에 통합됨.
의박【醫博】명 ↗의학 박사(醫學博士).
의-박사【醫博士】명〖역〗신라의 관직. 신라 통일 후 효소왕(孝昭王) 1년(692)에 의학(醫學)을 처음으로 설치하고 박사 2명을 배치함.
의발【衣鉢】명〖불교〗①가사(袈裟)와 바리때. 곧, 전법(傳法)의 표가 되는 물건. ②스승으로부터 전하는 불교의 오의(奧義). ¶~을 이어받다.
의발-각【衣鉢閣】명〖불교〗명승(名僧) 등의 의발을 보관하여 두는 집. 바라때집.
의발 각하【衣鉢閣下】명〖불교〗승려(僧侶)에게 보내는 편지의 겉봉 모퉁이에 쓰는 말.
의발-부【衣鉢簿】명〖불교〗선사(禪寺)의 금전 출납부.
의방[1]【依倣】명 모방함. 흉내냄. ――하다 타여불
의:방[2]【義方】명 신의를 지키도록 하는 방법. 아버지가 아들을 교훈하는 일을 이름.
의방[3]【疑謗】명 의심하여 비방함. ――하다 타여불
의방[4]【醫方】명 의술(醫術).
의방-명【醫方明】명〖불교〗오명(五明)의 하나로, 의술과 조제(調劑)를 연구하는 학문. 「통칭.
의방-부【議方府】명〖역〗좌이방부(左理方府)와 우이방부(右理方府)의
의방 유:취【醫方類聚】명〖책〗조선 세종(世宗) 때 김순의(金循義)·노중례(盧重禮)·최규(崔閨)·김유지(金有智) 외의 12인이 공동 편찬한 당시의 의학 백과 사전. 1445년 10월 간행. 전 266권.
의백【醫伯】명 ①뛰어난 의사. ②'의사'의 경칭.
의벌【劓罰】명 코를 베는 형벌. 의죄(劓罪). *의형(劓刑).
의범【儀範】명 모범이 될 만한 의용(儀容).
의법[1]【依法】명 법에 따름. ¶~ 처단. ――하다 자여불
의법[2]【儀法】명 의식의 예법.
의법 처:단【依法處斷】명 법에 따라 처단함. *조법 처분(照法處分).
의-벡터【擬―】명〔pseudovector〕〖물〗공간 회전(空間回轉)에 대하여는 벡터처럼 변환(變換)되고 공간 반전(反轉)에 대하여는 그 부호가 변화되지 않는 양(量).

의:병[1]【義兵】명 의를 위하여 일어난 군사. 의군(義軍).
의병[2]【疑兵】명 적의 눈을 속이는 가짜 군사.
의:병-장【義兵將】명 의병의 장수.
의병 제대【依病除隊】명〖군〗병으로 인한 제대. *만기 제대. ――하다 자여불
의-보주【擬寶珠】명 층계·다리 난간 등의 기둥의 윗부분에 쓰이는 장식물. 모양은 양파 비슷하게 생김.
의복[1]【衣服】명 옷. ㊟의(衣).
의복이 날개라 구 '옷이 날개'와 같은 뜻.
의복[2]【倚伏】명 화(禍)와 복(福)은 서로 인연(因緣)이 되어 생기고 없어짐. ――하다 자여불
의:복[3]【義服】명 복제(服制)가 없는 사람이 의리로 입는 친척이나 친지(親知)의 복.
의:복[4]【義僕】명 충성스러운 하인. 충복(忠僕).
의복[5]【儀服】명 의식(儀式)에 입는 옷. 예복.
의복-류【衣服類】[―뉴] 명 옷 등속.
의복 모니터【衣服―】명〔clothing monitor〕의복에 대한 방사능(放射能) 오염을 검정(檢定)하도록 설계된 장치.
의-복-풍【醫卜風】명 의술(醫術)과 복서(卜筮)와 풍수(風水).
의복풍 삼술【醫卜風三術】명 의술과 복서 및 풍수의 세 가지 술법.
의복-함【衣服函】명 옷을 넣어 두는 함. *족두리함.
의봉[1]【蟻封】명 개밋둑.
의봉[2]【蟻蜂】명 개미와 벌.
의봉-기【儀鳳旗】명〖역〗의장기(儀仗旗)의 하나.
〈의봉기〉
의봉-력【儀鳳曆】[―녁] 명〔의봉은 중국 당(唐)나라 고종의 676년부터 679년까지의 연호(年號)〕인덕력(麟德曆)의 신라(新羅)에서의 일컬음.
의부[1]【倚附·依附】명 붙좇음. ――하다 타여불
의:부[2]【義父】명 ①의붓아비. ②수양 아버지. ③의리로 맺은 아버지.
의:부[3]【義部】명〖역〗발해 관제(渤海官制)인 육부(六部)의 하나로, 정당성(政堂省) 좌육사(左六司)에 딸린 관아. 당나라 예부(禮部)와 같이 예제(禮制)와 제사(祭祀)에 관한 일을 담당했음.
의:부[4]【義婦】명 의기가 장한 여자. 의로운 여자.
의부[5]【蟻附】명 ①개미떼처럼 달라붙음. ②개미떼처럼 일심으로 장수에 복종함. ――하다 자여불
의:분[1]【義憤】명 의(義)를 위하여 일어나는 분노(憤怒). ¶~에 떨다. *강개(慷慨).
의:분[2]【義奮】명 의(義)를 위하여 분발함. ――하다 자여불
의:분-심【義奮心】명 의분하는 마음.
의:-불합【意不合】명 뜻이 서로 맞지 아니함. ――하다 형여불
의:붓-딸 명 ①개가하여 온 아내나 첩이 데리고 들어온 전남편의 딸. 의녀(義女). 가봉녀(加捧女). ②자기가 낳지 아니한 남편의 딸.
의:붓-아들 [―붇―] 명 ①개가하여 온 아내나 첩이 데리고 들어온, 전남편의 아들. ②자기가 낳지 아니한 남편의 아들. 의자(義子). 가봉자(加捧子).
의:붓-아버지 [―붇―] 명 의붓아비의 친숙한 말. 의부(義父).
의:붓-아범 [―붇―] 명〈비〉의붓아비.
의:붓-아비 [―붇―] 명 어머니가 다시 얻은 남편. 의부(義父).
[의붓아비 떡 치는 데는 가도 친아비 도끼질하는 데는 아니 간다] 자기에게 해가 돌아올 곳에는 가지 말라는 말. [의붓아비 묘의 벌초] 성의 없이 건성건성 해치우는 일의 비유. [의붓아비 소 팔러 보낸 것 같다] 심부름 나가서 오래도록 돌아오지 않음을 이르는 말. [의붓아비 아비라 하랴] 아무리 어렵고 급하더라도 의(義)에 가합(可合)하지 않은 일을 할 수 없다는 말. [의붓아비 제삿날 물리듯] 마음에 없는 일을 차일피일 미루어 가는 것을 이름.
의:붓-어머니 [―붇―] 명 의붓어미의 친숙한 말. 의모(義母).
의:붓-어멈 [―붇―] 명〈비〉의붓어미.
의:붓-어미 [―붇―] 명 아버지의 후실. 의모(義母). 계모(繼母).
의:붓어미 눈치 보듯 구 어려운 사람이나 무서운 이의 눈치를 살피는 모양.
의:붓-자식【―子息】명 ①개가(改嫁)하여 온 아내나 첩이 데리고 들어온 자식. ②자기가 낳지 아니한 남편의 자식. 가자(假子). 계자(繼子).
[의붓자식 다루듯] 냉대(冷待)나 차별 대우를 함을 이름. [의붓자식 소 팔러 보낸 것 같다] 도무지 믿음성이 없어 마음이 안 놓인다는 말. [의붓자식 옷 해 준 셈] 해주었자 생색도 안 나고 보답도 받지 못할 일을 남을 위해서 함.
의비【倚毗】명 의장(倚仗). ――하다 타여불
의비-전【蟻鼻錢】명〖역〗중국의 전국 시대에 초(楚)나라에서 쓰던 청동 화폐.
의:빈【儀賓】명〖역〗부마 도위(駙馬都尉) 등과 같이 왕족(王族)의 신분(身分)이 아니면서 이와 통혼(通婚)한 사람의 통칭. 부마 도위.
의:빈-계【儀賓階】명〖역〗조선 시대에 공주(公主)·옹주(翁主)나 왕세자녀(王世子女)와 혼인한 부마(駙馬) 등에게 내리던 관계(官階). 유록대부(綏祿大夫)·성록(成祿) 대부 등.
의:빈-부【儀賓府】명〖역〗조선 시대 때 부마(駙馬)의 아문(衙門). 부마부(駙馬府)를 세조(世祖) 12년(1466)에 이 이름으로 고침. *부마부(駙馬府).
의빙[1]【依憑】명 의거(依據). ――하다 자타여불
의빙[2]【疑氷】명 풀리지 아니하는 의심의 덩어리.
의산【矣段】〈이두〉저는.

의사[1]【衣笥】명 옷을 넣어 두는 상자. 옷장. 의장(衣欌).
의:사[2]【義士】명 ①의리와 지조를 굳게 지키는 사람. 의인(義人). 의자(義者). ②의협심 있는 이로서, 국가·민족을 위해 목숨을 바친 애국 열사. ¶안중근 ~.
의:사[3]【義死】명 의(義)를 위하여 죽음. ——-하다 자여불
의:사[4]【意思】명 ①마음먹은 생각. 마음. ¶자유 ~/~ 소통. ②의향(意向).
의사[5]【疑事】명 의심스러운 일.
의사[6]【疑辭】명 의심스러운 말.
의사[7]【縊死】명 →액사(縊死). ——-하다 자여불
의사[8]【擬死】명〖동〗어떤 동물이 적의 눈을 피하기 위해서 또는 급격한 자극을 당하여 반사적으로 몸을 수축시키고 죽은 체하는 일. 곤충·거미 등에 흔히 있는 습성(習性)임.
의사[9]【擬似】명 실제(實際)와 비슷함. 진짜와 비슷하여 구별하기 어려움.¶~ 콜레라. ——-하다 형여불
의사[10]【醫士】명 의사(醫師).
의사[11]【醫事】명 의학·의료에 관한 일.
의사[12]【醫師】명 의술과 약으로 병을 고치는 것을 업으로 삼는 사람. 일정한 자격을 가지고 면허를 받아야 함. 닥터.
[의사가 제 병 못 고친다] 자기에 관한 일은 자기가 처리하기 어렵다는 말. [의사와 변호사는 나라에서 내놓은 도둑놈이다] 국가의 허가를 얻어 개업하는 의사와 변호사가 항용 엄청난 보수를 요구한다 해서 이르는 말.
의사[13]【議史】명〖역〗신라 내사 정전(內司正典)의 으뜸 벼슬.
의사[14]【議事】명 일을 의논함. 또, 그 일. ——-하다 자여불
의사-간【疑似間】명 의신간(疑信間).
의:사 결정론【意思決定論】[—쩡논] 명〖철〗세계(世界)의 운동, 특히 인간의 의사는 어느 외부(外部)의 힘에 의하여 결정된다고 주장(主張)하는 이론.
의:사 결정 지원 시스템【意思決定支援—】[—쩡—] 명 [decision support system; DSS] 경영 의사 결정을 돕기 위해 필요한 정보(情報)를 컴퓨터에 의해서 제공하는 시스템. 기업(企業) 등의 경리·제조·판매·기술 따위에 관한 경상적(經常的) 자료를 주재(主材)로 하여 경영 지표(經營指標)를 산출하여 예측(豫測)하게 됨.
의사 공개의 원칙【議事公開—原則】[—/—에—] 명〖정〗회의 공개의 원칙.
의사 규칙【議事規則】명 ①회의를 진행하는 데 적용하는 규칙. ②국회가 법률에 저촉되지 않는 범위 안에서 의사(議事)에 관하여 자율적으로 규정한 규칙.
의:사 기관【意思機關】명〖법〗많은 사람이 모여 구성된 법인체(法人體)에 있어서, 그 의사를 결정하는 의결 기관. 주식 회사의 주주 총회 같은 것. ↔집행 기관.
의:사 능력【意思能力】[—녁] 명〖법〗자기가 한 행위의 결과를 인식·판단할 수 있는 정신적 능력. 유아(幼兒)나 심신(心神)상실의 정신 병자에는 이 능력이 없는데, 이들의 법률 행위나 불법 행위는 법률 상의 효과를 발생하지 않음. ＊책임 능력.
의사-당【議事堂】명 의원들이 모여 회의하는 건물. ¶국회 ~.
의사-록【議事錄】명 회의체(會議體)의 의사 경과의 요령(要領) 및 그 결과를 기재한 기록.
의:사 무능력자【意思無能力者】[—녁—] 명〖법〗의사 능력이 없는 자. 유아·심신(心神) 장애자 등. 그 법률 행위는 무효가 되며, 법정 대리인(代理人)이 대신함. 또한 그 불법 행위의 책임은 감독 의무자(監督義務者)에게 돌아감.
의사무사-하다 형여불 기연가미연가하다. ¶전에 보였든지 의사무사한 데요《洪命憙: 林巨正》.
의:사 박약성 정신병질【意思薄弱性精神病質】[—뻥—] 명〖의〗의지가 박약하여 직업을 전전(轉轉)하여, 매춘부·부랑자·범죄자가 되기 쉽고, 마약 같은 것에 빠지는 수가 많은 정신병질의 한 유형. ＊무력성(無力性) 정신병질·무정(無情) 정신병질.
의사 방해【議事妨害】명〖정〗의회에서 소수파가 합법적으로 인정된 수단을 이용하거나 남용(濫用)해서 의사 진행을 계획적으로 방해하는 일. 장시간에 걸친 연설·각종 동의(動議)의 남발 등의 수단을 씀. 필리버스터(filibuster). 오브스트럭션(obstruction).
의사-봉【議事棒】명 국회 등 의결 기관의 장이 개회·의안 상정(議案上程)·가결·부결·폐회 등을 선언할 때 탁자를 두드리는 기구. 대개 나무로 되어 망치와 비슷함. 사회봉(司會棒).
의:사 부도처【意思不到處】명 생각이 미치지 못한 곳. 의외(意外).
의:사사【意俟者】명〖역〗중국의 《주서(周書)》·《수서(隋書)》 등에 나오는 고구려의 벼슬 이름. 상위 사자(上位使者), 즉 을기(乙耆)와 같이 육품(六品)쯤 되는 벼슬.
의:사 상통【意思相通】명 뜻이 서로 통함. ——-하다 자여불
의:사-스럽다【意思—】형ㅂ불 곧잘 지혜를 짜내는 머리가 있다. ¶자식이 하도 의사스러우니 말불이더러나 이야기를 해 봅시다《李海朝: 鴛鴦圖》. 의:사-스레【意思—】부
의사-실【議事室】명 의원이 모여서 회의하는 방.
의:사 실현【意思實現】명〖법〗계약의 청약에 대하여 특히 승낙의 뜻을 표시하지 아니해도 승낙의 뜻이 있다고 추측되는 행위. 가령, 팔려고 보내온 물건을 소비하는 것과 같은 행위.
의사 이:벤트【擬似—】명 [pseudo-events] 관(官)이나 어떤 조직·개인 등이 매스컴에 보도될 것을 예견하여 조작·왜곡·과장한 사건이나 기삿(記事)거리.
의사 일정【議事日程】[—쩡] 명 그 날에 회의할 사항을 미리 정하여 놓은 순서.
의:사-자【義死者】명 직무 외의 행위로서 남의 생명·신체·재산의 급박한 위해(危害)를 구제하다가 사망한 사람.
의사 정:족수【議事定足數】명〖법〗어떤 회의체(會議體)에 있어서 의사를 심의함에 필요한 출석 인원수.
의:사-주의【意思主義】[—/—이] 명〖법〗의사 표시의 효력 및 해석을 표의자(表意者)의 내심(內心)의 의사에 의하여 결정하는 주의. ＊표시 주의(表示主義).
의사-증【擬似症】[—쯩] 명〖의〗진성(眞性)의 전염병에 유사(類似)한 병증. ↔진증(眞症).
의사 지바고【醫師—】명 [러 Doktor Zivago]〖책〗소련 작가 파스테르나크(Pasternak)의 장편 소설. 혁명 전야(前夜)로부터의 의사 지바고의 파란 많은 생애를 통해 러시아의 인텔리겐치아의 굴곡(屈曲)된 일면을 묘사하였음. 저자는 이 작품으로 1958년 노벨 문학상 수상 대상자가 되었으나 사퇴함. 1957년 이탈리아에서 처음 발간되었음.
의:사-처【意思處】명 생각하는 점.
의사 콜레라【擬似—】[cholera] 명 콜레라균(菌)은 검출(檢出)되지 않았으나 그 증상(症狀)이 콜레라와 흡사(恰似)한 병증. 의사 호열자(擬似虎列刺).
의:사 통지【意思通知】명 자기의 의사를 타인에게 통지하는 행위. 이행(履行)의 청구 따위.
의:사 표시【意思表示】명〖법〗권리·의무에 관한 법률상의 효과를 발생시킬 목적으로 그 의사를 외부에 발표하는 일. 계약의 청약·승낙·해제·유언(遺言) 등. ——-하다 타여불
의사 호열자【擬似虎列刺】[—짜] 명〖의〗의사 콜레라.
의사-회【醫師會】명 의사들의 동업자 단체.
의:사 흠:결【意思欠缺】명〖법〗의사 표시의 외형(外形), 곧 표시 행위는 있으나 거기에 대응하는 효과 의사가 결여되는 일.
의삭-류【擬索類】[—뉴] 명 [Adelochorda]〖동〗반삭(半索)동물.
의산[1]【擬酸】명 [pseudo acid]〖화〗산(酸)의 형태는 없으나 염기(塩基)에 닿으면 분자 안에 전위(轉位)를 일으키고, 중화하여 염(塩)을 발생하는 유기 화합물. 반응이 느림.
의산[2]【蟻酸】명〖화〗'포름산(酸)'의 구칭.
의살【縊殺】명 →액살(縊殺). ——-하다 타여불
의상[1]【衣裳】명 ①겉에 입는 저고리와 치마. ②의복. 옷. ¶민속 ~.
의:상[2]【義湘】명〖사람〗신라 통일 시대의 중. 속성(俗姓)은 김씨. 문무왕(文武王) 때에 중국 당(唐)나라에 건너가 지엄(智儼) 밑에서 화엄(華嚴)을 공부하고 귀국 후 왕명(王命)으로 부석사(浮石寺)를 창건(創建)하고 화엄종을 강론하여 우리 나라 화엄종의 창시자(創始者)가 됨. 전국 10개소에 화엄종의 사찰(寺刹)을 창건했으며, 수많은 고승·대덕(大德)의 제자를 길러 냈음. 저서에 《화엄일승 법계도(華嚴一乘法界圖)》 등이 있음. [625-702]
의:상[3]【意想】명 뜻과 생각.
의상[4]【擬傷】명 조류(鳥類) 따위의 특수 행동의 하나. 땅 위에서 단독으로 영소(營巢)하고 사는 새에서 흔히 볼 수 있는데, 알이나 갓 깬 새끼가 있는 둥지 가까이로 사람이나 짐승이 다가오면, 땅 위에서 푸드득거리며 움직이는 행동. 적이 그 움직임에 정신을 팔리고 있는 사이 둥지에서 차차 멀어지면서 날아감. 그 결과 알과 새끼가 적에게 발견되는 것을 막는 효과를 가짐. 그 행동이 상처를 입어 날지 못하는 것처럼 보이는 데서 이름. 어미새가 의도적으로 하는 행동이 아니고, 본능적으로 적으로부터 도망하려는 행동과, 둥지 가까이에서 떠나지 않으려는 행동이 동시에 나타나기 때문에 일어난다고 함.
의상[5]【蟻裳】명 검정 치마.
의상-법【擬狀法】[—뻡] 명〖문〗시자법(示姿法).
의:상 분일증【意想奔逸症】[—쯩] 명 [flight of ideas] 주의 산만(注意散漫)이 심하고 그 때문에 목적 관념이 잇따라 부동(浮動)하며, 처음 생각이 아직도 끝나기 전에 또 다른 생각으로 옮아가는 것.
의상-실【衣裳室】명 ①옷을 두어 두고 또한 갈아 입기도 하는 방. ②양장점.
의:상-자【義傷者】명 직무 외의 행위로서 남의 생명·신체·재산의 급박한 위해(危害)를 구제하다가 신체에 상처를 입은 사람.
의상지-치【衣裳之治】명 애써 법을 정함이 없이 인덕(仁德)으로 백성을 교화시키고 나라를 다스리는 일.
의상지-회【衣裳之會】명 의관지회(衣冠之會).
의상 철학【衣裳哲學】명〖책〗칼라일(Carlyle)의 평론. 1833-1834년 작. 가공(架空)의 독일인 대학 교수 저작(著作)의 초역(抄譯) 형식을 취하여, 우주를 하나의 의복으로 보고, 그 비유로 지구상의 모든 것을 설명하려 함. 자서전을 포함하여, 저자의 비판적·풍자적인 사회관(社會觀)·역사관(歷史觀)을 전개하였음.
의새【擬鰓】명 경골 어류(硬骨魚類)의 아가미의 하나. 주새개골(主鰓蓋骨)의 안쪽에 있어서 전새개골(前鰓蓋骨)과의 접합부에 가까운 곳에 있으며 새궁(鰓弓)을 갖지 않음. 동맥피가 통함.
의색-류【擬索類】[—뉴] 명〖동〗☞ 의삭류.
의생【醫生】명〖한의〗한의술(韓醫術)로 병을 고치는 것을 업으로 삼는 사람.
의-생활【衣生活】명 입는 일이나 입는 것에 관한 생활.
의서[1]【衣書】명 의류(衣類)와 서적, 특히 경서(經書).
의:서[2]【意緖】명 생각의 실마리. 또, 실처럼 흐트러지기 쉬운 생각.
의서[3]【醫書】명 의학에 관한 책. 의가서(醫家書). 의학서(醫學書).
의석[1]【擬石】명 인조석(人造石).

의석²【議席】명 ①회의(會議)하는 자리. ②의회(議會) 안에 있는 각 의원의 자리.

의:선【義旋】명〖사람〗고려 충숙왕 때의 중. 호는 순암(順庵). 무외 국사(無畏國師)에게 법을 배워 묘련사(妙蓮寺)를 중흥시키고, 대연성사(大延聖寺)에서 금(金)나라의 왕자가 지은 ≪예념 미타 도량 참법(禮念彌陀道場懺法)≫을 중간(重刊)하였음. 생몰년 미상.

의설【醫說】명 의학에 관한 설. 의학설.

의:성¹【義城】명〖지〗경상 북도 의성군(義城郡)의 군청 소재지로 읍(邑). 쌀·콩·보리·면화·누에·창호지·송이버섯 등의 집산(集散)이 많음. [19,379명(1996)]

의성²【擬城】명 ①적을 현혹시키기 위하여 성이 있는 것처럼 가장하는 일. 적의 눈을 속이는 가짜 성. ②성 모양으로 보이는 뇌운(雷雲).

의성³【擬聲】명 의음(擬音).

의성⁴【醫聖】명 귀신과 같은 명의(名醫).

의:성 가:마 싸움【義城—】명〖민〗경상 북도 의성(義城)의 민속 놀이. 남북(南北) 마을의 서당(書堂) 아이들이 서로 편을 짜고, 팔짱을 낀 채 어깨로 적을 밀치고 쳐들어가서 상대방 가마를 먼저 파괴하는 편이 이김. 다른 지방의 민속놀이가 어른들에 의해 행해지는 것과 달리 아이들이 하는 것이 특징임.

의:성 광:산【義城鑛山】명〖지〗경상 북도 의성군 춘산면(春山面)에 있는 구리 광산. 현재는 휴광(休鑛) 상태임.

의:성-군【義城郡】명〖지〗경상 북도의 한 군. 관내 1읍 17면. 동은 청송군(靑松郡), 북은 안동시(安東市)·예천군(醴泉郡), 남서는 구미시(龜尾市)·군위군(軍威郡)에 인접함. 주요 산물로는 쌀·고추·마늘·잎담배·사과 등의 농산물과 금·구리·납 등의 광산물이 남. 명승 고적으로는 국보 77호인 탑리(塔里) 오층 석탑을 비롯하여 보물 188호인 관덕동(觀德洞) 삼층 석탑, 고운사(孤雲寺) 및 보물 제 246호인 이 곳의 석조(石造) 석가 여래 좌상, 보물 제 327호인 빙산사지(氷山寺址) 오층 석탑, 빙계 서원(氷溪書院) 주위의 빙혈(氷穴)·풍혈(風穴) 등을 포함한 빙계 팔경(氷溪八景)이 있음. 군청 소재지는 의성읍. [1,176 km^2 : 86,182명(1996)]

의:성 대:리 고:분【義城大里古墳】명〖고고학〗경상 북도 의성군(義城郡) 금성면(金城面) 대리리(大里里)에 있는 삼국 시대의 고분.

의성-법【擬聲法】[—뻡] 명 소리를 흉내내는 방법. 성유법(聲喩法).

의성 부:사【擬聲副詞】명〖언〗자연계에서 나는 음향이나 음성을 언어음(言語音)으로 본뜬 부사. '졸졸'·'땡땡땡' 등. ＊의태(擬態)부사.

의성-어【擬聲語】명〖언〗사물의 음성을 흉내낸 말. 탕탕·덜그렁덜그렁·멍멍 등. 의음어(擬音語). 소리흉내말. 사성어(寫聲語). ＊의태어(擬態語).

의:성 장림동 고:분군【義城長林洞古墳群】[—님—] 명〖고고학〗경상 북도 의성군(義城郡) 단촌면(丹村面) 장림리(長林里)에 있는 삼국 시대의 고분군.

의:성 탑리 고:분【義城塔里古墳】[—니—] 명〖고고학〗경상 북도 의성군(義城郡) 금성면(金城面) 탑리리(塔里里) 구릉(丘陵) 지대에 있는 가야 고분.

의:성 탑리 오:층 석탑【義城塔里五層石塔】[—니—] 명〖불교〗경상 북도 의성군 금성면(金城面) 탑리리(塔里里)에 있는 석탑. 7세기 중반 통일 신라 시대의 건립으로 추정되는 방형(方形)의 큰 화강석의 탑으로, 단층의 기단(基壇) 위에 각 5층의 탑신과 옥개(屋蓋)로 구성되어 있음. 제1 탑신은 목조 건축의 양식을 충실히 모방하였고 기단부(基壇部)는 정비된 건축 기단의 수법을, 옥개부는 상면(上面) 6단, 하면 5단의 층급형(層級形) 받침이 있어 전탑(塼塔) 양식을 보이고 있음. 부분적으로는 전탑(塼塔)의 수법(手法)을 모방하는 한편, 일부에서는 목조 건물의 양식을 보여 주어 한국 석탑 양식(石塔樣式)의 발전을 고찰하는 데 귀중한 유례(遺例)가 됨. 국보 제77호.

의세¹【倚勢】명 세력을 믿고 떠세함. ——-하다 자여불

의세²【擬勢】명 ①동물 따위가 위협을 당했을 때에 취하는 위협하는 듯한 몸가짐. ②상대에 대해 취하는 허세. 겉치레만의 위세나 기운을 내보이는 일. ——-하다 자여불

의:소¹【義沼】명〖사람〗조선 정조(正祖) 때의 고승. 자(字)는 자의(子宜), 호는 인악(仁岳). 속성은 이(李). 달성(達城) 태생. 18세에 중이 되었으며, 벽봉(碧峰)의 법을 이어받음. 불교에 매우 정통하여 영남(嶺南)의 강사(講師)로 있었는데 배우는 이가 많았음. 저서로 ≪화엄경 사기(華嚴經私記)≫·≪원각경(圓覺經) 사기≫ 등이 있음. ＊인악기(仁岳記). [1746-96]

의:소²【義疏】명 책의 뜻을 풀이함. 문자·문장의 뜻을 해명함. ——-하다 타여불

의속【依屬】명〖논〗어느 물건의 존재·성질·상태·가치 같은 것이 다른 물건에 의하여 규정되고 제약(制約)당하는 관계.

의:송【議送】명〖역〗백성이 고을 본관(本官)에 제소(提訴)하였다가 패소(敗訴)를 당하고 다시 관찰사(觀察使)에 상소하던 일. 소장(訴狀)은 반드시 고을 본관을 거쳐서 제소함.

의송-산【宜松山】명〖역〗소나무가 잘 자라는 산.

의수¹【衣袖】명 의복의 소매.

의수²【依數】명 일정한 수대로 함. 준수(準數). ——-하다¹ 타여불

의:수³【意水】명〖불교〗선(禪)에서, 입정(入定)한 사람의 마음이 고요한 것을 물에 비유한 말.

의:수⁴【義手】명 나무·고무·금속 등으로 만들어 붙인 사람의 손. ↔의각(義脚).

의수⁵【擬授】명〖역〗의망(擬望)하여 벼슬을 줌.

의수 당연【依數當然】명 거짓임을 알면서도 그런 대로 묵인한다는 말.

의:-수족【義手足】명 의수와 의족.

의수-하다¹【依數—】형여불 ☞ 그럴 듯하다. ¶ 오늘밤에 절에 왔다 가신 것을 우리가 의수하게 꾸며서 축산 관가에 고발해 두면…≪洪命憙: 林巨正≫.

의:숙【義塾】명 공익(公益)을 위하여 의연금(義捐金)으로 설치한 교육 기관.

의:순【意恂】명〖사람〗조선 말기의 고승(高僧)으로 다도(茶道)의 정립자. 성은 장(張). 자는 중부(中孚), 호는 초의(草衣), 당호는 일지암(一枝菴). 범자(梵字)와 신상(神像)에 능했고, 백파(白坡)의 종지(宗旨)는 그릇된 것이라고 반박했음. 정약용(丁若鏞)·홍현주(洪顯周)·김정희(金正喜) 등과 폭넓은 교유를 했으며, 전라 남도 해남군(海南郡) 삼산면(三山面) 두륜산(頭輪山) 중턱의 일지암(一枝菴)에서 수도함. 저서에 ≪선문 사변 만어(禪門四辨漫語)≫·≪동다송(東茶頌)≫·≪다신전(茶神傳)≫ 등이 있음. [1786-1866]

의술【醫術】명 병을 고치는 기술. 의학의 기술. 도규술(刀圭術). 의방(醫方). 도규(刀圭).

의술-가【醫術家】명 의술이 있는 사람. 준의가(醫家).

의:승【義僧】명 나라가 위기에 처했을 때 의롭게 일어난 승려.

의:승-군【義僧軍】명〖역〗의승으로 조직된 군대. 특히 임진 왜란 때의 휴정(休靜)·유정(惟政)·처영(處英)·영규(靈圭)의 의승군과 병자 호란 때의 명조(明照)의 의승군이 유명함.

의:승-기【義勝記】명〖문〗조선 숙종(肅宗) 때의 문인 임영(林泳)이 지은 가전적(假傳的)인 작품. 마음을 의인화(擬人化)하여 호연지기(浩然之氣)로 평정시켜 인의(仁義)의 승리를 확보한다는 내용.

의:승 대:장【義僧大將】명〖역〗임진 왜란·병자 호란 때 승군(僧軍)을 지휘한 승장(僧將). 임진 왜란 때의 서산 대사(西山大師) 휴정(休靜)·사명 대사(泗溟大師) 유정(惟政), 병자 호란 때의 명조 대사(明照大師) 허백당(虛白堂) 등이 유명함.

의:승 방번전【義僧防番錢】명〖역〗조선 숙종(肅宗) 37년(1711)에 북한산성(北漢山城)을 지을 때, 각도(各道) 승려로써 그 수비를 담당하게 했는데, 영조 37년(1761)에 산성(山城) 승려로써 대체(代替)하고, 그 급료(給料)를 위하여 지방 승려에게 부담시킨 번전(番錢).

의시¹【依恃】명 믿고 의지함. ——-하다 타여불

의시²【依施】명 청원(請願)에 의하여 임금이 허가(許可)함. 준허(準許). ——-하다 타여불

의시³【疑視】명 의심하여 봄. ——-하다 타여불

의시⁴【蟻視】명 개미를 보듯이 몹시 깔봄. ——-하다 타여불

의시⁵【議諡】명 시호를 의정(議定)함. ——-하다 자여불

의-식¹【衣食】명 의복과 음식. 옷밥. ¶~이 족(足)해야 예절을 안다.

의:식²【意識】명 ①〖불교〗육식(六識) 또는 팔식(八識)의 하나. 안식(眼識)이나 이식(耳識) 등의 오식(五識)이 빛이나 소리 등을 각각 따로 인식함에 대하여, 대상을 총괄하며 판단·분별하는 심적(心的) 작용. ＊제육 의식(第六意識). ②[consciousness] 심적 생활을 다른 것과 구별하는 특징. 각성(覺醒)하여 정신이 든 상태에서 사물을 깨닫는 일체의 작용. 곧, 이지와 감정과 의지의 일체의 정신 작용을 이름. ¶~불명. ③역사적·사회적으로 규정되는 사상·감정·이론·주장 따위를 일컫는 말. ¶사회적 ~/죄~. ④자각(自覺)의 뜻. 정신(精神). ¶~ 있는 학생. ⑤대상을 인식하고 마음에 둠. ¶카메라를 ~하다. ＊무의식·하(下)의식·전(前)의식. ——-하다 타여불
의:식을 잃다 구 실신하다.

의식³【儀式】명 공사(公事)·불사(佛事)·신사(神事)·경조(慶弔) 등이 있을 때 행하는 예법. 정식(定式). 식전(式典). 식례(式禮). 의전(儀典). ¶전통 ~. 준식(式).

의:식 구조【意識構造】명 의식의 계통과 짜임새. ¶한국인의 ~.

의식 동원【醫食同源】명 의약품과 식품(食品)은 사람의 생명을 기르고 건강을 유지하는 데 불가결한 것으로, 그 근원은 같다는 중국 고대의 사고 방식.

의:식 불명【意識不明】명 의식을 잃은 상태.

의:식 상자설【意識箱子說】명〖철〗의식 또는 마음을 상자와 같은 것이라고 보는 생각. 즉 어떤 것이 의식되고 있다는 것은 물건이 상자 속에 들어 있듯이 대상 또는 그 상(像)이 마음 속에 들어 있다는 견해.

의:식 수준【意識水準】명 어떤 일에 대하여 생각하고 판단하는 능력의 정도. ¶~이 높다.

의:식 심리학【意識心理學】[—니—] 명〖심〗그 주요 연구 대상을 의식으로 삼는 심리학. 내성(內省) 심리학. ↔작용 심리학.

의:식-야【意識野】명〖심〗식야(識野).

의:식-역【意識閾】명〖심〗표상(表象)이 의식 밑에서 의식으로 떠오르는 극한(極限)의 경계. 역(閾). 식역(識閾).

의식-요【儀式謠】명〖문〗의식을 거행하면서 부르는 민요. 생활상의 일정한 기능을 가진 민요의 하나로서, 노동요(勞動謠)나 유희요(遊戲謠)와 구별됨. 장례요(葬禮謠)·지신(地神)밟기 노래·성주풀이·동투잡이·액(厄)풀이 따위.

의:식의 흐름【意識—】[—/—에—] 명 [stream of consciousness] ①〖심〗제임스(James, W.)가 사용한 용어. 사상은 개인 의식의 항상 변하고 연속된 부분으로서 의미를 갖는다고 하는 주장. ②언어·행동에 나타나지 않는 인간의 잠재 의식의 유동(流動)을 충실히 표현하려고 하는 문학 상의 수법·입장.

의:식 일반【意識一般】명〖철〗선험적(先驗的) 관념론에 있어서 객관적 인식 성립의 기초로서 상정(想定)되는 인식론적 주관(主觀). ＊선험적 관념론.

의:식 일원론【意識一元論】[—논] 명〖철〗부과된 명제(命題) 또는 주어진 존재(存在)는 의식에 내재(內在)하거나 귀착(歸着)한다는 학설.

의:식 장애【意識障礙】명〖심〗의식(意識)❷이 손상된 상태. 혼수(昏

睡)·혼미(昏迷)·혼몽(昏懜) 등 각성(覺醒)의 장애, 섬망(譫妄)·몽롱(朦朧) 상태 등, 의식 내용 변화의 여러 단계를 포함함.

의:식-적【意識的】명관 스스로 그런 줄 알면서 일부러 하는 모양. 고의적(故意的). ¶～ 행위. ↔무의식적.

의:식 조사【意識調査】명 가족 의식·계급 의식·민족 의식·국가 의식·인종 의식·신분 의식·도덕 의식·종교 의식·정치 의식 등 넓은 의미의 이데올로기(Ideologie)에 관한 조사의 총칭.

의식족-이:지예절【衣食足而知禮節】명 의식(衣食)이 족하여야 예(禮)를 안다는 뜻으로, 사람은 넉넉하여야 인사(人事)·체면(體面)을 차릴 수 있다는 말.

의-식-주【衣食住】명 인간 생활의 삼대 요소인 옷과 음식과 집.

의식-주의【儀式主義】[—/—이] 명 의식을 숭상하는 주의. 정식(定式)주의.

의식지-방【衣食之方】명 생활에 필요한 옷과 밥을 얻는 방도.

의식지-우【衣食之憂】명 옷과 밥을 얻기 위한 모든 걱정.

의식지-자【衣食之資】명 생활에 필요한 옷과 음식을 만들 자료.

의식지-향【衣食之鄕】명 생활이 넉넉한 지방.

의:식-화【意識化】명 어떤 대상에 대해 특정한 의식을 갖게 하는 일. 특히, 계급 의식을 갖게 하는 데에 쓰임. ¶～ 교육. ——-하다 자타여불

의신[1]【依身】명〖불교〗마음과 지식의 근거가 되는 육체.

의신[2]【依新】명 새것을 따름. ——-하다 자여불

의:신[3]【義臣】명 임금에게 충실하고 의로운 신하.

의신-간【疑信間】명 반신 반의하는 처지. 의사간(疑似間).

의신간-에【疑信間—】부 반은 의심하고 반은 믿는 정도로.

의:심[1]【義心】명 의로운 마음.

의:심[2]【義諶】명〖사람〗조선 시대 중기의 중. 호는 풍담(楓潭), 성은 유(柳). 본관은 통진(通津). 16세 때 중이 되었고 편양 언기(鞭羊彦機)의 법을 이어받음. 금강산(金剛山)과 보개산(寶蓋山)에 있으면서 ≪화엄경(華嚴經)≫ 등 경전의 틀린 점을 교정해서 음석(音釋)함. [1592-1665]

의심[3]【疑心】명 ①믿지 못하여 이상하게 여기는 생각이나 마음. 의회(疑懷). 회의심(懷疑心). ¶～증/～을 풀다. ②〖역〗〈속〉의(疑). ——-하다 타여불

의심(이) 가다 구 어떤 사람이나 어떤 곳으로 의심스러운 생각이 쏠리다. ¶네가 그 곳에 있었기 때문에 네게 의심이 가는 거다.

의심(이) 나다 구 의심이 생기다. ¶의심나면 조사해 보라.

의심-꾸러기【疑心—】명 의심이 많은 사람을 얕잡아 이르는 말.

의심둡다 형〈옛〉의심스럽다. =의심둡다. ¶疑心드빈 고디 잇거든(有所疑處) ≪月序 20≫.

의심-스럽다【疑心—】형ㅂ불 의심되는 점이 있다. 의심할 만하다. ¶진의가 ～. 의심-스레【疑心—】부

의심저온 형〈옛〉의심스러운. 의심쩍은. '의심젓다'의 활용형. ¶그 흔적이 可히 의심저온 곳이 이심을 보디 못ㅎ거든(其痕未見有可疑處) ≪無冤錄 I:41≫.

의심저은 형〈옛〉의심스러운. 의심쩍은. '의심젓다'의 활용형. ¶버버이 석은 것과 밋 詞證이 의심저은 거슨(已應朽敗及詞證涉疑者) ≪無冤錄 I:52≫.

의심젓다 형〈옛〉의심스럽다. 의심쩍다. ¶의심젓다(可疑) ≪同文 下 31≫. *젓다.

의심-증【疑心症】[—쯩] 명 의증(疑症).

의심-쩍다【疑心—】형 썩 의심스럽다. ¶저 자의 수작이 도무지 의심쩍기만 하다.

의아[1]【依阿】명 아첨함. 알랑거림. ——-하다 자여불

의아[2]【疑訝】명 의심스러워 괴이쩍음. 의혹(疑惑). ¶～심(心)/～한 눈으로 보다. ——-하다 형여불. ——-히 부

의아-스럽다【疑訝—】형ㅂ불 의아한 데가 있다. 의아-스레【疑訝—】부

의아-장【猗我章】[—짱] 명〖악〗악장(樂章)의 이름.

의:안[1]【義眼】명 만들어 박은 사람의 눈. 인조 안구(人造眼球).

의안[2]【疑案】명 의심스러운 사건이나 안건.

의안[3]【醫案】명 의료에 대한 생각. 또, 그것을 기술한 것.

의안[4]【議案】명 회의에서 심의할 원안(原案). 의사(議事)의 안건. ¶～을 심의하다.

의:암【義菴】명〖사람〗손병희(孫秉熙)의 호(號).

의암-댐【衣岩—】[dam] 명〖지〗강원도 춘천시 신동면 의암리(衣岩里)에 북한강을 가로질러 이룬 발전용의 콘크리트 댐. 높이 23m, 길이 273m, 저수량 8,000만 t으로, 출력 4만 5천 kW의 수력 발전소가 설치되어 있음. 1967년 준공됨.

의:암 별곡【義巖別曲】명〖악〗논개제(論介祭)에서 종헌례(終獻禮)가 끝난 뒤에 부르던 노래. 12가사 중 처사가(處士歌) 가락에 맞추어 부름.

의:암 별제【義巖別祭】[—쩨] 명〖악〗의기(義妓) 논개(論介)의 혼을 위로하는 제(祭). 매년 6월 초 길일을 가려 제사를 지냈는데, 여기에는 영신곡(迎神曲)을 마치고 상향(上香) 때에 불리는 상향 악장(樂章)과 초헌(初獻) 악장·종헌(終獻) 악장이 있음.

의앙【依仰】명 의지하고 앙모(仰慕)함. ——-하다 타여불

의약[1]【依約】명 약조대로 함. ——-하다 자여불

의약[2]【醫藥】명 ①의료에 쓰이는 약품. 약(藥). ②의술과 약품.

의약 동참【醫藥同參】명〖역〗내의원(內醫院)에 속한 의관(醫官) 가운데 약을 진공(進供)하던 임시 벼슬.

의-약물【醫藥物】명 의료에 쓰이는 약물. 의약품.

의약 복서【醫藥卜筮】명 의술(醫術)과 점술(占術).

의약 부외품【醫藥部外品】명 구취(口臭)·체취·탈모의 방지, 양모(養毛)와 염모(染毛), 파리·모기 등의 구제 등에 쓰이는, 인체에 대한 작용이 경미한 물품. 기계·기구는 제외됨. 보건 사회부 장관의 제조 허가와 품목 허가를 받아야 함.

의약 분업【醫藥分業】명 의사와 약사의 업무를 따로 하는 제도. 의사는 진찰과 처방, 약사는 조제(調劑)와 투약(投藥)만을 취급함. 우리 나라는 여러 곡절 끝에 2000년부터 실시함.

의약-업【醫藥業】명 의료 약품을 취급하는 영업.

의약-청【議藥廳】명〖역〗시약청(侍藥廳).

의-약품【醫藥品】명 의료에 쓰이는 약품. 의약물.

의양[1]【衣樣】명 옷의 치수.

의양[2]【倚佯】명 삿자리. 갈대로 결은 자리.

의양[3]【蟻壤】명 개미집.

의양 단자【衣樣單子】[—딴—] 명 신랑 또는 신부의 옷의 치수를 적은 단자.

의-양성【擬陽性】명〖의〗의양성 반응.

의양성 반:응【擬陽性反應】명〖의〗투베르쿨린(Tuberkulin) 반응 검사의 판정 결과의 하나. 양성(陽性)에 약간 가까운 반응이 나타난 것. 의양성(擬陽性).

의-양피지【擬羊皮紙】명 양피지 비슷하게 만든 종이.

의양 화:호로【依樣畫葫蘆】명 양식에 따라 호로를 그리듯이 남의 것을 모방하여 흉내낸다는 말.

의어【衣魚】명〖충〗반대좀.

의언【議讞】명 죄정(罪情)을 의논함.

의:업[1]【意業】명〖불교〗삼업(三業)의 하나. 마음의 움직임. 곧, 모든 사념(思念). 사업(思業).

의업[2]【醫業】명〖역〗①의술의 업. 의사 또는 의생(醫生)의 직업. ②고려 때의 잡과(雜科)의 한 과목(科目). 소문경(素問經)·갑을경(甲乙經)·본초경(本草經)·명당경(明堂經)·맥경(脈經)·침경(針經)·구경(灸經) 등 여러 가지 의서(醫書)를 가지고 의술을 시험함. *주금업(呪噤業)·의과(醫科).

의여-장【猗與章】[—짱] 명〖악〗악장(樂章)의 이름.

의:역[1]【意譯】명 개개의 단어·구절에 너무 구애되지 않고, 전체의 뜻을 살리는 번역. ↔직역(直譯). ——-하다 타여불

의-역[2]【醫譯】명〖역〗의관(醫官)과 역관(譯官).

의연[1]【依然】부 의연(依然)히.

의:연[2]【義捐】명 자선·공익(公益)을 위하여 금품을 기부함. ¶～금(金). ——-하다 타여불

의:연[3]【義淵】명〖사람〗고구려 평원왕(平原王) 때의 중. 율의(律義)를 잘 지키고 견문(見聞) 또한 넓으며 유도(儒道)에도 통달함. 중국 진(陳) 나라에 가서 법상(法上)으로부터 법리(法理)를 깨닫고 귀국, 고구려 불교 진흥에 기여함. 생몰년 미상.

의연[4]【毅然】一명 의지가 굳고 끄떡없는 모양. 태도가 엄하고 굳센 모양. 二부 의연(毅然)히. ——-하다 형여불. ——-히 부

의:연-금【義捐金】명 자선이나 공익을 위하여 기부하는 돈. 의금(義金). 준연금(捐金).

의연체 동:물【擬軟體動物】명〖동〗[Molluscoidea] 진체강류(眞體腔類)에 속하는 후생(後生) 동물의 한 무리. 추충류(箒蟲類)·완족류(腕足類)·외항류(外肛類)를 포함하나 이들을 한 문(門)으로 하기에는 공통되는 특징을 잡기 곤란하여, 단순히 외관성으로 연체 동물과 닮았다 하여 인위적으로 분류한 문으로 간주됨. 최근에는 그 각각을 독립된 문으로 분류하기도 함. *촉수(觸手) 동물·전항(前肛) 동물.

의연-하다【依然—】형여불 전과 다름이 없다. ¶구태(舊態) 의연한 생각. 의연-히【依然—】부

의:열【義烈】명 의(義)를 지킴이 강함. 정의(正義)의 마음이 열렬함. 방렬(芳烈). ——-하다 형여불

의:열-단【義烈團】[—딴] 명 항일 독립 운동 단체의 하나. 1919년 11월 10일 만주 지린 성(吉林省)에서 조직되었는데 일정한 본거지가 없이 각지에 흩어져 폭력으로 일본 관헌과 관청을 암살·파괴하였음. 조직 당시의 단원은 김원봉(金元鳳)·이성우(李成宇)·곽재기(郭在驥)·강세우(姜世宇)·이종암(李鍾岩)·한봉근(韓鳳根)·한봉인(韓鳳仁)·김상윤(金相潤)·신철휴(申喆休)·배동선(裵東宣)·서상락(徐相洛) 등 13명이었으며, 부산 경찰서 폭파 사건, 밀양 경찰서 습격 사건, 총독부 습격 사건, 황포탄(黃浦灘) 사건, 종로 경찰서 사건, 니주바시(二重橋) 사건, 동양 척식 회사 폭파 사건, 황옥 경부(黃鈺警部) 사건 등은 모두 의열단원이 거사한 사건임.

의-염기【擬塩基】명〖화〗염기의 구조를 하고 있지 않으나, 산(酸)과 만나면 수산화물 이온(水酸化物ion)을 이탈하여 그 산과 염을 만드는 유기 화합물(有機化合物). 아닐린(anilin) 염료의 카르비놀(carbinol) 염기 같은 것.

의:염-창【義塩倉】명〖역〗고려 충선왕(忠宣王) 때, 각 주현(州縣)에 두어 소금을 전매(專賣)시키던 기관. 조선 시대 때에 사재감(司宰監)에 통합됨.

의영【衣纓】명 의복과 갓끈이라는 뜻으로, 공경(公卿)과 조신(朝臣)을 이름.

의:영-고【義盈庫】명〖역〗①고려의 한 관아(官衙). 궁중에 쓰이는 기름·꿀·과일 등을 관리함. 충렬왕(忠烈王) 34년(1308)에 둠. ②조선 시대 때 호조(戶曹)에 소속되어 기름·꿀·밀·후추 등을 맡아 보던 관아. 태조(太祖) 원년(1392)에 베풂.

의-예과【醫豫科】[—꽈] 명〖교〗의과 대학 또는 종합 대학교에 두어, 의과 대학 교과 과정의 예비 지식을 교수하는 예과(豫科). 수업 연한은 2년임. *수의 예과(獸醫豫科).

의옥【疑獄】명 ①사정이 복잡하여 진상이 확실하지 않은 재판 사건. ②정치 문제로 다룰 만큼 대규모의 증수회(贈收賄)사건을 말함. 스캔들.

의왕[1] 【儀旺】 명 〖지〗 경기도의 한 시(市). 1989년 의왕읍(邑)이 시(市)로 승격됨. 북은 과천시(果川市), 동은 성남(城南)시, 남은 수원(水原)시, 서는 안양(安養)시·군포(軍浦)시와 접하고 있음. 관내 6동(洞). 청계사(淸溪寺)가 있음. [96,892명(1990)]

의왕[2] 【醫王】 명 〖불교〗 ①의원(醫員)이 병자를 구하듯, 부처가 중생(衆生)을 구한다는 뜻에서, 부처님을 가리킴. ②'약사 여래(藥師如來)'의 이칭(異稱). 의왕 여래.

의왕 여래 【醫王如來】 [―녀―] 명 〖불교〗 의왕(醫王)❷.

의:외 【意外】 명 뜻밖. 생각 밖. 여외(慮外). 예상외(豫想外). ¶ ~의 행운/~의 수확.

의:외-로 【意外―】 부 뜻밖에. 예상외로. ¶생각보다는 ~ 크다.

의:외-롭다 【意外―】 형ㅂ불 뜻밖이라고 생각되는 느낌이 있다. ¶네가 이곳에 왔다는 사실이 왠지 의외롭게 여겨지는구나. 의:외-로이 【意外―】 부

의:외지-변 【意外之變】 명 뜻밖에 일어난 변고.

의:외지-사 【意外之事】 명 뜻밖의 일.

의:요 【意樂】 명 [범 Aseya] 〖불교〗 어떤 목적을 향하여 나아가려는 취지.

의:욕 【意慾·意欲】 명 ①〖철〗 선택한 하나의 목표에 대해 의지가 적극적·능동적으로 작용하는 일,또는 다만 특수적·주관적 의지의 활동. ②〖심〗 의지(意志). 노력. ③적극적으로 하고자 하는 마음. ¶ ~을 잃다/세상 일은 ~만으로 되는 것이 아니다.

의:욕-적 【意慾的】 명관 행동을 적극적으로 하려는 마음이 넘치어 있는 모양. ¶ ~인 일꾼을 찾습니다.

의:용[1] 【義勇】 명 ①정의감에서 우러나는 용기. ②정의(正義)와 용기. ③자진(自進)하여 공공(公共)을 위해 힘씀.

의용[2] 【儀容】 명 몸을 가지는 태도. 예의(禮儀)에 맞는 차림새. 의표(儀表). 용의(容儀). 용자(容姿). ¶ ~을 갖추다.

의용[3] 【醫用】 명 의학 치료에 쓰임.

의용 고분자 재료 【醫用高分子材料】 명 폴리우레탄·폴리아크릴 수지·고밀도(高密度) 폴리에틸렌 등, 의학 치료에 이용되는 고분자의 재료. 인공 심장, 인공 관절, 치아, 충치 치료재 등으로 쓰임.

의:용-군 【義勇軍】 명 ①의용 군대. ②6·25전쟁 때, 북한군에 의해 징발되어 편성된 남한 출신 청소년들의 인민군측 군사 조직.

의:용 군대 【義勇軍隊】 명 전쟁·사변 등 국가의 위급을 구하기 위하여 민간에서 일어나 조직된 군대. 의용군(義勇軍).

의:용-단 【義勇團】 명 어떠한 의로운 일을 위하여 자진하여 조직(組織)한 단체.

의:용-대 【義勇隊】 명 전쟁이나 사변을 당하여 의용병(義勇兵)으로 조직한 군대. 의용 군대(義勇軍隊).

의:용-병 【義勇兵】 명 전쟁·사변 등 국가의 위기를 당하여 의로운 국민이 모여 출전(出戰)하는 군사.

의:용병-제 【義勇兵制】 명 지원병 제도의 하나. 의용병으로써 군대를 충원(充員)하는 제도. 영국·미국·이탈리아 등에서 채택하고 있음. ↔징병 제도(徵兵制度).

의:용 봉:공 【義勇奉公】 명 국가나 사회를 위하여 자기의 몸을 희생하여 힘을 다함. ――-하다 자여불

의용 생체 공학 【醫用生體工學】 명 생체 공학의 기술을 의학에 이용하려는 기술 및 학문. 기초 의학에서부터 의과 분야의 재료·기기·기술에 이르기까지 넓은 범위를 포괄(包括)하며, 전자 공학·컴퓨터의 도입(導入)으로, 종합적인 의료 산업(醫療產業)으로 발전하고 있음. *의용 전자 공학.

의:용 소방대 【義勇消防隊】 명 소방서장(消防署長)의 소방 업무를 보조하기 위하여, 그 지역의 주민 가운데 희망자로 구성되는 비상근(非常勤)의 소방대. 서울특별시, 각 직할시, 각 시·읍·면에 둠. 민방위 업무도 겸행함.

의:용 순금사 【義勇巡禁司】 명 〖역〗 조선 국초(國初)에 죄인(罪人)의 옥(獄)을 다스리던 관아. 태종(太宗) 3년(1403)에 순위부(巡衛府)를 고치어 이 이름으로 하였다가 동 14년에 의금부(義禁府)로 고침. *순군 만호부(巡軍萬戶府).

의용 전:자 공학 【醫用電子工學】 명 메디컬 일렉트로닉스(medical electronics).

의:용 함:대 【義勇艦隊】 명 〖군〗 평시에는 해운(海運)에 종사하고 전시에는 무장하고 군무에 복무하는 상선(商船)의 떼.

의운 【疑雲】 명 의심스러운 사건의 비유로 일컫는 말.

의원[1] 【依願】 명 원하는 바에 의함. ¶ ~ 면직.

의원[2] 【醫員】 명 의사와 의생의 총칭. 행림(杏林).

의원[3] 【醫院】 명 병자를 치료하기 위하여 특별한 시설을 한 집. 병원보다 규모가 작은 것을 이름. *병원.

의원[4] 【蟻援】 명 구원하는 군사를 이르는 말.

의원[5] 【議院】 명 국정을 심의하는 곳. 국회.

의원[6] 【議員】 명 일반적으로 합의 기관의 구성원을 말하나, 특히 국회나 지방 의회 같은 합의제(合議制)의 기관을 구성하고, 의결에 참가할 수 있는 권리를 가지고 있는 사람을 가리킴.

의원 내:각제 【議院內閣制】 명 〖정〗 국회의 신임을 정부 존립(存立)의 필수 조건으로 하는 제도. 하원의 다수당이나 그들의 연합에 의하여 정부를 조직하며, 각원(閣員)은 원칙적으로 의석(議席)을 가짐. 특히 영국에서 발달한 제도로, 국회를 통하여 국민이 정부의 시책을 감시하는 것이 특징임. 책임제.

의원 면:관 【依願免官】 명 본인의 청원에 의하여 그 관직을 해면함. ――-하다 타여불

의원 면:본관 【依願免本官】 명 본인의 청원에 의하여 본 관직을 해면함.

의원 면:직 【依願免職】 명 본인의 청원에 의하여 그 직위를 해면함. ――-하다 자여불

의원-병 【醫原病】 [―뼝] 명 〖의〗 의원성(醫原性) 질환.

의원성 질환 【醫原性疾患】 [―씽―] 명 [iatrogenic disease] 〖의〗 의료 행위로 인하여 생기는 질병·장애의 총칭. 의사의 언동, 환자의 오해·자기 암시(自己暗示) 등에 의한 심인적 이상(心因的異常) 및 의사·간호사·의료 기사 등의 부적절한 의료 행위 등으로 인한 부작용·후유증(後遺症), 신경증·약물 중독·알레르기·마취 쇼크·출혈·수혈(輸血)로 인한 감염증(感染症) 따위. 의원병(醫原病).

의원 외:교 【議員外交】 명 국회의원의 외국 방문이나 해외 파견 때에 전개되는 공식 또는 비공식적인 외교 활동.

의원 입법 【議員立法】 명 〖법〗 법률안의 발의권(發議權)이 정부와 국회의 양자에게 있는 경우, 국회에서 발의한 안을 정부 발안(發案)과 구별하는 뜻에서 일컫는 말.

의원-장 【醫院長】 명 의원의 우두머리.

의원 제명 【議員除名】 명 국회 의원의 신분을 박탈하는 의원 징계(懲戒)의 일종. 제명된 사람은 그로 인한 의원의 보궐(補闕) 선거에 후보자로 나설 수 없음.

의원 징계 【議員懲戒】 명 국회가 국회의 질서를 문란하게 한 의원을 징계하는 일. 징계의 종류에는 공개 회의에서의 경고(警告), 공개 회의에서의 사과(謝過), 30일 이내의 출석 정지(出席停止), 제명(除名)의 네 가지가 정하여져 있음.

의원 총:회 【議員總會】 명 국회의 한 정당 소속 의원이 원내에서 여는 비공개 회의. 의장 후보·원내 총무의 선정 또는 법안에 대한 당의 태도를 결정하는 것 등을 목적으로 함.

의원충-학 【醫原蟲學】 명 [medical protozoology] 〖의〗 의미생물학(醫微生物學)의 한 영역(領域). 인간의 기생충(寄生蟲)인 원충류(原蟲類)에 대한 연구를 함.

의원통 도법 【擬圓筒圖法】 [―뻡] 명 〖지〗 경선(經線)의 간격을 실제의 지구 표면의 거리와 비례시켜 고위도(高緯度)일수록 간격이 좁아지게 한 지도 투영법(投影法)의 하나. 위선(緯線)이 평행선으로 표시되는 점이 원통법(圓筒法)과 공통됨. 몰바이데 도법·에케르트 도법 따위.

의원 특권 【議員特權】 명 의원 특전(議員特典).

의원 특전 【議員特典】 명 〖법〗 국회 의원이 갖는 특전. 국회의 회기 중(會期中)에는 현행범인 경우를 제외하고는 그 원(院)의 동의 없이는 체포되지 아니하며, 또 원내에서의 발언·표결에 관하여 원외(院外)에서는 책임을 지지 아니하는 따위의 불체포 특전,면책(免責)의 특전 등. 이외에 일반 공무원보다 많은 세비(歲費), 특별 수당(特別手當), 국유 철도(國有鐵道)의 무임 승차증 등의 특전도 포함하여 일컫는 경우도 있음. 의원 특권(議員特權).

의원 회:관 【議員會館】 명 국회 의원에게 직무 수행(職務遂行)을 위하여 사무실을 제공하는 건물.

의위[1] 【依違】 명 [의(依)는 가까이 붙음, 위(違)는 떨어져 나간다는 뜻] 가부(可否)를 결정하지 못하고 우물쭈물하는 모양. ――-하다 형여불

의위[2] 【儀衛】 명 의식을 장엄하게 하기 위하여 참렬시키는 호위병(護衛兵).

의유 【醫儒】 명 의사이면서 유교(儒敎)의 교리를 통달한 사람. 유의(儒醫).

의:유당 관북 유람 일기 【意幽堂關北遊覽日記】 명 〖문〗 의유당 일기(意幽堂日記).

의:유당 김씨 【意幽堂金氏】 명 〖사람〗 조선 시대 후기의 여류 문인. 김반(金磐)의 딸. 순조(純祖) 29년(1829) 남편 이희찬(李羲贊)이 함흥 판관(判官)이 되어 부임하자 같이 가서 지은 문집 ≪의유당 관북 유람 일기(意幽堂關北遊覽日記)≫가 있음.

의:유당 일기 【意幽堂日記】 명 〖문〗 조선 순조 때의 여류(女流) 문인 의유당 김씨가 지은 문집. 원명은 '의유당 관북 유람 일기(意幽堂關北遊覽日記)'. 순조 29년(1829) 남편 이희찬(李羲贊)이 함흥 판관으로 부임하자 같이 가서 부근의 명승 고적을 탐승한 기행·전기·번역 등을 합한 문집으로 되어 있음.

의:육 【意育】 명 〖교〗 의지의 발달을 목적으로 하는 교육.

의윤 【依允】 명 상주(上奏)를 임금이 윤허(允許)함. ――-하다 타여불

의율 【擬律】 명 〖법〗 법원이 법규를 구체적인 사건에 적용함. 죄의 경중에 따라 법을 적용함. 조율(照律). ――-하다 타여불

의율 징판 【擬律懲判】 명 〖법〗 법규에 의하여 징벌을 결정함. 조율(照律) 징판.

의음[1] 【倚音】 명 〖악〗 앞꾸밈음(音).

의음[2] 【擬音】 명 어느 소리를 흉내내어 인공적으로 만들어 내는 소리. 흔히, 연극·방송극 등에 씀. 효과음(效果音). 의성(擬聲). 소리시늉. 사성(寫聲). ¶ ~ 효과.

의음-어 【擬音語】 명 〖언〗 의성어(擬聲語).

의의[1] 【依倚】 [―/―이] 명 의지함. 기댐. ¶둘이 만나니, 일찍 형제요 일찍 붕우라. 진진한 수작과 ~한 심사는 어찌 다 기록하리요≪金榮漢: 芙蓉軒≫. ――-하다 타여불

의:의[2] 【意義】 [―/―이] 명 ①의미. 뜻. ②가치. 중요한 정도. ¶ ~가 크다. ③〖철〗 어떤 말·일·행위 등이 현실의 구체적 연관에 있어 가지는 가치 내용. ④〖언〗 하나의 말이 문맥(文脈)과 떨어져 있어도 가리킬 수 있는 내용.

의의[3] 【疑義】 [―/―이] 명 의미나 내용 등이 불분명한 일. 글 뜻 가운데 의심(疑心)이 나는 곳.

의의[4] 【疑意】 [―/―이] 명 의심을 품은 뜻.

의의[5] 【擬議】 [―/―이] 명 ①여러 모로 생각함. 숙고(熟考)함. 논의(論議)를 거듭함. ②망설임. 주저함. ③무리하게 승복(承服)시킴. ④헤아

림. 재량(裁量)함. ——-하다 타여불

의:의-깊다【意義—】[—/—이—] 형 깊은 내용, 가치, 뜻을 속에 지니고 있다.

의:의-소【意義素】[—/—이—] 명〖언〗①말의 의미를 다루는 언어학의 한 분야로, 개개의 말에는 1회마다의 구체적인 용법(用法)의 제약을 떠나서도 일정한 기본적 의미가 있다고 하는 입장에서 설정되는 의미적(意味的) 단위·의미 성분(意味成分). ②〔sememe〕 형태소(形態素)가 나타내는 의미. 의미소(意味素). ③〔프 sémantème : 영 semanteme〕 실질적 의미를 나타내는 단어 또는 단어 형태의 한 부분·의의부(意義部) ↔ 형태소(形態素)❷·❸.

의의-하다[1]【依依—】[—/—이—] 형여불 ①유약(柔弱)하다. ②풀이 무성(茂盛)하다. ③떨어지기가 서운하다. ④어렴풋하다. ¶의의하게 생각나는 과거지사(過去之事).

의의-하다[2]【猗猗—】[—/—이—] 형여불 ①아름답고 성하다. ¶강색은 유리를 깔아 놓은 듯, 양유(楊柳)는 의의하여 사람을 기다리는 듯…《金宇鎭 : 榴花雨》. ②바람 소리 같은 것이 부드럽다.

의:의-학【意義學】[—/—이—] 명〖언〗언어의 내용인 의미 방면, 곧 언어의 의미의 본질·기원(起源)·발전·변천 등을 대상으로 하여 연구하는 언어학의 한 부문. 의미론(意味論).

의이[1]【薏苡】명〖식〗율무.

의이[2]【鷾鴯】명〖조〗제비.

의이-인【薏苡仁】명〖한의〗율무쌀.

의인[1]【宜人】명〖역〗조선 시대 때 정·종육품(正從六品) 문무관의 아내의 봉작(封爵). 고종(高宗) 2년(1865)부터 정·종육품 종친(宗親)의 아내의 봉작으로 병용(並用)하였음.

의:인[2]【義人】명 의사(義士)❶.

의:인[3]【義認】명〖기독교〗하느님이 인간(人間)을 의인(義人)으로 인정함. ——-하다 타여불

의인[4]【擬人】명 ①사람이 아닌 것에 사람의 성능(性能)을 부여하여 취급하는 일. ②〖법〗자연인(自然人)이 아닌 것에 법률상 인격(人格)을 부여하는 일. 또, 그 인격. ——-하다 타여불

의인-관【擬人觀】명〖철〗비(非)인격적 내지 초(超)인격적 존재를 인격화하고 인간화(人間化)하여 보는 관념. 신화(神話)나 종교 같은 데서 볼 수 있음. 의인주의. 인간 형태관(人間形態觀).

의인-법【擬人法】[—뻡] 명〖문〗무생물이나 추상적 개념을 마치 살아 있는 것에 비기어 표현하는 수사법(修辭法). '슬피 우는 기적 소리'와 같은 수사법. 활유법(活喩法).

의인-작【依人雀】명〖조〗참새.

의인-적【擬人的】[—쩍] 명관 의인하는 것과 같은 모양.

의인 전기체【擬人傳記體】명〖문〗가전체(假傳體).

의인-주의【擬人主義】[—/—이] 명〖철〗의인관(擬人觀).

의인-화【擬人化】명 사물(事物)을 사람에 비기어 표현함. 인격화(人格化). ——-하다 타여불

의:임【矣任】명〖역〗조선 시대 때, 육의전(六矣廛)의 하공원(下公員)의 하나.

의자[1]【衣資】명 ①옷감. ②옷값.

의자[2]【倚子】명 앉을 때에 몸을 뒤로 기대는 기구. 원형(圓形)·방형(方形)·장방형(長方形) 등의 여러 가지가 있음.

의자[3]【椅子】명 걸터앉을 때에 쓰는 기구. 보통 뒤에 등받이가 있음. 안락 의자·회전 의자·흔들 의자 등 종류가 많음. 교의(交椅). 체어(chair).

의:자[4]【義子】명 의붓아들.

의:자[5]【義字】[—짜] 명〖언〗의자(意字).

의:자[6]【意字】[—짜] 명〖언〗↗표의 문자(表意文字).

의:자[7]【義者】명 의사(義士)❶.

의자[8]【疑字】[—짜] 명 의심스러운 글자.

의자[9]【醫者】명 의사(醫師)와 의생(醫生)의 총칭.

의자 궐지【疑者闕之】[—찌] 명 의심스러운 것은 억지로 자세히 캘 필요가 없다는 뜻.

의:자-왕【義慈王】명〖사람〗백제 최후(31대)의 왕. 무왕(武王)의 맏아들로 효성과 우애가 깊어 해동 증자(海東曾子)라 불리었으며 한때 신라의 대야성(大倻城)을 점령하고, 고구려와 화친하는 등 기울어져 가는 국위의 선양에 힘썼으나 만년에 사치와 방탕에 흘러, 왕 20년(660)에 나당(羅唐) 연합군에게 패하여 태자와 함께 항복, 당(唐)에 압송되었다가 병사(病死)함. [재위 641-660]

의자-장이【椅子匠—】명 의자를 만드는 일을 업으로 삼는 사람.

의작【擬作】명 모방하여 만듦. 또, 그 작품. ——-하다 타여불

의작-시【擬作詩】명〖문〗다른 사람의 작품을 흉내내어 만든 시.

의잠【蟻蠶】명 갓 부화(孵化)한 누에. 모양이 개미와 같은데, 몸 전체가 경모(硬毛)로 덮여 있음. 개미누에.

의장[1]【衣欌】명 옷을 넣는 장. 의사(衣笥). 옷장.

의장[2]【倚仗】명 의지하고 믿음. 의비(倚毗). ——-하다 타여불

의:장[3]【意匠】명〖법〗물품에 시각 상(視覺上)의 미감(美感)을 주기 위하여, 그 형상·무늬·색채 또는 이들을 결합한 것 등을 연구·고안(考案)하여 산업에 이용될 수 있게 하는 일. 특허청에 비치된 의장 등록 원부에 등록되면 의장권이 발생함. 미장(美匠). *디자인(design).

의:장[4]【義莊】명〖역〗중국의 송대(宋代) 이후 동족(同族) 공유(共有)의 의전(義田)을 두어 그 소작료(小作料)로써 동족의 부양(扶養)과 교육, 조상에 대한 제사(祭祀) 등을 행하기 위한 시설. 1050년 북송(北宋)의 범중엄(范仲淹)이 동족을 위해 토지(土地)를 기부하여 쑤저우(蘇州)에 범씨 의장(范氏義莊)을 설립한 것이 그 시초로, 특히 양쯔 강(揚子江) 유역 이남에 현저하였음.

의:장[5]【義漿】명 남에게 베풀어 주는 음료. 손님 접대용의 끓인 물.

의장[6]【儀仗】명〖역〗의식(儀式)에 쓰는 무기 또는 물건. 보검(寶劍)·일산(日傘)·월부(月斧)·현학기·고자기(鼓字旗) 등.

의장[7]【儀狀】명 예의 범절. 용모와 거동. ¶~이 단정하다.

의장[8]【儀章】명 의문(儀文).

의장[9]【儀裝】명 의식 장소의 장식 또는 장치. ——-하다 자여불

의장[10]【擬裝】명 위장(僞裝)❶❷. ——-하다 타여불

의장[11]【艤裝】명 선체(船體)가 완성되어 항해에 필요한 일체의 장비를 갖추고 취항(就航)할 때까지의 공사(工事)의 총칭. 또, 그 장비. ——-하다 자타여불

의장[12]【議長】명 ①회의의 우두머리. 회의에서 의장(議場)을 정리하고 중의(衆議)를 채결(採決)하는 사람. ②〖법〗합의제(合議制) 기관의 의사(議事)를 통리(統理)하고, 또 그 합의체(合議體)를 대표(代表)하는 사람. ¶국회 ~.

의장[13]【議場】명 회의하는 장소.

의:장-가【意匠家】명 의장을 잘 하거나 업으로 하는 사람.

의장-고【儀仗庫】명〖역〗조선 시대 때 궁전의 위의(威儀)를 갖추는 부(斧)·월(鉞)·개(蓋)·선(扇) 등 의장을 넣어 두는 곳집. 병조(兵曹)의 승여사(乘輿司)에 속함.

의:장 광:고【意匠廣告】명 도안(圖案)이나 의장을 중심으로 하여 거기에 문자나 문안(文案)을 가해서 하는 광고.

의:장-권【意匠權】[—꿘] 명〖법〗의장에 관한 물품을 영업적으로 제작·사용·판매하는 독점적·배타적(排他的) 권리. 의장 등록에 의하여 생김. 무체(無體) 재산권의 하나로, 권리의 존속 기간은 설정 등록일로부터 8년임. 의장 전용권(意匠專用權).

의장-기【儀仗旗】명〖역〗의장에 쓰는 기. 청룡기(青龍旗)·백호기(白虎旗)·영자기(令字旗) 등이 있음.

의장-단【議長團】명 의장·부의장을 집합적으로 일컫는 말.

의장-대【儀仗隊】명〖군〗의식(儀式) 절차에 의한 예법을 훈련받고 의식 때에만 참렬하는 군인의 한 떼.

의:장-도【意匠圖】명 의장지(意匠紙)에 직물(織物)의 올실과 날실의 짜임새를 표시한 그림.

의:장 등록【意匠登錄】[—녹] 명〖법〗의장 고안자 또는 그 계승자의 청구에 의해 그 의장을 특허청(特許廳)이 의장 원부(意匠原簿)에 기재하는 일. *등록 의장.

의:장 등록증【意匠登錄證】[—녹—] 명 의장권 설정의 등록을 필한 의장권자에게 특허청에서 발급하는 증명서.

의:장-료【意匠料】[—뇨] 명 의장을 고안한 데에 대한 보수.

의장 문물【儀仗文物】명〖역〗의장으로 쓰이는 물건들.

의장 반차도【儀仗班次圖】명〖책〗조선 국초(國初)부터 왕이 행차할 때의 의장의 수효와 종관(從官)의 차례 및 위치를 표기한 책. 순조(純祖) 때에 다소 증보(增補)됨. 1책, 사본.

의:장-법【意匠法】[—뻡] 명〖법〗의장 고안의 보호 및 이용에 관하여 규정한 법. 의장의 창작을 장려하여 국가 산업의 발전에 기여하게 함을 목적으로 함.

의장-병【儀仗兵】명〖군〗의장대에서 의장에 참렬하는 군인.

의장-봉【議長棒】명 의사봉(議事棒).

의장 실업【擬裝失業】명 잠재 실업(潛在失業).

의:장 원부【意匠原簿】명 의장권 및 의장 실시권 또는 이를 목적으로 하는 질권(質權)의 설정(設定)·보존(保存)·이전(移轉)·변경(變更)·소멸(消滅)·처분의 제한 기타 법령에 정한 사항을 기록하여 특허청(特許廳)에 비치하는 원부.

의:장 전용권【意匠專用權】[—꿘] 명〖법〗의장권(意匠權).

의:장-지【意匠紙】명 직물(織物)의 조직을 알기 쉽게 하기 위하여 사용하는 의장도용(意匠圖用)의 모눈종이.

의장-품【艤裝品】명 배의 출범(出帆)에 소요되는 물건.

의:적[1]【義寂】명〖사람〗신라 통일 시대의 중. 의상(義湘)의 제자 10인 중의 한 사람. 세상에서 아성(亞聖)이라 칭하였음. 저서에 《범망경 보살계 본소(梵網經菩薩戒本疏)》·《관무량수경 강요(觀無量壽經綱要)》 등이 있음. [681-?]

의:적[2]【義賊】명 의롭지 못한 사람의 재물을 훔쳐다가 빈한(貧寒)한 사람을 도와 주는 의로운 도적.

의:적[3]【意適】명 마음에 듦. 뜻에 맞음. ——-하다 자여불

의적[4]【懿績】명 훌륭하고 뛰어난 공적.

의전[1]【衣廛】명 넝마전.

의전[2]【衣纏】명 옷. 의복(衣服).

의:전[3]【義田】명 가난한 일가를 구제하기 위한 전지(田地).

의:전[4]【義戰】명 의를 위한 전쟁.

의전[5]【儀典】명 의식(儀式).

의전[6]【擬戰】명 모의전(模擬戰).

의전[7]【醫專】명〖교〗↗의학 전문 학교.

의-전례【依前例】[—절—] 명 전례에 의함. ¶코 아래 진상을 갖다 드리는 것이 ~ 있는 일이었다《洪命憙 : 林巨正》. 준의례(依例). ——-하다 자여불

의:절[1]【義絶】명 ①결의(結義)한 것을 끊음. ②친구나 친척 사이의 정을 끊음. ③아내가 죽은 뒤의 처족(妻族)과 자기 사이를 일컫는 말. 절의(絶義). 의단(義斷). *절교(絶交). ④〖역〗조선 시대 때, 아내가 간음(姦淫)한 경우, 아내가 남편의 부모·조부모를 구타 혹은 욕한 경우, 아내가 남편의 친족을 욕한 경우, 아내가 남편을 죽이려 한 경우, 남편이 아내에게 간음을 시키거나 남의 처첩(妻妾)으로 한 경우, 남편이 아내

의 모(母)를 간(姦)한 경우 등 일정한 법정 원인(法定原因)이 있을 때, 법률상 강제로 부부를 이혼시키는 제도. ——-하다 ㉠여불

의절²【儀節】㊔ 의식의 절차.

의점【疑點】[—쩜] ㊔ 의심 나는 점. ¶~이 없지만도 않다.

의젓-이 ㊥ 의젓하게. >야젓이.

의젓-잖다 [—잔타] ㊕ 의젓하지 못하다. >야젓잖다.

[의젓잖은 며느리가 사흘만에 고추장 세 바탱이 먹는다] 못난 자가 미운 짓만 하느라고 남이 놀랄 짓을 한다.

의젓-잖이 [—잔—] ㊥ 의젓잖게. >야젓잖이.

의젓-하다 ㊕여불 [근대: 의젓ᄒᆞ다] 언행이 점잖고 무게가 있다. ¶의젓한 인품/의젓한 젊은이. >야젓하다.

[의젓하기는 시아비 뺨 치겠다] 못난 사람이 의젓한 체한답시고 별 짓을 다 하겠다는 말.

의:정¹【義淨】㊔ 〖사람〗 중국 당(唐)나라의 학승(學僧). 어려서 출가하여 법현(法顯)·현장(玄奘)의 풍(風)을 따랐으며, 671년 인도로 건너가 나란타사(那蘭陀寺)에서 수학하고, 범본 불전(梵本佛典) 406부를 가지고 돌아옴. ≪남해 기귀전(南海寄歸傳)≫·≪대당 서역 구법 고승전(大唐西域求法高僧傳)≫의 저서와 화엄경·금광명경(金光明經) 등 56부 230여 권을 번역하여 역경가(譯經家)로도 유명함. [635-715]

의정²【擬定】㊔ ①가정(假定)함. 잠정적으로 헤아려 정함. ②생각을 정함. ——-하다 ㉡여불

의정³【擬晶】㊔ 〖광〗 어떤 결정(結晶)이 쌍정(雙晶)하여 몇 개가 모여서, 형태상 결정 본래의 대칭성(對稱性)과 다른 대칭성을 갖게 된 결정. 이 경우에는 흔히 대칭도(對稱度)가 높아짐. 아라고나이트(aragonite)·코디어라이트(cordierite) 등이 그 좋은 예임.

의정⁴【醫政】㊔ 의무(醫務)에 관한 행정.

의정⁵【議定】㊔ 의논하여 결정함. ——-하다 ㉡여불

의:정⁶【議政】㊔ ①〖역〗 조선 시대 의정부(議政府)의 영의정·좌의정·우의정의 총칭. ②〖역〗 조선 광무(光武) 6년(1902)에 설치(設置)한 의정부의 으뜸 벼슬. 광무(光武) 9년에 의정 대신(大臣)이라 개칭함. *대신(大臣). ③↗의회 정치(議會政治).

의정-관¹【議定官】㊔ 〖역〗 대한 제국 표훈원(表勳院)의 한 벼슬. 훈장(勳章)·연금의 수여, 치탈(褫奪)의 가부를 판정했음.

의:정-관²【議政官】㊔ 〖역〗 조선 말기에 임시로 설치했던 관직. 광무 8년(1904) 군제 이정소(軍制釐整所)에 군제 의정관 12인, 관제(官制) 이정소에 관제 의정관 17인, 이듬해에 제실(帝室)제도 정리국에 6인의 의정관을 두어 각각의 제도에 관한 관계 법령을 개정함.

의:정 대:신【議政大臣】㊔ 〖역〗 조선 광무(光武) 9년(1905) 이후 의정부(議政府)의 으뜸 벼슬. 의정(議政)의 후신임.

의:정-부¹【議政府】㊔ 〖역〗 조선 시대 행정부의 최고 기관. 정종(定宗) 2년(1400)에 설치됨. 고종 31년(1894)에 내각(內閣)으로 개칭, 건양(建陽) 원년(1896)에 다시 의정부로 환원, 광무(光武) 11년(1907)에 내각으로 바뀜. 소속관으로, 의정(議政)·좌우 찬성(贊成)·좌우 참찬(參贊)·사인(舍人)·검상(檢詳)·사록(司錄) 등이 있음. 피부(棣府). 낭묘(廊廟). 도당(都堂). 묘당(廟堂). 암랑(巖廊). 황각(黃閣). ㊎정부(政府).

의:정-부²【議政府】㊔ 〖지〗 경기도의 한 시(市). 도(道)의 거의 중앙부, 서울 특별시의 바로 북쪽에 위치함. 한수(漢水) 이북의 경제·사회·문화·군사·교통의 중심지로서 서울의 중요 위성 도시로 발전해 가고 있음. 도봉산(道峰山 : 717m)·수락산(水落山 : 638m) 등 명산과 송산사지(松山寺址)·쌍룡사(雙龍寺)·망월사(望月寺)·노강 서원(鷺江書院) 등의 고적이 있음. [212,368명(1990)]

의정-비【議定費】㊔ 〖법〗 자유비(自由費).

의정-서【議定書】㊔ 〖법〗 ①의정한 사항을 기록한 국제 공문서(國際公文書). ②관계국(關係國)의 나라의 대표가 의정한 외교 교섭(交涉)이나 국제 회의의 의사(議事) 또는 사실(事實)을 기록하고 이에 기명(記名) 조인(調印)한 국제 공문서.

의정-안 【議定案】㊔ 회의(會議)에서 의정할 사항의 초안(草案). 또, 그 안건(案件).

의정 헌:법【議定憲法】[—뻡] ㊔ 〖법〗 협정 헌법(協定憲法).

의제¹【衣制】㊔ 의복에 관한 제도. 복제(服制).

의:제²【義弟】㊔ 의리로 맺은 아우. ↔의형(義兄).

의제³【儀制】㊔ 의식(儀式)과 제도(制度).

의제⁴【擬制】㊔ 〖법〗 성질이 전혀 다른 물건을 일정한 법률의 취급에 있어, 동일한 것으로 간주하고 동일한 법률상의 효과를 부여하는 일. 가령, 형법상(刑法上)에서 전기(電氣)를 재물(財物)로 간주(看做)하는 것과 같은 일.

의제⁵【擬製】㊔ 어느 물건(物件)을 흉내내어 만듦. 또, 그 물건. 모조(模造). ——-하다 ㉡여불

의제⁶【議題】㊔ 의논할 문제.

의:제-고【義濟庫】㊔ 〖역〗 고려 때의 관아 이름. 공민왕(恭愍王) 10년(1361)에 두었다가, 공양왕(恭讓王) 3년(1391)에 혜제고(惠濟庫)에 합하였음. 빈민 구호(貧民救護)를 맡아 보았음.

의제 배:당【擬制配當】㊔ [fictitious dividend] 〖경〗 주식의 소각(消却)이나 감소 또는 법인의 잉여금의 전부 또는 일부를 자본 또는 출자에 전입한 경우 등, 법인이 실제로 이익을 배당하거나 잉여금을 분배한 것은 아니지만, 실질적인 면에서는 배당과 같은 성격을 띠는 경우, 이를 배당으로 간주하여 세금을 부과하는 일.

의제 봉쇄【擬制封鎖】㊔ 지상(紙上) 봉쇄.

의제 상인【擬制商人】㊔ 〖법〗 상행위(商行爲)를 업으로 하지는 않으나 법률상 상인으로 간주되는 자. 상인적인 설비에 의해서 물품의 판매를 업으로 하는 자, 광업(鑛業)을 영위(營爲)하는 자, 민사 회사(民事會社)가 이에 해당함.

의제 자백【擬制自白】㊔ 〖법〗 민사 소송법상(民事訴訟法上) 구두 변론(口頭辯論)이나 준비 절차(準備節次)에 있어, 당사자(當事者)가 상대방이 주장한 사실을 명백히 다투지 않기 때문에 자백한 것으로 간주하는 일. 추정 자백(推定自白).

의제 자본【擬制資本】㊔ 〖경〗 일정한 화폐 소득(所得)에 대한 일종의 청구권의 가격. 가령 지대 수입(地代收入)을 이자율로 평가할 때의 자본 가격이나 주식의 배당액을 이자율로 평가할 때에 현실 자본(現實資本), 곧 투하(投下) 자본을 초과한 자본 가격. 현실의 자본에서 얻어지는 배당률(配當率)을 자본화(資本化)함으로써 생긴 가격을 이름. 가장(假裝) 자본.

의제적 선점【擬制的先占】㊔ 〖법〗 가장적 선점(假裝的先占).

의제-탄【擬製彈】㊔ 〖군〗 실지의 총탄을 모방하여 만든 총탄. 사격의 연습에 쓰임.

의조【儀曹】㊔ 〖역〗 고려 때 예부(禮部)의 후신(後身). 충렬왕(忠烈王) 원년(1275)에 이부(吏部)와 예부를 합쳐 전리사(典理司)라 하였다가 동왕 24년(1298)에 세자 충선(忠宣)이 다시 예부를 독립시켜 이 이름으로 고침. 동왕 34년(1308)에 이(吏)·병(兵)·예부(禮部)를 통합한 선부(選部)에 합침.

의:족【義足】㊔ 나무·고무·금속 등으로 만들어 붙인 발. 의각(義脚). *나무 다리·고무 다리.

의존【依存】㊔ 의지하고 있음. ¶상호(相互) ~/원료를 외국에 ~하다. ——-하다 ㉠여불

의존 관계【依存關係】㊔ [dependence] 〖논〗 어느 사물의 존재 내지 성질이 다른 사물에 의해 규정되고 제약(制約)되는 관계. 귀결(歸結)과 이유 같은 논리적 의존 관계, 결과와 원인 같은 실재적(實在的) 의존 관계 등이 있음.

의존 명사【依存名詞】㊔ 〖언〗 명사를 그 말이 지니고 있는 뜻의 내용상으로 나눈 명사의 한 가지. 곧, '것·데·바·이·줄·체·터'와 같이 독립하지 못하고 수식어 밑에서만 쓰이며 실상(實相)이 있는 내용을 가지지 못하고 다만 형식 상으로만 쓰임. 형식(形式) 명사. 불완전 명사. 매인 이름씨. ↔자립(自立) 명사.

의존-성【依存性】[—썽] ㊔ 의존하는 성질.

의존-심【依存心】㊔ 의존하려는 마음.

의존-어【依存語】㊔ 〖언〗 문장 안에서나 발화(發話) 안에서 독립하여 홀로 쓰일 수 없는 말. 국어에서는 조사(助詞)가 이에 해당함. '수영이는 이솝 동화를 읽었다'에서 '는'·'를'이 의존어임. 부속어(附屬語). ↔자립어(自立語).

의존 형용사【依存形容詞】㊔ 〖언〗 보조 형용사(補助形容詞).

의존 형태소【依存形態素】㊔ 〖언〗 다른 말에 의존하여 쓰이는 형태소. 어간·어미·조사 따위. ↔자립(自立) 형태소.

의존 효:과【依存效果】㊔ [dependence effect] 〖경〗 현대 사회의 소비자의 욕망은 자율적(自律的)인 것이 아니라 기업의 소비 조장(助長) 활동에 의해 환기되는 현상이며, 이로써 소비자의 주권은 상실된다고 함. 미국의 경제학자 갤브레이스(Galbraith, J.K.)의 용어임.

의:졸【義卒】㊔ 충의(忠義)를 다하고 정의를 위해 싸우는 병졸.

의종【毅宗】㊔ 〖사람〗 고려의 제18대 왕. 휘는 현(晛). 자는 일승(日升). 인종(仁宗)의 장자. 사치와 유탕(遊蕩)을 극(極)하며 무신(武臣)을 멸시한 결과 동왕 24년(1170)에 정중부(鄭仲夫)의 난이 일어나 폐위됨. [1124-70; 재위 1146-70]

의:-좋다【誼—】[—조타] ㊕ 정의(情誼)가 두텁다. ¶의좋은 부부.

의좌¹【擬座】㊔ 천자(天子)의 자리.

의좌²【醫佐】㊔ 〖역〗 고려 때 상약국(尙藥局)의 정구품 벼슬.

의:주¹【義州】㊔ 〖지〗 평안 북도 의주군의 군청 소재지. 군의 남서부, 압록강 좌안에 위치하며 만주 주롄청(九連城)과 대치한 국경 도시임. 외항(外港)으로 구룡포(九龍浦)가 있음. 부근 평야의 산물 집산지이며 품질이 좋은 명주(明紬)로 유명함.

[의주(義州)를 가려면서 신 날도 안 꼬았다] 큰 일을 하려면서 조금도 준비가 안 되었음을 이르는 말. [의주 파발도 똥눌 때가 있다] 아무리 바쁜 중에라도 잠시 쉴 사이는 있다는 말. [의주 파천(播遷)에도 곱똥은 누고 간다] 아무리 급한 일이 있어도 그 보다 더 바쁜 일은 먼저 해야 한다는 뜻.

의주²【儀註】㊔ 〖역〗 나라의 전례(典禮)의 절차를 적은 책.

의주³【艤舟】㊔ 출범(出帆)할 준비를 함. 또, 그 배. ——-하다 ㉠여불

의주-감【蟻走感】㊔ [formication] 〖의〗 피부 속 또는 피부 위를 개미가 기어가고 있는 듯한 이상 감각. 척수(脊髓)와 말초(末梢) 신경 질환의 일반적 증상임.

의:주 광:산【義州鑛山】㊔ 〖지〗 평안 북도 의주군 옥상면(玉尙面) 중대리(中臺里)와 고령삭면(古寧朔面) 귀유리(鬼遊里)의 두 곳에 있는 금산(金山). 모두 광량(鑛量)이 풍부함.

의:주-군【義州郡】㊔ 〖지〗 평안 북도의 한 군. 관내 1읍 12면. 평안 북도의 서북부에 위치함. 압록강(鴨綠江) 하류 좌안(左岸)에 있으며, 동은 삭주(朔州)·구성(龜城) 두 군과, 서북은 압록강을 격하여 만주(滿洲)와 서로 대하고, 남은 선천군(宣川郡)과 철산군(鐵山郡), 서남은 삼교천(三橋川)을 격하여 용천군(龍川郡)과 대함. 주요 산물은 옥수수·조·콩 등의 농산물과 임산(林産)·공산(工産) 등임. 명승 고적으로는 통군정(統軍亭)·의주 금강·구룡연(九龍淵)·위화도(威化島)·의주성(城)·미륵사(彌勒寺)·금강사(金剛寺)·관음굴(觀音窟)·불장사(佛藏寺)·전문령고성(箭門嶺古城)·옥강성(玉江城) 등이 있음. 군청 소재지는 의주읍(義州邑). [$1,677 km^2$]

의준¹【依準】㊔ ①준거(準據). ②청원을 들어 줌. ——-하다 ㉡여불

의준[2]【依遵】명 전례(前例)에 따라 시행함. ——-하다 타여불

의:중[1]【意中】명 마음속. 심중(心中). ¶ ~을 헤아리다/~의 인물.

의:중[2]【義衆】명 의도(義徒).

의-중심【擬中心】명〖물〗경심(傾心).

의:중-인【意中人】명 ↗의중지인(意中之人).

의:중지-인[1]【意中之人】명 마음속에 있어서 잊을 수 없는 사람. 또, 마음속에 지목(指目)한 사람. 심중인(心中人). 준의중인.

의:중지-인[2]【義重之人】명 의리심(義理心)이 두텁고, 언행(言行)이 점잖은 사람.

의증【疑症】[-쯩] 명 의심이 많은 성질. 또, 그 병. 의심증.

의지[1] 명 관(棺) 대신에 시체를 담는 기구.

의지[2]【衣地】명 책 표지로 쓰이는 종이.

의지[3]【衣紙】명 책의(冊衣)에 쓰이는 종이.

의지[4]【依支】명 ①몸을 기대고 있음. ¶기둥을 ~하고 서 있다. ②남을 의뢰(依賴)함. ¶왜 남에게 ~하려고만 드느냐. ——-하다 타여불

의지[5]【依止】명〖불교〗힘과 덕이 있는 곳에 머물러 삶.

의:지[6]【意地】명 ①〖불교〗마음의 작용 중의 제6의 의식. 또, 그 작용을 하는 기관(器官)으로서의 의근(意根). ②마음씨.

의:지[7]【意志】명 ①마음. 뜻. 지의(志意). ②〖심〗이성(理性)을 가지고 사려(思慮)하고 선택하고 결심하여 실행하는 능력. 지식·감정과 대립되는 정신 작용. ¶~가 강하다. ③〖심〗어떤 행동을 취할 것을 결의(決意)하고, 또 그것을 북돋우고 지속시키는 심적(心的) 기능. ④〖윤〗도덕적 행위의 주체(主體)가 되고 객체(客體)가 되는 정신 작용(精神作用).

의:지[8]【義肢】명 의수(義手)와 의족(義足). 인공 사지(人工四肢).

의지[9]【懿旨】명〖역〗왕비나 왕자, 왕손의 명령.

의지가지-없다[-업-] 형 조금도 의탁할 곳이 없다. 사고 무친(四顧無親)이다. ¶의지가지 없는 사람. ¶의지가지없는 이역 수만리 타국에서.

의지가지-없이[-업씨] 부 의지가지 없게.

의지-간【倚支間】[-깐] 명 어떤 집채의 원간(原間)에 기대어 지은 달개. 비유적으로도 씀. ¶~도 없이 어찌 살아 가느냐.

의:지 감:약【意志減弱】명〖심〗의지력(意志力)이 감퇴(感退)한 상태. 정신 의학의 각종 질환에서 볼 수 있는데, 부랑자(浮浪者)·매춘부·상습 범죄자 등에 많음. *의지 박약(薄弱).

의:지-력【意志力】명 의지를 세워 나가는 힘.

의:지 박약【意志薄弱】명 의지의 힘이 약하여 자제력이 결여된 모양. 또, 남의 부추김에 넘어가기 쉬우며 스스로 독자적인 결단을 내리지 못하는 모양. *의지 감약(減弱). ——-하다 형여불

의:지 부정증【意志不定症】[-쯩] 명 [도 Haltlose] 선천적으로 지능에는 이상이 없으나 병적으로 의지가 약한 것. 다른 사람의 영향을 받기 쉽고, 타락(墮落)하기 쉬우며 불량아(不良兒)가 되는 일이 있음.

의지-사【依止師】명〖불교〗①승려가 된 사람이 새로 교수·감독의 필요에서 모시는 스승. ②수학(受學) 참선(參禪)의 스승.

의지-식지【衣之食之】명 옷을 입고 음식을 먹음. ——-하다 자여불

의:지 심리학【意志心理學】[-니-] 명〖심〗의지 연구를 과제(課題)로 하는 심리학의 한 부문.

의:지와 표상으로서의 세:계【意志—表象—世界】[-/-에-] 명 [도 Die Welt als Wille und Vorstellung]〖책〗독일의 철학자 쇼펜하우어의 대표적 저서(1819). 이 저서에서 '세계는 나의 표상이며 나의 의지'라고 선언했는데, 표상은 인식이고 의지는 생명에의 맹목적 충동이며, 이러한 이원성(二元性)은 동시에 세계의 이원성이며 자아(自我)의 이원적 갈등을 나타낸다고 했음.

의질[1]【疑疾】명 전염할 우려가 있는 병.

의질[2]【蟻垤】명 개밋둑.

의:집[1]【意執】명〖불교〗어떤 일을 마음속에 깊이 새겨 두고 굳이 움직이지 아니함. 또, 그것을 고집하는 마음. ——-하다 타여불

의집[2]【蟻集】명 개미가 모임. 개미떼같이 많이 모임. ——-하다 자여불

의차【衣次】명 옷감. ¶다달이 시량과 철철이 ~며 틈틈이 용돈을 뒤로 슬몃슬몃 끊일 겨를없이 척척 대주니…≪李海朝:鳳仙花≫.

의착[1]【衣着】명 복착(服着). ——-하다 자여불

의착[2]【倚着】명 기대어 붙음. ——-하다 자여불

의창[1]【宜昌】명〖지〗'이창'을 우리 음으로 읽은 이름.

의:창[2]【義昌】명〖지〗'흥해(興海)'의 전 이름.

의:창[3]【義倉】명〖역〗중국에서, 흉년에 궁민(窮民)을 구제할 목적으로 마련한 비상미 저축 제도. 평년에 백성으로부터 곡류(穀類)를 여분(餘分)으로 징수하거나 유지로부터 기부를 받아 곡식을 보관하던 창고. 수(隋)나라 때 시작되었는데, 당(唐)·송(宋)·청(清) 때에도 널리 설치되었음. 우리 나라에서는 고려 태조가 설치한 흑창(黑倉)을 고려 성종(成宗) 5년(986)에 의창으로 개칭하는 데서 비롯되었으며, 조선 시대에 계승되어 16세기초까지 계속되었음.

의:창-군【義昌郡】명〖지〗'창원시(昌原市)'의 전 이름.

의:창 다호리 고:분군【義昌茶戶里古墳群】명〖고고학〗경상 남도 창원시(昌原市) 동읍(東邑) 다호리(茶戶里)에 있는 원삼국(原三國) 시대 전기(前期)의 분묘(墳墓) 유적.

의채【醫債】명 약값이나 치료비.

의처【議處】명 의논하여 처리함. ——-하다 타여불

의처-증【疑妻症】[-쯩] 명 공연히 아내의 행실을 의심하는 변태적 성격(變態的性格).

의척【懿戚】명 의친(懿親).

의:천【義天】명〖사람〗'대각 국사(大覺國師)'의 자(字).

의첩【依牒】명〖역〗의정부의 의안(議案)을 예조(禮曹)에서 대간(臺諫)의 서경(署經)을 상고한 뒤에 내주는 공첩(公牒).

의첩 서:경【依牒署經】명〖역〗예조(禮曹)에서 의첩한 의정부(議政府) 의안(議案)에 대한 대간(臺諫)의 서경. ↔고신(告身) 서경.

의:체【義諦】명 사물의 근본 의의(意義) 또는 이유. 뜻. 까닭.

의:초[1] 명 ①동기간의 우애(友愛). ¶~가 좋다. ②부부 사이의 정의. ¶단심이와 ~ 있게 지내다.

의초[2]【醫草】명〖식〗산쑥. 사재발쑥.

의:초-롭다 형ㅂ불 화목하다. 우애가 좋다. 의:초-로이 부

의촉【依囑】명 ①부탁함. ②의지함. ——-하다 타여불

의:총[1]【義塚·義冢】명 ①〖불교〗연고(緣故) 없는 사람의 시체(屍體)를 묻은 무덤. ②의사(義士)의 무덤. ¶금산(錦山) 칠백(七百) ~.

의총[2]【疑塚】명 남이 파낼 염려가 있는 무덤을 보호하기 위하여 남의 눈을 가리고자 그와 똑같이 만들어 놓은 여러 개의 무덤.

의총[3]【擬銃】명 실물을 모방하여 만든 총.

의총[4]【蟻塚】명 개밋둑.

의:총-비【義塚碑】명〖역〗임진 왜란 때에 조헌(趙憲)과 그의 제자 칠백 인(七百人)이 충청 남도 금산(錦山)에서 왜적과 싸우다가 전사한 곳에 세운 기념비.

의:충【意衷】명 마음 속의 참뜻.

의충-류【蟻蟲類】[-뉴] 명〖동〗개불강(綱).

의:취[1]【義觜】명〖악〗아악기(雅樂器) 지(篪)의 취구(吹口)에 꽂은 대로 만든 주둥이. 관(管)에 유(U)자 모양으로 구멍을 파서 꽂고, 공기가 새지 않도록 밀로 막음.

의:취[2]【意趣】명 지취(志趣).

의취[3]【蟻聚】명 개미떼처럼 많이 모여듦. ——-하다 자여불

의:치[1]【義齒】명 만들어 박은 이. 가치(假齒).

의치[2]【醫治】명 의술로 병을 고침. ——-하다 타여불

의칙【儀則】명 의식의 규칙.

의친[1]【議親】명〖역〗팔의(八議)의 하나. 곧, 임금의 단문 이상친(祖免以上親), 왕대비(王大妃)·대왕 대비(大王大妃)의 시마 이상친(緦麻以上親), 왕비(王妃)의 소공 이상친(小功以上親), 세자빈(世子嬪)의 대공 이상친(大功以上親)의 범죄자(犯罪者)를 처벌할 때에 형(刑)의 감면(減免)을 의정(議定)하던 일.

의친[2]【懿親】명 [의(懿)는 아름답다는 뜻] 매우 친목(親睦)한 친척(親戚)의 사이. 또, 그러한 친척. 의척(懿戚).

의:-친왕【義親王】명〖사람〗'이강(李堈)'의 봉명(封名).

의침[1]【依枕】명 앉아 팔을 기대는 제구(諸具)라는 뜻으로, 궤(几)를 일컫는 딴이름.

의:침[2]【義砧】명〖사람〗조선 성종(成宗) 때의 중. 당(唐)나라의 시인 두보(杜甫)의 시(詩)를, 조위(曺偉)와 함께 한글로 번역, ≪두시 언해(杜詩諺解)≫를 편찬하였음. [1746-96]

의침-사【醫針史】명〖역〗고려 때 태의감(太醫監)의 이속(吏屬).

의칭【宜稱】명 좋은 칭호.

의타【依他】명 남에게 의지(依支)함. 남에게 의뢰(依賴)함. ↔배타(排他). ——-하다 자여불

의타-심【依他心】명 남에게 의지하려는 마음. ↔배타심(排他心).

의탁【依託·依托】명 남에게 의뢰(依賴)함. 남에게 의존(依存)함. ——-하다 타여불

의:태[1]【意態】명 마음의 상태. 심경(心境).

의태[2]【疑殆】명 의심하고 두려워함. ——-하다 타여불

의태[3]【擬態】명 ①어느 모양이나 짓을 흉내냄. 짓시늉. ②[mimesis, mimicry]〖생〗동물(動物)이 그 모양·빛깔·반문(斑紋) 등을 다른 물건과 흡사하게 하는 일. 또, 그 모양. 자벌레가 나뭇가지와 비슷하게 하는 은폐적(隱閉的) 의태와 등애가 벌처럼 보이게 하여 적을 속이는 표지적(標識的) 의태가 있음.

의태-법【擬態法】[-뻡] 명〖언〗수사법(修辭法)의 하나. 사물의 모양이나 태도를 구체적으로 표현하는 방법. '까칠까칠한 피부'·'비틀비틀 걷는다' 등. 시자법(示姿法). *의태어(語).

의태 부:사【擬態副詞】명 사물의 모양이나 태도를 흉내내는 부사. '휘청휘청' 따위. * 의성 부사

의태-어【擬態語】명〖언〗사물의 생긴 모양이나 태도를 흉내 내어 만든 말. '꼬불꼬불'·'얼룩얼룩' 등. 짓시늉말. 꼴흉내말. *의태법·의성어(擬聲語).

의토【宜土】명 어떤 식물을 재배하기에 알맞은 땅.

의:통【義通】명〖사람〗고려 태조(太祖) 때의 고승. 속성은 윤(尹)씨. 호는 보운(寶雲), 자는 유원(惟遠). 중국에 가서 나계 의적(螺溪義寂)에게 일심 삼관(一心三觀)의 뜻을 듣고 깨달음. 뒤에 중국 천태(天台)의 제 16 조(祖)가 되었으며, 본국(本國)에 돌아오지 못하고 입적함. 저서 ≪관경 소기(觀經疏記)≫·≪광명 현찬석(光明玄贊釋)≫ 등. [927-988]

의판[1]【擬判】명〖법〗어떠한 사실을 가정하고 그것을 어떻게 재판하는가를 판단하는 일. ——-하다 타여불

의판[2]【議判】명 상의(相議)하여 판단함. ——-하다 타여불

의판새-류【擬瓣鰓類】명〖조개〗[Pseudolamellibranchia] 연체(軟體)동물 부족류(斧足類)에 속하는 미네굴·토굴·굴조개 등을 한 목(目)으로 분류했을 때의 이름. 아가미는 판상(瓣狀)을 이루고 육주(肉柱)는 한 개 뿐임. 패각(貝殼)은 좌우가 같지 않은 것도 있음.

의:표[1]【意表】명 의사(意思)밖. 예상 밖. 생각 밖.

의:표를 찌르다 구 상대방이 예상하지 못한 일을 하다.

의표[2]【儀表】명 의용(儀容).

의풍【懿風】명 좋은 습관. 아름다운 풍습.

의피【擬皮】명 의제(擬製)한 가죽. 인조 피혁(皮革).

의-하다[1]【依—】자여불 ↗의거(依據)하다. ¶노동에 의한 소득(所得)/사정에 의하여.

의-하다²【疑―】[형][여불] 생각이 똑똑하지 않다.

의:학¹【意學】[명]〖불교〗 선종(禪宗)에서, 선(禪)에 의하여 진리를 규명하려는 학문. 선학(禪學).

의학²【醫學】[명] 인체의 연구 및 질병·상해(傷害)의 치료와 예방에 관한 일을 연구하는 학문. 기초(基礎) 의학·치료(治療) 의학·응용(應用) 의학 등으로 나누임.

의학-계【醫學界】[명] 의학의 세계. 의학에 종사하는 사람의 사회.

의-학교【醫學校】[명] 의학을 가르치는 학교.

의학 교:수【醫學敎授】[명]〖역〗 조선 시대 전의감(典醫監)의 종육품 벼슬. 의학을 가르침.

의학-도【醫學徒】[명] 의학을 연구하는 학생. 또, 학자. 의학생.

의학 박사【醫學博士】[명] 의학을 전공하여 박사 학위(學位) 논문이 통과된 사람에게 주는 학위. 또, 그 학위를 받은 사람. [준]의박(醫博).

의학-부【醫學部】[명] 의학을 가르치는 대학의 한 학부.

의-학사【醫學士】[명] 의과 대학을 졸업한 사람에게 수여하는 학위(學位). 또, 그 학위를 받은 사람.

의학-상【醫學賞】[명] 의학 부문에 대한 공적을 표창하는 상.

의학-생【醫學生】[명] 의학도(醫學徒).

의학-서【醫學書】[명] 의서(醫書).

의학-설【醫學說】[명] 의설(醫說).

의학-원【醫學院】[명]〖역〗 고려 시대에 의학 교육을 위해 서경(西京)에 설치했던 교육 기관.

의학-자【醫學者】[명] 의학을 연구하는 사람.

의학-적【醫學的】[명][관] 의학에 관계되는 모양.

의학적 심리학【醫學的心理學】[―니―] [명]〖심〗 의학적 견지에서 이상 심리(異常心理)의 연구를 하여 그 진단·치료·처치(處置) 따위에 유효한 지견(知見)을 넓힐뿐더러, 널리 인간성(人間性)을 해명(解明)하려는 학문.

의학적 윤리【醫學的倫理】[―율―] [명] [medical ethics] 의학적 행위에 관한 원칙 및 도덕 윤리.

의학 전문 학교【醫學專門學校】[명]〖교〗 일제 때 있었던 의학을 가르치는 전문 학교. [준]의전(醫專).

의학 전:범【醫學典範】[명]〖책〗 아라비아의 의학자 아비켄나(Avicenna; 980-1037)가 집대성한 그리스·라틴 의학의 전서(全書). 전 5권으로 되어 있는데, 그리스 의학의 성과(成果)를 빛내어, 5세기 동안 중세(中世)의 유럽 의학을 지배했을뿐더러, 16-17세기경까지도 서양(西洋) 의학에 영향을 미쳤음.

의학 훈:도【醫學訓導】[명]〖역〗 조선 시대 전의감(典醫監)의 정구품 벼슬. 의학을 가르쳤음. *훈도(訓導).

의함【衣函】[명] 옷가지를 넣는 함.

의합¹【宜合】[명] 알맞고 걸맞음. 적합(適合). ――하다 [형][여불]

의:합²【意合】[명] ①뜻이 서로 맞음. ②의가 좋음. ――하다 [형][여불]

의항【衣桁】[명] 횃대.

의:해【義解】[명] 글 뜻의 풀이.

의:행¹【義行】[명] 의로운 행위.

의행²【懿行】[명] 좋은 행실.

의향¹【衣香】[명] ①좀을 막기 위하여 옷농이나 옷 갈피에 넣어 두는 향. ②옷에서 나는 향내.

의:향²【意向】[명] 마음의 향하는 바. 무엇을 하려는 생각. 의사(意思). 마음. 지향(志向). ¶남편의 ~을 묻다.

의혁【擬革】[명] 인조 피혁(人造皮革).

의혁-장【椅赫章】[명]〖악〗 악장(樂章)의 이름.

의혁-지【擬革紙】[명] 가죽 비슷하게 만든 종이.

의:현¹【義玄】[명]〖사람〗 중국 당(唐)나라의 선승(禪僧). 임제종(臨濟宗)의 개조(開祖). 임제 의현으로 불림. 황벽 희운(黃檗希運)에게 전법(傳法)하였는데, 그 접(接)하는 방법이 극히 매서워 공안(公案)·봉(棒)·갈(喝)로 유명함. 불교의 반야(般若)와 장자(莊子)의 사상에 입각하여 동양적 자유를 실천함. 언행록(言行錄)에 ≪임제록(臨濟錄)≫이 있음. 시호(諡號)는 혜조(慧照). [?- 867]

의현²【疑眩】[명] 의심하여 마음이 현란(眩亂)함. ――하다 [형][여불]

의:혈¹【義血】[명] 의로운 피. 정의를 위하여 흘린 피.

의혈²【蟻穴】[명] 개미굴.

의:협【義俠】[명] ①강자(強者)를 누르고 약자를 도우려는 마음. ②체면을 중히 여기고 신의를 지키는 일. 협의(俠義).

의:협-심【義俠心】[명] 남의 어려움이나 억울함을 풀어 주기 위하여 제 몸을 희생하는 마음. 협심(俠心).

의:형¹【義兄】[명] 의로 맺은 형. ↔의제(義弟).

의:형²【義刑】[명]〖역〗 '형조(刑曹)'의 별칭.

의형³【儀形】[명] 의용(儀容).

의형⁴【劓刑】[명] 오형(五刑)의 하나. 옛날에 코를 베던 형벌. *오형.

의:형-대【義刑臺】[명]〖역〗 ①태봉(泰封)의 관아. 고려의 형부(刑部)와 같음. ②고려 국초(國初)에, 태봉(泰封)의 제도를 따서 둔 '형부'의 전 이름.

의형 의제【宜兄宜弟】[명] 형제간에 의초가 좋음. ――하다 [형][여불]

의:-형제【義兄弟】[명] 의로 맺은 형제.

의호¹【依怙】[명] 한편만 두둔함. ――하다 [자][타][여불]

의호²【宜乎】[부] 마땅히.

의혹【疑惑】[명] 의심하여 분별에 당혹(當惑)함. 의아(疑訝). ¶~을 품다/~의 눈으로 보다. ――하다 [타][여불]

의혼【議婚】[명] 혼사(婚事)를 의논함. ――하다 [자][여불]

의:화【義化】[명]〖기독교〗 신의 은총으로 인간 안에 일어나는, 하느님의 의로운 아들로서의 내면적인 변화.

의:화-단【義和團】[명]〖역〗 중국 청대(淸代)의 백련교계(白蓮敎系)의 비밀 결사. 1900년에 배외 사상(排外思想)을 고창하고 산둥성(山東省)에서 봉기하였는데, 각국 공사관을 포위하여 북청 사변(北淸事變)의 원인을 이룸. 권비(拳匪). *단비(團匪)·베이징 의정서(北京議定書).

의:화단 사:건【義和團事件】[―껀] [명]〖역〗 중국 청(淸)나라 말기에 일어난 배외(排外) 운동. 의화단(義和團)이라고 하는 비밀 결사가 생활고에 허덕이는 농민들을 모아 청조(淸朝)의 보수파를 업고 세력을 확대, 각처(各處)에서 기독교회와 외국인을 습격, 마침내 베이징(北京)의 열국(列國) 공관 구역을 포위 공격한 사건. 미·영·프·독 등 8 개국이 연합군을 조직하여 이를 진압하였는데, 그 결과 청나라는 한층 더 열강의 압박을 받아 쇄망의 길을 재촉함. 별칭:북청 사변(北淸事變).

의-화학【醫化學】[명] 인체의 생리 현상을 화학적으로 연구하여 그 결과를 의료에 응용하려는 학문. 생화학(生化學)의 한 부분임.

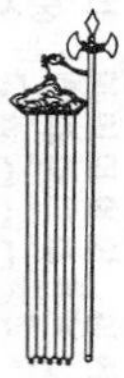
〈의황창〉

의황-장【猗皇章】[―짱] [명]〖악〗 악장(樂章)의 이름.

의황-창【儀鍠鬯】[명]〖역〗 의장(儀仗)의 한 가지.

의회¹【疑懷】[명] 의심(疑心). ――하다 [타][여불]

의회²【議會】[명] ①공선(公選)된 의원에 의하여 구성되어, 국민의 의사를 대표하고, 입법(立法)을 담당하는 합의제(合議制)의 기관. 국회·지방 의회 등. ②'국회'의 특칭(特稱).

의회 모욕죄【議會侮辱罪】[명]〖법〗 국회 의장(國會議場) 모욕죄.

의회 위원회제【議會委員會制】[명]〖정〗 위원회 중심주의(委員會中心主義)로 국회를 운영해 나가는 제도.

의회 정치【議會政治】[명]〖정〗 의회 제도를 인정하는 것만이 아니고, 의회가 그 국가의 최고 의사(最高意思)를 결정하는 정치. 근대 민주 국가(近代民主國家)의 대표적인 정치 방식(方式)으로 정당(政黨) 정치를 전제로 함. [준]의정(議政).

의회-제【議會制】[명] 의회를 가지는 정치 체제.

의회-주의【議會主義】[―/―이] [명]〖정〗 ①국정(國政)의 최고 정책을 의회가 결정해 나가는 정치 방식. 대통령제에 대하여 특히 의원 내각제를 말하는 경우도 있음. 의회 정치. ②자본주의 사회로부터 사회주의 사회로의 변혁(變革)은 의회에서 다수의 의석을 가짐으로써만 가능하다는 주장.

의후-류【擬猴類】[명]〖동〗 원후류(猿猴類).

의:후사【意侯奢】[명]〖역〗 중국의 ≪주서(周書)≫와 ≪수서(隋書)≫에 나오는, 고구려 시대의 관명(官名). 12 관등 중 다섯 번째로 구체적인 성격은 모름.

의훈¹【儀訓】[명] 바른 교훈(敎訓).

의훈²【懿訓】[명] 아름다운 교훈. 좋은 훈계.

의:흥-계【義興契】[명] 19 세기 말 통영 오광대(統營五廣大)가 처음 시작될 때 그 연희자(演戲者)들이 이 탈춤을 유지시키기 위해 모은 계.

의:흥-사【義興司】[명]〖역〗 조선 태종(太宗) 18 년(1418)에 의흥 시위사(義興侍衛司)를 고친 이름. 문종(文宗) 원년(1451) 오위(五衛)를 두면서 폐했음.

의:흥 삼군부【義興三軍府】[명]〖역〗 조선 국초(國初)에 의흥 친군(義興親軍)을 통할(統轄)하던 군관부(軍官府). 태조(太祖) 원년(1392)에 설치하여 정종(定宗) 2년(1400)에 중추원(中樞院)을 합치고, 태종(太宗) 원년(1401)에 승추부(承樞府)로, 동 3년에 삼군 도총제부(三軍都摠制府)라 고쳐서 승추부를 따로 떼어 독립시키고, 동 9년에 삼군 진무소(三軍鎭撫所)라 고쳤다가, 문종(文宗) 원년(1451)에 군제(軍制)를 개혁하여 오위(五衛)가 성립되면서 오위 진무소(五衛鎭撫所)로, 세조(世祖) 12년(1466)에 오위 도총부(五衛都摠府)라 고치었음. [준]삼군부(三軍部). *승추부(承樞府)·삼군 도총제부(三軍都摠制府).

의:흥 시위사【義興侍衛司】[명]〖역〗 조선 태조(太祖) 4년(1395)에 의흥 친군(義興親軍)의 십위(十衛)의 하나인 좌위(左衛)를 고친 이름. 태종(太宗) 18 년(1418)에 의흥사(義興司)로 개편됨.

의:흥-위【義興衛】[명]〖역〗 조선 문종(文宗) 원년(1451)에 설치(設置)한 오위(五衛) 가운데의 중위(中衛). 갑사(甲士)·보충대(補充隊)가 이에 속하여, 중(中)·좌(左)·우(右)·전(前)·후(後)의 다섯 부(部)로 나뉘고, 경기도·강원도·충청도·황해도의 각 진(鎭)에 군대가 분속되어 있었음. 임진 왜란 뒤에 오위 병제(五衛兵制)가 무너지면서 명목만 남아 있다가, 고종(高宗) 19년(1882)에 혁파되었음.

의:흥 친군위【義興親軍衛】[명]〖역〗 조선 시대초(初)의 군영(軍營)의 총칭. 좌위(左衛)·우위(右衛)·응양위(鷹揚衛)·금오위(金吾衛)·좌우위(左右衛)·신호위(神虎衛)·흥위위(興威衛)·비순위(備巡衛)·천우위(千牛衛)·감문위(監門衛)의 십위(十衛)로 이루어져 있었는데, 태조(太祖) 원년(1392)에 설치하여 문종(文宗) 원년(1451)에 오위(五衛)로 개편(改編)되었음.

의희-하다【依俙―·依稀―】[―히―] [형][여불] ①방불(彷彿)하다. ②어렴풋하다. 의희-히【依俙―·依稀―】[―히―] [부]

읫 [조] 〈옛〉 엣. 에 있는. ¶지븻 眷屬이 흔 사루미나 ≪月釋 XXI:136≫.

읫-님 [명] '심마니'의 존칭.

읫-만 [명] '심마니'의 어른.

이¹ [명]〖언〗 한글 자모(字母) 'ㅣ'의 이름.

이² [명] ①〖생〗 사람이나 포유 동물의 입 안에 있어 식물(食物)의 섭취 및 공격·방어 등에 쓰는 기관(器官). 보통 아래위의 이틀에 줄지어 돋아나는데, 형상과 배열(配列) 등은 동물에 따라 다름. 그 조직은 겉에 에나멜질(質), 속에 상아질(象牙質), 뿌리에 시멘트질(質)의 세 층(層)으로 이루어지고, 치수(齒髓)에는 신경과 혈관이 통하고 있음. 포유류(哺乳

類)에서는 앞니·송곳니·앞어금니·뒤어금니의 네 종류로 나뉘고, 또 각각의 이는 치관(齒冠)·치경(齒頸)·치근(齒根)의 세 부분으로 구분함. 사람에 있어서는 젖먹이 때의 20개의 유치(乳齒)가 빠진 뒤 32개의 영구치(永久齒)가 남. 치아(齒牙). *치육 조직(齒肉組織)·상아질(象牙質). ②기구(器具)나 기계 등의 가장자리에 잘게 나란히 뾰족뾰족 나온 돌기부(突起部). 곧, 이남박 안의 도드라지게 깎인 부분, 톱이나 톱니바퀴의 톱니 같은 것. ③사기 그릇 등의 아가리가 상하여 잘게 이지러진 부분.

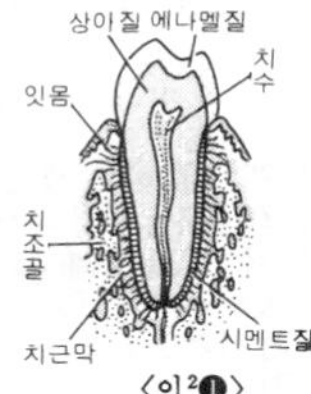

〈이²❶〉

[이가 자식보다 낫다] 이가 있기 때문에 먹고 살아 갈 수 있고 맛있는 음식도 먹을 수 있다 하여 이르는 말. [이도 아니 나서 황밥을 먹는다; 이도 아니 나서 콩밥을 씹는다] 아직 준비와 능력이 없는 사람이 격외(格外)의 일을 하는 것을 일컫는 말. [이도 안 나서 뼈다귀 추렴한다] 자기 능력에 미치지 못하는 일을 하거나 절차를 넘어서 행동하려 함을 두고 일컫는 말. [이 빠진 강아지 언 똥에 덤빈다] 자격도 없는 자가 주제넘은 짓을 한다는 뜻. [이 빠진 개 벌통시(한뎃 뒷간) 만났다] 불우했던 사람이 대단치 않은 행운을 만나 요행으로 안다는 뜻. [이 아픈 날 콩밥 한다] 불행한 일에다 다시 또 불행한 일이 겹쳐 생긴다는 말. [이 앓는 놈 빰치기] '설상 가상(雪上加霜)'과 같은 뜻. [이 없으면 잇몸으로 살지] 요긴한 것이 빠져 불편하기는 하더라도 없으면 없는 대로 그럭저럭 살아 간다는 말. [이에 신물이 돈다] 극도로 염증(厭症)을 느껴 두 번 다시 대하기도 싫다는 뜻.

이를 악물다 구 회한(悔恨)·고통·분노를 꾹 참는 모양. 또, 단단히 결심하는 모양.

이[3] 명 〖충〗 ①이목(目)에 속하는 곤충의 총칭. 포유 동물의 외부에 기생 흡혈하는데, 잇과(科)·짐승닛과·털닛과 등 5과와 20속, 500여 종이 알려져 있음. 흔히는 잇과(科)에 속하는 곤충만을 일컬음. ②[*Pediculus humanus corporis*] 잇과에 속하는 곤충의 하나. 사람의 의복에 번식하는 이로서, 몸길이 수컷은 2.3 mm, 암컷은 3.3mm 가량이고, 몸빛은 회백색임. 발톱과 경절(脛節)의 돌기로 의복의 섬유에 부착함. 암컷이 하루에 5-10개의 알을 낳으면 1주일 후에 부화하며 3회 탈피(脫皮)하여 10일 가량이면 성충이 됨. 불결한 몸이나 의복에 많이 번식하여 흡혈(吸血)하는데, 발진티푸스·재귀열(再歸熱)·참호열(塹壕熱) 등을 매개함. 세계 공통적으로 널리 분포함. 슬보(蝨甫). 기슬(蟣蝨).

〈이³❷〉

[이가 칼을 쓰겠다] 이의 모가지가 끼일 정도로, 피륙의 승새가 몹시 성김을 이르는 말. [이 잡듯 하다] 샅샅이 뒤지어 찾는다는 말.

이[4] 명 〈방〉 오이(경상).

이[5] 【伊】 명 성(姓)의 하나. 태원(太原)·은천(銀川)의 두 본(本)이 있음.

이[6] 【伊】 명 ↗이태리(伊太利).

이[7] 【弛】 명 성(姓)의 하나. 우리 나라에는 현존하지 않음.

이:[8] 【利】 명 ①장사하여 덧붙는 돈. ②↗이익(利益). ③↗변리(邊利). ④유익함. 유리함. ¶몸에 ~한 약. ━━-하다 형여불

이:[9] 【里】 명 지방 행정(地方行政)의 말단(末端) 구역(區域). 면(面)에 속하는데, 몇 개의 촌락(村落)이 모여 이(里)를 이룸. 방곡(坊曲). *-리³(里).

이:[10] 【李】 명 우리 나라 대성(大姓)의 하나. 전주(全州)·경주(慶州)·연안(延安)·전의(全義)·광주(廣州)·한산(韓山)·덕수(德水)·수안(遂安) 등 약 100여 본(本)이 현존하고 있음.

이[11] 【离·離】 명 〖민〗 ①↗이방(离方). ②↗이괘(离卦).

이:[12] 【匜】 명 〖민〗 중국 주(周)나라 때의 제기(祭器)의 한 가지. 뚝배기 같이 생겼음.

이[13] 【移】 명 〖역〗 중국 한대(漢代)부터 있었던 공문서의 한 가지. 동등한 관청 사이에 주고받던 공문서로, 때로는 격(檄)과 더불어 포고문(布告文)의 성격을 띠기도 했음. 이문(移文). 이서(移書).

이:[14] 【理】 ㊀ 명 ①불변(不變)의 법칙. 이치(理致). 도리(道理). ②〖철〗 중국 철학에서의 우주의 본체(本體). ③↗이학(理學)·이과(理科). ㊁ 의명 ☞리[11].

이:[15] 【異】 명 성(姓)의 하나. 밀양(密陽) 단본(單本)임.

이:[16] 【履】 명 ①목이 짧은 신발의 총칭. 독특한 형태의 것을 이르는 말은 아님. ②〖민〗 ↗이괘(履卦).

이[17] 【頤】 명 〖민〗 ↗이괘(頤卦).

이[18] 【離】 명 성(姓)의 하나. 우리 나라에는 현존하지 않음.

이[19] 【彝】 명 〖역〗 제사 때, 강신(降神)에 쓰는 명수(明水)나 울창(鬱鬯)을 담는 주병(酒甁) 같은 그릇. 계이(鷄彝)·조이(鳥彝)·호이(虎彝)·유이(蜼彝)·가이(斝彝)·황이(黃彝) 등 육이(六彝)가 있음.

이:[20] 【E, e】 명 ①영어 자모(字母)의 다섯째 자(字). ②〖악〗 서양 음이름의 하나. 우리 나라 음이름 '마'와 같음. ③〖논〗 전칭 부정(全稱否定)을 뜻하는 기호. ④학업 성적(學業成績)의 제5 급. ⑤로마 숫자의 250. ⑥부호로서 다섯번째의 것.

이[21] 의명 다른 말 밑에 붙어서, 사람을 뜻하는 말. ¶듣는 ~가 많다 / 저 ~가 누구지.

이[22] 【哩】 의명 마일(mile).

이[23] 【浬】 의명 해리(海里).

이[24] ㊀ 인대 ①↗이 이. ¶~가 왜 이래. ㊁ 지대 ①↗이것. ¶~보다 좋은 것. ②이러한 형편. ¶~에 그 정상을 참작하여. ㊂ 관 자기로부터 또는 현재로부터 가장 가까운 사물을 가리키는 말. ¶~ 물건 / ~ 시간 / ~ 일. ＞요. ↔저⁷·그. ㊃ 감 남이 위태한 지경에 있을 때 그의 주의를 환기시키느라고 급히 지르는 소리. ¶~ 넘어질라.

[이 골 원을 하다가 저 골에 가서 좌수 노릇도 한다] 낯선 고장에 가면 낮은 지위도 감수해야 할 경우가 있다는 말. [이 굿에는 춤추기 어렵다] 한 가지 일에 여러 사람이 상관하여 말이 많고 시끄러워 어떻게 해야 할지 모를 경우에 하는 말. [이 덕(德) 저 덕 다 하늘덕] 모두가 다 하느님의 덕택이란 뜻. [이 떡 먹고 말 말아라] 비밀이 탄로될 것이 두려워 뇌물을 주고서 발설하지 말라고 하는 말. [이 방 저 방 좋아도 내 서방이 젤 좋고 이 집 저 집 좋아도 내 계집이 젤 좋다] 제 서방 제 계집이 좋다는 말. [이 샘물 안 먹는다고 똥 누고 가더니 그 물이 맑기도 전에 다시 와서 먹는다] 누구든지 언제나 괄시하지 말고 좋게 대하라는 말. [이 설움 저 설움 해도 배고픈 설움이 제일] 여러 가지 설움 중에서도 배고픈 설움이 가장 서럽다는 말. [이 우물에 똥을 누어도 다시 그 우물을 먹는다] 두 번 다시 신세를 지지 않을 것같이 야멸차게 괄시하여도 나중에 다시 구걸할 때가 있으리라는 뜻. [이 장 떡이 큰가 저 장 떡이 큰가] 어느 쪽의 이익이 많을지 저울질하며 주저함을 이르는 말. [이 절도 못 믿고 저 절도 못 믿는다] 이것 저것을 모두 믿을 수 없다는 말. [이 팽이가 돌면 저 팽이도 돈다] 이 곳의 시세(時勢)가 변하면 저 곳의 시세도 변한다는 말.

이[25] 【爾】 인대 너희.

이:[26] 【二·貳】 수 수(數)의 이름. 둘.

이[27] 【釐·厘】 ㊀ 수 소수(小數)의 단위의 하나. 분(分)의 십분의 일. 호(毫) 또는 모(毛)의 십 배, 곧 10^{-2}. 숫자(數字)에 곁들여서 쓰일 때는 '리'로 씀. ㊁ 의명 ①길이의 단위. 분(分)의 10분의 1. ②무게의 단위. 분(分)의 10분의 1. ③돈의 단위. 푼 또는 전(錢)의 10분의 1.

이[28] 〔중 一〕 수 '하나'의 중국말.

이[29] 조 ①받침 있는 체언에 붙어 그 말을 주격(主格)으로 되게 하는 격조사(格助詞). ¶하늘~ 푸르다 / 산~ 높다. ②받침 있는 체언에 붙어, 무엇이 변하여 그것으로 됨을 나타내는 보격(補格) 조사. 그 아래에는 반드시 '되다'가 따름. ¶물이 얼면 얼음~ 된다. ③받침 있는 체언에 붙어 그것이 아님을 나타내는 보격 조사. 그 아래에는 반드시 '아니다'가 따름. ¶이것은 순금~ 아니고 금의 합금이다. *가¹⁰.

이[30] 【是】 조 〈이두〉 이.

이[31] 조 ①〈옛〉 이²⁹. ¶周國大王이 幽谷애 사ᄅᆞ샤(昔周大王 于幽斯依) ≪龍歌 3章≫. ②과⁹. ¶日月燈이 ᄀᆞᆮᄒᆞ실씨니 ≪釋譜 XIII:28≫. ③의⁶. ¶내님금 그리샤(我思我君) ≪龍歌 50章≫.

-이-[1] 미 ①형용사나 자동사의 어간(語幹)에 붙어 그것들을 타동사로 만드는 어간 형성 접미사. ¶높~다 / 죽~다. ②타동사의 어간에 붙어 그것을 피동사나 사역 동사로 만드는 어간 형성 접미사. ¶쓰~다 / 박~다 / 먹~다. *-구-·-기-·-리-·-우-·-히-.

-이-[2] 미 'ㄱ'이나 'ㅇ' 및 일부 'ㄹ'받침으로 끝나는 부사형 동작성(動作性) 어근(語根)에 붙어 동사 어근을 이루는 말. ¶출렁~다 / 머리를 끄덕~다 / 밤하늘에 반짝~는 뭇별 / 망설~기만 하고 / 움직~지 않다. *-이다.

-이[1] 미 ①형용사·동사의 어간에 붙어 그것들을 명사로 만드는 말. ¶높~ / 먹~ / 벌~. ②형용사의 어간이 어미(語尾) '-게'로 활용될 것을 완전한 부사로 만드는 말. ¶많~ / 굳~. *-히. ③첩어로 된 명사의 어근에 붙어 부사를 만듦. ¶낱낱~ / 곳곳~ / 겹겹~ / 다달~ / 번번~. ④발음 습관 또는 감정적 의미를 더하기 위하여 부사 뒤에 붙어, 같은 의미의 부사로 만드는 말. ¶곰곰~ / 우뚝~ / 일찍~ / 더욱~ / 생긋~. ⑤'-하다'·'-거리다'가 붙는 어근에 붙어, 사람·동물·사물을 만드는 말. ¶깔쭉~ / 더펄~ / 홀쭉~ / 꿀꿀~ / 살살~ / 쌕쌕~. ⑥받침 있는 사람의 이름 밑에 덧붙여 어조(語調)를 고르는 말. ¶복순~ / 갑돌~.

-이[2] 어미 '하게' 할 자리에 자기의 생각한 바를 말할 때, 받침 없는 형용사 및 일부 동사 어간(語幹)에 쓰이는 종결어미. ¶과연 훌륭하~ / 이만하면 흡족하~ / 노래를 정말 잘하~. *-으이·-네.

이:가[1] 【二價】 명 〖역〗 조선 시대 후기에, 세곡(稅穀)을 배에서 부릴 때와 창고(倉庫)에 부릴 때에 고용되는 인부에게 지급하기 위하여, 세곡 상납(上納) 때 각 군(郡)에 물리는 부가세(附加稅).

이가[2] 【俚歌】 명 항간(巷間)에 유행되는 속된 노래. 이요(俚謠).

이가[3] 【移家】 명 이사(移徙). ━━-하다 자여불

이가[4] 【離家】 명 ①마을에서 외따로 뚝 떨어져 있는 집. ②집을 떠나 타향(他鄕)으로 감. *이향(離鄕). ━━-하다 자여불

이가[5] 【離歌】 명 이별할 때 부르는 노래.

이-가[6] 조 인명(人名)에 붙는 주격 조사 '이'를 더욱 분명하게 나타내는 말. ¶순철~ 왔어요.

이:가 알코올 【二價一】 〔alcohol〕 〔一까一〕 명 〖화〗 한 분자(分子) 안에 히드록시기(基; -OH)를 두 개 갖고 있는 알코올. *글리콜(glycol).

이:가 염:색체 【二價染色體】 〔一까一〕 명 〔bivalent chromosomes〕 〖생〗 생식 모세포(母細胞)로부터 배우자(配偶子)가 생길 때의 감수 분열에 있어서, 아버지와 어머니로부터 온 2n개의 염색체가 2 개씩 접합하여 이루어지는 n개의 사분체(四分體). 복(複)염색체.

이:가 원소 【二價元素】 〔一까一〕 명 〖화〗 원자가(原子價)가 이가(二價)인 원소. 칼슘·마그네슘 등의 양성 이가(陽性二價)와 산소·황(黃) 등의 음성 이가(陰性二價)가 있음.

이:-가환 【李家煥】 명 〖사람〗 조선 시대 후기의 학자. 자는 정조(廷藻), 호는 금대(錦帶). 여주(驪州) 사람. 이익(李瀷)의 종손(從孫)으로, 벼슬은 형조 판서(刑曹判書)에 이르렀음. 문장으로 이름났으나, 순조(純祖) 원년(1801) 천주교도로서 신유 박해(辛酉迫害)에 걸려 순교(殉敎)함. 저서에 ≪기전고(箕田攷)≫가 있음. [1742-1801]

이:각[1] 【二刻】 명 한 시간을 넷으로 나눈 둘째의 시각. 곧, 30분.

이각[2] 【耳殼】 명 귓바퀴.
이각[3] 【離角】 명 〔elongation〕 〖천〗 천구상(天球上)에서, 한 천체(天體) 또는 한 정점(定點)으로부터 어느 천체까지의 각거리(角距離).
이각[4] 【離却】 명 학질 등의 병을 떨어지게 함. 또, 그러한 병이 떨어짐. ——하다 자타 여불
이:각-류 【異脚類】 [-뉴] 명 〖동〗 단각목(端脚目).
이:간[1] 【二慳】 명 〖불교〗 재간(財慳)과 법간(法慳). 곧, 재물(財物)에 인색한 것과 교법(敎法)을 가르치지 않은 것.
이:간[2] 【吏幹】 명 이재(吏才).
이:-간[3] 【李柬】 명 〖사람〗 조선 영조(英祖) 때의 경연관(經筵官). 자(字)는 공거(公擧), 호는 외암(巍巖). 예안(禮安) 사람. 강문 팔학사(江門八學士)의 한 사람으로 권상하(權尙夏)의 문인임. 문집으로 ≪외암 유고(巍巖遺稿)≫가 있음. 시호는 문정(文正). [1677-1756]
이:-간[4] 【李衎】 명 〖사람〗 중국 원대(元代)의 문인·화가. 허베이성(河北省) 사람. 자는 중빈(仲賓), 호는 식재(息齋). 집현전 대학사(集賢殿大學士) 등을 역임하였고 묵죽(墨竹)에 뛰어나 ≪화죽보(畫竹譜)≫·≪묵죽보(墨竹譜)≫ 등 저서가 있음. [1241-1320]
이:간[5] 【離間】 명 두 사람 사이에 하리를 놓아서로 멀어지게 함. 반간(反間). ¶ ~책(策). ——하다 타 여불
이:간(을) 붙이다 [-부치-] 구 하리놀아 남의 정이나 관계를 떼어 사이를 멀어지게 만들다.
이:간-어 【離間語】 명 〖불교〗 양설(兩舌).
이:간-질 【離間—】 명 이간을 붙이는 일. ——하다 자타 여불
이:간-책 【離間策】 명 이간질하는 술책(術策).
이:간-통 【二間通】 명 〖건〗 두 칸이 서로 통하게 된 방.
이-갈다[1] 자 배냇니가 빠지고 새 이가 나다.
이-갈다[2] 자 ①아래윗니를 맞대고 문질러 소리를 내다. ②분통에 못 이겨 이를 악물고 벼르다.
이-갈리다 자 분통이 터져 이가 저절로 갈리다.
이감[1] 【移監】 명 〖법〗 한 교도소(矯導所)에서 다른 교도소로 수감자(收監者)를 옮김. ——하다 타 여불
이감[2] 【移龕】 명 〖불교〗 선가(禪家)에서, 존사(尊師)의 유해를 넣은 관을 법당으로 옮김. ——하다 타 여불
이:-갑[1] 【李甲】 명 〖사람〗 독립 운동가. 본명은 휘선(彙璿). 호는 추정(秋汀). 숙천(肅川) 사람. 일본 육사를 나와 귀국 후 참령(參領)이 됨. 을사 보호 조약(乙巳保護條約)이 체결된 후 군대를 나와 안창호(安昌浩)와 함께 신민회(新民會)를 조직하였고 시베리아로 망명, 독립운동에 참여함. [1877-1917]
이:갑[2] 【里甲】 명 〖역〗 이갑제(里甲制).
이:갑-사 【二甲絲】 명 '이(二)겹실'의 취음(取音).
이:-갑성 【李甲成】 명 〖사람〗 독립 운동가. 3·1운동 민족 대표 33인 중의 한 사람. 호 연당(硏堂). 대구 출신. 세브란스 의학 전문 학교 약학과를 졸업하였으며 YMCA 이사 등을 역임하였고 1933년 신간회 사건으로 상하이(上海)로 망명, 1940년 흥업(興業) 구락부 사건으로 7개월간 투옥됨. 광복 후 과도 입법 의원, 민의원 등을 지냄. [1889-1981]
이:갑-제 【里甲制】 명 〖역〗 중국 명초(明初)에 창시된 역법(役法). 또, 그에 상응되는 촌락(村落) 조직. 부역 의무가 있는 110호(戶)로 1리(里)를 편성하되 그 중 부유한 10호를 이장호(里長戶)로 정하고, 나머지 100호를 갑수호(甲首戶)로 하여 10호씩 10갑(甲)으로 분할하여, 매년 이별(里別)로 당번(當番) 이장(里長)이 10갑을 통솔하여 조세(租稅)의 징수, 중앙이나 지방 관청(官廳)이 필요한 잡품(雜品)·잡비(雜費)·역무(役務)의 제공 등을 담당하는데 10년에 한 번씩 당번이 돌아오게 됨. 뒤에 일조 편법(一條鞭法)으로 개정됨. 이갑(里甲). *부역 황책(賦役黃冊).
이:강[1] 【以降】 명 이후(以後).
이강[2] 【尼講】 명 〖불교〗 여성 신도들이 절에 모여 불경(佛經)을 강하는 일. ——하다 자 여불
이:-강[3] 【李堈】 명 〖사람〗 조선 고종(高宗)의 5남(男). 호(號)는 만오(晩悟). 특파 대사(特派大使)로 유럽 여러 나라를 역방(歷訪)하고 1905년 적십자사 총재. 1906년 상하이(上海) 임시 정부(臨時政府)로 가려다 만주(滿洲) 안둥(安東)에서 발각, 송환되어 일본 정부로부터 도일(渡日)을 강요당했으나 배일 사상(排日思想)을 고수(固守), 거부하였음. 의친왕(義親王). [1877-1955]
이강-고 【梨薑膏】 명 술의 한 가지. 소주에 배즙·생강즙·꿀 등을 넣고 중탕(重湯)하여 만듦.
이:-강년 【李康秊】 명 〖사람〗 대한 제국의 의병장(義兵將). 자는 낙인(樂仁), 호는 운강(雲岡). 전주 사람. 고종 때 무과(武科)에 급제하여 벼슬은 선전관(宣傳官)에 이름. 일본의 한국 침략에 항거해 가산을 파하여 향병(鄕兵)을 길러 의병이 되었으며 여러 곳에서 왜적과 싸움. 융희(隆熙) 2년(1908) 가평(加平)에서 북병(伏兵)에 의하여 피체, 순국함. [1858-1908]
이:강-목 【異腔目】 명 〖동〗 〔Heterocoela〕 석회 해면강(石灰海綿綱)에 속하는 한 목(目). 구계(溝系)는 복잡하여 사이콘형(sycon 型) 또는 류콘형(leucon 型)을 이루며, 대체로 편모실(鞭毛室)이 현저히 발달함. 사이콘류(sycon 類). *등강목(等腔目).
이:강 웅예 【二強雄蘂】 명 〖식〗 이생 웅예(離生雄蘂)의 하나. 네 개의 웅예 가운데 둘은 길고 둘은 짧은 것. 광대수염 같은 것.
이-같이 [-가치] 부 이와 같이. 이렇게. ¶ ~ 많은 돈/그는 ~ 말했다. >요같이. *그같이·저같이.
이개[1] 【耳介】 명 귓바퀴.
이:-개[2] 【李塏】 명 〖사람〗 조선 단종(端宗) 때 사육신(死六臣)의 한 사람. 자는 청보(淸甫) 또는 백고(伯高), 호는 백옥헌(白玉軒). 한산(韓山) 사람. 벼슬은 직제학(直提學)에 이름. 시문(詩文)이 청절(淸絶)하여 후세까지 그의 시명이 남았음. 시조 3수가 전함. 시호는 충간(忠簡). [1417-56]
이-개[3] 감 개를 쫓을 때에 지르는 소리. >요개. *그개·저개.
이:객 【異客】 명 타향(他鄕)살이하는 사람. 타향에 나와 있는 손.
이:거[1] 【里居】 명 ①벼슬을 그만두고 시골에서 삶. 또, 그 사람. ②인가(人家)가 연접(連接)하여 있는 일. ——하다 자 여불
이거[2] 【移去】 명 딴 곳으로 옮기어 감. 이주(移住). ——하다 자 여불
이거[3] 【移居】 명 이주(移住)❶. ——하다 자 여불
이:거[4] 【貳車】 명 부거(副車).
이거[5] 【離居】 명 떨어져서 각각 따로 삶. ——하다 자 여불
이-거[6] 지대 인대 ↗이것. ¶ ~ 야단 났구나. >요거. *그거·저거.
이거나[1] 조 받침 있는 체언에 붙어 사람·시간·장소·사물 등을 가리지 않고 나열함을 나타내는 접속 조사. ¶ 금~ 은~ 다 귀중한 거다. 준 이건. *거나.
이거나[2] 【是去乃】 조 〈이두〉 이거나.
이거늘 【是去乙】 조 〈이두〉 이거늘.
이거늘든 【是去乙等】 조 〈이두〉 이거든.
이거든 【是去等】 조 〈이두〉 이거든.
이거들로 【是去等以】 조 〈이두〉 이므로.
이거사 【是去沙】 조 〈이두〉 이어야.
이거앗드러 【是去向入】 〈이두〉 이라 생각하여. 라 하여.
이거온 【是去乎】 조 〈이두〉 이니. 이므로. 인데.
이거을 【是去乙】 조 〈이두〉 이거늘.
이거 이래 【移去移來】 명 돈 같은 것이 왔다갔다 함. ——하다 자타 여불
이거이시견들로 【是去有在等以】 조 〈이두〉 이므로. 이었으므로.
이거이시아금 【是去有良尒】 조 〈이두〉 이라고. 이었다고.
이거이시온들로 【是去有乎等以】 조 〈이두〉 이므로. 이었다 하므로.
이거이신들로 【是去有等以】 조 〈이두〉 이므로. 이었으므로.
이거이신마리여 【是去有而亦】 〈이두〉 이라 하더라도.
이거이신을 【是去有乙】 조 〈이두〉 이거늘. 인데.
이거이신이여 【是去有亦】 조 〈이두〉 이니. 이므로.
이거이아금 【是去是良尒】 조 〈이두〉 이라고 하여.
이거이온들로 【是去是乎等以】 조 〈이두〉 이므로.
이:-건[1] 【李健】 명 〖사람〗 조선 효종(孝宗) 때의 왕족. 자(字)는 자강(子強), 호는 규창(葵窓). 선조(宣祖)의 손자. 시는 두목지(杜牧之)를 배웠으며, 글씨를 잘 쓰고 그림에 능하여 세상에서 삼절(三絕)이라 일컬음. 저서에 ≪규창집≫ 5권이 있음. [1614-62]
이건[2] 【移建】 명 옮겨 짓거나 세움. ——하다 타 여불
이건[3] 조 ↗이거나. ¶ 오늘~ 내일~ 다녀옵세. *건[11].
이-건[4] 준 이것은. >요건. *저건·그건.
이:-건:명 【李健命】 명 〖사람〗 조선 숙종(肅宗) 때의 상신(相臣). 자(字)는 강중(剛中), 호(號)는 한포재(寒圃齋). 숙종 44년(1718)에 좌의정이 되었고, 경종(景宗)의 병이 위독하매 경종의 아우, 뒤의 영조(英祖)를 왕세제(王世弟)로 책봉하고 왕세제 책립 주청사(王世弟冊立奏請使)로 청(淸)나라에 갔다가 돌아와 김일경(金一鏡) 등의 모함으로 처형되었음. 노론 사대신(老論四大臣)의 한 사람. 시호(諡號)는 충민(忠愍). [1663-1722] *신임 사화(辛壬士禍).
이:건-법 【二件法】 [-뻡] 명 〖심〗 항상법(恒常法)에 있어서, 피험자(被驗者)에게 요구되는 판단의 카테고리의 수가 두 개 있는 경우. *삼건법(三件法).
이:-건:창 【李建昌】 명 〖사람〗 조선 말기의 문장가. 자(字)는 봉조(鳳朝), 호(號)는 영재(寧齋). 전주(全州) 사람. 고종(高宗) 때 서장관(書狀官)으로 청나라에 가서 문장가 서보(徐郙)·황각(黃珏) 등과 교유하여 문장으로 이름을 떨쳤으며 척양주의자(斥洋主義者)로 일관하였음. 저서에 ≪당의 통략(黨議通略)≫이 있음. [1852-98]
이:-건(:)필 【李建弼】 명 〖사람〗 조선 말기의 문신·서예가. 자는 우경(右卿), 호는 석범(石帆). 전주(全州) 사람. 벼슬은 의주 부윤(義州府尹)을 지냄. 글씨와 그림에 능하였으며, 안변(安邊)의 석왕사(釋王寺)·묘향산(妙香山) 극락전(極樂殿) 등의 편액(扁額)을 썼음. [1830-?]
이걸[1] 【餌乞】 명 ①먹이를 구걸(求乞)함. 걸식(乞食). ②〈방〉 거지(함남). ——하다 자 여불
이-걸[2] 준 ↗이것을. >요걸. *저걸·그걸.
이-걸로 준 ↗이것으로. >요걸로. *저걸로·그걸로.
이:검 【利劍】 명 날카롭고 썩 잘 드는 검(劍).
이-것 ㊀지대 가까운 자리에 있는 일이나 물건을 가리키어 일컫는 말. ¶ ~은 책상이다. >요것. ㊁인대 사람을 얕잡아 가리킬 때 일컫는 말. >요것. 준 이거·이. *저것·그것.
[이것은 다방골 잠이냐] 옛날 서울의 다동(茶洞)에는 부자가 많이 살고 있어, 잠을 즐기어 아침 늦도록 일어나지 아니하니 늦잠부리는 사람을 두고 비유하는 말. [이것은 재관 풍류냐] 장악원(掌樂院) 풍류(風流)냐 함이니 사람이 빈번하게 자주 왕래함을 비유하는 말. [이것은 형조 패두(刑曹牌頭)의 버릇이냐] 무릇 경거 망동(輕擧妄動)으로 사람을 마구 구타(毆打)함을 꾸짖어 이르는 말.
이것-저것 지대 이것과 저것. ¶ ~ 할 것 없이 바쁘다.
이-게 준 이것이. ¶ ~ 웬 일이냐. >요게. *저게[2]·그게.
이: 게 파르벤 〔I.G. Farben〕 명 〔도 Interessengemeinschaft Farbenindustrie A.G.의 약칭〕 이 게 염료 회사. 1916년 이래 이익 공동체(共同體) 계약으로 공동(共同)하던 독일 화학 공업의 육대(六大) 회사가 1925년에 합동하여 설립한 트러스트. 국내 시장 지배는 물론 널리 세계 시장에 진출하고, 인조 석유·합성 고무 등의 개발로 2차 대전중 나

치 독일의 자급 정책의 기초가 되었음. 2차 대전 후, 동독의 공장은 해체되고 서독에서는 바이에르(Bayer) 염료 회사, 훽스트(Hoechst) 염료 회사, 바디셰 아닐린 조다(Badische Anilin Soda) 회사 등 3개사로 분할되었으나 계속 번영하여 독일 화학 공업의 90% 이상을 지배함.

이격[1]【移檄】명 비격(飛檄). ──-하다 자여불

이격[2]【離隔】명 ①사이가 서로 떨어짐. ¶～ 거리라야 100미터 안팎이다. ②사이를 떼어 놓음. ¶5미터씩 ～시켜 배치하라. ──-하다 자타여불

이격 개:념【離隔概念】명 〖철〗 괴리(乖離) 개념.

이격-도【離隔度】명 〔disparity〕〖경〗 주가(株價)와 이동 평균선(移動平均線)이 떨어져 있는 정도를 말하며, 당일의 주가 또는 지수를 이동 평균치로 나눈 백분율. 단기적인 투자 시점을 포착하기 위한 지표로, 이동 평균선의 결점을 보완한 것임.

이격-범【離隔犯】명〖법〗행위와 결과가 시간적·공간적으로 어긋나는 범죄. 범죄의 시기 및 장소를 정하는 데에 문제가 됨.

이:견[1]【異見】명 서로 다른 의견. 색다른 의견. ¶～이 속출하다.

이견[2]【是在】조 〈이두〉 이니. 이든.

이견과【是在果】조 〈이두〉 이거니와.

이견다해【是在如中】조 〈이두〉 인데. 인 때에.

이:견-대【利見臺】명 〖지〗 경상 북도 경주군(慶州郡) 감포읍(甘浦邑) 대본리(臺本里)에 있는 신라의 유적. 감은사지(感恩寺址) 앞에 있음. 사적(史蹟) 제 159 호.

이:견대-가【利見臺歌】명〖문〗작자·제작 연대 미상의 신라의 노래. 가사는 전하지 아니함. 일설에는 제작 연대를 신문왕(神文王) 2년(682), 작자를 신문왕으로 잡기도 함.

이견들로【是在等以】조 〈이두〉 이므로.

이견마리여【是在而亦】조 〈이두〉 이었지마는.

이견맛【是在味】조 〈이두〉 이라고.

이견여해【是在亦中】조 〈이두〉 인 때에. 이었는데.

이견으로【是在以】조 〈이두〉 이므로.

이견을안【是在乙良】조 〈이두〉 이거들랑.

이견이여【是在亦】조 〈이두〉 이거니. 이니.

이견-지【夷堅志】명〖책〗중국 송대(宋代)의 사람 홍매(洪邁;1123-1202)가 엮은 설화집(說話集). 송초(宋初)부터 그가 살아 있을 당시까지의 민간(民間)의 이상한 사건이나 괴담(怪談)을 모은 책으로, 모두 420권이던 것이 산일(散佚)되어 약 절반만이 전하여짐.

이:결【已決】명 이미 결정했거나 결정됨. ──-하다 자타여불

이:겸【二兼】명〖역〗조선 시대 때 겸사복 이번(兼司僕二番)의 준말. 금군 칠번(禁軍七番)의 하나인데, 금군의 일곱 부대(部隊) 가운데 겸사복에는 이번(二番), 곧 두 부대가 딸려 있었음.

이:겹-실 【二―】명 두 올을 겹으로 꼰 실. 쌍올실. 이합사(二合絲).

이:경[1]【二更】명 하룻밤을 오경(五更)으로 나눈 둘째의 부분. 곧, 오후 열시 전후. 을야(乙夜).

이:경[2]【二警】명 전투 경찰의 맨 아래 계급.

이경[3]【耳鏡】명〖의〗귓속을 검사하는 데 쓰는 의료기(醫療器)의 하나. 금속 또는 고무로써 깔때기 모양으로 만든 것인데, 그 끝을 돌려가며 가만히 외청도(外聽道)에 끼워 넣고 반사경(反射鏡)으로 광선을 깊숙이 들여보내서 검사하게 됨.

〈이경³〉

이:경[4]【異景】명 색다른 풍경. 이관(異觀).

이:경[5]【異境】명 타향(他鄕). 타국(他國).

이경[6]【離京】명 서울을 떠남. ──-하다 자여불

이:경-석[1]【二硬石】명〖광〗남정석(藍晶石).

이:-경석[2]【李景奭】명〖사람〗조선 인조(仁祖) 때의 상신(相臣). 자(字)는 상보(尙輔), 호는 백헌(白軒). 전주(全州) 사람. 병자 호란(丙子胡亂) 때 삼전도(三田渡)의 비문(碑文)을 쓰고 문자 배운 것을 한탄하였다고 하며, 이사(貳師)로 세자와 함께 선양(瀋陽)에 끌려갔었음. 인조 23년(1645)에 영의정이 되고, 이래 삼조(三朝)에 역사(歷仕)하고 기사(耆社)에 들어가 궤장(几杖)을 하사받고 죽음. 시호는 문충(文忠). [1595-1671]

이:-경(:)여【李敬輿】명〖사람〗조선 인조 때의 상신(相臣). 자(字)는 직부(直夫), 호는 백강(白江). 전주 사람. 인조 14년(1636) 호란(胡亂)을 예언했으며, 선양(瀋陽)에 구속되었다가 세자를 따라 돌아옴. 강빈(姜嬪)의 사건에 연류되어 삼수(三水)로 귀양 갔었으나 효종(孝宗) 때 영의정에 오름. 시호는 문정(文貞). [1585-1657]

이:-경(:)윤【李慶胤】명〖사람〗조선 중기의 화가. 자(字)는 수길(秀吉), 호는 낙파(駱坡) 혹은 낙촌(駱村)·학록(鶴麓). 전주 사람. 성종(成宗)의 현손(玄孫). 화풍은 고담(枯淡)한 중에도 정취가 있음. 작품에 ≪고사 관월도(高士觀月圖)≫·≪관폭도(觀瀑圖)≫ 등이 있음. [1545-1611]

이:-경직[1]【李耕稙】명〖사람〗조선 고종(高宗) 때의 명신(名臣). 자(字)는 위양(威穰), 호는 신부(莘夫). 한산(韓山) 사람. 참의 내무부사(參議內務府事)·전라도 관찰사를 지냈으며 을미 사변(乙未事變) 때 일본 낭인(浪人) 패에 항거하다가 민비(閔妃)와 함께 살해되었음. 시호는 충숙(忠肅). [1841-95]

이:-경직[2]【李景稷】명〖사람〗조선 인조(仁祖) 때의 문신. 자(字)는 상고(尙古), 호는 석문(石門). 오윤겸(吳允謙)을 따라 종사관으로 일본에 다녀왔으며, 폐비론(廢妃論)이 일어나자, 5년 동안 고향에 내려가 있었음. 병자 호란(丙子胡亂) 때는 왕을 모시고 남한산성(南漢山城)에 있었으며 돌아와 호조 판서가 됨. 시호는 효민(孝敏). [1577-1640]

이:-경하【李景夏】명〖사람〗조선 고종(高宗) 때의 무신(武臣). 자(字)는 여회(汝會). 전주(全州) 사람. 조대비(趙大妃)의 친척으로 훈련 대장(訓鍊大將)·어영(御營) 대장·형조 판서를 역임함. 대원군(大院君)의 신임을 받아 포도 대장(捕盜大將)으로 있을 때 많은 천주교도를 살륙함. 시호는 양숙(襄肅). [1811-91]

이:-경화【李景華】명〖사람〗조선 숙종(肅宗) 때의 명의(名醫). 평안 남도 성천(成川) 출신. 진사(進士)로 경사 백가(經史百家)에 정통하고 특히 침구(鍼灸)에 능하였음. 저서에 ≪광제 비급(廣濟秘笈)≫이 있음. [1629-1706]

이-경화증【耳硬化症】[―쯩] 명 〖의〗 내이낭(內耳囊)에 있어서 태생기(胎生期)의 유잔 연골(遺殘軟骨)로부터 발생하여 내이낭이 해면(海綿) 모양으로 변화하는 질환. 유전(遺傳)·내분비 장애·물질 대사(物質代謝) 장애 등이 원인인 것으로 생각됨. 증상으로는 진행성 난청(進行性難聽)·이명(耳鳴)을 자각하게 되는데, 특히 여성에게 많아, 임신·과로 등으로 말미암아 악화함.

이:계[1]【二界】명〖불교〗십계(十界)와 삼계(三界)의 총칭. 또는 삼계 중의 욕계(欲界)와 색계(色界).

이계[2]【尼戒】명 〖불교〗 ↗비구니계(比丘尼戒).

이계[3]【夷界】명 오랑캐 땅. 만지(蠻地).

이:계[4]【異系】명 계통이 서로 다름. 또, 그 다른 계통.

이:계 교배【異系交配】명 같은 종류이면서 계통이 다른 품종(品種)을 서로 교배시키는 일. 가축이나 농작물의 품종 개량에 많이 이용됨. ──-하다 자여불

이:-계당【二罽幢】명〖역〗신라의 군대(軍隊) 이름. 한산주 계당(漢山州罽幢)과 우수주 계당(牛首州罽幢)의 두 부대(部隊)가 있었음. 외계(外罽).

이:계 도:함수【二階導函數】[―쑤] 명 〔second order derivatives〕〖수〗 어떤 함수를 다시 또 미분(微分)해서 얻어지는 함수의 본디 함수에 대한 이름. 이차(二次) 도함수.

이:계-조【二季鳥】명〔가을에 북쪽에서 날아왔다가 봄에 돌아가는 데서 유래〕'기러기'의 이칭.

이:계-초【二季草】명〖식〗'등나무'의 이칭.

이고[1]【尼姑】명 이승(尼僧).

이고[2]【伊皐】명 중국 은(殷)나라의 명상(名相) 이윤(伊尹)과 당우(唐虞)의 명상 고요(皐陶).

이:-고[3]【李翺】명〖사람〗중국 당(唐)나라의 문인. 자(字)는 습지(習之). 한유(韓愈)에게서 고문(古文)을 배움. 당송(唐宋) 십육가(十六家)의 한 사람으로 평이하고도 독창적인 문체(文體)를 썼음. 그 ≪복성서(復性書)≫는 성리학(性理學)의 선구가 됨. 그 밖에 ≪이문공집(李文公集)≫이 있음. 생몰년 미상.

이고[4]【離苦】명 ①이별의 괴로움. ②〖불교〗 번뇌(煩惱)나 고통(苦痛)에서 벗어나는 일.

이고[5] 조 두 가지 이상의 사물을 아울러 설명할 때에, 받침 있는 체언 밑에 쓰이는 접속 조사. ¶사람～ 짐승～ 먹어야 산다. ＊고[24].

이고[6]【以遣】조 〈이두〉 이고.

이고[7]【是遣】조 〈이두〉 이고.

이고 득락【離苦得樂】[―낙] 명 괴로움에서 벗어나 즐거움을 얻음. ──-하다 자여불

〈이고들빼기〉

이-고들빼기 명 〖식〗 [*Lactuca denticulata* var. *typica*] 꽃상춧과에 속하는 월년초(越年草). 줄기 높이 30-60cm, 다소 경질(硬質)이고, 잎은 뒷면이 약간 흰 빛을 띠고 긴 타원형 또는 주걱 모양을 함. 8-9월에 누런 꽃이 피며, 수과(瘦果)에는 새하얀 관모(冠毛)가 있음. 산야에 나는데, 전남·경남북·충북·경기·평북에 분포함. 어린 잎은 식용함.

이고로트-족【―族】[Igorot] 명 〖인류〗〔이고로트는 사람의 뜻〕필리핀의 루손섬 북부 산지에 사는 종족의 총칭. 벼농사를 지으며, 원시 종교를 믿음. 호전적인 부족으로 알려짐.

이고리 원:정기【―遠征記】명〔Slovo o polku Igoreve〕〖문〗 중세 러시아의 대표적 영웅 서사시(敍事詩). 작자 미상. 1185년 노브고로트 공(公) 이고리를 중심으로 한 제후(諸侯) 연합군의 폴로베츠(Polovetsy)족에 대한 원정과 패배, 그리고 포로가 된 이고리의 탈주와 귀국까지의 사실(史實)을 그린 작품.

이:곡[1]【利穀】명 사환곡제(社還穀制)에 있어서, 이자(利子)로서 회수하는 양곡. ＊원곡(元穀).

이:-곡[2]【李穀】명〖사람〗고려 말엽의 학자. 초명(初名)은 운백(芸白), 자는 중보(仲父), 호는 가정(稼亭). 한산(韓山) 사람. 목은(牧隱)의 아버지. 원(元)나라의 제과(制科)에 급제하여 벼슬하고 중국의 문사들과 교유, 귀국하여 정당 문학(政堂文學)이 되고 한산군(韓山君)의 봉작(封爵)을 받았음. 시호(諡號)는 문효(文孝). 문집에 ≪가정집(稼亭集)≫ 등이 있음. [1298-1351]

이:곡[3]【理曲】명 이치가 바르지 못함. 이굴(理屈). ¶～하게 살아간들 무얼 하겠나. 준곡(曲). ──-하다 형여불

이곧【是昆】조 〈이두〉 이니. 이므로.

이-골[1] 명〖생〗치수(齒髓).

이:골[2] 명 아주 길이 들어서 몸에 푹 밴 버릇.

이:골(이) 나다 구 잇구멍을 좇거나 어떤 방면에 길이 들어서 그 버릇에 익숙하여지다. ¶남의 일 엿보는 데는 이골이 났지 않은가≪金周榮 : 客主≫.

이-곳 지대 자기가 있는 곳. 또, 거기서 썩 가까운 거리에 있는 곳.

이:공[1]【二空】명〖불교〗 ①아공(我空)과 법공(法空). ②일체의 사물에 공(空)의 도리가 있는 것을 알면서 그 공리(空理)에 사로잡히는 단공(但空)과, 공의 도리를 알고 동시에 불공(不空)의 이치가 있는 것을 깨닫는 부단공(不但空).

이공[2]【耳孔】명 귓구멍.

이공[3]【泥工】명 미장이.

이:공⁴【理工】[명] 이학(理學)과 공학(工學). ¶～ 계통.

이:공-과【理工科】[―꽈] [명] 이공 방면의 학문을 연구(硏究)하는 학과. ↔인문과(人文科).

이:공 대학【理工大學】[명] 〖교〗 이학(理學)·공학(工學)에 관한 이론과 응용을 교수 연구하는 단과 대학.

이:-공로【李公老】[―노] [명] 〖사람〗 고려 고종 때의 문신. 자는 거화(去華). 단산(丹山) 사람. 안변 판관(安邊判官)으로서 선정을 베풀어 직한림원(直翰林院) 등을 거쳐 벼슬이 대사성(大司成)에 이름. 고려 문학계의 중진(重鎭)으로서 문장(文章)이 화려하고 특히 변려문(騈儷文)에 뛰어났음. [?-1224]

이:공린【李公麟】[―닌] [명] 〖사람〗 중국 북송(北宋)의 문인·화가. 자는 백시(伯時), 호는 용면(龍眠). 박학 다식(博學多識)하고 문재(文才)가 뛰어났으며, 백묘화(白描畫)의 화법을 부흥시켰는데 말·인물의 묘사에 능했음. 작품에 《오마도권(五馬圖卷)》 등이 있음. [1049?-1106)]

이:공-맞이【二公―】[명] 〖민〗 제주도의 무당굿 가운데 이공본풀이 다음에 벌이는 맞이굿의 하나. 서천(西天)의 꽃의 신 이공을 맞아들여 축원하는 굿임.

이:공 보:공¹【以功報功】[명] 남의 은공(恩功)은 은공으로써 갚는다는 뜻.

이:공 보:공²【以空補空】[명] 제 살로 제 때우기. 곧, 이 세상에는 공것이 없다는 뜻.

이:공-본풀이【二公本―】[명] 〖민〗 제주도 무당굿의 본풀이의 하나. 서천 서역(西天西域) 땅에 있는 인간 생활의 근원이 되는 환생(還生)꽃과 재난과 멸망의 근원이 되는 멸망 악심꽃의 꽃밭을 맡은 신인 이공(二公)의 신화를 노래하고 기원하는 제차(祭次).

이:공-산【異功散】[명] 〖한의〗 토사(吐瀉) 및 어린 아이의 만경(慢驚)에 쓰는 약.

이:-공수【李公遂】[명] 〖사람〗 고려말 공민왕(恭愍王) 때의 충신. 익산(益山) 사람. 공민왕 10년(1361) 홍건적(紅巾賊)이 대거 침입하매 이를 물리쳐 찬성사(贊成事)가 되었으며, 때마침 원(元)나라가 최유(崔濡) 등의 말을 믿고 왕을 폐위하고 왕의 삼촌 덕흥군(德興君)을 세우려 하자 이를 사전에 대비하게 함. 시호는 문충(文忠). [1308-66]

이과¹【耳科】[―꽈] [명] 〖의〗 귀에 생기는 병을 진찰(診察) 치료(治療)하는 의술의 한 분과.

이:과²【吏科】[명] 〖역〗 조선 초기인 세종(世宗) 8년(1426)부터 실시한 잡과(雜科)의 하나. 상급 서리(上級胥吏)인 성중관(成衆官)을 뽑기 위한 것으로, 40여 년 동안 실시되어 오다가 이과 취재(吏科取才)로 바뀌었음.

이과³【梨果】[명] 〖식〗 장과(漿果)의 한 가지. 자방(子房)은 응어리가 되고 그 바깥 쪽에는 화탁(花托)의 변화인 다육부(多肉部)가 있음. 배·능금·사과 따위.

이:-과⁴【理科】[―꽈] [명] 자연계의 사물 및 현상(現象)을 연구하는 학과. 물리학·화학·동물학·식물학 및 생리학 등 학문의 총칭. [준]이(理). ↔문과²(文科).

이과⁵【移科】[명] 세금 따위를 다른 사람에게 부과함. ――-하다 [타][여불]

이:과지-사【已過之事】[명] 이미 지나간 일. 이왕지사(已往之事).

이:과 취:재【吏科取才】[명] 〖역〗 조선 초기에 서리(胥吏)를 뽑기 위해 보인 취재(取才). 세조(世祖) 때부터는 녹사(錄事) 등 상급 서리를 뽑는 것으로 한정됨. *녹사 취재·이과(吏科).

이:과-탑【二果塔】[명] 〖불교〗 세 층의 탑으로 수다원(須陀洹)·사다함(斯陀含)의 성문탑(聲聞塔).

이-곽【伊霍】[명] 중국 은(殷)나라의 이윤(伊尹)과 한(漢)나라의 곽광(霍光). *이곽지사.

이곽지-사【伊霍之事】[명] 〔은(殷)나라의 명상(名相) 이윤(伊尹)이 태갑(太甲)을 동궁(桐宮)에서 내쫓아 악행을 고치게 하고, 전한(前漢)의 곽광(霍光)이 창읍왕(昌邑王) 하(賀)를 폐(廢)하고 효선제(孝宣帝)를 영립(迎立)한 고사에서〕 폐립(廢立)하는 일을 일컫는 말.

이관¹【耳管】[명] 〔auditory tube〕 〖생〗 유스타키오관(管).

이:관²【李官】[명] 〖역〗 '형조(刑曹)'의 이칭.

이관³【移貫】[명] 본관(本貫)을 떠나서 타향에다 적(籍)을 옮김. 이적(移籍). ――-하다 [자][여불]

이관⁴【移管】[명] 관할(管轄)을 옮김. 옮기어 관할함. ――-하다 [타][여불]

이:관⁵【異觀】[명] 색다른 경치. 썩 좋은 경치. 이경(異景).

이:관⁶【理觀】[명] 〖불교〗 ①불과(佛果)를 얻기 위한 수행(修行). ②만유의 이법(理法)을 관찰하는 수행. ↔사관(事觀).

이:-관명【李觀命】[명] 〖사람〗 조선 영조 때의 상신(相臣). 자(字)는 자빈(子賓), 호는 병산(屛山). 경종(景宗) 때 아우 건명(健命)이 노론 사대신(老論四大臣)의 한 사람으로 신임 사화(辛壬士禍)에 극형되자 이에 연좌되어 덕천(德川)으로 귀양갔다가 영조 때에 풀려나, 좌의정이 되었음. 문집(文集)은 《병산집(屛山集)》. 시호는 문정(文靖). [1661-1733]

이관-염【耳管炎】[―념] [명] 〖의〗 이관(耳管)에 일어나는 염증. 상인두염(上咽頭炎)의 파급이 원인으로 난청(難聽) 또는 귓속의 가려움증 등을 일으킴.

이:-관징【李觀徵】[명] 〖사람〗 조선 숙종(肅宗) 때의 문신. 자는 국빈(國賓), 호는 근옹(芹翁) 또는 근곡(芹谷). 연안(延安) 사람. 1659년 효종이 죽었을 때의 복상(服喪) 문제로 허목(許穆) 등이 귀양가매 이를 구원하다가 귀양을 감. 숙종 즉위 후 신임을 얻어 형조·예조·이조 판서를 역임하고 기사(耆社)에 들어감. 명필로 이름이 높았고 문장에도 능하였음. 저서에 《근곡집(芹谷集)》이 있음. 시호는 정희(靖禧). [1618-95]

이:관 편성【二管編成】[명] 〖악〗 기본이 되는 목관 악기(木管樂器)를 각각 두 개씩 배치하는 관현악(管絃樂)의 악기 편성. 플루트 2, 오보에 2, 클라리넷 2, 파고트 2에 금관 악기(金管樂器)와 현악기(絃樂器) 등으로 편성됨. 18세기 후반에 확립되어 19세기에 이르기까지 가장 표준적인 편성이었음.

이관 협착증【耳管狹窄症】[명] 〔도 Tubenstenose〕 〖의〗 급성 또는 만성의 비염(鼻炎)이나 후두염(喉頭炎)에 이어서 일어나며, 이관(耳管)이 막힌 것처럼 되는 병. 자기의 목소리는 잘 울리나, 반대로 바깥의 소리는 잘 들리지 않게 됨.

이:-괄【李适】[명] 〖사람〗 조선 인조(仁祖) 때의 역신(逆臣). 자(字)는 백규(白圭). 고성(固城) 사람. 인조 반정(仁祖反正)에 공을 세웠는데, 김류(金瑬)와 사이가 좋지 못하여 평안 병사(平安兵使)로 좌천되자 이에 불만을 품고 인조 2년(1624)에 서울로 쳐들어와 신왕(新王)을 세웠으나 불과 하루 만에 관군에게 패하여 도망을 가다가 부하에게 피살(被殺)됨. [1587-1624]

〔이괄이 괭가리〕 이괄이 반란(反亂)을 일으켜 길마재에서 결전(決戰)을 할 즈음, 세불리(勢不利)함을 알고 진세(陣勢)를 바꾸려 괭과리를 울렸을 때, 이를 본 관군이 일제히 이괄이 패하였다고 외치고 내닫는 바람에 괄의 군심(軍心)이 크게 동요하여 패주한 고사(故事)에서 나옴〕 운수(運數)가 비색(否塞)하면 할 수 없다는 말.

이:괄의 난:【李适―亂】[―/―에―] [명] 〖역〗 조선 인조(仁祖) 2년(1624) 정월, 이괄이 주동이 되어 일으킨 반란. 인조 반정(仁祖反正) 후 2등 공신으로 평안 병사(平安兵使)로 임명된 데 대해 앙심을 품고 난을 일으킨 것이라고 하나, 직접적인 원인은 외아들 전(旃)을 모반 혐의로 서울로 압송하려 하자 생명에 위협을 느껴 반란을 일으킨 것임. 한 달 만에 서울에 입성(入城)했지만 이튿날 관군에 대패(大敗)하고 이괄이 부하 장수에게 피살됨으로써 난은 평정됨.

이:-광【李珖】[명] 〖사람〗 조선 인조(仁祖) 때의 서도가(書道家). 자(字)는 장중(藏中), 호는 기천(杞泉). 선조의 제8자. 군호(君號)는 의창군(義昌君). 해자(楷字)에 뛰어나서 그의 편액(扁額)·금석문(金石文)은 국보급으로 침. 시호는 경헌(敬憲). [1589-1645]

이:-광래【李光來】[―내] [명] 〖사람〗 극작가. 경상 남도 마산 출신. 일본 와세다(早稻田) 대학 영문학부 졸업. 극예술 연구회(劇藝術硏究會)에 참가하고, 극단 신협(新協)·극협(劇協) 등에서 활약함. 1935년 장막극(長幕劇) 《촌선생(村先生)》으로 극작에 손을 대어 《대수양(大首陽)》·《고도(孤島)있는 인간 광장》 등의 작품을 남김. [1908-68]

이:-광(:)리【李廣利】[―니] [명] 〖사람〗 중국 전한(前漢)의 무장(武將). 중산(中山 : 허베이 성) 출신. 누이동생은 무제(武帝)의 이부인(李夫人). 기원 전 104년에 이사 장군(貳師將軍)이 되어 대완(大宛)에 원정(遠征), 선마(善馬)를 얻는 동시에 서역 제국(西域諸國)을 한(漢)나라에 복속(服屬)시킨 공(功)으로 해서후(海西侯)에 봉하여짐. 뒤에 흉노(匈奴) 토벌에 실패하고 선우(單于)에게 피살됨. [?-90 B.C]

이:-광사【李匡師】[명] 〖사람〗 조선 후기의 명필. 자는 도보(道甫), 호는 원교(圓嶠). 전주(全州) 사람. 백부 진유(眞儒) 사건에 연좌되어 유배 생활 23년 만에 죽음. 글씨에서 독특한 원교체(圓嶠體)를 이룩한 조선 시대 서법 예술 상의 공로자임. 한국의 서법을 평론한 저서 《원교 서결(圓嶠書訣)》 등이 있음. [1705-77]

이:-광수【李光洙】[명] 〖사람〗 소설가. 호는 춘원(春園). 평북 정주(定州) 출생. 신문화(新文化) 운동의 선구자로서, 1917년에 한국 최초의 현대 장편 소설 《무정(無情)》을 발표하여 한국 소설의 새 경지를 개척하였음. 상하이(上海)로 건너가 임시 정부에서 활약하였고 귀국하여 동아 일보 편집 국장·조선 일보 부사장·조선 문인 협회 회장 등을 역임. 태평양 전쟁이 발발하자 일제를 위해 각지를 유세(遊說)하고 다녀, 해방 후에 친일파(親日派)로 지목되어 고난을 겪기도 했음. 6·25 동란 때 납북되어 그 곳에서 죽음. 《흙》·《사랑》·《원효 대사》·《이차돈의 사(死)》·《돌벼개》·《꿈》·《나》 등을 내었음. [1892-1950?]

이:-광요【李光耀】[명] 〖사람〗 '리 콴유'를 우리 음으로 읽은 이름.

이광-저광 [부] 〈방〉 허둥지둥(함경).

이:-광좌【李光佐】[명] 〖사람〗 조선 경종(景宗)·영조(英祖) 때의 상신(相臣). 자는 상보(尙輔), 호는 운곡(雲谷). 경주(慶州) 사람. 영조 원년(1725)에 영의정이 되었음. 소론(少論)의 거두로서 처세에 파란이 많았는데, 영조에게 탕평책(蕩平策)을 건의하는 등 당쟁(黨爭)의 폐습을 막는 데 힘썼음. 저서에 《운곡 실기(雲谷實記)》가 있음. [1674-1740]

이:광-철【異光鐵】[명] 이상한 빛을 발한다는 뜻에서, 서양철(西洋鐵)을 두고 이르는 말.

이:-광필【李光弼】[명] 〖사람〗 고려 명종(明宗) 때의 화가. 전주(全州) 사람. 그림을 잘 그려서, 명종이 총애하여 곁에 두고 그림을 그리게 하였다고 함. 명종이 그를 가리켜 '그가 아니었으면 삼한(三韓)의 도화(圖畫)의 맥이 끊어졌을 것이다'라고 극찬한 바 있으나, 전하는 작품은 없음. 생몰년 미상.

이-괘¹【离卦·離卦】[명] 〖민〗 ①팔괘(八卦)의 하나. 상형(象形)은 '☲'인데 불을 상징(象徵)함. ②육십사괘(六十四卦)의 하나. '☲' 둘을 포갠 것인데, 밝음이 거듭됨을 상징함. 1)·2): [준]이(离·離).

이:-괘²【履卦】[명] 〖민〗 육십사괘의 하나. 건괘(乾卦)와 태괘(兌卦)가 거듭된 것으로, 위는 하늘, 아래는 못을 상징함. [준]이(履).

이-괘³【頤卦】[명] 〖민〗 육십사괘의 하나. 간괘(艮卦)와 진괘(震卦)가 거듭된 것으로, 위는 산(山), 아래는 우뢰를 상징함. [준]이(頤).

이-괴 [감] 고양이를 쫓을 때에 지르는 소리.

이:괴-석【二塊石】[명] 〖건〗 한 사람이 한 번에 두 덩이를 질 만하게 큰 돌덩이. 주로 담을 쌓는 데 씀. *사괴석(四塊石).

이:교¹【二敎】[명] 〖불교〗 ①불교를 교설(敎說)의 의미·내용, 실천 방법,

설법(說法) 형식 등에 따라 두 종류로 구분한 것. 소승교(小乘教)와 대승교, 돈교(頓教)와 점교(漸教), 현교(顯教)와 밀교(密教), 화교(化教)와 제교(制教), 성도교(聖道教)와 정토교(淨土教) 등. ②교화(教化)의 두 가지 종류. 불교와 도교(道教), 북주(北周)의 도안(道安)이 설도한 정신을 구하는 내교(內教)와 형체를 구하는 외교(外教) 등.

이:교[2]【二喬】명 중국의 삼국 시대, 재색 겸비(才色兼備)한 자매(姉妹)로서 알려진 대교(大喬)와 소교(小喬). 대교는 손책(孫策)의, 소교는 주유(周瑜)의 아내가 되었음.

이:교[3]【吏校】명〖역〗조선 시대 때의 신분 계급의 하나로, 이서(吏胥)와 군교(軍校)의 통칭. 관료 계급(官僚階級)과 평민 계급(平民階級)의 중간을 차지하였음.

이-교[4]【圯橋】명〖역〗중국 장쑤성(江蘇省)에 있던 흙다리 이름. 장량(張良)이 황석공(黃石公)으로부터 태공(太公)의 병법(兵法)을 전수(傳受)받은 곳.

이:교[5]【利巧】명 ①예리하고 교묘함. ②사리(私利)를 도모하는 데 약빠름. ——-하다 형여불

이:교[6]【利交】명 이익을 위한 교제. ¶ ~적인 면도 없지 않다.

이:-교[7]【李嶠】명〖사람〗중국 당나라의 시인. 자는 거산(巨山). 초당(初唐)의 근체시(近體詩)의 창시자의 한 사람. 영물시(詠物詩) 120수를 모은 ≪이교 잡영(雜詠)≫이 유명함. [645-714?]

이:교[8]【理教】명〖불교〗본체(本體)인 원리(原理)와 현상(現象)인 사실(事實)이 다른 것이 아니고, 차별의 사실 그대로, 곧 평등의 원리라고, 설명하는 교지(教旨). ↔사교(事教).

이:교[9]【異教】명 ①이단(異端)의 가르침. ②자기가 믿는 종교 이외의 종교. ③〖천주교〗천주교 이외의 종교. 외교(外教).

이교[10]【離教】명〖천주교〗이교회(離教會).

이:교-국【異教國】명 ①이교(異教)를 받들고 믿는 나라. ②기독교 이외의 종교를 신봉하는 나라.

이:교 노령【吏校奴令】명〖역〗조선 시대 때, 지방 관아에 딸린 아전(衙前)·장교(將校)·관노(官奴)·사령(使令)의 총칭.

이:교-도【異教徒】명 이교(異教)를 믿고 받드는 교도(教徒). 외교인(外教人).

이:-교(:)익【李教翼】명〖사람〗조선 시대 후기의 화가. 자(字)는 사문(士文), 호는 송석(松石). 연안(延安) 사람. 산수(山水)와 화접(花蝶)을 잘 그렸음. 작품에 ≪노승 소요도(老僧逍遙圖)≫·≪호접도(蝴蝶圖)≫가 있음. [1807-?]

이:교-주의【異教主義】[—/—이] 명 [paganism] ①〖기독교〗기독교에서 본, 다신교(多神教)·우상 숭배 등의 이교(異教)를 믿는 입장 및 그 주의(主義). ②〖예〗르네상스 이후, 예술상에 나타난 이교미(異教美)에 대한 갈앙(渴仰), 이교적 사건(異教的事件)의 취급 등 이교적인 분위기를 중히 여기는 경향(傾向).

이-교회【離教會】명〖천주교〗가톨릭교에서 갈라져 나간 교회. 곧, 그리스 정교(正教) 등. 교리(教理)는 대개 비슷하나 예전(禮典)이 다름. 이교(離教).

이:구[1]【二求】명〖불교〗①낙(樂)을 얻으려고 추구(追求)하는 득구(得求)와 오래도록 살려는 명구(命求). ②오도(悟道)를 구하는 성구(聖求)와 세속적(世俗的)인 낙(樂)을 구하는 비성구(非聖求).

이:구[2]【已久】명 이미 오래 됨. ——-하다 형여불

이구[3]【尼丘】명〖지〗이산(尼山).

이구[4]【耳垢】명 귀지.

이:구[5]【利口】명 구변이 좋음. 말을 잘함. ——-하다 자여불

이구[6]【泥丘】명〖지〗이화산(泥火山)에서 내뿜긴 진흙이 분화구(噴火口)의 둘레에 원뿔 모양으로 쌓여서 된 언덕.

이구[7]【泥溝】명 ①흙탕물이 흐르는 도랑. ②전(轉)하여, 오탁(汚濁)한 경우를 일컫는 말.

이:구[8]【異口】명 여러 사람의 입. 여러 사람의 말. ¶ ~ 동성(同聲).

이구[9]【梨俱】명〖종〗인도교의 경전(經典)으로 삼명(三明)의 하나.

이구[10]【離垢】명〖불교〗번뇌의 때를 벗어남.

이구-곡【驪駒曲】명〖악〗송별할 때 부르는 노래 곡조의 이름.

이:구 동성【異口同聲】명 여러 사람의 말이 한결같음. 여출 일구(如出一口). 이구 동음.

이:구 동음【異口同音】명 이구 동성.

이:구 십팔【二九十八】명〖수〗구구법(九九法)의 하나. 둘의 아홉 갑절이나 또는 아홉의 두 갑절은 열 여덟임.

이구아나 [iguana] 명〖동〗[*Iguana iguana*] 도마뱀목(目) 이구아나과에 속하는 파충의 하나. 도마뱀과 비슷하나 대형으로 몸길이 1.8m, 꼬리가 길고 몸의 배중선(背中線)에는 목에서 꼬리까지 가시 모양의 돌기가 있음. 턱 밑에 커다란 가죽 주머니가 있고, 나출된 고막 밑에는 큰 원형 비늘이 있음. 몸빛은 회록색에 폭 넓은 흑색 띠가 있음. 삼림 속의 나무 위에서 생활하며, 주로 과실·새·곤충·쥐 등을 잡아먹는데, 멕시코·미국 중남부에 분포함.

〈이구아나〉

이구아노돈 [라 iguanodon] 명〖동〗중생대(中生代) 백악기(白堊紀)에 성했던 파충류의 일종. 벨기에에서 나온 화석(化石)은 특히 유명한데, 몸길이 약 8m, 몸무게 약 4.5톤이고 전지(前肢)가 5지(指), 후지(後肢)는 3지(趾)로서, 후지로 서서 걸은 것으로 상상됨. 금룡(禽龍).

이구아수 폭포【—瀑布】[Iguaçú] 명〖지〗남아메리카의 브라질·아르헨티나 국경에 있는 대폭포. 파라나 강(Paraná 江) 지류의 이구아수 강이 폭 4km에 걸쳐 약 270개의 대소 폭포로 나뉘어 낙하함. 평균 낙차는 70m. 그 규모는 나이아가라보다도 큼. 일대는 양국(兩國)의 국립 공원임.

이구 전색【耳垢栓塞】명〖의〗귀지가 많이 쌓여 외이도(外耳道)가 막히는 일. 이통(耳痛)이나 난청(難聽)의 원인이 되기도 함.

이구-폐타【梨俱吠陀】명〖종〗'리그베다(Rig-veda)'의 음역어(音譯語).

이구-형【耳垢型】명〖생〗유전에 의해 결정되는 사람의 귀지의 성질 구분. 습기가 있어 눅눅한 습형(濕型)과 건조하고 가슬가슬한 건형(乾型)의 두 종류가 있음. 습형은 건형에 대하여 우성(優性)으로 유전함. 백인이나 흑인은 거의가 습형인 데 대해, 황색 인종은 건형이 많음.

이국[1]【夷國】명 오랑캐 나라. 야만인의 나라.

이:국[2]【理國】명 치국(治國). ——-하다 자여불

이:국[3]【異國】명 자기 나라 아닌 딴 나라. 인정·풍속이 전혀 다른 나라. 이토(異土). 외국(外國). 타국(他國).

이국[4]【籬菊】명 울 밑에 핀 국화.

이:국-선【異國船】명〖역〗조선 시대 후기에, 중국 배·일본 배 이외의 외국 배의 일컬음. *이양선(異樣船).

이:국-인【異國人】명 외국인.

이:국-적【異國的】명관 자기 나라가 아닌 것. 이국풍인 모양. 이그조틱(exotic). ¶ ~인 풍모(風貌).

이:국 정서【異國情緒】명 ①자기 나라에서는 볼 수 없는 다른 나라의 풍물(風物)과 정서. 이국 정취(異國情趣). 이그조티시즘(exoticism). ②〖문〗이국 취미❷.

이:국 정취【異國情趣】명 이국 정서❶.

이:국-종【異國種】명 외국종(外國種).

이:국 취:미【異國趣味】명 ①이국의 풍물·제도에 대한 취미. ②〖문〗이국의 풍물 정취(情趣)를 그리어 예술적 효과를 높이는 일. 이국 정서. 이그조티시즘(exoticism).

이:국 편민【利國便民】명 나라를 이롭게 하고 백성들을 편안하게 함. ——-하다 자여불

이:군【二軍】명 ①〖역〗고려 때 경군(京軍) 중의 응양군(鷹揚軍)·용호군(龍虎軍)의 두 군영(軍營). ②프로 야구 등에서, 공식전 출장(公式戰出場) 선수 명부에 등록되어 있지 않은 예비의 선수 집단. 일군(一軍)에 대하여 일컬음. 팜(farm). 팜팀(farm team).

이:군-빗【二軍—】명〖역〗이군색(二軍色).

이군 삭거【離羣索居】명 붕우(朋友)의 무리를 떠나 독거(獨居)함.

이:군-색【二軍色】명〖역〗조선 시대 때 병조(兵曹)의 한 분장(分掌). 기병(騎兵)과 보병(步兵)의 보포(保布)를 맡음. 이군빗.

이:군 육위【二軍六衛】[—뉵—] 명〖역〗고려 때 경군(京軍)의 군제(軍制). 이군(二軍)과 육위(六衛)로 나뉨.

이굳히-산:적【—散炙】[—구치—] 명〖민〗치아(齒牙)를 튼튼하게 한다고 하여, 대보름에 먹는 고기 구이.

이:굴【理屈】명 이론(理論)이 바르지 못함. 이곡(理曲). ↔이직(理直). ——-하다 형여불

이:궁[1]【二弓】명〖역〗신라 때, 활 쏘는 군대(軍隊). 한산주(漢山州)·하서주(河西州)의 두 군데에 둠. 외궁(外弓).

이궁[2]【离宮】명 태자궁(太子宮)·세자궁(世子宮)의 총칭. 이궁(離宮).

이:궁[3]【理窮】명 사리에 궁박함. 이치가 막혀 막다른 곳에 이르게 됨. ——-하다 형여불

이궁[4]【離宮】명 ①이궁(离宮). ②행궁(行宮).

이:권【利權】[—꿘] 명 ①이익과 권리. ②이익을 얻는 권리. 이익을 전유(專有)하는 권리. ¶ ~ 운동.

이궐 명〈방〉거지(함남).

이:-귀【李貴】명〖사람〗조선 인조(仁祖) 때의 공신. 자(字)는 옥여(玉汝), 호는 묵재(默齋). 연안(延安) 사람. 서인(西人)으로 김류(金瑬)와 더불어 인조 반정(仁祖反正)을 성사시켜 정사 공신(靖社功臣) 1등에 올라 연평 부원군(延平府院君)의 봉군을 받았고, 벼슬은 이조·병조 판서를 역임함. 정묘 호란(丁卯胡亂) 때 왕을 모시고 강화(江華)에 피란하여 최명길(崔鳴吉)과 같이 화의를 주장하다가 탄핵을 받음. 시호(諡號)는 충정(忠定). [1557-1633]

이:-귀문【裏鬼門】명〖민〗귀문과 반대되는 방위. 곧, 서남방(西南方)을 가리키는 말. 음양가들이 귀문과 더불어 꺼림. ↔귀문(鬼門).

이:-규경【李圭景】명〖사람〗조선 헌종(憲宗) 때의 실학자. 자(字)는 백규(伯揆), 호는 오주(五洲) 또는 소운(嘯雲). 이덕무(李德懋)의 손자. 중국과 조선 기타 고금의 사물을 고증한 ≪오주 연문 장전 산고(五洲衍文長箋散稿)≫ 60권을 저술함. [1788-?]

이:-규령【李奎齡】명〖사람〗조선 숙종(肅宗) 때의 문신. 자는 문서(文瑞). 한산(韓山) 사람. 경상도 관찰사·대사간을 지냈으며 기사 환국(己巳換局) 때 벼슬을 그만두었다가 숙종 20년(1694) 인현 왕후(仁顯王后)가 복위되자 다시 대사헌이 됨. 기사 환국 때 폐비론(廢妃論)에 동조한 사람들의 관대한 치죄(治罪)를 주장했으며, 뒤에 형조 판서 겸 도총관을 지냄. 시호(諡號)는 정혜(貞惠). [1625-?]

이:-규보【李奎報】명〖사람〗고려 고종(高宗) 때의 문장가. 자는 춘경(春卿), 호는 백운 산인(白雲山人). 여주(驪州) 사람. 경전(經典)·사기(史記)·선교(禪教)·노불(老佛)·잡설(雜說)에 이르기까지 두루 섭렵하였으며, 시·거문고·술을 좋아하여 삼혹호 선생(三酷好先生)이라 불리었으며, 기개가 있고 강직하여 인중룡(人中龍)이란 평을 들음. 벼슬은 문하 시랑 평장사(門下侍郎平章事)에까지 이름. 저서는 ≪동국 이상국집(東國李相國集)≫·≪백운 소설(白雲小說)≫ 등. 시호는 문순(文順). [1168-1241]

이:-규준【李圭晙】명〖사람〗조선 고종(高宗) 때의 의학자(醫學者). 경북 출생. 호는 석곡(石谷). 의학에 정통하여 명성이 영남(嶺南) 일대에 떨침. 저술은 ≪의감 중마(醫鑑重磨)≫·≪황제 소문 절요(黃帝素問節

要)≫ 등. [1855-1923]

이:규 체절【異規體節】 명 〔heteronomous metamere〕〖생〗 절지(節肢) 동물 따위와 같이 머리·가슴·복부(腹部) 등의 각 몸마디가 그 구조나 형태에 있어서 서로 다른 일. 부등(不等) 체절. ↔동규(同規) 체절.

이균-요【泥均窯】 명 〖미술〗 중국 광둥(廣東) 스완요(石灣窯)에서 나는 그릇.

이그나이트론〔ignitron〕 명 양극(陽極)이 한 개인 수은 정류기(水銀整流器). 아크 방전 개시를 제어하는 이그나이터(ignitor)가 상시(常時) 수은 음극에 접촉하고 있어, 양극이 양(陽)으로 될 때마다 아크를 발생하여 전류가 흐름. 전기 철도·전기 화학 공업 등의 정류기용(整流器用)과 전기 용접기용이 있음.

이그너런스〔ignorance〕 명 무식(無識). 무지(無知).

이그노라티오 엘렌키〔라 ignoratio elenchi〕 명 〖철〗 논점 상위(論點相違)의 허위(虛僞).

이그제큐티브〔executive〕 명 이사(理事) 등 상급 관리직(上級管理職)에 있는 사람.

이그조:스트〔exhaust〕 명 배기(排氣). 폐기(廢氣).

이그조:스트 파이프〔exhaust pipe〕 명 배기관(排氣管).

이그조티시즘〔exoticism〕 명 이국풍(異國風). 이국 취미. 이국 정조(情調).

이그조틱〔exotic〕 명 이국적(異國的). ――-하다 형 여불

이:극[1]【二極】 명 양극(兩極).

이:극[2]【貳極】 명 ①왕세자(王世子). ②'황태자(皇太子)'의 이칭.

이:극-관【二極管】 명 〖물〗 이극 진공관(眞空管).

이:극-광【異極鑛】 명 〔hemimorphite〕〖광〗 아연(亞鉛)의 광석. 섬아연광(閃亞鉛鑛)의 분해로서 생기는 이차 광물로 사방 정계(斜方晶系)에 속하는데, 보통 괴상(塊狀)을 이루며, 백색(白色)을 띠고, 투명 또는 반투명으로 유리 혹은 다이아몬드 광택을 가지면서 이극상(異極像)을 나타냄. [$Zn_4Si_2O_7(OH)_2 \cdot H_2O$]

이:극 구당【履屐俱當】 명 맑은 날에는 신으로 쓰이고, 궂은 날에는 나막신으로 쓰인다는 뜻으로, 곧 온갖 재주를 구비하여 못할 일이 없음을 비유한 말. ――-하다 형 여불

이:-극균【李克均】 명 〖사람〗 조선 초기의 문신. 자(字)는 방형(邦衡). 극돈(克墩)의 아우. 세조(世宗) 2년(1457) 문과에 급제하였는데 무술에도 뛰어나 세조의 총애를 받았으며, 성종(成宗) 때는 이조 판서로 서북면 도원수(西北面都元帥)가 되어 야인(野人) 토벌에 공을 세움. 연산군(燕山君) 9년(1503) 우의정을 거쳐 좌의정에 이르렀으나 연산군의 방탕(放蕩)을 바로잡으려다 이듬해 갑자 사화(甲子士禍) 때 사사(賜死)됨. [1435-1504]

이:-극돈【李克墩】 명 〖사람〗 조선 세조(世祖)에서 연산군(燕山君) 때에 걸친 권신(權臣). 자는 사고(士高). 광주(廣州) 사람. 성종(成宗) 2년(1471)에 좌리 공신(佐理功臣)으로 광원군(廣原君)의 봉군을 받음. 여러 벼슬을 거쳐 좌찬성(左贊成)에 이름. 소위 훈구파(勳舊派) 학자로서 신진 사류(新進士類)들과 반목(反目)이 심하던 중, 연산군 때 유자광(柳子光)을 시켜 김일손(金馹孫) 등을 탄핵하여 무오 사화(戊午士禍)를 일으켰음. [1435-1503]

이:극 삼극관【二極三極管】 명 〔diode-triode〕〖전자〗 같은 관내(管內)에 이극관과 삼극관이 들어 있는 진공관.

이:극-상【異極像】 명 〔hemimorphic form〕〖광〗 결정(結晶)의 주축(主軸)이 극성(極性)의 대칭축(對稱軸)인 경우의 그 결정. 등축(等軸)·육방(六方)·정방(正方)·삼방(三方)·사방(斜方)·단사(單斜)의 각 정계(晶系)에서 볼 수 있는데, 일반적으로 열전기(熱電氣)·압전기(壓電氣) 등의 현상을 나타냄. 전기석(電氣石)·이극광(異極鑛) 따위.

이:극 스위치【二極—】 명 〔double-pole switch〕 동시에 두 회로(回路)를 개폐(開閉)할 수 있는 스위치.

이:-극용【李克用】 명 〖사람〗 중국 당말(唐末)의 무장(武將). 후당(後唐)의 사실상의 건국자(建國者). 묘호(廟號)는 태조(太祖). 돌궐 사람. 황소(黃巢)의 난(亂)의 평정에 공이 있어서 세력을 얻었으나 주전충(朱全忠)과 싸워 전몰(戰沒)함. 그 아들은 후량(後梁)을 쓰러뜨리고 후당(後唐)을 건국하였음. [856-908]

이:극 증폭기【二極增幅器】 명 〔bipolar amplifier〕〖전자〗 입력 신호(入力信號)의 양(陽) 또는 음(陰)의 극성(極性)에 대응하는 증폭기. 한 쌍의 출력 신호를 공급할 수 있음.

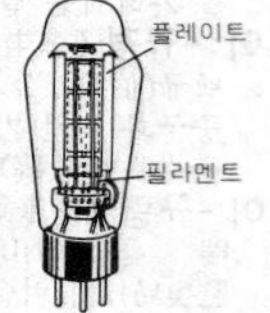

〈이극 진공관〉

이:극 진공관【二極眞空管】 명 〖물〗 음극(陰極)에 해당하는 필라멘트(filament)와 양극에 해당하는 플레이트를 넣어서 만든 진공관. 양극(陽極)이 정전위(正電位)인 때만 음극에서 열전자(熱電子)가 방출되어 전류(電流)가 흐르므로 정류(整流)나 검파(檢波)에 쓰임. 이극관(二極管). *다이오드.

이:근[1]【二根】 명 산삼(山蔘)의 두 뿌리로 한 냥쭝 이상이 되는 것의 품위.

이근[2]【耳根】 명 귀뿌리.

이:근[3]【利根】 명 〖불교〗 영리한 자질(資質).

이:-근택【李根澤】 명 〖사람〗 조선 말엽의 정치가. 을사 오적(乙巳五賊)의 한 사람. 고종 21년(1884) 무과(武科)에 급제, 선전관(宣傳官)이 되고, 한성 판윤(漢城判尹)·시종 무관장(侍從武官長)·농상공부 대신·법부(法部) 대신을 역임, 광무 9년(1905) 군부 대신으로서 을사(乙巳) 조약의 체결에 찬성함. [1865-1919]

이:-근(:)행【李謹行】 명 〖사람〗 중국 당나라 무장(武將). 고구려 보장왕(寶藏王) 25년(666) 남생(男生)의 요청으로 당의 군사가 고구려에 파견될 때, 좌감문위 장군(左監門衛將軍)으로 고구려에 왔으며, 674년 계림도 대총관(鷄林道大摠管) 유인궤(劉仁軌) 휘하의 부총관(副摠管)으로 신라에 내침, 안동 진무 대사(安東鎭撫大使)로 임명되어 매초성(買肖城) 곧 지금의 양주(楊州)에 주둔하였으나 신라군의 공격으로 군마(軍馬) 3만여 필(匹)을 버리고 패주함.

이:글〔eagle〕 명 〖조〗 독수리.

이글-거리다 자 자꾸 이글이글하다.

이글-대다 자 이글거리다.

〈이글루〉

이글루〔igloo〕 명 ①얼음과 눈 덩어리로 만든, 지붕이 둥근 에스키모 사람들의 집. ②이글루형의 건물.

이글-이글〔—/—리—〕 부 ①불꽃이 어른어른하며 불이 잘 타오르는 모양. ¶～ 피는 숯불. ②얼굴이 붉어지는 모양. ――-하다 형 여불

이금[1]【耳金】 명 귓쇠❶.

이금[2]【弛禁】 명 금령(禁令)을 늦추어 놓음. ――-하다 자 여불

이:금[3]【利金】 명 ①이익으로 남은 돈. 이익금. ②이자(利子) 금전. 이전(利錢). 이은(利銀). 길미.

이금[4]【泥金】 명 아교 풀에 갠 금박(金箔) 가루. 서화(書畫)에 사용함. 금니(金泥).

이금[5]【釐金】 명 〖역〗 이금세(釐金稅).

이금[6]【而今】 부 이제 와서. 이금에.

이:-금-당【已今當】 명 〖불교〗 과거·현재·미래의 통칭.

이:-금룡【李錦龍】〔—뇽〕 명 〖사람〗 배우. 서울 출생. 조선 배우 학교 고등과를 졸업함과 동시에 영화계에 투신하여 ≪사랑을 찾아서≫·≪아리랑(후편)≫·≪한강≫·≪신개지≫ 등에 출연함. 성격 배우로서 개성이 강한 연기를 펼쳐 한국 영화 초창기에 많은 공헌을 함. [1906-55]

이금-세【釐金稅】 명 중국에서, 장발적(長髮賊)의 난(亂) 이후에 실시된 국내 관세(國內關稅). 성내(省內)를 통과하는 상품에 상품 가격의 백분지 일을 부과하였음. 1931년에 폐지됨. 이금(釐金). 이세(釐稅).

이금-에【而今—】 부 이제 와서. 이금(而今).

이금 이:후【而今以後】 명 자금 이후(自今以後).

이:급[1]【二級】 명 ①두 개의 등급. ②제2위의 등급. ¶～품.

이:급[2]【裡急·裏急】 명 〖한의〗 ①↗이급 후중(裡急後重). ②설사를 쭉쭉 심하게 하고 창자가 뒤틀리면서 아픈 증세. ――-하다 형 여불

이:급 공무원【二級公務員】 명 〖법〗 ①전에, 공무원 직계(職階)에 있어서 제2급인 공무원. 이사관·기감(技監)·총영사(總領事) 등이 이에 해당하였음. ②공무원 직급의 하나. 1급 공무원의 아래, 3급 공무원의 위로, 이사관(理事官) 등이 이에 해당함.

이:급 비:밀【二級秘密】 명 국가 기밀 분류의 하나. 누설되는 경우 국가 안전 보장에 막대한 지장을 초래할 우려가 있는 비밀. *비밀·일급 비밀·삼급 비밀.

이:급-선【二級船】 명 선박 검사 규정에 의하여 이급(二級)에 속하는 선체(船體).

이:급 선:거【二級選擧】 명 〖정〗 등급 선거(等級選擧)의 한 가지. 납세액(納稅額)에 따라 선거인(選擧人)을 2 등급으로 나누어 각 등급으로부터 같은 수의 의원(議員)을 선거하는 제도.

이:급 선:거제【二級選擧制】 명 〖정〗 이급 선거에 의한 선거 제도. 준 이급제(二級制).

이:급-제【二級制】 명 〖정〗↗이급 선거제.

이:급-증【裡急症·裏急症】 명 〖한의〗 이급 후중(裡急後重)의 증세.

이:급 후:중【裡急後重·裏急後重】 명 〖한의〗 대변을 자주 보게 되나 배변(排便)이 잘 안 되고 본 후에는 항문(肛門)의 가장자리와 아랫배가 아픈 증세. 대장염·적리(赤痢) 등의 환자에서 볼 수 있음. 준 이급(裡急). ――-하다 형 여불

이긋 부 〈옛〉 느긋하게. 넉넉하게. ¶뎌 말 못ᄒᆞᄂᆞᆫ 즘승들흘 먹이기를 이긋 못ᄒᆞ니(那不會說話的頭口們喂不到) ≪朴解 上 21≫.

이:-긍익【李肯翊】 명 조선 영조(英祖)·정조(正祖) 시대의 저술가. 자는 장경(長卿). 호는 연려실(燃藜室). 전주(全州) 사람. 광사(匡師)의 아들. 소론(少論)의 집안으로 노론(老論)에 의해 가족이 많은 화를 입었음. 정제두(鄭齊斗)를 이은 양명학(陽明學) 학자로 글씨에도 능하였으며, 저서는 거듭되는 귀양살이에 대부분 유실되고 ≪연려실 기술(燃藜室記述)≫만이 남음. [1736-1806]

이긔다 타 〈옛〉 이기다. ¶勝은 이긜씨라 ≪月序 8≫/그 後에사 외니 올ᄒᆞ니 이긔니 계우니 ᄒᆞᆯ 이리 나니라 ≪月釋 1:42≫/죽음을 이긔고 다시 사시네≪찬양가:19≫.

이:기[1]【二氣】 명 〖철〗 음양(陰陽)❶.

이:기[2]【二期】 명 ①두 기간. ¶회장을 ～ 동안 맡아 하다. ②1년을 두 기간으로 나누는 일. 또, 그 기간. ¶～제(制). ③봄·가을 1년에 두 번.

이:기[3]【二機】 명 〖악〗 국악에서, 두 틀 형식의 음악. *일기(一機)·삼기(三機).

이:기[4]【利己】 명 자기 한 몸의 이익만을 꾀함. ¶～심(心). ↔이타(利他).

이:-기[5]【李芑】 명 〖사람〗 조선 명종(明宗) 때의 상신(相臣). 자(字)는 문중(文仲), 호는 경재(敬齋). 덕수(德水) 사람. 재주가 있었으나 명종 원년(1546)에 영의정이 되자, 윤원형(尹元衡)과 결탁하여 을사 사화(乙巳士禍)를 일으켜 선비들에게 화를 입힘. 윤원형과 함께 이흉(二凶)이라 불림. [1476-1552]

이:-기[6]【李沂】 명 〖사람〗 조선 말의 학자·항일 투사. 자는 백증(伯曾), 호는 해학(海鶴). 고성(固城) 사람. 전라 북도 만경(萬頃) 출생. 정약용(丁若鏞)의 학통을 계승함. 대한 자강회(大韓自強會)를 조직, 민중 계몽과 항일 운동에 전력하고 1907년 을사 오적신(乙巳五賊臣)의 암살을 결행했으나 실패, 진도(珍島)에 유배되었음. [1848-1909]

이:기[7]【利器】 명 ①썩 잘 드는 연모. 아주 날카로운 병기(兵器). ↔둔

기(鈍器)❶. ②편리한 기구. 이용할 만한 기계. ¶문명의 ~. ③쓸모 있는 재능. ④자유로 처치할 수 있는 권력.

이:기[8]【理氣】명 ①〖철〗 송유(宋儒)의 설(說)에서 우주를 이루는 근본의 이(理), 곧 태극(太極)과 그것으로부터 나온 음양(陰陽)의 기(氣). 본체(本體)의 이(理)와 현상(現象)의 기(氣). ②〖민〗 성상 방위(星象方位)를 보고 길흉(吉凶)을 점치는 일.

이:기[9]【理驥】명〖역〗조선 시대 사복시(司僕寺)의 종팔품 잡직(雜職).

이:기[10]【異氣】명 ①이상한 하늘의 김새. 괴변(怪變)의 전조(前兆)라고 함. ②보통과 다른 기질. ③이종(異種).

이기[11]【彝器】명 나라의 의식(儀式)에 쓰이는 제기(祭器).

이:-기[12]【E機】명〔electronics equipped plane〕〖군〗미군(美軍) 군용기(軍用機) 기종(機種)의 하나. 특별 전자 장치기(特別電子裝置機).

이기[13]【是只】조〈이두〉이기에.

이:-기경【李基慶】명〖사람〗조선 정조(正祖)·순조(純祖) 때의 문신. 자는 휴길(休吉), 호는 척암(瘠菴). 병조 정랑(兵曹正郞)·이조 좌랑(吏曹佐郞) 등을 역임하면서 천주교 탄압에 앞장섰으며 여러 번 유배(流配)되기도 했음. 천주교를 공격하기 위해 편찬한 《벽위편(闢衛編)》이 있음. [1756-1819]

이기다[1] 자타〔중세: 이긔다〕①싸워서 적을 쳐부수다. ¶전쟁에 ~. ②우열(優劣)·승부(勝負) 등을 겨루어 상대자를 지게 하다. ¶청(靑)팀을 ~. ③억제하기 힘든 일을 애써서 억누르다. 극복하다. ¶자기를 이겨 내다/유혹을 ~. ④'가누다' '바로 가지다'의 뜻으로 쓰이는 말. ¶고개도 못 이기는 어린 아이.
[이기는 것이 지는 것] 끝까지 버티는 것이 좋지 않으니 빨리 지는 체하고 그만두는 것이 상책이라는 말. [이기면 충신 지면 역적] 강한 자가 정의(正義)로 됨을 비유하는 말.

이기다[2] 타 ①흙이나 가루 같은 것에 물을 부어 반죽하다. ②칼로 두드리어 잘게 짓찧다. ¶고기를 ~. ③빨래 같은 것을 이리저리 뒤치며 두드리다.

이:기 본위【利己本位】명 자기 이익의 추구(追求)만을 중심으로 하여 사물(事物)을 생각하는 태도.

이:-기붕【李起鵬】명〖사람〗정치가. 호는 만송(晩松). 서울 출생. 연희 전문 학교를 중퇴, 미국으로 건너가 고학으로 아이오와 주(州) 데이버 대학을 졸업함. 해방 후, 이승만(李承晩)의 비서로 정계에 투신, 자유당(自由黨)을 창당하고 서울 특별시장·국방부 장관·민의원 의장 등을 역임. 1960년 부정 선거를 강행하여 부통령에 당선되었으나, 4·19 의거로 국민의 규탄을 받아 자결하였음. [1896-1960]

이:기-설[1]【利己說】명〖윤〗자기의 이해(利害)·쾌락(快樂)을 위주로 하는 학설.

이:기-설[2]【理氣說】명〖철〗중국 송(宋)나라의 정이천(程伊川)에서 비롯하여 주자(朱子)에 의해서 계승 발전된 이기 이원(理氣二元)의 형이상학설(形而上學說). 태극(太極) 곧 이(理)는 음양(陰陽) 곧 기(氣)나 오행(五行) 곧 질(質)을 초월하는 것이 아니고 내재(內在)하며, 질(質)을 포함한 이기(理氣)의 결합에 의해서 만물이 생성한다고 설명함. 이기 이원설(理氣二元說).

이:기-심【利己心】명 자기의 이익만을 꾀하고 남을 돌보지 아니하는 마음. 애기심(愛己心).

이:-기영【李箕永】명〖사람〗소설가. 충남 천안(天安) 출생. 호는 민촌(民村). 일본 도쿄 세이소쿠 영어학교(東京正則英語學校) 중퇴. 1924년 잡지 개벽(開闢)의 현상 문예에 《오빠와 비밀 편지》가 3등으로 당선되어 문단에 데뷔함. 카프(KAPF) 맹원으로, 대표작은 단편 《민촌(民村)》, 중편 《서화(鼠火)》, 장편 《고향》·《신개지(新開地)》 등 주로 농촌(農村)을 무대로 한 작품임. [1896-1984]

이:기 이:원설【理氣二元說】명〖철〗이기설(理氣說). ↔이일원론(理一元論).

이:기-작【二期作】명〔second crop〕〖농〗같은 경작지에서 1년 2회 같은 작물, 주로 벼를 경작하는 재배 형식. 1년 3회 재배하는 것을 3기작이라 하는데, 한국의 경우 벼는 생육 기간이 짧아 2기작의 경제성이 약해 실시되지 않으며 밭작물에서는 2기작의 재배가 많음. ＊이모작(二毛作).

이:기-적【利己的】명관 제 한 몸의 이익만 차리는 모양.

이:기-주의【利己主義】[-/-이] 명 ①〔egoism〕〖윤〗자기의 이해(利害)만을 행위의 규준(規準)으로 삼고 사회 일반의 이해는 염두에도 두지 않는 주의. 내용적으로, 쾌락설과 개인적 공리설(功利說)의 두 가지가 있음. 애기주의(愛己主義). 자애주의(自愛主義). 자기주의(自己主義). 주아주의(主我主義). ↔이타주의(利他主義). ②남을 돌보지 않고 제 이익만 차려 멋대로 행동하는 일. 개인주의.

이:기주의-자【利己主義者】[-/-이-] 명 자기의 이익만을 꾀하는 사람. 애기자(愛己者). 에고이스트.

이:기주의-적【利己主義的】[-/-이-] 명관 이기주의의 요소가 있는 모양.

이기죽-거리다 자 지저분한 말을 능청맞게 지껄이다. ¶농탕치듯 ~. >야기죽거리다. 준이죽거리다. **이기죽-이기죽** 부. **──-하다** 자 ㄴ여불

이기죽-대다 자 이기죽거리다.

이기죽-부리다 자 ☞이기죽거리다.

이:-기증【異嗜症】[-쯩] 명〖의〗이미증(異味症).

이:-기축【李起築】명〖사람〗조선 인조(仁祖) 때의 공신(功臣). 초명은 기축(己丑), 자는 희열(希說). 효령 대군(孝寧大君)의 8세손. 반정(反正) 때 공으로 정사(靖社) 공신 3등에 책록되었고, 병자 호란(丙子胡亂) 때 어영 별장(御營別將)으로 남한산성(南漢山城)에서 공을 세워 완성군(完城君)에 피봉됨. [1589-1645]

이:기-한【利己漢】명 남달리 이기심이 강한 사람에 대한 낮춤말.

이:기 합일【理氣合一】명〖철〗이(理), 곧 태극(太極)은 기(氣)의 근본으로 음양(陰陽)의 기(氣)는 이(理)의 운용(運用)에 지나지 아니하므로 오직 이름만 다를 뿐 그 근원은 하나라는 설. 중국 명(明)나라 왕양명(王陽明)의 소설(所說)임.

이:기 호:발설【理氣互發說】[-썰] 명〖철〗성리학의 심성론(心性論)에서 정(情)에 속하는 사단(四端)과 칠정(七情)을 각각 이(理)의 발현과 기(氣)의 발현으로 구분하는 이황(李滉)의 주장.

이곧이곧ㅎ다 형〈옛〉이러이러하다. ¶이곧이곧ᄒ시니(如是如是)《金剛 下 137》.

이까-나무 명〈방〉이깔나무.

이까래 명〈방〉고삐(경남).

이까리 명〈방〉고삐(경상).

이-까지로 부 고작 이만한 정도로. >요까지로. ＊고까지로·조까지로.

이-까짓 관 고작 이 정도밖에 안 되는. ¶~ 일/~ 물건. >요까짓. 준이깟. ＊고까짓·조까짓.

이깔-나무 [-라-] 명〖식〗[*Larix olgensis* var. *coreana*] 소나뭇과의 낙엽침엽 교목. 높이 35m 가량. 잎은 바늘 모양으로 산생(散生) 또는 총생(叢生)함. 5월에 황갈색 꽃이 자웅 일가(雌雄一家)로, 수꽃이삭은 긴 타원형, 암꽃이삭은 넓은 달걀꼴로 핌. 과실은 구과(毬果)임. 깊은 산이나 고원에 나는데, 강원도·함경도·중국 북부·만주에 분포함. 건축·전주(電柱)·침목(枕木)으로 쓰임. 잎갈나무. 적목(赤木). 취음(取音):익가 ㄴ목(益佳木).

이깜 명〈방〉미끼(경남).

이깝 명〈방〉미끼(경기·충남·전라·경남). ¶고기는 ~에 물리고 사람은 욕심에 죽는다는 언격이 있소《作者未詳: 金의 錚聲》.

이깟 관 ↗이까짓. ¶~ 일에 뭘 그러니.

이깨[1] 명〈방〉〖식〗이끼[1](전남·경상).

이깨[2] 명〈방〉어깨(경상).

이껄다 타〈방〉이끌다(경상).

이껄리다 피동〈방〉이끌리다(경상).

이껍 명〈방〉미끼(제주).

이께 명〈방〉이끼[1](전남·경남).

이-꾸러기 명 몸에 이가 썩 많은 사람을 놀리어 일컫는 말.

이끄 감〈방〉이끼[4].

이끄나 감〈방〉이끼나.

이끌다 타〔중세: 잇다. 근대: 잇글다〕①앞잡이를 서서 남을 따라오게 하다. ②약하거나 무지한 사람을 보다 나은 길로 나아갈 수 있도록 길잡아 주다. 준끌다.

이끌리다 피동 이끎을 당하다.

이끎-꼴 [-끔-] 명〖언〗'청유형(請誘形)'의 풀어 쓴 이름.

이끎-법【-法】[-끔뻡] 명〖언〗'청유법(請誘法)'의 풀어 쓴 이름.

이끎-음【-音】[-끔-] 명〔leading note〕〖악〗으뜸음의 반음(半音) 아래의 음. 곧, 음계(音階)의 제7음으로 으뜸음에 이끄는 음임. 보통 장음계·단음계의 제7음. 도음(導音).

이:-끗【利-】명 재물의 이익이 되는 실마리. ¶성미의 소탈한 것이 그 형의 악착한 것과 달라서 그 형과 같이 ~을 밝히지 아니하므로…《洪命意: 林巨正》/ ~을 노리다.

이끼[1] 명〔중세: 잇, 잇〕〖식〗선류(蘚類)·태류(苔類)·지의류(地衣類)에 속하는 은화 식물(隱花植物)의 총칭. 대체로 잎과 줄기의 구별이 분명하지 않고 고목(古木)이나 돌, 습한 곳에 남. 매태(莓苔). 선태(蘚苔). 태선(苔蘚).

이끼[2] 명〈방〉어깨(경북).

이끼[3] 감 ↗이끼나.

이끼-고사리 명〖식〗[*Stenoloma chusanum*] 참고사릿과에 속하는 다년생 상록 양치류(羊齒類). 뿌리와 줄기는 경질(硬質)이고, 잎은 총생(叢生)하며 길이 10-40cm임. 잎은 타원상 피침형이며 대개 사회 우상(四回羽狀)으로 가늘게 째지고, 다소 혁질(革質)임. 세소한 자낭(子囊)이 각 열편(裂片)의 끝에 한두 개씩 붙으며 포막(胞膜)은 대개 반원형(半圓形)으로 되어 앞 쪽만 넓게 열림. 산지(山地)에 나는데, 제주도에 분포함.

〈이끼고사리〉

이끼나 감 갑자기 놀라 급히 물러설 듯이 지르는 소리. 준이끼.

이끼벌레-류【-類】명〖동〗[Bryozoa] 수생(水生)의 착생성(着生性) 무척추 동물의 한 그룹으로, 촉수 동물(觸手動物)의 한 강(綱). 독립된 문(門)으로 분류되기도 함. 튼튼한 외골격(外骨格)이 있는 군체(群體)를 이루고 있음.

이끼-야【-也】명〔'이끼'는 옛말로, 조사(助詞)의 뜻인 '입겻'의 변한 말〕어조사(語助辭)로 쓰이는 한자(漢字) '야(也)'의 훈(訓)과 음(音)을 아울러 읽은 말. ＊이끼언.

이끼-언【-焉】명〔'이끼'는 옛말로, 조사(助詞)의 뜻인 '입겻'의 변한 말〕어조사(語助辭)로 쓰이는 한자(漢字) '언(焉)'의 훈(訓)과 음(音)을 아울러 읽은 말. ＊이끼재·이끼야.

이끼-재【-哉】명〔'이끼'는 옛말로, 조사(助詞)의 뜻인 '입겻'의 변한 말〕어조사(語助辭)로 쓰이는 한자(漢字) '재(哉)'의 훈(訓)과 음(音)을 아울러 읽은 말. ＊늘호·이끼야·이끼언.

이낑이 명〈방〉〖식〗이끼(경남).

이나[1] 조 받침 있는 말에 붙는 보조사. ①여럿을 나열하거나 비교하는 데 씀. ¶당신~ 나나 같은 평사원이다/이긴 사람~ 진 사람~ 다 훌륭했다. ②여러 사물 가운데서 가볍게 하나를 예로 들어 보이거나 선택하는 뜻을 나타냄. ¶다 그만두고 책~ 읽지/잔말 말고 이것~ 받게. ③강조하거나 조건을 붙이거나 양보하는 뜻을 나타냄. ¶제 할 일~ 할 것

이지 / 말~ 잘 듣는다면야 / 깡패들~ 할 짓이지. ④수량이 예상되는 정도를 넘거나 한도에 이르렀음을 나타냄. ¶벌써 다섯 명~ 모였다 / 한 개에 만 원씩~ 주고 사다니. ⑤많지는 않으나 있음을 나타냄. ¶돈푼~ 있다 / 밥술~ 먹는다 / 책권~ 읽었다. 주의 수량의 단위나 정도를 나타내는 말 뒤에 쓰임. *나⁹.

이나²【是乃】조 〈이두〉 이나.

-이나 미 받침 있는 부사(副詞) 뒤에 붙어 새로운 부사를 만들거나, 강조의 뜻을 나타내는 접미사. ¶가뜩~ 골치가 아픈데 / 그 일은 무척~ 힘들었다 / 산만큼~ 크더라. *-나¹.

이나-따나 조 〈방〉 이나마.

이-나마¹ 부 이것이나마. 이것이라도. ¶~ 돈벌이라고 매일 꾸부리고 하네 / ~ 없으면 큰일나지. >요나마. *그나마·저나마.

이나마² 조 받침 있는 체언에 붙어, 부족하나마 아쉬운 대로 함을 나타내는 보조사. ¶가난하거든 몸~ 성해야지 / 그 사람~ 있어 줘야지. *나마⁷.

이나와시로 호【一湖】〔猪苗代 : いなわしろ〕명 〖지〗 일본 후쿠시마 현(福島縣) 중앙부, 반다이 산(磐梯山)의 남쪽 기슭에 있는 언색호(堰塞湖). 아가노 강(阿賀野川)의 수원(水源). 호면 해발(湖面海拔) 514 m. 둘레 51 km. 최심부 94.6 m. [104.8 km²]

이:난【二難】명 ①두 가지의 얻기 힘든 것. 즉, 어진 임금과 훌륭한 빈객(賓客). ②우열(優劣)을 가리기 어려운 두 사람. 곧, 현명한 형제를 이름. ③두 가지 어려운 일.

이:-난영【李蘭影】명 〖사람〗 대중 가요 여가수. 본명은 이옥례(李玉禮). 목포(木浦) 출신. 16세 때부터 가극단(歌劇團)을 따라 순회 공연을 하던 중 1934년 《목포의 눈물》을 불러 가요계의 새 별로 등장함. 1936년 김해송(金海松)과 결혼. 《목포는 항구다》 등을 불러 블루스의 여왕이라는 명성을 얻음. 광복 후 KPK 악단(樂團)을 몸소 운영하기도 했음. [1916-65]

이-날 명 바로 오늘. 또, 일정한 날을 특히 지정하여 일컫는 말. >요날. 【이날 춤추기 어렵다】 간섭이 많아 어떻게 해야 할지 모르겠다는 뜻. 이날 이때까지 구 '오늘에 이르기까지'의 강조어. ¶~ 고생만 시키다. >요날 요때까지.

이날 저날 명부 ①차일 피일(此日彼日). ¶독촉을 해도 ~ 자꾸 미루기만 한다. >요날 조날. ②특히, 바람직하지 않은 종말이 멀지 않은 모양. ¶명(命)이 ~하다. ——하다 자여불

이:-날치【李捺致】명 〖사람〗 조선 시대 말의 광대·명창. 자는 경숙(敬淑). 담양(潭陽) 사람. 박유전(朴裕全)의 문하에서 연구, 그의 법제를 계승하여 헌종·철종·고종 3대에 걸친 서편제(西便制)의 수령이 됨. 기예가 비범하고 성량(聲量)이 거대하여 각종 고전가(古典歌)에 정통하였는데 특히 춘향가와 심청가를 잘 불렀음. 생몰년 미상.

이:남【以南】명 ①어떤 한계로부터의 남쪽. ②〈속〉 우리나라에서 북위(北緯) 38도선 또는 휴전선보다 남쪽을 가리키는 말. 남한(南韓). 1)·2):↔이북(以北).

이남-박 명 쌀 같은 것을 일 때에 쓰는 함박. 안턱에 이가 서게 여러 줄로 돌려 판 나무 그릇임.

〈이남박〉

이남아【是餘良】조 〈이두〉 이나마.

이-남청【李嵐淸】명 〖사람〗 '리 란칭'을 우리 음으로 읽은 이름.

이내¹ 명 해질 무렵 멀리 보이는 푸르스름하고 흐릿한 기운. 남기(嵐氣). *안개.

이:내²【二內】명 〖역〗 내금위 이번(內禁衛二番)의 준말. 금군 칠번(禁軍七番)의 하나.

이:내³【以內】명 일정한 범위의 안. 시간과 공간에 다 쓰임. ↔이외(以外).

이:-내⁴ 관 '나의'의 힘줌말. ¶애타는 ~ 가슴.

이내⁵ 부 ①그때에 곧. 지체함이 없이 바로. ¶~ 와야 해. ②그때의 형편대로 내처. ¶헤어진 지 삼 년, ~ 소식을 모르고 지낸다.

이내-골【一骨】명 〈속〉 후골(喉骨).

이-내몸 명 '나의 몸'을 강조하여 이르는 말.

이내사【是乃沙】조 〈이두〉 이라야.

이내 소명【耳內騷鳴】명 〖의〗 체내에 생기는 음향이 들리는 병적 상태. 외이도(外耳道) 안에서 귀지 같은 것이 움직이는 소리. 중이(中耳) 안의 근육이나 구개(口蓋) 근육의 경련에 의한 근육 잡음(筋肉雜音) 또는 동맥·정맥의 혈류(血流)에 의한 혈관성 잡음(血管性雜音) 등이 음원(音源)이 됨.

이-냥 부 이대로 내처. 이 현상 그대로. ¶은영은 그 곳에 들어갈 수도 없고 ~ 돌쳐서 버릴 수도 없었다《張德祚 : 누가 죄인이냐》 / ~ 살 수는 없다. >요냥. *고냥·조냥·저냥.

이냥-저냥 부 이 모양 저 모양으로. ¶~ 살아간다. >요냥조냥.

이너〔inner〕명 축구에서, 제일선의 다섯 사람 중 센터 포워드와 윙 중간 자리의 선수. 왼쪽을 레프트 이너, 오른쪽을 라이트 이너라 함.

이너 라이프〔inner life〕명 내적 생활. 정신 생활.

이너 캐비닛〔inner cabinet〕명 〖정〗 내각(內閣) 중의 내각. 곧, 내각에서 이를 실질적으로 지도하는 소수의 유력한 각료(閣僚)로 이루어진 내각. 영국 내각의 운영 상의 필요에 의하여 발안한 일종의 각료 협의회. 전쟁 또는 비상시에 신속한 처리를 필요로 할 때 이 내각이 십의 결정함. 각내(閣內) 내각. 소수(少數) 내각.

이-네 인대 이 무리의 사람. ¶~가 언제 다시 오려나.

이네-들 인대 이 무리의 사람들.

이녁¹ 명 〈옛〉 이녘. 이편. 이쪽. ¶生死는 이넉 マ시오 《月釋 Ⅱ:25》.

이녁² 인대 ①하오할 사람을 마주 대하여 자기를 낮추는 말. ¶~의 말 / ~은 그렇게 말한 적이 없소. ②하오할 사람을 마주 대하여 '그대'의 뜻으로 부르는 말.

이-년 一감 상대방 여자를 향해 욕되게 호령하는 소리. ¶~ 저년 하고 싸운다. >요년. 二인대 바로 앞에 있는 여자를 욕되게 이르는 말. >요년. *고년·조년.

이:년-과【二年果】명 〖식〗 정받이한 그 해에 익지 않고 다음 해에 가서 익는 열매. 소나뭇과의 꽃과 이 밖에 나자(裸子) 식물에서 볼 수 있음. 월년과(越年果).

이:년-근【二年根】명 〖식〗 이년생근(二年生根).

이:년 삼작【二年三作】명 〖농〗 2년에 걸쳐서 세 번 농사를 짓는 일. 일모작(一毛作)과 이모작(二毛作)의 중간의 농작 형태임.

이:년-생【二年生】명 ①〖식〗 두 해에 걸쳐서, 싹이 터서 자라다가 열매를 맺고 죽는 일. 또, 그러한 식물. 월년성(越年性). ②학교에서, 2학년 된 학생이나 생도. ③식물·동물에서, 난 지 2년 되는 것. ¶~ 소나무 / ~ 젖소.

이:년생-근【二年生根】명 〖식〗 이년생 식물의 뿌리. 이년근(二年根).

이:년생 식물【二年生植物】명 〖식〗 이년생의 식물(植物). 월년생(越年生) 식물.

이:년생 초본【二年生草本】명 〖식〗 당년에 발아(發芽)하여 겨울을 넘기고, 그 이듬해 성장하여 개화·결실한 후 말라 죽는 풀. 평지·보리 같은 것이 이에 속함. 월년생(越年生) 초본.

이:념【理念】명 〖철〗 ①이성(理性)에 의해 얻어지는 최고의 개념(槪念). 칸트(Kant)에서는 경험을 초월하는 개념, 즉 신·자유 및 죽음을 말함. 이데아. 이데. 이성 개념(理性槪念). ②관념(觀念)❹.

이:념-가【二念歌】명 〖악〗 이념시(二念詩).

이:념-시【二念詩】명 〖악〗 당악 정재(唐樂呈才)인 육화대(六花隊)에서 두 번째로 부르는 창사(唱詞). 이념가(二念歌).

이녕【泥濘】명 진창¹.

이노리-나무 명 〖식〗〔*Sinomalus komarovi*〕 능금나뭇과에 속하는 낙엽 활엽 관목. 잎은 3-6 갈래의 장상엽(掌狀葉)이고, 4월에 흰 꽃이 산방(繖房) 화서로 정생(頂生)하여 피고, 가을에 이과(梨果)가 붉게 익음. 깊은 산중턱에 나는데, 경북·평북·함경도에 분포함. 우리 나라 특산종이며 관상용(觀賞用)으로 심음.

이노베이션〔innovation〕명 〖경〗〔'혁신(革新)'의 뜻〕 기술 혁신. 슘페터(Schumpeter)가 제창한 경제 발전의 기본 동인(基本動因)임. 이에 해당하는 것으로서 기업자의 창조적 활동에 의한 새로운 제품의 생산, 새로운 생산 방법의 도입, 새 판로의 개척, 새 자원(資源)의 점유(占有), 새 조직(組織)의 달성 등을 들고 있음.

이노센트 삼세【一三世】〔Innocent Ⅲ〕명 〖사람〗 로마 교황(敎皇). 프랑스 왕 필립(Philip) 2세를 파문(破門), 영국 왕 존(John)과 싸워이를 굴복시키고, 십자군(十字軍)을 일으키는 등 교권(敎權)의 절정기를 이루었음. [1161-1216 : 재위 1198-1216]

이노시톨〔inositol〕명 〖화〗 이노지트(Inosit).

이노신-산【一酸】명〔inosinic acid〕〖화〗 퓨린 뉴클레오티드(purine nucleotide)의 일종. 근육의 성분으로 아데닐산(酸)의 탈(脫)아미노화(化)에 의해서 생성(生成)함. 히포크산틴(hypoxanthine)·리보오스·인산(燐酸) 각 1분자로 이루어지며, 물에 녹고, 알코올에 의하여 침전(沈澱)함. [$C_{10}H_{13}N_4O_8P$]

이노신산 나트륨【一酸一】명〔sodium inosinate〕〖화〗 독특한 감칠맛이 있는 무색 또는 백색의 결정. 물에 잘 녹으며, 단독 또는 글루타민산 나트륨과 섞어 조미료로 쓰임. 고등어 따위의 살에서 추출하며, 또 효모 핵산의 분해에 의해 분리됨.

이노우에 가쿠고로〔井上角五郎 : いのうえかくごろう〕명 〖사람〗 일본의 언론인. 조선 고종(高宗) 20년(1883) 외무 아문(外務衙門) 고문이 되어, 최초의 신문인 순한문판 '한성 순보(漢城旬報)'를 박문국(博文局)에서 창간, 갑신 정변 실패 후에 귀국했다가 1885년 일본시사 신보(時事新報) 통신원 자격으로 다시 조선에 와서, 그 이듬해 국한문 혼용(國漢文混用)으로 '한성 주보(漢城週報)'를 발간하였음. [1860-1938]

이노우에 가오루〔井上馨 : いのうえかおる〕명 〖사람〗 일본의 정치가. 1863년 이토 히로부미(伊藤博文)와 함께 영국에 유학, 관계·실업계에 종사하다가, 조선 고종 12년(1875) 전권 대사(全權大使)로서 강화도 조약(江華島條約)을 맺고, 고종 21년(1884) 갑신 정변(甲申政變) 때의 일본측 피해 보상을 요구하며 한성(漢城) 조약을 체결함. 뒤에 외무 대신·내무 대신·대장(大藏) 대신 등을 역임하여 일본 정계·재계의 원로(元老)가 됨. [1835-1915]

이노지트〔도 Inosit〕명 〖화〗 환상(環狀)의 6가(價) 알코올. 동물체(動物體) 속에 존재하며, 식물에서는 유리(遊離) 또는 인산 에스테르의 형태로 함유되어 있음. 많은 미생물의 발육을 촉진하며, 의약으로서 동맥 경화·지방간(脂肪肝) 예방에 1일 0.5-2g, 치료에 1일 3g 이상을 내복(內服)함. 이노시톨(inositol). [$C_6H_6(OH)_6 \cdot 2H_2O$]

이노케라무스〔라 inoceramus〕명 〖조개〗 연체 동물(軟體動物)의 부족류(斧足類)에 속하는 쥐라기(Jura紀)·백악기(白堊紀)의 화석(化石). 껍질은 둥글거나 세로로 긴데, 표면에는 고리 모양의 줄이 있으며, 이는 없음. 백악기의 지층(地層)에서 많이 남.

이-놈 一감 상대방 사내를 향해 욕되게 호령하는 소리. >요놈. 二인대 지대 바로 앞에 있는 사내나 어떤 물건 따위를 얕잡아 욕되게 또는 귀엽게 이르는 말. >요놈. *그놈·저놈.

이농【離農】명 농사짓는 일을 그만두고 농촌을 떠남. 농민 이촌(離村). ¶~ 현상. ——하다 자여불

이농-가【離農家】명 이농하는 사람. 또, 그 집.

이농 문:제【離農問題】명 〖사〗 농민이 농업 생산에서 이탈하는 현상에 관한 문제. 경제의 고도 성장에 따라 농업·공업 사이, 농촌·도시 사이의 생산성과 소득 격차가 벌어짐으로써 농업에서 다른 산업으로 전업(轉業)하거나 겸업(兼業)하는 경향이 늘어, 농업 생산성이 줄고 정치·사회 문제화하는 일.

이농-민【離農民】명 이농한 농민.
이:뇌【貽惱】명 남에게 괴로움을 끼침. ——-하다 자여불
이뇌뉘〔İnönü, İsmet〕명〖사람〗터키의 정치가. 1921년 이뇌뉘 싸움에서 그리스군을 격파, 그 지명을 기념하여 그 성(姓)을 받음. 공화국 성립과 함께 수상(1923-24, 1925-37)이 되고, 케말 아타튀르크(Kemal Atatürk) 사후 대통령에 취임(1938-50), 제2차 세계 대전 중에는 중립 유지에 힘씀. 1961년 이후에도 수차 수상이 됨. [1884-1973]
이:뇨【利尿】명 오줌을 잘 나오게 함. ——-하다 자여불
이:뇨-제【利尿劑】명〔diuretic〕〖약〗이뇨(利尿)에 쓰이는 약제. 이뇨를 촉진하여 요량(尿量)을 증대시키는 작용이 있어, 심장 쇠약·신장병(腎臟病)·부종(浮腫) 등에 씀. 카페인· 아세트산(酸) 칼륨 · 이크르신 따위. 이수약(利水藥).
이누온【是臥乎】조〈이두〉인.
이누온들쓰아【是臥乎等用良】〈이두〉임으로써.
이누온일【是臥乎事】〈이두〉인 일.
이누온일이아금【是臥乎事是良事】〈이두〉인 일이라고.
이눌린〔inulin〕명〖화〗식물의 세포 속에 저장(貯藏) 물질로서 존재하는 탄수화물(炭水化物)의 일종. 우엉·뚱딴지 등의 뿌리에 다량으로 함유되어 있으며, 물에는 녹으나 알코올·글리세린 등에는 녹지 아니함. 수용액의 형태로서 존재하는데, 알코올로써 처리하면 아름다운 둥근 결정이 되며, 또 다른 처리 방법에 의해서 과당(果糖)으로 변함. 의학적으로는 신장(腎臟)의 사구체(絲球體) 여과 능력 시험에 쓰임.
이뉘 부〈방〉이내[5].
이:능【異能】명 특이한 재능. 남다른 재능.
이:-능화【李能和】명〖사람〗사학자. 자는 자현(子賢), 호는 간정(侃亭)·무능 거사(無能居士). 충북 괴산(槐山) 출생. 국문 연구소(國文硏究所) 위원, 한성 외국어 학교 학감(學監) 등을 지냄. 최남선(崔南善)과 함께 조선학(朝鮮學) 연구에 힘써, 원시 고대 종교와 그 신앙 및 불교 등의 한국 종교사 연구에 진력했음. 저서에 ≪조선 불교 통사≫·≪조선 무속고(巫俗考)≫·≪조선 해어화사(解語花史)≫·≪조선 기독교 급 외교사≫ 등이 있음. [1869-1945]
이니 조 받침 있는 체언에 붙어, 여러 사물을 열거할 때 쓰는 접속 조사. ¶ 밥~ 떡~ 다 있다. *니[7].
이니셔티브〔initiative〕명 ①솔선(率先). 기선(機先). 주도권(主導權). ¶ ~를 잡다. ②〖정〗발의권(發議權). 의안 제출권.
이니셜〔initial〕명 유럽어(語)에서, 고유 명사나 문장의 처음 글자. 또, 그 장식적(裝飾的) 문자. 머리 글자.
이니시에이션〔initiation〕명 미개인 사이에서, 청년 남녀에게 씨족(氏族) 또는 종교·주술 단체(呪術團體) 등의 성원으로서 가입될 자격(資格)을 주기 위하여 행하는 공공적인 행사나 훈련(訓練). 때때로 엄격한 고행(苦行)·시련(試鍊) 등이 수반됨. 성년식(成年式). 입단식(入團式). 입사식(入社式).
이니시에이터〔initiator〕명〖의〗암(癌)의 발생에 있어서, 먼저 세포(細胞)의 유전 물질(遺傳物質)을 변질(變質)케 하는 넓은 뜻의 발암 물질(發癌物質)의 하나. *프로모터(promoter).
이니이다 조〈옛〉입니다. 인 것입니다. ¶ 眞實로 우리 죵이니이다≪月釋 Ⅷ:94≫.
이닝〔inning〕명 야구에서, 양팀이 한 번의 공격과 한 번의 수비(守備)를 끝내는 동안. 즉, 1회(回). ¶ 라스트 ~.
이다[1] 자〈옛〉이루어지다. '일다[3]'의 ㄹ 탈락(脫落). ¶ 東征에 功이 몯 이나(東征無功)≪龍歌 41章≫/믈읫 字모로매 어우러사 소리 이ᄂᆞ니(凡字必合而成音)≪訓例≫.
이다[2] 타 머리 위에 얹다. ¶ 보따리를 이고 가는 아낙네들.
이:다[3] 타 기와나 볏짚 등으로 지붕 위를 덮다. ¶ 지붕을 ~. *지다.
이다[4] 타〈옛〉일다[4]. ¶ ᄡᆞᆯ 이다(淘米)≪譯語 上 48≫.
이다[5] 조 체언에 붙어서 사물을 지정하는 뜻을 나타내는 서술격 조사. 용언처럼 활용을 하며, 받침 없는 말에서, 특히 구어체에서는 어간 '이'가 생략되기도 함. ¶ 아메바는 동물~ / 이것은 책~ / 옛날엔 빈촌이더니 이젠 부촌이 됐다. *다[5].
이다[6] 조 ☞ 에[7]❹. ¶ 떡~ 술~ 실컷 먹었다.
-이-다 미 접미사 '-이-[2]'와 어미를 이루는 접미사 '-다'가 합친 말. ¶ 머리를 끄떡~.
이다【是如】조〈이두〉이다.
이다가【是如可·是多可·是如加】〈이두〉다가. 이었다가.
이다견늘【是如在乙】〈이두〉이라거늘.
이다견을【是如在乙】〈이두〉이라거늘.
이다고로【是如故】〈이두〉이다 하므로.
이다뿐아닌지【是如叱分不喩】〈이두〉이라는 뿐 아니니라.
이다삽다짐이고【是如白侤是遣】〈이두〉이라는 자백(自白)이고.
이다오되【是如乎矣】〈이두〉이라 하되.
이다오며【是如乎旀】〈이두〉이라 하며.
이다온【是如乎·是多乎】〈이두〉이라니. 이라는.
이다온바【是多乎所】〈이두〉이라는 바.
이다온지【是如乎喩】〈이두〉이라는지.
이다을지즈로【是如乙仍于】〈이두〉이라 하므로.
이-다음 명 뒤미치어 오는 때나 자리. 이번의 다음. ¶ ~에 만나면 혼내줘야지. >요다음. 준이담. *그다음.
이다이거늘【是如是去乙】〈이두〉이라 하거늘.
이다이견【是如是在】〈이두〉이라는.
이다이고【是如是遣】〈이두〉이라 하고.
이다이더니【是如是加尼】〈이두〉이라더니.
이다이되【是如是矣】〈이두〉이라 하되.
이다이두【是如是置】〈이두〉이라는 것이다.
이다이삽거늘【是如是白去乙】〈이두〉이라는 것이옵거늘.
이다이삽고【是如是白遣】〈이두〉이라 하옵고.
이다이삽다온【是如是白如乎】〈이두〉이다 하온다니. 이다 하온다는.
이다이삽더니【是如是白等尼】〈이두〉이다 하옵더니.
이다이삽두【是如是白置】〈이두〉이다 하옵다.
이다이삽오나【是如是白乎乃】〈이두〉이다 하오나.
이다이삽오되【是如是白乎矣】〈이두〉이다 하옵되.
이다이삽오며【是如是白乎旀】〈이두〉이다 하오며.
이다이삽온바【是如是白乎所】〈이두〉이다 하온바.
이다이삽온즉【是如是白乎則】〈이두〉이다 하온즉.
이다이삽제【是如是白齊】〈이두〉이다 하옵다.
이다이시거든【是如教是去等】〈이두〉이다 하옵거든.
이다이오되【是如是乎矣】〈이두〉이다 하되.
이다이오며【是如是乎旀】〈이두〉이다 하며.
이다이온들로【是如是乎等以】〈이두〉이다 하시므로.
이다이온바【是如是乎所】〈이두〉이다 하는 바.
이다이온즉【是如是乎則】〈이두〉이다 한즉.
이다이을고【是如是乎乙遣】〈이두〉이라는 것이고.
이다즉【是如則】〈이두〉이다 한즉.
이다지 부 이러한 정도로. 이렇게까지. ¶ ~ 친절한 사람은 못 보았다/~ 힘 들 줄이야. >요다지. *그다지·저다지.
이다지-도 부 '이다지'를 강조하는 말. ¶ ~ 서두를 게 뭐람. >요다지도.
이다하거늘【是如爲去乙】〈이두〉이다 하거늘.
이다하거든【是如爲去等】〈이두〉이다 하거든.
이다하거온【是如爲去乎】〈이두〉이다 하니.
이다하견【是如爲在】〈이두〉라 한.
이다하견과【是如爲在果】〈이두〉이다 하거니와.
이다하견다해【是如爲在如中】〈이두〉이다 한 때에. 이다 하였는데.
이다하견마리여【是如爲在而亦】〈이두〉이다 하였지마는.
이다하견을【是如爲在乙】〈이두〉이다 하거늘.
이다하견을안【是如爲在乙良】〈이두〉이다 하거들랑.
이다하고【是如爲遣】〈이두〉이다 하고.
이다하곤【是如爲昆】〈이두〉이다 하니.
이다하나【是如爲乃】〈이두〉이다 하나.
이다하누온들로【是如爲臥乎等以】〈이두〉이다 하므로.
이다하누온들쓰아【是如爲臥乎等用良】〈이두〉이다 하므로.
이다하누온바【是如爲臥乎所】〈이두〉이다 하는 바.
이다하누온일【是如爲臥乎事】〈이두〉이다 하는 일.
이다하누온일싼【是如爲臥乎事段】〈이두〉이다 하는 일은.
이다하다가【是如爲如可】〈이두〉이다 하다가.
이다하다온【是如爲如乎】〈이두〉이다 하니. 이다 하는.
이다하두【是如爲置】〈이두〉이라 하여도.
이다하든【是如爲等】〈이두〉이라 하든.
이다하며【是如爲旀】〈이두〉이다 하며.
이다하삽거늘【是如爲白去乙】〈이두〉이다 하옵거늘.
이다하삽거든【是如爲白去等】〈이두〉이라 하옵거든.
이다하삽거온【是如爲白去乎】〈이두〉이다 하오니.
이다하삽거을든【是如爲白去乙等】〈이두〉이다 하옵거든.
이다하삽견【是如爲白在】〈이두〉이라 하온.
이다하삽견과【是如爲白在果】〈이두〉이다 하옵거니와.
이다하삽견다해【是如爲白在如中】〈이두〉이다 하시었는데. 이다 하시었을 때에.
이다하삽고【是如爲白遣】〈이두〉이다 하옵고.
이다하삽곤【是如爲白昆】〈이두〉이다 하오니.
이다하삽누온【是如爲白臥乎】〈이두〉이다 하옵는. 이다 하오니.
이다하삽누온들로【是如爲白臥乎等以】〈이두〉이다 하오므로.
이다하삽누온들쓰아【是如爲白臥乎等用良】〈이두〉이다 하옴으로써.
이다하삽누온바【是如爲白臥乎所】〈이두〉이다 하옵는 바.
이다하삽다가【是如爲白如可】〈이두〉이라 하옵다가.
이다하삽다온【是如爲白如乎】〈이두〉이라 하옵는. 이라 하오니.
이다하삽두【是如爲白置】〈이두〉이리 하옵다.
이다하삽들로【是如爲白等以】〈이두〉이라 하오므로.
이다하삽빗거늘【是如爲白有去乙】〈이두〉이다 하시었거늘.
이다하삽빗거든【是如爲白有去等】〈이두〉이라 하시었거든.
이다하삽빗거온【是如爲白有去乎】〈이두〉이라 하시었으니. 이라 하온.
이다하삽빗견과【是如爲白有在果】〈이두〉이라 하시었거니와.
이다하삽빗곤【是如爲白有昆】〈이두〉이라 하시었으니.
이다하삽빗다온【是如爲白有如乎】〈이두〉이라 하시었다는. 이라 하시었다니.
이다하삽빗두【是如爲白有置】〈이두〉이라 하시었다.
이다하삽빗제【是如爲白有齊】〈이두〉이라 하시었다.
이다하삽사남아【是如爲白沙餘良】〈이두〉이라 하시었지만.
이다하삽아견늘【是如爲白良在乙】〈이두〉이라 하시었거늘.
이다하삽아견을【是如爲白良在乙】〈이두〉이라 하시었거늘.
이다하삽아두【是如爲白良置】〈이두〉이라 하여도.
이다하삽오나【是如爲白乎乃】〈이두〉이라 하오나.
이다하삽오되【是如爲白乎矣】〈이두〉이라 하옵되.
이다하삽오며【是如爲白乎旀】〈이두〉이라 하오며.
이다하삽온들로[1]【是如爲白乎等乙以】〈이두〉이라 하오므로. 이라 하

시었으므로.

이다하솗온들로[2]【是如爲白乎等以】〈이두〉 이라 하옴으로써.

이다하솗온바【是如爲白乎所】〈이두〉 이라 하온 바.

이다하솗온여해【是如爲白乎亦中】〈이두〉 이라 하시었는데. 이라 하시었을 때에.

이다하솗온즉【是如爲白乎則】〈이두〉 이라 하온즉.

이다하솗온지【是如爲白乎喩】〈이두〉 이라 하온지.

이다하솗올뿐안인지【是如爲白乎乙叱分不喩】〈이두〉 이라 하올 뿐 아니라.

이다하솗이며【是如爲白是旀】〈이두〉 이라 하오며.

이다하솗이시누온들【是如爲白有臥乎等】〈이두〉 ①이라 하온들. ②이라 하온줄.

이다하솗이시누온바【是如爲白有臥乎所】〈이두〉 이라 하온 바.

이다하솗이시눈바【是如爲白有臥所】〈이두〉 이라 하온 바.

이다하솗이시되【是如爲白有矣】〈이두〉 이라 하시었으되.

이다하솗이시며【是如爲白有旀】〈이두〉 이라 하시었으며.

이다하솗이신들로【是如爲白有等以】〈이두〉 이라 하시었으므로.

이다하솗이신즉【是如爲白有則】〈이두〉 이라 하시었은 즉.

이다하솗제【是如爲白齊】〈이두〉 이라 하옵다. 이라 하올지어다.

이다하야【是如爲】〈이두〉 이라 하여.

이다하야견늘【是如爲良在乙】〈이두〉 이라 하였거늘.

이다하오나【是如爲乎乃】〈이두〉 이라 하나.

이다하오되【是如爲乎矣】〈이두〉 이라 하되.

이다하오며【是如爲乎旀】〈이두〉 이라 하며.

이다하온들로【是如爲乎等以】〈이두〉 이라 하므로.

이다하온바【是如爲乎所】〈이두〉 이라 한 바.

이다하온즉【是如爲乎則】〈이두〉 이라 한 즉.

이다하올고【是如爲乎乙遣】〈이두〉 이라 하고.

이다하올지라두【是如爲乎乙喩良置】〈이두〉 이라 할지라도.

이다하이시나【是如爲有乃】〈이두〉 이라 하였으나.

이다하이시누온들로【是如爲有臥乎等以】〈이두〉 이라 하였음으로써.

이다하이시라두【是如爲有良置】〈이두〉 이라 하였더라도.

이다하이시며【是如爲有旀】〈이두〉 이라 하였으며.

이다하이시오되【是如爲有乎矣】〈이두〉 이라 하였으되.

이다하이신들로【是如爲有等以】〈이두〉 이라 하였으므로.

이다하이신즉【是如爲有則】〈이두〉 이라 하였은즉.

이다하잇거늘【是如爲有去乙】〈이두〉 이라 하였거늘.

이다하잇거든【是如爲有去等】〈이두〉 이라 하였거든.

이다하잇거온【是如爲有去乎】〈이두〉 이라 하였으니.

이다하잇거을든【是如爲有去乙等】〈이두〉 이라 하였거든.

이다하잇견과【是如爲有在果】〈이두〉 이라 하였거니와.

이다하잇견다해【是如爲有在如中】〈이두〉 이라 하였는데.

이다하잇곤【是如爲有昆】〈이두〉 이라 하였으니.

이다하잇누온바【是如爲有臥乎所】〈이두〉 이라 하였는 바.

이다하잇누온지【是如爲有臥乎喩】〈이두〉 이라 하였는지.

이다하잇다가【是如爲有如可】〈이두〉 이라 하였다가.

이다하잇다온【是如爲有如可】〈이두〉 이라 하였다는. 이라 하였다니.

이다하잇되【是如爲有矣】〈이두〉 이라 하였으되.

이다하잇두【是如爲有置】〈이두〉 이라 하였다.

이다하잇제【是如爲有齊】〈이두〉 이라 하였다.

이다하제【是如爲齊】〈이두〉 이라 하다. 이라 할지어다.

이다하트다【是如爲等如】〈이두〉 이라는 것 모두.

이다해【是如中】〈이두〉 인데. 인 때에.

이닥지 뮈 〈방〉 이다지.

이:단[1]【二段】 몡 ①둘째 단. ②신문·잡지 등의 기사에서 두 단. ¶~ 기사(記事).

이:단[2]【異端】 몡 ①자기가 믿는 이외의 도(道). ②옳지 아니한 도. ③전통(傳統)이나 권위(權威)에 반항하는 설. 또, 이론. ④시류(時流)에 어긋나는 사상 및 학설. ⑤〖종〗 정통(正統) 이외의 설 또는 정통에서 벗어나 이의(異議)를 내세우는 설. 특히, 기독교 중에서 가톨릭 교회로부터 공인(公認)되지 아니한 교파(敎派) 및 그 교의(敎義). ⑥〖철〗 유교(儒敎)에서, 다른 사상(思想), 곧 노(老)·장(莊)·양(楊)·묵(墨) 등의 제자 백가(諸子百家)를 일컫는 말. ⑦〖불교〗 외도(外道). 또, 이안심(異安心).

이:단 사설【異端邪說】 몡 이단(異端)과 사설(邪說).

이:-단상【李端相】 몡 〖사람〗 조선 중기의 문신. 자(字)는 유능(幼能), 호(號)는 정관재(靜觀齋)·서호(西湖). 연안(延安) 사람. 인조(仁祖) 27년(1649) 정시 문과(庭試文科)에 급제, 여러 벼슬을 거친 후 효종(孝宗) 6년(1655) 사가 독서(賜暇讀書)함. 후에 대간(臺諫) 등을 거친 다음 현종(顯宗) 10년(1669) 부제학(副提學)으로 서연관(書筵官)을 겸함. 문하에서 김창협(金昌協)·김창흡(金昌翕)·임영(林泳) 등 쟁쟁한 학자를 배출했음. 시호는 문정(文貞). [1628-69]

이단성골 연:골염【離斷性骨軟骨炎】[—썽—럼] 몡 〔라 Osteochondritis dissecans〕〖의〗 관절 연골의 일부가 분리하여 관절 안에서 떨어져, 관절 유리체(遊離體)가 되는 병. 무릎과 팔꿈치의 관절에서 볼 수 있음.

이:단-시【異端視】 몡 어떤 사상(思想)·학설(學說)·종교(宗敎) 등을 이단이라고 봄. ——-하다 태여불

이:-단음【二短音】 몡 〖악〗 가야고의 아홉째 현(絃)의 이름. *삼단음(三短音).

이:단-자【異端者】 몡 ①이단(異端)의 종교·사상·학설 따위를 주장하거나 믿는 사람. ②전통·권위·세속적인 상식에 반발하여 자기 개성을 강하게 주장하여 고립해 있는 사람. 아웃사이더(outsider).

이:단자 회로망【二端子回路網】 몡 〖전〗 외부에 접속하는 단자가 두 개 있는 회로망. 공진 회로(共振回路).

이:단지-도【異端之道】 몡 이단(異端)의 길. 이단의 가르침.

이:단 추출법【二段抽出法】[—뻡] 몡 〔two-stage sampling〕 통계학에서의 표본 추출법의 하나. 전체의 자료를 몇 개의 그룹으로 나누고, 그 속에서 몇 개의 그룹을 추출한 뒤, 다시 추출한 각 그룹 속에서 얼마간씩의 표본을 추출하는 방법. 부차 추출법(副次抽出法).

이:단-패【二段覇】 몡 바둑에서, 두 번 손을 써야 해소되는 패. *단패(單覇).

이:단 팽창 기관【二段膨脹機關】 몡 〖기〗 복식 기관(複式機關).

이:단 펌프【二段—】〔pump〕 몡 〖물〗 펌프를 두 대 짝지어 제1단의 펌프에서 배출(排出)된 액체를 제2단의 펌프에 도입하여, 양정(揚程)을 높인 펌프.

이:단 평행봉【二段平行棒】 몡 여자 체조 경기 종목의 하나. 남자의 평행봉을 여자용으로 바꾼 것으로, 스윙(swing)을 손쉽게 할 수 있도록 두 개의 가로대 중에서 하나는 높게(230 cm), 다른 하나는 낮게(150 cm) 함. 운동 내용은 철봉에 가까움. 고저(高低) 평행봉.

이:-단하【李端夏】 몡 〖사람〗 조선 중기의 문신(文臣). 자는 계주(季周), 호는 외재(畏齋)·송간(松磵). 덕수(德水) 사람. 현종(顯宗) 9년(1668) 이조 정랑(吏曹正郎)으로 각사(各司)의 노비의 공납품(貢納品)에 대하여 반필(半匹)씩 감할 것을 청하여 실시하였고, 이듬해 훈련 별대(訓鍊別隊)의 창설을 청하였음. 숙종(肅宗) 즉위 후 서인(西人)으로서 제2차 복상 문제(服喪問題)로 숙청당한 대신들의 복직을 상소했다가 파직당함. 숙종 6년(1680) 풀려나 홍문관 제학(弘文館提學)이 되고 그 후 예조 판서·우의정·좌의정 등을 지냄. 시호는 문충(文忠). [1625-89]

이:단 혁명【二段革命】 몡 사회주의 사회의 실현은, 먼저 시민(市民) 혁명을 겪고 뒤이어 사회주의 혁명이라는 2단계를 거쳐서 이루어진다는 사고 방식. 또, 그와 같은 사고에 의거하는 혁명 방식.

이-달[1] 몡 이번 달. 이제의 달. 금월(今月). 본월(本月). *그달.

이:달[2]【利達】 몡 영달(榮達). ——-하다 자여불

이:-달[3]【李達】 몡 〖사람〗 조선 중기(中期), 선조(宣祖) 연간의 한시(漢詩)의 대가. 자는 익지(益之), 호는 손곡(蓀谷). 원주(原州) 사람. 최경창(崔慶昌)·백광훈(白光勳)과 함께 당시(唐詩)에 능하여 「삼당(三唐)」이라 일컬어짐. 생몰년 미상.

이달고 〔Hidalgo, Miguel〕 몡 〖사람〗 멕시코의 신부. 독립 운동의 선구자. 프랑스 혁명 사상의 영향을 받아, 원주민인 인디오(indio)의 생활 개선에 노력하였음. 1810년 인디오를 주력으로 하여 멕시코 시티로 진격했으나 스페인군(軍)에 패해 잡혀 죽음. [1753-1811]

이달뿐안인지【是如叱分不喩】〈이두〉 이라 할 뿐 아니라.

이:-달충【李達衷】 몡 〖사람〗 고려 공민왕(恭愍王) 때의 유학자. 자는 지중(止中), 호는 제정(霽亭). 경주(慶州) 사람. 밀직제학(密直提學) 때, 신돈(辛旽)의 전횡(專橫)을 본인에게 직언(直言)하여 파직되었다가 그가 주살(誅殺)된 후 다시 계림 부윤(鷄林府尹)을 지냈음. [?-1385]

이-담: 몡 ↗이다음. >요담. *그담.

이담 속찬【耳談續纂】 몡 〖책〗 정약용(丁若鏞)이 중국 명(明)나라 왕동궤(王同軌)가 지은 ≪이담(耳談)≫(15권)에 우리의 속언(俗諺)을 증보(增補)한 책. 170여 조의 중국 속언을 싣고, 이어서 우리 이언(俚諺) 210조를 모두 여덟 자로 된 한문으로 고쳐 실었음. 조선 시대 순조(純祖) 20년(1820)에 편저, 융희(隆熙) 2년(1908)에 양재건(梁在謇)이 이 책의 우리 속언에 우리말로 주를 달아 출판함.

이:담-제【利膽劑】 몡 〔도 Cholagoga〕〖약〗 담즙의 분비 및 배설을 활발하게 하는 필로카르핀(Pilocarpine)·황산(黃酸) 마그네슘 등속.

이:-담지【李湛之】 몡 〖사람〗 고려 명종(明宗) 때의 한학자. 이인로(李仁老)를 비롯하여 오세재(吳世才)·임춘(林椿)·조통(趙通)·황보항(皇甫抗)·함순(咸淳) 등과 함께 '해좌 칠현(海左七賢)'이라 일컬어짐.

이:당[1]【以堂】 몡 〖사람〗 동양화가 김은호(金殷鎬)의 아호(雅號).

이당[2]【耳璫】 몡 귀고리에 달린 구슬. 이주(耳珠).

이:당[3]【吏黨】 몡 관료(官僚)를 지지하는 당파(黨派).

이:당[4]【李唐】 몡 당대(唐代)를 가리켜 일컫는 말. 중국 당(唐)나라 군주의 성(姓)이 이(李)였기 때문에 나온 말.

이:-당[5]【李唐】 몡 〖사람〗 중국 송(宋)나라의 산수화가. 자는 희고(晞古). 허난 성(河南省) 허양(河陽) 출신. 휘종(徽宗)의 화원(畫院)에 들어갔다가 북송(北宋) 멸망 후 유랑 생활 끝에 남송(南宋) 화원에 복직하고, 산수화에 있어서 원체(院體)를 확립하였음. 그의 유작(遺作)인 ≪산수도(山水圖)≫는 자연을 박진감(迫眞感) 넘치게 묘사한, 중국 산수화 중의 걸작으로 꼽힘. [1048?-1128?]

이당[6]【飴餹·飴餳】 몡 엿[1].

이당[7]【離黨】 몡 소속되어 있는 정당(政黨)·당파(黨派)에서 이탈(離脫)함. ——-하다 자여불

이:당-류【二糖類】[—뉴] 몡 〔disaccharide〕〖화〗 당류(糖類)의 한 가지. 가수 분해에 의하여 한 분자에서 단당류(單糖類) 두 분자를 만드는 당류인데, 물에 녹으며, 보통 단맛을 가지나 간혹 쓴맛을 나타내는 것도 있음. 배당체(配糖體) 또는 유리된 형태로 식물계에 널리 존재함. 유당(乳糖)·자당(蔗糖) 따위. 복당류(複糖類). *삼(三)당류.

〈이대[1]〉

이-대[1] 몡 〖식〗 [*Pseudosasa japonica*] 볏과에 속하는 대나무의 한 가지. 간(稈)은 높이가 2-5 m이고 잎은 좁은 피침형을 이룸. 꽃은 여름에 원추(圓錐) 화서로 정생(頂生)하며, 영과(穎果)는 가을에 익음. 해안 지대에 나는데, 한국 중부 이남 및 일본에 분포함. 세공재로 쓰이며, 죽순(竹筍) 및 영과는 식용함.

이대[2]【梨大】 몡 ↗이화 여자 대학교(梨花女子大學校).

이:대[3]【異代】명 시대를 달리함. 또, 다른 시대·세대(世代).
이:대[4]【二大】관 두 개의 큰. ¶～ 정당/～ 원칙.
이대[5] 부 〈옛〉 잘. 좋게. ¶子細히 드러 이대 ᄉᆞ랑ᄒᆞ라≪月釋 IX:9≫/王孫ᄋᆞᆫ 貴ᄒᆞᆫ 모ᄆᆞᆯ 이대 安保ᄒᆞ과(王孫善保千金驅)≪杜諺 VIII:2≫/슬펴 드러 이대 思念ᄒᆞ라≪月釋 XXI:50≫.
이대도록 부 〈방〉 이다지.
이:대 동조【異代同調】명 시대는 달라도 인간 또는 사물에는 각각 상통하는 분위기와 맛이 있음. 이세(異世) 동조.
이-대로 부 ①이 모양으로. ②이와 같이. 1)·2):＞요대로. ＊그대로·저대로.
이:대봉-전【李大鳳傳】명 〖문〗 작자·제작 연대 미상의 고전 소설의 하나. 국문본. 시대 배경은 중국 명(明)나라. 주인공 이대봉과 장소저(張小姐)가 국난(國難)에 공을 세우고 부귀 영화를 누렸다는 군담 소설(軍談小說)의 일종. 봉황대(鳳凰臺).
이:대-선【二一船】명 〈방〉 두대박이.
이:대정-법【里代定法】[一뻡] 명 〖역〗 이정법(里定法).
이대지 부 〈방〉 이다지.
이댐: 명 〈방〉 이다음(평안).
이더니[1]【是加尼】조 〈이두〉 이더니.
이더니[2]【是等尼】조 〈이두〉 이더니.
이:-덕무【李德懋】명 〖사람〗 조선 정조(正祖) 때의 실학자. 자는 무관(懋官), 호는 형암(炯庵)·아정(雅亭)·청장관(青莊館). 완산(完山) 사람. 박학 다식하여 약관에 박제가(朴齊家)·유득공(柳得恭)·이서구(李書九)와 함께 ≪건연집(巾衍集)≫이라는 사가 시집(四家詩集)을 내어 문명을 떨쳤으며, 글씨·그림에도 능했음. 서출(庶出)이었기 때문에 크게 등용되지는 못하고 벼슬이 규장각(奎章閣) 검서관(檢書官)·적성(積城) 현감에 그쳤음. 청(淸)나라에 건너가 그 곳 학자들과 교유(交遊)하고 고증학(考證學)을 배워 왔음. 저서에 ≪아정 유고(雅亭遺稿)≫ 등이 있음. [1741-93]
이:덕 보:원【以德報怨】명 원한이 있는 자에게 덕으로써 보답함. 원수에게 은덕을 베푸는 일.
이:덕 복인【以德服人】명 덕으로써 사람을 복종시킴.
이덕-산【梨德山】명 〖지〗 강원도 이천군(伊川郡) 웅탄면(熊灘面)과 함경 남도 덕원군(德源郡) 풍상면(豐上面)·풍하면(豐下面) 사이에 있는 산. [1,298 m]
이:-덕생【李德生】명 〖사람〗 '리 더성'을 우리 음으로 읽은 이름.
이:-덕수【李德壽】명 〖사람〗 조선 후기의 문신(文臣). 자는 인로(仁老), 호는 서당(西堂)·벽계(蘗溪). 전의(全義) 사람. 숙종 39년(1713) 증광 문과(增廣文科)에 병과(丙科)로 급제. 수찬(修撰)·지평(持平)·이조(吏曹)의 낭관(郎官) 등을 거쳐, ≪경종 실록(景宗實錄)≫의 편찬에 참여, 영조 8년(1732)에는 대제학으로서 ≪경묘 행장(景廟行狀)≫을 찬진(撰進)함. 그 후 이조 판서에 올라 대제학을 겸임함. 문장에 능하고 글씨에 뛰어났음. 저서에 ≪서당집(西堂集)≫·≪파조록(罷釣錄)≫ 등이 있음. 시호는 문정(文貞). [1673-1744]
이:-덕일【李德一】명 〖사람〗 조선 선조(宣祖)·광해군(光海君) 때의 무신(武臣). 자(字)는 경이(敬而), 호는 칠실(漆室). 함평(咸平) 사람. 임진 왜란을 당하여 학문을 중단하고 무과(武科)에 급제, 정유 재란(丁酉再亂) 때 의병(義兵)을 조직하여 각처에서 공을 세우고 이순신(李舜臣)의 막하(幕下)로 들어감. 뒤에 절충 장군(折衝將軍)에 올랐으나 광해군 때, 향리에 돌아가 비분(悲憤)에 겨워 노래 28장을 지음. 저서로 ≪칠실 유고(漆室遺稿)≫가 있는데, 당시의 어지러운 정쟁(政爭)을 통분(痛憤)해 하는 시조 3수가 '당쟁 차탄가(黨爭嗟嘆歌)'라 하여 전함. [1561-1622]
이:-덕전【李德全】명 〖사람〗 '리 더취안(李德全)'을 우리 음으로 읽은 이름.
이:-덕함【李德涵】명 〖사람〗 신원 미상. ≪청구 가요(青丘歌謠)≫에 시조 3수가 전함.
이:-덕형【李德馨】명 〖사람〗 조선 선조(宣祖)·광해군(光海君) 때의 명신. 자(字)는 명보(明甫), 호는 한음(漢陰). 광주(廣州) 사람. 어려서부터 재주가 비범하고 침착했으며, 문학에 통달하여 어린 나이로 봉래(蓬萊) 양사언(楊士彦)과 사귀었으며 20세에 등제, 이항복(李恒福)과 함께 천서(薦書)에 오름. 임진 왜란이 일어나자 중국 명(明)나라에 가서 구원병을 청해 오는 등 국사를 위해 분주, 큰 공을 세움. 정유 재란(丁酉再亂) 때는 울산(蔚山)·순천(順天) 등지에서 작전을 도움. 31세에 대제학(大提學)이 되고 선조 35년(1602) 영의정(領議政)에 이름. 광해군이 영창 대군(永昌大君)을 처형하려 하자 이를 적극 반대했고 다시 이이첨(李爾瞻) 등이 폐모론(廢母論)을 일으키자 이항복과 함께 반대하다 삼사(三司)의 탄핵을 받고 삭직(削職)됨. 시호는 문익(文翼). [1561-1613]
이:-덕홍【李德弘】명 〖사람〗 조선 선조(宣祖) 때의 학자. 자(字)는 굉중(宏仲), 호는 간재(艮齋). 영천(永川) 사람. 선조 11년(1578) 조정에서 이름난 선비 9명을 등용할 때 제4위에 뽑혀 집경전 참봉(集慶殿參奉)이 되고, 종묘서 직장(宗廟署直長) 세자 익위사 부솔(世子翊衛司副率)을 역임함. 주역(周易)에 뛰어났으며, ≪중용(中庸)≫·≪심경(心經)≫·≪가례(家禮)≫ 등을 주석(註釋)했음. 저서에 ≪주역 질의(周易質疑)≫·≪사서(四書) 질의≫ 등이 있음. [1541-96]
이던지[2]【是加喩】조 〈이두〉 이든지.
이던지[3]【是加隱喩】조 〈이두〉 이든지.
이던지[4]【是等喩】조 〈이두〉 이든지.
이데 [도 Idee, 프 idée] 명 아이디어(idea).
이데아 [그 idea] 명 [원래는 '보임새'·'형(形)'·'생각' 등의 뜻으로, 플라톤에 의하여 '이념(理念)'의 뜻으로 사용됐음] 아이디어(idea).
이데아-화【一化】[idea] 명 [ideation] ①관념화(觀念化). 이념화(理念化). ②〖철〗 본질 직관(本質直觀).
이데알리스무스 [도 Idealismus] 명 아이디얼리즘.
이데올로그 [프 idéologues] 명 〖철〗 ①18세기에 일어나서 감각론(感覺論)을 계승한 프랑스의 철학파의 하나. 형이상학(形而上學)을 배척하고, 관념의 기원의 연구에 의하여 윤리학·교육학·정치학의 기초를 합리적으로 … 는 관념 학파. ②일반적으로 역사적·계급적 이데올로기의 창… 자를 뜻하나, 마르크스주의의 용어로는 실행이 없는 공론가(… 으로도 씀.
이데올로기 [도 Ideologie] 명 … 의 기본이 되는 근본적인 사고(思考). 관념 형태(觀念形態) … 에 관한 기본적인 사고. 사상 경향(思想傾向).
이데 픽스 [프 idée fixe] 명 ①〖악 … 曲)과 같이 다악장(多樂章)의 악곡에 있어, 전편(全篇)을 … 이 되어 있는 동기(動機). 고정 관념(固定觀念). ②한 가 … 일.
이:도[1]【二道】명 〖불교〗 수도상(修 … 두 가지 길. 곧 교도(敎道)와 증도(證道), 난행도(難行 … 道), 무루도(無漏道)와 유루도(有漏道), 무간도(無間 … 道), 가행도(加行道)와 승진도(勝進道), 내도(內道)와 … 道)와 사도(邪道) 등을 이름.
이:도[2]【吏道】명 ①관리로서 마땅히 지 … 상을 다스리는 도리. ③이두(吏讀).
이:도[3]【利刀】명 날카로운 칼. 썩 잘 드 …
이:도[4]【利導】명 잘 인도(引導)함. 유리 … 하여 세 … 하다 타여불
이:-도[5]【李燾】명 〖사람〗 중국 남송초(南 … 인보(仁甫), 호는 손암(巽巖). 쓰촨 성(四川 … 지방관을 거쳐 국사(國史)·실록(實錄)의 … 한 실증(實證)주의 학자로서, 경(經)·사(史 … (陰陽)에 널리 통했음. 저서에 ≪속자치 통 … ≪사조 국사(四朝國史)≫ 등이 있음. [1115-8 …
이도[6]【泥塗】명 ①진창 길. ②천한 지위나 경 …
이:도[7]【異道】명 ①서로 다른 길. ②서로 같지 … 른 학설.
이:도[8]【異圖】명 ①서로 다른 그림. ②딴마음.
이도록 조 〈옛〉 이 지나도록. ¶삼년이도록 드레 … (三年怕井繩)≪朴解 上 37≫.
이도메네우스 [Idomeneus] 명 〖신〗 그리스 신화 … 왕으로 미노스(Minos)의 손자. 트로이 전쟁 때 선 … 가하였다가 귀국 도중 폭풍을 만나 아들을 제물로 바 … 로 역병(疫病)이 퍼져 민중이 국외로 추방하였다고 함.
이도-선【耳道腺】명 〖생〗 외이도(外耳道) 내면의 피부에 … 는 분비선의 하나. 땀샘이 변화한 것인데 이선(耳腺)의 분비 … 된 표피 세포가 혼합된 것이 '귀지'임.
이:도-설【二道說】명 〖철〗 고대(古代) 인도의 철학 책 ≪우파니 … (Upaniṣad)≫에 있는 사후(死後)의 운명에 관한 교설(敎說). 고행(苦行) 과 선행(善行)을 닦은 사람은 사후에 각각 신도(神道)·조도(祖道)에 들게 되고, 그 이외의 악인(惡人)은 제삼처(第三處)에 떨어져 아침에 났다가 저녁에 죽는 작은 벌레가 된다고 함.
이:-도(:)영【李道榮】명 〖사람〗 서화가(書畫家). 자는 중일(仲一), 호는 관재(貫齋). 연안(延安) 사람. 안중식(安中植)·조석진(趙錫晋)의 문인(門人). 글씨는 예서(隷書)·행서(行書)에 능하고, 화풍은 필치가 단정하고 간결하며 정아(精雅)함. 스승 및 오세창(吳世昌) 등과 함께 서화 협회(書畫協會)를 조직함. [1884-1933]
이:-도(:)재【李道宰】명 〖사람〗 조선 말기의 문신(文臣). 자는 성일(聖一), 호는 심재(心齋). 동학(東學) 혁명이 일어나자 전라도 관찰사로 부임, 전봉준(全琫準)을 생포하여 서울로 압송함. 군부 대신·학부 대신이 되었으나 단발령(斷髮令)에 반대하여 사직, 뒤에 다시 학부 대신이 되어, 지석영(池錫永)의 청을 들어 한성 의학교(漢城醫學校)의 설립을 인가함. 글씨를 잘 썼음. 시호(諡號)는 문정(文貞). [1848-1909]
이:독 제:독【以毒制毒】명 독을 없애는 데 다른 독을 씀. 악인(惡人)을 물리치는 데 다른 악인으로써 함.
이돌라 [라 idola] 명 우상(偶像).
이:동[1]【以東】명 어떤 한계로부터 동쪽. ↔이서(以西).
이:-동[2]【李同】명 〖사람〗 조선 정조(正祖) 때의 명의(名醫). 침·뜸으로 병을 고쳤는데, 초근 목피(草根木皮) 대신 사람의 손톱·털·오줌 및 때 같은 것으로 약을 썼음. 정조의 고질인 악성 치질을 고쳤으며, 어떤 부인의 기침 소리를 듣고 폐옹(肺癰)이 된 것을 알고 가슴에 침을 놓아 단박에 고치기도 했는데, 눈이 어두워진 뒤에는 손으로 만져만 보고 치료했으되 한 번도 실수가 없었다고 함. 생몰년 미상.
이:-동[3]【李侗】명 〖사람〗 중국 송(宋)나라의 유학자. 자는 원중(愿中), 호는 연평(延平). 푸젠 성(福建省) 남검(南劍) 출신. 양시(楊時)의 문인 나종언(羅從彦)에게 사사(師事), 이정(二程)의 학(學)을 전함. 학문의 경향은 오로지 수양에 두었는데 산속에 한거(閑居)하여 속세간과 관계를 끊고, 궁핍도 개입치 않고 자연 속에 몰입하여 자득(自得)의 생애를 마침. 주희(朱熹)에 끼친 영향이 컸음. [1088-1158]
이:동[4]【異同】명 ①다른 것과 같은 것. 동이(同異). ②서로 같지 아니함.
이:동[5]【異動】명 전임·퇴직 등의 지위·직책의 변동.
이동[6]【移動】명 옮겨 움직임. 또, 움직여서 자리를 바꿈. ¶철새의 ～.
——하다 자타여불
이동-각【移動角】명 [angle of traverse] 〖군〗 포(砲) 또는 발사기(發射機)로부터, 사격 가능한 적측(敵側)의 좌우 양쪽 한계에 이르는 두 개의

…를 방향 이동하면서 사격할 …
…(熱帶)·아열대(亞熱帶)의 산지 …은 데서 행하여지고 있는 가장 …속의 초목을 잘라서 볕에 말렸다 …를 비료로 해서 농사를 짓다가, 한 …되면 다른 곳으로 옮기는 경작 방 …「찰.
… 기선 안의 범죄 사고를 단속하는 경 …촌·어촌(漁村) 등을 순회(巡廻)하면서 …하는 반.
…sis〕『생』 감수 분열(減數分裂)의 중기 조 …체(染色體)가 두 개씩 한 쌍이 되어 2가 …核) 가운데 분산한 시기. 관동기(貫動期).
…』 독립 운동가·정치가. 호는 석오(石吾). 천 … 간도(西間島)로 이주, 신흥 강습소(新興講習 … 과 교포 교육에 진력함. 1919년 상해 임시 정 … 임, 1926년 국무령(國務領)에 취임하고 1928년 … 중일 전쟁이 일어나자, 항일전(抗日戰)에 투신, …칭(重慶)으로 천도할 때, 임시 정부를 이끌고 창 …쓰촨 성(四川省)에서 병사함. [1869-1940]
…使】 명 〔roving ambassador〕 특명 전권 대사로서 일 …국을 이동 순회하는 외교 사절. 순회 대사(巡廻大使).
…動圖書館】 명 순회 도서관.
…動一唱法】〔doh〕 [一뻡] 명 『악』 음보(音譜)를 도·레· …명(階名)으로 읽어서 노래할 적에 시조(C 調)의 곡 같으면 …, 지조(G 調)의 곡이면 지음(G 音)을 '도'로 하는 것과 같 …조(調)에 따라서 주음(主音)이 항상 '도'가 되도록 '도'의 …동시키는 방법. ↔고정 도창법(固定 doh 唱法). *계명 창법 …法).
…물【移動動物】 명 〔migrant〕 『동』 어떤 서식지(棲息地)로부터 …식지로 이동하는 동물.
…로봇【移動一】〔robot〕 명 눈에 상당하는 검지기(檢知器)와 컴 … 등의 판단 기능을 가지고 있어, 스스로 자립(自立)해서 움직여 돌 …아닐 수 있는 일종의 무인 수송차(無人輸送車). 바닥에 유도(誘導) …이블을 깔아 놓아, 그 케이블의 전류(電流)를 감지(感知)하는 방식과, …바닥에 빛을 반사(反射)하는 테이프를 붙여 놓아 그 반사광(反射光)을 검지(檢知)하는 방식 등이 있음.

이동-률【移動律】[一뉼] 명 『수』 $a=b$, $b=c$이면 $a=c$인 관계를 이름. 반사율(反射律)·대칭률(對稱律)과 함께 동치(同値)의 개념을 규정함.

이동 목표【移動目標】 명 이동 표적.

이동 무:대【移動舞臺】 명 무대의 양쪽에 다음 장면의 무대를 만들어 놓고, 차륜 장치(車輪裝置)로 이동하게 하는 무대 장치.

이동 무선【移動無線】 명 〔mobile radio〕 『통신』 선박·차량(車輛)·비행기 등에 송수신기(送受信機)를 장치하여 이동중에 그것을 운용할 수 있는 무선 통신.

이동 반:사【移動反射】 명 〔locomotive reflex〕 『생』 보행(步行)·비상(飛翔) 따위가 거의 무의식적으로 일어나는 반사의 총칭. 뇌(腦)와 척수(脊髓)가 절단된 개구리를 물속에 던지면 평상시처럼 헤엄을 치며, 목이 잘린 닭이 여전히 걸어 다니는 일 따위.

이동 방:송【移動放送】 명 라디오·텔레비전의 중계(中繼) 방송에서, 송신기(送信機)를 가지고 이곳저곳 뜻하는 바의 장소로 이동하며 방송하는 일.

이:-동백【李東伯】 명 『사람』 근대의 광대·명창. 본명은 종기(鍾琦). 충남 비인(庇仁) 출생. 45세 때 원각사에 입사, 연흥사(延興社)·광무대(光武臺)·협률사(協律社)에 참가, 송만갑(宋萬甲)·정정렬(丁貞烈)과 함께 '조선 성악 연구회'를 조직하였음. 춘향가(春香歌)·적벽가(赤壁歌)에 뛰어났음. [1867-1950]

이:동변 삼각형【二同邊三角形】 명 『수』 이등변 삼각형.

이동 변:전소【移動變電所】 명 변전 설비를 장비한 철도 차량이나 트레일러 따위를 일컬음.

이동 병:원【移動病院】 명 『군』 시급(時急)을 요하는 환자를 돌보기 위하여, 설비와 장비를 갖추고 현지(現地)로 출장 이동하면서 치료하는 일종의 야전(野戰) 병원.

이동 사구【移動砂丘】 명 〔traveling dune〕 『지』 탁월풍(卓越風)이 불어 가는 쪽으로 무더기로 이동한 사구(砂丘). 사구를 고정하는 식생(植生)이 없는 것이 특징적임.

이동-성【移動性】[一썽] 명 한 곳에 머무르지 않고 자주 이동하는 성질. *유동성(流動性).

이동성 고기압【移動性高氣壓】[一썽一] 명 『기상』 봄과 가을에 해륙(海陸)의 온도차가 적기 때문에 정위치(定位置) 없이 부단히 이동하거나 또는 겨울에 대륙의 고기압이 약해져서 몇 개의 독립된 작은 고기압으로 갈라져서 서쪽에서 동쪽으로 이동하는 고기압.

이동성 맹장【移動性盲腸】[一썽一] 명 〔movable c(a)ecum〕 『의』 맹장을 고정시키고 있는 곳이 불충분하여 맹장이 가끔 이동하게 되어, 맹장부의 동통(疼痛)·변비(便祕)·설사 등을 일으키는 병증. 맹장 이동증(移動症).

이동 세:포【移動細胞】 명 〔wandering cell〕 『생』 세포는 일반적으로 운동이 가능한 것인데, 특히 동물의 몸 안에서 자유로이 운동할 수 있는 세포. 백혈구(白血球)·림프구(球) 따위. 구용어: 유주 세포(遊走細胞).

이동 속도【移動速度】 명 ①사람이나 물체·차량 등이 이동해 가는 속도. ②〔drift speed〕 『전』 하전 입자(荷電粒子)가 매질(媒質)을 통하여 나아가는 평균 속도.

이동-술【移動術】 명 『의』 어떤 장기(臟器)나 조직을 정상의 위치로부터 이동하는 수술. 예를 들면 소아 마비에서 어떤 근육이 마비되었을 때 마비되지 아니한 근육의 건(腱)을 이동시켜 마비근(痲痺筋)의 건(腱) 부착점에 봉합(縫合)하면 운동이 가능하게 됨.

이동-식【移動式】 명 이동할 수 있게 된 방식(方式). ↔고정식.

이-동안 명 이 한동안. *그동안.

이:-동양【李東陽】 명 『사람』 중국 명대(明代)의 문인·정치가. 호는 서애(西涯). 후난 성(湖南省) 다릉현(茶陵縣) 출신. 조정(朝廷)의 요직을 역임, 이부 상서(吏部尙書)에 이름. 당시 유행의 대각체(臺閣體) 시문(詩文)에 대하여, 성당(盛唐)의 시를 본으로 하는 신시풍(新詩風)을 일으켰음. 문하(門下)에 이몽양(李夢陽)·하경명(何景明) 등이 있음. 저서에 《회록당집(懷麓堂集)》·《시화(詩話)》 등이 있음. [1447-1516]

이동 연:극【移動演劇】[一년一] 명 『연』 간단한 무대 장치로써 극장이 없는 지방을 순회(巡廻)하는 극단의 연극. 영리를 목적으로 하지 않고 문화 운동의 일환으로 하는 것을 말함.

이동 우체국【移動郵遞局】 명 자동차를 이용하여 출장 이동(出張移動)하며 우체 업무를 행하는 국(局). 재해지(災害地) 또는 관광지(觀光地) 등에 파견됨.

이:-동인【李東仁】 명 『사람』 조선 말기의 개화파(開化派) 정치가·중. 일찍이 일본어를 배워 일본에 밀항, 후쿠자와 유키치(福沢諭吉)와 친교를 맺고 돌아왔으며, 김옥균(金玉均)·김홍집(金弘集)·유홍기(劉鴻基) 등과 더불어 개화에 힘씀. 고종(高宗) 19년(1882) 한미 수호 조약 체결 때 그가 기안한 초고를 기준으로 조약을 이룩하는 등 소장(小壯) 정치가로 외교에 크게 공헌함. 생몰년 미상.

이동전-파【移動展派】 명 〔러 Peredvizhniki〕 제정 러시아 시대의 민간 주요 화가들의 단체 이름. 1860-70년에 결성되어, 1893년에 이르기까지 활동한 단체인데, 크람스코이(Kramskoy, Ivan Nikolaevich; 1837-87)·레핀(Repin, Il'ya Efimovich; 1844-1930)·수리코프(Surikov, Vasily Ivanovich; 1848-1916) 등이 그 대표적 인물이며, 종래의 대도시(大都市) 중심과 특권 계급 상대의 전람회장(展覽會場)을 버리고, 선전 계몽의 장소를 직접 대중 속에 이끌어 넣어, 반관료적(反官僚的)·반아카데미적(反 academy 的) 색채를 띰.

이동 정:비반【移動整備班】 명 『군』 자재(資材)와 설비를 갖추고 현지로 이동하면서 군대 장비품을 정비하는 반.

이:-동주【李東柱】 명 『사람』 시인. 전라 남도 해남(海南) 출생으로, 혜화(惠化) 전문 학교에서 수학(修學). 시집 《혼야(婚夜)》·《강강 수월래》 등으로 감정에 호소하는 시를 남김. [1920-79]

이동 증명서【移動證明書】 명 전출 증명서.

이:동-지다 형 〈방〉 두동지다.

이동-차【移動車】 명 돌리(dolly).

이동체 전:화【移動體電話】 명 이동하는 물체 속의 사람과 이동하지 않는 가입자(加入者) 또는 이동체의 사람 사이에 통화(通話)가 가능한 전화의 총칭. 자동차 전화·선박 전화·열차 전화·항공기(航空機) 전화 따위가 있음.

이동체 통신【移動體通信】 명 이동 통신.

이동 촬영【移動撮影】 명 『연』 영화 촬영상의 한 기교(技巧). 화면(畫面)에 이동감(移動感)을 갖게 하기 위하여 카메라 전체를 이동하면서 촬영하는 일.

이동 축일【移動祝日】 명 『천주교』 해마다 날짜가 바뀌는 축일. 예수 부활 대축일, 성신 강림 대축일 따위. ↔고정 축일.

이동 취:락【移動聚落】 명 『지』 유목민이나 화전민들처럼 물·목초·화전 등을 좇아 이동하는 취락. *회귀 취락(回歸聚落).

이동 측량【移動測量】[一냥] 명 『법』 기등록지(既登錄地)의 분할이나 경계 정정(境界訂正) 등을 요할 때에 행하는 세부 측량을 이름.

이:동-치마【二一一】 명 아래위를 두 가지 빛으로 만든 연.

이동 통신【移動通信】 명 〔mobile communication〕 자동차·열차·선박·항공기 등의 이동체와 일반 전화 간의 통신이나 이동체 상호간의 통신. 무선 통신의 일종으로 서비스의 종류로는 이동 전화·무선 호출·무선 데이터 통신 등이 있음.

이동 특파원【移動特派員】 명 〔roving correspondent〕 일정한 곳에 머물러 있지 아니하고 중요한 뉴스거리가 있는 곳으로 이동하며 취재(取材)하는 신문사의 특파 기자.

이동 파출소【移動派出所】[一쏘] 명 평소에 경찰력(警察力)이 잘 미치지 않는 변두리·유원지(遊園地)·우범 지역(虞犯地域) 등의 치안 확보를 위해 임시로 설치한 파출소.

이동-판【移動瓣】 명 기계가 도는 대로 위치가 바뀌는 밸브(valve).

이동 평균【移動平均】 명 통계 수법(統計手法)의 하나. 예를 들면, 매년의 쌀 생산량에 대하여 그 전후(前後) 수년 간의 평균을 내어 이것을 각년(各年)의 생산량으로 하고, 풍흉작(豐凶作)의 우연적 요소를 제거하여 전체적인 추세를 알아 내는 방법.

이동 평균법【移動平均法】[一뻡] 명 『경』 평균 원가법의 하나. 입고(入庫)·출고(出庫) 때마다 평균치(平均値)를 계산하는 방법. *총평균법(總平均法).

이동 평균선【移動平均線】 명 〔moving average〕 『경』 주식 시세의 예측 지표(豫測指標). 예컨대 주가(株價) 그 자체나, 주식의 총매매량, 매매 대금 등의 과거의 평균적 수준과 현재의 그것과를 비교 판단함으로써 장래의 움직임을 예측하고자 하는 경우의 지표.

이동-포【移動砲】 명 『군』 차량(車輛)에 장비되거나 견인(牽引)되어 진지를 이동하면서 사격하는 포(砲)의 총칭(總稱).

이랑 나비 명 논밭 이랑의 넓이.
이랑 사이 명 이랑과 이랑의 간격.
이랑 재:배【一栽培】 명 〖농〗 이랑을 만들어 곡식을 가꾸는 일. 또, 그 방식(方式).
이:래¹【以來】 명부 '그 뒤로, 그러한 뒤로'의 뜻. 이환(以還). ¶유사(有史) ~/개교(開校) ~.
이래²【移來】 명 옮겨 옴. ──-하다 자여불
이:래³【爾來·邇來】 명 가까운 요마적. 근년(近年).
이래⁴ 준 ①이리하여. ¶~ 보면 잘 보인다. ②이러하여. ¶형편이 ~ 가지고서는 안 되겠다. 1)·2): >요래. *그래·저래.
이래도 준 ①이리하여도. ¶네가 나를 계속 ~ 좋으냐. ②이러하여도. ¶~ 한 세상 저래도 한 세상. 1)·2): >요래도. *저래도.
[이래도 일생 저래도 일생] 사람의 생애란 허무한 것이요, 한 번 살다 죽으면 그만이니, 둥글둥글 살아 가자는 말.
이래라 저래라 준 이렇게 하여라 저렇게 하여라. ¶~ 참견이 심하다. >요래라 조래라. ──-하다 타여불 「>요래봬도.
이래-봬도 부 이러하게 보이어도. ¶~ 이것은 값비싼 물건이란다.
이래서 준 ①이리하여서. ¶~ 그는 무사하게 되었다. ②이러하여서. ¶사정이 ~ 나는 못 간다. 1)·2): >요래서.
이래서-야 준 ①이리하여서야. ¶늘 ~ 쓰겠나. ②이러하여서야. ¶세상이 ~ 누굴 믿겠소. 1)·2): >요래서야. *저래서야.
이래셔널 (irrational) 명 ①불합리. 비합리적(非合理的). ②무리(無理). ③〖수〗 무리수(無理數).
이래야 준 이리하여야. 이러하여야.
이래-저래 부 이리하고 저리하여. ¶~ 말썽거리다. >요래조래.
이랬다-저랬다 준 이리하였다 저리하였다. ¶~ 갈피를 못 잡겠다. >요랬다조랬다.
이랴 감 〈방〉 이러(평안).
이:-량【李樑】 명 〖사람〗 조선 명종(明宗) 때의 권신(權臣). 자(字)는 공거(公擧). 인순 왕후(仁順王后)의 외삼촌. 척신(戚臣) 윤원형(尹元衡)의 횡포(橫暴)를 견제하려는 명종의 뜻으로 승진을 거듭하여 예조·이조 판서를 지냄. 뒤에 왕의 총애(寵愛)를 믿고 자기를 반대하는 자는 추방하고 뇌물로 아부하는 자들을 중용(重用)하는 등 전횡(專橫)을 일삼다가 심의겸(沈義謙) 등의 탄핵으로 파직, 보령(保寧)에 유배(流配)되고 이어 강계(江界)로 이배(移配)되어 그 곳에서 죽음. [1520-71]
이:량-관【二梁冠】 명 〖역〗 조선 시대 때, 사품(四品)에서 육품(六品) 관원의 금양관(金梁冠). 흰 골이 두 줄 져 있음.
이:량-체【二量體】 명 (dimer) 〖화〗 이합체(二合體).
이러 감 마소를 몰아 쫓거나 끌어당기는 소리.
이러- 감 '이렇다'의 불규칙 어간(不規則語幹). ¶~지 말게. >요러-.
이러고 준 이러하고. ¶~ 10년이 지났다. >요러고. *그러고.
이러고-저러고 준 이러하고 저러하고. ¶~ 따질 때가 아니다.
이러구러 부 ①우연히 이러하게 되어. ②세월이 이럭저럭 지나가는 모양. ¶고향을 떠난 지 ~ 10년이 지나갔다.
이러나 준 ①이러하나. ¶지금은 ~ 앞으로는 달라진다. ②이렇게 하나. ¶자네 자꾸 왜 ~. 1)·2): >요러나. *저러나.
이러나-저러나 준 ①이러하나 저러하나. ¶~ 큰일 났구나. ②이렇게 하나 저렇게 하나. ¶~ 어차피 안 되겠다. 1)·2): >요러나조러나. *그러나저러나.
이러니 준 ①이러하니. ¶형편이 ~ 이해해 주게. ②이렇게 하니. ¶자꾸 ~ 야단맞지. 1)·2): >요러니. *그러니·저러니.
이러니까 준 ①이러하니까. ¶성적이 ~ 낙제하지. ②이렇게 하니까. ¶네가 ~ 동생도 따라 하잖아. 1)·2): >요러니까. *그러니까.
이러니-저러니 준 이러하다느니 저러하다느니. ¶~ 잔소리가 많다. >요러니조러니. *그러니저러니.
이러다 준 이렇게 하다. ¶~ 다치면 어쩌려고. >요러다. *그러다·저러다.
이러다가 준 이러하게 하다가. 이러하게 되다가. ¶~ 큰일 나겠다. >요러다가. *그러다가·저러다가.
이러더러 부 〈옛〉 이리저리. ¶이러더러 가 얻다가 몯ᄒᆞ야 더욱 셜워ᄒᆞ더니《續三綱 孝子 周炳致雍》/이러더러셔 온 글워를 다 손소 더답호디(遠近書疏莫不手答)《飜小 X:8》.
이러루 감 〈방〉 어디여❷.
이러루-하다 형여불 대개 이런 것과 같다. ¶내가 가지고 있는 것도 대개 ~. *그러루하다.
이러면 준 ①이러하면. ¶성적이 ~ 곤란한데. ②이렇게 하면. ¶자꾸 ~ 안 돼. 1)·2): >요러면. 준이럼. *그러면.
이러므로 준 이러하므로. ¶건강이 ~ 좀 쉬어야겠다/~ 네가 대신 해다오. >요러므로. *저러므로.
이러미 명 〈옛〉 어레미. ¶모로미 이러미로 츤 細沙로 뼈 섯글디니《家禮 VII:24》.
이러시다 조 〈옛〉 이시더라. ¶又 後에 成佛ᄒᆞ신 일후미 燃燈이러시다《釋譜 XIII:35》.
이러이러-하다 형여불 이러하고 이러하다. 여차여차하다. ¶사실은 ~. >요러요러하다. *그러그러하다.
이러잖아도 (一잔一) 준 ①이러하지 아니하여도. ②이렇게 하지 아니하여도. ¶너는 ~ 괜찮다. *그러잖아도.
이러저러-하다 형여불 이러하고 저러하다. ¶이러저러한 사정으로. >요러조러하다. *그러저러하다.
이러쿵-저러쿵 부 이러하다는 둥 저러하다는 둥. ¶~ 시비가 많다. >요러쿵조러쿵. ──-하다 자여불
이러ᄐᆞᆫ 형 〈옛〉 이러한. ¶阿難과 羅睺羅와 이러ᄐᆞᆫ 모다 아ᄂᆞᆫ 大阿羅漢돌히며《釋譜 XIII:2》.
이러톳 부 〈옛〉 이렇듯. 이렇게. ¶슬피 우니 이러톳 ᄒᆞ기 여러 돌을 디나(如此十有余旬)《五倫 IV:19》.
이러-하다 형여불 ①이와 같다. 이와 비슷하다. ¶형편은 ~. ②이런 모양으로 되어 있다. ¶이러한 것들/나의 만년필도 ~. 준이렇다. >요러하다. *그러하다. 저러하다. 이러-히 부. ¶이러히 二萬 부텨 다 ᄒᆞᆫ 가짓 字號로 日月燈明이시며《釋譜 XIII:29》.
이러한-즉 부 이와 같은 즉. ¶형편이 ~ 이해를 해 주게. >요러한즉. 준이런즉.
이러ᄒᆞ다 형 〈옛〉 이러하다. ¶王業艱難이 이러ᄒᆞ시니(王業艱難尤也如此)《龍歌 25章》/忠誠이 이러ᄒᆞ실씨(忠誠若此)《龍歌 25章》.
이럭-저럭 부 ①정한 방법 없이 이러하게 또는 저러하게. ¶~ 겨우 졸업하다. ②어찌된지 모르게. 되어 가는 대로. ③알지 못하는 동안에 어느 덧. 하는 일 없이 어름어름하는 가운데. 1)-3): >요럭저럭. *그럭저럭. ──-하다 자여불
이런¹ 관 ↗이러한. ¶~ 일 저런 일/~ 변이 있나. >요런.
이런² 감 놀라운 일이 있을 때 부르짖는 소리. ¶~, 그럴 수가 있나. >요런. *저런.
이런³ 수 〈방〉 일흔(경북).
이런-고로【一故一】 부 이러한 까닭으로. ¶~ 항상 주의하여야 한다. *그런고로. 「*그런대로.
이런-대로 준 이러한 대로. ¶대용품이지만 ~ 쓸 수 있다. >요런대로.
이런ᄃᆞ로 부 〈옛〉 이러므로. ¶이런ᄃᆞ로 이제 略히 ᄒᆞ고(故今略之)《楞嚴 VIII:44》/이런되로 淸雅ᄒᆞᆫ 지조를 資賴ᄒᆞ야(是以資雅才)《杜諺 VI:22》. 「으로.
이런 양으로 (一냥一) 준 이러한 모양으로. >요런 양으로. *그런 양
이런-즉 부 ↗이러한즉. ¶~ 일찌감치 손을 떼는 것이 좋을 게다. >요런즉. *그런즉.
이럴씨 부 〈옛〉 이러므로. ¶오히려 法性色이 잇거니 이 四天이 ᄒᆞᆫ갓 다 뷔리여 이럴씨 聲聞緣覺이 몰롤 고디라 《月釋 I:37》/이럴씨(故)《金剛 上 39》.
이럼¹ 명 〈옛〉 이랑. ¶머므러슈믄 벼 시므는 이러믈 爲ᄒᆞ얘니라(淹留爲稻畦)《杜諺 VII:6》/뫼ᄅᆞᆯ 뷔윤 ᄯᅡ히 처엄 ᄒᆞᆫ 이러미러니(誅茅初一畝)《杜諺 VI:36》/온 이러미 平호미 几桉 ᄀᆞᆮ도다(百頃平若桉)《杜諺 VII:36》.
이럼² 준 이러면. ¶자꾸 ~ 나는 어떻게 해. *그럼.
이럽다 형 〈방〉 어렵다(경남).
이렁굴어 부 〈옛〉 이러구러. 이럭저럭. ¶夷齊의 놉흔 줄을 이렁굴어 알란지고《海謠》.
이렁성-저렁성 부 이런 모양인 듯 저런 모양인 듯. ¶~ 흐트러진 근심 만화방창에 궁굴려라《朴頤陽:明月亭》. *그렁성저렁성. ──-하다 형여불
이렁-저렁 부 이런 모양과 저런 모양으로. ¶여름철도 ~ 다 넘겼다. >요렁조렁. *그렁저렁. ──-하다 자여불
이렁 명 〈옛〉 이랑. ¶이렁 규(畦)/이렁 듀(疇)/이렁 견(畎)/이렁 묘(畝)《字會 上 7》.
이렇게 (一러케) 부 ↗이러하게. >요렇게. *저렇게.
[이렇게 대접(待接)할 손님이 있고 저렇게 대접할 손님이 따로 있다] 남을 대접하는 데 있어서도, 존비(尊卑) 혹은 친소(親疏)의 구별을 두지 않으면 아니 된다는 말.
이렇다 (一러타) 형ᄒᆞ불 ↗이러하다. ¶~ 할 곤란은 없다. >요렇다 *저렇다.
이렇다-저렇다 (一러타一러타) 부 이러하다거나 저러하다거나. ¶~ 잔소리 하지 말아라/~는 말도 없이 떠났다/~ 말이라도 해야지. >요렇다조렇다. *그렇다저렇다.
이렇든-저렇든 (一러튼一러튼) 부 ↗이러하든 저러하든. >요렇든조렇든.
이렇든지-저렇든지 (一러튼一러튼一) 부 ↗ 이러하든지 저러하든지. >요렇든지조렇든지.
이렇듯 (一러틋) 부 ①↗이러하듯. ¶내가 ~ 너도 이러하여야 한다. ②이렇게도 몹시. ¶~ 너를 사랑하는데. 1)·2): >요렇듯. *그렇듯.
이렇듯-이 (一러트一) 부 ↗이러하듯이. >요렇듯이. *저렇듯이.
이렇지 (一러치) 감 이와 같이 틀림없다는 뜻으로 내는 소리. ¶~, 내 말이 틀림없지. >요렇지.
이레 명 ①↗이렛날. ②일곱 날. 칠 일.
[이레 안에 경풍에 죽으나, 여든에 상한병에 죽으나 죽기는 일반이라] ㉠어떻게 죽든 죽는 그 사실과 결과에는 다름이 없다는 말. ㉡이유야 어떻든 결과가 같으니 같은 취급을 해야 한다는 뜻. [이레 안에 백구(白鷗) 친다] 놀랍게 조숙하다는 말.
이레귤러 (irregular) 명 불규칙(不規則). 변칙(變則). 파격(破格). 반칙(反則). 부정식(不正式).
이레귤러 바운드 (irregular bound) 명 야구·테니스 등에서, 공이 엉뚱한 방향으로 튕기어 가는 일.
이레이디에이션 (irradiation) 명 ①어두운 배경에서 물건을 강하게 비치면 반사광(反射光)이 빛이 안 닿는 부분에까지 번져 발광체(發光體)의 크기가 실제보다도 크게 보이는 현상. ②사진에서, 강한 광선이 필름에 닿았을 경우, 그 빛이 감광막(感光膜)의 내부에서 산란(散亂)하여 둘레의 부분까지 감광시키는 일. ③치료·재질(材質) 개선·분석 등을 위하여 방사선 등을 조사(照射)하는 일.
이렛-날 명 ①일곱째의 날. ②초이렛날. 칠일. 준이레.

이렛-동풍【一東風】명 이레 동안이나 두고 오래 부는 높새바람.

이려[1]【伊呂】명 중국 은(殷)나라의 명상(名相) 이윤(伊尹)과 주(周)나라의 명상 여상(呂尙)을 아울러 이르는 말.

이려[2]【里閭】명 이문(里門).

이:려 측해【以蠡測海】명 ①〔표주박으로 바다를 잰다는 뜻으로〕 옅은 식견(識見)으로 심대(深大)한 사리(事理)를 헤아린다는 말. ②소견이 천박함을 이름.

이:력[1]【二力】명〖역〗 군사(軍士)를 시취(試取)할 때에 군사의 힘을 등급(等級)짓는 역(力)의 둘째로, 50근(斤) 무게의 물건을 두 손에 하나씩 들고 130보(步)를 가는 일. *역(力).

이력[2]【耳力】명 청력(聽力).

이:력[3]【履歷】명 ①지금까지 거쳐 온 학업(學業)·직업(職業) 등의 내력. 경력(經歷). ②〖불교〗 정한 바 경전(經典)의 과목을 배움.
이:력이 나다 구 경험을 얻어 익숙해지다.

이:력 곡선【履歷曲線】명〔hysteresis loop〕〖물〗 자성체(磁性體)를 자화(磁化)시킨 경우 그 자성은 그 전에 어떠한 경로를 밟아서 왔는가에 따라 다른데, 이 관계를 표시한 곡선. 탄성체(彈性體) 등에도 다소 비슷한 점이 있기 때문에 그것에도 이 곡선이 있음.

이:력-서【履歷書】명 이력을 쓴 문서(文書). 경력서(經歷書).

이:력 종장【履歷宗匠】명〖불교〗 정한 바 경전(經典)을 다 배운 종사(宗師).

이:력 현:상【履歷現象】명〔hysteresis〕〖물〗 어떤 상태가 현재 그것이 놓인 조건만으로 정해지는 것이 아니고, 과거 거쳐 온 상태의 이력에 좌우되는 현상.

이력ᄒᆞ다 자타〈옛〉 공부하다. ¶네 날마다 므슴 이력ᄒᆞᄂᆞ다(你每日做甚麽功課)《朴解 上 49》.

이:령[1]【二齡】명 누에가 첫잠을 잔 뒤로부터 두 잠을 잘 때까지의 동안.

이:-령[2]【李寧】명〖사람〗 고려 중기의 화가. 전주(全州) 사람. 이준이(李俊異)에게 사사(師事). 그림에 뛰어나 인종(仁宗)·의종(毅宗)의 총애를 받고 내합(內閤)의 그림에 관한 일을 주재하였음. 중국 송(宋)나라에 갔을 때 송왕 휘종(徽宗)에게 《예성강도(禮成江圖)》를 그려 바치고 포상받았으며, 뒤에 송나라 상인이 인종에게 그림을 바쳤는데 인종이 중화(中華)의 기품(奇品)을 얻었다 하여 기뻐했다가 그것이 이령의 것으로 확인되어 크게 감탄했다 함. 생몰년 미상.

이-령[3]【梨嶺】명〖지〗 ①강원도 고성(高城)에서 금강산 남쪽을 거쳐 서쪽으로 28km 지점에 있는 재. ②평안 북도 초산군(楚山郡) 고면(古面)과 남면(南面) 사이에 있는 재. 〔790m〕 ③경기도 광주(廣州) 남쪽 약 12km 지점에 있는 재.

이:령-림【異齡林】〔-님〕 명 수령(樹齡)의 차이가 많은 나무로 이루어진 삼림. ↔동령림(同齡林).

이령수 명 신에게 비손할 때 말로 고하는 일. ——-하다 자여불

이:령-잠【二齡蠶】명 애기잠을 자고 난 때부터 두 잠을 잘 때까지의 누에.

이:례【異例】명 상례(常例)에 벗어남. 위례(違例). ¶~적(的)인 일.

이:례 연:집【二禮演輯】명〖책〗 조선 정조(正祖) 때, 우덕린(禹德麟)이 지은 책. 상례(喪禮)·제례(祭禮)에 관해 옛 설(說)을 참고하여 실용에 알맞도록 만든 책. 4권 4책.

이로[1]【泥路】명 진흙 길. 진창 길.

이:로[2]【理路】명 이야기·이론 등의 조리. ¶~ 정연(整然). *동[2].

이로[3]【犂老】명 검버섯이 난 노인.

이로[4]【羸老】명 ①늙어 쇠약함. ②쇠약한 노인.

이로[5] 부〈방〉 이루.

이로고나 조〈옛〉 이로구나. ¶코내ᄂᆞᆫ ᄆᆞᆯ이로고나(是瘸馬)《老乞 下 17》.

이로괴야 조〈옛〉 이로구나. ¶애 또 王가 큰 兄이로괴야(噯却是王大哥)《老乞 上 15》.

이로너라 감 ↗이리 오너라.

이로니 조〈옛〉 이니. ¶大衆에 너비 니ᄅᆞᆯ ᄯᆞᄅᆞ미로니(普告大衆)《圓覺 序 14》.

이로다 타〈옛〉 이루다. 되다. ¶이 世界 이로매 아니 브터 니ᄅᆞ니라《月釋 Ⅰ:39》/子 ㅣ ᄀᆞᄅᆞ샤ᄃᆡ 鬼神의 德 이론디 그 盛ᄒᆞᆫ뎌(子曰鬼神之爲德其盛矣乎)《中庸 栗谷解 17》/子 ㅣ ᄀᆞᄅᆞ샤ᄃᆡ 回의 사ᄅᆞᆷ 이론디 中庸의 擇ᄒᆞ야(子曰 回之爲人也擇乎中庸)《中庸 栗谷解 6》.

이로ᄃᆡ 조〈옛〉 이로되. ¶밀므리 사ᄋᆞ리로ᄃᆡ 나거사 ᄌᆞᄆᆞ니이다(不潮三日迨其出矣 江沙迺沒)《龍歌 67章》.

이:로 동귀【異路同歸】명 길은 각각 다르나 도착지(到着地)는 같음. 곧, 방법은 다르지만 결과는 같다는 뜻.

이로라 조〈옛〉 이노라. ¶엇뎨 ᄡᅥ곰 사ᄅᆞ미로라 ᄒᆞ리오(何以爲蒸黎)《杜諺 Ⅳ:12》.

이로-부터 부 이 뒤로. ¶~ 다시 싸우면 안 된다.

이로소니 조〈옛〉 이니. ¶대도히 돈이 삼천나치로소니(共通三千箇銅錢)《朴解 上 1》.

이로쇠이다 조〈옛〉 이로소이다. ¶이젯 陛下ㅅ 말ᄊᆞ미 곧 녯 사ᄅᆞ미 ᄆᆞᅀᆞ미로쇠이다(今陛下之言이 卽古人之心이로소이다)《初內訓 Ⅱ 44》.

이로-써 부 ①이것을 가지고. ¶~ 방패를 삼아라. ②이 일로 해서. 이것으로 말미암아. ¶~ 분쟁이 그치지 않게 되다.

이로이 부〈옛〉 족히. 능히. ¶不足은 이로이 아니ᄒᆞᆯ시라《重杜諺 Ⅰ:8》.

이로이 아니ᄒᆞ다 형〈옛〉 부족하다. ¶伊洛ᄋᆞᆯ ᄀᆞᄅᆞ치ᄃᆞᆺ 收復ᄒᆞ리니 西京은 이로이 아니 ᄡᅥ혀 아ᄋᆞ리로다(伊洛指掌收西京不足拔)《重杜諺 Ⅰ:8》.

이로이다 조〈옛〉 입니다. ¶오직 願ᄒᆞᆫᄃᆞᆫ 陛下ㅣ 堯舜ᄋᆞᆯ 法 바ᄃᆞ시과뎌 ᄒᆞᆯ ᄯᆞᄅᆞ미로이다(但願陛下以堯舜爲法耳)《初內訓 Ⅱ 下 41》.

이로쿼이-족【一族】〔Iroquois〕 명 아메리칸 인디언의 한 부족(部族). 주로, 펜실베이니아·이리 호(Erie湖)·온타리오 호(Ontario湖) 부근에 분포(分布)됨.

이로하【伊路波】명〖책〗 조선 시대 때, 왜학(倭學)에서 사용한 일본어 교과서의 하나. 성종(成宗) 23년(1492) 간행. 1권 22장(章) 가운데 일본 문자 하나하나에 한글로 주음(註音)한 앞 부분의 4장이 특히 가치가 있음.

이록【移錄】명 옮기어 적음. ——-하다 타여불

이:론[1]【異論】명 다른 의론(議論). 이의(異議). ¶~을 제기하다.

이:론[2]【理論】명 ①사물의 이치나 도리 따위에 관하여 서로 의론·논쟁(論爭)함. 또, 그 의론. ②〔theory〕 어떤 사물에 관하여 원리와 법칙을 근거로 하여 조리를 세워 생각한 인식(認識)의 체계. 또, 실천에 대응하는 순수한 논리적 지식. 순관념적(純觀念的)으로 세워진 논리. ↔ 실천(實踐).

이론[3]〔irone〕 명〖화〗 단환식 세스키테르펜(單環式 sesquiterpene)에 속하는 케톤(ketone)으로 무색의 액체. 끓는점(點) 144°C. 오리스(orris) 뿌리에서 얻을 수 있는 정유 성분(精油成分)으로 향료(香料)에 쓰임. *이오논(ionone). [$C_{14}H_{22}O$]

이론[4] 조〈옛〉 인. ¶푸메 드니ᄅᆞᆯ 本來崑山앳 玉이론 고돌 믿노라(入懷本倚崑山玉)《初杜諺 XIX:20》.

이:론-가[1]【異論家】명 다른 사람의 의견에 곧잘 반대하는 사람.

이:론-가[2]【理論家】명 ①이론을 연구하는 사람. 이론에 능한 사람. 이론을 좋아하는 사람. ②이론뿐이고 실제 문제에 어두운 사람. 이론뿐이고 아무 것도 실행하지 않는 사람.

이:론 경제학【理論經濟學】명〖경〗 응용 경제학에 대하여, 일반적인 경제 법칙을 연구하는 경제학. 순수 경제학. 경제 원론(原論). ↔응용(應用) 경제학.

이:론 과학【理論科學】명 실제적인 응용 방면(應用方面)보다 순수한 지식의 원리를 중시하여 연구함을 목적으로 하는 과학. ↔응용 과학(應用科學).

이론디 조〈옛〉 인 것이. ¶오직 ᄆᆞᅀᆞ미 現ᄒᆞᆫ거시론디 거우루 中엣 像이 全體이 거우뤼론디 ᄀᆞᄒᆞ니《楞嚴 Ⅱ:17》.

이:론 문학【理論文學】명〖문〗 좌익 문단(左翼文壇)의 문학 이론. 사회주의적인 문예 평론(文藝評論).

이:론 물리학【理論物理學】명〔theoretical physics〕 계산과 추론(推論) 따위 이론적 연구를 주로 하는 물리학. 물리학상의 이론을 세울 목적으로 실험(實驗) 사실에 의거하는 법칙의 귀납(歸納) 또는 원리·가설(假說)로부터 연역(演繹)한 결론과 사실과의 비교 등을 행함. 물성 이론(物性理論)·원자핵 이론·소립자론(素粒子論) 따위가 있음. ↔응용 물리학(應用物理學).

이:론-벌레 명 익충(益蟲). ↔해론벌레.

이:론-새 명 익조(益鳥). ↔ 해론새.

이:론 생계비【理論生計費】명〖경〗 임금 산출(賃金算出)의 기초로서 노동 과학·생활 과학 따위 이론에 의거하여 산출되는 생계비(生計費). ↔실체 생계비(實體生計費). *마켓 바스켓 방식(market basket 方式)·최저 생활비(最低生活費).

이:론-식【理論式】명〖물〗 몇 가지의 양(量)의 사이에 이론적으로 존재한다고 생각되는 관계를 나타내는 식. 실험식(實驗式)에 대한 말.

이:론 이:성【理論理性】명〖철〗 도덕적 능력(道德的能力)인 실천 이성(實踐理性)에 대하여, 이론적 능력(理論的能力), 곧 인식(認識)의 능력(能力).

이:론-적【理論的】명 관 이론상(理論上). 이론에 의거하는 모양. ↔ 실천적(實踐的).

이:론 차:단 주파수【理論遮斷周波數】명〔theoretical cutoff frequency〕〖전〗 전력 손실의 영향을 무시하고 얻은 감쇠 상수(減衰常數)가 영(零)에서 양(陽)의 값으로 또는 양(陽)에서 영의 값으로 변화하는 주파수.

이:론 천문학【理論天文學】명〖천〗 천문학의 한 분야. 실지 천문학(實地天文學)에 대하여 이론적 연구를 주로 함.

이:론 철학【理論哲學】명〖철〗 이론적 문제를 대상으로 하는 철학의 한 부문. 그 대상(對象)으로는 존재 문제·생기 문제(生起問題)·지식 문제 등과 논리적 존재학(存在學)·인식론 등이 있음. ↔실천 철학(實踐哲學).

이:론 투쟁【理論鬪爭】명〖사〗 사회 및 사회 운동에 있어서 실천적 투쟁 이외에, 이론에 의하여 타(他)를 압복(壓服)시키는 투쟁. 특히, 정치·경제·사회 사상 따위 영역에서 행해짐.

이:론 혼:합비【理論混合比】명〖물〗 이론적으로 구하여진 혼합비. 가령, 엔진에 보내지는 연료와 이를 꼭 완전 연소시키는 데에 필요한 공기의 각각의 양(量)의 비.

이:론-화【理論化】명 이론으로 밝혀 둠. 이론으로 체계화(體系化)함. ——-하다 타여불

이:론 화학【理論化學】명〔theoretical chemistry〕 화학 변화를 물리학적 방법에 의하여 연구하는 화학의 한 분과(分科). ↔응용 화학(應用化學)❷.

이롭 명 마소의 일곱 살.

이롭다[1] 형〈방〉 외롭다(경상).

이:-롭다[2]【利一】형ㅂ불 이익이 있다. 유리하다. 이:-로이【利一】부

이:롱[1]【二弄】명〖악〗 거문고 연주법의 하나. 일롱(一弄)을 두 번 겹쳐 내는 수법. *일롱(一弄).

흑색의 넓은 띠가 있고 뒷날개 내연각(內緣角)에 붉은 무늬가 있음. 날개 꼬리는 길고 수컷의 배에는 털이 밀생하였으나 암컷은 배에 적갈색의 부속기(附屬器)가 있음. 이른봄부터 출현하여 산간에 날아 다니는데, 한국 특산종임. 이른봄애호랑나비.

이른-씨 [명] 〖농〗 일찍 심는 종자(種子).

이를지-부 【一至部】 [一찌一] [명] 한자 부수(部首)의 하나. '致'나 '臺' 등의 '至'의 이름.

이를-터이면 [부] '가령 말하자면'의 뜻의 접속 부사. [준]이를테면.

이를-테면 [부] ↗이를터이면.

이름 [명] ①사람의 성(姓) 아래에 붙이어 다른 사람과 구별하는 명칭. 곧, 성(姓)·씨(氏)에 대하여 실명(實名)·통칭(通稱)을 이르며 또는 성씨(姓氏)와 실명·통칭을 합쳐서 이르기도 함. 명(名). ②유형(有形)·무형(無形)의 사물을 말로 나타낸 일컬음. 개념(槪念)을 대표하고 그 사물과 딴 사물과를 구별하기 위한 칭호임. 명칭(名稱). ¶꽃의 ~. ③개개의 단체 등을 가리키는 칭호. ¶회사의 ~. ④평판. ¶~이 높다. ⑤명예. ¶학교의 ~을 손상시키다. ⑥구실. 명분. ¶자선이란 ~ 아래. ⑦명의. 자격. ¶국민의 ~으로 반역자를 처단하다. ──하다 [타][여불] 이름으로 부르다. 이르다. ¶'숭례문'을 달리 이름하여 '남대문'이라고 한다.

[이름이 고와야 듣기도 좋다] 이왕이면 사물의 명칭도 고와야 좋다는 말. [이름이 좋아 불로초라] 이름만 좋았지 실속은 없다는 말. [이름 좋은 하눌타리] 겉 모양은 좋으나 실속이 없음을 비유하는 말.

이름(이) 나다 [구] 이름이 세상에 널리 알려지다. 유명하여지다. ¶학자로 ~/이름난 의사.

[이름난 잔치 배고프다] 소문이 크게 난 것이 도리어 보잘것없다는 뜻. 소문난 잔치에 먹을 것 없다.

이름(을) 날리다 [구] 명성을 얻다.

이름(을) 남기다 [구] 이름을 후세에까지 전해지게 하다. 이름이 후세에 전해질 만하게 공적을 세우다.

이름(을) 짓:다 [구] 이름을 붙이다. 이름을 만들다.

이름(을) 팔다 [구] ㉠이름이나 명성 따위가 널리 알려지도록 하다. ㉡이름·명성을 이용하다. ¶자선 사업의 이름을 팔아 사복을 채우다.

이름-꼴 [명] 〖언〗 '명사형(名詞形)'의 풀어 쓴 이름.

이름 석:자 【一字】 [명] 사람의 성(姓)과 이름을 나타내는 세 글자. 곧 성명(姓名)의 일컬음. ¶~나 쓸줄 아는지/~나마 남기고 싶다.

이름-씨 [명] 〖언〗 '명사(名詞)'의 풀어 쓴 이름.

이름-없다 [一업一] [형] 세상에 그 이름이 널리 알려져 있지 아니하다. ¶이름없는 작가/이름없는 선수에게 패하다.

이름-없이 [一업씨] [부] 이름이 널리 세상에 알려짐이 없이. ¶~ 사라져 간 한 애국자.

이름-있다 [형] 세상에 그 이름이 널리 알려져 있다. ¶미문가(美文家)로 이름있는 작가/이름있는 여류 작가.

이름-자 【一字】 [一짜] [명] 이름을 나타내는 글자. ¶제 ~도 못 쓰는 순 무식쟁이.

이름-패 【一牌】 [명] ①명패¹(名牌)❶. ②명찰(名札).

이름-표 【一標】 [명] 이름을 적은 표. 명찰(名札).

이-릉¹ 【伊陵】 [명] 〖지〗 이태조(李太祖)의 고조(高祖)인 목조(穆祖)의 원 무덤. 강원도 강릉변(江陵邊)에 있음.

이:-릉² 【李陵】 〖사람〗 중국 전한(前漢)의 무장(武將). 간쑤 성(甘肅省) 농서(隴西) 출신. 자는 소경(少卿). 이광(李廣)의 아들. 무제(武帝)의 기도위(騎都尉)로서 흉노 토벌의 군대를 지휘 선전(善戰)하였으나, 힘이 다하여 투항(投降)함. 흉노의 선우(單于)는 그에게 딸을 출가(出嫁)시켜 우교왕(右校王)에 봉하였음. 흉노 땅에서 20여 년 살다 병몰(病沒)함. [?-72 B.C.]

이릐ᄒᆞ다 [자] 〈옛〉 응석부리다. ¶이릐ᄒᆞ다(撒嬌)《同文 上 54》.

이리¹ [명] 〔근대 : 이리〕 물고기 수컷의 뱃 속에 있는 흰 정액(精液)의 덩어리. 어백(魚白). 백자(白子). *곤이(鯤鮞).

이리² [명] 〖동〗 [*Canis lupus*] 갯과에 속하는 산짐승. 개와 비슷한데, 몸길이 130cm, 어깨 높이 90cm 이고, 늑대나 승냥이보다 큼. 주둥이가 길고 입아귀가 넓게 째어지며, 아래 윗니가 42개로 특히 어금니가 날카로우며, 귀가 쫑긋하고, 꼬리는 짧고 돌돌 말리지 아니함. 털빛은 변화가 많아 적갈색, 흑갈색 또는 순흑색, 순백색의 것도 간혹 있으나 흔히 회갈색 바탕에 검은 털이 섞여 있으며, 등과 앞발의 바깥쪽과 꼬리는 검은 빛이고 배는 흰 빛임. 성질이 모질고 사나우며 육식성이므로 다른 짐승을 잡아먹고, 간혹 사람을 해치는 일도 있음. 산 속이나 원시적 들에 서식하는데, 한국·일본·만주·중국·시베리아·유럽·북미·티베트·인도 등지에 분포함. 지방적으로 아종(亞種)이 많음. 시랑(豺狼).

〈이리²〉

[이리 떼가 틀고 앉았던 수세미 자리 같다] 어수선한 자리의 표현. [이리 앞의 양] 무서워서 어쩔 줄 모르고 쩔쩔맴을 이르는 말.

이:리³ 【二利】 [명] 〖불교〗 이기(利己)와 이타(利他).

이리⁴ 〔伊犁·利犂〕 [명] 〖지〗 중국 신장 웨이우얼 자치구(新疆維吾爾自治區)의 서북부, 톈산 산맥(天山山脈) 중부 북록(北麓)을 이루는 분지. 카자흐스탄의 발하슈 호(Balkhash 湖)로 흘러 들어가는 이리 강(伊犁江)이 서류(西流)하며, 강 중류(中流)인 이 곳에는 오아시스가 형성되고 있음. 북안(北岸)의 이닝(伊寧)이 이 지역의 중심 도시로 무역이 성하고 부근은 농목 지대임. 1871-81 년의 이슬람 교도의 반란을 구실로 한 러시아군의 불법 점령으로 야기된 '이리 사건'이 있었음.

이리⁵ 【泥犁】 [명] 〔범 Niraya〕 〖불교〗 지옥(地獄).

이:리⁶ 【異里】 [명] 타향.

이:리⁷ 【裡里】 [명] 〖지〗 전에, 전라 북도의 한 시. 호남 평야의 북변 만경강(萬頃江) 우안, 익산 평야의 중앙에 자리잡고 있음. 호남선·군산선·전라선의 교차점이 되고 도로망이 집중되어 교통이 편리하고 전북(全北) 평야의 중심지를 이루어 농산물의 집산이 성함. 1976년 이래로 공업 단지가 조성되어 면방(綿紡)·귀금속(貴金屬)·피혁(皮革) 가공·고무 등 각종 공업이 활발하여 공업 도시로서 면모를 바꾸고 있음. 구명(舊名)은 솜리. 1995년 5월, 익산군(益山郡)과 통합하여 익산시로 개편됨.

이리⁸ 【離離】 [명] 여럿의 구별이 또렷한 모양.

이리⁹ 〔Erie〕 [명] 〖지〗 미국 펜실베이니아 주의 공업 도시. 이리 호(湖) 남안(南岸)에 위치하고, 목재·석탄·석유·농산물의 집산지임. 전기 기구·기계·화학 공업도 행하여짐. [108,718 명(1990)]

이리¹⁰ 【IRI】 [명] 〔Istituto per la Ricostruzione Industriale의 약칭〕 이탈리아 국영의 산업 부흥 공사(産業復興公社). 1933년 설립. 순지주 회사(純持株會社)로, 해운·철강·기계·조선·전력·전화의 6업종별 지주 회사와 항공·방송·광산·금융 등의 직속 회사 등 120사(社)를 통할하며 산업의 거의 전분야에 지배력을 미치고 있음.

이리¹¹ [부] 이 곳으로. 이쪽으로. ¶모두 ~ 오너라. >요리. *그리·저리⁶.

이리¹² [부] 이러하게. ¶ ~ 귀여울 수 있을까 / 六師ㅣ 이리 니르ᄂᆞ니 《釋譜 Ⅵ:26》/히 이리 노팟고(日頭這般高了) 《老乞 上 35》. >요리. *그리²·저리⁵.

이리¹³ [감] 〈방〉 어디여❷.

이리가:토어 〔도 Irrigator〕 [명] 〖의〗 관장용(灌腸用)·질세척용(膣洗滌用)의 의료 기계. 약액을 넣는 원통상의 그릇과 약액을 인도하는 고무관과 고무관의 끝을 끼는 부분으로 됨. 관주기(灌注器). 세척기(洗滌器).

〈이리가토어〉

이리간 【伊里干】 [명] 〖역〗 고려 때 각 지방의 응방(鷹坊)에 딸린 촌락. 포민(逋民)을 모아서 이룸.

이리 강 【一江】 〔伊犁〕 [명] 〖지〗 중앙 아시아의 톈산(天山) 산맥 중부에서 발원(發源)하여 서쪽으로 흐르는 강. 중국령 이닝(伊寧)의 동쪽 약 100 km에서 테케스(Tekes) 강, 쿵게스(Kunges)강을 합쳐, 서쪽으로 흘러 카자흐스탄의 발하슈 호(Balkhash湖)로 흘러 들어감. 일리(Ili) 강. [약 1,439 km]

이리곰 [부] 〈옛〉 이렇게. ¶이리곰 水災ᄒᆞ요ᄆᆞᆯ 여듧번 ᄒᆞ면《月釋 Ⅰ:49》.

이리다 [자][태] ↗이리하다.

이리-도 [부] 이렇게도. 이처럼. 이다지도. ¶내 생전에 ~ 기쁜 날이 또 있을까? *그리도·저리도.

이리 뒤적 저리 뒤적 [구] 물건을 이리저리 뒤적거리는 모양. ¶~ 물건을 고르기만 하다. >요리 뒤적 조리 뒤적.

이리 뒤척 저리 뒤척 [구] 몸을 이쪽 저쪽으로 뒤척이는 모양. ¶~하며 잠을 못 이루다.

이리듐 〔iridium〕 [명] 〖화〗 백금족(白金族)에 속하는 원소. 은백색(銀白色)으로 내산성(耐酸性)이 강하며 잘 녹지 아니하고, 경도는 백금보다 크고 팽창률이 작음. 백금과 합금으로 하여 이화학(理化學) 기계를 제조하는 데 쓰임. [77번: Ir:193.1]

이리듐 백구십이 【一百九十二】 [명] 〔iridium-192〕 〖물〗 이리듐의 방사성 동위 원소(同位元素). 반감기(半減期)는 75일, β선 및 γ선을 방출(放出)함. 암치료나 금속 주물(鑄物)의 방사선 사진술 등에 사용됨.

이리듐 프로젝트 〔Iridium Project〕 [명] 미국의 모토롤라 사(社)가 추진하는 다수의 통신 위성에 의한 지구적(地球的) 규모의 이동(移動) 통신망 프로젝트. 세계 상공에 66개의 인공 위성을 쏘아 올려(당초 계획은 77), 1998 년부터는 세계 어느 곳에서나 음성·영상(映像)·데이터 정보 등을 자유로이 송신할 수 있도록 하려는 계획임. 이리듐은 금속 원소로서 77개 전자(電子)가 원자핵의 주위를 돌고 있는 데서 이 이름이 붙여짐.

이리ᄃᆞ록 [부] 〈옛〉 이렇도록. ¶늘그늬 허릴 안고 이리ᄃᆞ록 우는다 《月釋 Ⅷ:101》.

이리-떼 [명] 이리의 무리. ¶~처럼 덤벼들다.

이리-로 [부] '이리'의 힘줌말. ¶~ 오세요. [준]일로.

이리-박이 [명] 뱃 속에 이리가 들어 있는 물고기.

이리비 [부] 〈옛〉 이렇게. ¶夫人이 菩薩ᄋᆞᆯ 당다이 이리비 나ᄒᆞ시리라 ᄒᆞ릴써《月釋 Ⅱ:36》.

이리쇠 [명] 〈옛〉 삼발이. ¶이리쇠(三脚)《老乞 下 30》.

이:리 수출 자유 지역 【裡里輸出自由地域】 [명] 전라 북도 익산시(益山市) 북일동(北一洞)과 신흥동(新興洞)에 걸쳐 있는 수출 자유 지역. 1973년 10월 수출 자유 지역으로 지정, 1974년 12월에 조성(造成) 공사가 완공됨. 1976년 수출 자유 지역 일부를 해제, 수출 산업 공단으로 전환시켰으나 계속 확장하여 1987년 현재 31만여 m²에 이르고 있음.

이리스 〔Iris〕 [명] 〖신〗 그리스 신화 중의 무지개의 여신. 하늘과 땅을 연결하는 신들의 사자(使者). 날개를 가짐.

이리안 만 【一灣】 〔Irian〕 [명] 〖지〗 뉴기니 섬 서부, 서(西)이리안의 중앙부 북쪽으로부터 V자형으로 쑥 들어간 만. 서안(西岸)은 구릉성(丘陵性)의 산지가 곧바로 해안으로 내닫고, 산호초(珊瑚礁)로 막히는 부분이 많으나 동안(東岸)은 넓은 삼각주 평야가 펼쳐져 소택(沼澤)과 습지가 많음. 구명은 길빙크 만(Geelvink 灣).

이리 오너라 [감] 예전에, 남의 집을 찾아가 대문 밖에서 그 집 하인을 부르던 소리. [준]이로너라.

이리-온: [감] 이리 오너라. 아이들에게 다정하게 하는 말. ¶얘야 ~.

이리 운하 【一運河】 [명] 〔Erie Canal〕 〖지〗 허드슨 강(江)에 연하는 올버니(Albany)와 이리 호안(Erie 湖岸)의 버펄로(Buffalo)를 연결하는, 미국 발전사상(發展史上) 극히 중요한 운하. 1825년 개통, 1827년에 전부 완성됨. [579 km]

이롱[2] 【耳聾】 명 귀가 먹어 들리지 아니함.

이롱-증 【耳聾症】 [-쯩] 명 《한의》 소리를 듣지 못하는 병.

이료 조 〈옛〉 이리요. ¶므스 거시료≪楞嚴 Ⅸ:101≫.

이룡[1] 【螭龍】 명 뿔 없는 용(龍). 이무기.

이룡[2] 【驪龍】 명 온 몸이 검은 용.

이:루[1] 【二壘】 명 ①야구(野球)에서, 둘째번 누(壘). 투수(投手)의 뒤쪽, 1루와 3루 사이에 있음. 세컨드 베이스(second base). ②↗이루수(二壘手).

이루[2] 【耳漏】 명 《의》 귓속에서 고름이 나는 병. 허약(虛弱)한 아이들에게 많음.

이루[3] 【離淚】 명 이별의 눈물.

이루[4] 【離婁】 명 《사람》 이주(離朱).

이루[5] 【離壘】 명 야구에서, 주자(走者)가 베이스에서 떨어짐. ——하다 자 여불

이루[6] 부 ①있는 것을 모두. ¶한이 없는 주의 사랑 어찌 ~ 말하랴≪찬송가 : 459≫. ②여간하여서는 도저히. ¶그 참상은 ~ 다 말할 수 없다.

이루꾸 명 [←일 いりこ(炒子)] 〈방〉 멸치(전남·제주).

이루다 타 ①사물이 되게 하다. ¶형체를 ~. ②목적을 성취하다. ¶뜻을 ~/소원을 ~. ③일을 마치다. ④구성하다. ¶주성분을 ~.

이:루-수 【二壘手】 명 야구에서, 이루(二壘)를 수비(守備)하는 선수. 세컨드 베이스맨(second baseman). 준이루(二壘).

이루어-지다 자 ①뜻대로 되다. 성사되다. ¶계획이 ~/혼담이 ~. ②구성되다. ¶분자로 ~/상하 양원으로 ~.

이루지-명 【離婁之明】 명 [이루(離婁)는 옛날 중국 황제(黃帝) 때의 눈 밝은 사람의 이름] 눈이 밝음을 일컫는 말.

이:루-타 【二壘打】 명 야구에서, 타자(打者)가 이루까지 갈 수 있게 친 안타(安打). 투 베이스 히트.

이룩-되다 자 어떤 큰 현상이나 사업이 이루어지다.

이룩-하다 타 여불 ①이루어 내다. 성취하다. 달성하다. ¶큰 목표를 ~. ②나라·도읍·집 같은 것을 새로 세우다.

이:류[1] 【二流】 명 질(質)이나 정도 또는 지위 따위가 일등보다 약간 못함. 또, 그것. ¶~ 학교/~ 작가.

이류[2] 【泥流】 명 [mudflow] 《지》 화산(火山)의 폭발 또는 산사태(山沙汰) 때, 산정(山頂)이나 산의 중턱에서 아래로 흐르는 이토(泥土)의 분류(奔流).

이류[3] 【移流】 명 [advection] 《기상》 공기나 해수(海水)의 이동(移動)으로, 수증기·염분, 압력·온도·밀도·운동량 등의 물리량(物理量)이 수송되는 과정. 또, 이 과정에서 어느 지점에 발생한 이들 값들의 시간적 변화율. 보통, 수평 방향의 수송만을 말함. 수평류.

이:류[4] 【異流】 명 한 가지가 아닌 다른 무리. 함께 섞일 수 없는 무리. ¶그들은 우리와는 ~의 사람들이다.

이:류[5] 【異類】 명 다른 종류. 수류(殊類).

이류 가:설 【移流假說】 명 [advective hypothesis] 《기상》 기온의 변화가, 수평 방향 또는 등압면(等壓面)에 따라서 이류(移流)한 결과로서 일어난다는 가설. 수평류 가설.

이:류 개:념 【異類槪念】 명 《논》 공통되는 내포(內包)가 없어 같은 개념 속에 포섭할 수 없는 개념. 부등 개념(不等槪念). 괴리 개념(乖離槪念).

이류-구 【泥流溝】 명 [ground sluice] 《광》 사광상(砂鑛床) 채굴에서, 금이 함유된 토사(土砂)가 통과하는 수로(水路).

이류 뇌우 【移流雷雨】 명 [advective thunderstorm] 《기상》 한랭한 기류의 고층(高層)으로의 이류(移流), 따뜻한 기류의 저층(低層)으로의 이류, 또는 그 양자에 의해서 일어나는 대기의 정적(靜的) 불안정으로 인한 뇌우. 수평류 뇌우.

이류 안:개 【移流-】 명 [advection fog] 《기상》 안개의 하나. 눅눅한 공기가 차가운 표면 위를 수평 방향으로 흐를 때, 밑에서부터 연속적으로 냉각되어 이슬점 이하로 떨어지면서 발생함. 수평류 안개.

이류-층 【移流層】 명 《기상》 대류권(對流圈)을 저층(底層) (0-2 m)·지표층(2 m-2 km)·이류층(2 km-8 km)·권계면층(圈界面層) (8-12 km)의 4층으로 세분했을 때의 하나. 이류층은 지면 마찰에 영향이 없는 자유 대기(大氣)에 속하며, 여기서는 수평 운동이 탁월함. 공기 운동(空氣運動)의 수평 성분은 수직(垂直) 성분의 100-10,000배에 달하는데 높이도 함께 증대함. 수평류층.

이:-륙[1] 【李陸】 명 《사람》 조선 성종(成宗) 때의 명신. 자(字)는 방옹(放翁), 호는 청파(靑坡). 고성(固城) 사람. 성종 때의 능리(能吏)로서 판윤 병조 참판(兵曹參判)을 지냈음. 저서에 ≪청파 극담(靑坡劇談)≫이 있음. [1438-98]

이륙[2] 【離陸】 명 비행기가 날려고 육지(陸地)에서 떠오름. ↔착륙. ——하다 자 여불

이:륙-대 【二六對】 명 《문》 한시(漢詩)의 근체(近體)의 칠언(七言)에서, 구의 제이자(第二字)와 제육자(第六字)의 평측(平仄)이 상대하는 규칙.

이륙 보:조 로켓 【離陸補助-】 [rocket] 명 비행기의 이륙에 필요한 활주장(滑走長)을 단축하거나 규정 이상의 과대 중량으로 이륙할 때 쓰는 보조 추진력 발생 수단. 주로 고체 추진제(固體推進劑)의 소형 로켓으로 필요한 수(數)를 기체(機體)에 일정한 각도로 장치, 상향(上向)의 추진력을 발생시킴.

이:륙-시 【二六時】 명 《불교》 열두 시.

이:륙 십이 【二六十二】 명 《수》 구구법(九九法)의 하나. 2의 6배나 6의 2배는 열둘임.

이:륙-일 【二六日】 명 《악》 이륙좌(二六坐).

이:륙-좌 【二六坐】 명 《악》 예전의 악원(樂院)에서 악공(樂工) 또는 의녀(醫女) 등에게 음악과 춤을 가르칠 때 그들의 생업을 고려하여 날마다 가르치지 않고 한 달에 여섯 차례, 즉 초2일, 6일, 12일, 16일, 22일, 26일, 이렇게 한 달에 6일만 나와서 배우도록 했던 것. 이륙일(二六日). 이륙좌기(二六坐起).

이:륙-좌기 【二六坐起】 명 《악》 이륙좌(二六坐).

이륙 총:중량 【離陸總重量】 [-냥] 명 [take-off gross weight] 자체 중량(自體重量)에 연료·화물 및 승객을 포함하여 완전히 이륙 준비가 끝난 항공기(航空機)의 총중량.

이륙 활주 【離陸滑走】 [-쭈] 명 비행기가 이륙하기 위해 미끄러져 달리는 동작. ↔착륙 활주(着陸滑走).

이:륜[1] 【二輪】 명 ①두 개의 바퀴. ②두 송이의 꽃.

이륜[2] 【耳輪】 명 귓바퀴.

이:륜[3] 【異倫】 명 남보다 뛰어남. 비범(非凡). 이등(異等).

이륜[4] 【彝倫】 명 사람으로서 떳떳이 지켜야 할 도리(道理). 인륜(人倫).

이:륜 마:차 【二輪馬車】 명 바퀴가 둘 달린 마차.

이:륜 자동차 【二輪自動車】 명 자동차 종류의 하나. 주로 1-2인(人) 정도를 운송하기에 적합하도록 제작된 2륜의 자동차, 또는 이에 1륜의 측차(側車)를 붙인 자동차와, 배기량 125 cc 이하의 3륜형 자동차를 말함. 여기에는 배기량 50 cc 미만과 정격 출력 0.59 kW 미만의 것은 제외함. 준이륜차.

이:륜-차 【二輪車】 명 ①바퀴가 두 개 있는 차. 자전거·오토바이 따위. ②↗이륜 자동차.

이:륜 행:실도 【二倫行實圖】 [-또] 명 《책》 조선 중종(中宗) 시대에 조신(曺伸)이 지은 책. 장유(長幼)와 붕우(朋友)의 도리(道理)에 관한 일을 그림으로 그리고 한글과 한문(漢文)으로 설명(說明)을 붙였음. 1권 1책.

이르다[1] 자 러불 [중세 : 니를다, 니르다] ①가거나 오거나 하여 목적한 곳에 닿다. 시간이 지나서 어떤 때가 되다. ¶제 시간에 ~/목적지에 ~. ↔떠나다. ②다른 데에 미치다. ¶엄청난 사태에 ~/남녀 노소에 이르기까지.

이르다[2] ㊀ 자 르불 [중세 : 니ᄅ다] 무엇이라고 말하다. ¶이것을 새우라고 이른다/속담에 이르기를. ㊁ 타 르불 ①미리 알려 주다. ¶시험 날짜를 일러 주다. ②알아듣거나 깨닫게 말하다. ¶차근차근 ~. ③고자질하다. ¶낱낱이 일러바치다.

이를 데 없:다 구 이루 다 말할 수 없다. ¶미안하기 ~.

이르다[3] 타 〈옛〉 이루다. =일다[3]·일우다. ¶이 ᄯᅢ 精舍 이르ᅀᆞᄫᅳ뎌도 이 개야미 이에셔 살며 ≪釋譜 Ⅵ:37≫.

이르다[4] 형 르불 [중세 : 이르다] ①때가 빠르다. ¶이른 새벽부터. ②대중을 잡은 때보다 앞서다. ¶조반이 너무 ~. 준일다. ↔늦다.

[이른 새끼가 살 안 찐다] ①사람이 어려서부터 너무 일되면 장성해서 크게 되지 못한다. ②처음에 잘 풀리는 일은 뒤에 가서 좋지 못한 경우가 많다.

이르되 불자 이르기를.

이르삷다 타 〈옛〉 이룩하다. =이ᄅᆞ삷다. ¶또 믈읫 온빅가지 이르살ᄫᅵ 이룰 도ᄋᆞ며(且助其凡百經營之事)≪呂約 27≫.

이르ᅀᆞᄫᅳ뎌 타 〈옛〉 이루올제. '이르ᅀᆞᆸ다'의 활용형. ¶精舍 이르ᅀᆞᄫᅳ뎌도 이 개야미 이에셔 살며 ≪釋譜 Ⅵ:37≫.

이르ᅀᆞᆸ다 타 〈옛〉 이루옵다. ¶須達이 精舍 이르ᅀᆞᆸ고 ≪釋譜 Ⅵ:38≫.

이르집다 타 ①껍질을 뜯어 벗기다. ②없는 일을 만들어 말썽을 일으키다. ¶문제를 공연히 이르집어 시끄럽게 만들다.

이르쿠츠크 [Irkutsk] 명 《지》 러시아 연방(聯邦)의 동부 이르쿠츠크 주의 도시. 바이칼 호의 남서쪽에 위치하는 하항(河港)으로, 동부 시베리아의 정치·경제·문화의 중심지이며 근래에 기계·금속·식품 공업 따위 중공업이 발달되고 있음. [568,000명(1981)]

이르티시 강 【-江】 [Irtysh] 명 《지》 서부 시베리아에 있는 오비 강 최대의 지류(支流). 주운(舟運)과 어리(漁利)의 편리가 매우 큼. 11-4월에 결빙함. [2,960 km]

이른 수 〈방〉 일흔(경기·강원·충청·전라·경상).

이른 가지 명 《농》 일찍 심는 가지.

이른-모 명 《농》 일찌기 심는 모.

이른-바 부 말하는 바. 가론. 소위(所謂). ¶~ 문화인의 소행이 그래서야.

이른-범꼬리 명 《식》 [*Bistorta tenuicaulis*] 마디풀과에 속하는 다년초. 근경(根莖)은 가로 뻗고, 결절(結節)이 있으며, 줄기 높이 15 cm 가량임. 근엽(根葉)은 여러 조각이 총생(叢生)하고, 장병(長柄)이며, 경엽(莖葉)은 잎꼭지가 있거나 또는 없으며, 달걀꼴 또는 타원형을 이룸. 4-5월에 흰 꽃이 총상(總狀) 화서로 정생(頂生)하며, 과실은 수과(瘦果)를 맺음. 산지의 응달에 나는데, 제주도에 야생함. 자삼(紫蔘). 모몽(牡蒙).

〈이른범꼬리〉

이른-봄 명 초봄. 맹춘(孟春). 조춘(早春).

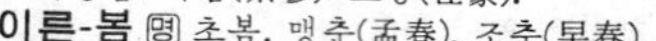

이른봄-산누에나방 【-山-】 명 《충》 [*Aglia tau japonica*] 산누에나방과에 속하는 곤충. 편 날개의 길이는 수컷이 70 mm, 암컷이 90 mm 내외. 몸빛은 다갈색이며, 앞날개의 내외 횡선(內外橫線)은 빛이 짙음. 앞뒤 날개의 중앙실(中央室) 끝의 중심에 검은 둥근 무늬가 한 개씩 있음. 유충(幼蟲)은 밤나무·오리나무 등의 잎의 해충으로, 한국에도 분포함.

이른봄-애:호랑나비 【-虎狼-】 명 《충》 이른봄애호랑이.

이른봄-애:호랑이 【-虎狼-】 명 《충》 [*Luehdorfia puziloi coreana*] 호랑나빗과에 속하는 곤충. 편 날개의 길이 54-66 mm, 노랑 바탕에

이리위: [감] 〖역〗 신은(新恩)을 불릴 때에 앞으로 나오라고 불리는 쪽의 하인이 외치는 소리. ¶신래(新來) ~, 신은 ~, 쥐쥐. ↔저리위.

이리-이리 [부] ①이러하고 이러하게. ②이쪽으로 이쪽으로. >요리요리. *여차 여차(如此如此).

이리잇가 [조] 〈옛〉 이리이까. ¶사ᄅᆞᆷ ᄠᅳ디리잇가(豈是人意)≪龍歌 15章≫.

이리-자리 [명] 〔라 Lupus〕 〖천〗 남천(南天)에 있는 별자리. 센타우루스(Centaurus) 자리의 동쪽에 있음. 여름날 초저녁에 남천에 낮게 나타남. 이리좌.

이리잖아도 〔―잔―〕 [부] ←이러잖아도. *그리잖아도.

이리 저:냐 [명] 생선의 이리를 소금에 슬쩍 절여 밀가루를 묻히고 달걀을 씌워 지진 음식. 백자 전유어(白子煎油魚).

이리-저리 [부] ①이러하고 저러하게. ②이쪽으로 저쪽으로. ¶모금을 위하여 ~ 뛰어다니다. >요리조리.

이리 조약【―條約】〔伊犂〕 [명] 〖역〗 1881년에 청(淸)나라와 러시아 양국 사이에 체결된 조약. 19세기 이후 러시아는 점차 아시아에 침입하여 마침내 이리 지방(伊犂地方)을 점령하기에 이르렀는데, 청(淸)나라는 이에 항의하여 상트페테르부르크(Sankt Peterburg)에서 이 조약을 체결했음. 내용은 콜호스(Kolkhos) 강을 양국의 경계로 하고 신장(新疆)에 있어서의 러시아의 상업 상의 특권을 승인한 것임. 일리(Ili) 조약.

이리-좌【―座】 [명] 〖천〗 이리자리.

이리집다 [타] 〈방〉 이르집다.

이리쿵-저리쿵 [부] 이리하자는 둥 저리하자는 둥. ¶~ 이론(異論)이 많다. >요리쿵조리쿵. ――-하다 [자][타][여불]

이리-탕【―湯】 [명] 생선의 이리로 저냐를 만들어 넣고 끓인 맑은 장국. 백자탕(白子湯).

이리-하다 [자][타][여불] 이와 같이 하다. >요리하다. [준]이리다.

[이리해라 저리해라 하여 이 자리에 춤추기 어렵다] 호령(號令)이 무상(無常)하거나 참견하는 사람이 많아서 시끄럽고 도무지 갈피를 잡을 수가 없다는 뜻.

이리 호【―湖】〔Erie〕 [명] 〖지〗 미국의 북부 5대호의 하나. 상류 휴런(Huron) 호와의 사이에 나이아가라 폭포가 있고, 하류의 이리 운하를 통하여 뉴욕으로의 수운(水運)이 가능함. 표고(標高) 174 m, 최심부(最深部)는 64 m임. [25,613 km²]

이립[1]【而立】 [명] 30세의 이칭(異稱).

이립[2]【離立】 [명] 늘어섬. ――-하다 [자][여불]

이링공-뎌링공 [부] 〈옛〉 이렁저렁. 이러쿵저러쿵. ¶이링공 뎌링공 ᄒᆞ야 나즈란 디내와손뎌≪樂詞 青山別曲≫.

이ᄅᆞ다[1] [타] 〈옛〉 이루다. 이룩하다. ¶須達이 ᄉᆞᆯ보ᄃᆡ 내 어루 이ᄅᆞᅀᆞ보리이다≪釋譜 Ⅵ:22≫.

이ᄅᆞ다[2] [형] 〈옛〉 이르다[4]. ¶衡霍山앤 봆빗 나미 이ᄅᆞ고(衡霍生春早)≪初杜諺 XXⅢ:33≫.

이ᄅᆞ삷다 [타] 〈옛〉 경영하다. 이룩하다. =이르삷다. ¶받ᄅᆞᆯ 다ᄉᆞ리며 집을 이ᄅᆞ살며(治田營家)≪呂約 4≫.

이릐 [명] 〈옛〉 아양. 재롱. =일의[2]·니릐. ¶나도 니믈 미더 군 ᄠᅳ디 전혀 업서 이릐야 교틱야 어ᄌᆞ러이 ᄒᆞ돗ᄯᅥᆫ디≪松江 續美人曲≫. *일의ᄒᆞ다.

이마[1] [명] ①얼굴의 눈썹 위에서 머리털이 난 아래까지의 부분. ②↗이맛돌.

[이마를 뚫어도 진물도 아니 난다; 이마를 찔러도 피 한 방울 안 나겠다] 매우 인색(吝嗇)한 사람을 가리키는 말. [이마에 부은 물이 발 뒤꿈치에 흐른다] '정수리에 부은 물이 발뒤꿈치까지 흐른다'와 같은 뜻. [이마에 송곳을 박아도 진물 한 점 안 난다] '이마를 뚫어도 진물도 아니 난다'와 같은 뜻.

이마에 내 천(川)자를 쓰다 [구] 마음에 언짢거나 수심에 싸여, 얼굴을 잔뜩 찌푸리다. ¶이시종이 이마에 내 천자를 쓰고 얼굴에 외꽃이 피어서 들어오더니≪崔瓚植: 秋月色≫.

이마에 피도 안 마르다 [구] 아직 어리다.

이:마[2]【理馬】 [명] 〖역〗 조선 시대 때 사복시(司僕寺)의 정육품(正六品) 잡직(雜職).

이마[3] 〔Yima〕 [명] 〖신〗 조로아스터교(敎) 창세 신화(創世神話)의 인물. 아후라 마즈다(Ahura Mazda)로부터 대홍수가 질 것이라는 경고를 받고, 페르시아 산중의 동굴 따위에 동식물의 최우량종을 모아, 수화(水禍)를 면하게 하였음.

이마니시 류: 〔今西竜: いまにしりゅう〕 [명] 〖사람〗 일본의 한국사(史) 학자. 도쿄 대학 사학과를 졸업하고 한국사를 전공함. 1922년 경성(京城) 대학 교수로 있으면서 ≪조선 고사의 연구≫로써 문학 박사 학위를 받았음. 저서 ≪신라사 연구≫·≪백제사 연구≫·≪조선사 연구 안내≫·≪고려사 연구≫ 등이 사후(死後)에 제자의 손으로 출판됨. [1875-1932]

이:-마(:)동【李馬銅】 [명] 〖사람〗 서양화가. 충청 남도 아산(牙山) 출생. 1932년 일본 도쿄(東京) 미술 학교를 졸업. 선전(鮮展)에 특선(特選)하여 화단에 등장, 국전(國展) 심사 위원·홍익(弘益) 대학장 등을 역임함. [1906-81]

이:-마두【利瑪竇】 [명] 〖사람〗 '마테오 리치(Matteo Ricci)'의 중국식 이름.

이마마-하다 [형][여불] 이만한 정도에 이르다. >요마마하다.

이마-받이[1] 〔―바지〕 [명] 이마로 부딪침. ――-하다 [자][타][여불]

이마-받이[2] 〔―바지〕 [명] 장(欌)·문갑 등 가구(家具)의 부분 이름. 천판(天板)의 앞면 좌우 귀에 대는 쇠장식.

이마-빡 [명] 〈방〉 이마빼기(전라·충청).

[이마빡에 피도 안 말랐다] 아직 어리고 철이 없다는 뜻. [이마빡이 벗어지도록 덥다] 햇빛이 매우 뜨겁고 덥다는 말.

이마-빼기 [명] 〈비〉 이마를 낮게 일컫는 말. [준]마빡.

이마-빽 [명] 〈방〉 이마빼기(경상).

이마-빵이 [명] 〈방〉 이마빼기(경기).

이-마적 [명] 이제로부터 지나간 얼마 동안의 가까운 때. 간경(間頃). 간자(間者). 근자(近者). >요마적.

이:마지-조【李馬智調】 [명] 〖악〗 거문고 곡조(曲調)의 하나. 조선 성종(成宗) 때의 거문고의 명인(名人) 이마지가 지은 곡조. 한두 곡조밖에 전하지 아니함.

이-마큼 [부] ↗이만큼. >요마큼.

이마-팍 [명] 〈방〉 이마빼기(전라).

이막-팍 [명] 〈방〉 이마빼기 (전라).

이만[1]【夷蠻】 [명] 오랑캐와 야만인. 북쪽의 오랑캐와 남쪽의 야만인.

이만[2]【泥鏝】 [명] 흙손.

이만[3] 〔아랍 īmān〕 [명] 〖이슬람〗 신앙(信仰). 신념(信念).

이만[4] [관] 이만한. 이 정도의. ¶~ 일/~ 나이. >요만[2].

이만[5] [부] 이것만으로서. 이만 하고서. ¶~ 그치겠습니다/~ 실례하겠습니다. >요만[3]. *그만[2].

이만-것 [명] 이만한 정도의 것. 대수롭지 아니한 사물(事物). ¶~을 가지고 뭘 그래. >요만것.

이:-만(:)도【李晩燾】 [명] 〖사람〗 조선 고종 때의 학자. 자(字)는 관필(觀必), 호는 향산(響山). 진성(眞城) 사람. 고종 13년(1876) 일본과 통상 조약을 맺을 때 반대하다가 삭관(削官)되었음. 경술년(庚戌年) 국치(國恥) 때 24일간 절식(絶食)하고 순절하였음. [1842-1910]

이만-때 [명] 〈방〉 이맘때.

이:-만(:)부【李滿敷】 [명] 〖사람〗 조선 영조(英祖) 때의 학자. 자(字)는 중서(仲舒), 호는 식산(息山). 연안(延安) 사람. 문장에 능하였으며, 글에 있어서 통하지 않은 것이 없었다고 함. 만년에 ≪주역(周易)≫을 더욱 연구하였으며, 필법(筆法)은 고전 팔분체(古篆八分體)와 종정(鍾鼎)의 체를 썼음. 저서(著書)에 ≪역통(易統)≫·≪대상 편람(大象便覽)≫ 등이 있음. [1664-1732]

이만싼 [관] 〈옛〉 이까짓. ¶혜아리건대 이만싼 양에(量這些羊)≪老乞 下 20≫.

이:-만(:)성【李晩成】 [명] 〖사람〗 조선 숙종(肅宗) 때의 상신. 자(字)는 사추(士秋), 호는 귀락당(歸樂堂). 우산(牛山) 사람. 대사헌 때 영의정 최석정(崔錫鼎)이 지은 ≪예기 유편(禮記類編)≫을 비난하다가 한 때 파직됨. 뒤에 경기 감사·형조 판서를 거쳐 이조 판서가 되어 전형(銓衡)을 엄정히 하고 행신(倖臣)의 폐를 막음. 병조 판서 때 김일경(金一鏡) 등에 의한 신임 사화(辛壬士禍)로 옥사함. [1659-1722]

이:-만(:)수【李晩秀】 [명] 〖사람〗 조선 순조 때의 학자. 호(號)는 극옹(屐翁) 또는 극원(屐園). 벼슬이 보국(輔國) 판돈령부사(判敦寧府事)에 이름. 문학(文學)에 우장(優長)하고 더욱이 관각(館閣) 사륙문(四六文)을 잘 하였음. 시호는 문헌(文獻). [1752-1820]

이:-만(:)용【李晩用】 [명] 〖사람〗 조선 철종(哲宗) 때의 시인. 자(字)는 여성(汝成), 호는 동번(東樊). 전주(全州) 사람. 벼슬은 병조 참지(兵曹參知)까지 지냈음. 조선 시대 후기의 후사가(後四家)의 한 사람으로서 시문(詩文)을 잘하였음. 저서에 ≪동번집(東樊集)≫이 있음. [1802-?]

이:-만(:)운【李萬運】 [명] 〖사람〗 조선 정조(正祖) 때의 유학자. 자(字)는 원춘(元春), 호는 묵헌(默軒). 광주(廣州) 사람. 벼슬은 지평(持平). ≪문헌 비고(文獻備考)≫를 만드는 데 많이 활약하였으며, 그 후 순조(純祖) 때 ≪만기 요람(萬機要覽)≫의 편찬에 참여하였음. [1736-?]

이-만-융-적【夷蠻戎狄】 [명] 동쪽의 이(夷), 남쪽의 만(蠻), 서쪽의 융(戎), 북쪽의 적(狄), 곧 모든 오랑캐를 가리키는 말. 유태인이 다른 민족을 이방인(異邦人)이라 부르던 선민 의식(選民意識)과 같은, 중국인의 중화 사상(中華思想)에서 이르는 외국인의 별칭.

이만저만-하다 [형][여불] 이만하고 저만하다. 어지간하다. ¶이만저만한 노력이 아니고서는 이 일은 완성을 할 수 없다. >요만조만하다. *저만저만하다.

이-만치 [부] 이만한 거리를 떼고 떨어져서. >요만치. *그만치.

이-만큼 [부] 이만한 정도로. 이만하게. [준]이마큼. >요만큼.

이만-하다 [형][여불] 이것만하다. ¶크기는 대략 ~/이만하면 되겠느냐.>요만하다.

이:-만(:)희【李晩熙】 〔―히〕 [명] 〖사람〗 영화 감독. 서울 출생. ≪주마등(走馬燈)≫·≪다이얼 112를 돌려라≫·≪만추(晩秋)≫ 등의 영화 작품이 있음. [1931-75]

이말무지-로 [부] 〈방〉 에멜무지로.

이맘 〔아랍 imām〕 [명] 〖종〗 이슬람 교단의 지도자. 예배의 지휘자·어떤 지역의 지도자 등을 가리키는 경우도 있음. 수니파(Sunni派)에서는 칼리프(caliph)를 이 이름으로 부름. 시아파(Shi'a派)에서는 마호메트의 여서(女婿) 알리의 직계의 자손 중에서 학덕(學德)이 뛰어난 자를 이맘, 즉 교주(敎主)로 하였음.

이맘-때 [명] 이만큼 된 때. ¶지난 해 ~/내일 ~. >요맘때. *고맘때·그맘때·조맘때·저맘때.

이맘-때기 [명] 〈방〉 이마빼기(전라).

이맛-돌 [명] 아궁이 위 앞에 가로 걸쳐 놓는 돌. [준]이마.

이맛-살 [명] 이마에 잡힌 주름살.

이맛살을 찌푸리다 [구] 마음에 언짢거나 걱정스러워, 얼굴을 찌푸리다.

이맛-전 [명] 이마의 넓은 부분.

이망[1] [명] 〈방〉 이마(전라·경상·강원·함경).

이:망[2]【二望】 [명] 〖역〗 조선 시대 때, 삼망(三望)을 얻지 못한 경우에, 두

사람만을 주천(奏薦)하는 일. *단망(單望).
이망-빡 [명] 〈방〉 이마빼기(전라).
이망-빼기 [명] 〈방〉 이마빼기(경상).
이망-뺑이 [명] 〈방〉 이마빼기(경남).
이망-팍 [명] 〈방〉 이마빼기(전라).
이-맞다 [자] 두껑이나 짝의 이가 들어맞다.
이매[1] [명] 〈방〉 이마(경상·강원·전남).
이매[2] 【夷昧】 [명] 어두움. 몽매(蒙昧). ——-하다 [형][여불]
이매[3] 【移買】 [명] 가진 땅을 팔아서 다른 땅을 삼. ——-하다 [타][여불]
이매[4] 【螭魅】 [명] 짐승 모양을 한 산신(山神).
이매[5] 【魑魅】 [명] 인면 수신(人面獸身)의, 사람을 잘 홀린다는 네 발 가진 도깨비.
이매 망량 【魑魅魍魎】 [―냥] [명] 온갖 도깨비. 귀신. [준]망량(魍魎).
이매지네이션 〔imagination〕 [명] ①상상(想像). 상상력(想像力). ②〖문〗 작자가 경험 내용(經驗內容)으로부터 얻은 여러 가지 요소를 종합하여 새로운 미(美)를 창조(創造)하는 힘 또는 작용.
이:매패-류 【二枚貝類】 [명] 〖동〗 〔Bivalvia〕 '부족류(斧足類)'의 딴이름.
이맥 【耳麥】 [명] 〖식〗 귀리.
이맥이 [명] 〖건〗 부연(附椽)에 걸친 평교대(平交臺).
이맥이-초 【一草】 [명] 〖건〗 이맥이에 그린 단청(丹靑).
이맨-대기 [명] 〈방〉 이마.
이맹이 [명] 〈방〉 이마(경남·제주).
이:-맹(:)전 【李孟專】 [명] 〖사람〗 조선 초기의 생육신(生六臣)의 한 사람. 자는 백순(伯純), 호는 경은(耕隱). 성주(星州) 사람. 벼슬은 거창 현감(居昌縣監). 수양 대군(首陽大君)이 즉위한 뒤부터 고향인 선산(善山)에서 두문 불출하였음. 시호는 정간(靖簡). [1392-1480]
이머만 〔Immermann, Karl Leberecht〕 [명] 〖사람〗 독일의 작가. 프로이센(Preussen)의 관리였으나 연극의 개혁에 주력했으며, 하이네 등과도 친교가 있었음. 장편 ≪아류(亞流)의 세대(世代)≫ 등에서 근대 산업 사회로 이행(移行)하는 과도기(過渡期)의 사회상을 비판적으로 그림. [1796-1840]
이며[1] [조] 받침 있는 체언에 붙어, 두 가지 이상의 사물을 늘어놓을 때 쓰는 접속 조사. ¶선생~ 학생~ 모두가 한 마음. *며·이고.
이며[2] 【良旀】 [조] 〈이두〉 이며.
이며[3] 【是旀】 [조] 〈이두〉 이며.
이:면[1] 【二面】 [명] ①두 개의 면(面). ②특히 신문(新聞)의 둘째 면.
이:면[2] 【裏面·裡面】 [명] ①속. 안. 내면(內面). ②사물의 표면에 나타나지 아니하는 방면. 내부의 사실. 내정(內情). ¶정계의 ~을 폭로하다.
이:면(을) 모르다 [구] 경위(經緯)없이 굴다. *이면 부지(裡面不知).
이:면-각 【二面角】 [명] 〖수〗 서로 만나는 두 평면(平面)이 이루는 각.
이:면 경계 【裏面境界】 [명] 일의 내용(內容)과 옳고 그름.
〔이면 경계도 모른다〕 무슨 일의 내용이 어떻다는 것을 모른다는 뜻.
이:면 공작 【裏面工作】 [명] 표면에 드러나지 않게 뒤에서 일을 꾸밈.
이:면 부지 【裏面不知】 [명] 경위(經緯)없이 굶. 또, 그러한 사람.
이:면 불한당 【裏面不汗黨】 [명] 사리를 멀쩡히 알면서도 나쁜 짓을 하는 사람의 별명.
이:면-사 【裏面史】 [명] 외부(外部)에 알려지지 않은 방면을 서술한 역사(歷史). ¶한국 정당(政黨)의 ~.
이:면-설 【二面說】 [명] 〖철〗 일체 양면론(一體兩面論).
이:면수 [명] 〖어〗 ☞임연수어(林延壽魚).
이:-면주 【李冕宙】 [명] 〖사람〗 대한 제국의 순국 지사. 자는 윤래(允來), 호는 계은(桂隱)·하계(霞溪). 사헌부 지평(持平)·정언(正言) 등을 지냄. 을사 조약 반대의 상소를 올렸으며, 국권 상실 소식을 듣고 음독 자결함. [1827-1910]
이:면-체 【二面體】 [명] 〔dihedron〕 〖수〗 동일한 직선을 교선(交線)으로 하는, 두 개의 반평면(半平面)으로 된 기하 도형(幾何圖形).
이:면-치레 【裏面―】 [명] 면치레. ——-하다 [자][여불]
이멸 【夷滅】 [명] 멸하여 없앰. ——-하다 [타][여불]
이명[1] 【耳鳴】 [명] 귀의 질환·정신 흥분·혈관 장애 등으로, 청(聽)신경에 병적 자극이 생겨, 환자에게만 어떤 종류의 소리가 연속적으로 울리는 것처럼 느껴지는 일. 이명증(耳鳴症). 귀울음.
이:-명[2] 【李溟】 [명] 〖사람〗 조선 인조(仁祖) 때의 문신. 자(字)는 자연(子淵), 호는 구촌(龜村). 전주 사람. 인조 초에 호남·경기 관찰사를 역임했으며, 호조·병조·형조 참판 등을 거쳐 호조 판서가 됨. 특히, 경제에 밝아 물가를 조절하고 수지 균형을 잘 맞추었으므로 수년내에 국고가 충실해졌음. 선조(宣祖)·인조 이래로 재정(財政)의 제1인자로 불림. [1570-1648]
이:-명[3] 【李蓂】 [명] 〖사람〗 조선 명종(明宗) 때의 상신. 자(字)는 요서(堯瑞), 호는 동고(東皐). 예안(禮安) 사람. 부제학 때 이기(李芑)의 전횡을 배척하였고, 을사 사화(乙巳士禍) 때 억울한 죄를 입은 사람들의 신설(伸雪)을 위해 노력함. 벼슬은 형조·호조·공조 판서를 지내고 좌의정에 이름. 청백리에 녹선(錄選)됨. [1496-1572]
이:명[4] 【異名】 [명] 본이름 외에 달리 부르는 이름.
이:명 동음 【異名同音】 [명] 〖악〗 '딴이름 한소리'의 한자 이름.
이:-명룡 【李明龍】 [―뇽] [명] 〖사람〗 삼일 독립 선언 때, 민족 대표 33인 중의 한 사람. 호는 춘헌(春軒). 평안 북도 철산(鐵山) 출생. '105인 사건'에 연좌되어 3년간 복역, 1919년 기독교 대표로 독립 운동을 지도했음. 광복 후 1945년 조만식(曺晩植)과 조선 민주당을 조직, 고문에 취임하고, 사재(私財)를 기울여 평동중학(平東中學)을 건립함. 1947년 월남, 안중근 의사 기념 사업회장(安重根義士記念事業會長) 등을 역임함. [1873-1956]
이:명-법 【二名法】 [―뻡] [명] 생물 분류학에서, 속명(屬名) 다음에 종명(種名)을 적어서 생물 하나하나의 종류를 나타내는 명명법(命名法). 린네(Linne, Karl von)가 창시(創始)한 것으로, 현재 널리 쓰임. 예를 들면 사자는 *Felis leo*, 은행나무는 *Ginkgo biloba* 등. *학명(學名)·삼명법(三名法).
이명-주 【耳明酒】 [명] 귀밝이술.
이명-증 【耳鳴症】 [―쯩] [명] 〖한의〗 이명(耳鳴).
이:-명한 【李明漢】 [명] 〖사람〗 조선 시대 중기의 문장가. 자는 천장(天章), 호는 백주(白洲). 연안(延安) 사람. 이괄(李适)의 난(亂) 때 팔도에 보내는 교서(敎書)를 지어 문명을 날리고, 후에 예조(禮曹)·공조 판서(工曹判書)를 지냈음. 문집 ≪백주집(白洲集)≫. 시호(諡號)는 문정(文靖). [1595-1645]
이:모[1] 【二毛】 [명] ①검은 털과 흰 털. ②↗이모지년(二毛之年).
이모[2] 【姨母】 [명] 어머니의 자매(姉妹).
이:모[3] 【異母】 [명] 배가 다름. 어머니가 같지 아니함.
이모[4] 【移摸·移模】 [명] 서화(書畫)를 본떠서 그림. ——-하다 [타][여불]
이:모[5] 【貽謀】 [명] 조상이 끼친 교훈.
이모랄리즘 〔immoralism〕 [명] 〖사〗 배덕(背德) 또는 반도덕(反道德)의 입장. 곧, 기성 도덕에 대한 부정·반역의 태도를 의미함. 문학상으로는 특히 성도덕(性道德)에 관하여 현저한 예가 있고, 정치·종교·풍속 등에서도 제기되는 문제임.
이:모-류 【異毛類】 [명] 〖동〗 선모류(旋毛類).
이모-부 【姨母夫】 [명] 이모의 남편.
이:모 상마 【以毛相馬】 [명] 털빛으로 말의 좋고 나쁨을 판단한다는 뜻으로, 겉만 보고 사물을 판단하는 것은 잘못임을 이르는 말.
이모:셔널리즘 〔emotionalism〕 [명] 〖문〗 정서(情緖)를 중요시하는 재래의 전통적(傳統的) 경향의 문학. ↔모더니즘(modernism).
이모:션 〔emotion〕 [명] 정서(情緖). 감동(感動).
이:모-작 【二毛作】 [명] 〖농〗 같은 경작지(耕作地)에서 1년에 두 번 곡물(穀物)을 수확(收穫)하는 토지의 이용법(利用法). 보통, 여름에는 벼, 겨울에는 보리·밀 등을 경작함을 말함. 양그루. 그루갈이. 양모작(兩毛作). *일모작(一毛作)·다모작(多毛作)·이기작(二期作)·삼모작(三毛作).
이모-저모 [명][부] 사물의 이런 면 저런 면. 이쪽 저쪽의 여러 방면. ¶사건의 이면을 ~ 파헤쳐 보다/미국 생활의 ~. >요모조모.
이:모-제 【異母弟】 [명] 배다른 아우.
이:모지-년 【二毛之年】 [명] 센 털이 나기 시작하는 나이. 곧, 서른 두 살을 말함. [준]이모(二毛).
이:모 취:인 【以貌取人】 [명] 얼굴만 보고 사람을 골라 가리거나 씀. ——-하다 [자][여불]
이모-할머니 【姨母―】 [명] 할머니의 친정 여동생, 곧 아버지의 이모.
이:모-형 【異母兄】 [명] 배다른 형.
이:모 형제 【異母兄弟】 [명] 배다른 형제. 이복 형제(異腹兄弟).
이-목[1] 【一目】 [명] 〖충〗 〔Anoplura〕 유시 아강(有翅亞綱)에 속하는 한 목(目). 마음대로 움직이고 눈은 불완전한 복안(複眼)이거나 단안(單眼)임. 입은 길게 연장된 톱니 모양의 가시털과 장판상(長板狀)의 아랫 입술로 이루어짐. 복부는 9절(節), 발은 갈고리 모양으로 되고, 큰 발톱이 있으며, 날개는 퇴화하였음. 대개 포유류(哺乳類)의 외부에 붙어서 삶. 잇과(科)·짐승닛과·사면발잇과 등이 이에 속함. 슬류(蝨類).
이목[2] 【耳目】 [명] ①귀와 눈. ②봄과 들음. 시청(視聽). ③남들의 주의. 남의 눈. ¶~을 피하다.
이목을 끌:다 [구] 남의 주의를 끌다. 특별히 남의 눈에 띄다.
이목[3] 【怡穆】 [명] 기쁘고 화목함. ——-하다 [형][여불]
이목[4] 【梨木】 [명] 〖식〗 배나무.
이목[5] 【梨木】 [명] 〖지〗 황해도 벽성군(碧城郡) 검단면(檢丹面)의 시장. 군의 서북단에 가깝고 해주(海州) 서북 35km 지점에 있음. 자동차 교통의 요충이고, 부근 일대의 농산물의 집산이 성함.
이목[6] 【移牧】 [명] 유목(遊牧)과 목장 방목(牧場放牧)과의 중간 형태인 목축(牧畜)의 한 형식. 여름에는 비가 많고 신선한 산(山)에서 방목하고 겨울에는 평지로 내려와 건초(乾草)로 사육(飼育)함. 알프스 산지(山地)나 지중해 연안에서 볼 수 있음.
이-목-구-비 【耳目口鼻】 [명] 귀·눈·입·코. 인물(人物). ¶~가 반듯하다.
이목-인 【移牧人】 [명] 이목(移牧)을 전업(專業)으로 하는 사람.
이목지-관 【耳目之官】 [명] 〖역〗 ①감찰(監察)을 맡은 벼슬. ②중국에서, 임금의 이목이 되어 국가의 치안을 맡아보던 관리. 곧, '어사 대부(御史大夫)'를 일컫는 말. 이목지사(耳目之司). ③귀와 눈의 듣고 보는 작용. 견문(見聞).
이목지-사 【耳目之司】 [명] 이목지관❷.
이목지-욕 【耳目之慾】 [명] ①듣고 싶고, 보고 싶다고 생각하는 이목의 욕망. ②물질에 대한 욕망.
이목 총명 【耳目聰明】 [명] 귀와 눈의 관능(官能)이 총명한 일.
이몽-가몽 【一夢一夢】 [명] ☞비몽사몽(非夢似夢). ¶밤새도록 ~ 깊은 잠도 못 자다. ——-하다 [형][여불]
이:-몽양 【李夢陽】 [명] 〖사람〗 중국 명(明)나라의 시인. 자는 헌길(獻吉), 호는 공동자(空同子). 스승인 이동양(李東陽)의 격조설(格調說)을 확대하여 '문(文)은 진한(秦漢), 시(詩)는 성당(盛唐)'을 문학의 규범으로 하고, 이를 모방할 것을 주장, 고문사파(古文辭派)라 일컬어지는 한 파를 형성하여 문단(文壇)에 세력을 가짐. 저서에 ≪공동자집(空同子集)≫이 있음. [1472-1529]
이:-묘(:)묵 【李卯默】 [명] 〖사람〗 외교관. 평남 출생. 1945년 '코리아 타임스'지를 발간함. 1951년에 주영(駐英) 한국 공사로 재임중 교통 사고로 런던에서 사망함. [1900-57]

이무[1] 명 〈옛〉 편지. =유무. ¶이무롤 ᄀᆞ초와(具書) ≪家禮 Ⅳ:7≫/女氏 편이 이무 받기며 이무 되답ᄒᆞ기며(女氏受書復書)≪家禮 Ⅳ:7≫.

이:무[2] 【吏務】 명 관리의 직무.

이:-무[3] 【李茂】 명 〖사람〗 여말 선초(麗末鮮初)의 문신. 자(字)는 돈부(敦夫). 단양(丹陽) 사람. 공민왕(恭愍王) 때 문과(文科)에 올라, 조선 개국(開國) 후 도체찰사(都體察使)가 되어 이키(壱岐) 섬·쓰시마(対馬) 섬의 왜구를 토벌하고, 제1차 왕자의 난 때 방원(芳遠)을 도와 정사 공신(定社功臣)으로 단양 부원군(丹陽府院君)에 봉해짐. 뒤에 김사형(金士衡) 등과 ≪역대 제왕 혼일 강리도(歷代帝王混一疆理圖)≫를 편찬함. 시호는 익평(翼平). [1355-1409]

이무[4] 【移貿】 명 〖역〗 조선 시대 지방 원의 탐학하던 수단의 하나. 지방의 관원이 시세(時勢)가 오른 제 고을의 환곡(還穀)을 내 팔고, 대신 값이 싼 딴 고을의 곡식을 사서 채워 이익을 남겨 사사로 차지하던 일. ——-하다 자 여불

이:무기 명 ①용이 되려다 어떤 저주에 의해 못 되고 물 속에 산다는 전설적인 큰 구렁이. 민간에 전하기는 천 년을 더 기다려야 용이 될 기회를 얻는다 함. ②거대한 뱀의 속칭. 열대산의 왕뱀 같은 것. 대망(大蟒). 염사(蚺蛇). 이룡(螭龍).

이:무기 기둥돌 [一똘] 명 〖건〗 기둥 머리에 짐승 모양을 새긴 석주(石柱). 이주석(螭柱石).

이:무기-돌 명 〖건〗 석누조(石漏槽)의 한 가지. 성문(城門) 같은 데에 빗물이 흘러내리게 하기 위하여 난간에 끼우는 이무기 대가리 모양의 돌홈. 석이두(石螭頭). 석누조(石漏槽). 이두(螭頭).

〈이무기돌〉

이:-무영 【李無影】 명 〖사람〗 소설가. 농민 문학의 선구자. 본명은 용구(龍九). 충북 음성(陰城) 출생. ≪소설 작법≫·≪무영 농민 문학 전집≫ 등 장편 13, 단편집(短篇集) 9 권이 있음. 해군 정훈감(海軍政訓監)을 지냄. [1908-60]

이:문[1] 【二門】 명 〖불교〗 불교를 교리상으로 크게 두 종류로 나눈 분류법. 비문(悲門)과 지문(智門), 본문(本門)과 적문(迹門), 섭수문(攝受門)과 절복문(折伏門), 억지문(抑止門)과 섭취문(攝取門), 유문(有門)과 공문(空門), 성도문(聖道門)과 정토문(淨土門), 사문(事門)과 이문(理門), 진제문(眞諦門)과 속제문(俗諦門) 등.

이문[2] 【尼文】 명 〖사람〗 가야국(伽倻國)의 악사. 우륵(于勒)의 제자. 신라 진흥왕(眞興王) 12년(551)에, 우륵과 함께 낭성(娘城) 하림궁(河林宮)에서 어전 주악이 있을 때 각각 하림조(河臨調)와 눈죽조(嫩竹調) 도합 185곡을 지었음.

이:문[3] 【吏文】 명 〖역〗 조선 시대 때, 중국(中國)과 주고받는 문서에 쓰는 특수한 문체(文體)로, 자문(咨文)·서계(書契)·관자(關子)·감결(甘結)·보장(報狀)·제사(題辭) 등에 쓰던 글. 순한문으로 썼으나 중국의 속어(俗語)를 가미하였음.

이문[4] 【耳門】 명 귓문.

이:문[5] 【利文】 명 ①이(利)가 남은 돈. 이전(利錢). ¶~이 박한 장사. ②이조(利條)❷.

이:문[6] 【里門】 명 동네의 어귀에 세운 문.

이문[7] 【移文】 명 〖역〗 이(移).

이:문[8] 【異聞】 명 신기스러운 소문. 별다른 소문.

이:문[9] 【裏門】 명 뒷문.

이:-문건 【李文楗】 명 〖사람〗 조선 명종(明宗) 때의 학자. 자(字)는 자발(子發), 호는 묵재(默齋). 성주(星州) 사람. 중종(中宗) 14년(1519) 기묘 사화(己卯士禍)로 스승 조광조(趙光祖)가 사사(賜死)되었을 때 형 충건(忠楗)과 함께 감히 조문함. 명종 1년(1545) 을사(乙巳) 사화에 휩쓸려 성주(星州)에서 23년간 귀양살이를 하다가 죽음. 배소에서 ≪경사(經史)≫·≪주역(周易)≫을 탐독하는 한편 시를 많이 지음. [1494-1567]

이문 목견 【耳聞目見】 명 귀로 듣고 눈으로 봄. 곧, 실지로 경험함. 견문(見聞). ——-하다 자 타 여불

이문-원 【摛文院】 명 〖역〗 규장각(奎章閣).

이:문 정시 【吏文庭試】 명 〖역〗 조선 시대에, 당하의 문관(文官)에게 보이던 이문(吏文)의 시험.

이:-문진 【李文眞】 명 〖사람〗 고구려 영양왕(嬰陽王) 때의 학자. 태학 박사(太學博士)를 지냈음. 영양왕 11년(600) 왕명을 받아 ≪유기(留記)≫ 100권을 재편찬하여 ≪신집(新集)≫ 6권을 만들었다고 하나 모두 전하지 아니함.

이:문 집람 【吏文輯覽】 [一남] 명 〖책〗 최세진(崔世珍)이 엮은 이문을 해석한 책. 조선 중종(中宗) 34년(1539) 편찬. 4권 1책.

이:-문충 【李文忠】 명 〖사람〗 중국 명초(明初)의 무장. 자는 사본(思本). 장쑤 성(江蘇省) 출신. 주원장(朱元璋)의 생질. 강남(江南) 각지 공략에 공을 세우고, 1369년에는 북원(北元)을 쳐서 원(元)나라 순제(順帝)를 패주시킴. 전공으로 조국공(曹國公)에 봉해졌는데, 1372년 좌부장군(左副將軍)으로서 막북(漠北)을 정복하고 이 때 북변(北邊) 방비를 맡는 등 막중한 임무를 잘 수행함. 뒤에 대도독부사(大都督府事)·국자감사(國子監事)를 겸장(兼掌)했음. [1339-84]

이:문 학관 【吏文學官】 명 〖역〗 조선 시대에, 승문원(承文院)의 한 벼슬. 중종(中宗) 19년(1524)에 두고 뒤에 한리 학관(漢吏學官)으로 고침. 음직(蔭職)임. ㊜학관.

이:문-현 【二門峴】 명 〖지〗 충청 북도 중원군(中原郡) 앙성면(仰城面)과 음성군(陰城郡) 감곡면(甘谷面) 사이에 있는 고개. [146 m]

이:-문형 【李文馨】 명 〖사람〗 조선 중기의 판서. 자는 형지(馨之), 호는 졸재(拙齋). 전의(全義) 사람. 경연(經筵)의 시강(侍講)을 지내고 이(吏)·호(戶)·병(兵) 3조(曹)의 판서를 역임하였음. 벼슬살이 40여 년에 조그만 재산도 늘리지 않았고, 끼니가 떨어져 이웃 마을까지 가서 꾸어 먹었다고 함. [1510-82]

이물[1] 명 〔근대 : 니믈〕 배의 머리. 선두(船頭). 밑앞. 선수(船首). ↔고물[3].

이:물[2] 【異物】 명 ①기이(奇異)한 물건. ②보통 것이 아닌 다른 물건. 변물(變物). ¶눈에 ~이 들어가다. ③음험(陰險)하여 측량하기 어려운 사람. ④죽어 없어진 사람.

이물-간 [一깐] 명 배의 이물쪽의 간살. ↔고물간.

이:물 거:세포 【異物巨細胞】 명 〖생〗 이물(異物)을 중심으로 해서 형성된 염증성(炎症性) 육아 조직(肉芽組織) 중에 이따금 나타나는 거세포(巨細胞). 여러 개의 핵(核)을 가짐.

이물-대 [一때] 명 두대박이 배의 이물 쪽에 있는 돛대. ↔고물대.

이물-스럽다 형 ㅂ불 성질이 음험(陰險)하여 속을 헤아리기 어렵다. *괴(怪)하다. 이물-스레 부

이물이물-하다 [一리一] 자 여불 ☞구물구물하다. ¶썩어서 구더기가 이물이물할 거 아니야≪金聲翰 : 轉廻≫.

이믜 부 〈옛〉 이미. =임의[2]. ¶네 이믜 ᄆᆞᆯ 풀라 가거든(你旣賣馬去时)≪老乞 上 8≫/범이 이믜 다먹고 빈 불러 누엇거놀(虎卽食飽臥)≪五倫 Ⅰ:39≫.

이믜롭다 형 ☞임의롭다.

이믜셔 부 〈옛〉 이미. ¶이믜셔 世間애 얽미여슈믈 免티 몯홀시(旣未免羈絆)≪杜諺 Ⅸ:22≫.

이:미[1] 【異味】 명 특이(特異)하게 달가운 맛. 별미(別味).

이:미[2] 【履尾】 명 〔범의 꼬리를 밟는다는 뜻으로〕 위험한 일을 비유하여 일컫는 말.

이:미[3] 부 다 끝나거나 지난 일을 말할 때 '벌써'의 뜻으로 쓰는 말. 기이(旣已). 기위(旣爲). ¶~ 때가 늦었다.
[이미 씌워놓은 망건이라] 남이 한 대로만 내버려 두고 다시 변경하지 않으려 함을 이름.

이:미기 명 〈방〉 이무기.

이미내 명 〈방〉 흉내(평안).

이미노 〔도 Imino〕 명 〖화〗 이미도.

이미노-기 【一基】 명 〔imino group〕 〖화〗 이미도기(基).

이미다졸 〔imidazole〕 명 〖화〗 고리 속에 질소 원자 2개를 함유한 복소(複素) 고리 모양 화합물. 방향족(芳香族) 화합물과 비슷한 성질을 가짐. 무색(無色)의 고체로, 약한 염기성임. 유도체(誘導體)에 히스티딘·히스타민 등이 있음. [$C_3H_4N_2$]

이미도 〔imido〕 명 〖화〗 암모니아에서 수소 원자 둘을 제거한 2가(價)의 기(基) =NH의 일컬음. 이미도 에테르(imido ether)·이미도하이드린(imidohydrine)·산이미드(酸imide)·구아니딘 등은 이미노기(基)를 갖는 화합물임. 이미노(Imino).

R–Co, R–Co, NH — 산이미드
R–C(=NH)–OH — 이미도하이드린
R–C(=NH)–OR′ — 이미도에테르
H_2N, H_2N, C=NH — 구아니딘

〈이미도〉

이미도-기 【一基】 명 〔imido group〕 〖화〗 2가(價)의 기(基) =NH를 똑똑히 이르는 말. 이미노기(imino 基).

이미드 〔imide〕 명 〖화〗 ①이미도기(imido 基) =NH를 갖는 아미드. 이염기산(二塩基酸)인 카르복시산(酸)에서 수산기(水酸基) 두 개를 빼고 남은 기(基)에 이미노기(基)가 결합하여 고리를 형성하고 있는 것으로 산무수물(酸無水物)과 암모니아의 작용으로 생성(生成)함. ②산이미드(酸imide).

이미르 〔Ymir〕 명 〖신〗 북유럽 신화에서, 얼음 속에서 최초로 나온 거대한 생물. 서리의 거인의 시조(始祖). 신들의 시조인 오딘(Odin)의 3형제에 피살되어, 그 시신(屍身)으로 대지(大地)가 만들어졌다고 함.

이:미-증 【異味症】 [一쯩] 명 〖의〗 별난 음식을 좋아하는 이상(異常) 증상. 아이들이 흙이나 손톱 같은 것을 좋아하거나 임부(姙婦)가 신맛이 있는 음식을 즐기는 것과 같은 것인데, 기생충에 의한 소화 장애(消化障礙)나 정신 장애(精神障礙) 등에서 오는 수가 많음. 이식증(異食症). 이기증(異嗜症).

이미지 〔image〕 명 ①형상(形像). 영상(映像). ②〖심〗 마음 속에 그리는 상(像). 심상(心象).

이미지-관 【一管】 명 〔image tube〕 〖물〗 광학상(光學像)을 전자상(電子像)으로 바꾸는 장치. 기본적으로는 입력 반투명 광전면(入力半透明光電面), 전자 렌즈 및 출력 형광면(出力螢光面)을 갖춘 전자관(電子管)을 가리킴.

이미지 스캐너 〔image scanner〕 명 〖컴퓨터〗 키보드 입력으로는 판독(判讀)이 불가능했던 화상(畫像)을 판독할 수 있는 장치. 판독한 화상은 컴퓨터의 디스플레이에 표시됨. 이 장치를 쓰면 컴퓨터 화면으로 자유로이 도형을 편집하거나 문서로 짜넣을 수 있어 각종 상품의 설계에 응용되고 있음.

이미지 오:시콘 〔image orthicon〕 명 〖물〗 최신식 텔레비전 카메라의 촬상용(撮像用) 진공관(眞空管). 종래의 아이코노스코프(iconoscope)보다 훨씬 성능(性能)이 높고 특별한 조명(照明)이 필요치 않으므로 많이 사용됨.

이미지즘 〔imagism〕 명 〖문〗 제1차 대전 말기로부터 재래(在來)의 전통적 시풍(詩風)에 만족을 느끼지 못하는 영미(英美)의 시인들이 일으킨 신시 운동(新詩運動). 영상(映像)의 색채와 율동의 중요성을 주장하고, 애매한 일반 개념을 피하여 일상 적확(適確)한 용어로 새로운 운율(韻律)을 창조하려 하였음. 대표적인 인물로는 로렌스(Lawrence, D. H.)·파운드(Pound, E.) 등임.

이미지 트레이닝 〔image training〕 명 경기 플레이의 모션이나 경기의 전개 등에 대해 자신이 지니고 있는 결함을 개조하거나 이상적인 것을

머리 속에 그리며 연습하여 실제의 플레이나 경기 방식에 그것을 정착시켜 가는 트레이닝법.

이미타티오 크리스티 [Imitatio Christi] 명 〖책〗 [‘그리스도를 본받아’의 뜻] 수도(修道)의 서(書). 중세의 신비 사상가(神祕思想家) 토마스 아 켐피스(Thomas a Kempis)의 저작(著作)으로 지목되고 있음. 형식적인 계율보다도 내적인 덕을 닦을 필요를 명석하게 설명함. 수도 생활자를 대상으로 쓰여졌지만, 예로부터 일반 신도들에게도 성서 다음으로 널리 애독되고 있는 그리스도교 내적 생활(內的生活)의 고전적 명저(名著)임.

이미터 [emitter] 명 〖전〗 트랜지스터의 기호(記號)에서 화살표가 그려진 곳으로, 삼극 진공관(三極眞空管)의 그리드(grid) 또는 캐소드(cathode)에 해당함. 약호: E.

이미테이션 [imitation] 명 ①모방(模倣). ②모조품(模造品). ③〖악〗 한 성부(聲部)가 선행하는 성부의 선율(旋律) 또는 동형의 악구(樂句)를 수음(數音) 또는 몇 소절(小節) 늦게 연주하는 일.

이:민[1] 【吏民】 명 지방의 아전과 백성.

이:민[2] 【里民】 명 동리 사람.

이민[3] 【移民】 명 ①〖사〗 개인이나 집단이 항구적(恒久的) 또는 장기에 걸쳐 자기 나라를 떠나 다른 나라의 영토(領土)에 이주(移住)하는 일. 또, 이주하는 사람. 인구 과잉(人口過剩)·천변 지이(天變地異)·사회의 불안 등이 원인이 됨. 자주적(自主的)인 식민 정책(植民政策)에 의한 식민과 달라 상대 국가와의 협약(協約)에 의하여 행하여지며, 계획 이민과 자유 이민이 있음. 해외 이주(海外移住). ②↗이주민(移住民). ——-하다 자여불

이민[4] [imine] 명 〖화〗 암모니아의 수소 원자 2개를 2가(價)의 탄화 수소기로 치환(置換)한 화합물. 피롤리딘(Pyrrolidin)·피페리딘(Piperidin) 따위. 염기성(塩基性)을 나타냄.

이민-국 【移民國】 명 ①이민이 가서 사는 나라. ②인구 밀도(人口密度)가 희박한 광대한 미개지(未開地)를 가지고, 그 개척(開拓)에 소요되는 노동력을 주로 외국의 이민에 의존하고 있는 나라.

이민-단 【移民團】 명 이민들의 집단.

이민-법 【移民法】 [-뻡] 명 〖법〗 ①이민 입국(入國) 단속의 법규. ②미국의 이민 제한법. 1875년 이후는 범죄자·무정부주의자의 배제가 목적이었으며 1921년에는 이민의 절대수를 제한하였고, 1965년과 1968년의 개정으로 제한이 완화되었음.

이민-선 【移民船】 명 〖경〗 화객선(貨客船)의 하나. 가는 길에는 이민을 태워 나르고 오는 길에는 화물을 운반했는데, 현재는 이민 전용선(移民專用船)은 없음.

이민수 명 〈방〉 〖어〗 임연수어(林延壽魚)(평안).

이:민 위천 【以民爲天】 명 백성을 하늘같이 소중히 여김. ——-하다 자여불

이민 정책 【移民政策】 명 이민에 관한 국가의 정책. 강제 이민·자유 이민 따위.

이:-민족 【異民族】 명 언어·풍속 등이 다른 민족.

이민-지 【移民地】 명 ①국가 상호간의 협약(協約)에 의하여 결정한 이민을 받아들이는 지역(地域). ②지역이 광활(廣闊)하고 인구 밀도(人口密度)가 희박하여 이민하기에 알맞은 곳.

이민-촌 【移民村】 명 이민들이 모여 사는 마을.

이민 회:사 【移民會社】 명 이민(移民)의 모집이나 도항(渡航)을 주선하는 영리(營利) 회사.

이바 감 〈옛〉 여봐. ¶木匠아 이바 우리 혜아리쟈(木匠你來咱商量)《朴解 下 12》/이바 이집 사룸아 셰간 엇디 살리《松江》/이바 거리에 셰낼 나귀 잇ᄂᆞ냐(你來街坊有賃的驢麽)《朴解 下 57》.

이바게 [Ibagué] 명 〖지〗 콜롬비아 중서부의 도시. 표고(標高) 1,330 m의 고원에 있는 1550년 창설의 고도(古都)임. 부근은 커피 재배가 성하며 주석·황(黃) 등도 산출함. [약 200,000 명(1980)]

이바구 명 〈방〉 이야기(경상).

이바기 명 〈방〉 이야기(경남).

이바노보 [Ivanovo] 명 〖지〗 러시아 모스크바 동북, 이바노보 주의 주도. 근대적인 설비를 갖춘 면과 린네르의 섬유 공업·철공업·화학 공업이 성함. 구명(舊名): 이바노보 보즈네센스크(Ivanovo Voznesensk). [474,000 명(1983)]

이바노프 [Ivanov, Aleksandr Andreevich] 명 〖사람〗 러시아의 화가. 1830년 이후 로마에 정주(定住)하고, 나사렛파적인 종교 감정과 아카데믹한 양식을 가미하면서 주로 종교화를 그렸음. 대표작은 《그리스도의 민중에의 출현》. [1806-58]

이바단 [Ibadan] 명 〖지〗 서아프리카 나이지리아 서부 오요 주의 주도. 요루바족(Yoruba族)의 고도(古都)로서, 아프리카 최대의 니그로의 도시. 사원·대학 등이 있음. 근방은 코코아·담배 등 수출 농작물의 중심지임. [1,060,000 명(1983)]

이바돔 명 〈옛〉 대접할 음식. ¶百神 이바도ᄆᆞ란 東녁 壇 우희 엳고 《月釋 Ⅱ:73》.

이바디 명 〈옛〉 잔치. ¶이바디예 머리를 좃ᄉᆞᄫᆞ니(當宴敬禮)《龍歌 95章》/이바디 연(宴)《字會 下 10》/몰ᄅᆞ 이바디를 마져 니ᄅᆞ고져컨마ᄅᆞᆫ(欲告淸宴罷)《杜諺 Ⅶ:25》.

이바라키 현 【-縣】 [茨城: いばらき] 명 〖지〗 일본 간토(關東) 지방 동북부에 있는 현. 20 시(市) 14군. 일본 제1의 농업현이며, 히타치(日立)의 구리를 비롯하여 금·전선(電線)·전기 기계 기구·시멘트·생사(生絲) 및 조반(常磐) 탄전의 석탄 등의 산출도 많음. 현청 소재지는 미토(水戸)시. [6,090 km² : 2,866,491 명(1991)]

이바지 명 [중세 : 이바디] ①도움이 되게 함. 공헌(貢獻)함. ¶중화학 공업 육성에 ～한 공로. ②힘들여 음식 같은 것을 보내어 줌. 또, 그 음식. 특히, 신부(新婦)가 신행(新行) 때 시집에 가지고 가는 술·떡·고기·과자·과일 등의 음식. ③물건을 갖추어 바라지함. ——-하다 자타여불

이박[1] 명 〈방〉 이야기(경남).

이:박[2] 【二泊】 명 이틀 밤 숙박하는 일. 중숙(中宿). ¶～ 삼일.

이:박[3] 【理博】 명 ↗이학 박사.

이박[4] 【飴粕】 명 엿밥.

이-박기 명 상원(上元)에 이를 건강히 하고자 부럼을 씹는 일.

이:-박자 【二拍子】 명 〖악〗 강음(強音)이 두 박자마다 반복되는 박자.

이반[1] 명 〈방〉 예반[1].

이:반[2] 【離反·離叛】 명 인심이 떠나서 배반함. 이배(離背). ¶민심이 ～하다. ——-하다 자여불

이:-반룡 【李攀龍】 [-발-] 명 〖사람〗 중국 명대(明代)의 시인. 자는 우린(于鱗), 호는 창명(滄溟). 산둥 성(山東省) 지난(濟南) 출신. 전칠자(前七子)의 문학론을 계승하여 산문(散文)은 진한(秦漢), 시는 성당(盛唐)의 것을 이상으로 할 것을 주장함. 명말(明末)에 이르러서는 그의 작품이 문학을 타락시키는 것으로 호된 비판을 받음. 《당시선(唐詩選)》을 찬했음. [1514-70]

이반 사:세 【-四世】 [Ivan Ⅳ] 명 〖사람〗 러시아의 황제. 이반 3세의 손자이며 바실리(Vasilii) 3세의 아들. 대귀족(大貴族) 탄압의 공포 정치를 하였으므로 뇌제(雷帝)라 불리며, 1547년 대관(戴冠)하여 최초로 정식(正式) 차르(Czar)란 이름을 칭하고 시베리아를 병합하는 등 국력을 크게 확장하였음. [1530-84]

이반 삼세 【-三世】 [Ivan Ⅲ] 명 〖사람〗 모스크바 대공(大公). 1480년 킵차크 한국(Kipchak 汗國)의 지배를 벗어나 여러 공령(公領)을 병합, 러시아 제국(帝國)의 기초를 닦았으며, 비잔틴 황녀(皇女)인 그의 비(妃) 소피아(Sophia)를 통해 새로운 사조(思潮)와 풍습을 궁정에 도입했음. [1440-1505]

이반 속도 【離反速度】 명 [rate of departure] 〖항공〗 두 대의 항공기가 멀어지고 있을 때의 항공기의 상대 속도(相對速度).

이반 일세 【-一世】 [Ivan Ⅰ] [-쎄] 명 〖사람〗 모스크바 대공(大公). 킵차크 한국(汗國)의 원조를 얻어 러시아 제후국(諸侯國)에 대한 종주권을 획득, 영토를 확대했음. 제후국이 킵차크 한국에 바치는 세(稅)의 일부를 받아 부강(富強)하게 되고, 러시아 통일의 기초(基礎)를 굳힘. [1301?-41]

이받다 타 〈옛〉 잔치하여 모시다. 이바지하다. 바라지하다. 공급하다. =이밧다. ¶아바님 이받ᄌᆞᄫᆞᇙ제(侍宴父皇)《龍歌 91章》/눈먼 어시ᄅᆞᆯ 이받노라《月釋 Ⅱ : 13》.

이:-발[1] 【李潑】 명 〖사람〗 조선 시대 중기의 문장가. 자는 경함(景涵), 호는 동암(東菴) 또는 북산(北山). 광주(光州) 사람. 북인(北人)의 수령으로 조광조(趙光祖)의 지치주의(至治主義)를 이념으로 하여 사론(士論)을 지도하였으나 이조 정랑(吏曹正郎)으로 경연(經筵)에 출입하고 오래 인사권을 맡아 많은 원한을 샀음. 정여립(鄭汝立)의 모반 사건에 관련되어 장살(杖殺)됨. [1544-89]

이:발[2] 【理髮】 명 ①머리털을 빗고 다듬음. ②머리털을 깎음. ——-하다 자여불

이발[3] 【離發】 명 길을 떠남. ——-하다 자여불

이:발-관 【理髮館】 명 이발소(理髮所).

이:발-기 【理髮器】 명 머리털을 깎는 기계. 두 손으로 쓰는 것과 외손으로 쓰는 것이 있으며, 전기 장치(電氣裝置)로 된 것도 있음. 바리캉(bariquant).

이:발-사 【理髮師】 [-싸] 명 남의 머리털을 이발하여 주는 일을 업으로 삼는 사람. 이용사(理容師). 미발사(美髮師).

이:발-소 【理髮所】 [-쏘] 명 이발하는 집. 이발사가 영업하는 곳. 이발관(理髮館). 이용원(理容院).

이:발-업 【理髮業】 명 이발하는 영업. 이용업(理容業).

이:발지-시 【已發之矢】 [-찌-] 명 이미 발사(發射)된 화살. 곧, 이왕에 시작한 일을 중지하기 어려운 형편.

이:-밥 명 입쌀로 지은 밥. 흰밥. 쌀밥.
[이밥이면 다 젯밥인가] 한 물건 같은 것이라도 경우에 따라 저마다 다르게 쓰이며 또 그 효과도 각각 다르다는 뜻.

이밥다[1] 타 〈방〉 갈구(渴求)하다.

이밥다[2] 형 〈방〉 귀하다(함경).

이밧다 타 〈옛〉 이바지하다. =이받다. ¶옥올 이밧논 恩惠ᄅᆞᆯ 分明히 ᄒᆞ얏도다(分明饌玉恩)《重杜諺 Ⅷ:11》/小人은 아ᄆᆞ란 이밧논 일도 업소니(小人沒甚麽館待)《老乞 下 6》.

이:방[1] 명 [←예방(豫防)❷] 〖민〗 질병(疾病)·재액(災厄) 등을 미리 막기 위하여 행하는 미신적 행위(迷信的行爲).

이방[2] 【尼房】 명 여승(女僧)의 방.

이방[3] 【耳枋】 명 〖건〗 귀한대 제공(諸貢)을 받친 나무 토막.

이:방[4] 【吏房】 명 〖역〗 ①조선 시대 승정원(承政院)의 육방(六房)의 하나. 승지(承旨) 아래 딸려 인사(人事)·비서(祕書), 기타의 사무를 맡아 봄. ②이방 아전(吏房衙前).

이:방[5] 【異方】 명 ①풍속(風俗)·습관(習慣) 등이 다른 지방. ②〖물〗 물성(物性)이 어떤 물체 안에서 방향(方向)에 따라 상이(相異)함. ↔등방(等方). *이방성(性).

이:방[6] 【異邦】 명 이국(異國). 외국(外國). ↔아방(我邦).

이방[7] 【离方·離方】 명 〖민〗 팔방(八方)의 하나. 남방(南方)을 가리킴. 준 이(离·離).

이:-방간 【李芳幹】 명 〖사람〗 회안 대군(懷安大君)의 이름.

이:-방과【李芳果】명〖사람〗조선 정종(定宗)의 이름.

이:방-성【異方性】[-썽]명①〖물〗비등방성(非等方性). ↔등방성(等方性)❶. ②〖심〗공간(空間)의 방향(方向)에 따라서 물건이 보이는 방향이 다른 일.

이:-방승【二方乘】명〖수〗자승(自乘).

이:-방실【李芳實】명〖사람〗고려 말기의 무신. 함안(咸安)이씨의 시조. 충목왕(忠穆王)이 원(元)나라에 내왕할 때 호종(扈從)한 공으로 중낭장(中郎將)·호군(護軍)에 오름. 공민왕(恭愍王) 8년(1359)과 10년 사이에 3차례의 홍건적(紅巾賊) 침입을 막고 개선하였으나 이를 시기한 간신배들의 모해로 살해됨. [?-1362]

이:방 아:전【吏房衙前】명〖역〗지방 군아(郡衙)에서 수령(守令) 밑에 인사(人事)·비서(祕書) 등의 사무를 맡아 보던 아전. 수리(首吏). 유리(由吏). 체리(體吏). 이방(吏房).

이:방 연속 무늬【二方連續―】[-년-니] 명 어떠한 모양과 색채를 가진 하나의 단위 무늬가 두 방향으로 반복되어 나가는 도안.

이:-방원【李芳遠】명〖사람〗조선 태종(太宗)의 이름.

이:-방응【李方膺】명〖사람〗중국 청(淸)나라의 화가. 자는 규중(虬仲), 호는 청강(晴江)·추지(秋池)·차원 주인(借園主人)·역원(抑園). 장수성(江蘇省) 통저우(通州) 사람. 옹정(雍正) 중에 제생(諸生)이 되어 허페이(合肥)의 수령으로 선정(善政)을 베풂. 벼슬을 그만둔 뒤 더욱 그림에 열중함.

이:-방의【李芳毅】[-/-이] 명〖사람〗익안 대군(益安大君)의 이름.

이:방-인[1]【異邦人】명①다른 나라 사람. 이국인(異國人). 외국인. ↔방인(邦人). ②〖성〗유대 사람이 선민 의식(選民意識)에서 그들 자신을 특수(特殊)한 민족이라 생각하고, 그들 이외의 여러 민족을 얕잡아 이르는 말.

이:방-인[2]【異邦人】명[프 L'Etranger]〖책〗프랑스의 알베르 카뮈(Camus, Albert)의 소설. 1942년도의 작품. 부조리(不條理)의 철학이라고 일컫는 작자의 인생관을 바탕으로, 인생을 무의미하다고 보고 그러나 이것을 직시(直視)하는 태도를 뫼르소라는 한 청년을 등장(登場)시켜 묘사하였음.

이:-방자【李方子】명〖사람〗조선 왕조의 마지막 황태자비(妃). 일본 도쿄(東京) 출생. 일본 황족의 딸로, 1920년 영친왕(英親王) 이은(李垠)과 결혼. 망국(亡國)의 황태자비로서 일본에서 생활하다가 1963년 영친왕과 함께 귀국, 한국 국적을 취득함. 신체 장애자 재활(再活) 협회 부회장·명휘원(明暉園) 총재 등을 역임하며 사회 사업에 진력함. 저서에 《지나온 세월》·《세월이여 왕조여》 등이 있음. [1901-89]

이:방-체【異方體】명〖물〗이방성(異方性)이 있는 물체(物體).

이배[1]【耳杯】명 유물(遺物)의 하나. 칠기(漆器)나 토기(土器)로써 타원형으로 만든 배(杯)의 좌우에 귀와 같은 손잡이가 달린 것. 한국·중국의 출토품(出土品)에 많음.

이:배[2]【吏輩】명〖역〗이서(吏胥)의 무리. 이속(吏屬).

이:배[3]【利倍】명 이익이 곱이 됨.

이배[4]【移配】명 귀양살이하는 곳을 다른 곳으로 옮김. ——-하다 타여불

이배[5]【離杯】명 이별의 술잔.

이배[6]【離背】명 이반(離反). ——-하다 자여불

이배기 명〈방〉이야기(경상).

이:배-성【二倍性】[-썽] 명[diploidy]〖생〗배우자(配偶子)가 접합(接合)하여 배우자의 2배의 염색체수(染色體數)를 가지고 있는 상태. 전수성(全數性). ＊배수성(倍數性).

이:배장-수【二倍長數】명[double-length number] 컴퓨터에서, 계산기(計算器)가 통상(通常) 취급할 수 있는 자릿수보다 2배의 자릿수를 가진 수치.

이:배 정도【二倍精度】명[double precision] 컴퓨터에서, 수치를 나타내는 데 있어 두 개의 기계어(機械語)를 사용하는 일.

이:배 진:동【二倍振動】명 현(絃) 등의 진동에서, 기본 진동의 두 배의 진동수를 가지는 진동.

이:배-체【二倍體】명[diploid]〖생〗기본수의 2배의 염색체를 가지는 세포 또는 개체(個體). 많은 동식물이 이배체임. ＊전수(全數)■❷·삼배체(三倍體).

이:배-충【二胚蟲】명〖동〗[*Dicyema misakiense*] 이배충과에 속하는 중생(中生) 동물의 하나. 몸길이 1mm 정도로 가늘고 긴 원주형(圓柱形)임. 모두 20개 내외의 세포(細胞)로 형성되었는데, 표면에는 1층의 세포가 있고 강한 섬모(纖毛)가 있으며, 내부에는 단 한 개의 벌집 모양의 큰 축세포(軸細胞)가 있어서 생식(生殖) 작용을 이 안에서 행함. 무성(無性)인데 드물게 유성 생식을 함. 유생(幼生)은 연충형(蠕蟲型)과 적충형(滴蟲型)의 두 가지가 있음. 낙지·오징어 등의 두족류(頭足類)의 알 속에 기생(寄生)함.

〈이배충〉

이:배-치【吏輩―】명 울이 깊고 코가 짧고 투박하게 생긴 남자 가죽신의 한 가지. 옛 이속(吏屬)이 많이 신었음.

이배퍼레이티드 밀크 [evaporated milk] 명 가열 진공 건조(加熱眞空乾燥)시켜 수분(水分)을 약 반쯤 빼어 버리고 밀봉(密封)한 다음 살균한 우유. 곧, 연유(煉乳) 중에서 무당(無糖) 연유의 일컬음. 자외선 조사(紫外線照射)를 한 것도 있음.

이:배화 선량【二倍化線量】[-냥] 명 생물 일대(生物一代)에 대한 돌연변이의 발생률을 갑절로 하는 방사선량(放射線量)을 이름. 방사선을 조사(照射)하면 그 발생률이 상승하기 때문에 안전 기준(安全基準)으로서 중요한 표준이 되어 있음.

이:백[1]【二伯】명①동서(東西)의 양백. 곧, 주공(周公)과 소공(召公). ②[‘伯’은 ‘覇’와 같은 뜻] 두 사람의 패자(覇者). 곧, 제(齊)나라의 환공(桓公)과 진(晉)나라의 문공(文公)의 일컬음.

이:-백[2]【李白】명〖사람〗중국 당(唐)나라 때의 시인. 자는 태백(太白), 호는 청련 거사(青蓮居士). 촉(蜀)땅 쓰찬(四川) 출신. 천성이 호방(豪放)하고 술을 좋아하여 흥이 나면 곧 시를 쓸 수 있는 천재 시인이었음. 두보(杜甫)와 아울러 시종(詩宗)이라 함. 작품은 《이태백 시집(李太白詩集)》 30권. [701-762]

이:-백약【李百藥】명〖사람〗중국, 수당대(隋唐代)의 학자. 자는 중규(重規). 허베이성(河北省) 딩저우(定州) 출신. 안평공(安平公)에 봉해지고 《오례(五禮)》·《율령(律令)》·《음양서(陰陽書)》를 칙찬함. 뒤에 당(唐)나라 고조(高祖)·태종(太宗)에게 중용되어 벼슬이 종정경(宗正卿)에 이름. 칙명(勅命)으로 《북제서(北齊書)》를 편찬함. [564-648]

이:백오십-계【二百五十戒】명〖불교〗비구(比丘)가 지켜야 할 사파라이(四波羅夷)·십삼 승잔(十三僧殘)·이부정(二不定)·삼십 사타(三十捨墮)·구십 단타(九十單墮)·칠멸쟁(七滅諍) 등 250가지의 구족계(具足戒). ＊삼백사십팔계.

이:백육-운【二百六韻】[-뉵-] 명 중국 수(隋)나라의 육법언(陸法言)이 처음으로 절운(切韻)으로 분류하였다고 전해지는 운(韻)의 수. 곧, 평성(平聲) 57, 상성(上聲) 55, 거성(去聲) 60, 입성(入聲) 34 운(韻).

이-번【一番】명 이제 돌아온 바로 이 차례. 금번(今番). 금반(今般). 금회(今回). 차회(此回). >요번.

이:번-부【理藩部】명〖역〗이번원(理藩院)의 고친 이름.

이:번-원【理藩院】명〖역〗중국 청(淸)나라 시대에 대외 관계(對外關係)를 취급하던 중앙 관청. 번부(藩部)라고 부르던 몽고·칭하이(青海)·티베트 등을 관할하여 봉작(封爵)·조공(朝貢) 등의 사무를 취급했으나 지역에 따라 행정 감독(行政監督)의 내용에 차이가 있었음. 장관인 상서(尙書)와 차관격(次官格)인 시랑(侍郎)이 있었음. 뒤에 이번부(理藩部)로 개칭됨.

이:번 저:당【二番抵當】명〖법〗이중 저당(二重抵當).

이벌-간【伊罰干】명〖역〗이벌찬(伊伐飡).

이벌-찬【伊伐飡】명〖역〗신라 십칠 관등(官等)의 첫째 위계(位階). 진골(眞骨)만이 하는 벼슬. 이찬(伊飡)의 위임. 이벌간(伊罰干). 간벌찬(干伐飡). 각간(角干). 각찬(角粲). 서발한(舒發翰). 서불한(舒弗邯). ＊대각간(大角干).

이벌혜-정【伊伐兮停】명〖역〗이화혜정(伊火兮停).

이:-범(:)석【李範奭】명〖사람〗군인·정치가. 호는 철기(鐵驥). 서울 출신. 1915년 중국으로 망명, 1919년 윈난(雲南) 육군 강무 학교(講武學校) 기병과 졸업, 동년 만주 청산리 전투 사령관, 1941년 한국 광복군 참모장, 1945년 광복군 중장, 해방 후 귀국, 1946년 조선 민족 청년단을 창단하고 그 단장이 됨. 1948-50년 초대 국무 총리, 1950-51년 주중(駐中) 대사, 1952년 내무부 장관, 1960년 참의원 의원을 지냄. 저서로는 《회고록》·《우등불》이 있음. [1900-72]

이:-범(:)선【李範宣】명〖사람〗소설가. 평남 신안주(新安州) 출생. 동국 대학 국문과 졸업, 외국어 대학 교수·한양 대학교 문과 대학장 등을 지냄. 1955년 단편 《암표(暗票)》로 문단에 데뷔, 담담한 필체로 고발 의식이 짙은 리얼리즘에 바탕을 둔 《오발탄(誤發彈)》·《학마을 사람들》, 장편 《춤추는 선인장》 등 많은 작품을 냄. [1920-82]

이:-범(:)윤【李範允】명〖사람〗대한 제국의 독립 운동가. 전주 사람. 범진(範晋)의 아우. 광무 6년(1902) 중국 청나라가 간도(間島)의 영유권을 주장하자 간도 관리사(管理使)로 부임, 교포 보호에 힘씀. 뒤에 통감부(統監府)에서 간도에 출장소를 설치하자 시베리아에 망명, 4천 명의 의병을 모아 그 대장이 되어 함경도에 진출하려다 맒. 3·1운동 후 남만주에서 의군부(義軍府)를 조직, 청산리(青山里) 싸움에 공을 세움. [?-1922]

이:-범(:)진【李範晋】명〖사람〗조선 말기의 문신. 자는 성삼(聖三). 훈련 대장 이경하(李景夏)의 아들. 고종 16년(1879) 병과(丙科)로 급제, 아관 파천(俄館播遷)을 성사시켜 법부 대신(法部大臣)이 됨. 그 뒤 미국·러시아·프랑스·독일 등의 공사(公使)를 역임, 러일 전쟁에 일본이 이겨 친일파가 정권을 장악하자, 러시아로 망명(亡命), 1910년 자결(自決)함. [1853-1910]

이:법【理法】명①원리(原理)와 법칙(法則). 이성(理性). ②도리(道理)와 예법(禮法).

이-법사【尼法師】명〖불〗불경을 가르치는 여승 법사.

이:법 종사【以法從事】명 법대로 일을 하여 감. ——-하다 자여불

이베르 [Ibert, Jacques] 명〖사람〗프랑스의 작곡가. 파리 음악원 졸업. 제1차 세계 대전 때는 해군 사관이 됨. 전후 로마 유학 중에 관현악조곡(管絃樂組曲) 《기항지(寄港地)》를 작곡했음. 오페라·발레·실내악(室內樂)이나 영화 음악에도 재기(才氣)가 넘치는 가작(佳作)이 많음. 제2차 세계 대전 후 파리 오페라 하우스 총감독을 하고, 아카데미 프랑세즈의 회원이 됨. [1890-1962]

이베리아 [Iberia] 명〖지〗‘에스파냐’의 고명(古名).

이베리아 반:도【―半島】[Iberia] 명〖지〗서남 유럽, 지중해 서쪽에 있는 반도. 스페인·포르투갈의 두 나라가 있음. 고원상(高原狀)의 산지(山地)를 이루며, 피레네 산맥(山脈)을 경계로 프랑스와 접하고 있음. 피레네 반도(Pyrénées 半島). [600,000 km²]

이베리아-족【―族】[Iberia] 명 기원전 6세기경의 이베리아 반도의 주민. 백색 인종군(白色人種群) 중 지중해 인종에 속함. 후에 켈트족·게르만족과 혼혈, 현대 스페인인의 인종적·문화적 형성에 중요한 요소를 차지함. 역사적으로 보아 바스크인과 관련이 깊음.

이벤트 [event] 명[‘사건’이라는 뜻] ①운동 경기 따위의 종목·시합. ¶메인 ∼. ②불특정의 사람들을 모아 놓고 개최하는 행사. ¶올 여름의 빅 ∼.

이벽[1]【耳甓】명 삼각형(三角形)의 벽돌.

이:-벽²【李檗】[명]〖사람〗조선 시대 후기의 천주교도. 원명은 덕조(德祚). 경주(慶州) 사람. 정조(正祖) 원년(1777) 이승훈(李承薰)에게 영세를 받아 지도자가 되었음. 뒤에 아버지 부만(溥萬)이 그의 선교 운동을 말리다가 목매어 죽자 충격을 받아 천주교와 절연함. 한국 천주교회의 성조(聖祖)로 받들어짐. [1754-86]

이:변¹【二變】[명]〖악〗궁(宮)·상(商)·각(角)·변치(變徵)·치(徵)·우(羽)·변궁(變宮)의 칠성(七聲) 가운데서 변치와 변궁을 가리키는 말.

이:-변²【李邊】[명]〖사람〗조선 세조(世祖) 때의 명신(名臣). 공조 판서(工曹判書) 등을 역임함. 특히, 한어(漢語)와 이문(吏文)을 잘 하여 사역원(司譯院)의 제조(提調)를 겸하여 많은 공을 세웠음. 시호는 정정(貞靜). [1391-1473]

이:변³【異變】[명] ①괴이한 변고(變故). 변사(變事). 변이(變異). ②예상 밖의 사태. ¶ 약한 팀이 이기는 ~이 속출하다.

이:변-계【二變系】[명]〖화〗불균일(不均一)한 물질계(物質系)에 있어서 자유도(自由度)가 2인 것.

이별【離別】[명] 서로 갈리어 떨어짐. 헤어짐. 별리(別離). *작별(作別)·결별(訣別). ——하다 [자][여불]

이별-가【離別歌】[명] ①이별의 노래. 이별할 때에 부르는 노래. ②〖악〗경기 민요의 하나. 후렴이 없고 애절함.

이별-주【離別酒】[一쭈] [명] 이별의 술. 이별의 애틋함을 아끼어 마시는 술. [준]별주(別酒).

이:병¹【二兵】[명] ↗이등병(二等兵).

이:병²【利兵】[명] 예리한 무기.

이:병³【利病】[명] 이로운 일과 병폐로운 일.

이병⁴【移病】[명] 병이라 핑계하여 사직함. ——하다 [자][여불]

이병⁵【罹病】[명] 병에 걸림. 이환(罹患). ¶ ~률. ——하다 [자][여불]

이병⁶【羸兵】[명] 파리한 군사.

이:-병(:)기【李秉岐】[명]〖사람〗시조 작가·국문학자. 호는 가람(嘉藍). 전북 익산(益山) 출생. 1913년 한성 사범 학교 졸업. 1942년 조선어 학회(朝鮮語學會) 사건으로 투옥되고, 해방 후 서울 대학교 등에서 교수를 역임하면서 시조와 고전(古典)에 대해 연구하였으며, ≪가람 시조집(時調集)≫을 내어 자연의 생생한 묘사를 통해 현대 시조의 새로운 경지를 개척함. [1891-1968]

이-병(:)도【李丙燾】[명]〖사람〗사학자. 문학 박사. 경기도 용인(龍仁) 출신. 일본 와세다(早稻田) 대학 문학부 사학 및 사회과 졸업. 서울대학교 대학원장, 문교부 장관, 국민 대학장 등의 교육 활동 외에도 학술원 회장, 국사 편찬 위원, 진단 학회(震檀學會) 회장 등 학술 방면의 공도 큼. 국민 훈장 무궁화장을 받음. 저서에 ≪고려 시대 연구≫ ≪한국 유학사(儒學史)≫ ≪한국 고대사 연구≫ 등이 있음. [1896-1989]

이병-률【罹病率】[一뉼] [명] 이환율(罹患率).

이:-병(:)모【李秉模】[명]〖사람〗조선 정조(正祖) 때의 문신. 자(字)는 이칙(彝則), 호는 정수재(靜修齋). 덕수(德水) 사람. 영조 49년(1773)에 문과에 급제, 제학(提學)·이조 판서를 거쳐 정조 때 좌의정·판중추부사(判中樞府事)·영의정이 됨. 정조 21년(1797) 왕명에 의하여 ≪삼강 행실도(三綱行實圖)≫·≪이륜(二倫) 행실도≫를 편찬함. 시호는 문숙(文肅). [1742-1806]

이:-병비【吏兵批】[명]〖역〗이비(吏批)와 병비(兵批).

이:-병(:)일【李炳逸】[명]〖사람〗영화 감독. 함흥 출신. 미국 남캘리포니아 대학 영화과 수업. 1940년 일본 닛카쓰(日活) 촬영소 감독부에 입사하면서 영화계에 종사, ≪시집가는 날≫·≪자유 결혼≫·≪서울로 가는 길≫ 등의 작품을 감독·제작함. [1910-78]

이병-자【罹病者】[명] 이환자(罹患者).

이:-병(:)주【李炳注】[명]〖사람〗소설가. 하동(河東) 출신. 1942년 일본 메이지(明治) 대학 문예과 졸업, 43년 와세다(早稻田)대학 불문과 중퇴. 진주 농대·해인대 교수를 거쳐 부산 일보·국제 신보 등에서 편집국장·주필 등을 역임함. 중편 ≪알렉산드리아≫로 문단에 데뷔한 이래 장편 ≪관부(關釜) 연락선≫·≪산하(山河)≫·≪지리산(智異山)≫·≪소설 남로당≫ 등 중·장편 합하여 80여 작품을 씀. [1921-92]

이:-병(:)철【李秉喆】[명]〖사람〗실업가. 명예 경영학 박사. 호는 호암(湖巖). 일본 와세다(早稻田) 대학 전문부 정경과(政經科) 중퇴. 1938년 '삼성(三星) 상회'의 설립으로 실업계에 투신, 48년 삼성 물산을 기반으로 '제일 제당(第一製糖)', '제일 모직(毛織)', '삼성 전자' 등 사업을 확장하여 우리 나라 굴지의 삼성 재벌의 총수(總帥)에 오름. 한편 중앙 일보와 삼성 문화 재단 설립 등 문화면에도 기여가 큼. 금탑 산업 훈장, 국민 훈장 무궁화장 등을 받음. [1910-87]

이:-병(:)태【李秉泰】[명]〖사람〗조선 영조(英祖) 때의 청백리(淸白吏). 자는 유안(幼安), 호는 동산(東山). 한산(韓山) 사람. 경종(景宗) 3년(1723) 증광 문과(增廣文科) 을과(乙科)에 급제, 여러 벼슬을 거쳐 승지(承旨)로 임명되었으나 사퇴하고, 합천 군수(陜川郡守)로 선정을 베풂. 시호는 문청(文淸). [1688-1733]

이:-병판【吏兵判】[명]〖역〗이조 판서(吏曹判書)와 병조 판서(兵曹判書).

이보¹【尼父】[명] 공자(孔子)의 존칭(尊稱).

이보²【耳報】[명]〖민〗직접 보고 듣지 못한 것을 이보법으로 알아냄. ——하다 [타][여불]

이보³【移步】[명] 걸음을 옮기어 놓음. ——하다 [자][여불]

이:-보(:)국【李輔國】[명]〖사람〗중국 당(唐)나라 숙종(肅宗) 때의 환관(宦官). 미천한 출신이었으나 안사(安史)의 난(亂) 때 태자(숙종)를 수종(隨從)하여 신임을 얻고 숙종이 즉위하자 판원수부 행군사마(判元帥府行軍司馬)에 임명되어 권세를 부렸음. 황후가 그를 제거하려는 기도를 알아채고 황후를 죽이고 대종(代宗)을 옹립, 그 공을 믿고 전횡(專橫)을 극하다가 암살됨. [704-762]

이:-보다¹【利一】[자][타] ①이익(利益)이 되다. ②이익을 얻다. 1)·2):↔해(害)보다.

이-보다²[부] 이것에 비하여. 이것보다. 이에서. ¶ ~ 좋은 것.

이:-보란【二一】〔borane〕[명]〖화〗디보란(diborane).

이보-법【耳報法】[一뻡] [명]〖민〗신(神)이 귓가에 와서 과거와 미래의 일을 일러 주면 이것을 점을 쳐서 알아낸다는 요술의 하나. 이보 통령(耳報通靈).

이:-보살【二菩薩】[명]〖불교〗아미타불의 협시(脇侍)인 관음·세지(勢至)의 두 보살.

이보우다 [감] 〈방〉여보시오(함경).

이보텐-산【一酸】[명]〔ibotenic acid〕〖화〗아미노산의 하나. 글루탐산 나트륨 따위처럼 단맛이 있는 물질.

이보 통령【耳報通靈】[一녕] [명]〖민〗이보법(耳報法).

이:-보:트〔E-boat〕[명]〖군〗〔E는 '적(敵)'의 뜻인 enemy의 약자〕제1차 세계 대전 때 독일이 사용하던 60 톤급의 초고속 소정(小艇). 주력 함대의 전위로서 적을 색출하거나 기습하는 데 사용하였음.

이:-보흠【李甫欽】[명]〖사람〗조선 초기의 문신. 자(字)는 경부(敬夫), 호는 대전(大田). 영천(永川) 사람. 세종 11년(1429) 식년 문과(式年文科)에 급제, 집현전 박사(集賢殿博士)를 거쳐, 사은사(謝恩使)의 서장관(書狀官)으로 명(明)나라에 다녀왔음. 세조(世祖) 3년(1457) 순흥 부사(順興府使)로 있으면서 순흥에 유배된 금성 대군(錦城大君)과 함께 단종(端宗) 복위를 도모했으나 발각되어 장류(杖流) 후 순절(殉節)함. 시호는 충장(忠莊). [?-1457]

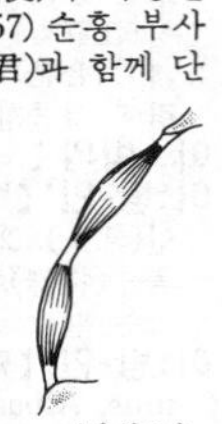
〈이복근〉

이:복¹【利福】[명] 이익과 행복. 복리(福利).

이:복²【異服】[명] 기복(奇服).

이:복³【異腹】[명] 한 아버지에 어머니가 다름. 이모(異母). 별복(別腹). ↔동복(同腹).

이:복-근【二腹筋】[명]〖생〗기다란 근육이 중앙부에서 건(腱)으로 되어 쑥 들어간 근육. 악(顎)이복근·견갑 설골근(肩甲舌骨筋) 같은 근육.

이:-복남【李福男】[명]〖사람〗조선 선조(宣祖) 시대의 무신. 우계(羽溪) 사람. 일찍이 무과(武科)에 급제. 전라 방어사(全羅防禦使)·남원 부사(南原府使)·전라도 병마 절도사·나주 목사(羅州牧使) 등을 역임함. 정유 재란(丁酉再亂) 때 남원성(城)에서 왜군과 싸우다 전사함. 시호는 충장(忠壯). [?-1597]

이:복 동생【異腹同生】[명] 배다른 동생.

이:-복명【李福明】[명]〖사람〗리델(Ridel, F. C.)의 한국명.

이:복 형제【異腹兄弟】[명] 배다른 형제. 이모 형제(異母兄弟). ↔이부 형제(異父兄弟).

이:본【異本】[명] ①진기(珍奇)한 책. 진본(珍本). ②같은 책으로 내용이나 글자가 다소 다른 책.

이:-봉¹【二峰】[명]〖지〗함경 북도 무산군(茂山郡) 삼사면(三社面)에 있는 산. [1,419 m]

이:봉²【利鋒】[명] 날카로운 칼날.

이봉³【移封】[명] 제후(諸侯)의 영지(領地)를 딴 곳으로 옮김. 전봉(轉封). ——하다 [자][여불]

이:-봉(:)상¹【李鳳商】[명]〖사람〗서양화가. 호는 석정(石鼎). 서울 출신. 경성 사범 학교 졸업, 교직 생활에 몸담아 왔음. 1936년 선전(鮮展)에서 특선한 이래, 밝고 화려한 색면(色面)에 지적(知的) 감수성을 보이는 구상(具象) 세계를 추구하는 화풍의 작품을 그림. [1916-70]

이:-봉(:)상²【李鳳祥】[명]〖사람〗조선 영조(英祖) 때의 무신. 자(字)는 의숙(儀叔). 덕수(德水) 사람. 순신(舜臣)의 5대손. 숙종 28년(1702) 무과(武科)에 급제, 포도 대장·훈련 대장·어영(御營) 대장에 이르렀다가 이광좌(李光佐)에게 몰려 충청도 절도사로 좌천되었음. 그 후, 영조 4년(1728) 이인좌(李麟佐)가 난을 일으키자 난적(亂賊)에게 잡혀 참혹하게 죽음. 시호는 충민(忠愍). [1676-1728]

이:-봉(:)조【李鳳祚】[명]〖사람〗대중 가요 작곡가. 경남 남해(南海) 출생. 한양 대학 건축과 졸업. 대학 3 학년때부터 색소폰 주자(奏者)로 활동. 1962년 이봉조 악단을 조직하고, 66년부터 작곡을 시작, ≪맨발의 청춘≫·≪안개≫·≪떠날 때는 말없이≫·≪보고 싶은 얼굴≫, ≪팔도 강산≫ 등의 가요를 발표하고, KBS 악단·TBC 악단장을 지냄. [1931-87]

이:-봉(:)창【李奉昌】[명]〖사람〗독립 운동가. 서울 출생. 상하이에서 김구(金九)의 지도를 받다가, 1932년 1월 8일 도쿄 사쿠라다몬(桜田門) 밖에서 관병식(觀兵式)을 마치고 돌아오는 일본 천황 히로히토(裕仁)를 향하여 폭탄을 던진 사건으로 형사(刑死)함. [1900-32]

이봐 [감] '이 보아' 또는 '이것 봐'가 줄어서 된 말로 나이가 비슷한 벗이나 해라 할 아랫사람을 부르는 말. ¶ ~, 나 좀 보게.

이:부¹【二部】[명]〖교〗이부제를 실시하는 학교에서, 일부(一部)가 아닌 한 부. 흔히, 야간부(夜間部)를 일컬음.

이부²【耳部】[명]〈궁중〉귀.

이:부³【吏部】[명]〖역〗고려 때 상서 육부(尙書六部)의 하나. 성종(成宗) 14년(995)에 선관(選官)을 고쳐서 일컫다가 충렬왕(忠烈王) 원년(1275)에 예부(禮部)를 합쳐 전리사(典理司)로, 동 24년(1298)에 다시 예부를 떼어 내고 전조(銓曹)로 독립하였다가 다시 전리사로, 동 34년에 이부·병부(兵部)·예부를 합쳐 선부(選部)로, 충숙왕(忠肅王) 때에 또 전리사로, 공민왕(恭愍王) 5년(1356)에 다시 이부로 독립함. 동 11년에 또 전리사로, 동 18년에 선부로, 동 21년에는 다시 전리사로 되는 등 개변을 거듭하다가, 공양왕(恭讓王) 원년(1389)에 이조(吏曹)로 고쳤음. 상서이부(尙書吏部).

이:부⁴【利付·利附】[명] ↗이자부(利子付). ¶ ~ 금융채(債). ↔이락(利落). *배당부(配當附).

이부⁵【俚婦】[명] ①속된 부인. ②시골의 부인.

이:부⁶【異父】[명] 어머니는 같고 아버지가 다름. ¶ ~ 동복(同腹). ↔동부(同父).

이:부⁷【理部】[명]〖역〗고려 때 형부(刑部)의 후신(後身)으로 공민왕 18

이:-사분기【二四分期】명 정부나 그 밖의 기관에서, 어떤 계획을 수립·실천함에 있어 편의상 1년을 4등분한 둘째 기간.

이사 비:용【移徙費用】명 이사하는 데 드는 온갖 경비(經費).

이:사 삼입【二捨三入】명 생략산(省略算)에서, 끝수(數)의 첫자리가 2 이하이면 버리고, 3·4·6·7은 5로, 8·9는 10으로 하는 법.

이:사 시스템〔ESA system〕명〖경〗〔easy, speedy, accounting (간편하고 신속한 회계)의 준말〕 전표식 회계를 이름. 각종의 전표만으로 회계를 처리하는 것으로 기장이나 전기(轉記)가 없으므로 간편 신속하여 중소 기업의 근대화를 위하여 쓰임.

이사야〔Isaiah〕명〖성〗 기원전 8세기경의 유대의 대선지자(大先知者). 구세주(救世主)의 출현을 말하여 예루살렘 주민을 격려, 순교(殉教)하였음. *이사야서(書).

이사야-서【一書】〔Isaiah〕명〖성〗 구약(舊約) 성서의 한 편. 유대의 선지자(先知者) 이사야가 기록한 예언서라고 하는데, 이스라엘 및 여러 국민에 대한 예언과 여호와의 궁극의 승리를 그림. *이사야.

이사 연잠【泥絲蓮簪】명 머리에 연꽃을 새긴 이사잠(泥絲簪).

이:사-오-티:【2, 4, 5-T】명〖약〗〔2,4,5-trichlorophenoxy-acetic acid의 약칭〕 2, 4-D와 비슷한 선택적(選擇的) 제초제(除草劑). 관목(灌木)의 밑풀을 시들게 하는 작용이 강함. 독성(毒性)이 강해, 새·짐승에 피해를 줌.

이:사 위한【以死爲限】명 죽음으로써 한정(限定)을 삼는다는 뜻으로, 죽음을 각오하고서 일을 하여 나아간다는 말. ——-하다 자여불

이-사이 명부 이제까지의 가까운 때의 동안. 이 동안. 간자(間者). 근자(近者). 준이새. >요사이.

이:사-장【理事長】명 이사(理事)를 지휘·감독하는 우두머리 되는 사람.

이:-사질【李思質】명〖사람〗 조선 영조(英祖) 시대의 실학자(實學者). 호는 흡재(翕齋). 벼슬은 1753년 오릉 영건청 능관(五陵營建廳陵官)을, 1759년 고양 군수(高陽郡守)를 지냈음. 저서에 ≪정계 만록(淨溪漫錄)≫·≪훈음 종편(訓音宗編)≫이 있음. 생몰년 미상.

이사틴〔도 Isatin〕명〖화〗 인디고(indigo)를 질산(窒酸)으로 산화하여 얻는 적황색의 결정(結晶). 녹는점 203.5°C. [$C_8H_5NO_2$]

이:사 파동【二四波動】명〖정〗 1958년 12월 24일 자유당 정권의 국회에서 무술 경위(武術警衛)를 동원하여 야당 의원들을 폭력으로 내쫓고 새 '국가 보안법' 및 기타 여러 법안들을 통과시킨 일련의 정치 파동.

이:-사-팔【二四八】명〖수〗 구구법(九九法)의 하나. 2의 4배나 4의 2배는 8임.

이:사-회【理事會】명 ①이사(理事)들의 회의(會議). ②국제 기구에서 이사국의 대표로 구성하는 회. 안전 보장 이사회 등.

이:-사훈【李思訓】명〖사람〗 중국 당대(唐代)의 화가. 당의 종실 출신. 자는 건견(建見). 고종조(高宗朝)에 강도령(江都令)이 되었으나 측천 무후(則天武后)의 탄압을 받고 관계(官界)를 물러났다가 중종(中宗) 복위 후 팽국공(彭國公)에 오름. 금벽 산수(金碧山水)의 창시자(創始者)로 추앙(推仰)되며 아들 소도(昭道)와 동생 사회(思誨)도 뛰어난 화가였음. [651-716]

이삭[1] 명 ①긴 화축(花軸)의 둘레에, 무경(無梗) 또는 짧은 화경(花梗)이 있는 꽃이나 열매가 더부룩하게 달린 것. 벼·보리 등에 있음. ②농작물을 거둔 뒤에 땅에 처져 흘어진 곡식. ¶ ~ 줍기.
[이삭 밥에도 가난이 든다] 양식이 없어서 벼 이삭·수수 이삭을 베어다 먹을 때부터 이미 또 오는 해에도 가난하게 살 징조가 보인다는 뜻.
이삭(을) 줍:다 구 ㉠곡식을 거두어 간 뒤 논밭에 떨어진 이삭을 주워 모으다. ㉡채소밭에 남아 있는 지스러기를 주워 모으다.
이삭(이) 패다 구 이삭이 나오다.

이삭[2]〔Isaac〕명〖성〗 구약(舊約) 성서에 나오는, 아브라함(Abraham)의 아들. 야곱(Jacob)의 아버지임.

이삭-귀개 명〖식〗[*Utricularia racemosa*] 통발과에 속하는 일년초. 지하경(地下莖)은 사상(絲狀)이고, 주걱 모양의 잎은 잎꼭지가 있으며, 뿌리에 소수의 포충낭(捕蟲囊)이 있음. 꽃줄기의 높이 10-20cm임. 8-9월에 자색 혹은 벽색의 꽃이 총상(總狀) 화서로 피고, 과실은 삭과(蒴果)임. 습지에 나는데, 전남·경남·강원·경기에 분포함.

〈이삭귀개〉

이삭-꽃차례 명〖식〗 수상(穗狀) 꽃차례.

이삭-꾼 명 곡식의 이삭을 줍거나 나무 열매의 이삭을 따는 사람.

이:-삭대엽【二數大葉】명〖악〗 가곡(歌曲)의 곡조의 하나. 우조(羽調)와 계면조(界面調)에 각각 있는데, 초(初)삭대엽 다음에 부름. 행단 설법(杏壇說法)의 풍도(風度)로써, 우순 풍조(雨順風調)처럼 하는 노래임.

이삭-물수세미 명〖식〗[*Myriophyllum spicatum*] 개미탑과에 속하는 다년생의 수초(水草). 줄기는 1m 이상에 달하며, 잎과 같이 갈록색 또는 선록색(鮮綠色)임. 잎은 줄기 마디에 서너 개씩 윤생(輪生)하는데 무병(無柄)이고, 날개 모양으로 가늘게 갈라진 열편(裂片)은 실 모양임. 6월에 갈색 꽃이 수상(穗狀) 화서로 수면에 켜를 지어 윤생(輪生)하며 하부에는 암꽃, 상부에는 수꽃이 달리고, 둥근 달걀꼴의 과실을 맺음. 연못에나 도랑에 나는데, 한국·일본 등지에 분포함. 어항에 넣어서 가꿈. 붕어마름.

수꽃
암꽃
〈이삭물수세미〉

이삭-바곳 명〖식〗[*Aconitum pulcherrimum*] 성탄꽃과에 속하는 다년초. 줄기 높이 1.2m가량, 잎은 호생(互生), 잎꼭지가 있고 3-5갈래로 갈라지며 톱니가 있음. 8월에 청색 꽃이 총상(總狀) 화서로 정생(頂生)하여 피고, 골돌과(蓇葖果)를 맺음. 산지의 숲 속에 나는데, 거의 한국 전역에 분포함. 유독(有毒)함.

이삭-사초【一莎草】명〖식〗[*Carex dimorpholepis*] 방동사닛과에 속하는 다년초. 줄기는 삼릉주(三稜柱)로 족생(簇生)하고 높이 50cm가량, 선형(線形)의 잎은 호생하고 줄기와 거의 같은 길이임. 5-6월에 갈색 꽃이 피는데 소수(小穗)는 5-8개, 길이 2-5cm의 원주형이며, 정생(頂生)의 두 꽃이삭은 양성(兩性)으로 피고, 과낭(果囊)은 넓은 타원형을 이룸. 들의 습지에 나는데, 제주·전남·경기·함북에 분포함.

이삭-송이풀 명〖식〗[*Pedicularis spicata*] 현삼과에 속하는 다년초. 줄기 높이 60cm, 잎은 3-5개가 윤생(輪生)하며, 선형(線形) 또는 선상 피침형임. 7-8월에 홍자색 꽃이 가지 끝 포엽(苞葉) 사이에 총상(總狀) 화서로 밀착하고, 삭과(蒴果)는 편란형(扁卵形)임. 높은 산꼭대기에 나는 데, 제주·평북·함남북에 분포함.

이삭-여뀌[—녀—] 명〖식〗[*Persicaria filiforme*] 마디풀과의 다년초. 줄기 높이 1m에 달하고, 잎은 호생(互生) 단병(短柄)이며, 넓은 타원형 또는 달걀꼴을 이룸. 7-8월에 적색의 꽃이 수상(穗狀) 화서로 줄기 끝과 가지 끝에 정생(頂生)하며, 수과(瘦果)를 맺음. 산이나 들에 나는데, 거의 한국 전역(全域)에 분포함. 금선초.

〈이삭여뀌〉

이삭-조 명〖식〗 나도딸기광이.

이삭-줍기 명 ①이삭을 줍는 일. ②〖미술〗 프랑스의 화가 밀레(Millet, J.F.)의 작품. 아름다운 전원(田園) 생활을 그린 그의 명작 ≪씨뿌리는 사람≫·≪만종(晩鐘)≫ 등과 함께 이 작품에는 리얼리즘과 따뜻한 휴머니즘이 뒤섞여 있어, 문학적이라고 멸시를 받으면서도 독특한 로망티시슴적 화풍을 나타내고 있음. ——-하다 자여불

이삭-참새귀리 명〖식〗 꼬리새.

이삭-피 명〖식〗 좀물뚝새.

이-산[1]【尼山】명〖지〗 '니산'을 우리 음으로 읽은 이름.

이산[2]【離山】명 ①홀로 떨어져 있는 산. 고산(孤山). ②〖불교〗 중이 절을 떠나는 일. ——-하다 자여불

이산[3]【離散】명 ①헤어져 떠남. ②떨어지거나 헤어져 흩어짐. 비리(仳離). ¶ ~ 가족. ——-하다 자여불

이산[4]【教】〈이두〉 ①라 하시는. ②이신.

이산들쓰아【教等用良】〈이두〉 라 하심으로써.

이산들지즈로【教等乙仍于】〈이두〉 하시는 까닭으로.

이산맛【教味】〈이두〉 이시라고.

이산맛삷다【教味白如】〈이두〉 이시라고 사뢰다.

이산맛삷제【教味白齊】〈이두〉 이시라고 사뢰다.

이산맛이제【教味是齊】〈이두〉 이신 것이다.

이산바를【教所乙】〈이두〉 말씀하신 바를.

이산 스펙트럼【離散—】명〔discrete spectrum〕〖광학〗 성분 파장(成分波長)이 연속적(連續的)인 값이 아니고, 띄엄띄엄 건너뛴 값을 가진 스펙트럼.

이:산 염기【二酸塩基】[—념—] 명〖화〗 산도(酸度)가 2인 염기.

이산일【教事】〈이두〉 말씀하신 일.

이산일삷제【教事白齊】〈이두〉 말씀하신 일입니다.

이산일이거늘【教事是去乙】〈이두〉 말씀하신 일이거늘.

이산일이거을【教事是去乙】〈이두〉 말씀하신 일이거늘. 「로.

이산일이거이신들로【教事是去有等以】〈이두〉 말씀하신 일이었으므

이산일이삷이시아금【教事是白有良尒】〈이두〉 말씀하신 일이라고 하

이산일이삷제【教事是白齊】〈이두〉 말씀하신 일입니다. ㄴ여.

이산지나【教喩乃】〈이두〉 말씀하시었으나.

이산 집합【離散集合】명〔discrete set〕〖수〗 집적점(集積點)을 갖지 않은 집합.

이:-산해【李山海】명〖사람〗 조선 선조(宣祖) 때의 상신(相臣). 자(字)는 여수(汝受), 호는 아계(鵝溪)·종남 수옹(終南睡翁). 한산(韓山) 사람. 명종(明宗) 13년(1558) 진사시(進士試)에 급제, 동 18년 사가 독서(賜暇讀書)했음. 여러 벼슬을 거친 후 선조 22년(1589)에 영의정이 됨. 북인(北人)으로서 정철(鄭澈) 등을 탄핵하여 몰아내었고 자신도 나라를 그르치고 왜적을 불러들였다는 죄목으로 쫓겨났으나 선조가 승하할 때 원상(院相)이 되었음. 서화에 능하여 대자(大字)와 산수묵도(山水墨圖)에 뛰어났고 특히 문장에 뛰어나 선조조(朝) 문장 팔가(八家) 중의 한 사람으로 일컬어짐. 문집으로 ≪아계집(鵝溪集)≫이 있음. 시호는 문충(文忠). [1539-1609] 「망간/~ 수소.

이:-산화【二酸化】명〖화〗 '산소 2원자가 결합한 화합물'의 뜻. ¶ ~

이:산화 규소【二酸化硅素】명〔silicon dioxide〕〖화〗 규소(硅素)의 산화물(酸化物). 석영(石英)·인규석(鱗珪石)·크리스토발석(石)으로서 천연으로 산출됨. 단백석(蛋白石)·수석(燧石)·마노(瑪瑙)·자수정(紫水晶) 등은 불순물이 섞인 것임. 동물의 치아(齒牙)의 법랑질(琺瑯質)의 주성분과 규조토(珪藻土)는 대부분이 이것으로 이루어짐. 실리카(silica). 통칭 : 규산 무수물(硅酸無水物).

이:산화-납【二酸化—】명〔lead dioxide〕〖화〗 산화납(Ⅳ). 루틸 형(rutile型) 구조의 흑갈색 정방 정계 결정(正方晶系結晶). 일산화 납과 질산 칼륨 또는 염소산 칼륨을 같이 용융(溶融)하여 만듦. 공업적으로는 납염(塩)의 수용액을 전해(電解)해서 만듦. 물에는 녹지 않으며 알칼리에 녹음. 산화제(酸化劑)·축전지(蓄電池)의 재료 등으로 씀. 과산화(過酸化)납. [PbO_2] *산화납.

이:산화 망간【二酸化—】명〔manganese dioxide〕〖화〗 산화 망간(Ⅳ). 천연으로는 연망간광(軟mangan鑛)으로 산출되며, 탄산염과 염소산 칼륨의 혼합물을 가열하면 생기는 흑갈색 분말. 가열하면 곧 산소를 잃고

삼산화 이 망간(Mn_2O_3)을 거쳐 사산화 삼 망간(Mn_3O_4)이 됨. 산화제로 사용하며, 물감·잿물·성냥·전지(電池) 등의 제조 및 촉매(觸媒)로 사용함. 과산화 망간. [MnO_2] ＊산화 망간.

이:산화 바나듐【二酸化―】명〔vanadium dioxide〕〖화〗금홍석형(金紅石型) 구조의 청색 단사 정계 결정(單斜晶系結晶). 녹는점 1550℃. 양쪽성 산화물로서 산·알칼리에 다 녹음. [VO_2] ＊산화 바나듐.

이:산화 삼탄소【二酸化三炭素】명〔tricarbon trioxide〕〖화〗산화 탄소❸.

이:산화 수소【二酸化水素】명〖화〗과산화(過酸化) 수소.

이:산화 염소【二酸化塩素】명〔chlorine dioxide〕산화 염소❷.

이:산화 오:탄소【二酸化五炭素】명〔pentacarbon dioxide〕〖화〗산화 탄소❹.

이:산화 우라늄【二酸化―】명〔uranium dioxide〕〖화〗산화 우라늄❷.

이:산화 일질소【二酸化一窒素】[―쏘] 명〔mononitrogen dioxide〕〖화〗이산화 질소.

이:산화 질소【二酸化窒素】[―쏘] 명〔nitrogen dioxide〕〖화〗이산화 일질소 또는 사산화 이질소. 상온(常溫)에서는 적갈색(赤褐色) 기체, 저온(低溫)에서는 황색 액체, 고체는 무색으로 사산화 이질소(N_2O_4)로 존재하는데, 기체·액체에서는 양자가 평형(平衡)을 이루고 있으며, 온도가 높을수록 이산화 질소의 비율이 증가함. 대기를 오염시키는 자동차 배기 가스의 주된 원인 물질로, 맹독성(猛毒性)임. 물에 녹아 아질산(亞窒酸)과 질산이 됨. [NO_2 또는 N_2O_4]

이:산화 카드뮴【二酸化―】명〔cadmium dioxide〕〖화〗산화 카드뮴❷.

이:산화 크롬【二酸化―】명〔chromium dioxide〕〖화〗산화 크롬❸.

이:산화 탄:소【二酸化炭素】명〔carbon dioxide〕〖화〗탄소와 산소의 화합물의 한 가지. 탄소를 완전히 연소시키면 생김. 빛깔이 없는 기체로 공기에 비해 1.5배 무거움. 대기(大氣) 가운데에는 0.03% 들어 있음. 생물의 호흡으로 체외(體外)로 방출되며, 동화 작용(同化作用)으로 식물체 안에 흡수됨. 청량 음료수 제조·탄소 화합물의 원료·소화제(消火劑) 등으로 쓰이며, 압축시켜 고체화(固體化)된 드라이 아이스(dry ice)는 냉각제(冷却劑)로 쓰임. 탄산 무수물(炭酸無水物). 탄산 가스. [CO_2] ＊일산화 탄소.

이:산화 탄:소 결핍증【二酸化炭素缺乏症】명〔acapnia〕〖의〗혈액이나 조직 속에 이산화 탄소가 결여된 증세. 탄산 가스 결핍증.

이:산화 탄:소 기록계【二酸化炭素記錄計】명 이산화 탄소의 농도를 연속적으로 분석·기록하는 장치. 열전도도(熱傳導度), 가스 흡수제의 도전도(導電度), 적외선 흡수 등의 변화를 전기적 신호로 바꿔서 기록함. 광합성(光合成)·대기 오염의 연구, 이산화 탄소를 사용하는 공정(工程) 관리 등 널리 사용됨. 탄산 가스 기록계.

이:산화 탄:소 중독【二酸化炭素中毒】명 이산화 탄소의 과잉으로 생기는 중독 증상. 주로, 연소(燃燒)할 때 발생하는 이산화 탄소의 흡인으로 일어나는 것으로 질식 상태로 됨. 탄산 가스 중독.

이:산화 티탄【二酸化―】명〔titanium dioxide〕〖화〗산화 티탄❸.

이:산화-황【二酸化黃】명〔sulfur dioxide〕〖화〗황 또는 황화물(黃化物)을 태울 때 생기는 질식적(窒息的) 자극성 냄새가 나는 무색의 기체(氣體). 녹는점 －75.5℃, 끓는점은 －10.02℃. 화산(火山) 가스·광천(鑛泉) 등에 소량 포함되어 있음. 환원성(還元性)이 있어 모직물·견직물의 표백제로 쓰이고, 공업적으로는 황산(黃酸) 제조의 원료로 쓰임. 또, 발효(醱酵)를 방해하기 때문에 곡물의 저장용으로도 쓰임. 유독(有毒)하여 공기 중에 0.003% 이상이면 인체(人體)에도 해를 끼침. 석유·석탄의 연소로 인한 대기 오염으로 산성(酸性) 비나 호소(湖沼) 등의 산성화(酸性化)의 원인이 됨. 아황산 무수물(亞黃酸無水物).

이숣가【是白可】〈이두〉①이었읍니다만. ②이옵니다라고.

이숣거나【是白去乃】〈이두〉이옵거나.

이숣거늘【是白去乙】〈이두〉이오거늘.

이숣거든【是白去等】〈이두〉이옵거든.

이숣거오늘【是白去乎乙】〈이두〉이옵거늘.

이숣거온【是白去乎】〈이두〉이오니.

이숣거온견들로【是白去乎在等以】〈이두〉이시었으므로.

이숣거온들로【是白去乎等以】〈이두〉이시었으므로.

이숣거을【是白去乙】〈이두〉이오거늘. 이숣거늘(是白去乙).

이숣거을든【是白去乙等】〈이두〉이옵거든.

이숣견【是白在】〈이두〉이신.

이숣견과【是白在果】〈이두〉이옵거니와.

이숣견다해【是白在如中】〈이두〉이시었는데.

이숣견여해【是白在亦中】〈이두〉이시었던 때에.

이숣고【是白遣】〈이두〉이옵고.

이숣곤【是白昆】〈이두〉이오니.

이숣기【是白只】〈이두〉이옵기에.

이숣누온【是白臥乎】〈이두〉이신.

이숣누온견이여【是白臥乎在亦】〈이두〉이신 것이었으니.

이숣누온바【是白臥乎所】〈이두〉이온바.

이숣누온지【是白臥乎喩】〈이두〉이온지.

이숣다【是白如】〈이두〉이시다.

이숣다가【是白如可】〈이두〉이시다가.

이숣다온【是白如乎】〈이두〉이시다는. 이시다니.

이숣다온지【是白如乎喩】〈이두〉이시다는지.

이숣다온지위【是白如乎節】〈이두〉이시다한 때에.

이숣다해【是白如中】〈이두〉이온데. 이온 때에.

이숣더니[1]【是白加尼】〈이두〉이옵더니.

이숣더니[2]【是白等尼】〈이두〉이옵더니.

이숣던지【是白等喩】〈이두〉이옵든지.

이숣되【是白矣】〈이두〉이시되.

이숣두【是白置】〈이두〉이시다.

이숣두이시아금【是白置有良尒】〈이두〉이시다라고. 이시다 하므로.

이숣두이신이여【是白置有亦】〈이두〉이시다 하니.

이숣두하야금일【是白置爲良尒事】〈이두〉이시다라고 하는 일. 이시다는 일.

이숣든바【是白等所】〈이두〉이옵던 바.

이숣들로【是白等以】〈이두〉이오므로.

이숣빗거늘【是白有去乙】〈이두〉이시었거늘.

이숣빗누온바【是白有臥乎所】〈이두〉이시었는 바.

이숣빗다【是白有如】〈이두〉이시었다.

이숣빗다온【是白有如乎】〈이두〉이시었다는. 이시었다니.

이숣빗제【是如有齊】〈이두〉이시었다.

이숣뿐안인지【是白叱分不喩】〈이두〉이올 뿐 아니라.

이숣사남아【是白沙餘良】〈이두〉이시었지만.

이숣아【是白良】〈이두〉이시어서.

이숣아금【是白良尒】〈이두〉이시라고.

이숣아두【是白良置】〈이두〉이시어도.

이숣아사【是白良沙】〈이두〉이시어야.

이숣오나【是白乎乃】〈이두〉이오나.

이숣오되[1]【是白乎矣】〈이두〉이시되.

이숣오되[2]【是白內乎矣】〈이두〉이시되.

이숣오두【是白乎置】〈이두〉이시어도.

이숣오든【是白乎等】〈이두〉①이시거든. ②이오니. ③이온 줄.

이숣오며【是白乎旀】〈이두〉이오며.

이숣오여견이며【是白內叱乎亦在旀】〈이두〉이신 것이었으며.

이숣온【是白乎】〈이두〉이신. 이오니.

이숣온가[1]【是白乎可】〈이두〉이신가.

이숣온가[2]【是白乎去】〈이두〉이신가.

이숣온들【是白乎等】〈이두〉①이시거든. ②이오니. ③이온 줄.

이숣온들로【是白乎等以】〈이두〉이오므로.

이숣온들쓰아[1]【是白乎等用良】〈이두〉이옴으로써.

이숣온들쓰아[2]【是白乎等乙用良】〈이두〉이옴으로써.

이숣온맛【是白乎味】〈이두〉이시라고.

이숣온맛하트다【是白乎味爲等如】〈이두〉이라는 것 모두.

이숣온바【如白乎所】〈이두〉이온바.

이숣온뿐안인지【是白乎叱分不喩】〈이두〉이올 뿐 아니라.

이숣온즉【是白乎則】〈이두〉이온즉.

이숣온지【是白乎喩】〈이두〉이온지.

이숣온지라두【是白乎喩良置】〈이두〉이올지라도.

이숣올가[1]【是白乎乙可】〈이두〉이올까. 이올까 하고.

이숣올가[2]【是白乎乙去】〈이두〉이올까 하고.

이숣올지【是白乎乙喩】〈이두〉이올지.

이숣이산들쓰아【是白敎等用良】〈이두〉이옴으로써.

이숣이시아금【是白有良尒】〈이두〉이시라고.

이숣이신견과【是白有在果】〈이두〉이시었거니와.

이숣이신이여【是白有亦】〈이두〉이시었으니.

이숣제【如白齊】〈이두〉이시다.

이숣제견과【是白齊在果】〈이두〉이옵거니와.

이숣지[1]【是白乙喩】〈이두〉이온지.

이숣지[2]【是白喩】〈이두〉이온지.

이숣지견과【是白喩在果】〈이두〉이옵겠거니와.

이숣지라두【是白喩良置】〈이두〉이올지라도.

이:삼[1]【二三】㊀명 두셋. ¶겨우 ～을 셀 수 있을 정도. ㊁관 두세. ¶～일/～명.

이:-삼[2]【李森】명〖사람〗조선 영조(英祖) 때의 무신. 자(字)는 원백(遠伯). 숙종(肅宗) 31년(1705) 무과(武科)에 급제하고 벼슬에 올라 영조 원년(1725) 어영 대장이 되었고 노론(老論)의 탄핵을 받아 파직당했으나 다시 풀려나 훈련 대장(訓鍊大將)으로서 이인좌(李麟佐)의 난 평정에 공을 세움. 임금의 신임이 두터워 공조 판서까지 지냈으며, 무예가 출중하고 학문에도 뛰어났음. [1677-1735]

이:삼-년【二三年】명 두세 해. 이 년이나 삼 년. ¶～ 더 기다려 보세.

이:-삼만【李三晩】명〖사람〗조선 철종(哲宗) 때의 서예가. 자(字)는 윤원(允遠), 호는 창암(蒼巖). 전주(全州) 사람. 그의 필적으로 경남(慶南) 하동 칠불암 편액(河東七佛庵扁額)이 있으며, 또 전주판(全州板)의 칠서(七書)는 모두 그의 글씨를 새겨 간행한 것임. 생몰년 미상.

이:삼-사초【―莎草】명〖식〗청사초.

이:삼-삭【二三朔】명 두세 달. 이삼 개월(二三個月).

이:삼-십【二三十】명 이십이나 삼십. ¶나이가 ～ 되어 보인다.

이:삼-월【二三月】명 ①이월이나 삼월. ¶～경에 돌아온다. ②이월과 삼월. ¶～은 추운 때이다.

이:삼-육【二三六】[―뉵] 명〖수〗구구법(九九法)의 하나. 2의 3배나 「3의 2배는 6이 됨.

이:삼-일【二三日】명 2일이나 3일. 이틀이나 사흘. ¶～ 안으로 돌아오겠다.

이:삼-차【二三次】명 두세 차례. 두세 번. ¶～ 방문하였어도 못 만났다. ＊수삼차(數三次).

이:-삼평【李參平】명〖사람〗조선 중기의 도공(陶工). 일본명은 가네가에 삼베에(金ケ江三兵衛). 충청도 출신으로 선조(宣祖) 30년(1597) 정유 재란(丁酉再亂) 때 왜장(倭將)에 잡혀 일본 사가 현(佐賀縣) 아리타

(有田)에 끌려감. 도공(陶工)으로서 재주가 뛰어나 일본 아리타야키(有田焼)의 시조(始祖)가 됨. [?-1656]

이삿-짐【移徙—】명 이사할 때 새로 가는 집으로 옮기는 가재 도구의 짐.

이삿짐 센터【移徙—】[center] 명 트럭과 종업원을 갖춰 놓고 이사하는 집의 의뢰를 받아 이삿짐을 옮겨 주는 업소(業所).

이:상[1]【二上】명〖역〗시문(詩文)을 평(評)하는 등급(等級)의 하나. 이등(二等) 가운데서 상등(上等).

이:상[2]【二相】명〖역〗조선 시대에, 이상(貳相) 가운데 버금이라는 뜻으로 우찬성(右贊成)을 일컫는 말. *일상(一相).

이:상[3]【二相】명〖불교〗[상(相)은 특징(特徵)·형상(形相) 등의 뜻] ①그 자체만이 가지는 자상(自相)과, 다른 것과도 공통하는 공상(共相)의 두 상. ②총체적인 총상(總相)과 개별적인 별상(別相). 혹은 동상(同相)과 이상(異相) 등의 두 상의 일컬음. ③전(轉)하여, 표리(表裏)의 두 가지 모양.

이:상[4]【以上】명 ①이 위. ¶다섯 살 ~.↔이하(以下). ②문서(文書)나 목록(目錄) 등의 끝에 써서 끝맺음을 나타내는 말. 이뿐임. ¶~이 본건 제안의 이유입니다. ③보고하거나 경과 등을 알릴 때 '이것이 모두'의 뜻으로 끝맺음을 나타내는 말. ¶적병 사살 5명, 생포 1명, 아군 피해 없음. ~. ④더 나음. ¶예상(豫想) ~의 좋은 성적. ⑤(부사적으로 쓰이어) …한 바에는. ¶가 뵙지 못하는 ~ 체념하는 수밖에/일을 맡은 ~ 끝까지 해내야 한다.

이:-상[5]【李箱】명〖사람〗시인·소설가. 본명은 김해경(金海卿). 서울 출생. 경성 고공(高工) 건축과 졸업. ≪오감도(烏瞰圖)≫를 비롯하여 처음 시(詩)로써 출발하였으나, 1936년 '조광(朝光)'에 그의 대표적 소설 ≪날개≫를 발표한 후 주로 단편을 썼음. 1935년 전후에 성행한 자의식(自意識) 문학 시대에 나온 대표적 작가임. 작품으로 ≪종생기(終生記)≫·≪실낙원(失樂園)≫ 등이 있음. 1957년 그의 전작품을 정리한 ≪이상 전집≫ 3권이 발간됨. [1910-37]

이상[6]【泥狀】명 진흙 덩어리와 같은 모양.

이상[7]【泥像】명 이소인(泥塑人).

이:상[8]【異狀】명 보통과는 다른 상태. 틀린 상태. ↔정상(正狀).

이:상[9]【異相】명 보통과는 다른 모습이나 모양.

이:상[10]【異常】명 ①보통과 다름. 보통이 아님. ¶~한 일/~ 난동 현상. ②[anomaly]〖의〗신체(身體)의 각부에 있어서, 위치·형상·구조 등이 정상이 아닌 일. ③몸·정신·기계 등의 기능이나 활동이 순조롭지 못한 상태. ¶정신 ~/심장에 ~이 있다/기계의 ~을 발견하다. ——-하다 형여불. ——-히 부

이:상[11]【異象】명 ①이상한 모양. ②특수한 현상(現象).

이:상[12]【理想】명 ①각자(各自)의 지식·경험의 범위 안에서 최고(最高)라고 생각되는 상태. 곧, 그것에 도달하면 우리를 만족시켜 주리라고 상상(想像)되는 것. ¶~이 지나치게 높다. ↔현실(現實). ②〖철〗개인적인 것이 아니고 절대적 이데아(Idea) 곧, 사물(事物)의 항상적 본질(恒常的本質)을 의미함. 다시 말하면 인생의 최고 궁극의 목적인 진선미(眞善美)의 합일점(合一點).

이:상[13]【貳相】명〖역〗삼정승(三政丞) 다음가는 벼슬이란 뜻으로, 좌우찬성(左右贊成)을 일컫는 말. *일상[1](一相)·이상[2](二相).

이:상[14]【履霜】명 이상지계(履霜之戒).

이:상 가리【利上加利】명 이자(利子)에 이자(利子)를 더함. ——-하다 자여불

이:상 건조【異常乾燥】명〖기상〗좋은 날씨가 오래 계속되어, 습도뿐만 아니라 실효(實効) 습도도 적어진 상태. 공기의 습도는 낮에는 50-60%, 밤에서 아침 일찍까지는 80-90%가 보통이지만, 건조시에는 20-10% 이하로도 됨. 또, 목재의 건조의 경우는 그 날의 습도뿐만이 아니라, 지난 며칠간의 습도 영향을 받기 때문에, 습도의 시간적 경과를 고려에 넣고 계산하는 실효 습도로 정함.

이:상-견【異常繭】명 기형적인 누에고치. 정상견(正常繭)에 비해서 조사(繰絲) 성적이 나쁘고, 생사(生絲)의 품질도 좋지 않음.

이:상 견빙지【履霜堅氷至】명 [서리를 밟을 때가 되면 얼음이 얼 때도 곧 닥친다는 뜻에서] 어떤 일의 징후가 보이면 머지 않아 큰일이 일어남.

이:상 결정【理想結晶】[—쩡] 명 등가(等價)의 결정면(結晶面)이 모두 같은 크기와 모양으로 발달한 결정.

이:-상(:)경【李尙敬】명〖사람〗조선 중기의 무신(武臣). 자는 이석(頤奭), 전주(全州) 사람. 인조 14년(1636)에 무과(武科)에 급제하고, 이듬해 청나라에 볼모로 가는 소현 세자(昭顯世子)·봉림 대군(鳳林大君)을 따라 선양(瀋陽)으로 감. 귀국 후 김해(金海)·중화(中和)의 부사(府使)를 역임하고 효종이 즉위하자 경기도 수군 절도사에 승진, 삼도 수군 통제사(三都水軍統制使)에 이름. [1609-74]

이:-상계[1]【李商啓】명〖사람〗조선 정조(正祖)·순조(純祖) 때의 문신. 자(字)는 군옥(君沃), 호는 지지재(止止齋)·관송(觀松). 저서로 ≪지지재 유고≫가 있으며, 한시 79수와 가사 작품으로 ≪초당곡(草堂曲)≫·≪인일가(人日歌)≫가 전함. [1758-1822]

이상-계[2]【鮞狀系】명〖지〗잉글랜드(England)의 브리스톨(Bristol)·요크셔(Yorkshire) 부근으로부터 파리 분지(Paris 盆地)를 지나 알사스(Alsace)에 이르는 지역의 중부 쥐라계(中部 Jura 系) 및 상부 쥐라계. 19세기 초기에 쓰던 명칭이며, 현재는 거의 쓰이지 않음. 이상 석회암(鮞狀石灰岩)이 대부분인데, 대륙붕상(大陸棚上)의 천해 퇴적물(淺海堆積物)임.

이:상-곡【履霜曲】명〖문〗고려(高麗) 시대의 가요(歌謠). 음분녀(淫奔女)의 노래로서 남녀 상열지사(男女相悅之詞)라 하여 조선 성종(成宗) 때 문제가 되었던 작품임. 작자·연대 미상. ≪악장 가사(樂章歌詞)≫에 실려 전함.

이:상 광선【異常光線】명 [extraordinary rays]〖물〗단결정체(單結晶體)에 빛이 입사(入射)할 때 굴절(屈折)의 법칙에 따르지 않는 광선. 비상(非常) 광선. ↔상(常)광선.

이:상-국【理想國】명 이상적이며 완전한 국가.

이:-상(:)권【李尙權】명〖사람〗조선 정조(正祖) 때의 화가. 자는 윤중(允中), 호는 임고자(臨皐子). 영천(永川) 사람. 특히 초충(草蟲)을 잘 그렸으며, 당시 한재렴(韓在濂)의 시, 임경한(林景翰)의 글씨와 함께 삼기(三奇)라 불림. 생몰년 미상.

이상-기【移相器】명 [phase shifter]〖전〗교류 전압 또는 전류의 크기를 바꾸지 않고 위상(位相)만을 바꾸는 장치.

이:상 기상【異常氣象】명 [unusual weather]〖기상〗과거 30년간의 기후에 비해서 현저하게 다른 기상.

이:상 기억【異常記憶】명〖심〗어떤 재료(材料)에 관하여 보통 사람에게서는 볼 수 없는 기억력.

이:상 기체【理想氣體】명 [ideal gas]〖물〗보일 샤를(Boyle-Charles)의 법칙과 줄 톰슨(Joule-Thomson)의 법칙에 따라 정압 비열(定壓比熱)은 온도에 관계가 없다는 성질이 조건으로 되는 가상(假想)의 기체. 완전 기체(完全氣體). *보일 샤를의 법칙.

이:-상(:)길【李尙吉】명〖사람〗조선 중기의 문신. 자는 사우(士祐), 호는 동천(東川). 성주(星州) 사람. 선조(宣祖) 18년(1585) 식년 문과(式年文科)에 급제, 여러 벼슬을 지내다가 광해군(光海君)의 난정(亂政)으로 사직함. 인조 반정(仁祖反正) 후 승지(承旨)·공조 판서 등을 역임하고 기로소(耆老所)에 들어감. 병자 호란(丙子胡亂) 때에는 묘사(廟社)를 따라 강화(江華)에 갔다가 청군(淸軍)이 육박하자 자결함. 시호는 충숙(忠肅). [1556-1637]

이상 노:인【圯上老人】명〖사람〗이교(圯橋)에서 장량(張良)에게 태공(太公)의 병법(兵法)을 전수(傳授)한 노인. 곧, 황석공(黃石公).

이:-상로【李相魯】[—노] 명〖사람〗시인·수필가. 경기도 부천(富川) 태생. 호는 소향(素鄕). 주로 독학으로 문학을 공부, 언론계에서 일하면서 작품 활동을 함. 이상주의적 미학을 추구하고 시와 현실 고발적인 저항의 자세를 보여주는 수필들을 썼음. 시집 ≪이상로 전시집(全詩集)≫, 수필집 ≪옥석 혼효(玉石混淆)≫ 등이 있음. [1916-73]

이:상 로켓【理想—】명 [ideal rocket]〖항공〗분사(噴射) 가스의 속도와 똑같은 속도를 갖는 로켓 모터나 로켓 엔진.

이:상-론【理想論】[—논] 명 이성(理性)에 의하여 상상할 수 있는 최선의 상태를 주장하는 논설. 관념론(觀念論).

이:상 물가【異常物價】[—까] 명〖경〗모든 물가가 차례차례 파급적으로 인상되면서 그 파급 기간이 짧고, 상승폭(上昇幅)이 크며, 안정될 전망이 보이지 않는 물가 상황.

이:상 발효【異常醱酵】명 발효(醱酵) 작용에 이상이 생겨서 특수한 화학 변화를 일으키는 일.

이:-상백【李相佰】명〖사람〗사학자·체육인. 호는 상백(想白). 이상화(相和)의 아우. 대구(大邱) 출생. 1924년 일본 와세다 대학(早稻田大學)에 입학, 일본 대학 농구 연맹을 결성했고, 일본 농구 협회 이사·일본 체육회 전무 이사를 역임하고 해방 후 귀국, 서울 대학교 교수로 조선 왕조사 연구(朝鮮王朝史硏究)에 많은 업적을 남겼음. 1964년에 KOC 위원장·IOC 위원에 선임되었음. [1904-66]

이:-상범【李象範】명〖사람〗동양화가. 공주 태생. 호(號)는 청전(靑田)·선농(仙農). 동아 일보 미술 기자로 있으면서 소위 일장기(日章旗) 말살 사건의 하수인으로 일경(日警)에 체포됨. 전통적인 남종화(南宗畫)의 화풍에 한국 산천의 특징을 담아 독창적인 산수화를 개척함. 대표작 ≪만추(晩秋)≫·≪모연(暮煙)≫·≪설촌(雪村)≫·≪고성 모추(古城暮秋)≫ 등. [1897-1972]

이:상-봉【二上峰】명〖지〗경상 남도 거창군(居昌郡) 가북면(加北面)·가조면(加祚面)과 합천군(陜川郡) 가야면(伽倻面) 사이의 소백 산맥 중에 위치하는 산. [1,046 m]

이:상 분열【異常分裂】명〖생〗이형(異型) 분열.

이:상 비:대 성장【異常肥大成長】명〖식〗식물에 있어서, 형성층(形成層)의 작용이 고르지 않을 때, 목질부(木質部)나 체관부(管部)의 분량의 비율이나 배치가 헝클어지거나 또는 정상(正常)의 형성층환(形成層環) 이외의 장소에 신(新)형성층이 나타나거나 하여, 이상한 제2차 조직을 만드는 일.

이:상 산:출 지수【理想産出指數】명 [ideal productivity index] 어떤 유층(油層)의 석유 산출량과, 그 산출량만큼 커지는 유층내의 압력 강하(壓力降下)와의 사이의 이론적인 직선 관계.

이:상 생리【利上生利】[—니] 명 영업상(營業上) 이익이 생김. ——-하다 자여불

이:상 선:거【理想選擧】명〖정〗입후보자로 하여금 정견(政見)을 자유롭게 발표시키고, 선거비는 국가가 부담하며, 선거인은 오직 자기의 자유 의사로써 투표하는 선거.

이:-상설【李相卨】명〖사람〗조선 고종(高宗) 때 의정부(議政府) 참찬(參贊). 자(字)는 순오(舜五), 호는 부재(溥齋). 경주(慶州) 사람. 우국지사(憂國志士)로서 이토 히로부미(伊藤博文)의 정책에 반대하였고, 1907년에 헤이그 밀사(Hague 密使)로 갔다가 실패한 후, 블라디보스토크(Vladivostok)에서 객사하였음. [1871-1917]

이:상-성【理想性】[—썽] 명〖철〗이상(理想)이 가지고 있는 성질. 이상에 근거를 두는 성질. 현실(現實)에 대하여 이상(理想)의 의의(意義)를 강조하는 성질. ↔현실성(現實性).

이:상 성:격【異常性格】[—껵] 명〖의〗정신병질(精神病質).

이:상 성:욕【異常性慾】명〖심〗변태 성욕.

이:상 세:계【理想世界】명 현실적 불만이 없는 이상적 상태의 세계.

이:상 세:포【異常細胞】명〖식〗이형(異型) 세포.

이:상 소:설【理想小說】명〖문〗작가(作家)의 이상(理想)을 작품(作品) 가운데 주입(注入)하여 자기를 주장하려는 소설.

이:상-스럽다【異常—】형ⓑ불 보통(普通)과는 다른 듯하다. **이:상-스레**【異常—】부

이:상 심리학【異常心理學】[—니—] 명〖심〗정상인에 있어서의 예외적 심리 상태(꿈이나 최면(催眠) 등) 및 불안(不安)·열등감·질투·고독감 등의 일상 생활에 있어서의 비정상적 심리의 움직임이나 신경증(神經症)·정신병·범죄·이상 성격 등의 병적(病的) 심리의 구조 및 발생 기구(發生機構)를 규명하려는 심리학.

이:상-아【異常兒】명 정상아(正常兒)에 대하여 신체적·정신적·행동적 혹은 사회적으로 어떤 이상이 있는 아동의 총칭.

이상-암【鯝狀岩】명〖광〗주로 물고기 알 모양의 작은 결핵(結核)이 무수히 모여서 이루어진 수성암(水成岩). 화학적 또는 생물적인 작용에 의하여 탄산 석회(炭酸石灰)가 핵(核)의 주위에 거듭하여 침전(沈澱)하여서 형성된 것인데, 주로 방해석(方解石)·아라고나이트(aragonite)로 되었으나, 백운석(白雲石)·규석(珪石)·적철광(赤鐵鑛)·황(黃)철광·중정석(重晶石) 등으로 되는 경우도 있음.

이:상 야룻이【異常—】[—냐—] 부 이상 야룻하게.

이:상 야릇하다【異常—】[—냐—] 형여불 매우 이상하다. ¶이상 야릇한 복장.

이:-상옥【李相玉】명〖사람〗국사학자. 경기도 파주(坡州) 출생. 1933년 일본 도요(東洋) 대학 문학부 졸업, 1936년에 경성 대학 대학원을 수료하고, 우석(友石) 대학·고려 대학 교수를 역임함. 저서에 《한국의 역사》·《한국사 통설(通說)》 등이 있음. [1908-81]

이:상 위험 준:비금【異常危險準備金】명〖경〗손해 보험(損害保險)에서 위험의 발생률이 극히 불규칙하고 또 손해액이 거액에 달하는 것이 통례이므로 이에 대처하여 보통의 책임 준비금 외에 별도로 적립하는 준비금.

이:상-유【異常乳】명 ①상유(常乳)와 판이하게 달라서 판매 또는 음용(飮用)에 적합하지 않은 젖의 총칭. 일반적으로 산도(酸度)와 고형분(固形分) 함량(含量)이 낮고, 유당(乳糖)·칼슘(calcium)도 적으나 식염(食塩) 함량은 많음. ②유방염(乳房炎)이나 그 밖의 질환에 걸린 유방(乳房)에서 분비되는 젖.

이:상 유전체【理想誘電體】[—뉴—] 명〔ideal dielectric〕〖전〗내부에 전기장(電氣場)을 만드는 데 필요한 전체 에너지가, 외부 전기장을 제거시켰을 때 전원(電源)으로 되돌아가는 유전체.

이:상 유체【理想流體】[—뉴—] 명〖물〗완전 유체(完全流體).

이:상 유:형【理想類型】[—뉴—] 명〔도 Idealtypus〕〖철〗그 자신 하나의 개체이며 따라서 구상적(具象的)이면서도 유전체(類全體), 곧 보편적(普遍的)인 것을 모범적(模範的)으로 나타내려고 하는 대표적(代表的)인 것. 전형(典型).

이:-상은[1]【李相殷】명〖사람〗동양 철학자. 호는 경로(卿輅). 함경 남도 정평(定平) 출신. 17세 때 중국 유학의 길을 떠나 1931년 베이징(北京) 대학 철학과를 졸업, 해방 후 고려 대학 교수를 지냄. [1905-76]

이:-상은[2]【李商隱】명〖사람〗중국 당(唐)나라 때의 시인. 자는 의산(義山). 허난(河南) 사람. 관료로서는 불우하였으나 시에 있어서는 정밀·화려하여 송(宋)대 초기의 화미(華美)한 서곤체시(西崑體詩)의 기본이 되었음. 작품에 《이의산 시집》이 있음. [813-858]

이:상 응축【異常凝縮】명〔heteropycnosis〕〖생〗성염색체(性染色體)와 같은, 특정한 염색체의 일부가, 다른 것과는 달리 응축하고 있는 일.

이:상 임:신【異常姙娠】명 다태 임신(多胎姙娠)이나 자궁외(子宮外) 임신 따위의 비정상적인 임신.

이:상-자【異常者】명 이상한 사람. 보통이 아닌 사람. 비정상인 사람.

이:-상재【李商在】명〖사람〗정치가·종교가. 호는 월남(月南). 한산(韓山) 사람. 서재필(徐載弼)과 함께 독립 협회를 조직, 부회장이 되었고, 3·1 운동 이후 조선 일보(朝鮮日報) 사장을 지냄. 만년에 종교계에 들어가 기독교 청년회장이 되었음. 1923년 보이 스카우트 초대 총재, 1927년 신간회(新幹會) 초대 회장이 됨. [1850-1927]

이:-상(:)적[1]【李尙迪】명〖사람〗조선 순조(純祖) 때의 서예가·시인. 호는 우선(藕船). 우봉(牛峰) 사람. 서얼(庶孼) 출신으로 역관(譯官)으로 중국에 10여 차례 왕래하여, 명사들과 교유하면서 서화·고완(古玩)·금석(金石) 문자·서적 등을 많이 수집하였음. 그의 시는 초당(初唐)·만당(晩唐) 시대의 영향을 받아 서곤체시(西崑體詩)에 능하며 섬세하고 화려하여 헌종(憲宗)도 애송하였다고 함. 저서에 《은송당집(恩誦堂集)》이 있음. [1804-65]

이:상-적[2]【理想的】명관 사물(事物)의 상태가 이상에 합치되어 있는 모양. ¶～인 가정.

이:상적 집군【理想的集群】명〔ideal bunching〕〖전자〗속도 변조관(速度變調管) 안의 전자(電子)의 집군이, 각 사이클 사이에 무한대(無限大)의 단일 전류 최댓값을 주는 이론적 상태.

이:상 전:압【異常電壓】명 전기 회로의 일부 혹은 부하(負荷)가 이상을 보였을 때에 발생하는 과대 전압(過大電壓). 뇌운(雷雲)의 유도·벼락의 직격(直擊) 따위에 의해서 발생하는 높은 전압을 말할 때도 있음.

이:상 전파【異常傳播】명 대기 중의 현저한 기온의 역전층(逆轉層)·온도 경도(傾度)의 큰 곳 등에서, 음파가 반사·굴절·회절(回折)하여 소리의 세력이 약해지지 않고 원거리까지 전반(傳搬)하는 현상. 조용한 밤중에, 보통 때는 들리지 않는 먼 곳의 소리가 가까이 들리는 것은 음파가 역전층에서 반사되기 때문임.

이:상-점【理想點】[—쩜] 명〔ideal point〕〖수〗사영 기하학(射影幾何學)에서, 정직선(定直線)에 평행하는 모든 직선은 무한원(無限遠)의 한 점에서 만난다고 가정하는 그 점(點).

이:-상정[1]【李相定】명〖사람〗독립 운동가. 호는 산은(汕隱). 상화(相和)·상백(相佰)의 형. 1937년 중국 국민 정부의 초청으로 육군 참모 학교의 소장 교관(少將敎官)을 지내고 1941년 중국 유격대 훈련 학교 교수를 거쳐 이듬해 화중군(華中軍) 사령부의 고급 막료로서 난징전(南京戰)·한커우전(漢口戰)에 직접 참가함. 1947년 귀국하여 죽음. 서화(書畫)에 능했음. [1897-1947]

이:-상정[2]【李象靖】명〖사람〗조선 정조(正祖) 때의 학자. 자(字)는 경문(景文), 호는 대산(大山). 한산(韓山) 사람. 벼슬은 형조 참의에 이름. 퇴계(退溪)의 계통을 이어 안동(安東)에서 강의하여 많은 후학을 길렀음. 저서에 《약중편제(約中編制)》 등이 있음. [1710-81]

이:-상(:)좌【李上佐】명〖사람〗조선 시대 초기의 화가. 자는 공우(公祐), 호는 학포(學圃). 전주(全州) 사람. 화원(畫員)이며 산수·인물을 잘 그렸음. 인재(仁齋)와 함께 북종화풍(北宗畫風)으로 유명함. 작품에 《송하 보월도(松下步月圖)》·《한강 조어도(寒江釣魚圖)》 등이 있음. 생몰년 미상.

이:상-주의【理想主義】[—/—이] 명〖철〗①인생의 의의(意義)를 순전히 이상, 특히 도덕적·사회적 이상의 실현을 위한 노력에 치중하는 입장. 현실과 타협하지 않고 이상의 실현을 위하여 일신(一身)의 불리와 희생을 도외시(度外視)하는 고결(高潔)한 태도를 말하나, 다른 면으로는 실현 가능성을 무시하는 공상적(空想的) 또는 광신적(狂信的) 태도를 의미하는 수도 있음. 관념론(觀念論)의 뜻으로도 쓰임. ↔현실주의(現實主義). ②이상론(理想論).

이:상주의 문학【理想主義文學】[—/—이—] 명〖문〗이상주의에 도달하려고 노력하는 태도를 내용으로 하는 문학. ↔자연주의 문학.

이:상-지【理想地】명 이상적(理想的)이며 완전한 곳.

이:상지-계【履霜之戒】명 서리가 내린 것은 얼음이 얼 징조이므로, 징조를 보고 미리 화란(禍亂)을 방지하여야 한다는 경계.

이:상 직선【理想直線】명〔ideal line〕〖수〗이상점(理想點) 전체의 집합. 각 이상점은 어떤 평행선족(平行線族)에 대응됨.

이:-상(:)진【李尙眞】명〖사람〗조선 숙종(肅宗) 때의 문신. 자(字)는 천득(天得), 호는 금강(琴岡)·만암(晩庵). 전의(全義) 사람. 경상도 관찰사로 있을 때 대동법(大同法)의 시행을 촉진하는 한편 이도(吏道)를 확립, 피폐한 정사를 바로잡음. 그 후 여러 벼슬을 거쳐 이조 판서·우의정 등을 지냄. 청백리(淸白吏)에 녹선됨. 시호는 충정(忠貞). [1614-90]

이:상 진:역【異常震域】명 그 주위의 지역에 비해서 지진동(地震動)을 느끼기 쉬운 구역.

이:상 청:역【異常聽域】명 이상 청음 구역(異常聽音區域).

이:상 청:음 구역【異常聽音區域】명 포성(砲聲)이나 폭발음(爆發音) 같은 것이 비교적 원거리에서는 들리나 도리어 가까운 거리에서는 들리지 않는 것과 같은 이상한 청음(聽音) 구역. 보통 음원(音源)에서 50-150km의 곳에 들리지 않는 구역, 곧 무성역(無聲域)이 있는가 하면, 그보다 먼 곳에 들리는 구역, 곧 외청역(外聽域)이 있음. 이상 청역.

이:상 체질【異常體質】명 특이 체질(特異體質).

이:상-촌【理想村】명 이상적이며 완전한 마을.

이:상 탄:성체【理想彈性體】명〖물〗완전 탄성체 ❶.

이:상-파【理想派】명 이상주의(理想主義)를 주장하는 일파(一派). ↔현실파(現實派).

이:상 폭발【異常爆發】명 노킹(knocking).

이:상한 나라의 앨리스【異常—】〔Alice〕[—/—에—] 명 캐럴(L. Carroll)의 동화. 꿈속에서 소녀 앨리스는 토끼 굴을 통해 이상한 나라에 들어가서 묘한 동물·사람들과 만나는 등 기묘한 모험을 한다는 줄거리. 기발한 공상·유머·기지에 넘치는 특이한 작품임. 자매편(姉妹篇)에 《거울 나라의 앨리스》가 있음.

이:상 행동【異常行動】명〔abnormal behavior〕〖심〗사회적으로 가치(價値)가 없는 짓을 하거나 또는 그날그날의 생활에 대처(對處)를 잘못하는 사람의 행동.

이:상-향【理想鄕】명 ①이상적(理想的)이며 완전한 사회. 유토피아(utopia). 파라다이스. ②모어(More, T.)의 소설 《유토피아(Utopia)》 속에 그려진 세계.

이:-상(:)혁【李尙爀】명〖사람〗조선 시대 후기의 산학자(算學者). 자는 지수(志叟). 합천(陜川) 사람. 벼슬은 별제(別提)를 지냄. 저서에 《익산(翼算)》·《산술 관견(算術管見)》이 있음. [1810-?]

이:-상협【李相協】명〖사람〗소설가·신문인. 호는 하몽(何夢). 서울 출생. 1920년 동아 일보 창간 때 29세로 편집국장에 취임, 언론계의 선구자가 됨. 1954년에 자유 신문사 부사장에 취임. 뒤마의 《몽테 크리스토 백작》을 번역, 《해왕성(海王星)》을 내고, 신소설 《누(淚)》·《정조원(貞操怨)》 등을 발표하였음. [1892-1957]

이:상-형【理想型】명〔도 Idealtypus〕〖철〗사회 과학적 개념 구성(概念構成)의 하나. 문화 사상(文化事象)이 가지고 있는 독자적 일회적 의의(獨自的一回的意義)는 보편적 법칙으로는 해명할 수 없으나 어떤 의미의 보편성을 가진 개념이 문화의 의의 일반성을 인식하는 수단으로 필요함. 이것을 위하여 가치적 견지(價値的見地)로부터 구성된 일종의 보편적 개념을 말함.

이:상 홍수 유량【異常洪水流量】명 계획 홍수 유량의 1.2배의 유량(流量). *계획 홍수 유량.

이:-상화[1]【李相和】명〖사람〗시인. 호는 상화(尙火). 대구(大邱) 출생. 사학자 상백(相佰)의 형. '백조(白潮)' 동인. 낭만적 경향에서 출발하여 상징적(象徵的)인 서정시를 많이 썼음. 작품에 《나의 침실로》·《빼앗긴 들에도 봄은 오는가》·《저녁의 피묻은 동굴》·《태양의 노래》 등이 있음. [1900-41]

이:상-화[2]【理想化】 명 ①〖철〗현실을 그대로 보지 않고 이상에 비추어서 보고 생각하는 일. ②〖예〗대상(對象)의 본질이라고 생각되는 것을 강조하여 표현하는 일. ——-하다 자타여불

이-새[1] 명부 ↗이 사이. >요새. *그새.

이새[2]〔그 Jesse〕명〖성〗성서 중의 인물. 다윗의 아버지. 룻의 자손임. 사무엘이 사울의 뒤를 이을 새 임금을 물색했을 때에 베들레헴의 주민이었다고 함. 이새의 이름은 마태와 누가에 의해 예수 계도(系圖)에 적혔음.

이:새-류【二鰓類】명〖동〗[Dibranchia] 연체 동물(軟體動物) 두족류(頭足類)에 속하는 한 아강(亞綱). 주둥이의 주위에 8-10개의 두족이 발달하여 팔처럼 되어 있고, 외투강(外套腔) 속에 한 쌍의 아가미 뼈가 있고 신장(腎臟)과 심이(心耳)는 한 쌍씩임. 낙지·오징어 등이 이에 속하는데 팔각류(八脚類)·십각류(十脚類)의 두 목(目)으로 분류함. *사새류(四鰓類).

이:색[1]【二色】명 두 가지 색.
이:색(이) 지다 구 똑같아야 할 빛깔이나 꼴이 서로 딴판으로 다르다.

이색[2]【耳塞】명 귀지.

이:-색[3]【李穡】명〖사람〗고려 말의 문신·학자. 자는 영숙(穎叔), 호는 목은(牧隱). 한산(韓山) 사람. 원(元)나라의 정시(庭試)에 뽑히어 국사원 편수관(國士院編修官)을 지내고 귀국하여 벼슬이 판문하부(判門下部)에 이르고 한산군(韓山君)에 봉군됨. 여말 삼은(麗末三隱)의 한 사람임. 문하에 권근(權近)·김종직(金宗直)·변계량(卞季良) 등을 배출하여 조선 성리학의 주류를 이루게 함. 시호는 문정(文靖). [1328-96]

이:색[4]【異色】명 ①다른 빛깔. ②색다른 것. 또, 그러한 사람.

이색[5]【梨色】명 노인의 얼굴에 생긴 검은 검버섯.

이:색 분자【異色分子】명 이분자(異分子).

이:색 인종【異色人種】명 살 빛깔이 다른 인종.

이:색-적【異色的】명관 색다른 성질을 지닌 모양. ¶ ~인 풍경.

이:색 측광【異色測光】명〖물〗측광한 빛과 표준 광원(光源)의 빛의 빛깔이 서로 다를 경우의 측광. ↔동색 측광(同色測光).

이:색-판【二色版】명〖인쇄〗두 가지 색으로 인쇄하는 사진 동판(寫眞銅版). 일색(一色) 사진 동판에 다른 한 색을 더한 것. 또, 원판(原版)을 사진 제판상(製版上) 두 개로 분해(分解)하여 두 가지 색으로 인쇄한 것. 전자(前者)를 보통(普通) 이색판, 후자(後者)를 분해(分解) 이색판이라고 함.

이-생[1]【一生】명 이 세상에 살아 있는 동안. ¶ ~에 못다한 인연.
[이생 양주(兩主)가 저생 동생이라] 양주는 언제 어디서나 뜻이 같다는 말. ¶이생 양주가 저생 동생이라는 속담과 같이 그 마누라도 영감의 뜻과 일리 흡사도 틀림이 없어《李海朝: 鬢上雪》.

이:생[2]【利生】명〖불교〗부처나 보살이 중생(衆生)을 도와 이롭게 해 주는 일.

이:생[3]【異生】명〖불교〗범부(凡夫)❷.

이생[4]【離生】명〖생〗본래 일체(一體)가 되어 있거나 일체가 되는 일이 있는 것이 떨어져 있음. 이생 조직·이생 자방(子房)·이생 자예(雌蕊) 따위.

이:생 규장전【李生窺牆傳】명〖책〗김시습(金時習)의 ≪금오 신화(金鰲新話)≫ 중의 전기 소설. 이생(李生)과 최랑(崔娘)은 사랑하는 사이로 부모의 허락을 얻어 잘 살았는데, 홍적(紅賊)을 만나 헤어졌다가 난리가 끝나 이생이 홀로 돌아와 어느날 다시 최랑을 만나 살았으나 그것은 이미 죽은 최랑의 넋이었다는 줄거리임.

이:생-남【利生男】명 이생(利生)을 받은 남자. 행복한 남자.

이:생-류【二生類】[—뉴] 명〖동〗[Digenea] 편형(扁形) 동물 흡충강(吸蟲綱)의 한 아강(亞綱). 각종 동물의 내장(內臟)에 기생(寄生)하는데 흡반(吸盤)은 한두 개이고 갈고리 모양의 돌기는 없음. 몹시 복잡한 생활의 변태(變態)를 하며, 세대(世代)를 이행(移行)함에 따라 숙주(宿主)의 전환(轉換)이 있음. 거의 암수컷이 한 몸임. 사람 또는 사람과 가까운 동물에 기생하여 많은 해를 끼치나 유생(幼生)은 모두 물 속에서 삶. 디스토마(distoma)가 이에 속함. 복구류(腹口類)와 전구류(前口類)의 두 목(目)으로 분류함. 이세대류(二世代類). 복생대류(複生代類). *단생대류(單生代類).

이:생 방편【利生方便】명 중생(衆生)에게 이익(利益)을 주는 부처의 묘(妙)한 방법.

이생 웅예【離生雄蕊】명〖식〗제 각각 떨어져 있는 수꽃술의 한 가지. 이강(二強) 웅예와 사강(四強) 웅예가 있음.

이생 자예【離生雌蕊】명〖식〗암꽃술의 한 가지. 단자방(單子房)의 꽃술이 서로 떨어져 있음.

이생-지【泥生地】명 흔히 시냇가에 있는 모래 섞인 개흙땅.

이샤〔아랍 'ishā'〕명〖이슬람〗밤중 예배(禮拜).

이샤다 图〈옛〉이로다. ¶嗟嘆ㅎ야 降伏 아니ㅎ리 업서 聖明이샤다 슬오니라(莫不歎服 ㅎ야 以爲聖明이라 ㅎ니라)《內訓 Ⅱ 下 19》.

이:서[1]【二鼠】명〖불교〗흑·백 두 마리의 쥐. 흑월(黑月)·백월(白月) 혹은 주야(晝夜) 또는 일월(日月)의 비유.

이:서[2]【以西】명 어떤 지점을 한계로 하여 그 서쪽. ↔이동(以東).

이:서[3]【吏胥】명〖역〗각 관아에 딸린 구실아치의 통칭. 서리(胥吏). 아전(衙前). 연리(椽吏). 하리(下吏).

이:서[4]【吏書】명 이두(吏讀).

이:서[5]【里胥】명 촌락의 하급 관리. 마을 아전.

이:-서[6]【李緖】명〖사람〗조선 성종(成宗) 때의 문인. 자는 계숙(繼叔). 양녕 대군(讓寧大君)의 증손(曾孫). 젊었을 때 모반(謀反)하였다는 노영손(盧永孫)의 무고(誣告)로 전라도 창평(昌平)으로 유배됨. 14년 만에 풀려났으나 담양(潭陽)에 한거(閑居)하면서 후학(後學)을 가르침. 작품으로 가사 ≪낙지가(樂志歌)≫가 있음. [1482-?]

이:-서[7]【李曙】명〖사람〗조선 인조(仁祖) 때의 공신. 자는 인숙(仁叔), 호는 월봉(月峰). 전주(全州) 사람. 인조 반정(仁祖反正)에 공을 세워 완풍 부원군(完豐府院君)에 봉군됨. 병자 호란(丙子胡亂) 때 남한산성을 수호하다가 진중(陣中)에서 죽었음. 시호(諡號)는 충정(忠正). [1580-1637]

이서[8]【移書】명〖역〗이(移).

이:서[9]【異書】명 그리 흔하지 않은 책. 귀한 책.

이서[10]【犁鼠】명〖동〗분서(鼢鼠).

이:서[11]【裏書】명 ①종이 뒤에 문자(文字)를 씀. ②서화(書畫)의 뒤에 진물(眞物)임을 증명하는 글을 씀. ③〖법〗'배서(背書)❷'의 구용어. ——-하다 자타여불

이서[12]【鼺鼠】명〖동〗날다람쥐❶.

이:-서구【李書九】명〖사람〗조선 순조(純祖) 때의 학자·시인·정치가. 자는 낙서(洛瑞), 호는 강산(薑山) 또는 척재(惕齋). 전주 사람. 조선 시대 후기 한문학자로 또 명문장가로 특히 시명(詩名)이 높아 한시(漢詩) 사가(四家)의 한 사람으로 알려짐. 영조(英祖) 50년(1774) 정시문과(庭試文科)에 급제, 여러 벼슬을 거쳐 순조(純祖) 24년(1824) 우의정에 오름. 문집에 ≪강산집(薑山集)≫이 있음. 시호는 문간(文簡). [1754-1825]

이:서 금:지【裏書禁止】명〖법〗'배서 금지(背書禁止)'의 구용어.

이:서 양:도【裏書讓渡】명〖법〗'배서 양도(背書讓渡)'의 구용어.

이:서 위박【以鼠爲璞】명 아무 것도 아닌 것을 보물로 여김.

이:서-인【裏書人】명〖법〗'배서인(背書人)'의 구용어.

이:서-체【異書體】명〔allograph〕〖언〗어떤 서기소(書記素)가 환경에 따라서 서로 다른 형태로 실현될 때의 호칭.

이서-침【剺書枕】명〖미술〗흰 바탕에 검은 글씨를 쓴 자침(瓷枕).

이석[1]【耳石】명〖동〗동물의 내이(內耳)에 있는 골편(骨片). 성장 연륜(成長年輪)이 나타나며 어류(魚類)는 이로써 나이를 알 수 있음. 평형석(平衡石).

이석[2]【離析】명 떨어져 나감. 분열함. ——-하다 자여불

이:석 격석【以石擊石】명 돌로 돌을 때린다는 뜻으로, 힘이 거의 같음을 말함.

이:-석용【李錫庸】명〖사람〗의병장. 자는 경항(敬恒). 전북 임실(任實) 출신. 광무 11년(1907) 고종이 양위하자 의병을 일으켜 진안읍(鎭安邑)으로 진격, 일본군을 패주시키고 많은 군수 물자를 노획, 이어 용담 심원사(龍潭深遠寺)의 의병장 김동신(金東臣)과 합세하여 기세를 떨침. 그후 장수(長水) 방면에서 적의 배후를 기습하여 대승하고 1908년 남원(南原)으로 진격했다가 임실로 후퇴, 재기를 노리던 중 1913년 체포되어 죽음. [1878-1914]

이:-석증【李石曾】명〖사람〗'리 시쩡'을 우리 음으로 읽은 이름.

이:석 추호【利析秋毫】명 사소한 이해(利害)라도 따져 밝힌다는 뜻으로 인색함을 일컫는 말. ——-하다 자여불

이:석 투수【以石投水】명 ①흔적(痕跡)이 반드시 남음을 이름. ②간(諫)하는 말을 잘 받아들임을 이름.

이:석 팔대【二石八大】[—때] 명〖미술〗중국 청대(清代) 전기에 자유 분방한 개성의 발휘와 진정을 토로하는 감흥(感興)의 표현으로써 형식적인 전형주의(典型主義)나 외면적인 사실주의를 부정하고 절대 주관적인 화경을 전개한 석도(石濤)·석계(石谿)의 이석(二石)과 팔대 산인(八大山人)과의 세 화가의 병칭(併稱).

이:-석형【李石亨】명〖사람〗조선 세조(世祖) 때의 명신. 자는 백옥(白玉), 호는 저헌(樗軒). 연안(延安) 사람. 세종 23년(1447)에 식년 문과(式年文科)에 장원하였는데, 조선조(朝) 개국 이래 채수(蔡壽)와 함께 삼장(三場)에 연이어 장원한 두 사람 중의 한 사람임. 업적으로는 세조 때에 판한성부사(判漢城府事)로서 호패법(戶牌法)을 엄중히 실시하였음. 뒤에 팔도 체찰사(八道體察使)가 되어 호패법 시행을 독찰(督察)하였고 판중추부사(判中樞府事)를 지냄. 저서에 ≪대학 연의 집요(大學衍義輯要)≫가 있음. 시호는 문강(文康). [1415-77]

이:-석훈【李石薰】명〖사람〗소설가. 정주(定州) 출신. 본명은 석훈(錫薰), 호는 금남(琴南). 일본에서 수학하고 조선 일보사 등에 근무함. 해방후 해군 정훈 장교로 근무하다가 제대, 6·25 전쟁 때 납북됨. ≪이주민 열차(移住民列車)≫·≪백장미 부인≫·≪황혼의 노래≫ 등이 있음. [1908-?]

이:-선[1]【李鱓】명〖사람〗중국 청(清)나라 초기의 화가. 장쑤 성(江蘇省) 사람. 자는 종양(宗揚), 호는 부당(復堂). 양저우(揚州)에 모인 수다한 문인·화가 중, 소위 이단적(異端的)인 '양저우 팔괴(八怪)'의 대표자의 하나였음. 자유 분방(自由奔放)한 생활을 하며 개성의 표현을 중히 여겼고, 기교(技巧)를 도외시한 그림을 그렸음. 작품에 ≪파초도(芭蕉圖)≫ 등이 있음. [1684-1762]

이선[2]【泥線】명〖지〗바다의 밑바닥에 진흙이 침전(沈澱)되는 한계선. 깊이 약 200 m쯤 되는 곳에 있으며, 이보다 얕은 곳에는 파도나 조류(潮流)가 심하여 진흙이 침전되지 않음.

이선[3]【離船】명 승무원 등이 배에서 내림. ——-하다 자여불

이:-선근【李瑄根】명〖사람〗사학자. 문학 박사. 경기도 개풍(開豐) 출신. 일본 와세다(早稻田) 대학 사학과 졸업. 조선 일보 편집국장·한성일보 주필 등을 거쳐 서울 대학 법학 대학장 서리, 국방부 정훈국장을 지냄. 1954년 문교부 장관을 지내고 성균관 대학 총장, 한국 정신 문화 연구원 초대 원장 등을 지냄. 한국 근대사를 연구하였고, 저서에 ≪조선 최근세사≫·≪민족의 섬광(閃光)≫·≪대한 국사≫ 등이 있음. [1905-83]

이:-선념【李先念】명〖사람〗'리 셴녠'을 우리 음으로 읽은 이름.

이:-선득【李仙得】명〖사람〗 대한 제국 때의 미국인으로 내무 협판(內務協辦)을 지낸 르장드르(Le Gendre)의 한국명.

이:선식 회선【二線式回線】명 〔two-wire circuit〕〖전〗 서로 절연(絕緣)되어 있는 두 가닥의 도선(導線)으로 구성된 금속 회로(回路). 4선 회로와는 달리, 한 가닥만의 선로나 관로(管路)를 사용해서 두 방향으로 전파를 전송함.

이선-악【離船樂】명〖악〗 배따라기❶.

이선악-곡【離船樂曲】명〖악〗 배따라기❷.

이:-선(:)정【異善貞】명〖사람〗 고려 문종 때의 문신. 안서 도호부사 도관 원외랑(安西都護府使都官員外郞)으로 있으면서, 새로 ≪주후방(肘後方)≫ 73 판, ≪의옥집(疑獄集)≫ 11판, ≪천옥집(川玉集)≫ 10판을 판각(板刻)하여 왕에게 올림. 생몰년 미상.

이:선-주【二仙酒】명 소주(燒酒)에 용안육(龍眼肉)·계피(桂皮)·꿀을 넣어 만든 술.

이:-선천【二禪天】명〖불교〗 색계 사천(色界四天)의 하나. 소광천(少光天)·무량광천(無量光天)·광음천(光音天)의 삼천(三天)으로 나뉨. *삼선천(三禪天).

이:-선(:)희【李善熙】〔一히〕명〖사람〗 여류 소설가. 함경 남도 원산(元山) 출신. 1937 년경 단편 ≪계산서≫로 문단에 데뷔, 이후 신문사·잡지사 기자를 지내면서 ≪탕자(蕩子)≫·≪매소부(賣笑婦)≫ 등을 발표하고, 중편 ≪여인 명령(女人命令)≫을 신문에 연재 발표함. [1911-?]

이설[1]【移設】명 다른 곳으로 옮겨다 설치함. ――-하다 타여불

이설[2]【梨雪】명〔배꽃을 흰 눈에 견주어서〕 배꽃.

이:설[3]【異說】명 ①세간(世間)에 통용되는 설(說)과는 다른 설. 일설(一說). ②괴탄(怪誕)한 저술(著述). ¶～ 춘향전.

이섬-이섬 부〈방〉 이엄이엄.

이성[1] 명〈방〉 이승.

이:성[2]【二姓】명 ①두 가지의 성. 혼인을 맺을 남자와 여자의 양쪽집. ②성(姓)이 다른 두 임금. ③두 남편.

이:성[3]【二星】명 견우성(牽牛星)과 직녀성(織女星).

이:성[4]【二聖】명 ①신라 시조(始祖) 박혁거세(朴赫居世)와 왕후(王后) 알영 부인(閼英夫人)을 일컫는 말. ②우(禹)와 공자.

이:성[5]【已成】명 이미 이루어짐. 기성(旣成). ――-하다 자여불

이:-성[6]【李成】명〖사람〗 중국 오대(五代) 송초(宋初)의 문인 화가. 자는 함희(咸熙). 성격이 호방하고 시주(詩酒) 생활로 자적(自適)했는데, 평탄한 산야(山野)의 전개를 그리는 평원 산수법(平遠山水法)을 대성시켜 관동(關同)·범관(范寬)과 아울러 송나라 초기 산수화의 3대가로 일컬어짐. [?-967]

이:-성[7]【李晟】명〖사람〗 중국 당(唐)나라의 무장(武將). 간쑤(甘肅) 사람. 18세에 토번(吐蕃) 정토(征討)에 종군하고 덕종(德宗) 때에는 전열(田悅)의 반란을 평정, 뒤에 주자(朱泚)·이회광(李懷光)의 반란 진압에 공을 세워 서평군왕(西平郡王)에 피봉됨. 당대의 전형적인 무장으로 일컬어짐. [727-793]

이성[8]【怡聲】명 기쁜 듯한 목소리. 또, 말소리를 부드럽게 하는 일.

이:성[9]【異性】명 ①성질이 다름. 또, 다른 성질. ②남녀(男女)·자웅(雌雄)의 성(性)이 다름. 또, 다른 것. ③남성(男性)이 여성(女性)을, 여성이 남성을 가리켜 부르는 말. ¶～ 간의 교제. 1)-3): ↔동성(同性). ④〔isomerism〕〖화〗 동일한 분자식(分子式)으로 나타내어지는 화합물의 성질이 다른 일. *이성질체.

이:성[10]【異姓】명 다른 성. 타성(他姓). 이족(異族). ↔동성(同姓).

이:성[11]【理性】명〖철〗 ①사물(事物)의 이치(理致)를 생각하는 능력. 논리적·개념적 사유(思惟)의 능력. 지성 일반(知性一般). ②실천적 원리(實踐的原理)에 따라 의지(意志)와 행동(行動)을 규정하는 능력. 자율적·도덕적 의지의 능력. ③전체적·원리적·통일적 사유의 능력. 초감성적·이념적·절대적 인식의 능력. ④세계와 인생을 지배하는 근본 원리. 이법(理法). 로고스(logos).

이:성[12]【裏聲】명〖악〗 '거짓소리'의 한자 이름.

이:성[13]【履聲】명 신발 끄는 소리.

이성[14]【離城】명 ①성을 떠남. ②서울을 떠남. ↔입성(入城). ――-하다 자여불

이성[15]【彝性】명 선천적(先天的)으로 타고난 떳떳한 성품(性品).

이:성 개:념【理性槪念】명〔도 Vernunft Begriff〕〖철〗 이념(理念)❶.

이:-성계【李成桂】명〖사람〗 조선 왕조 초대 임금인 태조(太祖)의 이름.

이:-성(:)구[1]【李聖求】명〖사람〗 조선 인조(仁祖) 때의 문신. 자는 자이(子異), 호는 분사(汾沙). 전주 사람. 수광(睟光)의 아들. 광해군(光海君) 즉위년(卽位年)(1608)에 별시 문과(別試文科)에 급제하여 여러 벼슬을 거친 다음, 인조 13년(1635) 이조 판서가 됨. 이듬해 병자 호란 때 왕을 호종(扈從)하였고 왕세자가 볼모로 선양(瀋陽)에 갈 때 좌의정으로서 수행함. 뒤에 영의정에 오름. 시호는 정숙(貞肅). [1584-1644]

이:-성구[2]【李成九】명〖사람〗 독립 운동가. 일명 수봉(秀峰), 호는 우장(又丈). 평북 선천(宣川) 출신. 상해(上海)의 독립 신문사에 있으면서 병인 의용대(丙寅義勇隊)에 가입, 1925년 두 번이나 상해의 일본 영사관에 폭탄을 던짐. 1933년 체포되어 서울에서 복역중 옥사함. [?-1941]

이:-성길【李成吉】명〖사람〗 조선 시대 전기의 문신·화가. 자는 덕재(德哉), 호는 창주(滄洲). 고성(固城) 사람. 이암(李嵒)의 아우. 벼슬은 병조 참판(兵曹參判)에 이름. 작품 ≪무이 구곡도(武夷九曲圖)≫·≪출승첩지상도(出勝捷之狀圖)≫. [1562-?]

이성 두개내 합병증【耳性頭蓋內合倂症】〔一쯩〕명〖의〗 급성 또는 만성의 화농성 중이염(化膿性中耳炎)의 경과 중에 염증이 두개강(腔)내에 파급하여서 외경 뇌막염(外硬腦膜炎)·내경(內硬) 뇌막염·뇌정맥동염(腦靜脈洞炎)·연(軟)뇌막염·뇌농양(腦膿瘍) 등을 합병하는 병증. 일반적으로 두통·발열 등이 일어나 전신의 상태가 악화하는데, 외전(外轉) 신경 마비 또는 그 밖의 병소(病巢) 증상이 출현하는 등 증상은 다종 다양(多種多樣)함.

이:-성량【李成梁】〔一냥〕명〖사람〗 중국 명(明)나라의 무장(武將). 자(字)는 여계(汝契). 그 조상은 조선조 사람. 40세에 관(官)에 올라 여진 제부(女眞諸部)를 위압하여 도지휘사(都指揮使)가 되었으며, 뒤에 랴오둥(遼東)을 평정함. [1526-1615]

이:-성령【李星齡】〔一녕〕명〖사람〗 조선 중기(中期)의 학자. 자(字)는 문옹(文翁), 호(號)는 춘파(春坡). 한산(韓山) 사람. 조선 태조(太祖) 이래 인조(仁祖) 16년까지의 야사(野史)를 편년체(編年體)로 기술한 ≪춘파당 일월록(春坡堂日月錄)≫이 전함. [1622-?]

이:성-론【理性論】〔一논〕명〔도 Rationalismus〕〖철〗 ①보통은, 인식(認識)의 기원(起源)에 대하여 경험론(經驗論)과 감각론(感覺論)에 반대하여, 우리의 인식은 이성적 사유(理性的思惟)로부터 생긴다고 하는 설. 오성론(悟性論). ②회의론(懷疑論)·비판론(批判論)에 대하여 절대적으로 이성(理性)은 진리를 인식할 수 있다는 독단론(獨斷論)의 의미로 사용함. ③신학(神學)에서는 초자연설·비이성설(非理性說)에 반대하여 이성(理性)으로써 허용 증명되는 것만을 인용(認容)하려는 견해(見解)를 말하기도 함. 합리론(合理論).

이:-성(:)린【李聖麟】〔一닌〕명〖사람〗 조선 영조(英祖) 때의 화가. 자(字)는 덕후(德厚), 호(號)는 소재(蘇齋). 전주(全州) 사람. 도화서 화원(圖畫署畫員)으로 첨절제사(僉節制使)에 이름. 작품 ≪영모도(翎毛圖)≫가 전함. [1718-77]

이:성 무복친【異姓無服親】명 상기(喪期) 없이 간단한 상례(喪禮) 복장만 차리는 이성의 친족(親族). 외척(外戚)의 외증조부모(外曾祖父母)·외당질(外堂姪)·이종질(姨從姪), 처족(妻族)의 처조부모(妻祖父母)·처외조부모(妻外祖父母)·처형제자매(妻兄弟姊妹)·처질(妻姪), 출가족(出家族)의 고모부·내종질(內從姪) 따위. *단문친(袒免親).

이:성-법【理性法】〔一뻡〕명〔도 Vernunftrecht〕〖법〗 실정법(實定法)에 대립하는 개념. 구체적 내용을 가진 실정법이 시대와 사회에 따라 변천하는 데 대하여 실천 이성(實踐理性)의 요청에 응하는 보편 타당적이며 시대와 사회를 초월하는 법을 말함. 자연법(自然法)의 개념과 거의 같은 뜻으로 이해(理解)되는 법철학(法哲學)의 용어로, 철학사적(哲學史的)으로는 스토아(Stoa) 철학에 연원(淵源)하여 로마법(Roma法)의 세계관이 되었음. 특히, 칸트·피히테(Fichte)·헤겔의 법철학 사상이 대표적임. 이성법학(理性法學). ↔실정법(實定法).

이:성법-학【理性法學】〔一뻡一〕명〖법〗 이성법(理性法).

이:성 불양【異姓不養】명〖역〗 성(姓)과 본(本)이 다른 사람을 양자로 삼을 수 없는 옛 관습. 현행 민법은 이를 허용하나, 호주 상속을 위한 양자는 반드시 동성 동본이어야 함.

이:성-산【異性酸】명 메타산(meta酸).

이:성 숭배【理性崇拜】명〔프 Culte de la Raison〕〖역〗 프랑스 혁명기에 행하여진 일종의 반(反)가톨릭적 혁명 운동. 에베르파(Hébert派)에 의해 추진됨. 1793년 파리 주교 고벨(Gobel)은 상퀼로트의 압력을 받아 성직(聖職)을 버리고, 이어 파리의 노트르담 성당은 이성(理性)의 성당으로 바뀌어 그 앞에서 이성의 제전(祭典)이 성대히 거행됨. 이를 본따서 전국에서 그 제전이 행해지고 성직자는 성직 이탈 및 결혼이 강요되고 교회의 권위는 땅에 떨어짐.

이:성 실교【理性實敎】명 자연 종교(自然宗敎)❶.

이:성-아【二聖兒】명〖역〗 '이성(二聖)❶'의 어렸을 때를 말함.

이:성-애【異性愛】명 이성간의 사랑.

이:성 양:자【異姓養子】〔一냥一〕명〖법〗 양친(養親)의 성과 다른 양자. 엄격히 말하면 동성 동본의 혈족이 아닌 양자임. 현행 민법에서는 이성 양자를 금하지는 않지만, 양친의 호주 상속권을 인정하지 아니함.

이:성의 궤:계【理性一詭計】〔一/一에一〕명〔도 List der Vernunft〕〖철〗 반이성적(反理性的)인 정열(情熱)이 역사의 추진력 구실을 하지만, 요는 세계 이성(世界理性)이 그 목적을 실현하기 위하여 그것을 교묘히 이용하고 있음에 불과하다는 것을 평한 말. 헤겔(Hegel)의 말임. 이성의 교지(狡智).

이:성의 진리【理性一眞理】〔一질一/一에질一〕명〖철〗 영구 진리(永久眞理).

이:성 인산【異性燐酸】명〖화〗 메타(meta) 인산.

이:성-적【理性的】명관〖철〗 합리적(合理的).

이:성적 동:물【理性的動物】명〔라 animal rationale〕 아리스토텔레스의 인간에 관한 정의. 정치적, 곧 국가적·사회적 동물이라는 뜻.

이:성적 신학【理性的神學】명〔도 rationale Theologie〕〖철〗 신(神)의 계시에 의하는 신학에 대하여 이성(理性)에 의하여 신의 존재를 증명하려는 신학.

이:성적 실재론【理性的實在論】〔一째一〕명〖철〗 경험적 지각 내용(知覺內容)의 실재성(實在性)을 부정하고 이성적(理性的)으로 사유(思惟)되는 개념(槪念)만이 객관적(客觀的) 실재와 일치하며 또는 이것을 인식(認識)할 수 있다는 설.

이:성적 심리학【理性的心理學】〔一니一〕명〖심〗 경험으로부터 독립하여 정신의 본질(本質)을 규정하며 이것으로부터 얻은 정신의 개념(槪念)으로써 정신 생활의 사실(事實)을 설명하는 심리학.

이:성적 우:주론【理性的宇宙論】명〔도 rationale Kosmologie〕〖철〗 경험적 사실을 떠나 우주 전체의 이념(理念)을 탐구하여 그 본질(本質)을 이성적으로 규정하려는 우주론.

이:성적 인식【理性的認識】명〔도 Vernunfterkenntnis〕〖철〗 경험적(經驗的)·감각적(感覺的) 인식에 대하여 사유(思惟)·이성(理性) 등을 기초로 하는 인식. 일반적으로 수학적(數學的)인 인식이 그 모범적인 것으

로 생각되고 있음.

이:성-조【二聲鳥】명 비둘기의 이칭.

이:성 주권【理性主權】[―꿘] 명 1814년의 왕정 복고(王政復古) 후의 프랑스 정치 체제에 호응시키기 위하여 주권(主權)의 귀속점을 군주와 인민이 다 같이 지니고 있는 이성(理性)에 귀착시킨 타협적 주권 개념. ↔국민 주권·군주(君主) 주권.

이:성-주의【理性主義】[―/―이] 명〖철〗합리주의(合理主義). ↔정서주의(情緖主義).

이:성주의-자【理性主義者】[―/―이―] 명 이성주의를 주장하고 신봉하는 사람. 합리주의자.

이:-성중【李誠中】명〖사람〗조선 선조(宣祖) 때의 문신(文臣). 자는 공저(公著), 호는 파곡(坡谷). 전주(全州) 사람. 대사헌(大司憲)·부제학(副提學)을 지냈고 임진 왜란 때 선조를 호종(扈從), 의주(義州)까지 갔다가 이여송(李如松)을 따라 영남(嶺南)에 내려가서 대군을 통솔하다 함창(咸昌)에서 전사함. 저서에 ≪파곡 유고(坡谷遺稿)≫가 있음. 시호는 충간(忠簡). [1539-93]

이:성지-합【二姓之合】명 다른 성을 가진 남녀의 결합. 곧, 결혼을 이르는 말.

이:성지-호【二姓之好】명 시가(媤家)와 친가(親家)가 서로 화목함. 곧, 사돈간의 화목을 이르는 말.

이:성질-체【異性質體】명 [isomer]〖화〗분자식(分子式)은 같지만 성질이 다른 화합물을 이름. 분자식이 간단한 보통 무기 화합물에서는 이성의 성립이 적지만 착염(錯塩)이나 유기 화합물에는 많음. 유기 화합물에서는 구조(構造)가 다른 구조 이성, 구조식은 같으나 원자의 입체 배치(立體配置)가 다른 입체 이성으로 대별되며, 무기(無機) 화합물에서는 배위자(配位子)의 차이로 인한 이온화(ion化) 이성·배위 이성. 기타 염(塩)이성 등이 있음. 또, 이성질체(異性質體)끼리 쉽게 변하는 현상인 호변(互變) 이성 등도 있음. 동분(同分) 이성체. *이소-(iso-).

이:성질 현:상【異性質現象】명 [isomerism]〖화〗어떤 화학 물질(化學物質)끼리 서로 같은 원소 조성(元素組成)을 가지면서 구조(構造)가 다른 현상.

이:성질-화【異性質化】명 [isomerization]〖화〗화합물이 이성체(異性體)로 전화(轉化)하는 현상. *n*-부탄에서 이소부탄(isobutane)으로 전화하는 따위. 이성체화(異性體化).

이:성질화 효소【異性質化酵素】명 이성질화 반응의 촉매가 되는 효소의 총칭.

이:성-체【異性體】명〖화〗이성질체.

이:성체-화【異性體化】명 [isomerization]〖화〗이성질화.

이:성 추리【理性推理】명 간접 추리(間接推理).

이:성-친【異姓親】명 어머니 편의 일가. 외척(外戚).

이:성-핵【異性核】명 [isomer]〖물〗질량수(質量數)와 원자 번호는 같으나 두 가지 이상의 성질이 다른 원자핵의 일컬음.

이:성-화【異性化】명 이성질화. 이성체화.

이:성화-당【異性化糖】명〖화〗효소(酵素)를 써서 포도당(葡萄糖)을 과당(果糖)으로 이성화한 것.

이:세[1]【二世】명 ①다음 세대(世代). ②↗이세 국민(二世國民). ③〈속〉자녀. ④같은 이름을 가지고 둘째 번의 자리에 오른 황제·교황 등의 일컬음. ⑤어떤 나라에 이주해 간 이민의 자녀로서 그 나라의 시민인 사람. ¶재미(在美) 교포 ～. ⑥〖불교〗현재의 세상과 미래의 세상.

이:-세[2]【李勢】명〖사람〗중국 오호 십육국 한(漢)의 최후의 임금. 자는 자인(子仁). 이수(李壽)의 아들. 충신을 물리치고, 국사(國事)를 돌보지 않았으며 형벌을 남발하는 등 실정(失政)으로 민심이 이반되던 중 동진(東晉)의 환온(桓溫)이 수군(水軍)을 이끌고 쳐들어오자 항복하여 47년 만에 나라가 망함. [?-361]

이:세[3]【理勢】명 ①사리(事理)와 형세(形勢). ②자연(自然)의 운수.

이세[4]【移勢】명〖악〗싱코페이션(syncopation)의 한역.

이세[5]【釐稅】명〖역〗이금세(釐金稅).

이:세계-설【二世界說】명 [도 Zweiweltentheorie]〖철〗이데아(idea)의 세계와 현상(現象)의 세계를 구별한 플라톤설(Platon說)을 시초로 이어 받아 예지계(叡智界)와 감성계(感性界), 본체계(本體界)와 현상계(現象界), 신의 나라와 지상의 나라, 자유의 세계와 필연(必然)의 세계 등의 구별 대립(區別對立)을 주장하는 학설의 총칭. 라스크(Rask)가 한 말.

이:세 국민【二世國民】명 다음 세대(世代)의 국민. 곧, 어린이들. ㊀이세.

이:세대-류【二世代類】명〖동〗이생류(二生類).

이:세 동조【異世同調】명 이대(異代) 동조.

이:-세(:)민【李世民】명〖사람〗중국 당(唐)나라 제2대의 황제. 묘호(廟號)는 태종(太宗). 고조(高祖) 이연(李淵)의 둘째 아들. 방현령(房玄齡)·두여회(杜如晦)·위징(魏徵) 등과 함께 부친을 도와 천하 통일을 하고 황제가 된 후 율령(律令)의 제정 등 내치에 힘써 정관(貞觀)의 치(治)를 가져와 당조(唐朝) 300년의 기초를 닦음. [598-649; 재위626-649]

이세-법【移勢法】[―뻡] 명〖악〗높이가 같은 약음부와 강음부가 맺어져 그 위치가 서로 바뀌는 현상.

이세벨 [Jezebel] 명〖성〗이스라엘 왕 아합의 아내. 드로의 엣바알의 왕녀로 후대에 우상 숭배를 유혹하는 묵시 문학적 상징이 됨. 아합의 왕비가 된 후 바알의 제사장을 끌어 들여 그 숭배를 강요하다가, 갈멜 산에서 여호와의 예언자 엘리야와의 대결에서 패함.

이:세 부득【二世不得】명〖불교〗현세에서 안온(安穩)을 얻지 못하고 내세(來世)의 왕생에서도 버림받는 일.

이:세 안락【二世安樂】[―알―] 명〖불교〗이세(二世)의 원(願)에 의하여 얻는 과보(果報).

이:-세(:)영【李世永】명〖사람〗독립 운동가. 일명(一名) 유흠(維欽)·천민(天民). 자는 좌현(佐顯), 호는 고광(古狂). 육군 정위(陸軍正尉)로 헌병대장 서리를 지냄. 을사(乙巳) 조약이 체결되자, 민종식(閔宗植)을 대장으로, 참모장이 되어 홍주(洪州)에서 의병(義兵)을 일으켰으나, 패전하여 종신 유형(終身流刑)을 선고받아 황주(黃州)로 유배되었다가 풀려 나옴. 뒤에 신흥 무관 학교(新興武官學校) 교장·상해 임시 정부 참모부 차장을 역임하고, 중국 쓰촨 성(四川省)에서 병사함. [1869-1938]

이:-세(:)장【李世璋】명〖사람〗조선 명종(明宗) 때의 문신. 자(字)는 도성(道盛), 호는 금강(錦江)·어수(漁叟). 전주(全州) 사람. 예조·호조의 참의, 도승지 등을 거쳐 호분위 대호군(虎賁衛大護軍)을 지냄. 청백리(淸白吏)에 녹선됨. [1497-1562]

이:-세존【二世尊】명〖불교〗석가 여래(釋迦如來)와 다보 여래(多寶如來). 이사(二師).

이:-세(:)춘【李世春】명〖사람〗조선 영조(英祖) 때의 가인(歌人). 일명 응태(應泰). 삼국 시대부터 전해 오던 가곡(歌曲)류의 창사(唱詞)를 처음 시조(時調)라는 새 곡조로 지어 불러 시조라는 명칭도 이 때에 비롯한 것이라 함. 생몰년 미상.

이:-세(:)필【李世弼】명〖사람〗조선 숙종(肅宗) 때의 문신. 자는 군보(君輔), 호는 구천(龜川). 경주(慶州) 사람. 송시열(宋時烈)·박세채(朴世采)의 문인. 숙종 때 형조 참판·전라도 관찰사 등을 역임함. 숙종 43년(1717) 노론(老論)의 이이명(李頤命)을 탄핵하고 사직함. 저서에 ≪낙원 고사(樂院故事)≫·≪소주서(小朱書)≫·왕조례(王朝禮)≫ 등이 있음. 시호는 문경(文敬). [1642-1718]

이:-세(:)화【李世華】명〖사람〗조선 숙종(肅宗) 때의 문신. 자는 군실(君實), 호는 쌍백당(雙栢堂)·칠정(七井). 부평(富平) 사람. 황해도·평안도·전라도 관찰사(觀察使)를 지냈으며, 서인(西人)으로 인현 왕후(仁顯王后)의 폐위(廢位)를 반대하여 귀양을 갔음. 갑술 옥사(甲戌獄事) 후 대사간(大司諫)·각 조 판서(判書)를 역임. 청백리(淸白吏)에 녹선(錄選)됨. [1630-1701]

이셔우드 [Isherwood, Christopher] 명〖사람〗영국 태생의 미국 극작가·소설가. 케임브리지 대학 졸업 후, 1939년에 도미하여 귀화함. 해학적(諧謔的)인 간결하고도 요령 있는 문체(文體)가 특징이며, 주요 작품에 ≪노리스씨 기차를 갈아 타다≫·≪베를린이여 안녕≫ 등이 있음. [1904-86]

이셔지 부〈옛〉비슷이. ¶이셔지 옮옴도 能히 몯ᄒᆞ려니와(不能窺髣髴) ≪南明 下 65≫.

이셧다 형〈옛〉비슷하다. 방불하다. =이셧ᄒᆞ다. ¶依然은 이셧다ᄒᆞ듯 ᄒᆞᆫ 마리라 ≪月序 15≫.

이셧ᄒᆞ다 형〈옛〉비슷하다. =이셧다. ¶져기 이셧ᄒᆞ도다(稍依俙)≪金三 Ⅱ:50≫. *이슷ᄒᆞ다.

이셩져셩 부〈옛〉이렁저렁. 이렇고 저렇고. ¶이셩 져셩ᄒᆞ니 일론 일이 므스 일고≪海謠≫.

이:소[1]【二所】명〖역〗초시(初試)와 회시(會試) 때 응시자를 수용하던 둘째 시험장.

이소[2]【泥沼】명 진흙의 수렁.

이소[3]【泥塑】명 진흙을 이기어 만든 인형(人形).

이:소[4]【貽笑】명 남에게 비웃음을 당함. ――하다 자여불

이:소[5]【鯉素】명 [잉어의 뱃속에서 흰 비단에 쓴 편지가 나왔다는 고사에서 온 말] 편지(便紙)의 이칭(異稱).

이소[6]【離騷】명 ①근심을 만남. ②〖역〗초(楚)나라 굴원(屈原)이 지은 부(賦)의 이름. 굴원이 반대파의 참소(讒訴)에 의해 조정에서 쫓겨나 임금을 만날 기회를 잃은 시름을 읊은 서정적(敍情的) 대서사시(大敍事詩). 초사(楚辭)의 기초가 됨.

이소[7] [ISO] 명 [International Standardization Organization의 약칭] 아이 에스 오.

이소- [iso-] 접두〖화〗[그리스어로 '같다'는 뜻에서 온 말] 화학에서 구조 이성질체(構造異性質體)의 하나를 다른 것과 구별해서 하는 말.

이소 감:도【ISO感度】명〖사진〗국제 표준 규격에 의해 측정 표시한 일반 촬영용 필름의 감도(感度). 1980년 이후부터 쓰임. ISO 100을 표준으로 하여 ISO 200 이상을 고감도(高感度) 필름, ISO 50 이하를 저감도(低感度) 필름이라 부름. 아이 에스 오 감도(ISO感度).

이:-소고연【理所固然】명 이치가 본디부터 그러함. 이소당연(理所當然). ――하다 형여불

이-소골【耳小骨】명〖생〗청소골(聽小骨).

이:-소(:)군【李少君】명〖사람〗중국 한무제(漢武帝) 때의 도사(道士). 조신(竈神)을 위하고 곡식(穀食)을 피함으로써 불로(不老)하는 방술을 알고 있다 하여 무제에게 존중됨. 단사(丹砂)를 황금화한 그릇에 밥을 먹으면 익수(益壽)할 수 있으며, 자신도 안기생(安期生)에게서 받은 그릇으로 장수(長壽)를 누린다는 말을 들은 무제는 이때부터 조신(竈神)을 위하는 한편 사람을 해상으로 보내어 안기생(安期生)을 찾게 했다 함. 생몰년 미상.

이:소 능장【以少凌長】명 젊은 사람이 어른에게 무례한 언행(言行)을 함. 젊은 사람이 어른을 능멸함. ――하다 자여불

이소니아지드 [isoniazid] 명〖약〗이소니코틴산 히드라지드(isonicotinic acid hydrazide).

이소니코틴산 히드라지드【―酸―】명 [isonicotinic acid hydrazide]〖약〗1912년에 합성하여, 1952년 완성한 결핵의 신약(新藥) 상품명. 결핵균의 발육 억제 작용이 다른 약에 비해 현저히 커서 환자의 식욕 증진, 객담량의 감소 등에 씀. 이소니아지드(isoniazid). 히드라지드. 약칭:아이나(INAH).

이소-니트릴 [isonitrile] 명〖화〗니트릴의 이성체(異性體). 일반적으로

제일 아민에 클로로포름과 수산화 칼륨에 알코올 용액을 작용시켜 생성함. 불쾌한 냄새가 있는 유독하고 약한 알칼리성의 액체로, 끓는점은 니트릴보다 낮고 가열하면 니트릴로 변함. 카르빌라민(carbylamine).

이:-소당연【理所當然】명 이소고연(理所固然). ——-하다 형여불

이소-류신〔isoleucine〕명〖화〗필수(必須) 아미노산(酸)의 일종. 합성 또는 단백질의 분해로 얻어짐. 알코올에는 잘 녹음. 녹는점 280°C. 조혈 작용(造血作用)이 강하여 이것이 결핍되면 빈혈증(貧血症)·체중감소를 초래함. 4 종의 이성질체(異性質體)가 있는데, 그 중 엘(L)이소류신만이 천연적으로 널리 존재함. 사람의 하루 요구량(要求量)은 1.4g 이라 함. [$CH_3CH_2CH(CH_3)CH(NH)_2COOH$]

이소-모르피즘〔isomorphism〕명〖심〗심적 현상(心的現象)과 생리 과정(生理過程)은, 실질적 내용은 다르나 구조 특성상(構造特性上)으로는 상호간(相互間)에 일 대 일의 대응(對應)이 있다는 설. 동형설(同型說). 이질 동형설(異質同型說).

이소부틸렌〔isobutylene〕명〖화〗올레핀 탄화 수소의 하나. 석유 정제의 폐(廢)가스, 나프타 열분해 가스에 함유된 기체. 끓는점 −6.9℃로 합성 고무의 원료임. [C_5H_9]

이:소 사:대【以小事大】명 작은 것으로써 큰 것을 섬김. 곧, 작은 나라가 큰 나라를 섬기는 일. 사대(事大). ——-하다 자여불

이소-성【離巢性】[—썽] 명 새의 새끼가 빨리 발육해서 보금자리에 오래 머물러 있지 않는 성질. 물오리·도요새 따위에서 볼 수 있음. ↔ 유소성(留巢性). ＊조성성(早成性).

이:소 성대【以小成大】명 작은 것으로써 큰 것을 이룸. ——-하다 자 「여불

이:소성 조:혈소【異所性造血巢】[—썽—쏘] 명〔heterotopic hematopoietic focus〕〖생〗고도의 빈혈·전염병·백혈병(白血病)에 의하여 조혈 기능이 항진(亢進)할 적에 골수(骨髓) 이외의 기관, 곧 비장(脾臟)·간장(肝臟)·림프선 등에 있어서 증식(增殖)하는 조혈성의 조직. 골수외 조혈소(骨髓外造血巢).

이소시안-산【—酸】명〔isocyanic acid〕〖화〗탄산(炭酸)의 이미드(imide). 시안산(酸)의 두 형태 중의 하나로서 폴리우레탄(polyurethane) 등 수지(樹脂)의 중간 물질로 쓰임. 「자여불

이:소 역대【以小易大】명 작은 것을 가지고 큰 것과 바꿈. ——-하다

이소-옥탄〔isooctane〕명〖화〗탄화 수소의 일종으로 옥탄의 이성질체(異性質體)의 하나. 녹는점(點) −107°C, 끓는점(點) 99.3°C, 비중(比重) 0.692 인 무색 액체. 가솔린 기관에 대한 앤티노킹성(antiknocking 性)이 강한 물질로 옥탄값 측정의 표준이 됨. [$CH_3C(CH_3)_2CH_2CH(CH_3)_2$]

이소-인【泥塑人】명 토제(土製)의 인형. 중국 고대의 부장품(副葬品)의 하나로 무인(武人)·무인(舞人)·여성 등의 인상(人像)·토용(土俑) 등이 있음. 이상(泥像).

이소침:〔도 Isozym〕명〖화〗아이소자임(isozyme).

이소-퀴놀린〔isoquinoline〕명〖화〗무색의 액체. 녹는점(點) 24°C. 콜타르에서 유도(誘導)되거나 합성(合成)으로 만들어짐. 대부분의 유기 용제(有機溶劑)와 묽은 무기산(無機酸)에 녹으나, 물에는 녹지 않음. 물감·살충제·제약제(製藥劑)·화학 중간 물질(化學中間物質) 등으로 쓰임. [$C_6H_4CHNCHCH$]

이소크라테스〔Isokrates〕명〖사람〗그리스의 수사가(修辭家). 웅변학교를 열어 많은 대웅변가를 길러냈음. 거침없이 흐르는 듯한 미문(美文)에 의해 그리스 산문(散文)을 완성하고, 21편의 연설 형식의 작품과 9통의 서간이 전해져, 그리스 사회의 약점을 찌른 정치 평론으로 평가됨. [436-338 B.C.]

이소-프렌〔isoprene〕명〖화〗천연(天然) 고무·테레빈유(油) 등을 열분해(熱分解)할 때 생기는 무색(無色) 휘발성(揮發性)의 액체(液體). 녹는점(點) −146°C, 끓는점(點) 34.08°C. 인조(人造) 고무의 중요한 원료가 됨. [$CH_2=C(CH_3)CH=CH_2$]

이소-프로판올〔isopropanol〕명〖화〗프로판올 이성질체(異性質體)의 하나. 프로필렌(propylene)을 황산과 반응시켜 된 프로필 황산(propyl 黃酸)을 가수 분해(加水分解)해서 만드는 알코올. 끓는점 82.7°C. 공업용 용제(溶劑)로서 용도가 많음. 이소프로필 알코올(isopropyl alcohol) 또는 그냥 프로필 알코올이라고도 함. [$(CH_3)_2CHOH$]

이:-소한【李昭漢】명〖사람〗조선 인조(仁祖) 때의 명신. 자는 도장(道章), 호는 현주(玄洲). 연안(延安) 사람. 아버지 월사(月沙), 형(兄) 백주(白洲)와 함께 송(宋)나라의 삼소(三蘇)에 비길 만한 인물이라고 하였음. 문집에 《현주집(玄洲集)》이 있음. [1598-1645]

이:소 환식 화합물【異素環式化合物】명〖화〗복소(複素) 고리 화합물.

이:소-효소【—酵素】명〔isoenzyme〕〖화〗같은 효소이면서 전기 영동적(電氣泳動的)으로는 다른 성질을 나타내는 것의 총칭. 중합(重合) 상태는 다르나 작용은 같음.

이속¹【夷俗】명 오랑캐의 풍속.

이:속²【吏屬】명〖역〗고려·조선 때, 중앙과 지방의 모든 관아에 딸린 구실아치들. 기록·문서·전곡(錢穀) 등을 관장함. 이배(吏輩).

이:속³【里俗】명 마을의 풍속.

이속⁴【俚俗】명 야비(野卑)하고 속됨. ——-하다 형여불

이:속⁵【異俗】명 다른 풍속. 이풍(異風).

이:속⁶【異屬】명 생물의 속(屬)이 틀림. 또, 그 속.

이속⁷【離俗】명 ①속세의 일에 관여하지 않음. ②속세의 번거로움에서 떠남. ——-하다 자여불

이:속 교배【異屬交配】명〖생〗분류상(分類上), 서로 다른 속(屬)에 속하는 생물(生物)을 교배시키는 일. 보통은 새끼를 낳지 아니함. ——-하다 자여불

이-속우원【耳屬于垣】명 귀를 담에 대고 엿듣는다는 뜻으로, 남이 듣지 아니하는 곳에서도 말을 삼가라는 뜻. ＊낮말은 새가 듣고 밤말은 쥐가 듣는다.

이손¹【耳孫】명 잉손(仍孫).

이-손² 인대 '이 자(者)'를 조금 높여 부르는 말.

이:솝〔Æsop〕명〖사람〗고대 그리스의 우화 작가(寓話作家). 동물에 가탁(假託)하여 인간 세계를 풍자한 많은 우화를 썼음. 이솝은 '아이소포스'의 영어식 표기로, 일설에 의하면 그는 기원전 6세기경의 노예였다고도 함. 동물 우화집인 《이솝 이야기》는 기원전 300년경 알렉산드리아(Alexandria)에서 완성됨. 14 세기에 콘스탄티노플(Constantinople)의 플라누데스(Planudes, Maximus; 1260?-1330)가 편집한 것을 기본으로 하여 15세기에는 영역판·독역판이 나와 세계로 퍼짐.

이송【移送】명 ①옮겨 보냄. ②소송(訴訟) 또는 행정(行政)의 절차에 있어서, 사건의 처리를 어느 관청에서 다른 관청으로 옮기는 일. ¶ 사건의 ~. ——-하다 타여불

이숌 형 〈옛〉 있음. '잇다'의 명사형. ¶ 有頂은 色 이쇼맷 뎡바기라 《月釋 XIII:17》.

이:수¹ 명 〈방〉 잇꽃.

이:수²【二豎】명 〔진(晉)의 경공(景公)이 병으로 앓아 누웠을 때, 꿈에 병마가 두 아이가 되어 나타났다는 고사(故事)에서 온 말〕'병마(病魔)'의 별칭.

이-수³【伊水】명〖지〗'이수이'를 우리 음으로 읽은 이름.

이수⁴【耳垂】명 귓볼.

이:수⁵【利水】명 ①물을 잘 이용함. ②물이 잘 통하게 하는 일. ¶ ~ 공사. ③〔hydragogue〕〖의〗장(腸)에서 물과 같은 액체를 배출하게 함. ——-하다 자여불

이:수⁶【利藪】명 이익이 많은 곳.

이:-수⁷【里數】[—쑤] 명 ①거리를 이(里)의 단위로 측정한 수. ②마을의 수효.

이:-수⁸【李需】명〖사람〗고려 최씨(崔氏) 집권 때의 문인. 자는 악운(樂雲). 초명(初名)은 종주(宗胄). 벼슬이 상서 예부 시랑(尙書禮部侍郞)에 이름. 이규보(李奎報)와 친분이 두터워 이규보의 문집에 서문을 썼음. 생몰년 미상.

이:수⁹【李樹】명〖식〗자두나무.

이수¹⁰【泥水】명 진흙이 섞이어 흐린 물. 흙탕물. 흙물.

이수¹¹【移囚】명 죄수(罪囚)를 다른 교도소로 옮김. ——-하다 타여불

이:-수¹²【理數】명 이과(理科)와 수학. ¶ ~ 과목.

이:수¹³【異數】명 ① 보통이 아닌 남다른 예우(禮遇). ②보통과 다름. 등급을 달리함.

이:수¹⁴【異獸】명 여느 때는 볼 수 없었던 짐승. 진귀(珍奇)한 짐승.

이:수¹⁵【履修】명 차례를 밟아 학과(學課)를 닦음. ¶ 전과정을 ~하다. ——-하다 타여불

이수¹⁶【螭首】명 종정(鐘鼎)이나 궁전(宮殿)의 섬돌·이기(彝器)·인장(印章)·대구(帶鉤)·비(碑)머리 등에 뿔 없는 용(龍)이 서린 모양을 아로새긴 형상. 이두(螭頭).

이수¹⁷【離水】명 수상 비행기(水上飛行機)가 수면(水面)에서 떠나 올라감. ——-하다 자여불

이수¹⁸【離愁】명 이별의 슬픔.

이수¹⁹【羸瘦】명 파리함. 수척(瘦瘠)함. ——-하다 형여불

이수 검:층【泥水檢層】명〔mud log〕유정(油井)을 굴착하는 동안, 순환(循環) 이수 가운데에 함유된 기름이나 가스의 방향 변화를 연속적으로 기록하는 일.

이:-수경【李壽卿】명〖사람〗거문고의 명인. 자는 치일(致一), 호는 송사(松史). 경주 사람. 11세에 장악원 악공(掌樂院樂工)이 되어 전악(典樂)·아악수장(雅樂手長)·아악사(雅樂師)를 역임함. 악기 제조에도 능하여 많은 명기(名器)를 남겼으며, 단소(短簫)와 시조창(時調唱)에도 일가(一家)를 이루었음. 거문고로는 특히《영산 회상(靈山會相)》을 잘 탔음. [1882-1955]

이:수 고저【以袖高低】명〖악〗춘앵전(春鶯囀)·가인 전목단(佳人剪牧丹) 등 정재(呈才)에 나오는 춤사위의 하나. 앞으로 나아갔다 뒤로 물러섰다 하면서 한팔 씩 올렸다 내리는 동작을 함.

이:-수광【李睟光】명〖사람〗조선 중기의 문신·학자. 자는 윤경(潤卿), 호는 지봉(芝峰). 전주(全州) 사람. 선조(宣祖) 15년(1582) 별시문과(別試文科) 병과(丙科)에 급제, 이조 좌랑(吏曹佐郞)·대사성(大司成)이 되고 인조 반정(仁祖反正) 후에 도승지(都承旨) 등 여러 벼슬을 거쳐 대사헌(大司憲)·이조 판서(吏曹判書)에 오름. 임진 왜란(壬辰倭亂)을 전후해서 중국 명(明)나라에 여러 차례 왕래, 이탈리아 신부 마테오 리치(Matteo Ricci)를 만나고 돌아와 천주교(天主敎)와 함께 서양 문물(西洋文物)을 처음으로 소개함으로써 실학(實學) 발전의 선구자가 됨. 저서에 《지봉 유설(芝峰類說)》·《채신 잡록(采薪雜錄)》 등이 있음. 시호는 문간(文簡). [1563-1628]

이수 굴착【泥水掘鑿】명〔mud drilling〕〖광〗순환 유체(循環流體)로서 이수(泥水)를 사용하는 굴착법.

이수다 타 〈방〉 잇다¹(경상).

이:-수-도¹【利水島】명〖지〗경상 남도의 남해상(南海上), 거제시(巨濟市) 장목면(長木面) 시방리(矢方里)에 위치(位置)한 섬. [0.38 km²]

이:-수도²【利水道】명 약제(藥劑)를 써서 오줌을 잘 나오게 함. ——-하다 자여불

이:-수민【李壽民】명〖사람〗조선 숙종(肅宗)·경종(景宗) 때의 무장. 청해(青海) 사람. 숙종 2년(1676) 무과에 급제, 동 39년(1713) 삼도수군 통제사(三道水軍統制使)에 오름. 경종 초 신임 사화(辛壬士禍)로 귀양가는 김창집(金昌集)을 비장(裨將)을 시켜 호행(護行)하게 했다는 죄과로 파직·유배되어 죽음. [1651-1724]

이:수-변【二水邊】 명 한자 부수(部首)의 하나. '凍'이나 '冷' 등의 '冫'의 이름.

이:-수성¹【李秀成】 명 『사람』 중국 태평 천국(太平天國) 후기의 지도자. 광시 성 텅 현(廣西省藤縣)의 빈농 출신. 1858년 강남 대영(江南大營)의 포위로부터 천경(天京) 곧, 난징(南京)을 구하고, 이듬해 충왕(忠王)에 봉해짐. 상하이 공략(上海攻略)·쑤저우(蘇州) 점령 등에서 활약했으나 난징(南京) 함락 때에 붙잡혀 형사(刑死)했음. [1823-64]

이:수-성²【異數性】 [—썽] 명 [heteroploidy] 『생』 개체(個體) 또는 계통(系統)이, 그 종(種)에 고유한 염색체수(染色體數)가 기본수(基本數)의 정수배(整數倍)보다 얼마간 증가하거나 감소되어 있는 현상.

이수스 [Issus] 명 『역』 소아시아의 고도(古都). 333년 알렉산드로스 대왕(Alexandros 大王)이 페르시아군(Persia 軍)을 격파(擊破)한 곳.

이:수-약【利水藥】 명 이뇨제(利尿劑).

이:-수연【李守淵】 명 『사람』 조선 영조(英祖) 때의 학자. 자는 희안(希顔), 호는 청벽(青壁). 진보(眞寶) 사람. 이황(李滉)의 후손. 퇴계(退溪)의 학문을 정리하여 ≪퇴계 선생 속집(續集)≫을 편찬했고, ≪도산 급문 제현록(陶山及門諸賢錄)≫·≪도산지(陶山誌)≫를 저술(著述)함. [1693-1748]

이수이 [伊水] 명 중국 허난 성(河南省) 뤄양(洛陽)의 남쪽을 흐르는 강. 이수(伊水). 이하(伊河).

이수-작【螭首爵】 명 『미술』 용(龍)의 머리 모양으로 만든 술잔. 송관요(宋官窯)에서 청자기(青瓷器)로 만들었음.

이:-수장【李壽長】 명 『사람』 조선 중기의 서예가. 자는 인수(仁叟), 호는 정곡(貞谷). 천안(天安) 사람. 사자관(寫字官)으로 찰방(察訪)을 지냄. 숙종(肅宗)의 어제시(御製詩)를 써서 절찬을 받았고, 청(淸)나라 사신으로부터 동방 제일의 명필이라고 격찬을 받음. 후일 통신사(通信使)의 수행원으로 일본에 갔을 때도 일본인의 찬탄을 받음. 해서(楷書)·초서(草書)에 능했음. 만년에 서학(書學)의 원류(源流)를 종합한 ≪묵지간금(墨池揀金)≫을 저술함. [1661-1733]

이:-수정【李樹廷】 명 『사람』 조선 말기의 기독교 신자. 개화파(開化派)의 한 사람으로 벼슬은 도승지에 이름. 고종(高宗) 19년(1882) 임오 군란(壬午軍亂) 때 민비(閔妃)를 피난하게 한 공으로 일본 시찰에 올라 도쿄에서 세례를 받음. 그 곳에서 ≪신약 전서(新約全書) 마가 복음 언해(福音諺解)≫라는 표제로 마가 복음을 간행, 한글판 최고(最古)의 성경의 하나가 됨. 또한 당시 일본에 체류 중이던 이동인(李東仁)·김옥균(金玉均) 등에게 서구 지식(西歐知識)을 배우게 했음. 뒤에 귀국하여 수구파(守舊派)의 음모로 살해됨. [1842-86]

이수-증【羸瘦症】 [—쯩] 명 『의』 여러 가지 병에 의하여 이상적(異常的)으로 야윈 상태. 내분비(內分泌) 질환(疾患)에 많음.

이수 해:안【離水海岸】 명 『지』 융기(隆起) 해안.

이수 활주【離水滑走】 [—쭈] 명 수상 비행기(水上飛行機)가 뜰 때 수면(水面)을 미끄러져 달아나는 동작. ↔착수(着水) 활주.

이:숙¹【二叔】 명 중국 주(周)나라의 관숙(管叔)과 채숙(蔡叔). 이 두 사람이 주공 단(周公旦)의 공(功)을 질투하여 유언(流言)을 퍼뜨리어 난리를 일으켰다가 평정당함.

이:숙²【里塾】 명 마을 안에 있는 사숙(私塾).

이숙³【梨熟】 명 배숙¹.

이:-숙번【李叔蕃】 명 『사람』 조선 정종(定宗) 때의 공신. 안산 군수(安山郡守)로 정릉(貞陵) 이안군(移安軍)을 거느리고 정도전(鄭道傳) 등을 죽이어 정사 공신(定社功臣)이 되었으며, 정종 2년(1400)에 박포(朴苞)의 난을 평정하였음. 벼슬이 우찬성(右贊成)에 이르렀으며 안성군(安城君)에 봉군(封君)되었으나, 공을 믿고 교만(驕慢)과 사치(奢侈)를 일삼던 끝에 함양(咸陽)에 장류(杖流)되어 배소(配所)에서 죽음. [1373-?]

이:-숙종【李淑鍾】 명 『사람』 교육가·여성 운동가. 명예 문학 박사. 서울 출신. 일본 도쿄 미술 학교 졸업. 1936년 성신(誠信) 여학교 설립. 1963년 성신 여자 실업 초급 대학을 설립, 82년 성신 여자 대학교로 발전시킴. 한국 여성 단체 협의회장·국회의원 피선(1973) 등으로 사회 활동에도 기여가 컸음. 국민 훈장 무궁화장이 추서됨. [1904-85]

이:순¹【二笋】 명 담배의 처음 난 잎을 따 낸 뒤에 다시 난 잎.

이순²【耳順】 명 [논어(論語)의 육십이이순(六十而耳順)에서 나온 말] 생각하는 것이 원만하여 어떤 일을 들으면 곧 이해가 된다는 뜻에서, 나이 예순 살 된 때를 일컫는 말. *불혹(不惑).

이순³ 수 〈방〉 예순(전남·경북).

이:-순:석【李順石】 명 『사람』 석공예가. 디자인 교육자. 충남 아산 출생. 일본 도쿄 미술 학교 졸업. 해방 후 서울 대학교 미술학부 창설의 산파역을 맡았고, 동(同)학부 도안과 주임 교수로 정년시까지 재직함. 1966년 한국 디자인 센터와 상공 미술 전람회를 탄생시킴. 공예·상업 미술·종교 미술 등 많은 작품을 남겼는데, 특히 석공예에서는 기념비적인 것이 많음. 문화 훈장 대통령장을 받음. ≪순국 처녀 유관순 석상≫ 등이 있음. [1905-86]

이:-순신¹【李純信】 명 『사람』 조선 선조(宣祖) 때의 무장. 자는 입부(立夫). 종실(宗室)로서 임진 왜란 때 이순신(李舜臣)의 밑에서 전공을 세웠고, 전공으로 선무 공신(宣武功臣)의 한 사람으로 완천군(完川君)에 봉군(封君)됨. 재물을 탐하였다는 탄핵 등으로 여러 번 파직당함. 시호는 무의(武毅). [1554-1611]

이:-순신²【李舜臣】 명 『사람』 조선 선조 때의 무장. 자는 여해(汝諧). 덕수(德水) 사람. 전라 좌도 수군 절도사(水軍節度使)가 되어 거북선을 창작하였음. 임진 왜란이 일어나자 한산도(閑山島)에서 적선 70여 척을 불질러 대첩하였음. 이 공으로 수군 통제사(水軍統制使)가 되어 삼도의 수군을 총괄하였는데, 정유 재침(丁酉再侵) 때 원균(元均)의 무함(誣陷)을 입어 고사(拷死)될 뻔하다가, 정탁(鄭琢)의 구원으로 백의 종군(白衣從軍)하다가 통제사 원균이 패하매 다시 통제사가 되어 흩어진 병선(兵船)을 모아 울돌목(鳴梁)에서 적선 백여 척을 무찌르고 노량(露梁) 해전에서 적의 유탄에 맞아 전사하였음. 시호는 충무(忠武). [1545-98]

이:-순지【李純之】 명 『사람』 조선 세종(世宗) 때의 산학자(算學者). 자는 성보(誠甫). 양성(陽城) 사람. 산법(算法)을 연구하여 의상(儀象)을 교정(校正)하고, 간의 규표(簡儀圭表)·태평 현주(太平懸珠)·앙부(仰釜)·보루(報漏)·흠경각(欽敬閣)의 물시계 등을 만들었고, 벼슬은 판중추원사(判中樞院事)에 이름. 시호는 정평(靖平). [?-1465]

이술¹ 명 〈방〉 이슬(평안).

이:술²【異術】 명 요술(妖術)이나 마술(魔術) 같은 이상한 술법.

이:숭-산【二崇山】 명 『지』 함경 남도 장진군(長津郡) 하동면(下東面)에 있는 산. [1,632m]

이:-숭인【李崇仁】 명 『사람』 고려 말의 학자. 고려 삼은(三隱)의 한 사람. 자는 자안(子安), 호는 도은(陶隱). 성주(星州) 사람. 벼슬은 밀직제학(密直提學)·예문관 제학(藝文館提學) 등을 거쳐 동지춘추관사(同知春秋館事)에 이름. 정몽주(鄭夢周)와 같이 실록을 편찬했는데, 조선 왕조 개국(開國) 때 정도전(鄭道傳)의 원한을 사 그 심복에게 죽음. 문집에 ≪도은집(陶隱集)≫이 있음. [1349-92]

이슈 [issue] 명 논점(論點). 논쟁점(論爭點).

이슈 광:고【—廣告】 명 [issue advertising] 기업(企業)이나 기업이 목표로 삼는, 사회 일반 사람들의 관심이 되고 있는 사회적·경제적·정치적 문제를 내용으로 하는 광고. 그 사항에 대한 논쟁(論爭)·주장(主張)·옹호의 형식을 취함.

이슈라 형 〈옛〉 있어라. '잇다'의 활용형. ¶涪江ㅅ ᄀᆞ애 다시 이슈라(重在涪江濱)≪杜諺 XI:32≫. 「≪月釋 Ⅱ:53≫.

이슘 형 〈옛〉 있음. '잇다'의 명사형. ¶이슘과 업슘과 다ᄅᆞ디 아니홀씨

이스다 타 〈방〉 잇다¹(전라·경상·제주).

이스라엘 [Israel] 명 ①『성』 야곱(Jacob)의 이명(異名). ②『성』 야곱의 자손. 이스라엘인(人). 유태인. ③『역』 이스라엘 왕국. ④[State of Israel] 『지』 1948년 5월 영국의 팔레스타인 위임 통치 종료(終了)와 함께 유태인이 세운 나라. 북은 레바논·시리아, 동은 요르단, 남서쪽은 이집트에 접함. 독립 후 1948년 팔레스타인 전쟁, 1956년 수에즈 전쟁, 1967년의 6일 전쟁, 1973년의 시월 전쟁 등 4차의 중동(中東) 전쟁을 겪었으나, 1993년 9월 팔레스타인 해방 기구(P.L.O.)와의 평화 협정을 성사시켜, 아랍 제국과의 대결 관계를 종식시키는 계기를 마련했음. 국어는 헤브라이어(語)이며, 주민의 교육 수준이 극히 높고, 대부분은 유태교를 믿음. 공업화가 진척되어 섬유·화학·기계·다이아몬드 연마 공업이 성하며, 키부츠와 같은 독특한 농업 협동 조직을 가짐. 주요 농산물은 감귤·곡류이며, 국민 소득이 중동(中東) 지방 최고로 서유럽에 준함. 수도는 예루살렘. [20,772 km²: 4,970,000명(1991 추계)]

이스라엘 노동당【—勞動黨】 [Israel] 명 1968년 이스라엘의 지도적 정당인 마파이당을 중심으로 좌익 여러 정당이 합체(合體)된 당. 노조(勞組)의 지지가 강력함. 1949년 제1회 크네세트(국회)에서 1977년까지는 이 당을 중심으로 하는 정부가 유지되었음.

이스라엘 왕국【—王國】 [Israel] 명 『역』 고대 유태인의 나라가 솔로몬의 사후(死後) 남북으로 갈렸을 때 북쪽 나라를 일컫던 말. 기원전 722년 아시리아에 망함. 수도(首都)는 사마리아(Samaria).

이스라엘-인【—人】 [Israel] 명 유태인(猶太人).

이스라엘 잉어【—魚】 명 『어』 이스라엘 원산(原產)의 식용(食用) 잉어의 한 품종(品種). 몸길이 35-40cm, 몸무게 1-8kg. 우리 나라에는 1974년에 수입되어, 소양호(昭陽湖)에서 '향어(香魚)'라는 이름으로 사육됨.

이스락 명 〈방〉 이삭.

이스랏 명 〈방〉 앵두.

이스랏-나무 명 『식』 〈방〉 산앵두나무.

이스랭이 명 〈방〉 이슬비(충남·경남).

이스러-지다 자 ① ☞ 이울다. ② ☞ 사위다. ¶불이 거의 이스러지고 물소리가 더 한층 맑다≪李孝石:山≫.

이: 스리: 에이【E 3 A】 명 『군』 보잉사(社)가 제작한 미국의 최신예 조기 경보 관제기(早期警報管制機). 레이더의 범위가 저공이건 고공이건, 모든 고도에서 적용되며, 또 아군 전투기의 작전 지휘도 할 수 있음. 전장(全長) 46.6m, 폭 44.5m, 4발(發) 17인승(乘).

이스마일리아 [Isma'ilia] 명 『지』 이집트 북동부, 수에즈 운하(運河)의 중앙에 있는 항구(港口) 도시(都市). 1863년 수에즈 운하 개설(開設)의 근거지(根據地)로서 건설되어, 이스마일 파샤왕(Isma'il Pasha 王)의 이름을 따 명명함. 카이로와는 이스마일리아 운하로 연결되어 있음. [236,200명(1986)]

이스마일 파샤 [Isma'il Pasha] 명 『사람』 이집트의 메헤메트 알리(Mehmet Ali) 왕조의 왕. 개화 정책(開化政策)에 힘썼으나 재정 곤란(財政困難)으로 영국에 수에즈 운하주를 매각, 영국과 프랑스의 공동 재정 관리(管理)를 받게 되어, 양국의 간섭으로 퇴위하였음. [1830-95; 재위 1863-79]

이스케이프 클로:즈 [escape clause] 명 면책 조항. 협정 따위에서 일정한 권리·의무를 과할 때, 어떤 경우에는 특례(特例)로써 그 권리·의무를 적용하지 않는다는 조항(條項). 유명한 것은 가트(GATT)의 면책(免責) 조항임.

이스쿠두 [포 escudo] 의명 포르투갈의 화폐 단위. 1이스쿠두는 100센타부(centavo).

이스탄불 [Istanbul] 명 『지』 서아시아 보스포루스(Bosporus) 해협의 서안에 있는 터키 최대의 도시. 흑해(黑海)의 문호(門戶)를 이룸. 예부

터 유럽과 아시아 접속의 요점임. 동(東)로마 제국과 터키 제국 시대의 수도. 구명(舊名)은 콘스탄티노플. *위스퀴다르. [5,858,558명(1985)]

이:스터 [Easter] 명 《기독교》 부활절(復活節).

이:스터 섬 [Easter] 명 《지》 남미의 칠레 서쪽 약 3,000km의 태평양상에 있는 화산도(火山島). 칠레령임. 거석 기념물과 돌칼·돌송곳·돌도끼 등의 많은 유적으로 유명함. 양을 방목(放牧)함. 1888년 칠레령(領)으로 됨. [180 km² : 1,600명(1981)]

이:스턴 그립 [eastern grip] 명 테니스에서, 라켓을 쥐는 방법의 하나. 포핸드(forehand)와 백핸드(backhand)로 라켓의 양면(兩面)을 사용하며, 포(fore)와 백(back)에서 약간 미끄러지게 쥐는 방법. 미국 동부에서 많이 행하여졌으므로 이러한 이름이 있음. *잉글리시 그립·웨스턴 그립.

이:스트[1] [east] 명 ①동(東). ②동양(東洋). ③동부(東部).

이:스트[2] [yeast] 명 효모(酵母). 보통, 빵 제조에 쓰이는 빵 효모를 이름. 배양(培養)에 의하여 만들어지며 생(生)이스트와 건조 이스트가 있음. 빵 원료를 발효시켜 여기서 생기는 탄산 가스가 원료를 해면상(海綿狀)으로 부풀게 함. 효모균(酵母菌).

이스트라 [Istra] 명 《지》 '이스트리아 반도(Istria 半島)'의 영어(英語) 이름.

이:스트-런던 [East London] 명 《지》 남아프리카 공화국 동남부, 케이프 주(Cape州) 버펄로 하구(Buffalo河口)의 항구 도시. 농·축산물의 수출항으로 어업 기지. 제2차 세계 대전 후 거대한 독(dock)이 완성되고, 기계·섬유·피혁·식품 공업이 행해짐. 구칭 : 포트렉스(Port Rex). [160,582명(1980)]

이스트리아 반:도 【—半島】 [Istria] 명 《지》 지중해 중앙부, 아드리아해(Adria海) 북부에 있는 반도. 세계적인 수은(水銀) 산지임. 대부분이 유고슬라비아령(領)이고 북서부(北西部) 일부의 트리에스테(Trieste) 항구 지역만이 이탈리아령임.

이:스트먼 [Eastman, George] 명 《사람》 미국의 발명가·공업가. 1880년 사진 건판(乾板)의 제법을 완성, 1884년 롤 필름(roll film)의 특허를 얻어 1892년에 유명한 이스트먼 코닥 회사(Eastman Kodak 會社)를 창립하였음. [1854-1932]

이:스트먼 컬러 [Eastman color] 명 이스트먼 코닥 회사가 발명하여 판매하고 있는 컬러 필름을 사용하여 만든 색채 영화(色彩映畫). *색채 영화.

이:스트먼 코닥 회:사 【—會社】 [Eastman Kodak] 명 1892년 사진 재료와 사진기의 제조 판매를 위하여 이스트먼이 미국 뉴욕 주 로체스터(Rochester)에서 창립한 회사. 롤 필름, 휴대용 카메라 코닥, 시네 코닥 등 신제품을 잇따라 개발하였음.

이:스트 사이드 [East Side] 명 미국 뉴욕 주 맨해튼 동남(東南) 지구. 흑인·유태인 등이 많이 사는 빈민가(貧民街)임.

이:스트 엔드 [East End] 명 영국 런던 동부(東部)의 빈민가(貧民街). 영국의 암흑면(暗黑面)이라고 불리었는데, 사회 보장 제도가 진척(進陟)되어 현재는 거의 소멸(消滅)되었음.

이:스트우드 [Eastwood, Clint] 명 《사람》 미국의 영화 배우·감독. 1959년 TV영화 '로 하이드'로 데뷔, 후리후리한 키에 싸늘한 인상이 서부극에 잘 어울리어 이른바 마카로니 웨스턴으로 일약 스타가 됨. 카우보이 영화 《용서받지 못할 자》로 골든 글로브상(賞) 92년도 최우수 감독상 수상. 대표작 《황야의 무법자》·《더티 해리》 등. [1930-]

이스파노모레스크 양식 【—樣式】 [프 hispanomoresque] 명 8-13세기에 성행한 이슬람교도 지배하의 스페인의 예술. 종교상, 인간이나 생물의 회화(繪畫)나 조각적 표현이 금지되었었기 때문에, 건축이나 장식 예술의 영역에 독창성을 보여, 코르도바(Cordoba)의 대모스크(大mosque), 알함브라 궁전(Alhambra宮殿)을 실현했음.

이스파니아 [Hispania] 명 《지》 ①에스파냐의 옛이름. ②이베리아 반도(Iberia半島)의 옛이름.

이스파한 [Isfahān] 명 《지》 이란의 중부, 이스파한 주(州)의 주도(州都). 테헤란에서 남쪽으로 400km에 위치함. 해발 1,590m의 고원에 조성된 도시. 주변은 이란 고원에서도 가장 비옥한 땅으로 채소·쌀 등을 집약적으로 재배하며, 은세공(銀細工)·카펫 등 수공예품이 유명함. 고대 메디아 왕국, 11세기 셀주크 왕조의 유적 등이 풍부함. [1,001,248명(1985)]

이슥-토록 부 [↗이슥하도록] 밤이 깊을 때까지. ¶ ~ 이야기꽃을 피우고 있다.

이슥-하다 형 여불 [중세 : 이슥ᄒᆞ다] 밤이 한창 깊다. 이슥-히[1] 부

이슥히[2] 부 〈옛〉 밤깊게. 이슥토록. ¶ 말스물 이슥히 호디(談論蹌時)《飜小 X:26》.

이슬 명 [중세 : 이슬] ①〔물〕 공기가 식어서 이슬점(點) 이하로 내려갈 때 수증기가 작은 물방울로 되어 물체의 표면에 부착한 것. ②덧없는 생명에 비유하는 말. ¶ 교수대의 ~로 사라지다. ③눈물을 비유한 말. ④여자의 월경 전이나 해산 전에 조금 나오는 누르스름한 물. ¶ ~이 비치다.

이슬로 사라지다 구 이슬처럼 허무하게 사라지다. 사형장이나 전쟁터에서 목숨을 잃다. ¶ 이런 권력 다툼의 정변(政變)이 한 번씩 일 때마다 이 나라의 기둥인 유능한 인재들이 무고한 죄를 입고 형장(刑場)의 이슬로 사라졌다 《崔仁旭 : 역도라는 이름의 사형수》.

이슬이 되다 구 이슬로 사라지다.

이슬-기 【—氣】 [—끼] 명 이슬 기운.

이슬디다 자 〈옛〉 이슬 내리다. ¶ 이슬디다(露下了)《譯語 上 2》.

이슬-떨이 명 ①이슬받이❹. ②이슬을 떠는 막대기.

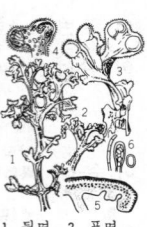

이슬라마바드 [Islamabad] 명 《지》 파키스탄의 수도(首都). 라왈핀디(Rawalpindi)의 북방 약 10km, 표고(標高) 500-600m의 고원에 위치함. 1959년에 건설 개시, 1967년에 완공되어 새 수도로 발족하였음. [335,000명(1991)]

이슬란드-이끼 [Island] 명 《식》 [*Cetraria islandica* var. *orientalis*] 지의류(地衣類)의 한 가지. 수지상(樹枝狀)이고 회백색이며 높이는 15cm 가량인데, 가지 주위에 돌기가 많음. 고산에 나며, 건위 고미제(健胃苦味劑)로서 탕약(湯藥)에 씀.

1. 뒷면 2. 표면 3-4. 자기(子器)가 달린 가지 5. 자기(子器)의 종단면(縱斷面) 6. 사상체(絲狀體), 자낭과 포자
〈이슬란드이끼〉

이슬람 [아랍 Islam] 명 [복종(服從)의 뜻] ①이슬람교도가 자기의 교를 부르는 말. ②이슬람교의 세계. 이슬람교도 전체.

이슬람-교 【—敎】 [Islam] 명 《종》 세계 3대 종교의 하나로, 7세기경에 아라비아의 예언자(豫言者) 마호메트(Mahomet)가 창시한 정교 일치(政敎一致)의 일신교(一神敎). 교전(敎典)은 유일신 알라(Allah)가 마호메트를 통하여 계시(啓示)한 코란이며, 교리(敎理)는 아라비아 민족 신앙에 그리스도교·유대교를 섭취하여, 전지 전능(全知全能)한 알라에 대한 절대 귀의(歸依)를 바탕으로, 계시록(啓示錄)인 코란·천사·예언자 마호메트 및 최후의 심판(審判)의 신앙(信仰)과 신앙 고백·예배·단식(斷食)·희사(喜捨)·성지(聖地) 메카 순례(巡禮) 등의 근행(勤行)을 정함. 교주권(敎主權)은 성속 양면(聖俗兩面)에 미치고 교조(敎祖)의 후예(後裔)가 전승(傳承)하였으나, 뒤에 수니 정통파(Sunni正統派)와 시아 분리파(Shiah分離派)의 이대 종파(二大宗派) 및 70여 개의 분파(分派)로 나뉨. 그 문화는 중세에 그리스 문화를 계승하여 아라비아 문화로서 발달하고, 근대 유럽 문화의 탄생에 크게 이바지함. 성지 메카를 중심으로, 아시아·아프리카·유럽 등지에 널리 분포되어, 신도의 수는 4억 이상을 헤아림. 마호메트교(敎). 회교(回敎). 회회교(回回敎).

이슬람교-국 【—敎國】 [Islam] 명 이슬람교를 국교(國敎)로 하거나 이슬람교도가 절대 다수인 국가. 파키스탄·인도네시아·사우디아라비아·이란 등. 회교국(回敎國).

이슬람교-도 【—敎徒】 [Islam] 명 이슬람교를 믿는 사람. 또, 그 무리. 회교도(回敎徒). 회회교도(回回敎徒).

이슬람-권 【—圈】 [Islam] [—꿘] 명 이슬람교도(敎徒)가 거주하는 지역의 총칭. 이슬람교의 특유한 종교적·민족적·정치적·사회적·문화적 양상(樣相)을 형성하는데, 그 범위는 서(西)아시아를 중심으로, 동(東)으로는 중국·동남(東南) 아시아, 서(西)는 아프리카 북서부와 남동 유럽에 이름. 회교권(回敎圈).

이슬람-력 【—曆】 [Islam] [—녁] 명 이슬람교국에서 쓰이는 순태음력(純太陰曆). 서기 622년 7월 16일의 마호메트의 헤지라(Hegira), 곧 성천(聖遷)으로부터 기산(起算)하여, 1년을 354일, 윤년(閏年)은 355일로 하고, 12월로 나누되, 한 달은 30일이나 29일로 번갈아 잡음. 연초(年初)는 계절(季節)과는 관계없이 사철을 통하여 자꾸 이동하므로, 일반 생활에는 부적합하며, 성원(聖院)의 행사(行事) 등에 쓰이고 있음. 회교력(回敎曆). 마호메트력(曆).

이슬람 문화 【—文化】 [Islam] 명 이슬람교와 아랍어를 배경(背景)으로 한 문화.

이슬람 민주주의 【—民主主義】 [Islam] [—/—이] 명 유일신 앞에서의 인간은 평등이라고 하는 마호메트의 설(說)을 바탕으로 하여, 이슬람교(敎)의 교의(敎義)와 민주주의의 여러 원칙은 모순(矛盾)하지 않는다고 보고, 그 양립(兩立)을 내세우는 주장. 1920년대 이후, 특히 인도 지방에서 성했음. 회교(回敎) 민주주의.

이슬람-법 【—法】 [Islam] [—뻡] 명 《종》 이슬람교의 신(神) 알라(Allah)의 성법(聖法). 일종의 관습법(慣習法)으로서, 코란 및 예언자(豫言者) 마호메트의 언행(言行)을 중심으로 하고, 이슬람 세계의 학식자(學識者)와 재판관(裁判官)의 개인적인 판단에 맡겨진 부분이 많으며, 교도의 생활을 엄격하게 규제(規制)함. 회교법(回敎法).

이슬람 원리주의 【—原理主義】 [—월—/—월—이] 명 [Islam fundamentalism] 서구적(西歐的) 근대화를 부정하고, 이슬람의 가르침에 따른 국가·사회를 건설하려고 하는 운동.

이슬람 제국 수뇌 회:의 【—諸國首腦會議】 [Islam] [—/—이] 명 《정》 40여 이슬람 국가 원수가 이슬람 정신에 따라 국제 협력과 화평(和平)을 달성하고자 하는 회의. 1969년 제1회 회의의 결정에 따라 71년 개최됨. 이후 74년에 파키스탄의 라호르(Lahore)에서 제2회 회의가 열려 이스라엘의 아랍 점령 지역 철수 및 이슬람 제국의 경제 개발 등을 결의한 라호르 선언(宣言)을 채택함. 외상(外相) 회의는 통상 연 1회. 가맹국은 84년 현재 44개국. 상설(常設) 사무국은 사우디아라비아의 지다(Jidda)에 있음.

이슬-마루 명 배의 뜸집의 대들보.

이슬-받이 [—바지] 명 ①이슬이 내리는 때. ②양옆에 있는 풀잎에 이슬이 맺혀 있는 작은 길. ③풀섶의 이슬 내린 길을 걸을 때 이슬을 막기 위하여 아래에 두르는 작은 도롱이. ④풀섶의 이슬 내린 길을 걸을 때 맨 앞에 서서 가는 사람. 이슬떨이. ¶ 나귀를 모는 석가와 선돌이가 ~로 서고… 봉삼과 월이는 뒤를 따랐다《金周榮 : 客主》.

이슬 방울 [—빵—] 명 이슬이 맺히어 이루어진 방울. 노주(露珠). ¶ 풀잎에 앉은 ~.

이슬-비 명 아주 가늘게 오는 비. 는개보다 굵고 가랑비보다 가늚.

이슬 아침 명 내린 이슬이 아직 마르지 아니한 이른 아침. 이슬 내린 아침. ¶ ~의 오솔길.

이슬-점【一點】[一쩜] 명 〔dew point〕〖물〗대기(大氣) 중에 포함되어 있는 수증기가 냉각(冷却)되어 응결(凝結)하기 시작할 때의 온도. 공기 중의 수증기의 압력(壓力)이 포화 증기압(飽和蒸氣壓)과 같아지는 온도. 노점(露點).

이슬점 습도계【一點濕度計】[一쩜一] 명 〔dew point hygrometer〕〖물〗이슬점을 측정하여 습도(濕度)를 구하는 습도계. 금속면(金屬面)의 뒷면을 차게 하여 이슬점을 잼. 노점(露點) 습도계.

〈이슬점 습도계〉

이슬치 명 〈방〉 이슬받이❸.

이슬-털이 명〖춤〗농악 놀이에서, 상모에 달린 부포를 곧추 세웠다가 꺾는 동작.

이슬-풀 명 이슬 맞은 풀. 이슬이 맺힌 풀.

이:습【吏習】명 아전(衙前)의 풍습(風習).

이습다 형 〈방〉 우습다(경남).

이슷 부 〈옛〉 비슷이. 비슷하게. ¶山象 이슷 깅어신 눈섭에 ≪樂範 處容歌≫.

이슷ᄒᆞ다 형 〈옛〉 비슷하다. ¶山 졉동새 난 이슷ᄒᆞ요이다 ≪樂範 鄭瓜亭≫. *이셧ᄒᆞ다.

이승[1] [중세 : 이싱] 명〖불교〗이 세상. 살아 있는 동안. 금생(今生). 금세(今世). 차생(此生). 차세(此世). ↔저승.

이승을 떠나다 구 죽다.

이:승[2]【二乘】명 ①〖수〗'제곱'의 구용어. ②〖불교〗대승(大乘)과 소승(小乘), 성문승(聲聞乘)과 연각승(緣覺乘), 성문승(聲聞乘)과 보살승(菩薩乘)을 각각 일컫는 말. ——-하다 타여불

이승[3]【尼僧】명〖불교〗중이 된 여자. 비구니(比丘尼). 이고(尼姑). ↔남승(男僧).

이승[4]【移乘】명 바꾸어 탐. 또, 바꾸어 태움. ——-하다 자타여불

이:승[5]【理乘】명〖불〗모든 존재의 근본인 진여(眞如). 이성(理性).

이:승[6]【理勝】명 모두 이치(理致)에 맞음. ¶…하고 ～하게 말하여 황천왕동이도 자기 주장을 더 고집하지 못하게 되었다≪洪命憙 : 林巨正≫. ——-하다 형여불

이승[7]【離昇】명 항공기가 공중으로 떠오르기 시작하는 일. ——-하다 자여불

이:승-근【二乘根】명〖수〗'제곱근'의 구용어. 평방근(平方根).

이:-승만[1]【李承晩】명〖사람〗독립 운동가·정치가. 호는 우남(雩南). 황해도 평산(平山) 출신. 1895년 배재 학당 졸업과 동시에 모교 영어 교사, 독립 협회 등의 간부로 개화(開化) 운동에 투신하였으며, 1898년에 독립 협회 사건으로 투옥되어, 종신형을 받았으나, 1904년 민영환(閔泳煥)의 주선으로 석방되어 도미(渡美)한 후 호놀룰루에서 독립을 위한 힘의 양성에 노력, 1919-21년까지 상해 임시 정부 대통령(大統領)을 지냄. 1945년 해방이 되자 이 해 10월에 귀국, 민주 진영의 최고 지도자로서 활약, 1948년 초대 대통령으로 취임 이후 4선 되었으나, 1960년 4·19 의거로 실각, 하와이에 망명·병사했음. 저서에 ≪독립 정신≫·≪일본 폭로기(영문)≫가 있음. [1875-1965]

이:-승만[2]【李承萬】명〖사람〗동양화가. 서울 출생. 춘양회(春陽會) 회원이며 매일 신문 미술 기자로 활약하고, 조선 미술전 8·9·10·11회에 특선한 후, 주로 역사 소설의 신문 삽화(揷畫)를 많이 그렸음. 삽화 동인회(揷畫同人會) 회장을 지냄. [1903-75]

이:승만 라인【李承晩一】[Line] 명 1952년 1월 18일, 당시의 대통령 이승만이 대한(大韓) 반도 주변의 수역(水域)에 한국의 주권(主權)을 선언한 해양선(海洋線). 해안에서 평균 60마일에 달하며, 이 수역에 포함된 광물(鑛物)과 수산 자원(水產資源)을 보존하기 위하여 설정한 것임. 이것은 일본인들이 주로 부른 명칭이고, 한국측에서는 이것을 '평화선(平和線)'이라 불렀음. 1965년 6월 '한일 조약(韓日條約)'에 의해서 철폐됨. 준이 라인(李Line).

이:승-비【二乘比】명〖수〗'제곱비'의 구용어.

이:-승소【李承召】명〖사람〗조선 세조(世祖)·성종(成宗) 때의 문신. 자는 윤보(胤保), 호는 삼탄(三灘). 양성(陽城) 사람. 예문관 제학(藝文館提學) 때 왕명으로 ≪명황 계감(明皇誡鑑)≫을 한글로 옮겼음. 당대의 문장가로 이름을 떨쳤으며, 예악(禮樂)·음양(陰陽)·율력(律曆)·의약(醫藥)·지리(地理) 등 다방면에 조예가 깊었음. 벼슬은 좌참찬(左參贊)에 이르렀고 만년에 신숙주(申叔舟) 등과 ≪국조 오례의(國朝五禮儀)≫를 편찬함. 시호는 문간(文簡). [1422-84]

이:승-수【二乘數】명〖수〗'제곱수'의 구용어.

이:승 양석【以升量石】[一냥一] 명 어리석은 사람이 현명한 사람의 마음을 측량(測量)하기 어려움을 비유한 말.

이:승 작불【二乘作佛】명〖불교〗성문승(聲聞乘)과 연각승(緣覺乘)의 성불(成佛).

이승-잠 명 이 세상에서 자는 잠이라는 뜻으로, 병중(病中)에 정신 없이 계속해서 자는 잠을 말함.

이:승-척【二乘尺】명〖수〗'제곱자'의 구용어.

이:-승훈[1]【李承薰】명〖사람〗조선 시대 최초의 천주교 영세(領洗) 교인. 교명은 베드로. 평창(平昌) 사람. 정조(正祖) 7년(1783) 중국 청(淸)나라 베이징 남천주당(南天主堂)에서 교리(教理)를 익히고, 교리 서적과 십자 고상(十字苦像)을 갖고 귀국, 교회를 건립하여 미사와 영세를 행하며 전도(傳道)하다가 순조(純祖) 1년(1801) 신유 박해(辛酉迫害) 때 사형당하였음. [1756-1801]

이:-승훈[2]【李昇薰】명〖사람〗3·1 운동 때 민족 대표 33인 중의 한 사람. 본명은 인환(寅煥). 승훈은 자(字), 호는 남강(南岡). 본관은 여주(驪州). 평북 정주(定州) 출생. 어려서 점원으로부터 시작, 무역상을 경영하다가 안창호(安昌浩)의 강연에 감동되어 금주 단연(禁酒斷煙)하고 독립에 뜻을 두게 됨. 1907년 오산(五山) 학교를 설립. 1919년 3·1 독립 선언(獨立宣言)에 참가하여 3년 징역을 받고 출옥 후, 1923년 동아 일보(東亞日報) 사장을 지냄. [1864-1930]

이:-승휴【李承休】명〖사람〗고려 말기의 학자. 자는 휴휴(休休), 호는 동안 거사(動安居士). 가리(加利) 이씨의 시조. 충렬왕(忠烈王) 때 사림 학사 승지(詞林學士承旨)로서 치사(致仕)하였음. 문장이 위려(偉麗)하고 문명(文名)을 떨침. 저서에 ≪제왕 운기(帝王韻記)≫·≪내전록(內典錄)≫ 등이 있음. [1224-1300]

이:시[1]【二矢】명 ①두 대의 화살. ②활쏘기의 한 순(巡) 중, 두 번째 쏘는 화살.

이시[2]【伊時·爾時】명 그 때.

이:시[3]【利市】명 물품을 팔아 이익을 얻음.

이:시[4]【李詩】명 중국 당(唐) 나라 이백(李白)의 시(詩).

이시[5]【移施】명〖역〗양자(養子)를 간 사람의 벼슬이 높아짐으로써 그 생가(生家)의 부조(父祖)에게 품계(品階)와 벼슬을 내리어 줌. ——-하다 타여불

이:시[6]【異時】명 다른 때.

이시[7]【教】〈이두〉 ①이신. ②말씀하신.

이: 시:[8]【EC】명 〔European Community의 약칭(略稱)〕유럽 공동체(共同體).

이시거나【教是去乃】〈이두〉 말씀하시거나.

이시거든【教是去等】〈이두〉 말씀하시거든.

이시거든사【有去等沙】〈이두〉 있고서야.

이시거이신들로【教是去有等以】〈이두〉 말씀하시었으므로.

이시견다해【教是在如中】〈이두〉 말씀하시었는데.

이시견들로【有在等以】〈이두〉 있음으로써.

이시고【教是遣】〈이두〉 하시고. 말씀하시고.

이시나[1] 형 〈옛〉 있으나. '이시다'의 활용형. ¶가리라 ᄒᆞ리 이시나(欲往者在) ≪龍歌 45章≫.

이시나[2] 조 〈옛〉 '이나'의 공대말. ¶聖子ㅣ 三讓이시나 五百年 나라히 漢陽애 올ᄆᆞ니이다 ≪龍歌 14章≫.

이시누온[1]【有臥乎】〈이두〉 ①있는. ②과거를 나타내는 어미 -은. -ㄴ.

이시누온[2]【教是臥乎】〈이두〉 하시는.

이시누온견이여【教是臥乎在亦】〈이두〉 하시었으니. 하시니.

이시누온여【教是臥乎亦】〈이두〉 하시나니. 말씀하시니.

-이시니 어미 〈옛〉 '이니'의 공대말. ¶일마다 天福이시니(莫非天所扶) ≪龍歌 1章≫.

이시다 형 〈옛〉 있다. =잇다. ¶가리라 ᄒᆞ리 이시나(欲往者在)≪龍歌 45章≫/有는 이실 씨라≪訓諺 2≫.

이시다온【教是如乎】〈이두〉 이라 말씀하시니. 이라 하시니.

이시되[1]【是有矣】〈이두〉 이었으되.

이시되[2]【教是矣】〈이두〉 말씀하시되.

이시라두【有良置】〈이두〉 있더라도. -였더라도.

이시락 명 〈방〉 이삭[1](전라).

이시랭이 명 〈방〉 가랑비(충청).

이시리잇가 조 〈옛〉 이시겠읍니까. ¶常不輕 比丘ㅣ 넌分이시리잇가 오ᄂᆞᆳ날애 世尊이시니≪月釋 XVII:77≫.

이시며[1] 조 〈옛〉 이시며. '이며'의 공대말. ¶宗室에 鴻恩이시며 ≪龍歌 76章≫/兄弟예 至情이시며≪龍歌 76章≫.

이시며[2]【是有旀】〈이두〉 이었으며.

이시며[3]【教是旀】〈이두〉 라 하시며.

이시미 명 〈방〉 이무기.

이:-시방【李時昉】명〖사람〗조선 인조(仁祖)·효종(孝宗) 때의 상신. 자는 계명(季明), 호는 서봉(西峰). 연안(延安) 사람. 귀(貴)의 아들, 시백(時白)의 아우. 인조 반정 때 부친과 더불어 가담함. 이괄(李适)의 난을 평정하였고 정묘호란(丁卯胡亂) 때 공을 세움. 대동법(大同法)의 시행을 주장했으나 뜻을 이루지 못함. 형조(刑曹)·호조(戶曹)·공조 판서(工曹判書) 등을 지냄. 저서에 ≪서봉 일기≫가 있음. 시호는 충정(忠靖). [1594-1660]

이:-시백【李時白】명〖사람〗조선 인조(仁祖)·효종(孝宗) 때의 상신(相臣). 자는 돈시(敦詩), 호는 조암(釣巖). 귀(貴)의 아들. 인조 반정 때 공을 세워 연양 부원군(延陽府院君)에 봉군됨. 병자 호란(丙子胡亂) 때 척화신(斥和臣)의 한 사람으로, 서성장(西城將)으로 남한산성을 수비함. 뒤에 이조 판서(吏曹判書)·우의정(右議政) 등을 거쳐 효종 원년(1650)에 영의정(領議政)이 되어 훈련 대장을 겸하였음. 시호는 충익(忠翼). [1592-1660]

이:시 보:험【異時保險】명〖경〗중복(重複) 보험 중, 수개(數個)의 보험 계약(契約)이 때를 달리하여 체결(締結)된 경우를 이름. ↔동시(同時) 보험.

이시쌴【教是段】조 〈이두〉 께서는.

이시삷거나【教是白去乃】〈이두〉 라 하옵거나.

이시삷거늘【教是白去乙】자 〈이두〉 하옵거늘. 말씀하옵거늘.

이시삷견과【教是白在果】자 〈이두〉 말씀하셨거니와.

이시삷견다해【教是白在如中】자 〈이두〉 말씀하시었는데.

이시삷곤【教是白昆】자 〈이두〉 말씀하시니.

이시삷누온바【教是白臥乎所】자 〈이두〉 말씀하옵는 바.

이시삷다온[1]【教白如乎】자 〈이두〉 말씀하시었다는. 말씀하시었다니.

이시삷다온[2]【教是白如乎】자 〈이두〉 말씀하신다는. 말씀하신다니.

이시삷두【教是白置】자 〈이두〉 말씀하시다.

이시삷오나【教是白乎乃】자 〈이두〉 말씀하오나.

이시삷오되[1]【教白乎矣】자 〈이두〉 말씀하옵되.

이시삷오되[2]【教是白乎矣】자 〈이두〉 말씀하옵시되.

이시삽오며[1]【敎白乎旀】 㘴 〈이두〉 말씀하오며.

이시삽오며[2]【敎是白乎旀】 㘴 〈이두〉 말씀하오며.

이시삽온【敎是白乎】 㘴 〈이두〉 말씀하온.

이시삽온들로【敎是白乎等以】 㘴 〈이두〉 말씀하시었으므로.

이시삽온바【敎是白乎所】 㘴 〈이두〉 말씀하온 바.

이시삽올가【敎是白乎去】 㘴 〈이두〉 말씀하옵는가.

이시삽이시누온바【敎是白有臥乎所】 㘴 〈이두〉 말씀하온 바.

이시삽제[1]【敎白齊】 㘴 〈이두〉 말씀하옵시다. 말씀하소서.

이시삽제[2]【敎是白齊】 㘴 〈이두〉 하소서. 하시다. 말씀하소서.

이시스〔그 Isis〕 囘 『신』 고대 이집트의 최고 여신. 천신(天神)과 지신(地神)의 딸로, 오빠인 오시리스(Osiris)의 비(妃)임. 부덕(婦德)의 모범으로, 최고신 라(Rā)의 자백을 듣고 사령(邪靈)에 의해 죽은 남편을 부활시켰다 함. 나일 델타 지방에서 기원하는 신으로, 풍부한 나일의 토양을 나타냄.

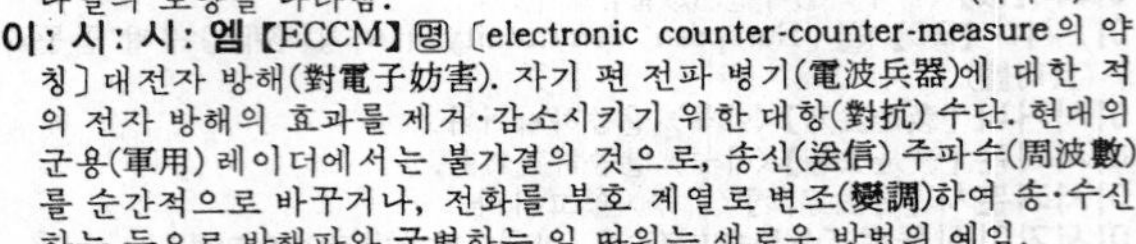

〈이시스〉

이: 시: 시: 엠【ECCM】 囘 〔electronic counter-counter-measure의 약칭〕 대전자 방해(對電子妨害). 자기 편 전파 병기(電波兵器)에 대한 적의 전자 방해의 효과를 제거·감소시키기 위한 대항(對抗) 수단. 현대의 군용(軍用) 레이더에서는 불가결의 것으로, 송신(送信) 주파수(周波數)를 순간적으로 바꾸거나, 전화를 부호 계열로 변조(變調)하여 송·수신하는 등으로 방해파와 구별하는 일 따위는 새로운 방법의 예임.

이시아견늘【敎是良在乙】 㘴 〈이두〉 말씀하시었거늘.

이시아금【有良尒】 囫 〈이두〉 있다고.

이:시 아:목【異翅亞目】 囘 『충』 [Heteroptera] 매미목(目)에 속하는 곤충류의 한 아목. 수서(水棲)·육서(陸棲)의 곤충이 있는데, 수서로는 물장군·물자라·송장헤엄치개, 육서로는 분홍다리풀노린재·허리노린재·넓적노린재·빈대 등이 있음. *동시(同翅) 아목.

이:-시(:)애【李施愛】 囘 『사람』 조선 세조(世祖) 때의 무인. 길주(吉州) 출신. 회령 부사(會寧府使)를 역임하다가, 세조 13년(1467)에 세조가 왕권을 확립, 북방민의 등용을 억제하고 지방관을 중앙에서 파견하자, 이에 불만을 품고 그의 아우 이시합(李施合)과 더불어 모반하다가 허유례(許有禮)의 계교로 형제가 같이 죽었음. [?-1467]

이:시애의 난:【李施愛一亂】[ㅡ/ㅡ에ㅡ] 囘 『역』 조선 세조 13년(1467)에 함경도 길주(吉州)의 호족(豪族) 이시애가 지방 세력을 배경으로 하여, 세조의 중앙 집권 강화 정책에 대한 반발로 일으킨 반란. 강순(康純)·허종(許宗) 등의 관군에 쫓겨 3개월 만에 진압되어, 이시애와 그의 동생 이시합(施合)은 참형(斬刑)됨.

이시어니 囨 〈옛〉 이시거니. '이어니'의 공대말. ¶ 부텨는 이 常住法身 이시어니(佛常住法身) ≪圓覺 上 二之二 160≫.

이: 시: 에스 시:【ECSC】 囘 〔European Coal and Steel Community의 약칭〕 유럽 석탄 철강 공동체(石炭鐵鋼共同體).

이: 시: 에이【ECA】 囘 〔Economic Co-operation Administration의 약칭〕 『경』 경제 협조처(經濟協助處). 1951년에 폐지되어 상호 안전 보장 본부로 인계됨.

이: 시: 엠[1]【ECM】 囘 〔electronic counter-measure의 약칭〕 전자 방해(電子妨害). 적의 레이더나 통신에 방해파(波)나 기만 전파(欺瞞電波)를 발사하여, 전파 병기(兵器)의 기능을 저하·정지시키거나, 의사(疑似) 목표를 스코프(scope)에 나타나게 하여 혼란시키거나 하는 행위 및 수단. 전파를 발사하는 것을 능동 이시엠(能動 ECM)이라 함. 금속박(箔)을 공중에 뿌리는 방법은 수동 이시엠(受動 ECM)의 한 예임. *이시 시 엠(ECCM).

이: 시: 엠[2]【ECM】 囘 〔European Common Market의 약칭〕 『경』 유럽 공동 시장(共同市場).

이시여 囨 호격(呼格) 조사 '이여'의 높임말. ¶ 하느님~ / 신~, 저희들을 보살펴 주소서. *시여.

이:-시(:)영【李始榮】 囘 『사람』 정치가·독립 운동가. 자는 성흡(聖翕), 호는 성재(省齋). 서울 출생. 김홍집(金弘集)의 사위. 우승지(右承旨)·한성 재판소장·고등 법원 판사를 역임. 1910년 한일 합병이 되자 가족을 인솔하고 남만주(南滿州)로 이주하여 신흥(新興) 학교를 창설하였음. 3·1 운동 후 상해 임시 정부 임시 의정원장(議政院長) 등을 지냄. 1945년 귀국하여 대한 독립 촉성 국민회(大韓獨立促成國民會) 위원장이 되고, 정부 수립과 함께 초대 부통령에 당선되었으나, 이승만(李承晩) 대통령의 독선적인 통치에 반대하여 1951년 사퇴하였음. [1868-1953]

이시오되【敎是乎矣】 㘴 〈이두〉 말씀하시되.

이시오며【敎是乎旀】 㘴 〈이두〉 말씀하시며. 하시며.

이시온【敎是乎】 㘴 〈이두〉 말씀하시는. 말씀하시니.

이시온고로【敎是乎故】 㘴 〈이두〉 말씀하시었으므로.

이시온들로【敎是乎等以】 㘴 〈이두〉 말씀하시었으므로.

이시온바【敎是乎所】 㘴 〈이두〉 말씀하시는 바.

이시온일【有乎事】 〈이두〉 ①-온 일. -ㄴ 일. ②있는 일.

이시온즉【敎是乎則】 㘴 〈이두〉 말씀하신즉.

이시우【是紘】 㘴 〈이두〉 이신데. 말씀하시는데.

이시우어오이여【是紘無亦】 〈이두〉 이신 일 없이.

이시우업스로견이여【是紘無亦】 〈이두〉 이신 일 없이.

이: 시: 이:【ECE】 囘 〔Economic Commission for Europe의 약칭〕 『경』 유럽 경제 위원회(經濟委員會).

이시카리 강【一江】〔石狩:いしかり〕 囘 『지』 일본 홋카이도(北海道) 중부 이시카리 평야(石狩平野)를 관류(貫流)하는 강. [268 km]

이시카리 탄:전【一炭田】〔石狩:いしかり〕 囘 『지』 일본 홋카이도(北海道) 이시카리 평야(石狩平野) 동쪽 끝의 대 탄전. 1879년에 채굴 개시. 호로우치(幌内) 탄광 등이 있었지만 대부분 폐광됨.

이시카와 다쿠보쿠〔石川啄木:いしかわたくぼく〕 囘 『사람』 일본의 시인·작가. 시단(詩壇)에 새로운 사조(思潮)를 고취하고 나중에 사회주의적(社會主義的)인 경향으로 흘렀음. 저서는 시가집(詩歌集)으로 ≪한 줌의 모래≫·≪슬픈 완구(玩具)≫, 소설에 ≪우리와 그들≫ 등이 있음. [1885-1912]

이시카와 현【一縣】〔石川:いしかわ〕 囘 『지』 일본 중부 지방 일본해(日本海) 쪽에 있는 현. 8시 8군. 현내에 노토 반도(能登半島)가 있으며 해안에 사구(砂丘)가 발달되었고 겨울철에 강수량이 많음. 일본에서 가장 살기 좋은 현(縣)의 하나로 지목됨. 쌀과 어물(魚物)이 특산이며, 견직물·칠기(漆器)·도자기 등의 공업이 성함. 현청 소재지는 가나자와 시(金沢市). [4,185 km²: 1,159,640 명(1991)]

이시크쿨 호【一湖】〔Issyk Kul〕 囘 『지』 중앙 아시아에 있는 키르기스스탄 공화국 동북부에 있는 염호(塩湖). 해발 1,586 m의 산지에 있음. 동서(東西)로 긴 단층호(斷層湖)로서 그 물에 의하여 부근의 온도가 완화되어 농업이 행해짐. [6,190 km²]

이: 시: 피: 엔 엘【ECPNL】 囘 〔Equivalent Continuous Perceived Noise Level의 약칭〕 감각 소음(感覺騷音) 기준에 음질(音質)이나 지속(持續) 시간을 보완한 것. *피 엔 엘(PNL).

이:식[1]【二食】 囘 ①두 끼분의 식사. 또, 그 양(量). ②하루에 두 번 식사함. ——하다 㘴여불

이식[2]【耳食】 囘 귀로 먹음. 곧, 참맛을 모른다는 뜻으로, 남의 말을 단지 귀로 듣기만 하고 넘겨 짚어 판찰을 잘못함을 이름.

이식[3]【耳飾】 囘 귀걸이❸.

이식[4]【耳識】 囘 『불교』 육식(六識) 또는 팔식(八識)의 하나. 귀로 들은 음성을 식별하는 마음의 기능을 가짐.

이:식[5]【利食】 囘 전매(轉賣) 또는 환매(還買)에 의하여 이익을 얻는 일. ¶ ~ 매물(賣物)이 나오다.

이:식[6]【利息】 囘 이자(利子). 길미. ↔원금(元金).

이:식[7]【利殖】 囘 이자(利子)가 이자를 낳아 재물(財物)이 늘어감. 식리(殖利). ——하다 㘴여불

이:-식[8]【李植】 囘 『사람』 조선 인조(仁祖) 때의 명신. 자는 여고(汝固), 호는 택당(澤堂). 덕수(德水) 사람. 광해군(光海君) 때 폐모론(廢母論)에 반대 은거했다가 인조 반정(仁祖反正) 후 이조 좌랑(吏曹佐郞)에 등용됨. 병자 호란 때의 척화신(斥和臣)의 한 사람으로 선양(瀋陽)에 끌려갔다 옴. 뒤에 형조(刑曹)·예조(禮曹)·이조 판서(吏曹判書)를 지냈으며, 당대 일류의 문장가로서 ≪선조 실록(宣祖實錄)≫ 수정의 일을 전관(專管)하였음. 문집 ≪택당집(澤堂集)≫이 있음. 시호는 문정(文靖). [1584-1647]

이식[9]【移植】 囘 ①옮겨 심음. 이종(移種). 옮겨심기. ②〔transplantation〕 『생』 생물의 어떤 부분을, 같은 개체(個體)나 다른 개체의 몸에 옮겨 붙이는 일. 조건에 따라 여러 종류가 있음. ¶ 피부 ~. ——하다 㘴여불

이:식-산【利息算】 囘 『수』 '이자산(利子算)'의 구용어.

이:식 위천【以食爲天】 囘 사람이 살아가는 데 먹는 것이 가장 중요하다는 말.

이:식-증【異食症】 囘 『의』 이미증(異味症).

이:식 채:권【利息債券】[ㅡ꿘] 囘 『경』 이자(利子) 채권의 구용어.

이식-편【移植片】 囘 〔graft〕 『생』 하나의 개체(個體)에서 다른 개체나 같은 개체의 다른 곳에 이식되는 조직편(組織片).

이:식-하다 囫 〈방〉 이슥하다.

이식 항:원【移植抗原】 囘 〔transplantation antigen〕 『생』 조직 적합성(適合性) 반응을 일으키는 세포 내의 항원. 그 세포가 항원을 갖지 않은 생물에 이식되었을 때 반응이 생김.

이:신[1]【二身】 囘 두 몸.

이:신[2]【二信】 囘 ①정성을 둘로 가짐. 곧, 임금에게 두 마음을 품음. ②두 번째 통신(通信).

이:신[3]【履新】 囘 신년(新年).

이신고로【敎是故】 㘴 〈이두〉 말씀하시었으므로.

이신두【敎是置】 㘴 〈이두〉 말씀하셨다.

이신들【敎是等乙】 囨 〈이두〉 께선들.

이신돌 囨 〈옛〉 이신들. '인돌'의 공대말. ¶ 庸君이신돌 天性은 불ᄀ시니(雖是庸君天性則明) ≪龍歌 71章≫.

이:신-론【理神論】[ㅡ논] 囘 〔deism〕 『철』 계몽주의(啓蒙主義) 시대에 성하였던 종교적 견해. 세계의 근원으로서 세계와는 별도로 하나의 신(神)을 인정하지만, 이것을 세상 일에 관여하거나 계시(啓示)에 의하여 자기를 나타내는 것과 같은 인격적 주재자(主宰者)로는 생각하지 않고, 따라서 기적이나 계시(啓示)의 존재를 부정함. 계시 종교에 대한 이성(理性) 종교. 대표자는 톨란드(Toland, J.)·볼테르(Voltaire)·레싱(Lessing) 등. 디이즘(deism). 자연신론(自然神論). 자연신교(自然神教). ↔유신론(有神論)·범신론(汎神論).

이:신론-자【理神論者】[ㅡ논ㅡ] 囘 이신론(理神論)을 주장하거나 신봉하는 사람. 자연신론자(自然神論者).

이신바【敎是所】 㘴 〈이두〉 말씀하신 바.

이:신 벌군【以臣伐君】 囘 신하로서 임금을 침. ——하다 㘴여불

이신 양:성【頤神養性】 囘 마음을 가다듬어 고요하게 정신(精神)을 수양함. ㊌이양(頤養). ——하다 㘴여불

이신이여【有亦】 囫 〈이두〉 있으니.

이신일【敎是事】 㘴 〈이두〉 말씀하신 일.

이신일이거이신들로【敎是事是去有等以】 㘴 〈이두〉 말씀하신 일이었으므로.

이신즉【敎是則】 㘴 〈이두〉 말씀하신즉.

이:실 고:지【以實告之】 囘 이실 직고(以實直告). ——하다 㘴타여불

이:실-분【二室墳】명〖고고학〗두방(房)무덤.

이실-비 명〈방〉이슬비(경기·충북·경북).

이실쎠 조〈옛〉이시므로. ¶至德이실쎠 獨夫受己 셤기시니≪龍歌 11章≫.

이실제【敎是齊】자〈이두〉말씀하시다. 말씀하실지어다.

이:실 직고【以實直告】명 사실(事實) 그대로 고함. 이실 고지(以實告之). ──-하다 자타여불

이:심[1]【二心】명 ①두 가지 마음. 이심(異心). 이지(二志). ②배반하는 마음. ¶～을 품다. ③변하여 바뀌기 쉬운 마음.

이:심[2]【二審】명〖법〗↗제이심(第二審).

이:심[3]【已甚】명 지나치게 심함. >야심(倻甚). ──-하다 형여불

이:심[4]【異心】명 ①다른 마음. ②이심(二心)❶. *타심(他心).

이심[5]【移審】명〖법〗소송 사건을 한 법원에서 다른 법원으로 이송하여 심리하는 일. 또, 그 심리. ──-하다 타여불

이심[6]【離心】명 떨어져 배반하고자 하는 마음.

이심-각【離心角】명〔eccentric angle〕〖수〗직교 좌표(直交座標)의 원점(原點)을 중심(中心)으로 하고, x축을 주축(主軸)으로 하는 타원(楕圓)이나 쌍곡선상의 점과 원점을 잇는 직선이 x축과 이루는 각.

이심 궤:도【離心軌道】명〔eccentric orbit〕〖천〗원(圓)으로부터 매우 벗어난 천체(天體)의 궤도.

이심 근:점각【離心近點角】[—쩜—] 명〔eccentric anomaly〕〖천〗타원(楕圓) 궤도상의 행성(行星)의 궤도 위치에 대응하는 이심각(離心角).

이심-률【離心率】[—뉼] 명〔eccentricity〕〖수〗원뿔 곡선(曲線)이 가진 상수(常數)의 하나. 이것이 1보다 작은가 1과 같은가 혹은 1보다 큰가에 따라 타원(楕圓)·포물선(抛物線) 혹은 쌍곡선(雙曲線)이 됨. 심차율(心差率).

이:심-스럽다【已甚—】형ㅂ불 이심(已甚)한 듯하다. ¶광복산으로 갈이 간다면 쌈도 이심스럽게 아니할 생각이 나게 되었었다≪洪命憙: 林巨正≫. >야심(倻甚)스럽다. 이:심-스레【已甚—】부

이심 영장【移審令狀】[—녕짱] 명〖법〗소송 사건(訴訟事件)을 어느 법원(法院)으로부터 상급(上級) 법원으로 옮기기 위하여 발하는 영장.

이심으로【是絃以】조〈이두〉이시므로.

이심이 명〈방〉이무기.

이:심 전심【以心傳心】명 말이나 글에 의하지 아니하고 마음에서 마음으로 전달됨. 심심 상인(心心相印). * 염화 미소(拈華微笑). ──-하다 자여불

이심 효:력【移審効力】명〖법〗소송법상(訴訟法上), 상소(上訴)의 효과(効果)로서 소송 사건의 계속(繫屬)이 원법원(原法院)으로부터 상소(上訴) 법원으로 옮겨지는 일.

이:십【二十】수관 스물. ¶～ 명.

[이십 안 자식 삼십 안 천량] 자식은 이십 안에 낳아야 하며, 자산(資產)은 삼십 안으로 모아야 한다는 말. 「이 24분의 24임.

이:십사-금【二十四金】명 순금(純金)을 일컫는 말. 순금은 금의 성분

이:십사-기[1]【二十四技】명〖역〗무예 이십사반(武藝二十四般).

이:십사-기[2]【二十四氣】명 ↗이십사 절기(節氣).

이:십사반 무:예【二十四般武藝】명〖역〗무예 이십사반.

이:십사 방위【二十四方位】명 이십사로 나눈 방위. 곧, 자방(子方)·계방(癸方)·축방(丑方)·간방(艮方)·인방(寅方)·갑방(甲方)·묘방(卯方)·을방(乙方)·진방(辰方)·손방(巽方)·사방(巳方)·병방(丙方)·오방(午方)·정방(丁方)·미방(未方)·곤방(坤方)·신방(申方)·경방(庚方)·유방(酉方)·신방(辛方)·술방(戌方)·건방(乾方)·해방(亥方)·임방(壬方)의 총칭.

이:십사번-풍【二十四番風】명 ↗이십사번 화신풍(二十四番花信風).

이:십사번 화신풍【二十四番花信風】명 이십사 절기의 소한(小寒)으로부터 곡우(穀雨)까지의 사이에 이십사후(二十四候)의 일후(一候), 곧 닷새마다 꽃이 피는 것을 알려 주는 바람. 닷새만큼씩 새로운 봄바람이 불어서 그에 응하여 여러 가지 꽃이 차례로 핀다 함. 즉, 소한(小寒)의 일후 매화(梅花)·이후 산다(山茶)·삼후 수선(水仙), 대한(大寒)의 일후 서향(瑞香)·이후 난화(蘭花)·삼후 산반(山礬), 입춘(立春)의 일후 영춘(迎春)·이후 앵도(櫻桃)·삼후 망춘(望春), 우수(雨水)의 일후 채화(菜花)·이후 행화(杏花)·삼후 이화(李花), 경칩(驚蟄)의 일후 도화(桃花)·이후 체당(棣棠)·삼후 장미(薔薇), 춘분(春分)의 일후 해당(海棠)·이후 이화(梨花)·삼후 목란(木蘭), 청명(清明)의 일후 동화(桐花)·이후 맥화(麥花)·삼후 유화(柳花), 곡우(穀雨)의 일후 모란(牡丹)·이후 도미(酴醾)·삼후 연화(楝花). 준화신풍·이십사번풍(二十四番風).

이:십사-사【二十四史】명〖책〗중국 청(清)나라 건륭(乾隆) 때에 정한 중국의 정사(正史). 곧,

사기(史記)	130권	한서(漢書)	120권
후한서(後漢書)	120권	삼국지(三國志)	65권
진서(晉書)	130권	송서(宋書)	100권
남제서(南齊書)	59권	양서(梁書)	56권
진서(陳書)	36권	위서(魏書)	114권
북제서(北齊書)	50권	주서(周書)	50권
수서(隋書)	85권	남사(南史)	80권
북사(北史)	100권	구당서(舊唐書)	200권
신당서(新唐書)	225권	구오대사(舊五代史)	152권
신오대사(新五代史)	75권	송사(宋史)	496권
요사(遼史)	116권	금사(金史)	135권
원사(元史)	210권	명사(明史)	336권

*이십오사(二十五史).

이:십사-시【二十四時】명 하루의 이십사 시간에 이십사 방위(方位)의 이름을 붙여서 일컫는 말. *시(時).

시	1	2	3	4	5	6	7	8	9	10	11	12
오전	계(癸)	축(丑)	간(艮)	인(寅)	갑(甲)	묘(卯)	을(乙)	진(辰)	손(巽)	사(巳)	병(丙)	오(午)
오후	정(丁)	미(未)	곤(坤)	신(申)	경(庚)	유(酉)	신(辛)	술(戌)	건(乾)	해(亥)	임(壬)	자(子)

이:십사 시간 규칙【二十四時間規則】명 중립국(中立國)의 영해(領海)나 항구(港口)에 있어서의 교전국(交戰國)의 군함의 정박(碇泊) 또는 출항(出港)에 관한 규칙. 여기에는 교전국의 군함(軍艦)이 파손(破損) 또는 해난(海難) 상태의 경우를 제외하고는 원칙적으로 24시간에 한해서 중립국의 영해에 정박할 수 있다는 정박 기간에 관한 24시간 규칙과 교전국 쌍방의 군함이 동시에 중립국의 같은 항구나 정박소(所)에 있는 경우에 한쪽 군함의 출항과 다른 쪽의 군함의 출항 사이에는 적어도 24시간의 간격을 두지 않으면 아니된다는 출항 간격에 관한 24시간 규칙이 있음.

이:십사 시간제【二十四時間制】명 하루를 오전 오후로 나누지 않고 0시에서 24시까지를 한 줄로 부르는 시간의 표시 방법.

이:십사-인【二十四人】명 능연각 공신(凌煙閣功臣).

이:십사 절기【二十四節氣】명 태양의 황도 상(黃道上)의 위치에 따라서 정한 음력의 절기(節氣). 평기(平氣)로는 오 일(五日)을 일 후(一候), 삼 후(三候)를 일 기(一氣), 일 년을 이십사기(二十四氣)로 함. 정기(定氣)로는 황도(黃道)를 이십사 등분하여 각 등분점(等分點)에 태양의 중심이 오는 시기를 가지고 이십사기라 함. 이십사 절후(節候). 준이십사기(二十四氣)·이십사절(二十四節).

계절	절기	날짜
봄	입춘(立春)	2월 4일경
	우수(雨水)	2월 19일경
	경칩(驚蟄)	3월 6일경
	춘분(春分)	3월 21일경
	청명(清明)	4월 5일경
	곡우(穀雨)	4월 20일경
여름	입하(立夏)	5월 6일경
	소만(小滿)	5월 21일경
	망종(芒種)	6월 6일경
	하지(夏至)	6월 21일경
	소서(小暑)	7월 7일경
	대서(大暑)	7월 23일경
가을	입추(立秋)	8월 8일경
	처서(處暑)	8월 23일경
	백로(白露)	9월 8일경
	추분(秋分)	9월 23일경
	한로(寒露)	10월 8일경
	상강(霜降)	10월 23일경
겨울	입동(立冬)	11월 7일경
	소설(小雪)	11월 22일경
	대설(大雪)	12월 7일경
	동지(冬至)	12월 22일경
	소한(小寒)	1월 6일경
	대한(大寒)	1월 21일경

이:십사 절후【二十四節候】명 이십사 절기(二十四節氣).

이:십사-효[1]【二十四爻】명 역학(易學)의 스물넷의 효(爻).

이:십사-효[2]【二十四孝】명 중국 원(元)나라 곽거경(郭居敬)이 선정한 이십사 명의 효행자(孝行者). 곧, 우순(虞舜)·한문제(漢文帝)·증삼(曾參)·민손(閔損)·중유(仲由)·동영(董永)·염자(剡子)·강혁(江革)·육적(陸績)·당부인(唐夫人)·오맹(吳猛)·왕상(王祥)·곽거(郭居)·양향(楊香)·주수창(朱壽昌)·유검루(庾黔婁)·노래자(老萊子)·채순(蔡順)·황향(黃香)·강시(姜詩)·왕포(王褒)·정란(丁蘭)·맹종(孟宗)·황정견(黃庭堅).

이:십삼-부【二十三府】명〖역〗조선 시대, 고종(高宗) 32년(1895)에 한성(漢城)·개성(開城)·수원(水原)·충주(忠州)·공주(公州)·홍주(洪州)·전주(全州)·나주(羅州)·남원(南原)·대구(大邱)·안동(安東)·진주(晋州)·동래(東萊)·춘천(春川)·강릉(江陵)·해주(海州)·평양(平壤)·의주(義州)·강계(江界)·함흥(咸興)·경성(鏡城)·갑산(甲山)·제주(濟州)에 베풀었다가, 그 이듬해에 폐한 23 관찰부(觀察府).

이:십 세:기【二十世紀】명 ①1901년부터 2000년까지의 백 년 동안. 우리가 살고 있는 현(現)세기. ②〖식〗9월 중순에 나는, 둥글고 엷은 초록색을 띠는 배의 한 품종(品種).

이:십 세:기 라루스【二十世紀—】명〔프 Larousse du XXe siècle〕프랑스의 라루스 출판사가 발행한 백과 사전. 1865년에 발간된 ≪19세기 세계 대백과 사전≫을 압축, 추가 보필(追加補筆)한 것으로, 소항목(小項目) 주의로 문예(文藝)와 전기(傳記)의 기술(記述)에 있어서도 뛰어남. 1927-33년에 발간됨. 6권. *라루스 백과 사전.

이:십 세:기 발레단【二十世紀—團】〔Ballet〕명 1954년 프랑스의 무용가 베자르(Béjart, M.; 1928-)에 의해 창립된 '발레 드 에투알(Ballet de Étoile)'과 벨기에 '국립 모네 오페라 극장 발레단'이 1960년에 합병한 무용단. 베자르의 참신한 창작 활동에 의해 세계적으로 주목되고 있음. 레퍼토리는 ≪봄의 제전(祭典)≫·≪로미오와 줄리엣≫·≪보들레르(Baudelaire)≫ 등.

이:십 세:기 폭스사【二十世紀—社】명〔Twentieth Century Fox Film

Corporation〕〖연〗미국의 영화 제작·배급 회사. 1915년에 설립된 폭스사(Fox社)와 1933년에 설립된 20세기사가 1935년 합병하여 이루어진 회사. 작품이 많으며, 작품은 대중적(大衆的)인 동시에 시국적(時局的)이기도 함. 1953년에는 시네마스코프를 다른 회사에 앞서 채용하였음. 그러나 재정 적자로 1981년 유나이티드 텔레비전사(社)에 합병되었음.

이:십오 교:구 본사【二十五教區本寺】명〖불교〗대한 불교 조계종(大韓佛教曹溪宗)에서, 전국 스물다섯 교구에 둔 불교 본사. 곧, 서울의 총무원 직할의 조계사(曹溪寺)와 경기도 화성군(華城郡)의 용주사(龍珠寺), 남양주시(南楊州市)의 봉선사(奉先寺), 강원도 양양군(襄陽郡)의 신흥사(神興寺), 평창군(平昌郡)의 월정사(月精寺)와, 충청 북도 보은군(報恩郡)의 법주사(法住寺)와, 충청 남도 공주시(公州市)의 마곡사(麻谷寺), 예산군(禮山郡)의 수덕사(修德寺)와, 경상 북도 김천시(金泉市)의 직지사(直指寺), 대구(大邱)직할시의 동화사(桐華寺), 영천시(永川市)의 은해사(銀海寺), 의성군(義城郡)의 고운사(孤雲寺), 경주시(慶州市)의 불국사(佛國寺)와, 경상 남도 합천군(陜川郡)의 해인사(海印寺), 하동군(河東郡)의 쌍계사(雙磎寺), 양산시(梁山市)의 통도사(通度寺)와 부산의 범어사(梵魚寺), 그리고 전라 북도 김제시(金堤市)의 금산사(金山寺), 고창군(高敞郡)의 선운사(禪雲寺)와, 전라 남도 장성군(長城郡)의 백양사(白羊寺), 구례군(求禮郡)의 화엄사(華嚴寺), 순천시(順天市)의 선암사(仙巖寺)·송광사(松廣寺), 해남군(海南郡)의 대흥사(大興寺)와 제주도 제주시(濟州市)의 관음사(觀音寺) 등임.

이:십오 보살【二十五菩薩】명〖불교〗아미타불(阿彌陀佛)을 염(念)하여 극락 왕생(極樂往生)을 원하는 사람을 수호하여 주는 스물다섯 보살. 곧, 관세음(觀世音)·대세지(大勢至)·약왕(藥王)·약상(藥上)·보현(普賢)·법자재왕(法自在王)·사자후(獅子吼)·다라니(陀羅尼)·허공장(虛空藏)·덕장(德藏)·보장(寶藏)·금장(金藏)·금강장(金剛藏)·산해혜(山海慧)·광명왕(光明王)·화엄왕(華嚴王)·중보왕(衆寶王)·월광왕(月光王)·일조왕(日照王)·삼매왕(三昧王)·정자재왕(定自在王)·대자재왕(大自在王)·백상왕(白象王)·대위덕왕(大威德王)·무변신(無邊身) 등의 여러 보살(菩薩)임.

이:십오-사【二十五史】명〖책〗이십사사(二十四史)에 ≪신원사(新元史)≫를 더한 중국의 정사. *이십일사.

이:십오-시【二十五時】명〔루마니아 작가 게오르규(Gheorghiu, C.V.)의 소설 제목〕불안(不安)과 절망(絕望)의 시간.

이:십오 야:드 라인【二十五一】〔yard line〕명 ①하키 경기장에서, 골라인으로부터 25야드 되는 곳에 평행(平行)하게 그은 선. ②럭비 경기장에서, 골 라인으로부터 25야드 되는 곳에 그어진 선.

이:십오-유【二十五有】명〖불교〗윤회(輪廻)의 생사계(生死界)를 25종(種)으로 나눈 것으로, 욕계(欲界)의 십사 유(十四有), 색계(色界)의 칠 유(七有), 무색계의 사 유(四有)를 말함.

이:십이-사【二十二史】명〖책〗이십사사(二十四史)에서 ≪구오대사(舊五代史)≫와 ≪명사(明史)≫를 뺀 중국 역대 정사(正史) 또는 이십사사에서 ≪구당서(舊唐書)≫와 ≪구오대사(舊五代史)≫가 빠진 중국 역대의 정사. *이십사사(二十四史).

이:십이사 차기【二十二史箚記】명〖책〗중국 청(淸)나라의 조익(趙翼)이 지은 책. 역대의 정사(正史), 즉 ≪사기(史記)≫에서 ≪명사(明史)≫에 이르는 이십이사를 글의 이동(異同), 사실(史實)의 정부(正否)를 고증(考證)·논평(論評)한 책. 36권(卷).

이:십이-현【二十二賢】명 중국 당(唐)나라 정관(貞觀) 21년(647) 공자묘(孔子廟)에 배향(配享)된 22명의 현인. 곧, 좌구 명(左丘明)·복자하(卜子夏)·공양 고(公羊高)·곡량 적(穀梁赤)·복승(伏勝)·고당 생(高堂生)·대성(戴聖)·모장(毛萇)·공안국(孔安國)·유향(劉向)·정중(鄭衆)·가규(賈逵)·두자춘(杜子春)·마융(馬融)·노식(盧植)·정현(鄭玄)·복건(服虔)·하휴(何休)·왕숙(王肅)·왕필(王弼)·두예(杜預)·범녕(范甯)의 22명.

이:십일개 조약【二十一個條約】명〖역〗1915년 일본과 중국 사이에 맺어진 조약(條約). 산둥(山東)·만몽(滿蒙)에 있어서의 일본의 이권(利權) 승인, 중국 연안의 불할양(不割讓) 등 21개조로 된 것으로, 뒤에 중일 분쟁(中日紛爭)의 불씨가 되었음.

이:십일도 회고시【二十一都懷古詩】〔一또一〕명〖책〗조선 정조(正祖) 때의 유득공(柳得恭)이 지은 한시집(漢詩集). 정조 9년(1785)에 전주(箋註)를 달고 고종(高宗) 14년(1877)에 출판된 목판본(木版本)으로 1권 1책. 단군(檀君) 이후 고려 때까지 21개의 왕도(王都)에 대하여 절구(絕句) 43편을 수록했음. 각 시의 서(序)에 각 도읍의 고사(故事)를 자세히 적었는데 책머리에 자서(自序) 2편이 들어 있음.

이:십일-사【二十一史】〔一싸〕명〖책〗이십사사(二十四史)에서 ≪구당서(舊唐書)≫·≪구오대사(舊五代史)≫·≪명사(明史)≫를 뺀 중국의 정사. *이십이사(二十二史).

이:십일 세:기 위원회【二十一世紀委員會】〔一쎄一〕명 21세기에 대비한 장기 국가 발전 목표 및 정책 방향 등을 심의하기 위해 대통령 소속 하에 둔 기관. 위원장과 부위원장을 포함한 40명 이내의 위원으로 구성하고, 위원장은 위원 중에서 대통령이 위촉함.

이:십팔 부중【二十八部衆】명〖불교〗호법신(護法神). 특히, 진언 다라니(眞言陀羅尼)의 송지자(誦持者)를 옹호하는 신. 곧, 밀적금강사(密迹金剛士)·오추군도앙구시(烏芻君荼央俱尸)·마혜나라연(摩醯那羅延)·금비라타가비라(金毘羅陀迦毘羅)·파삽파루나(婆馺婆樓那)·만선차발진타라(滿善車鉢眞陀羅)·살차마화라(薩遮摩和羅)·구란단타반지라(鳩蘭單陀半祇羅)·필파가라왕(畢婆伽羅王)·비다살화라(毘多薩和羅)·범마삼발라(梵摩三鉢羅)·염마라(炎摩羅)·제석천(帝釋天)·대변공덕천(大辯功德天)·제두뢰타왕(提頭賴吒王)·신모녀(神母女)·비루륵차(毘樓勒叉)·비루박차(毘樓博叉)·비사문천(毘沙門天)·금색 공작왕(金色孔雀王)·이사나천(伊舍那天)·마니발타라(摩尼跋陀羅)·불라파(弗羅婆)·난타발 난타(難陀跋難陀)·대신 아수라(大身阿修羅)·수화 뇌전신(水火雷電神)·구반도(鳩槃荼)·비사사(毘舍闍).

이:십팔-수【二十八宿】〔一쑤〕명〖천〗옛날 인도·페르시아·중국 등에서 해와 달과 여러 행성(行星) 등의 소재(所在)를 밝히기 위하여 황도(黃道)에 따라서 천구(天球)를 스물여덟으로 구분한 것. 중국의 구분으로는 동에 각(角)·항(亢)·저(氐)·방(房)·심(心)·미(尾)·기(箕), 서에 규(奎)·누(婁)·위(胃)·묘(昴)·필(畢)·자(觜)·삼(參), 남에 정(井)·귀(鬼)·유(柳)·성(星)·장(張)·익(翼)·진(軫), 북에 두(斗)·우(牛)·여(女)·허(虛)·위(危)·실(室)·벽(壁). 경성(經星).

이:십팔수-표충【二十八宿瓢蟲】〔一쑤一〕명〖충〗이십팔점박이무당벌레.

이:십팔-장【二十八將】〔一짱〕명 중국 후한(後漢) 명제(明帝) 때에 광무제(光武帝)의 공신으로 그 초상화가 운대(雲臺)에 그려진 이십팔 명의 무장(武將). 곧, 등우(鄧禹)·마성(馬成)·오한(吳漢)·왕량(王梁)·가복(賈復)·진준(陳俊)·경감(耿弇)·두무(杜茂)·구순(寇恂)·부준(傅俊)·잠팽(岑彭)·견심(堅鐔)·풍이(馮異)·왕패(王霸)·주우(朱祐)·임광(任光)·제준(祭遵)·이충(李忠)·경단(景丹)·만수(萬脩)·개연(蓋延)·비동(邳彤)·요기(銚期)·유식(劉植)·경순(耿純)·장궁(臧宮)·마무(馬武)·유륭(劉隆).

이:십팔점박이-무:당벌레【二十八點一】〔一쩜一〕명〖충〗〔*Epilachna sparsa orientalis*〕무당벌렛과에 속하는 곤충. 몸길이 6.5-7mm, 반구형(半球形)이고 몸빛은 적갈색, 시초(翅鞘)에는 모두 28개의 흑색 점문(點紋)이 있음. 유충(幼蟲)은 몸길이 7-8mm이고 유백색(乳白色)이며, 온 몸에 가지가 돋힌 살가시가 났음. 한 해에 2-3회 발생하고, 성충(成蟲)으로 월동함. 성·유충이 모두 가지·감자·토마토 등에 모이는 해충(害蟲)으로, 한국·일본·중국·만주·인도·시베리아에 분포함. 이십팔수표충(二十八宿瓢蟲).

〈이십팔점박이 무당벌레〉

이:십팔-천【二十八天】명〖불교〗욕계(慾界)의 육천(六天)과 색계(色界)의 십팔천(十八天)에 무색계(無色界)의 사천(四天)을 합친 스물여덟 개의 하늘.

이싯다 타〈옛〉일고 씻다. ¶이시서 여러 내샨 諄諄ㅎ신 慈(淘汰啓迪之慈)≪楞嚴 I:3≫.

이스랏 명〈옛〉앵두. ¶도라 오샤몰 이스랏 薦홀 저글 미츠시로다(歸及薦櫻桃)≪杜諺 V:8≫ / 赤墀엣 이스랏가지 銀실로 밍ᄀ론 籠에 비취엿거든(赤墀櫻桃枝隱映銀絲籠) ≪杜諺 Ⅳ:23≫/이스랏 잉(櫻)≪字會 上 11≫. *이스랏.

이슬 명〈옛〉이슬. ¶이슬(露)/이슬 느리다(下露)≪漢淸 I:13≫/인싱이 아촘이슬 ᄀᆞᄐᆞ니(人生如朝露)≪五倫 Ⅱ:12≫.

이숫다 조〈옛〉이로다. 로다. ¶이 몸이 閒暇ᄒᆞ옴도 亦君恩이숫다 ≪古時調 孟思誠≫.

이쌀 명〈방〉입쌀.

이-쏘시개 명〈방〉이쑤시개.

이-쑤시개 명 잇새에 끼인 것을 쑤시어 파내는 데 쓰는 물건. 끝이 뾰족하고 가늘게 깎은 나무로 되었음.

이쓰쿠-시마〔厳島:いつくしま〕명〖지〗일본 히로시마 현(広島縣) 히로시마 만(広島灣) 남서부에 있는 작은 섬. 일본 삼경(日本三景)의 하나. 제일 높은 곳이 해발 530m의 미센(弥山) 산 북안(北岸)에 이쓰쿠시마 신사(神社)가 있음. 별칭(別稱)은 미야지마(宮島). 〔약 30km²〕

이:씨 안남【李氏安南】명〖역〗이조[5](李朝).

이:씨 왕조【李氏王朝】명〖역〗조선 태조(太祖) 원년(1392)으로부터 순종(純宗) 4년(1910)까지 27대, 519년 동안의 세대(世代). 조선 왕조. 한양조(漢陽朝). 준이조(李朝).

이:씨 조선【李氏朝鮮】명〖역〗근세 조선을 그 임금의 성을 좇아 일컫는 말. 준이조(李朝).

이슥고 부〈옛〉이윽고. ¶이슥고 부톄 드러오나시놀≪月釋 X:8≫/밍죵이 대수페 가 운대 이슥고 듁슌 두서 줄기 나거늘(宗入竹林哀泣有頃地上出筍數莖) ≪三綱 孟宗≫.

이슥다 형〈옛〉이슥하다. ¶미양 밥먹고 이슥거든 무러 닐오ᄃᆡ(每食少頃則問曰)≪飜小 Ⅸ:79≫.

이:아[1]【二雅】명 ≪시경(詩經)≫의 대아(大雅)와 소아(小雅).

이:아[2]【貳衙】명〖역〗①감영(監營) 소재지의 군아(郡衙). 부아(副衙). ②수령(守令)의 관아(官衙)의 다음가는 뜻으로 일컫는 유향소(留鄕所)의 딴이름.

이:아[3]【爾雅】명〖책〗〔爾는 近, 雅는 正으로, 가까이 많이 쓰이는 말을 바로잡는다는 뜻〕십삼경(十三經)의 하나. 중국 고대의 경전(經典)에 나오는 물명(物名)을 주해한 책. 천문·지리·음악·기재(器材)·초목·조수(鳥獸) 등의 낱말을 해석하였음. 주대(周代)에서 한대(漢代)까지의 여러 학자가 여러 경서(經書)의 전주(箋註)를 채록(採錄)한 것이라 함. 작자 및 제작 연대 미상. 3권.

이아금【是良尒】조〈이두〉이라고.

이아다 타〈옛〉흔들다. ¶돌고지를 이아면 믄득 그치ᄂᆞ니라(把搖車搖一搖便住了)≪朴解 上 57≫.

이: 아:르 오: 에이【EROA】명〔Economic Rehabilitation Account for Occupation Area의 약칭〕에로아. *가리오아(GARIOA).

이: 아:르 피:【ERP】명〔European Recovery Program의 약칭〕유럽 부흥 계획(復興計劃).

이아손 [Iason] 명 『신』 그리스 신화 중의 인물. 테살리아(Thessalia)의 왕자. 아버지의 왕위(王位)를 빼앗은 숙부 펠리아스(Pelias)의 명으로 금양모피(金羊毛皮)를 얻고자 아르고선 원정대(Argo船遠征隊)를 이끌고 모험하였음.

이아시 [Iaşi] 명 『지』 루마니아 북동부의 도시. 포도(葡萄) 재배 중심 지대로 철도의 요지(要地). 직물업(織物業)·식품 가공업(食品加工業)이 성하며 대학이 있음. 1565-1861년 몰다비아 공국(公國)의 수도이었음. [275,773명(1985)]

이:아-조 【二雅調】 명 『악』 신라 통일 이후에 대금(大笒)·중금(中笒)·소금(小笒) 곡에 쓰인 조(調) 이름.

이아치다 타 ①자연의 힘이 미치어서 손해가 있게 하다. ②거치적거리어 일에 방해되다. ③못된 짓으로 방해를 끼치다. 준이치다.

이아한-국 【伊兒汗國】 명 『역』 일한국(Ilkhan國).

이악-스럽다 형(ㅂ불)이악한 태도가 있다. ¶김 승지가 돈에 이악스러운 사람이란 세상에 정평이 있는 일이지만…≪李無影 : 農民≫. **이악-스레** 부

이:악어-목 【異顎魚目】 명 『어』 점매가리목.

이악-하다 형(여불)이욕(利慾)에만 마음이 있다.

이:안[1] 【吏案】 명 『역』 군아(郡衙)에 갖추어 둔 아전(衙前) 명부.

이안[2] 【怡顔】 명 안색을 부드럽게 함. 화안(和顔). ——-하다 자(여불)

이안[3] 【移安】 명 신주(神主) 따위를 딴 곳으로 옮기어 모심. ——-하다 타(여불)

이안[4] 【籬鷃】 명 울타리 사이로만 나도는 세가락메추라기의 뜻으로, 식견이 좁은 사람의 비유. *정와(井蛙).

이:-안눌 【李安訥】 명 『사람』 조선 인조(仁祖) 때의 문신·시인. 자(字)는 자민(子敏), 호는 동악(東岳). 덕수(德水) 사람. 강화 부윤(江華府尹)을 거쳐 부사과(副司果)로 있다가 광해군(光海君)의 폭정에 분개하여 은퇴, 인조 반정(仁祖反正)으로 다시 형조 참판을 거쳐 예문관 제학(藝文館提學)을 지냈음. 청백리(淸白吏)에 녹선(錄選)됨. 선조 때의 시인 권필(權韠)과 쌍벽을 이루는 시인으로, 이백(李白)에 비유되었고 글씨도 잘 썼음. 저서에 ≪동악집(東岳集)≫이 있음. 시호는 문혜(文惠). [1571-1637]

이:안 리프 【二眼—】 명 ↗이안 리플렉스 카메라.

이:안 리플렉스 카메라 【二眼—】 [reflex camera] 명 아래 위에 두 개의 렌즈가 있어서 위의 것으로는 핀트를 맞추고 아래의 것은 촬영 전용(撮影專用)으로 하는 리플렉스 카메라. 준이안 리프. ↔일안(一眼) 리플렉스 카메라.

이:-안심 【異安心】 명 『불교』 조사(祖師)의 도(道)나 전승(傳承)에 어긋나는 사설(私說)을 주장하는 안심(安心). 이단(異端).

이:안지-곡 【理安之曲】 명 『악』 고려 때 태묘(太廟)의 초헌례(初獻禮)에 아뢰던 곡의 하나.

이:-안충 【李安忠】 명 『사람』 11세기에서 12세기의 중국 북송 말(北宋末)에서 남송 초(南宋初)의 화가. 처음 휘종(徽宗)의 선화 화원(宣和畫院)에 봉직(奉職)하고, 도남(渡南) 후에 소흥(紹興) 화원에 복직하여 궁정 화가(宮廷畫家) 최고의 영예인 금대(金帶)를 하사(下賜)받음. 화조주수(花鳥走獸)에 능하고, 특히 윤곽(輪廓)의 선묘(線描)인 구륵(勾勒) 화법에 뛰어났음. 생몰년 미상.

이-알 명 이밥의 낱알.
[이알이 곤두 서다] 배가 불러서 반지빠른 짓을 하다.

이-앓이 [—알—] 명 이를 앓는 일. 치통(齒痛).

이앓이-풀 [—알—] 명 〈방〉 『식』 미치광이[2].

이:-암[1] 【李嵒】 명 『사람』 고려 말기의 문신·서화가(書畫家). 자는 고운(古雲), 호는 행촌(杏村). 고성(固城) 사람. 17세에 문과(文科)에 급제, 여러 벼슬을 거쳐 찬성사(贊成事)·좌정승(左政丞)·수문하 시중(守門下侍中)을 지냄. 글씨에 뛰어나 동국(東國)의 조자앙(趙子昂)으로 불리었으며 그림으로 묵죽(墨竹)에도 능했음. [1297-1364]

이:-암[2] 【李巖】 명 『사람』 조선 시대 중기의 화가. 자(字)는 정중(靜仲). 왕족으로 두성령(杜城令)을 지냈음. 영모 잡화(翎毛雜畫) 중, 특히 화조·초충(草蟲)·개·고양이 등의 그림을 잘 그렸으며 중종(中宗)의 어용(御容)을 추화(追畫)할 때 이에 참여함. [1499-?]

이암[3] 【泥岩】 명 『지』 이토(泥土)가 딱딱하게 굳은 것. 혈암(頁岩)처럼 층상(層狀)을 이루지 않은 것. 진흙바위. 뻘돌.

이암블리코스 [Iamblicos] 명 『사람』 그리스의 철학자. 신(新)플라톤 주의의 입장을 취함. 저서의 대부분은 플라톤·아리스토텔레스의 주석(注釋)과, 고대 종교(古代宗教)에 있어서의 신학 사상(神學思想)의 해석임. [250?-325?]

이앙 【移秧】 명 『농』 모내기. ——-하다 자(여불)

이앙-가 【移秧歌】 명 모내기 노래.

이앙-기[1] 【移秧期】 명 모를 내는 시기. 모내기 철.

이앙-기[2] 【移秧機】 명 모를 내는 데 쓰는 동력 기계.

이앙-법 【移秧法】 [—뻡] 명 『농』 못자리의 모를 본답(本畓)에 옮겨 재배하는 방법.

이-애 一 명 ↗이 아이. 준얘. 二 감 '이 아이야'의 준말로 아이를 부르는 말. 준얘.

이애기 명 〈방〉 이야기(전남·경남). ——-하다 자타

이애저애-하다 자(여불) 남을 '이애'·'저애' 식으로 마구 얕잡아 부르다.

이:액 【吏額】 명 이속(吏屬)의 정원(定員).

이:액성 접착제 【二液性接着劑】 명 [two-part adhesive] 수지(樹脂)와 경화 촉진제(硬化促進劑)의 두 가지로 분할해서 공급되는 접착제. 사용 직전에 혼합하도록 되어 있음.

이액 순:위 【離液順位】 명 [lyotropic series] 『화』 액체(液體)에 녹아서 표면 장력(表面張力)을 변화시키는 영향력의 크기의 차례. 이를테면, Cs>Rb>Li>K>Na 또는 CNS>I>Br>Cl 등.

이:액 전:지 【二液電池】 명 [two-fluid cell] 『물』 양극과 음극에 서로 다른 전해질(電解質)을 가진 전지.

이야 조 받침 있는 체언(體言)에 붙어서, 그에만 한정(限定)되거나 또는 강조(強調)하는 뜻을 나타낼 때 쓰이는 보조사(補助詞). ¶사람～ 말할 나위 없이 좋지/설마 이번～ 붙겠지. *야[7].

이야고야 조 〈옛〉 이로구나. ¶거믄고 시욹 언저 風入松이야고야 ≪松江 星山別曲≫.

이야기 명 [근대 : 니야기] ①남이 모르는 일을 일러 주는 말. ¶내막을 ～해 주다. ②서로 주고받고 하는 말. ¶우리끼리의 ～. ③경험한 일이나 마음 속에 느낀 바를 털어놓는 말. ¶자신의 입장을 ～하다. ④어떤 문제를 한가운데 놓고 하는 이런 말 저런 말. ¶혼사 ～. ⑤어떤 사실이나 또는 있지도 아니한 일을 사실처럼 꾸미어서 재미 있게 늘어놓는 말. 설화(說話). ¶거짓말 같은 ～/재미 있는 ～. ⑥소설(小說). ⑦소문(所聞). 평판. ¶요새 이상한 ～가 돌던데. ⑧사정(事情)하는 말. ¶글쎄 내 ～ 좀 들어 보게. ⑨↗옛날 이야기. ¶아이들은 ～를 좋아한다. 준얘기. ——-하다 자타(여불)
[이야기 좋아하면 가난하게 산다] 아이들이 옛날 이야기를 해 달라고 조르면 하는 말.

이야기-꽃 명 한 바탕의 재미있는 이야기.
이야기꽃을 피우다 구 재미있는 이야기를 한 바탕 벌이다.

이야기-꾼 명 이야기를 썩 재미 있게 잘하는 사람. 준얘기꾼.

이야기-되다 자 ①화제에 오르다. 이야깃거리가 되다. ②의논하거나 화제로 삼아 이야기를 마치다. ¶채용하기로 이야기되었다.

이야기-쟁이 명 늘 이야기를 잘하거나 잘 늘어놓는 사람. 준얘기쟁이.

이야기-책 【—冊】 명 옛날 이야기를 기록한 책. 고담책과 소설책 등. 준얘기책.

이야기-체 【—體】 명 마주 보고 이야기를 주고받는 형식으로 작성된 글의 형식. 담화체(談話體). 대화체(對話體).

이야기-판 명 여러 사람이 모여 이야기 꽃을 피우는 판. 준얘기판.

이야깃-거리 명 이야기할 만한 거리. 이야기가 될 만한 자료(資料). 준얘깃거리.

이야깃-주머니 명 이야깃 거리가 무진장으로 많은 사람의 별명. 준얘깃주머니.

이야-말로[1] 부 ↗이것이야말로.

이야-말로[2] 조 받침 있는 체언(體言)에 붙어서, '당연(當然) 이상의 당연'의 뜻을 나타낼 때 쓰는 보조사. ¶남북 통일～ 우리에게 주어진 최대의 과업이다. *야말로.

이:-야(:)순 【李野淳】 명 『사람』 조선 시대 중기의 학자. 자는 건지(健之), 호는 광뢰(廣瀨). 진보(眞寶) 사람. 퇴계(退溪) 황(滉)의 9대손. 일찍부터 과거(科擧) 공부를 폐하고 성리학(性理學)의 연구에 전념했음. 순조(純祖) 8년(1808) 장악원 주부(掌樂院主簿) 등 관직에 임명되었으나 모두 사퇴함. 저서에 ≪광뢰집(廣瀨集)≫이 있음. [1755-1831]

이야지야 부 〈옛〉 이러쿵저러쿵. 이러니저러니. ¶아히는 世事를 모로고 이야지야 혼다 ≪古時調≫.

이야차 감 〈방〉 이여차.

이:야-초 【二夜草】 명 『식』 '제비꽃'의 이칭(異稱).

이야하야두 【是如爲良置】 조 〈이두〉 이라 하여도.

이야홍-타:령 【—打令】 명 제주도에서 애창되는 통속 민요. 뒷소리에 '이야홍'이라는 말이 나옴.

이약[1] 명 〈방〉 이야기(전남·경남).

이-약[2] 【—藥】 명 이를 없애거나 죽이는 데 쓰는 약.

이약[3] 【餌藥】 명 『약』 평소(平素)에 양생(養生)을 위하여 쓰이는 약.

이:-약동 【李約東】 명 『사람』 조선 성종(成宗) 때의 문신. 자는 춘보(春甫), 호는 노촌(老村). 성주(星州) 사람. 성종 1년(1470) 제주 목사가 되어 관아 이속(吏屬)들의 부정을 단속하고 민폐를 근절, 공물(貢物)의 수량을 감하는 등, 백성들의 부담을 덜어 주면서 선정(善政)을 베풂. 제주를 떠날 때 채찍도 그 곳 물건이라 하여 두고 오니 도민(島民)들이 채찍을 그려 그의 청렴함을 기념한 일은 유명함. 뒤에 이조 참판·지중추부사(知中樞府事) 등을 지냄. 청백리(淸白吏)에 녹선(錄選)됨. 시호는 평정(平靖). [1416-93]

이얌 명 〈방〉 이웃(평북).

이얏 동모 명 『민』 남사당에서, 동성 연애할 때에 여자 노릇을 하는 사람. *면[2].

이양[1] 【耳痒】 명 『의』 이양증(耳痒症).

이:-양[2] 【李穰】 명 『사람』 조선 세종(世宗) 때의 문신. 왕척(王戚)으로 의주 목사(義州牧使)·경상 좌도 절제사(慶尙左道節制使)를 거쳐 공조 참판·판중추원사(判中樞院事)·우찬성(右贊成)을 지냄. 수양 대군(首陽大君)이 김종서(金宗瑞) 등을 살해한 계유 정난(癸酉靖難) 때 같이 피살됨. 시호는 충민(忠愍). [?-1453]

이:양[3] 【異壤】 명 다른 고장. 타향(他鄕).

이양[4] 【移讓】 명 남에게 옮기어 넘겨 줌. ¶정권 ～. ——-하다 타(여불)

이양[5] 【頤養】 명 ↗이신 양성(頤神養性). ——-하다 자(여불)

이:양-선 【異樣船】 명 ①외국의 배. ②『역』 조선 시대 후기에, 우리 나라 배와 체제·모양이 다른 외국 배의 일컬음. *황당선(荒唐船).

이:-양원 【李陽元】 명 『사람』 조선 선조(宣祖) 때의 상신(相臣). 자는 백춘(伯春), 호는 노저(鷺渚)·남파(南坡). 전주(全州) 사람. 이황(李滉)의 문인. 선조 24년(1591)에 우의정에 오르고, 임진 왜란 때 유도 대장(留都大將)으로 한강을 지키다가 철수하여 양주(楊州) 해유령(蟹踰嶺) 싸움에 승리하여 그 공으로 영의정이 되었음. 이 때 의주(義州)에 있던 선조가 요동(遼東)으로 피란갔다는 소문을 듣고 단식(斷食), 8일

만에 죽음. 시호는 문헌(文憲). [1533-92]

이양으로【此樣以】 부 〈이두〉 이렇게.

이양-증【耳痒症】[-쯩] 명 『의』 귓속이 가려운 증. 신경성(神經性)과 염증(炎症)의 두 가지가 있음. 이양(耳痒).

이:-양하【李敭河】 명 『사람』 영문학자·수필가. 평남 강서(江西) 출생. 일본 도쿄 제국 대학(東京帝國大學) 영문과를 졸업하고 연희 전문·서울 대학교 교수로 있으면서 영문학에 관한 논문·수필을 발표하고 ≪영한 사전≫·≪한미(韓美) 대사전≫ 등을 편찬하였음. ≪이양하 수필집≫이 있음. [1904-63]

이얘기 명 〈방〉 이야기(경기·전북·경상). ——-하다 자타

이어[1]【耳語】 명 귀엣말.

이:-어[2]【李漁】 명 『사람』 중국, 명말 청초(明末淸初)의 문인. 자는 입옹(笠翁)·적범(謫凡), 호는 수암 주인(隨菴主人). 풍류(風流) 생활을 즐겨 각지를 방랑하였음. 극작가(劇作家)로서는 관객을 즐겁게 하는 희극(喜劇)을 주장하여 희곡 ≪입옹 십종곡(十種曲)≫ 등 수편을 쓰고, 소설가로서는 소설 ≪십이루(十二樓)≫ 등을 씀. 또, 호색(好色) 소설 ≪육포단(肉蒲團)≫의 작자라고도 전함. [1611-80?]

이어[3]【俚語】 명 이언(俚言).

이어[4]【移御】 명 임금이 거처하는 곳을 옮김. ——-하다 자여불

이:어[5]【鯉魚】 명 『어』 잉어.

이어[6] 부 '계속하여·잇대어·다음에는'의 뜻의 접속 부사.

이어[7]【厲厲】 부 〈이두〉 이어서.

이어간 명 〈방〉 이사이(함경).

이어-갈이 명 한 땅에 같은 작물(作物)을 해마다 이어서 심음. ——-하다 타여불 *어나.

이어나 조 〈옛〉 이거나. ¶쇠어나 ᄆᆞ리어나 라귀어나 ᄃᆞ외야≪月釋 XI:33≫.

이어뇨 조 〈옛〉 인가. 입니까. ¶오히려 ᄂᆞᄆᆡ 죵이어뇨(猶是他奴)≪蒙法 22≫.

이어니 조 〈옛〉 이거니. ¶野人도 一誠이어니(野人亦入侍)≪龍歌 118章≫.

이어니와 조 〈옛〉 이거니와. ¶오직 義아롤낼 ᄲᅮ니어니와(唯生義解)≪圓覺 上 一之一 106≫.

이어다 자 〈옛〉 흔들리다. ¶가온ᄃᆡ 괴외ᄒᆞ야 이어디 아니ᄒᆞ며(中寂不搖)≪蒙法 43≫.

이어-달리기 명 경주(競走)에서, 계주(繼走). 릴레이(relay). 릴레이 경주. ——-하다 자여불

이어든 조 〈옛〉 이거든. ¶梵軸이 崇積이어든≪月序 23≫.

이:어-등【鯉魚燈】 명 잉어등.

이어-링〔earring〕 명 귀고리.

이어-마:크〔ear-mark〕 명 ①방목(放牧)하는 가축의 사육자를 밝히기 위하여 그 가축의 귀에 다는 표지(標識). 이표(耳標). ②『경』 자금(資金)을 다른 곳에 유용(流用)하지 아니하고 모아 놓는 일. 또, 그 자금. ——-하다 자여불

이어 ᄠᅥ러듐 자 〈옛〉 흔들어 떨어짐. '이어ᄠᅥ러디다'의 명사형. ¶이어ᄠᅥ러듀메 宋玉의 슬호ᄆᆞᆯ 기피 알리로소니(搖落深知宋玉悲)≪杜諺 Ⅲ:678≫.

이어ᄠᅥ러디다 자 〈옛〉 흔들어 떨어지다. ¶이어ᄠᅥ러디ᄂᆞᆫ 巫山ㅅ 나조ᄒᆡ(搖落巫山暮)≪杜諺 X:37≫.

이어-바뀜 명 『언』 '접변(接變)❷'의 풀어 쓴 말.

이어-받다 타 선대(先代)·선임자(先任者) 등의 지위·신분·권리·의무 등을 물려 받다. 계승(繼承)하다. ¶전통을 ~/가업(家業)을 ~.

이어-북〔year book〕 명 연감(年鑑). 연보(年報).

이어-서 부 부사 '이어'에 조사 '서'를 덧붙이어 어조(語調)를 고른 말. ¶~ 영화를 보았다.

이어신마룬 조 〈옛〉 이시건마는. '이언마룬'의 공대말. ¶欲示宅中寶藏이어신마룬≪圓覺 序 42≫.

-이-어요 어미 서술격 조사 '이다'의 어간 '이'와 종결 어미 '-어요'가 합친 말. *-어요.

이어이 부 〈옛〉 흔들흔들. ¶반ᄃᆞ시 崎嶇히 이어이 ᄃᆞᆫ뇨ᄆᆞᆯ 免티 몯ᄒᆞ리로다(未必免崎嶇)≪杜諺 Ⅱ:11≫.

이어이다 자 〈옛〉 흔들리다. ¶乾坤ㅅ 이어이ᄂᆞᆫ 안히로다(乾坤震蕩中)≪杜諺 XXI:31≫.

이:어-인【異於人】 명 보통 사람과 다름. ——-하다 형여불

이:어-자【鯉魚鮓】 명 잉어젓.

이어-줄 명 ☞마룻줄.

이:어-중【異於衆】 명 뭇사람과 달리 뛰어남. ——-하다 형여불

이:어중-스럽다【異於衆—】 형 ㅂ불 보매 이어중한 데가 있다. 유난히 출중하다. **이:어중-스레**【異於衆—】 부

이:어-증【異語症】[-쯩] 명 〔heterolalia, heterophasia〕 『심』 무의식 중에나 운동성 실어증(運動性失語症)에 걸려 있을 때, 생각했던 말과는 다른 말을 하는 일.

이어-지다 자 끊어졌던 것이 서로 잇대어지다.

이어진 문장【—文章】 명 『언』 둘 이상의 절(節)이 연결 어미에 의해 결합된 문장. 종속적 연결 어미로 이어진 복문(複文)과 대등의 연결 어미로 이어진 중문(重文) 및 중문·복문이 혼합된 혼문(混文) 등으로 구분됨.

이어-짓기 명 『농』 연작(連作). ——-하다 타여불

이어-짜기 명 〔inslip, slip〕 『인쇄』 조판(組版)에서, 매(每)단의 자수(字數)·행수(行數)·행간(行間)·배수(倍數) 따위만을 맞추고 면수(面數)에는 관계없이 길게 잇대어 짜는 일. 또, 그 판. 줄판. 봉조(棒組). *모아짜기.

이어:차 감 ☞어여차.

이:어-채【鯉魚菜】 명 잉어 어채(魚菜).

이:어-탕【鯉魚湯】 명 잉어국.

이어-폰〔earphone〕 명 ①소형 라디오에 딸린, 귀에 대고 듣는 수화기. 리시버(receiver). ②머리에 걸어 두 귀에 대고 듣는 수화기. ③국제 회의 같은 데서 발언자(發言者)의 말을 즉시 몇 개의 국어로 번역하여 각각 희망하는 국어로 듣게 된 수화(受話) 장치.

이:어-풍【鯉魚風】 명 음력 9월의 바람. 가을 바람.

이:어-해【鯉魚醢】 명 잉어젓.

이:어-회【鯉魚膾】 명 잉어회.

이:-억기【李億祺】 명 『사람』 조선 선조(宣祖) 때의 무신(武臣). 자(字)는 경수(景受). 전주(全州) 사람. 임진 왜란 때 전라 우도 수군 절도사(水軍節度使)로 이순신을 도와 옥포(玉浦)·당포(唐浦)·안골포(安骨浦) 등의 해전(海戰)에서 대승. 정유 재란(丁酉再亂) 때 통제사(統制使) 원균(元均)의 휘하에서 좌익군(左翼軍)을 지휘, 칠천량(漆川梁) 싸움에서 패하여 원균과 함께 전사함. 시호는 의민(毅愍). [1561-97]

이:-억성【李億成】 명 『사람』 조선 시대 중기의 역관(譯官). 자는 대년(大年). ≪몽어 유해(蒙語類解)≫를 편찬하고, 이최대(李最大)가 엮은 몽고어 학습서(蒙古語學習書)인 ≪몽어 노걸대(蒙語老乞大)≫ 8권을 개수(改修)함. 또, 이 책을 교정 간행한 ≪첩해 몽어(捷解蒙語)≫가 있음. [1708-?]

이:언[1]【二言】 명 ①두 번 말함. 재언(再言). ②한 번 말한 것을 뒤집어 다시 말함. 두말. ¶일구(一口)~. ——-하다 자여불

이언[2]【伊彦】 명 『역』 사냥꾼의 한 가지. 평안도와 황해도의 사람 가운데서 뽑아서 경기(京畿)에 와서 봄부터 가을까지 사냥하여 어선(御膳)에 바치게 함.

이언[3]【易言】 명 『책』 중국 청(淸)나라 말기의 실업가(實業家) 정관응(鄭觀應: 1841-?)이 지은, 서양 근대 문화 섭취의 방책(方策)을 논한 책. 1871년 간행. 2권. 조선 시대 말기의 개화 사상가(開化思想家)들에게 큰 영향을 미쳤음.

이언[4]【俚言】 명 항간(巷間)에 떠돌며 쓰이는 속(俗)된 말. 이어(俚語). 상말.

이언[5]【俚諺】 명 항간(巷間)에 퍼져 있는 속담.

이언뎡 조 〈옛〉 이언정. ¶邪師의 過謬ㅣ언뎡≪圓覺 下 一之一 56≫.

이언마룬 조 〈옛〉 이건마는. =이언머룬. ¶宮監이 다시언마룬(宮監之尤)≪龍歌 17章≫.

이언머룬 조 〈옛〉 이건마는. =이언마룬. ¶나는 어린 그텟 무리언머룬(余是愚末之流)≪圓覺 序 74≫.

이:-언(:)적【李彦迪】 명 『사람』 조선 중종(中宗) 때의 성리학자(性理學者). 자(字)는 복고(復古), 호는 회재(晦齋) 또는 자계옹(紫溪翁). 여주(驪州) 사람. 중종 25년(1530) 사간(司諫)으로서 김안로(金安老)의 등용을 반대하다가 도리어 숙청되어, 경주(慶州) 자옥산(紫玉山)에 들어가 성리학을 연구함. 그 뒤 김안로 등이 거세되자 다시 등용되어 좌찬성 겸 원상(院相)까지 지냈으나 윤원형(尹元衡) 등의 모함으로 유배되어 배소인 강계(江界)에서 죽음. 저서에 ≪회재집(晦齋集)≫ 등이 있음. 문묘(文廟)에 종사(從祀)됨. 시호는 문원(文元). [1491-1553]

이:-언(:)진【李彦瑱】 명 『사람』 조선 영조(英祖) 때의 역관(譯官). 자는 우상(虞裳), 호는 송목관(松穆館). 강양(江陽) 사람. 사역원 주부(司譯院主簿)로 통신사(通信使) 조엄(趙曮)의 역관으로 일본에 다녀왔음. 시문(詩文)과 서예에 뛰어났음. [1740-66]

이언 진여【離言眞如】 명 『불교』 언어나 사유(思惟)로 나타낼 수 없는 중생(衆生)의 마음의 본체(本體).

이:얼 능적【以孽凌嫡】[-릉-] 명 서얼(庶孽)로서 적자(嫡子)·적손(嫡孫)을 능멸(凌蔑)함.

이엄[1] 명 〈방〉 이웃(평북).

이:엄[2]【二嚴】 명 『역』 행군(行軍)할 때의 호령(號令)의 하나. 무기(武器)를 갖추라는 명령임. *초엄(初嚴)·삼엄(三嚴).

이엄[3]【耳掩】 명 『역』 관복(官服)을 입을 때에 사모 밑에 쓰는 모피(毛皮)로 만든 방한구.

이:엄[4]【利嚴】 명 『사람』 신라 말의 중. 속성은 김(金). 진성 여왕(眞聖女王) 10년(896)에 당(唐)나라에 가 도응(道膺)의 선문(禪門)에서 심인(心印)을 받고 귀국, 고려 태조의 초청으로 구산(九山)의 하나인 해주(海州) 수미산(須彌山)을 개산(開山)함. *구산 조사(祖師). [866-932]

이엄-이엄[-니-] 부 끊이지 않고 가까스로 이어 가는 모양.

이:업【肄業】 명 기술을 배움. ——-하다 자여불

이엉 명 〔근대 : 니영〕 지붕이나 담을 이는 데 쓰기 위하여 엮은 짚. 새. 개초(蓋草). 준영.

이엉 꼬챙이 명 집을 일 때, 이엉 마름을 꿰어 올리는 제구. 길이 2 m 남짓한 긴 막대기의 머리쪽에 길이 50 cm의 가는 나무 토막을 십자(十字)로 대고 새끼로 잡아 매어서 만듦.

이엉차 감 ☞이영차.

이에[1] 명 이에짬. ¶… 주섬주섬 집어 모아, 이리저리 ~를 맞추어, 튼튼한 종이로 배접을 하여 두었던 것이라≪李海朝 : 驅魔劍≫.

이에[2] 명 〈방〉 『어』 잉어(함경).

이-에[3] 부 '그래서·이리하여·이러한 까닭으로'의 뜻의 접속 부사. ¶~, 감사장을 드립니다.

이에[4] 조 〈옛〉 이게. 이 되게. ¶能히 모매 卽ᄒᆞ야 곧 ᄆᆞᅀᆞ미에 몯홀씨≪楞嚴 X:18≫.

이-에서 부 이보다. 이것에 비하여. ¶~ 더 슬픈 일이 어디 있으랴.

이: 에스 브이【ESV】 명 〔Experimental Safety Vehicle의 약칭〕 미국 운수성의 계획으로, 차량 시스템으로서 생각할 수 있는 모든 안전 장치(安全裝置)를 장비한 실험차를 이름.

이:에스 시:【ESC】명〔Economic and Social Council의 약칭〕경제 사회 이사회(經濟社會理事會).

이:에스 피:【ESP】명〔Extra-sensory Perception의 약칭〕〖심〗감각 기관(感覺器官)을 매개로 하지 아니한 외적(外的) 또는 내적(內的) 사상(事象)의 인지(認知)에 의한 생체의 반응. 원감(遠感)·투시(透視)·예지(豫知) 등을 말함.

이:에스 피: 카:드〔ESP card〕명〔Extra-sensory Perception Card의 약칭〕〖심〗ESP 현상(現象)을 실험하는 카드. 사각형·별표·플러스 기호·원 등이 그려 있는 25매의 카드.

-이-에요 어미 서술격 조사 '이다'의 어간 '이'와 종결 어미 '-에요'가 합친 말. *-에요.

이에이다 자〈옛〉흔들리다. ¶ᄀᆞᄅᆞ매셔 이에여 ᄠᅥ러듀미 後에 ᄒᆞᄂᆞ니 ᄯᅩ 히 어긔리츤가 저노라(江湖後搖落亦恐歲蹉跎)《初杜諺 XVIII:10》. *이어이다.

이:에이 시:【EAC】명〔East African Community의 약칭〕동(東)아프리카 공동체.

이:에이치 에프【EHF】명〔extremely high-frequency의 약자〕밀리미터파(波)의 약칭.

이에-짬 명 두 물건을 맞붙여 이은 짬. 이에.

이:에프 티:에이【EFTA】명〖경〗'에프타'를 알파벳식으로 읽은 음.

이:엘【EL】명〔electro-luminescence의 약칭〕일렉트로 루미네선스.

이:엘 표시 소자【EL 表示素子】명 얇은 절연막 사이에 있는 황화 아연 박막층(薄膜層)에 전기를 걸면 고유의 천연색이 나오는 EL, 곧 전기장 발광(電氣場發光) 현상을 이용한 표시 장치. 초소형화(超小型化)·박막화할 수 있음.

이:엠 시:에프【EMCF】명〔European Monetary Cooperation Fund의 약칭〕유럽 통화 협력 기금(通貨協力基金).

이:엠 에스【EMS】명〔European Monetary System의 약칭〕유럽 통화(通貨) 제도.

이:엠 에이【EMA】명〔European Monetary Agreement의 약칭〕유럽 통화 협정(通貨協定).

이:엠 에프【EMF】명〔European Monetary Fund의 약칭〕유럽 통화(通貨) 기금.

이:여¹【爾汝】명 너나들이. ¶~의 교분(交分).

이:여²【爾餘】명 기여(其餘).

이여³ 조 받침 있는 체언 밑에 붙어서 감탄이나 호소(呼訴)하는 뜻을 나타내는 호격(呼格) 조사. ¶슬픔~ 안녕. *여.

이여⁴【亦】㊀조〈이두〉이. ㊁어미〈이두〉-려고.

이:-여송【李如松】명〖사람〗중국 명(明)나라의 무장(武將). 자(字)는 자무(子茂), 호는 앙성(仰城). 랴오닝 성(遼寧省) 톄링 현(鐵嶺縣) 사람. 선조(宣祖) 25년(1592) 임진 왜란 때 우리 나라를 도우려고 와서 평양에서 고니시 유키나가(小西行長)를 격파했으나 벽제관(碧蹄館) 싸움에서 고바야카와 다카카게(小早川隆景)에 패(敗)하고, 적극적인 활동을 하지 않았음. [?-1598]

이여-이【易與耳】명 당해내기 쉬움. ——-하다 형여불

이여차 감 ↗이영차.

이여해【此亦中】〈이두〉이때에.

이:역¹【二役】명 ①두 가지 역할. ②한 연기자(演技者)가 두 사람의 역을 함. ¶일인(一人)~.

이:역²【吏役】명 이속(吏屬)의 임무(任務).

이:역³【異域】명 ①이국(異國)의 땅. ¶~ 만리(萬里). ②제 고장이 아닌 딴 곳. 멀리 떨어진 다른 시골.

이역⁴【移易】명 옮겨서 바꿈. 또, 옮겨서 바뀜. ——-하다 자타여불

이역견【是亦在】조〈이두〉라는.

이역 부득【移易不得】명 섭사리 변통(變通)할 도리가 없음. ㊥역부득(易不得).

이-역시【一亦是】부 이것도 또한. ¶~ 마찬가지다.

이:역지-귀【異域之鬼】명 이국에서 죽은 귀신.

이:-연¹【李淵】명〖사람〗중국 당(唐)나라 고조(高祖)의 이름.

이:연²【怡然】명 기뻐 좋아하는 모양. 이이(怡怡). ——-하다 형여불. ——-히 부

이연³【移延】명 차례로 시일(時日)·기일(期日) 등을 미루어 나감. ——-하다 타여불

이연⁴【离筵】명〖역〗서연(書筵).

이:연⁵【異緣】명 불가사의(不可思議)한 인연이란 뜻으로, 남녀의 인연(因緣)을 일컫는 말.

이연⁶【黎然】명 ①빛이 검음. ②동의하는 기색이 있음. ③아주 확실함. ——-하다 형여불. ——-히 부

이연⁷【離宴·離筵】명 송별연(送別宴).

이연⁸【離緣】명 ①부부(夫婦) 또는 양자(養子)의 관계를 끊음. ↔결연(結緣). ②'파양(罷養)'의 구용어. ——-하다 자여불

이연 계:정【移延計定】명 당기(當期)에 발생한 수익(收益) 또는 손실(損失)로서, 차기(次期) 이후에 속해야 할 것을 결산(決算) 때 차기에 이연하기 위한 계정.

이:-연년【李延年】명〖사람〗고려 고종(高宗) 때의 초적(草賊). 율원(栗原) 사람. 율원 등지의 부랑자들을 모아 백제 도원수(百濟都元帥)를 자칭, 광주(光州) 등을 점령, 위세를 떨쳤으나 전라도 지휘사(全羅道指揮使) 김경손(金慶孫)에게 패하여 전사하였음. [?-1237]

이연 부:채【移延負債】명〖경〗이미 수수(收受)하였거나 발생한 수익의 전부를 당해 기간의 이익으로 계상(計上)하지 않고, 차기(次期) 이후의 수익으로 하기 위하여 이연된 부분.

이연 비:용【移延費用】명〖경〗기업(企業)이 지출한 비용(費用)으로서, 역무(役務)가 이미 제공되어 있고, 그 지출의 효과가 장래에 미치는 것. 일정한 상각(償却) 방법으로 각 사업 연도에 비용으로서 계상(計上)함. 창업비(創業費)·개업비(開業費)·시험 연구비(試驗研究費)·개발비(開發費)·건설 이자(建設利子) 등이 있음.

이:-연음부【二連音符】명〖악〗'둘잇단음표'의 한자 이름. *삼연음부(三連音符).

이연 자산【移延資產】명〖경〗이연 비용(移延費用)으로서 자산(資產)에 계상(計上)된 것.

이연-장【離緣狀】[-짱] 명〖역〗수세.

이:연지-사【已然之事】명 이미 그렇게 된 일.

이:열【怡悅】명 즐겁고도 기쁨. 이유(怡愉). ——-하다 형여불

이:열 치열【以熱治熱】명 열(熱)은 열로써 다스림. 곧, 힘은 힘으로써 물리침.

이염 명〈방〉이웃(제주).

이:염기-산【二塩基酸】명〔dibasic acid; diprotic acid〕〖화〗황산(黃酸)(H_2SO_4)·황화 수소(黃化水素)(H_2S)·망간산(酸)(H_2MnO_4) 등과 같이 산의 한 분자 가운데서 금속과 바꿀 수 있는 수소 원자 두개를 함유한 산. *일염기산·삼염기산.

〈이염 소체〉

이:염 소:체【異染小體】명〖식〗세균체(細菌體) 안에서 볼 수 있는 미립(微粒)의 일종. 염기성(塩基性) 아닐린 색소(aniline色素)에 짙게 물들고 탈색(脫色)이 곤란한 미립. 흔히, 균체(菌體)의 말단(末端)에 있음. 극소체(極小體).

이:염화-금【二塩化金】명〔gold dichloride〕〖화〗염화금❷.

이:염화-납【二塩化—】명〔lead dichloride〕〖화〗염화납❶.

이:염화 망간【二塩化—】명〔manganese dichloride〕〖화〗염화 망간❶.

이:염화 백금【二塩化白金】명〔platinum dichloride〕〖화〗염화 백금❷.

이:염화 에틸렌【二塩化—】명〔ethylene dichloride〕〖화〗염화 에틸렌.

이:염화 이:황【二塩化二黃】명〖화〗염화황❶.

이:염화 주석【二塩化朱錫】명〖화〗염화 주석❶.

이:염화 코발트【二塩化—】명〔cobalt dichloride〕〖화〗염화 코발트❶.

이:염화 크롬【二塩化—】명〔chromium dichloride〕〖화〗염화 크롬❶.

이:염화 티탄【二塩化—】명〔titanium dichloride〕〖화〗염화 티탄❶.

이:염화 황【二塩化黃】명〔sulfur dichloride〕〖화〗염화황❷.

이엿비 부〈옛〉어여삐. 가엾이. =어엿비. ¶ᄯᅩ 世間앳 衆生ᄋᆞᆯ 이엿비 너겨 護持ᄒᆞᆯ ᄆᆞᅀᆞᄆᆞᆯ 내혀디《月釋 II:63》.

이영 명 ☞이엉.

이:-영민【李榮敏】명〖사람〗체육인. 경북 출신. 1928년 경성 의전(京城醫專) 주최 야구 대회에서 한국 최초의 홈런을 쳐 각광을 받음. 그 후 일본 야구 대표팀 또는 조선 대표팀의 한 사람으로 활약함. 해방 후 조선 야구 협회 초대 이사장·한국 야구 협회 부회장·아시아 야구 연맹 한국 대표 등을 역임함. [1905-54]

이:-영윤【李英胤】명〖사람〗조선 시대 중기의 화가. 자(字)는 가길(嘉吉). 청성군(青城君) 걸(傑)의 아들, 경윤(慶胤)의 아우, 성종(成宗)의 현손(玄孫). 산수(山水)·우마(牛馬)·영모(翎毛)를 잘 그렸음. [1561-1611]

이영차 감 여럿이 힘을 합쳐 한 가지 일을 할 때에 기운을 돋구려고 함께 지르는 소리. ㊥이여차·영차·여차.

이예기 명〈방〉이야기(경북).

이:오¹【二五】명 음양(陰陽)과 오행(五行).

이오²【咿唔】명 글을 읽는 소리.

이오³〔Io〕명〖신〗그리스 신화 중의 인물(人物). 제우스(Zeus)의 사랑을 받았으나 제우스의 처(妻) 헤라(Hera)의 질투(嫉妬) 때문에 암소로 변신, 소로서의 괴로움을 받으며 여러 나라를 방황하다가 이집트에 와서 제우스의 아들 에파포스를 낳고 본래의 모습으로 다시 변하여 이집트의 여왕이 되었다 함.

〈이오³〉

이오견이여【是乎在亦】조〈이두〉인 것이니.

이오기【是乎只】조〈이두〉이기에.

이오나【是乎乃】조〈이두〉이나. 이지만.

이오네스코〔Ionesco, Eugène〕명〖사람〗루마니아 출신의 프랑스 작가. 아카데미 프랑세즈 회원. 종래의 연극 개념을 뒤엎은 부조리극(不條理劇)의 개척자로 일컬어짐. 대표작《대머리 여가수(女歌手)》·《수업(授業)》·《코뿔소》등. TV 드라마 대본·소설 등도 있음. [1912-]

이오노머〔ionomer〕명〖화〗카르복시기(基)를 함유하는 에틸렌의 공중합물(共重合物). 알칼리 금속 및 토금속(土金屬)에 의한 중합체 주쇄(主鎖) 사이에 금속 이온 결합을 도입한 것. 이온 결합은 구정(球晶) 성장을 억제하며, 내온성(耐溫性)을 향상시키고, 가열 성형 가공을 용이하게 함. 미국의 뒤퐁(Du Pont) 회사에서, 충격에 강하고 유리상(狀)의 투명성이 있으며 접착성·인쇄 적성(印刷適性)이 좋은 상품을 시판(市販)하고 있으며, 필름·용기·잡화 등에 쓰임.

이오논〔ionone〕명〖화〗단환식 세스퀴테르펜(單環式 sesquiterpene)에 속하는 케톤으로 무색(無色)의 액체. α·β의 두 종이 있는데, 각각 끓는점(點)이 다르고 민들레꽃 냄새가 나며, 이론(irone)의 대용품(代用品)으로 쓰임. [$C_{13}H_{20}O$]

이오늄〔ionium〕명〖화〗토륨(thorium)의 동위 원소. 질량수(質量數)

230. 우라늄·라듐 계열의 방사성 원소(放射性元素)로, 우라늄 234(UⅡ)의 α 붕괴에 의하여 생기고, 자신도 α 붕괴하여 라듐이 됨. 반감기(半減期) 7.52×10^4년. 해저토(海底土) 등의 연대 측정(年代測定)에 중요한 역할을 함. 기호: Io. ＊토륨.

이오니【是乎尼】조〈이두〉이니. 이므로.

이오니아〔Ionia〕명〖지〗소(小)아시아의 서부와 에게 해(海)에 면하는 지방의 옛이름. 고대 그리스의 한 종족인 이오니아인이 이주(移住)하여 밀레투스(Miletus)·사모스(Sāmos) 등 12개의 식민지를 건설하고 약 400년 간 번영함. 현재 터키의 일부임.

이오니아-식【一式】〔Ionia〕명〖건〗그리스 고전(古典) 건축 양식의 한 가지. 이오니아로부터 일어났으며, 아테네 전성 시대 이래 한 세기(世紀) 동안을 지배하였음. 우미 경쾌하며, 기둥에는 초반(礎盤)이 있고 곡선상(曲線狀)의 와형(渦形)을 갖는 기둥머리에 그 특색이 있음. 아테네의 에렉테움(Erechtheum) 전당은 이 양식의 전형임.

〈이오니아식〉

이오니아-인【一人】〔Ionia〕명 오래 전에 그리스로 남하(南下)한 것으로 보이는 고대 그리스 민족의 한 분파. 이오니아 방언을 씀. 아테네인은 그 대표적 부족임.

이오니아 제도【一諸島】〔Ionia〕명〖지〗그리스의 서안(西岸)에 가까운 이오니아 해에 흩어져 있는 섬들. 곧, 코르푸(Corfu)·케팔로니아(Cephalonia)·잔테(Zante)·레프카스(Levkas)·이타카(Ithaca)·팍소스(Paxos) 및 그 밖의 여러 작은 섬의 총칭. 기후가 온화하여 포도주·올리브유(油)를 많이 산출하며, 또 어업(漁業)이 발달하였음. 1815년 이후 영국령(英國領)이었다가, 1864년 그리스령(領)이 되었음. [2,307 km² : 183,000명(1981)]

이오니아 학파【一學派】〔Ionia〕명〖철〗기원전 6세기경, 이오니아 지방에서 일어난 철학의 한 파. 만물(萬物)의 시원(始原)을 탐구하여, 그것을 물·공기·불 등에서 구했음. 주요 인물은 탈레스(Thales)·아낙시만드로스(Anaximandros)·아낙시메네스(Anaximenes)·헤라클레이토스(Herakleitos) 등인데, 앞의 세 사람은 출신지의 이름을 따서, 밀레토스 학파라고도 함.

이오니아 해【一海】〔Ionia〕명〖지〗지중해 중부, 이탈리아 반도 및 시칠리아 섬과 그리스 사이에 있는 바다. 오트란토(Otranto) 해협을 거쳐 아드리아 해(Adria海)에 통함. 이탈리아 쪽에 타란토(Taranto)·카타니아(Catania) 등의 항구가 있고, 그리스 쪽으로 이오니아 제도(諸島)가 있음. 깊이는 4,000-4,500m.

이오다 자〈옛〉이울다. 마르다. 시들다. ¶凉州엔 힌 밀히 이오도다(凉州白麥枯)≪初杜諺 XIII:22≫.

이오되【是乎矣】조〈이두〉이되. 이지만.

이오라두【是乎良置】조〈이두〉이라도.

이오라사【是乎良沙】조〈이두〉이라야.

이오며【是乎旀】조〈이두〉이며.

이오:섬〔硫黃:いおう〕명〖지〗일본의 이오 열도(硫黃列島) 중에서 가장 큰 섬. 산물은 사탕수수·야자 및 황임. 제2차 대전 말의 격전지로, 미군이 점령한 후로는 일본 본토(日本本土) 폭격의 기지(基地)로 이용되기도 함. [20.19km²]

이:오-십【二五十】명〖수〗구구법(九九法)의 하나. 둘의 다섯 갑절이나 또는 다섯의 두 갑절은 열임.

이오:열도【一列島】〔硫黃:いおう〕〔一또〕명〖지〗일본 오가사와라 제도(小笠原諸島)의 남남서쪽 150-280km 지점에 남북으로 길게 뻗쳐 있는 화산 열도. 북(北)이오 섬(5.37km²)·중이오 섬(20.19km²)·남(南)이오 섬(3.76km²)의 세 섬으로 이루어짐. 1779년 쿡(Cook, J.)의 탐험선에 의해 최초로 발견되었고, 1891년 정식으로 일본령이 됨. 제2차 대전의 격전지(激戰地)로 유명하며, 종전(終戰) 후에는 미군(美軍)의 군정하에 있다가 1968년 다시 일본에 반환되었음. 고구마·코코아·야자·사탕수수 등이 산출됨.

이오카스테〔Iokaste〕명〖신〗그리스 신화 중의 인물. 라이오스의 왕비이며 오이디푸스(Oidipous)의 어머니. 라이오스의 사후(死後), 자식인 줄 모르고 아들 오이디푸스의 처가 됨. 이 비극을 소포클레스가 《오이디푸스》에서 다루었음. ＊오이디푸스.

이:오-토막【二五一】명〖건〗벽돌을 한 장 길이의 4분의 1로 자른 토막. '이오'는 0.25에서 나온 말임.

이:-옥봉【李玉峰】명〖사람〗조선 시대 때의 여류 시인. 옥천 군수(沃川郡守) 봉(逢)의 서녀(庶女). 조원(趙瑗)의 소실(小室). ≪가림 세고(嘉林世稿)≫에 35편의 한시(漢詩)가 전하며 이 외에 여러 시집에 그의 시가 뽑혔음. 생몰년 미상.

이온¹〔ion〕명〖물·화〗〔그리스어로 '가다'의 뜻으로 패러디가 만든 말〕양(陽) 또는 음(陰)전기를 갖는 원자 또는 원자단. 기체 분자는 여러 가지 복사선(輻射線)·방사선(放射線)에 의하여 이온화(化)하며 전해질(電解質)은 물에 녹아 전리 작용(電離作用)에 의하여 이온화(化)함. 이 때 음극으로 향하여 가는 이온을 양이온(陽ion), 양극으로 향하여 움직이는 것을 음이온(陰ion)이라고 함. 양이온은 그 원자의 위쪽에 '+' 또는 '·'으로, 음이온은 '−' 또는 '′'으로 표시함.

이온² 자〈옛〉이운. 시든. 마른. '이울다'의 활용형. ¶빗치 이온 뼈 ᄀᆞᄐᆞ니ᄂᆞᆫ(色如枯骨者)≪馬經 上 37≫.

이온³【是乎】조〈이두〉인. 이니.

이온-가¹【一價】〔ion〕〔一까〕명〖물·화〗이온이 갖는 전기량(電氣量)을 전기 소량(電氣素量)으로 나눈 값. 또, 절댓(絶對)값을 지칭할 때도 있음. 이온가는 일반적으로 그 원소(元素)의 주기표(周期表)에서의 위치와 관계가 있음.

이온가²【是乎可】조〈이두〉인가.

이온 가속기【一加速器】명〔ion accelerator〕①선형(線形) 가속기의 하나. 외부 발진기(發振器) 또는 증폭기(增幅器)에 의해 공명기(共鳴器) 안에 생긴 정상파(定常波)에 의한 전장(電場)에 의하여 이온이 가속됨. ②일반적으로, 이온을 가속하는 가속기.

이온것【是乎條】조〈이두〉인 것.

이온 게이지〔ion gauge〕명〖기〗진공관 압력계의 하나. 삼극 진공관(三極眞空管) 안에 기체가 남아 있으면 열전자(熱電子)에 의하여 기체 분자(氣體分子)가 이온화하는데, 이 때 생긴 양이온은 음전압(陰電壓)을 갖고 있는 그리드(grid)에 모이므로, 남아 있는 기체가 많으면 그리드에 모이는 양이온 수(數)도 많아짐. 이러한 현상에 의하여 그리드의 전류와 양극 전류의 비로써 잔류 기체의 양을 알 수 있음.

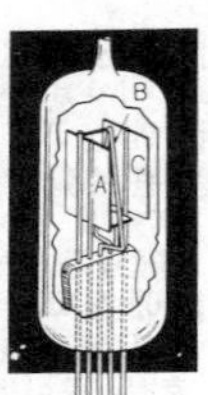

〈이온 게이지〉 A. 양극 B. 열음극 C. 이온 집적관(그리드에 상당)

이온 결정【一結晶】〔一쩡〕명〔ionic crystal〕〖물·화〗양(陽)이온과 음(陰)이온의 이온 결합으로 된 결정. 곧, 소금·황산 암모늄·브롬화 칼륨 등. 대개는 전기 절연체(電氣絶緣體)로, 반도체·이광체·형광체 등의 모체(母體)로 이용됨.

이온 결합【一結合】명〔ionic bond〕〖화〗양(陽)·음(陰)의 전하(電荷)를 갖는 이온 사이의 정전 인력(靜電引力)에 의한 원자의 결합 양식. 소금·형석(螢石) 등 무기 염류(無機鹽類)에서 볼 수 있는데, 소금 같은 것은 염소의 음이온과 소듐의 양이온이 그 정전 인력에 의하여 결합되어 있는 것임. ＊금속 결합.

이온고로【是乎故】조〈이두〉인 까닭에. 이므로.

이온 교환【一交換】명〔ion exchange〕〖화〗어떤 물질을 염류(鹽類)의 수용액(水溶液)에 넣으면 그 물질 중의 이온은 용액 속으로 나오고, 용액 중의 이온은 그 물질에 흡수(吸收)되는 현상. 이것을 이용하여 물질의 정화(淨化), 화학 물질의 분리(分離) 등을 함. 그 대표적인 것이 이온 교환 수지(樹脂)임.

이온 교환막법【一交換膜法】명〔ion-exchange membrane process〕〖화〗수은법(水銀法)·격막법(隔膜法)의 다음인 전해 소다법(電解soda法)의 하나. 식염수(食塩水)를 전기 분해하여 염소(塩素)·수산화(水酸化) 나트륨 및 수소(水素)를 제조하는 방법임. 무공해(無公害)·에너지 절약을 할 수 있어 점차 이 방법을 많이 쓰게 됨.

이온 교환 셀룰로오스【一交換一】명〔ion-exchange cellulose〕〖화〗이온 교환체의 하나. 셀룰로오스 분말에 각종 해리성 치환기(解離性置換基)를 도입하여 이온 교환 수지(樹脂)와 같은 성질을 갖게 한 유도체(誘導體). 이온 교환 수지보다 친수성(親水性)이 크고 또 고분자(高分子)의 흡착(吸着)이나 용리(溶離)를 할 수 있어 생화학(生化學) 분야에서 널리 쓰임.

이온 교환 수지【一交換樹脂】명〔ion-exchange resin〕〖화〗이온 교환을 하는 합성 수지의 총칭. 불용성(不溶性)·다공질(多孔質)의 유기 고분자(有機高分子) 화합물. 양이온(陽ion) 교환 수지와 음이온(陰ion) 교환 수지의 두 가지가 있음. 1935년에 영국에서 발견하고, 미국에서 실용화(實用化)하였음. 경수(硬水)의 연화(軟化)와 화학 물질의 분리 및 추출(抽出)에 이용되며, 신장병(腎臟病)·위산 과다증(胃酸過多症)의 치료 등에도 사용됨.

이온 교환 수지법【一交換樹脂法】〔一뻡〕명〔ion-exchange resin process〕〖화〗화학적 농축법(化學的濃縮法).

이온 교환 전:해질 전:지【一交換電解質電池】명〔ion-exchange electrolyte cell〕공기(空氣) 중의 수소와 산소로 동작하는 전지. 전해액(電解液)을 이온 교환막(ion交換膜)으로 바꾸어 놓은 것을 빼고는 표준적(標準的)인 수소 산소 연료 전지와 비슷함. 대기압(大氣壓)과 실온(室溫)에서 작용함.

이온 교환체【一交換體】명〔ion-exchanger〕〖화〗이온 교환을 하는 물질의 총칭. 대표적인 것은 이온 교환 수지이며, 이 밖에 양이온 교환체로서 제올라이트류(zeolite類)·산성 백토(酸性白土)·토탄(土炭)·염기성의 백운석(白雲石)·산화철과 산화 지르코늄의 겔(Gel)·활성탄(活性炭) 등이 있음.

이온다가【是乎如可】조〈이두〉이었다가.

이온더니【是乎加尼】조〈이두〉이었더니.

이온-도【一度】〔ion〕명 전리도(電離度).

이온 도:입법【一導入法】〔ion〕명〖의〗약제(藥劑)를 도자(導子)에 붙여, 전압(電壓)을 가하고, 이온화된 그것을 피부를 통하여 몸 속에 주입(注入)하는 방법.

이온들【是乎等】조〈이두〉①인 줄. ②인들.

이온들로【是乎等以】조〈이두〉이므로.

이온들쓰아【是乎等用良】조〈이두〉임으로써.

이온들을쓰아【是乎等乙用良】조〈이두〉임으로써.

이온 로켓〔ion rockets〕명 화학 연료 로켓처럼 연소 가스를 분출(噴出)하는 것이 아니라, 세슘이나 수은(水銀) 등의 금속 증기 원자(金屬蒸氣原子)를 이온화(ion化)하여 전기적(電氣的) 힘으로 가속(加速), 그 반동으로 나는 로켓. 화학 연료 로켓에 비해, 추력(推力)은 작으나, 추진제(推進劑)의 분사 속도가 빠르고, 또 장시간에 걸쳐 추력을 발생하므로, 장기 비행에 알맞음.

이온-막【一膜】명〔ionic membrane〕〖화〗전기(電氣)를 전하는 반투막(半透膜). 이 막(膜)에 전기장(電氣場)을 작용시키면, 막을 통하여 이온의 전기 이동(電氣移動)이 일어남.

이온 밀도【一密度】〔一또〕명〔ion density〕〖물〗단위 체적당(單位體積當) 이온의 수(數).

이온바【是乎所】㉠〈이두〉인 바.
이온바를【是乎所乙】㉠〈이두〉인 바를.
이온 반:경【一半徑】〔ion〕명『화』이온 반지름.
이온 반:응【一反應】명〔ionic reaction〕『화』이온이 관여하는 반응의 총칭. 전해질 수용액(電解質水溶液)에서의 양이온과 음이온의 반응이 그 대표적인 예임.
이온 반:지름【一半一】명〔ionic radius〕『화』이온을 강체구(剛體球)로 생각했을 때의 반지름. 이온 결정(結晶)에 있어서 이웃하는 이종(異種) 이온의 중심 간(中心間) 거리는 각각의 이온 반지름의 합(合)으로서 엑스선 회절(X線 回折)에 의하여 구하여짐. 이온 반경.
이온 빔:〔ion beam〕명『물』중성 원자(中性原子)에서 몇 개의 전자(電子)를 떼어내거나, 역으로 몇 개를 더하면 전기(電氣)를 띤 이온이 생기는데, 이 이온을 가속기(加速器)의 전기장(電氣場)에서 고속(高速)으로 가속하면 생기는 광선상(光線狀)의 흐름. 이것을 고체(固體)에 주입하면 희망하는 농도(濃度)의 불순물(不純物)을 함유하는 반도체(半導體)가 만들어짐. 또 금속에 대량으로 주입하면 금속 표면이 일종의 합금(合金)이 되어 보다 강한 물체를 만들 수 있어 새로운 야금(冶金) 기술로 유망(有望)함.
이온-빛〔ion〕〔一삗〕명 이온의 빛. 구리는 청색, 코발트는 도색(桃色)으로 나타남.
이온-설【一說】〔ion〕명 전리설(電離說).
이온-쌍【一雙】명〔ion pair〕『물』양(陽)이온 및 이와 등전하(等電荷)의 전자(電子) 또는 음(陰)이온의 쌍. 보통 γ선 또는 전자, 중성(中性) 원자·분자를 가속(加速)하여 만든 방사선 작용에 의하여 생김.
이온양으로[1]【以乎樣以】㉠〈이두〉인 모양으로. 이도록.
이온양으로[2]【是乎樣以】㉠〈이두〉이도록. 인 체하고.
이온 엑스선관【一X線管】명〔ion X-ray tube〕『물』엑스선관(X線管)의 하나. 엑스선(X線) 연구의 가장 최초의 형태로 관내에 있는 미량의 공기 중에 포함되어 있는 이온에 의하여 방전(放電)시켜서 엑스선을 얻는 장치임. 가스 엑스선관.

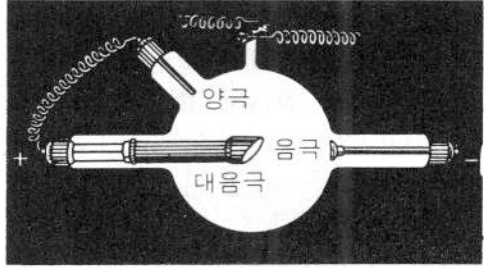

〈이온 엑스선관〉

이온 엔진〔ion engine〕명『항공』가속(加速)된 고속(高速) 이온을 분사하여 추력(推力)을 얻는 엔진. 핵반응에 의한 에너지를 이용하는 이온 엔진이 우주 여행기용으로 검토되고 있음.
이온 온도【一溫度】명〔ionic temperature〕『화』이온을 갖는 계(系)에서 이온만의 에너지 분포(分布)에 대응(對應)하는 온도. 주로 전자 온도(電子溫度)에 대응하여 쓰이는데, 열전자(熱電子)를 갖는 결정(結晶) 등에서는 격자 진동계(格子振動系)의 온도가 이온 온도에 상당함.
이온 원자가【一原子價】〔一까〕명〔ionic valency〕이온 결합(結合)의 원자가. 그 가수(價數)는 화합물 중에 이온으로서 존재하는 원자의 이온가(價)와 같음.
이온 이동【一移動】명〔ion migration〕전해질(電解質)이나 반도체(半導體) 등에서 생기는 이온의 이동. 전극(電極) 사이에 전위(電位)가 생김으로써 일어남.
이온일【是乎事】〈이두〉인 일.
이온일이거늘【是乎事是去乙】〈이두〉인 일이거늘.
이온 전:류【一電流】〔一절一〕명〔ion current〕『물』이온은 전하(電荷)를 가지므로 다수의 이온이 전기장(電氣場)에 의해 힘을 얻어 평균적으로 한 방향으로 흐를 때 전류가 생기는 현상. 전해질 용액(電解質溶液) 중의 전류는 이 예임.
이온 주:입법【一注入法】명〔ion implantation〕트랜지스터나 집적 회로(集積回路)를 제조할 때, 기판(基板)의 실리콘 결정(結晶) 중에 붕소(硼素)·인(燐) 따위 불순물을 첨가하는 방법의 한 가지. 불순물 원소를 이온화하여, 입자 가속기(粒子加速器)로써 실리콘층(層) 안에 주입함. 종래의 열확산법(熱擴散法)이 실리콘을 1,000°C 정도로 가열하여 불순물을 확산시키는 데 비해, 상온(常溫)에서 단시간에 정확하게 불순물을 첨가할 수 있음.
이온 중합【一重合】명〔ionic polymerization〕『화』단위체(單位體)의 첨가(添加) 중합의 한 형식으로, 성장해 가는 연쇄(連鎖)의 말단(末端)이 이온인 중합. 라디칼(radical) 중합에 상대되는 말.
이온즉【是乎則】㉠〈이두〉인즉.
이온지【是乎喩】㉠〈이두〉인지.
이온-층【一層】명〔ionosphere〕『물』전리층(電離層).
이온층 폭풍【一層暴風】명〔ionospheric storm〕『물』전리층(電離層) 폭풍.
이온 펌프〔ion pump〕명 용기 중의 기체의 분자를 이온화하여, 이것을 용기 중에 장치해 놓은 전극(電極)에 모으면 용기 중의 기체의 분자 수는 감소되어, 결국 기체의 압력(壓力)이 저하됨을 이용한 진공(眞空) 펌프의 하나.
이온 평균 수명【一平均壽命】명〔ion mean life〕『물·화』원자(原子)나 분자가 이온화(化)하고 나서, 전자(電子)와 재결합(再結合)하든가 여분(餘分)의 전자를 잃을 때까지의 평균 시간.
이온 현:미경【一顯微鏡】명〔ion microscope〕전자 현미경의 전자 대신에 양자·헬륨 등의 이온을 이용한 현미경. 이온의 물질파(物質波) 파장은 전자보다 짧으므로, 같은 가속 전압의 전자 현미경보다 분해능(分解能)이 높아, 결정면(結晶面)의 원자 배열을 관찰할 수 있음.
이온-화【一化】명〔ionization〕『물』원자 또는 분자가 이온으로 되는 일. 또, 이온으로 만드는 일. 전기 해리(電氣解離). ——-하다 자타여불
이온화 경향【一化傾向】명〔ionization tendency〕『화』①금속(金屬)이 금속 이온을 함유(含有)하는 용액(溶液)과 접할 때 이온으로 되어 용액 속으로 들어가려는 경향. ②금속이 액체와 접할 때 양이온(陽ion)이 되는 경향.
이온화-능【一化能】명〔ionization power〕『물』전리능(電離能).
이온화 방:사선【一化放射線】명〔ionizing radiation〕『물』전리 방사선(電離放射線).
이온화 에너지【一化一】명〔ionization energy〕『물』주어진 원자(原子) 또는 분자(分子)에서 한 개의 전자(電子)를 무한히 먼 곳으로 떼어내는 데 필요한 에너지. 흔히, 전자 볼트(eV)로 나타냄.
이온화-열【一化熱】명〔heat of ionization〕『물』전리열(電離熱).
이온화 전:류【一化電流】〔一절一〕명〔ionization current〕『물』전리 전류(電離電流).
이온화 전:압【一化電壓】명〔ionization voltage〕『물』기체 원자 또는 분자의 가장 안정된 상태에서 한 개의 전자를 무한히 멀리 떼어 놓는 데 필요로 하는 에너지를 전자 볼트(eV)의 단위로 나타낸 것. 이온화 포텐셜(potential).
이온화 퍼텐셜【一化一】명〔ionization potential〕『물』이온화 전압.
이온화 평형【一化平衡】〔ion〕명 전리 평형(電離平衡).
이온화-함【一化函】〔ionization chamber〕명『물』전리함(電離函). 아이어니제이션 체임버.
이올거늘【是乎乙去乙】㉠〈이두〉이거늘.
이올견과【是乎乙在果】㉠〈이두〉이었거니와.
이올고【是乎乙遣】㉠〈이두〉이고.
이올기【是乎乙只】㉠〈이두〉이기에.
이올다 자 마르다. 시들다. ¶올호 불히 偏히 이올오 왼녁 귀 머구라(右臂偏枯左耳聾)≪杜諺 XI:14≫.
이올다가【是乎乙如可】㉠〈이두〉이다가.
이올다온【是乎乙如乎】㉠〈이두〉이라는. 이라니.
이올더니[1]【是乎乙加尼】㉠〈이두〉이더니.
이올더니[2]【是乎乙等尼】㉠〈이두〉이더니.
이올던지【是乎乙加喩】㉠〈이두〉이든지.
이올두【是乎乙置】㉠〈이두〉이다.
이올리스〔Eolith〕명 원석기(原石器).
이올ㅅ가【是乎乙可】㉠〈이두〉인가.
이올ㅅ지【是乎乙喩】㉠〈이두〉일지. 일는지.
이올지라두【是乎乙喩良置】㉠〈이두〉일지라도.
이옷 명〈옛〉이웃. ¶車馬ᄐ 사ᄅ미 이옷지브로 들어놀(車馬入隣家)≪杜諺 IX:9≫.
이옷맛【是乎味】㉠〈이두〉이라고.
이:-옹【李邕】명『사람』중국 당(唐)나라의 서도가(書道家). 이북해(李北海)라고도 함. 자는 태화(泰和). 행서(行書)에 능하여 그가 쓴 비서(碑書)는 800이라고 전해짐. [678-747]
이:와 전와【以訛傳訛】명 거짓말에 또 거짓말이 섞이어 자꾸 거짓 전하여 감. ——-하다 자여불
이와테 현【一縣】〔岩手:いわて〕명『지』일본 동북 지방의 현. 13시 12군. 내륙은 한랭하고 해안은 온난(溫暖)하여 목축·낙농(酪農) 및 어업이 성(盛)하고, 정어리·고등어가 많이 잡힘. 가마이시(釜石)의 제철과 수산·통조림은 유명함. 현청 소재지는 모리오카(盛岡). [15,278 km²; 1,426,886 명(1992)]
이완[1]【弛緩】명 느즈러짐. 풀리어 늦추어짐. ¶근육이 ~되다. ↔긴축(緊縮). ——-하다 자여불
이:-완[2]【李浣】명『사람』조선 효종(孝宗)·현종(顯宗) 때의 상신. 자는 징지(澄之), 호는 매죽헌(梅竹軒). 경주(慶州) 사람. 효종(孝宗) 때 훈련 대장(訓練大將). 송시열(宋時烈)과 함께 밀유(密諭)를 받아 북벌(北伐)의 대업을 도모하였으나 효종이 죽으매 북벌 계획을 중지함. 공조판서·포도 대장(捕盜大將)을 거쳐 현종 5년(1664)에 우의정이 됨. 시호는 정익(貞翼). [1602-74]
이:-완[3]【李莞】명『사람』조선 시대 중기의 무신. 자는 열보(悅甫). 덕수(德水) 사람. 이순신(李舜臣)의 조카. 임진 왜란 때 이순신의 휘하에서 종군하였고, 이괄(李适)의 난 때 충청도 병마 절도사로 공을 세웠으며, 정묘 호란(丁卯胡亂) 때 의주 부윤(義州府尹)으로 적군을 맞아 싸웠으나 중과 부적으로 패하자 병기고(兵器庫)에 불을 지르고 분사(焚死)함. 아산(牙山)의 현충사(顯忠祠)에 제향(祭享)됨. 시호는 강민(剛愍). [1579-1627]
이완 감:정【弛緩感情】명『심』주의(注意)나 기대에 대한 긴장이 풀어진 뒤에 오는 감정.
이:-완공부【已完工夫】명『천주교』기도와 선공(善功)이 완성된 것을 「감사하는 기도.
이완디 어미〈옛〉-이건대. -것이건대. ¶뉘 脩行ᄒ리완뎌 엇뎨 幻 ᄅ호몰 脩行호몰 다시니ᄅ시니잇고≪圓覺 上 二之一 8≫.
이완성 마비【弛緩性痲痺】〔一썽一〕명『의』다발성 신경염(多發性神經炎)·요골(橈骨) 신경 마비 등의 원인으로 근육의 긴장이 감퇴되거나 소실되는 상태.
이완성 변:비【弛緩性便秘】〔一썽一〕명〔atonic constipation〕『의』복부(腹部)의 동통이나 고통을 수반하지 않는, 통과 곤란(通過困難)한 건성(乾性)의 변통(便通).
이:-완용【李完用】명『사람』한일 합방을 주장한 원흉(元兇). 자는 경덕(敬德), 호는 일당(一堂). 우봉(牛峰) 사람. 을미년(乙未年)(1895)부터 대신이 되어, 아관 파천(俄館播遷) 때는 친로파(親露派)로 있다가 친일파(親日派)로 변절(變節), 을사 조약(乙巳條約) 때 학부 대신, 1907년에는 총리 대신(總理大臣)이 되어 합방 때에 전권 대신(全權大臣)으로 조

인(調印)하였음. 을사 오적신(乙巳五賊臣)의 한 사람으로 지탄(指彈)을 받음. [1858-1926]

이완 출혈【弛緩出血】[명]『의』자궁(子宮) 이완의 결과로 일어나는 출혈. 보통은 외출혈(外出血)인데, 때로는 자궁강(腔) 속에 괴는 내출혈의 경우도 있으며 위험함. *자궁 이완.

이:왕¹【二王】[명] ①두 임금. ②중국 진대(晉代)의 서성(書聖) 왕희지(王羲之)와 일곱째 아들 왕헌지(王獻之)의 병칭. ③『불교』 인왕(仁王).

이:왕²【已往】[一][명] 이전(以前)❷. ¶~에 있던 건물은 없어지고. [二][부] ↗이왕에.

이:왕³【以往】[명] ①그 동안. ②이전(以前)❶.

이왕⁴【易往】[명]『불교』 아미타(阿彌陀)의 본원(本願)에 의하여 극락 정토(極樂淨土)에 쉽게 왕생(往生)하는 일.

이:왕-가【李王家】[명] 본디 조선 시대의 왕족. 한일 합방 때, 일본이 한국 황실의 우대를 위하여 황제를 '이왕(李王)'으로 하고, 황족(皇族)의 예우(禮遇)를 하였음.

이왕 무인【易往無人】[명]『불교』 본원 염불(本願念佛)에 의하여 쉽게 극락 왕생(極樂往生)할 수 있으나 본원은 믿기 어려우므로, 실제로는 극락 왕생을 이루는 사람이 없음.

이:왕-에【已往一】[부] 이미 그렇게 된 바에. 기왕(旣往). 기왕에. [준]이왕(已往).

이:왕에 버린 몸 [구] 이미 한번 크게 실수하여 다시 돌이킬 수 없는 신세가 된 몸.

이:왕-이면【已往一】[부] 이왕 할 바에는. 기왕이면.

[이왕이면 창덕궁] 이왕 택할 바에는 나은 쪽을 택한다는 말.

이왕 이수【易往易修】[명]『불교』 극락 정토(極樂淨土)에 왕생하기도 쉽고, 또 수행(修行)하기도 쉬움. 타력(他力) 염불의 종지(宗旨). 이왕 이행(易往易行).

이왕 이행【易往易行】[명]『불교』 이왕 이수(易往易修).

이:왕지-사【已往之事】[명] 이미 지나간 일. 이과지사(已過之事).

이:왕지사 물구【已往之事勿咎】[명] 잘못이 있더라도 이미 지나간 일은 꾸짖지 말 것. *이의물론(已矣勿論)·기왕 불구(旣往不咎). ——-하다 [자][여불]

이:외¹【以外】[一][명] 일정한 범위의 밖. 이 밖. 그 밖. ¶회원 ~는 출입 금지. ↔이내(以內). [二][부] ↗이외에.

이:외²【理外】[명] 이치 밖. 도리 밖.

이요¹【俚謠】[명] 속요(俗謠). 유행가. 이가(俚歌).

이요²[조] 서술격 조사 '이다'의 어간 '이'와 연결 어미 '-요'가 합친 말. *-요¹.

이:욕【利欲·利慾】[명] 사리(私利)를 탐하는 마음.

이:용¹【利用】[명] ①이롭게 씀. 쓸모 있게 씀. ¶폐품 ~. ②방편(方便)으로 씀. 편리(便利)하게 하는 데 씀. ¶출세의 도구로 ~하다. ——-하다 [타][여불]

이용²【移用】[명] 세출(歲出) 예산에서 어떤 부(部)·국(局)의 경비 또는 어떤 항목(項目)의 경비를 필요에 의하여 딴 부·국 또는 다른 항목으로 전용(轉用)하는 일. ——-하다 [자][여불]

이:용³【異容】[명] 색다른 용모나 옷차림. 괴이한 모습.

이:용⁴【理容】[명] 이발과 미용. 주로 조발(調髮)이나 면도 등 남자의 용모를 단정하게 하는 일.

이:용 가치【利用價値】[명] 이용할 만한 값어치.

이:용 계:수【利用係數】[명] [economic coefficient]『생』 탄소원(炭素源)을 넣은 배양액(培養液) 중에서 생육(生育)한 미생물(微生物)의 건조량(乾燥量)과, 그 생육 때에 배양액 중에서 소실(消失)된 탄소원의 양(量)과의 비(比).

이:-용구【李容九】[명]『사람』 조선 고종 때의 친일파(親日派). 초명은 우필(愚弼) 또는 상옥(祥玉). 호는 해산(海山). 고종 27년(1890) 동학(東學)에 입교(入敎), 노일 전쟁(露日戰爭) 때 일본군을 돕고, 광무(光武) 10년(1906)에 천도교(天道敎)에 맞서 시천교(侍天敎)를 만들었으며, 한일 합방(韓日合邦) 당시 일진회(一進會)의 회장으로 있으면서 합방을 주창(主唱)하였음. [1868-1912]

이:용 녹지【利用綠地】[명] 도시의 시민이 직접 이용하는 녹지대(綠地帶). 공원(公園)이 주체가 됨. ↔존재(存在) 녹지.

이:용-도【利用度】[명] 이용하는 도수(度數). 이용되는 빈도수(頻度數). ¶~를 높이다.

이:용-률【利用率】[一뉼][명] ①이용하는 율. 또, 이용되는 율. ②[utilization factor]『전』 배전(配電)할 때, 계통 또는 그 일부의 최대 수요량을 정격 용량(定格容量)으로 나눈 값.

이:용-물【利用物】[명] ①이용할 수 있는 물건. ②남에게 이용당하는 물건이나 사람.

이:용-법【利用法】[一뻡][명] 사물을 적절하게 잘 이용하는 방법.

이:용-사【理容師】[명] 이발사.

이:용-성【利用性】[一썽][명] 이용되는 성질. 이용할 수 있는 성질.

이:용-소【理容所】[명] 이발소.

이:-용악【李庸岳】[명]『사람』 시인. 함북 경성(鏡城) 출생. 일본 조치(上智) 대학 신문학과 졸업. 《벌레 소리》로 1935년에 데뷔, 시집 《분수령(分水嶺)》·《낡은 집》·《오랑캐꽃》·《이용악 시집》 등이 있음. 유랑민적인 정서를 풍기는 서민적인 시를 특징으로 함. 해방 후 고향 경성으로 돌아간 후의 행적은 알 수 없음. [1914-?]

이:용-업【理容業】[명] 이발업.

이:-용(:)우【李用雨】[명]『사람』 화가. 호는 춘전(春田)·묵로(墨鷺). 산수·화조·인물·묵란(墨蘭) 등을 잘 그렸음. 작품에 《산수도(山水圖)》·《추경(秋景) 산수도》·《석란도(石蘭圖)》 등이 있음. [1904-52]

이:용-원【理容院】[명] 이발소.

이:-용익【李容翊】[명]『사람』 조선 말의 친로파(親露派)의 거두(巨頭). 함경 북도 북청(北靑) 출신. 임오 군란(壬午軍亂) 때, 특출한 속보(速步)로 고종(高宗)과 민비(閔妃)의 연락을 취하여 왕의 신임을 얻어, 궁중의 내장원경(內藏院卿)으로 재정권(財政權)을 잡았음. 1904년, 고려 대학교의 전신 보성 학원(普成學院)을 설립함. 육군 부장(陸軍副將)이 되어, 일본 세력의 축출을 위해 프랑스·러시아 세력과의 제휴를 꾀하라는 고종의 밀명(密命)을 받고 프랑스로 가려다 풍랑(風浪)으로 좌절됨. 그 후 러시아에 망명, 암살되었다고 함. [1854-1907]

이:용 조합【利用組合】[명]『경』 산업 조합의 한 가지. 조합원으로 하여금 산업 상·경제 상 필요한 설비(設備)를 공동으로 이용하게 함을 목적으로 하는 조합.

이:용-품【利用品】[명] 이용하는 물품.

이:용 후:생【利用厚生】[명] 세상의 편리(便利)와 살림의 이익(利益)을 꾀하는 일. 곧, 백성이 사용하는 기구(器具) 등을 편리(便利)하게 하고 의식(衣食)을 풍부하게 하며 생계(生計)에 부족(不足)함이 없도록 함. ——-하다 [자][여불]

이:우¹【二羽】[명]『역』 조선 시대 때 우림위 이번(羽林衛二番)의 준말. 금군 칠번(禁軍七番)의 하나인데, 금군의 일곱 부대(部隊) 가운데 우림위에는 이 번(二番), 곧 두 부대가 딸려 있었음.

이:-우²【李俁】[명]『사람』 조선 시대 중기의 서화가. 자는 석경(碩卿), 호는 관란정(觀瀾亭). 선조(宣祖)의 손자. 현종(顯宗) 때 여러 왕자들과 함께 칠조(七朝)의 어필(御筆)을 모사(模寫)하여 간행함. 글씨에 능하여 전서(篆書)·주서(籒書)·초서(草書)·예서(隷書)에 모두 뛰어났으며, 많은 비액(碑額)을 남김. [1637-93]

이:-우³【李瑀】[명]『사람』 조선 시대 전기(前期)의 서화가(書畫家). 자는 계헌(季獻), 호는 옥산(玉山). 덕수(德水) 사람. 이율곡(李栗谷)의 아우이며 여류 화가 신사임당(申師任堂)의 넷째 아들임. 벼슬은 괴산(槐山)·고부(古阜) 군수(郡守)를 지냈으며 군자감정(軍資監正)에 이름. 거문고·시(詩)·서(書)·화(畫)에 능하여 사절(四絕)이라 불렸음. 특히, 글씨에 뛰어나 깨알에 거북 구(龜) 자를 쓰고, 콩알 양편에 오언 절구(五言絕句)를 썼으나 필법에 어긋남이 없었다고 함. 시호는 문헌(文憲). [1542-1609]

이우⁴【犁牛·犂牛】[명] 얼룩소.

이우⁵【移寓】[명] 딴 곳으로 옮겨 우거(寓居)함. ——-하다 [자][여불]

이:우⁶【貽憂】[명] 남에게 근심·걱정을 끼침. ——-하다 [자][여불]

이우다 [타] 머리 위에 이게 하다.

이우시듬다 [자] 〈옛〉 초췌(憔悴)하여지다. 파리해지다. ¶이우시드러사 圈辟苦를 비르서 시름ᄒᆞᄂᆞ니(憔悴始憂圈辟苦)《南明 上 62》.

이:-우식【李祐植】[명]『사람』 지사(志士). 호는 남저(南樗). 일제 강점기에 무역상 등을 경영하면서 독립 자금을 임시 정부에 보내어 원조함. 시대 일보(時代日報)·중외(中外) 일보 사장을 역임하였으며, 조선어 학회에 거액을 기부, 사전 편찬을 도움. 조선어 학회 사건으로 1년을 복역함. [1891-1966]

이:-우(:)신【李友信】[명]『사람』 조선 순조(純祖) 때의 유학자. 자는 익지(益之), 호는 수산(睡山). 덕산(德山) 사람. 경연관(經筵官)을 지냈음. 저술과 행동에 구투(舊套)를 벗어나서 자유로운 경지를 보였음. 저서에 《수산집(睡山集)》 등이 있음. [?-1822]

이:우:아 [감] 십팔기(十八技)의 왜검(倭劍)을 연습할 때에 돌진하는 자세를 취하면서 냅다 지르는 소리.

이우지-자【犁牛之子】[명] 얼룩소의 새끼.

이:운¹【利運】[명] 좋은 운수. 행운.

이운²【移運】[명] ①자리를 옮김. ②부처를 옮겨 모심. ——-하다 [타][여불]

이욷 [명] 〈옛〉 이웃. ¶이욷 ᄆᆞ을도 제여곰 흐터가도다(鄰里各分散)《重杜諺 Ⅱ : 65》.

이울다 [자] [중세 : 이울다] ①꽃이나 잎이 시들다. ¶그새 감자는 꽃도 이울고 잎마저 누렁누렁해 왔다《吳永壽 : 메아리》. ②점차로 쇠약하여지다. ¶가운(家運)이 ~.

이울-이울 [부] 〈방〉 이글이글.

이웃 [명] ①나란히 이어서 경계가 서로 접하여 있음. ¶~ 나라/~ 동네. ②아주 가까이 있는 곳. ¶~하여 있다. ③서로 접하여 사는 집 또는 사람. ——-하다 [자][여불]

이웃 나라 [명] 이웃에 있는 나라. 자국(自國)에 인접(隣接)한 나라. 인국(隣國). ¶~ 일본.

이웃 불안【一不安】[명] 이웃집으로 말미암아 받는 불안(不安). ——-하다 [형][여불]

이웃 사:촌【一四寸】[명] 이웃에 사는 사람을 먼 친척보다 서로 같이 살아 나가는 데 가깝다는 점에서 일컫는 말.

이웃-집 [명] 이웃하여 사는 집. 인가(隣家).

[이웃집 나그네도 손 볼 날이 있다] 아무리 가까운 사이일지라도 손님으로서 깍듯이 대접해야 할 때가 따로 있다는 말. [이웃집 며느리 흉도 많다] 늘 가까이 있고 잘 아는 사이일수록 상대편의 결점이 많이 눈에 띈다는 말. [이웃집 새 처녀도 내 정지에 들여 세워 보아야 안다] 사람 고르기란 어렵다는 뜻. [이웃집 색시 믿고 장가 못 든다] 남은 생각지도 않는데 공연한 데 턱을 믿고 있다가 낭패를 보게 됨을 이르는 말. [이웃집 장단에 덩달아 춤춘다] 남의 것을 이용하여 자기의 이익을 도모하다.

이웆 [명] 〈옛〉 이웃. =이욷. ¶내의 이우지 아니로다(非我鄰)《初杜諺 Ⅶ : 13》.

이워 [Iwo] [명]『지』 아프리카 나이지리아 서남부, 이바단(Ibadan)의 동북 약 40km에 있는 도시. 도로 교통의 요지로, 인디고·면화·카카오·야자유 등을 산출함. [255,000명(1989 추계)]

이워ᄒᆞ다 타 〈옛〉 희미하여하다. 몰라하다. 미란(迷亂)하게 여기다. ¶雄壯ᄒᆞᆫ 양ᄌᆞ로 갈바를 이워ᄒᆞ노소니(雄姿迷所向)《初杜諺 XVII:9》. *입다[4].

이원[1] 명 〈방〉 이웃.

이:원[2]【二元】명 ①두 개의 요소. ②〖철〗 사물(事物)이 두 개의 다른 근본 원리(根本原理)로 이루어져 있다고 생각하는 경우의 그 두 개의 원리. ③〖수〗 방정식의 미지수가 둘 있음. ¶~ 이차 방정식. ④두 곳의 방송 장소를 동시에 사용하는 일. ¶~ 방송.

이:원[3]【二院】명 〖정〗 양원(兩院).

이원[4]【尼院】명 승방(僧房).

이:원[5]【吏員】명 〖역〗 관아의 아전(衙前).

이:-원[6]【李原】명 〖사람〗 조선 시대 초기의 문신. 자는 차산(次山), 호는 용헌(容軒). 고성(固城) 사람. 암(嵒)의 손자. 15세에 진사(進士), 18세에 문과(文科)에 올라 여러 벼슬을 거쳐, 태종(太宗) 17년(1417) 우의정이 되었고 청백리(淸白吏)에 녹선(錄選)됨. [1368-1430]

이:원[7]【利原】명 〖지〗 함경 남도 이원군의 군청 소재지로 읍(邑). 농산물·수산물의 집산지임. 부근은 철광(鐵鑛) 산지로 유명하며, 명승 고적으로는 쌍암(雙岩), 마운령(摩雲嶺)의 진흥왕 순수비(眞興王巡狩碑) 등이 있음.

이:원[8]【利源】명 이익(利益)이 생기는 근원(根源).

이원[9]【梨園】명 ①배나무를 심어 가꾸는 정원. ②당(唐)의 현종(玄宗)이 스스로 배우(俳優)의 기술을 가르치던 곳. 전(轉)하여, 배우의 사회·극단(劇壇)·연예계(演藝界)의 뜻으로 씀.

이:원-교【二元教】명 〖종〗 창세(創世) 당초부터 선악 이원(善惡二元)의 신령(神靈)이 서로 대립한다고 하는 종교. 보통, 다른 종교에서 선신(善神)을 본위로 하고 악신(惡神)을 종속적 위치에 두는 데에 반하여 양자를 대등한 힘으로 보는 데에 그 특징이 있음. 조로아스터교·마니교 등. 이원론(二元論).

이:원-군【利原郡】명 〖지〗 함경 남도의 한 군. 관내 1읍 2면이며, 북·동은 단천군(端川郡), 남은 바다, 서는 북청군(北靑郡)에 인접함. 주요 농산물은 콩·밀·쌀·삼·소 등이며, 세계적 어장(漁場)인 동해에서 명태·대구·청어·연어 등이 남. 명승 고적으로는 쌍암 해안(雙岩海岸)·곡구역(谷口驛)·한당사(閑堂寺)·반룡사(盤龍寺)·호호정(浩浩亭) 등이 있음. 군청 소재지는 이원. [446.17 km^2]

이:원-권【以遠權】[—꿘] 명 두 나라의 항공 협정에 따라, 기본적으로 인정된 취항(就航) 구간(區間)에 추가하여, 다른 국가로 연장 운항할 수 있는 권리.

이:원-론【二元論】[—논] 명 [dualism, 도 Dualismus] ①〖철〗 넓은 뜻으로 대상(對象) 고찰에 있어서 서로 대립(對立)하는 두 개의 원리(原理)로부터 실재(實在)의 개개의 부분 또는 전체를 설명하려는 입장. 또, 그 사고 방식. 이를테면, 주관(主觀)과 객관, 의식과 존재, 오성(悟性)과 감성(感性), 천지(天地), 음양(陰陽) 등. ②〖철〗 우주(宇宙)의 근본 원리를 정신과 물질의 이원(二元)으로 믿는 설. 17세기에 데카르트가 정신은 의식(意識)을 속성(屬性)으로 하고, 물질은 연장(延長)을 속성으로 한다고 규정하여 근세 철학(近世哲學)의 이원론이 성립되었음. *일원론(一元論)·다원론(多元論)·단원론(單元論)·유심론(唯心論)·유물론(唯物論). ③〖종〗 이원교(二元教). ④〖악〗 화성악(和聲樂)에서 두 개의 기본적 화음(和音)인 장삼화음(長三和音)과 단(短)삼화음을 전혀 역(逆)의 방향부터 구성된 것으로 보고 화음의 기능을 이 두 면(面)으로부터 고찰하는 일.

이:원 방:송【二元放送】명 두 개의 장소(場所)를 동시(同時)에 연결해서 행하는 방송.

이:원 방정식【二元方程式】명 〖수〗 두 개의 미지수(未知數)를 가지는 방정식.

이:-원수【李元壽】명 〖사람〗 아동 문학가. 경남 양산(梁山) 출생. 마산(馬山) 상업 학교 졸업. 1926년 열 다섯 살 때 잡지 '어린이'에 동시(童詩) 《고향의 봄》이 당선된 후 평생을 아동 문학에 바쳐, 동화집(童話集) 《숲 속의 나라》, 동시집(童詩集) 《빨간 열매》·《종달새》 등 작품을 남김. [1911-81]

이:-원순【李元淳】명 〖사람〗 독립 운동가, 경제인. 호는 해사(海史). 서울 출신. 보성 전문 학교 법과 수료. 1914년 하와이로 가서 한족(韓族) 연합회 위원장, 임시 정부 워싱턴 주재 구미 위원부 위원을 지내는 등 독립 운동에 힘씀. 1953년 귀국하여 대한 올림픽 위원회 부위원장으로 있으면서, '대한 증권' 설립, 한국 경제인 협회 창립(61년), 한미 협회 창립(63년) 등으로 경제 재건에 힘씀. 저서에 《인간 이승만》이 있음. [1890-1993]

이:원식 배:당【利源式配當】명 〖경〗 생명 보험(生命保險)에서 이익금을 사차익(死差益)·이차익(利差益)·비차익(費差益) 등의 원인별로 분석하여 각 계약에 할당하는 계약자(契約者) 배당의 한 방식. 이 방법은 비교적 공평(公平)하나 계산에 공이 많이 드는 단점이 있음. ↔누가 배당(累加配當). *이차손(利差損)·이차익(利差益)·비차익(費差益)·사차익(死差益).

이:원 연립 방정식【二元聯立方程式】[—녈—] 명 〖수〗 보통 x와 y로 표시되는 미지수를 두 개 포함한 연립 방정식. 미지수의 최고 차수(最高次數)에 의해서 1차·2차·3차 등의 순차로 부름.

이:-원익【李元翼】명 〖사람〗 조선 선조(宣祖) 및 인조(仁祖) 때의 명신(名臣). 자는 공려(公勵), 호는 오리(梧里). 전주(全州) 사람. 임진왜란 때 호성 공신(扈聖功臣)으로 완평 부원군(完平府院君)의 봉군(封君)을 받음. 광해군(光海君) 때 폐모론(廢母論)에 반대, 일시 유배되기도 함. 인조 반정(反正) 후 인목 대비(仁穆大妃)가 광해군을 죽이고자 하였으나, 이를 간(諫)하여 무사하게 하였으며 대동법(大同法)을 시행하여 공부(貢賦)를 단일화함. 누차 영의정을 지냈으되 청렴하여 청백리(淸白吏)에 녹선(錄選)되었고 문장에도 뛰어났음. 성품이 원만하여 정적(政敵)들로부터도 호감을 받았으며, 서민적인 인품으로 '오리 정승'으로 애칭되었음. 시호는 문충(文忠). [1547-1634]

이:원자 분자【二原子分子】명 원자 두 개로 이루어진 분자. N_2, O_2, HCl, CO 따위.

이:원적 집정부제【二元的執政府制】명 [double executive] 〖정〗 의원 내각제(議院內閣制)의 요소와 대통령제의 요소를 결합한 정치 제도. 전시(戰時)·사변과 같은 국가 위기 때에는 대통령이 행정권(行政權)을 장악하고, 평상시에는 내각 수반(內閣首班)이 행정권을 행사함. 핀란드·오스트리아 및 바이마르 헌법(憲法) 하의 독일 등에서 발달하였으며, 프랑스 제5 공화국도 이 유형에 속함.

이:원 전:해질【二元電解質】명 〖화〗 두 개의 이온으로 된 전해질(電解質). 곧, $NaCl \cdot HNO_3$ 등.

이:원-제【二院制】명 〖정〗 ↗이원 제도.

이:원 제:도【二院制度】명 〖정〗 양원 제도(兩院制度). ㊂이원제(二院制). ↔일원 제도.

이:-원조【李源朝】명 〖사람〗 평론가. 경상 북도 안동(安東) 출생. 호는 여천(黎泉). 일본 호세이(法政) 대학 불문과 졸업 후, 조선 일보 기자를 역임. 30년대 초 경향파(傾向派)에 가담하여 계급주의 입장에서 문학 논평을 함. 주요 평론으로 《자살론(自殺論)》《문예 비평가 군상》 등이 있음. 1947년에 월북하여 간첩 혐의로 복역 중 옥사함. [1909-55]

이:-원철【李源喆】명 〖사람〗 천문학자. 연희 전문 학교 졸업. 미국 미시간 대학에서 이학 박사(理學博士) 학위 취득, 1927년 귀국하여 연희 전문 교수를 거쳐 해방 후 국립 중앙 관상대장·한국 천문학회장을 역임, 우리 나라 천문학계 육성에 힘썼으며, 새로운 별을 발견하여 '원철 스타(star)'로 명명(命名)하였음. [1896-1962]

이:원 철산【利原鐵山】[—싼] 명 〖지〗 함경 남도 이원군에 있는 철산. 함경선(咸鏡線) 나흥역(羅興驛)에서 철산에 이르는 이원 철산선이 있음. 함철 품위(含鐵品位) 40-60%에 이르는 양질(良質)의 적철 광산(赤鐵鑛山)임. 1929년에 개발되어 함경 북도 무산(茂山) 철산 개발 전까지는 한국 제1의 철산이었음.

이:원 철산선【利原鐵山線】[—싼—] 명 〖지〗 함경선(咸鏡線) 나흥역(羅興驛)에서 이원 철산(利原鐵山)에 이르는 철도선. 1929년에 이원 철산의 철광석 수송을 목적으로 부설되었음. [3 km]

이:원 추진제【二元推進劑】명 [bipropellant] 로켓 발사 연료의 일종. 두 종류의 미혼합(未混合) 또는 미결합 약품을 로켓 연소실에 따로따로 공급함.

이:-원풍【李元豐】명 〖사람〗 조선 정조(正祖) 때의 의학자(醫學者). 자는 대유(大有), 호는 요산 주인(樂山主人). 한학(漢學) 역과(譯科)로 급제하였고 소아과(小兒科)에 정통하였음. 저서에 《마진 휘성(痲疹彙成)》이 있음. [1759-?]

이:-원호【李元昊】명 〖사람〗 중국 서하(西夏)의 초대 황제. 묘호(廟號)는 경종(景宗). 태종(太宗) 이덕명(李德明)의 장자(長子). 1032년 서평왕(西平王)의 자리를 계승(繼承)하고, 1038년 황제를 칭하여 국호(國號)를 대하(大夏)라 함. 송(宋)·요(遼) 두 나라에 대항하였으며, 서하 문자(西夏文字)의 제정, 관제(官制)·군비(軍備)의 정비(整備) 등에 힘씀. [1003-48; 재위 1038-48]

이:원-화【二元化】명 기구·조직·문제 따위를 둘로 함. 또, 둘이 됨. ¶보고 계통이 ~되어 있다. ——**하다** 자타 여불

이:원 화합물【二元化合物】명 두 종류의 원소로 이루어진 화합물. 이산화 탄소·황화 수소(黃化水素)·물 따위.

이:월[1]【二月】명 일 년 가운데 둘째의 달. 양력은 보통 28일이나 윤년에는 29일임.
[이월 바람에 검은 쇠뿔이 오그라진다] 이월달에는 바람이 세다는 말.
[이월에 김칫독 터진다] 이월에도 추위가 맵다는 말.

이월[2]【移越】명 ①옮기어 넘김. ②〖경〗 부기(簿記)에서, 계산의 결과를 다음 페이지로 넘겨 보내는 일. ③〖경〗 회계(會計)에서, 한 회계 연도의 회계 계정(會計計定)을 차기의 회계 연도에 옮겨 넣는 일. ¶잔액을 내년도 회계에 ~하다. ——**하다** 자타 여불

이월 결손금【移越缺損金】[—쏜—] 명 [deficit carried forward] 〖경〗 전사업 연도(前事業年度)에 처리(處理)되지 않은 채 이월된 결손금. 이는 차기(次期) 이후의 이익금(利益金)에 의하여 전보(塡補)되든지 또는 감자(減資)의 절차에 의하여 소멸됨. *이월 이익금.

이월-금【移越金】명 〖경〗 한 회계 연도의 이익금을 차기(次期)에 이월할 경우의 그 이익금 또는 잔액(殘額). 이월 이익 잉여금과 이월 결손금(移越缺損金)의 두 가지가 있음.

이월 명허비【移越明許費】명 〖경〗 명시(明示) 이월비.

이월-액【移越額】명 〖경〗 이월금의 액수(額數).

이월 이:익금【移越利益金】명 〖경〗 전사업 연도(前事業年度)에 처분되지 않은 채 이월된 이익금. 이 이월 이익금은 사업 연도 종료 후(終了後) 2개월 이내에 열리는 주주 총회(株主總會)에서 처분이 결정됨. *이월 결손금.

이:월-할머니【二月—】명 〖민〗 2월 초하루에 세상에 내려왔다가 20일 만에 하늘로 올라간다는 영등(靈登) 할머니의 딴이름.

이:월 혁명【二月革命】명 〖역〗 ①1848년 2월 프랑스에서 일어난 혁명. 당시의 왕 루이 필리프가 실정(失政)을 거듭하매 공화당(共和黨)·사회당 등이 일어나 선거법 개정을 부르짖자 왕은 망명하고 공화당이 곧 집권하여 공화 정치(共和政治)를 선언함. 이를 계기로 하여 온 유럽에 자유주의(自由主義) 혁명 운동이 널리 파급됨. ②1917년 3월, 러시아에서 일어난 혁명. 러시아력(曆)으로는 2월이어서 이 이름이 있음. 삼월 혁명(三月革命).

이위[1]【蛜蝛】명 〖동〗 쥐며느리.

이위[2]【離闈】명 부모가 계신 곳을 떠나감. ——-하다 자여불

이:-위국【李緯國】명 조선 인조(仁祖) 때의 문신(文臣). 자(字)는 태언(台彦), 호는 운포(雲浦). 경윤(慶胤)의 아들. 인조 반정(仁祖反正) 후, 상원(祥原) 군수·이천 부사(伊川府使) 등 여러 지방 관직을 역임, 청렴 강직한 명관(名官)으로 알려짐. 초서(草書)·예서(隷書)에 일가(一家)를 이룸. [1597-?]

이:-위종【李瑋鐘】명 〖사람〗 조선 고종(高宗) 때의 외교관·열사(烈士). 전주(全州) 사람. 러시아 페테르스부르크 주재 공사관에 참사관(參事官)으로 있었으며, 광무(光武) 11년(1907) 고종 황제의 밀령을 받고 이준(李儁)·이상설(李相卨) 등과 같이 만국 평화 회의에 참석하러 헤이그에 갔으나 거부당하였으며, 그 후 일본의 야만적 침략을 공박, 항일 투쟁을 계속하였음. 생몰년 미상.

이:-유[1]【李溁】명 〖사람〗 조선 숙종(肅宗) 때의 문인. 호는 소병루(小兵樓). 전주 사람. 현감(縣監)을 지냄. 단종(端宗)의 ≪자규사(子規詞)≫ 생각을 하며 자신도 시조 ≪자규 삼첩(子規三疊)≫ 3수를 지음. ≪해동 가요(海東歌謠)≫에 전함. 생몰년 미상.

이:-유[2]【李濡】명 〖사람〗 조선 숙종(肅宗) 때의 영상(領相). 자는 자우(子雨), 호는 녹천(鹿川). 전주(全州) 사람. 한림(翰林)에 들어가 당론 타파를 주장, 숙종 35년(1709) 북한산성을 신축할 것을 주장하여 이를 경리(經理)함. 병조·이조 판서, 좌·우의정을 거쳐 숙종 38년(1712)에 영의정이 됨. 뒤에 기로소(耆老所)에 들어감. 시호는 혜정(惠定). [1645-1721]

이유[3]【怡愉】명 즐거워하고 기뻐함. 이열(怡悅). ——-하다 자여불

이:유[4]【理由】명 ①까닭. 사유(事由). ¶ ~ 없는 반항. ②〖논〗 넓은 뜻으로, 사물(事物)의 존재의 기초 또는 어떤 사상(思想)이 진리(眞理)라고 할 수 있는 조건. 좁은 뜻으로는, 추리 상(推理上) 결론(結論) 또는 귀결(歸結)의 전제(前提)가 되는 것. 근거(根據). 인식 근거(認識根據). ↔귀결(歸結).

이유[5]【離乳】명 젖먹이에게 젖 이외의 음식물을 주어 점차로 젖을 뗌. 젖 떨어짐. 젖떼기. ——-하다 자여불

이: 유:[6]【EU】명 〔European Union〕 〖정〗 마스트리히트 조약(Maastricht 條約)의 발효(發効)에 의해 더욱 발전된 유럽 공동체. 곧 EC의 1994년부터의 통칭. 유럽 연합(聯合).

이유[7]【咿呦】부 ①사슴 우는 소리. ②이야기하는 소리.

이유-기【離乳期】명 〖의〗 유아기(乳兒期)와 유아기(幼兒期)와의 사이로, 젖을 떼는 시기. 보통, 생후(生後) 6-7개월에 시작되는데, 젖만으로는 영양(營養)이 부족하여 젖 이외의 음식을 갈망하게 되는 시기임. *이유식(離乳食).

이:-유민【李裕民】명 〖사람〗 조선 시대 중기의 문신. 청해(青海) 사람. 숙종(肅宗) 때 문과(文科)에 급제, 홍주(洪州)·충주(忠州)·의주(義州)의 목사(牧使)와 수원 부사(水原府使)를 역임하면서 고을을 잘 다스려 표리(表裏)를 하사받음. 뒤에 병조 판서로 기로소(耆老所)에 들어갔으며, 공조 판서로 이인좌(李麟佐)의 난을 평정하고 도총관(都摠管)·지중추부사(知中樞府事)를 지냄. 시호는 정민(貞敏). [1658-1729]

이:유-부【理由符】명 〖수〗 어떤 문제나 사실을 베풀어 보인 뒤에 그 까닭이 왜 그런가 함을 보이려 할 때 그 까닭이 되는 식(式)의 앞에 쓰는 부호. '∵'표의 이름. 까닭표. 거꿀 삼발점.

이유-식【離乳食】명 이유기(離乳期)에 유아에게 먹이는 젖 이외의 음식. 특히, 반고형(半固形)의 음식을 가리킴.

이:-유원【李裕元】명 〖사람〗 조선 시대 말의 정치가. 자는 경춘(景春), 호는 귤산(橘山). 경주 사람. 안동(安東) 김씨의 세도를 배경으로 우의정에 이르렀으나 대원군(大院君)과 반목함. 고종(高宗) 10년(1873) 대원군이 은퇴하자, 영의정이 되어 민씨(閔氏)를 도와 세력을 떨쳤음. 고종 19년(1882) 전권 대신으로서 일본과 제물포 조약(濟物浦條約)에 조인함. 시호는 충문(忠文). [1814-88]

이:유-율【理由律】명 충족 이유율(充足理由律).

이:-유태【李惟泰】명 〖사람〗 조선 효종(孝宗) 때의 문신. 자는 태지(泰之), 호는 초려(草廬). 경주 사람. 효종 즉위 후 송시열(宋時烈) 등과 같이 북벌(北伐) 계획에 참여함. 숙종(肅宗) 원년 대사헌 때 복제(服制) 문제로 2차 예송(禮訟)이 일어나자 남인(南人)의 배척을 받아 영변으로 귀양감. 시호는 문경(文敬). [1607-84]

이:유화 탄:소【二硫化炭素】명 〖화〗 '이황화(二黃化) 탄소'의 구칭.

이:-육사【李陸史】명 〖사람〗 시인. 본명은 원록(源祿). 육사는 호. 경북 안동 출생. ≪청포도≫·≪교목(喬木)≫ 등의 시편을 통하여 상징적이면서도 호사한 시풍을 이루었음. 일경(日警)에 피체(被逮), 북평(北平) 감옥에서 옥사하였음. 유고집(遺稿集) ≪육사 시집(陸史詩集)≫이 있음. [1905-44]

이-윤[1]【伊尹】명 〖사람〗 중국 고대 전설 상의 인물. 상(商)나라의 명상(名相). 이름은 지(摯). 탕왕(湯王)을 보좌하여 하(夏)의 걸왕(桀王)을 멸망시키고 선정(善政)을 베풀었음. 탕왕이 존중하여 아형(阿衡)이라 불렀음. 탕왕이 죽은 뒤 그 손자 태갑(太甲)이 무도하여, 동궁(桐宮)에 내치었다가, 3년 후에 태갑이 뉘우치자 다시 박(亳)으로 돌아오게 함.

이:윤[2]【利潤】명 ①장사하여 남은 돈. 이익(利益). ②〔profit〕 〖경〗 한 기업(企業)의 총수익으로부터 일체의 생산비, 곧 지대(地代)·임금·감가상각비 및 이자 등을 공제한 잉여로서의 소득.

이:-윤(:)경【李潤慶】명 〖사람〗 조선 명종(明宗) 때의 문신. 자는 중길(重吉), 호는 숭덕재(崇德齋). 광주(廣州) 사람. 명종 원년(1545) 대사간이 되어 대윤(大尹) 제거에 가담하여 위사 공신(衛社功臣)이 됨. 그러나 그의 아들 중열(中悅)이 대윤에 연루되어 사사(賜死)되자 삭훈(削勳)되었다가 뒤에 재등용되어 도승지·병조 판서를 지냄. 시호는 충정(忠貞). [1498-1562]

이:윤구-전【李允九傳】명 〖책〗 작자·연대 미상(未詳)의 조선 시대의 소설. 이윤구가 자기 모친의 묘 바로 위에 있는 판서(判書)의 묘를 파헤친 죄로 귀양을 가는 등 고생을 겪다가, 뒤에 왜적(倭賊)의 침입에 위태로와진 고려 왕조를 구하여 그 공로(功勞)로 영화(榮華)를 누리게 되었다는 내용.

이:윤 도:입 방식【利潤導入方式】명 〖경〗 1965년 소련 공산당 중앙위원회가 채용·결정한 이윤과 이윤율 중시의 새로운 사회주의 경제 운영 방식. 판매 가격과 원가의 차(差)인 순소득, 곧 이윤 증대를 중시하여, 생산의 질(質)을 향상시켜 소비자의 요구에 응하도록 강조하는 방식. 리베르만 방식(Liebermann 方式).

이:-윤(:)보【李允甫】명 〖사람〗 고려 의종(毅宗) 때의 문장가(文章家). 시(詩)를 잘하여 이규보(李奎報)와 함께 유명하였으며 그의 시부(詩賦)와 잡기(雜記) 50여 편을 모아 이규보가 발문(跋文)을 쓴 문집(文集)이 있음. 생몰년 미상.

이:윤 분배제【利潤分配制】명 〔profit sharing plan〕 〖경〗 영업 수입(營業收入)에서 기본 임금(賃金) 기타 각종 경비 및 기본이윤을 공제한 잉여금 중에서 일정 비율의 금액을 종업원에게 분배하는 새로운 임금 제도.

이:윤 분배 카르텔【利潤分配—】〔도 Kartell〕 명 〖경〗 가맹 기업(加盟企業)이 수득(收得)한 이윤을 카르텔의 공동 금고(金庫)에 납입하여 일정한 기일에 일정한 율에 따라 가맹 기업에 분배하는 카르텔. 보통 교통업이나 보험업 등에서 성립됨. 이윤 할당 카르텔.

이:-윤(:)영【李允榮】명 〖사람〗 정치가. 평북 영변(寧邊) 출생. 감리교 목사로 3·1 독립 만세 운동과 관련, 복역하고 해방 후 조선 민주당(朝鮮民主黨)을 창당하여 부당수가 되었으며 제헌(制憲) 국회 의원·사회부 장관(社會部長官)을 거쳐, 1952년에 국무 총리 서리(署理)에 임명되었음. [1890-1975]

이:-윤(:)우【李潤雨】명 〖사람〗 조선 선조(宣祖) 때의 문신(文臣). 자는 무백(茂伯), 호는 석담(石潭). 성주(星州) 사람. 선조 39년(1606)에 식년 문과(式年文科)에 병과(丙科)로 급제, 전적(典籍)을 거쳐, 인조(仁祖) 시대까지 사관(史官)·수찬(修撰)·교리(校理)·사간(司諫)·사성(司成) 등을 거쳐 이조 참의(吏曹參議) 등을 역임함. 저서에 ≪석담집(石潭集)≫이 있음. [1569-1634]

이:윤-율【利潤率】 [—뉼] 명 〔rate of profit〕 〖경〗 총자본(總資本)에 대한 이윤(利潤)의 비율.

이:윤율의 경향적 저:하의 법칙【利潤率—傾向的低下—法則】 [—뉼—/—뉼에—에—] 명 〔law of the tendential fail in the rate of profit〕 〖경〗 이윤 추구를 위한 자본 축적이 증대할수록, 이윤율은 저하하는 경향이 있다는 법칙. 자본주의 경제의 모순을 표현하는 것으로 마르크스가 정식화(定式化)했음. 그러나 자본의 유기적 구성의 고도화, 국제 무역이나 자본 수출 등으로 이 법칙에 허점이 있음이 드러났음.

이:윤 인플레이션【利潤—】〔inflation〕 명 〖경〗 물가고(物價高)로 인하여 기업의 이윤이 현저하게 증대되는 인플레이션.

이:-윤(:)재【李允宰】명 〖사람〗 국어학자. 호는 환산(桓山)·한뫼. 경남 김해(金海) 출생. 영변(寧邊)의 숭덕(崇德) 학교 재직중 3·1 운동에 참가, 3년간 복역 후, 1921년 베이징 대학 사학과를 졸업함. 1927년 조선어학회 사전 편찬 위원, 1933년 진단 학회(震檀學會) 설립, 1942년 조선어학회 사건으로 함흥 형무소에 수감되어 옥사함. 저서에 ≪표준 조선어 사전≫이 있음. [1888-1943]

이:윤 증권【利潤證券】 [—꿘] 명 〖경〗 국채(國債)·지방채(地方債)·사채(社債) 등에 대하여 배당이 일정하지 않고 기업체(企業體)의 이윤의 다과(多寡)에 따라 결정되는 주식(株式) 증권.

이:윤 할당 카르텔【利潤割當—】〔도 Kartell〕 [—땅—] 명 〖경〗 이윤 분배 카르텔.

이:율【利率】명 이식(利息)의 원금(元金)에 대한 비율. 기한(期限)에 따라 연리(年利)·월리(月利)·일변(日邊) 등으로 나뉨. 이자율(利子率).

이:-율곡【李栗谷】명 〖사람〗 이이(李珥)를 호(號)로써 일컫는 이름.

이:율 배:반【二律背反】명 〔도 Antinomie〕 〖논〗 서로 모순(矛盾)되는 두 개의 명제(命題). 곧, 정립(定立)과 반정립(反定立)이 동등(同等)한 권리로서 주장됨.

이융-성【易融性】 [—썽] 명 낮은 열에도 쉽게 녹는 성질.

이:융 합금【易融合金】명 가융 합금(可融合金).

이윽고 부 〔중세 : 이슥고〕 한참만에. 얼마 있다가. ¶ ~ 한다는 말이.

이윽께-에야 부 한참 있다가 얼마만에야. ¶ ~ 손이 이르되.

이윽-하다 ①지난 시간이 꽤 오래다. ② ☞이슥하다. 이윽-히 부. ¶ 문지기는 ~ 그 여자 거지를 치훑고 나리훑어 보다가 ≪玄鎭健 : 無影塔≫.

이:은[1]【二恩】명 ①부모의 은혜(恩惠). ②스승과 어버이의 은혜. *사은(四恩).

이:은[2]【吏隱】명 부득이 벼슬은 하고 있으나, 본 마음은 은거(隱居)하고자 하는 일. 또, 낮은 벼슬아치가 되어 남에게 알리어지지 아니하도록 하는 일.

이은[3]【泥銀】명 은니(銀泥).

이은-말 명 '구(句)'의 풀어 쓴 말.

이:-은상【李殷相】명 〖사람〗 시인. 호는 노산(鷺山). 경상 남도 마산(馬山) 출생. 연희 전문(延禧專門) 문과와 일본 와세다(早稲田) 대학을 나와, 이화 여전(梨花女專) 교수를 지내고, 해방 이후, 호남 신문(湖南新聞) 사장·예술원 회원·국정 자문 위원(國政諮問委員) 등을 역임함. ≪가고파≫·≪성불사≫·≪고향 생각≫·≪봄처녀≫ 등의 시로 알려지고, 저서로는 ≪노산 시조집≫·≪이충무공(忠武公) 일대기≫ 등이 있음. [1903-82]

이:-은찬【李殷瓚】명 〖사람〗 조선 말의 의병장(義兵將). 전주(全州) 사람. 경기도 양평(楊平) 출신으로 을사(乙巳) 조약 후 홍천(洪川)에서 의병을 일으켰으며, 양주(楊州)에서 각지의 의병을 규합 서울에 진격, 동대문 밖에 이르렀으나 패퇴함. 뒤에 밀정의 꾐에 빠져 피체 사형당함.

[1878-1909]

이을지【是隱乙喩】조 〈이두〉 일지.

이음¹ 명 마주 이어서 합하는 일.

이:음²【利音】명〖사람〗신라 10대 왕 내해왕(奈解王)의 아들. 내해왕 12년(207) 이벌찬(伊伐飡)이 되어 내외 병마사(內外兵馬事)를 겸임, 이듬해 왜인의 변경 침입을 격퇴하였음. 동 14년 포상 팔국(浦上八國)이 가라(加羅)에 침입했을 때 육부(六部)를 거느리고 이를 구원하였고, 동 19년 요차성(腰車城)에 침입한 백제군을 물리치고 사현성(沙峴城)을 빼앗음.

이:음³【異音】명 [allophone] 같은 음소(音素)에 포괄되는 몇 개의 구체적인 음이 서로 구별되는 음적 특징(音的特徵)을 지니고 있을 때의 음. 변이음(變異音).

이음 구슬 명〖고고학〗몇 개의 구슬이 한데 이어 붙어 있는 것. 연주옥(連珠玉).

이음-꼴 명 '접속형'의 풀어 쓴 이름.

이음-끝 명〖언〗'연결 어미(連結語尾)'의 풀어 쓴 이름. ↔맺음끝.

이음 낚시 명〖고고학〗낚시의 허리 부분과 바늘을 따로 만들어 서로 이어서 쓰던 낚시. 결합 조침(結合釣針).

이음독 무덤 [—똑—] 명〖고고학〗두세 개의 독을 주둥이를 맞대어 이어 만든 독무덤. 합구식 옹관(合口式甕棺).

이음-매 명 이은 자리. ¶ ~가 풀리다/~가 없는 옷.

이음-새 명 이어진 모양새. ¶ ~가 매끈하다.

이음-씨 명 '접속사(接續詞)'의 풀어 쓴 이름.

이:음-전【理陰煎】명〖한의〗보혈(補血)을 하며 윤(潤)하게 하면서 양(陽)을 돕는 약. 처방(處方)은 숙지황(熟地黃)·당귀(當歸) 각 두 돈쭝, 건강(乾薑)·육계(肉桂)·감초(甘草) 각 한 돈쭝임.

이음-줄 [—쭐] 명 [slur]〖악〗음악의 주법(奏法) 기호의 하나. 높이가 다른 두 음표 또는 그 이상의 일련(一連)의 음표의 위 또는 밑에 긋는 호선(弧線). 보다 부드럽게 레가토(legato)로 주창(奏唱)할 것을 나타냄. 슬러. 연결선(連結線). ＊타이(tie).

〈이음줄〉

이음-차다 자 끊이지 않고 줄줄이 이어지다. ¶ 기쁨의 눈물이 이음차게 흐른다/명예가 이음차니 그 아니 기쁠쏜가.

이음-표【—標】명〖언〗앞의 말·문장을 뒤의 말·문장과 연결시킬 때에 쓰는 문장 부호. 줄표·붙임표·물결표 등이 있음. 연결부(連結符).

이응 명〖언〗한글의 닿소리 글자 'ㅇ'의 이름.

이:-응(:)준【李應俊】명〖사람〗군인. 호는 추정(秋汀). 평남 안주(安州) 출신. 일본 육군 사관 학교를 졸업했으며, 건국 후 초대 육군 참모총장이 되었다가 중장(中將)으로 예편 체신부 장관을 지냈고, 국정 자문 위원도 지냄. 태극 무공 훈장·1등 보국 훈장을 받음. [1891-1985]

이응차 감 〈방〉 이영차.

이:의¹【二儀】[—/—이] 명 양의(兩儀).

이:의²【吏議】[—/—이] 명〖역〗↗이조 참의(吏曹參議).

이:의³【理義】[—/—이] 명 도리(道理)와 정의(正義).

이:의⁴【異意】[—/—이] 명 ①다른 의견(意見). ②모반(謀反)하려는 의향.

이:의⁵【異義】[—/—이] 명 ①다른 뜻. 달리 하는 의의(意義). ②다른 주의(主義) ↔동의(同義).

이:의⁶【異議】[—/—이] 명 ①달리하는 주장. 보통과 다른 의사(意思)나 의론(議論). 이론(異論). ¶ ~를 제기하다. ②〖법〗어떤 행위가 법률 상의 효과(效果)를 가져오는 데에 반대하여 그에 대한 불복 및 항의의 의사를 표시하는 일. 행정법상이나 소송법상의 두 가지 이의가 있음. ——-하다 자타여불

이:의⁷【肄儀】[—/—이] 명 의식 범절을 미리 익힘. ——-하다 자여불

이의 날 [—/—에—] 명〖사〗이와 구강(口腔)의 위생(衛生)을 계발(啓發) 선전(宣傳)하기 위해 정한 날. 대생치(代生齒)가 생기기 시작하는 것이 보통 만(滿) 여섯 살 때부터이며, 그 때 생기는 이가 제1대구치(大臼齒)이므로, 6세를 '6'으로, 구치(臼齒)를 '9'로 보아 1946년부터 해마다 6월 9일로 책정했다가, 1973년에 보건(保健)의 날에 합쳤음.

이:의 물론【已矣勿論】[—/—이—] 명 이미 지나간 일은 다시 논하지 아니함. ＊이왕지사 물구(已往之事勿咎). ——-하다 자여불

이:-의(:)민【李義旼】명〖사람〗고려 명종(明宗) 때의 무신. 경주(慶州) 사람. 출신은 미천하였으나, 정중부(鄭仲夫)의 난에 가담, 공을 세워 정중부의 신임을 받았고, 김보당(金甫當)의 의종(毅宗) 복귀를 위한 반란과 조위총(趙位寵)의 난을 평정하여 상장군(上將軍)이 됨. 경대승(慶大升)이 죽은 후 병마권을 잡아 13년간 독재하다 최충헌(崔忠獻)에게 피살됨. [?-1196]

이:-의(:)방【李義方】명〖사람〗고려의 무신(武臣). 전주 사람. 정중부(鄭仲夫)·이고(李高) 등과 함께 보현원(普賢院)에서 문신(文臣)을 죽이고 정권을 잡았음. 얼마 후 이고를 죽이고 세력을 떨치게 되자 정중부의 아들 정균(鄭筠)에게 암살당하였음. [?-1174]

이:-의(:)배【李義培】명〖사람〗조선 인조(仁祖) 때의 무장. 자는 의백(宜伯). 한산(韓山) 사람. 인조 반정(仁祖反正) 후 각 지방의 수령(守令)을 지내고, 병자 호란(丙子胡亂) 때 공청 절도사(公淸節度使)로서 죽산(竹山)으로 진출하여 적병과 싸우다가 전사하였음. 시호(諡號)는 충장(忠壯). [?-1636]

이:-의(:)봉【李義鳳】명〖사람〗조선 영조(英祖)·정조(正祖) 때의 문신. 초명(初名)은 상봉(商鳳), 자는 백상(伯祥), 호는 나은(懶隱). 부수찬(副修撰)·교리(校理)를 거쳐 정조 12년(1788) 신천 군수(信川郡守)가 됨. 정조 13년 방대(厖大)한 사서(辭書) ≪고금 석림(古今釋林)≫ 40권을 완성함. [1733-1801]

이:의 신청【異議申請】[—/—이—] 명〖법〗①법률상 인정되어 있는 절차에 의하여 이의(異議)를 주장하는 행위. ②민사 소송법상 이의(異議) 가운데 신청의 성질을 가진 것을 말함. ③형사 소송법상 공판 조서(調書)의 기재(記載)·증거 조사·재판장의 처분·집행 등에 대하여 이의를 신청하는 행위. ④행정법상 위법(違法) 또는 부당한 행정 처분에 대하여, 그의 취소 및 변경 등을 행정청에 대하여 소송 절차에 의하지 아니하고 재심사(再審査)를 청구하는 행위. ——-하다 자여불

이:-이¹【李珥】명〖사람〗조선 중종·선조 때의 유현(儒賢)·문신. 자는 숙헌(叔獻), 호는 율곡(栗谷)·석담(石潭)·우재(愚齋). 본관은 덕수(德水). 사임당 신씨(師任堂申氏)는 그의 어머니. 강릉(江陵) 출생. 승지(承旨)·부제학(副提學)·대사헌(大司憲)·대제학(大提學)·호조 판서·이조 판서·병조 판서 등 내외 요직(要職)을 두루 역임함. 퇴계 이황(李滉)과 더불어 주리파(主理派)·주기파(主氣派)의 양대(兩大) 산맥의 주봉(主峰)임. 저서로는 ≪율곡 전서(栗谷全書)≫가 있으며, 특히 ≪성학집요(聖學輯要)≫·≪격몽 요결(擊蒙要訣)≫·≪경연 일기(經筵日記)≫ 등은 일반에게 널리 읽혔음. 이 밖에 ≪사서 율곡 언해(四書栗谷諺解)≫와 ≪고산 구곡가(高山九曲歌)≫가 있음. 특히, 해동 공자(海東孔子)라 칭(稱)하여지고 문묘(文廟)에 배향(配享)되었음. 십만 양병설(養兵說)을 헌책한 일은 유명함. 시호(諡號)는 문성(文成). [1536-84]

이이²【怡怡】명 이연(怡然). ——-하다 형여불

이이³【俚耳】명 속인(俗人)의 귀. 풍류(風流)를 이해하지 못하는 귀. 속이(俗耳).

이이⁴【離異】명 ①이혼(離婚). ②↗이이 귀종(離異歸宗). ——-하다 타여불

이이⁵【邐迆·迆邐】명 ①비뚜로 잇닿음. ②길이나 산기슭이 길게 둘리어 벋어 나감. ——-하다 자여불

이이⁶【而已】조 뿐.

이-이⁷ 인대 이 사람. 준이. ＞요이. ＊저이.

이이⁸【咿咿】부 벌레 우는 소리. ——-하다 자여불

이:이 공:이【以夷攻夷】명 이이 제이(以夷制夷). ——-하다 자여불

이이 귀종【離異歸宗】명 강제로 이혼하여 친정으로 돌려 보냄. 준이이(離異). ——-하다 타여불

이:-이명【李頤命】명〖사람〗조선 숙종(肅宗)·경종(景宗) 때의 상신(相臣). 자는 양숙(養叔), 호는 소재(疏齋). 전주(全州) 사람. 숙종 6년(1680)에 등제, 대사헌·병조 판서를 거쳐 동왕 34년(1708)에 좌의정에 이름. 경종 원년(1721)에 세제(世弟) 영조(英祖)를 세운 다음 당인(黨人)의 모함으로 사사(賜死)됨. 노론(老論) 4대신의 한 사람. 문집으로 ≪소재집(疏齋集)≫이 있음. 시호 문충(文忠). [1658-1722]

이:이-사【二二四】명〖수〗구구법(九九法)의 하나. 둘의 갑절은 넷이 됨.

이: 이: 시:【EEC】명 [European Economic Community의 약칭] 유럽 경제 공동체.

이이신이여【是有亦】조 〈이두〉 이니. 이므로.

이: 이: 에이【EEA】명 [European Economic Area의 약칭]〖경〗유럽 경제 지역.

이:이 제:이【以夷制夷】명 이 나라의 힘을 이용하여 저 나라를 제어(制御)함. 이이 공이(以夷攻夷). ——-하다 자여불

이:-이(:)첨【李爾瞻】명〖사람〗조선 광해군(光海君) 때의 권신. 자는 득여(得輿), 호는 관송(觀松). 광주(廣州) 사람. 선조(宣祖)가 급사하고, 광해군이 즉위하자 예조 판서에 올라 임해군(臨海君)·유영경(柳永慶) 등을 사사(賜死)케 하여 소북(小北) 일파를 숙청한데 이어 영창 대군(永昌大君)과 김제남(金悌男)도 죽이고, 폐모론(廢母論)을 일으켜 인목 대비(仁穆大妃)를 유폐하는 등 패륜 행위를 자행하다가 세 아들과 함께 참형(斬刑)당함. [1560-1623]

이: 이: 카메라【EE—】명 [electric eye camera] 피사체(被寫體)의 밝기에 따라 자동적으로 노출(露出)이 조절되는 카메라. 노출계의 수광부(受光部)를 카메라에 맞추어, 빛의 강약을 전류(電流)로 바꾸어 노출 기구를 제어(制御)함.

이익¹【耳翼】명 귓바퀴.

이:익²【利益】명 ①물질적으로나 정신적으로 보탬이 된 것. ②유익하고 도움이 됨. ③〖경〗경제 활동을 통하여 주체적(主體的)으로 획득·실현된 성과(成果)로서 자기가 소유한 경제재(經濟財)의 순(純)증가액. 이윤(利潤). ↔손해(損害)❷. ④〖불교〗부처님의 은혜로 얻어지는 공덕(功德). 1)-4): 준이(利).

이:-익³【李瀷】명〖사람〗조선 영조(英祖) 때의 실학자. 자는 자신(自新), 호는 성호(星湖). 여주(驪州) 사람. 숙종(肅宗) 32년(1707) 형 잠(潛)이 당쟁으로 희생되매 관계(官界)에 나가지 아니하고 안산(安山) 첨성촌(瞻星村)에 살면서 평생을 학문에 전심, 유교의 고전과 성리학(性理學)을 섭렵했으며 서학(西學)에까지 학문의 폭을 넓혔음. 종래 세유(世儒)의 무실(無實)한 학풍을 배격하고 모든 학문은 실제 사회에 유용한 것이어야 한다고 했으며, 당쟁에 언급 그 폐단을 분석하고 사농합일(士農合一)을 주장하는 등 실리적인 사상을 확립, 후진들에게 전수(傳授)했음. 저서에 ≪성호 사설(星湖僿說)≫·≪성호 문집(文集)≫ 등이 있음. [1681-1763]

이:익 계:획【利益計劃】명 [profit planning]〖경〗기업의 경영 계획의 하나. 목표 이익을 설정하고 그것을 실현하기 위한 수익과 비용을 계획하는 것으로 일반적으로 단기(短期)의 경우를 이르며, 기업 예산에 구체화됨. 계획 설정의 기술에는 손익 분기점(損益分岐點)의 분석을 비롯하여 선형(線型) 계획법, 그 밖에 오퍼레이션스 리서치(operations research)의 수법 등을 씀.

이:-익공【二翼工】명〖건〗기둥 위에 덧붙이는 쇠. 촛가지가 둘로 된 익공(翼工).

이:익 공:동체【利益共同體】명 [community of interest]〖경〗다수의 기업자 간의 이익 경쟁(利益競爭)을 억제하여 각 기업자가 공통적으로 이윤 분배를 얻는 기업 형태. 곧, 여러 개의 회사가 서로 딴 회사의 주

주(株主)가 되어 결합하는 기업 형태(企業形態)를 이름. 이익 협동 단체(利益協同團體).

이:익공 주삼폿집【二翼工柱三包一】 명 〖건〗 주심포(柱心包)가 삼포(三包)로 되어 촛가지가 두 개로 된 집.

이:익 관리【利益管理】[ㅡ괄ㅡ] 명 〔profit management〕〖경〗 다음 기간의 목표 이익을 세워 그에 따라 다음 기간의 매상고와 비용을 예정 계획하여 실제로 조정하여 가는 기업 관리.

이:익-금【利益金】 명 이익을 본 돈. 개인이나 기업체(企業體)가 원금(元金) 이상으로 번 돈. 익금(益金). 마진(margin).

이:익 담보 화:재 보:험【利益擔保火災保險】 명 〖경〗 화재 발생 후 재건(再建)이 완성되어 사업을 재개(再開)할 때까지의 업무 휴지(休止)로 인한 손해를 전보(塡補)하는 보험. *화재 보험.

이:익 대:표【利益代表】 명 〔representation of interests〕〖사〗 특정된 직장의 권익을 보장하기 위하여 그 직장이나 단체에 선거권(選擧權)을 주어 의회(議會)에서 인구(人口) 대표와 대립하여 그 이익을 대표하게 함. 또, 그 대표하는 사람. *국민 대표.

이:익 대:표국【利益代表國】 명 〔protecting power〕 국제법에서, 일정 국가와 국교 관계가 없는 나라를 대신하여 그 나라 및 국민의 이익을 그 다른 일정 국가에 대하여 보호하는 나라.

이:익-률【利益率】[ㅡ뉼] 명 〔profit ratio, rate of return〕〖경〗 이익액(額)의 다른 항목의 액에 대한 비율. 예를 들면, 매상액에 대한 것은 매출액 이익률, 총자본에 대한 것은 총자본 이익률이 됨.

이:익 배:당【利益配當】 명 〔dividend〕〖경〗 은행 또는 회사 등에서, 기말 결산(期末決算)의 순이익을 주주(株主)에게 분배 할당(分配割當)하는 일. 배당.

이:익 배:당부 보:험【利益配當附保險】 명 〖경〗 보험 계약자로 하여금 보험 회사의 이익 배당에 참여시키어, 대개는 보험료(保險料)와 상쇄(相殺)하는 생명 보험.

이:익 법학【利益法學】 명 〔도 Interessenjurisprudenz〕 법(法)을 이익의 소산(所產)이라고 보고 법의 해석을 이익의 관점에서 하는 법학. 이익에는 물질적·개인적 이익뿐 아니라 정신적·사회적 이익도 포함함. 튀링겐 학파가 제창함.

이:익 보:험【利益保險】 명 〔profit insurance〕〖경〗 재해(災害)를 당한 결과, 영업을 쉬거나 하여 생긴 영업 상의 손실을 전보(塡補)하기 위한 보험. 건물이나 기계가 재해를 입어, 생산이 감소된 때에, 기업이 입는 영업 이익의 감소 등에 대한 것.

이:익 분배 제:도【利益分配制度】 명 자본가(資本家)가 종업원에게 정액 임금(定額賃金) 외에 기업 상(企業上)의 이익 분배에 참여(參與)하게 하는 근로 제도.

이:익 사회【利益社會】 명 〔도 Gesellschaft〕〖사〗 퇴니에스(Tönies, Ferdinand)가 설정한 사회형(型)의 하나. 결합의 유대(紐帶)가 이익적 관심에 있고, 아무리 결합하려 해도 분리하려는 성질을 갖는 사회형. 따라서 가입(加入)은 자유 의지에 의해서 결정됨. 근대 사회의 기본 요소의 하나로, 각종 영업 조합·노동 조합·영리 회사 따위가 이에 속함. 게젤샤프트. ↔공동(共同) 사회.

이:-익상【李益相】 명 〖사람〗 소설가·언론인. 호는 성해(星海). 전북 출생. 동아 일보사 학예부장·매일 신보사 편집국장을 역임하였으며, 박영희(朴英熙) 등과 카프(KAPF) 발기인으로 신경향파 작가임. 대표작은 속된 사회를 풍자한 ≪광란(狂亂)≫과 경향파적 소설 ≪흙의 세례≫·≪구속의 첫날≫ 등. [1895-1930]

이:익-설【利益說】 명 〖경〗 국가·자치 단체의 활동으로 인하여 개인이 받는 이익의 정도에 따라 각 개인 간에 조세(租稅)를 배분하는 것이 가장 공평하다는 설. 수익설이라고도 함. ↔능력설. *응익주의.

이:익-성【利益性】 명 수익성(收益性).

이:익-세【利益稅】 명 1974년 1월 미국의 닉슨 대통령이 의회에 보낸 에너지 교서 중에서 사용한 말. 대석유 자본이 에너지 위기에 편승하여 얻은 거액의 이익에 대하여 부과하겠다고 언명(言明)한 세금.

이:익 잉:여금【利益剩餘金】 명 〔earned surplus〕〖경〗 미처분 및 처분필의 이익을 총칭하는 회계상의 용어. 영업 활동에서 얻어진 이익을 원천으로 하는 잉여금으로, 이익 잉여금 계산서에 의하여 재고(在高) 및 증감이 표시됨. 이익 준비금·이월(移越) 이익금 같은 것. ↔자본(資本) 잉여금.

이:익 쟁의【利益爭議】[ㅡ/ㅡ이] 명 〖사〗 노동 쟁의에서, 노동 임금(賃金)이나 노동 조건(條件) 등 주로 노동자의 이익 확보(利益確保)를 위해서 벌이는 쟁의.

이:익 정당【利益政黨】 명 〖정〗 경제적 이익 또는 계급의 이익을 특히 주장하는 정당의 한 유형. ↔세계관(世界觀) 정당.

이:익 준:비금【利益準備金】 명 〔earned surplus reserve〕〖경〗 결산기(決算期)마다의 순이익(純利益)으로부터 적립(積立)하는 법정 준비금(法定準備金). ↔자본 준비금.

이:익 참가 사채【利益參加社債】 명 〖경〗 확정 이자(確定利子)의 지급도 받고, 또 기업 이윤의 분배에도 참가할 수 있는 사채. 사채적(社債的) 특질에다 주식적(株式的) 특질을 가미(加味)한 것으로 주로 미국에서 발행되었음.

이:익 처:분【利益處分】 명 〔disposition of profit〕〖경〗 기업의 이익이 이익 준비금·임의 적립금(任意積立金)·법인세·배당금 등의 형태로 처분되는 일.

이:익 협동 단체【利益協同團體】 명 〖경〗 이익 공동체(利益共同體).

이:인[1]【二人】 명 ①두 사람. ②부모(父母). ③부부(夫婦).

이:인[2]【利刃】 명 이도(利刀).

이:인[3]【里人】 명 마을 사람.

이:인[4]【里仁】 명 인심이 어진 땅에 있음.

이:-인[5]【李仁】 명 〖사람〗 법조인(法曹人)·정치가. 호(號)는 애산(愛山). 대구(大邱) 출신으로, 일본 메이지(明治) 대학 법학부를 나와, 변호사로서 독립 투사를 위해 법정 투쟁을 했으며, 조선어 학회(朝鮮語學會) 사건에 관련되어 옥고를 치름. 해방 후, 초대 법무부 장관·제헌 의원(制憲議員)을 지냄. [1896-1979]

이:인[6]【異人】 명 명 ①재주가 신통(神通)하고 비범(非凡)한 사람. ②다른 사람. ¶동명(同名) ~.

이:-인기【李寅基】 명 〖사람〗 교육학자. 문학 박사. 경북 성주(星州) 출생. 일본 도쿄 제국 대학 교육과 졸업. 서울 상대 학장, 서울 문리대 학장, 숙명 여대 총장, 영남대 총장 등을 역임함. 학술원 회원. 저서에 ≪교육사≫ 등이 있음. [1907-87]

이:-인로【李仁老】[ㅡ일ㅡ] 명 〖사람〗 고려 명종(明宗) 때의 학자. 자는 미수(眉叟). 호는 쌍명재(雙明齋). 인주(仁州) 사람. 정중부(鄭仲夫)의 난 때 중이 되었다가 환속하여 서장관으로 중국에 갔다 왔으며, 시문(詩文)에 능하여 다년간 사한(史翰)에 있었음. 저서는 그의 고율시(古律詩) 1천 5백여 수를 담았다는 ≪은대집(銀臺集)≫(20권, 후집 4권)과 잡저(雜著)를 엮어 모은 ≪쌍명재집(雙明齋集)≫(3권)이 있으나 현전(現傳)하는 것은 ≪파한집(破閑集)≫뿐임. [1152-1220]

이:-인문【李寅文】 명 〖사람〗 조선 시대 후기(後期)의 화가(畫家). 자는 문욱(文郁), 호는 유춘(有春). 해주(海州) 사람. 벼슬은 도화서(圖畫署) 화원(畫員)을 거쳐 첨절제사(僉節制使)에 이르렀음. 작품은 ≪강산 무진도(江山無盡圖)≫·≪포도도(葡萄圖)≫ 등. [1745-1821]

이:-인범【李仁範】 명 〖사람〗 성악가. 평북 용천(龍川) 출생. 연희 전문 학교 졸업 후에 일본에서 음악 공부를 하고, 서울 대학교 음악 대학장을 지냄. 1962년에 한국 오페라단 창립, 테너 가수로서 많은 활약을 하였음. [1914-73]

이:-인산【二燐酸】 명 〖화〗 피로 인산(pyro燐酸).

이:인 삼각【二人三脚】 명 두 사람이 맞닿은 쪽의 발목을 함께 묶고, 그 묶은 발과 바깥쪽 발로 함께 뛰는 경기.

이:-인상【李麟祥】 명 〖사람〗 조선 숙종(肅宗) 때의 서화가(書畫家). 자는 원령(元靈), 호는 능호관(凌壺觀)·보산자(寶山子). 전주(全州) 사람. 벼슬은 음죽 현감(陰竹縣監)을 지냄. 시·그림·글씨에 능하여 사람들이 삼절(三絕)이라 하였음. 특히, 그림은 산수(山水), 글씨는 전서(篆書)·주서(籀書)에 빼어남. 대표작으로 ≪송하 독좌도(松下獨座圖)≫가 있음. [1710-60]

이:-인석【李仁石】 명 〖사람〗 시인. 황해도 해주(海州) 출신. 시집 ≪사랑≫·≪종이집과 사랑≫ 등을 남김. [1917-79]

이:-인성【李仁星】 명 〖사람〗 화가. 호는 청정(靑汀). 대구 출신. 수채화에 뛰어났으며, 작풍(作風)은 한국적 풍토성(風土性)에 강한 빛깔을 배합하여 날카로운 시각(視覺)의 세계를 잘 나타냈음. [1912-50]

이:인-승【二人乘】 명 두 사람이 타는 차·비행기·보트.

이:-인영[1]【李仁榮】 명 〖사람〗 사학자. 평양 출신. 호는 학산(鶴山). 경성 대학 조선 사학과 졸업, 연희 전문 학교·보성 전문 학교에서 교편을 잡음. 서울 대학교 문리과 대학 교수로 있을 때, 6·25 사변이 일어나 납북(拉北)됨. 많은 골동품과 활자본(活字本)을 수집했으며, 서지학(書誌學)·활자 연구(活字硏究)·한만 관계사(韓滿關係史)의 권위자였음. 저서에 ≪한국·만주(滿洲) 관계의 연구≫가 있음. [1911-?]

이:-인영[2]【李麟榮】 명 〖사람〗 조선 말의 의병장(義兵將). 일명 준영(竣榮). 경기도 여주(驪州) 출신. 을미 사변(乙未事變) 후 유인석(柳麟錫)·이강년(李康秊)과 함께 의병을 일으켰고, 을사 조약(乙巳條約)이 체결되자 다시 의거(義擧), 이은찬(李殷瓚) 등에 추대되어 관동 창의 대장(關東倡義大將)이 됨. 뒤에 13도 창의 총대장이 되어 약 1만의 의병을 이끌고 서울로 진격 동대문 밖에까지 이르렀으나 패퇴함. 뒤에 일본 헌병에게 피체 사형당함. [1867-1909]

이:-인임【李仁任】 명 〖사람〗 고려의 권신. 성주(星州) 사람. 공민왕(恭愍王) 때에 2차에 걸친 홍건적(紅巾賊)을 쳐서 일등 공신이 되었고, 그 후 좌시중(左侍中)·수문하 시중(守門下侍中)이 되었으며, 우왕(禑王)을 옹립(擁立)한 공으로 권신이 되어 그 당여(黨與)와 함께 충신을 몰아내고 매관 매작을 자행(恣行)하는 등 많은 비정(秕政)을 저지름. 뒤에 최영(崔瑩)·이성계(李成桂) 등에 의해 사형당함. [?-1388]

이:-인종【異人種】 명 언어(言語)·풍속(風俗) 등이 다른 인종. 외국(外國) 인종.

이:-인좌【李麟佐】 명 〖사람〗 조선 영조(英祖) 때의 난신(亂臣). 정희량(鄭希亮)과 공모(共謀), 밀풍군(密豐君) 탄(坦)을 추대(推戴)하여, 영조 4년(1728) 군사를 일으켜 청주(淸州)를 함락, 안성(安城)에 이르렀으나, 도원수 오명항(吳命恒)에게 패하여 복주(伏誅)됨. [?-1728]

이인-증【離人症】[ㅡ쯩] 명 〔depersonalization〕〖의〗 자기·타인·외부 세계의 구체적인 존재감(存在感)·생명감이 없어지고 대상(對象)을 완전히 지각(知覺)하면서도 그들과 자기와의 유기적(有機的)인 관계를 실감(實感)하지 못하는 정신 상태. 분열병(分裂病)의 초기에도 이 증상이 나타남.

이:-인직【李人稙】 명 〖사람〗 소설가. 호는 국초(菊初). 경기도 이천(利川) 출신. 대한 신문 사장을 지냄. 1906년에 ≪혈(血)의 누(淚)≫를 발표하고 한때 원각사(圓覺社)를 중심으로 한 신극(新劇)에 참가하여 ≪설중매(雪中梅)≫ 등을 자작 상연함. 신소설을 개척한 선구자로서의 공이 큼. 작품으로 ≪귀(鬼)의 성(聲)≫·≪치악산(雉岳山)≫ 등이 있음. [1862-1916]

이:-인칭【二人稱】 명 〖언〗 제이인칭.

이:일[1]【二日】 명 ①이틀. ②초이튿날.

이:일[2]【異日】 명 ①과거나 장래의 어떤 날. ②타일(他日).

이:일 경:백【以一警百】 명 한 사람의 악(惡)을 징계하여 뭇 사람을 경

계(警戒)함. 일벌 백계(一罰百戒).

이:-일무【二佾舞】명〖춤〗종묘(宗廟)나 문묘(文廟)의 제향 때, 4명 또는 16명이 두 줄을 짓고 추는 춤. *일무·사일무·육일무·팔일무.

이:-일원론【理一元論】[-논] 명〖철〗중국 남송(南宋) 시대의 육상산(陸象山)의 형이상학설(形而上學說). 시공(時空)을 초월한 무한적인 존재인 이(理)가 모든 질서를 뒷받침하는 우주의 근본 원리이며 무한한 창조적 힘을 가지고 있다고 설명함. 이 형이상학에서는 인심(人心)과 도심(道心), 천리(天理)와 인욕(人慾)의 이원성(二元性)이 부정되고 본심(本心), 곧 이(理)를 밝히는 실천 도덕(實踐道德)이 성립됨. ↔이기 이원설(理氣二元說).

이:일 첨작오【二一添作五】명〖수〗하나를 둘로 나눔에는 그 하나를 몫 다섯으로 만들어 놓으라는 구귀가(九歸歌)의 하나.

이:일-학【二日瘧】명〖의〗이틀거리. 당고금.

이:임[1]【里任】명〖역〗조선 시대에 지방의 동리에서 호적(戶籍) 기타의 공공 사무를 맡아 보던 사역(使役)의 하나. 이장(里長). 이정(里正). *임장(任章).

이임[2]【移任】명 전임(轉任). ——-하다 자여불

이임[3]【涖任】명 새로 부임(赴任)하여 사무를 봄. ——-하다 자여불

이임[4]【離任】명 임지(任地)·임무(任務)에서 떠남. ¶～ 인사차 방문하다. ↔취임. ——-하다 자여불

이임-사【離任辭】명 이임할 때 하는 인사의 말. ↔취임사.

이입【移入】명 ①옮기어 들임. ②세법 상(稅法上), 일국내(一國內)의 어떤 지역에 타지역으로부터 화물을 옮겨 들이는 일. 1)·2):↔이출(移出). ——-하다 타여불

이입 교잡【移入交雜】명 [introgressive hybridization]〖생〗두 개의 종(種) 사이에서 잡종(雜種)이 생기고, 그것이 그 어느 쪽의 어버이와 되돌이 교잡(交雜)을 되풀이함으로써 한쪽 종으로부터 다른 쪽 종으로 유전자(遺傳子)가 들어가는 일.

이잇제【是有齊】조 〈이두〉 이었다.

이읍도쇠 조 〈옛〉 이외다. ¶나는 都船 이는 二船 더는 封進이읍도쇠≪新語 Ⅰ:15≫.

이이다 자타 〈옛〉 흔들다. 흔들리다. ¶梧桐에 雨滴ᄒᆞ니 舜琴을 이이는 ᄃᆞᆺ≪古時調≫/ᄇᆞ람 불적마다 홋날려서 이이는 소리도 됴커니와≪古時調≫.

이아 명 〈옛〉 잉아. ¶이아 爲綜≪訓例 用字例≫.

이어긔 지대 〈옛〉 여기. ¶이어긔 왯더니 글로 일후믈 사므니라≪月釋 Ⅱ:27≫.

이에 〈옛〉 여기에. 이것에. '이[22]'의 처격형. ¶이 ᄯᅡ해 精舍 이르수ᄫᅳ쎄도 이 개야미 이에셔 살며≪釋譜 Ⅵ:37≫.

이자[1] 명 [←중 胰子]〖생〗췌장(膵臟). *지라.

이자[2]【耳子】명 귀이개.

이자[3]【伊字】[-짜] 명〖불교〗①불교의 공(空)·성(性)·상(相)의 세 가지 교리가 서로 떠나지도 못하고 붙지도 못한다는 뜻을 나타내는 범어(梵語)의 '∴'라는 글자. ②선종(禪宗)의 마크. 속칭(俗稱) 원이 삼점(圓伊三點)이라 함.

이:자[4]【利子】명 채무자가 화폐 이용의 대상으로서 채권자에게 지급하는 금전. 길미. 변리. 이식(利息). ¶～가 ～를 낳다.

이자[5]【姨子】명 아내의 형제의 아들.

이자[6]【梨子】명 배[3]❶.

이-자[7]【一者】인대 '이 사람'의 비어(卑語). >요자. *저자(者).

이:-자(:)겸【李資謙】명〖사람〗고려의 척신(戚臣). 인주(仁州) 사람. 자연(子淵)의 손자. 누이 동생이 순종(順宗)의 비, 둘째 딸이 예종(睿宗)의 비(妃)가 된 후, 익성 공신(翼聖功臣)이 되어 전권을 장악, 국정을 마음대로 하다가 예종이 죽은 다음 태자 인종(仁宗)을 세우고 셋째 딸과 넷째 딸을 인종의 비로 삼게하여 더욱 전횡을 자행, 왕의 노여움을 샀고, 그와 반목(反目)하던 척준경(拓俊京)에게 밀려나 영광(靈光)으로 귀양가 그 곳에서 죽음. [?-1126]

이:자 과세【利子課稅】명 이자 소득에 부과하는 세금.

이:자-락【利子落】명 공채(公債)나 유가 증권(有價證券)의 이자 또는 이익 배당(利益配當)이 지급필(支給畢)로 된 것. 준이락(利落). ↔이자부(利子附).

이자-머리 명 새창에 붙은 쇠고기의 한 가지. 열구자탕(悅口子湯)을 만드는 데 쓰이는 고기.

이:자-병【李子餠】명 씨를 뺀 오얏과 감초(甘草) 물에 삶은 매실(梅實)에 설탕을 치고 실백자(實柏子)를 섞어 쌀가루에 버무려 찐 떡.

이:자-부【利子附】명 공채·주식(株式) 등에 이자 또는 배당이 붙어 있는 것. 준이부(利附). ↔이자락(利子落).

이:자-산【利子算】명 금전 대차(金錢貸借)에 있어서의 이자의 계산을 중심으로 하는 산법. 원금·이율(利率)·기간 및 이자 중에서 3개의 값을 알고 나머지 하나의 값을 구하는 계산법. *이식산(利息算).

이:자 선:일【二者選一】명 이자 택일(二者擇一). ——-하다 자여변

이:-자성[1]【李子晟】명〖사람〗고려 고종(高宗) 때의 무장(武將). 우봉(牛峰) 사람. 고종 18년(1231) 몽고의 살리타이가 침공했을 때 출전하여 공을 세웠으며, 이듬해 강화 천도(江華遷都)의 틈을 타 개경(開京)에서 일어난 이통(李通)의 반란을 후군 진주(後軍陣主)로서 평정함. 이어 그 해 충주(忠州) 노군(奴軍)의 난에 출전, 수괴 중 우본(牛本)을 잡아 죽여 난을 평정함. 이듬해 용문창(龍門倉)의 난·동경(東京) 최산(崔山) 등의 난을 평정함. 벼슬이 문하시랑 평장사(門下侍郎平章事)에 이름. 시호는 의열(義烈). [?-1251]

이:-자성[2]【李自成】명〖사람〗중국 명말(明末)의, 농민 반란의 지도자. 산시 성(陝西省) 사람. 처음 역졸(驛卒)이었다가 1631년 연수(延綏)의 기근을 기화로 봉기하여, 틈적(闖賊)의 수령이 되어 시안(西安)을 점령하고, 틈왕(闖王)을 자칭(自稱)하였음. 1644년 명조(明朝)를 멸하였으나 이듬해 오삼계(吳三桂)를 선도(先導)로 하는 청군(淸軍)에 패하여 죽음. [1606-45]

이:자성의 난:【李自成一亂】[-/-에-] 명〖역〗임진 왜란에 출병하여 재정(財政)이 궁핍하던 명(明)나라가, 다시 랴오둥(遼東)에서 청(淸)나라와 싸우게 되어 국세(國勢)가 떨치지 못하고 겹쳐서 흉년이 들어 민심(民心)이 흉흉하여지자, 이 틈을 타서 도적(盜賊) 출신인 이자성이 일으킨 변란(變亂). 시안(西安)에 자리를 잡고 스스로 왕(王)을 칭한 이자성은, 1644년 베이징(北京)을 점령하여 명(明)나라를 멸망시켰으나 이듬해, 오삼계(吳三桂)에게 패하여 후베이(湖北)에서 자액(自縊)하여 난이 진정됨.

이:자-세【利子稅】명 이자 소득(所得)에 대하여 부과하는 세금.

이:자 소:득【利子所得】명〖법〗공채·사채 및 예금의 이자 또는 신탁 이익 등으로 인한 소득. *배당 소득.

이자-액【一液】명〖생〗췌액(膵液).

이:-자연【李子淵】명〖사람〗고려 초기의 문신. 인주(仁州) 사람. 현종 15년(1024) 등제(登第), 내사 시랑 평장사(內史侍郎平章事)에 오름. 딸 셋이 각각 인예 태후(仁睿太后)·인경 현비(仁敬賢妃)·인절(仁節) 현비 등으로 모두 문종(文宗)의 비가 됨으로써 세력을 장악함. 벼슬이 태사(太師) 겸(兼) 중서령(中書令)에 이름. 시호는 장화(章和). [?-1086]

이:자-율【利子率】명 이율(利率).

이:자 제:한법【利子制限法】[-뻡] 명 고리(高利)의 단속을 목적으로, 이자의 최고 한도, 초과 이자의 무효 등을 규정한 법. 대차 원금(貸借元金) 5천 원 이상의 금전 대차에 관한 계약상의 최고 이자율을 연(年) 4할을 초과하지 아니하는 범위내로 제한하고 있으며, 현재 이 법의 시행 규정에는 최고 이자율이 연 2할 5푼으로 정해져 있음.

이:자-조【利子條】[-쪼] 명 이자의 부분. 이자의 명목(名目). 준이조(利條).

이자-주【梨子酒】명 배의 즙을 내어 빚은 술.

이:자 증권【利子證券】[-꿘] 명 채권(債權)과 같이 이자가 결정되어 있는 증권. 상환 기일(償還期日) 전에 상환하는 수가 많음. 확정 이부(確定利附) 증권.

이:자 채:권【利子債權】[-꿘] 명 이자의 지급을 목적으로 하는 채권. 이자 청구권이라고 함.

이:자 택일【二者擇一】명 둘 가운데서 하나를 골라잡음. 양자 택일(兩者擇一). 이자 선일(二者選一). ——-하다 자여불

이:자 평형세【利子平衡稅】명〖경〗1963년 미국 대통령 케네디의 제안에 의한 달러 방위 정책의 일환으로서 제정된 신세(新稅). 1964년 성립. 미국 내의 외국 증권(外國證券) 구입자에 대하여, 일정한 비율의 거래액세(去來額稅)를 과함으로써, 자본의 해외 유출(海外流出)을 억제하려는 것임.

이자-피【貍子皮】명 삵피.

이:자 환급제【利子還給制】명 이자를 받았다가 일정 기간이 지나면 되돌려 주는 제도. 수출 금융 제도(輸出金融制度)의 합리적 운영을 위한 제도임.

이작[1]【移作】명 논이나 밭의 작인(作人)을 바꿈. ——-하다 타여불

이:작[2]【裏作】명〖농〗벼를 베고 난 논에 보리나 채소(菜蔬) 등을 심는 일. 뒷갈이.

이:잣-집【二字一】[-짣-] 명 안채와 사랑채, 또는 행랑채가 마당을 사이에 두고 마주 보도록 나란히 배치된 집. *일잣집.

이:잣-돈【利子一】명 이자를 붙여서 갚기로 하고 빌리는 돈. 또, 그 이자. ¶～을 쓰다.

이:장[1]【二帳】명〖건〗초장(初帳) 다음에 배치된 둘째의 선자연(扇子椽).

이:장[2]【二障】명〖불교〗①오각(悟覺)을 방해하는 두 가지 장애(障礙). 곧, 이장(理障)과 사장(事障). ②번뇌가 마음을 어지럽히는 번뇌장(煩惱障)과 여러 유혹(誘惑)이 보리(菩提)의 묘지(妙智)를 어지럽히는 지장(智障).

이:장[3]【二藏】명〖불교〗불교의 교리(敎理)를 분류한 성문장(聲聞藏)과 보살장(菩薩藏). 곧, 소승 교도(小乘敎徒)인 성문 연각(聲聞緣覺)을 위하여 설법한 교리와 대승 교도(大乘敎徒)인 보살을 위하여 설법한 교리의 두 가지.

이장[4]【弛張】명 풀리어 느즈러짐과 당기어 죄어침. 장이(張弛). ——-하다 자여불

이:장[5]【里長】명 ①행정 구역의 이(里)의 사무를 맡아 보는 사람. ②〖역〗이임(里任).

이장[6]【泥匠】명 미장이.

이:장[7]【異裝】명 괴이한 옷차림. 보통과 다른 복장.

이장[8]【移葬】명 무덤을 옮김. 개장(改葬). 천묘(遷墓). 천장(遷葬). ¶선산(先山)으로 ～하다. ——-하다 타여불

이:장[9]【理障】명〖불교〗사견(邪見)이 정견(正見)을 해롭게 하는 이장(二障)의 한 가지. *이장(二障).

이:장[10]【履長】명 동지(冬至).

이:-장곤【李長坤】명〖사람〗조선 시대 초기의 문신. 자는 희강(希剛), 호는 학고(鶴皐)·금헌(琴軒). 벽진(碧珍) 사람. 갑자 사화(甲子士禍) 때 교리(校理)로 유배되었으나 함흥으로 도주함. 중종 반정(中宗反正) 후 다시 기용되어 사가 독서(賜暇讀書)하고 여러 벼슬을 거쳐 대사헌(大司憲)·좌찬성(左贊成)에 오름. 중종 14년(1519) 병조 판서로 있을 때 심정(沈貞) 등에게 속아 기묘 사화(己卯士禍)를 일으키는 데 가담하였으나 선비들의 처형을 반대하여 삭직(削職)됨. 동 17년 복관(復官)되었으나 사양하고 여강(驪江)에서 자적(自適)하였음. 저서 ≪금헌집(琴軒集)≫. 시호는 정도(貞度). [1474-?]

이:-장손【李長孫】명〖사람〗조선 선조(宣祖) 시대의 발명가. 화포공(火砲工)으로 선조 25년(1592) 임진 왜란 때 비격 진천뢰(飛擊震天雷)라는 박격포 비슷한 무기를 만들었는데, 경주 탈환전 때 사용하여 큰 효과를 거두고 수군 함포에도 이용하여 많은 적선(敵船)을 쳐부수는 데 공헌함. 생몰년 미상.

이장-열【弛張熱】[—널] 명 발열시, 하루의 체온의 차가 섭씨(攝氏) 1도 이상 되는 열형(熱型)을 일컫는 말. 결핵(結核)·신우염(腎盂炎)·패혈증(敗血症) 등에서 볼 수 있음.

이:-장용【李藏用】명〖사람〗고려 원종(元宗) 때의 문신. 자는 현보(顯甫). 인주(仁州) 사람. 고종(高宗) 때 등제(登第), 원종 5년(1264) 왕이 몽고로 입조(入朝)할 때 수행(隨行)하여, 해동 현인(海東賢人)으로 칭송받았으며, 감수국사(監修國史)로 신종(神宗)·희종(熙宗)·강종(康宗)의 3대(代) 실록(實錄)을 편찬하였고 벼슬이 문하 시중(門下侍中)에 이름. 시호는 문진(文眞). [1201-72]

이:장-의【二障義】[—/—이] 명〖책〗신라의 원효(元曉)의 저서. 혹장(惑障)을 넘어 정각(正覺)에 이르는 길을 유가론(瑜伽論)과 기신론(起信論)을 종합하여 논함. 일본에 필사본(筆寫本)이 전함.

이-장희【李章熙】[—히] 명〖사람〗시인. 호는 고월(古月). 대구 출생. 1925년 문예지(文藝誌) '조선 문단(朝鮮文壇)'을 통하여 문단에 등장, 영탄(詠嘆)·감상을 벗어나, 청신한 감각의 시를 발표하였음. 지나친 쇠약과 고독·회의 끝에 29세 때 자살함. [1900-29]

이재[1] 명부 〈옛〉이제. ¶이재 갑시 엇더ᄒᆞ뇨(如今價錢如何)≪老乞 下 4≫.

이:재[2]【已載】명 ①이미 기재(記載)를 완료함. ②이미 적재(積載)를 완료함. ——-하다 타여불

이:재[3]【吏才】명 지방 관리로서 백성을 다스리는 재간(才幹). 관리의 행정적 수완. 이간(吏幹).

이:-재[4]【李在】명〖사람〗조선 시대 후기의 문인. 영조(英祖) 36년(1760) 영주 군수(榮州郡守)를 거쳐 한성 서윤(漢城庶尹)에 이름. 글씨를 잘 썼으며 ≪화원 악보(花源樂譜)≫·≪해동 가요(海東歌謠)≫에 시조 2수가 전함. 생몰년 미상.

이:-재[5]【李縡】명〖사람〗조선 영조(英祖) 때의 문신·학자. 자(字)는 희경(熙卿), 호는 도암(陶庵) 또는 한천(寒泉). 우봉(牛峰) 사람. 김창협(金昌協)의 문인. 벼슬은 대사헌(大司憲)·이조 참판을 거쳐 좌참찬에 이름. 신임 사화(辛壬士禍) 이후 설악산(雪嶽山)에 숨어 성리학(性理學)을 연구하였음. 심성론(心性論)에 있어서 이간(李柬)의 설을 지지하였고, 당시 낙론(洛論)의 대표적인 학자로 일컬어짐. 저서 ≪도암집(陶菴集)≫. 시호는 문정(文正). [1680-1746]

이:재[6]【里宰】명 이정(里正).

이재[7]【泥滓】명 ①진흙과 찌끼. 침전물(沈澱物). ②전(轉)하여, 오탁(汚濁)한 것의 비유. ③비천(卑賤)한 자의 비유.

이:재[8]【異才】명 남다른 재주. 또, 그것을 가진 사람.

이:재[9]【異材】명 남달리 뛰어난 인재·인물.

이:재[10]【異財】명 재산(財產)을 분이(分異)함. *별적(別籍). ——-하다 자여불

이:재[11]【理財】명 재물(財物)을 유리하게 다룸. ¶~에 밝다. ——-하다 자여불

이재[12]【罹災·罹灾】명 재해(災害)를 입음. 재앙(災殃)을 당함. ——-하다 자여불

이:재-가【理財家】명 이재(理財)에 밝은 사람. 경제가(經濟家).

이:-재(:)관【李在寬】명〖사람〗조선 시대 후기의 화가. 호는 소당(小塘). 용인(龍仁) 사람. 벼슬은 등산 첨사(登山僉使). 운연(雲烟)·초목·비주(飛走)를 잘 그리고 초상화에도 능했음. 작품에 ≪송하 인물도(松下人物圖)≫·≪약산 화상(若山畫像)≫·≪월하 신선도(月下神仙圖)≫ 등이 있음. [1783-1837]

이재 구:조 기금【罹災救助基金】명 국민의 다수(多數)가 재해를 입었을 경우 이를 구조하기 위하여 저축하는 기금.

이:재-국【理財局】명〖역〗탁지부(度支部)에 둔 한 국(局). 현금·물품의 출납, 제반 금융 기관에 관한 사무를 맡음. 광무(光武) 9년(1905)에서 융희(隆熙) 4년(1910)까지 있었음.

이:-재(:)면【李載冕】명〖사람〗조선 시대 말의 정치가. 자는 무경(武卿), 호는 우석(又石). 흥선 대원군(興宣大院君)의 장남. 이조·예조 판서 등을 두루 지내고, 1882년 임오 군란(壬午軍亂) 때에는 무위(武衛) 대장으로서 수습(收拾)에 힘씀. 고종(高宗) 31년(1894) 대원군이 다시 집정(執政)하자 보국 숭록 대부(輔國崇祿大夫)로 궁내부 대신(宮內部大臣)이 됨. [1845-1912]

이:-재(:)명【李在明】명〖사람〗대한 제국 때의 독립 운동가. 선천(宣川) 출신. 18세 때 선교사를 따라 미국 유학을 갔다 돌아온 후, 블라디보스토크에 가 있다가 귀국, 1909년 12월 명동 성당에서 벨기에 황제 레오폴드 2세의 추도식을 마치고 나오던 이완용(李完用)을 습격하였으나 실패하고 순국했음. [1890-1910]

이재-민【罹災民】명 재앙을 당한 백성. 재해(災害)를 입은 사람. ㊥재민(災民).

이:재 발신【以財發身】[—씬] 명 재물(財物)의 힘으로 출세함. ——-하다 자여불

이:재-법【理財法】[—뻡] 명 재산을 늘리는 방법.

이재 유고【頤齋遺稿】명〖책〗조선 시대 후기의 운학자(韻學者) 황윤석(黃胤錫)의 문집. 26권 13책.

이:-재(:)윤【李載允】명〖사람〗조선 시대 말의 의사(義士). 자는 성집(聖執), 고종의 종척(宗戚). 동학 혁명 이래 혼란을 개탄하고 벼슬을 사직, 향리에 은거하다가, 을사 조약이 체결되자 매국노 5적신(賊臣)의 참형을 상소함. 융희 원년(1907) 중국 베이징의 위안 스카이(袁世凱)를 방문, 일본 침략으로부터 구원을 요청하고 귀국함. 동 4년 국권(國權)이 강탈되자 고향에 돌아가서 기울어진 국운(國運)을 개탄하다가 이듬해 자살함. [1849-1911]

이:-재(:)의【李載毅】[—/—이] 명〖사람〗조선 후기의 학자. 자는 여홍(汝弘), 호는 문산(文山). 순조 원년(1801) 생원시(生員試)에 합격한 후 학문에 전심, 만년에는 ≪주역(周易)≫을 전공함. 시문(詩文)에 능했음. 저서에 ≪문산집(文山集)≫이 있음. [1772-1839]

이재-지【罹災地】명 재앙을 당한 곳.

이:-재(:)학[1]【李在鶴】명〖사람〗정치가. 강원도 홍천(洪川) 출생. 경성 제대(京城帝大) 법문학부 졸업. 광복 후 춘천 농과 대학장을 역임하고 제헌 국회 의원과, 2·3·4·5대 민의원에 당선되고 민의원 부의장을 거쳐 자유당(自由黨) 대표 최고 위원으로 있었음. [1904-73]

이:재-학[2]【理財學】명 경제학(經濟學). 재정학(財政學).

이저고 타 〈옛〉잊었구나. ¶鐘樓 져지 달리 파라비 ᄉᆞ고 감 ᄉᆞ고 榴子 ᄉᆞ고 石榴 삿다 아ᄎᆞ아ᄎᆞ 이저고 五花糖을 니저발여고쟈≪古時調 海謠≫.

이저디다 자 〈옛〉이지러지다. =이저지다. ¶이저지다 또 이저디디 아니ᄒᆞ며(亦不缺壞)≪妙蓮 Ⅵ:13≫.

이저ᄠᅥ러디다 자 〈옛〉이지러 떨어지다. ¶니 ᄠᅵ 무더 검디 아니ᄒᆞ며 누르디 아니ᄒᆞ며 성긔디 아니ᄒᆞ며 또 이저ᄠᅥ러디디 아니ᄒᆞ며 어긔디 아니ᄒᆞ며 곱디 아니ᄒᆞ며≪月釋 XVII:52≫.

이저우〔沂州〕명〖지〗중국 산둥 성(山東省) 남동부의 도시. 이허(沂河)강 가까이에 위치하며 당(唐)나라 때에는 낭야군(瑯琊郡), 청(清)나라 때에 기주부(府)로 승격했음. 상업이 성하고, 각종 농산물을 집산하며, 특히 땅콩이 많이 남. 기주(沂州). 린이(臨沂). [1,351,000명(1984)]

이:저-전【履底廛】명 신창을 갈아 주는 가게.

이저지다 자 〈옛〉이지러지다. =이저디다. ¶엇디 이저진 거시 이시리오마ᄂᆞᆫ 蔡藿이 히 向ᄒᆞ야 기우리ᄂᆞᆫ 物性을 여ᄆᆞᆺ 앗디 몯ᄒᆞᆯ거시라(豈云缺蔡藿傾太陽物性固莫奪)≪重杜諺 Ⅱ:33≫.

이-적[1] 명 이 때. 이 즈음.

이적[2]【夷狄】명 오랑캐.

이:-적[3]【李迪】명〖사람〗중국 북송말·남송초의 화가. 하양(河陽) 사람. 휘종(徽宗)의 선화 연간(宣和年間)에 화원(畫院)에 들어가 성충랑(成忠郞)이 되었음. 작품에는 ≪홍백 부용도(紅白芙蓉圖)≫ 등이 있음. 생몰년 미상.

이:-적[4]【李勣】명〖사람〗중국 당(唐)나라의 무장(武將). 본성(本姓)은 서(徐). 처음 이밀(李密) 밑에 있다가, 당나라에 귀복(歸服), 이씨(李氏)를 사성(賜姓)받음. 태종(太宗) 초에 돌궐(突厥)을 정복하고, 644년과 666년의 두 차례에 걸쳐 요동도 행군 대총관(遼東道行軍大摠管)으로 고구려에 침입, 668년 보장왕(寶藏王)의 항복을 받아 고구려를 멸망시킴. [?-669]

이:적[5]【利敵】명 적을 이롭게 함. ¶~ 행위. ——-하다 자여불

이:적[6]【異蹟】명 ①기이(奇異)한 행적(行蹟). ②신의 힘으로 되는 불가사의(不可思議)한 일. 기적(奇蹟). ③[miracle]〖기독교〗기적(奇蹟)의 구용어(舊用語).

이적[7]【移籍】명 ①혼인·양자 등의 경우에 있어서, 호적을 다른 곳으로 옮김. 이관(移貫). ②운동 선수 등이 소속 팀으로부터 다른 팀으로 적을 옮기는 일. ——-하다 자여불

이:적[8]【貽績】명 [이(貽)는 남기다·전하다의 뜻] 남긴 공적(功績).

이:적[9]【履跡】명 이종(履蹤).

이적[10]【離籍】명〖법〗호적(戶籍)에서 떼어 냄. 구제도(舊制度)로 호주(戶主)가 가족에 대하여 가족의 신분을 박탈하는 법률 행위(法律行爲)임. ——-하다 타여불

이적-시【夷狄視】명 오랑캐로 봄. ——-하다 타여불

이:적-죄【利敵罪】명 이적 행위를 함으로써 성립되는 범죄.

이적-토【移積土】명〖지〗운적토(運積土).

이:적 행위【利敵行爲】명 적을 이롭게 하는 행위. ——-하다 자여불

이:전[1]【二典】명 ①≪서경(書經)≫의 요전(堯典)과 순전(舜典). ②내전(內典)과 외전(外典).

이:전[2]【二篆】명 한자(漢字)의 서체(書體)의 대전(大篆)과 소전(小篆).

이:전[3]【以前】명 ①이제보다 전. 이왕(以往). ②아주 전. 옛날. 이왕(已往). ③기준(基準)이 되는 때를 포함하여 그 전. ¶50세 ~의 저작(著作). 1)·2):↔이후(以後).

이:전[4]【吏典】명 ①〖역〗육전(六典)의 하나. 군무(軍務) 밖의 일반 관제(官制)와 관규(官規) 및 이조(吏曹)의 소관 사항(所管事項)을 규정한 법전(法典). ②고려 말에서 조선 초기(初期)에 하급 이속(吏屬)을 통틀어 일컫은 말. *서리(書吏).

이전[5]【耳錢】명〖역〗'별전(別錢)'의 딴이름.

이:전[6]【利錢】명 이가 남은 돈. 길미. 이문(利文).

이전[7]【移轉】명 ①장소·주소 등을 다른 데로 옮김. ②권리 따위를 넘김. ¶소유권 ~. ——-하다 타여불

이전[8]【離箭】명 화살을 시위에 먹이어 잡아당기어 손을 시위에서 뗌. 활을 쏨. ——-하다 자여불

이전 가격 조작【移轉價格操作】[—까—] 명 [transfer pricing]〖경〗다국적 기업(多國籍企業)의 모회사(母會社)·자회사(子會社)의 관계처럼 둘 이상의 기업이 특수한 관계에 있을 경우에, 그들 기업 상호간의 거래에서 설정되는 가격을 조작함으로써, 기업 그룹 전체로서의 세부담(稅負擔)을 경감하려는 행위. 가격 조작은 상품 매매뿐 아니라, 특허(特許)나 노하우(know-how)의 사용료, 대부금의 이자율(利子率), 광고 선전비·연구 개발비의 분담 등에서도 실시됨.

이:전 대:봉【以錢代捧】명 금전으로써 현물세(現物稅)를 대신 바침. ──-하다 자여불

이전 등기【移轉登記】명〖법〗매매·증여(贈與)·상속 등의 사실로 인하여 생기는 당해물(當該物)에 대한 권리의 등기.

이:전-번【以前番】[一뻔] 명 조금 지난 번. >요전번.

이전 소:득【移轉所得】명〖경〗이전 지급(支給)에 의한 가계(家計)의 소득. 보험금·보조금 같은 것. *이전 지급.

이전 지급【移轉支給】명 [transfer payment]〖경〗재화(財貨)나 용역(用役)의 급부(給付)와는 무관계로 행하여지는 지급. 조세(租稅)의 지급·증여(贈與)·보험 지급금(保險支給金)·보조금(補助金) 같은 것. *이전 소득(移轉所得).

이:전 취:재【吏典取才】명〖역〗조선 초기에, 이과(吏科) 취재 중 하급 서리(胥吏)를 선발하는 취재의 일컬음. *이과 취재.

이전 투구【泥田鬪狗】명 ① 진탕에서 싸우는 개의 뜻으로, 강인한 성격의 함경도(咸鏡道) 사람을 평(評)한 말. * 맹호 출림(猛虎出林). ② '명분이 서지 않는 일로 몰골 사납게 싸움'을 이르는 말.

이절【離絕】명 인연을 끊음. 절연(絕緣)함. ──-하다 자여불

이:절-류【異節類】명〖동〗빈치목(貧齒目).

이:절-환【二折環】명 배목과 고리 사이를 사슬 둘로 꿴 문고리.

이:점[1]【利點】[一쩜] 명 이로운 점. ¶ ~이 많다.

이:점[2]【痢漸】명〖의〗이질(痢疾).

이:점 쇄:선【二點鎖線】명 짧은 선 두 개와 약간 긴 선과를 번갈아 벌여 놓은 선. 제도에서는 상상도(想像圖)에서 사용됨.

이접【移接】명 ①거처하던 데를 옮겨 자리를 잡음. ②동접(同接)을 옮김. ③입사(入射)한 사정(射亭)에서 다른 사정으로 옮겨 감. ──-하다 자여불

이접 원리【離接原理】[一월一] 명〖논〗선언율(選言律).

이접적 개:념【離接的概念】명〖논〗선언적 개념(選言的概念).

이접적 판단【離接的判斷】명〖논〗선언적 판단(選言的判斷).

이:정[1]【二程】명 중국 송(宋)나라의 두 유가(儒家). 곧, 정 호(程顥)와 정 이(程頤).

이:정[2]【里丁】명 동리의 장정(壯丁).

이:정[3]【里正】명〖역〗이임(里任). 이재(里宰).

이:정[4]【里程】명 길의 이수(里數). 정리(程里).

이:-정[5]【李楨】명〖사람〗조선 명종(明宗) 때의 학자. 자(字)는 강이(剛而), 호는 구암(龜巖). 사천(泗川) 사람. 송인수(宋麟壽)·이황(李滉)의 문인. 대사간·대사성을 역임하고 벼슬이 부제학(副提學)에 이름. 성리학(性理學)의 오묘한 경지에 이름. 저서에 《성리 유론(性理遺論)》 등이 있음. [1512-71]

이:-정[6]【李楨】명〖사람〗조선 선조(宣祖) 때의 화가. 자(字)는 공간(公幹), 호는 나옹(懶翁)·나재(懶齋)·나와(懶窩)·설악(雪嶽). 전주(全州) 사람. 화가의 가정에 태어나 10세 때 이미 그림으로써 이름이 알려졌고, 13세 때 장안사(長安寺)의 벽화를 그림. 30세에 요절(夭折)함. 산수화·인물화를 잘 그렸음. 작품에 《산수도(山水圖)》·《한강 조주도(寒江釣舟圖)》 등이 있음. [1578-1607]

이:-정[7]【李靖】명〖사람〗중국 당초(唐初)의 명장(名將). 고조(高祖)·태종(太宗)을 섬기고, 돌궐(突厥)·토욕혼(吐谷渾)을 정벌하여 공적이 컸음. [571-649]

이:-정[8]【李霆】명〖사람〗조선 중종(中宗) 때의 화가. 자(字)는 중섭(仲燮), 호는 탄은(灘隱). 세종(世宗)의 현손(玄孫). 그림은 묵죽(墨竹)이 유명하며, 필치는 북송(北宋) 화풍임. 작품 《풍죽도(風竹圖)》·《죽도(竹圖)》·《난도(蘭圖)》 등. [1541-?]

이:정[9]【理正】명 정리(整理)하여 바로잡아 고침. 이정(釐正). ──-하다 타여불

이정[10]【移定】명 옮기어 정함. ──-하다 타여불

이정[11]【輀丁】명 상여(喪輿)꾼.

이:정[12]【釐正】명 정리(整理)하여 바로 잡아 고침. 이정(理正). ──-하다 타여불

이정[13]【離亭】명 길을 떠나는 사람을 보내는 자리. 전별(餞別)의 좌석.

이:-정구【李廷龜】명〖사람〗조선 인조(仁祖) 때의 상신이며 문장가. 자(字)는 성징(聖徵), 호는 월사(月沙). 연안(延安) 사람. 윤근수(尹根壽)의 문인(門人). 인조 6년(1628)에 좌의정(左議政)이 됨. 한문학의 대가로 글씨에도 뛰어났음. 조선 중기의 4대 문장가로 알려짐. 저서로는 《월사집(月沙集)》·《서연 강의(書筵講義)》·《대학 강의(大學講義)》 등이 있음. 시호(諡號)는 문충(文忠). [1564-1635]

이:-정도【李政道】명〖사람〗'리 정다오'를 우리음으로 읽은 이름.

이:-정립【李廷立】[一닙] 명〖사람〗조선 중기의 문신. 자는 자정(子政). 호는 계은(溪隱). 광주(光州) 사람. 선조 15년(1582) 수찬(修撰)으로 있을 때, 이덕형(李德馨)·이항복(李恒福) 등과 함께 삼학사(三學士)의 한 사람으로 칭송받음. 이듬해 사가 독서(賜暇讀書)하고 좌승지 등을 지냄. 임진 왜란 때 예조 참의·병조 참판을 거쳐 동 28년(1595) 대사성(大司成)에 오름. 저서로 《계은집(溪隱集)》이 있음. 시호는 문희(文僖). [1556-95]

이:정-법【里定法】[一뻡] 명〖역〗조선 시대에, 양서(兩西) 지방에서, 한 마을의 군포(軍布) 납부자가 도망가거나 사망하였을 때, 그 마을에서 대정(代丁)을 충정(充定)하는 일. 이대정법(里代定法).

이:-정보【李鼎輔】명〖사람〗조선 시대 중기의 문신. 자는 사수(士受), 호는 삼주(三洲). 연안(延安) 사람. 벼슬은 양관(兩館) 대제학(大提學) 등을 거쳐 예조 판서(禮曹判書)에 이름. 직책에 충실하며, 아첨을 모르고 올바른 주의(奏議)를 정성껏 개진(開陳)하였으며, 사륙체(四六體) 글씨에 능하고, 한시(漢詩)의 대가이기도 하며 시조 78수를 남김. 시호(諡號)는 문간(文簡). [1693-1766]

이:-정섭【李廷燮】명〖사람〗조선 시대의 문인. 자(字)는 계화(季和), 호는 저촌(樗村). 종실(宗室)인 임원군(林原君) 표(杓)의 아들. 음사(蔭仕)로 벼슬이 정랑(正郞)에 이름. 《해동 가요(海東歌謠)》에 시조 2수가 전함. 생몰년 미상.

이:-정숙【李貞淑】명〖사람〗여류 교육가. 조선 시대 말의 영의정 조인영(趙寅永)의 부인. 경기도 양주(楊州) 출신. 갑신 정변 때 남편을 잃고 광무 10년(1906) 엄비(嚴妃)의 후원으로 현 숙명(淑明)여학교인 명신(明新) 여학교를 설립, 교장이 됨. [1858-1935]

이:-정신【李廷藎】명〖사람〗조선 영조(英祖) 때의 가객(歌客). 자(字)는 집중(集仲), 호는 백회재(百悔齋). 벼슬은 현감(縣監). 《청구 영언(靑丘永言)》·《가곡 원류(歌曲源流)》·《화원 악보(花源樂譜)》 등의 가집(歌集)에 시조 13수가 전함. 생몰년 미상.

이:-정작【李庭綽】명〖사람〗조선 영조(英祖) 때의 문신. 자(字)는 경유(景裕), 호는 회헌(晦軒). 전주(全州) 사람. 문장이 뛰어나, 한문 소설 《옥린몽(玉麟夢)》을 지었으며 벼슬은 공조 참판(工曹參判)을 지냈음. [1678-1758]

이:정 전서【二程全書】명〖책〗중국 북송(北宋)의 정호(程顥)·정이(程頤) 형제의 문집(文集)·어록·저술을 합각(合刻)한 책. 주자(朱子)에 대해 대성된 송학(宋學)의 선구가 된 것임. 66권.

이:정-표[1]【里程表】명 육로(陸路)의 이정을 기록한 일람표(一覽表). 정리표(程里表).

이:정-표[2]【里程標】명 이정을 적어 세운 푯말 또는 표석(標石). 거리표(距離標).

이:-정형【李廷馨】명〖사람〗조선 선조(宣祖) 때의 명신·학자. 자(字)는 덕훈(德薰), 호는 지퇴당(知退堂). 경주 사람. 임진 왜란 때 개성부 유수(開城府留守)로 개성이 함락되자 형 정암(廷馣)과 의병을 일으켜 누차 적을 격파함. 이듬해 고급사(告急使)로 요동(遼東)에 왕래하였으며 사도 도체찰 부사(四道都體察副使)로 활약하였음. 성리학(性理學)을 연구하였고, 성력(星曆)·복서(卜筮)·단수(斷數)에 이르기까지 통달함. [1548-1607]

이:-정환【李廷煥】명〖사람〗조선 인조(仁祖) 때의 학자. 자(字)는 휘원(輝遠), 호는 송암(松巖). 전주(全州) 사람. 생원시(生員試)에 합격하였으나 병자 호란(丙子胡亂)의 국치(國恥)를 보고 벼슬을 단념 시작(詩作)으로 세월을 보냈음. 저서에 《송암 유고(松巖遺稿)》가 있음. 시조 10수가 전함. 생몰년 미상.

이제[1] 명부 〔중세 : 이제〕 바로 이 때. 지금(只今). *저제[1].

이:제[2]【二諦】명〖불교〗진제(眞諦)와 속제(俗諦).

이제[3]【夷齊】명〖사람〗백이(伯夷)와 숙제(叔齊).

이제[4]【泥劑】명〖약〗연고류(軟膏類)와 같이 지방(脂肪)과 납(蠟)을 기제(基劑)로 하여 만들어진 도포약(塗布藥).

이:제[5]【裏題】명 책의 첫 장에 적힌 책의 제목.

이:-제공【二提栱·二諸貢】명〖건〗주삼포(柱三包) 집 기둥에 덧붙이는 쇠서받침. 오포(五包)와 칠포(七包) 집에는 각각 삼(三)제공·사(四)제공이라 이름.

이제-까지 부 이제껏. 이때껏.

이제-껏 부 지금에 이르기까지. 여태까지. 이제까지. 입때껏. ¶ ~ 무엇을 하였느냐/~ 놀기만 했느냐.

이제나-저제나 부 언제일지 알 수 없을 때나 어떤 일을 몹시 안타깝게 기다릴 때 쓰는 말. ¶ ~ 애타게 기다리던 비가 오기 시작했다/~ 너를 기다리다가 밤을 새웠다.

이제디다 자 〈옛〉 이지러지다. ¶이제디디 아니ᄒᆞ야시니 뷘 모히 寂靜ᄒᆞ고(未缺空山靜) 《重杜諺 XII : 4》.

이:-제(:)마【李濟馬】명〖사람〗조선 후기의 한의학자. 사상 의학(四象醫學)의 시조. 자(字)는 무평(務平), 호는 동무(東武). 본관은 전주(全州). 함남 함흥(咸興) 출생. 역학과 한의학에 뜻을 두어 수세 보원(壽世保元)의 학설을 창안, 확립하고 많은 중환자를 고쳤음. 저서에 《격치고(格致藁)》·《동의(東醫) 수세 보원》 등이 있음. [1838-1900]

이:제-부【利濟府】명〖역〗신라 경덕왕(景德王) 때에 선부(船部)의 고친 이름.

이:제 삼왕【二帝三王】명〖사람〗당요(唐堯)·우순(虞舜)의 이제와 하(夏)나라의 우왕(禹王)·은(殷)나라의 탕왕(湯王)·주(周)나라의 문왕(文王) 및 무왕(武王)의 삼왕. 문왕과 무왕은 부자(父子)이므로 한 사람으로 침.

이:-제(:)신【李濟臣】명〖사람〗조선 명종·선조 때의 문신. 자(字)는 몽응(夢應), 호는 청강(淸江). 전의(全義) 사람. 명종 때부터 선조조까지 관직에 있었으며, 《명종 실록(明宗實錄)》의 편찬에도 참여함. 진주(晋州) 목사·강계(江界) 부사 등을 거쳐 선조 16년(1583) 함경도 병마절도사(兵馬節度使)로서 국경을 침입한 여진족 이탕개(尼湯介)에게 패전한 책임으로 파직, 유배되어 죽음. 문집《청강 선생집》(6권 3책) 외에 《청강 소설》을 지음. [1536-84]

이제-야 부 이제 겨우. 이제 비로소. 지금에 이르러서 겨우. ¶ ~ 알았다/~ 돌아오느냐. *그제야.

이제-저제 부 이때나 저때나. ¶ ~ 미루기만 한다. ──-하다 자여불 이때로 저때로 자꾸 미루다. ¶이제저제하며 도대체 갚지를 않는다.

이:-제현【李齊賢】명〖사람〗고려 말기의 명신·학자. 자는 중사(仲思), 호는 익재(益齋). 경주(慶州) 사람. 이재(頤齋) 백이정(白頤正)의 문인. 충선왕(忠宣王) 이후 공민왕(恭愍王)에 이르는 6대 임금을 섬김. 충숙왕(忠肅王) 때 북경에 건너가, 만권당(萬卷堂)에서 조맹부(趙孟頫) 등과 종유(從遊)하고 돌아와 당대의 명문장가로 이름을 떨쳤으며, 복잡한 외교 문서를 도맡아 기초했고, 정주학(程朱學)의 기초를 닦았으며 벼슬이 문하 시중(門下侍中)에 이름. 그의 저서 《익재 난고(益齋亂

藥)≫ 소악부(小樂府)에 17수의 고려 민간 가요를 한시(漢詩) 칠언 절구(七言絕句)로 번역하여 남김. 기타 저서에 ≪익재집(益齋集)≫ 등이 있음. 시호는 문충(文忠). [1287-1367]

이젝션 시:트 [ejection seat] 명 비행기 사고(事故)로 인해 추락(墜落)할 찰나에 탑승원(搭乘員)이 좌석(座席)에 앉은 채로 자동적으로 비행기 밖으로 튀어 나오면서 낙하산(落下傘)이 펴지게 된 장치. 곧, 탑승원을 밖으로 밀어 내는 장치를 한 좌석.

이젝터 [ejector] 명 고압의 기체를 노즐로 분출, 그 견인 작용으로 다른 유체(流體)를 흡인(吸引)하였다가 배출하는 장치로, 진공 펌프의 일종. 증기를 분출하는 경우가 가장 많고, 1단에서 100 mmHg, 2단에서 200 mmHg정도의 압력까지 흡인함. 보일러 용수(用水) 속에 혼입하는 공기의 제거에 많이 씀.

이:젤 [easel] 명 화가(畫架).

이:젤-자리 [easel] 명 [라 Pictor] 〖천〗 남천(南天)에 있는 별자리. 오리온자리의 남쪽의 미광성(微光星)으로 이루어진 작은 별자리로서, 2월 상순(上旬)에 남중(南中)함. 화가자리.

이제[1] 명부 〈옛〉 이제[1]. ¶네와 이제왜 훈가지로 體 ㅣ 곧도다(古今同一體)≪初杜諺 XII:4≫.

이제[2] 【是齊】 조 〈이두〉 이다. 이어라. 일지어다.

이:조[1] 【二祖】 명 ①두 사람의 조(祖). 특히, 중국에서는 한(漢)의 고조(高祖)와 세조(世祖)를 이름. ②둘째 번의 조. 특히, 선종(禪宗)의 제2조인 혜가(慧可)를 이를 경우도 있음.

이:조[2] 【吏曹】 명 〖역〗 ①고려 때 육조(六曹)의 하나. 공양왕(恭讓王) 원년(1389)에 전리사(典理司)를 고친 이름. 문관의 선임(選任)과 훈봉(勳封)에 관한 일을 맡았음. ②조선 시대의 육조의 하나. 문관의 선임과 훈봉, 관인(官人)의 성적 고사(成績考査), 포폄(褒貶)에 관한 일을 맡았음. 천관(天官). 동전(東銓). 문부(文部).

이:조[3] 【利條】 [―쪼] 명 ①↗이자조(利子條). ②이자(利子). 변리(邊利). 이문(利文).

이:조[4] 【李朝】 명 〖역〗 ①↗이씨 조선(李氏朝鮮). ②↗이씨 왕조(王朝).

이:조[5] 【李朝】 명 〖역〗 베트남의 왕조. 시조는 이 공온(李公蘊). 수도는 승룡(昇龍), 곧 지금의 하노이. 베트남 최초의 지속적인 왕조로서 대월(大越)이라 이름하였음. 9대 216년. 이씨 안남(李氏安南). [1009-1225]

이:조[6] 【異朝】 명 ①외국의 조정(朝廷). ②외국.

이조[7] 【梨棗】 명 ①배와 대추. ②판목(版木)으로는 배나무와 대추나무가 제일 좋은 데서, 전하여 출판의 뜻으로 쓰임.

이조[8] 【移調】 명 〖악〗 '조옮김'의 한자 이름.

이:조[9] 【履祚】 명 왕위(王位)에 오름. ――하다 자여불

이조[10] 【離調】 명 〖전〗 전기(電氣) 동조 회로(同調回路)에서 동조점(同調點)으로부터 벗어난 상태.

이조 가:능성 【移調可能性】 [―썽] 명 〖심〗 이조성(移調性).

이:-조년 【李兆年】 명 〖사람〗 고려 충혜왕(忠惠王) 때의 충신. 자는 원로(元老), 호는 매운당(梅雲堂). 경산(京山) 사람. 충혜왕 복위(復位) 1년(1340) 정당 문학(政堂文學)에 승진, 예문관 대제학(藝文館大提學)이 되어 성산군(星山君)에 봉해짐. 왕의 음탕함을 간언(諫言)하였으나 받아들이지 않으므로 사직하였음. 시문에 뛰어나 시조 1수가 전함. 시호는 문열(文烈). [1269-1343]

이조-도 【離調度】 명 〖전〗 동조(同調) 회로가 동조점에서 어느 정도 벗어났는가를 표시하는 양.

이:-조묵 【李祖默】 명 〖사람〗 조선 시대 후기의 문인·서화가. 자는 강다(絳茶), 호는 육교(六橋). 중국 당(唐)나라 이상은(李商隱)의 시풍, 진(晉)나라 왕희지(王羲之)의 필법, 원(元)나라 황공망(黃公望)의 화법을 본받아, 삼절(三絕)로 일컬어졌으며, 금석학(金石學)에도 일가를 이루었음. [1792-1840]

이:조 백자 철사 포도문 호 【李朝白瓷鐵砂葡萄文壺】 [―싸―] 명 17세기 조선 시대에 제작된, 철사로 포도의 무늬를 그려 넣은 백자 항아리. 높이 53.3cm. 국보 제107호.

이:조 법전고 【李朝法典考】 명 〖책〗 조선 시대의 법전(法典) 제정의 경과를 기술한 책으로, 일본인 학자 아사부 다케가메(麻生武龜)의 저작. ≪경제 육전(經濟六典)≫을 비롯한 여러 법전 편찬의 유래와 개설을 쓰고, 뒤에 부록과 연표(年表) 등을 실었음. 1936년 간행됨.

이조-성 【移調性】 [―썽] 명 [transposability] 〖심〗 하나하나의 요소(要素)는 달라도 전체로서의 성질은 공통일 수 있는 특성(特性). 예를 들면, 고음부(高音部)에 있어서의 선율(旋律)을 저음부(低音部)로 이조(移調)하여도 동일(同一)한 선율로 들리는 경우와 같은 것. 이조 가능성(移調可能性).

이:조 실록 【李朝實錄】 명 〖역〗 '조선 왕조 실록'의 구칭.

이조 악기 【移調樂器】 명 〖악〗 '조옮김 악기'의 한자 이름.

이:조 어:필 언:간집 【李朝御筆諺簡集】 명 〖책〗 조선 시대 선조(宣祖)·효종(孝宗)·현종(顯宗)·숙종(肅宗)·인선 왕후(仁宣王后)·명성 왕후(明聖王后)·인현 왕후(仁顯王后)의 친필 언문 서간집. 42편을 김 일근(金一根)이 수집, 고증·주해하여 영인(影印)함.

이:-조원 【李祖源】 명 〖사람〗 조선 시대 말의 문신. 자는 현지(玄之), 호는 판교(板橋). 연안(延安) 사람. 이조 참의·대사성(大司成)·예조 판서·병조 판서 등을 역임한 후 순조 원년(1801) 안동 김씨(安東金氏)의 세도 정치에 대항하다가 유배, 동 5년 풀려남. 글씨는 당대의 명필로 이름남. [1735-1806]

이조차 조 〈옛〉 조차. 마저. ¶黃昏의 돌이조차 벼마티 빗최니≪松江 思美人曲≫

이:조 참의 【吏曹參議】 [―/―이] 명 〖역〗 이조(吏曹)에 딸린 정삼품의 당상관(堂上官). 이조 참판(參判)의 다음 지위임. 삼전(三銓).

이:조 참판 【吏曹參判】 명 〖역〗 이조(吏曹)에 딸린 종이품 벼슬. 이조 판서(判書)의 다음 지위. 아전(亞銓).

이:조 취:재 【吏曹取才】 명 〖역〗 조선 시대에, 이조(吏曹)에서 주관(主管)하여 뽑는 문직(文職) 계통의 취재. 녹사(錄事) 취재·문음(門蔭) 취재·서리(書吏) 취재·역승(驛丞) 취재·도승(渡丞) 취재·수령(守令) 취재 등이 있음. *예조(禮曹) 취재·병조(兵曹) 취재.

이:조 판서 【吏曹判書】 명 〖역〗 이조(吏曹)의 으뜸 벼슬. 정이품 벼슬. ㊀이판(吏判).

이:족[1] 【異族】 명 ①다른 민족. ↔동족(同族). ②이성(異姓).

이-족[2] 【彝族】 명 중국 소수 민족의 하나. 쓰촨 성(四川省)과 윈난 성(雲南省)의 경계를 중심으로 구이저우(貴州)·광시(廣西)의 산지(山地)에 널리 분포함. 8세기에는 남조국(南詔國)을 세웠었음. 특수한 문자를 가지고 있으며 화전식(火田式) 농업과 목축을 생업으로 하고 있음. 언어는 티베트 버마 어계(語系)인 이어(彝語)를 씀. 현재 약 485만 명이 중국 영내에 거주함. 롤로 족(Lolo族). *롤로 문자(Lolo文字).

이:족-촌 【吏族村】 명 조선 시대에, 중인이던 향리(鄕吏)·서리(胥吏)가 집단적으로 살던 마을. 아전(衙前) 마을·향리 마을이라고도 함.

이:족 혼인 【異族婚姻】 명 부족(部族)이 다른 사람끼리 하는 혼인. 족외혼(族外婚).

이:존 【二尊】 명 석가(釋迦)와 미타(彌陀).

이:존-교 【二尊教】 명 〖불교〗 정토문(淨土門)의 근본을 이루는 교의(教義). 관무량수경(觀無量壽經)에 있는 석가·미타(彌陀)의 설교로서, 결국에는 일교(一教)에 돌아간다 함.

이:-존비 【李尊庇】 명 〖사람〗 고려 충렬왕(忠烈王) 때의 명신. 초명은 인성(仁成). 고성(固城) 사람. 문장과 예서(隷書)에 능하였으며, 벼슬은 상서 우승(尙書右丞)·좌승지(左承旨)에 이르렀음. 충렬왕 13년(1287) 일본에 정토군(征討軍)을 보낼 때 삼남도 순문사(三南道巡問使)로서, 군량·군함을 잘 조달하여 큰 공을 세움. [1233-87]

이:-존오 【李存吾】 명 〖사람〗 고려 공민왕(恭愍王) 때의 충신. 자는 순경(順慶), 호는 석탄(石灘). 경주 사람. 우정언(右正言)이 되어 신 돈(辛旽)의 횡포를 탄핵하여 왕의 노여움을 샀으나 극형은 면하고 공주(公州)에서 은둔 생활을 하다가 울분으로 병이 나서 죽었음. 대사성(大司成)에 추증(追贈). 시조 3수가 전함. [1341-71]

이:졸 【吏卒】 명 낮은 벼슬아치. 아전(衙前). 서리(胥吏).

이:졸 환:면 출입 【吏卒換面出入】 명 〖역〗 조선 시대에, 과거(科擧) 제도의 팔폐(八弊)의 하나. 과장(科場)을 경비하는 이졸이 바꾸어 가며 과장에 드나들어 답을 알려 주는 일.

이좀 자 〈옛〉 이지러짐. '이즈다'의 명사형. ¶應호미 이조미 업스니라(應無虧)≪金三 IV:9≫.

이종[1] 【姨從】 명 ↗이종 사촌.

이:종[2] 【異種】 명 ①다른 종류. ②변한 종자.

이종[3] 【移種】 명 모종을 옮겨 심음. 이식(移植). ――하다 타여불

이:종[4] 【履蹤】 명 [발자국이라는 뜻] 사람이 다닌 자취. 이적(履跡).

이:종 감:각 【異種感覺】 명 〖심〗 다른 감관(感官)에 일어나는 감각.

이:종 교:과서 【二種教科書】 명 〖교〗 교육부 장관의 검정(檢定)을 받은 교과서. 현재는 초·중·고교의 국어 과목을 제외한 전(全) 과목의 교과서가 이에 해당함. *교과서.

이:종 교배 【異種交配】 명 〖생〗 서로 같지 아니한 종(種)의 동물이나 식물을 교배시키는 일. 낳은 새끼는 생식 능력이 없음. 종간 교배(種間交配). ――하다 자여불

이:종 기생 【異種寄生】 명 [heteroecism] 〖생〗 같은 종류의 기생 식물(寄生植物)이면서 그 생활하는 동안에 두 가지 이상의 다른 것에 기생하여 숙주(宿主)를 바꾸는 일. 이를테면, 수균류(銹菌類) 따위. ↔동종 기생(同種寄生).

이:종 도서 【二種圖書】 명 〖교〗 초·중·고교의 국어 과목을 제외한 교과목(教科目)의 교과서 및 지도서. 곧, 이종 교과서와 이종 지도서의 합칭. 교육부 장관의 검정(檢定)을 받아 편찬함.

이종-매 【姨從妹】 명 이종 사촌의 손아랫누이.

이종 매:부 【姨從妹夫】 명 이종매의 남편.

이:-종무 【李從茂】 명 〖사람〗 고려 말기, 조선 초기의 무신. 본관은 장수(長水). 고려 우왕 7년(1381) 강원도에 침입한 왜구를 격퇴, 이어 조선 태조(太祖) 6년(1397) 옹진 만호(甕津萬戶)로 있을 때 왜구의 침입을 격퇴함. 세종(世宗) 원년(1419) 전함 227척을 거느리고 대마도(對馬島)를 정벌하고 귀국함. 시호는 양후(良厚). [1360-1425]

이종 사:촌 【姨從四寸】 명 이모(姨母)의 아들과 딸. ㊀이종(姨從). *고종(姑從).

이:-종성 【李宗城】 명 〖사람〗 조선 영조(英祖) 때의 상신(相臣). 자(字)는 자고(子固), 호는 오천(梧川). 경주(慶州) 사람. 여러 벼슬을 두루 거쳐 영조 28년(1752)에 좌의정이 되고 이어 영의정에 이르렀는데, 장헌 세자(莊獻世子)를 극력 보호하였음. 저서에 ≪오천집(梧川集)≫이 있음. 시호는 문충(文忠). [1692-1759]

이:-종우[1] 【李鍾雨】 명 〖사람〗 철학자. 강원도 통천(通川) 출생. 일본 교토 대학(京都大學)을 졸업. 보성 전문 학교 강사를 거쳐, 1952년에 고려 대학교 부총장, 1963년 문교부 장관, 1965년에 고려 대학교 총장을 역임함. 저서에 ≪철학 개론(哲學槪論)≫·≪하늘과 땅 사이에≫ 등이 있음. [1903-74]

이:-종우[2] 【李鍾禹】 명 〖사람〗 서양화가. 호는 설초(雪蕉). 황해도 봉산(鳳山) 출생. 1923년에 일본 도쿄 미술 학교를 졸업하고, 1925년 한국인 서양화가로서는 처음으로 프랑스 파리에 유학함. 1940년부터 해방까지 금강산(金剛山) 스케치에 전념, 이후 남화(南畫)를 연상케 하는 직접적(直接的)인 풍경화를 주로 그림. 홍익 대학(弘益大學) 미술 대학장·

국전 심사 위원·예술원 회원 등을 지냄. [1899-1981]

이:-종우[3]【李鍾愚】[명]『사람』 조선 시대 후기의 문신·서화가(書畫家). 자는 대여(大汝), 호는 석농(石農). 연안(延安) 사람. 벼슬은 형조·공조·이조·병조 판서, 뒤에 판의금부사(判義禁府事)를 지냈으며, 글씨와 그림에 능하였음. 특히, 그의 글씨는 석농체(石農體)라 하여 독특한 필체를 이루었음. 시호는 문헌(文憲). [1801-?]

이:종 유도자【異種誘導者】[명]〔heterogenic inductor〕 배발생(胚發生) 과정에서 기관 원기(器官原基)나 조직의 유도를 일으키는 배(胚)의 부분과 같은 효과를 갖는 이종 성체(異種成體)의 조직과 물질.

이:종 이식【異種移植】[명]『의』 어떤 개체에 종속(種屬)이 다른 개체의 장기(臟器) 조직을 옮겨 심는 일. 일반적으로 극히 어려움.

이:종 이식편【異種移植片】[명]〔heterograft〕 어떤 종류의 동물로부터 떼어서 다른 동물에 이식한 조직(組織) 또는 장기(臟器).

이:-종인【李宗仁】[명]『사람』 '리 쭝런'을 우리 음으로 읽은 이름.

이:-종일【李鍾一】[명]『사람』 삼일 운동 때 민족 대표 33인 중의 한 사람. 언론인. 경기도 포천(抱川) 출생. 제국 신문(帝國新聞) 사장으로 있다가 필화(筆禍)를 입어 금부(禁府)에 투옥되었으며, 후에 천도교 문화 운동(文化運動)에 종사하다 1919년 3월 1일 독립 선언에 참가하였음. 조선 국문 연구회(朝鮮國文研究會) 회장이 되어, 한글 맞춤법 연구에 공헌함. [1858-1925]

이종-제【姨從弟】[명] 이종 사촌 동생. 외제(外弟).

이:종 조직 종양【異種組織腫瘍】[명]〔heterologous tumor〕『의』 종양부(部)의 장기 조직(臟器組織)과 다른 조직으로 형성(形成)된 신생물(新生物).

이:-종준【李宗準】[명]『사람』 조선 시대 중기의 문신·학자. 자는 중균(仲鈞), 호는 용재(慵齋). 경주(慶州) 사람. 김종직(金宗直)의 문인. 의성 현령(義城縣令) 때 ≪경상도 지도(慶尙道地圖)≫를 제작함. 무오 사화(戊午士禍) 때 사형당함. [?-1499]

이:종 지도서【二種指導書】[명]『교』 교육부 장관의 검정(檢定)을 받은 지도서. 현재는 초·중·고교의 국어 과목을 제외한 전(全) 과목의 지도서가 이에 해당함. *지도서.

이:-종찬【李鍾贊】[명]『사람』 군인. 육군 중장. 경남 진해 출생. 일본 육군 사관 학교 졸업. 일본 육군 소좌(少佐). 해방 후 국군 창설에 참여했고, 육군 참모 총장, 육군 대학 총장, 국방부 장관을 역임하고 9·10대 국회 의원을 지냄. [1916-83]

이:-종태【李鍾泰】[명]『사람』 조선 시대 말의 서예가. 자는 공래(公來), 호는 소농(筱農). 광주(廣州) 사람. 서예가 해룡(海龍)의 후손. 벼슬은 참판에 이르렀음. 서울 대한문(大漢門)의 현판을 썼음. [1850-?]

이종-형【姨從兄】[명] 이종 사촌 형. 외형(外兄).

이:-종훈【李鍾勳】[명]『사람』 3·1 운동 때 민족 대표 33인 중의 한 사람. 호는 정암(正菴). 경기도 광주(廣州) 출생. 25세 때 동학(東學)에 입교(入教)함. 1894년 동학 농민 운동에 활약하다가 1902년 손병희(孫秉熙)·오세창(吳世昌) 등과 함께 일본으로 망명, 기미 독립 운동(己未獨立運動)에 주동이 되고, 항일 운동을 계속하다가 투옥됨. 뒤에 만주에 망명, 병사함. [1856-1935]

이:죄[1]【二罪】[명] 일죄(一罪)인 사형(死刑) 다음가는 죄. 곧, 유형(流刑).

이죄[2]【弛罪】[명] 죄를 용서함. ——-하다 [자][여불]

이죄[3]【罹罪】[명] 죄에 걸려듦. ——-하다 [자][여불]

이:주[1]【二走】[명]『역』 달음질 취재(取才)의 둘째 등급(等級). *주(走).

이:주[2]【二周】[명]『역』 중국의 서주(西周)와 동주(東周).

이주[3]【耳珠】[명] 귀젖이. 귀고리. 이당(耳璫).

이주[4]【伊周】[명] 중국 은(殷)나라의 양상(良相) 이윤(伊尹)과 주(周)나라의 현상(賢相) 주공(周公)을 아울러 이르는 말.

이주[5]【移住】[명] ①집을 옮겨서 삶. 이거(移居). ②〔migration〕 개척·정복 등의 목적으로 종족·민족 등의 집단이 한 토지에서 다른 토지로 이동·정주(定住)하는 일. 선사 시대 및 고대에 성행하였음. ③〔emigration〕 주로 경제적, 때로는 정치적 목적으로 소집단(小集團) 또는 개인이 이동·정주하는 일. ¶해외 ~. ④『동』 외계(外界)의 상황(狀況)에 적응(適應)하기 위해 이제껏 살던 곳과 같은 자연적인 환경을 찾아서 옮겨 사는 일. 제비·기러기 등이 철을 따라 사는 곳을 바꾸는 것과 같은 것. ——-하다 [자][여불]

이주[6]【移駐】[명] ①옮기어 주재(駐在)함. ②『군』 딴 곳으로 옮기어 주둔함. ——-하다 [자][여불]

이-주[7]【離朱】[명]『사람』 중국 고대의 전설상의 인물. 백 보 떨어진 곳에서도 털끝이 보일 만큼 시력이 뛰어났다고 함. 이루(離婁).

이주[8]【驪珠】[명] 여의주(如意珠).

이주걱-거리다 [자] ☞이기죽거리다. >야주걱거리다. 이주걱-이주걱 [부]. ——-하다 [자][여불]

이주걱-부리다 [자] ☞이기죽거리다.

이:주-목【異柱目】[명]『조개』 부등근류(不等筋類).

이주-민【移住民】[명] 다른 나라에 옮겨 가서 사는 사람. [준]이민. ↔원주민(原住民).

이주-석【螭柱石】[명]『건』 기둥 머리에 짐승 모양을 새긴 돌기둥. 이무기 기둥돌.

이:주 수정【異株受精】[명]〔xenogamy〕『식』 다른 식물 개체(植物個體)에 있는 꽃 사이에 타가 수정(他家受精)을 하는 일.

이주 식민지【移住植民地】[명] 기후나 지리적 환경 등의 자연 조건이 본국과 대차가 없고, 원주민의 수가 많지 아니하고 사회적 힘이 크지 아니하여 식민자가 다수 이주하여 살기에 적당한 식민지. ↔투자(投資) 식민지.

이주-자【移住者】[명] 다른 곳에 옮아 가서 사는 사람.

이주-지【移住地】[명] 이주하는 곳. 이주한 나라.

이:주-화【異株花】[명]『식』 은행나무·삼 등과 같이 수꽃과 암꽃이 각각 다른 나무에서 피는 꽃.

이-죽【一粥】[명] 입쌀로 쑨 죽.

이죽-거리다 [자] ↗이기죽거리다. 이죽-이죽 [—/—니—] [부]. ——-하다 [자][여불]

이죽-대다 [자] 이죽거리다.

이:-준【李儁】[명]『사람』 조선 고종(高宗) 때의 열사(烈士). 호(號)는 일성(一醒). 함경도 북청(北青) 출신. 건양(建陽) 원년(1896) 독립 협회 초대 평의장(評議長)에 취임한 후, 광무(光武) 2년(1898) 일본 와세다(早稻田) 대학 법과를 졸업하고 귀국함. 동 10년 보광(普光) 학교를 세우고, 특별 법원 검사에 임명됨. 광무 11년(1907)에 고종의 밀조(密詔)와 친서를 품고 헤이그(Hague) 만국 평화 회의에 참석하여 일본의 침략 행위를 열국 대표에게 호소하려다 참석하지 못하게 되매, 단독(丹毒)으로 순국(殉國) 분사(憤死)하였음. [1859-1907]

이:-준(:)경【李浚慶】[명]『사람』 조선 명종(明宗) 때의 명신. 자는 원길(原吉), 호는 동고(東皐). 광주(廣州) 사람. 중종(中宗) 28년(1533) 사경(司經)으로서 기묘 사화(己卯士禍) 때의 피죄인(被罪人)들의 무죄를 논했다가 파직을 당했으나 다시 기용됨. 명종 10년(1555)에 도순찰사(都巡察使)로 왜구(倭寇)를 물리쳤고, 동 20년 대배(大拜)하여 영의정(領議政)에 이름. 죽을 때 붕당(朋黨)이 있을 것이라는 예언을 함. 시호는 충정(忠正). [1499-1572]

이:-준(:)규【李峻奎】[명]『사람』 조선 고종 때의 전의(典醫). 태의원(太醫院)의 전의로 가의 대부(嘉義大夫)에 오르고, 광무(光武) 4년(1900)에 광제원장(廣濟院長)이 되었음. 저서에 ≪의방 촬요(醫方撮要)≫가 있음. 생몰년 미상.

이:-준(:)이【李俊異】[명]『사람』 고려 인종(仁宗) 때의 화가. 내전 숭반(內殿崇班)을 지냈으며, 서화(書畫)로 이름이 높았음. 거장(巨匠)이 영(李寧)의 스승임. 생몰년 미상.

이-중[1]【一中】[명] 이 가운데. 이 속. *그 중.

이:중[2]【二中】[명] ①『역』 시문(詩文)을 평하는 등급의 하나. 이등(二等) 가운데의 중등(中等). ②화살 다섯 대 가운데에 둘을 맞힘. ——-하다 [자][여불]

이:중[3]【二重】[명] ①두 겹. ②『악』 불교의 성명(聲明)에서 음역(音域)을 삼 옥타브로 가를 때, 중간 높이의 음역. 초중(初重)·이중·삼중(三重)의 순으로 높아짐. *초중·삼중.

이:중[4]【二衆】[명]『불교』 ①비구(比丘)와 비구니(比丘尼). ②출가(出家)하여 도(道)를 닦는 도중(道衆)과 속세(俗世)에 살면서 법(法)에 귀의(歸依)하는 속중(俗衆).

이:중[5]【里中】[명] 동리의 안.

이중[6]【泥中】[명] 진흙 속. 진창 가운데.

이:중 가격【二重價格】[—까—] [명]『경』 물가 통제 정책상, 동일 상품에 대하여 두 가지 이상의 공정 가격을 매기는 일. 또, 그 가격. 쌀의 생산자 가격과 소비자 가격이나 수출 촉진을 위하여 매기는 국내 가격과 수출 가격 따위. *이중 가격제.

이:중 가격제【二重價格制】[—까—] [명]『경』 ①생산자 가격(生產者價格)과 소비자 가격(消費者價格)을 구별하는 제도(制度). 곧, 한쪽으로는 싼 노임(勞賃)을 유지하기 위하여 저물가 정책을 견지하는 필요상 소비자에 대한 판매 가격을 싸게 하고, 다른 쪽으로는 생산 확충을 위하여 소비자 가격보다 비싼 값으로 생산자의 판매 가격을 정해서 그 차액(差額)을 보조금으로서 생산자에게 지급하는 제도. ②상품의 수출 가격과 국내 가격(國內價格)의 이중제(二重制). 국제 시장(市場)의 불경기로 할 수 없이 국내 가격보다 싸게 상품 가격을 정하여 수출(輸出)하는 경우에 생김.

이:중 감:각【二重感覺】[명]〔double sensation〕『의』 척수로(脊髓癆)에서 볼 수 있는 지각(知覺) 장애. 지각 검사의 목적으로 하지(下肢)에 바늘을 지속적(持續的)으로 꽂아 두면 처음엔 단순히 촉각(觸覺)만을 느끼고 아픔을 느끼지 않으나 수초(數秒)가 지나면 몹시 아픔을 느끼는 것을 말함.

이:중 결합【二重結合】[명]〔double bond〕『화』 탄소·질소·산소·황 등이 상대방의 원자와 두 개의 원자가 결합선(原子價結合線)으로 결합하는 현상. 이중 결합을 갖는 물질은 부가(附加) 반응을 일으키고 장파장(長波長)의 광선을 흡수하며 굴절률(屈折率)이 큰 것 등이 특징임. '=' 로 표시함.

이:중 결혼【二重結婚】[명] 중혼(重婚).

이:중 경제【二重經濟】[명]『경』 완전 고용의 달성, 불황(不況)의 극복을 도모하기 위하여 사기업(私企業)의 자유로운 경제 활동을 기본적으로 인정하면서, 그와 병행하여 국가가 적극적으로 경제 활동을 행하여 공공 기업을 육성하고 있는 경제. 혼합(混合) 경제.

이:중-계【里中契】[—계] [명] 동리 사람이 모여 만든 계.

이:중-고【二重苦】[명] 겹치는 고통. 거듭되는 고생. ¶질병과 가난의 ~.

이:중 곡가제【二重穀價制】[명] 농촌의 소득을 높여 도농(都農) 간의 소득 격차를 해소하고, 도시 서민의 주식비(主食費) 부담을 낮은 수준으로 유지하여 물가 안정을 도모하려는 취지에서, 정부가 쌀·보리 등의 주곡을 농민으로부터 비싼 값에 수매하여 이보다 낮은 가격으로 소비자에게 파는 제도.

이:중 공:명【二重共鳴】[명]〔double resonance〕『물』 상호 작용을 하는 두 가지의 자기 모멘트(磁氣moment)가 물질 안에 있을 때, 두 가지 전자기파(電磁氣波)를 사용하여 양쪽의 자기 공명을 동시에 하게 하는 방법. 상호 작용에 관한 정보를 얻거나 단독으로는 관측되지 않는 공명을 간접적으로 조사하는 데에 이용함.

이:중 과:세[1]【二重過歲】[명] 양력(陽曆)과 음력으로 설을 두 번 쇠는 일. ——-하다 [자][여불]

이:중 과세[2]【二重課稅】[명]『경』 동일한 조세 객체(租稅客體)의 전부 또는 일부에 대한 이중의 과세. 영업 수익세(營業收益稅) 외에 소득세(所得稅)를 물리며, 소득세에 지방 부가세(地方附加稅)를 물리는 일 등.

중복 과세(重複課稅). ——-하다 자여불

이:중 구름【二重—】명〔duplicatus〕『기상』구름의 변종의 하나. 높이의 차가 얼마 아니되는 운층(雲層)이나 반상(斑狀)의 구름이 겹쳐져 있는 구름. 때로는 부분적으로 나타남.

이:중 구:연【二重口緣】명『고고학』겹아가리.

이:중 구조【二重構造】명 ①『경』한 나라의 경제 속에 근대적 요소와 전근대적(前近代的) 요소가 공존하고 있는 상태. 대기업과 중소 영세 기업의 병존 또는 농촌 부문과 공업 부문의 병존 따위. ②근대적 요소와 전근대적 요소가 공존하여, 양자 사이에 지배·피지배의 관계나 심한 격차가 보이는 등의 사회 현상. ③동일한 것 속에 다른 구조를 가지는 일.

이:중 국적【二重國籍】명『법』한 사람의 국적이 두 나라에 있는 일. 곧, 귀화(歸化)나 결혼에 의하여 새 국적을 취득하고 옛 국적을 상실(喪失)하지 아니하는 등의 경우. *중국적(重國籍).

이:중-극【二重極】명 쌍극자(雙極子).

이:중-근【二重根】명〔double root〕『수』중복(重複)되는 근(根). 곧, 방정식 $x^3-3x+2=0$은 $(x-1)^2(x+2)=0$이 되는데, 이것을 풀면 $x=1$ 또는 $x=-2$가 나오는 경우, 이러한 근(根)을 말함.

이:중 근호【二重根號】명『수』$\sqrt{a+\sqrt[3]{b}}$와 같이 근호 속에 다시 근호가 있을 때의 그 두 근호를 이름.

이:중 기소【二重起訴】명『법』소송 계속(訴訟繫屬) 중인 동일(同一) 사건에 대하여 중복(重複)하여 공소(公訴)가 제기되는 일. 원칙적으로 이것은 부적법(不適法)한 것이므로 공소 기각(棄却) 처분이 됨. *재기소(再起訴).

이:중 나마【二重奈麻】명『역』신라의 벼슬 이름. 중나마(重奈麻)의 위, 삼중 나마의 아래.

이:중 나선 구조【二重螺旋構造】명〔double helical structure〕『생』1953년에 왓슨(Watson)과 크릭(Crick)이 제창한 DNA의 분자 구조 모델. 당(糖)과 인산(燐酸)이 연결된 긴 2개의 사슬이, 안쪽이 염기(塩基)로 결쳐진 형태로 나선상으로 위아래로 뻗어 있음.

이:중 노출【二重露出】명〔double exposure〕각각 다른 피사체(被寫體)를 과실 또는 기교상(技巧上), 같은 건판(乾板) 또는 필름에 함께 노출시키는 일. 또, 그 건판이나 필름. 이중 촬영(二重撮影).

이:중 대:나마【二重大奈麻】명『역』신라의 벼슬. 중대나마(重大奈麻)의 위, 삼중 대나마의 아래.

이:-중대엽【二中大葉】명『악』옛 가곡(歌曲)의 곡조의 한 가지. 초중대엽(初中大葉) 다음에 부르던 곡조임. 조선 영조(英祖) 때 이후에는 불리어지지 않음.

이:중 대:위법【二重對位法】[—뻡] 명『악』정선율(定旋律) 외에, 대위 선율(對位旋律)의 수가 두 개 있는 대위법.

이:중 매매【二重賣買】명 동일(同一)한 목적물(目的物)을 이중으로 매매하는 일.

이:중 맹검법【二重盲檢法】[—뻡] 명『의』약의 효과를 객관적으로 판정하는 방법. 환자를 두 개의 균질(均質) 그룹으로 나누어, 한쪽에는 진짜 약을 먹이고 다른 한쪽에는 맛이 똑같은 가짜 약을 먹이되 의사도 환자도 어느 쪽이 어떤 약을 먹었는지 모르게 하여 환자의 심리 효과·의사의 선입감·개체(個體)의 차이 등을 배제한 진정한 약의 힘을 객관적으로 판정하는 방법임.

이:중 모:음【二重母音】명『언』복모음(複母音).

이:중 무:대【二重舞臺】명 무대의 위에 다시 일단(一段) 높게 장치(裝置)한 무대.

이:중 밀착【二重密着】명〔double print〕사진 또는 영화 제작상의 기교의 하나. 따로 촬영한 두 장의 건판(乾板) 또는 필름을 같은 인화지에 밀착하여, 이중 노출(二重露出)의 효과를 얻는 일.

이:중 바닥【二重—】명 ①양말 따위의 바닥이 이중으로 되어 있는 것. ¶ ~이어서 양말이 질기다. ②용기(容器)의 바닥이 이중으로 되어 있는 것. ¶ ~ 냄비.

이:중 방:송【二重放送】명 한 방송국에서 동시에 두 가지의 방송을 하는 일. ——-하다 자여불

이:중 번역【二重飜譯】명 한 번 번역된 말이나 글을 다시 다른 말이나 글로 거듭 번역함. ㊀중역(重譯). ——-하다 타여불

이:중 베:타 붕괴【二重β崩壞】명〔double β-decay〕『물』에너지 보존 법칙이 성립하지 않는 가상(假想)의 상태를 중간으로 하여 경유하는 2회(回)의 천위(遷位)에 의해 2개의 전자(電子)나 2개의 양전자(陽電子)를 방출하는 베타 붕괴.

이:중-별【二重—】명『천』이중성(二重星).

이:중-병【二重甁】명 보온병(保溫甁).

이:중 보:장 조약【二重保障條約】명『역』재보험 조약(再保險條約).

이:중 보증【二重保證】명〔double assurance〕『생』개체 발생에서, 하나의 기관 원기(器官原基)의 형성이 두 개의 별개의 기구(機構) 중 어느 것에 의해서나 가능하며, 어떤 원인으로 한 쪽의 기구가 성립하지 않는 경우에도 다른 쪽의 기구만이 작용하여 그 원기(原基)가 형성되는 상태.

이:중 부:정【二重否定】명 부정(否定)한 것을 다시 한 번 부정하는 것으로, 긍정(肯定)을 나타냄. 논리학에서는 긍정과 같은 뜻이 되나, 흔히는 어떤 정서적인 뜻을 가짐.

이:중 사고【二重思考】명 ①현대 사회를 활자 인간(活字人間)과 티브이 인간(TV人間)의 두가지로 이루어졌다고 생각하는 이중사회론(社會論)으로부터 생긴 사고법. 종래의 상식이나 논리는 활자 인간에 통용될 뿐이므로, 티브이 인간에게는 전혀 새로운 사고로 접(接)해야 한다고 하는 사고. ②〔도 Doppeldenken〕『의』정신 분열증 초기 증세의 하나. 생각과 동시에 그것에 관한 환각(幻覺)이 나타나는 현상. 즉, 생각하는 것이 눈 앞에 또는 머리 속에 나타나는 유형 사고(有形思考), 생각하는 것이 소리로 들리는 유성(有聲) 사고 따위.

이:중 사인【二重—】〔sign〕명 야구에서, 특히 상대방의 주자(走者)가 2루에 있을 경우, 포수(捕手)로부터의 사인을 눈치 채이지 않게 하기 위하여 먼저 투수가 사인을 보내고, 포수가 이를 받아서 사인을 내는 방식.

이:중-상【二重像】명 ①『심』한 물체(物體)를 볼 때 둘로 나타나는 망막(網膜)의 영상(映像). ②〔double image〕『전자』두 개로 중복되어 보이는 텔레비전 화상(畫像). 서로 다른 길을 따라 도착한 신호가, 약간 틀리는 시각에 수상기에 비치는 때문에 생김.

이:중 상:장【二重上場】명『경』증권 거래소의 청산 거래에서, 동일 종목(種目)이 장기 거래 시장과 단기 거래 시장의 양쪽에 상장 매매되고 있는 일.

이:중 생활【二重生活】명 ①이상과 현실이 서로 모순되는 생활. ②한 사람이 직업·풍속·습관 등 환경이 전혀 반대되는 성질의 두 가지 생활을 하는 일. ③의복(衣服)·음식·거처 등에 두 가지 식(式)을 겹쳐 쓰는 일. ④가족의 구성원이 어떤 사정에 의해 서로 다른 곳에서 생활하는 일. ——-하다 자여불

이:-중섭【李仲燮】명『사람』서양화가. 호(號)는 대향(大鄕). 평양 출신. 일본 도쿄 문화 학원(文化學院)을 졸업. 1937년 일본 자유 미술 협회(自由美術協會) 전람회에 출품한 이래, 야수파(野獸派)의 영향을 받은 작품으로 소·게 등 향토적인 그림을 남김. 담뱃갑 은종이에 그림을 그린 것이 많음. [1916-56]

이:중-성[1]【二重性】[—썽] 명 하나의 사물에 겹쳐 있는 서로 다른 두 가지의 성질.

이:중-성[2]【二重星】명『천』두 개 이상의 항성(恒星)이 일분각(一分角) 이내로서 접근하여 육안이나 도수 낮은 망원경으로는 따로따로 나뉘어 보이지 않는 별들. 방향의 우연한 일치에서 오는 광학적(光學的) 이중성과 실제 공간적으로 근접하여 상호 인력에 의해 연결되어서 궤도 운동을 나타내는 쌍성(雙星) 등이 있음. 지금까지 발견된 그 수는 약 23,000개임. 이중별. 중성(重星). *복성(複星).

이:중 성:격【二重性格】[—껵] 명 서로 다른 양면성(兩面性)을 지닌 성격(性格).

이:중 수소【二重水素】명『화』핵(核)이 두 개 있는 중수소(重水素).

이:중-시【二重視】명『의』복시(複視).

이:중 시:작용설【二重視作用說】명〔duplicity theory〕『심』망막(網膜)이 한 개의 시각 기관(視覺器官)이 아니고 추상체(錐狀體)와 간상체(桿狀體) 두 개의 시각 기관이 집합(集合)한 것이라는 데에 입각하여 광학(光學)의 여러 문제를 풀려는 학설. 극히 약한 빛의 자극에는 간상체가 작용하고 광도(光度)가 조금 높아 0.1 럭스 이상이면 추상체도 같이 작용하며, 광도가 더 심하면 원추체가 주로 작용한다는 설. 크리스가 제창하고 헥트가 지지한 시각 이론(視覺理論)임.

이:중식 화:산【二重式火山】명『지』복합 화산의 하나. 화산의 입구나 칼데라(caldera)의 내부에 새로운 화산이 생긴 것인데, 밖의 화산을 외륜산(外輪山), 안의 것을 중앙 화구구(中央火口丘)라고 이름.

이:중 신경 지배【二重神經支配】명〔double innervation〕『생』①동일한 효과기(效果器)나 내장 기관(內臟器官)을 두 종류의 기능적으로 다른 원심(遠心) 신경이 길항적(拮抗的)으로 지배하는 일. 보통, 한 쪽이 억제 신경, 다른 한 쪽이 흥분 신경 또는 촉진(促進)임. ②골격근 섬유(骨格筋纖維)가 운동 신경 섬유에 지배되는 경우에, 하나의 근(筋)섬유가 둘 또는 그 이상의 신경 섬유에 지배되는 일.

이:중 아찬【二重阿湌】명『역』신라의 벼슬 이름. 중아찬(重阿湌)의 위, 삼중 아찬(三重阿湌)의 아래.

이:중 압류【二重押留】[—뉴] 명『법』제일(第一) 채권자를 위하여 이미 압류된 채무자의 같은 물건 또는 권리에 대해, 다시 제이 채권자를 위하여 압류하는 일. 구용어는 이중 차압(二重差押).

이:중-어【二重語】명『언』쌍형어(雙形語).

이:중 외:교【二重外交】명『정』내각(內閣) 이외의 특수 기관이 외무(外務) 당국과 병립적(並立的)으로 행하는 외교.

이:중-운【二重雲】명『기상』이중 구름.

이:중 유리【二重琉璃】[—뉴—] 명 ①유리를 이중으로 하여 가운데를 진공으로 만든 유리. 열(熱)·음(音)의 차단에 효과가 있음. 페어 글라스(pair glass). ②유리판을 겹쳐 중간에 합성 수지판(合成樹脂板)이나 셀룰로이드 등을 끼운 유리. 깨어져도 파편(破片)이 튀지 않으며 방탄용(防彈用) 따위로 쓰임.

이:중 의:식【二重意識】명『심』글을 쓰면서 남과 이야기하는 것과 같이, 동시에 두 가지로 작용하는 의식.

이:중 인격【二重人格】[—껵] 명〔dual personality〕『심』①한 인간 안에 마치 딴 사람 같은 성격이 공존(共存)하는 일. ②한 인간이 어느 시기부터 전혀 다른 성격을 나타내며 과거의 의식을 잃는 일. 세 사람 이상의 인격이 나타나는 경우도 포함하여 다중 인격(多重人格)이라고도 함.

이:중 인격자【二重人格者】[—껵—] 명 이중 인격의 사람. 표리(表裏)가 부동(不同)한 사람.

이:중 임:금제【二重賃金制】명 단가(單價)에 의한 도급(都給) 임금제와 시간에 의한 일급(日給) 임금제를 병용하는 제도.

이:중 장부【二重帳簿】명 금전의 출납·거래 등의 실상을 감추기 위하여, 실태를 기입하는 장부 이외에 거짓 기입하는 장부를 만드는 일. 또, 그 장부.

이:중 저:당【二重抵當】명『법』동일한 부동산(不動産)에 대하여 이중으로 저당권(抵當權)을 설정하는 일. 이번 저당(二番抵當). ——-하다

음. 7-9월에 담홍색 오판화(五瓣花)가 액출(腋出)하여, 1-3개씩 달리고, 길이 1.5cm의 삭과(蒴果)를 맺는데 씨는 검음. 들에 나며 거의 한국 전역 및 대만·일본에 분포하며, 북아메리카에도 귀화(歸化)했음. 민간에서 이질·설사의 약재로 씀. 쥐손이풀.

이:-집[1]【李集】명〖사람〗고려 말의 문인. 초명(初名)은 원령(元齡). 자는 호연(浩然), 호는 둔촌(遁村). 이색(李穡)·정몽주(鄭夢周)·이숭인(李崇仁) 등과 교우(交友)하였으며, 신돈(辛旽)에게 미움을 받아 영천(永川)에 도피(逃避)·은퇴하였다가, 뒤에 여주(驪州)에서 은둔 생활을 함. 시집 ≪둔촌 잡영(遁村雜詠)≫ 1책이 전함. [1314-87]

이:-집[2]【李集】명〖사람〗조선 영조(英祖) 때의 학자. 자(字)는 백생(伯生), 호는 세심재(洗心齋)·수월헌(水月軒). 진보(眞寶) 사람. 특히, 예론(禮論)에 밝았으며, 이인좌(李麟佐)의 난에 공이 있어 상작(賞爵)이 내려졌으나 거절하고 학문에만 전심함. 저서에 ≪종심록(從心錄)≫ 등이 있음. [1672-1742]

이:집[3]【異執】명〖불교〗이론(異論)이나 정리(正理)에 어긋난 설을 굳이 고집하여 움직이지 아니하는 일. ――-하다 타여불

이집트 [Egypt] 명〖지〗아프리카 동북부·지중해·홍해(紅海)에 면했으며, 일부는 아시아에 걸쳐 있는 공화국. 동부에 수에즈 운하가 있고 나일 강 유역을 중심으로 인류 최고(最古)의 문명 발상지의 하나로 유적이 많은데 특히 피라미드가 유명함. 기원전 4천년경에 이미 통일 국가를 형성했으나, 뒤에 마케도니아·로마·사라센·터키 및 영국의 지배 하에 있었음. 1922년 독립, 1958년 아랍 연합 공화국(聯合共和國)을 거쳐, 1972년에 정식 명칭인 이집트 아랍 공화국(Arab Republic of Egypt)이 됨. 수도는 카이로. 애급(埃及). [1,001,449 km^2 : 54,690,000명(1991 추계)]

이집트-력【一曆】[Egypt] 명 고대 이집트의 윤년(閏年)을 두지 않은 태양력. 기원전 4200년 전에 시작됨.

이집트-면【一綿】[Egypt] 명 이집트산(産)의 면화의 총칭. 미국 해도면(海島綿) 다음가는 우량면임.

이집트 문명【一文明】[Egypt] 명 기원전 4000년경에 나일 강 하류에 발생한 세계 최고(最古)의 문명의 하나. 제정 일치(祭政一致)의 계급 사회로, 농경을 주로 한 수공업·지중해 무역 등을 영위했음. 거대한 국가 권력 아래, 피라미드와 각종 신전(神殿)이 건설되고 상형 문자(象形文字)를 사용했으며 측량술(測量術)·천문 역법(天文曆法) 따위의 과학 기술이 발달했음.

이집트 문자【一文字】[Egypt] [一짜] 명 고대 이집트의 상형 문자(象形文字). 오늘날의 알파벳의 조(祖)로 일컬어짐. 약 600자로 되는데, 소리·말·뜻을 나타내는 것으로 분류(分類)됨. 오른편에서 왼편으로 씀. 시대가 흐름에 따라 간이화(簡易化)된 서체(書體)가 연구되었는데, 신관(神官) 문자와 민중(民衆) 문자가 있으며 후자는 5세기경까지 사용(使用)되었음.

뜻	상형문자	신관문자	민중문자
파라오	[illegible]	[illegible]	[illegible]
아버지	[illegible]	[illegible]	[illegible]
살다	[illegible]	[illegible]	[illegible]
운반하다	[illegible]	[illegible]	[illegible]
ms	[illegible]	[illegible]	[illegible]
s	[illegible]	[illegible]	[illegible]

〈이집트 문자〉

이집트 박물관【一博物館】[Egypt] 명 카이로 중심부에 있는 이집트의 대표적인 박물관. 1902년 설립된 것으로, 선사(先史) 시대로부터 고왕국(古王國), 중(中)왕국, 신(新)왕국, 그레코 로만기(Greco-Roman 期)에 이르는 유물 약 10,000점을 수장(收藏)·전시하고 있음. 카이로 미술관.

이집트 아랍 공:화국【一共和國】명 [Arab Republic of Egypt]〖지〗이집트의 정식 명칭.

이집트-어【一語】[Egypt] 명 햄 어족(Ham 語族)에 속하는 언어. 기원전 5000년 때부터 나일 문화권에서 쓰여 왔으나 현재는 아라비아어에 구축(驅逐)되고 있음.

이집트 원:정【一遠征】[Egypt] 명〖역〗1798-99년 나폴레옹이 프랑스 정부의 명령으로 행한 원정. 알렉산드리아에 상륙, 카이로에 입성(入城)했으나 해군이 영국의 넬슨에게 패하여 실패로 끝남.

이집트 이스라엘 평화 조약【一平和條約】[Egypt Israel] 명〖역〗1979년 3월 26일, 미국의 백악관에서 카터 미국 대통령의 입회 하에 사다트 이집트 대통령과 베긴 이스라엘 수상이 조인한 이집트와 이스라엘의 단독 평화 조약. 양국 간의 전쟁 상태 종결과 시나이 반도로부터의 이스라엘의 철퇴(撤退), 양국 간의 완전 승인, 이스라엘 선박과 화물의 수에즈 운하 통행의 보장 등을 규정함.

이집트 투르크 전:쟁【一戰爭】[Egypt Turks] 명 1832-33년과 1839-41년의 2회에 걸쳐 영토 확대를 꾀하는 이집트 태수 메흐메트 알리(Meḥmet'Alī)와 투르크 사이에 일어난 전쟁. 영국·러시아·오스트리아·프로이센은 투르크를 지지함으로써, 이집트는 크레타 섬·시리아의 지배권을 잃었음.

이집트-학【一學】[Egypt] 명 고대 이집트를 언어학·고고학·역사학·신화학(神話學) 등 모든 분야에서 연구하는 학문. 나폴레옹의 이집트 원정(遠征)을 계기로, 1882년 샹폴리옹(Champollion, J.F.; 1790-1832)의 상형 문자 해독에 의해 그 기초가 확립됨.

이집트 혁명【一革命】[Egypt] 명 1952년 이집트에서 일어난 쿠데타. 제2차 대전 후 이집트에서는 영국군 철퇴(撤退) 등 완전 독립 요구의 민족 운동이 높아져, 1952년 나세르·나기브 등이 지도하는 자유 장교단이 쿠데타에 의하여 국왕 파루크(Fārūq) 1세를 국외에 추방. 1953년 공화국 수립을 선언했음.

이:징[1]【里徵】명〖역〗지방 관원이 공금(公金)을 사사로이 소비(消費)하고 대신 이민(里民)에게서 늑징(勒徵)하여 대봉(代捧)치는 일. ――-하다 타여불

이:-징[2]【李澄】명〖사람〗조선 시대 중기의 화가. 자는 자함(子涵), 호는 허주(虛舟). 경윤(慶胤)의 서자(庶子). 그림은 여러 방면으로 우수하였으며, 특히 안견(安堅)풍의 청록 산수(靑綠山水)·금벽(金碧) 산수 등 착색화(着色畫)를 많이 그렸음. 작품 ≪설봉 강각도(雪峰江閣圖)≫. [1581-?]

이징-가미 명 질그릇의 깨어진 조각. ¶ 깨어진 물독 ～ 주워 맞추는 격으로…≪金周榮 : 客主≫.

이:-징옥【李澄玉】명〖사람〗조선 세종(世宗) 때의 무인. 양산(梁山) 사람. 육진(六鎭) 개척에 공이 커서 함길도 도절제사(都節制使)가 되었는데, 단종(端宗) 원년(1453) 수양 대군(首陽大君)이 김종서(金宗瑞)의 일당이라 하여 직을 파함에 불평을 품고 거병(擧兵)하였으나 패하여 피살됨. [?-1453]

이:징옥의 난:【李澄玉一亂】[一/一에一] 명〖역〗조선 단종(端宗) 원년(1453)에 함길도 도절제사(咸吉道都節制使) 이징옥이 세조(世祖)의 즉위와 자신의 파직(罷職)에 불만을 품고 일으킨 반란. 스스로 대금 황제(大金皇帝)를 칭하고 도읍을 오국성(五國城)에 정하여, 여진(女眞)에 후원(後援)을 청했는데, 두만강을 건너려고 종성(鐘城)에 머물 때, 절제사(節制使) 정종(鄭種) 등의 습격을 받아 세 아들과 함께 피살, 난(亂)이 진압(鎭壓)됨.

이즈다 자 〈옛〉 이지러지다. ¶이즐 휴(虧) ≪石千 17≫.

이짜 명 덕을 보거나 은혜를 입은 사람이 표하리라 기대되는 인사. ¶그만큼 신세를 졌으면 ～가 있을 법도 하지.

이-짝 명 ①이쪽[2]. ②이편.

이짝-저짝 명 이편짝 저편짝.

이-쩍 명 오래 굳어 붙은 이똥.

이-쪽[1] 명 이의 부스러진 조각.

이-쪽[2] 명 이곳을 향한 쪽. 이짝. ↔저쪽.

이쪽-저쪽 명 이쪽과 저쪽.

이-쯤 명부 이만한 정도. ¶～ 해 두자. ＞요쯤.

이:차[1]【二次】명 ①두 번째. ¶～ 시험. ②어떤 사물이나 현상이 본래(本來)의 것에 대하여 부수적(附隨的)인 관계에 있는 것. 부차(副次). ¶～적인 문제. ③〖수〗정식(整式)·정함수(整函數)·대수 방정식·대수 곡선(代數曲線) 등의 차수(次數)의 두 번. ¶～ 방정식.

이차[2]【移次】명〖역〗임금이 주련(駐輦)하는 곳을 옮김. ――-하다 자여불

이:차 가:소제【二次可塑劑】명 [secondary plasticizer] 플라스틱 가소제(可塑劑)의 하나. 가소제로서 단독으로 쓰기에는 수지(樹脂)와의 친화성(親和性)이 부족해서, 일차 가소제와 혼합하지 않으면 사용할 수 없는 것.

이:차 감:염【二次感染】명 [secondary infection]〖의〗1차 감염의 병소(病巢)에 있는 병원체(病原體)가 혈관·림프관(管)·기관(氣管)·소화관(消化管)·수뇨관(輸尿管) 등의 길에 의하여 같은 기관의 다른 부위나 딴 기관으로 운반되어 감염을 일으키는 일. 1차 감염에 의하여 충분히 면역(免疫)이 되어 있을 때에는 2차 감염은 일어나지 않음. *일차(一次) 감염.

이:차 고성능 폭약【二次高性能爆藥】명 [secondary high explosive] 열(熱)이나 충격(衝擊)에 대하여 비교적 감도(感度)가 둔한 폭약의 일종. 흔히, 일차의 폭약에 의해서 유발(誘發)됨. 전폭약(傳爆藥)·작약(炸藥)에 쓰임.

이:차 곡면【二次曲面】명〖수〗곡면구(曲面球)·타원면(楕圓面)·뿔면(面)·쌍곡면(雙曲面)·타원 포물면 등, 해석 기하학에서 삼원 이차 방정식(三元二次方程式)에 의하여 표시되는 곡면.

이:차 곡선【二次曲線】명 [quadratic curve]〖수〗원·타원·포물선·쌍곡선(雙曲線) 등, 해석 기하학(解析幾何學)에서 이차 방정식으로 표시되는 곡선의 총칭.

이:차-골【二次骨】명〖생〗척추 동물(脊椎動物)의 두골(頭骨) 형성 때에 결합 조직(結合組織) 속에서 새로 만들어지는 뼈. 막골(膜骨). *일차골(一次骨).

이:차 공해【二次公害】명 폐기물을 어떤 일정한 장소에서 처리하는 경우에, 부차적으로 발생하는 공해.

이:차 광:물【二次鑛物】명〖광〗고온(高溫)이나 고압(高壓) 밑에서 결정된 광물이 저온(低溫)이나 저압(低壓) 밑에서 변질 작용(變質作用)을 받아 변한 광물. 흑운모(黑雲母)가 변한 녹니석(綠泥石) 같은 것. 차성 광물(次成鑛物).

이:차 권:선【二次捲線】명〖물〗'이차 코일'의 구용어.

이:차 금속【二次金屬】명 [secondary metal]〖야금〗금속 부스러기를 재용융(再溶融)하여 정제(精製)함으로써 회수되는 금속.

이:차 기둥면【二次一面】명 [quadratic cylinder]〖수〗기둥면에서 도선(導線)이 이차 곡선인 것을 이름.

이:차 도:함수【二次導函數】[一쑤] 명 이계(二階) 도함수.

이:차돈【異次頓】명〖사람〗신라 법흥왕(法興王) 때, 불교를 일으키기 위하여 순교(殉教)한 사람. 성은 박씨. 자는 염촉(厭髑). 모든 신하들이 불교(佛教)를 반대하므로 순교를 자청, 마침내 그가 처형되자 예언한 대로 피가 하얀 젖으로 변하는 이적(異蹟)을 보임으로써 불교를 믿게 하였다 함. [506-527]

이:차-떡 명 〈방〉 인절미(평안). *이찹쌀.

이:차-떼기【二次一】명〖고고학〗일차떼기로 떼낸 격지면의 쓸 부분에 다시 떼기를 하는 일. 이는 날을 다듬는 과정이기 때문에 보통 잔손질이라고도 함. 이차 박리(二次剝離).

이:차 매장량【二次埋藏量】[一냥] 명 [secondary reserves] 이차 채취 기술(二次採取技術)을 적용함으로써 현재의 원가(原價)로 채취 가능한

추가 매장량(追加埋藏量).

이:차 무지개【二次一】명〔secondary rainbow〕암무지개의 딴이름. ＊일차 무지개.

이:차 박리【二次剝離】〔一니〕명『고고학』이차떼기.

이:차 반:응【二次反應】명 반응 속도(反應速度)의 항수(恒數)가 반응 물질의 농도(濃度)의 제곱에 비례하는 반응. ＊일차 반응.

이:차 방정식【二次方程式】명〔quadratic equation〕『수』$ax^2+bx+c=0$나 $ax^2+bxy+d=0(a\fallingdotseq0)$ 등과 같이, 미지수(未知數)의 가장 높은 멱(冪)을 가진 항(項)이 이차(二次)인 방정식. ＊삼차 방정식.

이:차 복사【二次輻射】명『물』복사된 전자기파가 다른 물체에서 또다시 복사되는 현상.

이:차 산:업【二次產業】명 제조업·건설업·광업 따위. 주로 원재료의 정제·가공을 담당하는 산업 부문. ＊삼차 산업.

이:차 산:품【二次產品】명『경』가공하지 않은 농산물·수산물·광산품 등을 가공하여 만든 산품을 이름. ＊삼차 산품.

이:차 석유 채:취【二次石油採取】명〔secondary oil recovery〕유층(油層)에 유체를 압입(壓入)하든가 열(熱)을 가공하는 등, 인위적으로 에너지를 가하여 기름의 채취율을 증가시키는 기술. 수공법(水攻法)·가스 압입법·열(熱) 채취법 등이 있음.

이:차 성:징【二次性徵】명〔secondary sexual character〕『동』동물의 성징의 하나. 직접적으로는 생식 기관에는 관계가 없지만, 외견상(外見上) 자웅이 다른 특징. ＊성징·제일차 성징·제삼차 성징.

이:-차손【利差損】명『경』생명 보험 경영에 있어서, 실수(實收) 이율(利率)이 예정 이율(豫定利率)보다 낮을 때 생기는 차손(差損). ↔이차익(利差益). ＊이원식 배당(利源式配當).

이:차-식【二次式】명〔quadratic expression〕『수』이차의 정식(整式). 즉, $ax^2+bx+c\ (a\fallingdotseq0)$의 정식.

이:차어피-에【以此於彼一】부 거기나 여기나. 이것이나 그것이나. 이러나 저러나.

이:차 에너지【二次一】〔energy〕명『경』일차 에너지가 변형(變形)·변환(變換)·가공되어서 생기는, 전기나 도시(都市) 가스 등의 일컬음. ＊일차 에너지.

이:차 엑스선【二次X線】명〔secondary X-rays〕『물』X선이 물질에 입사(入射)하여 새로이 생긴 X선. 산란(散亂) X선과 특성(特性) X선의 두 가지가 있음. 전자(前者)는 입사한 X선이 파장(波長)은 변하지 않고 산란하는 현상이고, 후자(後者)는 입사한 X선 때문에 원자 내부(原子內部)의 전자(電子)가 이전(移轉)되어 생기는 것인데, 그 물질 특유의 파장을 가지므로 이 이름이 있음.

이:차 우:주선【二次宇宙線】명〔secondary cosmic rays〕『물』1차 우주선이 대기 속에서 2차적으로 만드는 방사선. 대기 상층(上層)에서 많은 파이 중간자(π中間子)가 만들어지며, 이것이 붕괴(崩壞)하여 전자·양전자(陽電子)·광자(光子)·뮤 중간자(μ中間子)가 됨. ＊일차 우주선(一次宇宙線).

이:차-원【二次元】명 차원의 수가 둘 임. 즉, 길이와 너비의 두 가지 방향의 넓이를 가진 것. ¶～의 세계. ＊삼차원.

이:차이피-에【以此以彼一】부 이차어피(以此於彼)에. 어차어피(於此於彼). 이차피(以此彼).

이:-차익【利差益】명『경』생명 보험 경영에 있어서의 이익의 요소의 하나. 실제로 수입(收入)된 이자 수입(利子收入) 및 배당 수입과 예정 이율(豫定利率)에 의한 계산과의 차익(差益). ↔이차손(利差損). ＊이원식 배당(利源式配當).

이:차-장【二次葬】명『고고학』두벌묻기.

이:차-적【二次的】명관 어떤 사물·상태 등이, 다른 본래의 것, 중요한 것에 대하여, 그것에 부속하는 또는 그것보다 정도가 일단 낮은 모양. 부차적(副次的). ¶～인 문제. ＊일차적.

이:차적 강화【二次的強化】명『심』원래 중성적(中性的)이던 자극이 강화(強化)된 자극과 반복(反復)에 의하여 강화 자극으로서 작용(作用)할 때 그것에 의하여 작용하는 강화를 말함. 곧, 타액 분비(唾液分泌)의 반사(反射)에 대하여 조건(條件)지어진 메트로놈(metronome), 곧 박절기(拍節器)의 소리를 일정한 광자극(光刺戟)에 계속하여 반복하면 그 광자극만으로도 타액 분비를 일으키게 됨. 이 박절기의 소리에 의하여 일어나는 강화가 이차적 강화임.

이:차 전령【以次傳令】〔一절一〕명 차례차례로 전함.

이:차 전:류【二次電流】〔一절一〕명〔secondary current〕『전』이차 회로(二次回路)나 이차 코일(二次coil) 가운데에 유도되는 전류. 부전류(副電流). ＊일차 전류.

이:차 전:압【二次電壓】명〔secondary voltage〕『전』전압을 바꿀 목적으로 코일 등을 맞놓아 다른 전압을 발생시킬 때의 변화되어 나오는 전압. ＊일차 전압.

이:차 전:자【二次電子】명〔secondary electron〕『물』금속 표면(金屬表面)에 어떤 정도 이상의 속도를 가진 전자 곧, 1차 전자(一次電子)를 갖다 대었을 때 금속 속의 전자가 그 에너지를 받아서 표면으로부터 튀어나오는 전자. ＊일차 전자.

이:차 전:자 방:출【二次電子放出】명〔secondary-electron emission〕『물』전자(電子)를 가속(加速)하여 고체(固體)에 충돌시켰을 때 고체 안의 전자가 이 에너지를 받아 고체 밖으로 나오는 현상. ＊광전자 방출(光電子放出).

이:차 전:지【二次電池】명〔secondary battery〕『물』외부 전원(電源)을 써서 충전하면 되풀이하여 사용할 수 있는 전지. 축전지.

이:차 제:품【二次製品】명 일차 제품을 다시 가공하여, 마지막 용도 혹은 그에 가깝게 만든 것을 이름. 이를테면, 면화(棉花)를 가공하여 만든 면사(綿絲)는 1차 제품이고, 다시 그것을 가공해서 만든 포백(布帛) 제품이 이차 제품임. ＊일차 제품.

이:차 조직【二次組織】명〔secondary tissue〕『식』영구 조직(永久組織)의 일부가 분열 능력(分裂能力)을 얻어 형성층(形成層)이 되고 그로부터 만들어진 비후(肥厚)한 조직. 나자 식물(裸子植物)·피자(被子) 식물에 잘 발달함. 유관속(維管束)·코르크 조직·형성층(形成層) 같은 것. ＊일차 조직(一次組織).

이:차 주면【二次柱面】명〔quadratic cylinder〕『수』'이차 기둥면'의 구칭(舊稱).

이:차 주피【二次周皮】명〔secondary periderm〕『식』최초의 층(層)과 가장 바깥 층을 제외한 주피층(周皮層)의 총칭.

이:차 집단【二次集團】명『심』어떤 조직에 의해서 구성원(構成員)이 맺어지고 있는 집단. 회사·학교·관청·학회(學會)·정당(政黨) 등. ＊일차 집단(一次集團).

이:차 채:유【二次採油】명『광』압력이 낮아져서 자연적으로 석유가 나오지 않게 된 묵은 유층(油層)에 대하여 인공적으로 에너지를 가하여 남은석유를 채취하는 방법.

이:차 천:이【二次遷移】명『식』이미 존재하는 식물 군락(群落)이 불·홍수·사람의 파괴 등으로 소멸된 뒤에 일어나는 천이. 종자가 남아 있거나 이웃으로부터의 이입(移入)이 쉽다는 등의 이유로 일차 천이보다도 군락의 변화가 빠름. ＊일차 천이.

이:차 체강【二次體腔】명〔secondary body cavity〕『생』진체강(眞體腔).

이:차 체강류【二次體腔類】〔一뉴一〕명『생』진(眞)체강류.

이:차 코일【二次一】〔coil〕명〔secondary coil〕『물』유도(誘導) 코일이나 변압기에서 전력을 받는 쪽의 가는 동선의 코일. 제이(第二) 코일. ＊일차 코일.

이:차 파동【二次波動】명『물』호이겐스의 원리에 의하여 파동이 전하여질 때 그 파면 상(波面上)의 각 점(點)이 새 파면이 되어 거기에서 나오는 수없는 파면을 연결시킨 면(面)이, 새로운 파면(波面)으로 된다고 생각할 수 있음. 이 때, 파면 상의 각 점(點)으로부터 나온다고 생각되는 많은 파동을 말함. 소원파(素元波). 요소파(要素波).

이:-차피【以此彼】부 어차어피(於此於彼). 어차피(於此彼).

이:차 한랭 전선【二次寒冷前線】〔一할一〕명〔secondary cold front〕『기상』전선성(前線性) 저기압 뒤의 한랭한 공기덩이 속에서 발생하는 다소의 수평 온도 구배(勾配)를 갖는 전선.

이:차 함:수【二次函數】〔一쑤〕명〔quadratic function〕『수』독립 변수(獨立變數)의 2차식(次式)으로 표시되는 함수. 곧, $a(\fallingdotseq0)$, b, c를 정수(整數)라 할 때, $y=ax^2+bx+c$가 x의 2차 함수의 일반형임. ＊일차 함수(一次函數).

이:차 함:수 판별식【二次函數判別式】〔一쑤一〕명 이차 함수를 0으로 하는 값의 성질을 판별하는 식. 이차 함수 ax^2+bx+c에 대하여 b^2-4ac를 이름. 방정식 $ax^2+bx+c=0$의 두 개의 근(根)은, b^2-4ac가 영(零)에 대하여 각각 같은가 혹은 큰가, 작은가에 의하여 등근(等根)인가, 실근(實根)인가, 허근(虛根)인가의 판별을 할 수 있음.

이:차-항【二次項】명〔term of second degree〕『수』제일 높은 지수가 2인 항(項). ＊일차항.

이:차-회【二次會】명 연회(宴會)나 회의 끝에 다시 다른 곳에서 가지는 모임.

이:차 회로【二次回路】명『물』하나의 자기 회로(磁氣回路)를 통하여 서로 유도 관계를 가지는 두 개의 전기 회로의 제2의 회로. 변압기의 출력측의 회로 등.

이-착륙【離着陸】〔一뉵〕명 이륙과 착륙. 항공기 등이 이승(離昇) 또는 착륙하는 일. ——-하다 자여불

이-착수【離着水】명 수상 비행기가 물 위에서 뜨고 내림. ——-하다 자여불

이착수-로【離着水路】명〔water line〕『항공』수상 비행기가 이륙할 수 있도록 표시되고 유지되는 수상의 지정 구역.

이착 지점【離着地點】명〔pad〕『공』헬리콥터 또는 우주선(宇宙船)의 이착륙 지점.

이찬[1]【伊湌】명『역』신라의 열 일곱 관등(官等) 가운데의 둘째 위계(位階). 진골(眞骨)이 하는 벼슬인데, 유리왕(儒理王) 9년(32)에 설치함. 잡찬(迊湌)의 위, 이벌찬(伊伐湌)의 아래임. 이척찬(伊尺湌).

이찬[2]【夷粲】명『역』고려 국초(國初)에 신라의 관제를 따라 베푼 세째 관계(官階).

이:-찬[3]【李燦】명『사람』시인. 본명은 무종(務鍾). 함북 북청(北靑) 출생. 연희(延禧)전문 학교를 거쳐 일본 릿쿄(立教) 대학, 와세다(早稲田) 대학 문과 수학(修學). 신문·잡지 기자를 지냈고, 카프(KAPF) 맹원으로 활동. 30년대 초에 《너희들을 보내고》·《양촌 우음(陽村偶吟) 육장(六章)》 등을 발표했으며, 당시 유행했던 불안 사조(不安思潮)를 작품화한 《불안(不安)》으로 주목을 받았음. 시집에 《대망(待望)》·《분향(焚香)》·《망양(茫洋)》 등이 있음. 월북 작가의 하나. 〔1910-?〕

이:-찬(:)형【李燦亨】명『사람』승려 학눌(學訥)의 속명(俗名).

이:찰【吏札】명『언』이두(吏讀).

이:-찹쌀명 ☞찹쌀.

이:참【理懺】명『불교』불교의 대표적 참회법의 하나. 제법(諸法)의 실상(實相)을 관찰하여 참회를 얻는 것으로서, 관찰 실상 참회(觀察實相懺悔)라고도 함.

이창〔宜昌〕명『지』중국 후베이 성(湖北省)의 서부, 양쯔 강 북안의 도시. 1876년에 개항했음. 싼샤(三峽)의 동쪽에 있으며 여기까지 대형 선박의 항행이 가능하여 쓰촨 성(四川省)에의 문호를 이루고, 우한(武漢)·

충칭(重慶) 사이의 중계지임. 의창. [371,601명(1990)]

이-창포【泥菖蒲】명〖식〗창포의 한 가지. 못·늪 등에 나며, 뿌리는 굵고 살지고 희며 마디가 성김. 백창(白菖). 백창포(白菖蒲).

이:채[1]【吏債】명〖역〗지방의 이속(吏屬)이 자기의 사전(私錢)을 꾸어 주어 생긴 채권(債權). 「남. ¶~를 떠다.

이:채[2]【異彩】명 ①이상한 광채(光彩). 색다른 빛. ②색다름. 또, 뛰어

이:채[3]【理債】명 빚준 돈을 모아 정리함. ——-하다 자여불

이:채-롭다【異彩—】형ㅂ불 색다른 데가 있다. ¶이채로운 양재점으로 인기를 집중하기 시작하는…《李鳳九 : 旅愁》. 이:채-로이【異彩—】 ㄴ부

이처[1]【伊處】명〖사람〗'이차돈(異次頓)'의 이칭(異稱).

이:처[2]【異處】명 다른 장소. 거처(居處)를 달리함.

이-처럼 부 이와 같이. ¶~ 와 주셔서 감사합니다.

이처ᄒᆞ다 타〈옛〉가빠하다. 피로해하다. ¶새 그를 海內예셔 流傳호ᄆᆞᆯ 이처ᄒᆞᄂᆞ니(新詩海內流傳困)《杜諺 XXII : 16》.

이척-찬【伊尺飡】명〖역〗이찬(伊飡).

이:천[1]【二天】명〖역〗과거를 보거나 또는 여럿이 모여 한시(漢詩) 등을 지을 때에 둘째로 지어서 바치는 일. *말천(末天). ——-하다 자여불

이:천[2]【二天】명〖불교〗①범천(梵天)과 제석천(帝釋天). ②일천자(日天子)와 월천자(月天子). ③다문천(多聞天)과 지국천(持國天).

이천[3]【伊川】명〖지〗강원도 이천군의 군청 소재지. 군의 남부 임진강(臨津江) 좌안의 분지에 위치하고, 동쪽으로 평강(平康), 남서로 시변리(市邊里)와 남천(南川), 서쪽으로 신계(新溪), 남쪽으로 토산(兎山)·안협(安峽)·원산(元山)으로 통하는 교통의 요충이고, 콩·조·밀·소 등의 집산지이며, 부근에는 한국 희유의 니켈·석면이 남. 명승 고적으로는 문백산(汶白山)·갈산 온천(葛山溫泉)·만경산(萬景山)·보월암(寶月庵) 등이 있음.

이:천[4]【利川】명〖지〗경기도의 한 시(市). 2읍(邑) 8면(面) 4동(洞). 남쪽은 충청 북도 음성군(陰城郡), 동쪽은 여주군(驪州郡), 서쪽은 용인시(龍仁市), 북쪽은 광주군(廣州郡), 남서쪽은 안성시(安城市)에 접함. 주요 산물은 농산·임산·수산·광산·축산·공산 등이고, 명승 고적으로는 이천 온천·설봉산 영월암(雪峰山映月庵)·백족산(白足山)·육괴정(六槐亭)·설성산(雪城山)·원적산(圓寂山)·도예촌(陶藝村) 등이 있음. 1996년 3월, 이천군이 승격하여 시(市)가 됨. [462.66 km² : 155,622 명(1996)]

이:-천[5]【李蕆】명〖사람〗조선 세종 때의 무신·과학자. 호는 불곡(佛谷). 예안(禮安) 사람. 공조 참판·지중추원사(知中樞院事)로 있으면서 개량 활자인 경자자(庚子字)·갑인자(甲寅字)를 만들어 인쇄술의 발달에 공헌하고, 호조 판서로서 오랜 연구 끝에 각종 천문학 기계·화포(火砲) 등을 제작하여 과학 발전에 기여함. 시호는 익양(翼襄). [1376-1451]

이:천[6]【履踐】명 실행(實行)함. 이행(履行). ——-하다 타여불

이천-군[1]【伊川郡】명〖지〗강원도의 한 군. 관내 1읍 10면. 북은 황해도 곡산군(谷山郡)과 함경 남도 덕원군(德源郡), 동은 평강군(平康郡)과 함경 남도 안변군(安邊郡), 남은 평강군·철원군(鐵原郡)과 황해도 금천군(金川郡), 서는 곡산군과 신계군(新溪郡)에 인접함. 주요 산물은 농산(農產)·공산(工產)·임산(林產)·축산(畜產) 등이고, 명승 고적으로는 제당연(祭堂淵)·암천사(巖泉寺)·사동 온천(寺洞溫泉)·구리항 온천(仇里項溫泉)·열운정(悅雲亭) 등임. 군청 소재지(所在地)는 이천(伊川). [1,383.6 km²]

이:천-군[2]【利川郡】명〖지〗전에, 경기도의 한 군. 3읍 8면. 도의 동남단에 위치하고 남쪽은 충청 북도 음성군(陰城郡), 동쪽은 여주군(驪州郡), 서쪽은 용인군(龍仁郡), 북쪽은 광주군(廣州郡), 서남쪽은 안성군(安城郡)에 인접함. 주요 산물은 농산·임산·수산·광산·축산·공산 등이고, 명승 고적으로는 이천 온천·설봉산 영월암(雪峰山映月庵)·백족산(白足山)·육괴정(六槐亭)·설성산(雪城山)·원적산(圓寂山)·도예촌(陶藝村) 등이 있음. 1996년 3월, 시(市)로 승격함.

이:천-문【二天門】명 절의 중문(中門) 좌우에 다문천(多聞天)과 지국천(持國天)의 상을 안치해 둔 곳.

이:-천보【李天輔】명〖사람〗조선 영조(英祖) 때의 상신. 자(字)는 의숙(宜叔), 호는 진암(晉庵). 연안(延安) 사람. 영조 30년(1754)에 영의정, 그 후 장헌 세자(莊獻世子)의 평양 원유(遠遊) 사건에 인책, 음독 자살함. 시호는 문간(文簡). [1698-1761]

이:천 분지【利川盆地】명〖지〗경기도 동남부 한강(漢江) 지류에 의하여 개석(開析)된 산간 분지. 분지의 중심인 이천(利川)은 교통의 요지이며, 쌀의 품질이 우수함.

이:천 사:천【二天四天】명〖불교〗지국천(持國天)·다문천(多聞天)의 이천과 거기에 증장천(增長天)·광목천(廣目天)을 더한 사천을 아울러 이르는 말.

이:천 식천【以天食天】명〖천도교〗한울로써 한울을 먹음. 우주 전체를 한울로 보아 사람이 동식물을 음식물로 섭취(攝取)하는 것. 곧, 한울이 한울 자체를 키우기 위한 자율적인 운동임.

이천 역일【移天易日】명 정권을 빼앗아 농간질함을 이르는 말.

이:천 온천【利川溫泉】명 경기도 이천시(利川市)에 있는 온천. 수소 이온 농도(pH)는 8.3, 수온은 30℃ 정도로, 가열하여 사용.

이:천의 백송【利川—白松】[—/—에—] 명 경기도 이천시 백사면 신대리(新垈里)의 백송. 천연 기념물 제253호. 수령(樹齡) 300년 정도.

이:천 착호【以天捉虎】명 하늘로 호랑이잡기. 아주 쉬운 일을 비유하여 이르는 말. *하늘.

이:-첨【李詹】명〖사람〗고려 말·조선 초의 문장가. 자(字)는 중숙(中叔), 호는 쌍매당(雙梅堂). 신평(新平) 사람. 고려 말에 좌대언(左代言)·지신사(知申事)를 지내고 조선 시대에 이르러 예문관 대제학(藝文館大提學)을 지냈음. 문장과 글씨에 뛰어났으며, 《삼국사략(三國史略)》을 찬수(纂修)하고 소설《저생전(楮生傳)》을 지었음. 시호는 문안(文安). [1345-1405]

이:첨-판【二尖瓣】명〖생〗승모판(僧帽瓣).

이첩【移牒】명 다른 기관으로 통첩(通牒)을 보냄. ——-하다 타여불

이:첩-계【二疊系】명〖지〗'페름계(系)'의 구칭.

이:첩-기【二疊紀】명〖지〗'페름기(紀)'의 구칭.

이:첩-지【二疊紙】명 삼첩지(三疊紙)보다 좀 얇은 백지의 한 가지.

이:청【二清】명〖악〗가얏(伽倻)고의 셋째 현(絃)의 이름. *삼청(三清).

이:-청담【李青潭】명〖사람〗승려(僧侶). 경남 진주(晋州) 출신. 본명 순호(淳浩). 1927년 도일(渡日), 효고 현(兵庫縣) 송운사(松雲寺)에서 득도(得道). 1928년 귀국하여 경남 고성군(固城郡) 옥천사(玉泉寺)에서 재(再)득도. 비구승 박한영사(朴漢永師)에 사사하여 갱승적(更僧籍), 1955년 대한 불교 조계종 총무원장. 1958년 재임, 1962년 도선사(道詵寺) 주지, 1966년 대한 불교 조계종 통합 종단 제2대 종정(宗正)을 역임(歷任)함. [1902-71] 「침약으로 먹음.

이청-음【梨青飮】명 배 두 홉, 무 한 홉을 갈아 꿀을 타서 만든 음식. 기

이:-청조【李清照】명〖사람〗중국 북송 말(北宋末)의 여류 사인(詞人). 호는 이안 거사(易安居士)·수옥(漱玉). 금석(金石)의 연구가 조명성(趙明誠)과 결혼. 금군(金軍)의 내습(來襲)을 당하여 남쪽으로 피난하고 남편이 죽은 뒤, 강남(江南) 각지를 유랑하였음. 특히, 사(詞)에 뛰어나서 송(宋)의 대가(大家)의 한 사람으로 일컬어짐. 사집(詞集) 《수옥사(漱玉詞)》가 있음. 생몰년 미상.

이체[1]【移替】명 ①서로 갈리고 바뀜. 서로 바꿈. 교질(交迭). 교체(交替). ②교환·전용(轉用)함. ——-하다 자타여불

이:체[2]【理體】명〖철〗이성(理性)으로서 포착(捕捉)되는 사유(思惟)의 대상(對象). 본체(本體).

이:체[3]【異體】명 ①체재나 형상이 다른 것. 여느 때와 다른 모습. ②한자(漢字) 이외의 자체(字體). ③동일하지 않은 몸.

이:체 글자【異體—】[—짜] 명 이체자(異體字).

이:체 동심【異體同心】명 몸은 다르나 마음은 한 가지임. 서로 의기 상투(意氣相投)함을 말함.

이:체 동종【異體同種】명 모양은 다르나 근본이 같은 물건.

이:체 웅예【二體雄蕊】명 [diadelphous stamen]〖식〗수술 열 개 가운데 아홉 개는 화사(花絲)가 서로 붙고, 남은 한 개는 떨어져 있어 두 몸으로 된 합생 웅예(合生雄蕊)의 한 가지. 양체(兩體) 웅예.

이:체-자【異體字】명 한자(漢字)에서 정자(正字)와 음훈(音訓)·뜻은 같으나 자체(字體)가 다른 글자. '煙' '驅'에 대한 '烟' '駈' 따위를 말하며, 속자(俗字)·약자(略字) 등도 포함하여 일컫기도 함. 이체 글자.

이:초[1]【二草】명〖식〗담배 잎을 한 번 거두고 난 뒤, 다시 그 줄기에서 돋아난 잎을 거두어 말린 엽초(葉草).

이:초[2]【異草】명 이상한 풀. 기이(奇異)한 화초.

이초[3]【離礁】명 항해 중에 좌초(坐礁)했던 배가 암초에서 떨어져서 다시 뜸. ——-하다 자여불

이:-초산연【二醋酸鉛】명〖화〗아세트산납.

이초의 옥사【彝初—獄事】[—/—에—] 명〖역〗고려 공양왕 2년(1390) 윤이(尹彝)·이초(李初)가 중국 명(明)나라 힘을 빌려 당시의 권신(權臣) 이성계(李成桂) 일파를 타도하려고 그를 무고(誣告)하여 일어난 사건. 이들은 공양왕과 이성계가 군사를 일으켜 명나라를 치려 하며, 이를 반대한 이색(李穡) 등 중신들이 살해되고 우현보(禹玄寶) 등은 유배되었다고 무고함. 이 사실이 당시 명나라에 사신으로 와 있던 순안군(順安君) 방(昉)과 동지밀직사(同知密直事) 조반(趙胖) 등에 의하여 알려져 국내에서 크게 옥사가 벌어져 이색·이림(李琳)·권근(權近) 등은 청주옥(清州獄)에, 우현보·권중화(權中和) 등은 순군옥(巡軍獄)에 갇혔으며, 그 중 윤유린(尹有麟)·최공철(崔公哲)·홍인계(洪仁桂) 등은 효수(梟首)되었고, 윤이·이초는 장수성(江蘇省)에 유배되었음.

이:초점 렌즈【二焦點—】[—쩜—] 명 [bifocal lens]〖광학〗①서로 다른 초점 거리를 가진 두 부분으로 된 렌즈. ②원시(遠視)와 근시(近視) 양용의 렌즈.

이-촉[1] 명〖생〗이의 뿌리. 이뿌리. 치근(齒根).

이:촉[2]【利鏃】명 날카로운 살촉.

이총[1]【耳塚】명 임진 왜란 때 왜군이 살해한 조선인들 중 12만 6천 명의 귀와 코를 베어다 도요토미 히데요시(豊臣秀吉)에게 증표로 보인 다음 묻은 무덤. 일본의 교토(京都)에 있음. 1992년 4월 22일 경남 사천군 용현면에서 임란 이총 호국 영령 의분 합장 대재(壬亂耳塚護國英靈義墳合葬大齋)를 올려 원혼의 영원한 안식처로 삼게 했음. 귀무덤.

이:-총[2]【李摠】명〖사람〗조선 시대 중기의 문신. 자는 백원(百源), 호는 서호 주인(西湖主人)·구로 주인(鷗鷺主人)·월창(月牕). 전주(全州) 사람. 태종(太宗)의 증손으로 무풍 부정(茂豐副正)에 봉해짐. 무오 사화(戊午史禍) 때 유배되고 갑자 사화(甲子士禍) 때 부자가 사형당함. 청담파(清談派)의 중심 인물로 시문(詩文)에 능하고 필법에 뛰어났음. 시호는 충민(忠愍). [?-1504]

이총이 명〈방〉〖동〗오총이.

이:-총통【二銃筒】명 세종 연간의 화약 무기 대개량 때에 제조된 총. 장군 총통·일총통 다음으로 크고, 손으로 들고 사용하는 총 중 가장 큼.

이:-최(:)응【李最應】명〖사람〗조선 시대 말의 문신. 자는 양백(良伯), 호는 산향(山響). 대원군 이하응(大院君李昰應)의 형. 쇄국 정치를 반대하여 대원군과 반목(反目)이 심했음. 호위 대장(扈衛大將)·좌의정을 거쳐, 고종(高宗) 15년(1878) 영의정이 되었고, 동 17년 기구 개편 때 총리 대신이 되었으나 동 19년의 임오 군란(壬午軍亂) 때 난도(亂徒)들에게 살해됨. 시호는 문충(文忠). [1815-82]

이추【泥鰍·泥鰌】명〖어〗미꾸라지.

이축【移築】명 건물을 다른 곳으로 옮겨 세움.

이:축 결정【二軸結晶】[—쩡] 명 쌍축(雙軸) 결정.

이:축성 관절【二軸性關節】명〖생〗회전축(回轉軸)이 둘인 관절. 타원(楕圓) 관절이 이에 해당함. *다축성 관절(多軸性關節)·일축성(一軸性) 관절.

이:축 응:력【二軸應力】[—녁] 명 [biaxial stress]〖문〗서로 직각인 세 개의 주응력(主應力)이 존재하는 상태. 둘은 동일 평면(同一平面)에 작용하고, 다른 하나는 영(零)임.

이:춘풍-전【李春風傳】명〖문〗조선 시대 말엽의 것으로 추측되는 색다른 가정 소설. 작자·연대 미상. 별감(別監)을 지낸 주인공이 주색 잡기(酒色雜技)로 가산을 탕진하고 호조(戶曹) 돈 2천 냥을 빌려 평양에 장사하러 가서 기생 추월(秋月)에 빠져 그 돈을 몽땅 빼앗기고 머슴살이하는데, 그의 아내가 평양 감사(監司)의 비장(裨將)이 되어 와서 추월로부터 그 돈을 찾아내어 남편을 끓려 준다는 내용. 양반(兩班)들의 위선적(僞善的) 생활과 매관 매직(賣官賣職)만을 일삼던 정치의 부패상(腐敗相)을 해학(諧謔)과 풍자(諷刺)를 섞어 다룬 것으로 조선 시대 풍자 소설의 대표작임.

이:출[1]【利出】명 본전을 빼고 남은 이익.

이출[2]【移出】명 한 나라의 본토(本土)와 식민지 또는 영토(領土) 사이에 생산물(生産物)이나 가공품(加工品)을 그 나라의 다른 곳으로 옮겨 내는 일. 수출과 구별하기 위하여 쓰는 말임. ↔이입(移入). ——하다 타여불

이:출-목【二出目】명〖건〗두 개의 공포(貢包)로 도리를 받친 것.

이:출목 제공【二出目諸貢】명〖건〗출목(出目)을 두 개 내어 도리를 받친 귀 제공(諸貢).

이-출입【移出入】명 이출과 이입. ——하다 타여불

이-춤 명 옷을 두껍게 입거나 물건을 몸에 지녀 가려워도 긁지 못하고 몸을 일기죽거리며 어깨를 으쓱거리는 짓.

이:-충기대【以充其代】명 어떤 물건(物件)으로 대신 채움. ——하다 자여불

이:충무공 난:중 일기초【李忠武公亂中日記草】명〖책〗충무공 이순신(李舜臣)이 임진 왜란을 겪는 동안에 적은 군중 일기(軍中日記). 선조(宣祖) 25년(1592) 5월 1일 곧, 왜란이 일어난 다음 달부터 동 31년(1598) 9월 17일, 즉 필자가 전사하기 전 달까지의 것으로, 이 밖에 임진 장초(壬辰狀草) 181장과 간첩(簡帖)이 함께 전함. 주로, 전황(戰況)에 관한 보고와 함께 군무(軍務)에 대한 지령 및 계달(啓達)의 글을 자필로 쓴 것임.

이:충무공 전서【李忠武公全書】명〖책〗조선 선조(宣祖) 때의 명장(名將) 충무공 이순신의 전집(全集). 정조(正祖) 19년(1795)에 윤행임(尹行恁)이 왕명에 의해 편집 간행. 교유(敎諭)·도설(圖說)·세보(世譜)·연표(年表)·시·잡저(雜著)·장계(狀啓)·난중 일기(亂中日記)·부록 등이 실렸고, 책 머리에는 정조의 윤음(綸音)이 실려 있음. 14권 8책. 인본(印本)임.

이취[1]【泥醉】명 술에 곤드레만드레가 됨. ——하다 자여불

이:취[2]【異臭】명 이상한 냄새. 고약한 냄새.

이:취-경【理趣經】명〖불교〗조석(朝夕)의 근행(勤行)에 독송(讀誦)하는 경전(經典). 대일 여래(大日如來)가 금강 살타(金剛薩埵)를 위하여 반야(般若)의 이취(理趣) 에 의하여, 일체 법의 자성 청정(自性淸淨)함을 설명한 책. 중국 당(唐)나라의 불공(不空)이 역(譯)함.

이츠다 타〈옛〉가빠하다. ¶불인 고지 이츠며 게을어 비롤 바니니(吹花因懶旁舟楫)≪初杜諺 XVIII:3≫.

이측【離側】명 부모의 곁을 떠남. ——하다 자여불

이:층[1]【二層】명 ①단층(單層) 위에 한 층 더 올려 지은 집채. ↔단층(單層)❶. ②고층 건물에서, 밑에서 두번째의 층.

이층[2]【離層】명〖식〗떨켜.

이:-층[3]【E層】명〖기상〗전리층(電離層) 중의 한 층. 평균 높이는 90-130 km이고, 최대 전자 밀도(電子密度)는 1 cm^3에 밤에는 1.0×10^4개, 낮에는 1.5×10^5개로, 태양의 천정각(天頂角)에 의하여 규칙적으로 변화함. 파장(波長) 100-400 m의 전파를 반사함. 이 밖에 돌발적으로 출현(出現)·소멸(消滅)하는 Es 층이 관측되고 있음. *에프층(F層)·디층(D層).

이:층-롱【二層籠】[—농] 명 두 층으로 된 농.

이:층-장【二層欌】[—짱] 명 이층으로 된 장(欌).

이:층 중수파련【二層中水波蓮】명 큰 상에 꽂는 가화(假花)의 한 가지. 한 줄거리에 큰 연꽃을 이층으로, 중간과 위에 홍도(紅桃)·벽도(碧桃)·월계(月桂)의 꽃을 곁들이고 밀(蜜)로 만든 나는 새·앉은 새·나비 등이 있음. 준중수파련. *수파련(水波蓮)·일층(一層) 소수파련.

이:층-집【二層—】[—찝] 명 이층으로 지은 집. ↔단층(單層)집. *고층(高層) 건물.

이:치[1]【吏治】명 수령(守令)의 치적(治績).

이:-치[2]【李穉】명〖사람〗조선 영조(英祖) 시대의 화가. 도화서 화원(圖畫署畫員)으로 정선(鄭歚)·조영석(趙榮祏)과 더불어 산수화(山水畫)를 잘 그렸음. 생몰년 미상.

이-치[3]【梨峙】명〖지〗충청 남도 보령군(保寧郡) 남포면(藍浦面)과 웅천면(熊川面) 사이에 있는 고개. [100 m]

이:치[4]【理致】명 사물의 정당한 조리(條理). 도리(道理)에 맞는 취지(趣旨). 염도(厭度). ¶~에 어긋나다.

이:치[5]【鯉幟】명〖민〗잉어등(燈).

이치다[1] 자타 ↗이아치다.

이치다[2] 자〈옛〉시달리다. ¶비예 이치여 오오니≪新語 II:2≫.

이치-변【一齒邊】명 한자 부수(部首)의 하나. '齦'이나 '齪'등의 '齒'의 이름.

이:치-성【異齒性】[—씽] 명 이의 모양이 고르지 않은 일. 포유류(哺乳類)에 문치(門齒)·견치(犬齒)·소구치(小臼齒)·대구치(大臼齒)가 있는 따위. ↔동치성(同齒性).

이칙【夷則】명 ①음력 칠월. ②〖악〗음양(陰陽)으로는 양률(陽律), 방위(方位)로는 신(申), 절후(節候)로는 음력 칠월에 속하는 십이율(十二律)의 하나.

이:친【二親】명 양친(兩親).

이:칠 십사【二七十四】명〖수〗구구법(九九法)의 하나. 둘의 일곱 갑절이나 일곱의 두 갑절은 열 넷임.

이:-칠일【二七日】명 두이레.

이:칭【異稱】명 다르게 부르는 칭호(稱號).

이카로스〔Ikaros〕명〖신〗그리스 신화 중의 인물. 다이달로스(Daidalos)의 아들. 아버지와 함께 백랍(白蠟)으로 만든 날개로 날아 미궁(迷宮)을 탈출하였으나, 너무 높이 날아 태양에 접근하였다가 날개가 녹아 이카리아(Ikaria) 바다에 떨어져 죽었다 함.

이카리아 섬〔Ikaria〕명〖지〗에게 해(Aegae海) 중부, 그리스의 남스포라데스(南 Sporades) 제도에 속하는 섬. 포도주·대리석을 산출하며, 어업을 함. [256 km^2: 9,000 명(1981)]

이카리오스〔Ikarios〕명〖신〗①그리스 신화 중의 인물. 아티카(Attica)의 주민(住民)으로 디오니소스(Dionysos)로부터 포도주의 양조법을 전수(傳授)받아, 여러 사람에게 대접했으나, 독살(毒殺)을 꾀했다는 오해를 받아 피살됨. ②페넬로페(Penelope)의 아버지 이름.

이카오〔ICAO〕명〔International Civil Aviation Organization의 약칭〕국제 민간 항공 기구. 아이 시 에이 오.

이커서니 감 힘을 써서 무거운 물건(物件)을 번쩍 들 때 내는 소리. >아카사니.

이코노그래피〔iconography〕명 ①고대학(古代學)에서, 초상학(肖像學)·초상 연구. ②미술사학에서, 도상학(圖像學). 곧, 미술품, 특히 그리스도교 미술 작품의 의미 및 내용에 관한 연구. 불교 미술 연구에도 쓰임. ③초상화의 수집을 이름.

이코노마이저〔economizer〕명 보일러와 굴뚝의 중간, 연도(煙道)의 도중에 많은 수관(水管)을 붙여서 폐열(廢熱)을 이용하여 급수(給水)를 가열하는 장치.

이코노메트릭스〔econometrics〕명〖경〗통계학(統計學) 및 수학에 의하여 종래의 경제학의 이론을 정확히 하며, 실증적(實證的)으로 경제 현상을 연구하려는 학파. 1930년 미국을 중심으로 성행하였음. 계량(計量) 경제학.

이코노미스트 명 ①〔economist〕경제학자. 이재가(理財家). ②〔The Economist〕영국 런던에서 발행되는 세계에서 가장 오래된 권위있는 주간 경제지(經濟誌). 1843년에 창간.

이코노미스트-지【—誌】명 이코노미스트❷.

이코노미 클래스〔economy class〕명 여객기·객선 등의 보통석.

이코노믹스〔economics〕명〖경〗경제학.

이코노믹 애니멀〔economic animal〕명 경제적 동물. 경제적 이익만을 노리는 인간의 타산적·이기적인 자세를 비꼬는 말.

이코스 공법【ICOS工法】[—뻡] 명〖토〗연속 지하벽 공법(連續地下壁工法)의 대표적인 것. 지상에서 지반 안으로 기둥 모양의 구멍을 파고, 그 속에 콘크리트를 채워 말뚝을 만들고, 이것을 연속으로 하여 흙과 물을 막고, 지하 구조물의 외벽 등을 위해 벽 모양의 구조물을 만드는 공법.

이콜로지 패션〔ecology fashion〕명 공해(公害)가 문제화되어 온 1972년 이후 주택으로부터 의복에 이르기까지 생태학적(生態學的) 입장에서 생각하게 되어 등장한 패션.

이퀄〔equal〕명 ①같음. ②〖수〗수학(數學)에서 등호(等號)로 쓰는 '='의 이름.

이퀄라이저〔equalizer〕명 ①음성(音聲) 신호 등의 전체적인 주파수 특성을 가공·조절하기 위한 전기 회로. 녹음 특성, 홀·스피커의 특성 보정(補正), 보컬의 고음역(高音域) 강조 등에 이용됨. ②항공기 보조 날개의 평형(平衡) 장치.

이퀼리브리엄〔equilibrium〕명 종합적인 힘의 균형(均衡). 국제 정치에서, 군사력 이외에 정치 체제(政治體制)·경제력(經濟力)·국제 여론(輿論)·정책 선택(選擇) 등 일체의 힘의 균형을 이름. *밸런스 오브 파워(balance of power).

이: 큐:【EQ】명〔educational quotient의 약칭〕〖교〗교육 지수(敎育指數).

이크 감 ☞이키.

이크나 감 ☞이키나.

이크라〔러 ikra〕명 연어나 송어의 알을 소금물 절인 음식.

이크티오사우루스〔라 ichthyosaurus〕명〖동〗어룡(魚龍).

이키[1]〔壱岐:いき〕명〖지〗일본의 쓰시마(対馬) 남쪽에 있는 섬. 나가사키 현(長崎縣)에 속함. 고래로 한국·중국과의 요로(要路)이며, 농업·어업이 성함. 주도(主都)는 가쓰모토(勝本). [134 km^2]

이키[2] 감 ↗이키나.

이키나 감 ①뜻밖의 일을 보고 놀랄 때에 지르는 소리. ¶~ 저 뱀 좀 봐. ②남을 슬쩍 추면서 비웃을 때 내는 소리. ¶~ 일류 신사가 됐네 그려. 준이키.

이키서니 감 ☞이커서니.

이키케〔Iquique〕명〖지〗남아메리카 칠레 북부 타라파카 주(州)의 주도로 항구 도시. 전에는 칠레 초석(硝石)의 선적항(船積港)으로 번영했으나 지금은 어업과 그 가공품인 어분(魚粉) 생산이 활발함. 볼리비아

(Bolivia)에의 문호(門戶)로서 북쪽의 아리카(Arica), 남쪽의 안토파가스타(Antofagasta)와 더불어 중요함. [132,948명(1987)]

이키토스 [Iquitos] 명 『지』 남아메리카 페루의 북동부, 아마존 강 상류의 강항(江港). 해발 106m에 위치하며 동국(同國)의 아마존 지대 유일의 도시로 담배·커피·면화·목재의 집산지임. 전에는 고무 무역을 주로 했으나 현재는 쇠퇴됨. [237,000명(1987)]

이타[1] 【耳朶】 명 귓불.

이:타[2] 【利他】 명 ①자기를 희생하여 남에게 이익을 주는 일. 다른 이의 복리를 원하는 일. ②『불교』 사람들에게 공덕(功德)과 이익을 주어 제도(濟度)하는 일. 타애(他愛). 1)·2):↔이기(利己).

이타[3] 【弛惰】 명 마음이 느슨하여 심히 게으름. ——-하다 형여불

이-타관 【移他官】 명 이타향(移他鄕). ——-하다 자여불

이타:르-타스 [ITAR-TASS] 명 [ITAR는 Information Telegraph Agency of Russia(러시아 정보 전보 통신)의 약칭] 러시아 정보부(情報部) 관할(管轄)의 러시아 연방의 통신사. 종래의 타스(TASS) 통신의 후신(後身)으로 1992년 8월에 발족됨.

이:타-설 【利他說】 명 『윤』 이타주의(利他主義).

이타이이타이-병 【—病】 [일 いたいいたい] 명 『의』 칼슘 탈실(脫失)에 의한 일종의 뼈 질환. 골연화증(骨軟化症)·골조송증(骨粗鬆症)과 비슷한 병변으로서 사지(四肢)·골반·척추·늑골에 변형·위축·골절을 초래하며 동통(疼痛)을 수반함. 일본 도야마 현(富山縣) 진즈 강(神通川) 유역에 많이 발생, 중년 부인에 많았음. 신장의 요세관(尿細管) 병변도 동반하는데, 광재(鑛滓)에 의한 만성 카드뮴 중독이 주요 원인으로 생각되어 1968년 공해병(公害病)으로 인정됨.

이:타-주의 【利他主義】 [—/—이] 명 [프 altruisme] 기독교의 인인애(隣人愛)와 같이, 남의 복지(福祉)의 증가(增加)를 행위(行爲)의 목적(目的)으로 하는 생각. 또, 그 행위. 애타주의(愛他主義). 이타설(利他說). ↔이기주의(利己主義)❶.

이-타향 【移他鄕】 명 딴 곳으로 옮겨 감. 이타관(移他官). ——-하다 자여불

이:-탁 【李鐸】 명 『사람』 독립 운동가. 호는 동우(東愚). 평남 성천(成川) 출신. 한일 합방 후 남만주(南滿州)에 들어가 한족회(韓族會) 조직에 가담 독립 운동에 참가함. 1920년 상해(上海) 임시 정부 광복군 사령부 참모장, 1922년 시사 책진회(時事策進會)를 결성 활동함. [?-1928]

이:-탁오 【李卓吾】 명 『사람』 중국 명 말(明末)의 사상가·문인. 이름은 지(贄), 탁오는 자. 왕양명(王陽明)의 주관적인 심학(心學)을 극도로 규명한 결과, 모든 세속(世俗)의 권위를 부정하고, 드디어 공자의 권위조차 부정하여, 유가(儒家)를 버림. 일반에게 경시(輕視)되어 온 소설·희곡을 즐겼으며, ≪수호전(水滸傳)≫·≪서상기(西廂記)≫ 등의 평론에 뛰어남. 당시의 권력자에게 경원(敬遠)당하여, 옥중에서 자살함. 저서 ≪이씨 분서(李氏焚書)≫·≪이씨 유서(李氏遺書)≫ 등. [1527-1602]

이탄 【泥炭】 명 『광』 토탄(土炭). 피트(peat).

이:-탄지[1] 【李坦之】 명 『사람』 고려 중기의 의관(醫官). 익양(益陽) 사람. 어려서는 법률을 배웠으며, 당시 송(宋)나라 명의(名醫)가 입국하자 뽑혀 그 묘법(妙法)을 체득함. 예종(睿宗) 15년(1120) 문과에 급제하고 인종(仁宗) 13년(1135) 묘청(妙淸)의 난 때 약원(藥員)으로 종군하여 공을 세움. [1086-1152]

이탄-지[2] 【泥炭地】 명 『광』 이탄이 퇴적(堆積)하여 있는 토지. 얕은 늪, 강기슭 등지의 갈대·사초(莎草) 따위가 무성한 곳에는 저위(低位) 이탄지가 형성(形成)되며 이것이 수면(水面) 위에 솟으면 수목이 침입(侵入)하여 삼림(森林)이 되어 중간(中間) 이탄지가 됨. 삼림화(森林化)하면 토지는 습윤(濕潤)하게 되어 물이끼가 자라, 두꺼운 층(層)이 이루어져서 고위(高位) 이탄지가 형성됨. 이탄의 퇴적 속도(堆積速度)는 1,000년에 약 1m임.

이탄-층 【泥炭層】 명 『광』 부패와 분해(分解)가 완전히 되어 있지 않은 식물의 유해(遺骸)가 진흙과 함께 소택지(沼澤地)의 수저(水底)에 퇴적(堆積)한 지층(地層). 토탄층(土炭層).

이탈 【離脫】 명 떨어져 나감. 관계를 끊음. 탈리(脫離). ——-하다 타여불

이탈리아 [Italia] 명 『지』 유럽의 남부 지중해에 돌출한 장화 모양의 반도와 시칠리아(Sicilia)·사르데냐의 두 큰 섬과 그 외의 많은 섬으로 구성된 공화국. 로마 시대 이래로 그리스와 더불어 서양 문명의 원천(源泉)이었음. 중세기 이래 여러 소국으로 분립하여 프랑스·독일·오스트리아·스페인 등의 세력 각축장(勢力角逐場)으로 화(化)하였으나, 1857-71년에 근대 통일 국가를 형성, 1922년 이래 무솔리니를 수령으로 하는 파시스트당이 독재, 1936년 에티오피아를 병합한 이래로 제국(帝國)이라 칭함. 나치스 독일·일본과 동맹을 맺고 제2차 세계 대전에 참전하였으나 패전한 후에는 공화제를 수립함. 산업의 중심은 북부 롬바르디아(Lombardia) 평원에 있음. 정식 명칭은 이탈리아 공화국(Republic of Italy). 수도는 로마(Roma). 이태리(伊太利). ㊤이(伊). [301,278km²: 57,700,000명(1991 추계)]

이탈리아 기행 【—紀行】 [Italia] 명 [도 Italienische Reise] 『문』 괴테의 이탈리아 여행기. 1816-29년 간행. ≪시(詩)와 진실≫에 버금하는 자전적(自傳的) 기록임.

이탈리아 노동 총:동맹 【—勞動總同盟】 명 [이 Confederazione Generale Italiana del Lavoro] 제2차 대전 중에 창립된 가장 전투적이며 강력한 이탈리아의 노동 조합의 산업별 중앙 조직. 프랑스 노동 총동맹(CGT)과 더불어 자본주의 국가의 노동 조합(勞動組合)으로서는 드물게 세계 노동 연맹(聯盟)에 가입(加入)하고 있는 유력한 조합임.

이탈리아 문학 【—文學】 [Italia] 명 『문』 13세기 말경 문예 부흥기(文藝復興期)를 전후하여 이루어진 이탈리아어로 쓰여진 국민 문학. 단테·페트라르카·복카치오 등을 중심으로 하여 일어나 현대에 이름. 이태리 문학(伊太利文學).

이탈리아 방:송 협회 【—放送協會】 [Italia] 명 아르 에이 아이(RAI).

이탈리아-어 【—語】 [Italia] 명 『언』 인도 유럽 어족(Indo-Europe語族)의 이탤릭 어파(語派)에 속하는 언어. 서유럽 남부, 이탈리아 반도, 시칠리아 섬, 사르데냐 섬, 스위스 남부의 루카노 지방, 그리고 현재 프랑스령인 코르시카 섬, 크로아티아의 이스트리아 지방 등에서 쓰이고 있으며 언어 인구는 약 6,000만 명임. 이태리어(伊太利語).

이탈리아 왕국 【—王國】 [Italia] 명 통일 이탈리아 왕국.

이탈리아-인 【—人】 [Italia] 명 이탈리아 사람. 이탈리아 반도와 사르데냐(Sardegna)·시칠리아(Sicilia)섬 등지에 살고 있는 이탈리아 국민과 세계 각지, 특히 남북 미주(南北美洲)에 이주해 있는 약 700만 명의 인도 유럽 어족계(Indo-Europe語族系)의 라틴족. 이태리인(伊太利人).

이탈리아 전:쟁 【—戰爭】 [Italia] 명 『역』 16세기 전반(前半) 이탈리아 반도의 패권(覇權)을 둘러싼 프랑스의 발루아가(Valois家)와 독일의 합스부르크가(Habsburg家)의 전쟁. 전후 4회에 걸쳐서 교황이나 터키까지도 참가한 복잡한 외교와 전쟁이 반복된 결과, 북이탈리아의 프랑스 세력이 일소됨. *마드리드 조약.

이탈리아 정책 【—政策】 [Italia] 명 『역』 중세의 신성(神聖) 로마 황제가 이탈리아에 세력을 뻗치려고 하던 정책.

이탈리아 통:일 전:쟁 【—統一戰爭】 [Italia] 명 『역』 1859년, 사르데냐의 왕 비토리오 에마누엘레(Vittorio Emanuele) 2세가 나폴레옹 3세의 원조를 받아 오스트리아의 지배를 타도(打倒)하고 이탈리아의 통일을 위하여 싸운 전쟁.

이탈리아 투르크 전:쟁 【—戰爭】 [Italia Turks] 명 『역』 이탈리아가 투르크령(領)이던 북아프리카의 트리폴리(Tripoli)를 점령 병합(占領倂合)할 것을 직접적인 목적으로 1911-12년에 일으킨 전쟁. 이탈리아가 승리(勝利)하게 되어 트리폴리를 이탈리아령으로 병합(倂合)하게 됨. 이토 전쟁(伊土戰爭).

이탈리아 학파 【—學派】 [Italia] 명 형법학 이론(刑法學理論)의 학파의 하나. 이탈리아의 롬브로조(Lombroso, C.) 등이 19세기 후반에 확립한 것으로, 범죄보다도 범죄인을 중심으로 고찰(考察)해야 할 것이라고 주장(主張)했음.

이탈 속도 【離脫速度】 명 [escape velocity] 『천』 천체의 인력(引力)을 벗어나 무한히 먼 곳까지 갈 수 있는 최소(最小) 속도. 천체의 중력(重力)의 크기와 그 천체로부터의 거리에 따라 다르지만, 흔히 천체의 표면으로부터 치며, 지구의 경우에는 초속(秒速) 11.19km, 달에서는 초속 2.37km, 목성에서는 초속 61.5km, 수성에서는 초속 10.3km, 화성에서는 5.0km가 됨.

이탑 【泥塔】 명 『불교』 깨끗한 이토(泥土)로 만든 작은 탑. 그 속에 경문(經文)·범자(梵字) 등을 써서 넣어 멸죄(滅罪)·식재 연명(息災延命)을 기원하여 공양(供養)함.

이탑-법 【泥塔法】 명 이탑에 공양하는 법.

이탓저탓-하다 자여불 이리 탓하고 저리 탓하다. >요탓조탓하다.

이탕개의 난: 【尼蕩介—亂】 [—/—에—] 명 『역』 조선 선조(宣祖) 16년(1583)에 귀화 여진인 이탕개를 중심으로 회령(會寧) 지방의 여진족(女眞族)이 일으킨 반란. 온성(穩城) 부사 신립(申砬) 등이 반군을 격퇴하여 진압됨.

이태[1] 명 두 해. 이 개년(二箇年).

이태[2] 【耳胎】 명 『공』 몸[1]❺.

이:태[3] 【異態】 명 『생』 기형(畸形)의 하나. 형체(形體)나 구조(構造)에는 별다른 이상이 없으나 존재하는 위치가 보통이 아닌 기형. 절지 동물(節肢動物)에 있어서 전지(前肢)와 후지(後肢)의 위치가 바뀐 현상(現象)이라든지, 곤충(昆蟲)의 촉각(觸角)이 보각(步脚)으로 되어 있는 것 같은 기형.

이:태경-전 【李泰景傳】 명 『문』 조선 시대의 소설. 주인공 부부(夫婦)의 지극한 효성과 중국·호국(胡國)으로 가서 가연(佳緣)을 맺는 결연담(結緣談) 및 아들 4형제의 무용담과 상봉담(相逢談)을 3단계로 구성하여 우리 민족의 능력과 긍지를 과시(誇示)한 작품임. 작자·연대 미상. 48면의 동아 서관 판(版)(1916)이 있음.

이:-태규 【李泰圭】 명 『사람』 화학자. 이학 박사. 충남 예산 출신. 1927년 일본 교토(京都) 대학 화학과 졸업. 31년에서 45년까지 교토 대학 강사와 교수를 지냄. 광복 후 서울대 교수, 문리대 학장을 역임. 48년부터 73년까지 미국 유타(Utah)대 교수를 지냄. 64년 학술원 회원, 65년 노벨상 추천 위원, 73년 과학원 교수 및 과학 기술원 명예 교수를 역임함. [1902-92]

이태리 【伊太利】 명 『지』 이탈리아(Italia)의 음역(音譯).

이태리 문학 【伊太利文學】 명 『문』 이탈리아 문학의 음역(音譯).

이태리-어 【伊太利語】 명 『언』 이탈리아어의 음역(音譯).

이태리-인 【伊太利人】 명 이탈리아인의 음역(音譯).

이태리-포플러 【伊太利—】 [poplar] 명 『식』 양버들.

이:-태백 【李太白】 명 『사람』 이백(李白)을 자(字)로 일컫는 이름.
[이태백도 술병 날 때 있다] 술을 잘 먹는 사람이 과음(過飮)으로 앓고 눕는다는 뜻. [이태백이가 돈 가지고 술먹었다던] 술 때문에 돈의 낭비가 심하다고 할 때 반발하는 말.

이:태백-집 【李太白集】 명 『책』 당(唐)나라 이백(李白)의 시문집(詩文集). 30권.

이:-태왕 【李太王】 명 『역』 구한말, 순종(純宗) 재위(在位)시에 태상왕(太上王)인 고종(高宗)을 일컫은 말.

이태-원【梨泰院】 명 〖지〗 역원(驛院) 제도에 의해 서울 남산(南山)의 남쪽 기슭에 자리했던 원(院). 영남로(嶺南路)로 향하는 첫번째 원이었는데 고양군에 속했던 이태원리가 1922년 4월 경성부(京城府)로 편입되고, 1950년 이후 인근에 미 8군 사령부 등이 들어서면서 미군을 상대로 한 위락 지대로 번창, 관광과 쇼핑의 명소로 발전했음.

이:-태조【李太祖】 명 〖역〗 조선 왕조 태조를, 성씨를 붙여 똑똑히 일컫는 말.

이:-태좌【李台佐】 명 〖사람〗 조선 시대 중기의 문신. 자는 국언(國彥), 호는 아곡(鵝谷). 경주(慶州) 사람. 항복(恒福)의 현손, 세필(世弼)의 아들. 형조 판서 때 신임 사화(辛壬士禍)를 맞아 노론(老論)을 숙청, 예조·호조 판서를 지냄. 한때 삭직(削職)되었으나 재등용되어 좌의정·판중추부사(判中樞府事)를 지냄. 시호는 충정(忠定). [1660-1739]

이:-태준【李泰俊】 명 〖사람〗 소설가. 강원도 철원(鐵原) 출생. 호는 상허(尙虛). 일본 조치(上智) 대학 수학, 1925년 단편 ≪오몽녀(五夢女)≫를 시대 일보(時代日報)에 발표하면서 창작 활동을 시작. 구인회(九人會) 멤버로 활약, ≪복덕방(福德房)≫·≪가마귀≫·≪밤길≫·≪해방 전후(解放前後)≫ 등 탁월한 미문(美文)과 예술적 정취가 짙은 단편을 많이 발표함. 장편으로 ≪제 2의 운명≫·≪왕자 호동(王子好童)≫·≪청춘 무성(青春茂盛)≫·≪황진이(黃眞伊)≫ 등이 있고 ≪문장 강화(文章講話)≫가 있음. 월북 작가의 하나. [1904-?]

이:-태중【李台重】 명 〖사람〗 조선 영조(英祖) 때의 문신. 자(字)는 자삼(子三), 호는 삼산(三山). 한산(韓山) 사람. 신임 사화(辛壬士禍) 때 화를 입은 노론(老論)을 신원(伸寃)하다가 유배되었다 풀려남. 뒤에 다시 이광좌(李光佐)를 탄핵하다가 유배됨. 풀려나와 호조 판서 겸 예문관 제학 등을 역임함. 청백리(淸白吏)에 녹선(錄選)됨. 시호는 문경(文敬). [1694-1756]

이:-택[1]【利澤】 명 이익과 은택(恩澤).

이:-택[2]【李澤】 명 〖사람〗 조선 명종(明宗) 때의 문신. 자(字)는 택지(澤之). 고성(固城) 사람. 문장에 능하고 외교 문서 작성에 뛰어나 항상 승문원(承文院)의 벼슬을 겸직하였고 벼슬이 예조 참판(禮曹參判)에 이름. [1509-73]

이탤리언 클로:스 [Italian cloth] 명 이탈리아 수자(繻子). 씨는 무명실을, 날은 우량한 소모사(梳毛絲)를 사용하여 짠 직물.

이탤릭 [italic] 명 〖인쇄〗 서양 활자의 하나. 오른쪽으로 약간 경사진 자체(字體). 주의 어구(注意語句)나 타국어(他國語)·학명(學名) 등을 나타내는데 쓰임. 이 사전의 동식물(動植物) 학명은 이 자체임. 사체(斜體). 이탤릭체(體).

이탤릭 어:파【一語派】 [Italic] 명 〖언〗 인도 유럽 어족(語族) 중의 한 어파. 라틴어가 주류(主流)가 되었으며, 여기서 로망스어가 파생(派生)하였음.

이탤릭-족【一族】 [Italic] 명 이탤릭 어파에 속하는 어족. 고대의 이탈리아 반도에 분포하였으며, 그 중 라틴어 민족이 세력을 얻어 반도 전역에 퍼지고, 다시 로마의 발전과 함께 남유럽 일대에 퍼졌음. 포르투갈인, 스페인인, 프랑스인, 이탈리아인, 루마니아인 등은 이 라틴어 민족에 속함.

이탤릭-체【一體】 [Italic] 명 〖인쇄〗 이탤릭.

이터:널 라이프 [eternal life] 명 영원 불멸(永遠不滅)의 생명(生命). 영생(永生).

이터닛 파이프 [eternit pipe] 명 시멘트와 석면을 원료로 하여 만든 파이프. 배수관·가스관·굴뚝 등으로 씀.

이테르븀 [라 ytterbium] 명 〖화〗 희토류 원소(稀土類元素)의 한 가지. 회색(灰色)의 금속으로, 녹는점은 819℃, 끓는점은 1,194℃임. 공기 중에서 산화하며, 수소와 반응하여 수소화물(水素化物)이 됨. 산(酸)에 녹으며, 물에는 서서히 녹음. [70번 : Yb : 173.0]

이:토[1]【吏吐】 명 〖언〗 이두(吏讀).

이토[2]【泥土】 명 진흙. 토니(土泥).

이:토[3]【異土】 명 이국(異國).

이-토록 부 이러한 정도로까지. 이러하도록. 이와 같이. ¶ ~ 심할 줄은 몰랐다.

이토 전:쟁【伊土戰爭】 명 〖역〗 이탈리아 투르크 전쟁.

이토-질【泥土一】 명 〖건〗 흙으로 벽을 치는 일. ——하다 자여불

이토: 히로부미【伊藤博文 : いとうひろぶみ】 명 〖사람〗 일본의 정치가. 메이지 유신(明治維新) 후 메이지 헌법을 기초하고 초대 수상이 되었음. 한일 합병의 주동자로서 을사 보호 조약(乙巳保護條約)을 강제로 성립시키고 초대 한국 통감으로 취임함. 노·일 관계 조정차 하얼빈(哈爾賓)에 이르러 역두(驛頭)에서 안중근(安重根) 의사에게 피살되었음. 이등 박문(伊藤博文). [1841-1909]

이통【耳痛】 명 〖의〗 귀앓이.

이-통수 명 〈방〉 뒤통수(경북).

이-통시 명 〈방〉 뒤통수(전북·경남).

이:통의 난:【李通一亂】 [一/一에一] 명 〖역〗 고려 고종 19년(1232)에 이통이 중심이 되어 개경(開京)에서 일으킨 반란. 몽고의 침입으로 강화(江華)로 천도했을 때, 어사대(御史臺)의 조례(早隷) 이통이 경기 지방의 초적(草賊)과 도성(都城) 안의 노예를 규합(糾合)하여 난을 일으켰음. 조정(朝廷)에서 보낸 관군(官軍)에 의해 승천부(昇天府)에서 대패(大敗)하고 진압(鎭壓)되었음.

이:-통제【李統制】 명 〖역〗 특히 첫 통제사(統制使)인 이순신(李舜臣)을 가리키는 말.

이통-증【耳痛症】 [一쯩] 명 〖의〗 귀앓이.

이:-퇴(:)계【李退溪】 명 〖사람〗 이황(李滉)을 호로써 일컫는 이름.

이:투【吏套】 명 〖언〗 이두(吏讀).

이-투성이 명 이가 많이 붙어 있는 모양.

이트 걸: [it girl] 명 성적 매력이 있는 처녀.

이트렛 〈옛〉 이들의. 이와 같은. ¶ 獅子와 범과 일히와 곰과 모딘 早얌과 지네와 이트렛 므스여분 이리 이셔도 ≪月釋 IX:44≫.

이트륨 [라 yttrium] 명 〖화〗 희토류 원소(稀土類元素)의 한 가지. 가돌리나이트의 주성분(主成分)이며, 그 밖에 사마르스카이트(samarskite)·제노타임(xenotime) 등에 많이 들어 있음. 회색(灰色)의 금속으로 연성(延性)·전성(展性)이 적고 산화하기 쉬움. 레이저 발진 재료(發振材料)의 미량 성분으로 쓰임. 또, 방사성 동위 원소는 방사선원(放射線源)·트레이서로서 쓰임. [39번 : Yt 또는 Y : 88.905]

이트륨-족【一族】 [yttrium] 명 〖화〗 희토류 원소 중 다음의 11원소. 곧 유로퓸(Eu)·가돌리늄(Gd)·테르븀(Tb)·디스프로슘(Dy)·홀뮴(Ho)·에르븀(Er)·툴륨(Tm)·이테르븀(Yb)·루테슘(Lu)·스칸듐(Sc)·이트륨(Y)의 총칭. *세륨족(cerium族).

이트리아 [yttria] 명 〖화〗 이트륨(yttrium)의 산화물(酸化物).

이:튼 [Eton] 명 〖지〗 ①영국 템스 강(Thames江) 좌안에 있는 작은 도시. 런던의 서쪽 35km 지점에 있음. 이튼 칼리지(Eton College)가 있음. [4,000명(1991)] ②이튼 칼리지.

이:튼 보브 [Eton bob] 명 여자의 단발하는 형식의 한 종류. 뒤를 사내의 머리 모양같이 깎음. ——하다 자여불

이:튼 재킷 [Eton jacket] 명 영국(英國)의 이튼 칼리지의 제복(制服)으로, 깃이 짧은 자케트. 최근에는 옷깃 없는 신사복형(紳士服型)의 아동복(兒童服)도 이렇게 이름.

이:튼 칼라 [Eton collar] 명 조금 길고 넓으며, 이중(二重)으로 된 흰 깃. 이튼 칼리지의 제복(制服)에 처음 사용하였으므로 생긴 이름임.

〈이튼 칼라〉

이:튼 칼리지 [Eton College] 명 영국 이튼에 있는 유명한 사립 고등 학교. 1440년에 헨리 6세가 창립(創立)하였음.

이튿-날 명 ①둘째 날. ②다음 날. 익일(翌日). ③↗초이튿날. 준이틀.

이틀[1] 명 [중세 : 이틀] ①두 날. 양일(兩日). 이일(二日). ②↗이튿날. ③↗초이틀.

이-틀[2] 명 〖생〗 ①이가 박혀 있는 상하 악골(上下顎骨)의 구멍이 뚫린 뼈. 치조(齒槽). ②〈방〉 잇몸(강원·전라).

이틀[3] 인대 〈옛〉 이들. ¶ 이트렛 衆生돌히 各各 제여고 밀씨 ≪釋譜 XI:6≫. *-틀.

이틀-거리 명 〖한의〗 이틀을 걸러서 발작(發作)하여 좀처럼 낫지 아니하는 학질의 한 가지. 당고금. 양일학(兩日瘧). 이일학(二日瘧). 노학(老瘧). 당학(唐瘧). 해학(痎瘧).

이틄날 명 〈옛〉 이튿날. =이틋날. ¶ 이틄나래 나라해이셔 ≪月釋 I:6≫/이틄날 아츠미 길 나아가싫 時節에 ≪月釋 VIII:93≫.

이-틈 명 이와 이의 틈. 이와 이 사이의 빈 곳.

이틋날 명 〈옛〉 이튿날. =이틄날. ¶ 이틋나래 舍利弗이 보고 무른대 ≪釋譜 VI:27≫.

이:-티:【ET】 명 [Extra-Terrestrial] 먼 우주에서 우주선을 타고 와 지구(地球)에 홀로 처진 외계인(外界人)과 미국인 소년·소녀들과의 교류를 그린 1982년작의 환상적인 미국 영화 ≪지구 밖의 생물(Extra-Terrestrial)≫ 및 그 영화에 나오는 외계인.

이: 티: 디:【ETD】 명 [estimated time of departure의 약칭] 출발 예정 시각.

이: 티: 에이【ETA】 명 [estimated time of arrival의 약칭] 도착 예정 「시각.

이:티온-산【二一酸】 명 [dithionic acid] 〖화〗 수용액(水溶液)으로서만 존재하는 황(黃)의 산소산(酸素酸). 강한 산(酸)으로, 묽은 수용액은 어느 정도 안정되지만 진한 수용액이나 뜨거운 용액에서는 천천히 분해하여 황산과 아황산이 됨. 디티온산. [$H_2S_2O_6$]

이:파【異派】 명 다른 파.

이파리 명 〖식〗 나무나 풀의 살아 있는 낱 잎. 잎사귀. 잎.

이파릿-과【一科】 명 〖충〗 [Hippoboscidae] 유시 아강(有翅亞綱) 파리목(目)에 속(屬)하는 한 과(科). 몸은 미소 또는 소형임. 새나 포유류(哺乳類)의 소·말·개 또는 이나 진드기 등에도 기생(寄生)함. 날개가 없는 종류도 있으며, 사람에 기생하여 여러 병원체(病原體)를 전파(傳播)하는 수도 있음. 개이파리·말이파리 등이 이에 속함. 전세계에 400여 종이 분포(分布)함.

이:판[1]【吏判】 명 〖역〗 ↗이조 판서(吏曹判書).

이:판[2]【理判】 명 〖불교〗 속세(俗世)를 떠나 수도(修道)에 전심(專心)하는 일. *이판(理判)중.

이판-령【伊板嶺】 [一팔一] 명 〖지〗 마천령(摩天嶺).

이판 문서【泥板文書】 명 점토판 문서(粘土板文書).

이판-사판 명 막다른 데 이르러, 어찌할 수 없게 된 판.

이:판-승【理判僧】 명 〖불교〗 수도(修道)에 전심(專心)하는 중.

이판-암【泥板岩】 명 혈암(頁岩).

이판-화【離瓣花】 명 〖식〗 매화·벚꽃·뽕나무·참나무의 꽃 등과 같이 꽃잎이 기부(基部)에서부터 서로 떨어져 있는 꽃. 갈래꽃. ↔합판화(合瓣花).

이판-화관【離瓣花冠】 명 〖식〗 한 개의 꽃에 있는 모든 꽃잎이 갈라져 있는 꽃부리. 갈래꽃부리. ↔합판화관(合瓣花冠).

이판화-구【離瓣花區】 명 〖식〗 이판화류. ↔합판화구(合瓣花區).

이판화-류【離瓣花類】 명 〖식〗 현화(顯花) 식물 쌍자엽 식물에 속하는 한 아강(亞綱) 이판화관으로 된 종류로서 뽕나뭇과(科)·장미과·참나뭇과·십자화과 등 180여 과가 있음. 갈래꽃류. 이판화구(離瓣花區). ↔합판화류(合瓣花類).

이판화 식물【離瓣花植物】명〖식〗쌍자엽 식물의 하나. 이판화를 갖는 식물 및 무판화 식물의 총칭. 갈래꽃 식물.

이판화-악【離瓣花萼】명〖식〗갈래꽃받침. ↔합판화악(合瓣花萼).

이:팔【二八】명 ①중국 순(舜)나라에 출사했다는 16명의 현인(賢人)인 팔원 팔개(八元八愷)의 총칭. 전(轉)하여, 많은 현인. ②↗이팔 청춘.

이:팔 독립 선언【二八獨立宣言】[—님—] 명〖역〗1919년 2월 8일, 도쿄(東京)에서 조선 유학생들이 조선 청년 독립단 명의로 발표한 독립 선언.

이:팔 십육【二八十六】[—뉵] 명〖수〗둘의 여덟 갑절이나 여덟의 두 갑절은 열여섯이라는 구구법(九九法)의 하나.

이:팔-월【二八月】명 이월에 눈비가 많거나 적게 옴에 따라 그 해 팔월에 비가 많이 오고 적게 온다 하여 이월과 팔월이 맞섬을 말함.

이:팔 청춘【二八青春】명 16세 전후의 젊은이. ㊟이팔(二八).

이:팔 청춘가【二八青春歌】명〖악〗1920년대에 경기 지방에서 불린 새 민요의 하나. 청춘가와 같은 노래로 굿거리 장단으로 부름.

이:팝 명 〈방〉 이밥(함경).

이:팝-나무 명〖식〗[*Chionanthus retusus*] 물푸레나뭇과의 낙엽 활엽 교목. 잎은 넓은 달걀꼴 또는 타원형이며 톱니가 없거나, 드물게 있음. 자웅 이가(雌雄異家)로, 4월에 흰 꽃이 취산(聚繖) 화서로 핌. 핵과(核果)를 맺는데, 가을에 까맣게 익음. 골짜기나 개울 가에 나며 경기·전남북·경남북 및 일본·대만·중국에 분포함. 정원수·풍치목(風致木)으로 심음.

〈이팝나무〉

이:-팥 명 알이 납작하고 길며 빛이 검붉고 품질이 낮은 팥의 일종.

이:패[1]【二牌】명〖역〗노는 계집의 한 종류. 일패(一牌)보다 낮음. 상의원(尙衣院)의 이급(二級) 기생.

이패[2]【貽貝】명〖조개〗홍합.

이:패-류【二貝類】명〖조개〗쌍각류(雙殼類).

이퍼리 명 〈방〉〖식〗이파리(경북).

이페 [Ife] 명〖지〗나이지리아의 서부주(西部州), 이바단(Ibadan) 동방 약 72km에 있는 도시. 금광(金鑛)이 있고 목화(木花)·카카오를 산출(產出)함. 요루바족(Yoruba族)의 성지(聖地)로 여겨지며, 대학교가 있음. [209,000명(1982)]

이페리트 [프 ypérite] 명〖화〗미란성(糜爛性) 독가스(毒 gas)의 하나. 상온(常溫)에서는 액체임. 피부에 닿으면 물집이 생기고 나중에 덴 것 모양으로 헒. 제1차 대전(大戰) 때 독일군이 처음으로 벨기에의 이프르(Ypres)에서 사용한 데서 이 이름이 있음. 머스터드 가스(mustard gas). [$(ClC_2H_4)_2S$]

이펙트 [effect] 명 효과. 특히, 방송, 영화에서의 음향 효과.

이-편[1]【一便】㊀명 이쪽의 편. 이쪽. ¶ ~으로 옮기시오. *저편·그편. ㊁인대 자기. ¶ ~의 불찰(不察)일세.

이:편[2]【利便】명 편의(便宜). 편리(便利).

이-편곡【移編曲】명〖악〗어떤 악기(樂器)를 위하여 쓰여진 곡을 다른 악기를 위하여 편곡하는 일. 또, 그 곡. ——-하다 타여불

이:편모-류【二鞭毛類】명〖동〗와편모충목(渦鞭毛蟲目).

이편-저편【一便一便】㊀명 이쪽저쪽. 여기저기. ¶ ~이 모두 산이다. ㊁인대 이편짝 사람 저편짝 사람. ¶ ~이 한 자리에 어울렸다.

이-편짝【一便一】명 이쪽의 편짝.

이폐[1]【弛廢】명 이완(弛緩)되고 황폐(荒廢)함. ——-하다 자여불

이폐[2]【貽弊】명 남에게 폐(弊)를 끼침. ——-하다 자여불

이:포[1]【吏逋】명 아전이 공금을 집어쓴 빚.

이:포[2] [Ipoh] 명〖지〗말레이시아 북서부 페라크 주(Perak 州)의 주도. 킨타밸리(Kinta Valley) 주석 광산에 가까운 광업 도시(鑛業都市)이며 이 나라 제3의 도시임. [382,633명(1991)]

이:-포스핀【二—】[phosphine] 명〖화〗디포스핀(diphosphine).

이:포-약【二胞葯】명〖식〗매화꽃·복숭아꽃 등과 같이 두 개의 약포(葯胞)로 된 꽃밥.

이:포 역포【以暴易暴】명 횡포(橫暴)한 사람으로 횡포한 사람을 바꿈. 곧, 바꾸기 전의 사람과 뒤의 사람이 꼭 같이 횡포하다는 말.

이-포청【移捕廳】명〖역〗죄인(罪人)을 잡아 포도청(捕盜廳)으로 넘김. ——-하다 타여불

이표[1]【耳剽】명 들어서 알 뿐으로 나아가서 그 일을 궁구(窮究)하지 아니하는 일. 전하여, 귀동냥으로 얻은 학문(學問).

이표[2]【耳標】명 귀표.

이:표[3]【利票】명〖법〗공채 증권(公債證券)·채권에 부속된 이자 지급에 관한 증표(證票).

이표-기【耳標器】명 이표(耳標)를 달기 위하여 가축(家畜)의 귀에 구멍을 내는 기구.

이푸가오-족【一族】[Ifugao] 명 필리핀의 루손 섬 북부 산지에 사는 말레이계의 한 종족. 원시 종교를 믿으며, 산허리에 만든 계단식 논에서 벼농사를 지음.

이푸리 명 〈방〉〖식〗이파리(경상).

이:-풀 명 입쌀 가루로 쑨 풀.

이픔[1] 타 〈옛〉 읊음. '잎다'의 명사형. ¶ 셴 머리예 이푸믈 머리 브티노라(遠寄白頭吟)≪杜諺 XXI:16≫.

이:품[2]【二品】명〖역〗문무관(文武官) 관계(官階)의 둘째. 정(正)·종(從)의 구별이 있음.

이:품[3]【異品】명 진귀한 물품. 진품(珍品).

이:품[4]【異稟】명 남달리 뛰어난 천품(天稟).

이:풍[1]【異風】명 ①이상스러운 기풍. 이상한 모양. ②이속(異俗).

이풍[2]【移風】명 풍속(風俗)을 바꿈. *이풍 역속(移風易俗). ——-하다 자여불

이풍 역속【移風易俗】명 풍속(風俗)이 개량(改良)됨. *이풍(移風). ——-하다 자여불

이프니 [Ifni] 명〖지〗모로코 남서부, 대서양 연안의 지역. 약간의 농업과 양·염소의 유목(遊牧)이 행하여짐. 1860년 모로코에서 스페인에 할양(割讓), 1934년부터 실질적(實質的)으로 스페인령(領)이 됨. 1956년 모로코가 독립하면서 이의 병합(併合)을 주장, 1969년 협정(協定)이 성립하여 다시 모로코령이 됨. 주도(主都)는 시디이프니(Sidi Ifni). [1,502 km²]

이플라 [IFLA] 명 [International Federation of Library Associations의 약칭] 국제 도서관 협회 연맹.

이플란트 [Iffland, August] 명〖사람〗독일의 배우·극작가. 성격 배우로서의 명성이 높았으며, 통속적인 희극이나 감상극(感傷劇)도 많이 썼음. [1759-1814]

이피[1]【離披】명 꽃이 활짝 핌. ——-하다 자여불

이피[2] [미 yippie] 명〖사〗[youth revolution+international revolution+party+ie?] 히피와 비슷하되 보다 전투적·정치적인, 미국의 반체제(反體制) 그룹의 젊은이들. 1968년부터 발생했음.

이:피:[3]【EP】명 '유러피언 플랜(European Plan)'의 약어.

이피게네이아 [Iphigeneia] 명〖신〗그리스 신화 중의 인물. 아가멤논(Agamemnon)의 딸. 트로이(Troy) 전쟁 때 희생(犧牲)으로 바쳐졌으나, 아르테미스(Artemis)의 구원(救援)으로 탈출하여 아티카(Attica)에 도망하였음.

이피-니【梨皮泥】명〖공〗잿물이 배 껍질처럼 된 도자기(陶瓷器)의 무늬. 이피문(梨皮紋).

이:피:레코:드【EP】명 [extended playing record] 이 피 판.

이:피:롬【EPROM】명 [erasable and programmable ROM의 약칭]〖컴퓨터〗메모리 안에 있는 내용을 지우고 다시 프로그램을 입력할 수 있는 롬(ROM). 지울 때에는 자외선을 쬐거나 전기적으로 지우고, 입력시에는 롬 라이터(ROM writer)를 사용함. 자외선으로 지우는 것을 UV-EPROM, 전기적으로 지우는 것을 EEPROM이라고 함.

이피-문【梨皮紋】명〖공〗이피니(梨皮泥).

이:피:반【EP盤】명 [extended playing record] 이 피 판.

이:피:엔【EPN】명〖농〗[Ethyl Para Nitropheny의 약어] 유기인계 살충제(有機燐系殺蟲劑). 농약의 일종. 독성이 강한 파라티온이나 인체에 잔류(殘留)할 우려가 있는 BHC·DDT 등이 제조·사용 금지된 데 뒤따라 개발되었음. 벼의 이화 명충(二化螟蟲) 등에 효과가 있으며 독성은 파라티온의 3분의 1 내지 4분의 1 정도임.

이:피:유【EPU】명 [European Payment Union의 약칭]〖경〗유럽 지불 동맹(支拂同盟).

이:피:판【EP板】명 [extended playing record] 1분간에 45회전하는 장시간 레코드. 엘 피(LP)보다도 연주 시간이 짧아 소작품(小作品)의 녹음에 쓰임. 도넛판. 이 피 레코드. *엘 피 판·에스 피 판(SP板).

이:피:호르몬 [EP hormone] 명〖약〗난포(卵胞) 호르몬과 황체(黃體) 호르몬과의 혼합 제제(混合製劑). 속발성 무월경(續發性無月經), 월경 주기(月經周期)의 변경, 임신 진단, 습관성 또는 절박 유산(切迫流產) 때에 쓰임.

이:피-화【異被花】명〖식〗꽃받침이 초록색이고, 꽃잎이 초록색 이외의 여러 가지 빛깔인 유피화. 다른꽃덮이꽃. ↔등피화(等被花).

이핀-내 명 〈방〉 여편네(경북).

이:필[1]【吏筆】명 아전(衙前)들이 쓰던 글씨체(體). 겉으로 보기에만 곱고 미끈함.

이:필[2]【異筆】명 필적(筆蹟)이 다름. 한 사람의 필적이 아님.

이:필제의 난:【李弼濟─亂】[—쩨—/—쩨에—] 명〖역〗조선 고종(高宗) 8년(1871) 3월 10일, 동학교도 이필제가 동학의 제2대 교주 최시형(崔時亨)과 함께 영해(寧海)에서 500교도를 이끌고 봉기한 사건.

이:-필주【李弼柱】[—쭈] 명〖사람〗3·1 독립 선언의 민족 대표 33인 중의 한 사람. 서울 출생. 1907년 한국 군대가 해산되자 기독교에 입교(入敎), 협성 신학교(協成神學校) 졸업 후 감리교 목사. 1919년 3월 1일 독립 선언에 기독교 대표로 참가하였다가 체포되어 2년형을 받음. [1869-1932]

이:필-지다【異筆—】자 한군데에 쓴 글씨가 서로 다르다.

이:하[1]【二下】명 시문(詩文)을 평(評)하는 등급(等級)의 하나. 이등(二等) 중의 셋째 급(級).

이:하[2]【以下】명 일정한 한도의 아래. 기준이 되는 수량을 포함한 그보다 적은 수를 이름. ↔이상(以上)❶. *미만(未滿).

이하[3]【耳下】명 닭 같은 동물의 턱 밑에 있는 볏.

이:하[4]【圯下】명 흙다리 밑.

이:하[5]【李下】명 ↗이하 부정관(李下不整冠). *과전(瓜田).

이:-하[6]【李賀】명〖사람〗중국, 당대(唐代)의 시인. 자는 장길(長吉). 간쑤성(甘肅省) 사람. 왕실 일가라고 하나 진사(進士) 시험에도 못 붙어 불우한 가운데 요절함. 날카로운 감각으로 신화적 공상의 세계를 유염(幽艶)하게 읊은 귀재(鬼才)였음. 시집 ≪이하 가시편(歌詩篇)≫이 있음. [791-817]

이하 거민【籬下居民】명〖역〗조선 시대에, 양민(良民)으로서 사족(士族)의 집에 행랑살이를 하던 사람.

이:-하다【利—】형 〈방〉 이롭다.

이:하-부정관【李下不整冠】명 오얏나무 밑에서 갓을 고쳐 쓰면 도둑으로 오인(誤認)되기 쉬우므로 오얏나무 밑에서 갓을 고쳐 쓰지 말라는 뜻. 곧, 남에게 의심 살 만한 일은 아예 하지 말라는 말. ㊟이하(李下).

*과전 불납리(瓜田不納履). ——-하다 자여불

이하-선【耳下腺】명〔parotid gland〕〖생〗구강(口腔) 안의 세 개의 타선(唾腺) 중 가장 큰 타선. 하악골(下顎骨)의 뒤쪽까지 접(接)하여 삼각형(三角形)으로 구강 앞 밑에 벌어짐. 이 타선에서 나오는 침은 점액(粘液)을 함유(含有)하지 않아 물 같으며 단백질(蛋白質)과 효소(酵素)가 풍부함. 귀밑샘.

이하선-염【耳下腺炎】[一념] 명〔parotitis〕〖의〗멈프스 바이러스(mumps virus)나 콕사키 바이러스(coxsachie virus) 등의 바이러스 또는 황색 포도상 구균을 포함한 세균에 의해 일어나는 이하선의 염증. *유행성 이하선염.

이:-하(:)원【李夏源】명〖사람〗조선 영조(英祖) 때의 문신. 자(字)는 원례(元禮), 호는 예남(蘂南)·정졸재(貞拙齋). 광주(廣州) 사람. 영조 19년(1743) 한성부 판윤(漢城府判尹)이 됨. 여러 번 대사헌(大司憲)을 지내다가 기로소(耆老所)에 들어갔으며 청백리(淸白吏)에 녹선(錄選)되었음. [1664-1747]

이:-하윤【異河潤】명〖사람〗시인. 호는 연포(蓮圃). 강원도 이천(伊川) 출생. 일본 호세이 대학(法政大學) 졸업. 중외 일보(中外日報)·경성 방송국을 거쳐 해방 후 좌익 프로 문학에 대항, 중앙 문화 협회를 창설하고, 서울 대학교·덕성 여대 교수를 역임하였음. 시집 ≪물레방아≫·≪실향의 화원≫과 역시집(譯詩集) ≪불란서 시선(詩選)≫ 등이 있음. [1906-74]

이:-하응【李昰應】명〖사람〗'흥선 대원군(興宣大院君)'의 성명.

이:-하(:)전【李夏銓】명〖사람〗조선 말(末)의 왕족. 1849년 헌종(憲宗)이 후사 없이 죽자 왕족 중 기개 있는 인물로서 왕위 계승권자로 물망에 올랐으나 안동(安東) 김씨들의 반대로 철종(哲宗)이 즉위하게 되고 그들의 미움을 샀음. 뒤에 무고로 제주도에 유배, 사사(賜死)됨. 도정(都正)을 지냄. [1842-62]

이학[1]【耳學】명 귀동냥으로 배운 지식.

이:학[2]【異學】명 이단(異端)의 학문. 위학(僞學).

이:학[3]【理學】명 ①물리(物理)·생물(生物)·지질(地質)·천문(天文)·화학(化學) 등 자연 과학을 연구하는 학문. ②원리(原理)를 연구하는 학문이라는 뜻으로, 철학(哲學)을 가리킴. ③↗성리학(性理學). ④음양사(陰陽師)가 방위(方位)나 성상(星象)을 보고 길흉(吉凶)을 점치던 일. 1)-3):준이(理).

이:-학규【李學逵】명〖사람〗조선 시대 중기의 시인. 자는 형수(亨叟), 호는 낙하(洛下)·문의당(文漪堂)·인수옥(因樹屋). 18세에 ≪규장 전운(奎章全韻)≫과 ≪홍재 전서(弘齋全書)≫ 등의 편찬에 참여하였으며, 장인 이가환(李家煥)의 관계로 신유 박해(辛酉迫害)에 연루(連累)되어 김해(金海)에 25년간 유배(流配)되는 동안 학문에 정진(精進)함. ≪영남 악부(嶺南樂府)≫는 이 기간인 1808년에 지은 68수의 연작시(連作詩)임. 저서에 ≪명물고(名物考)≫·≪인수 만필(因樹漫筆)≫·≪문의당고(文漪堂稿)≫·≪낙하집(洛下集)≫ 등이 있음. [1770-?]

이:학 박사【理學博士】명 이학을 전공하여 박사 학위 논문이 통과된 사람에게 주는 학위. 또, 그 학위를 받은 사람. 준이박.

이:학 병기【理學兵器】명〖군〗근대 과학적인 병기(兵器) 중에 전기(電氣)·광선(光線) 등을 응용(應用)한 병기.

이:학-부【理學部】명 대학의 학부의 하나. 수학·천문·물리·화학·동물·식물·지질·광물 등의 학과(學科)를 포함함. ↔문학부.

이:학-자【理學者】명 이학(理學)을 연구하는 학자. 과학자(科學者).

이:학-적【理學的】명관 이학에 관한 모양. 이학에 입각(立脚)함.

이:학적 요법【理學的療法】[一뇨뻡] 명〖의〗물리 요법.

이:학적 자:극【理學的刺戟】명〖물〗기계(機械)·한열(寒熱)·기압(氣壓)·광선(光線)·전기(電氣)·음향(音響)적인 일체의 자극.

이한[1]【離恨】명 이별과 서러움.

이한[2]【離韓】명 한국을 떠남. ↔착한(着韓). ——-하다 자여불

이:-한(:)복【李漢福】명〖사람〗현대의 서화가(書畫家). 호는 수재(壽齋)·무호(無號). 전의(全義) 사람. 조석진(趙錫晋)·안중식(安中植)의 문인. 일본 도쿄 미술 학교 동양화과를 졸업하고, 진명(進明) 고등 여학교에서 교편(敎鞭)을 잡았음. 전서(篆書)를 잘 쓰고, 화조(花鳥)를 잘 그렸으며 서화 감식(鑑識)에도 능했음. [1897-1940]

이:-한(:)응【李漢應】명〖사람〗대한 제국 때의 외교가. 자는 경천(敬天), 호는 국은(菊隱). 전의(全義) 사람. 18세 때 관립 영어 학교를 졸업, 한성부 주사(漢城府主事)·영어 학교 교관을 지냄. 1901년 영국·벨기에 양국 주차 공사관(兩國駐箚公使館) 3등 참사관(參事官), 1904년 주영 공사관 서리 공사(署理公使)가 되었으나 당시 국내에서 제1차 한일 협약이 체결되어 한국 정부의 국제적 지위가 전락됨을 보고 이를 개탄 자결함. [1874-1905]

이:한-증【異汗症】[一쯩] 명〖의〗땀에 취기(臭氣)·색·혈액·요소(尿素) 따위 이상한 성분을 함유하는 병증.

이:-한(:)진【李漢鎭】명〖사람〗조선 시대 중기의 문인·서예가. 자는 중운(仲雲), 호는 경산(京山). 성주(星州) 사람. 벼슬은 감역(監役)을 지냄. 전서(篆書)에 뛰어났으며 퉁소(洞簫)에도 일가를 이루었음. 자필(自筆) 편저(編著)한 ≪청구 영언(靑丘永言)≫이 전함. [1732-?]

이:-한(:)철【李漢喆】명〖사람〗조선 시대 후기의 화가. 호는 희원(希園) 또는 송석(松石). 안산(安山) 사람. 벼슬은 군수를 지냄. 산수(山水)·인물(人物)·초상화(肖像畫)를 잘 그렸음. 작품에 ≪죽계 선은도(竹溪仙隱圖)≫ 등이 있음. [1808-?]

이합【離合】명 헤어짐과 모임. 헤어짐과 만남. ¶ ~ 집산(集散).

이:합-사【二合絲】명 이겹실.

이합 집산【離合集散】명 헤어졌다가 모였다가 하는 일. 취산 이합(聚散離合). 취산 봉별(聚散逢別). ¶ ~을 거듭하다.

이:합-체【二合體】명〔dimer〕〖화·공〗2개의 분자가 중합(重合)하여 생성된 물질. 3개의 분자가 중합한 경우에는 3량체(trimer)라 함. 수소 결합, 이 밖의 분자간 힘에 의하여 그 분자가 화합(association)한 경우에도 이합체라 함. 이량체(二量體).

이:-항[1]【李沆】명〖사람〗조선 중종(中宗) 때의 대사헌(大司憲). 자(字)는 호숙(浩叔). 성주(星州) 사람. 기묘 사화(乙卯士禍) 때 혹독(酷毒)하게 치죄(治罪)하였으며, 대사헌이 되어 김안로(金安老)를 내쫓았음. 그 후 심정(沈貞)과 같이 삼간(三奸)으로 조정에서 득세(得勢)하였음. [?-1533]

이:-항[2]【李恒】명〖사람〗조선 시대의 유학자. 자는 항지(恒之), 호는 일재(一齋). 성주(星州) 사람. 30세에 학문을 시작, 박영(朴英)의 문하에서 수학함. 성리학(性理學)에 전심하여 조선 시대 중기의 대학자로 불렸음. 1566년 의영고령(義盈庫令)에 이어 장령(掌令)·장악원정(掌樂院正)을 역임하였음. 저서로 ≪일재집(一齋集)≫이 있음. 시호는 문경(文敬). [1499-1576]

이:항[3]【里巷】명 마을의 거리.

이항[4]【移項】명 ①항목(項目)을 옮김. ②〖수〗등식(等式)의 한 변(邊)에 있는 항(項)을 그 부호(符號)를 바꾸어 다른 변에 옮기는 일. ——-하다 타여불

이:항 계:수【二項係數】명〖수〗이항식 $a+b$의 거듭제곱 $(a+b)^n$을 이항 정리로 전개했을 때의 각 항의 계수.

이:항 공식【二項公式】명〖수〗이항 정리(定理).

이:-항로【李恒老】[一노] 명〖사람〗조선 고종 때의 유학자. 자는 이술(而述), 호는 화서(華西). 벽진(碧珍) 사람. 고종 1년(1864) 학행(學行)으로 천거되어, 동부승지(同副承旨)·공조 참판(工曹參判)·경연관(經筵官)을 역임, 경복궁 중건(重建)의 중지를 주장하여 대원군의 미움을 삼. 주리론(主理論)과 이원론(二元論)을 주장하였으며 존왕 양이(尊王攘夷)의 대의(大義)를 주창하여 문하에서 척사 위정(斥邪衛正)과 창의 호국(倡義護國)의 중심 인물이 많이 나옴. 저서에 ≪화서집(華西集)≫ 등이 있음. 시호는 문경(文敬). [1792-1868]

이:항 방정식【二項方程式】명〖수〗n을 양(陽)의 정수(整數), A를 양이나 음(陰) 또는 허수(虛數)라 할 때 $X^n-A=0$의 형식으로 바꿔지는 방정식.

이:-항복【李恒福】명〖사람〗조선 선조 때의 명신. 자(字)는 자상(子常), 호는 백사(白沙)·필운(弼雲). 경주(慶州) 사람. 임진 왜란 때 다섯 번이나 병조 판서가 되어 크게 활약하였음. 이조(吏曹) 판서·우의정(右議政) 등을 지냈으며, 오성 부원군(鰲城府院君)에 봉작되고 호성 공신(扈聖功臣)의 원훈이 되어 영의정(領議政)에 이름. 광해군(光海君) 9년(1617) 폐모론(廢母論)을 극력 반대, 북청(北靑)에 유배되어 죽음. ≪청구 영언(靑丘永言)≫에 시조 4수가 전하며, 저서로는 ≪백사집≫·≪북천 일기(北遷日記≫·≪사례 훈몽(四禮訓蒙)≫ 등이 있음. 시호(諡號)는 문충(文忠). [1556-1618]

이:항 분포【二項分布】명〖수〗확률(確率).

이:항-식【二項式】명〖수〗두 개의 항(項)으로 된 정식(整式).

이:항 전:개【二項展開】명〖수〗이항식의 거듭제곱을 이항 정리에 의하여 전개하기.

이:항 정:리【二項定理】[一니] 명〖수〗대수학의 정리의 하나. 이항식의 n제곱 $(a+b)^n$을 전개하면 $\sum_{k=0}^{n} {}_nC_k a^{n-k}b^k$가 성립된다는 정리. 여기에서 ${}_nC_k=n!/(n-k)!k!$임. 이항 공식.

이-해[1] 명 이번 해. 올해. 금년(今年). ¶ ~도 저물다.

이:해[2]【利害】명 이익과 손해. 득실(得失). ¶ ~ 관계를 떠나서.

이해[3]【泥海】명 진창 길.

이:해[4]【易解】명 이해(理解)하기 쉬움. 알기 쉬움. ↔난해(難解). ——-하다 형여불

이해[5]【洱海】명〖지〗'얼하이'를 우리 음으로 읽은 이름.

이:해[6]【理解】명 ①사리(事理)를 분별(分別)하여 해석함. ②깨달아 알아들음. ③양해(諒解). ——-하다 자여불

이해[7]【貽害】명 남에게 해가 미치게 함. ——-하다 자여불

이:해[8]【裏海】명〖지〗카스피 해(Caspi 海).

이:해[9]【裏醢】명 속젓.

이:해-간【利害間】부 이가 되거나 해가 되거나.

이:해 관계【利害關係】명 서로 이해가 미치는 사이의 관계.

이:해 관계인【利害關係人】명〖법〗어떤 사실의 유무(有無) 또는 어떤 행위나 공적 기관(公的機關)의 처분(處分) 등에 의하여 자기의 권리 또는 이익에 영향을 받는 사람.

이:해 관두【利害關頭】명 이익과 손해의 관계가 결정되는 판.

이:해 득실【利害得失】명 이익과 손해와 얻음과 잃음. ¶ ~을 따지다.

이:해-력【理解力】명 사리(事理)를 분별(分別)하여 이해(理解)하는 능력(能力).

이:-해(:)룡【李海龍】명〖사람〗조선 시대 중기의 서예가. 자는 해수(海叟), 호는 북악(北嶽). 광주(廣州) 사람. 선조(宣祖) 21년(1588) 황윤길(黃允吉)을 따라 일본에 가 많은 필적(筆蹟)을 남겼으며, 임진 왜란 때는 역관(譯官)으로 일본과의 화의 교섭에 종사함. 특히 해서(楷書)에 뛰어났으며, 당시의 대가들로부터 한호(韓濩)에 필적하는 명필이라고 격찬을 받았음. 생몰년 미상.

이 해:박는 집 명 옛날에, 옥(玉)이나 금 같은 것으로 이를 만들어 박아주는 일을 업으로 하던 집.

이:해 불계【利害不計】명 이해를 가리지 아니함. ——-하다 자여불

이:해 상반【利害相半】명 이익(利益)과 손해(損害)가 반반으로 맞섬. ——-하다 형여불

이:해-설【利害說】명〖사〗이해 관계에 대한 관심이 사회 현상의 원동력이라고 주장하는 사회학설(說).

이:해-성【理解性】[—썽] 명 이해하는 성질. 이해하는 능력. 이해심(理解心). ¶～이 있다.

이:해-심【理解心】명 이해하는 마음. 양해(諒解)하는 마음. 이해성(理解性). ¶～이 많다.

이:해 심리학【理解心理學】[—니—] 명〖심〗요해 심리학.

이:해 어:휘【理解語彙】명 한 언어의 사용자가 듣고 또는 문자를 보고 이해할 수 있는 단어의 총체.

이:-해(:)조【李海朝】명〖사람〗신소설 작가. 호는 동농(東濃)·열재(悅齋). 경기도 포천 출생. 신문학 운동에 참가하였고, 많은 외국 소설도 번역하였음. 대표작에 ≪자유종(自由鐘)≫이 있고, 이 밖에 ≪빈상설(鬢上雪)≫·≪구마검(驅魔劍)≫ 등 30편에 가까운 작품이 있음. 고대 소설을 신소설로 각색 발표하기도 하였음. [1869-1927]

이:해 타:산【利害打算】명 이해 관계(利害關係)를 따져 셈함. ——-하다 자여불

이:해 판단【理解判斷】명〖철〗미적 판단(美的判斷)의 하나. 미의식(美意識)에 참여하여 이것을 보조(補助)하는 것으로, 대상(對象)에 표현(表現)된 의미(意味)에 관한 판단. 미적 대상 내용의 지적(知的) 이해 또는 식별(識別).

이핵【離核】명 과실의 살과 떨어져 있는 씨.

이:-행[1]【李荇】명〖사람〗조선 중종 때의 상신. 자(字)는 택지(擇之), 호는 용재(容齋). 덕수(德水) 사람. 갑자 사화(甲子士禍) 때 유배되었다가 기묘 사화(己卯士禍) 후 입조하여 좌의정(左議政)이 됨. 김안로(金安老)를 소인(小人)으로 몰아 쫓아 내려다가 귀양을 가서 죽음. 문장(文章)에 뛰어나고, 글씨와 그림에도 능함. 시호(諡號)는 문헌(文獻). [1478-1534]

이행[2]【易行】명 ①행하여 나가기 쉬움. ②〖불교〗타력(他力)의 수행(修行). 염불(念佛)의 수행. 1)·2):↔난행(難行).

이행[3]【移行】명 옮아 감. 변해 감. 추이(推移). 이천(履踐). ——-하다 자여불

이:행[4]【履行】명 ①실제(實際)로 행함. 말과 같이 함. ②〖법〗의무(義務)의 실행(實行). 채무 소멸(債務消滅)의 경우의 변제(辨濟). ——-하다 타여불

이:행 거:절【履行拒絶】명〖법〗채무자(債務者)가 채권자(債權者)에 대하여 채무를 이행할 의사가 없음을 통지(通知)하는 일. 또, 그 의사 표시(意思表示).

이:행-기【履行期】명〖법〗채무자(債務者)가 이행하여야 할 기한.

이행-도【易行道】명〖불교〗염불종(念佛宗)과 정토문(淨土門)의 귀의(歸依)하는 바로서 아미타(阿彌陀)의 발원(發願)하는 힘에 의하여 극락(極樂)에 왕생(往生)하기 쉬운 길. ↔난행도(難行道).

이:행 불능【履行不能】[—룽] 명〖법〗채권(債權) 성립 때에 가능했던 급부(給付)가 그 후에 불능이 되는 일. 급부 불능(給付不能). *이행 지체(遲滯)·불완전 이행.

이행 상:피【移行上皮】명〖생〗방광(膀胱)·수뇨관(輸尿管)·신우(腎盂) 등의 내면을 이루고 있는 상피 조직의 한 가지. 상피 세포(上皮細胞)가 많이 겹쳐 있어서, 내용물(內容物)이 많을 때는 늘어나서 얇아지고, 내용물이 적을 때는 줄어서 두꺼워짐.

이:-행원【李行遠】명〖사람〗조선 인조(仁祖) 시대의 문신. 병자 호란(丙子胡亂) 때 승지(承旨)로서 왕을 호종(扈從)하여 척화(斥和)를 주장했으며, 뒤에 세자를 따라 선양(瀋陽)에 갔다 옴. 귀국 후 대사헌·이조 판서·병조 판서·우의정을 지냄. 청백리(淸白吏)에 녹선됨. 시호는 효정(孝貞). [1592-1648]

이:행의 소【履行—訴】[—/—에—] 명〔도 Leistungsklage〕〖법〗원고가 피고에 대하여, 특정한 이행 의무의 존재를 주장하여 이행 판결을 청구하는 소송. '금전 얼마를 지급하라', '어떤 물건을 인도(引渡)하라'는 등의 청구 형식을 취함. 급부 소송(給付訴訟).

이:행 이:익【履行利益】[—니—] 명〖법〗계약이 완전히 이행된 경우에, 채권자(債權者)가 받은 이익.

이:행정 기관【二行程機關】명〖물〗내연 기관(內燃機關)에서 피스톤의 이행정, 즉 일왕복(一往復)에 한 사이클(cycle)을 완료하는 기관. 주로 오토바이 같은 소형 기관(小型機關)에 쓰임.

이:행-지【履行地】명〖법〗채무자(債務者)가 채무의 이행을 하여야 할 장소(場所).

이:행 지체【履行遲滯】명〖법〗채무 불이행의 한 양태(樣態). 채무자가 채무의 이행기(期)에 있고, 이행이 가능할 경우에, 채무자의 귀책 사유(歸責事由)에 의하여 채무 본지(本旨)에 따른 이행을 하지 않는 일. *이행 불능(不能).

이:행 판결【履行判決】명〖법〗이행의 소(訴)에 대하여, 법원이 원고가 주장한 대로 피고에게 이행 의무가 있음을 인정하여 그 이행을 명하는 판결. 급부 판결.

이:향[1]【吏鄕】명〖역〗지방 관아의 아전(衙前)과 시골 향임(鄕任).

이:향[2]【異香】명 이상하게 좋은 향기.

이:향[3]【異鄕】명 낯선 고장. 타향(他鄕). 수향(殊鄕). ↔고향(故鄕).

이향[4]【離鄕】명 고향(故鄕)을 떠남. ↔귀향(歸鄕). *이가(離家). ——-하다 자여불

이:허[1]【里許】명 십 리쯤. 십 리쯤 되는 곳.

이:허[2]【裏許】명 속내평. ¶필경 ～를 다 알고 보낸 일이기에 이름까지 가르쳐 주었지≪李海朝:牧丹屛≫.

이:-허중[1]【李虛中】명〖사람〗중국 당(唐)나라 사람. 자(字)는 상용(常用). 벼슬은 원화(元和) 연간에 전중 시어사(殿中侍御史)가 됨. 한유(韓愈)가 묘지(墓誌)를 지어, 사람의 생년 월일(生年月日)에 상당하는 일진 간지(日辰干支)로써 수요 귀천(壽夭貴賤)을 헤아리되, 백에 하나도 맞지 아니함이 없었다고 칭찬(稱讚)함. 세상에 전하는 ≪이허중 명서(李虛中命書)≫ 3권은 귀곡자(鬼谷子) 찬(撰), 이허중 주(李虛中注)라 전하나, 아마도 송(宋)나라 때 사람이 가탁(假託)하여 만든 것으로 여겨짐. [762-813]

이-허중[2]【離虛中·离虛中】명 팔괘(八卦)의 이괘(離卦)의 상형(象形) 「☲」의 이름.

이:-헌(:)길【李獻吉】명〖사람〗조선 영조 시대의 명의(名醫). 자는 몽수(蒙叟). 전주(全州) 사람. 두진(痘疹) 치료에 독자적인 경지를 이루었으며, 영조 51년(1775) 서울에 홍역이 유행하자 특수한 약방문(藥方文)으로 병치료에 큰 성과를 거두었음. 저서에 ≪마진 기방(麻疹奇方)≫이 있음. 생몰년 미상.

이-험[1]【夷險】명 평탄함과 험준함.

이:험[2]【異驗】명 색다른 약의 효험(效驗).

이혁【釐革】명 뜯어 고치어 정리(整理)함. ——-하다 타여불

이-현【泥峴】명〖지〗①평안 남도 양덕군(陽德郡) 온천면(溫泉面)에 있는 고개. [473 m] ②황해도 수안군(遂安郡) 수안면(遂安面)과 대천면(大千面) 사이에 있는 고개. [242 m]

이:-현(:)곤【李顯坤】명〖사람〗조선 시대 중기의 서화가. 자는 중원(仲元), 호는 양오헌(養梧軒). 전주(全州) 사람. 서화에 독특한 경지를 이루었으며, 필법은 소식(蘇軾), 시는 진여의(陳與義)를 본떴다 함. 작품에 ≪송응화(松鷹畫)≫가 있음. [1669-1743]

이현-궁【梨峴宮】명〖지〗조선 시대 광해군(光海君)의 옛 궁. 지금 서울 종로구 인의동(仁義洞) 48번지. 인조(仁祖) 원년(1623)에 계운궁(啓運宮)이라 고치어 그 어머니 연주 부부인(連珠府夫人)을 모시었고, 숙종(肅宗) 때에는 숙빈방(淑嬪房)이 되었다가 동 37년(1711)에 연잉군(延礽君)의 저택으로 되었음. 그 뒤 정조(正祖) 11년(1787)에는 장용위영(壯勇衛營)이 되었다가 순조(純祖) 2년(1802)에 폐하고, 고종(高宗) 25년(1888)에 통위영(統衛營)이 되어 속칭(俗稱) 동별영(東別營)이라 불렀음.

이:현-금【二絃琴】명〖악〗두 줄로 된 금(琴). 천지(天地)를 상징한다고 하는데, 고려 예종 11년(1116)에 송나라에서 들어왔음.

이현령 비:현령【耳懸鈴鼻懸鈴】[—혈—혈—] 명 귀에 걸면 귀걸이 코에 걸면 코걸이. *귀.

이:-현보【李賢輔】명〖사람〗조선 중종(中宗) 때의 문장가. 자(字)는 비중(棐仲), 호는 농암(聾巖). 영천(永川) 사람. 벼슬은 지중추부사(知中樞府事)에 이름. 저서로는 ≪농암집(聾巖集)≫이 있고, 작품에 ≪어부사(漁夫詞)≫를 비롯하여 ≪효빈가(効嚬歌)≫·≪농암가(歌)≫·≪생일가(生日歌)≫ 등이 있고, 자연을 노래한 많은 시조(時調)가 있음. 시호는 효절(孝節). [1467-1555]

이:-현일【李玄逸】명〖사람〗조선 숙종(肅宗) 때의 문신·학자. 자(字)는 익승(翼升), 호는 갈암(葛菴). 재령(載寧) 사람. 대사헌을 역임. 과거 제도의 개혁을 주장했고, 서인(西人)의 탄핵으로 귀양을 가기도 했음. 이황(李滉)의 학통을 계승한 영남 학파(嶺南學派)의 거두로 이이(李珥)의 학설에 반대하고 이황의 이기 호발설(理氣互發說)을 지지함. 시호는 문경(文敬). [1627-1704]

이:혈 세:혈【以血洗血】명 피로써 피를 씻음. 곧, 악은 악으로써 갚거나 거듭거듭 나쁜 일을 한다는 뜻.

이-혈종【耳血腫】[—쫑] 명〖의〗진성 종양(眞性腫瘍)은 아니지만, 이각(耳殼)의 연골막(軟骨膜)과 연골막 사이에 일어난 출혈(出血)이 체류(滯留)하여서 종류(腫瘤)와 같은 모양을 이룬 것. 대개 외상성(外傷性)으로 유도·레슬링·권투 선수 등에게 흔히 일어남.

이형[1]【刵刑】명 고대 중국에서 귀를 자르던 형벌.

이:형[2]【異形】명 ①이상야릇한 모양. ②모양이 다름.

이:형공-대【異形孔臺】명〖공〗강(鋼)의 주물로 만든 단조(鍛造) 공구의 하나. 둥근 구멍·정사각형 구멍·직사각형 구멍 등이 벌집처럼 있고 옆면에는 크고 작은 홈이 있음. 모루·정반(定盤)·단조용 탭(tap)의 밑틀 등 세 가지 역할을 함. 벌집틀.

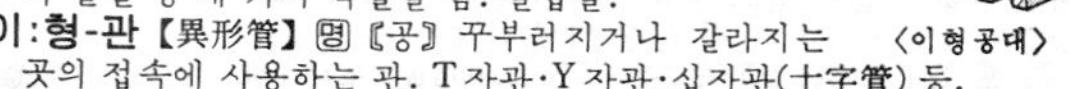

〈이형공대〉

이:형-관【異形管】명〖공〗꾸부러지거나 갈라지는 곳의 접속에 사용하는 관. T자관·Y자관·십자관(十字管) 등.

이:형 단:면사【異形斷面絲】명 보통의 실의 단면이 원형인 데 대하여, 단면이 3-10각형으로 된 합성 섬유 실. 광선의 반사(反射) 효과가 달라, 이 실로 짠 천은 보기에 점잖고, 촉감이 시원함.

이:형 배:우【異型配偶】명〖생〗이형 접합(接合).

이:형 배:우자【異型配偶子】명〔heterogamete〕〖생〗합체(合體)하는 두 개의 배우자(配偶子)에 형태·크기·행동·성질에 어떤 차이가 있는 배우자. ↔동형 배우자.

이:형-보【異形譜】명〖악〗바리안테(Variante).

이:형 봉:강【異形棒鋼】명〖건〗이형 철근(鐵筋).

이:형 분열【異型分裂】명〔heterotypic division〕〖생〗염색체(染色體) 수가 반감(半減)하는 세포 분열. 제일(第一) 분열. 이상 분열. ↔동형 분열(同型分裂).

이:-형상【李衡祥】명〖사람〗조선 숙종·영조 시대의 문신. 자(字)는 중옥(仲玉), 호는 병와(甁窩). 전주(全州) 사람. 숙종 6년(1680)에 별시 문과(別試文科)에 급제, 숙종 29년(1703)에 제주 목사가 되어, 고부량(高夫良) 삼성사(三姓祠)를 건립하고, 미풍 양속(美風良俗)을 장려함. 영조 3년(1727) 호조 참의에 임명되었으나 사퇴하고, 영천(永川)에서 학문에 열중하면서 ≪둔서록(遯筮錄)≫이라는 팔외 십악(八畏十惡)의 만언소(萬言疏)를 초안하였음. 그 후 벼슬이 한성 부윤(漢城府尹)에 이름. 뒤에 청백리(淸白吏)에 녹선(錄選)됨. 저서에 ≪병와집(甁窩集)≫·≪악학 습령(樂學拾零)≫ 등이 있음. [1653-1733]

이:형-생【異形生】명〖생〗이형 재생(再生).

이:형-석【異形石】명〔allomorphite〕중정석(重晶石)으로 된 광물. 온

도·압력 및 화학적 상태의 변화에 따라, 경석고(硬石膏)가 외형을 보존한 채 성분을 바꾸어 새로운 광물이 된 것.

이:형 성홍열【異型猩紅熱】[―녈] 명 『의』 전염병의 한 가지. 최고 40°C 가량의 발열(發熱)과 더불어 복통(腹痛)·설사(泄瀉)·발진(發疹) 등의 증상(症狀)이 있음. 청소년(靑少年)에 많이 걸리는데, 사망하는 일은 별로 없음. 병원체(病原體)는 아직 확실치 않음.

이:형 세:포【異型細胞】 명 〔idioblast〕 『식』 식물의 조직(組織) 속에서 모양·크기·구조·내용물 따위가 주위의 세포와 현저히 다른 세포. 이상(異常) 세포. 거대(巨大) 세포.

이:형 염:색체【異型染色體】[―념―] 명 『생』 이질(異質) 염색체.

이:형-엽【異形葉】[―녑] 명 『식』 동일 개체의 식물의 잎 중에서 형상이 극단적으로 다른 잎. 개연꽃의 수면 위의 잎에 대하여 수중엽(水中葉) 등을 말함.

이:형 재:생【異形再生】 명 『생』 생물의 재생에 있어서, 재생한 부분이 본래의 기관(器官)·조직과 다른 현상. 흔히, 극성(極性)의 반전(反轉)에 의해 생김. 도마뱀의 뒷다리 부분에 꼬리가 생기는 것 따위. 이질 재생(異質再生). 이형생(異形生).

이:형 접합【異型接合】 명 『생』 이형 배우자(配偶子)에 의한 합체(合體). 이형 배우(異型配偶).

이:형 접합체【異型接合體】 명 『생』 특정한 유전자(遺傳子)에 있어서, 질(質)·양(量)·배열 순서 등이 다른 배우자(配偶子)의 접합으로 생긴 개체(個體). AABBCc라는 유전자를 가진 생물에서 A,B,C를 우성의 유전자, c를 열성의 유전자라 할 때 그 생물은 C에 대해서나 c에 대해서나 이형 접합체임. 이질(異質) 접합체. 헤테로 접합체. ↔동형 접합체(同型接合體).

이형-제【離形劑】 명 『화』 플라스틱의 성형품(成形品)을 금속 거푸집으로부터 끄집어낼 때, 벗겨지기 쉽게 금속 거푸집 내면(內面)에 바르는 약제. 실리콘 수지(silicone 樹脂)·파라핀·왁스 따위가 쓰임.

이-형조【移刑曹】 명 『역』 조선 시대 때 죄인(罪人)을 형조(刑曹)로 넘기는 일을 일컫던 말. ――하다 타여불

이:형-질【異形質】 명 『생』 생물의 세포에서, 원형질(原形質)과 후형질(後形質)의 중간 성질을 가진 것으로 생각되는 세포 내용물. 편모(鞭毛)·섬모(纖毛)·안점(眼點) 등으로서, 원형질에서 변화하여 특별한 구조와 작용을 함.

이:형 철근【異形鐵筋】 명 『건』 콘크리트에 대한 부착력(附着力)을 강화하기 위해 만든, 표면에 마디 모양의 돌기(突起)가 있는 철근. 이형 봉강(棒鋼).

이:형 토기【異形土器】 명 『역』 주로 삼국 시대(三國時代)에 제조된 특이 형태의 토기. 신라·가야 지역에서 성행했고 백제 지역에서도 나타남. 토우(土偶)와 토우가 부착 장식된 토기, 동물이나 물체를 표현한 형상(形象) 토기, 일반 용기를 약간 변형시킨 기형 용기 등으로 분류됨.

이:형 폐:렴【異型肺炎】 명 『의』 경과·증상·병소(病巢)가 정형적(定型的)이 아닌 폐렴. 비정형 폐렴(非定型肺炎).

이:형 포자【異形胞子】 명 〔heterospore〕 『식』 동일 식물(同一植物)에서 자웅(雌雄)에 따라 크기와 형질(形質)에 구별이 있는 포자가 형성될 때 이들 포자를 말함. ↔동형 포자(同形胞子).

이:형 핵분열【異型核分裂】 명 『생』 이형 분열(異型分裂).

이:형핵 형성【異型核形成】 명 〔heterokaryosis〕 『식』 균류(菌類)에서, 하나의 세포(細胞) 안에 유전적(遺傳的)으로 다른 두 개의 핵(核)이 있는 일.

이:형 혈색소【E 型血色素】[―쌕―] 명 〔hemoglobin E〕 동남(東南) 아시아 사람들에게서 발견되는 이상(異常) 헤모글로빈. 전기 이동(電氣移動)에 있어서 C형 혈색소보다 약간 빨리 움직이며, 동종 접합체(同種接合體)에서 용혈성 빈혈(溶血性貧血)을 일으킴.

이:형-화【二形花】 명 『식』 같은 종류의 꽃이 두 종류의 형태가 있는 꽃. 예를 들면 암술이 길고 수술이 밑에 붙어 있는 꽃이 다른 형(型)에서는 암술이 짧고 수술이 길어 암술 위에 나오는 것 등임.

이:형 흡충【異形吸蟲】 명 『동』 〔*Heterophyes heterophyes*〕 흡충(吸蟲)의 하나. 몸길이 1-2mm로, 복흡반(腹吸盤)과 생식반(生殖盤)이 비정상적으로 큰 것이 특징임. 나일 강구(Nile 江口) 부근에 사는 사람의 장관내(腸管內)에서 발견됨.

이혜【泥鞋】 명 진신[1].

이:호[1]【二胡】 명 『악』 청조(淸朝)의 중기(中期)에 생긴 중국의 현악기. 이현(二絃)이고 호궁(胡弓)과 모양이 같음.

이:호[2]【二號】 명 ①둘째. ②↗이호 활자(二號活字). ③〈속〉 첩(妾).

이:-호[3]【吏戶】 명 『역』 조선 시대 때 지방 관아의 이방(吏房)과 호장(戶長)을 일컫던 말.

이호[4]【犁鏵】 명 『조』 사다새.

이호[5]【釐毫】 명 극히 적은 수량(數量). 호리(毫釐). 추호(秋毫).

이:-호(:)민【李好閔】 명 『사람』 조선 선조(宣祖) 때의 공신. 자(字)는 효언(孝彦), 호는 오봉(五峰). 연안(延安) 사람. 임진 왜란 때 랴오양(遼陽)의 이여송(李如松)의 막하로 들어가 원군을 청하여 공을 세우고 연릉부원군(延陵府院君)에 봉군됨. 문장과 시에 뛰어나 왕명으로 각종 글을 많이 지어 사람들을 감동케 하였음. 영창 대군(永昌大君)의 죽위를 반대하였고, 김직재(金直哉)의 무옥(誣獄)에 연루되었음. 문집으로 《오봉집(五峰集)》 16권 8책이 있고 그의 《용만시(龍灣詩)》는 임진 왜란을 노래한 대표적인 시임. 시호는 문희(文僖). [1553-1634]

이:호 활자【二號活字】[―짜] 명 호수 활자 중에서, 초호·일호 다음으로 큰 것. 준이호.

이:-혼[1]【李混】 명 『사람』 고려의 문신. 자는 거화(去華)·태초(太初), 호는 몽암(蒙菴). 전의(全義) 사람. 벼슬은 첨의 정승(僉議政丞)에 이르렀음. 시문(詩文)에 능하여 특히 단구(短句)에 뛰어났으며, 영해(寧海)에 귀양 갔을 때 지은 무고(舞鼓)가 악부(樂府)에 전함. 시호는 문장(文莊). [1252-1312]

이혼[2]【離婚】 명 『법』 생존 중(生存中)인 부부(夫婦)가 합의 또는 재판상(裁判上)의 청구에 의하여 혼인 관계를 해소(解消)하는 일. 절혼(絕婚). 이이(離異). ↔결혼❷. ――하다 자여불

이혼[3]【離魂】 명 ①꿈 속의 혼. ②몸을 떠난 혼.

이혼-병【離魂病】[―뼝] 명 『의』 몽유병(夢遊病).

이:홍【利弘】 명 『사람』 신라 때 대신(大臣). 836년 흥덕왕(興德王)이 죽은 뒤 김명(金明)과 함께 왕위를 다투던 균정(均貞)을 죽이고 희강왕(僖康王)을 즉위케 하였고 희강왕 2년 모반하여 왕을 자살케 한 다음 김명 곧 민애왕(閔哀王)을 왕위에 오르게 하였음. 뒤에 균정의 아들 우징(祐徵)이 군사를 일으켜 민애왕을 죽이고 신무왕(神武王)이 되자 잡혀 죽었음. [?-839]

이:-홍장【李鴻章】 명 『사람』 중국 청(淸)나라 말기(末期)의 정치가. 호(號)는 점보(漸甫). 안후이(安徽) 출생. 태평군(太平軍)의 진압에 공을 세우고, 1870년 이래 즈리 총독(直隷總督)·북양 대신(北洋大臣)·내각 태학사(內閣太學士) 등을 역임함. 저서는 《이문충공 전서(李文忠公全書)》 등. [1823-1901]

이:-홍직【李弘稙】 명 『사람』 사학자. 호는 남운(南雲). 서울 출생. 일본 도쿄 대학 사학과를 졸업함. 1936년 이왕직(李王職) 국조 보감(國朝寶鑑) 편찬 위원이 된 후, 한일(韓日) 고대사(古代史)를 연구함. 연세대·고려대 교수를 지냄. 《국사 대사전》을 편찬함. [1910-70]

이:화[1]【李花】 명 ①자두꽃. ②구한국의 관리(官吏)들이 쓰던 휘장(徽章). ③모표(帽標).

이:화[2]【理化】 명 ①정치와 교화(敎化). ②물리학과 화학(化學). 이화학(理化學).

이:화[3]【異化】 명 ①『생』 ↗이화 작용(異化作用). ②〔dissimilation〕 『심』 두 개의 감각(感覺)을 공간적 또는 시간적으로 접근시켜 배치(配置)할 때, 양자(兩者)의 질적(質的)·양적(量的)인 차이가 한층 더 커지는 일. ③『언』 동일하거나 성격이 비슷한 두 음이 이웃하여 나타날 때 그 중 한 음이 다른 음으로 변하거나 탈락(脫落)하는 현상. 1)-3):↔동화(同化). ――하다 자여불

이화[4]【梨花】 명 배나무의 꽃. 배꽃.

이화[5]【罹禍】 명 재앙에 걸림. ――하다 자여불

이:화 대:훈장【李花大勳章】 명 『역』 대한 제국 때 훈장의 한 가지. 문무관 가운데에 태극장을 탈 사람으로서 특별한 훈공(勳功)이 있을 때에 특지(特旨)로써 줌.

〈이화 대훈장〉

이화-령【梨花嶺】 명 『지』 충청 북도 괴산군(槐山郡)과 경상 북도 문경군(聞慶郡) 사이에 있는 고개. 소백 산맥(小白山脈) 중에 있음. 영남(嶺南) 지방과 영서(嶺西) 지방과의 주요 통로(通路)로서 부산·서울 간의 통로임. [548m]

이:화-명나방【二化螟―】 명 『충』 〔*Chilo suppressalis*〕 명나방과에 속하는 곤충의 하나. 몸길이 10-12mm, 편 날개 23-27mm이고, 몸빛은 담회갈색에 앞날개는 좀 길고 황갈색 또는 암회갈색이며, 외연(外緣)에 7개의 흑색 점렬(點列)이 있고 뒷날개의 복부는 백색임. 유충은 '마디충'·'명충'이라 하는데, 몸길이 25mm에 두부(頭部)는 황갈색, 동부는 담갈색이며 5개의 세로줄이 있음. 1년에 5-7월과 8-9월에 2회, 드물게 3회 우화(羽化)함. 유충은 벼 등의 엽초(葉鞘)와 줄기를 집단 식해(食害)하여 이삭이 나오지 못하거나, 나온 다음에도 백수(白穗)가 되어 익지 못하게 함. 한국·일본 등 동양 각지에 분포함. 이화 명충(二化螟蟲). 이화 명아(螟蛾). 명충나방. 벼명나방. 마디충나비.

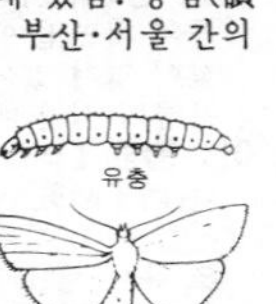

〈이화명나방〉

이:화 명아【二化螟蛾】 명 『충』 이화명나방.

이:화 명충【二化螟蟲】 명 『충』 이화명나방.

이-화산【泥火山】 명 『지』 유전대 징후(油田帶徵候)의 하나. 땅 속의 흙는 물과 수증기·천연 가스의 발생으로 진흙을 내뿜어 원뿔꼴을 이룬 화산. 대만(臺灣)의 남부 지방에 많음. 「*일화성·다화성.

이:화-성【二化性】[―썽] 명 『충』 한 해에 2회 우화(羽化)하는 성질.

이:화 수정【異花受精】 명 『식』 식물의 가장 보편적인 수정 방법(受精方法)으로, 같은 나무의 다른 꽃이나 다른 나무의 꽃으로부터 꽃가루를 받아 수정하는 현상.

이화 여자 대학교【梨花女子大學校】 명 사립 대학교의 하나. 1886년에 창설된 이화 학당(學堂)에, 1910년 대학과(大學科)가 설치되고, 1925년에 이화 여자 전문 학교로 개칭(改稱)되었다가, 1946년에 종합 대학교가 되었음. 준이대(梨大). *이화 학당.

이:-화자【李花子】 명 여자 민요 가수. 인천(仁川) 출생. 가요 작곡가 김용환(金龍煥)에게 발굴되어 1936년 폴리도르 레코드사(社)에서 신민요풍의 노래 《초립동(草笠童)》·《에헤라 노아라》를 녹음하여 민요 가수로서 지위를 굳히고, 《어머님전 상서(上書)》·《목단강(牧丹江) 편지》·《꼴망태 목동(牧童)》·《화류 춘몽(花柳春夢)》·《신(新) 오돌독》 등으로 크게 인기를 얻음. [1917-49]

이:화 작용【異化作用】 명 〔catabolism〕 『생』 물질 대사에서, 단백질·다당류(多糖類)·아미노산(酸) 따위 화학적으로 복잡한 구조의 물질을 단순한 물질로 분해하는 반응. 생물은 필요한 에너지를 이 반응으로 얻음. 준이화(異化). *물질 대사(物質代謝).

이화-장【梨花莊】 명 서울 특별시 종로구 이화동 1번지에 있는 조선

중기의 주택 건물. 이승만이 초대 내각을 구상한 곳으로서 '이승만 기념관'으로 보존되고 있음. 서울 특별시 기념물 제6호.

이:화-전【李華傳】명〖문〗조선 시대의 소설의 하나. 국문본. 작자·창작 연대 미상(未詳). 이화(李華)를 주인공으로 등장시켜 설화(說話)의 요괴 퇴치(妖怪退治) 화소(話素)를 소설화한 작품.

이화-주【梨花酒】명 ①배꽃을 넣어 빚은 술. 백운향(白雲香). ②배꽃이 핀 뒤에 담근 술.

이:-화중선【李花中仙】명〖사람〗판소리 여류 명창의 하나. 부산 출생. 전라 북도 남원(南原)으로 시집가서 살던 중, 집을 나와 장득주(張得周)에게 판소리를 배우고 서울로 올라와 송만갑(宋萬甲)·이동백(李東伯)의 지도를 받아 명창이 됨. 노래를 거침없이 시원스레 불러 청중을 매료시켰음. 1943년 재일 교포 위문 공연차 일본을 순회하던 중에 죽음. 심청가 중의 '추월만정(秋月滿庭)', 춘향가 중의 '사랑가'가 장기였음. [1898-1943]

이:-화진【李華鎭】명〖사람〗조선 숙종(肅宗) 때의 문신. 자(字)는 자서(子西), 호는 묵졸재(默拙齋). 여주(驪州) 사람. 사은사(謝恩使)의 서장관(書狀官)으로 청(淸)나라에 다녀온 뒤 우부승지(右副承旨)를 지내고, 여러 지방관을 지내는 동안 선정(善政)을 베풀었음. 저서에 ≪묵졸재집(默拙齋集)≫이 있고, 시조 3수가 전함. [1626-96]

이:화피-화【異花被花】명〔heterochlamydeous flower〕〖식〗화피(花被)의 꽃받침과 화관(花冠)의 구별이 뚜렷한 꽃. 벚꽃·진달래꽃 따위. ↔동화피화(同花被花).

이:화-학【理化學】명 물리학(物理學)과 화학(化學). 이화(理化).

이화 학당【梨花學堂】명 조선 시대 말기, 고종 23년(1886)에 미국 선교사 스크랜튼(Scranton) 부인이 서울 황화방(皇華坊), 지금의 중구 정동(貞洞)에 창설한 사립 여자 교육 기관. 이듬해 명성 황후(明成皇后)가 '이화 학당'의 이름을 내리고, 초등 교육·중등 교육·대학 교육을 아울러 실시함. *이화 여자 대학교.

이:화학용 유리【理化學用琉璃】[ㅡ뇽뉴ㅡ] 명 화학적 내구성(耐久性)과 내열성(耐熱性)이 높고, 팽창률이 낮은 유리. 붕규산(硼硅酸) 유리·96% 실리카(silica) 유리·석영(石英) 유리 등. 이화학용 실험 기구 외에 연소관(燃燒管)·앰풀관(管)·수면계(水面計)·온도계 등에 쓰임.

이화혜-정【伊火兮停】명〖역〗신라의 십정(十停)의 하나. 지금 경북 청송군(靑松郡)에 둠. 이벌혜정(伊伐兮停).

이:-확【李廓】명〖사람〗조선 시대 중기의 무관. 광해군(光海君) 때 폐모론(廢母論)에 불참하였고, 인조 반정(仁祖反正) 때는 어영 천총(御營千摠)으로 돈화문(敦化門)을 지키다가 반정군에게 길을 비켜주어 화를 면함. 병자 호란(丙子胡亂) 때 남한산성(南漢山城)을 수비하였고, 뒤에 충청도 병마 절도사·삼도 통제사(三道統制使)를 지냄. 시호는 충강(忠剛). [?-1665]

이:환[1]【以還】명 그 후. 이래(以來).

이환[2]【耳環】명 귀고리.

이환[3]【罹患】명 병에 걸림. 이병(罹病). ――하다 ㉶(여불)

이환-율【罹患率】[ㅡ뉼] 명 어떤 기간 내의 질병 발생 건수의 그 기간 내 평균 인구에 대한 비율. 이병율(罹病率). *유병율(有病率).

이환-자【罹患者】명 병에 걸린 사람. 이병자(罹病者).

이:-황【李滉】명〖사람〗조선 중종·명종 때의 유학자이며 문신. 초명(初名)은 서홍(瑞鴻). 자는 경호(景浩)·계호(季浩), 호는 퇴계(退溪)·도옹(陶翁)·퇴도(退陶)·청량산인(淸凉山人). 진보(眞寶) 사람. 예안 출생. 예조(禮曹) 판서, 양관 대제학(大提學) 등을 역임함. 일생을 통하여 학문에 전주(專主)하여 학자적 태도는 후세의 사림(士林)에 크게 영향을 미침. 정주(程朱)의 성리학(性理學) 체계를 집대성하고, 이기 이원론(理氣二元論)·사칠론(四七論)을 중심 사상으로 하여 율곡(栗谷) 이이(李珥)와 양대 학파를 이룸. 저서로 ≪퇴계 전서≫가 있으며 이 중 ≪주자서 절요(朱子書節要)≫·≪사서 석의(四書釋義)≫·≪심경 석의(心經釋義)≫·≪논사단 칠정서(論四端七情書)≫·≪자성록(自省錄)≫ 등은 주요한 저술임. 작품으로는 시조 ≪도산 십이곡(陶山十二曲)≫이 있음. 문묘(文廟)에 배향(配享). 시호는 문순(文純). [1501-70]

이:-황산【二黃酸】명〖화〗피로 황산(pyro黃酸).

이:황화 규소【二黃化硅素】명〔silicon disulfide〕〖화〗황화 규소❷.

이:황화 망간【二黃化ㅡ】명〔manganese disulfide〕〖화〗황화 망간❷.

이:황화 삼탄소【二黃化三炭素】명〔tricarbon disulfide〕〖화〗황화탄소❸.

이:황화 알릴【二黃化ㅡ】명〔allyl disulfide〕〖화〗황화 알릴❷.

이:황화-철【二黃化鐵】명〔iron disulfide〕〖화〗황화철❸.

이:황화 탄:소【二黃化炭素】명〔carbon disulfide〕〖화〗황화탄소❷.

이:회[1]【里會】명 한 동네에 관한 일을 의논하는 모임.

이회[2]【泥灰】명 물에 이긴 석회(石灰). 장사 지낼 때 광중(壙中)을 메우는 데 씀.

이:회[3]【理會】명 사리(事理)를 회득(會得)함. ――하다 ㉹(여불)

이:회-력【理會力】명 사리(事理)를 회득(會得)하는 능력.

이회-암【泥灰岩】명〖광〗모래에 진흙이 덮치어 이루어진 판상(板狀) 또는 층상(層狀)의 침전암(沈澱岩)으로, 석회질의 혈암(頁岩).

이:-회(:)영【李會榮】명〖사람〗항일 독립 투사. 호는 우당(友堂). 시영(始榮)의 중형(仲兄). 1908년 안창호(安昌浩)·이동녕(李東寧) 등과 함께 청년 학우회를 조직하여, 무실 역행(務實力行)을 행동 강령으로 구국 운동에 나섰으며, 같은 해 장훈(長薰) 중학교를 설립하여, 근대 교육의 보급에 힘씀. 1910년 일제의 탄압을 피해 만주로 망명, 신흥 무관 학교의 전신인 신흥 강습소를 설립했음. 그 후 중국 각지를 전전하며 독립 운동을 하다가 1932년 다롄항(大連港)에서 일본 경찰에 체포되어 고문을 당하고 그 여독으로 사망함. [1866-1932]

이:회 우:상 복엽【二回羽狀複葉】명〖식〗잎꼭지가 한 번 깃 모양의 가지를 내고, 그 각 가지마다 양쪽에 소엽(小葉)이 벌이어 달려서 깃 모양을 이룬 겹잎. 고비·자귀나무 따위의 잎이 이것임. 두번깃꼴겹잎.

이:회 장:상 복엽【二回掌狀複葉】명〖식〗잎꼭지 끝에 몇 개의 가지를 내고, 그 각 가지의 끝에 소엽(小葉)을 벌이어 붙여 손바닥 모양을 이룬 겹잎. 나도바람꽃·산매발톱 따위의 잎이 이것임. 두번손꼴겹잎.

이:회전 인쇄기【二回轉印刷機】명〖기〗원압식(圓壓式) 인쇄기의 하나. 한 번 인쇄할 때에 압동(壓胴)이 두 번 회전하는 것으로 속력이 빠르고 압력이 강하여 성능이 좋음.

이회-질【泥灰ㅡ】명〖건〗회로 벽을 바르는 일. ――하다 ㉶(여불)

이:-효(:)봉【李曉峰】명〖사람〗'학눌(學訥)'을 호(號)로써 일컫는 이름.

이:효 상효【以孝傷孝】명 효성이 지극한 나머지 어버이의 죽음을 너무 슬퍼하여 병이 나거나 죽음. ――하다 ㉶(여불)

이:-효(:)석【李孝石】명〖사람〗소설가. 호는 가산(可山). 강원도 평창(平昌) 출생. 1928년에 ≪도시(都市)와 유령(幽靈)≫을 발표하여 문단에 등장. 자연과 인간의 본능적인 면에 치중, 서정적인 경지를 탐구하였음. 작품으로 ≪성수부(聖樹賦)≫·≪메밀꽃 필 무렵≫·≪화분(花粉)≫ 등이 있음. [1907-42]

이:-효(:)정【李孝貞】명〖사람〗간호사(看護師). 함남 영흥(永興) 출신. 세브란스 의학 전문 학교 간호부 양성소 산학과(產學科)를 졸업. 1927년 세브란스 병원의 간호원이 된 후 30여 년간 각처의 병원·요양소의 간호부장을 역임하며, 환자에 대한 봉사를 다해 1957년 국제 적십자사(國際赤十字社)로부터 우리 나라 최초로 나이팅게일 기장(記章)을 받음. [1897-1965]

이:후[1]【已後】명 이후(以後).

이:후[2]【以後】명 일정한 때로부터 뒤. 이 다음. 이강(以降). 이후(已後). ↔이전(以前).

이후[3]【伊後】명 기후(其後).

이:후[4]【里堠】명 이정(里程)을 표시하기 위하여 쌓은 돈대(墩臺).

이:-후[5]【李𤤣】명〖사람〗조선 영조 때의 정치가. 호(號)는 구옹(癯翁). 연안(延安) 사람. 영조 34년(1758)에 좌의정이 되고 세자부(世子傅)를 겸하였는데, 영조 37년(1761)에 세자가 몰래 평양에 가서 놀고 있으므로 이 일을 상주(上奏)하기 어려워 자살(自殺)하였음. 시호는 충헌(忠獻). [1694-1761]

이:후[6]【爾後】명부 기후(其後).

이:-후(:)백【李後白】명〖사람〗조선 명종·선조 때의 문신. 자(字)는 계진(季眞), 호는 청련(靑蓮). 연안(延安) 사람. 명종 10년(1555) 식년 문과(式年文科)에 병과(丙科)로 급제. 선조 2년(1569) 도승지(都承旨)·대사헌·부제학(副提學) 등을 역임하고, 선조 6년(1573) 주청사(奏請使)로 명(明)나라에 다녀와 이듬해 대사간·이조 판서·양관(兩館) 대제학을 지냈고, 1578년 호조 판서에 이름. 청백리(淸白吏)에 녹선(錄選)됨. 저서에 ≪청련집(靑蓮集)≫이 있음. 시호는 문청(文淸). [1520-78]

이:-후(:)원【李厚源】명〖사람〗조선 시대 중기의 문신. 자는 사심(士深), 호는 우재(迂齋). 전주(全州) 사람. 병자 호란(丙子胡亂) 때 지평(持平)으로 척화(斥和)를 주장함. 효종(孝宗) 8년(1657) 우의정에 이르러 북벌 계획(北伐計劃)을 추진하고, 송준길(宋浚吉)·송시열(宋時烈) 등을 추천, 인재 등용에 힘씀. 시호는 충정(忠貞). [1598-1660]

이:-후정화【二後庭花】명〖악〗이북전(二北殿).

이:후지-사【以後之事】명 뒷 일. 뒤에 일어나는 사정(事情).

이:훈[1]【異訓】명 다른 주해(註解).

이:훈[2]【貽訓】명 조상이 자손에게 끼친 교훈.

이훈[3]【彝訓】명 사람이 항상 지켜야 하는 교훈.

이:훼【異卉】명 이상한 풀.

이:-휘【李徽】명〖사람〗조선 시대 초기의 문신. 자는 미경(美卿), 호는 송죽헌(松竹軒). 양성(陽城) 사람. 세종(世宗) 17년(1435) 진사시(進士試)에 합격, 우정언(右正言)·이조 좌랑 등을 지내고 세조 원년(1455) 동부 승지(同副承旨)가 됨. 공조 참의 때 박팽년(朴彭年) 등과 단종(端宗)의 복위를 꾀하다가 잡혀 거열형(車裂刑)을 받음. [?-1456]

이:-휘령【李彙寧】명〖사람〗조선 시대 후기의 학자. 자는 군목(君睦), 호는 고계(古溪). 진보(眞寶) 사람. 벼슬은 부총관(副摠管)을 지냈음. 이황(李滉)의 10대손으로 가학(家學)을 계승, 성리학(性理學)에 전심(專心), ≪십도 고증(十圖攷證)≫을 저술했으며, 국문으로 시가(詩歌) ≪방경 무도사(邦慶舞蹈辭)≫도 지었음. [1788-1861]

이:-휘영【李彙榮】명〖사람〗불문학자. 평양 출생. 일본 메이지(明治) 대학·아테네 프랑세 졸업, 프랑스 소르본 대학 졸업. 서울대 문리대 불문학과 주임 교수 역임. 한불(韓佛) 협회장, 한국 불문학회장 등을 역임. 저서에 ≪불한 사전≫ 등이 있음. [1919-86]

이흐람:〔아랍 iḥrām〕명〖이슬람〗메카 순례 때, 몸에 둘러 입는 아래 두 장의 흰 천. 순례복(巡禮服).

이흐름너출명〈옛〉댕댕이덩굴. ¶이흐름 너출(防己)≪救簡 Ⅰ:25≫.

이흐완: 알사파〔Ikhwān al-safā'〕명〔아랍어로 성실한 형제의 뜻〕970년경 이라크의 바스라(Basra)를 중심으로 활동한 민간 철학자의 결사. 시아파(Shia派) 중의 극단파(極端派)로, 당시의 정권을 전복하기 위해 종교적·정치적으로 지하 활동을 했음. 아랍어로 된 서간체 ≪논고(論考)≫가 남아 있음.

이:흑【二黑】명〖민〗구궁(九宮)에 있어서 근본 자리가 서남쪽인 토성(土星)을 음양가(陰陽家)가 이르는 말. 곤, 곤방(坤方).

이:-흥렬【李興烈】[ㅡ녈] 명〖사람〗작곡가. 원산(元山) 출생. 일본 도요(東洋) 음악 학교 피아노과를 졸업하고, 서라벌 예술 대학 음악과장·숙명 여자 대학교 음악 대학장·예술원 회원을 지냄. 가곡 ≪바위고개≫·≪어머니 마음≫ 등 많은 작곡이 있음. [1909-80]

이:-흥효【李興孝】[명]〖사람〗조선 시대 중기의 화가. 자는 중순(仲順). 전주(全州) 사람. 화원(畫員)으로 명종(明宗)의 초상화를 그림. 인물화에 능했음. 벼슬은 수문장(守門將). [1537-93]

이:-희(:)경【李喜儆】[—히—][명]〖사람〗독립 운동가·의사. 평안도 순천(順川) 출신. 광무 8년(1904) 도미(渡美)하여 의학 박사가 됨. 하와이에서 독립 운동을 돕다가 1919년 상하이(上海)에서 대한 적십자회를 조직, 초대 회장이 되었으며, 임시 정부 의정원(議政院)의 군무(軍務) 위원장·외교 위원·외무 차장 겸 외무 총장 대리 등을 지냄. 1935년 귀국하다 일본에서 체포되어 국내로 압송되었고 혹독한 고문의 여독으로 순국함. [1890-1941]

이:-희(:)수【李喜秀】[—히—][명]〖사람〗조선 시대 말의 서화가. 자는 지삼(芝三), 호는 소남(小南)·경지당(景止堂). 경주(慶州) 사람. 7세 때부터 조광진(曺光振)에게 글씨를 배워 전서(篆書)·예서(隸書)·해서(楷書)·행서(行書)의 각체에 능하며, 그림에도 뛰어나 난(蘭)과 죽(竹)을 잘 그렸음. [1836-1909]

이:-희(:)영【李喜英】[—히—][명]〖사람〗조선 시대 후기의 서화가·천주교도. 자는 추찬(秋餐), 세례명은 루가. 양성(陽城) 사람. 성화(聖畫)를 많이 그렸으며, 신유 박해(辛酉迫害) 때 순교(殉教)함. [1756-1801]

이:-희팔【李羲八】[—히—][명]〖사람〗조선 시대 후기의 화가·문장가. 자는 하경(河經), 호는 소불(小芾). 수안(遂安) 사람. 글을 한 번 보면 모두 외는 천재였고 문장과 그림에 능했음. 그림은 특히 산수(山水)와 인물에 뛰어났으며, 일찍이 판서 서염순(徐念淳)을 따라 베이징에 가서 ≪소문 연수부(蘇文烟樹賦)≫와 ≪산해관 상량문(山海關上樑文)≫을 지어 중국 명사들의 찬탄을 받았음. [1796-?]

이히[명]〈방〉뜰(제주).

이히-드라마〔도 Ich-Drama〕[명]〖연〗작자(作者)의 내면 생활을 고백 참회하려는 자기 고백극(自己告白劇)으로, 주관적인 색채가 농후함. 독일 표현파의 초기의 희곡 경향임. 사회곡(私戲曲).

이히-로만〔도 Ich-Roman〕[명]〖문〗19세기 초의 독일 문학에 나타난 소설의 한 형식. 이히(Ich)(나)를 주인공으로 하여 자기의 생활이나 체험을 쓴 자전적 고백 형식(自傳的告白形式)의 소설. 일인칭 소설(一人稱小說).

이히티올〔도 Ichthyol〕[명]〖약〗오스트리아의 티롤(Tyrol) 지방에서 산출되는 태고(太古) 때의 어류(魚類)나 바다 짐승의 잔해(殘骸)로 된 역청질(瀝青質) 암석을 건류(乾溜)하여 진한 황산(黃酸)으로 중화한 것. 황갈색의 유상(油狀) 액체로 단내 같은 냄새가 남. 방부(防腐)·소염(消炎)·진통제로 쓰임.

이히히[감]①자지러질 듯이 크게 웃는 웃음 소리. ②어리석게 웃거나 익살맞게 웃는 웃음 소리.

익¹【益】[명]성(姓)의 하나. 우리 나라에는 현존(現存)하지 아니함.

익²【益】[명]〖민〗↗익괘(益卦).

익³【翌】[명]성(姓)의 하나. 우리 나라에는 현존(現存)하지 아니함.

익⁴【翼】[명]〖천〗↗익성(翼星).

익-【翌】[두]명사 앞에 붙어 '다음'의 뜻을 나타내는 말. ¶~삼월/~일(日).

익가-나무[명]〈방〉이깔나무.

익가-목【益佳木】[명]〖식〗'이깔나무'의 취음(取音).

익각【翼角】[명]새가 날개를 접었을 때, 날개의 맨 끝 부분을 이름. 사람의 손목에 해당함.

익개-나무[명]〈방〉〖식〗이깔나무.

익겨[명]〈방〉등겨(충남).

익곡【溺谷】[명]〖지〗육지의 침강(沈降)이나 해면의 상승에 의하여 육지에 바닷물이 침입하여 생긴 골짜기. 대동강(大同江) 하류 지방에서 볼 수 있음. 빠진골.

익공¹【匿空】[명]몸을 숨기기 위한 구멍.

익공²【翼工】[명]〖건〗익공집에 있어서, 첨차(檐遮) 위에 얹히어 있는 짧게 아로새긴 나무. 초방(草防) 끝이 쇠서로 되어 있으며, 단익공(單翼工)·이익공(二翼工)의 종류가 있음.

익공-집【翼工—】[—찝][명]〖건〗기둥 위에 익공을 얹어 지은 집.

익과【翼果】[명]날개 열매. 시과(翅果).

익-괘【益卦】[명]〖민〗육십사괘(六十四卦)의 하나. 손괘(巽卦)와 진괘(震卦)가 거듭된 것으로, 바람과 우레를 상징함. [준]익(益).

익-군【翼軍】[명]〖역〗원(元)나라 간섭기에 고려에서 지방 농민을 징발하여 편성했던 후원 부대. 고려 말기의 상비적 부대로 조선 초 평안도·함길도의 군편제를 군익도(軍翼道) 체제로 편성할 때의 주력 부대.

익근【翼筋】[명]〖동〗①날개를 운동시키는 근육. 흉골(胸骨)과 전지골(前肢骨)을 연결하고, 날개의 상하(上下) 운동을 행하는 근육으로서, 조류(鳥類) 및 박쥐과에 보임. ②곤충의 날개를 운동시키는 근육. 흉부의 배판(背板)과 측판(側板) 사이를 연결하는 근육으로서, 그 수축(收縮) 운동에 의하여 배판이 아래위로 운동하고, 이에 따라 날개가 상하 운동을 함.

익금【益金】[명]이익금(利益金).

익기¹【弋器】[명]중국 명(明)나라 때 익양현(弋陽縣) 태평향(太平鄉)에서 만들어진 허름한 도기(陶器).

익기²【弋只】[조]〈이두〉이기에.

익녀【溺女】[명]〖역〗옛날 중국 사회의 가난한 집안에서, 기른 후에 돈이나 들고 아무 소용이 없을 어린 자기 딸을 대야의 물에 얼굴을 박아 죽이던 관습. *익아(溺兒).

익년¹【匿年】[명]나이를 속임. ——-하다 [자][여불]

익년²【翌年】[명]이듬해.

익다¹[자]〔중세 : 닉다〕①열매나 씨가 충분히 여물다. ¶벼가 ~/과일이 ~. ②뜨거운 기운을 받아 날것이 먹을 수 있게 되다. ¶감자가 덜 익었다. ③술이나 김치·장·젓갈 따위가 맛이 들다. ¶익은 김치/술 익는 냄새.
[익은 감도 떨어지고 선 감도 떨어진다] 늙어서 죽는 이도 있고 젊어서 일찍 죽는 이도 있다는 말. [익은 밥 먹고 선 소리 한다] 사리에 맞지 않는 말을 하는 사람을 핀잔 주는 말.

익다²[형]①자주 경험하여 조금도 서투르지 아니하다. ¶손에 익은 일. ②여러 번 겪어 보아 잘 아는 사이이다. ¶낯 ~.

익단【翼端】[명]①날개 끝. ②〖건〗익공(翼工)의 끝. 쇠서가 뻗친 곳.

익달-하다[자]〈방〉숙달하다.

익대【翊戴·翼戴】[명]받들어 정성스럽게 추대(推戴)함. ——-하다 [타][여불]

익대 공신【翊戴功臣】[명]〖역〗조선 세조(世祖) 14년(1468)에 남이(南怡)를 죽인 공로로 신숙주(申叔舟)·한명회(韓明澮) 등 37명에 내린 훈호(勳號).

익더귀[명]〖조〗①새매의 암컷. 토골(土鶻). ↔난추니. ②〈옛〉토끼 잡는 매. ¶익더귀(兎鶻)≪字會上 15 鶻字註≫.

익랑【翼廊】[—낭][명]문의 좌우 편에 잇대어 지은 행랑(行廊).

익량【翼亮】[—냥][명]임금을 도와 천하를 다스림. ——-하다 [자][여불]

익렵【弋獵】[—녑][명]날짐승을 활로 쏘아 잡고, 길짐승을 쫓아가 잡음. 익사(弋射).

익례【翊禮】[—녜][명]〖역〗조선 시대 때 통례원(通禮院)의 종삼품 벼슬.

익-릉【翼陵】[—능][명]〖지〗서오릉(西五陵)의 하나. 숙종 원비(肅宗元妃) 인경 왕후(仁敬王后)의 능. 경기도 고양시(高陽市) 용두동(龍頭洞), 경릉(敬陵)의 동쪽 언덕에 있음.

익만【翌晩】[명]다음 날 저녁.

익면【翼面】[명]날개의 표면.

익-면적【翼面積】[명]비행기의 날개를 평면도(平面圖)에서 본 면적.

익면 하:중【翼面荷重】[명]비행기의 중량을 익면적(翼面積)으로 나눈 비중량(比重量). 착륙 속도·고공(高空)에서의 운동성(運動性) 등의 결정 요소가 됨.

익명【匿名】[명]본이름을 숨김. ——-하다 [자][여불]

익명 비:판【匿名批判】[명]〖문〗필자(筆者)의 본이름을 감추고 비판함. 또 그 글.

익명 비:평【匿名批評】[명]〖문〗필자(筆者)의 본이름을 감추고 비평함. 또, 그 글.

익명-서【匿名書】[명]본이름을 숨기고 쓴 글. 음장(飮章).

익명 조합【匿名組合】[명]〖경〗타인의 영업(營業)에 출자(出資)하고, 그 영업으로부터 생기는 이익(利益)의 분배(分配)를 약속한 상법상(商法上)의 조합적 계약(組合的契約). 실질적으로는 출자자(出資者)인 익명 조합원(匿名組合員)과 상대방(相對方)인 영업자(營業者)와의 공동 영업(共同營業)의 형태이지만 외부에 대하여 영업자만이 권리 의무(權利義務)의 주체(主體)로 나타나고 익명 조합원은 나타나지 않으므로 이 이름이 있음.

익명 투표【匿名投票】[명]무기명(無記名) 투표. ——-하다 [자][여불]

익모-초【益母草】[명]①〖식〗[*Leonurus sibiricus*] 꿀풀과에 속하는 월년초. 줄기는 높이 1-1.5m의 방형(方形)임. 잎은 대생하며 장병(長柄)인데, 근엽(根葉)은 다소 원형, 경엽(莖葉)은 우열(羽裂)하나 상부의 것은 선상 피침형의 단엽(單葉)임. 7-9월에 담홍자색 꽃이 엽액(葉腋)에서 윤산(輪繖) 화서로 다수 밀착하여 피며, 과실은 다섯 갈래지는 분과(分果)임. 씨는 '충울자(茺蔚子)'라 하고, 잎은 짓찧어 즙을 내어 더위먹은 데 약으로 씀. 들에 나는데, 한국 및 일본·중국 대륙에 분포함. 암눈비앗. 야천마(野天麻). 충울(茺蔚). ②〖한의〗꽃 필 때 익모초의 전초(全草)를 말린 것. 산모(產母)의 지혈(止血)·강장제·이뇨제·더위 먹은 데에 씀.

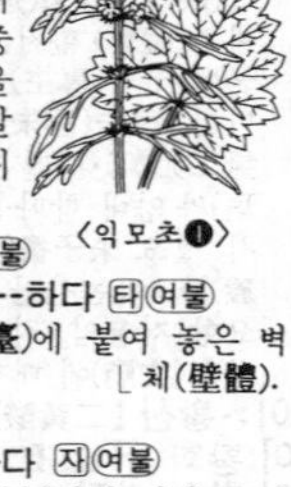
〈익모초❶〉

익몰【溺沒】[명]물에 빠져 가라앉음. ——-하다 [자][여불]

익-반죽[명]가루에 끓는 물을 쳐가며 하는 반죽. ——-하다 [타][여불]

익벽【翼壁】[명]〖건〗흙이 무너지지 않도록 교대(橋臺)에 붙여 놓은 벽체(壁體).

익보【翼輔】[명]보좌(輔佐). ——-하다 [타][여불]

익사¹【弋射】[명]익렵(弋獵).

익사²【溺死】[명]물에 빠져 죽음. 엄사(渰死). ——-하다 [자][여불]

익사³【翼舍】[명]〖건〗한 집채 안에서 부속 건물이 주(主)채의 좌우로 뻗친 집.

익사 공신【翼社功臣】[명]〖역〗조선 광해군 5년(1613)에, 임해군(臨海君) 옥사(獄事)를 다스린 공(功)으로 허잠(許箴)·김이원(金履元)·유희분(柳希奮) 등 48인에게 내린 훈호(勳號). 뒤에 1623년 인조 반정(仁祖反正)으로 훈적(勳籍)에서 삭제됨.

익사이팅 게임〔exciting game〕[명]백열전(白熱戰).

익사-자【溺死者】[명]물에 빠져 죽은 사람. 수사자(水死者).

익사-체【溺死體】[명]익사한 사람의 시체.

익-삭이다[타]야속하고 억울한 생각이나 분한 마음을 눌러 삭이다. ¶치밀어 오르는 분을 ~.

익산【益山】[명]〖지〗전라 북도의 한 시(市). 1읍(邑) 14면(面) 19동(洞). 북쪽은 충청 남도 부여군(扶餘郡)과 논산시(論山市), 동쪽은 완주군(完州郡)과 논산시, 남쪽은 완주군과 김제시(金堤市), 서쪽은 군산시(群山市)와 금강(錦江) 등에 접함. 비옥한 평야 지대에 위치하며, 쌀 이외에 고구마·땅콩 등의 농산과 화강석(花崗石)·석회석의 광산도 있음. 호남선·군산선·전라선의 교차점이 되고 도로망이 집중되어 교통이 편리하고 전북 평야의 중심지를 이룸. 1976년 이래로 공업 단지가 조성되어 면방(綿紡)·귀금속·피혁 가공·고무 등 각종 공업이 활발하여 공업 도시로서 면모를 바꾸고 있음. 명승 고적으로는 익산 쌍릉(益山雙陵)·미륵사지(彌勒寺址) 석탑·왕궁리(王宮里) 오층 석탑·고도리(古

都里) 석불 입상・천호(天壺) 동굴 등이 있음. 1995년 5월, 이리시와 익산군을 통합, 시(市)로 개편됨. [506.70 km²: 327,927 명(1996)]

익산 목발 노래【益山一】[一로一] 명〖악〗전라 북도 익산 지방에서 불리는 노동요.

익산 미륵사지【益山彌勒寺址】명〖역〗전라 북도 익산시 금마면 기양리에 있는 백제 시대의 절터. 국보 제 11 호인 석탑(石塔)이 있음. 사적 제 150 호.

익산 쌍릉【益山雙陵】[一능] 명〖지〗전라 북도 익산시(益山市) 석왕동(石旺洞)의 구릉 상에 있는 남북 2기(基)의 고적. 마한(馬韓) 무강왕(武康王) 및 왕비(王妃)의 능이라고도 하고 또 백제(百濟) 무왕(武王)의 능이라고도 전함. 1917년에 발굴 조사한 결과 그 구조는 부여 능산리(陵山里)에 있는 백제 왕릉 등과 동일 형식(形式)에 속함을 알게 됨. 사적(史蹟) 87 호.

익산 왕궁리 오:층 석탑【益山王宮里五層石塔】[一니一] 명 전라 북도 익산시 왕궁면(王宮面) 왕궁리(王宮里)에 있는 화강석 석탑. 높이 약 8 m. 1965-66년에 해체 보수되었는데, 이 탑 안에서 순금제의 금강경첩(金剛經帖) 19 장, 사리병 1 개, 청동 여래 입상(靑銅如來立像)과 청동령(靑銅鈴), 금제 방합(金製方盒)과 판경합(板經盒) 등이 나와 국보 123 호로 지정 보관됨. 이 석탑의 조성 연대는 확실하지 않으나, 기단(基壇)의 구성 양식이나 발견 유물 등의 양식으로 미루어 고려 초기의 것으로 추정됨. 보물 제44호.

익산 토성【益山土城】명〖역〗전라 북도 익산시 금마면 서고도리의 오금산(五金山)에 있는 삼국 시대의 토석 혼축 산성(土石混築山城). 둘레 690 m. 사적 제 92 호.

익살 명 남을 웃기려고 일부러 우습게 하는 말이나 짓. 골계(滑稽).
익살(을) 떨:다 구 남을 웃기느라고 익살스러운 말과 행동을 하다.
익살(을) 부리다 구 남을 웃기느라고 말과 행동을 익살스럽게 하다. 괘사 부리다.

익살-극【一劇】명 골계극(滑稽劇).

익살-꾸러기 명 익살이 심한 사람.

익살-꾼 명 익살을 잘 부리는 사람. 골계가(滑稽家).

익살-맞다 형 익살스러운 태도가 있다.

익살-스럽다 형(ㅂ불) 남을 웃기느라고 말과 행동을 일부러 꾸며 재미있게 하는 태도가 있다. 익살-스레 부

익살-쟁이 명 '익살꾼'을 좀 가벼이 이르는 말.

익상【翼狀】명 새의 날개와 같은 모양.

익상-근【翼狀筋】명〖생〗절지(節肢) 동물의 심장의 좌우에 짝을 이루어, 앞뒤로 배열(排列)하는 삼각형을 이룬 근육. 심장의 수축·이완(弛緩)을 맡으며, 혈액의 운행의 원동력이 됨.

익상-편【翼狀片】명〖의〗결막(結膜)이 코의 위치에서 삼각형을 이루어, 각막(角膜)에 덮이는 눈의 상태. 시력(視力)을 해침.

익새-류【翼鰓類】명〖동〗[Pterobranchia] 반색 동물(半索動物)에 속하는 한 강(綱). 몸은 두반부(頭盤部)·경부(頸部)·구간부(軀幹部)의 세 부분으로 되고, 소화관은 'U'자 모양임. 구간부의 일부가 병부(柄部)를 이루고, 경부에는 두 개의 완상 돌기(腕狀突起)가 있는 것이 특징임. 자웅 이체이며, 관(管) 속에 살고, 촉수(觸手)는 우상(羽狀)인데 환상(環狀)으로 배열(配列)하고, 병부는 등 쪽에 있음. 두반충(頭盤蟲)과 간벽충(桿壁蟲)이 이에 속함. 원색 동물(原索動物)·전항(前肛) 동물의 한 강(綱)으로도 분류(分類)됨. *장새류(腸鰓類).

익석【翌夕】명 다음날 저녁.

익선[1]【翊善】명〖역〗①고려 때의 관직 이름. 충렬왕(忠烈王) 34년(1308)에 세자부(世子府)와 왕자부(王子府)에 각 1명을 둠. 품계는 정오품(正五品). ②조선 시대 때 세손 강서원(世孫講書院)의 한 벼슬. 고종(高宗) 31년(1894)에 종사품의 좌익선(左翊善)·우익선(右翊善)을 없애고 이를 두었음.

익선[2]【翼善】명 착한 일을 도와 이루게 함. ——-하다 타 여불

익선-관【翼善冠·翼蟬冠】명〖역〗임금이 상복(常服)으로 정무(政務)를 볼 때 쓰던 관. 꼭대기에 턱이 져서 앞이 낮고 뒤가 높은데, 검은 사(紗) 혹은 나(羅)로 싸고, 모자 위에 두 가닥의 보랏빛 끈을 붙였으며, 뒤에 두 뿔이 날개처럼 달려 있음.

〈익선관〉

익성[1]【翊成】명 도와 주어 이루게 함. ——-하다 타 여불

익성[2]【翼星】명〖천〗남방 칠수(南方七宿)의 여섯째 별자리의 별들. 경칩절(驚蟄節)의 중성(中星)임. 익수(翼宿). 준익(翼).

익성-기【翼星旗】명 의장기(儀仗旗)의 하나.

〈익성기〉

익센트릭[eccentric] 명 색다름. 별남. 이상함. ¶ ~한 행동. ——-하다 형 여불

익수[1]【一手】명 익숙한 사람. ↔생수(生手).

익수[2]【益壽】명 장수(長壽)함. 또, 장수. ——-하다 자 여불

익수[3]【鷁首】명 뱃머리에, 바람에 강하다는 익조(鷁鳥)를 새기거나 그려 붙인 배. 일반 배의 일컬음.

익수-룡【翼手龍】명〖동〗중생대(中生代) 쥐라기(紀)에 많았던 파충류(爬蟲類)의 하나. 큰 것은 편 날개의 길이가 7 m에 달하였음.

〈익수룡〉

익수-류【翼手類】명〖동〗박쥐목(目).

익숙-이 부〈방〉익숙히.

익숙-하다 형 여불 [중세: 닉숙다] ①여러 번 하여 보아 능란하다. ②자주 만나 사귀어 친숙하다. ③여러 번 듣거나 보거나 하여 훤히 알다. ¶미국 사정에 익숙한 사람. 익숙-히 부. 준익히.

익스체인지[exchange] 명 ①교환(交換). 교체(交遞). ②〖경〗환(換) 거래소(去來所).

익스커:션 페어[excursion fare] 명〖관광〗항공기 등의 회유(回遊) 운임. 할인(割引)하는 경우가 많음.

익스텐션[extension] 명 ①확장(擴張). 확대(擴大). 증설(增設). ②〖교〗대학에서 일반에게 하는 공개 강좌. ③사설 교환소가 있는 구내 전화 번호. ④〖논〗외연(外延).

익스텐션 코:드[extension cord] 명 마이크로폰이나 전기 용구의 전선이 짧을 경우, 이어 쓰는 코드. 연장(延長) 코드.

익스팬더[expander] 명 ①음량 신장기(音量伸張器). 컴프레서(compressor: 음량 압축기)의 반대되는 말로 컴프레서와 함께 쓰이는데, 방송처럼 음량의 폭을 압축해서 보내야 할 때, 또는 본래의 음량의 폭을 넓혀 거의 자연스럽게 들리도록 할 때에도 사용함. 컴프레서와 결합시킨 것을 컴팬더(compander: 압신기(壓伸器))라 함. ②운동 용구(用具)의 하나. 몇 줄의 고무나 용수철을 나란히 얽어 놓은 것으로, 손이나 발로 신축(伸縮)시켜 어깨·팔·가슴 등의 근육을 단련시킴.

〈익스팬더❷〉

익스페리먼트[experiment] 명 실험(實驗). 시도(試圖).

익스프레셔니즘[expressionism] 명〖문〗표현주의(表現主義).

익스프레션[expression] 명 표현(表現). 표출(表出). 표정(表情). 발상(發想). 음조(音調). 말씨.

익스플로:러[Explorer] 명 [탐험가의 뜻] 미국의 일련의 과학 관측 위성. 1958년 1월 31일부터 1968년 8월까지 40호에 달하였는데, 이 사이의 각 호의 형상·궤도·임무는 각각 다름. 1호는 미국 최초의 인공 위성, 9호는 최초의 기구(氣球) 위성, 18호는 최초의 행성간 공간 관측 위성이 됨.

익시어[ixia] 명〖식〗창포과에 속하는 다년초. 키 50 cm 내외, 잎은 가늘고 검상(劍狀), 화피편(花被片)이 여섯임. 남아프리카 원산으로 관상용임.

익실【翼室】명 ①〖건〗본(本)채의 좌우 편에 딸려 있는 방(房). ②〖고고학〗옆방❷.

익심【益甚】명 갈수록 더욱 심함. 거거 익심(去去益甚). 거익 심언(去益甚焉). ——-하다 형 여불

익아【溺兒】명〖역〗옛날 중국 사회의 가난한 집안에서 가족 노동에 필요한 인원 외의 자기 어린 아들을 대야의 물에 얼굴을 박아 죽이던 관습. *익녀(溺女).

익안 대:군【益安大君】명〖사람〗조선 태조(太祖)의 삼남(三男). 정종(定宗)의 아우, 태종(太宗)의 형. 이름은 방의(芳毅). 1차·2차 왕자(王子)의 난(亂)에 태종을 보좌하여 정사 공신(定社功臣)·좌명(佐命) 공신으로 책록되었으며 대광 대부(大匡大夫)에 오름. [?-1404]

익애【溺愛】명 함빡 빠져 지나치게 귀여워함. 혹애(惑愛). ——-하다 타 여불

익야【翌夜】명 이튿날 밤.

익언【益言】명 이로운 말.

익연【翼然】명 새가 좌우(左右)의 날개를 편 것처럼, 좌우가 넓은 모양. ——-하다 형 여불

익우【益友】명 유익한 벗. ↔손우(損友).

익월【翌月】명 다음달. 후월(後月).

익위【翊衛】명〖역〗조선 시대 때 세자 익위사(世子翊衛司)에 소속했던 최고 관직. 정오품으로 좌익위(左翊衛)·우익위(右翊衛) 각 한 사람씩 있었음.

익위 교:위【翊威校尉】명〖역〗고려 때 무관(武官)의 품계. 종칠품의 상(上). 익휘 부위(翊麾副尉)의 위, 치과 부위(致果副尉)의 아래.

익위-사【翊衛司】명〖역〗↗세자 익위사(世子翊衛司).

익은 누에 명 양잠(養蠶)에서, 오령(五齡)이 되어, 다 자라서 뽕먹기를 그치고 몸이 투명해진 누에.

익은-말 명〖언〗관용어(慣用語). 숙어(熟語).

익은-소리 명〖언〗속음(俗音).

익은-이 명 삶아 익힌 고기. 수육. 편육(片肉).

익음【溺音】명 사람의 마음을 음탕하게 하는 소리.

익이 부〈방〉익히.

익익[1]【翊翊】명 삼가는 모양. 근신하는 모양. ——-하다 형 여불

익익[2]【翼翼】명 ①공경하고 삼가는 모양. ②익숙한 모양. ③온화(溫和)한 모양. ④무성한 모양. ⑤아름다운 모양. ⑥굳센 모양. 건장한 모양. ⑦정돈된 모양. ⑧날아 오르는 모양. ⑨많은 모양. ⑩성대(盛大)한 모양. ——-하다 형 여불

익익-년【翌翌年】명 익년(翌年)의 익년. 내내년(來來年). 다음다음 해.

익익-월【翌翌月】명 익월(翌月)의 익월. 내내월(來來月). 다음다음 달.

익익-일【翌翌日】명 익일(翌日)의 익일. 모레. 다음다음 날.

익일【翌日】명 이튿날❷.

익자【益者】명 남을 이롭게 돕는 사람.

익자 삼요【益者三樂】명 사람이 좋아하여 유익한 것 세 가지. 곧, 예악(禮樂)을 적당히 좋아하는 것, 사람의 착함을 좋아하는 것, 착한 벗이 많음을 좋아하는 것. 논어(論語)에 있는 말임. ↔손자 삼요(損者三樂). *삼요.

익자 삼우【益者三友】명 사귀어서 자기에게 유익(有益)한 세 벗. 곧, 정직(正直)한 사람·신의(信義) 있는 사람·지식(知識) 있는 사람. ↔손자 삼우(損者三友).

익재【益齋】명〖사람〗이제현(李齊賢)의 호(號).

익재 난:고【益齋亂藁】 명 『책』 고려 말기의 학자 익재 이제현(李齊賢)의 시문집(詩文集). 공민왕 12년(1363) 그의 아들 창로(彰路)와 손자 보림(寶林)이 편집한 것으로, 유고(遺稿)가 산일(散佚)되어 다 모으지 못했으므로 난고라 함. 조선 숙종(肅宗) 19년(1693)에 출판되었음. 10권 4책. 목판본.

익재 영:정【益齋影幀】 명 1319년 익재(益齋) 이제현(李齊賢)이 중국에 갔을 때, 원(元)나라의 화공(畫工) 진감여(陳鑑如)가 그린 초상화. 국보(國寶) 제110호.

익조[1]【益鳥】 명 『조』 식용(食用)·장식(裝飾)·완상(玩賞)·해충 구제(害蟲驅除) 등 사람에게 직접·간접으로 유익한 새. 제비·까치·딱따구리 등. 이론새. ↔해조(害鳥)·해론새.

익조[2]【翌朝】 명 이튿날 아침.

익족-류【翼足類】[一뉴] 명 『동』 [Pteropoda] 연체(軟體) 동물에 속하는 한 목(目). 대체로 각질(角質)의 패각(貝殼)이 있으며, 발의 양쪽 가장자리가 변하여 날개 모양의 지느러미가 되어 이것을 움직이어 대양(大洋)을 헤엄쳐 이동함.

익족류 연:니【翼足類軟泥】[一뉴一] 명 유영성(游泳性) 연체 동물의 유해(遺骸)가 침전(沈澱)하여서 된 무른 흙. 열대·아열대 지방의 400-1,500 m 깊이의 바다에 분포함.

익종【翼宗】 명 『사람』 조선 순조(純祖)의 세자 영(旲)에게 추존(追尊)된 이름. 순조 12년(1812) 왕세자에 책봉되었고, 동(同) 27년(1827) 대리청정(代理聽政)하여, 현재(賢材)를 등용하고 형옥(刑獄)을 신중히 하는 등 선정(善政)을 베풀었으나 4년 만에 죽음. 시조 9수가 전함. 시호는 효명(孝明). 능은 수릉(綏陵). [1809-30]

익주【翌週】 명 다음 주(週).

익죽-거리다 자 〈방〉 이기죽거리다. **익죽-익죽** 부. ——-하다 자

익지【益智】 명 『식』 중국 푸젠 성(福建省)·광둥 성(廣東省)에 나는 풀. 잎은 뾰족하고 길며, 봄에 꽃이 피고 빛이 연꽃과 같으며, 여름에 과실이 익는데, 작은 대추와 같고, 양끝이 뾰족함. 흔히, 씨를 빼고 꿀에 재어 먹음.

〈익지〉

익지-인【益智仁】 명 『한의』 익지(益智)의 씨. 소화·소변 불금(小便不禁) 및 유정(遺精)에 약으로 쓰임.

익직【溺職】 명 맡은 직무를 감당하지 못함. ——-하다 자여불

익찬[1]【翊贊·翼贊】 명 보도(輔導)❶. ——-하다 타여불

익찬[2]【翊贊】 명 『역』 조선 시대 세자 익위사(世子翊衛司)에 소속된 무관직. 정 6 품직으로 좌우 익찬 각 1 명씩이었음.

익추【翌秋】 명 이듬해 가을.

익충【益蟲】 명 『충』 식물의 해충을 없이하는 등 직접·간접으로 사람에게 이익을 주는 벌레의 총칭. 꿀벌·누에나방·잠자리 등. 이론벌레. ↔ 해충(害蟲)·해론벌레.

익티노스[Iktinos] 명 『사람』 기원전 5세기의 그리스의 건축가. 칼리크라테스(Kallikrates)와 함께 아테네의 파르테논 신전(Parthenon神殿)을 조영(造營)하여, 그리스 전성기에 클래식 건축의 기초를 쌓았음. 그 밖에, 바사이의 아폴론(Apollon) 신전과 엘레우시스(Eleusis)의 데메테르(Demeter) 및 페르세포네(Persephone) 신전의 건축에 관여함.

익판【翼瓣】 명 『식』 콩과(科) 식물의 나비 모양 화관(花冠)의 화판(花瓣).

익폐【翼蔽】 명 덮어서 감싸 줌. 감싸고 도움. ——-하다 타여불

익폭【翼幅】 명 비행기 날개의 좌우의 길이. ↔현장(弦長).

익현【翼弦】 명 날개의 전단(前端)과 후단(後端)을 맺는 직선 또는 익단면(翼斷面)의 밑쪽에 그은 접선(切線).

익형【翼型】 명 ①날개의 모양 또는 형. ②비행기 날개의 단면의 모양.

익호【匿戶】 명 옛날 중국에서, 신고(申告)를 하지 않고 숨겨 조세(租稅) 납부를 게을리하던 집.

익효【翌曉】 명 이튿날 새벽.

익휘 부:위【翊麾副尉】 명 『역』 고려 때 무관(武官)의 품계(品階). 종칠품(從七品)의 하(下). 익위 교위(翊威校尉)의 아래, 선절 교위(宣折校尉)의 위.

익히 부 ↗익숙히.

익히다 타 ①익게 하다. ¶감자를 ~. ②익숙하게 하다. ¶글씨를 ~.

인[1] 명 여러 번 되풀이하여 몸에 붙은 습관. ¶담배에 ~이 박이다.

인[2]【人】 ㊀명 '사람'을 예스럽게 한문투로 일컫는 말. ㊁의명 사람의 수효를 나타내는 말. ¶삼십 삼 ~.

[인에서 인을 못 고른다] 사람들 중에서 난 사람을 찾아내기가 어렵다는 말. [인은 노(老)를 써라] 늙으면 아는 것이 많으므로 사람을 쓸 때는 나이 많은 자를 고르라는 말.

인[3]【仁】 명 ①『윤』 공자(孔子)의 가르침에 일관되어 있는 정치 상(政治上)·윤리 상(倫理上)의 이상(理想). 극기 복례(克己復禮)를 그 내용으로 하고, 윤리적 모든 덕(德)의 기초가 되는 심적 상태(心的狀態)로서, 천도(天道)가 발현하여 인이 되고, 이를 실천하면 만사 모두 조화(調和)·발전(發展)된다는 사상. 오상(五常)의 으뜸임. ②애정(愛情)을 타에 미침. 곧, 어짐·착함·박애(博愛).

인[4]【仁】 명 ①씨에서 종피(種皮)를 제거한 배(胚) 및 배유(胚乳)의 총칭. ②세포의 핵(核) 안에 있는 비교적 큰 입상체(粒狀體). 보통, 한개 내지 여러 개가 있으며, 그 기능은 불명하나 세포의 합성 작용에 중요한 역할을 한다는 것은 거의 확실함. 학자에 따라 진정인(眞正仁)·양성인(兩性仁)·염색인(染色仁)으로 나누기도 함.

인[5]【仁】 명 성(姓)의 하나. 우리 나라에는 현존(現存)하지 아니함.

인[6]【引】 명 ①악부시(樂府詩)의 한 종류를 표시하는 말. 제목 끝에 붙음. ②한문학에서, 문체의 명칭. 자기 뜻을 부연(敷衍)하여 서술하는 글의 체(體).

인[7]【印】 명 ①나무·상아(象牙)·뿔·수정(水晶)·돌·금(金) 등에 글자 등을 새겨 개인(個人)·관직(官職)·단체(團體)의 표지(標識)로서 문서(文書)·서화(書畫) 등에 찍어 증명으로 하는 것. 도장(圖章). 신장(信章). 인장(印章). 투서(套書). 투서(套署). ②옛날 중국에서, 관직(官職)의 표시로서 패용(佩用)한 금석류(金石類)의 조각물(彫刻物). ③[범 mudra] 『불교』 ↗결인(結印).

인[8]【印】 명 성(姓)의 하나. 현재 우리 나라에는 교동(喬洞)·연안(延安)의 두 본관이 있음.

인[9]【印】 명 『지』 ↗인도(印度).

인[10]【因】 명 ①원인이 일어나는 근본 동기(動機). ②[범 hetu] 『불교』 인명(因明)의 논식(論式) 중 논증(論證)의 근거가 되며 논증을 성립시키는 이유로서, 논리학에 있어서의 매개념(媒槪念)과 같음. 이유(理由)의 의미로 사물(事物)을 생기(生起)·파괴(破壞)시키는 원인과는 구별됨. ↔과(果). *인명(因明).

인[11]【寅】 명 『민』 ①십이지(十二支)의 셋째. 범을 상징함. ②↗인방(寅方). ③↗인시(寅時).

인[12]【燐】 명 [phosphorus] 『화』 질소족 원소(窒素族元素)의 하나. 홑원소 물질로 천연적으로 나지는 않고 인산염(燐酸塩), 특히 인산 칼슘(燐酸 calcium)으로서 광물 속에 존재하며 또 동식물의 몸 안에도 있음. 5종의 동소체가 알려짐. 담황색(淡黃色)·반투명(半透明)·납(蠟) 모양의 고체를 '황린(黃燐)'이라 함. 공기 중에서 발화(發火)하기 쉽고, 산화(酸化)하면 흰 연기가 나며, 상온(常溫)에서 서서히 산화하여 어두운 데서 청백색(靑白色)의 미광(微光)을 발함. 황린을 공기의 공급을 끊고 약 250℃ 가량 가열하면 암적색(暗赤色)의 '적린(赤燐)'이 됨. 살서용(殺鼠用)·약용(藥用)·성냥 및 인화물(燐化物)의 제조 등에 쓰임. 인소(燐素). [15번:P:30.97376]

인:[13] 관 〈방〉 왼(경상).

인-【人】 두 '사람'의 뜻. ¶~쥐.

-인【人】 미 명사 뒤에 붙어 그러한 사람을 나타내는 말. ¶정치~/문화~/동양~.

인가[1]【人家】 명 사람이 사는 집. 인호(人戶).

인가[2]【印可】 명 『불교』 사승(師僧)이 제자(弟子)에게 오도(悟道)했음을 증명해 주는 일. ——-하다 타여불

인가[3]【印家】 명 『역』 관인(官印)을 넣는 집. 「집.

인가[4]【姻家】 명 인척(姻戚)의 집 또는 배우자(配偶者)의 쌍방(雙方)의

인가[5]【認可】 명 ①인정하여 허락함. 인허(認許). ②『법』 당사자(當事者)의 법률 행위가 국가의 동의(同意)를 얻지 못하면 유효(有效)하게 성립되지 못할 경우에, 이것에 동의를 부여하여 그 효과를 완성시키는 행정 행위(行政行爲). ——-하다 타여불

인가[6]【隣家】 명 이웃집. 인옥(隣屋). 옆집.

인가 근:처【人家近處】 명 사람이 사는 집들이 가까이 있는 곳. 준인가처(人家處).

인-가난【人一】 명 쓸 만한 사람이 아쉬워 매우 난처한 일. *인물(人物) 가난.

인가-목 명 『식』 민둥인가목.

인가목-조팝나무 명 『식』 [*Spiraea ulmifolia*] 조팝나뭇과에 속하는 낙엽 활엽 관목. 가지가 많이 갈라졌고, 잎은 달걀꼴 또는 넓은 타원형임. 여름에 흰 꽃이 방상(房狀) 화서로 피고, 골돌과(蓇葖果)는 복면(腹面)의 상부에 갈색 털이 나면서 9월에 익음. 깊은 산의 숲 속에 나는데, 경북·강원·평남·함남 및 일본·사할린·만주·아무르·유럽 등지에 분포함. 지팡이 재료로 애용됨.

인가앗들어【是隱去向入】 〈이두〉 인가 하여.

인가 영업【認可營業】 명 『법』 행정 관청의 인가를 얻어야 할 수 있는 영업. 음식점·화약상·강습소 등.

인가 자본【認可資本】 명 『경』 자본 증가의 한 특수 양태로, 정관(定款)으로 이사(理事)에게 일정한 명의액(名義額)까지 자본을 증가하는 권한을 주는 제도. 원래 미국의 수권(授權) 자본 제도에 따라 독일 주식법(株式法) 상 인정된 것이나, 이와 달리 자본 확정(確定)의 원칙을 유지하여 전액(全額)을 인수(引受)하고, 단지 이사에 의하여 증가될 자본만을 인가 자본이라고 함.

인가-장【認可狀】[一짱] 명 ①인가를 증명하는 문서. 면허장(免許狀). 허가장(許可狀). ②어떤 사람을 영사(領事)로서 접수(接受)하고 그 자격(資格)을 인정하는 문서.

인가 전:압【認可電壓】 명 [applied voltage] 『전』 전기 회로의 단자(端子) 간에 공급되는 직류·교류 또는 고주파 전원의 전압.

인가-증【認可證】[一쯩] 명 『법』 인가한 증명서.

인가-처【人家處】 명 ↗인가 근처(人家近處).

인각[1]【印刻】 명 나무나 그 밖의 물건에 새기는 일. 또, 그 글자. ——-하다 타여불

인각[2]【麟角】 명 기린(麒麟)의 뿔. 곧, 희유(稀有)한 사물에 대한 비유.

인각[3]【麟閣】 명 『역』 '충훈부(忠勳府)'의 별칭.

인각-사【麟角寺】 명 『불교』 경상 북도 군위군(軍威郡) 고로면(古老面) 화북리(華北里)에 있는, 은해사(銀海寺)의 말사. 여기서 일연(一然)이 삼국 유사(三國遺事)를 저술했다 함. 경내에 일연 보각 국사(一然普覺國師)의 탑(塔)과 비(碑)가 있음.

인각사-비【麟角寺碑】 명 『불교』 경상 북도 군위군(軍威郡)의 인각사의 경내(境內)에 있는 일연 보각 국사(一然普覺國師)의 행적을 새긴 비(碑). 일연이 입적(入寂)한 지 5년 후인 1295년에 세운 것으로, 왕희지(王羲之)의 글씨를 집자(集字)하여 새긴 것임. 보물 428호.

인-각유일능【人各有一能】[一룽] 명 사람은 누구나 하나의 재능은 가

지고 있다는 말.

인간[1] 【人間】 명 ①사람. 인류(人類). ②사람이 사는 곳. 세상(世上). ¶ ~ 세상. ③사람의 됨됨이. ¶ ~이 틀렸다. ④〖철〗 규범적(規範的)·가치적(價値的)으로 신(神) 또는 동물과 대립되는 존재로서의 사람.

[인간 구제(人間救濟)는 지옥(地獄) 늦이라] 인간을 구제함은 본시 지옥의 할 바이니 무릇 사람이 이를 구제하려면 그 해(害)가 지옥의 수고(手苦)와 같다 함. [인간 도처 유청산(人間到處有靑山)] 사람은 어디서 죽는다 해도 뼈를 묻을 만한 곳은 있다는 뜻으로, 대망(大望)을 달성하기 위하여 향리(鄕里)를 떠나 크게 활동하여야 한다는 말. [인간 만사 새옹지마(人間萬事塞翁之馬)] 인생의 길흉 화복(吉凶禍福)은 새옹지마처럼 항시 바뀌어 예측할 수 없다는 말. [인간은 만물(萬物)의 척도(尺度)] 〔Panton khrematon metron estin anthropos〕 〖철〗 그리스 소피스트(sophist)의 대표자 프로타고라스(Protagoras)의 말로, 진리(眞理) 또는 타도론(打倒論)이라 불리는 그의 저작(著作) 첫 머리에 쓰인 말. 존재(存在)·비존재(非存在)의 인식은 오로지 인간의 감각에 의하고, 판단은 각자의 주관에 의하므로 동일한 개념은 어느 것에도 있을 수 없음. 따라서 인간 자체가 판단의 기준이 된다는 말임. 보통, 인간 척도 명제(人間尺度命題)라 부름.

인간[2] 【印刊】 명 인쇄하여 책을 박아 냄. 또, 그 책. ——-하다 타여불

인간[3] 【印簡】 명 〖역〗 지방 수령(守令)이 섣달 그믐께 세의(歲儀)로 보내는 물건에 딸린 편지.

인간 게놈 【人間—】 〔genome〕 명 〖생〗 약 10만 개의 유전자가 약 30억 염기쌍(塩基雙)의 염색체 DNA로 구성되고 있으며, 2000년 미국은 이의 모든 배열(配列)을 해독(解讀)하였다고 함.

인간 게놈 계획 【人間—計劃】 명 〔human genome project〕 〖생〗 인간의 전(全) 게놈 배열 순서를 해독(解讀)하여, 그 유전 정보를 기초로, 유전병이나 암 따위 병의 진단·치료, 뇌·신경계 또는 면역(免疫) 기구 따위의 고차적인 기능 해명, 인류의 진화 과정 규명 따위에 이용하고자 하는 계획. 인간 게놈 해석 계획.

인간-계 【人間界】 명 ①사람이 사는 세상. ㊀인계(人界). ②〖불교〗 중생계(衆生界). 사바 세계.

인간-고 【人間苦】 명 사람으로서의 고통. 세상을 살아 가는 고통.

인간 공학 【人間工學】 명 〔biotechnology, human engineering〕 기계나 도구를 쓰기 쉽게, 또 작업을 능률화시키기 위해서, 이것들을 해부학·생리학 및 심리학적 특성에 맞도록 하는 것을 연구하는 학문.

인간과 초인 【人間—超人】 명 〔Man and Superman〕 〖문〗 쇼(Shaw, G. B.)의 희곡. 4막. 1903년 작. '철학적 희극'이라는 부제(副題)가 있으며, 생명적 충동에 의하여 남자를 여자의 포로가 되게 하는 여자의 '삶의 힘'을 주장하였음. 제3막은 '지옥의 돈후안'으로서 단독으로 상연되기도 하며, 제3막을 제외하고 제1·2·4막만을 상영하기도 함.

인간-관 【人間觀】 명 인간을 보는 관점(觀點). 그 대표적 유형(類型)으로 예지인(叡知人; homo sapiens)·종교인(宗教人; homo religiosus)·공작인(工作人; homo faber) 등이 있음.

인간 관계 【人間關係】 명 ①감정적인 대응(對應)을 내포하는 인간의 유대 관계. ②집단을 구성하는 인간이 만들어내는 역동적(力動的)인 관계. ③어떤 일을 추진해 나가는 데 있어 필요한 대인 관계(對人關係)의 원활을 가져오는 기능(機能).

인간 기계 【人間機械】 명 〔프 homme machine〕 ①자연 과학(自然科學)의 진보를 기반으로 물리적 인과율(因果律)에만 의거하여 인간의 사회성(社會性)을 배제하고 인간을 극단의 기계론적(機械論的) 숙명관(宿命觀)으로 대하는 사상. 라 메트리(La Mettrie)의 ≪인간 기계론(人間機械論)≫에서 비롯함. ②산업 심리학(產業心理學)상 생산에 종사하는 노동력으로서의 인간을 산업 기계로 비유하여 풍자한 말.

인간 기계론 【人間機械論】 명 ①동물의 신경 계통의 통일·반사·제어 작용과 기계의 메커니즘에서와 같은 기능과의 비교 유추(類推)로부터 출발하여, 인간의 사고 과정에 있어서의 두뇌의 작용 대신에 기계를 이용하려는 문제를, 이론과 기술의 양면에서 취급하는 새로운 학문. 미국의 전기 공학자·수학자인 위너(Wiener, N.)가 제창한 것임. 사이버네틱스(cybernetics). ②〔프 L'homme-machine〕 〖책〗 프랑스의 철학자 라 메트리(La Mettrie, J.O. de)가 1747년에 지은 책. 철저한 기계론적 입장에서 인간을 영혼 없는 육체적 성장의 소산이라고 봄.

인간 기관차 【人間機關車】 명 〈속〉 체코슬로바키아의 마라톤 선수 '자토페크(Zatopek, E.)'를 일컫는 말.

인간-답다 【人間—】 형ㅂ불 사람답다. ¶ 인간답지 못한 것들.

인간 대:사 【人間大事】 명 인간의 일생(一生) 중 중대한 일. 곧, 결혼(結婚)과 장례(葬禮)를 이름. 인륜 대사(人倫大事).

인간-도 【人間道】 명 인간으로서 마땅히 지켜야 할 도덕(道德). 인도(人道).

인간 독 【人間—】 〔dock〕 명 예방 의학의 한 방법. 병의 조기 발견이나 건강 지도를 목적으로, 전신의 장기(臟器)·기관(器官)에 대하여 종합적 정밀 검진을 하는 일. 주로 중년 이상의 사람을 대상으로 하여 일정한 플랜에 따라 각과의 전문의가 진찰·검사를 함.

인간-력 【人間力】 〔—녁〕 명 인간의 힘.

인간-론 【人間論】 〔—논〕 명 〔An Essay on Man〕 〖책〗 영국의 시인 포프(Pope, A.)의 장편 철학시. 1733-34년 출판. 서간체(書簡體)의 4편의 시로 구성되는데, 유려(流麗)한 대운구(對韻句)로 표현한 점에 문학사적 의의가 있음. 작자 자신의 독창적인 사색(思索)은 볼 수 없으나, 우주 제반의 사상(事象)은 모두 신의 의지를 좇아 완전 무결하며 그것이 안 보임은 인간의 사고(思考)가 미치지 못하기 때문이라고 함.

인간 말짜 【人間末—】 명 인간으로서 아무짝에도 쓸모없는 자.

인간 문화재 【人間文化財】 명 '중요 무형 문화재 보유자'의 속칭. *유형 문화재(有形文化財)·무형 문화재.

인간-미 【人間味】 명 사람다운 맛. 인간다운 정미(情味).

인간 벽력 【人間霹靂】 〔—녁〕 명 사람의 벼락. 곧, 총(銃)을 이름.

인간 불평등 기원론 【人間不平等起原論】 〔—논〕 명 〖책〗 프랑스의 사상가 루소(Rousseau)의 제2 논문. 1755년 출판. 인간은 원래 고립 분산하여 자기 보존과 연민(憐憫)이라는 본능에 따라서 자족(自足)의 생활을 하여 온 것인데, 이 자연 상태를 떠나 공동 생활을 하게 되자, 얼마 안 가서, 재물의 사유화(私有化)와 산업의 발달에 의하여 불평등이 강화되었으며, 국가는 이 빈부(貧富)의 차를 합법화(合法化)한 것에 불과하다고 논하고, 정의(正義)에 의해서 사회를 개조할 가능성은 자연인의 선성(善性) 속에 구할 수 있다고 결론지었음.

인간-사 【人間事】 명 인간 생활에서 흔히 있는 일.

인간-상 【人間像】 명 ①사람으로서 갖추어야 할 모습. ¶ 바람직한 ~. ②그 사람의 전인격적(全人格的)인 모습. ¶ 비뚤어진 ~.

인간 상록수 【人間常綠樹】 〔—녹—〕 명 실지로 살아 있는 농촌 계몽 운동가. 심훈(沈熏)이 지은 소설 '상록수'에서 연유한 말.

인간 생태학 【人間生態學】 명 〔human ecology〕 〖사〗 공생적(共生的) 관계를 중심으로 인간과 지역 사회와의 관계를 고찰하는 사회학의 한 부문. 사회(社會) 생태학.

인간-성 【人間性】 〔—썽〕 명 〔humanity〕 ①인간의 본질(本質). 인간을 인간답게 하는 것. 생물학 상의 인간이란 종속(種屬)에 주어진 개개의 성질(性質)을 종합한 개념(概念). 따라서 인간성은 인간의 가치 개념(價値概念)·이데아(Idea)·이상(理想)·의지 목적(意志目的)임. ②인간의 속성(屬性), 곧 감성(感性)·오성(悟性)·이성(理性). ↔신성(神性).

인간 세:계 【人間世界】 명 사바(娑婆)❶. 중생계(衆生界).

인간 소외 【人間疏外】 명 인간이 기계의 부분품처럼 다루어지고 인간다움이 무시되는 일. 사회가 거대화(巨大化)하여 복잡해짐에 따라 인류의 발전을 위한다는 본래의 목적을 잊고 인간성을 상실해 가는 것에 대한 경고로서 나온 말.

인간 숭배 【人間崇拜】 명 〔anthropolatry〕 〖종〗 인간이나 그 영(靈)을 신성시(神聖視)하고 이를 숭배하는 일. 사자(死者)나 그 사령(死靈)·조상(祖上)·영웅(英雄)·황제(皇帝) 이외 각 원시 종교에서 터부시(taboo視)된 성물(聖物) 등을 숭배하는 것으로, 초월적인 유일신(唯一神)을 받드는 신학 사상(神學思想)과는 상용(相容) 안 됨.

인간-신 【人間神】 명 인간적인 기원(起源)을 가지는 신. 생존하고 있을 수도 있고 이미 죽은 사람일 수도 있음. ↔자연신(自然神). *인신(人神).

인간 쓰레기 【人間—】 명 아무 짝에도 쓸모없는 사람.

인간-악 【人間惡】 명 인간 세상에 일어나는 갖가지 악.

인간-애 【人間愛】 명 인간에 대한 사랑.

인간 어뢰 【人間魚雷】 명 일본 해군이 고안·사용한 병기(兵器)의 하나. 어뢰에 1명이 타고 조종하여 적함에 부딪쳐 자폭(自爆)하였다 함.

인간-연 【人間緣】 명 인간의 인연(因緣).

인간 오:성론 【人間悟性論】 〔—논〕 명 〔An Essay concerning Human Understanding〕 〖책〗 영국의 철학자 로크(Locke, J.)의 주저(主著). 1690년 간행. 4권. 제1권에서는 인간학적인 인식론적 시점(視點)을 설정하여 형이상학적 논설을 배척했고, 제2권에서 오성(悟性)의 직접 대상은 경험에서 유래하는 관념(觀念)이라고 하여, 관념을 단순 관념과 복합 관념으로 구분했음. 제3권에서는 언어를 논하여 언어를 관념의 외적(外的) 기호라 했으며, 제4권에서는 지식을 관념의 일치 또는 불일치의 지각(知覺)이라고 논하여, 직각적(直覺的) 지식·논증적(論證的) 지식·감각적(感覺的) 지식을 개출했음.

인간의 굴레 【人間—】 〔—/—에—〕 명 〔Of Human Bandage〕 〖책〗 몸(Maugham, W. S.)이 지은 장편 소설. 1915년 완성. 불구자로 자라난 고아 필립이 화가(畫家)를 지망하여 파리로 가서 실의(失意) 속에서 맺는 창부(娼婦)와의 치정 관계, 이어 순정(純情)의 소녀와 결혼하는 과정을 그림.

인간의 조건 【人間—條件】 〔—껀/—에—껀〕 명 〔프 La Condition humaine〕 〖책〗 말로(Malraux, A.)가 지은 장편 소설. 1933년 발표. 중국 혁명 운동 중인 1927년 상하이(上海) 쿠데타를 배경으로, 프랑스인과 일본인 혼혈아 기요(清), 테러리스트 천(陳) 등의 강렬한 의지와 행동력, 고독과 사랑의 고뇌(苦惱)를 다각적으로 묘사했음. 공쿠르상(Goncourt賞) 수상 작품임.

인간 이별 【人間離別】 〔—니—〕 명 인간을 하직함. 곧, 죽음.

인간-적 【人間的】 명관 인간의 행위·감정과 관계가 있는 모양. 인간다운 품성이 풍부한 모양.

인간 존재 【人間存在】 명 〔도 Menschsein〕 〖철〗 철학적 인간학(人間學) 및 실존 철학의 주지(主旨)에서 본 인간의 존재를 말함. 이에는 인간의 세계 존재(世界存在) 및 인간의 자기 존재를 포함함.

인간-주의 【人間主義】 〔—/—이〕 명 휴머니즘(humanism).

인간 중심설 【人間中心說】 명 〖철〗 인간을 우주의 중심 또는 궁극(窮極)의 목적이라고 보는 입장의 학설. *인간 중심주의.

인간 중심적 【人間中心的】 명관 사고 방식에 있어서, 인간을 세계의 중심으로 삼는 모양. 중세(中世)에는 신(神)을 중심으로 하여 인간이 신을 받드는 것으로 본 사고 방식에 대하여 근대(近代) 이후의 사고 방식을 가리킴.

인간 중심주의 【人間中心主義】 〔—/—이〕 명 〔anthropocentrism〕 〖철〗 인간은 세계 및 세계에 발생하는 일체(一切)의 것의 중심이며 궁극(窮極)의 목적(目的)이라고 보는 세계관. 종교적으로 신(神)과 대립 존재하며, 범신론적(汎神論的)·우주론적(宇宙論的)이 아니고 지구 중심적인 세계관과 밀접한 관계가 있음. *인간 중심설(人間中心說).

인간-질 【人間—】 명 '사람 노릇'의 속된 말. 사람질. ——-하다 자여불

인간-처 【人間處】 명 인간이 사는 근처.

인간 탐구【人間探求】[명] 인간 본성(本性)을 캐고 인간성의 본질을 찾는 문학의 정신.
인간 표준설【人間標準說】[명]〖철〗인간은 만물의 척도가 된다고 하는 상대주의(相對主義)의 학설.
인간-학【人間學】[명]〔anthropology〕〖철〗인간에 관한 생물학적·과학적 연구를 주로 하는 인류학에 대하여, 인간성의 본질, 우주에 있어서의 인간의 지위와 의의 등을 해명(解明)하려는 철학적 연구. 예컨대 홉스(Hobbes)의 '인간론(人間論)', 흄(Hume)의 '인간성론(人間性論)' 따위. *인성학(人性學).
인간학적 증명【人間學的證明】[명]〔anthropological argument〕〖철〗데카르트(Descartes)가 시창(始唱)한, 신의 존재에 대한 증명의 하나. 우리들이 스스로 불완전함을 아는 것은 최완전자(最完全者)인 신의 관념과 비교하게 되는 데 있고, 불완전한 우리들은 최완전자의 관념을 스스로 일으킬 수는 없는 것이기 때문에, 우리들 밖에 최완전자인 신이 존재하여 그 관념을 우리들에게 주지 아니하면 안 되며, 따라서 신은 필연적으로 존재한다는 논증. 인성론적(人性論的) 증명.
인간 행락【人間行樂】[—낙] [명] 인생의 즐거움.
인간 혐오【人間嫌惡】[명]〔프 Le Misanthrope〕〖책〗프랑스의 극작가 몰리에르(Molière)가 1606년에 지은 운문(韻文) 5막(幕)의 희극(喜劇). 그의 5대 걸작 중 가장 근대적이라고 불림.
인간-형【人間型】[명] 성격이나 행태(行態) 따위 특징에 따라 나눈 인간의 유형(類型).
인간 형태관【人間形態觀】[명]〔anthropomorphism〕〖철〗사물을 인간의 형태나 또는 성질에 닮은 것이라고 보고 구별하는 입장. 예를 들면 신을 인간의 모습과 비슷한 것이라고 생각하는 입장이 그것임. 의인관(擬人觀).
인간-화【人間化】[명] 사람다워지거나 사람답게 만듦. ——-하다 [자][타][여불]
인간 환경 선언【人間環境宣言】[명]〔Statement for Human Environmental Quality〕1970년의 국제 연합 인간 환경 회의의 제1회 준비회(準備會)에서 작성되고, 1972년 6월의 스톡홀름 국제 연합 인간 환경 회의에서 채택된, 국제적으로 공해를 방지하고, 인간이 살기 좋은 환경을 만들기 위한 선언.
인간 희극【人間喜劇】[—히—] [명]〔프 La Comédie humaine〕〖책〗발자크(Balzac)의 90여 편의 장단편 소설의 총제(總題). 1842-48년에 냈음. '풍속 연구'·'철학적 연구'·'분석적 연구'의 삼부문(三部門)으로 유별(類別)함. 19세기 전반(前半)의 프랑스 사회의 축도(縮圖)라고 할 수 있음. 대표적 작품으로는 ≪외제니 그랑데(Eugénie Grandet)≫·≪고리오(Goriot) 영감≫·≪종형(從兄) 퐁스(Pons)≫·≪종매(從妹) 베트(Bette)≫ 등이 있음. 단테의 '신곡(神曲)', 곧 '신성(神聖) 희극'에 대비시켜 지은 이름임.
인감【印鑑】[명] 도장의 진위(眞僞)를 감정하기 위해 미리 동사무소(洞事務所)·읍사무소(邑事務所)·면사무소(面事務所) 또는 은행·거래처(去來處) 등에 제출해 두는 실인(實印)의 인발.
인감 대장【印鑑臺帳】[명] 신고된 인감에 관한 사항을 기록하고, 그 인영(印影)을 날인하여 보관하는 행정처의 대장. 이 대장을 근거로 인감 증명서를 발급함. 인감부(印鑑簿).
인감 도장【印鑑圖章】[명] 인감을 낸 도장.
인감-부【印鑑簿】[명] 인감 대장.
인감 신고【印鑑申告】[명] 인감의 진위(眞僞)를 감정하기 위하여 동장(洞長) 또는 읍·면장에게 그러한 뜻을 적은 서면(書面)을 제출함. 또, 그 서면.
인감 증명【印鑑證明】[명]〖법〗①증명 청구를 받은 인발이, 미리 신고되어 있는 인감과 동일하다는 것을 동장(洞長) 또는 읍·면장이 증명하는 일. ②↗인감 증명서(印鑑證明書).
인감 증명서【印鑑證明書】[명]〖법〗인감을 증명하는 문서. 보통, 동장(洞長) 또는 읍(邑)·면장(面長)이 발행함. [준]인감 증명(印鑑證明).
인-감질【人疳疾】[명] 요긴한 때에 쓸 사람이 없어 낭패당하는 일.
인갑[1]【印匣】[명] 도장을 넣어 두는 갑.
인갑[2]【鱗甲】[명] ①비늘과 껍데기. ②상어·대모(玳瑁) 등에서와 같은 비늘 모양의 딱딱한 껍데기. ③마음 속의 독 바늘.
인 강【—江】〔Inn〕[명]〖지〗스위스의 알프스 산맥의 베르니나 산(Bernina山) 근방에서 발원하여 오스트리아의 티롤(Tirol), 독일의 바이에른 남부를 관류(貫流), 파사우(Passau)에서 도나우(Donau) 강에 합류하는 강. [510 km]
인개【鱗介】[명] 인충(鱗蟲)과 개충(介蟲). 곧, 어류(魚類)와 패류(貝類). 어개(魚介). 어해(魚蟹).
인개-도【鱗介圖】[명] 어해도(魚蟹圖).
인객【引客】[명] 여관 따위에서 손님을 끄는 일. 유객(誘客). ——-하다 [자][여불]
인거[1]【人居】[명] 사람이 있음. 사람이 삶. ——-하다 [자][여불]
인거[2]【引據】[명] 인용(引用)하여서 근거(根據)로 삼음. 또, 그 근거. ——-하다 [타][여불]
인거[3]【引鋸】[명] 큰 톱을 마주 잡아당겨 톱질함. ——-하다 [타][여불]
인거-장【引鋸匠】[명] 큰톱장이.
인거-재【引鋸材】[명] 사람이 톱질하여 제재(製材)한 나무.
인거-하다【引去—】[자][여불] 물러가다. 도망하다.
인건【人件】[—껀] [명] 인사(人事)에 관한 일.
인건-비【人件費】[—껀—] [명]〖경〗공공 또는 기업(企業)·단체에서, 수용(需用)하는 인원(人員)을 위하여 지불되는 경비. ↔물건비(物件費).
인걸【人傑】[명] 특히 뛰어난 인재(人材).
인걸 지령【人傑地靈】[명] 인걸은 영검 있는 땅에서 난다는 말.
인검【引劍】[명] 임금이 병마를 통솔하는 장수에게 주던 검. 명령을 어기는 자는 보고하지 않고 죽이는 권한을 주었음.
인게이지 링[명]〔engagement ring〕약혼 반지.
인게타 존자【因揭陀尊者】[명]〔범 Angaza〕〖불교〗십육 나한(十六羅漢)의 하나. 지팡이에 기대어 다리를 아래로 늘어뜨리고 앉아서 함(函)을 받들고 있는 시자(侍者).
인격【人格】[—껵] [명]〔personality〕①사람의 품격(品格). 인품(人品). ②〖심〗개인의 지(知)·정(情)·의(意) 및 육체적 측면을 총괄(總括)하는 전체적 통일체. ③〖윤〗도덕적 행위의 주체로서의 개인. 자기 결정적(自己決定的)이고, 자율적 의지를 가지며 그 자신이 목적 자체(目的自體)인 개인. ④〖법〗권리·의무의 주체(主體)가 될 수 있는 자격. 권리 능력(權利能力). ¶~ 없는 사단(社團). ⑤〖종교〗신(神)에 대하여 인성(人性)을 갖춘 품격. ↔신격(神格).
인격 교:육【人格教育】[—껵—] [명]〖교〗도야(陶冶)의 주안(主眼)을 인격의 완성에 두는 교육.
인격-권【人格權】[—껵—] [명]〖법〗권리자와 따로 뗄 수 없는 이익, 곧, 생명·신체·자유·명예 등에 관한 권리.
인격 변:환【人格變換】[—껵—] [명]〖심〗인격 분열.
인격 분열【人格分裂】[—껵—] [명]〔dissociation of personality〕〖심〗인격 의식(人格意識)이 동시적(同時的) 또는 계기적(繼起的)으로 분리되어 의식의 연락 및 정신의 통일이 없고, 자기를 상실하여 발작적으로 이상한 상태를 나타내는 일. 곧, 이중 인격 등. 인격 변환. 인격 전환(人格轉換). ↔인격 통일.
인격-설【人格說】[—껵—] [명] 인격주의❷❸.
인격-성【人格性】[—껵—] [명] ①〖심〗개인에게 특유한 여러 특성과 그 행동 양태로 이루어지는 전체를 통일적으로 표현한 것. 성격과 소질로 이루어짐. ②〖윤〗개성의 보다 고차적인 형태. 천성은 여기에 도달할 수 있는 소질 밖에 없지만 사회 생활 중의 여러 가지 정신적 교류에 의하여 발전·실현된다고 하는 인간으로서의 본질.
인격-신【人格神】[—껵—] [명]〔personal god〕신을 의인화(擬人化)한 것으로 인간적인 의식(意識)·감정(感情)을 갖는 신. 그리스 신화에 나오는 신 따위.
인격신-론【人格神論】[—껵—논] [명] 유신론(有神論).
인격-자【人格者】[—껵—] [명] 인격을 갖춘 사람.
인격-적【人格的】[—껵—] [명][관] 인격에 관한 모양. 인격에 근거(根據)를 둔 모양.
인격적 교:육론【人格的教育論】[—껵—논] [명]〖교〗교육의 목표를 인격의 도야(陶冶)에 두고 또는 인격을 교육의 수단으로 하는 교육학.
인격적 유심론【人格的唯心論】[—껵—논] [명]〖철〗인격주의❶.
인격 전:환【人格轉換】[—껵—] [명]〖심〗인격 분열.
인격 조사【人格調査】[—껵—] [명]〖법〗형(刑)의 적용·집행·가석방 등을 할 때에 과형(科刑)의 적정(適正)·타당을 기하고, 범인의 사회적 복귀(復歸)를 확실히 하기 위하여, 범인을 생물학적·심리학적·정신병학적 및 인류학적인 여러 점에서 조사하는 일.
인격-주의【人格主義】[—껵—/—껵—이] [명]〔personalism〕〖철〗①세계(世界)는 많은 인격적 존재로 이루어졌다고 주장하는 형이상학적 입장. 인격적 유심론(唯心論). ②사람으로서 사람답게 하는 자율적(自律的)인 인격에 절대적인 가치(價値)를 부여하고, 이와 연관하여 다른 가치·의의(意義)·순서를 정하려는 윤리적인 입장. 칸트(Kant)주의가 대표적임. 인격설(人格說). ③사람에 내재(內在)하는 보편적 인격의 완전한 개전(開展)을 도덕의 이상으로 하는 설(說). 인격설.
인격 통:일【人格統一】[—껵—] [명]〖심〗지속적(持續的)인 의식(意識)의 통일로 과거·현재에 있어 일관(一貫)하여 자아(自我)를 상실하지 아니하는 인격 활동의 상태. ↔인격 분열.
인격 프로필【人格—】〔profile〕[—껵—] [명]〖심〗심지(心誌).
인격-화【人格化】[—껵—] [명]〔personification〕인간이 아닌 사물을 감정(感情)과 의지(意志)가 있는 인간으로 간주(看做)함. 의인화(擬人化). ——-하다 [자][타][여불]
인견[1]【人絹】[명] ①↗인조견(人造絹). ②↗인조 견사(人造絹絲). 1)·2): ↔본견(本絹).
인견[2]【引見】[명] 윗사람이 아랫사람을 불러서 만나봄. ——-하다 [타][여불]
인견 단사【人絹單絲】[명]〔rayon and acetate monofilament yarn〕그대로 직사(織絲)로 사용할 수 있는 단섬유(單纖維) 한 개로 된 인조 견사. ↔인견 멀티사(multi 絲).
인견 멀티사【人絹—絲】[명]〔rayon and acetate multifilament yarn〕단사(單絲)보다도 섬도(纖度)가 가는 단섬유(單纖維)를 30-50개 또는 80개 이상 모아서 한 개의 실로 만든 인조 견사(人造絹絲). ↔인견 단사(單絲).
인견-사【人絹絲】[명] ↗인조 견사(人造絹絲).
인견 의모사【人絹擬毛絲】[명]〔rayon wool yarn〕모사(毛絲)의 대용품으로, 인조 견사(人造絹絲)를 서너 가닥 합쳐서 꼬아, 포르말린수(水)로 찌거나, 합성 수지(合成樹脂)로 처리한 실.
인견-장【引見章】[명] [—짱] 용비 어천가 제28장의 이름.
인견 절사【人絹節絲】[명] [—싸]〔rayon and acetate slub yarn〕방사구(紡絲口)에서 나오는 방사액(液)의 양을 줄였다 늘였다 하여 실에 마디가 생기게 만든 특수한 인조 견사. *중공(中空) 인견.
인견-직【人絹織】[명] 인조 견사를 사용하여 짠 직물.
인결[1]【引決】[명] 책임을 지고 자살함. ——-하다 [자][여불]
인결[2]【湮潔】[명] 정결(精潔)함. ——-하다 [형][여불]
인경[1] [명]〔←인정(人定)〕〖역〗밤에 통행 금지를 알리기 위하여 치던 큰

종. 서울의 보신각(普信閣) 종, 경주(慶州)의 봉덕사 종 같은 것. *인정(人定).

[인경 꼭지가 말랑말랑하거든 인경 꼭지나 만져 보라] 불가능한 청을 들어 줄 의사가 없을 때 회피하는 말.

인경[2]【人境】명 인간이 살고 있는 고장.

인경[3]【隣境】명 인접한 땅의 경계(境界).

인경[4]【鱗莖】명 〖식〗 비늘줄기.

인경-궁【仁慶宮】명 〖지〗 서울 인왕산(仁旺山) 밑 사직(社稷)과 도정궁(都正宮) 뒤에 있던 궁(宮). 조선 광해군(光海君) 8년(1616)에 창건(創建)되었다가 인조 반정(仁祖反正) 뒤에 헐리었음.

인경-산【引慶山】명 〖지〗 목멱산(木覓山).

인경-자【印經字】[—짜] 명 〖역〗 연산군 때의 목활자. 연산군 1년(1495)에서 2년 사이에 성종의 계비 정현 왕대비(貞顯王大妃)와 덕종의 비 인수(仁粹) 대왕 대비가 원각사(圓覺寺)에서 불경을 찍으려고 내탕금으로 만든 것. 인경 목활자(印經木活字).

인경-전【一殿】명 〖지〗 서울 종로(鐘路) 네거리의 동남 모퉁이에 있는 보신각(普信閣)의 속칭. 속에 인경이 있음.

인경채-류【鱗莖菜類】명 〖식〗 비늘줄기를 식용(食用)으로 하는 소채(蔬菜). 식용 나리·양파 등은 이에 속함.

인계[1]【人界】명 ①↗인간계(人間界). ②〖불교〗 삼계(三界)의 하나.

인계[2]【引繼】명 하던 일을 넘겨 줌. 또, 이어받음. ¶~ 인수(引受). ——-하다 타 여불

인계[3]【印契】명 ①〔범 mudra〕〖불교〗 밀교(密敎)에서, 손가락을 짜모아 제존(諸尊) 내증(內證)의 덕(德)을 표시하는 일. 시무외인(施無畏印)·법계 정인(法界定印)·미타 정인(彌陀定印) 등의 형태가 있음. 인상(印相). 계인(契印). *결인(結印). ②〖역〗 중국의 계세(契稅) 제도에 있어서, 관인이 찍힌 매매 증서. 곧, 세계(稅契).

인계[4]【忍界】명 〖불교〗 중생의 삼독(三毒)·번뇌(煩惱)를 참아야 하는 세계라는 뜻으로, 인간 세계·사바(娑婆) 세계를 말함.

인계 송:주【印契誦呪】명 〖불교〗 손에 인계를 맺고 입으로 다라니(陀羅尼)를 외는 일. 이러하면 호법신(護法神)이 소원을 이루어 준다 함. 준 인주(印呪).

인계 인수【引繼引受】명 넘겨 주고 물려 받음. ¶일직 근무의 ~. ——-하다 타 여불

인계-자【引繼者】명 인계하는 사람. ↔인수자(引受者).

인계-전【印契錢】명 〖역〗 중국의 세계(稅契) 제도에 있어서 매매 계약 성립과 동시에 관아에 바치던 세전(稅錢).

인고【忍苦】명 괴로움을 참음. ¶~의 나날을 보내다. ——-하다 자 여불

인곡【隣曲】명 인리(隣里).

인곤 마:핍【人困馬乏】명 사람과 말이 모두 지침. ——-하다 자 여불

인골[1]【人骨】명 사람의 뼈.

인골:[2]〔in-goal〕명 ①축구 경기장의, 양쪽 골 라인(goal line) 밖의 직사각형의 지역. ②럭비 경기장의, 골 라인과 데드 볼 라인(dead ball line)의 중간 지대(中間地帶). 여기에 트라이하면 4점이 됨.

인공[1]【人工】명 ①사람이 하는 일. ②사람이 자연물에 가공(加工)하는 일. 인조(人造). 인위(人爲). ¶~ 조림(造林). ↔자연(自然).

인공[2]【人共】명 〖정〗 ↗인민 공화국(人民共和國).

인공[3]【因公】명 공사(公事)로 인(因)함. 공무(公務)를 띰. ——-하다 자 여불

인공 가루받이【人工—】[—바지] 명 〖식〗 인공 수분(受粉).

인공 각막【人工角膜】명 〖의〗 합성 소재(合成素材)로 된 각막. 각막 혼탁으로 실명 상태에 있는 환자에게 생체에서 채취한 각막 이식에 대체하여 개발된 것.

인공 감미료【人工甘味料】명 〖화〗 화학 합성(化學合成)으로 만든 당류(糖類). 사카린·둘신(Dulcin)· 소르비트(Sorbit) 등.

인공 강:설【人工降雪】명 인공으로 눈이 내리게 하는 일. 또, 그 눈. *인공 강우.

인공 강:우【人工降雨】명 인공으로 비를 내리게 하는 일. 또, 그 비. 비행기로 드라이 아이스(dry ice)를 구름 속에 뿌려 구름의 작은 입자(粒子)를 큰 빗방울로 만들어 내리게 하든지 요오드화은(Jod化銀)을 발연통(發煙筒)에서 연기로 구름 속에 상승시킴.

인공 결정【人工結晶】[—쩡] 명 〖화〗 천연적인 광물(鑛物)과 같은 화학 성분(化學成分)을 가진 결정. 곧, 티타늄(titanium)의 염화물(塩化物)에 수증기를 작용시켜 금홍석(金紅石)을 얻는 것 따위.

인공 고막【人工鼓膜】명 〖의〗 인공적으로 만든 고막. 고막에 큰 구멍이 있어서 잘 들리지 않을 때 귀에 끼워서 청력(聽力)을 도움.

인공 공물【人工公物】명 〖법〗 천연 상태(天然狀態)의 자연물에 행정 주체(行政主體)가 인공을 가하여 비로소 공용(公用)할 수 있는 것. 항만(港灣)·운하(運河) 등. ↔자연 공물.

인공 광:물【人工鑛物】명 인공적으로 합성하여 만든 광물. 합성 광물(合成鑛物).

인공 교배【人工交配】명 〖생〗 동식물의 교배를 인위적(人爲的)으로 행하는 방법. ↔자연 교배. *인공 수분·인공 수정.

인공 교잡【人工交雜】명 〖생〗 인공적으로 행하는 생물(生物)의 교잡. 생물의 품종 개량(品種改良)에 이용됨. 동물의 경우에는 인공 수정(人工受精), 식물의 경우에는 인공 수분(受粉)·접목(椄木) 교잡 등의 방법이 있음.

인공 구:개【人工口蓋】명 음성학(音聲學)에서, 조음점(調音點)이나 조음역(調音域)을 확인하기 위하여 사용되는 인공의 구개.

인공 기관【人工器官】명 〖의〗 의수(義手)·의족(義足)·의안(義眼)·의치(義齒) 등, 신체 손실부의 인공적인 대용품.

인공 기복【人工氣腹】명 〖의〗 복강(腹腔)에 인공 기복기를 사용하여 공기(空氣)를 주입(注入)하는 일. 주로, 폐결핵(肺結核)의 내과적(內科的) 치료에 응용(應用)되며, 복강내 종양(腫瘍) 등의 진단(診斷)에도 이용됨. 기복(氣腹).

인공 기상【人工氣象】명 인간이 기술적 수단을 써서 직접·간접으로 기상을 변동케 하는 일. 또, 그 바뀐 기상. 방풍림(防風林)이나 방설림(防雪林)에 의한 풍설(風雪)의 조정, 인공 강우 같은 것.

인공 기후실【人工氣候室】명 생체에 미치는 기후의 영향을 조사하기 위하여 온도·습도·기압 따위를 자유로 변화할 수 있게한 생리학 실험실(實驗室).

인공 기흉【人工氣胸】명 〖의〗 흉벽(胸壁)과 폐 사이의 흉막강(胸膜腔)에 인공 기흉기를 사용하여 인공적으로 공기 그 밖의 기체를 주입하는 일. 주로 폐결핵의 내과적(內科的) 치료로 이용되며, 공동(空洞)의 검출(檢出)이나 폐암(肺癌) 등의 수술 직전의 흉막 유착(癒着) 여부의 진단에도 응용됨. 준 기흉.

인공 기흉 요법【人工氣胸療法】[—뇨뻡] 명 〖의〗 폐결핵의 외과 요법. 흉막강(胸膜腔)에 공기를 주입(注入)하여, 결핵(結核)에 의해서 침해(侵害)당한 폐를 수축(收縮)시켜 결핵의 치유(治癒)를 촉진함. 기흉(氣胸) 요법.

인공 다이아몬드【人工—】〔diamond〕명 인조(人造) 다이아몬드.

인공 단위 생식【人工單爲生殖】명 〖생〗 성숙한 난자에 정자를 수정시키지 않고 물리적·화학적 자극을 주어 발육시키는 생식. 성게의 미수정란(未受精卵)에 인공적 자극을 줌으로써 발생에 성공한 이래 많은 동물에 시험되고 있음. 인공 처녀 생식. ↔자연(自然) 단위 생식.

인공 돌연 변:이【人工突然變異】명 〖생〗 생체(生體)의 염색체(染色體)·유전체(遺傳體)에 인공적인 변화를 가하여 얻어진 돌연 변이. 1927년 X선에 의한 초파리의 돌연 변이에 성공한 이래 방사선·약품 등으로도 행하여짐.

인공 동면【人工冬眠】명 〖의〗 동면하는 동물과 동일한 상태를 인체에 일어나게 하여 수술을 하고, 수술에 수반되는 외적 자극에 대한 생체의 반응을 적게 하려는 방법. 1951년 프랑스의 라보리(Laborit, H.) 등은 마취제·진정제·항(抗)히스타민제 등을 사용하여 생체의 자율 신경의 작용을 차단하고, 체온을 외계 온도에 따라 저하시켜, 이와 같은 상태를 만들었음. 인공 동면에서는 특히 체온 하강(體溫下降)에 의한 효과가 중시되어 이런 의미에서는 저체온(低體溫) 마취의 일종으로 볼 수도 있음.

인공 두뇌【人工頭腦】명 '컴퓨터'의 속칭. 전자 두뇌.

인공 등반【人工登攀】명 〔artificial climbing〕 암벽 등반(岩壁登攀)에 있어서, 하켄(Haken)이나 줄사다리 등 인공적 보조 수단을 사용하여 올라가는 일. ↔자유(自由) 등반.

인공-뢰【人工雷】[—뇌] 명 번개에 의한 충격성 이상 전압을 모의(模擬)한 충격 전압. 보통, 충전(充電)된 콘덴서를 병렬(並列)에서 직렬(直列)로 함으로써 만들어짐. 전기 기기(電氣機器) 기타의 절연 파괴 시험(絶緣破壞試驗) 등에 사용됨.

인공-림【人工林】[—님] 명 자연 그대로의 숲에 대하여, 사람이 씨를 뿌리거나 나무를 심어 만든 숲. 시업림(施業林). ↔천연림(天然林)·자연림(自然林).

인공 면:역【人工免疫】명 〖의〗 면역 혈청(免疫血清)에 의해서 인공적으로 얻은 후천 면역. ↔자연 면역(自然免疫).

인공-미【人工美】명 예술미(藝術美). ↔자연미(自然美).

인공 미생물【人工微生物】명 천연으로는 존재하지 않는, 인공적으로 만들어진 미생물.

인공 방:사능【人工放射能】명 〔artificial radioactivity〕〖물〗 인공 방사성 핵종(核種)으로부터 발생하는 방사능. 1934년 졸리오 퀴리 부처(Joliot Curie 夫妻)가 발견. 현재는 사이클로트론(cyclotron)·원자로(原子爐) 따위로 모든 원소에 대해 만들 수 있음. 방사선원(源)·라디오 아이소토프로서 트레이서(tracer) 등에 이용됨. *방사성 원소(放射性元素).

인공 방:사능 원소【人工放射能元素】명 인공 방사성 원소(人工放射性元素).

인공 방:사선대【人工放射線帶】명 〔artificial radiation belt〕〖물〗 고층(高層)에서의 핵폭발(核爆發)의 결과로 지구 자기장(地球磁氣場)에 포착(捕捉)된 고에너지 전자(高 energy 電子)나 양성자(陽性子)가 존재하는 영역(領域).

인공 방:사성 동위 원소【人工放射性同位元素】[—썽—] 명 〖물〗 사이클로트론이나 원자로에 의하여 인공적으로 만들어낸 방사성 동위 원소. 원자 번호가 같고 질량수(質量數)가 다르나 서로 동위체의 관계에 있는 핵종(核種).

인공 방:사성 원소【人工放射性元素】[—썽—] 명 〔artificial radioactive element〕〖물·화〗 사이클로트론이나 원자로에 의하여 인공적으로 만들어진 방사성 원소. 인공 방사능 원소.

인공 방:사성 핵종【人工放射性核種】[—썽—] 명 〖물〗 고속(高速)으로 가속시킨 중양성자(重陽性子)·양성자·α입자·중성자 등을 원자핵에 접촉시키고 인공적인 핵변환(核變換)에 의하여 만들어낸 방사성 핵종. 1934년, 졸리오 퀴리 부처(Joliot Curie 夫妻)가 처음으로 만들었으며, 현재는 사이클로트론·원자로(原子爐) 등에 의하여 1,000종 이상의 핵종이 만들어짐.

인공 번식법【人工繁殖法】명 〖식〗 식물을 인공으로 번식시키는 일. 삽목법(揷木法)·취목법(取木法)·접목법 등.

인공 부화【人工孵化】명 부란기(孵卵器)·부화 시설(施設) 등을 사용하여 인공적(人工的)으로 알을 까는 일. 닭·오리·연어·송어·누에 등에 이용됨.

인공 부화 방:류【人工孵化放流】[—뉴] 명 물고기의 알을 인공 부화

시켜, 어느 정도 자란 것을 방류하여 자원의 유지·증대를 도모하는 일. 연어·송어 등에서 행하여짐.

인공 부화법【人工孵化法】[—뻡] 명 인공 부화에 의하여 알에서 새끼나 치어(稚魚)를 얻거나, 잠란(蠶卵)의 부화를 빠르게 하는 방법. 가금(家禽)에서는 부란기(孵卵器)를 사용하여, 온도·습도를 어미가 알을 품었을 때와 같은 상태로 하여 새끼를 얻는 일. 어류에서는 채란(採卵)하여 수정(受精)시킨 알을 부화 못이나 부화기를 사용하여 치어를 얻는 일. 또, 누에에서는 알을 염산(鹽酸)에 담가 부화의 시기를 인공적으로 조작하는 일 따위. *모계(母鷄) 부화.

인공 사:지【人工四肢】명 의수(義手) 및 의족(義足). 의지(義肢).

인공-설【人工雪】명 인위적으로 만들어 낸 눈. 구름 속에 요오드화은(Jod 化銀)이나 드라이 아이스를 뿌려 구름의 입자(粒子)를 눈의 결정으로 성장시켜 눈을 내리게 하든가, 얼음을 분쇄하여 만들기도 함.

인공 섬유【人工纖維】명 화학 섬유❶.

인공 소생법【人工蘇生法】[—뻡] 명 〖의〗 ①가사(假死) 상태의 갓난아이를 소생시키는 방법. 아이의 두 발을 한 손으로 잡고 손바닥으로 등허리를 톡톡 두드리는 법, 더운 물에 씻기다가 급히 찬물에 씻기는 법 등 여러 가지가 있음. ②산소통(酸素筒) 및 마스크가 달린 소생기(蘇生器)로 인공 호흡을 시켜 소생시키는 법.

인공 수분【人工受粉】명 〖식〗 인공으로 수분(受粉)시키는 법. 깃털 등으로 꽃가루를 암꽃술의 머리에 뿌려 줌. 과수 원예 상의 중요한 작업의 한 가지임. 인공 가루받이. ↔자연 수분(自然受粉). *인공 교배(人工交配).

인공 수정¹【人工水晶】명 고도의 압력으로 규산을 용해하고 이를 재결정(再結晶)시켜 만든 인공적인 수정. 순도가 높으며 대형(大形)의 것을 만들 수 있음. 공예품(工藝品)·수정 진동자(振動子) 등의 재료(材料)로 널리 쓰임.

인공 수정²【人工受精】명 〖생〗 인공적으로 채취한 수컷의 정액을 암컷의 생식기 안에 주입하여 수정을 꾀하는 일. 번식과 품종 개량의 수단으로 이용됨. 근래에 인간에게도 불임증(不姙症)의 대책으로 실시함. 인공 정받이. *인공 교배(人工交配). ——하다 타여불

인공 수평의【人工水平儀】[—/—이] 명 〖항공〗 자동 조정 비행 장치의 하나. 항공기·우주선의 기준(基準) 수평선에 대한, 어떤 한도 내(內)의 세로 흔들림이나 가로 경사(傾斜)의 자세를 장치면 상(裝置面上)의 선(線)이나 표점(標點)의 상대적 위치(相對的位置)로 표시됨.

인공 시효【人工時效】명 〔artificial aging〕 〖야금〗 합금(合金)을 고온(高溫)에서 열처리하는 방법. 과포화(過飽和) 상태의 고용체(固溶體)로부터 어떤 성분의 석출(析出)을 촉진하기 위해서 행함.

인공 신:장【人工腎臟】명 〖의〗 셀로판(cellophane) 등으로 만든 인공적 신장. 요독증(尿毒症)이나 신장의 기능이 부전(不全)하여 몸에 단백질(蛋白質)의 유해(有害) 분해물(分解物)이 쌓였을 경우, 그 기능을 대신토록 함.

인공 심장【人工心臟】명 심장의 기능을 대행하는 인공 펌프 장치. 순환 기능의 일부를 보조하는 것과, 완전히 심장과 대치되는 것이 있고, 펌프의 형도 롤러형·시계추형·솔레노이드(solenoid)형·압축 공기형 등이 있음.

인공 심폐【人工心肺】명 〖의〗 심장 외과에서 사용되는 장치. 심장 수술을 하는 짧은 시간에 심장과 폐장을 대신하여 혈액 순환과 산소 공급을 행함. 심장의 작용을 하는 정맥·동맥 펌프와 폐의 작용을 하는 산소화(酸素化) 장치로 이루어짐.

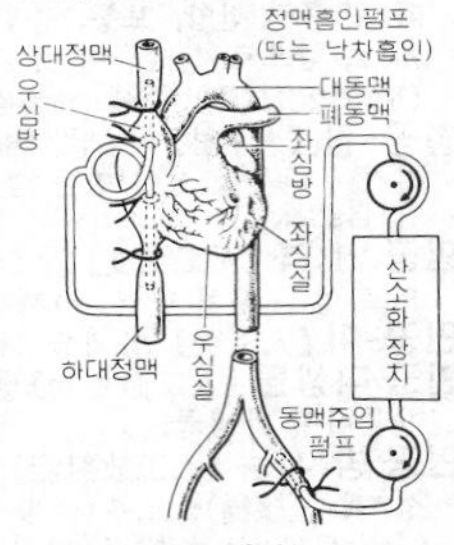

정맥흡인펌프 (또는 낙차흡인)
상대정맥
우심방
대동맥
폐동맥
좌심방
좌심실
산소화장치
하대정맥
우심실
동맥주입펌프

〈인공 심폐〉

인공-암【人工癌】명 〖의〗 발암(發癌) 물질을 동물에 주어서 실험적으로 생성시킨 인공의 암.

인공-어【人工語】명 〔artificial language〕 〖언〗 세계 공통어(共通語)를 목표로 하여 인위적으로 만들어낸 언어. 에스페란토(Esperanto)·노비알(Novial) 따위.

인공 영양【人工營養】[—녕—] 명 ①모유(母乳)를 쓰지 않고 우유(牛乳)·분유(粉乳)·암죽 등을 먹여 유아(乳兒)를 기르는 일. 또, 그 영양분. ②입으로 음식물을 먹을 수 없을 때에, 피하(皮下)·정맥(靜脈) 또는 직장(直腸) 등에 생리적 식염수(生理的食鹽水)·포도당액(葡萄糖液)·유화 지방액(乳化脂肪液) 등을 주입하는 일. 또, 그 영양분.

인공 영양법【人工營養法】[—녕—뻡] 명 유아(乳兒)를 우유·분유 등으로 기르는 방법. ↔자연 영양법.

인공 영양아【人工營養兒】[—녕—] 명 생후 얼마 되지 않아서부터 우유·분유·연유 기타 양유(羊乳)·어분(魚粉)·대두분(大豆粉)·난황(卵黃) 등을 먹고 자란 어린아이.

인공 온천【人工溫泉】명 인공으로 가열(加熱)하여 치료에 응용하는 온천. 보통, 염류천(鹽類泉)·탄산천(炭酸泉) 등으로 쓰임.

인공 원소【人工元素】명 인공적으로 만들어 낸 초(超)우라늄 원소 따위를 말함.

인공 위성【人工衛星】명 〔artificial satellite〕 〖물〗 지구에서 하늘로 쏘아 올려 지구의 둘레를 공전(公轉)하는 물체. 1957년 소련이 쏘아 올린 스푸트니크(Sputnik) 1호가 세계 최초의 것임. 목적과 용도에 따라 과학 위성·통신 위성·기상 위성 등으로 부름.

인공 위성 속도【人工衛星速度】명 〖물〗 물체가 인공 위성이 되는 데 필요한 최저 속도. 초속 7.9 km. 제일 우주 속도.

인공 유물【人工遺物】[—뉴—] 명 〔artifact〕 고고학에서, 과거의 문화에 있어서의 인간의 기술을 반영(反映)한, 인공(人工)으로 된 일상 생활의 유품(遺品).

인공 유산【人工流産】[—뉴—] 명 인공 임신 중절 수술.

인공 유성【人工遊星】[—뉴—] 명 인공 행성(人工行星).

인공 유전자【人工遺傳子】[—뉴—] 명 〖생〗 인위적(人爲的)으로 만들어진 유전자.

인공 음성【人工音聲】명 다중음 발생기(多重音發生器)에 의하여 생기는 합성 음성(合成音聲). 실시간 동작 계산기(實時間動作計算機)의 출력 장치(出力裝置)로서 쓰여 음성 회답(回答)을 내게 하는 데 사용됨.

인공 인간【人工人間】명 〔artificial man〕 〖생〗 유전자 공학(遺傳子工學)의 조작(造作)에 의해서, 수정 과정(受精過程) 없이, 인공적으로 만들 수 있다는, 이론(理論) 상의 인간.

인공 임:신 중절 수술【人工姙娠中絶手術】명 태아가 모체 밖에서 생명을 유지할 수 없는 시기에, 태아와 그 부속물을 인공적으로 모체 밖으로 배출시키는 수술. 인공 유산(人工流産).

인공 장기【人工臟器】명 인공적으로 만들어진 대용 장기. 인공 심폐·인공 신장 따위.

인공-적【人工的】명관 인공(人工)으로 된 모양. 인위적(人爲的). ↔자연적(自然的).

인공 정받이【人工精—】[—바지] 명 〖생〗 인공 수정.

인공 조:림【人工造林】명 임지(林地)에 파종(播種)·식수(植樹)·삽목(揷木) 등의 방법으로 임목(林木)을 양성(養成)하는 조림 방법. ↔천연(天然) 조림.

인공 조:명【人工照明】명 ①인공의 광원(光源)에 의한 조명. ②조명❷. 1)·2):↔주광(晝光) 조명.

인공 중:력【人工重力】[—녁] 명 〖물〗 우주 비행의 무중력 상태에서 중력을 인공적으로 만들어 내는 일.

인공 중이【人工中耳】명 〖의〗 손상된 중이를 대신하여 귀에 꽂게 된 전자 장치.

인공 지능【人工知能】명 〔artificial intelligence〕 추론·판단 따위의 지적 기능을 인공적으로 실현한 것. 대부분의 경우 컴퓨터가 이용됨. 지식을 축적하는 데이터 베이스부(data base部)와, 모인 지식에서 결론을 꺼내는 추론부(推論部)가 불가결임. 데이터 베이스를 자동적으로 구축한다든지 그릇된 지식을 정정한다든지 하는 학습 기능을 가진 것도 있음. 에이 아이(AI).

인공 지반【人工地盤】명 기성(旣成) 시가지의 토지를 유효하게 이용하기 위하여, 일정 지역에 콘크리트로 기둥을 세우고 그 위에 조성한 토지. *공간(空間) 도시.

인공 지진【人工地震】명 〖지〗 땅 속에서 대량의 폭약을 폭발시켜 인공적으로 일으킨 지진. 지진파를 관측하여 지하 구조를 조사하기 위한 방법의 하나로, 유전(油田)·광맥의 개발, 댐·터널 건설 등의 토목 공사 등에 응용됨.

인공 지하수【人工地下水】명 강물이나 호수에 예비 정수(豫備淨水)를 베풀어서, 그것을 땅 속으로 이끌어 수온(水溫)이나 그 밖의 성질이 천연 지하수와 대차 없게 만든 지하수.

인공 진주【人工眞珠】명 인조 진주.

인공 착색료【人工着色料】[—뇨] 명 식품을 보기 좋게 하기 위하여 착색하는 데에 사용되는 유색(有色) 물질. 타르계 색소(tar 系色素)·카로틴(carotin) 등.

인공 착색판【人工着色版】명 원색판처럼 빛깔을 재현(再現) 복제(複製)하기 위하여 인공적으로 제작한 판.

인공 채:유법【人工採油法】[—뻡] 명 〔artificial lift〕 지하의 유층(油層)에서 석유를 인위적으로 채취하는 방법. 튜빙 파이프(tubing pipe)의 도중(途中)에서, 갱정 내(坑井內)의 유중(油中)에 가스를 송입(送入)하는 가스 리프트(gas lift) 채유, 갱정 내의 펌프로부터 채취하는 펌프 채유 등이 있음.

인공 처:녀 생식【人工處女生殖】명 인공 단위 생식(人工單爲生殖).

인공 천:과렴【因公擅科斂】명 〖역〗 공무(公務)로 인하여 까닭없이 소속 부하나 민간에게서 함부로 재물(財物)을 부과하여 거두는 짓.

인공-치【人工齒】명 〖의〗 인공적으로 만든 이. 사기로 만든 도치(陶齒)와 합성 수지로 만든 이 등이 있음.

인공 태양 광선 요법【人工太陽光線療法】[—뇨뻡] 명 〖의〗 인공 태양등(人工太陽燈)을 가지고 의료(醫療)에 쓰는 방법.

인공 태양등【人工太陽燈】명 〖물〗 태양 광선과 비슷한 빛, 곧 보통의 조명용(照明用) 빛보다도 자주빛·푸른 빛 및 자외선(紫外線)을 비교적 많이 품은 빛을 내도록 인공적으로 만든 등. 주로 수은등(水銀燈)을 쓰며 의료(醫療)에 사용함.

인공 통풍【人工通風】명 인공으로 통풍력(通風力)을 얻는 방법. ↔자연 통풍(自然通風).

인공 피:임【人工避姙】명 〖생〗 인공적으로 임신을 피하는 일.

인공 피:임법【人工避姙法】[—뻡] 명 〖생〗 인공으로 임신(姙娠)을 피하는 방법.

인공-항【人工港】명 〖지〗 자연적으로 조건이 좋지 못한 해안에 인공으로 방파제(防波堤)·잔교(棧橋) 등을 만들고 해면을 깊이 파서 만든 항구. 인천항(仁川港)이 그 예임. ↔자연항.

인공 항문【人工肛門】명 〖의〗 직장(直腸)이나 항문 등에 병변이 있어서 정상적인 배변(排便)이 불가능할 때 대변을 일시적 또는 장기적으로 항문 이외의 부분에서 배설시키기 위하여 수술적으로 만든 배출구. 보통, 왼쪽 하복부 복벽에다 S상 결장을 끌어 대어 꿰매고 그 장관(腸管)에 구멍을 뚫어서 새 항문으로 함.

인공 행성【人工行星】명 지구에서 발사하여 지구의 인력권을 벗어나 태양의 주위를 공전(公轉)하는 물체. 세계 최초의 인공 행성은 1959년

에 발사된 소련의 루나 1호임. 인공 유성(遊星). 인공 혹성(惑星).

인공 현:실감【人工現實感】명〔artificial reality ; AR〕컴퓨터에 의해 만들어진 정보를 직접 인간의 감각에 입력시킴으로써 인간이 마치 그 현장에 있는 것과 같은 임장감(臨場感)을 인공적으로 제공하는 기술. 군 조종사들의 가상 전투 훈련, 우주 공간에서의 모의 체험 등에 실용되고 있음.

인공 혈관【人工血管】명 인공적으로 만든 대용 혈관. 현재로는 아직 사용에 견딜 수 있을 만한 인공 혈관은 만들지 못함.

인공 혈액【人工血液】명 인공 재료로 만든, 사람의 혈액과 같은 성상(性狀)의 액체.

인공-호【人工湖】명 인공적으로 만든 호수. 인조호(人造湖).

인공 호흡【人工呼吸】명 호흡이 정지하고 있는 사람이나 정지하려고 하는 호흡 곤란자에게 인공적으로 폐에 공기를 보내 호흡을 회복시키는 구급법. 손으로 하는 방법, 입으로 하는 방법, 마스크 산소통(酸素筒)·철폐(鐵肺)를 쓰는 방법 등이 있음.

인공 호흡기【人工呼吸器】명 레스피레이터(respirator).

인공 효소【人工酵素】명〖화〗효소와 화학 구조(化學構造)가 다르나 천연(天然) 효소의 기능에 가까운 성능을 가진 인공적으로 합성(合成)한 촉매(觸媒).

인과[1]【引果】명〖불교〗중생이 받는 과보(果報)를 총체적인 것과 개별적인 것으로 가른 것 중 전자의 것을 이르는 말.

인과[2]【因果】명 ①원인과 결과. ②〔범 hetu-phala〕〖불교〗전생(前生)의 악업(惡業)에 대한 불운(不運)의 응보(應報). 일체(一切)의 현상의 원인과 결과에 관한 법칙. ¶ ~ 응보(應報).

인과-경【因果經】명〖불교〗↗과거 현재 인과경(過去現在因果經).

인과 관계【因果關係】명 ①인과성(因果性)❶. ②〔도 Kausalität〕〖법〗일정한 선행 사실(先行事實)과 일정한 후행(後行) 사실과의 사이의 필연적 관계. 이것이 문제로 되는 것은 민법의 손해 배상 책임과 형법의 범죄의 성립에 관하여서임. 민법에서는, 원인과 결과 사이에는 적어도 인과의 관계가 있으면 책임이 있다고 하는 조건설(條件說)과, 원인에서 통상 생기는 결과의 범위만큼 배상하면 족하고, 특별한 사정에 의하여 생긴 손해는 배상할 필요가 없다고 하는 상당 인과 관계설(相當因果關係說)이 대립하나, 후자가 판례(判例)·통설(通說)임. 형법에서는, 행위와 결과와의 관계에서 오로지 실질범(實質犯)이 문제가 되고, 조건설·상당 인과 관계설, 조건 중에서 중요한 조건에 한하여 원인으로 하는 원인설(原因說) 등이 있고, 학설(學說)은 상당 인과 관계설이 유력함.

인과-류【仁果類】명〖식〗씨방과 꽃받기·꽃받침이 자라서 된, 헛열매의 중과피(中果皮)를 식용으로 하는 과실류. 배·사과·비파 따위. ＊준인과류(準仁果類).

인과 발무【因果撥無】명〖불교〗인과 응보의 원리(原理)를 부정하는 그릇된 생각.

인과-법【因果法】[-뻡] 명 인과성(因果性)❶.

인과 법칙【因果法則】명〖철〗인과율(因果律).

인과 보:응【因果報應】명〖불교〗인과 응보(因果應報).

인과 사:람【因果一】명〖불교〗인과인(因果人).

인과-설【因果說】명 육체와 정신 간에 서로 다른 한쪽을 제약하는 인과 관계가 있다고 하는 설. 상제설(相制說).

인과-성【因果性】[-썽] 명 ①〔causality〕〖철〗사물의 생성 변화(生成變化)에 원인(原因)과 결과(結果)의 관계가 있는 일. 보통, 자연 현상에 존재하는 기계적 인과(機械的因果)가 가장 일반적인데, 물질적인 원인이 있으면 필연적인 물질적 결과가 있게 된다는 것이며, 그 원인을 생각하기에 따라 목적적 인과(目的的因果)·자유 인과 등이 있음. 원인성(原因性). 인과법(因果法). 인과 관계. ②〔범 hetu-phala〕〖불교〗인연이 있으면 반드시 그 결과가 있는 것. 곧, 선(善)을 행하면 선의 결과가, 악(惡)을 행하면 악의 결과가 생기는 관계.

인과-율【因果律】명〖철〗인과성의 법칙. 곧, 원인에 결과가 반드시 따른다는 자연의 법칙. 근대 하이젠베르크(Heisenberg)의 불확정성 원리(不確定性原理) 및 그 외 양자 역학(量子力學)의 발달 결과, 인과율이 미시적 세계(微視的世界)에서는 엄밀히 성립치 않음이 발견됨. 인과 법칙(因果法則).

인과 응:보【因果應報】명〖불교〗사람이 짓는 선악(善惡)의 인업(因業)에 응하여 과보(果報)가 있음. 또, 그 과보. 인과 보응(因果報應). 종과 득과(種瓜得瓜). ㊥과보(果報). ＊응보(應報).

인과-인【因果人】명〖불교〗나쁜 인업(因業)으로 그 악업(惡業)의 갚음을 받은 사람. 인과 사람. 인과자.

인과-자【因果者】명〖불교〗인과인(因果人).

인과 자책【引過自責】명 자기 잘못을 뉘우치고 스스로 책함. ——-하다 자여불

인과적 행위론【因果的行爲論】명〖법〗행위를 어떤 의사(意思)에 바탕을 둔 신체적 거동 내지 이로 인한 결과 발생이라고 보는 이론. 여기서는 원인력(原因力)으로서의 의사(意思)와 신체적(身體的) 동정과 결과와의 인과 관계(因果關係)가 그 중심 문제(中心問題)가 됨. ↔목적적 행위론(目的的行爲論).

인관【印官】명 관인(官印).

인괄-하다【引括一】타여불 한데 모아 한 가지로 하다.

인광[1]【燐光】명〔phosphorescence〕①〖화〗황린(黃燐)을 공기 중에 방치하였다가 어두운 곳에서 볼 때 보이는 청백색의 미광(微光). ②〖물〗어느 물질이 빛을 비추다가 그쳐도 계속 빛을 내는 현상. 알칼리 토금속(alkali土金屬)의 황화물(黃化物)에 약간의 중금속(重金屬)을 혼합시킨 것 등은 이 빛을 내며, 주로 야광 도료(夜光塗料)로 쓰임.

인광[2]【燐鑛】명〖광〗인산 석회(燐酸石灰)를 많이 함유한 광물의 총칭. 인회석(燐灰石)·인회토(燐灰土)·구아노(guano) 등이 있으며, 모두 인조(人造) 인산 비료(燐酸肥料)의 원료가 됨.

인광 분석【燐光分析】명〔phosphorimetry〕〖화〗형광 분석(螢光分析)에 대응하는, 저온(低溫)에서의 분석법. 여기(勵起)된 분자로부터 방출되는 인광의 성질과 강도(强度)를 이용함.

인광-성【燐光性】[-썽] 명〖물〗인광을 내는 성질.

인광-체【燐光體】명〔phosphorescent substance〕〖물〗인광을 발하는 물질. 특히, 알칼리 토금속(alkali土金屬)의 황화물(黃化物)에 약간의 중금속(重金屬)을 혼합한 물질을 말하며, 모두 결정질(結晶質)임. 황화(黃化) 칼슘·황화 바륨(黃化 barium) 등.

인광 촉진 물질【燐光促進物質】[-찔] 명〔phosphorogen〕〖물〗다른 물질 속에서 인광을 촉진시키는 물질. 황화 아연(黃化亞鉛) 속의 망간 따위가 이에 속함.

인광 현:상【燐光現象】명〖물〗어떤 물체가 자극광(刺戟光)을 제거한 뒤에도 스스로 발광하는 현상.

인괘【引掛】명 붙들거나 걺. ——-하다 타여불

인교[1]【人巧】명 사람의 정묘한 솜씨.

인교[2]【人橋】명〖민〗'인다리'의 한자말.

인교[3]【仁敎】명 어진 가르침. 인덕(仁德)이 있는 가르침.

인교[4]【引絞】명 끌어 냄. ——-하다 타여불

인교[5]【隣交】명 이웃간이나 이웃 나라와의 교제.

인-교대【印交代】명 관원(官員)이 갈릴 때 관인(官印)을 넘겨 주고 받는 일. ——-하다 자여불

인구[1]【人口】명 ①한 나라 또는 일정한 지역 안에 사는 사람의 총수. 인총(人總). ②세상 여러 사람의 입. 세간의 소문. ¶ ~에 회자(膾炙)하다.

인구[2]【引咎】명 인책(引責). ——-하다 자여불

인구[3]【印矩】명 도장 찍을 때에 바로 찍게 하거나, 두 번 찍기 위하여 사용하는 정자형(丁字形) 또는 기역자형(ㄱ字形)의 자.

인-구[4]【印歐】명〖지〗인도와 구라파.

인구[5]【燐球】명〖화〗↗인염구(燐塩球).

인구 과:소【人口過少】명〖경〗과소 인구(過少人口).

인구 과:잉【人口過剩】명〖사〗일정 지역의 생산력(生産力)을 능가하여 인구가 증식(增殖)·수용(收容)되어 있는 상태. 이는 보통, 식량(食糧)의 수급(需給)에 의해서도 측정되나, 일반적으로 취업(就業)·실업(失業)의 비율, 곧 산업 예비군(産業豫備軍)의 증가에 의해 판단됨. 따라서 인구 밀도(人口密度)가 크다 해도 취업률이 높고 식량을 수급할 수 있으면 인구 과잉이 아님.

인구 과:정【人口過程】명 인구가 증가·감소되는 변화.

인구 관행【人口慣行】명 개개인이 법률이나 윤리와는 관계 없이 인구의 증식(增殖) 과정에 대하여 가하는 행위. 낙태·피임·영아(嬰兒) 살해 같은 것. ＊인구 정책.

인구 구성【人口構成】명 어떤 일정 지역내 인구의 성별·연령별·직업별 등의 구성 상황. 국세 조사(國勢調査) 때에 함께 조사됨. 인구 구조(人口構造).

인구 구조【人口構造】명 인구 구성.

인구 국세 조사【人口國勢調査】명 인구에 관한 국세 조사. 인구 센서스(人口 census). ＊인구 및 주택 총조사.

인구 노:령화【人口老齡化】명 고령에 속하는 인구의 비율이 증가하는 형으로서의 연령 인구 구성의 변화. 선진 공업 제국의 경험에서, 출생률의 저하가 그 요인. 노령 인구 지수(노인 인구/생산 연령 인구), 노령화 지수(노인 인구/소년 인구) 등의 지표(指標)가 있음. 노인 인구의 비율은 선진 공업국(先進工業國)과 비교적 후진(後進)의 국가들과를 구별하는 지표의 하나가 됨.

인구 동:태【人口動態】명 시간적인 인구 변동의 상태. 출생·사망·이주가 주요 요인이 됨. 출생과 사망에 의하여 생기는 인구 변동 상태를 자연 동태, 이주에 의한 인구 변동 상태를 사회 동태 등으로 부름. ↔인구 정태(人口靜態).

인구-론【人口論】명 ①〖사〗인간 생존의 사회적 조건과 인구 문제에 관한 학설. 영국인 맬서스(Malthus, T.R.)는 그의 저서에서 우선 인간의 식욕·성욕이 절대적임을 전제하고, 인간의 증가력(增加力)이 토지의 생산력보다 큼으로써, 인간의 증식(增殖)이 제한되지 않는 한 기하 급수적으로 증가하나 식료는 산술 급수적으로 증가하여 인간은 차츰 빈곤과 기아에 빠지게 된다 하였음. 이 이론이 리카도(Ricardo, D.)·밀(Mill, J.S.)에 계승되어 후년 임금 철칙론(賃金鐵則論)으로 발전되었음. 이 반면에 독일의 마르크스는 초역사적(超歷史的)인 인구 법칙이 존재할 수 없음을 지적하고, 자본의 증식력(增殖力)과 노동력과의 대비(對比)에서 그 균형을 잃으면 인구 과잉이 일어난다 하였음. ＊인구 법칙·맬서스주의. ②〔An Essay on the Principle of Population〕〖책〗영국인 맬서스(Malthus)가 1798년에 출판한 책. 인구 문제에 관하여 고드윈(Godwin, W.) 및 콩도르세(Condorcet, M.)가 모든 죄악과 빈궁의 원인을 인위(人爲)의 제도에 귀납시킨 오류(誤謬)를 지적하기 위하여 지은 책으로, 초판(初版)은 익명(匿名)으로 하였고 재판(再版)에 약간의 수정이 있음.

인구리 댐〔Inguri Dam〕명 그루지야 공화국의 인구리 강(Inguri 江)에 있는 아치형의 댐. 높이가 301 m이고, 제방의 길이는 683 m, 저수량 15억 5,000만 m^3, 최대 출력 140만 kW의 발전용 댐.

인구 문:제【人口問題】명〖사〗인구의 증감 및 질적 구성(質的構成)과 경제와의 관계에서 생겨 나는 사회 문제. 주로 인구의 증가율과 생활 자료의 생산 증가율과의 부조화에서 일어남.

인구 밀도【人口密度】[-또] 명 어떤 지역의 단위 면적당 인구 수. 보통, 1 km^2 안에 몇 명으로 나타냄.

인구 및 주:택 총:조사【人口―住宅總調査】명 특정 시점에서의 국내의 인구 및 주택의 실태와 가구(家口)의 거주 실태를 계수적으로 파악하기 위해 전국적으로 실시되는 통계 조사. 과거 5년마다 실시되던 인구 센서스를 1990년 제14회 때부터 이 이름으로 바꾸어 실시하고 있음.

인구 법칙【人口法則】명 인구의 변동, 특히 과잉 인구와 사회악 발생에 관한 법칙. 식량의 필요성과 인간 정욕(情欲)의 불변성이라는 두 가지 공리(公理)를 내세워 인구의 증가력은 식량의 증가력을 훨씬 앞지르기 때문에 도덕적 규제가 없으면 빈곤과 죄악의 발생은 불가피하다고 함. 맬서스가 제창함. *인구론(人口論).

인구 변:동【人口變動】명 인구의 크기와 구조(構造)의 변동.

인구-별【人口別】명 인구에 따른 구별.

인구 분포도【人口分布圖】명 인구의 지역별·산업별·민족별 등의 분포 상태를 나타내는 지도.

인구 사:관【人口史觀】명 인구 현상을 사회 발전의 가장 기본적인 인자(因子)로 보는 역사관의 입장. 스펜서(Spencer,H.)·기딩스(Giddings, F.H.)·뒤르켐(Durkheim) 등이 대표적 학자임.

인구 센서스【人口―】〔census〕명 인구 국세 조사(人口國勢調査).

인구-수【人口數】명 일정 지역 안의 인구의 수. 구수(口數).

인구 순재생산율【人口純再生産率】〔―눌〕명 한 사람의 여자가 몇 명의 딸을 다음 세대의 어머니로서 낳는가를 계측(計測)한 값.

인구-압【人口壓】명〖사〗일정 지역 안에서 인구가 과잉되면 타지방에의 이민(移民)과 생활 정도의 저하가 필연적인 바, 이로 인하여 일어나는 사회적 압력.

인구 어:족【印歐語族】명〖언〗'인도유럽 어족'의 한자 이름.

인구 역류【人口逆流】〔―뉴〕명 대도시(大都市)에서 지방 도시로 직장이나 쾌적한 생활을 얻고자 인구가 환류(還流)하는 일.¶~현상(現象).

인구 요인【人口要因】명 인구에 증감(增減) 변화를 일으키게 하는 요인. 출생·사망·결혼 같은 것.

인구 이동【人口移動】명〔migration〕인구가 한 지역에서 다른 지역으로 이동하는 현상. 국내 이동과 국제 이동이 있음.

인구 전파【因口傳播】명 말이 여러 입을 건너서 여러 곳으로 전해 퍼짐. ――하다 자여불

인구 정책【人口政策】명〖사〗국가가 일정한 판단에 의하여 인구 증식(增殖) 또는 감소(減少) 과정에 관하여 가하는 정치적 행위. *인구 관행(人口慣行).

인구 정책 심:의 위원회【人口政策審議委員會】〔―/―이―〕명〖법〗경제 기획원 부속 기관의 하나. 국민 경제 발전과 관련된 인구 정책 상의 문제를 심의 조정함. 경제 기획원 장관을 위원장, 내무부 장관·재무부 장관·법무부 장관 등을 위원으로 함.

인구 정:태【人口靜態】명 인구의 크기·지리적 분포(地理的分布)·밀도(密度)·구조(構造) 등을 특정한 시점(時點)에서 관찰할 때의 정지된 상태. ↔인구 동태(動態).

인구 조사【人口調査】명 특정한 지역의 인구 정태(靜態)를 포착하기 위하여 실제로 실시하는 통계 조사. *국세 조사.

인구 준행【因舊遵行】명 옛 전례대로 좇아 행함. ――하다 타여불

인구 중:심【人口重心】명 인구의 크기를 무게로 대치, 인구의 지역적 분포를 나타내는 한 방법. 일정 지역을 기하학적 평면으로 보고 그 평면 상에 분포하는 각 인구 성원(成員)을 동일한 무게로 가정할 경우, 그 평면의 중심(重心). 이것은 각 인구 성원의 거주 지역을 위도와 경도로 측정, 그 가중 산술 평균(加重算術平均)으로 구할 수 있음.

인구 지리학【人口地理學】명〔population geography〕〖지〗인문 지리학의 한 분야. 인구 현상의 장소적 차이를 다른 모든 현상과 관련시켜서 설명하는 동시에, 반대로 인구 현상의 특징이 그 장소의 다른 모든 현상의 성격에 어떤 영향을 미치고 있는가를 구명함으로써 그 장소의 종합적 성격(지역성)을 파악하려는 지리학의 한 분야.

인구 지수【人口指數】명 해마다 또는 달마다 인구가 변동하는 추세를, 일정시(一定時)를 100으로 하여 비교하는 수.

인구 최:적 밀도【人口最適密度】〔―또〕명 그 이상 인구가 증가하면 문화인(文化人)으로서의 생활 표준(生活標準)을 유지할 수 없는 한계적(限界的) 밀도.

인구 통:계【人口統計】명 인구 현상에 관한 통계. 일정한 시점(時點)의 인구의 연령·직업·성별(性別) 등의 구성 상태를 조사하는 정태적(靜態的)인 통계와, 일정한 시기 동안의 출생·사망·이동(移動) 등에 의한 변화 상태를 보는 동태적(動態的)인 인구 통계로 나누임. *사회 통계(社會統計).

인구 피라미드【人口―】명〔population pyramid〕국가 등 어느 지역의 어느 시점에 있어서의 연령 계층별 인구를 상하로, 남녀별 인구를 좌우로 나누어 나타낸 도표. 그 형태에 따라 인구 구성을 알 수 있음. 출생률과 사망률이 같고 장기에 걸쳐 안정되어 있을 경우에는 피라미드 모양이 됨.

인구-학【人口學】명〔demography〕사회적·인종적·경제적 요소, 특히 출생률·이주(移住)·연령·성별(性別)에 관한 인구의 동태적(動態的)인 통계의 과학.

인구학-파【人口學派】명 사회 현상이 주로 인구학적 요소의 변동에 좌우된다고 생각하는 입장. 생산 기술의 발달과 분업·계층 문화·사회의 발전 단계가 인구의 양(量) 및 밀도의 증감으로 설명됨.

인국【隣國】명 이웃 나라. 인방(隣邦).

인군¹【人君】명 임금¹.

인군²【仁君】명 어진 임금.

인군³【隣郡】명 이웃 고을.

인권¹【人權】〔―꿘〕명〖법〗①자연권(自然權). ②〔right of man〕인간이 인간으로서 당연히 가지는 기본적 권리. 실정법 상(實定法上)의 권리와 같이 마음대로 박탈 또는 제한되지 않음. ¶~의 존중/~을 무시하다.

인권²【引勸】명〖불교〗남에게 시주하라고 인도(引導)·권장(勸奬)함. ――하다 자여불

인권 공:동 선언【人權共同宣言】〔―꿘―〕명〔universal declaration of human rights〕〖사〗세계 인권 선언(世界人權宣言).

인권 상담소【人權相談所】〔―꿘―〕명 억울하게 인권을 유린 당한 사람의 법적(法的) 상담을 하는 곳.

인권 선언【人權宣言】〔―꿘―〕명 ①〔프 Déclaration des droits de l'homme et du citoyen〕〖사〗1789년 8월 프랑스 혁명 당시 라파예트(La Fayette)의 동의(動議)에 따라 국민 의회(國民議會)의 결의에 의해 발포된 선언. 전문(全文) 17조(條). 인민의 자유·평등의 권리를 선명(宣明)한 것으로 미국의 독립 선언과 함께 근대 자유주의 정치 원리의 가장 공식적(公式的)인 표명임. ②↗세계 인권 선언.

인권 선언일【人權宣言日】〔―꿘―〕명 세계 인권 선언일.

인권 옹:호 직무 방해죄【人權擁護職務妨害罪】〔―꿘―쬐〕명〖법〗경찰(警察)의 직무를 행하는 자 또는 그 보조자(補助者)가 인권 옹호에 관한 검사(檢事)의 직무 집행(職務執行)을 방해하거나 또는 그 명령(命令)에 복종하지 않음으로써 성립되는 죄.

인권 위원회【人權委員會】〔―꿘―〕명〔Commission on Human Rights〕〖정〗1946년 2월에 국제 연합 헌장(憲章)에 의거, 설립된 경제 사회 이사회의 직능(職能) 위원회의 하나. 당초에 루스벨트 부인을 위원장으로 18개국의 대표 18명의 위원으로 구성되어 시민적 자유·정보의 자유 등에 관한 국제 조약, 소수 민족의 보호, 인종·성별·언어·종교에 의한 차별 방지 등의 사항에 관하여 경제 사회 이사회에 제안·권고·보고함을 임무로 함. 세계 인권 선언(人權宣言)은 이 위원회에서 초안(草案)을 심의하였음.

인권 유린【人權蹂躪】〔―꿘뉴―〕명 인간으로서의 권리를 짓밟음. 특히, 국가 권력이 헌법으로 보장하는 기본적 인권을 짓밟고 불법한 행위를 함. 또, 사적(私的) 관계에 있어서 강자(強者)가 약자의 인권을 침해함. 인권 침해. ――하다 자여불

인권 침해【人權侵害】〔―꿘―〕명 인권 유린.

인궤【印櫃】〔―꿰〕명〖역〗인뒤웅이. 인롱(印籠).

인귀¹【人鬼】명 ①사람과 귀신. ②사람의 형상을 한 귀신. 곧, 잔인하고 추악하기 이를 데 없는 사람.

인귀²【人貴】명 사람이 드묾. 인물이 귀함. ――하다 형여불

인귀 상반【人鬼相半】명 죽을 지경에 이르러 몰골이 귀신같이 됨. 또, 중병(重病)에 걸려 거의 생사지경(生死之境)에 이른 모양. ――하다 형여불

인-규석【鱗珪石】명〖광〗이산화 규소(珪素)를 주성분으로 하는 광물. 백색 또는 무색으로서 유리 광택을 지니며, 투명·반투명으로 부서지기 쉬움. 육각 인편상 결정(六角鱗片狀結晶)으로, 상온(常溫)에서 사방 정계(斜方晶系)임. 화산암의 틈새에서 산출되며, 석영(石英)·크리스토발석(石)과는 동질 이상(同質異像) 관계에 있음. 요업·내화 자재 등의 원료로 쓰임.

인극【人極】명 인간으로서 행할 마땅한 도리. 인도(人道).

인근【隣近】명 이웃. 근처.

인근-동【隣近洞】명 이웃하는 가까운 동리.

인근 소음【隣近騷音】명 피아노·쿨러의 소리, 스테레오 음향, 수세식 변소의 물 소리 등 일상 생활에 이웃에서 들려오는 소음.

인근-읍【隣近邑】명 이웃하는 가까운 고을. 근읍(近邑). 인읍(隣邑).

인-금¹【人―】〔―끔〕명 인격(人格)의 금새. 사람의 가치(價値). ¶떨어지는 ~.¶원나라 서울 상류 계급에는 공자 왕기의 칭찬이 자자했다. 그 증조 충렬왕보다도 낫고 그 아버지 충숙왕보다도 ~이 한층 위라 했다《朴鍾和：多情佛心》.

인금²【印金】명 피륙에 여러 가지 모양으로 금박(金箔)을 찍어 넣은 것.

인금 구망【人琴俱亡】명〔중국 진(晉)나라의 왕헌지(王獻之)가 죽으매, 그가 아끼던 거문고도 가락이 맞지 않게 되었다는 고사(故事)에서〕사람의 죽음을 몹시 슬퍼함의 비유. 인금지탄(人琴之歎).

인금지-탄【人琴之歎】명 인금 구망(人琴俱亡).

인급 계:생【人急計生】명 사람이 다급해지면 어떤 계책이 생김.

인기¹【人氣】명 사람의 기개(氣槪). 의기(意氣).

인기²【人氣】〔―끼〕명 세상 사람의 좋은 평판(評判).¶~ 스타.

인기³【人器】명 사람의 됨됨이. 도량(度量)과 재간.

인기⁴【刃器】명 도끼·칼같이 날이 서 있는 기구 또는 무기.

인기⁵【引氣】명 흡수해 들이는 힘.

인기⁶【印記】명 ①개인 또는 단체가 소장(所藏)을 증거 삼기 위하여 이름·아호(雅號)·당호(堂號)·재실명(齋室名)을 나무·돌·쇠붙이에 새겨 책에 찍은 인(印). ②〖역〗임금이 관아(官衙)에서 간행된 책을 백관 또는 신하에게 내사(內賜)한 것을 증거삼기 위하여 책에 찍은 인. 승정원(承政院)에서 찍은 반사(頒賜) 인기 따위. ③〖역〗관아의 고문서(古文書)에 증거용으로 찍은 각종의 새보(璽寶)와 기타 인기. 조서(詔書)에 찍은 인기 따위. ④글씨나 그림에 작자의 작품임을 증거삼기 위하여 자필 서명하고 찍은 인. 이를 흔히 낙관(落款)이라고 함.

인기⁷【忍飢】명 배고픔을 참음. ――하다 자여불

인기⁸【認旗】명〖역〗주장(主將)이 휘하(麾下)를 지휘 호령하는 데 쓰는 기. 대장 이외의 각 장수가 다 따로따로 쓰는 것이 있어서, 각 영(營)의 장수가 빛을 달리함. 이를테면, 오영문(五營門)에 있어서 훈련 대장(訓鍊大將)은 누른 바탕에 붉은 가장자리, 금위(禁衛) 대장은 남(藍) 바탕에 검은 가장자리, 어영(御營) 대장은 흰 바탕에 누른 가장자리, 수어

사(守禦使)는 붉은 바탕에 남 가장자리, 총융사(摠戎使)는 검은 바탕에 흰 가장자리로 하고 드림은 모두 누른 빛으로 하였음. 기면(旗面)은 다섯 자 평방, 깃대 길이 열 여덟 자, 영두(纓頭)·주락(珠絡)·장목이 있음. 뒤에 총융사는 바탕과 가장자리를 다 누른 빛으로 고치었음.

인기 가수【人氣歌手】[-끼-] 명 인기가 있는 가수.

인기 배우【人氣俳優】[-끼-] 명 인기가 있는 배우.

인기-상【人氣賞】[-끼-] 명 미인(美人) 대회 같은 데서 가장 인기가 좋은 사람에게 주는 상.

인기 소:설【人氣小說】[-끼-] 명 독자들 사이에 인기가 있는 소설.

인기 아:취【人棄我取】명 남이 버리는 것을 나는 거두어 씀. ——-하다 자여불

인기-인【人氣人】[-끼-] 명 인기 직업(人氣職業) 등에 종사하여 인기가 있는 사람. 스타.

인기 정책【人氣政策】[-끼-] 명 인기를 얻으려고 베푸는 정책.

인기-주【人氣株】[-끼-] 명 『경』 증권 시장(市場)에서, 인기의 중심이 되어 있는 주식(株式). 거래량(去來量)이 많고, 시세(時勢)의 변동이 비교적 큰 주.

인기 직업【人氣職業】[-끼-] 명 세간(世間)의 인기를 끄는 것을 필요로 하는 직업. 배우·가수 등은 그 예임.

인-기척【人-】[-끼-] 명 사람의 거동을 느낄 수 있을 만한 자취와 소리. 인적기(人跡氣). ¶ 아무런 ~도 없다. ——-하다 자여불

인기 투표【人氣投票】[-끼-] 명 일반의 투표를 모아 그 표수에 의해서 인기의 순위를 정하는 일. ——-하다 자타여불

인-꼭지【印-】명 인의 등에 있는 손잡이. 유(鈕).

인-끈【印-】명 『역』 ①인꼭지에 꿰어 맨 끈. 인수(印綬). ②병권(兵權)을 장악한 벼슬아치가 병부(兵符) 주머니를 매달아 차는 길고 넓적한 녹비 끈.

인나【是隱乃】조 〈이두〉 이나. 이지만.

인낙【認諾】명 ①인정하여 승낙함. 승인. ②『법』 민사 소송법(民事訴訟法) 상 피고(被告)가 소송 상의 원고(原告)의 청구로서의 권리·주장을 전면적으로 긍정하는 진술(陳述). ——-하다 타여불

인낙 조서【認諾調書】명 『법』 민사 소송법상 피고(被告)가 소송상 원고(原告)의 청구로서의 권리·주장을 전면적으로 긍정하는 진술을 적은 조서. 확정(確定) 판결과 같은 효능을 가짐.

인-날【人-】명 『민』 음력 정월 초이렛날. 특히 이 날에는 사람을 소중하게 여기는 관습이 있었고 정초에는 남의 집에서 유숙하지 않았다고 함. 궁중에서는 동인승(銅人勝)을 신하들에게 나누어 주고 과거도 실시했다고 함. 인일(人日). ＊동인승(銅人勝).

인납【引納】명 끌어들임. ——-하다 타여불

인-내[1]【人-】명 ①사람 몸에서 나는 냄새. ②짐승이나 벌레 등이 맡는 사람 냄새.
 인내(가) 나다 구 ㉠사람의 체취가 나다. ㉡짐승 등의 편에서, 사람의 냄새가 나다.
 인내(를) 맡다 구 옛이야기 등에서 짐승·귀신 따위가, 사람의 냄새를 맡고 알아차리다. ¶ 호랑이가 인내를 맡고 두렛거리다.

인내[2]【忍耐】명 참고 견딤. 내인(耐忍). 감인(堪忍). ——-하다 자타여불

인내- 캅 '이리 내'가 줄어 변한 말. ¶ ~게/~시오.

인내-력【忍耐力】명 참고 견디는 힘. 견딜힘.

인내-성【忍耐性】[-썽] 명 참고 견디는 성질. 견딜성.

인내-심【忍耐心】명 참고 견디는 마음.

인-내천【人乃天】명 『천도교』 사람이 곧 한울이라는 뜻으로, 사람이 한울을 믿어 종내에는 하나가 되는 지경에 이르는 일.

인년[1]【引年】명 나이가 많아 곧, 늙어 실직(實職)에서 물러남. ¶ ~ 치사(致仕). ——-하다 자여불

인-년[2]【寅年】명 『민』 태세(太歲)의 지지(地支)가 인(寅)인 해. 곧, 갑인(甲寅)·병인(丙寅) 등.

인-념[1] 명 〈방〉 잇몸(충남·전북).

인념[2]【寅念】명 삼가 생각함. ——-하다 자여불

인노【人奴】명 종. 노복(奴僕).

인-누에 명 『충』 허물을 벗고 난 누에.

인니[1]【印尼】명 『지』 '인도네시아'의 한자 이름.

인니[2]【印泥】명 인주(印朱).

인다고 캅 〈방〉 인다오.

인-다리【人-】명 『민』 '놋다리'를 사람이 몸을 굽혀 놓은 다리라 하여 일컫는 말. 인교(人橋).

인다민 물감 [-깜] 명 [indamine] 『화』 *p*-페닐렌디아민(phenylendiamin)과 아닐린의 반응(反應)에 의해서 얻어지는 불안정(不安定)한 물감. [HN=C_6H_4=N-$C_6H_4NH_2$]

인다오 캅 '이리 다오'가 줄어 변한 말.

인-단백질【燐蛋白質】명 [phosphoprotein] 『화』 단순 단백질(單純蛋白質)과 인(燐)화합물 특히 오르도 인산(ordo燐酸) 등이 결합하여 된 산성(酸性)의 복합 단백질(複合蛋白質). 우유 중의 카세인(casein), 난황(卵黃) 중의 비텔린(vitellin) 등.

인단트렌 염:료【-染料】[indanthrene] [-뇨] 명 『화』 안트라퀴논(anthraquinone) 염료 중 무명용의 건염(建染) 염료. 고급 물감으로, 빛깔도 아름답고 품종도 많으며 특히 햇볕에 강하나 제조가 어려워서 값이 비쌈.

인달라【因達羅】명 『불교』 인타라(因陀羅).

인달라 대:장【因達羅大將】명 『불교』 인타라(因陀羅).

인달-산【仁達山】[-싼] 명 『지』 평안 북도 희천군(熙川郡) 진면(眞面)과 덕천군(德川郡) 대극면(大極面) 사이에 있는 산. [1,694 m]

인당【印堂】명 『민』 양쪽 눈썹 사이. 이 사이가 넓으면 소년 등과(少年登科)를 한다고 함.

인당-수【印塘水】명 고대 소설 심청전(沈淸傳)에 나오는 깊은 물 이름. 심청이 공양미(供養米) 삼백 석에 몸을 팔고 빠져 죽은 곳.

인당-하다【引當-】타여불 담보(擔保)하다.

인대[1]【靭帶】명 『생』 ①관절(關節)의 보강(補強)과 운동을 제한하는 작용을 하는 결체 조직 섬유(結締組織纖維). 다량의 교질(膠質)과 탄력성 섬유가 들어 있어 탄력이 있음. ②쌍각류(雙殼類)에 속하는 대부분의 조개에서 두 장의 조가비가 맞물리는 부분에 있는 탄력성 키틴질(chitin質)로 된 대상(帶狀)의 구조. 폐각근(閉殼筋)이 이완(弛緩)하였을 때 조가비를 여는 역할을 함.

인대[2]【麟臺】명 ①중국, 당(唐)나라 측천 무후 때, 비서성(祕書省)을 고친 이름. ②'기린각(麒麟閣)'의 별칭.

인-대명사【人代名詞】명 『언』 대명사 중에서, 말하는 사람과의 관계·개념을 표현하고 사람을 가리키는 대명사. 제1인칭에 '나·우리', 제2인칭에 '너·너희', 제3인칭에 '이·그·저·이이들·저이들·그들', 모르는 사람을 가리키는 미지칭(未知稱)에 '누구·누구들', 무턱대고 아무나 가리키는 부정칭(不定稱)에 '아무·아무들' 등이 있음. 사람 대이름씨. 인칭 대명사.

인더스 강【-江】[Indus] 명 『지』 인도의 3대 강의 하나. 티베트 고원에서 발원하여 인도 북서부 평야를 흐르며 많은 지류(支流)와 합류하여 대삼각주를 만들고 아라비아 해에 들어감. 유역은 고대 문명의 발상지(發祥地)로서 모헨조다로(Mohenjo-Daro) 등의 유적이 있음. 관개(灌漑)에 편리하며 농산물도 많음. 유역 면적은 96만km^2, 하구에서 200 km 상류까지 항행(航行)이 가능함. [2,990 km]

인더스 문명【-文明】[Indus] 명 『역』 기원전 3천 년경에 인더스 강 하류에서 번영했던 인류 최고(最古)의 문명의 하나. 1920년에 모헨조다로(Mohenjo-Daro)의 유적이 발굴·조사되었음. 이 문명은 메소포타미아 문명과 유사하며, 석기 시대로부터 청동기(青銅器) 시대에 걸쳐 번창했던 것이 밝혀졌음. 포장된 도로·벽돌집·완비된 공동 시설·채색토기(彩色土器) 등이 보이며, 농작물·가축 등은 그 종류가 많았고, 무명을 입었다고 함. 기원전 2000년 무렵 인더스 강의 큰 범람(氾濫)으로 매몰(埋沒)되고 뒤이어 아리아인의 침입으로 완전히 소멸(消滅)되었음. 모헨조다로와 하라파(Harappa) 등 모두 100곳 이상의 유적이 남아 있음. 인더스 문화(文化).

인더스 문자【-文字】[Indus] [-짜] 명 『역』 인더스 문명이 남긴 문자. 하라파(Harappa) 출토의 인장(印章)에 동물·신(神)·인간의 모습 등과 함께 새겨져 있는 회화(繪畫) 문자로, 변종(變種)까지 합쳐 400여 정도이나 250자 내외(內外)로 추정됨. 형태 상의 계통도 뚜렷하지 않고 아직 해독(解讀)하지 못함.

인더스 문화【-文化】[Indus] 명 『역』 인더스 문명.

인더스트리얼 다이내믹스 [industrial dynamics] 명 관리 공학(管理工學)의 수법(手法)의 하나. 기업의 정보 피드 백 시스템(feed back system)의 수학적 모델에 의한 분석을 이름. 조직 구조·방침·의사 결정·행동의 시간적 지연 등이 기업의 활동에 미치는 영향을, 플로(flow)와 그 집적(集積)인 레벨과의 종합으로 포착함. 플로에는 정보·자금·주문·자재·제품·노동력·자본 설비를 씀.

인더스트리얼 디자인 [industrial design] 명 가구·식기 등 대량 생산을 전제로 한 공업 제품(工業製品)의 여러 분야에서, 성능과 아름다움의 양면으로 고안된 디자인. 산업(產業) 디자인.

인더스트리얼 엔지니어링 [industrial engineering] 명 산업 공학(產業工學).

인더스트리얼 파:크 [industrial park] 명 공장과 그것에 관련하는 주택·중심 시가지·레크리에이션(recreation) 시설·녹지(綠地) 따위가 조화되어 전체로는 공업이 주체이긴 하나 공원적인 환경을 가지는 것 같은 지역을 이름. 미국 디트로이트의 자동차 공장 배치가 그 발상(發祥)이라고 일컬어짐.

인 더 홀: [in the hole] 명 야구에서, 투수(投手) 또는 타자(打者)에게 볼 카운트(ball count)가 불리하게 된 경우. ¶ 피처 ~.

인덕[1]【人德】[-떡] 명 인복(人福). ¶ ~이 있다.

인덕[2]【仁德】명 어진 덕.

인덕-력【麟德曆】[-녁] 명 중국 당(唐)나라 고종(高宗)의 인덕(麟德) 2년(665)에 이순풍(李淳風)이 만든 태음력(太陰曆)의 일종. 우리 나라에는 고구려(高句麗) 때 들어 와서 사용되었음. 신라(新羅)에서는 의봉력(儀鳳曆)이라 불렀음.

인덕션 [induction] 명 ①『논』 귀납(歸納). ②『물』 유도(誘導).

인덕션 모:터 [induction motor] 명 『기』 유도 전동기(誘導電動機).

인덕션 코일 [induction coil] 명 『물』 유도 코일(誘導coil).

인덕턴스 [inductance] 명 『전』 하나의 회로(回路) 안에서 단위 시간에 전류가 변화했을 때, 전자기 유도(電磁氣誘導)에 의해 생기는 유도 기전력(起電力)과 전류 변화량(量)의 비. 헨리(henry)로 표시함. 감응 계수(感應係數). 유도 계수(誘導係數).

인덜전스 [indulgence] 명 『종』 중세기 로마 가톨릭 교회에서 발매하던 대사부(大赦符).

인덱세이션 [indexation] 명 『경』 임금·금리 따위를 일정한 방식에 따라 물가의 변동에 알맞게 조절시키는 정책. 인플레 보상을 제도화시키는 것으로, 보다 장기적으로 볼 때는 결과적으로 인플레를 가속화시키는 악순환을 가져오기 때문에 오히려 경제에 나쁜 영향을 미치는 경우도 많음. 물가 연동제(物價連動制).

인덱스 [index] 명 ①목차(目次). 색인(索引). ②『수』 지수(指數).

인덱스 카:드 [index card] 명 색인용·목차용·지수용 카드.

인덱스 카운터 〔index counter〕 명 녹음·재생 장치에서, 테이프의 공급 릴(供給 reel)의 회전 수를 보이는 것으로, 그 테이프의 어디쯤에 무슨 녹음이 돼 있는지를 아는 데 편리함. 테이프 카운터(tape counter)라고도 함.

인덴 〔indene〕 명 〖화〗 무색 유상(油狀)의 액체. 녹는점 1.64℃, 끓는점 182.6℃. 콜타르에서 얻음. 불안정하여 상온(常溫)·암실(暗室)에서도 빠르게 중합하고, 또한 공기 중의 산소를 흡수함.

인도[1] 【人道】 명 ①넓은 도로에서 차도와 구별하여 사람만이 다니는 길. 보도(步道). ②인간의 인간으로서의 마땅한 도리. 인륜의 도덕. 인간도(人間道). 인극(人極). 인리(人理).

인도[2] 【引刀】 명 '인두'의 취음(取音).

인도[3] 【引渡】 명 ①물건이나 권리를 건네어 줌. ②〖법〗 민법상 점유(占有)의 이전(移轉), 곧 현실의 인도·간이(簡易) 인도·점유 개정(占有改定)·반환 청구권(返還請求權)의 양도(讓渡)에 의한 인도 등을 포함(包含)하고, 형법상 구속(拘束)된 신병(身柄)의 교부(交付)를 말함. ¶범인을 ～하다. ──하다 타여불

인도[4] 【仁道】 명 어진 길.

인도[5] 【引導】 명 ①가르쳐 이끎. ②길을 안내함. ③〖불교〗 갈 길 모르는 중생(衆生)을 이끌어 오도(悟道)에 들게 함. ④〖불교〗 죽은 사람을 장사 지내기 전에 승려(僧侶)가 관(棺) 앞에서 전미(轉迷) 개오(開悟)를 설법함. ──하다 타여불

인도[6] 【印度】 명 〔India〕 〖지〗 ①남부 아시아의 중앙에 있는 큰 반도(半島). 히말라야 산계(Himalaya山系) 이남, 힌두스탄 평원(Hindustan平原)·아삼 저지(Assam 低地)·인더스(Indus) 평원·데칸(Deccan) 고원으로 구성됨. 동은 아라칸요마(Arakan Yoma)로 미얀마(Myanmar), 서는 힌두쿠시(Hindukush)와 술라이만(Sulaiman) 산맥으로 아프가니스탄 고원(Afghanistan高原)과 경계함. 인구의 70%가 농업에 종사하며 쌀·밀·보리·차(茶)·면화·황마(黃麻) 등을 산출하고, 광산으로는 석탄·철·금·보석 등이 있고, 공업으로는 면직(綿織)·철광업이 행하여짐. 주민은 드라비다족(Dravida 族)·인도 아리아족(Indo Arya族)·이란족(Iran 族) 등이 대부분임. 1757년 이래, 영국 동인도 회사(東印度會社)에 의하여 차츰 정복되어, 영국령(領)이었다가 제2차 대전 후, 1947년 독립안이 성립되었으나, 힌두교를 주로 하는 인도 공화국과 이슬람교의 파키스탄, 불교의 스리랑카(Sri Lanka)로 각각 분립하였음. 천축(天竺). 인디아. 준인(印). 〔4,400,000 km²〕 ②↗인도 공화국.

인도[7] 【印度】 명 사과의 한 품종. 방향(芳香)이 있으며, 단 맛이 있고 신맛은 없음. 최만생(最晩生)의 미국산 사과의 변종으로, 일본(日本)에서 육종(育種)된 것이며, 인도와는 관계가 없음.

인도게르만 어:족 【一語族】 〔Indo-German〕 명 〖언〗 인도유럽 어족.

인도-고[1] 【人道苦】 명 〖불교〗 오고(五苦)의 하나. 인간으로 태어난 자가 받는 고통.

인도-고[2] 【印度膏】 명 고무❶. ¶문갑 위에 얹은 ～ 공을 집어 짖는 제비를 향하여 탁 던지며…《李海朝 : 雨中行人》.

인도-고무나무 【印度—】 〔프 gomme〕 명 〖식〗 〔*Ficus elastica*〕 뽕나뭇과에 속하는 상록 교목. 고무나무의 하나로 높이 30m에 달함. 잎은 호생하는데, 어릴 때는 적색이고, 자라면 길이 20-30cm의 긴 타원형으로 살이 두껍고 녹청색에 광택이 남. 잎에는 주맥(主脈)과 주맥에 직각이 되는 측맥(側脈)이 있음. 여름에 꽃이 피어 길이 1.5cm 가량의 무화과(無花果) 비슷한 열매를 맺으나, 온실에서는 꽃이 피지 않음. 원래는 인도 원산으로 '고무'를 대량으로 채취했으나 현재는 파라고무가 대신함. 관상용으로 가꿈.

〈인도고무나무〉

인도-공작 【印度孔雀】 명 〖조〗 〔*Pavo cristatus*〕 꿩과에 속하는 공작의 하나. 날개 길이 40-50cm 가량. 두부와 목은 광택이 강한 청색이고 자웅 이색(雌雄異色)으로, 배면(背面)은 갈색, 하면은 백색임. 관우(冠羽)는 절반만 펼치면 부채 모양이고 날개는 남색으로 빛남. 인도 원산(原產)이나 옛적부터 유럽에 수출되어 순백색의 변종도 만들어졌음. 동물원 등에서 사육함. *공작(孔雀).

〈인도공작〉

인도 공:화국 【印度共和國】 명 히말라야 산맥 이남, 인도 반도의 대부분을 차지하는 공화국. 동북부의 갠지스 강(江) 유역에 힌두스탄 평원이 펼쳐지고 반도 중앙부는 데칸 고원(高原)으로 이루어짐. 기후는 대체로 열대적이며 인도양에서 불어오는 계절풍의 영향이 지배적임. 주민은 드라비다계(系)와 인도 아리아계(系)로 크게 나뉘지만 인종·언어·문화를 달리 하는 민족이 복잡하게 혼재(混在)함. 공용어는 힌두어(語)이지만 영어가 준공용어로 통용됨. 농업·목축업을 주로 하는데 주민의 70%가 이에 종사함. 쌀·밀·사탕수수·면화·황마(黃麻)·담배·땅콩이 주요 농산물임. 광산 자원은 석탄·철·망간·운모·보크사이트·구리·크롬 등임. 5개년 계획으로 공업화가 추진되어 철강·섬유·화학·제당(製糖) 공업 등이 행해짐. 원수(元首)는 대통령, 연방 의회는 양원제(兩院制)임. 카슈미르 귀속 문제로 파키스탄과의 분쟁이 계속됨. 수도는 뉴델리. 인디아. 바라트(Bharat). 준인도(印度). 〔3,185,019 km²: 859,200,000 명 (1991 추계)〕

인도-교[1] 【人道教】 명 〔the religion of humanity〕 〖종〗 프랑스 사람 콩트(Comte)가 주창한 윤리적(倫理的) 신종교. 애정(愛情)을 근본적 요의(要義)로 삼고, 인류의 행복을 위한 봉사를 인도(人道)로 하며, 인류를 사회적 실재(實在)의 최고의 표현이라 하여 이를 숭배하고 그 교의(教義)·의식(儀式)·기도(祈禱) 등을 규정한 종교임. 인류교(人類教).

인도-교[2] 【人道橋】 명 열차 철교에 대하여, 사람과 거마(車馬)만 다니도록 놓은 철교(鐵橋).

인도-교[3] 【印度教】 명 〔Hinduism〕 〖종〗 힌두교.

인도-구 【印度區】 명 〖동〗 동양구(東洋區).

인도 국민 회:의 【印度國民會議】 〔—／—이〕 명 〔India National Congress〕 〖정〗 인도 독립 운동의 중심 조직. 1885년 영국인 흄(Hume)의 창립으로 매년 인도의 주요 도시를 순회하여 대회를 열어, 민중의 정치적 교양을 높이고 각종의 스와라지(Swaraji)·스와데시(Swadeshi) 운동을 일으켜 영국에의 반항을 지도했음. 이의 구성원을 회의파(會議派)라 하며 간디(Gandhi)·보스(Bose)·네루 등이 지도하면서 인도의 정치를 주도하였음. 한편, 1947년 좌파(左派)는 독립하여 전인도 사회당(全印度社會黨)을 조직, 결국 인도와 파키스탄의 두 나라로 갈라짐.

인도 국영 방:송 【印度國營放送】 명 에이 아이 아르(AIR).

인-도깨비 【人—】 명 ①사람 형상을 한 도깨비. ②도깨비 같은 짓을 하는 사람을 욕으로 이르는 말.

인도-남 【印度藍】 명 '인디고(indigo)'의 한자 이름.

인도네시아 〔Indonesia〕 명 〖지〗 서남 태평양의 도서군(島嶼群). 수마트라·자바·보르네오·셀레베스·티모르(Timor)의 제도(諸島)와 그 부근의 섬들을 총칭함. 동북은 미크로네시아에, 동남은 멜라네시아(Melanesia)에 연속됨. 인니(印尼).

인도네시아 공:화국 【一共和國】 〔Indonesia〕 명 〖지〗 인도네시아의 대부분을 차지하는 공화국. 주된 섬은 서이리안(西 Irian)·보르네오·수마트라·셀레베스·자바 등임. 주민은 대개가 말레이 인종으로 인도네시아인이라고 일컬음. 기후는 열대 우림(雨林) 기후와 몬순적(monsoon的) 기후로 구별되며, 고온 다습하고 식물 성장이 빠름. 석유·주석·고무·니켈·구리와 코프라 및 임산(林產) 등의 자원이 풍부함. 17세기 이래 네덜란드령(領)이었으나 제2차 대전 종결 후 독립을 선언, 네덜란드와의 항쟁(抗爭) 4년 만인 1949년에 연방 공화국의 주권(主權)을 확립하였음. 1950년 단일 공화국이 됨. 수도는 자바(Java) 섬의 자카르타(Jacarta). 〔1,904,344 km² : 181,400,000 명 (1991 추계)〕

인도네시아-어 【一語】 〔Indonesia〕 명 〖언〗 ①멜라네시아어(Melanesia 語)·폴리네시아어(Polynesia 語)와 함께 말레이 폴리네시아어를 구성하는 어군(語群)의 하나. 마다가스카르·말레이·수마트라·자바·보르네오·셀레베스·몰루카(Moluccas)·필리핀 등의 언어(言語)가 이에 속함. ②인도네시아 공화국의 공용어(公用語). 말레이어에 속하며 특히 바하사 인도네시아어로 불림.

인도네시아 제족 【一諸族】 〔Indonesia〕 명 언어학상의 분류에 따른 오스트로네시아 어족(Austronesia 語族) 중 인도네시아어 계통의 언어를 쓰는 여러 민족. 보르네오의 다야크족(Dayak 族), 셀레베스의 토라자족(Toraja 族), 수마트라의 미낭카바우족(Minangkabau 族), 그 밖에 발리족(Bali 族), 순다족(Sunda 族) 등으로 총인구 1억을 넘음. 종교는 토착 종교(土着宗教) 외에 이슬람교가 일반적이며, 미낭카바우족의 모계제(母系制)는 유명함.

인도-대마 【印度大麻】 명 인도산의 삼. 또, 그 과수(果穗). 타지방의 것보다 마취성 물질이 많이 함유되어 있어서 진정(鎮靜)·수면제(睡眠劑)에 쓰임. 식물체에서 추출한 마취제(痲醉劑)를 '마리화나', 과수의 것을 '하시시'라고 하며, 흡연(吸煙)하면 환각(幻覺)이 일어남. 인도삼. *대마(大麻).

인도-들소 【印度—】 〔—쏘〕 명 〖동〗 〔*Bos gaurus*〕 솟과에 속하는 동물. 어깨 높이 1.9m에 이름. 소와 비슷하나 목에서 등의 중앙에 걸쳐 현저한 융기(隆起)가 있음. 몸빛은 흑갈색이며, 사지(四肢)의 아래쪽은 흰. 뿔은 크고 끝이 앞으로 굽음. 암컷은 갈색으로 수컷보다 작음. 산의 숲 속에서 사는데, 인도·말레이 지방에 분포함.

인도르 〔Indore〕 명 〖지〗 인도 중부, 마디아 프라데시 주(Madhya Pradesh 州) 서부의 도시. 상업·교통의 요지(要地)로 목재·석재(石材)가 산출됨. 면방적(綿紡績)의 중심지이며, 주강(鑄鋼)·압연(壓延) 공장 등도 있음. 9세기 초까지 인도르 주(Indore 州)의 수도였으며 남서쪽 50 km에 중세 마르타 왕국의 수도 만두(Mandu)의 유적이 있음. 〔827,000 명 (1989)〕

인도-면 【印度綿】 명 인도솜. 준인면(印綿).

인도 명:령 【引渡命令】 〔—녕〕 명 〖법〗 강제 집행에서, 집행 법원의 결정으로 내려지는 인도(引渡)의 명령. 특정(特定)한 유체물(有體物)의 인도 또는 일정한 종류의 유체물의 인도나 권리 이전의 청구에 대한 금전 채권 집행에 있어서, 그 유체물을 집달관(執達官) 또는 보관인에게 인도하도록 명령하는 경우와, 부동산(不動產)의 강제 경매(強制競賣)에 있어서, 낙찰 후 집행 채권자의 신청에 의하여 채무자에게 그 부동산을 법원이 명하는 관리인에게 인도하도록 명령하는 경우의 두 가지가 있음.

인도-명나방 【印度螟—】 명 〖충〗 〔*Margaronia indica*〕 명나방과에 속(屬)하는 곤충. 편 날개 길이 24 mm 내외, 두부·흉부와 복부 말단의 두 절은 흑갈색임. 각 날개는 흰데 투명하고 그 외연과 앞날개 전연은 흑갈색임. 유충은 오이·목화 등의 잎의 해충으로 인도를 비롯한 동양 각지에 분포함.

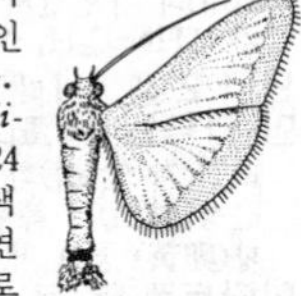

〈인도명나방〉

인도 모슬렘 동맹 【—同盟】 〔Indo-Moslem〕 명 〖정〗 회교도 연맹(回教徒聯盟).

인도-무소 【印度—】 명 〖동〗 인도코뿔소.

인도 문:제 【人道問題】 명 인도에 관한 문제. 도덕 상(道德上)의 문제.

인도 문학 【印度文學】 명 〖문〗 인도 민족의 문학 일반(一般). 기원전 2000년 경 인도 반도에 이주해 온 아리안(Aryan) 민족의 폐타찬가(吠

陀讚歌)로 그 막을 열어, 이후 아리안어와 드라비다어(Dravida語)의 두 언어로, 바라문교(波羅門敎)·불교·자이나교(Jaina敎) 등의 영향을 받아, 인도 민족의 명상적이고 종교적인 독특한 문학을 이루었음. 5세기 이후 산스크리트 문학의 황금 시대를 이루고, 근대 영국 통치 이후에도 산스크리트 문화의 전통을 이어 내려옴. 대표 작가에 타고르·와리라 등이 있음.

인도-물소【印度—】[—쏘] 명〖동〗 아프리카에 사는 아프리카 물소에 대하여 인도에 사는 물소를 일컫는 말.

인도 반:도【印度半島】명〖지〗 인도양(印度洋)에 돌출한 삼각형의 큰 반도. 인도 공화국의 지리학적(地理學的) 이름임.

인도-보리수【印度菩提樹】명〖식〗 보리수²❷.

인도 사라사【印度—】[포 saraça] 명 인도산의 사라사. 면직물·명주에 꽃이나 새 따위의 무늬를 넣은 직물.

인도-삼【印度—】명 인도 대마(印度大麻).

인도-상【印度象】명〖동〗 '인도코끼리'의 한자명.

인도-소【印度—】명〖동〗 제부(zebu).

인도 소:스【印度—】[sauce] 명 인디언 소스.

인도-솜【印度—】명 인도, 특히 데칸 지방에서 산출되는 솜의 한 품종. 섬유(纖維)가 굵고 짧으며 담갈색(淡褐色)으로 강도(強度)는 미국면(美國綿)에 떨어짐. 인도면(綿).

인도 식물원【印度植物園】명 인도 캘커타 교외에 있는 국립 식물원. 1787년 설립됨. 연구실·표본실·도서실이 완비된 대표적 열대 식물원으로, 수령(樹齡) 180년이 넘는 벵골보리수나무는 유명함. 구칭은 캘커타 왕립 식물원.

인도 아:대륙【印度亞大陸】명〖지〗 '인도 반도'를 대륙에 준(準)한다 하여 일컫는 말.

인도아리아-인【—人】[Indo-Arya] 명 중앙 아시아 초원 지대에서 반농 반목(半農半牧)의 생활을 하던 아리아인. 기원전 1000년경에 인도의 서북(西北)쪽에 침입하여 인더스 강 상류 펀자브(Punjab) 지방에서 농사를 짓고 정착(定着)했다가, 점차 인도 각지로 발전, 인도 민족의 주류를 이루어 인도인의 선조(先祖)가 되었음.

인도아리아 제언어【—諸言語】[Indo-Arya] 명〖언〗 인도유럽 어족 중에서, 인도이란 어파에 속하는 인도의 제언어의 총칭. 베다어(Veda語)로부터 시작되어, 고전 산스크리트어·프라크리트어(Prākrit語)를 거쳐 현대의 아리아 제어(諸語)에 이름.

인도-양【印度洋】명 [Indian Ocean]〖지〗 아시아·오스트레일리아·아프리카의 각 대륙과 남극(南極) 대륙으로 둘러싸인 바다. 삼대양(三大洋) 또는 오대양(五大洋)의 하나. 벵골 만(灣)·아라비아 만·페르시아 만 등의 부속해(附屬海)가 있음. 면적은 약7300만km², 평균 깊이는 3963 m, 최대 깊이는 자바 해구(海溝)의 7450 m.

인도-어¹【—語】[Indo] 명〖언〗 인도 어파에 속하는 언어.

인-도어²[indoor] 명 실내. 옥내. ¶ ~ 스포츠.

인도어 게임[indoor games] 명 실내에서 하는 놀이·경기.

인도어 스포:츠[indoor sports] 명 탁구·농구 따위, 실내에서 행하여지는 경기. 실내 경기. ↔아웃도어 스포츠.

인도 어:파【—語派】[Indo] 명〖언〗 인도유럽 어족 중 인도이란 어파에 속하는 한 어파. 고대어(古代語)로는 베다어(Veda語)·산스크리트어(Sanskrit語), 중세 인도어로는 프라크리트어(Prākrit語)·팔리어(Pāli語), 현대어(現代語)로는 마라타어(Maratha語)·구자라트어(Gujarat語)·펀자브어(Punjab語)·벵골어(Bengal語)·힌두어(Hindu語) 등으로, 사용자는 3억 이상에 이름.

인도에 대한 죄【人道—對—罪】명 제2차 세계 대전이 끝난 뒤의 국제 군사 재판에서 재판의 대상이 된 범죄의 하나. 전쟁 중 또는 전쟁 전에 일반 국민에 대하여 살해·대량 학살·노예화·강제 이동, 그 밖의 비인도적 행위를 자행한 죄.

인도 연방【印度聯邦】명 '인도 공화국(印度共和國)'의 구칭.

인도-영양【印度羚羊】명〖동〗[*Antilopinae antilope*] 솟과에 속하는 짐승의 하나. 사슴과 비슷하나 몸이 작음. 몸빛은 회갈색에 아래쪽은 백색이고 꼬리는 짤막하며, 뿔이 길고 다리는 가늘고 긺. 온 몸에 짧고 보드라운 털이 덮였으며 모양이 예쁘고 동작이 경쾌함. 성질은 온순하고 초목의 잎을 먹음. 초원(草原)에 군서(群棲)하나 못가·사막 등에 단독으로도 삶. 아프리카·인도 등지에 분포함. ＊영양(羚羊).

〈인도영양〉

인도유:럽 어:족【—語族】[Indo-Europe] 명〖언〗 동(東)은 인도 북부에서 서(西)는 대서양 연안에 이르고, 북은 스칸디나비아에서 남은 지중해에 이르며, 근세 초두(近世初頭) 이래 남북 아메리카 및 시베리아 등지에서 지배적인 세력을 차지하기에 이른 여러 언어(言語)의 총칭. 선사 시대(先史時代)에 하나의 공통 원어(共通原語)였던 인구 조어(印歐祖語)로부터 분출(分出) 발전한 것으로 생각됨. 그 어역(語域)에 의거한 호칭. 형태적으로는 굴절어(屈折語)임이 특징임. 현존하는 것은 인도이란어·그리스어·발트 슬라브어·알바니아어·알메니아어·게르만어·켈트어·이탤릭 어파(語派) 등이며, 이미 멸망한 토하라어·히타이트어, 기타 고대 소아시아의 제언어도 이에 속함. 독일어권에서는 인도게르만 어족으로 쓰이고 있음. 인구 어족(印歐語族). 인도게르만 어족. 아리안 어족.

인도 음악【印度音樂】명 인도 지방에서 이슬람교도들이 일으킨 음악을 바탕으로 하여 이루어진 음악.

인도의 사:성【印度—四姓】[—/—에—] 명〖역〗 사성(四姓).

인도이란 어:파【—語派】[Indo-Iran] 명〖언〗 인도유럽 어족(語族)중의 한 어파. 인도 어파와 이란 어파에 속하는 언어는 현재 대단히 다르나 그 최고어(最古語)인 인도 어파의 베다(Veda)와, 이란 어파의 아베스타(Avesta)의 두 성전(聖典)의 말이 극히 비슷하므로 한 어파로 잡으며, 갈았던 시대는 적어도 기원전(紀元前) 1000년 또는 그 이전으로 추정(推定)함.

인도-인【印度人】명〖인류〗 인도 국민. 또, 인도 지방에 사는 인종. 살갗이 검고 머리가 길며 낮은 코와 키가 작은 드라비다족(Dravida族)과 살갗이 옅은 다갈색(茶褐色)이고 코와 키가 큰 아리안족 및 살갗이 옅은 황색이며 낮은 코와 키가 작은 몽고족 또는 이들의 잡종으로 된 인종임. 인디언.

인도인-자리【印度人—】명 [라 Indus]〖천〗 10월의 저녁 때 남쪽의 지평선(地平線) 상에 일부 나타나는 별자리. 우리 나라에서는 거의 보이지 아니함.

인도-일【引渡日】명 ①물건이나 권리를 넘겨 주는 날. ②〖법〗 점유한 물건이나 또는 구속된 사람을 교부(交付)하는 날.

인도-자【引導者】명 인도하는 사람. 도자(導子).

인도-적¹【人道的】명관 인도(人道)에 관한 상태. 인도에 입각한 모양.

인도-적²【印度赤】명 [Indian red]〖화〗 인디언 레드.

인도-전【引逕典】명〖역〗 신라의 관아(官衙). 경덕왕(景德王) 때 예성전(禮成典)이라 고쳤다가, 뒤에 다시 본이름으로 함.

인도 제:국【印度帝國】명 [Indian Empire]〖정〗 영국이 인도를 직접 지배하던 1858년부터 또는 1877년 영국 여왕 빅토리아가 '칭호법(稱號法)'에 의해 인도 여왕을 호칭한 때로부터 1947년 인도 연방(聯邦)과 파키스탄의 독립에 이르는 기간의 인도를 말함. 일명 영령(英領) 인도라고 함.

인도-주의【人道主義】[—/—이] 명 [humanism] 인류 전체의 복지의 실현을 지향하는, 인간애를 근본으로 하는 입장. 그 실현(實現)의 수단으로 비인간적(非人間的)인 것을 배척함. 휴머니즘. ＊신인도주의(新人道主義).

인도주의-자【人道主義者】[—/—이—] 명 인도주의 사상을 신봉하거나 또는 그 운동을 하는 사람. 휴머니스트.

인도주의-적【人道主義的】[—/—이—] 명관 인도주의의 입장에 들어맞는 모양. ¶ ~ 견해/~ 입장.

인도 중앙주【印度中央州】명〖지〗 인도 연방의 지사주(知事州). 데칸 고원의 북부로 사트푸라 산지(Satpura山地)를 포함하고 있으며, 그 중남부는 고다바리 강(Godavari江) 북방 지류와 마하나디(Mahanadi)의 유역(流域) 지대가 됨. 솜·쌀·밀·면직 제품·시멘트·석탄·망간 등의 생산이 많음. [240,000 km²]

인도 증권【引渡證券】[—꿘] 명〖경〗 증권 상의 유자격자(有資格者)에 인도되어, 증권에 기재된 물품 자체를 인도한 것과 동일한 효력을 발생케 하는 물권적(物權的) 유가(有價) 증권.

인도-지【印度紙】명 인디아 페이퍼.

인도 지나【印度支那】명〖지〗 인도차이나. ㊀인지(印支).

인도 지나 반:도【印度支那半島】명〖지〗 인도차이나 반도

인도 지나 어:족【印度支那語族】명〖어〗 인도차이나 어족.

인도 지나 전:쟁【印度支那戰爭】명〖역〗 인도차이나 전쟁

인도 지나 휴전 협정【印度支那休戰協定】명〖정〗 인도차이나 휴전 협정.

인도-차이나[Indo-China] 명〖지〗 인도차이나 반도의 동부, 베트남·라오스·캄보디아의 3국의 영역(領域)의 통칭. 지역적(地域的)으로는 옛 프랑스령(領) 인도차이나와 같음. 인도 지나. [705,400 km²]

인도차이나 난민 문:제 국제 회:의【—難民問題國際會議】[Indo-China] [—/—이] 명 국제 연합 주최로 1979년 7월, 인도차이나 난민 문제의 타개를 위하여 제네바에서 열린 각료급 회의. 미국·소련·일본·중국·베트남·라오스 등 65 개국이 참가한 가운데, 각국이 난민 정착(定着)에 협력하고 1억 9천만 달러의 구호 기금을 갹출키로 서약하는 한편, 베트남은 난민 유출(流出)을 억제하기로 약속함.

인도차이나 반:도【—半島】[Indo-China] 명〖지〗 아시아 대륙의 동남부에 돌출한 대반도로서, 동은 남중국해에, 서는 벵골 만(灣)에 접하고, 남은 말레이 반도로서 수마트라와 마주 봄. 말레이 제도(諸島)와 함께 동남 아시아를 구성하며, 미얀마·타이·인도차이나(베트남·라오스·캄보디아)·말레이시아 및 싱가포르의 각 영역을 포함함. 저지대는 세계 유수의 미작 수전 지대(米作水田地帶)임. 민족 구성은 복잡하여 산악 지대에 수십 종의 소수 민족(少數民族)이 살고 있는데, 최대 민족은 베트남인(人)임. 인도 지나 반도. [2,026,685 km²]

인도차이나 어:족【—語族】[Indo-China] 명〖언〗 서는 티베트로부터 동은 중국 전체, 남은 타이·미얀마를 포함하는 지역에서 쓰이는 언어. 중국어·티베트어·타이어·버마어 등 고립어(孤立語)임이 그 특징임. 최근에는 인도티베트 어족이라 불림. 인도 지나 어족.

인도차이나 전:쟁【—戰爭】[Indo-China] 명〖역〗 1946년 12월부터 1954년 7월까지 프랑스 연합군 및 베트남군(바오다이 정부군)과 베트민군(호치민(胡志明)을 지도자로 하는 베트남 독립 동맹군) 사이에 벌어진 전쟁. 1954년 5월 7일, 프랑스군의 디엔비엔푸(Dien Bien Phu)가 함락되면서 7월 21일 북위(北緯) 17도선을 휴전선(休戰線)으로 하여 인도·폴란드·캐나다 등 중립국 감시 위원회(中立國監視委員會)의 감시 아래 휴전이 성립됨. 인도 지나 전쟁.

인도차이나 휴전 협정【—休戰協定】[Indo-China] 명〖정〗 1954년 7월, 아시아 평화에 관한 제네바 회의(Geneva 會議)에서 조인된 인도차이나 전쟁을 휴전시킨 협정. 베트남(Vietnam) 휴전 협정·라오스(Laos) 휴전 협정·캄보디아(Cambodia) 휴전 협정의 세 협정으로 이루어짐. 인도 지나 휴전 협정.

인도 철학【印度哲學】명〖철〗 인도에서 발달한 철학 사상의 총칭. 최

고신(最高神)을 일(一) 또는 범(梵)으로 하는 힌두교와의 밀접한 연관으로 고대 철학과 종교가 같은 발달 경로를 밟았으며, 내면적(內面的)·반성적(反省的)인 경향으로 윤회적(輪廻的)인 염세(厭世) 사상이 지배해 왔음.

인도 철학과【印度哲學科】명〖교〗 대학에서, 인도 철학을 전공하는 학과. ＊철학과.

인도-칸나【印度—】[canna] 명〖식〗[*Canna indica* var. *orientalis*] 칸나과에 속하는 다년초. 군생(群生)하는데 높이는 1.5-2m, 근엽(根葉)은 다육 조대(多肉粗大)하며 분지(分枝)되어 끄투리 모양의 잎이 달리고 흰 수염뿌리를 내림. 줄기는 곧게 벋으며 원추형을 이루는데 잎이 흩어져 달림. 대형의 잎은 호생(互生)하며 길이 30-40cm, 달걀꼴의 장타원형을 이루며 끝이 뾰족함. 엽질(葉質)은 두껍고 광택이 있음. 여름에서 가을에 걸쳐 잎 속에서 한 개의 꽃줄기가 나와 여러 개로 갈라지면서 끝에 진홍색 꽃이 총상(總狀) 화서로 핌. 인도·말레이 제도 원산임. 관상용.

인도-코끼리【印度—】명〖동〗[*Elephas maximus*] 코끼릿과에 속하는 소형의 코끼리. 아프리카코끼리보다 조금 작은데, 어깨 높이 수컷은 2.7m, 암컷은 2.4m 이하이나 3.6m에 달하는 것도 있음. 문치(門齒)의 상아(象牙)는 수컷은 1.5m, 때로는 2.4m에 달하나 암컷은 겨우 입 밖에 나타나는 정도임. 코 끝의 예민한 촉각의 돌기로 땅 위의 바늘까지도 찾아서 움키어 놓는다 함. 헤엄을 좋아하며, 몹시 더울 때 코로 물을 흡입해 등에 뿌림. 15-30 마리씩 떼지어 사는데, 가장 나이 많은 수컷이 지휘 통솔함. 풀·과실·나뭇잎 등을 먹고, 임신 18-21개월 만에 한 배에 한 마리의 새끼를 낳음. 수명은 50-80 년임. 밀림 속에 서식하는데, 인도·인도차이나·수마트라·보르네오 지방에 분포(分布)함. 길들이어 사역(使役)에 씀. 인도상(印度象). ＊아프리카코끼리.

〈인도코끼리〉

인도-코뿔소【印度—】[—쏘] 명〖동〗[*Rhinoceros unicornis*] 코뿔소과에 속하는 짐승의 하나. 아시아산 코뿔소 중 최대의 것으로, 어깨 높이 1.5-1.7m, 체장(體長) 3m, 몸무게 2톤임. 뿔은 하나로, 비교적 짧아서 30cm 이하가 많은데 드물게 60cm의 것도 있음. 피부는 딱딱하고, 깊은 주름으로 어깨·몸통·허리로 구획되며, 돌기상 융기(突起狀隆起)가 많음. 흙탕물의 습지가 있는 초원에 단독 또는 작은 무리를 이루고 사는데 초식성임. 성질은 온순함. 옛날에는 인도 각지에 분포했는데 지금은 네팔과 아삼(Assam)에 소수가 남아 있음. 인도 무소. 일각서(一角犀).

〈인도코뿔소〉

인도 태평양 동:물 지리구【印度太平洋動物地理區】명 [Indo-Pacific faunal region] 아프리카 동안(東岸)에서부터 오스트레일리아의 북쪽, 일본의 남쪽을 거쳐 알래스카 남부의 동태평양(東太平洋)에 이르는 연안(沿岸) 해양성 동물 지리구.

인도 통:치법【印度統治法】[—뻡] 명〖역〗 영국의 의회가 인도를 통치하기 위하여 정한 법률의 총칭. 중요한 것으로는 1858년의 인도 제국의 성립을 정한 인도 통치 개선법, 1909년의 인도 참사회법(參事會法)·1919년 지방 자치제를 정한 몬터규첼름스퍼드법(Montagu-Chelmsford 法) 등이 있음.

인도 파키스탄 분쟁【—紛爭】[Indo Pakistan] 명〖정〗 인도 파키스탄 사이의 영토(領土)·수리(水利)·종교 등을 에워싼 3차에 걸친 분쟁. 1947년의 분할 독립 때부터 계속되고 있음.

인도페닌 반:응【—反應】[indophenine] 명〖화〗 티오펜(thiophene)에 이사틴(isatin)과 진한 황산을 가했을 때 청록색(青綠色)으로 되는 반응. 처음 벤젠의 발색(發色) 반응으로 생각되었으나, 마이어(Meyer, V.)의 발견으로 이 반응이 벤젠에 의해서가 아니고 조제(粗製) 벤젠 중의 불순물 티오펜 때문이라는 것이 밝혀짐.

인도-필【引渡畢】명 인도가 끝남. 또, 그 증명.

인도-학【印度學】명 [Indology] 인도의 문화(文化), 곧 그 언어(言語)·문학(文學)·철학(哲學)·종교(宗教)·역사(歷史)·미술(美術)·고고학(考古學) 등을 연구의 대상으로 하는 학문. 인도를 점령(占領)한 영국인에 의하여 시작되었음.

인도 항:로【印度航路】[—노] 명 희망봉(喜望峰)을 돌아 인도에 이르는 항로. 1498년 가마(Gama, Vasco da)에 의해 개척되어, 동방 무역에 커다란 영향을 끼쳤음.

인도-호랑이【印度虎狼—】명〖동〗[*Panthera tigris*] 호랑이의 한 아종(亞種). 인도 벵골 등지의 밀림에 삶.

인도-황【印度黃】명〖화〗 인디언 옐로.

인독【仁篤】명 어질고 인정이 두터움.

인독트리네이션 [indoctrination] 명〖교〗 일정한 교의(教義)를 가르친다는 뜻으로, 무비판적(無批判的)인 신념(信念)을 청소년(青少年)에게 주는 일.

인돌 [indole] 명〖화〗 ①트립토판(triptophan)의 분해 생성물(分解生成物). 장내(腸內)에서 어떤 종류의 세균(細菌)이 발육(發育)할 때 생김. [$C_6H_4(CHNH)CH$] ②백색 또는 황색 인편상(鱗片狀)의 발암성(發癌性) 물질. 불쾌한 냄새가 나며, 알코올·에테르·더운 물 및 불휘발성(不揮發性) 기름에 녹음. 녹는점 52°C. 화학 시약(化學試藥)·향료(香料) 및 의료(醫療)에 쓰임.

인돌아세트-산【—酸】명 [indoleacetic acid]〖화〗 식물의 생장 호르몬(生長 hormone)의 한 가지. 트립토판(triptophan)의 분해 생성물로서 세균에 의해 생성됨. 과실의 종자의 발육·낙엽·개화(開花)·조엽(造葉) 등의 촉진제로 사용됨. 아이 에이 에이(IAA). [$C_{10}H_9O_2N$]

인동[1]【忍冬】명 ①〖식〗 인동덩굴. ②〖한의〗 인동덩굴의 줄기와 잎사귀를 음건(陰乾)한 한약제. 한열(寒熱)·이뇨·해열·풍습 및 모든 종기(腫氣)에 쓰임.

인동[2]【隣洞】명 이웃 동네. 인리(隣里).

인동-과【忍冬科】[—꽈] 명〖식〗[Caprifoliaceae] 쌍자엽 식물에 속하는 한 과. 북반구(北半球) 온대 지방 및 열대 고원에 10속 400여 종, 한국에는 괴불나무·댕강나무·댕댕이나무·딱총나무·병꽃나무·인동덩굴 등의 40여 종이 분포함.

인동-덩굴【忍冬—】명〖식〗[*Lonicera japonica*] 인동과(忍冬科)에 속하는 덩굴진 낙엽 활엽 관목. 잎은 대생하고 달걀꼴 또는 긴 타원형이며 톱니가 없고 양면에 잔 털이 났으며 일부는 월동(越冬)도 함. 5월에 백색에서 황색으로 변하는 꽃이 액출(腋出)하여 쌍생(雙生)으로 피고, 장과(漿果)는 가을에 까맣게 익음. 산기슭에 나는데, 함북을 제외한 한국 각지 및 일본·중국 등지에 분포함. 잎은 차(茶) 대용, 줄기·잎은 한방에서 '인동', 꽃은 '금은화'라 하여 약재로 씀. 겨우살이덩굴. 금은등(金銀藤). 금은목. 금차고(金釵股). 노사등(鷺鷥藤). 노옹수(老翁鬚). 밀보등(蜜補藤). 수양등(水楊藤). 원앙등(鴛鴦藤). 인동(忍冬). 인동초(忍冬草). 좌전등(左纏藤). 통령초(通靈草).

〈인동덩굴〉

인동 무늬【忍冬—】[—니] 명 인동문(忍冬紋).

인동-문【忍冬紋】명 인동덩굴의 벋어나가는 형상을 도안한 무늬. 건축·공예의 장식에 쓰이는데, 고대 이집트에서 생긴 것으로, 그리스·로마·중국을 거쳐 전래했음. 인동 무늬.

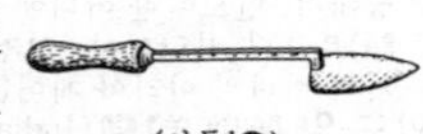
〈인동문〉

인동-주【忍冬酒】명〖한의〗 인동덩굴의 줄기를 짓찧어 생감초(生甘草)와 함께 썰어 넣고 여러 번 끓여 만든 음료(飲料). 종기(腫氣)에 쓰임.

인동-초【忍冬草】명〖식〗 인동덩굴.

인두[1] 명 ①바느질할 때에 불에 달구어, 천의 구김살을 눌러 펴는 데 쓰이는 기구. 바닥이 반반하고 긴 손잡이가 달렸음. 취음: 인도(引刀). ②↗납땜 인두.

〈인두¹❶〉

인두[2]【人頭】명 ①사람의 머리. ②사람의 머릿수.

인두[3]【引頭】명〖불교〗 법회(法會) 때에 여러 중의 선도(先導)가 되는 중.

인두[4]【咽頭】명 ①[pharinx]〖생〗 위로 비강(鼻腔), 앞으로 구강(口腔)으로 이어지고 식도(食道) 및 후두(喉頭)에 접속된 깔때기 모양의 근육성 기관(筋肉性器官). ②〖언〗 설근(舌根)과 인두벽(咽頭壁) 사이의 공간. 구강(口腔)·비강(鼻腔) 및 후두(喉頭)에 접하여 있음.

인-두겁【人—】명 사람의 탈. 사람의 겉형상.
인두겁(을) 쓰다 ㉮ 행실이나 바탕은 사람답지 못하고 겉만 사람의 형상을 갖춘 것이라는 말. ¶인두겁을 쓰고 어찌 그런 짓을 하랴.

인두 결막열【咽頭結膜熱】[—녈] 명〖의〗 아데노 바이러스에 의한 전염병. 여름철 어린이가 많이 걸리며, 흔히 수영장의 물에서 전염되므로 풀열(pool熱)이라고도 함. 잠복기는 5-7일이며 발열(發熱)과 인두 및 결막의 염증을 주증(主症)으로 함. 보통 감기와 같이 치료는 대증 요법(對症療法) 및 안정(安靜)임.

인두 결핵【咽頭結核】명 [pharyngeal tuberculosis]〖의〗 인두에 결핵균(結核菌)이 감염되어 일어나는 병. 흔히, 후두 결핵이나 폐결핵에 이어 발생하는데, 주로 연구개(軟口蓋)에 호발(好發)하며, 청장년(青壯年)층 남자에 많음.

인두-그림 명 낙화(烙畫).

인두-끌 명 인두같이 생긴 끌. 밑끌의 하나로, 긴 홈을 파거나 곡선을 다듬는 데 씀.

인두 디프테리아【咽頭—】명 [pharyngeal diphtheria]〖의〗 구개 편도(口蓋扁桃) 또는 그 부근의 인두 조직에 발생되는 급성(急性) 법정(法定) 전염병의 하나. 두통(頭痛)이 나고 전신이 느른해지고 침을 삼킬 때 아픔.

인두-세【人頭稅】명 [capitation taxes]〖법〗 각 개인에 대하여 그 납세 능력의 차를 고려하지 않고 일률적으로 부과하는 조세(租稅). 원시적 조세 형태의 하나로, 18-19세기에 이르러 폐지되었으나, 현재 생활 필수품에 대한 소비세(消費稅) 등의 간접세(間接稅)는 인두세와 같은 작용이 있음.

인두-염【咽頭炎】명 [pharyngitis]〖의〗 인두 점막(粘膜)에 생기는 염증(炎症). 연하통(嚥下痛)·발열(發熱)·점액 분비(粘液分泌)의 증가 등의 증상을 나타냄. 인두 카타르.

인두-음【咽頭音】명〖언〗 설근(舌根)과 인두벽(咽頭壁) 사이에서 조음(調音)되는 음.

인두-질 명 인두로 다리는 짓. ——-하다 ㉠여불

인두-치【咽頭齒】명 [pharyngeal tooth]〖어〗 경골어류(硬骨魚類)의 인두부를 구성하는 경골(硬骨)에 나 있는 이.

인두 카타르【咽頭—】[도 Katarrh] 명〖의〗 인두염.

인두-판【—板】명 인두질할 때에 쓰는 기구. 직사각형의 널조각에 솜을 두어 안팎을 종이나 헝겊으로 싼 것.

인-둘리다【人—】㉶ 사람에 취하다. 여러 사람의 운김에 휘둘리다.

인둣-불 명 인두를 뜨겁게 달구려고 피워 놓은 불. 흔히 화롯불을 썼음.

인-뒤웅이【印—】명〖역〗 관아(官衙)에서 쓰던 인(印)을 넣어 두는 궤. 인궤(印櫃). ㊀인뚱이.

〈인뒤웅이〉

인듐 [indium] [명] 〖화〗 금속 원소의 하나. 비중 7.282, 녹는점 156.4°C, 끓는점 1,450°C. 은백색인데 납보다 무르고 가열(加熱)하면 청색염(靑色焰)을 내며 탐. 섬아연광(閃亞鉛鑛)·방아연광(方亞鉛鑛) 속에 함유(含有)되어 있음. 도금(鍍金)·합금(合金) 따위에 쓰임. [49번:In: 114.82]

인드라 [Indra] [명] 〖신〗 인도 베다(Veda) 신화의 위대신(偉大神). 군신(軍神)으로, 폭풍과 구름을 구사하며, 몸은 모두 갈색인데, 팔은 네 개로, 두 개의 창을 들고 코끼리를 탔음. 전차(戰車)로 공중을 날며 맹위를 떨친다 함. 불교에서는 제석천(帝釋天) 또는 십이천(十二天)의 하나로 동방(東方)의 수호신임. 인타라(因陀羅).

〈인드라〉

인 드롭 [in drop] [명] 야구에서, 투수가 던진 공이 타자 가까이 와서 인커브를 하면서 아래로 드롭하는 공. 즉, 인커브와 드롭의 혼합구.

인들 [조] 받침 있는 체언에 붙어, '이라고 할지라도 어찌'·'이라도'의 뜻으로 쓰는 보조사(補助詞). ¶죽음~ 겁내랴/착한 사람~ 가만히 있겠니. *ㄴ들.

인등 【引燈】 [명] 〖불교〗 부처 앞에 등불을 켬. ——-하다 [자][여불]

인등 시:주 【引燈施主】 [명] 〖불교〗 인등할 기름을 시주함. 또, 그 사람.

인디고 [indigo] [명] 암청색(暗靑色)의 물감. 옛날에는 식물성의 쪽에서 채취하였으나, 지금은 아닐린을 원료로 하여 공업적으로 합성함. 남(藍). 청람(靑藍). 양람(洋藍). 인도남(印度藍).

인디고 레드 [indigo red] [명] 인디고 제조 과정에서 얻어지는 인디고의 적색 이성체(赤色異性體). [$C_{16}H_{10}O_2N_2$]

인디고 물감 [—깜] [명] [indigoid dye] 인디고 및 이와 비슷한 구조(構造)로 된 건염(建染) 물감의 총칭. 청(靑)·자(紫)·오렌지·흑(黑)이 있으며, 주로 무명·명주·마직물(麻織物)·나일론·레이온(rayon)의 염색(染色)에 쓰임.

인디고 블루 [indigo blue] [명] 인디고 염료(染料)의 성분(成分). 암청색(暗靑色)의 장사방계 결정(長斜方系結晶)임. 가열(加熱)한 아닐린(aniline)과 클로로포름(chloroform)에 녹음. 합성(合成)에 의해서도 만들 수 있음. 시약(試藥)·염료로 쓰임. 분해 온도(分解溫度)는 30°C. [$C_{16}H_{10}O_2N_2$]

인디기르카 강 【—江】 [Indigirka] [명] 〖지〗 러시아 시베리아 동북부 야쿠트(Yakut) 자치 공화국의 강. 오이먀콘(Oimyakon) 산지에서 발원하여 체르스키 산맥을 횡단하여 북극해(北極海)로 흘러 들어감. 10월부터 이듬해 5월까지 결빙(結氷)함. [1,760km]

인디 레이스 [Indi race] [명] ↗인디애나폴리스 레이스(Indianapolis race).

인디비듀얼리즘 [individualism] [명] 개인주의(個人主義).

인디아 [India] [명] ①〖지〗 인도[6]. ②인도 공화국의 대외(對外) 공식 명칭. 인도 헌법 제정 의회가 1949년 9월에 채택하였음.

인디아 페이퍼 [India paper] [명] 중국의 당지(唐紙)의 질을 영국에서 개량하여 제조한 얇고 불투명하며 질긴 서양지. 성경(聖經)·사전 등에 많이 쓰임. 성경에 많이 쓰였으므로 바이블 인디아 페이퍼(Bible India paper) 또는 옥스퍼드에서 처음 만들었다 하여 옥스퍼드 인디아 페이퍼(Oxford India paper)라고도 함. 인도지.

인디애나 주 【—州】 [Indiana] [명] 〖지〗 미국 중부의 공업·농업 주(州). 오대호 남안(五大湖南岸)의 대공업 지대의 일부로, 제철·기계·화학·제유·식품 공업 등 제(諸)공업이 성함. 석탄·석유·시멘트를 산출하며 농업도 활발함. 주산물은 옥수수임. 수도는 인디애나폴리스(Indianapolis). [93,064km^2 : 5,544,159명(1990)]

인디애나-폴리스 [Indianapolis] [명] 〖지〗 아메리카 합중국 인디애나 주의 주도. 화이트 강 남안에 연하여 있으며, 기계(機械)·화학(化學)·식품 가공(食品加工) 공업이 성하며 대가축 시장(大家畜市場)이 있음. [744,952(1990)]

인디애나폴리스 레이스 [Indianapolis race] [명] 미국의 전몰자(戰沒者) 기념일(5월 30일)에, 인디애나폴리스에서 매년 거행되는 500마일 자동차 경주. 제1회는 1911년에 거행하였음. 한 바퀴 2.5 마일의 코스를 200 회 돎. [준]인디 레이스.

인디언 [Indian] [명] ①인도(印度) 사람. 인도인. ②아메리칸 인디언(American Indian).

인디언 레드 [Indian red] [명] 〖화〗 인도의 벵골(Bengal) 지방에서 천연적으로 산출되는 적철광(赤鐵鑛)으로 만든 적색 안료(赤色顔料). 현재는 황산철(Ⅱ)을 구워서 만든 산화철(Ⅲ), 즉 벵갈라(bengala) 중 암적색의 것을 말함. 인도적(印度赤).

인디언 서머 [Indian Summer] [명] 늦가을에서 초겨울에 걸쳐 이상하게 따뜻한 날씨가 계속되는 기간. 낮에는 화창하게 갠 날씨이나 야간에는 상당히 추워지는 날씨임.

인디언 소:스 [Indian sauce] [명] 인도식(式) 소스. 카레가루를 주원료로 하여 만든 매콤한 소스. **인도 소스.**

인디언 옐로 [Indian yellow] [명] ①노란 물감의 하나. 황등색(黃橙色). ②건염 염료(建染染料)의 하나. 황색으로, 명주·양피(羊皮)·피혁(皮革) 등을 물들이는 데 씀. ③주로 수채화(水彩畫)에 쓰이는 짙은 황색의 그림 물감. 인도황(印度黃).

인디언 클럽 [Indian club] [명] 곤봉 체조(棍棒體操). 또, 곤봉.

인디언 헤드 [Indian head] [명] 촘촘한 무명 평직(平織)의 천에 대한 상품명. 인도 사람의 터반(turban)에서 이름이 생겼다 함.

인디오 [스 indio] [명] 넓은 뜻의 아메리카 인디언, 좁은 뜻으로는 중남미의 원주민을 일컬음.

인디케이터 [indicator] [명] ①〖기〗 온도·압력·속도 등의 계수 표시(計數表示)를 하는 기기(機器)의 총칭. 표시기(表示器). 지시기. 지압계(指壓計). ②야구 경기에서, 구심(球審)이 타자(打者)의 볼 카운트(ball count)를 잊지 아니하기 위하여 사용하는 계수기(計數器). ③〖약〗 지시약(指示藥).

인돌 [조] 〈옛〉 ①인줄. 인 것을. ¶이 輪廻ㅅ 本인돌 標ㅎ야 ᄀᆞᄅᆞ치시니(標指…是輪廻之本)≪圓覺 下 一之一 16≫. ②인들. ¶塞外北狄인돌 아니오리잇가(塞外北狄寧不來王)≪龍歌 53章≫.

인-뚱이 【印—】 [명] ↗인뒤웅이.

인-라인 [in-line] [명] 인 하우스 온라인(in house on-line).

인라인 동조 【—同調】 [명] [in-line tuning] 〖전〗 슈퍼헤테로다인 수신기(superheterodyne受信機)의 중간 주파수부(周波數部)를 동조하는 방법. 전중간 주파 증폭단(增幅段)은 동일 주파수로 공진(共振)됨.

인라인 안테나 [in-line antenna] [명] '王'자 모양으로 생긴 근거리(近距離) 전용의 텔레비전 안테나.

인랜드 머린 보:험 【—保險】 [inland marine] [명] 〖경〗 미국에서 발달된 비교적 새로운 보험의 하나. 원래는 육상 운송(陸上運送) 또는 호수·하천·운하에 의한 운송 위험을 담보하는 보험이었으나 차차 터널·교량 등의 운송 보험도 이에 포함되고, 더 나아가서 의류(衣類)·모피(毛皮)·보석 등 늘 몸에 지니고 다니는 물건, 또 화재·도난 기타의 손해를 전보(塡補)하는 보험 및 운송업자·창고업자·모피상(毛皮商)·세탁업자와 같은 수탁자(受託者)가 손님으로부터 맡았던 물품을 분실(紛失) 혹은 훼손(毁損)한 경우에 배상 책임(賠償責任)을 담보(擔保)하는 보험도 포함함.

인-레이 [inlay] [명] 〖의〗 치아(齒牙)에 봉박는 합금(合金). 또, 충치(蟲齒)에 봉박기.

인력[1] 【人力】 [일—] [명] ①사람의 힘. ②인원. 인적 자원. 인간의 노동력. ¶~ 동원/~ 수출.

인력[2] 【引力】 [일—] [명] [attractive force] 〖물〗 공간적으로 떨어진 물체끼리 서로 끌어당기는 힘. 뉴턴의 만유 인력(萬有引力)은 모든 물체 간에 존재하고, 대전체(帶電體)·자극(磁極) 등의 사이에는 전기적·자기적 인력이 존재하며, 또한 분자·원자·소립자(素粒子) 등의 사이에는 특수한 인력이 작용함.

인력-거 【人力車】 [일—] [명] 큰 두 바퀴 위에 사람이 타는 자리를 만들어 그 위에 포장을 씌우고, 사람이 끌도록 만든 수레. 수거(手車).

〈인력거〉

인력거-꾼 【人力車—】 [일—] [명] 인력거를 끄는 사람.

인력 구관 【印曆句管】 [일—] [명] 〖역〗 조선 시대 관상감(觀象監)의 한 산원(散員).

인력-권 【引力圈】 [일—] [명] ①[sphere of attraction] 〖물〗 실온(室溫)에서의 분자의 평균 열 에너지에 비하여, 두 분자 상호 간의 인력에서 생기는 위치 에너지가 무시될 수 없는 범위. ②[attractive force field] 〖천〗 어떤 천체의 인력이 가까운 다른 천체의 인력에 비해 강하게 작용하는 범위로서 편의(便宜)상 도입된 개념. 달의 지구에 대한 인력권 반경은 6만 6,500km, 지구의 태양에 대한 인력권 반경은 92만 5,000km임.

인력 비행기 【人力飛行機】 [일—] [명] 동력을 전혀 쓰지 않고, 기상에 탄 사람의 힘만으로 나는 비행기. 1962년 영국의 사우샘프턴(Southampton) 대학생이 500m, 동(同) 하트 필드 비행 클럽이 900m를 2-2.4m의 높이로 비행함. 실용 가치는 없으나, 공기 역학적·구조학적(構造學的) 흥미의 대상이 됨.

인력 수출 【人力輸出】 [일—] [명] 직접 해외(海外)로 나가 외화(外貨)를 벌어들이도록 기술자·간호사·의사·선원(船員) 등 각 방면의 사람들을 해외로 파견하는 일.

인력 연직선 【引力鉛直線】 [일—] [명] [mass attraction vertical] 〖물〗 질량(質量)의 분포에만 관계가 있고, 지구(地球)의 운동에 의한 힘에는 관계가 없는 연직선.

인력의 중심 【引力—中心】 [일—/일—에—] [명] [center of attraction] 〖물〗 물체·질점 상(質點上)의 힘. 예컨대 중력·정전력(靜電力) 등이 변함없이 향하는 점. 힘의 크기는 이 점으로부터의 물체·질점까지의 거리에 달림.

인례[1] 【人禮】 [일—] [명] 종묘(宗廟) 등에 제사 지내는 예.

인례[2] 【引例】 [일—] [명] 예(例)를 들어 증거(證據)를 보임. 또, 그 예. ——-하다 [자][여불]

인로왕-번 【引路王幡】 [일—] [명] 〖불교〗 죽은 사람의 저승길을 인도한다는 인로왕 보살(引路王菩薩)의 이름을 쓴 기(旗).

인록 【人祿】 [일—] [명] 〖역〗 조선 때 토호들이 농번기 따위에 자기들이 받을 녹처럼 양인들을 잡아다 부리던 일. ¶농시 백성을 ~ 잡지 못하도록 엄령을 내리다.

인롱 【印籠】 [일—] [명] ①도장을 넣은 궤. 인궤(印櫃). ②의료품(醫療品)을 넣어 두는 궤.

인뢰 【人籟】 [일—] [명] 사람이 입으로 불거나 타는 것들의 소리. 곧, 피리·퉁소를 불거나 거문고·비파 등을 타는 소리. ↔지뢰(地籟).

인료 【引料】 [일—] [명] 잡아당김. ——-하다 [타][여불]

인류[1] 【人類】 [일—] [명] ①사람을 생물학적으로 딴 동물과 구별하는 말. 진화사상(進化史上) 유인(猿人)·원인(原人)·구인(舊人)·신인(新人)·현생(現生) 인류로 분류함. ②세계 안의 모든 사람.

인류[2] 【引類】 [일—] [명] 끼리끼리 모임.

인류 공:영 【人類共榮】 [일—] [명] 세계의 모든 사람들이 다 함께 번영을

누림. ¶～의 이상(理想).

인류-교【人類教】[일—] 명 〖종〗 인도교(人道教).

인류-권【人類圈】[일—꿘] 명 〔anthroposphere〕 생물권 중에서 사람의 활동에 의한 변화가 심한 부분.

인류 다원설【人類多元說】[일—] 명 〔polygenism〕 〖사〗 인류 기원(起源)의 복잡성·이질성(異質性)을 주장하는 설.

인류-사【人類史】[일—] 명 인류가 형성하여 온 역사. 인류에 관한 역사.

인류 생태학【人類生態學】[일—] 명 〖사〗 인간 생태학.

인류 시대【人類時代】[일—] 명 〔Age of Man〕 〖지〗 지질 연대에서 신생대(新生代) 중 제사기(第四紀)의 비공식적인 이름.

인류-애【人類愛】[일—] 명 인류에 대한 사랑. 인류 전체를 사랑하는 마음.

인류 유전학【人類遺傳學】[일—] 명 〔human genetics〕 인류의 유전할 수 있는 여러 형질, 곧 형태적·생리적·심리적·생화학적·병적 제현상을 연구하는 학문. 인류학이나 우생학(優生學)의 기초가 됨.

인류-적【人類的】[일—] 명관 인류에 관한 모양.

인류 정신사【人類精神史】[일—] 명 인류의 정신면의 변천 발달하여 온 역사. 곧, 한 시대의 사상 및 그 경향(傾向)이 변천·발전해 온 과정을 고찰하는 역사임.

인류-지【人類誌】[일—] 명 인류의 각종 자연 집단을 기술하는 인류학의 한 부문. 기술적(記述的) 인류학.

인류 지리학【人類地理學】[일—] 명 지리학적 사회학(社會學).

인류-학【人類學】[일—] 명 〔anthropology〕 인류의 문화 및 체질에 관한 여러 문제를 연구하는 학문. 곧, 인류 발생으로부터 현재까지의 발달·분포·풍속 등을 연구하며, 그 동물학적(動物學的)·문화사적(文化史的) 계통에 따라 체질 인류학(體質人類學)·문화 인류학(文化人類學)의 두 부문(部門)으로 나뉨.

인류학-과【人類學科】[일—] 명 〖교〗 대학에서, 인류학을 전공(專攻)하는 학과. *문화 인류학과.

인류학-자【人類學者】[일—] 명 인류학을 연구하여 이로써 일가(一家)를 이룬 학자.

인륜[1]【人倫】[일—] 명 〖윤〗 ①사람으로서의 떳떳한 도리. 이륜(彝倫). ②군신(君臣)·부자·형제·부부 등 상하 존비(上下尊卑)의 인간 관계나 질서. 또, 그 같은 인간 관계를 유지하는 도덕·윤리. 전하여, 인간의 도리. 사람으로서의 윤리. *오륜(五倫). ③〔도 Sittlichkeit〕 헤겔(Hegel)의 용어로, 객관화된 이성적 의지(理性的意志). 그 실체(實體)는 가족·시민 사회·국가임.

인륜[2]【湮淪】[일—] 명 죄다 없어져 자취도 없음. 인멸(湮滅). 인침(湮沈). ——-하다 자 여불

인륜[3]【鱗淪】[일—] 명 비늘같이 보이는 잔 물결.

인륜 대:사【人倫大事】 [일—] 명 인간 생활에 있어서 겪는 중대한 일. 곧, 혼인·장례 따위. 인간 대사(人間大事).

인-릉[1]【仁陵】[일—] 명 〖지〗 ①고려 선종(宣宗)의 능. 장소는 확실하지 않음. ②조선 시대 순조(純祖)와 왕후 순원 김씨(純元金氏)의 능. 서울 특별시 강남구 내곡동(內谷洞), 헌릉(獻陵)의 왼쪽 언덕에 있음.

인릉[2]【忍凌】[일—] 명 〖식〗 겨우살이풀.

인리[1]【人吏】[일—] 명 ①〖역〗 아전(衙前). ②고려 때, 기관(記官)·기사(記事) 등과 같이, 거관(去官)하여 동정직(同正職)으로 진급할 수 있는 이속(吏屬)의 일컬음. *하전(下典).

인리[2]【人里】[일—] 명 사람이 많이 사는 동네.

인리[3]【人理】[일—] 명 사람의 도리. 인도(人道).

인리[4]【仁里】[일—] 명 풍속이 아름다운 시골.

인리[5]【隣里】[일—] 명 이웃 동네. 인곡(隣曲). 인동(隣洞).

인리-성【人吏姓】[일—] 명 〖역〗 조선 시대 초기에, 성씨(姓氏) 종류의 하나. 고려 시대 향리(鄕吏)의 성씨. 세종 실록 지리지(地理志)에는 4 본관(本貫) 8 성(姓)뿐임. *토성(土姓).

인리 향당【隣里鄕黨】[일—] 명 이웃 동네의 여러 사람.

인린[1]【轔轔】[일—] 명 수레 바퀴가 떨떨 구르는 소리. ——-하다 자 여불

인린[2]【鱗鱗】[일—] 명 비늘 같은 물결의 형용. 비늘같이 산뜻하고 고운 모양. ——-하다 형 여불

인린-하다【燐燐—】[일—] 자 여불 도깨비불이나 반딧불이 번쩍번쩍하다.

인립【人立】[일—] 명 동물이 사람이 서는 것처럼 섬. ——-하다 자 여불

인마[1]【人馬】 명 ①사람과 말. ②마부(馬夫)와 말. ③〖천〗 ↗인마궁(人馬宮).

인마[2] 준 이 놈아. ¶～, 이리 와. *얀마.

인마-궁【人馬宮】 명 〖천〗 황도(黃道) 십이궁(十二宮)의 아홉째. 천갈궁(天蠍宮)과 마갈궁(磨羯宮) 사이에 있으며, 태양은 11월 23일부터 12월 23일까지 이 별자리에 있음. 사수궁(射手宮). 준인마(人馬).

인마 낙역【人馬絡繹】 명 인마가 낙역 부절(絡繹不絕)하다는 뜻으로, 번화(繁華)한 도시(都市)를 형용하는 말.

인마-샛〔INMARSAT〕 명 〔International Marine Satellite Organization의 약칭〕 국제 해사 위성 기구.

인마 역동【人馬亦同】 명 사람과 말이 한 가지로 같다는 의미로, 같은 경우에 닥쳤을 때 미물(微物)이라도 처우(處遇)를 소홀히 하지 않아야 한다는 뜻으로 쓰임.

인-마일【人—】〔mile〕 의명 마일(mile)로 계산하는 나라에서, 인킬로(人kilo)에 상당하는 계산 단위.

인만【引滿】 명 ①활시위를 잔뜩 당김. ②잔에 술을 찰찰 넘게 부음. ——-하다 타 여불

인말[1]【姻末】 명 편지 등에서 자기의 이질(姨姪) 또는 처질(妻姪)에게 대하여 스스로 일컫는 말. 인하(姻下).

인말[2]【寅末】 명 〖민〗 인시(寅時)의 마지막 시각, 곧 오전 다섯 시경.

인망[1]【人望】 명 세상 사람이 우러르고 따르는 덕망(德望). ¶그이는 ～이 높다.

인망[2]【引網】 명 끌그물. ¶저(底)～.

인망-가【人望家】 명 인망이 있는 사람.

인망 가폐【人亡家廢】 명 사람은 망하고 집은 황폐함. 패가 망신(敗家亡身). ——-하다 자 여불

인맥【人脈】 명 정계·재계·학계 따위에서, 같은 계통·계열에 속하는 사람들의 유대 관계.

인-멀미【人—】 명 〈방〉 사람 멀미.

인 메모리엄〔라 In Memoriam〕 명 〖문〗 영국의 계관(桂冠) 시인 테니슨(Tennyson)의 장편 서정시. 1850년 발표. 그의 친구이며 역시 시인이던 핼럼(Hallam, Arthu; 1811-33)의 죽음을 슬퍼하여, 17년 간에 걸쳐 틈틈이 감회를 읊은 서정시를 모아 우정을 표시한 작품.

인면[1]【人面】 명 사람의 얼굴. ¶～ 수심(獸心).

인면[2]【仁免】 명 불쌍히 여겨 죄를 용서함. ——-하다 타 여불

인면[3]【印面】 명 인장(印章)의 글자를 새긴 면(面).

인면[4]【印綿】 명 ↗인도면(印度綿).

인면[5]【忍勉】 명 참고 힘씀. ——-하다 자 여불

인면 수심【人面獸心】 명 〔얼굴은 사람 꼴을 하고 있으나 마음은 짐승과 같다는 뜻〕 은의(恩義)를 모르는 사람, 냉혹 비정(冷酷非情)한 사람을 욕하여 이르는 말.

인면-창【人面瘡】 명 〖의〗 무릎·팔 또는 손목 등에 나는 부스럼의 한 가지. 그 모양이 사람의 얼굴과 비슷함.

인멸【湮滅·堙滅】 명 자취도 없이 죄다 없어짐. 또, 없앰. 인륜(湮淪). 인몰(湮沒). 인침(湮沈). ¶증거 ～. ——-하다 자타 여불

인명[1]【人名】 명 사람의 이름.

인명[2]【人命】 명 사람의 목숨. ¶～ 경시의 풍조.

인명[3]【印明】 명 〖불교〗 인계(印契)와 진언(眞言). 손으로 결인(結印)하는 것과 입으로 진언을 외는 일.

인명[4]【印銘】 명 〖심〗 지각(知覺)한 것을 기억 속에 새겨 두어 잊지 않도록 하는 심리 활동.

인명[5]【因明】 명 〔범 hetu-vidyā〕 〖불교〗 고대 인도에서 일어난 논리학(論理學)으로, 오명(五明)의 하나. 사물의 정사(正邪)·진위(眞僞)를 고찰·논증하는 법으로, 그 형식은 명제(命題)인 종(宗), 이를 성립시키는 이치인 인(因), 예증을 들어 종과 인의 관계를 밝히는 유(喩)의 셋으로 됨. 불교(佛敎) 이전의 것을 고인명(古因明)이라 하여 족목 선인(足目仙人)이 주창한 것이고, 불교 이후의 것은 진 나(陳那)가 개창한 것으로 신인명(新因明)이라 부름. *인(因)·인명론파(因明論派).

인명 계:정【人名計定】 명 〖경〗 인적(人的) 계정 가운데 외상 거래에 의하여 상대방과의 사이에 생긴 대차 관계를 밝히기 위하여, 상대방의 인명이나 상호를 그대로 계정 이름으로 설정한 계정.

인명-록【人名錄】[—녹] 명 사람의 이름을 적어 둔 기록. 방명록(芳名錄).

인명론-파【因明論派】[—논—] 명 〖불교〗 인명을 주장하는 종파. 주로 족목 선인(足目仙人)의 고인명(古因明)을 종지(宗旨)로 삼은 파임. 인명파(因明派). *인명(因明).

인명-부【人名簿】 명 사람의 이름을 적어 놓은 장부.

인명 사전【人名辭典】 명 사람의 인명 및 그 행적(行績)을 수록한 사전. 인명 사서(辭書).

인명-수【人名數】[—쑤] 명 사람의 수효. 인원수(人員數).

인명-장【仁明章】[—짱] 명 〖악〗 조선 태종(太宗) 세실(世室)의 악장(樂章).

인명 재:각【人命在刻】 명 사람의 목숨이 경각(頃刻)에 달렸음.

인명 재:천【人命在天】 명 사람의 살고 죽음이 모두 하늘에 매여 있음.

인명 지중【人命至重】 명 사람의 목숨이 가장 귀함.

인명-파【因明派】 명 〖불교〗 인명론파(因明論派).

인명 피:해【人命被害】 명 사고 따위의 재변으로 말미암아 사람이 상하는 일. 또, 그 피해.

인모[1]【人毛】 명 사람의 머리털.

인모[2]【人謀】 명 사람의 꾀.

인모[3]【鱗毛】 명 ①〔scaly hair〕 〖식〗 많은 세포(細胞)로 되어 있으며, 비늘 모양으로 줄기·잎 등의 거죽을 덮어 이를 보호하는 잔 털. ②〖미술〗 곤충·어류(魚類)·조수(鳥獸)를 그린 그림.

인모 난측【人謀難測】 명 사람 마음의 간사함은 헤아리기 어려움.

인모 망건【人毛網巾】 명 인모(人毛)로 앞을 뜬 망건.

인모-앞【人毛—】 명 망건의 인모로 뜬 앞.

인목[1]【人目】 명 ①사람의 눈. ②남이 보는 눈. 남의 눈.

인목[2]【人牧】 명 백성을 기르고 다스린다는 뜻으로 임금을 이르는 말.

인목[3]【鱗木】 명 〖식〗 고생대(古生代)의 데본기(Devon紀)·석탄기(石炭紀)에 번성했던 화석(化石) 석송류(石松類). 높이 30m, 지름 2m에 달하는 거대한 교목(喬木)인데 큰 침엽(針葉)이 밀생하였음. 잎의 떨어진 자국이 비늘 모양을 이루어 줄기에 나선상으로 배열되었음. 현재 질이 좋은 석탄으로 발견됨.

〈인목[3]〉

인목 대:비【仁穆大妃】 명 〖사람〗 조선 선조(宣祖)의 계비(繼妃). 성(姓)은 김(金)씨. 연안(延安) 사람. 연흥 부원군(延興府院君) 제남(悌男)의

딸. 영창 대군의 어머니. 광해군(光海君)이 즉위하자 소북(小北)의 유영경(柳永慶) 일파가 몰락하고 영창 대군과 김제남이 피살된 후 대비도 서궁(西宮)에 유폐되었다가 인조 반정(仁祖反正)으로 풀려났음. 글씨에 능했음. [1584-1632]

인몰【湮沒】명 흔적도 없이 없어짐. 인륜(湮淪). 인멸(湮滅). ——-하다 자여불

인무【仁武】명 어질고도 무용(武勇)이 있음.

인묵【引墨】명 ①먹으로 줄을 그음. ②첨삭(添削)함. ——-하다 타여불

인문[1]【人文】명 ①인류의 문명 또는 문물(文物). ②인물(人物)과 문물(文物). ③인륜(人倫)의 질서(秩序). ④사람이 쓴 글. 문장.

인문[2]【引文】명 ↗인용문(引用文).

인문[3]【仁聞】명 어질다고 평판 높은 소문.

인문[4]【印文】명 인발.

인문[5]【鱗紋】명 비늘처럼 나란히 줄지어 있는 무늬. 비늘무늬.

인문-계【人文系】명 인문과 계통.

인문-과【人文科】[―꽈] 명 언어·문학·철학·사회 생활에 관한 여러 학과의 총칭. ↔이공과(理工科).

인문 과학【人文科學】명 정치(政治)·경제(經濟)·사회(社會)·역사(歷史)·학예(學藝) 등 널리 인류 문화에 관한 정신 과학의 총칭. ↔자연 과학(自然科學).

인문-보【印紋褓】[―뽀] 명 여러 가지 물감으로 물들인 보자기.

인문 신화【人文神話】명 주로 인간 사회의 문화적인 사물(事物)·현상(現象)이 발생한 원인을 설명하고 그 상태나 과정을 설명하는 신화. ↔자연 신화.

인문-장【引紋匠】명〖역〗피륙의 무늬를 짜는 장인(匠人).

인문-적【人文的】명관 인문에 관한 모양. ↔자연적(自然的).

인문-주의【人文主義】[―/―이] 명 문예 부흥기에 이탈리아에서 발생하여 유럽으로 확대된 정신 운동. 중세 가톨릭 교회의 정신적 속박에서 벗어나, 교회의 권위보다 인간의 권위를 중히 여겨 문화적 교양의 발전에 노력한 사상. 인도주의의 고전적 형태(古典的形態)임. 인본 주의(人本主義). 휴머니즘(humanism).

인문 지리학【人文地理學】명〖지〗지표(地表)에 있어서 인간 활동의 모든 현상(現象)을 지역적으로 연구하는 사회 과학(社會科學)의 한 부문. 인류와 자연 환경(自然環境)과의 관련 하(關聯下)에 발달된 인문(人文)의 현상, 곧 국가·경제·교통·인구·취락(聚落) 등을 지역적으로 연구하고 그 법칙(法則)을 캐는 학문. 역사(歷史) 지리학·문화 지리학·경제 지리학·공업 지리학·민족(民族) 지리학 따위. 문화 지리학. ↔자연 지리학.

인문 토기【印文土器】명 표면에 인문(印文)을 내어 만든 토기(土器). 특히, 고고학(考古學)에서는 양쯔 강(揚子江) 중·하류로부터 푸젠(福建)·광둥(廣東)·인도 차이나 반도에 걸쳐 출토되는 선사 시대(先史時代)의 토기를 이름.

인문 평:론【人文評論】[―논] 명〖책〗최재서(崔載瑞)가 주재(主宰)·발간하던 문예 평론지(文藝評論誌). 1938년 12월에 창간, 1941년 4월에 폐간(廢刊)함.

인물【人物】명 ①사람과 물건. ②사람. 인간. ③사람의 됨됨이. 인품(人品). ④쓸모 있는 사람. 뛰어난 사람. 인재(人材). ¶~이 드물다. ⑤사람의 얼굴 모양. 이목 구비(耳目口鼻). 용모(容貌). ¶~이 좋다. ⑥〖미술〗↗인물화(人物畫).

[인물 좋으면 천하 일색 양귀비] 얼굴이 기껏 잘 생겼대야 양귀비 만큼이나 하겠느냐고 반문하는 말.

인물 가난【人物―】명 잘 생긴 사람이나 인재(人材)가 드문 일. 인물난(人物難). ¶~ 들다. *인가난.

인물-값【人物―】[―깝] 명 얼굴값.

인물값(도) 못:하다 구 얼굴이 생긴 만큼의 값어치를 못하다. 흔히, 훤하게 잘 생겨가지고 제구실을 못할 때에 이름.

인물값(을) 하다 구 남자나 여자나 반반하게 생겨가지고 행실이 올곧지 못하다.

인물-고【人物考】명〖책〗조선 정조(正祖)가 초계 문신(抄啓文臣) 등에게 명(命)하여 편술(編述)하게 한, 조선 시대 개국초부터 숙종(肅宗) 때까지의 명인(名人)의 약력을 모아 서술한 책. 26권 26책. 사본.

인물 고사【人物考査】명 지능 검사(知能檢査)나 정의(情意) 검사 등의 방법으로는 알아 볼 수 없는 개인의 특성이나 사정 또는 사람 됨됨이를 판정(判定)하는 일.

인물-난【人物難】[―란] 명 인재를 얻기가 매우 힘듦. 인물 가난.

인물-도【人物圖】명 인물화(人物畫).

인물-문【人物文】명 기명(器皿)이나 바위·돌·골편(骨片) 등에 사람의 모습이나 용모를 새겨 넣은 것.

인물-병【人物屛】명 인물의 그림을 그려 넣은 병풍.

인물 비:평【人物批評】명 개인(個人)의 인물을 들어 그의 인품(人品)이나 능력 및 행적 상(行績上)의 잘잘못을 평가하고 비판(批判)함. 또, 그 글. 특히, 저명 인사(著名人士)에 대해서 함. 인물 월단(人物月旦). 준인물평.

인물 월단【人物月旦】[―딴] 명 인물 비평(人物批評).

인물 전설【人物傳說】명 실제로 있었던 것으로 인정되는 인물에 관한 옛이야기.

인물-주의【人物主義】[―/―이] 명 가문(家門)이나 학력(學歷)·재산 같은 것은 문제 삼지 않고, 그 사람의 인품과 능력을 본위로 삼는 생각.

인물 차지【人物次知】명〖역〗인사(人事)의 사무를 맡은 사람.

인물 초인【人物招引】명 사람을 꾀어 냄. ——-하다 자여불

인물 추고 도감【人物推考都監】명〖역〗고려 때 유망인(流亡人)의 추쇄(推刷)를 맡아 보던 관아. 충렬왕 7년(1281)에 회문사(會問司)로 고치고 공양왕 3년(1391)에 다시 인물 추변 도감(人物推辨都監)으로 고쳤다가 이듬해에 폐함.

인물 추변 도감【人物推辨都監】명〖역〗전의 인물 추고 도감(人物推考都監)을 공양왕 3년(1391)에 고친 이름. 이듬해에 폐하고 사무를 도관(都官)에 넘기었음.

인물 추심【人物推尋】명 ①자취 모르는 사람을 더듬어 찾음. ②〖역〗도망하여 먼 곳에 가서 사는 노비(奴婢)나 그 자손을 그의 상전이나 그의 자손이 찾음. ——-하다 자여불

인물-평【人物評】명 인물 비평(人物批評).

인물 평:론【人物評論】[―논] 명 인물의 가치를 논하고 그의 잘잘못을 가려 논의(論議)함. 인물평(人物評). ——-하다 자여불

인물-화【人物畫】명 사람을 주로 해서 그린 그림. 초상화(肖像畫)보다 넓은 뜻으로 씀. 인물도. 준인물(人物). *풍경화(風景畫)·정물화(靜物畫).

인민[1]【人民】명 ①사회를 구성하는 사람. 백성(百姓). 민인(民人). 생치(生齒). ②〖법〗국가를 구성하고 있는 자연인(自然人). 법제사(法制史)적으로는 공화국(共和國)의 국가 구성원을 말하며, 군주국(君主國)에서는 군주에 대한 피치자(被治者)를 말함. *신민(臣民).

인민[2]【仁民】명 백성을 사랑하고 인정을 베풂.

인민 공사【人民公社】명 중국(中國)에서 1958년 이래 추진(推進)되어 온, 농업과 기타의 사업을 포함한 집단 조직. 중국에서는 토지 개혁(土地改革) 이후 호조조(互助組)·합작사(合作社)의 형태로 농업 집단화(農業集團化)가 진행되어, '대약진(大躍進)' 속에서 더 한층 발달한 형태로서 인민 공사가 생겼음. 합작사에 비하여 규모(規模)가 크고, 농업 외에 공업·상업·기타를 포함하며, 동사무소·학교·민병 조직(民兵組織)을 가지고 있음.

인민 공:화국【人民共和國】명〖정〗인민을 주권체(主權體)로 한 공화국 정체(政體)의 나라. 보통 마르크스·레닌의 사회주의 체제의 나라에서 이 이름을 씀. 준인공(人共). *민주 공화국.

인민-군【人民軍】명 ①인민으로 조직된 군대. ②소위(所謂) 조선 인민 공화국(朝鮮人民共和國)의 군대.

인민 민주주의【人民民主主義】[―/―이] 명〖정〗동구권(東歐圈) 여러 나라 및 중국 등지에서 이루어진 정치·사회·경제 상의 특수한 형태. 이런 나라의 특징은 자본주의의 발달이 늦어졌으므로, 사회주의 혁명의 첫 단계로서 우선 공산당(共產黨)의 정권 하에 바로 프롤레타리아트(proletariat) 혁명의 형식을 취하지 않고, 공산당 이외의 정당도 정치에 참여함을 인정하며 사유 재산(私有財產) 제도를 인정함으로써 중소기업(中小企業)의 존립을 부정하지 않는 일종의 과도적(過渡的) 혼합 사회(混合社會)임.

인민-복【人民服】명 신해 혁명(辛亥革命) 이후 쑨 원(孫文)이 입던 것과 같은 모양의 중국의 국민복(國民服). 웃옷에 주머니가 넷 있고 깃을 세웠음.

인민 위원회【人民委員會】명〖정〗공산주의 국가에 있어서의 행정 집행 기관.

인민 일보【人民日報】명 런민 일보.

인민 자본주의【人民資本主義】[―/―이] 명〖경〗소득 분배의 평준화(平準化)에 따라 인민 대중(人民大衆)이 광범위하게 주식(株式)을 소유함으로써 자본가(資本家)로 전화(轉化)하는 한편 자본가는 단순한 경영 관리자(經營管理者)로 화했기 때문에 현대 자본주의는 이윤 추구(利潤追求) 중심의 자본주의에서 인민을 위한 경제 체제로 변했다는 설. 1950년대 후반 미국에서 제창되었음. 대중(大衆) 자본주의.

인민 재판【人民裁判】명 재판관(裁判官) 및 그 배심(陪審)을 일정한 자격을 갖춘 전임자(專任者)에 맡기지 않고 인민 속에서나 또는 인민 대중 앞에서 그들을 배심으로 재판·처결(處決)하는 재판. 공산주의(共產主義) 국가에서 씀.

인민 전:선【人民戰線】명〔프 front populaire〕〖사〗①파시즘 및 전쟁에 반대하는 여러 정당·단체의 공동 전선(共同戰線). 1935년에 프랑스에서, 1936년에 스페인에서 각각 결성(結成)됨. ②1935년의 코민테른 제7회 대회에서 채택된 반전(反戰)·반(反)파시즘의 연합 통일 전선(聯合統一戰線).

인민 주권【人民主權】[―꿘] 명〖법〗민주국(民主國)·공화국에 있어서, 그 국가의 주권이 인민에게 귀속(歸屬)되는 경우의 주권. 국민 주권. *법주권.

인민-주의【人民主義】[―/―이] 명〔러 narodnichestvo〕〖정〗1860-90년경의 러시아에서 일부 인텔리겐차가 부르짖은 농본주의적(農本主義的) 급진 사상. 신봉자를 나로드니키(인민주의자·인민파)라고 함. 뒤에 마르크스주의자들에게 혁명의 주도권을 빼앗김.

인민 헌:장【人民憲章】명〔People's Charter〕〖정〗1832년 영국에서 선거법 개정(選擧法改定)에 불만이 있었던 노동자들이 완전한 의회(議會) 민주주의의 실현(實現)을 요구하여 표명한 의회 개혁 강령(綱領). 이후 이 강령을 중심으로 차티스트(chartists) 운동이 일어났음.

인민 협약【人民協約】명 인민 협정(人民協定).

인민 협정【人民協定】명〔Agreement of the People〕〖정〗영국의 청교도(淸敎徒) 혁명기에 수평파(水平派)가 제출한 개정 헌법 초안(改定憲法草案). 1647년 군회의(軍會議)에 제출한 것으로, 군주권(君主權)의 부인(否認), 보통 선거제(普通選擧制)에 의한 최고 권력의 장악 및 의회라 할지라도 침범(侵犯)할 수 없는 개인의 기본적 제권리의 선언 등으로 되어 있음. 다른 하나는 1649년 1월 전자를 개정하여 군회의가 의회에 제출했는데, 그간에 청교도 혁명이 최고조(最高潮)에 이르고, 그 와중(渦中)에서 국왕(國王) 찰스 1세의 처형, 공화국 선언 등이 이루어

겼음. 인민 협약(人民協約).

인바: [invar] 명 철 64 %, 니켈 36 %를 포함하는 합금의 하나. 선(線) 팽창률이 보통 철의 10분의 1 정도이므로 시계의 태엽이나 측척(測尺) 등의 제조에 사용함. 인바르. 앵바르.

인바르 [도 Invar] 명 '인바'의 독일식 이름.

인-박이다 자 여러 번 되풀이하여 습관이 아주 몸에 배다.

인-발 【印—】[—빨] 명 찍어 놓은 인장의 형적. 인문(印文). 인형(印形). 인장(印章).

인방[1] 【引枋】 명 〖건〗 기둥과 기둥 사이에 문호(門戶)를 사이로 아래위로 가로지른 나무. 상인방과 하인방이 있음.

인방[2] 【寅方】 명 〖민〗 이십 사 방위(二十四方位)의 하나. 동북(東北)에서 남쪽으로 15도 기운 방위를 중심으로 한 15도의 각도 안. ㊟인(寅).

인방[3] 【隣邦】 명 이웃 나라. 인국(隣國).

인배 【引陪】 명 〖역〗 정삼품 이상의 당상관(堂上官)이 행차(行次)할 때 그 앞을 전도(前導)하는 관노(官奴)의 하나.

인버네스 [Inverness] 명 ①〖지〗 영국 스코틀랜드 북동쪽, 머리 만(Moray 灣) 깊숙이 들어간 곳에 위치하는 도시. 칼레도니아(Caledonia) 운하를 따라서 네스 호(Ness湖)를 경유하여 리니 만(Linnhe 灣)에 통함. 조선·양조(釀造)·방적 공업이 행해짐. [40,000명(1989)] ②남자용 외투의 한 가지. 스코틀랜드의 인버네스에서 남자들이 입던 소매 없는 외투로, 낙낙한 케이프가 붙었음. 인버네스 케이프.

〈인버네스❷〉

인버네스 케이프 [Inverness cape] 명 인버네스❷.

인버카:길 [Invercargill] 명 〖지〗 뉴질랜드 남(南)섬의 남단에 있는 항구 도시. 양조(釀造)·주물(鑄物)·목재 공업이 행해지고, 밀·양털·낙농 제품·육류의 이출항(移出港)임. [49,000 명(1989)]

인버:터 [inverter] 명 〖물〗 직류(直流) 전력을 교류(交流) 전력으로 변환(變換)하는 장치.

인벌류:트 [involute] 명 〖수〗 평면 위의 곡선에 접(接)하는 직선을 곡선에 따라서 회전시킬 때, 직선 위의 한 정점(定點)이 그 평면 위에 그리는 곡선. 신개선(伸開線). 인벌류트 곡선(曲線).

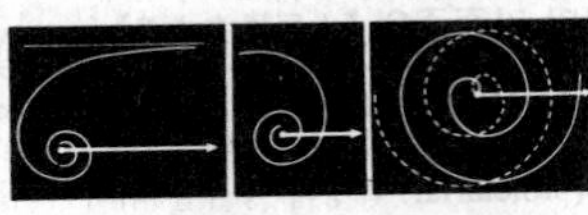
〈인벌류트〉

인벌류:트 곡선 【—曲線】 [involute] 명 〖수〗 인벌류트.

인벌류:트 기어 [involute gear] 명 〖공〗 신개선(伸開線)을 치형(齒型)으로 하는 톱니바퀴. 톱니바퀴의 중심 거리가 약간 정확하지 아니하지만 운동의 전달(傳達)이 비교적 정확함.

인법 【人法】 [—뻡] 명 〖법〗 국제 사법 상(私法上)의 한 학설인 법칙 구별설(法則區別說)에서 말하는 바, 물법(物法)·혼합법(混合法)과 함께 법규를 그 성질에 따라 분류한 법 중의 하나. 곧, 사람에 부수되어 어느 곳에서나 적용되는 법을 인법이라 하였음. *지법(地法)·혼합법(混合法)·물법(物法).

인-법당 【因法堂】 명 〖불교〗 불전(佛殿)이 없는 작은 절에서 중이 거처하는 방에 불상(佛像)을 모신 곳.

인베르타아제 [invertase] 명 〖화〗 효소(酵素)의 하나. 설탕을 분해하여 포도당과 과당(果糖)의 혼합물 전화당(轉化糖)으로 만듦. 효모(酵母)나 고등 동물의 장액(腸液) 속에 있음. 사카라아제(saccharase). 전화 효소(轉化酵素).

인벤션 [invention] 명 〖악〗 다성적(多聲的)인 수법에 의한 즉흥곡(卽興曲). 보통, 삼부 형식을 취하며 주제(主題)는 하나 혹은 둘임.

인벤토:리 자산 【—資産】 [inventory] 명 〖경〗 생산 원자재·반제품·제품·부산물 등 일체의 재고(在庫) 상품 자산(資産). 재고 자산.

인벤토:리 파이낸스 [inventory finance] 명 〖경〗 ①시재(時在) 상품 금융. ②균형 예산 편성의 한 수단. 특별 회계나 정부 관계 기관의 재고품(在庫品)의 증가에 따르는 증가 운전 자금(運轉資金)을 일반 회계로부터 편입하게 하는 재정 방식. 운전 자금 인플레를 방지하기 위하여 채권(債券) 발행이나 중앙 은행으로부터의 차입(借入)에 의해서 조달(調達)하지 않음이 주요 특징임.

인-변[1] 【人邊】 명 사람인 변.

인변[2] 【人變】 명 인아(人痾).

인:병[1] 【引兵】 명 군대를 뒤로 물림. 철수함. ——하다 자여불

인병[2] 【因病】 명 병으로 인함.

인병 치:사 【因病致死】 명 병이 원인되어 죽음. ——하다 자여불

인-보[1] 【印譜】 명 인발을 모아 둔 책. 중국에서는 송(宋)나라의 선화(宣和) 때 시작하여 원(元)나라 때도 있었으나 전하지 않고, 명(明)나라의 융경 연간(隆慶年間)에 무릉(武陵)의 고씨(顧氏)가 모은 집고인수(集古印藪)가 가장 오래 된 것으로 전함.

인보[2] 【隣保】 명 ①가까운 이웃집. 또, 그 집 사람. ②가까운 이웃끼리 서로 도움. 또, 그 목적으로 세운 단체. ③〖역〗 군보(軍保).

인보-관 【隣保館】 명 〖사〗 인보 사업·빈민 구제를 목적으로 세운 단체. 또, 그 집. 보린관(保隣館).

인보 동맹 【隣保同盟】 명 〖역〗 암픽티오니아(Amphiktyonia).

인보:드 엔진 [inboard engine] 명 모터 보트 등의 엔진이 선체(船體) 내부에 붙어 있는 것. ↔아웃보드 엔진.

인보 사:업 【隣保事業】 명 〖사〗 빈민가(貧民街)에 정착(定着)하여 그들의 생활의 개선(改善)·교화(敎化)를 꾀하는 사업. 보린(保隣) 사업. 세틀먼트(settlement).

인보이스 [invoice] 명 〖경〗 매각·위탁 판매 계약 등에 의하여 상품을 원격지(遠隔地)에 발송할 때, 하수인(荷受人)에게 보내는 그 상품의 명세서. 상품의 품명(品名)·종류·수량(數量)·가격·송하(送荷) 방법·비용(費用) 그 밖에 보험의 종류·금액 등이 기재(記載)됨. 하물 송장(荷物送狀). 적화 명세서(積貨明細書). 송장(送狀).

인-보험 【人保險】 명 〖경〗 인체(人體)에 관한 보험 사고 발생이 있을 때 급부(給付)를 약속하는 보험. 노쇠(老衰) 보험·혼자(婚資)·학자(學資) 등의 자금 보험 및 사망 보험·유족 보험 또는 질병 보험·상해(傷害) 보험·폐질(廢疾) 보험·분만(分娩) 보험 혹은 퇴직 보험 등이 있음. ↔물보험(物保險).

인-복 【人福】 [—뽁] 명 사람을 잘 사귀고 상종(相從)하여 도움을 많이 받는 복. 인덕(人德).

인본 【印本】 명 판에 박아 낸 서책. 곧, 인쇄한 책. 판본(板本).

인본 교:육 【人本敎育】 명 〖교〗 개성(個性)을 존중하고, 자유로운 규율(規律) 아래 각개의 독창성(獨創性)의 장려를 목적으로 하는 혁신적(革新的)인 교육.

인본-주의 【人本主義】 [—/—이] 명 〖철〗 인간과 그 생활을 본위로 하는 주의. 인문(人文)주의. 휴머니즘.

인봉[1] 【印封】 명 ①공무(公務)를 끝낸 뒤에 관인(官印)을 봉하여 둠. ②봉한 물건에 인장(印章)을 찍어 함부로 떼지 못하게 함. 봉인(封印). ——하다 타여불

인봉[2] 【因封】 명 〖역〗 인산(因山).

인-봉[3] 【印峰】 명 〖지〗 경상 북도 경산군(慶山郡) 와촌면(瓦村面)과 대구(大邱) 직할시 동구(東區) 사이에 있는 산. [891m]

인-봉[4] 【麟鳳】 명 기린(麒麟)과 봉황(鳳凰). 진기(珍奇)한 것 또는 현철(賢哲)한 사람의 비유.

인봉 가수 【印封枷囚】 명 〖역〗 중죄인(重罪人) 목에 칼을 씌우고 그 위에 관인(官印) 찍은 종이를 붙임. ——하다 타여불

인봉-소 【麟鳳韶】 명 〖문〗 작자·창작 연대 미상의 고전 소설의 하나. 국문본. 주인공 미선의 일대기를 다룸.

인부[1] 【人夫·人伕】 명 ①품삯을 받고 일하는 사람. 인정(人丁). 역도(役徒). 막벌이꾼. ②공역(公役)에 부리는 사람.

인부[2] 【人負】 명 사람의 등에 지우는 짐.

인부-랑 【印符郞】 명 〖역〗 고려 충렬왕(忠烈王) 24년(1298)에 두었던, 임금의 인신(印信)을 맡았던 벼슬아치. 곧 폐지함. 의종(毅宗) 때는 부보랑(符寶郞)이라 하였음.

인-부심 【人—】 명 〖민〗 아이 낳은 뒤 인부정(人不淨)을 부신다는 뜻으로 이레 되는 날, 마마 수수떡을 만들어 앞뒷문에 놓고 지나가는 사람에게 나누어 먹게 하던 일. ——하다 자여불

인부심-떡 【人—】 명 인부심하는 떡.

인-부정 【人不淨】 명 〖민〗 기휘(忌諱)될 사람으로 인한 부정.

인부정(을) 타다 구 부정한 사람으로 인하여 탈이 나다.

인부-하다 【引附—】 타여불 끌어 붙이다.

인분[1] 【人糞】 명 사람의 똥.

인분[2] 【燐分】 명 인(燐)의 성분.

인분[3] 【鱗粉】 명 나비나 나방 등의 날개에 있는 비늘 모양의 분비물(分泌物).

인-분뇨 【人糞尿】 명 사람의 똥과 오줌.

인불[1] 【人不】 명 사람이 사람답지 않음.

인-불[2] 【人佛】 명 인간과 부처.

인불 불이 【人佛不二】 명 생불 일여(生佛一如).

인불언 귀:부지 【人不言鬼不知】 명 사람이 말을 하지 않으면 귀신도 그 마음을 알 수 없다 함이니, 곧 말을 하지 않는 사람의 속마음은 아무도 알아줄 이 없다는 말.

인-불제:사 【寅不祭祀】 명 인일(寅日)에는 기휘(忌諱)되어 제사를 지내지 않음.

인비[1] 【人肥】 명 ↗인조 비료(人造肥料).

인비[2] 【人祕】 명 ↗인사 비밀(人事祕密).

인비[3] 【隣比】 명 이웃.

인비[4] 【燐肥】 명 ↗인산질 비료(燐酸質肥料).

인비[5] 【鱗比】 명 인차(鱗次).

인-비늘 【人—】 명 피부 표면의 각질 세포(角質細胞)가 병적으로 허옇게 떨어진 것. 인설(鱗屑).

인-비목석 【人非木石】 명 사람은 목석이 아님. 곧, 감정(感情)과 경위(涇渭)가 있음.

인-비보 [라 in vivo] 명 ['생체(生體) 속에서'의 뜻] 생물학 용어로, 기관(器官)이 생체 안에 자연(自然) 그대로 두어진 상태를 말함. *인비트로(in vitro).

인-비인 【人非人】 명 ①사람이면서 사람이 아니란 뜻으로, 인도를 벗어난 사람을 일컫는 말. ②〖불교〗 '긴나라(緊那羅)'의 별칭. ③〖불교〗 사람과 사람이 아닌 것. 비구(比丘)·비구니(比丘尼) ·사미·사미니 등 사중(四衆)은 인(人)이고, 천(天)·용(龍) 등은 비인(非人)임.

인비테이션 [invitation] 명 ①초대(招待). 초빙(招聘). ②초대장(招待狀).

인-비트로 [라 in vitro] 명 ['유리 용기(容器) 속에서'의 뜻] 생물학 용어로, 여러 가지 연구 목적으로 생체(生體)의 일부가 생체 밖에 적출(摘出) 유리(遊離)되어 있는 상태를 말함. *인비보(in vivo).

인사[1] 【人士】 명 교육이나 사회적 지위가 있는 사람. ¶유명(有名) ~.

인사[2] 【人事】 명 ①남에게 공경하는 뜻으로 하는 예의. 예(禮). ②서로 안면(顔面) 없던 사람끼리 성명을 통함. ③사람들 사이에 지켜야 할 예

의. 또, 그 일. ¶그건 ~가 아니다. ④사람이 하는 일. ¶~를 다하고 천명을 기다린다. ⑤개인의 의식·능력·신분에 관한 일. ¶~ 불성(不省)/~ 문제. ——-하다 자여불

인사[3]【人師】명 ①덕행을 구비하여 다른 사람의 모범이 될 만한 사람. ②〖불교〗부처를 천인사(天人師)라 함에 대하여, 부처나 보살이 아니면서 남을 교화할 만한 덕이 있는 사람.

인사[4]【禋祀】명 정결히 하고 제사를 지냄.

인사[5]【隣舍】명 이웃집.

인사 감사【人事監査】명〖법〗각 행정 기관의 인사 행정(人事行政) 운영의 적정(適正) 여부를 파악(把握)하여 위법(違法) 또는 부당(不當)한 사항을 시정(是正)하거나 지도하기 위하여, 총무처(總務處)가 각 행정 기관에 대하여 행하는 감사. 인사 행정 전반을 대상으로 연(年) 1회 행하는 정기 감사와 특정 사항(特定事項)에 대하여 수시(隨時)로 하는 수시 감사로 나뉨.

인사-계【人事係】명 관공서·회사 등에서 직원의 임면(任免)·전보(轉補) 등에 관한 사무를 다루는 계(係). 또, 그 사람.

인사 고과【人事考課】[—꽈] 명 인원 배치(人員配置)·교육 훈련·임금 책정(賃金策定) 등을 목적으로 종업원 또는 직원의 경영 노동력으로서의 특색을 질서 있게 결정하는 절차. 근무 상태, 성적 또는 업적, 능률·자격·능력·성질의 보유(保有) 정도와 발휘 정도, 진보의 정도 등을 종합적으로 판찰 평정하는 일. ¶~에 반영하다.

인사 관리【人事管理】[—괄—] 명 ①경영에 있어서의 생산의 인적(人的) 인자(因子)로서의 인간을, 자본의 입장에서 보아 가장 효과적으로 통제하고 운용하는 관리 절차의 총칭. ②경영 관리자층(管理者層)에 대한 인사 관리. *노무(勞務) 관리.

인사-권【人事權】[—꿘] 명 공공 기관이나 기업체 등에서 구성원에 대하여 채용·해임·승진·상벌·이동 따위의 인사 문제를 다루는 권한.

인사-란【人事欄】명 신문·잡지 등에서 사람들의 거취·소식·인사 발령 등을 알리는 난(欄). 소식란(消息欄).

인사-말【人事—】명 인사로 하는 말.

인사 말:씀【人事—】명 '인사말'의 높임말. 「령. ¶군~.

인사-법【人事法】[—뻡] 명 ①인사하는 방법. ②〖법〗인사에 관한 법

인사 불상【人事不祥】[—쌍] 명 사람으로서 부실(不實)한 일 세 가지. 곧, 어리면서 장자(長者)를 섬기지 않고, 천(賤)하면서 지체 높은 이를 무시하며, 불초한 자가 현자(賢者)를 우러러보지 않는 일.

인사 불성【人事不省】[—썽] 명 ①정신을 잃고 의식을 모름. 불성인사(不省人事). ②사람으로서의 예절을 차릴 줄 모름.

인사 비:밀【人事祕密】명 인사에 관한 비밀. 또, 그 서류(書類). ㈜인비(人祕).

인사-성【人事性】[—썽] 명 예의 발라서 손윗 사람을 잘 알아보고 인사를 차리는 습성.

인사성(이) 밝:다 구 예의 바르게 인사할 줄 알다.

인사 소송법【人事訴訟法】[—뻡] 명 〖법〗1990년 12월 31일 '가사 소송법'의 제정으로 폐지됨.

인사 유명【人死留名】명 사람은 죽어도 이름은 남겨진다는 말로, 그 삶이 헛되지 않으면 방명(芳名)은 길이 남는다는 말. *표사 유피(豹死留皮)·호사 유피(虎死留皮). 「部者去來).

인사이더 거:래【—去來】명 [insider's trading]〖경〗내부자 거래(內

인사이더 조합【—組合】[insider] 명〖경〗카르텔(cartel)이나 트러스트(trust), 기타의 협정(協定)에 가입(加入)한 조합. ↔아웃사이더 조합(outsider組合).

인사 이:동【人事異動】명 관공서·회사 등의 조직 안에서 직원(職員)·사원(社員) 등의 지위(地位)나 근무를 바꾸는 일.

인-사이드[inside] 명 ①내부. 안쪽. ②테니스·배구 등에서 공이 일정한 경계선 안으로 떨어지는 일. ③야구에서, 인코너(incorner)의 딴이름. 1)-3): ↔아웃사이드.

인사이드 워:크[inside work] 명 스포츠 특히 야구에서, 머리를 써서 임기 응변(臨機應變)으로 적절하게 판단(判斷)을 내리는 일. 헤드 워크(head work).

인사이드 킥[inside kick] 명 축구에서, 발의 안쪽으로 공을 차는 일. 볼에 닿는 발의 부분이 크기 때문에 정확한 패스는 가능하나, 강한 슈팅은 어려움. 백사이드 킥.

인사-장【禋祀章】[—짱]〖악〗악장(樂章)의 이름. 종묘(宗廟)의 제향(祭享)에 송신(送神)할 때에 연주함.

인사 정보 관리【人事情報管理】[—괄—] 명 기업(企業)이 전사원 또는 일정 계급 이상의 사원에 대하여 현재의 담당 업무나 관계되는 업무 경험·해외 경험·학력·어학(語學)·자격·면허·승진 상황·장래의 희망 따위를 기록하여 필요에 따라 적격(適格)의 사원을 발탁(拔擢)할 수 있게 하는 일.

인사-조【人事調】[—쪼] 명 ①참 마음이 없이 건성으로 형식만 갖춘 인사나 대접(待接). ②인사하는 양(樣).

인사 조정【人事調停】명〖법〗'가사(家事) 조정'의 구칭.

인사 치레【人事—】명 성의(誠意)없이 인사로 겉만 꾸미는 일. ¶~로 하는 말.

인사 행정【人事行政】명 행정 조직을 구성하는 직원에게, 유능한 소질과 능력을 갖게 하고 이를 유지 활용시키려는 인사상(人事上)의 계획·감독·지도·조정의 기능. 구체적으로 임용(任用)·급여(給與)·보건·후생(厚生)·훈련·근무 평가·보상·징계 등의 기능을 완수하기 위한 절차와 제도의 정비(整備)를 내용으로 함.

인산[1]【人山】명 사람이 수없이 많이 모인 모양. 인해(人海). 인산 인해(人山人海).

인산[2]【因山】명 태상황(
太子) 부부, 황태손(皇太

인산[3]【燐酸】명 [phospho
결합하여 생기는 산소산(
른 홀로인산(H_5PO_5)·오
상태에 따른 과산화 인산(
PO_2), 메타인산(HPO_3)의
(三)인산($H_5P_3O_{10}$)·사(四)
르토인산의 통칭. 무색의 단
42.35℃임. 조해성(潮解性)이
원료·금속 표면 처리·염색·
여 점막(粘膜)을 자극함. 정(正

인산 나트륨【燐酸—】[도 Natri
산을 탄산 나트륨의 수용액에 포화
이(二)수소 나트륨·인산 수소 이
데, 보통 인산 나트륨이라 하면 인
공업에서는 인산 수소 나트륨(Na_2H
二水素) 나트륨. ②인산 수소 이(二)
산 나트륨. 인산 수소 이나트륨의 수
륨을 가하면 얻어지는 인산염(塩). 12
지고 있으며, 100℃에서 1수화물, 200℃
백색 또는 무색 결정임. 세척제 또는 가
화제(軟化劑) 등에 쓰임. 오르토 인산

인산-납【燐酸—】명 [lead phosphate]〖화
1014°C. 질산 및 불휘발성의 수산화(水酸
안정제로 쓰임. [$Pb_3(PO_4)_2$]

인산 마그네슘【燐酸—】명 [magnesium ph
인산염(燐酸塩). 이 중에서 보비 라이트는
무색 단사정계 결정(單斜晶系結晶)이며, 에
염(七水塩)의 광물임. [$Mg_3(PO_4)_2$]

인산 무수물【燐酸無水物】명〖화〗오산화인(

인산 비:료【燐酸肥料】명 인산질 비료.

인산 산맥【—山脈】[陰山] 명〖지〗중국 내몽고
의 북쪽에 있는 산맥. 알타이 산맥의 남동부를 형
族)과 북방 유목(遊牧) 민족의 항쟁(抗爭)의 무대였
변(北邊) 방위의 제일선이었음. 표고(標高) 1,500-2,000
산맥.

인산 삼나트륨【燐酸三—】[도 Natrium] 명 [trisodium phospha
인산 나트륨❸.

인산 삼암모늄【燐酸三—】명 [triammonium phosphate]〖화〗인산 암모늄❸.

인산 삼칼륨【燐酸三—】명 [tripotassium phosphate]〖화〗인산 칼륨❸.

인산 삼칼슘【燐酸三—】명 [tricalcium phosphate]〖화〗인산 칼슘❸.

인산 석회【燐酸石灰】명〖화〗인산 칼슘. 특히 인산 삼칼슘을 비료로서 일컫는 말. 인산 이수소 칼슘을 포함하여 말할 때도 있음.

인산 소:다【燐酸—】[soda] 명〖화〗인산 나트륨(燐酸 natrium).

인산 수소 이:나트륨【燐酸水素二—】[도 Natrium] 명 [disodium hydrogenphosphate]〖화〗제이 인산 나트륨. 인산의 진한 수용액에 수산화 나트륨을 가한 다음 농축하여 얻는 인산염. 백색 분말 또는 무색의 결정. 수용액은 약한 알칼리성임. 식품 가공(食品加工)·공업 용수 처리·세제(洗劑) 등으로 쓰임. 공업 분야에서는 단순히 인산 나트륨이라고도 함. 인산 나트륨❷. [Na_2HPO_4]

인산 수소 이:암모늄【燐酸水素二—】명 [diammonium hydrogenphosphate]〖화〗인산 이(二)암모늄. 제이 인산 암모늄. 중성(中性) 또는 약한 알칼리성(性)으로 물에 녹는 무색(無色)의 주상 결정(柱狀結晶). 비료(肥料)로 쓰일 때는 질소(窒素) 21%, 인산 53%의 비율로 됨. 인산 암모늄❷. [$(NH_4)_2HPO_4$]

인산 수소 이:칼륨【燐酸水素二—】명 [dipotassium hydrogenphosphate]〖화〗제이 인산 칼륨. 인산과 당량의 수산화 칼륨 수용액(水溶液)을 혼합 가열하는 등의 방법으로 얻어지는 인산염(燐酸塩). 무색(無色)의 판상(板狀) 또는 침상 결정(針狀結晶). 조해성(潮解性)이며 물에 잘 녹고 에탄올(etanol)에 조금 녹음. 가열하면 282℃ 이상에서 분해하여 이인산염(二燐酸塩)이 됨. 인산 칼륨❷. [K_2HPO_4]

인산 수소 칼슘【燐酸水素—】명 [calcium hydrogenphosphate]〖화〗인산 일수소 칼슘. 제이 인산 칼슘. 중성 칼슘염의 용액에 인산 알칼리를 가하여 얻는 물질. 무색의 삼사 정계 결정. 물에는 녹지 않으며 산(酸)에는 잘 녹음. 인산 칼슘❶. [$CaHPO_4$]

인산 암모늄【燐酸—】명 [ammonium phosphate]〖화〗암모늄과 인산의 염(塩). 인산 이(二)수소 암모늄·인산 수소 이(二)암모늄·인산 삼(三)암모늄의 3종이 있는데, 보통 비료로서 말할 때는 인산 수소 이암모늄을 가리킴. ①인산 이수소 암모늄. ②인산 수소 이암모늄. ③인산 삼(三)암모늄. 제삼 인산 암모늄. 인산을 암모니아수(水)로 중화(中和)시킬 때 얻어지는 염(塩). 물에 잘 녹는 단사 정계 결정(單斜晶系結晶). 가열하면 155℃ 이상에서 암모니아 2분자를 잃고 인산 이수소 암모늄($NH_4H_2PO_4$)으로 됨. 습기에 분해됨. 인산 암모니아. ㈜인안(燐安). [$(NH_4)_3PO_4$]

인산 암모니아【燐酸—】[ammonia] 명〖화〗인산 암모늄.

인산-염【燐酸塩】[—념] 명 [phosphate]〖화〗인산의 수소(水素)를 일가 금속 원소(一價金屬元素)로 치환(置換)하여 된 염. 오르토인산염(ortho 燐酸塩)·피로인산염(pyro 燐酸塩)·메타인산염(meta 燐酸塩) 등으로 나뉘고 그 안에 많은 염을 만듦.

인산염 처:리【燐酸塩處理】[—념— 화』 도장(塗裝) 전의 금속의 방식(防蝕)을 위해 인산염으로 처 ᄀ일. 인산 망간·인산 아연(亞鉛) 등의 용액을 씀. 공업적으 라이징(parkerizing)을 비롯하여 몇 가지의 방법이 있음.

인산 이:수소 나트륨【 〔도 Natrium〕 명 〔sodium dihydrogenphosphate〕〖 나트륨. 인산 수소 이나트륨 수용액(水溶液)에 당량(當 ᄀ하고 농축시켜 만드는 인산염(塩). 무색의 단사 정 晶)이고 조해성(潮解性)이 있음. 세척제(洗滌劑) 쓰임. 인산 나트륨❶. [NaH_2PO_4]

인산 이:수 素—】 명 〔ammonium dihydrogenphosphate〕 늄. 제일 인산 암모늄. 인산 암모늄의 제 염의 일종. 무색의 정방 정계(正方晶系) 결 인산 이수소 칼륨과 같은 결정 구조이나 압 것으로 만든 압전 소자(素子)는 수중 청음기(水 약칭 : 에이 디 피(ADP). 인산 암모늄❶. [NH_4

燐酸二水素—】 명 〔potassium dihydrogenphosph- 간 칼륨. 인산 칼륨의 이수소염(二水素塩). 탄산(炭 溶液)에 당량(當量)의 인산을 가하고 농축하여 만듦. (正方晶系) 결정임. 수용액은 약한 산성(酸性)임. 분 장(電氣場)의 비선형(非線形) 특성을 이용하여 레이저 주파(光高周波) 발생 또는 비료·완충액 등에 쓰임. 독일 이 디 피(KDP : Kaliumdihydrogen phosphat)라고 약칭 륨❶. [KH_2PO_4]

소 칼슘【燐酸二水素—】 명 〔calcium dihydrogenphosphate〕 일 인산 칼슘. 인산 삼칼슘을 황산과 함께 증발시켜서 얻는 물 화물은 무색의 삼사 정계 결정(三斜晶系結晶). 과인산 석회(過 石灰)의 성분으로, 비료(肥料)로서 가장 중요함. 인산 칼슘❷. [$Ca(H_2PO_4)_2$]

이:암모늄【燐酸二—】〔ammonium〕 명 〖화〗 인산 수소(水素) 이(二)암모늄.

산 인해【人山人海】 명 사람이 헤아릴 수 없이 많이 모인 상태. 인산(人山).

인산 일수소 칼슘【燐酸一水素—】[—쑤—] 〔calcium〕 명 〖화〗 인산 수소 칼슘.

인산 일암모늄【燐酸——】〔ammonium〕 명 〖화〗 인산 이수소(二水素) 암모늄.

인산 제:이철【燐酸第二鐵】 명 〖화〗 인산철❷.

인산 제:일철【燐酸第一鐵】 명 〖화〗 인산철❶.

인산 중합법【燐酸重合法】 명 〔phosphoric acid polymerization〕〖화〗 인산을 사용해서 프로필렌이나 부틸렌 또는 그 두 가지를 고옥탄(高octane)값 휘발유나 고분자(高分子)의 석유 화학 물질로 전화(轉化)하는 석유 정제법(精製法).

인산질 비:료【燐酸質肥料】 명 〔phosphate fertilizer〕〖농〗 인산 화합물을 많이 함유하는 비료의 총칭. 과인산 석회(過燐酸石灰)·중(重)과인산 석회·용성 인비(溶成燐肥)·용과인(溶過燐)의 무기질(無機質) 비료와 골분(骨粉)·탈지강(脫脂糠)·콩깻묵 등의 유기질(有機質) 비료가 있음. 핵산(核酸)·인지질(燐脂質) 등을 구성하며, 세포 분열과 단백질(蛋白質) 합성·에너지 대사(代謝) 등을 함. ＊질소질(窒素質) 비료·칼륨질 비료.

인산-철【燐酸鐵】 명 〔iron phosphate〕〖화〗 인산과 철의 화합물. ①인산철(Ⅱ). 인산 제일철. 천연으로는 남철광(藍鐵鑛)으로 산출됨. 암녹색의 1 수화물, 장밋빛의 3 수화물, 무색의 6·8 수화물이 있음. 보통의 것은 8 수화물로서 단사 정계 결정(單斜晶系結晶)임. 물에 녹지 않고 무기산(無機酸)에 녹음. [$Fe_3(PO_4)_2$] ②인산철(Ⅲ). 인산 제이철. 철(Ⅲ)염 수용액에 인산 수소 이나트륨을 가하면 얻어짐. 장밋빛의 2 수화물은 단사 정계 결정. 질산에 녹지 않고 염산·황산에 녹음. 수소염(水素塩)은 흡습성(吸濕性)이 강함. [$FePO_4$]

인산 칼륨【燐酸—】〔도 Kalium〕 명 〔potassium phosphate〕 인산과 칼륨염(塩). 인산 이(二)수소 칼륨·인산 수소 이(二)칼륨·인산 삼(三)칼륨 등이 있음. ①인산 이수소 칼륨. ②인산 수소 이칼륨. ③인산 삼칼륨. 제삼 인산 칼륨. 인산과 당량(當量)의 수산화 칼륨 수용액(水溶液)을 반응시켜 얻는 인산염. 무수염(無水塩)은 무색의 사방 정계 결정(斜方晶系結晶)으로, 녹는점은 1340℃임. 조해성이며 물에 잘 녹고, 수용액은 강한 알칼리성(alkali性)으로 알코올에는 녹지 않음. [K_3PO_4]

인산 칼슘【燐酸—】 명 〔calcium phosphate〕〖화〗 인산과 칼슘의 염(塩). 인산 일(一)수소 칼슘·인산 이(二)수소 칼슘·인산 삼(三)칼슘의 3 종이 있는데, 인산 삼칼슘만을 인산 칼슘이라 부르기도 함. ①인산 수소 칼슘. ②인산 이수소 칼슘. ③인산 삼칼슘. 제삼 인산 칼슘. 인회석(燐灰石)으로서 천연적으로 산출되는 무색의 결정으로 물에 잘 녹지 않고 시트르산 용액에 녹음. 녹는점 1670℃. 척추 동물의 뼈나 이의 주성분이며, 인공적으로는 인산 나트륨 등의 용액에 칼슘의 염과 암모니아를 가하여 침전시켜서 이를 건조하여 만듦. 식물의 생육에 꼭 필요함. 인산 석회(燐酸石灰). [$Ca_3(po_4)_2$]

인산 코데인【燐酸—】〔codein〕 명 〖약〗 아편에서 추출(抽出)한 백색의 침상 결정(針狀結晶) 또는 결정성의 분말. 쓴 맛이 있고, 수용액은 약한 산성(酸性)을 나타냄. 신경통·불면증·기관지염·해수(咳嗽) 등에 의약으로 쓰임.

인산 클로로킨【燐酸—】〔chloroquine〕 명 〖약〗 말라리아 예방약의 하나. 근래 신염(腎炎)·류머티즘의 치료제로도 쓰이고 있으나 시야 협착증(視野挾窄症)이나 야맹증(夜盲症) 등의 부작용이 빈발(頻發)하여 극약(劇藥)으로 취급됨.

인산 트리크레실【燐酸—】 명 〔tricresyl phosphate; TCP〕〖화〗 안정된 유독 가연성(有毒可燃性) 무색 무취(無臭)의 액체. 대부분의 용제(溶劑)에 다 녹는데 물에는 극히 약간만 용해함. 끓는점 292°C. 열교환 매체·안료 분쇄용 조제(助劑)·소포제(消泡劑) 및 용제(溶劑)로 쓰임. [$(CH_3C_6H_4O)_3PO$]

인삼[1]【人蔘】 명 〖식〗 [*Panax ginseng*] 두릅나뭇과에 속하는 다년초. 높이 60 cm 내외, 근경(根莖)은 짧고 마디가 있으며, 하부에 비대한 백색 다육질(多肉質)의 직근(直根)이 있어서 흔히 '人'자 모양임. 줄기는 외줄기로 곧게 서며 줄기 끝에 서너 개의 잎이 윤생(輪生)하고, 다섯 개의 소엽(小葉)으로 된 장상 복엽(掌狀複葉)을 이룸. 자웅 일가(雌雄一家)인데 4월에 녹백색 오판화(五瓣花)가 산형(繖形) 화서로 정생(頂生)하며, 과실은 둥글고 적색으로 익으며 두 개의 씨가 있음. 깊은 산의 숲 속에 야생(野生)하는데, 강원·경기·평남·평북·함남 및 중국 동북부에 분포함. 야생종을 '산삼(山蔘)', 재배종은 '가삼(家蔘)'이라 하는데, 한방(韓方)에서 뿌리를 강장제(強壯劑)의 약재로서 진중(珍重)하며 널리 재배함. 삼아(三椏). 인삼(仁蔘). 지정(地精). ㊥삼(蔘).

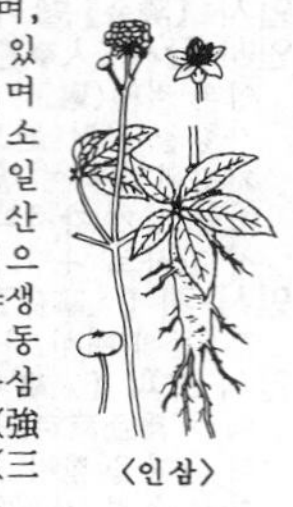
〈인삼〉

인삼[2]【仁蔘】 명 〖식〗 인삼(人蔘).

인삼-과【人蔘果】 명 인삼 정과.

인삼-당【人蔘糖】 명 인삼을 설탕물에 조리어 말린 것.

인삼-목【人蔘木】 명 〖식〗 모형(牡荊).

인삼-밭【人蔘—】 명 삼(蔘)밭.

인-삼십이【燐三十二】 명 〔phosphorus-32〕〖화〗 반감기(半減期) 14.3 일의 β 붕괴를 하는 방사성 핵종(放射性核種). 인의 방사성 핵종 중 가장 수명(壽命)이 길어, 인의 생체(生體) 안에서의 역할 등 연구의 트레이서(tracer)로 쓰임. [^{32}P]

인삼 양:위탕【人蔘養胃湯】 명 〖한의〗 인삼을 주제(主劑)로 하여 다린 탕약(湯藥). 소화·신열(身熱)·두통(頭痛)·지절통(肢節痛) 등에 쓰임. ㊥양위탕(養胃湯).

인삼 전:과【人蔘煎果】 명 인삼 정과(人蔘正果).

인삼 정:과【人蔘正果】 명 생삼을 껍질을 벗겨 엇썰어서 꿀에 버무리고 끄느름한 불에 조린 음식. 인삼 전과(煎果).

인삼-주【人蔘酒】 명 인삼을 넣고 빚는 약용주. 요즘은 인삼을 뿌리째 술에 담갔다가 우러나면 마심. 삼로주(蔘露酒).

인삼-차【人蔘茶】 명 인삼(人蔘) 특히 미삼(尾蔘)을 넣어서 끓인 차. ㊥삼차(蔘茶).

인삼찻-집【人蔘茶—】 명 인삼차를 비롯하여 쌍화차(雙和茶)·구기차(枸杞茶) 등 주로 국산(國産) 재료로 된 차를 끓여 파는 간이(簡易) 찻집.

인삼-탕【人蔘湯】 명 인삼을 넣고 달인 탕약.

인상[1]【人相】 명 ①사람의 용모(容貌). ②사람의 용모·골격(骨格)·동작 등의 특징으로 그 사람의 성격·성정(性情)·운명을 판단하는 일. 인태(人態). 골상(骨相).

인상[2]【刃傷】 명 칼붙이 같은 것에 상함. 또, 그 상처. ——하다 자 여불

인상[3]【引上】 명 ①끌어올림. ②물건 값·요금(料金)·봉급(俸給) 등을 올림. ↔인하(引下). ③역도(力道)의 한 종목. 바벨(barbell)을 두 손으로 잡아 한 동작으로 머리 위까지 들어올림. 들어올리기. ＊용상(聳上)·추상(推上). ——하다 타 여불

인상[4]【印相】 명 〖불교〗 손가락을 여러 가지로 끼어 맞추어 불(佛)·보살(菩薩)의 내증(內證)의 덕(德)을 표시한 것. 인계(印契). 인(印). ＊결인(結印).

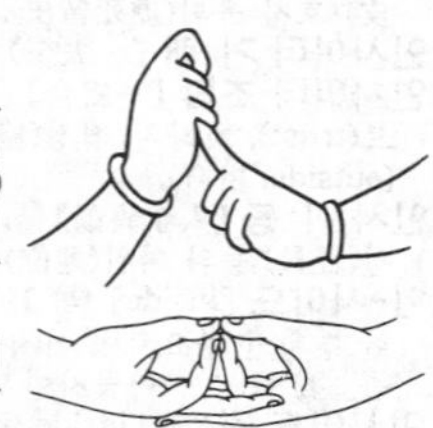
〈인상[4]〉

인상[5]【印象】 명 ①보거나 듣거나 했을 때, 대상물이 사람의 마음에 주는 느낌. ¶첫～/～이 좋다. ②〖생〗 외계의 자극(刺戟)이 생물체에 영향을 주는 생리적 변화. 엔그램(engram). 잔기(殘基). ③〖심〗 외적(外的) 환경으로부터의 직접 영향에 의해 생긴 사상·감정 등 일체의 의식. ④〖미술〗 미적 대상(美的對象)이 인간에게 주는 모든 효과. 감관적 감정(感官的感情)·형식 감정(形式感情)·내용 감정(內容感情) 등으로 나누임.

인상(이) 깊다 구 마음 속에 강렬하게 어떤 감동이 생겨지는 모양. 인상(이) 짙다.

인상(을) 쓰다 구 〈속〉 표정을 험악하게 짓다.

인상(이) 짙다 구 인상(이) 깊다.

인상[6]【鱗狀】 명 비늘 모양으로 된 형상. 비늘 모양.

인상 가서【印上加書】 명 인발 위에 글자를 겹쳐 씀. ——하다 자 여불

인상 광:고【印象廣告】 명 〔image advertising〕 상품명 또는 기업체 이름을 인상 깊게 심기를 노리는 광고.

인상-기【印象記】 명 사물에서 받은 인상을 기록한 것.

인상-률【引上率】 [—뉼] 명 인상된 비율. 보통, 일정한 기준을 잡고 그와의 몫을 푼수로 계산함.

인상-만상 부 ☞ 인성만성.

인상 묘:사【印象描寫】 명 대상이나 소재(素材)에서 자기가 받은 느낌을 특히 강조하여 회화(繪畫)나 문장에 표현하는 수법.

인상 비:평【印象批評】 명 〖문〗 19세기 중엽(中葉)에서 후반에 걸쳐 프

랑스에서 일어난 문예 비평의 한 수법(手法). 예술 작품을 과학적·객관적인 기준에 의해 비평하지 않고 작품이 비평자에게 준 인상에 따라 하는 주관주의적 비평. ↔해석 비평.

인-상식【人相食】명 흉년(凶年)에 몹시 굶어 사람끼리 서로 잡아 먹음. ——-하다 자여불

인상-액【引上額】명 인상된 돈의 액수.

인-상어【鱗—】명〖어〗[*Neoditrema ransonneti*] 양망상어과에 속하는 물고기. 몸길이 18cm 내외로 체형은 연장형(延長型)이며 측편(側扁)하고 입이 작음. 몸빛은 등 쪽은 광택 있는 암적자색, 배 쪽은 은색임. 한국 및 일본 각지의 암초에 서식하는데 맛이 좋음.

인-상여【藺相如】명〖사람〗중국 전국 시대의 조(趙)나라의 명신(名臣). 진(秦)나라 소양왕(昭襄王)이 열 다섯 성(城)을 조나라 '화씨(和氏)의 벽(璧)'과 바꾸고자 하였을 때, 사신(使臣)으로 가서 소양왕의 간계(奸計)를 간파하고 벽(璧)을 잘 보존하여 귀국하였음. 뒤에 상경(上卿)이 되어 용장(勇將)인 염파(廉頗)와 문경지교(刎頸之交)로써 사귀어 함께 조나라를 융성하게 했음. 생몰년 미상.

인상-적【印象的】명관 두드러져 뚜렷이 인상에 남는 모양. ¶~인 장면(場面).

인상-주의【印象主義】[—/—이] 명 [프 impressionisme] ①〖미술〗회화·조각에 있어서 자연에 대한 순간의 시각적(視覺的) 인상을 중시하고, 여러 가지 기교(技巧)로써 인상을 그대로 표현하고자 하는 주의. 19세기 후반 프랑스의 코로(Corot)·마네(Manet) 등에서 시작되어 전통적 기법에 반대한 대담한 화풍(畫風)으로 미술계에 큰 영향을 주었으며, 모네(Monet)·시슬레(Sisley) 등에 이르러 완숙됨. *인상파(印象派). ②〖악〗미술에 있어서의 인상주의를 차용(借用)하여 음악에 도입한 주의로, 외계 인상(外界印象)을 주관적으로 파악하여, 대상이 갖는 가장 미묘한 분위기와 함께, 화음(和音)을 기능 가치(機能價值)로서가 아닌 색채 가치(色彩價值)로서 취급, 세분(細分)된 율동(律動)과 자유로운 평면적 형식(平面的形式) 등의 여러 특징을 갖는 주관적 주의. 드뷔시(Debussy)에서 시작되어 현대의 음악에 많은 영향을 줌. ③〖문〗문학 소재(素材)의 인상적 면이 외계 작가의 주관(主觀)에 비친 대로 나타내는 주의. 곧, 장면(場面)·성격(性格)·정서(情緖) 등을 정세(精細)히 실사적(實寫的)으로 묘사하지 않고 직접적인 주관적 인상을 단순히 그림. ↔사실주의(寫實主義). *자연주의.

인상 착의【人相着衣】[—/—이] 명 사람의 생김새와 옷차림. ¶~가 범인과 비슷하다.

인상-파【印象派】명 ①문학·음악에 있어서 인상주의적인 경향을 가진 일군(一群)의 유파(流派). ②〖미술〗회화(繪畫)에 있어서 외계(外界)가 주는 인상만을 효과적으로 나타내려는 서양화파(西洋畫派)의 하나. 물체에 고유(固有)한 색채보다 그 색조(色調)를 분할하여 외광(外光)의 효과를 주로 원색(原色)의 강렬한 색감으로 표출하려는 일군(一群)의 파(派). 외광파(外光派). *인상주의. ③〈속〉 참하지가 않고 아무렇게나 생겨 보기 흉한 사람.

인상파 미술관【印象派美術館】명 루브르 박물관에 부속된 미술관. 1862년 창설. 1920년 이후 뤽상부르(Luxembourg) 미술관의 외국 작품을 수장(收藏)했으나, 1947년에 인상파의 미술관으로 됨.

인상-학【人相學】명 [physiognomy] 인상 판단(人相判斷)의 기술을 연구하는 학문. 관상학(觀相學).

인상-화【印象畫】명 인상주의적인 화풍의 그림.

인상 화:석【印象化石】명 [impression fossil]〖지질〗고생물(古生物)의 유체(遺體)가 실체(實體)나 그 치환물(置換物)로 보존되지 못하고 형식 상의 인상만이 남아 있는 것.

인새【印璽】명 임금의 인(印). 옥새(玉璽). 대보(大寶).

인:색【吝嗇】명 재물(財物)을 체면없이 다랍게 아낌. ——-하다 형여불. ——-히 부

[인색한 부자가 손 쓰는 가난뱅이보다도 낫다] 가난한 사람은 남을 도우려도 없어서 못 하는데, 부자는 아무리 인색하더라도 조금씩이나마 실질적으로 남에게 도움을 준다는 말.

인:색-한【吝嗇漢】명 인색한 사람.

인생[1]【人生】명 ①생명을 가진 사람. 또, 사람의 목숨. ¶~이 불쌍해서 살려 주다. ②사람이 이 세상에 살아 가는 일. 인간의 생활·생존. ¶~이 고달프다/~이란 이런 것이다. ③사람이 이 세상에 살아 있는 동안. 사람의 일생. 생애(生涯). ¶~ 팔십이 오히려 짧다.

[인생은 짧고 예술(藝術)은 길다] [Life is short, art is long.] 그리스의 의학자(醫學者) 히포크라테스(Hippocrates)의 저서인 ≪양생훈(養生訓)≫ 첫 머리에 실린 말. 인생은 백 년을 넘지 못하나 한 번 남긴 예술은 영구히 그 가치를 빛낸다는 말.

인생은 초로(草露) 구 인생이 도무지 덧없다는 말.

인생[2]【寅生】명〖민〗술가(術家)에서 인년(寅年)에 난 사람을 이르는 말.

인생-관【人生觀】명 [도 Lebensanschaung]〖철〗인생의 목적·의의·가치 및 그것이 갖는 의미를 이해·해석·평가하는 *전체적* 사고 방식. 곧, 인생에 대한 관념(觀念) 또는 *사상* 상의 태도로서, 어느 정도 각 개인의 *성격·경험* 등에 의하여 결정되며, 나아가 원리적(原理的) 반성과 논리적 세련(洗練)이 가해져 통일적으로 체계화됨에 따라 인생 철학으로 발전됨. 염세적(厭世的)·낙천적(樂天的) 또는 유심적(唯心的)·유물적(唯物的) 등 개인에 따라 또 시대에 따라 인생관이 다름. *세계관·인생 철학(人生哲學).

인생 극장【人生劇場】명 이 세상을 하나의 극장으로 치고 세상 사물을 그 안에서 벌어지는 한바탕의 연극으로 비유한 말.

인생 독본【人生讀本】명〖문〗인생의 목적 및 그 가치를 일깨우고 그 진로(進路)를 가르친 책.

인생 무상【人生無常】명 덧없는 인생을 이르는 말.

인생 비:평【人生批評】명〖문〗작자(作者)의 전체적인 인생관을 토대로 문예 작품을 비평하는 ...

인생 삼락【人生三樂】[—낙] ... 삼락(三樂).

인생을 위한 예:술【人生—爲—藝術】[—네—] 구 [프 l'art pour la vie] 예술은 인생에 이익이 되어야 ... 의 의의(意義)가 있다고 보는 예술관(藝術觀). 귀요(Guyau)·톨 ... 등이 대표적 주장자(主張者)임. *예술을 위한 예술.

인생 철학【人生哲學】명〖철〗각기 ... 관을 기초(基礎)로 인생의 목적 및 그 가치·수단(手段) 등에 관하 ... 하는 학문. 또는 실천적(實踐的)인 처세 철학(處世哲學)을 말함. *인생관(人生觀).

인생 칠십 고:래희【人生七十古來稀】명 [중국 당(唐)나라 시인 두보(杜甫)가 지은 곡강시(曲江詩) ...] 사람으로 일흔 살까지 살기가 예로부터 드문 일이라는 뜻 ... 稀).

인생-파【人生派】명 작품의 예술적 가치 ... 하고 인생의 도덕적 현실적인 행복만을 위주로 하는 ... 술을 주장하는 예술가의 일파. 또, 그 작품. 문학에서는 ... 등, 인 ... 표적임. ↔예술파(藝術派).

인생 행로【人生行路】[—노] 명 인간의 일생 ... 를 예측할 수 없는 나그네 길로 비유한 말. 세상살이.

인생-훈【人生訓】명 인생의 교훈. 또, 인생을 위 ...

인서[1]【人庶】명 백성. 서민.

인서[2]【仁恕】명 ①자비심이 깊고 마음이 어질어, ... ②불쌍히 여겨 다른 잘못은 묻지도 않음. ——-하 ...

인서:션 [insertion] 명 수예에서, 피륙을 장식하려고 ...

인서:트 [insert] 명 ①삽입(揷入). ②영화에서, 편지·책 ... 여 있는 글씨를 화면에 보이는 일. 또, 그 화면. 장면과 ... 워 넣은 정지 화면(靜止畫面).

인석[1]【人石】명 돌로 사람의 형상을 만들어 능침(陵寢)에 ... 인(文石人)과 무석인(武石人)이 있음. 석인(石人).

인석[2]【印石】명 돌에 새긴 인장(印章).

인:석[3]【吝惜】명 재물을 몹시 아낌. ——-하다 형여불

인석[4]【茵席】명 왕골이나 부들로 만든 돗자리. 인욕(茵褥).

인석[5]【隣席】명 옆자리.

인석-장【茵席匠】명 →인석장이.

인석-장이【茵席匠—】명 [←인석장(茵席匠)] 인석을 만드는 사람.

인석-전【茵席廛】명 돗자리를 파는 가게.

인선[1]【人選】명 여럿 중에서 그 목적(目的)에 맞는 사람을 가려 뽑음. ——-하다 자여불

인선[2]【仁善】명 어질고 착함. ——-하다 형여불

인선 왕후【仁宣王后】명〖사람〗조선 효종(孝宗)의 비(妃). 성(姓)은 장씨(張氏). 덕수(德水) 사람. 우의정 신풍 부원군(新豐府院君) 유(維)의 딸. 세자빈(世子嬪)으로 있다가 효종이 즉위하자 왕비에 진봉, 또 아들 현종이 즉위하자 대왕 대비(大王大妃)로서 효숙(孝肅) 대비의 존호를 받았음. [1618-74]

인설【鱗屑】명 인비늘.

인성[1]【人性】명 사람의 성품(性品). 사람이 태어날 때부터 가지고 있는 자연적인 성질(性質). ¶착한 ~.

인성[2]【人聲】명 사람의 소리.

인성[3]【仁聖】명 ①인덕(仁德)이 있는 성인(聖人). ②재덕(才德)이 출중한 사람.

인성[4]【引性】명 끌어당기는 성질.

인성[5]【引聲】명 〖불교〗범패(梵唄)의 짓소리 곡의 하나. 부드러운 곡절(曲節)을 붙여 아미타불(阿彌陀佛)의 명호(名號)·경문(經文)·게송(偈頌)을 창(唱)함.

인성[6]【韌性】명 잡아당기는 힘에 견디는 성질.

인성-당【引聲堂】명〖불교〗 인성 염불(引聲念佛)하는 당집.

인성-론【人性論】[—논] 명 [A Treatise of Human Nature]〖책〗영국의 철학자 흄(Hume, D.)의 주저(主著). 뉴턴적(Newton的) 자연 과학의 방법에 의거하여 일체의 학문의 기초학(基礎學)으로서 인간학(人間學)을 수립코자 했음.

인성론적 증명【人性論的證明】[—논—] 명 인간학적(人間學的) 증명.

인성-만성 부 ①여러 사람이 복작거려 떠들썩한 모양. ¶모두들…장지문 앞으로 꾀어들어 ~ 떠들어 댄다≪金周榮 : 客主≫. ②정신이 혼미(混迷)하여 눈앞이 어른어른한 모양. ——-하다 형여불

인성 본선【人性本善】명 사람의 성품(性品)은 본디 착함. *성선설(性善說).

인성 본악【人性本惡】명 사람의 성품(性品)은 본디 악함. *성악설(性惡說).

인성 염:불【引聲念佛】[—념—] 명 〖불교〗 인성을 창(唱)하면서 염불함. ——-하다 자여불

인-성접【印成—】명 [←인성첩(印成帖)] 공문서(公文書)에 인(印)을 침. ——-하다 타여불

인-성첩【印成帖】명 →인성접.

인성-학【人性學】명〖철〗인간 성질의 발달 및 성격(性格)에 관한 학문. *인간학(人間學).

인세[1]【人世】명 인간 세상.

인세[2]【人稅】[—쎄] 명〖경〗납세(納稅)하는 개개인의 급부 능력(給付能力)을 중심으로 한 종합 소득 재산(綜合所得財產)에 대한 조세(租稅). 소득세(所得稅)·법인세(法人稅)·상속세(相續稅) 따위가 있음. 대인세(對人稅). ↔물세(物稅).

인세³【印稅】[—쎄] 명 ①〖법〗인지세(印紙稅). ②저자(著者) 또는 저작
권자(著作權者)가 그 작품(作品)의 사용(使用料)로서 출판자(出版者)
로부터 받는 금전. 그 정가(定價)에 안 일정한 비율로, 저서 뒤에
붙인 검인(檢印)의 수만큼 받게 되 작곡가(作曲家)나 가수(歌手)
등이 취입(吹入) 레코드의 발매 (賣數)에 따라 일정한 비율로 받는
돈. ¶ ~ 수입(收入).

인센티브-제【一制】〔ince 명〖경〗①생산성 향상이나 매출 효율
극대화를 위한 보상·장 ②북한이 생산력 제고(提高)와 경제 개
방을 위해 부분적으로 인 소유를 인정한 제도. 전에는 모든 재
산은 협동 단체 소 었으나 1992년 제 9기 최고 인민 회의에서
이와 같이 결정해 음. ——-하다 자여불

인소¹【忍笑】명 사람의 힘으로는 감당할 수 없는 형편.

인소²【燐素】 역〗이태조(李太祖)의 비(妃)인 신의 왕후(神懿王
后) 전(魂殿). 태종(太宗) 8년(1408)에 태조가 돌아가매

인-소불감 殿)이라 고치고 태조 및 신의 왕후의 혼전으로 함.

인소-전 은 사람을 이끌고 감. ——-하다 타여불

[—짜] 명 인솔하는 사람.

이 판면(版面)에 잉크를 묻히고 판면의 문자·그림 등을 종
인 아, 많은 복제(複製)를 만드는 일. 판의 양식에 따라 요
판(平版)·철판(凸版)·공판(孔版) 인쇄로 나뉨. ——-하다 타여불

刷工】명 인쇄에 종사하는 직공.

【印刷工場】명 인쇄 설비를 갖추고 인쇄하는 공장.

【印刷局】명 ①〖역〗대한 제국 농상공부(農商工部)의 한 국(局).
光武) 4년(1900)에 두어 이듬해에 폐함. ②〖역〗탁지부(度支部)
한 국. 광무 8년(1904)에 두어 이듬해에 폐하였다가 융희(隆熙) 원
(1907)에 다시 두어 융희 4년(1910)까지 있었음.

쇄-기【印刷機】명 ↗인쇄 기계.

인쇄 기계【印刷機械】명 글씨·그림의 판면(版面)을 소정의 자리에 장치하고 종이·깁에 인쇄하는 기계. 판(版)의 형식에 따라 요판(凹版)·평판(平版)·철판(凸版) 인쇄기, 압력(壓力)을 가하는 형식에 따라 평압기(平壓機)·윤전기로 나눔. 준인쇄기.

인쇄 니스【印刷—】명 인쇄 잉크를 만들 때 또는 인쇄할 때에 쓰는 니스. 보통, 식물유(植物油)를 가열하여 만들며, 잉크의 점성(粘性)과 유동성(流動性)을 위해 쓰임.

인쇄 매체【印刷媒體】명 선전이나 PR를 위한 광고 매체 중에서 인쇄물의 형태를 통하여 소비자 등에게 전달하는 것의 총칭. 신문 광고·잡지 광고·삽입 광고·전단·팸플릿 따위.

인쇄-물【印刷物】명 도서나 신문 등 인쇄된 물건의 총칭.

인쇄 배:선【印刷配線】명〖기〗라디오 세트(radio set)나 통신기 등의 배선을 할 때, 각각 부품을 맞춘 절연판(絶緣板) 위에 도체(導體)의 배선을 인쇄하여 여기에 전기 부품을 붙여서 전기 회로를 구성하는 방법. 복잡한 배선을 간략히 하고 그 용적을 줄이기 위한 목적으로 함. 프린트 배선.

인쇄-비【印刷費】명 인쇄하는 데 드는 비용.

인쇄-소【印刷所】명 인쇄 설비를 갖추고 인쇄하는 곳. 인쇄 공장에 비하여 규모(規模)가 작은 경우를 이르는 수가 많음.

인쇄-술【印刷術】명 인쇄하는 기술.

인쇄-업【印刷業】명 인쇄를 주업으로 하는 사업.

인쇄업-자【印刷業者】명 인쇄업(印刷業)을 경영(經營)하는 사람.

인쇄 용:지【印刷用紙】명 각종 인쇄용으로 만들어진 종이의 총칭. 지질(紙質)은 평활(平滑)·균질(均質)·불투명(不透明)하며, 탄성(彈性)이 있고 잉크의 흡수(吸收)가 적당해야 한다는 등의 특성(特性)이 요구됨.

인쇄-인【印刷人】명 ①인쇄하는 사람. 곧, 인쇄 공장의 소유자. 박은이. 인쇄자. ②〖법〗정기 간행물의 발행인(發行人)이 선임(選任)한 사람 또는 발행인과 인쇄 계약을 체결한 사람으로서, 그 정기 간행물의 인쇄에 관하여 책임을 지는 사람. *발행인.

인쇄 잉크【印刷—】〔ink〕명 인쇄에 쓰이는 잉크의 총칭. 보통, 안료(顔料)와 매질(媒質)을 함께 녹여서 만들며, 필요 용도에 따라 건조제(乾燥劑)나 점도(粘度)에 대한 조정제(調整劑) 등도 혼용함.

인쇄 전:신【印刷電信】명 전신 부호의 판독(判讀) 번역을 사람의 두뇌 대신 기계로 해서 문자로 나타내는 전신 방법.

인쇄 전:신 교환기【印刷電信交換機】명〖기〗자동으로 문자를 인쇄하는 전신 장치에 자동 교환기를 달아서, 발신자가 누르는 다이얼에 의하여 자동적으로 회선(回線)을 선택하는 교환기.

인쇄 전:신기【印刷電信機】명〔teleprinter〕통신에서, 전신 신호를 받아 이를 문자로 바꾸어 인쇄하는 장치.

인쇄-지【印刷紙】명 인쇄하는 종이.

인쇄-체【印刷體】명 인쇄 활자의 글자 모양으로 된 해서체(楷書體).

인쇄 카:드【印刷—】〔card〕명 도서 목록용(圖書目錄用)으로 인쇄한 카드. 도서관(圖書館)에서 이용함으로써 각종의 목록이 편성(編成)될 수 있도록 배려(配慮)한 것. 20세기 초두 미국 의회 도서관이 처음으로 사용함.

인쇄-판【印刷版】명 인쇄하는 판(版). 재료에 따라 목판(木版)·석판(石版)·아연판·동판(銅版)·활판(活版) 등, 양식에 따라 평판(平版)·요판(凹版)·철판(凸版) 등이 있음. 박음판. 준인판(印版).

인쇄 회로【印刷回路】명 도선(導線)을 사용하지 않고, 절연체(絶緣體)의 합성 수지판(合成樹脂板)에 동박(銅箔) 따위로 인쇄 배선(配線)한 전기 회로. 라디오·텔레비전의 조립(組立) 등에 널리 쓰임. *인쇄 배선(配線).

인수¹【人首】명 사람의 머리.

인수²【人壽】명 인간의 수명(壽命).

인-수³【人數】[—쑤] 명 사람의 수효.

인수⁴【引水】명 물을 끌어 댐. ——-하다 자여불

인수⁵【引受】명 ①물건이나 권리를 넘겨 받음. *인계(引繼). ②〖경〗환어음의 지급인(支給人)이 어음 금액 지급의 주된 채무자(債務者)가 된다는 뜻을 그 어음에 기재하고 서명(署名)하는 일. ——-하다 타여불

인수⁶【仁壽】명 인덕(仁德)이 있고 수명이 김.

인수⁷【仁獸】명 중국에서 전설상의 동물인 기린(麒麟)의 딴이름.

인수⁸【印綬】명 옛날 관인(官印)의 꼭지에 단 끈. 인끈. *인꼭지.

인수⁹【因數】[—쑤] 명〔factor〕〖수〗수 또는 식을 서로 곱하여 얻은 것을 곱의 형식으로 하였을 경우, 이의 구성 부분(構成部分)을 말함. 예를 들면, $a^2-b^2=(a+b)(a-b)$에서 $(a+b)$ 또는 $(a-b)$는 원래 a^2-b^2의 인수임.

인수 가액【引受價額】명〖경〗무액면 주식(無額面株式) 또는 액면가(額面價) 이상의 가액으로 액면 주식을 발행할 때, 주식 신청인이 주식을 인수하기 위하여 신청서에 기재(記載)하는 가액.

인수 거:절【引受拒絶】명〖경〗환어음의 지급인이 그 인수를 거절하는 일. 소구(遡求)의 원인이 되며 어음 소지인은 만기(滿期) 전에라도 소구권을 행사할 수 있음.

인수 거:절 증서【引受拒絶證書】명〖경〗어음의 인수를 위한 적법(適法)한 제시(提示)가 있으나 그 금액의 전부 또는 일부에 관한 인수가 거절된 것을 증명하는 증서.

인수 공채【引受公債】명 특별한 은행이나 정부 부내(部內)의 특별 회계에서 인수한 공채.

인수-단【引受團】명〖경〗유가 증권의 인수를 위하여 계약에 따라, 여러 인수 기관으로 구성된 인수 집단.

인수 대:비【仁粹大妃】명〖사람〗소혜 왕후(昭惠王后)의 대비(大妃)로서의 일컬음.

인수-로【引水路】명 물을 끌어 대는 도랑.

인수 매:출【引受賣出】명〖경〗증권업자가 주식이나 사채 발행 회사 또는 매출인(賣出人)으로부터 일괄(一括) 매입한 후에, 자기 부담으로 매출 행위를 하는 일. *인수 모집(募集).

인수 모집【引受募集】명〖경〗사채(社債) 모집의 한 가지. 어느 특정인(特定人)이 사채 총액(總額)의 모집을 청부(請負)하고, 응모액(應募額)이 부족될 경우 그 부족액(不足額)을 자신이 인수할 의무(義務)를 지게 되는 일. 청부 모집(請負募集).

인수-별【人數別】[—쑤—] 명 사람의 수효대로 나눈 구별.

인수-봉【仁壽峰】명〖지〗경기도 고양시 효자동(孝子洞)과 서울 특별시 강북구(江北區)의 경계에 있는 북한산(北漢山) 중의 산봉우리. 백운대·만경대와 함께 예로부터 삼각산(三角山)이라 함. [803m]

인수 분해【因數分解】[—쑤—] 명〔factoring〕〖수〗정수(整數) 또는 다항 대수식(多項代數式)을 몇 개의 가장 간단한 정수 또는 정식(整式)의 곱의 형태(形態), 곧 인수(因數)의 곱의 형태로 만드는 일. 예를 들면 $a^2+2ab+b^2$을 $(a+b)^2$으로 하는 따위.

인수 분해법【因數分解法】[—쑤—뻡] 명〖수〗정수(整數) 또는 다항 대수식에서 가장 간단한 인수를 찾아 이를 분해하는 방법.

인수 설립【引受設立】명〖경〗단순 설립(單純設立).

인수 승계【引受承繼】명〖법〗민사 소송의 계속 중(繫屬中) 제삼자가 그 소송의 목적인 채무를 승계하였을 경우, 당사자의 신청에 의하여 법원이 허가해 주는 소송의 승계(承繼). *참가 승계.

인수 시각 증명 우편물【引受時刻證明郵便物】명〖법〗특수 우편물의 한 가지. 우편 관서(官署)에서 우편물을 인수할 때 그 우편물과 수령증(受領證)에 그 인수 시각을 기입(記入) 증명하여 배달하고, 그 날짜를 발송인(發送人)에게 도로 통지해 주는 제도.

인수-식【引受式】명 인수할 때 거행하는 의식.

인수 신디케이트【引受—】〔syndicate〕명〖경〗공사채(公社債)의 발행을 공동으로 인수하기 위하여 조직된 은행·신탁 회사·증권 회사 등의 단체.

인수 신:용장【引受信用狀】[—짱] 명 런던이나 뉴욕의 환은행이, 수입업자의 거래 은행의 의뢰에 의하여, 자국(自國)의 수출업자에 대하여 발행하는 신용장.

인수 어음【引受—】명〖경〗지급인(支給人)이 인수한 환어음의 통속적인 일컬음.

인수 왕비【仁粹王妃】명〖사람〗소혜 왕후(昭惠王后)의 첫번째 봉호(封號).

인수 은행【引受銀行】명〖경〗어음 금액의 지급을 인수하는 은행.

인수-인【引受人】명〖경〗환어음을 인수하여 지급할 채무를 지는 사람. 인수자(引受者).

인수 인계【引受引繼】명 업무나 물품 따위를 넘겨받고 물려줌.

인수 인도【引受引渡】명〖경〗디 에이(DA).

인수-자【引受者】명〖경〗인수인. ↔인계자.

인수-절【仁壽節】명〖역〗고려 현종(顯宗) 때 임금의 탄일(誕日)을 기념하여 정한 명일.

인수 제시【引受提示】명〖경〗어음의 지급인(支給人)에 대하여 인수(引受)하도록 어음을 제시하는 행위.

인수 제시 금:지 어음【引受提示禁止—】명〖경〗어음 지급인과의 사이에 인수 준비가 갖추어지지 않았을 경우 등에 쓰이는 어음으로, 인수 제시를 금지한다는 뜻을 적은 어음.

인수 제시 명:령 어음【引受提示命令—】[—녕—] 명〖경〗인수 제시를 해야 한다는 뜻을 적은 어음. 제시 기간이 있는 것과 없는 것의 두 가지가 있으며, 기간 안에 반드시 제시해야 함. 이를 태만히 하면 소구권(訴求權)이 상실됨.

인수-주의【引受主義】[—/—이] 명〖법〗경매(競賣) 목적물에 관해,

경매 채권자(競賣債權者)에 우선하여 다른 물권(物權)이 존재할 경우 경매 낙찰(競賣落札)에 의해 그 물권이 소멸되지 않고 그대로 낙찰인의 부담으로 남게 되는 원칙.

인수-증【引受證】[-쯩] 명 인수하였다는 표로 쓰는 증서.

인수 참가【引受參加】명 〖법〗'인수 승계(引受承繼)'와 '참가 승계(參加承繼)'의 병칭.

인수-체【仁壽體】명 조선 중종(中宗) 시대의 김구(金絿)가 쓴 글씨체. 중국 명(明)나라 때의 서예가(書藝家) 축윤명(祝允明)의 서체(書體)에서 비롯한 것으로, 보기에 부드럽고 글자 모양이 넓고 품위가 있어 보임. 자암체(自庵體).

인수 회:사【引受會社】명 〖경〗공·사채 모집(公社債募集)의 위탁을 받은 회사. 수탁(受託) 회사.

인숙【姻叔】명 고모부(姑母夫).

인순[1]【仁順】명 성질이 어질고 순함. ——-하다 형여불

인순[2]【因循】명 ①내키지 않아 머뭇거림. ②구습(舊習)을 지키고 버리지 아니함. ——-하다 자여불

인순[3]【嶙峋】명 ①산이 첩첩이 싸여 깊숙한 모양. ②여러 계단을 이룬 모양. ——-하다 형여불

인순 고식【因循姑息】명 구습(舊習)을 지키고 진취(進取)의 기상이 없이 구안(苟安)만 취함. ——-하다 자여불

인순-론【因循論】[-논] 명 보수적(保守的)인 입장의 주장(主張). 보수주의.

인순 왕후【仁順王后】명 〖사람〗조선 명종(明宗)의 비(妃). 성은 심씨(沈氏). 청송(靑松) 사람. 청릉 부원군(靑陵府院君) 강(鋼)의 딸. 선조가 즉위하자 잠시 수렴 청정(垂簾聽政)하였으며 선조 2년(1569)에 존호(尊號) 의성(懿聖)을 받음. [1532-75]

인술【仁術】명 ①인(仁)을 행하는 방법. ②사람을 살리는 어진 기술이란 뜻으로 '의술(醫術)'을 이름.

인숭-무레기 명 어리석어 사리를 분간할 줄 모르는 사람.

인-슈:트[inshoot] 명 야구에서, 투수가 던진 속구(速球)가 타자 가까이에 와서 급히 안으로 굽는 일.

인슐레이터[insulator] 명 ①〖건〗차단물(遮斷物)·절연물(絶緣物)의 뜻으로, 열에 대한 단열재, 음에 대한 방음재, 전기에 대한 절연체를 가리킴. ②하이파이(hi-fi)에 있어서, 캐비닛의 다리를 겸한 방진(防振) 쿠션.

인슐리나아제[insulinase] 명 〖화〗간장(肝臟)에서 생성되는 효소(酵素). 인슐린을 불활성화(不活性化)할 수 있음.

인슐린[insulin] 명 〖화〗췌장(膵臟)으로부터 분비되는 호르몬의 하나. 체내에 있는 당(糖)의 소비(消費)를 앙진(昂進)시키며 간장(肝臟) 안의 글리코겐의 저장을 증가시킴. 혈당(血糖)을 감소시키므로 당뇨병의 치료에 쓰임.

인슐린 쇼크[insulin shock] 명 〖의〗핏속의 인슐린양(量)이 지나치게 많아져 저혈당 증상(低血糖症狀)이 나타나는 일.

인슐린 쇼크 요법【—療法】[-뻡] 명 [insulin shock therapy]〖의〗정신 분열병에 유효한 치료법. 공복시(空腹時)에 고단위의 인슐린을 피하 주사(皮下注射)하여, 저혈당(低血糖)에 의한 혼수(昏睡)를 일으키게 하고 30-60분 후 포도당 정맥 주사로 깨어나게 하여 충분한 식사를 줌. 이것을 20-40회 반복하는 것을 치료 상의 한 단위로 함.

인슐린-파스[insulin+Pastase의 조어] 명 당뇨병 치료제인 인슐린을 파스처럼 살갗에 붙여 인체에 투여하는 치료제. 1992년 한국 화학 연구소의 이해방(李海邦) 박사가 개발.

인스브루크[Innsbruck] 명 〖지〗오스트리아 서부 티롤 주(Tirol 州)의 주도(州都). 인 강(Inn江) 강변에 위치하는데 2,500 m 높이의 알프스 준령이 남북으로 둘리어 있어 여름에는 휴양·등산객, 겨울에는 스키어가 많이 찾음. 1964년과 1976년에 동계 올림픽이 열렸음. [116,000명(1981)]

인스터매틱 카메라[instamatic camera] 명 이스트먼 코닥(Eastman Kodak) 회사가 1963년에 발매한 카메라. 필름 장전이 간단하여 초심자에 편리함.

인스턴트[instant] 명 즉석(卽席). ¶ ~ 라면/~ 커피.

인스턴트 식품【—食品】[instant] 명 간단히 조리할 수 있고 저장이나 휴대에도 편리한 즉석 식품. 더운 물을 붓거나 또는 그대로 끓이는 것만으로 먹을 수 있도록 가공됨.

인스턴트 카메라[instant camera] 명 촬영(撮影) 즉시 프린트(print)되는 카메라.

인스턴트 커피[instant coffee] 명 농축(濃縮)한 커피액(液)을 분무 건조(噴霧乾燥) 혹은 동결(凍結) 건조에 의하여 입상(粒狀)으로 만든 것으로, 더운 물이나 그냥 물에 타서 마심.

인-스텝[instep] 명 ①야구에서, 타자(打者)가 타구하는 팔의 반대편 발을 홈 플레이트쪽에 내어 디디고 타구하는 자세. ②발등.

인스텝 킥[instep kick] 명 축구에서, 공을 발등으로 차는 일.

인스트[inst] 명 〖심〗↗인스트럭션(instruction).

인스트럭션[instruction] 명 ①노동 운동에서, 당(黨)이나 조합 본부에서 내려오는 지령(指令). ②〖심〗테스트를 할 때, 문제를 어떤 방식으로 할 것인가를 지시하는 일. 교시(教示). ㊟인스트.

인스트루멘털리즘[instrumentalism] 명 〖철〗기구주의(器具主義).

인스티튜:션[institution] 명 ①제도(制度). 관습(慣習). ②학회(學會). 협회.

인스티튜:션 광:고【—廣告】명 [institutions advertising] 학교·병원·교회·도서관 따위 여러 기관을 대상으로 하는 광고.

인스티튜:트[institute] 명 협회(協會). 연구소. 학원.

인스파이어[inspire] 명 활동의 원동력이 될 사상·감정을 고취하는 일.

인스펙터[inspector] 명 ①검사관(檢査官). ②경기자의 반칙(反則)을 감시하는 사람.

인스펙트[inspect] 명 검사. 검열. 감시.

인스피레이션[inspiration] 명 영감(靈感).

인스피릿[inspirit] 명 ①기운을 북돋는 일. 고무(鼓舞). ②인심을 격동시킴.

인습[1]【因習】명 이전부터 전하여 내려오는 습관. ¶ ~에 얽매이다.

인습[2]【因襲】명 예로부터 전해 내려온, 현재는 폐단(弊端)이 있는 습속(襲俗)에 무비판(無批判)으로 따름. 또, 그 관습이나 풍습. 도습(蹈襲). ——-하다 타여불

인습 도:덕【因習道德】명 ①예로부터 지켜 내려와 고침이 없는 도덕. ②현세에 안 맞는 인습(因習)에 젖어 조금도 개선이 없는 형식적 도덕(形式的道德).

인습-적【因襲的】명관 인습에 젖어 새로운 것을 받아들이려고 하지 않는 모양. 또, 진보적·개혁적인 사상을 인정하지 않고 억압(抑壓)하려는 경향·상태.

인습-주의【因襲主義】[-/-이] 명 인습대로만 행하고 개선(改善)의 길을 찾지 않는 주의.

인습 타:파【因習打破】명 예로부터의 고루(固陋)한 인습을 고치고 없앰. ——-하다 자여불

인승[1]【人勝】명 정월 초이렛날 인일(人日)에 머리에 꽂던 장식품. 궁중에서 의식을 올리면서 신하들에게 논아주었던 것으로 화승(花勝)이라고도 했음.

인승[2]【因乘】명 서로 곱함. ——-하다 타여불

인승 배근【引繩排根】명 인승 별근(引繩批根).

인승 별근【引繩批根】명 둘이 한패가 되어 남을 배척하여 제거함. 인승 배근(引繩排根).

인시[1]【人時】명 봄에 밭 갈고 가을에 거둘 때. 곧, 백성의 생활에 필요한 시기. 민시(民時).

인시[2]【因時】명 때를 좇아 시세(時勢)에 맞춤. ——-하다 자여불

인시[3]【寅時】명 〖민〗①십이시(十二時)의 세째 시. 곧, 오전 세시부터 다섯시 사이. ②이십 사시(二十四時)의 다섯째 시. 곧, 오전 세시 반부터 네시 반 사이. ㊟인(寅).

인시[4]【人時】의명 노동량(勞動量)의 단위. 한 사람이 한 시간 동안 일하였을 때의 일의 양(量).

인시-류【鱗翅類】명 〖충〗나비목(目).

인시 제:의【因時制宜】[-/-이] 명 시대의 변함에 따라 시세(時勢)에 맞게 함. ——-하다 자타여불

인식【認識】명 ①사물을 분명히 알고 그 의의를 바르게 이해·판별(判別)하는 일. ②〖심〗[cognition] 지각(知覺)·기억·상상·구상(構想)·판단·추리(推理)를 포함한 광의(廣義)의 지적 작용(知的作用). ③〖철〗지각·기억·내성(內省) 및 이와 같은 이해를 나타내는 명제(命題) 및 판단을 포함하며, 의욕(意慾)·정서와 함께 의식의 기본이 되는 측면(側面) 또는 기능(機能). 근대에 이르러 인식은 주관과 객관의 이중 관계로서 이해되며, 나아가 인식 객체(客體), 인식의 형식과 질료(質料), 그 진위(眞僞) 관계 등은 인식의 근원·한계·효용(効用) 등의 상이한 관점에 의한 많은 철학적 입장에 의하여 여러 가지로 이해됨. ——-하다 타여불

인식 객관【認識客觀】명 [도 Erkenntnisobjekt]〖철〗인식하는 주관의 객체(客體)로서의 계기(契機). 합리론(合理論)에서는 이성(理性)·오성(悟性)·의식(意識)을 제외한 일체를 의미하나, 리케르트(Rickert) 등은 엄밀히 주관에 있어서까지 객관화될 수 있는 것, 곧 인식론적 주관(認識論的主觀)도 제외된 형식을 말함. *인식 주관(認識主觀)·인식론적 주관(認識論的主觀).

인식 객체【認識客體】명 〖철〗인식 객관(認識客觀)의 주체(主體).

인식 근거【認識根據】[도 Erkenntnisgrund]〖철〗일정 사실을 인식하기 위한 근거(根據). 곧, 사실적 존재가 인식되는 양태로서, 예컨대 병은 발열(發熱)이 사실 근거(事實根據)임에 반하여 발열은 병의 인식 근거임. 존재 근거(存在根據). 인식 이유(認識理由). 이유(理由). ↔사실 근거(事實根據).

인식 능력【認識能力】[-녁] 명 〖심〗사물을 분별 인식할 수 있는 정신 능력. ↔감정(感情) 능력.

인식-론【認識論】[-논] 명 [도 Erkenntnistheorie]〖철〗인식 자체의 반성 및 그 기원(起源)·본질·방법·한계 등을 연구하는 철학의 한 부문. 영국 경험론의 철학 이래 지식학으로서 발달되어, 자연 과학적 인식론은 칸트에 이르러 대성되었고, 다시 18세기 말부터 정신 과학의 인식론도 일어나게 되었음. 고래로 인식의 기원에 관하여 경험론(經驗論)·이성론(理性論), 그 대상에 관해 실재론(實在論)·관념론의 대립이 있음. 지식론. 지식 철학.

인식론적 논리학【認識論的論理學】[-논쩍놀-] 명 〖논〗논리학에서, 연역(演繹) 및 논증의 본원적(本源的)인 반성 및 나아가 사고(思考)·경험의 기능·제약을 재해명하는 논리학의 한 분파. 뉴턴 역학(Newton 力學)의 승리에 자극되어 과학의 기초를 다시 반성(反省)하는 기운이 일어나 흄(Hume)을 거쳐 칸트(Kant)에 이르는 논리학을 중심으로 후의 신칸트 학파가 문제로 하던 학문임.

인식론적 주관【認識論的主觀】[-논쩍-] 명 〖철〗독일의 철학자 리케르트(Rickert)의 용어로, 주관에 있어서까지 객관화될 수 있는 것. 곧, 시간적·공간적 현실로서의 물리적·심리적 주관을 제외한 초개인적(超個人的)·비인격적 형식을 말함. 논리적(論理的) 주관. *인식 주관(認識主觀)·인식 객관(認識客觀).

인식 부족【認識不足】명 어떤 문제에 대하여 정당히 인식하여 판단할

지식이 부족한 일.

인식 비:판【認識批判】명〔도 Erkenntniskritik〕〘철〙 특히 인식 일반(認識一般)에 있는 학(學)의 진리 보증(保證)을 음미(吟味)하고, 확정성(確定性)의 규준(規準)을 구하기 위하여 인식의 원천(源泉)·전제(前提)·제약(制約)·목적·한계 등을 연구하는 학문. 이의 창시자는 칸트(Kant)와 로크(Locke)로 칸트는 인식을 사실 문제로서, 로크는 권리 문제로서 취급했다고 함. *인식론(認識論).

인식 사회학【認識社會學】명〔프 sociologie de la connaissance〕사회학의 한 영역. 인식을 중심으로 하는 사고 작용에 따라, 그 사회적 성격과 기초를 연구함. 프랑스의 사회학파가 주창하여, 독일에 영향을 미쳤으며, 지식 사회학의 성립을 자극하였음.

인식-색【認識色】명 같은 종속(種屬)의 동물이 인식하는 데에 도움이 될 것이라고 생각되고 있는 동물의 체색(體色). 사슴 꼬리의 흰 색 부분은 그 예임.

인식 없:는 과:실【認識一過失】[一업一] 구〘법〙 행위자가 자기의 행위에서 일정한 결과가 발생할 것을 인식할 수 있음에도 불구하고 부주의(不注意)에서 그것을 인식하지 않고 또는 그와 같은 심리 상태에서 결과를 성립시키는 일. 일반적인 과실(過失)이 이에 해당함.

인식 이:유【認識理由】명〘철〙 인식 근거(認識根據).

인식 있는 과:실【認識一過失】구〘법〙 행위자가 위법적(違法的)인 결과가 발생하리라는 가능성을 인식하고 있음에도 불구하고 자기의 경우에는 절대 발생하지 않으리라고 확신하고 행위를 했던 바, 의외에도 그 결과를 발생시키는 일. 이를테면 사고의 위험을 알면서 자기의 능력을 과신(過信)한 운전사의 과실이 이에 해당함.

인식 주관【認識主觀】명〔도 Erkenntnissubjekt〕〘철〙 인식의 객관·대상(對象)에 대하여, 이 인식을 하나의 작용으로 보아 그 작용이 귀속(歸屬)되는 주체(主體). 합리론(合理論)에서는 이성(理性)·오성(悟性)·의식(意識)을 의미하나, 리케르트(Rickert) 등은 순수히 인식론적 주관만을 엄밀한 의미의 인식 주관으로 부름. *인식 객관(認識客觀)·인식론적 주관(認識論的主觀).

인식-표【認識票】명〘군〙 성명·군번·혈액형·입대 연도 등을 새긴 타원형의 얇은 쇠붙이. 군인들이 줄에 매어서 목에 걺.

인식 형이상학【認識形而上學】명〔도 Gnoseologie〕〘철〙 독일 철학자 하르트만(Hartmann)의 용어로, 인식에 관한 형이상학적 이설(形而上學的理說)을 말함. 그에 의하면 모든 철학적 사고는 현상학(現象學)으로, 다시 비판적 형이상학(批判的形而上學)인 인식 형이상학으로 나아간다 하였음. *현상학(現象學)·문제학(問題學).

인신[1]【人臣】명 신하.

인신[2]【人身】명 ①사람의 몸. ②개인의 신상(身上)·신분(身分). ¶~ 공격을 서슴지 않다.

인신[3]【人神】명 ①〘역〙 사전(祀典)에 선농(先農)·선잠(先蠶)·우사(雩祀)·문선왕(文宣王)을 가리키는 말. 모두 중사(中祀)인데, 선농은 경칩(驚蟄) 뒤 좋은 해일(亥日)에, 선잠은 계춘(季春) 뒤 사일(巳日)에, 우사는 맹하(孟夏)에 날을 받아서, 문선왕은 중춘(仲春)과 중추(仲秋)의 첫째 정일(丁日)에 제향(祭享)을 지냄. ②신성(神性)이 있는 것으로 간주되어 존숭(尊崇)을 받는, 살아 있는 사람. 신인(神人). *인간신(人間神).

인신[4]【引伸】명 잡아 당기거나 펴서 늘임. ——-하다 자여불

인신[5]【印信】명 도장·관인(官印) 등의 통칭.

인신 공:격【人身攻擊】명 남의 신상에 관한 일을 들어 비난함. 사행(私行) 따위를 폭로하여 그 사람을 비난하는 일. ——-하다 자여불

인신-관【印信官】명〘역〙 지방 관아의 수령을 이르는 말.

인신-권【人身權】[一꿘] 명〘법〙 '인격권(人格權)'과 '신분권(身分權)'의 병칭.

인신 매매【人身賣買】명 사람을 팔고 삼. ——-하다 자여불

인신 보:호법【人身保護法】[一뻡] 명〘법〙 ①인신의 자유가 부당하게 박탈(剝奪)당하였을 경우에 사법 재판(司法裁判)에 의해 신속(迅速)하고 용이(容易)하게 자유를 회복(回復)시키는 제도(制度)를 정한 법률. ②인신 보호율(人身保護律).

인신 보:호 영장【人身保護令狀】[一짱] 명〔writ of habeas corpus〕〘법〙 인신 구속의 적부(適否)를 심사하기 위하여 구금자(拘禁者)에게 피(被)구금자를 대동(帶同)하고 출두하라는 법관의 명령서. 헤이비어스 코퍼스.

인신 보:호율【人身保護律】명〔Habeas Corpus Act〕〘법〙 1679년 영국 의회(英國議會)가 국왕 찰스(Charles) 2세의 폭정에 대하여 민권 보호를 위해 제정·가결한 법률. 그 내용은 정당한 이유 없이 체포(逮捕)·감금(監禁)하지 않고 재판을 조속히 할 것 등을 정함. 인신 보호법(人身保護法).

인신-사【印信司】명〘역〙 1308년에 충선왕(忠宣王)이 즉위(卽位)하여 승지방(承旨房)을 고쳐서 둔 관아. 고려 후기에 왕명(王命)의 출납(出納)을 맡아 보았음.

인신 사:고【人身事故】명 교통 사고 따위에서, 사람이 부상 또는 사망하는 사고.

인심[1]【人心】명 ①사람의 마음. 세상 사람들의 생각이나 기분(氣分). 인정(人情). 마음. ¶~이 후하다/~이 사납다. ②백성의 마음. ¶~이 동요되다. ③형기(形氣)로서 생긴 마음. 사사로운 마음. ↔도심(道心).

인심[2]【仁心】명 인자(仁慈)한 마음.

인심[3]【忍心】명 ①잔인한 마음. ②참는 마음.

인심 세:태【人心世態】명 세상 사람들의 마음과 세상 물정. 인정 물태(人情物態). 인정 세태(人情世態). 세태 인정.

인심 소:관【人心所關】명 사람의 마음에 따라 각각 그 취의(趣意)를 달리함.

인심 여면【人心如面】명 사람의 마음이 각각 같지 아니함은 그 얼굴이 각각 다른 것과 같음.

인심 흉흉【人心洶洶】명 인심이 크게 동요되어 평온(平穩)하지 아니함. ——-하다 형여불

인ᄉᆞ 명〈옛〉 인사(人事). ¶부톄 인ᄉᆞᄒᆞ신대 廣熾 깃거 發願호ᄃᆡ ≪月釋 Ⅱ:9≫.

인아[1]【人我】명 ①다른 사람과 나. ②〘불교〙 사람 안에, 변하지 않는 본체(本體), 즉 아(我)가 있다는 생각.

인아[2]【人痾】명 사람이 죽었다가 다시 살아나거나 여자가 변하여 남자, 남자가 변하여 여자가 되거나 또는 몸뚱이가 변하여 이상하게 되는 것 등. 인변(人變).

인아[3]【姻婭】명 사위 집 편의 사돈 및 남자 편의 동서 간의 통칭. 사위의 아버지, 곧 사돈을 인(姻)이라 하고, 여자 형제의 남편끼리, 곧 동서끼리를 아(婭)라 함.

인아[4]【鱗芽】명〘식〙 비늘눈.

인아-간【姻婭間】명 인아(姻婭)의 인척 관계 되는 사이.

인아무-상【人我無相】명〘불교〙 인신(人身)에는 항상 정하여져 있는 주재자(主宰者), 즉 아(我)가 없다는 말.

인아 족척【姻婭族戚】명 인아와 족척.

인아지-친【姻婭之親】명 인아의 관계가 되는 인척.

인아 친척【姻婭親戚】명 인아와 친척. 곧, 모든 일가.

인악【仁嶽】명〘사람〙 의소(義沼)의 호(號).

인악-기【仁嶽記】명〘책〙 조선 정조(正祖) 때 인악 대사(仁嶽大師)가 지은 불경 해설인 ≪화엄경 사기(華嚴經私記)≫와 ≪원각경 사기(圓覺經私記)≫의 통칭.

인안【燐安】명 ①↗인산 암모늄(燐酸 ammonium). ②화성(化成) 비료의 한 가지. 질소분 20 %, 인산분 50 %를 함유함. 유안(硫安)·과인산석회(過燐酸石灰)를 함께 시비(施肥)한 것과 같은 효력이 있음.

인안-전【仁安殿】명〘역〙 이태조(李太祖)의 계비(繼妃)인 신덕(神德)왕후 강씨(康氏)의 혼전(魂殿). 태조 5년(1396)에 강비(康妃)가 돌아간 뒤에 곧 이룩함.

인안지-곡【仁安之曲】명〘악〙 고려 때 원구 제향(圜丘祭享)의 초헌례(初獻禮)에 아뢰던 곡. 실제 곡목은 대려궁(大呂宮)이며, 등가(登歌)에서 연주함.

인애[1] 명〈옛〉 이내. ¶인애 남(嵐) ≪字會 上 2≫.

인애[2]【仁愛】명 어진 마음으로 사랑함. 또, 그 사랑. 자애(慈愛). 인친(仁親). ——-하다 자여불

인약【仁弱】명 어질고 약함. 너무 순함. ——-하다 형여불

인양【引揚】명 끌어 올림. ¶~ 작업. ——-하다 타여불

인어[1]【人魚】명 ①상반신(上半身)은 인체(人體)이며 하반신은 어체(魚體)인 상상(想像)의 동물. 듀공(dugong)이 전지(前肢) 곧 가슴지느러미로 새끼를 안고 해면에 나타난 것을 보고 일컬은 말이라고 함. 각국에 전설(傳說)이 있는데 서양(西洋)에서는 극히 미인(美人)이며 긴 머리는 녹색 또는 황금색이고 두 손에 거울과 빗을 가지고 있으며, 달밤에 강이나 바다에서 처량한 노래를 부른다고 함. 동양에는 제어(鯑魚)와 비슷하여 사지(四肢)가 있고, 갓난 아기의 울음 소리와 같은 음성을 낸다고 함. 모두가 여신(女身)이라고 함. 교인(鮫人). ②〘동〙 '듀공(dugong)'의 별칭.

인어[2]【人語】명 ①사람이 하는 말. ②사람의 말소리.

인어 대:방【隣語大方】명〘책〙 조선 시대에, 사역원(司譯院)에서 쓴 일본어 학습서. 일본 메이지(明治) 이전의 통속어를 초체(草體)로 쓰고 그것을 한글로 해석한 책. 10권 5책.

인언【人言】명 ①남의 말. ②여론. 소문.

인-업[1]【人一】명 사람으로서의 업. 또, 사람으로 태어난 업.

인업[2]【引業】명〘불교〙 전생(前生)의 업과로 말미암아 현세(現世)의 운명이 이루어지는 일. 또, 그 운명.

인업[3]【因業】명〘불교〙 ①인(因)과 업(業). ②전세(前世)의 작업(作業)에 의한 현세의 운명(運命) 및 내세(來世)의 과보(果報)를 이끌어 내는 현세의 작업(作業).

인역-권【人役權】명〘경〙 특정인(特定人)의 편익(便益)을 위하여 타인의 물건을 이용하는 물권(物權). 타인의 토지에서 낚시질이나 사냥을 하는 따위. 우리 나라 민법(民法)에서는 인정되지 않음.

인연[1]【人煙】명 사람의 집에서 불을 때어 나는 연기. 전(轉)하여, 사람이 사는 기척 또는 인가(人家)·인구(人口)의 뜻으로 쓰임. 연화(煙火). ¶잠시간 ~이 복잡한 곳을 피하여 청량한 산중에서…현세의 괴로운 일을 잊을까 하여…≪趙重桓 : 長恨夢≫.

인연[2]【引延】명 잡아 늘임. ——-하다 타여불

인연[3]【因緣】명 ①서로의 연분(緣分). 연고(緣故). ¶부부의 ~. ②어느 사물에 관계되는 연줄. ③유래(由來). 내력. ④이유·원인. ⑤〔범 nidāna〕〘불교〙 인(因)과 연(緣). 곧, 안에서 결과를 만드는 직접적 원인(原因)과 그 인을 밖에서 도와서 결과를 만드는 간접적 힘이 되는 연줄. 모든 사물은 이 인연에 의하여 생멸(生滅)한다 함. 유연(由緣). ——-하다 자여불 말미암다.

인연을 끊다 구 지금까지 있었던 관계를 끊다.

인연을 맺다 구 관계를 맺다.

인연이 끊어지다 구 관계가 없어지다.

인연이 멀:다 구 관련성이 적다. 관계가 전혀 없다시피 하다.

인연[4]【夤緣】명 ①덩굴이 연줄을 타고 올라감. ②나무 뿌리나 바위 등을 의지하고 이리저리 올라감. ③권세 있는 연줄을 타서 입신 출세(立身出世)를 구함. ——-하다 자여불

인연-각【因緣覺】명〘불교〙 연각(緣覺).

인연-생【因緣生】명〖불교〗연생(緣生).
인연-설【因緣說】명〖불교〗십이부경(十二部經)의 하나. 경전 가운데서 사물의 유래를 설명하는 부분.
인연 설법【因緣說法】명〖불교〗불교에서 인연의 도리를 설명하여 가르침. 인연의 이치를 가르치기 위한 설법.
인열 폐:식【因噎廢食】명 먹는 음식이 목에 메어 잘 넘어가지 않는 이유로 식사를 폐한다는 말. 곧, 사소한 장애(障礙)를 꺼려 큰일을 그만두는 데 비유함. ——-하다 자여불
인-염【燐塩】명〔microcosmic salt〕〖화〗인산 수소(燐酸水素) 나트륨 암모늄 사수염(四水塩)의 속칭. 무색·단사 정계(單斜晶系)의 결정. 용구(熔球) 반응에 쓰임. [$Na(NH_4)HPO_4 \cdot 4H_2O$]
인염-구【燐塩球】명〖화〗인염을 강열(強熱)하여 물기와 암모니아를 발산시켜 유리꼴로 굳힌 메탄산 나트륨(metan酸 Natrium)의 용구(熔球). 금속염(金屬塩)이나 금속의 산화물을 이와 함께 응융하면 다소 복잡한 인산염(燐酸塩)이 되어 특유한 빛깔을 나타내므로 이것을 금속의 정성 분석(定性分析)에 이용하는데, 이 시험을 용구(熔球) 시험이라고 함. 준인구(燐球).
인엽【鱗葉】명〖식〗비늘잎.
인영[1]【人影】명 사람의 그림자 또는 자취.
인영[2]【印影】명 인발.
인영-맥【人迎脈】명〖한의〗후두(喉頭) 곁에 뛰는 큰 맥. 또, 왼편 손목의 맥이라고도 함.
인예 왕후【仁睿王后】명〖사람〗고려 문종의 비(妃). 성은 이씨(李氏). 인주(仁州) 사람. 중서령(中書令) 자연(子淵)의 맏딸. 아버지의 정략적 세력 부식의 제물로 두 동생, 인경 현비(仁敬賢妃), 인절 현비(仁節賢妃)와 함께 비가 되었음. 불교를 숭상하여 국청사(國淸寺)를 창시(創始)함. [?-1092]
인오【仁烏】명 '반포지효(反哺之孝)의 새'라고 하여 까마귀를 이름.
인옥【隣屋】명 인가(隣家).
인온【絪縕】명 ①천기(天氣)와 지기(地氣)가 서로 합하여 버림. ②봄 날씨가 화창(和暢)함. ——-하다 자여불
인왕【仁王】명〖불교〗불법(佛法)의 수호신으로, 사문(寺門) 또는 수미단(須彌壇) 전면의 좌우에 안치한 한 쌍의 금강 역사(金剛力士). 보통 개구형(開口形), 즉 아형(阿形)을 금강상(金剛像), 폐구형(閉口形) 즉 훔형(吽形)을 역사상(力士像)이라 하고 또는 왼쪽의 것을 밀적 금강(密迹金剛), 오른쪽의 것을 나라연(那羅延) 금강이라고 함. 둘 다 용맹하고 험악한 얼굴을 가짐. 이왕(二王). 금강신(金剛神).
인왕-강【仁王講】명〖불교〗인왕경(仁王經)을 독송(讀誦)하는 법회(法會).
인왕-경【仁王經】명〖불교〗↗인왕 반야경(仁王般若經).
인왕-력【仁王力】[—녁] 명 인왕(仁王)의 힘과 같이 큰 힘. 금강력(金剛力).
인왕 만다라【仁王曼荼羅】명〖불교〗별존(別尊) 만다라의 하나. ≪인왕 호국 반야 바라밀다경(仁王護國般若波羅蜜多經)≫에 의거, 오대존(五大尊)을 주존(主尊)으로 하고 붕왕(朋王)과 천부(天部)를 부속시킨 것과, 이 경의 도량 염송 의궤(道場念誦儀軌)에 의해 오보살(五菩薩)·오분노존(五忿怒尊)·오방천(五方天)을 그린 것이 있음.
인왕-문【仁王門】명 인왕의 상(像)을 좌우에 안치한 절의 문.
인왕 반야경【仁王般若經】명〖불교〗불공(不空)이 번역한 ≪인왕 호국 반야 바라밀다경(仁王護國般若波羅蜜多經)≫과 구마라습(鳩摩羅什)이 번역한 ≪불설 인왕 반야 바라밀경(佛說仁王般若波羅蜜經)≫의 두 책이 있는데, 인덕(仁德) 있는 제왕(帝王)이 반야 바라밀의 도(道)를 행하면 만민 안락(萬民安樂)하고 국토 안온(國土安穩)하다고 한 경문(經文). 준인왕경(仁王經).
인왕 반야 도:량【仁王般若道場】명〖불교〗고려 때, 불교 법회(法會)의 하나. 일백인(一百人)의 법사(法師)를 청하여 ≪인왕 호국 반야 바라밀다경(仁王護國般若波羅蜜多經)≫을 송경(誦經)함으로써 내란·외란의 방지와 국가 안녕을 기원하던 불교 의식.
인왕-산【仁王山】명〖지〗서울의 서쪽 성내에 있는 산. [338 m]
[인왕산 그늘이 강동 팔십리 간다] 어떤 한 사람이 잘 되어 세력이 좋으면 그 덕으로 도움을 받는 사람이 많다는 뜻. [인왕산 모르는 호랑이가 있나] 조선 안에 사는 호랑이는 모두 한 번씩 인왕산을 돌아간다는 옛 말에서, 자기를 인왕산에 비유하여, 자기를 모르는 사람이 있을 수 없다는 뜻. [인왕산 차돌을 먹고 살기로 사돈의 밥을 먹으랴] 아무리 어렵고 고생스럽더라도 처가의 도움으로 살아가기는 싫다는 말.
　인왕산 중 허리 같다 구 배가 부르다.
　인왕산 호:랑이 구 인왕산에 사는 호랑이로, 대단히 무서운 것을 비유하는 말.
인왕산 국사당【仁王山國師堂】명〖민〗서울을 수호하는 신당(神堂). 중요 민속 자료 제28호. 현재 서울 특별시 서대문구 현저동(峴底洞) 인왕산 기슭에 있지만, 본디는 남산 꼭대기에 있었음.
인왕 전【人王全】명 성씨(姓氏) 전(全)을 파자(破字)로 일컫는 말.
인외[1]【引外】명 ①밖으로 끌어 냄. ②묶은 것을 풂. ——-하다 타여불
인외[2]【寅畏】명 공경하고 두려워함. ——-하다 타여불
인요【人妖】명 상식에 어긋난 짓을 하는 사람. 여자가 남자로 변장(變裝)하고 남자 행세하는 따위.
인요 물괴【人妖物怪】명 요사스럽고 간악(奸惡)한 사람.
인욕[1]【人慾】명 사람의 욕심.
인욕[2]【忍辱】명 ①욕됨을 참음. ②〔범 kṣānti〕〖불교〗인욕 바라밀(忍辱波羅蜜).
인욕[3]【茵褥】명 왕골이나 부들 등으로 짠 자리. 인석(茵席).
인욕-개【忍辱鎧】명〖불교〗가사(袈裟).
인욕 바라밀【忍辱波羅蜜】명〖불교〗육바라밀(六波羅蜜) 또는 십바라밀(十波羅蜜)의 하나. 여러 가지 모욕을 참고 받아 마음을 움직이지 아니하는 수행(修行). 인욕(忍辱).
인-용[1]【仁勇】명 어진 마음과 용기.
인용[2]【引用】명 자기의 논(論)…
사례(事例)를 끌어 씀. ——…
인용[3]【認容】명 인정하여 용납…
인용 교:위【仁勇校尉】명〖역〗…
인용 부위(仁勇副尉)의 위, 어…
인용-구【引用句】[—꾸] 명 다른…
인용-문【引用文】명 다른 글에서…
인용-부【引用符】명 따옴표.
인용 부:위【仁勇副尉】명〖역〗고…
九品)의 하(下). 인용 교위(仁勇校…
인용-서【引用書】명 글을 인용하는 …
인용-어【引用語】명 다른 말에서 인용…
인용-점【引用點】[—쩜] 명 인용부(符)…
인용-형【引用形】명〖언〗인용어(語)의…
는 끝바꿈의 모양. '-라고'·'-냐고' 따위…
인우[1]【茵芋】명〖식〗[*Skimmia japonica*…
속하는 상록 관목. 높이 1-2m이고 잎은…
이며 대생 또는 윤생(輪生)하는데 긴 타원…
월에 녹백색의 작은 꽃이 원추 화총(圓錐花…)
루어 꼭대기에 피고, 핵과(核果)는 익으면…
전체가 평활(平滑)하며 향기가 있음. 깊은 산…
는데, 한국에도 분포함.
인우[2]【隣友】명 이웃 친구.
인우[3]【鱗羽】명 어류(魚類)와 조류(鳥類).
인울【堙鬱】명 우울하고 가슴이 답답함. ——-하…
인원【人員】명 ①사람의 수효. ②한 떼를 이룬 여…
인원-수【人員數】[—쑤] 명 ①사람의 수효. 인명…
를 이룬 사람의 수효.
인원 왕후【仁元王后】명〖사람〗조선 숙종(肅宗)의…
김주신(金柱臣)의 딸로, 숙종 28년(1702)에 왕비가…
宗) 원년(1721)에 국문으로 전교(傳教)를 묘당(廟堂)에…
弟)를 책봉하게 함. [1687-1757]
인-원질【燐原質】명〔phosphagen〕〖생〗생체(生體)의 안,…
함유되어 있는 에너지 저장 물질의 총칭. 아르기닌 인산(Ar…)과 크레아틴 인산(creatin燐酸)이 대표적이며, 전자는 절지(節肢…) 연체(軟體) 동물·극피(棘皮) 동물의 일부 및 원색(原索) 동물의 미…(尾索類)에, 후자는 척추(脊椎) 동물·극피 동물의 거미불가사리류(類)와 원색 동물의 두색류(頭索類)에 존재하며, 섬게류(類)·원색 동물의 의색류(擬索類)에는 양자가 존재함. 포스파겐. *인지질(燐脂質).
인월【寅月】명〖민〗월건(月建)의 지지(地支)가 인(寅)이 되는 달. 곧, 음력 정월을 이름.
인월도 유【人月刀兪】[—또—] 명 성씨(姓氏) 유(兪)를 파자(破字)로 일컫는 말.
인위[1]【人位】명 사람의 지위.
인위[2]【人爲】명 사람의 힘으로 된 일. 인공(人工). ↔자연(自然)·천위(天爲).
인위[3]【因位】명〖불교〗①불과(佛果)를 얻기 위하여 수행(修行)하는 지위(地位). ②불법(佛法)의 수행이 아직 성불(成佛)에 이르지 않은 보살(菩薩)의 지위. 인지(因地). 1)·2):↔과위(果位).
인위 단위 생식【人爲單爲生殖】명〔artificial parthenogenesis〕〖생〗수정(受精)하지 않은 난세포(卵細胞)에 인공으로 물리적·화학적 자극을 주어서 이를 발육시키는 일. 인공 처녀 생식(人工處女生殖). ↔자연(自然) 단위 생식.
인위 도태【人爲淘汰】명〖생〗'인위 선택'의 구용어.
인위 동면【人爲冬眠】명〖의〗특수한 약제의 혼합물을 사용하여 자율(自律) 신경을 차단시켜서, 생체를 밖으로부터의 침습(侵襲)에 대하여 반응하지 못하게 하는 특수한 마취 방법(痲醉方法). *저체온법(低體溫法).
인위-법【人爲法】[—뻡] 명 인정법(人定法). 실정법(實定法). ↔자연법(自然法).
인위 분류【人爲分類】[—불—] 명〔artificial classification〕〖생〗생물을 그 본질적인 특징에 의해 분류하지 않고 단지 외면적(外面的)인 형태나 인간과의 관계에 의하여 분류하는 일. 고래를 어류(魚類)로, 박쥐를 조류(鳥類)로 하는 등. 지금은 행해지지 않음. ↔자연 분류(自然分類).
인위 사회【人爲社會】명〔artificial society〕〖사〗자연 발생적인 사회가 아닌 개인의 의지나 목적에 의거하여 성립하는 사회. 각 이익 단체(利益團體)·문화(文化) 단체 등이 이에 해당함. ↔자연 사회(自然社會).
인위 선:택【人爲選擇】명〔artificial selection〕〖생〗생물의 품종(品種) 개량에 있어서, 목적에 적합한 형질(形質)을 가진 개체(個體)를 여러 대(代) 동안 선발(選拔)·육성(育成)해서 교배(交配)하여, 그 형질을 일정한 방향(方向)으로 변화(變化)시키는 일. 구칭:인위 도태. ↔자연(自然) 선택.
인위 수정【人爲受精】명〖생〗인공(人工) 수정.
인위스〔淫豫石〕명〖지〗중국 쓰촨 성(四川省) 백제성(白帝城) 수문(水門)의 서쪽, 양쯔 강 상류에 있는 거석(巨石). 음예석.
인위-장【人謂章】[—짱] 명〖악〗용비 어천가의 제77장의 이름.
인위-적【人爲的】명관 사람이 일부러 한 모양이나 성질. 인공적(人工…

인위적 경계

的). ↔자연적(自然的)·천연적(天然 계를 지을 때 현저(顯著)히 구
인위적 경계【人爲的境界】[명]〖지〗, 인공적으로 목표(目標)를 만들
분될 만한 자연물(自然物)이 없) 경계가 직선(直線)으로 되어 있
어 이를 기준 삼은 경계. 미국 경계(自然的境界).
는 것은 모두 이의 예임. 異】[명]〔artificial (trans)mutation〕
인위적 돌연 변:이【人 나 염색체(染色體)에 변화를 일으켜서
〖생〗인공적으로 유 조사(照射)로써 일으켰으나, 그 밖에 화
얻는 돌연 변이. 처 의 영향으로도 일으킬 수 있게 되었음.
학 물질·온도·수
유도(誘導) 등
조. ——-하다 [자][여불]
] [명]〖법〗법정 혈족(法定血族).
인-위조【印 인공적으로 만든 호수. 농업·발전(發電) 등의
인위 혈족 인조호.
인위-호 젖.
목 부드러움. 인자하고 유순함. ——-하다 [형][여불]
른 예를 끌어 비유(比喩)함. ②↗인유법(引喩法).
인 인(誘引). ——-하다 [타][여불]
권인의 유래(由來). ——-하다 [자][여불]
法】[—뻡] [명]〖문〗유명한 시가(詩歌)·문장·어구(語
대어 자기의 표현으로 대신하는 법. [준]인유(引喩).
乳粥】[명] 멥쌀 죽에 인유를 붓고 끓인 죽.
】[명] ①사람의 고기. ②사람의 육체.
】[명] 인주(印朱).
장【人肉市場】[명] 육체를 파는 시장이란 뜻으로, 매춘부들이
는 거리나 지대를 일컫는 말.
仁恩】[명] 어진 사랑으로써 은혜를 베푸는 일.
증【引飮症】[—쯩] [명] 술을 먹을수록 자꾸 먹고 싶은 버릇.
【隣邑】[명] ↗인근읍(隣近邑).
의¹【人義】[—/—이] [명] 사람으로서 행하여야 할 도리.
의²【人意】[—/—이] [명] 사람의 뜻. 민심(民心). 인심(人心).
인-의³【仁義】[—/—이] [명] 인(仁)과 의(義).
인의⁴【引義】[—/—이] [명] ①처신과 일을 행함에 의리를 좇아서 함. ② 스스로 벼슬을 내놓는 일. ——-하다 [자][여불]
인의⁵【引儀】[—/—이] [명]〖역〗조선 시대, 통례원(通禮院)의 종육품(從六品) 문관(文官) 벼슬.
인의⁶【因依】[—/—이] [명] 서로 의지함. 서로 가까이함. ——-하다 [자][여불]
인의⁷【寅誼】[—/—이] [명] 동료 사이의 정의.
인의⁸【隣誼】[—/—이] [명] 이웃 사이의 정의.
인-의-예:-지【仁義禮智】[명] 인(仁)·의(義)·예(禮)·지(智)의 사단(四端).
인-의-예:-지-신【仁義禮智信】[명] 유교(儒敎)에서, 다섯 가지의 중요한 도덕 관념을 병칭(倂稱)한 것. 곧, 인(仁)·의(義)·예(禮)·지(智)·신(信)의 오덕(五德). 오상(五常).
인의 인지성【仁義人之性】[—/—이—] [명] 인의를 행하려는 것은 사람의 본성(本性)이란 뜻.
인의지-단【仁義之端】[—/—이—] [명] 인의의 실마리.
인의지-도【仁義之道】[—/—이—] [명] 인(仁)과 의(義)의 도(道). 도덕.
인의지-병【仁義之兵】[—/—이—] [명] 인의를 실천하기 위한 군대.
인의지-정【仁義之情】[—/—이—] [명] 인의의 본질.
인의지-풍【仁義之風】[—/—이—] [명] 인의의 교화(敎化).
인-의-충-효【仁義忠孝】 [명] 인(仁)·의(義)·충(忠)·효(孝)의 사덕(四德). 또, 이 네 가지가 덕목(德目)의 대표적인 것이므로 도덕(道德)의 뜻으로 씀.
인-이불발【引而不發】[명]〔화살을 끼우고 활시위만 잡아당길 뿐, 활을 쏘지 않는다는 뜻으로〕①사람을 가르치는 데 단지 공부하는 방법만 지시하고 그 묘처(妙處)를 말하지 않아 학습자로 하여금 자득(自得)하게 함을 이름. ②세력을 축적하여 시기를 기다림을 이름.
인인¹【人人】[명] 사람들 각자(各自). 각기(各己).
인인²【仁人】[명] 인자(仁者).
인인³【因人】[명]〖불교〗불도를 수행하는 사람. ↔과인(果人).
인인⁴【忍人】[명] 잔인(殘忍)한 사람.
인인⁵【認印】[명] 중요하지 아니한 일에 쓰는 도장. 흔히, 성자(姓字)나 이름만 새김.
인인⁶【隣人】[명] 이웃 사람.
인인 성사【因人成事】[명] 남의 힘으로 일을 이룸. ——-하다 [자][여불]
인인-장【引人仗】[명]〖역〗정재(呈才) 때 쓰던 의장의 하나.
인일¹【人日】[명] ①인날. ②〖천도교〗제삼 교조(敎祖) 손의암(孫義菴)이 제이 교조에게서 도통(道統)을 받은 날. 곧, 12월 24일.
인일²【寅日】[명]〖민〗일진(日辰)의 지지(地支)가 인(寅)으로 된 날. 갑인(甲寅)·병인(丙寅)·무인(戊寅) 같은 것.
인일-가【人日歌】[명]〖문〗조선 정조(正祖)·순조(純祖) 때의 문인 이상계(李商啓)가 지은 가사. 유교의 인륜 도덕적(人倫道德的) 사상을 고취함. 총 95 구.
인일-제【人日製】[명]〖역〗고려·조선 시대 때의 과거 제도. 오순절제(五巡節製)의 하나. 인일(人日), 곧 음력 정월 초이렛날에 보이던 과거.
인일 평화 조약【印日平和條約】[명]〖역〗1952년의 인도·일본 사이의 강화 조약. 인도는 샌프란시스코 강화 조약 초안에 불만을 표시하여 이 조약에는 참가하지 않고, 우선 그 조약의 발효와 동시에 일본과의 전쟁 상태 종결을 선언한 뒤, 따로 인·일 양국 사이의 단독(單獨) 강화 조약을 맺음.
인임 [명]〔←잉임(仍任)〕갈릴 기한(期限)이 된 관리를 그대로 두는 일. ——-하다 [타][여불]
인입【引入】[명] 끌어들임. ——-하다 [타][여불]
인자¹【人子】[명] ①사람의 아들. ②〖성〗예수의 자칭(自稱). 예수는 완전한 신격(神格)과 인격(人格)을 가졌으므로 자기를 친히 인자라고 불렀음.
인자²【仁者】[명] 마음이 어진 사람. 인인(仁人).
인자³【仁慈】[명] 인후(仁厚)하고 자애스러움. ——-하다 [형][여불]
인자⁴【因子】[명] ①〖수〗인수(因數). ②어떤 결과를 낳는, 근원이 되는 여러 요소(要素)의 하나. ③유전자(遺傳子).
인자⁵【印字】[명] 타이프라이터나 전신 수신기(電信受信機) 등의 기계로 글자·부호를 찍음. 또, 그 글자. ——-하다 [자][여불]
인자⁶ [부]〈방〉인제(경상·전남).
인자 공부【忍字工夫】[—짜—] [명] 참고 견디는 마음을 기르는 일. ——-하다 [자][여불]
인자-기【印字機】[명] 타자기(打字機).
인자 돌연 변:이【因子突然變異】[명]〖생〗돌연 변이(突然變異).
인자 무적【仁者無敵】[명] 어진 사람은 모든 사람을 사랑하므로 천하에 적대하는 사람이 없음. ——-하다 [형][여불]
인자 분석【因子分析】[명]〖심〗지능 또는 성격 등 복잡한 정신 능력의 주요 인자(因子)가 무엇인가를 통계적 방법으로 연구하려고 고안된 통계적 분석 방법. 그 후 각종의 현상(現象)에도 적용되어, 다수의 다른 면(面)으로부터의 측정이 가능한 현상에 대한 통계적 분석 방법으로 쓰이고 있음.
인자 분해【因子分解】[명]〖수〗인수 분해(因數分解).
인자 불살【仁者不殺】[—쌀] [명] 인자는 생물을 죽이지 아니함. *인자 호생(仁者好生). ——-하다 [자][여불]
인자 불우【仁者不憂】[명] 어진 사람은 안빈 낙도(安貧樂道)함으로 마음에 걱정이 없음. ——-하다 [자][여불]
인자-스럽다【仁慈—】[형][ㅂ불] 인자한 태도나 인자한 마음이 있다. 인자-스레【仁慈—】[부]
인자 심리학【因子心理學】[—니—] [명]〖심〗지능을 비롯하여 여러 가지 능력, 더욱 넓게는 정신 현상 일반에 걸쳐, 인자 분석법이라고 하는 수학적 수단에 의해 경험적 혹은 통계적인 내부 구조를 생각하여 허다한 환상의 수(數)(자유도(自由度)의 수)를 줄이고, 편리한 소수의 자유도(自由度)에 의한 설명을 발견하려는 입장.
인자 안인【仁者安仁】[명] 인자는 천명(天命)을 잘 알아 인(仁)에 만족하여 마음이 동요하지 아니함.
인자 애:인【仁者愛人】[명] 마음이 어진이는 남을 사랑한다는 말.
인자 요산【仁者樂山】[명] 어진 사람은 모든 일을 도의(道義)에 따라서 하여, 행동이 신중하기가 태산 같으므로 산을 좋아함.
인자 의:지본야【仁者義之本也】[명] 인(仁)은 의(義)를 행하는 근본이라는 뜻.
인자-형【因子型】[명]〔idiotype〕〖생〗유전자형(遺傳子型).
인자 호:생【仁者好生】[명] 인자는 만물의 삶을 좋아함. *인자 불살(仁者不殺). ——-하다 [자][여불]
인작¹【人作】[명] 인조(人造). ↔천작(天作).
인작²【人爵】[명] ①사람으로부터 받은 지위(地位). 사람이 제정(制定)한 작위(爵位). ②공경(公卿)·대부(大夫)의 지위. ↔천작(天爵).
인장¹【引仗】[명]〖역〗의장(儀仗)의 하나.

〈인장¹〉

인장²【印章】[명] ①〖역〗도장. ¶~공(工). ②인발.
인장³【印藏】[명] 문서(文書) 따위를 인쇄(印刷)하여 간직하여 둠. ——-하다 [타][여불]
인장⁴【茵匠】[명]〖역〗공장(工匠)의 하나. 자리를 만드는 사람.
인장 강도【引張強度】[명]〖물〗장력(張力) 강도.
인장 대:조【印章對照】[명] 공문서 또는 다른 문서가 위조한 것인가 아닌가를 알아보기 위하여 그 문서에 찍힌 발행인의 도장 및 다른 도장을 대조하는 일. [준]인조(印照).
인장 묘:발【寅葬卯發】[명]〖민〗장사(葬事)지낸 뒤에 곧 복(福)을 받음. ——-하다 [자][여불]
인장 시험【引張試驗】[명]〔tensile test〕〖물〗시험편(試驗片)에 인장 하중(引張荷重)을 가하여 응력(應力)과 탄력(彈力)과의 관계를 측정하고, 탄성률(彈性率)·탄성 한도(彈性限度)·비례 한도(比例限度)·항복점(降伏點)·인장 강도 등을 구하는 재료 시험.
인장-업【印章業】[명] 목재·석재·금속재 및 기타 재료를 사용하여 인영(印影)을 조각·주조 또는 그 밖의 방법으로 인장을 조제하거나 조제하여 판매하는 업(業).
인장업 단속법【印章業團束法】[명]〖법〗인장업을 영위하는 자에 대하여 필요한 규제를 함으로써, 인장으로 인한 범죄를 예방할 목적으로 제정된 법.
인장 위조【印章僞造】[명] 인장을 위조함. 인위조(印僞造). ——-하다 [자][여불]
인장 위조죄【印章僞造罪】[—쬐] [명]〖법〗행사(行使)할 목적으로 남의 도장·기호·서명을 위조함으로써 성립하는 죄.
인장-포【印章鋪】[명] 도장포(圖章鋪).
인재¹【人才】[명] 재주가 놀라운 사람.
인재²【人材】[명] 학식과 능력이 뛰어난 사람. 인물(人物).

인재[3]【人災】명 사람에 의하여 일어나는 재난.

인재[4]【印材】명 도장을 만드는 재료. 나무·돌·뿔·상아·고무·쇠붙이 같은 것이 있음.

인재 가사【訒齋歌辭】명〖문〗조선 시대 선조(宣祖) 때의 문인 인재 최현(崔晛; 1563-?)이 지었다는 가사. 제작 연대 미상. 모두 20구(句). 임진 왜란을 당하여 지은 애국적인 노래임. 《호수 실기(湖水實記)》라는 개인 문집에 전함.

인재 등용【人材登用】명 인재(人材)를 뽑아 벼슬을 시킴. 인재를 뽑아 씀. ——-하다 자여불

인재명 호:재피【人在名虎在皮】명 사람은 죽은 뒤에 이름을 남기고, 범은 죽은 뒤에 가죽을 남긴다는 말.

인재백-산【人材白山】명〖지〗평안 북도 강계군(江界郡) 간북면(干北面)과 용림면(龍林面) 사이에 있는 산. [1,814 m]

인재 은행【人材銀行】명〖경〗인력(人力), 특히 고급 전문직(專門職) 종사자(從事者)를 필요한 곳에 알선해 주는 일을 맡은 기관(機關). 우리나라에서는 1982년에 한국 능률 협회(韓國能率協會)에 처음으로 설치(設置)됨.

인-재행【因再行】명 교통이 불편한 곳에서 새서방이 재행(再行)을 할 때, 처가(妻家) 근처의 집에 머물렀다가 다시 처가로 가는 일. ——-하다 자여불

인적 부〈방〉인제(충남).

인적[1]【人的】[—쩍] 명관 사람에 관한 모양. ↔물적(物的).

인적[2]【人跡·人迹】명 사람의 발자취. 또, 사람의 왕래. ¶~이 드물다/~이 끊어지다.

인적[3]【引赤】명〖의〗피부를 조금 자극하여 혈액을 한 곳에 모이게 하는 작용. *인적약.

인적[4]【隣敵】명 서로 이웃하고 있는 적.

인적 계:정【人的計定】[—쩍—] 명〖경〗기업과 자본주와의 출자(出資) 관계, 기업과 채권자·채무자와의 채권·채무 관계를 나타내는 계정. 자본금·대부금·차입금·사채(社債)·외상 매출금·외상 매입금 등의 여러 계정이 이에 속함. ↔비인적(非人的) 계정.

인적 관계【人的關係】[—쩍—] 명 사람과 사람과의 관계.

인적-기【人跡氣】명 인기척.

인적 담보【人的擔保】[—쩍—] 명〖법〗어떤 사람의 총재산이 남의 채무의 담보로 되어 있는 법률 관계. 보증 채무(保證債務)가 이에 속함. 실질적으로는 연대 채무(連帶債務)도 인적 담보의 효력을 가짐. ↔물적 담보(物的擔保).

인적 동군 연합【人的同君聯合】[—쩍—넌—] 명 [personal union]〖정〗왕위 계승법 등의 우연한 사정으로 둘 이상의 나라가 한 군주를 모시게 된 명목(名目)만의 동군 연합. 각각의 나라는 독립의 주권 국가이며 외교·선전 등의 권리를 가지고, 연합 자체는 국제법 상의 인격을 갖지 않음. 1714-1838년의 영국과 하노버(Hanover), 1815-90년의 네덜란드와 룩셈부르크가 그 예임. 인적 연합(人的聯合). 신상(身上) 연합. ↔물적(物的) 동군 결합.

인적 미:답【人跡未踏】명 지금까지 사람이 지나간 일이 전연 없음. 사람이 발을 들여놓지 아니함.

인적 부도처【人迹不到處】명 사람의 발자취가 이르지 아니한 곳.

인적 상호【人的商號】[—쩍—] 명 성명과 같이 사람의 명칭으로 하는 상호.

인적 신:용【人的信用】[—쩍—] 명〖법〗사람의 사회적 지위·신분·자격·영업 등에서 발생하는 신용. 또는, 금전의 대부에서 본인이나 제삼자를 신뢰하여 무담보로 대부하는 신용.

인적-약【引赤藥】[—냑] 명〖약〗피부를 인적하는 데 사용하는 약. 황랍(黃蠟)·경랍(鯨蠟)·올리브(olive) 기름 등을 섞어 만듦. 염증(炎症)·신경통 등을 치료함.

인적 연합【人的聯合】[—쩍넌—] 명〖정〗인적 동군 연합.

인적 영:향【人的影響】[—쩍—] 명〖광고〗퍼스널 인플루언스(personal influence).

인적 위험【人的危險】[—쩍—] 명〖경〗사업가가 경영상에 있어서 대인(對人) 관계로 말미암아 받는 위험. *동적 위험(動的危險)·정적(靜的) 위험·산업적 위험·영업 위험.

인적 자원【人的資源】[—쩍—] 명 사람의 노동력을 다른 물자(物資)와 똑같이 국가가 가지는 자원의 하나로 보고 하는 말.

인적 자원 회:계【人的資源會計】[—쩍—] 명 인적 자원을 어떤 형태로든 평가 계상(計上)하여, 효율적으로 활용하기 위해 기업 정보를 제공하려는 회계를 이름.

인적 증거【人的證據】[—쩍—] 명〖법〗증거 방법의 한 가지. 증인(證人)·감정인(鑑定人)·당사자(當事者)인 본인을 신문해서, 그 진술(陳述)을 증거로 하는 일. ㊟인증(人證). ↔물적(物的) 증거.

인적-지【引赤紙】명〖의〗인적에 유효(有效)한 약을 바른 종이.

인적 집행【人的執行】[—쩍—] 명〖법〗채무자의 재산뿐만 아니라 그 노동력·육체까지도 집행의 목적물로 하여 이것에 의하여 채권자의 만족을 꾀하는 강제 집행. ↔물적 집행. *민사 구류.

인적 책임【人的責任】[—쩍—] 명〖법〗어떤 사람의 총재산이 자기 또는 남의 채무에 충당(充當)되는 경우에, 그 사람이 자기와 관계있는 그 채무에 대하여 지는 책임. 보통의 채무(債務)가 이런 형태이며, 채권자(債權者)는 채무 변제(債務辨濟)가 이루어지지 않을 때, 그 책임자인 채무자(債務者) 또는 보증인(保證人)의 총재산에 대하여 강제 집행(強制執行)을 할 수가 있음. ↔물적 책임.

인적 항:변【人的抗辯】[—쩍—] 명〖법〗유가 증권상의 채무자가 청구자에게 대항할 수 있는 항변 중 증권상의 권리의 객관적 존재에는 관계없고 그 채무자와 특정한 소지인과의 사이의 특수 관계에서 발생하는 항변. ↔물적(物的) 항

인적 회:사【人的會社】[—ㅊ

의 관계가 비교적 농후(濃厚

의거(依據)하고 있는 회사. 합

회사는 이와는 대조적(對照的

인전【印篆】명 도장에 새긴 전자

인절미 명 [근대:인절미] 찹쌀이

다음, 알맞은 크기로 썰어 고물

餠). 주의 '引絶味'로 쓰은 취음

[인절미에 조청 찍은 맛] 구미에

인절미 팥고물 묻히듯이 귀 온통

¶갑쇠가 내리 굴러 떨어져서 인

칠을 범겋게 하고 《李人稙: 鬼

인절-병【引絶餠】명 '인절미'의 군두

인접[1]【引接】명 ①들어오게 하여 면접

견(引見)할 때에 시신(侍臣)으로 하여

(阿彌陀佛)이 염불 행자(念佛行者)를

가게 하는 일. ——-하다 타여불

인접[2]【隣接】명 이웃하여 있음. 옆에 닿아

인접-도【隣接圖】명 [adjoining sheet]〖

의 지도군(地圖群)에서, 상하 좌우 어느

인접 수역【隣接水域】명 접속(接續) 수역.

인접 채널 선:택성【隣接—選擇性】명 [ad

〖전자〗소정의 신호에 응답함은 물론, 인접

배제하는 무선 수신기의 능력.

인정[1]【人丁】명 인부(人夫)❶.

인정[2]【人定】명〖역〗밤에 통행을 금하기 위하

(都市)에서 저녁 이경(二更)에 이십팔수(二十

큰 종을 쳤는데 이에 따라 성문(城門)도 닫았음.

인정[3]【人情】명 ①사람이 본디 가지고 있는 온갖

원래 불의를 보면 미워하는 것이 ~이다. ②남을

한 마음씨. ¶~이 많다. ③세상 사람의 다사로운

~이 아쉽다. ④옛날, 벼슬아치들에게 은근히 주던

[인정도 품앗이라] 남도 나를 생각해 줘야 나도 그

말. [인정에 겨워 동네 시아비가 아홉이라] 무슨

정당치 못한 일도 하는 것을 두고 이름. [인정은 바

꾀치로 펜다] ㉠직접 자기의 이해 관계가 있는 일에

는 뜻. ㉡뇌물을 받는 아래 벼슬아치들의 권세가 큼을

인정(을) 쓰다 귀 남에게 돈이나 물건을 주어 따스한 정

인정[4]【仁政】명 어진 정치.

인정[5]【仁情】명 어진 마음씨.

인정[6]【寅正】명〖민〗인시(寅時)의 한가운데. 오전 네 시 정각.

인정[7]【認定】명 ①옳다고 믿고 정하는 일. ②〖법〗국가나 지방 자치체가 자기의 판단에 의하여 어떤 사실의 존부(存否)나 어떤 일의 당부(當否)를 결정하는 일. ——-하다 타여불

인정(을) 받다 귀 ㉠남으로부터 인정을 얻다. ㉡예술계·학계 또는 그 밖의 사회에서 충분한 자격이 있다고 믿게 되다. ¶그는 문단에서 인정 받은 지 오래다.

인정-가【人情價】명〖역〗인정미(人情米).

인정 가화【人情佳話】명 따뜻한 인정으로, 고독하고 불쌍한 사람을 돌보아 준 아름다운 이야기.

인정-간【人情間】명 서로 정답게 지내거나 인간의 정(情)으로 맺어진 사이. ¶~에 뗄 수 없다.

인정 과세【認定課稅】명 소정 기일 안에 과세 표준의 신고가 없거나, 그 신고가 부적당하다고 인정될 때, 정부가 일방적으로 조사한 과세 표준에 의하여 행하는 과세.

인정-권【人定權】[—꿘] 명〖법〗인정법(人定法)에 따라 정해진 권리. ↔천부 인권(天賦人權).

인정-답다【人情—】형ㅂ불 인정이 있어 보이다.

인정 도서【認定圖書】명 교과서에 갈음하거나 이를 보충하기 위한 학생용 도서 또는 학교에서 사용되는 교사용의 도서로서, 교육부 장관 또는 교육감의 사용 승인을 얻은 도서. *교과서·지도서.

인정-머리【人情—】명〈속〉인정. 인정미(人情味). ¶~가 없다.

인정 물태【人情物態】명 인심 세태(人心世態).

인정-미[1]【人情米】명〖역〗구실을 관가(官家)에 바칠 때에 비공식으로 아전들의 수수료(手數料)조로 덧붙여 내는 쌀. 인정가(人情價). *정비(情費).

인정-미[2]【人情味】명 인정이 깃들인 맛. ¶~라고는 눈곱만큼도 없다. 「㊟정미(情味).

인정-미[3]【人情美】명 인정이 깃들이어 있는 아름다움.

인정-법【人定法】[—뻡] 명〖법〗인위(人爲)로 제정한 법. 병역법(兵役法) 같은 것. 인위법(人爲法). ↔자연법(自然法).

인정 사:망【認定死亡】명〖법〗위난(危難)으로 인하여 사망이 확실함에도 불구하고 시체가 발견되지 아니하는 경우, 그 일을 조사한 관공서의 보고에 의하여 사망으로 인정하는 일.

인정 세:태【人情世態】명 인심 세태(人心世態).

인정 소:설【人情小說】명〖문〗사람의 인정미(人情味)를 묘사하여 독자로 하여금 읽어서 인정미(人情美)를 느끼게 하는 소설.

인정-스럽다【人情—】형ㅂ불 인정이 있다. 인정-스레【人情—】부

인정 신:문【人定訊問】명〖법〗법정에 출석한 형사 피고인이 분명히 피고인 본인인가 아닌가를 확인하기 위하여 재판장이 성명·연령 등을 묻는 일. ——-하다 타여불

인정 신문

명〖경〗사원의 개성(個性)과 회사와

회사의 활동이 사원의 인적 조건에

사(合名會社)와 같은 것으로, 주식

(物的) 회사에 속함. ↔물적 회사

(物的會社).

루를 시루에 쪄내어 떡메로 친

떡. 분자(粉餈). 인절병(引絶

에 듦의 비유.

어 쓰거나 씌우는 모양.

묻히듯이 전신에 황토

의정(議政)을 인

불교〗아미타불

(極樂淨土)로

여불

의 일련

결되는

지도.

ity]

를

…심으로 주는 돈. ¶그깐 때문은 …않으니 상심 마시오《金周榮: 客主》.

…德宮)의 정전(正殿). 조선 순조 … 소실(燒失)되었다가 이듬해 중건 …靑) 장식 등이 모두 조선 후기 건축 …政殿)은 이것을 본떠서 건조했음.

…] [—훌—] 명 『법』 비영리 법인(非營 …

…받아 실시하는 직업 훈련.

… 금지 명령(禁止命令).

…게 지내는 제사.

… 손아랫사람을 대접하여 이르는 말. *인형

…공손함. ——-하다 형여불

…부 사이에 자기를 일컫는 겸사말. 편지에 씀.

…앙(鴛鴦).

…강원도 인제군의 군청 소재지로 읍(邑). 소양강(昭 …川)의 합류점 가까이에 있는데, 서쪽은 춘천(春川), …川), 서북쪽은 양구(楊口)에 통하고 동쪽은 진부령 … 해안의 속초(束草)와 연락되어, 서울과의 도로 교통 … 부근 일대는 한국 제1의 꿀의 산출지이고 또 임산물· 많음. [9,656 명(1996)]

…제에 이르러. ¶~ 끝났다. ②이제로부터 곧. ¶~ 곧 가 …방〉 이제¹(경기·강원·충청·전라·경상).

…수원 나그네] 모르고 지나쳤으나 상대방이 깨우쳐 주어서 …아는 사람이라는 뜻.

…麟蹄郡】 명 『지』 강원도의 한 군. 1읍 5면. 북은 회양군(淮陽 …성군(高城郡), 동은 고성군과 양양군(襄陽郡)·속초시(束草市), …창군(平昌郡), 서는 양구군(楊口郡)·춘천시(春川市)·홍천군 …함. 오늘날은 북쪽 일부가 휴전선 이북에 위치함. 송이·표고·꿀을 …함. 명승 고적은 설악산(雪嶽山)·백담사(百潭寺)·오세암(五歲庵)· …승 폭포(大乘瀑布)·옥녀탕(玉女湯) 등이 있음. [해방전 2,148 km^2; …646.43 km^2: 35,062 명(1996)]

…제 대학교【仁濟大學校】 명 사립(私立) 종합 대학교의 하나. 백병원(白病院)이 모체가 되어 1979년 인제 의과(醫科) 대학을 설립했으며, 89년 종합 대학으로 승격됨. 부산 광역시와 경상 남도 김해시 소재.

인젝션 [injection] 명 ①분유(噴油). ②『의』 주사(注射). ③우주선(宇宙船) 따위를 지구 궤도나 화성 궤도 등 특정 궤도 위로 진입(進入)시키는 일.

인젝션 성형기【一成形機】[injection] 명 사출 성형기(射出成形機).

인절미 명 〈옛〉 인절미. ¶인절미(䊤餻)《譯語 上 51》.

인조¹【人造】 명 ①사람이 만듦. 인공(人工)으로 만듦. 또, 그 물건. 인조람(人造藍) 따위. 인공(人工). 인작(人作). ②『화』 천연품과 꼭같은 화학적인 성질을 가진 물질을 화학적으로 합성하는 일. 또, 특정한 성질·용도에 관해서는 아주 비슷하나 화학적 본성(化學的本性)이 전혀 다른 경우에도 말함. 인조 수지(人造樹脂)·인조 견사(人造絹絲) 따위. ③인조견(人造絹). ¶~ 속치마 / ~ 홑이불.

인조²【人鳥】 명 『조』 펭귄(penguin).

인조³【仁祖】 명 『사람』 조선의 16대 임금. 선조(宣祖)의 손자로, 인조 반정(仁祖反正)에 의해 서인(西人)에게 옹위(擁衛)되어 광해군(光海君)을 내쫓고 즉위, 병자 호란(丙子胡亂) 때는 중국 청(淸)나라에 항복했음. 능호(陵號)는 장릉(長陵). [1595-1649; 재위 1623-49]

인조⁴【仁鳥】 명 봉황(鳳凰).

인조⁵【印照】 명 ↗인장 대조(印章對照).

인조 가죽【人造—】 명 인조 피혁(人造皮革).

인조-견【人造絹】 명 인조 견사(絹絲)로 짠 비단. 인조(人造). 준인견(人絹).

인조 견사【人造絹絲】 명 『화』 천연(天然) 견사를 본뜬 인조의 직물용(織物用) 섬유. 목화(木花)나 목재(木材) 펄프의 셀룰로오스(cellulose)를 여러 가지 방법으로 용해(溶解)하여 콜로이드액(colloid 液)으로 만든 뒤에, 세공(細孔)으로부터 응고액(凝固液) 속으로 사출(射出)하여 섬유상(狀)으로 응집(凝集)시켜 정제(精製)함. 레이온(rayon). 준인견(人絹)·인견사(人絹絲).

인조 고기【人造—】 명 동물질(動物質) 이외의 원료로 만들어진, 고기 비슷한 맛·감촉·영양 등을 갖는 가공(加工) 식품. 콩·밀 등의 단백질을 알칼리 처리해서 액상(液狀)으로 분출시켜 섬유상(纖維狀)으로 한 것. 합성(合成) 고기. 인공육(人工肉).

인조 고무【人造—】[프 gomme] 명 『화』 아세틸렌(acetylene) 같은 것을 원료로 하여 화학적으로 합성한 고무. 합성 고무.

인조-골【人造骨】 명 『의』 인공적으로 만든 골질(骨質)의 물질. 외과(外科)·치과(齒科)에서 많이 사용하는데, 금속·플라스틱·바이탈륨(bitalium) 등을 재료로 씀.

인조-금【人造金】 명 『화』 알루미늄·구리·아연·마그네시아·주석(朱錫) 같은 것을 합성한 쇠붙이. 연장성(延長性)이 풍부함.

인조 금강석【人造金剛石】 명 인조 다이아몬드.

인조 다이아몬드【人造—】[diamond] 명 인공적으로 합성된 다이아몬드. 석묵(石墨) 등을 원료로 하여, 고온(高溫)·고압(高壓)에서 탄소 원자(炭素原子)의 배열을 바꾸어 합성(合成)함. 제품은 연마재(研磨材)·절삭용(切削用) 등으로 이용됨. 인조 금강석(人造金剛石). 합성 다이아몬드(合成diamond).

인조-람【人造藍】 명 인공으로 제조된 남(藍). 천연 물감인 남의 주성분인 인디고(indigo)를 인공적으로 콜타르 유도체(誘導體)에서 합성시킨 남청색 물감. 천연람(天然藍)에 비하여 염색이 변하기 쉬우나, 빛깔이 선려(鮮麗)하고 값이 쌈.

인조 마사【人造麻絲】 명 『화』 면사(綿絲) 가운데, 가스(gas) 실이나 실켓(silket)에 아교·구약분(蒟蒻粉)·단백질물(蛋白質物)·녹말(綠末)·파라핀유(Paraffin油) 등의 혼합물을 부착(附着)시켜, 천연 마사(麻絲)와 같게 만든 실.

인조-물【人造物】 명 ①사람이 만든 물건. ②화학적(化學的)으로 합성하여 만든 물질의 총칭. ↔자연물(自然物).

인조 물감【人造—】[—깜] 명 천연 물감, 곧 식물성 물감·동물성 물감과 달리 인공적으로 합성하여 만든 물감. 콜타르 물감 따위. 인조 염료. 합성 물감. ↔천연 물감.

인조-미【人造米】 명 녹말(綠末) 80%에 쌀가루 20%를 섞어서, 쌀알만한 크기로 잘게 자르고 가열하여 표피(表皮)에 호피(糊皮)를 형성시킨 것. 쌀의 대용품임.

인-조반【因早飯】 명 먼 길을 가다가 주막에서 머물고 아침에 잠을 깨자마자 먹는 조반. ——-하다 자여불

인조 반:정【仁祖反正】 명 『역』 광해군(光海君) 15년(1623)에 김류(金瑬)·이서(李曙)·이귀(李貴)·이괄(李适) 등 서인(西人) 일파가 인목 대비(仁穆大妃)와 통모하여 광해군 및 집권당인 대북파(大北派)를 몰아내고 능양군(綾陽君), 곧 인조를 즉위시킨 일.

인조 버터【人造—】[butter] 명 마가린(margarine).

인조 보:석【人造寶石】 명 인공적으로 만든 보석이나 준(準)보석. 강옥(鋼玉)·다이아몬드·진주·마노(瑪瑙) 등.

인조 비:료【人造肥料】 명 『화』 화학적 처리에 의하여 제조된 비료. 질소 화합물·과인산(過燐酸) 석회 등이 주요소임. 화학 비료. 준인비(人肥). ↔천연 비료.

인조-빙【人造氷】 명 『화』 압축한 액체 암모니아의 증발열(蒸發熱)을 이용하여 만든 얼음. ↔천연빙(天然氷).

인조 사:향【人造麝香】 명 『화』 사향(麝香)의 대용품(代用品). 트리니트로 부틸 톨루엔(trinitro-butyl-toluene) 등의 화합물. 화장 또는 의복의 향료로 쓰임.

인조 상아【人造象牙】 명 『화』 화학적으로 합성하여 만든 상아의 대용품. 도장 재료·파이프 등에 널리 쓰임.

인조-석【人造石】 명 ①시멘트에 모래나 화강암·석회암의 쇄석(碎石) 등을 섞어서 천연석과 같이 만든 석재(石材). 토목·건축 재료에 쓰임. ②장식품 등을 만들기 위해, 보석처럼 인공적으로 만든 것. 모조석(模造石). ↔천연석(天然石).

인조 석분【人造石粉】 명 시멘트. 양회(洋灰).

인조 석유【人造石油】 명 『화』 동식물 유지(油脂)·수지(樹脂)·테레빈유(terebin 油) 같은 것에 산성(酸性) 백토(白土)를 섞어서 건류(乾溜)하여 얻은 대용 석유. 석탄·유모 혈암(油母頁岩)·석탄 가스를 원료로 하는 때도 있었음. 현재는 사용하지 않음. 합성 석유(合成石油). ↔천연 석유. *석유 합성.

인조 섬유【人造纖維】 명 『화』 ①인공적으로 만들어 낸 섬유의 총칭. 천연의 섬유소를 쓴 재생(再生) 섬유, 섬유소의 에스테르를 쓴 반(半)합성 섬유, 완전한 합성물인 합성 섬유 및 무기(無機) 섬유 등. 화학 섬유(化學纖維). 인조 올실. ↔천연 섬유(天然纖維). ②스테이플 파이버(staple fibre).

인조 수지【人造樹脂】 명 화학 합성으로 만든 수지 유사품(類似品). 플라스틱 같은 것. 합성 수지(合成樹脂).

인조-실【人造—】 명 인조 섬유로 만든 실.

인조 실록【仁祖實錄】 명 『책』 조선 제16대 인조의 재위(在位) 27년간의 실록. 50권 50책.

인조 양모【人造羊毛】 명 양털과 비슷한 인조 섬유의 총칭. 아크릴 섬유·카세인(casein) 섬유 같은 것.

인조 염:료【人造染料】[—뇨] 명 인조 물감. ↔천연 염료.

인조 올:실【人造—】 명 인조 섬유(人造纖維)❶.

인조 인간【人造人間】 명 ①로봇(robot)❶. ②[영 Rossun's Universal Robots] 체코의 작가 차페크(Capek, K.)가 지은 희곡(戲曲). 1921년 프라하 국민 극장에서 초연함. 노동력을 경감하기 위해 만든 인조 인간이 오히려 인간을 멸망시킨다는 내용으로, 현대 기계 문명(現代機械文明)을 풍자(諷刺)한 작품임. 여기서 작자는 'Robot'이라는 조어(造語)를 처음으로 사용했음. 3막.

인조 장뇌【人造樟腦】 명 『화』 테레빈유(terebin 油)의 성분(成分)인 피넨(pinene)을 여러 가지 방법으로 산화시키어 만든 천연 장뇌와 똑같은 화합물. 합성 장뇌(合成樟腦).

인조 진주【人造眞珠】 명 진주처럼 만든 모조품. 갈치·청어 따위 물고기의 비늘·부레에서 얻어지는 은백색(銀白色)의 물질을 유리알에 칠한 것이 많음. 모조(模造) 진주. 인공 진주.

인조 피혁【人造皮革】 명 인공적으로 만든 가죽 모조품. 무명베·삼베·인조견 같은 것에 질산화 솜·합성 수지로 피복(被覆)한 레더 클로스(leather cloth)와, 열가소성 수지(熱可塑性樹脂)로 굳혀 통기성(通氣性)을 지니게 한 합성 피혁이 있음. 책의 표지 등에 쓰임. 인조혁(人造革). 의혁(擬革). 의피(擬皮).

인조-혁【人造革】 명 인조 피혁(人造皮革).

인조-호【人造湖】 명 인공호.

인조 흑연【人造黑鉛】 명 탄소(炭素) 성분이 많은 원료의 분말(粉末)과 결합제(結合劑)와를 혼합 성형(成型)하여 구워서 완전히 탄화(炭化)시킨 다음 전기로(電氣爐)에서 2,500-3,000°C 정도의 고온(高溫)으로 가열하여 흑연으로 만든 물질. 원료로서는 석유 코크스·피치 코크스·무연탄·카본 블랙 등이 사용되고, 결합제로서는 피치·아스팔트·타르 등

이 쓰임.

인족[1]【姻族】명〖법〗 인척(姻戚).

인족[2]【鱗族】명〖동〗 인충(鱗蟲)의 종류.

인존[1]【人尊】명〈아〉 '부처'를 일컫는 말.

인존[2]【仍存】명 ←잉존(仍存).

인종[1]【人種】명 ①사람의 씨. ¶~을 말리다. ②신체적 특성에 의하여 분류한 인류의 종별(種別). 피부색·모발(毛髮)·용모·골격·혈액형 등으로 구별함. 백색 인종·몽고 인종·흑색 인종의 3대 구분이 있음. ③〈속〉 생활 환경이나 생활 태도·생활 양식 또는 취미 등으로 크게 분류한 사람의 집단.

인종[2]【仁宗】명〖사람〗 중국 북송(北宋) 제4대의 황제. 성(姓)은 조(趙), 시호(諡號)는 진(禛). 진종(眞宗)의 여섯째 아들. 재위시(在位時)는 평화가 계속되고 국력이 충실하여 독특한 사대부(士大夫) 문화가 크게 일어났음. [1010-63; 재위 1022-63]

인종[3]【仁宗】명〖사람〗 고려 제17대 왕. 휘(諱)는 해(楷), 자는 인쇠(仁衰). 개성 정국 안화사(靖國安和寺)의 사운시 석각(四韻詩石刻)과 영변 보현사(寧邊普賢寺)의 창사비(創寺碑)의 액서(額書)는 그의 글씨라 함. 김부식(金富軾) 등에게 ≪삼국사기(三國史記)≫를 편찬하게 하였음. 능호는 장릉(長陵). [1109-46; 재위 1122-46]

인종[4]【仁宗】명〖사람〗 중국 원(元)나라 제8대의 황제. 이름은 아유르바리바드라(Ayurbaribhadra). 중국 문화(中國文化)에 이해가 많았으며 제도(制度)의 정비, 문화(文化)의 진흥에 주력(注力)하여 이민족(異民族) 국가이던 원(元)을 중국적인 왕조로 만들었음. [1285-1320; 재위 1311-20]

인종[5]【仁宗】명〖사람〗 중국 명(明)나라 제4대의 황제. 성명은 주고치(朱高熾). 태자 때부터 부왕(父王) 성조(成祖)의 외정(外征) 중, 내정을 맡아 국내의 한발(旱魃)·기근을 구제하여 인망이 높았음. 즉위 후 1년으로 병몰함. [1378-1425; 재위 1424-25]

인종[6]【仁宗】명〖사람〗 조선 제12대 왕. 재위(在位) 8개월. 장경 왕후(章敬王后)의 소생이며, 자녀는 없고 기묘 사화(己卯士禍)로 파방(罷榜)된 현량과(賢良科)를 복구함. 능호(陵號)는 효릉(孝陵). [1515-45; 재위 1544-45]

인종[7]【忍從】명 묵묵히 참고 따름. ——-하다 자타 여불

인종 개:량학【人種改良學】명 우생학(優生學).

인종 격리 정책【人種隔離政策】[—니—] 명 인종에 우열(優劣)이 있다는 생각에서, 특히 백인과 흑인을 격리하여 여러 권리의 불평등을 정당화하려는 정책.

인종 문:제【人種問題】명 인종 또는 피부색이 다르다는 이유로, 인종 차별·인종 분리 또는 인종 격리 등의 여러 정책이 취해짐으로써 생기는 사회적·정치적 문제. 남아프리카 공화국·로디지아에서의 유색 인종 차별 문제, 미국에서의 흑인 문제 등.

인종 실록【仁宗實錄】명〖책〗 조선 제12대 임금 인종의 재위(在位) 8개월 간의 실록. 2권 2책.

인종 심리학【人種心理學】[—니—] 명 〔ethnopsychology, ethnic psychology〕〖심〗 심리학의 한 분야(分野). 자연적인 인간 집단·공동체 또는 종족(種族)의 정신적 교호 작용(交互作用)을 연구함.

인종-적【人種的】명관 인종에 관한 모양.

인종적 편견【人種的偏見】명 이민족(異民族)에게 가지는 편벽(偏僻)된 견해.

인종-주의【人種主義】[—/—이] 명 개개 인종의 생물학적·생리학적 특성에 따라 계급이나 민족 사이의 불평등 억압을 정당화하는 반과학적인 이데올로기. 인종 사이에 정신적·심리적 우열이 있는 것처럼 주장하는 학설도 이에 속함. 나치스의 반유태주의, 백인의 흑인에 대한 억압과 차별 대우 등은 그 전형적(典型的)인 예임. 레이시즘(racism). 인종 차별주의(人種差別主義).

인종 지리학【人種地理學】명〖지〗 인종의 발생·분포 및 생활 환경을 지리학적으로 연구하는 학문.

인종 집단【人種集團】명 피부 색깔, 머리 모양 등의 육체적 특징으로 구분지어지는 인종의 집단. 백인종·황색 인종 등. ↔민족 집단.

인종 차별【人種差別】명 어떤 인종이 다른 인종을 편견(偏見)으로, 사회적 여러 권리의 차별을 하는 일.

인종 차별주의【人種差別主義】[—/—이—] 명 인종주의.

인종 차별 철폐 국제 조약【人種差別撤廢國際條約】명 〔International Convention on the Elimination of All Forms of Racial Discrimination〕 1965년 12월 21일 제20회 국제 연합 총회에서 만장 일치로 가결된 조약. 인종 차별 비난, 차별 정책 비합법화 등 27 항목의 조항으로 이루어짐.

인종 차별 철폐 선언【人種差別撤廢宣言】명 〔Declaration on the Elimination of All Forms of Racial Discrimination〕 1963년 11월 20일, 국제 연합 제18회 총회 본회의에서 만장 일치로 채택된 선언. 인종 차별을 인간의 존엄을 침해하고 평화와 안전을 어지럽히는 것으로 규정하고, 인종 차별 선전, 조직 및 이 목적을 위한 폭력 사용의 선동과 행사를 비난하는 동시에, 각국에 대하여 인종 차별이나 폭력의 행사·선동을 하는 조직을 소추(訴追)하고, 차별받는 인종에게 법률 상(法律上)의 은전(恩典)과 보호(保護)를 부여하기 위하여 조속히 적극적(積極的)인 조치를 취하도록 권고함.

인종-학【人種學】명 인류학의 한 부분. 인종의 용모·골격을 조사하여, 그 발생·변화·체질의 여러 가지 관계를 연구하는 학문.

인종학-자【人種學者】명 인종학을 연구하는 학자.

인좌[1]【引座】명〖불교〗 도사(導師)를 설법(說法)하는 자리로 인도(引導)하는 일.

인좌[2]【寅坐】명〖민〗 묏자리나 집터의 인방(寅方)을 등진 좌(坐).

인좌 신향【寅坐申向】명〖민〗 인방(寅方)을 등지고 신방(申方)을 바라보는 좌향(坐向).

인주[1]【人主】명 임금.

인주[2]【印朱】명 도장(圖章)을 찍는 데 쓰는 붉은 빛의 재료(材料). 솜 같은 물건에 아주까리 기름과 주사(朱砂)를 넣어서 만듦. 인니(印泥). 인육(印肉).

인주[3]【印呪】명〖불교〗 ↗인계 송주(印契誦呪).

인주- 준 '이리 주-'가 줄어 변한 말. ¶사과 ~어요.

인주-갑【印朱匣】[—깝] 명 인주를 담아 쓰는 갑. 쇠붙이·플라스틱 등으로 만듦.

인-주게 준 '이리 주게'의 줄어 변한 말.

인-주머니【印—】[—쭈—] 명 도장을 넣어 두는 주머니.

인-주오 준 '이리 주오'의 줄어 변한 말. ¶그 연필 ~.

인주-점【隣住點】[—쩜] 명 지구의 남북 어느 쪽이든 같은 반구(半球)에 있어서, 경도(經度) 180 도를 달리하는 점.

인주-합【印朱盒】명 인주(印朱)를 담아 두는 합.

인준【認准】명〖법〗 법률(法律)에 지정된 공무원의 임명에 대한, 입법부(立法府)의 승인. ——-하다 타 여불

인-줄【人—】[—쭐] 명 부정(不淨)한 사람이 드나들지 못하게 하는 표시로 문이나 길 어귀에 건너질러 매는 금(禁)줄.

인중[1]【人中】명 코의 밑과 윗입술 사이의 우묵한 곳.

인중이 길:다 구 수명(壽命)이 길 것이라는 뜻.

인중[2]【人衆】명 사람이 많음. 많은 사람.

인-중독【燐中毒】명〖의〗 황린(黃燐)에 의한 중독. 급성의 경우에는 6-20시간에 하품·구토·동통(疼痛) 등의 위장 증상(胃腸症狀)이나 마취와 같은 증상을 나타내며, 혼수 상태에 빠지어 죽게 됨. 보통은 3-8일 이상의 아급성(亞急性)의 경과를 취하여 심장·간장·골격근의 지방 변성(脂肪變性)을 일으켜, 신체의 여기저기에 출혈반(出血斑)이 생기며, 황린을 삼킨 뒤 2-3일에 황달(黃疸)이 나타나고 오줌에 단백질이 검출됨. 만성 증상은 드묾.

인중 무과론【因中無果論】명〖철〗 결과와 원인은 등질(等質)이 아니라는 설. 따라서 만물은 등질이 아니고, 일에서 다(多)가 생기는 일은 없음. 만유(萬有)의 원인은 다(多)이며, 그들의 결합에 의하여 잡다한 만물이 생긴다고 함. *인중 유과론.

인-중방【引中枋】명〖건〗 인방(引枋)과 중방(中枋).

인중-백【人中白】명 오줌 버캐.

인중 승천【人衆勝天】명 사람이 많으면 하늘도 이길 수 있음.

인중 유:과론【因中有果論】명〖철〗 결과로서 생기게 되는 것은 그 형(形)이야 어떻든 이미 그것이 원인 가운데 선주(先住)한다는 설. *인중 무과론.

인중지-말【人中之末】명 사람 가운데서 제일 못난 사람.

인중-황【人中黃】명〖한의〗 금즙(金汁).

인줘 준 '이리 주어'의 줄어 변한 말. ¶~ 내 것이야.

인-쥐【人—】명〈속〉 숨어서 부정(不正)을 하거나, 무엇을 야금야금 축내는 사람을 쥐에 비유한 말.

인즉[1] 조 ①받침 있는 체언에 붙어, '으로 말하면'의 뜻으로 쓰이는 보조사. ¶사람~ 착하오/물건~ 최고품이오. ②받침 있는 체언에 붙어, '이니까'·'이면'의 뜻으로 쓰이는 보조사. ¶그는 착한 사람~ 복받을 게요/그의 말이 사실~ 믿지 않을 사람이 어디 있겠소. *ㄴ즉.

인즉[2]【是隱則】조〈이두〉 인즉[1].

인즉-슨 조 '인즉'의 뜻을 강조하는 보조사. ¶네 사람~ 네가 돌봐줘야지. *ㄴ즉슨.

인증[1]【人證】명〖법〗 ↗인적 증거(人的證據). ↔서증(書證).

인증[2]【引證】명 인용하여 증거를 삼는 일. ——-하다 타 여불

인증[3]【認證】명〖법〗 문서(文書)나 행위(行爲)의 기재(記載)·성립(成立)이 정당한 절차(節次)로 된 것을 공적(公的) 기관이 증명(證明)하는 일. ——-하다 타 여불

인증-서【認證書】명 인증하는 문서.

인지[1]【人指】명 둘째 손가락. 집게손가락. 식지(食指).

인지[2]【人智】명 사람의 슬기나 지식.

인지[3]【人質】명 →인질(人質).

인지[4]【仁知·仁智】명 인애(仁愛)스럽고 지혜(知慧)가 뛰어남. 자애(慈愛)롭고 똑똑함. ——-하다 형 여불

인지[5]【印支】명 ↗인도 지나(印度支那).

인지[6]【印紙】명 ①세금·수수료(手數料) 등을 낸 것을 증명하기 위하여 서류에 붙이는, 정부가 발행한 증표(證票). 수입 인지(收入印紙). ② '우표'의 잘못 일컬음.

인지[7]【因地】명〖불교〗 수행(修行)이 아직 부처를 이루기 전의 보살(菩薩)의 지위. 인위(因位).

인지[8]【認知】명 ①인정하여 앎. ②〖법〗 혼인외(婚姻外)의 출생자(出生者)에 대하여 사실상의 아버지나 어머니가 자기의 자녀인 것을 확인하여 법률 상(法律上)으로 친자(親子) 관계를 발생시키는 행위. 호적법(戶籍法)에 의한 신고로 함. ③〔cognition〕〖심〗 순수한 지각(知覺)에 대하여 과거 경험(過去經驗)의 영향이나 판단력(判斷力)의 작용이 가하여진 구체적인 사물의 지각. ——-하다 타 여불

인지[9]【隣地】명 인접하고 있는 땅.

인지[10]【是喩】조〈이두〉 인지.

인지[11]【是隱喩】조〈이두〉 인지.

인지 과학【認知科學】명 〔Cognitive Science〕 인간의 지적·심리적 작

용을 컴퓨터의 능력과 비교하여 연구하는 학문. 컴퓨터 시대의 종합 학문으로 대두되어, 심리학·철학·언어학·인류학·신경 과학·인공 지능 등 여러 학문에 걸침. 마음(정신)·뇌(물질)·컴퓨터(인공물)의 공통 분모를 찾아내어 이들의 본질과 상호 관계를 구명하면서 인문 과학과 자연 과학의 구분을 허물어뜨리고 있음.

인지 구조【認知構造】명〔cognitive structure〕《심》 생활체의 행동을 규정하는 환경의 요인(要因)은 객관적인 것이 아니라, 생활체에 의하여 인지(認知)된 내적 환경이라고 주장하는 입장에서 그 내적 환경의 구조를 이름. 인지 학설(認知學說).

인지 미:발【人智未發】명 인지(人智)가 발달하지 아니함. 미개(未開)함. ——-하다 형여불

인지 사:용 청구권【隣地使用請求權】[—꿘] 명 《법》 토지(土地)의 소유자(所有者)가 그 토지의 경계 안이나 근방에서 담을 쌓거나 수선(修繕)하는 데 사용할 만큼의 땅을 인접한 토지에 청구(請求)할 수 있는 권리.

인지-상정【人之常情】명 사람이 보통 가질 수 있는 인정.

인지-설【認知說】명 《심》 에스 에스설(SS說).

인지-세【印紙稅】[—쎄] 명 《법》 재산권(財產權)의 창설(創設)·이전(移轉)·변경(變更) 또는 소멸(消滅)을 증명하는 증서(證書)나 장부(帳簿)를 작성하는 사람에게 과하는 세금. 인지세법에 규정되어, 증서 또는 장부에 인지를 붙이고 소인(消印)하는 방법으로 납부함.

인지 수입【印紙收入】명 《경》 인지를 가지고 수납하는 국가의 수입. 인지세(印紙稅)·등록세(登錄稅)·벌금(罰金)·소송 비용 그 밖의 수수료(手數料)의 징수 등의 수입의 총칭.

인지 위덕【忍之爲德】명 참는 것이 덕이 됨.

인지-의【印地儀】[—/—이] 명 《역》 조선 세조(世祖) 13년(1467)에 만든 측량(測量) 기구. 각도(角度)와 축척(縮尺)의 원리를 이용하여 토지의 원근(遠近)과 고저(高低)를 측량함. 구리로 그릇을 만들었고 24 방위를 기록, 그 그릇 중간을 보이게 하여 가운데 동주(銅柱)를 세우고, 구멍을 뚫어서 그 동형(銅衡)을 그 위에 끼어, 높였다 낮추었다 하여 측량함. 규형(窺衡).

인지장사 기언야선【人之將死其言也善】명 사람이 장차 죽으려 할 때에는 그 하는 말이 모두 바르다는 말. ＊조지장사 기명야애(鳥之將死其鳴也哀).

인지 조례【印紙條例】명〔the Stamp Act〕《역》 1765년에 영국 의회(英國議會)에서 식민지(植民地), 특히 북미 합중국에 대하여 수입세(輸入稅)를 폐지하고 거래(去來) 증서·신문 같은 것에 과세 증지(課稅證紙)를 붙임으로써 고율(高率)의 과세(課稅)를 정한 법률. 식민지의 맹렬한 반대로 다음해에 폐지되었음. 미국 독립 운동(獨立運動)의 원인의 하나가 됨.

인-지질【燐脂質】명〔phosphatide〕《화》 분자 안에 인산(燐酸)을 포함하는 복합 지질(脂質)의 하나. 동식물의 세포를 형성하는 소재(素材)로서, 또 물질 대사(代謝)의 기능으로(機能) 보아 중요한 물질임. ＊인원질(燐原質).

인지 학설【認知學說】명 《심》 인지 구조(認知構造).

인진[1]【引進】명 인재를 끌어서 등용함. ——-하다 타여불

인진[2]【茵蔯】명 《한의》 사철쑥의 어린 잎. 오줌을 통하게 하는 찬 약. 습열(濕熱)·황달(黃疸)에도 쓰임.

인진-떡【茵蔯—】명 사철쑥을 섞어 만든 떡. 자양(滋養)에 좋음. 인진병(茵蔯餠).

인진-병【茵蔯餠】명 인진떡.

인진 부:사【引進副使】명 《역》 ①고려 때 합문(閤門)의 종오품 벼슬. 공민왕(恭愍王) 5년(1356)에 품질을 정오품(正五品)으로 올림. ②조선 시대 초기에 합문(閤門)의 정오품 벼슬. 태종(太宗) 14년(1414)에 판관(判官)이라 고침.

인진-사【引進使】명 《역》 ①고려 때 합문(閤門)의 정오품(正五品) 벼슬. 공민왕(恭愍王) 5년(1356)에 품질(品秩)을 정사품으로 올림. ②조선 국초(國初) 때 합문(閤門)의 정사품 벼슬. 태종(太宗) 14년(1414) 첨지사(僉知事)라고 고침.

인진-쑥【茵蔯—】명 《식》 ☞ 더위지기.

인진 오:령산【茵蔯五苓散】명 《한의》 오령산(五苓散)에 인진(茵蔯)을 가미(加味)한 약. 황달(黃疸)에 씀.

인진-주【茵蔯酒】명 구운 인진(茵蔯)을 차조와 누룩을 함께 섞어서 만든 술.

인진-호【茵蔯蒿】명 《식》 더위지기.

인질[1]【人質】명〔←인지(人質)〕볼모❷.

인질[2]【姻姪】명 고모부(姑母夫)에 대하여 자신을 부르는 말. 부질(婦姪). 고질(姑姪).

인질[3]〔아랍 Injil〕명 《이슬람》 신약(新約). 그리스도의 복음서(福音書).

인질-극【人質劇】명 완력이나 무력으로 무고한 사람을 붙들어 놓고 자기의 소망을 이루려는 소동.

인징【隣徵】명 《역》 조선 시대 후기에, 도망자·사망자·실종자의 각종 세(稅)의 체납(滯納)을 대충(代充)하기 위하여, 억지로 그 이웃에게서 추징(追徵)을 내는 일. ＊족징(族徵).

인차[1]【人車】명 《광》 탄광이나 광산에서 인원 수송용으로 사용되는 특수한 광차(鑛車).

인차[2]【鱗次】명 비늘과 같이 차례(次例)로 잇닿음. 인비(鱗比). ——-하다 형여불

인차[3] 부 〈방〉 이내(함경).

인찰【印札】명 〈속〉 사란(絲欄).

인찰-소【印札所】[—쏘] 명 인쇄소(印刷所).

인찰-지【印札紙】[—찌] 명 인찰판(印札板)에 박거나 그와 비슷한 규격으로 인쇄한 미농지. 공문서 등에 썼음. 괘지(罫紙).

인찰-판【印札板】명 가로 줄의 여러 칸을 인쇄해 내는 판. 괘판(罫版).

인창【刃創】명 칼날에 다친 흠.

인책【引責】명 책임(責任)을 스스로 이끌어서 짐. 인구(引咎). ——-하다 자여불

인책 사임【引責辭任】명 어떠한 일에 책임을 지고 맡아 보던 직책(職責)을 그만두고 물러남. 인책 사직(辭職). ¶사건에 책임을 지고 ~하다. ——-하다 타여불

인책 사직【引責辭職】명 어떠한 일에 책임을 지고 그 직무(職務)를 사퇴(辭退)함. 인책 사임(辭任). ——-하다 타여불

인척[1]【人尺】명 사람의 키를 재는 자.

인척[2]【印尺】명 《역》 세납(稅納)의 표.

인척[3]【姻戚】명 ①배우자(配偶者)의 일방과 타방의 혈족과의 사이에 생긴 척분(戚分). ②외가(外家)와 처가(妻家)의 혈족(血族). 혼척(婚戚). 인족(姻族).

인척-간【姻戚間】명 인척 사이. 인척이 되는 관계. 과갈간(瓜葛間).

인척-류【鱗蜴類】[—뉴] 명 《동》〔Depidosauria〕뱀강(綱)에 속하는 한 아강(亞綱), 온몸에 비늘이 있는데 머리의 비늘 조각은 판상(板狀)이고, 몸뚱이의 비늘은 어류(魚類)와 같이 기와를 엎어 놓은 것 같은 모양을 함. 도마뱀 아목(亞目)·뱀 아목의 두 아목(亞目)으로 나뉨. 수척류(水蜴類).

인-천[1]【人天】명 ①《불교》 사람과 하늘. 인간계(人間界)와 천상계(天上界). ②'군주(君主)'의 별칭.

인천[2]【仁川】명 《지》 광역시(廣域市)의 하나. 경기도의 중서부에 있는 항구 도시. 부산 다음가는 큰 항구로, 서울의 외항(外港)이며 1974 년 대규모 독이 완성되어 항만 시설이 완비됨. 해산물·흑연·금속 등을 수출하고 밀가루·약품·종이 등을 수입함. 유리·섬유·화학·제강(製鋼)·제분·기계 공업 및 제염(製塩)이 행해짐. 경인선·수인선(水仁線)의 종점으로 철도의 요충(要衝)이며 6·25 전쟁 때는 연합군의 상륙 작전지였음. 작약도(芍藥島) 등의 관광지와 송도(松島) 해수욕장이 있음. 옛이름은 제물포(濟物浦). [313.41 km²: 1,818,293 명(1990)]

인천[3]【引薦】명 남을 추천함. ——-하다 타여불

인천-교【人天敎】명 ①《불교》 오교(五敎)의 하나. 부처가 성도(成道)하여 맨 처음 오계(五戒)·십선(十善) 등의 인(因)에 의하여 인천(人天)의 과보(果報)를 받는다고 말한 교법(敎法). ②최제우(崔濟愚)를 교조(敎祖)로 하는 동학의 한 파.

인첩【印帖】명 도장이 찍힌 문서.

인-청동【燐靑銅】명 《화》 구리에 주석 3-9 %, 인(燐) 0.03-0.35 % 를 첨가한 합금. 탄성(彈性)·내마모성(耐磨耗性)·내식성(耐蝕性)이 뛰어나기 때문에 이들 특성을 요하는 기계 부품(機械部品)에 사용되며, 또 전류(電流)에 대한 접촉 저항(接觸抵抗)이 작기 때문에 전기(電氣) 통신기에 쓰임.

인청-장【人請章】[—짱] 명 용비 어천가(龍飛御天歌) 제94장(章)의 이름.

인체【人體】명 사람의 몸.

인체 계:측법【人體計測法】명 사람의 외부 형태(外部形態)를 수량(數量)으로 표현하기 위하여, 인체를 계측하는 방법. 인종(人種)의 신체적 특징을 표현하는 데에 편리함. 생체(生體) 계측과 골(骨)계측의 두 가지가 있음.

인체 뢴트겐 당량【人體—當量】〔도 Röntgen〕[—냥] 명 X선이 사람의 생체에 주는 장애의 크기. 단위는 렘(rem).

인체 모델【人體—】〔model〕명 미술가의 모델이 되는 사람.

인체 모형【人體模型】명 사람의 몸의 모양이나 구조(構造) 등을 본떠서 만든 모형.

인체 병:리학【人體病理學】[—니—] 명 《의》 인체의 여러 질병으로부터 얻은 병변(病變) 조직을 직접 대상으로 하는 병리학의 한 분과. 해부(解剖) 검사가 불가결의 여건(與件)이 됨.

인체 생리【人體生理】[—니] 명 《생》 ↗인체 생리학(人體生理學).

인체 생리학【人體生理學】[—니—] 명 《생》 생리학의 한 분과. 인체(人體)의 모든 기관 및 각 부분의 상호 관계와 능력을 연구 대상으로 하는 학문. 준인체 생리(人體生理).

인체 해:부【人體解剖】명 《의》 ↗인체 해부학(人體解剖學).

인체 해:부학【人體解剖學】명 《의》 해부학의 한 분과. 인체를 해부학적으로 다루어 그 구조·관련을 연구하는 학문. 준인체 해부.

인초[1]【忍草】명 《식》 넉줄고사리.

인-초[2]【寅初】명 《민》 인시(寅時)를 셋으로 나눈 첫째 시간. 오전 세 시에서 그 뒤 20 분쯤까지의 시간.

인촌[1]【仁村】명 《사람》 김성수(金性洙)의 호.

인촌[2]【隣村】명 이웃 마을.

인촌[3]【燐寸】명 성냥.

인총【人總】명 인구(人口).

인총-중【人總中】명 많은 사람 가운데.

인촨〔銀川〕명 《지》 중국 닝샤 후이족 자치구(寧夏回族自治區)의 주도(主都). 서하(西夏)가 도읍했던 곳임. 닝샤(寧夏) 평원의 중앙에 위치하며 황허 강 수운(水運)의 요지(要地)로, 농산물의 집산지(集散地)이며, 모직물(毛織物) 공장이 있음. 고명(古名)은 닝샤(寧夏). 은천(銀川). [291,638 명(1987)]

인축【人畜】명 ①사람과 가축. ②사람 구실을 못하는 짐승과 같은 사람. 「타여불

인출[1]【引出】명 예금·저금을 찾아냄. ¶10만 원을 ~하다. ——-하다

인출[2]【印出】명 책판(冊板)에 박아 내는 일. ——-하다 타여불

인출-장【印出匠】명〖역〗①조선 시대 교서관(校書館)에서 책을 박아 내는 공장(工匠). ②조선 시대 사섬시(司贍寺)에서 저화(楮貨)를 박아 내는 공장(工匠).

인충【鱗蟲】명〖동〗비늘이 있는 동물의 총칭. 뱀·물고기 등.

인치[1]【引致】명 사람을 강제(強制)로 끌어가거나 끌어오는 일. ——하다 타여불

인치[2]【忍恥】명 치욕(恥辱)을 견디는 일.

인치[3]〔inch〕의명 영국식 도량형의 길이의 단위. 피트(feet)의 1/12. 약 2.54 cm에 해당함.

인-치다【印—】자 도장을 찍다.

인친[1]【仁親】명 인애(仁愛).

인친[2]【姻親】명 사돈(査頓).

인침【湮沈】명 인멸(湮滅).

인칭【人稱】명〖언〗인대명사(人代名詞)의 종별(種別)의 일컬음.

인칭 대:명사【人稱代名詞】명〖언〗인대명사(人代名詞).

인칭 어:미【人稱語尾】명〖언〗주어의 인칭에 따라 변화하는 동사의 어미. 인도 유럽어·셈어에 그 예(例)가 많음.

인카:네이션〔incarnation〕명 ①초자연적(超自然的) 존재가 사람의 모습으로 나타나는 일. ②〖기독교〗하느님의 독생자(獨生子) 예수가 인류 구제(人類救濟)를 위하여 성령(聖靈)에 의해 마리아의 태내(胎內)에서 영혼과 육신을 받아 사람이 된 일. 성육신(成肉身).

인-커:브〔incurve〕명 야구에서,투수(投手)가 타자 쪽으로 커브가 생기게 던지는 투구법. 또, 그 공. ↔아웃커브(outcurve).

인컴〔income〕명 소득(所得). 수입(收入).

인컴 게인〔income gain〕명 이자(利子)나 배당(配當)에 의한 수입.

인-코:너〔incorner〕명 야구에서,홈 플레이트의 중앙부와 타자와의 사이. 내각(內角). 인사이드. ↔아웃코너(outcorner).

인코넬〔inconel〕명〖공〗합금(合金)의 하나. 니켈(nickel) 78-80%, 크롬(chrome) 12-14%, 철 4-6%, 탄소 0.15-0.35%의 비율로 만든 합금. 내열(耐熱)·내식(耐蝕) 특히 높은 온도에서 내식성이 강하므로 항공기의 배기관(排氣管), 전열기(電熱器)의 부분품, 진공관의 필라멘트 등에 쓰임.

인-코:스〔in+course〕명 ①야구에서, 타자(打者) 가까이 지나가는 공의 길. ②육상 경기(陸上競技)에서, 안쪽의 주로(走路). 1)·2): ↔아웃코스(out course).

인코텀:스 규칙【—規則】〔incoterms〕명 국제 간에 관용(慣用)되고 있는 '무역 용어의 해석에 관한 국제 규칙(International Rules for the Interpretation of Trade Terms)'. 국제 상업 회의소가 국제 무역상의 약어(略語)나 그 해석의 복잡성에서 오는 분쟁에 비추어 1936년에 제정하고 다시 1953년과 1980년에 개정(改定)한 것임.

인퀴지션〔inquisition〕명〖종〗종교 재판. 로마 가톨릭 교회를 옹호하기 위하여, 12-16세기에 걸쳐 이단자(異端者)를 처형하였음.

인큐내뷸러〔incunabula〕명 유럽에서, 활자 인쇄술이 발명된 15세기 전반 이후 1500년까지 간행된 활자본(活字本).

인큐베이터〔incubator〕명〖의〗보육기(保育器).

인클라인 명〔incline plane〕〖기〗경사(傾斜)진 곳에 레일을 깔고, 동력으로 짐이나 선박 같은것을 승강(昇降)시키는 일종의 케이블 카.

인클로저〔Enclosure〕명 공동 이용이 인정된 경작지·방목지에 울타리·담 같은 것을 쌓아, 공동 이용을 배제(排除)하고 사유지로 만드는 일. 15-19세기 영국에서 그 전형적인 예를 볼 수 있으며, 모직물(毛織物) 공업의 발전에 따르는 목양지의 확보나, 자본주의적 대농장의 경영을 위하여 영주나 부농들이 이를 행하였으며, 이 때문에 이농(離農)한 사람들은 실업(失業)하거나 농업 노동자, 공업 노동자로 전락하게 되었음.

인-킬로【人—】〔kilo〕의명 교통 기관에서, 여객 운수(旅客運輸)의 양을 정밀하게 표시할 때의 계산 단위(計算單位). 한 사람의 여객을 1 km 운송(運送)하였음을 표시함.

인타라【因陀羅】명〔천주(天主)·제왕(帝王)의 뜻〕①〖신〗인드라(Indra). ②〖불교〗약사 십이 신장(藥師十二神將)의 하나. 인달라(因達羅). 인달라 대장(大將).

〈인타라❶〉

인타라-망【因陀羅網】명〔범 Indra-jāla〕〖불교〗인타라가 사는 궁전(宮殿)을 장식하고 있는 그물. 그 무수한 매듭 하나하나에 있는 보옥(寶玉)이 서로 마주 비추고 있는 데서, 이 세상의 모든 존재(存在)는 서로 관계하면서도 서로 장애가 되는 일이 없이 존재함을 비유함. 인타라 주망(珠網).

인타라 주망【因陀羅珠網】명〖불교〗인타라망.

인탄【燐彈】명〖군〗발화용(發火用)으로 쓰이는 폭탄.

인태【人態】명 인상(人相). 인품(人品).

인택【仁澤】명 은택(恩澤).

인터내셔널〔international〕명 ①국제적. 세계적. ②〔I-〕노동자 및 사회주의 단체의 국제적 조직. 여러 종류가 있으며, 그 중에도 제1, 제2, 제3 인터내셔널이 특히 역사상 중요함.

인터내셔널리즘〔internationalism〕명 국제주의(國際主義).

인터넷〔Internet〕명 컴퓨터의 네트워크를 연결하는 세계적 규모의 컴퓨터 통신망. 세계 어디서나 전자 우편·전자 뉴스·데이터 베이스·화상 전송(畫像傳送) 등의 정보와 서비스를 교환할 수 있음.

인터넷 포:털 서:비스〔internet portal service〕명〖컴퓨터〗인터넷의 다양한 서비스를 한곳에 집약시켜, 사용자의 웹 사이트 검색에 편의를 제공하는 서비스.

인터디시플리너리〔interdisciplinary〕명 다수(多數)의 학자나 기술자가 결집(結集)해서 협업(協業)하는 것을 이름. 하나의 학문 영역이나 전문 분야의 지식·경험만으로는 부족한 복잡한 문제의 구조 분석의 경우에 필요한 것으로, 인공 위성(人工衛星)의 개발은 그 좋은 예임. 이전문간 협업(異專門間協業).

인터라:켄〔Interlaken〕명〖지〗스위스 베른 주(Bern 州)의 도시. 기후가 온화하고 스위스에서 가장 오래된 휴양지(休養地)의 하나. 융프라우 산(Jungfrau山)의 좋은 전망지(展望地)이며, 등산(登山)의 근거지임. [4,900 명(1980)]

인터럽트〔interrupt〕명〖컴퓨터〗중앙 처리 장치가 프로그램을 실행하는 도중에 외부의 어떤 변화로 인하여 실행이 일시 중단되고 다른 프로그램이 먼저 실행되는 일.

인터레스트〔interest〕명 ①이해(利害). 이해 관계. ②이자(利子). ③이익. ¶퍼블릭 ~. ④흥미.

인터레스트 그룹〔interest group〕명〖사〗어느 특정한 이해나 관심에 의거해서 조직화된 집단. 그 형태는 직장에 있어서의 비공식적인 소집단(小集團)으로부터 전국적인 규모의 조직을 가진 단체에 이르기까지 다양함.

인터-로킹〔interlocking〕명 골프에서, 그립(grip)의 한 가지. 왼손 집게손가락을 오른손 무명지와 새끼손가락 사이로 넣어, 오른편 새끼손가락을 감음.

인터루:드〔interlude〕명 ①15세기 영국에서 일어난 연극(演劇)의 일종. 그때까지의 도덕극(道德劇)의 설교조(說敎調)를 탈피한 것임. ②간주곡(間奏曲).

인터-뱅크〔inter-bank〕명〖경〗은행(銀行) 상호 간에 행하여지는 거래(去來).

인터뱅크 론:〔inter-bank loan〕명〖경〗은행(銀行) 상호 간(相互間)의 대차(貸借).

인터뱅크 환:거래【—換去來】〔inter-bank〕명〖경〗환은행 상호 간에 행하여지는 환의 매매.

인터벌〔interval〕명 ①간격(間隔). 거리. ②운동 연습 때의 중간 휴식(中間休息). ③야구에서, 투구(投球)와 투구 사이의 간격. ¶~이 길다. ④음정(音程).

인터벌 연:습법【—練習法】〔interval〕명 인터벌 트레이닝.

인터벌 주법【—走法】〔interval〕〔—뻡〕명 인터벌 트레이닝.

인터벌 트레이닝〔interval training〕명 육상 경기(陸上競技)나 수영(水泳)의 중·장거리 연습법의 하나. 일정한 거리 중에 질주(疾走)·구보(驅步)·도보(徒步)의 구간(區間) 등을 설정하고 이것을 여러 번 반복하여 연습함으로써 내구력(耐久力)과 속력을 동시에 양성함. 인터벌 연습법. 인터벌 주법(走法).

인터뷰:〔interview〕명 면회(面會). 담화(談話). 특히 신문·잡지사의 기자(記者)가 기사(記事)를 취재하기 위하여 하는 회견(會見). ¶단독 ~. ——하다 타여불

인터-비전〔Inter-vision〕명 국제 방송 기구에 의해 설립된 동구권(東歐圈)의 국제 텔레비전 중계 방송망. 1960년 발족하였음.

인터셉트〔intercept〕명 구기(球技) 경기에서, 상대편의 패스(pass)를 중간에서 빼앗는 일. ——하다 타여불

인터셉팅〔intercepting〕명 전화 업무에 있어서, 가입자(加入者)가 없는 전화 번호에 대한 호출(呼出)을 교환 또는 자동 응답 장치에 접속하는 일.

인터 스푸트니크〔Inter Sputnik〕명 소련을 위시한 동(東)유럽 여러 나라가 1972년에 인텔샛(INTELSAT)에 대항하여 만든 국제적인 위성 통신 조직.

인터체인지〔interchange〕명 ①〔교체·교환의 뜻〕입체 교차(立體交叉)하게 된 고속 도로(高速道路)에의 출입구(出入口). 위치·교통량 등의 조건에 따라 여러 형태가 있음. ②〖전〗한 개 이상의 전력 계통(電力系統)과 서로 접속되어 있는 전력 계통 사이에 유입(流入) 또는 유출(流出)되는 전류(電流).

인 터치〔in touch〕명 축구나 럭비에서, 공이 터치 라인 위나 밖으로 나가는 일.

인터-칼리지〔intercollege〕명 ↗인터칼리지트.

인터-칼리지:트〔intercollegiate〕명 대학 간의 대항(對抗) 경기. 준인터칼리지(intercollege).

인터컷〔intercut〕명 스포츠 실황 방송(實況放送) 등에서, 실황 묘사(描寫) 중 관객석(觀客席)의 정경(情景)·관객의 짤막한 감상 등을 삽입시키는 테크닉. 특히 텔레비전에서 카메라의 이동성(移動性)을 이용하여 자주 행함.

인터타이프〔intertype〕명〖기〗라이노타이프(linotype).

인터페론〔interferon〕명〖화〗바이러스의 감염으로 동물의 세포에서 생성되는 단백질(蛋白質). 바이러스의 증식(增殖)을 막고, 숙주(宿主) 세포의 저항력을 기름. B형 간염(肝炎)·암(癌)의 예방과 치료에 이용하고 있으며, 유전 공학의 도입으로 대량 생산이 가능해졌음. 바이러스 억제 인자(抑制因子). 약칭 : 아이 에프 엔(IFN).

인터페이스〔interface〕명〖컴퓨터〗①사용자인 인간과 컴퓨터를 연결하여 주는 장치. 키보드나 디스플레이, 마우스 따위. ②서로 다른 두 시스템, 장치, 소프트웨어 따위를 서로 이어 주는 부분. 또는 그런 접속 장치.

인터-폰:〔interphone〕명 구내(構內)·가정 등의 유선 통화 장치. 건물·열차·선박 안에서 내부 연락용으로 쓰이며 보통, 교환 설비는 없음.

인터-폴〔Interpol〕명 국제 형사 경찰(刑事警察) 기구.

인터피어〔interfere〕명 운동 경기에서, 경기자가 고의(故意)로 상대편의 경기자를 방해하는 일. ——하다 타여불

인턴〔intern〕명 의사 또는 치과 의사의 면허를 받은 사람으로 일정한 수련 병원에 전속되어 임상 각 과목의 실기를 수련하는 사람. 수련 기간

은 1년임. *레지던트·전공의.

인턴:사원【一社員】[명] 〔intern〕 [명] 대학 졸업 예정자가 필요한 지식과 기술을 익히기 위하여 졸업 전 일정 기간 동안 기업에 취직하여 실습(實習) 삼아 근무하는 예비(豫備) 사원.

인테르〔inter〕[명] 〖인쇄〗〔interline이 줄어서 변한 말〕 활판 식자(活版植字)를 할 때, 행(行)과 행 사이를 적당한 간격으로 하기 위하여 삽입하는 물건. 납·구리 또는 나무로 만들었음. *공목(空木).

인테르메조〔이 intermezzo〕[명] ①〖연〗 막간극. ②〖악〗 간주곡(間奏曲).

인테르-팍스〔Interfax〕[명] 러시아의 통신사(通信社). 1989년 모스크바 방송(放送)과 이탈리아·프랑스의 합작 기업으로 발족하여, 모스크바나 해외의 언론사, 외국 공관, 외국 기업 등에 통신을 제공함.

인테리어〔interior〕[명] 실내 장식. 실내 장식용품.

인테리어 디자인〔interior design〕[명] 실내 설계를 뜻함. 가구나 조명 기구 등 개개의 디자인부터 용도·기능에 따른 실내 공간의 종합적 설계까지를 포함함. 실내 장식.

인텔렉추얼〔intellectual〕[명] ①지성(知性)이 있음. 지적(知的)임. ②지식인(知識人).

인텔렉트〔intellect〕[명] 지능(知能). 지력(知力).

인텔리 [명] ↗인텔리겐치아(intelligentzia).

인텔리겐치아〔러 intelligentzia〕[명]〔러시아 제정 시대(帝政時代)의 서구파(西歐派) 자유주의자들을 이르던 말〕 지적 노동(知的勞動)에 종사하는 사회층. 지식 계급. [준]인텔리.

인텔리전트 빌딩〔intelligent building〕[명] 빌딩 안에 광파이버망(光fiber 網)이나 위성 지구국 등을 구축, 기업 내외의 고도의 정보 통신 수요에 대응할 수 있는 시스템과 컴퓨터로 제어하는 빌딩 관리 시스템을 갖춘 건물. 미국에서는 스마트 빌딩이라 함.

인텔리전트 터:미널〔intelligent terminal〕[명] 〖컴퓨터〗 지능 지수(知能指數)가 높은 단말기(端末機). 내부에 기억(記憶) 장치를 가지며 오류(誤謬)의 발견·정정(訂正), 데이터의 축적(蓄積), 정보(情報)의 검색(檢索)이 가능함.

인텔샛【INTELSAT】[명] 〔International Telecommunications Satellite Organization의 약칭〕 국제 전기 통신 위성 기구(國際電氣通信衛星機構).

인토【忍土】[명] 〖불교〗 삼독(三毒)·번뇌(煩惱)를 인수(忍受)하는 세계라는 뜻으로, 이 세상을 이름. 사바 세계(娑婆世界).

인토네이션〔intonation〕[명] 〖언〗 억양(抑揚). 어조(語調).

인톨러런스〔intolerance〕[명] ①불관용(不寬容). 편협(偏狹). ②〖종〗 다른 종교의 신앙을 용납하지 아니하는 일. ③그리피스(Griffith, D.W.)가 감독한 미국 영화. 불관용을 주제로 한 것으로, 영화 예술의 기초인 표현 기술을 최초로 집대성한 것이며, 영화사상 중요한 자리를 차지함. 1916년 제작.

인:퇴【引退】[명] 직무를 그만두고 물러나는 일. 퇴인(退引). ──-하다 [자][여불]

인트라넷〔intranet〕[명] 〖컴퓨터〗 기업이 내부의 정보 교환과 공동 작업을 위하여 인터넷을 이용하여 구축한 컴퓨터 통신망. *엑스트라넷.

인트로덕션〔introduction〕[명] ①서설(序說). 서론(序論). ②〖악〗 서곡(序曲). 서악(序樂). 서주(序奏). 서주부(序奏部). 도입부(導入部). ③소개(紹介). 소개장. ④〖연〗 본극(本劇)을 시작하기 전에 인물·장소·시대 등을 소개하는 부분.

인트론〔intron〕[명] 〖생〗 유전자(遺傳子) DNA 안에 있는 푸린(purine)·피리미딘(pyrimidine) 염기(塩基) 배열 중에서, 전령(傳令) RNA에 포함되지 않은 부분. 개재 배열(介在配列).

인티그럴 방수【一防水】〔integral〕[명] 〖공〗 시멘트 또는 혼합된 물 속에 방수제를 첨가하여, 콘크리트를 방수하는 방법.

인티그레이션〔integration〕[명] 〔'통합'의 뜻〕 ①〖교〗 분리(分離)된 교과목(教科目)이나 교재(教材)를 결합(結合)·통일(統一)하여 지도하는 일. ②〖심〗 소재(素材)가 조직되어, 고차(高次)의 전체가 되는 일. ③〖수〗 적분법(積分法).

인티그레이티드 리시:버〔integrated receiver〕[명] 앰프·튜너·테이프 데크가 합쳐져 있고, 턴 테이블과 스피커가 각각 분리된 오디오 시스템. *뮤직 센터.

인파【人波】[명] 많이 모여 움직이는 사람의 모양이 물결같이 보이는 상태. ¶ ~를 헤치고.

인파이터〔infighter〕[명] 권투 용어. 상대방에게 접근(接近)하여 공격하는 형(型)의 선수.

인-파이트〔infight〕[명] 권투에서, 상대방의 손이나 팔 안쪽으로 파고들어 싸우는 일. ↔아웃 복싱.

인판【印版】[명] ↗인쇄판(印刷版).

인패 위성【因敗爲成】[명] 실패한 것이 바뀌어 성공이 됨.

인페르노〔포 inferno〕[명] ①지옥(地獄). ②〔Inferno〕〖문〗 단테(Dante)가 저술한 ≪신곡(神曲)≫의 첫 편(編). 곧, 지옥편.

인펠트〔Infeld, Leopold〕[명] 〖사람〗 폴란드의 물리학자. 양자 전자기 역학(量子電磁氣力學)을 연구함. 1936년 나치스를 피하여 도미, 아인슈타인의 조수로 일반 상대성 이론의 확장(擴張)에 협력함. 1950년 귀국하여 바르샤바 대학 교수가 됨. 통일장 이론(統一場理論)·우주 물리학을 연구하는 한편 핵무기 금지 운동(核武器禁止運動)과 평화 운동(平和運動)에도 활약함. [1898-1968]

인편[1]【人便】[명] 사람이 오고가는 편. ¶ ~에 보내 주마.

인편[2]【鱗片】[명] ①비늘 조각. ②비늘 모양의 조각.

인편-상【鱗片狀】[명] 비늘 조각과 같은 모양.

인편-엽【鱗片葉】[명] 〖식〗 인엽(鱗葉)❶.

인평【仁平】[명] 〖역〗 신라 때의 다년호(大年號). 선덕 여왕(善德女王) 3년(634)에 시작하여 동왕 16년에 이름.

인평 대:군【麟坪大君】[명] 〖사람〗 조선 인조(仁祖)의 셋째 아들. 휘(諱)는 요(㴭), 자는 용함(用涵), 호는 송계(松溪). 병자 호란 때 부왕(父王)을 남한 산성에 호종(扈從), 볼모로 선양(瀋陽)에 갔다 왔으며 제자 백가(諸子百家)에 정통하였음. [1622-58]

인포:머티브 광:고【一廣告】〔informative〕[명] 소비자(消費者)나 이용자(利用者)들에게 유익한 소재를 넣은 설명적·해설적 광고. 흔히, 성능(性能)·성분(成分)·용도(用途)·보관법(保管法)·용법(用法) 따위가 유익한 소재로 다루어짐.

인포:먼트〔informant〕[명] 언어 조사(調査)에 있어서, 어느 특정의 언어를 본디 그대로 발음하여 그 언어의 분석(分析)에 도움이 되는 자료를 제공해 주는 사람. 자료 제공자.

인포:멀〔informal〕[명] ①비공식임. 약식(略式)임. ②격식 차리지 않음. 형식 차리지 않음.

인포:멀 그룹〔informal group〕[명] 직장·학교 등의 조직 안에서 출신교·취미·성격·종교 따위에서 오는 친밀함이 계기가 되어 형성된 자연 발생적 집단. 비공식 집단.

인포:메이션〔information〕[명] ①정보(情報). ②지식. ③접수처(接受處). 안내소(案內所).

인포:메이션 애널리스트〔information analyst〕[명] 컴퓨터에 의한 정보(情報)의 이용이나 개선(改善)에 관하여 연구하는 전문가.

인표【人表】[명] 사람의 모범(模範).

인품【人品】[명] 사람의 품위. 인격(人格). 인물(人物). 인태(人態). ¶ 온화한 ~.

인풋〔input〕[명] ①〖물〗 입력(入力). ②〖경〗 자본 투입(資本投入). ③〖컴퓨터〗 입력(入力). 1)-3):↔ 아웃풋(output).

인풍[1]【人風】[명] 사람의 풍채(風采).

인풍[2]【仁風】[명] ①인덕(仁德)의 교화(敎化). ②〔중국 진(晉)나라 원굉(袁宏)이 사안(謝安)으로부터 부채를 선물받고서 '당봉양인풍위피여서(當奉揚仁風慰彼黎庶)'라고 답한 고사(故事)에서 나옴〕 '부채'의 일컬음.

인풍-루【仁風樓】[一누] [명] 〖지〗 관서 팔경(關西八景)의 하나. 평안 북도 강계군(江界郡) 강계성(城) 서북 모퉁이에 있는 누각. 주위는 사시(四時) 경치가 아름답고 누각 앞에는 교장(教場)이 있어 평시에는 무예(武藝)를 닦던 곳이라고 함.

인프라-스트럭처〔infra-structure〕[명] 〖건〗 도시(都市)의 기간적(基幹的)인 부분을 이르는 말. 도로·상하수도(上下水道)·철도 등이 이에 해당함.

인플레 [명] 〖경〗 ↗인플레이션(inflation). ↔디플레.

인플레 갭 [명] 〔inflation gap〕〖경〗 노동력(勞動力)이나 설비(設備)가 완전히 이용되고 있을 때, 재정(財政)의 적자(赤字)·투자(投資)·수출 초과(輸出超過) 등 수요(需要)를 증가(增加)시키는 인플레적 요인(要因)이, 저축(貯蓄)·수입(輸入) 초과 등의 수요를 감소(減少)시키는 디플레적 요인을 초과하는 차액(差額). 물가 상승(物價上昇)의 원인이 됨. ↔디플레 갭.

인플레 기대【一期待】[명] 〖경〗 ↗인플레이션 기대(inflation 期待).

인 플레이〔in play〕[명] 농구에서, 점프 볼에서 토스(toss)된 공이 최고점에 달하였을 때, 프리 스로(free throw)에서 공이 프리 스로하는 사람에게 주어졌을 때, 코트 밖으로부터 스로 인(throw in)된 공이 코트 안의 플레이어(player)에 닿았을 때 등으로부터 데드(dead)가 될 때까지의 사이.

인플레이션〔inflation〕[명] 〖경〗 사회 통화 수요량(需要量)에 대하여 통화량(通貨量)이 상대적으로 팽창하여, 이에 따라 물가가 등귀(騰貴)하게 되는 경제 현상. 재정 상(財政上)의 필요에 의한 불환 지폐(不換紙幣)의 증발(增發)에 인한 것이 많음. 물가 등귀의 원인에 의하여, 수요가 공급(供給)을 초과한 경우의 수요 인플레와, 생산(生産) 코스트의 상승(上昇)으로 인한 코스트 인플레로 대별됨. [준]인플레. ↔디플레이션(deflation).

인플레이션 기대【一期待】[명] 〔inflation expectation〕〖경〗 어느 정도의 기간에 걸쳐 물가 상승이 계속될 때, 기업(企業)이나 가계(家計)가 장래 더욱 물가가 오를 것이라는 예상을 품는 일. [준]인플레 기대.

인플레이션 헤지 [명] 〔hedge against inflation〕〖경〗 인플레이션에 의한 통화 가치(通貨價値)의 하락으로 말미암은 손해를 막기 위하여, 주식·상품·부동산에 투자(投資)하는 일.

인 플레이어〔in player〕[명] 테니스에서, 서브하는 편의 선수. ↔아웃 플레이어.

인플렉션〔inflexion〕[명] 〖연〗 화술(話術)에서 살을 붙이고, 뉘앙스·멋을 더하기 위하여 쓰이는 고저(高低)·강약·긴장·이완(弛緩)의 모든 기교(技巧). 억양(抑揚).

인플루엔자〔influenza〕[명] 〖의〗 전염성이 강한 열병(熱病). 감기의 일종으로 바이러스에 의해 일어나며, A·A_1·A_2·B·C의 다섯 가지 형(型)이 있음. 대개는 고열이 있으며 사지(四肢)에 동통(疼痛)이 오고 두통·전신 권태(全身倦怠)·식욕 부진(食慾不進) 등의 증세를 보이며, 더 심해지면 급성 기관지염(急性氣管支炎)·폐렴을 일으켜 죽기도 함. 유행성 감기(流行性感氣). 독감(毒感).

인플루엔자-균【一菌】[명] 〔도 Influenzabazillen〕〖의〗 길이가 0.2-0.5 μ인 매우 작은 구균상(球菌狀)의 간균(杆菌). 그램 염색 음성(Gram 染色陰性)임. 혈구소(血球素)를 함유하는 배양기(培養基)에서 생김. 전에는 인플루엔자의 병원체로 여겼으며, 급성 관절염·뇌막염을 일으키기도 함.

인플루엔자 뇌염【一腦炎】〔influenza〕[명] 〖의〗 인플루엔자의 바이러스에 의하여 일어나는 뇌염. 임상(臨床) 증상은 유행성 뇌염과 비슷하며, 뇌에 특히 간뇌(間腦)에 점상(點狀)의 소출혈(小出血)이 생김.

인플루엔자 바이러스〔influenza virus〕[명] 〖의〗 1933년 이후 각종 형

이 발견되고 있는 인플루엔자의 병원체로, RNA 바이러스를 이름. 보통은 구상(球狀)이나, 이어져서 끈 모양이 되는 수도 있음. 보체 결합 항원(補體結合抗原)의 차이에 따라 역사적으로 A·B·C의 3형(型)으로 분류됨. 또 유행할 때마다 V항원(抗原)이라고 불리는 혈구 응집 항원(血球凝集抗原)이 변이(變異)하여 A형·B형은 광범위한 유행을 나타냄.

인플루엔자 폐:렴【一肺炎】명〔influenzal pneumonia〕〖의〗 인플루엔자가 진행되어 바이러스가 폐에 침입하여 발생되는 폐렴. 증상은 두통·근통(筋痛)·발한(發汗)·기침 등의 초기 증상이 지난 뒤에 열이 몹시 나며 호흡 곤란(呼吸困難)을 일으킴.

인피[1]【人皮】명 사람의 가죽.

인:피[2]【引避】명〖역〗공동 책임(責任)을 지고 일을 피하는 일.

인피[3]【靭皮】명 ①〖식〗쌍자엽(雙子葉) 식물이나 나자(裸子) 식물에서, 형성층의 세포의 분열에 의해 그 겉쪽에 이루어진 체관부(管部). 체관(管)·반세포(伴細胞)·체관부 섬유 등으로 되어 섬유로 이용됨. 제이기(第二期) 체관. 후생(後生) 체관부. ②〖식〗인피 섬유. ③유피(柔皮).

인피[4]【鱗被】명〖식〗포아풀과(科) 식물의 꽃에서 수술과 호생하는 두세 조각의 물이 많은 작은 인편(鱗片). 화피(花被)에 상당함.

인피-부【靭皮部】명〖식〗체관부(管部).

인피 섬유【靭皮纖維】명〖식〗식물의 체관부 섬유 및 피층(皮層) 섬유. 질기고 저항력이 강하여 제지(製紙)·직물 등의 공업용에 쓰임. 넓은 뜻으로는, 줄기의 형성층 바깥 쪽에서 나는 모든 섬유를 말함. 인피(靭皮). *체관부 섬유.

인피 세:포【靭皮細胞】명〖식〗인피를 구성하는 세포.

인피 식물【靭皮植物】명〖식〗잎이나 줄기의 인피 섬유가 직물·종이·끈·편물(編物) 등의 공업용 원료가 되는 식물의 총칭. 삼·아마(亞麻)·모시·마닐라 삼 같은 것.

인피어리어리티 콤플렉스〔inferiority complex〕명〖심〗열등감(劣等感).

인-필:더〔infielder〕명 야구에서, 내야수(內野手). ↔아웃필더.

인-필:드〔infield〕명 야구장에서, 본루(本壘)·1루·2루·3루를 맺는 정사각형의 구역내. 내야(內野). ↔아웃필드.

인필:드 플라이〔infield fly〕명 야구 경기에서, 무사(無死) 또는 원 아웃(one out)에 주자(走者)가 일루(一壘)·이루에 있거나 또는 만루(滿壘)인 경우에 내야수(內野手)가 쉬이 잡을 수 있는 페어 구역(fair 區域) 안으로 때린 비구(飛球). 심판이 인필드 플라이를 선언하면 그 공을 놓쳐도 타자(打者)는 아웃이 됨. 내야 비구(內野飛球).

인하[1]【引下】명 끌어내림. 떨어뜨림. ¶가격(價格) ~. ↔인상(引上). ——-하다 타여불

인하[2]【姻下】명 인말(姻末).

인-하다[1]【因一】자여불 ①본디 그대로 하다. 의지하다. ¶옛 풍속에 인하여 식을 올리다. ②말미암다. ¶병으로 인하여 결석하다/그 사건으로 인하여 결국은 사퇴하였다.

인-하다[2]【隣一】자여불 이웃하다. ¶바로 인하여 있다.

인:-하다[3]【吝一】형여불 좀 인색(吝嗇)하다. ¶돈에 대하여서는 좀 인한 데가 있다.

인하 대학교【仁荷大學校】명 사립 종합 대학의 하나. 인하 공과 대학의 후신. 1954년에 개교. 1958년에 대학원과 중앙 종합 직업 학교를 부설, 1963년에는 2부 대학과 초급 대학을 병설, 1971년 3개 단과 대학과 2부 5과로 개편(改編) 종합 대학교로 승격(昇格)함. 소재지는 인천 광역시(仁川廣域市).

인하우스 온라인〔inhouse on-line〕명 같은 건물(建物) 안 또 같은 구내(構內)에서 딴 장소(場所)에 설치된 기기(機器) 사이에 설정된 온라인 방식. 인라인.

인 하이〔미 in high〕명 야구에서, 타자에게 가까운 쪽을 지나는 약간 높은 투구(投球).

인하-책【引下策】명 물건 값·임금(賃金)·운임·사용료 같은 것을 내리는 정책.

인학【仁學】명〖책〗중국 청대(淸代)의 사람인 담사동(譚嗣同)의 저(著). 불교의 유식(唯識)·화엄(華嚴)의 사상과, 서양의 자연 과학(自然科學)의 지식을 받아들인 계몽 사상서(啓蒙思想書). 국가·가족에 있어서의 상하 관계(上下關係)의 폐지, 여성의 해방 등 만물(萬物)의 무차별 평등(無差別平等)을 주장하고, 청조(淸朝)를 공격하였기 때문에 발행 금지 처분을 받음. 량 치차오(梁啓超)가 일본에서 출판, 신해혁명(辛亥革命)의 기인(起因)이 되었음. 상하 2권. 별제(別題)는 ≪대만인소저서(臺灣人所著書)≫. 1897년 간(刊).

인:-함박 명 〈방〉이남박.

인항【引航】명 ①예항(曳航). ②글라이더(glider)를 이륙(離陸)시킬 때에 자동차나 비행기 등으로 끌어서 날림. ——-하다 타여불

인해【人海】명 헤아릴 수 없이 사람이 많이 모인 것을 가리키는 말. 인산(人山). ¶인산(人山) ~를 이루다.

인해 전:술【人海戰術】명 ①극히 많은 병력(兵力)을 투입하여, 수(數)의 힘으로 적의 전선(戰線)을 분단(分斷)·돌파(突破)하는 공격법. ②전(轉)하여, 많은 사람을 차례로 투입하여 일을 성취하려는 수법.

인해-중【人海中】명 수없이 많은 사람이 모인 가운데.

인행【印行】명 간행(刊行). ——-하다 타여불

인행-기【印行機】명〖컴퓨터〗라인 프린터.

인향【隣鄕】명 이웃 마을. 인촌(隣村).

인허【認許】명 인정(認定)하여 허가(許可)함. 인가(認可). ——-하다 타여불

인허-장【認許狀】[一짱] 명 허가장(許可狀).

인헌 무:공 훈장【仁憲武功勳章】명〔인헌(仁憲)은 고려의 장군(將軍) 강감찬(姜邯贊)의 시호(諡號)〕우리 나라 제5등급의 무공 훈장. 수(綬)는 소수(小綬)이며, 하늘색 바탕에 백색 줄이 두 줄 있음. *태극(太極) 무공 훈장.

〈인헌 무공 훈장〉

인현【仁賢】명 ①인자(仁者)와 현인(賢人). ②마음이 어질고 똑똑함.

인현 왕후【仁顯王后】명〖사람〗조선 제19대 숙종(肅宗)의 계비(繼妃). 민유중(閔維重)의 딸. 숙종 7년(1681)에 왕비가 되었으나 궁녀(宮女) 장희빈(張禧嬪)의 농간으로 15년에 폐위(廢位)되었다가 다시 복위(復位)됨. [1667-1701]

인현 왕후 덕행록【仁顯王后德行錄】[一녹] 명〖문〗인현왕후전(傳).

인현왕후-전【仁顯王后傳】명〖문〗전기체(傳記體) 고대 소설의 하나. 조선 19대 숙종(肅宗)의 계비(繼妃) 인현 왕후의 폐비 사건(廢妃事件)과 장희빈(張禧嬪)의 일을 역사적 사실에 입각하여 쓴 소설로, 조선 시대의 궁중(宮中)을 중심으로 여성들이 쓰던 우아한 문체의 격조 높은 소설임. 작자는 미상이나 인현 왕후를 모시던 궁녀(宮女)의 소작(所作)이라 생각됨. 인현 왕후 덕행록(德行錄).

인혈【人血】명 사람의 피. 사람의 혈액(血液).

인혈 필라리아【人血一】〔filaria〕명〖충〗주혈 사상충(住血絲狀蟲).

인혐【引嫌】명 ①자기의 허물을 뉘우침. ②〖역〗책임을 지고 사퇴하는 일. ——-하다 자여불

인형[1]【人形】명 ①사람의 형상. ②흙·나무·종이·헝겊 같은 것으로 사람의 모양을 흉내내어 만든 장난감. 여러 가지 종류가 있음. 우인(偶人). ③몸을 움직이지 않는 사람, 또는 자기 의지(意志)로 행동을 못하는 사람을 비유해서 이르는 말.

인형[2]【印形】명 인발.

인형[3]【姻兄】명 매형(妹兄).

인형[4]【鱗形】명 비늘과 같은 모양.

인형[5]【仁兄】인대 친구끼리 상대편을 대접하여 부르는 인대명사(人代名詞). 편지에 씀.

인형-극【人形劇】명〖연〗배우 대신에 사람이 놀리는 인형으로 하는 연극. 대사(臺詞)는 꼭두각시를 놀리는 이가 하거나 따로 말하는 사람이 있음. 우리 나라에서는 꼭두각시놀이로서 일찍이 발달하였음. *마리오네트(marionette).

인형 영화【人形映畫】[一녕一] 명 인형을 움직이게 하여 촬영하는 영화.

인형의 집【人形一】[一/一에一] 명〔Et Dukkehjem〕〖문〗입센의 희곡. 변호사의 아내 노라가, 지금까지 남성을 위한 인형에 지나지 않았던 자신을 깨닫고, 하나의 인간으로서 독립하려는 과정을 그림. 여성의 해방에 커다란 영향을 끼친 사회극(社會劇)임.

인혜【仁惠】명 어질며 은혜가 있는 일. ——-하다 형여불

인호[1]【人戶】명 인가(人家).

인호[2]【人豪】명 기량(器量)이 뛰어난 인사(人士).

인호[3]【印號】명〖천주교〗성세(聖洗)·견진(堅振)·신품(神品) 등의 성사(聖事)로써 받은, 보이지 아니하는 표징(標徵).

인호[4]【隣好】명 이웃끼리 사이좋게 지내는 일.

인혼【人魂】명 사람의 혼령.

인홀 불견【因忽不見】명 언뜻 보이다가 바로 없어짐.

인화[1]【人和】명 인심(人心)이 화합(和合)함. ¶~ 단결(團結). ——-하다 자여불

인화[2]【引火】명 불을 댕김. 불이 댕김. ¶~물(物). ——-하다 자여불

인화[3]【仁化】명 인덕(仁德)의 감화(感化).

인화[4]【印花】명 도자기 등의 장식 기법(裝飾技法)의 하나. 판인(版印)으로 그림·꽃·글씨 같은 것을 눌러 찍는 일. 또, 그렇게 찍힌 무늬. 고화(鼓花).

인화[5]【印畫】명 음화(陰畫) 또는 투명 양화(透明陽畫)에서 감광 재료면(感光材料面)에 여러 가지 인화법으로 화상(畫像)을 만드는 일. 또, 그렇게 만들어진 그림. ——-하다 타여불

인화[6]【燐火】명 도깨비불❶.

인화문 토기【印花文土器】명〖고고학〗'도장 무늬 토기'의 구용어.

인화-물[1]【引火物】명 인화성이 있는 물질. 인화질물(引火質物). *발화약(發火藥).

인화-물[2]【燐化物】명〔phosphide〕〖화〗인과 금속 원소와의 화합물의 총칭. 독특한 구조의 것이 많으며, 고온에서는 분해하여 인을 발생시키는 것이 많음.

인화-법【印畫法】[一뻡] 명 인화(印畫) 재료 위에 음화(陰畫)를 써서 양화로 만드는 방법. 사용하는 감광(感光) 재료의 종류에 따라 인화법·전사법(轉寫法)·확대법 등이 있음.

인화-성【引火性】[一썽] 명 인화가 잘 되는 성질. 다른 화열(火熱)에 의해서 가연성(可燃性)의 물질이 발화(發火)하는 성질. 인화질(引火質). ¶~이 강한 물질.

인화성 액체【引火性液體】[一썽一] 명〔flammable liquid〕가연성(可燃性) 기체를 발생하는 액체. 휘발유 따위.

인화 수소【燐化水素】명〔hydrogen phosphide〕〖화〗포스핀❶.

인화 온도【引火溫度】명 인화점(引火點).

인화-장【仁和章】[一짱] 명〖악〗악장(樂章)의 이름. 조선 경종(景宗)의 첫째 왕비(王妃)인 단의 왕후(端懿王后) 혼전(魂殿)의 악장.

인화-점【引火點】[一쩜] 명〖화〗물질이 가연성(可燃性) 증기를 발생하여 인화할 수 있게 되는 최저 온도. 휘발유는 −40°C 이하, 등유는 30°C 이상임. 인화 온도.

인화-지【印畫紙】명 원지(原紙) 표면에 감광 유제(感光乳劑)를 바른 사진 용지. 음화에서 양화를 만드는 데에 쓰임. 현상지(現像紙).

인화-질【引火質】명 인화성(引火性).

인화질-물【引火質物】명 인화질의 물건. 곧, 인화물(引火物).

인환[1]【人寰】명 인간 세계. 세간(世間). 세상.

인환² 【引換】 명 ①상환(相換). ②〖경〗'교환(交換)❺'의 구용어.

인환 급부 판결 【引換給付判決】 명 〖법〗'상환 이행 판결(相換履行判決)'의 구용어.

인:환 대:금 【引換代金】 명 〖경〗'교환 대금'의 구용어.

인환 세:포 【印環細胞】 명 〔seal ring cell〕〖생〗원형질(原形質) 중에 점액적(粘液滴)이 생기어 그것이 유합(癒合)하여 커지기 때문에 핵(核)이 한쪽으로 납작하게 눌린 상태의 암세포(癌細胞). 위(胃)·장(腸)·폐(肺)에서 발생하는 교상암(膠狀癌)에 나타남.

인환-증 【引換證】〔―쯩〕 명 〖경〗'상환증(相換證)'의 구용어.

인황-병 【人黃病】〔―뼝〕 명 〖한의〗담석통(膽石痛).

인회 【湮晦】 명 자취를 감춤. 또, 모습이나 재능을 감춤.

인회-석 【燐灰石】 명 〖광〗 플루오르와 염소(塩素)를 함유하는 칼슘의 인산염(燐酸塩) 광물. 육방 정계(六方晶系)에 속함. 결정(結晶)은 주상(柱狀)·판상(板狀) 또는 극히 드물게 괴상(塊狀)이며, 보통은 무색투명하나 때때로 담청색(淡青色)이나 노랑 빛을 띠며 유리 광택을 냄. 인비료(燐肥料)·크림·치약(齒藥)의 원료로 쓰임.

인회 우라늄석 【燐灰―石】〔uranium〕 명 〖광〗오투나이트(autunite).

인회-토 【燐灰土】 명 〖광〗인산 석회(燐酸石灰)에 불순물이 섞인, 흰빛 또는 회갈색(灰褐色)의 흙. 척추 동물(脊椎動物)의 뼈와 배설물 등이 쌓여서 된 것으로 인분(燐分)이 많은 것은 인조 비료(人造肥料)의 원료(原料)가 됨.

인효 【仁孝】 명 인자(仁慈)와 효행(孝行).

인후¹ 【人後】 명 ①〖역〗양자(養子)로 들어가는 일. ②다른 사람의 밑. 다른 사람의 뒤.

인후² 【仁厚】 명 어질고 후덕(厚德)함. ――-하다 형 여불

인후³ 【咽喉】 명 〖생〗목구멍.

인후-강 【咽喉腔】 명 〖생〗 목구멍의 회염 연골(會厭軟骨)로부터 성문(聲門)까지의 안.

인후 농양 【咽喉膿瘍】 명 〖의〗인두(咽頭) 후벽(後壁)에 생기는 농양(膿瘍). 원발성(原發性)과 후발성(後發性)이 있는데, 전자는 다섯 살 이하, 특히 유아(乳兒)에 많으며, 후자는 어른에게 많음. 호흡 곤란·언어 장애 등의 증상을 나타내는데, 치료법으로는 절개(切開)하여 고름을 짜내는 방법과 원인 요법 등이 있음.

인후-목 【咽喉―】 명 인후(咽喉)와 목과의 사이.

인후-병 【咽喉病】〔―뼝〕 명 〖한의〗 목구멍이 아프고 붓는 병의 통칭. 후증(喉症).

인후-부 【咽喉部】 명 〖생〗인체(人體)를 해부학 상으로 나눈 한 부분. 인후에 관한 부분.

인후-염 【咽喉炎】 명 〖의〗인후 카타르.

인후지-지 【咽喉之地】 명 요긴한 요새(要塞)가 되는 땅.

인후-창 【咽喉瘡】 명 〖한의〗인후부(咽喉部)가 허는 병의 총칭. 결핵성·매독성의 여러 가지가 있음.

인후 카타르 【咽喉―】〔도 Katarrh〕 명 〖의〗인후 점막에 생기는 염증. 감기 따위에서 기인함. 인후염(咽喉炎).

인후-통 【咽喉痛】 명 목구멍이 아픈 병.

인휼 【仁恤】 명 인애(仁愛)로써 구휼(救恤)함. ――-하다 타 여불

인흉 【引胸】 명 〖악〗종묘 제향(宗廟祭享)의 일무(佾舞) 보태평지무(保太平之舞)에 사용되는 춤사위의 하나. 바로 서서 두 손을 양 가슴의 앞으로 가까이 끌어들임.

인희 지광 【人稀地廣】〔―히―〕 명 사람은 적고 땅은 넓음. 지광 인희. ――-하다 형 여불

잀즈로 명 〈옛〉인 꼭지. ¶잀즈로뉴(鈕)≪字會 下 16≫.

잀기 명 〈옛〉이끼. =잇³·잇기. ¶잀기티(苔)≪倭解 下 31≫.

잀다 형 〈옛〉착하다. 묘하다. ¶모물 ᄌᆞ개 이바 가져 다니샤≪月釋 Ⅱ:56≫.

잀부다 형 가쁘다. =잇브다. ¶잀불곤(困)≪倭解 上 21≫.

잀줍다 타 여쭙다. =엳줍다 ¶衆仙百靈 ᄋᆡ 잀줍노니≪月釋 Ⅱ:74≫.

잀히 명 〈옛〉이태. ¶ᄯᅩ 잀힛자히사≪月釋 Ⅱ:66≫.

일:¹ 명 〔중세 : 일〕 ①업으로 삼고 하는 모든 노동. 벌이. 사업. ¶막~/목수 ~. ②용무(用務). ¶만날 ~이 있다. ③세상이 되어 가는 형편. ¶세상~이란 그런 것이다. ④큰 난리나 변동. ¶큰 ~이 났다. ⑤사고. ¶~만 저지르다. ⑥특별한 형편. 사정(事情). ¶오지 못할 ~이 있다. ⑦어떤 경험. ¶본 ~이 있다. ⑧비용이 많이 드는 행사. ¶~을 치르다. ⑨다스리는 책임. ¶나라 ~을 맡기다. ⑩말의 끝에 써서 무엇을 바라거나 가벼운 명령을 뜻하는 말. ¶신을 벗을 ~. ⑪용언으로 체언을 수식할 때 그것을 명사화시키는 말. ¶먹는 ~/섬기는 ~. ⑫말의 끝에 써서 감탄·의문을 나타내는 말. ¶웃을 ~이군/그런 ~이 있나. ⑬곳. 치성(致誠). ⑭뜻하고 있는 계획이나 하고 있는 사업. ¶~이 잘 되어간다. ⑮어떤 일에 관계된 문제 또는 사건. ¶대수롭지 아니한 ~. ⑯성교를 점잖게 이르는 말. ⑰〖물〗외부로부터의 힘에 의하여 물체가 움직였을 때에 물체의 움직인 방향(方向)이 힘과 이동한 거리(距離)와의 상승적(相乘積)을 외부로부터의 힘이 물체에 미친 일이라 함. ――하다 자 여불

[일 다 하고 죽은 무덤 없다] 일을 하려고 보면 한이 없다는 말. [일도 못하고 불알에 똥칠만 한다] 뜻하던 일은 못 하고 도리어 낭패만 보았다는 뜻. [일 못 하는 늙은이 쥐 못 잡는 고양이도 있으면 낫다] 늙은이가 비록 일은 못 하나, 집안 살림에 여러 가지 도움이 된다는 말. [일에는 베돌이 먹을 땐 감돌이] 일을 할 때는 살살 피하나 먹을 것이 있으면 더 많이 먹으려고 살금살금 다가오는 사람을 이르는 말. [일은 할 탓이고 도지개는 맬 탓이라] 일의 능률은 하기에 달렸다는 말. [일이 되면 입도 되다] 일이 많으면 먹을 것도 따라 많이 생긴다는 말. [일 잘하는 아들 낳지 말고 말 잘하는 아들 낳으라] 사람이 말을 잘하면 처세에 유리하다는 뜻으로 하는 말.

일² 【一】 명 성(姓)의 하나. 본관 미상.

일³ 【日】 명 ①↗일요일(日曜日). ②날. 해. 하루. 낮. ¶기념~.

일⁴ 【日】 명 〖지〗↗일본(日本). ¶한~ 두 나라.

일⁵ 【日】 명 성(姓)의 하나. 우리 나라에는 현존하지 아니함.

일⁶ 【日】 의명 날짜나 날수를 셀 때 쓰는 말. ¶십오(十五)~/십(十)~ 걸렸다. 주의 한자말 밑에서만 쓰임.

일⁷ 【一】 ㊀ 수 하나. ¶~에 이(二)를 더하다. ㊁ 관 '한'의 뜻. ¶~개(箇).

일⁸ 부 〈옛〉일찍이. ¶밥 업소미 날 니르와도ᄆᆞᆯ 일 ᄒᆞᄂᆞ다(無食起我早)≪初杜諺 XXII:3≫.

일- 부 '일찍이'의 뜻으로 동사의 머리에 붙이어 쓰는 접두어. ¶~깨다/~심다.

-일 어미 〈옛〉-는. ¶有는 이실 씨라≪訓諺 Ⅱ≫.

일가¹ 【一架】 명 하나의 시렁. 또, 시렁에 물건이 가득참.

일가² 【一家】 명 ①성(姓)과 본(本)이 같은 겨레붙이. ¶~ 문중. ②한 집안. ¶~ 친척. ③학문이나 예술·기술 분야 등에서 독립한 한 유파(流派). 독특한 하나의 품격을 갖는 것. ¶서예에 ~를 이루다.

[일가 못 된 건 계수] 일가 중에서 가장 서먹한 이는 아우의 아내 되는 사람이란 뜻. [일가 못 된 것이 항렬만 높다] 세상에서 흔히 좋지 않은 것이 성(盛)한다는 말. [일가 싸움은 개 싸움] ㉠같은 겨레붙이끼리 싸우는 것은 짐승 같은 일이라는 말. ㉡일가끼리의 싸움은 그 때뿐이고 원한을 품지 않는다는 말.

일가³ 【一價】〔―까〕 명 〖화〗원자가(原子價)가 하나임. 양(陽)과 음(陰)이 있음.

일가⁴ 【逸暇】 명 편안하고 여가가 있는 일.

일가-견 【一家見】 명 어떤 문제에 대하여 개인이 가지는 일정한 체계의 전문적인 식견. ¶~을 피력하다.

일가 권:속 【一家眷屬】 명 한 집안의 모든 겨레붙이 및 부하. 또, 일파의 사람들.

일가 단란 【一家團欒】〔―달―〕 명 한 집안의 식구가 아주 화목하게 지내는 일. ――-하다 형 여불

일가 문중 【一家門中】 명 멀고 가까운 모든 일가.

일가-붙이 【一家―】〔―부치〕 명 일가가 되는 겨레붙이. ¶그 집과 ~랍시고 되는 대로 큰소리를 친다. *살붙이.

일가-서 【一家書】 명 따로 일파를 이루는 책.

일가-뻘 【一家―】 명 일가 관계로 얽힌 사이.

일가 알코올 【一價―】〔alcohol〕〔―까―〕 명 〖화〗한 분자(分子) 중에 히드록시기(hydroxy基) 한 개를 가진 알코올. 에틸 알코올(ethyl alcohol)·메틸 알코올(methyl alcohol) 따위.

일가-언 【一家言】 명 한 부문의 권위자로서의 학설이나 주장.

일가 염:색체 【一價染色體】〔―까―〕 명 〖생〗체세포(體細胞)에 포함되어 있는 염색체. 또, 환원 분열(還元分裂) 때에, 대합(對合)하지 않고 유리(遊離)해 있는 염색체. 보통, 쌍(雙)으로 되는 상동(相同) 염색체가 존재하지 않으므로 일어남.

일가 원소 【一價元素】〔―까―〕 명 〖화〗원자가(原子價)가 하나인 원소. 곧, 나트륨·칼륨·브롬 등. 알칼리 금속은 양(陽)의, 할로겐은 음(陰)의 일가 원소임.

일가 월증 【日加月增】〔―쯩〕 명 날과 달로 늘고 불어감. ¶재산이 ~하다. ――-하다 자 여불

일-가족 【一家族】 명 한 집안의 가족. ¶~ 다섯 식구.

일가 친척 【一家親戚】 명 동성(同姓)과 이성(異姓)의 모든 겨레붙이.

일가 함:수 【一價函數】〔―까―쑤〕 명 〖수〗독립 변수(獨立變數)의 값을 정하였을 때, 그것에 대한 종속(從屬) 변수의 값이 하나인 함수. ↔다가 함수(多價函數).

일가-화 【一家花】 명 〖식〗암·수꽃이 같은 그루 위에 생기는 꽃. 소나무·밤나무의 꽃 따위. 한집꽃.

일가 화합 【一家和合】 명 한집안 식구가 모두 뜻이 고르고 맞음. ――-하다 형 여불

일각¹ 【一角】 명 ①한 귀퉁이. ¶도시의 ~. ②한 개의 뿔. ¶~수(獸).

일각² 【一刻】 명 ①한 시의 첫째 시각. 곧, 15분. ②삽시간. 짧은 시간. ¶~도 지체 말라.

[일각이 삼추(三秋) 같다] 시간이 빨리 지나가기를 바라는 뜻으로 초조하게 기다리는 마음의 괴로움을 이름. *일각 여삼추(一刻如三秋). ¶우리 부모 생각하는 마음이 가위 일각이 삼추 갓트니 밧비 도라감을 청하노라≪梁山伯傳≫.

일각³ 【一覺】 명 ①한 번 잠에서 깨어남. ②한 번 깨달음. ――-하다 자 여불

일각⁴ 【日角】 명 상법(相法)에서, 이마 한가운데 뼈가 융기(隆起)해 있는 일. 귀인의 상 혹은 천정(天庭)의 왼편 이마를 이르기도 함. ¶~지상(之相).

일각⁵ 【日脚】 명 햇발.

일각 대:문 【一角大門】 명 〖건〗문채가 한 칸이 못 되는 두 기둥을 세운 정문.

일각-문 【一角門】 명 〖건〗일각 대문과 같이 된 문.

일각-삼 【一角參】 명 좋지 못한 삼. 양각삼(羊角參).

일각 삼례 【一刻三禮】〔―녜〕 명 〖불교〗일도 삼례(一刀三禮).

일각-서 【一角犀】 명 〖동〗인도 코뿔소.

일각-선 【一角仙】 명 〖신〗일각 선인.

일각 선인【一角仙人】[명]〖신〗인도 고대 신화의 선인. 파라나국(波羅奈國)의 산중에서 사슴으로부터 태어났는데, 머리에 한 개의 뿔이 있었다 함. 성장하여 선정(禪定)을 닦아 통력(通力)을 얻었으나, 음부(淫婦)에게 유혹되어 통력을 잃고, 산을 내려와서 벼슬하였다 함. 일각선(一角仙). 독각선(獨角仙).

〈일각수〉

일각-수【一角獸】[명]〔unicorn〕전설적(傳說的)인 동물. 인도(印度)에 나는데, 모양과 크기가 말 같으며, 이마에 한 개의 뿔이 있다고 함. 유니콘.

일각수-좌【一角獸座】[명]〖천〗외뿔소자리.

일각 여삼추【一刻如三秋】[명] 일각이 삼추 같음. ¶그이를 기다림이 ~로다/'일각이 여삼추라'하는 말이 내게 맞침이라 신랑 얼굴 못 보아서 가삼 답답하리로다 《꼭둑각시 實記》. *일각(一刻).

일각 일각【一刻一刻】[명][부] 시시 각각(時時刻刻). ¶강물이 ~ 불어만 간다.

일각 중문【一角中門】[명]〖건〗기둥이 두 개로 된 중문(中門).

일각 천금【一刻千金】[명] 잠깐의 동안도 귀중하기가 천금(千金)과 같다는 말. 기후가 좋은 계절 등에 이름.

일간[1]【一間】[명] ①집의 한 칸. ¶~방. ②길이의 단위. 여섯 자. 한 칸. ③바둑판의 한 금. ¶~ 뛰다.

일간[2]【日刊】[명] ①날마다 간행(刊行)함. ②↗일간 신문(日刊新聞). ¶~지(紙). ——-하다 [자][여불]

일간[3]【日旰】[명] 해가 저묾. 일모(日暮). ——-하다 [형][여불]

일간[4]【日間】[一][명] '일일간(一日間)'의 준말. ¶~ 작업량. [二][부]가까운 며칠 사이. ¶~ 또 들르겠네.

일간 두옥【一間斗屋】[명] 한 칸 밖에 안 되는 작은 집.

일간 망찬【日旰忘餐】[명] 임금이 국정에 바빠 저녁 식사를 잊음.

일간 신문【日刊新聞】[명] 날마다 박아 내는 신문. 조간(朝刊)과 석간(夕刊)으로 하루 두 번 내는 수도 있음. 일간지(日刊紙). 저널(journal). [준]일간(日刊).

일간-지【日刊紙】[명] 일간 신문. *주간지(週刊紙).

일간 초옥【一間草屋】[명] 한 칸밖에 안 되는 작은 초가집.

일간 풍월【一竿風月】[명] 낚싯대 하나에 세상사를 잊어버리고 풍월을 즐기는 일.

일갈【一喝】[명] 한 번 큰 소리로 꾸짖음. ¶대성(大聲) ~. ——-하다 [타][여불]

일:-감 [一깜][명] 일을 할 재료. 일거리. ¶~이 많다.

일갓-집【一家一】[명] 일가가 되는 집.

일강[1]【日強】[명] 날로 강하여짐. 날로 튼튼해 옴. ——-하다 [형][여불]

일강[2]【日講】[명] ①매일 선생 앞에서 외는 강. *월강(月講)·순강(旬講). ②매일 강의함. ——-하다 [타][여불]

일강-관【日講官】[명]〖역〗①대한 제국 때 시강원(侍講院)의 칙임(勅任) 벼슬. 고종(高宗) 31년(1894)에 둠. ②대한 제국 때 황태손 강서원(皇太孫講書院)의 칙임 벼슬. 고종 광무(光武) 7년(1903)에 둠.

일개[1] [명]〈방〉일가[2](一家)(경상).

일개[2]【一介】[一][명] 보잘것없는 한 낱. ¶~의 가난한 서생(書生). [二][관] 한낱 보잘것없는. ¶~ 장사꾼에 지나지 않다.

일-개[3]【一箇·一個】[명] 한 개.

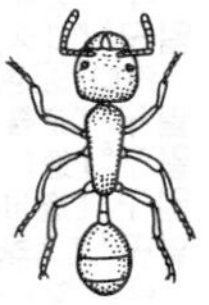

〈일개미〉

일:-개미 [명]〖충〗집을 짓고, 먹이를 채취·저장하는 노동에 종사하는 개미. 날개가 없고 생식 기능이 없음. 직의(職蟻). *병정 개미.

일개 서생【一介書生】[명] 보잘것없는 서생.

일개 야:생【一介野生】[명] 보잘것없는 자. 자기의 겸칭(謙稱).

일개 월화【日改月化】[명] 날로 달로 변천함. ——-하다 [자][여불]

일-개인【一個人】[명] 한 사람의 개인. 단체의 처지를 떠난, 한 사람의 인간. ¶~의 힘으론 불가능하다.

일개지-사【一介之士】[명] 보잘것없는 선비. 식견(識見)이 얕은 완고(頑固)한 사람.

일거[1]【一擧】[명] ①한 번 일을 거행함. 또, 한 번의 행동(行動). ②단번. ¶~에 무너뜨리다.

일거[2]【逸居】[명] 별로 하는 일 없이 편안(便安)하게 지내는 일. ——-하다 [자][여불]

일:-거리 [一꺼一][명] 일을 할 재료. 일감. ¶~가 없다.

일거 무소식【一去無消息】[명] 한 번 간 뒤로 아주 소식이 없음.

일거수 일투족【一擧手一投足】[명] 손 한 번 들고 발 한 번 옮기는 일. 곧, 약간의 수고. 또, 하나하나의 동작이나 행동. 일거 일동(一擧一動). ¶~을 주시(注視)하다.

일거 양:득【一擧兩得】[명] 한 가지 일을 하여 두 가지의 이익을 거둠을 이름. 일거 이득(二得). 일전 쌍조(一箭雙鳥). 일석 이조(一石二鳥). ¶~의 효과. [준]양득(兩得). ↔일거 양실(一擧兩失).

일거 양:실【一擧兩失】[명] 한 가지 일을 함으로써 두 가지의 일을 잃음. ↔일거 양득.

일거 양:용【一擧兩用】[명] 한 가지 일을 행함으로써 두 방면에 소용되는 일.

일거 양:전【一擧兩全】[명] 한 가지 일을 함으로써 두 가지 일이 잘 되어 감.

일거 월저【日居月諸】[一쩌][명] 쉼 없이 가는 세월. [준]거저(居諸).

일거 이:득【一擧二得】[명] 일거 양득.

일거 일동【一擧一動】[一똥][명] 사소한 동작. 일거수 일투족(一擧手一投足). ¶~을 조심해라.

일거 일래[1]【一去一來】[명] 갔다왔다 하는 일. ——-하다 [자][타][여불]

일거 일래[2]【日去日來】[명] 날이 가고 오고 함. 곧, 세월이 흐름. ——-하다 [자][여불]

일거 천리【一擧千里】[一철一][명] 단번에 천 리에 이름. 전(轉)하여, 벼슬하여 뜻을 이루는 데도 쓰임.

일건【一件】[一껀][명] 한 벌. 한 가지.

일건 기록【一件記錄】[一껀一][명]〖법〗재판 사건의 서류를 한 사건마다 정리한 서류. 일건 서류(一件書類).

일건 서류【一件書類】[一껀一][명]〖법〗일건 기록(一件記錄).

일검지-임【一劒之任】[명] 칼을 한 번 내둘러서 일을 완수하는 임무. 곧, 자객(刺客)의 임무.

일-게르만【一一】[명]〔monogermane〕〖화〗게르만[2]❶.

일격[1]【一擊】[명] 한 번 세게 치는 일. ¶~을 가하다.

일격[2]【日隔】[명] 날로 소원(疏遠)하여짐. 날로 멀어짐. ——-하다 [자][여불]

일격[3]【逸格】[명] ①뛰어난 품격(品格). 일품(逸品). ②훌륭한 품질.

일견【一見】[一][명] 한 번 봄. 언뜻 봄. 일모(一眸). [二][부] 한 번 보아. 언뜻 보기에. ¶~ 상놈이더라. ——-하다 [타][여불]

일견-객【一見客】[명] 처음 대면(對面)하는 손.

일-견식【一見識】[명] ①하나의 견식. 하나의 생각. ②뛰어난 식견(識見). 확고한 생각. ¶~도 없는 주제에.

일견 여구【一見如舊】[명] 처음으로 만났을 뿐이지만 마음이 맞고 정이 들어 옛날부터 친밀한 벗같이 친밀(親密)함. ——-하다 [형][여불]

일:-결[1] [명] 크게 손님을 겪게 되는 일.

일결[2]【一決】[명] ①한 번 작정됨. 하나로 결정함. ②한 번에 방축이 터짐. ——-하다 [자][여불]

일결[3]【一缺】[명] ①한 번 빠짐. ②하나의 결점. ③한 자리의 공석(空席). ——-하다 [자][여불]

일결[4]【一闋】[명]〖악〗한 곡의 음악이 끝남.

일겸【一兼】[명]〖역〗〔←겸사복 일번(兼司僕一番)〕조선 시대 때 금군 칠번(禁軍七番)의 하나로, 겸사복에 딸렸던 부대(部隊).

일겸 사:익【一謙四益】[명] 한 번의 겸손은 천(天)·지(地)·신(神)·인(人)의 사자(四者)로부터의 유익함을 가져오게 한다는 뜻으로, 겸손해야 함을 강조한 말.

일경[1]【一更】[명] 초경(初更).

일경[2]【一徑】[명] 한 가닥의 길.

일경[3]【一經】[명] ①한 부(部)의 경서(經書). ②경서를 읽는 서생(書生).

일경[4]【一境】[명] 한 나라. 어느 지경의 전부.

일경[5]【日警】[명] ↗일본 경찰.

일경[6]【逸經】[명] 세상에 나타나지 않은 경서.

일경 구수【一莖九穗】[명] 한 포기의 줄기에서 아홉 개의 이삭이 맺는다는 뜻으로, 상서(祥瑞)로운 곡물(穀物).

일경 박사【一經博士】[명] 한 경서(經書)만을 전문으로 하는 박사.

일경지-유【一經之儒】[명] 한 부의 경서에만 통효(通曉)하여 있는 유생(儒生). 전(轉)하여, 융통성이 없는 학자를 이름.

일경지-훈【一經之訓】[명] 중국 한(漢)나라의 위현(韋賢)이 자식들에게 학문을 가르쳐 자식들이 모두 높은 벼슬에 올랐으므로, 사람들이 자식을 위하여 황금을 남기느니보다 한 권의 경서를 가르치는 편이 낫다고 한 고사.

일계[1]【一系】[명] 한 계통. 한 핏줄.

일계[2]【一季】[명] 한 계절. 한 철.

일계[3]【一計】[명] 한 가지 꾀.

일계[4]【日系】[명] ①일본 사람의 핏줄을 이어받음. 또, 그 사람. 특히, 일본 이외의 국적(國籍)을 가진 경우에 이름. ¶~ 미국인. ②일본의 계통. ¶~ 회사. ③태양계(太陽系).

일계[5]【日計】[명] 날마다 계산함. 날수대로 계산함. 또, 그 계산. ¶매상고의 ~.

일계 반:급【一階半級】[명] 일자 반급(一資半級).

일계 일급【一繼一及】[명] 일생 일급(一生一及).

일계-표【日計表】[명] 나날의 계산을 적어 단번에 알아보기 쉽게 만든 표.

일고[1]【一考】[명] 한 번 더 생각함. 잘 생각해 봄. ¶~를 요하는 일. ——-하다 [타][여불]

일고[2]【一鼓】[명] ①북을 한 번 침. ②전진(前進)의 군호(軍號)로서 북을 침. ——-하다 [자][여불]

일고[3]【一顧】[명] ①한 번 돌아봄. 또, 잠깐 돌아봄. 잠깐 조심함. ②조금 생각하여 봄. ¶~의 여지도 없다. ——-하다 [타][여불]

일고[4]【日高】[명] 해가 높이 떠오름. 한낮을 이름. ——-하다 [자][여불]

일고[5]【日雇】[명] 일용(日傭).

일고[6] [수]〈방〉일곱(경상).

일고 가:파【一鼓可破】[명] 한 번 북을 쳐서 사기(士氣)를 고무시킴으로써 적을 쳐부술 수 있다는 말.

일고 경국【一顧傾國】[명] 일고 경성.

일고 경성【一顧傾城】[명] 뛰어난 미인(美人). 일고 경국.

일:-고동 [一꼬一][명] 사물의 성패가 결정되는 요긴한 목.

일고 삼장【日高三丈】[명] 아침 해가 높이 떴음. 삼간(三竿). ——-하다 [자][여불]

일고수 이:명창【一鼓手二名唱】[명] 판소리에서, 북을 치는 사람이 첫째요, 소리 잘하는 이는 버금이라는 말.

일고-여덟 [一덜][수][관] 일곱이나 여덟. 칠팔(七八). [준]일여덟.

일고 일락【一苦一樂】[자] 한 번은 괴로워하고 한 번은 즐거워함. 어떤 때는 역경(逆境)에 괴로워도 하고 어떤 때는 순경(順境)에 즐거워함. ——-하다 [자][여불]

일고 작기【一鼓作氣】[명] 개전(開戰) 신호의 일고로 원기를 진작(振作)

함. 맨 처음에 원기를 진작하여 일에 임함의 비유.
일고지-가【一顧之價】[—까] 명 일고의 값어치.
일고 천금【一顧千金】명 현자(賢者)로부터 일고를 받는 것은 황금 천 냥의 값어치가 있음.
일곡【一曲】명 ①한 굽이. ②음악이나 무용의 한 단락. 또, 음악의 한 곡조. ¶～을 연주하다. ③한 부분.
일곡지-사【一曲之士】명 한 부분에 치우친 사람. 일곡지인.
일곡지-인【一曲之人】명 일곡지사.
일곱 수관 여섯보다 하나가 많은 수. 칠(七). ¶～ 사람.
일곱목-한카래 명 장부잡이 한 사람과 줄꾼 여섯 사람이 다루는 가래.
일곱-무날 명 무수기를 볼 때, 초하루와 열엿새를 이르는 말.
일곱-이레 [—니—] 명 아이가 난 지 일곱 번째 되는 이레. 곧, 난 뒤로 49일 되는 날. 칠칠(七七).
일곱점박이-뾰족벌【一點—】명〖충〗열점가위벌붙이.
일곱-째 수 여섯째 다음의 차례.
일공[1]【一空】명 ①〔일(一)은 모두의 뜻〕텅 비어 아무것도 없음. ②하늘 전체. 온 하늘. ③〖불교〗만물(萬物)은 모두가 공(空)이며, 공 또한 공이라는 뜻.
일공[2]【日工】명 ①하루의 공전. 하루의 품삯. ¶～ 삼천원. ②하루에 일정한 품삯을 주고 시키는 일. ③↗일공쟁이.
일공[3]【日供】명〖불교〗매일 부처에게 공물(供物)을 바치는 일. 또, 그 공물.
일공-당【日供堂】명 위패(位牌)를 안치하여 놓은 당(堂).
일공-쟁이【日工—】명 날품팔이. 준일공.
일과[1]【一過】명 ①한 번 눈을 거침. ②한 번 지남. ¶태풍 ～ 후. ——-하다 자여불
일과[2]【一顆】명 과실이나 돌 따위의 한 알. 한 개.
일과[3]【日課】명 날마다 규칙적으로 하는 일정한 일. ¶훈련(訓練)이 그의 ～다/～ 시간표.
일과 감인관【日課監印官】명〖역〗조선 시대 관상감(觀象監)의 한 벼슬.
일과-력【日課曆】명 일기(日記)를 겸하도록 만든 일력(日曆).
일과-성【一過性】[—썽] 명〖의〗병의 증상이 잠시 나타나고는 없어지는 성질.
일과성 상황성 장애【一過性狀況性障礙】[—썽—썽—] 명〔transient situational disturbance〕〖심〗일시적인 인격 장애의 한 형태. 일반적으로는 지속적인 인격 혼란이 따르지 않고 어떤 특수한 상황에 대해서만 징후(徵候)를 나타내는 것을 이름.
일과성 알칼리뇨【一過性—尿】[—썽—] 명〔alkaline tide〕식후(食後)의 오줌 또는 체액(體液) 산성도(酸性度)의 일시적인 감소. 위내 소화(胃內消化)를 위해, 몸으로부터 산을 회수(回收)하는 데에 원인이 있음.
일과성 폐:침윤【一過性肺浸潤】[—썽—] 명〖의〗폐에 일어나는 침윤(浸潤) 중, 그대로 방치(放置)해도 수주(數週) 이내에 소실(消失)하는 것의 총칭.
일과-표【日課表】명 일과를 적어 놓은 표. 학과 시간표 같은 것. ¶하계(夏季) ～/훈련소에서의 ～는 누구에게나 엄정하다.
일곽【一郭·一廓】명 하나의 담으로 막은 지역.
일관[1]【一貫】명 ①↗일이관지(一以貫之). ¶초지 ～. ②처음부터 끝까지 같은 주의·방법으로 계속함. ¶～ 작업. ——-하다 자여불
일관[2]【一貫】명 ①엽전(葉錢)의 한 꿰미. ②한 관. 곧, 약 3.75kg.
일관[3]【一觀】명 한 번 바라봄. 한 번 구경함. 일견(一見).
일관[4]【日官】명〖역〗'추길관(諏吉官)'의 별칭.
일관[5]【日冠】명 일훈(日暈).
일관-도【一貫道】명〖역〗중국의 종교적 비밀 결사의 하나. 낡은 잔존 세력을 기초로 하는 결사로, 1920년경에 생겨, 차차 그 세력을 펼쳐서 제2차 대전 후로는 가장 유력한 종교 결사가 됨. 중공 치하에서 반공 게릴라의 일익을 담당했으나, 현재 이 결사(結社)의 활동 여지는 거의 없어졌음.
일관 메이커【一貫—】〔maker〕명〖경〗원료에서 완제품까지의 작업을 일관하여 하는 생산업자. ↔단독 메이커.
일관-부【日官府】명〖역〗백제의 관아 이름. 천문(天文)·역수(曆數)·각루(刻漏)의 일을 맡아 봄.
일관 삼재【一冠三載】명〔관(冠) 하나를 3년간 사용하였다는 뜻으로〕중국 양(梁)나라의 무제(武帝)가 검약(儉約)을 지켰다는 고사.
일관-성【一貫性】[—썽] 명 일관하는 성질.
일관-일【一貫日】명 백일(百日).
일관 작업【一貫作業】명〖공〗원료로부터 제품이 나올 때까지의 여러 갈래의 작업 공정을 동일 공장 내에서 연속적으로 행하는 일. 제품의 균일화·대량 생산 등을 위해서 함. 연속 생산.
일괄【一括】명 한데 묶음. 한데 아우르는 일. ¶～ 상정(上程). ——-하다 타여불
일괄 감정【一括鑑定】명〖법〗재산의 감정 가격을 산정할 때, 두 개 이상의 물건이 동일 가격으로 감정되거나 물건 상호간의 용도가 불가분의 관계에 있는 경우 몰아서 감정하는 일.
일괄 계:약【一括契約】명〔turnkey contract〕한 시공자(施工者)가 정하여진 가격으로 일체의 재료와 노동력을 제공하고, 공사(工事)의 완성에 필요한 모든 일을 맡아 하기로 한 계약.
일괄 처:리【一括處理】명〔batch processing〕컴퓨터에 의한 데이터 처리에 있어서, 데이터를 일괄하여 후처리(後處理)하는 방식(方式). ↔즉시 처리(卽時處理).
일광[1]【一匡】명 어지러운 천하(天下)를 다스려 바로잡음. ——-하다 타「여불」
일광[2]【日光】명 햇빛.
일광 건조법【日光乾燥法】[—뻡] 명 볕에 쬐어서 말리는 법. 식품 저장법의 하나로 곡류(穀類)·곡류 가공품·해산물·채소류·과실의 건조에 이용함.
일광 광:산【日光鑛山】명 동해 남부선(東海南部線) 좌천역(佐川驛)에서 1.5km 지점인, 경상 남도 동래군(東萊郡) 일광면(日光面) 원리(院里)의 낮은 산지에 있는 황동광(黃銅鑛)의 동(銅)광산.
일광-단【日光緞】명 옛 비단의 한 가지.
일광 반:사경【日光反射鏡】명〖물〗헬리오스탯(heliostat).
일광 변조 보살【日光遍照菩薩】명〖불교〗약사불(藥師佛)의 왼쪽에 있는 보처존(補處尊). 준일광 보살(日光菩薩).
〈일광 변조 보살〉
일광 보살【日光菩薩】명〖불교〗↗일광 변조 보살(日光遍照菩薩).
일광 소독【日光消毒】명 햇빛 속의 자외선(紫外線)의 살균 작용(殺菌作用)을 이용하여 물건을 햇빛에 쐬어서 하는 소독. 결핵균의 소독 등에 많이 쓰임.
일광 요법【日光療法】[—뇨뻡] 명〖의〗일광욕을 하여 햇빛 속에 포함된 자외선(紫外線)으로 결핵성 질환·곱추병·류머티즘 등을 치료(治療)하는 법.
일광 요양소【日光療養所】[—뇨—] 명 공기가 맑고 햇빛이 잘 쬐는 고지(高地)나 해변 같은 곳에 설치하여, 주로 폐결핵 환자를 요양시키는 곳. 자연 요양소. 새너토리엄(sanatorium).
일광-욕【日光浴】[—뇩] 명 온 몸을 햇빛에 쬐어 건강을 증진시키는 일. ——-하다 자여불
일광욕-실【日光浴室】[—뇩—] 명 선룸(sunroom).
일광 절약【日光節約】명〖사〗낮 시간을 잘 이용하여 일의 능률을 올리고자 하는 생활 운동.
일광 절약 시간【日光節約時間】명 서머 타임의 역어(譯語).
일광 천자【日光天子】명〖불교〗수미산(須彌山)의 중복(中腹)을 돌며 사대주(四大州)를 비춘다는 해의 신. 또는 관음(觀音)·대일 여래(大日如來)의 화신(化身)이라고도 함. 일천자(日天子).
일광-취【日光臭】명 맥주를 햇볕에 쬐었을 때에 나는 악취. 이것을 막기 위하여 갈색병(褐色甁)이 사용됨.
일괴-육【一塊肉】명 한 덩어리의 고기. 하나의 인체(人體)라는 뜻으로 오직 한 사람의 자손을 이름.
일괴-토【一塊土】명 한 덩어리의 흙.
일교【日僑】명 외국에 체재하는 일본인. 특히, 상업 활동에 종사하는 사람을 이름. '화교(華僑)'를 본떠서 붙인 말.
일교-차【日較差】명〖지〗기온·기압·습도 같은 것이 하룻 동안에 변화하는 차이. *연교차(年較差).
일구[1]【一口】명 ①한 사람. ②한결같은 여러 사람의 말. ③한 말. 일언(一言). ④한입 가득히. 한입. ⑤하나의 구멍. ⑥칼 따위의 한 자루.
일구[2]【一句】명〖문〗①일언(一言). ②성구(成句)·문장 등의 단락의 한 구. ③한시(漢詩)의 오언·칠언 절구 등의 한 구.
일구[3]【一區】명 ①한 구획(區劃). ②서울 특별시·부산·대구·인천 광역시 등의 행정 구획의 하나인 한 구. ③법령 집행의 목적으로 정해진 선거구 등의 한 구.
일구[4]【日久】명 시일(時日)이 오래 경과(經過)됨. ¶～ 월심(月深). ——-하다 형여불
일구[5]【日晷】명 일영(日影).
일구[6]【逸口】명 지나친 말. 실수한 말. 일언(逸言). ——-하다 자여불
일구[7]【逸句】명 뛰어난 구.
일구[8]【逸球】명 야구에서, 야수(野手)나 포수(捕手)가 공을 못잡고 빠뜨리는 일. 패스볼. ——-하다 자여불
일구-구【一九九】명〖수〗구구법(九九法)의 하나. 하나의 아홉 갑절, 또는 아홉의 한 갑절은 아홉임.
일구 난설【一口難說】명 한 말로 다 설명할 수 없다는 말. ¶그 참상은 ～이다/이 몸에 대하여 고생한 말씀은 ～이올시다《作者未詳 : 雪中梅花》.
일구다 타 ①논이나 밭을 만들려고 황무지(荒蕪地)를 파 일으키다. 기경(起耕)하다. ¶밭을 ～. ②두더지 같은 것이 땅을 쑤시어 겉이 솟게 하다.
일구 양:설【一口兩舌】명 일구 이언(一口二言). ——-하다 자여불
일구 월심【日久月深】[—씸] 명 날이 오래고 달이 깊어짐. 곧, 골똘히 바람을 이름. ¶～ 임의 성공을 빌다. ——-하다 형여불
일구 이:언【一口二言】명 한 입으로 두 가지 말을 함. 곧, 말을 이랬다 저랬다 함을 이름. 일구 양설(一口兩舌). ——-하다 자여불
일구 이:언은 이:부지자(二父之子) 구 한 입으로 두 말을 하면 두 아비의 자식이다. 일단 한 말을 형편에 따라 바꾸는 사람을 욕하는 말.
일구 일갈【一裘一葛】명 한 장의 갖옷과 한 장의 베옷이라는 뜻으로, 매우 가난한 살림을 이르는 말.
일구 일학【一邱一壑】명 언덕에 살고 골짜기에서 낚시질한다는 뜻으로, 은자(隱者)의 사는 곳을 일컫는 말.
일구지-학【一丘之貉】명 한 언덕에 사는 담비라는 뜻으로, 차별(差別)하기 어려운 같은 종류를 일컫는 말.
일국[1]【一局】명 ①바둑이나 장기의 한 판. ②방송국·전화국 따위로 부르는 곳의 한 국.
일국[2]【一國】명 ①한 나라. 일개국. ¶～의 대통령. ②온 나라. 전국(全國). ¶～을 통틀어서.
일국[3]【一掬】명 ①한 움큼. ②두 손으로 움키는 일. ——-하다 타여불
일국-루【一掬淚】[—누] 명 두 손으로 움켜쥘 만한 많은 눈물. 혹은 약

간의 눈물.

일국 사회주의【一國社會主義】[―/―이] 명 〖정〗 여러 나라가 동시에 사회주의 혁명(社會主義革命)을 일으키는 것이 아니라, 어느 한 나라만 혁명하여서 발전(發展)시킨다는 주의. 1925년 트로츠키의 영구 혁명론(永久革命論)에 대해 스탈린(Stalin)이 주창(主唱)하고 실천하였음.

일국 수:법【一國數法】[―뻡] 명 한 나라 안에서 여러 개의 법역(法域)이 병존(倂存)하는 경우를 이름.

일국 일당【一國一黨】[―땅] 명 한 나라의 정치를 한 당에서 장악하고 반대당의 존재를 허락하지 않는 일. ¶~주의(主義).

일국 일표주의【一國一票主義】[―/―이] 명 국제 회의에서 나라의 대소·강약(強弱)이나 위원의 다소(多少)에 관계 없이 한 나라에 한 표의 투표권을 부여하는 주의.

일국지-사명【一國之司命】 명 한 나라의 운명을 맡아 쥔 사람.

일군[1]【一君】 명 한 사람의 군주.

일군[2]【一軍】 명 ①온 군대(軍隊). ¶~의 지휘자(指揮者). ②〖역〗 중국 주(周)나라 제도로서 12,500명의 군병(軍兵). ③프로 야구 등에서, 공식전(公式戰)에 출장(出場)할 수 있는 자격을 가진 선수의 집단. *이군(二軍).

일군[3]【一郡】 명 ①한 군(郡). ②온 고을. 일읍(一邑).

일군[4]【一群】 명 한 패. 한 떼.

일군[5]【日軍】 명 일본의 군대(軍隊). 일본군.

일군[6]【逸群】 명 재능(才能) 따위가 여럿 중에서 혼자 뛰어남. 발군(拔群). ――-하다 자여불

일군-빛【一軍―】 명 〖역〗 일군색.

일군-색【一軍色】 명 〖역〗 조선 시대 때 병조(兵曹)의 한 분장(分掌). 용호영(龍虎營)과 호련대(扈輦隊)의 보포(保布)를 맡음. 일군빛.

일군 이:민【一君二民】 명 군주는 한 사람인데 백성이 많은 일.

일굽 수 〈방〉 일곱(강원·전남).

일권【一卷】 명 ①한 권. ②맨 첫 권. ¶~부터 읽다.

일궤[1]【一軌】 명 ①하나로 통할(統轄)하여 다스림. ②같은 길. 같은 순서를 밟음. ――-하다 타여불

일궤[2]【一簣】 명 한 삼태기의 흙. 약간(若干)의 뜻으로 쓰임.

일궤[3]【日軌】 명 태양의 궤도. 황도(黃道).

일궤 십기【一饋十起】 명 〔중국 하(夏)나라의 우왕(禹王)이 한 끼의 식사(食事)를 하는 도중에 열 번이나 일어나 찾아온 객(客)을 맞이했다는 고사(故事)에서〕 나라를 다스리는 데 열심(熱心)히 함. *일반 삼토포(一飯三吐哺).

일귀 일천【一貴一賤】 명 ①신분이 높았다 천했다 함. ②물가(物價)가 올랐다 내렸다 함. ――-하다 자여불

일귀 하처【一歸何處】 명 〖불교〗 선종(禪宗)의 1,700가지 공안(公案)의 하나. '모든 것이 필경 한군데로 돌아간다 하니 하나는 어디로 가는고'의 뜻.

일규【一揆】 명 ①같은 경우. 또, 경로(經路). ②한결같은 법칙.

일규 불통【一竅不通】 명 〔염통의 구멍이 막혔다는 뜻〕 사리(事理)에 어두움을 일컫는 말.

일그러-뜨리다 타 한쪽이 약간 틀어져 비뚤어지게 하다.

일그러-지다 자 한쪽이 약간 틀리어 비뚤어지다. ¶일그러진 얼굴.

일극【一極】 명 ①한쪽 끝. 또 한 극단. ②〖불교〗 지극(至極)의 도(道).

일근【日勤】 명 ①날마다 출근하는 일. 매일 사무를 보는 일. ②야근(夜勤)에 대하여 주간(晝間)의 근무. ――-하다 자여불

일금[1]【一金】 명 전부의 돈. 돈의 액수(額數)를 쓸 때, 그 액수의 위에 쓰는 말. ¶~5,000원정.

일금[2]【一禁】 명 죄다 금지(禁止)함. ――-하다 타여불

일금-도【一禽島】 명 〖지〗 전라 남도의 서해상, 신안군(新安郡) 안좌면(安佐面)에 위치한 무인도(無人島). [0.086 km²]

일금 일학【一琴一鶴】 명 〔하나의 가야금(伽倻琴)과 한 마리의 학(鶴)이 전재산이라는 뜻으로〕 관리의 결백한 생활을 일컫는 말.

일급[1]【一級】 명 ①한 계급. ¶~씩 오르다. ②등급의 제일 위. ¶~품(品). ③바둑·태권도 등의 초단(初段) 바로 밑에 두는 급수.

일급[2]【日急】 명 날로 박두함. ――-하다 형여불

일급[3]【日給】 명 ①하루 일한 품삯. ②하루하루 따지어 주는 급료. 주급(週給)이나 월급에 대하여 이름. 일당(日當).

일급 공무원【一級公務員】 명 공무원 직급의 하나. 2급 공무원의 위로 관리관(管理官) 등이 이에 해당함.

일급 근로자【日給勤勞者】[―글―] 명 날삯을 받고 품팔이 일을 하는 사람. 날품팔이꾼.

일급-꾼【日給―】 명 일급(日給)을 받고 일하는 광부.

일급-목【一級木】 명 품질이 가장 좋은 편에 속하는 나무.

일급 비:밀【一級祕密】 명 국가 기밀 분류의 하나. 누설되는 경우 우리 나라와 외교 관계가 단절되고 전쟁을 유발하여 국가의 방위 계획(防衛計劃)·정보 활동(情報活動) 및 국가 방위상 필요 불가결한 과학과 기술의 개발을 위태롭게 하는 등의 우려(憂慮)가 있는 비밀. *이급(二級) 비밀·삼급(三級) 비밀.

일급 선:거인【一級選擧人】 명 〖정〗 등급(等級) 선거제에서 납세액(納稅額)이 제1의 등급에 속하는 선거인. 지금은 이 제도를 쓰지 않음.

일급 월급【日給月給】 명 ①임금(賃金)을 미리 월액으로 정해 놓고, 결근 기타 노동하지 않은 날수치를 공제하는 지급 방식. ②임금을 일액(日額)으로 정하고, 결근이나 휴일에 불구하고 거기다가 월간 역일수(曆日數)를 곱하여 지급하는 방식.

일급-쟁이【日給―】 명 날품팔이꾼.

일급-제【日給制】 명 그날그날 급료를 쳐서 주는 제도. *월급제(月給制)·연급제(年給制).

일급-품【一級品】 명 제일급에 속하는 물품.

일긋-거리다 자 꽉 짜인 물건이 사개가 느슨하여 이리저리 움직이다. >얄긋거리다. 일긋-일긋 [―닐―] 부. ――-하다 자여불

일긋-대다 자 일긋거리다.

일긋-얄긋 [―냘―] 부 일긋거리고 얄긋거리는 모양. ――-하다 자여불

일긋-하다 형여불 한쪽으로 조금 쏠리어 비뚤어지다. >얄긋하다.

일기[1]【一己】 명 자기 한 몸.

일기[2]【一技】 명 한 가지의 재주. ¶일인(一人) ~ 교육.

일기[3]【一紀】 명 옛날 중국에서 12년을 일컫던 말. 세성(歲星)이 하늘을 일주하는 주기(周期).

일기[4]【一氣】 명 ①한 호흡. ②만물의 원기(元氣).

일기[5]【一基】 명 묘비(墓碑) 등의 하나.

일기[6]【一期】 명 ①어떠한 시기를 몇으로 나눈 것의 하나. ¶~분(分). ②한평생. ¶50세를 ~로 세상을 떠나다.

일기[7]【一朞】 명 일 주년.

일기[8]【一機】 명 〖악〗 국악에서, 세 틀이나 네 틀 형식 중에서 처음 한 틀 곧 한 가지 형식만을 가리키는 말. 만기(慢機). *이기(二機)·삼기(三機).

일기[9]【一騎】 명 한 명의 기병(騎兵). 척기(隻騎). ¶~ 당천(當千).

일기[10]【日記】 명 ①날마다 생긴 일이나 느낌 같은 것을 적은 기록. 일지(日誌). 다이어리(diary). ②↗일기장. ③〖역〗 폐(廢)한 임금의 재위(在位) 동안의 치세(治世)를 적은 역사. 폐주(廢主)이므로 실록(實錄)에 끼이지 못하고 달리 취급됨.

일기[11]【日氣】 명 〖기상〗 날씨의 맑고 흐림. 비와 눈·바람의 방향 및 속도, 기온·기압·건습(乾濕) 등의 기상 상태. 날씨. 천기(天氣).
[일기가 좋아 대사는 잘 지냈소] 혼인 의식을 잘 치렀다는 인사말.

일기[12]【日旗】 명 〖역〗 의장기(儀仗旗)의 하나.

일기[13]【逸氣】 명 ①뛰어난 기상(氣象). ②세속(世俗)에서 벗어난 기상(氣象).

〈일기[12]〉

일기[14]【逸機】 명 기회를 놓침. 특히 경기에서, 득점하는 기회를 놓치는 일. ――-하다 타여불

일기[15]【逸驥】 명 뛰어난 명마(名馬).

일기 가:성【一氣呵成】 명 ①단숨에 문장(文章)을 지어 내는 일. ②한숨에 일을 몰아쳐서 해내는 일.

일기 개:황【日氣概況】 명 날씨의 대체적인 형편.

일기 기호【日氣記號】 명 〖기상〗 일기도(日氣圖) 기호.

일기 당천【一騎當千】 명 한 사람의 기병(騎兵)이 천 사람의 적을 당해 낼 수 있음. 곧, 무예가 썩 뛰어남을 비유하는 말. 전(轉)하여, 보통 사람보다 기술이나 경험이 뛰어남을 이름. 일인 당천.

일기-도【日氣圖】 명 〖기상〗 일기 예보의 기본이 되는 그림. 일정한 시각에 있어서 어떤 지방의 모든 기온·기압·풍향(風向)·풍속(風速) 같은 것을 측정하여, 등압선(等壓線)·등온선(等溫線)·등편차선(等偏差線)과 기호 등을 그려 넣어 일기 상태를 표시함. 지상 일기도·고층 일기도 등이 있음. 천기도(天氣圖). 기상도(氣象圖).

일기도 기호【日氣圖記號】 명 〖기상〗 일기도의 작성·분석 등에 사용하는 기호. 관측 결과를 표시하는 일기 기호(日氣記號). 해석(解析)의 결과인 고·저기압(高低氣壓)과 전선(前線) 등을 표시하는 일기도 해석 기호가 있음. 기상청에서 쓰는 국제식과 일반인용의 약식(略式)(간략형)이 있음. 일기 기호.

일기도-형【日氣圖型】 명 〖기상〗 기압 배치에 의해 일기도를 분류하여 공통의 형을 정리한 경우의 표준형. 서고 동저형(西高東低型), 남고 북저형(南高北低型) 등.

일기 문학【日記文學】 명 〖문〗 일기와 같은 형식으로 표현된 문학. 특정한 줄거리를 좇는 것보다는 어떤 상태에서, 주인공과 주위 환경의 변화를 일일이 시일을 매기어 기술하는 특징이 있음. 또, 일기 그 자체를 문학적으로 다룰 때에도 일기 문학이라고 함.

일기-병【一期病】[―뼝] 명 일생(一生) 동안 낫지 아니하는 병.

일기 부조【日氣不調】 명 일기 불순.

일기 불순【日氣不順】[―쑨] 명 기후가 고르지 못한 일. 일기 부조.

일기 신:호【日氣信號】 명 〖기상〗 청담(晴曇)·비·풍향 등 일기를 일반에게 알리기 위한 신호.

일기 실황【日氣實況】 명 〖기상〗 지상(地上) 및 상공(上空)의 기온, 기압의 고저(高低), 풍력(風力)·풍향(風向) 등, 날씨를 결정하는 대기의 실제의 상태.

일기 예:보【日氣豫報】 명 지상 및 상공의 일기도를 분석하여 그 변화를 예상하고 알리는 일. 또, 그 보도. ――-하다 자여불

일기-장【日記帳】[―짱] 명 ①나날이 일어나는 일이나 감상을 적는 장부. 일기책. ㈜일기. ②〖경〗 부기에서, 거래(去來)의 내용을 발생 순서대로 기입하는 장부.

일기죽-거리다 ㊀자 ①입이나 엉덩이 따위가 빠르지 않게 이리저리 연해 움직이다. ②상(床) 등의 사개 따위가 들어맞지 않고 일기죽일기죽 움직이다. 일기죽대다. >얄기죽거리다. ㊁타 입이나 엉덩이 따위를 빠르지 않게 이리저리 연해 움직이다. >얄기죽거리다. 일기죽-일기죽 [―닐―] 부. ――-하다 자타여불

일기죽-대다 자타 일기죽거리다.

일기죽-얄기죽 [―냘―] 부 일기죽거리고 얄기죽거리는 모양. ――-하다 자타여불

일기지-욕【一己之慾】 명 자기만의 욕심.

일기-책【日記冊】 명 일기장(日記帳).

일기-청【日記廳】 명 〖역〗 폐위(廢位)된 임금의 일기를 꾸미던 임시 관

아. *실록청.
일기-체【日記體】명〔문〕일기의 형식으로 된 문체(文體).
일기-초【日記抄】명 ↗일기 초록(日記抄錄).
일기 초록【日記抄錄】명 일기 가운데에서 중요한 곳만 가려 뽑은 기록. ㊟일기초(日記抄).
일-기축【一機軸】명 하나의 새로운 방법.
일기-회【一器會】명 여럿이 각각 음식을 한 그릇씩 가지고 모이어 노는 놀이.
일긴【一緊】명 가장 긴요함. ¶어떻게 박 승지의 비위를 잘 맞췄든지, 아주 ~이 되어 재정 거래에 신임을 하였는데…≪李海朝 : 彈琴臺≫/서림이는…감사에게 ~인 것을 자세하지 않더라도 기생들에게 떠받들릴 만하였다≪洪命憙 : 林巨正≫. ──-하다 형여불
일길【日吉】명 날짜가 좋음. ──-하다 형여불
일길 신량【日吉辰良】[─실─] 명 날짜가 길하고 때가 좋음. ──-하다 형여불
일-길찬¹【一吉飡】명〔역〕신라 십칠 관등(十七官等)의 일곱째 위계(位階). 아찬(阿飡)의 아래, 사찬(沙飡)의 위임. 육두품(六頭品)이 오름. 을길간(乙吉干).
일-길찬²【一吉粲】명〔역〕고려 태조(太祖) 때 신라의 제도를 본받아서 베푼 문무 구관등(文武九官等)의 여덟째 위계(位階).
일깃-거리다 부 ☞일긋거리다.
일ᄏᆞᄅᆞ다 타〈옛〉일컫다. =일ᄏᆞᆮ다. ¶녯 時節에 杜宇를 望帝라 일ᄏᆞᄅᆞ더니(古時杜宇稱望帝)≪初杜諺 XVII:5≫.
일-깨다¹ 자 잠을 일찍이 깨다.
일-깨다² 타 ↗일깨우다¹·².
일-깨우다¹ 타 자는 사람을 일찍이 깨우다. ㊟일깨다.
일-깨우다² 타 가르쳐서 깨닫게 하다. ¶무식한 사람을 ~. ㊟일깨다.
일깬-날 명 잠을 일찍이 깬 날.
일껀 부〈방〉일껏.
일:-껏 부 모처럼 애써서. ¶~ 만들어 놓은 것을 망가뜨렸다.
일:-꾼 명 ①삯을 받고 육체 노동을 하는 사람. ②어떤 일이든지 잘 처리하는 사람. 역군(役軍). ③중대(重大)한 일을 맡아 하거나 할 만한 사람. ¶나라의 ~. ④〈방〉머슴(충북·강원·전남·경북).
일:-끝 명 일의 단서.
일:-나가다[─라─] 자 일을 하러 나가다. 출근(出勤)하다.
일:-나다¹[─라─] 자 사고가 생기다. 일·사건이 일어나다. ¶그 집에 일났더라.
일나다² 자〈옛〉일찍이 나가다. ¶비돗 ᄃᆞ라 劉郞浦애셔 일나니(掛帆早發劉郞浦)≪杜諺 I:44≫.
일낙【一諾】[─락] 명 한 번 승낙하는 일. ──-하다 타여불
일낙 천금【一諾千金】[─락─] 명 한 번 승낙함은 천금(千金)같이 귀중하다는 말. 곧, 약속을 중히 여기라는 뜻.
일난 풍화【日暖風和】[─란─] 명 일기가 따뜻하고 바람이 화창함. 곧, 좋은 날씨. ──-하다 형여불
일난 풍화사【日暖風和詞】[─란─] 명〔악〕창사(唱詞)의 하나. 헌선도(獻仙桃)춤에 서왕모(西王母)가 부름.
일남【一男】[─람] 명 ①한 사람의 남자. ②아들 한 사람. ¶~ 이녀(二女). ③장남.
일남 일녀【一男一女】[─람─려] 명 ①한 사람의 남자와 한 사람의 여자. ②아들 하나와 딸 하나.
일남 일북【一南一北】[─람─] 명 ①혹은 남으로 하고, 혹은 북으로 함. ②뿔뿔이 헤어짐의 비유.
일-남중【日南中】[─람─] 명〔천〕태양이 자오선(子午線)에 이르는 일.
일-남지【日南至】[─람─] 명 '동짓(冬至)날'의 뜻. 태양이 하지(夏至)에 북위 23도 반에 이르렀다가 다시 남쪽으로 옮기어 동지에 남위 23도 반에 이르므로 나온 말.
일내【一內】[─래] 명〔역〕[←내금위 일번(內禁衛一番)] 조선 시대 때 금군 칠번(禁軍七番)의 하나로 내금위(內禁衛)에 딸렸던 한 부대(部隊).
일:-내다[─래─] 타 일을 저지르다. ¶일낼 사람.
일녀¹【一女】[─려] 명 ①한 사람의 여자. ②딸 한 사람. ¶일남 ~. ③장녀.
일녀²【日女】[─려] 명 일본 여자.
일녀³【逸女】[─려] 명 미인.
일년【一年】[─련] 명 ①한 해. ②일 학년을 이르는 말. ¶고교 ~생. 【일년 시집살이 못하는 사람 없고 벼 한 섬 못 메는 사람 없다】시집살이는 고되고 어려운 것이라 하나 시일이 짧으면 그다지 힘들 것도 아니라는 말.
일년을 십년같이 구 몹시 애태우며 기다림의 비유. ¶정임이가 영창이 생각하기를 이렇듯 괴롭게 그 해 일 년을 십 년같이 다 지내고≪崔瓚植 : 秋月色≫.
일년-감【一年─】[─련─] 명〔식〕토마토(tomato).
일년-근【一年根】[─련─] 명 한 해가 지나지 아니한 뿌리. 한해살이 뿌리.
일년-내【一年─】[─련─] 부 한 해가 다 될 때까지. ¶~ 앓았다.
일년-생【一年生】[─련─] 명 ①일 학년의 생도. ②〔식〕식물이 1년 동안에 발아(發芽)·성장(成長)·개화(開花)·결실(結實)의 과정을 완료하고 시드는 일. 한해살이. *다년생.
일년생-근【一年生根】[─련─] 명〔식〕일년생 식물(植物)의 뿌리. 일 년 안에 죽는 뿌리.
일년생 식물【一年生植物】[─련─] 명〔식〕봄에 싹이 터서 가을에 열매를 맺고 말라 죽는 일년생 식물의 통칭. 옥수수·나팔꽃·일년감 등. 일년생 초본(一年生草本).
일년생 초본【一年生草本】[─련─] 명〔식〕일년생 식물. ㊟일년초(一年草). *다년생 초본.
일년-송【一年松】[─련─] 명〔식〕바위솔.
일년 열두달【一年─】[─련널뚜─] 명 온 해. 곧, 한 해의 전부가 되는 동안. ¶~ 다 가도록.
일년-주【一年酒】[─련─] 명 담근 뒤 일 년 만에 뜨는 술.
일년지계 재:우춘【一年之計在于春】[─련─] 명 모든 일은 만일에 대비하기 위해 미리 계획(計劃)하여야 하므로 한 해의 방침(方針)은 첫봄에 세워야 한다는 뜻.
일년-초【一年草】[─련─] 명〔식〕↗일년생 초본(一年生草本). 한해살이풀. 당년초(當年草).
일년-풍【一年豐】[─련─] 명 한 해의 풍년.
일년 허도추【一年虛渡秋】[─련─] 명 음력 8월 보름 밤에 하늘에 구름이 끼어 달을 볼 수 없음을 탄식하여 이르는 말.
일념¹【一念】[─렴] 명 ①한결같은 생각. ¶~에 그이 생각뿐. ②〔불교〕전심(專心)으로 염불(念佛)하는 일. ¶~ 왕생.
일념²【逸念】[─렴] 명 안일을 구하는 생각.
일념 귀명【一念歸命】[─렴─] 명〔불교〕오직 아미타불(阿彌陀佛)의 말씀에 몸을 맡김.
일념 무량겁【一念無量劫】[─렴─] 명〔불교〕단 한 번 망상(妄想)을 일으켜도 헤아릴 수 없이 오랜 동안에 걸쳐서 그 응보를 받는 일. 일념오백생(五百生). 계년(繫年) 무량겁.
일념 미타불【一念彌陀佛】[─렴─] 명〔불교〕일념 미타불 즉멸 무량죄.
일념 미타불 즉멸 무량죄【一念彌陀佛卽滅無量罪】[─렴─] 명〔불교〕한번 아미타불을 마음 속에 염불하는 것으로, 그때까지 지은 무량의 죄장(罪障)을 소멸시킬 수 있다는 말.
일념 발기【一念發起】[─렴─] 명〔불교〕마음을 돌이켜 득도(得道)하려고 발심(發心)함. *발기 보리심(發起菩提心).
일념 불생【一念不生】[─렴─쌩] 명〔불교〕모든 생각을 초월한 경지(境地)를 이르는 말.
일념 불퇴【一念不退】[─렴─] 명〔불교〕결심이 굳어 흔들리지 아니함.
일념 삼천【一念三千】[─렴─] 명〔불교〕한 생각 가운데에, 3,000의 법계가 갖추어 있다는 말. 사람의 마음이 곧 전우주라는 말.
일념 오:백생【一念五百生】[─렴─] 명〔불교〕짧막한 한 가닥의 망상(妄想)일지라도, 오백생(五百生)의 긴 생사(生死)에 뻗치어 그 과보(果報)를 받는 일. 일념 무량겁(一念無量劫).
일념 왕:생【一念往生】[─렴─] 명〔불교〕①한 번 아미타불(阿彌陀佛)을 생각하고 부르면 극락(極樂)에 간다는 뜻 ②한 생각으로 극락 가는 업을 이룬 까닭으로 그 뒤에는 염불이 쓸데없다는 뜻.
일념 일동【一念一動】[─렴─똥] 명 그때그때의 감흥(感興)이나 감동(感動).
일념 일불【一念一佛】[─렴─] 명〔불교〕오직 아미타불을 믿음.
일념 창:명【一念唱名】[─렴─] 명〔불교〕일념 칭명(一念稱名).
일념 칭명【一念稱名】[─렴─] 명〔불교〕일심(一心)으로 아미타불을 믿고 나무 아미타불(南無阿彌陀佛)을 부름. 일념 창명(一念唱名). ──-하다 자여불
일념 통천【一念通天】[─렴─] 명 한 마음으로 열심히 하면 하늘에 감동되어 성취(成就)함. ──-하다 자여불
일념 포:한【一念抱恨】[─렴─] 명 한결 같은 마음으로 원한을 품음.
일념 화:생【一念化生】[─렴─] 명〔불교〕한 생각이 가는 데 따라서 잡귀(雜鬼)가 되고 부처가 되는 일. 집념(執念)에 따라서 화생(化生)한다는 말.
일노【一怒】[─로] 명 한 번 노함. ──-하다 자여불
일노 일로 일소 일소 (一怒一老一笑一少) 구 성내고 지내면 빨리 늙고, 웃고 지내면 안 늙는다는 말. 일소 일소 일노 일로.
일능【一能】[─능] 명 한 가지의 재능.
일니다 자〈옛〉흔들리다. 동요하다. ¶風波의 일니던 빅 어드러로 가닷말고≪古時調 鄭澈≫.
일:다¹ 자[중세 : 닐다] ①없었던 것이 처음으로 생기다. ¶바람이 ~/유행이 ~. ②약하거나 희미한 것이 성하여지다. ¶불이 ~.
일:다² 자 ①몸이나 물건이 저절로 위로 향하여 움직이다. ¶거품이~/불꽃이 ~. ②형세의힘이 점점 두드러지게 나타나다. ¶가운(家運)이 ~.
일다³ 자〈옛〉되다. 이루어지다. =이르다³. ¶내히 이러(流斯爲川)≪龍歌 2章≫/兄ㄱ ᄠᅳ디 일어시ᄂᆞᆯ(兄讓旣遂) ≪龍歌 8章≫/成은 일씨라≪訓諺 13≫.
일:다⁴ 타[중세 : 일다] ①곡식을 물 속에 넣어 모래나 다른 티를 가려 내다. ¶쌀을 ~. ②물건을 물 속에 넣어 쓸 것만 고르다. ¶사금(砂金)을 ~.
일:다⁵ 타 ☞일구다.
일다⁶【─따】형 ↗이르다⁴. ¶아직 시간이 ~.
일다⁷ 조 ↗이로다.
일다-경【一茶頃】명 한 잔의 차(茶)를 마실 정도의 사이. 짧은 시간(時間).
일다고 감〈방〉인다오.
일단¹【一段】[─딴] 명 ①계단 같은 것의 한 층계. ②문장·이야기 등의 한 토막. ③인쇄물의 한 단. ¶~ 기사(記事). ④자동차 같은 것에서 기어를 변속(變速)할 경우에, 중립에서 시작하는 첫 단(段). ¶기어를 ~에 넣다. ⑤바둑·검도·유도 등의 초단 또는 한 단. ¶~씩 승단(昇段)하다. ⑥한 단보, 곧 300평.

일단[2]【一簞】[一딴] 명 대나무로 만든 그릇 한 개. 도시락 한 개. 또, 거기에 담은 음식.

일단[3]【一團】[一딴] 명 한 덩어리. 한 개의 단체(團體). ¶ ~의 괴한(怪漢)들/~의 관광객.

일단[4]【一端】[一딴] 명 ①한 끝. ②사물의 일부분. ¶그 정도는 사건의 ~에 불과하다.

일단[5]【一旦】[一딴] 부 한 번. 일조(一朝). ¶이것으로 ~은 끝난 것이다/~ 유사시에는.

일-단락【一段落】[一딴낙/一딸一] 명 일의 한 계단이 끝남. ¶이것으로 그 일은 ~ 지어졌다.

일단사 일두갱【一簞食一豆羹】 명 대나무로 만든 밥그릇 하나에 담은 밥과, 제기(祭器) 하나에 담은 국이라는 뜻으로, 얼마 안 되는 음식(飮食)을 이름.

일단사 일표음【一簞食一瓢飮】 명 단사 표음(簞食瓢飮).

일-단음【一短音】[一딴一] 명〖악〗가야(伽耶)고의 여덟째 현(絃)의 이름. *이단음(二短音).

일단 일장【一短一長】[一딴一짱] 명 일장 일단.

일단 정신【一團精神】[一딴一] 명 온 정신.

일단 정지【一旦停止】[一딴一] 명 우선 멈춤.

일단 화기【一團和氣】[一딴一] 명 단합되어 원만한 화기.

일당[1]【一堂】[一땅] 명 한 회당(會堂). 같은 회당. ¶ ~에 모이다.

일당[2]【一黨】[一땅] 명 ①행동·목적을 같이 하는 무리. ②한 개의 정당(政黨)·당파.

일당[3]【日當】[一땅] 명 하루에 얼마씩 정하여 주는 급료. 일급(日給). ¶ ~5천 원.

일당 독재【一黨獨裁】[一땅一] 명〖정〗①여러 정당(政黨) 중의 집권당(執權黨)에 의한 독재. ②소련 공산당이나 나치스당(Nazis黨)과 같은 단수(單數) 정당에 의한 독재.

일당 독재제【一黨獨裁制】[一땅一] 명〖정〗일당 독재의 정치 체제. 일당 전제. 일당제.

일-당백【一當百】[一땅一] 명 일인 당백(一人當百). ¶ ~의 투지/~의 정예 부대.

일당-십【一當十】[一땅一] 명 한 사람이 열 사람을 당함.

일당 전제【一黨專制】[一땅一] 명〖정〗일당 독재제.

일당-제【一黨制】[一땅一] 명〖정〗집권당(執權黨)이 아닌 정당(政黨)의 존재(存在)를 인정하지 아니하는 정치 체제(政治體制). 일당 독재제. 일당 전제.

일당-주의【一黨主義】[一땅一/一땅一이] 명〖정〗하나의 독재 정당에 의하여 국가의 정치를 행하는 것을 주장하는 주의. 일국 일당주의.

일대[1]【一代】[一때] 명 일세(一世)❶❷❹. ¶일생 ~의 대모험.

일대[2]【一帶】[一때] 명 어느 지역의 전부. 일원(一圓). ¶호남 ~에 비가 내리다.

일대[3]【一隊】[一때] 명 한 떼.

일대[4]【一對】[一때] 명 한 쌍.

일대[5]【一大】[一때] 관 명사 앞에 붙어 '굉장한·광대한'의 뜻을 나타내는 관형사. ¶ ~ 성황을 이루다.

일대-겁【一大劫】[一때一] 명〖불교〗극히 긴 시간(時間). 주·괴·공·성(住壞空成)의 네 개의 소겁(小劫)을 합한 기간(期間).

일대-교【一代敎】[一때一] 명〖불교〗석가(釋迦)의 일생, 일대(一代) 사이의 가르침.

일대 교:주【一代敎主】[一때一] 명〖불교〗불교의 교주. 석가모니불의 존대말.

일대-기【一代記】[一때一] 명 일생(一生)의 지난 일을 쓴 기록. 전기(傳記). ¶작자의 ~적 작품.

일대 담종【一代談宗】[一때一] 명 일세(一世)의 언담(言談)의 대가(大家)로 받들린 사람.

일대 비:교법【一對比較法】[一때一뻡] 명 [method of paired comparisons]〖심〗일정한 표준에 따라서 대상의 우열(優劣)을 정하는 심리학의 한 방법. 한 번에 많은 대상(對象)이 존재할 때에 그 가운데에서 둘씩 점차로 꺼내어서 서로 대조시키어 피험자(被驗者)에게 주어, 실험자(實驗者)의 교시(敎示)에 의한 일정한 표준에 따라서 판단(判斷)을 내리게 함. 비트머(Witmer, L.)가 최초로 고안하고 콘(Cohn, J.)이 개량(改良)하였음.

일대-사【一大事】[一때一] 명 ①중대한 일. 큰 일. ¶인생의 ~. ②〖불교〗죽는 일과 낳는 일. ③〖불교〗부처가 이 세상에 나타나서 최대의 목적으로 하는 일. 전하여 득도(得道)의 계기(契機).

일대사 인연【一大事因緣】[一때一] 명〖불교〗중생(衆生)을 제도(濟度)하기 위하여 부처가 인연(因緣)을 맺어 세상에 나타나서 교화(敎化)하는 일.

일대 삼천 대:천 세:계【一大三千大千世界】[一때一] 명〖불교〗삼천 대천 세계.

일대 삼천 세:계【一大三千世界】[一때一] 명〖불교〗부처의 교화가 미치는 범위.

일대-식【日帶蝕】[一때一] 명〖천〗태양이 일식(日蝕)이 된 채로 일출(日出)이 되거나 일몰(日沒)이 되는 일.

일대 영웅【一代英雄】[一때一] 명 당시의 가장 뛰어난 인물.

일대-일【一對一】[一때一] 명 한 사람이 한 사람을 상대함. 양쪽이 같은 비율, 같은 권리로 상대함. ¶ ~로 대하다.

일대일 대:응【一對一對應】[一때一] 명 일반적으로 물체(物體)의 두 집합(集合)에서 한쪽의 집합의 어떤 물체에 딴 집합의 어떤 물체가 대응(對應)하고 다른 것에는 다른 것이 대응할 때의 그 대응. 가령 좌우(左右) 양손에서 엄지손가락에는 엄지손가락이, 집게손가락에는 집게손가락이, 가운뎃손가락에는 가운뎃손가락이 각각 대응(對應)하는 것과 같은 대응.

일대 잡종【一代雜種】[一때一] 명 [first filial generation]〖생〗상이(相異)한 순수 계통(純粹系統)의 품종(品種) 사이의 교배(交配)에 의하여 낳은 최초의 새끼. 대체로 앞의 대(代)보다도 우수하여 가축·야채 등에 흔히 사용됨. 기호는 F_1. 잡종 제일대(雜種第一代). *헤테로시스(heterosis).

일대 장경【一代藏經】[一때一] 명〖불교〗석가가 평생 동안 설법(說法)한 경전(經典)의 총칭. 넓게는, 경(經)·율(律)·논(論)의 삼장(三藏) 전체를 포함함. 대장경(大藏經). 일체경(一切經).

일대 종신【一代宗臣】[一때一] 명 일세(一世)의 사람들이 추앙하는 중신(重臣).

일-더위[一떠一] 명 첫여름부터 일찍이 오는 더위. ↔늦더위.

일덕[1]【一德】[一떡] 명 ①순일(純一)한 덕. 순수한 덕. ②하나의 덕목(德目). 한 가지의 훌륭한 성질이나 행실.

일덕[2]【逸德】[一떡] 명 ①잘못된 행위. 실덕(失德). ②뛰어난 덕.

일뎡 부〈옛〉필시. ¶길히 일뎡 놈의 우임을 니브리라(路上必定喫別人笑話) ≪朴解 中 47≫.

일뎡히 부〈옛〉반드시. 필연코. ¶세번 ᄆᆞ라 브티디 아니ᄒᆞ야셔 일뎡히 됴ᄒᆞ리라 ≪救簡 Ⅲ:19≫.

일도[1]【一刀】[一또] 명 칼 한 자루.

일도[2]【一到】[一또] 명 한 번 다다름. ¶ ~ 창해(滄海).

일도[3]【一度】[一또] 명 ①한 번. ②직각(直角)의 1/90에 해당하는 각도. ③온도의 한 도.

일도[4]【一途】[一또] 명 한 가지 길. 같은 길.

일도[5]【一道】[一또] 명 ①한 가지 길. ②한 가지의 도리. ③행정 구획의 하나인 도의 전부. 또, 하나의 도. ¶ ~ 일시(一市).

일도[6]【一道】[一또] 명〖불교〗①불도(佛道)❶. ↔외도(外道). ②보리(菩提)·불과(佛果)에 이르는 오직 하나의 깨끗한 길.

일도 삼례【一刀三禮】[一또一네] 명〖불교〗불상(佛像)을 조각할 때 한 번 깎고 세 번 절을 하는 일. 일각(一刻) 삼례.

일도 양:단【一刀兩斷】[一또一] 명 칼로 쳐서 두 동강이를 내듯이 사물(事物)을 선뜻 결정(決定)함을 이름. 일도 할단(一刀割斷). ¶ ~의 조처를 취하다. ――-하다 자 여불

일도-조【一刀彫】[一또一] 명〖미술〗조각할 때에 크고 평평하게 한 칼로 깎아 내는 법.

일도 할단【一刀割斷】[一또一딴] 명 일도 양단(一刀兩斷). ――-하다 자 여불

일독【一讀】[一똑] 명 한 번 읽음. ¶ ~을 권하다. ――-하다 타 여불

일독이 삼국 동맹【日獨伊三國同盟】 명〖역〗1940년 9월 베를린에서 체결(締結)된 일본·독일·이탈리아 세 나라간의 군사(軍事) 동맹 조약. 중일(中日) 전쟁 및 유럽 전쟁에 참가하지 않은 나라로부터의 공격에 대항(對抗)하여, 삼국의 상호 원조(相互援助)를 규정하였으며 삼국의 방공 협정(防共協定)을 강화(強化)한 것임. 후에 만주국·헝가리·루마니아·불가리아가 가맹(加盟)하였으나, 1943년 이탈리아가 먼저 단독 항복(單獨降伏)하여 동맹을 이탈하고, 1945년 5월 독일의 항복으로 동맹은 붕괴되었음.

일독 전:쟁【日獨戰爭】 명〖역〗제1차 세계 대전 때, 연합군(聯合軍)측에 가담한 일본과 독일의 전쟁. 일본은 1914년 8월 23일에 선전 포고(宣戰布告)를 하고 일본 해군은 남양(南洋)에서 독일 영토인 모든 섬을 점령(占領)하고 육군은 중국 산둥 성(山東省)의 독일 조차지(租借地)인 칭다오(靑島)를 함락함, 또 인도양(印度洋)·지중해(地中海)에 구축함을 파견했음. 그 보상(補償)으로 전쟁이 끝난 뒤에 일본은 자오저우 만(膠州灣)과 산둥 성의 이권(利權), 남양의 여러 섬에 대한 통치(統治)를 위임(委任) 받았음.

일-독회【一讀會】 명 [first reading] 원안(原案)에 대한 제1회의 토의회(討議會). 제일 독회. ¶법안(法案)의 ~.

일동[1]【一同】[一똥] 명 어떤 모임이나 단체에 든 사람의 모두. ¶회원 ~/사원 ~.

일동[2]【一洞】[一똥] 명 ①한 동리. 온 동리. ②행정 구역(行政區域)인 동(洞)의 하나.

일동 마련【一同磨鍊】[一똥一] 명 여럿이 합의(合議)하여 결정(決定)하는 일.

일동 일정【一動一靜】[一똥一쩡] 명 모든 동작. 일거수 일투족(一擧手一投足). ¶ ~을 감시하다.

일동 장:유가【日東壯遊歌】[一똥一] 명〖문〗조선 영조(英祖) 시대에 김인겸(金仁謙)이 지은 가사체(歌辭體)의 노래. 영조 39년(1763), 정사(正使) 조엄(趙曮)이 통신사(通信使)로 일본에 갈 때 서기(書記)로 수행한 작자가 보고 느낀 일본의 문물(文物) 제도·풍속을 기록한 장편의 기행 가사(紀行歌辭)임.

일-되다[一뙤一] 자 ①초목이 일찍이 익다. 올되다. ¶올해는 벼가 일되었다. ②사람이 숙성하게 자라다. 1)·2):↔늦되다.

일-드-프랑스[Île de France] 명〖지〗프랑스의 대혁명 전의 주명(州名). 파리를 중심으로 한 주변(周邊) 지방. 현재의 센에우아즈(Seine et Oise)·엔(Aisne)·센에마른(Seine et Marne) 등의 센 강 유역의 여러 현(縣)을 가리킴. 농업 선진 지대(先進地帶)로서 일찍부터 봉건제(封建制)가 붕괴되었음.

일득-록【日得錄】[一뜽녹] 명〖책〗규장각(奎章閣) 신하(臣下)들이 조선 정조(正祖)의 어록(語錄)을 엮은 책. 정주(程朱)의 어록 등을 본떠서 만든 것으로, 정사(政事)·문학·인물·평론 등이 실려 있음.

일득 일실【一得一失】[—뜩—씰] 명 한 번은 이롭고 한 번은 손해를 봄. 일실 일득. 일리 일해(一利一害).
일든【是乙等】 조 〈이두〉 ①이거든. ②이든. ③이니.
일등【一等】[—뜽] 명 ①《불교》 차별이 없이 평등함. 무이(無異). ②한 등급(等級). 한 단계(段階). ③맨 윗 등급. 첫째 등급. ¶경주에서 ~을 차지하다.
일등-객【一等客】[—뜽—] 명 열차나 기선·항공기 등의 1등실(一等室)에 탄 손님.
일등-국【一等國】[—뜽—] 명 〈속〉 국제 상(國際上)으로 강대국(强大國)을 이름.
일등 기관사【一等機關士】[—뜽—] 명 선박 직원의 한 자격. 갑종(甲種) 1등 기관사 및 을종(乙種) 1등 기관사의 해기 면장(海技免狀)을 가진 선박 직원.
일등 도:로【一等道路】[—뜽—] 명 전에 '국도(國道)'를 일컫던 말.
일등 명장【一等名將】[—뜽—] 명 첫째 가는 명장(名將).
일등-병【一等兵】[—뜽—] 명《군》 군의 한 계급. 이등병의 위이고 상등병의 아래임. 준일병(一兵).
일등 병조【一等兵曹】[—뜽—] 명《군》 전의 해군 하사관(下士官)의 계급의 하나. 병조장(兵曹長)의 아래이고 이등 병조의 위임. 현재의 중사(中士)에 해당함.
일등 사:료【一等史料】[—뜽—] 명 가장 사용도가 높은 사료(史料). 제 1급의 사료.
일등-상【一等賞】[—뜽—] 명 경기(競技) 등에서 일등을 한 사람에게 주는 상.
일등 상:사【一等上士】[—뜽—] 명《군》 하사관 계급의 최고위(最高位). 이등 상사의 위, 준위의 아래였음. 1993년 군인사법 개정으로 원사(元士)로 개칭.
일등 서기관【一等書記官】[—뜽—] 명《법》 외무 공무원의 대외 직명(對外職名)의 하나. 외교직과 외무 행정직은 4·5급, 외신직(外信職)은 4급임. 대사관과 공사관에 둠.
일등-성【一等星】[—뜽—] 명《천》 별의 밝기에 있어서 겨우 보이는 것을 6등성(六等星)으로 하였을 때, 밝기가 그 100배(倍) 되게 보이는 별. 곧, 항성(恒星) 중의 시리우스(Sirius)·카노푸스(Canopus)·견우성(牽牛星)·직녀성 따위. *알파성(α星).
일등 수병【一等水兵】[—뜽—] 명《군》 전의 해군의 한 계급. 상등 수병(上等水兵)의 아래이고 이등 수병(二等水兵)의 위임. 지금의 상등병(上等兵)에 해당함.
일등-실【一等室】[—뜽—] 명 열차나 선박 등의 1등객이 타는 차실·선실 등. 일등칸.
일등-지【一等地】[—뜽—] 명 가장 살기 좋은 땅. 값이 최고(最高)로 비싼 땅.
일등-차【一等車】[—뜽—] 명 열차에서, 일등객을 태우는 차량.
일등-칸【一等—】[—뜽—] 명 일등실.
일등-표【一等票】[—뜽—] 명 열차나 선박·항공기의 1등객(一等客)이 갖는 표(票).
일등-품【一等品】[—뜽—] 명 품질이 가장 좋은 상품.
일등 항:해사【一等航海士】[—뜽—] 명 선박 직원의 한 자격. 갑종 1등 항해사 및 을종 1등 항해사의 해기 면장(海技免狀)을 가진 선박 직원(船舶職員).
일떠-나다[1] 자 기운차게 일어나다.
일-떠나다[2] 자 길을 일찍이 떠나다.
일:-떠나다[3] 자 일을 하러 떠나다.
일떠-서다 자 기운차게 썩 일어서다.
일떠-세우다 타 기운차게 썩 일어서게 하다.
일라【日羅】 명《사람》 백제 위덕왕(威德王) 때의 중. 일본의 초빙을 받고 도일(渡日), 그 곳에서 죽음.
일락[1]【一樂】 명 ①첫째의 즐거움. 곧, 부모가 다 살아 계시고, 형제가 무고한 일. *삼락(三樂). ②한 가지의 낙(樂).
일락[2]【佚樂·逸樂】 명 쾌락을 즐겨 멋대로 놂. 일예(逸豫). ¶~에 빠지다. ——-하다 자여불
일락배락 부 〈옛〉 흥할락 망할락. 될락 안될락. ¶엇디훈 時運이 일락배락 ᄒᆞ얏는고 ≪松江 星山別曲≫/늘근의 所望이라 일락배락 ᄒᆞ노매, 月老繩의 因緣인지 일락배락 ᄒᆞ더라 ≪永言≫.
일락 서산【日落西山】 명 해가 서쪽 산에 떨어짐. ——-하다 자여불
일락 천장【一落千丈】 명 기세가 별안간 떨어지는 모양. ¶주가가 ~으로 폭락하다.
일란성 쌍생아【一卵性雙生兒】[—썽—] 명 [monozygotic twins]《생》 한 개의 수정란(受精卵)이 그 분열(分裂) 과정에 있어서 두 개의 생활체로 성숙한 쌍생아. 한 개의 난자 가운데 두 개의 배기(胚基)가 한 개나 두 개의 정자에 의하여 되거나, 한 개의 배기가 두 개의 정자에 의하여 이루어짐. 유전자(遺傳子)가 같기 때문에 동성(同性)이고, 얼굴·혈액형(血液型) 등 여러 형질(形質)이 극히 유사(類似)함. *이란성(二卵性) 쌍생아.
일란성 쌍태【一卵性雙胎】[—썽—] 명《생》 한 개의 난자(卵子)에서 두 개의 태아(胎兒)가 발생하는 쌍태(雙胎) 임신의 한 가지. *이란성(二卵性) 쌍태.
일람【一覽】 명 ①한 번 죽 훑어봄. 한 번 열람하는 일. ②내용을 한눈에 알 수 있게 한 것. ¶~표. ——-하다 타여불
일람 불망【一覽不忘】 명 한 번 보기만 하면 잊어버리지 않음.
일람 첩기【一覽輒記】 명 한 번 보기만 하면 잊지 아니하는 일. 곧, 기억력이 썩 좋다는 말. ——-하다 자여불
일람 출급【一覽出給】 명《경》 ①어음이나 수표(手票)의 소지인(所持人)이 그 지급(支給)을 위하여 제시(提示)한 날을 만기(滿期)로 하여, 돈을 내주는 일. 요구불(要求拂). 구용어:정시불(呈示拂). ②↗일람 출급(出給) 어음.
일람 출급 어음【一覽出給—】 명 [demand draft]《경》 어음을 받은 사람이 제시하면 곧 지급(支給)하여야 할 어음. 요구(要求) 어음. 사이트 빌(sight bill). 준일람 출급. 「며 놓은 표.
일람-표【一覽表】 명 여러 가지 사항(事項)을 한 번에 알 수 있도록 꾸
일람후 정:기 출급 어음【一覽後定期出給—】 명《경》 어음이나 수표의 만기(滿期)를 인수의 일자 또는 거절 증서(拒絶證書)의 일자에 의하여 정하여진 어음.
일랍【一臘】 명 ①《불교》 ↗일법랍(一法臘). ②《불교》 법랍(法臘)이 제일 많은 장로(長老). ③사람이 태어나서 이레 되는 날.
일랑 조 받침 있는 체언에 붙어, '이는'의 뜻을 강조하는 보조사. ¶복남~ 집에 있거라. *ㄹ랑.
일랑은 조 '일랑'의 힘줌말. *ㄹ랑은.
일랑-일랑 [ylang-ylang] 명《식》 [*Cananga odorata*] 번려지과(蕃荔枝科)에 속하는 상록 교목. 필리핀 원산으로 높이 10m 가량에 수피(樹皮)는 회색임. 잎은 호생(互生)하며 길이 15-20cm의 긴 타원상 달걀꼴인데 끝은 뾰고 상면은 광택이 나며 하면엔 잔털이 있음. 꽃은 엽액(葉腋)에 속생(束生)하며 한 해에 두 번 향기 나는 육판화(六瓣花)가 피는데 처음에는 녹색이다가 황록색으로 변하며, 과실은 길이 2.5cm의 타원상 원기둥꼴이며, 흑색으로 익음. 꽃에서 고급 향료를 채취함.

〈일랑일랑〉

일래【日來】 명부 날사이. ¶~ 무고한가.
일래-과【一來果】 명《불교》 사과(四果)의 둘째. 욕계(慾界) 수혹(修惑)의 구품(九品) 중에서 육품(六品)을 끊은 성자(聖者). 남은 삼품(三品)의 혹(惑) 때문에 반드시 천상(天上)과 인간(人間) 사이를 한 번 왕래(往來)한 뒤에야 열반(涅槃)에 들게 된다고 함. 사다함과(斯陀含果). 일왕래과(一往來果).
일량【日量】 명 하루의 산출량(産出量)·방출량(放出量) 따위.
일량-관【一梁冠】 명《역》 조선 시대 때, 칠품 이하의 관원이 쓰는 금양관(金梁冠). 흰 골이 한 줄 져 있음.
일러-두기 명 책 같은 것의 첫 머리에 그 책의 내용에 대하여 해설하고, 쓰는 방법 같은 것을 적은 글. 범례(凡例).
일러-두다 타 특별히 부탁하거나 명령하여 두다. ¶집을 잘 보라고 일러두고 왔다.
일러로 부 〈방〉 이리로.
일러-바치다 타 어떤 비밀이나 나쁜 일을 웃사람에게 고자질하다. ¶아버지에게 ~. 「(解說).
일러스트레이션 [illustration] 명 ①삽화(揷畫). ②도해(圖解). ③해설
일러스트레이터 [illustrator] 명 삽화가. 도해자. 해설자.
일러-절러 부 〈방〉 이리저리(함경).
일러-주다 타 ①가르쳐 주다. ¶길을 ~. ②알리어 주다. ¶편지가 왔다고 일러 주어라.
일:런드 [eland] 명《동》 [*Taurotragus oryx*] 솟과(科)에 속하는 동물. 소와 비슷한데 어깨 높이 1.8m, 체중 900kg에 달하고 몸빛은 담갈색임. 목 밑에는 늘어진 육부(肉部)가 있고 암·수컷이 다 뿔이 있으며 몸은 날쌔고 시력(視力)이 좋아 사람에게 잘 발견되지 않음. 아프리카에 분포함. 고기와 젖을 식용으로 함.

〈일런드〉

일렁-거리다 자 물 가운데 떠서 물결에 따라 이리저리 흔들리다. >얄랑거리다. 일렁-일렁 부. ——-하다 자여불
일렁-대다 자 일렁거리다.
일렁-얄랑 [—냘—] 부 일렁거리며 얄랑거리는 모양. ——-하다 자여불
일레우스 [ileus] 명《의》 장폐색증(腸閉塞症).
일렉트로-그래프 [electrograph] 명《전》 전광(電光) 뉴스와 같이 전등으로 어떤 글자나 선을 나타내고, 그 글자나 선이 차차로 이동하게 된 선전 간판의 한 가지. *전광 뉴스.
일렉트로닉 뱅킹 [electronic banking] 명 컴퓨터와 통신 기술을 결합시킴으로써 가능해진 새로운 은행 서비스. 기업을 대상으로 한 펌(firm) 뱅킹과 일반 가정 대상의 홈 뱅킹으로 이루어짐.
일렉트로닉스 [electronics] 명 전자 공학(電子工學).
일렉트로닉 스모그 [electronic smog] 명《물》 라디오·텔레비전의 전파나, 가전(家電) 제품이 내는 전자기파(電磁氣波) 등이 공중에 충만되어 있는 상태. 사람의 중추 신경(中樞神經)에 작용하여 건강 장애를 일으키거나, 텔레비전·정밀 전자 현미경 등에 전파 장애를 미치는 것으로 생각됨.
일렉트로-루미네선스 [eletroluminescence] 명《전》 전기(電氣) 루미네선스. 약칭:이 엘(EL).
일렉트로미오그램 [electromyogram] 명 근전도(筋電圖).
일렉트로-미:터 [electrometer] 명《전》 전위차(電位差)를 재는 계기. 전위계·전기 계량기 등.
일렉트로-세라믹스 [electroceramics] 명 유전성(誘電性)·도전성(導電性)·전자 방사성 등의 전기적 기능을 갖는 세라믹스. 전자(電子) 세라믹스.
일렉트로옵틱 효:과【—効果】 [electro-optic] 명《물》 강유전체(強誘電體)나 대칭성(對稱性)이 낮은 특수한 유전체 결정(誘電體結晶)에 전기장(電氣場)이 가해짐으로써 그 결정(結晶)의 광학적 성질, 곧 굴절률

(屈折率)·분산·편광(偏光)의 회전능(回轉能) 등에 변화가 일어나는 일. 레이저 광선의 이용에 중요한 기술 재료가 됨.

일렉트로-제트 〔electrojet〕 [명] 〖기상〗 적도(赤道) 및 극지방(極地方) 대기 상층부(大氣上層部)의 전기(電氣) 흐름. 오로라를 일으킴.

일렉트로-카:디오그램 〔electrocardiogram〕 [명] 〖의〗 심전도(心電圖).

일렉트로 커뮤니케이션 〔electro communication〕 [명] 전자 통신(電子通信). 음성(音聲)·화상(畫像)·부호(符號)의 세 가지 통신 양식을 조합(組合)한 전자적 수단(電子的手段)에 의한 통신망(通信網).

일렉트로타이프 〔electrotype〕 [명] 〖인쇄〗 전기 도금(鍍金)을 이용해서 복제(複製)한 인쇄판. 정밀한 복판(複板)이 되므로 유가 증권 등의 인쇄용판(印刷用板)·사진판(寫眞版) 등에 널리 쓰임. 전기판(電氣版). 전태판(電胎版).

일렉트론 [명] ①〔electron〕 〖물〗 전자(電子). ②〔Electron〕 마그네슘 합금의 유럽에서의 호칭.

일렉트론 메탈 〔electron metal〕 [명] 〖화〗 마그네슘을 주성분으로 하는 초경금속(超輕金屬)의 대표적인 합금. 마그네슘 90% 이상, 알루미늄·아연(亞鉛)·카드뮴·망간 등을 합쳐 10% 이하로 혼합하였음. 항공기나 자동차에 사용하며 알루미늄 경합금보다 가볍고 강하나 내식성(耐蝕性)이 약함.

일렉트론 볼트 〔electron volt〕 [명] 〖전〗 전자 볼트(電子 volt).

일렉트론 소이탄 【一燒夷彈】 〔electron〕 [명] 〖군〗 일렉트론 메탈로 만든 소이탄. 그 속에 테르밋(Thermit)이 가득 들어 있어, 2,000°-3,000°C의 고열(高熱)을 내면서 탐.

일려 【一旅】 [명] 〖역〗 중국(中國) 주(周)나라에서 병사(兵士) 500명을 일컫던 말.

일력[1] 【一力】 [명] 〖역〗 50근 무게의 물건을 두 손에 하나씩 가지고 160보(步)를 가는 일. 역(力)의 첫째 등급. ＊역(力).

일력[2] 【日力】 [명] ①그 날의 해가 넘어갈 때까지 남아 있는 동안. ②일출부터·일몰까지. ③하루 종일의 일. 또, 날마다의 일.

일력[3] 【日曆】 [명] ①그 날의 날짜·요일·일진(日辰) 등을 적어서 매일 한 장씩 떼거나 젖히게 만든 책력. ＊월력(月曆). ②〖역〗 규장각(奎章閣)의 일기(日記).

일련[1] 【一連】 [명] 하나로 연계(連繫)된 것. ¶ ～의 사건/～의 물가 대책을 강구하다.

일련[2] 【一聯】 [명] ①하나의 연속. ②율시(律詩)의 대구(對句).

일련 번호 【一連番號】 [명] 일률적(一律的)으로 연속되어 있는 번호. [준]연번(連番).

일련 탁생 【一蓮托生】 [명] ①좋든지 나쁘든지 행동·운명을 같이함. ②〖불교〗 죽은 뒤 함께 극락 왕생(極樂往生)하여, 같은 연대(蓮臺)에 몸을 의탁(依托)함. ＊탁생.

일렬 【一列】 [명] ①하나의 줄. 한 줄. 단열(單列). ¶ ～ 횡대(橫隊). ②첫째 줄.

일렬 종대 【一列縱隊】 [명] 한 줄로 세로 줄을 지어 늘어선 대형(隊形). ↔ 일렬 횡대.

일렬-진 【一列陣】 [명] 〖군〗 함대(艦隊)의 각 함(各艦)이 하나의 줄을 이룬 진형(陣形).

일렬 횡대 【一列橫隊】 [명] 한 줄로 가로 줄을 지어 늘어선 대형(隊形). ↔ 일렬 종대.

일령 【一齡】 [명] 처음 알에서 깨어난 누에가 첫 번째 잠을 잘 때까지의 동안.

일례 【一例】 [명] ①하나의 보기. ¶ ～를 들면 다음과 같다. ②한날 전례(前例). ¶ ～에 불과하다. ③한결같음. 일체(一體).

일로[1] 【一老】 [명] 〖지〗 전라 남도 무안군(務安郡)의 한 읍(邑). 군의 동남쪽에 위치하여 남해만(南海灣)에 면함. 〔14,952 명(1990)〕

일로[2] 【一路】 [一][명] ①한 줄기로 곧장 뻗친 길. ②외곬으로 나가는 길. [二][부] 한 줄기의 길을 곧바로. 어디까지나. ¶ ～ 매진(邁進)하다.

일로[3] 【逸勞】 [명] 안일과 노고.

일로[4] [부] ↗이리로. ¶ ～ 오너라. ＊절로·글로.

일로[5] [부] 〈옛〉 이로. ¶ 일로부터 法喜 또 더은 젼ᄎ로(由是로法喜ㅣ復增故로) ≪楞嚴 Ⅷ:45≫.

일로 매:진 【一路邁進】 [명] 한 길로 똑바로 씩씩하게 나아감. ──-하다 [자][여불]

일로스 〔Ilos〕 [명] 〖신〗 그리스 신화에 나오는 신의 이름. 제우스의 손자, 트로스(Tros)의 아들. 프리기아(Phrygia)에 시(市)를 세워 일리온(Ilion) 또는 트로야(Troja)라고도 하였음. 이곳에서 유명한 트로이 전쟁이 있었음.

일로 영:일 【一勞永逸】 [명] 적은 노고(勞苦)의 보람으로, 오랜 이익(利益)을 봄. ──-하다 [자][여불]

일로일로 〔Iloilo〕 [명] 〖지〗 필리핀 중부, 파나이(Panay) 섬 남안(南岸)의 도시로 일로일로 주(州)의 주도. 마닐라 다음가는 중요 도시임. 설탕·쌀·연초·목재·종려(棕櫚) 제품 등을 수출함. 1855년에 개항(開港)하였음. 〔244,000 명(1980)〕

일로카노-족 【一族】 〔Ilocano〕 [명] 필리핀의 루손(Luzon) 섬 서북 해안에 주로 사는 신(新)말레이인계의 한 종족. 논농사를 짓고, 기독교를 믿음. 문화적으로는 스페인의 영향을 받고 있음.

일로 평안 【一路平安】 [명] 먼 길이나 여행(旅行)중의 평안함.

일로 협약 【日露協約】 [명] 〖역〗 노일 협약.

일록[1] 【日錄】 [명] 날마다 기록(記錄)함. 또, 그 기록. 일보(日譜). ──-하다 [타][여불]

일록[2] [부] 〈옛〉 이로부터. ¶ 일록 후에 다시 서르 보면(今後再廝見時) ≪老乞 下 66≫.

일롱 【一弄】 [명] 〖악〗 거문고 연주법에 있어서 소리의 처음은 가볍게 내고 중간을 무겁게 농(弄)한 다음, 다시 가볍게 내는 수법. ＊이롱(二弄).

일뢰 [명] 〈방〉 이레(제주).

일뢰-당 【一堂】 [명] 〖민〗 제주도에서, 질병(疾病)을 맡은 신(神)을 모신 신당(神堂).

일룡 일사 【一龍一蛇】 〔一싸〕 [명] 용이 되어 하늘로 올라가거나, 뱀이 되어 못 속에 들어감. 곧, 태평한 시대(時代)에는 세상에 나와 일을 하고 난세(亂世)에는 은거(隱居)하여, 재능(才能)을 나타내지 않고 그 시대에 잘 적응(適應)하여 변화한다는 말.

일룡 일저 【一龍一豬】 〔一쩌〕 [명] 하나는 용이 되고 하나는 돼지가 됨. 곧, 학문(學問)의 유무(有無)로 뚜렷한 현우(賢愚)의 차(差)가 생김을 이르는 말.

일루[1] 【一縷】 [명] 한 오리의 실. 전(轉)하여 극히 미약한 연관, 불확실함 등의 비유로도 씀. ¶ ～의 희망을 품고 기다리다.

일루[2] 【一壘】 [명] ①야구에서, 주자(走者)가 밟는 첫째번 누. 퍼스트 베이스(first base). ②↗일루수(一壘手).

일루:미나:티 〔라 Illuminati〕 [명] 〖종〗 ①〔빛나는 것의 뜻〕 초기 기독교에서 세례를 받은 사람. ②1776년 아담 바이스하우프트(Adam Weishaupt)에 의해 창설된, 자연신(自然神) 및 공화주의를 받드는 비밀 결사. 헤르더(Herder)·페스탈로치(Pestalozzi)·괴테(Goethe) 등도 그 회원이었다고 함. 1784년에 해산되었다가 1896년 베를린, 1922년 빈에서 재개(再開)됨. ③17-18세기에 스페인·프랑스·벨기에에서 일어난 신비파에 주어진 명칭.

일루-수 【一壘手】 [명] 야구에서, 일루(一壘)를 수비하는 내야수(內野手). [준]일루(一壘).

일루-타 【一壘打】 [명] 야구에서, 타자가 일루까지는 무사히 갈 수 있게 친 안타(安打). 단타(單打). 싱글 히트.

일류[1] 【一流】 [명] ①어떤 방면에서 첫째 가는 지위(地位). ¶ ～ 대학/～ 극장. ②같은 유파(流派).

일류[2] 【溢流】 [명] 넘쳐 흐름. ──-하다 [자][여불]

일류 명사 【一流名士】 [명] 일류에 속하는 명사.

일류:미너틱 이펙트 〔illuminatic effect〕 [명] 〖영화〗 빛과 빛깔의 형상(形象)과 율동(律動)에 의한 입체적 또는 공간적 조형(造形)을 지향하는 영상(映像) 효과와 기술(技術). 강렬한 환상, 신비와 미래(未來)의 감각을 창조함이 특색임.

일류:미네이션 〔illumination〕 [명] 많은 전등을 색색으로 늘어놓아 건물이나 배 따위를 장식하는 일. 전광식(電光飾). 전식(電飾).

일류신 〔Il'yushin, Sergej Vladimirovich〕 [명] 〖사람〗 소련의 항공기 설계가. 2차 대전중 IL 2 공격기 설계의 공(功)으로 사회주의 노동 영웅(勞動英雄)이 되었으며, 이후 IL 10 공격기, IL 62 수송기 등 많은 항공기를 설계하였음. 〔1894-1977〕

일류 신:사 【一流紳士】 [명] ①일류에 속하는 신사(紳士). ②맵시가 미끈한 사람.

일류-언 【溢流堰】 [명] 〖토〗 일류제(溢流堤). 일류 언제.

일류 언제 【溢流堰堤】 [명] 〖토〗 일류제(溢流堤).

일류전 〔illusion〕 [명] ①착각(錯覺). 환상(幻想). 환영(幻影). 망상(妄想). ②여성 베일용의 투명한 망사(網紗).

일류-제 【溢流堤】 [명] 〖토〗 제방(堤防)의 한 가지. 증수시(增水時)에 물이 그 위로 넘쳐 흐르게 만든 방죽. 일류언(溢流堰). 일류 언제.

일륙-육 【一六六】 〔一뉵〕 [명] 〖수〗 구구법(九九法)의 하나. 일의 여섯 곱이나 여섯의 한 곱은 육임.

일륙-작 【一六作】 [명] 국화(菊花)를 모양 있게 기르는 방법의 하나. 중국(中菊)과 정자국(丁字菊)을 서로 섞어 심어서 중심에 한 송이, 둘레에 여섯 송이로 만드는 방법. 「키는 말.

일륜[1] 【一輪】 [명] ①한 둘레. 한 바퀴. ②한 송이의 꽃. ③밝은 달을 가리

일륜[2] 【日輪】 [명] 〖불교〗 태양(太陽). 경량(徑量)이 51 유순(由旬)이나 되고 수미 사주(須彌四洲)를 비추며 그 속에 사천왕(四天王)에 속하는 천중(天衆) 및 일천자(日天子)가 산다고 함.

일륜 명월 【一輪明月】 [명] 보름날 밤의 둥글고 밝은 달.

일륜-월 【一輪月】 [명] 〖불교〗 우주(宇宙)에는 달이 하나임과 같이 사람에게는 마음 하나가 높다는 뜻.

일륜-차 【一輪車】 [명] 사람이나 물건을 나르는 데 쓰는 바퀴가 하나 달린 차. 독륜차(獨輪車). 고륜차(孤輪車). 외바퀴차.

일:-률[1] 【一率】 [명] 〔power〕 〖물〗 기계가 단위 시간 안에 하는 일의 능률. 물리학에서는 1 에르그(erg) 1 초(秒)가 단위지만, SI 단위로는 와트(watt)임. 그 밖에 볼트암페어(voltampere)·마력(馬力) 등도 쓰임. 공정(工程). 공률(工率).

일률[2] 【一律】 [명] ①하나의 음률(音律). ②음악의 변화 없는 가락. ③한결같음. ¶ 천편(千篇) ～. ④죽이기에 해당하는 죄. 일죄(一罪).

일률-적 【一律的】 〔一쩍〕 [명][관] 한결같음. 한결같은 모양.

일률 천편 【一律千篇】 [명] 천편 일률.

일륭 【日隆】 [명] 날로 융성함. ──-하다 [자][여불]

일리[1] 【一利】 [명] 한 가지의 이익 또는 편리(便利).

일리[2] 【一理】 [명] ①하나의 이유. 그런 대로 합당하다고 생각할 만한 이치. ¶ 그 말은 ～ 있는 말이다. ②동일한 이치.

일리[3] 【日利】 [명] 일변(日邊).

일리 강 【一江】 〔Ili〕 [명] 〖지〗 이리 강(伊犁江).

일리걸리 배티드 볼: 〔illegally batted ball〕 [명] 야구에서, 반칙 타구(反則打球). 타자(打者)가 한쪽 발 또는 두 발을 배터 박스선(線) 밖으로 내디디고 공을 치는 일. 타자는 반칙 행위로 아웃이 됨.

일리걸 피치 [illegal pitch] 명 야구에서, 반칙 투구(反則投球). 곧, 투수(投手)가 투수판(投手板)에 발을 대지 않고 투구했을 때, 이물(異物)을 댄 혹은 가공(加工)한 볼로 투구했을 때, '퀵 리턴 피치(quick return pitch)', 즉 타자(打者)의 허(虛)를 틈타 투구했을 때 등의 경우를 말하며, 이런 때에는 보크(balk)가 됨.

일리그한-조 【一朝】 [Iligkhan] 명 『역』 카라한조(Karakhan朝).

일리노이 주 【一州】 [Illinois] 명 『지』 미국 중서부의 주. 미시간 호 남서쪽 평원에 위치하며 미시시피 강·일리노이 강의 유역(流域)임. 미국 유수(有數)의 공업주로, 시카고를 중심으로 식품 가공·기계·금속·화학·정유 등 각종 공업이 행해짐. 농업도 성(盛)하여, 콩의 수확은 미국 1위이고, 옥수수·밀·귀리 등이 나고 돼지·소의 사육도 성함. 주도(州都)는 스프링필드(Springfield). [144,120 km² : 11,430,602 명(1990)]

일리늄 [illinium] 명 『화』 1926년에 일리노이(Illinois) 대학의 홉킨즈(Hopkins)가 61번 원소로서 명명(命名)한 물질. 현재 61번 원소로서는 프로메튬(promethium)이 인정되고 있음.

일리마니 산 【一山】 [Illimani] 명 『지』 남미 볼리비아의 수도 라파스(La Paz)의 동남쪽에 있는 높은 산. 라파스에서 눈과 빙하로 덮인 웅자(雄姿)를 바라볼 수 있음. [6,882 m]

일리미네이터 [eliminator] 명 『전』 교류 전원(交流電源)으로부터 진공관의 동작(動作)에 필요한 직류(直流)를 얻는 장치. 라디오 수신기(radio 受信機) 같은 데에 부속되어 있음.

일리아드 [Iliad] 명 『문』 그리스의 호메로스(Homeros)가 지었다고 하는 그리스 최고 최대의 영웅 서사시(敍事詩). 트로이(Troy) 공략(攻略)을 묘사한 15,693 행(行)의 장대한 시임. 일리아스(Ilias).

일리아스 [Ilias] 명 『문』 '일리아드(Iliad)'의 그리스 말.

일리 일해 【一利一害】 명 이익과 손해가 상반(相半)함. 이익이 있음과 동시에 손해가 있음. 일득 일실.

일리 조약 【一條約】 [Ili] 명 『역』 이리(伊犂) 조약.

일리치 [Illich, Ivan] 명 『사람』 오스트리아 출신의 미국 작가·평론가. 1951년 미국으로 가서 뉴욕에서 가톨릭 성직자로 활동함. 후에 멕시코의 쿠에르나바카에 국제 문화 자료 센터를 세우고 저작 활동을 함. 현대 산업 사회 체제를 날카롭게 비평함. 주저로는 《학교 없는 사회》·《새도 워크》 등이 있음. [1926-]

일린 [Il'in, Mikhail] 명 『사람』 소련의 아동 문학가. 노동을 하면서 레닌그라드 공업 전문 학교에서 과학을 전공하고, 1930년 제1차 5개년 계획을 소재로 한 《위대한 계획 이야기》로 데뷔함. 노동과 과학에 관하여 알기 쉽게 글을 써서 사회주의 건설을 미화(美化)하고 문학의 신분야(新分野)를 개척함. 주저(主著)에 《인간의 역사》·《원자(原子)에의 여행(旅行)》 등이 있음. [1895-1953]

일립 만:배 【一粒萬倍】 명 한 알의 곡식도 심으면 만 알이 된다는 뜻. 작은 것도 쌓이면 많게 된다는 말.

일립서그래프 [ellipsograph] 명 장원형(長圓形)을 그리는 기계.

일마 【逸馬】 명 달아난 말. 고삐 풀린 말.

일-마니 【日摩尼】 명 『불교』 일궁전(日宮殿)의 화주(火珠)로 이루어진, 저절로 광열(光熱)을 발산(發散)하는 구슬. 태양을 본뜬 구슬로 천수관음(千手觀音)의 40개의 손 가운데 오른쪽 여덟번째 손에 갖고 있음. 중생(衆生)에게 광명(光明)을 줌을 뜻하며, 맹인(盲人)들의 신앙(信仰)이 두터움.

일마니-수 【日摩尼手】 명 『불교』 천수 관음(千手觀音)의 40개의 손 가운데, 일마니(日摩尼)를 지닌 오른쪽 여덟 번째의 손. 일마니(日摩尼)의 어수(御手).

일-마장 【一一】 명 한 마장.

일막-극 【一幕劇】 명 『연』 한 막으로써 극적(劇的) 사건이 진행하는 극. 단막극(單幕劇).

일만 의:정서 【日滿議定書】 명 『정』 1932년 9월 15일 신징(新京)에서 일본과 만주국(滿洲國) 사이에 맺어진 의정서. 만주국은 그 영역(領域) 안에서 종래 일본과 중국간에 체결된 조약 협정에 의하여 일본이 보유하는 일체의 권리 이익을 존중하며, 양국(兩國)은 공동으로 국가 방위(防衛)에 임(臨)하고, 만주국은 일본군의 만주 주둔(駐屯)을 인정하는 것 등을 정한 것임.

일만 이:천봉 【一萬二千峰】 명 『지』 12,000개 가량 되는 금강산(金剛山) 봉우리의 총칭. 만 이천봉(峰).

일말 【一抹】 명 ①한 번 칠하는 일. 한 번 지우는 일. ②약간. 다소(多少). ¶ ~의 비애(悲哀)/~의 불안.

일망 【一望】 명 한 번 쳐다봄. 또, 한눈으로 훑어봄. ——-하다 타 여불

일망 무애 【一望無涯】 명 일망 무제(一望無際).

일망 무제 【一望無際】 명 아득하게 끝없이 멀어서, 눈을 가리는 것이 없음. 일망 무애(一望無涯). 망무애반(茫無涯畔). ¶ ~의 대해(大海). ——-하다 형 여불

일망지-하 【一望之下】 명 한눈에 바라볼 수 있는 안계(眼界)에 속하여 있는 아래.

일망 타:진 【一網打盡】 명 한꺼번에 모조리 잡음. ¶ 강도단을 ~하다. 준 망타(網打). ——-하다 타 여불

일매 【一枚】 명 한 장. 한 겹.

일매-지다 형 ①죄다 가지런하다. ②모두가 고르고 비슷하다. ¶ 최돌이가 육편을 일매지게 발라내는 솜씨가 보통 아니었지만…《金周榮 : 客主》.

일맥 상통 【一脈相通】 명 솜씨나 성격 등이 서로 통함. 솜씨나 성격 등이 서로 비슷함. ——-하다 자 여불

일면[1] 【一面】 명 ①한쪽. 일방(一方). 일방면(一方面). ¶ ~ 건설, ~ 방위. ②처음으로 한 번 만나 봄. ③행정 구역(行政區域)인 하나의 면(面). ——-하다 타 여불 모르던 사람을 한 번 면회하다.

일면[2] 【一眠】 명 ①잠깐 한잠을 잠. ②누에가 먹기를 그치고 첫 번째의 탈피(脫皮)를 하는 동안에 자는 잠.

일면 경도 【日面經度】 명 『천』 일면 좌표(座標)에서 사용되는 경도. 항성계(恒星系)에 대하여 25.38일(日)의 주기(周期)를 가지고 고르게 자전(自轉)하는 자오면(子午面)을 원점(原點)으로 하여, 여기서 잰 경도. *일면 위도(緯度).

일면-관 【一面觀】 명 한 방면으로만 보는 관점.

일면 부지 【一面不知】 명 전혀 만나 본 일이 없어 알지 못함.

일-면식 【一面識】 명 한 번 서로 만난 일이 있어, 약간 안면이 있는 일. ¶ ~도 없는 사이.

일면 여구 【一面如舊】 [-녀-] 명 서로 모르던 사람이 한 번 만나 보고서 옛 벗처럼 친밀함. ——-하다 형 여불

일면 위도 【日面緯度】 명 『천』 일면 좌표(座標)에서 사용되는 위도. 태양의 적도에서 극을 향하여 잰 각도. *일면 경도(經度).

일면 좌:표 【日面座標】 명 『천』 흑점 같은 태양면의 현상의 위치를 나타내기 위하여 태양의 자전(自轉)의 극(極)을 극으로 하고, 일면 경도(經度)와 일면 위도(緯度)를 사용한 좌표.

일면지-분 【一面之分】 명 일면식의 친분(親分).

일면지-영 【一面之榮】 명 한 번 만나 본 영광.

일면 통과 【日面通過】 명 『천』 수성(水星)이나 금성(金星) 등의 내행성(內行星)이 태양과 지구를 연결하는 직선 상(直線上)을 통과하는 일. 이때 태양면(面)의 위를 통과하는 것이 지구에서 보임. *금성 경과(金星經過).

일명[1] 【一名】 명 ①한 사람. ②본 이름 밖에 따로 부르는 이름. ¶ 서울은 ~ 한양(漢陽)이라고도 불렸다.

일명[2] 【一命】 명 하나의 목숨.

일명[3] 【一明】 명 『불교』 한 장(章)의 다라니(陀羅尼).

일명[4] 【日明】 명 햇빛이 밝음. ——-하다 형 여불

일명[5] 【逸名】 명 서얼(庶孼).

일명 경:인 【一鳴警人】 명 [중국 전국 시대의 제(齊)나라 순우곤(淳于髡)이 새를 빌려 위왕(威王)을 간(諫)한 고사(故事)에서 나온 말] 한 번 시작하면 사람을 놀랠 정도의 대사업을 이룩한다는 뜻.

일명 불시 【一瞑不視】 [-씨] 명 죽으면 사물(事物)을 보지 못함. 곧, 죽음을 이름.

일명 일암 【一明一暗】 명 하나는 밝고 하나는 어두움. 또, 밝았다 어두웠다 함.

일모[1] 【一毛】 명 한 가닥의 털. 또, 그와 같이 적은 분량(分量). ¶ 구우(九牛)~에 지나지 않다.

일모[2] 【一眸】 명 한 번 봄. 일견(一見).

일모[3] 【一暮】 명 하룻밤. 일석(一夕).

일모[4] 【日母】 명 해. 태양.

일모[5] 【日暮】 명 해가 저묾. 상유(桑楡). 정혼(定昏). ¶ 서산(西山)에 ~하니. ——-하다 자 여불

일모 다빈 【一牡多牝】 명 일웅 다자(一雄多雌).

일모 도궁 【日暮途窮】 명 ①날은 저물고 갈 길은 막힘. ②늙어서 쇠약하여짐. 일모 도원(日暮途遠). ——-하다 형 여불

일모 도원 【日暮途遠】 명 일모 도궁(日暮途窮).

일모 불발 【一毛不拔】 명 털 하나라도 남을 위하여는 뽑지 않는다는 뜻으로, 몹시 인색하고 이기적(利己的)임을 비유한 말.

일모 불백 【一毛不白】 명 일발 불백(一髮不白).

일모-작 【一毛作】 명 [single crop] 『농』 일 년에 논밭을 한 번밖에 이용하지 아니하는 경작 방법(耕作方法). 기후의 한랭(寒冷), 적설(積雪), 건조(乾燥), 지질(地質)의 불량(不良), 노동력(勞動力)의 부족(不足) 등에 인함. 편모작(片毛作). *이모작(二毛作)·다모작(多毛作).

일모작 전답 【一毛作田畓】 명 『농』 일모작을 하는 논밭.

일목 【一目】 명 ①하나의 눈. 한쪽 눈. 애꾸눈. ②한 번 봄. ¶ ~ 요연(瞭然). ③바둑에서, 하나의 돌 또는 집.

일목 삼악발 【一沐三握髮】 명 [한 번 머리를 감는 데 찾아오는 사람이 있어 세 번이나 머리를 묶어 쥔 채 맞이했다는 뜻으로] 현군(賢君)이나 현자(賢者)를 후하게 대접함의 비유.

일목 십행 【一目十行】 명 한 번 잠깐 봐서 10행을 읽음. 곧, 독서력(讀書力)이 썩 우수함의 비유.

일목 요연 【一目瞭然】 명 한 번 보고 곧 환하게 알 수 있음. ——-하다 형 여불

일목 일초 【一木一草】 명 일초 일목(一草一木).

일목 장군 【一目將軍】 명 '애꾸눈이'를 조롱하여 이르는 말.

일목-조 【一木造】 명 『미술』 하나의 통나무에 조각(彫刻)하여 만든 소상(塑像).

일목지-지 【一木之枝】 명 나무 한 그루의 가지.

일몰 【日沒】 명 해가 짐. 일입(日入). ¶ 긴 여름해가 지고 ~이 오다. ↔ 일출(日出). *해넘이.

일몰-시 【日沒時】 명 해가 지평선(地平線) 아래로 완전히 지는 순간의 시각(時刻).

일몽 【一夢】 명 한 자리의 꿈.

일무[1] 【一無】 명 하나도 없음. ——-하다 형 여불

일무[2] 【日茂】 명 나날이 무성함. ——-하다 자 여불

일무[3] 【佾舞】 명 『악』 종묘(宗廟)나 문묘(文廟) 등 제향(祭享) 때 줄을 지어서 추는 춤. 팔일무(八佾舞)·육일무(六佾舞)·사일무·이일무 등이 있음.

일무-가관 【一無可觀】 명 하나도 볼 만한 것이 없음.

일무-가론 【一無可論】 명 하나도 의논할 만한 것이 없음.

일무-가취【一無可取】명 하나도 취할 만한 것이 없음.
일무-소득【一無所得】명 하나도 소득(所得)이 없음. ¶계산을 해보니 ~이다.
일무-소식【一無消息】명 도무지 소식(消息)이 없음. ¶그 때 떠난 후로는 ~이다.
일무-소장【一無所長】명 장처(長處)가 하나도 없음.
일무-소취【一無所取】명 하나도 취하여 가진 바 없음.
일무-실착【一無失錯】명 일무차착(一無差錯). ——-하다 형여불
일무-차착【一無差錯】명 침착(沈着)하고 치밀(緻密)하여 복잡하고 곤란한 일을 처리(處理)함에 있어 하나도 틀림이 없음. 일무실착(一無失錯). ——-하다 형여불
일문¹【一文】명 ①한 글자. 한 문장(文章). ¶~을 초(草)하다. ②한 점의 반문(班紋).
일문²【一門】명 ①한 개의 문. ②한집안. ¶~ 일족. ③같은 부류. ④일파(一派). ⑤〔문은 대포(大砲) 등을 세는 말〕 하나의 대포.
일문³【日文】명 일본(日本) 글. ¶~ 한역(韓譯).
일문⁴【日問】명 날마다 물음. ——-하다 타여불
일문⁵【日聞】명 나날이 들림. 또, 매일 들음. ——-하다 타여불
일문⁶【逸文】명 ①뛰어난 문장. 명문(名文). ¶천하의 ~. ②흩어져서 세상에 전해지지 아니하는 문장. ③세상에 알려지지 아니한 글.
일문⁷【逸聞】명 세상에 알리어지지 아니한 좋은 소문(所聞)이나 이야기. 일화(逸話).
일문 백홀【一門百笏】명 일족(一族) 중에서 홀(笏)을 가질 정도의 지위 높은 사람이 백 명이나 나오는 권문 세가(權門勢家)를 이름.
일문 보:문【一門普門】명〖불교〗 하나의 교리(敎理)에 통달하면 모든 교리에 쉬이 통달할 수 있다는 말.
일문 일답【一問一答】〔一땁〕명 한 번 묻는 데 대하여 한 번 대답함. 또, 이를 되풀이하는 식의 대화. ——-하다 자여불
일문 일족【一門一族】〔一쪽〕명 한집안. 일가 권속(一家眷屬).
일문-전【一文錢】명〖역〗 조선 시대 말엽, 화폐의 혼란이 극심하던 때, 민비(閔妃) 일족이 일본 상인과 결탁하여 '상평 통보(常平通寶)'의 5분의 1가치로 발행했던 동전(銅錢).
일문지-내【一門之內】명 일문에 속하는 사람. 한집안 사람.
일물【逸物】명 썩 뛰어난 물건.
일물 일가의 법칙【一物一價一法則】〔一까一/一까에一〕명〔law of in difference〕〖경〗 완전 경쟁이 행하여지고 있는 시장(市場)에서는 동일(同一) 종류의 상품에 대해서는 오직 하나의 가격만이 성립한다는 원칙. 무차별의 법칙.
일물 일권주의【一物一權主義】〔一꿘一/一꿘一이〕명〖법〗 하나의 물건 위에, 동시에 서로 양립할 수 없는 내용의 물권(物權)이 둘이상 성립할 수 없다는 주의. 이것은 물권이 가지는 바, 배타성(排他性)에서 오는 당연한 결론임.
일미¹【一味】명 ①첫째 가는 좋은 맛. ¶어두(魚頭)~. ② ☞ 일당(一黨). ③〖불교〗 부처에 관한 설(說)은 여러 가지이나 그 본지(本旨)는 동일하다는 뜻. ④〖한의〗 한약종(韓藥種)의 일품(一品). 한 가지의 한약종(韓藥種).
일미²【逸味】명 좋은 맛. 훌륭한 맛.
일미³【溢美】명 과찬(過讚).
일미-선【一味禪】명〖불교〗 참선(參禪)으로부터 돈오(頓悟)에 이르는 경지(境地). 입선(入禪)의 점진적(漸進的)인 계단(階段)에 상대(相對)되는 말임.
일민¹【佚民】명 은둔(隱遁)한 백성.
일민²【逸民】명 학문과 덕행이 있으면서도 세상에 나서지 않고 파묻히어 지내는 사람.
일민-주의【一民主義】〔一/一이〕명 1949년에 이승만(李承晩)이 '한백성'인 국민을 만들어 민주주의의 토대를 마련하고 공산주의에 대항한다는 명분으로 제시한 이념. 이승만의 몰락과 함께 스러짐.
일밀【日密】명 날로 친밀도(親密度)가 더함. ¶~하는 사이. ——-하다 자여불
일박¹【一泊】명 〔↗일숙박(一宿泊)〕 하룻밤을 묵음. ¶~ 2일의 여행. ——-하다 자여불
일박²【日薄】명 ①태양이 황혹(黃黑)의 대기에 덮이어 햇빛이 엷은 황색(黃色)이 되는 일. ②저녁 때. 박모(薄暮). ③나날이 얇아짐. ——-하다 자여불
일박 서산【日薄西山】명 ①해질녘. ②전(轉)하여, 늙어서 죽을 때가 가까워졌음을 말함.
일-박자【一拍子】명〖음〗 한 박자.
일반¹【一半】명 절반(折半). ¶책임의 ~.
일반²【一班】명 ①첫째 반. 또, 하나의 반. ¶2학년 ~. ②그 반 전체. 그 모임 전부.
일반³【一般】명 ①한 모양. 같은 모양. ②보통(普通). ¶~ 민간인. ③보편(普遍). ¶~ 상식 문제.
일반⁴【一斑】명 아롱진 여러 무늬 가운데의 한 점.
일반-각【一般角】명〔general angle〕〖수〗 하나의 각(角)의 크기를 나타낼 때 그 한 변(邊)은 다른 변의 위치로부터 얼마만큼의 회전(回轉)으로 얻어질 수 있는가 할 때의 이 회전의 양(量)을 말함. 회전의 방향에 따라 양각(陽角)(+角), 음각(陰角)(一角)의 구별이 있음.
일반 감:각【一般感覺】명〖심〗 신체 내부(內部)에 수용기(受容器)를 가진 감각. 내장(內臟) 감각·운동 감각(運動感覺)·평형(平衡) 감각 등. 좁은 뜻으로는 내장 감각만을 가리킴. 유기 감각(有機感覺). 보통 감각(普通感覺).
일반 감:정【一般感情】명〖심〗 유기 감정(有機感情).
일반 개:념【一般概念】명〔general concept〕〖논〗 뜻을 바꾸지 아니하고 수많은 사물(事物)에 공통(共通)으로 적용될 수 있는 개념(槪念). 산·책·인간(人間) 등과 같은 것. 급개념(級槪念). ↔보편 개념(普遍槪念). 단독 개념·개체(個體) 개념.
일반-객【一般客】명 귀빈(貴賓)이나 특별히 초대받은 사람이 아닌 보통의 손님.
일반 거:래세【一般去來稅】명〖경〗 재화(財貨)나 서비스의 각 거래에 있어서 과세되는 세금. 각 거래마다 부과되기 때문에 비난이 많아 시행하고 있는 나라가 드뭄.
일반 경:쟁 계:약【一般競爭契約】명〖법〗 경쟁 계약(競爭契約)에 있어서 그 경쟁 참가(參加)를 특정인(特定人)에게 한정(限定)하지 아니하고 미리 일반인에게 공고(公告)하여, 불특정 다수인(不特定多數人)이 참가할 수 있도록 하는 것. 입찰(入札)·경매 등의 방법이 있음. ↔지명(指名) 경쟁 계약.
일반 관리비【一般管理費】〔一괄一〕명〔general administrative expenses〕 제조 부문·판매 부문에 대해, 기업의 전반에 걸친 관리 부문에서 드는 비용. 임원(任員)의 급여(給與), 일반 관리 사무에 종사하는 자의 급여, 일반 관리 사무용 건물, 비품(備品)의 감가 상각비(減價償却費) 등.
일반 관청【一般官廳】명 특정(特定)의 행정 사무(行政事務)가 아니고 보통(普通)의 행정 사무를 관장(管掌)하는 관청. 보통 관청(普通官廳). ↔특별 관청(特別官廳).
일반 교:서【一般敎書】명〔state of the union message〕〖정〗 미국의 대통령이, 연두(年頭)에 상하원 양원 합동 회의에서 개술(槪述)하는 시정(施政) 방침 연설. 내정·외교의 기본정책을 발표하고 의회에 대해서 그 입법을 요청함. 연두 교서.
일반 교:양【一般敎養】명〔general education〕〖교〗 ①누구에게나 필요한 것으로 인정되는 교양. 또, 전문적·직업적 교양의 기초가 되는 넓은 교양. ②특히,대학에서 전공 분야와 관계없이 실시되는 교육. 일반교육(一般敎育).
일반 교:육【一般敎育】명〖교〗 일반 교양(一般敎養)❷.
일반 국가학【一般國家學】명〖책〗 옐리네크(Jellinek)의 저서. 국가를 사회학적인 관점에서 처음으로 고찰한 연구로, 국가 사회학과 공법학(公法學)을 결합하려 했고, 개인과 국가와의 관계, 특히 국가의 자율개념(自律槪念)을 풀이했음. 국가의 특정한 측면(側面)만을 대상으로 했던 종래의 방법과는 달리, 국가 일반을 대상으로 하는 실증적·과학적 방법 때문에 현대에도 그 의의가 큼.
일반 국도【一般國道】명 도로 종별(種別)의 하나. 중요 도시, 지정 항만, 중요한 비행장 또는 관광지 등을 연락하며, 고속 국도와 함께 국가 기간 도로망을 이루는 도로. 건설부 장관이 관리자가 됨.
일반 권력 관계【一般權力關係】〔一궐一〕명 국가 공공 단체의 일원(一員)으로서 그 일반 지배 권력, 곧 통치권에 복종하는 관계. 일반 통치관계. ↔특별 권력 관계.
일반 권리 능력【一般權利能力】〔一궐一녁〕명〖법〗 법률상(法律上)의 인격(人格). 곧, 포괄적(包括的)으로 본 권리 의무의 주체(主體)가 되는 자격.
일반 균형 분석【一般均衡分析】명〔general equilibrium analysis〕〖경〗 경제 현상의 생산·교환 관계를 분석할 경우에 경제 체계 전체에 있어서 수요(需要)·공급(供給)이 같게 되기 위한 조건을 고찰하는 것. ↔특수 균형 분석(特殊均衡分析).
일반 균형 이:론【一般均衡理論】〔一니一〕명〔theory of general equilibrium〕〖경〗 한 나라 경제 속의 모든 경제적 요인(經濟的要因)은 상호의존(相互依存)의 관계에 있다고 생각하여, 그 관계의 균형 조건을 수학적 방법으로 밝히려는 경제 이론. 발라(Walras, Léon)를 시조(始祖)로 하고, 로잔(Lausanne)에 의하여 전개되어 이 이론을 신봉하는 사람들을 '로잔 학파'라고 일컬음.
일반 노동 조합【一般勞動組合】명 일반 조합.
일반 담보【一般擔保】명〖법〗 채무자의 재산 중에서, 특별 담보의 목적이 되어 있는 것과, 압류(押留)가 금지되어 있는 것을 제외한 나머지 재산이 총채권자를 위한 채무 변제의 담보로 되어 있는 것. ↔특별 담보(特別擔保).
일반 대:중【一般大衆】명 서민 계급(庶民階級).
일반-론【一般論】〔一논〕명 어느 특정한 사물을 대상으로 하는 것이 아니라, 전체에 통용되는 것으로서의 논(論).
일반 명사【一般名辭】명〖논〗 일반 개념을 표시하는 명사. 곧, 여러 가지 사물(事物)의 공통된 특성을 표시하는 명사.
일반-법【一般法】〔一뻡〕명〖법〗 한 주권 밑에 있는 일반의 지역·사람·사항에 적용되며 지역적·인적(人的) 또는 사항적(事項的)으로 제한되지 아니하는 법률. 헌법·형법·민법 등. 보통법(普通法). ↔특별법(特別法).
일반 법칙【一般法則】명 보편적으로 통용되는 법칙.
일반 법학【一般法學】명〖법〗 민법학(民法學)·형법학(刑法學)·행정법학(行政法學) 등 법학의 각 부문에 공통하는 일반적인 기본 개념을 취급하는 법의 일반 이론.
일반 부:담【一般負擔】명〖법〗 일반 국민에게 균등(均等)하게 부과(賦課)하는 공용 부담(公用負擔). 인적 공용 부담(人的公用負擔)의 한 분류임. ↔특별 부담.
일반 사:면【一般赦免】명〖법〗 사면의 한 가지. 범죄의 종류를 지정하여 이에 해당하는 모든 죄인에게 형을 사면하는 일. 형의 선고 효력(宣告效力)과 공소권(公訴權)이 소멸(消滅)됨. 국회(國會)의 동의를 얻어 대통령이 행함.

일반 삼토포【一飯三吐哺】 명 중국의 주공(周公)이 현인(賢人)을 구함에 있어 한 끼의 식사에 세 번이나 입에 넣은 밥을 도로 뱉어 버리고 일어나 객(客)을 영접한 일. 일궤 십기(一饋十起).
일반 상대성 이:론【一般相對性理論】[—썽—] 명 〔general theory of relativity〕〖물〗아인슈타인(Einstein, A.)이 상대성 원리에 의거하여 전개한 이론의 하나. 관성(慣性)에 대한 질량(質量)과 중력(重力) 질량이 같다고 하는 '등가(等價)의 원리'를 출발점으로 하여, 가속도 운동에 대해서도 상대성이 성립한다고 가정하였음. 중력 이론으로서도 중요시됨. ↔특수 상대성 이론. *상대성 원리.
일반-석【一般席】 명 귀빈석·특별석 등에 대하여, 일반의 자리. 보통석. ↔특별석.
일반-성【一般性】[—썽] 명 보편성(普遍性). ↔특수성(特殊性).
일반-세【一般稅】[—쎄] 명〖경〗국가 일반의 경비에 제공할 목적으로 부과 징수(賦課徵收)하는 세금. 지세(地稅)·소득세·주세(酒稅) 등 많은 세금이 이에 속함. ↔특별세.
일반 세:차【一般歲差】 명 〔general precession〕〖천〗두 성분(成分)의 합성(合成)으로서 나타나는 춘분점(春分點)의 운동. 이로써 춘분점은 1년간에 50.3 초각(秒角)의 속도로 황도(黃道)에 따라 움직임.
일반-수【一般數】[—쑤] 명〖수〗문자로 나타내어 어떠한 수치(數値)든지 대신할 수 있는 수. 곧, $3a+2a=5a$에서 'a'와 같은 것. ↔격단수(格段數).
일반-식【一般式】 명 ①〖수〗일정한 조건을 충족시키는 일군(一群)의 수식(數式)의 변화하는 부분을 문자로 대치(代置)하여 얻어지는 식. 이를테면 한 개의 변수(變數)를 포함하는 1차식에서는 $ax+b$, 또 1원 2차 방정식에서는 $ax^2+bx+c=0(a\neq0)$임. ②〔general formula〕〖화〗어떤 특정 화합물뿐만 아니라, 일련의 관련 화합물에 공통적으로 적용되는 화학식.
일반 신화학【一般神話學】 명 비교(比較) 신화학. ↔특수(特殊) 신화학.
일반 심리학【一般心理學】[—니—] 명 개체의 차이를 생각지 않고 누구에게나 통용되는 것을 연구 대상(研究對象)으로 하는 심리학. 보통 심리학(普通心理學).
일반 여권【一般旅券】[—녀꿘] 명〖법〗국가의 공무나 외교 상의 공무가 아닌, 사용(私用)으로 해외에 여행하는 자에게 발급하는 여권. *관용 여권·외교관 여권.
일반 예:금【一般預金】[—네—] 명〖경〗시중 은행이 중앙 은행에 이자 없이 예치하여 둔 돈. 민간 예금.
일반 예:방【一般豫防】[—네—] 명〖법〗형벌에 대한 견해의 한 가지. 형벌을 과(科)하는 것은 사회의 일반인에게 경고를 주어 범죄를 예방하는 것이 목적이라고 함. ↔특별 예방.
일반 은행【一般銀行】 명 가계 및 기업으로부터의 예금을 주된 자금원으로 하여 금융 사업을 하는 은행. 시중 은행, 지방 은행, 외국 은행 국내 지점이 있음. 보통 은행. ↔특수 은행(特殊銀行).
일반 음:식점【一般飮食店】 명〖법〗음식류(飮食類)를 조리하여 팔며, 식사와 함께 부수적으로 음주 행위가 허용되는 업소.
일반 의:무【一般義務】 명 국민 누구나 지지 않으면 안 되는 의무. 납세의 의무 따위.
일반 의:미론【一般意味論】 명 미국의 과학자 코집스키(Korzybski) 등에 의하여 1930년대에 미국에서 시작된 일종의 행동주의적 언어 이론. 커뮤니케이션(communication) 및 인간 관계에 있어서 언어를 비롯하여 그 밖의 기호(記號)가 나타내는 역할을 규명하려는 통속적인 계몽 운동임.
일반 의:지【一般意志】 명 한 사람 한 사람이 이기심을 버리고 전부가 일체(一體)가 된 인민의 의지. 루소(Rousseau)가 처음으로 사용한 말로, 그는 이를 주권 작용의 기초라고 생각하였음.
일반 이:론【一般理論】 명 〔The General Theory of Employment Interest and Money〕〖책〗케인스(Keynes)의 대표적 저서(著書). ≪고용(雇用)·이자 및 화폐의 일반 이론≫의 약칭. 1934년에 완성됨. 자유 방임(放任) 정책을 취하는 한, 자본주의 체제(體制)는 반드시 완전 고용(完全雇用)을 초래하는 것이 아님을 논증하고 중앙 당국의 인위적 간섭에 의하여 유효 수요(有效需要)를 창조하지 않는 한, 실업(失業)은 없어지지 않는다고 주장하여, 수정(修正) 자본주의의 경제 이론을 전개하였음.
일반-인【一般人】 명 특별한 신분(身分)·지위(地位)에 있지 않은 보통의 사람. 또, 어느 일에 특별한 관계가 없는 사람. ¶～의 출입(出入)을 금함/～도 관람할 수 있음. ↔특정인(特定人).
일반 재산【一般財産】 명〖법〗①어느 사람에게 속하는 전재산. 상속 재산·신탁 재산·기업 재산 등의 특별 재산에 대하여 이름. ②채권(債權)의 일반 담보의 목적이 되는 채무자의 모든 재산.
일반-적【一般的】 명 관 ①일부에 한정되지 아니하고, 전반에 걸친 모양. ↔국부적(局部的)·특수적(特殊的). ②전문(專門)에 속하지 아니하는 모양. ↔전문적(專門的).
일반적 구속력【一般的拘束力】[—녁] 명〖법〗노동 협약(協約)의 규범적(規範的) 효력이, 예외적으로 협약 체결(締結) 당사자(當事者)인 노동 조합의 조합원 이외의 자에게도 확장되는 경우의 그 효력.
일반적 도야【一般的陶冶】 명〖교〗여러 면에 걸쳐 심신을 닦음으로써 편파성(偏頗性)·국부성(局部性)이 없이 골고루 발전시키는 것을 목적으로 하는 교육. ↔직업적 도야.
일반 전:화【一般電話】 명 특별히 우선(優先)함이 없이 가입 신청순에 따라 가설하는 전화.
일반 조합【一般組合】 명 〔general union〕직능·직종·직업·산업·지역별에 관계 없이 여러 직역(職域)에 분산하는 각종 노동자, 특히 미숙련 노동자(未熟練勞動者)를 널리 포괄한 단일 노동 조합. 일반 노동 조합(一般勞動組合).
일반지-덕【一飯之德】 명 보잘것 없이 베푼 아주 적은 은덕(恩德).
일반 지리학【一般地理學】 명 〔general geography〕 지형(地形)·기후(氣候)·육수(陸水)·생물·농업·공업·인구·취락(聚落)·민족 등의 어느 한 부분에 관하여 세계 전체에 걸쳐 연구하여 그 분포(分布)에 관한 일반 법칙이나 유형(類型)을 발견·설명하는 지리학의 일부문.
일반지-보【一飯之報】 명 한 번 밥을 얻어먹은 은혜에 대한 보답(報答). 곧, 적은 은혜에 대한 보답.
일반 지원【一般支援】 명 〔general support〕〖군〗피지원(被支援) 부대의 특정 소부대(小部隊)에 대한 지원을 제외한 전부대(全部隊)에 대한 지원.
일반지-은【一飯之恩】 명 한 번 밥을 얻어먹은 은혜. 적은 은덕(恩德).
일반직 공무원【一般職公務員】 명〖법〗경력직(經歷職) 공무원의 한 갈래. 기술·연구 또는 행정 일반에 대한 업무를 담당하는 공무원. 원칙적으로 직군(職群)·직렬(職列)에 의해서 분류됨. *특정직(特定職) 공무원.
일반 질문【一般質問】 명 〔general interpellation〕〖정〗의회 예산 결산 위원회 등에서 일반적인 정치 문제에 대한 질의.
일반 참모【一般參謀】 명〖군〗사단급 이상의 부대에서 작전 계획의 수립·수행에 있어 지휘관을 보좌하는 참모. ↔특별 참모.
일반 참모부【一般參謀部】 명〖군〗사령부의 참모 부서 중 인사·정보·작전 및 군수의 네 참모 부서. ↔특별 참모부.
일반 촬영용 필름【一般撮影用—】〔film〕[—뇽—] 명 일반에게 시판(市販)되는 사진 촬영용 필름. 흑백(黑白) 네거티브 필름·컬러 리버설 필름·컬러 네거티브 필름의 세 종류로 나뉨. ↔특수 필름.
일반 측량【一般測量】[—냥] 명 기본 측량 및 공공 측량 이외의 측량.
일반 통:치 관계【一般統治關係】 명 일반 권력 관계(一般權力關係).
일반 투표【一般投票】 명〖정〗의원(議員) 기타의 공무원의 선거 이외의 사항에 관하여 아무런 제한 없이, 일반 국민이 하는 투표. 국민 투표(國民投票).
일반 파:산주의【一般破產主義】[—/—이] 명〖법〗상인(商人)·비상인(非商人)의 구별 없이 모든 사람에 대하여 파산 선고를 할 수 있다고 하는 입법(立法)주의. ↔상인(商人) 파산주의.
일반-항【一般項】 명 〔general term〕〖수〗수열(數列)·급수(級數) 등에서의 임의(任意)의 항. 공통항(共通項). 공항(公項).
일반-해【一般解】 명 〔general solution〕〖수〗수식(數式)을 계산하여 얻은 일반치(一般値). 그 자체는 일반 기호(一般記號)로 표시되고 다시 수치(數値)를 대입하여 답을 얻음.
일반 형법【一般刑法】[—뻡] 명 보통 형법. ↔특별 형법.
일반-화【一般化】 명 ①일반적인 것이 되게 함. 개괄. ②널리 미치게 함 ③특수한 것에서 보편적인 개념·법칙 등을 만듦. ④〔generalization〕〖논〗개념(槪念)의 외연(外延)을 증가하여, 개념의 적용 범위를 확대하는 일. 총괄. 개괄. ——-하다 타여불
일반 회:계【一般會計】 명〖법〗한 나라의 주요한 세출입을 종합하여 경리하는 회계. ¶～ 연도(年度). ↔특별 회계.
일반 회:계 예:산【一般會計豫算】 명〖법〗한 나라의 주요한 세출입을 종합 정리하는 기본적인 일반 행정에 관한 예산.
일반 횡선 수표【一般橫線手票】 명〖경〗보통의 횡선 수표를 특별 횡선 수표에 상대하여 일컫는 이름.
일반 흡수【一般吸收】 명〖천〗성간(星間) 흡수의 하나. 성간 물질의 미립자(微粒子)의 크기가 광선의 파장(波長)보다도 클 경우에 파장의 대소에 불구하고 별로부터 오는 광선이 고르게 흡수되는 현상. *선택(選擇) 흡수.
일:-발[1] [—빨] 명 일을 한 보람. 일이 되어 가는 기운. ¶～이 나다 / ～을 돋우다.
일발[2]【一發】 명 ①활 또는 총포(銃砲)로 한 번 쏨. ¶～에 쓰러뜨리다/～ 필중(必中). ②총알 또는 대포알의 하나. 한 방.
일발[3]【一髮】 명 ①한 가닥의 머리털. ②극히 작음. ¶～의 간격.
일발 불백【一髮不白】 명 늙은이의 머리털이 하나도 세지 아니한 모양. 일모 불백(一毛不白).
일발 인천균【一髮引千鈞】 명 〔천균(千鈞)은 만근(萬斤)〕 한 오라기의 모발(毛髮)로 천균(千鈞)이나 되는 무거운 물건을 매어 끈다는 뜻으로, 몹시 위태(危殆)로운 일을 일컫는 말. 준일발 천균.
일발 천균【一髮千鈞】 명 ↗일발 인천균(一髮引千鈞).
일발 필중【一發必中】[—쭝] 명 한 번 쏘아 반드시 맞힘. ¶～의 명사수. *백발 백중.
일방[1]【一方】 ㊀명 한쪽. 한편. 일면(一面). ¶～ 통행. ㊁부 ①다른 방향과 상관 없는 한 방향으로. ②한편. ¶일하는 ～, 공부에 열중하다.
일방[2]【一放】 명 단방(單放)❶.
일방[3]【一棒】 명〖불교〗선(禪)을 수행(修行)하는 자의 심경을 한 방망이로 깨우침.
일방 교통【一方交通】 명 일방 통행.
일방 교통로【一方交通路】[—노] 명 일방으로만 통행하도록 된 도로(道路).
일-방보【一方步】 명 사방(四方)으로 일보의 넓이.
일방 부시【一放—】 명 한 번 쳐서 깃에 불이 붙는 좋은 부시. 또, 그렇게 하는 솜씨.
일방 심:리주의【一方審理主義】[—니—/—니—이] 명〖법〗일방 심문주의.
일방 심:문주의【一方審問主義】[—/—이] 명〖법〗민사 소송에 있어서

당사자 일방의 일방적 심리에 의하여 재판을 하는 주의. 일방 심리주의. ↔쌍방 심문주의.

일방-적【一方的】명 관 ①공평하지 않고 한쪽으로 치우치는 모양. ¶～인 사고 방식. ②상대편 일은 생각지 않고 자기 쪽 일만 생각하고 하는 모양. ¶～인 처사.

일방적 상행위【一方的商行爲】명〔도 einseitiges Handelsgeschäft〕『경』상행위의 하나. 거래 당사자의 한쪽만의 영리를 위해 행하여지는 행위로 소매점(小賣店)에서의 물건을 사기 등. ↔쌍방적 상행위.

일방적 저:촉 규정【一方的抵觸規定】명『법』국제 사법(國際私法)상 국내외법(國內外法)의 저촉이 있을 경우 이를 해결하는 데 국내법(國內法)이 적용되는 경우만을 규정(規定)한 것. 프랑스 민법 제3조가 그 예(例)임.

일방 통행【一方通行】명 ①일정한 구간을 지정하여 거마의 통행을 한 방향으로만 제한하는 일. 일방 교통(交通). ②비유적으로, 어느 한쪽에서 다른 쪽에의 전달(傳達)만이 이루어지고 그 반대의 전달이 이루어지지 않는 일.

일방 포:수【一放砲手】명 일자 포수(一字砲手).

일방 행위【一方行爲】명『법』단독 행위(單獨行爲).

일배【一杯】명 한 잔.

일배-성【一倍性】[一썽] 명『생』생물의 기본 염색체조(基本染色體組), 즉 게놈(Genom)이 한 조(組)로 된 경우를 일컬음. 이배성(二倍性)의 것에 비하여 작고 약하며 종자를 거의 만들지 못함.

일배-수【一杯水】명 물 한 그릇. 적은 물.

일배-주【一杯酒】명 한 잔의 술.

일배-체【一倍體】명〔monoploid〕『생』①염색체조(染色體組)가 한 쌍만으로 이루어진 개체. 이배체(二倍體)의 반수체(半數體)임. ②염색체의 반수(半數)를 가지는 일.

일백¹【一白】명『민』'수성(水星)'을 일컫는 음양가(陰陽家)의 말. 구궁(九宮)에 있어서의 북쪽 방위, 곧 감방(坎方)을 일컬음. 겨울철을 상징하며 이 별이 지배하는 해에 태어난 사람은 외유 내강(外柔內剛), 내향성(內向性) 등의 성질이 있다고 함. 일백 수성(一白水星).

일백²【一百】명 백(百). ¶～ 가지 걱정.

일백삼십육 지옥【一百三十六地獄】[一뉵一] 명『불교』팔대 지옥(八大地獄)과 팔대 지옥의 각각에 딸려 있는 십육 유증(十六遊增)을 합하여 일컫는 말.

일백 수성【一白水星】명『민』일백(一白).

일버서 타〈옛〉도둑질하여. '일벗다'의 부사형. ¶多蹊는 甘子롤 일버서 ᄠᅳ노라《初杜諺 XXV:16》.

일버숨 타〈옛〉도둑질. '일벗다'의 명사형. ¶제 발란 ᄆᆞ초고 ᄂᆞ미것 서르 일버수믈 홀씨《月釋 I:45》.

일버어 타〈옛〉도둑질하여. '일벗다'의 부사형. ¶偸生은 아니오라 사화 주글거시 아직 사라슈미 人生을 일버어 잇는ᄃᆞᆺ 홀시라《重杜諺 IV:8》.

일버:트-법【一法】[一뻡] 명〔Ilbert Bill〕『역』인도에서의 인도인의 지위 향상을 위해 인도 참사회의 법률 위원 일버트가 1883년에 제출한 법안. 인도에 거주하는 유럽인에 관한 재판을 인도인 판사가 맡게 하고 유럽인의 특권 폐지, 인종 차별 완화 등을 내용으로 하는 것이었으나 현지 및 본국 영국인의 맹렬한 반대로 실질 효과를 못 거두고 국민 운동만 더욱 격화시키게 됨.

일:-벌¹ 명『충』수벌 암벌에 대하여 집을 지으며, 애벌레를 기르고 꿀을 치는 일을 맡아 하는 벌. 생식 기능은 없음. 직봉(職蜂). ↔여왕벌.

〈일벌¹〉

일벌²【一伐】명『역』신라 때 외위(外位)의 하나. 십등급 가운데 여덟째 등급. 경위(京位)의 길사(吉士)에 해당함. *피왈(彼曰).

일벌³【佚罰】명〔일(佚)은 실(失)〕①정치를 잘못한 데 대한 벌. ②벌해야 할 것을 벌하지 못하였음. ——-하다 자여불

일벌 백계【一罰百戒】명 한 사람이나 한 가지 죄과를 벌줌으로써 여러 사람을 경계함. ¶～로 다스리다.

일벌 백계주의【一罰百戒主義】[一/一이] 명 일벌 백계를 방침으로 하는 사고(思考)나 입장.

일벌 일습【一一一襲】[一씁] 명 옷 한 벌을 거듭 강조하여 하는 말.

일-법랍【一法臘】[一납] 명『불교』중이 득도(得度)한 이후의 한 해. ㊈일랍(一臘).

일-법인【一法印】명『불교』대승 불교(大乘佛敎)에 있어, 미오 이계(迷悟二界)의 대립을 인정하지 않고, '물이 있기 때문에 물결이 있다'고 하는 것처럼 미오 일여(迷悟一如), 곧 현상(現象)은 실재(實在)라고 하는 교리(敎理). *삼법인(三法印).

일벗다 타〈옛〉도둑질하다. 훔치다. =일벗다. ¶金을 일벗디 아니ᄒᆞ리라(不偸金)《杜諺 XXI:35》.

일벗다 타〈옛〉도둑질하다. =일벗다. ¶五百前世 怨讐ㅣ 나랏쳔 일버아 精舍롤 디나아 가니《月釋 I:2》/그위거슬 일버서《月釋 I:6》/구루미 碧海ㅅ보믈 일버엣도다(雲偸碧海春)《初杜諺 XXIII:20》.

일벽【一癖】명 하나의 버릇.

일벽 만:경【一碧萬頃】명 푸른 물이 한없이 넓게 펼쳐 있음. 호수(湖水) 등을 형용하는 말.

일변¹【一邊】㊀명 ①한쪽. 한편. ②『수』기하학(幾何學)에서의 다각형(多角形)의 한계(限界)를 짓는 하나의 직선(直線). ㊁부 다른 한편으로 연방. ¶～ 놀랍고 ～ 호기심이 움직였다.

일변²【一變】명 사물(事物)이 아주 달라짐. 일전(一轉). ¶태도가 ～하다. ——-하다 자여불

일변³【日邊】명『수』날로 셈치는 변리. 일보(日步). 일리(日利). 날변. ¶3분 ～의 차금(借金).

일변⁴【日變】명 ①태양에 변사가 있는 일. 일식 따위를 이름. ②나날이 변함. ——-하다 자여불

일변⁵【逸辯】명 뛰어난 변설. 웅변. 준변(俊辯).

일변-계【一變系】명〔monovariant system〕『화』물질(物質)의 불균일계 평형(不均一系平衡)에 있어서 자유도(自由度)가 1인 계(系).

일변-도【一邊倒】명 한쪽으로만 치우침. 어떤 한 가지만을 주장하고 나섬. ¶대미(對美) ～의 외교.

일-변화【日變化】명 어느 지점에서의 기온·습도·기압 등의 하룻 동안의 변화.

일별¹【一別】명 한 번 이별함. ¶～ 이후. ——-하다 자여불

일별²【一瞥】명 한 번 흘깃 봄. ——-하다 타여불

일별³【日別】명 ①날마다. ②매일 별. ¶～로 계산하다.

일별 삼춘【一別三春】명 작별한 지 3년이나 되어 그립다는 뜻.

일병¹【一兵】명 ①『군』↗일등병(一等兵). ②한 사람의 병사. ¶최후의 ～까지.

일병²【日兵】명 일본의 병정. 일병정.

일병³【一竝】부 일체(一切)目. ¶법정이 너무 요란하므로 혐의하여 헌화를 ～ 엄금하고…《李海朝 : 九疑山》.

일-병정【日兵丁】명 일병(日兵).

일보¹【一步】명 한 걸음. ¶～ 전진.

일보²【一步】명『사람』함대훈(咸大勳)의 호(號).

일보³【日步】명『수』'일변(日邊)'의 구용어.

일보⁴【日報】명 ①나날의 보도(報道) 또는 보고. ②신문(新聞). ③『군』병원(兵員)의 나날의 현황 보고.

일보⁵【日譜】명 나날이 순서대로 기록함. 또, 그 부적(簿籍). 일록(日錄).

일보⁶ 감〈방〉여보(함경). └——-하다 타여불

일:-보다 자 ①일을 맡아서 처리하다. ②타인의 일을 돌보아 주다.

일보-변【日步邊】명『경』일보(日步)로 계산하는 변리(邊利).

일보 변:경【日報變更】명『군』개인이나 예하 부대가 그 소속 부대의 병력 집계(兵力集計)로부터 정식으로 제외되는 일.

일보 불양【一步不讓】명 상대방 또는 남에게 한 걸음도 양보(讓步)하지 아니함. ——-하다 타여불

일:-복¹【一服】명 어떤 일을 할 때 입는 의복. 작업복(作業服). ¶～으로 갈아입다.

일:-복²【一福】[一뽁] 명 일 거리가 많음을 복으로 일컫는 말. ¶～을 타고 나서 쉴 새가 없다.

일:복(이) 많:다 구 할 일이 끊임없이 자꾸 생기다. ¶일복 많은 사람.

일:복(이) 터:지다 구 할 일이 잔뜩 생기다. ¶일복 터졌군.

일복³【一服】명 ①약의 한 번 먹을 분량. ②『역』중국 주(周)나라 때 서울 밖 5백 리 외방(外方)을 이르던 말.

일복⁴【衵服】명 부녀의 속속곳.

일-복시【一伏時】명 일주야(一晝夜).

일본【日本】명〔Japan〕『지』아시아 극동(極東)에 위치하는 입헌 군주국. 서쪽으로 일본해(日本海)를 사이에 두고 대륙을 향하며, 동쪽으로는 태평양에 임(臨)하는데, 일본 열도(日本列島)를 이루는 홋카이도(北海道)·혼슈(本州)·시코쿠(四国)·규슈(九州) 및 그 부속 도서(島嶼) 3,400여 개로 구성됨. 2-3세기부터 야마토(大和) 부락 국가를 형성하여 뒤에 나라(奈良)·헤이안(平安) 시대에 통일 국가가 성립되었음. 12세기경부터 가마쿠라 막부(鎌倉幕府)·에도(江戸) 막부 등의 무사(武士) 집권에 의한 봉건 시대가 계속되다가 1867년의 메이지(明治) 유신(維新) 이후 자본주의적 군주 국가로서 급속히 발전하여 청일·러일 전쟁을 일으키고 한국을 합병하여 만주·중국에까지 손을 뻗치었으나, 1945년 태평양 전쟁에 패전한 뒤로는 민주정치로 전향했음. 일본어를 사용하며, 한자와 가나(かな)를 씀. 농업·공업 기타 산업이 아시아 여러 나라 중 가장 발달되었음. 특히, 바다로 둘러싸인 관계로 수산물(水産物)이 풍부하며, 교통도 발달되고, 원료(原料)의 수입 및 가공품(加工品)의 수출이 왕성(旺盛)함. 수도(首都)는 도쿄(東京). 왜국(倭國). ㊈일(日). [377,435.12 km²: 123,587,297 명(1992 추계)]

일본 간장【日本一醬】명 왜간장.

일본-감재【日本一】명〈방〉고구마(함북).

일본 뇌염【日本腦炎】명『의』바이러스의 감염으로 일어나는 유행성 뇌염. 늦여름에 퍼지는데 모기가 매개하며 발열과 더불어 의식 혼탁·헛소리·두통 등의 증상을 나타냄. 사망률이 높음.

일본-도【日本刀】명 일본 고유(固有)의 방법으로 친 칼. 단단하고 잘 들기로 널리 알려져 있음. 왜검(倭劍). 왜도(倭刀).

일본 방:송 협회【日本放送協會】명 엔 에이치 케이(NHK).

일본식 성:명 강:요【日本式姓名強要】명『역』일제 강점기 때 일제가 강제로 우리나라 사람의 성과 이름을 일본식으로 바꾸게 한 일. 1940년에 실시하다가 광복 후 1946년 조선 성명 복구령에 따라 무효가 되었음.

일본 알프스【日本一】〔Alps〕명『지』일본 중부 지방에 있는, 히다(飛驒) 산맥·기소(木曾) 산맥·아카이시(赤石) 산맥의 총칭. 히다 산맥을 북알프스, 기소 산맥의 고마가타케(駒ヶ岳) 연봉(連峰)을 중앙 알프스, 아카이시 산맥의 남쪽을 남알프스라고 함.

일본-어【日本語】명『언』일본 민족이 사용하는 언어. 알타이 어족의 하나. 구조상으로는 교착어(膠着語)에 속하는데, 전치사(前置詞)를 사용하지 아니하고, 후치사(後置詞)를 쓰며, 1·2인칭의 대명사의 종류가 많고 직업·연령·성별 따위에 의한 용어의 차이가 현저하며 경어법이 발달해 있고 형용사가 서술(敍述)에 쓰이는 것 등이 그 특징임. 문어(文語)와 구어(口語)에 상당한 차이가 있음. 가나(かな)와 한자로 표기함. ㊈일어(日語).

일본 열도【日本列島】[—녈또] [명]〖지〗아시아 대륙(大陸) 동쪽의 호상 열도(弧狀列島). 홋카이도(北海道)·혼슈(本州)·시코쿠(四国)·규슈(九州)의 4대 섬과 3,400여 개의 속도(屬島)로 이루어짐. 환태평양 조산대(環太平洋造山帶)라고 하는 습곡 운동대(褶曲運動帶)가 형성한 습곡 산맥으로 알류샨 열도(Aleutian列島)에서 류큐 열도(琉球列島)를 거쳐 필리핀 군도에 달하는 화채 열도(花綵列島)의 일부임. 북동에서 쿠릴 열도호(列島弧), 남서에 류큐 열도호, 중앙부에서 이즈(伊豆)·오가사와라(小笠原) 열도호와 연락됨. 동쪽은 일본 해구(日本海溝)를 이루고 있음.

일본 요리【日本料理】[—뇨—] [명] 일본에서 발달하여 일본인이 보통 먹는 전통적(傳統的)인 요리의 총칭. 그 속에 나타나는 계절감(季節感) 및 시각미(視覺美)가 특색임.

일본-원숭이【日本—】[명]〖동〗일본에서 나는 원숭이. 몸길이 50-70 cm, 꼬리 5-9 cm. 얼굴과 방둥이가 빨갛고 털은 다갈색임. 평지나 아고산대(亞高山帶) 하부의 삼림에 군생하며, 과실·나무 싹 등을 먹음.

일본 원:정【日本遠征】[명]〖역〗원(元)나라와 고려의 연합군이 원종 15년(1274)과 충렬왕 7년(1281)의 2차에 걸쳐 일본을 정벌하려고 공격해 갔다가 실패한 사건. 두번 다 원나라의 도원수는 흘돈(忽敦), 고려의 도독사(都督使)는 김방경(金方慶)이었음.

일본-인【日本人】[명]①〖법〗일본의 국적(國籍)을 가지는 사람. ②〖인류〗아시아계(系) 황색 인종의 하나. 피부는 누른 빛, 눈에 몽고 주름이 있는 사람이 많고 홍채(虹彩)는 흑갈색(黑褐色), 머리 털은 직상 흑모(直狀黑毛)임. 유아(幼兒)에는 몽고반(蒙古斑)이 있음. 일본어(日本語)를 씀. [준]일인(日人).

일본-제【日本製】[—쩨] [명] 일본에서 만듦. 또, 그 물건. [준]일제(日製).

일본-주혈흡충【日本住血吸蟲】[명]〖동〗[*Schistosoma japonicum*] 흡충강(吸蟲綱) 주혈흡충과(科)에 속하는 주혈흡충의 하나. 자웅 이체(雌雄異體)로, 수컷은 몸길이 10-18 mm, 납작한데 칼집 모양으로 암컷을 안고 있음. 암컷은 수컷보다 가늘고 몸길이 15-20 mm임. 알은 물에서 깨어, 유충(幼蟲)인 미라키듐(miracidium)이 중간 숙주인 우렁이 속으로 들어가, 스포로키스트(sporocyst)·세르카리아(cercaria)의 단계를 거쳐 다시 물 속으로 나와서 인축(人畜)의 피부에 침입, 문맥(門脈) 안에 성충이 되어 일본주혈흡충증(症)을 일으키게 함. 온대·열대 아시아에 널리 분포함.

〈일본주혈흡충〉

일본주혈흡충-증【日本住血吸蟲症】[—쯩] [명]〖의〗일본주혈흡충의 피부를 통한 감염(感染)으로 일어나는, 사람과 가축의 병. 감염 부위(部位)에 피부염을 일으키고, 3-5주 뒤에 열이 나며 급성 이질과 같은 증상을 나타냄. 만성이 되면 간장(肝臟)·비장(脾臟)이 비대해져 배가 불러짐.

일본-털날도래【日本—】[—랄—] [명]〖충〗[*Coera japonica*] 털날도랫과의 곤충. 몸길이 6.5 mm, 편 날개 17 mm. 몸빛은 황갈색, 날개는 농회색에 짧은 털이 있고, 촉각은 황갈색임. 유충은 개울 물 속에서 인형 모양의 집을 짓고 삶. 한국·일본·시베리아에 분포함.

일본-풍【日本風】[명] 일본에서 하는 양식(樣式)을 본받은 모양.

일본-할미꽃【日本—】[명]〖식〗가는잎할미꽃.

일본 해:류【日本海流】[명]〖지〗쿠로시오 해류.

일봉[1]【一封】[명] 사례금이나 상금으로, 얼마의 돈을 봉투에 넣거나 종이로 싸서 봉한 봉투. ¶금~.

일봉[2]【日俸】[명] 하루의 급료. 일급.

일봉[3]【日捧】[명] 날마다 거둬들임. ——-하다 [타][여불]

일봉 서간【一封書簡】[명] 봉투에 넣어서 봉한 하나의 편지.

일부[1]【一夫】[명] ①한 사내. ¶~ 다처(多妻). ② 하나의 필부(匹夫).

일부[2]【一部】[명] ①한 부분. ¶~ 인사(人士). ↔전부(全部). ②한 벌. 한 책. ¶~에 백 원. ③학교 등에서 야간부 또는 오후반에 대하여, 주간부·오전반을 이름. ↔이부(二部).

일부[3]【一富】[명] 갑부(甲富).

일부[4]【日附】[명] 서류 기타에 적는 그 날 그 날의 날짜. ¶~ 변경선.

일부[5]【日賦】[명] 일정한 금액(金額)을 며칠에 나누어 매일 갚아서 꺼 나감. ¶~ 판매. *월부(月賦).

일부-금【日賦金】[명] 일부로 갚아서 꺼 가는 돈. *월부금(月賦金).

일부 다처【一夫多妻】[명]〔polygamy〕한 남편이 동시에 여러 아내를 거느림. 폴리거미.

일부 다처제【一夫多妻制】[명] 일부 다처의 혼인 제도. 일부 다처혼(婚).

일부 다처주의【一夫多妻主義】[—/—이] [명]〔polygamy〕일부 다처(一夫多妻)의 혼인 형식(婚姻形式)을 시인(是認)하고 주장하는 주의. 폴리거미.

일부 다처주의자【一夫多妻主義者】[—/—이—] [명] 일부 다처주의를 주장하는 사람.

일부러 [부] ①특히 일삼아. ¶~ 올 것까지는 없다. ②알면서 굳이. 짐짓. ¶~ 모르는 체하다.

일부 변:경선【日附變更線】[명]〖지〗날짜 변경선.

일부 보:험【一部保險】[명]〖경〗보험 금액이 보험 가액(價額) 미만(未滿)의 보험 계약. 부족(不足) 보험. ↔전부(全部) 보험·초과(超過) 보험.

일-부분【一部分】[명] 한 부분. 한 덩어리를 몇 몫으로 나눈 얼마. ¶드러난 죄는 ~에 지나지 않는다.

일부분 형식【一部分形式】[명]〖악〗'한도막 형식'의 한자 이름.

일부-불【日賦拂】[명] 일부(日賦)로 갚음.

일부 상:소【一部上訴】[명]〖법〗형사 소송법상, 재판의 일부에 대한 상소. 재판의 일부란 여러 개의 사건이 병합(併合)된 경우의 재판의 일부를 말함.

일부 양:처【一夫兩妻】[명] 한 남편에 아내가 둘이 있음.

일부-인【日附印】[명] 서류 등에 그 날 그 날의 날짜를 찍어 넣는 도장.

일-부일【日復日】[부] 날마다. 나날이.

일부 일부【一夫一婦】[명]〔monogamy〕한 남편과 한 아내. 곧, 한 부부. 일부 일처(一夫一妻).

일부 일부주의【一夫一婦主義】[—/—이] [명] 일부 일처주의.

일부 일부주의자【一夫一婦主義者】[—/—이—] [명] 일부 일처주의자.

일부 일앙【一俯一仰】[명] 한편 엎드리고 한편 위로 쳐다봄. 엎드렸다 위를 쳐다봤다 함. 일언 일앙(一偃一仰). ——-하다 [자][여불]

일부 일처【一夫一妻】[명] 일부 일부(一夫一婦). 모노거미(monogamy).

일부 일처제【一夫一妻制】[명] 한 남편에 한 아내의 혼인 제도. *일부 일부주의.

일부 일처주의【一夫一妻主義】[—/—이] [명]〔monogamy〕한 남편과 한 아내의 혼인 형식(婚姻形式)을 주장하는 주의. 모노거미. 일부 일부주의. *일부 일처제.

일부 일처주의자【一夫一妻主義者】[—/—이—] [명] 일부 일처주의(一夫一妻主義)를 신봉(信奉)하는 사람. 일부 일부주의자.

일부-장【一夫章】[—짱] [명]〖악〗용비 어천가 제10장의 이름.

일부 조사【一部調査】[명] 통계에서, 관찰 대상이 되는 집단(集團)의 일부만을 조사하여, 그로부터 집단 전체를 추정(推定)하는 방법. 부분(部分) 조사. ↔전수(全數) 조사.

일부 종:목【一部種目】[명]〖경〗증권 시장에서, 상장(上場)한 지 오래되고 자본금 규모가 크며, 주식 분포가 널리 되어 있어서, 우수(優秀) 기업으로 인정된 종목. 제이부 종목. *이부(二部) 종목.

일부 종사【一夫從事】[명] 한 남편만을 섬김. ——-하다 [자][여불]

일부 종신【一夫終身】[명] 한 남편을 섬겨 그 남편이 죽어도 개가(改嫁)하지 아니하고 일생을 마침. ——-하다 [자][여불]

일부 주권국【一部主權國】[—꿘—] [명]〖법〗주권(主權)을 완전히 보유(保有) 행사할 수 없는 국가. 곧, 국제법상 그 능력이 제한되어 있는 국가. 반독립국(半獨立國). 반주권국. 종속국(從屬國). 불완전(不完全) 주권국.

일부-토【一抔土】[명] ①한 줌의 흙. ②무덤.

일부 파:산【一部破産】[명]〖법〗어떤 사람에게 귀속(歸屬)하는 재산의 일부만으로 구성되어 있는 특별한 재단에 대해서 행하여지는 파산. 이를 특별 파산이라고도 함.

일부 판결【一部判決】[명]〖법〗동일 소송 절차(同一訴訟節次) 속에 병합심리(併合審理)된 여러 청구(請求)에 관한 소송 사건(訴訟事件)의 일부에 대하여 하는 종국 판결(終局判決). 이 판결에 대하여는 독립하여 상소(上訴)할 수 있음. ↔전부 판결(全部判決).

일부 판매【日賦販賣】[명] 일부(日賦)로 물건을 팖. ——-하다 [타][여불]

일분【一分】[명] ①한 치의 10분의 1. ②한 돈의 10분의 1. ¶순금 ~. *푼[2]. ③한 시(時)의 60분의 1. ¶~ 1초. ④각도(角度)·경위도(經緯度) 등의 1도(度)의 60분의 1. ⑤1할(割)의 십분의 일. ⑥하나를 몇 개로 등분(等分)한 것의 한 부분.

일분모 회:록【一分耗會錄】[명]〖역〗조선 명종(明宗) 9년(1554)부터, 지방의 모곡(耗穀) 가운데 10분의 1을 호조(戶曹)에 보고하게 하여 회계 장부인 회안(會案)에 등록하는 일. 이것은, 차차 그 수량이 감축되어 가던 원곡(元穀)으로 전환(轉換)하기 위한 것임. *삼분모(三分耗) 회록.

일분부 거:행【一吩咐擧行】[명] 한 번 이르는 대로 곧 들어 행함. 일분부 시행(一吩咐施行). ——-하다 [타][여불]

일분부 시:행【一吩咐施行】[명] 일분부 거행(一吩咐擧行). ——-하다 [타][여불]

일분여-도【一分洳島】[명]〖지〗전라 남도의 서해상, 영광군(靈光郡) 낙월면(落月面)에 위치한 무인도(無人島). [0.002 km^2]

일분 일기【一僨一起】[명] 넘어졌다 일어났다 함. ——-하다 [자][여불]

일분 일초【一分一秒】[명] ①한 분(分)과 한 초(秒). ②극히 짧은 시간. ¶~를 다투는 판국.

일-분자【一分子】[명] ①〖화〗하나의 분자(分子). ②어떤 한 당류(黨類) 중의 한 개체(個體).

일분자 반:응【一分子反應】[명]〖화〗화학 반응(化學反應)의 과정에서 하나의 분자가 단독으로 변화하는 듯한 반응(反應).

일분자-층【一分子層】[명]〖화〗어떤 물질의 표면에 특수한 물질의 분자가 한 겹으로 줄지어져 있는 층. 수용액(水溶液)의 표면에 기름·비누 등의 분자가 한 겹 뜨는 것과 같은 것. 단분자층(單分子層).

일불【一佛】[명]〖불교〗①일체(一體)의 불(佛). ②아미타 여래(阿彌陀如來).

일-불가급【日不暇給】[명] 날마다 바빠서 여가가 없음. ——-하다 [형][여불]

일-불거론【一不擧論】[명] 한 번도 논의하지 아니함. 한 번도 상관하지 아니함. ——-하다 [타][여불]

일불 국토【一佛國土】[명]〖불교〗일불 세계(一佛世界).

일불 성도【一佛成道】[명]〖불교〗모든 중생(衆生)이 다 같이 부처가 된다는 말.

일불 세:계【一佛世界】[명]〖불교〗일불이 이익(利益)을 베풀어 나가는 세계(世界). 일불 국토(一佛國土). 일불토(一佛土).

일불-승【一佛乘】[—씅] [명]〖불교〗일체의 중생(衆生)이 부처와 함께 같은 불인(佛因)에 의하여 같은 불과(佛果)를 얻는 구경(究竟)의 교법(敎法). 일승법(一乘法).

일-불이구【日不移晷】[명]〔구(晷)는 해 그림자〕해 그림자가 그대로 있음. 곧, 시간이 얼마 가지 않음.

일불 이:보살【一佛二菩薩】[명]〖불교〗①한 좌(座)의 부처와 두 좌의 협사(脇士)인 보살. ②특히 아미타 여래와 그 협사인 관세음 보살 및 세지

보살(勢至菩薩).

일불이 살육통【一不一殺六通】[—륙—] 명 ①오직 하나의 잘못으로 그 밖의 모든 일이 실패함. ②한 사람의 허물로 여러 사람이 모두 벌을 받음. ③〖역〗강경과(講經科)의 강생(講生)이 칠서(七書) 중 육서(六書)에 합격하여도 일서(一書)에 합격하지 못하면 낙제(落第)로 되던 일. *육통(六通)이 터지다.

일불 정토【一佛淨土】명 〖불교〗 일불의 극락 세계(極樂世界). 곧, 아미타불(阿彌陀佛)의 정토(淨土).

일불-토【一佛土】명 〖불교〗일불 세계(一佛世界).

일-불투족【一不投足】명 일불현형(一不現形).

일-불현형【一不現形】명 한 번도 나타나지 아니함. 일불투족. ——-하다 자여불

일비¹【一臂】명 ①한쪽 팔꿈치. 한 팔. ②전(轉)하여, 나의 힘이 되어 주는 사람.

일비²【日費】명 날마다의 비용(費用).

일비-국【一臂國】명 옛날 중국에서 전해 오던 상상(想像)의 나라의 하나. 손·발·눈이 하나씩밖에 없고 콧구멍도 하나밖에 없는 사람들이 살았다는 나라.

일비 일희【一悲一喜】[—히] 명 슬퍼했다 기뻐했다 함. 슬프고 기쁜 일이 번갈아 일어남. 일희 일비(一喜一悲). ——-하다 자여불

일비지-력【一臂之力】명 조그마한 힘. 일편지력(一鞭之力).

일비지-로【一臂之勞】명 조그마한 노고.

일빈 일부【一貧一富】명 가난해지기도 하고 부자(富者)가 되기도 함. ——-하다 자여불

일빈 일소【一嚬一笑】[—쏘] 명 얼굴을 한 번 찡그림과 한 번 웃음. 곧, 얼굴에 나타내는 감정의 움직임을 이름.

일사¹【一死】[—싸] 명 ①한 번 죽음. 한 목숨을 버림. ¶~ 보국(報國). ②야구에서, 아웃의 수가 하나임. 원 아웃.

일사²【一事】[—싸] 명 한 사건. 한 가지의 일. 일조(一條).

일사³【一舍】[—싸] 명 〔군사가 하루 삼십리 걸어 일박함에서〕 삼십리(三十里).

일사⁴【一絲】[—싸] 명 ①한 오리의 실. ②극히 작은 사물(事物)의 비유.

일사⁵【一簑】[—싸] 명 〖사람〗 방종현(方鍾鉉)의 호(號).

일사⁶【日射】[—싸] 명 ①태양 광선이 비침. ②〖물〗 태양의 복사(輻射) 에너지의 강도(強度).

일사⁷【逸士】[—싸] 명 세상을 숨어 사는 선비.

일사⁸【逸史】[—싸] 명 정사(正史)에서 빠진 사실(事實)을 기록(記錄)한 역사(歷史).

일사⁹【逸死】[—싸] 명 안일하게 죽음. ——-하다 자여불

일사¹⁰【逸事·軼事】[—싸] 명 세상에 알려지지 않은 숨은 사실.

일사-계【日射計】[—싸—] 명 〖물〗 태양의 복사(輻射) 에너지의 강도(強度)를 측정하는 기계. 액티노미터(actinometer).

〈일사계〉

일사 무성【一事無成】[—싸—] 명 아무 것도 성취한 것이 없음. 무엇 하나 완수하지 못함.

일-사반:기【一四半期】[—싸—] 명 '일사분기(一四分期)'의 구용어.

일사-병【日射病】[—싸뼝] 명 〖의〗 여름 철 강한 햇볕에 오랫 동안 쬐이면서 노동·행진(行進) 등을 할 때에 일어나는 병. 심한 두통(頭痛)·현기증(眩氣症)이 일어나고 숨이 차며 인사 불성(人事不省)이 되어 졸도(卒倒)함. 갈병(暍病).

일사 보:국【一死報國】[—싸—] 명 한 번 죽어 나라에 보답함. 한 목숨 바쳐 나라에 보답함. ——-하다 자여불

일사 부재리【一事不再理】[—싸—] 명 〖법〗 형사 소송법 상(刑事訴訟法上)으로 유죄(有罪)·무죄(無罪)의 판결(判決) 또는 면소(免訴)의 판결이 난 사건에 대해서, 재차(再次) 공소(公訴)의 제기(提起)를 허락하지 않는 것.

일사 부재의【一事不再議】[—싸—/—싸—이] 명 〖법〗 의회에서 한 번 부결된 안건(案件)은 같은 회기 중에 다시 제출할 수 없다고 하는 원칙. ¶~의 원칙.

일-사분기【一四分期】[—싸—] 명 회계 연도 따위에서, 1년을 4등분한 첫째 기간. 곧, 1·2·3월의 3개월 동안. ¶~ 수출 실적.

일사 불란【一絲不亂】[—싸—] 명 질서(秩序)가 정연(整然)하여 조금도 어지러움이 없음. ¶전 직원이 ~하게 움직이다. ——-하다 형여불

일사-사【一四四】[—싸—] 명 〖수〗 구구법(九九法)의 하나. 하나의 네 곱 또는 넷의 한 곱은 넷임.

일사-우【一簑雨】[—싸—] 명 도롱이를 적실 정도의 적은 비.

일-사인【一私人】명 국가 또는 공공적인 지위·입장을 떠난 한 사람의 인간. 한 사인. 일개인.

일사 일생【一死一生】[—싸—쌩] 명 죽는 것과 사는 것.

일사 일호【一絲一毫】[—싸—] 명 한 오리의 실과 한 오리의 털. 곧, 지극히 하잘것없고 작은 일의 비유. ¶~도 가벼이 하지 않다.

일사 천리【一瀉千里】[—싸철—] 명 ①강물의 수세(水勢)가 빨라 한 번 흘러 천 리(千里) 밖에 다다름. ②사물(事物)이 거침없이 속히 진행(進行)됨. ¶~로 가결(可決)하다. ③문장(文章)이나 구변(口辯)이 거침이 없음. ¶~로 써 갈기다.

일사 칠궁【一司七宮】명 〖역〗 조선 시대 때 도성 안의 내수사(內需司) 및 수진궁(壽進宮)·명례궁(明禮宮)·어의궁(於義宮)·육상궁(毓祥宮)·용동궁(龍洞宮)·선희궁(宣禧宮)·경우궁(景祐宮)의 총칭.

일사 칠생【一死七生】[—싸—쌩] 명 한 번 죽고 일곱 번 새로 태어남. 곧, 이 세상에 새로 태어나는 동안.

일사 후:퇴【一四後退】[—싸—] 명 〖역〗 6·25전쟁 때 중공군(中共軍)의 공세로 한국 정부가 1951년 1월 4일 수도 서울에서 철수하여 부산(釜山)으로 후퇴한 일.

일삭¹【一朔】[—싹] 명 한 달.

일삭²【日朔】[—싹] 명 초하루.

일:-삯 [—싹] 명 ☞품삯.

일산¹【一山】[—싼] 명 〖지〗 경기도 고양시(高陽市)의 한 구(區). 17동(洞). 시의 서쪽 한강(漢江)에 임한 지역으로, 대규모 아파트 단지가 조성되면서 이에 따른 상가(商街)·공공 시설 등이 들어서 수도권의 신시가지(新市街地)를 이룸. [318,826명(1996)]

일산²【日産】[—싼] 명 ①매일의 산출고(產出高) 또는 생산고(生產高). 일산량(日產量). ¶~ 만 대의 자동차. ②일본서 난 물건. ¶~ 곡물(穀物).

일산³【日傘】[—싼] 명 ①들놀이 때에 볕을 가리기 위한 큰 양산. 비단으로 만듦. 양산(陽傘). ②〖역〗 의장(儀杖)의 한 가지. 자루가 긴 큰 양산으로, 황제(皇帝)는 누른색, 왕(王)·황태자(皇太子)는 붉은 색, 왕세자(王世子)는 검은 색임. ③〖역〗 흰 바탕에 푸른 선을 두른 긴 양산. 감사(監司)·유수(留守)·수령(守令) 들이 부임할 때에 받음.

〈일산³❷〉

일산⁴【日算】[—싼] 명 그 날 그 날의 계산. 일계(日計).

일산 갈고리【日傘—】[—싼—] 명 〖고고학〗 수레 일산을 고정시키기 위한 일산 살대 투겁에 갈고리처럼 달린 부분. 개궁로조(蓋弓橑爪).

일산-대【日傘—】[—싼때] 명 일산을 받치는 대.

일산-량【日產量】[—싼냥] 명 일산(日産)❶.

일산 살대 투겁【日傘—】[—싼—때—] 명 〖고고학〗 수레에 세운 일산의 살대 끝에 끼우는 투겁 장식. 개궁모(蓋弓帽).

일산 염기【一酸鹽基】[—싼념—] 명 〔monoacide base〕 〖화〗 산도(酸度)가 1인 염기(鹽基). 수산화 나트륨 등과 같이 산(酸)과 중화(中和)하는 히드록시기(基)를 하나 함유(含有)하는 염기.

일산-화【一酸化】[—싼—] 명 〖화〗 산소 한 원자와 결합함.

일산화 규소【一酸化珪素】[—싼—] 명 〔silicon monoxide〕 〖화〗 규소 화합물을 특수한 조건으로 분해하여 얻는 무정형(無定形)의 고체. 녹는점 1730℃, 끓는점 1880℃로 절연체(絕緣體)임. 연마제·유리의 코팅제(coating劑) 등으로 쓰임. [SiO]

일산화-납【一酸化—】[—싼—] 명 〔lead monoxide〕 〖화〗 ①산화납(Ⅰ). 일산화 이납. 옥살산납을 이산화 탄소의 기류(氣流) 속에서 가열하여 얻는 암회색(暗灰色)의 분말. 아산화납. [Pb_2O]. * 산화납. ②산화납(Ⅱ). 일산화 일납. 흔히 산화납 또는 일산화납이라고 함. 납을 3000℃로 태워 만든 황색 분말(黃色粉末). 녹는점 886℃, 끓는점 1470℃. 물에는 소량이 용해되어 알칼리성(alkali性)을 나타냄. 양쪽성 산화물임. 납유리·도기 유약(陶器釉藥)·축전지(蓄電池) 등에 쓰이며, 약품의 제조 원료임. 밀타승(密陀僧). [PbO]

일산화 망간【一酸化—】[—싼—] 명 〔manganese monoxide〕 〖화〗 산화 망간❶.

일산화-물【一酸化物】[—싼—] 명 〖화〗 산화물 중에, 일 분자(分子) 속에 산소 원자 한 개를 갖는 것. 일산화 망간·일산화 탄소·일산화 질소(窒素) 등.

일산화 바나듐【一酸化—】[—싼—] 명 〔vanadium monoxide〕 〖화〗 오산화(五酸化) 바나듐을 금속 칼륨으로 환원(還元)하든가, 염화 바나딜(塩化 vanadyl)과 수소의 혼합물을 적열 탄소(赤熱炭素) 위에서 가열하여 얻는 식염형 구조(食塩型構造)의 회색 분말(粉末). 물에 녹지 않고 산에는 녹음. 녹는점 1790℃ 가열에 의해 산화되어 삼산화 이(二)바나듐이 됨. [VO]

일산화 우라늄【一酸化—】[—싼—] 명 〔uranium oxide〕 〖화〗 산화 우라늄❶.

일산화 이:염소【一酸化二塩素】[—싼—] 명 〔dichlorine monoxide〕 〖화〗 산화 염소❶.

일산화 이:질소【一酸化二窒素】[—싼—쏘] 명 〔dinitrogen monoxide〕 〖화〗 일산화 질소❷.

일산화 일질소【一酸化一窒素】[—싼—쏘] 명 〔mononitrogen monoxide〕 〖화〗 일산화 질소❶.

일산화 일철【一酸化一鐵】[—싼—] 명 〖화〗 산화철❶. 산화 제일철.

일산화 질소【一酸化窒素】[—싼—쏘] 명 〔nitrogen monoxide〕 〖화〗 ①일산화 일질소. 공업적으로 암모니아를 백금(白金)·산화철(Ⅱ)를 촉매로 하여 300-500℃로 가열, 산화시켜 대량으로 만드는 무색(無色)의 기체(氣體). 녹는점은 −163.6℃이고 끓는점은 −151.8℃임. 공기 중에서는 산소와 화합하여 갈색의 이산화 질소가 됨. 질산(窒酸)의 원료가 되며, 레이온의 표백제, 유기물(有機物)의 안정제(安定劑)로 쓰임. 산화 질소. ②일산화 이질소. 단 맛과 향기가 있는 무색의 기체. 녹는점은 −90.80℃, 끓는점 88.57℃. 질산 암모늄을 가열하면 발생함. 화학적 성질은 산소와 비슷하여 연소(燃燒)를 도움. 이를 조금 흡수하면 안면 근육(顔面筋肉)에 가벼운 경련이 일어나 마치 웃는 것 같아 보이므로 소기(笑氣)라고도 함. 마취제(痲醉劑)·방부제(防腐劑) 등으로 쓰임. 아산화 질소(亞酸化窒素). [N_2O]

일산화 카드뮴【一酸化—】[—싼—] 명 〔cadmium monoxide〕 〖화〗 산화 카드뮴❶.

일산화 코발트【一酸化—】[—싼—] 명 〔cobalt monoxide〕 〖화〗 산화 코발트❶.

일산화 크롬【一酸化—】[—싼—] 명 〔chromium monoxide〕 〖화〗 산화 크롬❶.

일산화 탄:소【一酸化炭素】[一싼一] 명〔carbon monoxide〕〖화〗탄소 또는 탄소 화합물이 불충분한 산소 공급 하에 연소할 때, 곧 불완전 연소 때에 생김. 공업적으로는 석탄·코크스 등을 공기 또는 수증기와 반응시켜 수성 가스(水性 gas)로 만든 다음 이를 정제(精製)하여 얻음. 공기 중에서 점화(點火)하면 푸른 불꽃을 내고 연소하여 이산화 탄소가 됨. 무색·무취(無臭)·무미(無味)의 맹독성(猛毒性) 기체임. 헤모글로빈(hemoglobin) 및 여러 가지 호흡 효소(呼吸酵素)와의 결합력(結合力)이 산소보다도 세므로 흡입하면 매우 위험함. 녹는점 −205.1℃, 끓는점 −191.5℃임. 메탄올·포르말린 따위의 제조 원료. 산화 탄소. [CO] ＊이산화 탄소.

일산화 탄:소 중독【一酸化炭素中毒】[一싼一] 명〖의〗일산화 탄소를 일정량(一定量) 이상 흡입하여 생기는 중독 현상. 머리가 아프고 어지러우며, 얼굴이 발갛게 되고 속이 매스꺼워지며 갑자기 인사 불성이 됨. 그대로 내버려 두면 호흡이 끊기고 죽음. 죽지 않을 경우에도 기억 상실·경련·운동 실조 등 중추 신경계에 후유증을 남기는 일이 있음. 가정의 연료용 가스·자동차의 배기 가스 따위가 중독 사고의 원인이 됨.

일산화 탄:소 헤모글로빈【一酸化炭素一】〔hemoglobin〕[一싼一] 명〖생〗카르복시헤모글로빈(carboxyhemoglobin).

일산화 티탄【一酸化一】[一싼一] 명〔titanium monoxide〕〖화〗산화 티탄❶.

일살 다생【一殺多生】[一쌀一] 명〖불교〗많은 사람을 살리기 위하여 한 사람을 죽임. ——하다 자여불

일:-삼다 [一따] 타 ①그 일에 종사하다. ②자기의 직무로 알다. ¶불평을 ～/노는 것을 ～.

일-삼매【一三昧】[一쌈一] 명 ①잡념(雜念)을 떨고 일에 열중하는 일. ②〖불교〗잡념을 떨고 열심히 수행하는 일.

일-삼복【日三服】[一쌈一] 명 같은 약을 하루에 세 번 먹음. 일재복(日再服). ——하다 타여불

일삼-삼【一三三】[一쌈一] 명〖수〗구구법(九九法)의 하나. 하나의 세 곱 또는 셋의 한 곱은 셋임.

일삽-시【一霎時】[一쌉一] 명 잠시(暫時).

일삽-우【一霎雨】[一쌉一] 명 한 바탕 내리는 비.

일상[1]【一相】[一쌍] 명〖역〗조선 시대에, 이상(貳相) 가운데 으뜸이라는 뜻으로 좌찬성(左贊成)을 일컫던 말. ＊이상²(二相).

일상[2]【日商】[一쌍] 명 일본인 상인. 또, 일본 상사(商社).

일상[3]【日常】[一쌍] 명부 날마다. 늘. 항상. ¶～생활.

일상-관【日想觀】[一쌍一] 명〖불교〗관무량수경(觀無量壽經)에 설도(說道)된 십육관법(十六觀法)의 하나. 정토(淨土)를 관상(觀想)하기 위하여, 서쪽을 향해 해가 지는 일을 관상(觀想)하는 일.

일상 다반【日常茶飯】[一쌍一] 명 항용 있는 일. 일상 다반사. 항다반(恒茶飯).

일상 다반사【日常茶飯事】[一쌍一] 명 일상 다반.

일상-사【日常事】[一쌍一] 명 일상으로 있는 일.

일상 생활【日常生活】[一쌍一] 명 날마다의 생활. 평소의 생활. 속생활(俗生活).

일상-성【日常性】[一쌍썽] 명 ①인간(人間) 본연(本然)의 자세. ②〔도 Alltäglichkeit〕〖철〗하이데거의 존재론의 용어. 현존재의 극히 일반적인 본연의 모습.

일상 용:어【日常用語】[一쌍뇽一] 명 날마다 보통으로 쓰는 말.

일상 일영【一觴一詠】[一쌍一] 명 일영 일상. 「자여불

일상 일하【一上一下】[一쌍一] 명 혹은 오르고 혹은 내림. ——하다

일상-적【日常的】[一쌍一] 명관 평소에 날마다 늘 있는 모양. ¶～인 일이다.

일상-화【日常化】[一쌍一] 명 일상적인 일이 됨. ——하다 자여불

일색[1]【一色】[一쌕] 명 ①한 빛. ¶유니폼이 푸른 빛 ～이다. ②뛰어난 미인. ¶천하 ～. ＊절색(絕色). ③어떤 명사 밑에 붙어, 그 한 가지로만 이루어진 특색 또는 정경. ¶축하 ～.

[일색 소박(疎薄)은 있어도 박색 소박은 없다] ㉠아름다운 여자는 흔히 남편에게 박대를 받게 되나, 못생긴 여자는 덜 박대를 받는다. ㉡사람됨이 얼굴에 매인 것은 아니라는 뜻.

일색[2]【日色】[一쌕] 명 해의 빛깔. 또, 해의 빛. 전(轉)하여, 태양.

일색[3]【日塞】[一쌕] 명 음양도(陰陽道)에서, 외출 등을 하려고 하는 방향에 천일신(天一神)이 있어서 그 외출 등을 피하여야 하는 일.

일생[1]【一生】[一쌩] 명 살아 있는 동안. 평생(平生). 전생(全生). 몰세(沒世). 한살이. ¶～ 일대.

[일생 화근은 성품 고약한 아내] 악처는 평생의 애물이라는 말.

일생[2]【一眚】[一쌩] 명 ①작은 과실(過失). ②한때의 과오(過誤).

일생 괴:욕【一生愧辱】[一쌩一] 명 그 사람 일대(一代)의 수치(羞恥).

일생 보:처【一生補處】[一쌩一] 명〖불교〗오직 한 번만 생사(生死)에 관련되고 일생을 마치면 다음에는 부처가 될 수 있는 보살(菩薩)의 최고 지위. 준보처(補處).

일생 불범【一生不犯】[一쌩一] 명〖불교〗일생 동안 불계(佛戒)를 지켜 여자를 범하지 아니함. ——하다 자여불

일-생애【一生涯】[一쌩一] 명 ①일생(一生)을 통한 생애. ②한 생애.

일생 일대【一生一代】[一쌩一때] 명 죽기까지. 일생 동안.

일생 일사【一生一死】[一쌩一싸] 명 한 번 나고 한 번 죽음.

일생 일세【一生一世】[一쌩一쎄] 명 한 생애(生涯).

일생-토록【一生一】[一쌩一] 부 평생(平生)토록.

일서[1]【一書】[一써] 명 ①하나의 책. ②한 통의 서면. ③어떤 책. ¶～에 이르기를.

일서[2]【逸書】[一써] 명 ①〖책〗중국 한(漢)나라초에 복생(伏生)이 전한 29 편 이외의 고문 상서(古文尙書). ②세상에 나타나지 않는 경서(經書). 또, 산일(散逸)한 책.

일-서두르다 자타 르불 일찍 서두르다. ¶일서둘러 밥을 먹고 집을 나섰다.

일석[1]【一夕】[一썩] 명 ①하루 저녁. 일모(一暮). 일소(一宵). ②어느 저녁.

일석[2]【一昔】[一썩] 명 한 시대 옛날. 보통 십 년을 일석이라고 말함.

일석[3]【日夕】[一썩] 명 저녁. ¶～ 점호.

일석[4]【逸石】[一썩] 명〖사람〗변영태(卞榮泰)의 호(號).

일석 이:조【一石二鳥】[一썩一] 명 일거 양득(一擧兩得). ¶～의 효과.

일석 점호【日夕點呼】[一썩一] 명〖군〗저녁에 취침 전에 하는 점호. ＊일조 점호.

일선[1]【一線】[一썬] 명 ①하나의 선. ②중요한 뜻이 있는 뚜렷한 구분. ¶～을 긋다. ③↗제일선(第一線). ¶～기자/～장병.

일선[2]【一禪】[一썬] 명〖사람〗조선 시대 중기의 승려. 호는 정관(靜觀), 성은 곽(郭). 유정(惟政)·언기(彥機)·태능(太能) 등과 함께 휴정(休靜)의 4대 제자의 한 사람. 명종 3년(1548) 16세 때 선운(禪雲)에게서 중이 되고 만년에 휴정의 강석(講席)에 참학(參學)하여 그 심인(心印)을 전해 받음. [1533-1603]

일설【一說】[一썰] 명 ①하나의 설(說). ②어떠한 말. ¶～에 의하면. ③다른 말. 이설(異說). ¶달리 해석하는 ～도 있다.

일설지-임【一舌之任】[一썰一] 명 변론(辯論)으로 결정을 짓는 임무(任務). 「여불

일섬【一閃】[一썸] 명 빛 따위가 한 번 번쩍임. 또, 그 빛. ——하다 자

일성[1]【一醒】[一썽] 명〖사람〗이준(李儁)의 호(號).

일성[2]【一聲】[一썽] 명 하나의 소리. 한 번 소리를 내는 일. ¶대갈(大喝)～.

일-성[3]【日星】[一썽] 명 해와 별.

일성[4]【日省】[一썽] 명 ①매일 자기의 행실을 반성함. ②매일 남의 일하는 태도를 살핌. ——하다 타여불

일성-록【日省錄】[一썽녹] 명〖책〗조선 시대 영조(英祖) 36년(1760) 1월에서 융희(隆熙) 4년(1910) 8월에 걸쳐 조정 내외의 여러 관원(官員)에 관련된 매일의 기록. 조선 시대 후기의 기초 사료(基礎史料)가 되며, 현재 150 년간의 2,329 책이 전해짐. 서울 대학교 부속 도서관 소장. 국보 제153호.

일성-론【一性論】[一썽논] 명〔monophysitism〕〖기독교〗예수 그리스도는 신성(神性)과 인성(人性)이 하나로 복합(複合)한 단일성(單一性)의 것이라고 주장하는 이론(異論). 단성론(單性論). 기독 단성설(基督單性說).

일성-왕【逸聖王】[一썽一] 명〖사람〗신라 제7대 왕. 유리왕의 맏아들. 말갈(靺鞨)의 침입을 자주 받아 국력이 소모되었으나 농정(農政)을 잘하고 백성들의 사치를 금하며 검소한 생활을 장려하였음. 일성 이사금(逸聖尼師今). [재위 ?-154]

일성 일쇠【一盛一衰】[一썽一쐬] 명 한 번 성하고 한 번 쇠함. 성하는 때도 있고 쇠하는 때도 있음. 일영 일락(一榮一落). ——하다 자여불

일성 정:시의【日星定時儀】[一썽一/一썽一이] 명〖천〗조선 세종 19년(1437)에 만든, 주야로 시각(時刻)을 보는 시계의 한 가지. 네 개를 만들어 하나는 궁중에 두고 나머지는 서운관(書雲觀)·함길도(咸吉道)·평안도(平安道)에 두었음.

일성-파【一性派】[一썽一] 명〖기독교〗일성론(一性論)을 주장하는 교파(敎派).

일성 호가【一聲胡笳】[一썽一] 명 한 곡조의 피리 소리. ¶어디서 ～는 나의 애를 끊나니.

일세[1] [一쎄] 명〈방〉날씨(함경).

일세[2]【一世】[一쎄] 명 ①사람의 일생. 일대. ②그 시대. 당대. 당시. 일대. ¶～를 풍미하다. ③삼십 년 동안. ④한 사람의 군주나 가장(家長)이 나라나 집안을 다스리고 있는 동안. 일대(一代). ⑤같은 혈통·같은 이름의 교황·왕 또는 황제 중 첫번 째로 즉위한 사람의 일컬음. 초대(初代). ¶나폴레옹 ～. ⑥이주민(移住民) 등의 최초의 대(代)의 사람. ⑦아버지로부터 아들에 걸치는 일대(一代). ⑧〖불교〗과거(過去)·현재(現在)·미래(未來)의 삼세(三世) 중의 한 세.

일세[3]【一洗】[一쎄] 명 ①일제히 씻어 냄. ②싹 제거(除去)함. 일소(一掃). ——하다 타여불

일-세계【一世界】[一쎄一] 명 온 세상. 전세계(全世界).

일세-관【一世冠】[一쎄一] 명 그 시대의 우두머리. 당세(當世)의 두령.

일세 구천【一歲九遷】[一쎄一] 명 한 해 동안에 아홉 번 관위(官位)가 오른다는 뜻으로, 군주(君主)의 총애(寵愛)를 두텁게 받음을 이름. 일월 구천(一月九遷).

일-세기【一世紀】[一쎄一] 명 백 년 동안.

일세대-류【一世代類】[一쎄一] 명〖동〗단생대류(單生代類).

일세 일기【一世一期】[一쎄一] 명 한평생.

일세 일대【一世一代】[一쎄一때] 명 한 세상 한 대 동안. 곧, 한평생.

일세 일원【一世一元】[一쎄一] 명 한 임금의 재위중(在位中)에 하나의 연호(年號)만을 사용하고 고치지 아니한다는 말.

일세지-웅【一世之雄】[一쎄一] 명 그 시대에 대적(對敵)할 만한 사람이 없을 정도로 뛰어난 사람. 일시지걸(一時之傑).

일:-소[1] 명 주로 일을 시킴을 목적으로 기르는 소. 힘이 세고 발이 넓음. ↔젖소.

일소[2]【一所】[一쏘] 명 ①한 곳. ②같은 곳. ③〖역〗초시(初試) 및 회시(會試) 때 응시자를 갈라서 수용하던 첫째 시험장.

일소[3]【一宵】[一쏘] 명 일석(一夕).

일소[4]【一消】[一쏘] [명] 모조리 지워 버림. 모조리 없어짐. ——-하다 [자][타][여불]

일소[5]【一笑】[一쏘] [명] ①한 번 웃음. ¶ ~ 일소(一少). ②경시(輕視)하는 웃음. ——-하다 [타][여불]

일소에 부치다 [구] ㉠보잘것 없다는 듯이 한바탕 웃음거리로 여기다. ㉡어줍잖게 여겨 묵살하다.

일소 일소 일노 일로(一笑一少一怒一老) [구] 웃고 지내면 안 늙고 성내고 지내면 빨리 늙는다는 말. 일노 일로 일소 일소.

일소[6]【一掃】[一쏘] [명] 모조리 쓸어 버림. 죄다 없애 버림. 일세(一洗). ¶ 폐풍 ~. ——-하다 [타][여불]

일소[7]【日少】[一쏘] [명] ①날수가 적음. ¶아직 ~해서 잘 모르겠오. ②나날이 적어짐. ——-하다 [자][여불]

일소[8]【日梳】[一쏘] [명] 날마다 머리를 빗음. ——-하다 [자][여불]

일-소[9]【日蘇】[一쏘] [명] 일본과 소련.

일소[10]【馹召】[一쏘] [명]〖역〗지방의 관원에게 마패(馬牌)를 주어 역마(驛馬)를 타도록 하여 불러 올리는 일. ——-하다 [타][여불]

일소 백미【一笑百媚】[一쏘一] [명] 한 번 웃으면 백 가지 애교가 넘침. 애교가 넘침의 형용.

일소 부재【一所不在】[一쏘一] [명] 한 곳에 오래 있지 아니함. 곧, 일정한 주소 없이 떠돌아다님. ——-하다 [자][여불]

일소 월원【日疏月遠】[一쏘一] [명] 사귐이 세월과 함께 소원해짐.

일소 천금【一笑千金】[一쏘一] [명] 한 번 웃음에 천금의 값이 있음. 흔히 미인의 형용으로 쓰임. ¶ ~의 교태.

일:-속[1] [一쏙] [명] 일의 속내나 실속. ¶ ~을 훤히 알다.

일속[2]【一束】[一쏙] [명] 한 묶음. 한 다발.

일속[3]【一粟】[一쏙] [명] 한 알의 좁쌀. 몹시 적은 분량(分量).

일:-손 [一쏜] [명] ①일하는 솜씨. ¶ ~이 재빠르다. ②일을 하는 사람. ¶ ~이 부족하다.

일:손(을) 놓다 [구] 하던 일을 그만두다. 그만두고 쉬다. ¶일손 놓지 말고 부지런히 해라.

일:손(을) 떼:다 [구] ㉠하던 일에서 손을 떼다. 그만두다. ㉡하던 일을 끝내다. ¶일손 뗀 다음에 이야기하자.

일:손(이) 잡히다 [구] 일할 마음이 생기다.

일:-솜씨 [명] 일하는 솜씨. 또, 일을 해 놓은 솜씨. ¶ ~가 거칠다.

일수[1]【一水】[一쑤] [명] ①한 하천(河川). ②물 한 방울.

일수[2]【一手】[一쑤] [명] ①상수(上手). ②한 손. ③같은 수. 동일한 수법. ④바둑·장기에서, 한 수. 한 번 둔 수. ¶ ~ 불퇴.

일수[3]【一睡】[一쑤] [명] 한잠 잠. ——-하다 [자][여불]

일수[4]【一穗】[一쑤] [명] ①한 이삭. ②촛불 따위, 모양이 이삭같이 생긴 것을 셀 때의 그 하나.

일수[5]【日守】[一쑤] [명]〖역〗칠반 천역(七般賤役)의 하나로, 지방 관아에 딸려 심부름하는 하노(下奴)의 하나.

일수[6]【日收】[一쑤] [명] ①↗일수입(日收入). ②원금과 변리를 일정한 날짜에 나누어 날마다 거둬들이는 일. 또, 그 빚. *월수(月收)·연수(年收).

일수[7]【日瘦】[一쑤] [명] 나날이 여위어짐. ——-하다 [자][여불]

일수[8]【日數】[一쑤] [명] ①날의 수효(數爻). ¶소요(所要) ~. ②그날의 운수. ¶ ~가 사납다.

일수[9]【逸秀】[一쑤] [명] 수일(秀逸). ——-하다 [형][여불]

일수[10]【溢水】[一쑤] [명] 물이 넘침. 물이 제방(堤防) 위로 넘쳐 흐름. ——-하다 [자][여불]

일수-놀이【日收一】[一쑤一] [명] 일숫돈을 빌려 주는 돈놀이.

일수 백확【一樹百穫】[一쑤一] [명] 현량(賢良)한 인재 하나를 길러서 많은 효과를 얻음.

일수 불퇴【一手不退】[一쑤一] [명] 바둑·장기에서, 한 번 둔 수는 퇴(退)하지 아니함. 「의 비유.

일수 일족【一手一足】[一쑤一쪽] [명] 수족을 약간 움직임. 수고가 적음

일-수입【日收入】[一쑤一] [명] 하루의 수입. [준]일수(日收). *월수입.

일수-쟁이【日收一】[一쑤一] [명] 일수(日收) 놀이를 하는 사람.

일수 전매【一手專賣】[一쑤一] [명] 어떤 상품을 그 사람 또는 가게·조직만이 독점적으로 팖. 전(轉)하여, 그 사람만이 전문으로 하거나 자랑으로 행하는 일. ¶그 방법은 그 사람 ~야.

일수-죄【溢水罪】[一쑤쬐] [명]〖법〗가옥(家屋)·철도 또는 갱도(坑道) 등을 물의 범람(氾濫)으로 잠기게 함으로써 성립되는 죄.

일수 판매【一手販賣】[一쑤一] [명] 총판(總販). 도고(都庫).

일숙【一宿】[一쑥] [명] 하룻밤을 묵음. ——-하다 [자][여불]

일숙 일반【一宿一飯】[一쑥一] [명] 한 번 숙박(宿泊)하여 한 번 식사를 대접 받음. 곧 조그마한 은덕을 입음의 비유. ¶ ~의 은혜. *일반지은(一飯之恩).

일순[1]【一旬】[一쑨] [명] 열흘 동안. 한 달을 셋으로 나눈 그 하나.

일순[2]【一巡】[一쑨] [명] 한 바퀴 돎. ¶전국의 관광지(觀光地)를 ~하다. ——-하다 [자][타][여불]

일순[3]【一瞬】[一쑨] [명] 눈 한 번 깜작할 동안. 지극히 짧은 동안. 삽시(霎時). ¶오직 남자 옆에서만 존재할 수 있는 것처럼 남자 옆을 ~도 떠나지 않던 여자들! ≪朴榮濬 : 여인 삼대≫.

일순-간【一瞬間】[一쑨一] [명] 삽시간(霎時間). ¶ ~에 사라지다.

일순 식물【一巡植物】[一쑨一] [명]〖식〗한 세대(世代) 중 오직 한 번 꽃이 피어 열매를 맺고서는 말라 죽는 식물. 일년생 식물 따위. 일임 식물(一稔植物).

일순 천리【一瞬千里】[一쑨철一] [명] 천 리나 되는 넓은 경치를 한 눈으로 내다봄. ——-하다 [자][여불]

일숫-돈【日收一】[一쑤똔] [명] ①원금과 변리를 일정한 날짜에 나누어 날마다 갚기로 하고 대차(貸借)하는 빚. ¶ ~을 쓰다. ②일수(日收)로 쓰고 날마다 갚아 나가는 돈머리. ¶ ~도 못 버는 장사.

일습【一襲】[一씁] [명] 옷·그릇·기구 따위의 한 벌.

일승【一乘】[一씅] [명] ①수레 한 채. 말 네 필. ②〖불교〗성불(成佛)할 수 있는 오직 하나의 길. 대승(大乘)을 말함. 신분이나 성질에 관계하지 아니하고 평등하게 똑같은 최고의 불과(佛果)에 도달(到達)할 수 있는 법문(法門)임.

일승 묘:전【一乘妙典】[一씅一] [명]〖불교〗일승의 이치를 명백히 하는 훌륭한 경전. 곧, 법화경(法華經).

일승-법【一乘法】[一씅뻡] [명]〖불교〗일체(一切)의 것이 모두 부처가 된다는 교법(敎法). 주로 법화경을 말함. 일불승(一佛乘).

일승 실상【一乘實相】[一씅一쌍] [명]〖불교〗일승 진실의 법화경에 설명하여진 제법(諸法) 실상의 묘리.

일승 월항지곡【一昇月恒之曲】[一씅一] [명]〖악〗궁중 연례악에서 절화(折花)의 뒤를 이어 계주(繼奏)되는 관악곡. 속칭 길타령 또는 흩은 타령.

일승 일패【一勝一敗】[一씅一] [명] 한 번 이기고 한 번 짐. ¶ ~의 전적. [일승 일패는 병가지상사(兵家之常事)] 한번 실수는 병가의 상사. *한 번.

일승지-사【一乘之使】[一씅一] [명] 일승의 수레를 거느린 정도의 간단한 사자(使者).

일승 홍선【一乘弘宣】[一씅一] [명]〖불교〗석가가 영취산(靈鷲山) 꼭대기에서 법화경(法華經)을 설법(說法)한 일.

일시[1]【一矢】[一씨] [명] ①한 화살. ②활 쏘기의 한 순(巡)의 첫째 화살.

일시[2]【一時】[一씨] [명][부] ①한때. 한동안. ②같은 때. ¶주문이 ~에 쇄도하다. ③그 당시. 동시대.

일시[3]【一匙】[一씨] [명] 한 숟가락.

일-시[4]【日時】[一씨] [명] 날과 때. 날짜와 시간.

일시[5]【昵侍】[一씨] [명] 임금을 가까이 모심. ——-하다 [자][여불]

일시[6]【逸詩·軼詩】[一씨] [명] ①없어져서 시경에 수록되지 않은 고시(古詩). ②전해 내려오지 않는 시.

일시 경수【一時硬水】[一씨一] [명]〖화〗일시 센물. ↔영구 경수.

일시 귀휴제【一時歸休制】[명] 귀휴제❶.

일시-금【一時金】[一씨一] [명] 일시불로 주거나 받는 돈.

일시-급【一時給】[一씨一] [명] 돈을 한꺼번에 지급(支給)함. ↔분할급(分割給). ——-하다 [타][여불]

일시 동인【一視同仁】[一씨一] [명] 모두를 평등하게 보아 똑같이 사랑함. ——-하다 [타][여불]

일시 명류【一時名流】[一씨一뉴] [명] 그 시대의 명사(名士)들. 당대의 유명인들.

일시 변:이【一時變異】[一씨一] [명]〖생〗환경의 변화에 의하여 생기는 생물체의 일시적 변이.

일시-불【一時拂】[一씨一] [명] 한꺼번에 금액을 치르거나 상환(償還)하는 일.

일시불 대:부【一時拂貸付】[一씨一] [명]〖경〗상환 기한이 되면 전액을 일시불로 하겠다는 약속 하에 행하여지는 대부.

일시불 보:험【一時拂保險】[一씨一] [명]〖경〗원 보험 기간에 대한 보험료를 전액 일시불로 하는 보험.

일시 생사【一時生死】[一씨一] [명] 일시에 죽고 사는 일.

일시-성【一時星】[一씨一] [명]〖천〗신성(新星)❶.

일시성 플랑크톤【一時性一】[一씨썽一] [명] [meroplankton]〖생〗저생성 생물(底生性生物)이나 유영(遊泳) 생물의 알이나 유충(幼蟲)처럼, 어떤 발달 단계에서 부유(浮遊)하고 있는 것으로 이루어진 플랑크톤.

일시 센:물【一時一】[一씨一] [명]〖화〗끓이면 단물이 되는 센물. 일시 경수(一時硬水). ↔영구 센물.

일시 소:득【一時所得】[一씨一] [명]〖법〗영리를 목적으로 하는 계속적 행위(繼續的行爲)로부터 생기는 소득 이외의 일시적인 소득. 상금·현상금·생명 보험금 등. *잡소득(雜所得).

일시-에【一時一】[一씨一] [부] 한꺼번에. 한번에. 동시에. ¶ ~에 쳐들어왔다.

일시 일시【一時一時】[一씨一씨] [명] 피일시 차일시(彼一時此一時).

일시 자석【一時磁石】[一씨一] [명] [temporary magnet]〖물〗자기장(磁氣場) 안에 두면 자기(磁氣)를 띠고 자기장을 벗어나면 자성을 잃는 자석. ↔영구(永久) 자석.

일시-적【一時的】[一씨一] [명][관] 한때·한동안만 관계 있는 모양. 오래 가지 못하는 모양. ¶ ~ 현상. ↔영구적·항구적(恒久的).

일시적 기관【一時的器官】[一씨一] [명] [provisory organ]〖동〗유생 기관(幼生器官).

일시지-걸【一時之傑】[一씨一] [명] 그 시대에 있어서의 뛰어난 사람. 일세지웅(一世之雄).

일시지-관【一時之觀】[一씨一] [명] 한때의 관망. 그때만의 체면.

일시지-권【一時之權】[一씨一] [명] 임기 응변(臨機應變)의 처치.

일시 차:입금【一時借入金】[一씨一] [명]〖경〗국가 또는 지방 자치 단체가 회계 연도 내(內)의 일시적(一時的)인 현금의 부족에 대처하기 위하여 차입(借入)하는 금전.

일식[1]【一式】[一씩] [명] 그릇·가구(家具) 등의 한 벌.

일식[2]【一食】[一씩] [명] 한 끼의 식사. 한 번의 식사. ¶ ~ 일박(一泊).

일식[3]【一息】[一씩] [명] ①잠시 쉼. ②한 숨. 한 호흡. ——-하다 [자][여불]

일식[4]【日式】[명] 일본인들이 하는 격식. ¶ ~ 음식점 / ~ 옷.

일식[5]【日食】[一씩] [명] 일본식의 음식. ¶ ~ 전문.

일식[6]【日蝕·日食】[—씩] 명〔solar eclipse〕『천』지구와 태양과의 사이에 달이 들어가서 태양의 전부 또는 일부가 달에 의하여 가리어지는 현상. 전부가 가리어짐을 '개기식(皆旣蝕)', 일부가 가리어짐을 '부분식(部分蝕)', 태양의 중앙부(中央部)만 가리어지고 그 변두리가 고리 모양으로 남을 때를 '금환식(金環蝕)'이라 함. 그림에서, 관측자가 본영 안에 들어가면 개기 일식, 본영 안에 들어가지 않고 AB 안에 있을 경우에는 금환식이 됨. *월식(月蝕). ——-하다 자여불

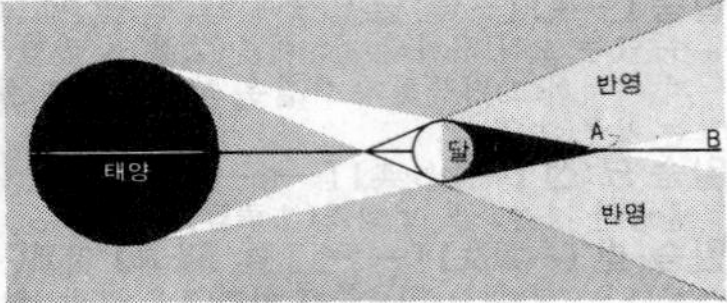

〈일식[6]〉

일-식경[1]【一食頃】[—씩—] 명 한식경(食頃). 일향(一餉).
일-식경[2]【一息耕】[—씩—] 명 한식경(息耕)의 밭을 갈 만한 동안.
일식 만:전【一食萬錢】[—씩—] 명〔한 끼의 식사에 일만전(一萬錢)을 소비했다는 중국 진(晉)나라의 임개(任愷)의 고사(故事)에서〕몹시 호화롭게 낭비(浪費)함을 일컫는 말.
일식-집【日食—】[—씩—] 명 일본식 음식을 전문으로 만들어 파는 음식집.
일식 한:계각【日蝕限界角】[—씩—] 명『천』합삭(合朔) 때 태양이 황도(黃道)와 백도(白道)와의 교점(交點)보다 18도 31분 이상 떨어져 있을 때는 일식이 일어나지 않고, 15도 21분 이내인 경우에는 반드시 일식이 일어난다는 이 두 가지 각도의 칭(稱).
일신[1]【一身】[—씬] 명 ①자기 한 몸. 자기 몸. ¶～의 이해를 돌보지 않고. ②온 몸. 전신(全身).
일신[2]【一新】[—씬] 명 아주 새로워짐. 새롭게 함. ¶면모를 ～하다. ——-하다 자타여불
일신[3]【日新】[—씬] 명 날로 새로워짐. ——-하다 자여불
일신-교【一神教】[—씬—] 명〔monotheism〕『종』오직 하나만의 신격존재자(神的存在者)를 인정하고 이를 신앙하는 종교. 기독교·이슬람교·유태교 따위. 유일신교(唯一神教). 모노시이즘(monotheism). ↔다신교(多神教).
일신-론【一神論】[—씬논] 명『종』유일신(唯一神)의 존재만을 인정하고, 이를 만물(萬物)의 근원으로 하는 종교 신앙(宗教信仰) 또는 철학상의 견해(見解).
일신-상【一身上】[—씬—] 명 한 개인(個人)의 몸에 관계된 형편. ¶～의 문제.
일신 양:역【一身兩役】[—씬냥—] 명 한 몸으로 두 가지 일을 맡음. 또, 관리의 겸직(兼職)을 이름.
일신 우일신【日新又日新】[—씬—씬] 명 나날이 더욱 새로워짐. 나날이 진보 향상함을 이름. 일일신 우일신. ——-하다 자여불
일신 월성【日新月盛】[—씬—썽] 명 나날이 새로워지고 달을 거듭할수록 번성함. ——-하다 자여불
일신 월화【日新月化】[—씬—] 명 날마다 달마다 새롭게 변화하여 감. ——-하다 자여불
일신 일가【一身一家】[—씬—] 명 ①한 몸과 한 집안. ②개인의 사사로운 일. ¶～를 돌보지 않고 국사(國事)에 골몰하다.
일신 일축【一伸一縮】[—씬—] 명 일축 일신. ——-하다 자타여불
일신 전속권【一身專屬權】[—씬—] 명『법』그 주체와의 사이에 특히 긴밀한 관계가 있어서 그 주체만이 가질 수 있는 권리 또는 그 주체만이 행사할 수 있는 것. 전자는 그 양도 또는 상속의 제한을 받고, 후자는 채권자 대위권(代位權)의 목적이 될 수 없는데, 일신 전속권 중에는 이러한 성질을 모두 가지는 것도 있음.
일신 천금【一身千金】[—씬—] 명 몸 하나가 천금과 같다는 뜻으로, 사람의 몸이 중하고 귀함을 비유하는 말.
일실[1]【一室】[—씰] 명 ①한 방. ¶～에 감금하다. ②한집안에서 사는 가족.
일실[2]【一實】[—씰] 명『불교』진여(眞如).
일실[3]【逸失】[—씰] 명 잃어버림. ——-하다 자여불
일실 동거【一室同居】[—씰—] 명 한 방에서 함께 지냄. ——-하다 자여불
일실 무상【一實無相】[—씰—] 명『불교』진실의 가르침은 유일 절대(唯一絕對)의 것이어서 가상(假相)으로 나타난 여러 가지 현상계(現象界)와 동떨어진 것이라는 뜻.
일실-승【一實乘】[—씰—] 명『불교』오직 하나의 진실한 가르침이라는 뜻으로, 대승(大乘)을 일컫는 말.
일실 원돈【一實圓頓】[—씰—] 명『불교』진실한 가르침인 법화경(法華經)의 교의(教義)에 의하여 원만 돈오(圓滿頓悟)한 공덕을 갖추어야 한다는 교리(教理).
일실 일득【一失一得】[—씰—뜩] 명 일득 일실.
일심[1]【一心】[—씸] 명 ①한 마음. ¶～ 동체. ②한쪽에만 마음을 씀. ¶～ 전력(專力). ③여러 사람의 마음이 일치함. 동심(同心). ¶～ 협력. ④『불교』개념(概念)을 떠나 차별이 없는 평등(平等)의 세계. 진여(眞如)를 이름.
일심[2]【一審】[—씸] 명『법』↗제일심(第一審). ¶～ 공판(公判).
일심[3]【日深】[—씸] 명 나날이 더 깊어감. ¶병세가 ～하다. ——-하다 자여불
일심[4]【日甚】[—씸] 명 나날이 심하여짐. ¶교통난이 ～하다. ——-하다 자여불
일심 경:례【一心敬禮】[—씸—녜] 명『불교』마음을 하나로 하고, 불(佛)·법(法)·승(僧)의 삼보(三寶)를 공경하여 예배함. ——-하다 자여불
일심 귀명【一心歸命】[—씸—] 명『불교』전심 전력하여 부처에게 귀의(歸依)함. ——-하다 자여불
일심 동귀【一心同歸】[—씸—] 명 합심(合心)하여 같은 목적으로 향함. ——-하다 타여불
일심 동체【一心同體】[—씸—] 명 한마음 한몸. 곧, 밀접하고 굳게 결합함을 일컫는 말. ¶～가 되어 노력하다.
일심 만:능【一心萬能】[—씸—] 명 무슨 일이든지 일심으로만 되면 할 수 있다는 뜻.
일심 백군【一心百君】[—씸—] 명 충의심만 있으면 어떠한 군주라도 섬길 수 있음을 이르는 말.
일심 불란【一心不亂】[—씸—] 명 ①한 가지에만 마음을 쓰고 어지러워지지 아니함. ¶～으로 공부하다. ②『불교』한삼매(三昧). ——-하다 자여불
일심 삼관【一心三觀】[—씸—] 명『불교』자기의 마음 속에 공(空)·가(假)·중(中)의 삼제(三諦)가 있음을 알고, 생사(生死)·번뇌(煩惱)의 경지에서 벗어나, 열반(涅槃)·보리(菩提)에 들어가는 도(道)를 닦는 일.
일심 시:차【日心視差】[—씸—] 명『천』연주(年周) 시차.
일심 염:불【一心念佛】[—씸념—] 명『불교』일심으로 염불(念佛)함. ——-하다 자여불
일심 운:동【日心運動】[—씸—] 명『천』①태양계에 속하는 천체의, 태양을 한 초점(焦點)으로 하는 운동. ②지심 운동(地心運動)에 대한 말로서, 태양에서 본 천체의 운동.
일심 전념【一心專念】[—씸—] 명『불교』일심으로 오로지 염불함. ——-하다 자여불
일심 전력【一心專力】[—씸절—] 명 한마음 한뜻으로 오로지 힘을 다함. ——-하다 자여불
일심 합장【一心合掌】[—씸—] 명『불교』일의 전심(一意專心)으로 합장함. ——-하다 자여불
일심 협력【一心協力】[—씸—녁] 명 한마음 한뜻으로 힘을 합함. 일치 협력. ——-하다 자여불
일싸 명〈방〉일손.
일쑤 ㊀명 가끔 잘하는 짓. ¶극장 가기가 ～다. ㊁부 가끔 잘. 곧잘. ¶～ 지각을 한다/소리 재주가 있어서 노래를 ～ 지어 불렀다.
일삼다 타〈옛〉일삼다. ¶혼갓 구틔여 아로몰 일사마(徒事強記)≪楞嚴Ⅵ:70≫.
일악[1]【一惡】명 몹시 악한 사람.
일악[2]【一握】명 한 줌. 적은 양(量).
일악 대:패【一惡大悖】명 극히 악한 사람.
일안[1]【一安】명 한결같이 편안함. ——-하다 형여불
일안[2]【一案】명 ①하나의 안건. ②하나의 책상. ③첫째 안. ¶～과 이안을 대비해 보다.
일안[3]【一眼】명 ①한 눈. 한쪽 눈. ②애꾸눈.
일안[4]【日安】명 날로 편안함. ——-하다 형여불
일안[5]【日案】명 학습 지도나 사업의 하루마다의 계획. *주안(週案)·월안(月案).
일안 리프【一眼—】명 ↗일안 리플렉스 카메라.
일안 리플렉스 카메라【一眼—】〔reflex camera〕명 리플렉스 카메라의 하나. 렌즈에 입사(入射)되는 광선을 거울로 반사시켜, 흐린 유리 위에 영상(映像)을 비추어 핀트와 시야(視野)를 맞추는 방식의 카메라. 셔터를 누르는 것과 동시에 거울이 튀어 올라서 광선이 직진(直進)하여 필름 위에 노광(露光)됨. ↔이안 리플렉스 카메라.
일액【日額】명 매일의 정액(定額). 날마다 정한 액수.
일야[1]【一夜】명 하룻밤.
일-야[2]【日夜】명 낮과 밤. 밤낮.
일야 무간【日夜無間】명 밤낮으로 끊임없음. ——-하다 형여불
일야 부절【日夜不絕】명 밤낮으로 끊이지 않음. ——-하다 자여불
일야지-간【一夜之間】명 하룻밤 사이.
일약【一躍】부 지위(地位)·등급(等級)·가격(價格) 등이 별안간 높이 뛰어오르는 모양. ¶～ 거부가 되다.
일양[1]【一樣】명 한결 같은 모양.
일양[2]【佚陽】명 표범 머리에 말꼬리의 모양을 한 상상의 짐승.
일양 내복【一陽來復】명 ①음(陰)이 끝나고 양(陽)이 돌아옴. 음력 십일월 또는 동지(冬至)를 일컫는 말. ②겨울이 가고 봄이 돌아옴. ③궂은 일이 걷혀지고 좋은 일이 돌아옴. ——-하다 자여불
일-양일【一兩日】[—량—] 명 ①하루나 이틀. 일이일(一二日). ②특히, 오늘과 내일. ¶～ 간(間)에 소식이 있을거요.
일어【日語】명 일본어(日本語). ¶～ 회화(會話).
일어-나다 자 거라불 ①누웠다가 앉거나, 앉았다가 서다. ¶어른이 들어오시면 일어나서 윗목으로 가야 한다. ②일이나 상태가 새로이 이루어지다. ¶사건이 ～/불심(佛心)이 ～. ③불이 붙기 시작하다. ¶가까스로 숯불이 ～. ④한창 성(盛)하여지다. ¶집안이 불같이 ～. ⑤잠에서 깨어 잠자리에서 나오다. ¶아침 일찍 ～. ⑥몸과 마음을 모아 나서다. ¶청년들이여, 일어나라, 나아가자.
일어-서다 자 ①앉았다가 서다. ¶앉아 있지 말고 일어서라. ②기운이 생겨 번창하여지다. ¶사업이 ～.
일어셩 부〈옛〉이럭저럭. ¶每日에 일어셩 지내면 므슨 실음 잇시리≪海謠 金光煜≫.
일어-앉다[—안따] 자 누웠다가 일어나서 앉다.
일어 일문학【日語日文學】명 일본어의 음운·어휘·문장 표현 및 일본의 문학 작품·작가 등에 대해 연구하는 학문.
일어 탁수【一魚濁水】명 한 마리의 고기가 물을 흐린다는 뜻에서, 한

사람의 잘못으로 여러 사람이 그 해를 입게 됨을 비유하는 말.

일언[1]【一言】명 ①한마디 말. 일구(一句). ¶~ 반구(半句). ②간단한 말. [일언이 중천금(重千金)이라] 한마디의 말이 천금과도 같이 무게가 있고 값지다는 말. ¶한 번 말하면 그만이지 또 말할 것이 무엇이오. 일언이 중천금인데《李海朝: 鬢上雪》.

일언[2]【逸言】명 일구(逸口). ——-하다 자여불

일언 가:파【一言可破】명 여러 말을 하지 아니하고 한마디로 잘라서 말하여도 곧 판단이 될 수 있음. 일언 단파(一言斷破).

일언 거사【一言居士】명 무슨 일이든지 한마디씩 참견하지 아니하면 마음이 놓이지 아니하는 사람. 곧, 말참견을 썩 좋아하는 사람.

일언 단:파【一言斷破】명 일언 가파(一言可破).

일언 반:구【一言半句】명 한마디의 말과 한 구절의 반. 곧, 극히 짧은 말. 일언 반사. ¶~의 응답도 없다. *편언 척자(片言隻字).

일언 반:사【一言半辭】명 일언 반구.

일언 방은【一言芳恩】명 한마디의 작은 말로써 베푼 은혜.

일언-시【一言詩】명〖문〗한 자(字)로 한 구가 되어 있는 시. 예컨대, 시경(詩經)의 정풍 치의(鄭風緇衣)의 '緇衣之宜兮, 適子之館兮, 還, 予授子之粲兮'의 '還' 같은 것.

일언-이폐지【一言以蔽之】명 한마디의 말로써 능히 그 뜻을 다함. ¶~하고 내 말만 듣게. ——-하다 타여불

일언 일구【一言一句】명 한마디의 말귀. ¶~를 신중히 하라.

일언 일동【一言一動】[—똥] 명 한마디 말과 한 가지 동작. ¶~을 조심하다.

일언 일앙【一偃一仰】명 엎드렸다 위를 쳐다보다 함. 일부 일앙(一俯一仰). ——-하다 자여불

일언 일행【一言一行】[—닐—] 명 사소한 말과 행위. ¶~을 조심하여야 한다.

일언-제【一言題】명 한마디 작은 말로 된 시가(詩歌)의 제목.

일언지-신【一言之信】명 한마디 말이라도 말한 것은 굳게 지킴.

일언지-좌【一言之佐】명 한마디의 도움. 또, 그 신하.

일언지-하【一言之下】명 말 한마디로 잘라서 말함. 두 말할 나위 없음. ¶~에 거절하여 버렸다.

일언 천금【一言千金】명 한마디의 말이 천금의 가치가 있음. ¶~인데 두 말 해서는 안 되네.

일언 함:인【一言陷人】명 사소한 말로 사람을 함정에 빠뜨림.

일업[1]【一業】명〖불교〗하나의 업인(業因). 동일한 업인.

일업[2]【逸業】명 남겨진 사업. 숨은 사업.

일업 소:감【一業所感】명〖불교〗많은 사람이 똑같은 선악(善惡)의 업인(業因)으로 똑같은 업과(業果)를 느끼는 일.

일:-없다[—업—]형 ①필요가 없다. ¶그런 건 ~. ②괜찮다❷❸. ¶아무 일없으니 염려 마시오.

일:-없이[—업씨]부 ①일없게. ②괜히. ¶~ 왔다갔다 하다.

일여【一如】명 ①〖불교〗진여(眞如)의 이치(理致)가 평등 무차별(平等無差別)하여 둘이 아니고 하나임. ②오직 하나임. ¶물심(物心) ~.

일여 관음【一如觀音】명〖불교〗33관음의 하나. 그 상(像)은 구름을 타고 나는 모양으로 표현됨.

〈일여 관음〉

일-여덟[—덜] 수관 ↗일고여덟.

일여 일탈【一與一奪】명 어느 때는 주고 어느 때는 뺏음. 주었다 뺏었다 함. ——-하다 타여불

일역[1]【一易】명 한 해를 거르는 일. 격년(隔年).

일역[2]【日域】명 ①햇빛이 비치는 곳. 곧, 천하(天下). ②해가 뜨는 곳. 중국에서 우리 나라를 일컫는 말.

일역-전【一易田】명 땅이 메말라 한 해 걸러 경작하는 땅. 일역지지(一易之地). *재역전(再易田)·역전(易田).

일역지-지【一易之地】명 일역전(一易田).

일연【一然】명〖사람〗고려 때의 중. 성은 김씨. 고종(高宗) 25년(1238)에 왕명에 의하여 대장 낙성회(大藏落成會)를 운해사(雲海寺)에서 열었음. 후에 원경 충조(圓徑冲照)라는 이름을 받음. 저서에 《삼국 유사(三國遺事)》가 있음. 보각 국존(普覺國尊). [1206-89]

일염기-산【一塩基酸】명〖화〗염산(HCl)·질산(HNO_3) 등과 같이 수소 원자(水素原子) 한 개를 가지는, 곧 염기도(塩基度)가 하나인 산(酸).

일염화-금【一塩化金】명〔gold monochloride〕〖화〗염화금❶.

일염화 백금【一塩化白金】명〔platinum monochloride〕〖화〗염화 백금❶.

일염화 황【一塩化黃】명〔sulfur monochloride〕〖화〗염화황❶.

일엽【一葉】명 ①오동나무의 한 잎. ②한 잎. 잎 하나. ③한 거룻배. ④한 장(張).

일엽 관음【一葉觀音】명〖불교〗33 관음의 하나. 엽상 관음(葉上觀音).

일엽 소:선【一葉小船】명 작은 배를 나무 잎에 비겨 일컫는 말.

일엽 쌍곡면【一葉雙曲面】명〖수〗$\frac{x^2}{a^2}+\frac{y^2}{b^2}-\frac{z^2}{c^2}=1$로 표현되는 곡면. z축(軸)을 포함하는 평면과 이 곡면과의 절단면은 쌍곡선이 되며, x축·y축에 평행하는 평면(平面)과의 절단면은 원(圓)이 됨. 단엽(單葉)쌍곡면.

일엽-주【一葉舟】명 ↗일엽 편주(一葉片舟).

일엽 지추【一葉知秋】명 나뭇잎 하나가 떨어짐을 보고 가을이 옴을 안다는 뜻에서, 한 가지 일을 보고 장차 오게 될 일을 미리 짐작한다는 말.

일엽-초【一葉草】명〖식〗↗다시마일엽초.

일엽 편주【一葉片舟】명 하나의 작은 조각배. 준일엽주.

일영[1]【一詠】명 한 차례 소리를 길게 뽑아 시를 읊음. ——-하다 자여불

일영[2]【日映】명 햇빛이 비침. ——-하다 자여불

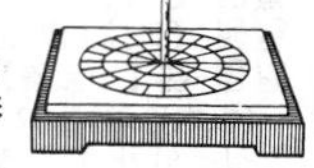

〈일영[3]❸〉

일영[3]【日影】명 ①해의 그림자. ②햇발. ③해의 그림자를 이용하여 시간을 헤아리는 기구. 일영표(日影表).

일영 삼탄【一詠三歎】명 한 번 시를 읊을 때마다 세 번 감탄함. 시나 문장의 묘를 칭찬함. ——-하다 타여불

일영 일락【一榮一落】명 한 번은 영화롭고 한 번은 쇠락함. 일성 일쇠(一盛一衰). ¶~을 거듭하다.

일영 일상【一詠一觴】[—쌍] 명 시를 읊으며 술을 마심. 일상 일영. ——-하다 자여불

일영-표【日影表】명 일영(日影)❸.

일예【逸豫】명 멋대로 즐기며 놂. 일락(逸樂). ——-하다 자여불

일오[1]【一梧】명〖사람〗구자균(具滋均)의 호(號).

일오[2]【日午】명 정오(正午).

일오[3]【日烏】명 [태양에는 세 발 달린 까마귀가 산다는 중국 고대의 전설에서] '태양'의 이칭(異稱).

일오-오【一五五】명〖수〗구구법(九九法)의 하나. 1의 5곱, 또는 5의 1곱은 5임.

일오 재:오【一誤再誤】명 선인(先人)의 과오를 다시 되풀이함. 또, 계속하여 실패함.

일와【一臥】명 한 번 숨음. 사관(仕官)하지 않고 은둔 생활을 함. ¶~ 30년. ——-하다 자여불

일왕래-과【一往來果】[—내—] 명〖불교〗일래과(一來果).

일왕 일래【一往一來】명 왔다 갔다 함. ¶희비(喜悲)가 ~하다. ——-하다 자여불

일요【日曜】명 ↗일요일. 주의 주로 관형적(冠形的)으로 쓰임.

일요-병【日曜病】[—뼝] 명 평일의 팽팽한 긴장과 노는 날의 여가(餘暇)의 권태(倦怠)에서 일어나는, 현대인의 정신적·육체적인 피로감과 허탈증. *월요병(月曜病).

일요-일【日曜日】명 칠요일(七曜日)의 첫째 날. 공일(空日). 성기(星期). 준일(日)·일요(日曜).

일요 작가【日曜作家】명 다른 날엔 직장(職場)에 나가서 일을 하고 일요일에만 작품(作品)을 쓰는 아마추어 작가(作家).

일요-판【日曜版】명 신문 따위에서, 일요일에 특히 발행하는 별쇄(別刷)의 것. 일요 특집·부록 따위.

일요 학교【日曜學校】명 기독교·천도교 등에서 일요일에 신도를 모아서 종교 교육을 행하는 학교. *주일 학교·시일 학교.

일요 화:가【日曜畫家】명 다른 날엔 직장에 나가 일하고 일요일에만 그림을 그리는 아마추어 화가.

일욕【逸欲】명 제 좋을 대로 즐기며 놂. ——-하다 자여불

일용[1]【日用】명 날마다 씀. ¶~ 잡화.

일용[2]【日傭】명 날품팔이. 일고(日雇). ¶~ 노동자.

일용 근로자【日傭勤勞者】[—글—] 명 1일 단위의 계약으로 고용되는 노동자. 건설업·운수업·잡역(雜役) 및 농업·어업 등에 많음.

일용 범백【日用凡百】명 날마다 쓰는 모든 물건.

일용 상행【日用常行】명 날마다 하는 행위.

일용-임【日傭賃】명 날품팔이의 삯돈.

일용-품【日用品】명 날마다 쓰는 물건.

일우[1]【一又】명 한두 번. 일이 회(一二回).

일우[2]【一宇】명 한 채의 건물. 또는 한 전당(殿堂)을 이름.

일우[3]【一羽】명 한 개의 날개. 극히 가벼운 물건.

일우[4]【一羽】명〖역〗조선 시대 때 우림위 일번(羽林衛一番)의 준말. 금군 칠번(禁軍七番)의 하나인데, 금군의 일곱 부대(部隊) 가운데 우림위에는 이번(二番) 곧, 두 부대가 딸려 있었음.

일우[5]【一雨】명 한 차례의 비. 비가 한 차례 옴.

일우[6]【一隅】명 한쪽 구석. ¶~에 자리잡다.

일우[7]【一遇】명 한 번 만날 기회.

일우다[1] 타〈방〉일구다.

일우다[2] 타〈옛〉이루다. =이르다[3]. ¶平生ㄱ 쁟 몯 일우시니(莫遂素志)《龍歌 12章》.

일우 명지【一牛鳴地】명 한 마리의 소의 울음 소리가 들릴 만한 가까운 거리의 땅.

일우오다 타〈옛〉이루게 하다. '일우다[2]'의 활용형. ¶民望올 일우오리라 戎衣를 니피시니이다(欲遂民望 載提戎衣于以尙之)《龍歌 108章》.

일운【日暈】명 →일훈(日暈).

일운 도:저【一韻到底】명〖문〗중국의 고시(古詩)에서 쓰던 압운(押韻) 법칙의 하나. 처음부터 끝까지 동일한 운을 사용하는 법.

일-울다 자 일찍 울다. ¶날 밝으면 이별일러니, 오늘 따라 닭도 일우는 것 같구나.

일웅 다자【一雄多雌】명 생식기(生殖期)에 한 마리의 수컷이 여러 마리의 암컷을 거느리는 일. 물개 등에서 볼 수 있음. 일모 다빈(一牡多牝).

일웅-도【日雄島】명〖지〗부산 직할시의 남해상(南海上), 북구(北區)에 위치한 섬. [0.01 km²:71명(1971)]

일워시니 부 이루시거니. 이루시니. ¶하놀히 일워시니 赤脚仙人 아닌돌 天下蒼生올 니ㅈ시리잇가(天旣成之 匪赤脚仙 天下蒼生 其肯忘焉)《龍歌 21章》.

일원[1]【一元】명 ①같은 본원(本元). 사물의 근원이 오직 하나임. ↔다원(多元). ②역법상(曆法上)의 4560 년. ③〖수〗대수 방정식(代數方程式)에서, 미지수(未知數)가 하나임. ¶~ 이차 방정식. 「의 ~.

일원[2]【一員】명 어떤 단체를 구성하고 있는 사람 중의 하나. ¶대표단

일원[3]【一圓】명 일대(一帶). ¶시내 ~.
일원[4]【日遠】명 ①해가 멂. 태양이 멂. ②날로 멀어짐. ──-하다 자여불
일원-론【一元論】[—논]명 ①〔monism〕『철』우주 만유의 근본 원리(根本原理)는 오직 하나라고 하는 학설. 그 오직 하나의 근본원리가 물질적인가 혹은 정신적인 것인가, 이 둘을 합한 하나인가에 따라 물질적 일원론·정신적 일원론·물심 일원론(物心一元論) 또는 추상적 일원론(抽象的一元論) 등의 구별이 있음. 일원설(一元說). 모니즘. 싱귤러리즘. *이원론(二元論)·다원론(多元論)·단원론(單元論). ②특정의 문제나 현실의 사상(事象)을 단 하나의 원리로서 설명하려는 사고 방식(思考方式). 「다원론자.
일원론-자【一元論者】[—논—] 명 일원론을 신봉(信奉)하는 사람. *
일원 묘:사【一元描寫】명『문』소설의 표사법의 한 가지. 작품 속의 사건이나 인물의 심리(心理)를 작품 속의 한 인물의 시점을 통하여 묘사하는 방법. *다원 묘사(多元描寫).
일-원상【一圓相】명『불교』원상(圓相)❶.
일원-설【一元說】명『철』일원론(一元論).
일원 이:차 방정식【一元二次方程式】명『수』미지수(未知數)가 하나이고 그 최고 멱(冪)이 이차인 방정식. $ax^2+bx+c=0$ ($a\fallingdotseq0$) 같은 식.
일원 일차 방정식【一元一次方程式】명『수』미지수가 하나이고, 그 미지수를 x라 하면 $ax+b=0$ ($a\fallingdotseq0$, a, b는 상수)의 꼴로 정리되는 방정식.
일원-적【一元的】명관 ①근원이 하나만 있는 모양. ②특정한 문제나 사항이 오직 하나의 원리로 통일되어 있는 모양.
일원적 이:주제【一元的二主題】명『문』더블 플롯(double plot).
일원-제【一院制】명『정』↗일원 제도(一院制度). 단원제. ↔양원제(兩院制)·이원제(二院制).
일원 제:도【一院制度】명〔unicameral system〕『정』하나의 의원(議院)으로써 의회(議會)를 구성하는 제도. 단원 제도(單院制度). 준일원제(一院制). ↔이원 제도·양원 제도.
일원-화【一元化】명 많은 문제·기구·조직 따위를 하나로 통일함. 또, 하나가 됨. ──-하다 자타여불
일월[1]【一月】명 한 해 중의 첫째 달. 정월.
일-월[2]【日月】명 ①해와 달. ②시일(時日)의 경과. 날과 달. ③광음(光陰). ¶~ 여류(如流). ④임금과 그 후비(后妃)의 비유.
일월-광【日月光】명 ①해와 달의 빛. ②『불교』가사(袈裟)의 등 뒤에 붙이는 수(繡).
일월 광:산【日月鑛山】명『지』경상 북도 봉화군(奉化郡)에 있는 납·아연(亞鉛) 광산.
일월 구천【一月九遷】명 한 달 동안에 아홉 번이나 관위(官位)가 승진(昇進)했다는 뜻으로 군주(君主)의 총애(寵愛)를 많이 받고 있음을 이르는 말. 일세 구천(一歲九遷). 일일 구천(一日九遷).
일월-권【日月圈】[—꿘] 명『민』사월 초파일에 세우는 등대 꼭대기의 장식. 끝에 장목을 단 긴 장대의 상부 중앙에 구멍을 뚫고 다른 나무를 그 구멍에 꿰어 '十' 형으로 되게 한 다음 가로 지른 나무의 한 끝에는 붉은 빛, 다른 한 끝에는 흰 빛의 직경 4cm 가량의 공을 위로 향하게 꽂아서 바람이 불면 가로 낸 나무가 빙빙 돌게 한 것임.
일월-담【日月潭】[—땀] 명『지』'르웨탄'을 우리 음으로 읽은 이름.
일월-도【日月圖】[—또] 명『미술』↗오봉 일월도(五峯日月圖).
일월-등【日月燈】[—뜽] 명『민』사월 초파일에 달기 위해 해와 달 모양으로 만든 등.
일월 등명불【日月燈明佛】명『불교』하늘에 대하여는 일월(日月), 땅에 대하여는 등과 같이, 광명의 덕을 나타내는 부처.
일월-맞이【日月—】명『민』제주도 무당굿의 하나. 일월의 신을 맞이하여 소원을 비는 굿임.
일월 무사조【日月無私照】명 해와 달은 모든 사물을 공평(公平)하게 비춘다는 뜻. 곧, 공평(公平)함을 비유하는 말.
일월-산【日月山】[—싼] 명『지』경상 북도 영양군(英陽郡) 일월면(日月面)과 청기면(靑杞面) 사이에 있는 산. 태백 산맥 중에 솟아 있음. [1,219m]
일월 삼주【一月三舟】명『불교』배에서 달을 볼 때, 정지(停止)하고 있는 배에서 보면 달도 정지하고 있는 것 같고, 남행(南行)하는 배에서 보면 달도 남행하는 듯하고, 북행(北行)하는 배에서 보면 달도 북행하는 듯이 보임과 같이, 하나의 달이 보는 사람의 경우에 따라 각각 달리 보인다는 뜻에서, 하나의 부처를 보는 사람의 마음이 각각 다름을 비유하는 말.
일월 상문【日月象文】명 무덤 천장에 일곱 개의 별자리와 북두 칠성·심수(心宿)·위수(危宿) 등과 일(日)·월(月)을 그려넣어 천체를 나타내는 모양.
일월 설화【日月說話】명 해와 달에 관한 설화. 옛날 세 아이를 가진 어머니가 산너머 방아품팔이 갔다가 돌아오는 길에 그만 호랑이에게 속아 잡혀 먹힘. 호랑이는 다시 어머니 옷을 입고 집에 와서 아이들을 속이고 막내도 잡아 먹음. 이를 본 남매는 도망하여 우물가 나무 위로 올라가 하느님께 빌어 하늘에서 내려 준 줄을 타고 하늘에 올라갔는데, 호랑이도 하늘로 줄을 타고 올라가다가 떨어져 죽고 남매는 해와 달이 되었다는 이야기.
일월 성수【日月星宿】명 일월 성신.
일월 성신【日月星辰】명 해와 달과 별. 일월 성수(日月星宿).
일월 세:차【日月歲差】명『천』태양이나 달의 작용으로 하늘의 적도(赤道)가 이동하고, 그 때문에 춘분점(春分點)도 이동하는 현상. 춘분점이 천구를 일주하는 주기는 25,700년. 방향은 황도상을 동쪽에서 서쪽으로 향하여 이동함.
일월-식【日月蝕】[—씩] 명 일식과 월식.
일월-신【日月神】[—씬] 명『민』해와 달에 영혼이 있다고 믿어 홍수나 가뭄의 피해가 없이 일년 농사의 풍작을 비는 원시 신앙의 한 형태.
일월 여천【日月麗天】[—려—] 명 해와 달이 하늘에 걸려 있음.
일월-연【日月硯】[—련] 명 연면(硯面)은 둥근 태양, 연지(硯池)는 둥근 달로 표현하여 만든 벼루. 「한 제사.
일월-제【日月祭】[—쩨] 명 신라 시대에 국가에서 지내던 해와 달에 대
일월 조상【日月祖上】명『민』제주도 무속에서, 한 집안 또는 한 씨족의 수호신.
일월지-식【日月之食】[—찌—] 명 일식(日蝕)과 월식.
일윘다 타〈옛〉훔치다. =일벗다·일벗다. ¶일워슬 졀(竊) ≪字會 下 25≫/일워슬 투(偸) ≪類合 下 44≫.
일위[1]【一位】명 ①첫째의 지위. 수위(首位). ②『수』하나의 자리의 수(數). ③한 분. 한 사람. ¶~ 소동(小童).
일위[2]【逸偉】명 뛰어나고 훌륭함. ──-하다 형여불
일유[1]【佚遊】명 마음대로 편안히 즐겁게 놂. ──-하다 자여불
일유[2]【逸遊】명 하고 싶은 일을 하며 제멋대로 놂. 하는 일 없이 게으르게 놂. ──-하다 자여불
일유 일무【一有一無】명 있었다 없었다 함. ──-하다 형여불
일유 일예【一遊一豫】명 한 번의 놀이. 한 번의 즐거움.
일유전자 일효소설【一遺傳子一酵素說】[—류—] 명〔one gene one enzyme theory〕『생』한 유전자는 오로지 한 효소만을 합성하며, 그 특이성(特異性)을 지배한다는 설. 1944년 미국의 비들(Beadle, G.W.)과 테이텀(Tatum E. L.)이 붉은빵곰팡이를 이용한 생화학 반응의 유전적 억제에 관한 연구를 하여 발표함. *오페론.
일으려【至亦】〈이두〉이르러. 이르기까지.
일으키다 타 ①일으켜 세우다. ¶넘어진 사람을 ~. ②일 따위를 시작하다. ¶소송을 ~. ③세우다. ¶학교를 ~. ④깨우다. ¶잠자리에서 ~. ⑤발병(發病)하다. ¶신경증을 ~. ⑥발생시키다. ¶전기를 ~. ⑦활기를 돋우다. ¶가세를 ~. ⑧입신(立身)하다. 「여불
일은【逸隱】명 속세(俗世)를 피하여 숨음. 또, 그런 사람. ──-하다 자
일은-권【日銀券】[—꿘] 명 일본 은행권.
일음[1]【一音】명 ①한 음. 같은 음. ②딴 발음. ③『불교』설법(說法)은 동일함의 뜻.
일음[2]【日飮】명 매일 술을 마심. ──-하다 자여불
일음 일식【一飮一食】[—씩] 명 약간의 음식.
일음 일양【一陰一陽】명 음양(陰陽)의 두 원리. 또, 혹은 음이 되었다가 혹은 양이 됨.
일음 일의설【一音一義說】[—/—이—] 명『언』모든 글자의 음(音)은 각각 독특한 의의를 가지고 있다고 하는 학설. 음의설(音義說).
일음 일탁【一飮一啄】명 적은 음식이라는 뜻으로, 사람이 분수를 지키고 다른 것을 탐내지 않음의 비유.
일음-증【溢飮症】[—쯩] 명『의』땀이 나지 아니하고 몸이 아픈 병.
일읍【一邑】명 ①한 읍. 한 고을. ②온 읍. 온 고을. 일군(一郡).
일의[1]명〈옛〉응석. =이리. ¶사룸이 ᄌᆞ식 ᄉᆞ랑ᄒᆞ기롤 넘우 과히ᄒᆞ야 샹시예 제 ᄒᆞ고져 ᄒᆞ는 대로 조차 일의롤 너무 바다 기ᄅᆞ다가(人家父母溺於慈愛任其所欲長其驕傲)≪痘方 9≫. *일의ᄒᆞ다.
일의[2]【一意】[—/—이] 명 ①하나의 뜻. ②한 가지 사물에 뜻을 기울임. ¶~ 전심(專心). ③마음을 합침.
일의 고행【一意孤行】[—/—이—] 명 다른 사람에게 괘념(掛念)하지 않고 자기 혼자 생각을 실행해 감. ──-하다 타여불
일의노는 아히 명〈옛〉응석부리는 아이. ¶일의노는 아히 아니완히 누워 안홀 볼와 믜여 ᄇᆞ리ᄂᆞ다(嬌兒惡臥踏裏裂)≪初杜諺 Ⅵ:42≫.
일의놀이는 아히 명〈옛〉응석부리는 아이. ¶일의놀이는 아히 내 무루플 여희디 아니ᄒᆞ야(嬌兒不離膝)≪杜諺 Ⅱ:66≫.
일의놀이다 자〈옛〉재롱부리다. 응석부리다. ¶平生애 일의놀이던 아히(平生所嬌兒)≪杜諺 Ⅰ:5≫.
일의대-수【一衣帶水】[—/—이—] 명 한 줄기의 띠와 같이 좁은 강물이나 바닷물. ¶~를 끼고 있는 한·일 양국.
일:의 원리【一原理】[—월—/—에월—] 명〔principle of work〕『물』일에 있어서, 기계(機械)에 마찰(摩擦)이 없고 또한 그 무게를 고려하지 않을 경우에는, 기계에 가(加)한 일의 양(量)과 그로 인해 기계가 밖으로 낸 일의 양은 같다는 원리. 곧, 기계의 각 부분에 절대로 마찰이 없으면 기계에 가한 일만큼의 일을 하나, 마찰이 있으면 그 가한 일보다는 적은 일을 하게 됨.
일의-적【一義的】[—/—이—] 명관 ①가장 중요하고 근본적인 의의(意義)인 모양. 제일의적. ¶인생의 ~인 문제. ②의미나 결과가 한 종류인 모양.
일의 전심【一意專心】[—/—이—] 명 오로지 한 가지 일에만 온 마음을 기울임. ──-하다 자여불
일의 직도【一意直到】[—/—이—] 명 생각하는 그대로 나타냄. ──-하다 타여불
일의ᄒᆞ다 자〈옛〉응석부리다. 아양부리다. 애교떨다. ¶일의ᄒᆞ다(撒嬌)≪釋語 下 49≫. *이리·일의.
일이[1]【一二】[—리] ㊀명 한둘. ㊁관 한두. ¶~차(次).
일이[2]【日珥】명 태양의 가에 있는 붉은 운기(雲氣). 그 모양이 귀엣고리 같다고 관이(冠珥)라고도 했는데, 옛날에는 대길(大吉)할 조짐으로 여겼음.
일이[3]【逸異】명 뛰어나고 특이함. ──-하다 형여불
일-이관지【一以貫之】명 한 이치로써 모든 일을 꿰뚫음. 준일관(一貫). ──-하다 자여불

일이만【日耳曼】명〖지〗〈폐〉 독일.
일-이위상【日以爲常】명 날마다 같은 일을 함.
일이-이【一二二】[一리一] 명〖수〗 구구법(九九法)의 하나. 하나의 두 갑절 또는 둘의 한 갑절은 둘임.
일이일-간【一二日間】[一리一] 명 하루 이틀 사이.
일이일 사:태【一二一事態】[一리一] 명〖역〗 1968년 1월 21일, 북한의 민족 보위성(民族保衛省) 정찰국 소속 124군 부대 무장 게릴라 31명이 청와대를 습격하기 위해 서울에 침투했다가 실패하고 도주한 사건. 향토 예비군 창설의 직접적 계기가 됨.
일이-차【一二次】[一리一] 명 ①한두 번. ②첫째 또는 둘째 차례.
일익[1]【一翼】명 한쪽 부분. 한 소임(所任). 한 구실. ¶국방의 ~을 담당하는 여군(女軍).
일익[2]【日益】부 날로 날로 더욱. ¶~ 번창하다.
일인[1]【一人】명 ①한 사람. ¶~ 일기(一技). ②어떤 사람. 모인(某人). ¶석일(昔日)에 유(有)~. ③천자. 군왕.
일인[2]【一因】명 ①하나의 원인. ②〖불교〗 모든 부처와 중생이 똑같이 갖추고 있는 이체(理體).
일인[3]【日人】명 일본인(日本人).
일인 당백【一人當百】명 한 사람이 능히 백 사람과 맞섬. 용기 있는 형용. 일당백.
일인 당천【一人當千】명 한 사람이 능히 천 사람과 맞섬. 용기 있는 형용. 일기(一騎) 당천.
일인 이:역【一人二役】명 ①한 사람이 두 가지 구실을 맡음. ②한 사람의 배우가 두 사람의 역을 맡아 함. 더블 롤(double role).
일인 일기【一人一技】명 한 사람이 하나의 기술을 가짐. ¶~ 교육.
일인 일당주의【一人一黨主義】[一땅一/一땅一이] 명 단체의 구성원이 반드시 그 단체의 주의·주장에 맹종(盲從)하지 않고 각자의 의견을 주장하여 찬부(贊否)를 결정하려는 주의.
일인-자【一人者】명 ↗제일인자. ¶정계의 ~.
일-인칭【一人稱】명 ①〖언〗 자기의 지칭(指稱). ②〖문〗 창작(創作)의 주인공(主人公)으로 묘사(描寫)되는 나.
일인칭 소:설【一人稱小說】명〖문〗 주인공이 '내가'·'나의'·'나를' 등과 같이, 일인칭 대명사(一人稱代名詞)로 쓰여진 소설. 이히로만(Ich-Roman).
일인칭 영화【一人稱映畫】[一녕一] 명〖연〗 카메라가 극중 주인공의 눈이 되어 모든 사건이 주인공의 눈 앞에서 전개되는 영화. 따라서, 주인공의 전신은 거울이나 수면(水面) 같은 데에 비친 것 이외에는 화면(畫面)에 나타나지 않음.
일인칭 희곡【一人稱戲曲】[一히一] 명〖문〗 한 사람이 무대에 올라가서 독백(獨白)의 형식으로 연기하도록 쓴 희곡.
일인 회:사【一人會社】명 전주식(全株式)을 한 사람이 소유하는 회사. 상법상(商法上), 설립 후(設立後) 주주가 한 사람으로 되어도 해산(解散)하지 않아도 됨.
일일[1]【一日】명 ①하루. ¶~ 일선(一善). ②달의 초하루. ③짧은 시일. ④어느 날. 모일(某日). ¶~은 그가 찾아 와서.
일일[2]【日日】명 '나날'·'날마다'의 뜻. ¶~ 연속극.
일일-계【日日契】명 일정 기간 동안 전체 계원이 매일 일정 액수의 곗돈을 계주(契主)에게 부으면서, 그 날 그 날 당일 이자(當日利子)를 받고, 계금(契金)은 타고 싶은 날에 타는, 이자 선불식(利子先拂式)의 계. 보통 계와 같은 번호가 없는 것이 특징임.
일일 구천【一日九遷】명 일월 구천(一月九遷). 일세(一歲) 구천.
일일 난재신【一日難再晨】명 하루에 아침은 두 번 오지 않는다는 뜻으로, 시간은 한 번 지나가면 다시 돌아오지 않음을 이름.
일일 만:기【一日萬機】명 하룻 동안의 많은 중요한 정무(政務).
일일 명:령【日日命令】[一녕] 명 (routine order)〖군〗 야전(野戰)에서 작전과 무관하여 그 영향을 받지 아니하는 문제를 취급하는 명령. 일반 및 특별 명령·군사 법원 명령(軍事法院命令)·회보(會報) 또는 각서(覺書)를 포함함.
일일 병력【日日兵力】[一녁] 명〖군〗 한 편제(編制) 내에서 임무 수행에 쓸 수 있는 병원수(兵員數). 일보(日報)로 알 수 있음.
일일 부작 백일 불식【一日不作百日不食】[一씩] 명 농부가 하루 일을 쉬면 백일 동안의 양식이 줄어듦.
일일 사득【一一査得】[一릴一] 명 하나씩 하나씩 조사(調査)하여 알아냄. ——-하다 타여불
일일 삼추【一日三秋】명 일일 여삼추.
일일 생활권【一日生活圈】[一꿘] 명 ①당일로 볼일을 끝내고 되돌아올 수 있는 거리 안에 있는 구역·범위. ¶고속 도로의 개통으로 부산도 ~에 들었다. ②생산·소비·공급 활동이 교통 수단의 발달로 하루 사이에 이루어질 수 있는 범위.
일일-신【日日新】[一씬] 명 날로 새로워짐. ——-하다 자여불
일일신 우일신【日日新又日新】[一씬一씬] 명 일신 우일신(日新又日新). ——-하다 자여불
일일 여삼추【一日如三秋】[一려一] 명 하루가 삼 년 같음. 곧 몹시 애태우며 기다림. 일일 삼추(三秋). 일일 천추(一日千秋). ¶~로 기다린다. ——-하다 형여불
일일-열【日日熱】[一렬] 명〖의〗 매일열(每日熱).
일:일-이[1] [一릴一] 부 일마다. 사사 건건(事事件件). 사사(事事)이. ¶~ 말썽이다.
일일-이[2]【一一一】[一릴一] 부 하나씩 하나씩. 낱낱이. 모조리. 하나하나. ¶~ 세밀하게 검사하다.
일일-일【一一一】[一릴릴] 명〖수〗 구구법(九九法)의 하나. 하나의 한 갑절은 하나임.
일일 일야【一日一夜】명 일주야(一晝夜).
일일-정【一日程】[一쩡] 명 하루 걸리는 노정.
일일-조【一日潮】[一쪼] 명〖지〗 하루의 주기(周期)를 가지는 천체의 기조력(起潮力)에 의하여 일어나는 조석(潮汐). *반일조(半日潮)·장주기조(長周期潮).
일일-주【一日酒】[一쭈] 명 하루 만에 마실 수 있는 술이라는 뜻인데, 속성 발효시켜 단시일내에 음용하는 순내 양조주(旬內釀造酒)의 일종.
일일지-고【一日之孤】[一찌一] 명 재위 기간이 짧은 천자.
일일지-낙【一日之樂】[一찌一] 명 잠깐 동안의 즐거움.
일일지-아【一日之雅】[一찌一] 명 〔아(雅)는 평소의 교제〕 잠깐 동안의 교제(交際). 사귀이 얕음.
일일지-우【一日之憂】[一찌一] 명 단시일의 근심. 한때의 걱정.
일일지-장【一日之長】[一찌一] 명 ①하루 먼저 세상에 났다는 뜻으로, 연령이 조금 위가 되는 일. ②조금 나은 선배. 또, 조금 나음.
일일지-환【一日之歡】[一찌一] 명 잠깐 동안의 기쁨.
일일 천리【一日千里】[一철一] 명 ①하루에 천 리(千里)를 달린다는 뜻으로, 말이 매우 빨리 달림을 이르는 말. ②진보(進步)하는 것의 빠름. ③수류(水流)가 빠름.
일일 천추【一日千秋】명 일일 여삼추.
일일 편시【一日片時】명 잠시 동안. 짧은 시간(時間).
일일-학【一日瘧】명〖의〗 날마다 일정한 시간에 앓는 학질. 일학(日瘧).
일일 항:정【一日航程】명 〔day's run〕 선박이 1주야(晝夜)에 항행한 거리. 보통 정오(正午)에서 정오까지의 사이에 계측(計測)함.
일일-화【日日花】명 날마다 피는 꽃.
일임[1]【一任】명 전적으로 맡김. ¶이 일은 너에게 ~한다. ——-하다 타여불
일임[2]【一稔】명 ①곡물이 일년에 한 번 여물어 익음. ②일년(一年).
일임 식물【一稔植物】명〖식〗 일순 식물(一巡植物).
일입【日入】명 해가 짐. 일몰(日沒). ↔일출(日出). *해넘이. ——-하다 자여불
일자[1]【一字】[一짜] 명 ①하나의 문자. ②짧은 글. ¶~ 상서. ③한일(一)자. ¶~ 집/입을 ~로 굳게 다물다.
일자[2]【一者】[一짜] 명〖철〗 로마의 철학자 플로티누스(Plotinus)가, 만유(萬有)가 그 곳으로부터 나오고 또 그리로 돌아가는 곳, 즉 절대자에게 붙인 이름.
일자[3]【日字】[一짜] 명 날짜.
일자[4]【日者】[一짜] 명 ①요전. 일전(日前). ②날의 길흉(吉凶)을 점치는 사람. *점쟁이.
일자[5]【逸字】[一짜] 명 있어야 할 글자가 빠져 있음. 또, 그 글자. 탈자(脫字).
일자 경장【一字徑丈】[一짜一] 명 일자 경척.
일자 경척【一字徑尺】[一짜一] 명 글자를 너무 크게 써서 한 자의 크기가 한 자나 되는 일. 일자 경장.
일:-자리 [一짜一] 명 직장(職場). ¶~를 얻다.
일자 만:동【一字萬同】[一짜一] 명 서예에서, 글씨에 변화가 없음.
일자-매기【一字一】[一짜一] 명〖건〗 서까래 끝을 한자의 '一' 자(字)와 같게 자르는 일. ↔방구매기. ——-하다 타여불
일자 무소식【一字無消息】[一짜一] 명 전혀 소식이 없음.
일자 무식【一字無識】[一짜一] 명 글자 한 자도 알지 못함. 목불식정(目不識丁). 전무식(全無識). 일자 불식.
일자 반:급【一資半級】[一짜一] 명 조그마한 대수롭지 않은 벼슬. 일계 반급(一階半級).
일자 백련【一字百練】[一짜一년] 명〖문〗 시문의 한 자 한 자를 충분히 퇴고(推敲)함.
일자 불설【一字不說】[一짜一썰] 명〖불교〗 부처가 깨달은 내용은 말이나 문자로는 설명할 수 없음.
일자 불식【一字不識】[一짜一씩] 명 글자 한 자도 알지 못함. 일자 무식(一字無識). 전무식(全無識).
일자 삼례【一字三禮】[一짜一네] 명〖불교〗 경문(經文)을 베끼어 쓸 때, 한 글자마다 세 번씩 절하는 일. ——-하다 자여불
일자 상속제【一子相續制】[一짜一] 명 ①부모의 전재산을 자식의 어떤 한 사람이 이어 받는 상속 제도. ②〔도 Anerbenrecht〕 농업 경영에 필요한 토지·가옥·농구(農具) 등을 분할(分割)하지 않고 한 사람의 자식, 흔히 장자가 상속하고 다른 자식들에게는 일시금(一時金)이나 연금(年金) 내지는 수익권(收益權)을 주는 농지(農地)에 관한 제도. 독일의 각 지방에서 채택되고 있으며, 그 밖의 나라에서도 논의의 대상이 되고 있음.
일자-서【一字書】[一짜一] 명 ①한 통의 글발. ②한 장에 한 자씩 씀. ③한 번 먹을 묻힌 채로 쭉 내려 씀. ——-하다 타여불
일자 수:의【一字數義】[一짜一/一짜一이] 명 하나의 한자(漢字)에 여러 가지의 뜻이 있음.
일자 양:의【一字兩義】[一짜一/一짜一이] 명 글자 하나에 두 가지의 뜻이 있음.
일자 오:결【一字五結】[一짜一] 명〖역〗 논밭 다섯 결(結)마다 천자문(千字文)의 자호(字號)를 붙이던 일.
일자 이:후【一自以後】[一짜一] 명 그 뒤부터 지금까지.
일자일석-경【一字一石經】[一짜一썩一] 명〖불교〗 하나의 작은 돌에 한 자씩 쓴 경문.
일자일석-탑【一字一石塔】[一짜一썩一] 명〖불교〗 일자일석경(一字一石經)을 땅에 묻고 그 위에 세운 탑.
일자 일의【一字一義】[一짜一/一짜一이] 명 한 자에 하나의 뜻만이 있음.

일자 일점【一字一點】[—짜—쩜] [명] 썩 작은 것의 비유.
일자 일주【一字一珠】[—짜—쭈] [명] 부르는 노래가 구슬처럼 아름답고 보드라움.
일자 일체【一字一涕】[—짜—] [명] 한 자 쓰고 한 번 울고 함. 슬퍼서 울며 쓴다는 말. ——하다 [자][여불]
일자 장사진【一字長蛇陣】[—짜—] [명]『군』한자(漢字)의 '一'자(字) 모양으로 길게 뻗쳐서 친 진영(陣營) 또는 열(列).
일자-좀나비【一字—】[—짜—] [명]『충』[*Parnara guttata*] 팔랑나빗과에 속하는 곤충. 몸길이 20mm, 편 날개 35mm 가량이고 몸빛은 다갈색, 날개는 흑갈색인데 앞날개에는 8개, 뒷날개에는 4개의 흰 반점이 '一'자형으로 있음. 유충은 '가위좀'이라고 하는데 모양은 방추형(紡錘形)이고 몸길이 40mm이며, 몸 표면에는 흰 가루가 있음. 한 해에 3-4번 발생하는데, 두 번째의 유충은 화본과 식물, 특히 벼의 대해충임. 낮에는 잎을 돌돌 말아 그 속에 있다가 해질 무렵에 나와 활동함. 변화가 많은 종류로서 아시아 각지에 널리 분포함. 줄점팔랑나비.

유충

성충

〈일자좀나비〉

일자지-사【一字之師】[—짜—] [명] 단 한 자(字)를 배워도 역시 선생(先生)이라는 말.
일자-진【一字陣】[—짜—] [명] 한일자(一字) 모양(模樣)으로 죽 벌여 치는 진.
일자 천금【一字千金】[—짜—] [명] 한 글자마다 천금의 가치가 있음. 아주 훌륭한 글씨나 문장의 비유.
일자 첩용【一字疊用】[—짜—] [명]『문』한 시(詩) 중에서 같은 글자를 겹쳐 씀.
일자-총【一字銃】[—짜—] [명] 한 방으로 바로 맞히는 좋은 총.
일자 포:수【一字砲手】[—짜—] [명] 한 방을 쏘아서 바로 맞히는 명포수(砲手). 일방 포수(一放砲手).
일자 포폄【一字褒貶】[—짜—] [명] 글자 한 자를 가려 씀으로써 사람을 칭찬하기도 하고 비방하기도 함. 춘추(春秋)의 필법(筆法).
일자-행【一字行】[—짜—] [명] 일직선(一直線)으로 진행(進行)함. ——하다 [자][여불]
일작[1]【一酌】[명] 소작(小酌)❷. ——하다 [자][여불]
일작[2]【日昨】[—짝] [명] 일전(日前).
일-잠 [—짬] [명] 저녁 일찍이 자는 잠.
일잣-집【一字—】[—짣—] [명]『건』한자의 '一'자(字) 모양으로 지은 집.
일장[1]【一章】[—짱] [명] ①문장 등의 큰 단락(段落). 또, 그 첫번째의 것. 또는 하나의 문장. ②태음력(太陰曆)에서 태양과의 차(差)를 조정(調整)하기 위해 필요한 일주기(一周期). 19년.
일장[2]【一場】[—짱] [명] 한바탕. ¶～ 훈시.
일장[3]【日長】[명] ①하지(夏至) 철. ②해가 길. ③세월이 길. ④나날이 자람. ——하다 [자][여불]
일장[4]【日葬】[—짱] [명] 죽은 당일에 장사지내는 일.
일-장검【一長劍】[—짱—] [명] 하나의 길고 큰 칼. ¶～ 짚고 서서 만병(萬兵)을 호령한다.
일장 공성 만:골고【一將功成萬骨枯】[—짱—] [구] 장군 한 사람의 전공(戰功)은 만(萬) 병졸이 전장에서 죽은 덕택임에도 그 공을 오직 한 장군에게만 돌림을 개탄하는 말.
일장-기【日章旗】[—짱—] [명] 일본의 국기(國旗). 직사각형(直四角形)의 흰 바탕에 붉은 원(圓)을 한가운데에 그림.
일장기 말살 사:건【日章旗抹殺事件】[—짱—쌀—껀] [명]『역』1936년에 동아 일보가 손기정 선수의 가슴에 달린 일장기 말살로 일어난 일제의 민족 언론 탄압 사건. 동년 8월 1일 베를린 올림픽 대회에 일본팀의 일원으로 출전했던 손기정 선수가 마라톤 경주에서 세계를 제패(制覇)하자 동아 일보가 그 실황을 게재하는 가운데 손기정 선수의 유니폼에 달린 일본 국기 표지를 말살하였음. 이로 인해 동아 일보는 무기 정간 처분을 당했으며 조선 중앙 일보도 폐간됨. 일장기 말소 사건.
일장 설화【一場說話】[—짱—] [명] 한바탕의 이야기. ——하다 [자][여불]
일 장성 이: 장흥【一長城二長興】[구] 호남에서 산수(山水) 좋기로는 첫째 장성(長城)이요, 둘째 장흥(長興)이라는 말.
일장 월취【日將月就】[—짱—] [명] 일취 월장(日就月將). 장취(將就). ——하다 [자][여불]
일장 일단【一長一短】[—짱—딴] [명] 장점도 있고 단점도 있어 완전하지 않음. 일단 일장.
일장 일이【一張一弛】[—짱—] [명] 활 시위를 죄었다 늦추었다 하는 것처럼, 사람이나 물건을 적당히 부리고 적당히 쉬게 함.
일장 춘몽【一場春夢】[—짱—] [명] 한바탕의 봄꿈처럼 헛된 영화(榮華). ¶영원할 것 같던 호사도 ～으로 끝났다.
일장 통:곡【一場痛哭】[—짱—] [명] 한바탕의 통곡. ——하다 [자][여불]
일-장폭【一長瀑】[명] 하나의 긴 폭포.
일장 풍파【一場風波】[—짱—] [명] 한바탕의 심한 야단이나 싸움. ¶공연히 ～를 일으키다.
일장 훈:시【一場訓示】[—짱—] [명] 한바탕의 훈시. ¶～를 하다.
일재【逸才】[—째] [명] 뛰어난 재주. 또, 그 사람. 일족(逸足).
일:-재간【一才幹】[—째—] [명] 무슨 일을 해나가는 재간.
일-재복【日再服】[—째—] [명] 같은 약을 하루에 두 번 먹음. *일삼복(日三服). ——하다 [타][여불]
일재 일예【一才一藝】[—째—] [명] 한 가지 뛰어난 재능과 한 가지 예(藝)에 뛰어난 기량. ¶～의 교육.
일적【一滴】[—쩍] [명] 한 방울.
일전[1]【一錢】[—쩐] [명] 화폐의 전(錢)의 최소 단위. 1원(圓)의 100 분의 1. *전[26](錢). 「여불」
일전[2]【一戰】[—쩐] [명] 한바탕의 싸움. ¶～ 불사(不辭). ——하다 [자]
일전[3]【一轉】[—쩐] [명] ①한 번 돎. 한 바퀴 돎. 일회전(一回轉). ②아주 변함. 일변(一變). ¶심기(心機) ～. ——하다 [자][여불]
일전[4]【日前】[—쩐] [명] 지나간 날. 며칠 전. 요전. 일작(日昨). 일자(日者). ¶～에 만난 사람.
일전[5]【逸典】[—쩐] [명] 산일(散逸)한 전적(典籍).
일-전기【一轉機】[명] 어떤 변화가 일어나는 중요한 계기(契機). ¶～를 마련하다.
일전 동화【一錢銅貨】[—쩐—] [명] 1원의 백분의 1에 상당하는 보조 화폐. 일전짜리 동전.
일전 쌍조【一箭雙鵰】[—쩐—] [명] 화살 하나로 수리 두 마리를 떨어뜨림. 곧, 한 가지 일로 두 가지 이득을 취함. 일석 이조(一石二鳥). 일거 양득(一擧兩得).
일전 양:주제【一田兩主制】[—쩐—] [명]『역』중국의 토지 소유권(所有權)의 한 형태. 명청(明淸) 시대에 이미 인정되어, 최근의 중국 토지 개혁 때까지 존속하던 토지의 이중 소유 관계로 양쯔강 이남 지대에서 널리 행하여졌음.
일전 일도【一顚一倒】[—쩐—또] [명] 한 번 굴렀다 한번 넘어졌다 함. ——하다 [자][여불] 「절(句節).
일절[1]【一節】[—쩔] [명] ①한 마디. ②문장(文章)·음악(音樂) 등의 한 구
일절[2]【一切】[—쩔] [부] 아주. 도무지. 전혀. 결코. 흔히, 사물을 부인하거나 금지할 때에 씀. 뒤에 반드시 부정(否定)의 말이 옴. ¶그런 짓은 ～ 하지 마라. *일체(一切).
일절지-사【一節之士】[—쩔—] [명] 조그마한 덕행(德行)이 있는 사람.
일:-점[1]【一點】[—쩜] [명]『물』작용점(作用點).
일점[2]【一點】[—쩜] [명] ①한 점. 또, 하나의 점상(點狀)인 것. 전하여, 극히 근소한 일. ②물품 하나. ¶소지품 ～. ③1에 해당하는 평점(評點)·득점. ¶～씩 오르다. ④한 방울. ¶빗방울 ～. ⑤누각(漏刻)에서, 한 점, 곧 지금의 약 2시간을 4등분한 맨 처음 시각. 한 점. ⑥바둑에서, 돌 하나. 또, 바둑판의 눈 한 점. ¶～을 따내다.
일점 쇄:선【一點鎖線】[—쩜—] [명] 약간 긴 선과 짧은 선과를 번갈아 벌여 놓은 선. 제도(製圖)에서는 중심선(中心線) 및 절단선(切斷線)을 나타낼 때 사용함.
일점 일획【一點一畫】[—쩜—] [명] 한자(漢字)의 한 점. 한 획. ¶～도 건성으로 배워서는 안 된다.
일점 혈육【一點血肉】[—쩜—] [명] 단 하나의 자기가 낳은 자녀. ¶슬하에 ～도 없는 쓸쓸한 노부부.
일점-홍【一點紅】[—쩜—] [명] ①한 떨기 붉은 꽃. ②[왕안석(王安石)의 시 '만록총중 일점홍(萬綠叢中一點紅)'에서] 푸른 잎 가운데 한 송이 붉은 꽃. 곧, 여럿 중에서 특히 눈에 띔. 또, 많은 남자 속에 섞인 한 여자. 홍일점. ③'석류(石榴)'의 별명.
일정[1]【一定】[—쩡] [명] ①하나로 고정되어 움직이지 않음. 변동(變動)이 없음. ¶～한 수입/～한 규칙. ②어떤 기준에 의해 범위나 방향 따위가 정해져 있음. ¶～한 방향으로 원운동을 하다. ——하다 [형][여불]. ——히 [부]
일정[2]【日政】[—쩡] [명] 왜정(倭政).
일정[3]【日程】[—쩡] [명] ①그날에 할 일. 또, 그 분량·순서. ¶경기 ～. ②그날의 도정(道程). ¶여행 ～. ③의회(議會) 등에 있어서 그날 그날 심의(審議)할 의사(議事). 또, 그 순서. ¶의사 ～.
일정[4]【日精】[—쩡] [명] 태양의 정(精). 태양의 영(靈).
일정[5]【逸政】[—쩡] [명] 안일한 정치.
일정[6]【逸情】[—쩡] [명] 속세(俗世)를 벗어난 심정(心情). 또, 마음을 속세에서 벗어나게 함.
일정 기간【一定期間】[—쩡—] [명] 일정한 기간.
일정-량【一定量】[—쩡냥] [명] 일정한 분량.
일정 불변【一定不變】[—쩡—] [명] 한 번 정하여져 바뀌지 아니함. 일정 불역(一定不易). ——하다 [자][여불]
일정 불역【一定不易】[—쩡—] [명] 일정 불변.
일정 성분비의 법칙【一定成分比—法則】[—쩡—/—쩡—에—] [명] [law of definite composition]『화』어떠한 화합물이라도 그 성분 원소의 무게의 비율은 일정하다는 법칙.
일정 시대【日政時代】[—쩡—] [명]『역』일제 강점기.
일정-액【一定額】[—쩡—] [명] 돈의 일정한 액수.
일정-표【日程表】[—쩡—] [명] 일정(日程)을 적어 놓은 표.
일제[1]【一齊】[—쩨] [명] 한결같음. 같은 때. ¶～ 점검(點檢). ——히 [부] ¶～ 소리치다.
일제[2]【日帝】[—쩨] [명] ①↗일본 제국(日本帝國). ¶～ 때. ②↗일본 제국주의(帝國主義).
일제[3]【日製】[—쩨] [명] ↗일본제(日本製). ¶～ 카메라.
일제 강:점기【日帝強占期】[—쩨—] [명]『역』우리 나라가 일본의 강압으로 식민 통치를 당한 35년간(1910-1945). 왜정 시대(倭政時代). 일정 시대(日政時代).
일제 공:격【一齊攻擊】[—쩨—] [명] 전부 모여서 동시에 공격함. ¶～명(令). ——하다 [타][여불]
일제 교:수【一齊教授】[—쩨—] [명]『교』한 사람의 교사(教師)가 다수(多數)의 학생을 같은 시간에 가르치는 교수 방식(方式). 현재 대부분의 학교에서 채택(採擇)되고 있는 방법임. ↔개인(個人) 교수. *그룹 학습(group 學習).
일제 사격【一齊射擊】[—쩨—] [명] 여럿이 한꺼번에 쏨. ↔각개(各個)

사격. ——-하다 타여불

일제 시대【日帝時代】[—쩨—] 명 〖역〗 일제 강점기(日帝强占期).

일조¹【一兆】[—쪼] 명 하나의 조짐.

일조²【一兆】[—쪼] ㊀ 수 일억의 만 갑절. ㊁ 명 극히 많은 수.

일조³【一助】[—쪼] 명 하나의 도움. 얼마간의 도움. ¶ ~가 되는 일.

일조⁴【一條】[—쪼] 명 ①한 줄기. ¶ ~의 광선(光線). ②한 조목. ¶ ~ ~ 따지고 들다. ③일사(一事).

일조⁵【一朝】[—쪼] 명 ①↗일조 일석(一朝一夕). ¶그러한 큰일이 ~에 이루어지는 것은 아니다. ②하루 아침. 어느날 아침. ¶ ~에 눈을 떠보니 유명해 있었다. ③한 번. 만일. 일단. ¶ ~ 유사시(有事時). ④조정(朝廷) 전체. 조정 전체의 사람.

일조⁶【日照】[—쪼] 명 해가 내리 쬠. ¶ ~ 시간(時間).

일조⁷【逸調】[—쪼] 명 훌륭한 가락.

일조⁸【逸藻】[—쪼] 명 뛰어난 시재.

일조-계【日照計】[—쪼—] 명 〔heliograph〕〖물〗 일조시(日照時)를 기록하는 장치. 조던식(Jordan式) 일조계 및 캠벨 스토크스식(Campbell Stokes式) 일조계가 있음.

〈일조계〉

일조-권【日照權】[—쪼꿘] 명 태양의 광선을 확보하는 권리. 인접 건물 등에 의해 자기 집에 태양 광선이 충분히 닿지 못하도록 방해되어서 생기는 신체적(身體的)·정신적(精神的) 혹은 재산상(財産上)의 피해에 대해 보상을 주장할 수 있는 권리.

일조-량【日照量】[—쪼—] 명 일정한 물체의 표면적이나 지표면에 비치는 태양 광선의 양. 「누리게 됨.

일조 부:귀【一朝富貴】[—쪼—] 명 가난한 사람이 별안간 부귀(富貴)를

일조 부등【日潮不等】[—쪼—] 명 〖지〗 같은 날의 두 번의 만조 또는 간조의 높이가 서로 같지 않은 현상. 반일조(半日潮) 외에 일일조(一日潮)가 동시에 존재하기 때문에 일어남.

일조석-일【一潮汐日】[—쪼—] 명 〔tidal day〕〖해〗 어떤 곳에서 두 개의 연속(連續)되는 만조(滿潮)와 만조 사이의 시간. 평균적으로 24시간 └51분임.

일조-시【日照時】[—쪼—] 명 〖물〗 일조 시간.

일조 시간【日照時間】[—쪼—] 명 〖물〗 태양이 구름이나 안개에 가리어지지 아니하고 지상(地上)을 비춘 시간. 일조계(日照計)로 측정(測定)하며 보통 한 시간의 100분의 1까지 측정(測定)할 수 있음. 일조시(日照時).

일조-율【日照率】[—쪼—] 명 〖물〗 태양의 일조 시간(日照時間)을 가조 시간(可照時間)으로 나누고, 그 수(數)를 백분율로 나타낸 값.

일조 일석【一朝一夕】[—쪼—썩] 명 하루 아침이나 하루 저녁처럼 짧은 시일(時日). ¶로마는 ~에 이루어진 것이 아니다. 준일조(一朝).

일조 점호【日朝點呼】[—쪼—] 명 〖군〗 아침에 하는 점호. ＊일석 점 └호.

일조지-분【一朝之忿】[—쪼—] 명 한때의 분노.

일조지-환【一朝之患】[—쪼—] 명 한때의 근심 또는 재앙.

일조-치【一朝恥】[—쪼—] 명 일시적인 수치.

일조 편법【一條鞭法】[—쪼—뻡] 명 〖역〗 중국 명(明)나라 후기(後期)로부터 청(淸)나라 초기까지 행해진 세법(稅法). 전부(田賦)·정역(丁役) 등 여러 세역(稅役)을 일조(一條)로 간편하게 하여 은납제(銀納制)로 징수하였음. ＊이갑제(里甲制).

일족¹【一族】[—쪽] 명 한 족속·같은 조상의 친척 같은 겨레붙이. 일종(一宗). 족류(族類).

일족(을) 물리다 구 〖역〗 일가붙이에 족징(族徵)을 내게 하다. ＊족징(族徵).

일족²【一簇】[—쪽] 명 한 떼. 일군(一群).

일족³【逸足】[—쪽] 명 ①걸음걸이가 썩 빠른 발. 또, 그러한 말. ②뛰어난 재능이나 그런 재능을 가진 사람. 일재(逸才).

일종¹【一宗】[—쫑] 명 ①일족(一族). ②〖불교〗 한 교의(敎義). 한 종파.

일종²【一終】[—쫑] 명 ①목성(木星)의 한 주기(週期)가 끝나는 기간. 약 12년간. ②〖악〗 음악을 한 번 연주(演奏)하고 끝남. ③음악의 한 곡(曲). 시가(詩歌)의 한 편(篇).

일종³【一種】[—쫑] 명 ①한 종류. ②어떤 종류.

일종 교:과서【一種敎科書】[—쫑—] 명 〖교〗 교육부가 편찬하고 저작권(著作權)을 갖는 교과서. 현재는 초·중·고교의 국어 교과서가 이에 해당함. ＊교과서.

일종 도서【一種圖書】[—쫑—] 명 〖교〗 교육부가 편찬하는 초·중·고교의 국어 교과서 및 지도서. 곧, 일종 교과서와 일종 지도서의 합칭.

일종 보:급품【一種補給品】[—쫑—] 명 〖군〗 식량(食糧) 등과 같이 항상 인원(人員)에 따라 일정하게 보급되는 물품.

일종 일횡【一縱一橫】[—쫑—] 명 ①가로 세로 됨. 그물·실 따위에 대하여 이름. ②〖역〗 합종(合縱)과 연횡(連橫)이 번갈아 됨.

일종 지도서【一種指導書】[—쫑—] 명 〖교〗 교육부가 편찬하고 저작권(著作權)을 갖는 지도서. 현재는 초·중·고교의 국어 과목 지도서가 이에 해당함. ＊지도서.

일좌【一座】[—쫘] 명 ①한좌석. 같은 좌석. 동석(同席). ¶ ~에 모이다. ②온 좌석. 만좌(滿座).

일죄【一罪】[—쬐] 명 ①한 가지의 죄. 같은 죄. ②일률(一律)❹.

일죄 재:범【一罪再犯】[—쬐—] 명 같은 죄를 두 번 범함. ——-하다 타여불

일주¹【一走】[—쭈] 명 〖역〗 달음질 취재(取才)의 첫째 등급. ＊주(走).

일주²【一周】[—쭈] 명 한 바퀴를 돎. 또, 그 한 바퀴. 일주(一週). 일회(一廻). ¶시내 ~. ——-하다 타여불

일주³【一株】[—쭈] 명 ①나무 등의 한 그루. ②〖경〗 하나의 주식(株式). 또, 그 주권(株券). 「다 타여불

일주⁴【一週】[—쭈] 명 ①일주(一周). ②↗일주간. ③↗일주일. ——-하

일주⁵【一籌】[—쭈] 명 ①하나의 계책(計策). 일책(一策). ②한 개의 산가지.

일주⁶【逸走】[—쭈] 명 도망쳐 달아남. ——-하다 자여불

일주-간【一週間】[—쭈—] 명 칠일간(七日間). 일주일(一週日). 준일주(一週).

일주 광행차【日週光行差】[—쭈—] 명 〔diurnal aberration〕〖천〗 지구(地球)의 자전 속도(自轉速度)에 따라 생기는 광행차. 자전 속도가 최대인 적도상(赤道上)에서는 일주 광행차가 0.3초 이하이고, 양극상(兩極上)에서 0임. ＊광행차.

일주-권【日週圈】[—쭈꿘] 명 〔diurnal circle〕〖천〗 하늘의 적도(赤道)의 극(極)을 중심으로 하고 천체의 극거리를 반지름으로 하는 천구상(天球上)의 소원(小圓). 천구상에서의 일주(日週) 운동의 궤도(軌道)로 하늘의 적도에 평행(平行)인 소원. 위권(緯圈).

일주-기¹【一週忌】[—쭈—] 명 사망한 다음해의 같은 달 같은 날에 지내는 제사. 일회기(一回忌). 소상기(小祥忌).

일-주기²【日週期】[—쭈—] 명 〔diurnal periodicity〕〖생〗 일주야(一晝夜)를 주기(週期)로 하여 나타나는 생물의 행동이나 이동(移動), 군집(群集)의 구조(構造)·기능 따위의 주기성(週期性). 식물의 광합성(光合成)은 매일 행해지고 있는데, 달맞이꽃·나팔꽃 따위의 개화(開花), 자귀나무·함수초 등의 잎의 개폐(開閉) 등이 이 예임. 일주기 활동. 일주 변화(日週變化). 일주 현상(日週現象).

일주기 천:이【日週期遷移】[—쭈—] 명 〔daily succession〕〖생〗 일주기(日週期)에서, 군집(群集)의 구조와 기능의 주기적(週期的)인 변화. 동물 군집(動物群集)의 대다수는 낮과 밤으로 하여 종류 조성(種類組成), 개체군(個體群)의 크기, 동물의 사회적 구조(構造) 등에 많은 변화(變化)를 일으킴.

일주기 활동【日週期活動】[—쭈—똥] 명 〖생〗 일주기(日週期).

일주-년【一週年】[—쭈—] 명 한 돌. 꼭 한 해. 일기(一朞).

일주-문【一柱門】[—쭈—] 명 〖건〗 절 문 따위에 기둥을 한 줄로 배치(配置)한 문.

일주 변:화【日週變化】[—쭈—] 명 〖생〗 일주기(日週期).

일주-성【日週性】[—쭈썽] 명 〖생〗 주야(晝夜)의 관계에 의해서 생물이 이동하는 성질. 이 성질은 환경 조건(環境條件)을 바꾸어도 꽤 오랫동안 변하지 않음.

일주 시:차【日週視差】[—쭈—] 명 〔diurnal parallax〕〖천〗 천체(天體)의 위치를 지구의 중심에서 보았을 때와 지상 관측지(地上觀測地)에서 보았을 경우의 시차. 지구의 자전(自轉)에 수반(隨伴)해서 주기적으로 변화함. 지상의 관측자는 지구의 자전으로 말미암아 지심(地心)의 둘레에서 그 위치가 변하므로 천체의 위치는 1항성일을 주기(週期)로 하여 그 지심 위치의 둘레를 실시상(實視上) 이동(移動)하는데, 그 지심 위치로부터의 편각(偏角)을 말함. 지심 시차(地心視差).

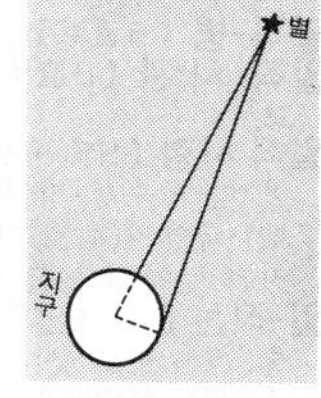

〈일주 시차〉

일-주야【一晝夜】[—쭈—] 명 만 하루. 일주일야.

일주 운:동【日週運動】[—쭈—] 명 〔diurnal rotation〕〖천〗 천체(天體)가 하나의 항성일(恒星日)을 주기(週期)로 하여 지구의 둘레를 회전(回轉)하는 운동. 곧, 지구 자전(地球自轉)에 의한 상대적 운동(相對的運動)으로 천구(天球)가 동쪽에서 서쪽으로 약 하루에 1회전한 것처럼 보이는 현상(現象). 모든 항성의 일주 운동의 주기는 서로 같아지며 태양(太陽)의 주기의 그 평균은 일평균 태양일(一平均太陽日)임. 매일(每日) 운동.

일-주일【一週日】[—쭈—] 명 칠일(七日) 동안. 일주간(一週間). 준일 └주(一週).

일주 일야【一晝一夜】[—쭈—] 명 일주야.

일주 일 의결권의 원칙【一株一議決權—原則】[—쭈—꿘—/—쭈—꿘에—] 명 〖법〗 주주 총회에서의 의결권(議決權) 행사에 있어서, 그 의결권을 일주(一株)에 한 개로 하는 원칙.

일주 현:상【日週現象】[—쭈—] 명 〖생〗 일주야(一晝夜)를 주기(週期)로 하여 나타나는 생물의 행동(行動)이나 이동하는 현상(現象). ＊일주기(日週期).

일주-회【一週回】[—쭈—] 명 한 바퀴 돎. ——-하다 자타여불

일준【一遵】[—쭌] 명 지키고 받들어 어기지 아니함. ——-하다 타여불

일중¹【一中】[—쭝] 명 〖불교〗 선종(禪宗)에서, 한자리에 모인 사람들에게 다과(茶果)를 대접하는 일. 「이 같은 때. 춘분·추분.

일중²【日中】[—쭝] 명 ①오정 때. 한낮. ②↗일중식(日中食). ③밤낮

일중 도영【日中逃影】[—쭝—] 명 일중(日中)에 그림자를 피하고자 한다는 뜻. 곧, 불가능한 일을 비유하는 말.

일중 불결【日中不決】[—쭝—] 명 이른 아침부터 회의를 열어서 오정 때에 이르러도 아직 결정되지 아니함.

일-중선【日中船】[—쭝—] 명 일본 사람이 19세기 말에 우리 나라 연안에서 쓰기 시작한 '안강망(鮟鱇網)'을, 재래식 중선망(中船網)과 어법(漁法)이 비슷하다 하여 그 무렵에 일컫던 말.

일중-식【日中食】[—쭝—] 명 가난한 사람이 아침 저녁밥은 안 먹고 낮에 한 번만 먹음. 준일중(日中). ——-하다 타여불

일중 행사【日中行事】[—쭝—] 명 그날 중에 행하는 행사. 그날그날의 행사.

일즉 부 〈옛〉 일찍이. =일즙. ¶時節거리츄믈 일즉 ᄆᆞ다ᄃᆞ마 잇도다(濟

時曾琢磨)≪杜諺 XXIII:18≫.
일즉이 【曾只】 [부] 〈이두〉 일찍이.
일즙 [부] 〈옛〉 일찍이. =일즉·일즛. ¶우리 이 물들흘 일즙 믈머기디 아녓더니(我這馬們不曾飮水裏)≪老乞 上 28≫.
일즙 일채 【一汁一菜】[—쯥—] [명] 국 한 그릇과 나물 한 그릇의 식사. 곧, 변변치 못한 식사의 비유.
일즛 [부] 〈옛〉 일찍이. =일즙. ¶일즛 비미 強盜 스므나ᄆᆞ니(嘗夜有強盜數十)≪飜小 IX:81≫.
일증 【日增】[—쯩] [명] 나날이 늘어 감. ——-하다 [자][여불]
일증 월가 【日增月加】[—쯩—] [명] 나날이 다달이 자꾸자꾸 늘어감. ——-하다 [자][여불]
일지¹ 【一支】[—찌] [명] 남의 일가를 멸시하여 일컫는 말.
일지² 【一枝】[—찌] [명] 한 나뭇가지.
일지³ 【一指】[—찌] [명] 〖악〗 평조와 계면조에 있어서, 협종(夾鐘)과 고선(姑洗)을 기음(基音)으로 한 조(調). 한가락.
일지⁴ 【日至】[—찌] [명] 동지(冬至) 또는 하지(夏至).
일지⁵ 【日誌】[—찌] [명] 그날 그날 직무(職務)상의 기록(記錄)을 적은 책. ¶업무 ~
일지⁶ 【逸志】[—찌] [명] ①훌륭하고 뛰어난 지조(志操). ②세속(世俗)을 초월(超越)한 뜻.
일지⁷ 【是乙喩】 [조] 〈이두〉 일지.
일지-군 【一枝軍】[—찌—] [명] 일지병(一枝兵).
일지-록 【日知錄】[—찌—] [명] 〖책〗 중국 청(淸)나라의 고염무(顧炎武)가 일상의 독서 연구의 성과를 경의(經義)·정사(政事)·세풍(世風)·예제(禮制)·사학(史學)·언어학(言語學) 등 15항목으로 분류하여, 수필체(隨筆體)로 쓴 것. 고증(考證)의 정확(精確)과 예리(銳利)한 통찰 비판(洞察批判)으로 고증학(考證學)의 근본(根本)으로 삼음. 1695년 간행(刊行). 모두 32 권.
일지 반:전 【一紙半錢】[—찌—] [명] 종이 한 장과 엽전 오리(五厘). 곧, 매우 근소(僅少)한 것의 비유.
일지 반:해 【一知半解】[—찌—] [명] 하나쯤 알고 반쯤 깨달음. 곧, 아는 것이 적음. ——-하다 [타][여불]
일지-병 【一枝兵】[—찌—] [명] 한 떼의 병사(兵士).
일지-춘 【一枝春】[—찌—] [명] 매화(梅花).
일지-필 【一枝筆】[—찌—] [명] 한 자루의 붓.
일직¹ 【日直】[—찍] [명] ①그날그날의 당직. ②낮 또는 일요일의 당직. 또, 그 사람. 일직자(日直者). *숙직(宿直).
일직² 【一直】[—찍] [부] 일향(一向).
일직-병 【日直兵】[—찍—] [명] 〖군〗 일직 근무를 맡은 병사.
일직 사:관 【日直士官】[—찍—] [명] 〖군〗 부대의 일직 근무를 맡은 장교.
일직 사령 【日直司令】[—찍—] [명] 〖군〗 직접 부대장 밑에서 그날의 경비 임무 수행·명령의 보존·재산 보호·규칙 여행(勵行) 및 위수지(衛戍地)·숙영지(宿營地) 또는 주둔지(駐屯地) 안의 죄수 감시 따위를 책임지고 맡아 보는 장교.
일-직선 【一直線】[—찍—] [명] ①하나의 직선(直線). ②쭉 곧음. 또, 그 줄. ¶~으로 긋다.
일직-자 【日直者】[—찍—] [명] 일직 임무(任務)를 수행(遂行)하는 사람. 일직(日直).
일직 하:사관 【日直下士官】[—찍—] [명] 〖군〗 부대의 일직 근무를 맡은 하사관.
일진¹ 【一陣】[—찐] [명] ①한 떼의 군사의 진. ②첫째의 진. 선진(先陣). ③바람 따위가 한바탕 일어남의 뜻. ¶~ 광풍(狂風).
일진² 【一塵】[—찐] [명] 〔티끌 하나의 뜻〕 극히 적은 분량. 또, 미소(微小)한 사물.
일진³ 【日辰】[—찐] [명] 〖민〗 날의 육십 갑자(六十甲子). ¶~이 사납다.
일진⁴ 【日進】[—찐] [명] 나날이 진보함. 날이 갈수록 나아짐. ¶~ 월보(月步). ——-하다 [자][여불]
일진⁵ 【日盡】[—찐] [명] ①날의 기한이 다함. ②해가 저묾. 일몰(日沒). ¶~하여 다음 날로 미루다. ——-하다 [자][여불]
일진 광풍 【一陣狂風】[—찐—] [명] 한바탕 부는 사나운 바람. ¶~이 휘몰아치다.
일진-법 【日辰法】[—찐뻡] [명] 〖민〗 날의 간지(干支)를 배당하여 놓는 법. 옛날에 일진을 알고자 할 때에는 음력의 날수를 총 계산하여 60으로 제하고, 그 나머지 숫자로 해당시키는 방법 밖에 없으므로, 이것으로 옛날 기록이 전부 기재되었음.
일진 법계¹ 【一眞法界】[—찐—] [명] 〖불교〗 오직 하나만인 참된 세계. 절대 무차별의 우주(宇宙)의 실상.
일진 법계² 【一塵法界】[—찐—] [명] 〖불교〗 미세(微細)한 티끌 하나 속에도 법계, 곧 우주 전체가 갖추어져 있다는 말.
일진 불염 【一塵不染】[—찐—] [명] ①〖불교〗 티끌만큼도 물욕(物慾)에 물들어 있지 않음. ②모든 것이 맑고, 불결(不潔)하지 않음. ③토지(土地)가 깨끗함. ④절조(節操)가 깨끗함. ⑤문장(文章) 등이 뛰어나게 아름다움.
일진 월보 【日進月步】[—찐—] [명] 날로 달로 끊임없이 진보 발전함. ¶기술이 ~하다. ——-하다 [자][여불]
일진 일퇴 【一進一退】[—찐—] [명] ①한 번 앞으로 나아가고 한 번 뒤로 물러섬. 나아갔다가 물러섬. ¶~의 치열한 공방전. ②좋아졌다 나빠졌다 함. ¶~의 병세(病勢). ——-하다 [자][여불]
일-진작 【一眞勺】[—찐—] [명] 〖악〗 곡의 완급(緩急)을 나타내는 용어의 하나로, 가장 느린 것을 이름. 만기(慢機)·만대엽(慢大葉)에 해당함.
일진 청풍 【一陣淸風】[—찐—] [명] 한바탕 부는 시원한 바람.
일진-풍 【一陣風】[—찐—] [명] 한바탕 부는 바람.
일진-회 【一進會】[—찐—] [명] 〖역〗 대한 제국 광무(光武) 8년(1904) 송병준(宋秉畯)·윤시병(尹始炳)·이용구(李容九)·유학주(兪鶴柱) 등이 조직하여 일제(日帝)의 한국 침략을 도왔던 매국적 정치 단체. 1904년 러일 전쟁이 벌어지자 송병준은 윤시병을 추겨서 유신회(維新會)를 조직하게 하여 일본군에 협력하고, 그 당시 동학(東學) 간부 이용구를 꾀어 이와 합류하여 '일진회'라 이름 지음. 1905년 을사 조약(乙巳條約)이 성립한 후 더욱 매국적인 망동(妄動)을 하며 광분(狂奔)하였고, 일제의 한국 병탄(倂呑)이 이루어진 1910년 해산(解散)함.
일진 흑운 【一陣黑雲】[—찐—] [명] 한바탕 이는 먹구름.
일질¹ 【一帙】[—찔] [명] ①한 책갑에 들어 있는 책. ②여러 권으로 된 한 벌의 책. ¶한국 문학 전집 ~.
일질² 【一秩】[—찔] [명] 십 년.
일질³ 【日昳】[—찔] [명] 해가 기울 때.
일질⁴ 【逸帙】[—찔] [명] 질로 된 책 중에서 한 부분이 없어짐. 또, 그 책. *산질(散帙).
일질 일문 【一質一文】[—찔—] [명] 〔옛날 중국에서, 왕조(王朝)의 교체에 따라 예제(禮制)가 바뀔 때, 전왕조가 질(質)에 치중하면, 다음 왕조는 문(文)에 치중함과 같이, 질과 문이 번갈아 행하여진 일에서〕 혹은 질박(質樸)하고 혹은 화사(華奢)함을 이름.
일-짓다 [타][ㅅ불] (밥 따위를) 일찍 짓다.
일ᄌᆞ기 [부] 〈옛〉 일찍이. ¶우리 來日 일ᄌᆞ기 ᄆᆞᄋᆞᆷ 노하가쟈(我明日早只放心的去也)≪老乞 上 24≫.
일족 [부] 〈옛〉 일찍. ¶됴흔날일족니러≪찬양가 : 12≫.
일쩌우- [큰] '일쩝다'의 불규칙 어간(不規則語幹). ¶~니/~ㄴ.
일쩝다 [형][ㅂ불] 일거리가 되어 귀찮다.
일쭉-거리다 [자][타] 허리를 좌우로 잇달아 내흔들다. >얄쭉거리다.
일쭉-일쭉 [—닐—] [부]. ——-하다 [자][타][여불]
일쭉-대다 [자][타] 일쭉거리다.
일쭉-얄쭉 [—냘—] [부] 고르지 아니하고 재게 일긋거리고 얄긋거리는 모양. ——-하다 [자][여불]
일쯔가니 [부] 〈방〉 일찌감치(경상·평안).
일쯔거니 [부] 〈방〉 일찌감치(평안).
일쯔기 [부] 〈방〉 일찍이.
일쯕 [부] 〈방〉 일찍이.
일찌감치 [부] 조금 더 일찍이. 일찌거니. ¶~ 걷어 치우다. ↔느지감치. *일찍이.
일찌거니 [부] 일찌감치. ¶~ 일어나다. ↔느지거니. *일찍이.
일찍 [부] ↗ 일찍이❶. ¶~ 일어나다.
일찍이 [부] 〔중세: 일ᄌᆞ기〕 ①이르게. 늦지 아니하게. ¶~ 서두르다. [준]일찍. ↔느직이. ②전에 한 번. 이왕에. ¶~ 없었던 일. [준]일찍.
일차¹ 【一次】 [명] ①한 차례. 한 번. ¶~ 왕림하시길 바랍니다. ②첫 번. ¶~ 방어전. ③〖수〗 대수식에서 제곱 또는 그 이상의 항(項)을 포함하지 아니하는 차(次). ¶~ 방정식.
일차² 【日次】 [명] 그 날의 당번(當番) 차례.
일차 감:염 【一次感染】 [명] 〖의〗 병원체가 인체 안에 침입하여 특정한 기관이나 조직에서 그 병원체가 증식(增殖)하여 특수한 병변(病變)이 일어나는 일. *이차(二次) 감염.
일차 계:전기 【一次繼電器】 [명] 〔primary relay〕 〖전〗 일련의 동작에서 최초의 동작을 일으키게 하는 계전기.
일차-골 【一次骨】 [명] 〖생〗 척추(脊椎) 동물의 두골(頭骨) 형성 때에 전부터 있던 원두개(原頭蓋)의 연골(軟骨)이 화골(化骨)하여 만들어지는 뼈. 치환골(置換骨). *이차골(二次骨).
일차 구이 【一次—】 [명] 초벌 구이.
일차 극체 【一次極體】 [명] 〖생〗 일차 난모(卵母) 세포의 분열에서 생기는 두 개의 세포 중 작은 쪽의 세포. 세포질은 거의 없으며 핵(核)뿐 임. 알의 동물극(動物極) 부근에 방출되며, 얼마 안 있어 대부분이 소멸(消滅)됨. 큰 쪽의 세포는 이차 난모 세포라고 함.
일차-근 【一次根】 [명] 〔primary root〕 〖식〗 최초(最初)로 발달하기 시작하는 식물의 뿌리. 유근(幼根)에서 나옴.
일차 근:사 이:론 【一次近似理論】 [명] 〔first-order theory〕 〖물〗 가장 중요한 항(項)만을 도입한 이론. 이론 중에 나타나는 함수(函數)의 전개항(展開項) 중, 독립 변수에 비례(比例)하는 항 따위.
일차 떼기 【一次—】 [명] 〖고고학〗 격지를 얻기 위해 처음으로 몸돌에 베푸는 떼기. 일차 박리(一次剝離).
일차 무지개 【一次—】 [명] 〔primary rainbow〕 쌍무지개 중 안쪽의 것으로, 태양과 반대의 각반경(角半徑) 42°의 호(弧)로 나타나는 무지개. 광선은 물방울 속에서 한번만 내부 반사(內部反射)하며, 바깥쪽에 생기는 이차(二次) 무지개보다 좁고 밝음. 수무지개. *이차 무지개.
일차 박리 【一次剝離】[—니] [명] 〖고고학〗 '일차 떼기'의 구용어.
일차 반:응 【一次反應】 [명] 〔first-order reaction〕 〖화〗 반응의 속도(速度)가 변화하는 어떤 한 물질의 농도(濃度)에 비례(比例)하는 화학 반응(化學反應).
일차 방:사선 【一次放射線】 [명] 〔primary radiation〕 〖물〗 물질(物質)과 상호 작용(相互作用)을 하지 않고 광원(光源)으로부터 직접(直接) 오는 방사선.
일차 방정식 【一次方程式】 [명] 〔linear interpolation〕 〖수〗 미지수(未知數)의 거듭제곱의 최고 차수(最高次數)가 일차인 방정식.

일차 변:전소【一次變電所】 명 〖전〗 발전소에서 장거리 송전선(送電線)에 의하여 송전되는 전력(電力)을 최초로 수전(受電)하는 변전소. 여기서 전압(電壓)을 낮추어, 다시 이차 변전소로 보냄.

일차 변:환【一次變換】 명 〔linear transformation〕〖수〗 ①벡터 공간으로부터 벡터 공간으로 향한 어떤 종류의 사상(寫像). 벡터 공간 U에서 벡터 공간 V에의 사상 f 중 $f(\alpha a+\beta b)=\alpha f(a)+\beta f(b)$를 만족시키는 것을 U에서 V에의 일차 변환이라 함. 여기서 $a \cdot b$는 U의 요소(要素), $\alpha \cdot \beta$는 실수(實數)임. 선형(線型) 사상. ②복소수(複素數)에 복소수를 대응(對應)시키는 어떤 종류의 사상. $z'=(az+b)/(cz+d)$와 같은 모양으로 표현되는 것.

일차 부등식【一次不等式】 명 〔linear inequalities〕〖수〗 부등식의 기본 성질을 써서 정리한 결과 $ax+b>0$ (a, b는 상수, $a \neq 0$)이 되는 부등식.

일차 산:업【一次產業】 명 〖경〗 ↗제일차 산업. ＊이차 산업.

일차 산:품【一次產品】 명 〖경〗 아직 가공(加工)되지 않고 생산된 채로의 형태로 거래(去來)되는 생산물(生產物). 농산물·수산물·광산물 따위. ＊이차 산품.

일차 성:징【一次性徵】 명 〔primary sexual character〕〖생〗 동물의 생식기(生殖器)의 차이에 의한 성징. 제일차 성징. ＊성징·제2차 성징·제3차 성징.

일차 수막【一次髓膜】 명 〔meninx primitriva〕〖동〗 뇌·척수(脊髓)를 덮고 있는 단일막(單一膜). 포유류(哺乳類)보다 하등의 척추 동물에서 볼 수 있음.

일차 에너지【一次—】〔energy〕 명 원유·석탄·천연 가스 또는 수력(水力)이나 원자핵 따위, 자연에서 채취(採取)한 대로의 물질을 근원(根源)으로 한 에너지.

일차 우:주선【一次宇宙線】 명 〔primary cosmic rays〕〖물〗 우주로부터 밤낮으로 내리 쏟아지는 고(高)에너지의 방사선(放射線). 본래의 우주선(宇宙線)임. 성분은 양성자(陽性子)가 약 90%, α입자가 약 10%, 보다 무거운 탄소·산소 등 원자핵(原子核)이 약 1%로, 대기 중에서 다수의 이차 우주선을 만듦. 양(陽)전기를 띠고 있으므로 지구 자기(地球磁氣)의 영향을 받아 지구(地球) 상의 위도(緯度)에 따라 강도(強度)를 달리함.

일-차원【一次元】 명 〖수〗 거리를 나타내는 단 한 개의 실수(實數), 곧 직선으로 표현되는 공간. ＊이차원.

일차원적 인간【一次元的人間】 명 〔도 Der eindimensionale Mensch〕〖철〗 현상(現狀)의 비판, 인간으로서의 참다운 내적 자유(內的自由) 등을 상실하고 체제와 일차원적으로 동화(同化)당한 개성을 상실한 무능력·비극적 인간을 뜻함. 1968년 전후에 일어난 유럽의 신좌익 운동(新左翼運動)에 따르는 젊은 세대(世代)의 정신적 지주(支柱) 역할을 담당한 새로운 개념임.

일차-재【一次財】 명 〖경〗 '소비재(消費財)'의 딴이름. ↔고차재(高次財).

일차-적【一次的】 명 관 첫 번의 차례로 되는 모양. ¶～ 책임(責任)은 너에게 있다.

일차적 준:비 자산【一次的準備資產】 명 〔primary reserve assets〕〖경〗 국제 통화 제도(國際通貨制度)에서, 한 나라가 대외 지불을 위하여 우선적으로 준비해야 할 통화 이외의 자산. 곧, 금·아이 엠 에프(IMF) 특별 인출권·아이 엠 에프(IMF) 포지션의 일컬음. 주요 준비 자산(主要準備資產).

일차 전:류【一次電流】〔—절—〕 명 〔primary current〕〖물〗 일차 코일에 흐르는 전류. ＊이차 전류.

일차 전:압【一次電壓】 명 〔primary voltage〕〖전〗 전압을 바꿀 목적으로 코일(coil) 등을 맞놓아, 다른 전압을 발생(發生)시킬 때의 본래의 전압. ＊이차 전압.

일차 전:자【一次電子】 명 〔primary electron〕〖물〗 고체 표면에 충격을 가(加)하여 이차 방출(二次放出)을 일으키게 하는 전자. ＊이차(二次) 전자.

일차 전:자 방:출【一次電子放出】 명 〔primary emission〕〖물〗 음극 가열(陰極加熱)과 같은 일차적인 원인에 의하여 생기는 전자 방출. 전자 충격(電子衝擊)과 같은 이차적인 효과와는 다름.

일차 전:지【一次電池】 명 〔primary cell, primary battery〕〖물〗 전지(電池) 안의 작용 물질(作用物質)이 일단 화학 변화(化學變化)를 입어 전기적 에너지(電氣的 energy)를 방출(放出)하면서 다른 물질로 된 후에는 거꾸로 이에다 전기적 에너지를 보내주어도 원상(原狀)으로 돌아가지 아니하는 전지. 건전지(乾電池) 등이 이에 속(屬)함. ＊이차 전지(二次電池).

일차 제:품【一次製品】 명 자연에서 얻는 일차 산품을 원료로 하여 가공한 최초의 제품. 면화(綿花)를 가공해서 만든 면사(綿絲) 따위. 가공도에 따라 2차 제품·3차 제품 등으로 구별함.

일차 조직【一次組織】 명 〔primary tissue〕〖식〗 일차 생장(生長) 기간(期間)중에 형성(形成)되는 식물(植物) 조직. 초생(初生) 조직. ＊이차(二次) 조직.

일차 집단【一次集團】 명 〔primary groups〕〖심〗 제일차 집단(第一次集團).

일차 처:리【一次處理】 명 〔primary treatment〕 하수 처리(下水處理) 과정에서, 미처리(未處理)의 하수로부터 부유 고체(浮遊固體)와 현탁(懸濁) 고체를 제거(除去)하는 일.

일차 천:이【一次遷移】 명 〔primary succession〕〖식〗 식생(植生)의 생태학적 천이. 식물이 전혀 없는 새로운 지층(地層) 위에, 다른 곳으로부터 식물이 이주(移住)함으로써 일어남.

일차 코일【一次—】 명 〔primary coil〕〖물〗 유도(誘導) 코일이나 변압기에서 전원(電源) 쪽에 연결하는 코일. 제일(第一) 코일. ＊이차(二次) 코일.

일차 함:수【一次函數】〔—쑤〕 명 〔linear function〕〖수〗 변수가 일차식으로 표시되는 함수의 일컬음. 변수 x의 일차식은 일반적으로 $y=ax+b$ $(a \neq 0)$로 나타냄. ＊이차 함수.

일차-항【一次項】 명 〖수〗 대수식(代數式)에서 일차로 된 항(項). ＊이차항(二次項).

일착【一着】 명 ①경주 등에서, 첫째로 도착함. ¶～으로 골인하다. ②첫째로 착수(着手)함. ③바둑 등에서, 돌을 한 점 반면(盤面)에 놓음. 일수(一手). ——-하다 자 여불

일찰【一札】 명 한 통의 서찰.

일-찰나【一刹那】〔—라〕 명 극히 짧은 시간. 일순간.

일참【日參】 명 나날의 출근.

일창 삼탄【一倡三歎·一唱三嘆】 명 한 사람이 부르고 세 사람이 도와 부름. 곧, 한 번 시문(詩文)을 읽고 여러 번 탄상(嘆賞)한다는 뜻으로, 썩 훌륭한 시문을 칭찬할 때 쓰는 말.

일책【一策】 명 한 가지 계책. 일계(一計). 일주(一籌).

일-책수【一磔手】 명 〖불교〗 엄지손가락과 가운뎃손가락을 벌린 길이. 불상(佛像)을 재는 척도(尺度)가 됨.

일처[1]【一妻】 명 한 아내. ¶일부(一夫) ～.

일처[2]【一處】 명 한 곳. 한 군데.

일처 다부【一妻多夫】 명 한 아내에 대하여 동시(同時)에 둘 이상의 남편(男便)이 있음.

일처 다부제【一妻多夫制】 명 일처 다부의 혼인(婚姻) 제도.

일척[1]【一隻】 명 ①한 쌍을 이룬 것의 한 쪽. ②배·화살 등의 하나. ¶선박 ～. ③새 한 마리.

일척[2]【一擲】 명 한 번 내어던짐. 한 번 버림. ——-하다 타 여불

일척 건곤【一擲乾坤】 명 건곤 일척.

일척 백만【一擲百萬】 명 거액의 돈을 한꺼번에 써 버림. 배짱이 셈의 비유. 일척 천금. ——-하다 타 여불

일척-안【一隻眼】 명 ①눈 하나. 한 눈. ②사물을 간파(看破)하는 비범(非凡)한 식견(識見).

일척 천금【一擲千金】 명 일척 백만(一擲百萬).

일천[1]【一天】 명 ①〖역〗 과거(科擧) 때 맨 먼저 바치는 글장. ＊말천(末天). ②하늘 전체. 하늘 가득.

일천[2]【一喘】 명 ①한 번 숨을 쉼. ②몹시 짧은 시간.

일천[3]【日天】 명 ↗일천자(日天子).

일천[4]【日淺】 명 날짜가 많지 아니함. 시작한 지 얼마 되지 아니함. ——-하다 형 여불

일천[5]【一千】 수 천(千).

일천 만:승【一天萬乘】 명 ①천자. ②천자의 지위. 주대(周代)에 천자는 병거(兵車) 만승(萬乘)을 소유하고 있었으므로 이름.

일-천자【日天子】 명 ①〔Sūrya〕〖불교〗 십이천(十二天)의 하나. 태양을 신격화(神格化)한 것. 관세음 보살의 화신(化身)으로 일륜(日輪)을 궁전으로 삼았으며, 다섯 혹은 일곱 마리의 적마(赤馬)가 끄는 칠보차(七寶車)에 타고, 마리지천(摩利支天)을 거느리며, 사천하(四天下)를 조림(照臨)한다고 함. 일광 천자. ↔월천자(月天子). ②태양. 일륜(日輪). ㊎일천(日天).

〈일천자〉

일천제【一闡提】 명 〔범 icchāntika〕〖불교〗 본시 해탈(解脫)의 소인(素因)을 갖추지 못하여 도저히 부처로 될 수 없는 것. 단선근(斷善根).

일천-조롱박【一千—】 명 〖식〗 호리병박의 한 품종. 과실이 작고 다닥다닥 많이 열림.

일천지-하【一天之下】 명 한 하늘 아래. 곧, 온 천하(天下).

일-천하【一天下】 명 통천하(通天下). 천하 전체.

일철【一轍】 명 한 줄의 길. 같은 길. 같은 자국.

일청[1]【一淸】 명 〖악〗 가야(伽耶)고의 둘째 현(絃)의 이름. ＊이청(二淸).

일청[2]【日晴】 명 날이 갬. ——-하다 자 여불

일청 일탁【一淸一濁】 명 맑았다 흐렸다 함.

일체[1]【一切】 ㊀ 명 모든 것. 온갖 사물. ¶소지품 ～를 조사하다. ㊁ 관 모든. 온갖. ¶～ 중생(衆生). ㊂ 부 〔↗일체를〕 통틀어서. 모두. ¶모든 권한을 ～ 네게 맡긴다. ＊일절(一切).

일체[2]【一體】 명 ①한결같음. 일례(一例). ②전부(全部). ③한 몸. 동체(同體). ¶부부 ～가 되다. ④같은 관계. 동류(同類).

일체-감【一體感】 명 일체 감정(一體感情). ¶～을 불어 넣다.

일체 감:정【一體感情】 명 〔도 Einsfühlung〕〖철〗 자타(自他)가 융합하여 일체로 되는 감정. 군중 심리(群衆心理)·전쟁 심리·성애(性愛)·모자애(母子愛) 등에서 전형적으로 볼 수 있음. 유기적(有機的) 생명의 차원(次元)의 현상으로, 정신적·인격적인 영역에서는 없다고 함. 셸러(Scheler, Max)가 쓴 말임.

일체 개고【一切皆苦】 명 〖불교〗 인간이 무상(無常)·무아(無我)를 깨닫지 못하고 영생(永生)에 집착하여 그로 말미암아 사고 팔고(四苦八苦)에 빠져 있음을 이르는 말.

일체 개성【一切皆成】 명 〖불교〗 〔↗일체 개성불(佛)〕 이승에 태어난 사람은 누구나 부처가 될 수 있다는 말.

일체-경【一切經】 명 〖불교〗 경(經)·율(律)·논(論)의 삼장(三藏)을 비롯하여 그 석소(釋疏)를 포함하는 불교 성전(聖典)의 총칭. 곧, 대장경(大藏經).

일체경 음의【一切經音義】〔—/—이〕 명 〖책〗 일체경에 수록되어 있는

경전(經典)의 어구의 음(音)과 의미를 해설한 책. 중국 당(唐)나라의 현응(玄應)이 저술한 25권과 역시 당나라의 혜림(慧琳)이 저술한 100권이 있고, 당나라의 희린(希麟)이 저술(著述)한 속(續)일체경 음의 10권이 있음.

일체 고액【一切苦厄】명 〖불교〗 모든 고뇌와 재액.

일체 분신【一體分身】명 ①〖불교〗 부처가 세상 사람을 구하기 위해 일시 여러 가지 모습으로 나타나는 일. ②동일의 사물을 근원으로 하고 거기에서 갈라져 나온 사물.

일체-성【一體性】[—썽] 명 일체를 이루고 있는 성질. 일체의 특색. ¶~을 잃지 말도록.

일체식 구조【一體式構造】명 〖건〗 건물의 기초에서 지붕까지의 주체(主體) 구조를 현장에서 거푸집을 짜서 콘크리트를 비벼 넣어 일체로 한 것.

일체 양:면론【一體兩面論】[—논] 명 〖철〗 일원론(一元論)의 하나. 인간의 정신과 신체의 관계는, 기초가 되는 하나의 본체(本體)로서, 구별할 수는 있으나 나눌 수 없는 양면이라고 하는 설. 유물론과 관념론은 같은 실재(實在)의 서로 다른 측면(側面)에 불과하다고 하는 생각. 이면설(二面說).

일체 유:위【一切有爲】명 〖불교〗 ①현상계(現象界)에 존재하는 모든 것. 끊임없이 전변(轉變)하고 무상(無常)한 것. 일체 유위법. ②전(轉)하여, 이 세상이 변천하여 덧없음의 비유.

일체 유:위법【一切有爲法】[—뻡] 명 〖불교〗 일체 유위❶.

일체 유:정【一切有情】명 〖불교〗 일체 중생(一切衆生).

일체 장경【一切藏經】명 〖불교〗 대장경(大藏經).

일체 종:지【一切種智】명 〖불교〗 삼지(三智)의 하나. 현상계(現象界)의 차별(差別) 있는 여러 가지 상태(狀態)와, 그 속에 숨겨져 있는 참 모습(貌襲)을 관찰(觀察)할 수 있는 최상(最上)의 지혜(智慧). 불지(佛智). *일체지(一切智).

일체-주의【一體主義】[—/—이] 명 〖문〗 위나니미슴(unanimisme).

일체-중【一切衆】명 〖불교〗 ↗일체 중생.

일체 중:생【一切衆生】명 〖불교〗 이 세상에 살아 있는 모든 생물. 특히 사람에 대하여 쓰임. 일체 유정(一切有情). 준일체중(一切衆).

일체-지【一切智】명 〖불교〗 삼지(三智)의 하나. 모든 현상(現象)을 완전히 아는 지혜(智慧). 넓은 뜻으로는, 부처인 지혜인 일체 종지(一切種智)와 같고, 좁은 뜻으로는, 성문 연각(聲聞緣覺)의 지혜를 말함. *삼지(三智).

일체 편고【一體偏枯】명 몸의 일부분이 마비되어 자유롭지 못함. 사지(四肢)의 일부가 움직이지 않게 됨. 반신 불수(半身不隨).

일체-화【一體化】명 일체(一體)로 됨. 또, 일체로 만듦. ——-하다 자타여불

일초[1]【日抄】명 날마다 초(抄)함. 또, 그 서명(書名). ——-하다 타여불

일초[2]【日草】명 ①평양(平壤)에서 나는 상등 살담배. ②일본에서 나는 솜털 같은 살담배.

일초 일목【一草一木】명 한 그루의 나무와 한 포기의 풀. 극히 사소한 사물의 비유. 일목 일초(一木一草).

일초 진:자【一秒振子】명 [seconds pendulum] 진동의 중심과 지점(支點)의 중심 사이의 거리를 99.353 cm로 잡은 진자. 이 진자는 위도(緯度) 45°의 해수면(海水面)에서, 한쪽 끝에서 다른 한쪽 끝까지 흔들리는 데 정확히 1초가 걸림.

일촉 즉발【一觸卽發】명 조금만 닿아도 곧 폭발할 것 같은 모양 즉, 조금만 닿아도 곧 폭발한다는 뜻으로, 막 일이 일어날 듯하여 몹시 위험한 상태에 놓여 있음을 일컫는 말. ¶~의 긴장.

일촌[1]【一寸】명 ①한 치. ¶1척의 10분의 1은 ~. ②얼마 안 되는 것. 한 마디. 한 토막. ③지극히 짧은 시간. ¶~ 광음(光陰). ④지극히 가까운 거리.

일촌[2]【一村】명 한 마을. 온 마을.

일촌 간장【一寸肝腸】명 한 토막의 간과 창자라는 뜻으로, 주로 애달프거나 애가 탈 때의 마음을 형용하여 이르는 말.
[일촌 간장이 봄눈 슬듯한다] 걱정과 두려움이 극도에 달하였다는 말.

일촌 광음 불가경【一寸光陰不可輕】구 짧은 시간이라도 헛되게 보내지 말라는 말.

일촌 단심【一寸丹心】명 약간의 적성(赤誠). 자기의 진심의 겸칭(謙稱). 일촌 적심.

일촌 적심【一寸赤心】명 일촌 단심.

일총[1]【一聰】명 썩 총명함. 또, 그 사람. ——-하다 형여불

일총[2]【一寵】명 특히 독차지하여 받는 사랑.

일-총통【一銃筒】명 〖역〗 조선 세종(世宗) 30년(1448)의 무기 대개량 때에 제조된 총통. 당시의 장군 화통(將軍火筒) 다음으로 큰 포.

일촬【一撮】명 한 줌. 극히 소량임.

일촬-토【一撮土】명 한 줌의 흙.

일축【一蹴】명 ①한 번 참. 내참. ②상대방의 의견·요구 등을 단번에 거절함. ¶그의 제의를 ~하다. ③상대방을 단번에 물리침. ¶완강한 적을 ~하다. ——-하다 타여불

일축성 결정【一軸性結晶】[—쩡] 명 〖광〗 광축(光軸)이 단 하나인 결정. 정방 정계(正方晶系)·삼방 정계(三方晶系)의 결정은 모두 이에 속하는데 석영(石英)·방해석(方解石)이 그 대표적(代表的)인 예임. 단축(單軸) 결정.

일축성 관절【一軸性關節】명 〖생〗 회전축(回轉軸)이 하나인 관절. 나선(螺旋) 관절·차축(車軸) 관절이 이에 해당함. *이축성 관절·다축성(多軸性) 관절.

일축 일신【一縮一伸】[—씬] 명 줄였다 늘였다 함. 늘어났다 줄어들었다 함. 일신 일축. ——-하다 자타여불

일출[1]【日出】명 해가 돋음. ↔일입(日入)·일몰(日沒). *해돋이. ——-하다 자여불

일출[2]【逸出】명 ①피(避)하여 빠져 나옴. 밖으로 비어져 나옴. ②일반보다 뛰어남. ——-하다 자여불

일출[3]【溢出】명 물 같은 것이 넘쳐 흐름. ——-하다 자여불

일출-권【逸出圈】[—꿘] 명 [exosphere] 대기(大氣)의 상층부에서, 대기 밀도가 작기 때문에 분자간 상호의 충돌 빈도(衝突頻度)가 적어지고, 그 때문에 중성 분자(中性分子)는 탄도(彈道) 운동을 행하여 중력권(重力圈) 밖으로 탈출하게 되는 영역(領域).

일출 돌기【逸出突起】명 [dehiscence papilla] 〖생〗 유주 자낭(遊走子囊)에 생기는, 작은 유두상(乳頭狀)의 돌기.

일출-봉【日出峰】명 〖지〗 강원도 고성군(高城郡) 서면(西面)과 회양군(淮陽郡) 내금강면(內金剛面) 사이, 내금강내에 솟아 있는 기봉(奇峰)의 하나. [1,552 m]

일출 삼간【日出三竿】명 해가 높이 올라옴을 형용하는 말.

일출-시【日出時】명 태양(太陽)이 지평선(地平線) 위에 나타나려고 하는 순간의 시각.

일출-종【逸出種】[—쫑] 명 재배 지역(栽培地域) 밖으로 나와서, 자력(自力)으로 번식(繁殖)·생육(生育)하는 식물의 총칭.

일취[1]【日就】명 ↗일취 월장(日就月將). ——-하다 자여불

일취[2]【日醉】명 날마다 취함. ——-하다 자여불

일취 월장【日就月將】[—짱] 명 나날이 다달이 진전함. 날로 달로 진보(進步)함. 일장 월취(日將月就). ¶사세(社勢)가 ~하다. 준일취(日就). ——-하다 자여불

일취지-몽【一炊之夢】명 황량몽(黃粱夢).

일취 천일【一醉千日】명 한 번 마시면 천일(千日)을 취함. 술이 대단히 좋음을 이름.

일측지-노【日昃之勞】명 점심을 거르고 해가 기울도록 하는 노력(勞力).

일층【一層】㊀명 ①한 겹. ②여러 층으로 된 것의 맨 밑. *이층(二層)·단층(單層). ㊁부 한결 더. 한층. ¶방비를 ~ 강화하다.

일층 가:관【一層可觀】명 한결 더 볼 만함.

일층 기관【一層奇觀】명 한결 더 기이(奇異)한 광경.

일층 소:수파련【一層小水波蓮】명 혼인(婚姻) 잔치의 큰 상에 꽂는 가화(假花)의 한 가지. 밀(蜜)로 만든 활짝 핀 연꽃을 기초로 하여 홍도(紅桃)·벽도(碧桃)·월계(月桂) 등의 꽃가지 사이에 금지(金紙) 또는 밀로 만든 나비 또는 벌이 날아 드는 형상(形象)을 이루게 한 것. 작은 수파련. 준소수 파련(小水波蓮). *수파련(水波蓮)·이층 중수파련(二層中水波蓮).

일치[1]【一致】명 ①서로 맞음. ¶언행 ~. ②한결같음. ¶만장 ~. ——-하다 자여불

일치[2]【逸致】명 훌륭한 의도(意圖).

일치 단결【一致團結】명 여럿이 한 덩어리로 굳게 결합함. ——-하다 자여불

일치-법【一致法】[—뻡] 명 [method of agreement] 〖논〗 밀(Mill, J. S.)이 실험적 연구법(實驗的硏究法)으로 든 5개의 귀납법(歸納法) 가운데 첫째 것. 모든 사례(事例)의 공통 요소(共通要素) 가운데 우연적(偶然的)인 것을 지워 버리고 본질적(本質的)인 유일(唯一)한 공통 요소만을 남기는 방법. 유동법(類同法).

일치의 정:리【一致—定理】[—니/—에—니] 명 [도 Eindeutigkeitssatz] 〖수〗 보통 두 개의 함수(函數)가 일치하기 위한 조건(條件)을 주는 정리(定理)를 말함. 예를 들면 같은 영역(領域)에서 정칙적(正則的)인 두 함수의 값이 그 영역 위에서 집적점(集積點)을 가지는 점집합(點集合)의 위에서 같을 때에는 영역 전체에 있어서 이들 함수는 일치하게 됨과 같음.

일치-점【一致點】[—쩜] 명 합치점(合致點).

일치 행동【一致行動】명 행동이 일치함. ——-하다 자여불

일치 협력【一致協力】[—녁] 명 일심 협력.

일칠-칠【一七七】명 〖수〗 구구법(九九法)의 하나. 하나의 일곱 갑절 또는 일곱의 한 갑절은 일곱임.

일침【一針·一鍼】명 한 바늘. 하나의 바늘. ¶~을 가하다.

일침(을) 놓다 구 따끔하게 경고·충고를 하다.

일칭 일념【一稱一念】[—렴] 명 〖불교〗 아미타불(阿彌陀佛)을 한 번 외고 한 번 깊이 생각함. ——-하다 타여불

일칸다 타 〈방〉 일컫다.

일커르다 타 〈방〉 일컫다.

일컫다 타ㄷ불 [중세 : 일ᄏᆞᆮ다] ①이름지어 부르다. 칭(稱)하다. ②무엇이라고 말하다. ③칭찬(稱讚)하다.

일쿠다 타 〈방〉 ①일깨우다. ②일으키다.

일ᄏᆞᆮ다 타 〈옛〉 일컫다. 칭찬하다. =일콛다. ¶詔使ㅣ 일ᄏᆞᄌᆞᆸ뇌니(詔使美之)《龍歌 29章》.

일ᄏᆞᆯ이다 자 〈옛〉 ①칭찬받다. 일컬음을 받다. ¶程太中의 夫人侯氏ㅣ 舅姑를 셤교ᄃᆡ 孝道ᄒᆞ며 삼가오모로 일ᄏᆞᆯ이며(程太中夫人侯氏事舅姑以孝謹稱)《內訓 Ⅱ: 上 18》. ②일컫게 되다. ¶내 반ᄃᆞ기 이 女를 爲ᄒᆞ야 臣下ㅣ라 일ᄏᆞᆯ이로다(我必爲此女稱臣)《內訓 Ⅱ: 上 41》.

일ᄏᆞᆺ다 타 〈옛〉 일컫다. ¶승이 병들믈 일ᄏᆞᆺ고 나오지 아니ᄒᆞ니(勝稱病篤)《五倫 Ⅱ:18》.

일타[1]【一打】명 한 번 침. ——-하다 타여불

일타[2]【一朶】명 한 떨기. 한 가지.

일타[3]【一馱】명 말 한 마리에 실은 짐의 분량. 또, 짐을 실은 말 한 마리.

일탄【逸彈】명 빗나간 탄환.

일-탄지【一彈指】명〖불교〗손가락을 한 번 튕기는 정도의 몹시 짧은 시간.

일탈【逸脫】명 ①빠뜨림. 빠짐. ¶필요(必要)한 사항(事項)이 ~하다. ②빗나가고 벗어남. 탈일(脫逸). ¶본래(本來)의 뜻에서 ~하다. ——-하다 자여불

일탕【逸蕩】명 도를 넘쳐 멋대로 주색에 빠짐. ——-하다 자여불

일:-터 명 일을 하는 곳. 근무하는 곳. 직장. 작업장.

일:-토시 명 일할 때에 끼는 토시. 그 아래위에 끈 또는 고무줄을 넣어 졸라매도록 되어 있으며 손목에서 팔꿈치까지 올라가도록 되어 있음. 사무 보는 이가 흔히 씀. 커프스커버.

일토 양:세【一土兩稅】명 동일(同一)한 논밭에 대하여 이중(二重)으로 과세(課稅)함.

일통【一統】명 ①하나로 합침. 한데 뭉침. ②한 줄기. ——-하다 타여불
일통(을) 치다 구 한데 뭉치다. 한데 합하다.

일퇴【日退】명 ①태양이 뒷걸음질침. ②나날이 퇴보함. 나날이 세력이 쇠퇴함. ——-하다 자여불

일틀이다 자〈옛〉 잃고 틀어지다. 실패하다. ¶더욱 모수몰 뻐 일틀유미 업게 ᄒᆞ라 ≪月釋 XIII:28≫.

일티온-산【一一酸】명〔thionic acid〕〖화〗티온산.

일파[1]【一波】명 하나의 물결. 전하여, 하나의 사건(事件). 하나의 파동(波動)·파문(波紋).

일파[2]【一派】명 ①하천의 한 지류. ②학문·종교·예술·무술 등에서 본디 계통에서 갈려 나온 한 분파(分派). ③주의(主義) 주장(主張) 또는 목적을 같이하는 한 동아리.

일파 만:파【一波萬波】명 물결 하나가 수많은 물결을 일으킨다는 뜻. 사소한 사건이 널리 영향을 미쳐 나감을 이르는 말.

일:-판 명 일이 벌어진 판.

일팔-팔【一八八】명〖수〗구구법(九九法)의 하나. 하나의 여덟 갑절 또는 여덟의 한 갑절은 여덟임.

일패[1]【一敗】명 한 번 짐. 한 번 실패(失敗)함. ¶일승(一勝) ~. ——-하다 타여불

일패[2]【一牌】명〖역〗①노래와 춤과 풍류로 업(業)을 삼던 옛날의 기생(妓生). 이패(二牌)보다 높음. ②대한 제국 말에, 태의원(太醫院)에 딸린 일급(一級) 기생.

일패[3]【日牌】명〖불교〗위패(位牌)를 안치하여 매일 독경(讀經)하고 공양(供養)하는 일.

일패 도지【一敗塗地】명 여지(餘地)없이 패하여 다시 일어날 수 없게 됨. ¶적은 ~하여 도주(逃走)하였다. ——-하다 자여불

일편[1]【一片】명 한 조각. ¶~의 구름.

일편[2]【一便】명 한편.

일편[3]【一偏】명 ①치우침. 한쪽으로 치우쳐서 바르지 못함. ②한결같은 모양. ——-하다 형여불

일편[4]【一遍】명 ①한 번. ②〖불교〗불명(佛名) 또는 경문(經文)을 한 번 외는 일.

일편 고운【一片孤雲】명 한 조각의 구름.

일편 단심【一片丹心】명 진정(眞情)에서 우러나오는 충성된 마음. 참된 정성(精誠). ¶임 향한 ~이야 가실 줄이 있으랴.

일편되이 부〈옛〉 편벽되이. ¶일즙 외방의 나돈니기 니그면 일편되이 나그내를 에엿비 너기고(慣曾出外 偏憐客)≪老乞 上 37≫.

일편 빙심【一片氷心】명 한 조각 얼음같이 극히 깨끗한 마음.

일편-월【一片月】명 한 조각의 달.

일편지-견【一偏之見】명 한쪽으로 치우친 의견. 편견(偏見).

일편지-력【一鞭之力】명 일비지력(一臂之力).

일편지-론【一偏之論】명 편견된 의론(議論). 벽론(僻論).

일편지-언【一偏之言】명 두 쪽 가운데의 한쪽만 말. 한쪽으로 기운 말.

일편 천언【一遍千言】명〔중국 당(唐)나라의 상경충(常敬忠)의 고사(故事)에서〕한 번 글을 읽고서도 천언이나 욈.

일-평생【一平生】명 한평생. '일생(一生)'을 힘주어 하는 말. ¶~의 소원(所願).

일-포식【一飽食】명 한 번 좋은 음식을 잔뜩 먹음.
[일포식도 재수(財數)이다] 음식을 한 번 실컷 먹을 수 있음도 운이 좋아야 한다는 뜻.

일포-제【日晡祭】명 조전(祖奠).

일폭[1]【一幅】명 한 폭. 한 장. ¶~의 그림.

일폭[2]【日暴】명 ①햇볕에 쬠. ②나날이 난폭하고 학대(虐待)함. ——-하다 타여불

일폭 십한【一曝十寒】명 십한 일폭(十寒一曝).

일표-음【一瓢飮】명 한쪽박의 물 또는 술. ¶일단사(一簞食) ~.

일푼-전【一一錢】명 한 푼의 돈. 작은 액수(額數)의 돈. ¶~도 없는 빈털터리.

일:-품[1] 명〈방〉품삯.

일품[2]【一品】명 ①하나의 물품. ②품질이 제일 나은 물건. 일품(逸品). 절품(絕品). ¶천하 ~이다. ③〖역〗문무관(文武官) 품계(品階)의 첫째. 정(正)·종(從)의 구별이 있음.

일품[3]【逸品】명 ①뛰어난 품격. 서화(書畫) 등의 특히 뛰어남을 이름. ②아주 뛰어난 물건. 절품(絕品). 일품(一品). 신품(神品). 일격(逸格). ¶천하 ~이다.

일품-경【一品經】명〖불교〗①경서(經書)를 베끼어 쓸 때, 여러 사람이 일 품씩 나누어 쓰는 일. 또, 그 경서. ②법화경(法華經) 이십 팔 품을 일 품씩 한 권으로 하여 돌돌 만 경서. 또, 그것을 순차(順次)로 불전(佛前)에서 읽는 일.

일품-군【一品軍】명〖역〗고려 시대에 주현군(州縣軍)에 딸렸던 노동 부대. 외방 역군(外方役軍). 추역군(秋役軍).

일품 요리【一品料理】[-뇨-] 명 ①한 가지마다 값을 정해 놓고 손님의 주문에 응하는 요리. 아라카르트. ②맛 좋기로 첫째가는 요리. ③한 가지만의 간편한 요리.

일풍【日風】명 일본 사람의 풍속. 일본의 양식(樣式).

일필[1]【一筆】명 ①하나의 붓. ②붓에 먹을 다시 먹이지 않고 단번에 씀. ¶~ 휘지(揮之). ③같은 필적(筆跡). 또, 처음부터 끝까지 씀. ④한 줄의 글. ¶~로 다 설명할 수 없다. ⑤편지 첫머리에 쓰는 말. ¶~ 계상(啓上). ⑥한 통의 문서. ⑦(논·밭의) 한 필지.

일필[2]【逸筆】명 뛰어난 서화(書畫). 또, 그 재능.

일필-경【一筆經】명〖불교〗한 사람이 처음부터 끝까지 베껴 쓴 사경(寫經).

일필 구지【一筆勾之】명 붓으로 단번에 금을 죽 그어서 지워 버림. ——-하다 타여불

일필 난기【一筆難記】[-란-] 명 한 붓으로 이루 기록할 수 없음. 간단히 적기 어려움. ¶ ~의 복잡한 사연. ——-하다 형여불

일필 삼례【一筆三禮】[-네] 명〖불교〗불상(佛像)을 그리거나 경문(經文)을 베낄 때, 붓을 놓을 때마다 세 번 절하는 일. 아주 고생하며 베끼는 일을 비유하는 말.

일필-서【一筆書】명 처음부터 끝까지 먹을 다시 먹이지 않고 글자를 이어서 쓰는 일. 또, 그 글. 연면체(連綿體)로 쓰는 글·글씨.

일필-화【一筆畫】명 먹을 다시 묻히지 아니하고 일필로 그린 간단(簡單)한 그림.

일필 휘지【一筆揮之】명 한숨에 흥취 있고 줄기차게 글씨를 써내림. ——-하다 타여불

일하[1]【一下】명 한 번 내림. 한 번 떨어짐. ¶명령 ~.

일하[2]【一夏】명〖불교〗↗일하 안거(一夏安居).

일하[3]【一瑕】명 한 가지 흠. 한 가지 결점.

일하[4]【日下】명 천하(天下). ¶~ 무쌍.

일:-하다 자여불 일을 하다.
[일하다 죽은 무덤 없다] 일하기 싫어하는 자를 보고 하는 말.

일-하안거【一夏安居】명〖불교〗음력 사월 십육일부터 칠월 십오일까지의 구십 일 동안 중이 나다니지 아니하고 좌선(坐禪) 수행하는 일. 하안거(夏安居). 준일하(一夏). ——-하다 자여불

일학【日瘧】명〖한의〗일일학(一日瘧).

일한[1]【一寒】명 몹시 가난함.

일한[2]【日限】명 일정한 날의 기한. 특히 지정하여 놓은 날. 제도의 운영이나 매매 등의 계약에서 여러 가지 권리의 보증이 유효한 기한. 또, 그 최종 시일.

일한-국【一國】〔Ilkhan〕명〖역〗중국 원(元)나라 세조(世祖) 쿠빌라이(忽必烈)의 아우 훌라구(旭烈兀)가 1256년에 세운 나라. 이란(Iran)과 소아시아 지방을 영유(領有)하였음. 전성기(全盛期)는 1271-1304년. 1411년에 티무르(Timur)에게 병합됨.

일한 일망【一閑一忙】명 한가하기도 했다가 바쁘기도 함. ——-하다 형여불

일한 일서【一寒一暑】[-써] 명 추웠다 더웠다 함.

일할[1]【一割】명 십분의 일. ¶~변(邊).

일할[2]【日割】명 날짜를 여럿으로 갈라서 배정(配定)함.

일할-표【日割表】명 일할(日割)을 기록하여 놓은 표.

일합[1]【一合】명 칼이나 창으로써 싸울 때, 칼과 칼 또는 창과 창이 서로 한 번 마주치는 일.

일합[2]【日合】명〖민〗음양가(陰陽家)에서 말하는, 하루 중의 길(吉)한 시각. 즉 자(子)의 날에 축(丑)의 각(刻), 축(丑)의 날에 자(子)의 각, 인(寅)의 날에 해(亥)의 각, 묘(卯)의 날에 술(戌)의 각, 진(辰)의 날에 유(酉)의 각, 사(巳)의 날에 신(申)의 각, 오(午)의 날에 미(未)의 각, 미(未)의 날에 오(午)의 각, 신(申)의 날에 사(巳)의 각, 유(酉)의 날에 진(辰)의 각, 술(戌)의 날에 묘(卯)의 각, 해(亥)의 날에 인(寅)의 각을 말함. ↔일해(日害).

일합 일리【一合一離】명 붙었다 떨어졌다 함. 화합(和合)했다 반항(反抗)했다 함. ——-하다 자여불

일해【日害】명〖민〗음양가에서 말하는 하루 중의 흉한 시각. 즉, 자(子)의 날에 미(未)의 각(刻), 축(丑)의 날에 오(午)의 각, 인(寅)의 날에 사(巳)의 각, 묘(卯)의 날에 진(辰)의 각, 진(辰)의 날에 묘(卯)의 각, 사(巳)의 날에 인(寅)의 각, 오(午)의 날에 축(丑)의 각, 미(未)의 날에 자(子)의 각, 신(申)의 날에 해(亥)의 각, 유(酉)의 날에 술(戌)의 각, 술(戌)의 날에 유(酉)의 각, 해(亥)의 날에 신(申)의 각을 말함. ↔일합(日合).

일핵-성【一核性】명 세포(細胞)가 하나의 핵만을 가지는 일.

일행[1]【一行】명 ①하나의 행위. 또, 일정한 방식. ②문서의 한 줄. ¶~ 띄다. ③한 동아리. ④여행 등에 있어 함께 가는 사람. ¶관광단 ~.

일행[2]【一行】명〖사람〗중국 당대(唐代)의 밀교(密敎)의 중. 위주(魏州) 사람. 선무외(善無畏)·금강지(金剛智)로부터 밀교의 교지를 배워 ≪대일경소(大日經疏)≫를 찬술하여 천태(天台)·밀교의 일치(一致)를 주창(主唱)하여, 밀교의 기초를 구축(構築)하였음. 또, 천문 역수(天文曆數)에 통달하여 대연력(大衍曆)을 저술(著述)하였음. 대혜 선사(大慧禪師). [683-727]

일행[3]【一幸】명 ①한 번 총애(寵愛)를 받음. ②한 번 행행(行幸)함. ——-하다 타여불

일행[4]【日行】명 하루를 걸음.

일행 삼례【一行三禮】[-네] 명〖불교〗경문(經文)을 베껴 쓸 때, 한 줄

마다 세번씩 절하는 일. ——-하다 자여불

일행 삼매【一行三昧】명〖불교〗잡념(雜念)을 떨어 버리고 오직 염불(念佛)에만 전념(專念)함. ——-하다 자여불

일행-서【一行書】명 한 줄의 편지.

일향[1]【一晌】명 아주 짧은 시간을 뜻하는 말.

일향[2]【一餉】명 한식경(食頃).

일향[3]【一向】부 한결같이. 꾸준히. 일직(一直). ¶아씨께서 ~ 이리시면 쇤네버텀 아편이나 먹고 죽겠습니다《李海朝：鬢上雪》.

일향 전념【一向專念】명 ①〖불교〗정신을 집중하여 염불을 함. ②오직 한 가지 일에만 전념함. ——-하다 자여불

일향 전수【一向專修】명〖불교〗오직 열심히 수행하고 닦음. ——-하다 타여불

일허 일실【一虛一實】[一씰] 명 갑자기 차거나 비어 변화를 헤아리기 어려움. 일허 일영(一虛一盈).

일허 일실법【一虛一實法】[一씰뻡] 명〖문〗문장법의 이름. 앞 단에서 추상적으로 서술한 것을, 뒷 단에서 사실에 대하여 설명하는 법.

일허 일영【一虛一盈】명 일허 일실.

일헤 명〈방〉이레.

일현-금【一弦琴·一絃琴】명〖악〗길이가 석 자 여섯 치 가량 되는 나무에 한 가닥의 줄을 친 금(琴).

〈일현금〉

일혈【溢血】명〖의〗신체의 조직(組織) 사이에 일어나는 내출혈(內出血). 혈관계(血管系)로부터 혈액 성분(血液成分)이 나오는 것으로서 피부 표면에 무늬가 짐.

일혈-류【一穴類】명〖동〗[Monotremata] 포유류(哺乳類)의 한 목(目). 태반(胎盤)이 없는, 난생(卵生)의 가장 원시적인 포유 동물. 다른 포유 동물과 달리 항문(肛門)과 생식기(生殖器)가 한데 합쳐 있으므로 이렇게 부름. 오스트레일리아·파푸아(Papua)·태즈메이니아(Tasmania)에만 분포함. 바늘두더지·오리너구리 등 극히 소수가 현존(現存)함. 단공류(單孔類).

일혈-점【溢血點】[一쩜] 명〖의〗피부면에 반상(斑狀)을 만드는 출혈점(出血點).

일호[1]【一毫】명 몹시 가늘고 작은 털. 또, 그와 같이 작다는 뜻. 일호 반점(一毫半點). ¶~ 일모(一毛). ¶자네 일이야말로 내 일이나 ~ 다름없이 걱정이 되네《李海朝：牧丹屛》.

일호[2]【一壺】명 한 개의 항아리. 한 개의 바가지.

일호[3]【逸毫】명 필치(筆致)가 뛰어남을 이름.

일호 반:점【一毫半點】명 '일호(一毫)'를 강조한 말.

일호 백낙【一呼百諾】명 한 사람이 소리를 내어 외치면 여러 사람이 이에 따름. ——-하다 자여불

일호 재:락【一呼再諾】명 주인(主人)이 한번 부르면 종이 그에 응하여 '예, 예' 하고 대답함. 곧, 비굴하고 남에게 아첨하는 일의 비유. ——-하다 자여불

일호지-액【一狐之腋】명〔한 마리의 여우 겨드랑 밑의 희고 아름다운 모피(毛皮)라는 뜻〕①아주 귀하여 값이 비싼 물건의 비유. ②한 사람의 직언(直言)하는 선비의 비유.

일호 차착【一毫差錯】명 극히 작은 잘못 또는 어긋남. ¶그가 해놓은 일에는 ~도 없다.

일호-천【一壺天】명〔후한(後漢)의 비장방(費長房)이, 약을 파는 노인과 함께 항아리 안에 들어가 별천지의 즐거움을 얻었다는 고사에서〕하나의 소천지(小天地). 별천지. 호중 천지(壺中天地).

일호 천금【一壺千金】명 파선(破船)하였을 때에는 한 개의 바가지로도 물 위에 뜰 수 있어 천금(千金)의 값어치가 있다는 뜻으로, 하찮은 것도 때를 만나면 귀히 쓰인다는 말.

일홈 명〈옛〉이름. =일훔. ¶萬里예 일홈을 뎐코져 홈이라(萬里要傳名)《老乞 上 40》/됴정이 그뒤 일홈과 덕을 사모ᄒᆞ여(朝廷貪慕名德)《五倫 Ⅱ:20》.

일홈두다 자〈옛〉이름쓰다. 서명하다. ¶글월 밍근 사룸 王아모 일홈두고(立契人王某押)《老乞 下 15》/즈름 張 아뫼 일홈두엇다(牙人張某押)《老乞 下 16》.

일화[1]【一化】명 하나의 변화. 또, 완전히 변하는 일. 일변(一變). ——-하다 자여불

일화[2]【一華·一花】명 한 꽃. 하나의 꽃.

일화[3]【日貨】명 ①일본 화폐. ②일본에서 수입된 상품.

일화[4]【日華】명 ①햇빛. ②일본과 중화 민국. ¶~ 조약.

일화[5]【逸話】명 세상에 널리 알리어지지 아니한 이야기. 일문(逸聞). 에피소드(episode).

일화-기【一化期】명〖동〗다화성(多化性)의 벌레 따위가 첫 번째로 까고 나오는 때.

일화 배척【日貨排斥】명〖역〗중국에서의 배일(排日) 운동의 하나. 일본의 군사적·경제적 침략에 대하여 일본 제품의 불매 운동을 주체로 한 중국 국민의 항일(抗日) 운동.

일화-성【一化性】[一썽] 명〖충〗1년 동안에 한 세대만 까는 누에 품종의 성질. *이화성(二化性)·다화성(多化性).

일화-잠【一化蠶】명〖충〗1년에 알에서 성충이 되어 교미 산란(交尾産卵)하여 한 세대를 마치는 누에. 고치는 크고 품질이 좋으나 누에는 약함.

일화-집【逸話集】명 일화들을 모아 엮은 책.

일확【一攫】명 ①한 움큼. ②손쉽게 얻음. 힘 안 들이고 얻음. ——-하다 타여불

일확 천금【一攫千金】명 단번에 많은 재물을 얻음. ¶~의 꿈을 버려라.

——-하다 자여불

일환[1]【一環】명 ①줄지어 있는 많은 고리 중의 하나. ②밀접한 관계가 있는 사물의 일부분. ¶수출 정책의 ~으로.

일환[2]【逸丸】명 빗나간 탄환.

일환-책【一環策】명 전체와 관련되는 한 부분으로서의 방책.

일황화 규소【一黃化硅素】명〔silicon monosulfide〕〖화〗황화 규소 ❶.

일황화 망간【一黃化一】명〔manganese monosulfide〕〖화〗황화 망간 ❶.

일황화 탄:소【一黃化炭素】명〔carbon monosulfide〕〖화〗황화 탄소 ❶.

일회[1]【一回】명 한 번. 한 회.

일회[2]【一廻】명 일주(一周).

일회 결실성【一回結實性】[一씰썽] 명〖식〗고등 식물에서, 한 세대(世代)에 단 한 번만 개화(開花) 결실하는 성질. *일임(一稔) 식물.

일회-기【一回忌】명 소상(小祥). 일주기(一週忌).

일회-성【一回性】[一썽] 명 역사에서 오직 한 번만 일어나는 성질.

일회-용【一回用】명 일회용 반찬고나 일회용 내의(內衣)와 같이, 한 번 쓰고 버리게 된 용도(用途)의 것.

일회용 반창고【一回用絆瘡膏】명 ①한 번 붙이고 나면 버리는 반창고. 미리 알맞은 길이로 잘라 포장되어 있음. ②〈속〉한 번 데이트하고 손을 끊는 상대.

일회-전【一回戰】명 여러 회를 거쳐 승패를 겨룰 때의 맨 첫 번째로 하는 경기·싸움.

일획【一畫·一劃】명 ①글자의 한 획. ②한 구획.

일후[1]【一吼】명 큰 짐승이 성을 내어 한 번 크게 소리를 지름. ¶사자(獅子)의 ~. ——-하다 자여불

일후[2]【日後】명부 뒷날. 후일. ¶~ 또 만납시다.

일후라 타〈옛〉잃었노라. ¶武陵 출히 길흘일후라(失路武陵源)《初杜諺 Ⅷ:12》.

일훈【日暈】명〔←일운(日暈)〕햇무리. 일관(日冠).

일훈 일유【一薰一蕕】명〔훈(薰)은 향초(香草), 유(蕕)는 냄새 나는 풀〕훈·유의 두 가지 풀을 한데 놓으면 좋은 냄새는 없어지고 악취만 난다는 뜻으로, 선행(善行)은 스러지기 쉽고, 악행은 잘 제거되지 않음의 비유. 또, 착한 사람의 세력은 악인에 미치지 못한다는 비유. 악화(惡貨)가 양화를 구축한다는 말과 같음.

일훔 명〈옛〉이름. =일홈. ¶놀애예 일훔 미드니(信名於謳)《龍歌 16章》/디나건 일후미 莊嚴劫이오 이젯 劫 일후미 賢劫이오《月釋 Ⅰ:50》/아름다온 일후믈 사루미 밋디 몯ᄒᆞᄂᆞ니(美名人不及)《杜諺 XXI:22》/功이 이로뒤 ᄒᆞᆫ갓 일후미 드려 오놋다(功成空名垂)《杜諺 XXII:41》.

일흔 수관 열의 일곱 갑절. 칠십(七十).

일흔-째 명수 일흔 번째. 일흔개째.

일흥[1]【一興】명 ①한번 흥함. 한번 일어남. ②한 흥. 한 흥취(興趣). ——-하다 자여불

일흥[2]【日興】명 ①날마다의 유흥. 매일 흥겨워함. ②날마다 흥함. ——-하다 자여불

일흥[3]【逸興】명 아주 흥미 있음. 아주 흥겨움.

일희[1] 명〈방〉이리[2].

일희[2]【溢喜】[一히] 명 더할 나위 없는 기쁨. 넘치는 기쁨.

일희 일경【一喜一驚】[一히一] 명 기쁘기도 하고 놀랍기도 함.

일희 일구【一喜一懼】[一히一] 명 한편 기뻐하고 한편 두려워함. 또, 혹은 기쁘고 혹은 두려움. ——-하다 자여불

일희 일노【一喜一怒】[一히一로] 명 혹은 기뻐하고 혹은 성냄. ——-하다 자여불

일희 일비【一喜一悲】[一히一] 명 ①기쁜 일과 슬픈 일이 번갈아 일어남. 일비 일희(一悲一喜). ②한편 기쁘고 한편 슬픔. ——-하다 자형여불

일희 일우【一喜一憂】[一히一] 명 기쁨과 근심이 번갈아 일어남. ——-하다 자여불

일히 명〈옛〉이리[2]. ¶밤中後에 범과 일히돌히 무덤 여러 주거믈 먹거늘《月釋 X:25》/일히 랑(狼)《字會 上 32》/빈 모올핸 다 일히와 범괘로다(空村盡豺虎)《杜諺 Ⅰ:44》.

일히다 타〈옛〉잃게 하다. ¶비록 미츄믈 歇티 몯ᄒᆞ들 엇뎌 일히리오 ᄒᆞ시니라(縱未歇狂亦何遺失)《龜鑑 上 6》/하뎌 제 모로믈 因ᄒᆞ야 제 머리 일히리오《龜鑑 上 6》.

일ᄒᆞ다 타〈옛〉잃다. ¶驪山役徒롤 일ᄒᆞ샤(失驪山役徒)《龍歌 18章》.

읽기 [일끼] 명 국어 학습의 한 부분으로, 정확히 이해하면서 읽는 일. 또, 그 방법.

읽기 전용 기억 장치【一專用記憶裝置】[일끼一] 명〖컴퓨터〗롬(ROM).

읽다 [익一] 타〔중세：닑다〕①소리를 내면서 또는 눈으로만 글을 보다. ¶얘기책을 ~. ②경을 외다. ¶반야심경을 ~. ③뜻을 헤아려 알다. ¶심중을 ~. ④바둑·장기에서, 수를 생각하거나 상대방의 수를 헤아려 알다. ¶수(手)를 깊이 ~.

읽을-거리 [일글꺼一] 명 읽기에 알맞은 책·잡지 따위. ¶교도소에 ~를 차입하다 는 책.

읽히다 [일키一] ㊀사동 읽게 하다. ㊁피동 읽음을 당하다. ¶잘 읽히는 책.

잃다 [일타] 타〔중세：잃다〕①가졌던 물건이 자기도 모르게 없어지다. ¶잃은 물건. ②노름이나 내기에 져서 빼앗기다. ¶돈을 ~. ③자기 자식이나 손아랫 사람 또는 친구가 죽다. ¶아들을 ~. ④가까운 친구 사이가 끊어지다. ¶친구 잃고 돈 잃고. ⑤가는 길을 못 찾다. ¶길 잃은 양떼.

[잃은 도끼나 얻은 도끼나 일반] 잃은 헌 물건이나 새로 얻은 물건이

나 별로 다름이 없다는 말. [잃은 사람이 죄가 많다] 물건 잃은 자는 애매한 여러 사람을 의심하게 되니 죄가 많다는 말.
잃어-버리다 [일—] 타 아주 잃다.
잃어버린 세:대【一世代】[일—] 명〖예〗로스트 제너레이션.
임[1] 명 [중세 : 님] 사모하는 사람.
[임은 품에 들어야 맛] 나긋나긋하게 품에 안기는 임이라야 한다는 말.
[임도 보고 뽕도 딴다] 좋은 일을 한꺼번에 겸하여 한다는 말.
임[2] 명 머리 위에 인 물건.
임:[3]【壬】명〖민〗①십간(十干)의 아홉째. ②↗임방(壬方). ③↗임시(壬時).
임:[4]【任】명 어느 직에 임명함. ——-하다 자타여불 ①떠맡아 제 직무로 하다. ②어떤 관직을 주어 일을 맡기다.
임:[5]【任】명 성(姓)의 하나. 주요 본관(本貫)은 풍천(豐川)·장흥(長興) 두 본이며, 그 밖에 곡성(谷城)·과천(果川) 등 여러 본이 있음.
임[6]【林】명 성(姓)의 하나. 주요 본관은 평택(平澤)·나주(羅州)·진주(晋州)·진천(鎭川)·예천(醴泉) 등 20여 본이 있음.
임[7]【臨】명〖민〗임괘(臨卦).
임간【林間】명 수풀 사이. 숲 속.
임간 수업【林間授業】명〖교〗임간 학교에서 하는 수업.
임간 학교【林間學校】명〖교〗여름 방학 같은 때에 학교 교육의 일환으로, 숲 속 같은 곳에서 하는 합숙 훈련(合宿訓練). 또, 그를 위한 건물. 건강 지도·집단 훈련 외에 특별 수업·과학적 관찰(科學的觀察) 등도 아울러 학습시킴.
임갈 굴정【臨渴掘井】[—쩡] 명 준비가 없이 갑자기 일을 당하고야 허둥지둥하는 태도. ——-하다 자여불
임감【臨瞰】명 내려다봄. ——-하다 타여불
임-거(:)정【林巨正】명〖사람〗'임꺽정' 의 한자 표기(漢字表記).
임검【臨檢】명 ①현장에 가서 검사함. 임안(臨按). ②〖법〗행정법상, 행정 기관의 직원이, 직무 집행을 하기 위하여, 법령 위반 등 사건의 현장에 임하여 검사하는 일. ③〖법〗소송법상, 법원이나 수명 법관(受命法官) 또는 수탁 판사(受託判事)가 법원 외의 장소에 나가 검증함. ④〖법〗국제법상, 선박을 포획(捕獲)함에 있어, 임검 사관(臨檢士官)이 그 포획 이유를 확인(確認)하기 위하여 선박 서류(船舶書類)를 검사하는 일. ——-하다 타여불
임-경(:)업【林慶業】명〖사람〗조선 인조(仁祖) 때의 무장(武將). 자(字)는 영백(英伯), 호는 고송(孤松). 평택(平澤) 사람. 이괄(李适)의 난에 출전하여 훈 1등이 되고, 병자 호란(丙子胡亂) 때 의주 부윤(義州府尹)으로 백마산성(白馬山城)에서 청(清)나라 진로를 차단하였음. 그 후 여러 번 명(明)과 합세, 청(清)을 치고자 하였으나 번번이 실패하였고 끝내 청나라에 붙잡힌 바, 김자점(金自點)의 모함으로 옥사함. 시호는 충민(忠愍). [1594-1646]
임경업 장군신【林慶業將軍神】명〖민〗무속에서, 무당이 모시는 신의 하나. 한국의 토착신으로서 무당의 일곱 계급 중 셋째 계급인 박수·만신 계급의 신령.
임경업-전【林慶業傳】명〖책〗임경업의 행적·무용(武勇)을 주로 기술한 작자 미상(未詳)의 군담 소설(軍談小說). 대명충의 임공전(大明忠義林公傳). *임장군전(林將軍傳)·임충민공 실기(林忠愍公實記).
임-경한【林景翰】명〖사람〗조선 순조(純祖) 때의 서예가(書藝家). 자(字)는 군간(君幹), 호는 향천(香泉). 옥구(沃溝) 사람. 소식(蘇軾)의 필법(筆法)에 감탄(感嘆), 서예에 50여 년간 전심하여 예서(隷書)·초서(草書)의 대가(大家)가 되었으며, 그 명성(名聲)이 중국에까지 알려짐. 생몰년 미상.
임계[1]【臨界】명 ①경계(境界). ②[criticality]〖물〗핵분열 연쇄 반응이 일정한 비율로 유지되고 있는 상태.
임계[2]【臨桂】명〖지〗구이린(桂林)의 구칭.
임계-각【臨界角】명 [critical angle]〖물〗굴절률이 큰 물질에서 작은 물질로 빛이 입사(入射)할 때, 입사각(入射角)이 일정한 각(角)보다 클 것 같으면 전반사(全反射)를 하게 되는데, 이 때의 투사각(投射角)의 값. 즉, 빛이 전반사할 때, 굴절각(屈折角)이 90°가 되는 입사각을 이름. 한계각(限界角). *전반사(全反射).
임계 격자 전:압【臨界格子電壓】명 [critical grid voltage]〖전〗양극 전류가, 가스가 들어 있는 전자관(電子管) 안을 흐르기 시작할 때의 격자 전압.
임계 결합【臨界結合】명 [critical coupling]〖전〗두 개의 무선 주파 공진기(無線周波共振器)가 같은 주파수에 동조(同調)해 갈 때, 한쪽의 공진기에서 다른 한쪽으로 신호 전압(信號電壓)을 최대로 전송할 수 있는 결합.
임계 고도【臨界高度】명 [critical altitude]〖군〗미사일의 추진 장치가 만족하게 작동하는 최고의 고도.
임계 공:용 온도【臨界共溶溫度】명〖화〗잘 혼합하지 않는 두 가지 액체가 온도의 상승(上昇) 또는 하강(下降)으로 말미암아 쌍방의 용해력이 서로 증대하고 두 농도(濃度)가 같아지는 점에서 완전히 혼합될 때의 온도.
임계-기【臨界期】명〖생〗발달의 어느 시기에 적절한 자극이 주어지면, 그 시기에 한해 반응이 확립되고, 그 후의 발달에 유리하게 작용하는 그 시기. 특정한 자극에 대한 감수성이 높아지는 시기임.
임계-량【臨界量】명〖화〗임계 질량(臨界質量).
임계-로【臨界爐】명 [critical reactor]〖물〗연료와 감속재(減速材)의 배치 및 양(量)이 임계 이하(以下)이든가 또는 꼭 임계에 달하여 있는 원자로. 계(系)의 성질 연구나 임계의 치수 결정 등에 사용됨. *임계 초과 원자로.
임계 미셀 농도【臨界一濃度】명 [critical micelle concentration]〖물·화〗표면 활성제 용액에서, 농도를 증가시켜도 전기 전도율(電氣傳導率)이 증가하지 않게 되는 농도. 일정한 농도 이상이 되면 장쇄상 이온(長鎖狀 ion)이 집합하여 미셀을 형성하여 콜로이드 이온이 되는 성질이 있음.
임계 밀도【臨界密度】[—또] 명 ①[critical density]〖물〗임계 상태(臨界狀態)에 있는 물질의 밀도. ②도로에서, 교통량이 그 도로의 용량과 같을 때의 교통 밀도.
임계-비【臨界比】명 [critical ratio] 통계에서, 평균치(平均値)로부터의 편차(偏差)의 표준 편차에 대한 비(比). 기각 한계비(棄却限界比).
임계 상태【臨界狀態】명 [critical state]〖물〗①임계 온도·임계 압력 하에서의 물질의 상태. 즉, 불포화 증기(不飽和蒸氣)를 등온적(等溫的)으로 압축하면, 압력이 점점 더하여져 포화 증기압(飽和蒸氣壓)에 이르면 일부분이 액화(液化)하기 시작하고, 마지막에 증기가 전부 액화할 때까지 압력은 증가하지는 않으나, 다시 고온(高溫)으로 이러한 과정을 행하면, 이 증기는 어느 일정점에서 액화하여 버리는데, 이 때의 상태. 이 때의 압력과 온도를 각각 임계 압력, 임계 온도라고 함. ②원자로에서 원자핵 분열의 연쇄 반응이, 극한적인 상태에서 지속(持續)하여 노(爐) 속의 중성자수(中性子數)가 일정한 상태.
임계 속도【臨界速度】명〖물〗한계 유속(限界流速).
임계 습도【臨界濕度】명 [critical humidity] 야금(冶金)에서, 어떤 금속의 부식(腐蝕) 속도가 급속히 증가하는 대기중의 습도.
임계 실험【臨界實驗】명 [critical experiment]〖물〗자기 연쇄 반응(自己連鎖反應)이 유지될 수 있는 배치가 될 때까지, 핵분열 가능 물질을 모으는 실험. 원자로의 설계와 운전에 관한 예비적 데이터를 얻기 위한 것임.
임계 압력【臨界壓力】[—녁] 명 [critical pressure]〖물〗임계 상태에 도달하였을 때의 압력. 즉, 어떤 일정한 온도에서 기체를 액화시키는 데 필요한 최소 압력. 한계(限界) 압력. *임계 상태.
임계 압력비【臨界壓力比】[—녁—] 명 [critical pressure ratio]〖물〗노즐의 유입 압력에 대한 임계력의 비. 기체(氣體)의 경우는 0.53임.
임:-계(:)영【任啓英】명〖사람〗조선 시대의 문신·항왜(抗倭) 의병장. 자는 홍보(弘甫), 호는 삼도(三島). 장흥(長興) 사람. 선조 9년(1576) 별시 문과(別試文科)에 병과(丙科)로 급제, 진보 현감(眞寶縣監)을 지냄. 직을 그만두고 고향에 있던 중, 선조 25년(1592) 임진 왜란이 일어나자, 전라 좌도 의병장이 되어 고성(固城)·거제(巨濟) 등지에서 일본군을 공격, 많은 전과를 거두고, 화의가 성립된 뒤, 양주(楊州)·정주(定州)·해주(海州) 등지의 목사(牧使)를 역임함. 정유 재란(丁酉再亂) 때 다시 의병을 일으켰다가 객사(客死)하였음. 병조 참판(兵曹參判) 겸 동지의금부사(同知義禁府事)에 추증(追贈)됨. [1528-97]
임계 온도【臨界溫度】명 [critical temperature]〖물〗임계 상태에 도달하였을 때의 온도. 곧, 일정한 압력에서 기체를 액화시키는 데 필요한 최고 온도. 공기의 임계 온도는 빙점하(氷點下) 약 140°C 임. 한계(限界) 온도. *임계 상태.
임계 이:하 질량【臨界以下質量】명 [subcritical mass]〖물〗실효 증배율(實効增倍率)이 1보다 작은 핵분열성 물질의 양(量). 자기 유지 연쇄 반응(自己維持連鎖反應)은 일으키지 못함. ↔임계 초과 질량.
임계 자기장【臨界磁氣場】명 [critical magnetic field]〖물〗특정한 온도에서, 전류(電流)가 존재하지 않을 때, 그 이하에서는 초전도(超傳導) 상태, 그 이상에서는 통상의 상태가 된다고 하는 자기장.
임계 전:류 밀도【臨界電流密度】[—절—또] 명 [critical current density]〖물〗전해(電解) 과정에서, 전극 전위(電極電位)에 급격한 변화가 일어날 때의 전극 단위 면적당의 전류량(電流量).
임계-점【臨界點】[—쩜] 명 [critical point]〖물·화〗①평형(平衡) 상태의 물질의 두 상(相)이 서로 같게 되어 한 상을 이룰 때의 온도와 압력. ②보통 때는 부분적으로만 혼합되는 두 액체가 완전히 일체화(一體化)될 때의 온도와 압력.
임계 제:동 저:항【臨界制動抵抗】명 [critical damping resistance]〖물〗가동(可動) 코일형(型)의 검류계(檢流計)를, 임계 상태에 두기 위하여 필요한 회로 저항.
임계 질량【臨界質量】명 [critical mass]〖화〗핵분열 물질(核分裂物質)이 연쇄 반응을 일으킬 수 있는 핵분열성 물질의 최소(最小)의 질량. 임계량(臨界量).
임계 집합체【臨界集合體】명 [critical assembly]〖물〗저출력 수준(低出力水準)에서 핵분열 연쇄 반응을 유지할 수 있는, 핵분열 물질과 감속재(減速材)의 집합체.
임계 초과 원자로【臨界超過原子爐】명 [supercritical reactor]〖물〗실효 증배율(實効增倍率)이 1보다 큰 원자로. 출력이 증가해 가는 원자로로서, 만약 제어하지 않으면 출력 레벨이 급상승하여 위험을 초래함. 임계로(臨界爐).
임계 초과 질량【臨界超過質量】명 [supercritical mass]〖물〗실효 증배율(實効增倍率)이 1보다 큰 원자로(原子爐) 연료의 질량. ↔임계 이하 질량.
임계 특성【臨界特性】명 [critical properties]〖물〗임계점(臨界點)에 놓인 물리적·열역학적(熱力學的) 성질.
임계 파장【臨界波長】명 [critical wavelength]〖통신〗임계 주파수에 대응하는 자유 공간 파장(自由空間波長).
임계 현:상【臨界現象】명 액체를 밀폐하여 온도를 올릴 때, 액체와 증기의 구별이 되지 않는 상태, 곧 임계 상태에서 일어나는 현상.
임고【臨皐】명〖지〗중국 후베이 성(湖北省) 동부, 황강 현(黃岡縣)의 남쪽의 양쯔 강(揚子江) 북안에 있었던 지명. 송(宋)나라의 소식(蘇軾)이

유배되었던 땅.

임곡【臨哭】명 장례식에 가서 욺. ——하다 자여불

임:공【壬公】명〔오행(五行)에서 임(壬)은 물에 상당함〕물의 별칭(別稱).

임:관[1]【任官】명 ①관직에 임명됨. 서관(敍官). ②사관 후보생 또는 사관 생도가 장교로 임명됨. ——하다 자여불

임관[2]【林冠】명〔leaf-canopy〕〖농〗수림(樹林)의 위층의 모양. 수령(樹齡)에 따라 층(層)이 생기며 수관(樹冠)에 따라 모양이 달라짐. 너무 우거지면 밑에 있는 나무가 자라지 못하므로 간벌(間伐)을 해야 함.

임관-석【臨官席】명 극장 같은 데에 단속 경찰관·소방관 등을 위하여 마련해 놓은 특별석. 대개 관중석의 맨 뒤에 있음.

임-괘【臨卦】명〖민〗육십사 괘의 하나. 태괘(兌卦)와 곤괘(坤卦)가 거듭된 것. 준임(臨).

임:국【任國】명 대사·공사·영사가 임명되어 부임하는 나라.

임-국정【林國禎】명〖사람〗항일(抗日) 독립 투사. 함흥(咸興) 출신. 1919년 간도(間島)에서 한상호(韓相浩)·윤준희(尹俊熙) 등과 철혈 광복단(鐵血光復團)을 조직, 이듬해 독립 운동 탄압(彈壓) 자금으로, 간도(間島) 일본 영사관으로 송금되는 현금 15만 원을 탈취하여 블라디보스토크에서 무기를 구입중, 엄인섭(嚴仁燮)의 밀고로 체포되어 서울에서 사형 선고를 받고 순국했음. [?-1921]

임군 명〈방〉임금[1].

임:-권【任權】명〖사람〗조선 중종(中宗) 때의 명신(名臣). 자(字)는 사경(士經). 풍천(豐川) 사람. 김안로(金安老) 등이 정권을 잡고 조정을 좌우할 때 강직한 말로 그들을 간(諫)하다가 파직되었으나 뒤에 병조·예조 판서에까지 오름. 시호는 정헌(貞憲). [1486-1557]

임:균【淋菌·痳菌】명〔도 Gonokokkus〕〖의〗임질(淋疾)을 일으키는 병원균. 쌍구균(雙球菌)으로 상피 세포(上皮細胞)에 부착하며, 농즙(膿汁)을 만들고 백혈구(白血球) 안에 들어감. 요도(尿道) 등 점막(粘膜)에 부착하나 체외에서는 저항력이 약함. 1879년에 독일의 나이서(Neisser, A.)가 발견하였음.

임:균성 결막염【淋菌性結膜炎】[—썽—념] 명〖의〗임균이 눈의 결막(結膜)에 침입하여 생기는 병. 결막의 분비가 심하며, 실명(失明)하는 수가 있음. 농루성(膿漏性) 결막염. 농루안(膿漏眼).

임:균성 관절염【淋菌性關節炎】[—썽—렴] 명〔gonorrheal arthritis〕〖의〗임균에 의해서 일어나는 급성 관절염. 요기(尿器)·생식기의 임질 또는 초생아(初生兒)의 경우에는 결막염·구내염 등으로 말미암아 균이 혈액을 통하여 관절에 다다랐을 때 일어남. 임질 감염 후 2-3주일 후에 발병하며, 무릎 관절·발 관절·손 관절에 많음. 보통 관절염에 비해서 염증이 심하고 고통도 격심함.

임:균성 부:고환염【淋菌性副睾丸炎】[—썽—념] 명〔gonorrheal epididymitis〕〖의〗임균에 의해 일어나는 부고환염. 급성의 임균성 요도염이 후부 요도에 미치면 임균이 정관(精管)을 거쳐 부고환에 급성 염증을 일으키게 됨. 급성과 만성이 있음.

임:균성 안:염【淋菌性眼炎】[—썽—념] 명〖의〗임균을 보유한 모체가 어린 아이를 낳는 도중에 임균이 아기의 눈에 들어가 일으키는 안염(眼炎).

임:균성 외:음질염【淋菌性外陰膣炎】[—썽—렴] 명〔gonorrheal vulvovaginitis〕〖의〗13세 이하의 소녀에게 임균이 감염되어 외음질에 염증을 일으키는 병.

임:균성 요도염【淋菌性尿道炎】[—썽—] 명〖의〗임균에 의해 일어나는 요도염으로, 성병의 하나.

임:금[1] 명〔중세 : 님금〕군주 국가의 원수(元首). 군왕(君王). 군상(君上). 군주(君主). 왕(王). 인군(人君). 국주(國主). 주상(主上).

임금[2]【林檎】명 능금.

임:금[3]【賃金】명 ①근로자가 노동의 대가(對價)로서 사용자로부터 받는 금전(金錢) 등. 급료(給料)·봉급(俸給)·수당(手當)·상여(賞與)·보수(報酬) 등으로 불리는 것 외에 현물(現物) 급여도 포함됨. 삯돈. 노임(勞賃). 임은(賃銀). 임전(賃錢). ②〖법〗임대차(賃貸借)에 있어서 차용물 사용의 대가(代價).

임:금 강령【賃金綱領】[—녕] 명〖경〗노동 조합이 요구하는, 임금에 관한 기본 목표 및 그것을 달성하는 수단 따위를 요약(要約)한 문서.

임:금 격차【賃金格差】명〖경〗남녀별·연령별·직종별·숙련 정도·산업별·지역별에 의한 개개 노동자의 임금액에서의 격차. 최저 임금 제도(最低賃金制度)·사회 보장 제도(社會保障制度)의 발달이 임금의 상하(上下) 격차를 해소하고 있음.

임:금 구성【賃金構成】명〖경〗임금의 내용을 구성하고 있는 기본급(給)·능률급·정근 수당·가족 수당·지역 수당·특근 수당 등 각 요소의 비율에 관한 상황.

임:금 구조【賃金構造】명〖경〗산업간(産業間)·지역간·기업간·직종간·남녀간·연령간 따위의 임금 격차 및 임금 분포를 총괄적으로 나타내는 개념(槪念).

임:금 기금설【賃金基金說】명〔wage fund theory〕〖경〗영국의 고전학파, 특히 밀(Mill, John Stuart)·리카도(Ricardo, D.) 등이 제창한 임금 학설(賃金學說). 일정한 사회에 있어서, 근로자의 임금에 충당되는 기금(基金)은 사회 총자본에서 일정 기간 동안은 고정적이어서, 임금의 액수는 이것을 전체 근로자의 수로 나눈 것과 같고, 임금을 높이기 위해서는 기금의 증가와 근로자의 감소 이외에는 방법이 없다는 설. 1820년에 시작하여 1870년까지 통용되었음. 임금 기본설. 임은 기금설(賃銀基金說).

임:금 기본설【賃金基本說】명〖경〗임금 기금설(賃金基金說).

임:금 노동【賃金勞動】명〖경〗상품으로서 매매(賣買)되는 노동력의 지출. 토지·공장·기계·원료 등의 생산 수단을 갖고 있지 아니한 사람이 자기의 노동력을, 생산 수단을 가진 자본가에게 팔고, 그 대가로 임금을 받는 노동 형태. 임금 노동은 인격적(人格的)으로 자유이며, 노예나 농노(農奴)와 구별됨. 임은 노동(賃銀勞動). 임노동(賃勞動). 노임 노동(勞賃勞動).

임:금 노동자【賃金勞動者】명 품삯을 받고 일하는 사람. 프롤레타리아(prolétariat).

임:금 노예【賃金奴隸】명〔wage slave〕자본주의 체제에서의 노동자를 노예에 비유하여 일컫는 말.

임:금-님 명 '임금'의 경칭.

임:금 대장【賃金臺帳】명 임금 계산 기간·근로 일수·근로시간수·임금의 종류 등 임금 계산의 기초가 되는 사항 및 임금액, 기타 법령에 의거 정해진 사항을 기재한 장부.

임:금-률【賃金率】[—뉼] 명〖경〗임률(賃率).

임:금-법【賃金法】[—뻡] 명 임금에 대하여 규정하는 법률.

임:금 베이스【賃金—】〔base〕명〖경〗노동자에게 지급되는 임금을 평균한 것. 본래는 공정 가격(公定價格) 또는 공공 사업의 경비를 정하는 경우, 생산 원가나 사업 단가(單價)의 한 요소로서 산정되는 노동자 1인당의 평균 일당 또는 월간 임금을 말했음.

임:금 생존비설【賃金生存費說】명〖경〗임금은 노동자와 그 가족의 생존비에 의해 결정된다고 하는 설. 영국의 리카도(Ricardo)가 맬서스(Malthus)의 인구론을 매개로 정식화(定式化)한 것인데 시장(市場) 임금은 항상 노동의 재생산에 필요한 생활비인 노동의 자연(自然) 노임에 밀려서 내려간다는 설.

임:금 세:력설【賃金勢力說】명〖경〗임금은 노동자와 자본가와의 역학(力學) 관계로 결정된다는 학설. 노동자의 사회 관습·전통, 노동 조합의 결성 등의 사회적 세력이 임금을 결정한다는 설로 토인비(Toynbee)·웨브(Webb) 등이 주장함. 한계 생산력설(限界生産力說)에 비판적(批判的)임.

임:금 센서스【賃金—】〔census〕명〖경〗임금 구조 기본 통계 조사(賃金構造基本統計調査). 산업별·성별·학력별·연령별·지역별 등의 임금 수준(賃金水準)·임금 지급 형태(賃金支給形態)에 대한 임금 실태의 종합 조사를 이름.

임:금 수준【賃金水準】명〖경〗특정 지역·직종·직장 등에서의 노동자의 평균적인 임금. 특정 시기·기간에 대해 말할 때도 있음.

임:금 수:치【賃金數値】명〖경〗경제 계획(經濟計劃)에서의, 피고용자 1인당의 소득. 정책적 의도로 명시될 때에는 이것을 임금 지표(賃金指標)라고 함.

임:금 스파이럴【賃金—】명〔wage spiral〕〖경〗①한 기업의 임금 인상이 같은 산업 또는 다른 산업의 임금에 영향을 주어, 수평적(水平的)으로 파급(波及)하는 현상. ②임금이 오르면 물가가 오르고, 물가가 오르면 임금이 오르는 악순환(惡循環) 현상.

임:금왕-변【—王邊】명 '구슬옥변'의 잘못.

임:금 인플레이션【賃金—】〔inflation〕명〖경〗주로 임금의 인상으로 말미암아 생산비가 상승하고 이에 따라 제품 가격이 인상되어 결과적으로 물가가 앙등되는 일. *코스트 인플레이션.

임:금 정책【賃金政策】명〔wage policy〕〖경〗노동자에게 지급할 임금 또는 임금율(賃金率)의 유지(維持)·보장(保障)에 관한 정책. 임은 정책(賃銀政策).

임:금 제:도【賃金制度】명〖경〗임금의 지급 및 그 지급 방법 등에 관한 제도.

임:금 지수【賃金指數】명〖경〗근로자의 임금 수준을 시간적·장소적으로 비교하기 위한 지수. 노동력을 가격으로 친 임금 수준의 변화를 나타내는 지수, 기업 입장에서 본 코스트로서의 임금 지수, 국민 경제 전체에서 본 근로자 1인당 수입 수준의 변동을 나타내는 지수 등이 있으며, 명목(名目) 임금 지수와 실질(實質) 임금 지수로 대별됨. 임은 지수(賃銀指數). 노임(勞賃) 지수.

임금 지표【賃金指標】명 특히, 정책적 의도로써 명시될 경우의 임금 수치의 일컬음.

임:금 철칙【賃金鐵則】명〖경〗자본주의 사회에서의 노동자의 임금은 근로자의 생존 유지·자손의 번식만으로밖에 소용되지 않으며, 장기간에 걸쳐 그 이상 그 이하도 되지 않을 것이라는 이론. 임금 생존비설(生存費說)·임금 기금설(基金說)이 발전한 것으로, 1863년 독일의 라살(Lassalle, F.)이 주장했음. 임은(賃銀) 철칙. 노동(勞動) 철칙. 노임(勞賃) 철칙.

임:금 청구권【賃金請求權】[—꿘] 명 근로자가 출산(出産)·질병(疾病)·재해(災害) 기타 긴급(緊急)한 일이 생겼을 때, 비용을 충당하기 위하여 지급 기일 전에 사용자에게 기왕의 근로에 대한 임금을 청구할 수 있는 권리.

임:금 체계【賃金體系】명〖경〗개개의 근로자에게 임금을 지급하는 경우의 기준이 되는 기본급·업적급(業績給)·근무 수당·생활 수당 등 지급 항목(項目)의 구성. 급여 체계.

임:금-컷【賃金—】〔cut〕명 근로자가 근로 계약에 의한 근로 제공을 태만히 하였을 때, 사용자가 제공되지 않은 노동 비율에 따라 일정 금액을 임금에서 공제하는 일.

임:금 코스트【賃金—】〔cost〕명 생산물의 단위당(單位當) 생산에 요하는 임금 비용.

임:금 통:제【賃金統制】명〖경〗노사(勞使)의 임금 결정을 국가 권력에 의해 억제하는 정책. 최저 임금제의 실시를 강제하는 직접 통제와 백서(白書) 또는 권고 등으로 임금의 상승(上昇)을 억제하는 간접 통제가 있음.

임:금 학설【賃金學說】명〖경〗임금을 정하는 것을 연구하는 이론. 임

금 철칙·임금 기본설·마르크스주의적 임금론 등이 있음. 노임(勞賃) 학설.

임:금 협정【賃金協定】명〔경〕임금에 관한 노사(勞使) 간의 협정. 노동 협약으로서의 요건을 갖추고 있으면 동일하게 취급함.

임:금 형태【賃金形態】명〔경〕임금 지급의 형태. 가장 기본적인 형태는 시간급(時間給)과 도급(都給)의 두 가지임.

임급【臨急】명 ↗임시 급행(臨時急行).

임:기[1]【任期】명 임무를 맡아 보고 있는 일정한 기한. ¶~가 끝나다.

임기[2]【臨機】명 어떤 시기(時機)에 임함. ——-하다 (자)(여불)

임기 응:변【臨機應變】명 그때 그때 그 시기(時機)에 임하여 적당히 일을 처리함. 기변(機變). 응변(應變). 임시 응변(臨時應變). ——-하다 (자)(여불)

임-꺽정【林一】명〔사람〕조선 명종(明宗) 시대의 큰 도둑. 양주(楊州)의 백정(白丁)으로서, 정치의 혼란과 관리의 부패로 인심이 혼란해지자 불평 분자를 규합 황해도와 경기도 일대를 횡행하였음. 명종(明宗) 17년(1562)에 토포사(討捕使) 남치근(南致勤)에게 재령(載寧)에서 잡혀 피살되었음. 임거정(林巨正).

임:나【任那】명〔역〕상대(上代)에, 지금의 고령(高靈) 지방에 있었던 나라. 그 시조를 내진주지(內珍朱智) 혹은 이진아시(伊珍阿豉)라고 함. 대가야(大伽倻).

임내 내다 타〈옛〉흉내내다. ¶임내 내다(効摸)《同文 下 59》/임내 내는 이(獺子)《漢淸 Ⅵ:60》.

임내 식민【林內植民】명 삼림 사업에 필요한 노무자를 확보하기 위하여 산림 안에 농지·주택지 등을 주어 정주(定住)하게 하는 일.

임녁 명〈방〉입술(함경).

임:년【壬年】명〔민〕태세(太歲)의 천간(天干)이 임(壬)으로 된 해. 임자(壬子)·임진(壬辰) 등.

임-념 명〈방〉잇몸(충남·전남).

임:-노동【賃勞動】명〔경〕임금 노동(賃金勞動).

임:노동과 자본【賃勞動—資本】명〔도 Lohnarbeit und Kapital〕〔책〕1849년 마르크스가 저술하여 발표한 마르크스주의 경제학의 고전(古典)의 하나. 임금 노동과 자본의 관계를 논술한 것임.

임농【臨農】명 농사 지을 시기(時機)에 임함. ——-하다 (자)(여불)

임농 탈경【臨農奪耕】명 ①농사 지을 시기에 달하여 경작자(耕作者)를 바꾸는 일. ②이미 다 마련된 것을 빼앗는 일.

임:대【賃貸】명 임금을 받고 자기의 물건을 상대방에게 사용·수익(收益)하게 함. ↔임차(賃借). ——-하다 (타)(여불)

임:대 가격【賃貸價格】[—까—] 명〔경〕대주(貸主)가 임대 물건(賃貸物件)의 공과(公課)·유지 및 수선비 등의 경비를 부담하는 조건 아래 대주(貸主)가 임대 물건에서 수득(收得)하는 금액.

임:대 계:약【賃貸契約】명〔법〕임대(賃貸)를 내용(內容)으로 하는 계약.

임:대-권【賃貸權】[—꿘] 명〔법〕임대인이 임대차 계약에 의거하여 갖는 권리. 임차인에 대한 보수(報酬)의 청구권이나 목적물의 반환 청구권 따위.

임:대-료【賃貸料】명 빌리고 받는 삯돈. ↔임차료(賃借料).

임:대-물【賃貸物】명〔법〕임대차(賃貸借)의 목적이 되는 물건을 임대인(賃貸人)측에서 일컫는 말. ↔임차물(賃借物).

임:대 사:례 비:교법【賃貸事例比較法】[—뻡] 명〔법〕재산의 감정 평가(鑑定評價)에서, 대상 물건과 동일성 또는 유사성이 있는 다른 물건의 임대 사례와 비교하여 임대료를 측정하는 방법. 이 방법으로 산정(算定)된 감정 임료를 유추 임료(類推賃料)라고 함.

임:대-인【賃貸人】명〔법〕임대차 계약에 의하여 임대료를 받고 타인에게 물품을 빌린 사람. ↔임차인(賃借人).

임:대 주:택【賃貸住宅】명 임대 주택법 및 주택 건설 촉진법의 규정에 따라, 임대를 목적으로 대한 주택 공사·지방 자치 단체, 또는 주택 건설업체 등이 건설하여 무주택 서민의 주거 생활 안정을 위해 저렴한 표준 임대료로 임대하는 사회 복지 차원의 주택.

임:-대지【賃貸地】명〔법〕임대차(賃貸借)의 목적이 되는 토지(土地).

임:-대차【賃貸借】명〔법〕당사자(當事者)의 한 쪽이 상대방에게 물건을 사용·수익(收益)하게 할 것을 약속하고 이에 대하여 그 상대방이 차임(借賃)을 지급(支給)할 것을 내용으로 하는 계약(契約). 임대차 계약(賃貸借契約).

임:대차 계:약【賃貸借契約】명 임대차(賃貸借).

임:대차-인【賃貸借人】명〔법〕임대인(賃貸人)과 임차인(賃借人).

임:대 책중【任大責重】명 임무가 크고 책임이 무거움. ——-하다 (형)(여불)

임댕이 명〈방〉이마(제주).

임도[1]【林道】명 숲 속의 길. 임업(林業)을 위해 쓰이는 길.

임:도[2]【賃擣】명 삯전을 받고 쌀이나 떡을 찧음. ——-하다 (타)(여불)

임:독【淋毒·痳毒】명 임질(痳疾)의 독.

임:-돌[—똘] 명〔고고학〕봉토(封土)의 위 쪽에 한두 겹 얇게 펴서 깐 돌. 즙석(葺石).

임동 광:산【林洞鑛山】명〔지〕함북 길주군(吉州郡) 장백면(長白面) 임동리(林洞里) 포수산(砲水山) 부근에 있는 운모(雲母) 광산. 매장량(埋藏量)이 풍부함.

임둔【臨屯】명〔역〕임둔군(臨屯郡).

임둔-군【臨屯郡】명〔역〕한사군(漢四郡)의 하나. 기원전 108년에 지금의 함경 남도에 두었다가 기원 전 82년에 파하고 현도군(玄菟郡)에 합하였음. 임둔(臨屯).

임-득명【林得明】명〔사람〕조선 시대 후기의 서화가. 자는 자도(子道), 호는 송월헌(松月軒). 회진(會津) 사람. 정선(鄭歚)의 문인. 시·서·화에 모두 능하여 삼절(三絶)이라 일컬었으며, 특히 글씨는 전서(篆書)·주서(籒書)에 뛰어났음. 작품 《고정 관폭도(孤亭觀瀑圖)》. [1767-?]

임:란【壬亂】[—난] 명〔역〕↗임진 왜란.

임:란 삼대첩【壬亂三大捷】[—난—] 명〔역〕임진 왜란 때 크게 이긴 세 싸움. 조선 선조(宣祖) 25년(1592) 10월 김시민(金時敏)의 진주성(晋州城) 전투, 선조 26년(1593) 2월 권율(權慄)의 행주 산성(幸州山城) 대첩, 선조 25년 7월 이순신(李舜臣)의 한산 해전(閑山海戰)의 통칭.

임-량【林良】[—냥] 명〔사람〕중국 명대(明代)의 화가. 화원(畫院)의 화가를 지냄. 화조화(花鳥畫)만을 그렸는데 착색(着色) 외에 수묵을 잘 하고, 힘찬 필치는 초서(草書)를 쓰는 것과 같았다고 함. 생몰년 미상.

임:력【淋瀝】[—녁] 명 물방울이나 빗방울이 뚝뚝 떨어지는 모양. ——-하다 (형)(여불)

임:-로【任魯】[—노] 명〔사람〕조선 순조(純祖)때의 학자. 자는 득여(得汝), 호는 영서 거사(穎西居士). 임성주(任聖周)의 문인으로 그의 주기론(主氣論)을 계승하였음. 부친이 귀양가 죽은 것을 보고 벼슬을 단념하고 학문에 전심하다가 50세가 넘어 현감(縣監)이 됨. 선정을 베풀었으나 모함으로 귀양을 갔으며, 석방된 후 독서로 여생(餘生)을 보냈음. [1755-1828]

임록[1]【林麓】[—녹] 명 평지(平地)와 산록(山麓)의 숲.

임:록[2]【淋漉】[—녹] 명 임리(淋漓). ——-하다 (형)(여불)

임:료【賃料】[—뇨] 명 삯. 공전.

임:료 증감 청구권【賃料增減請求權】[—뇨—꿘] 명〔법〕차임 증감 청구권(借賃增減請求權).

임:률【賃率】[—뉼] 명〔wage rate〕〔경〕1 시간이라든가 1일 등, 일정량의 노동에 대하여 또는 일정한 직무의 수행이나 단위 성과(成果)에 대하여, 노동자에게 지급되는 임금액 또는 임금 단가(單價). 임금 산정의 기준이 됨. 임금률(賃金率). ＊실수 임금.

임:리【淋漓】[—니] 명 피·땀·물 따위가 흘러 떨어지는 모양. 임록(淋漉). ¶선혈은 ~하여 칼자루로 넘쳐 흐른다《趙重桓：長恨夢》. ——-하다 (형)(여불)

임:림【淋淋】[—님] 명 비가 오는 모양. 또, 물방울이 떨어지는 모양. ——-하다 (형)(여불)

임림 총총【林林叢叢】[—님—] 명 많이 모이어 서 있는 모양. ——-하다 (형)(여불)

임립【林立】[—닙] 명 임목처럼 죽 늘어섬. ¶~하는 굴뚝. ——-하다 (자)(여불)

임마 준 ☞ 인마[2].

임마누엘〔그 Immanuel〕명〔성〕〔하느님이 우리와 함께 계시다라는 뜻〕구약 성서에 예언된 내림(來臨)할 자의 이름. 신약 성서는 그리스도가 그 예언된 구주(救主)라고 했음.

임:마 혈청 고나도트로핀【妊馬血淸—】〔gonadotropin〕명〔생〕생식선 자극 호르몬의 하나. 미성숙한 자성(雌性) 동물에 있어서, 난포(卵胞) 성숙·황체(黃體) 형성 및 난소 중량(卵巢重量)의 증가를 촉진하지만 하수체 적출(下垂體摘出)시는 황체 형성을 하지 않음. 웅성(雄性) 동물에서는 하수체를 적출하여도 정낭(精囊) 비대(肥大)·정자(精子) 형성을 촉진(促進)함.

임:만【任滿】명 임기(任期)가 참. ——-하다 (자)(여불)

임:맥【任脈】명〔한의〕경락(經絡)의 하나. 회음부(會陰部)에서 생겨, 똑바로 배꼽을 지나 상행(上行)하여 흉골(胸骨)을 따라 목을 통하여 입술에 이름. 이 곳에 두세 개의 경혈(經穴)이 있음. 임맥근(任脈筋).

임:맥-근【任脈筋】명〔한의〕임맥(任脈).

임:면[1]【任免】명 임명과 면직. 임관(任官)과 면관(免官). ——-하다 (타)(여불)

임:면[2]【賃綿】명 삯전을 받고 솜을 타는 일. ——-하다 (자)(여불)

임:면-권【任免權】[—꿘] 명 임명(任命)하고 해임(解任)·해면(解免)할 수 있는 권한.

임:명[1]【任命】명 관직에 명함. 직무를 맡김. ——-하다 (타)(여불)

임명[2]【臨命】명 임종(臨終)❶. ——-하다 (자)(여불)

임:명-권【任命權】[—꿘] 명 직원의 임명·휴직·면직, 기타 징계(懲戒)를 하는 권한.

임:명권-자【任命權者】[—꿘—] 명 직원의 임명·휴직·면직 기타 징계를 하는 권한을 가진 사람.

임:명-장【任命狀】[—짱] 명 어떤 사람을 무엇으로 임명한다는 내용을 적은 문서(文書).

임:명-제【任命制】명 관직이나 공공의 직무를 어떤 한정된 신분의 사람에게 임명하는 제도. ↔공선제(公選制).

임-명종【臨命終】명〔불교〕임종(臨終)❶. ——-하다 (자)(여불)

임목【林木】명 수풀의 나무.

임목 육종 연:구소【林木育種研究所】[—년—] 명 산림청장에 소속하여, 임목의 유전(遺傳)·신품종 육성·식생(植生) 개량·채종림(採種林) 조성에 관한 시험·연구 및 조사와 육종림 관리에 관한 사무를 관장하는 기관.

임-몸 명〈방〉잇몸(충북·강원·전남·경상).

임:무[1]【任務】명 맡은 사무(事務) 또는 업무. ¶~에 충실하다.

임무[2]【臨撫】명 무림(撫臨). ——-하다 (타)(여불)

임문【臨文】명〔역〕강서 시험(講書試驗)의 한 가지. 책을 눈 앞에 펴 놓고 읽는 일. 임문 고강(臨文考講). ↔배강(背講).

임문 고강【臨文考講】명〔역〕임문(臨文).

임민【臨民】명 백성을 다룸. ——-하다 (자)(여불)

임박【臨迫】명 어떤 시기가 가까이 닥쳐 옴. ¶선거 때가 ~하다. ＊박근(迫近). ——-하다 (자)(여불)

임-반달【—半—】명 연의 한 가지. 머리에 직사각형 색종이의 긴 쪽의 두 귀를 둥글게 하거나 모만 접어서 반달 모양으로 붙인 연.

임:방[1]【壬方】 명 〖민〗 이십 사 방위(二十四方位)의 하나. 정북(正北)에서 서쪽으로 15도째의 방위를 중심(中心)으로 한 15도의 각도 안 쪽. ㊟임(壬).

임:방[2]【任房】 명 보부상(褓負商)들이 모여 노는 곳.

임-방울【林芳蔚】 명 〖사람〗 국악(國樂)의 명창(名唱). 전남 송정읍(松汀邑) 출생. 소년 시절부터 성량(聲量)이 풍부하고, 출렁거리는 목청과 매력적인 기교가 있어, 판소리로 널리 알려져서 계면(界面)의 대가(大家)가 됨. 작곡(作曲)·편곡(編曲)에도 조예가 깊어 ≪호남가(湖南歌)≫·≪사별가(思別歌)≫ 등의 작품이 있음. [1904-61]

임-배이 명 〈방〉 이마빼기(경북).

임:-백경【任百經】 명 〖사람〗 조선 시대 후기의 문신. 자는 문경(文卿), 호는 하의(荷漪). 풍천(豐川) 사람. 순조 27년(1827) 진사로 증광 문과(增廣文科)에 병과(丙科)로 급제, 헌종 5년(1839) 충청 좌도 암행어사가 되었다가, 홍문관(弘文館)·예문관(藝文館)의 제학을 역임, 철종 7년(1856) 대사성(大司成)을 거쳐 동 9년 형조 판서에 오르고, 동 11년 정조 겸 사은사(正朝兼謝恩使)로 청(淸)나라에 다녀와 고종(高宗) 원년(1864) 우의정에 오름. 시호는 문정(文貞). [1800-64]

임-백령【林百齡】 [―녕] 명 〖사람〗 조선 시대 중기의 문신. 자는 인순(仁順), 호는 괴마(槐馬). 선산(善山) 사람. 중종(中宗) 14년(1519) 갑과(甲科)로 등제(登第)하여, 호당(湖堂)에 뽑힘. 명종(明宗) 즉위년(1545) 호조 판서로 윤원형(尹元衡) 등의 소윤(小尹)에 가담, 을사 사화(乙巳士禍)를 일으켜 위사 공신(衛社功臣) 1등이 됨. 선조(宣祖) 때 관작(官爵)이 추탈됨. [? -1546]

임벽당 김씨【林碧堂金氏】 명 〖사람〗 조선 중종(中宗) 때의 여류(女流) 시인. 본관은 의성(義城). 유여주(兪汝舟)의 부인. ≪열조 시집(列朝詩集)≫·≪국조 시산(國朝詩刪)≫에 시 7 수가 수록됨. 생몰년 미상.

임:병【淋病·痳病】 [―뼝] 명 〖의〗 임질(痳疾).

임:병-도【壬丙島】 명 〖지〗 전라 남도의 서해상(西海上), 영광군(靈光郡) 낙월면(落月面) 임병리(壬丙里)에 위치한 섬. [0.08 km²] 「리.

임:병 양:란【壬丙兩亂】 [―난] 명 〖역〗 임진 왜란과 병자 호란의 두 난

임-병(:)찬【林秉瓚·林炳瓚】 명 〖사람〗 대한 제국 때의 의사(義士)·의병장. 자는 중옥(中玉), 호는 돈헌(遯軒). 평택(平澤) 사람. 낙안 군수(樂安郡守) 겸 순천진 동첨절제사(順天鎭同僉節制使)로 있을 때 선정을 베풀었음. 을사(乙巳) 조약이 체결되자 최익현(崔益鉉)과 함께 의병을 모아 담양(潭陽)으로 가던 중 순창(淳昌)에서 일본군과 싸웠으나 피체, 함께 쓰시마(対馬)로 유배됨. 2년 만에 풀려 나와 종이품으로 가선 대부(嘉善大夫)가 되었으나 계속 구국 항일 투쟁을 감행, 1914년에 다시 피체, 거문도(巨文島)에 유배되자 단식으로 자결함. [1851-1916]

임보 [그 limbo] 명 〖천주교〗 '림보'의 구칭.

임:봉-산【任峰山】 명 〖지〗 경상 북도 안동군에 있는 산. 태백 산맥 중에 솟아 있음. [683 m]

임:부[1]【姙婦·妊婦】 명 임신한 부인. 잉부(孕婦).

임:부[2]【飪夫】 명 〖역〗 조선 시대 사옹원(司饔院)의 정구품 잡직(雜職). 조부(調夫)의 아래, 팽부(烹夫)의 위.

임:부[3]【賃夫】 명 삯전을 주고 부리는 인부(人夫).

임:부뇨 고나도트로핀【姙婦尿―】 [gonadotropin] 명 〖생〗 배란(排卵) 후에 신생(新生)한 황체를 임신 황체(妊娠黃體)로 이행(移行)하게 하여, 그 기능을 유지시키고, 또 뇌하수체를 자극하여, 난포(卵胞) 자극 호르몬의 생성을 촉진하는 생식선 자극 호르몬의 하나.

임분【林分】 명 삼림(森林) 안의 수목의 수종(樹種)·수령(樹齡)·생육(生育) 상태가 거의 같아서, 인접하는 다른 삼림과 명백히 구별(區別)되는 삼림.

임빈【臨殯】 명 빈소(殯所)에 감. 빈소에 가서 조상함. ――-하다 타여불

임:사[1]【任使】 명 책임을 맡기어 부림. ――-하다 타여불

임:사[2]【任事】 명 사무(事務)를 맡음. ――-하다 자여불

임:사[3]【痳絲·淋絲】 명 〖의〗 만성 임질 환자의 요중(尿中)에 있는 사상(絲狀)·진애상(塵埃狀) 또는 운서상(雲絮狀)의 이상물(異常物).

임사[4]【臨死】 명 죽을 고비에 임함. ――-하다 자여불

임사[5]【臨事】 명 어떤 일에 임함. ――-하다 자여불

임사[6]【臨寫】 명 본보기를 보고 베낌. ――-하다 타여불

임:-사경【任思敬】 명 〖사람〗 조선 영조(英祖) 때의 학자. 자(字)는 여직(汝直). 풍천(豐川) 사람. 윤증(尹拯)의 문인. 숙종 42년(1716) 스승 윤증이 화를 당하자 벼슬을 단념, 학문에만 전심하여 ≪삼분(三墳)≫·≪오전(五典)≫을 깊이 연구함. 뒤에 세자 익위사 부솔(世子翊衛司副率)로서 서연관(書筵官)을 지냄. 성력(星曆)·도수(度數)·병기(兵機)·이치(吏治) 등에도 정통했음. [1686-1757]

임사-본【臨寫本】 명 원본(原本)을 옆에 놓고 베낀 모사본(模寫本). ↔영사본(影寫本).

임:사지-덕【姙姒之德】 명 후비(后妃)의 어질고 현숙한 덕.

임:-사(:)홍【任士洪】 명 〖사람〗 조선 연산군(燕山君) 때의 권신. 자(字)는 이의(而毅). 풍천(豐川) 사람. 세조 11년(1465)에 등제. 두 아들이 각각 예종(睿宗)과 성종(成宗)의 부마가 되면서 세도를 잡고, 유자광(柳子光) 등과 파당을 만들어 많은 횡포를 자행함. 대간(臺諫)의 탄핵으로 일시 유배되었다가 다시 등용되어 무오 사화(戊午史禍)를 일으키고, 연산군 10년(1504)에 다시 갑자 사화(甲子士禍)를 일으켜, 일찌기 왕의 생모(生母) 윤비(尹妃)의 폐위(廢位) 사건에 관련되었던 많은 중신(重臣)·사류(士類)를 죽였음. 중종 반정(中宗反正)으로 잡혀 추살(椎殺)당함. [1445-1506]

임삭【臨朔】 명 임부(妊婦)가 해산달을 당함. 임월(臨月). 당삭(當朔). 대기(大期). ――-하다 자여불

임:산[1]【妊産】 명 아이를 배고 낳는 일.

임산[2]【林山】 명 수림이 잘 자랄 수 있는 산. 수림이 있는 산.

임산[3]【林產】 명 임산물(林產物).

임산[4]【臨產】 명 해산할 때를 당함. ――-하다 자여불

임산-물【林產物】 명 산림에서 산출되는 물품. 임산(林產).

임:산-부【妊產婦】 명 ①임신부(妊娠婦)와 해산부(解產婦). ②〖법〗 임신 중에 있거나 출산(出產) 후 6개월 이내의 여자.

임산 자원【林產資源】 명 산림에서 생산되는 자원. 목재·연료·수액(樹液) 등을 이름.

임-삼【林森】 명 〖사람〗 '린 썬'을 우리 음으로 읽은 이름.

임상[1]【林相】 명 숲의 특징적인 형상(形相).

임상[2]【臨床】 명 병상(病床)에 임함. ¶∼ 치료. ――-하다 자여불

임상[3]【臨湘】 명 〖지〗 '린샹'을 우리 음으로 읽은 이름.

임상 강:의【臨床講義】 [―/―이] 명 직접 환자가 있는 병상(病床) 곁에서 그 질환의 진단·치료 등을 강의하는 일.

임상 검:사【臨床檢查】 명 보조 진단의 한 가지. 요(尿)·혈액 등의 화학적 검사, 객담(喀痰) 등의 세균학적 검사, 혈액의 면역 혈청학적(免疫血清學的) 검사, 내시경(內視鏡) 검사, 뇌파(腦波)·심전도(心電圖)·근전도(筋電圖) 등 광범위한 검사가 이루어져 진단의 보조 역할을 함. 검사의 기술·기기(機器)의 개발·개량 등이 빠르며 자동화(自動化)가 이루어지고 있음.

임-상덕【林象德】 명 〖사람〗 조선 숙종(肅宗) 때의 문신·학자. 자는 윤보(潤甫)·이호(彝好), 호는 노촌(老村). 나주(羅州) 사람. 윤증(尹拯)에게 배움. 23세에 문과에 장원 급제하여 여러 벼슬을 거쳐 이조 판서에 이름. 저서 ≪동사 회강(東史會綱)≫ 27권·≪노촌집(老村集)≫ 10권. [1683-1719]

임상-도【林相圖】 명 삼림 측량의 결과 작성된 기본도를 줄여서 임업 경영 계획상 또는 사업 실행상 필요한 사항을 기호(記號)와 색채로 명시한 도면의 총칭.

임상 병:리사【臨床病理士】 [―니―] 명 의료 기사(醫療技士)의 하나. 의사의 지시·감독 아래, 병리학·생리학·미생물학·생화학·기생충학·법의학(法醫學) 등의 분야에서, 임상 병리 검사 업무에 종사하는 사람. *방사선사(放射線士).

임상 병:리학【臨床病理學】 [―니―] 명 [clinical pathology] 〖의〗 임상 의학의 문제를 병리학적으로 연구하는 의학 분야.

임상 신:문【臨床訊問】 명 병상(病床)에 있는 피의자나 증인을 그가 있는 장소에서 신문하는 일. *소재(所在) 신문. ――-하다 타여불

임상 심리학【臨床心理學】 [―니―] 명 [clinical psychology] 〖심〗 응용 심리학의 한 부문. 신체에 발생한 여러 문제를 심리학·정신병학(精神病學)을 비롯한 모든 과학의 지식과 기술을 종합하여 측정(測定)·분석(分析)·관찰(觀察) 등의 방법을 사용, 특정(特定) 개인의 생활에 있어서의 장애·곤란 등의 실체와 원인을 해명(解明)하고 이것에 대한 과학적 해결과 심리적 치료를 하는 학문.

임상 약리학【臨床藥理學】 [―니―] 명 [clinical pharmacology] 사람의 집단(集團)에 대한 약물(藥物)의 평균적인 효과(効果), 이를테면 예방(豫防) 효과·치료(治療) 효과·부작용(副作用) 등을 조사하는 학문. 개개의 환자를 대상으로 하는 약물 요법(藥物療法)을 연구하는 학문은 약물 치료학이라 함.

임-상(:)옥【林尙沃】 명 〖사람〗 조선 시대 후기의 상인. 자는 경약(景若), 호는 가포(稼圃). 전주(全州) 사람. 순조(純祖) 10년(1810) 우리 나라 최초로 인삼의 무역권을 획득 독점하였고, 동 21년 변무사(辨誣使)의 수행원으로 청(淸)나라에 가 북경(北京) 상인의 불매 동맹(不買同盟)을 교묘히 분쇄하여 막대한 이익을 보았음. 그 후 기민 구제(飢民救濟) 등의 자선 사업을 행하여 곽산 군수(郭山郡守)가 되었고, 의주(義州)의 수재민(水災民)을 구제하여 구성 부사(龜城府使)에 발탁되었으나 논척(論斥)을 받아 사퇴함. 이후 빈민 구제와 시주(詩酒)로 일생을 보냄. [1779-1855]

임상 유전학【臨床遺傳學】 명 [clinical genetics] 〖생〗 임상 의학에 응용되는 유전학적 연구.

임상 의학【臨床醫學】 명 기초 의학에 대하여, 병자(病者)를 실지로 진찰·치료하는 것을 주목적으로 하는 의학.

임서【臨書】 명 글씨본을 보면서 글씨를 씀. 또, 그 글씨. ↔자운(自運). ――-하다 자여불

임:석[1]【衽席】 명 잠자리. 이부자리.

임석[2]【臨席】 명 자리에 임(臨)함. ¶∼하신 신사 숙녀 여러분. ――-하다 자여불

임:석-간【衽席間】 명 부부가 동침하는 때.

임석 경:찰관【臨席警察官】 명 극장 같은 데 임관석(臨官席)에 나온 경찰관.

임-선미【林先味】 명 〖사람〗 고려 말기의 충신. 자는 양대(養大), 호는 휴암(休庵). 평택(平澤) 사람. 젊어서 학문을 좋아하고 현인(賢人)들과 함께 고례(古禮)를 참작하여 3년상(喪)을 치르게 하는 등 퇴폐한 예법과 세속을 바로잡았음. 고려가 망하게 되자 조의생(曺義生) 등 71명과 함께 은거, 이태조(李太祖)가 과거를 실시하여 현사를 등용하려 하였으나 불응하고 두문동(杜門洞)에서 죽음.

임:성【稔性】 명 [fertility] ①〖식〗 식물(植物)이 차대(次代)의 식물로서 자랄 수 있는 종자를 갖는 일. ②〖동〗 생식 세포 형성·수정(受精) 등으로 새끼를 갖는 일. 1)·2) : ↔불임성(不稔性).

임:-성(:)주【任聖周】 명 〖사람〗 조선 영조(英祖)·정조(正祖) 때의 학자. 자는 중사(仲思), 호는 녹문(鹿門). 풍천(豐川) 사람. 이재(李縡)의 문인. 영조 때 세자 익위사 세마(世子翊衛司洗馬) 등을 지냈고, 정조 즉위 후에는 불리어 동궁(東宮)을 보도(輔導)하고 지방관 등을 지냄. 조

선 성리학(性理學)의 육 대가(六大家)의 한 사람으로 일컬어지며 스승과 함께 낙론(洛論)을 지지하다가 뒤에 호론(湖論)에 기울어졌으며, 이기설(理氣說)에서는 주기설(主氣說)을 주장하였으나 만년에는 이(理)와 기(氣)의 이원적(二元的) 관념을 통일한 기원론(氣元論)을 발전시킴. 시호는 문경(文敬). [1711-88]

임:성-화【稔性花】[명]〖식〗완전한 암꽃술을 가지며, 수정의 결과 과실을 맺고, 정상으로 발육할 종자(種子)를 만들 수 있는 꽃. 대부분의 꽃이 이에 속함.

임세【臨歲】[명] 세밑이 가까워 옴. ——-하다 [자][여불]

임:소【任所】[명] 지방 관원이 근무하는 직소.

임수【林藪】[명] ①초목이 무성한 곳. ②궁벽한 시골. 전(轉)하여, 처사(處士)가 은둔(隱遁)하는 땅. ③사물(事物)이 많이 모이는 곳.

임:술【壬戌】[명]〖민〗육십 갑자(六十甲子)의 쉰아홉째.

임술 민란【壬戌民亂】[一밀一] [명]〖역〗조선 철종 13년(1862)에 전국적으로 일어났던 일련의 농민 봉기. 삼정(三政)의 문란에서 비롯되었다고 하여 삼정란(三政亂)이라고도 하는데, 특히 환곡(還穀)의 문란과 관리의 토색질에 의한 농촌 피폐에 원인이 있었음.

임습【霖濕】[명] 장마 때의 심한 습기.

임:시[1]【壬時】[명]〖민〗이십사시(二十四時)의 스물넷째 시. 곧, 오후 10시 반부터 11시 반까지의 동안. [준]임(壬).

임시[2]【臨時】[명] ①시기에 임함. ②정하지 아니한 일시적인 기간. ¶~ 열차/~ 직원/~ 총회. ↔경상(經常).

임시[3]【臨視】[명] ①임금이 몸소 가 봄. ②현장에 가서 시찰함. ——-하다 [자][여불]

임시 감:실【臨時龕室】[명]〖천주교〗임시로 성체(聖體)를 모시어 두는, 나무로 만든 작은 궤.

임시 계:약【臨時契約】[명] 가계약(假契約).

임시 계:정【臨時計定】[명]〖경〗회계 처리에서, 편의상 임시로 설정한 계정. 가수금·미결산 계정 따위.

임시 고용【臨時雇傭】[명] 임시로 고용함. ——-하다 [자][여불]

임시-공【臨時工】[명] 임시로 단기간 고용되는 공원.

임시 공무원【臨時公務員】[명] 국가 또는 지방 자치 단체의 일시적인 필요에 따라 임시적으로 채용하는 공무원. 각종 선거 위원회 위원 등이 이에 해당하며, 국가 공무원법이나 지방 공무원법(地方公務員法)의 적용을 받지 않음.

임시 공휴일【臨時公休日】[명] 정부(政府)의 임시적인 결정에 따라 정한 공휴일.

임시 교:사【臨時校舍】[명] 가교사(假校舍).

임시 국회【臨時國會】[명]〖정〗'임시회❷'의 통칭(通稱).

임시 급여【臨時給與】[명] 정기 급여 외에, 흔히 여름·추석·연말·결산기(決算期) 등에 지급되는 상여금(賞與金)이나 각종 수당 따위. 특별 급여(特別給與).

임시 기관【臨時機關】[명] 목적을 달성하기 위하여 임시로 설치해 놓은 기관.

임시 기호【臨時記號】[명]〖악〗임시표(臨時標).

임시 낭:패【臨時狼狽】[명] 다 잘 된 일이 그 시기(時期)에 임하여 틀어짐. ——-하다 [자][여불]

임시 뉴:스【臨時一】[news] [명] 라디오·텔레비전 등에서, 큰 사건이 있을 때, 정규의 프로를 중단하고 방송하는 보도.

임시 무:대【臨時舞臺】[명] 가설 무대(假設舞臺).

임시 방패【臨時防牌】[명] 임시 변통. ——-하다 [타][여불]

임시 방편【臨時方便】[명] 임시 변통. ——-하다 [타][여불]

임시 배포【臨時排布】[명] 임시 변통. ——-하다 [타][여불]

임시-법【臨時法】[一뻡] [명]〖법〗특정한 사태에 대응하기 위하여 임시적·잠정적으로 제정되는 법령. 그 유효 기간의 종기(終期)를 표시한 것과 그렇지 않은 것이 있음. *한시법(限時法).

임시 변:통【臨時變通】[명] 갑자기 생긴 일을 우선 임시로 둘러맞춰서 처리함. 임시 방패. 임시 방편. 임시 배포. 임시 처변(臨時處變). ——-하다 [타][여불]

임시-비【臨時費】[명] 임시로 쓰는 비용(費用). 불항비(不恒費). ↔경상비(經常費).

임시 사원【臨時社員】[명] 회사 등에 임시로 고용된 사원. ↔정사원.

임시-성【臨時性】[一썽] [명] 임시적인 성질.

임시-세【臨時稅】[명]〖법〗어떤 시기에 임해서 필요한 경비를 충당하기 위하여 어떤 일정한 기간에 한하여 징수하는 조세(租稅). 전시세(戰時稅) 등이 있음. *경상세(經常稅).

임시 세:출입【臨時歲出入】[명]〖법〗해마다 반복되지 아니하는 일시적인 세출입.

임시 손:실【臨時損失】[명]〖경〗기업 경영과 관계 없이, 그 발생이 임시적이고 이상(異常)적인 손실. 천재 지변에 의한 피해액 등.

임시 수도【臨時首都】[명] 전란 등으로 인하여 임시로 옮긴 수도.

임시 수입【臨時收入】[명]〖경〗불규칙적이고 일시적인 수입. 공채, 차입금(借入金), 임시세, 관유 재산의 불하 등에 의한 수입 따위를 이름. ↔경상(經常) 수입.

임시 수입 부:가세【臨時輸入附加稅】[명] 국제 수지(國際收支)의 개선을 위하여 수입 수요(輸入需要)를 긴급히 억제할 필요가 있을 때, 또는 주요 교역국(交易國)의 경제 사정의 변동 등으로 인하여 국제 수지의 악화를 초래할 우려가 있어, 이에 긴급히 대처하기 위하여 수입 물품에 대하여 관세 이외에 부과하는 세.

임시 시험【臨時試驗】[명] 일정한 시기 이외에 임시로 시행하는 시험. ↔정기 시험(定期試驗).

임시 예:산【臨時豫算】[명] 전시(戰時) 혹은 사변(事變) 때, 임시로 편성하는 전비(戰費) 등의 예산.

임시 응:변【臨時應變】[명] 임기 응변(臨機應變). ——-하다 [자][여불]

임시 의장【臨時議長】[명]〖법〗의장은 아니나, 일시(一時) 의장의 직무를 대리로 행하는 사람. 국회법(國會法)에서는 의장·부의장이 같이 사고가 있을 경우에 한(限)함. 「치.

임시-적【臨時的】[명][관] 일정하지 아니한 짧은 기간에 관한 모양. ¶~ 조

임시 전:화【臨時電話】[명] 공사장·선거 사무소·경기장·전람회장 등에서 단기간 동안 이용하기 위하여 설치하는 전화. 설치 기간은 2개월 이내임.

임시 정부【臨時政府】[명] 아직 적법(適法)한 정부로 인정할 수 없는 사실상의 정부. 그 권력이 확립된 후, 외국의 승인을 얻음으로써 국제법상의 적법한 정부로 됨. 가정부(假政府). [준]임정(臨政).

임시 졸판【臨時猝辦】[명] 갑자기 당한 일을 임시적으로 처리함. ——-하다 [타][여불]

임시-직【臨時職】[명] 임시적으로 채용되는 직위(職位) 또는 직책(職責).

임시 직원【臨時職員】[명] 임시적으로 채용하여 고용한 직원.

임시 처:변【臨時處變】[명] 임시 변통(臨時變通). ——-하다 [타][여불]

임시 총:회【臨時總會】[명] 필요에 의하여 임시로 소집하는 총회. ↔정기 총회.

임시 특별 관세【臨時特別關稅】[명]〖경〗특정 외국 물품의 수입(輸入)에 대하여 관세 이외에 임시로 부과하는 세금. 국민 경제에 긴요하지 않은 수입 수요의 억제를 통하여 국제 수지(國際收支)의 균형을 기하기 위해서임. [준]특관세.

임시-표【臨時標】[명] [accidental]〖악〗악곡의 도중에서 본래의 음을 임시로 변화시키기 위하여 쓰는 기호. 반음 올림표(♯)·반음 내림표(♭)·제자리표(♮) 등이 쓰임. 임시표는 같은 한 마디 안에서만 그 효력이 있으므로, 다른 마디에서는 본래의 음높이로 돌아감. 임시 기호. 변위 기호. 변화 기호.

임시-회【臨時會】[명] ①어떤 회의 단체에서 토의 안건이 있을 때에 임시로 개최되는 모임. ②국회의 임시회. 임시 긴급의 필요가 있을 때에, 대통령의 요구 또는 국회 재적 의원 4분의 1 이상의 요구에 의하여 소집되는 국회. 회기(會期)는 집회 후 즉시 이를 정해야 함. 법령상의 정식 이름임. 임시 국회. ↔정기 국회.

임:신[1]【壬申】[명]〖민〗육십 갑자(六十甲子)의 아홉째.

임:신[2]【妊娠·姙娠】[명] 아이를 뱀. 또, 그 일. 회잉(懷孕). 잉태(孕胎). 회임(懷妊). 회태(懷胎). 포태(胞胎). ——-하다 [자][여불]

임:신 각기【妊娠脚氣】[명]〖의〗임신부(妊娠婦)에게 비타민 B_1이 부족되어 일어나는 각기.

임:신 망:상【妊娠妄想】[명] 발양(發揚) 망상의 하나. 태동(胎動)을 느끼는 내장(內臟) 감각과 결합하여 자기가 임신하였다고 믿는 것. *과대(誇大) 망상.

임:신 반:응【妊娠反應】[명] 조기(早期)에 임신인지 아닌지를 검사할 목적으로 행하는 반응. 임신하면 뇌하수체 전엽 호르몬(腦下垂體前葉 hormone)이 오줌으로 많이 배설됨을 이용하여, 임부(妊婦)의 오줌을 시험 동물에 주사(注射)하여 난소(卵巢)가 변화하는 것을 관찰하여 진단(診斷)함.

임:신-부【妊娠婦】[명] 임신중인 여자. 임부(妊婦).

임:신 서:기석【壬申誓記石】[명]〖역〗신라 시대의 두 화랑도(花郞徒)가 3년 안에 시(詩)·상서(尙書)·예(禮)의 전(傳)을 습득할 것과 국가에 충성을 다할 것을 맹세한, 5행 74자의 문구를 새긴 돌. 길이 34cm, 두께 약 2cm, 폭 약 12.5cm로 1934년 경주(慶州) 북쪽 교외의 언덕에서 발견되어, 경주 박물관(慶州博物館)에 간직되어 있음. 임신(壬申)은 성덕왕(聖德王) 31년(732)으로 추측됨.

임:신 신:염【妊娠腎炎】[명]〖의〗임신중 특히 그 후반기에 일어나는 신장염(腎臟炎)으로 일종의 임신 중독증. 부종(浮腫)·단백뇨(蛋白尿)·혈압 항진(血壓亢進) 등이 있고, 때로 자간(子癎)을 유발함.

임:신 약조【壬申約條】[명]〖역〗조선 중종(中宗) 5년(1510)에 일어난 삼포 왜란(三浦倭亂)이 평정된 뒤 대마도주(對馬島主)의 간청으로 동왕 7년(1512)에 맺은 약조. 왜인의 삼포 거주의 금지, 삼포(三浦) 중 제포(薺浦)만의 개항(開港), 대마도주의 세견선(歲遣船)의 수를 종래의 50척에서 25척으로, 세사 미두(歲賜米豆)는 종래의 200석에서 100석으로 줄인다는 조목이 들어 있음.

임:신 오조【妊娠惡阻】[명]〖의〗입덧.

임:신 중독증【妊娠中毒症】[명]〖의〗임신 중에 형성된 독소(毒素)가 체내에 억류되어 그 작용으로 중독 증상을 나타내는 질환의 총칭. 임신 신염(腎炎)·임신 부종(浮腫)·자간(子癎) 등을 포함함. 산욕열(産褥熱)·출혈(出血)과 함께 임산부의 중요한 병임.

임:신 중절【妊娠中絶】[명] 임신이 자연 또는 인공적으로 중절되는 일. 임신 제28주(週)까지의 경우를 유산(流産), 제29-38주까지의 경우를 조산(早産)이라 함.

임:실【任實】[명]〖지〗전라 북도 임실군(任實郡)의 군청 소재지로 읍(邑). 임실천(任實川) 좌안에 발달한 가촌식 취락(街村式聚落)임. 전라선(全羅線)의 전주(全州)·남원(南原) 간의 중간역이며 농산물·축산물을 집산함. [8,216명(1996)]

임:실-군【任實郡】[명]〖지〗전라 북도의 한 군. 관내 1읍 11면. 북쪽은 진안군(鎭安郡)과 완주군(完州郡), 동쪽은 장수군(長水郡), 남쪽은 남원시(南原市)와 순창군(淳昌郡), 서쪽은 김제시(金堤市)와 접경함. 각종 농산과 임산·공산 등이 있고, 명승 고적으로는 성수산(聖壽山)·신평면(新平面) 용암리(龍岩里) 석등(石燈)·상이암(上耳庵)·관촌 사선대(館村四仙臺)·소충사(昭忠祠)와 섬진강 상류의 운암(雲巖)·칠보(七寶)의

두 유로 변경식(流路變更式) 발전소가 있음. 군청 소재지는 임실(任實). [596.55 km² : 44,606 명(1996)]

임심【臨深】명 깊은 곳 또는 매우 위험한 곳에 이름. ¶~ 이박(履薄). ——하다 자여불

임심 조서【林深鳥棲】명〔숲이 깊으면 새가 깃들인다는 뜻으로〕사람이 인의(仁義)를 쌓으면 만물이 저절로 귀의(歸依)한다는 비유. 임심즉조서(林深則鳥棲).

임심-즉조서【林深則鳥棲】명 임심 조서(林深鳥棲).

임-씨 명〖언〗이름씨.

임악【臨岳】명〖악〗금(琴)의 머리 부분에 현(絃)을 거는 곳. 거문고의 현침(絃枕), 가야고의 담괘(檐棵)에 해당함.

임안¹【臨安】명〖지〗중국 남송(南宋)의 서울. 현재의 저장 성 항저우시(浙江省杭州市).

임안²【臨按】명 임검(臨檢). ——하다 타여불

임압【臨壓】명〖민〗풍수설(風水說)에서, 무덤 위에 무덤이나 가옥(家屋)이 들어서서 맥락(脈絡)을 덮어 누르는 일. ——하다 자여불

임야【林野】명 삼림(森林)과 원야(原野).

임야 대장【林野臺帳】명 지적법(地籍法)에 의거, 정부가 비치하는 임야에 관한 행정 서류의 하나. 토지의 소재(所在)·지번(地番)·지목(地目)·면적(面積)·소유자의 주소 성명 또는 명칭 등이 등록됨.

임야-도【林野圖】명 지적법(地籍法)에 의거, 정부가 비치하는 임야에 관한 지도. 토지의 소재(所在)·지번(地番)·지목(地目)·경계(境界) 등이 등록됨.

임야-세【林野稅】[—쎄] 명〖법〗임야에 부과하는 세금.

임야 조사 사:업【林野調査事業】명〖역〗일제가 한국에서 식민지 경제 체제를 구축하기 위해 임야에 대해 실시한 대규모 조사 사업. 1 차 사정(査定) 사무는 1917-24 년, 2 차 재결(裁決) 사무는 1919-35 년에 실시됨.

임:약【荏弱】명 가냘픔. 나약함. ——하다 형여불

임어【臨御】명 임금이 임함. ——하다 자여불

임-어(:)당【林語堂】명〖사람〗'린 위탕'을 우리 음으로 읽은 이름.

임-억령【林億齡】[—녕] 명〖사람〗조선 명종(明宗) 때 문신. 자는 대수(大樹), 호는 석천(石川). 선산(善山) 사람. 을사 사화(乙巳士禍) 때 금산 군수(錦山郡守)로 아우 백령(百齡)이 소윤(小尹)에 가담하여 대윤(大尹)의 선비들을 추방하자, 자책을 느끼고 해남(海南)에 은거하였으며, 뒤에 재등용되어 담양 부사(潭陽府使)가 되었음. [1496-1568]

임업【林業】명 각종 임산물에서 오는 경제적 이득을 목적으로 삼림(森林)을 경영하는 생산업. 산림업(山林業).

임업 노동자【林業勞動者】명 소재(素材) 생산·조림(造林) 사업·제탄(製炭) 사업 등에 종사하는 노동자의 총칭.

임업 보:조금【林業補助金】명 임업의 진흥을 조성하기 위하여 국가가 교부하는 보조금.

임업 사:무관【林業事務官】명 농림직(農林職) 국가 공무원 직급 명칭의 하나. 임업 직렬(職列)에 속하며, 임업 주사(主事)의 위, 임업 서기관(書記官)의 아래로 5급 공무원임.

임업 서기【林業書記】명 농림직(農林職) 국가 공무원 직급 명칭의 하나. 임업 직렬(職列)에 속하며, 임업 서기보의 위, 임업 주사보의 아래로 8급 공무원임.

임업 서기관【林業書記官】명 농림직(農林職) 국가 공무원 직급 명칭의 하나. 임업 직렬(職列)에 속하며, 임업 사무관의 위, 농림 부이사관의 아래로 4급 공무원임.

임업 서기보【林業書記補】명 농림직(農林職) 국가 공무원 직급 명칭의 하나. 임업 직렬(職列)에 속하며, 임업 서기의 아래로 9급 공무원임.

임업 시험장【林業試驗場】명〖법〗'임업 연구원'의 전신(前身).

임업 연:구원【林業研究院】[—년—] 명 산림청장(山林廳長)에 소속하여, 산림 환경·임산 공학·산림 생물·산림 경영 및 임업 생산 기술 분야의 시험·연구·조사와 시험림·수목원의 관리에 관한 사무를 관장하는 기관.

임업 연:수원【林業研修院】[—년—] 명〖법〗산림청장(山林廳長)에 소속, 임업 분야 업무에 종사하는 국가 또는 지방 공무원과 임업 단체의 임직원(任職員)에 대하여, 업무 수행에 필요한 지식과 기술 습득을 위한 교육 훈련을 실시하는 기관. 원장은 부이사관 또는 농림 부이사관으로 보함.

임업 주사【林業主事】명 농림직(農林職) 국가 공무원 직급 명칭의 하나. 임업 직렬(職列)에 속하며, 임업 주사보의 위, 임업 사무관의 아래로 6급 공무원임.

임업 주사보【林業主事補】명 농림직(農林職) 국가 공무원 직급 명칭의 하나. 임업 직렬(職列)에 속하며, 임업 서기(書記)의 위, 임업 주사의 아래로 7급 공무원임.

임업-학【林業學】명 임학 가운데 임산학(林產學)을 제외한 학문 영역. 조림학(造林學)·삼림 이용학·사방 공학(砂防工學)·삼림 보호학·삼림 경영학·임정학(林政學) 등이 이에 속함.

임업 회:사【林業會社】명 민사 회사의 하나. 임업을 기업화하여 그 이윤 획득을 목적으로 하는 회사.

임-연【林衍】명〖사람〗고려 원종(元宗) 때의 권신. 진천(鎭川) 사람. 처음 몽고병을 쳐서 대정(隊正)을 거쳐 낭장(郎將)이 되었고 김준(金俊) 등과 함께 권신 최의(崔竩)를 죽이고 정치를 왕에게 바쳐, 그 공으로 위사 공신(衛社功臣)이 되었으나 뒤에 김준과 불화하여 그를 죽이고 정권을 잡음. 마침내 원종 10년(1269) 왕을 폐하고 안경공 창(安慶公淐)을 세웠으나 원(元)의 간섭으로 수개월 만에 왕을 복위시켰으며, 그 때부터 몽고에서 문죄(問罪)하게 되어 불렀으나 불응, 항전(抗戰)하려 하다가 병사함. 시호는 장렬(莊烈). [?-1270]

임연수-어【林延壽魚】명〖어〗[*Pleurogrammus azonus*] 쥐노래밋과에 속하는 바닷물고기. 몸길이 45 cm 가량으로 모양이 쥐노래미와 비슷하나 꼬리 자루가 가늘고 머리가 작으며 몸빛은 노랑 바탕에 다섯 줄의 흑색 세로띠가 있음. 한해성(寒海性) 어종으로 한국 동해와 일본 동북부에 분포함. 식용함. 이 물고기를 잘 낚았다는 관북 지방의 사람의 이름에서 유래함.

〈임연수어〉

임:염¹【荏苒】명 세월이 천연함. 사물이 점진적으로 변화함. ¶~한 세월이 흐르는 듯하여 정임의 나이 어언간 십오 세가 되니…≪崔瓚植 : 秋月色≫. ——하다 자여불

임:염²【荏染】명 부들부들함. ——하다 형여불

임-영【林泳】명〖사람〗조선 숙종(肅宗) 때의 문인·학자. 자는 덕함(德涵), 호는 창계(滄溪). 나주(羅州) 사람. 이단상(李端相)·박세채(朴世采)의 문인. 벼슬이 부제학(副提學)을 거쳐 대사헌(大司憲)에 이름. 경사(經史)에 정통하고 문장이 뛰어났음. 마음을 의인화(擬人化)한 작품 ≪의승기(義勝記)≫가 있고, 문집에 ≪창계집≫ 27권 14책이 있음. [1649-96]

임-영(:)신【任永信】명〖사람〗여류 교육자. 호는 승당(承堂). 충청 남도 금산(錦山) 출생. 미국 남캘리포니아 대학 졸업. 중앙 대학 총장·초대 상공부 장관 등을 역임함. [1899-1977]

임-예(:)환【林禮煥】명〖사람〗3·1운동 민족 대표 33인의 한 사람. 호는 연암(淵菴). 평남 출생. 24세에 동학(東學)에 가담하고, 3·1운동 때 민족 대표로 활약하다가 체포되어 2년간 복역하고 출옥 후에도 배일(排日) 사상과 독립 정신을 고취하였음. [1865-1949]

임:오【壬午】명〖민〗육십 갑자의 열 아홉째.

임:오 군란【壬午軍亂】[—굴—] 명〖역〗조선 고종 19년(1882) 6월 구군인(舊軍人)들이 일으킨 사건. 신식 군대인 별기군(別技軍)의 양성과 군제(軍制) 개혁에 불만을 품었던 차에, 13개월이나 급료가 밀린 것이 직접적(直接的)인 원인이 되었음. 이 결과 이최응(李最應)·민겸호(閔謙鎬) 등 대신과 일본인 13명이 죽었고, 민비(閔妃)가 피신, 대원군(大院君)이 재집권하게 되었으나 청군(清軍)과 일군(日軍)이 와서 간섭하게 되고 일본과는 제물포 조약(濟物浦條約)을 맺게 되었음.

임:오-옥【壬午獄】명〖역〗조선 영조(英祖) 38년(1762) 임오년(壬午年)에 세자(世子)를 뒤주 속에 가두어 굶기어 죽인 사도 세자 사건(思悼世子事件)의 별칭.

임와-복【臨臥服】명 잘 때에 약을 먹음. ——하다 타여불

임:용¹【任用】명 ①직무를 맡기어 등용함. ②〖법〗공무원의 신규 채용·승진·전보(轉補)·강임(降任)·휴직·직위 해제·복직·파면 등을 하는 일. ——하다 타여불

임:용²【賃傭】명 임금을 받고 고용됨. 또, 그 사람.

임:용-권【任用權】[—꿘] 명 공무원을 임용할 수 있는 권리.

임:용권-자【任用權者】[—꿘—] 명 공무원에 대한 임용권을 가지는 사람.

임:용 시험【任用試驗】명 공무원의 임용을 위한 시험. 신규 채용 시험·승진 임용 시험·전직 시험 등이 있음. *자격 시험.

임우【霖雨】명 장마.

임:우-도【荏偶島】명〖지〗황해도 옹진군(甕津郡)의 남쪽 해상에 위치한 섬. [0.046 km²]

임-운【林芸】명〖사람〗조선 선조(宣祖) 때의 학자. 자는 언성(彥成), 호는 첨모당(瞻慕堂). 은진(恩津) 사람. 병서(兵書)를 읽고 기사(騎射)를 익히다가 이황(李滉)의 문하에서 수학(修學)함. 경사(經史)를 비롯하여 성력(星曆)·지리(地理)·율려(律呂)·산수(算數)에 이르기까지 통달했음. [1517-72]

임:원¹【任員】명 어떤 단체에 소속하여 단체에서 운영·감독하는 일을 맡아 처리하는 사람.

임원²【林苑】명 수목(樹木)이 무성한 정원.

임원³【林源】명 임산(林產)의 원천.

임원 경제 십육지【林園經濟十六志】[—뉵—] 명〖책〗조선 현종(顯宗) 때의 농정가(農政家) 서유구(徐有榘)가 저술한 농업에 관한 백과 사서(百科事書). 본리지(本利志)를 비롯하여 팔역 이정표(八域里程表)에 이르기까지 16 부문으로 나누어져 있고, 그 가운데는 농기(農器)의 도보(圖譜), 심지어는 전국의 장날까지 기술되어 있음. 박세당(朴世堂)의 ≪산림 경제(山林經濟)≫를 토대로 한 것이라고 하며 그 재료의 풍부함은 이 책에 견줄 만한 것이 없다고 함.

임:-원준【任元濬】명〖사람〗조선 시대 초기의 문신·의학자. 자는 자심(子深), 호는 사우당(四友堂). 풍천(豐川) 사람. 사홍(士洪)의 아버지. 벼슬은 좌찬성에 이르렀으나, 중종 반정 후 관작을 박탈당함. 세조(世祖) 8년(1462)에 세조의 ≪의약론(醫藥論)≫을 주해(註解)하고, 성종(成宗) 8년(1477)에 ≪의방 유취(醫方類聚)≫ 인진(印進)에 참여하였음. 저서에 ≪창진집(瘡疹集)≫ 등이 있음. [1423-1500]

임:원-회【任員會】명 임원으로 구성(構成)된 모임.

임월¹【林樾】명 숲의 나무 그늘.

임월²【臨月】명 임삭(臨朔). ——하다 자여불

임:-유【任濡·任儒】명〖사람〗고려 중기의 문신·학자. 장흥(長興) 사람. 여러 번 지공거(知貢擧)를 지냈고 신종(神宗) 4년(1201) 수태위 주국(守太尉柱國)에 이름. 학문에 조예(造詣)가 깊었고 만년에 불교를 깊이 믿어 ≪대장경(大藏經)≫을 금서(金書)하여 비난을 받기도 함. 시호는 양숙(良淑). [1149-1212]

임-유정【林惟正】명〖사람〗고려 최씨(崔氏) 집권 시대의 문인. 양양(襄陽) 사람. 벼슬이 국자 좨주(國子祭酒)에 이름. 문집으로 ≪백가의(百

家義)≫ 6권 3책이 있었으나 국내에는 전본(傳本)이 없음. ≪동문선(東文選)≫에 그의 시 수십 편이 전함. 생몰년 미상.

임:-유(:)후【任有後】명〖사람〗조선 인조(仁祖) 때의 명신. 자(字)는 효백(孝伯), 호는 만휴(萬休)·휴와(休窩). 현종(顯宗) 때에 각 조의 참판·도승지·경기 감사 등을 지내고 나중에 경주 부윤(慶州府尹)으로 선치(善治)하였음. 저서 ≪휴와 야담(野談)≫·≪만휴당집(萬休堂集)≫ 등이 있음. 시호는 정희(貞僖). [1601-73]

임:은【賃銀】명 임금(賃金).

임:은 기금설【賃銀基金說】명〖경〗임금 기금설(賃金基金說).

임:은 노동【賃銀勞動】명〖경〗임금 노동(賃金勞動).

임:은 정책【賃銀政策】명〖경〗임금 정책(賃金政策).

임:은 지수【賃銀指數】명〖경〗임금 지수(賃金指數).

임:은 철칙【賃銀鐵則】명〖경〗임금 철칙(賃金鐵則).

임:의[1]【任意】[―/―이] 명 자기 의사대로 함. ¶～ 처분.

임:의 경:매【任意競賣】[―/―이―] 명〖법〗경매의 권리를 가진 사람이 집행관에게 신청하여 하는 경매. 강제 경매에 대해, 경매법에 의한 경매를 이름. ↔강제 경매❶.

임:의 공:범【任意共犯】[―/―이―] 명〖법〗성질상 한 사람이라도 능히 범할 수 있는 범죄를 두 사람 이상이 공동으로 범하는 공범. 살인죄(殺人罪)·강도(强盜)·절도(竊盜)의 공범 등. 임의적 공범(任意的共犯). ↔필요 공범(必要共犯).

임:의 공채【任意公債】[―/―이―] 명〖경〗응모자(應募者)가 임의로 정부(政府)와의 자유 계약(自由契約)으로 응모하는 공채. ↔강제 공채(强制公債).

임:의 관할【任意管轄】[―/―이―] 명〖법〗민사 소송법상 당사자의 편의(便宜)·공평의 요구, 또 당사자 간의 합의 등에 의해 변경할 수 있는 관할. ↔전속(專屬) 관할.

임:의 규정【任意規定】[―/―이―] 명〖법〗당사자가 법의 규정과 다른 의사(意思)를 표시한 경우에는 적용하지 않고, 이와 다른 의사를 특히 표시하지 않을 때에 비로소 적용하는 법의 규정. 임의법(任意法). ↔강행 규정(强行規定).

임:의 단체【任意團體】[―/―이―] 명 법률상의 공적(公的)인 단체와 똑같은 목적을 가지면서, 소정 절차를 밟지 않았거나 자격 미비 등의 이유로 법의 보호를 받을 수 없는 사적(私的)인 단체.

임:의 대:리【任意代理】[―/―이―] 명〖법〗본인과 대리 간의 신임(信任)에 의해 자발적으로 취해지는 보통의 대리. 법률의 규정(規定)에 의해 발생하는 법정 대리(法定代理)에 대해 이름. 위임 대리(委任代理). ↔법정 대리.

임:의 대:리인【任意代理人】[―/―이―] 명 임의 대리에 의한 대리인. 법정의 규정에 의해 발생하는 법정 대리인에 대해 이름. ↔법정 대리인(法定代理人).

임:의 대:위【任意代位】[―/―이―] 명〖법〗대위 변제에 있어서 채권자의 승낙을 조건으로 정당한 이익을 갖지 않은 제삼자가 대위하는 일. ↔법정(法定) 대위.

임:의 동행【任意同行】[―/―이―] 명 수사 기관이 상대방의 승낙을 얻어 검찰청·경찰서 등에 연행하는 처분.

임:의-로【任意―】[―/―이―] 부 구애(拘礙)됨이 없이 마음대로. ¶～ 처분하다.

임:의-롭다【任意―】[―/―이―] 형〈ㅂ불〉①서로 친해서 체면 차릴 것이 없다. ¶임의롭게 굴다. ②제한을 받지 않고 마음 내키는 대로 할 수 있다. ¶거동이 임의롭지 않다/ 지금 초봉이한테를 이렇게 임의롭게 다닌다면 작히나 좋으랴 싶었다≪蔡萬植 : 濁流≫. **임:의-로이**【任意―】[―/―이―] 부

임:의 매:각【任意賣却】[―/―이―] 명 압류한 재산을 공적(公的)인 경매 방법이나 강제 경매·공매 등의 법정의 환가 절차(換價節次)에 의하지 않고, 일반 거래상 행해지는 방법 중에서 임의로 그 하나를 선택하여 재산을 환가하는 일.

임:의 미:수【任意未遂】[―/―이―] 명〖법〗범인이 범죄의 실행에 착수하다가 범인 자신의 의사(意思)에 의해 범의를 번복하여 중지하는 일. 형이 감형 또는 면제됨. 중지범(中止犯). 중지 미수.

임:의-법【任意法】[―뻡/―이뻡] 명〖법〗당사자의 의견에 따라 그 적용을 배제(排除)할 수 있는 법률. 청용법(聽容法). 임의적 규정. ↔강행법(强行法).

임:의 보:험【任意保險】[―/―이―] 명 가입이 강제되지 않고 당사자의 자유 의사로 가입한 보통의 보험. ↔강제 보험.

임:의 부:담【任意負擔】[―/―이―] 명 의무자(義務者)의 자유 의사에 의해 과해지는 부담.

임:의 분가【任意分家】[―/―이―] 명〖법〗가족이 임의로 하는 분가. 호주의 직계 비속(卑屬) 장남자(長男子)를 제외한 가족은 자유로이 분가할 수 있으나, 미성년자(未成年者)만은 법정 대리인(法定代理人)의 동의(同意)를 얻어야 함.

임:의-비【任意費】[―/―이―] 명 자기 임의대로 쓰는 비용(費用).

임:의 상속【任意相續】[―/―이―] 명〖법〗피상속인(被相續人)의 의사에 따라서 상속인이 결정되는 상속.

임:의 상수【任意常數】[―/―이―] 명〖수〗수학(數學)에서 쓰는 기호(記號)의 하나. 변수(變數)에 관계 없이 그 값을 임의로 지정할 수 있는 문자(文字)를 이름.

임:의 소각【任意消却】[―/―이―] 명〖법〗주식 소각(株式消却)의 한 방법. 주주와 회사 사이의 계약에 의하여 회사가 주식을 취득하여 하는 소각. ↔강제 소각.

임:의 수사【任意搜査】[―/―이―] 명〖법〗피의자를 체포·구금하지 않고, 임의 출두를 구하거나 승낙을 얻어 가택 등에 출입하면서 하는 수사. ↔강제(强制) 수사.

임의여【右如·右良】부〈이두〉①오른 편과 같이. ②이미. 벌써.

임:의 인지【任意認知】[―/―이―] 명〖법〗부(父) 또는 모(母)가 임의로 하는 인지. 부 또는 모가 하는 것이 원칙이나 부 또는 모가 금치산자(禁治産者)인 경우에는 후견인(後見人)의 동의가 있어야 함. 인지는 호적법의 정하는 바에 의해 신고를 함으로써 효력을 발생하지만 유언(遺言)으로도 할 수 있음.

임:의-적【任意的】[―/―이―] 명관 강제(强制)나 제한(制限)이 없이 마음대로 하는 모양. 임의로운 모양.

임:의적 공:범【任意的共犯】[―/―이―] 명 임의 공범. ↔필요적 공범.

임:의 적립금【任意積立金】[―닙―/―이―닙―] 명〖경〗임의 준비금.

임:의적 보:석【任意的保釋】[―/―이―] 명〖법〗법원의 재량(裁量)에 맡겨져 있는 경우의 보석(保釋).

임:의 조정【任意調停】[―/―이―] 명 노동 쟁의(勞動爭議)에서, 당사자 쌍방의 합의에 의거해 노동 위원회가 하는 조정. ↔강제 조정·직권 조정. *임의 중재(任意仲裁).

임:의 조합【任意組合】[―/―이―] 명〖법〗민법상의 계약에 의해 설치되는 조합. 특별법에 의해 설치된 조합에 대립하는 뜻으로 사용되며, 법인격(法人格)을 가지지 않는 점과, 성립에 관해 행정 관청의 처분을 필요로 하지 않는 점에 특색이 있음.

임:의 조항【任意條項】[―/―이―] 명〖법〗국제 사법 재판소 규정 36조 2항의 규정을 이름. 이 규정에서 본 규정의 당사국은 선언에 의해 일정한 국제 분쟁에 관해 국제 사법 재판소의 관할을 당연히, 특별 합의 없이 의무적으로 인정하는 것을 각국이 자유로이 선언할 수 있음을 규정함. 선택(選擇) 조항.

임:의 준:비금【任意準備金】[―/―이―] 명〖경〗회사·은행 등이 법률의 강요에 의하지 않고, 정관(定款) 또는 주주 총회의 결의에 의해 적립(積立)하는 준비금. 재무 제표(財務諸表) 규칙에서는 임의 적립금이라 함. ↔법정 준비금.

임:의 중재【任意仲裁】[―/―이―] 명〖법〗노동 쟁의(爭議)의 당사자 쌍방(雙方)의 의사에 따라 개시되는 중재. ↔강제(强制) 중재·임의 조정(調停).

임:-의(:)직【任義直】명〖사람〗거문고의 명인. 자는 백형(伯亨). ≪화원 악보(花源樂譜)≫에 시조 6수가 전함. 작품마다 강호(江湖)를 즐기는 가객(歌客)의 풍류(風流)와 멋이 잘 드러나 있음. 생몰년(生沒年) 미상.

임:의 채:권【任意債權】[―꿘/―이―꿘] 명〖경〗다른 급부(給付)(대용 급부)로서 본래의 급부에 대신해 얻는 권리(대용권 또는 보충권)를 가지는 채권.

임:의 청산【任意淸算】[―/―이―] 명〖경〗합명 회사(合名會社)·합자 회사(合資會社)에서 정관(定款) 또는 전사원(全社員)의 동의를 얻어서, 해산 후의 회사 재산의 처분 방법을 정하는 경우에 하는 청산. 또, 그 방법. ↔법정 청산(法定淸算).

임:의 추출법【任意抽出法】[―뻡/―이―뻡] 명 통계학에서의, 표본 추출법의 하나. 모집단(母集團)에서 표본을 추출할 때 치우침을 막기 위해 추첨과 난수표(亂數表) 등에 의해 기계적으로 추출하는 방법. 이 방법에 의하면 주관이 개입되지 않고, 확률론(確率論)에 의한 통계 이론을 써서 추정(推定)이나 검정을 정확하게 할 수 있음. 무작위 추출법(無作爲抽出法). 랜덤(random) 샘플링.

임:의 출두【任意出頭】[―뚜/―이―뚜] 명〖법〗강제 처분(强制處分)에 의하지 않고 범죄 용의자가 검찰청(檢察廳)·경찰서에 출두하는 일. 임의 출석(任意出席).

임:의 출석【任意出席】[―썩/―이―썩] 명〖법〗임의 출두.

임의추다 타〈옛〉입다. 걸치다. =니믜추다. ¶送夕陽迎素月홀제 鶴氅衣 임의추고 華陽巾 젓게 쓰고 ≪古時調. 永言≫.

임:의 표본【任意標本】[―/―이―] 명 임의 추출법에 의해 추출되는 「표본.

임:의 표본 조사【任意標本調査】[―/―이―] 명 표본(標本) 조사. ↔전형 표본 조사(典型標本調査).

임:인[1]【壬人】명 간사한 소인.

임:인[2]【壬寅】명〖민〗육십 갑자의 서른아홉째.

임:인-옥【壬寅獄】명〖역〗조선 경종(景宗) 2년 임인년(壬寅年)에 대옥(大獄)으로 끝났다는 뜻으로, 신임 사화(辛壬士禍)를 일컫는 딴이름.

임:일【壬日】명〖민〗일진(日辰)의 천간(天干)이 임(壬)인 날. 임자(壬「子)·임인(壬寅) 등.

임:자[1] 명 [중세 : 님자ㅎ] 물건을 소유한 사람. ¶～ 없는 물건.

[임자 없는 용마] 쓸데없고 보람없게 된 처지를 이름.

임:자(를) 만나다 구 적격자의 소유로 돌아가, 그것이 가진 능력·기능을 제대로 발휘할 수 있게 되다.

임:자[2]【壬子】명〖민〗육십 갑자의 마흔아홉째.

임:자[3]【荏子】명〖식〗들깨.

임:자[4] ㊀인대 ①친한 사람끼리 '자네'라고 하기는 거북할 때 쓰는 2인칭 대명사. ¶이번에는 ～가 해야겠소. ②나이 먹은 아내를 일컫는 말. ¶고생시킨 ～에게 선물을 하고 싶소. *당신. ㊁감 나이 든 아내를 부르는 말. ¶～, 오늘 무슨 일이 있었소. *영감.

임:자-도【荏子島】명〖지〗전라 남도 서해상(西海上), 신안군(新安郡) 임자면(荏子面) 진리(鎭里)에 있는 큰 섬. 무안 반도(務安半島) 서쪽에 위치하며, 특히 조기의 어획이 많고, 김·굴의 양식업(養殖業)도 성함. [43.2 km²]

임:자-마디 명〖언〗'주어절(主語節)'의 풀어 쓴 이름. ↔풀이마디.

임:자-말[1] 명〖언〗'주어(主語)'의 풀어 쓴 이름.

임:자-말[2]【荏子末】명 ①깻가루. ②깨고물.

임:자수-탕【荏子水湯】명 영계 곤 국물에 껍질 벗겨 볶은 깨를 갈아 밭친 물을 섞고, 미나리·오이채·버섯 등을 살짝 데쳐 넣어 먹는 찬국.

임:자-씨 명〖언〗'체언(體言)'의 풀어 쓴 이름.

임:자 자리 명〖언〗'주격(主格)'의 풀어 쓴 이름. ↔풀이자리.

임:자 조각 명〖언〗'주부(主部)'의 풀어 쓴 이름. ↔풀이조각.

임:자지-전【荏子之典】명〖역〗조상의 훈공(勳功)을 갚기 위하여 그 자손에게 벼슬을 주는 은전.

임:작【荏雀】명〖조〗박새.

임:장[1]【任掌】명〖역〗서울의 각방(各坊) 또는 지방의 동리에서 호적 기타의 공공 사무를 맡아 보던 사역(使役)의 총칭. 서울 각방에는 별문서(別文書)·별유사(別有司) 등이 있고, 지방에는 면임(面任)·이임(里任)·감고(監考) 등이 있었음. *이임(里任)·면임(面任).

임장[2]【林葬】명〖불교〗사장(四葬)의 하나. 시체를 숲 속에 버리는 일. 시림(施林). *조장(鳥葬).

임장[3]【臨場】명 그 현장(現場)에 나옴. ——-하다 자여불

임장-감【臨場感】명〔presence〕녹음이나 라디오 수신기에 의한 연주가, 마치 실내에서 연주하고 있는 듯한 느낌을 주는 일.

임장군-전【林將軍傳】명〖문〗조선 시대의 군담(軍談) 소설. 작자와 연대 미상. 병자 호란의 영웅 임경업(林慶業)을 전설화(傳說化)한 작품인데, 역사적 전쟁을 취급한 것으로, 비명(非命)의 폭사(暴死)로 끝나는 독특한 수법(手法)으로 되어 있음. *임충민공 실기(林忠愍公實記)·임경업전.

임재 명인대 〈방〉임자[1·4].

임:-전[1]【任錪】명〖사람〗조선 시대 중기의 문인(文人)·학자. 자는 관보(寬甫), 호는 명고(鳴皐). 풍천(豐川) 사람. 성혼(成渾)의 문인. 경학(經學)에 밝았고 권필(權韠)과 함께 시명(詩名)이 높았음. 임진 왜란 때 지은 우국시(憂國詩) 한 수가 전함. [1560-1611]

임:전[2]【賃錢】명 삯전. 임금(賃金).

임전[3]【臨戰】명 전장에 나아감. ¶~ 태세. ——-하다 자여불

임전 무퇴【臨戰無退】명 전쟁에 임하여 물러가지 않음. 세속 오계(世俗五戒)의 하나임. ——-하다 자여불

임전 태세【臨戰態勢】명 싸움에 임하는 만반의 태세. 싸움을 시작할 만한 모든 다잡이.

임정[1]【林政】명 임업(林業)에 관한 행정(行政). ¶~학(學).

임정[2]【臨政】명 ↗임시 정부(臨時政府).

임:-정주【任靖周】명〖사람〗조선 영조(英祖)·정조(正祖) 때의 학자. 자는 치공(穉恭), 호는 운호(雲湖). 풍천(豐川) 사람. 성주(聖周)의 아우. 영조 때 서연관(書筵官)으로 세손(世孫) 정조를 보필, 학문을 강론하여 신임이 두터웠으나 정조 즉위 후 홍국영(洪國榮)의 세도 정치로 등용되지 못함. 형의 학문을 이어받아 이(理)와 기(氣)의 이원론(二元論)을 배격하고 주기설(主氣說)을 확립함. 시호는 문경(文敬). [1727-96]

임-제【林悌】명〖사람〗조선 선조(宣祖) 때의 시인. 자(字)는 자순(子順), 호는 백호(白湖)·겸재(謙齋)·벽산(碧山). 나주(羅州) 사람. 성운(成運)의 문인. 당파 싸움을 개탄하고 명산을 찾아 시문을 즐기며 호방하게 지내다가 37세에 요절(夭折)함. 작품에 문집 ≪백호집≫·≪수성지(愁城誌)≫·≪원생 몽유록(元生夢遊錄)≫·≪화사(花史)≫ 등이 있음. [1549-87]

임제-록【臨濟錄】명〖책〗임제 의현 선사(臨濟義玄禪師)의 법어(法語)를 삼성 혜연(三聖慧然)이 편집한 책. 어록(語錄)·감변(勘辯)·행록(行錄)의 삼부(三部)로 되었음. 임제종의 보전(寶典)임. 2권.

임제-선【臨濟禪】명〖불교〗임제종에서 하는 선(禪).

임제-종【臨濟宗】명〖불교〗선가 오종(禪家五宗)의 하나. 중국 당(唐)나라의 고승 임제(臨濟)의 종지(宗旨)를 근본으로 하여 일어난 종파. 송대(宋代)에 와서 위앙종(潙仰宗)을 합침.

임조[1]【臨洮】명〖지〗'린타오'를 우리 음으로 읽은 이름.

임조[2]【臨眺】명 높은 곳에서 조감(鳥瞰)함. 높은 데서 아래를 내려다봄. ——-하다 타여불

임:존-성【任存城】명〖역〗충남 예산군(禮山郡) 대흥면(大興面) 봉수산(鳳守山)에 있던 백제의 성곽. 한산(韓山)의 주류성(周留城)과 함께 복신(福信)·흑치 상지(黑齒常之) 등의 백제 부흥 운동(百濟復興運動)의 근거지였음.

임종[1]【林鐘】명〖악〗십이율(十二律) 중 8번째 음. 육려(六呂)의 하나. 방위(方位)로는 미(未)에 해당하고 절후(節候)로는 유월에 속함.

임종[2]【臨終】명 ①죽음에 임함. 임명(臨命). ¶조용한 ~. ②부모가 돌아갈 때 그 자리에 같이 있음. 종신(終身). ——-하다 자여불

임종-궁【林鍾宮】명〖악〗문묘(文廟) 제례악에 쓰이는 곡 이름. 세종(世宗) 때, 원(元)나라 임우(林宇)의 대성 악보(大成樂譜)에서 채택한 이후 현재까지 전해 옴.

임종-불【臨終佛】명〖불교〗염불 행자(念佛行者)의 임종 때 내영(來迎)한다고 하는 아미타불. 임명종(臨命終)의 부처.

임종-시【臨終時】명 ①임종할 무렵. ②부모의 임종을 지키고 있을 때.

임종 정:념【臨終正念】명〖불교〗부처를 생각하고 도를 닦던 행자(行者)가 죽음에 임하여 마음을 어지럽히지 않고, 왕생(往生)을 믿으며 의심하지 아니하는 일.

임:좌【壬坐】명〖민〗묏자리나 집터 등의 임방(壬方)을 등진 좌.

임:좌 병:향【壬坐丙向】명 임방(壬方)을 등지고 병방(丙方)을 향한 좌향(坐向).

임:-준【任濬】명〖사람〗조선 현종(顯宗) 때의 문신·수학가. 자(字)는 백심(伯深). 서하(西河) 사람. 벼슬이 공조 좌랑(工曹佐郞)·사재감 첨정(司宰監僉正)·영주 군수(榮州郡守)에 이름. 구장술(九章術)에 능통하여 ≪신편 산학 계몽 주해(新編算學啓蒙注解)≫를 저술함. 생몰년 미상.

임:중 도:원【任重道遠】명 맡은 바 책임(責任)은 중(重)하고 길은 멂. ——-하다 형여불

임-중(:)량【林仲樑】[―냥] 명〖사람〗조선 선조(宣祖) 때의 무장. 자는 중임(中任). 울진(蔚珍) 사람. 기골이 장대하고 무용이 뛰어난 장사로, 임진 왜란이 일어나자 윤붕(尹鵬)·윤린(尹麟) 등의 추대로 의병 대장이 되어 평안도 지방에서 왜병과 싸웠음. 이듬해에 안주 방어사(安州防禦使)로 발탁되어 의병을 거느리고 평양 탈환 작전에 참가해 공을 세웠음. 난이 끝나자 고향에 은퇴함. 생몰년 미상.

임:지[1]【任地】명 관원(官員)이 부임하는 지방. 부임지(赴任地). ¶급거 ~로 떠나다.

임지[2]【林地】명 수목(樹木)이 많이 자라고 있는 땅. 수풀을 이룬 땅. 또, 임업의 대상이 되는 땅.

임지[3]【稔知】명 →염지(稔知). ——-하다 자타여불

임지[4]【臨池】명 습자(習字). ——-하다 자여불

임지[5]【臨地】명 그 곳에 실제로 감. ¶~ 강연(講演)/~ 조사.

임지-촌【林地村】명〖지〗임지(林地)를 개척하여 이루된 촌락(村落).

임:직【任職】명 직무(職務)를 맡김. ——-하다 타여불

임:직-원【任職員】명 ①임원과 직원. ②관리직에 있는 사람.

임:진[1]【壬辰】명〖민〗육십 갑자의 스물 아홉째.

[임진년 원수다] 임진 왜란을 일으킨 왜놈과 같이, 영구히 잊을 수 없는 원수라는 뜻.

임진[2]【臨陣】명 전쟁 마당에 나섬. ——-하다 자여불

임진-강【臨津江】명〖지〗함경 남도 덕원군(德源郡) 마식령(馬息嶺)에서 발원하여 강원도 이천군(伊川郡)·황해도·경기도 북부를 거쳐 한탄강(漢灘江)과 합류(合流)하여 황해(黃海)로 들어가는 강. 옛날에는 고구려·백제·신라의 국경 지대로 분쟁이 잦았음. [354 km]

임진 대:적【臨陣對敵】명 적군(敵軍)과 대진함. 진지(陣地)에 임하여 적과 대치함. ——-하다 자여불

임:진-란【壬辰亂】[―난] 명〖역〗↗임진 왜란(壬辰倭亂).

임:진-록【壬辰錄】[―녹] 명〖책〗조선 시대의 전쟁 소설. 작자와 연대 미상. 임진 왜란 뒤 얼마 안 있어 이루어진 것으로 추측됨. 내용은 임진 왜란 때 도처에서 싸워 이기는, 얼마쯤 영웅적 과장을 섞어 우리 군사의 충용(忠勇)과 이순신(李舜臣)의 전략, 사명당(泗溟堂)의 도술(道術) 등으로 왜인을 여지없이 농락 굴복시키는 것으로 되어 있음. 한글본과 한문본(漢文本)이 있음.

임진북 예:성남 정:맥【臨津北禮成南正脈】명〖지〗13 정맥(正脈)의 하나. 해서 정맥(海西正脈)에서 남서쪽으로 흘러 임진강의 북쪽 유역과 예성강의 남쪽 유역을 동서로 갈라 놓은 산줄기의 조선 시대의 옛이름. 황해도 곡산군(谷山郡)의 화개산(華開山)에서 비롯하여 경기도 개풍군(開豐郡)의 천마산(天摩山), 개성(開城)의 송악산(松岳山)을 거쳐 한강(漢江) 어귀에서 끝남.

임:진 사:충신【壬辰四忠臣】명〖역〗임진 왜란 때 의병장(義兵將)으로서 충성을 다한 고경명(高敬命)·곽재우(郭再祐)·김천일(金千鎰)·조헌(趙憲)의 일컬음.

임진 역장【臨陣易將】[―녁―] 명〔개전(開戰)할 때에 장수(將帥)를 바꾼다는 뜻〕어떤 일에 닥쳐 익달한 사람을 서투른 사람으로 바꾸어 씀. ——-하다 자여불

임:진 왜란【壬辰倭亂】명〖역〗조선 선조(宣祖) 25년(1592) 4월에 일본의 수령(首領) 도요토미 히데요시(豐臣秀吉)가 고니시 유키나가(小西行長)·가토 기요마사(加藤清正)·구로다 나가마사(黑田長政) 등을 시키어 15만 대군(大軍)으로 조선에 침입한 난리. 신립(申砬)·이순신(李舜臣)·휴정(休靜)·곽재우(郭再祐)·고경명(高敬命) 등이 대항하였으나 소총(小銃)을 가진 일군을 막지 못하고 선조는 의주(義州)로 피했음. 뒤에 명(明)나라의 원병(援兵)과 권율(權慄) 등의 반격으로 일단 화의가 되었으나, 선조 30년(1597)에 재침(정유 재란)하여 전후 7년간 끌다가 동 31년에 물러감. 준임란(壬亂)·임진란(壬辰亂)·왜란(倭亂).

임:진-자【壬辰字】명 조선 영조(英祖) 48년(1772) 임진년(壬辰年)에 만든 동활자(銅活字). 정조가 동궁(東宮)으로 있을 때에, 갑인자(甲寅字)로 인쇄된 ≪심경(心經)≫·≪만병 회춘(萬病回春)≫의 두 책을 자본(字本)으로 하여 15만 자를 주조하여 운각(芸閣)에 비치했음.

임-질[1] 명 물건을 머리 위에 이는 일. ——-하다 자여불

임:질[2]【淋疾·痲疾】명〖의〗임균(淋菌)에 의하여 일어나는 요도 점막(尿道粘膜)의 염증(炎症). 주로 성교에 의해서 전염되며 감염 후 2-3일이 되어 증상이 나타남. 주요한 증상으로 오줌을 눌 때 가렵거나 동통(疼痛)이 있으며, 오줌이 잦고 처음에는 점액상의 것이 나오다 나중에는 고름이 나옴. 여자는 동시에 방광염(膀胱炎)을 일으키며 나중에는 내생식기(內生殖器)의 염증(炎症)을 일으키는 수가 있음. 음질(陰疾). 임병(淋病). *제오 성병(第五性病).

임:차【賃借】명 돈을 주고 빌리는 일. ¶~지(地). ↔임대(賃貸). ——-하다 타여불

임:차-권【賃借權】[―꿘] 명〖법〗임대차 계약에 있어서 임차인(賃借人)이 임차물(賃借物)에 대하여 사용·수익(收益)을 할 수 있는 권리. 민법상의 채권(債權)이며 임대인에 대하여 목적물을 인도할 것과 필요한 수선을 하여 사용(使用)·수익(收益)에 적합한 상태에 둘 것을 청구할 수 있음.

임:차-료【賃借料】명 임대차 계약에 의하여 차주(借主)가 대주(貸主)에게 지급하는 임금. ↔임대료(賃貸料).

임:차-물【賃借物】 명 〖법〗 임대차(賃貸借)의 목적이 되는 물건을 임차인(賃借人) 측에서 일컫는 말. ↔임대물(賃貸物).

임:차 부동산【賃借不動産】 명 임차한 부동산(不動産).

임:차-인【賃借人】 명 〖법〗 임대차 계약에 있어서 임금을 주고 물건을 빌려 쓰는 사람. ↔임대인(賃貸人).

임:천[1]【任天】 명 하늘에 맡김. ――-하다 타여불

임천[2]【林泉】 명 ①수풀과 샘물. 또, 수풀 속에 있는 샘물. ②은사(隱士)의 정원(庭園)을 일컫는 말.

임-천[3]【林泉】 명 〖사람〗 고고 미술가(考古美術家). 본명은 화봉(化鳳). 본관은 옥야(沃野). 개성 출신. 동경 미술 학교 동양화과에서 수학함. 처음에는 여러 사찰의 채색(彩色)을 직접 담당 보수하였고, 해방 후 문화재의 복원(復元)·보수(補修)·실측(實測) 공사를 맡아 하여 이 방면의 유일한 권위자로 일컬어졌음. 특히, 단청(丹靑)에 조예가 깊었고 많은 모사(模寫) 작품이 있음. [1908-65]

임천[4]【臨川】 명 〖지〗 '린촨'을 우리 음으로 읽은 이름.

임천 고치【林泉高致】 명 〖책〗 중국 북송대(北宋代) 11세기 후반에 궁정 화원(宮廷畫院)의 지도적 화가였던 곽희(郭熙)의 산수화론을 아들 곽사(郭思)가 편찬 증보한 화론집(畫論集). 삼원(三遠)과 육법(六法) 등 화면 구성(畫面構成)의 방법과 산수화(山水畫)의 기법(技法)을 논술함. 1권.

임천 광:산【林川鑛山】 명 〖지〗 충청 남도 부여군(扶餘郡)의 임천면(林川面)과 장암면(場巖面)에 걸쳐 있는 금광.

임천-집【臨川集】 명 〖책〗 중국 송(宋)나라 왕안석(王安石)이 지은 시문집(詩文集). 100권.

임첩【臨帖】 명 서화첩(書畫帖)의 글씨나 그림을 본떠서 쓰거나 그림. ――-하다 자여불

임-춘【林椿】 명 〖사람〗 고려 인종(仁宗) 때의 문인. 자는 기지(耆之). 서하(西河) 사람. 여러 번 과거(科擧)에 실패하였으며 이인로(李仁老) 등과 함께 강좌 칠현(江左七賢)의 한 사람으로 한문과 당시(唐詩)에 뛰어났음. 저서에 ≪국순전(麴醇傳)≫·≪공우전(孔有傳)≫·≪서하 선생집(西河先生集)≫ 등이 있음. 생몰년 미상.

임충【臨衝】 명 〖역〗 공성(攻城)에 쓰는 무기. 견고한 나무로 몸체를 짜고 네 바퀴를 달아 뒤쪽에서 손잡이를 잡고 밂.

임충민공 실기【林忠愍公實記】 명 〖책〗 조선 인조(仁祖) 때의 장군 임경업(林慶業)의 사적을 기록한 책. 정조(正祖) 15년(1791) 왕명에 의해 편찬함. 한문본. 5 권. *임장군전(林將軍傳).

임:치[1]【任置】 명 ①남에게 돈이나 물건을 맡기어 둠. ②〖법〗 당사자의 일방(一方)이 상대자로부터 물건을 받아서 이것을 보관할 계약을 함. 구민법(舊民法) 상의 용어는 기탁(寄託). ――-하다 타여불

임치[2]【臨淄】 명 〖지〗 중국 춘추 전국 시대(春秋戰國時代)의 제(齊)나라의 서울. 한대(漢代)에 현(縣)이 설치되었음. 현재의 산둥 성(山東省) 북부, 쯔보(淄博)의 동쪽에 해당하며, 자오지(膠濟) 철도 연변에 있음.

임:치-물【任置物】 명 〖법〗 임치인(任置人)이 보관을 임치한 물건. 구민법(舊民法)에서는 기탁물(寄託物).

임:치-인【任置人】 명 〖법〗 임치의 계약에 의하여 보관을 임치하는 사람. 구민법에서는 기탁자(寄託者).

임:치 증서【任置證書】 명 〖법〗 임치를 받은 증거로서 내주는 증서. 수임자(受任者)가 임치자(任置者)에게 교부함. 구민법에서는 기탁 증서(寄託證書).

임-칙서【林則徐】 명 〖사람〗 중국 청나라 말기(末期)의 정치가(政治家). 1839년 양광 총독(兩廣總督) 흠차(欽差) 대신을 지냈고, 밀수 아편을 태워 아편 전쟁을 유발시킴. 태평 천국(太平天國)의 난을 토벌중 병사함. [1785-1850]

임코【IMCO】 명 [Inter-Governmental Maritime Consultative Organization의 약자] 정부간 해사 협의 기구(政府間海事協議機構).

임:타【任他】 명 타인의 행동에 대하여 간섭하지 아니하고 방임(放任)함. ――-하다 자여불

임통 명 〈방〉 통발.

임:파【淋巴】 명 〖생〗 '림프(lymph)'의 취음(取音).

임:파-선【淋巴腺】 명 〖생〗 '림프선'의 구용어(舊用語).

임:파선 결핵【淋巴腺結核】 명 〖의〗 '림프선 결핵'의 구용어.

임파스토〔이 impasto〕 명 〖미술〗 유화(油畫)에 있어서, 물감을 겹치어 두껍게 칠하는 기법(技法).

임팔:〔Imphal〕 명 〖지〗 인도의 동단(東端), 미얀마에 접하는 연방 정부 직할령(直轄領) 마니푸르 주(Manipur 州)의 주도(主都). 벼농자 지대의 중심지. 마니푸르직(Manipur 織)은 유명함. [156,622 명(1981)]

임팩타이트〔impactite〕 명 〖지〗 운석(隕石)이 지표(地表)에 충돌할 때의 열(熱)로 생긴, 유리질(質)이 융합(融合)한 암석(岩石) 또는 운석의 조각.

임팩트〔impact〕 명 ①충돌. 충격. 강력한 영향. ②야구·골프에서, 공이 배트·클럽에 맞음.

임팩트 론:〔impact loan〕 명 용도(用途)에 규제가 없는 외화 차관(外貨借款). 설비 등을 수입하기 위한 것이 아니고 단지 원화(貨)를 조달하기 위해 세계 은행이나 외국 은행으로부터 외화(外貨)를 차입(借入)하는 일. ↔타이드 론.

임팩트 크러셔〔impact crusher〕 명 〖기〗 충격 파쇄기(衝擊破碎機).

임퍼:스널 인플루언스〔impersonal influence〕 명 〖광고〗 신문·라디오·텔레비전·잡지 그 밖의 매스 미디어와 판매 촉진 수단(販賣促進手段) 등을 통한 커뮤니케이션(communication)의 영향. 비인적 영향(非人的影響).

임펄스〔impulse〕 명 ①〖물〗 충격. 충격파. 충격 전류. ②〖생〗 신경 충격. 신경 섬유를 타고 전하여지는 흥분 또는 그 때 검출(檢出)되는 활동 전위(電位).

임펄스 터:빈〔impulse turbine〕 명 충격 터빈.

임페라토르〔라 Imperator〕 명 로마 공화정(共和政) 시대의 군사령관의 칭호. 아우구스투스 이후 역대의 원수(元首)가 이 칭호로 불리었으나 후에 황제(皇帝)를 의미하게 되었음.

임펠러 펌프〔impeller pump〕 명 〖기〗 연속적인 동력(動力)을 공급하는 기계적 수단을 이용한 펌프. 액체를 이동시키기 위한 것임.

임:편【任便】 명 편리할 대로 함. ――-하다 자여불

임:포【賃鋪】 명 삯전을 받고 빌리어 주는 점포(店鋪).

임포텐츠〔도 Impotenz〕 명 〖의〗 음위(陰萎).

임-표【林彪】 명 〖사람〗 '린 뱌오'를 우리 음으로 읽은 이름.

임프레셔니즘〔impressionism〕 명 인상주의(印象主義).

임프레션〔impression〕 명 인상(印象).

임프로비제이션〔improvisation〕 명 재즈 연주자가 곡(曲)의 화성 진행(和聲進行)에 바탕을 두고, 자기의 아이디어에 의하여 자유로이 변주(變奏)하는 일.

임플리케이션〔implication〕 명 〖문〗 명확히 표현하지 아니하고 여럿과 관계를 지어 어렴풋이 표현하는 일.

임피던스〔impedance〕 명 〖전〗 교류가 흐를 때, 그 회로(回路)에 생기는 저항(抵抗). 그 절대치는 전압의 최대치와 전류의 최대치의 비(比)로써 나타냄.

임피리얼〔imperial〕 관 제국(帝國)의. 황실(皇室)의. 황제의.

임피리얼리즘〔imperialism〕 명 제국주의(帝國主義).

임하【臨夏】 명 〖지〗 '린샤'를 우리 음으로 읽은 이름.

임:-하다[1]【任―】 ㊀ 자여불 떠맡아 제 직무(職務)로 삼다. ㊁ 타여불 관직(官職)의 자리를 주다. 맡기다.

임-하다[2]【臨―】 자여불 ①높은 곳에서 낮은 곳을 대하다. ¶하느님이 임하시다. ②치자(治者)가 피치자(被治者)를 대하다. 또, 아랫 사람을 대하다. ¶부하 직원에 임하는 태도. ③높은 사람이 낮은 사람의 집으로 가다. ④어떤 장소에 도달하다. ¶임지에 ～. ⑤어떤 일에 당하다. ¶국난에 ～/시험에 임하여 당황하지 않다. ⑥면하다. ¶바다에 임해 있는 아름다운 별장들.

임하-도【林下島】 명 〖지〗 전라 남도의 남해상(南海上), 해남 반도(海南半島) 서쪽 해남군(海南郡) 문내면(門內面) 예락리(曳洛里)에 위치한 섬. [$0.51 km^2$: 179 명(1984)]

임하 부인【林下夫人】 명 〖식〗 으름.

임하 유문【林下儒門】 명 초야(草野)에 은거하여 학문에 힘쓰는 선비.

임하 풍미【林下風味】 명 산림(山林)에 은거한 선비의 조촐한 멋.

임학【林學】 명 ↗삼림학(森林學).

임학-과【林學科】 명 〖교〗 대학에서, 임학을 전공하는 학과. *농학과·원예학과(園藝學科).

임:한【淋汗】 명 ①땀. ②〖불교〗 선가(禪家)가 여름에 땀을 씻기 위하여 목욕하는 일.

임:-한(:)백【任翰伯】 명 〖사람〗 조선 중기의 문신·문장가. 자는 경익(景翼), 호는 남곡(南谷). 소현 세자(昭顯世子)가 청조(淸朝)에 볼모로 갈 때 배종(陪從)했으며, 귀국 후 교리(校理) 등을 거쳐 길주 목사(吉州牧使)에 이름. 시문(詩文)에 뛰어나 8문장의 한 사람으로 꼽혔음. [1605-64]

임항【臨港】 명 항구에 가까이 감. 항구에 임함. ――-하다 자여불

임항-선【臨港線】 명 착항(着港)한 선박의 화물을 곧 열차에 싣기 위하여, 항구의 부두까지 연장한 철도 선로.

임해[1]【林海】 명 바다처럼 넓은 숲. *수해(樹海).

임해[2]【臨海】 명 바다에 임함. ¶～ 학교(學校). ――-하다 자여불

임해[3]【臨海】 명 〖지〗 '린하이'를 우리 음으로 읽은 이름.

임해 공업 지대【臨海工業地帶】 명 바다를 끼고 발달한 공업 지대. 원료 수송, 공장 부지의 입지적(立地的) 조건 등에 의하여 정유(精油)·석유 화학·제철·조선(造船) 등의 큰 공장을 중심으로 하여 형성됨. ↔내륙(內陸) 공업 지대.

임해-군【臨海君】 명 〖사람〗 조선 선조(宣祖)의 맏아들. 이름은 진(珒). 어머니는 공빈 김씨(恭嬪金氏). 성질이 난폭하여 동복(同腹) 동생인 광해군(光海君)이 세자가 됨. 임진 왜란 때 순화군(順和君)과 함께 동북 지방으로 피난갔으나 왜군의 포로가 되었다가 석방됨. 광해군이 즉위 후 명(明)나라와 일부 대신이 왕으로 세워야 한다고 주장함으로써 이를 불안하게 여긴 광해군에 의해 유배된 후 사사됨. [1574-1609]

임해 실험소【臨海實驗所】 명 해산(海産) 동식물을 연구하기 위하여, 임해지(臨海地)에 소요(所要)의 시설을 갖춘 실험소.

임해전-지【臨海殿址】 명 〖지〗 경상 북도 경주시(慶州市) 인왕동(仁旺洞)에 있는 신라 시대의 궁원지(宮苑址). 영창궁(永昌宮) 내의 가장 유명한 전각인 임해전의 옛 터로서, 월성(月城)의 동북쪽 안압지(雁鴨池)를 중심으로 한 구역임. 임해전은 신라 문무왕(文武王) 14년(674)에 쌓고 동 19년(679)에 중수(重修)하여 장려(壯麗)를 극하였음.

임해 철도【臨海鐵道】 [―또] 명 임해 공업 지역·임항(臨港) 지구의 물자 수송을 위하여 부설된 철도.

임해 학교【臨海學校】 명 〖교〗 아동 보호를 겸한 학교 교육의 일환을 이루는 시설의 한 가지. 여름철에 임해(臨海)의 건강지에 아동을 모아 학과를 가르치며 집단 훈련(集團訓練)·과학적 관찰(科學的觀察) 등을 하고 건강의 증진을 꾀하는, 임시(臨時) 또는 출장(出張) 학교. 또, 그를 위한 건물.

임행【臨幸】 명 임금이 그 곳에 거둥함. ――-하다 자여불

임:-헌(:)회【任憲晦】 명 〖사람〗 조선 고종(高宗) 때의 학자. 자는 명

로(明老)·중명(仲明), 호는 고산(鼓山)·전재(全齋)·희양재(希陽齋). 풍천(豐川) 사람. 송치규(宋穉圭)·홍직필(洪直弼)의 문인. 벼슬은 대사헌을 지냈음. 성리학에 있어 이기 이원론(理氣二元論)을 배격하고 주기론(主氣論)을 지지하였으며 천주학을 극력 반대하였음. 시호는 문경(文敬). [1811-76]

임:-현【任鉉】 명 〖사람〗 조선 선조(宣祖) 때의 문신. 자(字)는 사애(士愛), 호는 애탄(愛灘). 풍천(豐川) 사람. 임진 왜란 때 춘천(春川)에서 왜병을 격파하여 회양 부사(淮陽府使)가 되었고, 정유 재란 때 남원(南原) 부사로 명(明)나라 장수 양원(楊元)과 함께 성을 수비하던 중 양원이 도망하고 혼자 남아 분전(奮戰)하다가 전사함. 시호는 충간(忠簡). [1549-97]

임:현 사:능【任賢使能】 명 인재를 등용하는 일. ——-하다 자여불

임:협【任俠】 명 남자답게 용감함. ——-하다 형여불

임호은-전【林虎隱傳】 명 〖문〗 지은이·연대 미상의 조선 시대 때의 소설. 불교적 인생관에 바탕을 두고 일부 다처주의적(一夫多妻主義的) 제도 속에서의 애정 생활을 미화(美化)하고, 한편, 천자에 대한 충의를 주제로 한 소설. ≪구운몽(九雲夢)≫·≪옥루몽(玉樓夢)≫과 내용이 거의 비슷한 점으로 미루어, 숙종(肅宗) 연간의 작품인 듯함.

임호프 콘〔Imhoff cone〕 명 침전 물질(沈澱物質)을 측정하는, 눈금이 붙은 유리로 만든 용기. 하수(下水)의 성분을 조사하기 위한 것임.

임호프 탱크〔Imhoff tank〕 명 〖토〗 슬러지 소화(消化) 탱크와 침징(沈澄) 탱크가 2층식으로 칸막이된 하수 처리조(槽).

임-화[1]【林和】 명 〖사람〗 시인·평론가. 본명은 인식(仁植). 서울 출생. 보성 고보(普成高普)를 중퇴하고, 일본 도쿄(東京)에 유학, 시·평론·영화를 연구. 카프(KAPF) 서기장을 역임함. 1947년 가을에 월북(越北)하여, 53년 남로당 숙청으로 처형됨. 김남천(金南天)과 더불어 계급 문학의 이론·실천의 기수로서 중요한 위치를 차지했었음. 시집 ≪현해탄(玄海灘)≫·≪찬가(讚歌)≫, 평론집 ≪문학의 논리≫ 등이 있음. [1908-53]

임화[2]【臨畫】 명 〖미술〗 교과서·그림책 따위의 그림을 본떠 그리어 배우는 일. 또, 그 그림. ↔자유화(自由畫).

임-화-정-연【林花鄭延】 명 〖문〗 작자·창작 연대 미상의 고전 소설의 하나. 주인공의 성을 따서 표제로 삼은 97회의 장회(章回) 소설. 임생(林生)이 정(鄭)·화(花)·연(延) 3인의 소저(小姐) 등과 아름다운 인연을 맺고 어지러워진 세상을 바로잡는다는 이야기. 국문본(國文本). 사성 기연(四姓奇緣).

임황【臨況】 명 귀인(貴人)이 낮은 사람의 집을 방문(訪問)함. ——-하다 자여불

임휴【臨休】 명 ↗임시 휴업(臨時休業)·임시 휴가(臨時休暇).

임:-희재【任熙載】〔-히-〕 명 〖사람〗 조선 연산군(燕山君) 때의 문장가. 자는 경여(敬輿), 호는 물암(勿菴). 풍천(豐川) 사람. 사홍(士洪)의 아들. 김종직(金宗直)의 문인. 연산군 4년(1498) 식년 문과(式年文科)에 급제, 승지에 이름. 집안의 병풍에 써 놓은 시(詩)가 왕을 비방한 내용이라 하여 귀양갔다가 돌아온 후 갑자 사화(甲子士禍) 때 참수(斬首)됨. 특히 송설체(松雪體)를 잘 써서 일가를 이루었음. [1472-1504]

임-희지【林熙之】〔-히-〕 명 〖사람〗 조선 정조(正祖) 때의 화가. 자는 경부(敬夫), 호는 수월헌(水月軒). 경주(慶州) 사람. 정조 14년(1790) 역과(譯科)에 급제, 봉사(奉事)를 지냄. 특히 난죽(蘭竹)을 잘 그려 강세황(姜世晃)에 비겨졌으며, 피리도 잘 했음. [1765-?]

입[1] 명 〔중세 : 입〕 ①〖생〗 동물이 음식물(飮食物)을 섭취하는 기관. 고등 동물에서는 머리부의 아래 쪽에 있고, 입술·이·혀가 있으며, 아래턱에 의해 여닫힘. 음성과 울음 소리를 내는 기관도 되고, 조류에서는 부리가 됨. ¶ ~에 물다 / ~을 맞추다. ②말하는 일. 말하는 기관으로서의 입. ¶ ~만 열면 며느리 흉이다 / 남편 자랑으로 ~이 찢어진다 / ~에 담지 못할 말. ③말할 때 놀리는 입버릇. ¶ ~이 빠르다 / ~이 무겁다. ④남의 말이나 소문. ¶ 남의 ~에 오르내리다. ⑤먹는 곳. 먹는 일. ¶ ~을 대다 / ~에 넣다.

[입 아래 코] 일의 순서가 뒤바뀌었다는 말. [입에 맞는 떡] 자기 마음에 꼭 드는 사물을 가리키는 말. 적구지병(適口之餠). [입에 문 혀도 깨문다] 사람인 이상 실수가 있다는 말. [입에서 신물이 난다] 아주 지긋지긋하다는 뜻. [입은 비뚤어져도 말은 바로 하랬다, 입은 비뚤어져도 주라(朱螺)는 바로 불어라] 아무리 상황이 못마땅하더라도 진실은 진실대로 밝히라는 말. [입의 말 다 듣자면 고래등 같은 기와집도 하루아침에 넘어간다] 먹고싶은 대로 해 먹다간 큰 재산도 거덜이 나게 된다는 말. [입의 혀 같다] 제 뜻대로 움직여 주어 매우 편리하다는 뜻. [입이 걸기가 사복(司僕) 개천 같다] 말을 삼가지 않고 함부로 막 한다는 말. [입이 광주리만 해도 말 못 한다, 입이 열 둘이라도 말 못 한다] 잘못이 이미 명백히 드러나 변명할 여지가 없다는 말. [입이 서울] 먹는 일이 무엇보다 제일이라는 뜻. [입이 여럿이면 금(金)도 녹인다] 많은 사람이 뜻을 합치면 무엇이든지 할 수 있다는 말.

입만 살:다 구 ㉠실천은 따르지 않고, 말만 그럴 듯하게 잘 한다. ㉡격에 맞지 않게 음식을 가려 먹다.

입만 아프다 구 여러 번 일러도 말한 보람이 없다.

입 밖에 내:다 구 비밀한 일이나 남이 모르는 일을 드러내어 말하다.

입에 거미줄 치다 구 가난해서 먹지 못하고 굶다.

입에 꿀을 바른 말 구 듣기에 달콤한 말. 겉으로만 친절하고 다정한 말. ¶ 배에 칼을 품고서 입에 꿀을 바른 말을 한다 ≪李海朝:牡丹屛≫. *구밀 복검(口蜜腹劍).

입에 대:다 구 ㉠먹거나 마시다. 담배를 피우다. ㉡부는 악기를 입에 대고 불다.

입에 대:지 않다 구 특정한 음식물을 먹거나 마시거나 피우지를 않다.

입에 맞다 구 음식물이 좋아하는 식성이나 기호와 일치하다.

입에 발린 소리 구 치레로 입에 올리는 마음에도 없는 말.

입에서 젖내 나다 구 ㉠나이가 아직 어리다. ㉡하는 짓이나 생각이 어리고 유치하다.

입에 오르다 구 남의 소문에 오르다. 이야깃거리가 되다.

입에 올리다 구 말하다. 입에 오르게 하다. 이야깃거리로 삼다.

입에 침이 마르다 구 남을 아주 좋게 말하다.

입에 풀칠(을) 하다 구 근근히 밥이나 먹고 가난하게 살다.

입이 가볍다 구 말수가 많다. 해서는 안 될 말도 곧잘 하는 성질이다.

입이 걸:다 구 말을 거리낌없이 함부로 하다.

입이 궁금하다 구 무엇을 먹고 싶은 생각이 일어나다.

입이 귀밑까지 찢어지다 구 매우 기뻐서 만면에 희색이 돌다. ¶ 그 소리를 듣더니 입이 귀밑까지 찢어지며 호기가 만발하여 ≪李海朝:鬢上雪≫.

입이 더:럽다 구 입이 걸어서 말하는 내용이 고약하다.

입이 떨어지다 구 말이 나오게 되다. 말을 하게 되다.

입이 무겁다 구 ㉠말수가 적다. 과묵(寡默)하다. ㉡말해서는 안 될 말은 하지 않는 성질이다.

입이 벌:어지다 구 마음이 흡족하여 저절로 웃음이 나오다.

입이 안 떨어지다 구 차마 말이 나오지 아니하다.

입[2] 명 〈옛〉 지게문. =잎[2]. ¶ 입 호(戶)≪字會 中 5≫/입과 窓과 쯔메(戶牖之隙)≪楞嚴 Ⅱ:25≫.

입-가 명 입의 가장자리. 입의 언저리. 구변(口邊). ¶ ~에 미소를 띠다.

입-가심 명 입 안을 가셔서 개운하게 하는 일. 입씻이. ¶ ~으로 맥주 한 잔 마시다. *가심. ——-하다 자여불

입-가장 명 ☞입가.

입각[1]【入閣】 명 내각(內閣)의 한 사람이 됨. 각료로서 내각에 참렬함. 입대(入臺). ——-하다 자여불

입각[2]【立刻】 부 즉각(卽刻). 즉시. 곧.

입각[3]【立脚】 명 근거(根據)를 두어 그 입장에 섬. ¶ 증거(證據)에 ~하여. ——-하다 자여불

입각-지【立脚地】 명 근거로 하는 처지(處地).

입각 착래【立刻捉來】〔-내〕 명 그 자리에서 즉각 잡아 옴. 입즉 착래(立卽捉來). ——-하다 타여불

입-간판【立看板】 명 종이나 천을 나무틀에 붙이거나 판으로 만들어 벽·전봇대 등에 기대어 놓든가 길가에 세워 두는 간판.

입감[1]【入監】 명 감방이나 감옥에 갇힘. ↔출감(出監). ——-하다 자여불

입감[2]【入鑑】 명 웃어른에게 보여 드림. ——-하다 타여불

입-갑 명 〈방〉 미끼(경상).

입개【笠蓋】 명 〖불교〗 개(蓋)❺.

입갱【入坑】 명 탄광 등의 갱도(坑道)에 들어감. ——-하다 자여불

입거[1]【入居】 명 들어가서 거주함. ——-하다 자여불

입거[2]【入渠】 명 선체(船體)를 선거(船渠)에 넣음. ——-하다 타여불

입거-목【入居木】 명 〖역〗 입거청(入居廳)에 공물로 바치던 무명.

입거웃 명 〈옛〉 수염. =입거웃. ¶ 입거웃 슈(鬚)≪字會 上 28≫/입거웃 거츤놈(鬍子)≪字會 上 29≫. *거웃.

입거웆 명 〈옛〉 수염. =입거웃. ¶ 입거우즐 잡느니(挽鬚)≪杜諺 Ⅰ:7≫. *거웆·거웃.

입거-청【入居廳】 명 〖역〗 조선 시대 초기(初期)에 함경도(咸鏡道) 지방에 이민(移民)하는 일을 맡아 보던 관아.

입건【立件】 명 피의자의 혐의 사실(嫌疑事實)을 인정하고 사건을 성립시킴. ——-하다 타여불

입격【入格】 명 ①시험에 뽑힘. ②〖역〗 소과(小科) 또는 초시(初試)의 과거(科擧)에 합격함. ——-하다 자여불

입겻 명 〈옛〉 토. 조사(助詞). =입겿·입겾. ¶ 입겻 야(也)≪類合 下 63≫/입겻 언(焉), 입겻 지(哉)≪石千 42≫.

입경【入京】 명 서울에 들어옴. 또, 들어감. 입락(入洛). 상락(上洛). ——-하다 자여불

입경 분석【粒徑分析】 명 〔particle-size analysis〕 ①〖지〗 토양·퇴적물·암석 등에 있어서의 입경의 분포를 정하는 일. ②〖공〗 입상(粒狀) 또는 분말체 시료(試料) 속에 있는 어떤 특정한 크기의 입자의 비율을 정량(定量)하는 일.

입겿 명 〈옛〉 토. 조사(助詞). =입겻·입겾. ¶ 之는 입겨지라≪訓諺 1, 月序 1≫/矣는 말 곷는 입겨지라 ≪訓諺 2≫.

입겾 명 〈옛〉 토. 조사(助詞). =입겻·입겿. ¶ 焉은 입겨치라 ≪月序 6≫.

입계[1]【入啓】 명 〖역〗 계장(啓狀)을 왕에게 올림. ——-하다 타여불

입계[2]【粒界】 명 〖화〗 결정 입자(結晶粒子)가 서로 접하고 있는 경계.

입고[1]【入庫】 명 물건이나 자동차를 창고에 집어 넣음. ↔출고(出庫). ——-하다 타여불

입고[2]【入稿】 명 인쇄(印刷)를 하기 위하여 원고(原稿)를 인쇄소에 건네주는 일. ——-하다 자여불

입고[3]【立鼓】 명 〖악〗 고려 예종(睿宗) 11년(1116)에 송(宋)에서 들여온 대성 악기(大成樂器) 중 헌가(軒架)에 편성되던 북의 하나. 진고(晉鼓)는 가운데에 놓고, 입고(立鼓)는 동서(東西) 각 끝에 하나씩 세워 둠.

입고-량【入庫量】 명 입고된 물품의 양.

입고-병【立枯病】〔-뼝〕 명 〖농〗 장승병.

입곡【入哭】 명 우제(虞祭)·졸곡(卒哭)·소상(小祥)·대상(大祥) 등의 제사 전에 먼저 신주 앞에서 곡함. ——-하다 자여불

입공[1]【入工】 명 ①공장에 일감이 들어옴. ②일감을 공장에 넣음. 특히, 인쇄 등에서 많이 씀.

입공[2]【入貢】 명 조공을 바치는 일. ——-하다 자여불

입관[1]【入官】명 관리(官吏)로 들어감. ——하다 자 여불

입관[2]【入棺】명 시체를 관(棺) 속에 넣음. ——하다 타 여불

입관[3]【入館】명 도서관·박물관(博物館)·미술관(美術館) 등에 들어감. ——하다 자 여불

입관[4]【入關】명 관문(關門)으로 들어감. ——하다 자 여불

입관[5]【入觀】명 『불교』 산란한 마음을 진정하여, 제법(諸法)의 이(理)를 관조(觀照)하는 경지(境地)로 들어감. ——하다 자 여불

입관 보:리법【入官補吏法】[—뻡] 명 『역』 조선 태조(太祖) 원년(1392)에 제정한 관리(官吏)의 채용과 보직에 관한 법.

입교[1]【入校】명 ①사관 학교·보병 학교와 같은 군사 학교(軍事學校)에의 입학. ②입학(入學). ——하다 자 여불

입교[2]【入敎】명 ①교문(敎門)으로 들어감. 종교를 믿기 시작함. ②『기독교』 세례를 받고 정식으로 기독교인이 됨. ——하다 자 여불

입교-식【入校式】명 ①입교할 때에 하는 의식. ②입학식.

입구[1]【入口】명 들어가는 어귀. 들어가는 문. ¶~가 좁다. ↔출구(出口)❶.

입구[2]【入寇】명 적군(敵軍)이 쳐들어옴. ——하다 자 여불

입구-변【—口邊】명 한자 부수(部首)의 하나. '叩'나 '叫' 등의 '口'의 이름.

입구 손:실【入口損失】명 [entrance loss] 『토』 급격(急激)하게 단면적(斷面積)이 수축된 부분에서 유체류(流體流)가 마찰에 의하여 상실하는 에너지.

입국[1]【入局】명 그 국의 국원(局員)으로서, 방송국·우체국 등에 들어감. ——하다 자 여불

입국[2]【入國】명 ①나라 안에 들어감. ¶~ 허가. ②영주(領主)가 자기 영지에 도착함. ——하다 자 여불

입국[3]【立國】명 나라를 세움. 건국(建國). ——하다 자 여불

입국 관리 행정【入國管理行政】[—괄—] 명 외국인의 출입국을 관리하는 행정. *출입국(出入國) 관리.

입국 사증【入國査證】[—쯩] 명 외국에 갈 때에 상대국의 주재 기관으로부터 받는 입국 허가. 사증(査證). 비자.

입국 허가【入國許可】명 상대국(相對國)으로부터 받는 입국해도 좋다는 허가.

입궁【入宮】명 ①궁 안으로 들어감. ②장기에서, 말이 상대방 궁밭에 들어감. ③『역』 왕실에 연고 있는 집 딸이 오륙세 때부터 궁녀가 되려고 궁중에 들어가는 일. ——하다 자 여불

입궐【入闕】명 대궐로 들어감. 예궐(詣闕). ——하다 자 여불

입-귀[1] 명 〈방〉 입아귀.

입귀[2]【入歸】명 『불교』 진여(眞如)의 이(理)로 들어감. ——하다 자 여불

입-귀틀 명 『건』 대청 한가운데에 있는 동귀틀의 좌우 쪽에 끼우는 나무. 곧, 홈을 파서 마루청 널을 끼우는 나무.

입근[1]【入覲】명 대궐에 들어가 임금께 알현(謁見)함. ——하다 자 여불

입근[2]【立懂】명 절개를 위하여 목숨을 버림. ——하다 자 여불

입금【入金】명 ①돈이 들어옴. ↔출금(出金). ②은행 등에 예금(預金)하거나 부채를 반환하기 위하여 돈을 들여 놓음. ——하다 자타 여불

입금-액【入金額】명 입금한 액수(額數). ↔출금액(出金額).

입금-표【入金票】명 은행 등에서 입금 상황을 나타내는 전표(傳票). 수납(收納) 전표. ↔출금 전표.

입기【入氣】명 『광』 탄광(炭鑛)이나 광산(鑛山)의 갱내(坑內)에 신선한 공기(空氣)를 갈아 넣는 일. 또, 그 신선한 공기. *통기(通氣). ——하다 자 여불

입기-갱【入氣坑】명 『광』 광산이나 탄광에 입기(入氣)하는 갱구.

입-길 명 남에 대해 이러니 저러니 말하는 입.

입길에 오르내리다 구 남의 구설을 듣다. 남의 입에 오르내리다.

입-김 명 ①입에서 나오는 더운 김. ②입으로 나오는 내쉬는 숨의 기운. ¶~이 세다. ③영향력.

입김(을) 넣:다 구 영향이나 압력을 넌지시 주다.

입김이 어리다 구 소중히, 또 애지중지 다루던 정이 담겨져 있다.

입낙【立諾】명 [←입락] 선 자리에서 곧 승낙함. ——하다 타 여불

입납【入納】명 편지를 삼가 들인다는 뜻으로 봉투에 쓰는 말.

입-내[1] 명 소리나 말로써 내는 흉내.

입내(를) 내:다 구 소리와 말로써 흉내 내다.

입-내[2] 명 입에서 나는 고약한 냄새. 구취(口臭).

입내[3]【入內】명 안으로 들어옴. ——하다 자 여불

입내-쟁이 명 소리와 말로 흉내를 내는 사람. 또, 흉내 내기를 잘 하는 사람.

입-념 명 〈방〉 잇몸(충남·전남).

입-노릇 명 음식(飮食) 먹는 것을 낮게 일컫는 말.

입다[1] 자 〈옛〉 이울다. 시들다. ¶우리 어싀 아ᄃᆞ리 외롭고 입게 ᄃᆞ외야 ≪釋譜 Ⅵ:5≫.

입다[2] 타 [중세 : 닙다] ①옷을 착용(着用)하다. ②손해를 보거나 누명(陋名) 등을 쓰다. ¶큰 상처를 입었다. ③도움을 받다. ¶은혜를 ~.

[입은 거지는 얻어 먹어도 벗은 거지는 못 얻어 먹는다] 이왕이면 옷차림도 말쑥해야 목적을 쉬이 달성한다는 말.

입다[3] 타 〈옛〉 읊다. ¶梁父 입던 이를 므드시 思憶ᄒᆞ니(歎憶吟梁父)≪杜諺 Ⅵ:34≫.

입다[4] 형 〈옛〉 희미하다. 혼미(昏迷)하다. ¶구든 城을 모ᄅᆞ샤 갏길히 입더시니(不識堅城 則迷于行)≪龍歌 19章≫.

입-다물다 자 말을 하지 않다. ↔입열다.

입-다심 명 〈방〉 입매[2]❶. ——하다 자

입-다짐 명 말로써 확약(確約)하여 다지는 일. ——하다 타 여불

입-다툼 명 ☞ 말다툼. ——하다 자 여불

입단[1]【入團】명 어떤 단체에 가입함. ↔퇴단(退團). ——하다 자 여불

입단[2]【入壇】명 『불교』 진언종(眞言宗)에서, 행자(行者)가 관정(灌頂)을 받는 일. 등단(登壇). ——하다 자 여불

입단[3]【粒團】명 [aggregate] 『지』 덩어리 속에 모이는 토양 입자(土壤粒子)의 집합체.

입단-식【入團式】명 입단하는 의식. 이니시에이션(initiation).

입-담[1] 명 말하는 솜씨나 힘. ¶~이 좋다.

입담[2]【立談】명 서서 하는 이야기. 서서 이야기함. 전(轉)하여, 짧은 시간. ——하다 자 여불

입담-간【立談間】명 말하는 잠깐 사이.

입당[1]【入堂】명 『불교』 승당(僧堂)에 들어감. 또, 불참(佛參)하는 일. ——하다 자 여불

입당[2]【入黨】명 정당에 가입함. ↔탈당(脫黨). ——하다 자 여불

입당-송【入堂頌】명 『천주교』 [라 Introitus] 미사의 시작을 아뢰고 그 날의 미사의 정신을 준비시키는 기도문.

입대[1]【入隊】명 군대(軍隊)에 들어가 군인이 됨. ↔제대(除隊). ——하다 자 여불

입대[2]【入臺】명 입각(入閣). ——하다 자 여불

입대[3]【入對】명 『역』 대궐 안에 들어 임금에게 진알(進謁)하고 임금의 자문(諮問)에 응하는 일. *소대(召對). ——하다 자 여불

입더물 명 〈방〉 잇몸(전북).

입-덧 명 임신(妊娠)한 지 이삼 개월 되어 오심 구토(惡心嘔吐)·식욕 부진 등을 일으키고 몸이 쇠약(衰弱)하여지며 특별한 음식을 좋아하는 증세. 오조증(惡阻症). 임신 오조(妊娠惡阻).

입덧(이) 나다 구 입덧의 증세(症勢)가 생기다.

입도[1]【入道】명 도교(道敎)나 불문(佛門)에 들어감. ——하다 자 여불

입도[2]【立稻】명 베기 전에 논에 그냥 서 있는 채의 벼. ¶~ 선매(先賣).

입도[3]【粒度】명 ①[granularity] 『광』 암석을 구성하고 있는 광물의 크기. 입도에 의하여 결정(結晶)을 현정질(顯晶質)·비(非)현정질·미정질(微晶質)·은(隱)미정질 등으로 구분함. ②[grain size] 『지』 암석이나 퇴적물을 구성하는 주요 광물 입자(鑛物粒子)의 평균적인 크기. ③[particle size] 『야금』 금속 분말(粉末)의 개개 알갱이의 평균경(平均徑) 또는 대표경(代表徑).

입-도[4]【笠島】명 『지』 경상 남도의 남해상(南海上), 통영시(統營市) 광도면(光道面) 덕포리(德浦里)에 위치한 섬. [0.05 km^2]

입도 매매【立稻賣買】명 입도 선매. ——하다 자 여불

입도 선매【立稻先賣】명 아직 논에서 자라고 있는 벼를 파는 일. 입도 매매. *입맥(立麥) 선매. ——하다 자 여불

입도 선하【入道禪下】명 입도한 선하. 선하는 선사(禪師) 또는 참선(參禪)한 사람의 존칭임.

입도 압류【立稻押留】[—뉴] 명 『법』 논에서 아직 자라고 있는 벼를 압류 처분하는 일. 그 경매는 성숙 후에 할 수 있으며 집달관은 경매하기 위하여 수확을 시킬 수 있음. ——하다 자 여불

입동【立冬】명 24 절기의 열아홉째. 상강(霜降)과 소설(小雪) 사이에 드는데 황경(黃經)이 225°인 때로, 양력 11월 7일경임. 24 절기에 따른 구분으로는 겨울이 시작된다는 날.

입-되다 형 맛있는 음식만을 먹으려고 하는 버릇이 있다. 음식에 까다롭다. ¶입된 아이.

입두 나팔형 금구【笠頭喇叭形金具】명 『고고학』 멍에투겁.

입때 부 여태.

입때-까지 부 여태까지.

입때-껏 부 여태껏. 이제껏.

입-떨미 명 〈방〉 잇몸(전북).

입-떼다 자 입을 열어 말을 하기 시작하다.

입-뙈기 명 〈방〉 언청이(함북).

입-뜨다 형 입이 무거워 말이 적다.

입뜨물 명 〈방〉 잇몸(전북).

입락[1]【入洛】[—낙] 명 [낙(洛)은 고대 중국의 서울 낙양(洛陽)의 뜻] 입경(入京). 상락(上洛). ——하다 자 여불

입락[2]【入落】[—낙] 명 합격(合格)과 낙제(落第).

입람【入覽】[—남] 명 들어가서 열람함. ——하다 타 여불

입래【入來】[—내] 명 『역』 서울을 떠났던 관원이 돌아와서 임금께 아뢰는 일. ↔하직(下直)❷. ——하다 자 여불

입량【立量】[—냥] 명 『불교』 인명(因明)에서, 논법(論法)을 구성(構成)하고 뜻을 세우는 일.

입력【入力】[—녁] 명 [input] ①『물』 기계에 일초(一秒) 사이에 들어가는 에너지. ②기계에 동력(動力)을 부여하거나 신호·데이터를 주는 일. 특히, 컴퓨터에서 문자(文字)나 숫자(數字)를 기억하게 하는 일. 또, 그 동력이나 데이터. 인풋. 1)·2) : ↔출력(出力). ——하다 타 여불

입력 장치【入力裝置】[—녁—] 명 [input unit] 컴퓨터의 구성 요소의 하나. 데이터를 넣기 위한 부분, 곧 중앙 처리 장치(中央處理裝置)에 정보를 넣어 주는 장치. 장치의 종류에 의해 컴퓨터의 사용 범위(使用範圍)·능률(能率) 등이 크게 좌우됨.

입력 한:계【入力限界】[—녁—] 명 [input-limited] 『전자』 컴퓨터에서, 시스템의 처리 속도가, 기계의 처리 속도에 의해서가 아니라, 입력 데이터를 기계에 보내는 속도에 의해 정해지는 경우의 이름.

입렴【入廉】[—념] 명 죄상(罪狀)이 염탐에 걸림. ——하다 자 여불

입렵【入獵】[—념] 명 수렵이 허용(許容)된 지역에 들어가 사냥을 함. ——하다 자 여불

입례【立禮】[—녜] 명 선 채로 하는 인사. 서서 하는 경례. ——하다 「자 여불

입론【立論】[―논] [명] 의론의 순서·취지 등의 체계를 세움. 의론을 구성함. 또, 그 의론. ――-하다 [타][여불]
입뢰【入牢】[―뇌] [명] 입옥(入獄). ↔출뢰(出牢) ――-하다 [자][여불]
입립 개신고【粒粒皆辛苦】[―닙―] ①낟알이 모두 농부의 땀의 결정(結晶)임. 곡식(穀食)의 소중(所重)함을 이르는 말. ②고심(苦心)하여 일의 성취(成就)에 노력함을 이름.
입마【立馬】[명]〖역〗각 역(驛)에서 역마(驛馬)를 길러 공용(公用)에 바치던 일. ――-하다 [자][여불]
입-막다 [타] 멋대로 말을 못 하게 만들다.
입-막음 [명] 불리한 말을 못 하게 입을 막는 일. ¶~으로 돈을 쥐어 주다. ――-하다 [자][여불]
입막지-빈【入幕之賓】[명] 특별히 가까운 손님.
입-말 [명]〖언〗'구어(口語)'의 풀어 쓴 말. ↔글말.
입말-글 [명]〖언〗'구어문(口語文)'의 풀어 쓴 말.
입말-체 [―體] [명]〖언〗'구어체(口語體)'의 풀어 쓴 말.
입-맛 [명] 음식을 먹어서 입에서 받는 감각. 구미(口味). 식미(食味).
입맛대로 하다 [구] 저 좋은 대로 마음대로 하다.
입맛(을) 다시다 [구] ㉠음식이 먹고 싶거나, 난처한 일 또는 마음대로 되지 아니하는 일을 당했을 때 입술을 열었다 닫았다 하며 침을 넘기다. ㉡무엇을 갖고 싶어 하거나, 하고 싶어 하다.
입맛(이) 당기다 [구] ㉠입맛이 돋다. 먹고 싶은 생각이 들다. ㉡무엇에 흥미가 일거나 욕심이 나다.
입맛(이) 돌:다 [구] 입맛이 생기다.
입맛(이) 떨어지다 [구] ㉠입맛을 잃다. ㉡어떤 일에 흥미를 잃거나 흥이 나지 않다.
입맛(이) 쓰다 [구] 일이 뜻대로 되지 아니하여 좋지 않다. 괴롭다.
입-맞추다 [타] ①상대방의 입술·볼·이마·손 따위에 입술을 대어 사랑·존경하는 뜻을 나타내다. ¶볼에 ~. ②서로 말이 맞게 짜다. 말이 서로 틀리지 않게 이야기를 일치시키다.
입-맞춤 [명] 입을 맞추는 일. 키스(kiss). 접문(接吻). ――-하다 [자][여불]
입-매¹ [명] ↗입맵시. ¶~가 곱다.
입매² [명] ①음식을 조금 먹어 시장기를 면함. ¶소옥은 객이 ~할 음식상을 차려 오게 하고…≪張德祚 : 狂風≫. ②남의 눈가림으로만 일을 함. ――-하다 [자][타][여불]
입맥 선매【立麥先賣】[명] 아직 밭에 서 있는 보리를 파는 일. *입도(立稻) 선매. ――-하다 [자][여불]
입-맵시 [명] 예쁘게 생긴 입의 모양. [준]입매.
입맷-거리 [명] 겨우 허기나 면할 정도의 술이나 밥. ¶행수 조성준이 외질멜빵의 괴나리봇짐을 풀어 ~로 선달받이 북어 다섯 마리를 삿자리에 던졌다≪金周榮 : 客主≫.
입맷-상【―床】[명] 잔치 때 큰상을 드리기 전에 먼저 간단히 차리어 드리는 음식상.
입면【立面】[명] 정면(正面)·측면(側面) 등에서 수평으로 본 형(形). 수직으로 본 평면에 상대되는 말.
입면-도【立面圖】[명]〖수〗정면도(正面圖). ↔평면도.
입멸【入滅】[명]〖불교〗멸도(滅道), 곧 열반(涅槃)에 듦. 입적(入寂). ――-하다 [자][여불]
입명【立命】[명] 천명(天命)을 좇아 마음의 안정을 얻음. ¶안심(安心) ~. ――-하다 [자][여불]
입모【笠帽】[명] 갈모¹.
입모-근【立毛筋】[명]〖생〗모근부(毛根部)에 있는 속상 평활근(束狀平滑筋). 수축(收縮)에 의하여 털을 직립(直立)시킴. 모발근(毛髮筋). 기모근(起毛筋).
입모-도【笠帽島】[명]〖지〗전라 남도의 서해상(西海上), 신안군(新安郡) 임자면(荏子面) 재원리(在遠里)에 위치한 섬. [0.14 km² : 5명(1984)]
입-모습 [명] 입의 생긴 모양.
입-모으다 [자] 여러 사람이 같은 의견으로 말하다.
입목¹【入木】[명] 필세(筆勢)가 세어 먹이 나무에 깊이 밴다는 뜻에서, 서도(書道)를 이름.
입목²【立木】[명] 땅 위에 서 있는 채로의 수목(樹木).
입목 축적량【立木蓄積量】[―냥] [명] 입목(立木)으로서 축적되어 있는 양(量).
입몰【入沒】[명] ①들어가 빠짐. ②죽음¹. ――-하다 [자][여불]
입-몸 [명]〈방〉잇몸(충북·강원·전남·경상).
입묘【入廟】[명] 대상(大祥)을 치른 후 신주(神主)를 사당(祠堂)에 모시는 일. ――-하다 [타][여불]
입묵【入墨】[명] 먹물로 살 속에 글씨 또는 그림을 새겨 넣음. 먹물뜨기. ――-하다 [타][여불]
입문¹【入門】[명] ①스승의 문(門)에 들어가 제자(弟子)가 됨. ②어떤 학문(學問)에 처음으로 들어감. 또, 그 과정이나 해설서(解說書). ¶철학 ~. ③〖역〗과거 때에 유생(儒生)이 과장(科場)으로 들어감. ――-하다 [자][여불]
입문²【入聞】[명] 윗사람 귀에 들어감. ――-하다 [자][여불]
입문-관【入門官】[명]〖역〗과거를 볼 때 장내를 감시하던 임시 벼슬.
입문-서【入門書】[명] 처음 배우는 사람들을 위한 서적(書籍).
입문 성:사【入門聖事】[명]〖천주교〗입교 성사(入教聖事).
입문 예:식【入門禮式】[―녜―] [명]〖천주교〗미사 예식의 네 가지 단계 중 하나. 이 예식은 신자들의 모임, 입당송(入堂頌), 인사, 참회 예식, 대영광송, 본기도로 이루어짐.
입문 유린【入門蹂躪】[―뉴―] [명]〖역〗조선 시대에 과거(科擧) 제도의 팔폐(八弊)의 하나. 시험장에 아무나 함부로 드나드는 일.
입미¹【立米】[의명] [본디 일본어 'りゅうべい(立米)'의 역어로, 미터를 한자로 '미(米)'라 표기하던 데서] 입방 미터(立方m)의 약칭(略稱). 주로, 토목 건설(土木建設) 분야에서 흙·모래·물·가스 따위의 부피를 나타낼 때 씀.
입미²【粒米】[명] 낟알.
입-바르다 [형][르불] 바른 말을 잘하다. *입빠르다.
입-바위 [명]〈방〉입술(제주).
입반【入泮】[명] ①어린이가 처음으로 입학하여 학생이 됨. ②반궁(泮宮), 곧 성균관과 문묘(文廟)에 들어감. ――-하다 [자][여불]
입-발매 [명] 입으로 하는 발매. 말만 늘어놓고 행동이 따르지 않거나 공연한 수다를 떠벌이는 것을 가리킴. ¶~만 늘어놓고 실속이 없다.
입방¹【立方】[명]〖수〗[cube] ①어떤 선분(線分)을 한 변(邊)으로 하는 입방체를 그 선분의 입방이라 함. ②세제곱. 삼승(三乘). ③길이의 단위명(單位名) 앞에 붙여 부피의 단위를 만드는 말. ¶~ 센티미터. ④길이의 단위명 뒤에 붙어 그 길이를 한 변으로 하는 입방체에 해당하는 체적(體積)을 나타내는 말. ¶2미터 ~. 1)-3): *평방(平方).
입방²【立坊】[명] [방(坊)은 춘방(春坊)] 입태자(立太子). ――-하다 [자][여불]
입방³【笠房】[명] 갓방.
입방 격자【立方格子】[명] [cubic lattice]〖화〗서로 직각으로 만나는 세 개의 축(軸) 위에 간격이 같게 배열된 공간(空間) 격자.
입방-근【立方根】[명]〖수〗'세제곱근'의 구용어. 삼승근.
입방 미터【立方―】[meter] [명] '세제곱 미터'의 구용어.
입방 배:적 문:제【立方倍積問題】[명]〖수〗고대 그리스 기하학(幾何學)에 있어서의 삼대 불가능 문제의 하나. '주어진 입방체의 2배의 부피를 갖는 입방체를 작도(作圖)하라'하는 문제. 전설상으로는 아폴로 신(神)이 출제(出題)했다 하며, 1837년에 와서 불가능한 문제로 밝혀졌음. 입방체 배적 문제.
입방-비【立方比】[명]〖수〗'세제곱비'의 구용어.
입방 상:피【立方上皮】[명] [cubical epithelium]〖생〗높이와 폭이 거의 비슷한 세포(細胞)로 조직(組織)된 상피(上皮). *원주 상피(圓柱上皮)·편평 상피(扁平上皮).
입방수의 수:열【立方數―數列】[―/―에―] [명]〖수〗각 항(項)이 세제곱으로 되어 있는 수열.
입-방아 [명] 쓸데없는 말을 생각 없이 마구 지껄이는 일.
입방아(를) 찧다 [구] 쓸데없는 말을 생각 없이 자꾸 하다. ¶상관도 없는 남의 일을 가지고 입방아를 찧고 있다.
입방-적【立方積】[명] ①〖건〗벽돌을 길이로 세워 쌓는 방법. 세워쌓기. ②〖수〗체적. 부피.
입방 정계【立方晶系】[명] [cubic system]〖물〗등축(等軸) 정계.
입방-체【立方體】[명]〖수〗정육면체(正六面體).
입방체 배:적 문:제【立方體倍積問題】[명]〖수〗입방 배적 문제.
입배【入排】[명] 궁중(宮中)에 여러 가지를 배설(排設)하는 일. ――-하다 [타][여불]
입-버릇 [명] 입에 아주 굳은 습관. 구습(口習). ¶~처럼 말하다.
입버믈 [자]〈옛〉벙어리가 될. '버울다'의 형용사꼴. ¶입버믈 報뿔 니르고≪月釋 XXI:66≫.
입번【入番】[명] 입직(入直). ――-하다 [자][여불]
입-벌리다 [자] ①말을 하다. ②하도 엄청나서, 기가 막히거나 놀라워하다. ¶입벌린 채 말도 못 한다.
입법【立法】[명] 법을 제정함. 또, 그 행위. ¶~ 정신. *사법(司法)·행정(行政). ――-하다 [자][여불]
입법계-관【入法界觀】[명]〖불교〗자륜관(字輪觀).
입법-권【立法權】[명]〖법〗①법(法)을 제정하는 국가 작용. 행정권 및 사법권과 함께 전통적인 국가의 세 권력(權力)을 구성함. 민선(民選)의 의회가 이것을 행사하는 기관임. *행정권·사법권. ②국회가 입법의 절차에 참여할 수 있는 권한.
입법 기관【立法機關】[명]〖법〗법률 제정(法律制定)의 절차에 참여할 권한을 가지는 국가 기관(國家機關). 곧, 국회(國會). 입법부(立法府). 입법원(立法院).
입법 기술【立法技術】[명] 법안을 작성하기 위한 문장적(文章的) 표현의 기술.
입법-례【立法例】[―녜] [명] 법규 제정(法規制定)에 관한 내외(內外) 여러 나라의 전례(前例).
입법-론【立法論】[―논] [명] 일정한 이상(理想)의 입장에 입각하는 입법 정책의 주장.
입법-부【立法府】[명] 입법 기관(立法機關). *사법부·행정부.
입법-안【立法案】[명] 입법하기 위한 초안(草案). *법률안.
입법-원【立法院】[명] ①입법 기관. ②중국의 최고 입법 기관.
입법 의원【立法議員】[명]〖정〗↗국가 보위 입법 회의 의원.
입법 의회【立法議會】[명] [프 Assemblée législative]〖역〗①프랑스 혁명중 1791-92년 사이에 있었던 의회. 국민 의회(國民議會)가 제정한 헌법에 의해 소집됨. 공화파(共和派)가 우세하여 왕권(王權)을 정지시켰음. ②프랑스 제2 공화정(共和政) 시대의 입헌 의회(立憲議會) 해산 후 1849년 5월에 성립(成立)한 의회. 1851년 12월 루이 나폴레옹(Louis Napoléon)의 쿠데타에 의하여 폐지됨.
입법-자【立法者】[명] 법을 제정하는 사람. 즉 국회 의원.
입법자 의:사설【立法者意思說】[명]〖법〗법률 해석에 관하여 입법자, 주로 기초자(起草者)의 의사를 존중하여야 한다는 설.
입법 정책【立法政策】[명] 일정한 법목적(法目的) 또는 법이상(法理想)을 실정법(實定法) 속에 도입(導入)하여 구체적(具體的)으로 실현시키고자 하는 시책(施策).
입법-학【立法學】[명] 입법의 절차·기구(機構)·참가자·동기·목적 등에 관하여 종합적으로 고찰하는 학문.
입법 해:석【立法解釋】[명]〖법〗공권적 해석.

입법-화【立法化】명 보통 규칙 같은 것이 법률(法律)이 됨. 또, 규칙 등을 법률이 되게 함. ——-하다 자타여불

입법 회:의【立法會議】[—/—이] 명〖정〗↗국가 보위 입법 회의.

입-병[1]【—病】명 입에 나는 병.

입병[2]【入瓶】명 병에 넣음. 병에 꽂음. ——-하다 타여불

입보【立保】명 보증인(保證人)을 세움. ——-하다 타여불

입본【立本】명 ①〖역〗조선 시대에, 고을 원이 사리(私利)를 탐하여 세미(稅米)를 팔고, 이듬해 봄에 쌀값을 싸게 하여 백성에게 돈을 대여하고 가을에 쌀로 환납시키어 이(利)를 보던 일. ②식리(殖利)할 밑천을 세우는 일. ——-하다 타여불

입-봉【笠峰】명〖지〗①함경 남도 장진군(長津郡)과 평안 북도 강계군(江界郡) 사이의 산. 낭림(狼林) 산맥 중에 솟아 있음. [1,703m] ②평안 북도 위원군(渭原郡) 숭정면(崇正面)과 강계군 전천면(前川面) 사이의 산. [1,546m] ③평안 북도 초산군(楚山郡)에 있는 산. [1,018m] ④평안 북도 벽동군(碧潼郡) 성남면(城南面)과 창성군(昌城郡) 신창면(新倉面) 사이에 있는 산. [1,191m] ⑤평안 북도 희천군(熙川郡)에 있는 산. [1,088m] ⑥평안 남도 순천군(順川郡) 은산면(殷山面)과 개천군(价川郡) 봉동면(鳳東面) 사이에 있는 산. [880m] ⑦강원도 통천군(通川郡) 임남면(臨南面)에 있는 산. [1,141m]

입-봉하다【—封—】자타여불 ①말을 하지 아니하고 입을 다물다. ¶입봉하고 있거라. ②함부로 지껄이지 못하도록 만들다.

입-부리 명〈속〉주둥이. 부리. ¶～를 놀리다.

입부 혼인【入夫婚姻】명〖법〗여자가 일가의 호주 또는 호주 상속인인 경우에, 남자가 여자의 집에 입적하여 하는 혼인. 출생자(出生子)는 모(母)의 성(姓)과 본(本)을 따르고 모의 가(家)에 입적함.

입북【入北】명 ①북(北)으로 들어감. ②서울 사람이 함경도(咸鏡道)에 감. ——-하다 자여불

입불【入佛】명 불상(佛像)을 절에 맞아들이어 안치(安置)하는 일. ——-하다 자여불

입불 공:양【入佛供養】명 입불(入佛)하기 위하여 하는 법회(法會).

입불-상【立佛像】[—쌍] 명 서 있는 부처의 모습을 본뜬 불상.

입비[1]【入費】명 어떤 일에 드는 비용.

입비[2]【立碑】명 비(碑)를 세움. ——-하다 자여불

입-비뚤이 명 입이 비뚤어진 사람.

입-빠르다 형르불 입이 가볍다. *입바르다.

입사[1] 명〈방〉잎[1](충남·전북).

입사[2]【入仕】명 벼슬한 뒤에 처음으로 그 벼슬 자리에 나감. ——-하다 자여불

입사[3]【入舍】명 기숙사(寄宿舍)·관사(官舍)·병사(兵舍) 등에 들어감. ——-하다 자여불

입사[4]【入社】명 ①회사 등에 취직하여 들어감. ¶～ 시험(試驗). ↔퇴사(退社). ②합명 회사(合名會社)·합자 회사(合資會社)에 신규(新規)로 참여하여 그 무한 책임 사원(無限責任社員) 또는 유한(有限) 책임 사원이 되는 일. ③〖역〗기로소(耆老所)에 들어가던 일. ——-하다 자여불

입사[5]【入射】명〖물〗하나의 매질(媒質) 속을 나아가는 빛의 파동이 다른 매질의 경계면(境界面)에 도달(到達)하는 일. 투사(投射). 들이쏨. ——-하다 자여불

입사[6]【入絲】명 놋그릇이나 쇠그릇 등에 은사(銀絲)를 장식으로 박음. ——-하다 자여불

입사[7]【立射】명 똑바로 서서 활·소총(小銃) 등을 쏨. 서서 쏘기. ——-하다 타여불

입사[8]【立嗣】명 ①사자(嗣子)를 길러서 대(代)를 잇게 함. ②사자(嗣子)를 세움. ③입후(立後). ——-하다 타여불

입사-각【入射角】명 〔angle of incidence〕〖물〗입사 광선이 입사점에서 경계면(境界面)의 법선(法線)과 이루는 각. 투사각(投射角). ↔반사각(反射角).

입사 계:약【入社契約】명 ①합명 회사·합자 회사에 새로 출자(出資)하여 그 무한 책임 사원 또는 유한(有限) 책임 사원이 되는 회사법상(會社法上)의 특수 계약. ②회사의 종업원이 되기 위한 고용 계약의 속칭(俗稱).

입사 광선【入射光線】명 〔incident ray〕〖물〗제1 매질(媒質)을 통과하여 제2 매질과의 경계면에 들어오는 광선. 투사 광선. 투사선. 입사선. ↔반사 광선.

입-사구 명〈방〉잎사귀(경기·강원·충청·전라·경상).

입사로 칠과【入仕路七科】명〖역〗조선 시대에, 관리로서 입사(入仕)하는 일곱 가지 길. 곧, 문과(文科)·무과(武科)·문음(門蔭)·이과(吏科)·역과(譯科)·음양 복서과(陰陽卜筮科)·의과(醫科). 칠과.

입-사발【—沙鉢】명 작은 사발. ¶～이 철철 넘치도록 몇 순배 돌리고 나니…《金周榮: 客主》.

입사-선【入射線】명〖물〗입사 광선(入射光線).

입사-식【入社式】명〖사〗미개 사회(未開社會)에서 어떤 집단에 가입하기 위한 의례(儀禮). 보통은 성년식(成年式)과 함께 함. 이니시에이션(initiation).

입사-장【入絲匠】명〖역〗공장(工匠)의 하나. 유기(鍮器) 또는 철기(鐵器) 등의 그릇에 조각을 하고 은사(銀絲)로 장식하는 사람.

입사-점【入射點】[—쩜] 명 〔incident point〕〖물〗입사 광선이 제2 매질(媒質)의 경계면과 만나는 점. 투사점.

입삭 명〈방〉잎사귀(전라).

입산【入山】명 ①산(山)에 들어감. ②〖불교〗출가(出家)하여 중이 됨. ¶～ 수도하다. ——-하다 자여불

입산 금:지【入山禁止】명 산에 못 들어가게 함. 입산을 금함. ¶～ 푯말/～ 구역.

입산 기호【入山忌虎】명 산에 들어가고서 범 잡을 것을 피함. 곧, 정작 목적한 바를 당하면 꽁무니를 뺀다는 말.

입산 수도【入山修道】명 산에 들어가 도(道)를 닦음. ——-하다 자여불

입살 명〈방〉입술(강원).

입상[1]【入賞】명 경기·경연(競演) 대회 등에서 상을 타게 됨. ¶3위로 ～하다. ——-하다 자여불

입상[2]【立像】명 서 있는 자세의 상(像).

입상[3]【粒狀】명 알갱이 모양.

입상-권【入賞圈】[—꿘] 명 입상할 범위. ¶～에 들다.

입-상귀 명〈방〉잎사귀(제주).

입상-반【粒狀斑】명 〔granule〕쌀알 무늬.

입상 아연【粒狀亞鉛】명〖광〗입상의 아연. 다루기가 쉬워서, 실험실에서의 수소 채취(採取)의 원료로 쓰임.

입상-자【入賞者】명 입상한 사람. 상을 받을 사람. ¶수위(首位) ～.

입상 조직【粒狀組織】명 〔granulation〕〖천〗태양 표면에 일시적으로 나타나는 작은 입상반(粒狀斑).

입상-체【粒狀體】명〖물〗입상으로 된 물체.

입상 파면【粒狀破面】명 〔granular fracture〕〖야금〗파괴한 금속의 파면(破面)에 나타나는 입상 또는 결정상(結晶狀)의 외관(外觀).

입새기 명〈방〉잎사귀(전라).

입생이 명〈방〉잎사귀(제주).

입서리 명〈방〉입술(전라·경상).

입서버리 명〈방〉입술(경남).

입서벌 명〈방〉입술(충청).

입서불 명〈방〉입술(경상·충청).

입석[1]【立石】명 ①무덤 앞에 비갈(碑碣)이나, 도정(道程)의 표지로 돌을 세움. 또, 그 돌. ②〖고고학〗선돌. ↔지석(支石). ——-하다 자여불

입석[2]【立席】명 서서 타거나 구경하는 자리. ↔좌석(座席).

입석-권【立席券】명 승차권이나 입장권에서 지정된 자리가 없는 표. ↔좌석권.

입선[1]【入船】명 배가 항구에 들어옴. 또, 들어감. 입항(入港). ——-하다 자여불

입선[2]【入線】명 전차·열차가 시발역에서 승객을 태우기 위해 지정된 선로에 들어옴. ——-하다 자여불

입선[3]【入選】명 응모 출품(應募出品)한 것 따위가 심사에 뽑힘. ↔낙선(落選). *당선(當選). ——-하다 자여불

입선[4]【入禪】명〖불교〗참선(參禪)하러 염불방에 들어감. ↔방선(放禪). ——-하다 자여불

입선-작【入選作】명 응모(應募)한 여러 작품 가운데서 입선된 작품.

입설 명〈방〉입술(전라·충청·경기).

입성[1] 명〈속〉옷. ¶～이 더럽다.

입성[2]【入城】명 ①성(城) 안으로 들어감. ↔출성(出城)·이성(離城). ②싸움에서 공략(攻落)한 적의 성이나 도시로 들어감. ——-하다 자여불

입성[3]【入聲】명 ①사성(四聲)의 하나. 끝을 빨리 닫는 소리. ②한자음(漢字音)의 사성의 하나. 짧고 빨리 거두어들이는 소리. 이에 속하는 한자들은 상성(上聲)·거성(去聲)의 한자들과 아울러 측성(仄聲)이라 함.

입-성수【—星數】명 말하는 음성을 듣고 장래의 일을 점치는 일.

입성-식【入城式】명 군대가 점령한 도시에 들어가 하는 의식.

입세니즘 〔Ibsenism〕명〖사〗입센의 사회극에서 볼 수 있는, 사회에 대한 통렬(痛烈)한 비판의 태도 및 그러한 문예상의 작풍.

입센 〔Ibsen, Henrik〕명〖사람〗노르웨이의 시인·극작가. 생애의 대부분을 독일·이탈리아 등지에서 보냄. 극작에 손을 대어 처음 낭만주의적인 운문극(韻文劇)에서 출발하여 차츰 그 형식에 있어 율어(律語)를 배격하는 산문극(散文劇)을 창시하고, 내용은 주로 여성·사회 문제를 취급함. 특히 《인형의 집》에서 여성 해방을 주장하여 세계적인 물의와 공명을 일으키고 극작계에 혁명적인 영향을 끼쳤음. 1884년에 발표한 《들오리》를 전환점으로 하여, 만년에는 사회에서 자신의 내면 세계로 눈을 돌리어 회의적·상징적인 심리극으로 전향함. 이 밖에 작품 《사랑의 희극》·《민중의 적》 등이 있음. [1828-1906]

입셩【入聲】명〈옛〉입성. ¶左加一點則去聲 二則上聲 無則平聲 入聲加點 同而促急《訓正》.

입소【入所】명 훈련소·연구소·교도소와 같이 '소(所)'라고 이름 붙여진 시설·건물에 들어감. 또, 그와 같은 기관의 한 성원(成員)이 됨. ——-하다 자여불

입소구리 명〈방〉입술(경상).

입소리 명〈방〉입술(경남·전남).

입소부리 명〈방〉입술(경남).

입소스 싸움 명 〔Battle of Ipsos〕〖역〗기원전 301년 알렉산더 대왕의 후계자인 리시마코스(Lysimachos)와 셀레우코스(Seleukos)가 프리지아(Phrygia)의 소도시 입소스에서 같은 후계자인 안티고노스(Antigonos)와 데메트리오스(Demetrios) 부자(父子)를 격파한 싸움. 이 싸움으로 대왕의 유령(遺領)은 마케도니아·시리아·이집트의 3대국으로 분할 통치됨.

입소-자【入所者】명 입소한 사람. ¶～ 명단.

입-속 명 입안[1].

입속-말 명 입속으로 중얼거리는 말.

입솔 명〈방〉입술(전라·충청).

입송【入送】명 밖에서 안으로 들여보냄. ——-하다 타여불

입수[1] 명〈방〉입술(황해).

입수[2]【入手】명 수중(手中)에 들어옴. 또, 수중에 넣음. ¶정보를 ～하다. ——-하다 자타여불

입수[3]【入水】명 ①물에 들어감. ②죽으려고 몸을 물에 던짐. 투신(投身). ——-하다 자여불

입수거리 명〈방〉입술(경북).

입수-관【入水管】명〖동〗쌍각류(雙殼類) 조개의, 물을 체내로 빨아들이는 관. ↔출수관(出水管).

입수구리 명〈방〉입술(경상).

입수버리 명〈방〉입술(경상).

입수부리 명〈방〉입술(경상).

입수불 명〈방〉입술(경상·강원).

입수워리 명〈방〉입술(경북).

입수월 명〈방〉입술(강원).

입숙[1] 명〈방〉입술(강원·황해·함경).

입숙[2]【入塾】명 사숙(私塾)에 들어가서 기숙(寄宿)함. 숙생(塾生)이 됨.

입순 명〈방〉입술(함북). ㄴ――-하다 자여불

입술[1] 명〔중세 : 입시울〕포유 동물의 입의 아래위에 붙은 얇고 부드러운 살. 순문(脣吻). 구문(口吻). 구순(口脣). 문순(吻脣).

[입술에 침이나 바르지] 거짓말을 공공연하게 한다는 말. [입술이 없으면 이가 시리다] '순망 치한(脣亡齒寒)'을 풀어 쓴 말.

입술을 깨물다 구 분할 때, 한스러울 때, 또 결심할 때, 고통을 참을 때 입술을 이로 꼭 물다.

입술[2] 명〖고고학〗토기(土器)의 아가리의 가장자리. 구순(口脣).

입술-가벼운소리 명〖언〗'순경음(脣輕音)'의 풀어 쓴 이름.

입술기 명〈방〉입술(강원·함경).

입술-꽃부리 명〖식〗'순형 화관(脣形花冠)'의 풀어 쓴 이름.

입술-소리 명〖언〗'순음(脣音)'의 풀어 쓴 이름.

입술 연지【―臙脂】[―련―] 명 립스틱(lipstick). 순지(脣脂).

입술연지-수선화【―臙脂水仙花】[―련―] 명〖식〗[*Narcissus poeticus*] 수선화과에 속하는 다년생 화초. 수선화의 한 종류로 원산지는 프랑스·그리스에 이르는 지중해 연안이며, 이른봄에 향기가 짙은 백색 꽃

입슌 명〈방〉입술(함경). ㄴ이 핌.

입스위치 [Ipswich] 명〖지〗①영국의 동남부에 있는 항구 도시. 농기구·비료·시멘트·섬유 등의 공업이 행해짐. 중세(中世)에 양털 수출항으로서 번영하였으나, 뒤에 쇠퇴하였다가, 19세기 중엽 이후 무역항으로 부활함. [120,400 명(1982)] ②오스트레일리아 동안(東岸), 퀸즐랜드(Queensland) 주 동남부의 도시. 1829년 창건. 탄광이 있고 농업의 중심지임. [68,000 명(1981)] 「맡은 소임(所任).

입승【立繩】명〖불교〗절에서, 대중(大衆)의 진퇴(進退)·기강(紀綱)을

입시[1] 명〈방〉입매[2]❶. ――-하다 자 「자여불

입시[2]【入侍】명〖역〗대궐에 들어가 왕을 알현(謁見)하는 일. ――-하다

입시[3]【入試】명 ↗입학 시험(入學試驗). ¶～ 문제집.

입시버리 명〈방〉입술(경북).

입시울 명〈옛〉입술. ¶脣은 입시우리라 ≪訓諺 6≫.

입시울가비야분소리 명〈옛〉입술가벼운소리. 순경음(脣輕音). ¶ㅇ를 입시울쏘리 아래 니서쓰면 입시울 가비야분 소리드외 느니라 ≪訓諺 12≫. 「6≫.

입시울쏘리 명〈옛〉입술소리. 순음(脣音). ¶ㅂ는 입시울쏘리니 ≪訓諺

입식[1]【立式】명 부엌 따위에서 서서 일하도록 한 방식. ¶～ 부엌.

입식[2]【立食】명 서서 먹음. 특히, 서양식 연회(宴會)에서 음식을 몇 개의 테이블 위에 늘어 놓고 손님들이 둘러서서 마음대로 집어 먹을 수 있도록 하는 일. ――-하다 타여불

입식[3]【立飾】명〖고고학〗솟은장식.

입식[4]【笠飾】명〖역〗융복(戎服)의 갓에 갖추는 치장. 「여불

입식[5]【粒食】명 곡물(穀物)을 먹음. 특히, 쌀밥을 먹음. ――-하다 자

입신[1]【入神】명 ①기술이 숙달하여 영묘(靈妙)한 지경에 달함. ¶～ 지경. ②바둑에서, 기력(棋力)의 단계를 나타내는 말의 하나. 신과 같은 경지(境地)에 이르렀다는 뜻으로 9단(段)을 이르는 말. *수졸(守拙). ――-하다 자여불 「――-하다 자여불

입신[2]【立身】명 사회에 나아가서 자기의 지위를 확고하게 세워 출세함.

입신 양명【立身揚名】[―냥―] 명 출세하여 자기의 이름을 세상에 들날림. ――-하다 자여불 「하다 자여불

입신 출세【立身出世】[―쎄] 명 입신하여 세상에 이름을 들날림. ――-

입실【入室】명 ①방에 들어감. ②어떤 기관이나 군대의 부속 의무실 같은 곳에 환자로 들어감. ③〖불교〗법사(法師)에게 승방의 허락을 받아 건당(建幢)하는 일. ④학문이나 기예(技藝)의 오의(奧義)를 터득함. ――-하다 자여불

입실란티 [Ypsilanti, Alexander] 명〖사람〗그리스 독립 운동의 지도자. 비밀 결사 헤타이리아 필리케(Hetairia Philike)의 영수로서, 1821년 오스만 투르크 제국의 내분을 이용하여 몰다비아·왈라키아에서 반란을 일으켰다가 실패하였으나, 이것이 그리스 독립의 계기가 됨. [1792-1828]

입실론 입자【υ 粒子】명〖물〗1976 년 미국의 레더먼(Lederman, L.)에 의해 발견된 보텀 쿼크(bottom quark)와 그 반입자(反粒子)로 구성된, 질량(質量) 9.46 GeV / c^2의 신입자(新粒子). 이 입자의 발견으로 5번째의 쿼크인 보텀 쿼크의 존재가 입증됨. *제이프사이(J / ψ) 입자.

입실상-곡【入實相曲】명〖악〗신라 때의 거문고의 명인 옥보고(玉寶高)가 지은 30곡 중의 하나.

입-심[1] 명 [←입힘] 기운차게 말하는 힘. ¶～이 좋다/～ 세다.

입심[2]【立心】명 작정하여 마음을 세움. ――-하다 자여불

입亽ᄒᆞ다 자〈옛〉입사(入絲)하다. ¶금실로 입亽ᄒᆞᆫ 亽견 바갓고(釘着金絲減鐵事件) ≪朴解 上 28≫. 「다.

입-싸다 형 신중하지 못하여 말을 참지 못하고 함부로 하다. 입이 가볍

입:-쌀[1] 명 멥쌀을 찹쌀이나 보리쌀 따위의 잡곡(雜穀) 쌀에 대하여 일컫는 말. 도미(稻米). 준 쌀.

입쌀[2] 명〈방〉입술(경기·강원).

입써리 명〈방〉입술(전남).

입쑬 명〈방〉입술(충청·전라·경남).

입쓸 명 ☞입술.

입-씨름 명 ①말을 잘하여 어떤 일을 성사시키는 일. ②말다툼. ¶결말 없는 ～. ――-하다 자여불

입-씻기다 타 자기에게 불리한 어떤 말을 못하도록 남 몰래 돈이나 물건을 주다.

입-씻김 명 돈이나 물건을 주어 입을 막는 일. ――-하다 자여불

입-씻다 자 ①입을 씻다. ②이문 같은 것을 혼자 쓱싹하거나 가로채고서 모르는 체 시치미떼다. ¶구문은 혼자 먹고 입씻어 버린다.

입-씻이 명 ①입씻김으로 주는 금품. ②입가심. ――-하다 자여불

입아괴 명〈옛〉입아귀. ¶입아괴 믄(吻) ≪字會 上 26≫.

입-아귀 명 입의 양쪽 구석. 구각(口角).

입아 아:입【入我我入】명〖불교〗부처와 아(我)가 일체가 되는 경지.

입-안[1] 명 입 안쪽의 빈 곳. 입속. 구강(口腔). 구내(口內). ¶～에 든 사탕.

입안[2]【入眼】명 ①〖불교〗성취(成就). 성공. ②의안(義眼)을 넣음. 또, 그 의안. ――-하다 자여불

입안[3]【立案】명 ①안(案)을 세움. ¶법률 ～/정책을 ～하다. ②〖역〗조선 시대에, 관아에서 주던 증명서로서 소송 판결, 토지·가사(家舍) 등의 매매(賣買) 증명, 인허(認許) 등 어떠한 사실을 인증한 서면. ――-하

입안-자【立案者】명 안(案)을 세우는 사람. ㄴ다 타여불

입암-가【立巖歌】명〖문〗박인로(朴仁老)가 지은 시조의 하나. 작자가 고향인 영천(永川) 도천리(道川里) 주위의 경물을 읊음. 29수.

입암-산【立巖山】명〖지〗황해도 곡산군(谷山郡) 동촌면(東村面)과 강원도 이천군(伊川郡) 산내면(山內面) 사이에 있는 산. 마식령(馬息嶺) 산맥 중에 솟아 있음. [1,107 m]

입약【立約】명 약속(約束)함. ――-하다 타여불

입양【入養】명 ①입후(入後). ②〖법〗양친(養親)과 양자(養子)로서의 친자 관계를 맺는 법률 행위. 친부모와 적출자간의 친자 관계와 같은 법률상 효과를 발생함.

입양 특례법【入養特例法】[―녜뻡] 명〖법〗보호 시설(保護施設)에서 보호를 받고 있는 자의 입양에 관한 사항을 규정한 특례법.

입어[1]【入御】명〖역〗임금이 편전(便殿)에 들어가 좌정(坐定)함. ――-하다 자여불

입어[2]【入漁】명 남의 어장 등 특정한 어장에 들어가 고기잡이를 함. ――-하다 자여불

입어-권【入漁權】[―꿘] 명〖법〗남의 공동 어업권 또는 특정한 구역에 속하는 어장(漁場) 내에 들어가서 어업을 영위하는 권리. 계약에 의한 물권(物權)임.

입어-료【入漁料】명 ①입어(入漁)할 때 그 어장의 어업권자에게 내는 요금. ②남의 나라의 어업 수역(漁業水域) 안에서 어선(漁船)이 조업(操業)할 때, 그 대상(代償)으로 내는 돈.

입언【立言】명 ①후세에 모범이 될 만한 의견을 세움. 교훈적인 말을 남김. ②의견을 세상에 발표함. 언명(言明). ③[statement]〖논〗논리학(論理學)에서 어떤 것을 주장한 글. 사고 활동(思考活動)의 출발점이 되는 최소의 단위(單位)임. 언명(言明).

입언 행사【立言行事】명 언론(言論)과 행위.

입역[1]【入役】명〖역〗노비(奴婢)의 자손이 나이 차거나 또는 적몰(籍沒)되어 노비의 신분으로 천역(賤役)의 일자리로 들어가는 일. ――-하다 자여불 「――-하다 자여불

입역[2]【入域】명 그 지역·수역(水域)에 들어감. ¶긴급 ～. ↔출역(出域).

입-열다 [―녈―] 자 이야기를 꺼내다. 말하다. ↔입다물다.

입-열반【入涅槃】[―녈―] 명〖불교〗열반에 듦. 곧, 불생 불멸의 법신(法身)이 되는 일. 입멸(入滅). ――-하다 자여불

입영[1]【入營】명 군인이 되어 군영(軍營)에 들어감. ¶～하는 장정. ↔제대(除隊). ――-하다 자여불

입영[2]【立泳】명 선헤엄. ↔좌영(坐泳).

입영[3]【笠纓】명 갓끈.

입영 명:령서【入營命令書】[―녕―] 명〖군〗징집 대상자에게 입영할 것을 명(命)하는 문서.

입옥【入獄】명 옥에 갇힘. 입감(入監). 입뢰(入牢). 하옥(下獄). ↔출옥(出獄). ――-하다 자여불

입-요기【―療飢】[―뇨―] 명 간단한 요기. ――-하다 자여불

입욕【入浴】명 목욕통에 들어감. 입탕(入湯). ――-하다 자여불

입웃거엄 명〈옛〉상악골(上顎骨). ¶上顎은 입웃거엄이라 ≪無冤錄 I : 30≫.

입원[1]【入院】명 환자가 병을 고치기 위하여 일정한 기간 동안 병원에 들어감. ¶～ 환자/～ 수속/～ 치료. ↔퇴원(退院). ――-하다 자여불

입원[2]【入園】명 유치원·동물원 등 '원(園)'이라는 이름이 붙은 곳에 들어감. ――-하다 자여불

입원[3]【立願】명 신불(神佛)에게 소원을 드림. ――-하다 자여불

입원-실【入院室】명 환자가 입원하여 치료를 받을 수 있게 시설해 놓은 방.

입음-꼴 명〖언〗'피동형(被動形)'의 풀어 쓴 이름. ↔하임꼴.

입음-움직씨 명〖언〗'피동사(被動詞)'의 풀어 쓴 이름.

입의【立議】[―/―이] 명 완의[1](完議).

입의-망【―網】명〈방〉부리망.

입이[1]【立異】명 이론(異論)을 세움. ――-하다 자여불

입이[2]【粒餌】명 낟알로 된 모이.

입입-이 명 여러 입마다 모조리. ¶～ 칭송이다 / ～ 고함치다.

입자[1]【笠子】명 갓[1]❶.

입자[2]【粒子】명 ①[particle]〖물〗물질을 구성하는 아주 미세(微細)한 알갱이. 소립자(素粒子)·원자(原子)·분자(分子)·콜로이드(colloid) 따

위. ↔ 반(反)입자. ②〔grain〕 사진에서, 현상·밀착 후에 사진 유제(乳劑) 속에 남아 있는 금속은(金屬銀)의 작은 알갱이. 이들이 모여 사진상(像)의 흑색부가 됨.

입자 가속기【粒子加速器】명〔particle accelerator〕〖전자〗 전자(電子)·양자·이온 따위를 원자적(原子的)으로 또는 원자 구성 입자를 전기적으로 가속하는 장치.

입자 검:출기【粒子檢出器】명〔particle detector〕〖원자〗 고속 원자(高速原子) 또는 핵입자(核粒子)의 존재를 나타내는 데 쓰이는 장치. 입자가 장치를 통과할 때에 입자에 의해서 생성(生成)되는 전기적 교란(攪亂)을 관측함. 방사선(放射線) 검출기.

입자 계:산법【粒子計算法】[―뻡] 명〔particle counting〕〖화〗 현미경이나 현미경 사진을 이용하여, 기지량(旣知量)의 고체 현탁액(懸濁液) 속의 입자의 수를 육안으로 세는 방법.

입자-량【粒子量】명〔particle weight〕〖물〗 분자량(分子量)과 같은 기준에 의하여 측정된 콜로이드 입자의 질량. 이 값은 보통 삼투압(滲透壓)·침강 속도(沈降速度)·확산(擴散)·빛의 산란(散亂) 등의 측정에 의하여 구해짐.

입자 방:출【粒子放出】명〔particle emission〕〖물〗 핵으로부터 광자(光子) 이외의 입자가 튀어 나오는 일. 감마 방출(γ 放出)과 대조됨.

입자 분석【粒子分析】명〔dispersoid analysis〕〖물〗 일반적으로 콜로이드 입자 또는 조대(粗大)한 입자들의 크기 및 그 분포 등을 알아 내는 일. 보통은 입자를 구형(球形)으로 가정하고 직경으로 크기를 나타냄. 그 크기와 종류에 따라 한외 여과(限外濾過)·침강 속도(速度) 및 광학적 방법·현미경 등을 써서 측정함.

입자-선【粒子線】명〔corpuscular beam〕〖물〗 이온(ion)·전자·중성자(中性子) 등의 미시적(微視的) 입자가 매우 좁은 간격으로 서로 충돌(衝突)하지 않고 일정한 방향으로 날 때의 선(線). 원자·분자·원자핵 등의 자기 모멘트(磁氣 moment) 등의 측정(測定)에 이용됨. 알파선(α線)·음극선(陰極線)·중성자선(中性子線) 따위.

입자 속도【粒子速度】명〔particle velocity〕〖물〗 매질(媒質)의 미소(微小) 부분이 움직이는 속도.

입자 자취【粒子―】명〔particle track〕〖물〗 하전(荷電) 입자가 통과한 길목 등에 나타나는 눈에 보이는 현상(現象). 거품 상자에서 거품의 줄, 안개 상자의 물방울의 열(列), 방전(放電) 상자에서의 방전의 열 또는 감광 유제(感光乳劑)나 유리 속에서 일어나는 물질의 변화 따위.

입자 크기【粒子―】명〔particle size〕〖지질〗 암석 또는 퇴적물의 입자나 광물립(鑛物粒)의 전체의 크기. 체로 치든가 침하 속도(沈下速度)를 계산하든가 또는 현미경으로 면적을 확인해서 측정함.

입자 크기 분포【粒子―分布】명 ①〔particle-size distribution〕〖공〗 입상(粒狀) 또는 분말체의 입자 크기의 대소에 따라 개수(個數)나 중량의 단위로 분류(分類)한 것의 백분율(百分率). ②〔drop-size distribution〕〖기상〗 구름이 강우(降雨)의 특징을 나타내는 물방울의 크기의 빈도 분포(頻度分布).

입자 특성【粒子特性】명〔particle properties〕〖물〗 소립자(素粒子)의 운동을 특징 짓는 각종 특성. 곧, 질량(質量)·하전(荷電)·바리온수(baryon 數)·스핀(spin)·패리티(parity)·하이퍼차지(hypercharge)·아이소스핀(isospin) 따위.

입-잔【―盞】명 작은 술잔. ¶주모가 발딱 몸을 제껴 일어나더니 ~에 다 안다미로 탁배기를 따라 부었다《金周榮 : 客主》.

입장¹【入丈】명 장가듦. ──-하다 자여불

입장²【入場】명 장내(場內)로 들어감. 또, 들어옴. ¶~ 무료(無料). ──-하다 자여불

입장³【入葬】명 장사를 지냄. ──-하다 타여불

입장⁴【立場】명 〔←일 たちば〕 처지.

입장-객【入場客】명 입장한 손님.

입장-권【入場券】[―꿘] 명 입장할 때 필요로 하는 표. 입장표. *종람권(縱覽券).

입-장단【―長短】명 춤을 출 때에 입속말로 맞추는 장단. ¶~에 놀아나다.

입장-료【入場料】[―뇨] 명 입장권의 요금. 곧, 입장하기 위하여 내는 요금.

입장-세【入場稅】[―쎄] 명〖법〗 극장·운동 경기장·경마장·당구장·골프장·사교 댄스장 등 주로 오락 장소에 입장하는 사람에게 부과하는 국세. 소비세의 일종. 1977년 부가 가치세법의 시행에 따라 폐지됨.

입장-식【入場式】명 운동 경기장 같은 곳에 선수들이 정식 입장할 때에 하는 의식.

입장-표【入場票】명 입장권(入場券).

입재【入齋】명 ①제사 전날에 재계(齋戒)하는 일. ②〖불교〗 재를 시작하는 일. ──-하다 자여불

입저니 명 〈방〉 입술(함북).

입적¹【入寂】명〖불교〗 중이 죽음. 멸도(滅度). 열반(涅槃). 입멸(入滅). 귀적(歸寂). ──-하다 자여불

입적²【入籍】명 호적에 올림. ──-하다 타여불

입전¹ 명 〈방〉 입술(함경).

입전²【入電】명 외국 등에서 전화·전신·전보 등이 들어옴. 또, 그 전화·전신·전보. 내전(來電). ──-하다 자여불

입전³【立廛】명〖역〗 선전(縇廛).

입절【立節】명 한평생 절개를 굽히지 아니함. ──-하다 자여불

입정¹ 명 음식을 먹거나 말을 하기 위하여 놀리는 입. 입버릇. 입노릇.
입정(을) 놀리다 구 ㉠쉬지 아니하고 계속해서 군것질을 하다. ㉡입버릇 사납게 말하다. ¶이년, 뉘게다 자발없는 입정을 놀리느냐? 《金周榮 : 客主》.
입정(이) 사:납다 구 입버릇이 점잖지 못하다. 음식을 탐식하다.

입정²【入廷】명 재판을 받으려고 법정에 들어감 또는 들어옴. ↔퇴정(退廷). ──-하다 자여불

입정³【入定】명〖불교〗 ①선정(禪定)에 들어감. 마음을 집중하여 무아(無我)의 경지에 들어감. ↔출정(出定). ②수행(修行)하기 위하여 방 안에 들어감. ③중이 죽음. ──-하다 자여불

입정⁴【入亭】명 ①요정(料亭)에 들어감. ②정자(亭子)에 들어감. ──-하다 자여불

입정⁵【入靜】명 도가(道家)가 방에 가만히 있어 무사 무려(無思無慮)의 경지에 드는 일. ──-하다 자여불

입정⁶【立庭】명〖역〗 ①의정 대신(議政大臣)이 아랫벼슬아치를 뜰 아래에 세워 두는 경한 벌(罰). ②승지(承旨)가 사알(司謁)을 뜰 아래에 세워 두는 벌.

입정-미【入鼎米】명 아주먹이.

입정 삼매【入定三昧】명〖불교〗 마음을 통일하여 어지럽히지 아니함. 선정(禪定)에 들어감. 또, 그 선정(禪定)의 법미(法味)에 잠김.

입제【入題】명〖역〗 과거(科擧)의 시(詩)의 첫째 또는 부(賦)의 넷째 구(句).

입조¹【入朝】명 ①벼슬아치가 조회에 들어감. ②외국 사신이 조정에 참렬함. ──-하다 자여불

입조²【立朝】명 벼슬에 오름. ──-하다 자여불

입-종성【入終聲】명〖언〗 한자(漢字) 음운학(音韻學)에 있어서, 입성(入聲)으로 이루어진 종성(終聲).

입주¹【入住】명 개간·수복한 땅 또는 새로 지은 집 따위에 들어가 삶. ¶~금(金)/~식(式). ──-하다 자여불

입주²【立柱】명 집을 지을 때 기둥을 세움. ──-하다 자여불

입주³【立奏】명〖악〗 서서 연주함. ──-하다 자여불

입주⁴【立酒】명 선술¹. ¶~라도 한 잔 하세.

입주-금【入住金】명 입주하는 데에 드는 돈.

입-주디이 명 〈방〉 입·입버릇(경상·함경).

입주룸 타 〈옛〉 읊조림. '입주리다'의 명사형. ¶글 입주료몬 事務ㅣ 그촌 저긔 잇도다(諷詠在務屛)《杜諺 XXV:42》.

입주리다 타 〈옛〉 읊조리다. ¶물곤 ᄀᆞ숤 귓돌와미 입주릴 저글 디내디 말라(莫度淸秋吟蟋蟀)《初杜諺 XXIII:10》/病ᄒᆞ야 입주리는 안해 그를 지ᄉᆞ니(作詩呻吟內)《杜諺 XXV:35》/이베 비록 입주리나 ᄆᆞᅀᆞ매 슬노라(口雖吟咏心中哀)《杜諺 XII:22》.

입주 상:량【立柱上樑】[―냥] 명 기둥을 세우고 마룻대를 올림. ──-하다 자여불

입주-식【入住式】명 입주할 때에 올리는 의식.

입죽【立竹】명〖악〗 해금(奚琴) 줄을 얹는 손잡이. 오반죽(烏斑竹)으로 만듦.

입-줄 명 이러쿵저러쿵 남의 말을 하는 사람의 입을 속되게 이르는 말. ¶~에 오르내리다.

입줄기 명 〈방〉 입술(함경).

입중【入衆】명〖불교〗 ①사가(師家)와의 문답(問答)을 끝내고 대중(大衆)의 자리에 되돌아감. 입진(入陣). ②득도(得度)한 중이 처음으로 안거(安居)에 나와 대중 속에 들어감.

입즉【立卽】부 곧. 즉시. 입각(立刻).

입즉 착래【立卽捉來】[―내] 명 입각 착래(立刻捉來). ──-하다 타여불

입증【立證】명 ①증거를 제시하고 정당성을 증명함. 거증(擧證). ②논증(論證). ──-하다 타여불

입증 사:항【立證事項】명〖법〗 사실의 존부(存否)를 확정하기 위하여 증거 제출을 필요로 하는 사항.

입증 책임【立證責任】명〖법〗 거증 책임(擧證責任).

입지¹【立地】명 ①산업·공업 등을 경영하기에 주위의 자연적(自然的)·사회적 조건(社會的條件)이 알맞은 자리를 정함. *산업 입지(産業立地)·공업 입지(工業立地). ②농학(農學)·생태학(生態學) 등에서, 식물이 자라는 일정한 장소의 환경. ③입장. 입각지(立脚地).

입지²【立旨】명〖역〗 신청서 끝에 부기(附記)하는 관부(官府)의 증명.

입지³【立志】명 뜻을 세움. ──-하다 자여불

입지-론【立地論】명〔location theory〕〖지〗 입지(立地)에 관한 환경(環境) 조건을 구명(究明)하는 이론.

입-지름 명 대접·접시 등의 아가리의 지름. 구경(口徑).

입지 원단위【立地原單位】명〖공〗 원단위의 하나. 생산에 꼭 필요한 공장의 적정(適正) 부지를 수치로 나타낸 것.

입지-적【立地的】명관 자연 환경(自然環境)·위치 등의 여러 가지 조건에 관계되는 모양.

입지적 조건【立地的條件】[―껀] 명 입지 조건(立地條件).

입지-전【立志傳】명 뜻을 세워 고난을 잘 참아, 노력 정진(精進)하여 목적을 달성한 사람의 전기. ¶~적(的)인 인물.

입지 조건【立地條件】[―껀] 명 구비(具備) 조건으로서의 입지의 비중(比重). 입지적 조건.

입직【入直】명 번드는 일. 숙직하는 일. 입번(入番). ──-하다 자여불

입진¹【入津】명 배가 나루에 들어옴. ──-하다 자여불

입진²【入陣】명 ①진영(陣營)에 들어감. 진지(陣地)·성채에 들어감. ②〖불교〗 입중(入衆).

입진³【入診】명 임금을 진찰하러 들어감. ──-하다 타여불

입진-성【入鎭姓】명〖역〗 성씨(姓氏) 종류의 하나. 조선 시대 초기에, 사군(四郡)·육진(六鎭)의 개척 후, 사민 정책(徙民政策)에 의해 새로 북계 지방(北界地方)에 들어간 사람들의 성씨. *백성성(百姓姓).

입질¹ 명 낚시질할 때 고기가 낚싯밥을 건드리는 일. 낚시찌가 까딱까딱하므로 쉽게 알 수 있음. ──-하다 자여불

입질²【入質】명 ①차금(借金)의 저당으로 물품을 맡기는 일. ②〖법〗 질권(質權) 설정 계약을 하는 일을 질권 설정자측에서 보아 질물(質物)의 입질(入質)이라 함. 질입(質入). ¶~ 배서(背書). ──-하다 타여불

입질 배:서【入質背書】명〖법〗 질권 설정(質權設定)의 목적으로 지시 증권(指示證券)이나 입질 증권(入質證券)에 그 취지를 기재(記載)하는

배서(背書).

입질 증권【入質證券】〔—꿘〕 명 〖법〗 창고(倉庫) 증권의 하나. 임치자(任置者)의 청구에 의하여 예증권(預證券)에 첨부해서 발행되며, 임치물 위에 질권(質權)을 설정하기 위하여 쓰이는 것.

입-짓 명 뜻을 전하기 위해 입을 움직이는 동작. ¶ ~·발짓·손짓으로 의사를 통하다. ——-하다 자여불

입-짧다 〔—짤따〕 형 음식을 적게 먹거나 편식(偏食)을 하는 습관이 있다. ¶입이 짧아 살이 안 찐다.

입-차다 자 말로 자랑하다. 장담하다.

입찬-말 명 입찬 소리.

[입찬말은 묘 앞에 가서 하여라] 장담은 죽고 나서야 하라 함이니, 쓸데없는 장담은 하지 말라는 말.

입찬 소리 명 자기의 지위나 능력을 믿고 장담하는 소리. 입찬말.

입찰【入札】 명 〖경〗 매매·청부 등의 계약 체결에 관하여, 제일 유리한 내용을 표시한 사람과 계약을 할 조건으로 다수의 희망자에게 각자의 견적(見積) 가격을 기입하여 제출하게 하는 일. 또, 희망자가 제출하는 일. ¶ 공개 ~/ ~에 응하다. ——-하다 타여불

입찰-가【入札價】〔—까〕 명 입찰 가격.

입찰 가격【入札價格】〔—까—〕 명 입찰할 때, 입찰자가 써 넣은 견적(見積) 가격. 입찰액.

입찰 공고【入札公告】 명 입찰시킬 목적으로 입찰일·입찰 시행 장소 등의 내용을 신문 지상 등에 발표하는 공고.

입찰 기일【入札期日】 명 입찰하기로 정한 기일. 입찰일.

입찰 보증금【入札保證金】 명 입찰할 때 매도인(賣渡人) 또는 매입(買入)의 상대편에 대하여 납부하는 보증금.

입찰-서【入札書】 명 입찰자가 그 견적(見積) 가격을 기입한 문서(文書).

입찰-액【入札額】 명 입찰 가격.

입찰-인【入札人】 명 입찰자.

입찰-일【入札日】 명 입찰 기일.

입찰-자【入札者】〔—짜〕 명 입찰한 사람. 입찰인.

입참【入參】 명 〖역〗 궁중의 축하 또는 제례(祭禮)에 참렬(參列)하는 일. ——-하다 자여불

입창[1]【入倉】 명 ①물건이나 곡식 등을 창고에 넣음. ②〖군〗 영창(營倉)에 들어감. ——-하다 자타여불

입창[2]【立唱】 명 선소리[1]. ↔좌창(坐唱).

입창-머리 명 〈방〉 입버릇(평안).

입천 명 〈방〉 입술(함경).

입-천장【—天—】 명 〖생〗 '구개(口蓋)'의 풀어 쓴 이름.

입천장-뼈【—天—】 명 〖생〗 '구개골(口蓋骨)'의 풀어 쓴 이름.

입천장-소리【—天—】 명 〖언〗 '구개음(口蓋音)'의 풀어 쓴 이름.

입천장소리-되기【—天—】 명 〖언〗 '구개음화(口蓋音化)'의 풀어 쓴 이름.

입철[1]【入徹】 명 등철(登徹). ——-하다 타여불

입철[2]【粒鐵】 명 〖광〗 철광석을 로터리 킬른(rotary kiln) 등으로 저온 환원(低溫還元)했을 때 반용융(半鎔融) 상태의 철이 접착(接着)하여 된 지름 15-50 mm 되는 입상(粒狀)의 철. 제강(製鋼) 원료로 이용함.

입첨【笠檐】 명 갓양태.

입체[1]【立替】 명 뒤에 상환(償還)받을 목적으로 금전·재물 등을 대신 지급하는 일. 법률 용어로는 '체당(替當)'. ——-하다 타여불

입체[2]【立體】 명 〔solid〕 〖수〗 물체(物體)의 위치·형상·크기만으로 얻어지는 개념(槪念). 즉 일정한 위치에 있어서 길이·넓이·두께의 삼차원(三次元)으로 된 공간(空間)의 한정된 부분.

입체-각【立體角】 명 〔solid angle〕 〖수〗 ①평면각(平面角)에 대하여 입체적으로 생각한 각. 곧, 한 평면상에 포함되지 아니하는 이면각(二面角)·다면각(多面角)·우각(隅角) 등. ②공간(空間)의 한 점을 꼭지점으로 하는 원뿔면에 의하여 한정(限定)된 공간의 부분을 넓혀 생긴 곳의 각. 그 점을 중심(中心)으로 하여, 단위(單位) 길이를 반지름으로 하는 구면상(球面上)의 원뿔면에 의하여 잘라 낸 부분의 면적으로 측정(測定)함. 우각(隅角).

입체-감【立體感】 명 위치와 넓이와 길이 및 두께를 가지고 있는 입체 물건의 느낌. 입체를 보는 것과 같은 감. ↔평면감(平面感).

입체-경【立體鏡】 명 〖물〗 실체경.

입체 교차【立體交叉】 명 〖토〗 도로와 도로 또는 도로와 철도가 입체적으로 교차되게 하는 방식. 곧, 교통의 원활과 안전을 도모하여 교차하는 두 도로를 평면상에 있지 않게 한쪽을 육교(陸橋) 또는 지하도로 하는 방식. ↔평면 교차(平面交叉).

입체 교차로【立體交叉路】 명 도로·철도의 교차점(交叉點)을 입체적으로 한 도로.

입체 구조식【立體構造式】 명 〖화〗 입체 이성체의 입체 배치를 나타내는 화학식.

입체 규칙성 고무【立體規則性—】〔프 gomme〕 명 〖화〗 분자 구조(分子構造)가 입체적·규칙적으로 배열되어 있는 고무. 합성 천연(合成天然) 고무·폴리부타디엔(polybutadiene) 등에서 볼 수 있음. 매우 탄성(彈性)이 높고, 내한(耐寒)·내열(耐熱)·내마모성(耐摩耗性)이 뛰어남. 스테레오 합성 고무.

입체 규칙성 중합【立體規則性重合】 명 〔stereospecific polymerization〕 〖화〗 입체 규칙성 중합체를 만들기 위한 단량체(單量體) 분자의 촉매(觸媒) 중합.

입체 규칙성 중합체【立體規則性重合體】 명 〔stereospecific polymer〕 〖화〗 아이소택 폴리프로필렌(isotac polypropylene)과 같이 입체 분자 배치가 규칙적인 중합체. 분자가 균일하게 충만되어 있기 때문에, 고도의 결정성(結晶性)을 가짐.

입체 기하학【立體幾何學】 명 〔solid geometry〕 〖수〗 공간에 있는 점·직선·각·곡선·평면·곡면(曲面)·입체 또는 그들의 집합(集合)으로 된 도형(圖形)을 연구하는 기하학. 공간 기하학.

입체 낭:독【立體朗讀】 명 소설 등을 낭독할 때, 대화(對話) 장면 같은 데서 여자의 말은 여자가 읽고 남자의 말은 남자가 읽으면서, 또한 효과(效果)나 음악 같은 것도 넣어, 청취자로 하여금 실감(實感)을 느끼게 하는 낭독.

입체 녹음【立體錄音】 명 스테레오(stereo) 녹음. ——-하다 타여불

입체 농업【立體農業】 명 종래의 농경(農耕) 조직에 양축(養畜)·농산물 가공 등을 결합하여 종합적으로 하는 농업.

입체 도안【立體圖案】 명 입체감이 나도록 그린 도안.

입체도-학【立體圖學】 명 화법(畫法) 기하학.

입체 도형【立體圖形】 명 〖수〗 한 평면 위에 있지 않고 삼차원(三次元)의 공간에 넓이를 가진 여러 가지의 도형. 공간 도형(空間圖形).

입체 레코:드【立體—】〔record〕 명 좌우편의 음(音)을 한 줄에 수록하여 픽업(pick-up)에서 좌우의 음을 내도록 입체감을 준 엘피 레코드의 하나. 두 개의 스피커로 재생함. 스테레오 레코드.

입체 링크 장치【立體—裝置】〔link〕 명 공간 링크 장치.

입체-미【立體美】 명 조각·건축·공예 등 입체의 형상(形象)으로 표현된 미.

입체 방:송【立體放送】 명 하나의 프로를 주파수(周波數)가 다른 둘 이상의 방송 회로(回路)에 의해서 하는 방송. 듣는 사람은 두 수신기를 준비하여 각각 다른 주파수의 방송을 수신하고 두 수신기를 저변(底邊)으로 하는 정삼각형의 정점(頂點) 가까이에서 들으면 입체 음감(音感)이 남. 스테레오 방송.

입체 사영【立體射影】 명 〔stereographic projection〕 〖수〗 구(球)의 임의의 한 직경을 N, S라 하고, 한쪽 N과 구면상(球面上)의 임의의 점 Q와를 연결 연장하여, 직경의 다른 쪽 끝인 S에서 이 구(球)에 접하는 평면과 만나는 점을 P라고 할 때, Q→P를 생각하면 구면상의 N을 제외한 모든 점과 평면 상의 모든 점 사이에 일대일(一對一)의 대응(對應)이 생기는 일. 극(極)사영.

입체 사진【立體寫眞】 명 ①같은 물건을 촬영한, 시차(視差)를 달리하는 두 장의 사진을 실체경(實體鏡)으로 들여다 볼 때 입체적으로 보이는 것. 입체시(立體視) 사진. 스테레오 사진. 실체 사진. ②실루엣법(法)의 촬영법을 응용하여 기계적으로 만든 동상(銅像) 제작용 입체상(立體像)의 원형. 피사체(被寫體)의 둘레를 약 450개로 갈라, 여러 실루엣 사진을 만들어 이것을 아연판(亞鉛板)에 붙여 자르고 다시 맞추어 입체상의 원형을 만듦.

입체-상【立體像】 명 〔stereoscopic model〕 사진을 입체경(立體鏡)으로 보았을 때에, 삼차원적(三次元的)으로 부상(浮上)해 보이는 구역이나 물체의 상(像).

입체-시【立體視】 명 〔stereoscopy〕 〖물〗 물체의 원근(遠近)은 두 눈으로 본 상(像)이 조금 틀림으로써 판단할 수 있다는 것을 이용하여, 두 눈에 상당하는 위치에서 같은 물체를 촬영하여 이것을 좌우(左右)의 눈으로 각각 보아 입체적인 상으로 보이게 한 현상.

입체시 사진【立體視寫眞】 명 〖물〗 입체 사진(立體寫眞).

입체 영화【立體映畫】 명 〖연〗 화면(畫面)이 입체감을 갖는 영화. 스테레오식과 시네라마식으로 대별(大別)하며, 전자(前者)는 시차(視差)를 이용해서 두 개의 화상을 융합하여 입체감을 내며, 후자는 시야 각도(視野角度)에 가까운 화상을 볼 때 삼차원적(三次元的)인 착각(錯覺)을 이용한 것임. 전부 세 대(臺)의 촬영기로 촬영한 세 개의 화상을 세 개의 영사기로 요각 스크린(凹角screen)에 영사하며, 편광(偏光) 안경을 쓰고 봄. 삼디(3D) 영화.

입체-음【立體音】 명 입체 음향.

입체 음악【立體音樂】 명 〖악〗 두 개 이상의 스피커를 배치하여, 실제의 연주처럼 입체적으로 재생한 음악.

입체 음향【立體音響】 명 양쪽 귀의 기능을 살리는 입장에서, 원음장(原音場)의 파면 구성(波面構成)까지도 충실히 재생하여, 음원(音源)의 방향감이나 거리감을 재생한 음향. 입체음. 스테레오포닉 사운드(stereophonic sound).

입체 음향 재:생【立體音響再生】 명 대형(大型) 영화에서, 음성이 나오는 위치와 화면을 일치시켜 그 방향이나 원근(遠近)·이동(移動)의 입체적 효과로 현실감(現實感)·임장감(臨場感)을 살리는 일. 스크린의 중앙과 양쪽 및 그 중간의 다섯 군데와 객석(客席)의 측면(側面)이나 배후(背後)에 스피커(speaker)를 배치하고, 필름 이면(裏面)에 두 줄, 화상(畫像)과 톱니 구멍 사이에 한 줄씩의 자기 녹음(磁氣錄音) 트랙(track)을 마련하여, 각각 스크린부(部)와 객석 쪽의 스피커에 배분시켜서 스테레오 음향을 냄.

입체 이:성【立體異性】 명 〖화〗 구조식은 같고 원자 또는 원자단(團)의 공간적 배치만 다른 이성(異性) 현상. 광학(光學) 이성·기하(幾何) 이성의 두 가지가 있음. ↔구조(構造) 이성.

입체 이:성질체【立體異性質體】 명 〔stereoisomers〕 〖화〗 입체 이성을 가지는 화합물(化合物).

입체 인쇄【立體印刷】 명 평면상의 화상(畫像)이 입체적으로 보이게 한 인쇄. 시차(視差)가 있는 두 장의 화상을, 한 평면상에 0.5 mm 내외의 피치(pitch)로 서로 어긋매껴 인쇄하여, 두께 1 mm, 피치 0.5 mm 정도의 반달형 볼록 렌즈가 줄지어 있는 플라스틱제 렌티큘러(lenticular) 스크린을 통해서 봄. 디스플레이(display)·카탈로그·화장 도구 상자 등에 이용함.

입체 인식 불능증【立體認識不能症】〔—릉쯩〕 명 〔astereognosis〕 〖의〗 촉각에 의한 물체 인식의 불능 상태. 단, 시각이나 기타 감각에 의한 인식은 가능함.

입체 인지【立體認知】 명 〖심〗 시각(視覺)에 의하지 않고도 피부나 점막의 촉각이나 손·혀·입술 등을 움직여서, 그 감각으로 물체의 형상·요

철(凹凸)·예둔(銳鈍)·온랭(溫冷)·경연(硬軟) 등을 종합적으로 인지하는 일. *촉공간(觸空間).

입체 장애【立體障礙】명〖화〗위치 장애(位置障礙).

입체-적【立體的】명관 ①표면적일 뿐만 아니라 깊이·두께 등이 있어 입체감을 주는 모양. ②사물을 여러 각도에서 종합적으로 포착(捕捉)하는 모양. ¶～ 파악(把握). ↔평면적.

입체-전【立體戰】명 육·해군에 공군력까지 합해 삼차원적(三次元的)으로 싸우는 현대의 전쟁.

입체-주의【立體主義】[—/—이] 명〖미술〗입체파(立體派).

입체 주:차장【立體駐車場】명 자동차를 입체적으로 주차시키는 설비. 엘리베이터로 올리고 내리는 식, 나선형으로 올리고 내리는 식 등이 있음.

입체 지도【立體地圖】명〖지〗산·들·강 등 실제의 지형(地形)을 임의로 축소, 특수 피 브이 시(PVC) 재료로 성형(成形)하여 만든 지도.

입체-창【立體唱】명〖악〗배역(配役)대로 나와서 창(唱)하는 판소리 공연 형태. 창극(唱劇)의 기원이 됨.

입체 카메라【立體—】명〔stereoscopic camera〕〖광학〗입체시(立體視) 사진을 찍는 카메라. 몇 인치 떨어진 두 개의 똑같은 렌즈로 동시에 촬영(撮影)함.

입체-파【立體派】명〖미술〗물체의 본질이나 실체(實體)의 도상(圖像)을 이성(理性)으로 파악할 것을 주장하고, 물체의 모양을 분석하여 그 구조를 기하학적으로, 점과 선으로 구성하여 표현하려는 화가의 한 파. 20세기 초(初)에 프랑스에서 일어났음. 피카소·브라크(Braque, G.) 등이 그 대표자임. 입체주의. 큐비즘.

입체 해:석 기하학【立體解析幾何學】명〖수〗좌표를 사용하고, 공간 도형(圖形)을 계산에 의하여 연구하는 기하학.

입체 현:미경 사진법【立體顯微鏡寫眞法】[—뻡] 명〔stereomicrography〕〖광학〗서로 다른 각도에서 같은 시야의 현미경 사진을 두 장 찍어, 이것을 입체경으로 관찰하는 방법.

입체 화:법【立體畫法】[—뻡] 명〖수〗각종의 입체 도형을 평면상에 될 수 있는 한 정밀하게 나타내고자 하는 기법(技法). 투영(投影) 화법·투시(透視) 화법 등.

입체 화:상 범:위【立體畫像範圍】명〔stereographic coverage〕항공사진에서, 각 사진의 일부가 겹치도록 고려한 사진 촬영 범위. 통상, 60%의 오버랩을 취하며, 53%를 그 하한선(下限線)으로 봄.

입체 화학【立體化學】명〔stereochemistry〕〖화〗분자 내의 원자 또는 원자단(原子團)의 배치를 입체적(立體的)·공간적(空間的)으로 생각하여, 주로 입체 이성에 관한 모든 문제를 연구하는 화학의 한 부문.

입체 환:지【立體換地】명 상하(上下) 공간에서의 토지 교환을 이름. 토지 구획 정리에 있어서 정리 후의 구획지가 과소(過小)하게 되지 않도록 하기 위해, 소유권 또는 차지권(借地權)의 목적이 되는 택지(宅地) 대신에 건축물의 일부 및 그 건축물의 부지(敷地)의 공유 지분(共有持分)을 주는 일.

입체 회로【立體回路】명 마이크로웨이브의 전송에 쓰이는 회로. 파장이 극히 짧은 전파의 회로는 3차원의 회로 메커니즘을 가지기 때문에 이러한 이름이 붙음. 도파관(導波管)·동축(同軸) 케이블 등이 이에 상당함.

입체 효:과【立體效果】명 ①〔steric effect〕〖물·화〗반응 물질의 공간 배치가, 반응의 속도·성질·정도에 미치는 영향(影響). ②〔stereo effect〕마치 생음(生音)이 스테레오 마이크로폰 시스템에 도달했을 때와 같이, 개개(個個)의 음이 다른 방향에서 오는 것 같은 느낌을 받는 음의 재생 방법.

입초[1]【入超】명〖경〗↗수입 초과(輸入超過). ↔출초(出超).

입초[2]【立哨】명 초계(哨戒) 임무를 수행하기 위하여 보초를 섬. 또, 그 사람. 부동초(不動哨). ↔동초(動哨). ——-하다 자여불

입초(를) 서다 구 입초(立哨)하다.

입초수 명〈방〉입길.

입초시 명〈방〉입길.

입촌【入村】명 선수촌(選手村) 등에 들어감. ↔퇴촌(退村). ——-하다 자여불

입추[1]【立秋】명 24 절기의 열셋째. 대서(大暑)와 처서(處暑) 사이에 드는데 황경(黃經)이 135°인 때로, 양력 8월 8일경임. 24 절기에 따른 구분으로는 가을이 시작된다는 날.

입추[2]【立錐】명 송곳을 세움. ¶～의 여지가 없다. ——-하다 자여불

입추지-지【立錐之地】명 송곳 하나 세울 만한 땅이란 뜻으로, 매우 좁아 조금도 여유가 없음을 가리키는 말. 치추지지(置錐之地).

입축【入竺】명 천축국(天竺國), 곧 지금의 인도에 감. ——-하다 자여불

입춘【立春】명 24 절기의 첫째. 대한(大寒)과 우수(雨水) 사이에 드는데 황경(黃經)이 315°인 때로, 양력 2월 4일경임. 24 절기에 따른 구분으로는 봄이 시작된다는 날.

[입춘 거꾸로 붙였나] 입춘 뒤 날씨가 몹시 추워졌을 때 하는 말.

입춘 대:길(立春大吉) 구 입춘을 맞이하여 길운(吉運)을 기원(祈願)하는 글.

입춘 뒤에 눈:이 오면 흉년 구 입춘 뒤에 날씨가 불순하면 그 해 농사가 잘 안된다는 말.

입춘-굿【立春—】명〖민〗제주도(濟州島)에서 입춘(立春)날에 행하던 농경 의례(農耕儀禮)의 하나. 입춘 전날에 온 섬의 무당을 주사(州司)에 모아, 나무로 만든 소에 제사를 지내고, 이튿날 아침 호장(戶長)이 예장(禮裝)하여 나무 소에 쟁기를 갖추어 무악기(巫樂器)를 울리며 행렬(行列)하여 동헌(東軒)에 이른 다음, 농사 짓는 모습을 실연(實演)하고, 또, 무당이 여염집의 곳간에서 뽑아 온 볏단의 실부(實否)로 그 해의 풍흉(豐凶)을 점침. 「입춘축.

입춘-서【立春書】명 입춘에 벽이나 문짝 등에 써 붙이는 글. 춘방(春榜).

입춘 승회가【立春勝會歌】명〖문〗작자·제작 연대 미상의 가사. 사방으로 흩어져 살던 친지들이 모처럼 함께 모여 윷놀이를 하며 즐겁게 노니는데, 남자들이 흥을 깨버렸다는 내용.

입춘-축【立春祝】명〖민〗입춘서(書).

입-출【入出】명 수입과 지출. 수지(收支).

입출-고【入出庫】명 입고(入庫)와 출고(出庫)를 아울러 이르는 말.

입출고-임【入出庫賃】명 창고업자가 입고와 출고의 노무(勞務)의 보수로서 받는 수수료.

입출-금【入出金】명 수입되는 돈과 지출되는 돈.

입출력 장치【入出力裝置】명 컴퓨터의 구성 요소의 하나. 데이터를 넣기 위한 입력 장치 및 계산 결과를 방출(放出)하기 위한 출력 장치의 총칭.

입-춤【立—】명 보통 옷을 입고 둘이 마주 서서 추는 기생 춤의 한 가지.

입치【入齒】명 이를 해 넣음. *의치(義齒). ——-하다 자여불

입-치다꺼리 명〈속〉먹는 일을 뒷바라지하는 일. ¶벌어서 ～나 한다. ——-하다 자여불

입큰-바리 명〖고고학〗입지름이 바닥 지름보다 큰 바리. 광구완(廣口盌).

입-타령【—打令】명〖악〗노래에서 뜻없이 '나노리 나'하고 길게 부르는 사설. 일명 구음(口音)이라 하는데, 구음은 목소리로 악기의 선율과 같은 소리를 내는 것으로, 흔히 '나니노'하고 부름. 악기의 선율을 입타령으로 적는 것이 육보(肉譜).

입탕【入湯】명 입욕(入浴). ——-하다 자여불

입-태자【立太子】명 공식(公式)으로 태자(太子)를 정함. 입방(立坊). ——-하다 자여불 「——-하다 타여불

입파【入把】명〖역〗파발(把撥)에 말을 넣음. 파발에 말을 징용(徵用)함.

입팔 명〈방〉이파리(전라).

입퍼리 명〈방〉이파리(경상·강원).

입평【立坪】의명 흙·모래 등의 용적(容積)을 측정하는 단위. 즉, 여섯자 입방체(立方體)의 용적.

입표【立標】명 ①나무·돌·기(旗) 같은 것으로 표를 세움. 또, 그 세운 표. ②항로 표지의 하나. 암초·여울 등에 세우는 경계 표지. ——-하다 자여불

입품[1]【入品】명 물품을 들여옴. 또, 그 물품. ——-하다 자여불

입품[2]【入稟】명 임금에게 아룀. ——-하다 타여불

입필-기【入蹕旗】명〖역〗의장기(儀仗旗)의 하나. 기폭에 '入蹕'이라 썼음.

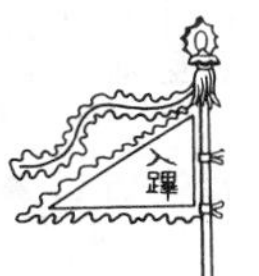

〈입필기〉

입하[1]【入荷】명 상점이나 시장(市場) 등에 물건이 들어옴. ↔출하(出荷). ——-하다 자여불

입하[2]【立夏】명 24 절기의 일곱째. 곡우(穀雨)와 소만(小滿) 사이에 있는데 황경(黃經)이 45°인 때로, 양력 5월 6일경임. 24 절기에 따른 구분으로는 여름이 시작된다는 날.

입-하늘 명〈방〉입천장.

입하-량【入荷量】명 들어온 물건의 수량(數量).

입하 책자【立下冊子】명 출납(出納)을 기입(記入)하는 장부.

입학【入學】명 학교에 들어가 학생이 됨. 입교(入校). ¶～ 시험. ——하다 자여불

입학-금【入學金】명 입학할 때 학교에 내는 돈.

입학-기【入學期】명 입학할 시기(時期). 「운 현상.

입학-난【入學難】명 지원자가 많아서 희망하는 학교에 들어가기 어려

입학 도설【入學圖說】명〖책〗초학자를 위해 만든 한국 최초의 도설. 고려 34대 공양왕 2년(1390)에 권근(權近)이 저술한 것으로, 주돈이(周敦頤)의 ≪태극 도설(太極圖說)≫을 본뜨고 주자(朱子)의 ≪중용 장구(中庸章句)≫를 참고하여 만듦. 천인 심성(天人心性)의 합일(合一)을 다룬 우리 나라 최초의 도설임.

입학-률【入學率】[—뉼] 명 입학자수(入學者數)의 응시자수(應試者數)에 대한 비(比). 또, 그 정도.

입학-생【入學生】명 입학하는 학생.

입학 시험【入學試驗】명 입학 지원자에게 보이는 시험. 준입시(入試).

입학-식【入學式】명 입학 때에 입학자(入學者)를 모아서 하는 의식(儀式). 입교식(入校式).

입학 원:서【入學願書】명 입학을 청원하는 원서.

입항【入港】명 배가 항구에 들어옴, 또는 들어감. 입선(入船). ↔출항. ——-하다 자여불

입항-료【入港料】[—뇨] 명 외국 선박이 입항할 때 징수하는 세금 및 기타의 요금(料金). 「하는 세금.

입항-세【入港稅】[—쎄] 명 외국 선박(外國船舶)이 입항할 때에 징수

입항 신고【入港申告】명 입항한 외국 무역선의 선장이, 선명(船名)·톤수·발선항(發船港) 등을 기입하여 세관에 신고하는 일. 또, 그 신고서.

입향 순속【入鄕循俗】명 다른 지방에 들어가서는 그 지방의 풍속을 좇음. ——-하다 자여불

입향-조【入鄕祖】명 어떤 고을에 맨 먼저 정착한 사람이나 조상.

입헌【立憲】명 헌법(憲法)을 제정(制定)함. ——-하다 자여불

입헌 공:화 정체【立憲共和政體】명〖정〗헌법을 제정하고, 그에 의거하여 공화 정치를 행하는 체제. 보통, 대통령을 선거에 의하여 선출함.

입헌-국【立憲國】명 입헌 정체(立憲政體)의 나라. 헌정국(憲政國).

입헌 군주국【立憲君主國】명〖정〗입헌 군주제의 국가.

입헌 군주 정체【立憲君主政體】명〖정〗입헌 군주제의 정체.

입헌 군주 정치【立憲君主政治】명〖정〗헌법에 의한 통치가 행하여지고, 의회를 통한 국민의 정치 참여를 인정하는 군주 정치.

입헌 군주제【立憲君主制】명〖정〗제한 군주제의 하나. 군주가 헌법 소정의 국한된 권능(權能)을 행사하는 정치 체제. 절대 군주(絶對君主)가 시민 계급의 대두(擡頭)와 타협한 결과 생겼음.

입헌 민주당【立憲民主黨】명〖정〗제정 러시아의 입헌 군주주의자의 정당. 밀류코프(Milyukov, P.N.; 1859-1943) 등을 중심으로 1905년에 결성(結成)됨. 같은 해의 혁명 후에는 야당 세력의 중심이었음. 1917년 2월 혁명 후의 임시 정부에서는 주도적 존재였으나, 10월 혁명으로 붕괴되었으며, 내전(內戰) 중에는 반(反)혁명측에 섬. 당원을 카데트(Kadet)라고 하였음. 「정치를 행하는 체제.

입헌 민주 정체【立憲民主政體】명〖정〗헌법을 제정하고 국민 주권의

입헌 왕국【立憲王國】명 입헌 군주국(立憲君主國).

입헌-적【立憲的】명관 헌법 정신에 들어맞는 모양.

입헌 정체【立憲政體】명 [constitutional government]〖정〗헌법을 제정(制定)하여 통치권을 행사함에 있어, 입법·행정·사법의 삼권(三權)을 분립시켜, 일반 국민을 국정(國政), 특히 입법(立法)에 참여하게 하는 정체. 군주제와 공화제(共和制)가 있음. ↔전제 정체(專制政體).

입헌 정치【立憲政治】명〖정〗삼권 분립(三權分立)의 원칙을 인정하는 헌법에 의하여 하는 정치. 곧, 입헌 정체의 정치. 정치 권력(政治權力)의 무제한(無制限)한 행사를 억제(抑制)하고, 개인(個人)의 인권(人權)이나 자유(自由)를 지킴을 목적으로 함. 영국의 경우가 전형(典型)으로 꼽힘. 헌정(憲政). ↔전제 정치(專制政治).

입헌-제【立憲制】명 입헌 정치(立憲政治)의 제도(制度).

입헌 제:도【立憲制度】명 헌법(憲法)을 제정(制定)하여, 그에 따라 나라의 정치를 해 가는 제도.

입헌-주의【立憲主義】[-/-이] 명〖정〗입헌 정체의 가치를 긍정하고, 이것의 성장·실현을 꾀하는 주의.

입헌주의 국가【立憲主義國家】[-/-이-] 명 근대 이후 헌법을 제정하여, 그 헌법에 따라 운영하는 국가. 민주 정치 국가·법치 국가는 모두 입헌주의 국가에 속함.

입현【入見】명 조정(朝廷)에 나아가 임금을 뵘. ——-하다 자여불

입형 동기【笠形銅器】명〖고고학〗'멍에투겁'의 구용어.

입호 제:도【入戶制度】명 자연 촌락에서 경지·임야·어장 등을 공동의 벌이터로 이용하는 관행에 따라 마을의 기본 구성원이 되는 것을 입호라 하고, 입호에 따른 관습 상의 권리를 입호권이라 함.

입화-면【立畫面】명〖수〗정투영(正投影)의 직교(直交)하는 두 화면 중에서 연직(鉛直)의 화면. 곧, 물체를 정면(正面)에서 보았을 때의 모양을 그리는 화면(畫面). 직립면(直立面). ↔평화면(平畫面)·측화면(側畫面). 「다 자여불

입회[1]【入會】명 회에 가입하여 회원(會員)이 됨. ↔탈회(脫會). ——-하

입회[2]【立會】명 ①현장(現場)에 나가 지켜 봄. 참여. ¶증인으로 ~하다. ②거래소에서, 거래원 또 그 대리인이 일정 시간에 거래소 안에 모여 매매 거래를 맺는 일. ——-하다 자여불

입회 관리【立會官吏】[-괄-] 명 직무상 특정 사실이 발생 또는 존재하는 장소에 입회하는 관리.

입회-권【入會權】[-꿘] 명〖법〗일정한 지역에서 사는 주민(住民)이 그 지방의 관례나 법규에 의하여, 일정한 산림·원야(原野)·늪·못 등에서 공동으로 수익(收益)할 수 있는 권리.

입회-금【入會金】명 입회할 때에 내는 돈.

입회 어업【入會漁業】명〖법〗한 지역의 주민이 일정한 어장(漁場)에서 공동의 수익(收益)을 목적으로 행하는 어업.

입회-인【立會人】명 뒷날의 증인으로 삼기 위하여 어떤 사실이 발생 또는 존재하는 곳에 입회하는 사람. 안동(眼同).

입회-장【立會場】명 증권 거래소에서 입회를 하는 장소.

입회 재판【立會裁判】명 어떤 특정인의 입회하에 여는 재판.

입회 정지【立會停止】명 증권 거래소에서, 격심한 시세(時勢)의 상하 변동으로 온당하지 못한 매매(賣買)가 행하여질 우려가 있을 때, 질서 유지를 위해 입회를 정지시키는 일.

입회 증인【立會證人】명〖법〗참여 증인(參與證人).

입회-지【入會地】명〖법〗한 지역의 주민의 입회권을 인정한 산야(山野)·어장(漁場) 등의 지역.

입후[1]【入后】명 왕후를 들임. 또, 황후로 들어감. ——-하다 자타여불

입후[2]【入後】명 양자(養子)를 들임. 또, 양자로 들어감. 입양(入養). ——

입후[3]【立后】명 황후를 책립함. ——-하다 타여불 ㄴ하다 자타여불

입후[4]【立後】명 양자를 세움. 입사(立嗣). ——-하다 타여불

입-후보【立候補】명 후보자(候補者)로 나서거나 또는 내세움. 특히, 선거(選擧)에 있어서, 피선거권(被選擧權)을 가지는 사람이 의원(議員) 등의 후보자로서 등록(登錄)하는 일. ——-하다 자타여불

입후보-자【立候補者】명 입후보한 사람. 「선출하는 제도.

입후보-제【立候補制】명 어떤 사람을 선출할 때 입후보한 사람 중에서

입후 성문【入後成文】명 양자를 세울 때에 작성하는 문서.

입히다 타 ①입게 하다. ¶옷을 ~/상처를 ~/손해를 ~. ②옷을 입게 해 주다. ¶아이에게 외투를 ~. ③의생활(衣生活)을 시켜 주다. ¶먹이고 ~. ④물건의 거죽에 무엇을 올리거나 바르다. ¶칠을 ~/구리에 금을 ~/은박을 ~. 「오(要甚麼合口)≪朴解 上 22≫.

입힐홈ᄒᆞ다 자 〈옛〉 입다툼하다. 말다툼하다. ¶므슴아라 입힐홈ᄒᆞ리

입힐홈 명〈옛〉입다툼. 말다툼. ¶또 입힐홈 업다 혼 ᄠᅳ디니 ≪月釋 Ⅶ:

입-힘 명 →입심. ㄴ6≫.

잎다 ㊀자 〈옛〉이울다. 마르다. ¶이븐 남기 새닙 나니이다(時維枯樹茂焉復盛)≪龍歌 84章≫. ㊁형 〈옛〉 아득하다. 희미하다. 혼미(昏迷)하다. ¶아라녀리 그츤 이런 이븐 길헤 ≪月釋 Ⅷ:86≫.

잇[1] 명 이부자리·베개 등의 거죽을 싸는 피륙. ¶이불~/욧~/베갯~.

잇[2] 명 ①〖식〗잇꽃. ②잇꽃의 꽃부리에서 채취하는 붉은 빛의 물감. 홍람화(紅藍花). 「諺 X:8≫.

잇[3] 명 〈옛〉이끼. =잇기·읻기. ¶프른 잇과 흐린 수레(蒼苔濁酒) ≪杜

잇거 타 〈옛〉이끌어. '잇그다'의 부사꼴 활용형. ¶吳ㅅ비아 楚ㅅ비를 百丈ᄋᆞ로 잇거(吳檣楚柁牽百丈) ≪杜諺 X:27≫.

잇거가다 타 〈옛〉이끌어 가다. ¶빅도라가며 또 잇거가물 멀리로다(回

잇거나【有去乃】〈이두〉 있거나. ㄴ帆又省牽) ≪杜諺 Ⅱ:13≫.

잇거늘【有去乙】〈이두〉 있거늘.

잇거든【有去等】〈이두〉 있거든. 「釋 Ⅱ:31≫.

잇거오다 타 〈옛〉이끌어 오다. ¶하ᄂᆞᆳ 神靈이 七寶 술위 잇거오며 ≪月

잇거져흔 관 〈옛〉이까짓. ¶잇거져흔 獐皮에(有的是獐皮裏) ≪朴解 上 29≫. 「러일가 ᄒᆞ노라 ≪古時調≫.

잇것 부 〈옛〉 느긋하게. 만족하게. =잇긋. ¶淸江에 잇것 시슨 몸을 더

잇겨ᄃᆞ니다 자 〈옛〉이끌려 다니다. ¶喧卑ᄒᆞᆫ 世俗ㅅ 이레 잇겨ᄃᆞ니노라(喧卑俗事牽) ≪初杜諺 XXIV:53≫.

잇견마리여【有在而亦】〈이두〉 있지마는. -였지마는.

잇견을안【有在乙良】〈이두〉 있거들랑.

잇-과[1]【一科】명〖동〗[Pediculidae] 이목(目)에 속하는 곤충의 한 과. 사람·영장류에 기생하는 이와 머릿니 등의 1속 3종이 있으며, 전세계에 널리 분포함.

잇:-구멍【利一】명 재물의 이(利)가 생길 만한 길. 이두(利竇).

잇굼 명 〈옛〉이끎. ¶싸혀며 잇구미(抽牽) ≪金三 Ⅱ:25≫.

잇그다 타 〈옛〉이끌다. ¶吳ㅅ 비와 楚ㅅ 비를 百丈ᄋᆞ로 잇거(吳檣楚柁牽百丈) ≪杜諺 X:27≫ / 성경말노잇그쇼셔≪찬양가 : 5≫.

잇글다 타 〈옛〉 이끌다. ¶우리 두번의 잇그러 가쟈(咱們做兩遭兒牽) ≪老乞 上 31≫.

잇긋 부 〈옛〉 기껏. 흡족하게. ¶ᄒᆞᆫ 디위 쉬요믈 잇긋 ᄒᆞ야든(等一會控) ≪老乞 上 28≫/잇긋 뎔로 ᄒᆞ여 먹게 ᄒᆞ고(儘着他喫着)≪老乞 上 34≫.

잇긋ᄒᆞ다 형 〈옛〉 느긋하다. 만족하다. ¶ᄒᆞᆫ 디위 쉬요믈 잇긋ᄒᆞ야든 기ᄃᆞ려 머기라 가쟈(等一會控到時飲去) ≪老乞 上 28≫.

잇기 명 〈옛〉이끼. =잇[3]·읻기. ¶黃金殿 우희 파른 잇기 나도다(黃金殿上 絲苔生) ≪南明 上 28≫. 「(明朝牽世務) ≪杜諺 XXI:31≫.

잇기다 피동 〈옛〉이끌리다. =잇기이다. ¶ᄂᆞ일 아ᄎᆞᄆᆡ 世務에 잇기여

잇기이다 피동 〈옛〉이끌리다. =잇기다. ¶ᄉᆞ긔 ᄆᆡᇰᄀᆞ로문 崔浩의게 잇기인 거시니(制由崔浩) ≪飜小 Ⅸ:45≫.

잇ᄀᆞ장 명 〈옛〉이까지. ¶처엄브터 잇ᄀᆞ자이 因이오 ≪月釋 Ⅱ:62≫.

잇ᄀᆞ졋 관〈옛〉이까짓. ¶잇ᄀᆞ졋 뎐피예(有的是獐皮裏) ≪朴解 上 32≫.

잇ᄀᆞᆺ 부 〈옛〉느긋하게. 만족히. ¶잇ᄀᆞᆺ 술지고(有九分膘)≪朴解 上 63≫.

잇ᄀᆞᆺ다 타 〈옛〉 일컫다. =일ᄏᆞᆮ다. ¶일향과 ᄆᆞ을 사ᄅᆞᆷ이 효를 잇ᄀᆞᆺ더니(鄕里稱孝) ≪東國新續三綱 孝子圖 Ⅷ:18 應會同死≫.

잇-꽃 명 〖식〗 [*Carthamus tinctorius*] 국화과에 속하는 월년초. 줄기 높이 1m 내외이고, 잎은 호생(互生)하며 달걀꼴 또는 넓은 피침형임. 7-8월에 홍황색의 두상화(頭狀花)가 줄기 끝과 가지 끝에 정생(頂生)하여 핌. 유럽 동부 및 이집트 원산으로 각지에서 재배함. 종자는 채유용(採油用), 꽃은 통경(通經)·종양(腫瘍)·구강염 등의 약으로 쓰고, 꽃물을 짜서 홍색 물감으로 씀. 잇. 홍람화(紅藍花). 홍화(紅花).

통상화

〈잇꽃〉

잇-넘 명 〈방〉 잇몸(충남·전북).

잇:다[1] 타ㅅ불 ①끝과 끝을 맞대어 서로 붙게 하다. ¶새끼를 이어 쓰다. ②앞뒤가 끊어지지 아니하게 하다. ¶대(代)를 ~.

잇:다[2] 타 〈방〉 이다[3].

잇다[3] 형 〈옛〉 있다. ¶셔볼 賊臣이 잇고(朝有賊臣) ≪龍歌 37章≫.

잇다감 부 〈옛〉 이따금. ¶이런 ᄃᆞ로 잇다감(所以有時) ≪金三 Ⅱ:41≫.

잇:단-음표【一音標】명〖악〗동일한 음표 몇 개를 연결시키어 본래의 박자 수보다 많거나 또는 적은 길이로 연주하는 부호. 둘잇단음표·셋잇단음표·넷잇단음표·다섯잇단음표·여섯잇단음표·일곱잇단음표가 있음. 연음부(連音符).

셋잇단음표 (2박을 이어서 3등분) (1박을 3등분) (1박을 3등분)
둘잇단음표 (3박을 이어서 2등분)
넷잇단음표 (3박을 이어서 4등분)
다섯잇단음표 (2박을 이어서 5등분)
여섯잇단음표 (1박을 6등분)
일곱잇단음표 (1박을 7등분) (3박을 이어서 7등분)
쉼표를 포함하는 잇단음표도 있음

〈잇단음표〉

잇:-달다 타 뒤를 이어 달다. 연달다.

잇:-닿다 [-다타] 자 뒤를 이어 닿다. 계속해서 이어 닿다. ¶처마가 ~.

잇:-대다 타 서로 잇닿게 하다. ¶헝겊을 잇대어 꿰매다.

[잇대어서 자면 사람이 죽는다] 여럿이 잘 때 한 사람의 발 밑에 머리를 두고 일직선상에서 자지 말라는 말.

잇ᄃᆞᆫ 조 〈옛〉 이야. ¶雜草木 것거다가 ᄂᆞ출 거우ᅀᆞ본돌 ᄆᆞᅀᆞᆷ잇ᄃᆞᆫ 뮈우시리며≪月印 上 23≫.

잇:-따르다 자 뒤를 이어 따르다. ¶잇따라 질문하다/자동차가 ~.

잇-멤 명 〈방〉 잇몸(경남).

잇-몸 명 이 뿌리를 싸고 있는 살. 치은(齒齦).

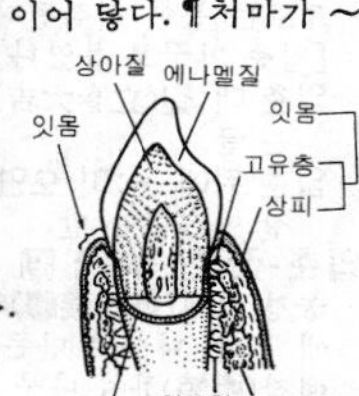

〈잇몸〉

잇-바디 명 이가 죽 박힌 열(列)의 생김새. 치열(齒列). ¶~가 곱다.
잇버 형 〈옛〉 가빠. '잇브다'의 부사꼴 활용형. ¶늘거 잇버 그를 ᄇᆞ리고 ᄌᆞ오노라(老困撥書眠) ≪杜諺 XXII:10≫.
잇붐 형 〈옛〉 가쁨. '잇브다'의 명사꼴 활용형. ¶百千方便으로 稱苦衆生ᄋᆞᆯ 度脫ᄒᆞ샤 잇부믈 마디 아니ᄒᆞ시ᄂᆞ니 ≪月釋 XXI:115≫.
잇브다 형 〈옛〉 가쁘다. 힘들다. =인부다. ¶사ᄅᆞᆷ과 ᄆᆞᆯ와 ᄒᆞᆫ가지로 ᄀᆞᆺᄇᆞ며 잇브도다(人馬同疲勞) ≪杜諺 Ⅲ:49≫/잇블 예(勩) ≪字會 下 31≫/잇블 곤(困) ≪石千 25≫.
잇:-비[1] 명 잇짚으로 만든 비.
잇비[2] 부 〈옛〉 가쁘게. 힘들게. ¶杜康ᄋᆡ ᄆᆡᆼᄀᆞ론 술로 ᄀᆞ장 잇비 勸ᄒᆞᄂᆞ니(杜酒偏勞勸) ≪杜諺 Ⅸ:12≫.
잇비ᄒᆞ다 자 〈옛〉 가빠하다. ¶엇뎨 ᄇᆞ룔 功ᄋᆞᆯ 잇비ᄒᆞ며(何勞遺蕩之功) ≪牧訣 34≫.
잇ᄭᅳᆯ다 타 〈옛〉 이끌다. =잇그다·잇글다. ¶둘식 잇ᄭᅳ러 가(牽着兩箇去) ≪老乞 上 34≫/네 이ᄆᆞᆯ 잇ᄭᅳ러 도라가고(你牽廻這馬去) ≪老乞 上 33≫.
잇-살 명 ①잇몸의 틈. ②☞ 잇몸.
잇삽거든【有白去等】〈이두〉 있으시거든.
잇샅 명 ☞잇새.
[잇샅마다 신물이 나고 송곳니가 방석이 된다] '이에 신물이 돈다'를 강조하여 이르는 말. *송곳니.
잇-새 명 이와 이의 사이. ¶~가 넓다.
[잇새도 어우르지 않는다] 말 한 마디 없다는 뜻.
잇-소리 명 『언』 훈민 정음에서 ㅅ·ㅈ·ㅊ 따위의 일컬음. 치음(齒音). 치성(齒聲). *니쏘리.
잇-속[1] 명 이의 중심부의 연한 부분. 신경과 핏줄이 분포되어 있음.
잇-속[2] 명 이의 생긴 모양. ¶~이 곱다.
잇:-속[3]【利—】명 이익(利益)이 있는 실속. ¶~에 밝다.
잇-솔 명 ☞칫솔.
잇:-씨 명 『언』 '접속사(接續詞)'의 풀어 쓴 이름.
잇-자국 명 이에 물린 자국.
잇저 명 〈방〉 등겨(충남).
잇:-줄【利—】명 이익(利益)을 얻는 길.
잇-집 명 『생』 치조(齒槽).
잇:-짚 명 메벼의 짚. ¶~으로 인 지붕.
있다 一자 ①어떤 장소에 머물다. ¶저녁때 데리러 갈 테니 집에 있어라. ②어떤 상태를 계속 유지하다. ¶딴소리하지 말고 잠자코 있어라. ③얼마의 시간이 지나다. ¶조금 있으면 연락이 올 거다. ④어떤 직장을 계속 다니다. ¶그 회사에 그냥 있어라. 二형 ①어떤 장소에 존재하다. ¶산도 있고 물도 ~. ②어느 위치에 머물러 움직이지 아니하다. 어느 상태를 지속(持續)하다. ¶게 있어라/웃고 있는 사진. ③어떤 지위나 직장이나 처소를 차지하다. ¶요즈음 어디 있나/아직 거기 있네/우리 회사 서무과장으로 있는 분이오. ④유형의 물건·돈 같은 것을 가지다. ¶있는 자와 없는 자/증명서 있소. ⑤무형의 것·뜻·사랑·믿음 같은 것이 존재하다. ¶믿음이 ~/그 여자의 눈에는 사랑이 ~/용기가 ~. ⑥몸에 지니거나 품거나 또는 배다. ¶배 속에 아이가 ~/병(病)이 ~. ⑦속에 들어 있거나 차다. ¶그 항아리에 아직 술이 좀 있을 게다. 三보동 '-고' 다음에 쓰이어, 어떤 동작을 계속하다. ¶먹고 ~. 四보형 '-아'·'-어' 다음에 쓰이어, 어떤 상태가 지속되다. ¶앉아 ~. 주의 '있다'는 '없다'와 더불어, 두 가지 성격을 지니고 있는데, 기본형 및 감탄형일 때는 형용사, 현재 관형사형 및 의문형·명령형일 때는 동사와 같은 활용을 함. '없다'는 명령형이 없음. ¶학교가 ~/학교가 있구나/학교가 있는 곳/학교가 있느냐/학교에 가 있어라.
[있는 것은 모두고 없는 것은 헤프다] 많이 있으면 오래 견디어 나가는 듯하나 없고 보면 한없이 궁하기만 하다는 뜻. [있을 때 아껴야지 없으면 아깔 것도 없다] 사람은 흔히 경제적으로 넉넉해지면 낭비하게 되므로 이를 경계하는 말.
잉:[1] 명 〈방〉 여우[1](함남).
잉[2] 부 ①날벌레 따위가 날 때 나는 소리. ②날쌘 물건이 공중을 뚫고 잽싸게 날 때 나는 소리. ③거센 바람이 쇠붙이 등에 부딪치어 세차게 불 때 나는 소리. *앵·웽·앵·윙·윙.
잉걸 명 ↗불잉걸.
잉걸-불[—뿔] 명 ①이글이글 핀 숯불. ②다 타지 아니한 장작불.
잉게 지대 부 〈방〉 여기[8](함북).
잉:곤【仍昆】명 『사람』 '링컨'의 개화기(開化期)의 한자 표기.
잉골슈타트 [Ingolstadt] 명 『지』 독일 남부, 바이에른 주(Bayern 州)의 도시. 9세기 초에는 왕궁이 있었으나 13세기에는 자치권을 얻어 1392년에 바이에른 공국(公國)의 주도(主都)가 됨. 뮌헨 대학의 전신(前身)은 1472년에 이곳에 설립된 것으로 16세기에는 학술의 중심지로 발전하였으며, 현재는 금속 공업이 성함. [108,448 명(1993)]
잉곳 [ingot] 명 제련된 금속을, 압연(壓延) 따위의 가공이나 재용해(再鎔解)에 적합한 크기·형상으로 한 주괴(鑄塊).
잉:구【仍舊】명 ↗잉구관(仍舊貫). ——하다 자여불
잉:-구관【仍舊貫】명 이전대로 두고 고치지 아니함. 준잉구. ——하다 자여불
잉그럭 명 〈방〉 잉걸.
잉글랜드 [England] 명 『지』 영(英) 본국에서 스코틀랜드·웨일스를 제외한 남부 지역. 광의로는 웨일스를 포함하기도 함. 영 본국의 최주요부(最主要部)로 런던을 비롯한 대도시와 공업 지대가 집중해 있음. 5세기경에 앵글로 색슨족이 침입하여 켈트족(Celt 族)을 몰아내고 잉글랜드 왕국을 세워 1707년에 스코틀랜드와 합국(合國)하여 현재에 이름. 영란(英蘭). [130,357 km^2 : 46,798,600 명(1982)]
잉글랜드 은행【—銀行】[England] 명 [The Bank of England] 1694년 런던에 설립된 세계에서 가장 오래 된 은행. 전영제국의 금융 중추 기관으로서 발행부(發行部)·은행부로 나뉘어 전자는 은행권의 발행 및 태환(兌換)을 분장하고, 후자는 일반 은행 업무를 담당함. 1946년에 노동당 내각이 이것을 국유화하여, 주식(株式)은 국고 소유가 되었고 정부가 유일한 주주(株主)임. 영란 은행(英蘭銀行).
잉글리시[1] [English] 명 ①영어(英語). ②『인쇄』 영문 활자의 이름. 약 14포인트쯤 됨. ③농구에서, 공을 선회(旋回)시켜 던지는 일.
잉글리시[2] [← english] 명 당구에서, 큐 볼의 옆을 치는 일. 공이 쿠션에 맞고 튀어 나오는 각도가 달라짐. 영어로는 사이드(side).
잉글리시 그립 [English grip] 명 테니스에서, 라켓을 쥐는 방법의 하나. 이스턴 그립처럼 라켓의 양면(兩面)을 사용하나 포(fore)도 백(back)도 똑같이 쥔 채로 타구(打球)함. 영국류(流)의 고전적인 방법임. ↔이스턴 그립·웨스턴 그립.
잉글리시 브렉퍼스트 [English breakfast] 명 커피나 홍차 등의 음료(飮料)와 베이컨 또는 햄·달걀·토스트·버터 혹은 잼이 메뉴로 되어 있는 아침 식사. *콘티넨털 브렉퍼스트.
잉글리시 호른 [English horn] 명 『악』 오보에(oboe) 계통의 세로 부는 목관 악기(木管樂器). 대편성(大編成)의 관현악에 사용함. 코르 앙글레(cor anglais).

〈잉글리시 호른〉

잉기 명 〈방〉 연기[5](煙氣)(경북).
잉깽이 명 〈방〉 이끼[1](전남).
잉꼥이 명 〈방〉 이끼[1](전라).
잉꼬 [일 いんこ] 명 [한자말 '鸚哥'의 일본음] 『조』 앵무샛과의 앵무새속(屬) 이외의 대부분의 새를 일컫는 속칭(俗稱). 우관(羽冠)이 없고 적색·녹색·황색 등으로 앵무새보다 아름다우나 엄밀한 구분은 없음.
잉꼬 부부【—夫婦】[일 いんこ] 명 〈속〉 잉꼬새처럼 다정하고 금실이 좋은 부부.
잉끼 명 〈방〉 이끼[1](전남).
잉끼미 명 〈방〉 이끼[1](전북).
잉:대【仍帶】명 『역』 종전(從前)의 직명(職名)을 띠는 일. ——하다 타여불
잉-도【芿島】명 『지』 ①전라 남도의 남해상(南海上), 완도군(莞島郡) 노화읍(蘆花邑) 방서리(防西里)에 위치한 섬. [4.114 km^2] ②전라 남도의 남해상(南海上), 완도군(莞島郡) 고금면(古今面) 윤동리(潤洞里)에 위치한 섬. [0.11 km^2]
잉:모【孕母】명 잉부(孕婦).
잉무든 형 〈옛〉 이끼 묻은. 무딘. ¶잉무든 장글란 가지고 믈 아래 가던 새 본다 ≪樂詞 靑山別曲≫.
잉박-선【芿朴船】명 너벅선.
잉:부【孕婦】명 잉태한 부녀. 잉모(孕母). 태모(胎母). 임부(姙婦).
잉:손【仍孫】명 곤손(昆孫)의 아들. 곧, 칠대(七代)손. 이손(耳孫).
잉:수【剩數】[—쑤] 명 남은 수. 잉액(剩額).
잉수이 [穎水] 명 『지』 중국 허난 성(河南省) 린잉 현(臨穎縣)에 있는 강. 허유(許由)와 소보(巢父)의 고사(故事)로 유명함. 영수(穎水). 잉촨(穎川).
잉아 명 베틀의 날실을 끌어 올리도록 맨 굵은 줄. 종사(綜絲).
잉아-걸이 명 『악』 판소리 창자(唱者)가 박자(拍子)에 맞게 부르지 않고 박자 사이로 교묘하게 소리를 엮어 가는 기교(技巧). ¶맨 상투 바람의 사내 하나가… ~로 넘어가는 타령에 덩달아 신명이 나서…≪金周榮 : 客主≫.
잉앗-대 명 베틀에서 뒤로는 눈썹줄에 대고 아래로는 잉아를 걸어 놓은 나무.
잉애 명 〈방〉 잉아.
잉:액【剩額】명 잉수(剩數).
잉어[1] 명 〈방〉 잉아.
잉:어[2] 명 『어』 [*Cyprinus carpio*] 잉엇과에 속하는 민물고기. 몸빛은 대개 등 쪽은 주홍빛이 섞인 갈색이고 배 쪽은 좀 엷음. 입가에 두 쌍의 수염이 있음. 황금색의 것이 맛이 좋고 큰 것은 1 m 이상인 것도 있음. 세계적으로 널리 분포하고 아시아 극동 지방에서 다산함. 관상용으로 기르는 것에는 변종(變種)이 많음. 이어(鯉魚).

〈잉어²〉

[잉어가 뛰니까 망둥이도 뛴다] 힘이 미치지 못하는 자가 분에 넘치는 남의 행동을 모방하여 되지 못한 짓을 한다는 말. [잉어 숭어가 오니 물고기라고 송사리도 온다] 맥도 모르고 남이 하는 대로 따라 한다.
잉어-걸이 명 ☞잉아걸이.
잉:어-등【—燈】명 『민』 사월 파일에 세우는 등대에 매어 다는 잉어. 종이나 얇은 서양사(西洋紗)로 만듦. 길이는 보통 1-2 m. 이어등(鯉魚燈). 이치(鯉幟).
잉:어-목【—目】명 『어』 [Cyprinida] 경골어류(硬骨魚類)에 속하는 한 목. 잉엇과·메깃과·쏠종갯과·동자갯과 등이 이에 속함. 대부분 담수어(淡水魚)임.
잉:어-잎벌레 명 『충』 [*Galerucida bifasciata*] 잎벌렛과에 속하는 곤충. 몸길이 8-10 mm, 몸은 광택 있는 흑색이며 시초(翅鞘)에는 앞뒤가 물결 모양인 황색 띠가 세 개 있고 촉각은 톱날 모양임. 한국·일본·중국에 분포함.
잉:어-젓 명 잉어로 담근 젓. 이어자(鯉魚鮓). 이어해(鯉魚醢).
잉:어-회【—膾】명 잉어의 살로 만든 회. 이어회(鯉魚膾).
잉:엇-과【—科】[—꽈] 명 『어』 [Cyprinidae] 잉어목(目)에 속하는 민물고기의 한 과. 제일 종류가 많아 39 속, 90여 종이 알려져 있는데, 납자루·중고기·모래무지·잉어·붕어·누치·버들치·피라미·조치·강준치·미꾸라지·종개 등이 이 과의 중요 어종임.
잉:엇-국 명 잉어를 넣고 끓인 국. 이어탕(鯉魚湯).
[잉엇국 먹고 용트림한다] 작은 일을 큰 일인 체하고 남에게 거짓 태도를 보이거나 행동하다.
잉:여【剩餘】명 ①다 쓰고 난 나머지. 여잉(餘剩). ¶~ 농산물. ②나머지.
잉:여 가치【剩餘價値】명 [도 Mehrwert] 『경』 마르크스 경제학의 용어. 노동자가 생산하여 놓은 생산물의 가치와 그것을 생산한 노동자에게 주는 임금(賃金)과의 차액(差額). 불로 소득, 곧 기업 이윤(利潤)·지

대(地代)·이자(利子) 같은 소득의 원천이 됨.

잉:여 가치설【剩餘價値說】명〖경〗유물 사관(唯物史觀)과 더불어 마르크스주의 경제학의 근간이 되는 잉여 가치에 관한 학설.

잉:여 가치율【剩餘價値率】명〖경〗잉여 가치와 임금(賃金)으로 지급되는 자본과의 비율. 이것의 많고 적음에 따라 착취(搾取)의 정도를 알 수 있다 함.

잉:여-금【剩餘金】명〖경〗기업의 순자산액(純資産額)이 법정 자본(法定資本)을 초과하는 금액. 이익(利益) 잉여금과 자본(資本) 잉여금으로 이루어짐.

잉:여 노동【剩餘勞動】명 직접 생산자가, 자기 생명을 유지하고 재생산(再生產)을 하는 데 필요한 한도 이상의 생산물을 생산하기 위한 노동. 곧, 잉여 생산물을 생산하는 노동.

잉:여 농산물【剩餘農產物】명 미국이 상호 안전 보장 조약(相互安全保障條約)에 의거, 그 매상 대금을 군비(軍備) 기타에 사용할 것을 전제로 수출하기 위하여 미리 매상해 놓은 과잉 농산물.

잉:여 농산물 협정【剩餘農產物協定】명 미국이 농산물 무역 촉진 원조법에 따라, 미국산 밀·보리·옥수수·원면(原綿) 등의 잉여 농산물을 수출하기 위해 각국과 체결하는 협정.

잉:여-류【剩餘類】명〖수〗잉여가 같은 정수(整數)의 집합. 0이 아닌 정수 m으로 나누었을 때의 잉여가 같은 정수 전체의 집합을, m을 제수(除數)로 하는 잉여류라고 함.

잉:여-법【剩餘法】[—뻡] 명 [method of residues]〖논〗영국의 학자 밀(Mill, J.S.)이 시험적 연구법으로 제시(提示)한 귀납법의 하나. '어떤 현상(現象) 중에서, 이미 귀납법에 의하여 어떤 전건(前件)의 결과로서 알려진 부분을 제거할 때, 그 나머지 부분은 전건의 잔부(殘部)의 결과이다'라고 하는 공리(公理)에 기반을 두는 방법.

잉:여 생산물【剩餘生產物】명〖경〗직접 생산자가, 자기 생명을 유지하고 재생산을 위해 필요한 이상으로 생산한 생산물. 곧, 잉여 노동에 의한 생산물. 자본주(資本主)의 이윤(利潤)의 원천임.

잉:여 정:리【剩餘定理】[—니] 명〖수〗'나머지 정리(定理)'의 구용어.

잉:용【仍用】명 이전 물건을 그대로 씀. ——-하다 타여불

잉:원【剩員】명 남아 돌아가는 인원. 나머지의 인원.

잉:-위지【仍爲之】명 계속함. 그전대로 함. ——-하다 타여불

잉:임【仍任】명 →인임. ——-하다 타여불

잉-잉[1] 부 어린애가 밉살스럽게 연달아 우는 소리. ——-하다 자여불

잉잉[2] 부 가느다란 철삿줄이나 전깃줄 같은 것에 세찬 바람이 부딪칠 때 나는 소리. ——-하다 자여불

잉잉-거리다[1] 자 연하여 잉잉 울다.

잉잉-거리다[2] 자 연하여 잉잉 소리를 내다.

잉잉-대다 자 잉잉거리다[1·2].

잉:정【仍停】명〖역〗정봉 퇴한(停俸退限)한 것을 다시 다음 해로 물리어 연기하는 일.

잉:-조【剩條】[—쪼] 명 쓰고 남은 부분.

잉:존【仍存】명 그전 물건을 그대로 둠. →인존(仍存) ——-하다 타여불

잉:지【剩指】명 선천적 이상(異常) 또는 외상(外傷)을 입은 뒤에 재생(再生)하여 다섯 개 이상 있는 손가락이나 발가락.

잉:질【仍秩】명〖역〗종전(從前)의 품질(品秩)을 그대로 갖는 일.

잉:처【仍妻】명 거듭 얻은 아내라는 뜻으로 첩(妾)을 일컫는 말.

잉첩【媵妾】명 옛날에 귀인(貴人)에게 시집가는 여인이 데리고 가는 시첩(侍妾). 신부의 질녀와 여동생으로 충당했었음.

잉촨〔潁川〕명〖지〗잉수이(潁水).

잉카〔Inca〕명〖역〗남미 페루(Peru) 고원 지방을 중심으로 번영하였던 인디언의 부족 및 그 지배자. 또, 그 부족이 1240년경에 세웠던 국가. 고래의 촌락 공동체를 기초로 하여, 북쪽으로는 에콰도르, 남쪽으로는 칠레에 미치는 대제국을 건설해서, 수준이 높은 문화·예술을 갖고 태양을 신앙하였음. 1532년 스페인의 탐험가 피사로(Pizarro, F.)가 지휘하는 군대에게 망하였음.

잉카 문명【—文明】〔Inca〕명〖역〗잉카족이 이룩한 문화. 청동기(靑銅器)를 사용하였고, 거대한 돌을 사용하여 산지와 사막에 수마일에 걸쳐 수로(水路)·도로·제방을 쌓고 도시에는 거대한 신전(神殿)과 궁전(宮殿)을 세웠음. 그 밖에 직물(織物)·금세공(金細工)에도 뛰어나고 뇌수술 등 의학도 발달하였으나 다른 문화와의 교류가 없어 더 발전하지 못하고 소멸하였음. 문자(文字)에 의한 기록(記錄)은 없었으나, 소수(少數)의 지식인 집단(知識人集團)은 키프라는 결승(結繩)을 보조 수단(補助手段)으로 하여 역대(歷代)의 사적(史蹟)을 전했음. 종교는 태양을 중심으로 하는 자연 숭배의 다신교였고, 신권적(神權的) 사회주의라고나 할 독특한 정치 사회 기구가 또 하나의 특색으로서 주목되고 있음.

잉카:우아시 산【—山】〔Incahuasi〕명〖지〗남미 아르헨티나 서북, 칠레 국경에 있는 안데스 산맥의 고봉(高峰). [6,620m]

잉카 제:국【—帝國】〔Inca〕명〖역〗1240년경에 남아메리카 안데스 산중(山中)에 잉카 부족(部族)이 세운 나라. 15세기경부터 강대(強大)해져서, 에콰도르에서 칠레에 이르는 대제국(大帝國)을 이룩했으나 1532년 스페인의 피사로(Pizarro)에게 정복당했음. 그 독자적인 고도(高度)의 문명(文明)은 잉카 문명이라 불림.

잉카-포【—布】〔Inca〕명〖역〗프레잉카(Pre-Inca) 시대의 페루 해안에서 발굴된 우모직(羽毛織). 선명한 색채의 우모(羽毛)로 만든 장식용의 밴드(band)나 무늬가 있는 치마 따위가 발견됨. 우모직(羽毛織).

잉커우〔營口〕명〖지〗중국 둥베이(東北), 랴오닝 성(遼寧省) 남부의 랴오허(遼河) 강 하류 동안(東岸)에 위치한 도시. 랴오허 강의 수운(水運)과 콩의 수출항(輸出港)으로 유명했으나, 겨울철 결빙(結氷)과 하상(河床)의 천화(淺化) 및 다롄항(大連港)의 발전 등으로 인하여 점차 쇠퇴해 가고 있음. 영구(營口). [465,000명(1984)]

잉크〔ink〕명 필기 또는 인쇄에 사용하는 유색의 액체. 펜·만년필 등을 사용하여 필기하기 위한 필기용의 청색, 남청색(藍靑色), 검은 색, 초록색, 빨간 색 등이 있는데, 청색 잉크는 물감 외에 타닌산철(tannin 酸鐵)을 함유함. 인쇄 잉크는 카본 기타의 안료(顔料)를 건성유(乾性油)와 혼합한 반(半)유동체임.

잉크-병【—甁】〔ink〕[—뼝] 명 잉크를 담아 두는 병.

잉크-스탠드〔inkstand〕명 책상 위에 늘 놓아 두고 쓰게 된 잉크 담는 그릇.

잉크젯 프린터〔inkjet printer〕명〖컴퓨터〗용지에 잉크를 내뿜어 인쇄하는 비충격식 프린터. 도트 프린터보다 소음이 적음.

잉크 주걱 명〔ink knife〕인쇄용 잉크를 개는 주걱 모양의 도구. 손잡이와 날로 되어 있음. 「——-하다 자타여불

잉:태【孕胎】명 아이를 뱀. 임신(妊娠). 회태. 회잉(懷孕). 성태(成胎).

잉:편-하다【仍便—】형여불 늘 편안하다. 잉:편-히【仍便—】부. ¶사람이 고생을 모르고 ～ 생장할 때…《李海朝 : 花世界》.

잉어긔 부〈옛〉여기에. ¶잉어긔 王昭君의 ᄆᆞᄋᆞᆯ히 이시리오(此有昭君村)《杜諺 XV:46》.

잊다 타〔중세 : 닞다〕①알았던 것이 생각나지 않게 되다. 기억이 없어지다. ¶동창생의 얼굴을 ～/은혜를 ～. ②일에 골몰하여 일시적으로 어떤 일을 의식하지 않게 되다. ¶침식을 ～. ③단념하고 생각하지 않다. ¶그 일은 이제 잊기로 했다. ④물건을 어떤 곳에 두고 생각해내지 못하다. ⑤해야 할 일을 하지 않고 있다. ¶숙제를 ～/신고하는 것을 ～.

잊어-버리다 타 모두 잊다. 아주 잊다. >야자버리다.

잊히다 자 ①잊게 되다. ¶세월이 가면 잊히겠지. ②생각이 나지 아니하다. ¶잊혀진 추억/잊히지 않을 6·25의 비극. ③모르게 되다. ¶세상에서 잊힌 이름.

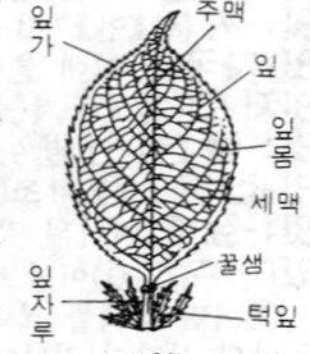

〈잎¹〉

잎[1] 명〖식〗식물의 영양 기관의 하나. 호흡 작용 및 광합성 작용을 함. 그 형상은 한결같지 않으나 완전한 것은 잎몸·잎자루·턱잎의 세 부분으로 되어 있고, 그 관다발을 잎맥이라 함. 한 조각으로 된 잎은 홑잎, 두 개 이상을 겹잎이라 하며, 겹잎 중에도 깃꼴 겹잎·손꼴 겹잎 등이 있음. 이파리. 잎사귀.

잎[2] 명〈옛〉①지게문. ¶寢室 이페 안ᄌᆞ니(止室之戶)《龍歌 7章》. *입². ②어귀. ¶죠ᄋᆞ르왼 긼 이페(要路口)《杜諺 IX:21》.

잎[3] 의명 ①명주실의 한 바람. ②〈방〉닢.

잎-가 명〖식〗엽연(葉緣).

잎-가지 명 잎과 가지. 엽지(葉枝).

잎갈-나무 명〖식〗이깔나무.

잎-거미 명〖동〗[*Dictyna maculosa*] 잎거밋과에 속하는 절지(節肢) 동물. 몸길이 3mm 내외이고 배갑(背甲)은 황갈색, 흉판(胸板)은 갈황색이고 부속지(附屬肢)는 황갈색에 농갈색의 윤문(輪紋)이 있는 부분도 있으며, 복배(腹背)는 황갈색에 흑색 반문이 있음. 나뭇잎 위에 서식하는데, 한국·일본에 분포함.

[잎거미도 줄을 쳐야 벌레를 잡는다] 무슨 일이든지 준비가 있어야만 성과를 얻을 수 있다.

잎-겨드랑이 명〖식〗'엽액(葉腋)'의 풀어 쓴 이름.

잎-꼭지 명〖식〗'엽병(葉柄)'의 풀어 쓴 이름. 잎자루. 「방법.

잎-꽂이 명〖농〗꺾꽂이의 한 방법. 잎을 땅에 꽂아 뿌리를 내리게 하는

잎-나무 명 잎이 붙은 땔나무. *가리나무.

잎-노랑이 명〖식〗엽황소(葉黃素).

잎-눈 명〖식〗자라서 줄기 또는 잎이 될 식물의 눈. 화아(花芽)보다는 작음. 엽아(葉芽).

잎다 타〈옛〉읊다. ¶篇마다 이퍼 외ᅀᆞᆸ곡 ᄒᆞ도소니(每篇堪諷誦)《杜諺 XXI:18》/센 머리예 이푸믈 머리 브티노라(遠寄白頭吟)《杜諺 XXI:16》/이플 음(吟)《字會 下 32》.

잎-담배 명 썰지 않은 잎사귀 담배. 엽연초(葉煙草). 엽초(葉草). ↔살담배.

잎-대 명〖식〗잎꼭지.

잎-덩굴손 명 잎에서 돋는 덩굴손.

잎마름-병【—病】[—뼝] 명〖농〗엽고병(葉枯病).

잎말이-고치벌 명〖충〗[*Macrocentrus gifuensis*] 고치벌과에 속하는 곤충. 몸길이는 4.5mm 내외이고 몸빛은 대체로 담황색에 두부(頭部)는 흑색, 복부는 3절이고 적갈색이며 주름이 있음. 촉각은 갈색이고 몸길이보다 길. 잎말이나방류(類)의 유충에 기생하는데, 한국·일본 등지에 분포함. 수염고치벌.

잎말이나방-과【—科】[—꽈] 명〖충〗[Tortricidae] 나비목(目)에 속하는 한 과. 몸은 작고 활발하여 야행성(夜行性)이며 색채는 칙칙한 황갈색임. 갈색 또는 회색에 대리석 모양의 띠무늬나 반문이 있는 종류도 있음. 번데기 시기를 나무 껍질이나 나뭇잎을 말아 그 속에서 지내는데, 전세계에 1,000여 종이 분포함.

잎말이-병【—病】[—뼝] 명〖식〗엽권충(葉捲蟲)으로 인하여 식물의 잎이 말려서 마르는 증세.

잎-맥【—脈】명〔nerve, vein〕〖식〗잎살 안에 번어 있는 관다발의 한 부분. 잎살을 지지(支持)하고, 수분·양분의 통로가 됨. 평행맥(平行脈)·망상맥(網狀脈)의 두 가지가 있음. 엽맥(葉脈). 준맥(脈).

잎-몸 명〔lamina, limb〕〖식〗잎의 넓은 부분. 보통, 잎이라고 하는 것으로 잎살과 잎맥으로 이루어짐. 엽록체(葉綠體)를 함유하며 광합성(光合成)을 함. 보통, 잎꼭지에 지탱하여 줄기에 붙지만, 잎꼭지가 없는 것도 있음. 엽신(葉身). 엽편(葉片).

잎벌-과【—科】[—꽈] 명〖충〗[Tenthredinidae] 벌목(目)에 속하는

한 과. 두부의 모양은 여러 가지이고 단안(單眼)은 세 개, 촉각은 채찍 모양이며 3-6절 또는 8-11절로 되고 복부는 8절, 앞뒤 양각(兩脚)에 보통 한 개의 거극(距棘)이 있음. 식물의 조직 속에 산란하며 초식성(草食性)임. 전세계에 3,000여 종이 분포함.

잎-벌레 명〖충〗잎벌렛과에 속하는 갑충(甲蟲)의 총칭. 가랑잎벌레·버드나무잎벌레·고구마잎벌레·쑥잎벌레·딸기잎벌레·보리잎벌레 등이 있음. 엽충(葉蟲). 금화충(金花蟲). 돼지벌레.

잎벌레-붙이 [—부치] 명〖충〗[*Lagria nigricollis*] 잎벌레붙잇과에 속하는 곤충. 몸길이 9mm 가량으로, 몸빛은 흑색에 복면(腹面)은 갈색을 띠고, 암색(暗色) 털이 밀생하며, 시초(翅鞘)는 적갈색 또는 황갈색이고 같은 색의 털이 밀생함. 수컷은 암컷보다 몸이 가는데, 유충은 땅속에서 나무 뿌리를 먹고, 성충은 농작물·나뭇잎을 갉아 먹는 해충임. 6-7월경 꽃에 흔히 있는 종류로, 한국·일본·중국·시베리아 등지에 분포함. 돼지벌레붙이. 위엽충(僞葉蟲). 어리잎벌레.

잎벌레붙잇-과 【—科】 [—부칟—] 명〖충〗[Lagriidae] 딱정벌레목(目)에 속하는 한 과. 몸은 중형(中形)이고 다소 가늘고 길며, 몸빛은 흑색·갈색 또는 녹색 등임. 촉각은 11절로, 사상(絲狀) 또는 곤봉상(棍棒狀)이며, 복판(腹板)은 여섯 개임. 나무 껍질 속이나 꽃에 모이는데, 전세계에 700여 종이 분포함.

잎벌렛-과 【—科】 명〖충〗[Chrysomelidae] 딱정벌레목(目)에 속하는 한 과. 몸은 소형(小形)의 타원형에 몸빛은 흑색·갈색·적색·황색이고 촉각은 곤봉(棍棒) 모양임. 성충·유충이 모두 식물·농작물·채소·과수(果樹)의 잎을 갉아 먹는 해충임. 전세계에 25,000종 이상이 분포함. 돼지벌렛과.

잎-사귀 명 낱낱의 잎. 이파리.

잎사귀-머리 명 소의 처녑에 붙은 넓고 얇은 고기. 저냐에 씀.

잎사귀-하늘소 [—쏘] 명〖충〗버드나무하늘소.

잎-살 명 [mesophyll]〖식〗잎의 내외피(內外皮) 안쪽에 있는 녹색의 연한 세포 조직. 곧, 잎에서 잎맥을 제한 다른 부분의 총칭. 엽육(葉肉).

잎-새 명 잎.

잎-새우 명〖동〗[*Nebalia bipes*] 잎새웃과에 속하는 갑각류(甲殼類)의 하나. 몸길이 10mm 내외이고 두흉갑(頭胸甲)은 크고 납작하며, 좌우 두 개로 된 갑(甲)이 덮여 있어 새우 비슷함. 복부는 다른 곳과 달라 1절이 많아서 7절, 미절(尾節)에는 한 쌍의 미사(尾絲)가 있고, 흉지(胸肢)는 모두 나뭇잎 모양임. 가장 원시적인 성질이 있음. 플랑크톤 중에서 발견되며, 한국의 연안 및 전세계에 분포함.

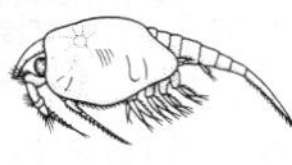
〈잎새우〉

잎-샘 명 봄에 잎이 나올 때의 추위. *꽃샘. ——-하다 자 여불

잎-성냥 명 성냥의 일종. 넓이 2cm, 길이 25cm 가량의 얇은 소나무 개비의 한 끝을 삼각형으로 만들어 그 끝에 유황을 바르고 화롯불·잿불 등에 대어서 불을 일으킴.

잎-숟가락 명 얇고 거칠게 만든 숟가락. ↔간자숟가락.

잎잎-이 [—닙—] 부 잎마다.

잎-자루 명〖식〗잎꼭지.

잎-전 【—錢】 명 ☞ 엽전(葉錢).

잎-줄기 명〖식〗잎의 줄기. 엽축(葉軸).

잎줄기 채:소 【—菜蔬】 명 잎을 식용(食用)으로 하는 채소의 총칭. 곧, 배추·시금치·근대 등. 엽채류(葉菜類).

잎-집 명〖식〗엽초(葉鞘).

잎집무늬마름-병 【—病】 [—니—뼝] 명 벼 따위에 생기는 병의 하나. 담자균류(擔子菌類)의 기생(寄生)으로 생김. 주로 잎집에 발생하여 처음에는 표면에 회색의 반문(斑紋)이 생기고 차츰 회백색으로 변하면서 시들어 죽음. 문고병(紋枯病).

잎-차례 【—次例】 명 [phyllotaxis]〖식〗줄기에 잎이 배열(配列)되어 붙어 있는 모양. 호생(互生)·대생(對生)·윤생(輪生)·총생(叢生) 등의 구별이 있음. 엽서(葉序).

잎-채소 【—菜蔬】 명 잎을 식용으로 하는 채소. 배추·시금치 등.

잎-초 【—草】 명 ☞ 잎담배.

잎-파랑이 명〖식〗'엽록소(葉綠素)'의 풀어 쓴 이름.

잎-파랑치 명〖식〗'엽록체(葉綠體)'의 풀어 쓴 이름.

잎-혀 명〖식〗'엽설(葉舌)'의 풀어 쓴 이름.

-ᄋᆞ나 어미 〈옛〉-으나. -이나. ¶興望이 다 몯ᄌᆞᄫᆞ나(興望咸聚), 方國이 해 모ᄃᆞ나(方國多臻)《龍歌 11章》.

-ᄋᆞ니 어미 〈옛〉-으니. -이니. ¶도ᄌᆞ기 ᄠᅳᆮ 몰라 모ᄃᆞ니(彼寇章兮莫測相聚)《龍歌 60章》.

-ᄋᆞ니라 어미 〈옛〉-으니라. ¶欲貪ᄋᆞ로 根源사ᄆᆞ니라(則以欲貪爲本)《楞嚴 Ⅳ:29》.

-ᄋᆞ니이다 어미 〈옛〉-은 것입니다. ¶六百年 天下ㅣ 洛陽애 올ᄆᆞ니이다(六百年業洛陽是徙)《龍歌 14章》.

ᄋᆞ달 명 〈옛〉아들. =아ᄃᆞᆯ. ¶ᄒᆞᆫ ᄋᆞ달이 잇다더니(有一箇兒子)《華音 上 27》.

-ᄋᆞ라 어미 〈옛〉-자마자. ¶잠간 안ᄌᆞ라 ᄂᆞᆫ 가마 괴ᄂᆞᆫ 두어 삿기를 더브렛고(暫止飛鳥將數子)《初杜諺 Ⅶ:1》.

-ᄋᆞ락 어미 〈옛〉-으락. ¶거르락 안ᄌᆞ락호ᄆᆞᆯ 오래 ᄒᆞ야(行坐良久)《救簡 Ⅲ:119》.

ᄋᆞ란 조 〈옛〉을랑. ¶ᄌᆞ갸 오ᄉᆞ란 밧고《月釋 Ⅰ:5》.

-ᄋᆞ려뇨 어미 〈옛〉-으려는고. ¶어느 저긔 숤잔ᄋᆞᆯ 다시 자ᄇᆞ려뇨(幾時盃重把)《杜諺 XXIII:6》. *-으려뇨·-려뇨.

ᄋᆞ로 조 〈옛〉으로. ¶楚國엣 天子氣를 行幸ᄋᆞ로 마ᄀᆞ시니(楚國王氣游幸厚之)《龍歌 39章》.

ᄋᆞ로셔 조 〈옛〉으로서. ¶그ᄢᅴ 釋迦牟尼佛이 十方ᄋᆞ로셔 오신 分身佛돌ᄒᆞᆯ 各各 本土애 도라가쇼셔 ᄒᆞ야《月釋 XVIII:19》.

-ᄋᆞ리잇가 어미 〈옛〉-으리까. -을 것입니까. ¶後ㅅ날 다ᄅᆞ리잇가(寧殊後日)《龍歌 26章》.

-ᄋᆞ마 어미 〈옛〉-으마. -으겠다. ¶네ᄃᆞᄅᆞ라 내 너ᄃᆞ려 니ᄅᆞ마(你聽我說與你)《朴解 下 9》.

-ᄋᆞ며 어미 〈옛〉-으며. ¶見이 다ᄋᆞ며《月印 XVII:36》.

-ᄋᆞ면 어미 〈옛〉-으면. ¶法華ㅅ 이를 사ᄆᆞ면《楞嚴 Ⅰ:17》.

-ᄋᆞ샤 어미 〈옛〉-으시어. ¶周國大王이 豳谷애 사ᄅᆞ샤(昔周大王于豳斯依)《龍歌 3章》. *-아샤·-으샤.

-ᄋᆞ샨 어미 〈옛〉-으신. ¶부텨 니ᄅᆞ샨 ᄒᆞ욤업슨 法은(例說無爲法者)《金剛 44》. *-으샨.

-ᄋᆞ쇼셔 어미 〈옛〉-으소서. ¶이 ᄠᅳ들 닛디 마ᄅᆞ쇼셔(此意願毋忘)《龍歌 111章》. *-으쇼셔.

-ᄋᆞ시니 어미 〈옛〉-으시니. ¶後聖이 니ᄅᆞ시니(後聖以矢)《龍歌 5章》. *-으시니.

-ᄋᆞ시니라 어미 〈옛〉-으시니라. ¶諸魔ᄂᆞᆫ 五陰을 니ᄅᆞ시니라《月釋 XVIII:80》.

-ᄋᆞ시니이다 어미 〈옛〉-으시었읍니다. -으신 것입니다. ¶모딘 도ᄌᆞᄀᆞᆯ 자ᄇᆞ시니이다(維此兇賊遂能獲之)《龍歌 35章》.

-ᄋᆞ시도소이다 어미 〈옛〉-으시더이다. ¶마초아 사ᄅᆞ미 오니 皇帝ㅅ 病이 ᄒᆞ마 됴ᄒᆞ시도소이다 ᄒᆞ야ᄂᆞᆯ(屬有使來ᄒᆞ니 上疾이 已愈ㅣ로소이다 ᄒᆞ야ᄂᆞᆯ)《內訓 Ⅱ 下 14》.

-ᄋᆞ시러니와 어미 〈옛〉-으시거니와. ¶土ᄅᆞᆯ 브터 사ᄅᆞ시러니와(託土以居)《圓覺 上 二之二 160》.

-ᄋᆞ시리잇가 어미 〈옛〉-으시리까. -으시겠습니까. ¶天下蒼生ᄋᆞᆯ 니ᄌᆞ시리잇가(天下蒼生其肯忘焉)《龍歌 21章》.

-ᄋᆞ시리잇고 어미 〈옛〉-오시리이꼬. ¶몃 間ㄷ지븨 사ᄅᆞ시리잇고《龍歌 110章》.

-ᄋᆞ시릴ᄊᆡ 어미 〈옛〉-으시겠으므로. -으실 것이므로. ¶오샤ᅀᅡ 사ᄅᆞ시릴ᄊᆡ(來則活己)《龍歌 38章》.

-ᄋᆞ신 어미 〈옛〉-으신. ¶아바님 지ᄒᆞ신 일훔엇더 ᄒᆞ시니《龍歌 90章》.

-ᄋᆞ실ᄊᆡ 어미 〈옛〉-으시므로. ¶天命을 모ᄅᆞ실ᄊᆡ(天命靡知)《龍歌 13章》.

ᄋᆞ자 감 〈옛〉아. 어. ¶ᄋᆞ자 내 黃毛試筆墨을 뭇쳐 窓밧긔 디거고《古詩調》.

ᄋᆞ홈 감 〈옛〉애햄. 기침하는 소리. ¶門밧긔 뉘 ᄋᆞ홈ᄒᆞ며 낙시 가쟈 ᄒᆞᄂᆞ니《永言 152》.

ᄋᆞ히 명 〈옛〉아이. ¶어린ᄋᆞ히오라ᄒᆞ오《찬양가 : 21》.

ᄋᆞᆫ 조 〈옛〉은. ¶불휘 기픈 남ᄀᆞᆫ(根深之木)《龍歌 2章》.

-ᄋᆞᆫ 어미 〈옛〉-은. ¶나ᄆᆞᆫ 둘히오《楞嚴 Ⅰ:9》.

-ᄋᆞᆮ 부 〈옛〉같이. 같고. "ᄀᆞᆮ"의 "ㄱ"이 "ᄅ" 아래서 떨어진 것. ¶듣글ᄋᆞᆮ 터럭ᄀᆞᄐᆞᆫ 國土에(於塵毛國土)《楞嚴 Ⅰ:9》.

ᄋᆞᆯ 조 〈옛〉을. ¶聖孫ᄋᆞᆯ 내시니이다(聖孫出兮)《龍歌 8章》.

-ᄋᆞᆯ 어미 〈옛〉-는. -ㄴ. ¶流通ᄋᆞᆫ 흘러 ᄉᆞᄆᆞᄎᆞᆯ씨라《訓諺 Ⅰ》/如ᄂᆞᆫ ᄀᆞᄐᆞᆯ씨라《訓諺 Ⅲ》.

ᄋᆞᇁ 명 〈옛〉앞. =앒. ¶ᄋᆞᇁ門 밧긔(前門外頭)《華音 下 17》.

-ᄋᆞᇙ가 어미 〈옛〉-을까. ¶녀희 먹고 몬 됴ᄒᆞᇙ가 시름말라《月釋 XVII:20》. *-ᄅᆞᇙ가.

-ᄋᆞᆸ- 선어미 〈옛〉동사·형용사 밑에 붙어서 존경하는 뜻을 나타내는 선어말 어미. ¶闕下애 가 님금 두ᄋᆞᆸ고(詣闕下)《杜諺 Ⅰ:1》/님금 겨틔뫼ᄋᆞᆸ더니(侍君側)《杜諺 XI:16》. *-ᄉᆞᆸ-.

-ᄋᆞᆸ새 어미 〈옛〉-옵세. ¶아소 님하 遠代平生애 여힐ᄉᆞᆯ 모ᄅᆞᄋᆞᆸ새《樂詞 滿殿春別詞》.

ᄋᆡ¹ 조 〈옛〉①의. ¶宮監ᄋᆡ 다시언마ᄅᆞᆫ(宮監之尤)《龍歌 17章》. ②에. ¶새벼리 나지 도ᄃᆞ니(煌煌太白當晝垂示)《龍歌 101章》.

ᄋᆡ² 감 〈옛〉아아. ¶ᄋᆡ 男子아(咄男子)《妙蓮 Ⅱ:211》.

-ᄋᆡ 어미 〈옛〉-게. ¶그 나못 불휘를 ᄢᅢᄒᆡ 그우리 부러 가지 것비처 드트리 ᄃᆞᄋᆡ 봇아디거늘《釋譜 Ⅵ:31》.

ᄋᆡ게 조 〈옛〉에게. ¶ᄂᆞᄆᆡ게(於人)《楞嚴 Ⅸ:74》.

ᄋᆡ그에 조 〈옛〉에게. ¶ᄂᆞᄆᆡ그에 브터 사로ᄃᆡ《釋譜 Ⅵ:5》.

ᄋᆡ긋다 자 〈옛〉창자를 끊다. 단장(斷腸)하다. =애긋다. ¶방중만 지국총 소래에 ᄋᆡ긋ᄂᆞᆫ듯ᄒᆞ여라《古詩調》.

ᄋᆡᄂᆞᆫ 조 〈옛〉에는. ¶알ᄑᆡᄂᆞᆫ 기픈모새(前有深淵)《龍歌 30章》.

ᄋᆡ셔 조 〈옛〉에서. ¶ᄲᅮ리 고ᄌᆡ셔 이ᄂᆞ니(蜜成於花)《楞嚴 Ⅶ:17》.

ᄋᆡ손ᄃᆡ 조 〈옛〉에게. ¶婆羅門이 글왈ᄒᆞ야 須達ᄋᆡ손ᄃᆡ 보내야ᄂᆞᆯ《釋譜 Ⅵ:15》.

ᄋᆡᆼ도 명 〈옛〉앵두. =이ᄉᆞ랏·이스랏. ¶술고와 ᄋᆡᆼ도와 여러가지 鮮果를(杏兒櫻桃諸般鮮果)《朴解 上 6》.

ᄋᆡᆼ무 명 〈옛〉앵무새. ¶ᄋᆡᆼ무 ᄋᆡᆼ(鸚)/ᄋᆡᆼ무 무(鵡)《字會 上 17》.

ᄋᆡᆼ무ᄇᆡ 명 〈옛〉앵무배(鸚鵡盃). ¶ᄋᆡᆼ무ᄇᆡ(鸁作杯者曰鸚鵡鸁)《四聲 下 27 鸁字註》.

ᅌ (옛이응) 〈옛〉옛 자음의 하나. 현대에 쓰는 'ㅇ'의 받침 소리와 같은 음가(音價)로 발음됨. ¶ᅌᄂᆞᆫ 엄쏘리니 業업字ᄍᆞᆼ 처ᅀᅥᆷ 펴아나ᄂᆞᆫ 소리 ᄀᆞᄐᆞ니라《訓諺 4》.

ᅌᅦ 조 〈옛〉에. ¶다 이에 性ᄋᆞᆯ ᄐᆞᄂᆞ니라(皆受性於此)《楞嚴 Ⅰ:89》.

ᅌᅦ도 조 에게도. ¶ᄯᅩ 뎌에도(亦於彼)《圓覺 上 一之二 130》.

-ᅌᅵ다 어미 〈옛〉-ㅂ니다. ¶달옴 업스이다(無有異ᄒᆞ이다)《楞諺 Ⅱ:9》. *-니이다.

-ᅌᅵᆺ가 어미 〈옛〉-습니까. ¶이 엇던 ᄯᅡ히잇가《月釋 XXI:24》. *-잇고.

-ᅌᅵᆺ고 어미 〈옛〉-ㅂ니까. ¶이 이리 엇뎨잇고《月釋 XXI:138》.

ᅙ¹ (된이응) 〈옛〉옛 자음의 하나. 목젖으로 콧길을 막으면서 목안의 숨길을 닫아, 장차 입안만을 숨없이 튀기어서 터뜨리려는 맑은 음가(音價). 경음 부호(硬音符號)의 일종으로 지격 촉음(持格促音)으로 많이 쓰였음. ¶ᅙᄂᆞᆫ 목소리니 挹ᅙᅳᆸ字ᄍᆞᆼ 처ᅀᅥᆷ 펴아나ᄂᆞᆫ 소리 ᄀᆞᄐᆞ니라《訓諺 8》.

ᅙ² 조 〈옛〉의. ¶岐山 올ᄆᆞ샴도 하ᄂᆞᇙ ᄠᅳ디시니(岐山之遷實維天心)《龍歌 4章》.

ᅇ (쌍이응) 〈옛〉초성(初聲)의 배가(倍加)와 같이 발음을 세게 하라는 경음식 역할(硬音的役割)의 표기법. 목 안을 열어 내는 'ㅇ' 첫소리임. ¶使ᄂᆞᆫ 히ᅇᅧ ᄒᆞᄂᆞᆫ 마리라《訓諺 3》.

-ᅇᅧ 어미 〈옛〉-여. ¶使ᄂᆞᆫ 히ᅇᅧ ᄒᆞᄂᆞᆫ 마리라《訓諺 3》/사ᄅᆞᆷ마다 ᄒᆡᅇᅧ 수ᄫᅵ 니겨《訓諺》.

-ᅙᅩᆫ 어미 〈옛〉-인. ¶사ᄅᆞᄆᆡ게 ᄆᆡᅙᅩᆫ 고ᄃᆞᆯ 올ᄋᆡ 자ᄇᆞ리니(捉敗得人憎處)《法語 5》.

ㅈ[1] (지읒) 〖언〗 ①한글 자모의 아홉째 글자. ②자음(子音)의 하나. 혓바닥을 입천장에 붙였다가 터뜨릴 때에 나는 무성음(無聲音). 받침으로 그치는 경우에는 혀를 입천장에 붙이기만 함. ¶ㅈ는 니쏘리니 卽즉字쫑 처섬 펴아나는 소리 ᄀᆞᄐᆞ니 ᄀᆞᆯ바쓰면 慈쫑ㆆ字쫑 처섬 펴아나는 소리 ᄀᆞᄐᆞ니라 ≪訓諺≫. 주의 '지읒'의 받침 소리가 연음(連音)될 때 [지으시, 지으슬, 지으세] 등으로 발음함.

ㅈ[2] 조 〈옛〉 의. ¶節節에 다 我ㅇ앙ㆆ字쫑ᄅᆞᆯ 두시니(節節에 皆有我ㅈ字ᄒᆞ시니) ≪圓覺 下 三之一 2≫.

자[1] ㊀명 〔중세 : 자ㅎ. 중 尺〕 길이나 높이를 재는 제구. 푼이나 치·척 또는 센티미터(cm)나 밀리 미터(mm) 등의 눈금을 새겨서 가늠하게 만들었는데, 여러 가지가 있음. 정규(定規). 도척(度尺). ¶~로 재다. ㊁ 의명 길이의 단위(單位)의 한 가지. 치의 열 갑절. 1 미터의 33 분의 10. 척(尺). ¶다섯 ~ 여섯 치의 몸 / 한 ~ 남짓 / 대 ~ 서 푼
[자에도 모자랄 적이 있고 치에도 넉넉할 적이 있다] 양의 과부족은 다소간에 있을 수 있다는 말.

자[2] 명 〈옛〉 재. 성(城). ¶우리 둘히 자안히 가셔 즉제 오마(我兩箇到城裏吉便來) ≪老乞 上 64≫.

자[3]【子】명 ①아들. ②〖법〗 민법에서, 적출자(嫡出子)·서자(庶子)·양자(養子) 등의 총칭. ③공자(孔子)의 존칭. ¶~왈(曰). ④〖역〗 ↗자작(子爵). ⑤〖민〗 십이지(十二支)의 첫째. 상징하는 동물은 쥐. ⑥〖민〗 ↗자방(子方). ⑦〖민〗 ↗자시(子時).

자[4]【字】명 사람의 본이름 외에 부르는 이름. 흔히 장가든 뒤에 성인(成人)으로서 본이름 대신으로 부름.

자[5]【字】㊀ 명 글자. ¶큰 ~/작은 ~. ㊁ 의명 '글자'의 뜻으로 그 수효를 나타내는 말. ¶ 200 ~ 원고지.

자[6]【姉】명 기록에서, '손위 누이'에 대한 문어적 호칭. ¶호주(戶主)의 ~ / 삼(三)~ 이매(二妹).

자:[7]【刺】명 〖동〗 지느러미에 있는 뼈의 하나. 마디가 없고 잘 굽어지며, 끝이 갈라졌음.

자[8]【柘】명 성(姓)의 하나. 우리 나라에는 현존(現存)하지 않음.

자[9]【姕】명 성(姓)의 하나. 우리 나라에는 현존(現存)하지 않음.

자:[10]【紫】명 ①자줏빛. ②보랏빛. 자색(紫色).

자[11]【慈】명 성(姓)의 하나. 우리 나라에는 해주(海州)·중원(中原)의 두 본관(本貫)이 있음.

자:[12]【資】명 〖역〗 관등(官等)의 위계(位階). ＊가자(加資).

자[13]【觜】명 〖천〗 ↗자성(觜星).

자:[14] 〔jar〕 명 항아리. 음료·식품용의 아가리가 넓은 보온병. ¶전자(電子) ~.

자[15]【者】의명 사람을 가리켜 말할 때 얕잡아 일컫는 말. ¶그 ~가 우리를 모함했다.

자[16] 명인대 ☞ 재.

자[17]【秭】수 십진 급수(十進級數)의 한 단위. ①해(垓)의 억 배, 양(穰)의 억 분의 1. 곧, 10^{40}. ②해(垓)의 만 배, 양(穰)의 만분의 1. 곧, 10^{24}.

자[18] 감 남의 주의를 일으키어 행동을 재촉할 때에 내는 소리. ¶~, 어서 갑시다.

자-【自】부 '부터'의 뜻을 나타내는 한자(漢字)말. ¶~5월 1일 지(至) 5월 31일. ↔지(至).

-자[1]【子】미 ①아주 작은 것을 나타내는 접미어. ¶미립~/중성~. ②신문·잡지 등의 어느 난을 맡은 기자(記者)가 자칭(自稱)할 때 쓰는 말. ¶여적(餘滴)~/편집~. ③성도(聖道)를 전하는 사람이나 일가(一家)의 학설(學說)을 세운 사람의 존칭(尊稱). 또, 그들이 자기 설(說)을 편 책. ¶맹~/장~.

-자[2]【者】미 앞에 붙는 명사에 관계되는 사람이나 그 방면에 능통한 사람이란 뜻을 나타내는 말. ¶패배~/과학~/근로~.

-자[3] 어미 ①동사 및 '있다'의 어간에 붙이어 친구나 손아랫 사람에게 함께 하기를 청하는 뜻을 나타내는 종결 어미. ¶어서 가~/빨리 먹~. ②동사 및 '있다'의 어간에 붙이어 하고자 하는 뜻을 나타내는 연결 어미. ¶죽~ 하니 청춘이요, 살~ 하니 고생이라. ③동사의 어간에 붙어 동작이 막 끝남과 동시에 다른 동작이나 사실이 생김을 나타내는 연결 어미. ¶정들~ 이별이라. ④'이다'의 어간에 붙어 그 자격과 동격으로 다른 자격을 나타낼 때 쓰이는 연결 어미. ¶제비는 새이~ 동물이다 / 그는 형님이~ 스승이다.

-자[4] 어미 〈옛〉 -로다. -도다. ¶樂只자 오ᄂᆞᆯ이여 즐거온자 今日이여 ≪海謠≫.

자가【自家】명 ①자기의 집. 자택(自宅). ②자기 자체(自體). ¶~ 당착(撞着)/~ 발전(發電)/~ 시설.

자가 감:염【自家感染】명 〔autoinfection〕 〖의〗 병을 일으킨 병원균(病原菌)이 외부로부터 침입하지 않고 이전부터 몸 안에 잠복해 있다가 발병 소인(發病素因)이 강성해지면서 발육·번식하여 발병하는 일. 자가 전염. 자기 감염.

자가 결실【自家結實】[—씰] 명 〖식〗 동일한 꽃·그루·화서(花序) 사이에서 수분(受粉)하여 열매를 맺는 일.

자가 광:고【自家廣告】명 자가 선전(自家宣傳). ——-하다 자여불

자가 교접【自家交接】명 〔autocopulation〕 〖동〗 자가 수정(自家受精)❶.

자가 규정【自家規定】명 〖철〗 다른 데에 의지하지 않고 자기의 자유의사에 맡기는 규정. 자기 규정(自己規定).

자가 당착【自家撞着】명 같은 사람의 문장이나 언행이 앞뒤가 서로 어그러져서 모순되는 일. 자기 모순.

자가 반:사【自家反射】명 〖생〗 고유 반사(固有反射).

자가 발전【自家發電】[—쩐] 명 개인이 자가용(自家用)으로 가지고 있는 소규모의 발전 시설(發電施設). 또, 그것으로써 전기를 일으키는 일. ——-하다 자여불

자가 백신【自家—】명 〔autovaccine〕 〖의〗 백신의 한 가지. 환자(患者)의 몸에 있는 세균(細菌)이나 독소(毒素)를 항원(抗原)으로 만들어 같은 병의 환자에게 주는 백신.

자가 보:존【自家保存】명 〔self-preservation〕 〖생〗 생물(生物)이 자기의 생명을 보존하고 발전시키려고 노력하는 본능(本能)의 작용. 자기 보존(自己保存).

자가 보:험【自家保險】명 〔self-insurance〕 〖경〗 많은 보험 목적물(保險目的物)을 가진 사람이 불의(不意)의 손해에 대비하여 보험료에 상당하는 금액을 스스로 적립하는 일. 자기 보험(自己保險).

자가 보:험 충당금【自家保險充當金】명 자가 보험을 위하여 마련한 충당금.

자가 본위【自家本位】명 자기 본위(自己本位).

자가 분해【自家分解】명 〖생〗 자기 분해.

자가 불임성【自家不稔性】[—씽] 명 〔self-sterility〕 〖식〗 같은 개체(個體)나 같은 영양 분지계(營養分枝系)의 개체에서 수분(受粉)하여도 결실을 하지 않는 현상. ↔자가 임성(自家稔性). ＊불임성·자가 불화합성.

자가 불화합성【自家不和合性】명 〔self-incompatibility〕 〖식〗 한 개의 꽃, 동일한 그루 또는 같은 계통의 꽃 사이에서는 종자가 생기지 아니하는 현상. ＊자가 불임성.

자가 비:판【自家批判】명 자기 비판.

자가사리 명 〖어〗 [*Liobagrus mediodiposalis*] 동자갯과에 속하는 민물고기. 길이 5-13cm로 등은 짙은 적갈색이며 배는 누른데, 네 쌍의 수염이 있고 입이 아래로 향하고 있음. 맑은 개울의 돌 밑에 숨어 사는데, 한국 남부의 하천 및 중국에 분포함. 맛이 좋음. 앙알(鰊䲇). 탁어(魠魚). 황상어(黃顙魚). 황협어(黃頰魚). 황알(黃䲇).
[자가사리 끓듯 한다] 크지도 않은 것이 많이 모여 분주히 떠돌아 다님을 이르는 말. [자가사리 용을 건드린다] 제 힘이 부침을 돌아보지 않고 상대자를 함부로 건드린다는 말. ＊하룻강아지 범 무서운 줄 모른다.

자가사리 지짐이 명 자가사리를 토막 쳐서 무와 파를 섞어 지진 음식. 황협어전(黃頰魚煎).

자가 생식【自家生殖】명 〔autogamy〕 〖생〗 원생(原生) 동물의 생식법의 하나. 세포핵(細胞核)이 둘로 분열한 다음, 그것이 재결합하여 합핵(合核)을 형성하는 일.

자가 선전【自家宣傳】명 제 스스로 자기 장점을 선전하는 일. 자가 광고. 자기 광고. ——-하다 자여불

자가 소비【自家消費】명 자기가 생산(生產)한 물건을 자기가 소비함. ——-하다 타여불

자가 수분【自家受粉】명 〔self-pollination〕 〖식〗 자화 수분(自花受粉).

가루받이.

자가 수정【自家受精】명〔self-fertilization〕〖생〗①자웅 동체(雌雄同體)의 동물에서, 동일 개체내에 생긴 정자(精子)와 난자(卵子) 사이에 일어나는 수정. 촌충 따위에서 볼 수 있음. 자가 교접(自家交接). ②종자 식물에서 자가 수분의 결과 행해지는 수정. 자화 수정(自花受精). 제꽃정받이. ↔타가(他家) 수정.

자가 식작용【自家食作用】명〔autophagocytosis〕〖생〗세포내(細胞內)의 액포(液胞)에 의해서, 원형질의 일부가 먹히는 현상.

자가-용【自家用】명 ①영리(營利)를 목적으로 하지 아니하고 자기 집의 필요에 전용(專用)하는 것. ②↗자가용차. ↔영업용(營業用). *가용(家用)·관용(官用).

자가용-림【自家用林】[—님] 명 자가용 임산물의 채취(採取)를 목적으로 경영하는 삼림. *시험 연구림(試驗硏究林).

자가용 비행기【自家用飛行機】명 영업을 목적으로 하지 않고 자기 집의 필요에만 쓰는 비행기.

자가용 자동차【自家用自動車】명 자가용차.

자가용-차【自家用車】명 자가용으로 전용하는 자동차. 자가용 자동차. ㊟자가용. ↔영업용차.

자가 운전【自家運轉】명 자가용 승용차(乘用車)를 차주(車主)가 손수 운전하는 일.

자가 이식【自家移植】명〔autoplastic transplantation〕〖생〗동일한 생물체 안에서 행하여지는 이식.

자가 이식편【自家移植片】명〔autograft〕〖생〗한 개체의 몸의 일부분에서, 같은 개체의 다른 부분으로 이식된 조직.

자가 임성【自家稔性】[—썽] 명〖식〗타가 수분(他家受粉) 식물에서, 어떤 개체(個體)에 한하여 자기의 화분(花粉)으로 결실(結實)하는 성질. 이 성질은 유전적임. ↔자가 불임성. *임성.

자가 전염【自家傳染】명〖의〗자가 감염(感染).

자가-제【自家製】명 홈 메이드❶.

자가 제:품【自家製品】명 자기 집에서 만든 물건. 자기 공장에서 생산한 상품.

자가 중독【自家中毒】명〖의〗①몸 안에 생긴 유독 대사 산물(有毒代謝產物)에 의한 중독. 요독증(尿毒症)·당뇨병성 혼수(糖尿病性昏睡) 등 국소적 병변(局所的病變)과 더불어 구토·두통·식욕 부진·발진(發疹) 등 일반 중독 증상을 나타냄. ②좁은 뜻으로는, 어린 아이에 특유한 주기성(週期性) 구토증을 이름.

자가 중독증【自家中毒症】명〔nosotoxicosis〕자가 중독의 병증.

자가지그〔Zagazig〕명〖지〗이집트 북동부 샤르키야 주(Sharqiya 州)의 주도로, 카이로의 북북동 64 km 지점에 있으며, 면화·곡물의 집산지로서 면공업이 발달함. 교외에 고대 도시 부바스티스(Bubastis)의 유적이 있음. [279,000 명(1991)]

자가 질식【自家窒息】[—씩] 명〔autoasphyxiation〕〖생〗대사 활성(代謝活性)으로 생긴 물질에 의해서 질식하는 일.

자가품 명 손목·발목·손아귀 등의 이음매가 과로(過勞)로 마비되어 시고 아픈 병증. ¶벼를 베던 한 농부가… ~이 나도록 횡하니 내닫고 있었다《李無影 : 三年》.

자가 혈액 요법【自家血液療法】[—뇨뻡] 명〔autohemotherapy〕〖의〗환자 자신의 혈액을 이용하는 치료법. 정맥 천자(靜脈穿刺)로 혈액을 빼어 그 혈액을 근육내에 주사함.

자각[1]【自刻】명 자기 스스로 각고 면려(刻苦勉勵)함. ——-하다 자여불

자각[2]【自覺】명 ①스스로 깨달음. 자기 자신이 놓여 있는 일정한 상황을 매개로 하여 자기의 위치·능력·가치·의무·사명 등을 스스로 의식하는 일. ¶국민의 ~을 촉구하다. ②〖불교〗삼각(三覺)의 하나. 스스로 미망(迷妄)을 끊고 정법(正法)을 깨닫는 일. ↔각타(覺他). ③〖철〗자기가 품은 지식 내용의 진실성(眞實性)에 관하여 또는 자기가 진실한 것으로 생각한 언행(言行)에 관하여 참으로 그것이 진리성과 성실성이 있는가 반성하는 일. 일반적으로 자기 자신이 놓여 있는 상태(狀態)나, 능력·가치·사명(使命) 등을 인식(認識)하는 일. ④〖심〗자의식(自意識). ——-하다 타여불

자:각[3]【刺刻】명 해침. 가해(加害). ——-하다 타여불

자각[4]【磁殼】명 자기 이중층(磁氣二重層).

자각-돌 명〈방〉자갈[1](강원).

자각 성:지【自覺聖智】명〖불교〗스승의 가르침 없이 스스로 깨쳐서 얻는 지혜.

자각-심【自覺心】명 자기 자신(自身)을 의식(意識)하는 마음. 자인(自認)하는 마음.

자각-자【趾脚子】명 씨아의 앉을깨.

자각-적【自覺的】명관 자각하는 모양.

자각 존재【自覺存在】명〖철〗인간을 이르는 말. 동물에게는 자신 이외의 대상을 아는 능력만을 가졌으나, 인간에게는 그 이상으로 자기가 이 세상에서 해야 할 역할이나 의의를 아는 능력이 있다는 데서 일컫는 말. 실존(實存). ㊟각존(覺存).

자각 증상【自覺症狀】명〖의〗환자 자신이 느끼는 병의 증상. 발열(發熱)·동통(疼痛)·오심(惡心)·구토(嘔吐)·설사·빈뇨(頻尿)·출혈(出血)·현기증 등.

자간[1]【子癎】명〔eclampsia〕〖의〗태중(胎中)에 생기는 급한 병. 몸 속에 생긴 독소(毒素)의 중화(中和)·배설이 잘 안 될 때에 생기는데, 두통·현훈(眩暈)·이명(耳鳴)·호흡 곤란·경련 등을 일으키며 게거품을 흘리고 까무러침. 간헐적(間歇的)으로 되풀이하기도 함. 사망률이 높음. 아운(兒暈). 아훈(兒暈). *임신 중독증.

자간[2]【字間】명 쓰거나 인쇄한 글자와 글자 사이. ¶~을 좁히다.

자간 전구【子癎前驅】명〔preeclampsia〕〖의〗임신 후반에 일어나는 독혈증(毒血症). 혈압 상승·부종(浮腫)·단백뇨(蛋白尿) 등의 증상이 있으나, 경련·혼수는 볼 수 없음.

자갈[1] 명〔근대 : 쟈갈〕①강이나 바다의 바닥에서 오래 갈리어 반들반들하게 된 잔 돌. ②자질구레하게 생긴 돌멩이. 사력(沙礫). 사리(砂利). 석력(石礫).

자갈[2] 명〈방〉재갈[1].

자갈-길 [—낄] 명 자갈을 깐 길.

자갈-돌 [—똘] 명 자갈이 지표(地表)나 물바닥에 쌓여서 진흙·모래 따위에 달라붙어 이루어진 바윗돌. 역암(礫岩).

자갈돌 석기【—石器】[—똘—] 명 냇돌 석기.

자갈-밭 명 자갈이 많이 깔리어 있는 땅. 사력지(砂礫地).

자:-갈색【紫褐色·赭褐色】[—쌕] 명 검누른 바탕에 조금 붉은 빛을 띤 빛깔. 자주 고동색(紫朱古銅色).

자갈-치[1] 명〖어〗[*Gymnelopsis barshnikovi*] 등가시칫과에 속하는 바닷물고기. 몸은 길며 꼬리 쪽이 가늘고, 몸빛은 담갈색임. 등지느러미·뒷지느러미는 꼬리지느러미와 연결되어 있고 배지느러미는 없음. 우리나라 동해와 오호츠크 해에 분포함.

자갈-치[2] 명〖지〗〈속〉부산 광역시 충무동(忠武洞) 일대의 바닷가. 어물(魚物) 시장이 있음.

자:감【紫紺】명 짙은 자색(紫色).

자갓 명〈방〉곁(제주).

자강[1] 명〈방〉재강.

자강[2]【自強·自彊】명 스스로 가다듬어 힘씀. ——-하다 자여불

자강 고원【慈江高原】명〖지〗평안 북도 충만강(忠滿江) 동쪽 갑산(甲山) 장진(長津) 고원에 연속된 북동부의 고지. 우리 나라에서 가장 추운 지대의 하나이며, 자성(慈城)·독로(禿魯)·위원(渭原)·충만 등의 강으로 말미암아 상류에는 장년기(壯年期)의 협곡이 발달하여 교통이 불편함. 평균 고도는 900 m.

자강 불식【自強不息】[—씩] 명 스스로 힘써 쉬지 아니함. ——-하다 자여불

자강-술【自強術】명 제 몸의 건강과 기력을 기르는 방술.

자강-회【自彊會】명〖역〗↗대한(大韓) 자강회.

자개[1] 명 금조개를 썰어 낸 조각. 빛깔이 아름다우므로 여러 가지 모양으로 잘게 썰어 붙이어 가구(家具) 등을 장식하는 데에 쓰임. 나전(螺鈿). 합각(蛤殼).

자개[2] 명〈방〉재갈[1](경기).

자개 경:대【—鏡臺】명 자개를 박아 꾸민 경대. *화류 경대.

자개-구름 명〔nacreous clouds〕〖기상〗성층권(成層圈) 안, 높이 20-30 km 부근에 나타나는 진줏빛 구름. 스칸디나비아·알래스카 등 고위도(高緯度) 지방에서 권층운(卷層雲) 모양으로 해뜨기 전이나 해진 뒤에 진주조개처럼 빛남. 진주운(眞珠雲). 진주모운(眞珠母雲).

자개 그릇 명 자개를 박아서 만든 나무 그릇.

자개-농【—籠】명 자개 장롱.

자개 단추 명 자개로 만든 단추.

자개미 명〖생〗겨드랑이 또는 오금 양쪽의 오목한 곳.

자개-바람 명 ☞ 자가품. ¶정 첨지의 아들은 다리에 ~이 날 만큼 빨리 걸어 먼저 가고.

자개 소반【—小盤】명 자개를 박아 장식한 소반.

자개아미 명〈방〉자개미.

자개 일꾼 명 금조개를 썰어서 여러 가지 물품을 만드는 일을 업으로 삼는 사람.

자개 자락【自開自落】명 꽃이나 과실 같은 것이 스스로 열렸다가 스스로 떨어짐. ——-하다 자여불

자개-장【—欌】명 자개 장롱.

자개 장:롱【—欌籠】[—농] 명 자개를 박아 장식한 장롱. 자개농. 자개장.

자개패-부【—貝部】명 한자 부수의 하나. '責'이나 '販' 등의 '貝'의 이름.

자개-함【—函】명 자개를 박아 장식한 함.

자:객【刺客】명 사람을 몰래 찔러 죽이는 사람. 남을 암살(暗殺)하는 사람. ¶~의 손에 쓰러지다.

자:객 간인【刺客奸人】명 마음씨가 몹시 독하고 모진 사람.

자갤 명〈방〉자갈[1](경북).

자갯-돌 명 자개같이 고운 돌.

자갱이 명〈방〉재강.

자갸 명〔←자가(自家)〕'자기(自己)'보다 조금 공손히 일컫는 말.

자:거[1]【刺擧】명 ①악(惡)을 꾸짖고 선(善)을 쳐듦. ②일설(一說)에는, 죄상을 몰래 조사하여 검거함. ——-하다 자여불

자거[2]【恣擧】명〖불교〗불교를 공부하는 동안에 느낀 바를 들어서 말함. ——-하다 타여불

자검[1]【自檢】명 ①스스로 절제하고 삼감. ②자체로 검사함. 또, 그 검사. ——-하다 자타여불

자검[2]【慈儉】명 인정이 많고 검소함. ——-하다 형여불

자겁【自怯】명 제풀에 겁을 냄. ¶옹이에 마디라고 사또는 영문도 모르고 계신 것을 나으리께서 ~이 나셔서 집어 넣으셨지《李海朝 : 鸞鴦圖》. ——-하다 자여불

자:-게【紫—】명〖동〗[*Lambrus validus*] 자겟과에 속하는 게. 갑(甲)의 길이는 38 mm, 폭은 48 mm 내외이고 온 몸은 담적자색에 두흉갑(胸頭甲)은 다소 능형(菱形)이고, 겸각(鉗脚)이 세며 대형(大形)인 것이 특징임. 갑의 표면과 가장자리 및 겸각(鉗脚)에 날카로운 톱니 모양의 과립(顆粒)과 돌기(突起)가 많고, 보각(步脚)은 연약함. 깊이 30-200 m의 바다 밑 진흙이나 모래땅에 서식하는데, 한국·일본·태평양 연안에 분포함.

〈자게〉

자:겟-과【紫一科】 명 〖동〗 [Parthenopidae] 절지 동물 십각목에 속하는 한 과. 자게가 이에 속함.

자격[1]【字格】 명 글자의 법칙. 한자(漢字)의 법칙.

자:격[2]【刺激】 명 자극을 받아 격동함. ——-하다 자여불

자:격[3]【刺擊】 명 무기(武器) 따위로 찌르고 침. 찌르고 공격(攻擊)함. ——-하다 타여불

자격[4]【資格】 명 ①어떤 임무를 맡거나 일을 하는 데 필요한 조건(條件). ¶무~/~ 시험. ②신분(身分)과 지위(地位). ¶개인 ~으로/회장 ~으로 회의에 참석하다.

자격 당사자【資格當事者】 명 〖법〗 일정한 자격을 가지고 있기 때문에, 타인의 권리·이익에 대하여 자기의 이름으로 소송(訴訟)의 당사자가 되는 사람.

자격-루【自擊漏】[一누] 명 시계의 한 가지. 조선 세종(世宗) 20년(1438) 경 이천(李蕆)·장영실(蔣英實) 등이 만든 것으로, 물이 흐르는 것을 이용하여 스스로 시간을 쳐서 알리도록 된 시계의 한 가지.

자격 모:용 공문서 작성죄【資格冒用公文書作成罪】[一쬐] 명 〖법〗 행사할 목적으로 공무원 또는 공무소(公務所)의 자격을 모용하여 문서나 도서를 위조(僞造)하거나 변조(變造)함으로써 성립하는 죄. 이 죄는 목적범(目的犯)으로, 미수범(未遂犯)도 처벌함. *자격 모용 사문서 작성죄.

자격 모:용 사문서 작성죄【資格冒用私文書作成罪】[一쬐] 명 〖법〗 행사할 목적으로 타인의 자격을 모용하여 권리·의무 또는 사실 증명(事實證明)에 관한 문서나 또는 도서를 작성함으로써 성립되는 죄. 이 죄는 목적범(目的犯)으로, 미수범(未遂犯)도 처벌함. *자격 모용 공문서 작성죄.

자격 상실【資格喪失】 명 〖법〗 사형·무기 징역 또는 무기 금고(禁錮)의 판결을 받은 자에게 일정한 자격을 갖지 못하도록 하는 명예형(名譽刑)의 한 가지. 일정한 자격이라 함은 공무원이 되는 자격, 공법 상(公法上)의 선거권(選擧權)과 피선거권(被選擧權), 법률로 요건(要件)을 정한 공법 상 업무에 관한 자격, 법인의 이사(理事)·감사(監事) 또는 지배인·기타 법인의 업무에 관한 검사역(檢査役)이나 재산 관리인이 되는 자격 등임.

자격 시험【資格試驗】 명 자격의 유무를 알아보거나, 자격을 부여하기 위하여 치르는 시험.

자격 심:사【資格審査】 명 자격의 적부(適否)를 검토하고 조사하는 일. ——-하다 타여불

자격 양:도【資格讓渡】 명 〖법〗 권리를 그 자의 명의로 행사하는 권능을 부여하기 위하여 권리자로서의 형식적 자격을 타인에게 이전(移轉)하는 일.

자격 임:용【資格任用】 명 임용자가 어떠한 규정이나 또는 자격을 심사하고서야 임용하는 일. ↔자유 임용(自由任用).

자격 임:용 제:도【資格任用制度】 명 [merit system] 공무원의 임용을 시험 성적과 능력의 실적에 의하여 행하는 제도. 행정의 능률 향상과 정치적 중립(政治的中立)을 지키기 위하여 택하는 제도로서, 근대 공무원 제도하의 과학적 인사 관리 방식(科學的人事管理方式)임. ↔엽관 제도(獵官制度).

자격-자【資格者】 명 일정한 자격을 가진 사람.

자격-장【自擊匠】 명 〖역〗 조선 시대 때, 자격루(自擊漏)를 만드는 관상감(觀象監)의 공인(工人).

자격 정지【資格停止】 명 〖법〗 형(刑)의 종류의 하나. 수형자(受刑者)에게 대한 선고(宣告)에 의해 일정한 자격의 전부 또는 일부가 일정 기간 동안 정지되는 일. 유기 징역(有期懲役) 또는 유기 금고(禁錮)의 판결을 받은 자에게 그 형의 집행이 끝나거나 면제될 때까지 일정한 자격이 당연히 정지되는 것과, 특별한 판결 선고로써 일정한 자격 또는 그 일부를 1년 이상 15년 이하로 정지시키는 것으로 나뉨. 공권(公權) 정지.

자격-주【資格株】 명 〖법〗 이사(理事)의 자격(資格)으로 소유(所有)하는 주식(株式).

자격-증【資格證】 명 어떠한 임무를 맡거나 일에 당할 수 있는 자격을 인정하여 주는 증서. 자격 증명서. 자격 증서.

자격 증권【資格證券】[一꿘] 명 〖법〗 면책 증권(免責證券).

자격 증명서【資格證明書】 명 자격증. 자격 증서.

자격 증서【資格證書】 명 자격증.

자격지-심【自激之心】 명 어떠한 일을 하여 놓고 자기 스스로 미흡하게 여기는 마음.

자격-형【資格形】 명 〖언〗 용언(用言)으로 하여금 다른 품사의 자격을 가지게 하는 활용형. 그러한 자격을 부여하는 어미(語尾)를 '자격형어미' 또는 '전성(轉成)어미'라 함.

자견[1]【自牽】 명 ↗자견마(自牽馬).

자견[2]【自遣】 명 자기 마음을 스스로 위로함. 스스로 근심을 잊음. 시름을 풂. ——-하다 자여불

자견[3]【煮繭】 명 실을 빼는 준비 공정(工程)으로서 고치를 찌거나 삶는 일. ——-하다 자여불

자견[4]【雌犬】 명 암캐.

자견-기【煮繭機】 명 실을 켜기 위하여 고치를 삶는 기계.

자-견마【自牽馬】 명 → 자경마.

자결【自決】 명 ①다른 사람의 힘이나 지도를 받음이 없이 스스로 자기 일을 해결함. ¶민족 ~. ②제 목숨을 제 스스로가 끊음. 자살. 자인(自刃). 자재(自裁). 자처(自處). ——-하다 자여불

자결-권【自決權】[一꿘] 명 자기 문제를 스스로 해결하고 결정할 수 있는 권리. ¶민족 ~.

자결-주의【自決主義】[一쭈一/一쭈이] 명 남의 힘을 빌리지 않고 자기 문제를 자기 힘으로 해결해 나가는 주의. ¶민족 ~.

자겸【自謙】 명 스스로 자기를 겸양함. ——-하다 자여불

자경[1]【自剄】 명 자문(自刎). ——-하다 자여불

자경[2]【自敬】 명 [도 Selbstachtung] 〖윤〗 인격성의 절대적 가치와 존엄을 자기 스스로가 인식하는 일. 칸트나 립스는 이를 도덕적 동기(動機)의 근본으로 함. 자존(自尊).

자경[3]【自經】 명 자액(自縊). ——-하다 자여불

자경[4]【自警】 명 스스로 경계하여 조심함. ——-하다 자여불

자경[5]【自警】 명 〖문〗 조선 선조(宣祖) 때의 시인 박인로(朴仁老)가 지은 연시조(聯時調). 스스로 자기 마음을 경계한 내용임. 3수.

자:경[6]【紫鏡】 명 안경에 끼우는 자줏빛의 수정.

자경[7]【蔗境】 명 담화·문장 또는 사건 등의 내용이 점점 재미있어지는 곳. 가경(佳境).

자경-단【自警團】 명 도둑이나 화재(火災) 같은 재난을 미연에 방지하거나 수습하기 위하여 조직한 민간 단체.

자-경마【自一】 명 [←自牽馬] 말 탄 사람이 스스로 잡은 경마.
자경마(를) 들다 구 자경마로 말을 타다.

자경 별곡【自警別曲】 명 〖문〗 작자·제작 연대 미상의 가사의 하나. 율곡 이이가 지었다 하나 확실치 아니함. 내용은 봉친(奉親)·군신(君臣)·형제·남녀·경로(敬老)·사사(師事)·교우(交友)·목족(睦族)·관혼 상제(冠婚喪祭)·접빈(接賓) 등 풍속·교화(敎化)를 읊음. 총 466구. 필사본(筆寫本).

자계[1]【自戒】 명 스스로 경계함. ¶자숙(自肅) ~. ——-하다 자여불

자:계[2]【刺薊】 명 〖한의〗 소계(小薊).

자계[3]【磁界】 명 〖물〗 자기장(磁氣場).

자계 강도【磁界強度】 명 자기장(磁氣場)의 세기.

자:계-옹【紫溪翁】 명 〖사람〗 이언적(李彦迪)의 호(號).

자계 집속【磁界集束】 명 〖물〗 자계와 전자기류(電磁氣流)의 상호 작용을 이용하여, 전자기류를 목표 상의 작은 점에 모으는 일. 촬상관(撮像管) 등에 응용됨.

자고[1]【自古】 명 '예로부터'의 뜻. 자래(自來).

자고[2]【自高】 명 스스로 높은 체함. 또, 스스로 높이 여김. ——-하다 자여불

자고[3]【自顧】 명 스스로를 돌아봄. ——-하다 자여불

자고[4]【瓷鼓】 명 도자기(陶瓷器)로 된 장구.

자고[5]【慈姑】 명 인자한 시어머니. 며느리가 시어머니를 일컫는 말.

자고[6]【慈姑】 명 〖식〗 쇠귀나물.

자:고[7]【鷓鴣】 명 〖조〗 [*Francolinus pintadeanus*] 꿩과에 속하는 새. 메추라기와 비슷한데 날개 길이는 수컷이 17cm, 암컷은 16cm 가량이고 꽁지는 8-10cm임. 날개는 갈람 녹색이고 등·윗가슴·아랫배는 창회색이며 목에서 눈에 걸쳐 까만 고리가 둘리었음. 부리·다리는 홍색임. 산·들에 서식하며 풀씨·곤충 등을 포식함. 맛이 좋은 엽조(獵鳥)임. 한국·만주·중국·유럽 동부에 분포함.

〈자고〉

자고 급금에【自古及今一】 부 예로부터 지금에 이르기까지.

자고 깨:면 구 자고 나기만 하면. 자다가 잠만 깨면. ¶~ 정치 이야기만 한다.

자고-로【自古一】 부 ↗자고 이래로. ¶~ 그런 법은 없다.

자:고-반【鷓鴣斑】 명 〖미술〗 자기(瓷器)의 검은 잿물 위에 섞인 검붉은 무늬. 마치 자고의 털 무늬와 같음.

자:고-새【鷓鴣一】 명 〖조〗 자고(鷓鴣)를 새로서 똑똑히 일컫는 이름.

자고 새:면 구 날이 밝기만 하면. ¶~ 보채기만 한다/~ 공부밖에 모르는 아이라오.

자고-송【自枯松】 명 저절로 말라 죽은 소나무.

자고 이:래【自古以來】 명부 '자고 이래(自古以來)로'의 뜻. ㊟고래(古來).

자고 이:래로【自古以來一】 부 예로부터 내려오면서. 자고 이래(自古以來). 종고 이래(從古以來)로. 종고(從古)로. 종래(從來)로. ㊟고래(古來)로·자래(自來)로·자고(自古)로.

자고 이:래에【自古以來一】 부 ☞ 자고 이래(自古以來)로.

자고 자대【自高自大】 명 스스로 잘난 체하며 교만(驕慢)함. ——-하다 자여불

자-고저【字高低】 명 〖언〗 한자음(漢字音)의 높낮이.

자:고 현:량【刺股懸梁】[一현一] 명 [중국 전국 시대의 소진(蘇秦)이 졸음이 오면 송곳으로 허벅다리를 찔러서, 초(楚)나라의 손경(孫敬)은 머리를 새끼로 묶어 대들보에 매달아 졸음을 쫓았다는 고사에서] 열심히 공부함을 이르는 말.

자곡[1] 명 〈옛〉 자국. ¶漸漸 므거뷔 자곡 마다 깁ᄂᆞ니 ≪月釋 XXI:102≫/口齒ㅅ 자곡과 밋 갓과(口齒跡及皮) ≪無寃錄 Ⅲ:24≫.

자곡[2]【自曲】 명 결점(缺點)이 있는 사람이 스스로 고깝게 생각함. ——-하다 자여불

자곡자고기 부 〈옛〉 차곡차곡. 꼬박꼬박. ¶다 례도애 자곡자고기 마자 조코 조심ᄒᆞ시(皆循循雅飭) ≪飜小 Ⅸ:18≫.

자곡자곡기 부 〈옛〉 차곡차곡. 꼬박꼬박. ¶자곡자곡기 ᄎᆞ례 잇게 ᄒᆞ더시니(循循有序) ≪飜小 Ⅸ:19≫.

자곡지-심【自曲之心】 명 허물이 있는 사람이 스스로 고깝게 여기는 마음.

자공[1]【子貢】 명 〖사람〗 중국 춘추 시대 위(衛)나라의 유가(儒家). 성은 단목(端木), 이름은 사(賜). 자공은 그의 자(字). 공자(孔子)의 제자로서, 십철(十哲)의 한 사람임. 후에 정계(政界)에 나가 노·위(魯衛)의 재상(宰相)이 됨. [520-456? B.C.]

자공[2]【自供】[명] 스스로 공술(供述)함. ——-하다 [타][여불]

자공[3]【自貢】[명]〖지〗'쯔궁'을 우리 음으로 읽은 이름.

자과[1]【自科】[명] 자기가 저지른 죄과(罪科).

자과[2]【自過】[명] 자기의 잘못. 스스로 저지른 과실.

자과[3]【自誇】[명] 자기 스스로 자랑함. ——-하다 [자][여불]

자과[4]【恣夸】[명] 방자하고 잘난 체함. ——-하다 [자][여불]

자과 부지【自過不知】[명] 제 잘못은 제가 알지 못함. ——-하다 [자][여불]

자과-심【自誇心】[명] 자기를 자랑하여 보이려는 마음.

자:곽【紫槨】[명] 잘[1].

자관[1]【字貫】[명]〖책〗중국 청(淸)나라의 사서(辭書). 왕석후(王錫侯)의 찬(撰). ≪이아(爾雅)≫를 모방(模倣)하여 사류(四類) 사십 부(部)로 나누고 글자의 음의(音義)가 같은 것을 일괄 열거(列擧)한 다음, 그 음과 뜻을 밑에다 교주(校註)함. ≪강희 자전(康熙字典)≫의 잘못을 바로잡기 위하여 편찬한 것인데, 그로 인하여 문책당하여 판(板)은 소각되고, 발매 금지(發賣禁止)됨. 60권.

자:관[2]【刺冠】[명]〖기독교〗가시 면류관(冕旒冠).

자괴[1] [명]〈옛〉자국. ¶즉제 돗귀 메오 자괴 바다 가니(卽荷斧跡虎)≪三綱 婁伯≫/자괴믈 좀(涔)≪字會 上 5≫.

자괴[2]【自愧】[명] 스스로 부끄러워함. ——-하다 [자][여불]

자괴[3]【自壞】[명] 저절로 무너짐. 내부에서 자연적으로 붕괴(崩壞)함. ——-하다 [자][여불]

자괴지-심【自愧之心】[명] 스스로 부끄럽게 여기는 마음.

자교【自校】[명] 자기 학교. ↔타교(他校).

자구[1] [명]〈방〉자귀[3]❶(평안).

자구[2]【字句】[명] 문자와 어구(語句). 자귀(字句). ¶~ 수정.

자구[3]【自求】[명] 스스로 구(求)함. ——-하다 [타][여불]

자구[4]【自灸】[명]〖식〗미나리아재비.

자구[5]【自救】[명] 스스로 구(救)함. ¶~ 노력. ——-하다 [자][여불]

자구[6]【資具】[명] 사용하는 기구. 집기(什器).

자구[7]【慈救】[명]〖불교〗①중생(衆生)을 불쌍히 여기어 구제함. ②↗자구게(慈救偈). ——-하다 [타][여불]

자:구[8]【藉口】[명] 핑계될 만한 구실(口實). 또, 구실을 지어서 핑계함. ——-하다 [자][여불]

자구-게【慈救偈】[명]〖불교〗부동 명왕(不動明王)이 중생을 자애로써 구호하는 주문(呪文)의 하나. 이를 염송(念誦)하면 재난을 피하고 소원을 성취한다 함. [준]자구(慈救).

자구-권【自救權】[-꿘] [명]〖법〗자력 구제(自力救濟)를 할 수 있는 법률 상의 권리·자격.

자구-나무 [명]〈방〉〖식〗자귀나무.

자구리[1] [명]〈방〉〖어〗밴댕이(경기).

자구리[2] [명]〈방〉〖조〗딱따구리(경남).

자:구지-단【藉口之端】[명] 핑계할 거리.

자:구 철족【紫口鐵足】[-쪽] [명]〖미술〗중국에서 나는 청자기(青瓷器)의 한 특색으로, 재료에 철분(鐵分)이 포함되기 때문에 잿물에 덮인 아가리의 전은 자색(紫色)으로 보이고, 잿물이 가지 아니한 굽은 철색(鐵色)으로 보이는 일.

자구 행위【自救行爲】[명] [self-help]〖법〗권리 침해(權利侵害)를 받았을 때 공권(公權)의 발동(發動)을 기다리지 아니하고, 피해자(被害者) 자신이 직접 그 권리의 보존(保存)을 위하여 실력 행사를 하는 일. 자력 구제(自力救濟).

자국[1] [명] [중세 : 자곡] ①어떠한 물건이나 어떠한 곳에 다른 물건이 닿아서 생긴 자리. ¶손톱 ~. ②상처·흠집 따위가 아문 자리. ¶마맛~.
 자국(이) 나다 [구] 어떠한 물체에 무엇이 닿아 자국이 생기다.
 자국(을) 밟:다 [구] 남기고 간 발자국을 따르다.
 자국(을) 짚다 [구]〈방〉자국(을) 밟다.
 자국(을) 치다 [구]〈방〉자국(을) 밟다.

자국[2] [명] ①물건이 생산 또는 집산되는 곳이나 일의 근원이 발단된 곳. ②붙박이로 있어야 할 자리.

자국[3]【自國】[명] 자기의 나라.

자국-금【一金】[명]〈방〉〖광〗자옥금.

자국-눈 [명] 겨우 발자국이 날 정도로 적게 내린 눈. 박설(薄雪).

자국-물 [명] ①발자국에 괸 물. ②겨우 발목까지 닿을 정도의 적은 물.

자국-민【自國民】[명] 제 나라 백성.

자국민 불인도의 원칙【自國民不引渡一原則】[-/-에-] [명]〖법〗외국에서 범죄를 범한 자가 자국(自國) 영역에 도망하여 왔을 때, 조약(條約)에 의하여 범죄인이 외국인인 때에는 인도(引渡)하지만 자국민인 경우에는 인도하지 않기로 하는 원칙. 국제법상 절대적으로 확립된 원칙은 아님.

자국-인【自國人】[명] 제 나라 사람.

자국인 대:우【自國人待遇】[명]〖법〗내국민 대우.

자국 정신【自國精神】[명] 제 나라를 잊지 않는 정신. 제 나라를 지키고 발전시키려는 정신.

자국 제:어【自局制御】[명] [local control]〖통신〗무선 송신기의 제어를 송신기가 있는 곳에서 직접 행하는 일.

자굴【自屈】[명] 스스로 굽힘. ——-하다 [자][여불]

자굴지-심【自屈之心】[-찌-] [명] 스스로를 굽히는 마음.

자궁[1]【子宮】[명] ①[uterus]〖생〗여성 생식기의 하나. 아랫배 부분에 있는 속이 빈 기관(器官)인데 수란관(輸卵管)의 일부가 발달하여 된 것으로, 일정한 기간 태아를 기르는 구실을 함. 자궁의 벽은 근질(筋質)로 되어 안쪽은 점막으로 덮여져 있으며 수태란은 이 곳에 착생하여 임신하게 됨. 자궁과 바깥 부분의 생식 구멍과의 사이에는 질(膣)이라는 관(管)으로 연락되어 있는데, 월경은 배란(排卵)에 따라서 자궁벽의 점막으로부터 나오는 정기적(定期的)인 출혈임. 아기집. 자호(子壺). 포궁(胞宮). ②〖민〗십이궁(十二宮)의 하나. 자손에 관한 운수.

자궁[2]【梓宮】[명]〖역〗임금·왕대비(王大妃)·왕비(王妃)·왕세자(王世子) 들의 유해(遺骸)를 모시는 관(棺). 옛날 중국에서 가래나무의 재목으로 만들어 썼으므로 이렇게 일컬음. →재궁(梓宮).

자궁[3]【資窮】[명]〖역〗계궁(階窮).

자궁[4]【慈宮】[명]〖역〗왕세자(王世子)가 왕위에 오르기 전에 죽고 왕세손(王世孫)이 즉위(卽位)하였을 때의 그 죽은 왕세자의 빈(嬪).

자궁-강【子宮腔】[명]〖생〗자궁 안에 있는 빈 곳.

자궁-경【子宮鏡】[명]〖의〗질(膣) 속에 집어넣어 질벽(膣壁) 및 자궁·질부(膣部)를 노출(露出)시켜서 시진(視診)이나 수술을 편리하게 하는 기구. 관상(管狀)으로 된 것과 판상(瓣狀)으로 된 것의 두 가지가 있음. 질경(膣鏡).

자궁 경관【子宮頸管】[명]〖생〗외자궁구(外子宮口)로부터 내자궁구(內子宮口)에 이르는 부분. [준]경관(頸管).

자궁 경관염【子宮頸管炎】[-념] [명]〖의〗자궁 경관의 내막(內膜) 또는 근층(筋層)에 생기는 염증. 경관염(頸管炎).

자궁 경관 폴립【子宮頸管一】[polyp] [명]〖의〗자궁 경관의 점막에서 발생하여 외자궁구(外子宮口)에 아래로 처져 있는 양성의 종류상(腫瘤狀)을 한 점막 증식(粘膜增殖). 증상(症狀)은 부정(不定) 자궁 출혈뿐임. [준]경관 폴립(頸管 polyp).

자궁-구【子宮口】[명] [도 Muttermund]〖생〗자궁의 입구에 해당하는 부분으로 외자궁구·내자궁구의 둘로 구별됨. 외자궁구는 자궁 경부(頸部)가 질(膣)에 대하여 개구(開口)하는 부분으로, 정상시에는 경관 분비물(頸管分泌物)에 의하여 닫혀 있음. 내자궁구는 자궁체(子宮體)와 자궁 경관의 경계이며 자궁강(子宮腔)의 가장 좁은 부분인데 분만(分娩)할 때에는 자궁 하절(子宮下節)로서 중요한 역할을 하게 됨. 자궁문(子宮門).

자궁 근종【子宮筋腫】[명] [도 Uterusmyom]〖의〗자궁의 민무늬근(筋)으로부터 발생하는 양성(良性)의 종양(腫瘍). 난소(卵巢) 기능과 밀접한 관계가 있어, 보통 청춘기(青春期)에 발생하기 시작하여 월경 폐지(月經閉止)와 더불어 퇴축(退縮)하는데 자궁 출혈(出血)·동통(疼痛) 및 인접(隣接)한 장기(臟器)의 압박 증상 등을 나타냄. 발생하는 층위(層位)에 따라 점막하 근종(粘膜下筋腫)·벽내 근종(壁內筋腫)·장막하 근종(漿膜下筋腫) 등으로 나뉨.

자궁 근층염【子宮筋層炎】[-념] [명] [도 Metritis]〖의〗자궁체(體)를 구성하고 있는 층(層) 중 중층(中層)인 근층에 일어나는 염증. 대부분 내막염(內膜炎)으로부터 감염되어, 주로 산욕열(產褥熱)에 합병함. 발열·압통(壓痛)·하복통(下腹痛) 등의 증상이 따르고, 안정·항생제 투여의 치료를 요함.

자궁 난:관 조:영법【子宮卵管造影法】[-뻡] [명] [hysterosalpingography]〖의〗자궁과 난관 내강(內腔)의 영상(影像)을 만드는 법. 미리 내강에 엑스선 조영제(劑)를 주입한 후 엑스선 사진을 찍는 것인데, 자궁체(體)나 난관의 모양·크기·위치 또는 병적 변화(病的變化) 등을 판정할 수 있음.

자궁내 가:사【子宮內假死】[명] [intrauterine asphyxia]〖의〗태아(胎兒)가 분만(分娩)되기 전에, 자궁 내에서 심장은 움직이고 있지만 호흡을 하지 아니하게 된 경우. 모체(母體)의 대출혈(大出血), 태반 조기 박리(胎盤早期剝離), 제대(臍帶)의 압박 등과 같이, 태반 순환에 의한 모체와 태아의 가스(gas) 교환을 방해한다든지 태아의 호흡 중추(呼吸中樞)를 직접 자극하는 일 등이 그 원인이 됨. 가급적 빨리 분만(分娩)토록 해야 함.

자궁내 감:염【子宮內感染】[명] [intrauterine infection]〖의〗부인과(婦人科)의 자궁내 조작(操作)이나 산과(產科) 수술 등에서 사용하는 기계나 손가락 또는 질(膣)·강(腔) 등의 소독 불완전으로 말미암아 포도상 구균(葡萄狀球菌)·연쇄(連鎖) 구균 등 여러 가지 병원균이 자궁강 속에 침입하여 일어나는 감염. 열이 나며 맥박이 약해지고, 농성(膿性) 또는 혈농(血膿) 모양의 대하(帶下)가 증가하며, 자궁체(體)의 증대(增大)나 동통(疼痛)이 일어남.

자궁 내:막【子宮內膜】[명] [endometrium]〖생〗포유류(哺乳類)의 자궁의 내벽(內壁)을 이루는 층(層). 자궁 점막.

자궁 내:막염【子宮內膜炎】[-념] [명] [도 Endometritis]〖의〗자궁 점막(粘膜)에 생기는 염증(炎症). 원인은 임독(淋毒) 또는 월경(月經) 때나 산욕(產褥) 때의 불섭생(不攝生)으로 생기며 급성(急性)과 만성(慢性)이 있음. 증상은 고름이나 점액(粘液)을 많이 분비함.

자궁 내:막증【子宮內膜症】[명]〖의〗자궁 근층(筋層)·난관(卵管)·난소(卵巢)·자궁 복막(腹膜)·질(膣)·외음(外陰)·원인대(圓靭帶) 등 정상(正常)으로는 자궁 내막이 있을 곳이 아닌 곳에 자궁 내막이 발생·발육하는 질환(疾患). 자궁 내막의 본성(本性)을 잃지 아니하고 난소 호르몬의 영향을 받아서 주기성(周期性)을 띠고 조직적 변화를 반복(反復)하며 월경(月經) 모양의 출혈(出血)도 일으킴. 자궁 근층에 발생한 것은 심한 월경통을 일으키며, 난소에 발생한 것은 난소 혈종(血腫)을 형성하는 일이 많음.

자궁내 태아 사:망【子宮內胎兒死亡】[명] [fetal death in the uterus]〖의〗태아가 분만되기 전에 자궁 속에서 죽는 일. 태반(胎盤)에 아무런 병적(病的) 변화가 없는 원발성(原發性)의 것과 출혈(出血)·괴사(壞死)·부종(浮腫) 등 육안적(肉眼的)·조직적 변화가 일어나서 사망하는 속발성(續發性)의 것으로 구별됨.

자궁내 피:임 기구【子宮內避姙器具】[명] 피임하기 위하여 자궁 안에 넣는 기구(器具)의 총칭. 링(ring)·루프(loop) 등 여러 가지가 있음. 아

이 유 디(IUD).

자궁-문【子宮門】명 자궁구(子宮口).

자궁 발육 부전증【子宮發育不全症】[―쯩] 명 〔라 hypoplasia uteri〕『의』성인(成人)의 자궁 발육 정도가 불완전한 병증. 그 형태나 크기가 태아(胎兒) 정도의 것을 태아 자궁, 소아기(小兒期) 정도의 것을 소아 자궁이라 함. 월경 이상(月經異常)·대하(帶下) 증가·성감(性感) 이상·불임증(不姙症) 등의 증상을 가져옴.

자궁-벽【子宮壁】명『생』자궁의 둘레를 이룬 부분. 근질(筋質)로 되어 있고 안쪽은 점막(粘膜)으로 덮여 있으며 수정란(受精卵)이 이 곳에 부착하여 임신이 됨.

자궁-병【子宮病】[―뼝] 명『의』자궁에 발생하는 병의 총칭. 자궁의 기형(畸形)·염증·종양(腫瘍), 위치 및 형상의 이상(異常) 등을 말함. 요기(腰氣).

자궁 상:승【子宮上昇】명 〔도 Erhebung des Uterus〕『의』자궁의 정상 위치는 소골반강(小骨盤腔)의 거의 중앙인데, 자궁이 올라가 골반 입구 또는 그보다 위에 있는 경우를 이름.

자궁 서:혜삭【子宮鼠蹊索】명『생』자궁 원인대(圓靭帶).

자궁 수축제【子宮收縮劑】명『약』분만의 유도, 산후 자궁의 퇴축(退縮) 및 지혈의 목적으로 자궁을 수축시키는 약제. 중요한 약제로는 맥각 알칼로이드 제제(麥角 alkaloid 製劑)·뇌하수체 후엽 제제(腦下垂體後葉製劑) 등이 있음.

자궁 악장【慈宮樂章】명『책』조선 정조(正祖) 19년(1795)에 출판된 책. 정조의 찬(撰)으로, 자궁(慈宮) 헌경후(獻敬后)의 회갑을 맞아 화성(華城)의 행궁(行宮)에 행차하여 진찬(進饌)할 때 아뢰었던 악장임. 장악(長樂)·관화(觀華)·노래의(老萊衣)·만년(萬年) 각 5장으로 되어 있으며, 모두 한글로 해석하였음.

자궁-암【子宮癌】명 〔uterine cancer〕『의』자궁에 생기는 암종(癌腫). 여자의 암종의 3분의 1을 차지함. 발생하는 위치에 따라서 체부암(體部癌)·경부암(頸部癌)으로 나뉘고 경부암에는 경관암(頸管癌)·질부암(膣部癌)이 있는데, 자궁 질부암이 가장 많음. 35-50세의 부인에 많고, 또는 빈산부(頻産婦)에 많이 발생함. 처음에는 부정한 자궁 출혈을 일으키고 대하증(帶下症)이 생기며 나중에는 몹시 괴롭고 쇠약해져서 요독증(尿毒症)이 됨.

자궁-염【子宮炎】[―념] 명『의』자궁벽(子宮壁)의 심부(深部)에 생기는 염증. 급성과 만성이 있는데, 단독(單獨)으로 생기는 일은 적고, 내막염(內膜炎)과 함께 생기는 일이 많음.

자궁 염전【子宮捻轉】[―념―] 명『의』힘든 일을 하거나 급한 운동을 할 경우에 자궁이 꼬이는 병.

자궁 외:막염【子宮外膜炎】[―념] 명 〔도 Perimetritis〕『의』자궁체(子宮體)를 구성하는 세 층(層) 중의 외막인 복막면(腹膜面)에 생기는 염증. 골반(骨盤) 복막염 또는 범발성(汎發性) 복막염의 일부로서 일어남.

자궁외 임:신【子宮外姙娠】명 〔ectopic pregnancy〕『의』수태(受胎)된 난자(卵子)가 자궁강(子宮腔) 이외의 부위(部位)에서 발육되는 임신. 그 위치에 따라서 난관(卵管) 임신·복막(腹膜) 임신·난소(卵巢) 임신·자궁 경관(子宮頸管) 임신으로 대별(大別)되는데, 그 중에서도 난관 임신이 제일 많음.

자궁 원인대【子宮圓靭帶】명 〔도 rundes Mutterband〕『생』자궁 가장자리의 윗 부분으로부터 시작되는 결합(結合) 조직을 주성분(主成分)으로 하는 좌우(左右) 한 쌍의 끈. 복막(腹膜)의 밑을 전외측(前外側)으로 나아가 서혜관(鼠蹊管)에 달함. 자궁 서혜삭(鼠蹊索).

자궁 위치 이:상【子宮位置異常】명 〔도 Lageanomalie des Uterus〕『의』자궁의 위치·자세가 정상적이 아닌 것의 총칭. 정상적인 위치는 소골반강(小骨盤腔)의 중앙에 있어, 체축(體軸)과 경축(頸軸)이 골반축에 일치되는 전경 전굴(前傾前屈)의 자세인데, 자궁 위치 이상은 후경증(後傾症)·후굴증(後屈症)·자궁탈(子宮脫) 기타 이동성(移動性)을 잃은 유착성(癒着性)의 것을 말함. *자궁 후굴(後屈).

자궁 육종【子宮肉腫】[―뉵―] 명『의』대부분 자궁의 체부(體部)에 생기는 악성 종양(腫瘍)을 이름. 주된 증상(症狀)은 출혈(出血)이며 후기에는 대하증(帶下症)·자발통(自發痛)이 증가하고 심한 빈혈증(貧血症)을 유발하여 사망하게 됨.

자궁 이완【子宮弛緩】명 〔도 Atonie des Uterus〕『의』대개 분만(分娩) 직후에 일어나는 자궁 근섬유(筋纖維)의 수축이 불완전한 상태. 이 결과 이완 출혈이 일어나는데, 출혈이 심하여 단시간 내에 죽는 경우가 많음. *만기(晩期) 출혈.

자궁 잡음【子宮雜音】명 〔uterine murmurs〕『의』임신하였을 때 노장(怒張)된 자궁 동맥의 혈액 순환에 의하여 생기는 잡음. 모체(母體)의 맥박과 동시성(同時性)인데 임신 4-5개월 후 하복부(下腹部)의 양측에서 복벽(腹壁) 위에 청진기(聽診器)로써 청취할 수가 있음. 드물게는 자궁 근종(筋腫) 또는 육종(肉腫)에서도 들리는 경우가 있음.

자궁-전【子宮栓】명 페서리.

자궁 점막【子宮粘膜】명『생』자궁 내막.

자궁 질부 미란【子宮膣部糜爛】명 〔cervical erosion〕『의』자궁 질부의 염성(炎性) 조직의 침윤(浸潤)으로 말미암아 그 부분을 덮는 점막 상피(粘膜上皮)가 파괴되는 상태.

자궁 출혈【子宮出血】명 〔도 Metrorrhagie〕『의』자궁 암종(癌腫)·자궁 내막 결핵(內膜結核) 같은 병으로 인하여, 배란(排卵)이나 월경(月經)에 관계 없이 불규칙하게 자궁에서 출혈을 하는 일.

자궁-탈【子宮脫】명 〔도 Uterusvorfall〕『의』자궁이 정상(正常)의 위치로부터 내려앉아 그 질부(膣部)가 질강(膣腔) 밖으로 빠져 나오는 병. 곧, 염불이 빠지는 병. 아기를 많이 난 중년·노년의 부인에게 많음. 생명에는 위험이 없으나 배뇨(排尿)·배변(排便)에 지장이 많고 빠져 나온 자궁의 끝이 의복에 마찰되어 상처가 남. 자궁 탈출증(脫出症). 탈음(脫陰). 탈음증(脫陰症).

자궁 탈출증【子宮脫出症】[―쯩] 명『의』자궁탈.

자궁 파:열【子宮破裂】명 〔도 Uterusruptur〕『의』자궁 체부(子宮體部)의 파열. 자궁벽(壁)의 모든 층(層)에 미치는 전(全)파열, 근층(筋層)에서만 그치는 부전(不全) 파열, 이렇다 할 원인이 없는 자발성(自發性) 파열, 외력(外力)에 의한 외력성 파열 등으로 구별됨. 격렬한 하복통(下腹痛)과 더불어 진통이 돌연 정지하고 강한 내출혈·외출혈이 일어나서 급성 빈혈(貧血)·복막(腹膜) 자극·구토(嘔吐)·사지 냉각(四肢冷却)·실신(失神) 등의 증상을 일으킴.

자궁 하:수【子宮下垂】명 〔도 Vorliegen des Uterus〕『의』자궁이 정상 위치보다 아래로 처져서 자궁 질부(膣部)가 질구(膣口)에 접근한 것. 다산(多産)이나 과격한 노동을 한 여자, 무력성(無力性) 체질의 사람에게 많음. *자궁 위치 이상(子宮位置異常).

자궁 후:굴【子宮後屈】명『의』자궁의 체부(體部)가 경부(頸部)에서 뒤로 굴곡(屈曲)하는 일. 임신하기 어려우며 임신을 하더라도 유산(流産)하기 쉬움.

자궁 후:굴증【子宮後屈症】[―쯩] 명『의』자궁 후굴의 증상(症狀). ㊈후굴증(後屈症).

자궤【自潰】명 저절로 뭉그러져 터짐. ――-하다 자여불

자귀[1] 명 강아지·돼지의 병. 흔히 너무 먹어서 생기는데, 배가 붓고 발목이 굽음.

자귀(가) 나다 구 개나 돼지가 너무 먹어서 배가 붓고 발목이 굽는 병이 생기다.

자귀[2] 명 짐승의 발자국.

자귀(를) 짚다 구 짐승의 발자국을 따라 찾아가다.

자귀[3] 명 〔근대: 자괴〕『건』①나무를 깎아 다듬는 연장의 한 가지. 나무 줏대 아래에 날이 있는 투겁을 박고, 줏대 중간에 자루를 가로 박음. *손도끼·까뀌. ②〈방〉까뀌(충청).

〈자귀[3]❶〉

자귀[4] 명 〈방〉덫(충북).

자귀[5]【字句】명 자구(字句).

자귀[6]【自貴】명 스스로를 존귀(尊貴)하게 여김. ――-하다 자여불

자귀-나무 명『식』[*Albizzia julibrissin*] 함수초과에 속하는 낙엽 활엽의 작은 교목. 잎은 재우상 복생(再羽狀複生)하고 소엽(小葉)은 도형(刀形)인데 밤에는 오므라듦. 7월에 양성(兩性)의 담홍색 두화(頭花)가 정생하여 피고, 10월에 길이 10 cm 내외의 협과(莢果)가 익음. 산기슭 및 산허리의 양지에 나는데, 한국의 중부 이남 및 일본·중국·인도·이란·아프리카 등지에 분포함. 나무는 도구 및 세공재로, 수피(樹皮)는 약재로 씀. 합혼목(合昏木). 합환목(合歡木).

〈자귀나무〉

자귀-날 명 ①자귀의 날. ②『고고학』한쪽 면만 떼거나 갈아서 이룬 날. 단인(單刃). 외날.

자귀 물론【自歸勿論】명 오래 되었거나 대수롭지 않은 일은 저절로 흐지부지하여짐.

자귀-벌 명『건』원목(原木)을 산판에서 자귀로 제재한 것.

자귀-질 명 자귀로 나무를 깎는 일. ――-하다 자여불

자귀-풀 명『식』[*Aeschynomene indica*] 콩과에 속하는 일년초. 줄기는 원기둥꼴이며 가운데가 비었고 높이 50-100 cm임. 잎은 호생하며, 단병(短柄)에 우수 우상 복생(偶數羽狀複生)하고 소엽(小葉)은 서로 붙어 있으며 선상(線狀)의 긴 타원형임. 7월에 황색 꽃이 액출(腋出)하여 총상(總狀) 화서로 피고, 과실은 협과(莢果)임. 밭이나 습지에 나는데, 한국 및 구대륙의 난대·열대에 분포함. 잎은 차의 대용으로 쓰임.

〈자귀풀〉

자귓-밥 명 자귀로 나무를 깎아 낸 조각.

자규【子規】명『조』두견이.

자그락-거리다 자 ①보고 듣기에 딱하도록 옥신각신하며 다투다. ②남이 듣기 싫도록 자꾸 불평을 말하다. 1)·2): 쓰짜그락거리다. <지그럭거리다. 자그락-자그락 부. ――-하다 자여불

자그락-대다 자 자그락거리다.

자그레브〔Zagreb〕명『지』크로아티아(Croatia) 공화국의 수도. 다뉴브 강의 지류(支流) 사바 강 연변에 위치하며 전기·의료 기기·피혁 등의 공업이 활발함. 중세의 사원·박물관과 식물원 등이 있음. 독일명은 아그람(Agram). [1,200,000명(1991 추계)]

자그로스 산맥【―山脈】〔Zagros〕명 이란 고원의 서부에서 남부로 뻗은 습곡(褶曲) 산맥. 각종 광산 자원이 풍부하며 남서 사면(斜面)은 풍부한 유전 지대로 개발이 진행되고 있음. 길이는 약 2,000 km이며, 높이 3,000 m 가까운 산이 많은데, 최고봉은 해발 4,548 m의 자르데 산(Zardeh山)임.

자그르르 부 거의 잦아진 물기나 기름기 같은 것이 갑자기 끓어 오르는 소리. 쓰짜그르르. <지그르르. ――-하다 자여불

자그마이 부 〈방〉조금(함경).

자그마치 부 ①자그마하게. ¶입을 ~ 벌리다. ②예상보다 지나치게 많을 때에 '적지 않게'의 뜻으로 쓰는 말. ¶~ 오백만 원이래.

자그마-하다 형여불 조금 작은 듯하다. ¶키가 자그마한 사람/자그마한 보따리. ㊈자그맣다.

자그만치 부 ☞ 자그마치.

자그맣다 [―마타] 형ㅎ불 ↗자그마하다. ¶몸집이 ~.

자그시 부 ①천천히 힘있게 누르거나 당기거나 밀거나 닫는 모양. ¶~ 누르다/입술을 ~ 깨물다. ②눈을 슬그머니 감는 모양. ¶눈을 ~ 감다. 1)·2):<지그시.

자:극[1]【刺戟】명 ①정신을 흥분(興奮)시키는 일. ¶새로운 ~을 받다. ②〔stimulus〕〖생〗생체(生體)에 작용하여 그 상태를 변화 또는 흥분시키고, 어떠한 반응을 일으키게 하는 일. 또 그것. 광학적(光學的)·화학적(化學的)·기계적(機械的) 반응 등으로 나눌 수 있음. ③〖심〗많은 감각·지각(知覺)을 생기게 하는 원인 또는 그 작용을 이름. ¶신경을 ~하다. ——-하다 타여불

자:극[2]【紫極】명 천자(天子)의 어좌(御座).

자극[3]【磁極】명〖물〗자기극(磁氣極).

자:극 결장【刺戟結腸】[—짱] 명〔irritable colon〕〖의〗근심이나 정신적인 스트레스에 의한 결장의 기능 장애.

자:극 기아【刺戟飢餓】명 마약 중독자(中毒者)나 자극적인 영화·출판물 애호가(愛好家) 등이 보다 강렬한 자극을 추구하고 갈망(渴望)하는 심적 상태.

자:극-량【刺戟量】[—냥] 명〔quantity of stimulus〕〖생〗자극의 세기와 그 지속 시간의 곱을 이름.

자:극량의 법칙【刺戟量—法則】[—냥— / —냥에—] 명〔law of stimulus-quantity〕〖생〗생체에 어떤 특정한 종류의 응답(應答)을 일으키는 자극량의 역치(閾値)가, 자극의 강도(強度)나 지속 시간에 관계 없이 일정하다는 법칙.

자:극-력【刺戟力】[—녁] 명 자극하는 힘.

자:극-물【刺戟物】명 자극을 주는 물질.

자:극 반:응 메커니즘【刺戟反應—】명〔stimulus-response mechanism〕〖심〗유기체(有機體)가 나타내는 행동의 바탕이 되는 신체적 과정. 곧 물리적(物理的)이나 생리적(生理的) 자극에 의하여 감수기(感受器)가 흥분하고 이것이 구심성(求心性) 신경 경로를 전도하여 신경 중추(中樞)에 달하고 여기서 다른 신경 흥분과 통합되어 원심성(遠心性) 곧 운동성(運動性) 신경 경로를 전도하여 주효기(奏効器) 곧 근육 및 분비선을 활동시키는 과정. 이러한 자극과 반응의 메커니즘만으로 모든 행동을 설명하려는 입장을 반응 심리학(reaction psychology)이라 함.

자:극 반:응 이:론【刺戟反應理論】명〔stimulus-response theory〕〖심〗에스 아르설(SR說).

자:극 비:료【刺戟肥料】명〖농〗비료의 한 가지. 직접 영양 비료로서의 효력은 없으나 작물(作物)의 생리적 기능(生理的機能)을 자극하여 생육(生育)을 촉진하고 수확을 증가시키며 품질을 향상시키는 작용을 함. 망간(mangan)·구리·철(鐵)·붕소(硼素)·브롬·요오드 같은 것의 화합물은 이에 속함. 보조(補助) 비료.

자:극-성【刺戟性】명 신경이나 감각 등을 자극하는 성질.

자:극성-물【刺戟性物】명 자극하는 성질이 있는 물질.

자:극-소【刺戟素】명 생리적인 필요에 따라 일정한 자극을 일으키게 하는 물질 성분.

자:극-어【刺戟語】명 심리학 등에서, 피조사자(被調査者)에게 주어 그 반응을 조사하는 일정한 말.

자:극-역[1]【刺戟域】[—녁] 명〖심〗외계(外界)의 자극을 받아서 감각하는 범위.

자:극-역[2]【刺戟閾】[—녁] 명〔도 Reizschwelle〕〖심〗감각(感覺) 또는 지각(知覺)을 일으킬 수 있는 작용량(作用量)의 최솟값. 보통 R.L.로 표시함. *역(閾).

자:극역-시【刺戟閾時】[—녁—] 명〔presentation time〕〖생〗어떤 자극에 의하여 응답(應答)을 일으키는 경우에, 그 자극이 유효(有效)하게 되는 최소의 시간.

자:극 연쇄【刺戟連鎖】[—년—] 명〔chain of stimuli〕〖생〗생체가 외부로부터 자극을 받았을 때 그 내부에서 일정한 순서·경로(經路)에 의해 계기(繼起)하여, 대외적(對外的)인 응답(應答)에 이르는 자극 사상(事象)의 연속을 이름.

자:극 요법【刺戟療法】[—뇨뻡] 명〔도 Reiztherapie〕〖의〗전기(電氣)·온열(溫熱) 같은 물리적 자극, 침(鍼)·안마(按摩) 같은 기계적 자극, 단백체(蛋白體) 같은 화학적 자극 등을 이용(利用)하여 병을 치료(治療)하는 방법.

자:극 운:동【刺戟運動】명〖식〗외계의 자극을 받아 그 영향으로 일어나는 식물체내의 운동.

자:극 잠복기【刺戟潛伏期】명〖생〗자극을 받고서 반응(反應)할 때까지의 기간.

자:극-적【刺戟的】명관 신경이나 감각 등을 자극하는 모양.

자:극 전도계【刺戟傳導系】명〔도Reizleitungssystem〕〖생〗심장의 심방(心房)과 심실(心室) 사이에 있는 결합 조직(結合組織)의 분획벽(分劃壁)의 가운데를 통과하여 심방과 심실과의 근육을 연결하고 있는 특수한 근육성(筋肉性)의 연락로(連絡路). 심방에 발생한 수축(收縮) 자극을 심실에 전함.

자:극-정【刺戟頂】명〔terminal stimulus〕〖심〗감각할 수 있는 자극의 크기를 점차 높여 가면 마침내 그 감각이 소멸(消滅)되거나 또는 감각 내용에 변화가 없는 점에 도달하는데 이 때의 자극값을 이름. 종말(終末) 자극.

자:극-제【刺戟劑】명 ①〖약〗피부나 내장을 자극하여 염증(炎症)·운동·이뇨(利尿) 등을 일으키게 하는 약제. ②비유적으로, 사람의 기분 등을 자극하여 그 행동이나 생각에 영향을 주는 것.

자:극 착오【刺戟錯誤】명〖심〗자극에 의하여 지각이 일어날 때, 그 지각은 자극 자체와는 차원(次元)을 달리하여 독자적 성질을 가지는데, 연구하는 사람들이 흔히 자극의 성질이 그대로 지각된 것의 성질로 그릇 생각하기 쉬운 착오. ↔경험 착오.

자:극 처:리법【刺戟處理法】[—뻡] 명〔stimulation treatment〕유층(油層)이나 가스층의 생산량을 자극하여 증가시키는 기술의 하나. 산(酸)처리, 제어(制御) 지하 폭발, 각종의 클리닝 기술 등이 있음.

자:극-취【刺戟臭】명 후각(嗅覺)에 자극을 주는 냄새. 향신료의 냄새 따위.

자:극형 예:산【刺戟型豫算】[—네—] 명 경기(景氣)에 대하여 자극적(刺戟的)인 입장에서 편성된 것이라는 뜻으로 적극 예산(積極豫算)을 일컫는 딴 이름. ↔억제형(抑制型) 예산.

자:근【紫根】명 말린 지치 뿌리. 물감·약용으로 쓰임. 자초근(紫草根). 자초(紫草).

자근-거리다 자타 ①남이 싫어하도록 몹시 조르다. ②남이 귀찮아하도록 건드려서 괴롭게 굴다. ③어떤 물건을 약한 힘으로 자꾸 눌러 깨뜨리다. ④가볍게 여러 번 씹다. 1)·2):쓰짜근거리다. 1)·4):>지근거리다. **자근-자근** 부. ——-하다 자타여불

자근-대다 자타 자근거리다.

자근덕-거리다 자타 몹시 끈기 있게 자근거리다. 쓰짜근덕거리다. <지근덕거리다. **자근덕-자근덕** 부. ——-하다 자타여불

자근덕-대다 자타 자근덕거리다.

자근-주【柘根酒】명 이명증(耳鳴症)에 약으로 먹는 술. 꾸지뽕나무 뿌리와 창포(菖蒲)를 각각 달인 물과 쇳조각을 불에 달구어서 달인 물을 한데 합하여 술을 빚어 뜬 뒤에 자석(磁石)을 넣어 우려내고 사흘 만에 먹음.

자글-거리다 자 ①거의 잦아진 물기나 기름기가 소리를 내며 끓다. ②무슨 일에 걱정이 되어 마음을 몹시 졸이다. 1)·2):쓰짜글거리다. <지글거리다. **자글-자글** 부. ¶~ 끓다 / 상제는… 산초 기름이 ~ 타고 있는 등잔을 받쳐 들고 뜰로 내려섰다《金周榮 : 客主》. ——-하다 자여불

자글-대다 자 자글거리다.

자금[1]【子苓】명〖한의〗조금(條苓).

자금[2]【自今】명부 '이제부터의' 뜻.

자금[3]【自禁】명 자기 스스로 금함. ——-하다 타여불

자:금[4]【紫金】명〖미술〗도자기의 잿물 빛의 한 가지.

자:금[5]【紫禁】명 대궐. 궁궐.

자:금[6]【紫錦】명 자줏빛의 비단.

자:금[7]【資金】명 ①사업(事業)을 경영(經營)하는 데에 쓰는 돈. 자본금(資本金). ¶~을 대다. ②특정한 목적에 사용되는 금전. ¶정치 ~/육영(育英) ~/영농(營農) ~.

자금-거리다 자 음식에 섞인 잔 모래 같은 것이 자꾸 씹히다. 쓰짜금거리다. <지금거리다. **자금-자금** 부. ——-하다 자여불

자:금 계:획【資金計劃】명〖경〗자금의 수급(需給)을 통제(統制)하기 위한 기초 자료로서 수립되는 계획.

자:금 고갈【資金枯渴】명 금융 시장에 자금이 달리는 현상.

자:금 관계【資金關係】명〖법〗발행된 환(換)어음 및 수표의 인수(引受)와 지급(支給)을 하게 되는 실질적 법률 관계. 자금 의무자는 발행인인 것이 보통이나 발행인이 제삼자의 위탁을 받아 그 계산 아래 발행한 경우에는 위탁을 한 제삼자가 자금 의무자가 됨. 자금 관계가 존재하려면 발행인이 미리 지급인에게 자금을 공급하고 있거나 또는 채권을 가지고 있는 등 어음 및 수표에 의하여 처분할 수 있는 자금이 지급인의 수중(手中)에 있어야 함. *보상(補償) 관계.

자:금 관리 특별 회:계【資金管理特別會計】[—괄—] 명〖법〗재정 차관(財政借款) 자금과 재정 예탁(財政預託) 자금을 관리·운용하기 위한 특별 회계. 차관 자금 계정·청구권 자금 계정·대충 자금 계정 및 자금 운용 계정으로 구분됨.

자:금-난【資金難】명 자금을 마련하기 어려운 일. ¶~으로 공장이 문을 닫다.

자:금-당송초【紫金唐松草】명〖식〗은꿩의다리.

자금-대다 자 자금거리다.

자:금 동:결【資金凍結】명〖경〗①〔freezing〕자금의 처분·이동을 극도로 제한·금지하는 조치. 특히 어느 나라가 경제 제재(制裁)로서 그 나라 안에 있는 외국인 소유의 자금에 대하여 행하는 경우가 있음. ②대부(貸付)된 자금이 회수(回收)되지 아니하는 일. 물가가 앙등(仰騰)할 때에 꾼 돈이 그 후 불경기로 물가 하락(下落)의 비율에 따라 그 가치가 높아져서 꾼 사람에게 있어서 반제(返濟) 능력이 감쇄(減殺) 또는 불가능하게 되어 자금이 고정(固定)되는 현상.

자:금-란【紫錦蘭】[—난] 명〖식〗〔*Rhoeo discolor*〕닭의장풀과에 속하는 상록 다년초. 잎은 긴 피침형으로 줄기를 싸고 나오며, 겉은 짙은 녹색, 뒷면은 어두운 자주색임. 줄기는 짧고 잎의 길이는 15-25cm, 잎의 넓이는 3-4cm임. 멕시코·서(西)인도 원산으로, 오키나와 등지에 자생(自生)하는데, 보통, 관엽 식물(觀葉植物)로서 온실에서 재배하며, 생리학(生理學) 실험의 재료로서 표피(表皮)를 이용함.

자:금-량【資金量】[—냥] 명 자금의 분량.

자:금 보:험【資金保險】명〖경〗①보험금이 일시에 지불되는 생명 보험. *연금 보험(年金保險). ②교육 보험(教育保險) 등과 같이 일정한 목적에 필요한 자금을 피보험자(被保險者)를 위하여 준비하는 생존(生存) 보험.

자:금-산【紫金山】명〖지〗'쯔진산'을 우리 음으로 읽은 이름.

자:금 서:당【紫衿誓幢】명〖역〗신라 구서당(九誓幢)의 하나. 진평왕(眞平王) 47년(625)에 베푼 낭당(郞幢)을 문무왕(文武王) 17년(677)에 고친 이름. 금색(衿色)이 자녹색(紫綠色)이고, 신라 사람으로 구성됨. *녹금(綠衿) 서당.

자:금-성【紫禁城】명〖지〗'쯔진청'을 우리 음으로 읽은 이름.

자:금 순환【資金循環】명〔money flow〕〖경〗국민 경제에 있어서의 통화 또는 자금의 흐름. 통화가 재화·서비스와 교환되는 경우의 산업적 유통과, 유가 증권이나 채권 등 신용 수단과 교환되는 금융적 유통이 있는데, 이를 통틀어 자금 순환이라 함.

자:금 순환표【資金循環表】명〔money-flow tables〕〖경〗자금 순환 분석을 위해 통화나 자금의 거래 형태와 유통을 구체적으로 기록한 통계표. 우리 나라에서는 금융 거래의 주체를 금융·정부·기업·개인·해외 등 5개 부문으로 구분하고 있는데, 이들 5개 부문끼리의 일정 기간(보통 1년)의 자금 거래량이 얼마인지를 파악해 놓은 것이 자금 순환표임. 따라서 이 표에 의해 개인 부문에서 기업 부문으로 흘러간 자금의 양과 금융 부문과 기업 부문 간의 거래 규모를 알아볼 수 있으며, 나아가 실물 경제의 흐름과 금융 활동의 관계를 분석할 수 있음.

자:금-액【資金額】명 자금의 액수(額數).

자:금 예:산【資金豫算】[-네-]명〖경〗기업(企業)이나 관공서(官公署)에서, 다음 기간의 수입(收入)과 지출(支出) 또는 자금 증감의 예산을 세워 밸런스(balance)를 잡는 일.

〈자금우〉

자:금-우【紫金牛】명〖식〗[*Bladhia japonica* var. *typica*] 자금우과에 속하는 상록 활엽의 작은 관목. 잎은 타원형 또는 긴 거꿀달걀꼴임. 여름에 백색의 꽃이 액생(腋生)하여, 총상(總狀) 또는 산형(繖形) 화서로 늘어져 피고, 장과(漿果)는 가을에 빨갛게 익음. 산지의 숲 밑에 나는데, 전남·경남북 및 일본·대만·중국에 분포함. 관상용으로 재배함.

자:금 운용표【資金運用表】명〖경〗기업(企業)이 조달(調達)한 자금 및 그 운용의 용도(用途)를 상세히 표시한 보고서. 원칙적으로는 서로 접속(接續)되는 두 기간의 말(末)에 있어서의 대차 대조표(貸借對照表)로부터 작성됨.

자금 위시【自今爲始】명 지금으로부터 비롯함. ——-하다 자여불

자금-으로【自今-】부 이제부터.

자금 이:왕【自今以往】명부 지금 이후.

자금 이:후【自今以後】명부 지금으로부터 이후. 이금 이후(而今以後). 자금 이왕(自今以往).

자금-자금[2] 부 어느 것이나 다 자그마한 모양. ——-하다 형여불

자금채 명〈방〉작대기(제주).

자:금 코스트【資金-】〔cost〕명〖경〗기업체가 생산 또는 사업을 위하여 사용하는 자금 중 차입(借入)한 금리(金利) 같은 것.

자:금 통:제【資金統制】명〔fund control〕〖경〗정부 또는 중앙 은행이 금융 시장을 통하여, 자금의 원활한 수급(需給)과 통화 가치의 안정을 도모하기 위하여 행하는 정책. 자금의 양을 통제하는 것과, 자금의 질을 통제하는 것이 있음.

자:금 포지션【資金-】〔position〕명〖경〗금융 기관의 수신(受信)·여신(與信) 업무 등에서 생기는 자금의 과부족의 상태.

자급[1]【自給】명 자기에게 소용되는 물건을 자기 힘으로 공급함. 전(轉)하여, 제 힘으로 살아 감. ¶~ 자족. ——-하다 타여불

자급[2]【資級】명〖역〗가자(加資)의 등급. 곧, 벼슬아치의 위계(位階).

자급-력【自給力】[-녁]명 자급할 수 있는 능력.

자급 비:료【自給肥料】명 농가에서 자기 힘으로 생산하여 쓰는 비료. 퇴비(堆肥)·축분(畜糞)·인분(人糞)·재 같은 것.

자급 자족【自給自足】명 자기의 수요(需要)를 자기가 생산하여 충당함. ¶식량의 ~. ——-하다 타여불

자급 자족 경제【自給自足經濟】명〖경〗자기의 수요(需要)를 자기가 생산하여 공급·충족(充足)하는 경제. 가장 원시적(原始的)인 경제 형태의 하나임.

자급 자족주의【自給自足主義】[-/-이]명〖경〗자기 나라의 수요(需要)를 자기 나라의 생산에 의하여 충족(充足)함으로써 국가 경제의 확립(確立)·유지(維持)·발전(發展)을 꾀하는 경제 상의 한 주의. 아우타르키(Autarkie).

자급적 농업【自給的農業】명〖농〗생산물을 판매하기 위한 것이 아니라, 주로 가족을 포함한 생산자 스스로가 소비하기 위해 하는 농업.

자긋-이 부 ☞ 자그시.

자긋-자긋 부 연해 슬그머니 당기거나 밀거나 닫는 모양. <지긋지긋[2].

자긋자긋-하다 형여불 ①보기에 몹시 잔인(殘忍)하다. ②괴로운 느낌이 아주 대단하다. 1)·2): <지긋지긋하다.

자긍【自矜】명 제 스스로 하는 자랑. ——-하다 자여불

자긍-심【自矜心】명 자긍하는 마음.

자기[1]【子器】명〖식〗자낭균(子囊菌) 식물의 생식 기관. 자낭 포자(胞子)가 익었을 때 자실층(子實層)이 나출(裸出)하는 것을 나자기(裸子器), 나출하지 않는 것을 피자기(被子器)라 함.

자기[2]【自己】㊀명 ①그 사람 자신(自身). ¶~ 일은 ~가 해라. ②〖철〗자아(自我). ㊁인대 ①어떤 사람을 말할 때에, 그를 도로 가리키는 말. ¶~가 무엇을 잘했다고 뻐기느냐. *저. ②〈속〉애인이나 부부간에 상대방을 부르는 말. 주로, 젊은이들 사이에 쓰임. ¶~도 같이 가지.

자기[3]【自記】명 ①스스로 기록함. ②기계가 자동 작용(自動作用)으로 부호(符號)나 문자(文字)를 기록하는 일. ¶~ 우량계(雨量計). ——-하다 타여불

자기[4]【自起】명 ①남의 힘을 입지 아니하고 제 힘으로 일어남. ②자연히 일어남. 저절로 일어남. ——-하다 자여불

자기[5]【自期】명 마음 속에 스스로 기약함. ——-하다 자여불

자기[6]【自欺】명 ①자기가 자기의 양심을 속임. ②자기가 자기에게 속음. ——-하다 자여불

자기[7]【自棄】명 제가 저를 버리고 돌아보지 아니함. *자포 자기(自暴自棄). ——-하다 자여불

자기[8]【瓷器·磁器】명 사기 그릇.

자기[9]【雌器】명〖생〗포자 생물에 생기는 자성(雌性)의 생식 기관의 총칭. 조란기(造卵器)나 생란기(生卵器) 등을 일컫는 일이 있음.

자기[10]【磁氣】명〔magnetism〕〖물〗①자석(磁石)의 상호 작용 또는 자석과 전류(電流)와의 작용 등, 자기력(磁氣力)의 근원이 되는 것. 원자 안의 홑전자(電子)의 자전(自轉) 운동이나 전자의 궤도 운동(軌道運動), 도선(導線) 속의 전류의 흐름 등에서 생겨남. ②자기극(磁氣極)·자기량(磁氣量)의 일컬음.

자기 감:염【自己感染】명〔autoinfection〕〖의〗자가 감염(自家感染).

자기 감:응[1]【自己感應】명〖물〗자기 유도(自己誘導).

자기 감:응[2]【磁氣感應】명〖물〗자기 유도(磁氣誘導).

자기 감:응 계:수【自己感應係數】명〖물〗자기 유도(誘導) 계수.

자기 감:응의【磁氣感應儀】[-/-이]명〔earth inductor〕〖공〗지구 자기장(磁氣場) 속에서 회전하는 코일이 있는 경사계(傾斜計)의 하나. 회전축(回轉軸)이 자기장(磁氣場)의 방향과 일치하지 않을 때에 전압(電壓)이 일어남.

자기 감:정【自己感情】명〖심〗자기가 자기 스스로를 평가(評價)하는 일로 일어나는 감정. 자애(自愛)·자기 혐오(嫌惡) 등.

자기 강성률【磁氣剛性率】[-눌]명〔magnetic rigidity〕자기장(磁氣場)과 수직으로 운동하고 있는 입자(粒子)의 운동량에 관한 양(量). 자기 유도(誘導)와 입자의 곡률(曲率) 반지름과의 곱과 같음.

자기 거:래【自己去來】명〖법〗회사의 이사(理事)나 무한 책임 사원(無限責任社員)과 자기 회사 사이에 이루어지는 거래. 상법 상 이 거래는 이사회(理事會)나 사원 총회 또는 감사(監事) 등을 거쳐 하도록 규제하고 있음.

자기 거울【磁氣-】명〔magnetic mirror〕〖물〗고온 플라스마(plasma)를 가두어 두기 위한 자기장 배위(配位)의 하나로, 자기력선이 깔때기 모양으로 되어 있는 것. 이렇게 수렴하는 영역에서 자기장은 세어짐. 자기경(磁氣鏡). 자기병(磁氣甁). 거울 자기장.

자기 결실【自己結實】[-씰]명〔autocarpy〕〖식〗자기 수정에 의해서 과실을 형성하는 일.

자기 경도【磁氣經度】명〖지〗지리 상의 북극과 지자기(地磁氣)의 북극을 통과하는 면과 자기 자오선(磁氣子午線)을 포함한 연직면(鉛直面)과의 각도를 동쪽으로부터 측정한 것. *자기 위도.

자기 계:산【自己計算】명 거래상 발생하는 손익(損益)이 자기에게 돌아오므로 자기 책임 아래 손익을 계산하는 일. 보통 상인들이 이에 속함.

자기 계:약【自己契約】명〖경〗대리인(代理人)이, 한편으로는 대리인의 자격과 다른 한편으로는 자기의 자격으로서, 본인과의 사이에 체결하는 계약. 가령, 갑이 그가 소유하는 가옥을 팔 때에 을을 자기의 대리인으로 한 경우에 을이 스스로 매주(買主)가 되어 갑을 간의 매매를 혼자서 체결하는 것과 같은 일. 상대방 대리.

자기 고도계【自記高度計】명〖기〗항공용 계기(航空用計器)의 하나. 자동적으로 고도를 기록하는 구조의 고도계.

자기 고:백【自己告白】명 스스로 고백함. ——-하다 타여불

자기 공기 역학【磁氣空氣力學】명〔magneto aerodynamics〕〖물〗고도로 이온화된 공기 또는 기타의 기체(氣體)의 성질이나 특성 및 그것들이 미치는 영향에 대한 연구. 주로 탄도(彈道) 미사일·우주선의 재돌입 등의 연구에 사용됨.

자기 공동【磁氣空洞】명〖물〗태양으로부터 복사(輻射)된 플라스마류(plasma流)인 태양풍(太陽風)은 지구의 자기권에 닿으면 자기(磁氣)의 힘에 의해서 튕겨져서 지구 안에 들어올 수 없게 되는데, 이 때의 자기권(磁氣圈) 안쪽을 일컫는 말. 지자기권(地磁氣圈) 이외에도 태양계(太陽系)·은하계(銀河系) 속에 이 같은 자기 공동이 존재하여, 고(高)에너지 입자(粒子)의 저장고(貯藏庫)가 되어 있다는 설이 있음.

자기 공:명【磁氣共鳴】명〔magnetic resonance〕〖물〗자기(磁氣) 스핀계(系)가 나타내는 현상. 자기 스핀계가 그 고유 진동과 동기(同期)의 진동수를 가진 진동 자기장(磁氣場) 속에 놓였을 때, 특정한 진동수(振動數)가 있는 곳에서 에너지를 흡수하는 현상(現象). 자기 흡수(磁氣吸收).

자기 공:명 영:상【磁氣共鳴映像】명〔magnetic resonance imaging; MRI〕〖의〗인체에 전자기파를 쐬어 환부(患部)의 수소 원자 따위에 핵자기 공명(核磁氣共鳴)을 일으키게 하여 단층 촬영을 하는 방법. 종양이나 경색(梗塞)을 정확히 진단할 수 있음. 엠 아르 아이(MRI).

자기 과시【自己誇示】명〔self-display〕자기의 존재를 인정(認定)받기 위하여 남에게 자기를 과시하는 일. 또, 그러한 심리적(心理的) 경향. ——-하다 자여불

자기 관찰【自己觀察】명〔도 Selbstbeobachtung〕〖심〗자기의 의식 경험을 관찰하는 일. 경험의 과정(過程) 중에 관찰하는 일과 경험한 후에 관찰하는 일의 두 가지가 있음. 내관(內觀). 내성(內省).

자기 광:고【自己廣告】명 자가 선전(自家宣傳). 자가 광고(自家廣告).

자기 광학【磁氣光學】명〔magnetooptics〕자기장(磁氣場) 안의 물질을 통과하는 빛에 대한 자기장의 효과를 연구하는 학문.

자기 광학적 추적 장치【自記光學的追跡裝置】명 미사일 비행에 관련된 데이터의 기록·계측에 쓰이는 광학 장치.

자기 교:육【自己敎育】명 학습자가 자기 자신을 교육한다는 자각을 가지고, 학문의 추구, 기술의 연마, 인격의 향상을 도모하는 일. 사회 교육·학교 교육을 막론하고 교육 성립의 기본이 됨.

자기 구역【磁氣區域】명〔magnetic domain〕〖물〗강자성체(强磁性體)를 형성한다고 믿어지는 작은 단위체. 이것이 자기적(磁氣的)으로 같

은 방향을 향하면 전체가 세게 자기화(磁氣化)되는 것으로 믿어짐.

자기 구역벽【磁氣區域壁】[명]〔magnetic domain walls〕『물』강자성체(強磁性體) 속의 자기 구역(磁氣區域)과 자기 구역 사이의 경계. 여기서는 스핀(spin)이 한쪽 자기 구역의 자발 자화(自發磁化)의 방향으로부터 다른 쪽 자기 구역의 자발자화의 방향까지 수백 내지 수천 원자층에 걸쳐 조금씩 방향을 바꾸고 있음. 이 이동으로 강자성체 전체의 자기화(磁氣化)가 변화함. 자벽(磁壁).

자기 구:제【自己救濟】[명] 자신을 스스로 구제함.

자기 구조【磁氣構造】[명]〔magnetic structure〕『물』↗자기적 결정 구조(磁氣的結晶構造).

자기-권【磁氣圈】[-꿘] [명]〔magnetosphere〕『물』지구의 초고층 영역(超高層領域). 이 곳에서는 대기는 거의 전리(電離)되어 플라스마(plasma) 상태에 있어 하전 입자(粒子)의 운동은 지구 자기장(磁氣場)의 영향하에 이루어짐. 또, 이 영역 내에는 밴 앨런 대(Van Allen帶) 및 환상 전류계(環狀電流系)가 있고 그 외부에는 지구 자기장(地球磁氣場)이 있음.

자기권 꼬리【磁氣圈-】[-꿘-] [명]〔magnetospheric tail〕『물』지구 주위의 자기권이 태양풍(太陽風)의 압력을 받아, 지구의 밤이 되는 쪽에 혜성(彗星)처럼 길게 뻗치고 있는 꼬리 모양의 부분. 인공 위성에 의한 관측에 의하면 수천 km에 달한다고 함.

자기 규정【自己規定】[명]『철』자가 규정(自家規定).

자기-극【磁氣極】[명]〔magnetic pole〕『물』①자석에서 쇠붙이를 끌어당기는 힘이 가장 강한 두 끝의 부분. 하나의 막대 자석을 수평(水平)으로 놓으면, 한 쪽은 북을 가리키고 다른 쪽은 남을 가리키는데, 북쪽을 가리키는 것이 북극(北極), 다른 쪽이 남극(南極)임. 같은 극끼리는 서로 멀리하고 다른 극끼리는 서로 당기는데, 이 사이에는 쿨롱의 법칙(Coulomb's law)에 의한 힘이 작용하며, 이에 의해 자기극의 강도가 정의(定義)됨. 북극을 음극(陰極), 남극을 양극(陽極)이라고도 함. * 자기(磁氣). ②지자기(地磁氣)의 극(極)이 되는 지점. 지리학적인 북극 가까이에 있는 극을 북자기극(北磁氣極), 남극 가까이에 있는 극을 남자기극이라 이름. 각각 지리학적인 극보다 15-24도 벗어나 있음. 자극(磁極).

자기극 강도【磁氣極強度】[명] 자기극의 세기.

자기극의 세:기【磁氣極-】[-/-에-] [명] 자기량(磁氣量).

자기극-편【磁氣極片】[명]〔pole shoe〕『전』계자 코일(界磁 coil)을 받치려고 할 때 자기극에 장치하는 금속 박편.

자기 금융【自己金融】[-/-늉] [명]『경』기업이 사업 자금을 조달(調達)함에 있어서, 이익 가운데에서 유보(留保)하거나 또는 감가 상각(減價償却)의 형식으로 경영 행위(經營行爲) 그 자체 속에서 적립(積立)하는 금융.

자기 긍정【自己肯定】[명] 자기 스스로를 긍정함.

자기-기【自記器】[명] 자기 기계(自記器械).

자기 기계【自記器械】[명] 자동적(自動的)으로 어떤 현상의 변화를 연속적(連續的)으로 기록하는 기계의 총칭. 자기기(自記器).

자기 기뢰【磁氣機雷】[명]『군』함선(艦船)이 가까이 지나가면 자기(磁氣) 유도 작용에 의하여 자동 조작(自動操作)으로 폭발하도록 장치된 수중(水中) 기뢰.

자기 기만【自己欺瞞】[명] 자기가 자기의 마음을 속이는 일. 자기의 신조나 양심에 거역한 일을 무의식 중에 행하거나 또는 의식하면서 강행하는 경우를 다 같이 이름.

자기 기상계【自記氣象計】[명] 자유 기구(自由氣球)·계류(繫留) 기구·비행기·연 등으로써 자유 대기(大氣) 중의 기압·기온·습도 그 밖의 기상 요소를 측정하는 데에 쓰이는 기계. 여러 가지 기상 요소의 시간적 변화를 자동적으로 기록하는 장치가 되어 있음.

자기 기압계【自記氣壓計】[명]〔self-registering barometer〕아네로이드 기압계의 지침(指針) 대신에 자기 펜(自記 pen)을 달아서 자동적으로 회전(回轉)하는 원통(圓筒)에 감은 종이 위에 시시 각각으로 기압을 기록하도록 장치한 기압계. 자기 청우계.

자기 기호【磁氣記號】[명] 자기(磁氣) 잉크로 쓴 문자 기호(文字記號). 사람도 읽고 기계로 하여금 읽히기 위한 것인데, 은행 수표(銀行手票) 등에 쓰임.

자기 기호 분류기【磁氣記號分類機】[-불-] [명]〔magnetic character sorter〕자기(磁氣) 잉크로 인쇄된 문서(文書) 등을 읽는 장치. 읽은 데이터는 모두 기억되며, 분야별(分野別)로 분류됨.

자기 나침반【磁氣羅針盤】[명] 자기 나침의. 자기 컴퍼스.

자기 나침의【磁氣羅針儀】[-/-이] [명] 배나 비행기의 방향을 알기 위하거나 또는 천체나 지상의 물건의 방위를 재기 위한 기구. 수평면 위의 임의의 방향에 자유롭게 회전할 수 있는 자기화(磁氣化)된 지침(指針) 또는 감응 요소(感應要素)가 지자기(地磁氣)의 수평 성분의 분력(分力)에 의해 지자기의 극(極)을 가리킴. 자기 컴퍼스. 자기 나침반. 자석반(磁石盤). * 나침의.

자기 남극【磁氣南極】[명]『물』지구 자기장(磁氣場)의 남극점. 남반구(南半球)에서 지자기(地磁氣)의 복각(伏角)이 90°로 되는 점. 남자기극(南磁氣極). 자(磁)남극. ↔자기 북극(磁氣北極).

자기 녹음【磁氣錄音】[명]〔magnetic recording〕자성체(磁性體)에 음(音)을 자기적으로 기록하는 방법. 기록용의 자성체로서는 강선(鋼線)·강대(鋼帶) 같은 것을 썼으나 현재는 플라스틱(plastic)의 테이프 위에 자성의 철분(鐵粉)을 도포(塗布)한 녹음 테이프가 사용됨. * 광학(光學) 녹음.

자기 녹음기【磁氣錄音機】[명]〔magnetic recorder〕『전』자기 테이프·자기 와이어(磁氣 wire) 위에 가청(可聽) 주파수 신호나 디지털 신호의 형태로 정보(情報)를 기록하는 녹음기.

자기 녹화 장치【磁氣錄畫裝置】[명]『물』음성과 화상(畫像)을 자기(磁氣) 테이프에 기록하는 장치.

자기 능률【磁氣能率】[-뉼] [명]『물』자기 모멘트(磁氣 moment).

자기 다이오:드【磁氣-】〔diode〕[명]『물』마그네토다이오드.

자기 단극【磁氣單極】[명]〔magnetic monopole〕『물』전하(電荷)를 지닌 소립자(素粒子)에 대응하여 양(陽)·음(陰) 어느 쪽이든가의 자기(磁氣)를 가진 물질 요소(要素)를 상정(想定)한 것. 그 존재가 예상(豫想)되지만, 실험적(實驗的)으로는 발견되지 않고 있음.

자기-도【磁氣圖】[명]『지』지표(地表) 상에 있어서의 지자기(地磁氣)의 등편각선(等偏角線)·등복각선(等伏角線)·등수평 분력선(等水平分力線) 등을 기재(記載)한 도표.

자기 도취증【自己陶醉症】[-쯩] [명] 나르시시즘(narcissism).

자기 도회【自己韜晦】[명] 자기의 재능(才能)·지위(地位)·형적(形跡) 등을 숨김.

자기 드럼【磁氣-】[명]〔magnetic drum〕『전』바깥 쪽에 자기 기록(磁氣記錄)을 할 수 있는 표면을 갖는, 고속 회전 원통(高速回轉圓筒)으로 된 계산기 기억 장치. 표면에서 수백만분의 1인치 떨어져서 떠 있는 많은 읽고 쓰기용 헤드에 의하여 데이터를 읽고 쓸 수 있음.

자기 드럼 수신 장치【磁氣-受信裝置】[명]〔magnetic drum receiving equipment〕『전』전리층(電離層)의 반사와 아주 낮은 전력을 사용하여 시계(視界) 밖에 있는 물표(物標)를 검출(檢出)하기 위하여 개발된 레이더.

자기 디스크【磁氣-】〔disk〕[명]『컴퓨터』보조 기억용의 매체(媒體)로 사용하는, 자성 재료를 바른 디스크《기억 용량이 크며 디스크의 어느 부분에 들어 있는 데이터도 즉시 꺼낼 수 있는 장점이 있음》.

자기 디스크 장치【磁氣-裝置】[명]〔magnetic disc unit〕컴퓨터 시스템을 구성하는 기억 장치의 하나. 자기 디스크(磁氣 disc)를 회전축(回轉軸)에 놓고 돌리면서 테이프 리코더와 같은 원리로 반면(盤面)에 정보를 자기 기록(磁氣記錄)하거나 그 기록을 재생(再生)함.

자기-람【磁氣嵐】[명]『물』자기 폭풍(磁氣暴風).

자기-량【磁氣量】[명]〔magnetic charge〕『물』자석(磁石) 또는 자기화(磁氣化)한 자성체(磁性體)의 끝에 나타나는 자기극(磁氣極)의 세기를 나타내는 양. 자하(磁荷). 자기극의 세기.

자기 렌즈【磁氣-】[명]〔magnetic lens〕『물』자기장(磁氣場)을 이용한 전자(電子) 렌즈의 하나. 자기장(磁氣場) 렌즈. 전기장(電氣場) 렌즈.

자기-력【磁氣力】[명]〔magnetic force〕『물』자기(磁氣)의 서로 끌고 떼치는 힘. 또, 이와 같은 종류의 힘. 자력(磁力). ¶ ~이 작용하다.

〈복각계형 자기력계〉

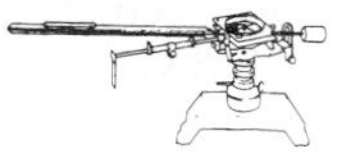
〈자기 저울형 자기력계〉

자기력-계【磁氣力計】[명]〔magnetometer〕『물』자기장(磁氣場)의 강도(強度)와 그 방향을 재는 기계. 복각계(伏角計) 모양의 자기력계와 작은 자침(磁針)을 용융 석영사(熔融石英絲)에 달고, 여기에 작은 저울을 장치하여 자침의 회전각을 재도록 한 자기(磁氣) 저울형 자기력계, 물 속의 양성자(陽性子)의 핵자기(核磁氣) 모멘트를 이용한 프로톤(proton) 자기력계, 루비듐이나 세슘의 제만 효과(Zeeman效果)를 이용하여 우주 공간의 자기장(磁氣場)을 측정하는 광펌핑(光pumping) 자기력계 등이 있음.

자기력 기록기【磁氣力記錄機】[명]『물』마그네토그래프.

자기력-선【磁氣力線】[명]〔line of magnetic force〕『물』자기장(磁氣場)에 있어서 자기력(磁氣力)이 작용하는 방향을 나타내는 선(線). 유리판 위에 철분(鐵分)을 뿌리고 그 유리판을 자석 위에 놓고서 가볍게 두드리면 철분이 자기력을 따라서 가지런히 곡선을 그림. 자력선(磁力線).

〈자기력선〉

자기력 선:광【磁氣力選鑛】[명]〔magnetic separation〕『광』광물의 자기성(磁氣性)의 차이를 이용하여 자석을 써서 유용(有用) 광물을 골라 내는 방법. 자기력 선별(選別). 자력 선광. [준]자선(磁選). ——-하다 [타][여불]

자기력 선:별【磁氣力選別】[명]『광』자기력 선광. ——-하다 [타][여불]

자기력선-속【磁氣力線束】[명]〔magnetic flux〕『물』한 곳에서 한 방향으로 향한 많은 자기력선(磁氣力線), 곧 자기장(磁氣場) 안에 있는 어떤 면적을 뚫고 나가는 자기력선의 총수(總數). 자력선속. 자속(磁束).

자기력선속 가이드【磁氣力線束-】[명]〔flux guide〕『물』유도 가열(誘導加熱)을 할 때 자기력선속을 유도하기 위해 사용하는 자기성(磁氣性) 재료의 성형품(成形品). 자기력선속을 원하는 곳으로 향하게 하기 위해 또는 자기력선속이 소정(所定)의 영역을 벗어나 퍼지는 것을 방지하기 위해 쓰임.

자기력선속 밀도【磁氣力線束密度】[-또] [명]〔magnetic flux density〕『물』물질의 자기화(磁氣化)와 진공(真空)의 자기화의 합(合)의 일컬음. 자기장(磁氣場)에 투자율(透磁率)을 곱한 것. 자속(磁束) 밀도.

자기력선속-선【磁氣力線束線】[명]『물』자기 유도선(磁氣誘導線).

자기력 탐광【磁氣力探鑛】[명]『광』광상(鑛床)·암석(岩石) 등의 자성(磁性)을 이용하여 지구(地球)의 자연적인 자기장(磁氣場)을 측정함으로써 탐광하는 일. * 자기 탐사(磁氣探査).

자기-로【磁氣路】[명]『물』하나의 윤관(輪管)을 이루는 자기 유도관(誘導管)을 따라서 자기량(量)이 이동하는 것으로 보는 경우에 그 이동로(路)를 일컫는 말.

자기-류【自己流】[명] 자기가 생각하여 낸 방식. 정식으로 배웠거나 또는 정식의 과정(過程)을 밟지 않은 자기만의 방식. 아류(我流). 자아류(自我流).

자기 마찰 클러치【磁氣摩擦—】명〔magnetic friction clutch〕『기』 자기(磁氣)의 인력(引力)에 의해서 마찰면(摩擦面)에 압력을 작용하는 마찰 클러치.

자기 마취제【自己痲醉劑】명 자기가 자기의 지각 신경(知覺神經)이나 감수성(感受性)을 일시적으로 잃어버리게 하기 위한 약. 또, 비유적으로 그러한 사물.

자기 만족【自己滿足】명 자기 자신이나 자기의 행위에 대하여 스스로 「만족함. ——하다 자여불

자기 매매【自己賣買】명〔floor trading〕『경』 증권업자가 고객(顧客)의 주문(注文)에 따라서 매매하는 것이 아니고 자기 계산(自己計算)의 매매를 하는 일.

자기 면:역【自己免疫】명『의』 자기의 체내에 항상 있는 물질이 항원성(抗原性)을 발휘하여 그것에 대응하는 항체(抗體)가 체내에 만들어짐에 따라 생기는 면역.

자기 면:역 질환【自己免疫疾患】명『의』 자기(自己)의 신체 성분(身體成分)의 무엇인가에 변질이 일어나서 항체(抗體)가 생기어, 항원 항체 반응(抗原抗體反應)이 일어남으로써 발생하는 질병(疾病). 교원병(膠原病)·류머티즘·만성(慢性) 갑상선염·후천성 용혈 빈혈(後天性溶血貧血) 등이 이에 속함. 자기 면역병(病)이라고도 함.

자기 모:멘트【磁氣—】명〔magnetic moment〕『물』 자석(磁石) 또는 회전(回轉)하는 대전 입자(帶電粒子)를 자석으로 바꾼 것에 작용하는 짝힘 모멘트. 그 양극(兩極)의 자기량(磁氣量)의 절댓값과 자기극 간의 거리와의 곱. 자기 능률(磁氣能率).

자기 모순【自己矛盾】명〔도 Selbstwiderspruch〕『논』 자기 자신에 대하여 모순되는 일. 자기 자신의 정립(定立)에 대하여 동시에 그것을 폐기(廢棄)·부정(否定)하는 작용이 동일한 주체(主體)에 갖추어져 있는 일. 자가 당착(自家撞着).

자기 모집【自己募集】명『경』 직접 모집.

자기 미압계【自記微壓計】명〔microbarograph〕『기』 진폭(振幅)이 적은 기압 변동을 기록하기 위하여 사용되는 아네로이드(aneroid)의 자기 기압계.

자기 바이어스【磁氣—】명〔magnetic bias〕『전』 계전기(繼電器)나 다른 자기(磁氣) 기구의 자기 회로(磁氣回路)에 가해지는 일정한 자기장(磁氣場).

자기 박막【磁氣薄膜】명〔magnetic thin film〕①『물』 5 μm 이하의 자성체(磁性體)의 박막. 일축성(一軸性)의 이방성(異方性)이 있는데, 주로 컴퓨터의 기억 소자(素子)나 논리 소자(論理素子)에 사용됨. ②『전』 진공 증착(眞空蒸着)이나 전기 화학적(電氣化學的)인 부착법(附着法)으로 붙여진 퍼멀로이(parmalloy)의 자성 박막으로 형성된 데이터(data) 축적(蓄積) 장치.

자기 박막 기억 장치【磁氣薄膜記憶裝置】명〔thin-film memory〕『컴퓨터』 여러 가지 재질(材質)의 1분자(分子) 상당 두께의 부착층(付着層)에 의하여 만들어진 고속(高速) 기억 장치. 에칭(etching)한 뒤에 미소(微小)한 시간에 데이터를 이동시키거나 기억하거나 할 수 있는 현미경적 회로(回路)가 이루어짐.

자기-반【磁氣盤】명 자석을 이용하여 바둑돌 또는 장기 말을 끌어당기게 하는 바둑판 또는 장기판. 휴대용의 것과, 벽 등에 걸거나, 조립식으로 되어 있는 대형의 것 등이 있음.

자기 반:성【自己反省】명 스스로 반성하는 일. ——하다 자여불

자기 발견【自己發見】명 스스로 자신의 능력 같은 것을 발견하는 일. ——하다 자여불

자기 발효【自己醱酵】명『화』 영양분이 부족하기 때문에, 효모(酵母)가 자기의 몸을 분해하여 발효하는 일. 주로 몸 안의 글리코겐(Glykogen)을 당화(糖化)하여 발효함.

자기 방:치【自己放置】명 자신을 돌보지 않고 되는 대로 내버려 둠. ——하다 자여불

자기 변:광성【磁氣變光星】명『천』 시간적으로 변화하는 자기장(磁氣場)을 갖는 변광성. 그 대부분은 주기적으로 자기장이 변화하며 그 진폭(振幅)은 매우 크고, 방향이 역전(逆轉)하는 것이 많음. 1946년 미국의 뱁콕(Babcock, Harold Delos)이 처녀자리 78성에 자기장이 있는 것을 처음 발견한 후, 34,000 가우스(gauss)의 자기장을 가진 변광성도 관측되고 있음. 변자성(變磁星).

자기 변:조기【磁氣變調器】명〔magnetic modulator〕『전』 자기 증폭기(磁氣增幅器)가 반송파(搬送波)에 정보(情報)를 싣기 위한 변조 소자(變調素子)로서 작용하는 변조기.

자기 변:태【磁氣變態】명『물』 자기 전이(轉移).

자기 변:형【磁氣變形】명〔magnetostriction〕『물』 강자성체(強磁性體)를 자기화(磁氣化)시킬 때 나타나는 아주 작은 변형(變形). 같은 물질이라도 결정(結晶)의 방향에 따라 늘어나는 경우와 줄어드는 경우가 있음. 외부 자기장(外部磁氣場)의 증대에 따라 자기 구역(磁氣區域)의 부피 및 방향이 변하기 때문에 생김. 반대로 강자성체(強磁性體)에 장력(張力)·압력(壓力)을 가하면 자기화(磁氣化)의 강도(強度)가 변함. 자기 왜곡(磁氣歪曲).

자기 변:호【自己辯護】명 자기 자신의 이익이 되는 일을 주장하여 자기의 입장을 유리하게 하려는 일.

자기 변:환기【磁氣變換器】명〔magnetic transducer〕『전』 역학(力學) 에너지, 전기 에너지의 상호 변환 장치. 자기 저항(磁氣抵抗)이 가변 경로(可變經路)를 갖는 자기 회로(磁氣回路)와 그 경로의 전부 또는 일부를 감은 코일로 되었음. 자기 저항이 변화하면 코일을 통하는 자기력 선속(磁氣力線束)이 변화하여 유도 기전력(誘導起電力)이 변화함.

자기-병【磁氣甁】명〔magnetic bottle〕『물』 자기(磁氣) 거울.

자기 병기【磁氣兵器】명『군』 자기성 기폭(起爆) 장치를 한 수중(水中) 병기. 자기 기뢰(機雷)와 자기 어뢰(魚雷)가 있음. 미국은 1921년, 독일은 1923년경에 고안(考案)·시작(試作)하였는데, 실제로 사용된 것은 제2차 세계 대전 중이었음.

자기 보:존【自己保存】명『생』 자가 보존(自家保存).

자기 보:험【自己保險】명『경』 자가 보험.

자기 복굴절【磁氣複屈折】〔—쩔〕명〔magnetic double refraction〕『물』 어떤 종류의 물질을 자기장내(磁氣場內)에 두면 이를 지나는 빛이 복굴절을 나타내는 현상.

자기 복귀【自己復歸】명〔self-reset〕『전』 주로, 계전기(繼電器)나 회로 차단기(回路遮斷器)에 있어서, 정상 조건(正常條件)이 회복(回復)되었을 때, 본래의 위치로 자동적으로 돌아가는 일.

자기 본위【自己本位】명 자기 생각을 기준으로 하여 생각하고 행동함.

자기 부상 열차【磁氣浮上列車】〔—녈—〕명 전자력에 의해 궤도 위를 일정한 높이로 떠서 마찰 없이 주행하는 열차. 차륜(車輪)식 열차는 시속 300 km 이상이 되면 바퀴와 레일 간의 접착력이 떨어져 바퀴가 헛돌게 되나 자기 부상 열차는 채택하는 기술 방식에 따라 시속 200 km 정도의 중저속형과 시속 500 km 이상의 초고속형 모두가 가능함.

자기 부:정【自己否定】명〔도 Selbstnegation〕『철』 자기 자신을 부정하는 일. 변증법적 발전의 논리에 있어서 존재(存在)의 가장 근본적인 성격(性格)임.

자기 북극【磁氣北極】명『물』 지구의 북극 가까이 있는 자기극(磁氣極). 지리적 북극과 어느 정도 떨어져 있으며, 지자기(地磁氣)의 복각(伏角)이 90°가 되는 곳임. 과거에는 어느 정도 지구상을 이동할 것으로 상상했음. 북자기극(北磁氣極). 컴퍼스 노스. ㈜자북(磁北). ↔자기 남극(磁氣南極). *진북(眞北).

자기 분리【磁氣分離】〔—불—〕명『광』 자기력 선광(磁氣力選鑛).

자기 분석【自己分析】명〔self analysis〕 자기의 심리(心理)를 스스로 분석하는 일.

자기 분석기【磁氣分析器】명〔magnetic spectrometer〕『물』 하전(荷電) 입자의 운동량 또는 운동량에 대한 강도(強度) 분포를 측정하는 장치. 입자가 자기장(磁氣場) 안을 통과할 때, 그 진로가 운동량에 따라 구부러지는 성질을 이용한 것임.

자기 분석법[1]【自己分析法】명〔autoanalysis〕『심』 환자에게 자신의 정신 상태를 분석시키는 정신 요법.

자기 분석법[2]【磁氣分析法】명『화』 자기 화학 분석에 의하여 화합물의 성분을 구하는 방법. *자기 화학 분석.

자기 분포도【磁氣分布圖】명〔magnetic profile〕『광』 자기 프로필.

자기 분해【自己分解】명〔autolysis〕『생』 생물이 죽으면 그 생물을 구성하고 있는 세포의 원형질(原形質)의 성분인 단백질(蛋白質)이 무균(無菌) 상태에서도 단백 분해 효소(酵素)에 의하여 분해되어 가는 현상. 자기 소화. 자가 분해.

자기 분해 효소【自己分解酵素】명〔autolytic enzyme〕『생』 생물체가 손상을 받거나 죽을 때에, 세포를 분해시키는 효소.

자기 비:판【自己批判】명 자기가 자기를 분석하고 비판하는 일. 자가 비판. 자아 비판. ——하다 자여불

자기 사운드 트랙【磁氣—】명〔magnetic sound track〕 영화 필름에 부착된 녹음용 자기 테이프.

자기 사채【自己社債】명『경』 사채 발행 회사가 자기 회사의 사채를 재취득하여 보유하고 있는 사채(社債).

자기 산:란【磁氣散亂】〔—살—〕명〔magnetic scattering〕『물』 중성자의 자기(磁氣) 모멘트와, 원자(原子)나 다른 입자(粒子)의 자기 모멘트 사이에서 일어난 상호 작용(相互作用) 결과로 중성자(中性子)가 산란되는 일.

자기 색정【自己色情】명〔autoerotism〕『심』 ①수면(睡眠) 중 성적(性的) 쾌감을 경험하는 경우와 같이, 밖으로부터의 자극이 없이 성적 정동(情動)을 일으키는 일. 나아가서는 자위(自慰) 행위와 같이 상대가 없는 성적 행동도 일컬음. ②정신 분석 용어로, 자기 자신의 몸에 향한 성욕의 만족. 손가락을 빤다든가 수음(手淫) 행위를 하는 것과 같은 것인데, 소아(小兒) 성욕의 한 특징임. 자기 성감(自己性感).

자기 생산【自己生產】명『경』 자기의 소비에 충당하기 위하여 스스로 하는 생산. 생산의 형태는 자기 생산으로부터 주문(注文) 생산·시장(市場) 생산으로 발전하였음.

자기 선광【磁氣旋光】명〔magnetorotation〕『물』 패러데이 효과(Faraday 効果)와 자기적 커 효과(磁氣的 Kerr 効果)를 합한 현상을 이름.

자기 선전【自己宣傳】명 자기의 능력이나 장점 등을 선전하는 일. 자기 광고. 자가 선전. 자가 광고. ——하다 자여불

자기 성:감【自己性感】명『심』 자기 색정(自己色情).

자기 성장계【自記成長計】명 식물의 생리를 실험할 때에 쓰는 기구. 일정한 기간에 성장하는 현상이 저절로 기록되게 되었음.

자:-기세력【藉其勢力】명 남의 세력(勢力)을 빙자하여 의지(依支)함. ——하다 자여불

자기-소【瓷器所】명 사기 그릇을 굽는 곳.

자기 소개【自己紹介】명 처음 만난 사람에게 자기가 자기의 성명·경력 등을 말하여 알리는 일. ¶~서(書).

자기 소외【自己疎外】명〔도 Selbstentfremdung〕『철』 헤겔의 용어. 인간의 개성과 인격이 사회 관계 속에 묻혀서 주체성을 잃어버린 결과로, 타인과 다른 사물에 대하여서뿐만 아니라, 자기 자신에 대하여서도 소원(疏遠)한 느낌을 가지게 되는 관계. 이를테면, 기술 혁신·고도 분업(高度分業)·정보 과다(情報過多)와 같은 격동하는 사회 관계 속에서,

자기의 주체성을 잃고, 개인이 무슨 일에 대해서도 삭막한 위화감(違和感)을 가지며, 친밀감(親密感)이나 사랑·기쁨 등을 상실하는 상태. 자기 외화(自己外化).

자기 소화【自己消化】명〖생〗자기 분해.

자기 손:실【磁氣損失】명〖물〗자기성 재료에 교번 자기장(交番磁氣場)을 가하면 그 속에서 발열(發熱) 작용이 일어나서 에너지가 소비되는 일. *자화 곡선(磁化曲線)·맴돌이 손실.

자기 수용기【自己受容器】명〖생〗고유 수용기.

자기 수용체【自己受容體】명〖심〗근육·뼈·관절·심줄 등의 감각 수용기(器). 이들의 심부(深部)의 지각에 대한 자극은 생체(生體) 자체의 기능에 의한 것이므로 이렇게 일컬음.

자기 스펙트럼【磁氣—】〔spectrum〕명〖물〗α선, β선에 대하여 이와 수직의 방향으로 자기장(磁氣場)을 작용시켜 이를 사진 건판에 받을 때에 나타나는 많은 선 또는 연속적으로 분포된 스펙트럼선도(線圖).

자기 습도계【自記濕度計】명〔selfregistering hygrometer〕〖물〗모발(毛髮) 다발의 신축(伸縮)에 의하여 자기(自記) 장치가 된 지레를 움직여서 습도의 시간적 변화를 기록하는 습도계.

〈자기 습도계〉

자기 실현【自己實現】명〖윤〗자아 실현(自我實現).

자기 실현주의【自己實現主義】[—/—이] 명〖윤〗자아 실현(自我實現)을 주장하는 입장.

자기 쌍극자【磁氣雙極子】명〔magnetic dipole〕〖물〗자석의 N극과 S극을 갖는 작은 물체. 작은 환상 전류(環狀電流)·소자석(小磁石) 등. 전자·양성자·중성자 등의 소립자(素粒子)나 어떤 종류의 원자핵·원자·분자 등은 모두 자기 쌍극자를 가짐.

자기 암:시【自己暗示】명〖심〗자기 자신이 일정한 관념을 되풀이함으로써 암시를 주고, 이성(理性)을 넘어선 행동을 지어 내는 일.

자기앞 수표【自己—手票】명〔cashier's check〕〖경〗발행인(發行人)이 자기를 지급인(支給人)으로 하여 발행하는 수표. 보증(保證) 수표.

자기앞 어음【自己—】명〔cashier's bill〕〖경〗발행인(發行人)이 자기를 지급인(支給人)으로 하여 발행한 어음. 단명(單名) 어음.

자기-애【自己愛】명 자기의 가치를 높이고 싶은 욕망(欲望)에서 생기는 사랑. 이 욕망이 중단(中斷)할 때 그 변형(變形)으로서 '사랑'과 대립되는 '미움'이 생김. ↔대상애(對象愛).

자기 어뢰【磁氣魚雷】명〖군〗가까이 지나가는 함선(艦船)의 자기(磁氣)에 감응(感應)하여 자동적(自動的)으로 폭발하는 어뢰. *자기 병기(磁氣兵器).

자기 에너지【磁氣—】명〔magnetic energy〕〖물〗자성체(磁性體)가 자기화(磁氣化)하거나 전류가 자기장(磁氣場)을 만들 때 생기는 자기적(磁氣的) 에너지.

자기 여효【磁氣餘效】명〔magnetic aftereffects〕〖물〗강자성체(強磁性體)나 페리(ferri) 자성체에 있어서, 갑자기 일정한 자기장(磁氣場)을 가하거나 제거하면 그에 따르는 자기화(磁氣化)의 변화가 순간적이 아니고 비교적 천천히 변화하는 일.

자기 역학【磁氣力學】명〔magneto mechanics〕〖물〗물질의 자기화(磁氣化)나 변형(變形) 등에 관한 연구.

자기 연소【自己燃燒】명〖물〗니트로셀룰로오스(nitrocellulose)나 화약처럼 연소에 필요한 산소의 전부 또는 일부를 자기 분자 속에 포함하고 있는 물체의 연소.

자기 열량 효:과【磁氣熱量效果】명〔magnetocaloric effect〕〖물〗자기 열 효과 즉 자성체(磁性體)를 자기화(磁氣化)할 때 생기는 발열 또는 온도 변화 현상 가운데에서 가역적(可逆的)인 것. 보통 자발 자기화(自發磁氣化) 증가로 인한 변화를 말함.

자기 열전 효:과【磁氣熱電效果】[—쩐—] 명〔magneto-thermoelectric effect〕〖물〗강자성체(強磁性體)의 열기전력(熱起電力)이 외부에서 가해진 자기장(磁氣場)에 의해 변화하는 현상.

자기 열효:과【磁氣熱效果】명〔magnetothermal effect〕〖물〗자성체(磁性體)를 자기화(磁氣化)할 때 발열 또는 온도가 변화하는 현상. 강(強)자성체의 경우를 가리킬 때가 많음.

자기 염:오【自己厭惡】명 자기 혐오(自己嫌惡).

자기 온도계【自記溫度計】명〔self-registering thermometer〕〖물〗온도의 시간적 변화를 자동적으로 기록하는 장치. 바이메탈이나 부르동관(Bourdon管)을 사용하여 그 열팽창(熱膨脹)에 의하여 자기 장치의 펜을 움직이게 하는 것과, 백금 저항 온도계로서 기록 전류계를 작동시켜 기록하는 것 등이 있음. 자기 한란계(自記寒暖計). 「*자기주의.

자기 완성【自己完成】명 자기 자신의 인격을 완전한 것으로 만드는 일.

자기 완:화【磁氣緩和】명〔magnetic relaxation〕〖물〗자기 모멘트 계(系)가 시간의 경과에 따라서, 평형 상태나 정상 상태로 접근하는 일.

자기 왜곡【磁氣歪曲】명 자기 변형(磁氣變形). ㊀자왜(磁歪).

자기 외:화【自己外化】명〖철〗자기 소외(疏外).

자기 요란【磁氣擾亂】명〖물〗지자기 변동.

자기 요소【磁氣要素】명〔magnetic element〕〖물〗지구 표면의 어떤 지점에서, 자기 편각(磁氣偏角)·복각(伏角)·수평 자력(水平磁力)의 세 가지 성분을 이르는 말.

자기 우:량계【自記雨量計】명〖기상〗자동적으로 강우량을 표기하게 된 장치. 저수통(貯水筒)에 담기는 빗물의 느는 분량에 따라서 펜이 움직이면서 원통상의 종이에 시간(時間) 변화에 따라 곡선(曲線)을 그리게 되었음.

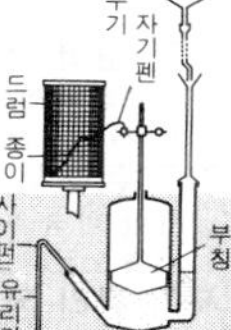

〈자기 우량계〉

자기-운【磁氣雲】명〔magnetic cloud〕〖물〗우주 공간에서, 자기장(磁氣場)이 강한 영역(領域)을 하나의 독립된 단위로 볼 때의 일컬음.

자기 운:동【自己運動】명〔도 Selbstbewegung〕①운동의 원인이 외부(外部)의 것에 있는 것이 아니라, 운동하는 것 자체(自體)에 있는 일. ②〖철〗변증법(辨證法)에서, 사물 속에 내재(內在)하는 모순(矛盾) 그 것이 원인이 되어 일으키는, 그 사물의 변화(變化)와 발전(發展)의 운동. 내적(內的) 운동.

자기 원인【自己原因】명〔라 causa sui〕〖철〗자기의 존재(存在) 원인이 딴 곳에 있는 것이 아니라 자기 자신에게 있다고 보는 이론. 즉 자기의 존재는 남으로부터 제약(制約)되지 아니한다고 보는 견해인데, 스콜라(schola) 철학자가 주장한 신(神)이나 스피노자(Spinoza)가 말하는 실체(實體)는 자기의 본질에 입각하여 존재하는 자기 원인으로서 생각되고 있음.

자기 위도【磁氣緯度】명〔magnetic latitude〕〖지〗자기(磁氣)의 적도(赤道)에서 북쪽이나 남쪽을 각도(角度)로 나타낸 거리. *자기 경도(磁氣經度).

자기 유도[1]【自己誘導】명〔self induction〕〖물〗전류 회로(電流回路)에 흐르는 전류가 그 강도(強度)를 변화할 때, 이 회로 자체에 이런 변화를 완화하도록 유도 전류가 일어나는 현상. 자기 감응(自己感應). 자체(自體) 유도. ↔상호 유도.

자기 유도[2]【磁氣誘導】명〔magnetic induction〕〖물〗자석(磁石)의 부근에 연철(軟鐵) 같은 자성체(磁性體)를 놓았을 때 그 자성체가 자기를 띠는 현상. 자기 감응(磁氣感應).

자기 유도 계:수【自己誘導係數】명〖물〗전류(電流) 변화가 생기는 코일(coil) 자체에 관한 유도 계수. 자기 감응(感應) 계수.

자기 유도선【磁氣誘導線】명〔line of magnetic induction〕〖물〗자기력선속(線束)을 유량(流量)으로 칠 때 유선(流線)에 상당하는 것으로 자기력선속 밀도 벡터의 방향이 접선(接線)이 되도록 그은 곡선군(曲線群). 자석(磁石)의 자기 유도선은 자석 안에서는 남극에서 북극으로 향하고 밖으로 나오면 북극에서 남극으로 향하여 순환(循環)함. 자기력선속선.

자기 유체【磁氣流體】명〔magnetofluid〕〖물〗자기장(磁氣場)을 변화시키면 소성 점성(塑性粘性)을 나타내는 뉴턴(Newton) 유체.

자기 유체 발전【磁氣流體發電】[—쩐] 명〔magnetohydrodynamic generation of electricity〕〖전〗전기 전도성(電氣傳導性)을 지닌 유체를 자기장(磁氣場)에 수직인 방향으로 흘리어 전자기 유도(電磁氣誘導)에 의해 생기는 기전력(起電力)을 이용하는 발전. 약하여 엠 에이치 디(MHD) 발전이라고도 함.

자기 유체 역학【磁氣流體力學】명〔magnetohydrodynamics: MHD〕〖물〗전기 전도성(電氣傳導性)이 있는 유체(流體)가 자기장(磁氣場)내에서 행하는 운동을 연구하는 학문. 전자기(電磁氣) 유체 역학의 주요한 한 분야임. 전자기(電磁氣) 유체 역학.

자기 융자【自己融資】명〔financing from broker's own capital〕〖경〗거래처(去來處)로부터 신용 거래의 위탁(委託)을 받은 증권업자가, 자기 자금 중에서 거래처의 주식(株式)을 사기 위한 돈이나 팔기 위한 주권(株券)을 직접 대여(貸與)하는 일.

자기 음향학【磁氣音響學】명〔magneto acoustics〕음향 현상의 자기장(磁氣場) 효과에 관한 연구. 저온에서 자기장에 놓인 결정(結晶) 중의 초(超)음파 감쇠(減衰) 등을 조사함.

자기 응집 반:응【自己凝集反應】명〖의〗적혈구가 스스로의 혈청에 의해서 응집하는 반응.

자기 응집소【自己凝集素】명〔autoagglutinin〕〖의〗자기의 세포를 응집시키는 혈청 속의 인자(因子).

자기의 법칙【磁氣—法則】[—/—에—] 명〔law of magnetism〕〖물〗같은 종류의 극(極)은 서로 반발하고, 다른 종류의 극은 서로 끌어당기

자기 의:식【自己意識】명〖철〗자의식(自意識).

자기 이:력【磁氣履歷】명〔magnetic hysteresis〕〖물〗강자성체(強磁性體)에 자기장(磁氣場)을 걸어서 그 강도(強度)·방향을 여러 가지로 변화시킬 때 같은 자기장의 강도에 대해서도 그 이력에 따라서 자기화(磁氣化)하는 방법이 다른 현상(現象). 자기 히스테리시스.

자기 이:방성【磁氣異方性】[—썽] 명〔magnetic anisotropy〕〖물〗자성체 결정(磁性體結晶)에서, 결정축(軸)에 대한 자기화(磁氣化) 방향에 의해 열역학적(熱力學的) 양(量)이 변화하는 현상. 특히, 강자성(強磁性) 결정 내부에서, 자발 자기화(自發磁氣化) 방향에 의하여 에너지가 변화하는 현상을 가리킬 때가 많음.

자기 이:중층【磁氣二重層】명〔magnetic double layer〕〖물〗음(陰)과 양(陽)의 자기가 작은 간격을 두고 평면적으로 분포하고 있는 일. 실제로는 얇은 층이 두께의 방향으로 자기화(磁氣化)하고 있는 것인데, 이것은 무수한 막대 자석을 그것들의 극(極)을 나란히 옆으로 밀착(密着)시켜서 벌여 놓은 것과 같은 것이라 생각하여도 좋음. 자각(磁殼).

자기 일사계【自記日射計】[—싸—] 명 일사량(日射量)의 시간적 변화를 자동적으로 기록하는 장치. 백색·흑색을 칠한 바이메탈(bimetal)이 햇볕을 받아 굽어지는 성질을 이용하여 이 양자(兩者)의 움직이는 차(差)를 회전하는 원통의 종이에 기록하게 됨.

자기 잉크【磁氣—】〔ink〕명 철의 미립자를 혼입한 잉크. 자기 잉크에 의한 인쇄 문자가 자성을 띠는 성질을 이용하여, 수표 따위의 숫자(數字)나 계좌 번호(計座番號) 등을 자동 독해하고 자동 분류 정리하는 데 응용되고 있음. 자성(磁性) 잉크.

자기 자본【自己資本】명〔owner's capital〕〖경〗기업(企業)의 소유자가 출자(出資)한 자본과 기업 내부에서 축적(蓄積)된 적립금(積立金)·준비금(準備金) 같은 유보(留保) 자본과를 합한 자본. 출자자(出資者)

자본. ↔타인 자본.

자기 자본 구성 비:율【自己資本構成比率】 명 〔ratio of net worth to total capital〕〖경〗 자기 자본과 총자본과의 관계 비율. 곧 자기 자본을 총자본으로 나눈 값에 100을 곱한 수치. 한 기업의 자기 자본 금액은 납입 자본금에 자본 준비금·이익 준비금과 각종 잉여금의 합계로 구성되고, 총자본 금액은 자기 자본에 은행 차입금 등의 부채를 더한 값임. 그러므로 이 구성 비율이 높을수록 자본 구성의 안정성은 높아지고, 낮을수록 재무 구조의 안정성이 저하됨.

자기 자오선【磁氣子午線】 명 〔magnetic meridian〕〖물〗 지구 자기장의 수평 자기력의 방향을 나타내는 선. 즉 제멋대로 회전할 수 있도록 달아 놓은 자침(磁針)이 지구의 중력(重力)을 제한 지자기(地磁氣) 이외의 힘을 받지 않고 정지(靜止)한 때, 그 자침의 수직면(垂直面)과 지구 표면과 만나는 선을 이름. 나침(羅針) 자오선.

자기장【磁氣場】 명 〔magnetic field〕〖물〗 자석(磁石)이나 전류(電流)의 주위에 발생하는 자기력(磁氣力)이 작용하는 장소. 단위 자기극(磁氣極), 곧 1 웨버(weber)에 대해 작용하는 힘으로 자기장(磁氣場)의 강도와 방향을 나타냄. 자계(磁界). 자장(磁場). *전자기장(電磁氣場)·전기장(電氣場).

자기장 렌즈【磁氣場—】〔lens〕 명 자기(磁氣) 렌즈. ↔정전 렌즈(靜電 lens).

자기장의 세기【磁氣場—】[—/—에—] 명 〔magnetic field strength〕〖물〗 자기장을 기술(記述)하는 데 쓰는 벡터(vector). 전하(電荷)와 전류(電流)가 일정할 때 그 컬(curl)은 물질의 투자율(透磁率)과 관계 없이 전도 전류 밀도(傳導電流密度) 벡터와 같음. 자계(磁界) 강도. 자장(磁場) 강도.

자기 장치【自記裝置】 명 시간적으로 변화하는 현상을 자동적으로 기록하기 위한 장치.

자기 재:생【磁氣再生】 명〖전〗 전기 신호(信號)에 의해 만들어진 자기 테이프나 자기 철사의 정보(情報)를, 본래의 전기 신호로 변환(變換)하는 일.

자기 저:항【磁氣抵抗】 명 〔magnetic reluctance〕〖물〗 자기(磁氣) 회로 중의 자기력선속에 대한 방해(妨害)의 정도. 전기 회로의 저항과 비슷하며 기자력(起磁力)을 자기력선속(磁氣力線束)으로 나눈 것과 같음.

자기 저:항 효:과【磁氣抵抗效果】 명 〔magnetoresistance〕〖전〗 전류가 흐르고 있는 도체(導體)나 반(半)도체에 자기장(磁氣場)을 작용시켜서 생기는 전기 저항의 변화.

자기-적【磁氣的】 명 관 마그네틱.

자기적 결정 구조【磁氣的結晶構造】[—쩡—] 명 〔magnetic crystal structure〕〖물〗 원자의 자기 모멘트 배열 상태를 고려한 결정 구조. 중성자(中性子)의 회절(回折)을 이용하여 알 수 있으며, 페리 자성체(ferri 磁性體), 반강자성체(反強磁性體)의 여러 스핀 구조, 나선(螺旋) 자기 구조 등 여러 형이 있음.

자기적 광분해【磁氣的光分解】 명〖물〗 빛에 의한 물질의 자기적 상태의 변화. 1931년 보스(Bose)와 라하(Raha)는 빛을 비추어 상자성(常磁性) 물질의 자화율(磁化率)이 변화한다는 보고를 내었으며, 1949년 루이스(Lewis)와 카사(Kasha)는 반자성(反磁性) 분자(分子)에 강한 빛을 비추어 계(系)의 반자성이 감소하는 것을 확인하였음. 이것은 광분해의 기구(機構)를 조사하는 데 중요한 단서(端緖)가 됨. 광자 효과(光磁效果).

자기 적도【磁氣赤道】 명 〔magnetic equator〕〖물〗 지자기(地磁氣)의 복각(伏角)이 영(零)이 되는 점을 맺는 지구 상의 곡선. 지리학 상의 적도와는 일치하지 아니하며, 장소에 따라 남쪽 또는 북쪽으로 치우쳐서 지구를 일주함. 무복각선(無伏角線).

자기적 커: 효:과【磁氣的—効果】 명 〔magnetic Kerr effect〕〖물〗 커 효과(Kerr 效果)❷.

자기 전:기 효:과【磁氣電氣效果】 명 〔magnetoelectric effect〕〖물〗 결정(結晶)에 전기장(電氣場)을 가했을 때 전기장에 비례하여 자기화(磁氣化)가 생기는 현상. 또는 반대로 결정에 자기장(磁氣場)을 가했을 때 자기장에 비례하여 전기 분극(電氣分極)이 생기는 현상. 전기 자기(電氣磁氣) 효과.

자기 전:이【磁氣轉移】 명 〔magnetic transition〕〖물〗 자성(磁性) 상태의 전이. 강자성체(強磁性體)나 반(反)강자성체 등의 교환 상호 작용에 의한 규칙적인 스핀(spin) 배열이 고온에서 열(熱)운동의 요란(擾亂)을 받아, 전이 온도(轉移溫度)에서 급격히 불규칙적인 배열로 변하여 자발 자화(自發磁化) 또는 부분 격자(格子) 자기화를 잃어 상자성(常磁性)을 나타내는 현상. 자기 변태(變態).

자기 점성【磁氣粘性】 명 〔magnetic viscosity〕〖전〗 유의(有意)한 역학적 힘이나 전기장(電氣場)이 없어도 자기장(磁氣場)에 의하여 전도 유체의 운동이 통상의 점성과 마찬가지로 장(場)에 수직 방향으로 감쇠(減衰)하는 효과.

자기 점:유【自己占有】 명〖법〗 '직접 점유'의 구용어. ↔대리 점유.

자기 점:화【自己點火】 명 〔autoignition〕〖기〗 내연 기관의 연소실에서, 연료와 공기가 혼합된 기체의 전부 또는 일부가 자연 발화(自然發火)하는 일.

자기 접수체【自己接受體】 명〖생〗 몸의 내부에 생긴 자극을 감지(感知)하는 수용기(受容器). 힘줄의 긴장을 감지하는 건방추체(腱紡錘體) 따위.

자기 접종【自己接種】 명 〔autoinoculation〕〖의〗 ①병이 몸의 한 부분으로부터 다른 곳으로 퍼지는 일. ②자가(自家) 백신의 주사.

자기-주【自己株】 명〖경〗 자기 주식.

자기 주식【自己株式】 명 〔treasury stock〕〖경〗 회사가 취득하여 보유하고 있는 자사주(自社株). 우리 나라 상법에서는 원칙적으로 자기 주식의 소유를 금지하고 있으나 실제로는 회사 간의 주식 보유, 상호 출자 등의 방법에 의해 비합법적으로 소유하는 예가 많음. 사내주(社內株).

자기-주의【自己主義】[—/—이] 명 ①이기주의❶. ②교양(教養)을 갖추고 자기를 항상 완성하려고 하는 태도. 자기 완성의 태도. *자기 완성(自己完成).

자기 중심【自己中心】 명 자기 일을 첫째로 생각하고, 남의 일은 생각하지 않는 일. ¶~주의.

자기 중심성【自己中心性】[—썽] 명 ①자기 본위(自己本位)로 생각하고, 남의 일을 생각하지 않는 성질. ②〔egocentrism〕〖심〗 자기를 자기로서 정위(定位)지을 수 없는 유아(幼兒)나 아동의 특징적인 심성(心性). 곧, 자기와 자기를 둘러싼 객관적(客觀的) 세계가 분화(分化)되지 아니하여 사물(事物)의 관계, 특히 그 상대적(相對的) 관계를 잘 이해하지 못하는 심성. 가령, 자기 아버지를 다른 아이가 '아저씨'하고 부르면 거기에 항의하는 것과 같이 내 것, 남의 것을 잘 분간하지 못하는 심성을 말함.

자기 증폭기【磁氣增幅器】 명 〔magnetic amplifier〕〖물〗 자심(磁心)이 든 코일(coil)의 인덕턴스(inductance)가 여자(勵磁)전류에 의하여 변화하는 일을 이용하여, 제어(制御) 전류를 여자 전류로 하여 제어 전력을 증폭하는 장치.

자기 지력선【磁氣指力線】 명〖물〗 자기력선(磁氣力線).

자기 지시 어음【自己指示—】 명〖경〗 발행인이 자기를 수취인(受取人)으로 기재한 어음.

자기 진단【自己診斷】 명〖심〗 자기 자신의 개성을 남의 것과 비교하여서 평가하는 일. 자기 평가(自己評價).

자기 진단용 테스트【自己診斷用—】〔test〕[—뇽—] 명〖교·심〗 인격 구조(人格構造)의 평정(評定)·분류를 위한 테스트 형식의 하나. 주어진 문제(問題)나 항목(項目)에 관하여 검사(檢査)를 받는 사람이 자기 진단을 하게 하여 그 자기 자신에 관해서 해당하고 해당하지 아니함을 답하게 함으로써 성격이나 기질(氣質) 등의 평정과 분류를 행함. 향성(向性) 테스트 같은 것은 이 형식을 취함. 자기 평가 목록(自己評價目錄). *작업 테스트.

자기 차:단기【磁氣遮斷器】 명〖물〗 회로(回路) 차단기의 한 가지. 차단시의 아크 방전(放電)을 자기장(磁氣場)과 전류와의 상호(相互) 작용으로 넓혀서 끄게 만든 것. 큰 전력(電力)을 다루는 곳에서 널리 쓰이고 있음.

자기 차:폐[1]【自己遮蔽】 명 〔self-shielding〕 원자로(原子爐) 연료의 내부가 연료의 바깥 부분에 의해 차폐되는 일.

자기 차:폐[2]【磁氣遮蔽】 명 〔magnetic shielding〕〖물〗 강자성체(強磁性體)를 이용하여 외부(外部)의 자기장(磁氣場)의 영향(影響)을 감소(減少)시키는 일.

자기 채:점법【自己採點法】[—쩜뻡] 명〖교〗 학생 자신에게 답안을 채점토록 하는 방법.

자기 천칭【磁氣天秤】 명 〔magnetic balance〕 약자성체(弱磁性體)의 자화율(磁化率)이나 자기화(磁氣化)의 세기를 측정하는 장치.

자기 청산【自己淸算】 명 ①자기의 살림살이나 정신 생활(精神生活)을 모조리 정리함. ②지난 날의 온갖 너저분한 생활을 깨끗이 지워 버림. ——-하다 자 여불

자기 청우계【自記晴雨計】 명〖물〗 자기 기압계.

자기-체【磁氣體】 명 마그네트(magnet). 자석(磁石).

자기 최면【自己催眠】 명 자기의 암시(暗示)로, 자기 자신이 최면 상태에 빠지는 현상. 최면술(催眠術)의 일종으로, 타인(他人)에게 거는 최면과 구별됨.

자기 측량【磁氣測量】[—냥] 명 〔magnetic survey〕 지자기(地磁氣)의 변동을 자기력계로 측량하는 일. 석유 탐사 등을 위해 암상(岩床)의 깊이나 지질의 이상(異常)을 조사할 때 함.

자기 치료【自己治療】 명 〔self medication〕〖의〗 자신의 병이나 외상(外傷)을 스스로 치료하는 일.

자기 카:드【磁氣—】 명 〔magnetic card〕〖컴퓨터〗 자기(磁氣) 테이프와 유사하게 자성(磁性) 물질이 입혀진 부분이 있는, 얇은 판 모양의 정보 저장 장치(情報貯藏裝置). 아이 디(ID) 카드·현금 인출(現金引出) 카드 등.

자기 컴퍼스【磁氣—】 명 〔magnetic compass〕〖물〗 자기의 지남성(指南性)을 이용하여 방향을 아는 장치. 수평면상(水平面上)의 임의의 방향으로 자유로이 회전할 수 있는 자기화(磁氣化)된 지침(指針) 또는 감응(感應) 요소가, 지자기(地磁氣)의 수평 성분의 분력(分力)에 의하여 지자기의 극(極)을 가리킴. 자기 나침의(羅針儀). 자기 나침반. 자석반(磁石盤).

자기 코어【磁氣—】 명 〔magnetic core〕〖컴퓨터〗 주위를 감싸고 있는 전류(電流)에 의해 자기화(磁氣化)되는 도넛 모양의 자성체(磁性體). 이 장치는 자기화되는 두 경우 중 항상 하나의 상태를 유지하고 있으므로 기억(記憶)·개폐(開閉) 및 회로(回路) 기능 등을 수행할 수 있음.

자기 코어 기억 장치【磁氣—記憶裝置】 명 〔magnetic core memory〕 컴퓨터에서, 도넛형(doughnut 型)의 작은 자성체(磁性體)를 소자(素子)로 사용하는 기억 장치.

자기 콘덴서【磁器—】 명 〔ceramic condenser〕〖물〗 산화 티탄이나 티탄산 바륨 따위의 자기(磁器)를 유전체(誘電體)로 하여 사용한 콘덴서. 소형으로, 고주파 회로나 고전압 회로에 쓰임.

자기 퀴리 온도【磁氣—溫度】 명 〔magnetic Curie temperature〕〖물〗 자성체(磁性體)가 그 이하에서는 강(強)자성을 나타내고, 그 이상에서는 강자성이 파괴되어 상자성(常磁性)이 되는 온도.

자기 탄:성【磁氣彈性】 명 〔magnetoelasticity〕『물』 강자성체(強磁性體)에서 탄성 변형이 자기화(磁氣化) 상태를 변화시키는 현상.

자기 탐광【磁氣探鑛】 명 『광』 자기 탐사.

자기 탐사【磁氣探査】 명 『광』 물리 탐사법의 한 가지. 지자기(地磁氣)의 측정에 의해 자철광(磁鐵鑛)·프랭클린석(Franklin石)·티탄(titan) 철광·자황(磁黃) 철광 같은 광상(鑛床)의 탐사를 행하는 방법. 널리 지질 구조의 조사에도 이용됨. 자기(磁氣) 탐광. *자기력 탐광(磁氣力探鑛).

자기 탐상법【磁氣探傷法】[―뻡] 명 『공』 철제품(鐵製品)의 미세(微細)한 흠을 탐사하는 방법. 가공품을 자기화하여 이에 철분(鐵粉)을 뿌리면 파손된 부분을 알 수 있음. 자분(磁粉) 탐상법. 마그나플럭스(magnaflux).

자기 탐지기【磁氣探知機】 명 『기』 자기를 이용하여 주로 잠항(潛航) 중의 잠수함을 탐지하는 장치. 해저(海底) 설치의 것과 항공기에 의한 양상(洋上) 탐지의 두 가지로 크게 구별됨.

자기 테이프【磁氣―】 명 〔magnetic tape〕『전』 플라스틱 테이프에 산화철(酸化鐵) 등의 자성체(磁性體)를 바른 것. 테이프 리코더·비디오 리코더·컴퓨터 따위에 씀.

자기 테이프 리:더【磁氣―】 명 〔magnetic tape reader〕『전』 자기 테이프에 기록된 정보(情報)를 전기적 펄스로 변환시킴으로써 읽을 수 있는 컴퓨터의 입력(入力) 장치.

자기 테이프 장치【磁氣―裝置】 명 〔magnetic tape unit〕 컴퓨터 시스템을 구성하는 기억 장치(記憶裝置)의 하나. 대형(大形)의 테이프 리코더라고 할 수 있는 것으로 자기 테이프를 돌려 정보(情報)를 기록하거나 재생(再生)함.

자기 투영 온도계【自記投影溫度計】 명 〔projection thermography〕『공학』 표면으로부터의 열복사(熱輻射)를 광학(光學) 방식에 의하여 형광(螢光) 물질의 엷은 스크린에 투영하여 그 패턴상(像)이 표면의 열복사에 대응하도록 하고 표면 온도를 측정하는 방법.

자기-파【磁氣波】 명 〔magnetic wave〕『물』 자기장(磁氣場)에 급격한 변화가 일어났을 때, 자기화(磁氣化)가 어느 한 부분으로부터 물질 전체에 퍼지는 일.

자기 퍼텐셜【磁氣―】〔potential〕 명 『물』 자위(磁位).

자기-편【自己便】 명 자기와 같은 입장(立場)에 선 쪽. 또, 그 사람.

자기 편차계【磁氣偏差計】 명 『물』 어떤 기준 지점의 지구 자기장(磁氣場)의 자기력(磁氣力)에 비해 다른 장소의 변화를 정밀하게 측정할 수 있도록 설계 제작된 자기력계의 하나. 연직 분력(鉛直分力) 편차계와 수평 분력(水平分力) 편차계가 있음. 독일의 지자기학자(地磁氣學者) 슈미트(Schmidt, A.F.K.; 1860-1944)에 의하여 고안되었는데, 휴대에 편리하므로, 주로 자기 탐광(磁氣探鑛)에 사용됨. 자력(磁力) 편차계.

〈자기 편차계〉

자기 평:가【自己評價】[―까] 명 『심』 자기 진단(診斷).

자기 평:가 목록【自己評價目錄】[―까―녹] 명 『교·심』 자기 진단용 테스트(自己診斷用 test).

자기 포:화【磁氣飽和】 명 〔magnetic saturation〕『물』 자기장(磁氣場)에 의한 자성체(磁性體)의 자기화(磁氣化)가 최대치에 달하여, 자장을 그 이상 크게 하여도 변하지 않는 상태.

자기 폭풍【磁氣暴風】 명 〔magnetic storm〕『물』 지구 상의 자기장(磁氣場)이 지구 전체에 걸쳐서 거의 같은 시간에 크게 변동하는 현상. 통신에 장애를 줌. 지자기(地磁氣)의 세 요소(要素)인 편각(偏角)·수평 분력(水平分力)·복각(伏角) 등의 어느 것이 급격(急激)하게 또는 주기적(週期的)으로 변동하는 현상인데, 태양의 흑점(黑點)·오로라(aurora)의 출현 등이 그 주요한 원인임. 자기람(磁氣嵐).

자기 표현【自己表現】 명 자기의 내면적(內面的) 생활을 외부에 드러내 보이는 일.

자기 풍향계【自記風向計】 명 『기상』 풍향의 시간적 변화를 자동적으로 기록하는 장치. 화살촉의 축에 장치한 발신기로 방위를 전기 신호로 바꾸어 기록계에 전달하여 펜을 작동시켜 풍향을 기록하도록 되어 있음.

자기 프로필【磁氣―】 명 〔magnetic profile〕『광』 자기(磁氣) 이상 분포를 나타내는 지질 구조(地質構造)의 분포도. 자기 분포도.

자기-학【磁氣學】 명 〔magnetics〕『물』 자기에 관한 여러 가지 현상을 연구하는 학문. 자석의 성질, 자기장(磁氣場) 및 지자기(地磁氣)의 이론 같은 것을 연구함.

자기 학대【自己虐待】 명 자기 스스로를 구박함. ――-하다 자여불

자기 학습 프로그램【自己學習―】 명 〔self-learning program〕 인간이 시행 착오적(試行錯誤的)으로 사고(思考)하면서 오류(誤謬)를 발견하여 개선해 나가는 것과 같은 방법으로, 컴퓨터가 같은 방법으로 스스로 학습해 가도록 만들어진 프로그램.

자기 한란계【自記寒暖計】[―할―] 명 『물』 자기 온도계.

자기 항:원【自己抗原】 명 〔autoantigen〕『의』 자기 항체(抗體)의 형성을 자극하는 능력을 가지고 있는 자기의 조직이나 구성 성분.

자기 해:방【自己解放】 명 데가주망(dégagement).

자기 헤드【磁氣―】 명 〔magnetic head〕『컴퓨터』 자기 디스크·자기 테이프·자기 드럼에서 정보를 판독(判讀)·기록·삭제할 수 있도록 한 부품, 또는 장치.

자기 현:시【自己顯示】 명 『심』 자기의 존재를 일부러 남에게 돋보이게 하는 일.

자기 혈청【自己血淸】 명 〔autoserum〕『의』 환자 자신으로부터 직접 얻은 혈청. 자기 치료에 쓰임.

자기 혐오【自己嫌惡】 명 자기가 자기를 싫어하게 되는 일. 자기 염오(自己厭惡). *자기애(自己愛).

자기 호르몬【自己―】 명 〔autohormone〕『생』 어떤 조직의 분해에 의한 생성물(生成物)이, 체액(體液)을 매개(媒介)로 다시 그 조직에 작용하여, 그 생장을 왕성하게 할 때의 호르몬.

자기-화【磁氣化】 명 〔magnetization〕『물』 ① 자기 유도(磁氣誘導)에 의해 물체가 자기(磁氣)를 띠는 일. 자성체가 자기장(磁氣場) 속에 놓여 있을 때 일어남. 자화(磁化). 대자(帶磁). ② 자성체(磁性體)의 편극에 의해 생긴 단위 부피당 자기 모멘트. ――-하다 자여불

자기 화학【磁氣化學】 명 〔magnetochemistry〕『물』 물질의 자기적 성질을 이용하여서, 그 성질의 화학 구조(化學構造)나 화학 변화를 연구하는 물리 화학(物理化學)의 한 부문.

자기 화학 분석【磁氣化學分析】 명 시료(試料)의 성분의 종류가 이미 알려져 있고, 각 성분의 자화율(磁化率)도 알려져 있는 경우, 시료의 자화율을 측정하여서 그 성분비(比)를 결정하는 일. 희토류 원소(稀土類元素)의 분석에 쓰임. *자기 분석법.

자기 확보【自己確保】 명 앵커❻.

자기 확산【自己擴散】 명 『물』 같은 종류의 분자(分子)나 원자(原子)가 열운동에 의해 서로 위치를 교체하는 일. 완전히 동일한 원자나 분자에서는 이 현상의 관측은 불가능하기 때문에 동위 원소(同位元素)를 써서 관측함.

자기 확성기【磁氣擴聲器】 명 〔magnetic speaker〕 자기(磁氣)의 반작용(反作用)에 의하여 일어나는 기계력(機械力)으로 해서 음파(音波)가 생기는 확성기.

자기 활동【自己活動】[―똥] 명 『교』 학습자(學習者) 자신의 고유한 자기 발전의 충동(衝動)·개성·흥미·관심·욕구·생활 등에 입각한 자발적인 활동. 자발 활동.

자기-황【自起磺】 명 불을 일으키는 황. 곧, 화약 보전(火藥補塡)을 하여서, 문지르거나 부딪치면 불이 일어나도록, 다른 물질과 섞어서 만든 고체(固體).

자기 회로【磁氣回路】 명 〔magnetic circuit〕『물』 전류(電流)와 마찬가지로, 자기력선속(磁氣力線束)은 그 운동을 도중에 그치는 일이 없으므로, 곧 자기력선속이 이룬다고 생각되는 회로의 일컬음. 영구 자석이나 전자석(電磁石)의 자기장(磁氣場)을 계산하는 데 쓰이는 개념임.

자기 회전 분산【磁氣回轉分散】 명 〔magnetic rotatory dispersion〕『물』 패러데이 효과(Faraday 效果)에 의한 편광면(偏光面)의 회전각(角)이 빛의 진동수에 의해 달라지는 현상.

자기 회전 효:과【磁氣回轉效果】 명 〔gyromagnetic effect〕『물』 물체의 자기화(磁氣化)가 변화함으로써 일어나는 회전. 또, 물체의 회전으로 생기는 자기화.

자기 흡수[1]【自己吸收】 명 〔self-absorption〕 ①『물』 복사원(輻射源)의 차가운 부분에 의해, 선택적(選擇的) 흡수로 일어나는 발광선(發光線)의 중심 강도(強度)의 감쇠(減衰). ②『전』 이온화 방사선을 방사한 물질 자신에 의한, 그 이온화 방사선의 흡수.

자기 흡수[2]【磁氣吸收】 명 『물』 자기 공명(磁氣共鳴).

자기 희생【自己犧牲】[―히―] 명 남을 위하여 자기의 수고나 목숨을 아끼지 않는 일.

자기 히스테리시스【磁氣―】 명 〔magnetic hysteresis〕『물』 자기 이력(磁氣履歷).

자깝-스럽다 형ㅂ불 ①젊은 사람이 지나치게 늙은이의 흉내를 내어 깜찍하다. 어린 것이 너무 성숙한 짓을 하여 깜찍하다. ¶ 저는 제법 노성한 듯이 자깝스러운 생각이 들었으나≪玄鎭健 : 無影塔≫. ②☞잡상스럽다❶. 자깝-스레 부

자깽이 명 〈방〉 겨드랑이(제주).

자-꺾음 명 『건』 서까래를 걸 적에, 물매의 경사를 한 자에 다섯 치 높이의 비율로 하는 일.

자껴-지다 자 〈방〉 잦혀지다.

자꼬 부 〈방〉 자꾸(경상).

자꾸[1] 명 ☞지퍼.

자꾸[2] 부 잇따라서 늘. 여러 번. ¶ ~ 권하다/~ 비가 온다.

-자꾸나 어미 동사의 청유형(請誘形) 종결 어미 '-자'의 친근한 말. ¶ 같이 가~.

자꾸-만 부 '자꾸'를 좀 강조하는 말.

자꾸-자꾸 부 잇따라서 여러 번. ¶ ~ 얼굴을 본다.

자끈 부 단단한 물건이 별안간 세게 깨지거나 부러지는 소리. ¶ 나뭇가지가 ~ 부러지다. <지끈. ――-하다 자여불

자끈-거리다 자 여기저기서 또는 여러 개가 모두 자끈 소리를 내면서 깨지거나 부러지다. <지끈거리다. **자끈-자끈** 부. ――-하다 자여불

자끈-대다 자 자끈거리다.

자끈-동 부 '자끈'을 힘있게 이르는 말. <지끈둥.

자끔-거리다 자 음식에 잔 모래 같은 것이 자꾸 세게 씹히다. ㅅ자금거리다. <지끔거리다. **자끔-자끔** 부. ――-하다 자여불

자끔-대다 자 자끔거리다.

자끼다 타 〈방〉 잦히다.

자나 교:주【遮那教主】 명 『불교』 대일 여래(大日如來).

자나 깨:나 구 잠들거나 깨거나 늘. 언제나 항상. ¶ ~ 불조심.

자-나방 명 『충』 자벌레나방❶.

자나방-과【―科】[―꽈] 명 『충』 [Geometridae] 나비목(目)에 속하는 한 과. 날개는 몸에 비하여 넓고 크며 몸은 가늘고 긴데, 촉각은 깃 또는 실 모양의 곤봉상(棍棒狀)을 하고 있어 나비와 구별됨. 유충은

'자벌레'라고 함. 각종 식물의 해충으로, 뽕나무가지나방 등이 이 과에 속함. 전세계에 6,500여 종이 분포함.

자나-큰 관 길이가 한 자나 넘게 큰.

자:-난초【紫蘭草】명〖식〗[*Ajuga spectabilis*] 꿀풀과에 속하는 다년초. 금난초(金蘭草)와 비슷한데, 줄기 높이 50cm 내외이고 잎은 대생하며 유병(有柄)에 넓은 타원형임. 6월에 짙은 자색(紫色)의 꽃이 줄기 끝에 정생(頂生) 또는 액생(腋生)하여 짧은 총상 화서(總狀花序)로 피고, 수과(瘦果)는 구형(球形)임. 산지에 나는데, 경기도의 광릉(光陵)·개성(開城) 등지에 분포함.

자-남극【磁南極】명〖지〗자기 남극.

자낭¹【子囊】명〖역〗정월 첫 자일(子日)에 임금이 근시(近侍)에게 하사하던 둥근 비단 주머니. *반낭(頒囊)·해낭(亥囊).

자낭²【子囊】명〖식〗①[ascus] 자낭균(菌)의 포자(胞子)가 들어 있는 곤봉(棍棒) 모양의 주머니. 안에 보통 여덟 개의 포자가 한 줄로 벌여 있는데 포자가 성숙하면 자낭이 터져 포자는 흩어짐. ②[theca] 선태(蘚苔) 식물의 포자낭. 특히, 선류(蘚類)의 포자낭을 삭(蒴)이라고 하는 데 대하여 태류(苔類)의 포자낭을 일컬음. 씨주머니. 안개집.

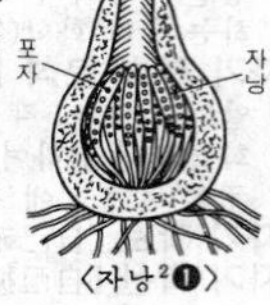

〈자낭²❶〉

자낭-군【子囊群】명〖식〗포자낭군(胞子囊群).

자낭-균【子囊菌】명〖생〗자낭균류(類).

자낭균-류【子囊菌類】[-뉴] 명〖식〗[Ascomycetes] 진균류(眞菌類)에 속하는 한 강(綱). 단세포(單細胞)인 효모균류(酵母菌類)를 제외하고는 대부분 균사체(菌絲體)로 이루어졌으며 자낭 속에 자낭 포자를 형성하는 유성 생식(有性生殖)과 균사(菌絲) 끝에 분생(分生) 포자를 형성하는 무성(無性) 생식의 두 방식으로 번식함. 전세계에 1,680 속(屬), 45,000 종이 있다고 함. 효모균(酵母菌)·누룩곰팡이·푸른곰팡이 등. 자낭균. 자낭균 식물. *담자균류(擔子菌類).

자낭균 식물【子囊菌植物】명〖식〗자낭균류(子囊菌類).

자낭-수【子囊穗】명〖식〗'포자낭(胞子囊)'의 구용어.

자낭-체【子囊體】명〖생〗자실체(子實體).

자낭 포자【子囊胞子】명 [ascospore]〖식〗자낭균 식물(子囊菌植物)의 자낭 속에 생기는 포자(胞子). 한 자낭(子囊) 속에 보통 여덟 개가 들어 있음.

자내¹【字內】명〖역〗도성(都城) 안을 각 영(營)에서 분장(分掌)하여 경호(警護)하던 구획의 안.

자내² 인대〈방〉자네.

자내³ 부〈옛〉몸소. ¶엇데 이 世尊이 자내 지스시리오(豈是世尊自作邪) ≪金剛 序 15≫.

자내 거:둥【自內―】명〖역〗대궐(大闕) 안에서 하는 거둥. ――하다 자여불

자내 제수【自內除授】명〖역〗임금이 삼망(三望)을 거치지 않고 직접 벼슬을 임명함. ――하다 타여불

자낙 명〈방〉저녁.

자냥-스럽다 형ㅂ불 재잘거리는 소리가 듣기에 똑똑하다. 자냥-스레 부

자네¹ [Janet, Paul] 명〖사람〗프랑스의 유심론(唯心論) 철학자. 정치 철학·도덕 철학의 역사를 연구. 소르본 대학 교수. 주저에 ≪정치 철학사≫ 2권이 있음. [1823-99]

자네² [Janet, Pierre Marie Felix] 명〖사람〗프랑스의 심리학자. 히스테리의 연구에서 심리적 긴장(緊張)의 개념을 중시하여 여러 가지 정신병을 검증하고 정신의 종합설(綜合說)을 제창하였음. 또한, 의식을 포함하는 행위 심리학을 수립하였음. [1859-1947]

자네³ 인대 하게할 자리의 상대자를 가리키어 일컫는 말. ¶~나 나나.

자네치 장여 명〖건〗한 자에 대하여 네 치의 비율로 자꺾음을 하는 일.

자:넨 [도 Saanen] 명〖동〗스위스의 자넨 지방 원산의 유용(乳用) 산양. 체고(體高) 80cm 안팎이고, 털 빛은 흰데, 암수 모두 뿔이 없으며, 유방(乳房)의 발육이 현저함. 성질은 극히 온순하며, 추위에는 강하나 습기에는 약함. 젖을 가장 많이 내는 품종으로, 하루 산유량(產乳量)은 2-5kg임. 우리 나라 유용 산양의 대부분을 차지함.

〈자넨〉

자넬라 [Zanella, Giacomo] 명〖사람〗이탈리아의 시인·성직자. 파도바 대학 문학부 교수를 역임. 그리스·라틴시(詩)의 역자로서 알려졌으며 또 낭만주의의 감상(感傷)에서 카르두치(G. Carducci)풍의 고전주의로 복귀하려는 19세기 말 이탈리아 시단(詩壇)의 대표적 작가임. 과학 및 사회 문제에 소재를 취한 작품이 많으며, 주요 작품으로는 ≪임해 학교(臨海學校)≫·≪카다브리아 소년≫ 등이 있음. [1820-88]

자녀¹【子女】명 아들과 딸. 아들딸. ¶~ 교육.

자녀²【恣女】명 창녀(娼女).

자녀-간【子女間】명 아들과 딸 사이.

자녀-분【子女―】명 남의 자녀의 경칭(敬稱).

자녀-안【恣女案】명〖역〗양반 집 여자로, 품행(品行)이 부정(不貞)하거나 세 번 이상 개가(改嫁)한 사람의 소행(所行)을 적어 두는 대장(臺帳). 이 안에 올려지면 그 일문(一門)의 불명예는 물론 그 자손의 과거(科擧)·임관(任官)에도 큰 영향을 미쳤음.

자년【子年】명〖민〗태세(太歲)의 지지(地支)가 자(子)인 해. 쥐해.

자년-생【子年生】명 자생(子生).

자념【慈念】명 인자(仁慈)한 생각. 또는 인자하게 생각하는 일. ――하다 자여불

자:-녹색【紫綠色】명 보랏빛을 띤 녹색.

자-놀이【字―】명 한시(漢詩)를 짓는 데에 형식이나 내용에 맞도록 글자를 놓는 일. ――하다 자여불

자농【自農】명 자작농(自作農).

자누 산【―山】[Jannu] 명〖지〗시킴 히말라야(Sikkim Himalaya), 칸첸중가 산(Kanchenjunga山)에서 서쪽으로 뻗은 산릉(山稜)의 한 봉우리. 네팔(Nepal) 영내(領內)에 있으며 19세기 말 '공포(恐怖)의 산'으로 소개되어 오다가, 1962년 프랑스의 등반대(登攀隊)가 등정에 성공하였음. [7,710m]

자-눈 명 ☞ 잣눈.

-자느냐 어미 ↗-자고 하느냐. ¶어딜 가~.

-자느니 어미 이리 하자 하기도 하고, 저리 하자 하기도 함을 나타낼 때 동사 어간 및 형용사 '있다'의 어간에 붙이는 연결 어미. ¶남아 있~ 돌아가~ 의견이 엇갈렸다. *-라느니.

자늑자늑-하다 형여불 동작이 조용하며 가볍고 부드럽다. ¶그 여자는 몸가짐이 ~.

-자는 어미 용언의 어간에 붙어서 권유의 내용을 나타내는 연결 어미. ¶그렇게 하~ 말이다/지금 떠나~ 말인가. 준-잔. 「은 빛깔.

자:니【紫泥】명〖미술〗철분(鐵分)이 많이 섞인 도자기(陶瓷器)의 검붉

-자니 어미 ↗-자 하니. ¶그냥 죽~ 억울하다/내버리~ 아깝고 들고 가~ 짐이 되고. *-려니.

-자니까 어미 ①↗-자고 하니까. ¶함께 가~ 선뜻 나서더라. ②동사 및 형용사 '있다'·'계시다'의 어간에 붙어, 재차 강력히 청유(請誘)하는 뜻을 나타내는 종결 어미. ¶어서 가~/그대로 여기에 있~/가지 말~. *-라니까.

-자니까는 어미 '-자니까'의 힘줌말. 준-자니깐. *-라니까는.

-자니깐 어미 ↗-자니까는. ¶빨리 먹~. *-라니깐.

자닝-스럽다 형ㅂ불 자닝하게 보이다. 자닝-스레 부

자닝-하다 형여불 약한 자의 참혹한 모양이 불쌍하여 차마 보기 어렵다. 자닝-히 부

자다¹【自多】명 [다(多)는 현(賢)의 뜻] 자기 스스로를 현명하다고 여김. ――하다 자여불

자다² 자 거라불 ①눈을 감고 의식 없는 상태가 되어 활동하는 기능이 쉬다. 유(留)하다. ¶푹 ~/늦잠 ~. ②불던 바람이나 움직이던 물건이 그 움직임을 멈추고 쉬다. ¶바람이 ~/시계가 ~. ③남녀가 교합하다. 잠자리하다. ¶같이 잔 남녀. ④화투나 트럼프 등을 할 때 어떤 한 장이 떼어 놓은 몫의 맨 아래에 깔리다. ¶비 열 끗이 ~. ⑤무엇이 눌려서 구김살이 펴지거나 또는 부풀었던 것이 착 붙어 자리가 잡히다.
[자는 벌집 건드린다] 가만히 있는 것을 섣불리 건드리어, 공연히 말썽을 일으킨다는 말. [자는 범 코침 주기] 공연히 건드리어 스스로 위험을 산다는 뜻. 숙호 충비(宿虎衝鼻). [자다가 봉창 두드린다] 얼토당토 않은 딴 소리를 한다는 뜻. [자다가 얻은 병] 뜻밖의 재앙을 이르는 말. [자던 아이 깨겠다] 터무니 없는 말은 시끄러우니 그만두라는 말. [자던 입에 콩가루 떨어 넣기] 적당하지 못한 처사를 두고 이르는 말. [자던 중도 떡 다섯 개] 일은 아니하고 이익을 나누는 데는 참여할 때 이르는 말.
자다가 벼락을 맞다 구 급작스레 뜻하지 않던 변을 당하다.
자다가 생병 앓는 것 같다 구 뜻밖에 공연한 걱정이 생기다.

자다르 [Zadar] 명〖지〗크로아티아 공화국 남부, 아드리아 해(Adria海)에 면한 항구 도시. 베네치아(Venezia)로 가는 정기 항로가 있으며 마라스키노주(maraschino酒)의 양조로 유명함. 중세 이후 달마티아(Dalmatia)의 상업 중심지임. [116,174 명(1981)]

자단¹【自斷】명 스스로 결단함. ――하다 자타여불

자단²【紫檀】명〖식〗[*Pterocarpus santalinus*] 콩과에 속하는 상록 활엽 교목. 줄기는 높이 10m, 지름 30-50cm이고, 자색(紫色)이며 부드러운 잔 털이 있음. 잎은 호생하는데, 너더댓 개의 넓은 타원형의 소엽(小葉)으로 된 우상 복엽(羽狀複葉)은 뒷면이 회색임. 나비 모양의 노란 잔 꽃이 총상(總狀) 화서로 핌. 열매는 종형(鐘形)이고 꼬리와 날개가 있는 한두 개의 종자가 들어 있음. 재목은 견고하고 심재(心材)가 암홍자색(暗紅紫色)을 띠어 아름다우므로 '화류(樺榴)'라 하여 건축 및 가구·도구(道具)의 재료로 쓰임. 인도 및 스리랑카 원산으로 대만·필리핀 등지에 분포함.

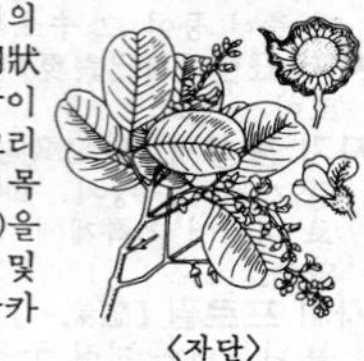
〈자단〉

자단-목【紫檀木】명 자단의 재목.

자단-소【紫檀素】명〖화〗산탈린(santalin).

자단-향【紫檀香】명 자단 나무를 잘게 깎아서 불에 피우는 향. 약에도 쓰임. *백(白)단향.

자:달【紫闥】명 금중(禁中).

자담【自擔】명 스스로 부담하거나 담당함. 자당(自當). ¶비용을 ~하다. ――하다 타여불

자답【自答】명 스스로 대답을 함. ¶자문(自問) ~. ↔자문. ――하다 자여불

자당¹【自當】명 자담(自擔). ――하다 타여불

자당²【自黨】명 자기의 당파(黨派). ¶~의 이익을 위하여.

자:당³【紫幢】명〖역〗의장(儀仗)의 한 가지.

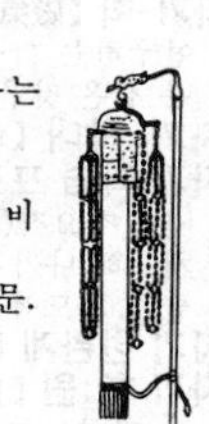
〈자당³〉

자당⁴【慈堂】명 남의 어머니의 존칭. 훤당(萱堂). 북당(北堂). ¶~께서도 안녕하신가.

자당⁵【蔗糖】명〖화〗수크로오스(sucrose).

자대【自大】명 스스로 큰 체함. 또, 스스로 크게 여김. ――하다 자여불

자덕 대:부【資德大夫】명〖역〗고려 때 문관(文官)의 품계(品階). 종이품(從二品)의 하(下)임. 공민왕(恭愍王) 18년(1369)에 정함.

자도[1]【子道】명 아들로서 어버이를 섬기는 도리(道理). 아들로서 지켜야 할 도리.

자:도[2]【刺刀】명 찔러 죽이는 데에 쓰이는 칼.

자도[3]【紫桃】명〖식〗→자두.

자도바 싸움〔Sadowa〕명〖역〗쾨니히그레츠 싸움.

자도-사【自悼詞】명〖문〗조선 중기 광해군(光海君) 때의 문신(文臣) 이재(頤齋) 조우인(曺友仁)이 지은 가사. 간신(奸臣)의 무리로 인하여 정사(政事)가 어지러움을 한탄한 노래. 필사본(筆寫本)으로 전함.

자독【自瀆】명 '수음(手淫)'의 별칭. ¶~ 행위.

자돈【仔豚】명 새끼 돼지. 돼지 새끼.

자:돌 어업【刺突漁業】명 작살류의 자돌 어구로 고기를 찔러서 잡는 어업.

자동[1]【自動】명 ①스스로 움직임. 스스로 활동함. 기계 등에서 일정한 조작(操作)을 하여 두면 일일이 손을 쓰지 않아도 저절로 작동하는 일. ¶~ 개폐기. ②다른 사물에는 관계 없이 어떤 사물 자체에만 나타나는 동작. 1)·2):↔타동(他動). ——-하다 자여불

자:동[2]【刺桐】명〖식〗엄나무.

자:동[3]【紫銅】명〖광〗적동(赤銅).

자동 개폐문【自動開閉門】명 자동문(自動門).

자동 경:급 수신기【自動警急受信機】명〖무선〗타선(他船)으로부터의 경급 신호를 수신하면, 자동적으로 벨 등이 울려서 타선에서의 조난 통보가 있음을 통신사(通信士) 등에 알리는 장치. 경급 수신기.

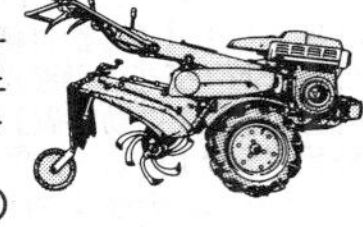

〈자동 경운기〉

자동 경운기【自動耕耘機】명〖기〗동력(動力)에 의하여, 주요부(主要部)를 움직여 기계적으로 논밭을 갈거나 김을 매는 데 쓰는 농업 기계. 여러 가지가 있음. 동력(動力) 경운기.

자동 계단【自動階段】명 에스컬레이터(escalator).

자동 계:좌 대:체【自動計座代替】명〖경〗공공 요금·급여·연금 등의 지급을 위탁받은 은행·우체국 등이 소정일에 지급인 계좌에서 예금을 자동적으로 출금하여 수취인 계좌에 대체하는 제도.

자동 공천【自動公薦】명 공천 대회를 거치지 않고 공천 요강(要綱)에 따라 자동적으로 얻는 공천.

자동 교환기【自動交換機】명 전신이나 전화의 회선의 선택·접속을 사람의 손에 의지하지 아니하고 전자석 등의 기계력을 이용하여 자동적으로 행하는 설비. 자동식 전화 교환기.

자동 교환 실내 전:화기【自動交換室內電話機】[—래—] 명 인터폰.

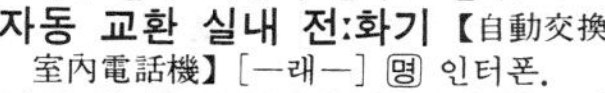

〈자동 권총〉

자동 권:총【自動拳銃】명 발사(發射)하면 탄창(彈倉) 속에 있는 탄환(彈丸)이 자동적으로 장전(裝塡)되는 권총. 자동 피스톨(自動 pistol). 오토매틱.

자동 기계【自動機械】명〔automaton〕인간의 두뇌적(頭腦的) 작업(作業)을 할 수 있는 지적(知的)인 기계. 외부(外部)로부터의 자극(刺戟), 곧 입력 기호(入力記號)에 대응하여 내부 상태(內部狀態)가 변화하여, 외부에 대하여 동작(動作)을 하는 신호를 냄. 입력의 변화에 따라 출력(出力)이 연속적(連續的)으로 변화하는 아날로그 컴퓨터는 이에 해당함.

자동 기록 계:기【自動記錄計器】명 자동 기록기.

자동 기록기【自動記錄器】명 여러 가지 계기(計器)에 의한 지시치(指示値)를 시각(時刻)에 따라 자동적으로 기록지(紙)·테이프 등에 기록하는 장치. 자동 기록 계기(計器).

자동 기상 관측소【自動氣象觀測所】명〖기상〗관측하는 사람이 필요 없는, 원격(遠隔) 계측 장치를 사용하는 기상 관측소.

자동 다이얼 장치【自動—裝置】〔dial〕명 자동 호출기(自動呼出器).

자동 대:류【自動對流】명〔auto convection〕〖기상〗기온의 감률(減率)이 자동 대류 기온 감률과 같거나 그보다 큰 대기층 속에서, 대류가 자동적으로 개시되는 현상.

자동 대:류 기온 감:률【自動對流氣溫減率】[—뉼] 명〔autoconvective lapse rate〕〖기상〗가상적(假想的)인 대기 기온 감률의 하나. 밀도가 높이에 대하여 일정한, 대기의 기온 감률로, 건조(乾燥) 공기에서는 100 m당 3°C임.

자동 대:전【自動帶電】명〔autogenous electrification〕〖물〗비행기 등의 물체가 먼지나 얼음의 결정(結晶)이 있는 공중을 날 때, 전기를 띠는 일. 물체와 특정 물질 사이의 마찰에 의함.

자동 대:패【自動—】명 동력(動力)으로 기계가 회전하여 나무를 갖다 대면 저절로 깎게 되어 있는 대패. 회전축에 고정시킨 2-4 개의 날을 전동기(電動機)로 1 분간에 3,000-5,000 회의 고속으로 회전시켜 목재를 자동적으로 깎음.

자동 데이터 처:리【自動—處理】〔data〕명 자동 자료 처리.

자동 데이터 처:리 시스템【自動處理—】명〔automatic data-processing system〕자동 자료 처리 장치❶.

자동 데이터 처:리 장치【自動—處理裝置】명〔automatic data-processing equipment〕자동 자료 처리 장치❷.

자동 도어【自動—】〔door〕명 자동문.

자동 도어 개폐 장치【自動—開閉裝置】〔door〕명 자동적으로 문을 개폐하는 장치. 전자판(電子瓣)의 작동이나 압축 공기에 의한 피스톤의 작동으로 문을 개폐함.

자동 도킹【自動—】〔docking〕명 무인 위성(無人衛星)끼리 지상(地上)으로부터의 지령(指令)과 위성의 자동 조정(調整)으로 우주 궤도상(宇宙軌道上)에서 도킹하는 일.

자동 동조 시스템【自動同調—】명〔automatic tuning system〕〖전〗라디오 수신기(受信機)나 송신기(送信機)에서, 버튼이나 레버를 누르거나, 노브(knob)를 돌리어 주파수(周波數)를 맞출 때, 자동적으로 소정의 주파수에 동조(同調)되는 전기적(電氣的)·기계적(機械的) 또는 전기 기계적 시스템.

자동-률【自同律】[—뉼] 명〖철〗동일률(同一律).

자동 리프트 독【自動—】명〔automatic lift dock〕〖토〗건(乾)독 또는 선박(船舶) 승강기의 일종. 선박이 킬(keel)이나 빌지대(bilge臺)에 올려놓여진 다음, 선체(船體)를 수면에서 끌어 올림. 수중에 가라앉는 선체 부분의 수리·보수를 하기 위한 독임.

자동 면:역【自動免疫】명〖의〗어떤 종류의 전염병을 겪은 뒤나 또는 인공적으로 병원체를 접종(接種)한 경우와 같이 병원체가 생체(生體) 속에 침입하여 생체 자신이 작용함으로써 성립되는 면역. 장티푸스·마진(痲疹) 등에 걸린 뒤에는 오래 지속(持續)하는 면역이 성립되는데, 불현성(不顯性) 감염에 의하여 모르는 사이에 성립되는 수가 많음. 능동(能動) 면역. 능동성 면역. 자력(自力) 면역. ↔타동(他動) 면역·수동(受動) 면역.

자동-문【自動門】명 사람의 손을 사용하지 않고 전동(電動)으로 개폐(開閉)할 수 있는 문. 호텔·빌딩 등 사람의 출입이 많은 건물의 출입구에 설치함. 밟은 사람의 몸의 무게로 작동하는 매트 스위치(mat switch)식과 광학계(光學系)를 차단함으로써 작동하는 광전관식(光電管式) 등이 있음. 자동 도어. 오토 도어(auto door).

자동 문자 인식【自動文字認識】[—짜—] 명〔automatic character recognition〕〖전자〗영자(英字)·숫자 등 사람이 읽을 수 있는 기호를 식별하고, 이 데이터를 이용하기 위하여 특별한 기계 시스템을 사용하는 기술(技術).

자동 방:사선 사진【自動放射線寫眞】명〖물〗사진 필름에 잇대어 방사성 물질(放射性物質)을 놓음으로써 촬영(撮影)되는 방사성원(放射性源) 자체의 촬영 사진.

자동 방향 탐지기【自動方向探知器】명〔automatic direction finder〕〖기〗지상(地上)의 호밍 비컨(homing beacon)으로부터 발신(發信)되는 전파(電波)에 동조(同調)하여 그 전파가 오는 방향을 라디오 컴퍼스 위에 나타내게 하여 자동적으로 탐지하는 장치. 대형 선박(大型船舶) 등에서 자기 위치(自己位置)를 탐지(探知)하는 데 쓰임. 약칭은 에이 디 에프(A.D.F.).

자동 배수댐【自動排水—】명〔automatic dam〕〖광〗표사 광상(漂砂鑛床)의 채굴에서 수문(水門)이 있는 댐. 댐의 수위(水位)가 어느 정도에 이르면 자동적으로 방수(放水)됨.

자동 번역【自動飜譯】명 번역 기계에 의하여 자동적으로 하는 번역.

자동 번역기【自動飜譯機】명 번역 기계.

자동-법【自動法】[—뻡] 명〖미술〗초현실주의에 있어서 회화(繪畫)의 한 수법(手法). 회화 제작에 있어서 역사적 전통이나 사상적 간섭(思想的干涉)을 배격하고 무의식적(無意識的)으로 창조 작업을 하는 일. 무의식적 자동(自動) 작업. 오토마티슴(automatisme).

자동 변:속기【自動變速機】명〔automatic transmission〕〖기〗클러치(clutch)나 변속 레버(變速 lever)의 조작(操作)이 필요하지 않으며, 액셀러레이터와 브레이크의 조작만으로 자동적으로 속도·구동력(驅動力)을 변환하는 자동차의 변속기. 자동 변속 장치.

자동 변:속 장치【自動變速裝置】명 자동 변속기.

자동 보:급【自動補給】명〖군〗사용 부대의 청구 없이 미리 결정된 일정한 기간 동안 자동적으로 대어 주는 보급.

자동 분석【自動分析】명〔automatic analysis〕주요한 분석 조작을 기기(機器)로 자동적으로 행하는 분석. 이에 의해 분석 정도(精度)의 향상, 노력·시간의 단축 외에 인력(人力)이 미치지 못하는 강한 방사선 속에서의 조작, 우주 공간에서의 작업, 고속(高速) 동작 등을 할 수 있어 다방면에 이용되고 있음.

자동-사【自動詞】명〖언〗동사의 하나. 동작이나 작용이 주어(主語) 자신에만 그칠 뿐 다른 사물에 미치지 아니하는 동사. '오다'·'가다'·'자다'·'날다'·'서다'·'앉다' 등. 제움직씨. ↔타동사.

자동 산화【自動酸化】명〔autooxidation〕〖화〗분자상(分子狀) 산소에 의하여, 상온(常溫) 때에는 서서히 일어나는 산화 반응. 테르펜(terpene)·아마인유(亞痲仁油) 등의 유기 화합물(有機化合物)의 산화가 곧 이것임.

자동 살포【自動撒布】명〔autochory〕〖생〗개체 또는 그 정자(精子)·종자(種子) 등의 능동적인 자기 분산. ——-하다 자여불

자동 삼륜차【自動三輪車】[—뉸—] 명 자동차의 하나. 세 개의 차륜에 의해 자력(自力)으로 주행할 수 있는 차량.

자동 서기【自動書記】명〖심〗분열(分裂)된 의식(意識)이 활동하여 의미(意味)가 있는 문장(文章)이나 그림을 자동적으로 쓰거나 그리는 일.

자동 선반【自動旋盤】명 여러 가지 조작(操作)을 자동적으로 하게 한 터릿(turret) 선반. 형식(型式)과 모양이 여러 가지 있음. 자동 절삭기(自動切削機).

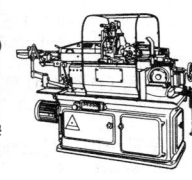

〈자동 선반〉

자동 선:별기【自動選別機】명 대량으로 생산(生產)되는 공업 제품(工業製品)을 합격·불합격 또는 몇 개의 군(群)으로 자동적으로 선별하는 기계. 품질(品質)의 균일화(均一化), 검사(檢査)의 능률화에 중요한 역할을 함.

자동-성【自動性】[—썽] 명 ①스스로 움직이는 성질. ②〖생〗생물체의

조직이나 기관(器官)이 중추 신경과 연락이 끊어져도 독립하여 활동할 수 있는 성능. 심장근(心臟筋)·장관(腸管)·혈관(血管) 등의 가장자리에 있는 신출이나 호흡 중추 등의 성능.

자동 소:총【自動小銃】명〔군〕①자동적으로 발사되는 소총의 총칭. 중량을 경감(輕減)하기 위하여 구경비(口徑比)가 작음. ②브라우닝식 자동 소총(Browning 式自動小銃).

자동 손목 시계【自動─時計】명 팔의 움직임으로 자동적으로 태엽이 감기는 손목 시계.

자동 수뢰【自動水雷】명〔군〕수뢰의 하나. 자체 안에 원동력(原動力)을 가지며, 적당한 방향으로 나가게 하기 위하여 외부(外部)에서 키를 조종하는 수뢰.

자동 수문【自動水門】명〔flop gate〕〔광〕물이 적은 표사(漂砂) 광산에서 쓰이는 수문의 한 형식. 저수량(貯水量)이 적을 때는 문이 닫혀 있고, 물이 가득차면 자동적으로 열려서 물이 흘러가게 한 다음, 저수지가 비면 다시 닫히게 되어 있음.

자동 수:식 번역기【自動數式飜譯機】명 먼 곳에 있는 입력 단말(入力端末)로부터 수학 방정식을 받고 즉시 해답을 줄 수 있는 자동 프로그래밍 계산기.

자동 수위 측정기【自動水位測定器】명 수면(水面)의 높낮이의 변화를 기계로 관찰하여 재는 기구.

자동 승인제【自動承認制】명〔경〕①일정한 물자에 대하여 수입 신청만 하면 자동적으로 수입이 인정되는 제도. ②수입(輸入) 승인 발급(發給)의 한 방식. 여러 품목을 일괄(一括)한 일정액(一定額)의 수입 예산이 편성되어 있어 그 예산이 없어질 때까지 아무나 신청하는 대로 자동적으로 승인되는 제도.

자동-식【自動式】명 자동적으로 움직이게 된 방식.

자동식 계단【自動式階段】명 에스컬레이터(escalator).

자동 식자기【自動植字機】명〔인쇄〕라이노타이프(linotype).

자동식 전:화【自動式電話】명 번호의 숫자(數字)에 맞추어서 다이얼(dial)을 돌리면 자동적으로 상대방과 통화(通話)할 수 있는 전화. 자동 교환기(交換機)의 작용에 의함. 자동 전화. 오토매틱 텔레폰.

자동식 전:화 교환기【自動式電話交換機】명 자동 교환기.

자동 신:호【自動信號】명 교통 정리를 위하여 궤도 회로(軌道回路)나 교통이 빈번한 가두에 설치한 청색(靑色)·적색(赤色)·황색(黃色)으로 된 자동적 지시(指示) 신호.

자동 아나필락시【自動─】〔도 Anaphylaxie〕명〔의〕이종 항원(異種抗原)의 주사로 그 개체에 생기는 아나필락시.

자동 악기【自動樂器】명 기계적으로 악곡(樂曲)이 재현(再現)되기 때문에 연주자(演奏者)를 필요로 하지 아니하는 악기. 곧, 음악 상자나 자동 피아노(piano) 등.

자동 안전기【自動安全器】명〔automatic cutout〕〔전〕원심력(遠心力) 또는 전자석(電磁石)에 의하여, 이상(異常)이 발생했을 때 회로의 일부를 자동적으로 차단하는 장치. *안전기·자동 회로 차단기.

자동 언어【自動言語】명〔언〕무의식적인 자동 현상으로 입에서 나오는 언어. 잠꼬대나, 중 또는 무당의 기도 드릴 때의 언어 같은 것.

자동 연결기【自動連結器】〔─년─〕명 철도용 차량에 있어서 사람의 손을 빌리지 아니하고 차량과 차량을 밀어 대면 자동적으로 연결되게 만든 장치.

〈자동 연결기〉

자동 연소 제:어【自動燃燒制御】〔─년─〕명 증기 소비량(蒸氣消費量)이 변화한 경우에도 보일러(boiler)의 압력을 일정하게 유지하고, 또한 적정(適正)한 연소를 위해 연료 및 연소용 공기의 공급량을 자동적으로 제어하는 일.

자동 열차 운전 장치【自動列車運轉裝置】〔─녈─〕명 지상(地上) 장치로부터 열차의 차상(車上) 장치로 신호를 보내어 열차를 자동적으로 운전하는 장치. 약칭: 에이 티 오(A.T.O.).

자동 열차 제:어 장치【自動列車制御裝置】〔─녈─〕명〔automatic train control system〕열차의 속도 조절(速度調節)이나 정지(停止)를 자동적으로 행하는 장치. 고속(高速)·고밀도(高密度)의 열차의 안전 운전(安全運轉)을 확보하는 목적의 것으로, 지하철 등에서도 채용하고 있음. 약칭은 에이 티 시(A.T.C.).

자동 요금 계:산【自動料金計算】〔─뇨─〕명〔통〕교환원을 대신해서 전화의 다이얼 펄스 제어(dial puls 制御)가, 호출(呼出) 기록과 시간의 측정 및 요금표 작성 등을 자동적으로 하는 방식.

자동 용접기【自動鎔接機】〔─뇽─〕명 아크 용접(arc 鎔接) 기타의 용접에서, 전류의 조정, 아크의 발생(發生), 용접봉(棒)의 공급 등을 자동적으로 행하고, 매분(每分) 10-500 cm 정도의 속도로 자동적으로 용접해 가는 기계. 용접 구조의 다용도화(多用途化)에 따라 조선소(造船所) 등에서 널리 사용됨.

자동 운:동【自動運動】명 의지(意志)에 의하지 않고 일어나는 기계적(機械的) 운동. 특히, 그 원인이 내부(內部)의 원인에 의하여 일어나는 운동을 이름.

자동 운전 궤:도 시스템【自動運轉軌道─】명〔automated guideway transit system〕컴퓨터의 자동 제어에 의해 궤도 상에서 차량을 운행시키는 교통 시스템. 대도시나 공항에서의 수송에 채택되고 있음. 에이 지 티(AGT).

자동 음량 조절【自動音量調節】〔─냥─〕명〔전〕자동 이득(利得) 조절.

자동 이:득 조절【自動利得調節】〔─니─〕명〔automatic gain control〕〔전〕전파의 강약에 관계 없이, 출력을 일정하게 유지하는 자동 조절. 자동 음량 조절(自動音量調節). 약칭: 에이 지 시(A.G.C.).

자동 인형【自動人形】명 ①기계 장치를 하여 자동적으로 움직이게 만든 인형. ②자기의 의지는 없이 기계적으로 움직이는 사람의 비유.

자동 입출금기【自動入出金機】명〔automatic teller machine; ATM〕고객의 통장에 입금 및 출금을 자동으로 처리해 주는 기계. 은행은 이를 이용하여 영업 시간을 연장할 수 있음. 에이 티 엠.

자동 자료 처:리【自動資料處理】명〔automatic data processing; ADP〕〔전자〕기계가 정보 데이터에 관한 일을 사람의 도움을 받지 않거나 또는 약간의 도움을 받으며 처리하는 일. 즉, 읽기·계산·기입으로부터 대포의 조작, 공장 전체의 운영 등에 이르기까지 자동적·응답적(應答的)으로 할 수 있음. 자동 데이터 처리.

자동 자료 처:리 장치【自動資料處理裝置】명〔전자〕①〔automatic data-processing system〕전자식(電子式) 자료 처리 장치를 사용하는 데에 필요한 장치. 조작원과 관련된 컴퓨터를 포함한 장치로 사무 계산이나 로지스틱 데이터(logistic data) 처리를 최소의 인원으로 행할 수 있음. 자동 데이터 처리 시스템. 약칭: 에이 디 피 에스(ADPS). ②〔automatic data-processing equipment〕사용 목적·응용법(應用法)·입력(入力) 데이터 공급(供給)과는 관계없이 전자식 자료 처리 장치 또는 펀치 카드식 컴퓨터를 일컫는 말. 자동 데이터 처리 장치. 약칭은 에이 디 피 이(ADPE).

자동 자전거【自動自轉車】명 오토바이.

자동 장전포【自動裝塡砲】명〔군〕포환(砲丸)을 자동 장치로 장전하게 된 대포.

자동 장치【自動裝置】명 오토맷(automat)❷.

자동 저울【自動─】명 저울대에 물건을 올려 놓으면, 지침(指針)이 회전하여 그 중량을 가리키게 만든 저울. 태엽 저울의 하나.

자동 저:축 기계【自動貯蓄機械】명〔기〕은행에서 예금 통장·원장(元帳)·전표(傳票)의 기입 사항을 동시에 자동적으로 인쇄(印刷) 기장(記帳)하는 기계.

자동-적【自動的】명관 ①남의 힘을 빌리지 않고, 자기 힘으로 움직이거나 일하거나 하는 모양. 또, 무의식적·무의지적(無意志的)으로 일하는 모양. 오토매틱(automatic). ②자발적으로 언동(言動)하는 모양. 스스로 적극적으로 활동하는 모양. 1)·2):↔타동적.

자동 적정 장치【自動滴定裝置】명〔automatic titrator〕〔화〕①정량적(定量的)으로 반응하는 시약(試藥)을 적하(滴下)하여 자동적으로 적정하는 장치. ②전위차법(電位差法)·전류법(電流法) 또는 비색법(比色法)에서, 적정 종말점(終末點)을 전기적·자동적으로 구하는 장치.

자동 전:철기【自動轉轍器】명 자동적으로 작동(作動)하도록 만들어진 전철기.

자동 전:화【自動電話】명 자동식 전화(自動式電話).

자동 전:화 교환【自動電話交換】명 교환원을 거치지 아니하고 다이얼(dial)만 돌림으로써, 전기 기계적 조작에 의하여 가입자를 불러 낼 수 있는 전화 교환.

자동 절삭기【自動切削機】〔─싹─〕명 자동 선반(旋盤).

자동 점멸기【自動點滅器】명〔flasher〕〔전〕전구(電球)를 빠르게 점멸시키는 스위치. 흔히, 전동기(電動機)로 구동(驅動)하거나, 히터 소자(素子)와 바이메탈(bimetal)을 짜맞추어서 구동하여 사용함.

자동 접지기【自動摺紙機】명 ①편지나 광고지 따위를 봉투에 넣기 좋도록 세 골지게 접는 기계. ②윤전기에 딸려 신문지를 가로 세로 한 번씩 접는 기계. ③인쇄된 종이를 페이지별로 접는 기계.

자동-정【自動艇】명 발동기정(發動機艇). 모터보트.

자동 제:군【梓潼帝君】명 괴성(魁星)❷.

자동 제:도기【自動製圖器】명〔coordinate plotter, mechanical plotting board〕자동적으로 그림을 그리는 장치. 가로 세로 어느 방향이든지 움직일 수 있는 펜을 컴퓨터나 테이프 리더(tape leader)가 조종하여 정확하고 빠르게 그림.

자동 제:동기【自動制動機】명 제동기의 하나. 흔히, 권양기(捲揚機)에 쓰이는 것으로, 작동(作動)이 끝나면 곧 제동이 걸리고, 이것을 원상으로 풀어 놓으면 제동이 완화(緩和)되는, 원판(圓板) 또는 원추(圓錐) 모양의 브레이크. 하중 작동 브레이크(荷重作動 brake). *서보 브레이크(servo brake).

자동 제:어【自動制御】명〔automatic control〕소정(所定)의 조건에 대하여 응답(應答)하고, 자동적으로 제어 스위치 조작을 하는 제어. 기계 등의 온도·압력 위치(壓力位置)·속도 등의 제어가 그 기본적인 것임. 로봇(robot). ¶~ 장치.

자동 제:어 밸브【自動制御─】〔valve〕명 자동 제어판.

자동 제:어판【自動制御瓣】명 유체(流體)의 압력·온도·유량(流量)·유로(流路) 등을 자동적으로 제어하는 밸브(valve). 작동에 필요한 힘을 검출부(檢出部)를 통하여 제어 대상(對象)의 유체로부터 받는 자력(自力) 제어식과, 공기압(空氣壓)·유압(油壓)·전기 등의 보조 동력원(動力源)으로부터 받는 타력(他力) 제어식이 있음.

자동 조:명 조절【自動照明調節】명〔전〕필름이나 텔레비전 카메라 또는 다른 영상(影像) 장치의 수광면(受光面)에 도달하는 조명도(度)를, 장면의 휘도 함수(輝度函數)로 자동 조절하는 일.

자동 조절기【自動調節機】명〔automatic controller〕〔전자〕변화량(變化量) 또는 변동(變動) 조건을 연속적으로 측정하고, 소정의 목표값으로부터의 편위(偏位)를 수정하는 제어(制御) 장치를 자동적으로 작동시키는 기계.

자동 조종 장치【自動操縱裝置】명〔항공〕오토파일럿(autopilot).

자동 조타 장치【自動操舵裝置】명 선박이나 항공기의 조종원(操縱員)을 대신하여 자동적으로 소정(所定)의 침로(針路)를 유지시키는 방향 제어(制御)의 서보 기구(servo 機構).

자동 주:식기【自動鑄植機】명 라이노타이프.

자동 주파수 제:어【自動周波數制御】명〔automatic frequency control〕

주파수 변동을 자동적으로 보정(補正)하는 제어. 라디오 수신기(受信機)·텔레비전 수상기 기타 일반 통신 기기 등에 이용됨. 약칭: 에이 에프 시(A.F.C.).

자동 중계【自動中繼】[명]〔automatic relay〕『통』자동 장치(裝置)가 통보(通報)를 기록하고 다시 전송(傳送)하게 되어 있는 선택 접속(選擇接續)의 방법.

자동 중추【自動中樞】[명]〔automatic center〕『생』끊임없이 자발적으로 흥분하여 긴장을 지속(持續)하고, 원심성(遠心性) 충격을 일으키는 신경 중추. 연수(延髓) 중의 호흡 중추·혈관 운동 중추 따위.

자동-증【自動症】[一쯩] [명]〔automatism〕『의』명백한 의지의 작용이 없이 이루어지는 행동의 일종. 몽유병(夢遊病)이나 어떤 종류의 히스테리·전간(癲癇) 따위.

〈자동 직기〉

자동 직기【自動織機】[명]『기』제직(製織) 중 운전이 정지(停止)하지 아니하고 씨실의 보충을 자동적으로 행하며, 날실 절단(切斷)을 위한 정지도 자동적으로 행하는 장치의 직기(織機).

자동-차【自動車】[명] 가스·휘발유·중유(重油) 등을 연료로 하여 발동기를 장치하고 그 동력에 의하여, 바퀴를 회전시켜 도로(道路)를 달리게 만든 차.

〈자동차〉

자동차 경:주【自動車競走】[명] 경주용(用) 자동차에 의한 스피드(speed) 경주.

자동차 고누【自動車―】[명] 넉줄 고누 말밭의 네 귀에 둥근 우회로(迂廻路)를 더 긋고, 각각 네 개의 말을 놓고 노는, 고누의 한 가지. *패랭이 고누.

자동차 공업【自動車工業】[명] 각종 사륜(四輪) 자동차와 삼륜차·부품류(部品類)·차체(車體) 등을 제조하는 공업. 제조 기술이나 생산 규모로 보아 승용차 제조 공업이 주체를 이룸. 원재료·부품 등이 철강(鐵鋼)·화학(化學)·전기(電機)·공작 기계 (工作機械) 공업에서 제공되어 조립(組立)·양산(量產)되고 있으므로 대다수 국가에서 전략 산업(戰略產業)으로 육성하고 있음.

자동차 공학【自動車工學】[명]〔automotive engineering〕『기』기계 공학의 한 분야. 주로, 사륜(四輪)으로 궤도 상을 달리지 않는 자동 추진차의 육상 수송에 관한 특별한 문제를 다룸.

자동차 관리법【自動車管理法】[一괄一뻡] [명]『법』자동차의 등록·안전 기준·형식 승인·점검·정비·검사 및 자동차 관리 사업 등에 관한 사항을 규정하여 자동차를 효율적으로 관리하고, 자동차의 소유권을 공증(公證)하며, 자동차의 안전도를 확보함으로써 공공(公共)의 복리를 증진함을 목적으로 하는 법률.

자동차 기관【自動車機關】[명] 자동차에 쓰는 원동기(原動機)의 총칭. 대개는 가솔린(gasoline) 기관·디젤 기관 등을 이름. 일반 발동기에 비하여 가볍고, 용적(容積)이 적으며 출력(出力)이 균일(均一)하여야 함. 수냉식(水冷式)인 경우에는 냉각수(冷却水)는 차의 앞 면에 있는 방열기(放熱器) 속에서 냉각되는 점이 특이함. 자동차 엔진. 자동차용 기관.

자동 차:단기【自動遮斷器】[명] 자동 회로(回路) 차단기.

자동차-대【自動車隊】[명]『군』자동차로써 편성된 부대. 병사(兵士) 및 병기(兵器)·탄약·군량(軍糧) 등 군수품(軍需品)의 보급(補給) 및 수송(輸送)을 담당함.

자동 차도【自動車道】[명]『광』광산에서 중력(重力)을 이용하여 광차(鑛車)를 오르내리게 운전하는 사면(斜面)의 차도. 사면의 꼭대기에 활차(滑車) 같은 것을 달고 이에 줄을 매어 그 양단(兩端)에 실차(實車) 및 공차(空車)를 연결하여 실차의 강하력(降下力)으로 공차를 올림.

자동차 보:험【自動車保險】[명]〔automobile insurance〕충돌·추락·전복·화재·도난 등의 사고에 의한 자동차의 물적(物的) 손해 또는 운전 중 사람을 치거나 남의 자동차나 건물 등을 손상(損傷)하였을 적에 지는 손해에 관한 배상(賠償) 책임의 보험.

자동차-부【自動車部】[명] 자동차로 사람이나 화물을 운송해 주고 그 대가(代價)를 받는 영업소.

자동차 사:고【自動車事故】[명] 자동차에 의한 교통 사고. 도로(道路) 교통 사고의 태반을 점하며, 자동차 대수(臺數) 증가에 따라 세계적으로 증가 추세를 보이고 있음.

자동차-세【自動車稅】[一쎄] [명] 지방세의 하나. 자동차의 소유자에게 부과되며, 승용 자동차·승합(乘合) 자동차·화물(貨物) 자동차·특수(特殊) 자동차·3륜 자동차 등으로 나누어 일정한 표준 세율(標準稅率)에 의하여 과세됨.

자동차 손:해 배상 보:장법【自動車損害賠償保障法】[一뻡] [명]『법』자동차 사고로 인한 사람의 생명 또는 신체가 사상(死傷)된 경우의 손해 배상을 보장하여, 피해자의 보호를 도모하고 자동차 운송의 건전한 발달을 촉진함을 목적으로 하는 법.

자동차 손:해 배상 책임 보:험【自動車損害賠償責任保險】[명] 자동차 손해 배상 보장법에 의하여, 교통 사고(交通事故)로 인한 피해자(被害者)의 구제(救濟)를 목적으로 하는 보험. 자동차 소유자는 의무적으로 가입하여야 함.

자동차 엔진【自動車―】〔engine〕[명] 자동차 기관(自動車機關).

자동차용 기관【自動車用機關】[명] 자동차 기관.

자동차 운송 사:업【自動車運送事業】[명] 자동차를 사용하여서 여객(旅客) 또는 화물(貨物)을 운송하는 사업. 버스 여객·전세(專貫) 여객·택시 여객 자동차 운송 사업, 노선(路線) 화물·구역(區域) 화물 자동차 운송 사업, 특수(特殊) 자동차 운송 사업 등이 있음.

자동차 운수 사:업【自動車運輸事業】[명] 자동차 운송 사업·자동차 운송 알선(斡旋) 사업과 자동차 대여(貸與) 사업의 총칭. 자동차 운수(運輸) 사업법에 의한 면허(免許) 사업임.

자동차 운전 면:허【自動車運轉免許】[명]『법』도로 교통법에 의하여, 일반적으로는 금지되어 있는 자동차의 운전을 적법(適法)으로 행할 수 있는 면허.

자동차 저:당법【自動車抵當法】[一뻡] [명] 자동차에 저당권을 설정하여 동산(動產) 신용을 증진시킴으로써 자동차 운송 사업의 건전한 발달을 기함을 목적으로 하는 법률.

자동차 전:화【自動車電話】[명]〔car telephone〕자동차에 송·수신기, 전화기·안테나 등을 부착하여 달리는 차 안에서도 다이얼 전화가 되도록 한 무선(無線) 전화. 중계(中繼)는 전화국에서 담당하여, 보통 전화 회선과 접속(接續)함. 카폰.

자동차 정류장 사:업【自動車停留場事業】[一뉴一] [명]『법』공동 자동차 정류장을 자동차 운송 사업에 사용하게 하는 사업.

자동차 차고【自動車車庫】[명] 차고(車庫).

자동차 학원【自動車學院】[명] 자동차의 운전·수선 등 여러 가지 기술을 가르치는 학원.

자동 착륙 장치【自動着陸裝置】[一뉵一] [명] 항공기의 계기(計器) 착륙 방식의 장치. 지상(地上) 및 기상용(機上用)의 최종 진입 원조(最終進入援助)의 전파 항공 시스템에 자동 조정 장치를 짜맞추어, 시계(視界) 제로의 경우에도 착륙을 가능하게 함.

자동 창고【自動倉庫】[명] 컴퓨터에 의해서 입출고(入出庫) 업무가 제어(制御)되는 창고.

자동 채:권【自動債權】[一꿘] [명]『법』상계(相計) 행위에 있어서, 상계하는 자의 채권. ↔수동(受動) 채권.

자동 철도【自動鐵道】[一또] [명] 전기 등의 동력을 이용하여 자동적으로 차량(車輛) 등을 움직이게 하는 철도. 주로, 경사(傾斜)진 산 중턱이나 운하(運河)·지하(地下) 등에 시설함.

자동 초점【自動焦點】[一쩜] [명] 텔레비전의 브라운관 등의 전자 빔(電子 beam)의 초점을 정전 수렴 렌즈(靜電收斂 lens)에 의해 자동적으로 일정하게 조절하는 방식.

자동 초점 렌즈【自動焦點―】〔lens〕[一쩜一] [명] 텔레비전의 브라운관 등, 전자 빔(電子 beam)을 사용하는 장치에서, 전자 빔의 초점을 자동적으로 일정하게 유지하는 정전 수렴(靜電收斂) 렌즈.

자동 초점 카메라【自動焦點―】[一쩜一] [명]〔auto focus camera〕피사체(被寫體)를 향해 셔터를 누르면 노출량(露出量)의 자동 조절(調節)과 더불어 렌즈가 자동적으로 신축(伸縮)하여 파인더 중앙에 초점이 맞추어지는 카메라.

자동-총【自動銃】[명] 기관 단총(機關短銃)과 자동 소총(小銃)의 총칭. 방아쇠를 당기면 탄환이 발사되는 동시에 다음 실탄이 장전되어, 방아쇠의 조작만으로 연발(連發)과 단발(單發)이 자유로움.

자동 추적【自動追跡】[명]〔automatic tracking〕미사일 등이 목표에서 반사 또는 방사(放射)하는 열(熱), 레이더의 반사파(波), 무선 전파, 음파(音波), 레이저 빔(laser beam) 등에 유도되어 자동적으로 목표물을 추적(追跡)하는 일.

자동 콘트라스트 조절【自動―調節】[명]〔automatic contrast control〕『전』텔레비전 화상(畫像)의 콘트라스트를 일정한 평균 수준으로 유지하도록, 무선 주파수와 비디오 중간 주파수의 이득(利得)을 바꾸는 회로(回路).

자동 클러치【自動―】〔clutch〕[명] 동력(動力)의 단속(斷續)을 자동적으로 할 수 있게 만든 클러치. 자동차용(用)으로는 유체(流體) 클러치를 많이 씀.

자동 통화 녹음【自動通話錄音】[명]『통』수신자가 없을 때, 발신자의 통화를 자동 녹음하는 전화 서비스.

자동 판매기【自動販賣機】[명] 특수(特殊)한 매품(賣品)에 대하여 그에 상당하는 대가(代價)의 주화(鑄貨)를 투입구(投入口)에 넣으면 전기적(電氣的) 작용으로 상품(商品)을 내보내게 만든 장치. 승차권(乘車券)·입장권(入場券)·과자·담배·음료(飮料)의 판매 등 여러 가지가 있음. [준]자판기(自販機).

자동 평형 계:기【自動平衡計器】[명] 평형 계기의 평형 조정(調整)의 조작(操作)을, 서보 기구(servo 機構) 등에 의해 자동적으로 행하는 계기. 자동 전위차계(自動電位差計) 등은 그 한 예임.

자동 포장기【自動包裝機】[명]『기』포장 작업을 자동적으로 행하는 기계. 설탕·비료 등을 포대(包袋) 속에 충전(充塡)하는 기계, 맥주·우유 등을 병 속에 충전하는 기계, 그 뚜껑을 봉하는 기계, 거죽에 레테르를 붙이는 기계, 덧포장을 하는 기계, 납지(蠟紙)를 싸는 기계, 상자 속에 집어 넣는 기계, 통조림용의 기계 등 여러 가지임.

자동 프로그래밍【自動―】[명]〔automatic programming〕컴퓨터의 프로그래밍을 용이(容易)하게 또 능률적으로 하기 위한 기법(技法). 프로그래밍을 직접 기계에 입력 가능(入力可能)한 기계어(機械語)로 행하지 않고, 일반인(一般人)의 사용이 용이한 형식의 프로그래밍 언어(言語)를 사용하여 행하는 일.

자동 피스톨【自動—】〔pistol〕 명 자동 권총.

자동 피아노【自動—】〔piano〕 명 〖악〗 자동 악기의 하나. 기계적 작용에 의하여 자동적으로 탄주(彈奏)하게 만든 장치의 피아노. 특수한 악보(樂譜)를 쓰며 공기의 압력으로 지렛대를 움직이어 연주함. 오토피아노(autopiano).

자동 할당제【自動割當制】〔一땅一〕 명 특정의 수입(輸入)에 대하여 개개의 품목(品目)마다 외화 실링(外貨 ceiling)을 정하여 그 품목에 대해서는 예산내(豫算內)에 수입 신청(申請)이 있으면 자동적으로 승인하는 제도.

자동 행성간 스테이션【自動行星間—】〔station〕 명 소련이 태양계 공간이나 달·행성에 향하여 쏘아 올린 관측 기기(觀測機器). 장기간의 통신 연락(通信連絡)이 가능함. 루니크(Lunnik) 3호에 처음으로 명명(命名)하였음.

자동 호출기【自動呼出器】 명 자동 교환에 있어 회전형(回轉形)의 다이얼을 돌리는 대신에, 각 숫자의 버튼을 누름으로써 자동적으로 그에 대응하는 펄스(pulse)를 보내는 장치. 자동 다이얼 장치.

자동 혹성간 스테이션【自動惑星間—】〔station〕 명 자동 행성간(自動行星間) 스테이션.

자동-화【自動化】 명 〖공〗 기계나 장치를 자동으로 또는 원격 조작(遠隔操作)으로 작동함. ¶공장 ~. ——-하다 자타 여불

자동 화:기【自動火器】 명 〖군〗 장전(裝塡)·발사(發射)를 자동적으로 행하는 화기. 곧, 기관총(機關銃)·자동 소총(小銃)·기관포(機關砲) 등의 총칭.

자동 회로 차:단기【自動回路遮斷器】 명 과대(過大)한 전류가 전로(電路)를 통과할 때 자동적으로 회로를 차단하고 위험을 방지하는 장치. 자동 차단기. *자동 안전기(安全器).

자동 휘도 조절 회로【自動輝度調節回路】 명 〔automatic brightness control; ABC〕 재생(再生)한 상(像)의 평균 휘도를 거의 일정하게 유지하기 위하여 텔레비전 수상기에 쓰이는 회로.

자두 명 〖식〗〔←자도(紫桃)〕 자두나무의 열매. 복숭아와 비슷하나 좀 작고 신 맛이 있음. 오얏. 자리(紫李).

자두-나무 명 〖식〗〔←자도(紫桃)나무〕 [*Prunus salicina* var. *typica*] 장미과(科)에 속하는 낙엽 활엽(闊葉)의 작은 교목(喬木). 높이 5m 가량이고 잎은 넓은 피침형(披針形) 또는 거꿀달걀꼴인데 가에 톱니가 있음. 4월경 잎에 앞서 긴 화경(花梗)에 흰 오판화(五瓣花)가 두세 개씩 모여 피고, 핵과(核果)는 거의 구형(球形)이며 8월에 황색 또는 자색(紫色)으로 익음. 중국이 원산(原産)인데 거의 한국 각지 및 일본·중국 등지에 분포하여 과수(果樹)로 재배함. 과실은 식용함. 오얏나무. 이수(李樹).

〈자두나무〉

자:두 연기【煮豆燃萁】 명 〔중국 위(魏)나라의 조식(曹植)의 칠보시(七步詩)에서 나온 말로, 콩을 삶기 위하여 같은 뿌리에서 자란 콩깍지를 태운다는 뜻에서〕 형제끼리 서로 다툼.

자두 지미【自頭至尾】 명 자초 지종(自初至終).

자두 지족【自頭至足】 명 머리로부터 발끝까지. 곧, 온 몸.

자드락 명 나지막한 산기슭의 경사진 땅. ¶바로 길 건너 윈켠 산 ~에 퀀셋 수십 개의 반공 포로 수용소가 있어…≪李浩哲: 어떤 父子 이야기≫.

자드락-거리다 자타 남이 귀찮아하도록 끈끈하게 건드리다. ¶언제나 네가 먼저 자드락거려서 싸움이 되더라. ㅆ짜드락거리다. <지드럭거리다. 자드락-자드락 부. ——-하다 자타 여불

자드락-길 명 자드락에 있는 좁은 길.

자드락-나다 자 감추던 일이 터져 나다. ㅆ짜드락나다.

자드락-대다 자타 자드락거리다.

자드락-밭 명 자드락에 있는 밭.

자드랑 명 〈방〉 겨드랑이(경북).

자드래기 명 〈방〉 겨드랑이(경북).

자드랭-이 명 〈방〉 겨드랑이(강원·경북).

자드루가〔Zadruga〕 명 〖역〗 남(南)슬라브인과 서(西)슬라브인 사이에 존재하였던 대가족 공산체(共產體). 후에, 이 체제는 세르비아(Serbia)·몬테네그로(Montenegro)·크로아티아(Croatia) 방면과 북부 알바니아·불가리아 일부까지 미쳤음. 삼대(三代)의 가족이 수십 명씩 모여 족장(族長)의 지휘 아래 한정된 곳에서 살았음. 토지의 공유(公有), 공동 농업과 목축, 소비 생활의 평등이 특징임.

자득【自得】 명 ①스스로 터득함. ②스스로 만족함. ③스스로 뽐내어 우쭐거림. ④자기가 자기의 한 일에 대하여 갚음을 받는 일. ¶자업(自業) ~. ——-하다 타 여불

자득지-묘【自得之妙】 명 스스로 터득한 묘리(妙理).

자등[1]【瓷燈】 명 백토(白土) 같은 것으로 사기 그릇 굽듯이 하여 만든 등잔.

자:등[2]【紫藤】 명 〖식〗 보랏빛 꽃이 피는 등(藤)나무의 한 가지.

자:등-향【紫藤香】 명 강진향(降眞香).

자디-잘다 형 매우 잘다. 잘고도 잘다. ¶자디잔 글씨.

자때 명 〈방〉 자[1](전라).

자떠리다 타 〈방〉 잦히다.

자라[1] 명 〖동〗 [*Amyda japonica*] 자랏과에 속하는 파충류(爬蟲類)의 하나. 몸길이 30cm, 원형의 부드러운 배갑(背甲)은 길이가 17cm 가량이고 중앙선(中央線)은 다소 융기(隆起)하여 단단하나 다른 부분은 부드러운 피부로 덮였음. 복갑(腹甲)은 백색에 담흑색의 반문(斑紋)이 있으며 두부(頭部) 측방과 하면(下面)은 암색 선문(線紋)이 있음. 목이 긴데 부리는 길고 뾰족하며 그 선단에 비공(鼻孔)이 있음. 꼬리는 몹시 짧고 발에는 세 개씩의 발톱이 있음. 5-6월에 60개의 알을 낳으며 2개월 만에 부화(孵化)함. 얕은 바다, 하천(河川) 등에서 서식하며 한국·일본·중국·대만 등에 분포함. 고기는 맛이 있어 식용으로 하며 혈액(血液)은 약용으로 함.

〈자라[1]〉

[자라 보고 놀란 가슴 소댕 보고 놀란다] 어떤 사물에 한 번 놀란 사람은 비슷한 사물만 보아도 겁을 낸다는 말. [자라 알 바라듯] 재물이나 자식(子息) 등을 타처에 두고 밤낮 생각함을 이르는 말.

자라[2] 감 〈방〉 저라(경상).

자라 구이 명 자라를 껍데기를 벗기고 기름 종이에 싸서 짚불에 구운 음식. 별구(鼈炙).

자라-나다 자 거라불 자라서 크게 되다. ¶어린 잎이 ~.

[자라나는 호박에 말뚝 박는다] 잘 되어가는 일에 훼방을 놓고 방해를 하는 비뚤어진 마음씨와 행동을 이르는 말.

자라-눈 명 젖먹이 아이의 엉덩이 양쪽에 오목히 들어간 자국.

자라다[1] 자 거라불 〔중세: 조라다〕 ①차차 커지다. 어른이 되다. ¶한창 자라는 아이. ②발전하다. ¶선진국으로 ~. ③차차 많아지다.

자라다[2] 형 ①넉넉히 되다. 모자람이 없다. 족(足)하다. ¶이것으로 자랄까. ②어떠한 표준에 미치다. ¶손이 자라는 곳에/힘이 ~. ③수효나 분량에 차다. 1)-3):↔모자라다.

자라-도【者羅島】 명 〖지〗 전라 남도 목포(木浦) 서남쪽 34km 해상, 신안군(新安郡) 안좌면(安佐面) 자라리(者羅里)에 위치한 섬. [4.71 km²: 867명(1984)]

자라-마름 명 〖식〗 자라풀.

「짧은 사람.

자라-목 명 ①자라의 목. ②짧고 작게 줄어 드는 사물. ③유달리 목이 자라목(이) 되다 구 사물이 움츠러져 들다.

자라목-셔츠〔shirts〕 명 목 부분을 늘이었다 줄이었다 할 수 있게 좁은 통 모양으로 짠 메리야스나 털로 된 웃도리 셔츠 또는 스웨터.

자라-배 명 〖한의〗 복학(腹瘧).

자라-병【一甁】 명 〖고고학〗 자라 모양의 병. 납작한 원형 그릇으로, 몸에 짧은 목이 한 개 있음. 제병(提甁). 편병(扁甁). 편제(扁提).

자라-송장벌레 명 〖충〗 넓적송장벌레.

자라 자:지 명 ①양기(陽氣)가 동(動)하지 아니하여 자라의 목처럼 바싹 움츠러져 드는 자지. ②평시(平時)에는 작아도 일어서면 매우 커지는 자지.

자라-춤 명 〖민〗 양주 별산대(楊州別山臺) 놀이 등에서 소무(小巫)나 왜장녀가 추는 춤. 오른손·왼손을 차례로 머리 앞까지 올려 손바닥을 뒤집고 젖히다가 내리는 춤사위.

자라-취 명 〈방〉 〖식〗 미나리아재비.

자라-탕【一湯】 명 자라를 통으로 삶아 내어 뜯어서, 갖은 양념을 하고 다시 끓인 국. 별탕(鼈湯).

자라투스트라〔Zarathustra〕 명 〖사람〗 고대 페르시아의 종교가. 조로아스터교(Zoroaster 敎)를 창시하였음. 메디아의 서북쪽에서 태어나 명상(瞑想) 생활을 하면서 성장, 30살 때쯤에 영감(靈感)을 받아 종교를 일으켰다고 함. 기원전 7세기 후반에 77세에 사망한 것으로 전해질 뿐 그의 사적(事蹟)은 불명함.

자라-풀 명 〖식〗 [*Hydrocharis asiatica*] 자라풀과에 속하는 다년초. 줄기는 땅으로 뻗으며 마디에서 수근(鬚根)이 남. 잎은 장병(長柄)이고 원형 또는 신형(腎形)인데 잎 뒤에 기낭(氣囊)이 있어 물위에 잘 뜸. 8-9월에 지름 4cm 가량의 흰 단성화(單性花)가 피며, 과실은 구형(球形)임. 연못이나 물 속에 나며 제주·함남 등지에 분포함. 수별(水鼈). 자라마름.

암꽃

수꽃

〈자라풀〉

자라풀-과【一科】〔一꽈〕 명 〖식〗 [Hydrocharitaceae] 단자엽 식물(單子葉植物)에 속하는 한 과. 담수(淡水) 또는 해수(海水)에 나는 풀로, 대부분 열대 지방에 80여 종이 있는데, 한국에는 자라풀이 분포함.

자락[1] 명 〔근대: 쟈락〕 ①옷이나 피륙 같은 것의 아래로 드리운 넓은 조각. ¶바지 ~을 걷어 올리다. ②〖농〗 거웃[2].

자락[2]【自樂】 명 스스로 즐김. ——-하다 타 여불

자:락[3]【刺絡】 명 〔絡은 정맥(靜脈)의 뜻〕 ①〖한의〗 침으로 울혈(鬱血)한 정맥을 찔러 악혈(惡血)을 뽑아 내는 일. ②〔프 saignée〕 근대(近代) 이전의 유럽에서 질병(疾病) 치료를 위하여, 정맥을 찔러 악혈을 뽑아 내던 일. 목욕(沐浴) 요법과 병용(倂用)하였음.

자락[4]【恣樂】 명 마음대로 즐김. ¶제 고집이 여간 아니니… 제 ~대로 내버려 두어서…≪李海朝: 花世界≫. ——-하다 자 여불

자락-자락 부 갈수록 더 거리낌 없이 구는 모양. ¶보자 하니 ~ 더한다.

자:란【紫蘭】 명 〖식〗 [*Bletilla striata*] 난초과에 속하는 다년초. 지하에 구형(球形)의 백색 인경(鱗莖)이 있고 꽃줄기는 50cm 가량이며, 잎은 긴 타원형으로 길이 15-30cm, 폭 2-5cm에 종맥(縱脈)이 있는데 줄기 하반부에 호생함. 5-6월에 담자색·홍자색 꽃이 총상(總狀) 화서로 원추리꽃 비슷하게 핌. 산지의 습지에 나며, 한국·중국·일본에 분포함. 뿌리는 '백급(白芨)'이라 하여 약재로 씀. 백급(白芨). 주란

〈자란[1]〉

(朱蘭). 대왕풀.
자:란²【紫欄】명〖역〗가장자리를 보랏빛 천으로 꾸민 헝겊 띠. 왕자(王子)를 수행(隨行)하는 조례(皂隷)와 인로(引路)가 띰.
자:란-도【紫蘭島】명〖지〗경상 남도 남해 상, 고성군(固城郡) 하일면(下一面) 송천리(松川里)에 위치한 섬. [0.37km²: 122명(1984)]
자란-벌레 명〖충〗'성충(成蟲)'의 풀어 쓴 말.
자란-자란 부 ①액체가 가장자리에서 넘칠락말락하는 모양. ¶잔에 술을 ~ 붓다. ②물건(物件)의 한 끝이 다른 물건에 스칠락말락하는 모양. 1)·2): 쓰차란차란. <지런지런. ——-하다 형여불
자람-점【一點】[一쩜] 명〖식〗'생장점(生長點)'의 풀어 쓴 말.
자랍-들다 자〈방〉조잡들다.
자랏-과【一科】명〖동〗[Chelydridae] 거북목(目)에 속하는 한 과. 아시아·북미·캐나다 등에 분포함.
자랑¹ 명 [중세: 쟈랑] 자기의 물건이나 자기의 일을 드러내어 칭찬하는 일. ¶아들 ~/제~. ——-하다 타여불
[자랑 끝에 불 붙는다] 무엇을 너무 자랑하면 그 끝에는 무슨 말썽거리가 생긴다는 말.
자랑² 부 얇은 쇠붙이 같은 것이 서로 부딪치어서 울리어 나는 소리. 쓰짜랑. 쓰차랑. <저렁. ——-하다 자여불
자랑-감 [一깜] 명 자랑거리.
자랑-거리 [一꺼一] 명 자기의 물건이나 일을 남에게 대하여 칭찬할 만한 거리. 자랑감. ¶그게 무에 ~냐.
자랑-거리다 자타 얇은 쇠붙이 같은 것이 서로 부딪쳐서 소리가 연해 울리어 나다. 또, 연해 자랑 소리를 나게 하다. 쓰짜랑거리다. 쓰차랑거리다. <저렁거리다. **자랑-자랑** 부. ——-하다 자타여불
자랑기 명〈방〉어른(함경).
자랑-대다 자타 자랑거리다.
자랑-삼다 [一따] 타 자랑거리로 하다. ¶자랑삼아 이야기하다.
자랑-스럽다 형ㅂ불 자랑할 만하여 마음에 흐뭇하다. ¶자랑스러운 얼굴. **자랑-스레** 부
자래¹ 一 명 쌍으로 된 생선의 알 주머니. 二 의명 쌍으로 된 생선의 알주머니를 세는 데 쓰는 말. ¶한 ~/두 ~.
자래² 명〈심마니〉뱀나무. 생나무.
자래³ 명〈방〉〖동〗자라¹(전라·강원·경기·충북·경상).
자래⁴【自來】명 자고(自古).
자래⁵ 의명〈옛〉풀이나 나뭇단 따위를 세는 데 쓰는 말. ¶官司以鐵索量柴曰 자래 《新字典》. *자래².
자래기 명〈방〉〖동〗자라¹(강원).
자래-로【自來一】부 ↗자고 이래(自古以來)로.
자래우다 타〈방〉기르다(함경).
자래-치【自來峙】명〖지〗함경 남도 덕원군(德源郡) 풍하면(豐下面)에 있는 재. [1,106m]
자래-필【自來筆】명 유수필(流水筆).
자략【資略】명 타고난 지략(智略). 선천적으로 지혜롭고 계략이 뛰어남. 또, 그런 사람.
자량¹【自量】명 스스로 헤아림. ——-하다 타여불
자량²【資糧】명 여행의 비용과 식량.
자량 처:지【自量處之】명 스스로 헤아려서 처리(處理)함. ——-하다 타여불
자레 명〈방〉〖동〗자라¹(제주).
자려【自勵】명 ①스스로 힘쓰는 일. 자신을 북돋는 일. ②[self excitation]〖물〗자기(磁氣)의 출력으로 자신을 여자(勵磁) 또는 여진(勵振)하는 일.
자려 진:동【自勵振動】명 [self-excited oscillation]〖물〗진동 상태에 따라 저항(抵抗)의 부호가 달라짐에도 불구하고 감쇠(減衰) 운동이 되지 않고 지속되는 일종의 진동.
자력¹【自力】명 ①자기 혼자의 힘. 자신(自身)의 활동. ¶~ 갱생(更生). ②천성(天性)의 힘이나 기량. ③〖불교〗자기의 수행(修行)에 의하여 불과(佛果)를 얻고자 하는 법력(法力). 1)·2): ↔타력(他力).
자력²【資力】명 ①근원이 되는 힘. 원동력(原動力). ②자본을 낼 수 있는 힘. 사업 등을 수행할 수 있는 경제적인 능력. ¶~이 부족하다. ③〖법〗재산 상의 지급 능력.
자력³【資歷】명 자격(資格)과 경력(經歷).
자력⁴【磁力】명 자기력(磁氣力).
자력 갱:생【自力更生】명 남에게 의지(依支)하지 아니하고 자기 스스로의 힘으로 피폐(疲弊)하여진 생활 환경(生活環境)을 향상시키는 일. ——-하다 자여불
자력-교【自力敎】명〖불교〗자기 힘으로 자기 본래의 불성(佛性)을 개현(開顯)하여 부처의 깨달음을 얻으려고 하는 성도문(聖道門)의 교(敎). ↔타력교(他力敎).
자력 구:제【自力救濟】명〖법〗권리자가 국가 권력에 의하지 않고, 자력으로써 그 권리를 실현하는 일. 곧, 정당 방위(正當防衛)·긴급 피난(緊急避難)·자조 행위(自助行爲)·자구 행위(自救行爲) 등.
자력 면:역【自力免疫】명〖의〗자동(自動) 면역.
자력-문【自力門】명〖불교〗자기(自己)의 힘으로 불과(佛果)를 얻으려고 하는 법문(法門). ↔타력문(他力門).
자력-선【磁力線】명 자기력선.
자력 선:광【磁力選鑛】명 자기력(磁氣力) 선광.
자력 선:별【磁力選別】명〖광〗자기력 선광(磁氣力選鑛). ——-하다 타여불
자력선-속【磁力線束】명 자기력선속(磁氣力線束).
자력선속 밀도【磁力線束密度】[一또] 명 자기력선속 밀도.
자력 염:불【自力念佛】[一념一] 명〖불교〗자력 회향(回向)을 위하여 하는 염불. ↔타력 염불(他力念佛).
자력-종【自力宗】명〖불교〗자력 수행(修行)으로 불과(佛果)를 얻으려고 하는 종지(宗旨). 천태종(天台宗)·진언종(眞言宗)·선종(禪宗)과 같은 것이 이에 속함. ↔타력종(他力宗).
자력 편차계【磁力偏差計】명〖물〗자기(磁氣) 편차계.
자력 회향【自力回向】명〖불교〗①자기가 닦은 선행(善行)의 공덕(功德)을 베풀어서 과보(果報)를 얻으려고 하는 일. ②자기가 닦은 법력(法力)으로 과보를 남에게 돌려 주는 일. ——-하다 자여불
자련【慈憐】명 자민(慈愍). ——-하다 타여불
자로¹ 명〈방〉자루¹(경남).
자로²【子路】명〖사람〗중국 춘추(春秋) 시대 노(魯)나라 변(卞)땅 사람. 성은 중(仲). 이름은 유(由). 자로는 그의 자(字)임. 공자(孔子)의 제자로 십철(十哲)의 한 사람. 정치(政治) 방면에 뛰어나고 효성이 지극하였으며, 성질이 용맹하였는데, 위(衛)나라에서 벼슬하다가 괴외(蒯聵)의 난(亂)에 전사(戰死)하였음. 계로(季路). [542-481 B.C.]
자:로³【紫鷺】명〖조〗얼룩백로.
자로⁴【鷲鵰·鵝鵰】명〖조〗무수리.
자로⁵ 부〈옛〉자주. ¶자로 이런 사오나온 일을 ᄒᆞ더니 《朴解 中 27》.
자로-이득【自勞而得】명 자기의 노력(勞力)을 들이어 얻음. ——-하다 타여불
자로프 [Zarov, Aljeksandr Aljeksjejevic] 명〖사람〗러시아의 농촌 출신 시인. 농촌 생활을 풍부한 민족적 율동감(律動感)으로 묘사함. 작품에 《아코디언》·《유빙기(流氷期)》 등이 있음. [1904-]
자록 명〈방〉자루²(제주).
자:뢰【藉賴】명 재료로 삼아 의뢰함. ——-하다¹ 타여불
자뢰-콩 명〈방〉〖식〗쥐눈이콩.
자뢰-하다²【資賴一】타여불 밑천을 삼다.
자료¹【自了】명 혼자 힘으로 일을 끝마침. ——-하다 타여불
자:료²【紫蓼】명〖식〗여뀌의 한 가지.
자료³【資料】명 바탕이 되는 재료. ¶~ 수집.
자료 버스【資料一】[bus] 명〖컴퓨터〗데이터 버스.
자료-상【資料商】명〈속〉세무 자료(稅務資料)가 되는 세금 계산서(計算書)를 필요로 하는 사업자(事業者)에게 수수료(手數料)를 받고 팔아 주는 일을 업으로 하는 사람. 또, 그 직업(職業).
자료 은행【資料銀行】명〖컴퓨터〗데이터 뱅크.
자료 파일【資料一】[file] 명〖컴퓨터〗데이터 파일.
자룡【子龍】명〖사람〗《삼국지》에 나오는 장사 조자룡(趙子龍).
[자룡이 헌 창 쓰듯 한다] 물건을 아낌없이 마구 버림을 이름. ¶…그 자식은 다니면서 자룡이 헌 창 쓰듯 어젯밤 어느 정자에서 화투에 몇 만 냥이요…《김필수: 경세종》.
자루¹ 명 [중세: 쟈ᄅᆞ] 속에 물건(物件)을 넣을 수 있게 헝겊 따위로 길고 크게 만든 주머니. ¶쌀~.
자루(를) 찢는다 구 대수롭지 아니한 일을 가지고 서로 다툼을 가리키는 말.
자루² 명 [중세: ᄌᆞᄅᆞ] ①연장·기구(器具) 같은 것에 박거나 낀 손잡이. 칼자루·호밋자루·낫자루 등. ②어떤 물체(物體)의 손잡이처럼 된 부분. 병부(柄部). ¶잎~/꽃~.
자루³【慈淚】명 자애로운 눈물.
자루⁴ 의명 ①긴 물건을 세는 단위의 하나. ¶연필 한 ~/총 두 ~/가위 한 ~. ②자루에 든 것을 세는 단위. ¶콩 한 ~.
자루⁵ 부〈방〉자주(평안·함경).
자루-눈 명 [stalked eye]〖생〗안병(眼柄)을 가지고 있는 눈의 총칭. 갑각류(甲殼類)·십각류(十脚類)·구각류(口脚類) 따위의 가동안(可動眼) 및 달팽이 등의 눈을 이름. 유병안(有柄眼).
자루 바가지 명 나무를 파서 자루를 낸 바가지.
〈자루 바가지〉
자루-솥 명〖고고학〗긴 자루가 달린데다 다리가 셋 있는 작은 솥.
자루-투겁 명〖고고학〗연장·무기 등의 날 반대 쪽에 자루를 끼우게 만든 주머니 모양의 꽂이.
자류¹【自流】명 자기류. 아류(我流).
자류²【字類】명 한자(漢字) 또는 단어를 음(音)이나 뜻으로 유별(類別)한 것. 자서(字書).
자류³【柘榴】명〖식〗석류(石榴).
자류⁴【磁流】명〖물〗자로(磁路)로 통한 자기(磁氣)의 흐름.
자:류-마【紫騮馬】명 밤빛의 털이 난 말.
자류-석【柘榴石】명〖광〗석류석(石榴石).
자류 주:석【字類註釋】명〖책〗조선 철종(哲宗) 7년(1856)에 정윤용(鄭允用)이 《훈몽 자회(訓蒙字會)》의 취지(趣旨)를 확장(擴張)하여 학습(學習)과 고검(攷檢)에 편리하도록 자류(字類)를 늘려서 만든 책. 총 자수(字數) 10,800여 자에 대한 음(音)을 달고 풀이를 함. 자류 주해(註解). 2권 2책.
자류 주:해【字類註解】명〖책〗자류 주석(註釋).
자륜-관【字輪觀】명〖불교〗진언 밀교(眞言密敎)에서 수행하는 관법(觀法)의 하나. 삼밀 가지 성불(三密加持成佛) 가운데, 특히 의밀(意密) 성불을 하기 위한 관법으로, 월륜(月輪) 위에 본존(本尊)의 종자(種字)를 쓰고 삼매경(三昧境)에서 그 자상(字相)이나 자의(字義)를 관(觀)하면 그것이 행자(行者)의 마음 속의 월륜 위에 나타나는 자륜(字輪)에 가지(加持) 감응하여 행자의 마음과 본존의 마음, 곧 법계 체성(法界體性)이 동일하게 됨. 체성 삼매관(體性三昧觀). 입법계관(入法界觀).
자:르 [Saar] 명〖지〗자를란트.
자르-개 명〖고고학〗물건을 자르는 데 쓰던 돌연모. 주로 큰 격지로 만드는데, 전체 모양은 긴 네모꼴이며 날을 격지의 끝 부분에 만드는데 직선 또는 볼록날이 대부분임. 특히 주먹 도끼 전통 문화인 아슐리안 시기에 발달된 연모임. 박편(薄片) 도끼.

자르다 타 르불 ①단단히 동여 매다. ②동강을 치다. 끊어 내다. ¶둘로 ~. ③해고시키다. ¶직원의 목을 ~. ④일 따위의 단락을 짓다.
잘라 말:하다 구 주저하지 않고 끊어서 말하다. 단언(斷言)하다. 명언(明言)하다.
잘라 먹다 구 남에게 전해야 할 것을, 자기가 가지고 주지 아니하다.
자르랑 부 ①얇은 쇠붙이 같은 것이 떨쳐 울리는 소리. ②목소리가 꽤 맑게 울리는 소리. 1)·2): ㅆ짜르랑. ㅆ차르랑. <저르렁.
자르랑-거리다 자타 자르랑 소리가 잇따라 나다. 또, 자르랑 소리를 잇따라 나게 하다. ㅆ짜르랑거리다. ㅆ차르랑거리다. <저르렁거리다. **자르랑-자르랑** 부. ——-하다 자타 여불
자르랑-대다 자타 자르랑거리다.
자르르 부 ①거죽에 물기나 기름기·윤기 같은 것이 골고루 빛나게 흐르는 모양. ¶얼굴에 기름기가 ~ 돈다. ②살이나 뼈마디에 저린 느낌이 일어나는 모양. 1)·2): ㅆ짜르르. <지르르. ——-하다 형 여불
자:르모 유적【—遺跡】〔Jarmo〕 명 〖지〗 이라크 북부, 자르모에 있는 선사 시대(先史時代)의 유적. 열 다섯 개의 층(層)이 확인되었으며, 전후 2기로 나누어짐. 기원전 6000년 경의 전기층(前期層)에서는 농경 목축(農耕牧畜)의 존재를 알 수 있는 농구와 소맥(小麥)·대맥(大麥)이 출토되고, 후기층에서는 채문 토기(彩文土器)가 나왔음. 채집 경제(採集經濟)에서 생산 경제로의 전환이 대규모로 행해졌음을 나타내는 가장 오래 된 유적임.
자:르브뤼켄〔Saarbrücken〕 명 〖지〗 독일 자를란트 주(州)의 주도(州都). 자르 탄전(炭田)의 중심적 공업 도시. 철강·기계·금속·화학·섬유 공업이 발달함. [194,000 명(1984 추계)]
자르코-마이신〔sarcomycin〕 명 〖약〗 ☞ 사르코마이신.
자른-면【—面】 명 단면(斷面).
자를란트〔Saarland〕 명 〖지〗 독일과 프랑스 국경 사이의 주(州). 자르강 유역의 저지(低地)와 구릉으로 되어 있으며, 광대한 탄전(炭田)이 있어 제철·기계 등의 중공업이 성함. 제 1 차 세계 대전 후 국제 연맹 관리 하의 프랑스령 자치구로 있다가 1935 년 주민 투표(住民投票)에 의해, 독일령이 되었음. 제 2 차 세계 대전 후 프랑스가 점령했으나 1957 년 정치적으로 당시의 서독에 편입되어 그 한 주(州)가 되었고, 이어 1959 년 경제 관리권(經濟管理權)도 서독에 반환되었음. 주도(主都)는 자르브뤼켄(Saarbrücken). 자르(Saar). [2,568 km² : 1,042,100 명(1987 추계)]
자리[1] 명 〔중세 : 자리〕 ①앉거나 서거나 누울 장소. ¶~에 앉다. ②무엇을 두거나 놓을 곳. 장소. ¶자릿값을 물다/~가 좋다. ③어떠한 일이 있었던 곳. 장소. ¶화재가 났던 ~/그 ~에 있던 사람들. ④무엇이 있었던 자국. ¶총 맞은 ~. ⑤계급이나 직무(職務)로 보아 몸이 놓인 곳. 지위(地位). ¶장관 ~/마땅한 ~에 앉히다. ⑥여럿 중에서 어느 일정한 대상. ¶혼처(婚處) ~. ⑦〖수〗 십진법(十進法)에 의한 숫자의 위(位). ¶십~의 수. ⑧〖천〗 ↗별자리. ¶오리온~.
자리를 뜨다 구 일어나서 그 자리를 떠나다.
자리(를) 보다 구 ①잠을 자려고 이부자리를 깔다. ¶일찌감치 ~. ②잠을 자려고 자리에 드러눕다.
자리(를) 잡다 구 ㉠의지할 곳을 얻다. ㉡자리를 정하여 머무르게 되다. ¶교사로 ~/결혼하여 ~. ㉢마음 속에 깊이 뿌리 박다.
자리(가) 잡히다 구 ㉠서투르던 것이 익숙하여지다. ¶일이 ~. ㉡어수선함이 가라앉아 안정되다. ¶떠돌더니 이젠 ~.
자리에 눕다 구 자리에 누워서 앓다. ¶몸살 정도로 ~니.
자리[2] 명 ①앉거나 눕도록 바닥에 까는 물건. 보통, 직사각형으로 되었는데, 왕골·부들·갈대 같은 것으로 짬. ¶~를 깔다. ②깔고 덮고 잘 이부자리. ¶~를 펴다/~에 눕다. ③↗잠자리. ¶~에 들다. ④〈방〉 돗자리(전라·경상).
자리[3] 명 〖어〗 ↗자리돔.
자리[4] 명 〈방〉 〖충〗 매미(제주).
자리[5] 명 〈방〉 자루[1](전남·경상)
자리[6] 의명 〈방〉 ①(노래의) 곡(曲). ¶노래 한 ~ 해라. ②(말이나 이야기의) 마디. ¶하룻밤에 이야기를 석 ~나 했다 (경상·전라·충청).
자리[7]【子痢】 명 〖한의〗 임신 중의 부인이 앓는 이질(痢疾).
자리[8]【自利】 명 ①자기의 이익. ¶~를 꾀하다. ②〖불교〗 자기가 얻은 공덕(功德)은 다른 사람에게 주지 아니하는 일. 자기를 위하여 닦는 불법(佛法).
자:리[9]【紫李】 명 자두.
자리[10]〔Jarry, Alfred〕 명 〖사람〗 프랑스의 극작가·시인. 데카당 시인으로 출발하여, 부르주아를 풍자(諷刺)한 희곡(戲曲) ≪위뷔 왕(Ubu 王)≫으로 명성을 얻음. 다다이슴과 쉬르레알리슴(surréalism)에 커다란 영향을 주었음. [1873-1907]
자리-갈이 명 누에의 똥을 치고 깔아 놓은 것을 새것과 바꾸는 일. 제사(除砂). ——-하다 자 여불
자리개 명 몸을 옭아 매거나, 볏단 같은 것을 묶는 데 쓰는 짚으로 만든 굵은 줄.
자리개미-하다 타 여불 〖역〗 포도청(捕盜廳)에서 죄인(罪人)의 목을 졸라 죽이다.
자리개-질 명 자리개를 가지고 곡식 단을 묶어서 타작하는 일. 준잘개질. ——-하다 자 여불
자리-걷이〔—거지〕 명 〖민〗 관(棺)이 집 밖으로 나간 뒤에 집가시는 일의 한 가지. 관이 있던 자리에 곧 음식을 차려 놓고 굿을 하며 명복을 비는 일. ——-하다 자 여불
자리걷이 벼슬아치〔—거지—〕 명 〖역〗 '권초관(捲草官)'의 순 우리말 이름.
자리공 명 〖식〗〔*Phytolacca esculenta*〕 자리공과에 속하는 다년초. 괴근(塊根)은 비대(肥大)하고, 줄기는 원주형(圓柱形)이며 높이 1.3 m 가량이고 잎은 호생하며 달걀꼴 또는 타원형임. 5-6 월에 흰 무판화(無瓣花)가 많이 밀착하여, 총상(總狀) 화서로 피고, 장과(漿果)는 자흑색(紫黑色)으로 익음. 인가 부근에 나는데 거의 한국 각지에 분포함. 유독하며 뿌리는 '상륙(商陸)'이라 하여 약재로 씀. 장륙(章類). 축탕(蓫蔏).
〈자리공〉
자리공-과【—科】〔—꽈〕 명 〖식〗〔Phytolaccaceae〕 쌍자엽 식물(雙子葉植物) 이판화류(離瓣花類)에 속하는 한 과. 자리공·섬자리공 등이 이에 속함.
자리-끼 명 밤에 마시려고, 잠자리의 머리맡에 두는 물.
자리 낚시 명 한 곳에 자리를 잡고 하는 낚시질. *흘림 낚시.
자리다[1] 형 살이나 뼈마디가 오래 눌리어 피가 잘 돌지 못하여 힘이 없고 감각이 없다. <저리다[1].
자리다[2] 형 〈방〉 짧다(경상).
자리-다툼 명 좋은 지위나 자리를 차지하려고 다투는 일.
자리다툼-질 명 자리다툼을 하는 짓. ——-하다 자 여불
자리-돔 명 〖어〗〔*Chromis notatus*〕 자리돔과에 속하는 바닷물고기. 몸은 길이 18 cm 가량으로 달걀꼴이고 입이 작으며, 몸빛은 흑갈색으로 꼬리지느러미 양옆에 흑갈색 세로띠가 있고, 가슴 지느러미 기부(基部)에 하나의 밝은 청색(靑色) 무늬가 있음. 내만성(內灣性) 어종으로 한국 중남부, 특히 제주도에서 많이 나고 일본 중부 이남·동중국해 등에 널리 분포함. 맛이 좋으며 제주도에서는 자리젓을 담가 먹음. 준자리.
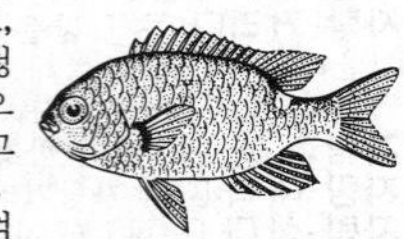
〈자리돔〉
자리-바꿈 명 ①자리를 바꾸는 일. ②〖언〗 격변화(格變化). ③〔inversion〕〖악〗 화음(和音)에서, 아래의 음이 옥타브(octave) 위에 또는 위의 음이 옥타브 아래로 바뀌는 일. 삼도(三度) 음정(音程)이 전회(轉回)하여 육도(六度) 음정이 되는 일 등. 전회.
자리바꿈 대:위법【—對位法】〔—뻡〕 명 〖악〗〔invertible counterpoint〕 대위법의 성부(聲部)를 상(上)·하(下)로 서로 자리바꿈해도 성립할 수 있게 만든 대위법. 전회 대위법(轉回對位法).
자리 보:전【—保全】 명 병석에 눕는 일. ——-하다 자 여불
자리-옷 명 잘 때에 입는 옷. 잠옷. 잠자리옷. 침의(寢衣).
자리우다 타 〈방〉 기르다(함남).
자리-자리 부 몹시 자린 모양. ¶몸이 ~ 쑤시다. <저리저리. ——-하다 형 여불 몹시 자리다. ¶다리가 ~.
자리-젓 명 자리돔으로 담근 젓.
자리-콩 명 〈방〉 〖식〗 쥐눈이콩.
자리-토씨 명 〖언〗 '격조사(格助詞)'의 풀어 쓴 말.
자리-틀 명 왕골·부들·짚 같은 것으로 자리를 짜는 간단한 장치. 양쪽 기둥에 건너지른 나무에 일정한 간격을 두고 홈을 파서 날을 감은 고드랫돌을 걸쳐 놓고 엮음.
고드랫돌
〈자리틀〉
자리-표【—標】 명 〖수〗 좌표(座標).
자리-품 명 〖농〗 ↗고지자리품.
자리-회【—膾】 명 자리돔을 길쭉길쭉하게 회쳐, 파·마늘·깨소금·참기름·식초에 무친 다음, 냉수를 부어 먹는 음식. 제주도에서 여름철에 만들어 먹음.
자린[1]【玼吝】 명 ①좋지 못한 마음. ②인색(吝嗇)한 마음.
자:린[2]【紫燐】 명〔violet phosphorus〕〖화〗 인(燐)의 동소체(同素體)의 하나. 봉(封)한 관 속에 백린(白燐)을 납 또는 비스무트와 약 500°C로 가열(加熱)하여 녹여 냉각(冷却)하여 얻음. 순수(純粹)한 것은 자색(紫色). 무독(無毒). 보통 용매(溶媒)에는 녹지 않으며, 공기·수증기 속에서 인광(燐光)을 발하지 않음. 알파 금속인(金屬燐).
자린 고비【玼吝考妣】 명 〈속〉〔'고비'는 돌아간 부모(父母)의 뜻〕 다라울 정도로 인색(吝嗇)한 사람을 꼬집어 이르는 말.
자림[1]【子淋】 명 〖한의〗 임신 중인 부인이 오줌을 자주 누는 병.
자림[2]【字林】 명 자서(字書).
자립[1]【自立】 명 ①남의 힘을 입지 아니하고 스스로 섬. ¶~성/~ 경제. ②남에게 예속(隷屬)되지 아니하고 자주(自主)의 지위(地位)에 섬. ③스스로 제왕(帝王)의 지위에 섬. ——-하다 자 여불
자:립[2]【紫笠】 명 주립(朱笠).
자립 극단【自立劇團】 명 직업적인 극단에 대하여 직장의 근로자가 조직한 극단. *직업(職業) 극단.
자립 명사【自立名詞】 명 〖언〗 다른 말의 도움을 받지 않고 단독으로 쓰인다는 뜻에서, 여느 명사를 '의존 명사'에 대하여 일컫는 말. 실질(實質) 명사. 완전(完全) 명사. ↔의존(依存) 명사.
자립-성【自立性】 명 남에게 의지하지 아니하고 자기 스스로 서려고 하는 성품. ¶~이 강하다.
자립 연:극【自立演劇】〔—년—〕 명 〖연〗 아마추어가 스스로 각본(脚本)을 지어 스스로 출연하는 극. *공공(公共) 연극.
자립 자영【自立自營】 명 남에게 의지하지 아니하고, 자기 스스로 경영함. ——-하다 타 여불
자립-적【自立的】 명관 남에게 의지(依支)하지 아니하고 자기 스스로 일어서는 모양.
자립 정신【自立精神】 명 자립하려는 정신.
자립 지원 시:설【自立支援施設】 명 〖법〗 아동 복지 시설의 하나. 아동

복지 시설에서 퇴소(退所)한 아동에게 취업(就業) 준비 기간 또는 취업 후 일정한 기간, 숙소 또는 음식을 실비(實費)로 제공해 아동의 자립을 지원하는 것을 목적으로 하는 시설.

자립 형식【自立形式】명〖언〗문장이나 발화(發話) 혹은 발화 단락(發話段落) 가운데 단독으로 출현할 수 있는 언어 형식. 국어에서 '상자(箱子)·그이·하나·낡은·뛰다·새 양복·매우' 등은 이에 속함.

자립 형태소【自立形態素】명〖언〗'문(門)'·'돌' 등과 같이 다른 말의 도움 없이 그것만으로도 자립할 수 있는 형태소를, 의존 형태소에 대하여 일컫는 말. ↔의존(依存) 형태소.

자릿-날 명 돗자리나 삿자리 따위의 세로 짜인 올.

자릿-내 명 더러운 빨래가 오래 되어 떠서 나는 쉰 냄새.

자릿-삯 [一삭] 명 터나 자리를 빌려주고 받는 삯.

자릿-상【一牀】명 이부자리를 쌓아 두는 상. 윤두는 책상만하고 의장(衣欌)같이 만들었는데, 문짝은 없고 서랍만 있음.

자릿-세【一貰】명 자리를 빌리고 무는 세(貰).

자릿-쇠 명 좌금(座金). 와셔(washer)❸.

자릿-수【一數】명〖수〗십진법(十進法)에 의한 자리의 숫자(數字). ¶두 ~/세 ~.

자릿자릿-하다 형 여불 몹시 자리자리하다. ¶손이 ~. <저릿저릿하다.

자릿-장【一欌】명 이부자리를 넣어 두는 장. 근래에 와서는 위층은 의걸이장을 덧붙이고 아래층은 반닫이로 만듦. 금침장(衾枕欌).

자릿-저고리 명 밤에 잘 때에 입는 저고리.

자릿-점【一點】명 수판에서, 수의 자리를 정하기 위하여 표시해 놓은 점. 천자리마다 찍혀 있음. 정위점(定位點).

자릿 조:반【一早飯】명 아침에 일어나는 대로 그 자리에서 먹는 죽이나 미음 등의 간단한 식사.

자링 강【一江】[嘉陵] 명〖지〗중국 양쯔 강의 한 지류(支流). 산시 성(陝西省) 펑 현(鳳縣)에서 시작하여 남쪽으로 흘러 쓰촨 성(四川省) 충칭(重慶)에 이르러 양쯔 강에 합류함. 가릉강. [1,010 km]

자마 [Zama] 명〖지〗아프리카 북부 카르타고의 남서쪽에 있는 고도(古都). 기원전 202년에 있었던 자마 전쟁의 고전장(古戰場)임.

자마구 명〖식〗곡식의 꽃가루.

자:마-금【紫磨金】명 자색을 띤 순수한 황금. 최상질(最上質)의 황금을 일컫는 말. 자마 황금.

자:-마노【紫瑪瑙】명〖광〗자색(紫色)의 빛을 띤 마노.

자마리 명〈방〉〖충〗잠자리²(충남·전라).

-자-마자 어미 동사 어간에 붙어 '그 동작을 하자 곧'의 뜻을 나타내는 연결 어미. ¶오~ 가 버렸다.

자마 전:쟁【一戰爭】[Zama] 명〖역〗기원전(紀元前) 202년 북아프리카의 카르타고 남서쪽에 있는 자마(Zama)에서 벌어져 제2포에니 전쟁의 승패를 결정한 싸움. 이로써, 로마의 장군 대스키피오(大Scipio)가 한니발(Hannibal)의 카르타고 군을 격파하여 제2포에니 전쟁을 종결시켰음.

자-마침【字一】명〈방〉자맞춤.

자:마 황금【紫磨黃金】명 자마금.

자막【字幕】명 영화·텔레비전 등에서 표제(標題)·배역(配役)·설명 등을 글자로 나타내어 관객으로 하여금 읽을 수 있게 한 것. 설명 자막·대화(對話) 자막·삽입(揷入) 자막 등이 있음.

자-막대기 명 ①자로 쓰는 대 막대기나 나무 막대기. 준잣대. ②〈방〉자¹(경기·전북).

자막-질 명〈방〉자맥질. ——-하다 자

자막 집중【子莫執中】명 [중국 전국(戰國) 시대의 사람인 자막이 변통성이 없이 항상 중용(中庸)만을 지켰다는 데서] 변통성이 통 없음을 가리키는 말.

자만¹【自慢】명 스스로 자랑하여 거만(倨慢)하게 굶. ¶~하다가 손해 보다. ——-하다 자 여불

자만²【自滿】명 자기 스스로 흡족(洽足)해 함. ——-하다 자 여불

자만³【滋蔓】명 차차 늘어서 퍼짐. ——-하다 자 여불

자만-심【自慢心】명 스스로 거만하게 자랑하는 마음.

자맛흙 명〈옛〉자만한 흙. 척토(尺土). 촌토(寸土). ¶두 叉 노푼 石壁에 자맛흙도 업도다(絕壁無尺土)≪杜諺 I:32≫.

자말【子末】명〖민〗자시(子時)의 맨 끝. 즉, 오전(午前) 한 시 바로 전을 이름.

자맛싸 명〈옛〉자만한 땅. 척토(尺土). 촌토(寸土). 조그마한 땅. ¶너르벤 자맛싸해도 벌에 다 이실씨 ≪月釋 XXI:4≫.

자:망¹【刺網】명 어망(漁網)의 하나. 긴 띠 모양의 그물. 위쪽에 부표(浮標), 아래쪽에는 추(錘)를 달았음. 표층어(表層魚)를 잡는 부자망(浮刺網), 바닷밑의 고기를 잡는 저자망(底刺網), 어군(魚群)을 포위해서 잡는 권자망(卷刺網) 등이 있음. 걸그물.

자망²【姿望】명 ①고아(高雅)한 모습. ②모습. 풍채(風采).

자망³【資望】명 자질(資質)과 인망(人望).

자-맞춤【字一】명 ①책 속에 나란히 있는 글자를 더 많이 찾아 내는 사람이 이기는 것으로 하는 아이들 장난. ②자모듬. ——-하다 자 여불

자맞춤 딱지【字一】명 한글 글자를 가지고 이롭고도 재미 있게 놀기 위하여 56장을 한 벌로 하여 만든 놀잇감의 종이 딱지.

자매¹【自媒】명 ①중매를 거치지 않고 자기 스스로 배우자를 구함. ②자천(自薦). ③자기 스스로 상대를 구함.

자매²【自賣】명 자기 스스로 몸을 파는 일. ——-하다 자 여불

자매³【姉妹】명 ①손위 누이와 손아래 누이. 여형제(女兄弟). ¶형제~. ②여자끼리의 언니와 아우. ③같은 계통에 속하고 많은 유사점(類似點)을 가지고 있는 일. ¶~ 학교/~편(篇)/~ 회사.

자매 결연【姉妹結緣】명 자매의 관계를 맺는 일. 어떤 지역(地域)·단체(團體)가 다른 지역·단체와 서로 돕기 위해 자매의 관계를 맺는 일. ¶~ 부락(部落).

자매-교【姉妹校】명 서로 목적과 정신 또는 운영 방침을 같이하여 밀접한 관계에 있는 두 학교. 자매 학교.

자매 기관【姉妹機關】명 목적과 정신을 같이하여 서로 밀접한 유기적 관계에 있는 기관.

자매다 타〈방〉잡아 매다(평안).

자매 도시【姉妹都市】명 외국의 도시 상호간에 문화 교류로 제휴하고, 그 이해를 깊게 하기 위해 문화 교류·유학생 교환·행사의 초대 등 민간 친선 관계를 맺은 도시.

자매 문기【自賣文記】명 자기 자신이나 처자를 노비로 파는 문서.

자매-선【姉妹船】명 같은 설계(設計)로써 건조(建造)된 두 척의 선박.

자매 신문【姉妹新聞】명 같은 기관(機關)에서 같은 정신(精神)과 목적(目的)으로 발행되어 밀접한 관련성(關聯性)을 가지고 있는 두 신문. 자매지(姉妹紙).

자매-어【姉妹語】명〖언〗하나의 조어(祖語)로부터 갈라진 언어를 상호간에 이르는 말. 이를테면, 라틴어에서 각기 독자적인 발달을 한 프랑스·스페인·이탈리아 등의 언어가 서로 자매어임.

자매 역연혼【姉妹逆緣婚】명 홀아비가 망처(亡妻)의 자매(姉妹)와 결혼하는 관습. *형제 역연혼.

자매 염:색 분체【姉妹染色分體】명 [sister chromatids]〖생〗염색체의 복제(複製)에 의하여 같은 염색체에서 생긴 서로 같은 염색 분체.

자매-지【姉妹紙】명 자매 신문.

자매-편【姉妹篇】명 소설(小說)·희곡(戲曲)·영화(映畫) 등의 서로 관련되는 두 작품.

자매 학교【姉妹學校】명 자매교.

자매-함【姉妹艦】명 같은 유형(類型)의 두 척 또는 그 이상의 군함.

자매 회:사【姉妹會社】명 서로 같은 목적과 같은 정신을 가지고 운영되는 밀접한 관계에 있는 두 회사.

자맥¹【自脈】명〖의〗자기의 맥을 자기가 보고 병을 진찰(診察)하는 일. ——-하다 자 여불

자:맥²【紫陌】명 도성(都城)의 큰 길.

자맥-질 명 ↗무자맥질. ——-하다 자 여불

자맹 [Jamin, Jules Célestin] 명〖사람〗프랑스의 물리학자. 빛의 굴절률(屈折率)의 미소(微小) 변화를 측정하는 '자맹의 간섭 굴절계(干涉屈折計)'의 고안자. 소르본 물리학 연구소를 창설함. [1818-86]

자-머리 명 자의 길이보다 조금 여유 있게 잰 피륙 등의 나머지 부분.

자:-먹다 타〈방〉잡아 먹다(평안).

자메이카 [Jamaica] 명〖지〗서인도 카리브 해 북부의 영연방 내의 독립국. 주민의 75%가 흑인, 17%는 혼혈. 공용어는 영어. 사탕·바나나·보크사이트를 산출함. 1494년에 콜럼버스가 발견하였는데, 1958년 9개의 영국 식민지와 더불어 서인도 연방을 형성하였다가 1962년 영국 연방의 일원으로 완전히 독립하였음. 수도(首都)는 킹스턴(Kingston). [11,424 km² : 2,500,000 명(1991 추계)]

자멘 [도 Samen] 명〖생〗정액(精液).

자멘호프 [Zamenhof, Lazarus Ludwig] 명〖사람〗폴란드의 안과 의사. 유태인. 1887년 국제어(國際語)로서 에스페란토(Esperanto)를 창안 발표하고 1905년 제1회 에스페란토 만국 대회를 열었으며, 그 후 이의 보급에 힘썼음. [1859-1917]

-자며 어미 ↗-자면서. *-ㄴ다며.

자멱-질 명〈방〉자맥질. ——-하다 자

자면¹【字面】명 ①문자의 구성·배열·형상 등으로부터 받는 시각적(視覺的) 느낌. ②문자의 표면적 의미.

자:면²【赭面】명 붉어진 얼굴.

-자-면서 어미 ①동사 어간 및 '있다'의 어간에 붙어, '-자고 하면서'의 뜻을 나타내는 연결 어미. ¶공생 공사하~, 제 욕심만 차린다. ②동사 어간 및 '있다'의 어간에 붙어, 직접 간접으로 받은 청유(請誘)를 다짐하거나 빈정거려 묻는 데 쓰이는 종결 어미. ¶끝까지 버티~. 준-자며. *-ㄴ다면서.

자멸¹【自滅】명 ①자연히 멸망함. ②제 탓으로 멸망함. 스스로 멸망함. ¶~을 초래하다. ——-하다 자 여불

자멸²【自蔑】명 스스로 자기를 멸시함. ——-하다 자 여불

자멸-적【自滅的】[一쩍] 명 관 자기 스스로 멸망하는 모양.

자멸지-계【自滅之計】[一찌一] 명 자멸책(自滅策).

자멸-책【自滅策】명 잘 한다는 것이 도리어 잘못이 되어 제가 망하게 된 꾀. 자멸지계.

자명¹【自明】명 ①하등의 증명이 필요 없이 그 자신으로 이미 명백(明白)함. ¶~한 이치. ②자신의 직관(直觀)에 의하여 명백함. ——-하다 형 여불

자명²【自鳴】명 ①저절로 소리가 남. ②제풀에 울거나 울림. ——-하다 자 여불

자:명³【藉名】명 이름을 빙자(憑藉)함. ——-하다 타 여불

자명-고【自鳴鼓】명〖역〗옛날 낙랑(樂浪)에 있었다고 하는 저절로 울리는 북. 고구려 대무신왕(大武神王)의 아들 호동(好童)이 낙랑을 치려 하였으되 낙랑에는 외적이 침입하면 저절로 울리는 자명고와 나팔이 있어 매우 곤란을 당하였는데, 호동 왕자의 애인인 낙랑 공주가 사랑을 위하여 나라와 부왕(父王)을 배반하고 이것을 부수어 버려, 호동으로 하여금 낙랑을 정복할 수 있게 하였다고 함.

자명고 설화【自鳴鼓說話】명 자명고에 얽힌 호동(好童) 설화.

자명-금【自鳴琴】명〖악〗자명악(自鳴樂).

자명 말:명 부 '자는둥 마는둥'의 뜻의 예스러운 말.
자명-성【自明性】[—썽] 명 하등의 논증이나 증명이 필요 없이 직관을 통해서 진리성이 실증되는 성질.
자명-소【自明疏】명 자기의 무죄를 스스로 변명하는 상소(上疏).
자명-악【自鳴樂】명 《악》 종전에 음악 상자(音樂箱子)를 부르던 이름. 자명금(自鳴琴). 오르골.
자명-종【自鳴鐘】명 때가 되면 저절로 울려서 시간을 알리는 시계. 괘종(掛鐘)·좌종(坐鐘) 등. ㊀종.
자모[1]【子母】명 아들과 어머니. 모자(母子).
자모[2]【字母】명 ①《언》 철음(綴音)의 근본이 되는 글자. 한글의 자모는 자음(子音) 자모 ㄱ·ㄴ·ㄷ·ㄹ·ㅁ·ㅂ·ㅅ·ㅇ·ㅈ·ㅊ·ㅋ·ㅌ·ㅍ·ㅎ의 열네 개와 모음(母音) 자모 ㅏ·ㅑ·ㅓ·ㅕ·ㅗ·ㅛ·ㅜ·ㅠ·ㅡ·ㅣ의 열 개가 있고, 그 외 쌍자모(雙字母) ㄲ·ㄸ·ㅃ·ㅆ·ㅉ 및 복(複)자모 ㅐ·ㅒ·ㅔ·ㅖ·ㅘ·ㅙ·ㅚ·ㅝ·ㅞ·ㅟ·ㅢ 등이 있음. 낱자. 알파벳(alphabet). ②《언》 한자(漢字)의 절음(切音)을 표하는 글자, 즉 '見·端·徹·滂·非·精·照·影·來·日' 등. 여러 설이 있으나 당말(唐末)의 승도(僧徒) 수온(守溫)이 전한 삼십육 자모설(三十六字母說)이 가장 많이 알려짐. ③《인쇄》 모자(母字). 모형(母型).
자모[3]【自侮】명 스스로 업신여김. ——하다 자여불
자:모[4]【刺毛】명 ①《식》 식물의 표피(表皮)에 있는 털의 한 가지. 끝은 물러서 부러지기 쉽고, 동물 따위가 닿으면 꽂혀 부러지면서 독액을 내는 것도 있음. 쐐기풀의 가시 따위. ②《충》 나방의 유충(幼蟲)의 체표(體表)에 있는 독선(毒腺)에 이어진 가는 털. 찔리면 피부에 염증(炎症)이 생김.
자모[5]【姉母】명 누이와 어머니. ↔부형(父兄).
자모[6]【姿貌】명 얼굴 모양 또는 모습.
자모[7]【慈母】명 ①'어머니'를 아들에 대한 자애가 깊다는 뜻으로 일컫는 말. 성선(聖善). ↔엄부(嚴父). ②팔모(八母)의 하나. 어머니를 여읜 뒤 자기를 길러 준 서모(庶母).
자-모듬【字—】명 글자를 외느라고 여러 글자를 한데 모아서 말을 만드는 짓. 자맞춤. ——하다 자여불
자모 문자【子母文字】[—짜] 명 《언》 자모자(子母字).
자모-변【字母辨】명 《언》 조선 정조(正祖) 때의 학자 황윤석(黃胤錫)이 지은 문자 연구론. 초(初)·중(中)·종(終) 삼성(三聲)에 관한 논술로, 중국·여진(女眞) 등 여러 나라의 문자를 비교 설명하였으며, 그의 문집(文集) ≪이재 유고(頤齋遺稿)≫에 실려 있음.
자모-순【字母順】명 자모의 배열 순서. ㄱㄴ순·ABC순 등. *음절순(音節順)·기역니은순.
자모-음【子母音】명 《언》 자음(子音)과 모음(母音).
자모-자【子母字】명 《언》 자음(子音) 문자와 모음(母音) 문자. 자모(子母) 문자.
자모-전【子母錢】명 변리(邊利)가 붙는 돈. 곧, 밑천과 변리. 자본(子本). 원리(元利).
자모 정:식【子母定式】명 변리(邊利)가 원금(元金)을 넘어서는 안 되기로 정하는 일정한 방식.
자모지-례【子母之例】명 1년간의 변리(邊利)를 원금(元金)의 2할 이내로 정한 이율(利率).
자모지-리【子母之利】명 자모지례. ¶남정네가 ~전에서 낸 장체계를 갚아야 아지마씨께서도 제대로 숨을 쉬고 살 수 있겠지요≪金周榮 : 客主≫.
자모-표【字母表】명 ①어떤 언어를 표기하는 한 계통의 문자를 일정한 순서로 배열한 표. ②중국 운학(韻學)에서, 어두 자음(語頭子音)을 분류 정리하여 작성한 표.
자모-회【姉母會】명 유치원·국민 학교 등에서 아동의 자모들로 구성된 모임. 모자회(母姉會).
자목【字牧】명 지방 수령(守令)이 백성을 사랑으로 다스림. ——하다 타여불
자:-목련【紫木蓮】[—년] 명 《식》 [*Magnolia liliflora*] 목련과의 낙엽 활엽 관목. 높이 3m 가량이고, 잎은 호생하며 거꿀달걀꼴 타원형임. 3-4월에 잎에 앞서 홍자색(紅紫色)의 큰 육판화(六瓣花)가 길이 8-10cm의 종형(鐘形)으로 피고, 골돌과(蓇葖果)는 갈색(褐色)의 털이 나며 달걀꼴 타원형이고 가을에 익음. 중국 원산인데, 관상용으로 흔히 사원(寺院)의 정원에 심음. 전북·경남·경기 등지에 나며, 일본·중국에도 분포함. 난초꽃과 비슷하므로 '목란(木蘭)'이라고도 함. 자옥련(紫玉蓮). *목련(木蓮).

〈자목련〉

자목지-관【字牧之官】명 자목지임(字牧之任).
자목지-임【字牧之任】명 수령(守令)의 별칭. 자목지관.
자못 부 생각보다 매우. 퍽. ¶그 일은 ~ 어렵다.
자몽[1]【自懜】명 졸릴 때처럼 정신이 혼몽함. ——하다 형여불
자몽[2] [일 ザボン. 포 zamboa] 명 〈속〉 그레이프프루트.
자묘【子猫】명 새끼 고양이. 고양이 새끼.
자무[1]【字撫】명 사랑하여 어루만짐. ——하다 타여불
자무[2]【滋茂】명 우거짐. 무성함. ——하다 형여불
자무나 강【—江】[Jamuna] 명 《지》 인도 북서부에 있는, 갠지스 강(Ganges江)의 지류. 히말라야 산맥(Himalaya山脈)에서 시작되어 남류(南流), 델리(Delhi) 동쪽을 지나 남동에 전류(轉流)하여, 알라하바드(Allahabad)에서 갠지스 강에 합류함. [1,400km]
자무락-질 명 〈방〉 무자맥질.
자무쓰 [佳木斯] 명 《지》 중국 헤이룽장 성(黑龍江省) 동부에 있는 도시. 쑹화 강(松花江) 연안 굴지의 양항(良港)으로 부근의 농산물을 집산하며, 배후지에 탄전이 있어 기계·제지(製紙)·화학 비료 등의 공업이 성함. 가목사. [547,000명(1984)]
자:문[1] [—門] 명 자하문(紫霞門)의 변한 말.
자문[2]【尺文】명 〈이두〉 지방 관아에서 조세(租稅)를 호조(戶曹)에 바치고 받은 영수증.
자문[3]【自刎】명 자기(自己)가 자기의 목을 찌름. 자경(自剄). 문사(刎死). ——하다 자여불
자문[4]【自問】명 제 자신에게 물음. ↔자답(自答). ——하다 타여불
자문[5]【咨文】명 《역》 중국과 왕복하던 문서.
자문[6]【刺文】명 ①문신(文身). ②자자(刺字). ——하다 타여불
자문[7]【諮問】명 남에게 의견을 물음. 아랫 사람의 의견을 물음. ¶~에 응하다. ——하다 타여불
자문-감【紫門監】명 《역》 선공감(繕工監)의 한 직소(職所). 궁중(宮中)의 영선(營繕)·공작(工作)을 맡아 보았음.
자문군-계【紫門軍契】[—계] 명 《역》 자문감(紫門監)에 있던 계(契).
자문 기관【諮問機關】명 《정》 어떤 조직체에서 집행(執行) 기관이 집행할 안의 내용과 방법 기타 문제의 자문에 대해서 답신(答申)하는 일을 맡아 보는 기관. ↔결의(決議) 기관.
자문 자답【自問自答】명 자기가 묻고 자기가 대답함. *자탄 자가(自彈自歌). ——하다 자여불
자문-죽【自紋竹】명 아롱진 무늬가 있는 중국산(中國產) 대나무. 흔히, 담뱃대를 만드는 데에 쓰임. 자점죽(自點竹).
자문-지【咨文紙】명 중국(中國)과 왕복하는 문서(文書)를 쓰던 두껍고 단단한 종이.
자물-단추 명 금은이나 옥 등으로 만든 단추의 일종. 타원형(楕圓形) 또는 직사각형으로 된 암단추의 가운데에 구멍이 뚫렸는데, 작은 수단추를 그 구멍에 꿰게 되었음.
자:-물뱀【紫—】명 《어》 [*Mystriophis porphyreus*] 물뱀과에 속하는 바닷물고기. 전장 1m 내외, 몸빛은 자색(紫色), 배는 담색(淡色)임. 등지느러미는 가슴지느러미보다 훨씬 뒤쪽에서 시작하고 아가미 구멍보다 뒤에 있음. 우리 나라 제주도 연해, 남일본에 분포함.
자물-쇠 [—쐬] 명 [중세 : 즈물쇠] 여닫게 된 물건에 채워서 열쇠가 없으면 열지 못하게 잠그는 쇠. 쇄금(鎖金). 쇄약(鎖鑰). 자물통. ㊀쇠.
자물쇠-청 [—쐬—] 명 자물쇠에 딸린 날름쇠. 자물쇠의 굿대 좌우 쪽에 있는 얇은 쇳조각으로 탄력성이 있으며 잠긴 때에는 벌어져 있고, 열쇠를 넣어서 열 때에는 오그라지면서 열리게 되었음.
자물쇠-통 [—쐬—] 명 자물쇠의 몸체를 이루는 통.
자물-쓰다 자 〈방〉 까무러치다.
자물-통 [—筒] 명 자물쇠.
자므다 타 〈방〉 잠그다[1].
자미[1]【姿媚】명 모양을 내어 아양 부림.
자:미[2]【紫薇】명 《식》 백일홍. 패양수(怕痒樹).
자미[3]【滋味】명 ①자양분이 많고 맛있는 음식. ②재미[1]❶.
자미[4]【孳尾】명 흘레하여 새끼를 낳음. ——하다 자여불
자미-궁【紫微宮】명 《천》 자미원(紫微垣).
자미 두수【紫微斗數】명 《민》 사주(四柱) 보는 책의 한 가지.
자미-사 [—紗] 명 옷감의 한 가지.
자미-성【紫微星】명 《천》 자미원(垣)에 있는 별의 이름.
자미-스럽다【滋味—】형 ㅂ불 재미스럽다. **자미-스레**【滋味—】부
자미-승【粢米僧·慈米僧】명 ①음력 섣달 대목날 또는 정월(正月) 보름날에 아이들의 복(福)을 빈다고 쌀을 얻으러 다니는 중. 자미(粢米)중. ②동냥중.
자미아틴 [Zamyatin, Evgenij] 명 《사람》 러시아의 소설가. 10월 혁명전, 기괴한 수법의 풍자적인 작품으로 인정받음. 혁명 후는 ≪동굴≫ 및 1924년에 외국에서 출판된 ≪우리들≫에서 공산주의적인 기계주의를 통렬히 비난함. 망명하여 파리에서 죽음. [1884-1937]
자미-원【紫微垣】명 《천》 옛날 중국 천문학(天文學)에서 하늘을 삼 원 이십팔수(三垣二十八宿)로 나눈 가운데, 태미원(太微垣)·천시원(天市垣)과 더불어 삼원의 하나인 성좌(星座). 북극(北極)에 있어 작은곰자리를 중심으로 한 170여 개의 별로 이루어졌는데, 천제(天帝)가 거처하는 곳이라고 일러져 내려옴. 자미궁(紫微宮).
자미-중 【粢米—·慈米—】명 자미승.
자:미-화【紫薇花】명 《식》 백일홍(百日紅).
자민[1]【子民】명 자식과 같은 백성. 통치자가 자식같이 사랑하는 국민.
자민[2]【慈愍】명 자애(慈愛)를 베풀며 가엾게 여김. 자련(慈憐). ——하다 타여불
자민다:르 [힌두 Zamīndār] 명 《역》 [페르시아어로 토지 소유자의 뜻] ①북 인도를 이슬람이 지배하여 무갈 제국을 건설한 이래, 영주·지주·지조 징수 청부인(地租徵收請負人)의 일컬음. ②18세기 후반, 영국이 인도 지배에 사용한 세제(稅制)의 한 가지. 납세를 정액화(定額化)하기 위하여 지조 징수인을 참다운 토지 소유자로 정하고 10년 간의 납세액의 평균을 영구적인 세율(稅率)로 하였음.
자민-당【自民黨】명 ↗자유 민주당(自由民主黨).
자바기[1] 명 〈방〉 자배기[1].
자바기[2] 명 〈방〉 수제비(제주).
자바기[3] [중 炸八鷄] 명 중국 요리의 하나. 잘게 토막쳐 녹말 가루를 묻혀 바싹 튀긴 닭고기. 프라이팬에 종이를 깔고 소금·산초 가루·후춧가루·깨소금을 넣고 볶은 양념을 찍어 먹음.
자바돌이다 타 〈옛〉 잡아당기다. ¶셜리 뎡바기옛 머리터리 훈 져붐을 미이 자바돌이요티(急取頂心髮一撮毒掣之)≪救簡 I:30≫.

자바라【啫哱囉】[명]〖악〗국악기의 하나. 두 짝으로 된 둥글넓적한 타악기. 놋쇠로 지름 50-60cm 가량의 접시 모양으로 만든 것인데, 가운데가 오목하고 그 한가운데에는 끈을 꿰어 두 손에 한 짝씩 들고 마주 쳐서 소리를 냄. 인도(印度)에서 수입된 것이라 하며, 오늘날의 심벌즈(cymbals)는 바로 이것이 발달된 것으로 추측됨. 더 작은 것을 '향발(響鈸)'이라 함. 부구(浮漚). [준]바라(哱囉).

〈자바라〉

자바라-수【啫哱囉手】[명]〖역〗군중(軍中)에서 자바라를 치는 취타수(吹打手). [준]바라수(哱囉手).

자-바리 [명]〖어〗[*Epinephelus moara*] 농어과에 속하는 바닷물고기. 몸길이 60 cm 가량이고 몸빛은 다갈색인데 체측에 흑갈색 가로띠가 있음. 연안성(沿岸性) 어종으로 한국 남해·중국·대만·일본 중부 이남·인도 등에 분포함.

〈자바리〉

자바 사라사〔Java saraça〕[명] 자바에서 생산되는 사라사. 수지(樹脂)·납(蠟) 등으로 방염(防染)하여 식물성 물감으로 염색한 것임.

자바 섬〔Java〕[명]〖지〗대순다 열도(大 Sunda 列島)의 동남부, 인도네시아 공화국의 주도(主島). 17세기 초 이래로 네덜란드의 동남아시아 지배의 기지가 되었음. 자바족을 주로 하며 인구 밀도가 매우 높음. 전도(全島)를 대화산맥(大火山脈)이 달리며 활화산(活火山)이 많음. 쌀·코프라·사탕·담배·커피·차 같은 농산물이 많고, 광산물은 주석(朱錫)·석탄·석유 등이 남. 자바 원인(猿人)의 화석(化石)이 발견된 인류 발상지의 하나이며, 섬의 서북 해안에 수도(首都) 자카르타(Jakarta)가 위치함. [132,174 km^2: 96,100,000 명(1981 추계)]

자바-어【一語】〔Java〕[명]〖언〗자바 사람이 쓰는 언어. 남도 어족(南島語族)에 속하며, 순다어(Sunda語)·마두라어(Madura語)와 함께 자바어군(Java語群)을 형성함. 고대에는 범어, 중세에는 아라비아어의 영향을 크게 받았음. 지금의 언어를 신(新)자바어라 하여, 고대 자바어·중세 자바어와 구별함.

자바 원인[1]【一原人】〔Java〕[명]〖인류〗자바 원인(猿人).

자바 원인[2]【一猿人】〔Java〕[명]〖인류〗19세기 말 자바 섬에서 발견된 원시인. 두 개의 이빨·두골(頭骨)·왼쪽 대퇴골(大腿骨)의 화석(化石)으로 보아 이미 유인원(類人猿)은 아니며 직립 보행(直立步行)하였으리라고 추측(推測)됨. 시대는 제 4 기 플라이스토세의 전기(前期)라고 알려짐. 자바 직립 원인(直立猿人). 자바 원인(原人). 피테칸트로푸스 에렉투스.

자바-인【一人】〔Java〕[명] 자바 중부·보르네오 남부에 분포하는 인종. 인종적으로는 신(新)말레이인계이며 수도(水稻) 중심의 농경민으로 대부분 촌락 공동체 밑에서, 토지의 공유(共有), 장로(長老)의 촌장(村長)을 중심으로 한 상호 부조(相互扶助) 제도를 취함. 공적 종교인 이슬람교의 보급이 특징임.

자바 직립 원인【一直立猿人】〔Java〕[一닙一] [명]〖인류〗자바 원인.

자바티니〔Zavattini, Cesare〕[명]〖사람〗이탈리아의 영화 각본가(脚本家)·극작가(劇作家). 네오리얼리즘 영화(映畫)의 대표적 작가이며, ≪구두닦기≫·≪자전거 도둑≫·≪밀라노의 기적≫ 등 데 시카(De Sica) 감독(監督)의 영화 제작에 협력하여 서민(庶民)의 생활 감정을 묘사함. [1902-89]

자바 해【一海】〔Java〕[명]〖지〗인도네시아 공화국의 수마트라 섬 남동부, 보르네오 섬·자바 섬 따위의 섬들로 둘러싸인 해역. 심도(深度) 60 m 이하의 대륙붕(大陸棚)이 넓고, 연안(沿岸)에는 사주(砂洲)가 발달되어 있음.

자박[1] [명]〖광〗사금광(砂金鑛)에서 캐어 낸 생금의 큰 덩어리.

자박[2]【自縛】[명] ①스스로 자기를 묶음. ②자기가 주장한 의견에 스스로 구속되어 자유롭지 못하게 되는 일. ¶자승(自繩) ~.

자박[3] [부] 가만히 내디디는 발자국 소리. <저벅.

자박-거리다 [자] 가만가만 가벼운 발걸음으로 걷다. <저벅거리다. 자박-자박 [부]. ¶~ 발소리가 들리다. ——-하다 [자][여불]

자박-대다 [자] 자박거리다.

자박-령【一靈】[一녕] [명]〖민〗비명 횡사하여 저승길도 가지 못하고 배회하는 원귀(寃鬼).

자반[1]【自反】[명] 자신(自身)의 행동·생각 등을 반성(反省)하는 일. 자기를 반성하는 일.

자:반[2]【佐飯】[명] 생선을 소금에 절인 반찬. 굴비·암치·어란(魚卵) 등. ¶~ 고등어.

자:반[3]【紫斑】[명] ①자색의 반문(斑紋). ②〖의〗내출혈(內出血) 때문에 피부 조직 속에 나타난 자줏빛의 멍.

자:반[4]【紫瘢】[명] 상처가 나아도 아직 자줏빛의 흔적이 남는 일.

자:반 갈치【佐飯一】[명] 소금에 절인 갈치. 자반 도어(刀魚).

자:반 고등어【佐飯一】[명] 소금에 절인 고등어.

자:반 도어【佐飯刀魚】[명] 자반 갈치.

자:반-뒤지기【佐飯一】[명] 씨름에서, 자기가 뒤로 몸을 잦히면서 상대자를 넘기는 재주.

자:반-뒤집기【佐飯一】[명] ①병으로 인한 괴로움을 이기지 못하여 엎치락뒤치락 하는 짓. ¶빈 엿목판을 끌어안고 떼굴떼굴 구르며 엿장수가 복장거리에 ~를 하고 있는 판이었는데…≪金周榮 : 客主≫. ②씨름에서, 장기전 상태로 들어가 엎치락뒤치락하며 허리샅바를 잡고 위에서 등을 누를 때 아래에 있는 선수가 뒤집어 젖히는 혼합 기술의 하나. ——-하다 [자][여불]

자:반 민어【佐飯民魚】[명] 소금에 절인 민어.

자:반 방어【佐飯魴魚】[명] 소금에 절인 방어.

자:반 밴댕이【佐飯一】[명] 소금에 절인 밴댕이.

자:반-병【紫斑病】[一뼝] [명]〖의〗피부와 점막(粘膜)에 점상(點狀)·반상(斑狀)의 출혈을 일으키는 병. 다리·무릎·관절(關節)에 류머티즘과 같은 동통(疼痛)과 종창(腫脹)이 생기며, 또 점막·근육·내장에도 출혈할 때가 있음. 혈소판의 감소 또는 기능 이상에 의한 것(혈소판 감소성 자반병), 혈관 이상에 의한 알레르기성 자반병 등이 있음.

자:반 병어【佐飯一】[명] 소금에 절인 병어.

자:반 비웃【佐飯一】[명] 소금에 절인 비웃.

자:반 삼치【佐飯一】[명] 소금에 절인 삼치.

자:반 연어【佐飯鰱魚】[명] 소금에 절인 연어.

자:반-열【紫斑熱】[一녈] [명]〖동〗말에 특유한 전염병(傳染病)으로, 피부(皮膚)나 점막(粘膜)에 혈반(血斑)이 생기고, 발열(發熱)하여 붓는 질병(疾病).

자:반 전:어【佐飯鱣魚】[명] 소금에 절인 전어.

자:반 조기【佐飯一】[명] 소금에 절인 조기.

자:반 준:치【佐飯一】[명] 소금에 절인 준치.

자반-처【自反處】[명] 스스로 반성하여 살필 점.

자발【自發】[명] ①외부로부터의 자극(刺戟) 없이 자연히 발동(發動)함. ②스스로 나아가 행함. ——-하다 [자][여불]

자:발머리-없다 [一업一] [형]〈속〉자발없다.

자:발머리-없이 [一업씨] [부]〈속〉자발없이.

자발 분극【自發分極】[명]〖전〗외부의 전기장(電氣場)이 없을 때에, 물질이 나타내는 전기 분극.

자발-성【自發性】[一썽] [명]〔spontaneity〕남의 교시(教示)나 영향에 의하지 않고, 자신의 내부의 원인과 힘에 의하여 사고·행위가 이루어지는 일. ↔수동성(受動性)·수용성(受容性).

자발성 대:장염【自發性大腸炎】[一썽一념] [명]〔idiopathic colitis〕〖의〗병인(病因)이 고정되어 있지 않는 대장염.

자발 수뢰【自發水雷】[명]〖군〗촉발 수뢰(觸發水雷).

자:발-없다 [一업一] [형] 참을성이 없고 행동이 경솔하다. ¶최가는… 아낙의 젖가슴으로 자발없는 한 손을 밀어 넣었다≪金周榮 : 客主≫. [자발없는 귀신은 무랍도 못 얻어먹는다] [무랍은 물밥의 뜻] 너무 경솔한 짓을 하면 얻어먹을 것도 못 얻어먹는다는 말.

자:발-없이 [一업씨] [부] 참을성이 없고 행동이 가볍게. ¶~ 굴다/그 생각 따라 벌써부터 음낭은 ~ 빼근하게 당겨 왔다≪金周榮 : 客主≫.

자발 운:동【自發運動】[명]〔autonomic movement〕〖식〗식물에서 외부(外部)로부터의 자극(刺戟)이 아니라 세포 내(細胞內)의 원인으로 일어나는 운동.

자발 운:동 과:잉증【自發運動過剩症】[一쯩] [명]〔hypermotility〕〖의〗위(胃)나 장(腸) 등의 자발 운동이 항진(亢進)하는 질환.

자발 자기화【自發磁氣化】[명]〔spontaneous magnetization〕〖물〗외부 자기장(磁氣場)이 없이도 자성체(磁性體) 자체의 내부적 원인에 의하여 나타나는 자기화. 상(常)자성·반(反)자성체는 자발적 자기화가 없지만, 강(強)자성체·페리(ferri) 자성체·반(反)강자성체는 자발 자기화를 가짐.

자발-적【自發的】[一쩍] [명][관] 스스로 적극적으로 작용하는 모양. 스스로 나아가 행하는 모양. ↔강제적(強制的).

자발적 능동성【自發的能動性】[一쩍一썽] [명]〖철〗주체성(主體性)❶.

자:발-적다 [형]〈방〉자발없다.

자발적 방:출【自發的放出】[一쩍一] [명]〖물〗자연(自然) 방출.

자발적 실업【自發的失業】[一쩍一] [명]〔voluntary unemployment〕〖경〗일할 의사(意思)와 능력은 가지고 있으나 현행(現行)의 임금(賃金)으로는 너무 싸다고 하여 일하지 아니하는 실업의 한 형태. *마찰적 실업.

자발적 억지 원칙【自發的抑止原則】[一쩍一] [명]〔principle of abstention〕미국·캐나다·일본이 1953년 6월에 조인한 삼국 간의 북태평양 어업 조약 상의 한 원칙. 미국이 주장한 것으로, 과거에 어업 실적이 없는 나라는 자동적으로 어업을 삼가야 한다는 것인데, 국제법 상의 '공해(公海) 자유의 원칙'과 대립됨.

자발적 자백【自發的自白】[一쩍一] [명] 선행적(先行的) 자백. 사전(事前) 자백.

자발적 저:축【自發的貯蓄】[一쩍一] [명]〔voluntary saving〕〖경〗소비자(消費者)가 기대(期待)되는 소득(所得) 중 자유 의사(自由意思)에 따라 행하는 저축. *강제(強制) 저축.

자발적 활동성【自發的活動性】[一쩍一똥썽] [명]〔spontaneous activity〕〖동〗외부 자극을 기다리지 않고, 동물의 내적 자극 또는 상태만으로 일어나는 활동성.

자발 천:이【自發遷移】[명]〔autogenic succession〕〖생〗군락(群落)이 환경에 대한 역작용(逆作用)으로 환경 조건이 변화하고, 그 작용으로 새로운 군취(群聚)가 형성되기 때문에 일어나는 천이. ↔타발 천이.

자발푸르〔Jabalpur〕[명]〖지〗인도 중부 마디아프라데시 주(Madhya Pradesh州) 중부의 도시. 남서(南西) 약 20km, 나르마다 강(Narmada江) 하안(河岸)에 높이 34m의 고회암(苦灰岩)의 기애(奇崖)가 있어 관광의 명소임. 철도 요지로 상공업의 중심지이며, 대학·병기 공장이 있음. [758,000 명(1981 추계)]

자발 핵분열【自發核分裂】[명]〔spontaneous fission〕〖물〗중성자의 충격 등에 의하지 않고, 원자핵이 터널 효과에 의해서 자발적으로 핵분열을 일으키는 일.

자발 활동【自發活動】[一똥] [명] 강제(強制)에 의하지 아니하고 내적 의지(內的意志)에 의하여 하는 활동. 루소(Rousseau)에서 비롯된 아동 중심의 교육관(教育觀)이며 20세기 교육 운동(教育運動)의 중심 과제의 하나. 자기(自己) 활동.

자밤 의명 나물 또는 양념 같은 것의 손가락 끝으로 집을 만한 정도의 분량. ¶한 ~/두 ~.

자밤-자밤 부 한 자밤 한 자밤씩 집는 모양.

자방[1]【子方】명 이십사 방위(二十四方位)의 하나. 정북(正北)을 중심으로 좌우 15도(度)의 각도 안. 준자(子).

자방[2]【子房】명〖식〗씨방(房).

자방[3]【恣放】명 방자(放恣). ——-하다 형여불

자방[4]【訾謗】명 훼방(毁謗)❶. ——-하다 타여불

자방-벽【子房壁】명〖식〗자방의 외벽(外壁). 쿠티쿨라화(cuticula 化)한 표피(表皮). 유세포(柔細胞)·관(管)다발 따위로 됨.

자:-방산【紫方繖】명〖역〗자줏빛으로 된 방산.

자방 상:위【子房上位】명〖식〗상위 씨방. 웅예(雄蕊) 상위.

자방 중위【子房中位】명〖식〗중위(中位) 씨방. 가운데씨방.

자방-충【虸蚄蟲】명〖충〗며루.

자방 하:위【子房下位】명〖식〗하위 씨방. 웅예(雄蕊) 하위.

자배기[1] 명 둥글넓적하고 아가리가 쩍 벌어진 질그릇.

자배기[2] 명〈방〉쪼가리.

자백[1]【自白】명 ①자기의 허물이나 죄를 스스로 고백함. ¶죄를 ~하다. ②〖법〗민사 소송상, 상대가 주장하는 불리한 사실을 인정함. 또, 그것을 인정하는 진술. 형사 소송법상, 자기의 범죄 사실 및 형사 책임을 인정함. 또, 그 진술. 곧은불림. ——-하다 타여불

자:-백[2]【紫白】명 자줏빛과 흰빛.

자번[1]【子煩】명〖한의〗태중(胎中)의 부인이 가슴이 답답해하는 증상. 자번증.

자번[2]【滋繁】명 우거짐. 무성함. ——-하다 형여불

자번-증【子煩症】[—쯩] 명〖한의〗자번(子煩).

자벌【自伐】명 자기의 공을 드러내어 자랑함. ——-하다 타여불

자벌 기구【自罰機構】명 요구(要求)가 저지당했을 때에 그 원인을 남에게 돌리는 것이 아니라 자기에게 원인이 있다고 생각하는 심리적 체제.

자-벌레 명〖충〗자벌레나방의 유충(幼蟲). 흉부에 세 쌍의 발이 있고, 복부에도 한 쌍의 발이 있으며, 흉각(胸脚)과 복각(腹脚)의 사이가 매우 떨어져 있음. 꼬리를 두부(頭部) 쪽에 갖다 대어 붙이고 몸을 앞으로 펴서 마치 손뼘으로 길이를 재는 모양으로 기어 감. 목본(木本)·초본(草本)의 잎을 갉아 먹고 사는 해충인데, 땅속에 들어 가 번데기가 됨. 낭충(螂蟲). 보굴충(步屈蟲). 척확(尺蠖).

〈자벌레〉

자벌레-나방 명〖충〗①자나방과에 속하는 곤충의 총칭. 척아(尺蛾). 척확아(尺蠖蛾). 축아(蝛蛾). 자나방. ②뽕나무가지나방.

자벌-적【自罰的】[—쩍] 명관 내벌적(內罰的).

자법【子法】명 [filial law]〖법〗법률 계수(繼受)의 경우의 계수된 법률(法律). ↔모법(母法).

자베기 명〈방〉수제비(제주).

자벨린 [javelin] 명 경기 용구(競技用具). 목제(木製)의 투척용(投擲用) 창(槍). 끝이 금속으로 되어 있음.

자벨-수【一水】[Javel] 명〖화〗[이것이 발견되었다고 하는 프랑스 파리의 지명에서] 하이포아염소산염(亞塩素酸塩) 칼륨과 염화 칼륨의 혼합 수용액(水溶液). 표백·소독·살균의 효과가 있음.

자벽[1] 명〈방〉〖광〗자박.

자벽[2]【自辟】명 ①〖역〗장관이 자기의 뜻대로 사람을 천거하여 아래 벼슬아치로 임명함. ¶수양은 이번의 사행의 수원으로 황보인의 아들 석과 김종서의 아들 승규를 ~하였다《金東仁: 首陽大君》. ②어떤 회의에서 회장이 임의로 어떤 임원을 지명함. ——-하다 타여불

자벽[3]【磁壁】명 자기(磁氣) 구역벽.

자벽-과【自辟窠】명〖역〗장관(長官)의 자벽으로 시키는 벼슬 자리.

자변【自辨】명 스스로 비용을 부담함. 자판(自辦). ——-하다 타여불

자변성 작용【自變成作用】명 [autometamorphism]〖지〗스스로의 휘발성 유체(揮發性流體)의 작용에 따른 화성암(火成岩)의 변성 작용.

자-변수【自變數】명〖수〗변수(變數).

자변 첩질【自辯捷疾】명 천성(天性)이 능변(能辯)하고 행동이 민첩함. ——-하다 자여불

자별-스럽다【自別—】형ㅂ불 친분이 특별히 가까운 듯하다. ¶편지를 받은 날 부부는 그 어느 날보다도 자별스럽게 머리를 모고 오래도록 재깔재깔 지껄이면서…《李孝石: 花粉》.

자별-하다【自別—】형여불 ①저절로 서로 다르다. ②친분이 남보다 특별하다. ¶자별하게 지내다/문단 교우 중에서도 가장 자별한 사이였던 석에게도 거처를 알리지 않은 채 흘러간 3년이었다《安壽吉: 제3인간형》. 자별-히【自別—】부

자병【疵病】명 흠. 결점.

자보[1]【自保】명 ↗자동차 보험(自動車保險).

자보[2]【資保】명〖역〗조선 시대 때, 보포(保布)를 내어 실역(實役)에 복무하는 군정(軍丁)을 돕던 보인(保人).

자보[3] [프 jabot] 명 여성복의 가슴이나 깃에 레이스 같은 것으로 단 장식.

〈자보[3]〉

자보록:-하다 형〈방〉자오록하다.

자보름 명〈방〉졸음[1](경남).

자복[1]【子福】명 ①자식을 많이 둔 복. ②자식을 두어서 얻는 복.

자복[2]【自服】명 ①자백하고 복종함. ②〖법〗친고죄(親告罪) 또는 준(準)친고죄에 있어 범인이 자기의 범죄 사실(犯罪事實)을 발각 전에 피해자(被害者)에게 고지(告知)하는 일. 수복(首服). *자수(自首). ——-하다 타여불

자복[3]【雌伏】명 ①장래에 활약할 날을 기하면서 한 때 남에게 굴복함. ¶~ 십년(十年). ↔웅비(雄飛). ②숨어서 지냄. ——-하다 자여불

자본[1]【子本】명 이자(利子)와 본전(本錢). 원리(元利). 자모전(子母錢).

자본[2]【資本】명 ①영업의 기본이 되는 돈. 밑천. ②〖법〗회사의 목적인 사업을 수행하기 위하여 사원이 출자(出資)한 재산의 총액. ③[capital]〖경〗생산의 세 요소의 하나. 새로운 영리(營利)를 위하여 사용하는 과거의 노동의 생산물. 고정(固定) 자본·유동(流動) 자본 및 유형(有形) 자본·무형(無形) 자본 등의 구별이 있음. ④〖경〗이자 또는 이익을 얻기 위하여 쓰이는 화폐액. 자(資).

자본-가【資本家】명 ①자본금을 대부(貸付)하여 이자를 받는 사람. ②기업을 경영하여 노동자를 고용·사역(使役)하는 사람. 화폐(貨幣) 자본가와 기능(機能) 자본가의 구별이 있음.

자본가 계급【資本家階級】명 [capitalist class] 생산 수단을 소유하고 노동자를 고용하여서 이윤(利潤)을 수득(收得)하는 계급. 자본 계급. 부르주아지(bourgeoisie). ↔노동자 계급.

자본가 단체【資本家團體】명 자본가가 생산비 저하·판로 확장(販路擴張)·주문 할당(注文割當)·자금 융통(融通)·가격 협정·중역 교환(重役交換)·원료 구입(原料購入)·노동 대책(勞動對策) 등 공동 이익을 추구하기 위하여 결성한 단체.

자본가적 생산 방법【資本家的生産方法】명 자본가가 이윤의 극대화를 목표로 생산 활동을 행하는 일.

자본가적 어업【資本家的漁業】명 근대적 장비(裝備)를 가지고 장기간(長期間)의 항해 조업(航海操業)을 행하는 원양(遠洋) 어업과 대규모적인 근해(近海) 어업의 일부로서, 자본제(資本制) 생산을 전제(前提)로 하는 어업.

자본가적 토지 소:유【資本家的土地所有】명 자본주의적 농업 밑에서 성립하는 토지 소유 형태. 이 전형적인 것은 18-19세기의 영국에서 볼 수 있음.

자본 감:소【資本減少】명 [reduction of capital]〖경〗주식(株式) 회사와 유한(有限) 회사에서 자본 총액을 감소하는 일. 회사가 불필요한 재산을 사원(社員)에게 반려(返戾)하여 이윤율(利潤率)을 높이기 위하여서 행하여짐. 감자(減資).

자본 거:래【資本去來】명 국제 수지에 있어서 유가 증권의 매매, 자금의 융통 등에 의한 채권·채무의 거래. 투자 기간에 따라 장기 자본 거래와 단기 자본 거래로 구분됨. 또, 거래의 구분에 따라 민간 자본 거래와 정부 자본 거래로 나뉨.

자본 거:래 자유화【資本去來自由化】명〖경〗국제 간의 자금(資金)의 대차(貸借)·투자(投資)를 자유화하는 일.

자본 계급【資本階級】명 자본가(資本家) 계급.

자본 계:수【資本係數】명〖경〗생산 시설·원자재 등 투하(投下) 자본 전량의 생산량에 대한 비율. 산출 계수(産出係數)의 역수(逆數)임. 자본 증가량의 증가 생산량에 대한 비율, 곧 엄밀한 의미의 한계 자본 계수로서 쓰이는 경우도 있음. 자본 산출액 비율.

자본 계:정【資本計定】명 [capital account]〖경〗①넓은 뜻으로는 자기 자본액(資本額) 또는 실재(實在) 재산액의 증감(增減)을 기록하는 모든 계정의 총칭. ②좁은 뜻으로는 결산(決算)이 끝난 후 실재 재산액을 나타내는 계정. 자본주(資本主) 계정.

자본 공:세【資本攻勢】명〖경〗①자본가 계급이 자기네 이익을 지키기 위하여 노동자 계급에 대하여 압력을 가하는 일. 보통, 해고(解雇)·노동 강화(強化)·임금 인하(引下)·노동 조합의 어용화(御用化) 등의 수단으로 나타남. ↔노동(勞動) 공세. ②대자본이나 외국 자본이 중소 자본 및 어떤 지역에 집중하는 일.

자본과 경영의 분리【資本—經營—分離】[—불—/—에불—] 명 [separation between capital and administration] 소유와 경영의 분리.

자본 과세【資本課稅】명 자본 또는 재산을 조세 객체(租稅客體)로 하여서 과세하는 일. 또, 그 조세. 전쟁 수행을 위하여 이미 생산 규모가 축소되고, 거액(巨額)의 공채(公債)가 누적(累積)해 있는 경우 그에 대응(對應)하여서 재정을 정리하고 국민 경제를 재건하기 위한, 임시 또는 비상 조치로서 행하여짐. 자본 과징(課徵). *재산세.

자본 과징【資本課徵】명 자본 과세.

자본 구성【資本構成】명〖경〗하나의 자본을 그 구성면에서 본 이론. 마르크스(Marx)의 자본론에서 가변(可變) 자본과 불변 자본의 두 가지로 나눈 그 비율을 이름. 재무 구성(財務構成). *자본의 유기적(有機的) 구성.

자본-금【資本金】명〖경〗영리(營利)의 목적으로 사업에 투하한 자금. 자금. 본전(本錢).

자본금 계:정【資本金計定】명〖경〗자본금을 처리하는 자본 계정의 일종.

자본 금융【資本金融】[—/—늉] 명〖경〗기업 금융.

자본 도:입【資本導入】명 한 나라가 딴 나라로부터 자본·기술을 끌어들이는 일. 기업의 주식 또는 지분(持分)에의 투자, 국채(國債)·공채(公債)·사채(社債)·수익 증권(受益證券) 등에의 투자 등이 있음.

자본 도피【資本逃避】명 [capital flight]〖경〗정치적·경제적 이유 등으로 한 나라의 화폐 가치(價値)가 저락(低落)될 것으로 예상될 때, 정금 수송(正金輸送)·외국 채권 매입(買入)·외국환(換) 등의 방법으로 자금이 외국으로 이동(移動)하는 일. 한 나라의 경제를 파괴할 위험성이 농후하므로 철저히 단속하고 있으나 수출 대금(代金)의 외화(外貨)를 외국에 유치(留置)시키거나 하는 방법을 취하는 수도 있음. 자본의

[자빠져도 코가 깨진다] 일이 순조롭지 않으려니까 뜻밖에 큰 탈이 난다는 말.

자빠-트리다 타 자빠뜨리다.

자빡 명 결정적인 거절. 납백(納白).
자빡(을) 대다 구 아주 딱 잡아 떼어 거절하다.
자빡(을) 맞다 구 아주 거절을 당하다.
자빡(을) 치다 구 〈방〉 자빡(을) 대다.

자빡-계 【一契】 명 산통계(算筒契)의 일종. 계(契)알이 빠져서 돈을 타 먹는 동시에 곧 탈퇴하도록 마련한 계.

자빡-뿔 명 뒤틀려 잦혀진 쇠뿔.

자-뼈 명 〖생〗 '척골(尺骨)'의 풀어쓴 말.

자뿌룩-하다 형 여불 조금 어긋나다.

자-사[1] 【子史】 명 제자(諸子)의 책과 역사책. 자(子)는 노자(老子)·순자(荀子) 등 자류(子類)의 책, 사(史)는 사기(史記)·한서(漢書) 등 사류(史類)의 책. 중국의 서적 분류상의 용어임.

자사[2] 【子事】 명 아들처럼 깍듯이 받들어 모심.

자사[3] 【子舍】 명 ①자제(子弟)❶. ②〖역〗 각 읍(邑)의 원의 아들이 거처하던 곳.

자사[4] 【子思】 명 〖사람〗 중국 전국 시대(戰國時代) 노(魯)나라의 학자. 이름은 급(伋). 자사는 자(字)임. 공자(孔子)의 손자이며, 증자(曾子)의 제자이고, 맹자(孟子)의 스승임. 성(誠)을 천지(天地)와 자연(自然)의 법칙으로 삼고, 천인 합일(天人合一)의 철학(哲學)을 제창하였음. 저서 ≪중용(中庸)≫. [492-432 B.C.]

자사[5] 【自社】 명 자기가 소속해 있는 회사. ¶ ~ 제품(製品).

자:사[6] 【刺史】 명 〖역〗 ①중국의 지방 관리. 한(漢)나라 때에는 정무(政務)의 감찰관이었으며, 수(隋)나라·당(唐)나라 때에는 주지사(州知事)이었음. 송(宋)나라 이후에 폐지되었음. ②〖역〗 고려 때 외관(外官)의 하나. 성종(成宗) 14년(995)에 베풀었음.

자:사[7] 【刺絲】 명 〖생〗 강장 동물(腔腸動物)에 특유한 방어 장치(防禦裝置)인 자세포(刺細胞)의 일부. 적에게 독액(毒液)을 발사(發射)하는 역할을 맡음.

자사[8] 【恣肆】 명 제 멋대로 함. 방종(放縱). ——-하다 자 여불

자:사[9] 【紫紗】 명 자줏빛의 사(紗).

자:사[10] 【紫麝】 명 엷은 자줏빛의 사향(麝香).

자사 노선 【自社路線】 명 자기 회사가 경영하는 버스·항로(航路)·항공로(航空路)의 노선.

자사-받기 명 윷을 치던져 손등으로 받아 가지고 다시 치던져 잡는 윷놀이 기술의 한 가지. ——-하다 자 여불

자사 상표 【自社商標】 명 〔private brand ; PB〕 슈퍼마켓이나 백화점 등 큰 소매업자가 붙여서 판매하는 독자적인 상표. 피 비.

자사-자 【子思子】 명 〖책〗 중국의 유서(儒書). ①춘추 시대 자사(子思)가 찬(撰)한 것. ≪한서 예문지(漢書藝文志)≫에 의하면 '자사자(子思子) 이십삼 편(二十三篇)'으로 되어 있는데, 현재는 산일(散逸)되었으며, 예기(禮記) 중의 ≪중용(中庸)≫이 그 중에서 남은 것이라고 함. ②송(宋)나라 왕탁(汪晫)이 편집한 책. 중용(中庸) 그 밖의 책에서 자사(子思)의 언행(言行)을 모아, 내외편(內外篇) 9편으로 갈라 놓았음. 1권.

자:-사호 【紫沙壺】 명 자줏빛 진흙의 특색을 가진 항아리. 중국 이싱(宜興)에서 나는 도자기의 일종임.

자산[1] 【子產】 명 〖사람〗 중국 춘추 시대(春秋時代) 정(鄭)나라의 정치가. 성은 공손(公孫), 이름은 교(僑), 자산은 자(字)임. 국교(國僑)로 불리었음. 정(鄭)나라 목공(穆公)의 손자. 정나라는 당시 진(晋)과 초(楚)나라 사이에 끼어 전란(戰亂)에 시달려 왔으나 자산은 그 박식과 웅변으로 두 나라의 힘의 관계를 이용, 평화를 유지하였으며, 농지를 정리하여 전부(田賦)를 설정, 나라의 재정(財政)을 재건하였음. 또, 중국 최초의 성문법(成文法)을 만들었음. 공자(孔子)는 그를 혜인(惠人)이라고 일컬었음. [?-522 B.C.]

자산[2] 【自山】 명 〖사람〗 안확(安廓)의 호(號).

자산[3] 【資產】 명 ①개인 또는 법인이 소유하고 있는 토지·건물·기계·기구·금전의 총칭. 재산(財產). ②소득을 축적(蓄積)한 것. ③금전으로 환산할 수 있는 적극적 재산. 유형(有形) 또는 무형의 유가물(有價物)로서, 부채의 담보(擔保)로 할 수 있는 것.

자:산[4] 【赭山】 명 나무가 없는 붉은 산. ¶ 들나귀들은 ~ 위에 서서 시랑 같이 헐떡이며 풀이 없으므로 눈이 아득하여 하는도다≪구약 예레미야 XIV : 6≫.

자산-가 【資產家】 명 자산을 많이 가지고 있는 사람. ↔무산가(無產家).

자산 결제 【資產決濟】 [—쩨] 명 〔asset settlement〕 〖경〗 국제 수지(國際收支)의 불균형을 금·에스 디 아르(SDR)·외화(外貨) 등의 준비 자금으로 결제하는 일.

자산 계:정 【資產計定】 명 〖경〗 현금(現金)·물품(物品)·유가 증권(有價證券)·부동산(不動產)·의장권(意匠權)·대부금(貸付金) 등의 적극 재산에 관한 계정. ↔부채 계정(負債計定).

자산 동:결 【資產凍結】 명 〖경〗 금융 상의 거래, 이권(利權)의 이전(移轉) 및 무역 상의 거래 등을 정부의 관리하에 두는 일. 상대국에 대한 외교적 무기 및 일종의 경제적 봉쇄(封鎖)의 수단으로서, 상대국 정부 또는 상대국인의 자산 처분권(處分權)을 일시적으로 박탈하려는 데에 그 목적이 있음.

자산 부:채표 【資產負債表】 명 〖경〗 대차 대조표.

자산-세 【資產稅】 [—쎄] 명 〖법〗 재산세(財產稅).

자산-액 【資產額】 명 자산의 액수. 재산액(財產額).

자산 어보 【玆山魚譜】 명 〖책〗 조선 순조(純祖) 때 정약전(丁若銓)이 지은 책. 흑산도(黑山島)에 유배되어 있으면서 근해(近海)의 수산물의 이름·분포·형태·습속 등을 기술한 것임. 3권 1책.

자산-유 【自散油】 명 휘발성(揮發性)이 있는 기름.

자산 재:평가 【資產再評價】 [—까] 명 〔revaluation of assets〕 〖경〗 인플레이션의 결과 또는 그 과정에 있어서 기업(企業)이 가지는 자산에 관하여, 그 대차 대조표(貸借對照表) 또는 재산 목록(目錄)상의 가액(價額)을 증액(增額)하는 일. 주로 고정(固定) 자산을 대상으로 함. 고정 자산 재평가. ㊥재평가(再評價).

자산-주 【資產株】 명 〖경〗 가치 폭락의 염려가 없으며 자산으로서 보유하기에 적합한 견실(堅實)한 주식. *성장주·투기주.

자산 평가 【資產評價】 [—까] 명 재산 목록·대차 대조표에 든 자산에 시가(時價)를 매기는 일.

자살[1] 【自殺】 명 스스로 자기의 생명을 끊음. 자폐(自斃). 자결(自決). 자해(自害). ↔타살. ——-하다 자 여불

자:살[2] 【刺殺】 명 척살(刺殺). ——-하다 타 여불

자살-골 【自殺—】〔goal〕 [—꼴] 명 축구·하키 등의 구기에서, 실수로 자기편 골에 공을 넣는 일.

자살 관여죄 【自殺關與罪】 [—쬐] 명 〖법〗 자살 방조(幇助)·자살 교사(教唆)에 의하여 성립되는 죄.

자살 교:사죄 【自殺教唆罪】 [—쬐] 명 〖법〗 자살의 의사가 있는 사람에게 협박·유혹·모욕 기타의 방법으로써 자살케 한 죄.

자살-궂다 형 성미나 하는 짓이 잘고 곰상궂다. ¶ 자살궂은 사람.

자살 방조죄 【自殺幇助罪】 [—쬐] 명 〖법〗 자살의 의사가 있는 사람에게 유형·무형의 편의를 주어 자살케 함으로써 성립하는 죄.

자살-자 【自殺者】 [—짜] 명 자살한 사람. 스스로 자기 목숨을 끊은 사람.

자살-적 【自殺的】 [—쩍] 명 관 실패(失敗)가 뻔히 예상되는 일을 감히 행하는 모양.

자:삼 【紫蔘】 명 〖식〗 이른범꼬리.

자삼 장단 【—長短】 명 〖악〗 경상도의 무악(巫樂) 장단의 하나. 3박자와 2박자의 복합 장단인 8분의 5박자로 이루어짐.

자상[1] 【仔詳】 명 자세하고 찬찬함. *상밀(詳密)·상세(詳細)·세밀(細密)·자세(仔細). ——-하다 형 여불. ——-히 부

자상[2] 【自傷】 명 일부러 자기 몸을 상해(傷害)함. *자해(自害). ——-하다 자 여불

자:상[3] 【刺傷】 명 칼 같은 날카로운 기물(器物)에 찔린 상처.

자상 달하 【自上達下】 명 위로부터 아래까지 미침. ↔자하 달상(自下達上). ——-하다 자 여불

자상-스럽다 【仔詳—】 형 ㅂ불 자상(仔詳)한 느낌이 있다. **자상-스레** 【仔詳—】 부. ¶ ~ 대하다.

자상 처:분 【自上處分】 명 상관으로부터 내리는 지휘(指揮) 명령.

자상 행위 【自傷行爲】 명 스스로 자기의 몸을 상해(傷害)하는 행위. 병역(兵役) 또는 소집(召集)을 면할 목적으로 이러한 행위를 할 적에는 범죄 행위로 간주되는 경우가 있음.

자새 명 새끼나 바 같은 것을 꼬는 데 쓰거나, 실을 감는 얼레. 모양은 여러 가지임.

〈자새〉

자새-질 명 줄을 드리기 위하여 자새를 돌리는 일. ——-하다 자 여불

자색[1] 【自色】 명 광물(鑛物) 고유의 빛깔. 불순물(不純物)의 빛깔이 아닌 것. 진색(眞色).

자색[2] 【姿色】 명 ①예쁜 여자의 얼굴. ¶ ~이 뛰어나다. ②아름다운 자태와 안색.

자:색[3] 【紫色】 명 ①자줏빛. ②보랏빛.

자:색[4] 【赭色】 명 검붉은 빛깔. 붉은 흙과 같은 빛깔.

자:색-광 【紫色光】 명 〔purple light〕 〖물〗 맑은 날 해가 진 후 서쪽 하늘에서 또는 해가 뜨기 전의 동쪽 하늘에서 볼 수 있는, 엷은 자색(紫色)의 빛.

자:색-금 【紫色金】 명 금 78 %와 알루미늄 22 %의 비율로 만든 합금(合金). 장식용으로서 귀중함.

자:색-물방개 【紫色—】 명 〖충〗 [*Noteros japonicus*] 물방갯과에 속하는 곤충. 몸길이 4 mm 내외인데, 배면(背面)은 둥글고 황갈색 내지 농갈색이며, 두부와 전배판(前背板)은 적갈색임. 시초(翅鞘)는 갈색이고, 몸의 하면과 다리는 적갈색이며, 수컷의 부절(跗節)에는 흡반(吸盤)이 있음. 연못·늪에서 서식하는데, 한국에도 분포함.

자생[1] 【子生】 명 〖민〗 갑자(甲子)·병자(丙子)·무자(戊子) 등 자년(子年)에 태어난 사람을 술가(術家)에서 이르는 말. 자년생(子年生).

자생[2] 【自生】 명 ①자기 자신의 힘으로 살아감. ②인위(人爲)에 의하지 아니하고 저절로 남. ③〖불교〗 자연으로 생기어 남. ④〔authigene〕 〖광〗 다른 곳에서 운반되어 온 것이 아니고 그 장소에서 형성된 광물. 퇴적물(堆積物) 중, 고결 과정(固結過程)에서 만들어진 것을 가리킴. ↔타생(他生). ⑤〖생〗 생물, 특히 식물이 어떤 지역에서 인류의 보호를 받지 않고 자력으로 증식하고 생활해 나감. 식물이 어느 지역의 식물상(植物相)에 원래 속해 있는 일. ¶ ~종 / ~ 지역. ——-하다 자 여불

자:생[3] 【資生】 명 어떤 직업을 가지고, 그로 하여 살아 나감. ——-하다 자 여불

자생 식물 【自生植物】 명 〖식〗 재배에 의하지 않고, 산이나 들 또는 강이나 바다에 저절로 나는 식물. ↔재배 식물.

자생-적 【自生的】 명 관 운동이나 사고(思考) 등이 인위에 의하지 않고 자연히 발생하여 자연히 제지(制止)되는 모양. ¶ ~ 관념(觀念).

자생적 투자 【自生的投資】 명 그 나라의 소득 수준의 증가와는 관계 없이, 기술 혁신(技術革新)이나 인구 증가 등의 결과, 새로이 이루어지는 투자. ↔유발(誘發) 투자.

자생-종 【自生種】 명 〖생〗 어느 지역에 예로부터 나서 사는 생물의 종류.

특히, 식물의 경우에 일컬음. ¶달맞이꽃의 한국 ～.

자생-지【自生地】명 식물이 자생하는 땅. ¶문주란의 ～.

자생-천【自生川】명〔autoconsequent stream〕〖지〗선상지(扇狀地)나 충적 평야(沖積平野)의 발달 도상에 있는 하천(河川). 물이 흘러서 저절로 흘러온 물질이 쌓여서, 퇴적층(堆積層)을 만들고, 그 층에 따라서 물이 흐름.

자생 퇴:적물【自生堆積物】명〔authigenic sediment〕〖지〗최초에 생성된 장소에 그대로 있는 퇴적물.

자생 폭포【自生瀑布】명〔autoconsequent falls〕〖지〗하천의 유로(流路)에 따라서 특수한 위치에 발달된 폭포. 다량의 탄산 칼슘을 용해(溶解) 물질로서 흘려 보내는데, 유로 중에서 가온(加溫)·증발, 기타의 인자가 작용해서 용해 물질의 일부가 침전을 일으킴.

자서[1]【字書】명 ①자전(字典). ②사서(辭書).

자서[2]【自序】명 자기가 저술 또는 편찬한 책 머리에 쓰는 서문.

자서[3]【自敍】명 자기가 자기의 일을 진술(陳述)함. ¶～전(傳). ——-하다 타 여불

자서[4]【自書】명 자필(自筆). ——-하다 타 여불

자서[5]【自署】명 ①자기의 이름을 제 스스로 적음. 수서(手署). ¶～한 사진. ②〖법〗문서의 작성자가 스스로 그 성명 또는 상호(商號)를 적는 일. ——-하다 자 타 여불

자서 문학【自敍文學】명 자기의 지난 일을 문학적으로 서술한 작품.

자서-전【自敍傳】명〔autobiography〕자기가 쓴 자기의 전기(傳記), 또는 남에게 구술(口述)하여 쓰게 한 자기의 전기. ㈜자전(自傳).

자서전 소:설【自敍傳小說】명〖문〗자기의 전기(傳記)를 주제(主題)로 하여, 자기의 생활 체험을 소재(素材)로 한 소설. 자서전과 다른 점은 소재를 있는 그대로 표현하지 아니하고 소설적 수식(修飾)을 가하여 쓴 점임.

자서전-적【自敍傳的】명 관 자서전과 같은 의미를 지닌 모양. 자서전과 비슷함.

자서 제:질【子壻弟姪】명 아들과 사위와 아우와 조카.

자서-체【自敍體】명〖문〗작중(作中)의 인물이 자기 스스로 이야기하는 형태로 쓴 소설이나 시가(詩歌).

자서체 소:설【自敍體小說】명〖문〗사소설(私小說)❶.

자석[1]【字釋】명 자의(字義)를 해석하는 일.

자:석[2]【紫石】명 ①〖광〗↗자석영(紫石英). ②안정(眼睛)을 형용하여 이르는 말. ③'벼루'의 별칭.

자석[3]【磁石】명 ①〖광〗자철광(磁鐵鑛). 흡철석(吸鐵石). 현석(玄石). ②〔magnet〕〖물〗철을 끌어 당기는 성질이 있는 물체. 천연적으로는 자철광이 그것이며, 인공적으로는 강철(鋼鐵)을 자기화(磁氣化) 해서 만듦. 외부 자기장(磁氣場)의 도움 없이 자기(磁氣)를 띠고 있는 영구 자석과 외부 자기장에 의해 자기를 띠게 되는 일시(一時) 자석이 있음. 이들의 특성은 잔류 자화(殘留磁化)와 보자력(保磁力)으로 나타냄. 지남철(指南鐵). 마그네트. ③〖물〗자침(磁針). ④자기장(磁氣場)을 발생시키는 장치. 영구 자석·전(電)자석·초전도(超傳導) 자석 따위. ⑤〖물〗↗자석반(磁石盤).

자:석[4]【赭石】명〖광〗①붉은 빛의 돌. ②↗대자석(代赭石).

자석-강【磁石鋼】명 강한 인공(人工) 자석을 만들기 위한 특수 강철. 크롬·코발트·몰리브덴 등을 조금씩 넣어서 만듦.

자:-석고【紫石膏】명 석간주(石間硃).

자석-광【磁石鑛】명〖광〗'자철광(磁鐵鑛)'의 속칭.

자석-반【磁石盤】명 자기 나침의(磁氣羅針儀). 자기(磁氣) 컴퍼스. ㈜자석(磁石).

자석 발전기【磁石發電機】[―쩐―] 명 1815년 지멘스(Siemens)가 발명한 발전기의 일종. 강력한 마제형(馬蹄形) 자석의 양극(兩極)이 만드는 자계내(磁界內)에 코일(coil)을 회전(回轉)시켜 전자 유도(電磁誘導)에 의해서 전류(電流)를 일으키도록 장치(裝置)한 소형의 발전기임. 전화(電話)의 신호용, 자동차·비행기 등의 내연기(內燃機) 점화용(點火用)으로 많이 사용됨.

자석-식【磁石式】명 자석을 이용하는 방식. ¶～ 전화기.

자석식 전:화 교환기【磁石式電話交換機】명 자석식 전화기를 사용하며, 교환기에 표시기·플러그 잭(plug jack) 등의 간단한 기계를 사용한 수동식(手動式)의 전화 교환기. 전화 교환기의 초기의 것.

자석식 전:화기【磁石式電話機】명 통화할 때마다 핸들(handle)을 돌리어 신호 전류(信號電流)를 발생시켜서 교환수(交換手)를 불러 내는 방식의 전화기.

자:-석영【紫石英】명〖광〗자수정(紫水晶).

자석 전:력【磁石電力】[―절―] 명〔magnet power〕〖전〗전자석(電磁石) 코일에 공급되는 전력.

자석 전:령【磁石電鈴】[―절―] 명〖물〗교류(交流)에 의하여 울리는 전령. 영구(永久) 자석을 사용하여 전자석(電磁石)의 철심(鐵心)에 자기극(磁氣極)을 접촉하게 함. 유극 전령(有極電鈴).

자석 합금【磁石合金】명〔magnetic alloy〕〖야금〗강자성(强磁性)이 있는 알니코(alnico)나 알코맥스(alcomax)와 같은 합금. 영구 자석(永久磁石) 제조에 쓰임.

자선[1]【子船】명 모선(母船)에 딸리어 모선을 근거로 활동하는 작은 배. ¶포경선(捕鯨船)의 ～.

자선[2]【自選】명 ①제가 저를 선정(選定)함. ②제 작품을 제가 골라 뽑음. ——-하다 자 여불

자선[3]【慈善】명 ①남에게 은혜를 베풀어 착한 일을 함. ②불행(不幸)·재해(災害) 등으로 인하여 자활(自活)할 수 없는 사람을 구조(救助)하는 일. ¶～ 사업/～ 단체. ——-하다 타 여불

자선[4]【磁選】명〖광〗↗자기력 선광(磁氣力選鑛). ——-하다 타 여불

자선-가【慈善家】명 ①남에게 은혜를 베풀어 착한 일을 하는 사람. ②자선 사업을 하는 사람.

자선-기【磁選機】명〖광〗자기력 선광 조작(操作)을 연속적(連續的)으로 하는 장치.

자선 기금【慈善基金】명 ①자선을 하기 위하여 모은 기금. ②자선 사업을 하기 위한 기금.

자선 냄비【慈善―】명 구세군(救世軍)이 연말 같은 때에 번화한 가두(街頭)에 걸어 놓고, 그 속에 가난하고 불쌍한 사람을 위하여 희사(喜捨)하는 돈을 넣어 주기를 바라는 쇠냄비. 또, 그렇게 모금(募金)하는 일.

자선 단체【慈善團體】명 자선 사업을 하기 위하여 설립한 단체. 적십자사·고아원·양로원(養老院) 등의 총칭.

자선 단체 광:고【慈善團體廣告】명〖사〗적십자사(赤十字社) 등 자선 단체가 행하는 사회 광고(社會廣告).

자선 병:원【慈善病院】명 가난하고 의지할 곳 없는 사람들의 병을 무료 또는 싼 값으로 치료 봉사해 줌을 목적으로 하는 병원. 주로 공공 단체가 자선을 위하여 설립함. 자혜 의원(慈惠醫院).

자선 사:업【慈善事業】명 종교적·도덕적 동기에 입각하여 고아(孤兒)·병자(病者)·노약자(老弱者)·빈민(貧民) 등을 구조할 목적으로 행하는 사회 공공 사업.

자선-시【慈善市】명 바자(bazaar)❶.

자선-심【慈善心】명 불쌍한 사람에게 은혜를 베풀어 착한 일을 하려는 마음.

자선 투표【自選投票】명 자기가 자기를 선출(選出)하는 투표. ——-하다 자 여불

자선 행위【慈善行爲】명 불쌍한 사람을 도와 주는 일.

자선-회【慈善會】명 ①자선 사업의 자금을 얻기 위하여 입장료를 받고서 흥행(興行)을 하거나 또는 싼 값으로 물품을 판매하는 회. ②자선 사업을 목적으로 하는 단체의 일반적인 호칭(呼稱).

자설【自說】명 자기의 설(說). 자기의 의견을 주장하는 논설. ¶～을 고집하다.

자섬-사【資贍司】명〖역〗고려 충선왕(忠宣王) 2년(1310)에 제용사(濟用司)를 고친 이름.

자성[1]【子姓】명 후손(後孫).

자성[2]【子城】명 본성(本城) 옆의 작은 성.

자성[3]【自性】명〖불교〗①본래 구유(具有)하고 있는 진성(眞性). 본래의 성질. ②↗자성 본불.

자성[4]【自省】명 제 스스로 반성함. ¶～을 촉구하다. ——-하다 타 여불

자성[5]【觜星】명〖천〗이십팔수(二十八宿)의 하나. 대설(大雪) 철의 밤 12시 30분경부터 중천에 나타나는 마늘모꼴의 세 별. 거성(距星)은 오리온자리의 φ_1임. ㈜자(觜).

자성[6]【粢盛】명 나라의 대제(大祭)에 쓰는 서직(黍稷).

자성[7]【資性】명 천성(天性). 자질(資質).

자성[8]【雌性】명〔feminity〕〖생〗많은 생물의 암컷에서 공통적으로 볼 수 있는 성질.

자성[9]【慈城】명〖지〗평안 북도 자성군의 군청 소재지. 군 서북부의 압록강 지류 자성강(慈城江) 좌안(左岸) 범람원(氾濫原)에 자리잡은 산간 소읍으로, 잡곡·임산물·목재 등의 집산이 많고, 부근에서 자철광의 대광상(大鑛床)이 발견됨.

자성[10]【慈聖】명 임금의 어머니. 자전(慈殿).

자성[11]【磁性】명〔magnetism〕〖물〗자기(磁氣).

자성 고무【磁性―】명〔magnetic rubber〕자성의 금속 분말(金屬粉末)로 가공된 합성 고무.

자성 광:상【磁性鑛床】명〖광〗자성을 띤 광상. 곧, 자철광·티탄(titan) 철광·자황철광(磁黃鐵鑛) 등 자성이 있는 광물을 함유하는 광상. 자기 탐사법(磁氣探査法)에 의하여 탐사할 수 있음.

자성-군【慈城郡】명〖지〗평안 북도의 한 군. 가장 북쪽에 위치하며 관내 6면. 동남은 후창군(厚昌郡), 남서는 강계군(江界郡)에 접하며, 북서는 압록강 건너 만주 통화 현(通化縣)과 대함. 콩·옥수수·삼·감자 등의 화전(火田) 경작과 양잠·목축이 성하며 산삼(山蔘)이 남. 군청 소재지는 자성(慈城). [1,806 km²]

〈자성기〉

자성-기【觜星旗】명〖역〗의장기(儀仗旗)의 한 가지.

자성 대:비【慈聖大妃】명〖사람〗조선 세조(世祖)의 비(妃). 판중추원사(判中樞院事) 윤번(尹璠)의 딸. 불교(佛敎)에 신앙심이 두터워 ≪금강경 삼가해(金剛經三家解)≫ 3백 본을 펴내고 ≪남명집(南明集)≫ 5백 본을 간행함. [1418-83]

자성-란【雌性卵】[―난] 명〖생〗난생(卵生) 동물·곤충의 알 중에서 자성인 알. ↔웅성란(雄性卵).

자성-록【自省錄】[―녹] 명 명상록(瞑想錄)❶.

자성 반:도체【磁性半導體】명〖전〗반도체적(半導體的)인 성질을 나타내는 강자성 화합물(强磁性化合物). 카드뮴 셀렌화(化) 크롬·황화 유로퓸(黃化europium)·셀렌화(化) 유로퓸 따위가 대표적임.

자성 발생【雌性發生】[―쌩] 명〔gynogenesis〕〖생〗수정(受精) 후, 웅성핵(雄性核)이 자성핵과 융합을 하지 않고, 자성핵만 있는 배(胚)를 발생하는 일.

자성 배:우자【雌性配偶子】명 대(大)배우자.

자성 본불【自性本佛】명〖불교〗본래부터 갖추어져 있는 고유(固有)한 불성(佛性). ㈜자성(自性).

자성 산화철【磁性酸化鐵】명 사산화 삼철(四酸化三鐵).

자성 생탄【雌性生誕】명 〖생〗 단위 생식(單爲生殖)의 결과 암컷만이 생기는 일. 진드기의 경우가 이에 속함. *웅성(雄性) 생탄·양성(兩性) 생탄.

자성 선숙【雌性先熟】명 〔protogyny〕 〖동〗 자웅 동체(雌雄同體)의 생물에서 먼저 자상(雌相)이 발달하고 뒤에 웅상(雄相)이 발달하는 현상. 그러나 실제로 최초의 자상에서 기능적인 암컷이 되는 예는 드묾. ↔웅성 선숙.

자성 유체【磁性流體】〔—뉴—〕명 〔magnetic fluid〕 〖물〗 강자성(強磁性)을 지니는 액체(液體). 올레산으로 코팅한 자철광(磁鐵鑛) 미립자(微粒子)를 물이나 유기 용매(有機溶媒) 속에 콜로이드상(狀)으로 현탁(懸濁)시킨 것.

자성 일가【自成一家】명 자기(自己) 스스로의 힘으로 일가(一家)를 이룩함. ¶그이는 그림으로써 ~하였다. *자수 성가(自手成家). ——-하다 자여불

자성 일촌【自成一村】명 자작 일촌(自作一村). ——-하다 자여불

자성 잉크【磁性—】〔ink〕명 자기(磁氣) 잉크.

자성 재료【磁性材料】명 자기적(磁氣的) 성질에 관하여 어떤 유용(有用)한 특징을 가지는 재료. 연(軟)자성 재료와 영구 자석(永久磁石) 재료로 크게 구별함. 연자성 재료는 변압기(變壓器)·발전기(發電機)·전동기(電動器)·통신용 부분품 등의 철심(鐵心)에 쓰이며, 영구(永久) 자석 재료는 스피커(speaker) 등의 무선(無線) 기계·소형 전동기·자석(磁石) 발전기·전류계·전압계·단전기(斷電器)·회로 절단기(回路切斷器) 등의 기계 부분품에 쓰임.

자-성제인【子誠齊人】명 〔제(齊)나라의 공손 축(公孫丑)이 관중(管仲)·안자(晏子)만을 장한 줄 알고 있으므로 맹자(孟子)가 그에게 '자네는 참 제나라 사람이로다'라고 말한 고사에서 유래〕 견문이 좁고 고루한 사람을 이르는 말.

자성 진여【自性眞如】명 〖불교〗 자성은 불변 불멸(不變不滅)하여 절대적인 진리라는 뜻.

자성-체【磁性體】명 〖물〗 자기계(磁氣界)에 놓으면 자기화(化)하는 물체. 거의 모든 물질은 정도의 차는 있어도 다소 이 성질을 지니고 있는데, 그 자기화하는 상태에 따라 상(常)자성체·반(反)자성체·강(強)자성체·반 강(反強)자성체 등으로 분류됨.

자성 타일【磁性—】〔tile〕명 자기질(磁氣質)로 된 타일.

자성 호르몬【雌性—】명 〔female sex hormone〕 〖생〗 여성(女性) 호르몬.

자세[1]【子細·仔細】명 주의가 썩 잔 것에까지 속속들이 미치어 빠짐이 없음. ¶~한 이야기. *자상·상세·세밀·상밀. ——-하다 형여불. ——-히 부 ¶~ 설명하다.

자세[2]【姿勢】명 ①몸을 가진 모양과 그 태도. ¶앉은 ~. ②(비유적으로) 사물을 대할 때 가지는 마음가짐이나 태도. ¶ 학문하는 ~.

자:세[3]【藉勢】명 자기나 남의 세력을 빙자하여 의지함. ¶없던 놈이 돈푼이나 생기니까 ~가 여간 아냐. ——-하다 자여불

자세 자이로【姿勢—】명 〔attitude gyro〕 〖항공〗 기준 좌표계(座標系)에 대해서 항공기나 우주선의 비행 자세를 나타내는 자이로로 구동(驅動)되는 장치.

자세 제:어【姿勢制御】명 〔attitude control〕 〖항공〗 ①우주선이나 인공위성 등이 우주 공간 속에서 자기의 자세를 정확하게 정하는 일. ②특히 조종사가 없는 항공기의 비행 자세를 자동적으로 제어, 수정하는 장치.

자세 제:어 로켓【姿勢制御—】〔rocket〕 명 〔thruster〕 〖항공〗 우주선에 사용되는 제어 제트(制御 jet). 과산화 수소를 쓰는 것도 있음.

자:-세포【刺細胞】명 〔thread cell〕 〖동〗 유자포 아문(有刺胞亞門)의 강장(腔腸) 동물의 촉수(觸手)에 있는 특유한 세포. 속에 독즙(毒汁)과 나선상(螺線狀)의 자사(刺絲)가 있어서, 외부의 자극에 따라 자사가 돌출(突出)하여 독액(毒液)을 내쏨. 해파리는 이것으로 몸을 지키고 먹이를 잡음. 자포(刺胞). 바늘 세포.

자모(刺母)
자사
세포핵
〈자세포〉

자소[1]【字小】명 작고 연약(軟弱)한 사람을 사랑하여 어루만짐. ——-하다 타여불

자소[2]【自少】명 ↗자소시(自少時).

자소[3]【自訴】명 자기 스스로가 자기의 죄를 고소(告訴)함. *자수(自首). ——-하다 자여불

자소[4]【自疏】명 자기 변명을 함. ——-하다 타여불

자:소[5]【紫蘇】명 ①〖식〗 차조기. ②〖한의〗 소엽(蘇葉).

자:소-당【紫蘇糖】명 〖화〗 청자소(靑紫蘇)의 정유(精油) 주성분인 페릴알데히드(Perillaldehyde)의 유도체(誘導體). 공업적으로는 테르펜(terpene)계 탄화 수소로서 합성함. 흰 결정(結晶)으로 되었으며, 자당(蔗糖)의 2,000배의 감미도(甘味度)를 가졌음. 가열(加熱)하면 승화(昇華)하므로 담배의 감미료(甘味料)로 쓰임.

자:소-동【紫蘇銅】명 〖광〗 '반동광(斑銅鑛)'의 일컬음. 신선한 면(面)이 공기(空氣)에 닿으면 변색(變色)하여 자홍색(紫紅色)이 되는 데서 이 이름이 있음.

자소-로【自少—】부 ↗자소 이래(自少以來)로.

자소-시【自少時】명 어렸을 때. 준자소(自少).

자:소-음【紫蘇飮】명 〖한의〗 자현증(子懸症)에 쓰는 탕약.

자소 이:래로【自少以來—】부 젊고 어렸을 때로부터 이제까지. 준자소(自少)로.

자소작-농【自小作農】명 〖농〗 소작 겸 자작농 및 자작 겸 소작농의 병칭(竝稱).

자:소-주【紫蘇酒】명 소주(燒酒)에 차조기·계피·회향(茴香) 등을 짜낸 물을 탄, 향미(香味) 있는 음료(飮料).

자:소-죽【紫蘇粥】명 차조기 잎을 곱게 찧어 낸 즙(汁)에 찹쌀을 넣고 쑨 죽.

자:소 휘석【紫蘇輝石】명 〔hypersthene〕 〖광〗 사방 정계(斜方晶系)에 속하는 광물로서, 사방 휘석(斜方輝石)의 하나. 흔히 가늘고 긴 기둥 모양을 하고 있는데, 빛은 육안(肉眼)으로는 암녹갈색(暗綠褐色)으로부터 흑색, 현미경으로는 다색성(多色性)이 강하여 담녹색으로부터 담갈색으로 변하여 보임. 화성암·변성암 또는 운석(隕石) 등에서 나는데, 사방 휘석 중 가장 보편적인 종류임.

자속【磁束】명 〖물〗 자기력선속(磁氣力線束).

자속-계【磁束計】명 〔flux meter〕 〖물〗 자속을 측정하는 계기. 특수한 전류계(電流計)에 탐색(探索) 코일을 접속하고, 코일을 자기장(磁氣場)에서 뽑아내어 측정함.

자속 밀도【磁束密度】〔—또〕명 〖물〗 자기력선속(磁氣力線束) 밀도.

자손【子孫】명 ①아들과 손자. ②아들·손자·증손·현손 및 후손(後孫). ③후손(後孫). 조윤(祚胤).

자손-계【子孫計】명 자손을 위하여 하는 계획. 자손업(子孫業).

자손 만:대【子孫萬代】명 자자 손손(子子孫孫).

자손-서【子孫瑞】명 월경이 처음으로 통함.

자손 손:타【自損損他】명 〖불교〗 자장 장타(自障障他).

자손 신신【子孫詵詵】명 자손이 많음. ——-하다 형여불

자손-업【子孫業】명 자손계(子孫計).

자손 퇴:화의 법칙【子孫退化—法則】〔—/—에—〕명 〖생〗 골턴(Galton)의 법칙.

자손 행위【自損行爲】명 〖법〗 법익(法益)의 주체가 스스로 자기의 법익을 침해하는 행위. 원칙으로 위법은 아니나 자기 소유의 가옥에 방화(放火)하는 등, 타(他)에 영향을 미치는 경우에는 범죄가 됨. 또, 병역(兵役)을 기피할 목적으로 신체 훼손(身體毁損)을 할 경우에는 특별한 범죄를 구성함.

자송【自訟】명 자책(自責). ——-하다 자여불

자수[1]【子嗽】명 〖한의〗 임신(妊娠)한 부인이 감기에 걸려서 늘 기침이 나는 병.

자수[2]【自水】명 자기가 스스로 물에 빠져 죽는 일. ——-하다 자여불

자수[3]【自手】명 자기의 손. 자기 혼자의 노력, 또는 힘. ¶~ 성가(成家). *자성 일가(自成一家).

자수[4]【自守】명 행실이나 말을 스스로 조심하여 지킴. ——-하다 타여불

자수[5]【自首】명 〖법〗 죄를 범한 사람이 자진(自進)하여 검사·사법 경찰관 등 범죄 수사 기관에 대하여 자기의 범죄 사실을 신고(申告)함으로써 그 소추(訴追)를 구하는 일. 일반적으로 형의 감경 이유(減輕理由)가 됨. 자현(自現). ¶~ 기간. *자복(自服). ——-하다 자여불

자수[6]【自修】명 스스로 몸이나 학문을 닦음. ——-하다 타여불

자수[7]【字數】〔—쑤〕명 글자의 수. 문자수(文字數).

자:수[8]【刺繡】명 수(繡)를 놓음. 또, 그 수. *수자(繡刺). ——-하다 자여불

자:수[9]【紫綬】명 〖역〗 정삼품(正三品) 당상관(堂上官) 이상의 관원이 차던 호패(號牌)의 자색 술.

자수[10]【觜宿】명 〖천〗 자성(觜星).

자수[11]【髭鬚】명 입 위의 수염과 턱 아래의 수염.

자수 감:등【自首減等】명 〖법〗 자수 경감(自首輕減).

자수 감:면【自首減免】명 〖법〗 자수하여 형의 감경(減輕)·면제(免除)를 받는 일.

자수 경감【自首輕減】명 〖법〗 자수한 죄인의 형벌을 감하여 주는 일. 자수 감등(自首減等).

자수-궁【慈壽宮】명 〖역〗 조선 광해군(光海君) 8년(1616)에 인왕산(仁旺山)의 왕기설(王氣說)을 누르기 위하여 지은 궁궐(宮闕). 서울 특별시 종로구(鍾路區) 옥인동(玉仁洞)에 있던 것으로 추측되는 이 궁궐은 인조(仁祖) 원년(1623)에 헐리고 자수원(慈壽院)이란 이름의 이원(尼院)이 세워졌는데, 한때는 5,000명의 여승(女僧)이 있던 국내 최대의 것이었고, 그 후 현종(顯宗) 때 여승들의 폐단이 심하여 동왕 2년(1661)에 폐지되었음.

자수 기가【自手起家】명 자수 성가. ¶소시 때부터 장사하기로 위업하여 ~한 터이라《李海朝 : 鴛鴦圖》.

자수 농업【自手農業】명 자기 스스로의 힘으로 경영하는 농업.

자수-로【自手—】부 제 손으로.

자-수립【自樹立】명 제 힘으로 일의 기초(基礎)나 공(功)을 세움. ——-하다 타여불

자수-범【自手犯】명 〖법〗 정범자(正犯者) 자신의 직접적인 실행 행위(實行行爲)를 필요로 하는 범죄. 위증죄(僞證罪)·간통죄(姦通罪) 등이 이에 해당함.

자수 법락【自受法樂】〔—낙〕명 〖불교〗 부처가 그 광대한 깨달음의 경지(境地)에서 일어나는 즐거움을 스스로 향수(享受)하는 일.

자수 삭발【自手削髮】명 ①제 손으로 자기의 머리털을 깎음. ②제 스스로의 힘으로 어려운 일을 감당함의 비유. ¶이만 일에 남의 손 빌릴 것이 무엇 있나? ~로 내 일은 내가 하지《作者未詳 : 홍도화》. ③〖불교〗 제 뜻에서 머리를 깎고 중이 됨. ——-하다 자여불

〔자수 삭발 못한다〕 남의 도움 없이 제 혼자의 힘만으로는 살아가기 어렵다는 말.

자수-서【自首書】명 자수하는 내용을 적은 서면.

자수 성가【自手成家】명 물려 받은 재산이 없는 사람이 자기의 힘으로

한 살림을 이룩함. ——-하다 (자)(여불)

자-수용【自受用】(명)〖불교〗부처가 그 깨달음의 즐거움을 스스로 수용(受用)하는 자리(自利)의 면(面)을 이름. ↔타수용(他受用).

자수-자【自首者】(명) 자수한 사람.

자수-장【刺繡匠】(명) 견직물에 색실로 수를 놓는 일을 업으로 삼는 장인(匠人). 중요 무형 문화재 제 80 호.

자:-수정【紫水晶】(명)〖광〗자색 수정. 자석영(紫石英). 애머시스트(amethyst).

자:수-틀【刺繡—】(명) 수틀.

자:수-품【刺繡品】(명) 수를 놓아 만든 수예품.

자수-하다【自—】(자)(여불)〈속〉자살(自殺)하다.

자숙【自肅】(명) 몸소 삼감. ¶자성(自省) ~. ——-하다 (자)(여불)

자숙 자계【自肅自戒】(명) 스스로 삼가고 경계함. ——-하다 (자)(여불)

자:순【諮詢】(명) 웃사람이 아랫 사람에게 의논함. ¶일본 가 있던 김참서가 국제상 ~하실 일이있어 급히 건너오라시는 소명을 봉승하고…≪作者未詳 : 홍도화≫. ——-하다 (타)(여불)

자술리치〔Zasulich, Vera Ivanovna〕(명)〖사람〗러시아의 여성 혁명가. 일찍부터 나로드니키(narodniki) 운동에 가담, 1883년 플레하노프(Plekhanov)와 함께 노동 해방단(勞動解放團)을 조직하여 러시아 마르크스주의(Marx 主義) 창시자의 한 사람이 됨. 1903년 플레하노프와 같이 멘셰비키(Mensheviki)에 속하여 혁명 운동(革命運動)에서 탈락하였음. [1849-1919]

자술-서【自述書】[—써] (명) 형사 피의자가 혐의 내용에 대하여 스스로 진술하여 적은 서면.

자슬【慈膝】(명)〔자애로운 무릎이라는 뜻〕부모의 슬하를 일컫는 말.

자습【自習】(명) 제 스스로 배워 익힘. ——-하다 (타)(여불)

자습-서【自習書】(명) 제 스스로 배워 익힐 수 있게 만든 책. 자습책. 자학서(自學書). ¶국어 ~. *참고서.

자습-책【自習册】(명) 자습서.

자승[1]【自乘】(명)〖수〗'제곱'의 구용어. ——-하다 (타)(여불)

자승[2]【自勝】(명) ①제 스스로 남보다 나은 줄로 여김. ②사욕(私慾)을 제지(制止)함. ——-하다 (자)(여불)

자승-근【自乘根】(명)〖수〗'제곱근'의 구용어.

자승-멱【自乘冪】(명)〖수〗'제곱멱'의 구용어.

자승-법【自乘法】[—뻡] (명)〖수〗'제곱법'의 구용어.

자승-비【自乘比】(명)〖수〗'제곱비'의 구용어.

자승-수【自乘數】[—쑤] (명)〖수〗'제곱수'의 구용어.

자승 우:승【自乘又乘】(명) 제곱또곱. ——-하다 (타)(여불)

자승 자박【自繩自縛】(명) ①〔제 줄로 제 몸을 옭아 묶는다는 뜻〕제가 쓴 마음씨나 언행(言行)으로 말미암아 제 자신이 행동의 자유를 갖지 못하는 일. ②〖불교〗제 마음으로 번뇌(煩惱)를 일으키어 괴로워하는 일. ——-하다 (자)(여불)

자승지-벽【自勝之癖】(명) 자기가 남보다 나은 줄로 여기는 버릇.

자시[1]【子時】(명)〖민〗①십이 시(十二時)의 첫째 시. 곧, 밤 열한 시로부터 오전(午前) 한 시까지의 동안. ②이십사 시(二十四時)의 첫째 시. 곧, 오후(午後) 열 한 시 반으로부터 오전 영(零) 시 반까지의 동안. (준) 자(子). *시(時).

자시[2]【自恃】(명) ①무슨 일이 그러하려니 하고, 저 혼자 속으로 믿고 겉에 드러냄. ②저의 능력과 값어치를 스스로 믿음. *자부(自負)·자신(自信). ——-하다 (타)(여불)

자시[3]【自是】(명) 제 의견만 옳은 것으로 여김. ——-하다 (자)(여불)

자:시[4]【痄腮】(명)〖한의〗볼거리. 「村宿」≪朴解 上 65≫.

자시다[1] (타)〈옛〉주무시다. ¶오늘 황촌이라 홀 짜해 가 자시고(今日到黃

자:시다[2] (타) '먹다'의 경칭. *잡수다.

[자시오 할 땐 마다더니 처먹어라 해야 먹는다] 좋은 말로 말할 때는 듣지 아니하다가 나중에 말이 거칠어져야 듣는다는 말.

자시 미사【子時彌撒】(명)〖천주교〗성탄 대축일 미사 가운데, 자시, 곧 밤 12 시에 드리는 미사.

자:시-봉【紫柴峰】(명)〖지〗평안 남도 영원군(寧遠郡) 소백면(小白面)에 있는 산. [1,419 m]

자시-수【子時水】(명)〖민〗자시에 우물물을 마시는 일. 또, 그 물. 이것을 마시면 특별한 영험(靈驗)이 있다고 함.

자시지-벽【自是之癖】(명) 자기 의견만이 옳은 줄로 여기는 버릇.

자-시하【慈侍下】(명) 아버지는 죽고 어머니만 모시고 있는 처지. ↔엄시하(嚴侍下).

자식[1]【子息】(명) ①아들과 딸의 총칭(總稱). ②'놈'보다 낮추어 욕하는 말. ¶나쁜 ~.

【자식 겉 낳지 속은 못 낳는다 ; 자식 겉 낳지 속 낳지 않는다】㉠자기가 낳은 자식일지라도 그 마음까지는 알 수 없다는 말. ㉡자식이 좋지 못한 생각을 품어도 그것은 부모의 책임이 아니라는 말. ㉢자식도 자기의 주견에 따라 살아가는 것이 당연하다는 말. 【자식 둔 골은 호랑이도 돌아본다】짐승도 새끼를 사랑하는 정(情)이 이와 같으니, 사람은 더 말할 나위도 없다는 뜻. 【자식 둔 부모는 알 둔 새와 같다】부모는 항상 자식의 신변을 걱정한다는 말. 【자식은 내 자식이 커 보이고 벼는 남의 벼가 커 보인다】자식은 내 자식이 좋게 보이나 재물은 남의 것이 탐난다는 말. 【자식은 오복(五福)이 아니라도 이는 오복에 든다】이가 건강한 것은 큰 복이라는 말. 【자식은 쪽박에 밤 주워 담듯하다】빈한(貧寒)한 가정에서 자식이 많아 좁은 방에 들어앉은 것이 마치 쪽박에 밤을 담아 둔 것과 같다는 뜻. 【자식이 자라면 상전 된다】㉠제 자식이라도 다 자란 다음에는 어거하기 힘들다는 말. ㉡옛날에, 여자가 늙어서 과부가 되면, 자식에게 매여 살게 된다는 말. 【자식 죽는 건 봐도 곡식 타는 건 못 본다】가뭄에 시달리는 농작물을 보고 안타까워하는 것을 이르는 말.

자식을 보다 (구) 자식을 가지게 되다. 자식을 낳다.

자식[2]【孳息】(명) 번식(繁殖)하여 붙어남. ——-하다 (자)(여불)

자식[3]【滋殖】(명) 불리어서 늘림. ——-하다 (타)(여불)

자식 농사【子息農事】(명)〈속〉자식을 낳아 기르는 일을 농사를 지어 곡식을 거두는 일에 비긴 말.

자식 새끼【子息—】(명)〈속〉자식[1]❶.

자식 작용【自食作用】(명)〔autophagy〕〖생〗세포 안에서 자기 소화(自己消化)의 과정(過程)을 이르는 말.

자신[1]【自身】(명) 자기. 자체(自體).

자신[2]【自信】(명) 자기의 능력이나 가치를 스스로 믿음. 스스로 믿는 바가 있음. 자기의 행위나 생각을 믿어 의심하지 아니함. ¶~ 만만. *자부(自負)·자시(自恃). ——-하다 (타)(여불)

자신[3]【自新】(명) 제 스스로 새롭게 함. 개과 천선(改過遷善)함. ——-하다 (자)(여불)

자신-감【自信感】(명) 어떤 일을 함에 있어, 스스로의 능력을 믿는 든든한 느낌.

자신 결핍성 정신병질【自信缺乏性精神病質】[—뻥—] (명)〖의〗불안과 불완전감에 사로잡혀 강박(強迫) 신경증을 일으키거나, 다정 다감하여 심적(心的) 갈등을 일으키기 쉽고, 체험 내용이 늘 마음 속에 정체(停滯)하여 있는 정신병질의 한 유형.

자신 대:부【資信大夫】(명)〖역〗조선 시대 때 종삼품 종친(宗親)의 품계. 말기에 같은 위계(位階)인 동반(東班)의 중훈(中訓) 대부가 됨. *보신(保信) 대부.

자신-력【自信力】[—녁] (명) 자신하는 힘.

자신 만:만【自信滿滿】(명) 아주 자신이 있음. ——-하다 (형)(여불). ——-히 (부)

자신 방:매【自身放賣】(명) 스스로 몸을 팔아 남의 종이 됨. ——-하다 (자)(여불)

자신-불【自身佛】(명)〖불교〗즉신 성불(卽身成佛).

자신지-책【資身之策】(명) 한 몸의 생활을 꾀하는 일. 또, 그 꾀.

자신 출두【自身出頭】[—뚜] (명) 어떤 곳에 남을 대신 보내지 않고, 몸소 나감. ——-하다 (자)(여불)

자실[1]【子室】(명) ①〖생〗난소(卵巢). ②〖식〗씨방(子房).

자실[2]【自失】(명) 자기 자신(自身)을 잊고 멍하니 있음. ¶망연(茫然) ~. ——-하다 (자)(여불)

자실-체【子實體】(명)〔fruit body〕〖식〗균류(菌類)의 포자(胞子)를 만드는 기관(器官). 변형균(變形菌)에 있어서는 변형체(變形體)의 농도(濃度)가 증가하여 점액 괴상(粘液塊狀)으로 되어 각상 돌기(角狀突起)를 내어서 포자낭(囊)이 집합(集合)한 자실체를 이루며, 진균류(眞菌類)에 있어서는 균사(菌絲)의 선단(先端)의 자낭(子囊)을 다른 균사가 둘러 감은것이으로서 특히 자낭과(子囊果)라고 함. 자낭체(子囊體). 홀씨 기관(器官).

자실-층【子實層】〔hymenium〕(명)〖식〗균류(菌類)의 자실체(子實體)에 자낭(子囊) 또는 담자기(擔子器)가 나란히 층상(層狀)으로 된 부분. 버섯에서는 갓의 이면에 있는 주름을 이름.

자심[1]【滋甚】(명) 점점 더 심함. ¶어려움이 ~하다. ——-하다 (형)(여불). ——-히 (부)

자심[2]【慈心】(명) 자비로운 마음. 자비심.

자심 기억 장치【磁心記憶裝置】(명)〔magnetic core memory〕〖컴퓨터〗자기 코어를 가로세로 배열해 놓은 코어 판(板)으로 구성한 기억 장치. 60 년대와 70 년대에 컴퓨터의 주(主)기억 장치로 널리 사용되었으나 근래에는 반도체 기억 장치로 대체되어 거의 사용되지 않음.

자싱〔嘉興〕(명)〖지〗중국 저장 성(浙江省) 동북부의 도시. 양쯔 강 델타의 중심에 위치한 수륙 교통의 요지. 후항 철도(滬杭鐵道)에 연하여 있음. 견직물 등의 수공업(手工業) 외에, 화학 비료·농기구·식품 공업이 발달함. 가흥. [약 100,000 명(1984)]

자씨[1]【姉氏】(명) 남의 손윗 누이의 경칭. *매씨(妹氏).

자씨[2]【慈氏】(명)〖불교〗↗자씨 보살(慈氏菩薩).

자씨 보살【慈氏菩薩】(명)〖불교〗'미륵 보살'의 이칭(異稱).

자씨-존【慈氏尊】(명)〖불교〗'미륵 보살'의 경칭.

자아【自我】(명)〔라 ego〕①자기. 자기 자신. ②〖철〗대상(對象)의 세계와 구별된 인식·행위의 주체이며, 또한 체험 내용이 변화하여도 동일성(同一性)을 지속하여, 작용·반응·체험·사고(思考)·의욕의 작용을 하는 의식(意識)의 통일체. 나. ↔비아(非我). ③〖심〗자기에 대한 의식(意識). 주로 육체와 떼어 놓고, 심리적·정신적인 뜻으로 사용되며, 정신 분석에서는 인간의 행동을 현실에 적응시키는 것으로 규정하고 있음. 이것은 유아기(乳兒期)에 자각되기 시작하는데, 청년기에 가서 확립된다고 함.

자아감 상실【自我感喪失】(명)〔depersonalization〕〖심〗생각·행동 등에 자아 소속감(所屬感)이 상실되어 있는 일. *자아 소속감.

자아 관여【自我關與】(명)〔ego-involvement〕〖심〗자기의 행동에 자아 태도가 포함되어 있는 일. *자아 태도.

자아 구속【自我拘束】(명)〖심〗위험(危險)이나 불쾌감을 느끼는 상황을 의식적으로 피함으로써, 불안으로부터 도피하려는 일종의 방위 기제(防衛機制).

자아-내다 (타) ①기계의 힘으로 실을 잇따라 뽑아 내다. ¶솜에서 실을 ~. ②기계의 힘으로 액체(液體) 또는 기체(氣體)를 잇 따라 흘러나오게 하다. ③느낌이나 일이나 말을 끄집어서 일으켜 내다. ¶슬픔을 ~/동정심을 ~.

자아론-적【自我論的】(명)(관)〖윤〗타인의 주관성의 기능(機能)에 관한 모든 것을 배제(排除)하고, 오직 자아의 주관성에 고유한 의식 영역만 가지고 따지는 모양.

자아-류【自我流】명 자기 자신이 가지고 있는 독특한 경향. 자기류(自己流).

자아 방위성【自我防衛性】[—썽] 명 [ego-defensiveness]〖심〗욕구(慾求)가 만족되지 아니할 때 욕구의 만족을 구하지 아니하고 남이 나쁘다든가, 자기가 나쁘다든가, 아무렇지도 않다든가 하는 생각을 합리화(合理化)시켜 자기의 자랑·자신(自信)·자존심(自尊心) 등이 해(害)를 입지 아니하도록 방위(防衛)하는 일. 억지로 욕구를 관철(貫徹)하려는 욕구 고집성에 상대(相對)되는 말로서, 독일의 철학자 로젠츠바이크(Rosenzweig, Franz: 1886-1929)가 주창하였음.

자아 본능【自我本能】명 [ego-instinct]〖심〗프로이트(Freud)의 용어로, 외계(外界)를 지배(支配)하고 외부의 위험(危險)에서 자기를 지키려는 본능.

자아 분열【自我分裂】명〖심〗자의식(自意識) 과잉(過剩)의 한 형태(形態)로서 일어나는 분열감(分裂感). 자아 확립(自我確立)에 상대하여 일컫는 말.

자아 비:판【自我批判】명 자기 비판.

자아 소:속감【自我所屬感】명 [프 sentiment d'appropriation au moi]〖심〗자기의 생각·감정·행위 등이 자기에게 속해 있다고 하는 느낌. *자아감 상실(自我感喪失).

자아시-로【自兒時—】부 어린 아이 때부터 지금까지.

자아 실현【自我實現】명 [도 Selbstverwirklichung]〖윤〗자아의 본질의 완성(完成)·실현을 도덕의 궁극 목적(窮極目的)인 최고선(最高善)으로 삼는 완전설(完全說)의 주장. 영국의 그린(Green, T.H.)의 초시공적(超時空的)인 보편적 절대아(絕對我)의 실현 등이 그것임. 자기 실현. 자아 실현설(說).

자아 실현설【自我實現說】명〖윤〗자아 실현.

자아-올리다 타 기계의 힘으로 물을 빨아올리다. ¶ 펌프로 우물물을 ~.

자아 의:식【自我意識】명〖심〗자의식(自意識).

자아-주의【自我主義】[—/—이] 명 에고티즘(egotism).

자아 중심적 상태【自我中心的狀態】명 [egocentrism]〖심〗다른 사람을 안중(眼中)에 두지 않고, 자기 자신을 중심으로 모든 정신 생활이나 행동을 영위하는 상태.

자아 태:도【自我態度】명 [ego-attitude]〖심〗인간의 행동에는 흔히 '나의 책임'·'내가 할 일' 등의 의식(意識)이 따르게 되며, '나의 혈육'·'나의 집' 등의 태도가 보이기도 하는데, 이처럼 '나'를 생각하는 태도를 일컫는 말. *자아 관여.

자아-틀 명 윈치(winch).

자안[1]【自按】명 스스로 안찰함. ——-하다 타여불

자안[2]【字眼】명 시문(詩文) 가운데서 안목(眼目)이 되는 가장 중요(重要)한 글자.

자안[3]【滋案】명 일의 안건(案件)이 점점 불어서 답쌓이는 일.

자안[4]【慈眼】명〖불교〗중생(衆生)을 자비롭게 보는 관음 보살(觀音菩薩)의 눈.

자암-증【子瘖症】[—쯩] 명〖한의〗임신 중, 임신부(妊娠婦)가 벙어리가 되는 병.

자암-체【自庵體】명 [자암(自庵)은 이 서체(書體)를 잘 쓴 김구(金絿)의 호(號)] 글씨체의 하나인 인수체(仁壽體)의 딴이름.

자애[1] 명 〈방〉 자새.

자애[2]【自愛】명 ①제 몸을 스스로 아끼고 사랑함. ¶ 자중(自重) ~하시길. ②행동을 삼감. 품행(品行)을 바르게 함. ③[self-love]〖윤〗자기 보존(保存)·자기 주장(自己主張)의 본능(本能)에 따르는 감정(感情). ——-하다 자여불

자애[3]【慈愛】명 아랫사람에게 베푸는 도타운 사랑. 인애(仁愛). ¶ 부모의 ~.

자애-롭다【慈愛—】형ㅂ불 자애를 드러내는 태도(態度)가 있다. ¶ 자애로운 눈. 자애-로이【慈愛—】부

자애-심[1]【自愛心】명 자기를 사랑하는 마음. 이기심(利己心).

자애-심[2]【慈愛心】명 자애로운 마음. 자비심.

자애-주의【自愛主義】[—/—이] 명〖윤〗이기주의(利己主義)❶.

자애지-정【慈愛之情】명 자애로운 마음.

자액[1]【自縊】명 [←자의(自縊)] 스스로 목매어 죽음. 자경(自剄). ——-하다 자여불

자액[2]【滋液】명 자양미(滋養味)가 있는 액체. 단 맛이 있는 액체.

자야【子夜】명 한밤중인 자시(子時)의 일컬음. 삼경(三更).

자야 오가【子夜吳歌】명 중국 진(晉)나라의 자야(子夜)라는 여인이 지은 가곡(歌曲)의 제명(題名). 이 곡에 따라 시인(詩人)들이 지은 노래가 악부 시집(樂府詩集)에 자야가(子夜歌)·자야 사시가(子夜四時歌)로서 117 수가 전해짐.

자약[1] 명〖식〗←작약(芍藥).

자약[2] 명 〈옛〉 조약돌. =즈역. ¶ 자약(渣子) ≪漢淸 XII:11≫.

자약[3]【自若】명 큰일을 당해도 당황함이 없이 기색이 평상시와 같고 침착함. 자여(自如). ¶ 태연(泰然) ~. ——-하다 형여불

자약[4]【自藥】명 자기가 조제한 약. 자가제(自家製)의 약.

자약-손【子若孫】명 자여손(子與孫).

자양[1]【字樣】명 글자의 모양. 자체(字體).

자양[2]【自養】명 [autotrophism]〖생〗독립 영양. ↔타양(他養).

자양[3]【滋養】명 몸의 영양(營養)을 붇게 함. 또, 그런 음식. ¶ ~분(分). ——-하다 타여불

자양[4]【慈養】명 자애로써 양육함. ——-하다 타여불

자양 관:장【滋養灌腸】명〖의〗자양액을 항문(肛門)으로 주입(注入)하여 대장벽(大腸壁)에서 흡수시키는 일. 입으로 음식물을 섭취하기가 곤란한 때 또는 위장의 상부를 완전히 안정(安靜)시키기 위하여 음식을 전폐하는 경우 같은 때에 쓰임.

자양-당【滋養糖】명 맥아당 제제(麥芽糖製劑)의 하나. 등량(等量)의 호정(糊精)과 맥아당에 2%의 식염과 극소량(極少量)의 산성 석회염류(酸性石灰塩類)를 섞은 것. 소화 불량증(消化不良症)·유아의 설사 등을 치료하는 데 씀.

자양-률【滋養率】[—뉼] 명〖생〗생물의 종류·연령·노동의 여하에 따라 섭취하는 자양분의 비율.

자양-물【滋養物】명 자양분이 많은 음식물. 자양품(滋養品).

자양-분【滋養分】명 자양이 되는 성분. 양분(養分). ¶ ~을 섭취하다. *영양분(營養分).

자양-액【滋養液】명 자양분이 많이 들어 있는 액체.

자양-약【滋養藥】[—냑] 명〖약〗자양제(滋養劑).

자양-제【滋養劑】명〖약〗영양소를 풍부하고도 소화(消化)하기 쉬운 형태로 포함하고 있는 약제. 영양소의 종류에 따라 단백 제제(蛋白製劑)·지방 제제·당질(糖質) 제제·비타민 제제가 있으며, 주로 소화 불량(消化不良)이나 소화 기관(消化器官)의 감손(減損), 식욕 부진(食慾不振) 증상에 의하여 급속히 영양의 보급(補給)을 요하는 경우나 소아(小兒)의 영양에 쓰임. 자양약.

자양-품【滋養品】명 자양물(滋養物).

자:양-화【紫陽花】명〖식〗팔선화(八仙花). 수국(水菊).

자어【紫籞】명 궁궐(宮闕).

자억【自抑】명 자기 스스로를 억제하는 일. ——-하다 타여불

자언【自言】명 제 말을 제가 함. ——-하다 타여불

자업 자득【自業自得】명 자기가 저지른 일의 과보(果報)를 자기 자신(自身)이 받는 일. 자업 자박(自業自縛). 자작 자수(自作自受). ——-하다 자여불

자업 자득과【自業自得果】명〖불교〗자업 자득에 의한 과보(果報).

자업 자박【自業自縛】명 자업 자득(自業自得). ——-하다 자여불

자-에【玆—】부 '여기에', '이에'의 뜻의 접속 부사(接續副詞). ¶ ~ 표창장을 수여함.

자여[1]【子輿】명 ①공자의 제자인 증 삼(曾參)의 자(字). 효행(孝行)으로 유명함. ②맹자(孟子)의 자(字).

자여[2]【自如】명 자약(自若). ——-하다 형여불

자여[3]【自餘】명 넉넉하여 저절로 남음. ——-하다 자여불

자여-손【子與孫】명 아들과 손자. 자약손(子若孫).

자여손-간【子與孫間】명 아들과 손자 사이.

자여-질【子與姪】명 아들과 조카. 자질(子姪).

자연[1]【自然】一명 [nature] ①산·강·바다·초목·동물·비·바람 등 인위에 의하지 않고 존재하는 것이나 현상. 저절로 그렇게 되어 있는 모양. 사람의 힘을 더하지 않은 천연(天然) 그대로의 상태. 진(眞). ↔인공(人工). ②인공 또는 인위(人爲)로 된 것으로서의 문화에 대하여, 인력에 의하여 변경(變更)·형성(形成)·규정(規整)됨이 없이, 저절로 되는 생성(生成)·전개(展開)에 의하여 이루어진 상태. ↔문화(文化)❸. 인공(人工). 인위(人爲). ③저절로 되는 생성(生成)·전개를 야기(惹起)시키는 본연(本然)의 힘으로서의 사물의 성질·본성·본질. 전체로서 볼 때의 근원적인 조화(造化)의 힘. ④조화의 힘에 의하여 이루어진 일체의 것. 곧 인간을 포함한 천지간(天地間)의 만물. 우주(宇宙). ⑤정신에 대하여 외적 경험(外的經驗)의 대상의 총체(總體). 곧 물체계(物體界)와 그 여러 가지 현상(現象). ⑥역사에 대하여 보편성(普遍性)·반복성(反復性)·법칙성(法則性)·필연성(必然性)의 입장에서 본 세계. ⑦자유·당위(當爲)에 대하여 인과적 필연(因果的必然)의 세계. ⑧자연계(界). ⑨일부 명사 앞에 쓰이어, '저절로 일어나거나 이루어짐'의 뜻. ¶ ~ 발생적. 二부 ↗자연히. ¶ 일이 ~ 그렇게 되다. ——-하다 형여불. ——-히 부 ¶ 상처가 ~ 아물다.

자연으로 돌아가라 구 사회의 인습(因襲)으로부터 벗어나 인간 본연(本然)의 무구(無垢)한 상태로 돌아가라는 뜻. 루소(Rousseau)가 한 말임.

자연은 비약(飛躍)하지 않는다 구 생물학자 린네의 말로, 자연은 한꺼번에 변화하는 것이 아니고 서서히 변한다는 말.

자연[2]【瓷硯】명〖공〗자기(瓷器)로 만든 벼루. 도연(陶硯).

자:연[3]【紫煙】명 ①담배 연기. ②보랏빛 연기.

자:연[4]【紫燕】명 보랏빛으로 보이는 제비. '제비'의 이칭(異稱).

자연 가격【自然價格】[—까—] 명〖경〗정상 가격(正常價格).

자연 가스【自然—】[gas] 명 천연 가스(天然 gas).

자연 가열【自然加熱】명 [spontaneous heating]〖화〗물질이 실온(室溫)에서 공기 중의 산소와 서서히 반응하는 일. 발생된 열이 방산(放散)하지 않고 축적이 되면, 가연물(可燃物)이 있을 경우 화재를 발생시킬 때도 있음.

자연 감:수【自然減收】명〖경〗①국민 소득의 감소나 물가의 하락 등에 의해 조세 수입이나 관업(官業) 수입 등의 재정 수입이 감소하는 일. ②농작물의 수확 따위가 저절로 줄어드는 현상. 1)·2):↔자연 증수(自然增收).

자연 감:정【自然感情】명 [feeling for nature]〖심〗인간의 대자연관(對自然觀)에 있어서의 감정. 근대적 인간에 있어서 잃어버린 자연에의 동경(憧憬), 자연 그대로의 자태(姿態) 등을 긍정(肯定)하는 애정(愛情) 등임.

자연 개:조【自然改造】명 기후·지형·지질 등의 자연을 인공적(人工的)으로 개조하는 일.

자연 개:조 계:획【自然改造計劃】 명 기후(氣候)·지형(地形)·토질(土質) 등 자연 조건이 불리한 지역을 근대 과학 문명을 이용하여 유용(有用)한 생산지로 개조하려는 계획. 지구 개조 계획.

자연 경관【自然景觀】 명〖지〗인공(人工)을 가하지 않은 자연의 경관. ↔문화 경관.

자연 경제【自然經濟】 명〔natural economy〕〖경〗①가족 단체 안에서의 생산·소비가 행하여지는 자족(自足) 경제를 이름. ②화폐(貨幣)로써 교역(交易)의 매개(媒介)로 삼지 아니하고 자급 자족(自給自足)이나 물물 교환(物物交換)에 의하여 수요(需要)를 충족시켰던 고대 경제 조직의 상태. 실물(實物) 경제. 현물(現物) 경제. ↔교환(交換) 경제·화폐(貨幣) 경제.

자연-계【自然界】 명 ①인간을 포함한 천지 만물(天地萬物)이 존재하는 범위. ②인간계(人間界)에 대하여 천체(天體)·산천 초목·동물 등 인간 사회를 둘러싼 자연의 세계. ③인간계·생물계와 구별된 물리적(物理的) 세계.

자연 공랭【自然空冷】〔—냉〕 명 주위의 공기에 의하여 기기(機器)를 자연적으로 냉각시키는 일. ↔강제(強制) 공랭.

자연 공물【自然公物】 명〖법〗천연(天然) 그대로의 상태로서 인간의 공용(公用)에 이바지할 수 있는 실체물(實體物). 하천(河川)·해변(海邊)·호소(湖沼) 등. ↔인공 공물(人工公物).

자연 공원【自然公園】 명 인공적인 시설 등을 많이 가하지 아니하고 자연 그대로의 풍경을 감상할 수 있는 공원. 국립 공원·도립 공원·군립(郡立) 공원이 있음.

자연-과【自然科】〔—꽈〕 명 국민 학교의 교과목의 하나. 일상 생활 속에 나타나는 자연 사물과 현상을 과학적으로 관찰하여 처리하는 능력을 기르는 데 그 목적이 있음.

자연 과학【自然科學】 명〔natural science〕자연 현상을 대상으로 하는 학문의 총칭. 협의로는 자연 현상 그 자체의 법칙을 탐구하는 수학·물리학·천문학·화학·생물학·지학(地學) 등을 이름. 광의(廣義)로는 그것들을 실생활에 응용함을 목적으로 하는 공학(工學)·농학·의학 등을 포함하는 경우도 있음. *정신 과학·역사 과학·문화 과학·인문 과학·사회 과학.

자연-관【自然觀】 명 자연에 대한 관념이나 견해. ¶유교적 ～.

자연 관찰【自然觀察】 명 자연의 법칙(法則)이나 현상(現象)을 살펴봄. ——-하다 재여변

자연-광【自然光】 명〔natural light〕〖물〗①램프·전구 등 인공적인 광원(光源)에서 발생하는 빛이 아닌 태양 광선, 구름의 반사광 등에 의한 빛. 자연 광선. ②어떤 특정한 방향으로 치우침이 없는 빛. 곧, 편광(偏光)이 아닌 빛. 가스체(gas體)로부터의 빛은 완전한 자연광임. ↔편광.

자연 광선【自然光線】 명〖물〗자연광❶.

자연-교【自然教】 명〖종〗자연 종교(自然宗教).

자연 교배【自然交配】 명〖생〗생물이 자연 본래의 방법으로 행하는 교배. ↔인공 교배.

자연 교잡【自然交雜】 명〖생〗서로 다른 속(屬)·종·아종(亞種)·변종 또는 품종에 속하는 개체가 자연 상태에서 교배하여 잡종을 만드는 일. ↔인공 교잡.

자연 국경【自然國境】 명〖법〗산·강·호수·바다 등 자연적 지세(地勢)에 의하여 정해진 국경. ↔약정(約定) 국경.

자연-권【自然權】〔—꿘〕 명〔natural rights〕〖법〗인간이 자연 상태에서, 나면서부터 가지고 있다고 하는 권리. 국가 이전에 존재하며 국가도 이를 침해할 수 없는 것으로 여겨짐. 기본적 인권. 천부 인권(天賦人權). 인권(人權).

자연-금【自然金】 명〖광〗천연적으로 단체(單體)의 상태로 산출되는 황금. 보통 은(銀)·구리 등의 불순물을 함유하고 금속 광택을 지니며 녹이 슬지 않음. 입상(粒狀)·모상(毛狀)·인상(鱗狀)·수지상(樹枝狀) 등을 이루고, 암석(岩石) 가운데 또는 하상(河床)의 자갈 가운데에 들어 있음.

자연 낙차【自然落差】 명〖물〗수차(水車)에 있어서의 급수면(給水面)과 방수면(放水面)과의 높이의 차. *유효(有効) 낙차.

자연 녹지【自然綠地】 명 물가·산림·들판 등의 녹지.

자연 단위 생식【自然單爲生殖】 명〖생〗자연계에서 일어나는 단위 생식. ↔인위(人爲) 단위 생식·인공(人工) 단위 생식.

자연 단음계【自然短音階】 명〔natural minor scale〕〖악〗단음계의 하나. 둘째 음과 셋째 음 사이, 다섯째 음과 여섯째 음 사이가 반음(半音)인 단음계. *단음계(短音階).

자연 대:류【自然對流】 명〖물〗부력(浮力)에 의한 대류. ↔강제(強制) 대류.

자연 대:수【自然對數】 명〔natural logarithm〕〖수〗'자연 로그'의 구용어.

자연 도태【自然淘汰】 명 '자연 선택'의 구용어.

자연 도태설【自然淘汰說】 명 '자연 선택설'의 구용어.

자연 도태의 만:능【自然淘汰—萬能】〔—/—에—〕 명 '자연 선택의 만능'의 구용어.

자연 독점【自然獨占】 명 사업의 성질상 누구나가 경영할 수 없는 결과로 사실 상 독점 이익을 향유(享有)하는 일.

자연 돌연 변:이【自然突然變異】 명〔spontaneous mutation〕〖생〗특이한 조건 없이 자발적으로 생기는 돌연 변이. 우발 돌연 변이. ↔인위적(人爲的) 돌연 변이.

자연-동【自然銅】 명 ①〖광〗천연적으로 단체(單體)의 상태로 산출되는 구리. 흔히 구리광상(鑛床)의 산화대(酸化帶)·사문암(蛇紋岩) 속에 수지상(樹枝狀)·인상(鱗狀)으로 존재하고, 표면은 변색하여 갈색·흑색·녹색을 띰. ②〖한의〗산골[1].

자연-력【自然力】〔—녁〕 명 ①자연계의 작용·능력. ②〖경〗생산 요소의 하나. 사람의 노력을 보조하는 자연의 힘. 곧, 풍력(風力)·수력(水力)과 같은 원시적 자연력과 증기력(蒸氣力)·전기력(電氣力)과 같은 유도적(誘導的) 자연력으로 나뉨.

자연 로그【自然—】 명〔natural logarithm〕〖수〗흔히 e로 표시하는 특정한 수(e=2.71828…)를 밑으로 하는 로그. 밑을 생략하여 log x로 쓰는 수가 많으며 이론적 연구(研究)에 쓰임. 그 발견자 네이피어(Napier, John; 1550-1617)의 이름을 따서 '네이피어 로그'라고도 함. 자연 대수(自然對數). *로가리듬.

자연-론【自然論】〔—논〕 명〖철〗자연에 관한 사고 방식 또는 견해. 과학 사상(科學思想)의 영역에서는, 생성 발전하는 유기적(有機的) 자연이라는 고대 그리스의 사고 방식, 신(神)의 피조물로 인간을 위해 존재한다고 하는 중세 기독교의 사고 방식, 기계론적 대상으로서의 무기적(無機的) 자연이라고 하는 근대의 사고 방식 등 셋으로 나뉨. 또, 동양에서는 무(無)에서 저절로 발생한 것이라는 노장적 사상(老莊的思想)과, 하늘에 의해 형성되는 삼라 만상이라는 유교적 자연관이 있음.

자연-림【自然林】〔—님〕 명 ①원시림(原始林). ②자연적으로 이루어진 수풀. ↔인공림(人工林).

자연-면【自然面】 명〖고고학〗본디면.

자연 면:역【自然免疫】 명〔natural immunity〕〖의〗사람이나 동물이 어떤 종류의 병원체(病原體)에 대하여 선천적(先天的)으로 가지고 있는 저항성. 선천성 면역. 유족(類族) 면역. ↔인공(人工) 면역·획득(獲得) 면역.

자연 모방【自然模倣】 명〖예〗예술에 있어서 자연을 모방하는 일.

자연-목【自然木】 명 산이나 들에 저절로 난 나무. 또는 가공하지 않은 자연 그대로의 목재.

자연 목적【自然目的】 명〔도 Naturzweck〕〖철〗칸트의 ≪판단력 비판≫에 쓰인 용어. 합목적(合目的)인 내부 구조를 가지는 자연물(物), 즉 유기체(有機體)를 가리킴.

자연 묘:사【自然描寫】 명〖문〗문학 작품 등에서 자연을 있는 그대로 묘사하는 일.

자연-물【自然物】 명 ①자연계에 존재하는, 인공을 가하지 아니한 유형물(有形物). ②생산물(生產物)의 재료를 공급하는 것. 곧, 금수(禽獸)·어류(魚類)·초목(草木)·광물(鑛物) 등. 천산물(天產物). 천연물(天然物). ↔인조물(人造物).

자연물 숭배【自然物崇拜】 명 자연 숭배(自然崇拜).

자연-미【自然美】 명〔beauty of nature〕①인위적(人爲的)이 아니고, 자연 그대로의 모습이 드러나는 미. ②〖예〗미학(美學)에 있어서, 인공적 예술미(藝術美)에 대하여, 자연적 소산(所產) 중에 표상(表象)되는 미. 산악(山岳)의 장엄·장관(壯觀)·소박, 바다의 원대(遠大)함 등. 천연미(天然美). 1)·2):↔인공미(人工美)·예술미(藝術美).

자연 미용【自然美容】 명 자연물을 사용한 피부 미용법. 클레이(clay) 미용이 그 대표적인 것으로, 미용에 쓰는 점토(粘土)에 올리브·레몬·딸기·흑사탕 등을 섞어 세안(洗顔)이나 팩(pack)에 사용하는 일.

자연 민족【自然民族】 명 강한 자연 조건에 지배되어 인공적(人工的) 문화가 뒤떨어진 민족의 총칭. ↔문화 민족.

자연 및 문화재 보:전 지역【自然—文化財保全地域】 명 국토 이용 관리법(國土利用管理法)에 따라, 국토 건설 종합 계획 심의회(國土建設綜合計劃審議會)와 국무 회의의 심의를 거쳐, 건설부 장관이 지정한 용도(用途) 지역의 하나. 자연 경관(自然景觀)·문화재·수자원(水資源) 등의 보전 및 관광·휴양의 목적으로 이용될 지역. 자연 환경 보전 지구·문화재 보전 지구·관광 휴양 지구·해안(海岸) 보전 지구·수산 자원 보전 지구로 세분(細分)됨. *유보 지역(留保地域).

자연 발생【自然發生】〔—쌩〕 명 ①자연 발생설. ②인위적인 계획이나 지도에 의하지 않고 발생함.

자연 발생설【自然發生說】〔—쌩—〕 명〔abiogenesis〕〖생〗생물 발생에 대한 한 고찰(考察). 무생물로부터 생물이 생겨나고, 갑(甲)이란 생물로부터 을(乙)이란 생물이 변생(變生)한다는 설(說). 아리스토텔레스 이래로 이 설이 믿어져 왔으나 파스퇴르에 이르러 부정됨. 자연 발생. 우연 발생.

자연 발생적【自然發生的】〔—쌩—〕 명관 자연적으로 발생하는 모양이나 성질. ¶～인 현상(現象)/～인 데모.

자연 발화【自然發火】 명〔spontaneous ignition〕〖물〗다른 것으로부터 직접 점화(點火)되지 아니하고, 대기(大氣) 중에서 물질이 자연적으로 연소하는 현상. 황린(黃燐)·인화(燐化) 수소 등 공기와 접촉하면 산화하기 쉬운 유기물이 점차 산소를 흡수하여 발열(發熱), 마침내 자연 발화 온도에 이르면 연소함. 자연 연소(自然燃燒).

자연 방:출【自然放出】 명〔spontaneous emission〕〖물〗어떤 여기(勵起)된 정상(定常) 상태의 원자 또는 분자가, 전자기장(電磁氣場) 등 외부의 섭동(攝動)과 관계없이 빛 곧 전자기파(電磁氣波)를 방출하여 다른 에너지가 낮은 정상 상태로 천이(遷移)하는 일. 자발적 방출.

자연 방해【自然妨害】 명〔natural interference〕〖전〗지구 상의 자연 현상에 의해서 일어나는 전자기 방해(電磁氣妨害). 또, 지구 대기권 밖의 자연 요란(擾亂)에 의한 전자기 방해.

자연 백금【自然白金】 명〖광〗천연(天然)으로 산출(產出)되는 백금광(鑛)의 주요 광석 광물. 소량(少量)의 금·구리·철·니켈 따위를 함유하기도 함. 등축 정계(等軸晶系)에 속하며, 빛은 담동회색(淡銅灰色)·은회색(銀灰色)을 띰.

자연-범【自然犯】 명〖법〗법규를 제정할 필요도 없이 어느 시대, 어느 사회에서든지 반사회적(反社會的)·반도덕적 행위로 규정하는 범죄.

살인·절도 등. 형사범(刑事犯). ↔법정범(法定犯).

자연-법【自然法】[—뻡] 명 ①『불교』 우주(宇宙) 그대로의 진여(眞如)한 제법(諸法). ②『철』 자연계의 일체의 사물을 지배한다고 보여지는 이법(理法). 자연 법칙. 자연율(律). ③〔라 jus naturale; 도 Naturrecht〕『법』 시대와 공간을 초월하여, 인위적(人爲的)이 아니고 인간의 자연적 성질에 바탕을 둔 보편적·항구적인 법률·규범. 성법(性法). ＊시민법(市民法)·실정법(實定法)·인정법(人定法)·인위법(人爲法).

자연법-론【自然法論】[—뻡논] 명〔도 Naturrechtslehre〕『법』 자연법이 모든 실정법(實定法)의 기반이 되어야 한다는 법이론. 고대 그리스 시대부터 이론화되고 토마스 아퀴나스(Thomas Aquinas)에 이르러 체계화되어 '토미즘(Thomism)'으로 불리게 됨. 근세에 이르러 합리주의 사상을 가미한 근세 자연법론이 대두하였으나 자기 모순에 빠지게 되자 전통적 자연법 사상이 '네오 토미즘'으로 재흥(再興)함.

자연법 사상【自然法思想】[—뻡 —] 명 사회나 인간의 자연적 성질에 기인하는 법칙, 곧 자연법을 보편적이고 항구적인 기준으로 간주하고, 인위법의 비판이나 개정(改正)의 근거로 삼으려는 사상. 인간의 자연적 성질을 어떻게 보느냐에 따라서 상이(相異)한 법사상이 출현함. 예를 들면, 고대의 스토아 학파, 중세의 토마스 아퀴나스(Thomas Aquinas), 근세의 그로티우스(Grotius)·홉스(Hobbes)·스피노자(Spinosa)·로크(Locke)·루소(Rousseau) 등의 법사상이 있음. 자연법학.

자연 법칙【自然法則】명 ①둘 이상의 자연의 사건이나 성질 사이에 성립하고 있는 항상적(恒常的)이고 보편적인 관계를 경험적으로 나타낸 것. 자연법. 자연적 법칙. ②〔도 Naturgesetzs〕『철』 인과율(因果律).

자연법-학【自然法學】[—뻡—] 명〔도 Naturrechtslehre〕『법』 자연법에 근거를 두고 사회 질서와 인위법(人爲法)을 통일적으로 규정하려고 하는 학문 체계. 그로티우스(Grotius)·홉스(Hobbes)·볼프(Wolf)·루소·칸트 등이 대표임.

자연 변:증법【自然辨證法】[—뻡] 명〔도 Naturdialektik〕『철』 자연의 운동이 변증법적으로 발전하고 있다고 보는 견해. 고대 그리스의 헤라클레이토스(Herakleitos)에서도 볼 수 있었으나, 특히 19세기에 있어서 자연 과학의 발전을 바탕으로 마르크스(Marx)·엥겔스(Engels)에 의해 자각적(自覺的)으로 포착된 사상임.

자연 보:존【自然保存】명 인간이 생활하고 있는 생태계(生態系)가 인공적으로 파괴되어 자연계의 평형(平衡)이 깨뜨려지는 것을 막고 유지하는 일.

자연 보:험료【自然保險料】[—뇨] 명 생명 보험에 있어서 나이가 많아질수록 사망 위험이 커지는 것을 감안해 산출한 보험료. 따라서 매년 액수가 증가하는 결과가 되겠으나 실제적으로는 평균 보험료를 매년 징수하여 그 여분(餘分)을 보험료 적립금으로 하는 것이 보통임.

자연 보:호【自然保護】명 협의(狹義)로는 자연을 보전(保全)하기 위하여 인위적 파괴 요인으로부터 자연을 지킴을 말하며, 광의(廣義)로는 자연·천연 자원의 보전도 포함하여 자연을 보호하는 일을 말함. 자연을 애호하고자 하는 심정적(心情的) 자연 보호 사상에서 출발하여, 학술적으로 귀중한 동식물, 빼어난 자연 경관이나 원시적인 자연 지역을 보호한다는 근대적 자연 보호 사상으로 발전하였으며, 현재는 인간의 생활 환경 보전으로서의 자연의 보호가 이 사상의 중핵(中核)이 됨. 우리나라에서는 1978년 자연 보호 헌장을 제정, 범국민적인 자연 보호 운동을 전개하고 있음.

자연 보:호 헌:장【自然保護憲章】명 자연 보호를 위한 범국민적(汎國民的)인 결의를 천명한 헌장. 자연을 아끼고 공해(公害) 요인을 없애며, 자연의 질서와 조화를 유지하기에 정성을 다해야 한다는 전문(前文) 388자(字)와, 자연을 사랑하고 환경을 보전하는 일이 모든 국민의 의무임을 밝힌 236자의 일곱 항(項)의 실천 사항으로 이루어짐. 1978년 10월 5일 정부에 의해 선포됨.

자연 부락【自然部落】명『지』 취락(聚落)으로서 일단(一團)을 이루고, 사회 생활의 단위(單位)가 되는 촌락.

자연 부화【自然孵化】명 모계 부화(母鷄孵化).

자연 분류【自然分類】[—불—] 명『생』 생물 분류상의 한 방법. 생물의 형질(形質)·혈연(血緣)을 바탕으로 그 특징에 따라 자연군(自然群)으로 나누는 분류.

자연 분만【自然分娩】명『의』 제왕 절개(帝王切開) 등의 인공적인 도움 없이 임부의 자연적인 분만력에 의해 출산하는 일. ＊순산(順產).

자연-빙【自然氷】명『지』 지구 상에서 계절적·영속적으로 동결된 물.

자연-사[1]【自然史】명 ①인류가 등장하기 이전의 자연의 발전이나 인간 이외의 자연계의 발전의 역사. ②『철』 자연의 발전과 인간 사회의 발전을 연속적으로 파악하는 변증법적 유물론의 개념.

자연-사[2]【自然死】명『생』 노쇠(老衰)하여 죽는 일. 생리적으로 여러 기능이 쇠약하여 자연히 죽음. ↔우연사(偶然死).

자연사 박물관【自然史博物館】명 동물학·식물학·인류학·고(古)생물학의 표본 기타 자료를 수장(收藏)한 박물관. 세계적으로 유명한 것은 영국 런던의 대영(大英) 박물관·프랑스 파리의 국립 자연사 박물관·미국 뉴욕의 아메리카 자연사 박물관 등이며, 이 외에 브뤼셀·라이든(Leidn)·프랑크푸르트·빈(Wien)·바젤(Basel)·스톡홀름·모스크바·오타와 등지의 것도 알려져 있음. 또한 특수한 것으로는 런던의 지질학(地質學) 박물관·파리의 인류 박물관·모나코의 해양 박물관 등이 있음.

자연 사회【自然社會】명〔natural society〕『사』 개인의 의지나 목적과는 상관없이 혈연(血緣) 또는 지연(地緣)에 의하여 성립하는 사회. 원시(原始) 사회만을 의미하기도 함. ↔인위(人爲) 사회.

자연-산【自然產】명 양식한 것이 아니라 자연에서 저절로 생산된 것.

자연-색【自然色】명〔natural color〕 인공적인 색채를 가하지 않은, 자연 그대로의 빛깔. 다갈색(茶褐色)·베이지색(色) 따위.

자연-생【自然生】명 ①『식』 씨를 뿌리거나 심지 아니하여도 초목이 저절로 나는 일. 또, 그 초목. ②제 멋대로 생김.

자연 생활【自然生活】명 자연 그대로의 원시적 생활.

자연-석【自然石】명 인공(人工)을 가하지 아니한 천연 그대로의 돌. 천연석(天然石).

자연 석기【自然石器】명『고고학』 홍적세 이전에 퇴적된 층위(層位)에서 출토되는 석기. 사람이 만든 것과 같은 형태지만 전혀 인공이 가해진 흔적이 보이지 않으며, 지각(地殼)의 변동 등에 의해 자연적으로 깨어져 만들어진 것으로 보임.

자연 선:택【自然選擇】명〔natural selection〕『생』 진화론(進化論)의 용어. 자연 환경에서의 생존 경쟁의 결과, 외계(外界)에 대해 조금이라도 뛰어난 형질(形質)을 가진 우세(優勢)한 것이 적자 생존(適者生存)하여 자손을 남기고 열등(劣等)한 것은 멸망하는 일. 이에 의해 생물이 진화한다고 하는 것이 다윈의 진화론임. 구칭 : 자연 도태(淘汰). ↔인위 선택(人爲選擇).

자연 선:택설【自然選擇說】명〔theory of natural selection〕『생』 생물의 종(種)은 자연 선택의 결과, 환경에 적합한 방향으로 변화하여 간다는 설. 다윈이 진화의 요인으로 세운 주장으로서, 가장 유력한 진화 요인설로 간주됨. 구칭 : 자연 도태설.

자연 선:택의 만:능【自然選擇—萬能】[—/—에—] 명〔도 Allmacht der Naturzüchtung〕 바이스만(Weismann, A.)의 신다위니즘의 핵심(核心)을 이루는 사상. 생존 경쟁의 중요성을 강조할 뿐만 아니라, 생물체 안의 여러 부분 간에도 생존 경쟁이 이루어지고 있으며, 이것이 진화와 이에 관련된 생물 현상의 보편적 요인이라고 했음. 구칭 : 자연 도태의 만능.

자연-성【自然性】[—썽] 명 자연 그대로의 성질.

자연성 연료【自然性燃料】[—썽널—] 명 연료와 산화제(酸化劑)가 섞인 물질. 메탄올과 과산화 수소(過酸化水素)의 혼합물처럼, 접촉하면 자연히 발화(發火)를 하는데, 로켓의 분사(噴射) 연료에 쓰임.

자연-수[1]【自然水】명 바다·호수·강·시내·늪·땅속 따위에 자연적으로 있는 물.

자연-수[2]【自然數】명〔natural number〕『수』 양(陽)의 정수(整數) 1, 2, 3, 4, 5…의 총칭. 물건의 다소의 정도를 나타낼 때 기수(基數), 차례를 나타낼 때 서수(序數)라고 함. 0을 포함하여 말할 때도 있음.

자연 수분【自然受粉】명『식』 충매(蟲媒)·풍매(風媒) 등에 의해 저절로 행하여지는 식물의 수분. ↔인공 수분(人工受粉).

자연 수은【自然水銀】명『광』 천연적으로 산출되는 수은. 상온(常溫)에서는 액체이며 소량의 금·은 등을 함유함. 진사(辰砂)와 함께 산출됨.

자연 순환 원자로【自然循環原子爐】명〔natural circulation reactor〕 펌프를 사용하지 않고도 냉각재(冷却材)가 순환하는 원자로. 이것은 저온부(低溫部)와 원자로에서 가열된 고(高)온부와의 밀도(密度)의 차이를 이용한 것임.

자연 숭배【自然崇拜】명〔nature-worship〕『종』 종교의 원시 형태의 하나. 자연의 사물이나 자연의 힘을 신(神)으로 숭배하는 일. 성신(星辰) 숭배·태양 숭배·산악(山岳) 숭배·수목(樹木) 숭배·동물 숭배 등 여러 종류가 있음. 천연(天然) 숭배. 자연물 숭배. 네이처리즘(naturism). ——하다 자 여불

자연-스럽다【自然—】형 ㅂ불 꾸밈이 없이 천연한 데가 있다. ¶자연스러운 이치. 자연-스레【自然—】부

자연-식【自然食】명 식품 첨가물을 사용하지 않은 식품. 좁은 뜻으로는, 제철에 섭취하는, 영양분이 조화있게 함유되어 있는 자연 그대로의 식품의 일컬음. 자연 식품.

자연 식품【自然食品】명 자연식(自然食).

자연-신【自然神】명 자연의 현상·사물을 숭배하여 신(神)으로 삼은 것. ↔인간신(人間神).

자연신-교【自然神敎】명『종』 자연신론(自然神論)에 바탕을 둔 종교. 이신론(理神論). 디이즘(deism).

자연신교-도【自然神敎徒】명『종』 자연신론(自然神論)을 신봉(信奉)하는 무리.

자연신-론【自然神論】[—논] 명『종』 이신론(理神論). 디이즘.

자연신론-자【自然神論者】[—논—] 명 이신론자(理神論者).

자연 신학【自然神學】명〔natural theology〕『종』 신의 존재 및 그 진리의 근거를 초(超)자연적인 계시(啓示)나 기적(奇蹟)에 구하지 아니하고, 인간 이성(理性)이 인식할 수 있는 자연적인 것에 구하는 입장. 초자연의 특정 교리에 의한 신학과 대립하는 것으로 이신론(理神論)이 그 전형(典型)임. 자연적 신학. ↔초자연 신학.

자연 신화【自然神話】명『신』 자연계(自然界)의 사물·현상이 성립한 기원(起源)·상태·활동 등을 종교적·문학적으로 서술한 신화. 천연(天然) 신화. ↔인문(人文) 신화.

자연 실재론【自然實在論】[—째—] 명〔natural realism〕『철』 감각에 의한 인식이 인식의 전부라고 하고, 객관적 실재가 이미 감각에 주어져 있다고 하는 인식론. 곧, 감각에 주어진 것 모두가 객관적으로 실재한다고 보는 입장.

자연-애【自然愛】명 ①자연에 대한 사랑. ②자연적으로 우러나는 사랑.

자연 언어【自然言語】명『언』 일반 사회에서 자연히 발생하여 쓰이는 언어. 에스페란토 따위의 인공 언어에 대하여 일컫는 말.

자연 연소【自然燃燒】[—년—] 명『물』 자연 발화(自然發火).

자연 영양법【自然營養法】[—녕—뻡] 명 모유(母乳)로 아기를 기르는 영양법. ↔인공(人工) 영양법.

자연 오:도【自然悟道】명『불교』 남의 가르침을 받지 아니하고 스스로 불도(佛道)를 깨달음. ——하다 자 여불

자연 요법【自然療法】[—뇨뻡] 명 물리 요법(物理療法).

자연 요양소【自然療養所】[—뇨—] 명 일광 요양소(日光療養所).

자연 유량【自然流量】[—뉴—] 명 〔rate of flow〕〖전〗 하천의 수량(水量) 중, 수력 발전에 이용할 수 있는 에너지를, 유수(流水)의 수위(水位)나 유속(流速)으로부터 산정(算定)하여 전기(電氣)의 킬로 와트로 환산(換算)한 수치(數值).

자연 유황【自然硫黃】[—뉴—] 명〖화〗 자연황(黃).

자연-율【自然律】[—뉼] 명〖철〗 자연법(自然法)❷.

자연-은【自然銀】 명〖광〗 천연(天然)으로 산출되는 은. 금·수은 등의 불순물을 함유, 금속 광택을 지니고 있으며 공기 중에서 변색하기 쉬움. 은광맥(銀鑛脈) 속에 입상(粒狀)·선상(線狀)·태상(苔狀)·수지상(樹枝狀)으로 들어 있음.

자연 음계【自然音階】 명〖음〗 원음(原音), 즉 다라마바사가나(CDEFGAB)만으로 이루어진 음계. 사이음을 포함하지 않으며, 건반 악기에서는 흰 건반 만으로 이루어진 음계(다장조·가단조)를 말함.

자연의 나라【自然—】[—/—에—] 명 ①〖기독교〗 물리적 자연 및 세속적인 사회를 이르는 말. 아우구스티누스(Augustinus) 이래, 토마스 아퀴나스(Thomas Aquinas) 등의 중세 사상가에 의한 사상이며, 근세에 이르러서도 라이프니츠(Leibniz) 등이 논하였음. ↔은총(恩寵)의 나라. ②〖철〗 인과율(因果律)이 지배하는 세계. 칸트(Kant) 철학의 용어임. ↔목적(目的)의 나라.

자연의 법칙【自然—法則】[—/—에—] 명 우주(宇宙) 안에 존재하는 자연적인 법칙. 지구·달 같은 것의 자전(自轉)·공전(公轉)·인력(引力), 동식물의 태어남과 사라짐, 강우(降雨)·강설(降雪) 같은 것이 모두 이 자연의 법칙에 의한 것임.

자연의 빛【自然—】[—/—에—] 명 〔라 lumen naturale〕〖철〗 인간에게 신으로부터 부여된, 타고난 인식 능력. 스콜라(scholar) 철학의 용어임. 아우구스티누스는 타고난 이성(理性), 토마스 아퀴나스는 신(神)의 계시와 비교된 사물의 원리를 통찰하는 이성의 빛이라고 일컬음. ↔은총(恩寵)의 빛.

자연의 인과성【自然—因果性】[—썽/—에—썽] 명 〔도 Naturkausalität〕〖철〗 자연계를 지배하며 온갖 자연 현상을 꿰뚫고 있는 원인·결과의 법칙. 아리스토텔레스가 처음 이 법칙을 규정함. 이어 칸트 철학에서는 자유의 인과성과 대립되는 의미가 주어진 바, 자연은 반드시 선행(先行)하는 것에 원인지어진 결과만을 낳으며, 이 비약(飛躍)이 불가능한 데에 자연의 인과성이 있다고 논함. ↔자유의 인과성.

자연의 체계【自然—體系】[—/—에—] 명 〔라 Systema Naturae〕〖책〗 린네(Linne)의 저서. 1735년부터 간행되기 시작하여, 1766–68년의 12판은 린네 자신이 정정(訂正)하여 최후의 판으로 간행함. 그 때까지 알려져 있던 동·식물의 종류를 정연(整然)한 체계 밑에 분류·정리한 것으로, 근대적인 분류학(分類學)의 기초를 쌓은 것으로 평가됨. 10판(1758)부터 이명법(二名法)을 채용함.

자연 이:자율【自然利子率】[—니—] 명〖경〗 기계나 그 밖의 실물(實物) 자본을 직접 대차(貸借)할 때에 지불되는 이자의 율. 곧, 물물 교환이 행하여질 때의 이율. ↔화폐(貨幣) 이자율.

자연-인【自然人】 명 ①태어난 그대로의 사람. 사회나 문화의 영향을 받지 아니한 사람. ②〔natural person〕〖법〗 출생(出生)과 동시에 권리 능력을 가지는 개인. 사람. 유형인(有形人). ↔법인(法人).

자연 인류학【自然人類學】[—일—] 명 〔physical anthropology〕 생물로서의 인간의 특성을 과학적으로 연구하는 학문 분야. 민족학·사회학의 면에서 인간을 연구하는 '문화 인류학(文化人類學)'과는 구별하여 사용함. 형질(形質) 인류학. ↔문화 인류학.

자연 작용 제일설【自然作用齊一說】[—썰] 명〖지〗 자연 작용이 일어나는 모양은 옛날이나 지금이나 변함이 없고, 지표(地表)의 과거의 역사는 현재 일어나고 있는 작용에 의하여 설명할 수 있다고 하는 학설. 근대 지질학의 근본 원리인데, 영국의 지질학자 허턴(Hutton, James; 1726-97)에 의하여 제창되고, 라이엘(Lyell, Charles; 1797-1875)에 의하여 발전되었음.

자연 잔류 자기【自然殘留磁氣】[—잘—] 명 〔natural remnant magnetization〕〖물〗 지자기(地磁氣)의 영향으로 암석이 자연적으로 보지(保持)하고 있는 자기. 화산암이나 수성암(水成岩)의 잔류 자기는 지질 시대의 지구 자기장(地球磁氣場)에 관한 지식을 공여(供與)하고 있음. 화석(化石) 자기.

자연 재해【自然災害】 명 지진(地震)·태풍(颱風)·홍수(洪水)·화산 폭발(火山爆發)·해일(海溢) 등과 같이 자연 현상의 이상(異常) 원인으로 일어나는 재해. 천재(天災).

자연-적【自然的】 명 관 인위(人爲)를 가하지 아니한 자연 그대로의 모양이나 성질. ↔인위적(人爲的)·인공적(人工的)·인문적(人文的).

자연적 경계【自然的境界】 명〖지〗 산맥·해양·하천·사막·산림 등에 의하여 자연적으로 이루어진 경계. ↔인위적 경계.

자연적 계:산법【自然的計算法】[—뻡] 명 기간을 시(時)·분(分)·초(秒)로 고치어 순간(瞬間)에서 순간까지를 계산하는 방법. ↔역법적(曆法的) 계산법.

자연적 법칙【自然的法則】 명 자연 법칙.

자연적 신학【自然的神學】 명〖종〗 자연 신학(自然神學).

자연적 종교【自然的宗教】 명〖종〗 자연 종교(自然宗教).

자연 전:위 탐광【自然電位探鑛】 명 지표(地表)의 전위 분포(電位分布)를 측정하고 지하의 광체(鑛體)를 검지(檢知)하는 방법. 황화광 광상(黃化鑛鑛床) 따위의 탐사(探査)에 쓰임.

자연 절단【自然切斷】[—딴] 명 〔spontaneous amputation〕〖의〗 태아의 일부가 자궁 안에서 교착(絞窄) 등으로 절단되는 일.

자연 정화【自然淨化】 명 하천의 물 따위가 자연히 정화되는 일.

자연 제방【自然堤防】 명〖지〗 홍수(洪水) 때에 홍수에 의하여 운반된 흙이나 모래가 퇴적(堆積)되어 이루어진 제방.

자연 종교【自然宗教】 명〖종〗 ①신의 은총에 근거를 두는 계시(啓示) 종교에 대하여, 인간의 본연지(本然知)인 이성(理性)에 근거를 두는 종교. 곧, 이신론(理神論) 등. 이성 실교(理性實教). ②종교의 발달 과정에 있어서, 윤리성(倫理性)이 풍부한 국민적 또는 세계적 종교에 달하기 이전의, 자연 발생적이고 원시적(原始的)인 종교의 총칭. 주로 애니미즘(animism)·주물(呪物) 숭배·자연 숭배·다신교(多神教) 등. 자연적 종교. 자연교. ↔윤리적 종교·계시(啓示) 종교.

자연-주의【自然主義】[—/—이] 명 〔naturalism〕 ①〖철〗 자연을 유일 절대 또는 근본의 원리로 보고, 정신 현상까지도 포함하여 일체의 현상·과정을 이와 같은 자연의 소산(所産)·소위(所爲)로 생각하는 입장. ②〖윤〗 도덕 현상을 순자연적 요소, 곧 본능·욕망·소질 등으로부터 설명하는 입장. 또는 자연에 일치하는 생활을 이상으로 하는 주의. ③〖문〗 문학에 있어서 이상화(理想化)하지 않고, 인간 생활의 추악한 욕망을 있는 그대로 적나라(赤裸裸)하게 묘사함을 본지(本旨)로 하는 주의. 19세기 말경 프랑스를 중심으로 하여 일어났으며, 모파상·졸라·하우프트만 등이 그 대표임. ④〖교〗 아동(兒童)의 천성을 자연 그대로 발달시키려는 교육 상(教育上)의 주의. ⑤〖미술〗 있는 그대로의 자연의 아름다움이나 개성(個性)을 재현(再現)하는 것을 예술의 목적으로 하는 주의.

자연주의 문학【自然主義文學】[—/—이—] 명〖문〗 자연주의에 바탕을 둔 문학. ↔이상주의 문학.

자연주의 연:극【自然主義演劇】[—/—이—] 명 19세기 후반, 문예 상의 자연주의에 대응하여 일어난 자연주의적 경향의 연극의 총칭. 처음 졸라(Zola)가 프랑스 낭만주의 연극의 개혁을 위해 주창, 입센(Ibsen)·스트린드베리(Strindberg)·하우프트만(Hauptmann) 등이 잇달아 자연주의적 작품을 썼음. 프랑스의 앙투안(Antoine)은 그 대표적인 연출가임.

자연 중단【自然中斷】 명〖법〗 점유(占有)의 상실에 의하여 취득 시효(取得時效)가 중단되는 일.

자연-즙【自然汁】 명 어떤 물질에 다른 물기를 가하지 아니하고, 그 자체의 물기만으로 짜낸 액체.

자연 증가【自然增加】 명 늘리려고 힘쓰지 아니하여도 어떠한 경우를 따라서 저절로 늘어감. ¶인구의 ~ 추세(趨勢). ——-하다 자여불

자연 증가율【自然增加率】 명 인구 동태(動態) 통계의 하나. 출생률에서 사망률을 뺀 값.

자연 증수【自然增收】 명 ①〖경〗 국내 경제의 호전에 의하여 조세 수입(租稅收入)이나 관업(官業) 수입 등의 재정 수입이 느는 일. ②농작물의 수확 따위가 저절로 느는 현상. 1)·2):↔자연 감수.

자연-지【自然智】 명〖불교〗 스승으로부터 가르침을 받지 아니하고, 저절로 생겨나는 지혜.

자연지-리【自然之理】 명 자연의 도리(道理)나 이치(理致).

자연 지리학【自然地理學】 명 〔physical geography〕〖지〗 지구를 자연계의 한 물체(物體)로 취급하여, 우주(宇宙)에 있어서의 지구의 위치·운동·육계(陸界)·수계(水界)·기계(氣界)의 여러 가지 현상 및 생물의 분포(分布)를 연구하는 학문. 지문학(地文學). ↔인문 지리학(人文地理學).

자연 집단【自然集團】 명〖생〗 생물 진화(進化)의 기본 단위(基本單位). 자연 조건 밑에서 번식을 통하여 유기적(有機的)으로 결합하고 있는 개체군(個體群).

자연 채:권【自然債權】[—꿘] 명〖법〗 소송(訴訟)할 권리(權利)가 없는 채권.

자연 채:무【自然債務】 명〖법〗 채무자가 임의(任意)로 채무를 변제하면 유효한 변제가 되나, 변제가 없는 경우에 채권자측이, 이행을 강제(強制)할 수 없는 채무. 도박으로 인해 생긴 채무 등이 그 예임.

자연-철【自然鐵】 명〖광〗 천연적으로 산출되는 철(鐵). 소량의 니켈·구리·탄소 등을 함유함. 입상(粒狀)·판상(板狀)으로 현무암(玄武岩) 등에서 산출되는 것을 지철(地鐵), 운석(隕石)에 함유되어 있는 것을 운철(隕鐵)이라고 함.

자연 철학【自然哲學】 명 〔도 Naturphilosophie〕〖철〗 공간·물질·운동·힘·에너지·생명 등 자연 과학의 근본개념을 인식론적(認識論的)으로 고찰하거나 자연 과학 간의 관계 규정(關係規定) 및 종합화(綜合化)를 행하는 철학.

자연 철학의 수:학적 원리【自然哲學—數學的原理】[—월—/—에—월—] 명 〔라 Philosophiae naturalis principia mathematica〕〖책〗 뉴턴이 지은 물리학서. 1687년에 간행된 것으로, 물체의 운동과 힘과의 관계를 관성(慣性)·가속도(加速度)·작용·반(反)작용의 법칙과 만유인력에 의해 통일적으로 파악한 저서임. 자연 철학의 역할은 신(神)의 작용을 알기 위한 것이라고 주장함. 프린키피아(Principia).

자연-체【自然體】 명 ①유도에서, 아주 자연스럽고 유연하게 선 자세를 말함. ②검도에서, 가장 이상적인 자세를 말함. 즉, 얼굴을 똑바로 턱에 붙이고, 눈에 모든 정기(精氣)를 집중시키고 양어깨와 양발에 힘을 준 자세.

자연 침전법【自然沈澱法】[—뻡] 명 오염수 정화법의 하나. 스크린으로 제거되지 않는 미세한 입자 또는 침전성 오물을 물리적으로 침전시켜 분리시키는 방법. 대량의 모래는 침전지를 이용하여 제거시킴.

자연-탑【自然塔】 명〖불교〗 저절로 탑의 모양을 갖춘 바위 같은 것.

자연 통풍【自然通風】 명 관(罐) 안에서 연통(煙筒)으로 말미암아 일어나는 자연적인 통풍. ↔인공(人工) 통풍.

자연-파【自然派】 명 ①인생을 염오(厭惡)하고 자연과 친하는 한 파. ②

자연 속에서 진미(眞美)를 찾으려고 하는 한 파. ③자연의 본능(本能)·욕망(慾望)을 존중하여 생활하는 사람들.

자연 폭발【自然爆發】 명 무연(無煙) 화약·다이너마이트 등이 제조된 후, 오랜 시간이 경과함에 따라 점차 변화하여 저절로 폭발하는 일.

자연 필연성【自然必然性】[—썽] 명 〖철〗 자연 법칙에 나타나는 것과 같은 인과(因果)의 필연성. 윤리적인 당위(當爲)의 필연성에 상대되는 말로서, 우연이나 자유도 있을 수 없는 필연성을 말함.

자연-학【自然學】 명 〔그 physica〕 〖철〗 그리스 철학에서, 운동 및 정지의 원리를 내포한 자연적 존재, 즉 운동·변화하는 자연계의 개물(個物)을 대상으로 하는 학문. 아리스토텔레스(Aristoteles)에서는 이론적인 학문의 한 분야로서, 제일 철학, 즉 형이상학(形而上學)과 수학에 필적하고, 스토아(Stoa) 학파와 에피쿠로스(Epikuros) 학파에서는 논리학·윤리학과 함께 철학을 구성함. 「항구. ↔인공항.

자연-항【自然港】 명 인공(人工)을 가하지 않더라도 그대로 쓸 수 있는

자연 해:동【自然解凍】 명 어류(魚類)·육류(肉類) 등의 냉동 식품을, 냉동고(冷凍庫)에서 냉장고로, 다시 또 실온(室溫)으로 옮기는 등, 점차 온도를 올려가며 녹이는 일.

자연 현:상【自然現象】 명 인간의 의지나 행위가 미치지 않는 자연계의 법칙에 따라 일어나는 현상.

자연 혈족【自然血族】[—쪽] 명 어버이와 자식, 형제 등 한핏줄로 이어진 사람들. ↔법정 혈족(法定血族).

자연 화장품【自然化粧品】 명 천연(天然)의 동식물로부터 추출(抽出)한 것을 원료로 하여 만든 화장품.

자연 화:폐【自然貨幣】 명 〖경〗 자연 발생적 단계의 화폐. 곧, 다른 모든 상품의 일반적인 교환(交換) 수단으로서 또는 교환 가치의 척도(尺度)로서 기능(機能)을 발휘하는 특정의 상품. 소·양 등의 가축, 쌀·차 등의 농산물, 또는 조개나 피혁류(皮革類) 등은 이런 구실을 하였음.

자연 환경【自然環境】 명 ①인간 생활을 둘러싸고 있는 자연계의 모든 요소가 이루는 환경. ②〖법〗 지하, 해양을 포함한 지표(地表) 및 지상의 모든 생물과 비생물적(非生物的)인 것을 포함한 자연의 상태.

자연 환경 보:전 지역【自然環境保全地域】 명 용도(用途) 지역의 하나. 자연 경관(景觀)·수자원(水資源)·해안(海岸)·생태계 및 문화재의 보전과 수산 자원의 보호·육성을 위해 필요한 지역. *용도 지역.

자연 환경 지도【自然環境地圖】 명 국토를 1 km²의 모눈으로 세분하고, 그 모눈 속에 살고 있는 동식물의 분포(分布)나 자연 상태를 조사 기록한 지도.

자연-황【自然黃】 명 〖화〗 화산·온천 등에서 천연적으로 홑원소 물질 상태로 산출되는 황. 공업용 또는 약용으로 씀. 자연 유황.

자연 휴양림【自然休養林】[—님] 명 산림청(山林廳)이 건전한 여가 선용을 위해 전국 곳곳에 조성(造成)한 휴식 공간으로서의 산림. 야영장·산막(山幕)·산림욕장·잔디 광장 등을 갖춤.

자:염[1]【紫焰】 명 자줏빛의 불꽃.

자:염[2]【紫髥】 명 자줏빛의 수염.

자:염[3]【煮塩】 명 바닷물을 끓여서 소금을 만듦. ——-하다 자여불

자:염 녹안【紫髥綠眼】 명 〔자줏빛 수염에 녹색의 눈이란 뜻〕 중국에서 서양 사람의 용모를 형용하는 말.

자엽【子葉】 명 〔cotyledon〕 〖식〗 떡잎.

자엽-초【子葉鞘】 명 〖식〗 외떡잎 식물의 눈이 나올 때 이것을 싸고 있는 칼집 비슷한 것. 잎집만으로 이루어지고 잎몸은 없음. 떡잎집. 유아초(幼芽鞘).

자영[1]【子嬰】 명 〖사람〗 중국 진(秦)나라 시황제(始皇帝)의 손자. 성은 영(嬴). 시황제의 사후(死後), 그 막내 아들 호해(胡亥)가 2대 황제에 올랐으나 환관(宦官) 조고(趙高)가 이를 죽이고 자영(子嬰)을 맞아 진왕(秦王)으로 세웠음. 그는 조고(趙高)를 죽이고 국위(國威) 회복에 힘썼으나 역부족으로 재위 46일 만에 쳐들어온 유방(劉邦)에게 항복, 진나라는 3대 15년 만에 망하고 뒤미처 침입한 항우(項羽)에게 잡혀 죽었음. [?-206 B.C.; 재위 206 B.C.]

자영[2]【自營】 명 ①독립하여 스스로 사업을 경영함. ②자기의 힘으로 생계(生計)를 이룸. ——-하다 타여불

자:-영산【紫映山】 명 〖식〗 영산자(映山紫).

자영-업【自營業】 명 자신이 직접 경영하는 사업.

자예【雌蕊】 명 〖식〗 암술. ↔웅예(雄蕊).

자예 선숙【雌蕊先熟】 명 〖식〗 암술 선숙.

자오[1]【慈烏】 명 〖조〗 까마귀. *자조(慈鳥).

자오[2]〔중 角〕 의명 중국의 화폐 단위. '위안(元)'의 10분의 1.

-자오- 선어미 '-자옵-'의 ㅂ이 모음(母音)으로 시작된 어미(語尾)를 만나 줄어진 선어말 어미. ¶받~니 / 분부를 받~아(→받자와) / 말씀을 듣~ㄴ바 / 묻~며. *-자옵-·-오-·-옵-.

자오록-이 부 자오록하게. <자우룩이. 「요하다. <자우룩하다.

자오록-하다 형여불 연기나 안개 같은 것이 잔뜩 끼어 흐릿하고도 고

자오-면【子午面】 명 〖천〗 자오선(子午線)을 가지는 평면. 적도면(赤道面)과 직교(直交)함.

자오-선【子午線】 명 ①〔meridian〕 〖천〗 천정(天頂)과 천저(天底)를 통하는 무수한 대원(大圓). 곧, 수직권(垂直圈) 중 천구(天球)의 양극(兩極)을 통과하는 것. 이 자오선과 관측 지점(觀測地點)을 포함하는 평면(平面)이 지표면(地表面)과 교차하는 선(線)을 지구의 자오선이라 하는데, 지구의 자오선은 보통 그리니치 자오선을 기준으로 함. *천구 자오선(天球子午線). ②〖지〗 경선(經線).

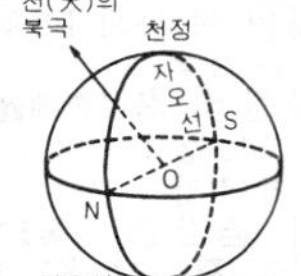

〈자오선❶〉

자오선각-차【子午線角差】 명 〔meridian angle difference〕 〖천〗 두 개의 자오선각의 차. 특히, 어떤 천체의 자오선각과 계산에 의해 예측된 자오선각과의 차를 이름.

자오선 고도【子午線高度】 명 〔meridian altitude〕 〖천〗 천체(天體)가 자오선을 통과할 때의 고도. 그 천체의 극대(極大) 고도. 남중 고도(南中高度).

자오선 관측【子午線觀測】 명 〖천〗 천체가 자오선을 통과할 때의 시각과 고도의 관측.

자오선 통과【子午線通過】 명 〔meridian passage〕 〖천〗 천체가 관측자의 자오선을 통과하는 일. 남중(南中).

자오양〔朝陽〕 명 〖지〗 중국 둥베이(東北) 지구 남부, 랴오닝 성(遼寧省) 중부의 한 도시. 다링 강(大淩河) 중류 좌안(左岸)에 위치하며 진구(錦古) 철도에 연한 범선(帆船) 왕래의 종점임. 요금(遼金) 시대의 탑(塔)이 있음. 구명(舊名)은 탑자구(塔子溝). 토명(土名)은 삼좌탑(三座塔). 조양(朝陽). [308,000명(1984)]

자오-의【子午儀】[—/—이] 명 〔meridian transit instrument〕 〖천〗 천체의 자오선 통과를 관측하는 기계(器械). 동서의 수평축(軸)의 주위를 돌며, 자오선 위에서만 움직이는 천문용(天文用) 망원경을 비치(備置)한 것인데, 주로 시각과 각도 측정에 씀.

자오저우 만【—灣】〔膠州〕 명 〖지〗 중국 화베이(華北) 지구, 산둥 성(山東省)의 동남쪽 황해에 면한 만. 수심이 깊은 천연의 양항으로 주변에서 제염업(製塩業)이 활발함. 1898년에 독일이 조차(租借)한 것을, 1차 대전 후 일본이 한때 점령했다가 1922년에 중국에 돌려 줌. 교주만.

자오 쯔양〔趙紫陽〕 명 〖사람〗 중국의 정치가. 1965년 광둥 성(廣東省) 당(黨) 제1서기(書記)가 되고, 문화 혁명(文化革命) 때 해직되었다가, 1971년에 재기(再起)함. 1975년 쓰촨 성(四川省) 제1서기, 1977년 정치국원(政治局員) 후보를 역임하고, 1980년 화 궈펑(華國鋒) 대신 수상(首相)겸 정치국원이 되고, 1981년 당 부주석(副主席)으로 승격했다가, 1982년 기구 개편 때 수상 겸 정치국 상무 위원이 됨. 1987년 당 총서기, 당 중앙 군사위 제1부주석, 1988년 국가 중앙 조사위 부주석이 되었으나 1989년 6월 천안문(天安門) 사건 때 사태 수습에 실패하고 실각함. 조자양. [1919-2005]

자오퉁〔昭通〕 명 〖지〗 중국 시난(西南) 지구 남부, 윈난 성(雲南省)의 북동부, 자오퉁 현(昭通縣)의 현청 소재지. 쓰촨 성(四川省)과 구이저우 성(貴州省)에 가까우며, 세 성(省)의 물자 교류지로, 교외(郊外)에 공항이 있음. 소통(昭通). [179,976명(1990)]

자오-환【子午環】 명 〔meridian circle〕 〖천〗 천문대의 기본 설비의 하나. 대형(大形)의 자오의(子午儀). 별이 자오선을 통과할 때의 고도를 측정하여, 이로부터 그 천체(天體)의 적위(赤緯)를 구하는 기계임.

자옥 명 〈방〉 ①자국[1]. ②자호(字號).

자옥-금【—金】 명 〖광〗 같은 광맥(鑛脈)으로서 함금량(含金量)이 부분적(部分的)으로 많기도 하고 적기도 하여 고르지 아니한 사금맥(砂金脈)의 상태.

자:-옥란【紫玉蘭】[—난] 명 〖식〗 자목련(紫木蓮).

자:-옥련【紫玉蓮】[—년] 명 〖식〗 자목련(紫木蓮).

자옥-이 부 자옥하게. <자욱이.

자옥-하다 형여불 〔근대: 조옥ᄒ다〕 연기나 안개 같은 것이 잔뜩 끼어 흐릿하다. ¶연기가 ~. <자욱하다.

-자옵- 선어미 ㄷ·ㅈ·ㅊ으로 끝난 동사의 어간(語幹)에 붙어 공손함을 나타내는 선어말 어미. ¶듣~건대 / 앉~나이다 / 찾~시면 / 말씀은 맞~지만. 준 -잡-. *-자오-.

자와 명 〈방〉 〖충〗 잠자리[2](제주).

자:완【紫菀】 명 ①〖식〗 개미취. ②〖한의〗 개미취의 뿌리. 해수(咳嗽)·천촉(喘促)·담(痰) 등에 약으로 쓰임.

자왜【磁歪】 명 〖물〗 ↗자기 왜곡(磁氣歪曲).

자왜 소:자【磁歪素子】 명 〖전〗 자기 변형(磁氣變形)의 특성을 이용하여 전기 진동을 기계 진동으로 바꾸는 장치.

자:외-선【紫外線】 명 〔ultraviolet rays〕 〖물〗 스펙트럼이 가시(可視) 광선의 보랏빛 부분보다 단파장(短波長) 쪽에 있는 광선. 그 파장(波長)은 X선보다는 길어 1-400 나노미터(nm)정도에 이르는 전자기파(電磁氣波). 눈에는 보이지 않으나 태양 광선 중에 포함되어 살균, 체내의 비타민 D 생성 등 생리·화학 작용을 함. 또, 수은등(水銀燈)에서도 발생함. 근외선(菫外線). 화학선(化學線). 넘보라살. ↔적외선(赤外線).

자:외선 램프【紫外線—】 명 〔ultraviolet lamp〕 〖전〗 자외선 복사(輻射)의 비율이 높은 램프.

자:외선 사진【紫外線寫眞】 명 자외선용 건판(乾板)을 자외선에 감광(感光)시켜서 촬영(撮影)하는 촬영법. 또, 그 사진. 특수 촬영·물질 감정(物質鑑定) 등에 쓰임.

자:외선 요법【紫外線療法】[—뇨뻡] 명 〖의〗 자외선이 인체(人體)에 미치는 영향을 질병(疾病) 치료에 응용하는 방법. 피부병·구루병(佝僂病)·결핵(結核) 및 허약 체질(虛弱體質)의 개선, 병후 회복의 촉진 등에 효과가 있음.

자:외선 조:사 식이【紫外線照射食餌】 명 비타민 디(D)를 포함시키기 위하여 자외선을 조사(照射)한 식이.

자:외선 투과 유리【紫外線透過琉璃】 명 〔ultraviolet-ray transmitting glass〕 자외선 투과를 잘 하는 유리. 불순물인 산화철(酸化鐵)의 함량을 0.01% 이하로 함.

자:외선 현:미경【紫外線顯微鏡】 명 현미경의 분해능(分解能)을 높이기 위하여, 가시 광선(可視光線) 대신에 파장(波長)이 짧은 자외선을 사용한 현미경.

자:외 흡수【紫外吸收】명〔ultraviolet absorption〕『물』자외선 파장(波長)의 빛이 흡수되는 일. 분광 분석(分光分析) 때에 샘플 용액에 의한 흡수 등에서 볼 수 있음.

자:외 흡수 분광학【紫外吸收分光學】명〔ultraviolet absorption spectrophotometry〕『물』전자(電子)가 기저(基底) 상태에서 여기(勵起) 상태로 천이(遷移)할 때의 자외선 흡수로 인한 스펙트럼을, 천이를 일으키는 파장(波長)의 함수(函數)로서 연구하는 학문.

자:외 흡수용 정:착제【紫外吸收用定着劑】명〔ultraviolet absorber fixative〕일광(日光)이나 인공등(人工燈)으로부터 자외선을 흡수하여, 빛깔이 바래거나 재료(材料)의 분해 열화(分解劣化)를 방지하는 보호 정착제의 하나.

자:외 흡수체【紫外吸收體】명〔ultraviolet absorber〕자외선의 에너지를 흡수하고, 무해(無害)한 형태로 에너지를 산일(散逸)시키는 물질. 빛의 감도(感度)를 감소시키기 위해 고무나 플라스틱에 넣어서 사용함.

자요【滋擾】명 기요(起擾). ——-하다 자타 여불

자욕【恣慾】명 제멋대로 욕심을 부리는 일. 또, 그 욕심.

자용[1]【自用】명 ①자기의 씀씀이. ②자기가 몸소 씀. 제 스스로 씀. ¶ ~품(品). ——-하다 타 여불

자용[2]【姿容】명 모습. 모양. 용자(容姿).

자용[3]【資用】명 ①소요되는 금품. ②밑천으로 씀. ——-하다 타 여불

자우【滋雨·慈雨】명 ①만물을 촉촉히 적셔 자라게 하는 비. ②오래 가물다가 오는 비. 서우(瑞雨). 택우(澤雨). 혜우(惠雨). 단비. ¶가뭄 끝에 기다리던 ~.

자우램 명 〈방〉 졸음[1](강원).

자우럽다 자 〈방〉 졸리다[1](강원).

자우룩-이 부 자우룩하게. ¶ 아직도 골안개가 ~ 드리운 마당으로 나가…≪姜龍俊 : 초망지비≫. >자오록이.

자우룩-하다 형 여불 연기나 안개 같은 것이 잔뜩 끼어 몹시 흐리고 고요하다. ¶안개가 ~. >자오록하다.

자우롭다 자 〈방〉 졸리다[1](강원).

자우림 명 〈방〉 졸음[1](강원).

자우어〔Sauer, Emil〕명 『사람』 오스트리아의 피아니스트. 빈(Wien) 음악원 피아노과 주임 교수. 19세기적인 거장(巨匠)의 한 사람. 리스트의 제자로서, 리스트의 수많은 작품의 교정(校訂) 악보를 남겼음. [1862-1942]

자우치다 타 ☞ 재우치다.

자욱 명 ☞ 자국[1].

자욱-금 명『광』☞ 자욱금.

자욱-이 부 자욱하게. >자옥이.

자욱 포:수【—砲手】명 짐승의 발자국을 찾아 가면서 사냥하는 포수.

자욱-하다 형 여불 연기나 안개 같은 것이 잔뜩 끼어 몹시 흐릿하다. ¶안개가 ~. >자옥하다.

자운[1]【自運】명 서도(書道)에서, 쓰는 이의 마음대로 붓을 옮기는 일. 또, 그렇게 쓴 글씨. ↔임서(臨書).

자운[2]【字韻】명 글자의 운(韻).

자:운[3]【紫雲】명 자줏빛의 구름. 상서로운 구름.

자운[4]【慈雲】명 구름이 온 하늘을 덮음. 비유적으로 은혜가 널리 미침.

자:운-교【紫雲敎】명『종』증산(甑山) 강일순(姜一淳)을 교조(敎祖)로 하는 흠치교(吽哆敎) 계통의 한 교.

자:운-방【紫雲坊】명『역』고려 충렬왕(忠烈王) 34년(1308)에 베풀어, 성률(聲律)의 교열(敎閱)을 맡아 보던 관아.

자:운 서원【紫雲書院】명『역』경기도 파주시(坡州市) 법원읍(法院邑) 동문리(東文里)에 있는 옛 서원. 조선 광해군 7년(1615) 율곡(栗谷) 이이(李珥)를 제사지내기 위해 세우고, 당대의 거유(巨儒) 김장생(金長生)·박세채(朴世采)를 배향함. 효종(孝宗) 원년(1650) 사액(賜額)을 받음. 율곡과 신사임당의 묘소가 있음.

자:-운영【紫雲英】명『식』〔*Astrogalus sinicus*〕콩과에 속하는 이년초. 줄기는 뿌리에서 나와 땅 위로 가로 뻗고, 잎은 호생하며 유병(有柄)에 기수 우상 복생(奇數羽狀複生)하며, 소엽(小葉)은 네댓 쌍으로 거꿀달걀꼴임. 4-6월에 홍자색 또는 백색의 꽃이 엽액(葉腋)에서 나온 화경(花莖) 끝에 다소 산형(繖形)을 이룬 총상(總狀) 화서로 피고, 과실은 삭과(蒴果)임. 중국 원산(原產)인데, 한국 각지에서 녹비용(綠肥用)으로 많이 재배함. 단백질과 녹말이 많아 어린 잎과 줄기는 식용 또는 가축의 사료(飼料)로 씀.

〈자운영〉

자울다 자 〈방〉 졸다.

자웅【雌雄】명 ①암컷과 수컷. 암수. ②승부(勝負)·우열(優劣)·강약(強弱)을 비유하는 말. 웅자(雄雌). ¶ ~을 다투다.

자웅을 결(決)하다 구 우열(優劣)을 가리다. ¶너는 재죄 능하거든 나와 싸와 자웅을 결하자≪梁山泊傳≫.

자웅 감별【雌雄鑑別】명 가축(家畜)·가금(家禽)·누에 등의 자웅을 식별하는 일.

자웅 감합체【雌雄嵌合體】명『생』자웅 모자이크.

자웅-눈【雌雄—】명 한쪽은 크고, 한쪽은 작게 생긴 눈. 짝눈. 자웅목(雌雄目).

자웅눈-이【雌雄—】명 자웅눈을 가진 사람. 자웅목(雌雄目).

자웅 도태【雌雄淘汰】명 '자웅 선택'의 구용어.

자웅 동가【雌雄同家】명『식』암꽃·수꽃의 구별없이 한 꽃봉오리에 암술·수술이 다 있는 것. 자웅 일가. ↔자웅 이가.

자웅 동주【雌雄同株】명〔monoecism〕『식』암꽃과 수꽃이 한 그루에 있는 것. 소나무·밤나무 등. 암수 한 그루. ↔자웅 이주.

자웅 동체【雌雄同體】명『동』동일한 개체(個體)내에 자웅의 두 생식소(生殖巢)를 가지고 있는 것. 지렁이·달팽이·기생충 등이 그 예(例)임. 암수한몸. ↔자웅 이체.

자웅 동형【雌雄同形】명『동』같은 종류의 암수컷의 형태가 서로 같은 것. 암수같은모양. ↔자웅 이형.

자웅 동화【雌雄同花】명『식』한 꽃에 자웅 양쪽을 구비하고 있는 꽃. 양성화(兩性花).

자웅 모자이크【雌雄—】〔mosaic〕명『생』동일(同一) 동물체에, 암컷의 형질(形質)을 가진 부분과 수컷의 형질을 가진 부분이 경계(境界)를 이루어 혼재(混在)하는 것. 꿀벌·누에 등의 곤충이나 피리새·꿩 따위의 조류(鳥類)에서 볼 수 있음. 성적(性的) 모자이크. 자웅 감합체(雌雄嵌合體).

자웅-목【雌雄目】명 ①자웅눈. ②자웅눈이.

자웅 별주【雌雄別株】[—쭈] 명『식』자웅 이주(雌雄異株).

자웅 별체【雌雄別體】명『동』자웅 이체(雌雄異體).

자웅 선:택【雌雄選擇】명〔sexual selection〕『생』생식(生殖)할 때, 이성(異性)을 선택하는 데 따라 적당한 형질(形質)만이 자손에게 남아 가서 진화(進化)에 관여한다고 하는 자연 선택. 다윈(Darwin)이 주창한 학설인데, 조수(鳥獸)·곤충의 수컷이 몸빛이나 울음 소리가 아름답고, 발달된 뿔·촉각 등을 가지고 있는 것은 이 결과라고 하나, 동물을 너무 의인적(擬人的)으로 본 학설이기 때문에 근래 학자들의 비판을 받고 있음. 자웅 도태(雌雄淘汰). 성도태(性淘汰).

자웅-성【雌雄聲】명 거센 소리와 잇된 소리가 함께 섞여서 나오는 목소리.

자웅 완전화【雌雄完全花】명『식』양성화(兩性花).

자웅 이:가【雌雄異家·雌雄二家】명『식』자웅 이화. 자웅 별가. ↔자웅 동가.

자웅 이:색【雌雄異色】명『동』조류·곤충 등의 몸빛이 암수에 따라 서로 다른 일.

자웅 이:숙【雌雄異熟】명〔dichogamy〕『생』자웅 동체의 생물에서, 자웅생식 세포의 성숙(成熟) 시간에 차이가 있는 일.

자웅 이:주【雌雄異株】명〔dioecism〕『식』동일한 종류의 식물에서 자주(雌株)와 웅주(雄株)의 구별이 있는 것. 곧 어느 주(株)는 암꽃만이 피어 종자를 만들고, 다른 주는 수꽃만이 피어 화분(花粉)을 분산하는 일. 은행나무·뽕나무 등. 자웅 별주. 암수 딴그루. ↔자웅 동주.

자웅 이:체【雌雄異體】명『동』척추 동물·절지(節肢) 동물 등에서 암컷과 수컷의 개체(個體)가 서로 따로 있는 것. 자웅 별체(雌雄別體). 암수 딴몸. ↔자웅 동체(同體).

자웅 이:형【雌雄異形】명『생』같은 종류이면서 암수에 의하여 형태를 달리하는 일. 특히 성호르몬(性 hormone)의 작용에 기인하는 제이차 성징(第二次性徵)으로서 나타남. 암수딴모양. ↔자웅 동형.

자웅 이:화【雌雄異花】명『식』한 나무에 피되 암꽃과 수꽃이 각각 달리 피는 꽃. 호박꽃 따위. 자웅 이가. 자웅 별가.

자웅 일가【雌雄一家】명『식』자웅 동가(同家).

자웅 혼:주【雌雄混株】명『식』종자 식물(種子植物)에서, 나무 한 그루에 암수의 꽃 또는 양성화(兩性花)가 혼재하는 일. 또, 그 식물. 단풍·감나무 따위가 그 예임.

자원[1]【字源】명 문자가 구성(構成)된 근원. 한자(漢字)에서 '信'자가 '人'과 '言'으로, '明'자가 '日'과 '月'로 되는 등.

자원[2]【自願】명 제 스스로 원함. ¶~ 입대. ——-하다 자타 여불

자원[3]【資源】명 ①산업의 재료·원료로서 본 지하의 광물이나 산림·수산물·수력(水力) 따위. ¶지하(地下) ~/~ 조사(調査). ②어떤 목적에 이용될 수 있는 물자·인재. ¶인적(人的) ~.

자원 개발 연:구소【資源開發研究所】[—련—] 명 지질 조사·광물 자원 조사 및 탐사, 응용 지질(應用地質) 조사 등을 주요 업무로 하는 재단 법인. 1976년 전신(前身)인 국립 지질 광물 연구소의 업무를 그대로 인계받아 발족함.

자원 경제【資源經濟】명〔mineral economics〕『광』광석(鑛石)의 발견·개발·판매에 관한 경제.

자원 공학【資源工學】명 지하의 광물이나 산림·수산물·수력 등의 자원에 관해 연구하는 학문.

자원 내셔널리즘【資源—】〔nationalism〕명『정』석유 따위 천연 자원을 자기 나라 영토 안에 가지고 있는 아시아·아프리카·중남미(中南美) 등의 발전 도상국(發展途上國)이, 이들 자원에 대한 민족적인 주권(主權)을 주장, 그에 입각한 정책을 실시하여 국제 사회에서의 정치적 발언을 강화(強化)하고자 하는 일. 자원(資源) 민족주의. ＊자원 카르텔.

자원 민족주의【資源民族主義】[—/—이] 명 자원(資源) 내셔널리즘(nationalism).

자원-병【自願兵】명 지원병(志願兵).

자원 봉:사자【自願奉仕者】명 무료 봉사로 자진해서 어떤 일에 참여하는 사람.

자원 비:축【資源備蓄】명『경』돌발적인 요인(要因)에 대비하기 위해 또는 경제·산업 활동에서 안전 보장력을 높이기 위해 원료(原料)·에너지·식량 등 자원을 비축하는 일.

자:-원앙【紫鴛鴦】명『조』비오리.

자원-자【自願者】명 자원한 사람. 지원자(志願者).

자원 전:쟁【資源戰爭】명 석유와 같은 한정된 자원을 천부적(天賦的)으로 독점한 민족이나 국가들이 이를 무기로 내세워 정치적 목적을 달성

하고자 하는 데서 빚어지는 극도의 긴장(緊張) 상태.

자원 출전【自願出戰】[—쩐] 명 자원하여 운동 경기나 전장(戰場)에 나감. ——-하다 자여불

자원 카르텔【資源—】[도 Kartell] 명 특정한 자원, 예컨대 1차 산품(產品)을 생산하는 개발 도상 제국(諸國)이, 당해(當該) 자원에 관한 공동의 이익을 확보하기 위해 결성하는 생산국 동맹. 오펙(OPEC)이 그 대표적인 예임. *자원 내셔널리즘.

자원 항구 주권【資源恒久主權】[—꿘] 명 국민이 그 천연의 부 및 자원을 자유로이 이용하고 개발하는 권리는 그 주권에 고유(固有)한 것이라는 뜻. 1952년의 국제 연합 총회의 결의에서 연유함. 정확하게는 '천연(天然)의 부(富)와 자원에 대한 영구적 주권'.

자월【子月】명〖민〗월건(月建)이 자(子)인 달. 곧, 음력(陰曆) 동짓달의 별칭.

자:월-도【紫月島】[—또] 명〖지〗경기도 서해상, 덕적 군도(德積群島) 동북쪽 인천 광역시 옹진군(甕津郡) 자월면(紫月面)에 위치한 섬. 영흥도의 서쪽 15km 해상에 있음. [7.05 km²]

자위[1] 명 눈알이나 새 등의 알에 있어서 빛깔을 따라 구분된 부분. ¶검은 ~/노른 ~.

자위[2] 명 ①움직이기 전까지 무거운 물건이 붙박이로 놓였던 자리. ②뱃속의 아이가 놀기 전까지의 정적(靜的) 상태. ¶~가 뜨기 시작하다. ③밤톨이 완전히 익기 전까지 밤송이 안에서의 미숙한 상태. ④야구·축구 등의 운동 경기(運動競技)에서, 적에게 틈을 보여서는 안 될 자기의 지킬 자리.

자위(가) 돌:다 구 먹은 음식이 삭기 시작하다. ¶먹은 밥이 자위나 좀 돌아야지《洪命憙 : 林巨正》.

자위(를) 뜨다 구 ㉠무거운 물건이 다른 힘을 받아 겨우 자리에서 움직이다. ㉡배 안의 어린 아이가 놀기 시작하다. ㉢밤톨이 익어서 밤송이 안에서 밑이 돌아 틈이 나다. ㉣운동 경기 등에서 자기의 지킬 자리에서 떠나서 틈이 생기다.

자위[3] 명〈방〉자새.

자위[4]【自爲】명 스스로 함. 자신이 행함.

자위[5]【自慰】명 ①스스로 자기의 괴로운 마음을 위로함. ②수음(手淫). ¶~ 행위. ——-하다 자여불

자위[6]【自衛】명 ①스스로 방위함. ¶~책(策)/~ 수단. ②〖법〗외물(外物)의 보호, 특히 국가의 보호에 의하지 아니하고 자기의 체력(體力)으로 방위하는 일. 정당 방위(正當防衛) 등. ——-하다 타여불

자:위[7]【刺蝟】명〖동〗고슴도치.

자위[8]【紫葳】명〖식〗능소화(凌霄花).

자위[9]【磁位】명 [magnetic potential]〖물〗자석(磁石)에 의한 정자기장(靜磁氣場) 중의 한 점에 무한히 먼데로부터 양자기극(陽磁氣極)을 갖고 올 때 소요되는 일을, 그 자기극의 자기량(量)으로 나눈 값. 단위는 암페어 횟수, 기호는 A. 자기(磁氣) 퍼텐셜. *길버트(gilbert)[4].

자위[10]【慈闈】명 '어머니'의 존칭. 자친(慈親).

자위-권【自衛權】[—꿘] 명〖법〗①자기의 생명·재산에 관한 위험 방위의 권리. ②국제법 상, 국가가 자국(自國) 또는 자국민에게 대한 급박(急迫)·부정(不正)한 위해(危害)를 제거하기 위하여 부득이 행하는 방위의 권리. ¶~의 발동.

자위-대【自衛隊】명 ①자국의 평화와 독립을 지키고, 나라의 안전을 유지하기 위하여, 직접 침략 및 간접 침략에 대하여 방위할 것을 주(主)된 임무(任務)로 삼는 조직(組織). ②일본 방위청(防衛廳)에 소속되어 직접·간접 침략을 방위할 목적으로 육상 자위대·해상 자위대·항공 자위대로 이루어진 군대 조직. 1954년 설치됨.

자위-력【自衛力】명 자위를 위한 전투 능력.

자위 본능【自衛本能】명 자기 자신을 방위하려고 하는 본능.

자위 전:쟁【自衛戰爭】명 외국의 급박하고도 부정(不正)한 침해(侵害)로부터 자국을 방위하기 위하여 부득이 행하는 전쟁.

자-위지【自爲之】명 남을 시키지 아니하고 스스로 함. ——-하다 타여불

자위-질 명〈방〉자새질. ——-하다 자

자위-책[1]【自慰策】명 스스로 위로하는 방책.

자위-책[2]【自衛策】명 스스로 방위하는 방책. ¶~을 강구하다.

자유[1]【子有】명〖사람〗염구(冉求)의 자(字).

자유[2]【子游】명〖사람〗공자(孔子) 문하의 십철(十哲)의 한 사람. 본명은 언언(言偃). 자유는 그의 자(字). 오(吳)나라 사람으로, 노(魯)나라에서 벼슬하여 무성(武城)의 재상(宰相)이 되었음. 자하(子夏)와 더불어 문학에 뛰어났음. [506 B.C.-?]

자유[3]【自由】명 [freedom] ①남에게 구속(拘束)을 받거나 무엇에 얽매이지 아니하고 자기 마음대로 행동하는 일. 또, 그러한 상태. ②〖법〗법률의 범위 내에있어서의 자기 마음대로의 행위. 완전한 권리·의무를 가지는 일. 자율적 활동(自律的活動). ③〖철〗남으로부터 규정(規定)·구속·강제·지배를 받지 아니하는 일.

자:유[4]【紫楡】명〖식〗스무나무.

자유 가격【自由價格】[—까—] 명〖경〗자유 경쟁 시장에서 결정되고 또한 변동하는 가격.

자유-겨루기【自由—】명 태권도(跆拳道)에서의 겨루기의 하나. 맞추어 겨루기에서 익힌 기술을 활용하여 아무 약속 없이 자유롭게 공격과 방어를 하는 겨루기. 자유 대련(對鍊). 겨루기.

자유 결혼【自由結婚】명 자유 혼인. ——-하다 자여불

자유-경【自由境】명 마음대로 행동하는 경지(境地). 또, 자기의 마음대로 할 수 있는 장소.

자유 경:쟁【自由競爭】명 아무런 구속·간섭·통제를 받지 않고 자유 의사에 따라 남과 경쟁하는 일. 특히 자본주의 경제 초기에, 자본가들이 아무런 구속이나 간섭을 받지 않고 자유로 상품을 생산, 이윤을 좇아 경쟁하던 일을 일컬음.

자유 경제【自由經濟】명 경제 활동에 통일적인 의지(意志)의 규제(規制)를 가하지 않고 각 경제 단위의 자유 의지와 자동 조절 작용(自動調節作用)에 맡기는 경제.

자유 계:약 선:수【自由契約選手】명 프로 야구 따위의 선수로서, 소속하고 있던 구단(球團)에서 계약이 해소(解消)되어 어느 구단이든 자유로 계약할 수 있는 선수.

자유-곡【自由曲】명 노래 자랑이나 음악 경연(競演) 등에서, 참가자가 꼭 부르거나 연주하도록 주최측으로부터 지정받지 않은 곡. ↔지정곡(指定曲).

자유 곡류【自由曲流】[—뉴] 명 [free meander]〖지〗거의 평행면(平行面)을 흐르는 노년기(老年期)의 하천(河川). ↔감입(嵌入) 곡류.

자유 곡척【自由曲尺】명 자유로 폈다 접었다 할 수 있는 곱자.

자유 공간【自由空間】명 [free space]〖전〗안테나의 지향성(指向性)이 주위의 빌딩·나무·언덕·지표(地表) 따위의 영향을 받지 않을 만큼 충분히 높은 고도(高度)의 공간.

자유 공간 전:기장의 세기【自由空間電氣場—】명 [free-space field intensity]〖전〗대지나 물체로부터의 반사파(反射波)가 없을 때 일정한 매질(媒質) 속의 한 점에 존재하는 전기장의 세기.

자유 공간파【自由空間波】명 [free space wave]〖전〗경계(境界)의 영향을 받지 않고 진공 중을 전파(傳播)하는 전자기파(電磁氣波).

자유 공물【自有公物】명〖법〗관리권의 주체와 소유권의 주체가 일치하는 경우의 공물(公物). 국가 또는 공공 단체가 그 소유 재산을 공공용에 제공했을 경우의 그 재산. ↔타유 공물.

자유 공채【自由公債】명〖경〗응모(應募)하느냐 않느냐를 개인의 자유에 맡기는 공채. 곧, 법률 상 응모의 의무가 없는 공채.

자유-과【自由科】[—꽈] 명 [라 artes liberales]〖역〗그리스·로마 시대로부터 르네상스에 걸쳐 고등 교육 기관에서 교수하던 신학(神學) 이외의 여러 학과. 곧, 문법·수사학(修辭學)·변증법(辨證法)·산술·기하학·천문학·음악 등의 일곱 학과를 말함. 자유 칠과(自由七科). 리버럴 아트(liberal art).

자유 교:육【自由教育】명〖교〗①아동의 자유로운 학습 활동을 중시하여 창조력(創造力)·개성(個性) 등을 중히 여기는 교육. ②정치·종교·직업 상의 속박을 떠나 지식을 위한 지식, 교양을 위한 교양을 추구(追求)하는 교육.

자유 교:회【自由教會】명〖기독교〗기성 교회 조직에 속하지 아니하고 독립적으로 운영되는 교회·교파. 특히, 국교회(國教會) 제도가 있는 영국·프랑스·네덜란드 등에서 메서디스트(Methodist)·퀘이커(Quaker)·장로교파(長老教派)·회중(會衆) 교회파·침례교파(浸禮教派) 등을 총칭할 때가 많음.

자유-국【自由國】명〖정〗①타국의 보호·간섭을 받지 않는 독립국. ②공산주의나 독재주의 체제(獨裁主義體制)가 아닌 나라. 백성이 자유롭게 살 수 있는 나라라는 뜻으로, 우익 진영(右翼陣營)의 국가에서 쓰는 말. 자유 국가.

자유 국가【自由國家】명〖정〗자유국(自由國).

자유-권【自由權】[—꿘] 명〖법〗국가 권력에 의해서도 자유를 침해(侵害)당하지 아니하는 권리. 민주주의 국가의 헌법(憲法)에 의해 보장되어 있음.

자유 권총 경:기【自由拳銃競技】명 사격 경기의 하나. 5.6 mm 구경의 피스톨을 사용하여 50 m 떨어진 고정 표적(固定標的)을 사격함. 프리 피스톨 경기.

자유 극장 운:동【自由劇場運動】명〖연〗19세기 말 프랑스를 중심으로 하여 유럽 각국에서 일어난 연극의 혁신 운동. 자연주의 입장을 취하고, 상업 연극에 대항하여, 근대극(近代劇) 확립의 기초를 이룸. 1887년 프랑스의 배우 앙투안(Antoine, A.)이 창설한 '자유 극장'은 이의 선구(先驅)가 되었음. *자유 무대(舞臺).

자유 금시장【自由金市場】명 [gold free market]〖경〗중앙 은행, 지금(地金)업자, 은행, 공예용 금의 사용자, 개인 등에 의해서 구성되는, 금의 자유 매매 시장. 세계적인 것으로는, 영국의 런던, 스위스의 취리히, 프랑스의 파리, 독일의 프랑크푸르트, 이탈리아의 밀라노, 캐나다의 토론토, 인도의 봄베이, 홍콩 등지에 있음.

자유 기구【自由氣球】명 지상(地上)에 계류(繫留)되지 아니하고, 바람의 방향에 따라 비행하는 기구. 대형(大形)인데, 탐험용·학술용 등으로 쓰임. ↔계류 기구(繫留氣球).

자유 기업【自由企業】명〖경〗남의 간섭이나 통제를 받지 않고, 개인의 자유 의사대로 경영하는 기업.

자유 낙하【自由落下】명 [free falling]〖물〗물체를 중력(重力)의 작용하에 초속도(初速度) 없이 떨어뜨린 경우의 운동. 연직하(鉛直下)로 $g=980\,\mathrm{cm/sec^2}$의 가속도(加速度)로써 등가속도(等加速度) 운동을 함. *저속 투하(低速投下).

자유 노동【自由勞動】명 일정한 직장을 갖지 아니하고, 그날그날 품팔이로 하는 노동.

자유 노동자【自由勞動者】명 자유 노동에 종사하는 사람. 곧, 일정한 직장 없이 그날그날 품팔이를 하는 노동자.

자유 노련【自由勞聯】명 ↗국제 자유 노동 조합 연맹(國際自由勞動組合聯盟).

자유 농민【自由農民】명 유럽의 봉건 사회에서, 영주(領主)에 대하여 부역(賦役)의 의무를 지지 아니하였던 농민. 즉, 화폐 및 현물(現物)로 지대(地代)를 납입하면 되었던 토지 소유자(土地所有者). 중산 농민(中產農民).

자유 농법【自由農法】[—뻡] [명]〖농〗미리 농작물의 재배 순서를 정하지 아니하고, 형편에 따라 가장 적절·유리한 작물을 재배하는 방식. 자유식 농업.

자유 농업【自由農業】[명]〖농〗가장 이윤(利潤)이 많은 농작물(農作物)을 택하여 임의로 재배하는 농업.

자유-당【自由黨】[명] ①〔Liberal Party〕영국의 한 정당. 1882년의 선거법 개정 후 성립된 것으로, 휘그당(Whig 黨)의 후신임. 제1차 세계 대전 후 노동당의 대두로 말미암아 그 세력이 쇠퇴하였음. ②한국의 보수 정당의 하나. 1951년 12월 임시 수도인 부산에서 창당된 이후, 이승만(李承晩)을 총재로 하여 집권당으로서 그 세력을 떨쳤으나, 1960년 4월 혁명에 의하여 붕괴되었음.

자유 대:기【自由大氣】[명]〔free atmosphere〕〖기상〗지구를 둘러싸고 있는 대기 중, 마찰이나 작은 요철(凹凸)의 영향이 미치지 않는, 보통 지표면(地表面)의 1-1.5 km 정도 이상 범위의 대기.

자유 대:련【自由對鍊】[명] 자유겨루기.

자유 대:위법【自由對位法】[—뻡] [명]〔free counterpoint〕〖악〗보통 사용되고 있는 자유스러운 대위법.

자유-도【自由度】[명]〔degree of freedom〕〖물〗①역학계(力學系)에서, 운동을 기술(記述)하는 데 필요한, 물체의 위치를 가리키는 변수(變數)의 수. 질점(質點)의 자유도는 3이며, 강체(剛體)에서는 그 회전(回轉)까지 생각할 필요가 있으므로 6이고, 축(軸)을 고정시킨 강체에 있어서는 그 회전각(角)을 지정(指定)하면 되므로 1임. ②평형(平衡) 상태로 있는 물질계에서, 상(相)의 수에 변화를 주지 않고서도 서로 독립적(獨立的)으로 변화시킬 수 있는 상태(狀態) 변수의 개수(個數)의 일컬음. *상률(相律).

자유 도시【自由都市】[명]〖역〗중세 말기부터 근세 초기에 걸쳐, 유럽에 있어서 교황(教皇)이나 군후(君侯)의 지배에 속하지 아니하고, 시민의 자치(自治)에 의한 정치상·군사상의 독립 도시. 곧, 이탈리아의 밀라노·피렌체, 독일의 함부르크 등. 자유시(自由市).

자유 도:항【自由渡航】[명] 배로 국경을 넘을 때, 번거로운 절차를 밟음이 없이 마음대로 건너감.

자유 등반【自由登攀】[명]〔free climbing〕암벽 등반(岩壁登攀)에서, 인위적(人爲的)인 보조 수단을 빌리지 않고, 사람의 육체적 능력만으로 올라가는 일. ↔인공(人工) 등반.

자유 라디칼【自由—】[명]〔free radical〕〖화〗전자쌍을 이루고 있지 않은 전자(電子)를 갖는 원자(原子)나 원자단(原子團). A·B라고 하는 화합물의 원자 사이에서 결합을 형성하고 있는 전자쌍(電子雙)이 빛이나 방사선 따위를 받아, A나 B 따위의 쌍(雙)을 이루고 있지 않은 전자를 가진 채 분리되었을 경우에 발생함. 유리기(遊離基). 라디칼(radical). 프리 라디칼.

자유로운 기체【自由—氣體】[명]〔free gas〕〖물〗용액에 녹지 않고 임의(任意)의 압력 하에 있는 임의의 기체. 또, 탄화 수소의 액상(液相) 속에 역학적으로 보전되고 있는 기체.

자유-론【自由論】[명]〔On Liberty〕〖책〗영국의 철학자이며 경제학자인 밀(Mill, J.S.)의 저서. 1859년에 발행된 것으로, 시민적·사회적 자유를 논한 고전적 명저(名著)로 알려져 있음.

자유-롭다【自由—】[형][ㅂ불] 자유가 있다. **자유-로이**【自由—】[부]

자유 모집교【自由募集校】[명]〖교〗학구(學區)에 구애됨이 없이 자유로 학생을 모집할 수 있는 학교.

자유 무:대【自由舞臺】[명]〖연〗1889년 베를린에서 브람(Brahm, O.) 등이 창립한 독일의 신연극 단체. 프랑스의 '자유 극장'에 자극을 받아, 근대 자연주의 희곡을 많이 상연하여, 신연극술에 많은 공헌을 하였음. *자유 극장 운동.

자유 무:역【自由貿易】[명]〖경〗국가가 외국 무역에 아무런 제약(制約)을 가하지 않고, 또 보호(保護)·장려(奬勵)도 하지 않는 무역. 따라서 수출입품(輸出入品)의 금지(禁止) 및 제한은 물론, 일체의 관세 부과(關稅賦課)를 행하지 않으며 무역 관리(管理)도 행하지 아니함. ↔보호 무역(保護貿易).

자유 무:역주의【自由貿易主義】[—/—이] [명]〖경〗국가가 각 개인의 자유 무역을 시인(是認)하는 주의.

자유 무:역 학파【自由貿易學派】[명]〖경〗외국과의 상품 거래를 행함에 있어서, 정부가 의도하는 인위적·간섭적인 촉진 또는 억제책을 가능한 한 배제하여, 무역을 자유로이 또 차별없이 권장하려고 하는 방식 및 그 이념을 주장한 스미스(Smith, A.)·리카도(Ricardo, D.) 등에 의해 대표되는 학파.

자유 무:역항【自由貿易港】[명] 자유항(自由港).

자유 무차별의 통상 원칙【自由無差別—通商原則】[—/—에—] [명]〖경〗가트 체제(GATT體制)의 기본 이념(基本理念)인, 자유·무차별(無差別)에 의한 자유주의 무역 원칙.

자유 문:제【自由問題】[명] 체조 경기의 한 과제(課題). 자기가 연기(演技)의 내용을 고안(考案)하고 자기의 장기(長技)를 연출하는데, 원칙적으로 규정 문제보다 어려운 운동을 이름.

자유 문학상【自由文學賞】[명]〖문〗1953년 이래, 아시아 재단(Asia 財團)의 기금으로 해마다 국내(國內)의 우수한 문예 창작가에게 수여하던 문학상. 1959년 제7회 시상을 마지막으로 없어짐.

자유-민【自由民】[명]〖법〗정당(正當)한 행위에 의하여 자기의 권익(權益)을 자유로이 행사(行使)할 수 있는 국민. 자유인(自由人). ↔노예(奴隷)·사민(私民).

자유 민권론【自由民權論】[—꿘논] [명]〖정〗프랑스류(流)의 천부 인권설(天賦人權說)이나 영국류의 공리주의(功利主義) 등의 영향을 받아, 자유와 민권의 신장(伸張) 및 민주적 의회 정치(議會政治)를 주장하는 계몽적인 정치 사상.

자유 민주당【自由民主黨】[명] 1955년에 결성된 일본의 보수(保守) 정당의 하나. [준]자민당(自民黨).

자유 민주주의【自由民主主義】[—/—이] [명] 민주주의는 자유주의를 전제(前提)로 해서만 가능하고, 양자(兩者)는 본래 일체가 되어야 한다는 뜻에서 민주주의를 일컫는 말.

자유 발행【自由發行】[명]〖경〗태환(兌換) 지폐 발행법의 한 가지. 제한·구속을 가하지 않고, 자유로이 발행함을 허가하는 일. 태환 지폐는 일종의 신용 증권이므로 자유로이 발행을 허가하여도 남발(濫發)할 수 없다는 이론적 근거에 의함. ↔제한외 발행.

자유 방:임【自由放任】[명] 각자의 자유에 일임하여 간섭하지 아니함. 무간섭(無干涉). ——-하다 [타][여불]

자유 방:임주의【自由放任主義】[—/—이] [명]〖경〗경제 정책에서, 국가 권력의 간섭을 최소 한도로 제한하고 사유 재산과 기업의 자유를 옹호하려는 이론. 18세기 중기(中期)의 자본주의의 기본적 정책으로, 프랑스의 중농(重農)주의자나 영국의 고전파(古典派) 경제학자 등에 의해서 주장됨.

자유법-설【自由法說】[명]〖법〗자유 법학.

자유 법학【自由法學】[명]〔도 Freirechtslehre〕〖법〗개념(概念) 법학 및 법전 만능주의(法典萬能主義)를 배격하고, 재판관은 제정법(制定法)의 해석에 있어서, 형식 논리(形式論理)의 폐단을 피하여 자유로이 법을 발견함으로써 사회 생활의 실제에 적용하는 재판을 하여야 된다고 주장하는 입장. 자유법설(自由法說).

자유 변:이【自由變異】[명] 수의 변이(隨意變異).

자유 변:호【自由辯護】[명]〖법〗변호인을 두느냐 두지 않느냐를 피고인 또는 법원의 자유에 일임하는 제도. ↔강제 변호.

자유 보:험【自由保險】[명] 가입이 당사자의 자유에 맡겨진 보험. 임의(任意) 보험. ↔강제 보험.

자유 분자【自由分子】[명]〔free molecule〕〖물〗기체 중의 분자처럼, 스펙트럼이나 자기(磁氣) 모멘트 등의 성질이, 근접하는 다른 원자·이온·분자 등에 영향을 받지 않는 분자. *자유 이온·자유 원자.

자유-비【自由費】[명]〖법〗국가가 자유로 폐제 삭감(廢除削減)할 수 있는 경비. 의정비(議定費). ↔기정비(既定費).

자유 비행【自由飛行】[명] 구속이 없는 비행. 또, 일체의 다른 힘을 빌지 않는 비행.

자유 비행 궤:도【自由飛行軌道】[명] 비행 물체의 자유 낙하(自由落下)의 궤적(軌跡).

자유 사:상【自由思想】[명] 자유주의의 사상. 자유를 존중하는 사상. 특히 행동·언론의 구속을 배제(排除)하려는 사상.

자유 사:상가【自由思想家】[명] ①역사적으로는, 기성(既成)의 계시 종교(啓示宗教)를 비판하고, 자유로이 이성적 견지(理性的見地)에서 신(神)을 생각한 18세기 계몽 시대의 이신론자(理神論者)를 말함. ②일반적으로는, 어떠한 권위(權威)에도 굴복하지 아니하고 자기의 양심에 따라 자유로이 생각하는 사상가를 말함.

자유 사회주의【自由社會主義】[—/—이] [명]〖사〗생산 수단, 특히 토지의 독점적 사적 소유(獨占的私的所有)에 반대하고, 자유로운 경제 활동의 기반을 확보함으로써 사회주의가 이상으로 하고 있는 공동 사회의 전체적 발전이 가능하게 된다고 하는 사상. 경쟁적 사회주의(競爭的社會主義).

자유 삼매【自由三昧】[명] 제가 하고 싶은 대로 방종하는 모양.

자유 상속주의【自由相續主義】[—/—이] [명]〖법〗누구를 상속인으로 하느냐를 피상속인인 사인(私人)의 자유 의사에 일임하는 주의.

자유 서:열주의【自由序列主義】[—/—이] [명]〖법〗민사 소송법상 공격·방어 방법을 심리 진도(審理進度)에 따라 당사자가 수시로 제출하는 주의. 수시 제출주의. ↔법정(法定) 서열주의.

자유 선박【自由船舶】[명]〖법〗교전국(交戰國)에서 포획(捕獲)·몰수(沒收)할 수 없는 중립국의 선박. 17-18세기에 네덜란드 등에서 채용(採用)되었음. 선박이 자유라면 화물(貨物)도 또한 자유라고 인정됨. *자유 화물(自由貨物).

자유 설립주의【自由設立主義】[—/—이] [명]〖법〗사단(社團)이나 재단(財團)의 설립에 의해, 즉시 그 법인격(法人格)을 인정한다는 주의.

자유 세:계【自由世界】[명] ①자유로운 세계. 자유로운 사회. ②제2차 세계 대전 후, 미국을 비롯한 자본주의 국가(資本主義國家)들이 공산 진영에 대하여, 자기들 진영에 속하는 제국(諸國)을 총칭한 명칭. ↔공산 세계(共產世界).

자유 소:유권【自由所有權】[—꿘] [명] 목적물을 자유로이 사용·수익(收益)·처분할 수 있음을 내용으로 하는 소유권. 봉건 제도 하에서 제약을 받던 소유권에 대하여 근대법 상의 소유권을 말함.

자유-수【自由水】[명] ①자유 지하수. ②〔free water〕생체(生體)나 토양 속에 있는 물 가운데에서 어떤 구조에도 속해 있지 않아 자유로이 이동할 수 있는 물.

자유 수입【自由輸入】[명] 수입세를 과하지 아니하며, 또 수입세를 과할 때는 다른 제한이나 구속을 가하지 않고 자유로이 외국 화물(外國貨物)을 수입시키는 일.

자유 수출【自由輸出】[명] 국가가 제한이나 구속을 가하지 않고 자유로이 화물을 외국에 수출시키는 일.

자유-스럽다【自由—】[형][ㅂ불] 자유로운 상태에 있다. ¶자유스러운 분위기. **자유-스레**【自由—】[부]

자유-시[1]【自由市】[명] 자유 도시(自由都市).

자유-시[2]【自由詩】[명]〔free verse〕〖문〗①재래의 인습적(因襲的)인 운

율(韻律)이나 용어(用語)를 무시하고, 자유로운 형식으로 지은 시. ↔정형시. ② 현대 구어(口語)를 용어로 하는 시.

자유-식【自由式】명〖농〗자유 농법.

자유식 농업【自由式農業】명〖농〗자유 농법(自由農法).

자유 신학【自由神學】명 ①광의(廣義)로는 정통적(正統的) 신학에 반대하는 것으로 쓰여지며, 교회의 객관주의에서 생기는 억압에 대하여 인간의 주체적 활동을 중시하는 신학. ②처음 제믈러(Semler, J. S.: 1725-91)에 의하여 성서(聖書)를 교의학적(教義學的) 전통에 얽매이지 않고, 역사적으로 연구하는 의미로 쓰였고, 후에는 리츨(Ritschl) 학파로 대표되는 독일 프로테스탄트 신학을 가리킴. 신앙과 이성(理性)의 구별, 형이상학적 사변(思辨)을 배척하고, 그리스도에 대한 역사적 계시(啓示)를 존중함. 자유주의 신학.

자유 신학파【自由神學派】명〖종〗①자유주의 신학을 신봉하는 학파. ②광교파(廣教派).

자유 심증주의【自由心證主義】[—/—이] 명〖법〗재판에 필요한 사실의 인정에 관한 증거의 가치 판단을 재판관의 심증에 일임하는 주의. ↔법정 증거주의(法定證據主義).

자유 십자군 운:동【自由十字軍運動】명〖정〗공산주의의 침략으로부터 자유스러운 유럽을 지키자는 운동.

자유 어업【自由漁業】명 관청(官廳)의 허가 없이 자유로 영위(營爲)할 수 있는 어업.

자유-업【自由業】명 자유 직업(自由職業).

자유 에너지【自由—】명 [free energy]〖물〗열역학(熱力學) 특성 함수(函數)의 하나. 계(系)의 내부 에너지에서 그 온도와 엔트로피(entropy)와의 곱을 뺀 것.

자유 연:구【自由研究】명 재래의 학설에 제약(制約)됨이 없이 자유로이 자기 마음대로 하는 연구.

자유 연상【自由聯想】명 [free association]〖심〗①어떤 말이 주어져서, 거기서 떠오르는 이미지를 자유롭게 연상해 가는 일. ②정신 분석에서, 마음 속에 떠오르는 생각이나 느낌을 그대로 표현시키는 일. 의식(意識) 속에 억압(抑壓)되어 있는 심리적 갈등의 발견이나 해석에 도움이 됨.

자유 연상법【自由聯想法】[—뻡] 명 정신 분석에 의한 환자의 콤플렉스 발견법의 하나. 자연적으로 자유롭게 상기(想起)되는 일들을 검증(檢證)하여, 병적 증상(症狀)을 발견함. ↔대면법(對面法).

자유 연:애【自由戀愛】명 남녀가 전통이나 관례(慣例)의 속박으로부터 해방되어 자유 의사에 의하여 하는 연애.

자유 영업【自由營業】명 법률의 금지가 없으며 관청의 허가를 얻지 아니하고, 누구나 자유로이 할 수 있는 영업.

자유 예:술【自由藝術】명〖예〗예술상(藝術上)의 분류의 하나. 건축·공예(工藝)·장식(裝飾) 미술 등이 현실 효용(現實効用)에 제약이나 속박을 받는 데 대하여 음악·문예(文藝)·조각(彫刻)·순수 회화(純粹繪畫) 등의 자유로운 예술.

자유 원자【自由原子】명 [free atom]〖물〗기체 속의 원자처럼, 스펙트럼이나 자기(磁氣) 모멘트와 같은 원자의 성질이, 가까이 있는 원자·이온·분자 등에 의해 중대한 영향(影響)을 받지 않는 원자. *자유 분자·자유 이온.

자유 원자가【自由原子價】[—까] 명 [free valence]〖물〗분자 내의 각 원자의 공유 결합 형성능(共有結合形成能)의 여력(餘力)을 나타내는 양. 공액계(共軛系) 탄소 원자의 유리기(遊離基)에 대한 반응성을 나타내는 척도(尺度)로도 쓰임.

자유 월남【自由越南】[—람] 명〖역〗'베트남 공화국'을 자유 진영(自由陣營)에서 일컫던 말.

자유 음장【自由音場】명 [free sound field]〖물〗등방 등질(等方等質) 매질(媒質) 가운데서 경계(境界)에 의한 반사(反射) 등의 영향이 전혀 없는 음장.

자유의 길【自由—】[—/—에—] 명〖문〗[Les chemins de la liberté] 프랑스의 작가 사르트르의 미완성 장편 소설. 1945-49년 간에 간행됨. 제2차 세계 대전 발발 전후로부터 패배에 이르기까지의 프랑스를 무대로, 철학 교수 마튀의 실존적(實存的) 생활을 묘사하였음. 작자의 실존주의 사상을 전개한 작품임. 4부작.

자유 의:사【自由意思】명 남에게 속박이나 강제(強制)당함이 없는 자유로운 의사.

자유의 여신상【自由—女神像】[—/—에—] 명 [Statue of Liberty] 미국 뉴욕 시 맨해튼의 남쪽 리버티 섬에 있는, 자유를 상징하는 거대한 여신상(女神像). 높이 46 m, 해상에서의 높이 91 m인데, 오른손에는 횃불을, 왼손에는 독립 선언서를 들고 있음. 1884 년 미국의 독립 승인 100 주년을 기념하여 프랑스 국민이 기증한 것으로, 1886 년에 제막(除幕) 함. 자유상(自由像).

자유의 인과성【自由—因果性】[—썽/—에—썽] 명 [도 Kausalität durch Freiheit]〖철〗경험적 현상계(現象界)의 인과가 아니고, 예지계(叡智界)의 인과로서, 도덕 의지가 자유로운 원인으로 자기의 결정 근거가 되는 일. 칸트 철학의 용어임. ↔자연의 인과성.

자유 의:지【自由意志】명 ①〖윤〗인간의 의지는 외부의 구속이나 제약을 받지 아니하고, 자기 스스로 어떠한 목적을 세우고 실행할 수 있다는 의지. ②〖심〗두 가지 이상의 동기(動機)에 대하여, 선택과 결정은 자기 자신이 자유로이 할 수 있다는 의지(意志). 내적 자유(內的自由). ③〖종〗인간이 신(神)의 힘으로 창조될 때부터 부여되었다는 의지. ④〖철〗유심론(唯心論)에 근거를 두어 우주의 일체는 정신의 소산(所産)이므로, 정신이 목적을 가지고 스스로 생각하고 결정하는 의지. ⑤〖법〗작위(作爲)나 부작위(不作爲)에 대하여 자유로운 정신 상태. 성년자(成年者)로서 정신에 이상이나 장애가 없는 한, 선악에 대하여 자기 스스로 판단할 수 있는 의지를 가짐.

자유 의:지론【自由意志論】명〖철〗인간의 의지는 외계(外界)의 어떠한 사물에도 구속·제약됨이 없이 자유라고 설명하는 이론. 비결정론(非決定論). ↔결정론(決定論).

자유 의:지자【自由意志者】명 자유 의지론을 신봉하는 사람.

자유 이민【自由移民】명 각자의 자유로운 의사에 따라 행하여지는 이민. ↔강제 이민(強制移民).

자유 이온【自由—】명 [free ion]〖물·화〗이온화(化)한 기체 속에서, 스펙트럼이나 자기 모멘트(磁氣 moment)와 같은 이온의 성질이, 근접(近接)한 다른 원자·이온·분자 등에 의해 영향을 받지 않는 이온. *자유 분자(自由分子)·자유 이온.

자유-인【自由人】명 자유민(自由民).

자유인 선언【自由人宣言】명 1960년 6월 베를린에서 개최된 아프리카·남북 아메리카·유럽의, 작가(作家)·과학자·교육가·예술가로 구성된 '세계 문화 자유 회의'에서 채택한 선언문. 지성(知性)의 자유를 수호하고 건설적인 작품 제작의 의무를 강조했음.

자유 임:용【自由任用】명〖법〗공무원의 임용에 있어서, 어떤 임용 자격을 요하지 않고 채용자가 자유로이 결정하는 임용. 흔히 별정직 공무원에게 적용됨. ↔자격 임용.

자유 임피:던스【自由—】명 [free impedence]〖물〗부하(負荷) 임피던스를 0으로 했을 때, 입력(入力) 측에서 본 변환기(變換器)의 임피던스.

자유 자재【自由自在】명 어떤 범위 내에서 구속·제한됨이 없이 마음대로 할 수 있음. 종횡 자재(縱橫自在). 무궁 자재(無窮自在). ¶영어를 ~로 구사하다. ——-하다 형여불

자유-재【自由財】명〖경〗사람이 그것을 획득·점유·처분할 수 없기 때문에, 또는 아주 많아서 획득·점유·처분할 필요가 없기 때문에, 경제 행위(經濟行爲)의 대상이 되지 않는 재(財). 앞의 예는 태양·달 같은 것이며 뒤의 예는 공기·바닷물 같은 것임. 자유 재화(自由財貨). ↔경제재(經濟財).

자유 재량【自由裁量】명 ①자유로운 심증(心證)에 의하여 그 믿는 바대로 재단(裁斷)함. ¶~에 맡기다. ②〖법〗행정 기관이 일정한 범위 안에서, 법에 구속됨이 없이 어떤 행위나 판단 등을 독자적으로 행하는 일. ㊤재량(裁量). *재량 처분(裁量處分).

자유 재산【自由財産】명〖법〗파산 재단(破産財團)에 속하지 않는 파산자의 재산. 주요한 것은 압류 불능의 재산 및 파산자가 파산 선고 후에 취득한 새 재산으로, 파산자는 자유로이 관리·처분할 수 있음.

자유 재화【自由財貨】명〖경〗자유재(自由財).

자유 전:기【自由電氣】명〖전〗절연 도체(絶緣導體)에 있는 전기. 다른 물체를 만나면 전기의 작용을 일으킴.

자유 전:자【自由電子】명 [free electron]〖물〗금속(金屬) 등의 도체(導體)에 의한 전기나 열(熱)의 전도(傳導)를 설명하기 위하여 도체 내에서 자유로 돌아 움직이며 전기나 열의 전도의 역할을 하는 것으로서 도입(導入)된 전자. 양자론(量子論)에서는 원자(原子)의 외측(外側) 전자 중 원자에서의 속박력(束縛力)의 최소(最小)의 것에 상당한다고 함. 전도 전자. ↔속박(束縛) 전자.

자유 전:자기장【自由電磁氣場】명 [free electromagnetic field]〖전〗물질과 상호 작용을 하지 않는 공허(空虛)한 공간(空間) 안의 전자기장.

자유 전:하【自由電荷】명 [free charge]〖전〗진전하(眞電荷)와 분극(分極) 전하를 보탠 전하.

자유 정당【自由政黨】명〖정〗현상에 만족하나 더욱 미래의 향상을 믿는 정당의 한 유형(類型). *보수(保守) 정당.

자유 정신【自由精神】명 자유롭게 살고자 하는 마음.

자유 정신의 형제【自由精神—兄弟】[—/—에—] 명 [도 Brüder des freien Geistes]〖역〗12 세기 경 독일 민족 사이에 일어났던 범신론적 신비주의 단체의 하나. 형식적 또는 교리적인 가톨릭 교회 이외에, 단순히 내적(內的)인 경건을 동경한 데서 생김. 14 세기에 교회로부터 이단시되었으나 독일 신비주의에 영향을 미침. 여자들 사이에서는 '자유 정신의 자매(姉妹)'라고 불리었음.

자유 정체【自由政體】명 자유 민권론(民權論)에 기반(基盤)을 둔 정치 체제(政治體制).

자유제 사회주의【自由制社會主義】[—/—이] 명〖사〗경쟁적 사회주의.

자유-종【自由鐘】명〖책〗이해조(李海朝)가 쓴 신소설. 융희(隆熙) 4년(1910)에 발행되었음. 본문의 처음과 끝의 몇 줄만 지문(地文)이고 내용의 대부분이 대화체(對話體)로 되어 있으며, 토론(討論) 소설이라는 부제(副題)가 붙어 있음. 등장 인물인 몇몇 부인들의 입을 빌려 부녀의 해방, 한자 폐지 문제, 계급 및 지방에 있어서의 적서(嫡庶) 차별의 타파, 자국(自國) 정신과 자주 교육에 대해서 한 주장은 크게 주목을 끌었음. 정치적인 주체 의식(主體意識)이 가장 강한 대표적인 정치 소설(政治小說)임.

자유 종교【自由宗教】명〖종〗주로 유니테어리언(Unitarian) 계통의 신종교로서, 기성 종교의 신앙·신조에 구애됨이 없이 신자의 개성을 존중하고 모든 종교의 입장을 인정하는 종교. 흔히 지도자를 따로 두지 아니하고 평신도(平信徒)를 중심으로 함.

자유 종:목【自由種目】명 체조·수영·스케이트 경기에서, 경기자가 규정 종목에서 선택한 특별한 기술 종목. ↔규정 종목.

자유-주의【自由主義】[—/—이] 명 [liberalism] ①17-18세기, 주로 서구의 신흥 시민 계급에 의해서 주장된 시민적 자유·경제적 자유·민주적인 여러 제도를 요구하는 사상·입장·운동. ②인간 개인의 인격의 존

엄성(性)을 인정하고, 개성을 그 사람 자신으로 하여금 자발적으로 발전시키려는 주의. 리버럴리즘. ↔전체주의.
자유주의 경제학【自由主義經濟學】[―/―이―] 명 〖경〗 보호 관세 등에 의하여 제한됨이 없는 국제 자유 무역, 또는 널리 경제 활동에서 법적 속박·통제를 배제할 것을 기본으로 한 경제학.
자유주의 신학【自由主義神學】[―/―이―] 명 〖기독교〗 자유 신학.
자유 주:조【自由鑄造】 명 〖경〗 국민이 본위 화폐(本位貨幣)의 지금(地金)을 조폐국(造幣局)에 납입(納入)하고, 주조를 청구할 때 국가는 이것을 무제한 주화(鑄貨)로 제조에 응하는 일.
자유 중국【自由中國】 명 〖지〗 대만(臺灣)의 국민 정부를 자유 진영에서 부르던 이름. *국민 정부.
자유 지구【自由地區】 명 〖경〗 자유항의 하나. 항구의 한 지역에 한하여 무관세(無關稅) 지역으로 정하며, 화물을 싣고 부리는 일과 보관을 허가하는 데 그치며, 거주 및 제조·가공·개장(改裝) 등을 금지하는 지구. *자유항.
자유지-정【自有之情】 명 인(仁)·의(義)·예(禮)·지(智) 등의, 나면서부터 지니고 있다는 정. 사단(四端).
자유 지하수【自由地下水】 명 지표(地表)에서 가장 가까운 불투수층(不透水層)과 지표와의 사이에 있는 지하수. 표면은 지하수면을 이루며 대기(大氣)의 압력(壓力)과 균형(均衡)을 이루고 있음. 주수(宙水)에 대하여 이것을 본수(本水)라고 하며, 보통 우물은 이것을 이용한 것임. 자유수(自由水).
자유 직업【自由職業】 명 고용 관계에 의하지 아니하고 자유 의지에 의하여 자기의 생활을 유지해나가는 직업. 예술가·저술가·종교가·의사·변호사 등. 자유업.
자유 진:동【自由振動】 명 〖물〗 고유 진동(固有振動).
자유 진:행파【自由進行波】 명 〖물〗 반사(反射)나 회절(回折)을 일으키게 하는 장애물(障礙物)이 없는 곳에서 한 방향으로 퍼지는 이상적인 진행 음파.
자유 질문【自由質問】 명 [open-end question] 질문의 테마에 대하여 항목(項目)으로 나누지 않고 전체적으로 묻는 일. 답변하는 방법의 지시가 없는 데서 이르는 말.
자유 체인 스토어【自由―】 [chain store] 명 〖경〗 경영적으로는 중앙의 관리 통제를 받지만 기업적으로는 각 점포가 독립되어 있는 연쇄점의 한 가지. ↔회사 체인 스토어.
자유 총:연맹【自由總聯盟】[―넌―] 명 ↗한국 자유 총연맹.
자유 칠과【自由七科】[―꽈] 명 〖역〗 자유과(自由科).
자유 침강【自由沈降】 명 〖화〗 입자(粒子)가 침강할 때 입자 상호간 또는 입자와 그릇벽 사이의 상호 작용이 없이 각 입자가 무한(無限)히 넓은 유체(流體) 속을 침강하는 한 개의 입자로 볼 때의 침강. *간섭 침강(干涉沈降).
자유 카르텔【自由―】 [도 Kartell] 명 가맹하는 기업의 자유 의지에 의하여 결성되는 카르텔.
자유 토:의【自由討議】[―/―이] 명 〖정〗 국회에서 정부에 대한 질문, 정당 정책의 비판 등 국정(國政)에 관한 사항을 자유로 토의하는 일.
자유 통상【自由通商】 명 〖경〗 세계 관세 정책의 조류가 세계 경제 및 국민 경제의 갱생(更生)에 유해(有害)하다 하여 극단적인 보호 정책의 채용을 거부하고 국제협조 하에 세계 각국의 협력적 관세 인하를 주장하는 운동.
자유 통항권【自由通航權】[―꿘] 명 〖법〗 공해(公海) 자유의 원칙에 의하여, 선박이 어떠한 국가의 규제도 받지 않고 공해를 통항(通航)할 수 있는 권리.
자유-투【自由投】 명 프리 스로(free throw).
자유 투하【自由投下】 명 장비·보급품 등을 항공기에서 낙하산 없이 내리는 일.
자유 팽창【自由膨脹】 명 [free expansion] 〖물〗 물체가 외부에 대해 일을 하지 않고 팽창하는 일. 진공(眞空) 중에서 기체가 분출(噴出) 팽창하는 경우.
자유 평등【自由平等】 명 〖사〗 개인에 대한 권력적 강제나 인격적 차별을 떠나서 개인 활동의 자유와 지위 상의 같은 조건을 지향하는 제도. 현대 사회 질서의 기본이 됨.
자유 폭발【自由爆發】 명 대기압(大氣壓)이 정상적인 개방 공기 중에서 생기는 폭발.
자유 표면【自由表面】 명 [free surface] 〖물〗 용기(容器)에 접하고 있지 않은 액체(液體)의 표면(表面). 해면(海面)·용기(容器) 안의 액면(液面) 따위.
자유 푸가【自由―】 명 [free fuga] 〖악〗 간주(間奏)의 삽입 등으로 비교적 자유롭게 처리되는 푸가. 엄격(嚴格) 푸가에 상대하여 이르는 말. 베토벤의 후기 소나타, 브람스·프랑크 등의 작품에서 볼 수 있음.
자유 프랑스 운:동【自由―運動】 [France] 명 제2차 대전 중 독일에 항복한 프랑스에서 런던으로 망명하여 임시 정부를 조직하고 대독 저항(對獨抵抗)을 호소한 드골(de Gaulle, C.)의 운동. 국외에서 자유 프랑스군을 형성하는 한편 프랑스 국내의 저항 운동 조직과 결합하여 전후의 프랑스 공화국 정부의 모체가 되었음.
자유 피스톤 기관【自由―機關】 [piston] 명 〖기〗 실린더(cylinder) 안의 가스압(gas壓)에 의해 제어(制御)된 자유 피스톤 운동을 이용한 원동기(原動機).
자유 학습의 날【自由學習―】[―/―에―] 명 〖교〗 초등 학교 아동들에게 1주일에 1일씩 교과(敎科)와 관련된 취미 활동·스포츠 활동·현장 학습 등을 실시함으로써 학습에 대한 심리적 부담을 덜어 주며 활달한 인간성을 함양하고 알찬 학습의 능률을 올리기 위하여 설정한 날.
자유-항【自由港】 명 [free port] 〖경〗 수출입품(輸出入品)에 관세를 물리지 않고 출입이 자유로운 무역항(貿易港). 통과 무역(通過貿易)을 촉진시키기 위하여 외국 선박의 출입 및 교통을 자유롭게 하고 자국의 관세 행정(關稅行政)을 적용하지 아니함. 자유항시(自由港市)·자유항구(自由港區)·자유 지구의 셋으로 나눔. 자유 무역항. *자유 지구(地區)·자유항구(自由港區).
자유항-구【自由港區】 명 〖경〗 항구(港口)에 면해 있는 지대의 한 지구를 구획하여 그 안에서 화물의 양륙, 창고에의 반출입(搬出入), 개장(改裝)·분류·가공·제조 등의 자유를 허용하는 구역. 그러나 국민의 거주를 허가하지 아니함. *자유항.
자유 항:로【自由航路】[―노] 명 〖경〗 정부로부터의 수명 계약(受命契約)에 의하지 아니하고, 법규의 범위내에 있어서, 선주(船主)가 자유로 항로를 선정하고 배선(配船)할 수 있는 항로.
자유항-시【自由港市】 명 〖경〗 자유항의 하나. 자유항의 초기 형태로, 항구에 면한 모든 지역을 관세 구역 밖에 두어 보세(保稅) 상태로 정하고, 거주의 자유, 제조·가공·개장(改裝)·분류 등의 자유도 허용하는 항만.
자유 항:행【自由航行】 명 국제적으로 개방(開放)된 하천(河川)을 자유로이 항행하는 일. ――-하다 자 여불
자유해-론【自由海論】 명 〖책〗 해양(海洋)은 점유할 수 없으므로 어느 국가라도 영유할 수 없으며, 자유라고 설파한 그로티우스(Grotius)의 저서. 1609년 간행. 당시 해상 강국들이 일정한 해양의 영유를 주장하였으므로 이에 반대하기 위해 제작된 것으로, 이 주장이 인정되어 후의 '공해 자유의 원칙'이 확립됨.
자유 해:방【自由解放】 명 자유를 주기 위하여 속박(束縛)을 풀어 줌. ――-하다 타 여불
자유 해:양【自由海洋】 명 〖법〗 해양 자유(海洋自由).
자유 행동【自由行動】 명 남의 형편에는 관계하지 않거나 감독을 벗어나서 자기 마음대로 하는 행동.
자유 헌:법【自由憲法】[―뻡] 명 〖법〗 일반 법률과 동일한 절차(節次)에 의하여 변경할 수 있는 헌법. 연성(軟性) 헌법.
자유 헌:장【自由憲章】 명 〖역〗 영국 정치사상, 자유민(自由民) 또는 그 일부의 사람이 갖는 자유를 확인하고 혹은 그들에게 자유를 부여하는 특허장(特許狀). 마그나 카르타는 그 대표적인 것임.
자유-형[1]【自由刑】 명 〖법〗 자유의 박탈을 내용으로 하는 형벌. 징역·금고·구류(拘留) 등.
자유-형[2]【自由型】 명 ①경영(競泳)의 한 종목. 수영법(水泳法)의 형(型)에 제한이 없는 자유로운 경기 수영법임. 능률이 가장 높기 때문에 근래에는 흔히 크롤(crawl) 영법을 말함. 프리 스타일. ②레슬링에서, 상대편 허리로부터 아래를 공격해도 무방한 경기 방법(競技方法). 프리 스타일. ↔그레코 로만형.
자유 혼인【自由婚姻】 명 〖법〗 남녀가 부모의 동의 없이, 서로의 합의만으로 하는 결혼. 구(舊)민법 상 남자는 27세, 여자는 23세 미만의 경우만 부모의 동의가 필요했으나, 현행 민법상으로는 미성년자의 경우만 부모의 동의가 필요함. 자유 결혼(自由結婚).
자유-화[1]【自由化】 명 ①자유롭게 함. 또, 자유롭게 됨. ¶~의 물결. ②국가의 통제가 풀리어 당사자의 자유로운 재량에 맡기어지는 일. 특히, 세계 경제에 있어서 무역이나 자본의 교류에 관한 통제를 철폐 또는 완화하는 것을 말함. ¶가격 ~. ――-하다 자 타 여불
자유-화[2]【自由畫】 명 아동이 표현하고 싶은 대로 자유로이 그린 그림. 또, 실감(實感)을 속이지 아니한 아동의 그림. ↔임화(臨畫).
자유 화:물【自由貨物】 명 〖법〗 교전국(交戰國)이 포획·몰수할 수 없는 중립국 선박의 화물. *자유 선박(自由船舶).
자유화-율【自由化率】 명 [liberalization rate] 〖경〗 한 나라의 수입 총액 중, 자유롭게 수입이 인정되고 있는 비율.
자유 화:폐【自由貨幣】 명 [free money] 〖경〗 금·은과 같은 화폐 소재(素材)는 저장하여도 감량(減量)·감가(減價)되지 않는 데 대하여 상품처럼 저장하면 감량·감가하는 지폐. 곧, 소정일(所定日)에 화폐면에 인지(印紙)를 첩부(貼付)하게 하거나, 화폐면에 유통(流通) 기한을 기재하여 유통 속도를 빠르게 하여 그 구매력(購買力)을 증가시킴으로써 경기를 회복(回復)하려는 데 그 목적이 있음. 주창자(主唱者)는 게젤(Gesell, Silvio; 1862-1930)임.
자유 환:시세【自由換時勢】 명 〖경〗 시장에서 자유로이 거래(去來)되는 환시세.
자육[1]【孶育】 명 동물이 새끼를 낳아서 기름. ――-하다 타 여불
자육[2]【慈育】 명 사랑하여 기름. ――-하다 타 여불
자율【自律】 명 ①스스로 자기를 규제(規制)함. 외부로부터의 제어에서 벗어나 자신이 세운 규범에 따라 행동함. ②[도 Autonomie] 〖철〗 실천 이성(實踐理性)이 스스로 보편적 도덕법을 세워 이에 따르는 일. 따라서 이성 이외의 외적 권위(外的權威)나 자연적 욕망에는 구속되지 않음. 칸트의 윤리 사상에 있어서 근본이 되는 관념임. ③〖역〗 어떤 문화 영역이 외부의 제약을 받지 않고 독립된 목적·의의·가치를 가짐. 1)-3): 타율(他律).
자율-권【自律權】[―꿘] 명 〖법〗 국가 기관(國家機關)의 독자성을 존중하기 위하여 일정한 범위 안에서 그 기관이 스스로 규칙을 제정할 수 있는 권한(權限).
자율-성【自律性】[―썽] 명 자력(自力)으로 통일된 생활을 하고 있는 성질.
자율 신경【自律神經】 명 [autonomic nerve] 〖생〗 의지(意志)와는 관계 없이 작용하는 위장·혈관·심장·자궁·방광(膀胱)·내분비선·땀샘·침샘·췌장(膵臟) 등을 지배하는 신경. 교감 신경과 부교감 신경이

있음. 식물성(植物性) 신경.

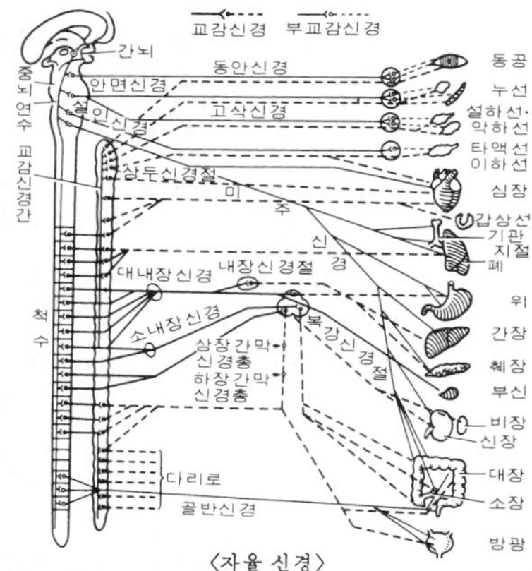

〈자율 신경〉

자율 신경 실조증【自律神經失調症】[—쪼쯩] 명 〖의〗 교감(交感) 신경과 부교감 신경(副交感神經)의 긴장도가 평형(平衡)을 잃은 상태. 자율 신경의 기능을 잃고 현기증·발한(發汗)·설사·구토·성적 불능증 등의 증상을 나타냄.

자율 신경약【自律神經藥】[—냑] 명 〖약〗 자율 신경계(系)의 시냅스(synapse)를 통과하는 신경 충격을 감소시키기도 하고 또한 강하게 하는 화합물.

자율 신경절【自律神經節】명 〖생〗 자율 신경의 도중에 개재(介在)하는 신경절.

자율 신경 차:단제【自律神經遮斷劑】명 〖약〗 내장의 기능을 지배하고 있는 자율 신경의 전달 작용을, 도중에서 막는 효과가 있는 약. 혈압 강하(降下)나 위의 운동, 위액(胃液) 분비를 지배하는 신경을 차단하는 성질이 있어, 위궤양·십이지장 궤양 등에 쓰임.

자율-적【自律的】[—쩍] 명관 자기가 자기를 제어(制御)하는 모양. ¶～인 행동(行動).

자은【自隱】명 자회(自晦). ——-하다 타여불

자은-도【慈恩島】명 〖지〗 전라 남도 서해상, 신안군(新安郡) 자은면(慈恩面)에 위치한 섬. [52.02 km² : 7,123 명(1984)]

자은-종【慈恩宗】명 〖불교〗 법상종(法相宗).

자음[1]【子音】명 〔consonant〕〖언〗 발음할 때 혀·이·구강(口腔)·입술 등의 발음 기관에 의하여 호흡이 제한되어서 나는 소리. 성대(聲帶)의 진동을 수반하는 유성(有聲) 자음과 수반하지 아니하는 무성(無聲) 자음으로 크게 구별함. 한글에서는 'ㄱ·ㄴ·ㄷ·ㄹ·ㅁ·ㅂ·ㅅ·ㅇ·ㅈ·ㅊ·ㅋ·ㅌ·ㅍ·ㅎ'의 단자(單字)로 된 것과 'ㄲ·ㄸ·ㅃ·ㅆ·ㅉ'의 복자(複字)로 된 것의 19개가 있고, 영어에서는 'b·d·f·p·s·t' 등임. 닿소리. 부음(父音). ↔모음(母音).

자음[2]【字音】명 글자의 음. 준음(音).

자음 강:화탕【滋陰降火湯】명 〖한의〗 음허 화동(陰虛火動)·도한(盜汗)·담증(痰症)에 쓰는 탕약. 흔히 폐결핵에도 씀.

자음 동화【子音同化】명 〖언〗 윗말의 종성(終聲)과 아랫말의 초성(初聲)의 자음이 서로 만나서 동화(同化)하여 그 음가(音價)가 변하여 발음되는 일. 대체로 'ㄱ·ㅋ'이 'ㄴ·ㅁ' 위에서 'ㅇ'으로, 'ㄷ·ㅌ·ㅅ·ㅊ·ㅈ'은 'ㄴ·ㅁ' 위에서 'ㄴ'으로, 'ㅂ·ㅍ'은 'ㄴ·ㅁ' 위에서 'ㅁ'으로, 'ㄴ'은 'ㄹ' 위에서 'ㄹ'로, 'ㄺ·ㄻ'과 같은 겹받침은 자음 위에서 둘째 받침인 'ㄱ·ㅁ'으로 변하여 발음 됨. 곧, '독립'이 '동닙'으로, '떡메'가 '떵메'로, '신라'가 '실라'로, '삼천리'가 '삼철리' 등으로 변하는 형상. 닿소리 이어 바뀜. 자음 접변(子音接變).

자음-자【子音字】[—짜] 명 자음을 나타내는 자모나 글자.

자음 접변【子音接變】명 〖언〗 자음 동화(子音同化).

자:응-장【紫鷹章】[—짱] 명 〖역〗 대한 제국 때의 훈장의 한 가지. 무공(武功)이 뛰어난 사람에게 주는데, 일등으로부터 팔등까지 있었음.

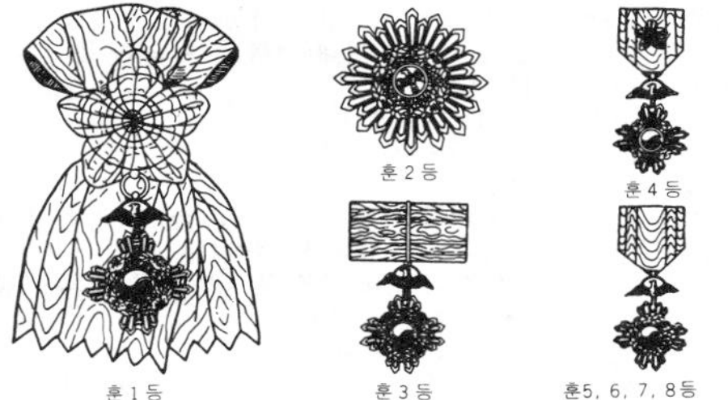

〈자응장〉

자의[1]【字義】[—/—이] 명 글자의 뜻. 특히, 한자(漢字)의 뜻. ¶～대로 해석하다.

자의[2]【自意】[—/—이] 명 자기의 뜻. 스스로의 생각. ¶～ 반(半) 타의 반.

자의[3]【自縊】[—/—이] 명 →자액(自縊). ——-하다 자여불

자의[4]【恣意】[—/—이] 명 방자한 생각. 제 멋대로하는 생각.

자:의[5]【紫衣】[—/—이] 명 ①자줏빛의 옷. ②임금의 옷. ③〖불교〗 자줏빛 가사(袈裟).

자:의[6]【赭衣】[—/—이] 명 전날에 죄수가 입던 붉은 옷. 전하여, 죄인.

자:의[7]【諮議】[—/—이] 명 ①자문(諮問)하여 의논함. ②〖역〗 조선 시대에 세자 시강원(世子侍講院)의 정칠품(正七品) 문관(文官) 벼슬. *설서(說書)·겸(兼)설서.

자의 대:부【資義大夫】[—/—이—] 명 〖역〗 조선 시대의 종이품 의빈(儀賓)의 품계(品階). *순의(順義) 대부.

자의 대:비【慈懿大妃】[—/—이—] 명 〖사람〗 조대비(趙大妃)❶.

자-의식 【自意識】명 〔도 Selbstbewußtsein〕〖심〗 자기 자신에 관한 의식. 모든 체험의 통일적·항상적(恒常的)·자동적(自同的) 주체로서의 자아의 의식. 자기 의식. 자각(自覺).

자의식 과:잉【自意識過剩】명 〖심〗 자아에 관한 의식의 욕구(慾求)가 저지되었을 때 자아와 대립·교차하는 의식. 흔히 열등감(劣等感)·강박감·분열감(分裂感) 등이 일어남.

자의-적【恣意的】[—/—이—] 명관 그때그때 떠오르는 생각대로 하는 모양.

자이 〔嘉義〕명 〖지〗 타이완(臺灣)의 남서부, 자난(嘉南) 평야의 북부에 있는 중심 도시. 북회귀선(北回歸線)이 그 남쪽 가까이를 지남. 제당(製糖)·목재업이 성하고 교통·상업의 중심지임. 가의(嘉義). [258,451 명(1993)]

자이나-교【—敎】〔Jaina〕명 〔Jinaism〕〖종〗 불교와 함께 인도의 유력한 종교의 하나. 기원전 6세기경 마하비라(Mahāvira)가 대오(大悟)한 '지나(jina)(승자(勝者)의 뜻)'가 되어 일으킨, 불교와 같은 무신론(無神論)의 종교임. 베다(Veda)의 교권(敎權)을 부정하며 고행을 중히 여기고 정신(正信)·정지(正知)·정행(正行)의 삼보(三寶)를 체계로 함. 현재 신자는 100여만 명으로 추정됨. 지나교(耆那敎).

자이델의 오:수차【—五收差】〔Seidel〕[—/—에—] 명 〖물〗 렌즈에 나타나는 수차(收差)를 독일의 천문학자 자이델이 다섯으로 분류한 것. 구면 수차(球面收差), 비점(非點) 수차, 코마(coma), 상(像)의 왜곡(歪曲), 상의 만곡(彎曲)을 말함.

자이로〔gyro〕명 ①↗자이로컴퍼스. ②↗자이로스코프.

〈자이로스코프〉

자이로-스코:프〔gyroscope〕명 〖물〗 공간 중에서 자유로이 회전할 수 있도록 장치된 일종의 복잡한 팽이. 중앙에 있는 금속성의 바퀴를 빨리 회전시켜 회전축(軸)을 수평으로 놓으면, 지구상(地球上)에서는 그 자전(自轉)의 방향과 반대로 축의 방향이 이동함. 지구의 자전의 증명, 어뢰(魚雷)의 종타(縱舵) 조정 장치, 배의 동요 감소 등에 응용됨. 회전의(回轉儀). 윤전의(輪轉儀). 준자이로.

자이로-스태빌라이저〔gyrostabilizer〕명 〖물〗 자이로스코프를 응용하여 배나 비행기가 옆으로 흔들리지 않도록 하는 장치. 자이로 안정기(安定器).

자이로 안정기【—安定器】〔gyro〕명 자이로스태빌라이저.

자이로-컴퍼스〔gyrocompass〕명 〖물〗 나침의(羅針儀)의 한 가지. 적당히 장치한 회전체의 축(軸)을 지구의 회전과 짜맞추면 그것을 항상 북쪽을 향하게 할 수 있다는 원리로부터 고안된 것인데, 고속도로 회전하는 팽이를 주체로 하며, 지구 자기(磁氣)와는 관계 없는 나침의가 됨. 선박(船舶)·항공기 등에 쓰임. 회전 나침의(回轉羅針儀). 전륜 나침의(轉輪羅針儀). 준자이로.

자이로-파일럿〔gyro pilot〕명 〖기〗 자이로스코프를 응용하여 선박이나 비행기 등의 조타수(操舵手)에 대신해서 자동적으로 소정(所定)의 진로(進路)를 유지하는 장치.

자이로 호라이즌〔gyro horizon〕명 〖물〗 자이로스코프를 응용하여 선박·비행기·열차 등과 같이 동요가 심한 것 속에서, 인공적으로 올바른 수평면(水平面)을 만드는 장치. 항공기의 지구에 대한 경사(傾斜), 곧 중력(重力)에 대한 경사를 알기 위하여 쓰임.

자이르〔Zaire〕명 〖지〗 '콩고 민주 공화국'의 구칭. 아프리카 중앙부의 공화국. 광대한 콩고 분지(盆地)의 대부분을 차지하며, 국토의 거의 중앙을 적도(赤道)가 지남. 주민은 대부분이 반투계(系)로 바콩고·바르바 등 200여 부족으로 이루어지며, 공용어는 프랑스어(語)임. 광산 자원이 풍부하여 다이아몬드·구리·아연·코발트의 산출은 세계 굴지이며, 우라늄·주석·망간의 산출도 많음. 농산물은 커피·면화·야자유·고무 등임. 1889-1902년에 '콩고 자유국'의 이름으로 벨기에 국왕 레오폴드 2세가 사유(私有), 1908년부터 벨기에 직할지(直轄地)로 되었다가 1960년에 독립하여 '콩고 민주 공화국'이 됨. 1971년 '자이르'로 개칭하였으나, 1997년 '콩고 민주 공화국'으로 다시 바꿈. 수도는 킨샤사(Kinshasa). [2,344,885 km² : 46,498,539 명(1996 추계)]

자이미니〔Jaimini〕명 〖사람〗 기원전 2세기경의 인도의 철학자. 육파 철학(六派哲學)의 하나인 미맘사 학파(Mīmāmsā學派)의 개조(開祖). ≪미맘사수트라(Mīmāmsā-sūtra)≫의 저자라고 함. 그 철학은 베다(吠陀)를 절대적으로 보편 타당(普遍妥當)한 것으로 하는 입장에 서서, 관념 본유론(觀念本有論)을 제창함.

자이빙〔jibing〕명 요트 레이스에서, 요트가 바람이 부는 쪽을 향하여 달리는 중, 바람을 받는 현(舷)을 바꾸는 일. 이 때 마스트가 지금까지의 현에서 다른 현으로 옮아감.

자이산 호【—湖】〔Zaisan〕명 〖지〗 중앙(中央) 아시아 카자흐스탄 공화국(共和國) 동부 중국 국경 가까이에 있는 호수. 이르티슈(Irtish)

강의 수원(水源)을 이룸. 표고(標高) 386 m. [1,860 km²]

자이언트〔giant〕명 ①거인(巨人). 거대한 사나이. ②등산에서, 히말라야의 8,000 m 급(級)의 거봉(巨峰).

자이언트 슬랄롬〔giant slalom〕명 스키 종목의 하나. 보통 30개 이상의 기문(旗門)을 세워 놓고, 이를 통과(通過)·활강(滑降)하는 경기. 대회전 경기(大回轉競技).

자이언트 판다〔giant panda〕명〖동〗[*Ailuropoda melanoleucus*] 판다의 한 종류. 몸길이 150-180 cm, 꼬리는 짧으며, 몸통은 누리끼한 백색으로, 어깨로부터 앞다리·목·가슴 부분에 검은 가로띠가 있으며, 눈가·귀 안쪽·뒷다리는 검음. 중국 쓰촨 성(四川省)·시캉 성(西康省)·간쑤 성(甘肅省)·산시 성(陝西省)의 경계지에 서식함.

자이톤〔Zayton〕명〖지〗중국 원(元)나라 때에 마르코 폴로·이븐 바투타(Ibn Battuta) 등에 의해서 세계 최대의 항구로 소개된, 중국 푸젠 성(福建省)의 도시 취안저우(泉州)의 이름.

자이펠〔Seipel, Ignaz〕명 오스트리아의 정치가·신학자. 잘츠부르크 대학·빈(Wien) 대학의 신학부 교수, 뒤에 기독교 사회당 당수로서 수상을 두 번 역임함. [1876-1932]

자이푸:르〔Jaipur〕명〖지〗인도 서부 라자스탄 주(Rajasthan 州)의 수도. 참발 강(Chambal 江)의 지류에 연하여 있으며, 1728년에 건설되었음. 마하라자 왕궁(Maharaja 王宮)의 소재지로서 유명하며, 직물과 철공업이 성함. [1,454,678 명(1991)]

자익【自益】명 개인의 이익. 자기의 이익.

자익-권【自益權】명 사원권(社員權)의 하나. 사원 개인의 이익을 위하여 사원에게 주어진 권리. 이익 배당 청구권(利益配當請求權)과 같은 것. ↔공익권(公益權).

자익 신:탁【自益信託】명 신탁 재산에서 생기는 이익이 위탁자(委託者)에게 돌아가는 신탁. ↔타익 신탁(他益信託).

자:인¹ 명 〈방〉 장인(丈人)(경기·경상).

자인²【自刃】명 칼로 자기의 생명을 끊음. 자결(自決). ——하다 자여불

자인³【自引】명 ①스스로 인퇴(引退)함. ②스스로 삼가는 일. ③자살함. 자결(自決). ——하다 자여불

자인⁴【自印】명 자기의 인장(印章).

자인⁵【自因】명〖철〗자기 원인(自己原因).

자인⁶【自認】명 스스로 인정함. 자신이 시인(是認)함. ¶~서(書)/잘못을 ~하다. ——하다 타여불

자인⁷【瓷印】명〖공〗자토(瓷土)로 만든 도장.

자인⁸【梓人】명 목수의 우두머리.

자인⁹【慈仁】명 자애롭고 인자함. ——하다 형여불

자인¹⁰【慈仁】명〖지〗경상북도 경산시(慶山市)의 한 면(面).

[자인 장(場) 바소쿠리] ㉠입이 큰 사람을 놀리는 말. ㉡크기가 큰 물건의 일컬음.

자인¹¹【慈忍】명〖불교〗자비(慈悲)와 인욕(忍辱).

자인¹²〔도 Sein〕명〖철〗존재(存在).

자인-소【自引疏】명〖역〗자기의 죄과(罪科)를 진술하는 상소(上疏). 자핵소(自劾疏).

자일¹【子日】명〖민〗일진(日辰)의 지지(地支)가 자(子)로 된 날.

자일²【恣逸】명 방자(放恣). ——하다 형여불

자일³〔도 Seil〕명 등산용(登山用)의 밧줄. 제2차 세계 대전 후부터는 종래의 대마(大麻)·마닐라삼 대신 나일론제·테토론제가 많이 사용됨. 길이는 보통 20-40 m. 로프(rope).

자일곱치 장에 명〖건〗자꺾음을 한 자에 대하여 일곱 치의 비율로 하는 일.

자일로폰〔xylophone〕명〖악〗실로폰(xylophone).

자일롤〔xylol〕명〖화〗크실렌(xylene).

자일스〔Giles〕명〖사람〗①〔Herbert Allen G.〕영국의 중국학자. 중국 각지의 영사(領事)를 역임한 후 케임브리지 대학에서 중국어 강좌를 담당하였으며, 동양학의 권위자임. [1845-1933] ②〔Lionel G.〕영국의 중국학자. ❶의 4남. 대영 박물관 도서 사본부(圖書寫本部) 주임. 둔황(敦煌)에서 출토된 문서 정리에 공적이 있음. [1875-1958]

자일 파:티〔도 Seil+ party〕명 등산에서, 자일로 서로의 허리를 맨 한 그룹.

자임【自任】명 ①스스로 무슨 일을 자기의 임무로 함. ②자부(自負). ¶그는 천재를 ~하고 있다. ——하다 타여불

자웁소 타 〈옛〉 자시오. ¶자닌네도 이제란 이ᄆ티 다 자웁소《新語 Ⅲ:11》.

자자¹【自恣】명 ①자기 마음대로 함. ②〖불교〗하안거(夏安居)의 마지막 날에, 모인 중들이 서로 자기의 죄과(罪過)를 참회(懺悔)·고백(告白)하여 다른 중에게서 훈계(訓戒)를 받는 일.

자자²【刺字】명 ①문신(文身). 입묵(入墨). ②〖역〗옛 중국의 형벌의 한 가지. 얼굴이나 팔뚝의 살을 따고 홈을 내어 죄명(罪名)을 찍어 넣는 일. 삽면(鈒面). 자문(刺文). 자청(刺靑). 묵(墨). 삽자(鈒字). ——하다 타여불

자:자³【紫瓷】명〖공〗①발해국(渤海國)에서 만든 자줏빛 자기(瓷器). ②중국 명(明)나라 세종(世宗) 때 만든 자줏빛 자기.

자:자⁴【藉藉】명 여러 사람의 입에 오르내리는 모양. ¶소문이 ~하다/칭찬이 ~하다. ——하다 형여불. ——히 부

자자⁵【孜孜】부 부지런히 힘쓰는 모양. ——하다 형여불. ——히 부

자자 구구【字字句句】명부 글자마다 글귀마다.

자자부레-하다 형여불 ☞ 자질구레하다.

자자 손손【子子孫孫】명 자손의 여러 대(代). 자손 만대(子孫萬代). 대대 손손(代代孫孫). ¶~에 이르기까지. 주의 부사적으로도 쓰임.

자자-일【自恣日】명〖불교〗하안거(夏安居)의 최종의 날. 곧, 음력 칠월 보름날.

자자-장【子子章】〔一짱〕명〖악〗용비 어천가 제125장의 둘째 절(節)의 이름.

자자 주옥【字字珠玉】명 글자마다 주옥이라는 뜻으로 필법이 묘하게 잘 된 것을 이르는 말.

자:자-형【刺字刑】명 자자(刺字)의 형벌.

자작¹【子爵】명〖역〗오등작(五等爵)의 넷째 작위. 백작(伯爵)의 아래이며, 남작(男爵)의 위임. 준자(子).

자작²【自作】명 ①스스로 만듦. 또는 그 물건. 자제(自製). ¶~ 자연(自演). ②〖농〗자기의 토지를 자기가 직접 경작함. ¶~농(農). ↔소작(小作). *가작(家作). ——하다 타여불

자작³【自酌】명 ↗자작 자음(自酌自飮). ——하다 자여불

자:작【赭斫】명 산이 발갛게 드러나도록 나무를 남김 없이 다 벰. ——하다 타여불

자작-거리다 자 ①힘없는 걸음으로 찬찬히 걷다. ②어린아이가 겨우 걷기 시작하여 위태롭게 걷다. 1)·2): <저적거리다. 자작-자작¹ 부. ——하다 자여불

자작 겸 소:작농【自作兼小作農】명〖농〗자기 소유지(所有地)의 부족을 타인의 토지로 보충하여 경작(耕作)하는 농가. 또, 그러한 농민. *소작 겸(小作兼) 자작농.

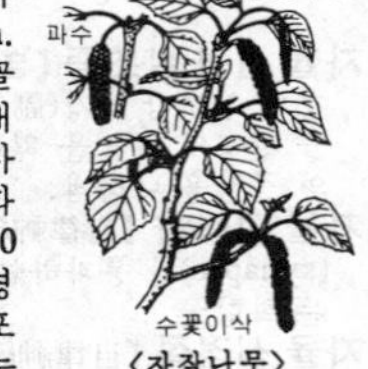

〈자작나무〉

자작-나무 명〖식〗[*Betula platyphylla*] 자작나뭇과에 속하는 낙엽 활엽 교목. 높이 20-30 m. 잎은 호생하는데 삼각형 또는 능상(稜狀) 달걀꼴에 톱니가 있으며 뒷면에는 선점(腺點)이 산재(散在)하고 엽맥 사이에 잔 털이 있음. 5월에 자웅 일가(雌雄一家)의 원주형 꽃이 수상(穗狀) 화서로 피고 작은 견과(堅果)는 날개가 있으며 10월에 익음. 산복이하의 양지에 나는데, 강원·평북·함남북 및 일본·사할린·중국·만주에 분포함. 목재는 기구(器具) 및 신탄재, 수피(樹皮)는 약용·유피용(鞣皮用)이며, 산록 지대의 풍치림(風致林)으로 적당함. 백단(白椴). 백화(白樺).

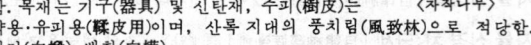

자작나뭇-과【一科】명〖식〗[Betulaceae] 쌍자엽(雙子葉) 식물 이판화류(離瓣花類)에 속하는 한 과. 교목 또는 관목으로 북반구의 온대(溫帶)와 남반구 일부에 70여 종, 한국에는 개서나무·박달나무·사스래나무·서나무·오리나무·자작나무 등 40여 종이 분포함. 재목(材木)으로 많이 쓰임.

자작-농【自作農】명 자기 토지의 전부 또는 대부분을 직접 경작·경영하는 농업. 또, 그 농가. ↔소작농(小作農).

자작-대다 자 자작거리다.

자작-령【自作嶺】〔一녕〕명〖지〗①평북 자성군(慈城郡) 자성면(慈城面)과 삼풍면(三豐面) 사이에 있는 재. [710 m] ②평안 북도 창성군(昌城郡) 우면(祐面)에 있는 재. [397 m]

자작-시【自作詩】명 자기가 지은 시. ¶~를 낭독하다.

자작 일촌【自作一村】명 한집안끼리 또는 뜻이 같은 사람끼리 모여서 한 마을을 이룸. 자성 일촌(自成一村). ¶청인의 장사가 ~하여 층집이 좌우로 즐비하게 있고…《李海朝 : 巢鶴嶺》. ——하다 자여불

자작 자급【自作自給】명 ①손수 자기가 지어 모자람이 없이 지냄. 자기가 만든 것으로 자기의 소용에 충당함. ②자기 나라에서 만든 물건으로 살아감. ——하다 자여불

자작 자수【自作自受】명 자기가 저지른 죄로 자기가 그 악과(惡果)를 받음. 자업 자득(自業自得). ——하다 자여불

자작 자연【自作自演】명 희곡 등 자기가 지은 작품을 손수 연출(演出)하거나 거기에 출연(出演)함. ——하다 자여불

자작 자음【自酌自飮】명 술을 손수 따라 마심. 준자작(自酌). ——하다 자여불

자작-자작² 부 물이 밑바닥에 점점 잦아 붙는 모양. <지적지적. ——하다 형여불

자작 자필【自作自筆】명 자기가 글을 짓고 손수 씀. 작지 서지(作之書之). ——하다 타여불

자작 자활【自作自活】명 자작하여 자기 힘으로 살아감. ——하다 자여불

자작-지【自作地】명〖농〗자기 토지를 직접 경작하는 농지. ↔소작지(小作地).

자작지-얼【自作之孼】명 자기 스스로가 만든 재앙.

자작 지주【自作地主】명〖농〗지주 겸 자작농.

자작-판【自作板】명〖역〗임금의 의대(衣襨)를 마르는 본.

자잘모름-하다 형 〈방〉 자잘하다.

자잘-하다 형여불 여러 개가 다 잘다.

자장¹【資粧】명 여자의 화장에 쓰는 물건.

자:장²【煮醬】명 장조림.

자장³【慈藏】명〖사람〗신라의 고승. 속성은 김(金), 속명은 선종(善宗). 선덕왕 때에 중국 당(唐)나라에 건너가, 율행(律行)을 배워 율사(律師)가 되었음. 계율종(戒律宗)의 전래 개조(傳來開祖)로 통도사(通度寺)를 지었음. 자장 율사(慈藏律師). [590?-658?]

자장⁴【磁場】명〖물〗자기장(磁氣場).

자장-가【一歌】명 어린아이를 재울 때에 부르는 노래. 자장노래.

자장 강도【磁場強度】명〖물〗자기장(磁氣場)의 세기.

자장-격지【自將擊之】명 ①스스로 장수가 되어 군사를 거느리고 나가 싸움. ②남을 시키지 아니하고 손수 함을 이르는 말. ——하다 자여불

자장-노래 명 〈소아〉 자장가.

자장 렌즈【磁場一】〔lens〕명 자기(磁氣) 렌즈. ↔정전 렌즈(靜電 lens).

자장-면〔중 炸醬麵〕명 중국 된장에 고기·채소 등을 넣고 비빈 국수.

자장-바르다 형 〈방〉 재장바르다.

자장-보【資裝保】명 『역』 조선 시대 때 어영청(御營廳)의 군보(軍保)의 한 가지.

자장 율사【慈藏律師】[一눌싸] 명 『사람』 자장(慈藏)을 율사(律師)로서 일컫는 이름.

자장 이:분【滋長利分】[一니一] 명 관계된 물건으로부터 불어서 생기는 이자(利子).

자장-자장 감 아기를 재울 때에 조용히 노래처럼 부르는 소리.

자장 장타【自障障他】명 『불교』 그릇된 교를 믿어 자기를 해롭게 하고 남까지 잘못되게 함. 자손 손타(自損損他).

자장-타:령【一打令】명 타령조로 부르는 자장가.

자재[1] 명 〈옛〉 자벌레. ¶자재 쳑(蚇), 자재 확(蠖) ≪字會 上 21≫.

자재[2]【自在】명 ①저절로 있음. ②속박(束縛)이나 장애가 없이 마음대로 임. ¶자유 ~. ——하다 형여불

자재[3]【自裁】명 자결(自決). 자살(自殺). ——하다 자여불

자재[4]【資材】명 어떤 물건을 만드는 근본이 되는 재료. ¶건(建)~.

자재[5]【資財】명 ①자산(資産). 재산. ②자본이 되는 재산. 재용(財用). ㄴ자(資).

자재 곡선자【自在曲線一】명 셀룰로이드제(製)나 얇은 강철 판에 굵은 납 막대를 붙인 제도용 자. 자유로 굽히거나 곡선을 긋는 데 씀.

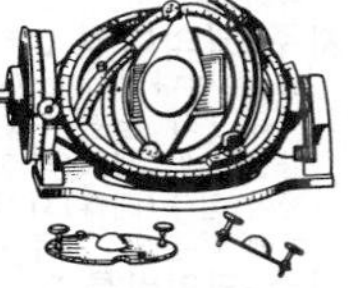
〈자재 곡선자〉

자재 관리【資材管理】[一괄一] 명 『경』 공장에 사용되는 각종 자재의 운반 방법·운반 경로·운반 설비의 합리화 및 재고품의 감축(減縮)을 도모하는 생산 관리의 하나. *원가(原價) 관리·품질 관리.

자-재기중【自在其中】명 그 속에 저절로 들어 있음. ——하다 형여불

자재-난【資材難】명 자재를 구하기가 어려움. ¶~이 심각하다.

자재 수전【自在水栓】명 ①개폐 조절(開閉調節)이 가능한 수전. ②목 부분이 회전하는 수도 꼭지.

자재 스패너【自在一】[spanner] 명 멍키(monkey) 스패너.

자재-천【自在天】명 『불교』 ↗대자재천(大自在天).

자재-화【自在畫】명 『미술』 자나 컴퍼스 등의 기구를 쓰지 아니하고 그리는 그림. 임화(臨畫)·사생화(寫生畫)·상상화(想像畫) 등이 있음. ↔용기화(用器畫).

자재 회전대【自在廻轉臺】명 [universal stage] 『물』 결정 안의 임의의 방향의 광학적 성질을 관찰하기 위하여 결정을 임의의 방향으로 회전시키는 장치. 흔히, 편광 현미경의 재물대(載物臺)에 붙임.

〈자재 회전대〉

자저[1]【自邸】명 자기의 저택(邸宅).

자저[2]【自著】명 자기의 저서(著書).

자저[3]【赼趄】명 머뭇거리며 망설임. 지주(蜘蹰). ¶그 사람은 곧 입당할 생각두 없지 않은데 그 어머니 때문에 ~하는 모양입니다≪洪命憙 : 林巨正≫. ——하다 자여불

자적【自適】명 무엇에 속박(束縛)됨이 없이 마음 내키는 대로 즐김. ¶유유(悠悠) ~. ——하다 자여불

자전[1]【子錢】명 금전(金錢)의 대차(貸借)에 의해 생긴 이자(利子)의 금전. 이자. 이식.

자전[2]【自全】명 저절로 편안하고 온전함. 또, 그리 되게 함. ——하다 형타여불

자전[3]【字典】명 한자(漢字)를 모아 일정한 순서로 배열하고 그 독법(讀法)·의미 등을 해설한 책. 자서(字書).

자전[4]【自傳】명 ↗자서전(自敍傳).

자전[5]【自轉】명 ①저절로 돎. ②[rotation] 『천』 천체(天體) 자체가 그 고정된 축(軸)을 중심으로 회전하는 운동. 지구의 한 번 자전은 약 24시간 걸리며, 태양은 적도부(赤道部)에서는 약 25일, 태양면(太陽面) 위도(緯度) 남북 각 35°에서는 27일, 극(極)의 부근(附近)에서는 약 34일을 주기(週期)로 자전함. 자전 운동(自轉運動). ↔공전(公轉). ——하다 자여불

자:전[6]【紫電】명 ①자줏빛의 전광(電光). ②칼·눈 등의 날카로운 빛. ③일이 화급함을 비유하는 말.

자전[7]【慈殿】명 자성(慈聖).

자전-거【自轉車】명 타고 있는 사람이 양발로 페달을 밟아 바퀴를 돌리어서 앞으로 나아가게 장치한 수레. 보통, 바퀴가 둘임. 자전거의 시초는 18세기 말에 프랑스에서, 목마(木馬)의 발에 바퀴를 달고, 발로 땅을 차며 전진하였다고 일컬어짐. 1880년대에 거의 오늘날의 형태의 것이 고안되었고 1888년 공기를 넣는 타이어가 발명되어 급속으로 실용화(實用化)되었음. 오늘날에 와서는 레저용 또는 실용적(實用的)인 탈것 내지 운반구(運搬具)로 이용되고 있음. *자전차.

〈자전거〉

자전거 경:기【自轉車競技】명 ①자전거를 사용하여 자기의 힘으로 주행하는 경기. ②올림픽이나 국제적으로 실시하고 있는 아마추어의 자전거 경기 종목으로, 도로를 이용한 개인 도로 경주(個人道路競走)·단체 시간 도로 경주와, 경기장에서 하는 타임 트라이얼(time-trial)·스크래치 레이스(scratch-race)·탠덤 레이스(tandom-race) 등이 있음.

자전거 경:주【自轉車競走】명 자전거를 타고 일정(一定)한 거리를 달리는 경주. *자전거 경기.

자전거 발전 램프【自轉車發電一】[lamp] [一쩐一] 명 자전거가 움직임으로써 발전하게 장치된 등(燈).

자전거 조업【自轉車操業】명 『경』 조업을 정지하면 도산(倒産)할 수밖에 없는 기업이 적자(赤字)를 알면서도 조업을 계속해가는 상태를 가리키는 말. 자전거가 달리는 동안에는 쓰러지지 않음에 비유한 것.

자전거 펌프【自轉車一】[pump] 명 자전거의 튜브에 바람을 넣는 데 쓰이는 펌프.

자전거-포【自轉車鋪】명 자전거를 팔거나 수선하는 가게.

자전-관【磁電管】명 『물』 마그네트론(magnetron).

자전관 발진기【磁電管發振器】[一찐一] 명 『전』 자전관을 사용하고 있는 발진 회로.

자전 매매【自轉賣買】명 거래소 거래의 특수 매매 형태. 한 증권 회사가 동일 종류의 거래에 있어서 동일 종목·동일 수량·동일 가격의 매도와 매수를 동시에 행하는 매매.

자전 석요【字典釋要】명 『책』 지석영(池錫永)이 편찬한 옥편. 융희 3년(1909)에 간행됨. 그 당시 가장 근대적으로 된 이 책의 특징은, 책 끝에 그림을 많이 넣어 한자로 풀이한 것임.

자전 소:설【自傳小說】명 『문』 자기의 인간 형성(人間形成)을 내용으로 한 소설.

자전 운:동【自轉運動】명 『천』 자전(自轉)❷.

자전-으로【自前一】부 이전부터.

자:전 일섬【紫電一閃】[一썸] 명 잘 간 칼을 한 번 휘두를 때 번쩍이는 날카로운 빛. 전하여, 사태(事態)의 화급함을 이름.

자전-적【自傳的】명관 자전의 성질을 띠고 있는 모양.

자전 주기【自轉週期】명 『천』 천체(天體)가 한 번의 자전을 마치는 데 소요(所要)되는 시간. 지구(地球)의 경우는 약 23시간 56분임. ↔공전 주기(公轉週期).

자전지-계【自全之計】명 자신의 안전을 도모하는 계책.

자전-차【自轉車】명 자전거(自轉車)의 잘못.

자전-체【字典體】명 [‘자전(字典)’은 ‘강희 자전(康熙字典)’의 약어] 한자의 자체 중, 강희 자전에 표시되어 있는 자체(字體)를 일컬음.

자전-초【自傳抄】명 자서전(自敍傳)이 될 대목만을 간단히 추려서 적은 기록. 「(軸).

자전-축【自轉軸】명 천체(天體)가 자전할 때의 중심(中心)이 되는 축

자절【自切·自截】명 [autotomy] 『동』 도마뱀의 꼬리, 게·여치 등의 다리와 같이 잡히거나 눌리어 위기(危機)에 놓였을 때, 그 동물이 스스로 몸의 일부분을 절단하고 위해(危害)를 면하는 현상. 절단된 부분은 그 후 쉽게 재생(再生)됨. 자할(自割).

자점【字占】명 『민』 한자(漢字)를 두고 직관에 의하거나 오행(五行)에 준해서 예언을 하는 문자점(文字占). 글자 한 자를 풀거나 파자(破字), 어구나 시구로 점을 치는 방법 등이 있음.

자점이-보【自點一洑】명 『지』 경기도 이천시(利川市) 장호원읍(長湖院邑) 오남리(梧南里) 백족산(百足山) 남쪽 기슭에 청미천(清渼川)을 막은 5백여 미터 되는 보. 조선 인조(仁祖) 때 김자점(金自點)이 막음. 농업 용수(農業用水)를 공급함.

자점-죽【自點竹】명 『식』 자문죽(自紋竹).

자정[1]【子正】명 자시(子時)의 정중(正中). 곧, 밤 열두 시. 오야(午夜). ↔오정(午正).

자정[2]【自淨】명 오염(汚染)된 땅이나 물 따위가 물리학적(物理學的)·화학적(化學的)·생물학적(生物學的) 작용으로 자연히 정화(淨化)되는 일. ——하다 자여불

자-정[3]【姿情】명 모습과 정취(情趣).

자:정[4]【紫定】명 『공』 중국 딩저우(定州)에서 나는 자기(瓷器)의 한 가지. 철유(鐵釉)로 인하여 자줏빛이 남.

자-정간【字井間】명 여러 줄로 쓴 글자 사이의 세로줄과 가로줄로 이룬 가지런한 정간.

자정-수【子正水】명 자정 때에 길어서 먹는 물. 매일 먹으면 몸이 튼튼해진다고 함.

자정-원【資政院】명 『역』 고려의 관아 이름. 충렬왕 24년(1298)에 베풀었다가 곧 폐하였음.

자정 작용【自淨作用】명 땅·물 따위가 자연적으로 깨끗해지는, 곧 자정(自淨)되는 작용.

자정 지종【自頂至踵】명 ①온몸. ②생활 전체.

자:-정향【紫丁香】명 『식』 라일락(lilac).

자제[1]【子弟】명 ①남의 아들의 존칭. 자사(子舍). ¶그분의 ~. ②남의 집안의 젊은 사람을 일컫는 말. ¶명문의 ~.

자제[2]【自制】명 자기(自己)의 감정(感情)이나 욕망(欲望)을 억제(抑制)함. ——하다 타여불

자제[3]【自製】명 손수 만듦. 또, 그 물건. 자작(自作). ¶~품. ——하다 타여불

자제[4]【姊弟】명 누이와 동생.

자제-력【自制力】명 스스로 자기를 억제하는 힘. ¶~을 잃다.

자제-심【自制心】명 자제하는 마음.

자제-위【子弟衛】명 『역』 고려 공민왕(恭愍王) 21년(1372)에 궁중에 설치된 관청. 미남 청년을 뽑아 임금의 시중을 들게 하는 일을 맡아보았음. 비빈(妃嬪)과의 풍기 문란을 만든 원인이 되었음.

자조[1]【自助】명 ①자기 힘으로 자기를 도움. ¶~ 정신. ②『법』 국제법 용어로, 자력 구제(自力救濟)의 뜻. 국가가 자력으로 자국의 국제법상의 권리를 확보하는 일. ——하다 자여불

자조[2]【自照】명 자기 자신을 관찰하는 일. ——하다 자여불

자조[3]【自嘲】명 스스로 자기를 비웃음. ——하다 자여불

자조[4]【慈鳥】명 새끼가 어미의 먹이를 날라 먹이는 인자한 새라는 뜻으로, '까마귀'를 일컫는 말. 자오(慈烏). *반포(反哺).

자조-론【自助論】명〔Self-Help〕〖책〗영국의 스마일스(Smiles, Samuel)의 저서. 자조(自助)의 본의(本義)를 해석하고, 이에 의하여 성공한 사람들의 언행을 기술한 입지훈(立志訓).

자조 매:각【自助賣却】명〖법〗상법상(商法上), 상인 간의 상사 매매(商事賣買)에 있어서, 매주(買主)가 그 목적물을 받는 것을 거절하거나 또는 받을 수 없는 경우, 매주(賣主)가 상당한 기간을 정하여 최고(催告)한 후 이를 경매하는 일.

자조 문학【自照文學】명〖문〗일기·수필 등과 같이 자조의 정신에서 나온 문학.

자조-적【自嘲的】명관 스스로를 비웃는 모양.

자조 행위【自助行爲】명 자력 구제(自力救濟).

자족[1] 명〈방〉자국[1].

자족[2]【自足】명 ①다른 곳에서 구함이 없이 필요한 것을 스스로 충족시킴. ¶자급 ~. ②자기 자신의 상태에 만족함. ──-하다 형자여불

자족 경제【自足經濟】명〖경〗경제 발전의 가장 초기(初期)의 단계로서, 자기가 필요한 만큼의 생산(生産)·소비(消費)를 하여 가족 외의 교환 관계가 생기지 않는 경제.

자존[1]【自存】명 ①자기의 생존(生存). ②다른 무엇에 의지함이 없이 자기의 힘으로 생존하는 일. ──-하다 자여불

자존[2]【自尊】명 ①스스로 자기를 높임. 자경(自敬). ¶~심. ②자중하여 스스로 자기의 품위를 유지함. 자기의 인격을 존중(尊重)함. ──-하다 자여불

자존[3]【慈尊】명 '자씨 보살(慈氏菩薩)', 즉 '미륵 보살(彌勒菩薩)'을 이름. ¶~의 세상.

자존-심【自尊心】명 남에게 굽히지 아니하고 자기 몸이나 품위를 스스로 높이는 마음. ¶~이 강한 사람.

자존-유【自存有】명〖천주교〗원인과 시종(始終)이 없이 자립적으로 존재하는 유(有). 곧, 천주(天主).

자존 자대【自尊自大】명 자기를 존대(尊大)하게 여김. ──-하다 자여불

자종[1]【子腫】명〖한의〗아이를 밴 지 대여섯 달쯤 되어, 온몸이 붓고 배가 불러지는 병.

자종[2]【自從】명 스스로 따름. 스스로 복종함. ──-하다 자여불

자좌【子坐】명〖민〗뫼자리나 집터 등의 자방(子方)을 등진 좌(坐). 정남향으로 앉음.

자좌 오:향【子坐午向】명〖민〗자방(子方)을 등지고 오방(午方)을 향함. 곧, 정남방으로 앉음.

자죄【自罪】명〔라 peccatum actuale〕생각이나 언행(言行)에 있어서, 알고 있으면서도 신(神)의 뜻에 거스르는 죄. 아담이 지은 원죄(原罪)에 대한 말.

자주[1]【自主】명 남의 보호나 간섭(干涉)을 받지 아니하고 독립으로 행함. ¶~ 정신.

자주[2]【自走】명 엔진·바퀴 따위를 갖추고 있어 자동으로 달림. ¶~포.

자주[3]【自註】명 자기가 쓴 글에 자기가 주석(註釋)을 닮. 또, 그 주석. ──-하다 자여불

자주[4]【紫朱】명 자줏빛. 자지(紫地·紫芝).

자:주[5]【紫珠】명〖식〗작살나무.

자:주[6]【紫酒】명 울금향(鬱金香)으로 빚어 담근 자줏빛이 나는 술. 왕실의 제향(祭享)에 씀.

자:주[7]【紫紬】명 자줏빛 나는 명주(明紬). 해주(海州)·대구(大邱) 등지에서 남.

자주[8]【慈主】명 어머니. 흔히, 편지에 쓰는 말임.

자주[9]【雌株】명〖식〗암포기. ↔웅주(雄株).

자주[10] 부 짧은 동안에 여러 번. 같은 일을 연달아 잦게. ¶~ 있는 일/~ 들러라/~ 지각을 하다.

자주-가는오이풀【紫朱一】명〖식〗〔*Sanguisorba tenufolia* var. *purpurea*〕장미나물과에 속하는 다년초. 높이 1m 가량이고, 잎은 호생하며, 장병(長柄)에 기수 우상 복생(奇數羽狀複生)하고, 소엽(小葉)은 5-15개 되는데, 선상(線狀)의 긴 타원형에 톱니가 있음. 8월에 짙은 자줏빛 꽃이 수상(穗狀) 화서로 피고, 수과(瘦果)는 거꿀달걀꼴이며, 날개가 있음. 산지에 나는데, 강원·경기·함남 등지에 분포함.

자주 감:등【自主減等】명〖법〗'자수 감등'의 구용어.

자주 감:면【自主減免】명〖법〗'자수 감면'의 구용어.

자주-강아지풀【紫朱一】명〖식〗〔*Setaria viridis* var. *purpurascens*〕벼과(科)에 속하는 일년초. 줄기는 총생(叢生)하고, 높이는 80cm 가량이며 잎은 선상(線狀) 피침형임. 7월에 암자색(暗紫色) 꽃이 정생(頂生)하여 원추(圓錐) 화서로 피고, 영과(穎果)는 작은 타원형인데, 강아지풀에 비하여 자색임. 냇가나 풀밭에 나는데, 경남북·충북·강원·경기·황해·함북 등지에 분포함.

자주-개자리【紫朱一】명〖식〗〔*Medicago sativa*〕콩과에 속하는 다년초. 줄기는 가운데가 비었고 높이 30-90cm이며, 잎은 호생하고 유병(有柄)에 삼출 복엽(三出復葉)하며, 소엽(小葉)은 긴 타원형 또는 도피침형임. 7-8월에 다자색(茶紫色) 꽃이 줄기 끝이나 엽액에서 나온 화경(花莖) 끝에 총상(總狀) 화서로 밀착(密着)하여 피고, 과실은 협과(莢果)임. 유럽 원산(原産)으로 들에 저절로 나는데, 경북·강원·경기·황해·함경 남북도 등지(等地)에 분포함. 사료용(飼料用)으로 재배(栽培)하기도 함. 앨펄퍼(alfalfa).

〈자주개자리〉

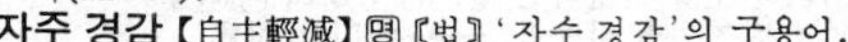

자주 경감【自主輕減】명〖법〗'자수 경감'의 구용어.

자주 고:동색【紫朱古銅色】명 자갈색(紫褐色).

자주 관리 사회주의【自主管理社會主義】〔一괄一/一괄一이〕명〔self-management socialism〕구(舊) 소련의 중앙 집권적인 사회주의에 반대하여, 국가 권력의 관리를 노동자·농민·기술자의 자주적인 관리 밑에 두고자 한 사회주의. 유고슬라비아 및 프랑스 등의 서유럽 사회당이 내걸었었음.

자주-괴불주머니【紫朱一】명〖식〗〔*Corydalis incisa*〕양귀비과에 속하는 월년초(越年草). 줄기 높이 50cm 가량이고, 근생엽(根生葉)은 총생하고 장병(長柄)인데, 경엽(莖葉)은 호생하고 유병(有柄)에 2-3회 우상 세열(羽狀細裂)하며, 열편(裂片)은 난상 설형(卵狀楔形)임. 5월에 홍자색 꽃이 정생하여 총상(總狀) 화서로 피고, 과실은 삭과(蒴果)임. 산이나 들의 음습지(陰濕地)에 나는데, 제주·전남북 등지에 분포함. 만다라화(曼陀羅華).

〈자주괴불주머니〉

자주 국방【自主國防】명 스스로의 힘으로 적의 침략(侵略)으로부터 나라를 지킴.

자주-권【自主權】〔一꿘〕명 ①자주 독립하여 자기의 일은 자기가 하는 권리. ②〖법〗지방 자치 단체(地方自治團體)가 갖는 자치 입법권(立法權). *자주법(自主法).

자주 권능【自主權能】명〖법〗자기의 몸이나 재산의 유지 발달을 위하여, 법률의 범위내에서 자기의 의사를 주장할 수 있는 권능.

자주-꼴뚜기【紫朱一】명 자줏빛의 꼴뚜기라는 뜻으로, 검붉은 살빛을 한 사람을 농으로 이르는 말.

자주-꽃방망이【紫朱一】명〖식〗〔*Campanula cephalotes*〕초롱꽃과에 속하는 다년초. 줄기 높이 1m 내외이고, 근생엽(根生葉)은 장병(長柄)에 달걀꼴 또는 난상(卵狀) 피침형인데, 경엽(莖葉)은 무병(無柄)에 긴 타원형 혹은 피침형임. 7-8월에 벽자색(碧紫色) 종상화(鐘狀花)가 줄기 끝이나 엽액(葉腋)에 달리어 핌. 초원(草原)에 나는데, 거의 한국 각지에 분포함.

자주-꿩의다리【紫朱一】〔一/一에一〕명〖식〗〔*Thalictrum uchiyamai*〕미나리아재빗과의 다년초. 높이 60cm 안팎이고, 잎은 호생하며 거듭 3회 삼출 복생(三出複生)하고 소엽(小葉)은 달걀꼴 또는 둥근 달걀꼴인데, 세 갈래로 얕게 갈라지며 잎뒤가 분처럼 흼. 6-7월에 백자색 꽃이 원추(圓錐) 화서로 정생(頂生)하여 피고, 과실은 수과(瘦果)임. 산지에 나는데, 제주·전남·충남·경기·함북 등지에 분포함.

자주-꿩의비름【紫朱一】〔一/一에一〕명〖식〗〔*Sedum telephium* var. *purpureum*〕돌나물과에 속하는 다년초. 높이 30cm 가량이고 잎은 호생 또는 대생하며 단병(短柄)에 긴 타원형 또는 거꿀달걀꼴임. 8월에 담홍자색 꽃이 산방상(繖房狀) 취산 화서(聚繖花序)로 정생(頂生)하여 피고, 골돌과(蓇葖果)는 다섯 개가 열림. 산야(山野)에 나는데, 거의 한국 각지(各地)에 분포함.

자주-달개비【紫朱一】명〖식〗〔*Tradescantia reflexa Rafin*〕닭의장풀과의 다년초. 높이 50cm 안팎이며 넓은 선형(線形) 잎이 다수 속생(束生)함. 5월경에 자색 꽃이 줄기 끝에 피는데 아침 일찍 피고 해가 나면 시듦. 북미 원산인데 관상용으로 심음.

자주 독립【自主獨立】〔一닙〕명 남의 간섭을 받거나 남에게 의지하지 않고 자기의 힘으로 일을 처리함. ──-하다 자여불

자주 독립국【自主獨立國】〔一닙一〕명 자주 독립한 나라.

자주 독왕【自主獨往】명 남의 태도나 주장에 구애됨이 없이 자기가 믿는 주의·주장대로 행동함. ──-하다 자여불

자주-땅귀개【紫朱一】명〖식〗〔*Utricularia affinis*〕통발과에 속하는 일년초. 화경(花莖)의 높이 80cm 가량. 근경(根莖)에서 난 잎은 거꿀달걀꼴의 긴 타원형임. 8월에 순형(脣形)의 화관(花冠)을 한 담자색 꽃이 총상(總狀) 화서로 피고, 과실을 덮은 악편(萼片)은 귀이개 비슷함. 습지에 나는데, 경북 성주(星州) 및 서울 근교에 분포함.

자주-만년초【紫朱萬年草】명〖식〗자금란(紫錦蘭).

자주-방가지똥【紫朱一】명〖식〗〔*Mulgedium sibiricum*〕꽃상춧과에 속하는 월년초(越年草). 줄기 높이 80cm 가량이고, 잎은 호생하며 무병(無柄)에 긴 타원형임. 8월에 자색 꽃이 피는데, 두상화(頭狀花)는 가지 끝에 다수 달리며, 변화(邊花)는 설상화(舌狀花)이고 심화(心花)는 관상화(管狀花)이며 과실은 수과(瘦果)임. 깊은 산에 나는데, 부전(赴戰) 고원과 백두산에 분포함.

자주-방아풀【紫朱一】명〖식〗〔*Amethystanthus serra*〕꿀풀과에 속하는 다년초. 줄기는 방형(方形)이고 높이 1m 이상이며, 잎은 대생하고 장병(長柄)에 달걀꼴 또는 난상(卵狀)의 긴 타원형임. 9-10월에 자줏빛의 잔 꽃이 가지 끝에 취산(聚繖) 화서로 정생(頂生)하여 피며, 원추상(圓錐狀)의 꽃이삭을 이루고, 과실은 수과(瘦果)임. 산지에 나는데, 거의 한국 각지에 분포함.

자주 방위【自主防衛】명 외국의 방위력에 의존하지 아니하고, 자기 나라의 방위력을 갖추는 일.

자주-법【自主法】〔一뻡〕명〖법〗지방 자치 단체에 의하여 정립(定立)되는 법규(法規). 조례(條例)의 형식을 취하며, 법령(法令)에 저촉(抵觸)할 수 없음. *자주권(自主權).

자주-새우【紫朱一】명〖동〗〔*Crago affinis*〕자주새웃과에 속하는 작은 새우. 몸길이 3-4cm로 전체가 자색을 띤 담갈색으로, 이마의 가시가 짧고 납작하며, 앞면 옆쪽의 가시는 길. 복절(腹節)은 5-6절로 뒤쪽에 이르러 갑자기 가늘게 되어 있음. 가슴의 제일 앞의 다리는 폭이 넓고, 가위처럼 되어 있어 물건을 집을 수가 있음. 겨울에는 난바다에, 여름에는 물가에 서식함. 식용함.

자주-색【紫朱色】명 자줏빛.

자주-성【自主性】[―썽] 명 남에게 의지함이 없이 자기 힘으로 처리해 나가려는 성질.

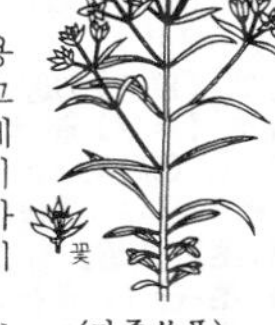
〈자주쓴풀〉

자주-쓴풀【紫朱―】명〖식〗[*Swertia chinensis*] 용담과에 속하는 월년초(越年草). 줄기는 흑자색이고 높이 15-30cm 가량이며, 잎은 대생하고 피침형에 거의 무병(無柄)임. 9-10월에 벽자색(碧紫色) 꽃이 원추상(圓錐狀) 취산 화서(聚繖花序)로 줄기 끝과 가지 끝에 달리어 핌. 산이나 들에 나는데, 제주를 비롯한 한국 각지에 분포함. 약재로 씀. 당약(當藥).

자주 영양【自主營養】명 [autotrophism]〖생〗 독립(獨立) 영양.

자주-요【磁州窯】명 '츠저우요'를 우리 음으로 읽은 이름.

자주 자유【自主自由】명〖법〗 남의 간섭을 받음이 없이 자기의 일은 자기가 해결해 나가는 자유.

자주-자주 부 매우 자주. 삭삭(數數). ¶ ~ 오너라.

자-주장【自主張】명 남의 간섭을 받음이 없이 자기 주장대로 함. ――하다 타 여불

자주-적【自主的】명관 남의 간섭을 받음이 없이 자기가 결정하여 일을 행하는 모양.

자주적 외:교【自主的外交】명 국가의 자주권(自主權)을 행사하여 다른 나라의 간섭을 받지 아니하는 외교.

자주 점유【自主占有】명 소유(所有)의 의사(意思)를 가지고 하는 점유. ↔타주 점유(他主占有).

자주 정신【自主精神】명 남의 보호나 간섭을 받지 아니하고 독립적으로 일을 처리하려는 정신. ↔사대 정신(事大精神).

자주-종덩굴【紫朱鐘―】명〖식〗[*Clematis ochotensis*] 미나리아재빗과에 속하는 낙엽 활엽 만목(蔓木). 잎은 2회 삼출 복엽(三出複葉)으로, 소엽(小葉)은 달걀꼴 피침형임. 6월에 짙은 자줏빛 꽃이 하나씩 액출(腋出)하여 피고, 수과(瘦果)의 미상체(尾狀體)에는 갈색의 우상모(羽狀毛)가 있으며, 가을에 익음. 깊은 산의 산복(山腹) 숲 속에 나는데, 평북·함남북 및 일본·중국·만주·시베리아·아무르 등지에 분포함. 관상용으로 재배함.

자주-포【自走砲】명〖군〗 전차(戰車)를 포가 차체(砲架車體)로 삼는 카농포(canon 砲)·유탄포(榴彈砲)의 총칭. 특히, 제2차 대전 중 독소(獨蘇) 전쟁에서 급속히 진보하여, 대부분의 전차가 자주포를 겸한 공격용 전차가 됨.

자주-호반새【紫朱湖畔―】명〖조〗 청호반새.

자주-황기【紫朱黃耆】명〖식〗[*Astragalus dahuricus*] 콩과에 속하는 다년초. 뿌리는 장대(長大)하고, 줄기는 높이 1 m 이상이며, 잎은 호생하고 단병(短柄)에 기수 우상 복생(奇數羽狀複生)하며, 17 쌍의 소엽(小葉)은 긴 타원형임. 6-8월에 자줏빛의 꽃이 액출(腋出)하여 총상(總狀) 화서로 피고, 과실은 협과(莢果)임. 높은 산의 산복(山腹)에 나는데, 경북·평북·함남북 등지에 분포함.

자죽[1] 명 〈방〉 자국[1].

〈자죽[2]〉

자:죽[2]【紫竹】명〖식〗[*Chimonobambusa marmorea*] 볏과에 속하는 대의 한 가지. 높이 1-3 m이고, 마디가 좀 높고, 죽피(竹皮)는 얇은 막질(膜質)이며, 담색 바탕에 자색의 반문(斑紋)이 있음. 잎은 털이 없고, 길이 6-15cm에 뒤쪽은 백색임. 꽃은 드물게 피는데, 작은 화수(花穗)는 길이 6-15 cm의 선형(線形)임. 제주도와 일본의 규슈(九州)에 분포함. 관상(觀賞) 및 산울타리용으로 심고, 9-11월에 돋아나는 죽순(竹筍)은 맛이 좋아 식용함. 간죽(簳竹). 설죽(雪竹). 한죽(寒竹).

자줏-물【紫朱―】명 자줏빛 물감.

자줏-빛【紫朱―】명 짙은 남빛에 붉은 빛을 띤 빛. 자(紫). 자주(紫朱). 자색(紫色). 자주색.

자줏빛-쐐기나방【紫朱―】명〖충〗[*Heterogenea dentatatus*] 쐐기나방과에 속하는 곤충. 편 날개의 길이 26-30 mm이고, 몸빛은 자갈색(紫褐色)에, 앞날개 기부(基部)에 있는 무늬의 외횡선(外橫線)은 백색, 내·중횡선(內中橫線)은 흑색이며, 뒷날개는 암갈색임. 유충은 황록색의 타원형으로, 벚꽃·매화나무·배나무·차나무·밤나무·상수리나무 등의 잎을 먹음. 한국에도 분포함.

자중[1]【自重】명 차체(車體)·기계 따위의 그 자체의 무게.

자중[2]【自重】명 ①스스로 자기 몸을 소중히 여김. ②자기의 행실을 삼가하여 몸을 무겁게 가짐. ¶ ~ 자애(自愛). ③자기의 품위를 지켜 점잖게 행동함. ¶ 자존(自尊) ~. ――하다 자 여불

자:중[3]【藉重】명 중요한 점에 의거함. ――하다 자 여불

자중-심【自重心】명 자중하는 마음.

자중지-란【自中之亂】명 자기네 패 속에서 일어나는 싸움질. 소장지변(蕭牆之變).

자증【自證】명 ①스스로 자기를 증명함. 스스로 자기의 증명이 됨. ②〖불교〗 스스로 증지(證知)·오해(悟解)함. 스스로 오도(悟道)를 엶. ――하다 자타 여불

자증 관:정【自證灌頂】명〖불교〗 세 관정의 하나. 스스로를 보살(菩薩)의 자리에 놓고 관정하는 일. *결연(結緣) 관정·전교(傳敎) 관정.

자증 극위【自證極位】명〖불교〗 우주의 진리를 다 증지(證知)·오해(悟解)한 최상 구경(最上究境)의 지위.

자:지[1] 명 남성(男性)의 길게 내민 외부 생식기. 신경(腎莖). 남경(男莖). 음경(陰莖). ↔보지.

자지[2]【子枝】명 번성한 자손(子孫).

자지[3]【自知】명 자기의 역량(力量)을 자기가 앎. ――하다 타 여불

자지[4]【自持】명 ①자기가 가짐. ②스스로 지님. ――하다 타 여불

자지[5]【紫芝】명〖식〗 지치[1]❷.

자지[6]【紫地·紫芝】명 자주(紫朱).

자지[7]【慈旨】명 임금의 어머니의 전교(傳敎). *내지(內旨).

자지-개【紫芝蓋】명〖역〗 의장(儀仗)의 한 가지.

〈자지개〉

자-지기죄【自知其罪】명 자기의 죄를 앎. ――하다 자 여불

자지러-뜨리다 타 ①놀라서 몸을 움츠리다. ②생물이 중간에 병이 나서 기운을 펴지 못하다. ③웃음 소리나 울음 소리, 치는 장단 등을 빠르고 잦아지게 하다. 1)·2): <지지러뜨리다.

자지러-지다[1] 자 ①놀라서 몸이 움츠러지다. ¶ 자지러지게 놀라다. ②생물이 중간에 병이 나서 잘 자라지 못하다. ③웃음 소리나 울음 소리, 치는 장단 등이 빨라서 잦아지다. ¶ 강아지가 자지러지는 소리로 한참 동안 울어댔다《李文熙 : 荒鏡一家》. 1)·2): <지지러지다.

자지러-지다[2] 형 그림·조각·음악·수(繡) 등이 정밀하고 교묘하다.

자지러-트리다 타 자지러뜨리다.

자지레-하다 형 ↗자질구레하다.

자지-로【字紙爐】명 석자탑(惜字塔).

자지리 부 아주 몹시. 지긋지긋하게. ¶ ~ 못났다/~ 고생하다. <지지리[2]. *잔생이.

자지-반【自持飯】명 어디를 갈 때 몸소 먹을 것을 지님. ――하다 자 여불

자:지-복 명〖어〗[*Sphoeroides rubripes*] 참복과에 속하는 바닷물고기. 몸길이 70cm 남짓한데, 좀 가늘고 길며 등과 배 쪽에 잔 가시가 밀생하여 있음. 몸빛은 회갈청색으로 배 쪽은 흼. 한국·중국·일본 연해에 분포함. 맛이 썩 좋은데, 난소·간장에 강한 테트로도톡신(tetrodotoxin)이라는 독소가 있음.

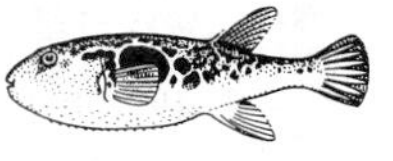
〈자지복〉

자진[1]【自進】명 남의 시킴이 없이 스스로 나섬. ¶ ~ 출두/~ 신고 기간. ――하다 자 여불

자진[2]【自盡】명 ①죽기로 결심하고, 음식을 먹지 않거나 병들어도 약을 먹지 아니하여 목숨이 저절로 끊어지게 함. ②무엇이 저절로 다하게 됨. ③마음과 힘을 들여 정성을 다함. ④자해(自害). ――하다 자 여불

자진-가락 명 가락을 잦게 부르는 노래. ↔늦은 가락.

자진-농부가【―農夫歌】명〖악〗 전라도 지방의 민요의 하나. 굿거리 장단으로 부름.

자진-마치 명 무엇을 잦게 두드리는 동작.

자진만세 장단【―長短】명〖민〗 황해도 무가(巫歌)에 쓰이는 장단의 하나. 빠른 장단의 만세받이라는 뜻. 만세받이는 황해도와 경기 북부의 무가에서, 청신(請神)·송신(送神)할 때 '에라 만세'하고 신을 찬송하며 무당과 기대(음악 담당)가 한 구절씩 '만세'를 주고받는 것을 가리킴. 2분박 빠른 4박자로 서양 음악의 4분의 4박자와 같음.

자진-모뜬소리 명〖악〗 진도(珍島) 들노래의 하나. 모찌기가 거의 끝날 무렵에 부름.

자진-모리 명〖악〗 민속 음악에서, 판소리 및 산조(散調) 장단의 하나. 휘모리보다 좀 느리고 중중모리보다 좀 빠른 속도로서, 섭세하면서 명랑하고, 차분하면서 상쾌함.

자진모리 장단【―長短】명〖악〗 판소리·산조(散調)·농악·무가(巫歌)에 쓰이는 빠른 템포로 몰아가는 장단. 3분박 보통 빠른 속도로부터 조금 빠른 속도의 4박자로, 서양 음악의 박자로는 8분의 12 박자 장단임.

자진-못소리 명〖악〗 진도(珍島) 들노래의 하나. 모심기가 거의 끝날 무렵에 부름.

자진-방아타:령【―打令】명〖악〗 서울 지방 선소리 산타령 중의 하나. 놀량·앞산타령·뒷산타령·도라지타령 다음에 이어서 부름.

자진-배따라기 명〖악〗 연평도(延坪島)를 중심으로 한 뱃노래의 하나.

자진-산타:령【―山打令】명〖악〗 경기 입창(京畿立唱)의 하나인 도라지 타령의 딴이름.

자진-아리 명〖악〗 서도(西道) 민요의 하나. 밭을 매면서 도드리 장단에 따라 부름.

자진-염:불【―念佛】[―념―] 명〖악〗 황해도 지방에서 많이 부르는 서도 민요(民謠)의 하나. 산염불(山念佛)보다 좀 가벼운 굿거리 장단임. *산염불.

자진-육자배기【―六字―】명〖악〗 전라도 민요의 하나. 긴 육자배기에 뒤이어 세마치 장단에 맞추어 부름.

자진-장단【―長短】명 자지러지고도 빠르게 치는 장단.

자진-절로소리 명〖악〗 진도(珍島) 들노래의 하나. 논매기가 끝날 무렵에 자진모리 장단에 맞추어 부름.

자진 철거【自進撤去】명 무허가 건물의 철거 기간 안에 스스로 하는 철거. ↔강제 철거. ――하다 타 여불

자진-푸너리 명〖악〗 푸너리 장단의 하나. 민푸너리보다 빠른 속도임.

자진-한잎[―닙] 명〖악〗 ①삭대엽(數大葉). ②국악의 가곡에서 두거(頭擧)·농(弄)·낙(樂)·편(編) 등의 곡을 노래 없이 향피리를 중심으로 연주하는 곡.

자-질[1] 명 자로 물건을 재는 짓. ――하다 자 여불

자질[2]【子姪】명 아들과 조카. 자여질(子與姪). ¶ 나이 젊고 혈기 있는 ~들.

자질[3]【姿質】명 타고난 성품과 바탕. 자질(資質). 자성(資性). 천성(天性).

자질[4]【資質】명 자질(姿質).
자질구레-하다 형여불 여러 개가 다 잘다. ¶자질구레한 밤/자질구레한 일거리. ㊄자지레하다.
자질-자질 부 물기가 말라서 줄어드는 모양. ——-하다 형여불
자:-집 명〈방〉기와집(충청·함경).
자짓-빛【紫芝—】명〈방〉자줏빛.
자-짜리 명 낚시질에서, 한 자 크기의 물고기. 자치. ¶~를 낚다. ＊월척(越尺).
자-쪽 명〈방〉자¹(전남).
자차[1]【自差】명〔magnetic deviation〕〘물〙자기 자오선(磁氣子午線)과 자침(磁針)의 방향이 이루는 각도. 자침(磁針)의 지북단(指北端)이 자기 북극(磁氣北極)에서 빗나간 방향(方向)으로 동(東)몇 도 또는 서(西)몇 도라 표시함.
자차[2]【咨嗟】명 아까워서 탄식함. ——-하다 자여불
자차기 명〈방〉재채기(함남).
자차분-하다 형여불 잘고도 차분하다. 자차분-히 부
자차-표【自差表】명〔deviation table〕항공기의 기수(機首) 또는 선수(船首)의 자침(磁針) 방위 또는 나침(羅針) 방위에 관한 자기(磁氣) 컴퍼스의 자차 일람표.
자찬[1]【自撰】명 손수 편찬(編撰)함. ——-하다 타여불
자찬[2]【自讚】명 자기가 한 일을 자기가 칭찬함. 자칭(自稱). ¶자화(自畫)~. ——-하다 타여불
자:창【刺創】명 바늘·꼬챙이·칼·창 등 날카로운 것에 찔린 상처.
자창 자화【自唱自和】명 자탄 자가(自彈自歌). ——-하다 자여불
자:채【紫彩】명〘식〙↗자채벼.
자채기 명〈방〉재채기(경남·함경).
자:채-논【紫彩—】명 ↗자채볏논.
자:채-벼【紫彩—】명〘식〙올벼의 한 품종. 빛이 누르고 가시랭이가 있음. 적생(適生)하는 토질(土質)이 드물고 가꾸기가 힘드는 대신, 질이 우수하여 상품(上品) 쌀로 유명함. ㊄자채.
자:채볏-논【紫彩—】명 자채벼를 심은 논. ㊄자채논.
자:채-쌀【紫彩—】명 경기도 이천(利川) 일대에서 나는 쌀. 질이 좋음.
자책【自責】명 양심에 걸리어 스스로 자기를 책망함. 자송(自訟). ¶~감(感). ——-하다 자여불
자책 관념【自責觀念】명〘심〙억울(抑鬱)병·알코올 중독 등에서 볼 수 있는, 지나치게 자책감을 갖는 망상적(妄想的) 관념. 실제로 있는 사소한 일에 자책감을 갖는 경우와, 상상한 일에 느끼는 경우가 있음.
자책 내:송【自責內訟】명 제 스스로 자기의 언행을 꾸짖음. ——-하다 자여불
자책-점【自責點】명〔earned run〕야구에서, 안타(安打)나 사구(死球) 등, 투수(投手)의 책임에 의하여 공격 팀에게 준 득점(得點).
자처【自處】명 ①자결(自決)❷. ¶양반의 여편네가 그런 일을 당했으면 ~해 죽을 게요≪洪命憙 : 林巨正≫. ②자기 스스로 어떤 사람인 체함. ¶학자로 ~하다. ③자기의 일을 자기가 처치함. ——-하다 자타여불
자처 울:다 자 닭이 점점 재우쳐 울다.
자천[1]【自薦】명 자기가 자기를 천거함. 자매(自媒). ↔타천(他薦). ——-하다 자여불
자천[2]【恣擅】명 방자하게 제 주장대로 함. ——-하다 자여불
자천 배:타【自賤拜他】명 제 것을 천시하고 남의 것을 숭배(崇拜)함. ——-하다 타여불
자철[1]【子鐵】명 신바닥에 박는 징의 통칭.
자철[2]【炙鐵】명 적철(炙鐵).
자철[3]【磁鐵】명〘광〙↗자철광(磁鐵鑛).
자철-광【磁鐵鑛】명〔magnetite〕〘광〙등축 정계(等軸晶系)의 한 광물. 결정(結晶)·괴상(塊狀)·입상(粒狀)·층상(層狀)을 이루어 암석(岩石) 중에서 산출됨. 검은 빛의 금속(金屬) 내지 아금속 광택이 나며, 부스러지기 쉽고 약하나, 자성(磁性)이 강함. 철의 함유량(含有量)은 72%이며, 제철(製鐵)의 원료(原料)로 없어서는 안 될 광석임. 자석(磁石). 마그네타이트. ㊄자철(磁鐵).
자철 현무암【磁鐵玄武岩】명〘광〙암색(暗色)·다공질(多孔質)·세립(細粒)의 염기성 현무암. 자철광과 아회장석(亞灰長石) 및 보통의 휘석(輝石)으로 형성됨. 「여불
자청[1]【自請】명 자기 스스로 청함. ¶~해서 나서다. ——-하다 자타
자청[2]【刺靑】명 입묵(入墨). 자자(刺字).
자체[1]【自體】명 ①자기의 몸. ②본래의 성질. 그 자신(自身). 원래의 본체(本體). 안 지히(an sich). ¶~ 정화/그 생각 ~가 어리석다.
자체[2]【字體】명 ①글자의 모양. ②글자의 체. 행서체(行書體)·해서체(楷書體)·초서체(草書體) 등. 자양(字樣). ¶정~로 명확하게 써라.
자체[3]【姿體】명 몸가짐. 몸의 모양.
자체 금융【自體金融】[—/—늉] 명〘경〙기업 자체나 기업주에 의해 마련되는 자본.
자체 방:전【自體放電】명〘물〙축전지(蓄電池) 극판에서 외부 회로(回路)를 연결하지 않아도 스스로 발생하는 방전.
자체 유도【自體誘導】명〔self-induction〕〘물〙자기(自己) 유도.
자체 인덕턴스【自體—】명〔self-inductance〕〘물〙자기 유도(自己誘導)에 의한 유도 기전력(起電力)과 전류 변화(電流變化)의 속도와의 사이에 성립하는 비례 상수(比例常數). 자기(自己) 유도의 크기를 나타냄. 단위는 헨리(henry). 기호는 H.
자체 정:리【字體整理】[—니] 명 문자, 특히 한자의 자체를 표준적인 한 가지로 정리하려는 일. 또, 그 작업.
자체 환:각【自體幻覺】명 거울에 비치듯 자기 자신을 보는 환각. 경영 환각(鏡映幻覺).
자초[1]【子初】명 십이 시(十二時)로 나눈 자시(子時)의 처음. 곧, 오후(午後) 열한 시.
자초[2]【自初】명부 '처음부터'의 뜻. 「여불
자초[3]【自招】명 스스로 초래(招來)함. ¶화(禍)를 ~하다. ——-하다 타
자:초[4]【紫草】명 ①〘식〙지치¹❷. ②〘한의〙지치의 뿌리. 이뇨제(利尿劑)·청혈제(淸血劑)로나 창증(脹症)·두진(痘疹)·부스럼 등에 약으로 씀.
자:초[5]【紫貂】명〘동〙검은담비.
자:초-근【紫草根】명〘식〙자근(紫根).
자:초-산【紫草山】명〘지〙경상 북도 청송군(靑松郡)과 포항시(浦項市) 사이에 있는 산. [763m]
자:초-용【紫草茸】명〘한의〙지치의 싹. 약재로 씀.
자:초지-신【刺草之臣】명〔풀을 베는 천한 신하라는 뜻〕평민이 임금에 대하여 낮추어 일컫는 말.
자초 지종【自初至終】명 처음부터 끝까지 이르는 동안. 또, 그 사실(事實). ¶일의 ~을 밝히다.
자:초-화【紫梢花】명 호수·못·늪 등의 위에 뻗어 나온 나뭇가지 위에 생기는 버섯의 일종.
자:촉【刺促】명 세상 일에 얽매여 매우 바쁨.
자촉 반:응【自觸反應】명〘화〙화학 반응에 기여하는 물질 또는 그 생성물(生成物)이 그 반응에 있어서 스스로 촉매(觸媒)의 역할을 하는 일.
자촉-이음 명〘건〙긴 촉을 따로 끼운 이음.
자총[1]【紫葱】명〘식〙자총이.
자총[2]【慈葱】명 김장에 쓰는 파. 김장파.
자총-이【紫葱—】명〘식〙파의 한 종류. 외피(外皮)는 자황색(紫黃色), 내피(內皮)는 자색인데 속은 흼. 지하경(地下莖)은 작은 원주형이며, 파보다 더 매움. 자총(紫葱).
자총이-전【紫葱—煎】명 파쪽과 고기를 이기어 갖은 양념을 해서 밀가루를 묻히고 달걀을 씌워서 둥글게 지져 만든 전.
자최[1] 명〈옛〉자취¹❶. ¶나라해 이셔 도ᄌᆞ기 자최 바다 가아 그 菩薩ᄋᆞᆯ 자바 ≪月釋 Ⅰ:6≫ / 자최 젹(迹), 자최 죵(蹤) ≪字會 下 26≫ / 쑥길히 자최 업스니 그를 슬허 ᄒᆞ노라≪古時調≫.
자최[2]【齊衰】명 오복(五服)의 하나. 조금 굵은 생베로 지어, 아래 가를 좁게 접어서 꿰맨 상복(喪服). 자최 삼년(齊衰三年)·자최 장기(杖朞)·자최 부장기(不杖朞)·자최 오월(五月)·자최 삼월(三月)의 구별이 있음. 주의 '재최'로 읽음은 잘못. ＊참최(斬衰).
자최눈 명〈옛〉자국눈. ¶자최눈(抹雪)≪齊諧物名考 天文類≫/즌서리 섯거티고 자최눈 디엿거ᄂᆞᆯ 보앗ᄂᆞᆫ다≪古時調≫.
자최 부장기【齊衰不杖朞】명 상장(喪杖) 없이 일 년을 입는 자최복(齊衰服). 조부모·백숙부모(伯叔父母)·형제 자매·아들딸·조카·고모·장손(長孫)·장증손(長曾孫)·장현손(長玄孫)·맏며느리의 상(喪)에 입음. 다만, 시집간 여자는 한 등(等)을 내려 대공복(大功服)이 됨. ＊자최 삼년(三年).
자최 삼년【齊衰三年】명 3년을 입는 자최복(齊衰服). 어머니, 승중손(承重孫)의 할머니·증조 할머니·고조 할머니, 시어머니, 승중손부(承重孫婦)의 시할머니·시증조할머니·시고조할머니의 상(喪) 및 어머니의 맏아들 상(喪)에 입음. ＊자최 삼월(三月).
자최 삼월【齊衰三月】명 석 달을 입는 자최복(齊衰服). 고조부모(高祖父母)의 상(喪)에 입음. ＊자최 오월(五月).
자최 오:월【齊衰五月】명 다섯 달을 입는 자최복(齊衰服). 증조부모(曾祖父母)의 상(喪)에 입음. ＊자최 장기(杖朞).
자최 장기【齊衰杖朞】명 상장(喪杖)을 짚고 1년을 입는 자최복(齊衰服). 아내의 상(喪)에 남편이 입음. 장기. ＊자최 삼년(三年)·자최 부장기(不杖朞).
자최-친【齊衰親】명 자최복(服)을 입는 사이의 친족(親族). 어머니·계모·수양 부모·시어머니·조부모(祖父母)·증조부모(曾祖父母)·고조부모(高祖父母) 따위.
자추【諮諏】명 하순(下詢). ——-하다 타여불
자축【自祝】명 제 스스로를 축하함. ¶승진을 ~하다. ↔타축(他祝). ——-하다 타여불
자축-거리다 자 다리에 힘이 없어 잘똑거리다. ＜저축거리다. **자축-자축** 부. ——-하다 자여불
자축-대다 자 자축거리다.
자축-연【自祝宴】명 자기(自己)가 자기의 일을 축하(祝賀)하기 위하여 베푸는 연회(宴會).
자축 자의 환:롱【字軸恣意幻弄】[—활—/—이활—] 명〘역〙조선 시대에, 과거(科擧) 제도의 팔폐(八弊)의 하나. 시권(試券)을 조작(造作)해서 대리 시험(代理試驗)을 보는 일.
자춤-거리다 자 조금 자축거리다. ＜저춤거리다. **자춤-자춤** 부. ——-하다 자여불
자춤-대다 자 자춤거리다.
자춤-발이 명 걸음을 자춤거리며 걷는 사람.
자충[1]【仔蟲】명〘충〙유충(幼蟲).
자충[2]【自充】명 바둑을 둘 때에 자기(自己)가 돌을 놓아 자기 수를 줄임. ——-하다 자여불
자:충[3]【刺衝】명 찌름. ——-하다 타여불
자충[4]【慈充】명〘역〙차차웅(次次雄).
자충-수【自充手】명 바둑에서, 자충(自充)이 되는 수. ¶~를 두다.
자취[1] 명〔중세 : 자최〕①밟거나 수레가 지나간 뒤에 남는 흔적. ②어떤 일이 행해졌거나, 또는 존재했었음을 나타내는 증거. ¶인가가 ~를 감추다 / 절터의 옛 ~. ③〘수〙기하학에서, 어떤 기하학적 요건에 적합한

점이 어떤 도형 위에 있고, 이 도형 위의 점이 모두 소여(所與)의 조건(條件)을 만족시키는 경우의 그 도형. 궤적(軌跡).

자취²【自炊】명 밥 지어 먹는 일을 손수 함. ¶~생. ──-하다 자여불

자취³【自取】명 잘하고 못하고 간에 자기 스스로 만들어서 됨. ──-하다 타여불

자:취⁴【紫翠】명 자줏빛과 녹색.

자-취기화【自取其禍】명 제게 재앙될 일을 함. ──-하다 자여불

자취-눈: 명〈방〉 자국눈.

자취-방【自炊房】[─빵] 명 자취하기 위하여 얻어 든 방.

자취-생【自炊生】명 하숙(下宿)이나 기숙사에 들지 아니하고 직접 자기가 밥을 지어 먹으며 통학하는 학생.

자취지-화【自取之禍】명 자기 스스로가 취한 재앙.

자츠〔도 Satz〕명〖악〗①악장(樂章). ②악절(樂節). ③악곡 작법(樂曲作法).

자-치¹ 명 ①한 자쯤 되는 물건. ②낚시에서 길이 한 자쯤의 물고기. 자짜리. ③차이가 얼마 안 되는 것. *푼치.

자치² 명〖어〗[*Hucho ishikawae*] 연어과(鰱魚科)에 속하는 민물고기. 길이 1.5 m 이상으로 몸빛은 황갈색인데 배를 제외한 체측에 갈색의 작은 반점이 산재해 있고 비늘은 작음. 주로 상류의 산간 계곡에 사는데, 압록강·장진강(長津江) 등에 사는 우리 나라 특산종임.

〈자치²〉

자치³ 명〈방〉〖충〗 섶나무족(충청).

자치⁴【自治】명 ①제 일을 자기 스스로 다스려감. ②자연히 다스려짐. ③지방 공공 단체가 국가로부터 위임받은 행정 사무를 공선(公選)된 사람에 의해 스스로 하는 일. 자치 행정(行政). ──-하다 자여불

자치⁵【自致】명 몸소 있는 힘을 다함. ──-하다 자여불

자치⁶ 부〈방〉 자칫.

자치-가【雌雉歌】명〖문〗 장끼전.

자치 공:화국【自治共和國】명〖정〗 연방제 국가에 속하는 정치적 자치제. 대내적으로 한정된 주권이 있을 뿐 국제법상의 국가는 아님.

자치-구【自治區】명〖정〗 국가가 지역 주민에게 일정한 자치권을 부여한 지구. 국내 소수 민족의 자치를 꾀하는 구역으로, 중국의 신장웨이우얼(新疆維吾爾) 자치구·내몽고 자치구 등이 있음.

자치-국【自治國】명 연방국에 속하여 자치권이 부여된 나라. *자치 공화국.

자치-권【自治權】[─꿘] 명〖법〗 주로 지방 자치 단체에 인정된 자치 행정을 행할 수 있는 권리. 국민에 대한 공적 지배권(公的支配權)인 점에 있어서 국가의 통치권(統治權)과 같음.

자-치기 명 짤막한 나무때기를, 길이 20cm, 깊이 5cm 가량 되는 홈 위에 놓고, 다른 긴 막대기로 친 다음 튀어 오른 작은 막대기를 다시 쳐서 그 거리의 멀고 가까움을 자질하여 승부를 겨루는 아이들 놀이의 한 가지.

자치 기관【自治機關】명 자치 단체의 행정 사무를 행하기 위하여 설치된 기관.

자치다 타〈옛〉 잦히다. 잦게 하다. ¶ᄇᆞᄅᆞ미 우룸 자치ᄂᆞᆫ 누른 니픈 ᄡᅳ러 업게 ᄒᆞ니(風掃止啼黃葉盡)《金三 V:27》.

자치 단체【自治團體】명〖법〗 자치의 권능이 부여된 공공 단체. 지방 자치법 상 도(道)·서울 특별시·직할시·시·읍·면이 자치 단체로 규정되어 있으나, 1961년 제정된 지방 자치에 관한 임시 조치법에 의하여, 도·서울 특별시·직할시·시·군(郡)을 자치 단체로 규정하고 있음. 지방 공공 단체. 자치체. 지방 자치 단체. *자치 기관.

자치-대【自治隊】명 정치상(政治上)의 공백(空白)이나 혼란기(混亂期)에 그 지역의 공안(公安)·질서(秩序)를 유지하기 위하여 조직하는 민간 치안대.

자치-동갑【─同甲】명 나이가 한 살 틀리는 동갑.

자치-령【自治領】명〔dominion〕〖정〗 어떤 국가의 일부로서, 광범한 범위의 자치권을 갖는 영토(領土).

자치미 명〈방〉 재채기(함북).

자치 식민지【自治植民地】명 자치권이 부여된 식민지.

자치-적【自治的】명관 제 일은 제 스스로가 다스리는 모양.

자치 정신【自治精神】명 제 일은 제 스스로가 다스리는 정신.

자치 정체【自治政體】명〖정〗 국민이 각성하여 각자의 이상을 실현할 수 있게 된 입헌 정체(立憲政體).

자치-제【自治制】명 자치 제도.

자치 제:도【自治制度】명〖정〗 지방 자치 단체(地方自治團體)가 자기의 기관에 의하여 자주적(自主的)으로 행정을 하는 제도. 자치제(自治制). 지방(地方) 자치 제도.

자치-체【自治體】명 자치 단체(自治團體).

자:치 통감【資治通鑑】명〖책〗〔치도(治道)에 자(資)하고 역대(歷代) 위정자(爲政者)의 감(鑑)이 된다는 뜻〕 중국 북송(北宋)의 사마광(司馬光)이 저술한 편년체(編年體)의 역사 책. 주(周)나라 위열왕(威烈王)으로부터 후주(後周) 세종(世宗)에 이르기까지의 113왕 1362년간의 사실(史實)을 기술한 것으로서, 후세(後世) 편년사의 전형이 됨. 모두 294권임.

자:치 통감 강목【資治通鑑綱目】명〖책〗 중국 송(宋)나라 때에 주자(朱子)가 편찬한 사서(史書). 사마광(司馬光)의 자치 통감(資治通鑑)을 강목(綱目)으로 나눠 편집한 것으로, '강(綱)'에서는 주자가 사실(史實)을 요약하고, '목(目)'에서는 제자(弟子)인 조사연(趙師淵)이 사평(史評)을 가했음. *자치 통감.

자치 통:제【自治統制】명〖경〗 업자(業者)가 자치적으로 각자의 자유로운 경제 활동에 가(加)하는 통제. 조합에 의한 것과 카르텔(Kartell)에 의한 것이 있음.

자치 행정【自治行政】명〔self-government〕〖정〗①국가의 전임 관리(專任官吏)에 의하지 않고 국민 자신이 그 이해 관계가 있는 공공 사무를 처리하고 이에 참가하는 일. 또한 국가의 행정에 관하여서도 말함. 공민 자치(公民自治). ↔관치 행정(官治行政). ②지방 자치 단체가 스스로 그 사무를 행함. 자치(自治).

자치 활동【自治活動】[─똥] 명 ①〖교〗 아동들끼리 집단적·자주적으로 학교 생활을 조직하고 운영하는 과외(課外) 활동. ②구성원 자신들이 정한 규정에 의하여 스스로 목적하는 바 일을 하는 행동.

자치-회【自治會】명〖교〗 학교·학급 또는 기숙사 등에 있어서 아동·학생이 자치 생활을 행하는 경우의, 그 자치 활동의 조직(組織) 및 회합(會合).

자친【慈親】명〔인자한 어버이의 뜻〕 남에게 대하여 자기의 어머니를 이르는 말. 자위(慈闈). ↔엄친(嚴親). *가자(家慈).

자침¹【自沈】명 스스로 제 함선(艦船)을 침몰시킴. ──-하다 타여불

자침²【自鍼】명 자기가 자기에게 침을 놓음. ──-하다 자여불

자침³【瓷枕】명 자기(瓷器)로 만든 베개. 도침(陶枕).

자침⁴【磁針】명〔magnetic needle〕〖물〗 중앙부(中央部)를 수평 방향(水平方向)으로 자유로이 회전(回轉)할 수 있도록 괴어 놓은 자석(磁石). 자기장(磁氣場)의 방향을 재는 데 씀. 자석(磁石). 지남침(指南針). 나침(羅針).

〈자침⁴〉

자침-로【磁針路】[─노] 명〔magnetic course〕〖항공〗 항공기의 축선(軸線)과 자기 자오선(磁氣子午線)과의 교각(交角).

자침 방위각【磁針方位角】명〔magnetic azimuth〕 자기 북극(磁氣北極)에 대한 방위각. 즉, 자기 북극으로부터 잰 방위각. 자북 방위각.

자:침-법【刺鍼法】[─뻡] 명〔acupuncture〕〖의〗 몸을 바늘로 찔러서, 통증(痛症)이나 병 등을 고치던 고대 중국의 의술. 바늘은 가늘고 긴 금(金)이나 은(銀)으로 만든 것을 썼음.

자침-함【磁針函】명 자침을 장치한 가늘고 긴 상자. 평판(平板)의 방향이, 측량하는 동안 계속 일정하도록 조정해 주는 역할을 함.

자칫 부 ①무슨 일이 조금 어긋남을 나타낼 때에 쓰는 말. ¶~ 잘못하면 떨어진다. ②비교적 조금. ¶~ 큰 듯하다

자칫-거리다 자 걸음발 타는 젖먹이가 몇 걸음씩 걷다. 자칫-자칫 부.

자칫-대다 자 자칫거리다. └──-하다 자여불

자칫-하면 부 어떤 일이 조금이라도 어긋나면. 까딱 잘못하면. 까딱하면. ¶~ 실패하기 쉽다.

자칭¹【自稱】명 ①남에게 대하여 자기 자신을 일컬음. ②스스로 자기를 칭찬함. 자찬(自讚). ③실제로는 그렇지 않은데, 혹은 세상에서는 그렇게 인정하지 않는데, 어떤 신분(身分)·직함·이름을 갖고 있다고 스스로 일컬음. ¶~ 천재/~ 국보(國寶). ④문법(文法)에서, 제1인칭(人稱). ¶~ 대명사(代名詞). ──-하다 타여불

자:칭²【藉稱】명 자탁(藉託). ──-하다 타여불

자칭 군자【自稱君子】명 자칭 천자(自稱天子).

자칭 대:명사【自稱代名詞】명〖언〗 제일인칭 대명사(第一人稱代名詞).

자칭-왕【自稱王】명 자칭 천자(自稱天子).

자칭 천자【自稱天子】명 자기를 천자라고 이른다는 뜻으로, 자찬(自讚)하는 사람을 비웃는 말. 자칭왕(自稱王). 자칭 군자(君子).

자치 명〈옛〉 자채논. ¶山田曰 반郞早田也, 水田曰논 乾播曰 보비논 上等曰 자치《農家 月俗》.

자카:드〔Jacquard〕명〖기〗 자카르기(Jacquard 機).

자카:드-직【─織】〔Jacquard〕명 자카르기(Jacquard 機)로 짠 문직물(紋織物)의 총칭. 비단·면(綿)·소모(梳毛)·화섬(化纖)·합섬(合纖) 등에 이용됨.

자카:르〔Jacquard, Joseph Marie〕명〖사람〗 프랑스의 발명가. 견직업자(絹織業者)의 아들로 태어나, 직기(織機)의 발명·개량에 뜻을 두고 1801년 복잡한 무늬의 직물을 쉽게 짤 수 있는 실용적인 문직기(紋織機)를 발명하였음. 이 기계의 발명은 견직물 공업에 기술적 혁명을 가져왔음. [1752-1834]

자카:르-기【─機】〔프 Jacquard〕명〖기〗 프랑스의 자카르가 발명한 문직(紋織) 기계의 하나. 다수의 날실을 자유롭게 움직여서 큰 무늬를 짜는 것이 특징임.

자카르타〔Jakarta〕명〖지〗 인도네시아 공화국의 수도. 자바 섬의 서북 해안에 위치하는 항구 도시(港口都市). 본래 작은 취락(聚落)이었으나, 1619년 이후 네덜란드 동인도 회사(Netherland 東印度會社)의 기지로서 발전하였음. 해안에 가까운 상가(商街)와 관청·학교·주택가가 있는 신시가(新市街)로 나뉨. 상업 도시로서도 중요하지만 섬유(纖維)·조선(造船) 등의 공업도 행하여짐. 1950년 창립된 대학이 있고, 역사관(歷史館)·고문서관(古文書館)·박물관(博物館) 등이 있으며, 바타비아 성(Batavia 城)을 비롯하여 사적(史蹟)도 많음. 구칭은 바타비아(Batavia). [8,280,000 명(1995 추계)]

자카트〔아랍 zakāt〕명〖이슬람〗 법에 정한 회사(喜捨). 교도의 5대 의무의 하나. 예컨대, 동산(動産)은 연수(年收)의 2.5%, 농산물은 연수의 10%.

자카프카즈〔Zakavkaz〕명〖지〗 카프카스 산맥 남부 지역. 아제르바이잔(Azerbaidzhan)·아르메니아(Armenia)·그루지야(Gruziya)의 3개 공화국이 이에 포함되며, 카프카스 경제 지역을 구성함.

자케트〔jacket〕명 ☞ 재킷.

자켜-지다 자〈방〉 잦혀지다.

자코메티 〔Giacometti〕 명 《사람》 ①〔Alberto G.〕 스위스의 조각가. ❸의 아들. 제네바(Geneva)의 미술 학교(美術學校)에서 수학(修學), 파리에 나와 부르델(Bourdelle)의 아틀리에에 들어감. 후에 쉬르레알리슴(surrealisme) 운동에 참가하여 《보이지 않는 사물(事物)》·《4시의 궁전》 등의 작품 외에 오브제(objet)를 제작하였음. 그 후, 철사와 같이 가늘고 긴 조상(彫像)을 많이 제작하고, 독자적(獨自的)인 양식을 이룸. [1901-66] ②〔Augusto G.〕 스위스의 화가. ❸의 사촌 동생. 취리히·파리·피렌체에서 수학한 후, 1915년 이래 취리히에서 제작함. 색채(色彩)를 다루는 데 새로운 표현법을 추구(追求)했음. [1877-1947] ③〔Giovanni G.〕 스위스의 화가. ❶의 아버지. 신인상파(新印象派)에 속하여, 힘차고 또한 밝은 색조(色調)의 그림을 그렸음. [1868-1933]

자코바이트 〔Jacobites〕 명 《역》 1688년의 명예 혁명(名譽革命) 때, 프랑스에 도망한 영국 왕 제임스(James) 2세와 그 자손을 지지하고, 왕위 부활을 도모한 사람들. 프랑스 국왕 루이(Louis) 14세의 도움을 얻어, 영국 왕 윌리엄(William) 3세 암살 계획을 위시하여, 1745년까지 자주 반란을 일으켰음.

자코뱅-당 【一黨】〔프 Jacobin〕 명 《정》 프랑스 혁명 당시의 과격한 공화파의 정치 단체. 급진적(急進的) 공화주의(共和主義)를 주장하여, 1791년 지롱드당과 대립하여 공포 정치를 행하였으나, 1794년에 와해되었음. 마라(Marat)·당통(Danton)·로베스피에르(Robespierre)가 그 주요 인물임. 산악당(山岳黨).

자코브[1] 〔Jacob, François〕 명 《사람》 프랑스의 분자 생물(分子生物) 학자. 파스퇴르의 연구소원(硏究所員)으로 있으면서, 1961년 단백질(蛋白質)의 생합성 제어(生合成制御)에 관한 오페론설(operon說)을 모노(Monod, J.)와 함께 제창(提唱)함. 1965년 노벨 생리 의학상(生理醫學賞)을 수상함. [1920-]

자코브[2] 〔Jacob, Georges〕 명 《사람》 프랑스의 가구 제조(家具製造) 업자. 그의 아들과 함께 우수한 가구를 제작하여 궁전(宮殿)이나 미술관을 장식했음. [1739-1814]

자코브[3] 〔Jacob, Max〕 명 《사람》 프랑스의 시인·소설가. 기상(奇想)·해학(諧謔)에 찬 작품을 보여 현대시에 선구적인 공헌을 하였음. 2차 세계 대전 중 유태인이기 때문에 독일군에 체포되어, 수용소에서 살해됨. 시집에 《주사위통》 등이 있음. [1876-1944]

자코사 〔Giacosa, Giuseppe〕 명 《사람》 이탈리아의 극작가. 초기의 작품은 감상적(感傷的)·낭만적이었으나, 후에 사실주의 영향으로, 역사극 《로소 백작(Il conte Rosso)》·《비련(Tristiamori)》·《나뭇잎같이(Come le foglie)》 등을 발표하여, 19세기말의 소시민 사회(小市民社會)를 해부하는 데 탁월한 재주를 보였고, 그 중에서도 《비련(悲戀)》은 간통(姦通)에 의하여 파괴된 중류(中流) 가정을 주제(主題)로 한 걸작임. [1847-1906]

자쿠:스카 〔러 zakuska〕 명 러시아 요리의 전채(前菜).

자키 〔jockey〕 명 ①경마(競馬)의 기수(騎手). ②↗디스크 자키.

자키다 타 〈방〉 잦히다[1·2·3].

자킨 〔Zadkine, Ossip〕 명 《사람》 프랑스의 조각가. 러시아의 스몰렌스크 태생. 1909년 파리에 가서 퀴비슴과 니그로 조각의 영향을 받음. 철면(凸面)과 요면(凹面)을 조합(組合)시켜 인체(人體)의 조화를 추구함. 작품에 《새와 소녀》·《로테르담 기념상》 등이 있음. [1890-1967]

자-타 【自他】 명 ①자기와 남. ¶～가 공인하다. ②《불교》 자력(自力)과 타력(他力). ③《언》 자동사와 타동사.

자타 공:인 【自他共認】 명 자기나 남들이 다 같이 인정(認定)함. ——하다 타여불

자타 관계 【自他關係】 명 자기와 남과의 관계.

자-타작 【自打作】 명 자기의 논밭을 스스로 농사지어 거둠. ——하다 타여불

자타카 〔범 jataka〕 명 《불교》 '본생경(本生經)'의 범어 이름.

자:탁 【藉託·藉托】 명 다른 일을 빙자(憑藉)하여 핑계함. 자칭(藉稱). ——하다 타여불

자탄[1] 【子彈】 명 총포 따위의 탄환.

자탄[2] 【自彈】 명 풍금 등의 악기를 손수 탄주(彈奏)함. ——하다 타여불

자탄[3] 【自歎·自嘆】 명 스스로 탄식함. ——하다 자타여불

자탄[4] 【咨歎】 명 애석하여 탄식함. ——하다 타여불

자탄 자가 【自彈自歌】 명 스스로 거문고를 타고, 스스로 노래함. 자창 자화(自唱自和). ——하다 자여불

자탑 【瓷塔】 명 자기(瓷器)로 만든 탑.

자태[1] 【字態】 명 글자의 모양.

자태[2] 【姿態】 명 모습과 태도. ¶아름다운 ～.

자태[3] 【瓷胎】 명 《공》 돌을 곱게 갈아 가루로 만들어서 그릇을 만드는 재료(材料).

자택 【自宅】 명 자기의 집. 자가(自家). 사제(私第).

자토[1] 【瓷土·磁土】 명 도토(陶土).

자:토[2] 【赭土】 명 《광》 석간주(石間硃).

자토리 명 〈옛·방〉 자투리. ¶자토리(零布) 《譯語 下 5》.

자토페크 〔Zátopek, Emil〕 명 《사람》 체코의 장거리(長距離) 육상 선수. 런던 올림픽 때에 10,000 m에 우승, 다음 헬싱키(Helsinki) 올림픽 때에도 5,000 m·10,000 m 및 마라톤에 각각 우승하여 '인간 기관차'라고 불림. [1922-]

자통[1] 【自通】 명 ①가르침을 받지 아니하고 스스로 알아 통함. ②저절로 통함. 자연히 통함. ——하다 자타여불

자:통[2] 【刺痛】 명 찌르는 듯한 아픔.

자퇴 【自退】 명 스스로 물러감. ¶회장 자리에서 ～하다. ——하다 자타여불

자투리 명 자풀이로 팔고 남은 피륙의 조각. 잔척(殘尺). 말합(末合).

자투리-땅 명 도시 계획이나 도로 확장 등으로 택지(宅地)로 구획(區劃)한 뒤에 남은, 건축법상의 기준 평수 미만(未滿)의 부정형(不整形)의 작은 땅조각.

자트랑 명 〈방〉 겨드랑이(경상).

자트랭-이 명 〈방〉 겨드랑이(경상).

자파[1] 【自派】 명 자기의 당파. 자기가 속해 있는 유파(流派). ¶～의 당원.

자파[2] 【自罷】 명 스스로 일을 그만둠. ——하다 타여불

자파드니키 〔러 Zapadniki〕 명 서구주의자(西歐主義者)의 뜻. 1840-50년대에 슬라브주의자(Slav主義者)와 함께 러시아 사상계(思想界)를 양분한 지식인의 일파. 러시아도 서구 사회와 같은 진보 과정을 밟아야 한다고 주장함.

자판[1] 【字板】 명 《컴퓨터》 키보드❸.

자판[2] 【自判】 명 ①저절로 판명됨. ②《법》 상급 법원에서 원판결(原判決)에 이유 불비(理由不備)나 사실 인정에 착오가 있다고 인정할 때 이것을 파기(破棄)하고 독자적으로 새로운 판결(判決)을 내림. ——하다 자타여불

자판[3] 【自辦】 명 ①자기의 일을 스스로 처리함. ¶～ 능력. ②자변(自辨). ——하다 타여불

자판-기 【自販機】 명 ↗자동 판매기(自動販賣機).

자:패 【紫貝】 명 《조개》 [*Mauritia mauritiana*] 복족류(腹足類)에 속하는 조개의 하나. 특수한 형태의 권패(卷貝)로서, 패각(貝殼)은 길이 8-9 cm 가량이고 달걀꼴인데 두꺼운 법랑질(琺瑯質)로 되어 단단하며 표면이 반드러움. 배면(背面)에는 자색(紫色) 바탕에 아름다운 담색(淡色)의 무늬가 있고 그 구부(口部)는 거치상(鋸齒狀)을 이루어 안쪽으로 오므라들어 맞닿아서 마치 여자의 성기(性器)와도 같음. 옛날부터 이 조개 껍질을 안산(安産)·다산(多産)·풍숙(豐熟)의 뜻으로 몸에 지니고 다녔으며, 또 고대에는 화폐로도 사용되었음. 일본·오키나와·대만 등 주로 난류 해역에 분포함. 문패(文貝). 패자(貝子).

〈자패〉

자퍼 〔Sapper, Agnes〕 명 《사람》 독일의 여류 아동 문학가. 가정 소설로서 유명하며, 씩씩하고 밝게 살려는 사람들을 따뜻한 필치로 묘사함. 대표작에 《사랑의 일가(一家)》 등이 있음. [1852-1929]

자편[1] 【子鞭】 명 도리깻열.

자편[2] 【自便】 명 ①자기 한 몸의 편안을 도모하는 일. ②자기편.

자평 【自評】 명 자기가 자기의 작품 따위를 평가(評價)하는 일. ——하다 타여불

자폐[1] 【自廢】 명 스스로 그만 둠. ——하다 타여불

자폐[2] 【自斃】 명 자살(自殺). ——하다 자여불

자폐[3] 【滋弊】 명 폐해를 거듭함. ——하다 자여불

자폐-선 【自閉線】 명 《수》 한 곡선(曲線)이 한 점에서 시작하여 다시 같은 점에 이르기까지의 선.

자폐-성 【自閉性】 [一썽] 명 〔autism〕 《심》 외계(外界)의 자극에 대하여 무관심하게 되고, 일의 객관성을 돌아보지 아니하는 자기 자신의 내적(內的) 공상 생활에 파묻히는 성질. 따라서, 외적 사상(事象)은 당사자의 개인적인 특수한 의미를 가져오게 되어 백일몽(白日夢)이나 망상 환각(妄想幻覺)에 빠지기 쉬움. 내폐성(內閉性).

자폐-증 【自閉症】 [一쯩] 명 《의》 ①정신 분열병 환자에서 볼 수 있는 기본 증상(症狀). 대인 교섭(對人交涉)을 싫어하며, 원망(願望)이나 고뇌(苦惱) 따위를 마음 속에 간직한 채 자기만의 세계에 사는 상태. ②어린이의 정신 장애. 부모와의 대화를 싫어하며 자기만의 세계에 틀어박히는 증상. 아주 어려서 발병하면 말을 배우지 못하기 때문에 벙어리처럼 되는 경우도 있음.

자폐증-아 【自閉症兒】 [一쯩一] 명 자폐증에 의한 정서 장애아(情緖障礙兒).

자포[1] 【自暴】 명 ↗자포 자기. ——하다 자여불

자:포[2] 【刺胞】 명 《동》 자세포(刺細胞).

자포[3] 【恣暴】 명 방자하고 횡포하게 날뜀. ——하다 자여불

자:포[4] 【紫袍】 명 ①자줏빛 도포. ②아주 훌륭한 옷이나 예복.

자:포 동:물 【刺胞動物】 명 《동》 '강장(腔腸) 동물'을 자세포(刺細胞)가 있다 하여 일컫는 말. 유(有)자포 동물. 자포류.

자포로:제 〔Zaporozhe〕 명 《지》 우크라이나 공화국 남부 드네프르 강(Dnepr 江) 좌안(左岸)에 있는 공업 도시. 발전소가 있으며 철강·알루미늄·마그네슘의 야금(冶金) 공업이 성함. 1922년까지 알렉산드로프스크(Alexandrovsk)라 불렀음. [844,000명(1984)]

자:포-류 【刺胞類】 명 《동》 자포(刺胞) 동물.

자:포 바늘 세:포 【刺胞一細胞】 명 《동》 '자세포(刺細胞)'의 풀어쓴 말.

자포 자기 【自暴自棄】 명 마음에 불만이 있어 행동을 되는 대로 마구 취하고 스스로 자신을 돌아보지 아니함. ㊗자포(自暴)·자기(自棄). ——하다 자여불

자포텍 문화 【一文化】〔Zapotec〕 명 《역》 ☞사포텍 문화.

자포텍-족 【一族】〔Zapotec〕 명 ☞사포텍족(族).

자폭 【自爆】 명 ①《군》 함선(艦船)·비행기 등이 전황(戰況)이 불리할 때 이를 적에게 넘겨 주지 아니하기 위해서 스스로 폭쇄(爆碎)하는 일. ②스스로 자신을 파멸시킴. ——하다 자여불

자표 【字票】 명 화살에 표한 숫자(數字).

자-풀이 명 ①피륙 한 자에 얼마씩 값이 치었나 풀어 보는 셈. ②피륙을 자로 끊어서 파는 일. 해척(解尺). ¶～로 팔다. ③《건》 방의 칸수(數)나, 건물의 높이·폭 등을 계산하는 일. ——하다 타여불

자품[1] 【姿稟】 명 자품(資稟).

자품²【資稟】명 사람된 바탕과 타고난 성품.

자피다 자 〈옛〉 잡히다. ¶門을 자펴 막ᄌᆞᄅᆞ시니≪月印 上 15≫.

자필【自筆】명 자기가 직접 글씨를 씀. 또, 그 글씨. 자서(自書). 수필(手筆). ¶～ 이력서(履歷書). ↔대필(代筆). ——-하다 타여불

자필 증서【自筆證書】명〖법〗자기가 손수 쓰고, 도장을 찍은 증서.

자하¹【子夏】명〖사람〗중국 춘추(春秋) 시대 공문(孔門) 십철(十哲)의 한 사람. 본명은 복상(卜商), 자하는 자(字)임. 위(魏)나라 문후(文侯)의 스승. 공문 중에서 후세(後世)에까지 가장 많은 영향(影響)을 끼쳤음. 생몰년 미상.

자하²【自下】명 ↗자하 거행(自下擧行). ¶임 대장은 우리 춘장군의 것을 뺏으시는 법이 없는데 이게 혹 ～루들 하시는 일 아니오?≪洪命憙 : 林巨正≫. ——-하다 타여불

자하³【疵瑕】명 하자(瑕疵).

자:하⁴【紫蝦】명〖동〗곤쟁이.

자하⁵【磁荷】명〔magnetic charge〕〖물〗자기극(磁氣極)의 세기. 자석의 자기극이 서로 작용하는 자기력(磁氣力)의 크기에 따라 정함. 자기극 강도(強度). 자기량(磁氣量).

자:-하거【紫河車】명〖한의〗태(胎)의 한의학적 명칭. 정혈(精血)을 돕는다 하여 허손증(虛損症)에 씀.

자하 거:행【自下擧行】명 윗사람을 거치지 아니하고 자의(自意)로 해 나아감. 준자하(自下). ——-하다 타여불

자-하다【資—】자여불 ①도움이 되다. 공헌하다. ¶연구에 자하고자 모은 자료. ②비용을 대다. 자금을 대다.

자하 달상【自下達上】[—쌍] 명 아래로부터 위에 미침. ↔자상 달하(自上達下). ——-하다 자여불

자:하-동【紫霞洞】명〖문〗채홍철(蔡洪哲)이 고려 충숙왕(忠肅王) 때 지었다는 가요. 작자가 자하동에 살면서 이 노래를 지었다 함. 원가(原歌)는 전하지 아니하고 한역시만 전함.

자하로프〔Zaharoff, Basil〕명〖사람〗국제적인 무기 상인(武器商人). 터키 태생. 아버지는 러시아인, 어머니는 그리스인. 영국·독일·프랑스 등 각국의 군수 회사와 제휴하여, 터키·스페인 등에 무기를 판매함. 후에 영국의 나이트 작위를 받고 영국에 귀화했으며 은행업·석탄업 및 도박장에도 관계함. [1849?-1936]

자:하-문【紫霞門】명 자핫(紫霞)골, 곧 지금의 서울시 종로구 부암동(付岩洞)에 있다고 하여 일컫는 창의문(彰義門)의 속된 별칭.

자:하문 서낭【紫霞門—】명〖역〗창의문(彰義門) 곧 자하문 앞에 있다고 하여 일컫는, 동락정 성황(同樂亭城隍)의 속칭.

자:하-산【紫霞山】명〖지〗평안 남도 양덕군(陽德郡) 양덕읍(陽德邑)과 성천군(成川郡) 대구면(大邱面) 사이에 있는 산. [1,216m]

자학¹【子瘧】명〖한의〗임신 중인 여인이 앓는 학질.

자학²【自虐】명 스스로 자기를 학대(虐待)함. ¶～ 행위(行爲). ——-하다 자여불

자학³【自學】명 ①자발적으로 자기의 힘으로 배움. ②〖교〗교사의 강의를 위주로 하지 아니하는 학습법. ——-하다 타여불

자학⁴【字學】명 글자의 근원(根源)·원리(原理)·음(音)·뜻 등을 연구하는 학문(學問).

자학-서【自學書】명 자습서(自習書).

자한【自汗】명〖한의〗저절로 땀이 많이 나는 병.

자한남〔아랍 Jahannam〕명〖이슬람〗지옥(地獄).

자할【自割】명〖동〗자절(自切).

자항【慈航】명〖불교〗부처가 자비심을 가지고 중생을 제도(濟度)함을 배에 비유해서 일컫는 말.

자해¹【自害】명 ①자기의 몸을 해침. ¶～ 행위. *자상(自傷). ②자살(自殺). 자진(自盡). ——-하다 자여불

자해²【自解】명 ①자기 스스로 풀어 냄. ②자기를 변명함. ③어떤 일에 구애됨이 없이 스스로 풀어서 해탈함. ④〖불교〗스승의 가르침을 기다림이 없이 스스로 깨달음. ——-하다 타여불

자해³【字解】명 글자의 해석. 특히, 한자(漢字)의 해석.

자핵【自劾】명 자기(自己)의 죄상(罪狀)을 스스로 탄핵(彈劾)함. ——-하다 타여불

자핵-소【自劾疏】명〖역〗자인소(自引疏).

자행¹【自行】명 ①자기의 수행(修行). ②스스로 행함. ——-하다 타여불

자행²【恣行】명 방자(放恣)하게 함. 또, 그 행동. ¶폭력을 ～하다. ——-하다 타여불

자행 가지【自行加持】명〖불교〗진언종(眞言宗)의 행자(行者)가 스스로 삼밀 가지(三密加持)를 행하는 일.

자행-거【自行車】명 자전거(自轉車).

자행 자지【自行自止】명 제 마음대로 하고 싶으면 하고, 말고 싶으면 맒. ——-하다 타여불

자행 화:타【自行化他】명〖불교〗스스로 불도(佛道)를 수행하고, 그 얻은 바에 의하여, 다시 다른 중생(衆生)을 교화(敎化)하는 일.

자허¹【自許】명 자기가 넉넉히 할 만한 일이라고 여김. ——-하다 자타여불

자허²【自詡】명 자기 스스로 추킴. ——-하다 자타여불

자허 마조흐〔Sacher-Masoch, Leopold von〕명〖사람〗오스트리아의 소설가. 처음은 갈리시아(Galicia) 지방의 농민이나 유태인의 이야기를 썼으나 후에는 이상 성욕(異常性慾)만을 묘사하였음. '마조히즘'이라는 말은 그의 이름에서 유래됨. 대표작으로 소설 ≪콜로메아(Kolomea)의 돈 후안(Don Juan)≫·≪카인(Kain)의 후예(後裔)≫·≪4세기간의 연애담≫ 등이 있음. [1836-95]

자헌【自獻】명〖천주교〗성모 마리아의 부모 성 요아킴과 성녀 안나가 마리아를 세 살 때 성전(聖殿)에서 천주에게 봉헌(奉獻)하고 교육시켰다고 하는 전설. 11월 21일이 그 기념 축일(祝日)임.

자헌 대:부【資憲大夫】명〖역〗조선 시대 때 정이품(正二品) 문무관의 품계(品階). 고종(高宗) 2년(1865)부터 문무관(文武官)·종친(宗親)·의빈(儀賓)에 병용(並用)됨.

자헌 치:명【自獻致命】명〖천주교〗천주교를 금하는 곳에서 사형을 당할 때, 자결(自決)하여 순교(殉敎)함. ——-하다 자여불

자현¹【子絃】명〖악〗당비파(唐琵琶)의 넷째 줄의 이름. *무현(武絃).

자현²【子懸】명〖한의〗자현증(子懸症).

자현³【自現】명〖법〗자기 스스로 범죄 사실을 관헌에 고백함. 자수(自首). ——-하다 자여불

자현-증【子懸症】[—쯩] 명〖한의〗임신 중인 여자의 가슴이 치밀고 아픈 병. 자현(子懸).

자형¹【自形】명〖광〗그 광물 특유의 결정면(結晶面)으로 둘러 싸여 있을 때의 광물의 결정 형태. *사형(似形).

자형²【字形】명 글자의 모양. 문자형(文字形).

자형³【字型】명〖인쇄〗활자(活字)를 부어 만드는 원형(原型).

자형⁴【姉兄】명 손위 누이의 남편. 매형(妹兄).

자:형⁵【紫荊】명〖식〗박태기나무.

자형⁶【慈兄】명 자애로운 형. 편지 용어로 쓰임.

자형 변:성 작용【自形變成作用】명〔automorphosis〕〖지〗가열된 내부 융해(融解)로 고화(固化)한 화성암(火成岩)의 변성(變成) 작용.

자혜【慈惠】명 자애(慈愛)로운 은혜.

자혜-롭다【慈惠—】형ㅂ불 자애로운 은혜가 깊은 데가 있다. ¶그지없이 자애로운 스승님. **자혜-로이**【慈惠—】부

자혜 병:원【慈惠病院】명 자혜 의원.

자혜 의원【慈惠醫院】명 빈민(貧民)의 병을 치료할 목적으로 설립된 병원. 자선(慈善) 병원. 자혜 병원.

자호¹【子壺】명〖생〗자궁(子宮)❷.

자호²【自號】명 ①자기의 칭호. ②자기의 칭호를 스스로 부르거나 지음. 「——-하다 자여불

자호³【字號】명 ①활자(活字)의 대소(大小)를 나타내는 번호. ②토지의 번호나 족보(族譜)의 장수(張數) 등에 천자문(千字文)의 글자를 순서대로 매긴 번호. 「짐. ——-하다 자여불

자홀【自惚】명 스스로 황홀함. 혼자서 황홀해 함. 자기 도취(陶醉)에 빠

자:홍-색【紫紅色】명 자줏빛이 나는 붉은 색.

자화¹【自火】명 자기 집에 난 불.

자화²【自畫】명 자기가 그린 그림. ¶～ 자찬.

자화³【雌花】명〖식〗암꽃.

자화⁴【磁化】명〖물〗자기화(磁氣化). ——-하다 자여불

자화 곡선【磁化曲線】명〔magnetization curve〕〖물〗강자성체(強磁性體)에 외부에서 자기장을 가하고 그것을 점차 강하게 하면 자기화의 강도도 그와 함께 강해지지만, 곧 일정한 포화치(飽和値)에 이르게 됨. 이러한 자기화의 강도와 자기장(場)의 강도와의 관계를 그래프(graph)에 표시한 곡선을 일컬음.

자화-상【自畫像】명〖미술〗자기 자신을 그린 초상화(肖像畫). ¶～을 그리다.

자화-수【雌花穗】명〖식〗암꽃 이삭. ↔웅화수(雄花穗).

자화 수분【自花受粉】명〖식〗양성화(兩性花)에서는 같은 꽃 안의 화분(花粉)으로, 단성화(單性花)에서는 동일 개체(同一個體)의 수꽃의 화분으로 수분(受粉)하는 일. 자가 수분(自家受粉). 제꽃가루받이. ——-하다 자여불

자화 수정【自花受精】명〖생〗자가 수정(自家受精). 제꽃정받이. ——-하다 자여불

자화-율【磁化率】명〔magnetic susceptibility〕〖물〗자기장(磁氣場) 안에 놓인 자성체(磁性體)의 자기화의 강도와 자기장의 강도와의 비. 상자성체(常磁性體)에서는 양(陽), 반자성체(反磁性體)에서는 음(陰)의 값을 취하는 물질 상수(物質常數)인데, 이러한 값은 작으며 자기장에 의해 거의 변하지 않음. 강자성체(強磁性體)의 경우에는 그 값은 크고 자기장(場)에 의한 변동이 크며, 초자화율(初磁化率)·최대 자화율(最大磁化率) 등으로 정의(定義)됨. 어느 경우에도 온도(溫度)에 의한 변동(變動)이 많음.

자화 자찬【自畫自讚·自畫自贊】명 ①자기가 그린 그림을 스스로 칭찬함. ②전(轉)하여, 제 일을 제 스스로 자랑함. 자화찬(自畫讚). ¶～을 늘어 놓다. ——-하다 자여불

자화-찬【自畫讚·自畫贊】명 자화 자찬(自畫自讚). ——-하다 자여불

자:화-채¹【刺花菜】명 소금물로 밀가루 반죽을 하여 얇게 썰어 바싹 말렸다가 끓는 물에 데쳐서 꿀을 탄 오미자국에 넣은 음식.

자:화-채²【紫花菜】명 사람이 먹을 수 있는 꽃이나 잎을 따서 끓는 물에 데친 뒤에 소금과 기름에 무친 나물.

자활【自活】명 자력(自力)으로 생활함. ¶～의 길을 열다/～ 능력(能力). ——-하다 자여불

자활 지도 사:업【自活指導事業】명 근로 능력이 있는 영세민에게 근로 구호를 실시하는 사업.

자황【雌黃】명 ①황(黃)과 비소(砒素)와의 화합물(化合物). 천연산(天然産)은 황색 결정체(黃色結晶體)이며, 가루로 된 것은 선황색(鮮黃色)임. 채료(彩料) 또는 약용(藥用)으로 함. 인공(人工)으로는 독사(毒砂)와 황화철(黃化鐵)과 황을 원료로 하여 만듦. ②〖미술〗채색(採色)의 한 가지로, 선명한 황색. 타이·미얀마·캄보디아·스리랑카 등지에서 나는 한 식물의 수지(樹脂)로 만듦. 독이 있음. 등황(橙黃). 갬부지(gamboge). ③〖한의〗외과(外科)에 쓰는 약. 독이 있음. ④〖옛날 중국에서 오기(誤記)하였을 때 자황으로 지우고 쓴 데서 유래〗시문(詩文)

을 첨삭(添削)하는 일. 변론(辯論)의 시비(是非)를 이르는 말로도 씀. ¶～을 가(加)하다.

자:황-색【赭黃色】명 주황(朱黃)빛.

자황철-광【磁黃鐵鑛】명〔pyrrhotite〕『광』황화철(黃化鐵)로 이루어진 광물. 육방 정계(六方晶系)에 속하는 육각 판상(六角板狀)의 결정으로 황동색(黃銅色)을 띰. 자성(磁性)을 띠지만 철의 함량(含量)이 많아질수록 약해짐. 황·황산·철의 원료 광물로 이용됨.

자회[1]【自晦】명 자기의 재능·지위 따위를 감추어 나타내지 아니함. 자은(自隱). ——-하다 타 여불

자회[2]【慈誨】명 자애(慈愛)가 넘치는 가르침. ¶법사(法師)님의 ～.

자회[3]【資賄】명 ①소중한 물건. 보물. ②시집 갈 때 가지고 가는 물품.

자-회사【子會社】명『경』다른 회사와 자본적 관계를 맺어 그 회사의 지배력의 영향을 받고 있는 회사를 그 지배력을 미치는 회사에 대하여 이르는 말. ↔모회사(母會社).

자획[1]【字畫】명 글자의 획. 필획(筆畫). 획(畫).

자획[2]【自劃】명 스스로 단념함. ——-하다 타 여불

자효【慈孝】명 ①자애(慈愛)와 효심(孝心) 또는 부자지간(父子之間)의 애정을 이름. ②어버이를 섬기고 효도를 다함.

자후-산【自後山】명『지』강원도 정선군(旌善郡)에 있는 산. [1,063 m]

자훈[1]【字訓】명 ①한자(漢字)의 우리 말 새김. ②글자와 새김.

자훈[2]【慈訓】명 모훈(母訓).

자훼【訾毁】명 훼방(毁謗)❶. ——-하다 타 여불

자휘【字彙】명 ①자전(字典). ②글자의 수효. ¶～가 많다. *어휘(語彙). ③『책』중국 명(明)나라의 매응조(梅膺祚)가 지은 자서(字書). 설문(說文) 및 옥편의 부수(部首)를 변경하고 해체(楷體)에 의하여 부(部)를 나누었는데, 자수는 33,079 자임. 모두 14 권.

자휼[1]【字恤】명 백성을 어루만져 사랑함. ——-하다 타 여불

자휼[2]【慈恤】명 사랑하여 은혜를 베풂. ——-하다 타 여불

자휼 전:례【字恤典禮】[-절-] 명『역』조선 정조 7년(1783)에 굶주린 백성의 구제를 위해 공포된 법령. 원문은 한문과 이두(吏讀)로 되어 있는데, 노소·연령에 따라 쌀과 장(醬)을 차등 있게 지급하고 병자에게는 활인(活人)·혜민(惠民)의 양서에서 구호하게 하는 것을 주요 내용으로 했음.

자휼 전:칙【字恤典則】명『책』조선 정조(正祖) 7년(1783)에 간행(刊行)된, 걸식(乞食) 아동의 구제 방법을 규정한 책. 기아(棄兒)·걸식으로 아사자가 많음에 비추어 특별히 윤음(綸音)을 내려 사목(事目)을 정하고 혜휼(惠恤)의 시행 방법을 널리 주지시키기 위해 한글로 번역하여 경향 각지에 반포하였음.

자흐로〈옛〉자로. '자¹'의 조격형(造格形). ¶바느질 자흐로는 스믈 대 자히니(裁衣尺裏二丈五)《老乞 下 26》.

자:흑【紫黑】명 자흑색(紫黑色).

자:흑-색【紫黑色】명 검은 자줏빛. 아주 짙은 자줏빛.

자흔【疵痕】명 흠이 된 자리.

자히 의명〈옛〉채. ¶물론 자히 느리시니이다(躍馬下馬也)《龍歌 34 章》/제 모미 누븐자히셔 보터《月釋 Ⅸ:30》.

-자히 미〈옛〉-째. ¶스믈 다숫찻 자히(居二十五年)《內訓 Ⅱ:27》.

자히다 타〈옛〉재다. 자로 재다. ¶越ㅅ 羅와 蜀ㅅ 錦을 金粟 자흐로 자히놋다(越羅蜀錦金粟尺)《杜諺 XXV:50》.

자히쁘다 타〈옛〉재다. ¶속졀업시 것곤 솔옷 자바 녀트며 기푸믈 자히쁘느다(徒把折錐候淺深)《南明 下 20》.

자:히즈〔Jāḥiz, Al〕명『사람』사라센(Saracen) 제국, 아바스조(Abbās 朝)의 학자. 문학·역사·과학·신학 등 여러 분야(分野)에 걸쳐 다대한 업적을 남김. 코란(Coran) 창조설을 제창했으며, 주저(主著)《동물의 서(書)》에서는 개의 성질의 선악(善惡), 곤충(昆蟲)의 생태 등에 관하여 논함. [767-869]

자ᄒᆞ로〈옛〉자로, '자'의 조격형(造格形). ¶자ᄒᆞ로 制度ㅣ 날씨(尺生制度)《龍歌 83 章》.

자ᄒᆞᆯ〈옛〉자를. '자¹'의 목적격형. ¶무명 대엿자ᄒᆞᆯ 여러볼 더버 새로 기론 물에 적셔(布五六尺疊搨新水浸)《辟瘟 9》.

자ᄒᆡ〈옛〉자에. '자¹'의 처격형(處格形). ¶鴛鴦錦 버혀 노코 五色線 플텨내여 금자ᄒᆡ 견화이셔《松江 思美人曲》.

작[1]【作】명『역』↗작전(作錢)❷. ——-하다 자 여불

작[2]【爵】명 옛날 중국 술잔의 한 가지. 참새의 모양을 본떠서 만들었는데 손잡이 둘과 긴 발 셋이 달렸음. 청동제(靑銅製)의 것은 은(殷)나라·주(周)나라 때 예기(禮器)로 사용되었음.

〈작²〉

작[3]【爵】명『역』①벼슬의 위계(位階). ②오등작(五等爵)의 계급(階級). ¶후(侯)～.

작[4]【作】의명 제작(製作)·저작(著作)의 뜻을 나타내는 말. ¶이광수 ～.

작[5]【勺】의명〔←사[31]〕①척관법(尺貫法)의 용적(容積)의 단위. 액체나 씨앗 등을 되는 분량의 단위의 하나. 한 홉(合)의 10분의 1임. ②지적(地積)의 단위. 평(坪)의 1/100.

작[6]【昨】관 어제의 뜻을 나타내는 말. ¶～ 23일/～ 15일.

작:[7] 부 글자의 획 같은 것을 한 번 긋거나 종이 같은 것을 한 번 찢는 소리. 쯔짝[4]. <직[5]. ——-하다 자 여불 종이 같은 것이 작 소리를 내며 찢어지다.

-작【作】미 농작(農作)·경작(耕作)의 뜻을 나타내는 말. ¶평년(平年)～/이모～.

작가[1]【作家】명 시가(詩歌)·소설(小說)·회화(繪畫)·영화(映畫) 등 기타 예술품의 제작자(製作者). 특히, 소설가(小說家)를 일컬음. ¶여류 ～/동화 ～.

작가[2]【作歌】명 노래를 지음. 또, 그 노래. *작곡. ——-하다 자타 여불

작가 계:통【作家系統】명『문』서로 같은 경향(傾向)을 가진 작가들의 계통.

작가-론【作家論】명 작가를 여러 각도에서 입체적(立體的)으로 연구·비평한 논문.

작간【作奸】명 간사한 짓을 함. 간계를 부림. ——-하다 자 여불

작객【作客】명 자기 집을 떠나서 객지나 남의 집에 머물러 손노릇을 함. ——-하다 자 여불

작견【柞繭】명 멧누에고치. 야견(野繭).

작경【作梗】명 어그러진 행실을 부림. ¶아주 막히기야 할까만 도로에 ～이 부절히 있으니까 막힌단 소리두 날 만하지《洪命憙: 林巨正》. ——-하다 자 여불

작고【作故】명 '사망(死亡)'의 경칭. ¶～한 어른. ——-하다 자 여불

작곡【作曲】명『악』악곡(樂曲)을 창작(創作)함. 또, 그 악곡. ——-하다 자타 여불

작곡-가【作曲家】명 작곡을 전문으로 하는 음악가. *작곡자.

작곡-계【作曲界】명 작곡하는 사람들의 사회적 분야.

작곡-과【作曲科】명『교』음악 대학에서, 작곡을 전공하는 학과. *성악과(聲樂科).

작곡-법【作曲法】명『악』악곡(樂曲)의 제작법. 선율법(旋律法)·화성법(和聲法)·대위법(對位法)·관현악법 등의 기초 지식을 토대로 하여 악곡을 창작하는 기법(技法).

작곡-자【作曲者】명 작곡한 사람. *작곡가(作曲家).

작곡-학【作曲學】명 작곡에 필요한 여러 가지 기술이나 지식에 대하여 연구하는 학문.

작골【灼骨】명 점(占)치기 위하여 뼈를 사름.

작과【作窠】명 인물을 등용하기 위하여 현임자(現任者)를 사면(辭免)시킴. ——-하다 타 여불

작관【作貫】명 엽전(葉錢)을 열 냥씩 꿰어서 뭉치를 만듦. 작쾌(作快). ——-하다 타 여불

작광【作壙】명 땅을 파내어 무덤을 만듦. ——-하다 타 여불

작교[1]【酌交】명 술잔을 서로 권함. ——-하다 자 여불

작교[2]【繳交】명 작송(繳送). ——-하다 타 여불

작교[3]【鵲橋】명『민』오작교(烏鵲橋).

작구【雀口】명『공』도자기(陶瓷器) 밑에 달린 발.

작국【作局】명『민』골상(骨相)이나 묏자리의 됨됨이.

작근【作斤】명 ①무게가 한 근씩 되게 만드는 일. ②작편(作片). ——-하다 타 여불

작금【昨今】명 ①어제와 오늘. ②현재에 가까운 과거부터 현재까지를 막연히 이를 때 쓰는 말. 요즈음. 근래. ¶～의 세태.

작금 양:년【昨今兩年】[-냥-] 명 작년(昨年)과 금년(今年). ¶～은 풍년이다.

작금 양:일【昨今兩日】[-냥-] 명 어제 오늘의 이틀.

작나【作拏】명 기뇨(起鬧). ——-하다 자 여불

작납【繳納】명 가져온 물건을 돌려 보냄. ——-하다 타 여불

작년【昨年】명 지난해. 작세(昨歲). 전년(前年). ¶～에도 그랬고 재～에도 그랬다/～에 왔던 각설이 죽지도 않고 또 왔네.

[작년 팔월에 먹었던 오례 송편이 나오다] 아니꼽고 비위가 상한다는 말. ¶참으로 이런 말을 들으면 작년 팔월에 먹었던 오례 송편이 나와요《김필수: 警世鐘》.

작년-도【昨年度】명 지난 연도(年度). 과년도(過年度).

작농【作農】명 농사를 지음. ——-하다 자 여불

작뇌【雀腦】명『한의』참새 대가리의 골. 동창(凍瘡)에 약으로 씀.

작뇨【作鬧】명 기뇨(起鬧). ——-하다 자 여불

작:다 형〔중세: 쟉다〕①크지 아니하다. 부피가 얼마 안 되다. ②어리다[3]❶. ¶나이가 ～. ③도량(度量) 등이 좁다. ¶배포가 ～. ④음성이 낮다. ¶작은 목소리. ⑤사소하다. ¶작은 일에 화를 낸다. ⑥단위(單位)가 낮다. ¶작은 돈. ⑦규모가 크지 아니하다. ¶작은 회사. ⑧옷·신발 따위가 몸에 맞지 아니하다. ¶구두가 ～. 1)·3)-8)↔크다. *적다.

[작게 먹고 가는 똥 누어라] 지나친 욕심을 내지 말고 자기 분수에 알맞게 생활하는 것이 편안하고 좋다는 뜻. [작아도 대추 커도 소반] 작아도 큰대자(大字) 대추라 부르고, 커도 작을 소자(小字) 소반이라 부른다는, 일종의 신소리. [작아도 콩 싸라기 커도 콩 싸라기] 좀 작거나 크거나 콩 싸라기이기는 매일반이라는 말로, 대동 소이(大同小異)하다는 뜻. [작아도 하동(河東) 애기] 키는 작아도 하동 사람처럼 똑똑하다는 뜻. [작아도 후추알이다] 작아도 하는 짓은 맹랑하다는 뜻. [작은 고추가 더 맵다] 작은 사람이 큰 사람보다 뛰어나거나, 야멸참을 이르는 말. [작은 도끼도 연달아 치면 큰 나무를 눕힌다] 작은 일이라도 계속해서 하면 큰 일을 이룬다는 뜻. [작은 부자는 노력이 만들고 큰 부자는 하늘이 만든다] 돈을 버는 데에는 노력이 필요하지만, 인간의 노력에는 한계가 있다는 말. [작은 일이 끝 못 맺는다] 작은 일이라고 가볍게 알았다가는 끝마무리가 흐지부지되기 쉽다는 말. [작은 절에 괴가 두 마리] 절에는 괴(고양이) 먹을 것이 별로 없는데, 작은 절에 고양이가 두 마리나 있으니 더욱 어렵다는 뜻. [작은 탕관이 이내 뜨거워진다] '작은 고추가 더 맵다'와 같은 뜻.

작다기 명〈방〉작대기.

작다리[1] 명 키가 작은 사람을 놓으로 이르는 말. ↔키다리.

작다리[2] 명〈방〉작대기(제주).

작단[1]【作壇】명『문』↗창작단(創作壇).

작단²【斫斷】명 찍어 끊음. ──-하다 타여불

작달막-하다 형여불 키가 몸피에 비하여 자그마하다. ¶작달막한 체격.

작달-비 명 굵직하고 거세게 퍼붓는 비. 장대비.

작답【作畓】명〖농〗토지를 개간(開墾)하여 논을 만드는 일. 기답(起畓). ──-하다 자여불

작당【作黨】명 떼를 지음. 무리를 이룸. ¶～하여 난동(亂動)을 부리다. ──-하다 자여불

작대【作隊】명〖군〗대오(隊伍)를 지음. ──-하다 자여불

작대기 명 ①긴 막대기. 흔히, 무엇을 버티는 데 씀. ¶지게 ～. ②시험 답안 같은 것의 잘못된 글 등에 내리 긋는 줄. ③〈속〉만년필. 소매치기의 은어(隱語).

작대기 바늘 명 길고 굵은 바늘.

작데이 명〈방〉작대기(경상).

작도¹【作圖】명 ①그림·지도(地圖)·설계도(設計圖) 등을 그림. ②〖수〗일정한 조건에 적합한 기하학(幾何學)의 도형(圖形)을 그리는 일. ──-하다 자타여불

작도²【斫刀】명 작두².

작-도³【鵲島】명〖지〗전라 남도의 서해상(西海上), 신안군(新安郡) 임자면(荏子面) 도찬리(道贊里)에 위치한 섬. [0.03 km²: 5명(1984)]

작도 문:제【作圖問題】명〖수〗작도제(作圖題).

작도-법【作圖法】[—뻡] 명〖수〗작도하는 여러 가지 법칙 또는 방법. ㊥도법(圖法).

작도 불능 문:제【作圖不能問題】[—릉—] 명〖수〗작도의 공준(公準)에 의해서, 자와 컴퍼스만을 유한회(有限回)로 사용하는 것만으로는 작도할 수 없는 문제. 곧, 한 각(角)을 삼등분하는 문제, 한 정(正)입방체의 부피의 두 배의 부피를 가지는 정입방체의 작도 문제, 한 원의 면적과 같은 면적을 가지는 정사각형을 작도하는 문제 등.

작도-제【作圖題】명〖수〗약간의 정하여진 절차를 되풀이하여 행함으로써 소요의 도형을 그리는 방법을 구하는 문제. 보통의 초등 평면 기하에 있어서는, 평면상에 있어서 직선자와 컴퍼스를 사용하여 소요의 도형을 그리는 방법을 구함. 작도 문제.

작동¹【作動】명 기계의 운동 부분의 움직임. ──-하다 자여불

작동²【昨冬】명 지난 겨울.

작동 유전자【作動遺傳子】[—뉴—] 명 (operator gene)〖생〗오페론(operon)을 구성하는 한 유전자. 조절(調節) 유전자의 작용을 받아 구조(構造) 유전자의 기능을 조절함. 보통은 조절 유전자에 의해 만들어진 억제 물질과 결합되어 있어 구조 유전자를 불활성화시키고 있으나, 억제 물질이 다른 유도 물질과 만나면 작동 유전자는 기능을 발휘하고 이 작용을 받는 구조 유전자도 활성화(活性化)되어 효소 단백질을 합성함. 오퍼레이터. ＊구조 유전자·조절 유전자.

작두¹【作頭】명 여러 사람의 두목이 됨. ──-하다 자여불

작두²【斫—】명 마소에게 먹일 풀·콩깍지·짚 등을 써는 연장. 기름하고 두둑한 나무 토막 위에 짤막한 쇠기둥 두 개를 세우고 그 틈에 길고 큰 칼날 끝을 끼워 꿰고 한 끝의 나무 자루를 발로 디디면서 칼에 맨 줄을 손으로 잡아 올렸다 놓았다 하며 썰게 되어 있음. 부질(鈇鑕). 작도(斫刀). ¶～로 여물을 썰다.

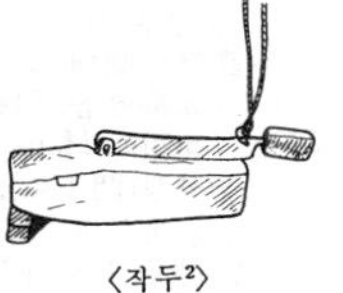

〈작두²〉

작두³【鵲豆】명〖식〗까치콩.

작두 바탕【斫—】명 작두의 밑바탕을 이루고 있는 기름하고 두툼한 나무 토막.

작두-질【斫—】명 작두를 가지고 짚·풀·콩깍지 등을 써는 일. ──-하다 자여불

작두-콩【斫—】명〖식〗[*Canavalia gladiata*] 콩과에 속하는 일년생 만초(蔓草). 잎은 삼출 복엽(三出複葉)으로 소엽(小葉)은 달걀꼴 또는 긴 타원형임. 여름에 나비 모양의 담홍자색(淡紅紫色) 또는 백색의 꽃이 총상(總狀) 화서로 피고, 길이 20-30cm 되는 작두날처럼 된 콩깍지 속에 10개 가량의 씨가 들어 있음. 열대 아시아 원산으로 품종이 많은데, 그 중에서 서인도 원산(原產)의 것이 유명함. 씨를 식용(食用)하기 위하여 각지에서 재배함. 도두(刀豆). 협검두(挾劍豆).

〈작두콩〉

작두-타기【斫—】명〖민〗무당이 신의 영력(靈力)을 보여 주기 위해 맨발로 작두날에 올라서서 춤을 추고 공수를 내리는 짓.

작두-필【雀頭筆】명 동양화(東洋畫)를 그릴 때, 한 쪽으로 색깔을 펴는 데 쓰는 몽톡한 붓.

작두-향【雀頭香】명〖한의〗향부자(香附子)❷.

작뒤 명〈방〉작두²(함경).

작디이 명〈방〉작대기(경남).

작:디-작다 형 작고도 작다. 매우 작다. ↔크디크다.

작라【雀羅】[—나] 명 새를 잡는 그물. ¶문전(門前) ～를 치다.

작란¹【作亂】[—난] 명 ①난리(亂離)를 일으킴. ②'장난'의 잘못 쓰는 말. ──-하다 자여불

작란²【灼爛】[—난] 명 타서 문드러짐. ──-하다 자여불

작란³【雀卵】[—난] 명〖한의〗참새의 알. 양기(陽氣)를 돕는 데나 여자의 대하증(帶下症)에 약으로 씀.

작란-반【雀卵斑】[—난—] 명 주근깨. 작반(雀斑).

작래【繳來】[—내] 명 보낸 것을 도로 찾아옴. ──-하다 타여불

작량¹【作兩】[—냥] 명 엽전(葉錢)을 백 푼씩 꿰어 한 꿰미를 만드는 일. ¶그 방풍 장사로 나도 한때는 ～하기 바빴다네《金周榮 : 客主》. ──-하다 타여불

작량²【酌量】[—냥] 명 짐작하여 헤아림. ¶정상(情狀)을 ～하다. ──-하다 타여불

작량 감:경【酌量減輕】[—냥—] 명〖법〗법관이 범죄의 가엾은 정상(情狀)을 작량하여, 그 형(刑)을 경감하는 일.

작려【作侶】[—녀] 명 작반(作伴). ──-하다 타여불

작렬【炸裂】[—녈] 명 폭발물(爆發物)이 터져서 산산이 퍼짐. ¶포탄이 ～하다. ──-하다 자여불

작례¹【作例】[—네] 명 시문(詩文) 등을 짓는 데에 본보기가 되는 예문(例文).

작례²【酌例】[—네] 명 다른 점에서는 전혀 다른 두 개의 사물에 대해, 두 사물에 공통되는 성질(性質)에 입각하여 비교하면서, 하나의 사물에 있는 것이 다른 사물에도 있다고 추리(推理)하는 일. 예를 들면, 돌의 대소(大小)라는 성질에 입각하여 비교하면서 마음의 대소를 추리하는 일. 비론(比論).

작로【作路】[—노] 명 미리 갈 길을 정함. ¶곧장 서울로 ～할 작정인가?《金周榮 : 客主》. ──-하다 자여불

작록【爵祿】[—녹] 명 관작(官爵)과 봉록(俸祿).

작료【作僚】[—뇨] 명 동료(同僚)가 됨. ──-하다 자여불

작린【作隣】[—닌] 명 이웃이 되어 삶. ──-하다 자여불

작만¹【作滿】명 '장만¹'의 취음. ──-하다 타여불

작만²【昨晚】명 어제저녁 무렵. 작석(昨夕).

작말【作末】명 가루를 만듦. ㊥말(末)하다. ──-하다 타여불

작망【繳網】명 ①주살과 그물. ②사냥하고 고기 잡는 일.

작매【雀梅】명〖식〗산앵도❷.

작맥【雀麥】명〖식〗귀리.

작맹【雀盲】명 밤눈이 어두운 것. 밤소경. 야맹증(夜盲症). 작목(雀目).

작멜 명〈방〉자갈¹(제주).

작명¹【作名】명 ①이름을 지음. ¶～가(家). ②〖역〗기병(騎兵)이나 보졸(步卒)이 징발되는 호(戶)에 대한 사람의 수효를 치는 일. 기병은 한 호에 네 사람, 보졸은 세 사람으로 하였음. ──-하다 자여불

작명²【作命】명 ↗작전 명령. ¶～ 1호.

작명³【綽名】명 작호(綽號).

작명⁴【爵名】명 작위(爵位)의 이름.

작명-가【作名家】명 작명사(作名師).

작명-사【作名師】명〖민〗사람이나 상점·회사 등의 이름을 지어 주는 일을 업으로 하는 음양가(陰陽家). 작명가.

작목¹【作木】명〖역〗조선 시대 때, 전결(田結)을 쌀·콩 대신에 무명으로 환산(換算)하여 받아들이던 일. ＊작포(作布).

작목²【斫木】명 벤 나무.

작목³【柞木】명〖식〗떡갈나무.

작목⁴【雀目】명 밤눈이 어두움. 또, 그 눈. 야맹증(夜盲症). 작맹(雀盲).

작몽【昨夢】명 ①지난밤의 꿈. ②지나간 일의 비유.

작문¹【作文】명 ①글을 지음. 또, 그 글. 행문(行文). ②↗작자문(作者文). ③〖교〗국어과(國語科)의 한 부분으로 초등 학교나 중학교 등에서 자기의 감상이나 생각을 글로써 짓는 일. 또, 그 글. 글짓기. ──-하다 자여불

작문²【作門】명 파수병(把守兵)을 두어 함부로 출입하지 못하게 경계하는 군영(軍營)의 문.

작문-법【作文法】[—뻡] 명 글을 짓는 법. ＊문장법(文章法).

작문-잡다【作門—】타〖역〗삼문(三門)이 있는 관아(官衙)에서, 그 관아의 고관이 아닌 귀빈(貴賓)이 올 때, 특히 대접(待接)하여 가운뎃문을 열어 주다.

작문 정치【作文政治】명 시정 방침(施政方針)만 늘어놓고 시행하지 못하는 정치를 비꼬아서 이르는 말.

작물【作物】명 ↗농작물.

작물 시험장【作物試驗場】명 농촌 진흥청에 소속된 시험장의 하나. 수도(水稻)·육도(陸稻)·전작물(田作物)·특용 작물의 품종 개량, 재배법 개선 및 작물 환경에 대한 시험 연구와 작물 종자 생산에 관한 사무를 관장함.

작물 유전자【作物遺傳子】명〖생〗농작물의 좋은 형질(形質)을 보존하는 유전자의 총칭.

작물-학【作物學】명〖농〗농작물의 형태·생태(生態)·분류·재배·이용·개량 등을 연구하는 학문.

작물 한:계【作物限界】명〖농〗지형이나 기후 등에 의하여 제한·지배되는 작물 재배의 한계.

작미【作米】명 벼를 찧어 껍질을 벗겨서 쌀을 만듦. ──-하다 타여불

작미 신판【嚼米神判】명 쌀을 씹게 하여 입 속의 피가 나는 것을 조사하여 유죄·무죄를 판정하던 고대 인도·중국의 신판의 하나. ＊비유(沸油) 신판.

작박구리 명 위로 뻗은 뿔.

작반¹【作伴】명 ①길을 가는 데 동무가 됨. ②동무를 삼음. 작려(作侶). ──-하다 자타여불

작반²【雀斑】명 주근깨. 작란반(雀卵斑).

작발【炸發】명 화약이 폭발함. ──-하다 자여불

작배【作配】명 남자와 여자의 짝을 지음. 배필(配匹)을 정함. ──-하다 타여불

작벌【斫伐】명 나무를 찍어서 벰. 참벌(斬伐). ──-하다 타여불

작법【作法】명 ①글 같은 것을 짓는 법. ¶소설 ～. ②법칙(法則)을 일정하게 만들어 정함. ──-하다 자여불

작법 자폐【作法自斃】명 자기가 만든 법에 자기가 해를 입음. ——하다 자여불

작법-참【作法懺】명〖불교〗3종 참회법(懺悔法)의 하나로, 부처님이 제정한 율법을 따라 언어·동작에 나타내어 죄를 드러내는 참회.

작벼리 명 물가의 모래와 돌들이 섞인 곳.

작변【作變】명 변란(變亂)을 일으킴. ——하다 자여불

작별【作別】명 ①이별(離別)의 인사(人事)를 함. ②서로 헤어짐. *이별. ——하다 자타여불

작별-스럽다 형〈방〉이상스럽다.

작병【作病】명 꾀병. 가병(假病).

작보[1]【昨報】명 어제 보도(報道)하였음. 또, 그 보도. ¶~한 바와 같이. ——하다 자타여불

작보[2]【鵲報】명 까치의 지저귀는 소리. 곧, 길조(吉兆)를 말함.

작봉[1]【作封】명 한 봉지(封紙)씩 만듦. ——하다 타여불

작봉[2]【雀蜂】명〖충〗말벌.

작봉[3]【爵封】명 작위(爵位)와 봉읍(封邑). 작읍(爵邑).

작부[1]【作夫】명〖역〗결세(結稅)를 거두어 들이는 한 방법. 여덟 결(結)을 한 부(夫)로 대신함. 또, 그 징세(徵稅) 책임을 진 사람. ——하다 타여불

작부[2]【作夫】명 서방을 만듦. ——하다 자여불

작부[3]【作付】명 작물을 심음. ¶~ 면적.

작부[4]【酌婦】명 술집에서 손님을 접대하고 술을 따라 주는 여자.

작부 방식【作付方式】명 농작물의 작부하는 양식(樣式). 삼포식(三圃式)·대전법(代田法)·윤재식(輪栽式) 등이 있음.

작불【作佛】명 불상(佛像)을 만듦. 또, 그 불상. 특히, 명작(名作)의 불상을 일컬음. ——하다 타여불

작비【昨非】명 전비(前非). ¶~를 뉘우치다.

작비 금시【昨非今是】명 경우가 일변(一變)하여, 전날에는 비(非)라고 생각했던 일이 오늘날에는 시(是)라고 생각하게 됨. 작시 금비(昨是今非).

작사[1]【作事】명 일을 만듦. ——하다 자여불

작사[2]【作查】명 사돈의 관계를 맺음. ——하다 자여불

작사[3]【作詞】명 가사를 지음. *작곡. ——하다 자타여불

작사 도:방【作舍道傍】명 길가에 집을 지을 때 왕래하는 사람들의 의견이 많아서 잘 결정이 내려지지 않는 것과 같이, 어떤 이론(異論)이 많아서 얼른 결정하지 못함을 이르는 말.

[작사 도방에 삼년 불성(三年不成)]'작사 도방'과 같은 뜻.

작사리 명 대가리를 엇결어서 동여맨 작대기. ㊀작살.

작사-자【作詞者】명 작사한 사람. ¶애국가의 ~.

작산-잠자리 명〖충〗[*Macromia amphigena*] 잠자릿과에 속하는 곤충. 복부(腹部)의 길이는 52mm, 뒷날개는 46-52mm이며, 복부는 흑색이고 제2-5절과 제7-8절에 황색 띠가 있는데, 제7절의 것이 가장 넓음. 암컷의 제6절에도 황색 무늬가 있고, 가장자리는 적갈색(赤褐色)임. 한국에도 분포함.

작산-치다 자〈방〉떠들다[1](함경).

작살[1] 명 ①물고기를 찔러 잡는 어구(漁具). 작대기 끝에 뾰족한 쇠를 삼지창처럼 박았음. 간혹 한 개도 박음. 고래 따위 큰 고기를 잡을 때는 밧줄을 달고 포로 쏘아 발사하기도 함. 어차(魚杈). ②↗작사리.

〈작살[1]❶〉

작살[2] 명 완전히 부서지거나 깨져서 결딴이 나는 일. ¶남의 감정을 ~을 내어놓다.

작살(이) 나다 구 완전히 부서지거나 깨져서 산산조각으로 결딴이 나다. ¶뇌물 수수 사건으로 여러 명이 작살 났다.

작살(을) 내:다 구 완전히 부수거나 깨어서 산산조각으로 결딴을 내다. ¶마구 다루어 작살을 냈다.

작살-나무[-라-] 명〖식〗[*Callicarpa japonica*] 마편초과에 속하는 낙엽 활엽 관목. 높이 2-3m. 잎은 대생하고 타원형 또는 긴 타원형에 톱니가 있음. 7월에 백색의 잔 꽃이 엽액(葉腋)에 취산(聚繖) 화서로 피는데 화관(花冠)은 담자색임. 핵과(核果)는 구형(球形)이고, 10월에 익음. 산기슭·해안 등에 나는데, 함남·평북 이남 및 일본·대만 등지에 분포(分布)함. 재목(材木)이 희고 단단하여 도구(道具)·양산 자루 등으로 씀. 자주(紫珠).

〈작살나무〉

작색【作色】명 불쾌한 안색을 드러냄. ——하다 자여불

작서-모【雀鼠耗】명〖역〗조선 시대 때, 관가(官家)에서 환자(還子) 보관 중에 참새와 쥐가 먹는 손실(損失)을 메우는 것이라 하여 '모곡(耗穀)'을 일컫던 말.

작석[1]【作石】명 곡식을 담아서 한 섬씩 만듦. ——하다 타여불

작석[2]【昨夕】명 어제저녁.

작선[1]【作善】명〖불교〗선을 위하여 행하는 모든 행위. 곧, 불상(佛像)·불당(佛堂)·탑(塔)을 만들고 경전(經典)을 외는 일 등. 작지(作持).

작선[2]【雀扇】명〖역〗①의장(儀仗)의 한 가지. ②정재(呈才) 때 쓰는 의장의 한 가지.

〈작선[2]❶〉〈작선[2]❷〉

작설【綽楔】명 정문(旌門).

작설지-전【綽楔之典】명 효자·충신·열녀 들을 표창하기 위하여 정문(旌門)을 세워 주던 나라의 특전(特典).

작설-차【雀舌茶】명 갓 나온 차나무의 어린 싹을 따서 만든 좋은 차. 납다(臘茶).

작성[1]【作成】명 만들어 이룸. ¶서류 ~. ——하다 타여불

작성[2]【鵲聲】명 작어(鵲語).

작성-법【作成法】[—뻡] 명 작성하는 방법.

작성-자【作成者】명 작성한 사람.

작세[1]【昨歲】명 작년. 지난해.

작세[2]【爵洗】명〖역〗작세위.

작세미 명〈방〉작대기(평안).

작세-위【爵洗位】명〖역〗왕실(王室)의 제사(祭祀) 때에 술잔 씻는 곳. 작세(爵洗).

작센〔Sachsen〕명〖지〗①독일의 한 주(州). 남부는 에르츠 산지(Erz 山地)이고, 동부에는 엘베 강(Elbe 江)이 흐르며 북부는 평원임. 석탄을 산출하고 석유·금속·기계·유리 등의 공업이 성함. 주도(主都)는 드레스덴(Dresden). 삭소니아(Saxonia). 색스니(Saxony)[17,000 km²] ②↗작센 왕조(王朝).

작센 슈피:겔〔Sachsen Spiegel〕명〖법〗독일 중세의 대표적인 법률서(法律書). 게르만법(法)의 기초가 됨. 지방 보통법(地方普通法)과 봉건법(封建法)의 2부로 됨.

작센 왕조【—王朝】〔Sachsen〕명〖역〗최초의 신성 로마 제국 황제의 지위를 차지한 중세 독일의 왕조. 작센공(公) 하인리히(Heinrich) 1세가 시조. 2대의 오토(Otto) 1세가 신성 로마 제국을 창시함. ㊀작센. [919-1024]

작소[1]【昨宵】명 어젯밤. 전소(前宵). 작야(昨夜).

작소[2]【繳銷】명 한 일이나 말의 흔적을 없애 버림. ——하다 타여불

작소 머리 명 손질을 안해서 봉두 난발이 된 머리.

작송【繳送】명 서류 또는 물건을 돌려보냄. 작교(繳交). 작환(繳還). ——하다 타여불

작수 명〈방〉바지랑대(경남).

작수리 명〈방〉작대기(함경).

작수바리 명〈방〉바지랑대(경남).

작수발 명〈방〉바지랑대(경남).

작수 불입【勺水不入】명 음식을 조금도 먹지 못함. ——하다 자여불

작수 성례【酌水成禮】[—네] 명 물만 떠 놓고 혼례를 지냄. 가난한 집의 혼례를 가리키는 말. ——하다 자여불

작슈아리 명〈옛〉작사리. ¶작슈아리(叉壓)≪才物譜 6 什物≫.

작스[1]〔Sachs, Curt〕명〖사람〗음악학자. 베를린에서 태어남. 나치스에 쫓기어 도미(渡美)함. 미국 음악 학회 회장에 취임하여 비교 음악학·비교 악기학의 진보에 공헌함. [1881-1959]

작스[2]〔Sachs, Hans〕명〖사람〗중세 독일의 공장 가인(工匠歌人)·극작가. 본업은 제화공(製靴工). 뉘른베르크 태생. 직장가(職匠歌)·사육제극(謝肉祭劇)에 최초로 문학성을 부여하였고 16세기의 독일 시민 문화를 대표하였음. [1494-1576]

작스[3]〔Sachs, Hans〕명〖사람〗독일의 세균학자. 에를리히(Ehrlich, P.)의 문하생(門下生). 괴테 대학·하이델베르크 대학 교수. 암의 연구로 업적을 세우고, 또 작스 게오르기 반응(Sachs-Georgi 反應)이란 매독 혈청 반응의 하나를 발견함. [1877-1945]

작스[4]〔Sachs, Julius von〕명〖사람〗독일의 식물 생리학자(植物生理學者). 광합성(光合成)에는 엽록체(葉綠體)가 필요하다고 주장하여 동화(同化) 녹말 검출법과 수경법(水耕法)을 연구함. 실험 식물 생리학을 발전시킴. [1832-97]

작스[5]〔Sachs, Nelly〕명〖사람〗독일의 유태계 여류 시인. 제2차 세계 대전으로 스웨덴에 망명함. 유태 민족의 수난을 성서 중의 전설과 결합시켜 노래함. 대표작으로 ≪이스라엘의 수난≫이 있음. 1966년 노벨 문학상 수상. [1891-1970]

작시【作詩】명 시(詩)를 지음. 시작(詩作). ——하다 자여불

작시 금비【昨是今非】명 전에는 옳게 생각되던 것이 지금 와서는 그르게 생각됨. *작비 금시(昨非今是).

작신-거리다 ㊀ 자 슬쩍슬쩍 건드려 가며 자꾸 귀찮게 하다. <직신거리다. ㊁ 타 ①검질기게 말이나 행동으로 연해 남을 귀찮게 하다. ②지그시 힘을 주어 자꾸 누르다. 1)·2):<직신거리다. 작신-작신 부. ——하다 자타여불

작신-대다 자타 작신거리다.

작심【作心】명 마음을 단단히 먹음. ——하다 자여불

작심 삼일【作心三日】명 결심이 사흘을 가지 못함. 결심이 굳지 못함을 이르는 말.

작악【作噩】명〖민〗고갑자 십이지(古甲子十二支)의 열째. 곧, 유(酉).

작야【昨夜】명 어젯밤.

작약[1]【芍藥】명〖식〗①작약과에 속하는 백작약·산작약·호작약·적작약 등의 식물의 총칭. ②참작약.

작약[2]【炸藥】명 폭탄·포탄·어뢰(魚雷) 등의 탄약(彈藥)의 외피를 파열시키거나 화학탄 등의 내부 물질의 비산(飛散)을 위하여 장전(裝塡)하는 화약(火藥).

작약[3]【雀躍】명 좋아서 날뛰며 기뻐함. ¶흔희(欣喜) ~. ——하다 자여불

작약[4]【綽約】명 몸이 가냘프고 맵시가 있음. ——하다 형여불

작약-도【芍藥島】명〖지〗인천 광역시의 앞바다, 동구(東區) 만석동(萬石洞)에 위치하는 섬. 관광지(觀光地)로서 해수욕장(海水浴場)이 있음. [0.07km²]

작약-실【炸藥室】명 폭탄·어뢰(魚雷) 등의 내부에 있는, 작약을 장전(裝塡)하는 빈 곳.

작약-화【芍藥花】명 작약의 꽃.

작어【鵲語】명 까치의 우는 소리. 길조(吉兆)라고 함. 작성(鵲聲).

작얼【作孼】명 ①지은 죄. ②훼방(毁謗)을 놓음. 작희(作戱). ——-하다 자타여불

작업【作業】명 ①일터에서 연장이나 기계를 가지고 일을 함. 또, 그 일. ¶~ 능률/야간 ~/제초(除草) ~. ②어떤 목적의 실현(實現)을 위해 행하여지는 심신(心身)의 활동. ③〖군〗근무(勤務)나 훈련 이외에 진지 구축, 막사·도로 보수 등 임시(臨時)의 일을 하는 일. 사역(使役). ¶~병(兵). ——-하다 자여불

작업 가:설【作業假說】명 어떤 일정한 현상에 종국적인 설명을 가할 목적으로 세운 가설이 아니고, 연구나 실험의 과정을 통해서 이를 조정하거나, 용이하게 하기 위하여 유효한 수단으로서 세워진 가설. 작용(作用) 가설.

작업 검:사【作業檢査】명 ①노동 능률을 높이기 위하여 행해지는 작업에 대한 검사. ②작업 곡선을 규정하는 내적 인자(內的因子)가, 작업 때에 어떻게 작용하고 있는가를 근거로 개인 성격의 정상(正常)·이상(異常)을 진단(診斷)하는 검사(檢査). ③종이와 연필을 사용하는 검사에 대하여, 형태반(形態盤) 검사나 경면 묘사(鏡面描寫) 등 기구를 사용하는 검사.

작업 곡선【作業曲線】명〔work curve〕〖심〗연속적으로 작업을 했을 때, 그 작업의 양(量)과 소요(所要)된 시간을 도표(圖標)로써 표시한 곡선. 이에 의하여 연습 효과나 피로 등을 검토함.

작업 교:육【作業教育】명 생산적인 활동을 시킴으로써 인간 형성을 꾀하고 교육 효과를 높이려는 교육. 곧, 신경증(神經症)의 치료(治療)·근로 정신 함양(涵養)·수공업적 기능 습득(技能習得)·작업(作業)을 통한 일반적 지능 발달 등 여러 경우가 있음.

작업-기【作業機】명〖기〗원동기(原動機)로부터 동력(動力)의 공급을 받고 기계 작업을 행하는 기계의 총칭. 작업 기구(作業機構).

작업 기구【作業機構】명〖기〗작업기(作業機).

작업 단원【作業單元】명〖교〗학습 활동의 한 방식. 아동(兒童)·학생으로 하여금 스스로 학습 활동을 하게 함으로써, 문제 해결을 시키려는 지도 계획의 구성 단위. 프로젝트법(project法)을 중심으로 한 것인데, 신교육(新教育)이 강조한 것임.

작업-대【作業臺】명 사람이 작업하기에 편리하도록 만들어 놓은 대(臺).

작업 대:사【作業代謝】명〔working metabolism〕작업에 소비된 총열량(總熱量)에서 휴식시(休息時)에 체내에서 소비된 열량을 뺀, 즉 작업에 소비된 순(純)열량.

작업-등【作業燈】명 야간 작업이나 어두운 곳에서 작업할 때에 밝히는 등.

작업-량【作業量】[—냥] 명 정해진 시간에 하는 작업의 분량.

작업-모【作業帽】명 ①작업중에 쓰는 모자. ②〈속〉약모(略帽).

작업 물질【作業物質】[—찔] 명〔working substance〕〖물〗열기관(熱機關) 등의 원동기(原動機)에서, 외계(外界)에 대하여 작업을 행하는 작용을 하는 물질. 증기(蒸氣) 기관의 수증기 따위.

작업-반【作業班】명 일정한 일을 하도록 편성·조직한 반.

작업-복【作業服】명 작업이나 훈련시(訓練時)에 입는 옷. 일복. 활동복. 노동복(勞動服).

작업 분해【作業分解】명 작업을 분석하기 위해서, 동작을 각 요소(要素)로 분해하는 일.

작업 사이클【作業—】명〔work cycle〕〖경〗직무(職務)·조작(操作)·프로세스 등 일련의 작업이나 순서. 또, 작업 단위마다 되풀이되는 손의 움직임·동작 요소(動作要素)·활동의 유형(類型) 따위.

작업 심박【作業心迫】명〔도 Tatendrang〕하나의 일이 아직 끝나기 전에 다른 일이 계속해서 마음에 닥쳐와서 일에 쫓기는 것과 같은 상태.

작업 연:구【作業研究】[—년—] 명 ①인간이 어떤 목적을 수행하기 위하여 영위(營爲)하는, 모든 작업의 과정이나 동작 및 결과에 관한 연구. ②〖경〗산업 경영상, 주로 생산 활동 중에서 계획이나 통제 및 감사(監査) 등 관리(管理)의 대상이 되는 직접 생산의 업무에 있어서의 작업에 관한 연구. 생산의 질(質)과 양(量)을 높이고 종업원의 피로(疲勞)를 경감(輕減)하며 건강(健康)을 유지(維持) 증진하여 관리 방식의 개선(改善)에 이바지하고자 하는 것이 그 목적임.

작업-요【作業謠】[—뇨] 명〖문〗노동요(勞動謠).

작업 요법【作業療法】[—뇨뻡] 명〖의〗①정신병 환자 또는 운동 장애자를 치료함에 있어서, 작업에 의하여 그 정신적·운동적 장애의 회복을 꾀하고, 사회에의 적응을 잃은 환자에게 그 재적응(再適應)을 얻게 하는 요법. ②폐결핵 환자에 대해서 행하여지는 일종의 자극 요법. 실생활 복귀를 위한 준비로서, 단련이나 교육의 역할을 함.

작업자 분석【作業者分析】명〔worker analysis〕〖심〗생산체(生產體)에 있어서 실제의 작업을 수행하기 위하여 작업자로서 기대되는 건강·신장(身長)·체중 등 신체적 특질, 감각의 예민성(銳敏性)·기분 등 심리적 특질, 학력·현장 교육의 정도 등 자질(資質)의 항목(項目)에 걸쳐서 분석하는 일.

작업자 생산성【作業者生產性】[—썽] 명〔operator productivity〕〖경〗일정 기간의 일에 대하여 표준 공수(標準工數)의 실제(實際) 공수에 대한 비율(比率).

작업-장【作業場】명 작업을 하는 공장(工場)이나 또는 공사장(工事場) 같은 곳. 일터.

작업 제:한법【作業制限法】[—뻡] 명〔work-limit method〕작업의 분량을 한정해 놓고 그것을 달성하는 데 드는 시간으로 일의 능률을 조사하는 방법.

작업 치료사【作業治療士】명〔occupational therapist〕의료 기사(醫療技士)의 하나. 의사의 지시·감독 아래 신체 부분의 기능 장애를 원활하게 회복시키기 위하여, 그 장애 있는 신체 부분을 습관적으로 동작하게 함으로써, 훈련 치료하는 업무에 종사하는 사람. *치과 기공사(齒科技工士).

작업 테스트【作業—】〔test〕명〖심〗일정한 작업이나 동작을 행하게 하여 거기서 나타나는 특질을 보아 행동 경향(傾向)을 탐구하려는 성격 및 정의(情意) 검사의 하나. *작업 검사.

작업 회:계【作業會計】명 사업 회계(事業會計).

작연[1]【灼然】명 ①빛나는 모양. ②명백한 모양. 확실한 모양. ——-하다 형여불. ——-히 부

작연[2]【綽然】명 여유가 있는 모양. ——-하다 형여불

작열【灼熱】[—녈] 명 ①열을 받아서 뜨거워짐. 새빨갛게 불에 닮. ②몹시 더움을 형용하는 말. ¶~하는 태양. ——-하다 자여불

작열 감:량【灼熱減量】[—녈—냥] 명〖화〗강열 감량.

작열 시험【灼熱試驗】[—녈—] 명〖화〗강열 시험.

작열-통【灼熱痛】[—녈—] 명〖의〗사지(四肢)의 외상(外傷) 직후나 수주일(數週日) 후, 말단부(末端部)에 일어나는 매우 심하고 뜨거운 동통(疼痛).

작엽하-화【昨葉荷花】명〖식〗지부지기.

작옹【雀甕】명〖한의〗쐐기의 고치. 경간(驚癇)의 약으로 씀. 점사방(蛅蟖房). 천장자(天漿子).

작요[1]【作擾】명 기뇨(起鬧). ——-하다 자여불

작요[2]【雀鷂】명〖조〗새매.

작용[1]【作用】명 ①동작하는 힘. 힘이 미쳐 영향을 줌. ②〖물〗역학(力學)에서는 두 물체간의 인력(引力) 또는 척력(斥力)을 말하나, 일반적으로는 어떤 원인이 상대의 물질이나 장(場)에 무슨 영향을 주는 경우를 말함. 화학 작용이나 전기적 작용 등. ¶전기의 ~/인력(引力)의 ~. ③〔도 Akt〕〖철〗브렌타노 및 그 영향을 받은 현상학(現象學)에서, 표상(表象)·의식(意識)·체험(體驗) 등의 심적 과정 일반에 있어서 대상적 측면(側面)인 의미 내용(意味內容)에 대하여, 이것을 지향(志向)하는 능동적 계기(契機)를 말함. 지향(志向) 작용. ↔대상(對象). ——-하다 자여불

작용[2]【作俑】명 정당하지 못한 예(例)를 만듦. ——-하다 자여불

작용 가:설【作用假說】명 작업 가설(作業假說).

작용-구【作用球】명〔sphere of action〕〖물〗한 개의 분자(分子)가 분자간(分子間) 힘을 미치는 범위인, 그 분자를 중심으로 한 일정한 크기의 구(球).

작용-권【作用圈】[—꿘] 명〔region of action〕〖물〗물리적(物理的) 작용이 미치는 범위. 분자(分子)의 인력(引力)이 미치는 구역을 그 분자의 작용권이라 함.

작용-기【作用基】명〔functional group〕〖화〗①유기 화합물의 분자 구조 중에서 동족체(同族體)에 공통적으로 포함되며 또한 동족체에 공통되는 반응성의 요인(要因)이 되는 원자단(原子團), 또는 결합 형식. 알코올류(類) 중의 히드록시기(-OH) 등. 관능기(官能基). 기능기(機能基). ②분자 중에서 반응성이 큰 기(基). 이온성(性)의 기나 자유 라디칼 등.

작용-량【作用量】[—냥] 명〔action〕〖물〗넓은 뜻으로는, 에너지와 시간과의 곱과 같은 차원의 양(量)이며, 좁은 뜻으로는, 질점(質點)의 운동량을 운동 경로에 따라 적분한 것을 이름.

작용-력【作用力】[—녁] 명 작용하는 힘.

작용-면【作用面】명 힘이 작용하는 면.

작용 물질【作用物質】[—찔] 명〔active material〕〖물〗핵분열(核分裂) 때에 상당한 양(量)의 에너지를 방출하게 할 수 있는 물질.

작용 반:작용의 법칙【作用反作用—法則】[—/—에—] 명〔law of action and reaction〕〖물〗뉴턴(Newton)의 운동의 제3 법칙. 두 물체 간의 작용과 반작용은 방향이 반대이고 크기가 같다는 원리. 작용 반작용의 원리(原理).

작용 반:작용의 원리【作用反作用—原理】[—월—/—에월—] 명〖물〗작용 반작용의 법칙(法則).

작용-선【作用線】명〔line of action〕〖물〗힘의 작용점을 지나서 힘의 방향으로 그은 직선.

작용-소【作用素】명〖수〗연산자(演算子).

작용소-론【作用素論】명〖수〗작용소를 고유치(固有值)·치역(值域)·정의 구역(定義區域)·연속성 등의 개념(概念)에 의해 그 일반적 성질을 연구하는 학문.

작용 심리학【作用心理學】[—니—] 명〖심〗①〔act psychology〕모든 심리 현상은 그 대상이 가지는 지향적(志向的)인 고유성(固有性)에 의해 특질(特質)지어진다고 주장(主張)하는 심리학. 아리스토텔레스 이래, 스콜라(schola) 철학을 통하는 사고 방식(思考方式)으로서, 현대의 대표자는 브렌타노(Brentano)임. 지향설(指向說). ↔의식 심리학·현상학. ②〔functional psychology〕기능(機能) 심리학.

작용 양자【作用量子】[—냥—] 명〔도 Wirkungsquantum〕〖물〗고전(古典) 양자론에서 작용량의 최소 단위라고 생각되는 양(量)의 일컬음. 플랑크 상수(常數)와 같음.

작용-인【作用因】명〔그 arkhe tes kinseos〕〖철〗그리스의 철학자(哲學者) 아리스토텔레스(Aristoteles)에 의한 사원인(四原因)의 한 가지. 생성(生成)·변화(變化)·운동(運動)을 일으키는 것. 예를 들면, 건축(建築)에 있어서의 건축가 또는 그 기술. 일반적 의미로서의 원인. 시동인(始動因). 동력인(動力因).

작용-점【作用點】[—쩜] 명〔point of application〕〖물〗①물체에 대하여 힘이 작용하는 점. 착력점(着力點). 일점. ②지레의 세 점 중의 하나.

작용 행정【作用行程】명〖물〗폭발(爆發) 행정.

작우[1]【作耦】[명] 두 사람이 한짝이 됨. 또, 되게 함. ——-하다 [자][타][여불]
작우[2]【雀羽】[명]〖역〗↗공작우(孔雀羽).
작우 상모【雀羽象毛】[명]〖역〗작우(雀羽)와 상모(象毛).
작원-문【作願門】[명]〖불교〗오념문(五念門)의 하나.
작월【昨月】[명] 지난달. ↔내월(來月).
작위[1]【作爲】[명] ①〖법〗적극적인 행위·동작 또는 거동. 금품을 훔치거나 사람을 죽이는 등, 흔히 범죄나 불법 행위는 작위에 의하여 성립됨. 적극 행위. ②사실은 그렇지 않은데도 그렇게 보이려고 각가지 수단을 취함. ¶진실과 ~. ——-하다 [타][여불]
작위[2]【爵位】[명] ①벼슬과 지위. 관작(官爵)과 위계(位階). ②작(爵)의 계급. 작호(爵號).
작위-령【作爲令】[명]〖법〗특정(特定)의 행위를 명하는 행정상(行政上)의 처분(處分).
작위-범【作爲犯】[명]〖법〗적극적인 동작을 구성 요건(要件)의 내용으로 규정한 범죄. 살인·절도 등 대부분의 범죄는 이에 속함. 적극적 범죄. ↔부작위범(不作爲犯).
작위 사고【作爲思考】[명]〖심〗사고 장애의 한 가지. 사고 작용이 자기의 통제 밖에 있어, 그 작용이 남으로부터 자기에게 미치는 듯이 느껴지는 사고. 곧 자기의 바깥에서 자기를 생각하게 하는 사고. 강박(強迫) 사고에서 옴.
작위 의:무【作爲義務】[명]〖법〗적극적 행위를 목적으로 하는 의무. 적극 의무.
작위-적【作爲的】[명][관] 무엇을 할 때 꾸며서 하는 것이 두드러지게 눈에 띄는 모양.
작위 채:무【作爲債務】[명]〖법〗채무자의 적극적인 행위를 목적으로 하는 채무. ↔부작위 채무(不作爲債務).
작위 체험【作爲體驗】[명]〔도 Gemachtes Erlebnis〕〖심〗정신 분열병 환자의 특징적인 증상의 하나. 자기가 행하는 행위도 자기의 자유로 되지 않는다거나 다른 어떤 힘이 자기를 움직이고 있어, 자기는 그 힘에 따라서 행위를 하고 있다는 이상(異常) 체험.
작-유여지【綽有餘地】[명] 여유 작작(餘裕綽綽). ——-하다 [형][여불]
작육【雀肉】[명]〖한의〗참새의 고기. 겨울에 잡은 것을 보양제(補陽劑) 및 강장제(強壯劑)로 씀.
작은-개 [명]〖천〗작은개자리.
작은개-자리 [명]〔라 Canis Minor〕〖천〗북쪽 하늘에 있는 성좌(星座)의 이름. 오리온자리의 동쪽, 쌍둥이자리의 남쪽에 있음. 이른 봄 저녁때 남중(南中)함. 수성(首星) 프로키온(Procyon)은 쌍성(雙星)을 이룬 일등성(一等星)임. 소견좌(小犬座). *큰개자리.
작은-계집 [명] 지체가 낮은 이의 첩의 속칭. ↔큰계집.
작은-골 [명]〖생〗소뇌(小腦).
작은-곰 [명]〖천〗↗작은곰자리.
작은곰-별 [명]〖천〗'소웅성(小熊星)'의 풀어 쓴 말. *큰곰별.
작은곰-자리 [명]〔라 Ursa Minor〕〖천〗하늘의 북극(北極)을 포함하는 성좌(星座). 육안(肉眼)으로 볼 수 있는 것이 50개 가량으로, 북극성(北極星)이 그 주성(主星)임. 소웅좌(小熊座). [준]작은곰. *큰곰자리.
작은-꾸리 [명] 쇠고기 꾸리의 한 가지. 앞다리의 안쪽에 붙은 살. ↔큰꾸리.
작은-놈 [명] ①덜 자란 놈. ②'작은아들'의 속칭. ¶이 애가 내 ~이오. ↔큰놈.
작은-누나 [명]〈소아〉'작은누이'의 어린이 말. ↔큰누나.
작은-누이 [명] 맏누이가 아닌 누이. ↔큰누이.
작은-달 [명] 양력(陽曆)으로는 31일이 못 되는 달. 2월·4월·6월·9월·11월. 음력으로는 29일이 되는 달. 소월(小月). ↔큰달.
작은-댁【一宅】[명] '작은집❶'의 경칭. ↔큰댁.
작은-독 [명]〈방〉항아리(강원).
작은-동맥【一動脈】[명]〖생〗소동맥. ↔작은정맥.
작은-되 [명] 이전에 대두 한 되들이(10홉) 됫박에 대해 소두 한 되들이(5홉) 됫박을 이르는 말.
작은-따님 [명] 남의 '작은딸'의 경칭. ↔큰따님.
작은-따옴표【一標】[명]〖언〗가로쓰기에 사용하는 따옴표 ' '의 이름. 따온 말 중에 다시 따온 말이 들어 있을 때, 또는 속으로 한 말을 적을 때 따위에 씀. 새발톱표. 내인용부(內引用符). *큰따옴표·낫표.
작은-딸 [명] 맏딸이 아닌 딸. ↔큰딸.
작은-떨기나무 [명]〖식〗소관목(小灌木).
작은-떼새 [명]〖조〗작은물떼새.
작은-마누라 [명] '첩(妾)'을 듣기 좋게 부르는 말.
작은-마마【一媽媽】[명] ①〖한의〗어린 아이의 피부에 붉고 둥근 발진(發疹)이 생겼다가 얼마 뒤에 수포(水泡)로 변하는 유행병. 수두(水痘). 소두(小痘). ②〈방〉홍역(紅疫)(경북·함남).
작은-말 [명]〖언〗단어의 실질적인 뜻은 큰말과 똑 같으나 표현상의 느낌이 작게 되는 말. 주음절(主音節)의 모음이 ㅏ·ㅐ·ㅗ·ㅘ·ㅙ·ㅚ 등으로 되는 '말랑말랑'·'뱅뱅'·'졸졸'·'와글와글'·'댕강댕강'·'쾨쾨하다' 등의 말. ↔큰말.
작은-매부【一妹夫】[명] '작은누이'의 남편. ↔큰매부.
작은-멋쟁이나비 [명]〖충〗[*Vanessa cardui*] 네발나빗과의 곤충의 하나. 편날개의 길이는 61mm 내외, 앞날개 전연(前緣)의 3분의 1은 흑갈색이며, 그 속에 일곱 개의 백색 무늬가 있고 뒷날개의 반은 암갈색, 외반(外半)은 황적색인데, 줄무늬는 흑색, 반문(斑紋)은 암갈색임. 한국에도 분포함.
작은-며느리 [명] 작은아들의 아내. ↔큰며느리.
작은모-쌓기 [명]〖건〗벽돌의 작은 모가 표면이 되도록 쌓는 일. 소방적(小方積). ↔길이모쌓기.
작은-물땅땅이 [명]〖충〗[*Hydrophilus affinis*] 물땅땅잇과에 속하는 곤충. 몸길이 15-18mm이고, 몸빛은 광택 있는 흑색에 각복절(脚腹節) 양측에 반점(斑點)이 있고 다리는 적갈색임. 배면(背面)에는 일률적(一律的)으로 작은 점각(點刻)이 있음. 연못·늪에 살며 아시아 일대에 분포함.
작은-물떼새 [명]〖조〗[*Charadrius dubius*] 물떼샛과에 속하는 새. 큰물떼새보다는 작고 흰물떼새보다는 큰데, 날개의 길이는 10-12cm이고 꽁지는 58mm 가량 됨. 몸은 상면(上面)이 담갈색이며 하면(下面)은 백색임. 목에 흰 고리가 둘렸고 그 밑에는 흑대(黑帶)가 있음. 얼굴은 희고, 부리의 기부(基部)에서 눈을 통하여 귀에 이르는 흑색(黑色) 띠와 이마를 가로지르는 흑색 띠가 있음. 해안·냇가 등의 자갈·모래밭에 집을 짓고 물 속이나 들의 곤충(昆蟲)을 잡아먹는데, 4-7월에 서너 개의 담갈색 알을 낳음. 11월경에 작은 떼를 지어 '삐요삐요' 울면서 남방(南方)으로 날아감. 일본(日本)의 홋카이도 등에 번식(繁殖)하며 남방 제국(諸國)에 분포함. 알도요. 작은떼새.

〈작은물떼새〉

작은-방【一房】[명]〖건〗집안의 큰방과 나란히 딸려 있는 안방. ↔큰방❷.
작은-북 [명] ①소형의 북. 소고(小鼓). ②〔side drum〕〖악〗서양의 타악기(打樂器)의 하나. 앞에 걸어메거나 대(臺) 위에 가로 놓고 두 개의 작은 스틱으로 두들겨 소리를 냄. 빠른 트레몰로(tremolo)에 효과적임. 소고(小鼓). 사이드 드럼.

〈작은북❷〉

작은-사랑【一舍廊】[명] 자질(子姪)이 쓰는 사랑. 소사랑(小舍廊). ↔큰사랑.
작은-사위 [명] 맏사위가 아닌 사위. ↔큰사위.
작은-사위질빵 [명]〖식〗[*Clematis pierotii*] 미나리아재빗과에 속하는 낙엽 활엽 만목(蔓木). 잎은 삼출 또는 2회 삼출하며 소엽(小葉)은 타원형임. 9월에 흰 꽃이 취산(聚繖) 화서로 세 개씩 액출(腋出)하여 핌. 수과(瘦果)의 미상체(尾狀體)에는 흰 털이 있으며, 10월에 익음. 바닷가의 산이나 들에 나는데, 제주도·일본 등지에 분포함. 어린 잎은 식용함.
작은사자-자리【一獅子一】[명]〔라 Leo Minor〕〖천〗사자자리 북쪽에 있는 작은 성좌. 한봄의 저녁에 남중(南中)함. 소사자좌(小獅子座).
작은-사폭【一邪幅】[명] 바지나 고의 등의 오른쪽 마루폭에 대는 헝겊.
작은-삼촌【一三寸】[명] 큰삼촌 이외의 다른 삼촌.
작은-설 [명] 섣달 그믐날을 설에 상대하여 이르는 말.
작은-손녀【一孫女】[명] 맏손녀가 아닌 손녀. ↔큰손녀.
작은 손님 [명]〈방〉〖한의〗홍역(紅疫)(함남·제주).
작은-손자【一孫子】[명] 맏손자가 아닌 손자. ↔큰손자.
작은-아가씨 [명] 작은아씨.
작은-아기 [명] 막내딸이나 막내 며느리를 부르는 말. ↔큰아기❷.
작은-아들 [명] 맏아들이 아닌 아들. ↔큰아들.
작은-아버지 [명] 아버지의 아우 되는 이. ↔큰아버지. *삼촌(三寸).
작은-아비 [명]〈비〉작은아버지.
[작은아비 제삿날 지내듯] 눈가림만 하고 정성없이 무슨 일을 한다는 말.
작은-아씨 [명] ①시집 가지 아니한 처녀를 지체가 낮은 사람이 부르는 말. ②올케가 손아랫 시누이를 부르는 경칭. ③아씨가 둘 이상일 경우 나이가 적은 아씨. ④아기씨. 소저(小姐). 작은아가씨. *큰아씨.
작은 아씨들 [명]〖문〗〔Little Women〕1868-69년에 발표된 미국의 여류 작가 올컷(Alcott, Louisa May; 1832-88)의 장편 소설. 남북 전쟁 시절을 배경(背景)으로 하여 서로 다른 성격의 네 10대 자매(姉妹)의 가정 생활을 생생하게 그림.
작은-아이 [명] 작은아들이나 작은딸을 다정하게 일컫는 말. [준]작은애. ↔큰아이.
작은-악절【一樂節】[명]〔sentence)〕〖악〗두 개의 동기(動機)가 모이어 보통 넷 또는 여섯의 소절(小節)로 이루어진 악절(樂節). 소악절(小樂節). ↔큰악절.
작은-안심 [명]〈방〉제비추리.
작은-애 [명] ↗작은아이. ↔큰애.
작은-어머니 [명] ①작은 아버지의 아내. 숙모(叔母). ↔큰어머니. ②서모(庶母)를 자기 어머니와 구별하여 부르는 말.
작은-어미 [명]〈비〉작은어머니.
[작은어미 제삿날 지내듯] 정성은 들이지 않고 마지못해 형식만 갖추는 행동을 이름.
작은-언니 [명] 맏언니가 아닌 언니. ↔큰언니.
작은 역신【一疫神】[명]〈방〉〖한의〗홍역(紅疫)(함남).
작은-오빠 [명] 가장 손위 되는 오빠가 아닌 오빠. ↔큰오빠.
작은-이 [명] ①남의 형제 중에서 맏이가 아닌 사람. ②남의 본마누라에 대하여 작은집을 일컫는 말. 1)·2):↔큰이.
작은-작 [명] ☞짧은작.
작은-젓가락나물 [명]〖식〗젓가락나물.
작은-정맥【一靜脈】[명]〖생〗소정맥. ↔작은동맥.
작은-제미 [명]〈방〉작은어머니(함경).
작은-조카 [명] 큰조카의 동생인 사람.
작은-주홍부:전나비【一朱紅一】[명]〖충〗[*Lycaena phalaeas chinensis*] 부전나빗과에 속하는 곤충. 편 날개의 길이 32mm 내외, 앞날개는 광택 있는 주홍색에 10개 내외의 검은 점무늬가 있고, 외연(外緣)은 흑갈색임. 뒷날개는 흑갈색에 네 개의 검은 점무늬가 있고 그 안쪽에 주홍색의 넓은 띠가 있는데 뒷 면은 회갈색임. 한국·일본 등지에 분포함.

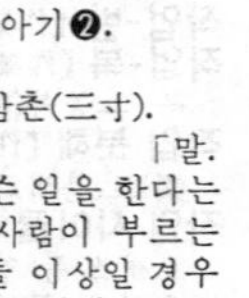
〈작은주홍부전나비〉

작은-집 명 ①따로 사는 아들 또는 아우의 집. ②변소의 곁말. ↔큰집. ③첩(妾) 또는 첩의 집. 별가(別家). 별관(別館). 별방(別房). 별실(別室). 소가(小家). 소성(小星). 소실(小室). 추실(簉室). 측실(側室). ¶~을 두다. ↔큰집. ④'경찰서'의 변말. ¶~ 신세를 하룻밤 지고 나왔다.

작은-창자 명 〖생〗'소장(小腸)'의 풀어 쓴 말.

작은-처남【一妻男】명 처남이 여럿 있을 때 맨 위의 처남이 아닌 처남. ↔큰처남.

작은-칼 명 〖역〗 죄수의 목에 씌우는 칼의 한 가지. 길이 1m 가량임. ↔큰칼. *칼[2].

작은-큰키나무 명 〖식〗'소교목(小喬木)'의 풀어 쓴 말.

작은-피돌기 명 〖생〗'소순환(小循環)❶'의 풀어 쓴 말.

작은-피티 명 〖생〗'혈소판(血小板)'의 풀어 쓴 말.

작은-할머니 명 작은할아버지의 아내. ↔큰할머니.

작은-할아버지 명 할아버지의 아우 되는 이. ↔큰할아버지.

작은-형【一兄】명 맏형이 아닌 형. ↔큰형.

작은-형수【一兄嫂】명 맏형수가 아닌 형수. ↔큰형수.

작은-홀씨 명 〖식〗'소포자(小胞子)'의 풀어 쓴 말. ↔큰홀씨.

작을소-부【一小部】[一쏘一] 명 한자 부수(部首)의 하나. '尙'이나 '少' 등의 '小'의 이름.

작을요-부【一幺部】명 한자 부수(部首)의 하나. '幻'이나 '幽' 등의 '幺'의 이름.

작음【酌飮】명 한 국자의 물. 전(轉)하여, 얼마 안 되는 음료(飮料).

작읍【爵邑】명 작봉(爵封).

작의【作意】명 작자(作者)가 예술 작품을 창작하는 의도(意圖).

작인[1]【作人】명 ↗소작인(小作人).

작인[2]【作人】명 사람의 생김생김이나 됨됨이.

작인[3]【作人】명 인재(人材)를 양성하는 일.

작인[4]【酌人】명 술을 따라 주는 사람. *작부(酌婦).

작일【昨日】명 어제. ↔내일(來日).

작자[1]【杓子】명 구기.

작자[2]【作者】명 ①소작인(小作人). ②'위인(爲人)'의 낮은말. ¶우스운 ~다/그 ~ 참 뱃심도 좋더군. ③↗저작자(著作者). ¶~ 불명(不明). ④물건을 살 사람. ¶~만 나서면 팔겠다.

작자꿍 명 ☞짝짜꿍.

작자-문【作者文】명 기교를 부려 짓는 산문(散文). 고문(古文). ㊀작문(作文).

작작[1]【灼灼】명 ①눈부시게 빛나는 모양. ②붉은 꽃이 찬란하게 핀 모양. ——-하다 형여불

작작[2]【綽綽】명 여유가 있는 모양. 모자라지 아니하고 넉넉한 모양. ¶여유 ~. ——-하다 형여불

작:작[3]【皭皭】명 깨끗하고 산뜻한 모양. ——-하다 형여불

작작[4] 부 대강. 어지간하게. 너무 지나치지 말게. ¶바보 같은 소리 ~ 해라.
[작작 먹고 가는 똥 누지; 작작 먹고 가늘게 싸라] 욕심을 부리다가는 낭패를 보기 쉬우니 적으나마 걱정없이 지내는 것이 낫다는 말.

작:작[5] 부 ①신을 끌면서 걷는 소리. ②글씨의 획을 함부로 긋거나 종이 등을 마구 찢는 소리. 1)·2):ㅆ짝짝[3]. <직직[1]. ——-하다 타여불

작:작-거리다 타 ①신을 계속해서 작작 끌다. ②글씨의 획을 함부로 긋거나 종이 같은 것을 마구 찢다. 1)·2):ㅆ짝짝거리다. <직직거리다.

작:작-대다 타 작작거리다.

작작 유:여【綽綽有餘】명 여유 작작(餘裕綽綽). ——-하다 형여불

작잠【柞蠶】명 〖충〗 멧누에. ↔가잠(家蠶).

작잠-견【柞蠶繭】명 멧누에고치.

작잠-사【柞蠶絲】명 멧누에고치에서 뽑은 실.

작잠-아【柞蠶蛾】명 〖충〗 멧누에나방. 산누에나방.

작장【作場】명 농사 짓는 일터.

작장개-봉【作藏開峰】명 〖지〗 함경 남도 갑산군(甲山郡)에 있는 산. [1,206m]

작장-질 명 〈방〉 짝짜꿍질. ——-하다 자여불

작장-초【酢漿草】명 〖식〗 괭이밥.

작재【作宰】명 〖역〗 고을 원이 됨. ——-하다 자여불

작전[1]【作錢】명 ①물건을 팔아서 돈을 장만함. ②〖역〗 전세(田稅)를 받을 때 쌀·콩·무명 대신에 값을 쳐서 돈으로 내게 하는 일. 원작전(元作錢)과 별작전(別作錢)의 구별이 있음. ㊀작(作). ③〖역〗 조선 시대 후기부터 일제 강점기에 걸쳐, 소작료를 시가(時價)로 환산(換算)하여 납부하던 일. 또, 그 화폐. 소작료. ——-하다 자타여불

작전[2]【作戰】명 ①싸움하는 방법을 세움. ¶공동 ~/입시(入試) ~. ②〖군〗 군(軍)의 대적(對敵) 행동의 총칭. 곧, 부대의 전투(戰鬪)·집중(集中)·수색(搜索)·행군(行軍) 및 이에 필요한 교통·보급 등. ¶초토 ~/합동 ~. ——-하다 자여불

작전 계:획【作戰計劃】명 ①일을 해 나갈 계획. ②〖군〗 작전을 펴나갈 방안(方案)을 세우고 이를 수행하는 데 필요한 편성(編成)·임무(任務)·협조(協助)·통신(通信)·보급(補給) 등 여러가지 준비에 관하여 그 대강을 기획(企劃)한 것.

작전 기지【作戰基地】명 〖군〗 육해공군의 작전(作戰) 및 군수 지원(軍需支援)을 위한 작전 근거지(根據地). 전진(前進) 기지를 포함(包含)하여 일컫기도 함.

작전 명:령【作戰命令】[一녕] 명 〖군〗 군대의 작전 행동을 규정하기 위하여 하달하는 공식적인 명령. ㊀작명(作命).

작전 목표【作戰目標】명 〖군〗 작전 수행을 위한 목표. 곧, 적의 주력(主力)이나 전략 요점(戰略要點) 등.

작전 부대【作戰部隊】명 〖군〗 전투에 참가함을 기본 임무로 하는 부대.

작전-술【作戰術】명 〖군〗 작전 및 용병(用兵)의 원칙과 방법을 체계적(體系的)으로 정리한 방책(方策). 전술(戰術)과 전략(戰略)이 2대 요소가 됨.

작전 연:구【作戰硏究】[一년一] 명 〖군〗 제2차 세계 대전중, 과학자(科學者)를 동원하여 전장(戰場)에서의 병기(兵器) 사용법의 고찰과 육해공군의 군사 작전의 관찰을 과학적으로 취급하기 위하여 행한 조직적 집단 연구.

작전 지대【作戰地帶】명 〖군〗 작전 지역.

작전 지도【作戰地圖】명 〖군〗 작전에 참가하는 우군(友軍) 부대의 위치와 병력을 표시한 지도. 적군의 예상되는 이동(移動)과 위치 등을 표시할 때도 있음.

작전 지역【作戰地域】명 〖군〗 부여된 임무 수행을 위한 군사 작전 및 이에 부수되는 행정에 필요한 전쟁 지역의 부분. 작전 지대.

작전 참모【作戰參謀】명 〖군〗 부대의 작전·교육·훈련에 관한 사항을 맡아 보는 참모.

작전 참모 부:장【作戰參謀副長】명 〖군〗 참모 총장·참모 차장을 보좌하여 전략(戰略)과 작전에 관한 사항을 분장하는 직위.

작전 참모처【作戰參謀處】명 〖군〗 사령부의 한 참모 부서(參謀部署). 작전·교육·훈련에 관한 사항을 분장함.

작전 타임【作戰一】[time] 명 배구·농구 등 운동 경기에서, 감독 또는 주장(主將)이 자기 팀의 선수들에게 작전을 지시하기 위해 심판원에게 요구하는 경기 중단의 시간.

작전 행동【作戰行動】명 〖군〗 작전을 실제 전투 행위에 옮기는 일. 또, 그 행동.

작점【爵坫】명 잔을 엎어 놓는 잔대.

작정[1]【作定】명 일을 결정함. ¶그렇게 할 ~이다. ——-하다 자여불

작정[2]【酌定】명 일을 짐작하여 결정함. ——-하다 자여불

작조【昨朝】명 어제 아침.

작조-기【作條器】명 〖농〗 씨를 뿌릴 고랑을 만드는 데 사용하는 농구. 곧, 괭이나 쟁기 등.

작죄【作罪】명 죄를 지음. ——-하다 자여불

작주[1]【昨週】명 지난 주. ↔내주(來週).

작주[2]【酌酒】명 술을 따름. ——-하다 자여불

작중 인물【作中人物】명 작품(作品) 속에 나오는 인물. *등장 인물.

작증【作證】명 증거로 삼음. 증거가 되게 함. ——-하다 타여불

작지[1] 명 ① ☞작대기. ¶멀리서 피리 소리 들려 오더니 판수가 ~를 짚고 더듬거려 온다《李周洪 : 탈선 춘향전》. ②〈방〉 자갈[1](제주).

작지[2]【作紙】명 〖역〗 ①조세(租稅)에 덧붙여 문서를 꾸미는 종잇값으로 돈이나 곡식(穀食)을 받아 들임. 또, 그 수수료. ②조선 시대 때, 호조(戶曹)와 군빈창(軍賓倉)·광흥창(廣興倉)·풍저창(豐儲倉) 등 서울의 각 창고에서 역군(役軍)의 품삯으로 충당(充當)하기 위하여, 지방(地方) 각 군(郡)의 세곡(稅穀) 수납시(收納時)에 덧붙여 징수(徵收)하는 수수료. ——-하다 자여불

작지[3]【作紙】명 〈이두〉 관아에서 쓰는 종이.

작지[4]【昨紙】명 어제 치의 신문.

작지[5]【作持】명 〖불교〗 작선(作善).

작지 불이【作之不已】명 끊임없이 힘을 다하여 함. ——-하다 타여불

작지 서지【作之書之】명 자작 자필(自作自筆). ——-하다 타여불

작지 역가【作紙役價】명 〖역〗 작지(作紙)하는 역군(役軍)에 대한 수수료(手數料).

작-차다 자 ①가득하게 차다. ②기한이나 한도 따위가 꽉 차다.

작참【斫斬】명 찍어 벰. ——-하다 타여불

작처【酌處】명 죄의 경중(輕重)을 따라 처단함. ——-하다 타여불

작척【作隻】명 서로 척(隻)을 지음. ——-하다 자여불

작철【灼鐵】명 석쇠.

작첩[1]【作妾】명 첩을 삼음. 첩을 얻음. ——-하다 자여불

작첩[2]【爵帖】명 〖역〗 봉작(封爵)의 고신(告身).

작청【作廳】명 〖역〗 길청.

작추【昨秋】명 지난 가을.

작축【作軸】명 종이를 한 축씩 묶음. ——-하다 타여불

작춘【昨春】명 지난 봄.

작취 미:성【昨醉未醒】명 어제 먹은 술이 아직 깨지 아니함. ——-하다 자여불

작쾌【作快】명 ①작관(作貫). ②북어(北魚)를 스무 마리씩 꿰어서 한 쾌로 만듦. ——-하다 타여불

작탁 차비관【爵卓差備官】명 〖역〗 진연(進宴) 때에 시키는 임시 벼슬.

작탄【炸彈】명 작약(炸藥)을 넣은 탄환.

작태[1]【作太】명 칡·싸릿대 따위로 명태의 주둥이 밑을 꿰어 다발을 짓는 일. ——-하다 타여불

작태[2]【作態】명 ①태도를 부림. 몸맵시를 냄. ②하는 짓거리. ——-하다 자여불

작태[3]【綽態】명 ①많은 모양. ②너그러운 태도. 얌전한 태도.

작토【爵土】명 작위(爵位)와 영토.

작통【作統】명 〖역〗 민호(民戶)를 통(統)으로 편제(編制)하는 일. 다섯 집으로 한 통을 짜다가 후에는 한 집으로 하였음. *오가 작통(五家作統). ——-하다 타여불

작파[1]【作破】명 하던 일이나 계획을 그만두어 버림. ——-하다 타여불

작파[2]【斫破】명 찍어서 쪼갬. 쪼개서 깨뜨림. ——-하다 타여불

작패[1]【作悖】명 패악한 짓을 함. ¶너석이 무슨 ~를 부릴지 모른다.

——-하다 짜여불

작패[2]【作牌】명 ①골패 노름에서, 몇 짝씩을 모아서 한 패를 지음. ②무리를 이룸. 떼를 지음. 작당. 조패(造牌). ¶이놈, 너와 ~했던 놈들을 이 중에서 찾아내거라≪金周榮 : 客主≫. ——-하다 짜여불

작편【作片】명 인삼(人蔘)을 굵은 것 잔 것을 골라 열 엿 냥씩 달아서 한 근(斤)을 만듦. 작근(作斤). ——-하다 타여불

작폐【作弊】명 폐단을 만듦. 폐를 끼침. ——-하다 자타여불

작포【作布】명〖역〗전세(田稅)를 받아들일 때, 미곡(米穀)이 나지 아니하고 베가 나는 곳에서는 미곡 대신에 베로 받아들이는 일. *작목(作木). ——-하다 타여불

작표【雀瓢】명〖한의〗새박[1].

작품[1]【作品】명 ①만든 물건. 제작물(製作物). ②특히, 회화(繪畫)나 조각(彫刻), 시가(詩歌)나 소설 등의 예술 상(藝術上)의 창작물(創作物). ¶미술 ~.

작품[2]【爵品】명 직품(職品).

작품 가치【作品價值】명〖문〗완성(完成)된 예술 작품에 있어서 상대적(相對的)·조건적(條件的)이 아닌, 작품 그 자체의 절대적(絕對的)인 예술적 가치.

작품-란【作品欄】[—난] 명 신문이나 잡지에서 문예 작품을 실리는 난(欄).

작품-론【作品論】[—논] 명 작품에 대한 구성(構成)과 창작(創作)에 따른 여러 가지 문제에 대한 이론.

작품-집【作品集】명 작품을 모아서 엮은 책.

작품 행위【作品行爲】명〖문〗①인간적인 활동을 떠난 작품 그것으로서의 가치와 존재. ②창작 활동(創作活動).

작풍【作風】명 작품에 나타난 작가의 특수한 수법(手法)이나 특징. 또, 예술 작품(藝術作品)에 나타난 작자의 개성(個性)이나 사상(思想). ¶남의 ~을 모방하다.

작하【昨夏】명 지난 여름.

작-하다[1] 자여불 ①작은 줄·획을 한 번 긋다. ②종이 따위를 한번 찢다.

작-하다[2]【作—】타여불 언행(言行)을 부자연(不自然)스럽게 일부러 조작(造作)하다.

작학 관보【雀學鸛步】명 참새가 황새 걸음을 배운다는 뜻. 제 능력은 생각지 않고 남의 훌륭한 점을 모방하는 짓의 비유.

작해【作害】명 해(害)를 주거나 끼침. ——-하다 자타여불

작헌-례【酌獻禮】[—녜] 명〖역〗임금·왕비였던 조상(祖上)이나 또는 문묘(文廟)에 임금이 몸소 제사하던 예.

작혐【作嫌】명 서로 혐의를 지음. ——-하다 자여불

작호[1]【綽號】명 남들이 본이름 외에 별명처럼 지어서 불러 주는 이름. 작명(綽名).

작호[2]【爵號】명 ①관작(官爵)의 칭호. ②작위의 칭호. 곧 공작(公爵)·후작(侯爵)·백작(伯爵)·자작(子爵)·남작(男爵). 작위(爵位).

작호-도【鵲虎圖】명 민화(民畫)의 까치와 호랑이 그림.

작화[1]【作畫】명 그림을 그림. 그림을 만듦. ——-하다 자타여불

작화[2]【作話】명〖의〗작화증(症).

작화[3]【爝火】명 횃불. 거화(炬火).

작화-증【作話症】[—쯩] 명〖의〗코르사코프병(Korsakoff 病)의 주요 증세. 기억 장애(記憶障礙)로 공상을 실제 경험담처럼 말하며 자기는 그 허위를 인식하지 못함. 뇌질환·알코올 중독·노인성 치매(老人性癡呆)·두부 외상(頭部外傷) 등으로 발생함. 작화(作話). 허담증(虛談症). *코르사코프병.

작환[1]【作丸】명 환약(丸藥)을 만듦. ——-하다 타여불 준환(丸)하다.

작환[2]【繳還】명 ①작송(繳送). ②문서(文書)나 물건(物件)을 도로 찾아옴. ——-하다 타여불

작황【作況】명〖농〗농작의 상황. ¶벼의 ~이 좋다.

작황 예:보【作況豫報】[—녜—] 명〖농〗농작물의 수확고(收穫高)를 수확기 이전에 추정(推定)하여 공표하는 일.

작황 지수【作況指數】명〖농〗농작물이 자라는 도중, 예를 들어 벼에 있어서는 8월 15일에 그 작황(作況)이 평년(平年)에 비하여 어떠한 상태(狀態)에 있나를 백분율(百分率)로 나타낸 지수. 이것으로 수확 예상(收穫豫想)·실 수확량(實收穫量) 조사에 앞서 수량을 예측할 수 있음. 풍흉 계수(豐凶係數).

작효【昨曉】명 어제 새벽.

작흥【作興】명 정신이나 기운을 일으킴. ——-하다 타여불

작희[1]【作戱】[—히] 명 남의 일을 방해함. 작얼(作孼). ——-하다 타여불

작희[2]【鵲喜】[—히] 명 까치가 떠들썩하게 지저귀면 기쁜 일이 생긴다는 말. 곧, 좋은 일이 있을 조짐이라는 뜻.

작히 부 ↗작히나.

작히나 부 '여북이나'·'오죽이나'·'어찌 조금만큼만' 등의 뜻을 나타내어 반어(反語)를 만드는 말. ¶합격하면 ~ 좋으랴.

잔[1]【殘】명 나머지.

잔[2]【盞】명 ①술·차·물 등 음료를 따라 먹는 작은 그릇. ②↗술잔. ¶~을 돌리다.

[잔 잡은 팔 밖으로 펴지 못한다] 자기에게 조금이라도 가까운 사람에게 정이 쏠리는 것은 자연스러운 일이라는 말.

잔- 부 체언(體言) 위에 붙어 잘거나 가늘다는 뜻을 나타내는 말. ¶~돌/~심부름/~소리.

-잔 어미 ↗-자는. ¶지금 떠나~ 말인가.

잔-가락 명 노래나 춤의 짧고 급한 또는 잦고 빠른 가락.

잔-가랑니 명 자디잔 가랑니.

잔-가시 명 생선 몸에 있는 작은 가시.

잔-가지 명 푸나무의 작은 가지.

잔각【棧閣】명 잔도(棧道).

잔간【殘簡】명 흩어져서 일부가 없어지고 남은 문서(文書).

잔갑 명 〈옛〉 여관비(旅館費). 숙박료(宿泊料). ¶잔갑과 밥 지은갑(房錢小錢)≪老乞 上 20≫.

잔-개자리 명〖식〗[*Medicago lupulina*] 콩과에 속하는 월년초(越年草). 줄기는 길이 60cm 가량이고, 잎은 호생하는데 유병(有柄)에 삼출복생(三出複生)하며, 소엽(小葉)은 거꿀달걀꼴 또는 원형임. 5-7월에 담황색의 두화(頭花)가 잎 사이의 긴 꽃줄기 끝에 밀착(密着)하여서 피고, 과실은 협과(莢果)임. 유럽 원산(原產)으로 들에 나는데, 제주·전남·경북·경기·함북 및 일본 등지에 분포함. 사료(飼料)·녹비용(綠肥用) 또는 관상용(觀賞用)으로 재배(栽培)함.

〈잔개자리〉

잔거【殘居】명 남아 있음. 남아서 삶. ——-하다 자여불

잔-걱정 명 자질구레한 걱정.

잔-걸음 명 ①방 안이나 집안에서 왔다갔다하는 걸음. ②가까운 거리(距離)를 재게 걷는 걸음.

잔걸음(을) 치다 구 가까운 거리(距離)를 재게 걸어서 왔다갔다하다.

잔-결[1] 명〖건〗가늘게 나타난 곧은 결.

잔결[2]【殘缺】명 이지러져서 덜림. 헐리어 없어짐. ——-하다 자여불

잔결-꾸밈음【—音】명 [mordent]〖악〗주요음(主要音)에서 시작하여 이도(二度) 아래를 거쳐 다시 주요음으로 되돌아오는 장식음(裝飾音). 18세기경에 많이 사용되었으나 지금은 잘 쓰이지 않음. 하반발음(下反撥音). 연음(漣音). 모르덴트. *떤꾸밈음.

잔경【殘更】명 날이 샐 무렵. 곧, 오경(五更).

잔-경위【—涇渭】명 아주 작은 일에도 분명히 따지는 경위.

잔고【殘高】명〖경〗잔액❸.

잔고 계:정【殘高計定】명〖경〗결산 잔액 계정(決算殘額計定).

잔-고기 명 자질구레한 물고기. 소어(小魚).

[잔고기 가시 세다] 몸은 작게 생겼어도 속은 올차다는 말.

잔-고사리 명〖식〗[*Fuziifilis pilosella*] 점고사릿과에 속하는 다년생 양치류(羊齒類). 잎은 총생(叢生)하며, 엽면(葉面)은 혁질(革質)이고 길이 15-20cm의 피침형이며 우상 복엽(羽狀複葉)으로 우편(羽片)은 마름모의 긴 타원형이며 잎꼭지와 잎에 털이 많음. 자낭군(子囊群)은 잎 뒤의 가장자리의 잔 엽맥(葉脈)에 여섯 개씩 착생(着生)하여 원형(圓形)을 이룸. 산기슭 바위 틈에 나는데, 함경도를 제외한 한국 전역(全域)과 일본 등지에 분포함.

잔고 소:득【殘高所得】명〖경〗잔액 소득.

잔골【孱骨】명 약골(弱骨)❷.

잔공【殘孔】명 발파(發破)에서 손가락 길이만큼 남은 남폿구멍.

잔과【殘果】명 ①먹다 남은 과실. ②나무에서 따고 남은 과실. ③〖불교〗송장·고목 따위, 죽은 뒤에 남은 것.

잔광【殘光】명 ①해가 질 때의 약한 햇빛. ②[aftergrow]〖물〗일부 물질이 방전관(放電管) 안의 전류를 끊은 뒤에도 잠시 더 내는 빛.

잔괴【殘壞】명 부서짐. 또, 부서뜨림. ——-하다 자타여불

잔교【棧橋】명 ①계곡(溪谷)을 가로질러 높이 걸쳐 놓은 다리. ②부두(埠頭)에서 선박(船舶)에 걸쳐 놓아 화물을 싣고 부리거나 선객(船客)이 오르내리기에 편하도록 물 위에 부설한 구조물.

잔구【殘丘】명 [monadnock]〖지〗준평원(準平原)의 평탄한 표면상에 고립적(孤立的)으로 돌출(突出)하여 이전의 기복(起伏)의 잔존(殘存)으로 보이는 구릉(丘陵). 모내드녹.

잔-구멍 명 ①잘게 뚫어진 구멍. ②어떤 일에 대하여 좁게 내다보는 관점(觀點).

잔구 평지【殘丘平地】명〖지〗구릉(丘陵)의 평탄(平坦)한 꼭대기.

잔국【殘菊】명 늦가을까지 피어 남아 있는 국화. 또, 시든 국화.

잔-글씨 명 잘고 가늘게 쓰는 글씨. 세서(細書). ↔큰글씨.

잔-금[1] 명 ①잘게 접히거나 그은 금. 세선(細線). ②크레이징(crazing).

잔금[2]【殘金】명 쓰고 남은 돈이나 갚다 남은 돈. 잔전(殘錢). ¶~을 치르다.

잔금-무늬 [—니] 명〖고고학〗끝이 뾰족한 무늬새기개로 나타낸, 폭이 좁고 가는 줄무늬. 세선문(細線文).

잔기[1]【殘氣】명〖생〗호흡할 때에, 최대 한도로 내쉰 다음에도 아직 폐에 남아 있는 공기의 양. 보통 1,000-1,200cc 가량임. *호흡.

잔기[2]【殘基】명〖생〗인상(印象)❷.

잔기[3]【殘期】명 앞으로 남은 기간.

잔-기침 명 소리를 크게 내지 아니하고 자주 하는 기침. ↔큰기침. ——-하다 자여불

잔-꾀 명 약고도 작은 꾀. ¶~를 부리다.

잔꾀(를) 피우다 구 제게 이롭도록 잔꾀를 부리다. *꾀피우다.

잔나[아랍 Jannah] 명〖이슬람〗알라가 신자를 위해 사후(死後)에 심판을 받고 들어갈 수 있도록 약속한 영원한 낙원(樂園). 천당(天堂).

잔나부 명 〈방〉〖동〗원숭이(경북).

잔나비 명 〈방〉〖동〗원숭이(강원·충남·전라·경북·제주).

[잔나비 밥 짓듯 한다] 하는 일이 경솔하다는 말.

[잔나비 잔치다] 남을 흉내냄을 비유하는 말.

잔나비-게 명〖동〗원숭이게.

잔-날개바퀴 명〖충〗[*Blatta orientalis*] 바퀴과에 속하는 곤충. 몸길이 19-25mm이고, 몸은 밤빛에 큰 황색 단안(單眼)이 있음. 전흉배(前胸背)는 수컷이 가로 퍼진 원형이고, 암컷은 반원형을 이루며, 복부(腹部)는 황갈색인데 수컷의 앞날개는 짧음. 위생상의 해충으로 세계 공통 종류임. 좀날개바퀴.

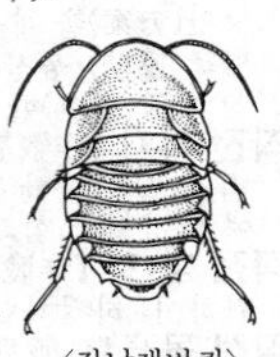
〈잔날개바퀴〉

잔내비 [명] 〈방〉 〖동〗 원숭이(전남·경북).
잔년【殘年】[명] 얼마 남지 아니한 나이. 여생(餘生). 잔생(殘生).
잔-놀이 [명] 증권 시장에서, 소량의 매매 또는 주문을 하는 사람.
잔뇨【殘尿】[명] 〖의〗 배뇨(排尿)한 후에도 방광(膀胱) 속에 남는 오줌. 방광에 기능 장애가 있거나 또는 방광 경부(頸部)에 질환이 있을 때 볼 수 있음.
잔-누비 [명] 발이 잘게 누빈 누비.
잔누비-질 [명] 잘게 누비는 일. ——-하다 [자][여불]
잔-눈치 [명] 남의 언동에서 무슨 자질구레한 기미를 알아채는 눈치.
잔다괴 [명] 〈옛〉 잔대¹. ¶잔다괴 씀바괴 고들박기 두룹 ᄒᆞ야≪永言≫.
잔다귀 [명] 〈방〉 〖식〗 잔디.
잔-다르크〔Jeanne d'Arc〕 [명] 〖사람〗 프랑스의 애국 소녀. 백년 전쟁 중, 16세의 나이로 영국군 포위를 뚫고 진두(陣頭)에 서서 오를레앙성(Orléans城)을 탈환. 후에 영국군에 잡히어 화형(火刑)을 당하였음. [1412-31]
잔다리-밟다 [—밥—] [자] 지위가 낮은 데서부터 차차 오르다.
잔-달음 [명] 발을 좁게 자주 떼어 놓으면서 바삐 뛰는 걸음. ——-하다 [자][여불]
잔달음-질 [명] 잔달음으로 걷는 짓. ——-하다 [자][여불]
잔달음질-치다 [자] 걸음을 자주 떼어 놓으며 뛰듯이 바삐 걷다.
잔당【殘黨】[명] 쳐서 없애고 남은 도둑이나 악당의 무리. 여당(餘黨). 잔도(殘徒). ¶～을 소탕하다.
잔:대¹ [명] 〖식〗 ①초롱꽃과에 속하는 가는잎잔대·넓은잔대·당잔대·두메잔대·둥근잔대·섬잔대·왕잔대 등의 총칭. ②[*Adenophora triphylla* var. *tetraphylla*] 초롱꽃과에 속하는 다년초. 뿌리는 백색이고 비대(肥大)하며, 줄기는 높이 50-100cm임. 근생엽(根生葉)은 장병(長柄)에 거의 원형(圓形)이고, 경엽(莖葉)은 호생하거나 윤생(輪生)하며 단병(短柄) 혹은 무병(無柄)에 긴 타원형 또는 선상(線狀) 피침형임. 7-9월에 자색 종상화(鐘狀花)가 줄기 끝에 취산상(聚繖狀)으로 핌. 산지에 나는데, 한국 전역(全域) 및 일본에 분포함. 어린 잎과 뿌리는 식용함. *더덕.

〈잔대❷〉

잔대²【盞臺】[—때] [명] 잔을 받치는 그릇. 탁반(托盤).
잔대기 [명] 〈방〉 ①잔디. ②잔대¹.
잔대미 [명] 〈방〉 〖식〗 잔디.
잔더리 [명] 〈방〉 등¹❶(함경).
잔덩 [명] 〈방〉 등¹❶(평안·황해).
잔도¹【殘徒】[명] 잔당(殘黨).
잔도²【殘盜】[명] 잡히지 아니하고 남은 도둑.
잔도³【棧道】[명] 산의 낭떠러지에 따라서, 나무로 선반처럼 내 매어 만든 길. 절벽(絶壁)과 절벽 사이에 걸쳐 놓은 다리의 길. 잔각(棧閣).
잔-도드리 [명] 〖악〗 웃도드리의 딴이름. 세환입(細還入).
잔독【殘毒】[명] ①아직 남아 있는 독. ②잔인(殘忍)하고 악독함. ——-하다 [형][여불]. ——-히 [부]
잔-돈 [명] ①작은 돈. 소액 화폐(小額貨幣). 산전(散錢). ¶～으로 바꾸다. ②우수리. 거스름돈. ¶～을 거스르다. ③↗잔돈푼. *푼돈.
잔돈-푼 [명] ①많지 아니한 돈. 큰 덩이가 아니고 부스러기 돈. ¶～이 생겼다. ②자질구레하게 쓰이는 돈. 잔전푼. [준]잔돈.
잔-돌 [명] 자질구레한 돌. 세석(細石).
잔돌-밭 [명] ①잔돌이 많이 깔린 밭. ②잔돌이 널리 깔린 곳.
잔동【殘冬】[명] 늦겨울. 만동(晩冬).
잔두 [명] 〈방〉 〖식〗 잔디(강원).
잔두떼 [명] 〈방〉 〖식〗 잔디(경북).
잔두지-련 【棧豆之戀】[명] 말이 적은 콩을 탐내어 외양간을 떠나지 아니함과 같이, 사소한 이익을 단념하지 못함을 가리키는 말.
잔드근-하다 [형][여불] 매우 잔득하다. ¶잔드근한 사람. <진드근하다.
잔드근-히 [부]
잔-드리다【盞—】[자] 환갑 잔치 같은 때에 오래 살기를 비는 뜻으로 술잔을 드리다. 헌수(獻壽)하다.
잔득-거리다 [자] ①검질기게 연해 달라붙다. ②검질기어 자르려 하여도 잘 끊어지지 아니하다. 1)·2): 쓰짠득거리다. <진득거리다. **잔득-잔득** [부]. ——-하다 [형][여불]
잔득-대다 [자] 잔득거리다.
잔득-이 [부] 잔득하게. <진득이.
잔득-하다 [형][여불] 행동과 태도가 무겁고 참을성이 있다. ¶잔득한 성미. <진득하다.
잔등¹ [명] 〈방〉 ①등¹❶(경북·경기·황해). ②산봉우리(강원).
잔등²【殘燈】[명] 밤 늦게 외로이 남아 있는 희미하여진 등불.
잔등-머리 [명] 〈속〉 등¹❶.
잔등-어리 [명] 〈방〉 잔등이.
잔등-이 [명] 〈속〉 등¹❶.
잔등-패기 [명] 〈방〉 잔등이.
잔디 [명] 〖식〗 [*Zoysia japonica*] 벼과에 속하는 다년초. 근경(根莖)은 옆으로 벋고 각 마디마다에서 수근(鬚根)이 나오며, 줄기는 총생(叢生)함. 잎은 호생하고 길이 5-10cm의 선상(線狀) 피침형인데, 안으로 말리며 앞뒤쪽에 잔 털이 있으나 오래 묵으면 없어짐. 5-6월에 길이 10-20cm의 수상화(穗狀花)가 줄기 끝에 총상 화서(總狀花序)로 피고 영과(穎果)는 한 조각으로 3-4mm이며 다소 자색을 띰. 들이나 길가에 나는데, 한국 각지 및 일본·중국 등에 분포함. 언덕·산·정원(庭園)·제방(堤防)·무덤 등에 심어 흙의 무너짐을 막고 미관을 더함. 사초(莎草). 초모(草茅).

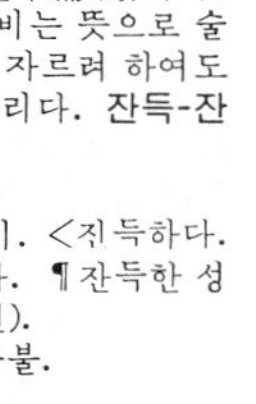
〈잔디〉

잔디-밭 [명] 잔디가 많이 난 곳.
[잔디밭에서 바늘 찾기] ㉠매우 찾아 내기 어려움을 형용하는 말. ㉡헛수고로 돌아갈 일의 비유.
잔디 찰방【—察訪】[명] 〔무덤의 잔디를 지킨다는 뜻〕 죽어서 땅에 묻힘을 농으로 이르는 말.
잔딧-불 [명] 마른 잔디에 놓은 불.
잔떼 [명] 〈방〉 〖식〗 잔디(강원·경북).
잔뜩 [부] 더할 수가 없는 데까지. 꽉 차게. ¶～ 화가 났다/～ 벼르다.
잔띠 [명] 〈방〉 〖식〗 잔디(경북).
잔량【殘量】[잘—] [명] 남은 분량. 나머지 양(量).
잔루¹【殘淚】[잘—] [명] 눈물 자국. 운 자국.
잔루²【殘壘】[잘—] [명] ①남아 있는 보루(堡壘). ②야구에서 공격 팀과 수비(守備) 팀이 교체할 때 베이스에 주자(走者)가 남아 있는 일. 레프트 온 베이스(left on base).
잔류¹【殘留】[잘—] [명] 남아서 처져 있음. 뒤에 남음. ¶～ 부대 / 송환을 거부하고 ～하다. ——-하다 [자][여불]
잔류²【殘溜】[잘—] [명] 남아서 굄. 또, 그 괸 것. ——-하다 [자][여불]
잔류³【殘類】[잘—] [명] 나머지의 종류. 남은 무리.
잔류 감:각【殘留感覺】[잘—] [명] 〔after-sensation〕 〖심〗 자극이 사라진 후에도 여전히 남아 있는 감각. 잔존 감각(殘存感覺). *잔상(殘像).

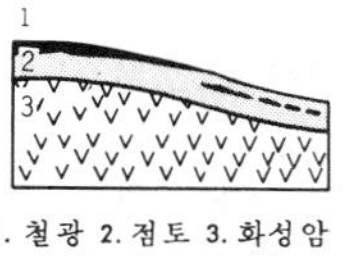

1. 철광 2. 점토 3. 화성암
〈잔류 광상〉

잔류 광:상【殘留鑛床】[잘—] [명] 〖지〗 암석 또는 광상이 풍화(風化) 작용을 받아 붕괴(崩壞) 분해하여 암석 속에 포함되었던 금속 성분이나 유용 광석이 지표(地表)에 처져 남거나 흙 속에 덩어리로 남아서 이루어진 광상.
잔류-군【殘留軍】[잘—] [명] 후방에 남아 있는 군대.
잔류 농약 허용량【殘留農藥許容量】[잘—냥] [명] 인체에 있어서, 하루에 섭취 허용되는 농약의 한도량(限度量).
잔류-물【殘留物】[잘—] [명] 〔residue〕 ①석유 정제(精製) 때, 마지막에 남은 가장 무거운 성분(成分). ②〖지〗 최소의 용해 성분에 대한 작용을 제외하고, 침식 작용(浸蝕作用)이 모두 끝난 뒤에 암설(岩屑)이 그곳에 집적(集積)된 것.
잔류 방:사능 저:감 폭탄【殘留放射能低減爆彈】[잘—] [명] 〖군〗 방사선의 비율을 적게 하는 대신, 폭풍·열에 의한 파괴력을 강하게 만든 핵폭탄. 비행장(飛行場)과 같은 시설(施設)의 파괴를 주목적으로 함. 아르 아르 아르 폭탄(RRR爆彈).
잔류 방:사선【殘留放射線】[잘—] [명] 〔residual radiation〕 원자핵 폭발 후, 핵분열 생성물(生成物), 핵분열하지 않은 핵물질(核物質), 중성자(中性子) 충격으로 방사성(放射性)이 유도(誘導)된 물질 등 방사성 물질에서 발생한 방사선.
잔류-법【殘留法】[잘—뻡] [명] 〔residual method〕 〖야금〗 시험편(試驗片)을 자기화(磁氣化)하여 자화력을 제거한 후, 강자성(強磁性)의 자기분(磁氣粉)을 살포(撒布)하여 재료의 결함을 조사하는 자기분 탐상법(探傷法).
잔류 변:형【殘留變形】[잘—] [명] 〖물〗 영구 변형(永久變形).
잔류-병【殘留兵】[잘—] [명] 후방에 남아 있는 병사.
잔류 부대【殘留部隊】[잘—] [명] 후방에 남아 있는 부대.
잔류성 농약【殘留性農藥】[잘—썽—] [명] 유독성(有毒性) 농약의 독성의 정도에 따른 분류의 하나. 주성분의 물질이 농작물·토양 및 수질에 잔류되거나 이를 오염하는 농약.
잔류 시간【殘留時間】[잘—] [명] 〔residence time〕 〖물〗 핵(核)폭발 후에, 방사성 물질이 대기(大氣) 중에 남아 있는 기간. 보통, 반감기(半減期)로 표시됨.
잔류 원소【殘留元素】[잘—] [명] 〔residual elements〕 〖야금〗 의도적으로 첨가하지 않았는데 금속이나 합금(合金) 중에 소량(少量) 함유된 원소.
잔류 유리 가스【殘留遊離—】[잘—] [명] 〔residual free gas〕 일차 채취(一次採取)를 했거나 또는 경제적(經濟的) 생산 기간(生產期間)이 끝난 유층(油層)에서처럼, 고갈된 유층(油層) 속에서 잔류 액체 탄화 수소와 평형(平衡) 상태에 있는 유리 가스.
잔류 응:력【殘留應力】[잘—녁] [명] 〖물〗 처음에 응력이 없던 물체가 외력을 받아 그 일부에 영구 변형이 생기면, 외력을 없앤 후에도 내부 상호의 견제 작용에 의한 응력이 발생되어 원상으로 바뀌지 않는 내부에 남아 있는 응력. *초(初)응력.
잔류 자기【殘留磁氣】[잘—] [명] 〔remanence〕 〖물〗 기자력(起磁力)을 제거한 후에 남아 있는 자기력선속 밀도(磁氣力線束密度). 자기 회로(磁氣回路) 중에 공기 간격이 있으면 잔류 자기는 잔류 자기력선속 밀도보다 적어짐.
잔류 자기력선속 밀도【殘留磁氣力線束密度】[잘—또] [명] 〔residual flux density〕 〖전〗 대칭적(對稱的)·주기적(週期的)인 자기화 조건(磁氣化條件) 아래에서, 재료(材料)의 자기화력을 0으로 했을 때의 자기력선속 밀도.
잔류 자기성【殘留磁氣性】[—썽] [명] 〖물〗 잔자성(殘磁性).
잔류 자기장【殘留磁氣場】[잘—] [명] 〔residual field〕 〖물〗 자기화(磁氣化)를 제거한 다음 철심(鐵芯)에 남는 자기장.
잔류 자기화【殘留磁氣化】[잘—] [명] 〔residual magnetization〕 〖물〗 강자성체(強磁性體)에 자계(磁界)를 작용시켜 자기화(磁氣化)한 후, 자계를 제거(除去)해도 그대로 남아 있는 자기화의 세기. 영구 자석과 자기 녹음(磁氣錄音)에 이용됨. 영구 자기화.

잔류 자차【殘留自差】[잘―] 명 [residual deviation]〖항〗수정(修正) 또는 보정(補正) 후의 자기 나침반(磁氣羅針盤)의 자차(自差).

잔류 저:항【殘留抵抗】[잘―] 명 [residual resistance]〖물〗절대 영도 가까이에서의 금속의 전기 저항의 값. 격자 진동보다도 격자 결함이나 불순물에 원인이 있음.

잔류 전:류【殘留電流】[잘―절―] 명 [residual current]〖전〗양극(陽極) 전압이 가(加)해지지 않았을 때에 열전자(熱電子) 이극관(二極管)에 흐르는 전류. 가열된 음극에서 방출되는 전자의 속도로 생김.

잔류 전:위【殘留電位】[잘―] 명 [rest potential]〖전〗전극(電極)이 분극화(分極化)된 후, 전극과 전해질(電解質) 사이에 남는 전류 전위차(電位差).

잔류 전:하【殘留電荷】[잘―] 명 [residual charge]〖전〗방전(放電)후 콘덴서의 극판(極板) 위에 남는 전하(電荷).

잔류 점토【殘留粘土】[잘―] 명 [residual clay]〖지〗암석(岩石)의 풍화(風化)로 만들어진 점토.

잔류 주권【殘留主權】[잘―꿘] 명 잔존 주권.

잔류 탄:소분【殘留炭素分】[잘―] 명 [carbon residue]〖화〗밀폐 용기(密閉容器) 안에서 윤활유를 가열한 후 생성(生成)되는 탄소량(炭素量).

잔류 탄:소분 시험【殘留炭素分試驗】[잘―] 명 [carbon residue test] 연료나 윤활유 속의 잔류 탄소분을 추정하기 위한 분해 증류법. 콘라드슨 탄소 시험이라고도 함.

잔-막대기 명 〈방〉 자(경기).

잔-말 명 쓸데없이 자질구레하게 되풀이하는 말. ¶ ～ 말고 가만 있어. ＊잔소리. ――-하다 자여불

잔말-꾸러기 명 ☞ 잔말쟁이.

잔말-쟁이 명 잔말을 잘하는 버릇이 있는 이.

잔망[1]【殘亡】명 잔멸(殘滅). ――-하다 자여불

잔망[2]【孱妄】명 ①잔졸(孱拙). ②체질(體質)이 몹시 잔약하고 행동이 경망함. ――-하다 형여불

잔망-스럽다【孱妄―】형ㅂ불 잔망한 태도(態度)가 있다. ¶ 근본이 상것이고 체수도 잔망스러운데다가 또한 절름발이라 상종할 것이 못 되었으나…≪金周榮 : 客主≫. 잔망-스레【孱妄―】부

잔망-이【孱妄―】명 잔망스러운 사람.

잔매【殘梅】명 늦은 철까지 피어 남아 있는 매화. 지고 남은 매화.

잔-맥[1]【―脈】명〖식〗세맥(細脈).

잔맥[2]【殘脈】명 뻗어나간 산줄기의 끄트머리.

잔맹【殘氓】명 잔민(殘民).

잔-머리 명 잘고 부드러운 머리털. ¶ 방바닥에 ～가 떨어져 있다.

잔머리-먼지벌레 명〖충〗[*Pterostichus microcephalus*] 딱정벌렛과에 속하는 곤충. 몸길이 10mm 내외이고, 몸빛은 광택 있는 흑색에 촉각·전배판(前背板)과 시초(翅鞘)의 측연(側緣), 다리 등은 적갈색임. 시초는 긴 타원형이며 종구(縱溝)가 깊고 점각이 뚜렷함. 한국·일본·중국·사할린·시베리아 등지에 분포함.

잔멸【殘滅】명 쇠잔하여 다 없어짐. 해쳐서 망하게 함. 또, 해침을 받아 망함. 잔망(殘亡). ――-하다 자타여불

잔명【殘命】명 죽음이 가까운 쇠잔한 목숨. ¶ ～이 얼마 남지 않았다.

잔-모래 명 잘고 고운 모래. 세사(細砂).

잔-모래미 명 〈심마니〉 좁쌀.

잔모양 꼭지【盞模樣―】명〖고고학〗뚜껑의 꼭지가 잔처럼 생긴 것. 배형뉴(杯形鈕).

잔-못 명 아주 작은 못. 소정(小釘). ↔큰못.

잔몽【殘夢】명 잠 깰 무렵에 어렴풋이 꾸는 꿈. 잠이 깬 후에도 마음 속에 남은 꿈.

잔무【殘務】명 다 처리되지 못하고 남은 사무. ¶ ～를 정리하다.

잔-무늬 [―니] 명 자질구레한 무늬.

잔무늬 거울 [―니―] 명〖고고학〗뒷면의 장식이 세모, 네모꼴과 동근 무늬 등의 가는 선으로 된 청동제(靑銅製) 거울. 동검(銅劍) 등과 함께 청동기 시대 무덤에서 출토(出土)됨. 세문경(細文鏡). 정문경(精文鏡).

잔물【殘物】명 남은 물건. 나머지.

잔-물결 [―껼] 명 풍속 1m 이상 5m 이하의 바람이 불 때 생기는 주름살 같은 작은 파도. 파장(波長)은 1.7cm 이하. 풍속 1m 이하에서는 파도가 안 일어남. ¶ ～이 일다.

잔물결-꼬마가시나방 [―껼―] 명〖충〗[*Lomographa hyriaria*] 자벌레나방과에 속하는 곤충. 편 날개의 길이는 16-20mm 가량이고, 몸빛은 담황갈색에 날개에는 갈색 점이 있는데 각 내횡선(內橫線)은 암색(暗色)이며 앞날개의 외횡선(外橫線)은 암갈색이고 각 연모(緣毛)는 담황색임. 한국에도 분포함.

잔물결-박각시 [―껼―] 명〖충〗[*Polbina tancrei*] 박각싯과에 속하는 곤충. 편 날개의 길이는 50-70mm, 몸빛은 암황색에 흰 비늘이 있으며 앞날개의 선조(線條)는 검은데 모두 물결 모양이며 횡맥(橫脈) 위에 한 개의 하얀 점문(點紋)이 있고, 뒷날개는 암갈색임. 유충(幼蟲)은 쥐똥나무·물푸레나무 등의 잎을 갉아 먹는 해충임. 한국·일본 등지에 분포함.

잔물-잔물 부 눈가나 살가죽이 짓무르는 모양. <진물진물. ――-하다 형여불

잔-물푸레나무 명〖식〗[*Fraxinus rhynchophylla* var. *angusticarpa*] 물푸레나뭇과의 활엽 교목. 잎은 넓은 달걀꼴 또는 넓은 피침형으로 우상 복생(羽狀複生)하고 물결같은 톱니가 있음. 꽃은 자웅 이가(異家) 또는 잡가이고, 복총상 화서로 가지 끝에 액출 또는 정생(頂生)하며 5월에 핌. 과실은 시과(翅果)로 도피침형이며 9월에 익음. 황해도의 숲속에 나는데, 기구재로 쓰임.

잔미【孱微】명 미천한 신분.

잔민【殘民】명 피폐한 백성. 외롭고 가난한 백성. 잔맹(殘氓).

잔밉고-얄밉다 형ㅂ불 아주 극도로 얄밉다.

잔밉다 형ㅂ불 몹시 얄밉다.

잔-바느질 명 일감이 자질구레한 바느질. ――-하다 자여불

잔-바늘 명 아주 가는 바늘.

[잔바늘로 쑤시듯 한다] 무엇이나 착살맞게 들쑤시기를 잘 한다는 말.

잔박【殘薄】명 쇠잔하고 토박함. ¶ 수령이 ～한 지방을 기피하다. ――-하다 형여불

잔반[1]【殘班】명 가세가 쇠잔해진 양반.

잔반[2]【殘飯】명 ①먹고 남은 밥. ②대궁[1].

잔-발 명 무나 인삼 따위 식물의 뿌리에 덧붙은 잘고 가는 뿌리.

잔-방귀 명 조금씩 자주 뀌는 방귀.

잔배【殘杯·殘盃】명 잔에 마시다 남은 술. 또, 그 술잔.

잔배 냉:갱【殘杯冷羹】명 마시다 남은 술과 찬 국의 뜻으로 푸대접함을 이르는 말.

잔배 냉:적【殘杯冷炙】명 마시다 남은 술과 찬 구이의 뜻으로, 변변하지 않은 주안상으로 푸대접함을 이르는 말. 잔배 냉효(殘杯冷肴).

잔배 냉:효【殘杯冷肴】명 잔배 냉적(殘杯冷炙).

잔-별 명 작은 별.

잔-병[1]【―病】명 중하지는 않으나 끊이지 아니하고 자주 생기는 여러 가지 병.

[잔병에 효자 없다] 늘 앓고만 있으면 때에 따라 서운하게 해 드릴 때도 있다는 말.

잔병[2]【殘兵】명 싸움에 패하고 남은 군사. 패잔병(敗殘兵).

잔병-꾸러기【―病―】명 잔병을 자주 앓는 사람.

잔병-치기【―病―】명 〈방〉 잔병꾸러기.

잔병-치레【―病―】명 잔병을 자주 치르는 일. ――-하다 자여불

잔본【殘本】명 팔다 남은 책. 잔편(殘編).

잔부[1]【孱夫】명 잔약한 남자. 겁쟁이.

잔부[2]【殘部】명 남은 부분이나 부수(部數).

잔-부끄럼 명 사소한 일에도 잘 부끄러워하는 마음. ¶ ～이 많다.

잔부 의회【殘部議會】명 [Rump Parliament]〖역〗영국의 청교도 혁명(淸敎徒革命) 때인 1648년 12월 장로파 의원(長老派議員)을 추방한 후 독립파(獨立派) 의원만으로써 이루어졌던 의회.

잔부 판결【殘部判決】명〖법〗소송 사건(訴訟事件)의 일부에 대하여 판결이 있었을 경우, 나머지 부분을 완결(完結)하는 판결(判決). 결말(結末) 판결.

잔-불 명 작은 짐승을 잡는 데 쓰는 화력이 세지 않은 탄약. ↔큰불.

잔불-놓이 [―노―] 명 잔불질을 하여 작은 짐승을 잡는 사냥. ――-하다 자여불

잔불-질 명 잔불을 놓는 일. ――-하다 자여불

잔비[1]【殘匪】명 소탕(掃蕩)당하고 남은 비적(匪賊). 여비(餘匪). ¶ ～준동(蠢動).

잔비[2]【殘碑】명 풍우를 견디고 오래 전하여 남아 있는 비석.

잔-뼈 명 어려서 아직 다 자라지 않은 작은 뼈.

잔뼈가 굵어지다 구 ㉠어떤 사람의 거둠을 받아서 자라남을 가리키는 말. ㉡어려서부터 어떤 일을 하면서 자라났다는 뜻. ¶ 남의집살이를 하면서 잔뼈가 굵어졌다.

잔-뿌리 명 굵은 뿌리에서 돋아 나는 작은 뿌리.

잔쐬 명 〈옛〉 잔디. ¶ 童子 六七 불너내야 속닙 난 잔쐬예 足容重케 훗거러 淸江의 발을 싯고 風乎江畔ᄒᆞ야 興을 타고 도라오니≪蘆溪 莎堤曲≫.

잔사[1]【殘寺】명 쇠잔한 절.

잔사[2]【殘渣】명 잔재(殘滓).

잔-사다리 명 〈속〉 잔사설.

잔-사단【―事端】명 잔사설.

잔-사설【―辭說】명 쓸데없이 번거롭게 늘어 놓는 말. 잔사단. ¶ ～이 많다.

잔산【殘山】명 손상(損傷)되고 남은 산. 전란(戰亂) 후에 남아 있는 산. 망국(亡國)의 산.

잔산 단록【殘山短麓】[―달―] 명 손상되고 남은 작은 산.

잔산 잉:수【殘山剩水】명 ①전란(戰亂) 후에 남은 산수(山水). 망국(亡國)의 산수. ②중국, 남송(南宋)의 원체 산수화(院體山水畫)를 평하여 이르는 말. 자연의 일각(一角)을 그리고 암시적(暗示的)인 공간을 크게 묘사(描寫)하는 특색을 이룸. 북송(北宋)의 대관적(大觀的)인 산수화에 대한 말.

잔살[1] 명 ↗잔주름살. ¶ ～이 많이 잡힌 얼굴.

잔살[2]【殘殺】명 잔인하게 죽임. ――-하다 타여불

잔-살이 명〖생〗미생물(微生物).

잔상【殘像】명 [afterimage]〖심〗주로 시각(視覺)에서 외부의 자극(刺戟)이 소멸된 후에도, 감각 경험이 연장되거나 재생하여 생기는 상(像). 가령 전등(電燈)을 주시(注視)하다가 벽을 보면 벽 위에 그 전등의 상이 나타나 보이는 것과 같은 것. 적극적(積極的) 잔상·소극적(消極的) 잔상·푸르키니에(Purkinje) 잔상 등이 있음. 잔류 감각(殘留感覺). 잔존(殘存) 감각.

잔상-히 부 ☞ 잔생이.

잔생【殘生】명 나머지 생애. 쇠잔한 인생. 여생(餘生).

잔생-이 부 ①지긋지긋하게 말을 듣지 아니하거나 또는 애걸 복걸하는 모양. ¶ 공부를 ～ 안 한다. ② ☞ 지지리.

[잔생이 보배라] 못생긴 체하는 것이 몸에 이롭다는 말.

잔서【殘暑】명 늦여름의 쇠잔한 더위. 심하지 아니한 늦더위. 잔염(殘

炎). 잔열(殘熱).

잔-석기【一石器】명〖고고학〗구석기(舊石器) 말기에서 중석기(中石器) 시대에 걸쳐 발달한 세모꼴·네모꼴 따위의 기하학적(幾何學的) 형태의 작은 석기. 주로 작살 또는 살촉 등에 사용함. 세석기(細石器).

잔선【殘蟬】명 늦가을까지 남아서 우는 매미.

잔설【殘雪】명 ①녹다 남은 눈. ②봄이 되어도 남아 있는 눈. 숙설(宿雪).

잔성【殘星】명 새벽녘에 보이는 별.

잔-세음 명〈방〉잔셈. ——-하다 타

잔-셈 명 자질구레한 셈. 여러 가지 사소한 셈. ——-하다 타여불

잔-소리 명 ①잔말. 세설(細說). ¶～가 많다. ②꾸중으로 하는 여러 말. ¶～를 듣다. ——-하다 자여불

잔소리-꾼 명 잔소리를 잘 하는 사람.

잔-속 명 ①자세한 내용. ¶～을 모르다. ②자잘하게 썩이는 속.

잔-손[1] 명 자질구레하게 여러 번 돌아가는 손. ¶～이 너무 많이 가는 일. 잔손(이) 가다 구 자질구레한 일손이 가해지다.

잔손[2]【孱孫】명 잔약(孱弱)한 자손.

잔-손금 [一끔] 명 손바닥의 잔금.

잔손-불림 명 잔손질이 드는 일.

잔손-질 명 ①큰 수고는 들지 않으나, 자질구레하게 여러 번 손을 놀리어 매만지는 짓. ②〖고고학〗돌연장을 만들 때, 한번 떼낸 격지나 몸돌 석기에 가벼운 떼기를 되풀이하여 날을 다듬는 손질. 이차 가공(二次加工). ——-하다 자타여불

잔-솔 명 어린 소나무. 치송(穉松).

잔솔-밭 명 잔솔이 많이 들어선 곳.
[잔솔밭에서 바늘 찾기] '잔디밭에서 바늘찾기'와 같은 뜻.

잔솔-잎 [一립] 명 어린 소나무의 잎.

잔솔잎-사초【一莎草】[一립一] 명〖식〗[*Carex capillaris*] 방동사니과에 속하는 다년초. 줄기는 모관상(毛管狀)이며 삼릉주(三稜柱)로 총생(叢生)하고 높이 약 16cm임. 잎은 줄기의 하부로부터 호생하고, 협선형(狹線形)으로 줄기보다 짧음. 4-5월에 둥근 꽃이삭이 정생(頂生)하는데 암꽃의 영(穎)은 달걀꼴 타원형이며 적갈색이고 과낭(果囊)도 달걀꼴 타원형을 이룸. 산이나 들의 습지에 나는데, 제주·경기·평북·함북 등지에 분포함.

잔솔-포기 명 어린 소나무의 한 포기.

잔수 명〈방〉〖식〗조¹(경남).

잔-술[1] 명 주머니나 띠·조바위에 다는 매우 가는 여러 가닥의 실.

잔-술[2]【盞一】[一쑬] 명 ①한 잔의 술. 배주(杯酒). ②낱잔으로 파는 술. ＊병술³.

잔술-집【盞一】[一쑬찝] 명 술을 낱잔으로 파는 집.

잔승【殘僧】명 잔약한 중.

잔-시중 명〔←잔수종(隨從)〕자질구레한 시중.

잔-식구【一食口】명 자질구레한 식구, 곧 어린 식구. ¶～만 버글거리지 벌잇손이 없다.

잔-심부름 명 자질구레한 심부름. ——-하다 자여불

잔심부름-꾼 명 잔심부름을 하는 사람.

잔아리-병【一病】[一뼝] 명 미립자병(微粒子病).

잔악【殘惡】명 잔인(殘忍)하고 악독함. ——-하다 형여불. ——-히 부

잔악-성【殘惡性】명 잔악한 성질.

잔암【殘庵】명 풍우에 시달려 쇠잔해진 암자.

잔액【殘額】명 ①나머지 액수. ②〖수〗원고(元高)와 보합고(步合高)와의 차(差). ③〖경〗금액이나 물품에서 일정한 액수나 양을 제한 나머지. 수지(收支) 또는 대차(貸借)를 공제한 나머지.

잔액 계:정【殘額計定】명〖경〗결산 잔액 계정(決算殘額計定).

잔액 소:득【殘額所得】명〖경〗기업의 생산물 판매 가격에서 생산비를 뺀 나머지 부분. 불확정적인 소득임.

잔액 시:산표【殘額試算表】명〖경〗시산표의 하나. 기준 시점(時點)에 있어서 각 계정(計定)의 잔액을 차변(借邊)과 대변(貸邊)별로 각기 합계하고, 복식 부기의 대차(貸借) 평균의 원칙에 어긋나는지의 여부를 검증(檢證)하는 표.

잔액 인수【殘額引受】명〖경〗증권 회사(證券會社)가 계약에 따라 유가(有價) 증권의 모집을 하고 잔량(殘量)이 발생할 경우, 해당 증권 회사가 그 잔량을 인수하는 방법. 증권 회사 명의로 전액 인수하는 매입 인수(買入引受)와는 상대적인 것임.

잔앵【殘鶯】명 봄이 지난 뒤에 우는 꾀꼬리. 노앵(老鶯).

잔야【殘夜】명 새벽녘. 미명(未明).

잔약【孱弱】명 튼튼하지 아니하고 아주 약함. ¶～한 소녀의 몸으로. ——-하다 형여불

잔-약과【一藥菓】[一냑一] 명 자질구레하게 만든 과줄.

잔양【殘陽】명 거의 넘어가는 햇볕. 잔일(殘日).

잔양-판【殘陽一】명 석양이 비치는 곳. ＊석양판.

잔업【殘業】명 소정 노동 시간 외의 노동. 근무 시간이 끝나고 나서 하는 작업. 시간외 근무.

잔업 수당【殘業手當】명 잔업의 대가로 지급(支給)되는 특별 노임(特別勞賃). 시간외 근무 수당.

잔여【殘餘】명 처져 있는 나머지.

잔여 기간【殘餘期間】명 일정한 기간중에서 나머지의 기간.

잔여 재산【殘餘財産】명〖법〗특정한 재산이 청산된 후에도 아직 남은 적극(積極) 재산. 법인 또는 조합의 해산, 상속(相續)의 한정 승인(限定承認) 등의 경우에 그 귀속이 문제됨.

잔여 질소【殘餘窒素】[一쏘] 명〔non-protein nitrogen; NPN〕〖화〗단백질을 제거한 체액(體液) 또는 조직 중에 잔존(殘存)하는 질소. 혈액의 잔여 질소량은 평균 0.03-0.04%임. 비단백성(非蛋白性) 질소.

잔역【殘驛】명 낡고 헐어서 변변하지 못한 역참(驛站).

잔연【殘煙】명 사라져 가는 연기.

잔열[1]【孱劣】명 잔약(孱弱)하고 용렬(庸劣)함. ——-하다 형여불

잔열[2]【殘熱】명 ①잔서(殘暑). ②남은 신열(身熱).

잔염【殘炎】명 늦더위. 잔서(殘暑).

잔-영산【一靈山】[一녕一] 명〖악〗영산 회상(靈山會相)의 셋째 곡조. 상(上) 영산·중(中) 영산보다 빠르며, 사장(四章)으로 되었음. 세영산(細靈山).

잔-올리다【盞一】자 ①제사지낼 때에 잔에 술을 부어 올리다. 헌작(獻酌)하다. ②잔을 드리다.

잔왕【孱王】명 줏대가 없는 약한 왕.

잔-용 명 사소한 잡비로 쓰는 용돈.

잔우【殘雨】명 나머지의 비. 그칠 무렵에 조금씩 오는 비.

잔운[1]【棧雲】명 ①구름을 헤치고 들어가는 듯한 높은 산길. ②잔도(棧道) 가까이에 있는 구름.

잔운[2]【殘雲】명 ①남은 구름. ②남은 혐의(嫌疑). 남은 의아(疑訝). ¶～마저 걷혀야지.

잔원【潺湲】명 ①물이 졸졸 흐르는 모양. 또, 그 소리. ¶점점 산이 높고 골이 깊어 굽이굽이 시냇물은 ～하다. ②눈물을 줄줄 흘리는 모양. ——-하다 형여불

잔월【殘月】명 ①날이 밝을 때까지 남아 있는 달. 새벽달. 서월(曙月). ②거의 넘어가게 된 달.

잔월 효:성【殘月曉星】명 새벽녘에 남아 있는 달과 별. 새벽달과 새벽별.

잔유 망:상【殘遺妄想】명〖의〗의식 장애(意識障礙)가 있을 때에 체험한 환각(幻覺)이 의식 장애 회복 후에도 장기간 계속 유지되어 일어나는 망상.

잔유 전간【殘遺癲癎】명〖의〗증후성(症候性) 전간의 하나. 태생기(胎生期)의 질환·출산시 장애(障礙)·유아기의 두부(頭部) 외상·뇌염(腦炎)·수막염(髓膜炎) 등의 결과로 일어나는 전간.

잔음 냉:무【殘蔭冷武】명 쇠진해진 음관(蔭官)과 무관(武官).

잔읍【殘邑】명 피폐(疲弊)한 고을. 박읍(薄邑).

잔인【殘忍】명 인정(人情)이 없고 모짊. ¶～ 무도(無道)하다. ——-하다 형여불

잔인 박행【殘忍薄行】명 잔인하고도 야박한 행위.

잔인-성【殘忍性】[一썽] 명 잔인한 언동(言動)을 태연하게 하는 경향(傾向)이나 성질(性質).

잔인-스럽다【殘忍一】형ㅂ불 잔인한 데가 있다. 잔인-스레【殘忍一】부

잔인 해:물【殘人害物】명 사람에게 잔인하게 굴고 물건을 해침. 준잔해(殘害). ——-하다 자여불

잔-일[1] [一닐] 명 자질구레하여 잔손이 많이 돌아가는 일. ↔큰일❶.

잔일[2]【殘日】명 ①저무는 해. 잔양(殘陽). ②남은 일수(日數). 여일(餘日). ③전(轉)하여, 남은 생애(生涯).

잔-입 [一닙] 명 아침에 일어나서 아직 아무 것도 먹지 아니한 입. 마른입. ¶～이라 입맛이 없다 / 조반 요기도 않고 ～으로 삼전도로 총총히 사라지더란 대답이었다≪金周榮 : 客主≫.

잔-잎 [一닙] 명〖식〗소엽(小葉)❶.

잔잎-바디 [一닙一] 명〖식〗[*Angelica czernevia*] 미나릿과에 속하는 다년초. 줄기는 높이 1m 내외임. 잎은 2-3회 3출하고 달걀꼴 또는 넓은 타원형(楕圓形)이고 가장자리가 째어짐. 7-8월에 흰 꽃이 복산형(複繖形) 화서로 피며, 과실은 구형(球形)인데 유관(油管)이 많으며, 9-10월에 익음. 제주·강원·경기·평북·함남북 등지에 분포(分布)함. 어린 잎은 식용함.

잔-자갈 명 아주 자질구레한 자갈.

잔자누룩-하다 형여불 고자누룩하여 잔잔하다. ¶소동이 잔자누룩해지다.

잔자리 명〈방〉〖충〗잠자리(경북).

잔자-성【殘磁性】명〔retentivity〕〖전〗자성체(磁性體)가 자기(磁氣) 유도에 의하여 자기화(磁氣化) 되는 일. 또, 포화(飽和) 자기 유도를 가했을 때 잔류하는 자기력선속 밀도(磁氣力線束密度). 잔류 자기성.

잔:-작-하다 형여불 나이에 비하여 늦되고 용렬하다.

잔-잔누비 명 줄을 썩 잘게 누빈 잔누비.

잔잔-하다[1] 형여불 바람이나 물결 또는 병이나 형세 같은 것이 가라앉아 조용하다. ¶잔잔한 바다/잔잔한 목소리. 잔잔-히 부
[잔잔한 물에 고기가 모인다] 평안한 환경이라야 살 수 있다는 말.

잔잔-하다[2]【孱孱一】형여불 기질이 몹시 약하다.

잔잔-하다[3]【潺潺一】형여불 ①물이 졸졸 흐르고 있다. ②가는 비가 오고 있다. 잔잔-히【潺潺一】부 ¶～ 흐르는 시냇물.

잔장〔湛江〕명〖지〗중국 광둥 성(廣東省) 레이저우(雷州) 반도 동안(東岸), 광저우 만(廣州灣)에 면한 항구 도시(港口都市). 1898년 프랑스의 광저우 만 조차(租借)에 따라 조차지가 되었다가, 1943년 일본이 점령하고 제2차 대전 종전 후 중국에 반환됨. 종래 배후지(背後地)와의 교통이 불편하여 발달이 늦었으나, 1955년에 리탕(黎塘)과의 철도 개통과, 또 동남아에 가까운 관계로 화난(華南)에서 유명한 무역항이 됨. 담강(湛江). [900,000 명 (1984)]

잔재[1]【殘在】명 남아 있음. ——-하다 자여불

잔재[2]【殘滓】명 남은 찌끼. 잔사(殘渣). ¶봉건주의의 ～.

잔-재미 명 잘고 감칠맛 있는 오밀조밀한 재미. ¶～를 보다.

잔-재비 명 ①자질구레하고 공교로운 일을 잘 처리(處理)하는 짓. ②큰

일이 벌어진 판에서 잔손이 돌아가는 일.

잔-재주【—才—】명 자질구레한 재주. ¶～가 있는 사람.

잔적[1]【殘賊】명 ①패하고 남은 도둑. ②사람이나 물건을 잔인(殘忍)하게 해침. 장적(戕賊). ——-하다 타여불

잔적[2]【殘滴】명 ①남은 물방울. ②남은 술. 여적(餘滴).

잔적[3]【殘敵】명 패(敗)하여 미처 피하지 못한 적군.

잔적-토【殘積土】명〖지〗원적토(原積土).

잔-전[1]【—錢】명☞ 잔돈.

잔전[2]【殘錢】명 잔금(殘金).

잔전-푼【—錢—】명 ☞ 잔돈푼.

잔-절편 명 잘게 만든 절편. 세절병(細切餠).

잔-정[1]【—情】명 자상하고 다정한 정. 세정(細情).

잔정[2]【殘政】명 잔악한 정치.

잔조[1]【殘租】명 기한내에 다 받지 못하고 남은 조세(租稅).

잔조[2]【殘照】명 저녁놀. 저녁놀의 음영(陰影). ＊낙조(落照).

잔족【殘族】명 ①살아 남은 일족(一族). ②망하여 얼마 남지 아니한 족속(族屬).

잔존【殘存】명 ①없어지지 않고 남아서 처져 있음. ②살아 남음. 또, 살아 남은 생물이나 사람. ¶～ 병력. ——-하다 자여불

잔존 가액【殘存價額】명〖경〗자산의 비용화(費用化)가 끝난 시점(時點)에 있어서의 처분 가능 가액.

잔존 감:각【殘存感覺】명〖심〗잔류 감각(殘留感覺).

잔존 곡선【殘存曲線】명〔survivor curve〕〖경〗몇 년이 지난 후에도 사용이 가능한 상태로 있는 기계(機械)·시설(施設)의 비율(比率)을 나타내는 곡선.

잔존 동:물【殘存動物】명 과거에 번성하고, 지금은 거의 절멸(絶滅)하였으나, 특별한 환경에만 현존하는 동물. 고산(高山)에 사는 뇌조(雷鳥), 심해(深海)에 사는 실러캔스(coelacanth) 등.

잔존-력【殘存力】[—녁] 명〔survivability〕〖군〗주어진 임무(任務)를 달성하기 위한 능력을 완전히 상실(喪失)하지 않은, 적의 공격을 감당할 수 있는 조직의 능력.

잔존 생물【殘存生物】명 ①잔존한 생물. 생물 분포의 변천 등을 아는 표징(標徵)이 됨. ②화석 생물(化石生物)의 형태나 습성(習性)을 현재까지 보유하고 있는 생물의 총칭. 식물의 메타세쿼이어(metasequoia), 동물의 실러캔스(coelacanth) 등. 산 화석(化石), 살아 있는 화석이라고도 이름. 잔존종(殘存種).

잔존 수입 제:한【殘存輸入制限】명〖경〗가트(GATT), 즉 관세 무역 일반 협정 체약국(締約國)이 정식으로 수입 제한을 하려면, 총회에서 3분의 2 이상의 찬성 투표를 얻어야 하는 어려움이 있으므로 이것을 거치지 아니하고 두 나라 사이의 협의 하에 인정하는 비공식적 수입 제한 방식.

잔존 식물【殘存植物】명〖식〗과거에 번성(繁盛)했던 식물로, 환경(環境)의 변화에 따라 쇠퇴(衰退)하여, 특정(特定)의 지역에만 살아 남아 있는 종류(種類).

잔존 조직【殘存組織】명〔relict texture〕〖지〗광상(鑛床)에서 부분적인 교대 작용(交代作用) 후에도 존속하는 원조직(原組織).

잔존-종【殘存種】명 잔존 생물❷.

잔존 주권【殘存主權】[—꿘] 명〔residual sovereignty〕 제2차 세계대전 후, 미국의 신탁 통치 밑에 있던 오키나와(沖繩)에 대하여, 일본이 잠재적으로 가지고 있었다고 하는 영토의 최종 처분권. 1951년 9월에 샌프란시스코 평화 회의에서 덜레스가 한 말. 잔류(殘留) 주권. 잠재(潛在) 주권.

잔존-해【殘存海】명〖지〗해저(海底)가 융기(隆起)하여 내륙에 남겨진, 예전의 바다.

잔존 확률【殘存確率】[—뉼] 명〔survival probability〕〖군〗목표가 공격을 받아도 잔존하는 확률.

잔졸【孱拙】명 잔약(孱弱)하고 옹졸함. 잔망(孱妄). ——-하다 형여불

잔주[1] 명 술이 취하여 늘어놓는 잔말. ——-하다 자여불

잔-주[2]【—註】명 큰 주석(註釋) 아래에 잘게 단 주석. 세주(細註). 소주(小註). ¶～를 달다.

잔-주름 명 잘게 잡힌 주름. ¶～이 잡히다/～이 가다. ＊잗주름.

잔-주름살【—쌀】명 잘게 잡힌 주름살. ㊀잔살.

잔주식 채:탄【殘柱式採炭】명 채탄법(採炭法)의 하나. 기둥 모양으로 석탄을 남겨 놓으면서 팜. 지압(地壓)으로 인한 지표(地表)의 함락을 방지할 수 있으나 실수율(實收率)이 낮음. 지표가 시가지(市街地)·하천(河川) 따위의 부득이한 경우에만 씀.

잔-주접 명 ①어렸을 때에 잔병치레가 잦아서 잘 자라지 못하는 탈. ¶～이 들다/～을 못 벗다. ②헌데나 옴.

잔-줄 명 잘게 그은 줄.

잔줄-고기 명〖어〗[*Brachyopsis rostratus*] 날개줄고깃과에 속하는 바닷물고기. 몸의 길이 30cm 내외. 길고 가늘어 흙줄고기와 비슷하며 몸빛은 담갈색(淡褐色) 바탕에 검은 점과 줄이 흩어져 있음. 식용(食用) 가치는 별무(別無)하고 두만강(豆滿江) 어귀와 일본 홋카이도·사할린 등지의 근해에 분포함.

잔즐구다 타〈방〉가라앉히다.

잔지【殘地】명 면적의 한 단위가 못 되는 지면(地面). 자투리 땅.

잔지러-뜨리다 타 몹시 자지러뜨리다. ＜진지러뜨리다.

잔지러-지다 자 몹시 자지러지다. ＜진지러지다.

잔지러-트리다 타 잔지러뜨리다.

잔-지렁이 명〈방〉〖식〗기장(경남).

잔지바르〔Zanzibar〕명〖지〗①아프리카 동안(東岸), 탄자니아의 섬. 정향(丁香)·코프라(copra)의 세계적 산지. [1,660km²] ②잔지바르 섬 서안(西岸)의 항만(港灣) 도시. 잔지바르 주(Zanzibar 州)의 주도(州都). 리빙스턴 등 많은 탐험가의 주거 유적이 있으며, 노예 무역으로 악명(惡名) 높았던 곳이기도 함. 전에는 잔지바르 왕국의 수도(首都)였음. [110,506명(1982)] ③1861-1964년, 동(東)아프리카에 있었던 왕국. 잔지바르와 펨바(Pemba)의 두 섬으로 구성되고, 오랫동안 영국의 보호령(保護領)이었으나 1963년 독립, 혁명에 의해 잔지바르 공화국(共和國)이 되고 이듬해 탕가니카와 합병(合倂)하여 탄자니아 연합 공화국을 결성했음. [2,461km²: 541,000명(1978)]

잔질[1]【殘疾】명 몸에 병이나 탈이 남아 있는 일.

잔-질[2]【盞—】명 술을 잔에 따르는 짓. 술잔에 술을 따라 돌리는 짓. ——-하다 자여불

잔질다 형 마음이 굳세지 못하고 약하다. ¶잔질어 빠진 사람.

잔질지-인【殘疾之人】[—찌—] 명 몸에 치르고 난 병이 남아 있어 쇠약해진 사람.

잔-짐승 명 작은 짐승.

잔즉고 부〈옛〉잠자코. ¶須達이 잔즉고 ᄉᆞ랑ᄒᆞ더니《釋譜 Ⅵ:25》.

잔창이 명〈방〉잔챙이.

잔-채[1] 명 잘게 써는 채.

잔채[2] 명〈방〉잔치(평안).

잔채[3]【殘菜】명 벌이어 잘게 나누거나 또는 먹고 남은 반찬.

잔채-질 명〖역〗포교(捕校)가 죄인을 신문(訊問)할 때에 가는 회추리로 이리저리 마구 때리는 매질. ¶저 년을 빨랫줄로 잔뜩 묶어 마룻대에 동그랗게 매달고 ～을 피가 쫄쫄 흐르도록 하여 반쯤 죽여 놓아라《李海朝: 鳳仙花》. ——-하다 자여불

잔챙이 명 여럿 가운데에서 가장 작고 품이 낮은 사람이나 물건.

잔척【殘尺】명 자투리.

잔천【殘喘】명 ①끊어지지 아니하고 아직 붙어 있는 숨. ②얼마 남지 아니한 나머지 목숨.

잔체【殘體】명〔rest body〕〖생〗원생 동물(原生動物)이 다분열(多分裂)할 때, 어떤 자개체(子個體)에도 쓰이지 않고 남은 모체 세포(母體細胞). 곧 붕괴하여 손실됨. 포자충류(胞子蟲類)에서 널리 볼 수 있으며, 편모충류(鞭毛蟲類)에서도 예가 있음.

잔초【殘礎】명 남아 있는 초석(礎石).

잔촉【殘燭】명 ①새벽녘까지 남아 있는 촛불. ②쇠잔한 촛불. 거의 다 타서 꺼질 듯한 촛불.

잔추【殘秋】명 얼마 남지 아니한 가을. 늦가을. 만추(晩秋).

잔춘【殘春】명 얼마 남지 아니한 봄. 늦봄. 만춘(晩春).

잔치[1] 명〔중세: 잔치〕경사에 음식을 차려 놓고 손을 청하여 먹으며 즐기는 일. ¶회갑 ～/혼인 ～. ——-하다 자여불

[잔치엔 먹으러 가고 장사엔 보러 간다] 축하(祝賀)하기 위해 간 혼인 잔치에서는 모두들 먹는 데만 기를 쓰고, 조위(弔慰)를 표하고 일을 거들어야 할 초상집에 가서는 구경만 하는 야박(野薄)한 인심(人心)을 한탄하는 말.

잔-치[2] 명〈방〉잔챙이.

잔치[3]【殘置】명 남겨 놓음. ——-하다 타여불

잔치다 타〈옛〉갖히다. 풀다. ¶爲頭 도ᄌᆞ기 닶겨머 드러 怒ᄒᆞ야 닐오ᄃᆡ…아니옷 머그면 네 머리를 버효리라 홀써 두리여 머그니 怒를 잔치니라《月釋 X:25》.

잔-침질【—鍼—】명 자잘하게 침으로 거푸 찌르는 짓. ——-하다 자여불

잔칫-날 명 잔치를 베푸는 날.

잔칫-상【—床】명 잔치에 먹을 음식상.

잔칫-집 명 잔치를 베푸는 집.

[잔칫집에는 같이 가지 못하겠다] 남의 결점을 잘 들추어 내는 사람을 두고 하는 말.

잔치 명〈옛〉잔치. ¶사돈 잔치어든 사돈짓 사룸으로 위두손을 사모디(如昏禮則姻家爲上客)《呂約 24》.

잔-칼질 명 칼로 썩 잘게 채치는 것. 두드리며 이기는 칼질. ¶고기를 ～하다. ——-하다 타여불

잔캥〔Jannequin, Clément〕명〖사람〗프랑스의 작곡가(作曲家). 조스캥 데 프레(Josquin des Prés)의 제자로 알려짐. 폴리포니(polyphony)의 샹송 《새의 노래》 외에 미사곡(missa曲)·모테트(motet) 등이 있음. [1472-1559]

잔-털 명 썩 보드랍고 짧은 털.

잔털-머리 명☞ 잔판머리.

잔털-오랑캐꽃 명〖식〗잔털제비꽃.

잔털-윤노리나무 명〖식〗[*Pourthiaea coreana*] 능금나뭇과에 속하는 낙엽 활엽의 작은 교목. 잎은 타원형 또는 거꿀달걀꼴임. 5월에 흰 꽃이 복산방(複繖房) 화서로 정생하여 피고 이과(梨果)는 10월에 빨갛게 익음. 산이나 들에 나는데 전남·충북·경기 등지에 분포함. 쇠코뚜레·연장 자루 및 신탄재로 쓰임.

잔털-제비꽃 명〖식〗[*Viola keiskei* var. *okuboi*] 제비꽃과에 속하는 다년초. 무경성(無莖性)으로 전주(全株)에 잔털이 나고, 잎은 뿌리에서 총생(叢生)하며 장병(長柄)으로 둥근 달걀꼴인데 탁엽(托葉)은 송곳 모양임. 4월에 잎 사이에서 나온 장경(長梗)에 좌우 상칭(左右相稱)의 흰 꽃 한 개가 달리어 핌. 과실은 삭과(蒴果)이고 긴 달걀꼴. 산지(山地)에 나는데 제주(濟州)·전남 및 경기도 광릉(京畿道光陵)에 분포함. 잔털오랑캐꽃.

잔판【棧板】명〖공〗흙으로 빚어 만든 그릇을 굽기 전에 담아 나르는 널빤지.

잔판-머리 명 일의 끝날 무렵의 판. 다 되어 가는 판.
잔패【殘敗】명 쇠잔하여 패배함. ──-하다 자여불
잔편[1]【殘片】명 남은 조각.
잔편[2]【殘編】명 산질(散帙)하여 남은 책. 잔본(殘本).
잔편 단간【殘編短簡】명 동강동강 끊어진 글이 조각조각 흩어져서 온전하지 못하게 된 책.
잔폐【殘廢】명 쇠잔하여 퇴폐함. ──-하다 자여불
잔포【殘暴】명 잔학(殘虐). ──-하다 형여불
잔-풀 명 어린 풀. 자디잔 풀.
잔풀-나기 [─라─] 명 작은 풀의 싹이 돋아나는 봄철.
잔풀-내기 [─래─] 명 한때 조그맣게 출세하여 호기를 부리며 꺼떡거리는 사람.
잔-풀이【盞─】명 됫병에 담긴 술 따위를 한 잔씩 논아 따라서 셈하는 일. ¶한 잔 얼마로 ~로 된다. ──-하다 타여불
잔풀 호사【─豪奢】명 허영(虛榮)에 들떠서 제 신분에 맞지 아니하게 하는 호사.
잔품【殘品】명 팔거나 쓰다가 남은 물품. ¶~ 정리/~ 대매출.
잔풍[1]【殘風】명 잔잔한 바람. ──-하다 형여불 바람이 잔잔하다.
잔풍[2]【潺風】명 조금씩 부는 고요하고 잔잔한 바람.
잔피【孱疲】명 잔약(孱弱)하고 피폐함. ──-하다 형여불
잔하【殘夏】명 얼마 남지 않은 여름. 늦여름. 만하(晩夏).
잔학【殘虐】명 잔인하고 포학함. 잔포(殘暴). ¶~한 행위. ──-하다 형여불
잔학-성【殘虐性】명 잔학한 성질.
잔한[1]【殘恨】명 유한(遺恨).
잔한[2]【殘寒】명 봄까지 남아 있는 추위. 늦추위. 여한(餘寒).
잔해[1]【殘害】명 ↗잔인 해물(殘人害物). ──-하다 자여불
잔해[2]【殘骸】명 ①버려진 사해(死骸)나 물건의 뼈대. ¶자동차의 ~. ②정신은 나간 채 남아 있는 육체.
잔향[1]【殘香】명 남아 있는 향기.
잔향[2]【殘鄕】명 쇠잔해진 향촌(鄕村).
잔향[3]【殘響】명 〔reverberation〕〖물〗실내(室內)의 발음체(發音體)에서 나는 소리가 울리다가 그친 후에도 남아서 들리는 소리. 실내 음향 효과(室內音響效果)를 내는 데 중요한 현상으로, 음악은 1.5-2.5 초, 강연에서는 1-1.5 초가 적당하다고 함.
잔허【殘墟】명 집·성(城)·시가(市街) 등의 폐허(廢墟).
잔-허리 명 허리의 뒤쪽으로 가늘게 된 부분. 가는 허리.
잔혈【孱孑】명 잔약(孱弱)하고 의지할 곳이 없음. ──-하다 형여불
잔호【殘戶】명 쇠잔해진 민호(民戶).
잔혹【殘酷】명 잔인(殘忍)하고 혹독함. ¶~한 성질. ──-하다 형여불
잔혹-성【殘酷性】명 잔혹한 성질.
잔화[1]【殘火】명 타고 남은 불. 꺼져 가는 불.
잔화[2]【殘花】명 떨어지고 남은 꽃.
잔회【殘懷】명 마음 속에 남은 회포.
잔-회계【─會計】명 자질구레한 회계. ──-하다 타여불
잔효【殘肴】명 먹다 남은 안주.
잔훼【殘毁】명 깨뜨려서 헐어 버림. ──-하다 타여불
잔흔【殘痕】명 남은 흔적.
-잖다 [잔타] 미 ↗-지 않다·-지 아니하다. ¶그렇~/적잖은 사람이 모였다.
잗 명 〈옛〉 잣. ¶솔와 잗과 잇는 邙山人 길히여(松栢邙山路)≪杜諺 XI:10≫.
잗-갈다 타 잘고도 곱게 갈다.
잗-갈리다 피동 잘고도 곱게 갈아지다.
잗-널다 타 이로 깨물어 잘게 만들다.
잗-다듬다 [─따] 타 잘고도 곱게 다듬다.
잗다라-니 부 잗다랗게.
잗-다랗다 [─라타] 형ㅎ불 생각보다 지나치게 잘다. 준잗닿다.
잗다래-지다 자 잗다랗게 되다.
잗-달다 형 하는 짓이 잘고 다랍다. 잗달게 굴다. ¶점잖지 못하게 유부녀를 겁탈하구 잗달게 나무 장수의 주머니 밑천을 떨구…≪洪命憙: 林巨正≫.
잗-닿다 [─다타] 형ㅎ불 ↗잗다랗다.
잗-젊다 [─점따] 형 나이보다 젊다.
잗-주름 명 옷에 잡는 잔주름. *잔주름.
잗-징 명 자잘한 징. ¶~박아 신고.
잗-타다 타 팥이나 녹두 같은 것을 잗다랗게 타다.
잘:[1] 명 검은담비의 모피(毛皮). 털의 밑동이 누르고 끝이 자흑색(紫黑色)인 초피(貂皮) 중의 상품(上品). 산달피(山獺皮). 자곽(紫鞹). 초웅피(貂熊皮). *돈피(獤皮).
잘[2] 명 〈옛·방〉 자루[1](경북). ¶도기 다몸과 잘이 녀허 토미(韜盛囊撲)≪楞嚴 Ⅷ:88≫.
잘[3] 명 〈옛·방〉 자루[2](강원). ¶칼잘이 드는 匠人이 어듸 인누뇨(快打刀子佰匠人那裏有)≪朴解 上 15≫.
잘[4]【JAL】명 〔Japan Air Lines의 약칭〕일본 항공(日本航空). 1951년에 설립된 반관 반민(半官半民)의, 일본에서 최대의 국제선(國際線)을 갖고 있는 항공 회사.
잘[5] 수 〈옛〉 억(億).
잘[6] 부 ①옳고 바르게. ¶마음을 ~ 써라. ②훌륭하게. ¶~ 그린 그림. ③익숙하고 능란하게. ¶탁구를 ~ 친다. ④편하게. 탈 없이. ¶~ 가오. ⑤만족하게. ¶~ 먹었다. ⑥아름답고 예쁘게. ¶~ 생긴 얼굴. ⑦버릇으로 늘. 곧잘. ¶걸핏하면 ~ 싸운다/그 집에 ~ 놀러 간다. ⑧실히. ¶한 말은 ~ 되겠다. ⑨아주 적절하게. ¶마침 ~ 왔다. ⑩쉽게. ¶수도가 얼어서 물이 ~ 안 나온다. 1)-3):↔잘못.
[잘 자랄 나무는 떡잎부터 안다] '될성부른 나무는 떡잎부터 알아 본다'와 같은 뜻. [잘 헤는 놈 빠져 죽고 잘 오르는 놈 떨어져 죽는다] 어떤 일에 능숙한 사람도 실수하여 낭패를 보는 수가 있다는 뜻.
-잘 어미 동사의 어간 아래 명사의 위에 붙어 '-자 할'의 뜻을 나타내는 관형사형 전성 어미. ¶보~ 것 없군.
잘가냥ᄒᆞ다 타 〈옛〉 자랑하다. ¶해드로ᄆᆡ 속절업시 잘가냥ᄒᆞ야(虛驕多聞)≪楞嚴 1:3≫.
잘가닥 부 ①납작한 물건끼리 맞부딪쳐 끈기 있게 나는 소리. ②끈기 있는 물건이 세차게 달라붙거나 떨어지는 소리. 또, 그 모양. ③좀 작은 자물쇠 같은 것이 잠기거나 열리는 소리. ¶자물쇠를 ~ 걸다. ④서로 닿으면 걸리어 붙는 단단한 물건끼리 맞부딪쳐 나는 소리. ¶~하고 맞물리다. 1)-4):준잘각. ㅆ잘까닥·짤까닥. ㅆ잘카닥·찰카닥. <절거덕. ──-하다 자타여불
잘가닥-거리다 자타 계속하여 잘가닥 소리가 나다. 또, 연해 잘가닥 소리를 나게 하다. 준잘각거리다. ㅆ잘까닥거리다·짤까닥거리다. ㅆ잘카닥거리다·찰카닥거리다. <절거덕거리다. **잘가닥-잘가닥** 부. ──-하다 자타여불
잘가닥-대다 자타 잘가닥거리다.
잘가당 부 자물쇠가 잠기거나 열릴 때 혹은 단단한 물건끼리 맞부딪쳐 울리는 소리. ㅆ잘까당·짤까당. ㅆ잘카당·찰카당. <절거덩. ──-하다 자타여불
잘가당-거리다 자타 계속해서 잘가당 소리가 나다. 또, 연해 잘가당 소리를 나게 하다. ㅆ잘까당거리다·짤까당거리다. ㅆ잘카당거리다·찰카당거리다. <절거덩거리다. **잘가당-잘가당** 부. ──-하다 자타여불
잘가당-대다 자타 잘가당거리다.
잘각 부 ↗잘가닥. ㅆ잘깍·짤깍. ㅆ잘칵·찰칵. <절걱. ──-하다 자타여불
잘각-거리다 자타 ↗잘가닥거리다. ㅆ잘깍거리다·짤깍거리다. ㅆ잘칵거리다·찰칵거리다. <절걱거리다. **잘각-잘각** 부. ──-하다 자타여불
잘각-대다 자타 잘각거리다.
잘강-거리다 타 질긴 물건을 계속해서 잘게 씹다. ¶잘강거리며 오징어를 씹다. <질겅거리다. **잘강-잘강** 부. ──-하다 타여불
잘강-대다 타 잘강거리다.
잘개-질 명 〖농〗↗자리개질. ──-하다 자여불
잘겁-하다 자여불 뜻밖에 몹시 놀라다. ¶하찮은 일에 잘겁해서 도망치다. <질겁하다.
잘그 명 〈방〉 자루[1](함경).
잘그다 타 〈방〉 자르다.
잘그락 부 얇은 쇠붙이끼리 서로 맞닿아서 약간 가볍게 나는 소리. 또, 그 모양. ㅆ짤그락. <절그럭. ──-하다 자타여불
잘그락-거리다 자타 연달아 잘그락하다. 또, 연해 잘그락 소리를 나게 하다. ㅆ짤그락거리다. <절그럭거리다. **잘그락-잘그락** 부. ──-하다 자타여불
잘그락-대다 자타 잘그락거리다.
잘그랑 부 엷은 쇠붙이끼리 맞닿아 울리는 소리. ㅆ짤그랑. ㅆ찰그랑. <절그렁. ──-하다 자타여불
잘그랑-거리다 자타 계속해서 잘그랑 소리가 나다. 또, 연해 잘그랑 소리를 나게 하다. ㅆ짤그랑거리다. ㅆ찰그랑거리다. <절그렁거리다. **잘그랑-잘그랑** 부. ──-하다 자타여불
잘그랑-대다 자타 잘그랑거리다.
잘근-잘근 부 질긴 듯한 것을 가볍게 자꾸 씹는 모양. ¶껌을 ~ 씹다. <질근질근.
잘금 부 ①액체가 조금 쏟아지다 그치는 모양. ②눈물을 조금 흘리며 우는 모양. ③비가 조금 내리다가 멎는 모양. 1)-3):ㅆ짤끔. <졸금·질금. ──-하다 자타여불
잘금-거리다 자타 계속해서 잘금하다. 또, 연해 잘금하게 하다. ㅆ짤끔거리다. <졸금거리다·질금거리다. *잘름거리다[1]. **잘금-잘금** 부. ──-하다 자타여불
잘금-대다 자타 잘금거리다.
잘긋-하다 형 〈방〉 잘깃하다.
잘기[1] 명 〈방〉 자루[1](강원).
잘기[2] 명 〈방〉 자루[2](강원·경북·함경·평북).
잘깃-잘깃 부 ①질긴 모양. ②성질이 검질긴 모양. 또, 일부러 검질기게 구는 모양. 1)·2):ㅆ짤깃짤깃. <질깃질깃. ──-하다 형여불
잘깃-하다 형여불 조금 질긴 듯하다. ㅆ짤깃하다. <질깃하다. *졸깃하다·쫄깃하다.
잘까닥 부 ①납작한 물건끼리 맞부딪쳐 끈기 있게 나는 소리. ②끈기 있는 물건이 세차게 달라붙거나 떨어지는 소리. 또, 그 모양. ③조금 작은 자물쇠 같은 것이 열리거나 잠기는 소리. ④단단하고 작은 물체가 맞부딪는 소리. 또, 그 모양. 1)-4):준잘깍. ㅅ잘가닥. ㅆ짤까닥. ㅆ잘카닥·찰카닥·<절꺼덕. ──-하다 자타여불
잘까닥-거리다 자타 잇따라 잘까닥하다. 또, 잇따라 잘까닥 소리를 나게 하다. 준잘깍거리다. ㅅ잘가닥거리다. ㅆ짤까닥거리다. ㅆ잘카닥거리다·찰카닥거리다. <절꺼덕거리다. **잘까닥-잘까닥** 부. ──-하다 자타여불
잘까닥-대다 자타 잘까닥거리다.
잘까당 부 자물쇠 같은 것이 열리거나 잠길 때 혹은 단단하고 작은 쇠붙이 같은 것이 부딪쳐 울리는 소리. ㅅ잘가당. ㅆ짤까당. ㅆ잘카당·찰카당. <절꺼덩. ──-하다 자타여불

잘까당-거리다 [자타] 자꾸 잘까당하다. 또, 자꾸 잘까당 소리를 나게 하다. ㅅ잘가당거리다. ㅆ짤까당거리다. ㅉ잘카당거리다·찰카당거리다. <절꺼덩거리다. **잘까당-잘까당** [부]. ——-하다 [자타][여불]

잘까당-대다 [자타] 잘까당거리다.

잘깍 [부] ↗잘까닥. ㅅ잘각. ㅆ짤깍. ㅉ잘칵·찰칵. <절꺽. ——-하다 [자타][여불]

잘깍-거리다 [자타] ↗잘까닥거리다. ㅅ잘각거리다. ㅆ짤깍거리다. ㅉ잘칵거리다·찰칵거리다. <절꺽거리다. **잘깍-잘깍** [부]. ——-하다 [자타][여불]

잘깍-대다 [자타] 잘깍거리다.

잘꾸사니 [감] 〈방〉 잘코사니. ¶ 밑천도 없어 가지고 구성 없이 덤벼들어 남 골탕먹이기 일쑤더니, 그저 ~야! ≪蔡萬植:濁流≫.

잘끈 [부] 바싹 동이거나 단단히 졸라매는 모양. ¶허리띠를 ~ 동여매다. <질끈.

잘끈-잘끈 [부] 여럿을 다 잘끈 동이거나 졸라매는 모양. <질끈질끈.

잘-나가다 [—라—] [자] 사회적으로 계속 성공하다. ¶ 제대로 잘나가면 사장 한 자리는 하겠다.

잘-나다 [—라—] [형] ①똑똑하고 뛰어나다. ¶잘난 체하다. ②잘 생기다. ¶잘난 사나이. 1)·2):↔못나다.

[잘난 사람은 잘나서 살고, 못난 사람은 제멋에 산다] 사람이란 잘나고 못나고 간에 살 만한 이유가 있다는 말. [잘난 사람이 있어야 못난 사람이 있다] 잘난 사람이 있는 반면에 못난 사람도 있게 마련이라는 말.

잘난-것 [—란—] [명] '대수롭지 아니한 것'이라는 반어(反語). ¶그 ~ 가지고 뻐기지 말게.

잘다 [형] 〔근대: 줄다〕 ①작다. ¶몇 개로 잘게 자르다. ②가늘다. ¶잔 글씨/잔 뿌리. ↔굵다❷. ③자세하다. ¶잔 주석(註釋). ④성질이 좀스럽다. ¶잘게 굴다. ↔굵다❸.

잘되 [명] 〈방〉〔어〕 성대.

잘-되다 [자] 사물 또는 신분(身分)이나 처신(處身)이 좋게 되다. ¶장사가 ~/아무개는 서울 가더니 잘되었다더라. *못되다.

[잘되면 제 탓 못 되면 조상 탓] 일의 실패에 대한 책임을 남에게 지우려든다는 말. [잘되면 충신이요 못되면 역적이라] 무슨 일에서나 결국은 승자에게 이롭게 되어 간다는 말.

잘-두루마기 [명] 잘의 털을 안에 붙인 두루마기.

잘똑-거리다 [자타] 한쪽 다리가 짧거나 탈이 나서 자꾸 절며 걷다. ¶ 패랭이를 쓴 사내가 일어서더니 금방 잡목숲을 헤치고 나오는 사내 앞으로 잘똑거리며 걸어 왔다≪金周榮:客主≫. ㅆ짤똑거리다. <절뚝거리다. *잘름거리다[2]. **잘똑-잘똑[1]** [부]. ——-하다[1] [자타][여불]

잘똑-대다 [자타] 잘똑거리다.

잘똑-이 [부] 잘똑하게. ㅆ짤똑이.

잘똑-잘똑[2] [부] 긴 물건의 군데군데가 깊게 패어 옴쏙한 모양. ㅆ짤똑짤똑[2]. ——-하다[2] [형][여불]

잘똑-하다 [형][여불] 긴 물건의 한 부분이 깊게 패어 옴쏙하다. ㅆ짤똑하다. <질뚝하다. *잘록하다.

잘뚜마기 [명] 긴 물건의 한 부분이 잘똑하게 들어간 곳.

잘라래비 [명] 〈방〉 ①〔동〕 원숭이(경남). ②〔충〕 잠자리(경남).

잘라 말:하다 [구] 분명히 단정하여 말하다. ¶이것이 틀림없다고 ~.

잘라-매다 [타] 끈으로 졸라 단단히 동여매다. *졸라매다.

잘라-먹다 [타] ①동강을 내어 먹다. ¶떡을 ~. ②남에게 갚거나 돌려주거나 전해 줄 돈이나 물건을 떼먹거나 제 것으로 삼다. ¶빚을 ~. ③중간에서 횡령(橫領)하다. ¶공금을 ~.

잘라-뱅이 [명] 짧게 된 물건.

잘라비 [명] 〈방〉〔충〕 잠자리(경남).

잘란다르 [Jalandhar] [명] 〔지〕 인도 북서부, 펀자브 주(Punjab 州)의 도시. 교통의 요지(要地)로, 면화(棉花)·사탕수수 등의 농산물의 집산지(集散地)이고 견직물(絹織物)도 산출함. 1846년 영국령(英國領)이 되었었음. 절런더(Jullundur). [408,000명(1981)]

잘랑 [부] 얇은 쇠붙이나 작은 방울이 함께 흔들리어 나는 소리. ㅆ짤랑. ㅉ찰랑. <절렁. ——-하다 [자타][여불]

잘랑-거리다 [자타] 자꾸 잘랑 소리가 나다. 또, 자꾸 그런 소리를 내다. ¶호주머니의 주화가 ~. ㅆ짤랑거리다. ㅉ찰랑거리다다라. <절렁거리다. **잘랑-잘랑** [부]. ——-하다 [자타][여불]

잘랑-대다 [자타] 잘랑거리다.

잘래미 [명] 〈방〉〔동〕 원숭이(경상). *잔나비.

잘래비 [명] 〈방〉 ①〔충〕 잠자리(경상·전라). ②〔동〕 원숭이(경남).

잘래-잘래 [부] 머리를 옆으로 가볍게 자꾸 흔드는 모양. [준]잘잘. ㅆ짤래짤래. <절레절레. *살래살래.

잘량 [명] ↗개잘량.

잘량-하다 [형] 〈방〉 알량하다.

잘록-거리다 [자타] 약간 잘름거리다. ¶잘록거리며 걷다. ㅆ짤록거리다. <절룩거리다. **잘록-잘록[1]** [부]. ——-하다[1] [자타][여불]

잘록-대다 [자타] 잘록거리다.

잘록-이 [부] 잘록하게.

잘록-이다 [一][자] 다리를 잘록잘록 절다. [二][타] 걸을 때에 다리를 조금씩 절다. <절룩이다.

잘록-잘록[2] [부] 긴 물건이 군데군데 얕고도 잦게 패어 들어 오목한 모양. 또, 여러 개가 모두 잘록한 모양. ㅆ짤록짤록[2]. <질룩질룩. ——-하다[2] [형][여불]

잘록-지다 [형] 잘록해져 있다.

잘록-하다 [형][여불] 긴 물건의 한 군데가 패어 들어가 오목하다. ¶목이 잘록한 꽃병/허리가 ~. ㅆ짤록하다. <질룩하다.

*잘뚝하다.

잘록허리-왕잠자리 【—王—】 [명] 〔충〕 [*Gynacantha japonica*] 왕잠자릿과에 속하는 곤충의 하나. 복부(腹部)의 길이는 45-47mm이고 뒷 날개의 길이는 43-45mm임. 흉부는 녹색인데, 중흉부(中胸部)의 중앙선(中央線)은 흑색임. 복부는 흑색이고 각 절 후연(後緣)에 녹색 반문(斑紋)이 있고, 중앙에는 가는 녹색 종대(縱帶)가 있음. 시맥(翅脈)과 연문(緣紋)은 흑갈색임. 한국에도 분포함.

〈잘록허리왕잠자리〉

잘롤 [Salol] [명] 살리실산 페닐(salicylic phenyl)의 상품명. 방향성(芳香性)의 백색 결정(白色結晶)의 분말로 장내 방부제(腸內防腐劑)·해열제(解熱劑)로 씀. 녹는점은 41°-43°C. 외용(外用)으로는 1-3배의 녹말이나 탤크(talc)와 섞어 방부 살포약으로, 수의과(獸醫科)에서는 외용(外用)으로서 요오드포름의 대용(代用)으로 쓰고, 내용(內用)으로는 발효성 하감(下疳)에 씀.

잘루 [명] 〈방〉 ①자루[1](경기·전북). ②자루[2](경기).

잘뤼 [명] 〈방〉 자루[1](전북).

잘르다 [타] 〈방〉 자르다(경기·충청·전북).

잘름-거리다[1] [자] 가득 찬 액체가 잘금잘금 넘치다. ㅆ짤름거리다[1]. <질름거리다[1]. *잘금거리다. **잘름-잘름[1]** [부]. ——-하다[1] [자][여불]

잘름-거리다[2] [자타] 한 쪽 다리가 짧거나 탈이 나서 조금 절다. ¶잘름거리면서도 잘 뛴다. ㅆ짤름거리다[2]. <절름거리다. *잘똑거리다. **잘름-잘름[2]** [부]. ——-하다[2] [자타][여불]

잘름-거리다[3] [타] 한목에 주지 않고 여러 차례에 나누어 조금씩 주다. ㅆ짤름거리다[3]. <질름거리다[2]. **잘름-잘름[3]** [부]. ——-하다[3] [타][여불]

잘름-대다 [자타] 잘름거리다[1·2·3].

잘름-발이 [명] 다리를 잘름거리는 사람. ㅆ짤름발이. <절름발이.

잘름-뱅이 [명] 〈방〉 잘름발이.

잘름-하다 [형][여불] 〈방〉 잘록하다. ¶ 그 집터의 생김이 장구통처럼 허리가 잘름하게 생겨 먹은 때문이다≪李無影:三年≫.

잘리 [명] 〈방〉 자루[1·2](경상·제주).

잘리다 [피동] ①남에게 잘라먹음을 당하다. ¶본전까지 잘렸다. ②끊어지게 되다. ¶작두에 손가락이 ~. ③단단히 잘라맴을 당하다. ④해고당하다. ¶목이 ~.

잘:리어 왕조 【—王朝】 [Salier] [명] 〔역〕 작센 왕조를 이어 독일 국왕(國王)과 신성(神聖) 로마 황제를 지낸 중세 독일의 왕조. 전반기에는 폴란드를 지배 하에 두는 등 왕권(王權)을 신장(伸張)하였으나, 후반기에는 성직 서임권 투쟁(聖職敍任權鬪爭)과 지방 분권화(地方分權化)로 황제권이 약화되면서 4대에 이르러 망(亡)함. 프랑켄(Franken) 왕조. [1024-1125]

잘매 [명] 〈심마니〉 도끼.

잘-먹다 [一][자] 식생활에 부족함이 없다. ¶잘먹고 잘산다. [二][타] 가리지 않고 먹다. 어떤 특정한 것을 좋아하여 먹다.

[잘먹고 잘입어 못난 놈 없다] 신색과 외양이 번듯하면 못난 사람도 잘나 보이고, 그래서 대우도 받는다는 뜻. 유족한 생활을 하면 인품까지 돋보인다는 말.

잘메 [명] 〈심마니〉 도끼.

잘몬ᄒᆞ다 [타] 〈옛〉 잘못하다. ¶내 잘몬ᄒᆞ리로다 ᄒᆞ면 이는 眞實로 잘몬호미어니와 長者ᄅᆞᆯ 爲ᄒᆞ야 자기 것구믈 사롬ᄃᆞ려 닐오ᄃᆡ 내 잘몬ᄒᆞ리로다 ᄒᆞ면 이는 ᄒᆞᆫ디 아니홀 ᄲᅮᆫ니언뎡 잘몬ᄒᆞ야 ᄒᆞᆫ는 주리 아니라 ᄒᆞ시니 ≪內訓 序 7≫.

잘못 [一][명] 잘하지 못한 짓. 잘되지 아니한 일. 과실(過失). ¶네 ~이다/~을 인정하다. [二][부] ①틀리게. 그릇되게. ¶~ 대답하다/길을 ~ 들다. ②생각 없이 함부로. ¶~ 만지면 터진다. ③좋지 않게. 재수 없이. ¶아내를 ~ 얻다/~ 걸려 들다. 1)-3):↔잘.

잘못-되다 [자] ①틀리게 되거나 그릇되다. ②'불행하게 죽다'의 뜻으로 하는 말. ¶몹시 앓는다더니 잘못된 것이나 아닐까?

잘못-짚다 [자타] 무엇에 대한 짐작이나 예상이 빗나가다. 잘못되어 어그러지다. 헛다리짚다.

잘못-하다 [타][여불] ①일을 그릇되게 하다. ¶수술을 ~. ②실수(失手)하다. ¶잘못해서 웅덩이에 빠지다. ③사리(事理)에 어그러진 일을 하다. ¶잘못했으면 뉘우칠 줄 알아야지. 1)-3):↔잘하다.

잘바닥 [부] 얕은 물이나 진창을 거칠고 어지럽게 밟을 때 나는 것과 같은 소리. <절버덕. ——-하다 [자타][여불]

잘바닥-거리다 [자타] ①계속해서 잘바닥 소리를 내다. ②야단스럽게 잘박거리다. 1)·2):ㅉ찰바닥거리다. <절버덕거리다. **잘바닥-잘바닥** [부]. ——-하다 [자타][여불]

잘바닥-대다 [자타] 잘바닥거리다.

잘바당 [부] 깊은 물에 무겁고 큼직한 물건이 떨어져서 요란스럽게 울려 나는 소리. ㅉ찰바당. <절버덩. ——-하다 [자타][여불]

잘바당-거리다 [자타] 계속해서 잘바당 소리가 나다. 또, 자꾸 그런 소리를 내다. ㅉ찰바당거리다. <절버덩거리다. **잘바당-잘바당** [부]. ——-하다 [자타][여불]

잘바당-대다 [자타] 잘바당거리다.

잘박 [부] 얕은 물이나 진창을 밟을 때 나는 것과 같은 소리. ㅉ찰박. <절벅. ——-하다 [자타][여불]

잘박-거리다 [자타] 계속해서 잘박 소리가 나다. 또, 자꾸 그런 소리를 내다. ㅉ찰박거리다. <절벅거리다. **잘박-잘박** [부]. ——-하다 [자타][여불]

잘박-대다 [자타] 잘박거리다.

잘방 [부] 깊은 물에 좀 묵직한 물건이 떨어져서 웅숭깊게 울려 나는 소리. ㅉ찰방. <절벙. ——-하다 [자타][여불]

잘방-거리다 [자타] 계속해서 잘방 소리가 나다. 또, 자꾸 그런 소리를

내다. ㅆ찰방거리다. <절벙거리다. 잘방-잘방 [부]. ——-하다 [자타][여불]
잘방-게 [명] 흔히 민물에 사는 작은 게의 한 가지.
잘방-대다 [자타] 잘방거리다.
잘:-배자【一褙子】 [명] 잘의 털을 붙여 만든 배자.
잘-빠지다 [형] 여럿 중에서 가장 미끈하게 잘 생기어 뛰어나다. ¶제품이 ~/잘빠진 것으로 골라 주시오.
잘-살다 [자] ①부족함이 없이 부유(富裕)하게 살아가다. ¶부러운 것 없이 ~/잘사는 나라. ↔못살다❶. ②탈없이 지내다. ¶타관에서 잘살고 있는지 궁금하다.
잘-생기다 [형] 모양이 훌륭하게 생기다. 얼굴이 훤하게 생기다. ¶잘생긴 남자. ↔못생기다.
잘싸닥 [부] 수면(水面)을 납작한 물건으로 때릴 때 요란스럽게 나는 소리. (준)잘싹. ㅆㅅ찰싸닥. <절써덕. ——-하다 [자타][여불]
잘싸닥-거리다 [자타] 계속해서 잘싸닥 소리가 나다. 또, 자꾸 그런 소리를 내다. (준)잘싹거리다. ㅆㅅ찰싸닥거리다. <절써덕거리다. 잘싸닥-잘싸닥 [부]. ——-하다 [자타][여불]
잘싸닥-대다 [자타] 잘싸닥거리다.
잘싹 [부] ↗잘싸닥. ㅆㅅ찰싹. <절썩[1]. ——-하다 [자타][여불]
잘싹-거리다 [자타] ↗잘싸닥거리다. ㅆㅅ찰싹거리다. <절썩거리다. 잘싹-잘싹 [부]. ——-하다 [자타][여불]
잘싹-대다 [자타] 잘싹거리다.
잘쏙-거리다 [자타] 한 쪽 다리가 짧거나 탈이 나서 약간 잘뚝거리다. ㅆ짤쏙거리다. <절쑥거리다. 잘쏙-잘쏙[1] [부]. ——-하다[1] [자타][여불]
잘쏙-대다 [자타] 잘쏙거리다.
잘쏙-이 [부] 잘쏙하게. ㅆ짤쏙이. <질쑥이.
잘쏙-잘쏙[2] [부] 여러 군데가 잘쏙한 모양. ㅆ짤속짤속[2]. <질쑥질쑥. ——-하다[2] [형][여불]
잘쏙잘쏙-이 [부] 짤막짤막하게.
잘쏙-하다 [형][여불] 긴 물건의 한 부분이 가로 가늘게 패어서 옴쏙하다. ¶허리가 ~. ㅆ짤쏙하다. <질쑥하다.
잘쑥-하다 [형] 〈방〉 잘쏙하다.
잘-입다 [자타] ①의생활(衣生活)에 부족함이 없다. ¶잘입고 잘살다. ②옷 따위를 안목(眼目)있게 입을 줄 알다. ¶싸구려 옷이라도 잘입으면 멋이 있다.
잘잘[1] [부] ↗잘래잘래. ¶머리를 ~ 흔들다. ㅆ짤짤[1]. <절절[3].
잘잘[2] [부] 열이나 온도가 매우 높아 매우 더운 모양. ¶~ 끓는 아랫목. ㅆ짤짤[2]. <절절[4].
잘잘[3] [부] 물건을 손에 쥐고 가볍게 흔드는 모양. ¶술병을 ~ 흔들다. ㅆ짤짤[3]. <절절[5].
잘잘[4] [부] 이리저리 채신없이 바삐 쏘대는 모양. ¶어디를 그렇게 ~ 쏘다니느냐. ㅆ짤짤[4]. <절절[6].
잘:잘[5] [부] 땅에 축 늘어져서 끌리는 모양. ¶치맛자락을 ~ 끌다. ㅆ짤짤[5]. <질질[1].
잘:잘[6] [부] 기름이나 윤기가 겉에 드러나게 반드르르 흐르는 모양. ¶얼굴에 기름기가 ~ 흐르다. ㅆ짤짤[6]. <질질[2].
잘:잘[7] [부] 물이 많지 않게 또는 얕이 흐르는 모양. 또, 그 소리. ㅆ짤짤[7]. <절절[7].
잘잘-거리다 [자] 이리저리 채신없이 바삐 쏘대다. ㅆ짤짤거리다. <절절거리다.
잘잘-대다 [자] 잘잘거리다.
잘잘-잘못 [명] 잘함과 잘못함. 옳음과 그름. 시비(是非). 조백(皁白). 흑백(黑白). ¶~을 따지다.
잘잘못-간에【一間一】 [부] 잘하였거나 잘못하였거나 불문하고. ¶~ 수고는 많이 했다.
잘잘-하다 [형] 〈방〉 자잘하다.
잘-지내다 [자] 부족함이 없이 잘살아 가다. ¶시집가서 ~.
잘착-거리다 [자] 진흙 같은 것이 묽게 곤죽이 되어 밟으면 연해 진 촉감을 주다. <질척거리다. 잘착-잘착 [부]. ——-하다 [형][여불]
잘착-대다 [자] 질척거리다.
잘착-하다 [형][여불] 묽은 진흙 같은 것이 차지게 질다. <질척하다.
잘츠만 〔Salzmann, Christian Gotthilf〕 [명] 〖사람〗 독일의 범애파(汎愛派) 교육가. 1784년 고타 후(侯)의 후원으로 슈네펜탈(Schnepfenthal)에 잘츠만 학교를 창설, 소수(少數)의 학생들을 따뜻한 가정적(家庭的) 분위기 속에서 교육하여 각자의 개성(個性)을 신장(伸張)시킴. 전인 도야(全人陶冶)와 체육을 중시하고 학습과 수덕(修德)을 포괄(包括)하는 학교 교육을 주장함. [1744-1811]
잘츠부르크 〔Salzburg〕 [명] 〖지〗 ①오스트리아 중북부(中北部)의 주(州). 독일(獨逸)의 남동부와 국경을 접함. 주로 산악 지대(山岳地帶)인데 3,000 m 이상이나 되는 호에타우에른(Hohe Tauern) 및 니데레타우에른(Niedere Tauern)이 빙하(氷河)에 덮인 채 우뚝 솟아 있음. 잘차흐 강(Salzach江)과 그 지류(支流)가 흐름. 산간 목장(牧場)에서는 소를 기르며, 목재(木材)와 암염(岩塩)이 산출됨. 관광 산업이 발달함. [7,155 km²: 443,000 명(1981)] ②잘츠부르크 주(州)의 북서부 독일과의 국경 지대에 있는 주도(州都). 로마 시대에 건설되어 중세에는 주교 관구(主敎管區)가 설치되어 가톨릭 문화의 중심지이며 상업의 중심지였음. 관광·휴양 도시이며 모차르트 탄생지(誕生地)로 매년 국제적으로 유명한 잘츠부르크 음악제가 열림. 시내에는 바로크 양식(樣式)의 유명한 건축이 많음. [135,000 명(1991)]
잘츠부르크 음악제【一音樂祭】 〔Salzburg〕 [명] 〖악〗 잘츠부르크에서 매년 열리는 음악제. 상연물(上演物)로는 모차르트를 중심으로 한 독일·오스트리아계(系)의 오페라와 빈 필하모니를 중심으로 한 연주회(演奏會) 등이 있음.

잘카냥ᄒᆞ다 [타] 〈옛〉 자랑하다. ＝잘가냥ᄒᆞ다·카냥ᄒᆞ다. ¶後世예 末學이 쇽졀업시 해 드로ᄆᆞᆯ 잘카냥ᄒᆞ야(後世末學虛驕多聞) ≪楞嚴 Ⅰ:94≫.
잘카닥 [부] ①끈기 있는 물건이 세차게 달라붙었다가 떨어지는 소리나 모양. ②서로 닿으면 걸리어 붙게 된 단단한 물건끼리 맞부딪치어 나는 소리. ③자물쇠 같은 것이 열리거나 잠기는 소리. ④납작한 물건끼리 맞부딪치어 끈기 있게 나는 소리. 1)-4): (준)잘칵. ㅅ잘가닥. ㅆ잘까닥·짤까닥. ㅆㅅ찰카닥. <절커덕. ——-하다[1] [자타][여불]
잘카닥-거리다[1] [자타] 연해 잘카닥 소리가 나다. 또, 연해 그런 소리를 내다. (준)잘칵거리다. ㅅ잘가닥거리다. ㅆ잘까닥거리다·짤까닥거리다. ㅆㅅ찰카닥거리다. <절커덕거리다. 잘카닥-잘카닥[1] [부]. ——-하다[1] [자타][여불]
잘카닥-거리다[2] [자] 진흙 같은 것이 야단스럽게 잘칵거리다. <질커덕거리다. 잘카닥-잘카닥[2] [부]. ——-하다[2] [형][여불]
잘카닥-대다 [자타] 잘카닥거리다[1·2].
잘카닥-하다[2] [형][여불] 진흙 같은 것이 몹시 잘칵하다. <질커덕하다.
잘카당 [부] 자물쇠 등이 열리거나 잠길 때 또는 단단한 쇠붙이가 서로 맞부딪칠 때 울리어 나는 소리. ㅅ잘가당. ㅆ잘까당·짤까당. ㅆㅅ찰카당. <절커덩. ——-하다 [자타][여불]
잘카당-거리다 [자타] 연해 잘카당 소리가 나다. 또, 연해 그런 소리를 내다. ㅅ잘가당거리다. ㅆ잘까당거리다·짤까당거리다. ㅆㅅ찰카당거리다. <절커덩거리다. 잘카당-잘카당 [부]. ——-하다 [자타][여불]
잘카당-대다 [자타] 잘카당거리다.
잘칵 [부] ↗잘카닥. ㅅ잘각. ㅆ잘깍·짤깍. ㅆㅅ찰칵. <절컥 ——-하다[1] [자타][여불]
잘칵-거리다[1] [자타] ↗잘카닥거리다[1]. ㅅ잘각거리다. ㅆ잘깍거리다·짤깍거리다. ㅆㅅ찰칵거리다. <절컥거리다. 잘칵-잘칵[1] [부]. ——-하다[1] [자타][여불]
잘칵-거리다[2] [자] 진흙 같은 것이 몹시 질퍽하여, 밟으면 연해 진 촉감을 주다. <질컥거리다. 잘칵-잘칵[2] [부]. ——-하다[2] [형][여불]
잘칵-대다 [자타] 잘칵거리다[1·2].
잘칵-하다[2] [형][여불] 진흙 같은 것이 물기가 많아서 몹시 질다. <질컥하다.
잘코사니 [감] 남의 불행이 마음에 고소하여 하는 말. ¶눈엣가시 같은 왜상들이 흉변을 당하였는데 ~라고 여길 너희들이 애간장 탈 것이 무어냐≪金周榮 : 客主≫.
잘코셔니 [감] 〈옛〉 잘코사니. ¶잘코셔니(趁願) ≪漢淸 Ⅶ:50, 同文上 33≫.
잘크라-지다 [자] 잘쏙하게 들어가다. <질크러지다.
잘텐 〔Salten, Felix〕 [명] 〖사람〗 오스트리아의 작가(作家). 본명(本名)은 Felix Salzmann. 나치스를 피하여 미국·스위스에 망명. 희곡(戱曲)·평론(評論)도 썼지만, ≪밤비≫ 등 동물 이야기가 젊은 층에 널리 애독(愛讀)됨. [1869-1945]
잘:-토시 [명] 잘의 털을 붙여서 만든 토시.
잘파닥-거리다 [자] 요란스럽게 잘팍거리다. <질퍼덕거리다. 잘파닥-잘파닥 [부]. ——-하다 [형][여불]
잘파닥-대다 [자] 잘파닥거리다.
잘파닥-하다 [형][여불] 몹시 잘팍하다. <질퍼덕하다.
잘팍-거리다 [자] 진흙 같은 것이 묽게 곤죽이 되어 밟으면 연해 진 촉감을 주다. <질퍽거리다. 잘팍-잘팍 [부]. ——-하다 [형][여불]
잘팍-대다 [자] 잘팍거리다.
잘팍-하다 [형][여불] 진흙 같은 것이 곤죽이 되어 아주 묽게 질다. <질퍽하다.
잘-하다 [타][여불] ①옳고 착하게 하다. 좋고 훌륭하게 하다. ¶정말 잘했다. ②익숙하고 능란하게 하다. ¶영어를 ~/계산을 ~. ③순편하고 만족하게 하다. ¶일 처리를 잘해 내다. ④버릇으로 자주 하다. ¶웃기를 ~. 1)-3): ↔잘못하다.
[잘해도 한 꾸중 못해도 한 꾸중] 잘하나 못하나 결점을 캐내어 꾸중하려면 할 수 있다는 말.
잘-해야 [부] 크게 잡거나, 혹은 좋게 잡아야 고작. ¶~ 열이 될까 말까 하다.
잠[1] [명] ①눈을 감고 쉬는 무의식(無意識)의 상태. 수면(睡眠). ②누에가 허물을 벗기 전에 잠시 활동을 정지하고 뽕을 먹지 아니하는 상태. 면(眠). ¶넉 ~을 자고 허물을 벗다. ③여러 겹으로 된 물건이 떠들썩하게 부풀지 아니하고 가라앉은 상태. ¶~ 잔 이불솜. ④활동·유통을 멈춤. ¶돈이 ~을 자다.
[잠을 자야 꿈을 꾸지] 어떤 결과를 얻으려면 그것을 가져올 만한 상당한 순서를 밟지 않으면 안 된다는 말.
잠:[2] [명] 〈방〉 잠방이(충남).
잠[3]【箴】 [명] 가르쳐 경계하는 뜻을 부친 글의 한 체(體).
잠[4]【簪】 [명] ①비녀. ②〖건〗 비녀장.
잠[5]【蠶】 [명] 성(姓)의 하나. 우리 나라에는 현존하지 아니함.
잠[6] 〔Jammes, Francis〕 [명] 〖사람〗 프랑스의 시인. 상징주의 말기의 퇴폐와 도회(韜晦)에 반항하여 자연의 풍물(風物)을 종교적 감정에 찬 애정으로써 노래하였고, 1905년 가톨릭에 개종(改宗)하였음. 작품으로 시집(詩集) ≪새벽 종으로부터 저녁 종까지≫ 이외에 많은 시집이 있음. [1868-1938]
잠가【蠶架】 [명] 누에시렁.
잠간[1]【箴諫】 [명] 훈계(訓戒)하여 간함. ——-하다 [타][여불]
잠:간[2]【暫間】 [명][부] ↗잠시간(暫時間). ＊잠깐.
잠간[3]【潛奸】 [명] ①남몰래 간사스러운 짓을 함. ②밀통(密通). ——-하다 [타][여불]
잠간[4] [부] 〈옛〉 조금. ＝잢간. ¶내 양ᄌᆞ 놈만 못ᄒᆞᆫ 줄 나도 잠간 알건마는 ≪古時調 鄭澈≫.

잠갑【潛岬】 명 〖지〗 산맥이 육붕(陸棚)·도붕(島棚) 위에 또는 그것을 넘어 바다 속에 연장하여 있는 부분.

잠개 명 〈옛〉 병장기(兵仗器). ＝병잠기·병잠개. ¶兵은 잠개 자본 사ᄅᆞ미오 ≪月序 6≫.

잠거¹【潛居】 명 숨어 있음. 남 몰래 숨어 삶. ──-하다 자 여불

잠거²【簪裾】 명 의관(衣冠).

잠:견¹【暫見】 명 잠깐 봄. ──-하다 타 여불

잠견²【蠶繭】 명 누에고치.

잠-결 [─껼] 명 자다가 의식이 흐릿한 겨를, 또는 잠이 막 깨려고 할 즈음. ¶~에 총소리를 들었다.
[잠결에 남의 다리 긁는다] ㉠자기를 위하여 한 일이 뜻밖에 남을 위한 일이 되었다는 뜻. ㉡흐리멍덩한 김에 남의 일을 자기 일로 잘못 알고 하였다는 뜻. ㉢얼떨떨한 겨를에 하는 일은 실수를 잘 하게 된다는 말.

잠경¹【岑莖】 명 〖한의〗 고삼(苦蔘)❷.

잠경²【箴警】 명 훈계(訓戒)하여 경계함. ──-하다 타 여불

잠계【箴戒】 명 깨우쳐 훈계함. ──-하다 타 여불

잠곡 필담【潛谷筆譚】 [─땀] 명 〖책〗 조선 인조(仁祖) 때 잠곡 김육(金堉)이 지은 책. 당시의 기사(奇事)·이문(異聞)을 모아 놓아 당시의 사정을 알기에 도움이 됨.

잠공¹【潛攻】 명 ①잠복하여 있다가 적을 침. ②잠수함으로 적을 공격함. ──-하다 타 여불

잠공²【蠶功】 명 누에농사. 누에 치는 일.

잠교【潛蛟】 명 깊이 잠겨 숨은 교룡(蛟龍).

잠구¹【潛丘】 명 〖지〗 현재 지하에 묻혀서 볼 수 없게 된 지질 시대(地質時代)의 산. 석유(石油)나 천연 가스(天然 gas)가 모이기 쉬워 경제적으로 중요시함.

잠구²【蠶具】 명 누에를 치는 데에 쓰는 제구. 누에 연모.

잠구 반:영 구조【潛丘反映構造】 명 〖지〗 잠구 위에 부정합(不整合)으로 겹쳐진 지층이 잠구를 중심으로 나타내는 궁륭형(穹窿形) 또는 배사상(背斜狀)의 구조.

잠군【潛軍】 명 ①잠복해 있는 군사. ②몰래 쳐들어오는 군사.

잠굴【潛窟】 명 숨어 있는 곳.

잠-귀 [─뀌] 명 잠결에 소리를 듣는 감각. ¶~가 밝다.
잠귀(가) 밝다 구 잠결에 소리를 듣는 감각이 예민하다.
잠귀(가) 어둡다 구 잠결에 소리를 듣는 감각이 둔하다.
잠귀(가) 질기다 구 잠귀가 어두워 여간해서는 잠을 깨지 아니하다.

잠규【箴規】 명 남을 훈계하여 바로잡는 일.

잠그다¹ 타 여닫는 물건을 열지 못하게 무엇을 걸거나 꽂거나 채우다. ¶문을 ~.

잠그다² 타 ①물 속에 물건을 넣어 가라앉게 하다. ¶옷을 물에 ~. ②앞날을 바라고 어떤 일에 돈이나 물질을 들이다. ¶사업 자금으로 돈을 ~.

잠기¹ 명 〈옛〉 쟁기. ¶마히 매양이랴 잠기 연장 다스려라 ≪永言 尹善道≫.

잠-기²【─氣】 [─끼] 명 잠이 오거나 잠에서 깨어나지 못한 기색. ¶눈을 보니 ~가 있네

잠기다¹ 자 [중세 : ᄌᆞᄆᆞ다] ①여닫게 된 물건이 잠가지다. ¶문이 ~. ②목이 쉬어 소리가 제대로 나오지 아니하다. ¶목이 ~.

잠기다² 자 [중세 : ᄌᆞᄆᆞ다] ①물 속에 들어가 가라앉다. ¶발이 물에 ~. ②어떤 일에 밑천·물건·노력 등이 들어 있다. ¶돈이 광산업에 잠겨 있다. ③한 가지 일에만 정신이 쏠려 있다. ¶사색(思索)에 ~/슬픔에 ~.

잠깐 명부 매우 짧은 동안. 오래지 아니한 사이. ¶~ 만납시다/~만 기다려라.

잠깐 동안 [─똥─] 명부 오래지 아니한 동안.

잠깐-잠깐 부 거듭하여 잠간씩. 잠깐을 여러 번 거듭하는 모양. ¶시간이 나는 대로 ~씩 만나고 간다.

잠-깨다 자 ①잠이 깨다. ②몽롱(朦朧)한 상태에서 벗어나 의식(意識)을 회복하다.

잠-꼬대 명 ①잠을 자면서 무의식중에 중얼거리는 헛소리. 몽예(夢囈). 섬어(譫語). ②사리에 닿지 아니하는 엉뚱한 말의 비유. ¶무슨 ~ 같은 소리냐/한가한 사람의 ~. ──-하다 자 여불

잠-꼬디 명 〈방〉 잠꼬대. ──-하다 자

잠-꾸러기 명 잠이 썩 많은 사람. 잠을 많이 자는 사람.
[잠꾸러기 집은 잠꾸러기만 모인다] 게으른 집안에는 게으른 사람만이 모여 든다는 말.

잠나비 명 〈방〉 〖동〗 원숭이(함남).

잠녀【潛女】 명 잠수(潛水)하는 여자. 해녀(海女).

잠농【蠶農】 명 누에농사.

잠-누에 명 허물을 벗고 있는 누에로 먹지도 움직이지도 아니하는 누에.

잠닉【潛匿】 명 잠복 장닉(潛伏藏匿). ──-하다 자 여불

잠대 명 〈방〉 쟁기(제주).

잠덕지-유광【潛德之幽光】 명 세상에 알려지지 아니한 유덕자(有德者)의 광채(光采).

잠-도【蠶島】 명 〖지〗 경상 남도 진해시(鎭海市)의 앞바다, 충무로(忠武路) 3가(街)에 속한 섬. [0.20 km² : 60 명 (1984)]

잠-동무 [─똥─] 명 남과 친근하게 한 자리에서 잠을 자는 일. 또, 그 사람. ──-하다 자 여불

잠두¹【簪頭】 명 비녀의 머리. 장식이 없는 민비녀 외에는 여러 가지 모양을 새김.

잠두²【蠶豆】 명 〖식〗 누에콩.

잠두³【蠶頭】 명 누에머리.

잠두 마:제【蠶頭馬蹄】 명 필법(筆法)의 한 가지. 글자의 가로 획(畫)을 긋는 데 왼쪽 끝은 말굽 형상, 오른쪽 끝은 누에의 대가리 형상과 같이 하는 필법.

잠두-봉【蠶頭峯】 명 〖지〗 함경 남도 혜산군(惠山郡) 운흥면(雲興面)에 있는 산. [1,580 m]

잠두-산【蠶頭山】 명 〖지〗 강원도 평창군(平昌郡)에 있는 산. [1,241 m]

잠드래비 명 〈방〉 〖충〗 잠자리².

잠-들다 자 ①잠을 자게 되다. ¶푹 ~. ②죽다. ¶무명 용사 여기에 ~.

잠때 명 〈방〉 키³(경남).

잠떼 명 〈방〉 〖식〗 잔디(강원).

잠뛰 명 〈방〉 〖식〗 잔디(함경).

잠란【蠶卵】 [─난] 명 누에의 알. 긴지름이 1.3-1.4mm. 해를 넘기지 않은 것은 담황색(淡黃色)이고, 해를 넘긴 것은 변색됨.

잠란-지【蠶卵紙】 [─난─] 명 누에 나방에게 알을 슬게 하는 두꺼운 종이. 산란지(產卵紙). 잠종 대지(蠶種臺紙). 잠종지(蠶種紙). 잠지(蠶紙).

잠령【蠶齡】 [─녕] 명 누에의 발육의 정도를 나타내는 말. 알에서 깬 누에를 한 살이라 하고, 다음 허물을 벗는 횟수에 따라 순차적으로 두 살·세 살이라 하며, 누에의 최초의 잠을 한 잠, 다음 잠을 순차적으로 두 잠·석 잠 하는 것과 같은 일. 누에나이.

잠로【湛露】 [─노] 명 ①많이 내린 이슬. ②흠뻑 입은 은혜. 특히, 임금의 은혜가 깊음을 비유하여 말함.

잠룡【潛龍】 [─뇽] 명 ①숨어 있어 아직 하늘에 오르기 전의 용. ②왕위(王位)를 잠시 피하고 있는 임금, 또는 일어설 기회를 아직 얻지 못하고 묻혀 있는 영웅·호걸. ③잠저(潛邸).

잠루【岑樓】 [─누] 명 높고도 뾰족한 누각(樓閣).

잠:류¹【暫留】 [─뉴] 명 잠시 머물러 있음. ──-하다 자 여불

잠류²【潛流】 [─뉴] 명 [undercurrent] 〖해〗 해면(海面)에 나타나지 않은 흐름. 바다의 어떤 깊이를 중심으로 흐르는 해수 유동(海水流動).

잠린【潛鱗】 [─닌] 명 물 속에 깊이 잠겨 있는 물고기. 잠어(潛魚).

잠:마리 명 〈방〉 〖충〗 잠자리²(전북).

잠망-경【潛望鏡】 명 〖군〗 잠수함(潛水艦)이 잠수 중, 바다 위의 정찰·접적(接敵) 등에 사용하는 광학 병기(光學兵器). 두 개의 직각 프리즘과 렌즈로 이루어진 긴 통 모양의 반사 망원경(反射望遠鏡)임. 페리스코프(periscope).

잠매¹【潛寐】 명 지하(地下)에 숨어 잠. 곧, 죽음. 영면(永眠). ──-하다 자 여불

잠매²【潛賣】 명 매매가 금지된 물건을 몰래 팖. 암매(暗賣). ──-하다 타 여불

잠매³【蠶莓】 명 〖식〗 뱀딸기.

잠매다 타 〈방〉 동이다(경기).

잠-명-송【箴銘頌】 명 잠(箴)과 명(銘)과 송(頌).

잠몰【潛沒】 명 ①물 속에 잠김. 잠수하여 숨음. ②잠수함이 필요에 따라 급속히 잠망경(潛望鏡)과 함께 잠항(潛航)하는 일. ──-하다 자 여불

잠바 [jumper] 명 ①수병(水兵)들이 입는 품이 넓은 재킷. ②운동용·작업용의 소매가 길고 품이 넓은 상의(上衣). 남녀·어린이의 구별 없이 입음. 점퍼.

〈잠바❷〉

잠바 스커:트 [jumper skirt] 명 점퍼 스커트.

잠박【蠶箔】 명 누에채반.

잠방¹ 명 〈방〉 잠방이(경남).

잠방² 부 작은 물건의 한 끝이 물에 얼른 잠기었다 뜨는 모양이나 소리. <점벙. ──-하다 자 여불

잠방-거리다 자타 연해 잠방 소리가 나다. 또, 연해 잠방 소리를 내다. <점벙거리다. **잠방-잠방** 부. ──-하다 자타 여불

잠방-대다 자타 잠방거리다.

잠방이 명 [중세 : 잠밣이] 가랑이가 짧은 홑고의. 여름 철에 흔히 농군이 입음. 곤의(褌衣).
[잠방이에 대님 치듯] 군색한 일을 당하여 몹시 쩽긴다는 말.

잠뱅이 명 〈방〉 잠방이(경기·강원·충청·전라·경상·제주).

잠-버릇 [─뻐─] 명 잘 때에 하는 버릇이나 짓. 수벽(睡癖). ¶~이 사납다.

잠:벌【暫罰】 명 〖천주교〗 소죄(小罪)나 사(赦)함을 받은 대죄(大罪)에 대하여, 이 세상에서나 연옥(煉獄)에서 받는 벌. ↔영벌(永罰).

잠베지 강【─江】 [Zambezi] 명 〖지〗 아프리카 남동부를 흐르는 큰 강. 잠비아(Zambia) 북서단에서 발원하여 남쪽으로 흘러가다가 짐바브웨(Zimbabwe)의 국경을 동류(東流)하여 모잠비크(Mozambique)를 횡단, 인도양에 들어감. 중류에 빅토리아 폭포(Victoria瀑布)가 있고, 그 하류에는 1960년 카리바(Kariba) 댐이 건설되어, 세계 최대의 인조호(人造湖) 카리바 호가 생겨났음. 1851-58년 리빙스턴(Livingstone)이 소항(遡航)하였음. [2,660 km]

잠벵이 명 〈방〉 잠방이(충남·경남).

잠벽【湛碧】 명 물이 깊어 푸른 모양. ──-하다 형 여불

잠:별【暫別】 명 잠시 동안의 이별. ──-하다 자타 여불

잠병【蠶病】 명 누에에 생기는 병의 총칭. 누엣병.

잠-보 [─뽀] 명 ☞잠꾸러기.

잠:복¹【暫福】 명 ①잠시 동안의 행복. ②〖기독교〗 세속(世俗)의 복. ↔천복(天福).

잠복²【潛伏】 명 ①몰래 숨어 엎드림. 숨어서 외부에 나오지 않음. 잠은(潛隱). ¶~ 근무. ②[incubation] 〖의〗 병원체(病原體)에 감염되어 있

으나 병증이 겉으로 나타나지 아니하는 일. ——-하다 [자][여불]

잠복 감:염【潛伏感染】[명]〖의〗 병원체에 의한 감염을 받고 잠복기가 지난 후에도 발병하지 아니하는 상태. 무증상(無症狀) 감염. 불현성(不顯性) 감염.

잠복 근무【潛伏勤務】[명] 범인이나 적군을 색출 또는 방어하기 위하여, 연고지나 예상 출현지(出現地)에 잠복하여, 임무를 수행함. ——-하다 [자][여불]

잠복-기【潛伏期】[명] ①〔latent period〕〖의〗 병원체(病原體)가 인체 내에 들어가서 증상을 나타내기까지의 기간. ②〖심〗 보통, 어떤 자극이나 원인이 작용하여 반응이 나타나기까지의 기간 또는 시간. 생리학에서는, 신경·근육 따위에 자극을 가하여 충분이 나타나기까지를 말함. 잠복 시간.

잠복기 보:균자【潛伏期保菌者】[명]〔incubatory carrier〕〖의〗 미생물에 감염되어 있지만 임상 증상(臨床症狀)이 나타나고 있지 않은 초기 상태의 사람.

잠복 매독【潛伏梅毒】[명]〔라 lues latens〕〖의〗 매독에 감염(感染)되어 있는데도 증상(症狀)이 전혀 나타나지 않은 시기의 매독. 바서만 반응(Wassermann反應)은 양성(陽性)이 됨. 불식(不識) 매독.

잠복 사시【潛伏斜視】[명]〔라 strabismus latens〕〖의〗 보통 때는 사시가 아니나 한쪽 눈을 가리고 볼 때 뜨고 있는 쪽이 사시가 되는 일.

잠복성 보:균자【潛伏性保菌者】[명]〔casual carrier〕〖의〗 감염성 미생물(感染性微生物)을 가지고 다니지만 그 병증(病症)이 겉으로 나타나지 않는 사람.

잠복성 분열병【潛伏性分裂病】〔—뼝〕[명]〔도 Latente Schizophrenie〕〖의〗 극히 가벼운 정신 분열병 과정에 의해 형성된 정신병질 상태. 고도의 비사교성·고독·기행(奇行)·의지 박약·무감정 등을 가진 이상(異常) 성격을 가리킴.

잠복 시간【潛伏時間】[명]〔latent time〕〖심〗 조직 또는 기능에 자극이 주어진 순간부터, 이에 대한 반응이 나타날 때까지의 시간. 잠복시. 잠복기.

잠복-아【潛伏芽】[명]〔latent bud〕〖식〗 숨은눈.

잠복 원:시【潛伏遠視】[명]〔라 hypermetropia latens〕〖의〗 조절(調節)에 의하여 잠복하고 있는 원시. 조절력(調節力)이 강한 청년층에 많음. ↔현재(現在) 원시.

잠복 유전【潛伏遺傳】[명]〖생〗 격세 유전(隔世遺傳). ↔현재 유전.

잠복 장닉【潛伏藏匿】[명] 행방을 감추어, 남이 그 소재(所在)를 모르게 하는 일. 잠닉(潛匿). ——-하다 [자][여불]

잠복 초소【潛伏哨所】[명]〖군〗 잠복 근무를 하도록 지정된 초소. ¶야간에 ~ 근무를 하다.

잠복 학습【潛伏學習】[명]〖심〗 잠재 학습(潛在學習).

잠:봉【暫逢】[명] 잠시 만남. ——-하다 [자][타][여불]

잠부【蠶婦】[명] 누에를 치는 여자.

잠부-론【潛夫論】[명]〖책〗 중국 후한(後漢) 때에 왕부(王符)가 지은 책. 유교주의(儒敎主義)의 정치론(政治論)을 가지고 그 때의 폐정(弊政)을 논하였음. 10권 35편.

잠북 [부]〈방〉 잔뜩(함경).

잠분【蠶糞】[명] 누에의 똥. 비료 성분보다도 사료(飼料) 성분이 풍부하여 가축의 사료로 이용됨.

잠:-불리측【暫不離側】[명] 잠시도 옆을 떠나지 아니함. ——-하다 [자][여불]

잠:불-마【暫佛馬】[명] 뺨에 흰 줄이 지고 눈에 누른 빛을 띤 말.

잠비아〔Zambia〕〖지〗 아프리카 중남부의 영연방 공화국. 북은 자이르(Zaire), 북동은 탄자니아(Tanzania), 동쪽은 모잠비크(Mozambique)·말라위(Malawi), 남은 짐바브웨(Zimbabwe), 서는 앙골라(Angola)와 접한 내륙국(內陸國)으로 국토의 대부분은 해발 1,000 m 이상의 사바나성 고원이며 기후는 아열대성(亞熱帶性)임. 남부의 짐바브웨와의 국경에는 잠베지 강이 흐르고 주민은 반투계(Bantu系)의 벰바족(Bemba族)과 로지족(Lozi族)이 주요 종족임. 공용어는 영어. 세계적인 구리의 산지이며, 코발트·납·아연·망간 등의 산출량도 풍부함. 1953년 중앙 아프리카 연방을 형성하였으나 1963년에 해체, 1964년 독립함. 수도는 루사카(Lusaka). 정식 명칭은 '잠비아 공화국(Republic of Zambia)'. 〔752,618 km²：8,400,000 명(1991 추계)〕

잠뿍 [부] ①덩치가 크게 실린 모양. ¶차에 짐을 ~ 싣다. ②기껏 쳐서. ¶제 집안 식구는 ~ 둘뿐인데 그나마 하나는 그림잡니다《洪命憙：林巨正》.

잠싼 [부]〈옛〉 잠깐. =잢간. ¶如來ㅅ 일후믈 잠싼 싱각ᄒᆞ면《月釋 Ⅸ：30》.

잠싸가다 [자]〈옛〉 잠을 빼앗아 가다. ¶잠싸간 내니믈 너겨 깃둔열명길 헤자라 노리잇가《樂詞 履霜》.

잠사[1]【潛思】[명] 마음을 가라앉히어 깊이 생각함. ——-하다 [타][여불]

잠사[2]【蠶事】[명] 양잠(養蠶)하는 일.

잠사[3]【蠶砂】[명]〖한의〗 누에의 똥. 풍비(風痺)로 손발을 잘 쓰지 못할 때 약으로 씀. 또, 비료·가축의 사료로도 쓰임. 마명간(馬鳴肝).

잠사[4]【蠶絲】[명] 누에고치에서 켜낸 실.

잠사-업【蠶絲業】[명] 잠종 제조(蠶種製造)·양잠(養蠶)·제사(製絲) 등을 경영하는 기업의 총칭.

잠사 우모【蠶絲牛毛】[명] 일의 가락이 몹시 번거롭고도 어수선함을 비유하는 말.

잠사-총【潛射銃】[명]〖군〗 잠망경(潛望鏡) 등을 장치하여 참호(塹壕)나 은폐물(隱蔽物)에 숨어서 직접 보이지 않는 목표물을 조준(照準)하여 사격하는 총.

잠삼【潛蔘】[명] 관허(官許) 없이 몰래 만들어 파는 홍삼(紅蔘).

잠삼-질【潛蔘—】[명]〖역〗 홍삼(紅蔘)을 허가된 일정한 근수(斤數)를 넘게 만들어서 압록강(압록강)에 중국에 가는 사신(使臣) 편에 가지고 가서 팔던 짓. ——-하다 [자][여불]

잠상[1]【潛商】[명] 관(官)의 허가를 받지 않고, 법령으로 금지된 물건을 몰래 파는 장사. 또, 그 장수.

잠상[2]【潛箱】[명] 잠함(潛函).

잠상[3]【潛像】[명]〔latent image〕〖물〗 사진에 있어서 노출(露出)한 후, 아직 현상(現像)하지 않은 감광막(感光膜) 가운데 있는 피사체(被寫體)의 상(像).

잠상[4]【蠶桑】[명] 누에와 뽕.

잠상 촬요【蠶桑撮要】[명]〖책〗 잠상에 관한 책. 조선 시대 말기 사람 이우규(李祐珪) 지음. 뽕나무의 재배법(栽培法)과 양잠(養蠶)에 관하여 중국 책으로부터 뽑아 엮은 것으로, 난외(欄外)에 저자의 주해(註解)가 들어 있고, 뒤에 양잠 기구(器具)의 그림과 그 용법을 설명하고 있음. 1책. 인본(印本).

잠서 언:해【蠶書諺解】[명]〖책〗 조선 중종(中宗) 13년(1518)에 김안국(金安國)이 잠서를 한글로 번역 출판한 책. 《국조 보감(國朝寶鑑)》 제19권에는 김안국이 경상도 관찰사로 있을 때 농서(農書)·잠서 등을 엮었는데, 그것이 세종(世宗) 때에 번역 간행된 것이 있어서 김안국이 번역 간행할 때 본받은 바 있다고 씌어 있는 것으로 보아 세종 때의 번역본도 있었던 것 같음.

잠섭【潛涉】[명] 몰래 건넘. ——-하다 [타][여불]

잠성【潛性】[명]〖생〗 열성(劣性). ↔현성(顯性).

잠세【潛勢】[명] ↗잠세력(潛勢力).

잠-세력【潛勢力】[명] 숨어 있어 표면에 나타나지 않는 세력. [준]잠세.

잠세-적【潛勢的】[명][관] 잠재적(潛在的).

잠셰드푸르〔Jamshedpur〕[명]〖지〗 인도 북동부 비하르 주(Bihar州) 수바르나레카 강(Subarnarekha江)과 그 지류의 합류점에 위치한 공업 도시. 철강업(鐵鋼業)·기계·차량 제조 등이 성함. 부근에서 석탄·철광이 산출됨. 1909년에 건설되었음. 〔670,000 명(1981)〕

잠소【潛笑】[명] 가만히 웃음. ——-하다 [자][여불]

잠소 암:삭【潛銷暗鑠】[명] 알지 못하는 사이에 쇠가 녹듯이 슬그머니 줄어 없어짐. ¶이 병은 어디가 불볶듯 아프지도 아니하고 만사에 뜻이 없어 ~으로 먹지도 못하고 잠도 못 자며 골똘한 사려증뿐이라《作者未詳：홍도화》. ——-하다 [자][여불]

잠-속〔—쏙〕[명] 잠자는 가운데.

잠수[1]【潛水】[명] 물 속에 잠겨 들어감. 다이브. ¶~ 작업/~복. ——-하다 [자][여불]

잠수[2]【潛嫂】[명] 해녀(海女)의 딴이름.

잠수-관【潛水冠】[명] 잠수 기구의 하나. 잠수부가 두부(頭部)의 보호(保護)나 공기의 공급용으로 쓰는 철모(鐵帽) 모양의 구리로 만든 모자. 보통, 좌우에 둥근 채광창(採光窓)과 전부(前部)에 내다보는 창이 있으며 후두부(後頭部)에 송기관(送氣管)인 파이프 또는 로프가 달려 있음. 잠수모(帽).

잠수-교【潛水橋】[명] ①홍수 때에 물에 잠기는 다리. ②'반포 대교(盤浦大橋)' 아래층에 놓인 다리의 속칭(俗稱).

잠수-구【潛水具】[명] 잠수기.

잠수-군【潛水軍】[명]〖역〗 수중 공사(水中工事)를 하는 수영(水營)에 속하던 군졸(軍卒).

잠수-기【潛水器】[명] 물 속에 들어가 일하는 사람에게 산소(酸素)를 공급하는 기계. 잠수구.

잠수-대【潛水隊】[명]〖군〗 잠수함 두 척 이상으로 편성한 해군 함대.

잠수-모【潛水帽】[명] 잠수관.

잠수 모:함【潛水母艦】[명]〖군〗 잠수함에 연료(燃料)·식량 등을 공급하며 잠수함원의 휴양소를 설비하고 또는 잠수함대의 기함(旗艦)이 되어서 이를 유도(誘導)하는 임무를 띤 군함.

잠수-병【潛水病】〔—뼝〕[명]〖의〗 케이슨병(caisson病).

잠수-복【潛水服】[명] 물 속에서 작업할 때 입는 옷. 잠수모(潛水帽), 고무로 만든 옷, 납으로 만든 신, 송기관(送氣管)·배기관(排氣管)·전화기(電話機) 등으로 구성되어 있음. 잠수의(潛水衣).

〈잠수복〉

잠수-부【潛水夫】[명] 물 속에 들어가 작업하는 사람. 또, 그것을 업으로 하는 사람. 잠수원. 다이버(diver).

잠수부-병【潛水夫病】〔—뼝〕[명]〖의〗 케이슨병(caisson病).

잠수 어로【潛水漁撈】[명] 물 속으로 들어가 수산물(水産物)을 잡거나 따내는 어업.

잠수 어업【潛水漁業】[명] 물 속에 들어가 고기를 잡거나, 조개·조류(藻類) 등을 채취하는 어업. 잠수기를 사용하는 현대적인 것과 해녀에 의하는 것이 있음.

잠수 영:법【潛水泳法】〔—뻡〕[명] 물 위로 몸을 드러내지 않고 물 속에서만 헤엄치는 영법(泳法). 잠영(潛泳).

잠수-원【潛水員】[명] 잠수부(潛水夫). 다이버(diver).

잠수-의【潛水衣】〔—／—이〕[명] 잠수복(潛水服).

잠수 전:대【潛水戰隊】[명]〖군〗 잠수대(隊) 둘 또는 셋으로 편성(編成)한 해군 전대.

잠수-정【潛水艇】[명] ①〖군〗 소형의 잠수함(潛水艦). 잠항정(潛航艇). ②잠수하여 해양(海洋) 및 해저(海底)를 조사하는 배. 고수압(高水壓)

에 견딜 수 있는 특수한 구조로 되어 있음.

잠수조-류【潛水鳥類】명 [diving bird] 물새 중, 특히 잠수를 잘하는 새의 총칭(總稱). 아비(阿比)·논병아리 따위.

잠수 조사선【潛水調査船】명 해중(海中)·해저(海底)의 과학적 조사를 행하는 잠수정.

잠수-종【潛水鐘】명〖토〗철교(鐵橋)의 기초 공사 등에 있어서, 사람이 물 속에 들어가 일할 수 있도록 만든 큰 종 모양의 물건. 수면(水面)에서 물밑바닥까지 두꺼운 철판(鐵板)을 둥글게 말아 집어 넣고, 그 속에 공기를 펌프로 공급하여 그 압력(壓力)이 들어오는 물을 밀어 내게 한 다음 작업함.

잠수-질【潛水―】명 사람이 물 속에 잠기는 짓. ――하다 자여불

잠수-함[1]【潛水函】명 수중이나 수저(水底)에서 작업·관찰하는 사람을 넣는 철제의 상자. 선박·육상 같은 데서 압축 공기를 보내어, 하강하는 데 따라 상승하는 수압에 대해 상자 안의 기압을 높이도록 되어 있음. *잠함(潛函).

잠수-함[2]【潛水艦】명〖군〗물 속을 항행하면서 적에게 접근하여서 어뢰(魚雷)·미사일 공격을 하거나, 또는 통상(通商) 파괴·원거리 정찰 등의 임무를 수행하는 함정(艦艇). 서브머린(submarine). ㊟잠함(潛艦). *잠수정(潛水艇)·잠항정(潛航艇).

잠수함 기지【潛水艦基地】명〖군〗잠수함에 대한 군수(軍需) 지원을 하는 기지.

잠수함 발사 순항 미사일【潛水艦發射巡航―】[―싸―] 명 [Submarine Launched Cruising Missile]〖군〗잠수함의 어뢰(魚雷) 발사 장치로 발사하는 순항(巡航) 미사일. 테르콤(TERCOM) 유도 방식으로 목표를 맞춤. 에스 엘 시 엠(S.L.C.M.).

잠수함 투수【潛水艦投手】명 야구에서, 팔을 들어 올리지 않고 밑으로 던지는 투수. 언더스로(underthrow) 투수.

잠수-화【潛水靴】명 잠수 기구의 하나. 잠수부가 신는 신. 철모식 잠수기에서는 납으로 되었으며, 보통 신과 같은 모양이나, 아콰렁식에서는 고무제로 물갈퀴 모양임.

잠:시【暫時】명부 짧은 시간. 오래지 아니한 동안. 잠시간(暫時間). 일삽시(一霎時). 개연(介然). 편시간(片時間).

잠:시-간【暫時間】명부 짧은 시간. 오래지 아니한 동안. 수유(須臾). 편시(片時). 잠시(暫時). ㊟잠간(暫間). *삽시간(霎時間).

잠식【蠶食】명 ①누에가 뽕잎을 먹듯이, 한쪽에서 점점 먹어 들어감. ②남의 영토를 점점 침략해 들어감. 초잠식지(稍蠶食之). ¶주위의 여러 나라를 ~하다. ――하다 타여불

잠신[1]【潛身】명 몸을 감추어서 나타내지 아니함. ――하다 자여불

잠신[2]【簪紳】명〖역〗잠영(簪纓).

잠신[3]【蠶神】명〖민〗선잠(先蠶).

잠신-장【潛身章】[―짱] 명 용비어천가 제108장의 이름.

잠실【蠶室】명 ①누에를 치는 방. ②예전에 중국에서, 궁형(宮刑)에 처할 죄인을 넣어 두었던 감옥.

잠실 대:교【蠶室大橋】명〖지〗서울 광진구(廣津區) 자양동(紫陽洞)에서 송파구(松坡區)의 잠실 지구에 이르는 다리. 잠실 수중보(水中洑)가 설치되어 있음. 1970년 10월 착공, 1972 년 7월 1일 준공. 길이 1,280 m, 폭 25 m.

잠실 도회처【蠶室都會處】명〖역〗예전의 모범 양잠장(模範養蠶場).

잠실 수중보【蠶室水中洑】명 한강의 물길을 막아 수위를 일정하게 유지시키기 위한 보. 잠실 대교 직하류(直下流)인 광진구 자양동과 송파구 잠실동 사이의 한강에 있음. 보의 총연장 898m. 1984년 11월에 착공, 85년 말에 완공함.

잠심【潛心】명 마음을 가라앉히어 깊이 생각함. ¶내일부터는 소리 선생님을 모셔 올 것이니 ~하여 잘 배우게≪李海朝 : 牧丹屛≫. ――하다 자여불

잠아[1]【岑峨】명 ①썩 높은 모양. ②인심(人心)이 흉흉(洶洶)하고 험악한 모양.

잠아[2]【潛芽】명〖식〗숨은눈.

잠아[3]【蠶兒】명 누에. 아(兒)는 어조사(語助辭).

잠아[4]【蠶蛾】명〖충〗누에나방.

잠아-기생파리【蠶兒寄生―】명〖충〗누에파리.

잠양【潛陽】명〖한의〗과색(過色) 또는 금욕(禁慾)으로 인하여 얼마 동안 성욕이 없어져 양기가 동하지 않는 일.

잠어【潛魚】명 잠린(潛鱗).

잠언【箴言】명 ①가르쳐서 훈계가 되는 말. ②〖성〗구약 성서의 한 편(篇). 솔로몬왕의 훈언(訓言)을 내용으로 하며 모두 31장임.

잠업【蠶業】명 ↗양잠업(養蠶業).

잠업-법【蠶業法】명〖법〗잠사류(蠶絲類)의 생산과 수출 증대를 기하여 잠사업(蠶絲業)의 발전을 도모함을 목적으로 하는 법률.

잠업 시험장【蠶業試驗場】명 농촌 진흥청 소속의 시험장의 하나. 잠업에 관한 시험·연구 사무를 관장함.

잠연[1]【湛然】명 ①물이 깊고 고요한 모양. ②침착한 모양. 묵중한 모양. ――하다 형여불

잠연[2]【湛然】명〖사람〗중국 당대(唐代) 천태종(天台宗)의 고승(高僧). 성은 위씨(威氏). 장쑤 성(江蘇省) 사람. 지자 대사(智者大師)의 6대의 법손(法孫).

잠연[3]【蠶筵】명 누에를 기를 때 누에 채반 위에 깔아 놓는 깔개. 볏짚이나 조짚 따위를 누에 채반의 폭보다 짧게 잘라 노끈으로 엮어서 자리를 만듦. 누에가 어릴 때에는 종이를 깔고, 자란 뒤에는 이 깔개를 까는데 대개 4-5 잠령 때 많이 이용하며 가끔 일광 소독(日光消毒)을 해야 함. 누에 거적.

잠열【潛熱】명 [latent heat]〖물〗①내부에 숨어 있어 외부에 나타나지 않는 열. ②'숨은 열(熱)'의 한자말.

잠영[1]【潛泳】명 몸을 물 위로 드러내지 아니하고 물 속에서만 헤엄침. 잠수 영법. ――하다 자여불

잠영[2]【潛影】명 그림자를 감춤. ――하다 자여불

잠영[3]【簪纓】명〖역〗①관원(官員)이 쓰던 비녀와 갓끈. ②양반의 별칭. 잠신(簪紳).

잠영 구:족【簪纓舊族】명 관직을 지낸 양반의 자손.

잠영 세:족【簪纓世族】명 대대로 높은 벼슬을 하는 집안.

잠예[1] 명〈방〉해녀(海女).

잠예[2]【岑翳】명 산이 높고 수목(樹木)이 빽빽이 들어선 곳.

잠예[3]【蠶蛻】명〖한의〗누에가 부화(孵化)한 껍질. 여자의 혈분(血分) 약으로 쓰임.

잠-옷 명 잠잘 때 입는 옷. 자리옷. 숙의(宿衣).

잠외약질 명〈옛〉무자맥질. ¶잠외약질(泳)≪才物譜 地譜≫.

잠욕【蠶蓐】명 누에를 치는 기구의 하나. 풀로 만든 자리.

잠용【蠶蛹】명 누에의 번데기.

잠유【蘸釉】명〖공〗찬유(贊釉). ――하다 타여불

잠윤【潛潤】명 깊이 배어 들어감. 깊이 미침. ――하다 자여불

잠은【潛隱】명 잠복(潛伏)❶. ――하다 자여불

잠음【岑崟】명 높고 가파른 산봉우리.

잠의【蠶衣】[―/―이] 명 ①누에고치. ②누에를 칠 때 입는 옷. ③명주로 옷을 해 입음. 또, 그 옷. ――하다 자여불

잠입【潛入】명 ①남몰래 들어옴. ¶스파이가 ~하다. ②물 속에 잠기어 들어감. ③〖천〗항성(恒星) 또는 행성(行星)이 달의 배후에 숨는 현상. ――하다 자여불

잠자꼬 부〈방〉잠자코.

잠자는 숲속의 미녀【―美女】[―/―에―] 명 [La Belle au Bois dormant] 페로(Perrault)의 동화집 중의 이야기. 생일 잔치에 초대받지 못한 마녀(魔女)의 저주를 받아, 아름다운 공주는 물렛가락에 손가락이 찔려 성(城) 안에 있는 모든 사람들과 함께 백년 동안의 깊은 잠에 떨어지는데, 어느 날 어떤 왕자가 이 성에 와서 공주에게 키스하자 모두가 잠을 깬다는 줄거리임. 차이코프스키 작곡의 발레로도 유명함.

잠-자다 자 ①심신(心身)의 활동이 정지되어 무의식(無意識)의 상태로 들어가다. ¶잠자는 아기. ②사물(事物)이 기능을 잃고 침체(沈滯) 상태에 빠져 있다.

잠-자리[1] [―짜―] 명 ①잠을 자는 곳. 침석(枕席). ¶~에 들다. ②'동침(同寢)'의 속칭(俗稱). ――하다 자여불

잠자리(를) 보다 구 요·이불을 펴고 잠잘 준비를 하다.

잠자리[2] 명 [중세 : 존자리]〖충〗잠자릿과에 속하는 곤충의 총칭. 고생대의 석탄기경부터 출현한 원시적 곤충임. 성충은 비행(飛行)에 적합하며 두부(頭部)에는 육식용(肉食用)의 단단한 구기(口器)와 대형(大型)의 복안(複眼)이 한 쌍 있고 작은 촉각과 턱이 있음. 흉부(胸部)에는 세 쌍의 가는 다리와 투명하고 망상(網狀)의 시맥(翅脈)이 있는 두 쌍의 날개가 있음. 복부(腹部)는 가늘고 길며, 열 개의 환절(環節)이 있는데, 암컷은 제9절의 미단(尾端)에 생식기가 있고 수컷은 제2-3절에 있음. 전부 난생(卵生)으로 물가 또는 수중의 흙·모래·이끼 등에 알을 낳음. 유충은 수 개월 내지 7-8 년에 걸쳐 10 회 이상의 탈피(脫皮)를 하는데 보통 1-3 년 정도로 성충이 됨. 불완전 변태를 함. 성충(成蟲)·유충(幼蟲)이 모두 해충(害蟲)을 잡아 먹는 익충(益蟲)임. 청낭자(青娘子). 청령(蜻蛉). 청정(蜻蜓).

잠자리 나는 듯 구 잘 차려 입은 여자의 옷차림의 형용.

잠자리 날개 같다 구 모시 같은 것이 매우 얇고도 고움을 형용하는 말.

잠자리 부접 대듯 구 무슨 일을 붙잡고 오래 계속하거나 진득하게 머물러 있지 못함의 비유.

잠자리-가지나방 명〖충〗[*Cystidia stratonice*] 자나방과에 속하는 곤충. 편 날개의 길이 47-61mm이고, 몸빛은 흑색인데 복부에는 등황색 바탕에 흑색 무늬가 있고, 날개는 흑색, 앞날개의 제1실(室)과 중실(中室)에 백색의 큰 무늬가 있으며, 외연(外緣)에는 백색 횡대(橫帶)가 있고, 뒷날개와 외연부도 백색임. 낮에는 산과 들에서 활동하는데, 한국·일본 등지에 분포함. 비행기(飛行機)가지나방.

잠자리-각다귀 명〖충〗잠자리꾸정모기.

잠자리-꾸정모기 명〖충〗[*Tipula coquilletti*] 꾸정모깃과에 속하는 곤충. 몸길이 28-40 mm, 날개 길이 24-30 mm이며, 몸빛은 대체로 암갈색에 복부(腹部)의 기부(基部)는 황갈색을 띠고, 그 측방(側方)은 흑갈색임. 순판(楯板)의 양측에는 각각 두 개의 흑색 무늬가 있으며, 전순판(前楯板) 중앙 양측에는 흑조(黑條)가 있음. 산지(山地)에 서식하는데, 한국·일본·대만 등지에 분포함. 잠자리각다귀.

잠자리 매듭 명 연봉 매듭을 대가리로 삼고, 펼친 날개를 넷 단 매듭. 저고리 옷깃이나 주머니 끈 등의 장식으로 쓰임.

잠자리-목【―目】명〖충〗[Odonata] 유시 아강(有翅亞綱)에 속하는 한 목(目). 잠자릿과(科)·물잠자릿과·실잠자릿과·부채장수잠자릿과·왕잠자릿과 등이 이에 속함. 청령류(蜻蛉類).

잠자리 무:사【―武砂】명〖건〗홍예(虹蜺)와 홍예를 잇대어 쌓은 뒤 벌어진 사이에 처음으로 놓는 돌. 윗면과 앞뒷면은 편평하고 좌우 두 면은 휘둥그스름하게 다듬어 아래 끝이 한데 닿아서 뾰족하게 됨. 청정 무사(蜻蜓武砂). *장구 무사.

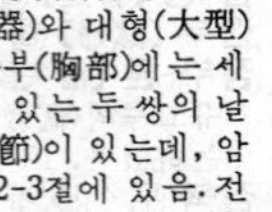

〈잠자리 무사〉

잠자리 비행기【―飛行機】명〈속〉헬리콥터(helicopter).

잠자리-옷 [―짜―] 명 ☞자리옷.

잠자리-피 명 〖식〗 [*Trisetum bifidum*] 볏과에 속(屬)하는 숙근초(宿根草). 줄기는 높이 40-80cm로 연질(軟質)이며 잎은 호생하고 선상 피침형(線狀披針形)임. 6월에 넓은 타원형 꽃이 원추(圓錐) 화서로 정생하는데, 처음에는 녹자색을 띠나 뒤에는 황갈색 또는 녹갈색으로 변함. 수염은 좀 긴 편이고 포(苞)는 녹갈색으로 광택이 남. 길가나 들의 풀밭에 나는데, 한국 각지 및 일본·홋카이도·중국·대만에 분포함.

잠자릿-과【一科】명 〖충〗 [Libellulidae] 잠자리목(目)에 속하는 한 과. 몸빛은 보통 금속성(金屬性)이고 색채는 엷으나 선명(鮮明)한 빛이고 복부(腹部)는 횡단면이 삼각형임. 유충〈잠자리피〉을 '학배기'라고 함. 열대(熱帶) 지방을 비롯하여 전세계에 5,000여 종이 있고 한국에는 고추잠자리·대모잠자리·넉점박이잠자리·밀잠자리 등, 150여 종이 분포(分布)함.

잠자코 부 말없이. 가만히. ¶~ 있어라.

[잠자코 있는 것이 무식을 면한다] 아무 말도 하지 않고 가만히 있으면 자기의 무식(無識)이 드러날 리 없으므로, 모르면 가만히 있는 것이 상책(上策)이라는 말.

잠작【蠶作】명 누에농사.

잠:잖다 [一잔타] 형 ①몸가짐이 정중하다. ②품격(品格)이 야하지 않고 고상하다. 1)·2): <점잖다.

잠잠-하다【潛潛一】형여불 ①아무 소리도 없이 조용하다. ②말이 없이 가만히 있다. ¶자정까지 소란하던 거리가 잠잠해졌다. **잠잠-히**【潛潛一】부

잠장【潛藏】명 몰래 숨음. 몰래 숨김. ——-하다 자타여불

잠재【潛在】명 속에 숨어 있음. 속에 잠겨 있음. ¶~ 능력. ↔현재(顯在). ——-하다 자여불

잠재 관념【潛在觀念】명 〖심〗 잠재 의식(潛在意識).

잠재 구매력【潛在購買力】명 〖경〗 어떤 상품에 대하여 가지고 싶은 욕망은 있으나 실제로 살 힘이 없는 상태.

잠재-기【潛在期】명 〖심〗 유아(幼兒)의 성적(性的) 활동이 중단되는 시기. 프로이트의 정신 분석에서 성(性)심리적 발달의 제4 단계로 대충 5세부터 11세까지임.

잠재 기회【潛在機會】명 〖경〗 경영(經營)을 취약(脆弱)하게 만들고, 경제적 성과의 실현을 가로막는 결함이나 약점.

잠재 능력【潛在能力】[一녁] 명 평상시에는 드러나지 않으나 어떤 특수한 경우에 나타나는 인간의 능력.

잠재-력【潛在力】명 겉으로 나타나지 않고 속에 잠겨 있는 힘.

잠재 무효 투표【潛在無效投票】명 선거권이 없는 사람의 투표 등과 같이 무효 원인이, 투표한 용지에 나타나지 않는 투표.

잠재-부【潛在符】명 〖언〗 안드러냄표.

잠재 성장률【潛在成長率】[一뉼] 명 〖경〗 자본이나 노동 등 자원(資源)의 능력을 최대한으로 활용했을 때의, 한 나라 경제의 가능성으로서의 국민 총생산 성장률.

잠재 수요【潛在需要】명 [potential demand] 〖경〗 구매력(購買力)은 있으나, 물자 통제(物資統制)·공급 부족(供給不足) 또는 값이 비싸서 물건을 입수(入手)하지 못하는 것과 같은, 표면(表面)에 나타나지 않는 수요.

잠재 실업【潛在失業】명 잠재적 실업.

잠-재우다 타 ①잠을 자게 하다. ¶아기를 ~. ②부풀어 오른 것을 가라앉히다. ¶솜을 ~.

잠재 유전【潛在遺傳】명 〖생〗 부모의 유전질이 직접 자식에게 나타나지 아니하고 잠재하는 유전. 열성(劣性) 유전자가 우성(優性) 유전자와 교잡(交雜)할 때 결합되어서 일어남.

잠재 유전자【潛在遺傳子】명 [latent gene] 〖생〗 우성(優性) 유전자와 결합(結合)한 상태(狀態)에 있으며 표면(表面)에는 나타나지 않는 열성(劣性) 유전자.

잠재 의:식【潛在意識】명 〖심〗 자각이 없이 활동하고 있는 의식이 자각이 있는 의식과 같은 모양으로 행동을 주재(主宰)하거나 또는 자각이 있는 의식에서는 볼 수 없는 몽중 유행(夢中遊行), 자동 서기(自動書記) 등 병적(病的) 현상을 지배할 때와 같은 의식. 곧 분열(分裂)의식뿐만 아니라 일시적인 것, 항구적인 것, 상태적(常態的)인 것, 변태적(變態的)인 것 등이 있음. 잠재 정신. 부의식(副意識). 반의식(半意識). 잠재 관념.

잠재-적【潛在的】명관 밖에 나타나지 않고 숨은 상태로 존재하는 모양. 움직임이 가능한 상태로 있는 모양. 가능적. 잠세적(潛勢的).

잠재적 과:잉 인구【潛在的過剩人口】명 〖사〗 취업은 하고 있으나 그 취업에 의한 소득으로는 독립된 생계를 영위할 수 없는 불완전한 취업 상태에 있는 인구. ↔취업(就業) 인구.

잠재적 기억【潛在的記憶】명 〖심〗 레미니슨스(reminiscence).

잠재적 실업【潛在的失業】명 [latent unemployment] 〖사〗 표면적으로는 직업에 종사하고 있으나 그 일이 여러 가지 의미로 불만족하여서 실질적(實質的)으로는 실업 상태에 있는 일. 곧 일시적인 생계 유지책(生計維持策)으로 본의(本意) 아닌 직업에 종사하면서, 영구적(永久的)인 직장에의 취업(就業)의 기회를 기다리는 것과 같은 일. 잠재 실업. ↔현재적(顯在的) 실업.

잠재적 실업자【潛在的失業者】명 〖사〗 잠재적 실업의 상태에 있는 사람. 곧 실업자 통계표상에는 정식으로 나타나 있지 않은, 잠재하고 있는 실업자.

잠재적 위협【潛在的威脅】명 〖군〗 현실적으로는 현재화(顯在化) 하지 않고 있으나, 정책 등이 변화하면 위협이 될 수 있는 잠재적 외국 군대의 군사 능력.

잠재 정신【潛在精神】명 〖심〗 잠재 의식.

잠재 주권【潛在主權】[一꿘] 명 잔존(殘存) 주권.

잠재 통화【潛在通貨】명 〖경〗 중앙 은행에 맡겨진 정부 및 민간의 당좌 예금(當座預金). 현재 유통(流通)되고 있지는 않으나 언제라도 출금되어 통화(通貨)로 될 수 있는 것임.

잠재 학습【潛在學習】명 [latent learning] 〖심〗 미국의 심리학자 톨만(Tolman, E.C.; 1886-1959)이 '효과(效果)의 법칙'의 반증(反證)으로서 제출한 학습 심리학의 한 문제. 미로(迷路) 학습에 있어서, 처음 수일간은 종점(終點)에 도달하여도 먹이를 얻어 먹지 못하여 학습의 진행이 뒤떨어지는 듯하더라도 한 번 먹이를 얻어 먹게 되면 처음부터 늘 먹이를 얻어 먹던 흰 쥐에 떨어지지 않는 학습 성적을 나타내었다는 블로젯(Blodgett, H.C.) 등의 실험 결과, 이 사실은 무보수기(無報酬期)에도 잠재적으로 학습이 진행되었다는 의미에서 이렇게 부름. 잠복(潛伏) 학습.

잠저[1]【潛邸】명 〖역〗 창업(創業)의 임금이나 종실(宗室)에서 들어온 임금으로서, 아직 위(位)에 오르기 전에 살던 집. 또는 그 동안. 잠룡(潛龍).

잠저[2]【蠶蛆】명 〖충〗 누엣구더기❷.

잠적[1]【岑寂】명 ①외로이 솟아 있는 모양. ②쓸쓸하고 적막한 모양. ——-하다 형여불

잠적[2]【潛寂】명 고요하고 쓸쓸함. ——-하다 형여불

잠적[3]【潛跡】명 종적을 아주 감춤. 잠종비적(潛蹤祕跡). 장종비적(藏蹤祕跡). ——-하다 자여불

잠:정【暫定】명 잠깐 임시로 정함. ¶~ 규정/~적(的). ——-하다 타여불

잠:정 궤:도【暫定軌道】명 대기(待機) 궤도.

잠:정 예:산【暫定豫算】[一네一] 명 [provisional budget] 〖경〗 예산이 확정(確定)될 때까지 잠정적으로 실행(實行)하는 예산. 가예산(假豫算).

잠:정-적【暫定的】명관 우선 임시로 정하는 모양. 일시적인 모양. ¶~ 조치(措置).

잠:정 조약【暫定條約】명 〖법〗 정식 조약을 체결하기 전에 우선 임시로 체결하는 영구성(永久性)이 없는 조약. 가조약(假條約).

잠:정 조치【暫定措置】명 정식 조치가 취하여지기까지의, 일시적인 조치. ¶과도기의 ~.

잠제【潛堤】명 파도의 에너지를 감쇄(減殺)하기 위해 해안에 설치된 수중 구조물(水中構造物). 제방(堤防)과 같은 모양으로 물 밑에 가라앉아 있음.

잠족【蠶簇】명 누에섶.

잠종【蠶種】명 누에씨. ¶~ 개량.

잠종 대지【蠶種臺紙】명 잠란지(蠶卵紙).

잠종비적【潛蹤祕跡】명 잠적(潛跡). ——-하다 자여불

잠종-장【蠶種場】명 ↗국립 잠종장.

잠종-지【蠶種紙】명 잠란지(蠶卵紙).

잠-주정【一酒酊】[一쭈一] 명 ☞잠투정. ——-하다 자여불

잠지[1] 명 어린애의 자지의 애칭(愛稱).

잠지[2] 명 〈방〉 볼기(제주).

잠지[3]【蠶紙】명 잠란지(蠶卵紙).

잠직【蠶織】명 누에를 치고 명주를 짬. ——-하다 자여불

잠:차【暫借】명 잠시 동안 빌림. ——-하다 타여불

잠착-하다【潛着一】자여불 →참척하다.

잠찬【潛竄】명 몰래 도망쳐 깊숙이 숨어 버림. ——-하다 자여불

잠-참【岑參】명 〖사람〗 중국 당(唐)나라의 시인. 숙종(肅宗) 때 가주 자사(嘉州刺史)를 지냈으므로 잠 가주(岑嘉州)로 불렸음. 전쟁터를 왕래하며 변경(邊境)·사막의 원정(遠征)이나 이별의 정(情)을 읊은 시는 유명하며, 고적(高適) 등과 더불어 변새(邊塞) 시인으로 이름이 높음. ≪잠가주(岑嘉州) 시집≫ 등이 있음. 생몰년 미상.

잠채【潛採】명 〖광〗 몰래 들어가 채굴(採掘)함. ——-하다 타여불

잠채-꾼【潛採一】명 〖광〗 잠채하는 사람.

잠채-질【潛採一】명 〖광〗 몰래 숨어 들어가 채굴(採掘)하는 짓. ——-하다 타여불

잠청【潛聽】명 ①정신을 가다듬어 조용히 들음. ②몰래 속내를 엿들음. ——-하다 타여불

잠-출혈【潛出血】명 〖의〗 소화관(消化管), 특히 위(胃)나 장(腸) 상부(上部)의 극히 적은 양(量)의 출혈이 대변(大便) 속에 섞여 나오는 것으로, 잠혈 반응(潛血反應)으로 증명될 수 있는 정도의 것을 이름. 잠혈(潛血).

잠-충이【一蟲一】명 ☞잠꾸러기.

잠통【潛通】명 ①몰래 간통(姦通)함. ②몰래 내통(內通)함. ——-하다 타여불

잠-투세 명 ☞잠투정.

잠-투정 명 어린애가 잠들기 전이나 잠을 깬 후에 부리는 찜부럭. ——-하다 자여불

잠퉁이 명 〈방〉 잠꾸러기(평안).

잠폄【潛窆】명 몰래 장사지냄. ——-하다 자여불

잠포록-이 부 잠포록하게.

잠포록-하다 형여불 날씨가 흐리고 바람이 없다.

잠퐁-하다 형여불 ☞잔풍(殘風)하다.

잠필【簪筆】명 [옛날 중국 사람이 일이 있을 때 쓰기 위하여 붓을 머리에 꽂고 홀(笏)이나 독(牘)을 몸에 지니고 다녔다는 데서 나온 말] 붓을 휴대함. ——-하다 자여불

잠필지-신【簪筆之臣】[一찌一] 명 〖역〗 사필(史筆)을 쥔 신하라는 뜻으로, 조선 시대 예문관(藝文館)의 검열(檢閱)이나, 승정원(承政院)의 주서(注書)를 일컫는 말.

잠-하다 자 〈방〉 잠꼬대하다(평안).

잠한【涔旱】명 큰 물과 가뭄.

잠함[1]【潛函】명〖토〗고층 건물·다리·지하철·수저(水底) 터널 등의 기초 공사를 할 때에 압착(壓搾) 공기를 보내어 지하수가 솟아 나오는 것을 막으면서, 그 속에서 작업을 할 수 있게 만든 함(函). 철근(鐵筋) 콘크리트로 만들었는데, 밑바닥의 흙이나 모래를 파내어 소정의 위치에 침정(沈定)시킴. 잠상(潛箱). 케이슨(caisson). ¶～ 공법. ＊잠수함(潛水函).

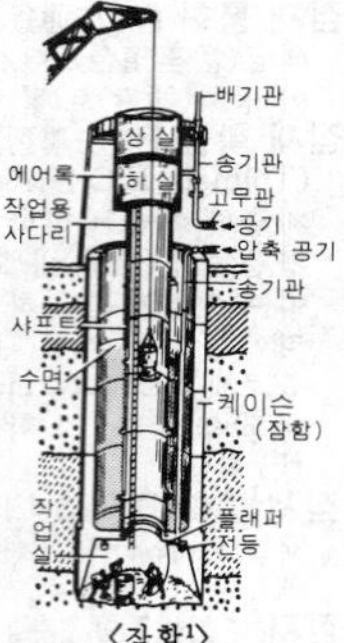

〈잠함¹〉

잠함[2]【潛艦】명 ↗잠수함(潛水艦).

잠함 공법【潛函工法】[—뻡] 명〖토〗잠함을 이용해서 구조물(構造物)을 만드는 공법. 수중·연약 지반(軟弱地盤)에 커다란 구조물을 만들 때, 철근 콘크리트로 통(筒)이나 상자를 만들어 지중(地中)에 묻고 기초로 하는 공법임. 케이슨 공법.

잠함 기초【潛函基礎】명〔caisson foundation〕〖토〗건물의 기둥이나 벽의 기초가 되고, 경반(硬盤)이나 바위까지 잠함을 하강(下降)시켜서 만든 기초.

잠함-병【潛函病】[—뼝] 명〖의〗케이슨병(caisson 病). 잠수병(潛水病).

잠항【潛航】명 ①물 속에 잠수하여 진항(進航)함. ¶～정. ②몰래 항해(航海)함. ——-하다 자여불

잠항-정【潛航艇】명〖군〗소형 잠수함(潛水艦)의 구칭.

잠행【潛行】명 ①숨어서 감. 남몰래 다님. ②물 속에 잠기어 감. ③남몰래 함. 비밀리에 함. ¶～운동. ——-하다 자타여불

잠행 운:동【潛行運動】명 비밀리에 하는 사회적·정치적 운동. 지하운동(地下運動).

잠향【蠶蠁】명〖충〗누에파리.

잠:허【暫許】명 잠깐 허락함. 잠시 허가함. ——-하다 타여불

잠:혁【暫革】명 잠깐 동안 고침. ——-하다 타여불

잠혈【潛血】명〖의〗잠출혈(潛出血).

잠혈 반:응【潛血反應】명〔도 Nachweis des okkulten Blutes〕〖의〗똥 속의 잠출혈(潛出血)을 검사하는 방법. 위장의 염증(炎症)·궤양·암 등의 진단에 중요한 역할을 함.

잠형【潛形】명 형적(形跡)을 감춤. ——-하다 자여불

잠홀【簪笏】명 옛날 관원(官員)이 관(冠)에 꽂던 잠(簪)과 손에 쥐던 홀(笏).

잠화【簪花】명 경회(慶會) 때에 남자 머리에 꽂던 조화(造花).

잠회【潛晦】명 ①종적을 감춤. ②재주와 지혜를 나타내지 아니하고 숨김. ——-하다 자여불

잠획【潛劃】명 은밀히 계획함. 또, 그 계획. ——-하다 타여불

잢간 명 〈옛〉 잠깐. =잠짠. ¶잢간도 變易이 업거니(曾無變易) ≪楞嚴 Ⅳ:67≫.

잡【雜】명 성(姓)의 하나. 우리 나라에는 현존(現存)하지 않음.

잡-【雜】튀 ①여러 가지가 뒤섞여 순수하지 않음의 뜻. ¶～수입/～상인 출입 금지. ②아무렇게나 막됨의 뜻. ¶～놈.

-잡- 선어미 ↗-자옵-. ¶소문을 듣～시면 / 분부를 받～고 / 범인을 좇～는데. ＊-삽-·-옵-.

잡가[1]【雜家】명 중국 춘추 전국 시대에 유가(儒家)·묵가(墨家)·명가(名家)·법가(法家) 등 제가(諸家)의 설(說)을 종합·참작한 학설. 또, 그 학파. 시자(尸子)나 회남자(淮南子) 같은 사람들.

잡가[2]【雜歌】명 ①속된 노래. ②〖악〗정악(正樂) 이외의 노래. ③조선 말엽에 평민들이 지어 창곡화(唱曲化)하여서 사당패나 광대 등의 전문적인 소리꾼이 부르던 노래. 악기의 반주에 따라 일정한 격식을 갖추어 부름. 지역에 따라 경기(京畿) 잡가·서도(西道) 잡가·남도(南道) 잡가로 구분되며, 노래하는 방식에 따라 좌창(坐唱)과 입창(立唱)으로 나뉨. 정가(正歌)인 가곡(歌曲)이나 시조(時調)에 비하여 잡스럽고 속되다는 뜻에서 잡가라 이름. 속가(俗歌). 속요(俗謠). 타령(打令). 잡타령. 잡소리. ¶남도 ～.

잡가티다 자 〈옛〉 잡혀 갇히다. ¶罪업시 잡가티노니 一定ᄒᆞ야 주그리로다ᄒᆞ야 ≪月釋 Ⅷ:16≫.

잡간【匝干·迊干】명〖역〗'잡찬(迊飡)'의 별칭.

잡감【雜感】명 여러 가지 잡다한 감상.

잡개 명 〈심마니〉 손[1].

잡객【雜客】명 대수롭지 아니한 손. 귀중할 것 없는 손.

잡거【雜居】명 ①갖가지의 사람들이 서로 섞여 거주함. ¶～생활. ②이인종(異人種)·내외국인(內外國人)이 뒤섞여서 삶. ③교도소(矯導所)에서, 한 감방(監房)에 여러 재소자(在所者)가 한데 지냄. 잡처(雜處). ——-하다 자여불

잡거 감방【雜居監房】명〖법〗두 사람 이상의 여러 가지 범죄인을 한데 가두는 감방.

잡거 구금【雜居拘禁】명〖법〗두 사람 이상의 재감자(在監者)를 한데 「잡거시키는 구금.

잡거 빌딩【雜居—】〔building〕명 여러 업종의 기업 등이 한데 뒤섞여 들어 있는 빌딩. 도시의 과밀화(過密化)·입체화(立體化)에 따른 기업의 능률성과 이윤의 추구성에서 빚어진 현상으로, 지휘·명령 계통이 없이 운영됨.

잡거-제【雜居制】명〔도 Gemeinschaftssystem〕〖법〗두 사람 이상의 죄수(罪囚)를 한 감방(監房)에 수감(收監)하는 제도(制度). ↔독거제(獨居制).

잡거-지【雜居地】명〖법〗내외국인(內外國人)이 잡거할 수 있도록 허가된 땅.

잡거-화【雜居花】명〖식〗잡성화(雜性花).

잡건【雜件】명 여러 가지 대수롭지 아니한 일. 또, 사건.

잡검줄 명 〈옛〉 잡검불. ¶젼붓터 잡검줄이 그 우희 만히 싸혀시매(先是有敗草積其上) ≪太平 Ⅰ:43≫.

잡-것【雜—】명 ①여러 가지가 섞이어서 순수하지 못한 물건. ②〈속〉잡상스러워서 점잖지 못한 사람. ＊잡류(雜類)·잡배(雜輩).

잡견【雜犬】명 잡종인 개. 순종(純種)이 아닌 개.

잡계급-인【雜階級人】명〖역〗러시아에 있어서 1830-60년대의 지식인 층을 이름. 귀족·성직자 계급과, 서민·농민층의 중간에 위치하고, 출신이나 직업이 다양하며, 급진적(急進的)이고 반제정(反帝政)주의의 성격이 강했음.

잡-계정【雜計定】명〖경〗일정한 항목에 해당하지 않는 거래, 또는 독립된 과목을 설정할 만큼 크지 못한 거래를 처리하는 계정.

잡고[1]【雜考】명 온갖 사항(事項)을 질서 없이 고찰(考察)한 생각. 또, 그 고증(考證).

잡고[2]【雜攷】명 ①여러 사항을 고찰하여 질서 없이 모아 엮은 논문이나 책. ②〖책〗1930년대에 일본 학자 아유가이 후사노신(鮎貝房之進)이 간행한 우리 나라 역사 상의 여러 술어(述語)를 풀이한 책. 우리 나라의 국호·왕호·지명 기타 잡다한 용어를 언어학적으로 고증하여 풀이한 것으로, 9 집 12 책으로 되어 있음.

잡고 단자【雜故單子】명〖역〗잡종(雜種) 사고(事故)를 적은 쪽지.

잡곡[1]【雜曲】명 ①잡된 여러 가지 음곡(音曲). 세간(世間)의 유행가(流行歌). ②중국 한(漢)나라 때의 민간 악부(民間樂府)의 하나.

잡곡[2]【雜穀】명 멥쌀과 찹쌀 이외의 보리·밀·콩·팥·조 등의 여러 가지 곡식. 잡곡물(雜穀物). ¶～밥. ↔주곡(主穀).

잡-곡물【雜穀物】명 잡곡(雜穀).

잡곡-반【雜穀飯】명 잡곡밥.

잡곡-밥【雜穀—】명 잡곡을 섞어 지은 밥. 잡곡반(雜穀飯).

잡곡-상【雜穀商】명 잡곡을 매매(賣買)하는 장사. 또, 그 장수. ¶～을 경영하다.

잡곡-전【雜穀廛】명 잡곡을 파는 가게.

잡곡-주【雜穀酒】명 잡곡으로 빚은 술.

잡공【雜貢】명〖역〗고려·조선 시대에, 삼세(三稅)의 하나인 포세(布稅) 대신 각 지방의 토산물을 납부케 했던 현물세(現物稅).

잡과[1]【雜果】명 온갖 과실.

잡과[2]【雜科】명〖역〗고려·조선 시대 때의 과거 제도의 하나. 일종의 기술관(技術官) 시험으로, 고려 때에는 명법업(明法業)·명산업(明算業)·명서업(明書業)·의업(醫業)·주금업(呪噤業)·지리업(地理業)·하론업(何論業) 등의 과(科)가 있었으며, 조선(朝鮮)시대에는 역과(譯科)·의과(醫科)·음양과(陰陽科)·율과(律科) 등이 있었고, 초시(初試)와 복시(覆試)의 구별(區別)이 있었음. 합격자(合格者)에게는 처음에 홍패(紅牌)를 주었으나, 뒤에 예조(禮曹) 도장을 찍은 백패(白牌)로 바뀌었음. ↔정과(正科).

잡과 다식【雜果茶食】명 곶감·대추·밤·호두 등 여러 가지 과실을 절구에 짓이겨서 넣고 반죽하여 둥글게 빚은 다식.

잡과-병【雜果餠】명 ①밤·대추·곶감·잣·호두·청매당(靑梅糖)·귤병(橘餠)·용안육(龍眼肉)·건포도(乾葡萄)·민강(閩薑) 중에서 몇 가지를 섞어 만든 떡. ②찹쌀 가루 반죽을 반대기를 지어 삶은 뒤, 밤·대추를 삶아 거르고 호두·잣·계핏가루를 섞어 만든 소를 넣고 접어 붙여서 만든 떡. 채친 대추나 곶감과 잣가루를 위에 뿌리기도 함. 잡과편.

잡과 인절미【雜果—】명 곶감·대추·밤 등 여러 가지 과실을 섞어 만든 인절미.

잡과-편【雜果—】명 잡과병(雜果餠).

잡관【雜觀】명 ①잡다(雜多)한 관찰(觀察). ②여러 가지 자질구레한 구경거리.

잡교[1]【雜交】명〖생〗다른 종류나 또는 종류는 같지만 계통이 다른 개체(個體) 사이에 행하여지는 수정(受精). 교잡(交雜).

잡교[2]【雜敎】명 종교답지 못한 잡된 여러 가지 교.

잡구【雜具】명 여러 가지 잡살뱅이 도구.

잡군【雜軍】명 통제(統制)가 없이 여기저기서 모아다 놓은 어지러운 군대(軍隊). 오합지졸.

잡귀【雜鬼】명 정체 모를 잡살뱅이 여러 귀신. 객귀(客鬼). 객신(客神). 잡신(雜神). ¶～를 쫓다.

잡귀-풀이【雜鬼—】명〖민〗제주도의 무당굿 중 잡귀가 범접해서 든 병을 고치는 굿의 중심 제차(中心祭次).

잡균【雜菌】명 ①잡다한 균. ②미생물 등의 순수 배양 때 외부로부터 섞여 들어 발육하는 이종(異種)의 세균.

잡균 혼:입【雜菌混入】명〔contamination〕〖생〗미생물이나 다세포(多細胞) 생물 조직 등을 순수 배양할 때, 어떤 원인으로 이종(異種)의 미생물이 밖으로부터 혼입되어 발육하는 일.

잡극【雜劇】명 ①난잡한 연극. ②〖연〗중국 송(宋)나라 때 연극 이외에 잡기(雜技)를 연출하던 골계(滑稽) 풍자극(諷刺劇). ③〖연〗중국 원(元)나라 때, 북방(北方)에서 일어난 가극. 고사(故事)·전설(傳說)·인정(人情)·재판(裁判) 등을 내용으로 함. ④〖연〗명청(明淸) 시대의 신체(新體)의 짧은 연극.

잡급【雜給】명 ①일정한 급료(給料) 외에 더 받는 돈. ②단순한 잡무(雜務)를 처리하고 받는 급료.

잡급 직원【雜級職員】명〖법〗각급 행정 기관(各級行政機關)에 고용되어, 업무(業務) 수행에 따르는 단순한 잡무(雜務)를 처리하고 월급을 받는 자. 제도사(製圖士)·측량 기사·보일러공(工)·통역원(通譯員)·속

기사(速記士)·운전원(運轉員)·타자수(打字手)·교환수(交換手)·노무원(勞務員) 등이 있음.
잡긋읆 타 〈옛〉 잡아 끎. 잡아 당김. ¶외오써 잡긋읆과(橫註鉤牽) ≪永嘉 下 140≫.
잡기[1]【雜技】명 ①여러 가지 기예(技藝). ②투전·골패 등 잡된 여러 가지 노름. 외기(外技). ¶주색 ~. ——-하다 자여불
잡기[2]【雜歧】명〖역〗잡살뱅이 기술을 가지고 벼슬에 나가는 일. 또, 그 사람. 천문관(天文官)·금루관(禁漏官)·화원(畫員)·산원(算員)·율원(律員)·의관(醫官)·역관(譯官) 등 기술관을 말함.
잡기[3]【雜記】명 여러 가지 잡살뱅이 일을 기록함. 또, 그 기록. 잡필(雜筆). 잡록(雜錄). ¶~장(帳)/신변(身邊) ~. ——-하다 타여불
잡기[4]【雜器】명 ①잡다한 기물(器物). 잡구(雜具). ②신령님에게 공물(供物)을 바칠 때 쓰는 작은 나무 접시.
잡기-꾼【雜技—】명 잡된 노름으로 소일하는 사람.
잡기-장【雜記帳】[—짱] 명 여러 가지 일을 적는 공책.
잡기-춤【雜技—】명〖민〗여러 가지 병신춤을 통틀어 일컫는 말. 민속에서 즉흥적인 춤, 곧 허튼춤 중의 한 유형으로, 문둥이춤·곱사춤·앉은뱅이춤·봉사춤·얼굴병신춤·뻗장다리춤·안짱다리춤·곰배팔이춤·오리발춤·엉덩이춤 등임.
잡기-판【雜技—】명 온갖 노름을 하는 자리.
잡-나무【雜—】명 잡목(雜木).
잡낭【雜囊】명 잡다한 물건을 넣는 주머니.
잡-녀석【雜—】명 잡놈.
잡-년【雜—】명 행실이 부정(不貞)한 계집. ↔잡놈.
잡념【雜念】명 ①조리(條理)가 서지 않는 잡다한 생각. 객려(客慮). ¶~을 버리고 공부에 열중하다. ②〖불교〗수행(修行)을 방해하는 여러 가지 옳지 못한 생각.
잡-놈【雜—】명 행실이 잡스러운 사내. 잡녀석. 잡자(雜者). 잡한(雜漢). ↔잡년. *잡류(雜類).
잡-누르미【雜—】명 술안주의 한 가지. 도라지·숙주·미나리·쇠고기·돼지 고기·해삼·전복 등을 잘게 썰어 황화채(黃花菜)·버섯 등을 섞어 양념을 친 뒤, 밀가루를 걸쭉하게 반죽하여 부침. 잣가루·달걀 등의 고명을 얹기도 함.
잡다[1]【雜多】명 여러 가지가 뒤섞여서 많음. ¶~한 물건. ——-하다 형여불. ——-히 부
잡다[2] 타〔중세 : 잡다〕①손 같은 것으로 움켜 쥐고 놓지 않다. ¶손을 잡고 가다. ②권리·이권(利權) 등을 쥐다. ¶정권을 ~. ③담보(擔保)로 맡다. ¶집을 잡고 돈을 꾸어 주다. ④주인이나 집 또는 일자리, 가질 물건, 목표(目標)하는 방향이나 물건 등을 정하다. ¶주인을 ~/골라 ~/방향을 ~/택시를 ~. ⑤결점을 집어 내다. ¶트집을 ~. ⑥논에 물을 끌어 넣다. ¶논에 물을 ~. ⑦삼눈 등을 미신(迷信)으로 고치다. ¶삼눈을 ~. ⑧노트(note)를 해 두거나 증거 따위를 장악하다. ¶초(草)를 ~/증거를 ~. ⑨떠나지 못하게 하다. ¶떠나려는 손님을 ~. ⑩전파(電波)·암호(暗號) 따위를 알아내다. ¶무전(無電) 암호를 ~. ⑪↗붙잡다. ¶범인을 ~. ⑫연장 따위를 가리키는 명사와 함께 쓰이어, 그 일을 업으로 삼다. ¶백묵을 ~/운전대를 ~/북채를 ~/칼을 ~. *쥐다.
【잡은 꿩 놓아 주고 나는 꿩 잡자 한다】공연히 멍청한 짓을 하여 헛수고와 손해를 본다는 말.
잡다[3] 타 ①마음으로 요량하다. ¶대충 잡아서/비용을 5만 원으로 ~. ②도조(賭租) 등을 요량하여 얼마로 정하다. ¶논 3천 평에 대한 도조를 정조(正租) 석 섬으로 ~.
잡다[4] 타 ①동물을 죽이다. ¶소를 ~. ②남을 모해(謀害)하여 구렁에 넣다. ¶사람 잡을 소리. ③화재(火災)를 끄다. ¶불을 ~. ④노한 마음이나 방탕한 마음을 가라앉히다. ¶마음을 ~.
잡다[5] 타 ①굽은 물건을 곧게 하다. ¶굽은 철사를 곧게 ~. ②의복(衣服)에 주름을 내다. ¶바지 주름을 ~.
잡다[6] 타 ↗잡치다.
잡다[7] 보형 〈방〉 싶다(전북).
잡단【雜端】명〖역〗①고려 때 어사대(御史臺)와 사헌부(司憲府)의 종오품 벼슬. 어사(御史) 잡단. *규정(糾正). ②조선 초(初)에 사헌부의 정오품 벼슬. 태종(太宗) 원년(1401)에 지평(持平)으로 고침.
잡달호다 타 〈옛〉 조종하다. 다루다. ¶스싀로 잡달호믈 비호놋다(自學操) ≪杜諺 XXII:16≫. 「자여불
잡담【雜談】명 쓸데 없는 잡다한 말. 잡말. ¶~ 그만 해라. ——-하다
잡답【雜沓】명 사람이 많이 휩쓸려 붐빔. 분답(紛沓). 혼잡(混雜). ¶군중으로 ~을 이룬 거리. *분잡(紛雜). ——-하다 형여불
잡도리 명 잘못되지 않도록 단단히 주의하여 다룸. ¶단단히 ~를 하다. ——-하다 타여불
잡동사니 명 여러 가지가 한데 뒤섞인 모양. 또, 그 물건.
잡동 산:이【雜同散異】명〖책〗조선 정조(正祖) 때의 학자 안정복(安鼎福)이 지은 책. 경사자집(經史子集)에서 문자(文字)를 가려 뽑고, 명물(名物)·도수(度數)·패설(稗說)도 기록하였음. 모두 53 책으로 되었음.
잡-되다【雜—】형 ①천하고 난잡하다. ¶잡된 소리/잡된 생각. ②됨됨이가 조촐하지 못하고 잡상(雜常)스럽다.
잡드다 타 〈옛〉 붙들다. 돕다. =잡들다. ¶粥글히며 차 달효매 져 잡드놋다(煮粥煎茶 自提援) ≪南明 上 64≫.
잡드리 명 〈방〉 맵시(함경).
잡들다 타 〈옛〉 붙들다. 돕다. =잡드다. ¶다 서르 잡드러 둔니쟈(都厮扶助着行) ≪老乞 下 40≫.
-잡디까 어미 ↗-자고 합디까. ¶무슨 책을 출판하~. *-ㄴ답디까.
잡디다 타 〈방〉 잡쥐다.
-잡디다 어미 ↗-자고 합디다. ¶이 우물을 같이 쓰~. *-ㄴ답디다.
잡렴【雜斂】[—념] 명 ↗잡추렴(雜出斂).
잡령【雜令】[—녕] 명 여러 가지 금령(禁令).
잡록【雜錄】[—녹] 명 잡필(雜筆). 총록(叢錄). 잡기(雜記). ——-하다 타여불
잡류[1]【雜流】[—뉴] 명 정파(正派) 이외의 여러 가지 유파(流派).
잡류[2]【雜類】[—뉴] 명 ①점잖지 못한 사람들. 잡된 무리들. 잡배(雜輩). *잡것·잡놈. ②〖역〗고려 때부터 조선 초에 걸쳐, 잡다한 기능(技能)의 구실을 맡은 말단(末端) 이속(吏屬)의 무리. 구사(驅史)·정리(丁吏)·방자(房子)·전리(電吏)·장수(杖首)·소유(所由)·주선(注膳)·문복(門僕) 따위.
잡류-배【雜類輩】[—뉴—] 명 잡된 사람들의 무리. 잡배(雜輩).
잡림【雜林】[—님] 명 혼림(混林). 잡목림(雜木林).
잡-말【雜—】명 잡스러운 말. 잡담(雜談). 잡소리. ——-하다 자여불
잡-맛【雜—】명 제맛 이외에 섞인 군 맛. 잡미(雜味).
잡-매다 타 ↗잡아매다.
잡면【雜綿】명 미국산 이외의 브라질·이집트·인도·터키산(産) 따위의 목화.
잡모-류【雜毛類】명〖동〗선모류(旋毛類).
잡모-색【雜毛色】명 말의 털빛의 한 가지. 암색(暗色)과 담색(淡色)과의 털이 혼생(混生)한 것. 청부루 등의 털빛 종류.
잡목【雜木】명 ①여러 가지 나무. ②대수롭지 아니한 온갖 나무. 재목으로는 쓸 수 없고 땔나무로나 할 나무. 잡나무. ¶~림(林).
잡목-림【雜木林】[—님] 명 잡목들이 자라는 숲.
잡무【雜務】명 여러 가지 자질구레한 업무. ¶~를 처리하다.
잡문[1]【閘門】명〖토〗갑문(閘門).
잡문[2]【雜文】명〖문〗뚜렷한 어떤 문장 형식에 의하지 아니하고 닥치는 대로 쓰는 글. ¶~가(家).
잡문[3]【雜紋】명 여러 가지 자질구레한 무늬.
잡문[4]【雜問】명 여러 가지 번잡한 질문이나 문제.
잡-문학【雜文學】명〖문〗예술적인 가치가 없는 너절한 문학.
잡물【雜物】명 ①여러 가지 대수롭지 않은 물건. 잡복(雜卜). ②물질 속에 섞이어 있는 순수하지 않고 불필요하거나 해되는 물질.
잡물-색【雜物色】[—쌕] 명〖역〗호조(戶曹)의 한 분장(分掌). 잡비(雜費)나 잡무(雜務)를 맡음.
잡미【雜味】명 잡맛.
잡ᄆᆞᅀᆞᆷ 명 〈옛〉 잡념(雜念). ¶모ᄆᆞᆯ 편안히 ᄒᆞ야 잡ᄆᆞᅀᆞᆷ 업시 약을 머거 됴ᄒᆞ라(身體安穩得以靜心服藥將息也) ≪救簡 Ⅲ:27≫.
잡박【雜駁】명 이것저것 뒤섞여 통일이 없음. ——-하다 형여불
잡방[1]【雜方】명 의서(醫書)에 의하지 아니한 약방문(藥方文).
잡방[2]【雜房】명 ①여러 사람이 한데 섞여 있는 방. ②교도소에서 재감자(在監者)를 잡거(雜居)시키는 감방. 1)·2):↔독방(獨房).
잡방 집성【雜方集成】명〖책〗여러 종류의 병명(病名)과 그 치료 방문(治療方文)을 적은 책. 편자·간행 연대 미상. 목판본 1권. 한글 수진본(袖珍本).
잡배【雜輩】명 잡된 무리. 잡류(雜類). ¶시정(市井) ~. *잡것.
잡범【雜犯】명 정치범(政治犯) 이외의 여러 가지 범죄. 또, 그 죄(罪)를 범한 사람.
잡병【雜病】명 돌림병 등 갖가지의 잡된 병.
잡-보[1]【雜—】명 잡된 사람.
잡보[2]【雜報】명 그다지 중요하지 않은 자잘한 보도.
잡보-란【雜報欄】명 신문·잡지 등에서 잡다(雜多)한 사건을 보도하는 지면(紙面).
잡복【雜卜】명 잡살뱅이 물건. 잡물(雜物).
잡부【雜夫】명 ①〖광〗버력군·파석군 등 광산에서 광부 외에 쓰이는 여러 인부. ②잡역부. 허드레꾼.
잡부-금【雜賦金】명 잡종의 부과금. ¶~을 일소하다.
잡분【雜粉】명 밀가루 외의 다른 잡곡의 가루.
잡비[1]【雜肥】명〖농〗↗잡비료.
잡비[2]【雜費】명 여러 가지 자질구레하게 드는 비용. 잡용(雜用). ¶~를 덜다.
잡-비료【雜肥料】명〖농〗온갖 잡살뱅이를 썩여서 만든 비료. 준잡비(雜肥).
잡사[1]【雜史】명 정사(正史)의 자료가 될 수 있는 정사 이외의 각종 통사(通史). 또, 개인의 사전(史傳) 등의 총칭.
잡사[2]【雜事】명 여러 가지 자질구레한 일.
잡-산적【雜散炙】명 쇠고기의 정육(正肉)·잡육(雜肉) 또는 내포나 돼지고기·닭고기·꿩고기 또는 온갖 물고기를 섞어 양념을 치고 파·배추·송이버섯 등을 섞어서 만든 산적.
잡살-뱅이 명 여러 가지 자질구레한 것이 뒤섞인 허름한 물건.
잡살-전【—廛】명 여러 가지 씨앗, 특히 채종(菜種)을 파는 가게.
잡상【雜像】명〖건〗궁전 등의 추녀·용마루 또는 박공머리 위의 수키와 위에 덧얹은 여러 가지 짐승 형상이나 손오공(孫悟空) 따위.
잡상-관【雜想觀】명〖불교〗십육관(十六觀)의 하나. 아미타불(阿彌陀佛)·관음 보살(觀音菩薩)·대세지(大勢至) 보살의 삼존(三尊)이 여러 모양으로 나타나는 것을 보는 관법(觀法).
잡상-스럽다【雜常—】형ㅂ불 ①난잡하고 상스럽다. 자깝스럽다. ¶잡상스러운 짓. ②조촐하지 못하고 음탕(淫蕩)하다. ¶잡상스러운 사람.
잡상-스레【雜常—】부

잡-상인【雜商人】명 일정한 가게 없이 옮겨다니면서 잡살뱅이 물건을 파는 장사꾼. ¶~ 출입 금지.

잡상-장【雜像匠】명〖역〗와서(瓦署)에 딸린 공장(工匠). 잡상을 만드는 장인(匠人).

잡색【雜色】명 ①여러 가지 색이 뒤섞인 빛깔. ②온갖 종류의 사람이 뒤섞임을 일컫는 말. ③농악 등의 민속놀이에서, 정식 구성원이 아닌 창부·중·무동·양반광대·할미광대 등을 통틀어 일컫는 말. 이들은 주로 놀이의 흥을 돋우기 위해 따라 다님.

잡색-군【雜色軍】명〖역〗조선 전기에, 군역(軍役) 부과자 이외의 인정(人丁), 곧 생원(生員)·진사(進士)·품관(品官)·향리(鄕吏)·교생(校生)·공사천(公私賤) 등을 망라하여 편성한 일종의 예비역 병종(兵種). 25명을 1대(隊)로 하고 마병(馬兵)·보병(步兵)으로 나누되, 수령(守令)이 장악함. 태종 10년(1410)경부터 이루어짐.

잡색-꾼【雜色一】명 의식(儀式)이 있을 때에 쓰이는 온갖 인부.

잡색 위전【雜色位田】명〖역〗유역 잡색 위전(有役雜色位田).

잡색-체【雜色體】명〖생〗유색체(有色體).

잡서【雜書】명 ①잡다한 사항을 기록한 서적. ②함부로 지어 낸 가치 없는 책. ③도서 분류상, 부류(部類)와 소속이 명확하지 않은 여러 가지 책. ④한학에서 경사자집(經史子集)이 아닌 책.

잡석【雜石】명 ①토목 건축에 쓰는 크고 작은 돌. 막돌. ②소용(所用)이 적은 돌.

잡석 공굴【雜石一】명〖건〗잡석을 써서 만든 공굴.

잡선【帀線·匝線】명〖수〗일정한 점의 둘레를 돌면서 무한한 길을 그리는 나선형의 평면 곡선. 와선(渦線). 나선(螺線).

잡설【雜說】명 ①잡소리. ②가지가지 잡다한 설.

잡성-화【雜性花】명〖식〗양성화(兩性花) 및 단성화(單性花)가 한 나무에 피는 꽃. 다성화(多性花). 잡거화(雜居花).

잡세【雜稅】명 ①↗무명 잡세(無名雜稅). ②〖법〗잡종세(雜種稅).

잡소【雜訴】명 여러 가지 대수롭지 않은 소송(訴訟).

잡-소득【雜所得】명 여러 가지 종류의 잡다한 소득.

잡-소리【雜一】명 ①잡말. 잡설(雜說). ¶ ~ 그만 해라. ②잡가(雜歌). ③잡음(雜音)❸.

잡-소문【雜所聞】명 잡스러운 소문.

잡소으다 타 〈옛〉 드리다. ¶후에 상 잡소으라(後頭擡卓兒) ≪朴解 上 6≫.

잡-손[1]【雜一】명 ↗잡손질. ——-하다 자타여불

잡손[2]【雜損】명 ↗잡손실.

잡-손실【雜損失】명 잡다한 손실. 준잡손(雜損).

잡-손질【雜一】명 쓸데없는 손질. 자질구레한 손질. 준잡손. ——-하다 자타여불

잡솟 명 〈방〉 잡좇.

잡-송골【雜松鶻】명 옥송골(玉松鶻) 다음가는 송골매.

잡수[1]【雜收】명 ↗잡수입(雜收入).

잡수[2]【雜修】명〖불교〗염불(念佛) 이외의 잡다한 수행.

잡수[3]【雜樹】명 잡목(雜木).

잡수다 ㊀ 자 '먹다[1]❶'의 경어. ㊁ 타 ①'먹다[2]❶'의 경어. 드시다. *자시다. ②제사를 차려 올리다. ¶탕 잡수어 와라. ③'올리다❸'의 경어. ④'먹다[2]❼'의 경어.

잡-수당【雜手當】명 여러 가지 자질구레한 수당.

잡-수수료【雜手數料】명 여러 가지 자질구레한 수수료.

잡수시다 타 '잡수다'에 존경의 뜻을 나타내는 선어말 어미(先語末語尾) '-시-'가 붙어서 된 말. 준잡숫다.

잡-수입【雜收入】명 ①장부(帳簿)에 두드러진 명목(名目)으로 계정(計定)이 없는 잡살뱅이 수입. ②정한 수입 외에 이럭저럭 생기는 수입. 준잡수(雜收).

잡순【帀旬·匝旬】명 십 일간. 열흘 동안.

잡술【雜術】명 사람을 속이는 요사(妖邪)한 술법.

잡숫다 타 ↗잡수시다.

잡-스럽다【雜一】형ㅂ불 상스럽고 난잡하다. **잡-스레**【雜一】부

잡시【雜詩】명 흥(興)이 나는 대로 정형(定型)에 구애하지 않고 지은 시. 또, 제목이 없어진 옛 시를 편찬할 때 이름지어 이르는 말.

잡시 방약【雜施方藥】명 병을 고치기 위하여 갖가지 약을 시험삼아 써 봄. ——-하다 타여불

잡식[1]【雜食】명 ①여러 가지를 섞어 먹음. 또, 그 음식. ②육류(肉類)와 채류(菜類)를 혼식(混食)함. ¶~ 동물. ——-하다 자타여불

잡식[2]【雜植】명〖농〗정조식(正條植)이 아니고 되는 대로 모를 심음. ——-하다 타여불

잡-식구【雜食口】명 군식구.

잡식 동:물【雜食動物】명 〔omnivores〕〖동〗식능(食能)이 잡식성인 동물. 고양이·쥐·닭·참새 같은 것. 잡식류(雜食類). *육식(肉食) 동물·초식(草食) 동물.

잡식-류【雜食類】[一뉴] 명〖동〗잡식 동물(雜食動物).

잡식-성【雜食性】명 〔polyphagy, omnivory〕〖동〗동물성 먹이와 식물성 먹이의 양쪽을 다 먹는 동물의 습성. ↔육식성(肉食性)·초식성(草食性). *잡식 동물(雜食動物).

잡식성 동:물【雜食性動物】명〖동〗잡식 동물.

잡식-화【雜食化】명 잡식성(雜食性)으로 되거나 되게 함. ——-하다 자타여불

잡신【雜神】명 잡귀(雜鬼).

잡심【雜心】명 온갖 잡된 마음.

잡-싸리 명 〈방〉 댑싸리.

잡아-가다 타 거라불 ①사람을 잡아 묶어서 데려가다. ¶순경이 와서 ~. ②짐승 등을 죽여 가져가다. ¶개를 ~.

잡아-가두다 타 붙잡아서 감금(監禁)하다.

잡아-내다 타 ①속에 있는 것을 잡아서 밖으로 나오게 하다. ¶굴 안에서 ~. ②결점이나 틀린 곳을 지적하다. ¶흠을 ~.

잡아-넣다 [一너타] 타 ①붙잡아 가두다. 잡아 들이다. ¶도둑을 경찰에 ~. ②속에 들어가게 하다. ¶돼지를 우리에 ~.

잡아-늘이다 타 잡아당기어 본디보다 길게 하다.

잡아-다리다 타 ☞잡아당기다.

잡아-당기다 타 잡아서 앞으로 끌어당기다. ¶밧줄을 ~.

잡아-댕기다 타 ☞잡아당기다.

잡아-들다 ㊀ 자 ①날짜·때·나이가 닥쳐 오다. ¶추수기에 ~. ②어느 지점을 넘거나 갈림길에서 목표를 정하여 들어가다. ¶산길로 ~. 1)·2): <접어들다. ㊁ 타 정하여 들다. ¶방을 ~.

잡아-들이다 타 ①밖엣 것을 잡아 안으로 들어오게 하다. ¶밖으로만 쏘다니는 아이놈을 ~. ②잡아서 가두다. 잡아넣다. ¶사기꾼을 ~/주모자를 ~.

잡아-떼다 타 ①붙어 있는 것을 잡아당겨서 떨어지게 하다. ¶옷에 붙은 껌을 ~. ②아는 일을 모른다거나 한 짓을 아니 하였다고 우겨 말하다. ¶모른다고 딱 ~.

잡아-매다 타 ①흩어진 것을 모아 한데 매다. ¶머리를 단정하게 ~. ②달아나지 못하게 잡아서 묶다. ¶강아지를 사슬에 ~. 준잡매다.

잡아-먹다 타 ①어떤 동물을 죽여 그 고기를 먹다. ¶돼지를 ~. ②남을 몹시 괴롭게 하다. ¶그는 나를 잡아먹지 못해 야단이다/사람 잡아먹을 소리. ③어떠한 일이, 돈이나 물건이 들거나 시간이 걸리게 하다. ¶하찮은 일이 돈만 잡아먹는다.

잡아-먹히다 피동 잡아먹음을 당하다. 잡히어서 먹히다. ¶호랑이에게 ~.

잡아-묶다 타 잡아서 달아날 수 없게 묶다. ¶도둑을 ~.

잡아-죽이다 타 붙잡아서 살해(殺害)하다.

잡아-채다 타 잡아서 힘껏 당기거나 들어 올리다.

잡아-타다 타 자동차·말 따위를 세워서 타다.

잡악【雜樂】명 아악(雅樂) 이외의 여러 가지 속악(俗樂).

잡어【雜魚】명 자질구레한 물고기. 대수롭지 않은 물고기.

잡언【雜言】명〖문〗잡언 고시(雜言古詩).

잡언 고:시【雜言古詩】명〖문〗시(詩) 한 수(首) 속에 삼언(三言)·사언(四言)·오언(五言)·칠언(七言) 등의 구(句)를 혼용하는 한시체(漢詩體). 잡언(雜言).

잡언-체【雜言體】명 구(句)의 자수(字數)에 규정(規定)이 없는 한시(漢詩)의 체(體).

잡업【雜業】명 일정하지 않은 가지가지의 잡살뱅이 일이나 직업.

잡역【雜役】명 ①공역(公役) 외의 여러 가지 부역. ②잡일.

잡역-미【雜役米】명〖역〗결역가(結役價).

잡역-부[1]【雜役夫】명 잡역에 종사하는 인부. 잡부(雜夫). 허드레꾼.

잡역-부[2]【雜役婦】명 잡역에 종사하는 여자.

잡역-선【雜役船】명 여러 가지 잡무(雜務)에 종사하는 배의 총칭. 예선(曳船)·교통선·기중기선·준설선(浚渫船) 등이 포함됨.

잡연[1]【雜然】명 ①혼잡한 모양. ②난잡하게 널려 있는 모양. ——-하다 형여불. ——-히 부

잡연[2]【雜緣】명〖불교〗불도(佛道) 수행을 방해하는 온갖 연(緣). 곧, 사견(邪見)·유혹 등.

잡영【雜詠】명 여러 가지 사물을 읊은 시가(詩歌).

잡-영선비【雜營繕費】명 자질구레한 여러 물건(物件)을 고치는 데 쓰인 비용(費用).

잡예[1]【雜藝】명 여러 가지 너절한 기예(技藝).

잡예[2]【雜穢】명〖불교〗죄악·번뇌가 뒤섞인 가지가지 더러움.

잡완【雜玩】명 여러 가지 장난감. 또, 주변에 있는 잡살뱅이.

잡요【雜徭】명 여러 가지 부역(賦役).

잡용【雜用】명 ①일상(日常)의 자질구레한 씀씀이. ¶~에 쓰다. ②잡비(雜費).

잡우【雜羽】명 여러 가지 자질구레한 날짐승.

잡위【雜位】명〖역〗조선 시대에, 어떤 목적 사업에 쓰던 여러 가지 위전(位田).

잡은-것 명 ①〖광〗채광(採鑛)하는 데 쓰이는 연장의 총칭. ②〈옛〉 연장. 쟁기. =자븐것·자본것. ¶잡은 것 넌는 술위(庫車) ≪老乞 下 32≫.

잡은-광【雜銀鑛】명〖광〗은의 30% 가량이 구리로 치환(置換)된 은의 광석. 단사 정계(單斜晶系)에 속하며 단주상(短柱狀)이나 입상정(粒狀晶)으로서 산출(產出)됨. 빛은 철흑색(鐵黑色)이고 금속 광택이 나며 불투명함.

잡을-도조【一賭租】[一또一] 명〖사〗지주가 소작인을 입회시키고 벼의 수확 예상량을 협정하여 정하는 도조. 간평 도조(看坪賭租). 두지정(頭支定). 집도(執賭). 집수(執穗). 집조(執租). ↔병작(幷作).

잡을-손 [一쏜] 명 일을 다잡아 하는 솜씨.

잡을손(이) 뜨다 구 일을 다잡아 하지도 않고, 한다 해도 매우 굼뜨다.

잡음【雜音】명 ①시끄러운 소리. ¶도시의 ~. ②불규칙한 파동(波動)으로 불유쾌한 느낌을 주는 소리. ③전신(電信)·라디오의 청취(聽取)를 방해하는 소리. 전기 장치·전기 계통에 방해가 되는 전류(電流) 또는 전압(電壓)이 가해져 생김. 잡소리. ¶라디오에 ~이 들어오다. ④주위에서 이러쿵저러쿵하는 의견이나 비판을 비유적으로 이르는 말. ¶~을 넣다. ⑤〔murmur〕〖의〗흉벽(胸壁)을 통해서 들리는 심장의 분출음(噴出音).

잡음-계【雜音計】명 〔noise meter〕〖물〗전기 회로(電氣回路)의 잡음

을 측정(測定)하는 장치. 측정하는 회로(回路)에 600Ω의 저항(抵抗)을 접속(接續)시키면 회로에 있는 잡음 기전력(起電力)의 반(半)의 수치(數値)를 나타냄.

잡음 발생기【雜音發生器】[―쌩―] 명 〔noise generator〕 전기적(電氣的)인 잡음을 만들어 내는 장치. 전기 시스템(電氣 system)이 잡음에 어떻게 응답(應答)하는가를 시험하고, 잡음 강도(強度)를 측정(測定)하는 데 쓰임.

잡음 분석【雜音分析】 명 〔noise analysis〕 『물』 지정(指定)된 잡음에 관계하고 있는 진동수(振動數)를 결정하는 일.

잡음 수준【雜音水準】 명 〔noise level〕 『전』 바람직하지 못한 소리의 강도(強度) 또는 전류·전압의 변동의 크기 등을 이름. 어떤 시간 간격과 진동수의 영역을 고려, 평균화하여 기준치에 대한 데시벨(decibel)로 나타냄.

잡음 시험【雜音試驗】 명 〔noise testing〕 『전』 전화 또는 전신 회로에 시험 전력을 공급하지 않고, 회로의 일단에 연결한 어떤 값의 저항(抵抗)에 의해 소비되는 전력을 측정하는 일.

잡음-씨 명 『언』 '지정사(指定詞)'의 풀어 쓴 말.

잡음 제:한기【雜音制限器】 명 〔noise limiter〕 『전』 수신(受信)한 유효신호(有效信號)의 최대 피크(peak)보다 큰 잡음 피크를 차단(遮斷)하는 리미터 회로. 이것으로 대기(大氣)의 방해나 인위적인 전파 방해(電波妨害)를 감소시킴.

잡음 지수【雜音指數】 명 〔noise figure〕 수신기나 증폭기(增幅器)의 내부(內部) 잡음의 정도를 나타내는 수치로, 입력측(入力側)의 에스 엔 비(SN 比)를 출력측(出力側)의 에스 엔 비로 나눈 비율임. 보통, 데시벨로 나타냄. *에스 엔 비.

잡-의시【雜擬詩】 명 『문』 중국의 고시(古詩) 분류상의 한 형태. 고시를 흉내낸 몇 종류의 의작시(擬作詩)의 총칭.

잡이[1] 명 ①잡는 일. ¶남 ～가 제 ～. ② ↗ 손잡이. ③'주(注)·지침(指針)·비고(備考)' 따위의 뜻. ④'-ㄹ' 관형사형 다음에 쓰여서 무엇을 할 만한 요건을 갖춘 사물. ¶그와 맞붙을 ～가 못 되었다 / 그를 이겨낼 ～가 없었다.

잡이[2] 명 『민』 민속극·굿 따위에서, 기대를 도와 피리·젓대·해금 따위로 반주를 하는 사람.

-잡이 미 ①명사 아래에 붙어 그것을 잡는 일을 나타냄. ¶멱살～. ②명사 뒤에 붙어 어떤 일을 맡아 하거나 그 일에 능한 사람을 나타냄. ¶키～ / 칼～ / 총～ / 길～ / 왼손～. ③풍물·농기구 등을 맡아 다루는 사람. ¶가래～ / 장구～ / 피리～ / 가얏고～ / 못줄～. ④나이를 세는 '살' 따위에 붙어 '그 나이의 아이'를 나타냄. ¶세 살～ / 돌～ 사내아이.

잡이-꾼 명 농기구·풍물 따위를 맡아서 다루는 사람.

잡-이자【雜利子】[―니―] 명 여러 가지 자질구레한 이자.

잡인【雜人】 명 일정한 곳이나 일에 관계가 없는 사람.

잡-일【雜―】[―닐] 명 여러 가지 자질구레한 일. 허드렛일. 잡역(雜役).

잡자[1] 명 『역』 성상[4](城上).

잡자[2]【雜者】 명 잡놈.

잡-자산【雜資產】 명 〔miscellaneous assets〕 『경』 자산을 1년을 기준(基準)으로 하여 볼 때, 1년 이내에 환금(換金)할 수 있는 자산인 유동자산(流動資產) 중에서 당좌 자산(當座資產)·실사 자산(實查資產)·재고(在庫) 자산·재물(在物) 자산에 속하지 아니하는 특수 항목의 자산을 일괄(一括)하여 말할 때에 이름.

잡작-국【雜作局】 명 『역』 고려 충렬왕(忠烈王) 34년(1308)에 도교서(都校署)를 파하고 베푼 한 국(局). 충선왕(忠宣王) 2년(1310)에 복구(復舊)하였음.

잡-잠【雜蠶】 명 잡종(雜種)이 된 누에.

잡-잡가【雜雜歌】 명 『역』 경기 잡가(京畿雜歌)의 앉은소리의 십이 잡가(十二雜歌) 가운데 팔잡가(八雜歌)를 뺀, 네 잡가(雜歌)의 일컬음. 곧, 달거리·십장가(十杖歌)·방물가(房物歌)·출인가(出引歌)의 넷. *팔잡가·휘모리 잡가.

잡장[1]【雜杖】 명 『건』 벽을 만들 때 외로 쓰는 잡목.

잡장[2]【雜醬】 명 메줏가루에 고기·소금·파·꼭두서니·진피 등을 넣고 버무려서 담근 장.

잡장-개비【雜杖―】 명 잡장의 나뭇개비.

잡저【雜著】 명 ①『문』 서(序)·기(記)·잠(箴)·명(銘)·부(賦)·표(表)·책(策) 이외의 저서(著書). ②계통이 없이 잡다한 의견이나 감상을 모은 책. ③여러 가지 잡다한 저서.

잡전[1]【雜廛】 명 ①자질구레한 물품(物品)을 파는 가게. ②여러 잡다(雜多)한 가게.

잡전[2]【雜錢】 명 여러 가지 잔돈.

잡-젓【雜―】 명 여러 가지 생선으로 담근 젓. 잡해(雜醢).

잡젖 명 〈방〉 잡좆.

잡제【雜題】 명 ①잡다한 여러 가지 문제. ②뒤섞여 구별하기 어려운 것을 모은 제목. ③『문』 일정한 제목도 없이 이것저것 적어 놓은 대수롭지 않은 한시(漢詩).

잡졸【雜卒】 명 훈련이 되어 있지 않아 너절한 병졸. 또, 잡역(雜役)에 종사하는 병사.

잡종【雜種】 명 ①이것저것 잡다한 종류. ②여러 가지가 섞인 종류. ③〔hybrid〕 『생』 틀리는 종류의 생물의 교배(交配)에 의하여 생긴, 유전적으로 순수하지 못한 생물체. ¶～ 개. ④트기❶.

잡종 강세【雜種強勢】 명 〔hybrid vigour〕 『생』 잡종 제1대가 몸의 크기·증식력·저항성 등에서 양친(兩親)보다 뛰어나는 일. 누에의 잡종이 양친보다 튼튼하여 발육이 좋으며 실의 양(量)도 많은 일 따위. 축산이나 농업에서 사육(飼育)·재배에 이용됨.

잡종 경:기【雜種競技】 명 줄다리기 등, 정식(正式) 육상 경기가 아닌 운동 경기.

잡종 번식법【雜種繁殖法】 명 『생』 다른 종류나 품종의 교잡을 이용하여 새 품종을 만들어 내거나 또는 품종을 유지하는 방법.

잡종 보:험【雜種保險】 명 손해(損害) 보험 중 해상 화재(海上火災) 보험을 제외한 다른 보험의 총칭. 운송(運送) 보험·상해(傷害) 보험·자동차 보험·신용 보험·도난 보험·가축 보험 따위.

잡종 불임성【雜種不稔性】[―썽] 명 〔hybrid sterility〕 『생』 잡종에서 염색체의 조화성(調和性) 결여(缺如)로, 성세포(性細胞)의 발달이나 성숙 분열(成熟分裂)에 장애가 생기고, 기능성(機能性) 있는 배우자(配偶子)의 형성을 할 수 없는 일.

잡종-설【雜種說】 명 〔hybridization theory〕 『생』 생물의 유전적인 차이는 교잡(交雜)에 의하여 본래부터 존재하고 있던 유전질(質)의 이동이나 분배(分配)가 이루어진 결과라고 하는 학설.

잡종-세【雜種稅】[―쎄] 명 『법』 상공업 이외의 영업이나 물품에 부과하는 여러 가지 세금. 차량세(車輛稅)·시장세(市場稅)·선박세(船舶稅)·수렵세(狩獵稅)·어업세(漁業稅) 등. 잡세(雜稅).

잡종 식물의 연:구【雜種植物―研究】[―/―에―] 명 멘델(Mendel)의 논문. 완두(豌豆)의 유전에 관해 8년간 연구한 결과를 정리한 것으로, 1866년 브뤼(Brün)의 자연 과학 협회 회보(會報)에 발표됨. 이 논문에 멘델의 유전 법칙이 실려 있음.

잡종-아【雜種兒】 명 트기❶.

잡종 재산【雜種財產】 명 『법』 국유 재산법에서 보통재산의 하나. 행정재산 이외의 국유 재산으로, 대부(貸付)·교환·매각(賣却)·양여(讓與)·현물 출자(現物出資)의 목적물이 됨.

잡종 제:일대【雜種第一代】[―때] 명 〔first filial generation〕 『생』 교잡(交雜)에 의하여 생긴 제1대째의 동식물. 식물에서는 교잡(交雜)에 의해 생긴 종자(種子) 및 그 성장한 것을 가리킴. 보통 F 기호로 나타냄. F_1 이후의 자가 수정(自家受精)에 의해 생기는 자손을 순차적으로 잡종 제이대(F_2), 제삼대(F_3), …라고 함.

잡종 학교【雜種學校】 명 『교』 각종 학교(各種學校).

잡종 형성법【雜種形成法】[―뻡] 명 『식』 잡종 강세(強勢)를 이용한 품종 개량법의 한 가지. 품종이 다른 식물을 인공적으로 수분(受粉)하여 양쪽의 우수한 개체(個體)를 고정(固定)시키는 방법.

잡종-화【雜種化】 명 잡종이 됨. 또, 잡종이 되게 함. ――-하다 자타여불

잡-좆 명 『농』 쟁기의 술의 중간에 박아서 잡고 쳐들게 된 나무.

잡-죄다 타 ①다잡아 쾌치거나 독촉(督促)하다. ②잡도리를 엄(嚴)하게 하다.

잡주【雜株】 명 『경』 ①매매가 그다지 없는 주식(株式). ②투기(投機)의 목적으로 대량으로 매매되는 주식 이외의 잡살뱅이 주식.

잡주-계【雜住界】 명 『불교』 천상(天上)·인간·축생(畜生)·아귀(餓鬼)·지옥의 오취(五趣)가 섞여 있는 세계. 곧, 욕계(慾界)를 이름.

잡쥐다 타 〈옛〉 잡아 쥐다. 제어(制御)하다. ¶잡쥐여 뿌메 充數홀거시 업세라 ᄒᆞᄂᆞ다(無以充提携) ≪杜諺 I:23≫ / 잡쥘 셥(攝) ≪字會 下 32≫.

잡증【雜症】 명 주되는 병 외에 일어나는 여러 가지 증세.

잡지【雜誌】 명 호(號)를 거듭하여 정기적(定期的)으로 간행(刊行)되는 출판물(出版物). 정보 전달(情報傳達)·지적 계몽(知的啓蒙)·오락 제공(娛樂提供)·광고 매체(廣告媒體)의 기능(機能)을 가지며 시사성(時事性)·언론성(言論性)이 강함. 주간(週刊)·순간(旬刊)·월간(月刊)·계간(季刊)의 구별이 있음. 잡지책.

잡지 기자【雜誌記者】 명 잡지의 기사를 쓰거나 또는 그 취재·편집에 종사하는 사람.

잡지-사【雜誌社】 명 영리(營利)를 목적으로, 잡지를 편집(編輯)·간행(刊行)하는 회사.

잡지의 날【雜誌―】[―/―에―] 명 잡지의 문화적 의의를 생각하고, 그 향상·보급을 다짐하기 위해 정한 날. 1908년 11월에 최남선(崔南善)이 우리 나라 최초의 본격적인 월간 잡지 '소년(少年)'을 발행한 일을 기념하여 해마다 11월 1일로 정함.

잡지-책【雜誌―】 명 잡지(雜誌).

잡직【雜職】 명 『역』 ①의학(醫學)·역학(譯學)·음양학(陰陽學)·율학(律學)·산학(算學) 등 기술을 가진 벼슬의 총칭. ↔정직(正職)❶·실직(實職)❶. ②조선 시대에 사무를 담당하지 않고 잡무에만 종사하던 벼슬. 정육품 이상의 품계에는 오를 수 없었음. 액정서(掖庭署)의 사알(司謁) 이하 모든 벼슬, 공조(工曹)의 공조(工造) 이하, 교서관(校書館)의 사준(司准) 이하, 사옹원(司饔院)의 재부(宰夫) 이하, 상의원(尙衣院)의 공제(工製) 이하, 사복시(司僕寺)의 안기(安驥) 이하, 군기시(軍器寺)의 공제(工製) 이하, 선공감(繕工監)의 공조(工造) 이하, 장악원(掌樂院)의 전악(典樂) 이하, 소격서(昭格署)의 상도(尙道) 이하, 장원서(掌苑署)의 신화(愼花) 이하, 도화서(圖畫署)의 선화(善畫) 이하, 금군(禁軍)의 영(領)·정(正), 각 영(營)의 기총(旗摠)·대장(隊長)·대부(隊副)·여수(旅帥)·대정(隊正) 등의 총칭.

잡직-서【雜織署】 명 『역』 고려 때 직조(織造)에 관한 일을 맡아 보던 관아. 충렬왕(忠烈王) 34년(1308)에 도염서(都染署)에 합쳐 직염국(織染局)으로 하였다가, 충선왕(忠宣王) 2년(1310)에 다시 예전대로 회복함.

잡차래 명 주로 내포(內包)를 삶아 낸 잡살뱅이 쇠고기. ㊕잡찰.

잡착【雜錯】 명 착잡(錯雜). ――-하다 형여불

잡찬[1]【迊飡】 명 『역』 신라 때 십칠 관등(十七官等)의 세째 위계(位階). 진골(眞骨)만이 오를 수 있음. 이찬(伊飡)의 아래, 파진찬(波珍飡)의 위임. 소판(蘇判). 잡간(迊干).

잡찬[2]【雜纂】 명 잡다한 일을 편찬하는 일. 또, 그 책.

잡찰 명 ↗잡차래.
잡채【雜菜】명 여러 가지 나물에 쇠고기나 돼지 고기를 잘게 썰어 넣고 양념하여 볶은 음식.
잡-채기 명 씨름에서, 순간적으로 샅바를 힘껏 당기고 오른쪽 허리를 상대의 허리와 몸에 붙임과 동시에 상대의 허리를 꺾는 듯 젖혀서, 던지는 혼합 기술의 하나.
잡채-밥【雜菜—】명 중국 음식점에서, 볶음밥에 잡채를 곁들여서 내놓는 일품 요리(一品料理).
잡처【雜處】명 잡거(雜居). ——하다 자 여불
잡-처용【雜處容】명 〖문〗≪시용 향악보(時用鄕樂譜)≫에 전하는 무가 계통(巫歌系統)의 노래. 처용희(處容戲)와 관련(關聯)이 있는 것으로 생각됨.
잡철[1]【雜綴】명 여러 가지 종류의 서류나 물건을 한데 철해 놓은 것.
잡철[2]【雜鐵】명 가지가지 잡다한 쇠붙이.
잡철-전【雜鐵廛】명 파손한 여러 가지 잡철을 파는 가게.
잡체【雜體】명 ①잡체시(雜體詩). ②여러 가지 서체(書體)를 혼합(混合)한 것.
잡체-시【雜體詩】명 중국 구시(舊詩)의 시체(詩體). 요체(拗體)·회문(廻文)·측기체(仄起體) 등 운율(韻律)·수사(修辭)·구법(句法)상 변체(變體)로 생각되는 시체의 총칭.
잡초[1]【雜抄】명 여러 가지 것을 추려 뽑아 씀. 또, 그 책(冊). ——하다 타 여불
잡초[2]【雜草】명 저절로 나서 자라는 여러 가지 풀. 경작하거나 재배(栽培)하는 풀 이외의 여러 가지 풀. 잡풀.
잡총【雜聰】명 여러 가지 잡살뱅이 일을 잘 기억하는 총명(聰明).
잡-추렴【雜—】명 정규적이 아닌 여러 가지 추렴. 준 잡렴(雜斂).
잡축【雜畜】명 마소 이외의 여러 가지 가축.
잡-치다 타 ①일을 잘못하여 그르치다. ¶일을 ~. ②못쓰게 만들다. ③기분을 상하다. ¶기분을 ~. 준 잡다[6].
잡칙【雜則】명 여러 가지 잡다한 규칙.
잡-타령【雜打令】명 잡가(雜歌)❸.
잡탈【雜頉】명 ①여러 가지 잡스러운 폐단(弊端). ②관노(官奴)의 여러 가지 탈.
잡탕【雜湯】명 ①쇠고기·해삼·전복·무 등을 삶아 썰어서 넣고 온갖 양념과 고명을 하여 끓인 국 또는 볶은 음식. ②여러 가지가 뒤섞여 난잡한 모양이나 물건. 또, 난잡한 행동을 하는 사람.
잡탕-밥【雜湯—】명 중국 음식점에서, 볶음밥에 잡탕을 곁들여서 내놓는 일품 요리(一品料理).
잡탕-패【雜湯牌】명 몹시 난잡한 행동을 하는 무리.
잡-티【雜—】명 여러 가지 자질구레한 티 또는 흠.
잡-풀【雜—】명 잡초(雜草).
잡품【雜品】명 자질구레한 여러 가지 물품.
잡필【雜筆】명 갖가지 자질구레한 일을 기록함. 또, 그 글. 잡기(雜記). 잡록(雜錄). ——하다 타 여불
잡학【雜學】명 넓은 분야에 걸친 잡다한 지식. 또, 계통이나 조직을 세워 전문적으로 연구하지 않은 지식이나 학문. 잡박(雜駁)한 학문에 대하여 경멸의 뜻으로 씀.
잡학-자【雜學者】명 전공(專攻)이 뚜렷하지 않고 여러 가지 사항을 연구하는 학자. 다방면으로 알되 하나도 신통(神通)하지 않은 학자를 경멸하여 부르는 말.
잡한【雜漢】명 잡놈.
잡해【雜醢】명 잡젓.
잡행【雜行】명 ①잡스러운 행동. ②〖불교〗염불 이외의 여러 가지 수행. ↔정행(正行). ③〖불교〗중이 계율을 범하는 행위.
잡혀-가다 자 거라불 붙들리어 가다. 체포되어 연행(連行)되어 가다. ¶경찰에 ~.
잡혈【雜血】명 혼혈(混血)❶.
잡혼【雜婚】명 〔promiscuity〕〖사〗원시(原始) 사회에서 특정한 부부 관계가 없이 동물적(動物的)인 방식에 의하여 함부로 행하여진 결혼. 난혼(亂婚).
잡화[1]【雜花】명 여러 가지 이름 모를 대수롭지 않은 꽃.
잡화[2]【雜貨】명 여러 가지의 잡다(雜多)한 상품(商品). 잡화품(雜貨品). ¶~상(商).
잡화[3]【雜畫】명 어느 화파(畫派)라고도 할 수 없는 화법(畫法)의 회화(繪畫). 또, 화가(畫家)가 아닌 사람이 여가(餘暇)를 이용(利用)해서 그린 그림.
잡화 공업【雜貨工業】명 장난감·문방구·악기·신발·목죽(木竹) 제품·도자기·복식 부속품(服飾附屬品) 등 잡화를 생산하는 공업. 일반적으로, 노동 집약적(勞動集約的)인 형태로 행하여짐.
잡화-상【雜貨商】명 일상 필수품 등 여러 가지 물품을 파는 장사. 또, 그 장수. ¶~을 벌이다.
잡화-점【雜貨店】명 일상 필수품(必需品) 등 여러 가지 물품(物品)을 파는 상점.
잡화-품【雜貨品】명 잡화.
잡회【雜膾】명 간·양·콩팥·처녑및 살코기를 잘게 썰어 만든 육회(肉膾)의 한 가지.
잡흐다 보형 〈방〉 싶다(전북).
잡흥【雜興】명 〖문〗고려의 학자 최유청(崔惟淸)이 지은 오언 고시(五言古詩). 전원의 한가로움과 그 곳에서 소요하는 심경을 읊음. ≪동문선(東文選)≫에 전함. 9수.
잡희【雜戲】[—히] 명 여러 가지 장난. 여러 가지 놀음놀이. 백희(百戲).
잡-히다[1] 피동 ①움키어 잡음을 당하다. ¶손에 ~. ②논 같은 곳에 물이 들어가 차게 되다. ¶물이 가득히 잡힌 논. ③↗붙잡히다. ¶범인(犯人)이 ~.
잡-히다[2] 피동 도조(賭租)를 얼마로 정하게 되다. ¶도조가 30섬으로 잡혔다.
잡-히다[3] 피동 ①동물이 잡음을 당하다. ¶청어가 많이 ~. ②남의 모해를 입다. ③결점이나 흠잡음을 당하다. ¶트집을 ~. ④화재가 진화(鎭火)되다. ¶불길이 ~. ⑤어떤 일이나 마음 또는 자리가 안정되다. ¶마음이 ~.
잡-히다[4] 피동 ①굽은 것이 곧게 잡음을 당하다. ¶굽은 철사가 곧게 ~. ②의복 등에 주름이 서게 되다. ¶주름 잡힌 스커트.
잡-히다[5] 사동 ①담보(擔保)로 맡게 하다. ¶시계를 잡히고 돈을 빌리다. ②손으로 잡게 하다.
잡힐-손 [—쏜] 명 무슨 일에든지 쓰일 모가 있는 재간(才幹). ¶~ 있는 사람.
잣[1] 명 〈옛〉 성(城). ¶城은 자시라 ≪月釋 1:6≫/잣 셩(城) ≪字會 中 8≫.
잣:[2] 명 잣나무의 열매. 솔방울같이 생긴 단단한 송이에 들어 있음. 맛이 고소하여 고명으로도 쓰임. 백자(柏子). 송자(松子). 해송자(海松子). ¶~죽.
잣:-가루 명 잣을 칼로 난도질하여 만든 가루. 고명으로 쓰임. 백자말(柏子末).
잣:가루 강정 명 잣가루를 묻힌 강정.
잣:-강정 명 잣이나 잣가루를 써서 만든 강정. *강정.
잣:-기름 명 잣으로 짠 기름. 식용(食用)이나 약용(藥用)으로 함. 해송자유(海松子油).
잣:-까마귀 명 〖조〗[*Nucifraga caryocatactes macrorhynchus*] 까마귓과에 속하는 새. 몸은 최소형으로 날개 길이 19cm, 부리 5cm 가량이고, 온 몸빛이 암갈색에 백색 반문이 별처럼 산재함. 고산 지대의 깊은 산중에 살며, 침엽수(針葉樹)의 열매와 곤충을 먹는데 우는 소리가 불쾌함. 시베리아·만주·한국·일본·중국에 분포함. 산(山)갈가마귀. 산아(山鴉).

〈잣까마귀〉

잣:-나무 명 〖식〗[*Pinus koraiensis*] 소나뭇과에 속하는 상록 교목. 높이 10-30m, 직경 1.5m 가량이고 수피(樹皮)는 회갈색이나 묵으면 인편(鱗片)이 되어 떨어짐. 침형(針形) 잎은 다섯 잎씩 총생함. 5월에 자웅 일가(雌雄一家)의 담녹색 꽃이 수상(穗狀)화서로 피는데, 수꽃 이삭은 달걀꼴의 긴 타원형, 암꽃 이삭은 달걀꼴의 타원형이고, 구과(毬果)는 10월에 익음. 산복(山腹)이나 골짜기 사이의 비옥한 땅에 나는데, 한국 각지 및 일본·중국·만주·시베리아 등지에 분포함. 정원수로 심고 재목(材木)은 가벼워서 건축재·도구재(道具材)·관재(棺材)·판재(板材) 등으로 쓰이며, 종자(種子)는 '잣'이라 하여 식용(食用)함. 과송(果松). 백목(柏木). 송자송(松子松). 오엽송(五葉松). 오렵송(五鬣松). 오립송(五粒松). 유송(油松). 해송(海松).
〈잣나무〉

잣냉이 명 〖식〗〈방〉 꽃마리.
잣-눈[1] 명 자에 푼·치·m·cm 등 길이 표시를 새긴 금.
[잣눈도 모르고 조복(朝服) 마른다] 아무 것도 모르고 가장 어려운 일을 경영하려고 한다는 말.
잣-눈[2] 명 한 자 정도 내린 눈. 척설(尺雪).
잣:다 타 ㅅ불 ①물레를 돌려 실을 뽑다. ②무자위 같은 것을 놀려 물을 빨아 올리다. ¶못에서 물을 자아 올리다.
잣다리[1] 명 올벼의 한 품종. 한식(寒食) 뒤에 곧 심는데, 까라기가 없으며 빛깔이 붉고 누름.
잣다리[2] 명 〈방〉 끄락서니.
잣:-단자【—團餈】명 잣을 넣어 만든 단자. 백자 단자(柏子團餈).
잣-대 명 ↗자막대기.
잣딩 명 〈옛〉 잣징. 자디잔 징. ¶굽격지 보요박은 잣딩이 무되드록 드녀보새 ≪古時調 鄭澈≫.
잣문【尺文】명 〈이두〉 자문(尺文).
잣밉다 명 〈옛〉 잘달게 밉다. 얄밉다. ¶바둑이 검동이 청삽사리 中에 조노랑 암캐가티 얄밉고 잣미오랴 ≪古時調≫.
잣:-박산【—薄撒】명 ①산자(饊子)에 잣을 쪼개 붙인 유밀과(油蜜菓)의 한 가지. 백박산(柏薄撒). 실백 산자(實柏饊子). ②잣을 꿀이나 엿에 버무려 반듯반듯하게 만든 음식.
잣:-베개 명 베개의 양쪽 마구리를, 색색의 천으로, 잣을 돌려 박은 모양으로 꾸민 베개. 헝겊 조각을 잣 모양으로 고깔로 접어서 돌려 가며 꿰매 붙여 무늬를 만듦.
잣:-불 명 〖민〗음력 정월 열 나흗 날 밤, 깐 잣 열 두 개를 각각 바늘로 꿰어, 그 해 열 두 달에 별러 불을 켜서 불이 밝은 달은 신수가 좋고, 어두운 달은 신수가 나쁘다고 치는 아이들의 장난 점.
잣:-산자【—饊子】명 ☞ 잣박산❶.
잣:-새 명 〖조〗 솔잣새.
잣:-소금 명 ☞잣가루.
잣:-송이 명 잣이 박혀 있는 잣나무의 송이.
잣:-송진【—松津】명 잣나무에서 나는 진.
잣:-연사【—년—】명 〈방〉 잣박산❶.
잣:-엿 [—녇] 명 깐 잣을 섞어서 굳힌 엿. 백자당(柏子糖).
잣:-죽【—粥】명 잣과 쌀을 물에 불려 갈아서 쑨 죽. 해송자죽(海松子粥).
잣:-즙【—汁】명 잣을 짜서 낸 즙(汁).
잣:-집게 명 잣을 까는 데 쓰는 작은 집게.

잣:-징 명 대가리가 잣과 같이 둥글게 생기고 못이 하나 달린 작은 징.
잣채 명 〈방〉〖충〗 자벌레(제주).
잦초롬-하다 형 〈방〉 잦바듬하다(제주).
잣:-편 명 꿀과 설탕을 함께 끓이다가 잣을 넣고 엉길 만할 때에 납작한 그릇에 부어 놓고 굳힌 음식. 백자편.
장[1] 명 화투놀이에서 열 끗의 일컬음. ¶～땡.
장:[2] 명 게딱지 속에 있는 누르스름한 된장 같은 물질. 가을에 양이 많아지며 맛도 있음. 해황(蟹黃).
장[3]【庄】명 성(姓)의 하나. 우리 나라에는 현존(現存)하지 아니함.
장:[4]【杖】㊀명〖역〗①↗구장(毬杖). ②↗구장(鳩杖). ㊁의명 곤장·태장·현장 등을 때릴 때 수효를 세는 말.
장[5]【長】명 ①길이[1]. ②좋은 점. 장점(長點). ↔단(短).
장:[6]【長】명 성(姓)의 하나. 우리 나라에는 현존(現存)하지 아니함.
장:[7]【長】명 단체나 관청의 각 부처(部處)의 우두머리.
장[8]【狀】명〖문〗한문학에서, 문체의 명칭의 하나. 소(疏)·계(啓)나 마찬가지로 주소류(奏疏類)에 속하는, 신하가 임금에게 올리는 글. 한(漢)·위(魏) 이래로는 친한 사람들 사이에 주고받는 편지를 뜻하는 말로도 사용되었음. *소(疏).
장[9]【章】명 ①문장(文章) 또는 시가(詩歌). ②문장을 몇 부분으로 크게 나눈 단락(段落). 가름. ③옛날 중국에서 천자(天子)에게 바치던 한문 문체(文體)의 한 가지. 사은(謝恩)·경하(慶賀)의 뜻을 나타내던 것임. ④인장(印章). ⑤훈장(勳章)·기장(記章)·포장(褒章) 등의 총칭(總稱). ⑥고대 중국의 역법(曆法)의 한 주기(週期). 곧, 19년(年)임. ⑦〖역〗↗장표(章標).
장[10]【章】명 성(姓)의 하나. 현재 우리 나라에는 본관(本貫)이 거창(居昌) 하나뿐임.
장[11]【莊】명〖역〗고려 때, 내장(內莊)의 하나. 지방 행정상 특수 지역을 이름. *처(處).
장[12]【莊】명 성(姓)의 하나. 현재 우리 나라에는 금천(衿川)·장련(長連)의 두 본관이 있음.
장[13]【帳】명 장막(帳幕)·휘장(揮帳)·방장(房帳) 등의 총칭.
장[14]【帳】명〖역〗조선 시대 동학(東學) 교구(敎區)의 한 단위. 접(接)의 다음임. *포(包)·접(接).
장[15]【張】명〖천〗↗장성(張星).
장[16]【張】명 성(姓)의 하나. 현재 우리나라에는 안동(安東)·인동(仁同)·덕수(德水)·창녕(昌寧)·덕흥(德興)·울진(蔚珍)·구례(求禮) 등 30개의 본관이 있음.
장[17]【將】명 ①〖군〗장수(將帥). ②〖군〗준장(准將)·소장·중장·대장의 총칭. 장관(將官). ③장기(將棊)에서 '초(楚)'·'한(漢)'자를 새긴 짝. ④〖역〗조선 시대 때 오위(五衛)·내금위(內禁衛)의 으뜸 벼슬. 종이품 무관직임. ⑤↗장군[3]㊀(將軍).
　장이야 멍이야 구 멍군 장군.
장[18]【將】명 성(姓)의 하나. 우리 나라에는 현존(現存)하지 아니함.
장[19]【蔣】명 성(姓)의 하나. 우리 나라에는 현존(現存)하지 아니함.
장[20]【場】명 많은 사람이 모여 갖가지 물건을 거래·교역(交易)하는 곳. 약간의 예외(例外)도 있지만 대개 닷새 만에 섬. 시장(市場). 저자. 장시(場市). ¶～을 보러 가다.
　[장 가운데 중찾기] 찾기가 쉬운 것을 이르는 말. [장마다 망둥이 날까] 항상 자기(自己)에게 알맞은 일만 있는 것이 아니라는 말. *장보다·장서다·장세우다.
장[21]【場】명〖연〗연극 등에서 어떤 한 막(幕) 중 무대 정경(情景)의 변화 없이 한 장면(場面)한 장면으로 구분한 부분. ¶3막 5～.
장[22]【場】명〔field〕①〖물〗물체간에 작용하는 힘을 매달(媒達)하는 매질(媒質) 공간. 탄성체(彈性體) 내의 응력(應力)의 장, 전자기장(電磁氣場), 만유 인력(引力)의 장 등. ②〖심〗심적 사상(心的思想)이 생기는 원인을 그 자체나 또는 다른 개별적 사상에서 구하지 않고 전체적 사태에서 구하는 경우의 그 심리학적 상태. ③〖생〗편성(編成)된 계(系)로부터 발(發)하여지는 미편성(未編成)의 소재(素材)에 대한 조형적(造形的)인 작용. 도롱뇽의 다리나 꼬리를 자르면 재생아(再生芽)가 돋아 원상대로 되는데, 다리의 재생아를 꼬리에 이식(移植)하면 꼬리가 되고, 반대로 꼬리의 재생아는 다리의 기부(基部)에서 다리로 발달하듯, 재생아의 분화(分化)의 방향(方向)을 결정하는 것은 그 장소를 지배(支配)하는 장(場)임.
장[23]【場】명 성(姓)의 하나. 우리 나라에는 현존(現存)하지 아니함.
장[24]【腸】명〖생〗소화기의 일부. 음식물의 소화·흡수·배설(排泄)을 함. 사람이나 포유류·조류는 위(胃)의 유문(幽門) 아래로부터 항문(肛門)까지인데, 길고 꼬불꼬불하며 소장(小腸)·대장의 구별이 있으나, 하등 동물은 위(胃)와의 구별이 없음. 장관(腸管).
장[25]【蔣】명 성(姓)의 하나. 현재 우리 나라에는 본관(本貫)이 아산(牙山) 하나뿐임.
장:[26]【醬】명 ①↗간장. ②간장·된장의 총칭. ¶～을 담그다.
　[장 단 집에는 가도 말 단 집에는 가지 말라] 실속 없이 말로만 친절한 체하는 집안과는 상종(相從)을 하지 말라는 말. [장 없는 놈이 국 즐긴다] 실속 없고 힘없는 자가 분수에 넘치는 사치를 좋아함을 이르는 말.
장[27]【贓】명〖법〗↗장물(贓物).
장:[28]【欌】명 물건을 넣어 두는 가구의 하나. 네 기둥을 세워, 양옆과 뒤쪽을 가려서 막고, 앞쪽에 문짝을 닮. 층을 들인 층장(層欌)과 통으로 된 단층장으로 구분되며, 용처(用處)에 따라, 의장(衣欌)·의걸이장·자릿장·찬장(饌欌)·책장 따위 여러 가지가 있음. *농(籠).
장[29]【臟】명〖생〗심장·간장·폐장·신장·비장 따위의 기관(器官). 내장(內臟). 오장(五臟).
장[30] 의명 무덤을 셀 때 쓰는 말. ¶두 ～의 큰 뫼.
장[31]【丈】의명 ①길이의 단위의 한 가지. 십 척(十尺)임. ②한자(漢字)로 된 숫자(數字) 아래에 붙여 '길[10]'의 뜻으로 쓰이는 말. ¶천(千)～의 심해(深海).
장[32]【張】의명 ①종이와 같은 넓적한 조각을 세는 데 쓰는 말. ¶유리 열～/가마니 한 ～. ②활을 세는 말.
장[33] 부〈방〉늘(함경·경상).
장-【長】부 '긴'의 뜻. ¶～거리 경주.
-장[1]【丈】미 직함(職銜)·별호(別號) 등의 아래에 붙여서 어른이라는 뜻을 나타내는 말. ¶노인～/춘부(春府)～/주인～.
-장[2]【長】미 기관·단체·부서명 등의 아래에 붙어서 우두머리·책임자의 뜻을 나타내는 말. ¶조합～/후원회～.
-장[3]【狀】[짱] 미 어떤 명사 밑에 붙여 증서(證書)의 뜻을 나타내는 말. ¶임명(任命)～/감사(感謝)～.
-장[4]【帳】[짱] 미 어떤 명사 밑에 붙여 '기록하는 장부'·'공책'의 뜻을 나타내는 말. ¶일기～/종합～/연습～.
-장[5]【莊】명 호텔보다는 격이 떨어지는 고급 여관(旅館)의 옥호(屋號)에 붙이는 말. ¶장안(長安)～.
-장[6]【場】미 어떤 명사 밑에 붙여 장소의 뜻을 나타내는 말. ¶사격～/실습～.
-장[7]【葬】미 어떤 명사 밑에 붙여 그 이름 그 주관 아래 행하여지는 장례식을 나타내는 말. ¶국민～/사회～/풍(風)～.
장:가[1] 명 사내가 아내를 맞는 일. 주의 '丈家'로 씀은 취음.
　[장가는 얕이 들고 시집은 높이 가렸다] 아내로는 가난하나 가르침이 있는 집 여자를 택함이 좋고, 남편감은 가문 있는 배운 집 자식이 좋다는 말. [장가를 세 번 가면 불 끄는 걸 잊어버린다] 장가를 몇 번 들면 좋아서 첫날밤 불 끄는 것조차 잊어버린다는 말.
　장:가(를) 가다 구 ㉠장가를 들러 가다. ㉡장가들다.
　장:가(를) 들다 구 혼인하여 아내를 맞다. 장가가다. ↔시집가다.
　　[장가들러 가는 놈이 불알 떼어 놓고 간다] 가장 요긴한 것을 잊어버린다는 뜻. *장사 지내러 가는 놈이 시체(屍體) 두고 간다.
　장:가(를) 들이다 구 장가들게 하다. 장가보내다.
　장:가(를) 보내다 구 장가들이다. ↔시집보내다.
장가[2]【長歌】명 ①장편(長篇)으로 된 노래. 곡조가 긴 노래. ②〖문〗글자수의 제한이 있는 시조에 대하여, 그 제한이 없는 일종의 속가(俗歌). 잡가(雜歌)·향가 및 악학 궤범(樂學軌範)이나 악장 가사(樂章歌詞)에 수록되어 있는 가사와 같은 것. 1)·2): ↔단가(短歌). *고려 가사(高麗歌詞).
장:가[3]【葬歌】명〔dirge〕죽은 사람을 조상하기 위하여 부르는 성악곡(聲樂曲) 또는 기악곡(器樂曲).
장가-구【張家口】명〖지〗'장자커우'를 우리 음으로 읽은 이름.
장-가답아【腸加答兒】명〖의〗'장카타르(腸 Katarrh)'의 한자말.
장가락[1] 명 씨아의 톱니와 같이 맞돌아가게 된 것의 아랫 부분.
장-가락[2]【長—】명〈방〉가운뎃손가락.
장가-만【張家灣】명〖지〗'퉁저우(通州)'의 별칭.
장-가스【腸—】〔gas〕명〖생〗장(腸) 안에 생기는 함수탄소(含水炭素)·메탄 가스·황화 수소 등으로 구성된 가스. 음식물 또는 장내 공기와 세균 발효소(細菌醱酵素)의 작용으로 생김.
장가-양【張家樣】명〖미술〗중국 남북조(南北朝)의 화가 장승요(張僧繇)의 화풍(畫風)으로 그리는 불화(佛畫)의 양식.
장:가-처【一妻】명 혼례식을 치르고 맞은 아내. 적처(嫡妻).
장각[1]【長角】명 ①긴 뿔. ②〖식〗↗장각과(長角果).
장각[2]【長脚】명 긴 다리.
장-각[3]【張角】명〖사람〗중국 후한(後漢) 말기의 도사(道士). 도교(道敎)를 원류(源流)로 한 태평도(太平道)를 창시(創始)하여 수십만의 신도를 포섭함. 그 후 정부의 탄압(彈壓)을 받자 중평(中平) 1년(184) 한조(漢朝) 전복을 꾀하여 '황건(黃巾)의 난(亂)'을 일으켰으나 그 해에 병사(病死)하였음. [?-184]
장각[4]【獐角】명〖한의〗노루의 굳은 뿔. 임질약으로 씀.
장각-과【長角果】명〔silique〕〖식〗열과(裂果) 중의 삭과(蒴果)의 한 가지. 원래 자방(子房)은 한 칸이었지만 나중에 그 중간에 격막(隔膜)이 생기어 두 칸이 되고, 익으면 양쪽의 막(膜)이 떨어져 나가 오직 중간의 막과 종자(種子)만 남아서 가늘고 긴 뿔 모양이 됨. 겨잣과(科)에 속하는 고추냉이·냉이·바위장대·무·배추 등의 열매 같은 것. ㊀장각(長角). *단각과(短角果).

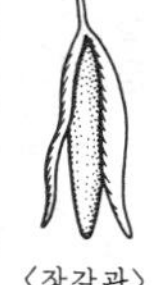
〈장각과〉

장간[1]【長竿】명 긴 장대. 낭성대.
장간[2]【獐肝】명〖한의〗약으로 쓰이는 노루의 간(肝).
장간[3]【檣竿】명 돛대.
장:-간[4]【醬—】명 간장의 짜고 싱거운 맛.
장:-간[5]【醬間】[—깐] 명 장독간.
장간[6]【戇諫】명 우직(愚直)하게 곧이곧대로 간함. ——-하다 타여불
장간-막【腸間膜】명〔mesentery〕〖생〗복막(腹膜)의 한 부분. 반투명(半透明)의 얇은 막(膜)으로 장관(腸管)을 둘러싸고 그것이 수직(垂直)으로 걸려 있게 하며, 장(腸)에 이르는 혈관(血管)과 신경(神經) 및 림프관(lymph管)을 인도함.
장간막 동:맥【腸間膜動脈】명〔mesenteric artery〕〖생〗척추 동물에서, 배행(背行) 대동맥으로부터 시작하여 장간막 안을 경유 소화관에 분포한 동맥. 상·하 장간막 동맥으로 나뉘며, 전자는 주로 소장(小腸)의 좌측에, 후자는 결장(結腸)·대장 등에 분포함.
장간막 정맥【腸間膜靜脈】명〔mesenteric vein〕〖생〗상(上)장간막

정맥과 하(下)장간막 정맥으로 이루어진 정맥. 전자(前者)는 주로 소장계(小腸系), 후자(後者)는 대장계(大腸系)의 혈액을 모아 췌장(膵臟) 부근에서 비(脾)정맥과 합쳐서 간문맥(肝門脈)이 됨.

장-간죽【長簡竹】명 긴 담배 설대.

장갈래비 명 〈방〉〖동〗 도마뱀(제주).

장감【長感】명〖한의〗오래 된 감기로 인하여 생기는 병. 상한(傷寒)과 비슷한데, 기침과 오한(惡寒)이 심하고 폐렴(肺炎)이 되기 쉬움.

장-감고【場監考】명〖역〗관아(官衙)에서 파견되어, 장판으로 다니면서 시세(市勢)의 고하(高下)를 간검(看檢)하던 사람.

장:갑[1]【掌匣】명 방한(防寒)·보호·장식으로 손에 끼는 자루 모양의 것. 털실이나 천 또는 가죽으로 만듦.

〈장갑1〉

장갑[2]【裝甲】명 ①갑옷을 입고 투구를 갖춤. ②적탄(敵彈)을 막기 위하여 선체(船體)·차체(車體) 등에 강철판(鋼鐵板)으로 덧싸는 일. ——하다 타여불 「장갑차(裝甲車).

장갑 궤:도차【裝甲軌道車】명 궤도(軌道) 위를 달리는 군용(軍用)

장갑 기계화군【裝甲機械化軍】명〖군〗기계 및 장갑 설비의 힘을 빌어 고속력(高速力)과 방어력(防禦力)으로써 기동적(機動的)인 전투를 수행하는 육상 부대.

장갑 부대【裝甲部隊】명〖군〗주로 전차·장갑 자동차 등으로 구성(構成)된 부대.

장갑 열차【裝甲列車】[—널—] 명〖군〗장갑판(裝甲板)과 화포(火砲) 등으로 중무장한 철도 차량.

장갑 자동차【裝甲自動車】명〖군〗차체(車體) 전체를 철판 따위로 싸고, 기관총 따위로 무장한 자동차. 지휘·연락·수색 및 경계에 임하고 필요한 때에는 전투도 함.

장갑-차【裝甲車】명〖군〗화력(火力)에 대한 방어용의 장갑을 하고, 무기를 장비한 차량. 넓은 뜻으로는, 전차, 장갑한 인원 수송차, 장갑 열차 등을 포함하나, 주로 경이(輕易)한 장갑을 한 장갑 자동차를 일컬음. 철갑차(鐵甲車).

장갑 차량【裝甲車輛】명〖군〗전투(戰鬪) 수행을 목적으로 장갑을 한 차량의 총칭. 장갑 열차(列車)·장갑 궤도차(軌道車)·장갑 자동차·전차(戰車) 등. 장갑차.

장갑-탄【裝甲彈】명〖군〗장갑을 뚫을 수 있는 총탄 또는 포탄.

장갑-판【裝甲板】명 장갑을 하기 위한 강철판(鋼鐵板).

장갑-함【裝甲艦】명〖군〗강철판(鋼鐵板)으로 싸서 무장한 군함.

장강[1]【長江】명 긴 강.

장강[2]【長江】명〖지〗'창장'을 우리 음으로 읽은 이름.

장강[3]【長杠】명 길고 굵은 멜대. 물건을 가운데 올려 놓거나 매어 달고 앞뒤로 사람이 들어서 메게 됨. 장강목(長杠木).

장강 대:필【長杠大筆】명 길고도 힘있는 글을 가리키는 말.

장강 대:해【長江大海】명 장강과 대해. 긴 강과 큰 바다.

장강-목【長杠木】명 장강(長杠).

장강이 명 〈방〉 정강이(전라·경상).

장강-틀【長杠—】명 둘 이상의 장강을 여러 개의 가로장으로 맞추거나 얽어 맨 틀. 흔히, 상여 같은 것을 운반할 때 씀.

장:개 명 〈방〉 장가[1](경상·황해·함경).

장개비 명 〈방〉〖충〗장구벌레.

장-개(:)석【蔣介石】명〖사람〗'장 제스'를 우리 음으로 읽은 이름.

장개이 명 〈방〉 정강이(경상).

장갱이[1] 명〖어〗[*Dinogunnellus grigorjewi*] 양장갱잇과에 속하는 바닷물고기. 몸은 길이 60cm 남짓한데, 뱀장어 모양으로 길며 머리는 측편하고 눈이 아주 작으며 입은 큼. 몸빛은 담회갈색으로 배쪽은 담색인데, 등 쪽에 부정형의 작은 흑갈색 무늬가 밀포되어 있음. 한국 동남서 연해 및 일본에 분포함. 식용함.

〈장갱이〉

장갱이[2] 명 〈방〉 정강이(충북·강원·전라·경상).

장:거[1]【壯擧】명 장하고 큰 거사(擧事). 성거(盛擧).

장거[2]【章擧】명〖동〗낙지.

장-거리[1]【長距離】명 ①멀고 긴 거리(距離). 원거리(遠距離). ②↗장거리 경주(競走).

장-거리[2]【場—】[—꺼—] 명 장이 서는 번화(繁華)한 거리. ¶ ~에서 친구를 만나다.

[장거리 수염난 건 모두 네 할아비냐] 비슷만 하면 덮어놓고 제것이라고 하는 사람을 놀리는 말.

장-거리[3]【場—】[—꺼—] 명 장을 보아 오는 물건. ¶ ~를 지고 오다.

장거리 경:주【長距離競走】명 장거리달리기.

장거리-달리기【長距離—】명 육상 경기에서 3,000m 이상의 달리기. 보통 3,000m·5,000m·10,000m 등의 세 종목이 시행되고 있는데, 그 외에 15,000m·20km 도로 경주·35km 도로 경주·한 시간 달리기 등의 특수 종목이 있음. ㈜장거리(長距離). ＊단거리달리기·중거리달리기.

장거리 봉쇄【長距離封鎖】명 [long-distance blockade]〖역〗제1차 대전 때 영국과 프랑스가 행한 군사 행동. 일체의 화물(貨物)이 독일에 출입함을 해상(海上)에서 방지할 것을 선언하고, 그 후 일체의 적국(敵國)에 관하여도 똑같이 선언하여 이를 실시한 일. 해군력(海軍力)에 의하여 적의 해상(海上) 교통을 차단하려고 한 점에서 봉쇄와 비슷하나 봉쇄의 요건(要件)을 엄격하게 구비하지 않을 뿐만 아니라, 봉쇄의 효과도 엄격하게 요구하고 있지 않으므로 보통의 봉쇄와 다름. 2차 대전에서도 행하여져 현대전(現代戰)의 한 관행(慣行)이 됨. 원거리(遠距離) 봉쇄. ＊봉쇄(封鎖).

장거리 선:수【長距離選手】명 장거리달리기나 경영(競泳)의 선수. ↔단거리 선수.

장거리 전:화【長距離電話】명 보통의 가입 구역(加入區域) 이외에 특정된 먼 구역과 통화(通話)할 수 있는 전화. 원거리 전화. ㈜장전(長電).

장거리-포【長距離砲】명〖군〗대포(大砲)의 한 가지. 먼 거리(距離)의 포격(砲擊)을 목적(目的)으로 하는, 사정(射程)이 특별히 큰 포. 장사정포(長射程砲).

장:거-수【掌車手】명 '전차(電車) 차장'의 구칭(舊稱).

장-거정【張居正】명〖사람〗중국 명(明)나라의 정치가. 자(字)는 숙대(叔大). 신종(神宗) 때 재상(宰相)이 되어 몽고(蒙古)와의 화평에 성공함. 또한 전국적인 호구(戶口) 조사 및 검지(檢地)를 실시하여 지주(地主)를 누르고 농민 부담의 균형을 꾀하였음. 저서에 ≪서경 직해(書經直解)≫·≪제감 도설(帝鑑圖說)≫ 등이 있음. [1525-82]

장:건[1]【壯健】명 몸이 씩씩하고 튼튼함. ——하다 형여불

장-건[2]【張騫】명〖사람〗중국 전한(前漢) 시대의 외교가. 한중군(漢中郡) 성고(成固) 출신. 자(字)는 자문(子文). 무제(武帝) 때 서방의 대월지(大月氏)와의 동맹을 촉진하고자 서역(西域)으로 가다가, 도중에 흉노(匈奴)에게 잡히어 10여 년간의 포로 생활 후 목적지에 도달하였으나 뜻을 이루지 못하고 귀국하였음. 동서의 교통을 열고 문화 교류의 길을 텄다는 점에서 공적이 큼. [?-114 B.C.]

장:-건건이【醬—】명 ①간장·고추장·된장 등의 총칭. ②장을 재료로 하여 만든 반찬의 총칭.

장:건 부:위【壯健副尉】명〖역〗조선 시대의 종팔품 무관(武官) 잡직(雜職)의 품계. 치력(致力) 부위의 위, 맹건(猛健) 부위의 아래.

장-건(:)상【張建相】명〖사람〗독립 운동가·정치가. 호는 소해(宵海). 경남 동래(東萊) 출생. 중국에 망명, 독립 운동 중 체포되어 복역한 바 있고, 1930년에 베이징 화베이(北京華北) 대학 교수, 1942년에 임시 정부 국무 위원 겸 학무 부장을 역임함. 광복 후 조선 인민당(朝鮮人民黨) 부당수, 제2대 민의원(民議員)을 거쳐, 1961년에 혁신당(革新黨) 위원장을 지냈음. [1888-1974]

장검【長劍】명 썩 긴 패검(佩劍). ↔단검(短劍).

장검-무【長劍舞】명 장검을 들고 추는 춤.

장결【莊潔】명 장엄하고 깨끗함. ——하다 형여불

장-결핵【腸結核】명 [intestinal tuberculosis]〖의〗장점막(腸粘膜)에 일어나는 결핵. 주로 소장(小腸)의 말단부에 발생함. 초기에는 변비·설사를 되풀이하는 부정변(不整便)이 나타나고, 대장(大腸)에 이르면 복통과 설사의 증상이 생기며 식욕이 없어짐.

장경[1]【長庚】명〖천〗태백성(太白星).

장경[2]【長徑】명〖수〗'긴지름'의 구용어. ↔단경(短徑).

장경[3]【長檠】명 키가 큰 등경(燈檠) 걸이. 또, 그 위에 켜는 등잔. ＊단경(短檠).

장경[4]【莊敬】명 장엄하게 공경함. ——하다 타여불

장경[5]【場景】명 그 장면의 광경.

장경[6]【粧鏡】명 경대(鏡臺).

장경[7]【漿莖】명〖식〗식물 줄기의 한 형태. 육질(肉質)이며 비대(肥大)하고 저수(貯水) 조직이 있으며 동화(同化) 작용까지 함. 선인장의 줄기 같은 것.

〈장경7〉

장경[8]【藏經】명〖불교〗↗대장경(大藏經).

장경-각【藏經閣】명 대장경(大藏經)을 보관(保管)하는 전각(殿閣). 경남 합천(陜川) 해인사(海印寺)에 고려 대장경의 경판(經板)을 쌓아 놓은 장경각이 있음.

장-경국【蔣經國】명〖사람〗'장 징궈'를 우리 음으로 읽은 이름.

장경-산【長庚山】명〖지〗함경 남도 영흥군(永興郡) 횡천면(橫川面)과 선흥면(宣興面) 사이에 있는 산. [1,185 m]

장경-성【長庚星】명〖천〗태백성(太白星).

장-경세【張經世】명〖사람〗조선 중기의 문장가. 자(字)는 겸선(兼善), 호는 사촌(沙村). 흥덕(興德) 사람. 금구(金溝)의 수령을 지냄. 퇴계(退溪)의 ≪도산 육곡(陶山六曲)≫을 보고 이를 본받아 ≪강호 연군가(江湖戀君歌)≫ 전후 각 6 편씩을 시조 형식으로 지음. [1547-1615]

장경 오훼【長頸烏喙】명〖민〗목이 길고 입이 뾰진 인상(人相). 관상에서 인내심이 강하여 간난(艱難)을 이겨내지만, 잔인·탐욕하고 시의심(猜疑心)이 강하여 안락을 누리기 어렵다는 상.

장경 왕후【章敬王后】명〖사람〗조선 중종(中宗)의 제일 계비(第一繼妃). 성은 윤(尹). 파평(坡平) 사람. 영돈령부사(領敦寧府事) 여필(汝弼)의 딸. 세자(世子) 인종(仁宗)을 낳고 산후병(產後病)으로 죽음. [1491-1515]

장-경(:)일【張敬一】명〖사람〗'베르네(Bernex)'의 한국식 이름.

장경-전【張慶傳】명〖문〗작자·제작 연대 미상의 고대 소설의 하나. 국문본. 장경이 병법을 익혀 우여 곡절 끝에 고관(高官)의 딸을 얻고 과거에 급제(及第)하여 헤어졌던 부모를 만나 부귀 영화(富貴榮華)를 누렸다는 이야기.

장경-집【長慶集】명〖책〗중국, 백거이(白居易)의 ≪백씨(白氏) 장경집≫, 원진(元稹)의 ≪원씨(元氏) 장경집≫의 별칭. 중당(中唐)의 시인 원진이 친구인 백거이와 자기의 시를 편찬한 것으로서 장경(長慶) 4년(824)에 완성된 것에 연유함. ≪백씨 장경집≫은 후에 그대로 ≪백씨 문집(白氏文集)≫의 전집(前集)이 되었음.

장-경첩【長—】명 아래위로 잦혀지는 기름하고 큰 경첩.

장경-판【藏經板】명〖불교〗불타(佛陀) 일대교(一代敎)의 사적을 새겨 놓은 경판(經板).

장경-호【長頸壺】명〖고고학〗목항아리.

장계[1]【長計】 명 ↗장구지계(長久之計).

장:계[2]【狀啓】 명〖역〗 지방 감사(監司)의 명령 또는 왕명(王命)으로 지방에 파견된 관원(官員)이 왕에게 서면(書面)으로 보고하는 계본(啓本). *장달(狀達). ——-하다 자여불

장-계[3]【張繼】 명〖사람〗 중국 당(唐)나라의 시인. 자(字)는 의손(懿孫). 그의 시 '풍교 야박(楓橋夜泊)'은 예로부터 애송(愛誦)되고 있음. 생몰년 미상.

장:계 취:계【將計就計】 명 상대편의 계략을 미리 알아채고 오히려 그것을 역이용(逆利用)하는 계교. ——-하다 자여불

장고[1]【杖鼓·長鼓】 명 →장구[1].

장고[2]【長考】 명 긴 시간에 걸쳐 생각함. ——-하다 타여불

장고[3]【長股】 명〖동〗 참개구리.

장:고[4]【掌固】 명〖역〗 고려 때 동궁(東宮)에 속한 이속(吏屬).

장:고[5]【掌故】 명 ①전례(典例)를 맡은 벼슬아치. ②관례(慣例). 고실(故實).

장:-고기【醬—】 명〈방〉 장조림.

장고-도【長古島】 명〖지〗 충청 남도의 서해상(西海上), 보령시(保寧市) 오천면(鰲川面) 삽시도리(揷矢島里)에 위치한 섬. 근해는 전복·해삼의 산란장(産卵場)으로 유명함. [1.50 km²]

장-고래【長—】 명 길이로 길게 켠 방고래.

장고봉 사:건【張鼓峰事件】[—껀] 명〖역〗 1938년 7월에서 8월에 걸쳐, 만주와 소련의 국경 부근의 장고봉에서 있었던 일소(日蘇) 양군의 충돌 사건. 이 지구에 대하여 국경 분쟁을 일으킨 일본군의 공격·점령과 소련군의 반격·탈환이 반복되다가, 결국 일본군의 패배가 결정적으로 되자, 일본측은 8월 12일부터의 정전(停戰) 교섭에서 장고봉의 소련에의 귀속(歸屬)을 사실상 승인하고 사건을 매듭지음.

장고-새 명〈방〉〖식〗 장구채❷.

장고-수【杖鼓手】 명〖역〗 군중(軍中)에서 장구를 치는 세악수(細樂手)의 하나.

장고-재 명〈방〉〖식〗 장구채❷.

장곡【長谷】 명 길고도 긴 산골짜기.

장곡-사【長谷寺】 명〖불교〗 충청 남도 청양군(靑陽郡) 대치면(大峙面) 칠갑산 기슭에 있는 절로, 마곡사(麻谷寺)의 말사(末寺). 신라 말기에 보조 국사(普照國師)가 창건(創建)한 것으로 추측됨. 고려식(高麗式)과 조선식(朝鮮式)의 상·하(上下) 두 대웅전(大雄殿)이 있는데, 하 대웅전은 보물 제181호, 상 대웅전은 보물 제162호임. 상 대웅전에는 국보 제58호인 쇠로 만든 약사 여래 좌상과 보물 제174호인 비로자나불 좌상이, 하 대웅전에는 보물 제337호로 지정되어 있는 금동 약사 여래 좌상(金銅藥師如來坐像)이 있음.

장곡사 철조 약사 여래 좌:상【長谷寺鐵造藥師如來坐像】[—쪼—] 명〖불교〗 충청 남도 청양군(靑陽郡) 대치면(大峙面) 장곡사에 있는 통일신라(統一新羅) 후반기의 작품으로 추정(推定)되는 철조 불상(佛像). 총높이 2.32 m. 화강암(花崗岩)으로 된 좌대(座臺)와 더불어 국보 제58호로 지정됨.

장:골[1]【壯骨】 명 기운 좋고 큼직하게 생긴 골격. 또, 그러한 사람. ¶육척 ~의 사나이.

장골[2]【長骨】 명〖생〗 뼈의 형태에 의한 분류의 하나. 척추 동물의 골격(骨格) 중, 양 끝이 구상(球狀)인 길고 굵은 원통형의 뼈로서 속은 골수(骨髓)로 차 있음. 사지(四肢)의 뼈 같은 것. 긴뼈. 관상골(管狀骨). *단골(短骨).

장:골[3]【掌骨】 명〖생〗 손바닥을 형성하는 다섯 개의 뼈. 완골(腕骨)과 지골(指骨)의 사이에 있음. 손바닥뼈. 손뼈.

장골[4]【腸骨】 명〖생〗 허리 부분을 이루는 뼈의 하나. 천골(薦骨)의 두 끝 관골(髖骨)의 뒤쪽 위에 있는 큰 뼈.

장골[5]【藏骨】 명 화장(火葬)한 뼈를 뼈단지에 담아 땅에 묻는 일. ——-하다 타여불

장골 정맥【腸骨靜脈】 명 [venailiaca]〖생〗 어류(魚類)에서는 배지느러미에서, 사지(四肢)가 발달한 척추 동물(脊椎動物)에서는 후지(後肢)로부터 시작하여, 정맥혈을 심장에 보내는 주요한 혈관.

장공【長空】 명 끝없이 길고도 먼 하늘. ¶구만리 ~.

장공 발파【長孔發破】 명〖광〗 비교적 긴 발파공(孔)을 뚫고 한 번에 대량의 광석을 발파하는 발파 방법.

장공 속죄【將功贖罪】 명 공을 세워 속죄함. ¶주만은 어느덧 아까의 흥분은 사라졌고, 털이의 ~한다는 말에 귀가 솔깃하였다《玄鎭健 : 無影塔》. ——-하다 자여불

장공 절죄【將功切罪】[—쬐] 명〖역〗 쌓은 공적과 지은 죄를 절충(折衷)하여 죄(罪)를 정함. ——-하다 자여불

장과【漿果】 명 [bacca, berry]〖식〗 중과피(中果皮) 및 내과피(內果皮)는 다육(多肉)이며 액즙(液汁)도 많고 내부에 한 개 또는 여러 개의 종자(種子)를 가진 과실. 귤 등의 감과(柑果), 수박·참외 등의 호과(瓠果), 사과 등의 평과(苹果), 배 등의 이과(梨果) 따위가 있음. 액과(液果). 다육과(多肉果). *건조과(乾燥果).

장과-지【長果枝】 명〖농〗 36-60 cm 가량의 결과지(結果枝). 엽아(葉芽)를 가지고 있음. 사과나무·배나무 등의 어린 나무에서 볼 수 있음.

장곽【長藿】 명 길쭉하고 넓은 미역.

장관[1] 명〈방〉〖어〗 붕장어.

장:관[2]【壯觀】 명 굉장하고 볼 만한 광경. 훌륭하고 장대(壯大)한 경관(景觀). 성관(盛觀). 위관(偉觀). ¶설악산의 ~.

장:관[3]【長官】 명 ①〖법〗 국무(國務)를 분장한 행정 각부의 장. 국무 위원으로서 국무 회의를 구성하며 사무를 장리(掌理)하고 소속 직원을 지휘 감독함. ②〖역〗 한 관아의 으뜸 벼슬.

장:관[4]【將官】 명 ①장수(將帥). ②〖군〗 원수(元帥)·대장·중장·소장 및 준장의 총칭. ③〖역〗 대장·부장(副將)·참장(參將)의 총칭. ④〖역〗 조선 후기에, 각 군영(軍營)에 속하는 종구품(從九品)인 초관(哨官) 이상의 군직(軍職)의 총칭. *장교(將校).

장:관[5]【掌管】 명 관장(管掌). ——-하다 타여불

장관[6]【腸管】 명 [enteric canal]〖생〗 ①동물이 섭취한 음식물의 소화·흡수(吸收)를 하는 관(管)의 총칭. 보통은 입에서 시작하여 항문(肛門)에서 끝남. 포유류(哺乳類)는 식도(食道)·위(胃)·소장(小腸)·대장(大腸) 등으로, 곤충은 전장(前腸)·중장(中腸)·후장(後腸)으로 나누어지며, 많은 소화선(消化腺)이 부속(附屬)·개구(開口)하여 있음. 소화관(消化管). ②장(腸).

장관 이:대【張冠李戴】 명 [장(張)의 모자를 이(李)가 쓴다는 뜻] 명실(名實)이 일치하지 못하는 것의 비유.

장관 협착【腸管狹窄】 명〖의〗 장관 자체의 병변(病變), 복막염(腹膜炎) 후의 유착(癒着), 종양(腫瘍)에 의한 외부로부터의 압박 등에 의하여, 장관의 불안전 폐색(閉塞)을 초래한 상태. 배가 부르고 아프며, 협착부에 압통(壓痛)을 느끼고 종류(腫瘤)가 만져짐. 회장(回腸) 협착과 대장(大腸) 협착이 그중 많음.

장광[1]【長廣】 명 길이와 넓이 또는 길이와 너비.

장:-광[2]【醬—】[—꽝] 명〈방〉 장독대.

장광-도【長廣刀】 명 날이 길고 넓은 큰 칼.

장광-설【長廣舌】 명 길고 줄기차게 잘 늘어놓는 말솜씨나 쓸데없이 너저분하게 오래 지껄이는 말의 비유. 광장설(廣長舌). ¶~을 늘어놓다.

장-광자【蔣光慈】 명〖사람〗 '장 광츠'를 우리 음으로 읽은 이름.

장광-창【長廣窓】 명 곳집 안을 밝게 하기 위하여 가로 길게 한 칸에 꽉 차게 만든 창.

장 광츠〔蔣光慈〕 명〖사람〗 중국의 시인·소설가. 본명은 광츠(光赤). 시집 《애중국(哀中國)》·《신몽(新夢)》과 소설 《압록강상(鴨綠江上)》 등을 발표, 좌익 문학 단체인 태양사(太陽社)를 만듦. 장광자. [1901-31]

장:괴-천【將魁薦】 명〖역〗 →장귀천(將鬼薦).

장:교[1]【壯佼】 명 나이가 젊고 장건(壯健)함.

장:교[2]【將校】 명 ①〖군〗 육해공군에서 소위(少尉) 이상의 무관. 장관(將官)·영관(領官)·위관(尉官) 또는 고급 장교와 하급 장교 등으로 구분됨. ↔사병(士兵). ②〖역〗 고려 초기에 지방에서 군병을 거느리는 토호(土豪)의 일컬음. 중앙에서는 대정(隊正) 이상 장군(將軍)에 이르는 군지휘관의 총칭. ③〖역〗 조선 시대에 각 군영(軍營)에 속한 권무 군관(勸武軍官)·별군관(別軍官)·지구관(知彀官)·기패관(旗牌官)·별무사(別武士)·패교련관(牌敎鍊官)·별기위(別騎衛) 등 유품(流品) 외의 하급 사관(下級士官)과 지방 관아의 군무에 종사하던 속역(屬役)의 총칭. 집사(執事). *군관(軍官)·군교(軍校)·병교(兵校).

장교[3]【藏敎】 명〖불교〗 천태종(天台宗)에서 석가 일대(一代)의 교설(敎說)을 분류한 사교(四敎)의 첫째. 재량(才量)이 열등한 사람에게 설교하던 소승교(小乘敎)임. 삼장교(三藏敎).

장:교 구락부【將校俱樂部】 명 장교 클럽.

장:교-단【將校團】 명〖군〗 임무·목적 및 소속 등이 같은 장교로써 이루어진 단체. ¶연락 ~.

장:교 당상【掌交堂上】 명 조선 말(末) 장교사(掌交司)의 으뜸 벼슬.

장:교-사【掌交司】 명〖역〗 조선 말(末)에 외교(外交) 사무를 맡은 통리 교섭 통상 아문(統理交涉通商衙門)의 한 분장(分掌). 외무 장교사(外務掌交司).

장:교 클럽【將校—】[club] 명 장교 상호간의 친목과 교환(交歡) 및 휴식을 취하기 위하여, 단위 부대 또는 특정 지역에 설치된 집회소 같은 곳. 장교 구락부.

장구[1] 명〖악〗[←장고(杖鼓)] 국악의 타악기(打樂器)의 한 가지. 주로 오동나무로 만드는 통의 길이는 약 70 cm인데, 허리가 썩 가늘고 잘록하며 두 개의 테에다, 하나는 얇은 보통 말가죽을 메어 오른쪽 마구리에 대고, 하나는 두꺼운 흰 말가죽을 메어 왼쪽 마구리에 대고 붉은 줄로 얽어서 켕기었음. 왼쪽은 손, 오른쪽은 가느다란 채로 치는데, 그 음색(音色)이 각기 다름. 농악과 무악(巫樂)에서는 북편은 방망이, 채편은 가는 채로 침. 고려 때 중국의 장고(杖鼓)가 전하여 온 것이라 하며 우리 나라의 대표적 악기로서, 정악(正樂)·속악(俗樂)의 반주·합주·독주에 널리 쓰임. 요고(腰鼓).

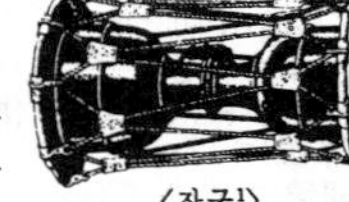

〈장구[1]〉

[장구 깨진 무당 같다] 흥이 식어 기운 없이 우울해 있는 사람을 두고 이르는 말. [장구를 쳐야 춤을 추지] 곁들여 주는 것이 있어야 일을 잘할 수 있다는 말. [장구 치는 사람 따로 있고, 고개 까닥이는 사람 따로 있나] 혼자서 할 수 있는 일을, 남에게 같이 하자고 했을 때에 거절하는 말. 또는, 같이 해야 하는 일을 거들지 않고 상대에게 몽땅 맡겨 놓고 빈둥거릴 때에 하는 말.

장구[2] 명〈방〉 장기[10](평안).

장구[3] 명 → 짱구.

장:구[4]【杖屨】 명 ①지팡이와 짚신. ②이름난 사람의 머무른 자취.

장구[5]【長久】 명 길고 오램. ¶~한 역사(歷史). ——-하다 형여불. ——-히 부

장구[6]【長句】 명 자수(字數)가 많은 글귀. 특히, 한시(漢詩)에서 오언(五言)의 구에 대해 칠언(七言)의 구를 말함. ↔단구(短句).

장구[7]【長球】 명〖수〗 회전 타원체.

장구[8]【長軀】 명 키가 큰 몸. 장신(長身). ↔단구(短軀).

장구[9]【長驅】 명 말을 타고 멀리 달려감. 멀리 몰아서 쫓아감. ¶승승(乘勝) ~. ——-하다 자타여불

장구[10]【章句】명 ①글의 장(章)과 구(句). ②장을 나누고 구를 자르는 일. 문장의 단락(段落).
장구[11]【粧具】명 화장(化粧)에 쓰이는 제구(諸具). 화장 도구(化粧道具).
장:구[12]【葬具】명 장례에 쓰는 제구. 장기(葬器).
장구[13]【裝具】명 ①꾸미고 단장하는 데 쓰는 제구. ②무장(武裝)할 때 몸에 장비(裝備)하는 탄띠·대검(帶劍) 등의 도구. ¶개인 ～. *장신구(裝身具).
장구[14]【腸垢】명 〖한의〗 서리(暑痢).
장구-개미 명 〖충〗 [*Messor aciculatum*] 개밋과에 속하는 곤충. 몸길이 4-6mm이고, 몸빛은 흑색인데, 경절(脛節)·부절(跗節)은 흑갈색이며, 온몸에 황백색의 긴 털이 있고, 두부(頭部)·흉부(胸部)·복병(腹柄)에는 주름이 있음. 건조한 초원의 땅속 깊이 사는데, 한국·일본 등지에 분포함.
장-구균【腸球菌】명 사람의 똥에서 볼 수 있는 연쇄 구균. 열에 대한 저항성이 강하며 일반적으로 비병원성(非病原性)임.
장구 대가리 명 → 짱구 대가리.
장구 대:진【長驅大進】명 멀리 몰아서 우쩍 나아감. ——하다 자 여불
장구-도【長九島】명 〖지〗 전라 남도 목포시(木浦市)의 앞바다, 충무동(忠武洞)에 위치한 섬. 목포의 서남쪽 3.8km 지점에 있음. [0.01 km^2 : 6명(1984)]
장-구럭【場―】[―꾸―] 명 시장에 물건을 사러 다닐 때에 들고 다니는 구럭. 주로 부녀자들이 들고 다님. 저자 망태.
장-구령【張九齡】명 〖사람〗 중국 당(唐)나라의 정치가·시인. 자(字)는 자수(子壽). 곡강(曲江) 사람으로 곡강공(公)이라고도 함. 현종(玄宗)의 신임을 받아 중서령(中書令)에 이르렀는데, 이임보(李林甫)의 미움을 받아 실각했음. 시인으로서도 뛰어나 진자앙(陳子昂) 유파(流派)의 흐름을 이어받고 시의 부흥에 힘썼음. ≪감우(感遇)≫ 12수(首)는 유명함. 문집에 ≪곡강집(曲江集)≫이 있음. [673-740]
장구 매듭 명 두 끝을 맞매는 매듭의 한 가지. 이 끝은 저 쪽 줄에 한 번 얽어 매고, 저 끝은 이 쪽 줄에 한 번 얽어서 맨 뒤에 잡아 당기면 맞닿게 되어서 늘었다 줄었다 하게 됨.
장구 머리[1] 명 → 짱구 머리.
장구 머리[2] 명 〖건〗 보·도리·평방(平枋) 등에 그리는 단청(丹靑)의 한 가지. 꽃 다섯 송이씩 모아 띄엄띄엄 그리고, '실'과 '휘'들을 교착(交錯)하여 그림.
장구-머리초【―草】명 〖건〗 장구 모양으로 된 머리초.
장구목벌렛-과【―科】명 〖충〗 [Pedetidae] 딱정벌레목(目)에 속하는 한 과. 몸은 작고, 촉각(觸角)은 11절(節)로 사상(絲狀) 또는 염주상(念珠狀)이며, 부절(跗節) 말단 전절(前節)은 나뭇잎 모양이고, 복판(腹板)은 5개임. 전세계에 250여 종이 분포함.
장구 무:사【―武砂】명 〖건〗 홍예문(虹霓門)의 홍예의 옆이나 위의 호형(弧形)에 맞추어 평평이 되게 놓는 돌. 어느 한 면(面)을 휘둥그스름하게 다듬어 호형에 맞춤. 부무사(缶武砂). *잠자리 무사.

〈장구 무사〉

장구-밥나무 명 〖식〗 [*Grewia parviflora*] 피나뭇과에 속하는 낙엽 활엽 관목. 잎은 달걀꼴 또는 넓은 타원형인데 세 줄기의 큰 맥(脈)이 있고 양면에 성상(星狀)의 털이 밀포(密布)함. 꽃은 7월에 취산(聚繖) 화서로 액생(腋生)하여 피고, 핵과(核果)는 가을에 흑자색으로 익음. 산록(山麓)의 양지에 나는데, 전남북·충남·황해도 및 만주·중국·대만 등지에 분포하며, 관상용으로 심음.
장구-배미 명 장구 모양과 같이 가운데가 잘록하게 생긴 논배미. 요고전(腰鼓田).
장구-벌레 명 〖충〗 모기의 유충(幼蟲). 몸의 길이는 4-7mm 가량인데 두부·흉부·복부의 세 부분으로 구분함. 몸빛은 갈색 내지 흑색인데, 여름철에 물 속에서 부화(孵化)하여 탈피(脫皮)하고 번데기가 되었다가 변태하여 성충인 모기가 됨. 길궐(蛣蟨). 연현(蜎蠉). 적충(赤蟲). 정도충(釘倒蟲). 혈궐(孑孓).

〈장구벌레〉

장구-애비 명 〖충〗 ① [*Laccotrephes japonensis*] 장구애빗과에 속하는 곤충. 몸길이 30mm 내외이고 몸빛은 흑갈색임. 앞다리는 포획각(捕獲脚)이며, 전흉배(前胸背)의 전연(前緣)과 후연(後緣)이 깊이 패져 들어가 굽었음. 반시초(半翅鞘)는 복부(腹部) 전부를 덮고 복단(腹端)에는 한 쌍의 긴 호흡기가 있음. 논·늪·못에 서식하는데 한국에도 분포함. ②〈방〉 장구벌레.

〈장구애비〉

장구애빗-과【―科】명 〖충〗 [Nepidae] 매미목(目)에 속(屬)하는 한 과(科). 몸길이 20-50mm인데 아원통(亞圓筒)·장타원형(長橢圓形) 또는 그 중간형임. 촉각과 구문(口吻)은 3절이며 두부(頭部)는 전흉배(前胸背) 속에 자리잡고 날개는 발달되었음. 복부(腹部)에는 세 쌍의 의기문(擬氣門)과 두 개의 호흡관(呼吸管)이 있음. 물에 살며 작은 곤충을 잡아먹음.
장구-잡이 명 풍악(風樂)을 할 때 장구 치는 일을 맡은 사람.
장구지-계【長久之計】명 사업의 장구한 계속을 도모하는 계획. 장구지책(長久之策). 준장계(長計).
장구지-책【長久之策】명 장구지계.
장구-채 명 ①장구를 치는 채. 보통 가는 대오리로 만듦. ②〖식〗 [*Melandrium firmum*] 너도개미자릿과에 속하는 월년초(越年草). 줄기는 여러 개가 총생(叢生)하고 높이 80cm 가량이며 마디는 보통 암자색(暗紫色)을 띰. 잎은 대생(對生)하며 단병(短柄)에 피침형(披針形) 또는 긴 타원형임. 7월에 흰 꽃이 줄기 끝과 가지 끝에 많이 윤생(輪生)하여 피고, 과실은 삭과(蒴果)임. 한국 각지에 분포함. 씨는 '왕불류행(王不留行)'이라 하여 약재로 쓰고 어린 잎과 줄기는 식용함. 금궁화(禁宮花). 전금화(剪金花).
장구-춤 명 장구를 어깨에 엇메고 각종 장단에 맞추어 추는 춤.
장구 타:구【―唾具】명 장구통 타구.
장구-통 명 ①장구의 몸이 되는 통. 나무·사기(砂器)·질그릇 등으로 만들며, 허리가 잘록함. ②수레바퀴의 중심인, 구멍이 뚫린 나무통. 모든 바큇살이 여기에서 나가 빗등에 꽂히며 달구지의 굴대에 끼임.
장구통-배 명 장구통처럼 몹시 부른 배.
장구통 타:구【―唾具】명 타구의 한 가지. 모양이 장구통과 같이 허리가 잘록하고 위아래가 나팔통같이 퍼졌음. 장구 타구.
장구-팽이 명 아래와 위에 각각 꼬리를 깎아서, 아래위의 구별이 없이 돌리는 팽이.
장구-학【章句學】명 장구에만 구애하여 대의(大義)에 통하지 아니하는 학문.
장:-국【醬―】[―꾹] 명 ①맑은 장국. ②토장국이 아닌 국물의 총칭. ③간장을 탄 물. 열구자·전골 등의 국물로 씀.
장:국 냉:면【醬―冷麪】[―꾹―] 명 고기 장국을 식힌 국물에 만 냉면을 일컫는 말.
장:국-밥【醬―】[―꾹―] 명 ①장국에 만 밥. ②장국을 붓고 산적과 혹살을 넣어서 파는 밥. 온반(溫飯). 장탕반(醬湯飯). 탕반(湯飯).
장:국-상【醬―床】[―꾹―] 명 국수 장국을 중심으로 하여 차리는 상차림. 흔히 점심상으로 차리는 별식 상차림임.
장:국-죽【醬―粥】[―꾹―] 명 쇠고기를 잘게 이겨 장국을 만든 데다 쌀을 넣고 쑨 죽.
장국진-전【張國振傳】명 〖문〗 조선 시대의 소설. 작자는 미상임. 중국을 배경으로 한 군담(軍談) 소설로서, 구운몽(九雲夢)에 유사한 점이 많으며, 중국 목란(木蘭)의 종군 행장(從軍行狀)과 비슷한 이야기가 있는 점이 색다름. 목란정기(木蘭亭記).
장군[1] 명 ①물·술·간장 등을 담아서 옮길 때 쓰는 오지 또는 나무로 만든 그릇. 중두리를 뉘어 놓은 것 같은데 배때기에 작은 아가리가 있으며, 한쪽 마구리는 평평하고 다른쪽 마구리는 반구형(半球形)임. 횡부(橫缶). ②↗오줌 장군.

〈장군[1]〉

장군[2]【將軍】명 ①군(軍)을 통솔·지휘하는 무관. 군의 우두머리. ②장관(將官)의 속칭. ③〖역〗 신라 시위부(侍衛府)의 으뜸 벼슬. 위계는 급찬(級飡)으로부터 아찬(阿飡)까지. 진덕왕(眞德王) 5년(651)에 여섯 사람을 두었음. ④〖역〗 고려 무관의 정사품 벼슬. 이군(二軍)·육위(六衛)의 영(領)마다 한 사람씩 둠. 대장군(大將軍)의 다음, 중랑장(中郞將)의 위임. 공민왕(恭愍王) 때 호군(護軍)으로 고침. ⑤〖역〗 벼슬의 품계(品階)에 붙이는 칭호. 중국 당(唐)나라 이후 무관 오품(五品) 이상에 붙였으며, 고려 때는 서반(西班)의 사오품(四五品), 조선 시대에는 무관(武官)의 삼사품(三四品)에 붙이었음. ¶절충(折衝) ～/선략(宣略) ～/유격(遊擊) ～. *교위(校尉).
장군[3]【將軍】㊀ 명 장기(將棊)에서 이 편의 말로 저 편 장(將)을 바로 치려고 놓는 수. 준장(將). ㊁ 감 장군 부를 때에 지르는 소리.
장군 멍군 구 멍군 장군.
장군(을) 받다 구 장기(將棊) 둘 때 장군을 피하여 막다. 준장받다.
장군(을) 부르다 구 장기(將棊) 둘 때 장군을 받으라고 소리를 지르다. 준장부르다.
장-군[4]【張群】명 〖사람〗 '장 췬'을 우리 음으로 읽은 이름.
장군-목【將軍木】명 궁문(宮門)·성문(城門) 등을 닫고 가로지르는 큰 나무. 두 쪽에 있는 구멍에 두 끝을 끼고 문짝에 달린 고리를 이 나무에 걸게 됨.
장군-방【將軍房】명 〖역〗 조선 초(初)에 장군(將軍) 이상이 모여서 군사를 의논하던 곳. 고려 중방(重房)의 후신으로, 정종(定宗) 2년(1400)에 폐하였다가 태종(太宗) 6년(1406)에 호군방(護軍房)으로 고쳐서 다시 설치하였음.
장군-봉【將軍峰】명 〖지〗 ①경상 북도 봉화군(奉化郡) 재산면(才山面)과 소천면(小川面) 사이에 있는 산. [1,135m] ②함경 남도 혜산군(惠山郡) 보천면(普天面)에 있는 산. [2,108m] ③함경 북도 무산군(茂山郡)에 있는 산. [1,517m] ④충청 북도 진천군(鎭川郡) 백곡면(柏谷面)에 있는 산. [436m] ⑤충청 남도 공주시(公州市) 장기면(長岐面)에 있는 산. [364m]
장군부-변【―缶邊】명 한자 부수(部首)의 하나. '缺'이나 '罐' 등의 '缶'의 이름.
장군-상【將軍像】명 〖역〗 음력 정초에 한 해 동안의 질병·화재·사고를 막는 뜻으로 대문에 붙이는 세화(細畫)의 하나. *장군제.
장군-석【將軍石】명 〖고고학〗 무인석(武人石).
장군-연【將軍鳶】명 장군의 얼굴 모양을 색종이로 모형을 떠서 단 연.
장군-잠자리【將軍―】명 〈방〉 〖충〗 장수잠자리.
장군-장【將軍章】[―짱] 명 〖악〗 용비어천가 제97장의 이름.
장군-전【將軍箭】명 순 쇠로 만든 화살. 무게가 서 근으로부터 닷 근까지 있는데, 쇠뇌로 내쏘게 됨.
장군-제【將軍祭】명 〖역〗 음력 정월 보름날에 행하던 민간 제사의 하나. 부락 입구에 장군상(將軍像)을 세우고 부락민이 모여 그 해의 운수가 좋은 자를 제관(祭官)으로 하여 제사(祭祀)를 지냄. *장승·수살(水殺).
장군 죽비【將軍竹篦】명 〖불교〗 선가(禪家)에서, 수행자(修行者)의 졸음이나 자세(姿勢) 따위를 지도(指導)하는 길이 2m 정도의 큰 죽비.

장군-총【將軍塚】명〖역〗만주(滿洲) 지안 현(輯安縣) 퉁거우(通溝)에 있는 고구려(高句麗) 때의 석총(石塚). 산 아래에 유명한 광개토왕비(廣開土王碑)가 있으며 이 석총묘(墓)를 광개토왕의 능(陵)이라고 보는 학자도 있음. 이 무덤은 적석총(積石塚)의 일종인 절석분(切石墳)의 대표적인 것임.

장군-풀【將軍—】명〖식〗[*Rheum coreanum*] 마디풀과에 속하는 다년초. 뿌리는 극히 비대(肥大)하고 줄기는 가운데가 비었으며 높이 2m 이상에 달함. 잎은 넓고 장병(長柄)에 달걀꼴이고, 밑의 잎은 얕게 째졌거나 톱니가 있음. 경엽(莖葉)은 톱니가 없고 석 줄의 큰 엽맥이 있으며, 엽병(葉柄)을 합해서 길이 60cm, 폭 40cm 가량임. 7-8월에 황백색 꽃이 정생(頂生) 또는 액출(腋出)하여 복총상(複總狀) 화서로 피고, 과실은 수과(瘦果)임. 높은 산의 암석지에 나는데 함남북 등지에 분포하는 특산종임. 뿌리는 대황(大黃)'이라 하여 약재로 씀. 왕대황(王大黃). 화삼(火蔘). 황량(黃良). *대황.

〈장군풀〉

장군 화:통【將軍火筒】명〖역〗1448년의 화약 무기 대개량 때에 제조한 화통으로 당시로서는 가장 컸던 포.

장:-굴젓【醬—】명 굴을 소금에 절였다가 국물을 따라 버리고 끓여 식힌 뒤에 간장을 부어 삭힌 젓. 장석화해(醬石花醢).

장궁[1]【長弓】명 앞을 순전히 뿔로 한 각궁(角弓)의 한 가지.

장궁[2]【臟弓】명〖생〗내장궁(內臟弓).

장:권【奬勸】명 장려하여 권함. 권장(勸奬). *장려(奬勵). ——-하다 타여불

장궐-증【臟厥症】[—쯩] 명〖한의〗원기가 허하여져서 설사와 구토를 하고 오한(惡寒)이 일어나는 증세.

장궤[1]【長跪】명〖천주교〗두 무릎을 대고 몸을 세운 채 꿇어 앉음. 성당 안에서 미사의 중요한 부분에 신자 등이 갖는 자세(姿勢). ——-하다 자여불

장궤[2]【長櫃】명 큼직하고 기다란 궤짝.

장궤[3]〔중 掌櫃〕명〈속〉①돈 많은 사람. 부자. 재산가. ②중국 사람을 부자라는 뜻으로 올리어 일컫는 말. ③가게 주인.

장-궤양【腸潰瘍】명〖의〗장관(腸管)의 일부가 허는 병증(病症). 대장(大腸)에 생기는 일이 많으며 원인으로는 장티푸스·적리(赤痢)·결핵(結核)·암(癌)·궤양성 대장염 등이 있음. 흔히, 점혈변(粘血便)·설사(泄瀉) 증상을 나타냄.

장궤-틀【長跪—】명〖천주교〗몸이 편하게 무릎을 꿇을 수 있는 틀. 성당 안의 신자들이 앉는 의자 뒤에 같이 딸려 있음.

장귀[1] 명 투전·섰다에서 '가보'의 한 가지. 열 끗 짜리와 아홉 끗 짜리로 이루어짐.

장귀[2] 명〈방〉장구[1](함경).

장귀[3]【長龜】명 장수거북.

장귀[4] 부〈방〉늘(함경).

장귀미 명〈방〉〖동〗노루.

장:귀-천【將鬼薦】명〖역〗〔←장괴천(將魁薦)〕조선 시대에 무과(武科)에 급제한 사람으로 장차 대장(大將)이 될 만한 사람을 벼슬길에 천거하는 일. 명장(名將)의 집안에서 태어난 사람에 한하였음.

장-귀틀【長—】명〖건〗마루 귀틀 중에 세로 놓이는 가장 긴 귀틀. 이것에 의지하여 동귀틀을 놓게 됨.

장그 명〈옛〉쟁기. 병기(兵器). =잠개. ¶잉무든 장글란 가지고 믈아래 가던 새 본다《樂詞 靑山別曲》.

장그다 타 ☞잠그다.

장그랍다 형ㅂ불 만지거나 보기에 소름이 끼칠 정도로 흉헙고 더럽다. >쟁그랍다. <징그럽다.

장그테 부〈방〉늘(함경).

장근[1]【將近】㊀명 때가 가깝게 됨을 표하는 말. ¶떠난 지 한 달 ~되었다. ㊁부 거의 가깝게. ¶~ 열두 해 동안을 두고 이때까지 그 세력 범위에 깊이 들어 벗어나지 못하고…《金敎濟 : 地藏菩薩》.

장근[2] 부〈방〉늘.

장글장글-하다 형여불 몹시 장그랍다. ¶보기만 해도~. >쟁글쟁글하다. <징글징글하다.

장-금【場—】[—끔] 명 장에서 거래되는 시세. 장시세(場市勢). ¶~이 오르다.

장:금-사【掌禁司】명〖역〗조선 시대 때 형조(刑曹)의 한 분장(分掌). 형옥(刑獄)·금령(禁令)의 일을 맡음.

장기[1] 명〖농〗〈옛·방〉쟁기. =잠개. ¶마이 믜양이랴 장기연장 다스려라《古時調 尹善道》.

장:기[2]【壯妓】명 나이가 지긋한 기생(妓生).

장:기[3]【壯氣】명 건장한 기운. 왕성한 원기.

장:기[4]【杖朞】명 상기(喪期)에 든 사람이 지팡이를 짚고 자최(齊衰)로 1년 동안 입는 상복(喪服). 자최 장기.

장기[5]【長技】[—끼] 명 가장 능한 재주. ¶~ 자랑.

장기[6]【長崎】명〖지〗'나가사키'를 우리 음으로 읽은 이름.

장기[7]【長期】명 오랜 기간. ¶~ 대부(貸付). ↔단기(短期).

장기[8]【長旗】명 나부끼는 부분이 기다란 기.

장:기[9]【帳記·掌記】[—끼] 명 물건이나 논밭 등의 매매에 관한 물목(物目)을 적은 글발.

장:기[10]【將棋·將碁】명 ①놀음놀이의 하나. 장(將)을 비롯하여, 차(車)·포(包)·마(馬)·상(象)·사(士)가 각각 두 짝씩, 졸(卒)이 다섯 짝 있어서 전부 32짝의 말을 붉은 글자, 푸른 글자의 두 종류로 나누어, 두 사람이 판면에 정하여 배치한 말을 서로 움직여 싸워서 장군을 불러 상대방이 막지 못하면 이김. 인도에서 일어나 중국을 거쳐 한국에 들어왔음. 상기(象棊). ②↗장기짝.

장:기[11]【將器】명 장수가 될 만한 기량(器量).

장:기[12]【葬器】명 장의(葬儀) 때에 쓰는 기물. 장구(葬具).

장:기[13]【瘴氣】명 축축하고 더운 땅에서 일어나는 독기(毒氣). 독장(毒瘴). 장독(瘴毒).

장기[14]【臟器】명〖생〗내장(內臟)의 여러 기관.

장-기간【長期間】명 오랜 동안. 긴 기간. ¶~에 걸쳐서 이룩하다. ↔단기간(短期間).

장기 감:각【臟器感覺】명〖심〗유기 감각(有機感覺).

장기-갑【長鬐岬】명〖지〗장기곶(長鬐串).

장기 거:래【長期去來】명〖경〗매매 계약(賣買契約)이 성립한 후에 받고 넘기는 기한(期限)이 장기(長期)로 된 일종의 청산 거래(清算去來). 장기 청산 거래.

장기 결석【長期缺席】[—썩] 명 초·중·고등 학교 등의 아동·학생이 장기간 결석함.

장기 공채【長期公債】명〖경〗조세(租稅)나 그 밖의 수입이 부족할 경우에 일종의 재원(財源)으로서 발행하는 공채의 하나. 상환 기간은 5년 이상. 내국채(內國債)와 외국채(外國債)로 나뉨. ↔단기(短期) 공채.

장기-곶【長鬐串】명〖지〗동외곶(冬外串).

장기 균형【長期均衡】명〖경〗영국의 경제학자 마셜(Marshall, A.)이 시장 분석을 함에 있어서 상품 공급의 측면에서 구분한 시간 개념의 하나. 자본 설비가 변화하고 생산 규모 자체가 변화할 수 있을 만큼 긴 기간에 있어서의 시간적 균형.

장기 근속【長期勤續】명 장기간(長期間)에 걸쳐서 한 곳에서 오래 근무를 계속함.

장기 금리【長期金利】[—니] 명〖경〗갚아야 할 기한이 1년 이상인 대출(貸出)에 대하여 지급되는 이자(利子). ↔단기(短期) 금리.

장기 금융【長期金融】[—/—늉] 명〔long-term credit〕〖경〗농업 금융·산업 금융과 같이 장기간에 걸쳐 상환(償還)하기로 하고 대부(貸付)하여 주는 자금(資金). 상환 방법은 흔히 연부(年賦)임. ↔단기 금융(短期金融; short-term credit).

장기 금융 시:장【長期金融市場】[—/—늉—] 명〔capital market〕〖경〗설비(設備) 자금·장기 운전(運轉) 자금 등 장기 자금이 조달되는 금융 시장. 장기 대부(貸付) 시장과 증권 발행 시장으로 나뉨. 전자(前者)는 장기 신용 은행·생명 보험 회사·개발 은행 등의 금융 기관이 중심이고, 후자(後者)는 주식(株式)·사채(社債)의 발행에 의한 것임. 자본 시장(資本市場).

장기 기생충【臟器寄生蟲】명〖동〗동물의 장기 속에 기생하여 영양을 흡취(吸取)하는 기생충. 장(腸)에 기생하는 것이 가장 많음.

장기다 자 ☞잠기다.

장기 대:부【長期貸付】명〖경〗상환(償還) 기한이 긴 대부. 또, 그 대부금. 대부 기간은 보통 1년 이상임.

장기 대:부금【長期貸付金】명〖경〗상환 기한이 1년 이상인 대부금.

장:기-말【將棋—】명 ☞장기짝.

장:기 망태기【將棋—】명 장기짝을 담아 두는 망태기.

장:기 바둑【將棋—】명 장기와 바둑. 기박(棋博). 박혁(博奕).

장기 보:험【長期保險】명〖경〗2년 이상의 장기에 걸친 보험.

장기 부:채【長期負債】명〔fixed liabilities〕〖경〗차입금(借入金)의 이용 기간이 보통 1년 이상인 부채. 고정 부채(固定負債).

장기 분석【長期分析】명〖경〗인구·기술·이자율 등의 장기적인 경제 요인을 중심으로 경제의 현상을 밝히는 분석.

장:기-뼈【將碁—】명〈방〉종지뼈.

장기 사채【長期社債】명〔long-term debenture〕〖경〗장기간에 걸쳐 상환하는 사채. 영미(英美)의 경우는 30년 이상의 기간이 해당되며, 한국에서는 4년 이상의 것을 말함.

장기 산맥【長鬐山脈】명〖지〗경상 남북도의 동해안에 있는 산맥. 본래 태백 산맥(太白山脈)의 일부이던 것이 형산강 지구대(兄山江地溝帶)의 단층 운동(斷層運動)으로 분리된 지루(地壘) 산맥임. 북쪽은 영일(迎日) 반도, 남쪽은 울기갑(蔚鬐岬)으로 바다와 면함.

장기-수[1]【長期囚】명 오랫동안 징역을 사는 죄수.

장기-수[2]【長期樹】명 벌기(伐期)가 30-60년인 수종(樹種). 잣나무·전나무·낙엽송·삼나무 등. ↔속성수(速成樹).

장기 신경증【臟器神經症】[—쯩] 명〖의〗심장(心臟) 신경증.

장기 신:용【長期信用】명〖경〗부동산을 담보로 하여 장기간 계속하여 공여하는 금융상의 신용.

장기 신:용 은행【長期信用銀行】명〖경〗장기 신용 은행법(法)에 따라 설립되어, 예금 수입(預金受入) 대신에 장기 신용 채권(長期信用債券)을 발행하여, 기업, 특히 중소 기업(中小企業)에 대한 시설 자금(施設資金)·장기 운전(運轉) 자금의 대출을 주요 업무로 하는 은행. 자본금(資本金) 500억원 이상의 주식 회사라야 함.

장기 신:탁【長期信託】명〖경〗보통 5년 이상의 장기간으로 하는 신탁.

장:기-씨【將棋—】명 ☞장기짝.

장기 어음【長期—】명〔long bill〕〖경〗발행일로부터 3개월 내지 6개월에 걸친, 비교적 긴 기한을 두고 지급되는 어음.

장-기영【張基榮】명〖사람〗언론인·정치가. 호는 백상(百想). 서울 출신. 선린 상업 학교(善隣商業學校) 졸업. 한국 일보를 창설함. 1950년 한국 은행 부총재(副總裁), 1964년 부총리 겸 경제 기획원 장관을 역임함. [1916-77]

장기 예:보【長期豫報】명 3일 이상 앞날의 일기 예보. 예보 기간에 따라 주간 예보(週間豫報)·1개월 예보·3개월 예보·계절 예보(季節豫報)

등으로 나뉨. ↔단기 예보.

장기 외:자【長期外資】[명]〖경〗외자(外資) 가운데서 상환 기한이 1년 이상인 장기 자금.

장기 요법【臟器療法】[—뻡] [명] [organotheraphy]〖의〗장기 제제(製劑)로 내분비물, 곧 호르몬의 결핍증(缺乏症)을 치료하는 보충 요법의 한 가지.

장기 운전 자:금 【長期運轉資金】[명]〖경〗1년 이상의 기간에 걸친 약정 반제(約定返濟) 조건으로 금융 기관에서 대출되는 운전 자금.

장-기원【張起元】[명]〖사람〗수학자·교육자. 평북 용천(龍川) 출신. 연희 전문을 거쳐 일본 도호쿠 대학(東北大學) 수학과 졸업. 1945년 연희 대학교 이공 대학장, 1962년 대한 수학회 회장, 1966년 학술원(學術院) 회원, 과학 기술 국제 총연합회 이사(理事) 등을 역임(歷任)함. 저서에≪한국 수학사(韓國數學史)≫가 있음. [1903-66]

장기 의회【長期議會】[명] [Long Parliament]〖역〗영국에서 1640년 단기(短期) 의회를 해산한 후 찰스 1세에 의하여 소집되어 1653년까지 계속한 의회. 이 사이에 청교도 혁명이 일어났음.

장기 이식【臟器移植】[명]〖의〗생체의 정상(正常) 장기 조직의 일부를 빼내어 딴 부위(部位) 또는 딴 사람에게 이식하여 손상이나 결손을 보전(補塡)하는 수술. 신장·심장·간장 등의 이식이 행하여지고 있는데, 이식 후 거부 반응으로 이식 장기의 기능을 잃기 쉬우므로 항(抗)림프 혈청이나 X선 조사(照射) 등으로 억제를 하고 있어 상당 기간의 생존예(生存例)도 볼 수 있음.

장기 이:자율【長期利子率】[명] [long-term rate of interest]〖경〗장기 자금(資金)에 대하여 지급(支給)되는 이자(利子)의 율. ↔단기 이자율(短期利子率).

장기 자:금【長期資金】[명]〖경〗시설 투자와 장기 운전 자금 등 1년 이상에 걸쳐서 필요로 하는, 회수(回收) 기한이 긴 자금. 내부 자금에 의존하는 외에 증자(增資)·사채(社債)·차입금(借入金)의 형식으로 조달(調達)함.

장기 자본【長期資本】[명]〖경〗장기간 기업에 투하 운용할 수 있는, 또는 운용되고 있는 자본. 전자는 자기 자본과 고정 부채, 후자는 기계 설비 등의 고정 자산에 투하된 자본.

장:기 장:무【掌器掌務】[명]〖역〗조선 시대에 대궐 안의 기명(器皿)을 관리하던 내시부(內侍府)의 한 직임(職任).

장기-적【長期的】[명][관] 장기간에 걸치는 모양. ¶~인 안목으로 볼 때에는. ↔단기적.

장기-전【長期戰】[명] ①장기간에 걸쳐 싸우는 전쟁. 속전 즉결(速戰卽決)에 대립되는 개념임. 지구전(持久戰). ↔단기전(短期戰). ②일을 해결하는 데 시간이 오래 걸리는 일.

장기 정체【長期停滯】[명] [secular stagnation]〖경〗1929년 이후의 세계 공황 때 미국의 경제학자 한센(Hansen) 등이 주장한 학설에서 생긴 말. 한센 등은 1929년에 시작된 세계 공황이 심각하게 또 장기화하자, 이것은 종래(從來)의 순환적 불황(循環的不況)이 아니고, 발달이 한계점에 다다른 자본주의의 노쇠 현상에서 오는 장기적인 경제 불황이라 생각하고 이를 장기 정체라고 하였음. 이는 자본주의가 성숙(成熟)한 이후 인구 증가율의 저하, 프론티어의 소멸, 기술 혁신의 소극화 등으로 자본 축적(資本蓄積)은 쇠퇴하는 반면에, 사회는 풍족해져서 저축이 늘고 유효 수요(有效需要)의 부족이 만성화(慢性化)하였기 때문에 이러한 장기간의 불황(不況)이 생긴 것이라고 하였음. 그러나 이 학설은 그 후의 자유주의 경제학자들로부터는 전면적(全面的)으로 부정(否定)되고 있음.

장기 제:제【臟器製劑】[명]〖약〗동물의 간장(肝臟)·비장(脾臟) 등의 장기를 원료로 하여 제조한 호르몬 약제.

장:기-짝【將棋—】[명] 장기를 두는 데 쓰는 나뭇조각. 청색과 홍색으로 글자를 새기어 모두 32짝이 한 벌이 됨. [준]장기.
[장기짝 맞듯 한다] 틀림없이 들어맞음을 이르는 말.

장기 차:입금【長期借入金】[명]〖경〗결산일 또는 결산일 다음날부터 기산하여, 상환 기한이 1년 이상에 걸치는 차입금.

장기-채【長期債】[명]〖경〗장기간에 판상하기로 된 채무(債務). 곧, 장기 연부채(年賦債) 따위. ↔단기채(短期債).

장기 천:자【臟器穿刺】[명] [organ puncture]〖의〗진단을 목적으로 장기의 일부를 신체 표면으로부터 천자침(穿刺針)으로 채취하는 일. 혈액 질환(疾患)·간(肝)질환·종양(腫瘍) 등의 경우에 골수·간·비장(脾臟)·림프선 등의 장기에 이용됨.

장기 청산 거:래 【長期淸算去來】[명]〖경〗증권 거래소에서 하는 청산 거래의 하나. 일정 기한 후 현품을 수도(受渡)할 약속으로 매매 약정을 하고, 그 기간 내에 전매(轉賣)·환매(還買)에 의하여 차금(差金)의 수수(授受)만으로 결제할 수 있는 거래. 장기 거래. ↔단기 청산 거래.

장:기 튀김【將棋—】[명] 한 군데에서 생긴 일이 차차 다른 데로 번져 감을 가리키는 말. ¶대주께까지 ~이 되지 않도록 닦달을 하였소이다≪金周榮 : 客主≫.

장기 파동【長期波動】[명] [long waves]〖경〗1926년에 소련의 경제학자 콘드라티예프(Kondratiev)가 밝힌, 평균 50-60년의 긴 순환 주기(循環週期)를 가지는 경기 파동. 물가 변동에 가장 잘 나타남. 콘드라티예프 사이클. ↔단기(短期) 파동.

장:기-판[1]【將棋—】[명] 장기를 두고 있는 판. ¶~이 벌어지다.

장:기-판[2]【將棋板】[명] 장기를 두는 판. 가로로 열 줄, 세로로 아홉 줄이 그려진 말판임.

장기-화【長期化】[명] 일이 빨리 결말이 나지 아니하고 오래 끌게 됨. 또 그렇게 함. ——-하다 [자][타][여불]

장기 흥행제【長期興行制】[명] 롱런 시스템(long-run system).

장-길【張吉】[명]〖사람〗안동 장씨(安東張氏)의 시조. 일명 정필(貞弼). 고려 태조 13년(930) 고창(古昌)에서 태조를 도와 견훤(甄萱)의 군대를 대파한 공으로 대상(大相)이 되고, 이어 고창은 안동부(安東府)로 승격됨. 생몰 연대 미상.

장:-김치【醬—】[명] ①장과 김치. ②무·배추·오이 등을 잘게 썰어서 간장에 절이고 온갖 고명을 더하여 담근 김치. 장저(醬菹). 장침채(醬沈菜).

장-깃 [명] 〈방〉 칼깃. 「기.

장:-깍두기【醬—】[명] 소금 대신 간장을 넣어 담근 깍두기. *소금 깍두

장깜 [명][부] 〈방〉 잠깐.

장꼬방 [명] 〈방〉 장독.

장꼬비 [명] 〈방〉 장독(전라).

장꽁 [명] 〈방〉 장끼(전남·경상).

장깐 [명][부] 〈방〉 잠깐(전라·충청).

장-꾼【場—】[명] ①장에 모인 장사아치들. ②장보러 모이는 사람들.
[장꾼은 하나인데 풍각쟁이는 열 둘이라] 여러 사람이 모여 들어서 저마다 적당한 구실을 붙여 한 사람으로부터 돈·물건을 받아 갈 때 하는 ㄴ말.

장-꿩 [명] 〈방〉 장끼(강원·전북).

장끼 [명] 수꿩의 별칭. ↔까투리.

장끼-전【—傳】[명]〖문〗조선 시대의 소설. 꿩을 의인화(擬人化)한 동물 소설로 작가와 연대는 미상.

장끼-타:령【—打令】[명]〖악〗경기 가요의 한 가지로, 판소리 열 두 마당의 하나. 장끼와 까투리 등 조류에 비겨 인간의 부정(不貞)을 풍자한 소리임.

장-나무【長—】[명] 물건을 버티는 데 쓰는 굵고 긴 나무. 목간(木竿). 장목(長木).
[장나무에 낫걸기] 큰 세력에 대하여 턱없이 작은 힘으로 대항하여 헛수고만 한다는 뜻.

장-낙소【張樂韶】[명]〖사람〗조선 후기의 천주교 순교자. 교명은 요셉. 수원(水原) 출신. 순조 26년(1826) 천주교에 입교, 헌종(憲宗) 2년(1836) 전교회장(傳敎會長)이 되어 전도하였고, 철종(哲宗) 6년(1855) 제천군(堤川郡) 봉양면(鳳陽面)에 설립된 신학교의 주인으로서 메스트르 신부를 도와 교리 서적 번역에 종사하던 중 이듬해 병인 박해(丙寅迫害)로 체포되어 순교(殉敎)함. [1803-66]

장난 [명] ①아이들의 여러 가지 놀음놀이. ②실없이 하는 일. ¶총을 가지고 ~하다/반 ~으로 하다. ③못된 희롱을 하는 것. ¶~기가 있는 사람. ——-하다 [자][여불]
[장난 끝에 살인 난다] 장난삼아 한 일이 큰 사고(事故)를 일으키기도 한다는 말.

장난-감 [—깜] [명] 아이들이 가지고 노는 여러 가지 물건. 완구(玩具). 완물(玩物). 노리개. 완롱물(玩弄物). ¶~ 같은 집.

장난감 교향곡【—交響曲】[—깜—] [명]〖악〗①보통의 교향곡처럼 무거운 내용을 가지지 않고, 어른들의 기분 전환 또는 어린이들에게 들려 주기 위해서나 연주시키기 위한 가벼운 교향곡. 보통의 현악기(弦樂器) 외에 장난감 나팔·장난감 피리 등을 사용함. 하이든(Hayden)이 처음으로 작곡하였으며 그 밖에 롬베르크(Romberg, A.J.; 1767-1821) 등의 작품도 있음. ②하이든이 1788년에 작곡한 교향곡의 이름. 시장조(C長調)로 되었는데 장난감 교향곡 중에서 가장 유명함.

장난-기【—氣】[—끼] [명] 장난 기분. 장난하려는 마음.

장난-꾸러기 [명] 장난이 심한 사람.

장난-꾼 [명] 장난을 잘하는 사람.

장난-말 [명] 실없이 하는 말.

장난-스럽다 [형][ㅂ불] 장난하는 듯한 태도가 있다. 장난-스레 [부]

장난-쓰다 [자] 〈방〉 장난하다(함경).

장난-조【—調】[—쪼] [명] 장난삼아 하는 듯한 투.

장난-질 [명] 장난하는 짓. ——-하다 [자][여불]

장난-치다 [자] 장난하다.

장난-터 [명] 아이들의 노는 곳.

장난-패기 [명] 〈방〉 장난꾸러기.

장-난형【長卵形】[명] 길쭉한 달걀꼴.

장-날【場—】[명] 장이 서는 날. 보통 닷새 만에 섬. *장(場).

장남[1] [명] 〈방〉 머슴(제주).

장:남[2]【長男】[명] 맏아들. 큰아들. ↔말남(末男).

장:남-하다 [자][여불] 아들이 장성하여 어른이 되다. 다 자라서 점잖다. ¶아직 철부지로 알았던 아내가 어느 틈에 그렇게 장남해졌을 줄이야≪玄鎭健 : 無影塔≫.

장:내[1]【帳內】[명]〖역〗조선 시대에 서울 오부(五部)가 관할(管轄)하던 구역의 안. ↔장외(帳外).

장:내[2]【帳內】[명]〖역〗원장내(元帳內), 곧 토지 대장에 밭으로 등록되어 있는 땅.

장내[3]【場內】[명] ①어떠한 처소(處所)의 안. 회장(會場)의 내부. ¶~ 정리. ↔장외(場外). ②〖역〗장중(場中).

장:내[4]【掌內】[명] 자기가 맡아보는 일의 범위 안. 장리(掌理)하는 범위 내(範圍內).

장내[5]【腸內】[명] 장의 안. 창자의 내부.

장내[6]【牆內】[명] 담의 안. ↔장외(牆外).

장-내기【場—】[명] 장에 내다가 팔기 위하여 만든 물건. ¶~로 만든 옷.

장내 기생충【腸內寄生蟲】[명] 회충·촌충·십이지장충 등과 같이 장(腸) 안에서 기생하는 기생충.

장내 세:균【腸內細菌】[명] 장내 세균과(細菌科)의 세균의 총칭. 아포(芽胞)를 만들지 않는 그람 음성 간균(Gram 陰性桿菌)으로, 포도당(葡萄

糖)을 분해하여 산(酸) 또는 산과 가스를 생성함. 일반적으로 주모성(周毛性)의 편모(鞭毛)가 있음. 사람이나 동물의 장내에 기생하여 병원성(病原性)을 갖는 것, 또 동식물에 대한 분해(分解)·부패 작용(腐敗作用)을 갖는 것도 있음.

장내 신:호기【場內信號機】명 정거장에 들어오려는 열차에 대하여 신호하는 철도 신호기의 하나. *출발(出發) 신호기.

장내 아나운스【場內―】〔announce〕명 역 구내 또는 장내의 사람들에게 방송으로 알리는 일.

장:녀【長女】명 맏딸. 큰딸. ↔말녀(末女).

장:년[1]【壯年】명 서른 살 안팎의 혈기 왕성한 시기. 또, 그러한 사람. 장령(壯齡). 중년(中年). 성년(盛年). ¶~기(期)에 접어들다.

장년[2]【長年】명 ①긴 세월. ¶~에 걸쳐. ②노년(老年). ③장수(長壽).

장년 가속【長年加速】명〖천〗달의 평균 황경(黃經)에 가속도가 있는 것같이 보이는 일. 지구의 자전 속도가 조석 마찰(潮汐摩擦) 때문에 차차 느려져서 하루의 길이가 100년에 1000분의 1초 길어지기 때문에 일어남. 영년(永年) 가속.

장:년-국【壯年國】명 국력(國力)이 한창 왕성한 나라.

장:년-기【壯年期】명 ①나이 30-40세 정도로 한창 혈기 왕성한 시기. ②〖지〗침식 윤회(浸蝕輪廻)에 있어서의 중기(中期). *유년기(幼年期)·노년기(老年期).

장:년기 지형【壯年期地形】명〔topographical maturity〕〖지〗침식 윤회(浸蝕輪廻)에 있어서의 장년기의 지형. 침식 작용이 가장 왕성한 시기의 지형으로서, 처음에는 유년기의 산지(山地)가 점차 개석(開析)되어, 침식 작용이 시작되기 전의 지표면인 원면(原面)의 면적이 감소되어 골짜기의 영역(領域)보다도 적어지는 것으로서 장년기가 시작되며, 개석이 진행됨에 따라 지형은 점점 급준(急峻)하게 되며 산의 기복(起伏)이 심해짐. 말기에는 하류(河流)의 측방 침식(側方浸蝕)·풍화 작용 등과 겹쳐 산봉우리는 둥글게 되고 능선은 완만한 경사를 이루면서 노년기에 들어감. *유년기 지형·노년기 지형.

장년 섭동【長年攝動】명〖천〗장차(長差).

장:년 시대【壯年時代】명 나이 30-40세 정도로 한창 혈기(血氣) 왕성한 시대.

장녕-전【長寧殿】명〖지〗조선 제19대 왕 숙종(肅宗)의 영정(影幀)을 모신 전각(殿閣). 강화(江華)에 있음.

장녹 명〖식〗〈방〉자리공.

장:농【欌籠】명 ☞장롱.

장뇌[1]【長腦】명〖식〗장로(長蘆).

장뇌[2]【樟腦】명〔camphor〕〖화〗진장(眞樟)·유장(油樟)·방장(芳樟) 등 장목(樟木)의 둥치·뿌리·가지를 증류(蒸溜)하면 장뇌유와 같이 나는 무색 투명한 고체 또는 반투명(半透明)의 광택이 있는 결정(結晶). 독특한 향기가 있음. 물에 녹지 않으나 알코올·에테르 등에는 녹으며, 상온(常溫)에서 승화(昇華)하기 쉬움. 셀룰로이드·무연(無煙) 화약·필름·강심제 등의 제조 및 방충제(防蟲劑)·방취제(防臭劑) 제조 등에 쓰임. 소뇌(韶腦). [$C_{10}H_{16}O$]

장뇌-산【樟腦酸】명〔camphoric acid〕〖화〗장뇌를 질산(窒酸)으로 산화(酸化)하여 얻는 산. 주상(柱狀) 또는 소엽편상(小葉片狀)의 결정. 녹는점(點) 187°C. [$C_{10}H_{16}O_4$]

장뇌-액【樟腦液】명 액체로 된 장뇌.

장뇌 연:고【樟腦軟膏】명 장뇌·우지(牛脂)·참기름을 섞은 백색의 연고. 동상(凍傷)·류머티즘성(性) 동통(疼痛) 등의 치료에 쓰임.

장뇌-유【樟腦油】명〖화〗장목(樟木)을 수증기로 증류할 때 장뇌와 함께 유출(溜出)하는 정유(精油). 누른 색이나 갈색을 띰. 이것을 다시 분류(分溜)하여 백유(白油)·적유(赤油)·남유(藍油) 등을 만드는데, 백유는 방충(防蟲)·방취(防臭)·살충용, 적유는 비누·향료·농약 등의 원료, 남유는 방충·살충제·의약품 등에 쓰임.

장뇌-정【樟腦精】명 장뇌 정기.

장뇌-정기【樟腦丁幾】명〖약〗캠퍼 정기(camphor 丁幾).

장뇌-화【樟腦火】명 장뇌를 태워 일으키는 파란 불꽃.

장뇨-막【漿尿膜】명 조류(鳥類)·파충류(爬蟲類)의 발생 과정에서, 요막(尿膜)과 장막(漿膜)의 일부가 합쳐진 것.

장니【障泥】명 말다래.

장닉【藏匿】명 ①남이 알 수 없도록 감추어 숨김. ¶밀수품을 ~하다. ②관헌(官憲)의 체포·발견을 방해하기 위하여 범인에게 은닉(隱匿) 장소를 마련하여 주는 일. 1)·2):→장익(藏匿). ――-하다 타여불

장닉-죄【藏匿罪】명〖법〗은닉죄(隱匿罪).

장:님 명 '소경[1]❶'의 존칭. 맹안(盲眼).

[장님 손 보듯 한다] 도무지 친절한 맛이 없음을 가리키는 말. [장님 은빛 보기다] 보고도 알지 못함을 가리키는 말. [장님이 넘어지면 지팡이 나쁘다 한다] 제 잘못은 뒷전으로 돌리고 쓸데없이 남을 탓한다는 말. [장님이 문(門) 바로 들어갔다] 아무 재간과 기량(技倆)이 없는 사람이 우연히 일을 성취하였음을 가리키는 말. [장님이 사람 친다] 뜻밖의 사람이 뜻밖의 짓을 할 때 이르는 말. [장님이 외나무다리 건너듯] 언제 어떻게 될지 예상할 수 없는 모양을 이르는 말. [장님 잠자나 마나] 무슨 일을 했는지 아니 했는지 겉으로 나타남이 없음을 가리키는 말. [장님 제 닭 잡아 먹듯] 남을 해치려다가 제게로 해(害)가 돌아옴을 가리키는 말. [장님 코끼리 말하듯 한다] ㉠왜졸(矮拙)한 사람이 큰 일을 말함을 비웃는 말. ㉡일부분만을 보고 곧 그것이 전체인 것처럼 말하는 인식이 부족한 사람을 두고 이르는 말. [장님 파밭 들어가듯] 무엇인지도 모르고 한 일이 사기(事機)를 그르쳐 일을 망쳐 버렸음을 비유하는 말.

장:님-굿 명〖민〗맹인(盲人)의 한을 풀어 주는 굿이나 거리. '맹인거리'라고도 함.

장:님노린잿-과【―科】명〖충〗[Miridae] 매미목(目)에 속하는 한 과. 몸은 타원형 또는 긴 타원형으로 가늘고 길며 연약(軟弱)함. 촉각과 구문(口吻)은 네 절(節)이며, 장시형(長翅型)·단시형(短翅型) 또는 무시형(無翅型)이 있고, 빛은 흑색의 둔색(鈍色) 또는 선명색(鮮明色)임. 대부분의 종류는 초식성(草食性)으로 여러 가지 식물의 해충임. 전 세계에 5,000여 종이 분포함.

장:님 도가【―都家】명 여러 사람이 모여서 떠들어대는 곳을 이르는 말. ¶회의장이 아니라 ~ 같다.

장:님 술래 명 술래는 수건으로 눈을 가리고 잡으려 하고, 다른 사람들은 손뼉을 쳐서 위치를 알리면서 피하는데, 술래가 잡으면 술래가 바뀌는 아이들 놀이.

장:님-총【―銃】명 목표를 바로 잡지 못하고 함부로 쏘는 총.

장다루 명〈방〉벗[1](경북).

장다름〔프 gendarme〕명 등산 용어로, 산봉우리 위에 높이 솟은 탑상 첨봉(塔狀尖峰).

장다리[1] 명 무·배추 등의 꽃줄기.

장다리[2] 명〈방〉장딴지(경상).

장다리-꽃 명 무나 배추 등의 장다리에서 피는 꽃.

장다리-무 명 씨를 받기 위해 장다리꽃이 피게 가꾼 무.

장단[1]【長短】명 ①긴 것과 짧은 것. ¶~을 재다. ②장점(長點)과 단점(短點). ¶~을 분간하기 어렵다. ③〖악〗노래·춤·풍류 등의 길고 짧은 박자. ¶~을 맞추다.

장단(이) 맞다 구 서로 잘 조화가 되고 짝이 맞다.

장단(을) 맞추다 구 ㉠박자를 맞추다. ㉡남의 기분을 돋구어 주다.

장단(을) 치다 구 풍류·노래 등의 박자를 맞추어 장구나 북 같은 것을 치다.

장단[2]【長湍】명〖지〗경기도 장단군의 군청 소재지. 개성(開城) 동남 16km에 위치하는 경의선(京義線)의 요역(要驛)임. 교통 취락으로 발달하였고, 개성 인삼 지대의 연장지임.

장단[3]【長湍】명〖문〗작자·제작 연대 미상의 고려 가요의 하나. 원가는 전하지 아니하고 그 내력만이 《고려사(高麗史)》 악지(樂志)에 전함. 태조(太祖)가 장단에 갔을 때에 그 지방 백성들이 태조의 은덕을 칭송하여 지었다 함.

장단-구【長短句】명〖문〗①장구와 단구로 된 시. 한 편의 시 중에서 자수가 많은 구절과 적은 구절을 섞어서 지은 시. ②중국 송(宋)나라 이후, 사곡(詞曲)의 별칭.

장단-군【長湍郡】명〖지〗경기도의 한 군. 관내 10면. 도의 서북에 위치하며 동은 연천군(漣川郡), 서는 개풍군(開豐郡), 남은 임진강을 건너 파주군(坡州郡), 북은 황해도의 금천군(金川郡)에 접하였음. 주요 산물은 쌀·보리·콩·면화·삼·인삼·채소·고치·고구마·감자 등의 농산물과 임산·축산·공산 등이 있었으나 6·25동란 후 휴전선 때문에 거의 황무지로 화함. 명승 고적으로는 장단 석벽(石壁)·화장사(華藏寺)·영통사(靈通寺)·낙산사(洛山寺)·고려 숙종(肅宗)의 능·고려 명종(明宗)의 능·신라 경순왕(敬順王)의 능 등이 있음. 군청 소재지는 장단읍. 휴전선 이남 지역은 현재 경기도 파주군에 편입됨. [광복 전:749.3km²]

장-단열【張端說】명〖사람〗고려 시대의 문신·서예가. 한림원 박사(翰林院博士)를 거쳐 군부경(軍部卿)까지 지냄. 서예는 구양순(歐陽詢) 필체로써 이름을 떨쳤으며, 이항추(李恒樞)·구족달(具足達) 등과 함께 당대의 명필로 꼽힘. 생몰 연대 미상.

장단-점【長短點】[―쩜] 명 장점과 단점. ¶~을 비교하다.

장단-채 명〈방〉북방망이(함경).

장단-타【長短打】명 야구에서, 장타와 단타(短打).

장:달【狀達】명〖역〗지방 감사(監司) 또는 왕명(王命)으로 지방에 파견된 관원(官員)이 섭정(攝政)인 왕세자(王世子)에게 서면(書面)으로 보고하는 일. *장계(狀啓). ――-하다 타여불

장-달음 명 ☞줄달음.

장달음(을) 놓다 구 ☞줄달음치다. ¶김양달이 곧 행인들을 제치고 앞으로 나서서 장달음을 놓으니 행인들과 장교가 숨이 턱에 닿게 쫓아왔다《洪命憙:林巨正》.

장닭[―딱] 명〖조〗〈방〉수탉(경상).

[장닭이 울어야 날이 새지] 집안의 일처리는 남편이 주장이 되어 하여야 한다는 말.

장:담[1]【壯談】명 확신(確信)을 가지고 자신 있게 하는 말. 대어(大語). ¶호언 ~. ――-하다 자타여불

장:담[2]【壯膽】명 씩씩한 담력(膽力).

장-담[3]【長―】명 길게 쌓은 담.

장담[4]【長談】명 장시간에 걸쳐 이야기함. 또, 그 이야기. ¶~을 나누다. ――-하다 자여불

장담[5]【腸覃】명〖한의〗부인의 뱃병의 한 가지. 뱃속에 단단한 뭉치가 생겨서 점점 자라, 배가 불러져서 아이밴 것처럼 됨.

장대[1] 명〈방〉〖어〗①달강어. ②양태.

장:대[2]【壯大】명 씩씩하고 큼. 크고 훌륭함. ¶허우대가 ~한 사나이. ――-하다 형여불. ――-히 부

장:대[3]【杖臺】명 장형틀. 장판(杖板).

장-대[4]【長―】[―때] 명 대나 나무로 다듬은 긴 막대기. ¶~높이뛰기. *장간(長竿).

[장대로 하늘 재기] 가능성이 없는 짓을 함을 가리키는 말.

장대[5]【長大】명 길고 큼. ↔단소(短小). ――-하다 형여불. ――-히 부

장대[6]【長臺】명〖건〗↗장대석(長臺石).

장대[7]【章臺】명 중국 전국 시대에 진(秦)나라 셴양(咸陽)에 세운 궁전

(宮殿) 이름. 전하여, 궁전·유곽.

장대[8]【張大】명 일이 크게 벌어져 거창함. 와자하게 벌어져서 큼. ——하다 형여불

장:대[9]【將臺】명〖역〗성(城)·보(堡)·둔(屯)·수(戍) 등의 동·서에 쌓아 올린 장수의 지휘대(指揮臺). 「비유함.

장:대[10]【掌大】명 손바닥만한 크기. 물건이나 장소(場所)의 작은 것에

장:-대구【醬大口】명 간장에 절여서 배를 쪼개 말린 대구.

장대-나물【長—】[—때—] 명〖식〗[*Turritis glabra*] 겨잣과에 속하는 월년초. 줄기 높이 1 m 가량, 근생엽은 총생(叢生)하며 경엽(莖葉)은 호생하고 피침형 또는 긴 타원형임. 4-6월에 흰 꽃이 정생(頂生)하여 총상(總狀) 화서로 피고, 과실은 장각과(長角果)임. 산이나 들에 나는데, 한국 각지에 분포함. 어린 싹은 식용함.

장대-냉이【長—】[—때—] 명〖식〗[*Sisymbrium maximowiczii*] 겨잣과에 속하는 일년초. 줄기 높이 80 cm 가량, 잎은 호생하며 무병(無柄)에 거꿀달걀꼴의 긴 타원형임. 6-7월에 자색 또는 홍색 꽃이 가지 끝에 정생(頂生)해 총상(總狀) 화서로 피고, 과실은 각과(角果)임. 들에 나는데, 한국 각지에 분포함. 어린 잎은 식용함.

〈장대냉이〉

장대-높이뛰기【長—】[—때—] 명 육상 경기의 하나. 긴 막대를 가지고 도움닫기를 한 후 마련해 놓은 나무 박스(box)에 그 막대를 꽂아 짚고, 걸쳐 놓은 바(bar)를 뛰어 넘어 그 높이를 겨룸. 봉고도(棒高跳).

장대-도둑【長—】[—때—] 명 장대질을 하여 남의 물건을 훔치는 도둑.

장대 레일【長大—】[rail] 명 한 개의 길이가 200 m 이상의 레일. 20-25 m의 표준 길이의 레일을 용접하여 만들며 길이 2,000 m에 달하는 것도 있음. 장척(長尺) 레일. 롱 레일.

장:대-벌【將臺—】명〖역〗군영(軍營) 안의 장대가 있는 벌판.

장대-봉【章臺峰】명〖지〗평안 북도(平安北道) 창성군(昌城郡)에 있는 산(山). [1,084 m]

장대-비【長—】[—때—] 명 장대처럼 굵고 세차게 내리는 비. 작달비.

장:대-산【將臺山】명〖지〗황해도 벽성군(碧城郡) 서석면(西席面)과 금산면(錦山面) 사이에 있는 산. [685 m]

장대-석【長臺石】명〖건〗섬돌 층계(層階)로 놓거나 축대(築臺)를 쌓는 데 쓰기 위하여 길게 다듬어 만든 돌. 준장대(長臺).

〈장대석〉

장대-여뀌【長—】[—때—] 명〖식〗[*Persicaria posumbu*] 마디풀과에 속하는 일년초. 줄기 높이 60 cm 가량인데, 잎은 호생하며 달걀꼴의 타원형 또는 난상 피침형이고 엽면(葉面)에 때로 흑색 반문이 있음. 6-9월에 매화 모양의 담홍색 꽃이 줄기 끝과 가지 끝에 정생(頂生)하여 수상(穗狀) 화서로 피고, 과실은 수과(瘦果)임. 산이나 들에 나는데, 거의 한국 각지에 분포함.

장대-질【長—】[—때—] 명 장대를 쓰는 짓. ——하다 자여불

장대 철도【長大鐵道】[—또] 명〖지〗창다 철도.

장대 추위【長—】[—때—] 명 오래 내리 계속되는 심한 추위.

장대-타기【長—】[—때—] 명 재인(才人)이 긴 장대 꼭대기에 올라가서 여러 가지 몸짓으로 재주를 부리는 짓.

장대 투겁【長—】[—때—] 명〖고고학〗깃대나 의장용(儀仗用) 장대 따위의 자루 끝에 매달거나 끼우던 장식. 청동기 시대의 장대 머리에는 꼭지에 방울을 단 것도 있음. 간두식(竿頭飾).

장-대패【長—】명 대패의 한 가지. 집이 길고 바닥이 평평함.

장:덕【將德】명〖역〗백제 때 십육품 관등(十六品官等)의 일곱째 등급. 시덕(施德)의 위, 내수(奈率)의 아래임.

장:덕-봉【長德峰】명〖지〗함경 남도 혜산군(惠山郡) 운흥면(雲興面)에 있는 산. [1,628 m]

장-덕수【張德秀】명〖사람〗정치가. 호는 설산(雪山). 황해도 재령(載寧) 출신. 일본 와세다(早稻田) 대학 정치학부를 졸업하고, 중국 상하이로 갔다가 국내 지사(志士)와 연락차 귀국하여 체포됨. 1920년 동아 일보(東亞日報) 주간(主幹) 및 부사장을 지냄. 광복 후 송진우(宋鎭禹) 등과 함께 한국 민주당(韓國民主黨)을 조직하여 활동 중 암살(暗殺)당함. [1895-1947]

장-덕준【張德俊】명〖사람〗언론인. 호는 추송(秋松). 덕수(德秀)의 형. 황해도 재령(載寧) 출신. 1920년 김성수(金性洙)·이상협(李相協) 등과 동아 일보를 창간. 발기 위원 겸 논설 위원으로 있다가 특파원으로 중국 베이징(北京)으로 건너가 미국 의원단(議員團)의 중국 방문을 취재하며, 한국 실정을 소개함. 그 후 만주에서 일본군의 한인 학살의 훈춘 사건(琿春事件) 취재차 단신으로 갔다가 행방 불명됨. [1891-?]

장-덕진【張德震】명〖사람〗독립 운동가. 황해도 신천(信川) 출신. 1920년 미의원단(美議員團) 내한을 계기로 황해도 일대의 일제 기관을 파괴, 독립 사상을 고취코자 했으나 실패, 그 후 평남 경찰부에 폭탄을 투척하고 상하이(上海)로 도주했다가 중국인에게 살해됨. 생몰 연대 미상.

장뎅이 명〈방〉산봉우리(경기).

장:도[1]【壯途】명 중대한 사명을 띠고 떠나는 길. 용감히 떠나는 장한 길. ¶알프스 원정의 ~에 오르다.

장:도[2]【壯圖】명 크게 도모하는 계획이나 포부. ¶~를 품다.

장도[3]【長刀】명 긴 칼. 대도(大刀).

장도[4]【長途】명 오랜 여로(旅路). 먼 길. ¶~에 오르다. *장정(長程).

장-도[5]【長島】명〖지〗①전라 남도의 서해상(西海上), 신안군(新安郡) 흑산면(黑山面)에 위치한 섬. 원래 대(大)장도와 소(小)장도로 구성되어 있었으나 자연적으로 연결되어 하나의 섬으로 됨. [1.56 km^2] ②전라 남도의 남해상(南海上), 완도군(莞島郡) 금일읍(金日邑) 장원리(長圓里)에 위치한 섬. [1.00 km^2] ③평안 북도 정주군(定州郡)의 남쪽 해상에 위치한 섬. [0.293 km^2] ④평안 북도 철산군(鐵山郡)의 서해상에 위치한 섬. [0.293 km^2] ⑤전라 남도의 서남해상(西南海上), 진도군(珍島郡) 지산면(智山面)에 위치한 섬. [0.24 km^2] ⑥전라 남도의 서해상(西海上), 신안군(新安郡) 암태면(巖泰面) 수곡리(水谷里)에 위치한 섬. [0.03 km^2] ⑦평안 북도의 서해상 용천군(龍川郡)에 위치한 섬. ⑧경상 남도의 남해상(南海上), 마산시(馬山市) 합포구(合浦區) 구산면(龜山面) 구복리(龜伏里)를 이루는 섬. 긴도(島). [0.07 km^2]

장도[6]【粧刀】명 장도(粧刀) 칼.

장도[7]【裝—】명 ←장두(裝頭).

장:도[8]【獎導】명 장려해서 인도해 나감. ——하다 타여불

장-도[9]【獐島】명〖지〗①전라 남도의 서해상(西海上), 신안군(新安郡) 장산면(長山面) 팽진리(彭津里)에 위치한 섬. [0.03 km^2] ②전라 남도의 남해상(南海上), 여수시(麗水市) 율촌면(栗村面)에 위치한 섬. [0.37 km^2]

장-도감【張都監】명〔옛날 중국의 장도감의 집이 풍파를 만나 큰 참해를 입었다는 고사에서〕크게 풍파를 일으킴. ¶마누라가 저사하고 만류치 않았다면 내 성품대로 당장 ~을 만들었을 걸《李海朝 : 鳳仙花》.

장도감(을) 치다 구 크게 풍파를 일으키다.

장도-끈【粧刀—】명 허리띠 등에 장도를 매달 때 쓰는 끈.

장도 노리개【粧刀—】명 장도를 주체(主體)로 한 노리개.

장-도(:)릉【張道陵】명〖사람〗중국 후한(後漢) 때의 도사(道師). 천사도(天師道), 일명 오두미도(五斗米道)의 시조. 본명은 능(陵). 촉(蜀)의 곡명산(鵠鳴山)에 들어가 천인(天人)이 내리는 도(道)를 받고 이것으로 사람들의 병을 고쳐서 농민들의 신봉을 받았다고 함. 생몰년 미상.

장:도리 명 ↗노루발 장도리.

장-도막【場—】[—또—] 명 한 장날과 다음 장날 사이의 동안. ¶두 ~/한 ~.

장도-상어【長刀—】명〖어〗〈방〉환도상어.

장도-장【粧刀匠】명 칼집 있는 작은 칼을 만드는 것을 업으로 삼는 장인. 중요 무형 문화재 제60호.

장-도지【場賭地】[—또—] 명 장변(場邊).

장도-칼【粧刀—】명 칼집이 있는 작은 칼. 칼집과 자루는 금(金)·은(銀)·밀화(蜜花)·대모(玳瑁)와 뿔·나무 등으로 장식을 하여 만들며, 늘 차고 다니면서 주머니칼처럼 썼음. 장도(粧刀).

장독[1] 명〈방〉장딴지(경북).

장:독[2]【杖毒】명 장형(杖刑)을 당한 상처의 독.

장:독[3]【瘴毒】명 장기(瘴氣).

장:-독[4]【醬—】[—똑] 명 간장이나 된장을 담아 두거나 담그는 독. 장옹(醬甕).

[장독보다 장맛이 좋다] 겉 모양은 보잘 것 없으나 속 내용은 매우 좋다는 말.

장독[5]【臟毒】명〖한의〗똥을 눈 뒤에 피가 나오는 치질.

장:독-간【醬—間】[—똑—] 명 장독을 두는 곳. 장간(醬間). *장독대.

장-독교【帳獨轎】명 가마의 한 가지. 뒤는 모두 벽(壁)이고, 양옆에는 창을 내고, 앞쪽에는 들창처럼 버티게 된 문이 있으며, 뚜껑은 지붕처럼 둥긋하게 마루가 지고, 네 귀가 추녀처럼 되었으며, 바탕의 바닥은 살을 대었는데, 전체가 붙박이로 되어 꾸몄다 뜯었다 하지 못함.

장:독-대【醬—臺】[—똑—] 명 장독을 놓아 두는 높직한 축대. *장독간.

장:독-받침【醬—】[—똑—] 명 장독을 받쳐 놓는 크고 네모진 벽돌.

장:독-소래【醬—】[—똑—] 명 ↗장독 소래기.

장:독-소래기【醬—】[—똑—] 명 장독을 덮는 오지·질 같은 것의 뚜껑. 준장독소래.

장:독-자배기【醬—】[—똑—] 명〈방〉장독 소래기.

장돌 명〈방〉장도리(경상).

장-돌다 자 ①속이 비어 자위가 뜨다. ②풀풀 날아 돌다. ¶白松骨이 숙지쩌고 장도는 듯《古時調》.

장-돌림【場—】[—똘—] 명 각처의 장으로 돌아다니면서 물건을 파는 장수. *장돌뱅이.

장-돌뱅이【場—】[—똘—] 명〈속〉장돌림.

장동【章動】명 [nutation]〖천〗달이나 태양의 인력(引力) 때문에 지구의 자전축(自轉軸)에 생기는 주기적인 작은 진동(振動). 세차(歲差) 운동의 일부로, 큰 것은 18.6년의 주기를 가짐. 고대 중국에서 19년을 한 장(章)이라고 한 데서 유래함.

장-동손【張東蓀】명〖사람〗'장 둥쑨'을 우리 음으로 읽은 이름.

장-되【場—】[—뙤] 명 장판에서 곡식을 되는 되. 시승(市升).

장되-장이【場—】[—뙤—] 명〈방〉말감고(경상).

장두[1] 명 거리가 멀고 가까움을 서로 비교함. ——하다 타여불

장:두[2]【杖頭】명 지팡이의 머리. 지팡이의 손잡이 또는 지팡이의 끝.

장두[3]【長頭】명 두시수(頭示數) 76 미만의 머리 모양. 머리의 위쪽이 길고 좁음. 이런 머리를 갖는 민족은 아프리카·뉴기니·오스트레일리아·인도의 데칸 고원에 주로 분포함. ↔단두(短頭).

장:두[4]【狀頭】명 ①연명으로 된 소장(訴狀)의 첫머리에 적힌 사람. ②과거(科擧)에 장원 급제(壯元及第)한 사람.

장:두(를) 서다 구 연명(連名)한 소장에 장두가 되다.

장두[5]【裝頭】명 책판(冊板) 같은 널조각을 들뜨지 아니하게 하느라고 두 끝에 대는 나무오리.

장두[6]【檣頭】명 돛대의 맨 꼭대기.

장두[7]【江都】명〖지〗중국 장쑤 성(江蘇省) 장두 현(江都縣)의 현청 소

재지. 양쯔 강의 북방 양저우(揚州) 동쪽에 있으며, 농산물, 특히 쌀의 집산지로 유명함. 강도(江都). 구명은 셴뉘먀오(仙女廟).

장:두리 명 〈방〉 장도리(충남·전북).

장두 상련【腸肚相連】[—년] 명 협력하여 해 나감. ——-하다 자여불

장두 은미【藏頭隱尾】명 일의 전말(顚末)을 똑똑히 밝히지 아니함. ——-하다 타여불

장:두-전【杖頭錢】명 길을 가는 데 술값으로 지닌 몇 푼의 돈.

장두-증【長頭症】[—쯩] 명 〖의〗 두개골(頭蓋骨)의 전후 길이가 옆 길이에 비해 매우 긴 것. 두개골 형성시에 일어난 선천적 이상(異常)의 기형(畸形)임.

장-두환【張斗煥】명 〖사람〗 독립 운동가. 충남 천안 출신. 1916년 광복회(光復會) 충남 책임자로 있으면서 군자금 갹출을 거부한 박용하(朴容夏)를 사살, 이듬해 체포되어 복역중 옥사함. [?-1921]

장둥띠 명 〈방〉 허리띠(강원).

장둥 산지【—山地】[江東] 명 〖지〗 중국 민저 산지(閩浙山地) 북쪽에 연접(連接)한 고생층 산지(古生層山地). 남쪽은 첸탕 강(錢塘江), 북쪽은 양쯔 강, 서쪽은 포양 호(鄱陽湖), 동쪽은 양쯔 강 삼각주의 저지(低地)에 각각 이름. 강동 산지.

장 둥쑨 [張東蓀] 명 〖사람〗 중국의 철학자. 일본 도요(東洋) 대학 졸업. 베르그송(Bergson)의 저작을 중국에 소개했고, 동서 문명 융화론(東西文明融化論) 등을 주장했음. 1934년에 광둥 학해 서원(廣東學海書院) 원장으로 일했고, 항일 전쟁(抗日戰爭) 중에는 베이징(北京)에서 저항함. 저서에 《철학과 과학》·《현대 철학》 등이 있음. 장동손(張東蓀). [1888-1973]

장-득만【張得萬】명 〖사람〗 조선 영조(英祖) 때의 화가. 자(字)는 군수(君秀), 호는 수은(睡隱). 인동(仁同) 사람. 화원(畫員)을 거쳐, 동지중추부사(同知中樞府事)에 이름. 영조 11년(1735) 왕명으로 화사(畫師) 이치(李治)와 함께 세조의 영정(影幀)을 그림. [1684-1764]

장등[1] 명 〈방〉 등[1] ❶(경북).

장등[2]【長燈】명 ①밤새도록 등불을 켜 둠. ②〖불교〗 부처 앞에 불을 켬. ——-하다 자여불

장등[3]【張燈】명 등불을 켜 놓음. ——-하다 자여불

장등[4]【檣燈】명 헤드라이트(headlight)❶.

장등 시:주【長燈施主】명 부처 앞에 불을 켜는 기름을 시주함. ——-하다 자여불

장:딴지 명 종아리 뒤쪽의 살이 불룩한 부분. 비장(腓腸). 어복(魚腹).

장:딴지 뚜껑 명 〈방〉 슬개골(膝蓋骨).

장:딴지-뼈 명 〈방〉 종아리뼈(경상).

장-딸기 명 〖식〗 [*Rubus hirsutus*] 장미과에 속하는 반만성(半蔓性) 낙엽 관목. 줄기에 가시가 있으며 잎은 우상 복생(羽狀複生)하고 소엽(小葉)은 달걀꼴 또는 난상 타원형임. 봄에 흰 꽃이 단립(單立) 또는 쌍생(雙生)으로 정생(頂生)하여 피고, 과실군(果實群)은 구형(球形)의 수과(瘦果)로 여름에 빨갛게 익음. 산에 나는데, 제주도·완도(莞島) 및 일본에 분포함. 열매는 식용함.

〈장딸기〉

장땅 명 〈방〉 바지랑대(경북).

장때 명 〈방〉 바지랑대(경기·강원·경북).

장-때기 명 〈방〉 장대.

장-땡 명 ①화투 노름에서, 열 끗짜리의 짝을 잡은 땡. 제일 높은 끗수. ②〈속〉 제일. 최고(最高). ¶ 시치미만 떼면 ~이냐.

장:-땡땡이【醬—】명 개성 지방 향토 음식의 하나. 햇된장에 찹쌀가루·다진 쇠고기·통깨·마늘·파·고춧가루·참기름 등을 넣고 반죽하여 시루에 찐 다음 지름 5cm, 길이 15cm 정도로 가래를 빚어 말렸다가, 먹을 때에 떡처럼 썰어서 구워 먹음.

장:-떡【醬—】명 ①고추장을 탄 물에 밀가루를 풀고, 미나리와 다른 나물을 넣어서 부친 전병. ②된장에 밀가루를 섞고 파나 다른 나물을 버무려 부친 전병. ③간장을 쳐서 만든 흰무리. 피난(避難)할 때 건량(乾糧)으로 씀.

장:-똑또기【醬—】명 똑또기 자반.

장똑소대 명 〈방〉 소댕(강원).

장뚝-대 명 〈방〉 장독대.

장락-궁【長樂宮】[—낙—] 명 〖역〗 중국 한(漢)나라의 궁전 이름. 고조(高祖)가 진(秦)의 흥락궁(興樂宮)을 수축한 것으로, 장안(長安)의 서북쪽, 미앙궁(未央宮)의 동쪽에 있었는데, 그 안에 태후(太后)의 주거였던 장신궁(長信宮)이 있었음.

장-란[1]【張瀾】명 〖사람〗 '장 란'을 우리 음으로 읽은 이름.

장 란[2] [張瀾] 명 〖사람〗 중국(中國) 청말(淸末)·민국(民國)의 정치가. 쓰촨 성(四川省) 태생. 촨한 철로(川漢鐵路) 고동회(股東會) 부회장. 철도 국유화 반대에 활약. 민국 성립 후, 쓰촨성장·청두(成都) 사범 대학 교장을 역임함. [1872-1955]

장란-기【藏卵器】[—난—] 명 [archagonium] 〖식〗 선태(蘚苔) 식물·양치(羊齒) 식물 등의 자성 배우자낭(雌性配偶子囊)의 특칭(特稱). 보통 다세포(多細胞)로 이루어졌으며 배갈병 모양으로 생겼고 가운데에 한 개의 난세포(卵細胞)가 들어 있음. *장정기(藏精器).

장:람【瘴嵐】[—남] 명 독기(毒氣)를 품은 산과 바다의 기운.

장랑[1]【長廊】[—낭] 명 줄행랑❶.

장랑[2]【蜣螂】[—낭] 명 〖충〗 바퀴[2]❶.

장래【將來】[—내] ㊀명 ①앞으로 닥쳐올 때. 앞날. 미래(未來). ¶ 밝은 ~. ②전도(前途). ¶ ~가 유망하다. ㊁부 장래에.

장래-방【將來房】[—내—] 명 〖역〗 조선 말엽 전악청(典樂廳)에 딸렸던 기관. 아동방(兒童房)을 거쳐 열 예닐곱 살 된 사람들이 음악 공부를 하던 곳. 여기서 끝나면 성재방(成才房)으로 가서 공부했음.

장래-사【將來事】[—내—] 명 장차 닥쳐올 일이나 하여야 할 일. ¶ 집안의 ~가 걱정이다.

장래-성【將來性】[—내썽—] 명 ①앞으로 될 가능성. ②앞으로 성장·발전하리라는 가망성. ¶ ~이 있는 사람.

장래 심:판【將來審判】[—내—] 명 〖기독교〗 ①사람이 죽은 후에 받을 심판. 그가 갈 곳은 하나는 천당이고 다른 하나는 지옥임. ②예수 그리스도가 재림(再臨)한 후에 받을 심판.

장래의 급부의 소【將來—給付—訴】[—내— / —내에—에—] 명 〖법〗 그 소송의 구두 변론 종결 이후에 이행기(履行期)가 올 장래의 급부 의무에 관해 급부 판결을 요구하는 소.

장래의 이:행의 소【將來—履行—訴】[—내— / —내에—에—] 명 [도 Klage auf künftige Leistung] 〖법〗 청구(請求)가 사실심(事實審)의 변론 종결시까지 현실화하지 않는 청구권인 경우의 소(訴).

장래 인구【將來人口】[—내—] 명 이미 있는 인구 통계에 의거하여 장래의 인구의 크기·구조(構造)·지역 분포(地域分布) 등의 변동을 추계한 인구.

장래-재【將來財】[—내—] 명 장래에 지출 대상(支出對象)이 되는 재(財). 장래에 구입할 주택, 아이들의 교육비, 노후 생활을 위한 소비재(消費財)나 의료(醫療) 서비스 등.

장:략【將略】[—냑] 명 장수(將帥)로서의 지략(智略).

장:량[1]【丈量】[—냥] 명 토지의 면적을 측량함. ——-하다 타여불

장-량[2]【張良】[—냥] 명 〖사람〗 중국 전한(前漢)의 건국 공신. 한(韓)의 세족(世族). 자(字)는 자방(子房). 유방(劉邦)의 모신(謀臣)으로 '홍문(鴻門)의 회(會)'에서 공을 세우고 항우(項羽)를 무찔러 한(漢)나라 통일 후에 유후(留侯)에 책봉됨. 소하(蕭何)·한신(韓信)과 함께 한(漢)나라 창업의 삼걸(三傑)이라 칭함. [?-168 B.C.]

장:려[1]【壯麗】[—녀] 명 장대(壯大)하고 화려함. ¶ ~한 대건축(大建築). ——-하다 형여불

장려[2]【長欐】[—녀] 명 〖건〗 → 장여[3].

장:려[3]【奬勵】[—녀] 명 좋은 일에 힘쓰도록 권하여 북돋아 줌. ¶ ~상(賞) / 저축을 ~하다. *장권(奬勸). ——-하다 타여불

장:려[4]【瘴癘】[—녀] 명 〖한의〗 장기(瘴氣)를 마셔서 일어나는 병.

장:려-국【奬勵局】[—녀—] 명 〖역〗 갑오 경장 후에 베푼 농상 아문(農商衙門)의 한 국(局). 고종 31년(1884)에 설치하여 이듬해에 폐함.

장:려-금【奬勵金】[—녀—] 명 특정한 사업 또는 연구의 조성(助成) 및 발달을 장려하기 위해 국가나 공공 단체 또는 사적(私的) 단체가 해당자에게 지급(支給)하는 돈. ¶ 우량품 생산 ~.

장:려-상【奬勵賞】[—녀—] 명 무엇을 장려하려고 주는 상.

장:력[1]【壯力】[—녁] 명 씩씩하고 굳센 힘.

장력[2]【張力】[—녁] 명 [tension] 〖물〗 물체 내의 임의(任意)의 면(面)의 양측 부분이 이 면에 수직(垂直)으로 서로 끌어당기는 힘. 이 힘의 크기는 단위 면적(單位面積)에 작용하는 힘으로 나타냄.

장력[3]【粧曆】[—녁] 명 책의(冊衣)를 대고 꾸민 책력.

장력 강도【張力強度】[—녁—] 명 [tensile strength] 〖물〗 인장 부하(引張負荷)를 받고 있는 물질이 찢기지 않고 견딜 수 있는 최대 응력(應力). 재료의 기계적 성질 중 가장 중요한 것임. 인장(引張)강도. 항장력(抗張力).

장:력-세다【壯力—】[—녁—] 형 담차고 마음이 굳세어서 무서움을 타지 않다. 장성세다.

장련【長連】[—년] 명 〖지〗 황해도 은율군(殷栗郡) 은율 광산 가까이에 있는 광산 취락(聚落). 옛 장련군(1914년 은율군과 합침)의 군청 소재지로 저광소(貯鑛所)가 있고 북쪽 7km 지점에 대동강(大同江)을 사이에 두고 남포(南浦)와 대하는 금복(今卜) 나루가 있음.

장:련-포【杖蓮浦】[—년—] 명 〖지〗 함경 남도 북청군(北靑郡) 청해면(靑海面)에 있는 못. [0.129km²]

장:렬[1]【壯烈】[—녈] 명 씩씩하고 열렬함. ¶ ~한 최후. ——-하다 타여불. ——-히 부

장:렬[2]【葬列】[—녈] 명 장송(葬送)의 행렬.

장렬 왕후【莊烈王后】[—녈—] 명 〖사람〗 조대비(趙大妃)❶.

장렴【粧奩】[—념] 명 ①경대(鏡臺). ②몸치장하는 제구.

장:령[1]【壯齡】[—녕] 명 장년(壯年)의 나이.

장령[2]【長齡】[—녕] 명 고령(高齡).

장:령[3]【將令】[—녕] 명 장수(將帥)의 명령.

장:령[4]【將領】[—녕] 명 〖군〗 ①장수(將帥). ②장성[8](將星).

장:령[5]【掌令】명 〖역〗 ①↗감찰(監察) 장령. ②↗사헌(司憲) 장령. ③조선 시대 사헌부(司憲府)의 정사품 벼슬. 태종(太宗) 원년(1401)에 시사(侍史)를 고친 이름. *지평(持平).

장:례[1]【掌禮】[—녜] 명 〖역〗 대한 제국 때 장례원(掌禮院)의 주임(奏任) 벼슬. 처음에 한 사람을 두었다가 고종 광무(光武) 원년(1897)에 좌우(左右) 두 사람으로 함.

장:례[2]【葬禮】[—녜] 명 장사지내는 예절. 양례(襄禮). 장의(葬儀).

장:례 미사【葬禮彌撒】[—녜—] 명 〖천주교〗 죽은 사람을 위해 바치는 미사.

장:례-비【葬禮費】[—녜—] 명 장례를 치르는 데 드는 비용. 장사비. 장비(葬費).

장:례-사【掌隷司】[—녜—] 명 〖역〗 조선 시대의 형조(刑曹)의 한 분장(分掌). 노예(奴隷)의 부적(簿籍)과 부로(俘虜)에 관한 일을 맡음. 영조(英祖) 40년(1764)에 장례원(掌隷院)을 고친 이름임. *장례원(掌隷院).

장:례-서【掌禮署】[—녜—] 명 〖역〗 고려 양온서(良醞署)의 고친 이름.

장:례-식【葬禮式】[—녜—] 명 장사지내는 의식. 장식(葬式).

장:례-원[1]【掌隸院】[—녜—] 명〖역〗조선 시대에 노예(奴隸)의 부적(簿籍)과 결송(決訟)의 일을 맡아 보던 관아. 전의 형조 도관(刑曹都官)을 세조(世祖) 12년(1466)에 변정원(辨定院)으로 고쳐 독립 아문(獨立衙門)으로 했는데, 동 13년에 이 이름으로 고쳤다가 영조(英祖) 40년(1764)에 장례사(掌隸司)로 고침. ＊장례사.

장:례-원[2]【掌禮院】[—녜—] 명〖역〗대한 제국 때의 궁내부(宮內府)의 한 분장(分掌). 궁중의 전식(典式)·제향(祭享)·조의(朝儀)·아악(雅樂)·속악(俗樂)·능원(陵園) 등의 일을 맡았음. 고종(高宗) 32년(1895)에 종백부(宗伯府)를 고쳐서 일컫다가, 광무(光武) 9년(1905)에 폐하고 이듬해에 다시 설치하여 순종(純宗) 융희(隆熙) 4년(1910)까지 있었음.

장:로[1]【長老】[—노] 명 ①덕(德)이 높고 나이 많은 사람의 존칭. ¶학계(學界)의 ~. ②〖불교〗학식이 풍부하고 나이가 많으며 덕이 높은 중. ③〖불교〗선종(禪宗)에서 한 절의 주직(住職) 또는 화상(和尙)에 대한 경칭. ④〖기독교〗성직(聖職)의 한 계급. 모세 시대에 70장로를 임직(任職)했고, 현대 장로교·성결교·감리교 등에서는 투표로 선정해 당회(堂會)나 노회(老會) 또는 지방회(地方會)의 승인을 얻어 임직함. ⑤〖천주교〗교직(敎職)의 하나. 연원회(淵源會)의 추대로 도훈(道訓)과 나이 많은 숙덕(宿德) 중에서 선출함. 장로실(長老室)을 구성함.

장로[2]【長路】[—노] 명 장정(長程).

장로[3]【長蘆】[—노] 명〖식〗심어서 기른 산삼(山蔘). 장뇌(長腦).

장-로[4]【莊老】[—노] 명 장자(莊子)와 노자(老子).

장-로[5]【張路】[—노] 명〖사람〗중국 명(明)나라 중기의 화가. 허난 성(河南省) 샹푸(祥府) 태생. 자는 천치(天馳), 호는 평산(平山). 인물화를 절파(浙派)의 화가 오위(吳偉)에게서 배워, 필묵(筆墨)의 표현에 광소적(狂騷的)인 화풍을 세워 문인 사회로부터 공격을 받았으나, 그 적극적인 표현 의욕이 평가됨. 생몰년 미상.

장:로-교【長老敎】[—노—] 명〖기독교〗기독교의 한 파. 가톨릭교의 교황권(敎皇權)을 부정하고 교회의 운영권을 장로들의 합의제로 하자는 칼뱅(Calvin)의 장로주의에서 이루어진 한 교파로, 목사·장로가 모여 노회(老會)를 구성함. 1522년 칼뱅이 최초의 교회를 세웠고, 한국에도 1864년부터 선교하여 현재 예수교 장로회·기독교 장로회 등의 분파가 있음. 장로파. 장로회.

장:로-사【長老師】[—노—] 명〖기독교〗감리교(監理敎) '장로'의 칭호.

장:로-실【長老室】[—노—] 명〖천도교〗장로들로 구성된 천도교의 자문 기관.

장:로-원【長老院】[—노—] 명〖불교〗대한 불교 조계종(曹溪宗)에서, 종정(宗正)의 자문 기관(諮問機關). 종정을 지낸 원로(元老)및 중앙 종회(中央宗會)에서 추대한 원로 비구로 구성함.

장:로 정치【長老政治】[—노—] 명 전통 사회에서 장로가 합의(合議)에 의한 지배권을 장악하는 정치. 장로는 고로(古老)라고 하기보다 유력자인 경우가 보통임. 미개 사회의 장로는 연령 계제제(年齡階梯制)의 최고위의 연령 집단으로, 부족의 정치에 참여함.

장:로-파【長老派】[—노—] 명〖기독교〗장로교(長老敎).

장:로-회【長老會】[—노—] 명〖기독교〗①장로교. ②장로들의 연합회.

장:롱【欌籠】[—농] 명 ①자그마하게 만든 장(欌). ㊀농(籠). ②장(欌)과 농(籠)을 통틀어 일컫는 말.

장:루[1]【掌漏】[—누] 명〖역〗①고려 때 서운관(書雲觀)의 종칠품 벼슬. ②조선 초기(初期)의 서운관의 종칠품 벼슬. 세조(世祖) 12년(1466)에 서운관을 관상감(觀象監)으로 고칠 때 직장(直長)으로 고치었음.

장루[2]【腸瘻】[—누] 명〔intestinal fistula〕〖의〗장내강(腸內腔)과 외부를 연결하는 누공(瘻孔). 보통 인공적으로 만드는데 동물 시험에서, 장액(腸液)의 분비 연구나 직장(直腸)의 통과 장애가 있을 때 치료하기 위해서 만드는 경우 등이 있음.

장루[3]【檣樓】[—누] 명〖군〗군함의 돛대 위에 꾸며 놓은 대(臺). 전망대(展望臺)로나 포좌(砲座)로 사용함.

장루 조:성술【腸瘻造成術】[—누—] 명〖의〗장관(腸管)의 어떤 부분에 장애가 있을 때 등에, 장의 내용물을 외부로 내보내기 위해 그 윗부분에 구멍을 뚫어 직접 복벽(腹壁)에 개방(開放)하는 방법.

장루-포【檣樓砲】[—누—] 명〖군〗장루에 설치한 소구경 속사포(小口徑速射砲) 또는 기관포(機關砲).

장:류[1]【杖流】[—뉴] 명〖역〗장형(杖刑)과 유형(流刑). 장배(杖配).

장류[2]【長流】[—뉴] 명 길게 흐름. 또, 그 흐름. 큰 강의 흐름. ——하다 자여불

장류[3]【長旒】[—뉴] 명 폭이 넓고 긴 깃발.

장류[4]【章柳】[—뉴] 명〖식〗쥐눈이콩.

장류-근【章柳根】[—뉴—] 명〖한의〗상륙(商陸).

장류-수【長流水】[—뉴—] 명 ①늘 흘러가는 물. 천리수(千里水). ②〖민〗육십 화갑자(六十花甲子)에서 임진(壬辰) 계사(癸巳)에 붙이는 납음(納音). 임계수(壬癸水)는 진(辰)에서 묻히고 사(巳)에서 끊어지나, 절처 봉생(絶處逢生)하여 사(巳)에서 다시 물이 이어지니 끝없이 흐른다는 말.

장:륙[1]【丈六】[—뉵] 명 ①일장 육척(一丈六尺). ②〖불교〗높이가 일장 육척 되는 불상(佛像). 장륙불(丈六佛).

장륙[2]【章陸】[—뉵] 명〖한의〗상륙(商陸).

장:륙-불【丈六佛】[—뉵—] 명〖불교〗장륙(丈六)❷.

장률[1]【長律】[—뉼] 명〖문〗한시에서 배율(排律) 또는 칠언율(七言律).

장률[2]【贓律】[—뉼] 명〖역〗장죄(贓罪)나 장물죄를 다스리는 법률. 경국 대전(經國大典)에서 사용한 대명률(大明律)에 규정되어 있음.

장르〔프 genre〕명 ①박물학(博物學)에서, '속(屬)'의 일컬음. ②〖예〗예술, 특히 문예(文藝)에서 형태 상의 다양(多樣)한 분류 및 종류. 이를테면 시(詩)와 산문(散文) 그리고 희곡, 또, 시에서도 서사시·서정시·비가(悲歌), 산문이나 희곡 중에서도 역사 소설·시대극(時代劇)·풍속 소설·비극·희극 등 여러 가지로 분류되는 일. 형식. 양식. ③〖미술〗풍속화. 세태화(世態畫).

장-릉[1]【長陵】[—능] 명〖지〗①고려 인종(仁宗)의 능. 장소 미상. ②조선 제16대 인조(仁祖)와 원비(元妃) 인열 왕후(仁烈王后) 한씨(韓氏)의 능. 경기도 파주시(坡州市) 탄현면(炭縣面) 갈현리(葛峴里)에 있음. ③중국 한(漢)나라 고조(高祖)의 능. 산시 성(陝西省) 셴양 현(咸陽縣)에 있음. ④중국 후위(後魏) 효문제(孝文帝)의 능. 허난 성(河南省) 톈서우 산(天壽山)의 남쪽 기슭에 있음.

장-릉[2]【張陵】[—능] 명〖사람〗'장도릉(張道陵)'의 본명(本名).

장-릉[3]【莊陵】[—능] 명〖지〗조선 단종(端宗)의 능. 강원도 영월군(寧越郡) 영월읍(寧越邑) 영흥리(永興里)에 있음.

장-릉[4]【章陵】[—능] 명〖지〗조선 선조(宣祖)의 다섯째 아들 원종(元宗) 및 원종비(元宗妃) 인헌 왕후(仁獻王后)의 능. 경기도 김포군(金浦郡) 김포읍(金浦邑) 풍무리(豐舞里)에 있음.

장:리[1]【長吏】[—니] 명〖역〗'수령(守令)'의 별칭.

장:리[2]【長利】[—니] 명 ①곡식을 꾸어 주고 붙이는, 일 년에 본 곡식의 절반이 되는 변리. 흔히 봄에 꾸어 주었다가 가을에 받을 때에 셈함. 식전(息錢). ¶~를 놓다/~ 쌀을 먹다. ②물건의 길이나 또는 수효에 대해 본래의 것보다 절반이 더한 것.

장리[3]【章理】[—니] 명 명백한 이치(理致).

장:리[4]【掌理】[—니] 명 맡아서 처리함. ¶사무를 ~하다. ——하다 타여불

장:리[5]【掌裡】[—니] 명 손바닥 안. 장중(掌中).

장리[6]【牆籬】[—니] 명 담. 울타리.

장리[7]【贓吏】[—니] 명 장죄(贓罪)를 범한 관리.

장:리-곡【長利穀】[—니—] 명 장리로 빌려 주거나 또는 장리로 꾸는 곡식.

장리-손【贓吏孫】[—니—] 명 탐장죄(貪贓罪)로 처벌된 벼슬아치의 손자.

장리-자【贓吏子】[—니—] 명 탐장죄로 처벌된 벼슬아치의 아들.

장-린【張遴】[—닌] 명〖사람〗조선 인조 때의 무신. 자(字)는 군택(君擇). 장연(長淵)사람. 정묘 호란(丁卯胡亂) 때에는 적을 물리쳐 중부 주부(中部主簿)가 되고, 병자(丙子) 호란 때에는 만포(滿浦)를 수비하였으며, 고산리 첨사(高山里僉使)로 있을 때 호환(虎患)을 없애 당상관이 되고, 이어 첨지중추부사(僉知中樞府事)에 올랐음. [1606-56]

장림[1]【長林】[—님] 명 길게 뻗쳐 있는 숲.

장림[2]【長霖】[—님] 명 오래 계속되는 장마.

장림[3]【將臨】[—님] 명〖천주교〗'대림(待臨)'의 구용어.

장:림[4]【瘴林】[—님] 명 열병을 일으키게 하는 독기(毒氣)있는 숲.

장림 수주일【將臨首主日】[—님—] 명〖천주교〗'대림 제일 주일(待臨第一主日)'의 구용어.

장림 심처【長林深處】[—님—] 명 길게 뻗친 숲의 깊은 곳.

장림-절【將臨節】[—님—] 명〔Advent〕〖천주교〗'대림절(待臨節)'의 구용어.

장립【將立】[—닙] 명〖기독교〗안수 목사(按手牧師)가 선정된 신자에게 장로(長老)의 교직(敎職)을 주는 일. ——하다 자여불

장립 대:령【長立待令】[—닙—] 명〔오래 서서 분부를 기다린다는 뜻〕권문 세가(權門世家)에 늘 드나들며 이익(利益)을 얻고자 하는 사람을 조롱하는 말. ——하다 자여불

장립-식【將立式】[—닙—] 명〖기독교〗장립하는 의식.

장:릿-벼【長利—】[—닏—] 명 장리로 빌려 주거나 빌리는 벼. ¶그는 머슴을 데려 농사를 짓는 한편, 동네 사람들을 상대로 ~를 준다. 현금을 대부한다 하며,…≪金東里 : 산화≫.

장링〔江陵〕명〖지〗중국(中國) 화중 지구(華中地區) 북부의 후베이 성(湖北省) 남부에 있는 현(縣). 이창(宜昌) 남부 100km 되는 곳에 위치함. 이 지방 행정의 중심지이며 양쯔 강(揚子江) 좌안(左岸) 교통의 요지로 농산물의 집산지(集散地)임. 강릉(江陵). 구칭은 형주(荊州). [867,000명(1982)]

장마 명〔중세 : 댱마〕계속해서 많이 오는 비. 임우(霖雨). 장맛비. 적우(積雨). 구우(久雨). 황매우(黃梅雨). ¶~ 전선.

[장마 도깨비 여울 건너가는 소리를 한다] 무엇을 원매(怨罵)하는 소리가 어음(語音)이 똑똑하지 아니하고 입 속으로만 웅얼웅얼함을 이르는 말. [장마 뒤에 외 자라듯] 무럭무럭 잘 자라는 것을 보고 이르는 말.

장마(가) 들다 구 장마가 시작되다.

장마(가) 지다 구 여러 날 계속하여 비가 오다.

장마-기【—期】명 장마철.

장-마당【場—】명 장이 서는 마당.

장-마루【長—】명〖건〗긴 널을 죽죽 깔아 만든 마루.

장마 전선【—前線】명 장마철에 일본과 우리 나라의 남쪽에 생기는 정체 전선(停滯前線). 오호츠크 해(Okhotsk 海) 고기압(高氣壓)에서 불어 오는 차가운 북동 기류(北東氣流)와 태평양에서 불어 오는 따뜻하고 습한 남서 기류가 충돌하여 생기는 것으로, 오랜 장마의 원인이 됨. 남쪽 지역부터 시작하여 차차 북상(北上)하며, 이 전선이 통과하고 나면 장마가 갬.

장:마질 명〈방〉장맞이. ——하다 타

장마-철 명 장마지는 계절. 우리 나라에서는 7-8월경임. 장마기.

장마철에 비구름 모여들듯 구 구름처럼 모여드는 모양.

장막[1] 【帳幕】 명 ①한데에서 볕 또는 비를 막고 사람이 들어가 있도록 둘러치는 막. ¶ ~을 치다. ②속을 보지 못하게 둘러치는 막. 또, 그러한 무형 조처(無形措處). 장악(帳幄). ¶ 철(鐵)의 ~/인(人)의 ~. ③〖성〗 간단히 포장 등을 치고 하느님을 예배하던 건물. 모세가 신의 계시(啓示)로 시내산에 만든 천막.

장:막[2] 【將幕】 명 장수(將帥)와 막하(幕下).

장막[3] 【漿膜】 명 〖생〗 ①〔serous membrane〕 파충류·조류·포유류의 태아(胎兒)를 둘러싸고 있는 양막(羊膜)의 바깥 쪽을 다시 둘러싸고 있는 막. 포유류에서는 이것이 요막(尿膜)과 자궁벽(子宮壁)에 붙어서 태아측의 태반(胎盤)을 형성함. ②흉막·복막·심막의 총칭. 모두 단층 편평 상피(單層扁平上皮)와 그 밑받침을 이루는 결합 조직의 층으로 구성되고, 그 표면은 부드럽고 장액(漿液)으로 덮여 있음. 병원균의 침입에 쉽게 감염되어 복막염·늑막염·심낭염 등의 병이 됨. ③곤충 등의 절지(節肢) 동물의 배(胚)로, 양막(羊膜)이 만들어진 후 알 전체를 싸는 세포층. 장액막(漿液膜).

장막-극 【長幕劇】 명 나누어진 단락(段落)이 여러 개로 된 긴 연극. ↔단막극(單幕劇).

장막-꾼 【帳幕一】 명 장막을 맡아서 치는 인부.

장막-산 【獐幕山】 명 〖지〗 평안 북도 후창군(厚昌郡) 동흥면(東興面)에 있는 산. [1,210m]

장막-절 【帳幕節】 명 〖기독교〗 유태(猶太) 사람의 삼대 명절(三大名節)의 하나. 애급(埃及)을 나갈 때에 조상이 들에서 장막을 치고 살던 일을 기념하는 축일로 그들의 추수 감사절임.

장:막지-간 【將幕之間】 명 장수(將帥)와 막하(幕下)와의 사이.

장만[1] 명 〔중세 : 쟝망〕 ①갖추어 만듦. ②만들거나 사들여 준비함. ¶ 혼수 ~/살림을 ~하다. 취음:작만(作滿). ——-하다 타 여불

장-만[2] 【張晩】 명 〖사람〗 조선 중기의 문신. 자(字)는 호고(好古), 호는 낙서(洛西). 인동(仁同) 사람. 광해군(光海君) 때 문무(文武)를 겸한 병조 판서(兵曹判書)로 대북(大北)의 난정(亂政)을 보고 은거하다가 인조반정(仁祖反正)으로 팔도 도원수(八道都元帥)로 등용되어 이괄(李适)의 난을 평정하였음. 뒤에 우찬성(右贊成)·병조 판서를 지냄. 정묘호란(丁卯胡亂) 때 적을 막지 못한 죄로 관직을 삭탈당했으나 전공(前功)으로 복관되었음. 시호는 충정(忠定). [1566-1629]

장만[3] 【腸滿】 명 〖의〗 복강(腹腔) 속에 액체 또는 가스가 차서 배가 과도하게 팽만(膨滿)하는 병증. 대개는 복막염(腹膜炎)·간경변증(肝硬變症)·난소낭종(卵巢囊腫) 등에 의하여 일어남.

장-만(:)영 【張萬榮】 명 〖사람〗 시인. 호는 초애(草涯). 황해도 연백(延白) 출생. 1932년에 《봄노래》로 데뷔한 후 《마을의 여름밤》 등 도시의 문명을 떠나서 전원(田園)의 서정(敍情)을 읊은 사상파(寫像派)의 시인이었음. 자기 체험을 표현한 《병실에서》·《광화문 빌딩》 등이 있음. 서울 신문사 출판국장·한국 시인 협회장(韓國詩人協會長)을 역임(歷任)하였음. [1914-75]

장:-맛 【醬一】 명 간장이나 된장의 맛.

장맛-비 명 장마로 오는 비. 장마. 임우(霖雨). 장우(長雨).

장망 【長望】 명 〖역〗 벼슬아치를 천거할 때에 네 명 이상의 후보자를 골라 정하던 일. *삼망(三望)·수망(首望).

장망ᄒᆞ다 타 〈옛〉 장만하다. ¶ 時節 차바ᄂᆞᆯ ᄀᆞ초 장망ᄒᆞ고(備時物) 《續三綱 烈女圖. 性伊佩刀》.

장:-맞이 명 길목을 지키고 서 있다가 사람을 만나려는 짓. ¶ 내가 ~를 몇 번 하고 찾아온 집인데 잘못 찾아요? 《李相協 : 눈물》. ——-하다 타 여불

장-매 【長一】 명 길쭉한 물건을 세로 동이는 줄. ↔동매.

장먼 〔江門〕 명 〖지〗 중국 광둥 성(廣東省)의 광둥 삼각주 서부에 있는 상업 도시. 1902년에 영국과의 조약으로 개항되었음. 부근은 기름진 평야이며, 수로(水路)가 사통(四通)하여 배에 의한 교통이 성함. 쌀·야채·담배·약재(藥材) 등이 나며, 양잠(養蠶)도 행하여지고 제지(製紙) 공장도 있음. 강문. [225,000명(1984)]

장면[1] 【長眠】 명 죽음. *영면(永眠). ——-하다 자 여불

장면[2] 【場面】 명 ①어느 장소의 겉에 드러난 면. 또, 그 광경. ②어떤 사건이 벌어지는 광경이나 경우. ¶ 극적인 ~이다. ③〖연〗 연극(演劇)이나 영화(映畫) 등의 한 정경(情景). *신(scene). ¶ 연애 ~. ④〖심〗 심리학적 사상(事象)의 생기(生起)를 규정하는 환경 상태(環境狀態). 사태(事態). ¶ ~ 도피. *장[22](場).

장면[3] 【粧面】 명 단장(丹粧)한 얼굴.

장-면[4] 【張勉】 명 〖사람〗 정치가. 호는 운석(雲石). 본은 인동(仁同). 인천 출생. 동성(東星) 상업 학교 교장을 거쳐, 광복과 더불어 정계에 진출, 제헌 국회 의원·초대 주미 대사·국무 총리를 역임. 1955년 신익희(申翼熙) 등과 민주당을 조직, 1956년 민주당 출신 부통령에 피선되고 1960년 8월 제2 공화국 국무 총리를 지내다가 5.16 군사 혁명으로 실각함. [*1899-1966*]

장면 도피 【場面逃避】 명 〖심〗 어떤 강한 요구가 좌절(挫折)되어 갈등(葛藤) 상태에 빠지고 또한 여러 번 그런 경험을 하게 되면 그러한 장면으로부터 도피하려고 하는 경향. 현실에서 이룰 수 없는 원망(願望)을 공상의 세계에서 그려 본다거나 극단적으로는 자살한다거나 하는 일도 이에 속함.

장면 전:환 【場面轉換】 명 〖연〗 장면(場面)이 갈려 바뀜. ——-하다 자 여불

장명[1] 【戕命】 명 목숨을 해침. 생명을 없앰. ——-하다 자 여불

장명[2] 【長命】 명 목숨이 긺. 긴 수명(壽命). ——-하다 형 여불

장명[3] 【長鳴】 명 군중(軍中)에서 불어 호령(號令)을 전달하는 악기(樂器). 호통(號筒). ②소리를 길게 내어 욺. ——-하다 자 여불

장명-등 【長明燈】 명 ①대문 밖이나 처마 끝에 달아 두고 밤이면 켜는 유리 등. ②〖민〗 무덤 앞의 석물(石物)의 한 가지. 돌로 네모지게 만든 것인데, 밑에 긴 받침이 있고 가운데에 등이 있으며, 맨 위에 지붕이 덮여 있음. 일품 재상(一品宰相) 이상의 묘에만 세웠음. *석등(石燈)·석등롱(石燈籠).

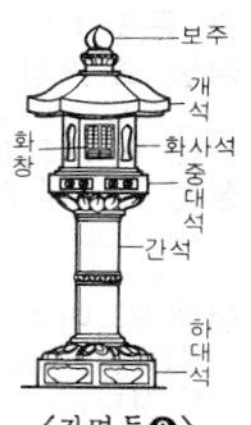

〈장명등❷〉

장명-법 【長命法】 [一뻡] 명 장수(長壽)하는 법.

장명 부:귀 【長命富貴】 명 오래 살며 부귀를 누림.

장명-산 【長鳴山】 명 〖지〗 함경 남도(咸鏡南道) 갑산군(甲山郡)에 있는 산(山). [1,760m]

장명-채 【長命菜】 명 〖식〗 나물을 무쳐 먹으면 장수한다는 뜻으로, '쇠비름'의 딴이름.

장:모[1] 【丈母】 명 아내의 친어머니. 빙모(聘母). 악모(岳母). 외고(外姑). 처모(妻母). *가시어미.

장모[2] 【長毛】 명 긴 털. ↔단모(短毛).

장모[3] 【獐毛】 명 노루의 털.

장-모음 【長母音】 명 어음(語音)의 연속 사이에 나타나는 모음으로 비교적 지속 시간이 긴 것.

장목[1] 명 꿩의 꽁지 깃을 묶어 깃대 끝에 꽂아 다는 꾸밈새. 흔히, 군기나 농기에 씀. 치미(雉尾).

장목[2] 【長木】 명 장나무.

장목[3] 【張目】 명 눈을 크게 부릅뜸. ——-하다 자 여불

장목[4] 【樟木】 명 〖식〗 녹나무.

장목-계 【長木契】 명 〖역〗 관아(官衙)에 목재(木材)를 공물(貢物)로 바치던 계.

장목-비 명 ①꿩의 꽁지 깃으로 만든 비. ②장목수수로 만든 비.

장목 비이 【長目飛耳】 명 〔견문이 멀리 미친다는 뜻〕 서적(書籍).

장목-수수 명 〖식〗 수수의 한 품종. 이삭의 줄기가 길며, 알이 잘고 껍질이 두꺼워 품이 낮음.

장목-어 【樟木魚】 명 〖어〗 귀상어.

장목-전 【長木廛】 명 온갖 재목을 파는 가게.

장-무[1] 【張茂】 명 〖사람〗 백제의 장군. 개로왕(蓋鹵王) 18년(472) 고구려의 남침을 막기 위하여 중국 위(魏)나라에 청병(請兵)하였음. 실패하였으나 이 때부터 한반도 안의 삼국(三國)이 서로 다른 나라에 청병하는 일이 시작되었음.

장:무[2] 【瘴霧】 명 장기(瘴氣)가 서린 안개.

장:무-관 【掌務官】 명 〖역〗 각 관아의 장관 밑에서 직접 사무를 주장(主掌)하던 관원.

장:무 군관 【掌務軍官】 명 〖역〗 장수(將帥)나 봉명 사신(奉命使臣)이 거느린 군관 중 일을 주장(主掌)하던 군관.

장:무 역관 【掌務譯官】 명 〖역〗 조선 시대, 역관의 우두머리.

장:무 장군 【將武將軍】 명 〖역〗 고려 때 정사품의 하(下) 무관(武官)의 품계. 선위(宣威) 장군의 위, 중무(中武) 장군의 아래.

장:묵-죽 【醬一粥】 명 쇠고기와 파를 이겨 갖가지 양념을 넣고 한참 끓인 뒤에 불린 입쌀을 찧어 붓고 다시 끓여 갖은 고명을 얹은 죽.

장-문[1] 【一門】 명 활짝 열어 놓은 문.

장:문[2] 【杖問】 명 곤장을 치며 신문(訊問)함. ——-하다 타 여불

장문[3] 【長文】 명 ①줄글. ②아주 긴 글. 자수(字數)나 편장(篇章)이 많고 긴 문장. ¶ ~의 편지. ↔단문(短文).

장:문[4] 【狀聞】 명 〖역〗 왕께 상계(上啓)하여 주달(奏達)함. ——-하다 타 여불

장:문[5] 【將門】 명 무장(武將)의 가문(家門).

장문[6] 【場門】 명 〖역〗 장시(場市).

장:문[7] 【掌紋】 명 손금으로 된 손바닥의 무늬.

장문[8] 【藏門】 명 바둑에서, 상대방의 돌이 도망가지 못하게 직접 단수가 되지 않는 곳에 두어서 가두는 수단.

장:-문[9] 【欌門】 명 장(欌)에 달려 여닫게 된 문.

장문-궁 【長門宮】 명 〖역〗 중국 한(漢)의 궁전 이름. 장안(長安)의 동북쪽에 있었음. 무제(武帝) 때 진황후(陳皇后)가 황제의 총애를 잃은 뒤에 살았던 곳으로 알려져 있음.

장-문성 【張文成】 명 〖사람〗 당(唐)나라의 문인(文人). 이름은 작(鷟), 호는 부휴자(浮休子), 문성은 자(字)임. 측천 무후(則天武后) 무렵의 사람. 진사에 급제하여 사문 원외랑(司文員外郞)의 벼슬에 이름. 저서로 《유선굴(遊仙窟)》·《조야첨재(朝野僉載)》 등을 남김. 생몰년 미상.

장문 전:보 【長文電報】 명 장문으로 된 전보. 사연(事緣)이 장황한 전보.

장-문합술 【腸吻合術】 명 〖의〗 장관(腸管)의 어떤 부분에 병이 생겼을 때, 그 부분을 절제(切除)하거나 인공적으로 딴 부분과 접합해서 서로 통하게 하는 수술.

장-문호 【張門戶】 명 주택을 장려(壯麗)하게 꾸며 화사(華奢)를 부림. 전(轉)하여, 세력을 폄.

장-문휴 【張文休】 명 〖사람〗 발해(渤海) 무왕(武王) 때 장군. 당(唐)나라에서 말갈족(靺鞨族)을 회유(懷柔)하려고 말갈 추장(酋長)으로 하여금 발해의 배후를 견제하게 하자, 대장군으로 당나라의 등주(登州)를 공격 점령하였음. 생몰년 미상.

장물[1] 【長物】 명 ①긴 물건. ②불필요한 물건. 남는 물건. ¶ 무용지~(無用之長物).

장:-물[2] 【醬一】 명 ①간장을 탄 찬물. ②간장을 담글 때에 쓰는 소금물. ③〈방〉 간장(강원·충북·전남·경북·제주).

장물[3] 【贓物】 명 〖법〗 강도·절도·사기·횡령 등 재산죄(財產罪)인 범죄 행위에 의하여 영득(領得)한 타인 소유의 물품. 도물(盜物). 도장(盜贓). ¶ ~ 은닉. 준 장(贓). *장품(贓品).

장-물리【場物理】명 시장이 돌아가는 사정 ¶~를 터득하다.

장물 보:관죄【贓物保管罪】[—쬐] 명〖법〗위탁을 받고 장물을 보관함으로써 성립하는 장물죄의 한 형태. 「람.

장물-아비【贓物—】명〈속〉전문적으로 장물을 매매 또는 알선하는 사

장물 알선죄【贓物斡旋罪】[—썬쬐] 명〖법〗장물의 법률상 처분, 곧 매매·교환 등 또는 운반·보관 등의 사실상 처분을 매개(媒介)·주선함으로써 성립하는 장물죄의 한 형태.

장물 양:여죄【贓物讓與罪】[—쬐] 명〖법〗장물을 제3자에게서 유상(有償) 또는 무상으로 수여(授與)함으로써 성립(成立)하는 장물죄의 한 형태.

장물 운반죄【贓物運搬罪】[—쬐] 명〖법〗장물의 소재를 옮김으로써 성립하는 장물죄의 한 형태.

장물-죄【贓物罪】[—쬐] 명〖법〗장물의 양여(讓與)·보관(保管)·알선(斡旋)·운반·취득(取得) 등에 의하여 성립(成立)하는 죄의 총칭. ㊣장죄(贓罪).

장물 취:득죄【贓物取得罪】명〖법〗장물을 유상(有償) 또는 무상(無償)으로 수득(收得)함으로써 성립하는 장물죄의 한 형태.

장:미[1]【壯美】명 ①장대(壯大)하고도 아름다움. ②[the sublime]〖미술〗숭고(崇高)·외경(畏敬) 등의 느낌을 불러 일으키는 미(美). ——-하다 형여불

장미[2]【長尾】명 긴 꼬리.

장미[3]【薔薇】명〖식〗장미과(科) 장미속(屬)에 속하는 관목의 총칭. 높이 2-3m이고 대체로 가지와 가시가 많으며 잎은 호생하고 우상 복엽(羽狀複葉)으로 탁엽(托葉)이 엽병(葉柄)에 붙었음. 5-6월에 담홍색·담자색·백색 등의 꽃이 아름답고 탐스럽게 피고 흔히 암술이 병 모양의 화상(花床) 안에 숨어 있음. 개량 품종이 많은 관상 화목으로, 신구 대륙의 적도 이북에 280여 종이 분포함.

장미-가위벌【薔薇—】명〖충〗[*Megachile nipponica*] 가위벌과에 속하는 벌. 암컷의 몸길이는 13 mm 내외임. 몸빛은 흑색인데, 두부와 흉부(胸部)에 털이 밀생(密生)하였음. 배면(背面)은 담황회색이고, 복면은 회백색에 담황회색 또는 흑색의 털이 있음. 장미과(科) 식물에 많이 모이는데, 한국·일본·만주 등지에 분포함.

〈장미가위벌〉

장미-계【長尾鷄】명〖조〗긴꼬리닭. 꼬리긴닭.

장미-과[1]【薔薇果】명〖식〗수과(瘦果).

장미-과[2]【薔薇科】[—꽈] 명〖식〗[Rosaceae] 쌍자엽 식물(雙子葉植物) 이판화류(離瓣花類)에 속하는 한 과. 전세계에 1,000여 종, 한국에는 목본(木本)으로 장미·물싸리·월계화(月桂花)·가시나무·찔레나무·앵두나무·살구나무·매화나무·복숭아나무·해당화(海棠花), 초본(草本)으로 뱀딸기·딱지꽃·양지꽃·뱀혀 등 140여 종이 분포(分布)함.

장미-꽃【薔薇—】명 장미의 꽃. 장미화(薔薇花).

장미-꽃부리【薔薇—】명〖식〗갈래꽃부리의 한 가지. 장미꽃과 같이 평평(平平)한 꽃잎이 모여서 술잔 모양으로 된 꽃부리. 장미상 화관(薔薇狀花冠).

장미-돔【長尾—】명〖어〗[*Pseudanthias elongatus*] 농어과에 속하는 바닷물고기. 길이 14 cm 가량임. 몸은 갸름하며 배지느러미 제2 연조(軟條) 및 등지느러미 제3 가지는 모두 실 모양으로 연장되어 있음. 한국 남해(南海), 일본 중부 이남(以南) 태평양 연해(沿海)에 분포함.

장미-등에잎벌【薔薇—】명〖충〗[*Arge pagana*] 등에잎벌과에 속하는 벌. 몸길이 8mm 내외이고, 두부·흉부(胸部)는 흑색에 남색 광택이 나고 복부는 황갈색이며, 촉각은 흑색, 날개는 반투명임. 유충은 장미의 해충으로, 구북구(舊北區)에 널리 분포함.

성충 유충

〈장미등에잎벌〉

장미-류【長尾類】명〖동〗[Macrua] 절지(節肢) 동물 갑각강(甲殼綱) 십각류(十脚類)에 속하는 한 아목(亞目). 복부(腹部)가 잘 발달되고 촉각은 두 쌍인데 김. 복절(腹節)의 제6절의 요각(橈脚)은 제7절과 함께 꼬리지느러미를 이루었음. 새우 종류·소라게 등이 이에 속함. *단미류(短尾類)·변미류(變尾類).

장미상 화관【薔薇狀花冠】명〖식〗 장미 꽃부리.

장미-색【薔薇色】명 장미 빛깔. 흔히, 짙은 홍색·담홍색 등임. 장밋빛.

장미색 비:강진【薔薇色粃糠疹】명〖의〗미세(微細)한 인설(鱗屑)로 덮인 담홍색 반문(斑紋)이 구간(軀幹)·경부(頸部)·사지(四肢)에 생기는 급성 피부병. 팥만한 크기의 원형 혹은 타원형인데, 가장자리가 톱니 모양이며 빨간 빛이 나고 몹시 가려움.

장미 석영【薔薇石英】명 [rose quartz]〖광〗장미 홍색 또는 담홍색의 석영. 공기 중에 오래 두면 청색으로 변함. 보석(寶石)으로 쓰임.

장미 성운【薔薇星雲】명〖천〗외뿔소자리에 있는 산광(散光) 성운의 하나. 지구에서의 거리는 약 4,600 광년. 장미꽃처럼 보임.

장미 소:설【薔薇小說】명〖문〗①이탈리아의 시인(詩人)·작가인 단눈치오(D'Annunzio, G.)의 소설 ≪죽음의 승리≫를 가리키는 말. ②일반적으로 세기말적인 퇴폐한 냄새와 색채가 짙은 강렬한 연애 소설을 가리키는 말.

장미-수【薔薇水】명 장미유와 증류수와의 혼합물을 여과(濾過)한 투명액(透明液). 방향(芳香)이 나는 담황색의 액체로, 교미(矯味)·교취제(矯臭劑)로 쓰임.

장미-술【薔薇—】명 장미주.

장미-원【長尾猿】명〖동〗긴꼬리원숭이.

장미-유【薔薇油】명 장미속의 꽃을 물과 함께 증류하여 얻는 휘발성 향유. 담황색의 액체로 특이한 방향이 있음. 향료·화장품의 원료가 되며, 또 교미(矯味)·교취제(矯臭劑)로도 쓰임.

장미-음【薔薇飮】명〖역〗조선 시대 때, 첫여름에 예문관(藝文館) 관원들이 가지는 회음(會飮). 태종(太宗) 2년(1402)에 왕이 장미를 상으로 내리고 잔치를 베푼 데서 비롯해, 3 년마다 한 번씩 열림. *벽송음(碧松飮)·홍도음(紅桃飮).

장미의 기사【薔薇—騎士】[—/—에—] 명〖악〗[도 Der Rosenkavalier] 슈트라우스(Strauss, R.)의 오페라. 3막. 1911년 초연. 호프만슈탈(Hofmannsthal, Hugo von ; 1874-1929)의 각본에 의한 18세기 빈풍(Wien風)의 희가극. 내용은 옥타비안 백작이 남작의 심부름으로 부호의 딸 조피에게 은으로 만든 장미를 선사함으로써 결국 조피와 결혼하게 된다는 이야기.

장미 전:쟁【薔薇戰爭】명 [The Wars of the Roses]〖역〗1455-85년의 영국의 내란. 영국의 랭커스터가(Lancaster家)와 요크가(York家) 사이에 벌어진 왕위 쟁탈전임. 전자는 붉은 장미, 후자는 흰 장미를 각각 휘장으로 하였으므로 이 이름이 생겼음. 랭커스터당(黨)의 헨리(Henry) 7세가 싸움에 이겨 튜더(Tudor) 왕조를 열어 요크가의 엘리자베스와 결혼하여 내란(內亂)을 수습하였으나, 긴 내란으로 봉건 귀족은 점차 몰락하게 되어, 주권(主權)이 국회로 넘어가는 단서(端緖)가 열리게 되었음.

장미-주【薔薇酒】명 장미꽃으로 즙을 내어서 담근 술. 장미술.

장미-진【薔薇疹】명〖의〗①모세 혈관(毛細血管)의 충혈(充血)에 의하여 일어나는 장밋빛의 작은 홍반(紅斑). 장티푸스·발진 티푸스·매독 제 2 기의 초기 등에 나타남. ②발진 티푸스.

장미-촌【薔薇村】명〖책〗1921년에 창간된 신문학사상(新文學史上) 최초의 시지(詩誌). 이 시지는 '폐허(廢墟)'와 '백조(白潮)'의 교량적 역할을 하였으나 시로서는 별로 뛰어난 수준에 이르지는 못하였음. 동인(同人)으로서는 황석우(黃錫禹)·노자영(盧子泳)·박종화(朴鍾和)·박영희(朴英熙) 등이며, 재정적 곤란과 주재자 황석우의 도일(渡日)로 인해 창간호로 종간되었음.

장미-푸른자벌레나방【薔薇—】명〖충〗붉은선두리푸른자나방.

성충(♂)

장미-하늘나방【薔薇—】[—라—] 명〖충〗[*Phalera flavescens*] 하늘나방과의 곤충. 편 날개 길이 45-58mm이고, 몸빛은 황백색에 복부(腹部)와 앞날개의 각 횡선(橫線)은 황갈색임. 외횡선(外橫線)의 중심은 적갈색을 띤 흑색의 초생달 무늬로 되고 아외연선(亞外緣線)은 백색을 띤 두 개의 줄로 되며 그 사이는 흑색임. 유충은 각종 과수의 잎의 해충으로, 한국·일본에 분포함.

유충

〈장미하늘나방〉

장미-화【薔薇花】명 장미꽃.

장미 화전【薔薇花煎】명 누른 장미꽃에 찹쌀가루를 묻혀서 기름에 지진 화전.

장미 화채【薔薇花菜】명 누른 장미꽃의 꽃잎에 녹말을 묻혀 잠시 데친 뒤에 꿀물에 넣은 화채.

장미 휘석【薔薇輝石】명 [rhodonite]〖광〗판상(板狀)이나 탁상(卓狀)의 삼사정계(三斜晶系)의 결정을 이룬 광물. 망간·칼슘을 주성분으로 하는 규산염(珪酸塩) 광물이며 유리 광택이 장미빛의 투명 또는 반투명으로 나타나는 광물임. 표면은 풍화하여 암갈색이나 흑색을 띰. [$MnSiO_3$]

장:민[1]【狀民】명〖역〗관가(官家)에 소장(訴狀)을 드린 백성.

장민[2]【莊民·庄民】명〖역〗고려 때, 왕실 소유의 전지(田地)인 장(莊)에 딸린 농민(農民).

장밋명 노(櫓)의 한 가지.

장밋-빛【薔薇—】명 장미색. 건강, 행복, 앞날의 광명 등의 상징으로 쓰임. ¶~ 인생.

장-바【長—】명 긴 밧줄. ¶~ 두어 길이는 가더니 무슨 곡절인지 가던 걸음을 딱 머무르고…≪李海朝 : 花世界≫.

장-바구니【場—】[—빠—] 명 ↗시장 바구니.

장-바닥【場—】[—빠—] 명 ①장이 서 있는 곳의 그 바닥. ¶~이 몹시 질다. ②장이 서 있는 곳의 그 안. ¶~에서 굴러먹는 건달.
[장바닥의 조약돌 닳듯] 뻰들뻰들하고 까진 사람을 비유하는 말.

장박-새 명〖조〗[*Chloris sinica minor*] 참샛과에 속하는 새. 방울새와 비슷한데, 날개 길이 74-83mm이고, 몸빛은 머리는 회갈색에 그 이하의 배면(背面)은 암갈색이며, 날개와 꼬리 깃은 흑갈색에 그 기부(基部)는 황색이고 부리는 적갈색, 다리는 담갈색임. 나무 위에 둥지를 짓고 청백 또는 청록색에 갈색 반점이 있는 알을 3-5개 낳고, 3-7월에 '호로 호로 호롱'하고 울며, 벼·보리·조·풀씨·곤충을 먹음. 산이나 들에 서식하며, 도회지·촌락에 날아 오는데, 한국·일본·대만 등지에 분포함.

〈장박새〉

장반[1]【—盤】명〈방〉쟁반(錚盤)(경상).

장반[2]【長班】명〖역〗청지기.

장-반[3]【張半】명〈속〉돈머리를 셀 때에, 어떤 지전(紙錢)의 한 장과 그 반을 보탠 액수의 뜻. 1500원, 1만 5천 원 따위.

장-반경【長半徑】명〖수〗긴반지름. ↔단반경(短半徑).

장-반자【長—】명〖건〗반자틀을 짜지 않고 긴 널을 그대로 죽죽 대서 만든 반자.

장-받다【將—】자 ↗장군(將軍) 받다.

장:발[1]【杖鉢】명 중이 탁발(托鉢)에 가지고 다니는 석장(錫杖)과 바리때.

전(轉)하여, 탁발승(僧).

장발²【長髮】명 길게 기른 머리털. 또, 그런 사람. ¶ ~족(族). ↔단발(短髮).

장발³【裝發】명 재송(載送). ——-하다 타여불

장:발⁴【奬拔】명 감정을 추어 주면서 선발(選拔)함. ——-하다 타여불

장:-발⁵【檣—】[—빨] 명 장 밑에 달린 발. 장을 괴는 물건.
장:발에 치인 빈대 같다 구 ㉠물건이 아주 납작하여 볼품이 없다. ㉡몹시 봉변을 당하여 몰골이 말이 아니다.

장발-승【長髮僧】[—쑹] 명〖불교〗머리털을 길게 기른 중.

장발 시인【長髮詩人】명 머리털을 길게 늘어뜨리고 다니는 시인. 곧, 구식의 문학 청년을 이르는 말.

장 발장〔Jean Valjean〕명 빅토르 위고의 소설 '레 미제라블'의 주인공. 한 조각의 빵을 훔친 죄로 19년의 긴 형기(刑期)를 치르고 출옥 후 주교(主敎)의 자비(慈悲)를 받아 사랑을 깨닫고 정치가가 되어 선정(善政)을 베풂. 작자의 사상에 의하여 이상화(理想化)된 인물.

장발-적【長髮賊】명〖역〗〔모두가 변발(辮髮)을 풀고 장발을 한 데서 유래된 이름〕중국 청(淸)나라 말기에 천주교도 홍수전(洪秀全)을 수령으로 하여 창궐(猖獗)을 극한 반란군. 장발적의 난을 일으켜 태평 천국(太平天國)을 세웠으나 근왕병(勤王兵)에게 토벌되었음. 발비(髮匪). *장발적의 난·태평 천국(太平天國).

장발적의 난:【長髮賊—亂】[—/—에—] 명〖역〗태평 천국의 난.

장발-족【長髮族】명〈속〉머리를 길게 기른 무리들. ¶ ~ 단속(團束).

장-방¹ 명〈방〉벽장(경상).

장방²【長房】명〖역〗지방 관아(地方官衙)에서 서리(書吏)가 있던 처소(處所).

장방 시:설【裝防施設】명 장갑(裝甲)을 갖춘 방어 시설.

장방-적【長方積】명〖건〗길이모쌓기. ↔소방적(小方積).

장-방전【長放電】명〔long discharge〕〖전〗①콘덴서 또는 다른 전하 축적 장치(電荷蓄積裝置)에 있어서, 전하가 모두 없어지기까지 장시간을 요하는 일. ②방전 경로의 길이가 지름에 비하여 대단히 긴 기체(氣體) 방전. 번개 방전(放電)은 자연계에 있어서의 장방전의 한 예임.

장방-체【長方體】명〖수〗'직육면체(直六面體)'의 구용어.

장-방패【長防牌】명〖역〗방패의 한 가지. 길이 다섯 자 여섯 치, 넓이 두 자 두 치 가량 되게 널빤지로 만들었는데, 가장자리에는 쇠붙이를 대고, 겉면은 가죽을 붙이고 오색(五色)으로 그림을 그려 장식하였으며, 안쪽 면에는 무명을 바르고 손잡이가 있음. ↔원방패(圓防牌).

〈장방패〉

장:-방해【醬螃蟹】명 방게젓.

장방-형【長方形】명〖수〗'직사각형'의 구용어.

장:배【杖配】명〖역〗장형(杖刑)과 유배(流配). 장류(杖流). ——-하다 타여불

장배기 명〈방〉장다리.

장백-대【長白帶】명〖천주교〗장백의(長白衣)에 매는 띠.

장백-산【長白山】명〖지〗백두산(白頭山)❶.

장백 산맥【長白山脈】명〖지〗만주(滿洲)의 남동부, 압록강(鴨綠江)의 북안을 북동에서 서남 방향으로 뻗어 내린 산맥. 중국과의 경계를 이루며, 산맥 중에는 한국의 최고봉인 백두산(白頭山)이 솟아 있고, 또 압록강·두만강(豆滿江)·쑹화 강(松花江) 등이 발원(發源)함. 지질은 편마암으로 구성되어 있으며, 백두산을 경계로 서쪽은 현무암(玄武岩)으로 덮였고, 중강진(中江鎭) 부근에서 낭림 산맥(狼林山脈)과 T자형으로 이어졌음.

장백-오랑캐꽃【長白—】명〖식〗장백제비꽃.

장백-의【長白衣】[—/—이] 명〖천주교〗사제(司祭)가 의식 때 입는 웃옷. 빛이 희고 두루마기 모양으로 긺.

〈장백의〉

장백-전【張白傳·張伯傳】명〖문〗작자·제작 연대 미상의 고전 소설의 하나. 국문본(國文本)임. 배경은 중국의 원말(元末)이며, 군담 소설류(軍談小說類)의 작품임.

장백 정:간【長白正幹】명〖지〗우리 나라의 산줄기 이름의 하나. 백두대간(白頭大幹)의 두류산(頭流山)에서 북쪽으로 갈라져 나와 함경 북도를 두만강 유역과 동해안 지방으로 갈라 놓은 분수 산맥의 조선 시대의 옛 명칭. 관모봉(冠帽峰)·고성산(高城山)·차유봉(車踰峰)·백사봉(白沙峰)·송진산(松眞山) 등이 여기 속함.

장백-제비꽃【長白—】명〖식〗[*Viola biflora*] 제비꽃과에 속하는 다년초. 줄기 높이 10-15cm이고, 근생엽(根生葉)은 대개 두 개이며, 경엽(莖葉)은 소수이고 단병(短柄)에 신장상의 원형임. 7월에 황색의 꽃이, 액출(腋出)한 화경(花莖)에 1-3개씩 좌우 상칭(左右相稱)으로 피고 과실은 삭과(蒴果)임. 높은 산에 나는데, 평북·함남·함북 등지에 분포함. 장백오랑캐꽃.

장백-패랭이꽃【長白—】명〖식〗[*Dianthus repens*] 너도개미자릿과에 속하는 다년초. 줄기는 총생(叢生)하고 높이 20-25cm이며, 잎은 대생하고 선형(線形)임. 7-8월에 담자색 꽃이 줄기 끝에 하나씩 달리어 피고 과실은 삭과(蒴果)임. 높은 산의 산중턱에 나는데, 함남·함북 등지에 분포함.

장번【長番】명〖역〗장기간(長期間) 교대 없이 번(番)드는 일. ↔출입번(出入番).

장번 내:시【長番內侍】명〖역〗장기간 궁중에 번(番)드는 내관(內官). ↔출입번 내시(出入番內侍).

장:벌【杖罰】명 벌로서 매를 치는 일. ——-하다 타여불

장법¹【章法】[—뻡] 명 ①전장(典章)과 법도(法度). ②문장을 구성하는 방법.

장:법²【葬法】[—뻡] 명 장사지내는 데에 관한 예법.

장법³【贓法】[—뻡] 명 장물(贓物)에 관한 법규.

장-베리 명〈방〉벼룻집(함경).

장벽¹【—壁】명〖광〗광맥(鑛脈)과 맞닿은 모암(母岩)의 면(面).

장벽²【長壁】명 길게 쌓은 성벽(城壁).

장벽³【腸壁】명〖생〗①장의 벽. 창자벽. ②환형(環形) 동물의 소화관(消化管)의 벽. 체벽(體壁)과의 사이에 체강(體腔)을 형성함.

장벽⁴【腸癖】명〖한의〗대변에 피가 섞여 나오는 병.

장벽⁵【障壁】명 ①칸막이로 된 벽. 밖을 가리어 둘러싼 벽. 또, 그러한 관계·환경 등. ¶ ~에 부딪히다. ②〖심〗정신 분석에서, 마음 속에 꺼림칙한 경향이 있는 경우 이에 대하여 방위의 메카니즘을 가리키는 말. 가령 근친 상간(近親相姦)과 같은 경향에 대하여 금욕주의와 같은 것. ③〖심〗생활 공간에 있어서 각 영역 사이의 경계가 이행(移行)하는 데 대하여 저항을 가질 때의 그 경계. ④〔barrier〕〖생〗개체나 개체군(個體群)의 이주(移住) 또는 자유로운 이동을 제한하는 물리적·생물적 요인(要因).

장벽⁶【牆壁】명 담과 벽.

장벽 무의【牆壁無依】[—/—이] 명 전혀 의지(依支)할 만한 곳이 없음. ——-하다 형여불

장벽 습지【障壁濕地】명〖생〗새로운 동물의 종류가 다른 영역으로 침입하는 것을 제한하거나 방해하는 습지.

장벽식 채:탄【長壁式採炭】명 갱내(坑內) 채탄법의 한 가지. 50-200m 간격으로 판, 두 개의 연층 갱도(沿層坑道)의 일단(一端)을 연결하여 채벽(採壁)으로 하고, 다수의 인원과 기계를 배치하여, 채벽 전면에서 채굴함. 전진식(前進式)과 후진식(後進式)이 있으며, 보통 지주(支柱)는 강주(鋼柱)와 카페(Kappe)임. 채벽의 집약(集約)을 목적으로 독일에서 발달한 방법임.

장벽-층【障壁層】명〔barrier layer〕〖물〗금속과 반도체(半導體)와의 계면(界面)에 정류(整流) 작용이 있을 때, 반도체측에 존재하는 고저항층(高抵抗層). 언층(堰層).

장변¹【長邊】명 누운변.

장변²【場邊】[—뼌] 명 장(場)에서 꾸는 돈의 변리(邊利). 한 장도막, 곧 닷새에 변리 얼마로 하여 셈함. 시변(市邊). 장도지(場賭地). 장변리(場邊利).

장변-놀이【場邊—】[—뼌—] 명 장변을 놓는 짓. ——-하다 자여불

장-변리【場邊利】[—뼐—] 명 장변(場邊).

장-별리【長別離】명 영구한 이별. 사별(死別).

장병¹【長兵】명 먼 거리에 쓰는 총·궁시(弓矢) 등의 병기(兵器). ↔단병(短兵).

장병²【長病】명 긴 병. 장질(長疾).

장:병³【將兵】명〖군〗①군사를 거느리어 통솔함. ②장교와 병졸. 장졸(將卒). ¶ 일선 ~. ——-하다 자여불

장병⁴【障屛】명 ①가로막는 것. ②장지와 병풍(屛風). *칸막이·장폐(障蔽).

장병-도【長柄島】명〖지〗전라 남도 목포 서남쪽 신안군(新安郡) 하의면(荷衣面)에 위치하는 섬. [14.3km² : 161명(1984)]

장-병(:)린【章炳麟】[—닌] 명〖사람〗'장 빙린'을 우리 음으로 읽은 이름.

장-병아리 [—뼝—] 명〈방〉수평아리(경상).

장병-엽【長柄葉】명〖식〗긴 잎꼭지가 달린 잎.

장:병지-임【將兵之任】명 군사를 거느리어 통솔하는 임무.

장-보¹【長—】[—뽀] 명〖건〗간 반 이상의 큰 방의 중간에 기둥을 세우지 아니하고 내쳐 길게 쓴 보.

장보²【章甫】명 유생(儒生).

장:보³【將寶】명〖불교〗전륜 성왕(轉輪聖王)이 가지고 있다는 칠보(七寶)의 하나.

장보 가급미【匠保加給米】명〖역〗장인(匠人)의 보미(保米)로 더 주는 쌀.

장-보(:)고【張保皐】명〖사람〗신라 흥덕왕(興德王) 때의 장수·해운가(海運家). 중국 당나라에 들어가 무령군 소장(武寧軍小將)이 되었다가 돌아와, 청해진 대사(淸海鎭大使)로 임명되어 황해와 남해의 해적을 없애고 해상권을 잡았으며, 신라와 당(唐)의 교역을 활발하게 하였음. 희강왕(僖康王) 2년(837) 왕위 계승 다툼에서 밀려난 김우징(金祐徵)이 청해진으로 오자 이듬해 같이 반란을 일으켜 민애왕(閔哀王)을 죽이고 우징, 곧 신무왕(神武王)을 왕으로 즉위시킴. 뒤에 그의 세력에 불안을 느낀 문성왕(文聖王)의 자객 염장(閻長)에게 살해되었음. 궁복(弓福). [?-846]

〈장보관〉

장보-관【章甫冠】명 중국 은(殷)나라 때부터 써 온 관(冠)의 하나. 공자(孔子)가 이것을 썼으므로 후세에 유자(儒子)들이 많이 사용하였음.

장-보교【帳步轎】명 가마의 한 가지. 장독교(帳獨轎)와 비슷한데, 네 기둥을 세우고 사면에 휘장을 둘러쳤으며, 꾸몄다 뜯었다 하게 됨.

장-보기【場—】명 장에 가서 물건을 팔거나 사오는 일.

장보기-꾼【場—】명〈방〉장꾼(함경).

장-보다【場—】자 ①시장에 저자를 열다. ②물건을 팔거나 사기 위하여 장으로 가다.

장-보석【長步席】명 행보석(行步席).

장-보포【匠保布】명〖역〗조선 시대 후기에, 장역(匠役) 대신에 바치는 신포(身布)의 하나.

장복¹【長服】명 같은 약이나 음식을 오래 계속하여 먹음. ¶ 약을 ~하다. ——-하다 타여불

장복²【章服】명〖역〗① 장문(章文)이 장식된 의복. 황제 이하, 왕·문부 백

관이 입었던 제복(祭服)의 한 가지. 고려 말부터 입었는데 면류관에 장복을 제복으로 착용했음. ②〖역〗 관대(冠帶). ③장표(章標).

장:복[3] 【掌服】 명 〖역〗 '상의원(尙衣院)'의 별칭(別稱).

장복[4] 【臟卜】 명 〔haruspicy〕 옛 점법(占法)의 하나. 성공(聖供)한 희생(犧牲)의 장부(臟腑)에 나타난 징조에 의하여 길흉(吉凶)을 판단(判斷)·예언(豫言)하는 일. *견갑골 점법(肩胛骨占法).

장:복-서 【掌服署】 명 〖역〗 고려 때 어의(御衣)의 상납(上納)을 맡아 보던 관청. 목종(穆宗) 때부터 상의국(尙衣局)이라 부르던 것을 충선왕(忠宣王) 2년(1310)에 장복서라고 하다가 공양왕(恭讓王) 3년(1391)에 공조(工曹)에 합침.

장:-볶이 【醬―】 명 〈방〉 볶은 고추장.

장본[1] 【張本】 명 ①일의 발단(發端)되는 근원. ¶연산의 날카로운 매서운 성정이 미칠 듯 나라를 거꾸러뜨리게까지 이르게 한 가엾은 ～을 빚어 내신 이 ≪朴鍾和 : 錦衫의 피≫. ②↗장본인(張本人).

장본[2] 【藏本】 명 장서(藏書). ――-하다 자여불

장본-인 【張本人】 명 ①나쁜 일을 일으킨 주동자(主動者). 발두인(發頭人). ¶난동의 ～. ②일의 근본이 되는 사람. ㊟장본(張本).

장:봉[1] 【將蜂】 명 〖충〗 여왕벌.

장:봉[2] 【掌縫】 명 〖역〗 조선 시대 세자궁(世子宮)에 속한 종팔품 궁인직(宮人職)의 하나. 장정(掌正).

장봉[3] 【藏鋒】 명 ①서도(書道)에서 기필(起筆)에 붓끝이 나타나지 않게 쓰는 필법(筆法). ↔노봉(露鋒). ②갖고 있는 재지(才智)를 나타내지 않는 일.

장봉-도 【長峰島】 명 〖지〗 인천(仁川) 앞바다 영종도(永宗島) 서북쪽, 인천 광역시 옹진군(甕津郡) 북도면(北島面) 장봉리(長峰里)에 위치한 섬. [6.68 km²]

장-봉(:)한 【張鳳翰】 명 〖사람〗 조선 선조(宣祖) 때의 의사(義士). 자는 문거(文擧), 호는 개옹(介翁), 인동(仁同) 사람. 임진 왜란 때 성주(星州) 지방에서 왜군의 앞잡이 노릇을 한 중 찬숙(贊夙)을 꾀로 사로잡아 의병장 김면(金沔)에게 보냄. 아우 홍한(鴻翰), 사촌 아우 사진(士珍)과 함께 의병으로 싸우다 전사, 일문 삼의사(一門三義士)라 불리었음. [1514-92]

장부[1] 명 〖농〗 ↗장부꾼.

장부[2] 명 〖건〗 이쪽 끝을 저쪽 구멍에 맞추기 위하여 얼마쯤 가늘게 만든 부분. 순자(筍子).

장:부[3] 【丈夫】 명 ①장성한 남자. ②↗대장부(大丈夫).

[장부가 칼을 빼었다가 도로 꽂나] ㉠크게 결심하고 무슨 일을 시작하였으면 방해가 끼었다고 해서 그만둘 수는 없다는 말. ㉡무엇을 주려고 하다가 받지 않는다고 해서 도로 집어 넣을 수 없다는 말.

장:부 일언(一言)이 중:천금(重千金) 구 장부의 말 한 마디는 천금같이 무겁다는 뜻으로, 곧 한 번 한 말은 꼭 지키라는 말.

장:부[4] 【壯夫】 명 장년(壯年)의 남자. 혈기(血氣) 왕성한 남자.

장부[5] 【長婦】 명 키가 큰 며느리.

장:부[6] 【長婦】 명 형수.

장부[7] 【帳簿·賬簿】 명 금품(金品)의 수입과 지출을 기록하는 책. ¶～에 올리다. *치부(置簿). ――-하다 자여불 장부에 치부하다.

장:부[8] 【掌賦】 명 〖역〗 〔공부(貢賦)에 관한 일을 맡는다는 뜻〕 조선 시대 때, 호조(戶曹) 및 호조 판서의 별칭.

장:부[9] 【掌簿】 명 〖역〗 조선 시대 때, 종육품(從六品) 동반(東班)의 토관(土官) 벼슬.

장-부[10] 【臧否】 명 착함과 착하지 못함. 선악(善惡).

장부[11] 【臟腑】 명 〖한의〗 ↗오장 육부(五臟六腑).

장부 가격 【帳簿價格】 [―까―] 명 〖경〗 총계정 원장(總計定元帳) 계좌에 계상(計上)되어 있는 자산(資産)·부채(負債) 또는 자본의 가격. 고정(固定) 자산의 경우 취득한 처음 연도에는 취득 원가(取得原價)가 기재되나 다음 해부터는 감가(減價)를 공제(控除)한 액수가 기재되어 장부 가격은 자산·부채의 대표적인 현재 가격이 됨. 장부 가액.

장부 가액 【帳簿價額】 [―까―] 명 〖경〗 장부 가격.

장:부-금 【―金】 명 〖건〗 장부쇠.

장부-꾼 명 〖농〗 가래질하는 데에 가랫장부를 잡는 사람. 장부잡이. ㊟장부. ↔줄꾼❶.

장부-끝 【帳簿―】 명 ①장부 기장(記帳)의 끝부분. ②정산(精算)의 결과. ¶～을 맞추다.

장-부르다 【將―】 자르불 ↗장군 부르다.

장:부-쇠 명 〖건〗 장부를 보강(補強)하기 위하여 씌우는 쇠. 장부금.

장부 열람권 【帳簿閱覽權】 [―꿘] 명 〖경〗 주식 회사나 유한(有限) 회사의 주주(株主)·사원이 회사의 회계(會計) 장부·회계 서류를 열람할 수 있는 권리.

장부외 채:무 【帳簿外債務】 명 〖경〗 대차 대조표에 계상(計上)되어 있지 아니한 채무. 경리 기술상 회사가 고리 자금을 차입(借入)하면서 장부에 기재하지 아니함. 흔히, 도산(倒産) 회사에서 볼 수 있음.

장부-잡이 명 〖농〗 장부꾼.

장부-책 【帳簿冊】 명 장부로 쓰는 책.

장:부-촉 【―鏃】 명 〖건〗 장부의 끝.

장:부촉-이음 【―鏃―】 명 〖건〗 목재의 옆 면(面)에다 다른 목재의 장부촉을 끼어 맞춤. ――-하다 자여불

장:부켜기-톱 명 장부 톱질에 쓰는 톱. 톱 몸의 밑이 좁고 두꺼우며 끝은 넓고 얇은데 톱니는 잚.

장부 폐:쇄 【帳簿閉鎖】 명 〖경〗 사업 연도말에 그 기간의 손익을 계산하여 결산을 하고 장부를 마감하는 일. 결산(決算). 원장(元帳) 결산.

장부 화:폐 【帳簿貨幣】 명 〖경〗 대체 화폐.

장북 명 〈방〉 장목.

장붓-구멍 명 〖건〗 장부촉을 끼는 구멍.

장비[1] 명 〈방〉 자루[3].

장:비[2] 【壯悲】 명 비장(悲壯). ――-하다 형여불

장-비[3] 【張飛】 명 〖사람〗 중국 삼국 시대 촉(蜀)나라의 맹장(猛將). 자는 익덕(益德). 관우(關羽)와 함께 왕인 유비(劉備)에게 시종한 용장(勇將)으로, 후에 의도 태수(宜都太守)가 되었고, 서향후(西鄕侯)에 봉해졌으나 221년에 오(吳)나라 토벌 전쟁중 부하에게 살해되었음. [166-221]

[장비 군령(軍令)이라] 별안간 일을 당함을 이르는 말. [장비는 만나면 싸움] 만나기만 하면 시비를 걸고 싸우자고 덤비는 사람을 이르는 말. [장비더러 풀벌레를 그리라 한다] 큰일을 하는 사람에게 자질구레한 일을 하라고 시키는 것이 부당하다는 말. [장비야 내 배 다칠라] 잘난 체 교만을 떠는 사람을 풍자한 말. [장비 포청(捕廳)에 잡힌 것 같다] 몸을 움직이기가 불편해도 참고 있는 모양을 이르는 말. [장비하고 싸움 안 하면 그만이지] 싸움 잘하는 사람이 있더라도 상대하지 않으면 싸움이 안 된다는 말. [장비 호통이라] 큰 소리로 호통치는 것을 이르는 말.

장비[4] 【裝備】 명 ①부속품이나 비품 등을 장치함. 또, 그 갖춘 비품·용구·부속품 등. ¶등산 ～/ 근대적 ～를 갖추다. ②군대나 함정(艦艇) 등의 무장. ¶20인치 포 9문을 ～하다. ③꾸미어 갖춤. 갖추어 장식함. ――-하다 타여불

장:비[5] 【葬費】 명 장사에 드는 비용. 장수(葬需). 장례비. 장사비.

장비-목 【長鼻目】 명 〖동〗 [Proboscidea] 포유류에 속하는 한 목(目). 몸은 육지에 사는 동물 중 가장 큼. 살갗은 두껍고 털이 적어서 거의 나체(裸體)이며, 사지(四肢)는 비대(肥大)하여 기둥 같아 잘 굽히지 못함. 다섯 개의 발가락은 가죽과 살로 한데 붙고 말단(末端)에 굽만 따로 떨어져 있음. 특히 원통형(圓筒形)의 긴 코를 자유 자재로 굽히어, 먹이를 말아 올리어 먹거나, 재목(材木) 등을 운반하는 데까지 사용함. 나뭇잎·풀·과실·짚 등 식물성 먹이를 먹음. 마스트돈(mastdon)·매머드(mammoth)·코끼리 등이 이에 속함.

장:-비지 【醬―】 명 장을 걸러 내고 남은 찌끼.

장빙 【藏氷】 명 겨울에 얼음을 떠서 곳간에 넣어 둠. 또, 그 얼음. ――-하다 자여불

장 빙린 〔章炳麟〕 명 〖사람〗 중국 청(淸)나라 말(末)의 혁명가·고증학자(考證學者). 호는 타이옌(太炎). 청나라 광서(光緖) 25년(1899) 한(漢)민족의 정권 회복을 목적한 광복회(光復會)라는 혁명 단체를 창설, 쑨 원(孫文)·황 싱(黃興)과 더불어 혁명의 삼존(三尊)이라 불렸음. 중화 민국(中華民國) 수립 후에는 오로지 복고적(復古的)인 국학(國學) 연구에 몰두, ≪장자 해고(莊子解故)≫·≪국고 논형(國故論衡)≫·≪신방언(新方言)≫ 등의 저서를 남겼으며, 전집(全集)에 ≪장씨 총서(章氏叢書)≫가 있음. 장병린(章炳麟). [1888-1936]

장빙-제 【藏氷祭】 명 〖역〗 사한제(司寒祭)의 별칭.

장-빠구니 명 〈방〉 바구니(경기).

장-빠구리 명 〈방〉 바구니(강원).

장-빠구미 명 〈방〉 바구니(강원·경북).

장-뼘 【長―】 명 엄지손가락과 가운뎃손가락을 힘껏 다 벌린 길이. ¶～으로 셋 길이. ㊟뼘.

장사[1] 명 〔중세 : 댱ᄉᆞ〕 생산자와 소비자 사이에서 이득을 목적으로 상품(商品)을 공급 매매(賣買)하는 일. 생화. ¶～ 밑천/～꾼. *장수[1]. ――-하다 자여불

[장사 웃덮기] 장사꾼이 좋고 성한 물건을 골라 겉에다 진열하듯이 겉으로만 허울좋게 꾸밈을 이르는 말.

장:사[2] 【壯士】 명 ①기개(氣槪)와 체격(體格)이 아주 굳센 사람. ¶힘이 ～다. ②역사(力士). ③프로 씨름에서, 각 체급별 우승자에게 주는 칭호. ¶백두 ～ / 한라 ～.

[장사가 나면 용마(龍馬)가 난다] 무슨 일이거나 잘 되어지면 좋은 기회가 저절로 생김을 말함.

장:사[3] 【杖死】 명 〖역〗 장형(杖刑)을 당하여 죽음. 장폐(杖斃). *장살(杖殺). ――-하다 자여불

장사[4] 【長史】 명 〖역〗 ①고려 때 육위(六衛)의 제반(諸般) 사무를 맡아 보던 종육품(從六品) 벼슬. 공민왕(恭愍王) 이후에 폐지함. ②조선 초(初) 삼사(三司)의 정오품 벼슬. 좌·우(左右) 각 한 사람씩 두었음. ③조선 시대 때 세손 위종사(世孫衛從司)의 종육품 벼슬. 영조(英祖) 때 처음으로 두었는데, 좌·우 각 한 사람씩 두었음.

장사[5] 【長沙】 명 〖지〗 '창사'를 우리 음으로 읽은 이름.

장사[6] 【長蛇】 명 ①긴 뱀. ②열차(列車)나 긴 행렬(行列)을 형용하는 말. ¶～진(陣).

장:사[7] 【狀辭】 명 소장(訴狀)에 기록된 말.

장:사[8] 【將士】 명 장졸(將卒).

장사[9] 【將事】 명 제사지내는 일을 맡아 봄. ――-하다 자여불

장:사[10] 【葬事】 명 시체를 묻거나 화장하는 일. ¶～ 지내다. ――-하다 타여불

[장사 지내러 가는 놈이 시체 두고 간다] '장가들러 가는 놈이 불알 떼어 놓고 간다'와 같음.

장:사(를) 지:내다 구 장례(葬禮)를 치르다.

장:사[11] 【葬師】 명 지관(地官).

장:사-급 【壯士級】 [―끕] 명 아마추어 씨름에서, 체급의 하나. 초등 학교부 55.1kg 이상, 중학교부 70kg 이상, 고등 학교부 90kg 이상, 대학 및 일반부 95kg 이상인 체급.

장사-꾼 명 ①장사에 수단이 있는 사람. ¶타고난 ～. ②장사치.

장사니[1] 명 〈방〉 장선(長線).

장사니[2] 명 〈방〉 〖동〗 노루(함경).

장사-도【長蛇島】[명]〖지〗①경상 남도의 남해상(南海上), 통영시(統營市) 한산면(閑山面) 매죽리(每竹里)에 위치한 섬. [2.0 km^2] ②전라 남도의 남해상(南海上), 완도군(莞島郡) 노화읍(蘆花邑) 이포리(梨布里)에 위치한 섬. [0.10 km^2]

장사-랑【將仕郞】[명]〖역〗①고려 때 문관(文官)의 품계(品階). 종구품(從九品)의 하(下). 문종(文宗) 때에 정하여 충렬왕(忠烈王) 원년(1275)에 폐하고, 24년에 다시 회복되었다가, 또 곧 폐함. ②조선 시대 때 종구품 문관의 품계. 종사랑(從仕郞)의 아래.

장:사-비【葬死費】[명]〖법〗근로자가 업무 수행상 사망하였을 때 지급되는 재해 보상. 액수는 평균 임금의 90일분으로 되어 있으며, 다른 재해 보상과 같이 양도 또는 압류를 하지 못하고, 보상에 대한 시효(時效)는 2년으로 되어 있음. *장제비(葬祭費).

장사 사마【長史司馬】[명]〖역〗중국 당대(唐代)의 관명(官名). 주(州)의 자사(刺史)의 부관(副官)으로 한 사람씩 둠.

장-사(:)성【張士誠】[명]〖사람〗중국 원말(元末) 군웅(群雄)의 한 사람. 관염(官塩)의 수송과 사염(私塩)의 밀무역(密貿易)을 업으로 삼고 있었는데 1353년 반란을 일으키어 자립, 성왕(誠王) 나중에 오왕(吳王)이라 칭함. 쑤저우(蘇州)를 도읍으로 삼고 나라를 대주(大周)라고 하였는데 후에 명(明)의 주원장(朱元璋)에게 패하여 자살함. [1321-67]

장사-아치 [명] ☞ 장사치.

장사-위【將射位】[명] 활을 쏘는 사람이 나가서 서는 자리. 사단(射壇)에서는 서계(西階) 앞에 동향(東向)하여 설치하였음.

장-사(:)전【蔣士銓】[명]〖사람〗중국 청(淸)나라 때의 문학자. 호는 장원(藏園). 연산(鉛山) 사람. 건륭(乾隆)의 3대 시가(詩家)의 한 사람이며 희곡 작가로서의 그의 명성은 더욱 높았음. 작품으로는 ≪홍설루 구종곡(紅雪樓九種曲)≫이 있음. [1725-84]

장사정-포【長射程砲】[명]〖군〗①장거리포(長距離砲). ②베르타포(Bertha砲).

장-사(:)조【章士釗】[명]〖사람〗'장 스자오'를 우리 음으로 읽은 이름.

장사-진¹【長蛇陣】[명] ①많은 사람이 줄을 지어 길게 늘어서 있는 모양을 형용하는 말. ¶구경꾼들이 ~을 이루다. ②〖군〗한 줄로 길게 벌이는 진법(陣法)의 한 가지.

장-사(:)진²【張士珍】[명]〖사람〗조선 선조(宣祖) 때의 의병장(義兵將). 임진 왜란(壬辰倭亂)에 경북 군위(軍威)의 유생(儒生)으로서 의병을 모집, 군위에서 왜군과 싸우다가 한 팔을 잃었으나 끝까지 싸우다가 전사하였음. 수군 절도사(水軍節度使)에 추증(追贈)됨. [?-1592]

장:사-춤【壯士—】[명] 장사의 모습을 형상한 춤.

장사-치 [명] 장사에 종사하는 사람을 하대하여 이르는 말. 장사꾼. 상고배(商賈輩). 고수(賈豎).

장사-판 [명] ①상로(商路). ②상행위(商行爲)가 이루어지고 있는 범위(範圍)나 장소.

장-사훈【張師勛】[명]〖사람〗국악(國樂) 학자. 경상 북도 영풍군(榮豐郡) 출생. 호는 운초(云初). 1936년 이왕직 아악부(李王職雅樂部)를 수료함. 1942년경부터 옛 악보(樂譜)의 연구에 열중하여 국악을 분석적으로 구명(究明)함. 해방 후에 군정청(軍政廳) 편수관(編修官), 덕성 여대(德成女大)·서울대 음대(音大)·청주대(淸州大) 교수 등을 역임함. 저서에 ≪국학 논고(國學論考)≫·≪한국 악기 대관(樂器大觀)≫·≪국악대사전≫ 등이 있음. [1916-91]

장:산¹【壯山】[명] 웅장하고 큰 산.

장:-산²【壯山】[명]〖지〗강원도 영월군(寧越郡) 상동면(上東面)에 있는 산. [1,409 m]

장산³【長山】[명]〖건〗장선(長線).

장산-곶【長山串】[명]〖지〗황해도 장연군(長淵郡)의 반도 남단에 위치하여 황해(黃海)에 돌출한 최첨단(最尖端). 소나무의 미림(美林)이 있고, 전면으로는 고래잡이 근거지인 대청도(大靑島)와 소청도(小靑島)·백령도(白翎島)를 바라볼 수 있음. 해수욕장도 있음.

장산-도【長山島】[명]〖지〗전라 남도(全羅南道)의 서해상(西海上), 신안군(新安郡) 장산면(長山面) 도창리(道昌里)에 위치한 섬. [25.05 km^2: 6,535명(1984)]

장산 열도【長山列島】[—녈또] [명]〖지〗창산 열도(長山列島).

장산이 [명]〈심마니〉〖동〗노루.

장:-산적【醬散炙】[명] 쇠고기를 잣이겨 온갖 양념을 쳐서 얇은 반대기를 지어 구운 뒤에 다시 반듯반듯하게 썰어 진간장에 조린 반찬. 약산적(藥散炙).

장-살¹【長—】[명]〖건〗문살 중에 세로 세워서 짜는 살. 장살대.

장:살²【杖殺】[명]〖역〗형벌(刑罰)로 매를 쳐서 죽임. *장사(杖死). ——하다 [타][여불]

장살³【戕殺】[명] 무찔러 죽임. ——하다 [타][여불]

장살-대【長—】[—때] [명]〖건〗장살¹.

장삼【長衫】[명]〖불교〗검은 베로 길이가 길고 소매를 넓게 만든 중의 웃옷.

장-삼도【長三度】[명] [major third]〖악〗장음정(長音程)의 하나. 어느 음(音)을 밑음으로 하여 두 음 사이가 두 개의 온음으로 된 음정(音程). *단삼도(短三度).

장삼-띠【長衫—】[명]〖불교〗장삼 위에 띠는 헝겊 띠.

장삼-모메뚜기【長衫—】[명]〖충〗[*Paratettix histricus*] 모메뚜깃과에 속하는 곤충. 몸길이는 시단(翅端)까지 14-19mm이고, 몸빛은 황갈색임. 얼굴의 융기(隆起)는 높고 종구(縱溝)에 의하여 두 개로 갈라졌으며, 전흉배(前胸背)에는 과립(顆粒)이 불규칙하게 있고 중앙 융기선(隆起線)은 앞쪽이 굵음. 한국에도 분포함.

장삼-벌레【長衫—】[명]〖충〗[*Oliarus apicalis*] 장삼벌렛과에 속하는 곤충. 몸길이는 시단(翅端)까지 6-8mm임. 몸빛은 흑색 또는 담갈색인데, 두부와 소순판(小楯板)은 흑색, 융기(隆起) 측연(側緣)과 전흉배(前胸背)는 담황색이며, 시초(翅鞘)는 담황색 반투명임. 화본과(禾本科) 식물의 해충임. 한국·일본 등지에 분포함.

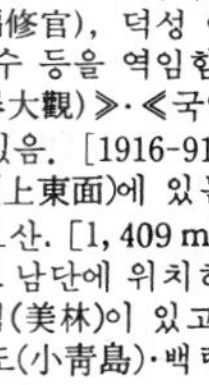

〈장삼벌레〉

장삼벌렛-과【長衫—科】[명]〖충〗[Cixiidae] 매미목(目)에 속하는 한 과. 원시적인 소형(小形) 곤충임. 촉각은 마디가 없고 편상부(鞭狀部)가 있고 단안(單眼)은 2-3개이며 앞날개가 각질(角質)로 된 종류도 있음. 소순판(小楯板)은 다소 능형(菱形)이고 복부(腹部) 제 6·7·8 절의 배면(背面)에 납선(蠟腺)이 없음. 주로 식물에 기생하는데, 온대(溫帶)보다 열대 지방에 많이 분포함.

장삼 이:사【張三李四】[명] ①〔장씨(張氏)의 삼남(三男)과 이씨(李氏)의 사남(四男)의 뜻〕성명이나 신분이 뚜렷하지 못한 평범(平凡)한 사람들. ②〖불교〗사람에게 성리(性理)가 있는 줄은 아나, 그 모양이나 이름을 지어 말할 수 없음의 비유.

장삼-춤【長衫—】[명] 강령(康翎) 탈춤에서, 장삼을 머리 뒤로 휘저으며 추는 느린 사위.

장-삼화음【長三和音】[명]〔major triad〕〖악〗밑음 위에 장삼도(長三度) 및 완전 오도(完全五度)를 겹쳐서 만들어진 삼화음(三和音). *단삼화음(短三和音).

장삿-길 [명] 장사차 나선 길. 상로(商路).

장삿-배 [명] 상고선(商賈船).

장삿-속 [명] ①장사의 속내평. ②이익(利益)을 꾀하는 장사치의 속마음. ¶~이 밝다.

장:상¹【杖傷】[명] 곤장에 맞은 상처.

장:상²【長上】[명] 지위가 높거나 나이 많은 사람. 윗사람.

장상³【長殤】[명] 상상(上殤). ——하다 [자][여불]

장:상⁴【將相】[명] 장수(將帥)와 재상(宰相). ¶왕후 ~.

장:상⁵【掌狀】[명] 손바닥을 편 모양. 손꼴.

장상⁶〔Janssen, Pierre Jules César〕[명]〖사람〗프랑스의 천문학자. 천체 물리학의 선구자의 한 사람. 일식시(日蝕時) 이외의 태양의 프로미넌스(prominence) 관측법을 고안함. [1824-1907]

〈장상맥〉

장상⁷【長常】[부] 항상(恒常).

장:상-맥【掌狀脈】[명]〔palmate nerve〕〖식〗잎꼭지의 끝에서 여러 개의 주맥(主脈)이 뻗어 나와 손바닥 모양으로 된 엽맥(葉脈). 단풍나무·포도·종려나무·분단나무·복장나무 등의 잎에서 볼 수 있음. 손꼴맥. *우상맥(羽狀脈).

장:상 복엽【掌狀複葉】[명]〖식〗잎의 한 종류. 한 개의 잎꼭지에 여러 개의 작은 잎이 손바닥처럼 방사상(放射狀)으로 붙은 복엽. 삼·오갈피나무·으름덩굴 등의 잎. 손꼴겹잎. 장상엽. *우상(羽狀) 복엽.

〈장상 복엽〉

장:상 불공【長上不恭】[명] 윗사람에게 공손하지 않음.

장:상 심렬【掌狀深裂】[—녈] [명]〖식〗엽신(葉身)이 손바닥 모양으로 깊이 째진 잎. 한삼덩굴·단풍나무 등.

장:상 열엽【掌狀裂葉】[명]〖식〗장상 심렬(深裂)과 장상 전열(全裂)의 총칭.

장:상-엽【掌狀葉】[—녑] [명]〖식〗장상 복엽. *우상엽(羽狀葉).

장:상 전열【掌狀全裂】[명]〖식〗엽신(葉身)이 손바닥 모양으로 여러 개 째진 잎. 팔손이나무의 잎 등.

〈장상 심렬〉

장:상지-재【將相之材】[명] 장수(將帥)나 재상(宰相)이 될 만한 인재.

장:새-관【掌璽官】[명]〖역〗임금의 새보(璽寶)를 맡은 관원.

장새-류【腸鰓類】[명]〖동〗[Enteropneusta] 반색(半索) 동물의 한 강(綱). 몸은 좌우 상칭(左右相稱)이며 수십 cm의 긴 연충(蠕蟲) 모양의 동물. 주둥이·목·몸통의 세 부(部)로 이루어지며 주둥이는 파꽃 또는 긴 달걀꼴이며, 목·몸통에는 각각 진체강(眞體腔)이 있음. 원색(原索) 동물·전항 동물(前肛動物)의 한 강으로 분류되기도 함. 연태류(蠕態類). 의색류(擬索類).

장색【匠色】[명] 여러 가지 물건을 만드는 것으로 업을 삼는 사람. 장인(匠人). *공장(工匠).

장생¹【長生】[명] ①오래도록 삶. ¶~ 불사(不死). ②〖천도교〗육신(肉身)의 장수(長壽), 영(靈)의 불멸(不滅), 사업(事業)의 유전(遺傳)의 병칭. ——하다 [자][여불]

장생²【長牲】[명] 장승❶.

장생-고【長生庫】[명]〖역〗고려 때 사찰(寺刹)에 설치한 서민 금융 기관. 사전(寺田)의 소득을 자금으로 하였으며, 민간의 편의와 사찰(寺刹) 자체의 유지·발전을 목적하였으나, 차츰 본래의 목적을 상실하고 부(富)를 축적하는 결과를 가져와서 고려 불교의 문란을 초래하였음.

장생 구:시【長生久視】[명] 오래 삶. 장명(長命).

장생 보:연무【長生寶宴舞】[명]〖악〗↗장생 보연지무.

장생 보:연지무【長生寶宴之舞】[명]〖악〗정재(呈才) 때에 추는 춤의 한 가지. 죽간자(竹竿子)가 좌우로 벌어서 서고 중무(中舞)나 선모(仙母)가 가운데 서고 네 사람이 전후(前後)와 좌우(左右)로 벌이어 서서 주악(奏樂)에 맞추어 서로 위치를 바꾸어 가면서 사(詞)를 부르며 추는 춤. 조선 순조(純祖) 29년(1829)에 예제(睿製)하였는데, 당악(唐樂)과 남녀악(男女樂)이 다 있음. [준]장생 보연무(長生寶宴舞).

〈장생 보연지무〉

장생 불사【長生不死】[—싸] [명] 오래 살아 죽지 아니함. ——하다 [자][여불]

장:생-서【掌牲署】[명]〖역〗고려 때 나라의 제사에 쓸 짐승에 관한 일을 맡아 보던 관아. 설치한 시기는 분명하지 않으나 문종(文宗) 때에 완비

되었음.

장생-약【長生藥】[—냑] 명 복용하면 오래 산다는 약.

장생-전[1]【長生殿】명〖역〗①고려 시대에 궁 안에 있던 전각. 광종(光宗) 16년(965)에 태자 책립을 기념하기 위해 이곳에서 잔치를 베풀었음. ②조선 국초(國初)에 개국 공신(開國功臣)의 화상(畫像)을 모시던 곳. 태종(太宗) 11년(1411)에 사훈각(思勳閣)이라 개칭하고 태조(太祖)의 어진(御眞)만 모시었다가, 뒤에 폐했음. ③조선 시대에 동원 비기(東園祕器), 곧 왕실용(王室用) 또는 대신(大臣)에게 내리던 덧널을 갖추어 두던 곳. 세종(世宗) 14년(1432)에 베풂. ④중국 당(唐)나라 때의 궁전(宮殿)의 하나. 화청궁(華淸宮)의 하나로서, 태종(太宗)이 리산(驪山)에 세운 이궁(離宮)임. 현종(玄宗)이 화청궁이라고 고치어 양귀비(楊貴妃)와 함께 지내던 곳. 전(轉)하여, 천자(天子)가 거처하는 곳.

장생-전[2]【長生殿】명〖책〗중국 청초(淸初)의 장편 희곡. 1688년 홍승(洪昇)의 작으로 50막(幕)으로 되었는데, 백낙천의 '장한가(長恨歌)', 진홍(陳鴻)의 '장한가전(傳)' 등에 의거, 현종(玄宗)과 양귀비(楊貴妃)와의 애정 관계를 그린 청대 제일의 대작임.

장생-전[3]【長生錢】명 ①〖불교〗조상(祖上)에의 공양(供養)이나 자기의 내생(來生)을 기원하며 사찰(寺刹)에 희사(喜捨)하는 금전. 사당금(祠堂金). 사당전(錢). ②〖역〗중국 당대(唐代)의 사찰(寺刹)의 금융업(金融業). 절 안에 금전을 저축해 두었다가 복리(複利)로 빌려 주었음. 고질전(庫質錢).

장생-초【長生草】명〖식〗①멧두릅. ②부처손.

장생-포[1]【長生浦】명〖지〗울산 광역시(蔚山廣域市)의 포구(浦口). 전에는 연안 항로의 기항지(寄港地)이며, 포경(捕鯨)의 근거지로서 중요한 위치를 차지하고 있었음. 현재, 포구의 외곽은 공장 지대로 변해 있음.

장생포[2]【長生浦】명〖문〗작자·제작 연대 미상의 고려 가요의 하나. 원가는 전하지 아니함. 시중(侍中) 유탁(柳濯)이 장생포에 침입한 왜적을 물리치니 병사들이 기뻐서 노래를 지어 불렀다 함. ≪고려사≫ 악지(樂志)에 그 내력이 전함.

장생포-선【長生浦線】명〖지〗울산 광역시(蔚山廣域市) 안의 철도로 달동(達洞)에서 야음(也音)을 지나 장생포에 이르는 철도. 1952년 9월 25일 개통함. [9.2km]

장생-표【長生標】명 신라·고려 시대에 사령(寺領)을 표시하기 위해 사찰 주변에 세웠던 표지물. 장생표탑(長生標塔). 장생표주(柱).

장서[1]【長書】명 ①내용이 긴 글. ②사연을 길게 적은 편지.

장서[2]【長逝】명 영영 가고 돌아오지 아니함. 곧, 죽음. 원서(遠逝). ——하다 자여불

장:서[3]【掌書】명〖역〗조선 시대 세자궁(世子宮)에 속한 종팔품 궁인직(宮人職)의 하나. *장식(掌食).

장서[4]【藏書】명 책을 간직하여 둠. 또, 그 책. 장본(藏本). 라이브러리(library). ——하다 자여불

장서-가【藏書家】명 서적을 많이 간직하여 둔 사람.

장서-각【藏書閣】명 옛날 궁 안에 많은 책을 간직해 두었던 서고(書庫).

장-서다【場—】자 많은 사람들이 장판에 모여 들어 물건을 사고 팔게 되다.

장-서(:)도【張瑞圖】명〖사람〗중국 명대(明代)의 서예가·화가(畫家). 푸젠 성(福建省) 사람. 자는 장공(長公), 호는 이수(二水). 고관(高官)에 등용되었으나, 환관(宦官)과의 결탁이 재난을 일으켜 실각(失脚), 향리에서 은서(隱棲)하여, 1640년 이후에 죽음. 서화와 함께 개성이 강한 작풍(作風)을 지님. 그 경력(經歷) 때문에 중국에서서는 환영받지 못하였음. [1570-1644 ?]

장서-량【藏書量】명 장서의 분량.

장서-인【藏書印】명 장서에 찍어서 그 소유(所有)를 나타내는 도장.

장서-판【藏書版】명〖문〗책장에 간직하기 편하게 만든 책의 규격(規格). 실용보다 미술적인 가치에 치중하였음.

장서-표【藏書票】명 [ex-libris] 자기의 장서임을 표시하기 위하여 책에 붙이는 표. 흔히 도안(圖案)이 그려져 있고 장서 번호·비치(備置) 연월일 등을 기입하는 난이 있는 쪽지. 엑스리브리스(ex-libris).

장:석[1]【丈席】명 학문과 덕망(德望)이 높은 사람.

장석[2]【長石】명 [feldspar]〖광〗화성암(火成岩)의 주성분(主成分). 규산(珪酸)·알루미늄(aluminium)·나트륨(Natrium)·칼슘(calcium)·알칼리(alkali) 등으로 되었음. 유리와 같은 광택(光澤)이 있고 흰빛·잿빛·연분홍·갈색(褐色) 등 여러 가지가 있음. 탄산(炭酸)이 포함되어 있으므로 천연수(天然水)에 대한 저항력(抵抗力)이 약하여, 알칼리와 규산의 일부를 잃고 수분을 흡수하여 도토(陶土)가 됨. 질그릇·사기 그릇 제조(製造)의 원료 또는 비료·화약(火藥)·유리·성냥 등을 만드는 데에 쓰임. 나트륨 장석·칼륨 장석·회장석(灰長石)·사장석(斜長石) 등이 있음. 질돌. *칼륨 장석.

장석[3]【長席】명 짚으로 길게 만든 자리.

장석[4]【張石】명〖토〗법면(法面)을 유지(維持)하기 위하여 돌을 덮어 까는 일.

장석[5]【裝錫】명 ☞ 장식(裝飾)❷.

장석[6]【腸石】명〖의〗충수염(蟲垂炎)이나 충수의 굴절(屈折)·만곡(彎曲) 때문에 내강(內腔)의 일부가 좁아지거나 막혔을 때, 말단 부분에 머무른 내용물이 굳어지고 석회염(石灰塩)이 침전(沈澱)하여 생기는 돌. 장결석(腸結石). 분석(糞石).

장석질 경사암【長石質硬砂岩】명 [feldspathic graywacke]〖지〗75% 이하의 석영(石英)·처트(chert), 15-75%의 쇄설질 점토 기질(碎屑質粘土基質)을 포함한 사암으로, 장석이 대단히 많은 것.

장석질 도기【長石質陶器】명〖공〗경질 도기(硬質陶器).

장석질 사암【長石質砂岩】명 ①[feldspathic sandstone]〖지〗장석이 많은 사암. 조성(組成)은 아르코스(arkose) 사암과 석영(石英) 사암의 중간임. 10-25%의 장석과 20% 이하의 기질물(基質物)로 됨. ②아르코스 사암.

장석질 암석【長石質岩石】명 [arkosite]〖지〗다량의 장석을 함유하는 규암(珪岩). 아르코사이트.

장석질 자기【長石質磁器】명〖공〗경질 자기(硬質磁器).

장석 친구【長席親舊】명 병문 친구(屛門親舊).

장석화 작용【長石化作用】명 [feldspathization]〖지〗화강암(花崗岩) 작용으로 진행한 변성(變成) 작용의 결과, 암석 중에 장석이 형성(形成)되는 일.

장:-석화해【醬石花醢】명 장굴젓.

장선[1]【長線】명〖건〗마루 밑에 한 자 가웃 가량의 사이로 가로 대어서 마루청을 받치게 된 나무. 장산(長山).

장:선[2]【掌膳】명〖역〗대한 제국 때 전선사(典膳司)의 주임 벼슬.

장선[3]【裝船】명 배에 짐을 실음. ——하다 타여불

장선[4]【腸腺】명 [intestinal gland]〖생〗고등 척추 동물, 특히 인간의 소장 점막(小腸粘膜)에 존재하는 단관상선(單管狀腺)으로 장액(腸液)을 분비(分泌)하는 선(腺). 소장(小腸) 및 대장(大腸)의 점막 전체에 분포(分布)함. 길이 0.3-0.4mm. 창자샘.

장선[5]【腸線】명 고양이·염소·돼지 등의 창자로 만든 노끈 같은 줄. 조직 중에 흡수·소멸되고 이물(異物)을 남기지 않으므로 외과(外科)에서 봉합사(縫合絲)로 사용되고, 또 라켓(racket)의 그물, 현악기(絃樂器)의 줄, 낚싯줄 같은 데에 쓰임. 거트(gut).

장:선[6]【醬蒜】명 마늘 장아찌.

장선로 전:류【長線路電流】[—설—절—] 명 [long-line current]〖전〗직류 회로에 있어서 양극 영역으로부터 음극 영역으로 대지(大地)를 통해 흘러, 지하 파이프 또는 다른 금속 구조물(構造物)을 따라 되돌아오는 전류. 종종 상당한 거리를 흘러, 농도차 전지(濃度差電池) 작용을 일으킴.

장선-부【障繕府】명〖역〗태봉(泰封)의 관아. 성황당(城隍堂)을 수리하는 일을 맡음.

장-선(:)희【張善禧】[—히] 명〖사람〗여류 독립 운동가. 서울 출신. 기독교인으로 정신(貞信) 여학교를 졸업. 모교에서 교편을 잡다가 3·1 운동이 일어나자 오현관(吳玄觀)·이정숙(李貞淑) 등과 대한 애국 부인회(大韓愛國婦人會)를 조직, 투옥된 애국 지사들의 가족을 돕고 상해 임시 정부와 연락하며 독립 운동을 벌임. 이어 기구를 확대, 제2대 재무부장이 되어 조직을 강화하고, 미국에까지 지부를 설치하여 대대적인 독립 운동을 하다 이해 11월 체포되어 복역함. 1963년 대통령 표창을 받았음. [1894-1970]

장:설[1]【丈雪】명 한 길이나 되게 온 눈. 썩 많이 온 눈.

장:설[2]【壯雪】명 많이 오는 눈. 대설(大雪).

장설[3]【長舌】명 말이 많음. 다변(多辯)임.

장:설[4]【帳設】명 잔치나 놀이로 여러 사람이 모인 자리에 내어가는 음식(飮食).

장:설[5]【掌設】명〖역〗고려 시대의 이속(吏屬) 중 잡류직(雜類職).

장:설-간【帳設間】[—깐] 명 장설을 차리는 곳.
[장설간이 비었다] 배가 고프다는 뜻.

장-섬유【長纖維】명 길게 이어진 섬유. 주로, 화학 섬유·생사(生絲)를 이름. ↔단섬유.

장섬유-종【長纖維種】명 섬유가 긴 품종.

장:성[1]【壯盛】명 기운이 씩씩하고 왕성함. ——하다 형여불

장:성[2]【長成】명 자라서 어른이 됨. ¶～한 아들. ——하다 자여불

장성[3]【長星】명〖천〗혜성(彗星)❶.

장성[4]【長省】명〖지〗전에, 강원도 삼척군(三陟郡)의 한 읍(邑). 1981년에 황지읍(黃池邑)과 함께 태백시(太白市)로 됨.

장성[5]【長城】명 ①길게 둘러 쌓은 성. ②만리 장성(萬里長城).

장성[6]【長城】명〖지〗전라 남도 장성군의 군청 소재지로 읍(邑). 군의 중앙에 위치하고 동쪽의 담양(潭陽), 서쪽의 영광(靈光)과의 교통의 요지임. 양잠(養蠶)의 발상지로서 유명하며 농산물 외에 온돌지(溫突紙) 제조가 성함. 명승 고적으로는 내장산(內藏山)·백양사(白羊寺)가 있음. [16,414명(1996)]

장:성[7]【將星】명 ①어떠한 사람에게든지 각각 그에게 응한 별. ②〖천〗하괴성(河魁星).

장:성[8]【將星】명〖군〗'장군(將軍)'의 이칭. 장령(將領). ¶육해군 ～.

장성[9]【張星】명〖천〗28수(宿)의 스물여섯째의 별. 거성(距星)은 바다뱀자리의 뉴(ν)별임. ㊥장(張).

장성-군【長城郡】명〖지〗전라 남도의 한 군. 관내 1읍 10면. 도의 북쪽 끝에 있고 동은 담양군(潭陽郡), 북은 전북 정읍시(井邑市)·고창군(高敞郡), 서는 영광군(靈光郡), 남은 함평군(咸平郡)과 광주 광역시에 인접함. 주요 산물은 쌀·보리·콩·면화·고치 등의 농산과 임산(林產)·공산(工產) 등이며, 특산물로 장판지(壯版紙)가 유명함. 명승 고적(名勝古蹟)으로는 내장산(內藏山)·백양사(白羊寺)·입암산성(立岩山城)·필암 서원(筆岩書院)·고산 서원(高山書院)·누에 사당(祠堂) 등이 있음. 군청 소재지는 장성읍(邑). [518.67km² : 58,888명(1996)]

장성-기【張星旗】명〖역〗장성(張星)의 모양을 넣은 의장기(儀仗旗)의 한 가지.

〈장성기〉

장성-댐【長城—】[dam] 명 영산강(榮山江) 농업 개발 사업(農業開發事業)으로 이루어진 네 개 댐 중의 하나. 전라 남도 장성군(長城郡) 호

남 고속 도로변(湖南高速道路邊) 영산강 상류 지류(支流)인 황룡강(黃龍江)에 위치한 댐. 높이 36m, 길이 603m, 저수량(貯水量) 8,970만 톤, 몽리 구역(蒙利區域) 13,900 ha로 국내 최대의 몽리 구역을 갖는 농업용 저수지임. 1976년 10월 14일 준공.

장성-봉【長城峰】[명]〖지〗평안 북도 자성군(慈城郡)에 위치하는 산(山). [1,046m]

장성-세다 [형] ☞ 장력(壯力) 세다.

장:성-운【將星隕】[명]〔중국 삼국 시대 촉(蜀)의 제갈량(諸葛亮)이 오장원(五丈原)에서 죽을 때 붉은빛의 큰 별이 진중(陣中)에 떨어졌다는 고사(故事)에서 옴〕장군이 진몰(陣沒)하거나 영웅·위인이 죽음을 가리키는 말. 「모시.

장성치 모시【長城―】[명] 전라 남도 장성에서 나는 올이 좀 굵고 질긴

장세[1]【匠稅】[명]〖역〗고려와 조선 시대 때 독립 수공업자에게 과하던 조세. 물납(物納) 또는 금납(金納)으로 징수했는데, 물납인 때는 보통 수공업 생산물을 받아들였음.

장-세[2]【場稅】[―쎄] [명] 시장 번영회(繁榮會)나 경영자가 장에서 장사치로부터 받아들이는 세금. 장수세(場收稅).

장세[3]【場勢】[명] 시장(市場)의 시세. ¶호황 ～.

장세니슴〔프 Jansénisme〕[명] 네덜란드의 신학자 얀센(Jansen, C.)이 창시한 교설(敎說). 아우구스티누스(Augustinus, A.)의 설을 받들어 은총(恩寵)·자유 의지(自由意志)·예정 구령(豫定救靈)에 대한 엄격한 견해를 발표하여, 프랑스의 포르 루아얄파(Port Royal派) 등의 신봉(信奉)을 얻었으나, 1713년 로마 교황(敎皇)에 의하여 금지되어 소멸함. 얀센주의(Jansen主義).

장-세우다【場―】[타] 어떠한 곳에 장이 서도록 만들다.

장-세척【腸洗滌】[명]〖의〗장마비(腸痲痺) 때에 숙변(宿便)을 제거(除去)하기 위하여 항문(肛門)으로부터 장내(腸內)에 물을 넣어서 씻어 내는 조작(操作).

장소[1]【長所】[명] 장점(長點). 장처(長處). ↔단소(短所).

장소[2]【長嘯】[명] ①길게 부는 휘파람. ②시가(詩歌) 따위를 길게 읊조림. ――-하다 [자][여불] 「로 길이가 긴 것.

장소[3]【長簫】[명]〖악〗①명적(明笛). ②중국의 종적(縱笛). 퉁소의 일종으

장소[4]【場所】[명] ①처소(處所). ¶약속 ～/～가 없어서. ②자리. 좌석(座席). ¶～가 좋다/～를 너무 차지하다.

장:소[5]【葬所】[명] 매장(埋葬)한 곳.

장소 기억【場所記憶】[명]〔place memory〕〖심〗어떤 것을 기억함에 있어, 그 사물(事物)을 주위와 배경(背景)에 관련시키거나 혹은 그 사람의 지각적 또는 표상적(表象的) 발판에 관련시켜서 기억하는 일.

장소적 분업【場所的分業】[명]〖경〗A국(國) 또는 A지역은 주로 상업을, B국 또는 B지역은 주로 농업을, C국 또는 C지역은 주로 공업을 영위(營爲)하듯이, 지역에 따라 각기 별개의 산업(產業)을 영위하여 생산 사업(生產事業)을 형성하는 일. 국제 분업과 국내 분업으로 나뉨.

장:속[1]【杖贖】[명]〖역〗납속(納贖)하여 장형(杖刑)을 면함. 또, 그 돈. ――-하다 [자][여불]

장속[2]【裝束】[명] 몸을 꾸며서 차림. ――-하다 [타][여불]

장:-속[3]【欌―】[―쏙] [명] 장의 내부. ¶옷을 ～에 넣어 두다.

장:손【長孫】[명] 맏손자.

장:-손녀【長孫女】[명] 맏손녀.

장손 마늘 [명]〖농〗마늘의 한 종류. 마늘쪽은 열 개 쯤되어 비교적 잘며 껍질이 연함. 장아찌를 담기에 알맞음.

장손-무기【長孫無忌】[명]〖사람〗중국 당초(唐初)의 정치가. 자는 보기(輔機). 태종의 문덕 황후(文德皇后)의 오라비. 태종 원년(626), 태종의 형 건성(建成)과 아우 원길(元吉)이 위징(魏徵) 등의 획책으로 태종을 제거하려 하자 방현령(房玄齡) 등과 함께 태종에게 권하여 건성을 주살함. 다음의 고종(高宗)도 잘 보필하였으나 고종이 황후 왕씨(王氏)를 폐하고 소의 무씨(昭儀武氏)를 들이려 하자 이를 반대하여 유배당하여 그 곳에서 죽음. 봉칙찬(奉勅撰)에 의한 ≪당률 소의(唐律疏議)≫의 편찬, 수서(隋書)의 보족(補足) 완성은 유명함. [?-659]

장송[1]【長松】[명] ①헌칠하게 자란 큰 소나무. ¶낙낙 ～. ②넓이 25cm, 두께 4cm, 길이 250cm 가량의 널. *박송(薄松).

장:송[2]【葬送】[명] 송장을 장지(葬地)로 보냄. 장사(葬事) 지내어 보냄. 송장(送葬). ――-하다 [자][여불]

장:송-곡【葬送曲】[명]〖악〗장송 행진곡(行進曲).

장:송 행진곡【葬送行進曲】[명]〔funeral march〕〖악〗장렬(葬列)이 행진할 때 연주하는 비애(悲哀)·애도(哀悼)의 느낌을 주는 느린 행진곡. 쇼팽(Chopin)의 피아노 소나타 1악장이 유명함. 장송곡.

장쇄【長鎖】[명] 대궐 지붕에 베푼 긴 쇠사슬. 올라가서 불을 끌 때 미끄러지지 말라고 조선 세종 때에 만든 것임.

장:쇠 [명]〖민〗남사당패 탈놀이 첫째 마당에 나오는 인물. 또, 그가 쓰는 살빛 바탕에 눈썹이 검고 주름이 졌으며 입술이 붉은 탈.

장수[1] [명]〔중세: 댱ᄉᆞ〕장사하는 사람. 상인(商人). 고인(賈人). 상고(商賈). ¶떡 ～/생선 ～. *장사[1].

장:수[2]【杖囚】[명] ↗장지 수지(杖之囚之). ――-하다 [타][여불]

장수[3]【長水】[명]〖지〗전라 북도 장수군(郡)의 군청 소재지로 읍(邑). 군의 중앙에 위치하여 금강(錦江) 상류의 분지(盆地)의 중심을 이루며, 강은 시가의 중앙을 관류(貫流)함. 부근 일대에서는 잡곡·담배·고치 등의 생산이 많고 또 장수·돈산(敦山)의 두 광산에서 수연(水鉛)을 산출함. 논개(論介)의 고향이므로 논개 사당(論介祠堂)의암사(義巖祠)와 논개비(碑), 진주(晋州)에서 부사(府使)로서 순국(殉國)한 최경회 현감 거은비(崔慶會縣監去恩碑)가 있으며, 우리 나라에 현존하는 가장 오랜 향교(鄕校)가 있음. [8,239명(1996)]

장수[4]【長袖】[명] 길다랗게 만든 소매.

장:수[5]【長嫂】[명] 맏형수.

장수[6]【長壽】[명] 목숨이 길. 오래 삶. 수령(壽齡). 노수(老壽). 춘수(椿壽). 만수(萬壽). 대수(大壽). 대춘지수(大椿之壽). 하년(遐年). 호수(胡壽). 영수(永壽). ¶～하는 집안. ↔요수(夭壽). ――-하다 [자][여불]

장:수[7]【將帥】[명] 군사를 통솔하는 우두머리. 장관(將官). 장군. 장령(將領). [준]장(將).

장:수 나자 용마(龍馬) 났다 [구] 훌륭한 사람이 좋은 시기를 만났다는 말.
장:수 이 죽이듯 [구] 힘 안 들이고 쉽게 무엇을 해낸다는 말.

장-수[8]【章數】[―쑤] [명] 장(章)의 수효.

장-수[9]【張數】[―쑤] [명] 종잇장 같은 넓적한 물건의 수효. 매수(枚數).

장:수[10]【葬需】[명] 장비(葬費). 장례비. 장사비.

장수[11]【漿水】[명] 오래 흠씬 끓인 좁쌀 미음. 달고도 새콤한 맛이 있어서 갈증(渴症)을 다스리는 데 유효(有效)함.

장수[12]【樟樹】[명]〖식〗녹나무.

장수[13]【藏守】[명] 물건을 간직하여 지킴. ――-하다 [타][여불]

장수[14]【藏修】[명] 책을 읽고 학문에 힘씀. ――-하다 [자][여불]

장:수-갈거미【將帥―】[명]〖동〗[*Tetragnatha praedonia*] 갈거밋과에 속하는 절지(節肢) 동물. 몸은 가늘고 긴데, 몸길이 15mm 가량이며 특히 다리가 길. 복부(腹部)는 긴 주상(柱狀)으로 황백색이고, 등은 갈색임. 인가 근처에 그물처럼 줄을 쳐 놓고 곤충을 잡아 먹음. 한국에 분포함. 소초(蠨蛸). 희자(喜子·蟢子). *집가게거미.

〈장수갈거미〉

장:수-거북【將帥―】[명]〖동〗[*Dermochelys coriacea*] 장수거북과에 속하는 최대형(最大形)의 거북. 배갑(背甲)의 길이 2m 내외, 빛은 담회갈색인데 일곱 개의 세로 융기(隆起)가 있고, 복갑(腹甲)에는 다섯 개가 있음. 배갑 표면은 각질판(角質板)이 없고 혁상(革狀)이며, 척추와 늑골(肋骨)이 아주 떨어져 있는 점이 특색임. 해안의 모래땅 속에 보통 90-150개 가량의 알을 낳음. 대서양·인도양·태평양의 열대·아열대에 분포함. 식용함. 장귀(長龜).

〈장수거북〉

장:수거북-과【將帥―科】[명]〖동〗[Dermochelidae] 파충류 거북목(目)에 속하는 한 과. 장수거북 등이 이에 속함.

장:수-게거미【將帥―】[명]〖동〗[*Heteropoda venatoria*] 장수게거밋과(科)에 속하는 연체 동물(軟體動物). 몸길이는 25mm 내외, 몸빛은 갈색이고 전후·좌우로 자기 마음대로 걸음을 걷는 것이 특이하며, 다리에 강한 가시가 있음. 늘어진 집을 짓고 서식(棲息)하는데, 미얀마·인도·스리랑카가 원산지(原產地)라고 하나, 지금은 전세계의 열대·온대에 널리 분포함.

장수-경【長鬚鯨】[명]〖동〗긴수염고래.

장수 광:산【長水鑛山】[명]〖지〗전라 북도 장수군(長水郡) 계내면(溪內面)에 있는 몰리브덴 광산. 1915년에 발견되었음.

장수-군【長水郡】[명]〖지〗전라 북도의 한 군. 관내 1읍 6면. 도(道)의 동남단에 위치하고 동은 경상 남도 함양군(咸陽郡)에, 북은 무주군(茂朱郡), 서는 진안군(鎭安郡)과 임실군(任實郡), 남은 남원시(南原市)에 접함. 주산물은 쌀·보리·콩·면화·삼·담배·고추 등의 농산과 축산·임산(林產)·공산(工產)·광산 등인데, 특히 지하 자원으로 몰리브덴·금·납·운모(雲母)·구리 등의 산출이 있음. 명승 고적으로 백운산(白雲山)·용추(龍湫)·타루비(墮淚碑)·논개비(論介碑)·연사루(戀思樓)·운점사(雲岾寺)·육십령(六十嶺)·동정대(動靜臺) 등이 있음. 군청 소재지는 장수(長水). [533.75 km² : 31,483(1996)]

장수-꽃 [명]〈방〉〖식〗제비꽃(강원).

장수-당【長壽幢】[명]〖역〗의장(儀仗)의 한 가지.

〈장수당〉

장-수로【長水路】[명] 50m 이상의 코스를 가지는 수영 풀의 수로. ↔단수로(短水路).

장수-만리화【長壽萬里花】[―말―] [명]〖식〗[*Forsythia densiflora*] 물푸레나뭇과에 속하는 낙엽 활엽 관목. 잎은 넓은 달걀꼴임. 잎에 앞서 3-4월에 황금색 꽃이 액생(腋生)하고, 삭과(蒴果)는 10월에 익음. 골짜기에 나는데, 황해도 장수산(長壽山)은 한국 특산지임. 관상용으로 심음.

장:수-말【將帥―】[명]〖민〗〈방〉사기말.

장:수-말벌【將帥―】[명]〖충〗[*Vespa mandarinia*] 말벌과(科)에 속하는 대형의 벌. 암컷의 몸길이는 40mm, 편 날개는 75mm 내외임. 두부(頭部)는 황적갈색, 촉각(觸角)은 흑갈색, 날개는 갈색임. 흉부(胸部)는 대체로 흑갈색에 암적갈색의 반문(斑紋)이 있으며 복부는 배판(背板)·복판(腹板) 각 절(節)의 후연(後緣)에 황갈색의 넓은 띠무늬가 있음. 수목(樹木)의 구멍에 종 모양의 집을 짓고 사는데, 한국·일본·중국 등지에 분포함. 복단(腹端)에 독성이 강한 침을 가지며 잘못 건드리면 사람이나 다른 동물들을 습격함. 유충과 벌집은 강장제(強壯劑)로 약용함. 말벌.

〈장수말벌〉

장:수-벌【將帥―】[명] 여왕벌. 왕봉(王蜂).

장:수-봉【將帥峰】[명]〖지〗강원도 회양군(淮陽郡) 상북면(上北面)에 있는 산. [1,052m]

장수-산【長壽山】[명]〖지〗황해도 재령군(載寧郡) 장수면(長壽面)·화산면(花山面)·용산면(龍山面)·하성면(下聖面)의 4개 면에 걸쳐 있는 산. 멸악 산맥에 속함. [747m]

장수 선:무【長袖善舞】[명]〔소매가 길면 춤을 잘 출 수 있다는 뜻〕재물이 넉넉하면 성공하기도 쉽다는 말.

[장수 선무요 다전 선고(多錢善賈)라] 소매가 길면 춤을 잘 추고 돈이

많으면 장사를 잘 한다.

장-수세【場收稅】명 장세(場稅).

장수-왕【長壽王】명〖사람〗고구려 제20대 왕. 휘는 거련(巨連) 또는 연(璉). 427년 평양(平壤)으로 천도(遷都). 475년 백제를 쳐서 한성(漢城)을 함락하고 개로왕(蓋鹵王)을 살해하였고, 신라의 영토도 공략하여 고구려의 판도(版圖)를 많이 넓혔음. [394-490; 재위 413-490]

장수-자【長壽者】명 오래 사는 사람.

장:수-잠자리【將帥—】명〖충〗[*Anotogaster sieboldii*] 장수잠자릿과(科)에 속하는 대형(大形)의 잠자리. 몸길이 80mm 내외이며 복부(腹部)는 60mm, 뒷 날개는 51mm 가량임. 몸빛은 두부(頭部)와 흉부(胸部)는 흑색이고 중(中)흉부 전면(全面)에 황색의 긴 무늬가 두 줄 있으며, 복부는 흑색이고 각절(各節)의 중앙 전방(中央前方)에 황색띠가 있으나 말단부의 2절(節)에는 없음. 복안(複眼)은 크고 녹갈색임. 7-8월에 출현하여 숲 속의 길 위, 시냇물 위 등을 날아 다님. 열대 지방에 같은 종류(種類)가 많고 한국·일본·대만·중국 등지에 분포함. 물방아잠자리.

〈장수잠자리〉

장:수잠자릿-과【將帥—科】명〖충〗[Cordulegasteridae] 잠자리목(目)에 속하는 곤충의 한 과. 몸은 크고 보통 흑색에 황색 반문(斑紋)이 있음. 삼림 지대에 사는데, 장수잠자리·청동잠자리 등, 전세계에 25여 종이 분포함.

장:수장-변【將帥將邊】명 한자 부수(部首)의 하나. '牀'이나 '牆' 등의 「爿」의 통속적 이름.

장:수-지네【將帥—】명〖동〗조선지네.

장수-촌【長壽村】명 다른 지역에 비해 특히 장수하는 사람이 많은 지역.

장:수-투구게【將帥—】명〖동〗[*Pugettia incisa*] 바다참겟과에 속하는 게의 하나. 배갑(背甲)의 길이 18mm, 폭 15mm 내외이고 소형 위역(胃域)의 중앙에는 한 개의 가시가 있고 심역(心域)은 원뿔꼴로 융기(隆起)하였음. 이마의 가시는 약 63°의 각도로 벌어지고 길이는 게딱지의 길이의 4분의 1 정도임. 30-100m의 모래 진흙의 해저(海底)에 서식하는데, 한국·일본 등지에 분포함.

장수-팽나무【長壽—】명〖식〗[*Celtis cordifolia*] 느릅나뭇과(科)에 속하는 낙엽 활엽(落葉闊葉)의 작은 교목(喬木). 잎은 심장 모양의 달걀꼴이고, 꽃은 아직 보지 못하나, 과실은 핵과(核果)로 구형(球形)이고 9월에 까맣게 익음. 산기슭의 수림(樹林) 속에 나는데, 드물며 황해도 장수산(長壽山)에 분포하는 한국 특산종임. 과실은 식용(食用)함. 신탄재(薪炭材).

장:수-풍뎅이【將帥—】명〖충〗[*Xylotrupes dichotomus*] 풍뎅잇과에 속하는 곤충. 몸길이 38-53mm임. 몸은 타원형에 광택 있는 흑갈색을 띠고 수컷의 두부(頭部)에는 각상(角狀)의 돌기(突起)가 있고, 그 길이는 30mm 내외이며, 선단(先端)은 이중(二重)으로 갈라졌으나, 암컷은 뿔이 없으며 세 개의 짧은 극상(棘狀) 돌기가 있음. 큰 활엽수(闊葉樹)에 구멍을 파고 그 속에 서식하는데, 한국에도 분포함. 투구벌레.

〈장수풍뎅이〉

장:수-하늘소【將帥—】[—쏘] 명〖충〗[*Callipogon relictus*] 하늘솟과에 속하는 곤충. 몸길이는 수컷이 110mm이고, 암컷은 66-90mm 임. 수컷은 큰 턱이 발달하였음. 구북구(舊北區)에 최대형의 종류가 있고, 한국에서는 천연 기념물(天然記念物)로 지정되었음.

장순【將順】명 뜻을 받들어 순종함. 승순(承順). ——하다 타여불

장 쉐량〔張學良〕명〖사람〗중국의 정치가·군인. 장 쭤린(張作霖)의 장남. 아버지가 죽은 후 만주의 실권을 장악하고 장 제스의 내전(內戰)정책에 반발, 일치 항일(一致抗日)을 호소하기 위해 1936년 시안(西安) 사건을 일으켜, 제2차 국공 합작(國共合作)의 계기를 만듦. 제2차 대전 후 타이완(臺灣)에 연금(軟禁)되었다가 1977년에 해제됨. 현재는 미국에 거주. 장학량(張學良). [1898-]

장쉬-꽃 명〈방〉〖식〗제비꽃(강원).

장 쉰〔張勳〕명〖사람〗중국 북양 군벌(北洋軍閥)의 군인. 장시 성(江西省) 사람. 자(字)는 사오쉬안(少軒). 윈난 제독(雲南提督)·장난(江南) 제독 등을 역임함. 신해(辛亥)혁명 후, 캉 유웨이(康有爲) 등과 청조(淸朝) 재흥을 꾀했으나 돤 치루이(段祺瑞) 등의 공격을 받아 실패함. 장훈(張勳). [1854-1923]

장 스자오〔章士釗〕명〖사람〗중국의 학자·정치가. 일본·영국에 유학하고 신해 혁명(辛亥革命) 후에 귀국하여 베이징(北京) 대학 학장이 됨. 1913년 제2차 혁명에 참가했으나 실패하고 일본에 망명함. 위안 스카이(袁世凱) 반대의 논진(論陣)을 폈지만, 주장하는 바는 타협적인 정치론이었음. 장사조. [1882-1973]

장승 명 ①마을 어귀나 길가에 세우던 목상(木像)이나 석상(石像). 이정표(里程表), 또는 마을의 수호신 구실을 하며 부락민의 신앙의 대상이었음. 보통, 남녀 한 쌍을 세우는데, 위쪽에 사람의 얼굴 형상을 그리거나 조각하고 아래쪽에는 천하 대장군(天下大將軍)·지하 여장군(地下女將軍) 등의 글씨를 쓰거나 새김. ②키가 더럭 큰 사람의 비유. 주의 '長承·長丞'으로 씀은 취음(取音). *벅수.

[장승이라도 걸리겠다] 세도가 아주 당당함을 이르는 말. [장승 입에다 밀가루 발라 놓고 국숫값 내라고 한다] 터무니없는 소리를 함을 이르는 말.

장승 같다 구 키가 아주 크다.

장승같이 구 ①키가 멋없이 껑충하게. ②움직이지 않고 우두커니 서 있는 모양. ¶~ 서 있지만 말고….

장승 만하다 구 키가 더럭 크다.

장승-병【—病】[—뼝] 명 보리·가지·뽕나무·담배 등의 농작물의 병. 기생균(寄生菌) 때문에 갑자기 잎·줄기가 시들고 마침내 말라서 죽음. 입고병(立枯病).

장-승업【張承業】명〖사람〗조선 헌종(憲宗) 때의 화가. 자는 경유(景猶), 호는 오원(吾園). 태원(太原) 사람. 어려서 고아가 되어, 더부살이를 하면서 어깨너머로 그림을 배움. 필치가 호탕하고 대담하면서도 소탈한 기운이 감돌며 산수(山水)·인물(人物)·주수(走獸) 등을 그리는 데 능하였음. 안견(安堅)·김홍도(金弘道)와 함께 조선 화단의 3대 거장(巨匠)으로 일컬어짐. 평생 독신으로 지냄. 작품 ≪홍백매병(紅白梅屛)≫·≪군마도(群馬圖)≫ 등. [1843-97]

장-승요【張僧繇】명〖사람〗중국 양(梁)나라 무제(武帝)를 섬긴 궁정화가. 도석(道釋) 인물화에 우수하여 사원 벽화(寺院壁畫)를 많이 그렸음. 작품은 감각적인 미를 표현하였고, 요철화(凹凸花)는 서방 화법의 영향으로 창시되었음.

장승-제【—祭】명〖역〗장군제(將軍祭).

장승치 모시 명〈방〉장성치 모시.

장승-포【長承浦】명〖지〗전에, 경상 남도의 거제도 동쪽 해안에 위치한 시. 시청 소재지는 장승포동. 1989년 11월에 읍에서 시로 승격. 북·서·남쪽 삼면은 산지(山地)로서 강망산(江望山)·국사봉(國士峰)·옥녀봉(玉女峰)이 병풍처럼 둘러싸서 경관이 아름다우며, 동쪽 해안의 옥포만(玉浦灣)은 양항으로 옥포 조선소(선박 건조 능력 240만 톤)가 있음. 부산(釜山)과는 정기 항로가 열려 있으며 옥포 대첩 때의 망루였던 당등산성(堂登山城)과 옥포정(玉浦亭)·표덕사(表德祠) 등이 있음. 1995년 1월 거제군과 통합하여 거제시(巨濟市) 장승포동으로 개편됨.

장시[1] 명〈방〉장수[1](전라·함경).

장:시[2]【杖矢】명 어장(漁帳)에 속하는 재래식 정치망(定置網)의 일종. 줄시(乼矢)와 마찬가지로 경상남도 연안 일대에서 주로 대구나 청어를 잡기 위해 설치. 장(杖)살.

장:시[3]【杖匙】명 격구(擊毬)에 쓰는 구장(毬杖)의 공을 끌어 담아 던지는 부분. 나무를 휘어서 쇠코뚜레처럼 만들고, 그 빈 데를 바닥이 좀 우묵하게 물소 가죽으로 메움.

장시[4]【長時】명 장시간(長時間).

장시[5]【長詩】명〖문〗긴 시. 많은 시구(詩句)로 구성된 시. ↔단시(短詩).

장시[6]【場市】명〖역〗조선 시대 때의 시장(市場).

장:시[7]【掌試】명 시험(試驗)을 관장(管掌)함. ——하다 자여불

장:시[8]【葬時】명 하관(下棺)과 같은 장례에 알맞은 시각.

장-시간【長時間】명 오래고 긴 시간. 장시(長時). ¶~ 기다리다. ↔단시간(短時間).

장시간 레코:드【長時間—】〔record〕명 엘피반(LP盤).

장시-목【長翅目】명〖충〗밑들이벌레목.

장시-변【場市邊】명 시장의 변두리.

장시 성【—省】〔江西〕명〖지〗중국 양쯔 강(揚子江) 중류의 남쪽에 있는 성. 삼면이 산지이고 중앙과 북부는 평야임. 고온 다우(高溫多雨)하며 저간(浙贛)·난쉰(南潯)의 두 철도가 있음. 곡류·면화·차(茶)·마포(麻布)·담배·돼지·달걀 등을 산출하고, 목재·석탄도 풍부하며 텅스텐의 산출은 세계적임. 징더전(景德鎭)의 도기(陶器)도 유명함. 성도(省都)는 난창(南昌). 간 성(贛省). 강서성. [167,000 km²: 36,090,000명(1988 추계)]

장-시세【場時勢】[—씨—] 명 시장(市場)에서 물건이 매매(賣買)되는 시세. 장금.

장-시일【長時日】명 긴 시일. 오랜 날짜. 장일(長日). ↔단(短)시일.

장-시조【長時調】명〖문〗단시조(短時調)와는 달리 초·중·종장 중 어느 2장이 긴 시조의 한 가지. 대개 중장이 긴 것으로서 대화체(對話體)로 된 것도 많고, 하나의 이야기와 같이 된 것도 있는데, 조선 중엽 이후에 발달하여 내려왔다고 봄. 창곡상(唱曲上)의 이름은 사설(辭說)시조. 장형(長型) 시조.

장식[1]【長息】명 길게 한숨을 내쉼. 장탄식(長歎息). ——하다 자여불

장:식[2]【掌食】명〖역〗조선 시대 세자궁(世子宮)에 속한 종구품 궁인직(宮人職). 음식·땔감·그릇 따위에 관한 일을 맡았음. *장의(掌醫).

장식[3]【粧飾】명 겉모습을 꾸밈. 또, 그 꾸밈새. 식장(飾粧). ¶보석으로 몸을 ~하다. ——하다 타여불

장:식[4]【葬式】명 장사 지내는 의식. 장례식(葬禮式). 장의(葬儀).

장식[5]【裝飾】명 ①치장하여 꾸밈. 또, 그 꾸밈새. ¶방을 꽃으로 ~하다. ②기명(器皿)이나 가구(家具) 등에 꾸밈새로 쓰는 제구(諸具). 식장(飾裝). ¶~물(物). ③꾸미개❷. ——하다 타여불

장식 고:분【裝飾古墳】명 무덤 내부의 벽 같은 곳에 색채화(色彩畫) 등을 그려 다채로운 장식을 베푼 고분. 또, 그 외부 시설의 석인(石人)·석마(石馬) 등을 포함하여 일컫기도 함.

장식-깃【裝飾—】명 치렛깃.

장식 도안【裝飾圖案】명〖미술〗장식을 목적으로 하는 도안. *장식 미술(裝飾美術).

장식-물【裝飾物】명 장식품(裝飾品).

장식 미술【裝飾美術】명〔decorative arts〕〖미술〗건조물(建造物) 기타 여러 가지 기구 등의 장식을 목적으로 하는 미술. 색채·선조(線條)·형태(形態)를 배합(配合)·조화(調和)함으로써 그 외관(外觀)을 미화(美化)함. 주금(鑄金)·투조(透彫)·그림·염직(染織) 등. *장식 도안(圖案)·장식화(裝飾畫).

장식 미술과【裝飾美術科】[—꽈] 명〖교〗대학에서, 장식 미술에 관한 학문을 전공하는 학과. *응용(應用) 미술과.

장식 악절【裝飾樂節】명〖악〗어떤 악곡(樂曲)에 있어서 독창자(獨創者) 또는 독주자(獨奏者)의 기교(技巧)를 마음대로 발휘시킬 수 있도록

작곡(作曲)된 부분. 이 부분만은 반주(伴奏)가 없음. 장식주(裝飾奏). 카덴차(cadenza).

장식-우【裝飾羽】명 치렛깃.

장식-음【裝飾音】명〖악〗'꾸밈음'의 한자 이름.

장식 일:꾼【裝飾—】[—닐—] 명 ①기명(器皿)이나 가구(家具)의 장식을 만드는 사람. ②기명이나 가구에 장식을 박는 일을 맡아 하는 사람.

장식 조각【裝飾彫刻】명〖미술〗건조물(建造物)·기구(器具) 등을 장식하기 위한 조각.

장식-주【裝飾奏】명〖악〗장식 악절(樂節).

장식-지【裝飾紙】명 제본(製本)·포장(包裝)·상자 등의 표장(表裝)에 쓰이는 가공지(加工紙).

장식-품【裝飾品】명 장식에 쓰이는 물품. 장식물(裝飾物).

장식-화【裝飾畫】명〖미술〗건축·가구(家具)·기명(器皿) 등에 장식으로 도안화(圖案化)하여 그린, 응용 미술(應用美術)의 한 가지. *장식 미술(裝飾美術).

장신[1]【長身】명 키가 큰 몸. 장구(長軀). ↔단신(短身).

장:신[2]【將臣】명 대장(大將)❶.

장신-구【裝身具】명 반지·귀엣고리·타이핀(tiepin) 등 몸을 치장하는 데에 쓰이는 미술 공예품. *장구(裝具).

장신-궁【長信宮】명〖역〗중국 한(漢)나라의 궁전 이름. 장락궁(長樂宮) 안에 있었으며 주로 태후(太后)가 살았음.

장:실【丈室】명〔열 자 사방(四方)의 방이라는 뜻〕①〖불교〗주지(住持)의 거실(居室). 방장(方丈). ②중들끼리 서로 위해 부르는 칭호. ¶~ 말씀이 옳다 뿐이오. ③〖천도교〗천도교의 최고 기관. 곧, 대도주실(大道主室).

장심[1]【匠心】명 궁리. 장의(匠意). 고안(考案). ——하다 타여불

장:심[2]【壯心】명 장렬한 마음. 장지(壯志).

장:심[3]【掌心】명〖생〗손바닥이나 발바닥의 한가운데.

장심도 촬영【長深度撮影】명〖연〗팬 포커스(pan focus).

장십랑【長十郞】[—낭] 명〔1894년경에 이 나무가 우연히 발견된 마당의 집 임자인 일본 사람의 이름〕배의 품종의 하나. 나무 세력이 강건하고 가꾸기 쉬움. 과실은 중(中) 정도의 크기에 과피(果皮)는 불그스름한 황갈색이며, 품질은 중 정도임. 병해충에 대하여 저항력이 있음. 수확기는 9월 중순.

장-써레【長—】명〖농〗논바닥의 두둑진 곳을 길이로 써는 일.

장쑤 성【—省】〔江蘇〕명〖지〗중국 동부의 해안 지대를 차지하는 성. 양쯔 강(揚子江) 및 화이수이(淮水) 강 수계(水系)의 대평야로 수운(水運)이 편리하며, 철도도 발달되어 있음. 쌀·밀·목화·생사(生絲)·소금의 산출이 많고, 상하이(上海)·난징(南京)을 중심으로 방적·화학·기계 공업이 발달되었음. 성도(省都)는 난징(南京). 강소성. 준쑤성(蘇省). [103,000km²: 64,380,000명(1988 추계)]

장아 명〈방〉〖어〗뱀장어(경남).

장아리 명〈방〉장다리.

장아찌 명 ①무·오이·배추 등을 썰어 말려서 간장에 절이고 양념을 쳐서 묵혀 두고 먹는 반찬. ②열무·미나리·배추 등을 소금에 절인 뒤 간장을 붓고 양념을 쳐서 먹는 반찬. ③두부·물고기 등을 진장을 치고 조려서 고명을 한 반찬. 장지(醬漬).

장:아치 명 ☞장아찌.

장:악[1]【帳幄】명 장막(帳幕).

장:악[2]【掌握】명 ①손 안에 잡아서 쥠. ②권세 등을 온통 손아귀에 넣음. ¶실권(實權)을 ~하다. ——하다 타여불

장:악-서【掌樂署】명〖역〗장악원(掌樂院).

장:악-원【掌樂院】명〖역〗조선 시대 때 음률(音律)의 교열(校閱)을 맡아 보던 관아. 태조(太祖) 원년(1392)에 전악서(典樂署)와 아악서(雅樂署)를 베풀었다가 세종(世宗) 때 태상시(太常寺)로 옮겨 붙이고, 세조(世祖) 4년(1458)에 태상시(太常寺)로부터 분리시키어 두 관아(官衙)를 합쳐 장악서(掌樂署)로 고치었으며, 연산주(燕山主) 11년(1505)에는 연방원(聯芳院)이라 개칭하였다가, 중종(中宗) 초년에 장악원으로 고치고 고종(高宗) 21년(1884)에 폐지하였음. 장악서(掌樂署). 성음서(聲音署).

장:악-중【掌握中】명 움켜 쥔 손아귀의 안. 자기의 세력(勢力) 범위의 안. 준장중(掌中).

장안[1]【長安】명〖지〗중국 산시 성(陝西省), 웨이수이(渭水) 강 남안(南岸) 시안 시(西安市)의 옛 이름. 전한(前漢) 이래 당(唐)의 소종(昭宗)까지 가끔 나라의 수도가 되었으며 당 전성시(全盛時)에는 남북 8.2km의 성곽 안에 도시가 계획적으로 건설되어, 인구 150만을 가진 도시로 번영했었음. 뤄양(洛陽)에 대하여 서도(西都) 또는 상도(上都)로도 불림. 두성(斗城). *시안(西安).

장안[2]【長安】명 서울을 수도(首都)라는 뜻으로 일컫는 말. ¶~의 명기(名妓).

장안-국【長安國】명〖역〗신라 헌덕왕(憲德王) 때에 김헌창(金憲昌)이 세운 나라. 국호는 '장안'. 연호는 '경운(慶雲)'. 한때는 신라 국토의 절반을 지배했으나 곧이어 멸망.

장안-문【長安門】명〖지〗경기도 수원(水原)을 둘러 싼 동서 남북 사대 누문(四大樓門)의 하나. 수원 북쪽에 위치함. 조선 시대의 예술을 대표할 수 있는 훌륭한 것임.

장안-사【長安寺】명〖지〗금강산(金剛山)에 있는 큰 절. 신라 법흥왕(法興王) 때 지었고, 고려 제6대 성종(成宗) 때에 다시 크게 지었음. 원(元)나라의 순제(順帝)가 왕자를 낳게 되자 태자와 순제의 만수(萬壽)를 빌기 위하여 황후 기씨(皇后奇氏)가 멀리 이 절에 왔었을 만큼 주위의 경치는 선경(仙境)과 같이 좋음. 약 15 척의 신라 때의 삼중 석탑(三重石塔)이 있음.

장안-사【長安社】명 개화기에 잠시 존속했던 극장. 1908년 서울 중부 교동(校洞)에 건립되었고, 그해 7월 경부터 공연을 가짐.

장안-산【長安山】명〖지〗평안 남도 덕천군(德川郡) 잠상면(蠶上面)·잠도면(蠶島面)·덕천면(德川面) 사이에 있는 산. 묘향 산맥 중에 솟아 있는 높은 산의 하나임. [1,248m]

장안 장외【長安長外】명〈속〉서울의 성 안과 성 밖.

장안 편사【長安便射】명〖역〗조선 시대 때 서울에서 구역별로 편을 갈라 활을 쏘던 시합. 서울 문안이 한 편이 되고, 모화관(慕華館)·홍제원(弘濟院)·창의문(彰義門) 밖·북한(北漢) 남문(南門) 밖·애오개, 곧 현재의 아현동 등이 한 편, 양화도(楊花渡)·서강(西江)·지금의 마포(麻浦)인 삼개·용산(龍山)·한강·뚝섬·왕십리(往十里)·동소문(東小門) 밖 손가장(孫家庄) 등이 한 편이 되어서, 세 편으로 갈랐음.

장암[1]【長巖】명 고려 때의 가요(歌謠). 지금은 이제현(李齊賢)의 한역시(漢譯詩)가 남을 뿐인데, 고려 때 장암으로 귀양 온 평장사(平章事) 두영철(杜英哲)에게 한 노인이 다시 관계(官界)에 돌아가는 것을 말렸으나 듣지 않고 갔다가 모함에 빠져 죄를 입으니, 이를 그 노인이 풍자(諷刺)하여 지은 노래.

장-암[2]【腸癌】명〖의〗장에 발생하는 암종(癌腫). 주로 대장(大腸)·직장(直腸)에 환상(環狀)으로 일어나 장벽(腸壁)을 한 바퀴 돌아 여러 가지 장애를 일으킴.

장암-산【長巖山】명〖지〗강원도 평강군(平康郡) 고삽면(高揷面)·현내면(縣內面) 사이에 있는 산. [1,052m]

장애[1] 명〖광〗광산에서 물을 달아 올리는 기계. 양쪽에다 기둥을 세우고 굵은 나무를 가로질러 얹어 그 나무에 두레박을 단 줄을 매어서 가로지른 막대를 감아 물을 퍼내게 되었음. 줄 양쪽에 두레박을 단 것을 쌍장애라 함.

장애[2]【障礙·障碍】명 거리껴서 거침. 막아서 거치적거림. ¶~를 극복하다. ——하다 타여불

장애 경:주【障礙競走】명 장애물 경주(障礙物競走).

장애-등【障礙燈】명 ↗항공 장애등.

장애-물【障礙物】명 장애가 되는 물건. 장해물(障害物). ¶~을 뛰어넘다/~ 경주.

장애물 경:마【障礙物競馬】명〔steeplechase〕마술 경기·경마에서, 죽책(竹柵)·토루(土壘)·담장 등의 장애물을 베푼 경기장에서 행하는 경주. 뛰어남은 재주보다 스피드에 중점을 둠.

장애물 경:주【障礙物競走】명 장애물달리기.

장애물-달리기【障礙物—】명 ①허들레이스(hurdle race). ②〔steeplechase〕육상 경기에서, 원칙적으로 3,000m를 달리는 동안에 28개의 장애물과, 7개의 물웅덩이를 건너는 경주. 보통 한 바퀴 400m의 트랙에서는 스타트 후에 세 개의 장애물을 넘고 물웅덩이를 건너 또 하나의 장애물을 넘어야 한 바퀴가 끝남. 물웅덩이의 크기는 길이·폭 모두 3.66m. 장애물 경주.

장애물 비월 경:기【障礙物飛越競技】명 승마 경기의 한 가지. 말을 타고 정해진 장소에 배치된 각종 장애물인 가로대·죽책(竹柵)·웅덩이·돌담·벽돌담 등을 정해진 순서에 따라 규정 시간 안에 실수 없이 뛰어넘는 경기임. 이 경기는 1912년 제5회 스톡홀름 대회 때부터 올림픽 정식 종목으로 채택되었음.

장애 미:수【障礙未遂】명〖법〗범죄의 실행에 착수하였으나 뜻의의 장애로 말미암아 범죄의 완성에 이르지 못한 경우. 형(刑)의 경감이 있을 수 있음.

장애 부표【障礙浮標】명〔obstruction buoy〕〖항〗장애물의 위치를 나타내는 부표.

장애-산【障礙山】명〖불교〗구산 팔해(九山八海) 칠금산(七金山)의 하나. 산형(山形)이 코끼리의 코와 같이 생겼으므로 '상비산(象鼻山)'이라고도 하는데, 마이산(馬耳山)을 둘러 있다 함. 높이와 넓이가 각각 1,312 유순(由旬)이라 함.

장애 상자【障礙箱子】명〖심〗생활체의 요구 또는 동인(動因)의 강도(強度)를 측정하는 장치. 예컨대 기아(飢餓)와 갈증(渴症)·성욕(性慾)의 어느 것이 강한가를 알기 위하여 일정 기간 음식물·물·이성(異性)을 주거나 가까이하지 못하게 하다가 각기 다른 곳에 음식물과 물·이성을 놓고 동시에 보여 어느 쪽을 먼저 택하는가를 보는 장치 같은 것. 장해 상자(障害箱子).

장애-인【障礙人】명 지체(肢體) 장애·시각(視覺) 장애·청각(聽覺) 장애·언어(言語) 장애 또는 정신 지체 등 정신적 결함으로 인하여 장기간에 걸쳐 일상(日常) 생활 또는 사회 생활에 상당한 제약(制約)을 받는 사람.

장애인 복지【障礙人福祉】명 심신에 장애를 가진 사람, 즉 장애인에 대해 공여(供與)되고 있는 사회 복지적인 여러 시책의 총칭.

장애인 복지법【障礙人福祉法】[—뻡] 명〖법〗장애인의 자립(自立) 및 보호에 관한 사항을 정하여 장애인의 복지 증진을 도모할 목적으로 제정된 법률. 장애인 대책에 관한 국가·지방 자치 단체 등의 책무(責務), 장애 발생의 예방과 장애인의 의료·훈련·보호·교육·고용 증진·수당 지급 등 장애인 복지 대책의 기본이 되는 사업을 규정하고 있음.

장애인 올림픽 대:회【障礙人—大會】명〔Paralympics〕세계 장애인 스포츠 기구인 국제 조정 위원회의 총관 아래 열리는 국제 신체(身體) 장애자 체육 대회. 1960년 로마 대회에서 비롯하여 4년마다 올림픽 개최 도시에서 열리며, 1988년 서울에서 제8회 대회가 열렸음. 파랄림픽. 국제 스토크 맨드빌 경기 대회.

장애-틀 명〖광〗장애를 만드는 틀.

장액[1]【張掖】명〖지〗'장예'를 우리 음으로 읽은 이름.

장액[2]【腸液】명〔intestinal juice〕〖생〗창자의 점막(粘膜)에 분포(分布)하는 무수한 선(腺)에서 분비(分泌)되는 알칼리성(性)의 소화액(消化

液). 인베르타아제(Invertase)·에렙신(Erepsin)·말타아제(Maltase) 등의 효소(酵素)를 포함하고 있어 분해(分解) 도중에 있는 음식물에 작용하여 소화 과정(過程)을 완결(完結)시킴.

장액[3]【獐腋】[명] 노루의 겨드랑이 털. 보드랍고 끝이 빨아서 붓을 매는 데 쓰임.

장액[4]【漿液】[명] ①점액(粘液)에 대하여, 맑은 액체. ②〖생〗 장막(漿膜)에서 나오는 투명한 액체.

장액[5]【贓額】[명] 장물(贓物)의 액수.

장액-막【漿液膜】[명]〖생〗장막(漿膜)❸.

장액-선【漿液腺】[명]〔serous gland〕〖생〗점성(粘性)이 적은 액체를 분비(分泌)하는 선조직(腺組織). 장액 세포(細胞)로 이루어졌으며, 분비물(分泌物)에는 무기 염류(無機塩類)와 함께 단백질(蛋白質)을 함유함. ↔점액선(粘液腺).

장액성-염【漿液性炎】[—넘] [명]〖의〗삼출성염(滲出性炎)의 한 가지. 삼출액이 체강(體腔)이나 조직의 틈에서 삼출되는 염증. 늑막(肋膜)·복막(腹膜)·심낭(心囊)·간(肝) 등에 나타남.

장액-필【獐腋筆】[명] 장액(獐腋)으로 맨 붓.

장야【長夜】[명] 가을이나 겨울의 기나긴 밤. 박야(博夜). ↔단야(短夜).

장야-면【長夜眠】[명] 일생을 꿈 속에서 삶.

장:야-서【掌冶署】[명]〖역〗고려 때 용야(鎔冶)에 관한 일을 맡아 보던 관아. 충렬왕(忠烈王) 34년(1308)에 파하여 영조국(營造局)을 두었다가, 충선왕(忠宣王) 2년(1310)에 다시 예전대로 회복하고, 공양왕(恭讓王) 3년(1354)에 공조(工曹)에 합치었음.

장약【裝藥】[명] 총포(銃砲)의 약실(藥室)에 화약을 잼. 또, 그 화약. 장전(裝塡). ——-하다 [자][여불]

장양[1]【長養】[명] 기름. 양성함. ——-하다 [타][여불]

장:양[2]【將養】[명] 기름. 양육함. ——-하다 [타][여불]

장양-궁【長楊宮】[명]〖역〗중국 진(秦)나라의 궁전 이름. 한대(漢代)에는 이궁(離宮)이 되었음. 장안(長安)의 서쪽, 지금의 산시 성(陝西省) 저우즈 현(周至縣)의 동남(東南)에 있었음.

장양수 급제 패지【張良守及第牌旨】[명] 고려 희종(熙宗) 원년(1205)에 진사시(進士試) 병과(丙科)에 급제한 장양수에게 내려진 급제첩(及第牒). 세로 44.3cm, 가로 88cm의 황색 마지(麻紙) 두루마리에 씌었음. 국보 제181호.

장:어[1]【壯語】[명] 장언(壯言). ——-하다 [자][타][여불]

장어[2]【長魚】[명]〖어〗↗뱀장어. ¶ ~ 구이 /~ 덮밥.

장어[3]【長語】[명] 길게 말함. 또, 그 말. ——-하다 [자][타][여불]

장어[4]【章魚】[명]〖동〗낙지.

장어[5]【鱆魚】[명]〖동〗꼴뚜기.

장어 구이【長魚—】[명] 뱀장어를 갈라 뼈를 발라 내고, 알맞은 길이로 잘라서 꼬챙이에 꿰어, 양념을 발라 구운 요리.

장어 덮밥【長魚—】[명] 주발에 밥을 담아, 그 위에 장어 구이를 얹고 양념 간장을 부은 음식.

장:어-영【壯禦營】[명]〖역〗조선 고종(高宗) 18년(1881)에 총융청(摠戎廳)·금위영(禁衛營)·어영청(御營廳)을 합쳐서 베푼 군영(軍營). 동 20년에 폐합.

장어 통발【長魚筒—】[명] 장어를 잡는 어구(漁具). 미끼가 들어 있는 통발로서 일단 장어가 들어가면 나오기가 힘듦.

장어-포【長魚脯】[명] ↗뱀장어포.

장:언[1]【壯言】[명] 의기 양양한 말. 장하게 하는 말. 장어(壯語). ——-하다 [자][타][여불]

장언[2]【長言】[명] ①말을 길게 끌며 이야기함. 긴 말. ②문장(文章)이 긴 것. ——-하다 [자][여불]

장엄【莊嚴】[명] ① 규모가 크고 엄숙함. 엄장(嚴莊). ¶ ~한 의식(儀式). ②〖불교〗좋고 아름다운 것으로 국토를 장식하고, 훌륭한 공덕을 쌓아 몸을 장식하고, 향이나 꽃을 올려 부처님을 장식하는 일.
——-하다 [타][형][여불]. ——-히 [부]
장엄(을) 꾸미다 [구]〈궁중〉치장을 하다.

장엄 미사【莊嚴彌撒】[명] ①〖천주교〗사제가 부제(副祭)와 복사(服事)를 거느리고 특별한 음악과 함께 향을 피우며 장엄하게 거행하는 미사. *대(大)미사·평(平)미사. ②〖악〗장엄 미사곡 1)·2) : 미사 솔렘니스(missa solemnis).

장엄 미사곡【莊嚴彌撒曲】[명]〖악〗장엄 미사를 위한 규모가 큰 미사곡. 베토벤 작곡의 작품 123번이 가장 유명함. 장엄 미사. 미사 솔렘니스(missa solemnis).

장엄-탑【莊嚴塔】[명]〖불교〗원각사탑(圓覺寺塔)처럼 예술적으로 퍽 아름답게 만든 탑.

장:엣-고기【醬—】[명]〈방〉장조림.

장:-여[1]【丈餘】[명] 한 길 남짓. 열 자가 넘음.

장여[2]【長—】[명]〖건〗〔←장려(長欐)〕도리 밑에서 도리를 받치고 있는 모진 나무. 보통 두께 세 치, 높이 다섯 치임.

장:역【瘴疫】[명]〖한의〗장기(瘴氣)에 걸려서 생기는 유행 열병(流行熱病).

장연[1]【長煙】[명] 가로 길게 흐르는 연기. 또, 그런 구름.

장연[2]【長淵】[명]〖지〗황해도 장연군의 군청 소재지로 읍. 황해도 서부 지대의 요충이고 황해 사장선(沙長線)의 종점으로 쌀·콩·밀·면화·소 등의 집산(集散)이 많으며, 특히 소의 생산지로 이름이 높고 부근에는 낙산 금광(樂山金鑛)이 있음.

장연[3]【長椽】[명]〖건〗들연.

장:연[4]【瘴煙】[명] 장기(瘴氣)를 품은 연기. *독연(毒煙).

장연[5]【鏘然】[명] 옥(玉)이나 쇠붙이가 크게 울리는 소리의 형용.

장연-군【長淵郡】[명]〖지〗황해도의 한 군. 관내 1읍 9면. 도의 서단에 위치하며, 동쪽은 광탄천(廣灘川)으로서 벽성군(碧城郡)에 대하고, 북쪽은 전석(磚石) 산맥으로 송화군(松禾郡)과 경계하며, 서쪽은 황해(黃海)에, 남쪽은 바다를 격하여 옹진군(甕津郡)에 면함. 주요 산물은 농산과 축산·임산·수산·광산·공산 등이며, 명승 고적으로는 구미포(九味浦)·명사 십리(明沙十里)·진서루(鎭西樓)·천불사(千佛寺)·석봉사(石峰寺) 등이 있음. 군청 소재지는 장연읍. [1,073 km²]

장연-선【長淵線】[명]〖지〗황해도 사리원(沙里院)과 장연 사이의 철도 선로. [81.8km]

장연-호【長淵湖】[명]〖지〗함경 북도 경성군(鏡城郡) 주남면(朱南面)과 어랑면(漁郞面) 사이에 있는 연못. [7.4km²]

장:열【壯熱】[—녈] [명] 병으로 인한 매우 높은 신열(身熱).

장-염[1]【張炎】[명]〖사람〗중국 남송말(南宋末)에서 원초(元初)의 문인(文人). 자는 숙하(叔夏), 호는 옥전(玉田) 또는 낙소옹(樂笑翁). ≪춘수사(春水詞)≫로 이름이 알려져 장춘수(張春水)로 불렸음. 저서에 ≪산중백운집(山中白雲集)≫·≪사원(詞源)≫이 있음. [1248-1320]

장염[2]【長髥】[명] 긴 구레나룻. 길게 내려온 구레나룻.

장염[3]【腸炎】[—념] [명]〔enteritis〕〖의〗창자의 점막(粘膜)에 생기는 염증(炎症). 급성과 만성이 있음.

장염-균【腸炎菌】[—념—] [명]〖의〗게르트너균(Gärtner菌).

장염 비브리오【腸炎—】〔도 Vibrio〕[—념—] [명]〖의〗여름에 생선이나 조개류 따위로 인한 식중독을 일으키는 병원균. 염분(塩分)이 많은 물에 번식하는 간균(桿菌).

장염 비브리오 식중독【腸炎—食中毒】〔도 Vibrio〕[—념—] [명]〖의〗장염 비브리오균(菌)으로 인한 식중독. 해안 지대에 많으며 전갱이·가자미·오징어·키조개·개랑조개 따위를 여름에 생식(生食)하면 12-24시간 후에 발병, 복통·구토·설사·미열(微熱) 등 증상을 나타냄. 호염균(好塩菌) 식중독.

장-염전증【腸捻轉症】[—쯩] [명]〖의〗창자가 장간막(腸間膜)을 축(軸)으로 하여 뒤틀리는 증세(症勢). 장관(腸管)이 움직이기 쉬운 일, 장간막의 과장(過長), 급격한 외부로부터의 충격(衝擊) 등을 유인(誘因)으로 하며, 주로 S자 모양의 결장(結腸)에 많으나 소장(小腸)에 흔히 일어남. 돌연히 극렬한 복통(腹痛)과 복부(腹部)의 팽만(膨滿) 및 구토(嘔吐)·토분(吐糞) 등의 증상이 일어나며, 방치하면 죽음에 이름. 장년기(壯年期) 남자에 많음.

장-영실【蔣英實】[명]〖사람〗조선 세종(世宗) 시대의 과학자. 아산(牙山) 사람. 세종을 도와 여러 과학 기구 즉 간의(簡儀)·혼천의(渾天儀) 등의 천체 관측기(天體觀測器)와, 앙부 일영(仰釜日影) 및 자격루(自擊漏)의 일종인 흠경각(欽敬閣)의 옥루(玉漏) 등의 시계(時計)를 발명 제조하였고 세계 최초의 우량계(雨量計)인 측우기(測雨器)와 수표(水標)를 만들어 하천의 범람을 미리 알 수 있게 하였음. 생몰년 미상.

장-영창【長映窓】[명]〖건〗길이가 썩 긴 영창. 긴 영창. [준]장창(長窓).

장예[1]【長—】[명]〖건〗〈방〉장여[2].

장예[2]〔張掖〕[명]〖지〗①중국 간쑤 성(甘肅省) 중부의 도시. 허시 통로(河西通路)에 있으며 실크 로드(Silk Road) 이래의 교통의 요충지. 간저우(甘州). [382,000명(1982)] ②중국 한(漢)나라 때에 지금의 장예와 산단(山丹)의 두 현(縣)을 중심으로 설치되었던 군(郡). 장액(張掖).

장예[3]【障翳】[명] 덮어 가림. 또, 가려서 빛·풍우(風雨) 따위를 막음.
——-하다 [타][여불]

장:예[4]【奬譽】[명] 장려하며 칭찬함. ——-하다 [타][여불]

장오시[명]〈방〉두루마기(함북).

장오인 녹안【贓汚人錄案】[명]〖역〗탐장(貪贓)질하여 처벌된 장리(贓吏)의 성명·죄상(罪狀)을 기록한 책.

장오 패:상인【贓汚敗常人】[명]〖역〗관청 재산(官廳財産)의 횡령(橫領)이나 뇌물죄(賂物罪) 또는 민간(民間)의 재물(財物)을 부정하게 취득(取得)한 죄 등으로 처벌을 받은 관원(官員). 그 이름을 죄인 명부에 기록하여 둠.

장옥[1]【長屋】[명]〖역〗장행랑(長行廊).

장옥[2]【場屋】[명]〖역〗과장(科場). 문장(文場).

장:옥[3]【葬玉】[명]〖역〗중국의 전국 시대(戰國時代)부터 진한(秦漢) 시대에 걸쳐, 시체(屍體)에 달아서 무덤에 묻은 옥. 대개 백옥(白玉)으로, 눈을 덮는 것은 눈 모양, 입에 물리는 것은 매미모양, 구멍을 막는 것은 육모 또는 팔모의 막대기 모양으로 만들었음.

장옥[4]【牆屋】[명] 담[1].

장:옥 매향【葬玉埋香】[명] 미인을 매장(埋葬)한 곳.

장옷[명]〖역〗부녀자가 나들이할 때에 얼굴을 가리느라고 머리에서부터 내리 쓰던 옷. 초록 바탕에 흰 끝동을 달았으며, 두루마기와 비슷하게 되었음. 장의(長衣).
[장옷 쓰고 엿 먹기] 남이 보지 않는 곳에서 몰래 숨어서 못된 짓을 함을 이르는 말.

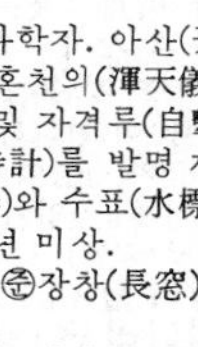
〈장옷〉

장옷-짜리[명] 장옷을 쓰고 다니는 사람의 비칭(卑稱).

장옹[1]【腸癰】[명]〖한의〗아랫배가 단단하게 부어 발열(發熱)·오한(惡寒)이 심하고 압통(壓痛)과 요의(尿意)가 빈삭(頻數)하며 똥과 함께 피고름이 나오는 병. 양(洋)의학의 충수 돌기염(蟲垂突起炎)에 상당함. 전장창(纏腸瘡).

장:옹[2]【醬甕】[명]〖공〗장독.

장와 불기【長臥不起】[명] 오래도록 앓아 누워서 일어나지 못함. ——-하다 [자][여불]

장:외[1]【帳外】[명]〖역〗조선 시대 때, 서울 오부(五部)의 관할(管轄) 바깥. ↔장내(帳內).

장작-윷【長斫—】[—늗] 명 기다랗고 굵게 만든 윷.
장잘기 명 〈방〉『충』 잠자리(함경).
장:잠【壯蠶】명 석잠 자고 난 누에.
장장[1]【長長】一 관 기나 긴. ¶～ 추야(秋夜). 二 부 '길고 긴'의 뜻. ¶～ 천리길/～ 열두 시간에 걸친 회의.
장장[2]【章章】명부 ①밝은 모양. 밝고도 아름다운 모양. ②뚜렷하고 명백(明白)한 모양. ——-하다 형여불
장:장[3]【掌藏】명『역』조선 시대 세자궁(世子宮)에 속한 종구품 궁인직(宮人職)의 하나. *장식(掌食).
장:장[4]【葬場】명 장의(葬儀)를 행하는 곳. 장의장(葬儀場).
장장[5]【鏘鏘】명 옥(玉)이나 쇠붙이 같은 것이 울리는 소리.
장:-장이[1]【欌匠—】명 장롱 같은 것을 만드는 일을 업으로 삼는 사람.
장장-이[2]【張張—】부 하나하나의 장(張)마다. 낱장마다 빠짐 없이. ¶～ 훑어보다.
장장 추야【長長秋夜】명 길고도 긴 가을 밤.
장장 춘일【長長春日】명 길고도 긴 봄날.
장장-치기 명 투전 노름의 한 가지.
장장포 명 〈방〉 돌단풍.
장장 하:일【長長夏日】명 길고도 긴 여름날.
장재[1]【長齋】명『불교』오랫동안 재계(齋戒)함. 일년 내내 채식(菜食)을 함.
장:재[2]【將材】명 장수(將帥)가 될 만한 훌륭한 인재(人材).
장-재[3]【張載】명『사람』중국 송대(宋代)의 철학자. 호는 횡거(橫渠). 장안(長安) 출생. 그의 설은 예(禮)를 숭상하고 역(易)으로 종(宗)을 삼고 중용(中庸)으로 체(體)를 삼았으며, 우주(宇宙)의 본체를 태허(太虛)라고 하였음. 저서에 ≪서명(西銘)≫·≪동명(東銘)≫·≪역설(易說)≫·≪어록(語錄)≫ 등이 있음. [1020-77]
장:재[4]【掌財】명 금전의 출납(出納)을 맡아 보는 사람.
장재[5]【裝載】명 짐을 꾸려서 배나 수레 같은 것에 실음. ——-하다 타여변
장:재[6]【醬滓】명 된장.
장:재[7]【壯哉】감 '장하도다'의 뜻으로 쓰는 감탄사.
장재기【長—】명 〈방〉 장작(長斫)(강원·경남·함경).
장재-도【長在島】명『지』황해도 벽성군(碧城郡)의 남쪽 해상에 위치한 섬. [0.200 km^2]
장-재(:)봉【張在奉】명『사람』민속 예술인(藝術人). 경남 충무(忠武) 출신. 어려서부터 오광대(五廣大)를 배웠으며, 광복 후 통영(統營) 오광대를 부활시켰고, 1964년 1급 무형 문화재(無形文化財) 보유자로 지정됨. 문둥탈·둘째 양반·말뚝이·비비 양반 등에 특기(特技)가 있었음. [1896-1966]
장재이 명 〈방〉 장작(長斫)(경북).
장잭 명 〈방〉 장작(長斫)(경북).
장:저【醬菹】명 장김치.
장저우〔漳州〕명『지』중국 푸젠 성(福建省) 남부의 도시. 사탕수수가 특산이며 주룽 강(九龍江)·룽장 강(龍江) 양 유역의 물산 집산지로서 상업과 함께 통조림·제당·식품 가공 외에 기계 제조 공업도 성하고 교통의 요충지임. 장주(漳州). [165,292명(1987)]
장적[1]【長—】명 〈방〉 장작(長斫)(충남·전북).
장적[2]【長笛】명 긴 횡적(橫笛).
장:적[3]【長嫡】명 본처(本妻)가 낳은 장남.
장적[4]【戕賊】명 ①주색(酒色)에 빠져 몸을 해침. ②잔적(殘賊)❷. ——-하다 타여불
장:적[5]【帳籍】명 호적(戶籍).
장:적[6]【掌跡】명 손바닥의 자국.
장전[1]【長田】명『역』고려·조선 시대 때 각 역장(驛長)의 공비(公費)에 충당하기 위하여 지급된 토지. 이결(二結)임.
장전[2]【長電】명 ↗장거리 전화(長距離電話).
장전[3]【長銓】명『역』'이조 판서(吏曹判書)'의 별칭.
장전[4]【長箭】명 ①싸움에 쓰는 긴 화살. ②『건』길이로 세운 문살.
장전[5]【長箭】명『지』강원도 고성군(高城郡)의 한 읍. 동해 북부선의 요역으로서, 영동(嶺東) 해안 굴지의 천연적 양항(良港)이며 포경(捕鯨)의 근거지임.
장전[6]【莊田】명 옛날 귀족(貴族)의 사유지(私有地). 장원(莊園)의 전지(田地).
장전[7]【章典】명 전장(典章).
장:전[8]【帳前】명 ①임금이 임어(臨御)한 장막(帳幕)의 앞. ②장수(將帥)의 앞.
장:전[9]【帳殿】명『역』임시로 꾸민 어좌(御座). 차일을 치고 휘장으로 사방을 둘러막고 보계(補階)를 꾸며 별문석(別文席)·채화석(綵花席) 등의 자리를 펴고 가운데에 어좌(御座)를 만듦.
장:전[10]【葬前】명 장사를 지내기 전.
장전[11]【裝塡】명 ①속에 메워 넣어서 장치함. ②총포(銃砲)에 탄약(彈藥)을 잼. 장약(裝藥). ¶탄알을 ～하다. ——-하다 타여불
장전[12]【贓錢】명 옳지 못한 짓으로 얻은 돈.
장:전[13]【欌廛】명 장롱 같은 방세간을 만들어 파는 가게.
장전 밀도【裝塡密度】[—또] 명 [loading density]『공』폭파공(爆破孔)에 채워진 폭약의 1피트당(當) 중량 파운드.
장:전 추열【帳前秋閱】명『역』죄인을 왕의 장전(帳前)에 꿇리고 친히 국문(鞫問)함. ——-하다 타여불
장-전타음【長前打音】명 [long appoggiatura]『악』 '긴앞꾸밈음'의 한자(漢字) 이름.
장전-포【長箭浦】명『지』강원도 고성군(高城郡)에 있는 장전읍(長箭邑)의 내항(內港). 바닷물이 호수처럼 되어 있음.
장:절[1]【壯絶】명 장대(壯大)하고 뛰어남. 가장 장렬(壯烈)함. ——-하다 형여불. ——-히 부
장-절[2]【章節】명 장(章)과 절(節). ¶～로 나누다.
장:절공 유사【壯節公遺事】명『문』[장절공(壯節公)은 신숭겸(申崇謙)의 시호(諡號)] 평산 신씨(平山申氏) 문집(文集)의 하나. 이 책에 고려 예종(睿宗)이 지은 ≪도이장가(悼二將歌)≫가 실려 있음.
장절-수【章節數】[—쑤] 명 장수(章數)와 절수(節數).
장-절초【長切草】명 품질이 좋은 살담배.
장:점[1]【丈點】[—쩜] 명 순장 바둑에서, 배꼽점의 일컬음.
장점[2]【長點】[—쩜] 명 ①좋은 점. 보다 뛰어난 점. ②특히 잘하는 점. 미점(美點). 장소(長所). 장처(長處). 1)·2):↔단점(短點).
장점[3]【粧點】명 좋은 땅을 가리어 집을 지음. ——-하다 타여불
장-점막【腸粘膜】명『생』장벽(腸壁)을 이루고 있는 점막. 내부에 선세포(腺細胞)가 많으며, 소장(小腸)의 점막에는 많은 융모(絨毛)가 있음. *점막(粘膜).
장:정[1]【壯丁】명 ①혈기(血氣)가 왕성한 성년(成年)에 달한 남자. 장정군(壯丁軍). ②부역(賦役) 또는 군역(軍役)에 소집된 남자. ③징병 적령자(徵兵適齡者)인 남자. 정남(丁男). ¶～ 명부.
장정[2]【長汀】명 길게 뻗친 바닷가.
장정[3]【長汀】명『지』'창팅'을 우리 음으로 읽은 이름.
장정[4]【長征】명 ①먼 노정(路程)에 걸쳐서 정벌(征伐)함. ②『역』대서천(大西遷). ——-하다 자타여불
장정[5]【長亭】명 장도(長途)에 오르는 사람을 전송하는 곳.
장정[6]【長程】명 매우 먼 길. 장로(長路). ¶～ 5만 마일. *장도(長途).
장정[7]【莊丁】명『역』고려 때, 왕실 소유의 장원(莊園)인 장(莊)에 딸린 전부(佃夫). *처간(處干).
장정[8]【章程】명 [정(程)은 법식(法式)의 뜻] ①조목으로 나누어 정한 규정(規程). 법도(法度) 또는 규정을 조목별(條目別)로 쓴 것. ②사무 집행의 세칙(細則).
장:정[9]【掌正】명『역』조선 시대 세자궁(世子宮)에 속한 종칠품 궁인직(宮人職)의 하나. *장서(掌書).
장정[10]【裝幀】명 ①책을 매어 꾸밈. ②책의 의장(意匠). 곧, 책의 표지(表紙)·커버·케이스 등의 체재(體裁)로부터 제본 재료(製本材料)의 선택에 이르기까지 책의 형식면의 조화미(調和美)를 꾸미는 기술. 장황(粧潢). ——-하다 타여불
장정 곡포【長汀曲浦】명 해안선이 긴 갯벌.
장:정-군【壯丁軍】명 장정(壯丁)❶.
장정 규칙【章程規則】명 장정(章程)과 규칙(規則).
장정-기【藏精器】명『식』양치(羊齒) 식물·선태(蘚苔) 식물 등에서 정자(精子)를 형성하는 기관. 대개는 타원형 낭상(囊狀)으로 다세포(多細胞)로 됨. *장란기(藏卵器).
장:제[1]【長弟】명 동생 가운데 나이가 가장 위인 사람. 자기(自己)의 바로 아랫동생.
장제[2]【長堤】명 기다란 둑.
장제[3]【章帝】명『사람』중국 후한(後漢) 제3대의 황제. 성명은 유달(劉炟). 유학자(儒學者)들을 모아 오경(五經)의 이동(異同)을 토론시키고 또, 반초(班超)를 파견하여 서역 경략(西域經略)을 하니, 중국 역사상 그 시초임. [56-88; 재위 75-88]
장:제[4]【葬制】명 죽은 사람에 대한 조상(弔喪)과 장사(葬事)에 관한 제도(制度).
장:-제[5]【葬祭】명 장례(葬禮)와 제사(祭祀).
장제[6]【裝蹄】명 말에 편자를 박음. ——-하다 자여불
장제[7]【漿劑】명 [mucilage] 아라비아 고무·셀렙근(selep根)·전분(澱粉) 등의 점액질(粘液質)을 함유한 약물(藥物)을 수액(水液)에 풀어 끈적끈적하게 만든 점장액(粘漿液). 점장제(粘漿劑).
장제기【長—】명 〈방〉 장작(長斫)(평안).
장:제-료【葬祭料】명 장제에 쓰는 비용.
장:제-비【葬祭費】명『법』선원법(船員法)상 선원이 직무상 사망했을 때에 그 유족에게 지급하는 월봉급액의 3개월분(分)에 상당하는 금액. *장의비(葬儀費).
장 제스〔蔣介石〕명『사람』중국의 군인·정치가. 이름은 중정(中正). 저장 성(浙江省) 출생. 1911년 혁명에 참가, 쑨 원(孫文)에 신임받아, 그의 사후 국민당 혁명군 총사령이 되어 1928년 북벌군을 지휘하고, 그 해에 국민당 정부 주석이 되어 북벌(北伐)을 완성, 이후 공산당 토벌에 전력을 쏟음. 1936년 시안(西安)에 감금되었다가 중일(中日)전쟁과 함께 국민 정부 주석·육해공군 총사령관으로 중국 공산당과 합작하여 항일전에 힘씀. 전후 헌정 하(憲政下)의 초대 총통에 취임했으나, 중공과의 전투에 패하여 타이완(臺灣)으로 옮겨감. 장개석(蔣介石). [1887-1975]
장:조[1]【丈祖】명 처조부(妻祖父).
장:조[2]【杖朝】명 중국 주대(周代)에 80세가 되면 조정(朝廷)에서 지팡이를 짚는 것을 허락한 일. 전(轉)하여, 80세의 일컬음.
장조[3]【長條】명 긴 나뭇가지. 긴 나무 막대기.
장조[4]【長調】[—쪼] 명 ①[major]『악』장음계(長音階)로 된 곡조. ¶사～의 곡. ↔단조(短調). ②『문』중국 사곡(詞曲)의 시형(詩型)의 이름. 91자(字) 이상으로 됨. ↔소령[1](小令).
장조[5]【莊祖】명『사람』장헌 세자(莊獻世子)를 광무 3년(1899) 추존(追尊)한 묘호(廟號).
장:-조림【醬—】명 간장에다 쇠고기를 넣고 조린 반찬. 자장(煮醬). 장육(醬肉).
장:-조모【丈祖母】명 처조모(妻祖母).
장:-조부【丈祖父】명 처조부(妻祖父).

장조-증【臟燥症】[―쯩] 명 〖한의〗 여자에게 흔히 있는 신경병(神經病)의 한 가지. 감정의 변화가 심하여 웃고, 울고, 기뻐하고, 슬퍼함이 대중없이 극단으로 흐르며 하품을 자주 하는 증세. *히스테리.

장:-조카【長―】명 맏형의 맏아들. 장질(長姪).

장-조협【長早莢】명 〖한의〗 조협(早莢)의 한 가지. 꼬투리가 길고 큰데 풍기(風氣)를 다스리는 데에 쓰임.

장-조화【蔣兆和】명 〖사람〗 '장 자오허'를 우리 음으로 읽은 이름.

장족[1]【長足】명 ①기다랗게 생긴 다리. ②빠르게 나아가는 걸음. 전(轉)하여, 사물의 진행이 매우 빠름. ¶ ∼의 발전.

장족[2]【獐足】명 과녁에 박힌 화살을 뽑는 제구. 노루발같이 끝이 갈라지게 쇠로 만든 것임. 노루발.

장:족[3]【杖足】명 몽둥이로 발을 치는 형벌.

장족 마치【獐足―】명 과녁의 살을 뽑아 낼 때에 장족을 두드리는 마치.

장:-족박【醬―】명 ☞장쪽박.

장:-족병【醬足餠】명 장족편.

장족 장:도리【獐足―】명 노루발 장도리.

장족 진:보【長足進步】명 매우 빠르게 되어 가는 진보. ――-하다 자 여불

장:-족편【醬足―】명 간장을 쳐서 만든 족편. 장족병(醬足餠).

장족 한량【獐足閑良】[―할―] 명 장족(獐足)을 가지고 과녁에 박힌 화살을 뽑아내는 일을 맡은 사람.

장:-졸[1]【將卒】명 장수(將帥)와 병졸(兵卒). 장병(將兵). 장사(將士).

장졸[2]【藏拙】명 자기의 변변치 못한 점을 가려서 감춤. ――-하다 자 여불

장:졸지-간【將卒之間】명 장수와 병졸의 사이.

장:졸지-분【將卒之分】명 장수와 병졸의 신분. 또, 분수.

장종[1]【章宗】명 〖사람〗 중국 금(金)나라의 제6대 황제. 성명은 완안 경(完顔璟). 금나라의 중국적(中國的) 국가로서의 완성을 기하고 예악(禮樂)·관제(官制) 등의 여러 제도를 정비했음. [1168-1208; 재위 1190-1208]

장:종[2]【將種】명 무장(武將) 집안의 자손.

장:-종구라기【醬―】명 〈방〉 간장 족박.

장종 비:적【藏蹤祕迹】명 잠종 비적(潛蹤祕迹). ――-하다 자 여불

장좌-도【長佐島】명 〖지〗 전라 남도 목포시(木浦市) 충무동(忠武洞)의 앞바다에 위치한 섬. 목포의 서남(西南)쪽 4km 지점(地點)에 있음. [0.19 km²: 73 명 (1984)]

장:죄[1]【杖罪】[―쬐] 명 〖역〗 장형(杖刑)에 상당한 죄.

장죄[2]【贓罪】[―쬐] 명 〖법〗 ①관리가 뇌물을 받은 죄. ②장물죄.

장죄-피 명 〖식〗 피의 한 종류. 까라기가 길고 씨는 흰데 7월에 익음.

장주[1]【長酒】명 장시간 술을 마심. ――-하다 자 여불

장:-주[2]【帳主】명 〖역〗 동학(東學)의 장(帳)의 책임자. *포주(包主).

장-주[3]【莊周】명 〖사람〗 '장자(莊子)'의 본성명.

장주[4]【章奏】명 천자에게 올리는 상서(上書).

장주[5]【漳州】명 〖지〗 '장저우'를 우리 음으로 읽은 이름.

장주[6]【藏主】명 〖불교〗 ①선사(禪寺)에서 경장(經藏)을 관리하며 의학(義學)에 통달한 중. 동장주(東藏主)·서장주(西藏主)로 나눔. ②승려 계급의 하나. 수석(首席) 다음, 사미(沙彌)의 위임.

장주기 변:광성【長週期變光星】명 [long-period variable] 〖천〗 40일 이상의 주기, 변광 범위(變光範圍) 2.5 등급 이상의 내인적(內因的) 변광성. 300일 정도의 것이 가장 많으며 미라성(Mira星)이 그 대표적 예임. ↔단주기(短週期) 변광성. *변광성.

장주기-조【長週期潮】명 〖지〗 반 달 이상의 오랜 주기를 가지는 천체의 기조력(起潮力)에 의하여 일어나는 조석(潮汐). 조차(潮差)가 극히 작음. *반일조(半日潮)·일일조(一日潮).

장-주릅【場―】[―쭈―] 명 장에서 흥정 붙이는 일을 업으로 하는 사람. 시쾌(市儈).

장주지-몽【莊周之夢】명 [장자(莊子)가 꿈에 나비가 되었다가 깬 뒤에, 장주(莊周)가 나비로 됐는지 또는 나비가 장주가 되었는지 판단하기에 애썼다는 고사(故事)] 나와 외물(外物)은 본디 하나라는 이치를 설명하는 말. 장자 사상의 근간(根幹)이 되는 말임.

장:죽[1]【杖竹】명 지팡이로 쓰는 대나무.

〈장죽²〉

장죽[2]【長竹】명 긴 담뱃대. 긴 대.

장죽-도【長竹島】명 〖지〗 전라 남도의 서남해상(西南海上), 진도군(珍島郡) 조도면(鳥島面) 창리(倉里)에 위치한 섬. [0.29 km²]

장준【長蹲】명 큰 뾰주리감.

장-준(:)량【張駿良】[―줄―] 명 〖사람〗 조선 후기의 화가. 자는 원여(遠汝). 한종(漢宗)의 아들. 화원(畫員)이 되어 어해(魚蟹)를 잘 그렸음. 벼슬은 동지중추부사(同知中樞府事)에 올랐음. [1802-70]

장준-시【長蹲柹】명 장준(長蹲).

장-준(:)하【張俊河】명 〖사람〗 언론인. 니혼(日本) 신학교 졸업. 일제 말기에 학병(學兵)으로 나갔다가 탈주, 중국에 있던 임시 정부 주석(主席)의 비서가 됨. 해방 후 귀국하여 잡지(雜誌) '사상계(思想界)'를 주재(主宰)하여 1962년 막사이사이 언론상(言論賞)을 수상함. 국회 의원과 통일당(統一黨) 최고 위원을 역임함. [1915-75]

장-줄 명 〖농〗 줄모를 심을 때 세로 길게 대는 못줄.

장중[1]【莊重】명 장엄하고 정중(鄭重)함. ¶ ∼한 음악. ――-하다 형 여불. ――-히 부

장:중[2]【帳中】명 방장(房帳)으로 둘러친 그 안. 장막 속.

장중[3]【場中】명 〖역〗 과장(科場)의 안. 장내(場內).

장:중[4]【掌中】명 수중(手中). 장리(掌裡). 장악중(掌握中). ¶ ∼에 들어가다.

장-중경【張仲景】명 〖사람〗 중국 후한(後漢) 시대의 의사. 이름은 기(機). 중경(仲景)은 자(字). 난양(南陽) 사람. 창사 대수(長沙大守)를 지냄. 일족(一族) 200명의 과반수가 급성 열병인 상한(傷寒)으로 죽자 그 치료법을 연구하여, ≪상한론(傷寒論)≫을 편찬한 것으로 전해짐. [140?-210?]

장중 득실【場中得失】명 ①과장(科場)에서 때로는 잘하는 사람도 낙방(落榜)을 하고, 잘못하는 사람도 급제(及第)를 하듯이 일이 생각한 바와 같이 이루어지지 않음을 가리키는 말. ②거의 다 되어 가던 일이 별안간 뜻대로 되지 아니함을 가리키는 말.

장:중-물【掌中物】명 자기의 수중(手中)에 들어 있는 물건.

장:중 보:옥【掌中寶玉】명 손 안에 쥔 보옥. 곧, 매우 사랑하는 자식이나 아끼는 물건을 보배롭게 일컫는 말. 장중주. ¶ ∼처럼 사랑하다.

장-중적증【腸重積症】명 〖의〗 상부의 장관(腸管)이 하부의 장관 속으로 감입(嵌入)하여 장관 폐색(閉塞)을 일으키는 병증. 회장(回腸)에 잘 일어나며 대장·소장에도 드물게 일어남. 열 살 이하, 특히 유아(乳兒)에 많음. 장중첩증.

장:중-주【掌中珠】명 장중 보옥(掌中寶玉).

장-중첩증【腸重疊症】명 〖의〗 장중적증(腸重積症).

장-중풍【腸中風】명 〖한의〗 졸중풍(卒中風)과 비슷한 병.

장 즈둥【張之洞】명 〖사람〗 중국 청(淸) 말의 정치가·학자. 자는 샹타오(香濤) 또는 샤오다(孝達). 보수적(保守的)인 대외 강경론자로 독일식 군대를 편성하고, 징한 철도(京漢鐵道)를 부설했으며, 핑샹 탄광(萍鄕炭鑛)·한양 제철소(漢陽製鐵所)를 창설함. 유교 전통을 살리면서 근대화 정책을 취했음. ≪권학편(勸學編)≫ 외에 많은 저서(著書)를 남겼음. 장지동(張之洞). [1837-1909]

장-즉지【張卽之】명 〖사람〗 중국 남송(南宋)의 서예가(書藝家). 자(字)는 온부(溫夫), 호는 저료(樗寮). 안후이 성(安徽省) 허저우(和州) 사람. 미불(米芾)과 저수량(褚遂良)의 영향을 받아, 기백이 넘치는 주관적 서풍(書風)을 수립함. [1186-1266]

장증【腸蒸】명 창자찜.

장:지[1]【壯志】명 장대(壯大)한 포부. 매우 크게 품은 뜻. 장심(壯心). 웅지(雄志). ¶ ∼를 품다.

장:지[2]【壯紙】명 우리 나라에서 만든 종이의 한 가지. 두껍고도 단단하여 질이 썩 좋음.

장지[3]【長至】명 하지(夏至)와 동지(冬至).

장지[4]【長枝】명 줄기에서 뻗어 나간 긴 가지.

장지[5]【長指】명 가운뎃손가락.

장:지[6]【將指】명 ①가운뎃손가락. ②엄지발가락.

장-지[7]【張芝】명 〖사람〗 중국 후한(後漢)의 서예가(書藝家). 자는 백영(伯英). 간쑤 성(甘肅省) 둔황 주취안(敦煌酒泉) 사람. 두도(杜度)·최원(崔瑗)에게 서법(書法)을 배웠으며, 특히 초서(草書)에 뛰어나 초성(草聖)으로 불리었음. 종요(鍾繇)·왕희지(王羲之)와 함께 고금(古今)의 삼필(三筆)의 한 사람. 생몰년 미상.

장:지[8]【葬地】명 장사하여 시체를 매장하는 땅. 매장지(埋葬地).

장지[9]【障―】명 방에 칸을 막아 끼우는 제구. 미닫이와 비슷하나 운두가 썩 높고 문지방이 낮게 된 문. 장자(障子). ¶ ∼를 열다.

장:-지[10]【醬池】명 〖지〗 함경 북도 무산군(茂山郡) 삼사면(三社面)에 있는 못. [0.306 km²]

장:지[11]【醬漬】명 장아찌❸.

장:지 관절【掌指關節】명 〖생〗 손바닥뼈와 손가락뼈 사이에 있는 둥근 관절.

장:-지기【杖―】명 〖역〗 기로(耆老)의 대신(大臣)에게 임금이 하사(下賜)한 지팡이를 간수(看守)하는 사람. 장직(杖直).

장지-도【獐趾島】명 〖지〗 평안 북도 정주군(定州郡)의 남쪽 해상에 위치한 섬. [0.046 km²]

장-지동【張之洞】명 〖사람〗 '장 즈둥'을 우리 음으로 읽은 이름.

장지-두꺼비집【障―】명 〖건〗 장지 문짝이 들어가게 된 문.

장지-문【障―門】명 〖건〗 지게문에 장지 짝을 덧들인 문.

장지미 명 〈방〉 〖동〗 ①도마뱀(평안). ②장지뱀.

장지-뱀 명 〖동〗 ①장지뱀과에 속하는 동물의 총칭. ②[*Takydromus auroralis*] 장지뱀과에 속하는 파충류의 하나. 도마뱀과 비슷하나 머리에서 꼬리 끝까지 15cm 가량이고 꼬리는 몸통의 3배 가량임. 몸빛은 배면(背面)이 흑색 또는 회갈색, 측면(側面)은 진한 적갈색, 복면(腹面)은 적색 또는 백색임. 몸통의 배린(背鱗)은 여섯 줄인데, 그 중앙에 작은 비늘이 한 줄 있고 하면은 황백색임. 꼬리가 잘 절단되나 재생함. 양지바른 풀밭에 서식하며, 곤충·거미 등을 포식하는데, 4-5월에 백색의 알을 낳음. 한국 특산종임. 북한도마뱀.

〈장지뱀❷〉

장지뱀-과【―科】[―꽈] 명 〖동〗 [Lacertidae] 도마뱀류에 속하는 한 과. 아무르장지뱀·장지뱀·줄장지뱀·표범장지뱀 등이 이에 속함.

장-지석【長支石】명 〖고고학〗 긴 굄돌.

장:지 수지【杖之囚之】명 곤장으로 때린 뒤에 옥에 가둠. 준장수(杖囚) ――-하다 타 여불

장지-살【障―】명 장지문에 쓰인 살.

장-지연【張志淵】명 〖사람〗 조선 고종 때의 언론인. 초명(初名)은 지윤(志尹). 자는 순소(舜韶), 호는 위암(韋庵) 또는 숭양 산인(嵩陽山人). 상주(尙州) 출신. 황성 신문(皇城新聞) 사장. 을사 조약 때 ≪시일야 방성 대곡(是日也放聲大哭)≫이라는 논설을 쓰고 비분 강개하였음. 1906년 윤 효정(尹孝定)과 대한 자강회(大韓自彊會)를 조직, 시베리아·중국을 방랑하다 귀국, 1909년 진주 경남 일보(慶南日報) 주필이 되었

으나, 황현(黃玹)의 절명시(絶命詩)를 게재하여 신문이 폐간되매, 실의(失意) 속에 세상을 떠남. 저서에 ≪유교 연원(儒敎淵源)≫·≪대한 강역고(大韓疆域考)≫ 등이 있음. [1864-1921]

장-지영【張志暎】명『사람』국어학자. 서울 출신. 한성 외국어 학교 한어과(漢語科) 졸업. 주시경(周時經) 문하에서 국어학을 연구하고, 오산(五山) 중학교·경신(儆新) 중학교 등에서 국어 교사를 역임함. 조선어 학회 사건으로 홍원(洪原) 감옥에서 복역중 해방을 맞음. 해방 후에, 연세대 교수를 하다가 정년 퇴직함. [1887-1976]

장:-지짐【醬—】명〈방〉찌개[1].

장:지-채【醬池菜】명『식』[*Scheuchzeria palustris*] 장지채과에 속하는 다년초. 지하경(地下莖)은 장대(長大)하며 묵은 엽초(葉鞘)에 싸여 있음. 화경(花莖)은 높이 약 10cm 가량이나 드물게 30cm에 달함. 근생엽은 세장(細長)하고 반원주형이며 길이 약 15-25cm 내외이고 경엽(莖葉)은 두세 개로 소형(小形)임. 7-8월에 녹색 꽃이 총상(總狀) 화서로 줄기 위에 직생(直生)하여 핌. 과실은 골돌(蓇葖). 고원의 소택지(沼澤地)에 나는데 함북의 장지(醬池)에 분포함.

장:지채-과【醬池菜科】[—꽈] 명『식』[Scheuchzeriaceae] 단자엽 식물에 속하는 한 과.

장지-틀【障—】명『건』장지를 끼우는 틀. 곧, 장지를 여닫기 위하여 상하 좌우로 선단을 들이는 틀.

장-지화【張志和】명『미술』동양화 화제(畫題)의 하나. 중국 당(唐)의 신선(神仙) 장지화가 물 위에 방석을 깔고 그 위에서 술을 마시며 공중에는 학(鶴)이 춤추는 그림.

장:직【杖直】명『역』장지기.

장진[1]【長津】명『지』함경 남도 장진군의 군청 소재지. 군의 북부 삼포리강(三浦里江)의 우안에 위치하는 산간 소읍(山間小邑)으로 교통의 요지(要地)임. 장진호(湖), 갈전(葛田)의 장진 산장 등의 명승 절경(名勝絶景)이 있음.

장진[2]【長進】명 ①크게 나아감. 장족의 발전을 함. ②학업이 크게 진보함. ——-하다 자여불

장진[3]〔江津〕명『지』중국 시난(西南) 지구 북부, 쓰촨 성(四川省) 남동부의 현. 충칭(重慶) 남서 50km, 양쯔 강(揚子江) 중류 우안(右岸)에 위치함. 술의 특산지로 유명함. 강진(江津). [1,374,000명(1984)]

장진-강【長津江】명『지』함경 남도 장진군(長津郡)·삼수군(三水郡)을 관류(貫流)하는 압록강의 지류. 황초령(黃草嶺)과 동백산(東白山)·소백산(小白山)·문암산(門岩山) 등에서 발원함. [261 km]

장진강 수력 발전소【長津江水力發電所】[—쩐—] 명『지』함경 남도 함주군에 있는 북한 최대의 수로관식(水路管式) 수력 발전소. 장진호·제2 장진호를 조성하여 이 물을 전장(全長) 24km의 터널로 도수(導水)하여 성천강 지류 혹림강으로 떨어뜨리면서 그 낙차를 이용하여 발전함. 총 설비 용량은 397,000kW임.

장진-군【長津郡】명『지』함경 남도의 한 군. 관내 1읍 7면. 도의 서북부, 개마 고원(蓋馬高原) 중에 위치하고 동쪽은 풍산(豐山), 동남쪽은 신흥(新興), 동북쪽은 삼수(三水), 남쪽은 함주(咸州), 서쪽은 평안 북도의 강계(江界)·후창(厚昌)의 여러 군에 인접함. 중요 산물은 조·피·옥수수·밀·담배 등의 농산과 축산·임산 등이 있고, 명승 고적으로는 장진호·진흥왕 순수비(眞興王巡狩碑) 등이 있음. 군청 소재지는 장진읍(長津邑). [5,114 km²]

장진-바늘꽃【長津—】명『식』[*Epilobium tenue*] 바늘꽃과에 속하는 다년초. 줄기 높이는 40cm 가량이고, 잎은 대생(對生)하며 경엽(莖葉)은 호생하고 거의 무병(無柄)에 선상 피침형임. 8월에 담홍색 꽃이 경엽 사이에서 나온 화경(花梗) 끝에 피고, 과실은 삭과(蒴果)임. 산지에 나는데, 평북·함남·함북에 분포함.

장진-선【長津線】명『지』함흥(咸興)에서 장진호반(長津湖畔)의 사수리(泗水里)에 달하는 철도선. [70.9 km]

장:진-성【將進性】[—썽] 명 장취성(將就性).

장-진주[1]【將進酒】명『악』정철(鄭澈)의 사설 시조 ≪장진주사≫를 얹어 부르는, 여창(女唱) 가곡의 한 변형곡. 초장과 2장은 가곡처럼 16박 장단, 3장은 8박 장단으로 되풀이하고 4장 이하는 다시 16박의 가곡 장단으로 되돌아가며 평조(平調)로 부르다가 3장 중간에서 계면조(界面調)로 바꾸고 다시 평조로 되돌아감.

장-진주[2]【將進酒】명『문』중국 당(唐)나라의 이백(李白)이 지은 고시(古詩).

장진주-사【將進酒辭】명『문』조선 시대 때, 정철(鄭澈)이 지은 사설 시조 형식의 권주가(勸酒歌). 이백(李白)의 장진주(將進酒)에서 영향을 받은 작품인 듯함.

장진지-망【長進之望】명 장래에 크게 진출(進出)할 희망.

장진 해:탈【障盡解脫】명『불교』수행(修行)에 방해되는 번뇌를 끊고, 자유로운 경지에 이름. ——-하다 자여불

장진-호【長津湖】명『지』함경 남도 장진군 장진강 상류에 만든 인조호. 600m의 유효 낙차(有効落差)를 이용하여 32만 kW의 수력 발전을 함. [64 km²]

장:질[1]【長姪】명 장조카. 큰조카.

장질[2]【長疾】명 장병(長病).

장-질부사【腸窒扶斯】명『의』'장티푸스(腸 Typhus)'의 한자말.

장질부사-균【腸窒扶斯菌】명『의』'장티푸스균(腸 Typhus 菌)'의 한자말.

장-짐【場—】[—찜] 명 장에서 샀거나, 장에 가서 팔 물건을 꾸려 놓은 짐.

장 징궈〔蔣經國〕명『사람』중화 민국의 군인·정치가. 저장 성(浙江省) 사람. 장 제스의 맏아들. 1925년 이래 소련에 체재하다가 1937년 귀국함. 사회 개혁과 군사 교육 분야에서 활동했으며, 2차 대전 전후(戰後)에는 상하이 경제 독찰관(督察官), 중화 민국 행정원장, 국민당 중앙 위원회 주석 등을 역임하고, 1978년 중화 민국 총통에 취임함. 장경국 [1906-88]

장:-짠지【醬—】명 데친 오이와 배추를 간장에 절인 뒤에 온갖 조미료를 넣고 진장을 부어 익힌 반찬. 장함저(醬鹹菹).

장 쩌민〔江澤民〕명『사람』중국의 정치가. 장쑤(江蘇)성 출생. 1947년 상하이(上海) 교통 대학을 졸업하고 소련의 스탈린 자동차 공장 실습생으로 갔다가 1956년 귀국함. 이후 여러 요직을 돌다가 1987년 당 중앙위원이 되고, 1989년 당 총서기, 1990년 국가 중앙 군사 위원회 주석이 되었음. 1993년 3월 전인대회(全人大會)에서 국가 주석으로 올라 당총서기 겸 당 중앙 군사 위원회 주석의 3권을 장악함. 강택민. [1927-]

장:-쪽박【醬—】명 ↗간장 쪽박.

장쭤〔江左〕명 중국에서, 양쯔강(揚子江) 하류의 남안(南岸) 지방의 일컬음. 강좌.

장 쭤린〔張作霖〕명『사람』중화 민국의 군인·정치가. 펑톈파(奉天派)의 총수(總帥). 1917년에 돤 치루이(段祺瑞)를 도와서 공화국 회복에 조력(助力)하고, 1927년에 국민군을 베이핑(北平) 밖으로 축출하고 대원수(大元帥)가 되었으나, 장 제스(蔣介石)의 북벌군과 싸워 허난(河南)에서 대패하여 펑톈(奉天)으로 가던 중, 일본군의 음모로 폭사함. 장작림(張作霖). [1875-1928]

장 쭤린 폭살 사:건【—爆殺事件】〔張作霖〕[—껀] 명『역』1928년 6월 4일 베이징(北京)에서 펑톈(奉天)으로 돌아가던 장 쭤린이, 일본 간토군(関東軍)의 음모로 폭살된 사건. 간토군은 만주의 직접 점령을 구상했으나 중앙의 억제를 받았기 때문에 장 쭤린의 폭살을 실행, 중국 국민당 편의대(便衣隊)의 음모로 위장했음.

장쯔〔江孜〕명『지』시짱 자치구(西藏自治區) 남동부에 있는 도시. 넨추허(年楚河)의 동안(東岸)에 있는데, 1904년 영국과 티베트 간에 라사 조약(Lhasa 條約)이 체결되어 1906년 처음으로 영국과 인도에 대해 시장으로 개방했음. 인도로 통하는 교통의 요지로서 교역(交易)이 성함. 라마교 홍교파(紅教派)의 근거지임. 강자.

장차[1]【長差】명『천』행성(行星)이나 위성(衛星)의 궤도(軌道)의 위치(位置) 및 형상(形象)이 매년 조금씩 변화하여 가는 현상. 장년 섭동(長年攝動).

장차[2]【張次】명 책장의 차례.

장:차[3]【將差】명『역』고을 원이나 감사(監司)가 심부름으로 보내던 사람.

장:차[4]【掌車】명『역』대한 제국 때, 태복사(太僕司)의 한 벼슬.

장차[5]【將次】부 차차. 앞으로. ¶ ~ 뭣이 되려고 저러는지.

장-차다【長—】형 ①꿋꿋하고도 길다. ②길고도 멀다.

장착【裝着】명 의복·기구·장비 등을 붙이거나 착용함. ¶체인 ~의 차(車). ——-하다 타여불

장착 투쟁【裝着鬪爭】명『사』노동 쟁의 방법의 하나. 조합원이 요구 사항이나 구호가 쓰인 리본·완장·머리띠·어깨띠 등을 두르고 시위하는 일. 리본 투쟁.

장찬[1]【粧撰】명 허물을 숨기려고 꾸밈. 「제 아무리 ~을 하여 천연스럽게 대답을 하나 어찌 앞뒤 동이 꼭 맞아 흔적 없이 대답을 할 수가 있으리요《李海朝: 花世界》. ——-하다 타여불

장:찬[2]【掌饌】명『역』조선 시대 세자궁(世子宮)에 딸린 종칠품 궁인직(宮人職). 세자에게 올리는 음식을 맡았음. *장정(掌正).

장찰【長札】명 긴 사연의 편지.

〈장창[4]❶〉

장:창[1]【杖瘡】명 장형(杖刑)으로 매를 맞은 자리에 생긴 헌데. ¶~으로 고생하다.

장-창[2]【長—】명 신발 같은 것의 바닥 전체에 덧대는 창.

장창[3]【長窓】명『건』↗장영창(長映窓).

장창[4]【長槍】명 ①군기(軍器)의 한 가지. 전체의 길이 4m 안팎의 긴 창으로 끝에 물미가 있고 창날과 자루 사이에 코등이가 있음. 창날의 가운데에 혈조(血漕)가 있고, 자루의 위쪽에 희고 검고 붉은 세 빛을 간걸러 칠하였음. ②『역』무예 육기(武藝六技)·십팔기(十八技) 또는 무예 이십 사반(武藝二十四般)의 한 가지. 보졸(步卒)이 창을 가지고 여러 가지의 세(勢)를 취함.

장창(을) 쓴다 구 제가 해낼 수 있다고 호언 장담한다.

장창-당【長槍幢】명『역』신라의 군대 이름. 문무왕(文武王) 12년(672)에 베풀어서 효소왕(孝昭王) 2년(693)에 비금 서당(緋衿誓幢)으로 고치었음.

장-채【長—】명 가마 같은 것의 긴 채. ↔짧은채.

장:책[1]【杖責】명 ①곤장(棍杖)으로 때려 족침. ②태형(笞刑)으로 벌함. ——-하다 타여불

장책[2]【長册】명 장책(賬册).

장책[3]【長策】명 ①원대(遠大)한 계책(計策). ②승산(勝算).

장책[4]【粧册】명 책을 꾸미어 만듦. *제본(製本). ——-하다 타여불

장책[5]【賬册】명 거래처(去來處)에 따라서 분류(分類) 기입(記入)하는 상인(商人)의 장부. 장책(長册). ¶ ~에 달다.

장책 제원【粧册諸員】명『역』조선 시대 때, 제책(製册) 사무를 담당하는 교서관(敎書館)의 이서(吏胥)들.

장:처[1]【杖處】명 장형(杖刑)으로 곤장을 맞은 자리.

장처[2]【長處】명 ①마음씨나 행실의 가장 나은 점. ②여러 일 가운데 가장 잘하는 것. 미점(美點). 장소(長所). 장점(長點).

장처-전【莊處田】명『역』고려 때, 장(莊)과 처(處)로 구분된 내장전(內莊田)의 딴이름.

장:척[1]【丈尺】명 장대로 열 자 길이가 되게 만든 자.

장척[2]【長尺】명 ①썩 기다란 자. ②베·무명 등의 정척(定尺) 마흔 자를 넘게 짠 길이.

장척 레일【長尺—】〔rail〕명 장대 레일(長大 rail).

장:척-호【丈尺湖】명〖지〗경상 남도 창녕군(昌寧郡) 장마면(丈麻面)에 있는 못. [0.493 km²]

장천¹【長天】명 멀고도 넓은 하늘.

장천²【長川】부 ↗주야 장천(晝夜長川).

장-천공【腸穿孔】명〖의〗창자가 외상(外傷)이나 궤양(潰瘍)으로 인하여 구멍이 뚫린 병.

장-천장【長天一】명〖건〗귀틀이 장방형(長方形)으로 된 천장.

장첩【粧帖】명 아담하게 꾸며 만든 서화첩(書畫帖). 「여불

장:청¹【狀請】명〖역〗장본(狀本)을 올려 주청(奏請)함. ——-하다 타

장:청²【將廳】명〖역〗지방 군아(郡衙)와 감영(監營)에 딸린 장교(將校)의 직소(職所).

장청-산【長靑山】명〖지〗함경 북도 무산군(茂山郡) 삼사면(三社面)에 있는 산. [1,527 m]

장-청자【章靑磁】명〖공〗중국 송나라 때 룽취안(龍泉) 땅의 장생일(章生一)·장생이(章生二) 형제가 구워 낸 청자기(靑磁器). 형이 구워 낸 것을 가기(哥器) 또는 가요(哥窯)라고 하는데 터진 금 같은 무늬가 있고, 아우가 구워 낸 것을 룽취안요(龍泉窯)라고 함. 장요(章窯). 장용천(章龍泉).

장청-진【長靑鎭】명〖역〗고려 광종(光宗) 때, 거란(契丹)에 대비하여 평안 북도 영변(寧邊)과 태천(泰川) 중간에 베푼 진성(鎭城).

장-청판【長廳板】명〖건〗마룻바닥에 깔린 긴 널.

장체【長體】명 사진 식자(寫眞植字)의 변형 문자의 하나. 변형 보조 렌즈를 사용하여 폭을 약 10-30 % 축소시킨 문자.

장-체강【腸體腔】명〖생〗진체강(眞體腔).

장-체계【場遞計】명 장에서 돈을 비싼 변리로 꾸어 주고 장날마다 본전(本錢)의 얼마와 변리를 받아 들이는 일. ㊟체계(遞計).

장:초¹【壯抄】명〖역〗군인이 될 만한 장정(壯丁)을 골라 뽑음. ——-하다 자타여불

장초²【章草】명 초서(草書)의 별체(別體). 중국 후한(後漢)의 장제(章帝) 때 두조(杜操)가 이를 잘 썼고, 장제가 칭찬한 데서 유래함.

〈장초²〉

장:초-군【壯抄軍】명〖역〗장초(壯抄)에 뽑힌 사람.

장-초석【長礎石】명〖건〗누(樓) 및 정각(亭閣) 등에 있어서 길게 세운 초석(礎石).

장초점 렌즈【長焦點一】[lens] [一쩜一] 명 카메라에서 표준 렌즈보다 초점 거리가 길고 사각(寫角)이 좁은 렌즈. 같은 위치에서 촬영할 경우 표준 렌즈보다 큰 상(像)을 맺고 원근감(遠近感)의 과장(誇張)이 없는 자연스러운 묘사(描寫)를 얻는 이점이 있음.

장촉【長鏃】명 긴 붓촉.

장총【長銃】명〖군〗소총(小銃)을 단총(短銃)에 상대(相對)하여 일컫는 말. ↔단총(短銃).

장축【長軸】명〖수〗장경(長徑). 긴지름. ↔단축(短軸)❶.

장춘¹【長春】명 사시 장춘(四時長春)❶.

장춘²【長春】명〖지〗'창춘'을 우리 음으로 읽은 이름.

장-춘교【張春橋】명〖사람〗'장 춘차오'를 우리 음으로 읽은 이름.

장춘-등【長春藤】명〖식〗담쟁이덩굴.

장춘-랑【長春郞】[一출一] 명〖사람〗신라 태종(太宗) 무열왕 때의 장수. 백제와의 황산(黃山) 싸움에서 전망(戰亡)하였음. 뒤에 북한산(北漢山)에 장의사(壯義寺)를 지어 그의 명복을 빌었음.

장춘 불로지곡【長春不老之曲】명〖악〗'보허자(步虛子)'의 관악(管樂)으로서의 이름.

장 춘차오〔張春橋〕명〖사람〗중국의 정치가(政治家). 1966년 문혁 소조(文革小組) 부조장으로 활약하여, 1975년 부수상겸 군 총정치부(總政治部) 주임이 되었으나, 1976년 사인방(四人幇)의 한 사람으로 실각, 무기형으로 복역중. 장춘교. [1918-]

장춘-화【長春花】명〖식〗①월계화(月季花). ②금잔화.

장-출혈【腸出血】명〖의〗장벽(腸壁)에서의 출혈. 장티푸스·장결핵·장암·장궤양 등에 의한 증상으로, 상부 장출혈에서는 흑색변(黑色便)을, 하부 장출혈에서는 선혈변(鮮血便)을 나타냄.

장충【長蟲】명〖동〗'뱀'의 이칭(異稱).

장:충-단【奬忠壇】명〖역〗군인의 영령(英靈)을 제사 지내던 곳. 지금 서울의 장충단 공원(奬忠壇公園) 안에 있었음.

장:충단 공원【奬忠壇公園】명〖지〗서울 남산 동북쪽에 있는 공원. 조선 영조(英祖) 때부터 도성의 남쪽을 수비하던 남소영(南小營)이 있었던 곳으로 광무(光武) 4년(1900)에 고종(高宗)의 명으로 건립(建立)하였는데, 본래 초혼단(招魂壇)으로 을미 사변(乙未事變)에 순사(殉死)한 이경식(李耕植)·홍계훈(洪啓薰) 등의 충신(忠臣)을 1년에 두 번 제사 지내던 곳임. 이 공원 안에 있는 장충단비(碑)는 서울시 유형 문화재 제1호임.

장:충 체육관【奬忠體育館】명 서울 특별시 중구 장충동에 있는 실내 종합 체육관. 1963년 2월 준공. 수용 관객 8,000명.

장취¹【長醉】명 항상 술에 취해 있음. ——-하다 자여불

장취²【將就】명 앞으로 늘어 나감. 나날이 진보(進步)하여 감. 일장 월취(日將月就). ——-하다 자여불

장취 불성【長醉不醒】[一썽] 명 술을 계속 마시어서 깨지 아니함. ——-하다 자여불

장취-성【將就性】[一썽] 명 앞으로 진보(進步)하여 나갈 가능성(可能性). 장진성(將進性).

장 췬〔張群〕명〖사람〗중화 민국, 국민 정부의 군인·정치가. 쓰촨 성(四川省) 사람. 1926년 장 제스(蔣介石)의 신임을 얻어 국민 혁명에 참가. 후베이 성(湖北省) 정부 주석·외교 부장 등을 역임했고, 항일 전쟁(抗日戰爭) 중에는 행정원 부원장·국방 최고 위원회 비서장 등이 됨. 1954년 타이완(臺灣)에서 총통부 비서장이 됨. 장군(張群). [1889-1990]

장치¹ 명〈방〉장끼.

장치²【長治】명〖지〗'창즈'를 우리 음으로 읽은 이름.

장-치³【場一】명 장마다 변리를 갚는 빚. *날치².

장치⁴【腸痔】명〖한의〗똥구멍 안의 살이 밖으로 늘어져서 나온 치질. 탈항(脫肛).

장치⁵【裝置】명 ①차려서 꾸밈. 만들어 둠. ¶실내 ~. ②간단한 기계의 설비. ¶안전 ~/급수(給水) ~. ③〖연〗세트(set). ¶무대(舞臺) ~. ——-하다 타여불

장치⁶【藏置】명 ①간직하여 둠. 넣어 둠. ②통관(通關)을 하고자 하는 수출입(輸出入) 물품을 보세 구역(保稅區域) 안에 임치(任置)하는 일. ——-하다 타여불

장치 경영【裝置經營】명〖공〗장치를 생산 설비의 주체로 하는 공업 경영. 주로 화학 공업을 가리킴.

장치고 초치다【場一醋一】구〔'초치다'는 '장치다'의 장'을 '장(醬)'으로 엇걸어서 희학적(戲謔的)으로 덧붙인 신소리〕'장치다³'를 강조하여 일컫는 말.

장치 공업【裝置工業】명 생산 수단으로서 거대한 각종의 설비·장치를 필요로 하는 공업. 인건비의 감소, 설비의 근대화, 대량 생산에 의한 코스트 인하 효과가 큼. 석유 정제(石油精製)·석유 화학(石油化學) 공업 등. *장치 산업(産業).

장:-치기 명 공치기 운동의 한 가지. 양편의 사람들이 각각 공채를 가지고 장치기공을 쳐서 서로 한정한 금 밖으로 먼저 내보내기를 다투는 경기. 공치기. ——-하다 자여불

장치 기간【藏置期間】명 지정 보세 구역(指定保稅區域)에 물품 반입일로부터 물품을 장치하는 기간.

장:치기-공 명 장치기를 하는 데 쓰이는 공. 나무를 둥글게 깎아 만들며 크기는 일정하지 아니함.

장치-꾼 명〈방〉장부꾼.

장-치다¹ 자 말이 누워서 등을 땅에 대고 비비다.

장:-치다² 자 장치기를 하다.

장-치다³【場一】자 ↗독장치다.

장치-도【裝置圖】명 화학 공업 등에서 각 장치의 위치 및 제조 공정(工程) 등의 관계를 명시한 도면. *외형도(外形圖).

장치-산【長峙山】명〖지〗함경 남도 영흥군(永興郡) 요덕면(耀德面)과 선흥면(宣興面) 사이에 있는 산. [1,504 m]

장치 산:업【裝置産業】명 거대한 설비·장치를 가지며 거액의 자본 투하가 필요한 산업. 증류(蒸溜) 장치·분해 장치·압축기·분해기 등을 갖추는 석유 정제, 석유 화학 따위. *장치 공업.

장침¹【長枕】명 모로 기대 앉아서 팔꿈치를 괴게 만든 베개. 사방침(四方枕)보다 가로가 김.

〈장침¹〉

장침²【長針】명 ①긴 바늘. ②분침(分針). ¶시계의 ~. 1)·2):↔단침(短針).

장:-침채【醬沈菜】명 장김치의 한자 표기.

장 칭〔江靑〕명〖사람〗중국의 여성 정치가. 산둥 성(山東省) 출신. 구명(舊名)은 리 칭윈(李靑雲). 란 핀(藍蘋)의 예명(藝名)으로 상하이(上海)의 연극계(演劇界)에서 활약하다가 1939년 마오 쩌둥(毛澤東)과 결혼, 장 칭이라고 이름을 고치고 루 쉰(魯迅) 예술 학원 교수가 됨. 1966년 문화 혁명 때 활약하고, 중공 정치국원이 되어 강경 노선을 추구하다가 마오 쩌둥 사망 후 1976년 실각함. 복역중 자살. 강청. [1913-91]

장-카타르【腸一】〔도 Katarrh〕명〖의〗창자의 점막(粘膜)이나 근질(筋質)의 염증(炎症). 급성(急性)과 만성(慢性)이 있으며 배가 아프고 설사가 잦음. 섭생(攝生)이 좋지 못하거나 썩은 음식을 먹어서 생김. 장가답아(腸加答兒).

장:-칼【掌一】명 태껸에서, 손의 새끼손가락 쪽의 손바닥 모서리. 수도(手刀).

장칼내비 명〈방〉〖동〗도마뱀.

장:쾌¹【壯快】명 장하고 상쾌함. ¶스키의 활강은 ~하다. ——-하다 형여불 ——-히 부

장쾌²【駔儈】명 중도위.

장 크리스토프〔프 Jean Christophe〕명〖책〗프랑스의 롤랑(Rolland, R.)이 지은 장편 소설. 모두 10권. 1904-12년 발표. 천재 음악가 장 크리스토프의 고난에 찬 생애를, 당시의 서유럽 사회를 배경으로 전개한 대하 소설. 한 청년의 자기 형성의 책인 동시에 사회·시대에 대한 문명 비평의 책이기도 함.

장크트-갈렌〔Sankt Gallen〕명〖지〗스위스의 보덴 호(Boden 湖)와 취리히 호(Zürich 湖) 사이에 있는 주(州). 또 그 주도(主都). 수도원 부속의 교회, 도서관 등 바로크식 건축물이 있음. 섬유 공업·초콜릿 제조·기계 공업(機械工業) 등이 성하며 특산품(特産品)으로 자수(刺繡)가 있음.

장크트-푈텐〔Sankt Pölten〕명〖지〗오스트리아 빈 서쪽에 있는 고도(古都). 기계·섬유·제지 공업이 행해짐. 로마네스크에서 초기 고딕 양식의 것을 바로크식으로 고친 대성당(大聖堂)과 많은 바로크 건축이 있음.

장타【長打】명 야구에서, 롱 히트(long hit).

장-타령【場打令】명 속된 잡가(雜歌)의 한 가지. 동냥하는 사람이 장판이나 길거리로 돌아다니면서 부르는 것이 보통임. 각설이타령. *품바타령.

장타령-꾼【場打令一】명 장판이나 가게 앞으로 돌아다니면서 장타령

을 부르는 거지. 각설(却說)이.

장타-율【長打率】[명] 야구에서, 타수(打數)로 누타수(壘打數)를 나눈 수자.

장-탁자【長卓子】[명] 직사각형의 나직한 탁자. 보통, 두세 층을 들임.

장탄[1]【長歎】[명] 길게 한숨을 쉼. 길게 탄식함. 장탄식(長歎息). 영탄(永嘆). ——-하다 [자][여불]

장탄[2]【裝彈】[명] 총포(銃砲)에 탄알을 잼. ¶ ~ 장치. ——-하다 [자][여불]

장-탄수심【長歎愁心】[명] 크게 탄식하며 하는 근심.

장-탄식【長歎息】[명] 긴 한숨을 내쉬며 탄식함. 장태식(長太息). 장탄(長歎). 장식(長息). ——-하다 [자][여불]

장-탄저【腸炭疽】[명]〖의〗대장·소장 따위에 생기는 탄저.

장:-탕반【醬湯飯】[명] 장국밥❷.

장태[1]【漿胎】[명]〖공〗자기(瓷器)를 만드는 재료(材料)가 되는 흙. 자토(磁土)를 곱게 수비(水飛)하여 앙금을 앉힌 것으로서 희고 흡수성(吸水性)이 있음.

장:태[2]【醬太】[명] 장 담글 콩.

장-태수【張泰秀】[명]〖사람〗조선 말의 문신. 자는 성안(聖安), 호는 일유재(一逌齋). 인동(仁同) 사람. 철종(哲宗) 때 문과에 급제, 여러 벼슬을 거쳐 시종원경(侍從院卿)에 오름. 단발령(斷髮令)을 반대하여 한때 사직했었으며, 한일 합병이 되자 벼슬을 사직하고 은거함. 일본이 주는 은사금(恩賜金)을 거절하고, 세 아들이 붙잡혀 가자 단식 끝에 순국함. [1841-1910]

장-태식【長太息】[명] 장탄식(長歎息). ——-하다 [자][여불]

장-태평【長太平】[명] 아무 걱정이 없이 항상 태평함. ——-하다 [형][여불]

장-택【葬擇】[명] 장사 지낼 날짜를 택함. ——-하다 [자][여불]

장-택상【張澤相】[명]〖사람〗정치가. 호는 창랑(滄浪). 경북 칠곡(漆谷) 출신. 영국 에든버러 대학 중퇴. 해방 후 수도 경찰청장, 1948년 초대 외무부 장관, 1952년 국무 총리를 역임함. [1893-1969]

장-터【場—】[명] ①장이 서는 곳. 장을 보는 곳. ②〈방〉장[20](場)(전남·경상).

장토【庄土】[명] 전장(田庄).

장통[1]【長通】[명] 아래 위칸 사이를 막지 않고 틈. ¶세 칸 ~의 방.

장:통[2]【掌通】[명]〖역〗사헌부(司憲府)의 장령(掌令)을 골라 쓸 때 후보자 세 사람 속에 추천되는 일.

장:통[3]【醬桶】[명] 간장을 담는 나무로 만든 통.

장통-교【長通橋】[명]〖지〗서울 장교동(長橋洞)과 관철동(貫鐵洞) 사이에 있었던 돌다리.

장:-통김치【醬—】[명] 통배추를 간장에 절여서 온갖 고명을 하여 간장 물을 부어 익힌 김치.

장-티푸스【腸—】〔도 Typhus〕[명]〖의〗급성 전염병의 하나. 장티푸스균이 창자를 침범하여 생기는 전신병(全身病). 고열이 나며 두통·식욕부진·설태(舌苔)·비종(脾腫)·설사(泄瀉)·장출혈(腸出血)·뇌증(腦症) 등을 일으킴. 법정 전염병의 하나임. 열병. 염병(染病). 장질부사.

장티푸스-균【腸—菌】〔도 Typhus〕[명] 장티푸스의 병원균(病原菌). 에베르트(Eberth)·가프키(Gaffky) 두 사람이 발견한 중등대(中等大)의 간균(桿菌)으로, 8-12의 편모(鞭毛)를 가지고 운동함. 경구(經口) 침입으로 소장(小腸)에 이르면 발병함. 장질부사균.

장파[1]【長波】[명]〔long wave, low-frequency〕〖물〗파장(波長) 1 km에서 10 km, 주파수 30-300 kHz 까지의 전자기파(電磁氣波). 현재 주로 근거리(近距離) 통신에 이용됨. 킬로미터파(波). 약칭:엘 에프(LF). *단파·중파.

장:파[2]【長派】[명] 맏파.

장:파[3]【狀罷】[명]〖역〗죄를 저지른 수령(守令)을 그 도(道)의 감사(監司)가 왕에게 장계(狀啓)하여 벼슬을 떼던 일. ——-하다 [타][여불]

장 파울〔Jean Paul〕[명]〖사람〗독일의 작가. 본명은 Friedrich Richter. 괴테(Goethe) 시대의 서민에게 인기를 모은 소설을 썼고, 고전주의와 낭만주의 사이에서 특이한 지위를 차지함. 민주적 사상과 유머·풍자(諷刺)를 특색으로 하고 후세의 리얼리즘 작가에게 지대(至大)한 영향을 줌. 저작(著作)으로 ≪부츠 선생의 즐거운 생애≫·≪미학 입문(美學入門)≫ 등이 있음. [1763-1825]

장-파장【長波長】[명]〖물〗장파(長波)의 파장(波長).

장판[1]【壯版】[명] ①새벽질을 하고 그 위에 기름 먹인 종이를 바른 방바닥. ②↗장판지(壯版紙). ——-하다 [자][여불]

장:판[2]【杖板】[명]〖역〗장형(杖刑)을 집행할 때 죄인을 엎드리게 하여 팔·다리를 잡아매는 틀. 장대(杖臺).

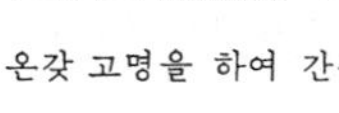

〈장판²〉

장판[3]【長坂】[명]〖지〗'창반'을 우리 음으로 읽은 이름.

장-판[4]【場—】[명] ①장이 선 곳. ②많은 사람이 모여서 복작거리는 곳을 가리키는 말.

장판[5]【藏版·藏板】[명] 어떤 곳에 보관(保管)하여 둔 책판(冊板).

장판-돌【壯版—】〔—똘〕[명]〖광〗선광(選鑛)할 때에 광석(鑛石)을 놓고 두드려 깨뜨리는 받침돌.

장판-머리 [명] 소의 양에 붙어 있는 넓적한 고기. 국거리로 씀.

장판-문【—門】[명]〖건〗문틀에다 널빤지를 붙여 만든 문. 부엌문이나 광문으로 쓰임.

장판-방【壯版房】[명] 바닥을 장판지(壯版紙)로 바른 방.

[장판방에서 자빠진다] ㉠안전한 곳에서 실각(失脚)함을 말함. ㉡마음을 놓은 데서 실수가 생기는 것이니 항상 조심하라는 말.

장판-지【壯版紙】[명] 기름 먹인 두꺼운 종이. 방바닥을 바르는 데 씀. [준]장판(壯版).

장:패[1] [명]〈속〉〔←장파(長派)〕 맏파.

장:패[2]【將牌】[명]〖역〗비장(裨將)·군관이 허리에 차던 나무패.

장:편[1]【杖—】[명]〖악〗쇠로 만든 테에 쇠가죽을 메워서 장구의 오른편 마구리에 댄 부분. 채로 침.

장편[2]【長篇】[명]〖문〗①구수(句數)에 제한이 없는 한시체(漢詩體)의 한 가지. ②편장(篇章)이 긴 시가(詩歌)·문장(文章)·소설 등 특히 장편 소설. ↔단편(短篇). ¶ ~ 소설.

장:편[3]【掌篇】[명] ①극히 짧은 작품. ②콩트(conte)❶. ¶ ~ 소설.

장편-물【長篇物】[명] ①〖연〗영화나 연극의 내용이 아주 길고 복잡한 것. ②〖문〗장편 소설(長篇小說). ↔단편물.

장편 소:설[1]【長篇小說】[명]〖문〗취재(取材)한 세계가 광범하고 구상도 복잡하여 등장 인물이 많으며 양(量)도 많은 소설. 전기(傳奇). 장편물. ↔단편 소설.

장:편 소:설[2]【掌篇小說】[명]〖문〗콩트(conte)❶.

장-편충【長扁蟲】[명]〖충〗곤보벌레.

장:-편포【醬片脯】[명] 간장을 쳐 만든 편포. ↔소금 편포.

장평-산【長平山】[명]〖지〗함경 남도(咸鏡南道) 갑산군(甲山郡)에 있는 산. [1,245 m]

장평-진【長平鎭】[명]〖역〗고려 광종(光宗) 때, 거란(契丹)에 대비하여 함경 남도 영흥(永興)에 베푼 진성(鎭城).

장:폐[1]【杖斃】[명] 장형(杖刑)으로 죽음. 장사(杖死). ——-하다 [자][여불]

장폐[2]【障蔽】[명] ①덮어서 숨김. 또, 그 물건. 덮개. 가리개. ②장병(障屛). ——-하다 [타][여불]

장-폐색【腸閉塞】[명]〖의〗장폐색증.

장-폐색증【腸閉塞症】[명]〖의〗장관(腸管)의 일부가 막히는 질환. 장관(腸管) 외부로부터의 압박(壓迫)·장염전(腸捻轉)·장겹돈(腸箝頓) 등에 기인하며, 복부 산통(腹部疝痛)·변통 폐지(便通閉止)·구토·장이상 운동(腸異常運動)을 초래하고 토분증(吐糞症)을 일으킴. 장폐색.

장포[1] [명] ①〖식〗창포(菖蒲)❶. ②〖한의〗창포(菖蒲)❷.

장포[2]【場圃】[명] 집 근처에 있는 채소 밭.

장포[3]【獐脯】[명] 노루 고기로 뜬 포.

장포[4]【漿疱】[명]〖한의〗살이 부르터서 진물이 괴어 곪은 부스럼.

장:포[5]【醬脯】[명] ①진장을 치고 주물러서 말린 포육. ②쇠고기를 진장에 주물러서 구운 뒤에 네모지게 썰어 간장에 넣은 반찬. ③살코기를 두툼하고 넓적하게 저며서 거죽만 바싹 구워 방망이로 두들겨 진장을 묻혀서 또 굽고 또 두들기고 몇 번이든지 되풀이하여 속까지 익힌 포. ↔건포(乾脯).

장:-폭【帳幅】[명] 휘장(揮帳).

장표[1]【莊票】[명] 중국에서 쓰이던 일종의 무기명(無記名) 약속 어음. 지폐(紙幣)와 똑같이 유통되었음.

장표[2]【章標】[명]〖역〗오위(五衛)의 장졸(將卒)이 그 소속의 부대를 나타내던 표. 제 각기 일정한 빛깔의 헝겊에 인수(認獸)를 그리고 대(隊)의 이름을 써서 붙임. 신라의 금(衿)과 같은데 중위(中衛)는 직경(直徑)이 다섯 치 되는 누른 빛 둥근 헝겊에 날개 돋친 뱀을 그리어 가슴에 대고, 전위(前衛)는 한 변(邊)이 일곱 치 되는 삼각형의 붉은 헝겊에 주작(朱雀)을 그리어 배 앞에, 좌위(左衛)는 길이 여덟 치 넓이 세 치의 장방형의 남빛 헝겊에 용(龍)을 그리어 왼편 어깨에, 우위(右衛)는 네 치 평방의 흰 헝겊에 날개 돋친 범을 그리어 오른편 어깨에, 후위(後衛)는 원호(圓弧)의 두 끝 사이가 여섯 치 되는 곡면(曲面)의 검은 빛 헝겊에 거북을 그리어 등에 붙임. 임진 왜란 뒤에는 헝겊의 규격만을 길이 여섯 치 넓이 네 치의 장방형으로 통일하였음. 장복(章服). [준]장(章).

장표[3]【章表】[명] ①표시를 붙이어 나타냄. ②표시를 붙이어 나타내는 패. ——-하다 [타][여불]

장푸 [명]〈방〉〖식〗장포[1]❶(평안).

장품【贓品】[명]〖법〗장물(贓物).

장품-죄【贓品罪】〔—쬐〕[명]〖법〗장물죄(贓物罪).

장풍[1]【長風】[명] 멀리서 불어오는 바람. 멀리까지 불어가는 강한 바람. 또는 씩씩하고 기운찬 모양의 비유.

장:풍[2]【掌風】[명] 중국식 권법(拳法)인 쿵푸(功夫)의 재간. 몸 안의 기(氣)를 손바닥으로 몰아 바람으로 내쏘는 무술.

장풍[3]【腸風】[명]〖한의〗똥을 눌 때 피가 나오는 병. 결핵성의 치질이 그 원인이 됨.

장풍운-전【張豐雲傳】[명]〖문〗작자·제작 연대 미상의 고전 소설의 하나. 주인공 장 풍운이 부처님에게 바친 정성으로 헤어졌던 아버지를 만나고 약혼녀 경패(慶貝)와도 만나 행복하게 살았다는 이야기. 국문본.

장피【獐皮】[명] 노루의 가죽.

장피-살 [명]〖건〗창살의 배가 약간 불러서 마치 장포의 줄기 모양으로 된 살.

장-필무【張弼武】[명]〖사람〗조선 중기의 무신. 자는 무부(武夫), 호는 백야(栢冶). 구례(求禮) 사람. 중종(中宗) 때 무과에 급제, 경상 좌도 병마 절도사에 이름. 역학(易學)에도 밝았고, 명종(明宗)·선조(宣祖) 때의 가장 청렴한 무인(武人)으로 청백리(淸白吏)에 녹선(錄選)됨. 시호는 양정(襄貞). [1510-74]

장:하[1]【杖下】[명] 장형(杖刑)을 하는 그 자리. ¶ ~에 숨지다.

장하[2]【長夏】[명] ①해가 긴 여름. ②음력 6월의 이칭.

장:하[3]【帳下】[명] ①장막(帳幕) 아래. ②막하(幕下).

장-하[4]【張夏】[명]〖사람〗여말 선초(麗末鮮初)의 문신. 결성(結城) 장씨의 시조. 공민왕(恭愍王) 때 홍건적(紅巾賊)의 침입시에 개경(開京)을 수복하였고, 우왕(禑王) 때 의성(義城)에서 왜구를 격파하였음. 뒤에 전라도·경상도 도관찰 출척사(都觀察黜陟使) 등을 지냄. 조선 개국 후 결성군(結城君)에 봉해짐.

장하[5]【裝荷】[명]〔loading〕통신 선로(通信線路)에 있어서 전송 특성(傳送特性)을 좋게 하기 위한 목적으로 회로의 도중에 인덕턴스(inductance)를 삽입(挿入)하는 일. ¶ ~ 케이블. ——-하다 [타][여불]

장하[6] 【牆下】 명 담 밑. 담 가까이.

장:-하다[1] 【仗—】 타여불 기대다. 의지하다.

장-하다[2] 【障—】 타여불 막다.

장:-하다[3] 【壯—】 형여불 ①하는 일이 매우 훌륭하다. ¶장한 일. ②놀랍다. ③갸륵하다. ¶상을 타다니 참 ～/장한 어린이. 장:-히 【壯—】 부

장-하다[4] 【長—】 형여불 무슨 일에 매우 능하다. ¶그림에 ～.

장하 방식 【裝荷方式】 명 〖물〗 전화기 사이에 2km 내외의 거리로 장하 코일을 두거나 또는 도선(導線)의 표면에 특수 합금을 감아 음성(音聲) 전류의 세력 소모를 방지하는 방법.

장:하 원:귀 【杖下冤鬼】 명 곤장을 맞고 죽은, 원한 맺힌 귀신.

장하-주 【章下註】 명 대문(大文)마다 주석(註釋)을 내리지 아니하고 한 장이 끝난 뒤에 총괄하여 내리는 주석.

장:하지-혼 【杖下之魂】 명 장형(杖刑)을 당하는 마당에서 죽은 혼령(魂靈).

장:하 치:명 【杖下致命】 명 곤장을 맞고 그자리에서 죽음. ——-하다 자여불

장하 케이블 【裝荷—】 [cable] 명 〖전〗 장하 방식을 갖춘 원거리 통신용의 케이블. ↔무장하 케이블.

장하 코일 【裝荷—】 [coil] 명 〖전〗 통신 선로(通信線路)에서, 전송로(轉送路)의 감쇠(減衰)를 적게 할 목적으로 전화 전송 선로에 등간격(等間隔)으로 삽입하는 인덕턴스.

장:학[1] 【奬學】 명 학문을 장려함. ¶～금. ——-하다 자여불

장:학[2] 【瘴瘧】 명 〖한의〗 장기(瘴氣)를 마셔서 앓는 학질(瘧疾).

장:학-관 【奬學官】 명 〖교〗 교육의 지도·조사 및 감독에 관한 사무를 맡은 교육 공무원. 대학 졸업자로서 7년 이상의 교육 경력·교육 행정 경력이 있는 자, 2년 이상의 장학사의 경력이 있는 자 등에 자격이 있음.

장:학-금 【奬學金】 명 ①학문의 연구를 돕기 위한 장려금. ②경제적인 이유에 의하여 취학(就學)하지 못하는 우수한 학생에게 수여하는 학자 보조금(學資補助金).

장-학량 【張學良】 [—냥] 명 〖사람〗 '장 쉐량'을 우리 음으로 읽은 이름.

장:학-사 【奬學士】 명 〖교〗 교육의 지도·조사 및 감독에 관한 사무를 맡은 교육 공무원. 대학 졸업자로서 5년 이상의 교육 경력이 있는 자 등에 자격이 있음.

장학사-전 【張學士傳】 명 〖문〗 '조생원전(趙生員傳)'을 개작(改作)한 소설명.

장:학-생 【奬學生】 명 장학금을 받는 학생.

장-학성 【章學誠】 명 〖사람〗 중국 청(清)나라 때의 사학자. 자는 실재(實齋). 모든 학문을 사학(史學)이라고 보고, 사적 사실(史的事實)을 통하여 그 법칙을 구하였음. 저서에 ≪문사 통의(文史通義)≫·≪사적고(史籍考)≫ 등이 있음. [1738-1801]

장:학 제:도 【奬學制度】 명 ①학생에게 학자(學資)를 보조하여 그 진학(進學)을 돕는 육영(育英) 제도. ②학자에게 연구비나 상금을 주어 그 연구를 장려하는 학술 연구 장려 제도.

장:학 지도 【奬學指導】 명 〖교〗 교사가 충분한 학습 지도를 할 수 있도록 조력하고 지도하는 활동. ——-하다 타여불

장:한[1] 【壯悍】 명 씩씩하고 굳셈. ——-하다 형여불

장:한[2] 【壯漢】 명 허우대가 크고 힘이 세찬 사내.

장한[3] 【長旱】 명 오랜 가물음. 대한(大旱).

장한[4] 【長恨】 명 오래도록 잊지 못할 원한.

장한-가 【長恨歌】 명 〖문〗 중국 당(唐)나라의 백낙천(白樂天)이 지은 서사시(敍事詩). 당나라의 현종 황제(玄宗皇帝)가 양귀비(楊貴妃)를 잃은 한(恨) 맺힌 정을 읊은 것으로 전편(全編) 칠언(七言) 120 구(句)로 되었음. 806년 작.

장한-몽[1] 【長恨夢】 명 오래도록 사무쳐 잊을 수 없는 마음.

장한-몽[2] 【長恨夢】 명 〖악〗 서도 가요의 하나. 일본 소설 ≪곤지키야샤(金色夜叉)≫를 번안(飜案)한 애정 소설 ≪장한몽(長恨夢)≫을 소재(素材)로 함. 끝은 수심가조(愁心歌調)로 됨.

장-한(:)보 【張漢輔】 명 〖사람〗 조선 중기의 학자. 자는 자방(子房), 호는 은계(銀溪). 울진(蔚珍) 사람. 중종(中宗) 17년(1522) 별시 문과(別試文科)에 급제, 여러 벼슬을 거쳐 판돈령부사(判敦寧府事) 등을 지냄. 경사(經史)에 밝았고 성리학(性理學)에 일가를 이룸. 생몰년 미상.

장한-성 【長漢城】 명 〖문〗 실전(失傳)된 신라 시대의 가요. 장한성은 신라의 국경인 한산(漢山) 북쪽 한강에 있었으며, 신라가 그곳에 큰 진(鎭)을 두었는데 뒤에 고구려에 점령되었으나 다시 군사를 일으켜 성을 도로 찾고 이 노래를 지어 그 공을 기념하였다고 함. ≪고려사≫ 악지(樂志)에 전함.

장한 절효기 【張韓節孝記】 명 〖책〗 조선 시대 때의 유교적 도덕 관념을 강조한 소설. 원수를 은덕으로 갚는다는 내용의 윤리 소설임. 작자와 제작 연대는 미상.

장-한(:)종 【張漢宗】 명 〖사람〗 조선 중기의 화가. 자(字)는 광수(廣叟), 호는 옥산(玉山)·열청재(閱淸齋). 인동(仁同) 사람. 득만(得萬)의 증손. 화원(畫員)으로 감목관(監牧官)을 지냈으며 어해(魚蟹)를 잘 그렸음. [1768-?]

장함 【長銜】 명 위계(位階)·관직(官職)을 쓴 명함.

장:-함저 【醬醎菹】 명 장짠지.

장항[1] 【長項】 명 〖지〗 충청 남도 서천군(舒川郡)의 한 읍. 금강(錦江) 하류의 북안에 위치하며 군산(群山)의 대안에 있음. 장항선(長項線)의 종점이며 건식(乾式) 대제련소(大製鍊所)가 있고, 이 밖에 1967-68년에는 인산 비료 공장 등 2개의 비료 공장이 건설됨. [22,314 명(1990)]

장-항[2] 【張沆】 명 〖사람〗 고려 때의 문신. 호는 눌재(訥齋). 영동(永同) 사람. 충혜왕(忠惠王) 때 예산군(禮山君)에 피봉됨. 청렴·정직하였으며 예악(禮樂)에 밝아 공민왕(恭愍王) 때 대묘(大廟)의 예악 기복(禮樂器服)을 수리함. 시호는 문현(文顯). [?-1353]

장:항[3] 【醬缸】 명 간장을 담는 항아리.

장항-령 【獐項嶺】 [—녕] 명 〖지〗 ①충남 청양군(青陽郡) 정산(定山)의 서쪽 2km 지점에 있는 재. ②경기도 안성(安城)과 죽산(竹山) 사이의 백운산(白雲山) 남쪽에 있는 재. ③평안 북도 압록강 상류 만포진(滿浦鎭) 남쪽에 있는 재. [580 m]

장항-선 【長項線】 명 〖지〗 충청 남도 천안(天安)에서 장항(長項)까지의 단선 철도(單線鐵道). 1931년 8월 1일 개통. [144.2 km]

장항-현 【獐項峴】 명 〖지〗 평안 북도 삭주군(朔州郡) 삭주면(朔州面)에 있는 재. [342 m]

장해[1] 【戕害】 명 참혹하게 상해(傷害)함. ——-하다 타여불

장해[2] 【障害】 명 ①거리껴서 해가 되게 함. ②장애(障礙). ——-하다 타여불

장:해[3] 【醬蟹】 명 게젓.

장해 급여 【障害給與】 명 〖법〗 공무원 연금법상의 장해 연금과 장해 보상금, 근로 기준법상의 장해 보상, 선박법의 폐질(廢疾) 연금·폐질 수당금 등의 장기(長期) 급여.

장해-물 【障害物】 명 장애물(障礙物).

장해 보:상 【障害補償】 명 〖법〗 근로자의 직무상 상병(傷病)이 생기어 치유된 후에도 신체 장해가 있을 때에 사용자가 그 정도에 따라 평균 임금에 법정 일수를 곱하여 지급하는 재해 보상. 그 병상에 고의 또는 중대한 과실이 있다고 인정되면 지급의 필요가 없게 됨.

장해 상자 【障害箱子】 명 〖심〗 장애 상자(障礙箱子).

장해 수당 【障害手當】 명 〖법〗 선원법(船員法)에서, 선원의 직무상 상병(傷病)이 발생하여 치유된 후에도 신체상의 장해가 있을 때에 선박 소유자가 지급하는 재해 보상. 그 병상(病狀)에 고의 또는 중대한 과실이 있을 경우는 지급할 필요가 없어짐.

장해 연금 【障害年金】 명 〖법〗 공무원 연금법에서, 공무원이 공무상 입은 폐질(廢疾)로 퇴직하거나 퇴직한 후 3년 이내에 공무로 인하여 폐질이 될 때 국가가 지급하는 장기 급여(長期給與).

장:행 【壯行】 명 남의 장도(壯途)에 오름을 성대(盛大)히 함. ¶～회(會). ——-하다 타여불

장-행랑 【長行廊】 [—낭] 명 〖역〗 고려 개경(開京)의 동남쪽 가로(街路)에 벌여 세운 어용(御用)의 전방(廛房). 이후 조선 시대 때에도 서울의 큰 거리 양쪽에 길게 각 주비전(注比廛)을 세워 물건을 팔게 하였음. 장옥(長屋). 행랑(行廊).

장:행-회 【壯行會】 명 군인의 출정(出征)이나 운동 선수의 원정(遠征) 등의 여정(旅程)에 오름을 성대(盛大)히 하는 축복의 모임.

장:향 【杖鄕】 명 중국 주(周)나라 때 60세부터 고향에서 지팡이를 짚는 것을 허락하던 일. 전(轉)하여, 60세의 일컬음. *장조(杖朝).

장헌 세:자 【莊獻世子】 명 〖사람〗 조선 영조(英祖)의 제2 왕자. 휘(諱)는 선(愃). 이복형(異腹兄)인 효장(孝章) 세자가 요절하여 세자로 책봉된 후 장성하면서 학문을 게을리하고 광태(狂態)를 일삼아 부왕(父王)의 노염을 사서 뒤주 속에 갇혀 죽었음. 사후에 영조에 의해서 사도 세자(思悼世子)로 시호(諡號)가 내려지고, 정조(正祖)가 즉위하자 장헌 세자로 추존(追尊)되었으며, 광무 3년(1899)에 장조(莊祖)로 추존(追尊)되었음. [1735-62]

장혀 명 〈방〉 〖건〗 장여[2].

장-현 【獐峴】 명 〖지〗 ①황해도 평산군(平山郡)에 있는 재. [67 m] ②경상 북도 봉화군(奉化郡)에 있는 재. [572 m]. ③전라 북도 무주군(茂朱郡) 남면(南面)과 안성면(安城面) 사이에 있는 재.

장-현(:)광 【張顯光】 명 〖사람〗 조선 인조(仁祖) 때의 성리학자(性理學者). 자는 덕회(德晦), 호는 여헌(旅軒). 인동(仁同) 사람. 정구(鄭逑)의 문인. 20여 차례 공조 판서·우참찬 등으로 임명되었으나 사퇴하고 오로지 자제 교육과 학문에 일생을 바쳤음. 저서에 ≪역학 도설(易學圖說)≫·≪성리설(性理說)≫·≪여헌집(旅軒集)≫이 있음. 시호는 문강(文康). [1554-1637]

장:혈[1] 【葬穴】 명 시체를 묻는 구덩이. 광(壙).

장혈[2] 【獐血】 명 〖한의〗 노루의 피. 보혈제(補血劑)로 씀.

장-협착 【腸狹窄】 명 〖의〗 장관(腸管)의 강구(腔口)가 좁아지는 증상. 장결핵·장유착(腸癒着)·종양(腫瘍) 등에 의하여 일어남.

장:형[1] 【杖刑】 명 〖역〗 중국 대명률(大明律)에서 비롯한 옛 오형(五刑)의 하나. 곤장으로 볼기를 치는 형벌. 예순 번으로부터 백 번까지 이름.

장:형[2] 【長兄】 명 맏형. ——-하다 타여불

장-형[3] 【張炯】 명 〖사람〗 독립 운동가. 교육자. 호는 범정(梵亭). 평북 용천(龍川) 출신. 1911-45년 만주·중국 등지에서 독립 운동에 투신, 특히 자금 조달에 공이 큼. 1947년 단국 대학(檀國大學)을 설립, 재단 이사장이 됨. [1889-1964]

장-형[4] 【張衡】 명 〖사람〗 중국 후한(後漢)의 문인·과학자. 자는 평자(平子). 안제(安帝)에게 초빙되어 대사령(大史令)이 되고 일종의 천구의(天球儀)인 '혼천의(渾天儀)'와 지진계(地震計) 비슷한 '후풍 지동계(候風地動計)'를 만들었음. 또한 부문(賦文)에도 능하여 ≪이경부(二京賦)≫·≪귀전부(歸田賦)≫를 지었음. [78-139]

장:형 부모 【長兄父母】 명 맏형의 지위는 부모와 같다는 뜻. 맏형은 부모처럼 집안과 아랫 사람을 돌보기 때문에 이름.

장형 시조 【長型時調】 명 〖문〗 장시조(長時調).

장형 회:당 【長形會堂】 명 장방형 혹은 라틴 십자형의 평면을 갖는 그리스도 교회당의 형식. 바실리카 형(basilica型)이라고도 함. 내부는 2열(列) 혹은 4열의 기둥으로 중앙의 네이브(nave)와 좌우의 측랑(側廊)으로 나누어짐. 네이브의 안쪽에 제단(祭壇), 그 반대 쪽에 입구(入口)가 있음.

장-혜(:)언 【張惠言】 명 〖사람〗 중국 청(清)나라 학자. 자는 고문(皐文), 호는 명가(茗柯). 전서(篆書)를 잘 쓰고 경학(經學) 특히 역(易)과 예(禮)

타여불

재:-검증【再檢證】명 일단 검증한 것을 다시 검증함. ——-하다 타여불

재:-검토【再檢討】명 한 번 검토한 것을 다시 검토함. ¶원안을 ～하다. ——-하다 타여불

재:-검표【再檢票】명 다시 검표함. ——-하다 자타여불

재-격【才格】명 재주와 품격(品格).

재결[1]【災結】명 재상(災傷)을 입은 논밭.

재결[2]【裁決】명 ①옳고 그름을 가리어 결단함. 재량하여 결정함. 결재(決裁). 재단(裁斷). ②〖법〗 재결 신청·이의 신청·소원(訴願) 등에 대한 행정 기관의 판정. ——-하다 타여불

재결[3]【齋潔】명 재계(齋戒)하여 심신을 깨끗이 함. ——-하다 자여불

재결-권【裁決權】[-꿘] 명 〖법〗 이의 신청이나 소원을 재결할 수 있는 권한.

재결 신청【裁決申請】명 〖법〗 당사자간에 행정상의 법률 관계에 관하여 분쟁이 있는 경우에 제삼자인 행정 기관에 그 판정(判定)을 청구(請求)하는 행위.

재:-결정[1]【再決定】[-쩡] 명 결정한 일을 일단 물렸다가 다시 결정함. ¶～을 보다. ——-하다 타여불

재:-결정[2]【再結晶】[-쩡] 명 〔recrystallization〕 ①〖화〗 결정성의 고체(固體)를 물이나 다른 용매(溶媒)에 용해(溶解)하여 냉각 또는 증발에 의하여 다시 결정으로서 석출(析出)시키는 일. 결정물 가운데의 불순물(不純物)을 없애고 정제(精製)하기 위하여 행함. ②〖지〗 변성 작용(變成作用)에서, 암석 중에 새로운 결정형(結晶形)의 광물립(鑛物粒)을 생성(生成)하는 일.

재결 처:분【裁決處分】명 〖법〗 법규에 정한 형식을 좇아 조금도 재량하지 아니하고 내리는 행정 처분. 조세를 징수하는 일 따위.

재:-결합【再結合】명 ①다시 결합함. ¶이산(離散) 가족의 ～. ②〔recombination〕〖화〗 전리(電離)에 의해 갈려진 음양(陰陽)의 이온 또는 전자(電子)와 양(陽)이온이 재차 결합하여 중성(中性) 분자 또는 원자를 만드는 일. ③〔recombination〕〖물〗 방사선(放射線)에 의해 분해된 화합물이 다시 결합하는 일. 원자로(爐) 안에서 방사선에 의해, 물이 산소(酸素)와 수소(水素)로 분해되는데, 이것을 다시 물로 화합(化合)시키는 따위. ——-하다 자여불

재:결합 계:수【再結合係數】명 〔recombination coefficient〕〖물〗 재결합의 속도 상수(常數).

재:결합 반:응【再結合反應】명 〔recombination reaction〕〖물〗 빛의 조사(照射)·방전(放電) 또는 가열(加熱) 등으로 인하여 만들어진 유리기(遊離基)끼리 결합하여 다시 안정된 분자가 되는 반응.

재:결합 발광【再結合發光】명 〔recombination radiation〕〖물〗 절연체(絕緣體) 또는 반도체(半導體)에서, 담체(擔體)의 전자와 정공(正孔)이 재결합(再結合)할 때 발하는 빛의 방사(放射). 반도체 레이저(laser)에 이용됨.

재:결합 에너지【再結合―】〔energy〕명 〖물〗 반대 부호(反對符號)의 전하(電荷)를 가진 원자(原子)나 분자(分子)가 결합하여, 중성(中性)의 원자나 분자로 되었을 때 방출(放出)되는 에너지.

재겸【災歉】명 재상(災傷)으로 곡식이 잘 여물지 못함.

재:경[1]【在京】명 서울에 있음. ¶～ 동창회. ——-하다 자여불

재:경[2]【再耕】명 〖농〗 두번갈이. ——-하다 자여불

재경[3]【宰卿】명 대신(大臣). 재상(宰相).

재경[4]【財經】명 재정(財政)과 경제(經濟). ¶～ 위원회.

재:-경매【再競賣】명 〖경〗 부동산 등의 경매에서, 경락(競落)이 허가 결정된 후에 경락인(競落人)이 대금을 지불하지 않을 때 다시 하는 경매. ——-하다 타여불

재경-원【財經院】명 ↗재정 경제원.

재경-부【財經部】명 ↗재정 경제부.

재경 위원회【財經委員會】↗재정 경제 위원회.

재:계[1]【再啓】명 〔다시 이야기한다는 뜻〕 편지를 일단 끝낸 뒤에 더 적을 일이 있을 때 그 첫머리에 쓰는 말. 추계(追啓). ——-하다 타여불

재계[2]【財界】명 〖경〗 대자본을 중심으로 한 실업가 및 금융업자의 사회. 경제계(經濟界). ¶～의 거두.

재계[3]【齋戒】명 마음과 몸을 깨끗이 하고, 부정(不淨)한 일을 멀리하는 일. 준재(齋). ——-하다 자여불

재계-인【財界人】명 국가 또는 지역 사회의 경제를 움직일 수 있는 힘을 가진 실업가나 금융업자.

재계재-부【齋戒齋部】명 한자 부수(部首)의 하나. '齋'나 '齎' 등의 '齊'의 이름.

재:고[1]【再考】명 다시 생각함. 고쳐 생각함. ¶～의 여지가 없다. ——-하다 타여불

재:고[2]【在告】명 벼슬아치가 말미를 받아 집에 있는 일.

재:고[3]【在庫】명 ①창고(倉庫) 같은 데에 쌓여 있음. ②↗재고품(在庫品). ¶～ 정리.

재:고[4]【再顧】명 ①두 번 돌아다봄. 다시 돌이켜 봄. ②전(轉)하여, '미인(美人)'의 뜻. ——-하다 타여불

재고[5]【齋鼓】명 〖불교〗 절에서 식사 시간을 알리는 북.

재:고[6]부 〈방〉 겨우(경상).

재:고 관리【在庫管理】[-괄-] 명 〖경〗 기업체가 제품(製品)·반제품·원재료(原材料)를 보관하여, 수량적으로 계획·통제하는 활동. 원재료 관리와 상품 관리의 두 가지가 있음.

재:고 목표【在庫目標】명 〖경〗 현재의 활동을 유지(維持)하기 위해, 보유(保有)해야 할 재고의 최대량. 활동 수준(水準)과 안전(安全) 수준에 의해 나타나는 재고의 총합(總合)으로 이루어짐.

재:고 삼사【再考三思】명 재삼

재:고 자산【在庫資產】명 〖경

부분을 차지하는 유동(流動)

(資產). 상업에서의 상품, 제조

품(在工品)·제품(製品) 따위. 실

재:고 조정【在庫調整】명 〖경〗

동향에 맞추어 조정하는 일. 일

쉬운 재고를 억제(抑制)하나 적

재:고 지수【在庫指數】명 〖경〗 다

點)의 재고량을 기준으로 하여 재고

재:고 투자【在庫投資】명 〖경〗 기말

분을 기초(期初)의 재고에 대한 추가

재:고-품【在庫品】명 아직 상점에 내

곳간에 쌓아 둔 상품. 재하(在荷). ¶～

재:-고해【再告解】명 〖천주교〗 일 년에

를 통해 죄를 고백함. 또, 그 고백. —

재곤두-치다 자 몹시 곤두박질을 쳐서 떨

재골【才骨】명 재주가 있게 생긴 골상(骨相)

생기다.

사지(再三思之). ——-하다 타여불

기업의 자산 표시 항목 중에서 중요한

으로, 판매 목적으로 보유하는 자산

서의 원재료·반제품(半製品)·재공

査) 자산.

·제품·반제품의 재고량을 경제

불황기(不況期)에 늘어나기

줄이는 것을 말함.

량을 어느 일정한 시점(時

)을 나타내는 지수.

어서의 재고의 증가 부

일컫는 말.

거나, 팔고 남아서

준재고(在庫).

성사(告解聖事)

재공【齋供】명 〖불교〗 재(齋)를 불공(佛供)으

재:공업화 정책【再工業化政策】명 〔reindus

서 1960-70년대 이후의 노동 생산성 성장률의

제 경쟁력 저하에 대비하여, 산업의 생산성을

업 정책 체계의 일컬음.

재:공-품【在工品】명 〖경〗 ①현재 제조 공정에

기에 있어서 계정 과목의 하나.

재:관[1]【在官】명 관직에 있는 일. 당관(當官).

재관[2]【宰官】명 ①관리(官吏)❶. ②〖불교〗 관세음

삼십 삼신(三十三身)의 하나. 정치(政治)를 관장함.

재관[3]【齋官】명 〖역〗 재랑(齋郞)❶.

재:교[1]【再校】명 초교(初校) 다음에 다시 교정(校正)을 재준(再準). ¶～를 보다. ——-하다 타여불

재:교[2]【在校】명 학교에 재학(在學) 중이거나 학교에 있는 전원(全員).

재교[3]【財交】명 재물로써 사람을 사귀는 일.

재:-교부【再交付】명 한 번 교부한 서류나 증명서 등을 다 ¶～ 신청. ——-하다 타여불

재:-교섭【再交涉】명 한 번 교섭한 일이 잘되지 아니하였을 때에 교섭함. ——-하다 자여불

재:-교육【再教育】명 〖교〗 ①한 번 교육이 끝난 사람을 다시 교육함. ②이미 실무(實務)에 종사하고 있는 사람에 대하여 다시 직업상 필요한 교육을 베풂. ¶일선 교사들의 ～. ——-하다 타여불

재-구[1]【災咎】명 재앙과 허물.

재:구[2]부 〈방〉 겨우(경상).

재-구새 명 〖광〗 황화물(黃化物)이 산화(酸化)하여 재와 같이 된 가루.

재:-구성【再構成】명 한 번 구성한 것을 다시 구성함. ——-하다 타여불

재국【才局·材局】명 재주와 국량. 재기(材器).

재:-군비【再軍備】명 일단 군비를 폐(廢)한 국가가 다시 군비를 갖춤. ¶～에 광분하다. ——-하다 자여불

재궁[1]【梓宮·榟宮】명 〖역〗 ←자궁(梓宮). *재실(梓室).

재궁[2]【齋宮】명 〖역〗 ①교궁(校宮). ②재실(齋室)❸. *향교(鄕校).

재궁 사찰【齋宮寺刹】명 〖불교〗 무덤을 지키기 위하여 그 옆에 지은 절.

재:귀【再歸】명 다시 돌아옴. ——-하다 자여불

재:귀 대:명사【再歸代名詞】명 〔reflexive pronoun〕〖언〗 대명사의 한 가지. 유럽어(語)의 문법에서, 재귀 동사·타동사·전치사의 목적으로 쓰는 대명사. 돌이킴 대이름씨.

재:귀 동:사【再歸動詞】명 〔reflexive verb〕〖언〗 어떤 동작의 작용이 동작자 자신에게 되돌아오는 역할을 하는 동사. 동작자를 가리키는 대명사, 곧 재귀대명사를 그 목적어로 취함. 독일어·프랑스어·러시아어 등 인구어(印歐語)에 그 예가 많음.

재:귀-열【再歸熱】명 〖의〗 전염병의 한 가지. 스피로헤타(spirochaeta)가 체내에 침입함으로써 일어나는데, 이·벼룩·진드기·모기 같은 것의 매개로 옮아 옴. 처음에 고열(高熱)·오한 전율(惡寒戰慄), 피부의 누른 얼룩의 착색(着色) 등을 일으키나 5-7일 뒤에 사라지고 약 1주간 무열(無熱) 상태로 되었다가 다시 전과 같은 증세를 일으키며 이같이 2-5회 반복함. 회귀열(回歸熱). 회귀 티푸스.

재:-귀화【再歸化】명 혼인·귀화·이탈(離脫) 등의 원인으로 국적(國籍)을 잃었던 사람이 다시 국적을 회복함. 국적 회복. ——-하다 자여변

재규어 〔jaguar〕명 〖동〗 [*Panthera onca*] 고양잇과에 속하는 동물. 표범과 비슷한 맹수(猛獸)로 몸길이 120cm, 꼬리 63cm 가량이고 몸빛은 아름다운 황갈색에 흑색 반문이 산재하며 그 중앙에 작은 흑점이 있음. 사지와 꼬리가 짧고 두부는 큰데 눈턱에는 돌기가 있음. 삼림에 살며 나무에 잘 오르고 물에도 들어감. 성질이 흉포하여 원숭이·조류·물고기 등을 잡아먹으며 소·말·맥 등을 죽이기도 함. 단독 생활을 하고 12월경에 두세 마리의 새끼를 낳음. 멕시코·텍사스·브라질 등지에 분포함. 아메리카표범.

〈재규어〉

재그락-거리다 자 〈방〉 자그락거리다(경상).

재그럽다 형 〈방〉 가렵다(경남).

재:근[1]【在勤】명 어느 직장에 근무함. ¶5년 이상의 ～자. *재직(在職).

——-하다 자여불
재:근² 【再勤】 명 다시 근무함. ——-하다 자여불
재:근 수당 【在勤手當】 명 재근하는 사람에게 주는 수당. 특정한 지역 이나 외국에 재근중인 관리에게 급 이외에 지급하는 수당. ¶해외(海外) ~.
재금-장 【裁金匠】 명 『역』 금실을 수놓는 장인(匠人). 상의원(尚衣院)에 딸림.
재긋재긋-하다 형 …하다.
재기¹ 명 〈방〉 제기¹(…).
재기² 【才氣】 명 기질(氣質). 재주가 뛰어난 기성(氣性). ¶ ~ 발랄(潑剌).
재기³ 【才器】 명 재지(才知)와 기량(器量). 재주가 있어서 쓸모가 있는 바탕. 재국(才局).
재:기⁴ … 이켜 다시 일어남. ¶~의 기회를 노리다. *재 … 자여불
… 게 다시 기록함. ——-하다 타여불
… (齋戒)하고 기도드림. 재도(齋禱). ——-하다 자여불
… 계(齋戒)하는 기간.
거(…) (제주).
재:… 「起不能).
재… 起不能】 [—릉] 명 다시 일어날 힘이 없음. 갱기 불능(更
재… 訴】 명 『법』 형사 소송법상 공소(公訴)를 취소한 후에 그 … 대한 다른 중요한 증거를 발견하였을 때 하는 두 번째의 … 준재소(再訴). *이중 기소. ——-하다 타여불
… 【再起電壓】 명 『전』 전력 차단기(遮斷器)에 의하여 전기 회…를 열고 전류를 차단할 때, 처음 양전극 간(兩電極間)에 아크 … 발생하지만, 아크가 없어진 후에 양전극 간에 나타나는 전압 중 … 처음의 일시적인 이상(異常) 전압.
…중 【在其中】 명 그 가운데에 저절로 있음. ¶낙(樂) ~.
…닥 부 '재깍²'을 강조하여 이르는 말. <제꺼덕.
…가락 명 〈방〉 젓가락(경남).
…가치 명 〈방〉 젓가락(경상).
…깍¹ 부 ①단단한 물건이 부러지거나 맞부딪칠 때의 소리나 모양. ¶자물쇠가 ~ 하고 잠겨지다. ②시계 같은 것의 톱니바퀴가 한 번 돌아갈 때 나는 소리나 모양. 1)·2):쓰깨깍. <제꺽¹. ——-하다 자여불
재깍² 부 무슨 일을 시원스럽게 그 자리에서 해치우는 모양. ¶~ 대답하다/일을 ~ 해치우다. <제꺽².
재깍-거리다 자타 재깍 소리가 계속하여 나다. 또, 연해 재깍 소리를 나게 하다. 쓰깨깍거리다. <제꺽거리다. 재깍-재깍¹ 부. ¶시계가 ~ 소리를 내다. ——-하다 자타여불
재깍-대다 자타 재깍거리다.
재깍-재깍² 부 어떤 일이든 닥치는 대로 재빨리 해 내는 모양. ¶그 많은 일을 ~ 해치우다. <제꺽제꺽².
재깐 명 〈방〉 뒷간(경기).
재깔-거리다 자 자꾸 재깔이다. ¶형주 설주가 어머니와 처음 타 보는 기차가 즐거워서… 재깔거리며 웃어 대며 내게 여러 가지 질문을 하던 때…《崔貞熙 : 지맥》. <지껄거리다. 재깔-재깔 부. ——-하다 자여불
재깔-대다 자 재깔거리다.
재깔-이다 자 조금 떠들썩하게 이야기하다. ¶끼리끼리 모여 앉아 재깔이는 빛에, 젊은이들은 또 무엇을 부산히 차리는 빛에 역시 혼인집답기는 하나…《廉想涉 : 新婚記》. <지껄이다.
재깔-하다 형여불 재깔거리어 시끄럽다. <지껄하다.
재끼다 타 〈방〉 잦히다(경상).
재:-나다¹ 【在—】 자 물건이나 돈에, 나머지가 생기다.
재-나다² 【齋—】 자 초상계(初喪契)에서 젯돈을 태어 줄 상사(喪事)가 생기다. *재[17].
재난 【災難】 명 재앙(災殃)의 곤란. 뜻밖의 변고로 받는 곤란. 불행한 일. 액난(厄難). 곤액(困厄). 화사(禍事). 화해(禍害). ¶불의의 ~을 당하다.
재-낫 명 〈방〉 벌낫.
재:-내 【在內】 명 안에 있음. ——-하다 자여불
재넉 〔Zanuck, Darryl Francis〕 명 《사람》 미국의 영화 제작가. '20세기 영화사'를 창립, 폭스사(Fox社)와 합병하고 시류(時流)에 걸맞은 대작(大作)을 내어 유명해졌음. 셀즈닉(Selznick)·골드윈(Goldwyn)과 함께 할리우드의 대표적 제작자였음. [1902-79]
재-넘이 명 산으로부터 내리부는 바람. 산풍(山風).
재넘이-하다 자여불 매사냥에서 꿩이 산을 넘자 매가 떴다가 바람같이 내리꽂히며 뒤쫓다.
재녀 【才女】 명 재주가 있는 여자. ↔재사(才士). *재원(才媛).
재년 【災年】 명 ①재앙(災殃)이 심한 해. ②흉년(凶年).
재:-녹음 【再錄音】 명 ①다시 녹음함. ②《영》 이미 녹음·편집이 끝난 대사·음악·효과음 등을 합쳐서 다시 녹음하는 일. ——-하다 타여불
재:-녹화 【再錄畫】 명 ①다시 녹화함. ②《영》 이미 녹화·편집이 끝난 것들을 합쳐서 다시 녹화하는 일. ——-하다 타여불
재늠 명 〈방〉 대님(경기·강원).
재능 【才能】 명 ①재주와 능력(能力). 재지(才知)와 능력. ¶~을 발휘하다. ②어떤 개인의 일정한 소질적(素質的)·정신적 능력 또는 훈련에 의해서 얻은 정신 실현(精神實現)의 능력. 재력(才力). ¶어학적 ~.
재니등엣-과 【—科】 명 《충》 [Bombyliidae] 파리목(目)에 속(屬)하는 한 과(科). 몸빛은 선명색(鮮明色)에 금속(金屬) 적색·은백색 등이며, 극모(棘毛)는 털로 덮여 있음. 촉각은 곧으며 복부(腹部)는 원형 또는 편평하고 여섯 개 내지 여덟 개의 복절(腹節)이 있으며 다리에는 극모가 없음. 습한 곳이나 꽃에 날아 옴. 전세계에 2,000여 종이 분포함. *등엣과(科).
재니저리 〔Janizary〕 명 《역》 유럽 속령(屬領)의 기독교도 청년들을 징용하여 이슬람교도로 개종(改宗)시켜 만든 터키 제국의 상비 친위군.
재님 명 〈방〉 대님(경기·강원·충북).
재:다¹ 一타 [중세 : 자히다] ①길이·높이·깊이·크기·너비·속도·온도·무게·분량 따위를 자나 저울 또는 계기로 헤아리다. ¶키를 ~/각도를 ~/물의 깊이를 ~. ②시간적 길이를 계기로 헤아리다. ¶시계로 시간을 ~. ③뒤를 밟아서 몰래 실정을 알아보다. ¶뒤를 ~. ④총(銃)에 탄환이나 화약을 넣다. ¶탄약을 ~. ⑤앞뒤를 따지어 헤아리다. ¶여러 각도로 재어 보다. 二자 〈속〉 잘난 체하고 으스대다. 젠체하고 뽐내다. ¶돈푼이나 있다고 재지 말라.
재:다² 타 ↗재우다¹.
재:다³ 타 ↗쟁이다. ¶김을 기름 발라 ~/고기를 양념하여 ~.
재:다⁴ 타 〈방〉 겨냥하다(경상).
재:다⁵ 형 [중세 : 재다] ①동작이 날쌔고 재빠르다. ¶걸음이 ~. ②물건이 쉽사리 더워지다. ¶솥이 ~. ③입을 가볍게 놀리다. ¶입이 ~.
재단¹ 【財團】 명 《법》 ①일정한 목적을 위하여 결합된 재산의 집단. 권리의 주체로서의 단위(單位) 또는 권리의 객체(客體)로서의 단위가 되는데, 전자는 재단 법인, 후자는 재단 저당(財團抵當)의 재단임. 이 밖에 파산(破産) 재단이 있음. 법률상 부동산(不動産)같이 취급되며 공장 재단·광업 재단·어업 재단·철도 재단 등이 있음. ↔사단(社團)❶. ②↗재단 법인.
재단² 【裁斷】 명 ①재결(裁決)❶. ②치수나 형(型)에 맞추어 옷감을 마르는 일. 마름질. 커팅(cutting). ¶양복을 ~하다. ——-하다 타여불
재단³ 【齋壇】 명 ①하늘을 제사지내는 곳. ②중 또는 도사(道士)가 경(經)을 읽으며 신불(神佛)에게 제사지내는 곳.
재단-기 【裁斷機】 명 종이·옷감 따위를 베어 자르는 기계(機械). 단재기(斷裁機).
재단 등기부 【財團登記簿】 명 《법》 공장(工場) 재단·광업(鑛業) 재단을 공시(公示)하기 위하여 재단의 대강(大綱)·저당권 등에 관한 사항을 기록하여 등기소에 비치하는 등기부.
재단 목록 【財團目錄】 [—녹] 명 《법》 각종 재단의 구성 세목을 기록한 서면. 공장 재단·광업 재단의 경우 이 목록은 재단 등기부에 소유권 등기 신청을 할 때 제출하며 등기와 동일한 효력이 있는 동시에 공시(公示)의 작용을 함.
재단-법 【裁斷法】 [—뻡] 명 마름질하는 방법(方法).
재단 법인 【財團法人】 명 《법》 일정한 목적을 위해 제공된 재산을 독립한 것으로서 운용하기 위해 그 재산을 구성 요소로 하여, 법률상 그 설립이 인정된 공익(公益) 법인. 그 목적의 담당자로서 스스로 권리·의무의 주체가 됨. 준재단(財團). ↔사단(社團) 법인.
재단 비:평 【裁斷批評】 명 〔judicial criticism〕 《문》 미리 일정한 기준(基準)을 세워 놓고 그 기준에 준하여 작품을 다루는 문예 비평. 18세기 초엽까지 영국·프랑스에서 행하여진 전통적인 비평이었음. 예술적 개성을 기계적으로 분석하는 폐단이 많았음.
재단-사 【裁斷師】 명 의복의 재단을 업(業)으로 하는 사람.
재단 저:당 【財團抵當】 명 《법》 일정한 기업용(企業用) 재산을 한데 총괄한 재산을 목적으로 한 저당권(抵當權). 또, 이러한 저당권을 설정하는 일. 공장 저당·광업 저당·어업 저당·궤도(軌道) 저당 등이 있음.
재단 채:권 【財團債權】 [—꿘] 명 《법》 파산(破産) 재단으로부터 파산 채권자에 우선(優先)하여, 또 파산 절차에 의하지 아니하고 변제(辨濟)를 받을 청구권(請求權).
재담 【才談】 명 익살을 섞어 가며 재치있게 하는, 재미있는 이야기. ——-하다 자여불
재담-꾼 【才談—】 명 재담을 잘하는 사람.
재:당¹ 【在堂】 명 집에 계심. ¶춘부장 ~하신가? ——-하다 자여불
재당² 【齋堂】 명 《불교》 선사(禪寺)의 식당.
재:-당선 【再當選】 명 두 번째 당선함. 준재선(再選). ——-하다 자여불
재:-당숙 【再堂叔】 명 재종숙(再從叔).
재:-당숙모 【再堂叔母】 명 재종숙모(再從叔母).
재:-당질 【再堂姪】 명 재종질(再從姪).
재:-당질녀 【再堂姪女】 [—려] 명 재종질녀(再從姪女).
재:-당질부 【再堂姪婦】 명 재종질부(再從姪婦).
재:-당질서 【再堂姪壻】 [—써] 명 재종질서(再從姪壻).
재-덕 【才德】 명 재주와 덕. 재지(才知)와 덕행(德行). ¶~을 겸비한 정치인.
재덕 겸비 【才德兼備】 명 재주와 덕을 함께 갖춤. ——-하다 자여불
재도¹ 【才度】 명 재지(才知)와 도량(度量).
재:도² 【再度】 명부 재차(再次).
재:도³ 【在逃】 명 죄인이 도망하여 아직 잡히지 않고 있음.
재:도⁴ 【裁度】 명 '재탁(裁度)'을 잘못 읽는 말.
재도⁵ 【齋禱】 명 재기(齋祈).
재-도감 【齋都監】 명 《불교》 재식(齋式)을 감독하는 중.
재:도-관 【載道觀】 명 《문》 문장은 도(道)를 내용으로 삼아야 한다고 보는 도덕주의적인 문학관. 문이재도론(文以載道論).
재:-도급 【再都給】 명 다시 도급을 맡아 함. ——-하다 타여불
재:도 습의 【再度習儀】 [—/—이] 명 《역》 나라에 대례(大禮)가 있을 때, 그 행사를 도맡을 벼슬아치가 미리 그 예절 절차를 두 번째로 익힘. ——-하다 타여불
재:도의 고안 【再度—考案】 [—/—에—] 명 《법》 항고(抗告)의 대상(對象)이 된 재판을 한 법원 자신이, 그 재판의 당부(當否)를 재고(再

考)하는 일.

재:독【再讀】명 읽은 글이나 책을 다시 읽음. ¶ ~의 가치가 있는 책. ──-하다 타여불

재:-돌입【再突入】명 우주선 등이 한 번 대기권(大氣圈) 밖으로 나갔다가 다시 대기권 안으로 돌아오는 일.

재:돌입 궤:도【再突入軌道】명 로켓의 궤도에서, 재돌입점(再突入點)과 목적지 또는 지상(地上)의 종점(終點)과의 사이의 부분.

재:돌입-체【再突入體】명 우주선의 일부. 대기권(大氣圈) 밖을 비행한 후 다시 대기권에 돌입하는 부분.

재동【才童】명 재주가 있는 아이.

재-두루미 명〖조〗[*Grus vipio*] 두루밋과에 속하는 새. 날개 길이 53-61 cm 가량이고 꽁지 길이는 16-23 cm, 부척(跗蹠)은 23-30 cm임. 머리·멱의 상부와 목덜미의 앞부분만이 백색이고 온몸이 회흑색이며 얼굴과 이마에는 털이 없고 붉음. 16 cm 내외의 부리는 황록색이고 다리는 암적색인데, 복부 아랫면에 흑색의 모상우(毛狀羽)가 있음. 4월경에 풀로 집을 짓고 두 개의 알을 낳음. 10월에 날아와 논·연못·냇가에 큰 떼를 지어 게·곤충·풀뿌리 등을 먹음. 우리나라에서는 1968 년 이 종(種) 자체를 천연 기념물 제 203 호로 지정, 보호하고 있음. 시베리아 남동부·몽고·만주 등지에서 번식하고 겨울에 대만·중국·일본·한국 등지에 날아옴. 창계(鶬鷄). 창괄(鶬鴰).

〈재두루미〉

재둔【才鈍】명 재주가 무딤. 둔재. ──-하다 형여불

재드랑-이 명〈방〉겨드랑이(경북).

재드랭-이 명〈방〉겨드랑이(경남).

재:-등록【再登錄】[—녹] 명 다시 등록함. ──-하다 타여불

재-등에 명〖충〗[*Tabanus mandarinus*] 등엣과에 속하는 곤충. 몸길이 17-19 mm 이고 몸빛은 검은데 흉배(胸背)에는 다섯 개의 잿빛 종선(縱線)이 있고, 복부 배면(背面)의 각절(各節) 중앙과 후연(後緣) 및 제 1·2 복배(腹背) 양측에는 회색의 삼각 반문(三角斑紋)이 있음. 한국·일본·중국 등지에 분포함.

재-때까치 명〖조〗[*Lanius cristatus*] 때까칫과에 속하는 새. 날개의 길이 87 mm 가량이고, 몸빛은 배면(背面)이 갈색을 띤 회색이고 허리는 암적갈색에 두정(頭頂)은 회색이며 윗가슴은 희고 아랫가슴은 누른 빛임. 개구리·곤충 등을 잡아먹으며 인가(人家) 근처에서 많이 번식하는 수렵조(狩獵鳥)의 하나임. 시베리아 동부·중국·한국 등지에 분포함. 재개고마리.

재-떨이 명 담뱃재떨이.
[재떨이와 부자는 모일수록 더럽다] 재물이 많이 모이면 모일수록 더 인색하여짐을 이름.

재-또리 명〈방〉재떨이.

재랄 명〈비〉변덕스럽거나 경망한 행동을 욕하는 말. ¶ 왜 배친 ~이야. <지랄. ──-하다 자여불

재랑【齋郞】명〖역〗①조선 시대 때, 묘(廟)·사(社)·전(殿)·궁(宮)·능(陵)·원(園)의 참봉(參奉)들의 별칭. 재관(齋官). ②조선 시대 때, 제향(祭享)시 향로(香爐)를 받드는 제관(祭官)의 하나.

재랑 초사【齋郞初仕】명〖역〗조선 때의 묘(廟)·사(社)·능(陵) 등의 참봉 벼슬에 처음으로 오름.

재:래[1]【在來】명 그 전부터 있어 내려옴. ¶ ~의 생활 관습/~의 방식. ↔외래(外來)❷.

재:래[2]【再來】명 ①두 번째 옴. ②다시 이 세상에 태어남. ¶ 발명왕 에디슨의 ~라고까지 극찬을 받다. ──-하다 자여불

재래[3]【齎來】명 어떠한 결과를 가져옴. 초래(招來). ¶ 불행을 ~하다. ──-하다 타여불

재:래-면【在來棉】명〖농〗옛날부터 우리 나라에서 재배하여 오던 면화(棉花). 목화(木花). ↔육지면(陸地棉).

재:래-식【在來式】명 그 전부터 행하여 오던 법식(法式) 또는 방식(方式). ¶ ~ 농업. ↔외래식(外來式)·개량식(改良式).

재:래식 무:기【在來式武器】명〖군〗핵무기·화학 무기·생물학 무기 등을 제외한 무기들을 일컫는 말.

재:래식 부대【在來式部隊】명〖군〗비핵무기(非核武器)로 작전을 수행할 수 있는 부대.

재:래-씨【在來—】명 재래종(在來種).

재래우다 타〈방〉기르다[2]❶(함경).

재:래-종【在來種】명 어떤 지방에서 오랫 동안 사양(飼養) 또는 재배되어, 다른 지방의 가축·작물 등과 교배(交配)한 일 없이, 그 지방의 풍토에 적응한 종자. 재래씨. 본종(本種). ¶ ~의 배추. ↔개량종(改良種)·외래종(外來種)·육성종(育成種).

재략【才略】명 ①재지(才智)와 책략(策略). ¶ ~이 뛰어난 사람. ②재치 있는 계략. ¶ 상대의 ~에 넘어가다.

재량[1]【才量】명 재주와 도량(度量).

재량[2]【裁量】명 ①자기의 의견에 의하여 임의로 재단하고 처치함. ¶ 너의 ~껏 해 보아라. 재작(裁酌). 재탁(裁度). ②〖법〗↗자유 재량(自由裁量). ──-하다 타여불

재:량[3]【載量】명 적재량(積載量).

재량[4]【齎糧】명 양식을 지니고 다님. ──-하다 자여불

재량권 남:용【裁量權濫用】[—꿘—] 명 [도 Ermessensmissbrauch]〖법〗자유 재량 처분을 함에 있어서, 재량권을 부여한 내재적(內在的) 목적을 위반하고, 명백히 다른 목적을 위하여 이를 행사한 경우를 이름. 부당(不當)의 문제에 그치지 않고, 위법(違法)이 있다는 것이 최근의 유력한 설(說)이나, 반대설도 있음.

재량권 일탈【裁量權逸脫】[—꿘—] 명 [도 Ermessensüberschreitung]〖법〗자유 재량 처분이 법적 한계를 일탈하여 위법(違法)인 경우를 이름. 공익(公益) 재량이라 할지라도 법에 의거하여 행하여지는 행위(行爲)인 까닭에 그 재량권에는 일정한 한계가 있어서, 이를 넘으면 단순(單純)한 부당(不當)에 그치지 아니하고 위법이 된다는 것이 최근의 유력설(有力說)임.

재량 변:호【裁量辯護】명〖법〗임의적인 국선(國選) 변호. 곧, 법원에서 피고가 미성년일 경우 등 필요하다고 인정할 때 자유 재량에 의하여 직권(職權)으로 선임하는 변호인의 변호.

재량 보:석【裁量保釋】명 법원이 그 허가 여부(與否)의 재량권(權)을 갖고 있는 경우의 보석. ↔필요적(必要的) 보석.

재량 주:문【裁量注文】명〖경〗증권 거래에서, 사거나 팔려는 가격의 범위를 정하여, 증권 회사에 위임하는 주문.

재량 처:분【裁量處分】명〖법〗행정청(行政廳)의 자유 재량(自由裁量)에 속하는 범위 내에서 행하여지는 행정 처분. ↔기속 처분(羈束處分). ──-하다 타여불

재려【災厲】명 재해(災害)와 역병(疫病).

재력[1]【才力】명 ①재주와 능력. ②재능(才能)❷.

재력[2]【材力】명 일에 견딜 수 있는 능력. 역량. 기량(器量).

재력[3]【財力】명 ①재물의 힘. 재산 상의 세력. 금력(金力). ¶ ~으로 정치에 간섭하다. ②비용 부담의 능력.

재력-가【財力家】명 재산가(財產家).

재:련【再鍊】명 ①쇠붙이를 두 번째 불리는 일. ②〖건〗나무나 석재(石材)를 두 번째 치련(治鍊)하는 일. ──-하다 타여불

재:련-질【再鍊—】명 초벌 깎아 낸 나무의 면을 다시 곱게 깎는 일. ──-하다 타여불

재:렴【再塩】명 '재염(再塩)'의 잘못.

재령[1]【材齡】명 회삼물(灰三物)이나 콘크리트를 한 뒤의 지나간 햇수.

재:령[2]【載寧】명〖지〗황해도 재령군의 군청 소재지. 지방 교통·산업의 중심지임. 부근 재령 철산(鐵山)의 철(鐵), 은적(銀積) 광산의 납·아연, 청석두(青石頭)의 형석(螢石) 광산 등은 유명함. 기독교가 성하였음. 명승 고적으로는 장수산(長壽山)이 있음.

재:령-강【載寧江】명〖지〗황해도 벽성군(碧城郡) 나덕면(羅德面)에서 발원(發源)하여 재령(載寧)·봉산(鳳山)을 거쳐 안악(安岳)·황주(黃州)의 경계(境界)를 북류(北流)하여 대동강(大同江)으로 흘러 들어가는 강. [129, 2 km]

재:령-군【載寧郡】명〖지〗황해도의 한 군. 동은 서흥군(瑞興郡)과 평산군(平山郡), 서는 신천군(信川郡), 남은 벽성군(碧城郡), 북은 봉산군(鳳山郡)에 접함. 주요 농산물은 쌀·보리·콩·면화·사과·배·고치 등이고, 그 밖에 축산·임산·광산·공산물이 남. 명승 고적으로는 묘음사(妙音寺)·벽암계(碧岩溪)·금은탑(金銀塔)·노선암(老仙岩)·칠성암(七星岩)·관음굴(觀音窟)·수양폭(壽養瀑)·관문봉 석문(觀門峰石門)·보적봉(寶積峰) 등이 있음. 군청 소재지는 재령읍. [767.5 km²]

재:령-산【載靈山】명〖지〗함경 남도 고원군(高原郡) 산곡면(山谷面)과 평안 남도 양덕군(陽德郡) 동양면(東陽面)·온천면(溫泉面) 경계에 있는 산. [1, 208 m]

재:령 철산【載寧鐵山】[—싼] 명〖지〗황해도 재령군에 있는 철산. 갈철광(褐鐵鑛)과 적(赤)철광이 남. 함철 품위(含鐵品位) 55 %.

재:령 평야【載寧平野】명〖지〗황해도 재령강 하류의 평야. 재령강·서흥강(瑞興江) 등의 퇴적 작용과 서해안의 융기에 따라 이루어진 저평 풍요(低平豐饒)한 평야로서, 한국 유수의 쌀 생산지였음.

재로【宰老】명 국정을 다스리는 노신(老臣).

재:록[1]【再錄】명 다시 기록하거나 수록(收錄)함. 또, 그 기록. ──-하다 타여불

재:록[2]【載錄】명 책 따위에 실어 올림. 서록(書錄). ──-하다 타여불

재록-신【財祿神】명〖민〗사람의 재물을 맡은 신. 준재신(財神).

재:론【再論】명 다시 논함. ¶ ~의 여지. ──-하다 타여불

재롱【才弄】명 어린 아이의 슬기로운 말과 귀여운 짓.
재롱(을) 떨:다 구 재롱스러운 짓을 많이 하다.
재롱(을) 부리다 구 어린 아이가 재롱의 짓을 하다.
재롱(을) 피우다 구 재롱을 부려서 나타내다.

재롱-둥이【才弄—】명 재롱스러운 어린 아이.

재롱-받이 [—바지] 명 재롱을 받아 주는 일. ¶ 손주의 ~로 하루해를 보내다.

재롱-스럽다【才弄—】형ㅂ불 어린 아이의 귀엽게 재롱 부리는 태도가 예쁘다. 재롱-스레【才弄—】부

재롱-쟁이【才弄—】명 재롱을 잘 부리는 어린 아이.

재료[1]【材料】명 ①물건을 만드는 데 드는 원료. ¶ 건축 ~. *원료. ②어떤 일을 할 거리. ¶ 연설의 ~가 없다. ③예술적 표현의 제재(題材).

재료[2]【齋料】명 중이 재에 쓰는 요금(料金).

재료 강약학【材料強弱學】명〖물〗재료 역학(材料力學).

재료 과학【材料科學】명 [material science] 전기 공학(電氣工學) 또는 기계(機械) 공학 등의 분야에 쓰이는 금속 재료·비(非)금속 재료를, 물리학·화학·야금학(冶金學) 등의 여러 방법에 의하여 물성론적(物性論的)으로 연구하는 학문 분야.

재료-비【材料費】명 제품 생산에 소비되는 물적 재료의 비용.

재료 시험【材料試驗】명 기계나 구조물(構造物) 등에 사용되는 재료의 성질을 조사하기 위한 실험. 물리적 시험·전기적 시험·기계적 시험·금상학적(金相學的) 시험·화학적 시험·비파괴(非破壞) 시험 등 여

러 시험 방법이 있으나, 일반적으로는 재료의 기계적 성질을 조사하는 기계적 시험을 말함.

재료 시험기【材料試驗機】 명 〔material testing machine〕『기』 재료의 기계적 성질을 측정·시험하는 장치의 총칭. 변형(變形)·충격(衝擊)·경도(硬度)·피로(疲勞) 등을 시험하는 기계들이 있으며, 이들을 모두 시험할 수 있는 만능(萬能) 시험기도 있음.

재료 시험로【材料試驗爐】〔—노〕 명 〔materials testing reactor〕 노재(爐材) 따위 각종 재료가 방사선에 어느 정도 견디는가를 시험하는 원자로의 일종. 원자로를 자력(自力)으로 건설하려면, 이 형(型)의 노(爐)가 필요 불가결함.

재료 역학【材料力學】 명『공』 기계·건축물·교량 따위의 구조물을 이루는 재료를 연구 대상으로 하는 공학의 기초적인 한 분과(分科). 재료 강약학(強弱學).

재료-주【材料株】 명『경』 증권 거래에서, 증자(增資)·증배(增配)·무상 교부(無償交付) 등과 같은 주가(株價)를 올리는 기대 재료(期待材料)가 있는 주.

재료 파:괴학【材料破壞學】 명 〔fracture of materials〕 금속·콘크리트·플라스틱·목재 등, 여러 가지 재료의 강도(強度)나 파괴되는 구조(構造) 등을 연구하는 학문.

재루 명〈방〉 자루²(경북).

재:류【在留】 명 ①한 동안 머물러 있음. ¶～ 기간. ②한 동안 외국에 가서 머물러 있음. ——-하다 자여불

재:류-민【在留民】 명 외국에 재류하는 자국민.

재리¹ 명 얼음 위에서 넘어지지 아니하도록 나막신 굽에 박는 큰 징.

재:리² 명 ①나이 어린 땅꾼. ②〈비〉 몹시 인색한 사람을 욕하는 말. ③ ☞ 손짭손.

재리³【財利】 명 재물과 이익(利益).

재리괭이 명〈방〉 자리공(함경).

재리우다 타〈방〉 기르다²❶(함경).

재:림【再臨】 명 ①다시 옴. ②〔Advent〕『기독교』 세계의 마지막 날에 예수가 세상을 심판하기 위하여 다시 이 세상에 나타난다는 일. ¶예수의 ～. ——-하다 자여불

재:림-파【再臨派】 명 〔Adventist〕『기독교』 그리스도의 재림이 멀지 아니하다고 주장하는 기독교의 한 파. 복음 재림 교단(福音再臨敎團)·재림 기독교단·안식일(安息日) 재림 교단 등의 작은 파로 분열하였음. 애드벤티스트파(Adventist 派).

재:립【再立】 명 다시 세움. ——-하다 타여불

재망【才望】 명 재주와 명망(名望). 재명(才名).

재:매【再賣】 명 한번 판 물건을 무르지 아니하고 다른 데로 다시 팖. ——-하다 타여불

재:매매의 예:약【再賣買—豫約】〔—/—에—〕 명『법』 어떤 물건을 매매할 때에, 다시 이것을 매각(賣却) 반환할 것을 미리 계약하는 일. 금융 담보(金融擔保)의 수단으로서 이용됨.

재면【材面】 명 재목의 앞면.

재:면-지【—紙】 명 ←좌면지(座面紙).

재명【才名】 명 ①재망(才望). ②재주로 얻은 명망(名望). ¶～을 떨치다.

재:-명년【再明年】 명 후년(後年)❶.

재:-명일【再明日】 명 모레¹.

재모【才貌】 명 재주와 얼굴 생김새. 재지(才智)와 용모(容貌). ¶～가 뛰어나다.

재목¹【材木】 명 ①건축·기구 등을 만드는 데 재료로 쓰는 나무. *재목감. ②어떤 직위에 합당한 인물.
재목이 크다 ㊀ 큰 인재(人材)이다.

재목²【宰木】 명 무덤 가에 심는 나무.

재-목³【齋沐】 명 재계(齋戒)와 목욕(沐浴). ——-하다 자여불

재목-감 【材木—】 명 재목으로 쓰일 만한 나무. *재목(材木).

재목-상【材木商】 명 재목을 사고 파는 장사. 또, 그 장수. ㊀목상(木商).

재목-석【材木石】 명『광』 재목암(材木岩).

재목-암【材木岩】 명『광』 주상 절리(柱狀節理)를 이루고 노출하여 재목을 병렬(並列)하여 놓은 것과 같은 암석. 안산암(安山岩)·현무암(玄武岩)에 많음. 재목석(材木石).

재무【財務】 명 ①재정에 관한 사무. ②↗재무부 장관(財務部長官).

재무 감독국【財務監督局】 명『역』 대한 제국 때 탁지부(度支部) 대신의 관리하에 세무(稅務)와 지방 재무에 관한 일을 감독하던 관아. 융희(隆熙) 원년(1907)에 베풀어서 동 4년까지 있었음.

재무 공채【財務公債】 명 재정(財政) 공채. ↔정무(政務) 공채.

재무-관【財務官】 명 ①『역』 대한 제국 때 재무서(財務署)의 주임(奏任) 벼슬. ②『법』 각 중앙 관서에서 지출 원인 행위(支出原因行爲)를 담당하는 공무원.

재무 관리【財務管理】〔—괄—〕 명『경』 기업의 자금 조달, 자금 운영에 관한 계획 설정 및 통제 활동의 총칭. 현금 출납·은행 관계 업무 등 일상적인 집행 업무(執行業務)와 주식·사채의 발행, 설비 투자 따위의 일상적이 아닌 업무의 두 가지가 있음.

재무 구성【財務構成】 명『경』 자기 자본과 타인 자본의 구성. 자본 구성(資本構成). 재무 구조.

재무 구조【財務構造】 명『경』 재무 구성.

재무-부【財務部】 명 전에, 행정 각부의 하나. 화폐·금융·국채(國債)·정부 회계, 내국 세제(內國稅制)와 관세, 외국환(外國換) 및 대외 경제 협력, 국유 재산과 전매에 관한 사무를 맡아 보았음. 장관 소속 하에 국세심판소와 세무 대학이 있고, 외청으로 국세청과 관세청이 있었음.

재무부 장:관【財務部長官】 명『법』 이전의 재무부의 장(長). ㊀재무.

재무 분석【財務分析】 명『경』 경영 분석의 한 분야. 기업의 경영 효율의 양부(良否), 체질적 안전성의 판정에 이바지하는 것으로, 협의의 경영 분석임. 재무 제표(諸表) 분석.

재무-비【財務費】 명『경』 공공 수입(公共收入)을 얻는 데 관련하여 발생하는 경비나 재정의 운영 및 국유 재산의 관리를 위한 경비. 곧, 경영비(經營費)·출납비(出納費)·징세비(徵稅費) 등.

재무 비:율【財務比率】 명『경』 기업의 재무 상태를 분석할 때에 사용하는 비율. 기업 활동의 재무 상태의 건전성(健全性)·유동성(流動性)을 판단하는 비율에는, 유동 비율·당좌 비율·고정 비율·부채 비율·자기 자본 비율 등이 있고, 수익성(收益性)의 판단을 위하여는 총자본 이익률·자기 자본 이익률·납입 자본 이익률·매출 총이익률·매출 영업 이익률 등이 있음.

재무-서【財務署】 명『역』 대한 제국 때 탁지부(度支部) 대신의 관리에 속하는 세무(稅務)와 지방 재무(地方財務)에 관한 일을 맡아 보던 관아. 융희(隆熙) 원년(1907)에 베풀어서 동 4년까지 있었음.

재:-무장【再武裝】 명 ①무장을 해제당하였던 군대가 다시 무장하는 일. ②규정(規定)된 군수(軍需) 자재를 보충하는 행위로, 비행기·군함·전차(戰車)·장갑 차량 등에 탄약이나 폭탄, 그 밖의 무기 등을 보충하는 일.

재무 제표【財務諸表】 명『경』 기업, 특히 주식 회사가 회계 연도 종료일(終了日)에 결산을 행하여 그 결과로서 작성하는 여러 가지 회계적 보고서(報告書). 기업 회계 원칙(企業會計原則)에 따라 작성되며, 기업의 경영 성적(經營成績) 및 재정 상태(財政狀態)를 외부에 공개하기 위하여 사용됨.

재무 제표 분석【財務諸表分析】 명『경』 재무 분석.

재-무진동【—銅】 명『광』 잿빛의 가루로 된 무진동.

재무 테크놀로지【財務—】〔technology〕 명〈속〉 자금의 조달과 운용의 효율화. ㊀재(財)테크.

재무 행정【財務行政】 명『경』 국가나 그 밖의 행정 주체(主體)가 임무를 행하는 데 필요로 하는 재화의 조달(調達)·관리(管理)·사용(使用)에 관한 행정.

재무 회:계【財務會計】 명『경』 외부 이해 관계자에 대한 재무 보고를 목적으로 하여 수행되는 회계적 기록·계산의 총칭. 기업의 분배 가능 이익을 산정(算定)·표시함. 재무 제표의 공개(公開) 제도, 공인 회계사 감사(監査) 제도 등이 뒷받침이 되어 일종의 사회 제도로 되어 있음. ↔관리(管理) 회계.

재문¹【才門】 명 재주가 있는 집안.

재:문²【在文】 명 셈하고 남은 돈. 재전(在錢).

재묻은-떡 명『민』 무당이 굿할 때 쓰고 남은 떡.

재물¹【才物】 명 재주 있는 사람.

재:물²【在物】 명 있는 물건. ¶～ 조사.

재물³【財物】 명 ①돈이나 그 밖의 값 나가는 물건. 돈과 물품. ¶～에 눈이 어두워지다. 재화(財貨). ②『법』 주로, 형법상(刑法上) 사용되는 용어로, 절도(竊盜)·강도(強盜)·사기(詐欺)·횡령(橫領)·장물(贓物) 등 죄의 객체(客體)가 되는 물건. 재화(財貨).

재물-대【載物臺】〔—때〕 명 〔stage〕 현미경에 부속된 것으로 관찰 재료를 얹어 놓는 수평한 대(臺). 중앙에 빛이 통과할 수 있도록 구멍이 나 있음. 고정식(固定式)인 것과 가동식(可動式)인 것이 있음.

재물 문서 손:괴죄 【財物文書損壞罪】〔—죄〕 명 『법』 남의 동산·부동산 등의 재물이나 공문서·사문서를 손괴·은닉하거나 또는 그 밖의 방법으로 그 효용을 해치는 범죄.

재-물방개 명『충』 〔*Eretes sticticus*〕 물방갯과에 속하는 곤충. 몸길이 14mm 내외, 몸빛은 회황갈색에 두정(頭頂)의 일문(一紋)과 후두의 이문(二紋), 전배판(前背板)의 두 횡문(橫紋) 및 시초(翅鞘)의 작은 점각(點刻) 등은 검고, 촉각·수염 등은 황색인데, 다리는 황갈색임. 못·늪에서 살며 작은 곤충 등을 잡아먹음. 한국에도 분포함.

재물-보【才物譜】 명 『책』 조선 정조(正祖) 때 이성지(李成之)가 지은 책. 삼재 만물(三才萬物)과 우리 나라 역대(歷代)의 제도 문물(制度文物)의 이름을 적어 일일이 설명하였는데, 간간이 한글로도 풀이하여 놓았음. 8권 3책.

재:물 조사【在物調査】 명『경』 원장 계정 상(元帳計定上)의 잔고가 실재 잔고와 부합되는가를 확인하기 위하여 재고(在庫) 자산에 속하는 현물을 수량(數量)·품질(品質) 기타 평가(評價)에 관계되는 사항에 대하여 실제로 조사하는 일.

재물-죄 【財物罪】〔—쬐〕 명『법』 남의 재물을 침해함으로써 성립되는 죄. 절도죄·횡령죄·손괴죄·장물죄 등은 이에 해당되며, 사기죄·공갈죄·강도죄는 장물죄인 동시에 이익죄임.

재물 출거【財物出擧】 명『역』 곡물 이외의 돈·삼베·비단·실·기름 등의 소비재를 대상으로 하는 출거. ↔속맥(粟麥) 출거.

재미¹ 명 ①아기자기하게 즐거운 맛. 자미(滋味). ¶낚시질의 ～를 모른다. ②흥미가 있는 일. ¶～있는 친구야. ③수입(收入)이 좋은 일. ¶～좀 봤나.
[재미나는 골에 범 난다] ㉠남 몰래 재미를 붙이어 나쁜 일을 계속하면 필경은 봉변을 당한다는 말. ㉡너무 재미가 나면 그 끝에 가서는 재미롭지 못한 일이 생긴다는 말.
재미(를) 보다 ㊀ 즐거운 맛, 수지맞는 일을 직접 경험하다.
재미(를) 붙이다 ㊀ 재미를 보아 그 맛을 잊을 수 없게 되다.

재미² 명〈방〉 살담배(경상).

재:미³ 명〈방〉 바구미(경북).

재:미⁴【在美】 명 미국에 재류(在留)하고 있음. ¶～ 동포.

재미[5]【齋米】명〖불교〗중에게 보시(布施)로 주는 쌀.
재미-나다 자 아기자기한 맛이 나다. ¶재미나는 소설/하는 일이 ~.
재미-롭다 형ㅂ불 제법 재미스럽다. ¶하루를 재미롭게 지내다. 재미-롭게 부
재미-스럽다 형ㅂ불 재미가 있어 보이다. ¶재미스러워 보인다. 재미-스레 부
재미-없다 [—업—] 형 ①아기자기한 맛이 없다. ¶재미없는 책. ②좋은 결과를 맺을 수 없다. 신상에 해롭다. 주의❷의 경우는 흔히 남에게 억누르듯이 이르는 말로 쓰임. ¶너 그러면 ~.
재미-없이 [—업씨] 부 재미없게.
재미-있다 형 아기자기한 맛이 있다. ¶재미있는 사람/재미있는 소설.
재미-적다 형 어떤 일의 성과가 꺼림칙하다. ¶이거 아무래도 재미적은걸.
재미-좋다 [—조타] 형 재미가 날 만큼 아기자기한 맛이 일어나다. ¶요즘 재미좋은가?
재미-중【齋米—】명〖불교〗동냥중.
재민[1]【才敏】명 재지(才智)가 있고 총명(聰明)함. 낭오(朗悟). ——-하다 형여불
재:민[2]【在民】명 국민에게 있음. ¶주권(主權) ~.
재민[3]【災民】명 ↗이재민(罹災民).
재밌다 형〈속〉재미있다. ¶재밌게 놀았다.
재:-바닥 명〖광〗①광맥의 윗 부분에 있던 광석이 중단되고, 다시 아랫부분에서 광석이 나올 때에 그 광맥의 아랫 부분. ②잿빛을 띤 사금의 바닥.
재:바닥-줄 명〖광〗재바닥으로 있는 광맥.
재:바닥-짊다 타〖광〗재바닥을 따라서 파 들어가다.
재-바르다 형르불 재치있고 빠르다. ㅆ재빠르다.
재-바삐 부〈방〉재바르게.
재:발【再發】명 ①한번 잠잠해지거나 나은 것이 다시 생기어 나는 일. ¶병이 ~하다. ②한번 보낸 공문(公文)을 다시 발송(發送)함. ——-하다 자타여불
재:-발견【再發見】명 종전에 발견되었으나 묻혀서 널리 알려지지 않았던 것의 가치(價值)를 새로운 입장에서 고치어 다시 인정함. ¶그의 인격을 ~하다. ——-하다 타여불
재발머리-없:다 형〈방〉자발머리없다.
재발머리-없:이 부〈방〉자발머리없이.
재발머리-적:다 형〈방〉자발머리없다.
재발-없:다 형〈방〉자발없다.
재발-없:이 부〈방〉자발없이.
재:발-열【再發熱】[—렬] 명〖의〗열이 내린 후 며칠 사이를 두고 다시 전보다는 가벼운 정도로 열이 오르는 발열(發熱)의 한 형(型). *후발열(後發熱).
재발-적다 형〈방〉자발없다.
재:발진 기지【再發進基地】[—찐—] 명 귀환(歸還)한 비행기가, 다음 임무로 발진하기 전에 보급(補給)·정비(整備)를 위해 사용하는 기지.
재:-밤중【—中】[—쭝] 명〈방〉한밤중(평안).
재방-변【扌傍邊】명 한자 부수의 하나. '打·扱·技' 등의 '扌'의 이름. '손수변'의 속칭. 재수변(扌手邊).
재-방어【—魴魚】명〖어〗[*Scomberomorus sinensis*] 동갈삼칫과에 속하는 바닷물고기. 몸길이 2m 가량으로 삼치와 비슷하나 몸의 반문(斑紋)이 없으며 혀 밑에 이가 있음. 삼치보다 훨씬 앞바다에 사는데 제주도 연해 및 일본 중부 이남·남중국해·대만해 등에 분포함. 등에 기름이 많아 삼치보다 맛이 좋음.
〈재방어〉
재:배[1]【再拜】명 ①두 번 절함. 또, 그 절. ②웃어른에게 편지할 때 제 이름 다음에 쓰는 말. ——-하다 자여불
재:배[2]【栽培】명 식용(食用)·약용(藥用)·관상용으로 이용하기 위하여 식물을 심어 가꿈. 배재(培栽). ¶담배 ~. ——-하다 타여불
재:배[3]【再褙】명 초배지를 바른 위에 종이를 덧바름. ——-하다 타여불
재:배-국【栽培國】명 어떤 식물을 많이 심고 가꾸는 나라. ¶튤립의 ~.
재:배-기【栽培期】명 작물(作物)이 재배되는 기간. 기상 조건이 작물 생장(生長)에 적합한 기간으로, 작물 종류에 따라 지역이나 장소가 거의 일정(一定)함.
재:-배당【再配當】명 회사가 특별한 이익을 얻었을 때 통상 배당(通常配當) 외로 특별히 주는 배당.
재:배-법【栽培法】[—뻡] 명 식물을 재배하는 방법.
재:배 식물【栽培植物】명 야생종(野生種)으로부터, 이용 목적에 맞게 개량·발전시켜 재배하여 온 식물. 벼·보리 따위에서 볼 수 있듯이 역사를 통하여, 재배되는 환경·기술, 또 재배자의 가치관(價値觀) 등의 상이(相異)에 따라 매우 많은 재배 품종이 보임. ↔야생 식물(野生植物)·자생 식물(自生植物).
재:배 어업【栽培漁業】명 인공적으로 어란(魚卵)을 부화시키거나 천연 상태로 잡은 치어(稚魚)를 일정 기간 사육한 다음 바다에 방류(放流)하였다가 생장한 후 다시 잡는 어업. 연어·송어·모시조개·대합조개 따위에 실시함.
재:-배치【再配置】명 다시 배치함. ¶전투 요원(要員)의 ~. ——-하다 타여불
재:배-학【栽培學】명〖농〗작물의 재배에 관한 원리(原理)를 명확히 하는 학문. 곧, 재배 환경(環境)과 재배 기술(技術)을 작물의 생리(生理)·형태(形態)·생태적(生態的) 관점으로부터의 검토를 통하여 원리적으로 확립하는 학문.
재:배 한:계【栽培限界】명〖농〗지구 상에서 재배되고 있는 각종 작물이, 각기 다른 환경 조건의 제약을 받아 재배 가능성이 지역적으로 한정되어 있는 한계.
재백【財帛】명 ①재화(財貨)와 포백(布帛). ②관상(觀相)에서, 코 끝을 이름. 이것으로 빈부(貧富)를 점친다고 함.
재백-궁【財帛宮】명〖민〗12궁의 하나. 재물에 관한 운수를 보는 별자리.
재-백정【才白丁】명〖역〗재인 백정(才人白丁).
재:번【再燔】명〖공〗도자기(陶瓷器)를 두 번 굽는 일. ——-하다 타여불
재:-벌[1]【再—】명〈방〉두 벌.
재벌[2]【財閥】명 ①재계(財界)에 있어서 세력이 가장 강한 자본가·기업가의 무리. 또는 대자본가의 일가나 친척으로 된 투자 기구(投資機構). ¶신흥 ~. ②〖경〗콘체른(Konzern).
재:벌 깎음질【再—】명〈방〉재련질. ——-하다 타
재:벌-질【再—】명 ①한번 끝낸 일을 다시 완전하게 더하는 일. ②재련질. ——-하다 타여불
재범[1] 명〈방〉젓가락(제주·전남).
재:범[2]【再犯】명 ①두 번째 죄를 범하는 일. 또, 그 사람. ②〖법〗징역에 복역하는 자가 그 집행이 끝나거나 집행(執行)이 면제된 날로부터 5년 이내에 다시 범죄를 저질러 유기(有期) 징역에 처해질 경우의 일컬음. 그 형을 가중(加重)함. ——-하다 타여불
재:벽[1]【再壁】명〖건〗초벽(初壁)을 바르고 마른 뒤에 그 위에 다시 바르는 일. ——-하다 자여불
재:벽[2]【再闢】명 다시 엶. 다시 개벽(開闢)함. ——-하다 타여불
재변[1]【才辯】명 재치 있게 하는 말. 뛰어난 변설(辯舌).
재:변[2]【再變】명 다시 변함. ——-하다 자여불
재변[3]【災變】명 ①재앙으로 인하여 생긴 변고(變故). ②자연계의 이변(異變). 천변 지이(天變地異).
재병【宰柄】명 재상(宰相)의 권력.
재보[1] 명〈방〉쐐보.
재:보[2]【再報】명 두 번째 알리는 일. 또, 그 알림. ——-하다 타여불
재보[3]【宰輔】명 재상(宰相).
재보[4]【財寶】명 ①보배로운 재물. ②재화와 보물. ¶~를 탐내다.
재보[5]【裁報】명 재결(裁決)의 통보(通報).
재:-보관【再保管】명〖경〗창고업자(倉庫業者)가 자기 소유의 창고 시설이나 보관 장소가 부족 또는 부적당할 때 다른 창고업자에게 하청(下請) 보관시키는 일.
재-보시[1]【財布施】명〖불교〗중이나 가난한 사람에게 재물을 주는 일.
재-보시[2]【齋布施】명〖불교〗재(齋)를 치른 뒤에 사례로 주는 돈.
재:보장 조약【再保障條約】명〖역〗재보험 조약.
재:-보험【再保險】명〖경〗보험자가 거액의 피보험 물건(被保險物件)에 대한 보험 책임의 분산을 꾀하여, 책임의 일부 또는 전부를 다른 보험자에게 분담시키는 일. 주로, 손해 보험 특유의 제도로서 국제적으로도 행하고 있음. ——-하다 타여불
재:보험 조약【再保險條約】명〖역〗1887년에 성립된 독일과 러시아 간의 비밀 조약. 발칸 반도에서의 국경의 현상 유지 및 조약 체결국(條約締結國)의 한쪽이 제3국의 공격(攻擊)을 받았을 경우에 다른 한쪽은 중립을 지킬 것을 약속함. 재보장 조약(再保障條約). 이중 보장 조약(二重保障條約).
재:복【再覆】명〖역〗고복(考覆).
재:-복무【再服務】명 일정한 병역 의무를 마친 군인이 다시 군인으로 복무하는 일. 재복역(再服役). ——-하다 자여불
재:-복역【再服役】명 재복무(再服務). 준재역(再役). ——-하다 자여불
재본【財本】명 재원(財源).
재봄 명〈방〉젓가락(전남·제주).
재:봉[1]【再逢】명 다시 만남. ——-하다 타여불
재봉[2]【裁縫】명 옷감 따위를 말라서 바느질하는 일. ——-하다 타여불
재봉[3]【才鋒】명 날카롭게 번득이는 재기(才氣).
재봉-기【裁縫機】명 재봉틀.
재봉-사[1]【裁縫師】명 양복 같은 것을 짓는 일을 전문으로 하는 사람. 테일러(tailor).
재봉-사[2]【裁縫絲】명 재봉실.
재봉-수【裁縫繡】명 재봉틀로 놓은 수.
재봉-실【裁縫—】명 재봉틀에 쓰이는 실. 재봉사(裁縫絲).
재봉-척【裁縫尺】명 재봉할 때 쓰는 자. 바느질 자.
재:-봉춘【再逢春】명 ①윤달 때문에 음력으로 일 년 안에 입춘(立春)이 두 번 드는 일. ②불우(不遇)한 처지에 빠졌던 사람이 다시 행복을 찾음. ——-하다 자여불
재봉-침【裁縫針】명 재봉틀.
재봉-틀【裁縫—】명〖기〗피륙·종이·가죽 같은 것을 바느질하는 기계. 1790년 토머스 세인트(Thomas Saint)에 의하여 발명된 후, 여러 번의 개량(改良)을 거쳐, 1851년 오늘날과 같은 재봉틀이 완성되었음. 손재봉틀·발재봉틀 외에 전동식(電動式)으로 된 것도 있음. 재봉기. 재봉침. 미싱.
재부[1]【宰夫】명〖역〗조선 시대 사옹원(司饔院)의 종육품 잡직(雜職). 선부(繕夫)의 위.
재부[2]【財富】명 ①재물의 부(富). ②재물을 많이 지닌 부자. ③재물같이 귀중한 것. ¶민족의 ~로서의 문화 유산.
재-부족【才不足】명 재주가 모자람. ——-하다 형여불
재분【才分】명 재주의 정도.
재:-분류【再分類】[—불—] 명 다시 분류함. ——-하다 타여불
재:-분배【再分配】명 이미 분배한 것을 다시 분배함. ¶부(富)의 ~. ——-하다 타여불

재:-분할【再分割】명 다시 분할함. ——-하다 타여불

재붐 명〈방〉 젓가락(전남).

재블린 〔javelin〕 명 ①경기 용구(競技用具). 끝에 날카로운 쇠붙이가 달린 나무로 만든 투척용(投擲用)의 창(槍). ②투창(投槍).

재블린 스로: 〔javelin throw〕 명 투창(投槍). 창던지기.

재:비 명〈방〉 제비²(경상).

재비탄 명〈방〉 나루¹(함북).

재-빠르다 형르불 재치있고 빠르다. ¶재빠른 동작. ↗재바르다.

재-빨리 부 재빠르게.

재-빼기 명 재의 꼭대기. ¶~를 넘다.

재사¹【才士】명 재주가 있는 남자. ¶~ 다병(多病). ↔재녀(才女). *재자(才子).

재사²【才思】명 재주 있는 생각. 재치 있게 계책(計策)을 세우는 생각. 재정(才情).

재:사³【在社】명 회사에 근무하고 있음. ——-하다 자여불

재:사⁴【再思】명 생각한 일을 다시 여러 모로 생각함. 또, 그 생각. ¶~ 삼고(三考).

재사⁵【齋舍】명〖역〗조선 시대에, 성균관·사학(四學)·향교 등에서, 유생(儒生)의 기숙사로 쓰던 건물.

재사리 명〈방〉 손짭손. ——-하다 자

재사-스럽다【才思—】형ㅂ불 재사(才思)가 있어 보이다. 재사-스레【才思—】부

재:삭【再削】명〖불교〗되깎이❶.

재산【財產】명 ①천량. ②〖경〗일반적으로, 인간의 경제적·사회적 욕망을 만족시키는 유형 무형(有形無形)의 수단. 재(財). ③〖법〗법률에 의해서 보호되는, 경제적·사회적 의미에서의 재산. 즉, 어떤 주체(主體)를 중심으로 또는 어떤 목적 하에 결합된 금전적 가치 있는 물건(物件) 및 권리 의무의 총체(總體)를 말함. ¶~을 늘리다.
[재산을 잃고 쌀알을 줍는다] 큰 재산을 잃어버리고 겨우 생계만을 유지하여 감을 이름.

재산-가【財產家】명 재물을 많이 가진 사람. 부자(富者).

재산 계:정【財產計定】명〖경〗부기에서, 자산(資產)과 부채의 쌍방에 관계되는 여러 계정(計定).

재산 관리【財產管理】[—괄—] 명 타인의 재산 또는 타인과 공유(共有)하는 재산을 관리하는 일.

재산 관리권【財產管理權】[—괄—꿘] 명〖법〗타인의 재산 또는 타인과 공유(共有)하는 재산의 가치를 유지하거나 증가를 꾀하는 등의 재산 관리를 목적으로 하는 권리.

재산 관리인【財產管理人】[—괄—] 명〖법〗재산 관리를 하는 사람. 관재인(管財人).

재산-권【財產權】[—꿘] 명〖법〗경제적 이익을 목적으로 하는 권리. 사권(私權)을 그 목적에 따라 분류한 것의 하나로서, 물권(物權)·채권(債權)·무체 재산권(無體財產權) 같은 것이 그 주요한 것임. *재산(財產)·재(財).

재산권상의 소【財產權上—訴】[—꿘—/—꿘—에—] 명〖법〗민사 소송법(民事訴訟法)상 경제적 이익(利益)을 내용으로 하는 권리(權利) 또는 법률 관계에 관한 소(訴).

재산 명시 제:도【財產明示制度】명〖법〗채권 확보를 손쉽게 하기 위해 채무자의 재산 목록을 법원에 강제로 제출케 하여 이를 명시하는 제도.

재산 목록【財產目錄】[—녹] 명 〔inventory〕〖법〗상업 장부의 한 가지. 일정한 시기에 있어서의 상인의 금전상(金錢上)의 가치 있는 모든 재산을 상세히 기재(記載)한 명세표.

재산-범【財產犯】명 재산에 얽힌 범죄의 유형. 절도·사기·횡령·장물(贓物) 등의 범죄.

재산-법【財產法】[—뻡] 명〖법〗사법 가운데에서 경제적 생활 관계에 관한 법의 총체. 민법의 물권법(物權法)·채권법(債權法) 및 상법(商法) 등. ↔신분법(身分法).

재산 보:전 처분【財產保全處分】명〖법〗법원이 어느 기업의 법정 관리 여부를 심리(審理)하기 전에 그 기업이 부도 등으로 파산이 예견될 때, 국가 경제에 미치는 영향 등을 고려하여 내리는 조치. 이 조치가 내려지면 법원은 회사의 자산·부채 및 영업 환경·경기 전망을 검토할 조사 위원을 선임하여 정리 절차 개시 여부에 대한 조사를 벌이게 됨. 한편, 기업은 사업 계약·수출 금융·회사 채무의 변제 등의 경우, 법원의 허가를 받아 계속할 수 있음.

재산 보:험【財產保險】명〖경〗재산상의 사건에 관련된 경제 사정의 불안정을 제거할 것을 목적하는 보험. 화재 보험·해상 보험·신용 보험·육운(陸運) 보험·도난 보험 등이 있음.

재산 분리【財產分離】[—불—] 명 상속 채권자·수유자(受遺者) 또는 상속인의 고유한 채권자에게 상속 재산 혹은 상속인의 고유한 재산 중에서 우선 변제(優先辨濟)를 받게 하기 위하여, 그 청구에 따라 두 재산을 분리해서 청산하는 재판 상의 처분(處分).

재산 분여【財產分與】명 이혼(離婚)의 경우에, 당사자의 일방(一方)이 타방(他方)에 대하여 재산을 분여하는 일. 분여의 액(額)과 방법은 당사자 간의 협의에 맡기거나 법원의 판결에 의함.

재산 삼분법【財產三分法】[—뻡] 명〖경〗재산을 현금 예금·부동산·주식(株式)의 세 종류로 나누어 운용하여, 이식(利殖)과 보전(保全)을 꾀하고자 하는 일.

재산 상속【財產相續】명〖법〗상속.

재산 생명 보:험【財產生命保險】명〖경〗어떤 단위 재산을 하나의 생명이 있는 개체로 가정하여, 그 재산의 손상 또는 파훼(破毁)의 보상법을 목적으로 하는 보험.

재산-세【財產稅】[—쎄] 명〖법〗①좁은 뜻으로는, 재산 소유의 사실에 대해 한 번에 한하여 과하는 세. ②넓은 뜻으로는, 토지·가옥·광구(鑛區)·선박(船舶) 등 특정 종류(特定種類)의 재산 소유의 사실에 대해 해마다 되풀이하여 과하는 조세(租稅). 지방세(地方稅)의 하나임. 자산세(資產稅).

재산 소:득【財產所得】명〖경〗재산을 이용하여 생기는 소득. 지대(地代)·이자·배당(配當) 같은 것.

재산 압류【財產押留】[—뉴] 명〖법〗①강제 집행(強制執行)의 한 가지. 채권자가 법의 절차에 의하여 채무자의 재산에 대하여 행하는 압류. ②강제 징수(強制徵收)의 한 가지. 국가나 자치 단체가 납세 의무를 이행하지 아니하는 사람의 재산에 대하여 행하는 압류. 재산 차압(差押).

재산-액【財產額】명 자산액(資產額).

재산 이전세【財產移轉稅】[—쎄] 명 재산의 이전에 대하여 부과(賦課)하는 세(稅).

재산 인수【財產引受】명 발기인(發起人)이 회사의 성립을 조건으로 하여 재산 제공자와 회사를 위해서 매매(賣買) 또는 청부(請負)와 같은 계약(契約)을 하는 일.

재산 재:평가【財產再評價】[—까] 명〖법〗기업의 합리화와 적정한 감가 상각(減價償却)을 하기 위하여 법인(法人) 또는 개인(個人)의 사업용 자산(資產)이나 사업에 쓰일 자산을 현실에 적합하도록 재평가(再評價)하는 일.

재산적 손:해【財產的損害】명〖법〗재산 침해나, 신체 등 인격적 이익을 침해당한 경우에 생기는 재산 상의 손해. 유형적 손해(有形的損害). ↔정신적 손해.

재산 제:도【財產制度】명〖법〗국가에서 규정한, 재산의 소유 및 처분에 관한 제도.

재산-죄【財產罪】[—쬐] 명〖법〗재산적 법익(法益)에 대한 범죄. 재산죄는 경제적·환경적 조건에 지배되는 경향이 뚜렷하므로 나라마다 경제 조직의 차이에 따라 그 내용과 취급이 다름. 절도와 강도의 죄, 횡령과 배임(背任)의 죄 따위.

재산 증가세【財產增加稅】[—쎄] 명〖법〗재산을 단순히 소유하고 있다는 사실만으로 생긴 증가(增價) 이익에 대하여 부과하는 지방세 ㊍증가세(增加稅).

재산 차압【財產差押】명〖법〗재산 압류(押留).

재산 출자【財產出資】[—짜] 명 회사 설립 등을 할 때, 구성원의 의무로서, 금전 기타의 재산을 그 단체에 제공하는 일. 주식 회사에서의 주식의 납입(納入) 등 금전 출자가 많음. 자본 출자(資本出資). ↔신용 출자(信用出資).

재산 평:가【財產評價】[—까] 명〖법〗재산 목록이나 대차 대조표에 기재한 재산의 평가. 평가에 관한 원칙적 규정에 의하면 일반 재산의 평가는 재산 목록과 대차 대조표를 작성할 당시의 시가에 의하며, 영업용 고정(固定) 재산은 그 취득 가격(取得價格)이나 제작 가액(製作價額)으로부터 상당한 감손액(減損額)을 공제한 감가 상각(減價償却)에 의함.

재산-할【財產割】명〖법〗사업소의 연(延)면적을 과세 표준으로 하여 부과하는 사업소세. 연면적이 100 평 이하이면 면세됨.

재산-형【財產刑】명〖법〗범인의 재산 박탈을 내용으로 하는 형벌. 벌금·과료 같은 것.

재산 형성 저:축【財產形成貯蓄】명 ↗근로자 재산 형성 저축. ㊍재형저축.

재:-산호【再山呼】명감 산호 만세(山呼萬歲)를 삼창(三唱)할 때 두 차례의 산호(山呼)에 이어 세 번째의 만세를 부르는 일. 또, 그 선도(先導)하는 구령(口令).

재살¹ 명〈방〉 손짭손. ——-하다 자

재살²【災煞】명〖민〗독한 음기(陰氣)의 살의 하나. 인년(寅年)·오년(午年)·술년(戌年)에는 자방(子方)에, 신년(申年)·자년(子年)·진년(辰年)에는 오방(午方)에, 사년(巳年)·유년(酉年)·축년(丑年)에는 묘방(卯方)에, 해년(亥年)·묘년(卯年)·미년(未年)에는 유방(酉方)에 있다고 함. *삼살방(三煞方).

재살³【宰殺】명 도살(屠殺)❷. ——-하다 타여불

재:삼【再三】명부 두 번 세 번. 여러 번. ¶~ 부탁하다.

재:삼 사지【再三思之】명 여러 번 생각하는 일. 재고 삼사(再考三思). ——-하다 타여불

재:삼 재:사【再三再四】명부 '재삼(再三)'의 힘줌말. ¶~ 강조하다.

재샂-밥 명〈방〉 비빔밥.

재:상¹【在喪】명 어버이의 상중에 있음.

재-상²【災祥】명 재앙과 상서(祥瑞).

재상³【災傷】명 천재(天災)로 인하여 농사에 입는 해. ㊍재(災).

재:상⁴【宰相】명 ①〖역〗재신(宰臣)과 상신(相臣). 왕을 보필(輔弼)하고 백료(百僚)를 지휘·감독하는 지위에 있는 이품 이상 벼슬의 통칭. 경윤(卿尹). 봉지(鳳池). 경상(卿相). 재경(宰卿). 재보(宰輔). 경재(卿宰). 재신(宰臣). ②〖역〗승상(丞相).

재:상-가【宰相家】명 재상의 집.

재상 분명【財上分明】명 돈을 거래하는 데에 경위가 밝음.

재:-상피화【再上皮化】명 〔re-epithelization〕〖의〗①박리(剝離)된 표면에 상피 조직(組織)이 재증식(再增殖)하는 일. ②박리된 표면에 외과적으로 상피 조직을 이식하는 일. ——-하다 자타여불

재:-상환【再償還】명〖법〗어음이나 수표의 소지인(所持人) 또는 자기의 후자(後者)에게 상환(償還)을 하고, 어음이나 수표를 환수(還收)한 상환 의무자(義務者)가 다시 자기의 전자(前者)에게 상환을 청구(請求)하는 일.

재-색[1]【才色】[명] 여자의 재주와 용모. ¶ ～을 겸비한 규수(閨秀).

재-색[2]【財色】[명] 재물과 계집. 화색(貨色).

재:생[1]【再生】[명] ①거의 죽게 되었다가 다시 살아남. 갱생(更生). ¶ ～의 기쁨. ②〖기독교〗 인간이 신의 자비(慈悲)로 영적(靈的)으로 새롭게 다시 태어나는 일. 신생(新生). ¶ 개심(改心)하고 ～의 길을 걷다. ③다시 이 세상에 태어남. ④폐물을 원료로 하여 한 번 더 쓸 수 있는 물건으로 만들어 냄. ¶ ～ 고무/～품/～ 필름. ⑤〔regeneration〕〖생〗 상실(喪失)된 생물체의 한 부분의 조직·기관(器官)이 다시 자라나는 현상. 생리적인 것과 병리적(病理的)인 것이 있으며, 몸의 구조가 간단한 하등 동물일수록 재생 능력이 큼. ⑥〔reproduction〕〖심〗 이전에 기억한 일이 어떤 노력을 하지 아니하고저절로 생각나서 말하고 쓰게 되는 일. 기억 실험법의 중요한 방법임. 재현(再現). ⑦녹음·녹화(錄畫)한 음성·영상(映像) 등을 다시 들려 주거나 보여 주는 일. ¶ ～ 녹음 방송. ⑧〔regeneration〕〖물〗 증폭기에서, 의식적으로 양 피드백(陽 feed-back)을 가하여 증폭도(增幅度)를 증대시키는 일. 즉, 진공관의 출력(出力) 쪽에 나타난 고주파 전압의 일부가 그리드(grid)의 입력(入力) 쪽에 되돌려져서 입력 쪽의 약한 세력을 크게 하는 작용을 말함. 재생 검파에 응용함. *재생 검파. ⑨〖군〗 무기·자재(資材)를 손질·도장(塗裝) 또는 수리 등 방법으로, 원상태 또는 거의 원상태와 같게 하는 일. ──하다 [자][타][여불]

재생[2]【齋生】[명]〖역〗↗거재 유생(居齋儒生).

재:생 검:파【再生檢波】[명]〖물〗 검파관(檢波管) 출력(出力)의 저주파(低周波) 중에 포함되는 고주파(高周波)의 일부를 입력(入力)쪽으로 다시 보내어 입력 쪽을 증강함으로써 전파의 감도(感度)를 높이는 방법. *재생(再生).

재:생 고무【再生一】[명]〔reclaimed rubber〕 낡은 고무를 가루로 만들어 알칼리·산(酸) 또는 지방유(脂肪油) 같은 것과 같이 가열(加熱)하여 잡물(雜物)을 없이하고 가소성(可塑性)을 가지게 한 고무. 값이 싼 고무 제품이나 고무 배합품으로 쓰임. 갱생(更生) 고무.

재:생-력【再生力】[一녁] [명] 재생하려는 힘. 다시 살아나려고 하는 힘. ¶ ～을 불어 넣다.

재:생-림【再生林】[一님] [명] 한 번 벌채(伐採)한 그루터기에서 싹이 나와 다시 우거진 숲.

재생-명【哉生明】[명] 달의 밝은 부분이 처음 생긴다는 뜻으로, 음력 초사흗날을 일컬음.

재:생-모【再生毛】[명] 털을 원료로 한 제품의 누더기나 못쓰는 조각을 풀어서 다시 원모(原毛)처럼 만든 것.

재:생 바리콘【再生一】〔varicon〕[명] 라디오 수신기 같은 것의 재생도(再生度)를 조절하는 바리콘.

재생-백【哉生魄】[명] 달의 검은 부분이 생기기 시작한다는 뜻으로, 음력 열 엿샛날을 일컬음.

재:생-법【再生法】[一뻡] [명]〖심〗 언어·문장·도형·수식(數式) 등을 암기시키고 일정 시간 후에 재생시켜 얼마만큼 정확하게 기억하고 있는가를 측정(測定)하는 테스트 방법(test方法). 심리학(心理學)의 실험(實驗)에서는 소재(素材)로서 숫자(數字)·무의미철(無意味綴) 등을 쓰는 일이 많음.

재:생 불량성 빈혈【再生不良性貧血】[一썽一] [명]〔aplastic anemia〕〖의〗 골수(骨髓)에서의 혈액 세포를 만드는 능력이 부전(不全)하게 된 결과 일어나는 모든 종류의 혈구 감소증(血球減少症). 원인 불명의 일차성(一次性)의 것과 약품·방사선 등에 의한 이차성(二次性)의 것이 있음. 빈혈·출혈 경향이 강하여 예후(豫後) 불량함. 재생 불능성 빈혈. 무형성 빈혈.

재:생 빙하【再生氷河】[명]〔regenerated glacier〕〖지〗 정체기(停滯期) 후에, 활동적으로 된 빙하(氷河).

재:생 사이클【再生一】[명]〔regenerative cycle〕〖물〗 보통 사이클에서는 손실되는 열의 일부를, 사이클 효율을 높이기 위해 쓰는 기관(機關) 사이클.

재:-생산【再生產】[명]〔reproduction〕〖경〗 생산된 상품을 시장에 내어 팔아서 얻은 자본으로 다시 전과 똑같은 종류의 상품을 생산하는 일. 생산 과정을 전체적·계속적인 견지에서 관찰하게 되면 모든 생산 과정은 이 과정을 밟게 되는데, 그 규모에 따라 단순(單純) 재생산·확대(擴大) 재생산·축소(縮小) 재생산으로 나뉨. *단순 재생산·확대 재생산·축소 재생산.

재:생 섬유【再生纖維】[명]〖공〗 화학 섬유의 하나. 목재(木材)·펄프 등의 셀룰로오스를 약품에 녹인 것을 섬유 상태로 뽑아 내어 약액(藥液)으로 처리하여 만든 섬유. 비스코스 레이온(rayon)·구리암모니아 인견(人絹)·단백질 섬유·알긴산 섬유 등. *반합성(半合成) 섬유·무기질(無機質) 섬유.

재:생 섬유소【再生纖維素】[명]〖화〗 화학적 또는 물리적으로 변화한 천연 섬유소를 다시 본디 섬유소로 돌아가게 하는 일. 용액에서 석출(析出)한 섬유소와 같은 것으로서, 화학적 변화를 거친 것이므로 엄밀한 뜻에서는 본디 섬유소와 다름. 재생 셀룰로오스.

재:생-성【再生性】[一썽] [명] ①다시 살려 쓸 수 있는 성질. ②〖생〗 생물이 몸의 일부를 손괴당했을 때, 잃은 부분을 되살리는 성능(性能).

재:생 셀룰로오스【再生一】[명]〔regenerated cellulose〕 재생 섬유소(再生纖維素).

재:생 속도【再生速度】[명]〔reproduction speed〕〖통신〗 팩시밀리 전송(傳送)에서, 단위 시간(單位時間)에 기록(記錄)되는 재생 화상(畫像)의 면적(面積).

재:생식 공기 가열기【再生式空氣加熱器】[명]〔regenerative air heater〕〖기〗 공기 가열기의 일종. 이 속에서 열전도체가 열공급 가스 및 공기와 번갈아 접촉함.

재:생식 수신기【再生式受信機】[명]〔regenerative receiver〕〖물〗 재생 검파법(檢波法)을 이용한 무선 수신기. 재생 작용이 너무 강하면 '삐삐' 소리가 남.

재:생-아【再生芽】[명]〔regeneration bud〕〖생〗 동물의 재생(再生) 초기에 나타나는 비분화(非分化) 세포의 집단으로 이루어지는 돌기(突起). 양서류(兩棲類)의 발·꼬리가 제거된 후 절단면(切斷面)상에 형성되는 원추상(圓錐狀) 돌기.

재:생 억제【再生抑制】[명]〔reproductive inhibition〕〖심〗 어떤 재료를 기명(記銘) 또는 학습하면, 그 직후에 일시적으로 그 전에 기명한 내용의 재생을 억제하는 작용. 이것은 전에 학습한 내용의 파지(把持)를 해하는 것이 아니라 일시적인 억제이기 때문에 소향 억제(溯向抑制)와 구별됨.

재:생 에너지【再生一】〔energy〕[명] 소비(消費)되어도 무한에 가깝도록 다시 공급되는 에너지. 태양·풍력(風力)·지열(地熱) 등의 자연 에너지나 알코올·광합성(光合性) 등의 식물(植物) 에너지 같은 것.

재:생-유【再生油】[一뉴] [명]〔reclaimed oil〕 사용이 끝난 윤활유(潤滑油)를 다시 사용하기 위해 회수(回收)하고, 재생하여 판매되는 기름.

재:생 인조 섬유【再生人造纖維】[명]〔regenerated fiber〕 재생 방직 섬유의 하나. 천연의 원료를 용해하여, 이것을 비스코스 등으로 만들어 노즐에서 압출(押出)시킴으로써 응고 재생한 것.

재:생적 사고【再生的思考】[명]〖심〗 과거의 경험(經驗)을 재생함으로써 이전에 행한 것과 같은 해결을 하려는 사고. *생산적 사고(生產的思考).

재:생 증폭기【再生增幅器】[명]〔regenerative amplifier〕〖전〗 이득과 선택성을 증가시키기 위해, 양피드백(陽 feed-back)을 사용하는 증폭기.

재:생-지【再生紙】[명] 헌 신문지 등을 풀어 녹여서 다시 만든 종이. 인쇄 잉크가 잘 빠지지 아니하여 회색의 조제지(粗製紙)나 마분지 등을 만듦.

재:생지-은【再生之恩】[명] 죽게 된 것을 살려 준 은혜.

재:생지-인【再生之人】[명] 죽을 지경을 겪은 사람.

재:생-창【再生廠】[명] 수리와 폐품 재생을 주로 하는 공창.

재:생 처:리【再生處理】[명]〖공〗 더러운 것을 깨끗이 하여 다시 이용할 수 있도록 하는 일. 즉, 접촉 분해 촉매(觸媒)는 잔류 탄소분을 소각하여 재생시키며, 백토(白土)의 흡착제는 부착물을 물로 씻어 재생하며, 여과기는 여재(濾材)를 재생하는 일 따위.

재:생 타이어【再生一】〔tire〕[명] 바퀴의 닳은 부분에 고무를 덧대어 요철(凹凸) 부분을 재생시킨 자동차 타이어.

재:생-품【再生品】[명] 재생한 물품.

재:생 헤드【再生一】〔head〕[명] 자기(磁氣) 녹음 장치의 재생용 전자석. 흔히, 미소한 틈이 있는 고리 모양의 소형 자석이며, 녹음 헤드에 의하여 자기화(磁氣化)된 자기 테이프 등의 자성체로부터 자기력선(磁氣力線)을 받아, 코일(coil)에 발생하는 전압에 의하여, 녹음 신호에 따른 전기 신호를 보냄.

재:생 회로【再生回路】[명]〔reflex circuit〕 동일(同一)한 증폭관(增幅管)으로 신호(信號)를 두 번 증폭하는 회로. 한 번은 검출(檢出) 전의 중간 주파수(周波數)의 신호(信號)로, 또 한 번은 검출 후의 가청(可聽) 주파수 신호로 증폭함.

재서[1]【才諝】[명] 재지(才智).

재:서[2]【載書】[명] 서약한 문서. 서문(誓文). 서서(誓書).

재:석[1]【在昔】[명] 옛적. 옛날. 왕석(往昔).

재:석[2]【在席】[명] ①자리에 있음. ②회의에서 표결할 때 자리에 있는 일. ¶ ～ 의원.

재:선【再選】[명] ①↗재선거. ¶ ～ 결과 낙선하다. ②↗재당선. ¶ 국회의원에 ～되다. ──하다 [자][타][여불]

재:-선거【再選擧】[명] ①선거의 전부 또는 일부분이 무효가 되었을 때에 다시 하는 선거. ②당선인을 보충하기 위하여 행하는 선거. 1)·2): [준]재선(再選). ──하다 [타][여불]

재:설【再說】[명] 한 이야기를 다시 함. 되풀이하여 설명함. ──하다 [타][여불]

재:성[1]【再成】[명] ①두 개가 겹침. 두 번 행하여짐. ②두 번 음악을 연주함. ──하다 [타][여불]

재:성[2]【在城】[명] 왕궁(王宮)과 관부(官府)를 중심으로 하여 쌓은 왕성(王城). 도성(都城). ↔나성(羅城).

재성[3]【裁成】[명] 적당히 조처(措處)하여 일을 완수(完遂)시킴. 말라서 이룸. ──하다 [타][여불]

재:성-장【再成醬】[명] 내림장.

재:세[1]【在世】[명] ①세상에 살아 있음. 또, 그 동안. ②신불(神佛)의 재세중(中). 석가나 그리스도가 살아 있던 때. ──하다 [자][여불]

재세[2] [명]〖건〗 ☞ 재벽(再壁). ¶ 방에 ～를 하고 문도 닫았다《吳永壽 : 메아리》.

재:-세례파【再洗禮派】[명]〔도 Anabaptist〕〖역〗 독일 종교 개혁 때에 나타난 극단적 신교의 한 파. 교회는 의식적으로 신앙을 고백한 사람의 집단이므로 어린 아이의 세례를 부정하고 교회에 들어올 때는 소아(小兒) 세례를 받은 사람도 다시 세례를 받아야 하며, 교회는 국가 권력의 간섭을 부정해야 된다고 주장하였음.

재:세-중【在世中】[명] 어떤 사람이 살아 있는 동안. 존명중(存命中).

재:소[1]【再訴】[명]〖법〗 ①한 번 취하하였거나 기각당한 소송을 다시 일으킴. ②↗재기소(再起訴). ──하다 [타][여불]

재소[2]【齋所】[명] ①재계(齋戒)하는 곳. ②〖불교〗 재장(齋場)❸.

재소[3]【齋素】 명 『천주교』 대소재(大小齋)를 지킴. 곧, 단식재(斷食齋)와 금육재(禁肉齋)를 지키는 일.
재:-소구【再遡求】 명 『법』 소구받은 어음이나 수표를 자기에게 넘겨 준 사람에게 다시 소구하는 일. ——-하다 타 여불
재:-소난면【在所難免】 명 어떠한 일에서 벗어나기가 어려움.
재:소-자【在所者】 명 ①어떤 곳에 있는 사람. ②교도소, 소년원, 구치소 등에 수용되어 있는 사람. 수인(囚人).
재소쿠리 명 〈방〉 소쿠리(전북).
재:속【在俗】 명 『불교』 출가(出家)하지 아니하고 속체(俗體)로 있음. 또, 그 사람. 재가(在家). ↔출가(出家). ——-하다 자 여불
재:속 수도회【在俗修道會】 명 『천주교』 사제(司祭)·평신도들이 복음 전파를 목적으로 회헌(會憲)에 따라 자기 혼자, 또는 가족과 함께, 혹은 형제적 공동체와 함께 세속의 일상적 조건 속에서 생활하는 수도회. ㊀재속회(在俗會).
재:속-승【在俗僧】 명 재가승(在家僧).
재:속 신부【在俗神父】 명 『천주교』 전교(傳敎)를 위주로 하여 신자들의 영신(靈神) 지도를 담당하는 신부. ↔수사 신부(修士神父).
재:속-회【在俗會】 명 『천주교』 ↗재속 수도회.
재:-손질【再一】 명 다시 손질함. ——-하다 타 여불
재:송[1]【再送】 명 ①두 번째 보냄. 다시 보냄. ②『법』 ↗재송 전보(再送電報). ——-하다 타 여불
재:송[2]【再誦】 명 되풀이하여 독송(讀誦)함. ——-하다 타 여불
재:송[3]【載送】 명 물건을 실어 보냄. 장발(裝發). ——-하다 타 여불
재:송 전:보【再送電報】 명 수신인(受信人)이 주소를 옮긴 때에 수신인의 대리인이나 그 전 주소에 있는 사람에게서 새로운 주소로 재송(再送)할 것을 청구하는 전보. ㊀재송(再送).
재:수[1]【在囚】 명 옥에 갇혀 있음.
재:수[2]【再修】 명 한 번 배웠던 과정을 다시 배우는 일. ——-하다 타 여불
재수[3]【財數】 명 ①재물에 대한 운수. ②운수. ¶～가 좋다/～ 없다. [재수가 불일 듯한다; 재수가 불일 듯한다] 재수가 퍽 좋아서 일이 뜻대로 잘 되어 감을 이르는 말. [재수가 불 붙었다] '재수가 물밀 듯한다'와 같은 뜻. [재수가 없는 포수는 곰을 잡아도 웅담(熊膽)이 없고 복 없는 봉사는 괘문(卦文)을 배워 놓으면 개좇부리하는 놈도 없다] 하는 일마다 운수가 막힘을 이름. [재수가 옴 붙듯하다] 재수가 도무지 없음을 이르는 말. [재수 없는 놈은 뒤로 자빠져도 코가 깨진다] 안되는 놈은 뒤로 넘어져도 코가 깨진다.
재수 발원【財數發願】 명 『불교』 재수가 형통하기를 부처님께 비는 일. ——-하다 자 여불
재수-변【才手邊】 명 재방변(才傍邊).
재수 불공【財數佛供】 명 『불교』 재수 발원으로 부처님께 올리는 불공. ——-하다 자 여불
재:수-생【再修生】 명 한 번 배웠던 과정을 다시 배우는 학생.
재:-수술【再手術】 명 수술한 자리에 이상(異常)이 생기어 다시 수술하는 일. 또, 그 수술. ——-하다 타 여불
재:-수습【再收拾】 명 다시 수습함. ——-하다 타 여불
재:-수입【再輸入】 명 수출했던 물건을 다시 수입하는 일. ¶～품. ↔재수출. *역수입(逆輸入). ——-하다 타 여불
재:수입 감:면세【再輸入減免稅】 명 가공(加工) 또는 수리할 목적으로, 수출한 뒤 1년 내에 수입하는 물품에 대하여 관세(關稅)를 면제하거나 경감(輕減)하는 일.
재수 축원굿【財數祝願一】 명 『민』 서해안 해주(海州) 지역에서 재수굿으로서의 축원굿을 특히 일컫는 말. *병축원굿.
재:-수출【再輸出】 명 수입했던 물건을 다시 수출하는 일. 일반적으로는 수입한 원료·반(半)제품을 가공(加工)·완성하여 수출함을 뜻함. ¶～품. ↔재수입. *역수출. ——-하다 타 여불
재:수출 면:세【再輸出免稅】 명 법에 의해 지정된 물품을 수입 면허일(免許日)로부터 일정한 기간 내에 수출하는 것에 대해서 관세(關稅)를 면제하는 일.
재수-통【一桶】 명 〈방〉 개수통.
재:숙[1]【再宿】 명 이틀 밤을 묵음. 숙숙(宿宿). ——-하다 자 여불
재숙[2]【齋宿】 명 제관(祭官)이 재소(齋所)에서 밤을 지냄. ——-하다 자 여불
재:순【再巡】 명 ①두 번째로 도는 차례. ②활을 쏘는 데 두 번째의 순. 재회(再回).
재:-순환【再循環】 명 〔recycling〕 사용이 끝난 핵연료(核燃料)를 화학처리로 재농축(再濃縮)하여, 새로운 연료 요소를 구성함으로써 다시 사용하는 일.
재숫-굿【財數一】 명 『민』 집안에 재수가 형통하기를 비는 굿. *우환(憂患)굿.
재숫-물 명 〈방〉 개숫물.
재스민〔jasmine〕 명 ①『식』 물푸레나뭇과 재스민속(屬)에 속하는 식물의 총칭. 잎은 복엽(複葉)이며 황색·백색 등의 통상화(筒狀花)가 피는데 특유한 향내가 남. 열대·아열대(亞熱帶)에 200여 종이 분포함. ② 재스민의 꽃에서 얻은 향유(香油). 리날룰(linalool) 등을 함유하고 있어 방향이 강함. 향료로서 귀중함.
재스퍼 국립 공원【一國立公園】〔一닙一〕 명 〔Jasper National Park〕 『지』 캐나다 앨버타 주(Alberta 州)의 서부 캐나디언 로키(Canadian Rocky)의 동사면(東斜面)에 있는 국립 공원. 1907년에 지정되었는데 경치가 매우 아름다움. 여름철에는 관광객(觀光客)이 많음. [19,000km²]
재:-습곡【再褶曲】 명 〔refolding〕 『지』 하나의 습곡계(系)가 다른 방향의 힘의 영향을 받아, 그 응력(應力)을 받는 과정(過程).
재승【齋僧】 명 『불교』 반승(飯僧).
재-승덕【才勝德】 명 재주가 덕보다 나음. ——-하다 형 여불
재승 덕박【才勝德薄】 명 재주는 뛰어나지만 덕이 적음. ¶～한 사람. ——-하다 형 여불
재시【財施】 명 재산·입을 것·먹을 것의 세 가지를 베푼다는 삼시(三施)의 하나.
재:-시공【再施工】 명 다시 시공함. ——-하다 타 여불
재:-시험【再試驗】 명 ①두 번 시험을 침. ②일정한 점수에 이르지 못한 사람에게 다시 보이는 시험. ——-하다 타 여불
재식[1]【才識】 명 재주와 식견(識見).
재:식[2]【再蝕】 명 〔rework〕 『지』 임의(任意)의 지질학적 물질이 자연(自然)의 작용으로 본래의 장소에서 이동(移動)하여, 신기(新期)의 지층(地層) 속으로 혼입(混入)하는 현상. ——-하다 타 여불
재:식[3]【栽植】 명 초목이나 농작물을 심음. ——-하다 타 여불
재식[4]【齋式】 명 『불교』 재(齋)를 올리는 의식(儀式).
재식[5]【齋食】 명 『불교』 불가에서의 식사.
재:식-경【栽植耕】 명 『농』 재식 농업.
재:식 농업【栽植農業】 명 〔plantation〕 『농』 열대 또는 아열대에서 원주민 등을 부려서 넓은 경지에 같은 농작물을 대규모로 재배하는 농업. 자본의 투하 및 관리는 대개 구미인(歐美人)이 하며, 생산물은 솜·고무·야자·커피·카카오·차(茶)·사탕무·사탕수수·담배·키나 등인데 식민지가 감소되어 감에 따라 이 농업 형태는 차차 적어지고 있음. 재식경(栽植耕).
재:식 밀도【栽植密度】〔一또〕 명 일정한 면적에 심어진 각종 작물의 개체수(個體數)를 이름. 작물의 종류, 토양 등에 따라 다르나 보통 파종된 종자의 양에 따라 표시할 수 있음.
재식-시【齋食時】 명 『불교』 불가에서 정오(正午) 이전에 먹는 때. ↔비재식시(非齋食時).
재:식 식민지【栽植植民地】 명 원주민 노동자를 사용하여 재식 농업을 영위하는 식민지. 대개 열대(熱帶) 및 아열대(亞熱帶)의 투자(投資) 식민지에 속함. 개발(開發) 식민지.
재:신[1]【再伸】 명 〔재도 득신(再度得伸)의 뜻〕 소송에서 초심·재심을 계속해서 이김. *삼도 득신(三度得伸). ——-하다 자 여불
재:신[2]【宰臣】 명 ①재상(宰相)❶. ②당상 정삼품(正三品) 이상의 벼슬의 통칭. *상신(相臣).
재신[3]【財神】 명 『민』 ↗재록신(財祿神).
재:-신문【再訊問】 명 『법』 반대 신문이 끝난 다음에 증인을 신청한 당사자가 하는 신문. 재주신문(再主訊問).
재:실[1]【在室】 명 실내에 있음. 방에 있음.
재:실[2]【再室】 명 ①재취한 아내. ②낡은 집을 헐어 낸, 헌 재목으로 지은 집.
재실[3]【災實】 명 재해를 입은 사실.
재실[4]【梓室】 명 『역』 왕세자의 관(棺). *재궁(梓宮).
재실[5]【齋室】 명 ①『역』 능(陵)이나 종묘(宗廟) 등의 제사 지내는 집. 재전(齋殿). ②『역』 문묘(文廟)에서 유생(儒生)들이 공부하는 집. ③무덤이나 사당 옆에 제사 지내기 위하여 지은 집. 재각. 재궁(齋宮).
재실-전【梓室殿】 명 『역』 궁중에서, 재실을 두던 전각.
재:심【再審】 명 ①한 번 심리한 일을 다시 심리하는 일. ②『법』 민사 소송법상 확정 판결로 끝난 사건에 대하여 당사자로부터 일정한 하자(瑕疵)가 있음을 이유로 판결을 취소하고 소송을 판결 전의 원상(原狀)으로 복구하여 새로 재판할 것을 요구하는 신청(申請) 및 그 절차. ¶～을 청구하다. ③『법』 형사 소송법상 확정 판결에 대하여 사실 인정(事實認定)의 부당(不當)함을 이유로 하여 행하는 비상(非常) 구제 방법(救濟方法). 유죄 판결을 받은 피고인의 이익을 위해서만 허용됨. ↔초심(初審)·제1심. ——-하다 타 여불
재:-심사【再審査】 명 한 번 심사한 일을 다시 심사하는 일. ——-하다 타 여불
재:심 사:유【再審事由】 명 『법』 재심을 청구하는데 필요한 법정 사유.
재-쑥 명 『식』 [*Descurainia sophia*] 겨잣과에 속하는 2년초. 줄기는 높이 70cm 가량, 잎은 호생하며 2-3회 우상 전열(羽狀全裂)하고 열편은 선형(線形)을 이룸. 5-6월에 흰 꽃이 총상(總狀) 화서로 경생하고, 장각(長角)의 과실을 맺음. 산이나 들에 나는데, 전북·경기·황해·평남·함남·함북 등지에 분포함. 어린 잎은 식용함.

〈재쑥〉

재-아【宰我】 명 『사람』 중국 춘추 시대의 노(魯)나라 사람. 이름은 여(予). 자는 자아(子我). 공문(孔門) 십철(十哲)의 한 사람으로 특히 어학에 뛰어나 제(齊)나라의 임묘 대부(臨苗大夫)가 되었음.
재아리 명 〈옛〉 매개(媒介). 중매(中媒). ¶節女의 아비를 저혀 ᄯᆞᆯ를 ᄒᆞ야 재아리ᄒᆞ라 ᄒᆞ야늘(乃劫其妻之父 使要其女爲中謫) ≪三綱 烈女≫.
재악 명 〈방〉 조약돌(강원).
재:안-산【在安山】 명 『지』 강원도 화천군(華川郡) 화천읍(華川邑)에 있는 산. [1,071 m]
재앙【災殃】 명 천변 지이(天變地異)로 말미암은 불행한 사고. 구앙(咎殃). 화앙(禍殃). 앙재(殃災).
재애 명 〈방〉 기와(경상).
재액【災厄】 명 재앙과 액운. ¶～이 닥치다. ㊀재(災).
재:야【在野】 명 ①초야(草野)에 있는 일. 전야(田野)에 묻혀 사는 일. ② 공직(公職)에 나가지 않고 민간에서 사는 일. ③정당이 정권을 잡지

못하고 야당(野黨)의 입장에 있는 일. ④제도권(制度圈) 야당(野黨)에도 참여하지 않고 반체제(反體制) 야권(野圈)에 머물러 있는 일. ¶~인사. 2)-4) : ↔재조(在朝). ——-하다 자여불

재:야-당【在野黨】명 야당(野黨).

재약-돌: 명〈방〉조약돌(강원).

재:약-하다【—藥—】자여불 화약을 총에 다지어 넣다.

재:양[1]【載陽】명 명주·모시붙이를 풀을 먹여서 반반하게 펴 말리는 일. 재양틀에 대고 꿰어매기도 하고, 재양판(載陽板)에 붙여서 말리기도 함. 준쟁.

재:양[2]【載陽】명 절기가 따뜻해짐. ——-하다 자여불

재:양-치다【載陽—】타 명주·모시붙이를 풀을 먹여서 재양틀에 매거나 재양판에 대고 펴서 말리거나 다리다. 준쟁치다.

재:양-틀【載陽—】명 재양치는 데 쓰는 기구. 가는 나무오리를 직사각형으로 짠 것으로 거기에 명주·모시붙이를 풀을 먹여서 꿰어매어 말리게 됨. 준쟁틀.

재:양-판【載陽板】명 재양치는 데 쓰는 큰 널빤지. 명주·모시붙이를 풀을 먹여서 그 위에 펴 붙여 말림. 준쟁판.

재억【裁抑】명 제재(制裁)하여 억누름. ——-하다 타여불

재:언【再言】명 다시 말함. ¶~하거니와. ——-하다 자여불

재얼【災孼】명 재이(災異).

재여리 명〈옛〉중매[1]. ¶媒는 재여리라 ≪月釋 Ⅱ:21之 2止≫.

재:역[1]【再役】명 ↗재복역(再服役). ——-하다 타여불

재역[2]【災疫】명 재이(災異)와 역병(疫病).

재:역-전【再易田】명 땅이 몹시 메말라 이태 걸러 경작하는 땅. *일역전(一易田).

재:연[1]【再演】명 ①한 번 연출한 것을 다시 연출함. ②한 번 일어났던 일을 다시 되풀이함. ¶범행을 ~하다. ——-하다 타여불

재:연[2]【再燃】명 ①꺼졌던 불이 다시 탐. ②잠잠하여진 일이 다시 떠들고 일어남. ¶문제가 ~됐다. ——-하다 자여불

재연[3]【齋筵】명 공양(供養)하는 좌석.

재열[1] 명〈방〉〖충〗매미(제주).

재열[2]【宰列】명 재상(宰相)의 반열(班列).

재:열 터:빈【再熱—】[turbine] 명〖공〗터빈의 고압부(高壓部)에서 팽창시켜 온도가 내려간 증기를 보일러로 되돌려 보내어 재가열(再加熱)한 후, 저압부(低壓部)에서 팽창하게 하는 증기 터빈. 증기의 습기를 방지하고 열효율(熱効率)을 증가시킴. 고압(高壓) 대출력용(大出力用)으로 화력 발전소에서 사용함.

재:염【再塩】명 천일염(天日塩)을 물에 풀어서 다시 곤 것으로 빛깔이 희고 맛이 좀 쓴 듯한 소금. 재제염(再製塩).

재:엽상 구조【再葉狀構造】명 [refoliation]〖지〗이전의 엽상 구조에 잇달아 생기고 그것과 방향(方向)을 달리한 엽상 구조.

재:영【在營】명〖군〗병역으로 군영(軍營)에 들어가 있음. 또, 그 동안. ¶~ 기간. ——-하다 자여불

재-영성체【再領聖體】명〖천주교〗일 년에 한 번 이상 하는 영성체.

재예【才藝】명 재능과 기예(技藝). ¶~가 출중(出衆)하다.

재:옥【在獄】명 재감(在監). ——-하다 자여불

재온【才媼】명 재녀(才女).

재-올리다【齋—】자〖불교〗명복을 빌기 위하여 불전에 공양하다.

재와 명〈방〉기와[1](경상).

재완【才腕】명 재능 있는 수완(手腕).

재:외【在外】명 외국에 있음. ¶~ 동포.

재:외 공관【在外公館】명 외국에 설치하는 대사관(大使館)·대표부(代表部)·공사관(公使館)·총영사관(總領事館)·영사관 등의 총칭. 외교·조약·통상·국제 정세 조사·교민(僑民) 보호 및 대외 선전에 관한 사무를 맡음. 준공관(公館).

재:외 공관 무:관부【在外公館武官府】명〖법〗재외 공관 주재 무관(駐在武官)이 재외 공관에서 수행(遂行)하는 소관 업무(所管業務)의 기구(機構).

재:외 공관 주:재 무:관【在外公館駐在武官】명〖법〗군사상 필요에 의하여 재외 공관에 주재하는 중령(中領) 이상의 국군 장교. 군사 문제에 관하여 공관장(公館長)을 보좌하며, 국군 또는 육해공 각군을 대표하여 주재국의 공식적(公式的)인 군사 행사(軍事行事)에 참석하고, 주재국의 군사에 관하여 조사(調査)하여 국방부 장관에게 보고함. 넓은 뜻으로는, 주재 무관의 보좌관(補佐官)인 장교까지도 포함하여 일컬음. 준주재 무관.

재:외 국민 교:육원【在外國民敎育院】명〖법〗재외 국민의 교육을 실시하기 위하여 서울 대학교에 설치한 교육·연구 기관. 국내 학교에서 수학(修學)하기 위하여 귀국한 재외 국민에 대한 기초·예비 교육, 재외 국민에 대한 단기 초청 교육·통신 교육, 외국에 있는 재외 국민 교육 기관 교직원에 대한 연수 교육 등을 담당함.

재:외 국민 등록법【在外國民登錄法】[—녹—] 명〖법〗외국에서 일정한 장소에 주소 또는 거소(居所)를 정한 자나, 외국에서 일정한 장소에 20일 이상 체류하는 자는 해당 지역의 총영사관·영사관 또는 대사관에 등록하도록 규정한 법률.

재:외-자【在外者】명 외국에 거주하는 본국인.

재:외 자산【在外資産】명 외국에 있는 국가·법인(法人) 또는 개인(個人)의 자산.

재:외-장【載畏章】[—짱] 명〖악〗용비 어천가 제9장의 이름.

재:외 정:화【在外正貨】명〖경〗정부나 중앙 은행이 국제 대차(國際貸借)를 결제(決濟)하기 위하여 외국의 금융 중심지에 소유하는, 정화(正貨)·금괴(金塊)·은행 예금·유가 증권(有價證券) 같은 것.

재:외 환:자금【在外換資金】명〖경〗정부나 중앙 은행 및 환(換)은행이 환조절(換調節)과 결제(決濟)를 위하여 해외의 금융 중심 시장에 보유하고 있는 자금.

재-요【災妖】명 재앙과 요괴(妖怪).

재욕【財慾】명〖불교〗오욕(五慾)의 하나. 재물에 대한 욕심. ¶~이 많은 사람.

재용[1]【才容】명 재주와 용모. ¶~이 훌륭하다.

재용[2]【財用】명 ①자재(資財). ②재(財)의 용도(用途).

재:우[1]【再虞】명 장사 지낸 뒤에 두 번째 지내는 우제(虞祭). 초우(初虞) 지낸 뒤 첫 유일(柔日) 새벽녘에 지냄. *삼우(三虞).

재우[2] 부 매우 재게.

재우[3] 부〈방〉겨우(전남·경상).

재우다[1] 타 ①잠을 자게 하다. ¶나그네를 하룻밤 ~. ② 부푼 솜 따위를 착 붙어서 자리가 잡히게 하다. ¶솜을 ~. ③☞쟁이다. 1)-3) : 준재다.

재우다[2] 타 거름을 잘 썩도록 손질하다.

재-우러기 명〖어〗조피볼락.

재우-치다 타 빨리 몰아치거나 재촉함. ¶재우쳐 묻다/일을 ~/"이 꼭두 새벽에 웬일이냐?" 매월은 재우쳐 묻고만 서 있었다 ≪金周榮 : 客主≫.

재운【財運】명 재물을 모을 운수.

재울【齋鬱】명 원한을 품음.

재원[1]【才媛】명 재주가 있는 젊은 여자. ↔재자(才子). *재녀(才女).

재원[2]【財源】명 ①재화를 발생·수득(收得)하는 근원. ②지출하는 돈의 출처. 재본(財本). ¶기계 구입의 ~.

재:원-도【在遠島】명〖지〗전라 남도의 서해상(西海上), 신안군(新安郡) 임자면(荏子面) 재원리(在遠里)에 위치한 섬. [3.03 km² : 275 명(1984)]

재:위【在位】명 왕위에 있음. 또, 그 동안. 어극(御極). ——-하다 자여불

재:유[1]【再由】명 벼슬아치가 말미를 두 번째 연기(延期)해 주기를 청함. ——-하다 자여불

재유[2]【齋儒】명〖역〗↗거재 유생(居齋儒生).

재:윤【再閏】명 구역법(舊曆法)에서, 3년 만에 두는 윤달에 의하여서도 다시 남아 도는 날을 다섯 번 합쳐서 따로 두는 윤달.

재:-음미【再吟味】명 다시 음미함. ¶글귀를 ~하다. ——-하다 타여불

재:의【再議】[—/—이] 명 ①거듭 의논함. 두 번째 심의(審議)함. 또, 그 의논이나 심의. ②한 번 결정한 사항을 같은 기관(機關)이 다시 심의(審議)하여 재차 의결(議決)하는 일. ——-하다 타여불

재의 수요일【—水曜日】[—/—에—] 명〖천주교〗사순절(四旬節)의 제1일이며 이 기간 중의 최초의 재일(齋日). 이 날 '성회례(聖灰禮)'를 베풂. 성회일(聖灰日).

재이【災異】명 ①재앙이 되는 괴이한 일. ②천재와 지이. 재얼(災孼).

재이-고【災異考】명〖책〗조선 인조(仁祖)·효종(孝宗) 때, 우리 나라 전국에 걸쳐 일어났던 천변 지이(天變地異)를 실록(實錄)에 의하여 수록한 책. 인조 2년(1624)·동 5년·동 10년·동 11년 및 동 14년(1636)에서 효종 6년(1655)까지의 20년, 도합 24년 간의 지변(地變)이 기록(記錄)되었음.

재이다 타〈방〉재다[1]❸.

재:-이입【再移入】명〖경〗이출(移出)하였던 물건을 다시 이입하는 일. ——-하다 타여불

재:-이출【再移出】명〖경〗이입(移入)하였던 물건을 다시 이출함. ——-하다 타여불

재인[1] 명〈방〉장인(丈人)(경상).

재인[2]【才人】명 ①재주가 뛰어난 사람. ②시문(詩文)에 뛰어난 사람. ③〖역〗고려 후기·조선 시대에, 양수척(揚水尺) 가운데서 분화(分化)하여 창우(倡優)에 종사하는 무리의 일컬음. 재주를 넘거나 짓궂은 동작으로 사람을 웃기며 악기로 풍악을 치던 광대. 지금의 희극 배우와 같은 것.

재:인[3]【再認】명 ①↗재인식(再認識)❶. ②〖철〗칸트의 용어. 시간적으로 거리가 있는 둘 이상의 표상(表象)이 동일한 개념. 곧, 동일한 대상에 관한 표상으로서 종합되는 일. 재인이 가능하게 되는 것은 모든 표상이 반드시 동반(同伴)하는 통일 원리로서의 선험적 통각(先驗的統覺) 때문이라고 함. ③[recognition]〖심〗어떤 인상을 지각(知覺)할 때, 그 인상에 기지(旣知)의 감정이나 이미 경험했다고 하는 인정(認定)이 수반(隨伴)하는 경우의 심리 작용. 재인식. *기억 실험법(記憶實驗法). ——-하다 타여불

재인[4]【宰人】명 백장[1]❶.

재인[5]【裁人】명 중재인(仲裁人).

재:인 감:정【再認感情】명 본 일, 경험한 일이 있다는 느낌. 친근감(親近感)·기지감(旣知感) 같은 것.

재인-놈【才人—】명〈방〉박수[1].

재인-단골【才人—】명〖민〗재인·공인(工人)·광대·창부·화랑이 등의 사내들과 혼인한 무당. 공인(工人) 단골. 광대계집.

재인-말【才人—】명 광대·유기장이 등 재인들이 모여 살던 천인 마을.

재인-방【才人坊】명〖역〗옛날에, 재인들이 머물도록 지정된 동네.

재인 백정【才人白丁】명〖역〗조선 시대 초기에, 백정으로 개칭(改稱)된 재인의 딴이름. 재백정.

재:인-법【再認法】[—뻡] 명〖심〗기억 실험법(記憶實驗法).

재:-인식【再認識】명 ①다시 인식함. ¶시국을 ~하다. 준재인(再認). ②〖심〗재인(再認)❸. ——-하다 타여불

재인-청【才人廳】명〖역〗재인(才人)들의 조합(組合).

재인 폭포【才人瀑布】명〖지〗경기도 연천군 연천읍(漣川邑) 고문리

(古文里)에 있는 폭포. 길이 약 18m, 깊이 20m. 폭포수는 한탄강(漢灘江)으로 흘러 들어가는데 주변의 경치가 썩 좋음.
재:일[1]【在日】명 일본에 있음. ¶~ 동포.
재일[2]【齋日】명 ①잿날. ②『천주교』 대소재(大小齋)를 지키는 날.
재:일본 대:한 민국 민단【在日本大韓民國民團】명 재일 한국인의 단체(團體). 조선 건국 촉진 청년 동맹·신조선 건설 동맹을 발전시켜, 1946년에 재일본 조선 거류민단으로 결성되었다가 1948년에 재일본 대한 민국 거류 민단으로 그 뒤 1995년에 현재 이름으로 개칭함. 재일 한국인의 법적 지위(法的地位)의 개선을 주요 사업 목적으로 함.
재:일본 장가【在日本長歌】명 조선 인조 때 백수회(白受繪)가 지은 가사(歌辭). 송담집(松潭集)에 실려 있는데, 임진 왜란에 포로로 잡혀 가서 9년 동안 억류 생활을 하면서 고국의 그리움을 읊음.
재:일본 조선인 총:연합회【在日本朝鮮人總聯合會】[一년一] 명 일본에 있는, 북한을 지지하는 한국인 단체. 1945년에 결성된 재일본 조선인 연맹을 모체로 1955년에 결성함. ㊟조총련(朝總聯).
재:-일차【再一次】명부 다시 또 한 번.
재임[1] 명 〈방〉 대님(강원).
재:임[2]【在任】명 임무를 수행하고 있거나 임지(任地)에 있음. 또, 그 동안. ¶~ 기간. ──-하다 자여불
재:임[3]【再任】명 같은 벼슬·직위에 재차 임명(任命)됨. ¶전직에 ~되다. ──-하다 자여불
재임[4]【齋任】명 『역』 거재 유생(居齋儒生) 중의 임원(任員).
재:-임명【再任命】명 다시 임명함. ──-하다 타여불
재임 벌인【齋任罰人】명 『역』 성균관(成均館)의 장의(掌議)를 중심으로 하는 재임의 발의(發議)로, 재회(齋會)의 의결로 유생에 가해지는 벌. *유벌(儒罰).
재:-임용【再任用】명 다시 임용함. ──-하다 타여불
재:임 조고【在任遭故】명 벼슬살이하고 있는 중에 어버이의 상사(喪事)를 당함. ──-하다 자여불
재:입【再入】명 ①다시 넣음. ②어떤 조직체에 다시 들어감. ──-하다 자타여불
재:-입찰【再入札】명 다시 입찰함. ──-하다 타여불
재자[1] 명 〈방〉 저자[1](경상).
재자[2]【才子】명 재주가 있는 젊은 남자. ↔재원(才媛). *재사(才士).
재자[3]【齋者】명 『불교』 불공(佛供)하러 온 사람.
재자 가인【才子佳人】명 재주 있는 젊은 남자와 아름다운 여자.
재자-거리다 자 자꾸 지저귀다. <지저거리다. 재자-재자 부. ──-하다 자여불
재자-관【賫咨官】명 『역』 중국 조정(朝廷)에 자문(咨文)을 가지고 가던 사신(使臣).
재자 다병【才子多病】명 재자는 병이 잦음. *미인 박명(美人薄命).
재자-대다 자 재자거리다.
재:작[1]【再昨】명 ↗재작일(再昨日).
재작[2]【裁作】명 ①옷 같은 것을 재단(裁斷)하여 만듦. ②짐작하여 만듦. ──-하다 타여불
재작[3]【裁酌】명 재량(裁量)❶. ──-하다 타여불
재작-거리다 자 〈방〉 재자거리다.
재작-나무 명 〈방〉 자작나무.
재:-작년【再昨年】명 그러께.
재:-작일【再昨日】명 그저께. ㊟재작(再昨).
재작-장【裁作匠】명 『역』 공장(工匠)의 하나. 옷감을 재단하는 사람.
재잘-거리다 자 빠른 말로 잇따라 재깔이다. <지절거리다. 재잘-재잘 부. ──-하다 자여불
재잘-대다 자 재잘거리다.
재잡손 명 〈방〉 손짭손. ──-하다 자
재장[1] 명 〈방〉 된장(평안).
재장[2]【宰匠】명 종장(宗匠) 또는 대장(大匠)과 같은 뜻으로서, 재상(宰相)을 이름.
재장[3]【齋長】명 『역』 재임(齋任)의 우두머리인 장의(掌議)의 별칭.
재장[4]【齋場】명 『불교』 ①불공하는 곳. ②제사 지내는 곳. ③밥 먹는 곳. 재소(齋所).
재장구 명 〈방〉 삽발이(평안).
재:-장구치다【再一】타 두 번째 서로 마주치어 만나다. ¶일족(逸足)을 가졌기로 방터거리에서 최돌이를 재장구쳐 만날 수 있다는 보장도 없었다《金周榮 : 客主》.
재장-바르다 형르불 무슨 일을 시작하려고 할 때 좋지 못한 일이 생기다.
재:재【在在】명 여러 곳. 곳곳. ¶~ 소소(所所).
재재-거리다 자 수다스럽게 재잘거리다.
재재-대다 자 재재거리다.
재:재 법전【載在法典】명 법에 명문(明文)으로 실려 있음. ──-하다 자여불
재재-보살【一菩薩】명 몹시 수다스러운 데다 수선스럽고 경망한 여자.
재:재 소:소【在在所所】명 여기저기. 이곳저곳.
재:-재작년【再再昨年】명 그끄러께.
재:-재작일【再再昨日】명 그끄저께.
재재-재재 부 수다스럽게 재잘거리는 모양. ──-하다 자여불
재재-하다 형여불 재잘거리어 어지럽다.
재:적[1]【在籍】명 ①학적(學籍)·호적(戶籍)·병적(兵籍) 등에 적혀 있음. ¶~ 학생수. ②어떤 합의체(合議體) 따위에 적(籍)이 있음. ¶~ 의원. ──-하다 자여불
재적[2]【材積】명 목재(木材)·석재(石材)의 체적. 목재의 공간 용적(空間容積).
재:적[3]【載積】명 실어서 쌓음. 적재(積載). ──-하다 타여불
재:적[4]【載籍】명 책에 써서 싣는 일. 또, 그 실려 있는 것. 책(册). 서적(書籍). 전적(典籍).
재적-거리다 자 〈방〉 재깔거리다.
재:적-생【在籍生】명 재적하고 있는 학생. ¶~수.
재:적-수【在籍數】명 적에 올라 있는 수효.
재:적 전종제【在籍專從制】명 『사』 회사의 종업원으로 재적하면서 노동 조합의 직무에 전적으로 종사하는 제도.
재:전[1]【在前】명 증왕(曾往).
재:전[2]【在錢】명 재문(在文).
재:전[3]【在纏】명 『불교』 번뇌(煩惱)에 얽매이어 있음. ↔출전(出纏).
재:전[4]【再煎】명 ①고아 낸 찌끼를 다시 곰. ②재탕(再湯)❶. ──-하다 자여불
재전[5]【齋殿】명 『역』 재실(齋室)❶.
재전[6]【齋錢】명 잿돈.
재:-전과【再煎菓】명 과줄을 부수어 꿀과 기름에 반죽한 뒤에 기름에 지지고 꿀에 담가 낸 과줄.
재:전 상속【再轉相續】명 『법』 제1의 상속이 개시되었거나 상속인이 아직 그 승인이나 포기도 하지 않은 동안에 사망하였기 때문에 제2의 상속이 개시되는 것. ↔본위 상속(本位相續).
재절-거리다 자 〈방〉 재잘거리다. ¶산새가 나뭇가지에서 ~.
재정[1]【才情】명 재사(才思).
재:정[2]【在廷】명 ①조정(朝廷)에서 일을 함. ②법정(法廷)에 출두하여 있음.
재:정[3]【再訂】명 다시 정정(訂正)함. ¶~판(版). ──-하다 타여불
재정[4]【財政】명 ①국가 또는 지방 자치 단체가, 그 존립에 필요한 재력을 취득하고, 관리하는 경제적인 여러 활동. 행정 활동 및 공공 정책의 물질적 기초가 됨. 공재정(公財政). ¶지방 ~의 확립. ②개인·가계(家計)·기업 등의 재산 및 수지(收支)의 관리. 사재정(私財政). 전정(錢政). ¶~상의 이유. ③개인·가계·기업 등의 경제 상태.
재정[5]【裁定】명 ①옳고 그름을 재단하여 결정함. ②〔arbitrage〕『경』 증권 거래에서, 두 개의 증권 시장에서 같은 증권의 가격이 상이할 때 그 증권을 반대 매매(反對賣買) 함으로써 생기는 차액(差額)을 취득하는 거래. ③〔umpire〕『광』 제3자에 의해서 행하여지는 평가(評價). 광석(鑛石)의 구입자(購入者)와 판매자 간의 평가의 차이(差異)를 해결함. ──-하다 타여불
재정-가【財政家】명 재정 사무와 이재(理財)에 밝은 사람.
재정 경제부【財政經濟部】명 행정 각부의 하나. 경제 정책의 수립, 화폐·금융·국고·정부 회계·내국 세제·관세·외국환·경제 협력 및 국유 재산에 관한 사무를 관장함. 산하에 예산청(豫算廳)·국세청(國稅廳)·관세청(關稅廳)·조달청(調達廳)·통계청(統計廳)을 둠. 1998년 재정 경제원이 개편된 기관임. ㊟재경부.
재정 경제부 장:관【財政經濟部長官】명 재정 경제부의 장(長)인 국무 위원. 전의 재정 경제원 장관처럼 부총리를 겸하지 않음.
재정 경제원【財政經濟院】명 재정 경제부의 전신(前身).
재정 경제원 장:관【財政經濟院長官】명 전에, 재정 경제원의 장(長)이던 국무 위원. 부총리(副總理)를 겸하였음.
재정 경제 위원회【財政經濟委員會】명 국회 상임 위원회의 하나. 재정 경제부 및 기획 예산 위원회 소관 사항을 심의함. ㊟재경 위원회.
재정 계:획【財政計劃】명 『경』 장래에 걸친 재정 운영의 길잡이로 삼기 위하여 중기적(中期的)인 재정 전망(展望)을 세우는 일.
재정 공개 제:도【財政公開制度】명 『경』 재정 상황을 국민에게 공개·주지시키는 제도. 국회에 의한 예산 의결(議決), 조세(租稅) 승낙의 제도와 함께 민주주의적 재정 제도의 중핵(中核)을 이룸.
재정 공채【財政公債】명 『경』 정부가 경비를 조달하기 위하여 지는 채무 또는 그 채권(債券). 재무 공채. ↔행정(行政) 공채.
재정 관세【財政關稅】명 『경』 재정 상의 수입을 위하여 부과하는 관세. 수입 관세(收入關稅). *보호(保護) 관세.
재정 관할【裁定管轄】명 『법』 ①형사 소송법에서, 법원이 구체적인 사건을 처리하기 위하여, 재판에 의하여 관할을 설정하거나 변경하는 것. 관할의 지정(指定)과 이전(移轉)이 구별됨. ②민사 소송법 상으로는 관할(管轄)의 지정(指定).
재정-권【財政權】[一꿘] 명 『법』 재정의 수입(收入)을 위하여 행사하는 권한(權限).
재정 기간【裁定期間】명 『법』 법원·재판장·수명 판사(受命判事)가 재판으로써 정하는 기간. 곧, 민사 소송법 상의 소장(訴狀) 보정(補正) 기간, 담보를 제공해야 할 기간 같은 것. ↔법정(法定) 기간.
재정-난【財政難】명 재정 상으로 지출이 수입보다 월등하게 많아서 도저히 그 적자(赤字)를 메울 수 없는 곤란한 상태. ¶~이 아주 심각하다.
재정-벌【財政罰】명 재정법에 대해서 과하는 행정벌(罰)의 하나.
재정-범【財政犯】명 『법』 행정범(行政犯)의 하나. 재정 상의 하명(下命)에 의하여 지워진 의무에 위반함으로써, 일정한 제재를 받는 행위. 직접 국가의 수입을 감손(減損)하는 죄와 그 미수죄(未遂罪)인 포탈범(逋脫犯), 그 밖에 수입 확보를 위한 하명을 위반하는 재정 질서범(財政秩序犯) 등이 있음.
재정-법【財政法】[一뻡] 명 『법』 ①재정에 관한 고유의 법적 규율. ②국가 재정과 회계에 관한 기준을 정해 놓은 법률.
재정 보증【財政保證】명 재산을 취급하는 공무원이나 직원이 업무 수

행상 고의(故意) 또는 과실(過失)로 인하여 일정한 손해를 끼쳤을 때에 그 신속한 보상을 하기 위한 재산 상의 보증. ¶~인(人).

재정 보증인【財政保證人】명 재정을 보증하는 사람.

재:-정비【再整備】명 다시 정비함. ¶~ 강화. ——-하다 타 여불

재정 사회학【財政社會學】명〔도 Finanzsoziologie〕〖경〗재정을 사회 기본 관계의 표현 및 결정 요인(要因)으로 보고 재정 현상을 사회 구조와의 유기적(有機的) 관련 하에 연구할 것을 주장하는 재정학 상의 한 이론(理論).

재정 수입【財政收入】명 국가나 공공 단체의 경비(經費)의 재원(財源)으로 되는 수입.

재정 신청【裁定申請】명〖법〗검사가 고소·고발 사건을 불기소했을 때, 그 결정에 불복한 고소·고발인이 10일 이내에 그 검사가 소속하는 고등 검찰청과 그에 대응하는 고등 법원에 그 결정의 당부(當否)를 묻는 일. *준기소(準起訴)·준기소 절차.

재정 예:탁 자:금【財政預託資金】[—네—] 명〖법〗일반 회계(一般會計)·특별 회계(特別會計)의 계정이 자금 관리 특별 회계(資金管理特別會計)의 자금 운용 계정(資金運用計定)에 예탁한 여유 자금(餘裕資金)과 대충 자금(對充資金).

재정 융자【財政融資】[—늉—] 명〖경〗국가 재정에 의한 융자.

재정 인플레이션【財政—】〔inflation〕명〖경〗재정 상의 적자(赤字)가 원인이 되어 불환 지폐(不換紙幣)가 증발(增發)되어 물가의 앙등을 초래하는 경제 현상.

재정 자:금【財政資金】명 재정 상의 수입(收入)과 지출로서 국고(國庫)에 입출(入出) 하는 자금. 국가의 재정 지출을 마련하기 위한 자금.

재정 재:건법【財政再建法】[—뻡] 명〖법〗재정 적자(赤字)의 해소(解消)를 종합적 관점에서 추진하기 위하여, 보조금(補助金) 중단 등의 세출 삭감(歲出削減)이나 세입 증수(歲入增收) 따위 재정 재건을 위해 필요한 입법 사항을 통일적으로 규정하는 법률.

재정 재산【財政財産】명 수익(收益)을 목적으로 하여 보유되는 국가의 재산. 직접 공공(公共)의 목적에 공용(供用)되지 않으며, 국가의 사산(私産)이라고 함. 수익재(收益財). 수익 재산(收益財産). ↔행정(行政) 재산.

재정-적【財政的】명관 재정에 관계가 있는 모양. ¶~인 뒷받침.

재정 전매【財政專賣】명〖경〗담배나 인삼 등과 같이 주로 재정 수입(財政收入)을 목적으로 하는 전매. 그 판매 가격은 독점 가격(獨占價格)의 성격을 띰.

재정 정책【財政政策】명 국정(國政)의 경제에 관한 정책.

재정 조정【財政調整】명〖경〗중앙 정부와 지방 자치 단체(地方自治團體) 간의 세입(歲入)의 배분(配分) 또는 동일한 수준의 지방 자치 단체 간의 세입 조정.

재정 증권【財政證券】[—꿘] 명〖경〗국가가 국고금(國庫金) 출납 상(出納上)의 필요로 발행하는 증권. 국가의 한 회계 연도에 있어서의 경비의 일시적 부족을 충당하는 방법의 하나로서, 상환 기한은 발행일로부터 1년 이내로 하며, 발행 최고액은 국회의 의결을 얻어야 함.

재정 증권법【財政證券法】[—꿘뻡] 명 국고금(國庫金)의 출납과 금융 통화(金融通貨)에 관한 정책을 효율적으로 수행하기 위하여 재정 증권을 발행함에 필요한 사항을 규정한 법률.

재:정 증인【在廷證人】명〖법〗미리 증인으로서 호출(呼出)·소환(召喚) 받은 것이 아니고, 어쩌다가 또는 당사자와 같이 동행(同行)하여 법정에 현재 있는 사람으로써 하는 증인.

재정 지출【財政支出】명 국가나 공공 단체가 직능(職能)을 다하기 위하여 필요로 하는 경비.

재정 차:관 자:금【財政借款資金】명〖경〗정부가 차주(借主)가 되어 외국 정부·국제 경제 협력 기구 또는 외국 법인과의 차관 협정(借款協定)에 의하여 도입하는 자금의 원화(貨) 해당액(該當額)과 그 운용에서 생기는 원화 자금.

재정 투융자【財政投融資】명〖경〗국가의 재정 자금에 의한 투자 및 융자. 이것은 민간 투자에서처럼 이식(利殖) 그 자체를 목적으로 하는 것이 아니고, 국가적인 의미에서의 물적 자산(物的資産)의 증가, 즉 도로·댐·주택 및 교육 시설의 확장 등을 도모(圖謀)하는 경우와, 식량 증산, 주요 산업의 진흥 등 경제적 부흥 강화를 목적으로 하는 두 가지의 경우가 있음. 특히, 전후(戰後)에 있어서의 저개발(低開發) 국가의 장기 경제 정책에 기여하는 바가 큼.

재정 투융자 계:획【財政投融資計劃】명 재정 자금에 의한 투자 및 융자의 운영 계획.

재정 투자【財政投資】명 정부가 조세 기타 전매 사업 익금(專賣事業益金) 등 민간으로부터 흡수한 자금을 직접 공익 사업(公益事業)이나 공공 사업(公共事業)에 투자하는 일.

재정-학【財政學】명〔도 Finanzwissenschaft〕〖경〗재정의 원리 및 유지 발전의 정책을 연구하는 학문.

재정 환:율【裁定換率】명〔arbitrated rate of exchange〕〖경〗한 나라가 각국 통화(通貨)에 대한 환율을 결정할 때, 국제 환율의 중심인 미국(달러)·영국(파운드) 등의 통화와 자국(自國) 통화의 교환 비율(기준 환율)을 미리 결정한 후 그 기준 환율에 제삼국 환시세(cross rate)를 이용하여 산정(算定)하는 제삼국의 환율.

재:제[1]【再製】명 한 번 만든 것이나 낡아서 못쓰게 된 것을 다시 가공하여 제품(製品)으로 만드는 일. ¶~품. ——-하다 타 여불

재제[2]【宰制】명 전권(全權)을 쥐고 처리함. 재할(宰割). ——-하다 자 여불

재:제-모【再製毛】명 반모(反毛).

재:제 생사【再製生絲】명 누에고치나 실의 부스러기를 약품에 용해하여 만든 생사. 화학 순견사(化學純絹絲).

재:제-염【再製塩】명 재염(再塩).

재:제-주【再製酒】명 양조주(釀造酒)나 증류주(蒸溜酒)를 원료로 알코올·당분·약품·향료 등을 혼합하여 빚은 술. 배갈 같은 술. *합성주·혼성주(混成酒).

재:제-품【再製品】명〖경〗성분 재질(成分材質)이 동종계(同種系)인 폐품에서 회수한 것으로 전부 또는 일부를 충당 혼입(混入)하여 다시 제조한 상품.

재조[1]【才操·才調】명 재주[1]❷.

재조[2]【才藻】명 재지(才智)와 문조(文藻). 시문(詩文)을 짓는 재능. 문재(文才).

재:조[3]【再祚】명 두 번째 왕위에 나아가는 일. 곧, 복벽(復辟)의 뜻. 중조(重祚). ——-하다 자 여불

재:조[4]【再造】명 다시 만듦. ——-하다 타 여불

재:조[5]【在朝】명 ①조정(朝廷)에 나가 시무하고 있음. ¶~ 재야(在野)의 명사. ②벼슬을 살고 있음. 1)·2):↔재야(在野).

재:-조명【再照明】명 다시 조명하여 살펴봄. ¶한국사의 ~. ——-하다 타 여불

재:-조사【再調査】명 다시 조사함. ——-하다 타 여불

재:-조정【再調整】명 다시 조정함. ——-하다 타 여불

재:조지-은【再造之恩】명 거의 멸망(滅亡)하게 된 것을 구원(救援)하여 도와준 은혜.

재:-조직【再組織】명 조직을 다시 함. ——-하다 타 여불

재조-집【才調集】명〖책〗중국 후촉(後蜀)의 위곡(韋穀)이 편찬한 당시(唐詩)의 선집. 10권. 매권 100수로 총시수 1,000수에 이르며, 시인 총수 190여 명이 됨. 당의 말기를 주로 하였으나 초당(初唐)·성당(盛唐)·중당(中唐)에 걸쳐 그 범위가 넓음.

재:종[1]【再從】명 육촌(六寸)❷.

재종[2]【材種】명 용도에 따라 분류한 목재(木材)의 종류.

재:종-간【再從間】명 육촌 형제의 사이.

재:종 고모【再從姑母】명 아버지의 육촌 누이.

재:종 고모부【再從姑母夫】명 재종 고모의 남편.

재:종 동서【再從同壻】명 ①육촌 자매(姉妹)의 남편의 호칭(互稱). ②육촌 형제의 아내의 호칭.

재:종-매【再從妹】명 육촌 누이.

재:종 매:부【再從妹夫】명 육촌 누이의 남편.

재:종-손【再從孫】명 종형제(從兄弟)의 손자.

재:종 손녀【再從孫女】명 종형제의 손녀.

재:종 손부【再從孫婦】명 재종손의 아내.

재:종 손서【再從孫壻】명 재종 손녀의 남편.

재:종-수【再從嫂】명 재종 형제의 아내.

재:종-숙【再從叔】명 아버지의 재종 형제. 재당숙(再堂叔).

재:종 숙모【再從叔母】명 재종숙(再從叔)의 아내. 재당숙모.

재:종-씨【再從氏】명 ①남에게 자기 재종형을 일컬을 때 쓰는 말. ②남의 재종 형제의 경칭. ¶자네 ~는 안녕하신가.

재:종-제【再從弟】명 육촌 아우.

재:종-조【再從祖】명 할아버지의 종형제.

재:종 조모【再從祖母】명 재종조의 아내.

재:종-질【再從姪】명 육촌 형제의 아들. 재당질(再堂姪).

재:종 질녀【再從姪女】[—려] 명 육촌 형제의 딸. 재당질녀(再堂姪女).

재:종 질부【再從姪婦】명 재종질의 아내. 재당질부(再堂姪婦).

재:종 질서【再從姪壻】[—써] 명 재종 질녀의 남편. 재당질서(再堂姪壻).

재:종-형【再從兄】명 육촌형.

재:종 형제【再從兄弟】명 육촌 형제.

재주[1]【才—】명 ①무엇을 잘 생각하여 내고 처리하며 기억력이 있는 타고난 소질. ¶~가 있다/~를 믿다. ②묘한 솜씨. 재조(才操). ¶사는 ~가 용하다.

[재주는 곰이 넘고 돈은 호인(胡人)이 받는다] 수고하는 사람은 따로 있고, 그 일에 대한 보수는 다른 사람이 받는다는 말. [재주를 다 배우니 눈이 어둡다] 오랫동안 애써 수련한 결과가 헛되이 되었다는 뜻.

재주(를) 부리다 구 묘한 기술을 행동으로 나타내다.

재주(를) 피우다 구 ㉠묘한 기술을 생각하여 내다. ㉡대수롭지 아니한 일에 일부러 묘한 꾀나 솜씨를 나타내다.

재:주[2]【在住】명 그 곳에 머물러 삶. ——-하다 자 여불

재:주[3]【再鑄】명 주화(鑄貨)나 주자(鑄字)를 다시 주조함. ——-하다 타 여불

재주[4]【財主】명 재산의 임자. 재물의 임자.

재주[5]【齋主】명〖불교〗불공을 올리는 그 주인.

재:주 갑인자【再鑄甲寅字】명〖역〗①조선 선조(宣祖) 6년(1573)에 갑인자(甲寅字)를 다시 부어 만든 구리 활자. 현존하는 활자는 없고, 인쇄본(印刷本)으로 ≪허난설헌집(許蘭雪軒集)≫ 등이 있음. ②경진자(庚辰字).

재주-껏【才—】부 있는 재주를 다 하여. ¶~ 살아 보라.

재주-꾼【才—】명 재주가 뛰어난 사람. ¶보통 ~이 아니군.

재주-넘다【才—】[—따] 자 몸을 날려서 머리와 다리를 거꾸로 하여 뛰어 넘다. ¶원숭이가 ~.

재주-놀이【才—】명 곡예(曲藝).

재:주 신:문【再主訊問】명〖법〗재신문(再訊問).

재주-아치【才—】명〈속〉재주꾼.

재준[1]【才俊】명 재주가 있고 준수(俊秀)함. 재주가 뛰어남. 또, 그 사람. 재걸(才傑). 수재(秀才). 준재(俊才).

재:준²【再準】[명] 재교(再校). ——-하다 [타][여불]

재:중【在中】[명] 속에 들어 있다는 뜻으로 봉함(封緘)한 봉투(封套) 겉에 쓰는 말. ¶원고 ~/사진 ~.

재중 용:기【齋中用器】[—농—] [명] 사랑방에서 쓰이는 살림살이. 서안(書案)·문갑(文匣)·서등(書燈)·연상(硯床)·필통 따위. *주중 잡물(廚中雜物).

재쥐 [명]〈방〉재주¹(함경).

재즈〔jazz〕[명]〖악〗1914년경 미국에서 흑인의 음악을 원천으로 하여 발달한 독특한 무도(舞蹈) 음악. 절분음(切分音)과 불협화음(不協和音)의 대담한 사용에 의해서 특색 지어졌으며 매우 명쾌한 리듬을 가짐. 재즈 음악.

재즈 가수【—歌手】〔jazz〕[명] 재즈 송을 노래하는 사람. 재즈의 독특한 가창법(歌唱法)·프레이징·즉흥성·리듬감 따위를 표현하는 가수. 재즈 싱어.

재즈-곡【—曲】〔jazz〕[명]〖악〗재즈로 된 악곡(樂曲). 또, 재즈조(調)의 「악곡.

재즈 댄스〔jazz dance〕[명] 재즈 체조(體操).

재즈 라가〔jazz raga〕[명]〖악〗인도의 전승(傳承) 음악을 도입한 재즈. 모두가 즉흥(卽興) 연주로서 공통의 요소를 갖는 것으로, 모던 재즈에다 인도(印度) 특유의 악기를 사용하는 경우도 있음.

재즈-맨〔jazzman〕[명] 재즈 전문의 연주가.

재즈 무:도【—舞蹈】〔jazz〕[명] 재즈 댄스.

재즈 문학【—文學】〔jazz〕[명] 전통을 이은 본격적인 것이 아니고 재즈 음악과 같이 난잡하게 함부로 된 문학.

재즈 밴드〔jazz band〕[명]〖악〗재즈를 연주하는 악단(樂團). 피아노·밴조(banjo)·색소폰(saxophone)·트럼펫·트롬본(trombone)·드럼(drum) 및 그 외의 타악기(打樂器)로 편성됨.

재즈 삼바〔jazz samba〕[명] 보사 노바(bossa nova).

재즈 송〔jazz song〕[명] 재즈 음악을 멜로디로 한 노래.

재즈 싱어〔jazz singer〕[명]〖악〗재즈곡을 부르는 가수(歌手). 재즈 가수(歌手).

재즈 에이지〔jazz Age〕[명] 제1차 대전이 끝나고부터 대공황(大恐慌)까지의 미국 사회의 양상(樣相)을 화려한 재즈 음악에 비긴 말. 왕성한 소비와 도덕적 퇴폐를 특징으로 함.

재즈 오:케스트라〔jazz orchestra〕[명] 빅 밴드(big band).

재즈 음악【—音樂】〔jazz〕[명]〖악〗재즈(jazz).

재즈 체조【—體操】[명]〔jazzercise〕재즈 음악에 맞추어 일반 무용·탭댄스·트위스트·고고·디스코 등 각종 춤의 스텝과 율동(律動)을 복합하여 춤추는 복합 체조. 재즈 댄스(jazz dance).

재:증【再曾】[명] 성(姓)의 하나. 우리 나라에는 현존하지 아니함.

재:증-병【再蒸餠】[명] 치던 흰떡을 다시 쪄 낸 뒤에 친 떡. 보드랍고 졸 「깃쫄깃함.

재지¹【才地】[명] 지혜와 지체.

재지²【才智】[명] 재주와 슬기. 재서(才諝). ¶~에 찬 사람.

재지³【災地】[명] 재해(災害)가 생긴 곳.

재지⁴【裁知】[명]〔prudence〕신중(愼重)하게 판단해서 행동함. 지혜(知慧). 분별(分別).

재-지기【齋—】[명] 재실(齋室)을 관리하는 사람.

재:-지니【再—】[명] 두 해 묵어서 세 살 된 매나 새매. 산지니는 힘드나 수지니는 사냥에 가장 적당함. 재진(再陳). 보라매.

재지러-지다 [자][형]〈방〉자지러지다¹·².

재:직¹【在職】[명] 어떤 직장에서 근무하고 있음. ¶~ 연수(年數). *재근(在勤). ——-하다 [자][여불]

재직²【齋直】[명]〖역〗조선 시대에, 성균관(成均館)에서 재(齋)의 각 방에 딸려 잔심부름을 하는 관비(館婢) 소생의 소년.

재:직-중【在職中】[명] 어떤 직업에 종사하고 있는 동안.

재:직 증명서【在職證明書】[명] 어떤 직장에 근무 중이거나, 근무하였음을 증명하는 서류.

재:진¹【在陣】[명] 진중(陣中)에 있음. ——-하다 [자][여불]

재:진²【再陳】[명]〖조〗재지니.

재:진³【再進】[명] 다시 나아감. ——-하다 [자][여불]

재:진⁴【再診】[명] 두 번째 이후의 진찰. ↔초진(初診).

재질¹【才質】[명] ①재주와 기질(氣質). ②재능(才能)이 있는 자질(資質). ¶~을 살리다.

재질²【材質】[명] ①재기(材器)와 성질(性質). ②목재(木材)의 성질. ③금속·천 등의 재료가 갖는 성질. ④미술(美術)에서, 재료(材料)의 성질.

재질-감【材質感】[명] 물체의 표면에서 느껴지는 감각.

재:짐 [명]〈방〉개짐.

재:-집 [명]〈방〉기와집(제주·경상·충청·함경).

재:징【再徵】[명] 거듭 물리어 받음. 첩징(疊徵). ——-하다 [타][여불]

재쪽 [명]〈방〉자¹(전남).

재:차【再次】[명][부] 두 번째. 또 다시. 재도(再度). ¶~ 묻다.

재차기 [명]〈방〉재채기(충남·전남·경남).

재-차비【齋差備】[명]〖불교〗재(齋)를 올리는 절차(節次).

재:-차일거【在此一擧】[명] 단 한 번에 결판을 낼 경우를 이름.

재착 [명]〈방〉재채기(경남).

재:창【再唱】[명] 다시 노래 부름. 앙코르. ——-하다 [자][여불]

재채기 [명]〔중세 : 즈쳐욤〕코의 점막(粘膜)이 자극을 받아 일어나는 경련성(痙攣性)의 반사(反射) 운동. 그 중추(中樞)는 연수(延髓)에 있음. ——-하다 [자][여불]

재채미 [명]〈방〉재채기(함북).

재처¹【裁處·財處】[명] 짐작하여 처리함. ——-하다 [타][여불]

재:처² [부]〔↗재우쳐〕이내 몰아쳐. ¶~ 따져 묻다.

재:-처리【再處理】[명]〔reprocessing〕〖핵물리〗원자로에서 어느 만큼 사용한 연료는 우라늄 235의 비율이 새 연료에 비해 적으며, 또 새 연료인 플루토늄과 핵분열의 결과로 생기는 핵분열 생성물이 남게 되는데, 이 연료들을 원자로에서 꺼내어 유용 물질과 폐기물로 분리하는 일을 이름. ——-하다 [타][여불]

재:천¹【在天】[명] ①하늘 위에 있음. ②하늘에 달렸음. ¶인명은 ~이라.

재천²【齋薦】[명]〖역〗조선 시대에, 성균관(成均館) 재임(齋任)의 으뜸인 장의(掌儀)될 자격자를 천거하는 일. ——-하다 [타][여불]

재첨 [명]〈방〉재채기(경북).

재첩 [명]〔조개〕〔*Corbicula fluminea*〕재첩과에 속하는 조개. 최대 길이 34mm, 높이 30mm 가량의 이패류(二貝類)로, 외형이 정삼각형에 가깝고 각표(殼表)의 공심원맥(共心圓脈)이 다소 거칢. 유패(幼貝)는 녹색 또는 감람색을 띤 갈색이나, 다 크면 광택있는 흑색을 띰. 해만(海灣)이나 하천의 모래땅에 나는데, 대만 원산으로 한국에 널리 분포함. 식용함.

재첩-과【—科】[명]〔조개〕〔Corbiculidae〕부족류(斧足類) 백합목(白蛤目)에 속하는 연체(軟體) 동물의 한 과. 크기는 중형(中型)이며 패각(貝殼)은 딱딱함. 담수산(淡水產)과 기수산(汽水產)이 있는데 한국에는 재첩·참재첩 등 6종이 있음.

재첩-국 [명] 경상 남도 지방의 향토 음식의 하나. 재첩 조개로 담백하게 끓인 맑은 국.

재:청【再請】[명] ①거듭 청함. 앙코르(encore). ②회의할 때 남의 동의(動議)에 찬성한다는 뜻으로 거듭 청함. ——-하다 [타][여불]

재체기 [명]〈방〉재채기(충남·경북).

재:체제-화【再體制化】[명]〖심〗구조화(構造化). ——-하다 [타][여불]

재쳐 놓다 [타]〈방〉잦혀 놓다(경상).

재쳐-지다 [자]〈방〉잦혀지다(경상).

재:초【再醮】[명] 재가(再嫁). ——-하다 [자][여불]

재초 도감【齋醮都監】[명]〖역〗고려 때 하늘·땅·별에 지내는 초제(醮祭)를 맡아 보던 관아. 충선왕(忠宣王) 때에 정사색(淨事色)을 고쳐서 일컫다가 공양왕(恭讓王) 3년(1391)에 폐함.

재촉 [명]〔근대 : 지촉〕①하는 일을 빨리 하도록 죄침. ¶공사를 ~하다 / 발걸음을 ~하다. ②받을 것을 어서 달라고 조름. 최촉(催促). ¶빚을 갚으라고 ~하다. ——-하다 [타][여불]

재촉 장세【—場勢】[명]〖경〗증권 시장에서, 인기가 앞질러, 재료의 구체화 내지 발표를 재촉하는 꼴이 되고 있는 장세.

재:촌 지주【在村地主】[명] 농지가 있는 곳에 거주하고 있는 지주. ↔부재 지주(不在地主).

재최【齋衰】[명]'자최(齊衰)'의 잘못.

재추【宰樞】[명]〖역〗재신(宰臣)과 추신(樞臣)의 통칭. 또, 재부(宰府) 곧 삼성(三省)과 중추원(中樞院)의 통칭.

재축¹ [명]〈방〉재촉(평안·함경). ——-하다 [타]

재:축²【再築】[명] 무너진 건축물을 다시 세움. ——-하다 [타][여불]

재:출【再出】[명] 두 번 냄. 두 번 나옴.

재:-출발【再出發】[명] ①다시 출발함. ②이제까지의 모든 일을 없이 하고 처음으로 돌아가서 다시 시작함. ¶인생의 ~. ——-하다 [자][여불]

재:취¹【再吹】[명] 행군(行軍) 때 두 번째로 나발을 불던 일. 군대를 출동시키는 차례임. ——-하다 [타][여불]

재:취²【再娶】[명] 아내가 죽은 뒤에 두 번째 드는 장가. 또, 그 아내. 계취(繼娶). 후취(後娶). ——-하다 [타][여불]

재:-측합【再測合】[명]〔rearming〕〖군〗폭탄·포탄·박격포탄 또는 로켓탄의 신관(信管)을 예정된 시간에 발화하도록 다시 조정하는 일.

재치¹ [명]〈방〉째마리.

재치²【才致】[명] 눈치 빠른 재주. ¶~ 있는 말.

재치³【裁治】[명] 재결하고 다스림. ——-하다 [타][여불]

재치기¹ [명]〈방〉왼손잡이.

재치기² [명]〈방〉재채기(경상·강원·충남·전남). ——-하다 [자]

재치다¹ [타]〈방〉잦히다¹·²·³(경상).

재치다² [타] ☞재우치다. ¶안빈이가 오랫동안 대답이 없는 것을 보고 인원은 한 번 더 재친다《李光洙 : 사랑》.

재치랑 [명]〈방〉겨드랑이(경남).

재치미 [명]〈방〉재채기(함북).

재칙 [명]〈방〉재채기(경북).

재칠【齋七】[명] 사람이 죽은 후 49 일간 이레마다 행하는 재.

재침¹ [명]〈방〉재채기(전남·경상).

재:침²【再侵】[명] ↗재침략. ¶~의 기회를 노리다. ——-하다 [타][여불]

재:-침략【再侵略】[—냑] [명] 다시 침략함. 거듭 침략함. [준]재침. ——-하다 [타][여불]

재:-침전【再沈澱】[명]〔reprecipitation〕〖화〗침전(沈澱)을 모액(母液)에서 분리한 후, 용매(溶媒)에 녹여서 침전제를 가하여 다시 침전을 생성(生成)시키는 조작. 재침전은 침전을 보다 순수하게 하는 수단으로 자주 쓰임. 재침(再沈)이라고도 함.

재칼〔jackal〕[명]〖동〗〔*Canis aureus*〕갯과에 속하는 짐승. 몸 형태는 승냥이와 여우의 중간형이며, 몸빛은 대개 갈색인데 아프리카산(產)은 배면(背面)이 검음. 야간 활동성이며 우는소리가 시끄러움. 작은 동물(動物)·과실(果實)·감자 등을 먹고 사는데, 남부 아시아 및 북부 아프리카에 분포함. 개의 원종(原種)이라고 함.

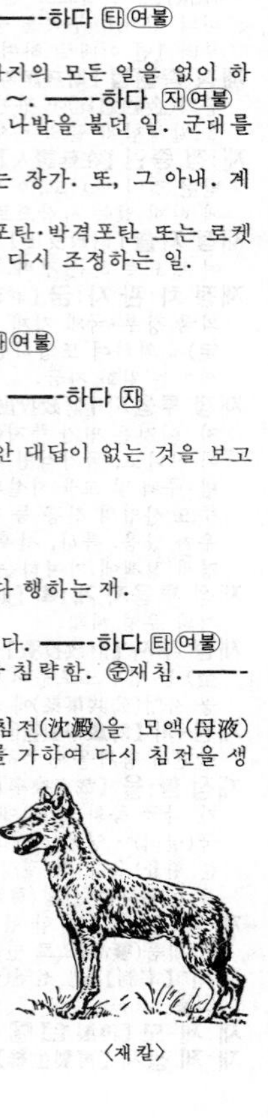

〈재칼〉

재키다 타 〈방〉 갖히다1·2·3(경상).
재킷 [jacket] 명 ①양복 윗도리로 입는, 짧은 허리 기장 정도의 상의(上衣)의 총칭. 또, 털실로 짠 소매가 긴 윗옷. ②우리 나라에서는 털실로 짠 상의의 총칭. ③〖기〗 보일러·스팀 파이프 등을 싸서 열의 방산(放散)을 방지하거나, 기관(機關)의 과열(過熱)을 방지하는 피복물(被覆物). ④레코드를 넣는 판지(板紙). 곡명(曲名)·해설·사진 따위가 인쇄되어 있음.
재-타다 【齋—】 자 잿돈을 받다.
재탁 【裁度】 명 재량(裁量)❶. ——-하다 타여불
재:탄 【滓炭】 명 잘게 부스러진 탄.
재:-탈환 【再奪還】 명 한 번 탈환하였다가 빼앗긴 것을 또다시 빼앗음. ——-하다 타여불
재:탕 【再湯】 명 ①한약 따위의 달여낸 찌끼를 두 번째 달임. 또, 그것. 재전(再煎). ¶약을 ~하다. ②한 번 써먹은 일이나 말을 다시 되풀이하는 일. ¶김 박사 논문의 ~. ——-하다 타여불
재-털이 명 〈방〉 재떨이(경상).
재-테크 【財—】 [tech] 명 ↗재무 테크놀로지.
재-통1 명 〈방〉 뒷간(평북).
재:통2 【再痛】 명 〖한의〗 나았던 병이 다시 도짐. ——-하다 자여불
재:-통일 【再統一】 명 다시 통일함. ¶조국의 ~. ——-하다 타여불
재:-투자 【再投資】 명 〖경〗 단순 재생산을 하기 위하여 투하(投下)되는 자본. 일정 기간 동안에 생산을 위해서 발생한 실물(實物) 자본의 소모(消耗) 부분을 보충하는 투자 부분을 이름.
재:-투표 【再投票】 명 한 번의 투표로 그 목적을 이루지 못하였을 때, 다시 행하는 투표. ——-하다 자타여불
재트랑 명 〈방〉 겨드랑이(경남).
재트랑-이 명 〈방〉 겨드랑이(경남).
재-티 명 바람에 날리는 재의 티. ¶~가 밥에 앉다.
재-판1 【—板】 명 사랑방 안에 깔아 놓은 두꺼운 종이. 담배통·재떨이·요강·타구(唾具) 따위를 놓으며, 장판이 상하지 않게 하기 위하여 놓기도 함. 얇은 널로 만들기도 함.
재:판2 【再版】 명 ①이미 간행된 출판물을 다시 출판함. 또, 그 출판물. 중판(重版). 되박이. ¶~ 3천 부. ②과거의 어떤 일이 다시 되풀이되는 일. ¶우리는 6·25의 ~을 경계한다. ——-하다 타여불
재:판3 【再販】 명 ↗재판매(再販賣). ¶~ 가격(價格). ——-하다 타여불
재판4 【裁判】 명 ①옳고 그름을 살피어서 판단함. ②〖법〗 쟁송(爭訟)의 구체적 해결을 위하여 국가 기관인 법원 또는 법관이 내리는 공권적(公權的) 판단. 쟁송의 목적이 되는 사실의 성질에 따라 민사·형사(刑事)·행정 재판의 세 가지가 있으며, 그 형식에 따라 판결·결정·명령 등이 있음. ¶군사 ~. ——-하다 타여불
재:판 가격 【再販價格】 [—까—] 명 ↗재판매 가격(再販賣價格).
재판 공개주의 【裁判公開主義】 [—/—이] 명 〖법〗 재판을 일반 국민에게 공개하여 행하는 주의.
재판-관 【裁判官】 명 ①당사자 간의 분쟁에 대하여 구속력이 있는 재단(裁斷)을 내리는 권한을 가진 제삼자. 그 권한은 공권력(公權力)에 의한 국제 사법 재판소의 재판관, 국내의 재판관 및 당사자의 자발적 복종에 따르는 사적(私的)인 중재인(仲裁人) 등이 있음. ②〖법〗 법원에서 재판 사무를 담당하는 국가 공무원. 그 자주성(自主性)을 최대한으로 보증하기 위하여, 모든 권력으로부터 독립하고, 헌법 및 법률에 의하여서만 구속됨. 법관.
재판 관할 【裁判管轄】 명 〖법〗 ①각 법원이 분장(分掌)하는 재판권의 범위에 대한 규정. 사건은, 그 내용·장소에 따라 어느 법원이 관할하고, 심리 재판할 것인가가 정해져 있음. ②국제법상 조약에 의하여 국제 사법 재판소가 다룰 수 있는 사건의 범위.
재판-권 【裁判權】 [—꿘] 명 한 나라의 법원(法院)이 사건(事件) 또는 사람에 대하여 재판을 행할 수 있는 권한. 민사 재판권·형사 재판권 등으로 나뉨.
재판 규범 【裁判規範】 명 〖법〗 재판의 준칙(準則)이 되는 법규범. 행위 규범·사회 규범에 대하여 쓰이는 말.
재:-판매 【再販賣】 명 소매업자나 도매업자가 도매상·생산자(生產者)로부터 사 온 상품(商品)에 이윤(利潤)을 붙여서 소비자(消費者)에게 파는 일. 준재판(再販). ——-하다 타여불
재:판매 가격 【再販賣價格】 [—까—] 명 생산업자에게서 상품을 구입한 도매업자나 소매업자가, 그 상품을 다시 소비자에게 판매할 때의, 생산업자로부터 지정(指定)된 가격. 준재판 가격(再販價格).
재:판매 가격 유지 계:약 【再販賣價格維持契約】 [—까—] 명 생산업자나 판매업자가 일단 자기 손을 떠난 상품의 전매 가격(轉賣價格)의 결정(決定) 유지를 목적으로, 판매한 상대자인 업자(業者)와 맺는 계약(契約)의 총칭.
재판-부 【裁判部】 명 〖법〗 특정 소송 사건의 심판을 위해 법관으로 구성된 재판의 부서. 단독제(單獨制)와 합의제(合議制)가 있음.
재판 비:용 【裁判費用】 명 소송(訴訟) 비용 중에서 법원의 행위에 필요한 비용. 송달(送達)·공고(公告)의 비용, 심판(審判)의 수수료, 증인·감정인의 여비(旅費)·일당(日當) 등.
재판상의 이혼 【裁判上—離婚】 [—/—에—] 명 〖법〗 법정(法定)의 원인이 있을 경우, 부부 중 한 쪽이 법원에 청구하여 심판을 얻음으로써 성립시키는 이혼.
재판-서 【裁判書】 명 재판의 내용을 기재한 문서. 판결서(判決書)·결정서(決定書)·명령서(命令書)로 구분됨.
재판-소 【裁判所】 명 '법원(法院)'의 딴이름. ¶국제 사법 ~.
재판시법-주의 【裁判時法主義】 [—뻡—/—뻡—이] 명 〖법〗 행위시(行爲時)와 재판시(裁判時)와의 사이에 형벌 법규의 변경이 있는 경우, 재판시의 법, 곧 신법(新法)을 적용해야 한다는 주의. ↔행위시법주의.
재판 심리학 【裁判心理學】 [—니—] 명 〖심〗 응용 심리학의 한 분과. 형사 재판에 필요한 심리학적 음미(吟味)에 관한 학문. 법정 심리학.
재판의 확정 【裁判—確定】 [—/—에—] 명 〖법〗 재판이 보통의 불복신청(不服申請) 수단에 의하여서는 취소될 수 없는 상태에 이르렀음을 말함.
재판-장 【裁判長】 명 〖법〗 합의제 법원(合議制法院)에 있어서의 합의체(合議體)를 구성하는 법관의 한 사람으로서 합의체를 대표하는 권한을 가진 사람. 보통, 법원의 합의부(合議部)의 부장 또는 상석(上席) 판사가 되며, 소송 사건의 심리·진행·판결에 이르기까지의 지휘 감독 및 법정 경찰(法廷警察) 등의 권한을 가짐.
재판-적 【裁判籍】 명 〖법〗 민사 소송에서, 재판을 받는 편에서 본 법원의 토지 관할. 보통 재판적과 특별 재판적으로 나뉨.
재:-판정1 【再判定】 명 판정한 것을 다시 판정함. 또는, 그 판정. ——-하다 타여불
재판-정2 【裁判廷】 명 법정(法廷).
재:판 제:도 【再販制度】 명 [↗재판매 가격 유지 계약 제도] 생산자가 판매업자에게 소매 가격을 지정하고, 그것을 지킬 것을 계약하는 제도. 서적 등에 대해 인정되고 있음.
재판 청구권 【裁判請求權】 [—꿘] 명 〖법〗 헌법(憲法)상 규정된 국민의 기본적 권리(權利)의 하나. 법원에 의하여 법률에 의한 재판을 청구할 수 있는 권리.
재판 화학 【裁判化學】 명 [forensic chemistry] 〖화〗 재판에 관한 화학의 한 분야. 독물(毒物)의 검사, 혈액의 분석, 지문(指紋)·보석 등의 감정 등에 응용되며, 재판에 참고가 되는 정보를 제공함. *법의학(法醫學).
재:패 【再敗】 명 다시 패함. ——-하다 자여불
재팬 [Japan] 명 '일본(日本)'의 영어 이름.
재퍼니스 [Japanese] 명 ①일본 사람. 일본인(日本人). ②일본어(日本語). ③'일본·일본의'의 뜻.
재:편 【再編】 명 ↗재편성. ——-하다 타여불
재:-편성 【再編成】 명 다시 고쳐서 편성함. ¶학급을 ~하다. 준재편(再編). ——-하다 타여불
재:-평가 【再評價】 [—까] 명 ①고치어 다시 평가함. ¶인물을 ~하다. ②〖경〗 ↗자산 재평가(資產再評價). ¶~액. ——-하다 타여불
재:평가-세 【再評價稅】 [—까—] 명 〖법〗 자산 재평가법에 의하여, 법인 및 개인의 고정 자산(固定資產)을 재평가한 결과로서 생긴 장부 상(帳簿上)의 이익에 과세(課稅)되는 세.
재:평가-액 【再評價額】 [—까—] 명 자산 재평가법에 의하여 자산을 재평가한 결과로 자산의 평가액이 증액(增額)된 경우, 증액 후의 그 평가액.
재:평가 이:익 【再評價利益】 [—까—] 명 〖경〗 화폐 가치의 변동에 따라, 기업이 소유하는 자산(資產)에 관하여 장부 상(帳簿上)의 가액(價額)을 증액함으로써 생기는 평가 차액(差額).
재:평가 적립금 【再評價積立金】 [—까—닙—] 명 〖경〗 자산 재평가로 발생한 평가 차액 중 적립금으로 처리된 부분. 한국의 경우, 자산 재평가법에 의해 적립금을 규정하고 있음.
재:평가 차액 【再評價差額】 [—까—] 명 〖법〗 자산 재평가법에 의하여, 자산을 재평가한 결과로서 생기는 재평가액에서, 재평가일 직전의 장부 가격을 뺀 차액.
재폐 【財幣】 명 금은(金銀) 등의 화폐. 금전. 화폐.
재:폐로 계:전기 【再閉路繼電器】 명 [reclosing relay] 〖전〗 회로(回路)를 다시 폐쇄하는 기능을 가진 전압·전류·전력 계전기.
재-품 【才品】 명 재주와 품격.
재피다 피동사동 〈방〉 잡히다(경상).
재필1 【才筆】 명 재치가 있는 글씨. 재치가 있는 문장. 또, 그 재능. ¶~을 휘두르다.
재:필2 【載筆】 명 ①붓을 듦. ②역사를 씀. ——-하다 자타여불
재:하 【在荷】 명 재고품(在庫品). ¶~량(量).
재:하 도:리 【在下道理】 명 웃어른을 섬기는 도리. 아랫사람으로서의 도리.
재:하-자 【在下者】 명 웃어른을 섬기는 사람. 아랫사람.
　재:하자는 유:구 무언(有口無言) 구 아랫사람으로서 어른에게 대하여 논쟁하지 못함을 이르는 말.
재-학1 【才學】 명 재주와 학식. ¶~을 겸비하다.
재:학2 【在學】 명 학교에 적을 두고 공부함. ¶~생(生)/~ 증명서. ——-하다 자여불
재학 겸유 【才學兼有】 명 재주와 학식을 다 갖춤. ——-하다 자여불
재:학-생 【在學生】 명 현재 학교에 적을 두고 공부하고 있는 학생.
재:-학습 【再學習】 명 [relearning] 앞서 학습하였거나 외운 것을 잊어버린 뒤 다시 학습하는 일. ——-하다 자타여불
재:학습-법 【再學習法】 명 〖심〗 기억 실험법(記憶實驗法)의 한 가지. 맨 처음의 학습에 소요된 시간이나 시행 횟수(試行回數)와 재학습에 소요된 시간이나 시행 횟수를 대비(對比)하여 기억(記憶)에 관한 여러 현상을 연구하는 방법.
재:학 증명서 【在學證明書】 명 재학 중임을 증명하는 서류.
재한 【災旱】 명 한재(旱災).
재:할1 【再割】 명 〖경〗 ↗재할인(再割引). ——-하다 타여불
재할2 【宰割】 명 일을 주장하여 처리함. ——-하다 자여불
재할3 【裁割】 명 ①갈라서 나눔. ②재량하여 처리함. ——-하다 타여불

재:-할인【再割引】[명]〔rediscount〕〖경〗한 은행이 한 번 할인하여 취득(取得)한 어음을 중앙 은행(中央銀行)으로부터 다시 할인해 받는 일. 금융 기관이 시재 자본(時在資本)의 부족을 느낄 때에 중앙 은행으로부터 원조(援助)를 받는 한 방식이며, 이에는 보통 공정 금리(公定金利)가 적용됨.

재:할인 금리【再割引金利】[-니] [명]〖경〗어음을 재할인 받을 때에 적용되는 공정(公定) 금리. *재할인 이율.

재:할인-료【再割引料】[-뇨] [명]〖경〗어음을 재할인할 때에 지급하는 이자(利子). 보통의 할인료보다 낮음이 통례임.

재:할인 이:율【再割引利率】[명]〖경〗시중 은행의 할인 어음을 중앙 은행이 재차 할인하는 이율.

재:-항고【再抗告】[명]〖법〗민사 및 형사 소송법상, 항고 법원의 결정과 고등 법원의 결정 및 명령에 관하여 재판에 영향을 미친 헌법·법률·명령 또는 규칙에 대한 위반이 있음을 이유로 다시 대법원에 항고하는 일. 또, 그 항고. 재항고 절차에는 상고에 관한 규정이 준용(準用)됨. ──-하다 [자][여불]

재:-항변【再抗辯】[명]〖법〗피고(被告)의 항변에 대하여, 그것이 타당하지 아니함을 주장하여 원고(原告)가 다시 제출하는 항변. ──-하다 [자][여불]

재해【災害】[명] 재앙으로 인하여 받은 피해. ¶~ 대책.

재해 강도율【災害強度率】[명]〔accident severity rate〕〖경영〗연(延) 노동 시간수(사람·시간) 당(當)의 노동 불능 재해(勞動不能災害)로 인하여 잃어버린 노동 손실 일수를 1,000배한 것.

재해 구:조【災害救助】[명] 풍수해(風水害)·지진·해일(海溢)·화재 등 여러 가지 비상(非常)의 재해를 입은 사람들을 응급적(應急的)으로 돕고 보호하는 일.

재해 구:호 대:책 위원회【災害救護對策委員會】[명]〖법〗재해 구호법에 의한 재해 구호 사업의 기획·조사 및 기타 구호 실시에 관하여 필요한 사항을 심의할 목적으로 보건 복지부·서울 특별시·각 광역시·각 도에 설치한 위원회.

재해 구:호법【災害救護法】[-뻡] [명]〖법〗비상 재해가 발생하였을 때에 응급적인 구호를 행함으로써 재해의 복구, 이재민의 보호, 사회 질서의 유지를 기하려는 법.

재해 대:책 본부【災害對策本部】[명] 재해가 발생하였을 때, 그 복구 등을 목적으로 설치된 기관.

재해 보:상【災害補償】[명]〖사〗근로자가 업무상 재해를 입은 경우에 근로 기준법에 의하여 사용자(使用者)가 지불하는 보상.

재해 보:험【災害保險】[명]〖사〗사회 보험(社會保險)의 한 가지. 노무자(勞務者) 등의 업무상의 사유에 의한 질병·부상·폐질(廢疾) 또는 사망 등에 대한 보험.

재해 복구비【災害復舊費】[명]〖법〗도로·항만·하천·농지·산림 기타 시설의 자연 현상에 의한 피해를 복구하기 위한 경비.

재해 신경증【災害神經症】[-쯩] [명]〖의〗외상성(外傷性) 신경증.

재해-자【災害者】[명] 재해를 입은 사람.

재해-지【災害地】[명] 재해를 입은 곳.

재해 통:계【災害統計】[명] 재해에 관하여 그 원인·발생·시기·기간·장소·피해 대상·피해 수량·피해액 등을 분명히 하여 재해의 구조(救助)·복구(復舊)·예방 등을 위한 기초 자료적인 통계.

재:행【再行】[명] 혼인한 뒤에 신랑이 처음으로 처가(妻家)에 감. ──-하다 [자][여불]

재:향【在鄕】[명] 향리(鄕里)에 있음. ──-하다 [자][여불]

재:향 군인【在鄕軍人】[명] 현역을 마치고 고향에 돌아와 있는 군인. [준] 향군(鄕軍).

재:향 군인의 날【在鄕軍人-】[-/-에-] [명] 재향 군인 상호간의 친목을 도모하고 국가 발전에 이바지하게 하기 위하여 제정(制定)한 기념일. 5월 8일.

재:향 군인회【在鄕軍人會】[명] ↗대한 민국 재향 군인회.

재허【裁許】[명] 재결(裁決)하여 허가함. ──-하다 [타][여불]

재현[1]【才賢】[명] 재주가 뛰어나고 현명함. 또, 그 사람.

재:현[2]【再現】[명] ①두 번째 다시 나타남. 두 번째로 나타남. ¶황금 시대를 ~하다. ②〖심〗재생(再生)❻. ──-하다 [자][타][여불]

재:현-부【再現部】[명]〔recapitulation〕〖악〗소나타 형식에서 전개부(展開部)의 뒤에 나타나는 부분으로, 최초의 제시부(提示部)가 조금 형(形)을 바꾸어서 재현되는 부분. 주로 삼부분(三部分)의 구성을 가지는 곡의 제3부에 있어서 제1부가 재현됨을 말함.

재:현 예:술【再現藝術】[-네-] [명]〔representative art〕예술상(藝術上)의 분류의 하나. 현실 세계의 구체적인 사물이나 사상(事象)을 모방·묘사·재현하는 예술. 또, 그 작품. 모방 예술.

재형【宰衡】[명]〔중국 은(殷)나라의 이윤(伊尹)이 아형(阿衡), 주(周)의 주공(周公)이 태재(太宰)가 된 데서 유래〕재상(宰相).

재형 저:축【財形貯蓄】[명] ↗재산 형성 저축.

재:혼【再婚】[명] 두 번째로 혼인함. 또, 그 혼인. ↔초혼(初婚)❶·첫혼인. ──-하다 [자][여불]

재:혼 금:지 기간【再婚禁止期間】[명] 대혼 기간(待婚期間).

재화[1]【才華】[명] 빛나는 재주. 뛰어난 재능.

재화[2]【災禍】[명] 재액(災厄)과 화난(禍難). 화사(禍事).

재화[3]【財貨】[명] ①재물[3]❶❷. ②〖경〗사람의 욕망을 만족시키는 물질.

재:화[4]【載貨】[명] 화물(貨物)을 차나 배에 실음. 또, 그 화물(貨物). ¶~ 용적(容積).

재화 유통 분석【財貨流通分析】[명]〖경〗커모디티 플로 분석.

재:-확인【再確認】[명] 다시 확인함. ──-하다 [타][여불]

재환【災患】[명] 재앙과 우환(憂患).

재:활【再活】[명] 다시 살림. 다시 활용함. 다시 활동함. ¶직업 ~원(院).

재:활-원【再活院】[명] 신체 장애자가 재활할 수 있도록 의학적 훈련과 직업 훈련을 실시하는 기관.

재:회[1]【再回】[명] 재순(再巡)❷.

재:회[2]【再會】[명] 두 번째 다시 만남. 두 번째의 모임. 재봉(再逢). ¶~를 기약하다. ──-하다 [자][여불]

재회[3]【財賄】[명] 금전(金錢)과 물품(物品). 재물(財物).

재회[4]【齋會】[명]〖불교〗①중들이 모여 독경(讀經)과 불공(佛供)으로 죽은 사람을 제도(濟度)하는 일. ②신남(信男)·신녀(信女)들이 모여서 중을 공양하는 일. ③조선 시대에, 성균관 재생(齋生)이 재중(齋中)의 공사(公事)를 처결하는 모임. ──-하다 [자][여불]

재:-훈련【再訓練】[-훌-] [명] 다시 하는 훈련. ──-하다 [타][여불]

재:휘【再輝】[명]〖화〗탄소(炭素)가 많은 강(鋼)을 700°C 이상으로 가열(加熱)하여 천천히 식힐 때, 차례로 빛이 줄다가 700°C 가까이 될 때 일시적으로 그 빛이 세어지는 현상.

재:-흡수【再吸收】[명]〔reabsorption〕〖생〗신장 동맥의 혈액이 사구체(絲球體)를 지나면서 여과(濾過)되어 세뇨관(細尿管)을 지나는 동안에 그 세뇨관을 둘러싸고 있는 모세 혈관(毛細血管)에 의해서 대부분이 다시 흡수(吸收)되어 혈액 속으로 들어가는 일.

재:흥【再興】[명] 다시 일으킴. 다시 일어남. ¶민족 문화(民族文化)의 ~. ──-하다 [자][타][여불]

잭〔jack〕[명] ①〖기〗기중기(起重機)의 한 가지. 톱니바퀴·나사·수압(水壓)·유압(油壓) 등을 이용하여, 사람의 힘으로 비교적 무거운 물건을 서서히 올리는 장치. 가옥(家屋)의 토대나 자동차 따위를 들어 올려 하부를 수리하거나 타이어 따위를 교환하는 일 등에 쓰임. ②〖전〗플러그(plug)를 삽입(揷入)하여 전기를 접속시키는 장치. 전기 회로(電氣回路)의 접속(接續), 전기 기기(機器)나 전기 통신기 따위의 접속이나 변환(變換), 측정(測定) 등에 사용함. ③트럼프에서 병사가 그려져 있는 카드.

〈잭❶〉

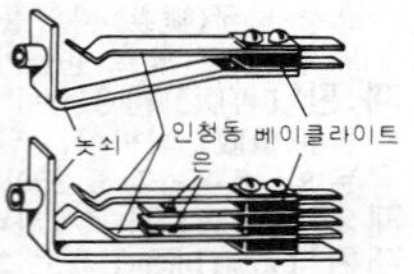

〈잭❷〉

잭과 콩나무 [명]〔Jack and the Beanstalk〕영국의 민화(民話). 소와 바꾼 콩이 하늘을 찌르는 거목(巨木)이 되고 잭은 이것을 타고 올라가 이상한 나라에 당도, 거인(巨人)의 보물을 훔치고 도망을 쳤는데 거인이 잭의 뒤를 쫓지만 먼저 지상에 내린 잭이 콩나무를 잘라, 거인이 땅에 떨어져 죽는다는 줄거리임.

잭-나이프〔jackknife〕[명] ①해군이나 선원들이 쓰는 접칼. ②장대높이뛰기·수영 다이빙(水泳 diving)의 형(型)의 한 가지. 곧, 스프링보드(springboard)를 떠난 순간에는 몸을 새우처럼 구부렸다가 물 속으로 들어가기 직전에 몸을 쭉 펴고 들어가는 형.

잭멜 [명]〈방〉자갈[1](제주).

잭슨[1]〔Jackson〕[명]〖지〗미국 미시시피 주(州)의 주도(州都). 주의 거의 중앙에 위치하며 펄 강(Pearl 江)에 임하고 있음. 제재(製材)·가구(家具)·섬유 등의 경공업이 성함. 1821년 주도(州都)로 선정되어 계획적으로 건설되었으며 1920년대 말, 부근에서 천연 가스가 발견되어 급격한 발전을 이룩함. [196,231명(1992)]

잭슨[2]〔Jackson, Abraham Valentine Williams〕[명]〖사람〗미국의 동양학자(東洋學者). 조로아스터교(敎) 연구의 권위자. 컬럼비아 대학 교수·미국 동양 협회 회장을 역임함. [1862-1937]

잭슨[3]〔Jackson, Andrew〕[명]〖사람〗미국의 정치가. 제7대 대통령. 고아로 자라나 테네시 주에서 대농원(大農園) 경영에 성공하고 정치가가 되어 1812년의 미·영 전쟁 때, 뉴올리언스(New Orleans)의 싸움에서 영군에게 대승, 국민적 영웅이 되었음. 1828년 서부 출신자로서는 처음으로 대통령에 당선하고 선거권의 확대, 공립 학교의 보급, 동부의 금권 부르주아지의 억압, 농민과 중소 기업가의 이익 옹호 등, 이른바 잭스니언 데모크라시라고 불리는 민주주의 정책을 전개(展開)하였음. [1767-1845; 재임 1829-37]

잭슨[4]〔Jackson, Helen Maria Hunt〕[명]〖사람〗미국의 여류 시인·작가. 미국 정부의 인디언 민족 억압을 고발한 저서 ≪치욕(恥辱)의 백 년≫은 유명함. [1830-85]

잭슨[5]〔Jackson, Jesse Louis〕[명]〖사람〗미국의 흑인 운동 지도자·목사. 1965년경부터 마틴 루서 킹 목사의 흑인 지위 향상 운동에 참가, 이후 흑인 운동의 지도자가 됨. 1984년과 88년의 두 차례 민주당의 대통령 예비 선거에 출마했음. [1941-]

잭슨[6]〔Jackson, John Hughlings〕[명]〖사람〗영국의 신경병(神經病) 학자. 간질 발작(癎疾發作)·실어증(失語症) 연구에 업적(業績)을 남겼음. [1862-1937]

잭슨[7]〔Jackson, Mahalia〕[명]〖사람〗미국의 흑인(黑人) 여자 가수(歌手). 1930년대부터 복음가(福音歌)를 계속 부르고 이의 제1인자로 불리었음. [1911-72]

잭슨[8]〔Jackson, Michael Joseph〕[명]〖사람〗미국의 팝 가수. 보컬 그룹 '잭슨 파이브'의 멤버로 있다가 독립하여 많은 레코드를 냄. 1978년 이후 영화와 TV에도 출연함. ≪스릴러≫가 히트한 후부터 슈퍼스타로 활약함. [1958-]

잭슨빌〔Jacksonville〕[명]〖지〗미국 플로리다 주 북동부의 상공업 도시.

세인트존스 강(Saint John's 江) 하류부의 항구 도시로 교통의 요지. 목재·금속 및 화학 공업이 발달(發達)하고, 해군 기지(海軍基地)가 있음. 1816년 창건. [672,971 명(1990)]

잭슨형 전간【一型癲癎】〔Jackson〕명〖의〗영국의 신경병 학자(神經病學者) 잭슨이 처음으로 기재(記載)한 후천적(後天的)으로 일어나는 증후성(症候性) 전간을 이름. 대뇌 피질(大腦皮質)의 기질적(器質的) 병으로 생김.

잭재구리 명〈방〉딱따구리(전라·경상).

잭 해머〔jack hammer〕명 소형 쇄석(碎石) 드릴.

잰 명〈방〉아양(함경).

잰나비 명〈방〉원숭이.

잰님 명〈방〉대님(경기·충남).

잰모 명〈옛〉잘 걷는 말. ¶잰몰 찬(驏. 馬善行)《字會 下 10》.

잰자리 명〈방〉〖충〗잠자리²(평안).

잰지 명〖조개〗국자가리비.

잰톤〔xanthone〕명〖화〗크산톤(Xanthon)의 영어 이름.

잴루잇 섬〔Jaluit〕명〖지〗마셜 제도(Marshall諸島)의 남부에 있는 마셜 제도 최대의 산호도(珊瑚島)로 마셜 공화국에 속함. 80여개의 작은섬이 있으며, 코프라를 산출함. [10 km²: 1,300 명]

잴루지:〔jalousie〕명 가는 유리 오리를 가로 이어 대어, 어느 각도(角度)만큼 틀어서 열리게 만든 창문.

잴장 명〈방〉기왓장(함경).

잴:잴 부 ①몸에 지닌 것을 자꾸 빠뜨리거나 흘리는 모양. ②눈물을 잘 금거리며 우는 모양. ¶툭하면 ~ 우는 아이. ③액체 따위가 조금씩 쪽 졸게 흐르는 모양. ¶코를 ~ 흘린다. 1)-3):ㅆ쨀쨀. <질질.

잼¹ 명〈방〉잠¹(전남·경북).

잼²〔jam〕명 과실을 삶아 즙(汁)을 내거나 짜서 설탕을 넣고, 약한 불에 가열(加熱)하여 조림으로 한 식품. 딸기·사과·배·포도 등을 재료로 함.

잼버리〔jamboree〕명 ①술 먹고 노래 부르며 떠들썩하게 노는 모임. ②보이 스카우트의 대회. 흔히, 캠핑·작업·경기 등을 행함.

잼 세션〔미 jam session〕명 재즈 연주자들이 자신들의 즐거움을 위해 간단한 협의만으로 악보(樂譜) 없이 즉흥적인 경연(競演)을 행하는 일. 스튜디오나 종업후(終業後)의 클럽에 관계자들만이 모여 열리는 것이 보통임.

잼자리 명〈방〉〖충〗잠자리²(경북·함경).

잼재 명〈방〉〖충〗잠자리²(함남).

잼처 부 다시. 거듭. 되짚어. ¶~ 물어 보다 / 매월이 적지 않이 놀라는 표정으로 ~ 물어 보았다《金周榮 : 客主》.

잽¹〔jab〕명 권투에서, 공격법의 한 가지. 짧은 스트레이트로 연속하여 상대의 안면(顏面)이나 몸통을 가격함. 극히 기본적(基本的)이면서도 중요한 기술로서 공격의 돌파구 구실을 함.

잽²〔Jap〕명 미국 사람이 일본 사람을 멸시(蔑視)하여 일컫는 말.

잽-싸다 형 매우 빠르고 날래다. ¶잽싸게 달아나다.

잿-간【一間】 명 재를 모아 두는 헛간.

잿감 명〈방〉째마리.

잿-길 명 재의 길. 언덕배기로 난 길.

잿-날【齋一】 명〖불교〗염불(念佛)·일종식(一終食)·설법(說法) 등을 하는 날. 지장(地藏) 잿날·관음(觀音) 잿날 등이 있음. 재일(齋日).

잿-더미 명 ①재를 모아 쌓아 둔 무더기. ②불에 타서 폐허가 되어 재만 남은 자리. ¶~로 화하다.

잿-독 명 잿물을 내리는 데에 쓰는 재를 모아 두는 독.

잿-돈【齋一】 명 초상계(初喪契)에서 재가 난 경우에 상비(喪費)로 보내는 몫의 돈. 재전(齋錢).

잿-모 명〖농〗재거름을 한 못자리에 심은 모.

잿-물 명 ①식물성 재를 물로 밭아서 우려 낸 물. 주로 탄산 칼륨을 함유하기 때문에 그 알칼리성이 기름기와 때를 잘 빨아내어 빨래에 많이 쓰임. 회즙(灰汁). ②〖공〗도자기(陶瓷器)를 만들어 구울 때, 그 표면에 광택(光澤)이 나고 기체나 액체의 침투를 막도록 덧씌우는 약. 그 원료는 보통 광물질(鑛物質)임. 유(釉). 유약(釉藥·泑藥). ¶도자기에 ~을 입히다. ③↗양잿물.

잿물(을) 내리다 구 콩깍지·풋나무 등의 재를 시루에 안치고 그 위에 물을 부어 잿물이 시루 구멍으로 흘러 내리게 하다.

잿물 시루[一씨一] 명 잿물을 내리는 데에 쓰는 시루.

잿-박 명 농가에서 거름으로 쓸 재를 담는 그릇.

〈잿박〉

잿-밥【齋一】 명〖불교〗불공할 때 부처 앞에 올리는 밥.

잿-방어【一魴魚】 명〖어〗[*Seriola purpurascens*] 전갱잇과에 속하는 바닷물고기. 방어와 비슷하나 몸길이 1m 가량이며 좀 굵음. 몸빛은 등쪽은 자청색, 배쪽은 담색임. 여름에 맛이 좋음. 한국 연해, 특히 황해 남부 및 일본에 분포함.

잿-발 명 장기판의 앞으로 밴 끝줄의 말밭.

잿-불 명 재로 덮여 있는 아주 여린 불.

【잿불 화로의 불씨가 꺼져서는 집안이 망한다】불씨를 꺼뜨리는 소홀한 살림살이로는 한 집안을 꾸려 나갈 수 없다는 말.

잿-빛 명 재와 같은 빛깔. 곧, 부옇고 검은 빛. 회색(灰色).

잿빛-하늘소[一쏘] 명〖충〗[*Rhagium inquisitor rigipenne*] 하늘솟과에 속하는 곤충. 몸은 잿빛인데 복부는 검고 겉날개에 무늬가 있음. 한국에도 분포함.

잿빛-하늘소붙이[一쏘부치] 명〖충〗[*Eobia cinereipennis*] 하늘소붙잇과에 속하는 곤충. 몸길이 7-12 mm이고, 몸빛은 암회색 내지 흑색에 두부는 암갈색 내지 흑색임. 촉각·전배판·전흉·다리는 적갈색이고 몸에는 회황색 내지 갈색 털이 밀생했으며, 각 시초(翅鞘)에는 세 개의 종륭선(縱隆線)이 있음. 한국·일본에 분포함. 불어리하늘소.

〈잿빛하늘소붙이〉

쟁¹ 명〈방〉간장¹(전북).

쟁:² 명 ↗재양¹(載陽).

쟁³【箏】 명〖악〗모양이 대쟁(大箏)과 같은, 열 석 줄의 명주실로 된 현악기(絃樂器).

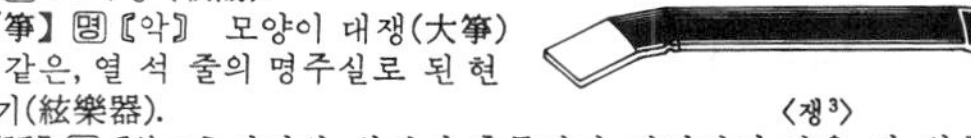

〈쟁³〉

쟁⁴【諍】 명〖불교〗각자의 의견이 충돌하여 일치하지 않을 때 의론·언쟁하는 일. ＊사쟁(四諍).

쟁⁵【錚】 명 꽹과리.

쟁가비 명〈방〉〖충〗장구벌레.

쟁강 부 약간 무겁고 얇은 금속이 맞부딪치어 나는 소리. ㅆ쨍강. <징경. ——-하다 자타 여불

쟁강-거리다 자타 자꾸 쟁강 소리가 나다. 또, 자꾸만 쟁강 소리를 내다. ㅆ쨍강거리다. <징겅거리다. **쟁강-쟁강** 부. ——-하다 자타 여불

쟁강-대다 자타 쟁강거리다.

쟁개비 명 무쇠나 양은으로 만든 작은 냄비.

쟁갱이 명〈방〉정강이(전북·경상).

쟁경【爭競】 명 어떤 일에 관하여 우열(優劣)·승패(勝敗) 따위를 겨룸. 경쟁(競爭).

쟁공【爭功】 명 서로 공을 다툼. ——-하다 자 여불

쟁:공이 명〈방〉쟁퉁이.

쟁광【爭光】 명 쟁영(爭榮). ——-하다 자 여불

쟁:괭이 명〈방〉쟁퉁이.

쟁괴【爭魁】 명 서로 두목이 되고자 다툼. ——-하다 자 여불

쟁권【爭權】[一꿘] 명 권리나 권세(權勢)를 다툼. ——-하다 자 여불

쟁규【爭窺】 명 서로 다투어 엿봄. ——-하다 타 여불

쟁그랍다 형 ㅂ불 만지거나 보기에 소름이 끼칠 정도로 흉하고 더럽다. <장그랍다·징그럽다.

쟁그랑 부 얇은 금속이 떨어져서 울리는 소리. ¶~하고 쟁반이 떨어지다. ㅆ쨍그랑. <징그렁. ——-하다 자타 여불

쟁그랑-거리다 자타 계속하여 쟁그랑 소리가 나다. 또, 계속해서 쟁그랑 소리를 내다. ㅆ쨍그랑거리다 <징그렁거리다. **쟁그랑-쟁그랑** 부. ——-하다 자타 여불

쟁그랑-대다 자타 쟁그랑거리다.

쟁그럽다 형 ㅂ불 ☞ 쟁그랍다. ¶윤희의 쟁그럽게 악을 쓰는 목소리가 마치 초봉더러도 들으라는 듯이 역력히 들려 왔다《蔡萬植 : 濁流》.

쟁글쟁글-하다 형 여불 ①몹시 쟁그랍다. <장글장글하다·징글징글하다. ②미운 사람의 실수를 볼 때 아주 고소하다.

쟁금【鎗金】 명 중국의 조칠(彫漆)의 한 가지. 칠면(漆面)에 바늘로 무늬를 뜨고 칠을 한 다음 금박(金箔)을 하여 무늬를 나타냄. 송대(宋代)부터 성행하였음. 침금(沈金).

쟁기 명 논밭을 가는 데 쓰는 연장의 한 가지. 쟁깃술 끝에 보습을 끼우고 그 위에 볏을 한마루 몸에 의지하여 덧대고, 성에 앞 끝에 줄을 매어 마소에 멍에를 메워 논밭을 갊. 호리와 겨리의 두 가지가 있음. 뇌사(耒耜). ＊겨리.

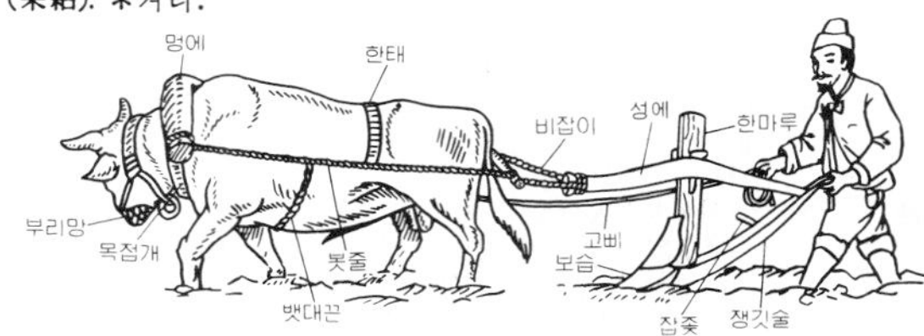

〈쟁기〉

쟁기-고기 명 각을 뜨고, 뼈를 바르지 않은 고깃덩이.

쟁기-날 명〖농〗쟁기의 날. 곧, 보습.

쟁기다 자〈방〉잠기다.

쟁기-지게 명〖농〗쟁기나 극쟁이를 지고 다닐 때에 쓰는 지게. 여느 지게와 같은데 몸채 위쪽 끝이 가위처럼 벌어지고, 등태를 넓적한 나무로 대신함.

쟁기-질 명〖농〗쟁기를 부리는 일. ——-하다 자 여불

【쟁기질 못 하는 놈이 소 탓한다】일을 할 줄 모르는 사람이 제 탓은 않고 애먼 기구를 탓한다는 말.

쟁깃-금【一金】 명 쟁기고기로 치는 값.

쟁깃-술 명〖농〗쟁기의 몸 아래로 비스듬히 벋어 나간 나무. 그 끝에 보습을 맞추는 넓적하고 삐죽한 바닥이 있음. 준술.

쟁끼¹ 명〈방〉장끼(함경).

쟁끼² 명〈방〉쟁기(경북).

쟁단【爭端】 명 다툼질의 단서.

쟁두【爭頭】 명 ①일을 서로 먼저 하기를 다툼. ②무슨 내기를 함에 있어, 끗수가 서로 같을 때에 다른 방법을 써서 승패(勝敗)를 비교함. ——-하다 자 여불

쟁란【諍亂】[一난] 명 소란(騷亂). ——-하다 형 여불

쟁론【爭論】[一논] 명 ①서로 다투어 토론(討論)함. 쟁어(爭語). 쟁의(爭議). ②서로 다투는 이론(理論). ——-하다 자 여불

쟁리【爭利】[一니] 명 서로 이익을 다툼.

쟁명【爭名】 명 서로 명성을 다툼.

쟁반【錚盤】 명 놋쇠·사기·목재·양철 등으로 운두가 얕고 둥글납작하게 만든 그릇. 음식 그릇을 받쳐 드는 데 흔히 씀. 예반. ¶은(銀)~/~같이 둥근 달.

쟁반 서랍【錚盤一】 명 일본식(日本式)의 장(欌)에 달려 있는 운두가 낮은 서랍.

쟁변【爭辯】 명 다투어 논박함. 쟁론(爭論). ——-하다 자 여불

쟁봉【爭鋒】명 적(敵)과 창검을 가지고 다툼. ——-하다 자여불
쟁-북【錚—】명 꽹과리와 북.
[쟁북이 맞아야 한다] 쟁과 북이 잘 맞아야 음률이 조화를 이루듯이 뜻이 서로 맞아야 일이 순조롭게 된다는 뜻.
쟁사【爭死】명 큰 범죄에서, 자기가 범인이라고 우기며 죽음으로써 상대방을 감싸는 일. ——-하다 자여불
쟁선【爭先】명 서로 앞서기를 다툼. ——-하다 자여불
쟁성【爭城】명 성을 빼앗고자 서로 다툼. ——-하다 자여불
쟁소【爭訴】명 쟁송(爭訟). ——-하다 자여불
쟁송【爭訟】명 서로 다투며 송사(訟事)를 일으킴. 쟁소(爭訴). ——-하다 자여불
쟁신【諍臣·爭臣】명 임금의 잘못을 바로잡고자 직언(直言)으로써 간하는 신하.
쟁심【爭心】명 남과 싸우려 하는 마음.
쟁알-거리다 자 몸이 불편하거나 기분이 좋지 않아서 짜증을 내며 종알거리다. 쟁알대다. ㅆ챙알거리다. ㅆ쨍알거리다. <징얼거리다.
쟁알-쟁알 부 ——-하다 자여불
쟁알-대다 자 쟁알거리다.
쟁어【爭語】명 쟁론(爭論).
쟁연【錚然】명 금속이 서로 부딪쳐서 울리는 소리. ——-하다 형여불
쟁영[1]【爭榮】명 영광(榮光)을 다툼. 영예를 다툼. 쟁광(爭光). ——-하다 자여불
쟁영[2]【崢嶸】명 ①산이 높고 가파른 모양. ②깊고 위험한 모양. ③세월이 흘러 가는 모양. ——-하다 형여불
쟁우【諍友】명 친구의 잘못을 극력 충고하는 벗.
쟁의【爭議】[—/—이] 명 ①서로 자기의 의견을 주장하여 의논(議論)하는 일. 쟁론(爭論). ②지주(地主)와 소작인(小作人), 사용자(使用者)와 노동자 등 사이에 일어나는 분쟁(紛爭). 소작 쟁의·노동 쟁의 등. ③행정 기관 사이에 생기는 권한 다툼.
쟁의-권【爭議權】[—꿘/—이꿘] 명〖법〗노동자가 사용자에 대항하여, 노동 조건(勞動條件) 등에 관한 자기의 주장을 관철하기 위하여, 단결하여 파업 기타의 쟁의 행위를 하는 권리.
쟁의-단【爭議團】[—/—이—] 명 노동 쟁의의 경우에 일시적으로 결집(結集)하여 조직된 노동자의 단체.
쟁의 불참가자【爭議不參加者】[—/—이—] 명〖법〗단체 협약(團體協約)에 의하여 쟁의 행위에 참가하지 않기로 결정한 근로자. 수위(守衛)·운전 기사·타자수 등이 이에 해당함.
쟁의 행위【爭議行爲】[—/—이—] 명 노동 관계의 당사자(當事者)가, 자기 주장의 관철(貫徹) 또는 이에 대항(對抗)하기 위하여 행하는, 업무의 정상적(正常的)인 운영을 저해(沮害)하는 행위. 파업·태업(怠業)·피케팅·작업소 폐쇄 따위.
-쟁이 미 [←장(匠)이] 사람의 성질·습관 또는 행동·모양 등과 일부 직종을 나타내는 말에 붙어서 그러한 사람을 가리켜 낮게 이르는 말. ¶ 멋~/심술~/교정~/환~. *-장이[2].
쟁이다 타 ①물건을 여러 개 차곡차곡 포개어 쌓아 두다. ¶옷을 장 속에 쟁여 넣다. ②불고기용의 고기나 갈비 따위를 양념하여 그릇 속에 차곡차곡 쌓아서 묵히다. 또, 김 따위를 기름을 바르고 소금을 뿌려서 쌓아 두다. 1)·2):㊥재다.
쟁:인 명〈방〉장인[2](丈人)(충청·전북·경상).
쟁자【諍子·爭子】명 어버이의 잘못을 바로잡고자 극력 간하는 아들.
쟁장【錚匠】명 조선 시대에, 군기시(軍器寺)에 딸려 징이나 꽹과리를 만드는 일을 하던 경공장(京工匠)의 하나.
쟁쟁[1] 부 몸이 편치 않거나 마음에 마땅치 않아서 쟁알거리는 모양. <징징. ¶젖도 안 빨고 ~ 울며 보챈다. ——-하다 자여불
쟁쟁[2]【琤琤·錚錚】명부 ①옥이나 쇠붙이 따위의 울리는 소리가 맑고 또렷한 모양. ¶칼이 바닥에 떨어져 ~ 소리를 내며 굴렀다. ②여럿 가운데서 유난히 뛰어난 모양. ¶사계의 ~한 인사들을 모셔 놓고. ③이미 흘러간 옛 소리가 아직도 귀에 남아 울리는 듯한 모양. ¶부친의 건강을 걱정하던 형의 목소리가 아직도 귀에 ~하다. ——-하다 형여불. ——-히 부
쟁쟁-거리다[1] 자 몸이 편치 않거나 마음에 마땅치 않아서 쟁알거리다. 쟁쟁하다. <징징거리다.
쟁쟁-거리다[2]【琤琤·錚錚—】자 ①옥이나 쇠붙이 따위의 소리가 쟁쟁 나다. ②지난날 들었던 소리가 잊히지 않고 아직도 선명하게 귀에서 울리다.
쟁쟁-대다[1] 자 쟁쟁거리다[1].
쟁쟁-대다[2]【琤琤—·錚錚—】자 쟁쟁거리다[2].
쟁쟁-하니【琤琤—·錚錚—】부 이미 흘러간 옛날의 소리가 아직도 귀에 들리는 듯이. ¶지금도 그의 목소리가 ~ 들리는 것 같다.
쟁점【爭點】[—쩜] 명 쟁송(爭訟)·논쟁(論爭)의 중심이 되는 중요한 점. ¶여야(與野) 논쟁의 ~.
쟁진【爭進】명 서로 다투어 나아감. ——-하다 자여불
쟁집【爭執】명 이의(異議)를 제창(提唱)하고 고집하여 다툼. ——-하다 타여불
쟁철 명〈방〉냄비(함경).
쟁:첩 명 반찬을 담는 작은 접시.
쟁취【爭取】명 다투어 취(取)함. 이겨서 빼앗아 가짐. ¶승리를 ~하다. ——-하다 타여불
쟁:-치다 타 ↗재양치다. ¶모시는 다듬어서 홑두루마기를 짓고 명지는 쟁쳐서 바지저고리를 지으면 좋겠는데…《洪命憙: 林巨正》.
쟁탈【爭奪】명 다투어 빼앗음. ¶대통령배 ~ 전국 고등 학교 야구 대회. ——-하다 타여불
쟁탈-전【爭奪戰】명 서로 다투어 무슨 사물이나 권리 등을 빼앗는 싸움. ——-하다 자여불
쟁투【爭鬪】명 서로 다투어서 싸움. 투쟁. ——-하다 자여불
쟁:-퉁이 명 ①잘난 체하고 거만을 부리는 같잖은 사람. ¶조선 팔도를 채반 장수로 기어다니다 보니 나한테 말대꾸하는 ~도 보겠네그랴《金周榮: 客主》. ②가난에 쪼들리어 마음이 좁고 비꼬인 사람.
쟁:-틀 명 ↗재양틀.
쟁:-판【—板】명 ↗재양판.
쟁패【爭霸】명 ①지배자가 되려고 다툼. 패권(霸權)을 다툼. ②운동 경기에서, 우승(優勝)을 다툼. ¶~전(戰). ——-하다 타여불
쟁패-전【爭霸戰】명 쟁패하는 싸움.
쟁:-팽이 명〈방〉쟁퉁이.
쟁형【爭衡】명 우열(優劣)·경중(輕重)을 서로 다툼. ——-하다 자여불
쟁힐【爭詰】명 서로 다투어 힐난함. ——-하다 자여불
-쟈 어미〈옛〉-자. ¶니일 일 녜쟈(明日早行)《老乞 上 9》.
쟈감 명〈옛〉메밀의 겉껍질. ¶쟈감(爲蕎麥皮)《訓例 用字例》.
쟈개 명〈옛〉자개. ¶쟈개 파(䆉)《字會 上 20》.
쟈개돌 명〈옛〉자갈. ¶쟈개돌(石子)《漢淸 I:42》.
쟈개얌 명〈옛〉자개미. 겨드랑이 또는 오금 양쪽의 오목한 곳. =쟈긔야미. ¶쟈개얌 각(胳), 쟈개얌 익(腋)《字會 上 25》.
쟈근잣 명〈옛〉작은 성(城). ¶쟈근잣 보(堡, 小城)《字會 中 8》.
쟈긔야미 명〈옛〉자개미. =쟈개얌. ¶腿上胳下 속칭 쟈긔야미《無寃錄 I:63》.
쟈ᄀᆞᆫ 형〈옛〉작은. ¶朴云이 쟈ᄀᆞᆫ 도치가지고 云山이와 ᄠᅡᆯ와《續三綱孝子圖 朴追虎》.
쟈락 명〈옛〉자락. ¶아직 뵈젹삼 쟈락의 안아가라(且着布衫襟兒抱些草去)《老乞 上 29》.
쟈랑 명〈옛〉자랑. ¶엇뎨 驕慢이며 쟈랑이리오(豈驕矜)《杜諺 Ⅷ:9》.
쟈래 명〈옛〉자라. ¶고기와 쟈래와 보내야셔(送魚鼈)《杜諺 X:14》/쟈래 원(黿), 쟈래 별(鼈)《字會 上 20》.
쟈리군 명〈옛〉자리공. 상륙(商陸). ¶쟈리군(商陸易莧陸)《四聲 下 7 莧字註》.
쟈ᄅᆞ 명〈옛〉자루. ¶ᄒᆞᆫ 뵈쟈ᄅᆞ로 가져다가(持一布袋)《佛頂 下 12》/쟈ᄅᆞ 디(袋)《字會 中 13》.
-쟈스라 어미〈옛〉-자꾸나. =-쟈ᄉᆞ라. ¶아히야 그물 내여라 고기잡이 가쟈스라《古時調》.
-쟈ᄉᆞ라 어미〈옛〉-자꾸나. =쟈스라. ¶山中을 미양 보랴 東海로 가쟈ᄉᆞ라《松江 關東別曲》.
쟈실 명〈옛〉차일(遮日). ¶쟈실 막(幕)《字會 中 13》.
작다 형〈옛〉작다. 적다. ¶믈 먹기 쟉게 ᄒᆞ다(喫水少)《老乞 上 31》.
작도 명〈옛〉작두. ¶다ᄅᆞᆫ듸 드는 쟉도 ᄒᆞ나흘 빌려 오라(別處快鍘刀借一箇來)《老乞 上 17》/쟉도 찰(鍘)《字會 中 15》.
쟉되〈옛〉작두가. '쟉도'의 주격형(主格形). ¶이 쟉되 드디 아니ᄒᆞ니(這鍘不快)《老乞 上 17》.
쟉벼리 명〈옛〉물가 돌무더기 있는 곳. ¶쟉벼리 적(磧)《字會 上 4》.
쟉별 명〈옛〉작은 돌. ¶쟉별 적(磧)《倭解 上 8》/쟉별(卵石)《同文 上 7》. *쟉벼리.
쟉셜차 명〈옛〉작설차(雀舌茶). 차(茶)의 한 종류. ¶됴ᄒᆞᆫ 쟉셜차(眞茶)《牛方 10》.
쟉시면〈옛〉것 같으면. =쟉이면. ¶네 이리 漢ㅅ글을 비홀쟉시면(你這般學漢兒文書時)《老乞 上 5》.
쟉이면〈옛〉것 같으면. =쟉시면. ¶그러나 우리 祖宗이 보실쟉이면 ᄒᆞᆫ가지 이 子孫이라(然吾祖宗視之則均是子孫)《內訓 Ⅲ:42》.
쟉ᄒᆞᆫ 관〈옛〉웬만한. ¶項羽ㅣ 쟉ᄒᆞᆫ 天下 壯士ㅣ라마는《古時調 永言》.
쟐 명〈옛〉자루. ¶뭇근 쟐ᄋᆞᆫ 半만 지즐여 저젓도다(裝囊半壓濡)《杜諺 Ⅱ:8》.
쟐닛돈 명〈옛〉자루의 돈. 자루에 든 돈. ¶제 쟐닛 돈을 다 내여 주고(傾橐中錢悉與之)《二倫 40 查道傾橐》.
쟘방이 명〈옛〉잠방이. ¶쟘방이 短者犢鼻ㅣ裩《字會 中 23》.
쟘불모 명〈옛〉잠불마. ¶쟘불모(白臉馬)《譯語 下 28》.
쟝 명〈옛〉장(醬). ¶또 쟝즙을 ᄇᆞᄅᆞ라(又方以豆醬汁塗之)《救方 下 11》.
쟝군목 명〈옛〉문살의 앞뒤를 다 싸서 바른 장지문. ¶쟝군목 경(扃), 쟝군목 산(欄)《字會 中 7》.
쟝긔 명〈옛〉장기. ¶쟝긔 혁(弈)《字會 中 19》/쟝긔 열부(象棊十副)《老乞 下 62》.
쟝도리 명〈옛〉마치. 장도리. ¶쟝도리(老鶴鎚)《譯語 下 18》.
쟝만ᄒᆞ다 타〈옛〉장만하다. =쟝망ᄒᆞ다. ¶얼운을 도와 쟝만홈을 보ᄉᆞᆯ필디니라(佐長者視具)《小諺 Ⅱ:4》.
쟝망ᄒᆞ다 타〈옛〉장만하다. 마련하다. =쟝만ᄒᆞ다. ¶飮食이며 너나믄 거슬 제 쟝망ᄒᆞᆫ 야ᄋᆞ로 쥬을 供養ᄒᆞ고《月釋 Ⅸ:52》.
쟝셕 명〈옛〉염병. 역질(疫疾). ¶한 사ᄅᆞ미 쟝셕ᄒᆞᄂᆞᆫ 難이어나《釋譜 Ⅸ:33》/쟝셕 온(瘟)《字會 中 34》.
쟝셕ᄒᆞ다 자〈옛〉염병하다. 역질(疫疾)하다. ¶네히 ᄅᆞᆯ 艱難ᄒᆞ고 쟝셕ᄒᆞ거늘《月釋 Ⅶ:28》.
쟝신 명〈옛〉장인(匠人). 장색(匠色). ¶갈 잘 밍글 쟝신이(快打刀子的匠人)《朴解 上 15》.
쟝앳디히 명〈옛〉장아찌. ¶다믄 됴ᄒᆞᆫ 쟝앳디히 밥ᄒᆞ야 먹다가(只着些好醬瓜兒就飯喫)《朴解 上 55》.

장추 부 〈옛〉 장차(將次). =쟝ᄎᆞ. ¶장추 化ᄒᆞ실ᄯᅢ 아ᄅᆞ실ᄊᆡ(知其將化故)《妙蓮 Ⅵ:150》.

장ᄎᆞ 부 〈옛〉 장차(將次). =쟝추. ¶내 쟝ᄎᆞ 北으로 갈제(杜子將北征)《杜諺 Ⅰ:1》.

쟤 준 저 아이. ¶~는 참 착한 아이야. *개·얘.

쟨 준 저 아이는. ¶~ 거짓말쟁이다. *갠·얜.

쟬 준 저 아이를. ¶~ 데리고 가요. *걜·얠.

저[1] 명 〖악〗 가로 불게 된 관악기(管樂器)의 총칭. 적(笛). 횡적(橫笛).

저[2] 명 〈방〉 겨. 등겨(전북).

저[3] 【氐】 명 〖역〗 오호(五胡)의 하나. 선진 시대(先秦時代)부터 서방에 근거를 두었던 티베트 계통의 한 종족. 웨이수이(渭水) 및 한수이(漢水) 상류역(上流域)으로부터 쓰촨 성(四川省)의 북부에 걸쳐서 산재하여, 진(晉)나라 말기 이후에 성한(成漢)·전진(前秦)·후량(後涼)을 건설하였음. 수(隋)나라의 통일과 더불어 이 민족의 이름은 단편적으로밖에는 사서(史書)에 등장하지 않으며, 그 역사적 의의도 거의 상실(喪失)됨.

저[4] 【氐】 명 〖천〗 ↗저성(氐星).

저:[5] 【邸】 명 귀인의 집. 저택(邸宅).

저[6] 【底】 명 〖수〗 '밑⑫⑬⑭'의 구용어.

저:[7] 【著】 명 ↗저술(著述).

저[8] 【箸】 명 ↗젓가락.

저[9] ㊀ 인대 ①'나'의 겸사말. 조사 '가' 위에서는 '제'가 됨. ¶~를 데리고 가시오/~는 잘 모르겠습니다. ②'자기'의 낮춤말. 조사 '가' 위에서는 '제'가 됨. ¶누가 ~보고 욕을 했나/제가 뭐 잘났다고 으스대나. ③↗저이. ㊁ 지대 ↗저것. ¶그도 ~도 아닌 / 아이고, ~를 어쩌나. ㊂ 관 자기로부터 보일 만한 곳에 떨어져 있는 사람이나 사물을 가리키는 말. ¶~ 산/~ 사람. ↔이[22]㊂·그[1·2]. >조[25].
[저 건던 놈도 나만 보면 타고 가려네] 사람이 궁한 처지에 놓여 있으면 천한 사람까지 자기를 멸시한다는 뜻. [저 먹자니 싫고 개 주자니 아깝다] 자기는 싫고 남에게 주기는 아깝다는 뜻. 곧, 몹시 인색함을 이르는 말. [저 중 잘 달아난다 하니까 고깔 벗어 들고 달아난다] 거짓 칭찬에 신이 나서 마구 놀아남을 말함. [저 혼자서 원님을 내고 좌수를 낸다] ㉠혼자 도맡아서 이 일 저 일을 모두 처리한다는 말. ㉡모든 일을 제 주장대로 한다는 말.

저:[10] 감 ①미처 생각이 잘 나지 아니할 때 나는 소리. ¶~, 사실은 …/~, 아까 뭐라고 말했죠. ② ☞ 워.

저:-【低】 두 '낮음'의 뜻을 나타내는 말. ¶~기압/~자세/~물가 정책. ↔고-(高).

저:가[1] 【低價】 [-까] 명 헐한 값. 싼 값. 염가(廉價). ↔고가(高價).

저:가[2] 【邸家】 명 〖역〗 여각(旅閣).

저가[3] 【豬加】 명 〖역〗 부여(扶餘) 때의 벼슬 이름. 마가(馬加)·우가(牛加)·구가(狗加)와 함께 사출도(四出道)를 관할함.

저:가-법 【低價法】 [-까뻡] 명 〖경〗 저가주의.

저:가-주 【低價株】 [-까-] 명 [low priced stock] 〖경〗 시장 전체 수준의 가격에 비해 주가(株價)가 낮은 주식. 일반적으로, 업적이 부진한 회사의 주식이나 대형주 등이 포함됨. 저위주(低位株).

저:가-주의 【低價主義】 [-까-/-까-이] 명 〖경〗 회계상(會計上) 자산(資産)의 평가에 있어서 원가(原價)와 시가(時價)와를 비교하여 낮은 쪽을 택하여 평가하는 주의. 저가법. ↔원가(原價)주의·시가주의.

저:각 【底角】 명 〖수〗 '밑각'의 구용어.

저-각금 부 〈방〉 제각기(경상).

저:각 단:층 【低角斷層】 명 [low angle fault] 〖지〗 경사가 45°보다 작은 단층.

저:간[1] 【這間】 명 요즈음.

저간[2] 【豬肝】 명 〖한의〗 돼지의 간. 어린 아이의 경간(驚癇), 어른의 각기(脚氣)·대하증(帶下症) 등에 약으로 씀.

저:감 【低減】 명 낮추어 줄임. 낮추어져 줄어짐. ¶부담금을 ~하다. ──-하다 자 타 여불

저-같이 [-가치] 부 저 모양으로. 저렇게. ¶~ 해라/저 아이를 ~ 나무라지 않아도 될 텐데. >조같이. *이같이·그같이.

저:개 【這箇】 명 이것.

저:개발-국 【低開發國】 명 저개발 지역의 나라. 현재는 발전 도상국(發展途上國)이라 이름.

저:개발 지역 【低開發地域】 명 〖경〗 농림(農林)·수산업(水産業) 등의 1차 산업에 의존하며 국민의 소득 수준(所得水準)이 낮고 정치적·경제적·사회적으로 근대화(近代化)가 뒤진 지역. 동남 아시아·중근동(中近東)·중남미·아프리카 지역 등.

저-거 지대 ↗저것. ¶난 ~ 주시오. >조거[2]. *이거[6].

저-거:번 【-去番】 명 〈방〉 저번.

저-거시기 감 말하는 도중에 기억(記憶)이 잘 나지 아니할 때에 내는 군말. ¶~ 뭐라더라. *거시기.

저-건 준 저것은. ¶~ 내 것이오. >조건. *이건.

저-걸 준 저것을. ¶~ 내게 주시오. >조걸. *이걸[2].

저걸-로 준 저것으로. ¶~ 주시오. >조걸로. *이걸로.

저-것 지대 저기 있는 사물(事物)을 가리키는 말. ¶이것 ~. 준 저·저거. >조것. *이것.

저게[1] 지대 부 〈방〉 저기(함경).

저게[2] 준 저것이. ¶~ 무엇이오. >조게. *이게.

저:격 【狙擊】 명 노려서 쏨. 날쌔게 습격함. ¶흉한(凶漢)에 ~당하다. ──-하다 타 여불

저:격-대 【狙擊隊】 명 〖군〗 적병(敵兵)을 저격하는 부대.

저:격-병 【狙擊兵】 명 〖군〗 은폐 진지(隱蔽陣地)에서 적군을 저격하는 소총수(小銃手). 저격수(手).

저:격 사진 【狙擊寫眞】 명 [spot film] 〖의〗 병변 부위(病變部位)에 정밀 조준한 방사선으로써 촬영한 사진. 흔히, 투시 진단법(透視診斷法)과 함께 쓰임.

저:격-수 【狙擊手】 명 ①일정한 적의 대상을 저격하기 위해 뽑힌 우수한 사수(射手). ②저격병(兵).

저:격-술 【狙擊術】 명 적을 저격하는 기술·전술.

저:견[1] 【佇見】 명 멈추어 서서 바라봄. ──-하다 타 여불

저:견[2] 【著見】 명 현저하게 보임. 현저하게 나타남. ──-하다 자 여불

저경-궁 【儲慶宮】 명 〖역〗 조선 원종(元宗)의 생모(生母) 인빈 김씨(仁嬪金氏)의 사당. 본디는 인조(仁祖)의 잠저(潛邸). 선조(宣祖)의 다섯째 아들 원종(元宗)의 구저(舊邸)로, 송현궁(松峴宮)이었던 것을 영조(英祖) 31년(1775)에 이 이름으로 고침. 융희(隆熙) 2년(1908)에 육상궁(毓祥宮)에 합사(合祀)함. 지금의 서울 중구(中區) 소공동(小公洞) 한국 은행 뒤, 전의 서울 대학교치과 대학 자리에 해당함.

저계 【樗雞】 명 〖충〗 메뚜기[1]❶.

저:고[1] 【底稿】 명 ①원고(原稿). ②초고(草稿).

저고[2] 【豬膏】 명 돼지의 지방(脂肪)을 끓여서 만든 고(膏). 저지(豬脂).

저:-고도 【低高度】 명 해발 1만 피트 이하의 높이를 이름.

저고리[1] 명 [근대 : 져구리] 한복 상의(上衣)의 하나. 길·소매·섶·깃·동정·고름이 갖추어져 있으며 겹과 핫의 두 가지가 있음. ↔바지·치마.

저고리[2] 명 〈방〉 딱따구리(함경).

저고릿-고름 명 저고리에 달린 고름.

저고릿-바람 명 웃갓을 단정히 하지 아니한 채로의 차림새. ¶~으로 나다니다.

〈저고리[1]〉

저:고여 피:살 사:건 【著古與被殺事件】 [-껀] 명 〖역〗 고려 고종(高宗) 12년(1225)에 우리 나라에 왔던 원(元)나라 사신 저고여가 여진족의 습격을 받아 귀국 도상(歸國途上)에서 피살된 사건. 이 사건은 고려의 짓이라는 원의 주장과 사실을 밝히려는 고려의 주장이 엇갈려 드디어 원의 고려 침입의 계기가 되었음.

저:곡[1] 【貯穀】 명 곡식(穀食)을 모아 쌓아 둠. 또, 그 곡식. ──-하다 타 여불

저곡[2] 【儲穀】 명 저곡(貯穀).

저:-곡가 【低穀價】 명 낮은 곡식 가격. ¶~ 정책.

저골-초 【豬骨炒】 명 제육뼈 조림.

저:공[1] 【低空】 명 낮은 하늘. 지면(地面)·수면(水面)에 가까운 공간. ¶~ 비행. ↔고공(高空).

저공[2] 【豬公】 명 돼지의 수컷. 수퇘지.

저:공 비행 【低空飛行】 명 비행기·헬리콥터 따위가 지상(地上)에 대하여 위협·공격(攻擊)하거나, 또는 약제(藥劑)·광고 인쇄물(廣告印刷物) 등을 살포(撒布)하기 위하여 낮게 비행함. ↔고공(高空) 비행. ──-하다 자 여불

저:공 폭격법 【低空爆擊法】 명 〖군〗 비행기가 저공 비행으로 목표물(目標物)의 상공을 통과한 직후에 반전(反轉)하고, 반전이 끝나는 순간에 투탄(投彈)하는 폭격법.

저:공해 식품 【低公害食品】 명 무공해 식품.

저:-공해차 【低公害車】 명 오늘날의 가솔린 자동차나 디젤차(車)에 비해 대기(大氣) 오염 또는 지구 온난화(溫暖化) 물질의 배출량이 적은 메탄올·천연 가스·수소·전기·솔라(solar) 등을 동력원(動力源)으로 하는 자동차. 클린 카(clean car)라고도 함. 현재 전기를 동력원으로 하는 차와 솔라카가 개발되고 있음.

저:과 【貯窠】 명 〖역〗 벼슬의 빈 자리를 정기(定期)의 도목정(都目政)이외에는 보충하지 않던 일.

저광-수리 명 〖조〗 [*Butes hemilasius*] 맷과에 속하는 새. 날개의 길이 25-47 cm이고, 몸빛은 두부(頭部)와 목은 백색에 담갈색의 넓은 종문(縱紋)이 있으며 배면(背面)은 담토갈색(淡土褐色)임. 깃의 가는 담흑색, 꽁지는 잿빛을 띠었는데 기부(基部)가 희고 갈색의 횡문(橫紋)이 있으며 하면은 백색임. 턱에는 횡문이 있고 흉부에는 암갈색의 종문이 있음. 동부 시베리아·몽고·티베트·일본·한국·유럽에 분포함. 대응(大鷹). 지마조(芝麻鵰).

〈저광수리〉

저광이 명 〖식〗 올벼의 한 종류. 까끄라기가 짧고 빛이 검누르며 이른 봄에 심음.

저:광-장 【貯鑛場】 명 제철소(製鐵所) 등에서 원료인 광석이나 석회석(石灰石)을 저장하는 넓은 터.

저:교회-파 【低敎會派】 명 〖종〗 성직(聖職)의 특권, 교회의 정치 조직 및 성찬설(聖餐說) 등을 비교적 경시(輕視)하는 영국교회 중의 한 파. ↔고교회파(高敎會派).

저구[1] 【杵臼】 명 절굿공이와 절구통.

저구[2] 【雎鳩·鶋鳩】 명 〖조〗 징경이.

저구[3] 【豬口】 명 멧돼지의 입. 몹시 삐죽함. ¶~형(形).

저구 관절 【杵臼關節】 명 〖생〗 관절면(面)이 반구(半球) 이상을 접하는 관절. 고관절(股關節) 같은 것. *구관절(球關節).

저구리 명 〈방〉 저고리[1](경기·강원·충청·전라·경상·제주).

저구지-교 【杵臼之交】 명 귀천(貴賤)을 가리지 아니하고 사귐. ──-하다 자 여불

저군 【儲君】 명 ①왕세자(王世子). ②황태자(皇太子).

저굼 명 〈방〉 젓가락(전라).

저궁 【儲宮】 명 ①왕세자(王世子). ②황태자(皇太子).

저:권【佇眷】[명] 멈춰 서서 뒤돌아봄. ——-하다 [타][여불]
저:그나 [부] 〈방〉 적이나(경상).
저:그나-하몬 [부] 〈방〉 적이나하면(경상).
저:극¹【低極】[명]〖기상〗기온이나 그 밖의 기상(氣象) 요소가 장기간 중에 나타낸 최저치(最低値).
저:극²【底極】[명] 이것이 끝이라는 막판에 이르는 일. 또, 그 막판. 끝. 종국(終局).
저:근¹【紵根】[명]〖한의〗모시풀의 뿌리. 약재로 씀.
저근²【樗根】[명]〖한의〗가죽나무의 뿌리. 약재로 씀.
저근 백피【樗根白皮】[명]〖한의〗가죽나무 뿌리의 속껍질. 치질·이질 등의 약재임.
저글〔juggle〕[명] ① 야구에서, 공을 꼭 잡지 못하여 글러브(glove) 안에서 튀기는 일. ②핸드볼에서, 공중의 공에 두 번 잇달아 손이 닿는 일.
저:금¹ [명] 〈방〉 젓가락(전라). └반치이 됨.
저:금²【貯金】[명] ①돈을 여투어 모아 둠. 또, 그 돈. ②돈을 금융 기관에 맡기어 모음. 또, 그 돈. ③특히, 우편 저금(郵便貯金)의 일컬음. ——-하다 [타][여불]
저:금리【低金利】[—니] [명] 헐한 이자. 저리(低利).
저:금리 정책【低金利政策】[—니—] [명]〖경〗정부(政府) 또는 중앙 은행(中央銀行)이 주로 금융의 완화(緩和), 유통 화폐량(流通貨幣量) 및 대부 신용량(貸付信用量)의 증대를 목적으로 하여 금리를 저하시켜 저금리를 유지하는 정책.
저:금-통【貯金筒】[명] 돈을 넣어 모아 둘 수 있게 만든 기구. 재료와 모양에 따라 여러 가지 있음.
저:금 통장【貯金通帳】[명] ①우편 저금 통장(郵便貯金通帳). ②〈속〉 예금 통장.
저:급¹【低級】[명] 정도(程度)가 낮은 등급. 계급·등급이나 내용(內容)·품질(品質) 등이 보통보다 뒤떨어짐. ¶～한 노래/～품. ↔고급. ——-하다 [형][여불]
저:급²【低給】[명] 적은 액수의 봉급이나 급료. ↔고급(高給).
저:급 개:념【低級概念】[명]〔subordinate concept〕〖논〗두 개의 개념 중 한쪽이 다른 쪽보다도 적은 외연(外延)을 가져 그 다른 쪽으로 포괄(包括)되는 개념. 이를테면, '동물'에 대하여 '인간'이라는 개념. 하위 개념(下位槪念). ↔고급 개념(高級槪念).
저:급 비:평【低級批評】[명] 성서(聖書)에 관한 비판적 연구의 한 입장. 성서의 원문(原文)에 관해서 연구하는 일. ↔고등 비평❷.
저:급 알코올【低級—】〔alcohol〕[명] 탄소(炭素) 수가 적은 사슬 모양 알코올을 가리킴. 주된 것으로 메탄올·에탄올 등이 있음.
저:급 언어【低級言語】[명]〔low-level language〕〖컴퓨터〗컴퓨터가 직접 이해하고 수행할 수 있는 기계어 및 일 대 일로 대응되는 어셈블리 언어를 가리킴.
저:급 화:약【低級火藥】[명] 폭발력(爆發力)이 약한 화약. 흑색(黑色) 화약 같은 것.
저긔 [지대][부] 〈방〉 저기.
저:기¹【沮氣】[명] 축기²(縮氣). ——-하다 [자][여불]
저기²【詆欺】[명] 속임. 기만함. ——-하다 [타][여불]
저기³ [一][지대] 저 곳. 피처(彼處). ¶～를 보아라/～가 우리 목적지이다. [준]제. [二][부] 저 곳에. ¶～ 가 보아라. >조기¹³. [준]제. *여기·거기.
저기다¹ [자] 〈방〉 제기다¹.
저기다² [타] 〈방〉 제기다³.
저기-부【—己部】[명] 몸기부(己部).
저:-기압【低氣壓】[명] ①〔cyclone〕〖기상〗등압선(等壓線)으로 둘러싸인 부분으로 주위의 기압에 비하여 낮은 기압. 온도의 증가 또는 수증기가 많아짐에 따라 생기는 현상으로서, 일기도(日氣圖)에서는 바람이 중심을 향하여 북반구(北半球)에서는 시계의 반대 방향, 남반구(南半球)에서는 시계 방향으로 소용돌이치면서 불고 있는 폐쇄(閉鎖)된 등압선으로 둘러싸인 부분임. 온대성 저기압과 열대성 저기압이 있음. 저압(低壓). ¶960 헥토파스칼의 ～. ↔고기압(高氣壓). ②〈속〉 형세에 불온한 변동이 일어나려는 상태. 또, 사람의 기분이 좋지 못한 상태. ¶사장은 ～이다.
저:기압 가족【低氣壓家族】[명]〖기상〗하나의 전선(前線) 위를 따라서 연이어 발생하는 저기압의 한 무리.
저:기압-성【低氣壓性】[명]〖기상〗저기압에 관계되는 성질.
저:기압성 강:우【低氣壓性降雨】[명]〖기상〗저기압 내의 상승(上昇) 기류에 의해서 내리는 비.
저:기압성 뇌우【低氣壓性雷雨】[명]〔cyclonic thunderstorm〕〖기상〗강한 저기압이나 태풍 때에 공기의 소용돌이 중심부에 상승 기류(氣流)가 생기어서 일어나는 뇌우(雷雨). 와뢰(渦雷).
저:기압 장벽설【低氣壓障壁說】[명]〔barrier theory of cyclones〕〖기상〗저기압 발달의 이론. 엑스너(Exner)에 의해 제안(提案)됨. 급속하게 동진 중(東進中)인 온난 기단(氣團)의 경로(經路)에 천천히 움직이는 한기단(寒氣團)이 있으면, 한기단의 바람이 불어가는 쪽에 저기압이 형성된다고 하는 설. 대지형의 풍향(風向) 쪽에 기압의 골짜기가 형성되는 것과 같음.
저까락 [명] 〈방〉 젓가락(경기·강원·충청·전라·경상·제주·함경·황해).
저-까지로 [부] 겨우 저만한 정도로. ¶～ 무엇을 하겠다는 말이오. >조까지로. *그까지로.
저-까짓 [관] '겨우 저것만한 정도의'의 뜻. ¶～게 뭘 한다고. >조까짓. *그까짓.
저까치 [명] 〈방〉 젓가락(경상·경기·황해).
저깔 [명] 〈방〉 젓가락(충청·경기·강원·경북·황해).
저깽이 [명] 〈방〉 겨드랑이(제주).
저꾸락 [명] 〈방〉 젓가락(전라).
저끄락 [명] 〈방〉 젓가락(전남).
저끼다 [타] 〈방〉 젖히다.
저-나마 [부] 저것일망정. 저것이나마. ¶～ 없으면 곤란하다. >조나마. *이나마.
저낙 [명] 〈방〉 저녁(황해·평안·함북).
저낙-밤 [명] 〈방〉 어젯밤(평안).
저:낙차 발전【低落差發電】[—쩐] [명] 유량(流量)이 큰 강의 하류(下流)에 댐을 건설하여 인공호(人工湖)를 만든 다음, 댐 밑의 수압(水壓)을 이용해서 전력(電力)을 얻는 방법.
저:내【邸內】[명] 저택의 안. ¶～의 동정(動靜)을 살피다.
저:냐 [명] 얇게 저민 물고기나 쇠고기에 밀가루를 바르고 달걀을 입혀 기름에 지진 음식. 전유어(煎油魚). 전유화(煎油花).
저냑 [명] 〈방〉 저녁(강원·제주·함북).
저냥¹ [명] 〈방〉 저녁(강원·함경).
저냥² [부] ①변함없이 저러한 모양으로. ②저대로 줄곧. ¶～ 내버려 두다/문을 ～ 열어 두어라. 1)·2):>조냥. *그냥·이냥.
저냥-하다 [타] 〈방〉 겨냥하다(강원·충남·전라).
저넉 [명] 〈방〉 저녁(전라·경북·함북·평북).
저:널〔journal〕[명] ①잡지. ②일간 신문.
저:널리스트〔journalist〕[명] ①저널리즘에 종사하는 사람. ②신문·잡지의 기자 또는 기고가(寄稿家).
저:널리스틱〔journalistic〕[명] ①저널리스트의 성질을 구비하고 있는 모양. ②저널리즘에 실려 세상의 흥미(興味)와 관심(關心)을 일으키는 모양. ——-하다 [형][여불]
저:널리즘〔journalism〕[명] ①신문·잡지·라디오 등의 범칭(汎稱). ②신문·잡지·라디오 등의 사업 또는 그에 의한 문화 세력. 아카데미즘과는 달리 현실적이며 시사성(時事性)·통속성(通俗性)을 띰. ③신문·잡지 등의 간행물.
저네 [인대] 저 사람들. 저편 사람들. 저네들. ¶～는 그것도 못한다.
저네-들 [인대] 저네. [준]저들.
저녁 [명] 〔근대 : 져녁〕 ①해가 지고 밤이 되어 오는 때. ¶～ 무렵/아침 ～으로. ②↗저녁밥. ¶～을 먹다/～을 짓다. 1)·2):↔아침.
[저녁 굶은 시어미 상] 아주 못마땅하여 얼굴을 잔뜩 찌푸리고 있는 모양을 가리키는 말. [저녁 두 번 먹었다] 밤밥 먹었다. [저녁 먹을 것은 없어도 도둑맞을 것은 있다] 아무리 가난한 집에도 도둑이 훔쳐갈 것은 있다.
저녁-거리 [명] 저녁밥을 지을 거리. ¶～로 씻어놓은 쌀. ↔아침거리.
저녁-겐노리 [명] 〈방〉 점심(點心).
저녁-곁두리 [명] 점심밥과 저녁밥 사이에 먹는 곁두리.
저녁 기도【—祈禱】[명]〖천주교〗저녁 때 드리는 기도. '반성의 기도'로 시작하여 통회(痛悔)와 감사의 기도를 드림. 만과(晩課).
저녁-나절 [명] 저녁 끼니를 먹기 전의 반나절. ¶～부터 비가 왔다. ↔아침나절.
저녁-놀 [명] 저녁에 끼는 놀. 만하(晩霞). ↔아침놀.
[저녁놀은 맑아지고 아침놀은 소나기 온다] 날씨가 서쪽에서 동쪽으로 이동하는 우리 나라에서 저녁놀은 서쪽이 맑음을 나타내므로 날씨가 맑아진다는 기상 속담(氣象俗談).
저녁-닭 [—딱] [명] 초저녁에 우는 닭.
저녁-때 [명] 해가 질 무렵.
저녁-뜸 [명] 〔evening calm〕〖지〗저녁 무렵 해안 지방(海岸地方)에서, 해풍(海風)과 육풍(陸風)이 교체(交替)될 때 바람이 한동안 자는 현상. ↔아침뜸.
저녁-매미 [명]〖충〗쓰르라미.
저녁-먹이 [명] 저녁밥으로 먹는 음식.
저녁 문:안【—問安】[명] 자기 전에 웃어른께 잘 주무시라고 드리는 저녁 인사.
저녁-밥 [명] 저녁 때에 끼니로 먹는 밥. 석반(夕飯). [준]저녁.
저녁-볕 [명] 저녁 때에 비스듬히 비치는 햇볕.
저녁-상【—床】[명] 저녁밥을 차려 놓은 밥상. ¶～을 차리다.
저녁 상:식【—上食】[명] 삼년상(三年喪) 안에 저녁때마다 궤연(几筵) 앞에 올리는 음식. 석상식(夕上食).
저녁-샛별 [명] '개밥바라기'를 이르는 말.
저녁석-부【—夕部】[명] 한자 부수(部首)의 하나. '外'·'夜' 등에서 '夕'의 이름.
저녁-쌀 [명] 저녁밥을 지을 쌀.
저녁 연기【—煙氣】[—년—] [명] 저녁밥을 짓느라 굴뚝에서 오르는 연기.
저녁-잠 [명] 초저녁잠. ¶～이 많다.
저녁-제【—祭】[명] 저녁때에 지내는 제사.
저녁-참【—站】[명] 일할 때에, 저녁을 전후해서 쉬는 동안. 또, 그때 먹는 음식. ¶～을 먹다.
저-년 [인대] 자기로부터 조금 떨어져 있는 여자를 욕되게 이르는 말. >조년³. *이년·고년.
저:념【佇念】[명] 머물러 서서 생각함. ——-하다 [자][여불]
저-놈 [인대][지대] 자기로부터 조금 떨어져 있는 사내를 욕되게 이르는 말. 자기로부터 조금 떨어져 있는 물건을 얕잡아 이르는 말. >조놈.
저:농축 우라늄【低濃縮—】〔uranium〕[명] 농축 우라늄 중 우라늄 235의 존재비(存在比)가 20% 미만인 것. 경수형(輕水型) 발전로(發電爐)에서는 2-3 %의 농축 우라늄을 사용함. 90% 이상을 고농축 우라늄이라 함.
저누다 [타] 〈방〉 ①겨누다(경기·강원·충청·전북·경상·제주). ②겨냥하

다(전남·경남).

저눔 명 〈방〉 ①겨냥. ②겨룸(경상).

저늑 명 〈방〉 저녁(경북).

저는-이 명 〈방〉 절뚝발이(함경).

저:능【低能】명 지능(知能)이 낮음. 지능의 발육 정도(發育程度)가 보통보다 뒤짐. ——-하다 형여불

저:능-아【低能兒】명 지능이 보통보다 낮은 아이. 곧, 주의 부정(注意不定)·지각 불확정(知覺不確定)·기억 박약·흥미 박약한 아이. 지능 지수(知能指數)가 75 정도 이하인 아이를 이름. 정신 박약아. 정신 지체아(精神遲滯兒). *지진아.

저:능-자【低能者】명 저능한 사람.

저:니맨〔journeyman〕명 중세 길드(guild) 제도에서, 마스터(master) 밑에서 일정한 도제 견습(徒弟見習)을 마친 기능공.

저-다지 부 저러하도록. 저렇게까지. ¶~ 그리울까. >조다지. *그다지·이다지.

저다지-도 부 저렇게도. ¶아무리 슬프면 ~ 슬플까. >조다지도.

저닥지 부 〈방〉 저다지.

저:단백혈-증【低蛋白血症】[-쯩] 명 〚의〛 영양 실조·간(肝)의 장애·뇌하수체의 질환 등의 원인으로, 전신의 혈장(血漿) 속의 단백질의 양이 병적으로 감소된 상태.

저-달[1] 명 〈방〉 지난달.

저:달[2]【抵達】명 다달아서 이름. 도착함. ——-하다 자여불

저담【豬膽】명 〚한의〛 돼지의 쓸개. 성질은 차고 쓴 맛이 있으며 해열(解熱)·번갈(煩渴)·안질·외과(外科) 등의 약으로 씀.

저:당【抵當】명 ①서로 맞당기어서 능히 배겨남. 저적(抵敵). ②〚법〛 채무(債務)의 담보로서 부동산 또는 동산을 전당(典當)잡힘. ¶~ 잡히다. ——-하다 타여불

저:당-권【抵當權】[-꿘] 명 〚법〛 담보 물권(擔保物權)의 한 가지. 채권자가 채무의 담보가 되어 있는 것의 인도(引渡)를 받지 않고, 채무가 변제(辨濟)되지 않을 때에는 그것에서 우선적으로 변제를 받는 권리. 질권(質權)과 함께 계약에 의하여 생기는 담보물권으로, 금융의 방편(方便)으로서 이용됨.

저:당권 계:약【抵當權契約】[-꿘-] 명 〚법〛 저당권의 발생을 목적으로 하는 채권자와 채무자 또는 제삼자와의 사이에 맺어지는 낙성 계약(諾成契約).

저:당권 설정【抵當權設定】[-꿘-쩡] 명 〚법〛 저당권에 대하여 법적 절차를 밟는 일. ——-하다 타여불

저:당권 설정자【抵當權設定者】[-꿘-쩡-] 명 〚법〛 그 소유 부동산(所有不動產) 위에 저당권을 설정한 사람. 보통은 채무자이나 제삼자도 그의 부동산 위에 저당권을 설정할 수 있음.

저:당권-자【抵當權者】[-꿘-] 명 저당권을 가지고 있는 사람.

저:당 대:부【抵當貸付】명 저당을 잡고 금전을 대부하는 일.

저:당-물【抵當物】명 ①〚법〛 전당잡힌 물건. 저당권의 목적으로 되어 있는 물건. ②전물(典物). 전품(典品).

저:당물 보:충 청구권【抵當物補充請求權】[-꿘] 명 〚법〛 저당권 설정자(設定者)의 책임 있는 사유(事由)로 인하여, 저당물의 가액(價額)이 현저히 감소(減少)된 경우에, 저당권자가 저당권 설정자에 대하여 그 원상 회복(原狀回復) 또는 상당한 담보 제공(擔保提供)을 청구할 수 있는 권리.

저:당 부동산【抵當不動產】명 〚법〛 저당권의 목적(目的)으로 되어 있는 부동산.

저:당 신:용 보:험【抵當信用保險】명 〚법〛 신용 보험의 하나. 저당권으로써 담보된 채권에 관해서의 신용 보험. 저당물의 경매 대금이 채권액(債權額)에 달하지 않기 때문에 발생하는 손해나 저당물의 화재 등에 의한 손해의 전보(塡補)를 목적으로 함.

저:당 증권【抵當證券】[-꿘] 명 〚법〛 저당권부 채권(抵當權附債權)의 유통을 편리하게 하고 부동산(不動產) 신용에 있어서 자금의 공급을 풍부하게 할 목적으로 채권과 이를 담보(擔保)하는 저당권을 하나로 묶어 증권화(證券化)한 것.

저:당-지【抵當地】명 〚법〛 저당권의 목적으로 되어 있는 토지. 저당에 잡힌 땅.

저:당 직류【抵當直流】[-뉴] 명 〚법〛 유저당(流抵當).

저:당 채:권【抵當債券】[-꿘] 명 〚법〛 원본(元本) 및 이자(利子)의 청구권이 저당권부 채권(抵當權附債權)에 의하여 보증되는 유가 증권(有價證券).

저대[1] 명 〈방〉 기생(妓生)(제주·함경).

저:대[2]【著大】명 현저하게 큼. ——-하다 형여불

저대-도록 부 〈방〉 저다지.

저-대로 부 저것과 같이. 저 모양으로. ¶~ 가다가는 큰일 나겠다. *이대로·그대로.

저-대지 부 〈방〉 저다지.

저댕기 명 〈방〉 겨드랑이(함경).

저:도[1]【低度】명 낮은 정도. ↔고도(高度).

저:-도[2]【楮島】명 〚지〛 ①경상 남도의 남해상, 통영시(統營市) 산양읍(山陽邑) 저림리(楮林里)에 위치한 섬. [0.74 km²] ②전라 남도의 서해상, 신안군(新安郡) 장산면(長山面) 마진도리(馬津島里)에 위치한 섬. [0.17 km²] ③황해도 옹진군(甕津郡) 남해상에 위치한 섬. [0.046 km²] ④경상 남도의 남해상(南海上), 통영시(統營市) 광도면(光島面) 안정리(安井里)에 위치한 섬. [0.03 km²] ⑤경상 남도 사천시(泗川市) 남양(南陽) 1동(洞) 앞바다에 위치한 섬. [0.04 km²]

저-도[3]【猪島】명 〚지〛 ①황해도 북해상(北海上), 대동강(大同江) 어귀에 있는 섬. 연안 일대는 조기의 어획(漁獲)이 많음. [4.25 km²] ②충청 남도 서산시(瑞山市) 지곡면(地谷面) 도성리(桃星里)에 있는 섬. [0.12 km²] ③경상 남도 남해상(南海上), 마산시(馬山市) 합포구(合浦區) 구산면(龜山面) 구복리(龜伏里)에 위치한 섬. 섬의 모양이 돼지 같다 하여 저도라 하며, 일명 '돌섬'이라고도 함. [2.2 km²]

저돌【豬突】명 멧돼지처럼 앞뒤를 헤아리지 아니하고 돌진(突進)함. 앞일을 생각지 아니하고 일을 처리함. 시돌(豕突). ——-하다 자여불

저돌-적【豬突的】[-쩍] 명관 앞뒤를 헤아리지 아니하고 돌진하는 모양. 앞일을 생각지 아니하고 처리하는 모양. ¶~인 행동.

저돌지-용【豬突之勇】명 저돌 희용(豨勇)❶.

저돌 희용【豬突豨勇】[-히-] 명 ①앞뒤를 생각지 아니하고 무조건 적한테 돌진(突進)하는 용사(勇士). 저돌지용(豬突之勇). ②〚역〛 중국 한(漢)나라 때 흉노(凶奴)의 침입을 막기 위하여 죄수(罪囚)나 가노(家奴) 등을 모아 조직한 군대.

저:두【低頭】명 머리를 낮게 숙임. 머리를 숙여서 절을 함. ——-하다 자여불

저:두 부답【低頭不答】명 머리를 숙이고 대답을 안 함. ——-하다 자여불

저두-충【樗蠹蟲】명 〚충〛 저천우(樗天牛)의 유충(幼蟲).

저:두 평신【低頭平身】명 머리를 숙이고 몸을 낮춤. 엎드려 절함. 사과함. 평신 저두(平身低頭).

저드〔Judd, Charles Hubbard〕명 〚사람〛 미국의 심리학자. 사회 심리학의 영역을 개척하였음. 예일 대학 심리학 교수·시카고 대학 교육 대학장 등을 역임함. [1873-1946]

저드내【其等徒】〈이두〉 저의 무리.

저드락 명 〈방〉 겨드랑이(경북).

저드랑 명 〈방〉 겨드랑이(경기·강원·충청·전라·경상).

저드랑이 명 〈방〉 겨드랑이(함경).

저드랭 명 〈방〉 겨드랑이(충북).

저드랭-이 명 〈방〉 겨드랑이(강원·충청·전라·경북).

저-들 인대 ①↗저이들. ②↗저네들. ¶~은 그것도 못 한다.

저:등【著騰】명 〚경〛 물가 같은 것이 현저하게 오름. ↔저락(著落). ——-하다 자여불

저-따위 명 저러한 종류의 뜻으로 얕잡아 부르는 말. ¶~가 무얼 한다고/~ 집은 사서 무엇 하나. *이따위.

저딴【節段】〈이두〉 ①이번은. ②지시(指示)는.

저딴두【節段置】〈이두〉 지금도. 요사이도.

저딴여【節耳亦】〈이두〉 지금뿐.

저-때 명 〈방〉 접때(경상).

저라 감 소를 왼편으로 가게 몰 때에 하는 소리. ↔어디여❷.

저:락[1]【低落】명 ①낮아짐. 떨어짐. ②값이 떨어짐. 하락(下落). ¶곡가(穀價) ~. ——-하다 자여불

저:락[2]【著落】명 〚경〛 물가 같은 것이 현저히 떨어짐. ↔저등(著騰). ——-하다 자여불

저래 준 ①저러하여. ¶끝이 ~ 가지고 무얼 한다고. ②저리하여. ¶~도 모르니 답답하다. 1)·2):>조래. *이래[4]·그래.

저래도 준 ①저러하게 하여도. ②저러하여도. 1)·2):>조래도. *이래도·그래도.

저래서 준 ①저러하여서. ¶~ 탈이야. ②저리하여서. ¶일을 ~는 안 된다. 1)·2):>조래서.

저래야 준 ①저리 하여야. ¶너도 ~ 상을 주지. ②저러하여야. ¶마음씨가 ~ 뒤끝이 있다.

저러- 간 '저렇다'의 불규칙 어간. ¶~니/~면. >조러-. *이러-.

저러고 부 '저러하고'가 줄어 변한 접속(接續) 부사. ¶매일 ~ 있으니. >조러고. *이러고.

저러나 부 '저러하지만'의 뜻의 접속(接續) 부사. ¶모양은 ~ 맛은 있다. *이러나.

저러니 부 '저러하니'의 뜻의 접속 부사. *그러니.

저러니까 부 '저러하니까'의 뜻의 접속 부사. *이러니까.

저러다 부 '저렇게 하다'의 뜻의 접속 부사. *이러다.

저러다가 부 '저렇게 하다가'의 뜻의 접속 부사. *그러다가.

저러루-하다 형여불 대개 저런 것과 같다. *그러루하다.

저러면 준 저와 같으면. 저러하면. ¶커서도 ~ 저 놈을 무엇에 쓰나. >조러면. *이러면.

저러므로 부 '저러한 까닭으로'·'저러한 고로'의 뜻의 접속 부사. >조러므로. *그러므로·이러므로.

저러저러-하다 형여불 ①↗저러하고 저러하다. ¶이러이러하고 ~. ②저러루하여 별로 신기(新奇)함이 없다. 1)·2):<조러조러하다. *그러그러하다.

저러-하다 형여불 저와 같다. 저 모양과 다름 없다. ¶저러한 모양으로 만들게. 준저렇다. >조러하다.

저런[1] 관 ↗저러한. ¶~ 사람은 안 돼/이런 일 ~ 일. >조런[1]. *그런.

저런[2] 감 뜻밖에 놀라운 일이 있을 때에 부르짖는 소리. ¶~, 거 참 큰일 났군. >조런[2]. *이런.

저럼 부 '저러면'의 뜻의 접속 부사. ¶~ 안 돼요. *그럼.

저렁 부 얇은 금속 등이 서로 맞부딪치면서 은은히 울리어 내는 소리. ㅆ쩌렁. ㅆ처렁. >자랑[2]. ——-하다 자타여불

저렁-거리다 자타 자꾸만 저렁 소리가 나다. 또, 자꾸만 저렁 소리를 나게 하다. ㅆ쩌렁거리다. ㅆ처렁거리다. >자랑거리다. **저렁-저렁** 부. ——-하다 자타여불

저렁-대다 자타 저렁거리다.

저렇게 [―러케] 부 ↗저러하게. ¶～ 해서야 되겠나. >조렇게. ＊그렇게·이렇게.

저렇다 [―러타] 형 ㅎ불 ↗저러하다. ¶하는 짓이 늘 ～/이렇다 ～ 말한 마디 없다. >조렇다. ＊그렇다.

저렇-듯 [―러튿] 준 ①저러하듯. ¶아버지가 ～ 아이들도 그럴 수 없이 근면하다. >조렇듯. ②저렇게도 몹시. ¶～ 부지런히 일을 하니 성공하지. >조렇듯.

저렇듯-이 [―러트―] 부 ↗저러하듯이. >조렇듯이.

저렇지[1] [―러치] 감 저와 같이 틀림 없다는 뜻. ¶저러면 ～. >조렇지.

저렇지[2] [―러치] 준 저러하지. ¶항상 말로만 ～ 속마음은 그렇지 않다. >조렇지.

저려 【砥礪】 명 ①갈고 닦음. ②숫돌.

저:력[1] 【氐力】 명 속에 간직한 끈기 있는 힘. 숨은 힘. ¶～을 과시(誇示)하다.

저력[2] 【樗櫟】 명 ↗저력지재(樗櫟之材).

저력지-재 【樗櫟之材】 명 아무 데도 소용이 없는 사람의 비유. 저륵지재. 준저력.

저:렴 【低廉】 명 금액(金額)이 쌈. ¶～한 가격. ――하다 형여불

저령 【豬苓】 명 『한의』 모양이 돼지 똥덩이처럼 생긴 버섯 종류의 한 가지. 단풍나무의 뿌리에서 흔히 남. 이뇨제(利尿劑)로서 임질·부종(浮腫)·습증(濕症) 등에 씀. 주령(朱苓). 풍수령(楓樹苓).

〈저령〉

저:록 【著錄】 명 기록함. ――하다 타여불

저:뢰 【抵賴】 명 변명(辯明)을 하여 가며 신문(訊問)에 복종하지 아니함. ――하다 타여불

저:루 명 〈방〉 새매.

저:류[1] 【低流】 명 낮은 흐름.

저:류[2] 【底流】 명 ①바다나 강의 바닥의 흐름. ②표면에는 나타나지 아니하고 사물의 심부(深部)에서 움직이고 있는 힘·사상·감정. ¶정계(政界)의 ～.

저:류[3] 【貯留】 명 ①저축(貯蓄). ②〔reservoir〕 『지』 트랩 상태에서, 원유(原油)나 천연 가스가 지하에 집적(集積)되는 일. ――하다 타여불

저류[4] 【藷類】 명 감자·고구마 등의 총칭.

저:류-암 【貯留岩】 명 〔reservoir rock〕 『지』 기름이나 가스의 퇴적물(堆積物)을 함유하고 있는, 다공질(多孔質)의 무른 사암(砂岩).

저르렁 부 ①넓고 얇은 금속(金屬)이 맞부딪치어서 울리는 소리. 쓰처르렁. ②목소리가 좀 웅숭깊게 울리는 소리. 1)·2):쓰쩌르렁. >자르랑. ――하다 자타여불

저르렁-거리다 자타 저르렁 소리가 계속하여 나다. 또, 저르렁 소리를 계속 나게 하다. 쓰쩌르렁거리다. 쓰처르렁거리다. >자르랑거리다. 저르렁-저르렁 부. ――하다 자타여불

저르렁-대다 자타 저르렁거리다.

저륵지-재 【樗櫟之材】 명 저력지재.

저를 명 〈방〉 겨를(함경). 준절.

저름 【儲廩】 명 쌀을 쌓아 두는 곳간.

저름-나다 자 말이나 소가 다리를 절게 되다.

저릅 명 〈방〉 겨릅(경상).

저릅-대 명 〈방〉 겨릅대(경상).

저:릉 【底稜】 명 『수』 '밑모서리'의 구용어.

저리[1] 명 〈방〉 새매.

저:리[2] 【低利】 명 헐한 변리. 싼 이자. 경변(輕邊). 저금리(低金利). 저변(低邊). 헐변(歇邊). ¶장기 ～ 대부. ↔고리(高利).

저:리[3] 【邸吏】 명 『역』 경저리(京邸吏) 및 영저리(營邸吏)의 통칭(通稱).

저:리[4] 【楮李】 명 『식』 갈매나무.

저리[5] 부 저러하게. 저와 같이. ¶이리 할까 ～ 할까 망설이다. >조리[9]. ＊이리[12].

저리[6] 부 저 곳으로. 저쪽으로. ¶～ 가시오. >조리[9]. ＊이리[11].

저리[7] 부 〈방〉 미리(함경).

저리다[1] 자 〔근대 : 저리다〕 살이나 뼈마디가 오래 눌리어서 피가 잘 돌지 아니하여 감각이 둔하고 힘이 없게 되다. ¶발이 ～. >자리다[1].

저리다[2] 타 〈옛〉 위협하다. ¶저리며 달애야(脅誘) ≪重三綱 吉珝≫.

저리-도 부 ①저렇게도. ¶～ 해 보고 이리도 해 보았지만. ②저다지도. ¶～ 좋을까?

저리-로 부 저쪽으로. '저리[6]'의 힘줌말. ¶～ 가면 집이다. 준절로.

저리위: 감 『역』 신은(新恩)을 불릴 때에 하인들이 저쪽으로 뒷걸음쳐서 가라고 외치는 소리. ↔이리위.

저:리 자:금 【低利資金】 명 『경』 사회 정책상(社會政策上) 정부·금융 기관 등이 일반의 금리 수준(金利水準)보다 저리로 빌려 주는 자금. 준저자(低資).

저리-저리 부 자꾸 저린 느낌이 드는 모양. ¶다리가 ～하다. >자리자리. ――하다 형여불

저리지이 명 〈옛〉 날무나 배추를 소금에 절여서 익힌 것. ¶곳죽 둘게 뿌고 저리지이 쓰어내니 ≪古時調 金光煜≫.

저리짐치 명 〈옛〉 날무나 배추를 소금에 절여서 익힌 김치. ¶아히야 저리짐칄만뎡 업다 말고 내여라 ≪古時調 蔡裕後≫.

저:리 차:환 【低利借還】 명 『경』 한번 꾸어 온 빚의 변리를 이왕에 물어 오던 것보다 싸게 물게 되는 일. 형식 상으로는 이왕의 빚은 갚고 다시 꾸는 것과 같이 보임.

저:리-채 【低利債】 명 이자가 헐한 빚. ↔고리채.

저리-하다 형여불 저러하게 하다. >조리하다. ＊그리하다.

저:립 【佇立】 명 우두커니 섬. ――하다 자여불

저릿저릿-하다 형여불 몹시 저리저리하다. >자릿자릿하다.

저:마 【苧麻】 명 『식』 모시풀.

저-마다 부 사람마다. ¶～ 한 마디씩 지껄이다.

저-마큼 부 ↗저만큼. >조마큼. ＊이마큼.

저:마-포 【苧麻布】 명 모시[1]❶.

저만-때 명 〈방〉 저맘때(경상·전라·충청).

저만저만-하다 형여불 ①(부정이 따라서) 저만한 정도로 그칠 보통의 일이다. ¶저만저만한 정도로 그칠 사건이 아닐세. ②사실·내용이 저렇고 저렇다. ¶형편이 저만저만하니 양해하게. 1)·2):>조만조만하다. ＊이만저만하다.

저-만치 부 저만큼. >조만치. ＊그만치.

저-만큼 부 저만한 정도로. ¶～ 공부하는 이도 드물다/～만 영어를 했으면. >조만큼. 준저마큼. ＊그만큼.

저만-하다 형여불 ①크기와 정도가 같거나 거의 비슷하다. ¶저만한 크기의 나무/저만한 미인(美人). ②일이 그 정도에 있다. ③별로 대단하지 아니하다. ¶그저 ～. 1)-3):>조만하다.

저맘-때 명 ①크기와 정도가 저것만할 때. ¶나무는 ～부터 가지를 쳐주어야 한다. ②어떤 날이나 어떤 해의 꼭 저만큼 된 때. ¶나도 ～는 기운이 좋았는데. 1)·2):>조맘때. ＊이맘때.

저:망 【貯望】 명 명망(名望)의 근본(根本)을 기름. 양망(養望). ――하다 자여불

저:머니 〔Germany〕 명 『지』 '독일'의 영어식 이름.

저:먼 〔German〕 명 ①독일 사람. ②독일어.

저멀:리-직직 감 『역』 신은(新恩)을 불릴 때에 '저리위' 하고 부른 뒤에 저리로 더 멀리 뒷걸음쳐 가라고 재촉하는 소리.

저며-썰기 명 기다란 야채를 돌려 가며 비스듬히 써는 방법. 찜이나 우엉 조림 등에 쓰임. ＊반달썰기.

저:면[1] 【佇眄】 명 멈추어 바라봄. ――하다 자여불

저:면[2] 【底面】 명 ①밑바닥. 기저(基底). ②『수』 '밑면'의 구용어.

저:-면적 【底面積】 명 『수』 '밑넓이'의 구용어.

저:명[1] 【著名】 명 세상에 이름이 높이 드러남. ¶～ 인사/～한 실업가. ――하다 타여불

저:명[2] 【著明】 명 대단히 분명함. 잘 알려져 있음. ――하다 형여불

저:명 인사 【著名人士】 명 사회에 이름이 난 사람.

저:명작가 【著名作家】 명 세상에 널리 이름이 난 작가.

저:명-지 【著名紙】 명 이름이 난 신문(新聞).

저모 【豬毛】 명 돼지 털. 솔을 매는 데 씀. 돈모(豚毛).

저-모래 명 〈방〉 글피(경상).

저-모리 명 〈방〉 글피(경북).

저모-립 【豬毛笠】 명 돼지 털로 싸개를 한 갓. 옛날 죽사립(竹絲笠) 다음으로 당상관(堂上官)이 썼음.

[저모립 쓰고 물구나무를 서도 제 멋이다] 제가 좋아서 한 일을 남이 시비할 거리가 못 된다는 말.

저:-모음 【低母音】 명 『언』 혀의 위치가 가장 낮게 조음(調音)되는 모음. 호기(呼氣)의 구강(口腔) 통로가 가장 큰 모음. 개모음(開母音).

저모-필 【豬毛筆】 명 돼지 털로 맨 큰 붓.

저목 【樗木】 명 ①『식』 가죽나무. ②쓸모없는 나무. 또, 쓸모없는 사람의 비유.

저:목-소 【貯木所】 명 저목장(貯木場).

저:목-장 【貯木場】 명 운반되어 온 목재를 이용 전까지 저장하기 위해 마련해 놓은 장소. 육상(陸上) 저목장과 수중 저목장이 있는데 목재의 수종·크기·품등(品等)·채취 연도 등을 고려해서 저목을 실시함. 저목소(貯木所).

저무- 간 '저물다'의 불규칙 어간. ¶날이 ～니.

저묵 【楮墨】 명 종이와 먹.

저:문 【著聞】 명 세상에 이름이 널리 들림. ――하다 형여불

저:-물가 【低物價】 [―까] 명 물건 값이 쌈. 헐한 물가(物價). ↔고물가(高物價).

저:물가 정책 【低物價政策】 [―까―] 명 『경』 국내 물가를 인하(引下) 또는 저위(低位)로 유지(維持)하려는 정책.

저물-녘 [―력] 부 해가 저물 무렵. ¶～에야 집에 당도했다.

저물다 자 〔중세 : 져믈다〕 ①해가 져서 어두워지다. ¶날이 ～. ②한 해가 지나서 연말이 되다. ¶그 해도 저문 어느 날.

저물-도록 부 ①날이 저물어 가도록. ¶날이 ～ 기다리다. ②늦게까지. ¶～ 일하다.

저뭇-하다 형여불 날이 저물어 어스레하다. 날이 저물어 가다. ¶날이 저뭇해서야 일이 끝났다.

저믈다 자 〈방〉 저물다.

저:미[1] 【低眉】 명 ①아래로 처진 눈썹. ②눈을 내리 뜸. ――하다 자여불

저:미[2] 【低迷】 명 ①낮게 드리워져서 헤매거나 낮추 떠도는 일. 또, 그러한 상태에 있는 일. ¶암운(暗雲)이 ～하다. ②희미하여 분명치 않은 일. ③마음이 소침(銷沈)하여 헤매거나 의기(意氣)가 소침하여 활동이 둔해지는 일. ④거래 시장에서, 시세(時勢)의 변동이 없고 거래가 저조한 일. ――하다 자여불

저미다 타 〔고려 가요 : 져미다〕 칼로 얇게 베거나 깎아서 여러 개의 작은 조각을 내다. ¶칼로 ～/고기를 ～.

저:미스턴 〔Germiston〕 명 『지』 남아프리카 공화국 북부, 요하네스버그(Johannesburg) 동방 약 13km에 있는 금광 도시(金鑛都市). 세계 최대 규모의 금 제련소가 있으며, 기계·섬유·화학 공업이 성함. 철도의 요지로 공항이 있음. [283,937 명(1984)]

저미-혈【豬尾血】 명 〖한의〗 돼지 꼬리에서 받아낸 피. 두창(痘瘡)·도염(倒靨)·졸중풍(卒中風) 등에 약으로 쓰임.

저:-밀도【低密度】[―또] 명 밀도가 낮음. 또, 낮은 밀도.

저:밀도 다이너마이트【低密度―】[―또―] 명 〔low-density dynamite〕 폭약의 주성분인 질산 암모늄의 함유량이 80% 이하인 다이너마이트의 총칭.

저:반¹【底盤】 명 〔downing wall〕 〖지〗 규모가 큰 화성암(火成岩)의 관입암체(貫入岩體). 보통, 화강암질로서 지각(地殼)의 심부에 뿌리를 박고 있음.

저:반²【這般】 명 이와 같음. 또, 이번. 금반(今般). ¶ ∼의 사정으로 미루어 보아.

저:반사 필름【低反射―】 명 〔low-reflection film〕 〖광학〗 입사광(入射光)의 극히 일부만을 반사하고, 대부분은 유리를 투과(透過)하도록 고안된, 유리 표면에 씌운 투명한 막(膜).

저:배【抵排】 명 저항하여 배척함. ――-하다 타 여불

저-백피【楮白皮】 명 닥나무의 속껍질. 종이를 만드는 데 쓰임.

저-버리다 타 ①약속을 어기다. ¶ 약속을 ∼. ②은혜(恩惠)를 모른 체하다. ¶ 은혜를 ∼/신의를 저버린 사람.

저벅 부 묵직하고 크게 한 번 내딛는 발자국 소리. >자박. ――-하다 자 여불

저벅-거리다 자 발을 묵직하고 느리게 내딛어 점잖게 걷다. >자박거리다. 저벅-저벅 부. ¶ ∼ 걸어 오다. ――-하다 자 여불

저벅-대다 자 저벅거리다.

저번¹ 명 〈방〉 젓가락(경북).

저:번²【這番】 명 요전의 그 때. 거번(去番). ¶ ∼에 만났던 사람.

저범¹ 명 〈방〉 젓가락(전라·경남·충청).

저범² 양대 〈방〉 자밤.

저:변¹【低邊】 명 저리(低利). 헐변(歇邊).

저:변²【底邊】 명 ①〖수〗 '밑변'의 구용어. 저선(底線). ②사물의 밑바닥을 이루는 부분. ¶ 사회의 ∼.

저:변 확대【底邊擴大】 명 어떤 특정 분야의 인력 확보를 위해 신진(新進) 인력의 수를 늘리어 가는 일. ¶ 기술 인력의 ∼.

저-병【蛆病】 명 〖농〗 누에의 병의 하나. 뽕파리의 누엣구더기나 누에파리의 누엣구더기가 누에에 기생함으로써 생기는 병. 이 병에 걸리면, 고치를 짓지 못함.

저:보【邸報】 명 〖역〗 조선 시대에, 경저(京邸)에서 고을로 띄우는 연락 보고 문서.

저:본【底本】 명 ①문서의 초고(草稿). ②원본(原本). 대본(臺本).

저봄 명 〈방〉 젓가락(충청).

저:부¹【低部】 명 낮은 부분.

저:부²【底部】 명 밑바닥이 되는 부분.

저:-부조【低浮彫】 명 〖미술〗 부조(浮彫)의 한 가지. 재료의 표면보다 약간 도드라지게 새기는 방법으로, 약간의 요철(凹凸)로 입체감을 나타내는 메달이나 주화(鑄貨) 등에 많음. 바릴리프(bas-relief).

저분-저분 부 ①가루 같은 것이 부드럽게 씹히는 모양. ②성질(性質)이 부드럽고 찬찬한 모양. ③채소(菜蔬)로 만든 음식이 먹음직스러운 모양. 1)·2):>자분자분. ――-하다 형 여불

저붐 명 〈방〉 젓가락(전라·충남·경북).

저븐-저븐 부 ☞저분저분. ――-하다 형 여불

저븐저븐ᄒᆞ다 명 〈옛〉 지저분하다. ¶ 눈 저븐저븐ᄒᆞ니과(眼澁)≪痘要 [上 11]≫.

저블 명 〈옛〉 저울. ¶ 秤曰 雌孛≪鷄類≫.

저븜 명 〈방〉 젓가락(전남).

저비-권【儲備券】[―꿘] 명 〖역〗 1940년에 성립된 중국의 왕 자오밍(王兆銘) 정권 밑에서, 1941년부터 중앙 은행인 중앙 저비 은행(中央儲備銀行)에서 발행한 은행권. 제2차 세계 대전 후, 1946년에 저비권 200원(元)이 법폐(法幣) 1원으로 회수 정리되었음.

저비-꿀 명 〈방〉 제비꿀.

저비-쑥 명 〈방〉 제비쑥.

저:-빙퇴석【底氷堆石】 명 〖지〗 측(側)빙퇴석이나 중앙 빙퇴석이 얼음의 갈라진 틈을 통하여 밑바닥으로 흡수된 빙퇴석. 저퇴석. *종말(終末) 빙퇴석.

저ᄫᅳᆯ 명 〈옛〉 저울. ¶ 저ᄫᅳᆯ(秤) ≪鷄類≫.

저:사¹【抵死】 명 ↗저사 위한(抵死爲限). ¶ 과부의 방으로 들어가 욕을 보이랴다 ∼하고 순종치 아니하니까…≪李海朝 : 鬢上雪≫. ――-하다 자 여불

저:사²【邸舍】 명 ①저제(邸第). 저택(邸宅). ②내조(來朝)한 제후(諸侯)의 사처. ③시중(市中)의 상점.

저:사³【紵紗】 명 중국에서 생산되는 사(紗)의 한 종류. 사모(紗帽)를 싸서 만드는 데 많이 쓰임.

저사⁴【儲嗣】 명 〖역〗 왕세자.

저:사-위한【抵死爲限】 명 죽기를 각오하고 굳세게 저항(抵抗)함. ¶ 또 무슨 의외 변통이 있을는지도 모르지니, 차라리 ∼하고 여기 엎드려 하회를 보리라≪作者未詳 : 貨水盆≫. 준저사(抵死). ――-하다 자 여불

저산【樗散】 인대 〔아무 데도 쓸모없다는 뜻〕 자신을 겸사(謙辭)하여 일컫는 말.

저:산-대【低山帶】 명 〖식〗 〔montane zone〕 식생(植生)의 수직(垂直) 분포의 하나. 구릉대(丘陵帶)와 아고산대(亞高山帶)의 중간에 위치하며 밤·물참나무·너도밤나무 등 낙엽 활엽수에 의하여 대표됨.

저:산성 산지【低山性山地】[―썽―] 명 〖지〗 해발(海拔) 200-1,000m의 산지.

저:산소성 뇌병증【低酸素性腦病症】[―썽―쯩] 명 〔hypoxic encephalopathy〕 〖의〗 저산소에 의한 뇌장애 증후군(症候群).

저:산소-증【低酸素症】[―쯩] 명 〔hypoxia〕 〖의〗 산소 결핍. 조직이 필요로 하고, 또 이용할 수 있는 산소량이 생리적으로 부족한 상태.

저:산-증【低酸症】[―쯩] 명 〖의〗 위산 결핍증(胃酸缺乏症).

저:산 취:미【低山趣味】 명 낮은 산을 소요(逍遙)하는 것을 특히 낙으로 삼는 취미.

저:상¹【佇想】 명 멈춰 서서 생각함. ――-하다 자 여불

저:상²【沮喪】 명 기운을 잃음. ¶ 의기(意氣) ∼/기운이 ∼하여 벌벌 떨며 귀를 기울이다. ――-하다 자 여불

저:색【沮色】 명 마음에 내키지 아니하는 기색. 싫어하는 기색.

저:색 기구【沮塞氣球】 명 조색 기구(阻塞氣球).

저:색소성 빈혈【低色素性貧血】[―썽―] 명 〖의〗 적혈구의 수가 정상이거나 비정상이거나를 막론하고 그 적혈구가 가지고 있는 혈색소(血色素), 곧 헤모글로빈의 양이 정상보다도 감소된 상태의 빈혈. 단백질이나 철의 결핍에 유래함.

저:생 동:물【底生動物】 명 〔benthic animals〕 〖동〗 해양·호소(湖沼)·하천 등의 바닥에 서식하는 동물. 곧, 유영(遊泳) 동물·부유(浮遊) 동물 및 수생 동물 등인데, 바다에는 말미잘·불가사리·가자미·해삼, 호수에는 가막조개·마합(馬蛤) 등이 있음. 저서(底棲) 동물.

저:생 생물【底生生物】 명 〔benthos〕 〖생〗 바다·호소(湖沼)·하천(河川) 등의 수저(水底)에서 생활하는 저생 식물과 저생 동물의 총칭. 저서(底棲) 생물.

저:생 식물【底生植物】 명 〔phytobenthos〕 〖식〗 수계 생태계(水界生態系)의 저생 생물 중의 식물상(植物相)의 총칭(總稱). 암석(岩石)·저토(底土) 따위에 붙어 생활(生活)하는 부착 수생 식물(附着水生植物)인 조류(藻類)·선류(蘚類)와 근착(根着) 수생 식물인 가래·거머리말 등이 있음. 벤도스(benthos). 저서(底棲) 식물.

저생-전【楮生傳】 명 〖책〗 고려 때, 이첨(李詹)이 지은 소설. 물건의 의인화(擬人化) 소설임. 저(楮)는 종이의 재료인 '닥나무'로, 종이를 의인화함. 당시 부패한 속유(俗儒)들의 해이(解弛)한 사도(士道)에 경종을 울린 작품임.

저:서【著書】 명 책을 지음. 또, 그 책. ――-하다 자 여불

저:서 동:물【底棲動物】 명 〖동〗 저생 동물(底生動物).

저:서 생물【底棲生物】 명 〖생〗 저생 생물(底生生物).

저:서 식물【底棲植物】 명 〖식〗 저생 식물(底生植物).

저:서-어【底棲魚】 명 바다나 하천·호수 따위의 바닥에 붙어 사는 물고기. 저착어(底着魚).

저:석회-화【低石灰化】 명 〔hypocalcification〕 〖의〗 석회화 조직 중의 무기질염(無機質塩)의 양이 정상보다 감소하는 증세.

저:선【底線】 명 〖수〗 저변(底邊). 밑줄.

저:선미루-선【低船尾樓船】 명 〖공〗 배의 뒤 화물창(貨物艙)의 용적을 늘리기 위하여 선미(船尾)의 상갑판을 높이고 낮은 선미루(船尾樓)를 설비한 배.

저-선생【楮先生】 명 〔한유(韓愈)가 '모영전(毛穎傳)'에서 종이를 의인화(擬人化)하여 부른 데서 온 말. 동음(同音)의 '楮'가 종이 원료인 닥나무라는 것과 한(漢)나라의 저소손(褚少孫)이 ≪사기(史記)≫를 보충하여 '저선생왈(褚先生曰)'이라 기록하였다는 데 의거함〕 '종이'의 이칭(異稱).

저성¹【氐星】 명 〖천〗 28수(宿)의 하나. 청룡칠수(青龍七宿)의 셋째 별자리로 별 넷으로 구성되었음. 준저(氐). *청룡❶.

저:성²【低聲】 명 낮은 목소리. ↔고성(高聲).

저성³【杵聲】 명 다듬이질하는 소리.

저:성⁴【著姓】 명 ①이름난 성이나 가문(家門). 명족(名族). ②집안이 퍽 번성한 성. 우리 나라에서는, 강(姜)·임(林)·서(徐)·안(安) 등 약 50 성(姓)이 이에 속함. *귀성(貴姓).

저성-기【氐星旗】 명 〖역〗 조선 시대 때, 의장기(儀仗旗)의 한 가지.

〈저성기〉

저소【詆笑】 명 비방하여 웃음. ――-하다 타 여불

저:소득 계층【低所得階層】 명 〖사〗 저액(低額)의 소득, 저위성(低位性)의 소비 수준을 특징으로 하는 계층. 저소득층.

저:소득-층【低所得層】 명 〖사〗 저소득 계층.

저:속¹【低俗】 명 성질·취미 등이 저급하고 천한 일. 천하고 속된 일. 또 그 모양. ――-하다 형 여불

저:속²【低速】 명 속도가 느림. ――-하다 형 여불

저:-속도【低速度】 명 ①낮은 속도. 느린 속도. ↔고속도. ②〔low velocity〕 〖역학〗 포탄(砲彈)의 포구(砲口) 속도. 초당(秒當) 762m나 그 이하인 것을 이름.

저:속도 녹음【低速度錄音】 명 〔constant-velocity recording〕 〖전〗 주어진 진폭(振幅)의 입력 신호(入力信號)에 대하여, 녹음 결과의 진폭이 주파수에 역비례하는 녹음 방식. 녹음침(錄音針)의 진동 속도는, 주어진 진폭을 가진 입력 주파수에 대하여 일정함.

저:속도 촬영【低速度撮影】 명 〖연〗 표준 촬영 속도 이하로 느리게 촬영하는 일. 영사시(映寫時)에 피사체(被寫體)의 운동 속도를 현실 이상으로 빠르게 하는 효과가 있음. 슬로 스피드 촬영. 로 스피드 촬영. ↔고속도 촬영.

저:속도-층【低速度層】 명 〔low-velocity layer〕 〖지〗 지진파(地震波)의 속도가 그 층의 위 또는 밑층의 속도보다 느린 경우의 층(層).

저:속 열악【低俗劣惡】[―녈―] 명 저속하고 열악함. ――-하다 형 여불

저:속-음【低續音】 명 〖악〗 '낮은 끎음'의 한자 이름.

저:속 중성자【低速中性子】 명 〖물〗 느린 중성자.

저:속 투하【低速投下】명〔low velocity drop〕〖군〗사람·보급품·물자 따위를 항공기로부터 투하하는 방법의 하나. 이것들이 지상에 착륙할 때, 충격에서 오는부상이나 피해를 방지하기 위해 비행 중에 낙하 속도(落下速度)를 사뭇 낮추어 투하함. ↔고속 투하(高速投下). *자유(自由) 낙하.

저:속-화【低俗化】명 저속하게 됨. 또, 그렇게 되게 함. ¶TV 드라마의 ~ 경향. ——-하다 자타여불

저손【杵孫】명 외손(外孫)❶.

저수¹【氐宿】명〖천〗28 수(宿)의 하나. 저성(氐星).

저:수²【低首】명 고개를 숙임. ——-하다 자여불

저:수³【低數】명〖수〗멱(冪) a^a 또는 $\log_a b$에 있어서 a로 표시되는 수 또는 수식(數式).

저:수⁴【貯水】명 물을 모아 둠. 또, 그 물. ¶~량. ——-하다 자여불

저수⁵【豬水·瀦水】명 제방(堤防)으로 막아서 모아 둔 물.

저:수 공사【低水工事】명〖토〗하천 공사(河川工事)의 하나. 강물이 최저 수량(最低水量)일 때에도 자유로 배가 다닐 수 있도록 일정한 폭(幅)과 깊이를 유지하기 위하여 하는 공사. 저수 호안(低水護岸).

저:수-낭【貯水囊】명〖생〗낙타의 혹 위에 있는, 물을 저장하는 많은 작은 주머니.

저:-수량【褚遂良】명〖사람〗중국 당(唐)나라 초기의 명신. 자는 등선(登善). 널리 문사(文史)를 읽고, 또 글씨에 뛰어나 해(楷)·행(行)·초서(草書)를 잘 하였음. 구양순(歐陽詢)·우세남(虞世南)과 함께 초당(初唐) 삼대가(三大家)의 한 사람으로 꼽힘. [596-658]

저:-수로【低水路】명 하천 부지(河川敷地) 가운데에서 물이 얕은 때에 흐르는 부분.

저:수-반【貯水盤】명 분수기(噴水器) 등에서 뿜어 내는 물을 모아 두기 위하여 만들어 놓은 장치.

저:수소 용접봉【低水素鎔接棒】명〔low-hydrogen electrode〕〖화〗아크 용접에 쓰이는 피복 전극(被覆電極). 수소 함유량이 적은 분위기를 만듦.

저:수 식물【貯水植物】명〖식〗스스로 물을 저장하여 오랫동안 마르지 않고 가뭄을 견디는 식물. 다장(多漿) 식물.

저:-수위【低水位】명〔low water level〕하천(河川)의 물이 가장 낮아질 때의 수위(水位).

저:수-조【貯水槽】명 상수도(上水道)·소화(消火) 등을 위하여 물을 저장하여 두는 수조. 저수 탱크.

저:수 조직【貯水組織】명〖식〗저장 조직(貯藏組織)의 하나. 식물 잎의 표피(表皮)에 수분을 저장해 두는 유조직(柔組織).

저:수준 계:수【低水準計數】명〔low-level counting〕〖물〗극소량의 방사선(放射線)을 측정하는 일. 수명이 긴 천연 방사성 동위체(同位體)나 우주선(宇宙線)·핵폭발(核爆發) 등으로 방출된 동위체에 의해서 생성된 방사선 따위의 측정.

저:수-지【貯水池】명 상수도용(上水道用)·수력 발전용 또는 관개용(灌漑用)의 물을 하천이나 계류(溪流)에서 끌어 들여 잡아 둘 목적으로 만들어 놓은 못.

저:수 탱크【貯水—】〔tank〕명 저수조(貯水槽).

저:수-통【貯水桶】명 상수도(上水道)·소화(消火) 등을 위하여 물을 저장하여 두는 통.

저:수 호:안【低水護岸】명〖토〗저수 공사(低水工事).

저:술【著述】명 글을 지어 책을 만듦. 또, 그 책. ㊥저(著). *저작(著作). 「——-하다 타여불

저:술-가【著述家】명 저술을 하는 사람.

저:술-업【著述業】명 저술에 종사하는 직업.

저스트〔just〕명 '정확히·꼭'의 뜻.

저스트 미:트〔just+meet〕명 야구에서, 타이밍이 알맞게 볼의 중심을 배트로 치는 일.

저슬 명〈방〉겨울¹(전라·경상·제주).

저슭 명〈방〉겨울¹(전북).

저:습【低濕】명 땅이 낮고 축축함. ¶~ 지대. ——-하다 형여불

저승 명〔근대：뎌싱〕①사람이 죽은 뒤 그 혼령이 가서 산다고 하는 세상. 구천(九泉). 황천(黃泉). 유계(幽界). 유도(幽都). 유명(幽冥). 지부(地府). 천하(泉下). ¶~으로 가다. ↔이승. *음부(陰府)·염라국(閻羅國). ②구약(舊約) 시대에, 성조(聖祖)들이 그리스도의 구세(救世)의 은총을 입을 때까지 기다리던 곳. *림보.

저승-길〔—낄〕명 저승으로 가는 길.

[저승길과 변소길은 대(代)로 못 간다] 죽음과 용변(用便)은 남이 대신해 줄 수 없다는 말. [저승길이 구만리] 저승이 아득히 멀다는 말. [저승길이 대문 밖이다] 죽는 일이 먼 듯하면서도 실상은 가깝다는 뜻.

저승길(이) 밝다 구 죽어 저승에 가는 길이 밝아서 걷기에 쉽다. ¶늙어 붉은 떠를 띠면 ~ 한다.

저승길(이) 어둡다 구 죽어 저승에 가는 길이 어두워 걷기에 힘들고 걸음이 더디다.

저승-꽃 명 지루 각화증(脂漏角化症)의 속된 말. 검버섯. ¶~이 피었다.

저승-돈〔—똔〕명 ☞저승빛.

저승-말 명 저승의 차사(差使)가 타고 다닌다는 말. 사람을 저승으로 잡아 갈 때에 차사가 타고 와서 그 꼬리에다 달고 간다 함.

저승-빚〔—삧〕명 저승에서 이승으로 올 때에 지고 온 빚.

저승-패【—牌】명 남사당패에서 놀이 기능을 상실한 늙은이를 죽을 날이 가깝다해서 이르는 말.

저승 혼사굿【—婚事—】〔—꾿〕명 진도(珍島) 씻김굿에서, 혼인을 못하고 죽은 처녀·총각을 사후에 혼인시키면서 그들의 넋을 위로하는 굿.

저:시【貯柴】명 땔나무를 모아서 쌓아 둠. ——-하다 자여불

저신-죽【豬腎粥】명〖한의〗인삼·방풍(防風)과 총백(葱白)을 한데 합하여 반쯤 끓이다가 돼지 콩팥을 넣고 끓인 죽. 귀먹은 데 먹는 약임.

저실¹ 명〈방〉겨울¹(전라·경상).

저실²【楮實】명 닥나무의 열매. 모양이 딸기와 같고 빛이 붉음. 부종(浮腫)·안질(眼疾)에 약으로 씀. 곡실(穀實). 구수자(構樹子). 저실자(楮實子).

저실-자【楮實子】〔—짜〕명〖한의〗저실(楮實).

저싊 명〈방〉겨울¹(전라). 「약으로 씀.

저심-혈【豬心血】명〖한의〗돼지 염통의 피. 경간(驚癇)·간질(癎疾)의

저숩다 자(ㅂ불) 신이나 부처에게 절하다. ¶불공을 드릴 때 내가 친히 가서 부처님께 저숩고 올 테다《洪命憙 : 林巨正》.

저숫다 자 ☞저숩다. 「《龍歌 62 章》.

저쌓다 타〈옛〉두려워하다. 황송해하다. ¶일후믈 저쌓바놀(名聲是懼)

저숩다 타〈옛〉저숩다. =저웁다. ¶菩薩을 저숩고(禮拜菩薩)《佛頂下 17》.

저-아:래 명〈방〉그끄저께(경상).

저-아:리 명〈방〉그끄저께(경남).

저아배 명〈방〉지아비(평안). 「(瘰)의 약으로 씀.

저아 조협【豬牙皂莢】명〖한의〗조협의 한 종류. 주로 치통(齒痛)과 적

저안【渚岸】명 저애(渚崖). 「타여불

저:알【沮遏】명 막아서 못 하게 함. 방지(防止)함. 저지(沮止). ——-하다

저:압【低壓】명 ①낮은 압력. ②〖전〗낮은 전압(電壓). 직류(直流)에서는 600 V, 교류(交流)에서는 300 V 이하를 말함. ¶~ 전선. ③〖기상〗저기압(低氣壓)❶. 1)·2):↔고압(高壓).

저:압 경제【低壓經濟】명〖경〗공급이 수요보다 많아, 생산 과잉 상태에 있는 경제. 「을 측정하는 장치. 진공계(眞空計).

저:압-계【低壓計】명〔low pressure gauge〕〖물〗희박한 기압의 압력

저:압 권:선【低壓捲線】명〔low-voltage winding〕〖전〗전력 변압기의 철심(鐵心)에 감겨 있는 코일로서, 권수(捲數)가 적은 저압측(低壓側)의 코일.

저:압-대【低壓帶】명〔low pressure zone〕〖기상〗대기(大氣) 중에 띠 모양으로 분포(分布)된 저기압 지역. 적도 지대(赤道地帶) 같은 데에서 흔히 볼 수 있음.

저:압 마취법【低壓痲醉法】〔—뻡〕명 인공적(人工的)으로 혈압을 낮추는 마취법. 수술(手術)시의 출혈(出血)이나 쇼크(shock)를 방지하기 위하여 행하여지나, 근래 혈압의 저하(低下)가 오히려 쇼크를 더한다 하여 비판적임.

저:압법 폴리에틸렌【低壓法—】〔polyethylene〕명〖화〗치글러 촉매(Ziegler 觸媒)를 이용하여 만든 폴리에틸렌. 고압법은 1,000-2,000 기압, 중압법은 20-100 기압을 사용(使用)하는 데 대하여 1 기압 정도(程度)에서 만들어짐. 고압법의 제품(製品)보다 결정화도(結晶化度)가 높으며 단단함.

저:압-부【低壓部】명〔low pressure area〕〖기상〗기압 배치의 일종. 주위보다 기압이 낮은 부분을 이름. 저기압보다 넓은 범위에 적용함.

저:압-선【低壓線】명〖전〗배전선(配電線)에서, 다시 변압기에 의하여 전압을 낮추어 수요자에게 보내는 전선. 보통 100 V의 단상(單相) 이선식(二線式)을 씀. ↔고압선.

저:압 수은등【低壓水銀燈】명 수은 증기(水銀蒸氣)의 압력이 낮은 수은등. 형광등·살균등 등에 쓰임.

저:압 실험실【低壓實驗室】명〔low pressure chamber〕〖물〗일정한 실내(室內)를 외계(外界)의 압력보다 낮게 함으로써, 저압시에 있어서의 여러 현상(現象)이나 고공(高空)에 있어서의 상황(狀況) 등을 실험하는 실험실.

저:압 터:빈【低壓—】명〔low pressure turbine〕〖공〗보통의 기압 정도의 증기(蒸氣)로 동력을 발생하는 터빈. 주로 고압 증기 기관(高壓蒸氣機關)에 병용(倂用)되어 고압 실린더에서 나오는 배출(排出) 증기를 받아 움직임. 저압 증기 기관을 가진 복식(複式) 증기 기관보다 효율(效率)이 좋으며 주로 배에 많이 씀. 「타여불

저:앙【低昂】명 낮았다 높았다 함. 또, 내렸다 올렸다 함. ——-하다 자

저:애¹【沮礙】명 조애(阻礙). ——-하다 타여불

저애²【渚崖】명 물가. 저안(渚岸).

저:액【低額】명 적은 분량. 적은 금액. ¶~ 소득층. ↔고액(高額).

저약 명〈방〉저녁(함경).

저약-나잘 명〈방〉저녁나절(함경).

저양【羝羊】명 양의 수컷.

저양 촉번【羝羊觸藩】명〔숫양이 울타리에 부딪쳤다는 말로, 숫양의 성질이 앞으로 나아가기를 즐기나 뒤로 물러설 줄 모르는 데서 온 말〕진퇴 양난(進退兩難)의 사정에 놓였음을 일컫는 말.

저:어¹【底魚】명 수산 용어로, 성어(成魚)가 되면 해저(海底)나 그 부근에 서식하는 어류. ↔부어(浮魚).

저:어²【底語】명 낮은 음성으로 하는 말.

저어-새 명〖조〗①따오깃과(科) 저어새속(屬)에 속하는 새의 총칭. 노랑부리저어새·저어새의 2 종이 있음. 가리(鴐鵱). 만화조(漫畫鳥). 가리새. ②[*Platalea leucorodia minor*] 따오깃과(科)에 속하는 새. 노랑부리저어새와 비슷한데 좀 작아서 날개 길이 33-38 cm이고, 몸빛은 순백색(純白色)이나 볼·눈앞의 나출부(裸出部)와 부리가 흑색인 점이 다름. 해안·연못·무논에서 단독(單獨) 또는 소군(小群)을 지어 서식하고, 물고기·개구리·곤충 등을 납작하고 긴 부리로 잡아먹음. 유럽·아시아 중남부·북아프리카에 번식하고, 한국 서해안·일본·대만 등지에서 월동함. 한국 보호조의 하나임. *노랑부리저어새.

〈저어새❷〉

저어-하다 [타][여불] 〔←저허ᄒᆞ다〕 두려워하다. ¶실례될까 저어하노라/상대방측의 세력 부식을 ~.

저:억 【沮抑】 [명] 억지로 누름. 억지(抑止). ——-하다 [타][여불]

저:에너지 물리학 【低—物理學】 [명] 〔low-energy physics〕 『물』 수백만 전자 볼트(eV) 또는 그 이하의 에너지가 관여한 미시적(微視的)인 현상이나 그들 입자(粒子) 사이에서 움직이는 힘의 성질을 연구하는 물리학 분야.

저:에너지 전:자 회절 【低—電子回折】 [명] 〔low-energy electron diffraction〕 『물』 단결정(單結晶)의 원자 구조를 연구하기 위한 기술. 5-500 전자 볼트(eV) 정도의 에너지의 전자를 우선 표면에 산란(散亂)시켜, 그 중 에너지를 잃지 않은 산란 전자만을 선택적으로 가속(加速)하여, 형광판(螢光板) 위에 회절상(回折像)을 맺게 함.

저여곰 [부] 〈옛〉 제각기. =제여곰. ¶出ᄒᆞ며 處호매 저여곰 힘ᄡᅳ더니라(出處各努力) ≪杜詩 IX:17≫.

저역[1] [명] 〈방〉 저녁(함경).

저:역[2] 【著譯】 [명] 저술 또는 번역함. ——-하다 [타][여불]

저역-나잘 [명] 〈방〉 저녁나절(함경).

저:역 차:단 주파수 【低域遮斷周波數】 [명] 〔low-frequency cutoff〕 『전』 그 주파수 이하이면, 시스템 또는 장치(裝置)의 이득(利得)이 급속히 감소하게 되는 주파수.

저:열[1] 【低劣】 [명] 정도가 낮고 용렬함. ¶~한 사람/어릴 적부터 화류계에서 손님의 환심을 사려니 자연 성격이 ~해지고 …≪張德祚 : 누가 죄인이냐≫. ——-하다 [형][여불]. ——-히 [부]

저:열[2] 【低熱】 [명] 낮은 열. ↔고열(高熱).

저:염산-증 【低塩酸症】 [—쯩] [명] 〔hypochlorhydria〕 『의』 위액(胃液) 속에 염산 함유량이 감소한 상태.

저:염소혈-증 【低塩素血症】 [—쯩] [명] 〔hypochloremia〕 『의』 혈액 속에 염화물의 양(量)이 감소된 상태의 병증.

저엽-자 【豬靨子】 [명] 『한의』 돼지 목구멍 옆에 들어 있는 구슬 형상의 물질. 영기(癭氣)를 다스리는 약으로 씀.

저:예망 어업 【底曳網漁業】 [명] 저인망 어업(底引網漁業).

저오 【牴牾】 [명] 서로가 용납(容納)되지 아니함. 서로 어긋나서 거슬림. ——-하다 [타][여불]

저:온 【低溫】 [명] ↗저온도(低溫度). ¶~ 냉동. ↔고온(高溫).

-저온 [미] 〈옛〉 -적은. -로운. -스러운. =-저은. ¶涉疑흔 사름 의심저온 을 가져(將涉疑人) ≪無冤錄 I:3≫.

저:온 건류법 【低溫乾溜法】 [—걸—뻡] [명] 〔low-temperature carbonization〕 『화』 석탄이나 아탄(亞炭)을 500-600°C의 온도로 가열 건류하여 저온 타르(低溫 tar)를 얻는 방법. ↔고온 건류법(高溫乾溜法).

저:온 공업 【低溫工業】 [명] 저온 공학을 이용하는 공업.

저:온 공학 【低溫工學】 [명] 〔cryogenic engineering〕 『공』 ①섭씨 3-4도에서 영하 수십 도까지의 냉동·냉방·냉장(冷藏)에 관한 공학. ②초저온(超低溫) 공학·극저온(極低溫) 공학까지를 포함하여, 저온(低溫)을 다루는 공학의 총칭.

저:온-균 【低溫菌】 [명] 『생』 온도가 낮은 해수(海水)나 토양(土壤) 속에서 사는 세균. 0°C에서도 다소 발육할 수 있음. ↔고온균.

저:온-기 【低溫期】 [명] 〔cryogenic period〕 『지』 지질사(地質史)에서의 한 시기. 양극 주변에 거대한 빙체(氷體)가 나타나, 대륙 빙하가 형성(形成)되기 쉬운 시기였음.

저:-온도 【低溫度】 [명] 낮은 온도. [준]저온(低溫). ↔고온도.

저:온 동:결 【低溫凍結】 [명] 〔cryogenic freezing〕 함수량(含水量)이 적은 식품 따위를 보장(保藏)하는 냉동 기술. 액체 질소를 분무(噴霧)해서 냉동함.

저:온 마취 【低溫痲醉】 [명] 〔hypothermic anesthesia〕 『의』 외과 수술에서, 생체(生體)를 냉각하여 체온을 내리고 물질 대사(物質代謝)를 저하시키면서 마취하는 방법. 보통은 30-33°C에서 하지만 더욱 낮은 온도에서 할 때도 있음. 상해(傷害)의 영향, 출혈·화농(化膿)이 적고 수술 후의 경과도 양호한 장점이 있어 일시적으로 혈류를 정지시켜야 하는 심장·뇌 등의 대수술에 이용됨. 동면(冬眠) 마취. 저체온 마취법. *인위 동면(人爲冬眠)·저(底)혈압법.

저:온 물리학 【低溫物理學】 [명] 〔low-temperature physics〕 『물』 절대 영도(零度) 부근에서의 물성(物性) 연구의 총칭.

저:온 변:압기 【低溫變壓器】 [명] 〔cryogenic transformer〕 『전』 제어 결합(制御結合) 변압기처럼, 디지털(digital) 저온 회로 내에서 작동하도록 만들어진 변압기.

저:온 살균 【低溫殺菌】 [명] 〔pasteurization〕 혈청(血清)·계란·우유·맥주 등 단백질을 포함하는 것은 높은 온도에서 변화를 일으키므로, 영향을 작게 하기 위하여 성분을 파괴하지 아니할 정도로, 63°C 정도에서 30분 가량 두어서 부패균을 살균하는 일.

저:온 생물학 【低溫生物學】 [명] 〔cryobiology〕 『생』 저온에 있어서의 생명 현상을 연구하는 과학.

저:온성 작물 【低溫性作物】 [—썽—] [명] 추위에는 강하나 더위에 약한 작물. 무·상추·파 따위.

저:온-아 【低溫兒】 [명] 체온이 어른보다도 낮은 상태의 어린이. 어른보다 높아야 할 어린이 체온이 평균 30°C를 나타내는 경우가 있는데, 운동 부족이나 냉방(冷房)·온방(溫房)에 원인이 있거나 기타 영양(營養)에 기인한다는 설(說)이 있으나 확인되지 않음.

저:온 액체 【低溫液體】 [명] 〔cryogenic fluid〕 대기압(大氣壓) 하에서 약 110°K 이하의 온도에서 끓는 액체. 수소·질소·산소·공기·메탄 등.

저:온용 건전지 【低溫用乾電池】 [—농—] [명] 『전』 전해질(電解質)에 염화(塩化) 칼슘·염화 나트륨 같은 것을 넣어 빙점 하에서도 사용할 수 있는 건전지.

저:온 용:접 【低溫鎔接】 [명] 〔low temperature welding〕 『공』 비교적 저온으로 행하는 용접법. 녹는점(點)이 낮은 합금용 용접봉을 써서 주철(鑄鐵)·스테인리스 스틸·알루미늄·마그네슘 합금 등을 용접함.

저:온 응:력 【低溫應力】 [—녁] [명] 〔cold stress〕 『물』 저온으로 말미암은 응력. 시멘트·철 따위 재료에 균열 현상을 일으킴.

저:온 장애 식품 【低溫障礙食品】 [명] 냉장고에 넣어 두면 품질에 변화가 일어나 먹을 수 없게 되는 식품. 청과물, 특히 열대성(熱帶性)의 바나나·파파이아·고구마 따위는 빛이 검게 변함.

저:온 저:장미 【低溫貯藏米】 [명] 냉장 시설(冷藏施設)이 되어 있는 창고에 저장된 쌀. 여름에는 15°C 이하, 습도 70-80%로 유지하여 품질의 변화를 막음.

저:온-증 【低溫症】 [—쯩] [명] 〔hypothermia〕 『생』 체온이 정상 이하(以下)인 상태.

저:온 추진제 【低溫推進劑】 [명] 〔cryogenic propellant〕 저온도에서만 액상(液狀)을 유지하는 로켓 연료·산화제(酸化劑) 또는 분사용(噴射用)의 액체 연료.

저:온 취성 【低溫脆性】 [명] 〔cold shortness ; low temperature brittleness〕 탄소강(炭素鋼) 등이 저온에서 급격히 물러지는 현상.

저:온 코:크스 【低溫—】 〔cokes〕 [명] 콜라이트(coalite).

저:온 타르 【低溫—】 [명] 〔low temperature tar〕 『화』 석탄을 저온 건류(乾溜)하여 얻는 타르. 고온 건류할 때 얻는 타르보다 약 두 배로 많이 나고, 석유와 근사한 탄화 수소 성분이므로 석유 대용품을 만듦.

저:온-학 【低溫學】 [명] 〔cryogenics〕 『물』 극히 낮은 온도의 생성(生成)과 보전(保全) 및 저온에 있어서의 현상(現象)을 연구하는 학문.

저:옹 【著雍】 [명] 『민』 천간(天干) '무(戊)'의 고갑자(古甲子) 이름.

저욕 【詆辱】 [명] 비난하여 부끄럽게 함. 비방(誹謗)하여 모욕(侮辱)되게 함. ——-하다 [타][여불]

저용 【豬勇】 [명] 〔←저돌 희용(豬突豨勇)〕 앞뒤를 헤아리지 아니하고 함부로 날뛰는 용맹. 또, 그런 사람.

저우[1] 【藷芋】 [명] 『식』 고구마.

저우[2] [부] 〈방〉 겨우(경상).

저우롬돌 [명] 〈옛〉 인월(寅月). ¶저우롬돌로ᄡᅥ 힛머리을 삼으시다(寅月爲歲首) ≪史略 I:8≫.

저우룸날 [명] 〈옛〉 상인일(上寅日). ¶정월 첫 저우룸날(正月初上寅日) ≪瘟疫 V:8≫.

저우산 군도 【—群島】 〔舟山〕 [명] 『지』 중국 저장 성(浙江省) 동쪽 항저우 만(杭州灣) 남쪽에 있는 군도(群島). 중심은 저우산(舟山) 섬의 딩하이 현(定海縣)임. 어업이 주이며, 푸퉈 산(普陀山)은 관음 보살의 영장(靈場)임. 아편 전쟁으로 영국이 점령했으나, 타국에의 불할양(不割讓) 협정으로 돌려받음. 주산(舟山) 군도.

저우-살이 [명] 〈방〉 겨우살이(함경).

저우 언라이 〔周恩來〕 [명] 『사람』 중국의 정치가·외교가. 장쑤 성(江蘇省) 화이안(淮安) 사람. 프랑스·독일에서 수학함. 1924년 공산당에 입당한 이래 국공 합작(國共合作)에 진력하고 중공 정부 수립 후로는 국무원 총리를 지냈음. 주은래. [1888-1976]

저우 쭤런 〔周作人〕 [명] 『사람』 중국의 문학자. 자는 치밍(豈明), 호는 중미(仲密)·즈탕(知堂). 저장 성(浙江省) 출신. 루 쉰(魯迅)의 둘째 아우. 형과 협력하여 신문학 초기에 활약함. 담담하고 허무적인 풍취(風趣)의 수필을 많이 씀. 저서에 ≪풍우담(風雨談)≫·≪역외(域外) 소설집≫·≪중국 신문학의 원류≫ 등이 있음. 주작인(周作人). [1885-1966]

저우 쯔치 〔周自齊〕 [명] 『사람』 근대 중국의 즈리파(直隷派) 정치가. 산둥 성(山東省) 출신. 민국(民國) 성립 후 산둥 도독(山東都督), 1913년 슝 시링(熊希齡) 내각의 교통 총장, 이어 쉬 스창(徐世昌) 내각의 재정 총장을 역임. 1916년 중국 은행 총재가 됨. 위안 스카이(袁世凱)의 제제(帝制) 실현에 적극 협력하여 제제(帝制)의 원흉(元兇)으로 불림. 1921년 워싱턴 회의에 중국 대표 고문으로 활약함. 칭화(清華) 대학 설립. 주 자제. [1871-1923]

저우커우뎬 〔周口店〕 [명] 『지』 중국 베이징(北京) 서남 약 54km 지점에 있는 구석기 시대의 유명한 유적(遺蹟). 시난트로푸스(Sinanthropus)의 출토지(出土地)임. 주구점(周口店).

저우 포하이 〔周佛海〕 [명] 『사람』 중화 민국의 정치가. 후난 성(湖南省) 사람. 일본에 유학한 후 광둥(廣東) 대학 교수, 국민당 중앙 집행 위원 등 요직(要職)을 역임함. 제2차 대전 후 전범(戰犯)으로 체포되어 옥사함. 저서에 ≪쑨 중산(孫中山) 선생 사상 개관≫·≪삼민주의(三民主義)의 이론적 체계≫ 등이 있음. 주불해. [1897-1948]

저울[1] [명] 〔근대 : 저울〕 ①물건의 무게를 다는 기구·기계(機械) 또는 장치의 총칭. 대저울·앉은 저울·약저울·용수철 저울·천칭(天秤) 등이 있음. ¶~로 달다. ②쇠살쭈의 은어(隱語)로, 쇠눈을 일컫는 말.

저울[2] [명] 〈방〉 겨울[1](전라·경상·충북·강원·함남·제주).

저울게 [명] 〈방〉 겨울[1](강원·경북).

저울-눈 [—룬] [명] 저울에 새긴 눈금. ¶~을 속이다.

저울-대 [—때] [명] 대저울의 눈금이 새겨져 있는 대. 저울추(錘)를 거는 막대기.

저울 바탕 [—빠—] [명] 〈방〉 저울판.

저울-자리 [명] 『천』 ☞ 천칭(天秤)자리.

저울-질 [명] ①저울로 물건을 달아 보는 일. 또, 비유적으로도 씀. ¶이해 득실(利害得失)을 ~하다. ②사람의 마음 속이나 인품(人品) 등을 이리저리 헤아림. ——-하다 [자][타][여불]

저울-추 【—錘】 [명] 저울대 한쪽에 거는 일정한 무게의 쇳덩어리. 칭추(秤錘). [준]추(錘).

저울튜 명 〈옛〉 저울추. ¶저울튜(秤錘) ≪老乞 下 62≫.

저울-판【一板】명 저울대의 한쪽 끝에 줄을 매어 달고 그 위에 달 물건을 얹는 접시 모양의 그릇. 칭판(秤板).

저:원【低原】명 지형이 낮은 벌판.

저:위[1]【低位】명 ①낮은 위치. ②낮은 지위. 1)·2):↔고위(高位).

저위[2]【儲位】명〖역〗왕세자(王世子)의 지위.

저:-위도【低緯度】명 낮은 위도. 곧, 적도(赤道)에 가까운 위도. 또, 그 곳. 저위도 지방.

저:위도 지방【低緯度地方】명 저위도(低緯度).

저:위도 해:역【低緯度海域】명〖지〗적도에서부터 남·북회귀선(南北回歸線)에 이르는 사이의 해역.

저:위 생산지【低位生産地】명〔low productive area〕〖농〗현재 어떤 장애 또는 부실한 요건 때문에 그 땅이 지닌 전체 생산 능력을 완전히 발휘하지 못하고 있는 땅. 만일 경종법(耕種法)을 개량하거나 개량제를 쓰면 쉽게 생산이 증대될 수 있는 곳임. 저위 수량지(收量地).

저:위 수량지【低位收量地】명〖농〗저위 생산지.

저:위 습원【低位濕原】명〖지〗저온(低溫)·과습(過濕)으로 식물 고사체(枯死體)의 분해가 저해(沮害)되어 현저한 토탄(土炭)의 퇴적 위에 갈대·삿갓사초 등의 식물이 섞여 자라는 습원. 중간(中間) 습원·고위(高位) 또는 고층 습원에 상대되는 말.

저:위-주【低位株】명〖경〗저가주(低價株).

저:위 화:폐【低位貨幣】명〖경〗보조 화폐.

저:유【貯油】명 유류(油類)를 저장(貯藏)하여 둠. ¶~ 탱크. ――하다 자여불

저:유-고【貯油庫】명 저유 탱크.

저:유-소【貯油所】명 석유·휘발유 등의 유류(油類)를 저장하여 두는 곳. 또, 그 시설(施設).

저:유 탱크【貯油一】〔tank〕명 유류(油類)를 저장하여 두는 탱크. 저유고(貯油庫).

저육【豬肉】명 →제육.

저육-구【豬肉炙】명 →제육 구이.

저육 구이【豬肉一】명 →제육 구이.

저육-전[1]【豬肉廛】명 →제육전.

저육-전[2]【豬肉腨】명 제육 지짐이.

저육-초【豬肉炒】명 제육 볶음.

저:율【低率】명 ①어떤 표준보다 낮은 비율(比率). ②헐한 이율(利率). ¶~의 이자로. 1)·2):↔고율(高率).

저:융점 유리【低融點琉璃】[一쩜뉴一] 명〔low-melting glass〕셀렌·탈륨·비소(砒素)·황(黃) 등을 가하여 녹는점을 약 130-350°C로 만든 유리.

저:으기 부 ☞ 적이.

저으-살이 명〈방〉①겨우살이[1]. ②〖식〗겨우살이[2].

-저은 미〈옛〉-적은. -로운. -스러운. =-저온. ¶忠셩저으며 믿비ᄒᆞ야 소기옵디 아니ᄒᆞ며(忠信不欺) ≪內訓 Ⅲ:22≫. *젓다.

저을 명〈방〉겨울[1](전라·강원·경상).

저:음[1]【低吟】명 낮은 소리로 읊음. ――하다 타여불

저:음[2]【低音】명 ①낮은 소리. ②〖악〗'베이스(bass)'의 역어(譯語). ¶~ 가수. 1)·2):↔고음(高音).

저:음 보:상【低音補償】명〔bass compensation〕〖전〗저주파(低周波)의 약한 음에 대하여 감도가 낮은 사람의 귀를 보정(補正)해 주기 위하여, 음성 증폭기(音聲增幅器)의 낮은 음량의 저주파에 대한 응답(應答)을 강하게 하는 회로.

저:음-부【低音部】명〖악〗낮은 음에 속하는 성부(聲部)나 음부(音部). 피아노의, 왼손으로 연주하는 부분. 반주부(伴奏部)를 이름.

저:음부 기호【低音部記號】명〖악〗'낮은음자리표'의 한자(漢字) 이름. ↔고(高)음부 기호.

저:음 확성기【低音擴聲器】명〔woofer〕〖전〗비교적 높은 전력으로 낮은 가청 주파수(可聽周波數)를 재생(再生)하기 위한 대형 스피커. 보통, 분할 회로(分割回路)나 고음 확성기와 함께 사용됨.

저웁다 자〈옛〉절하다. ¶부텨의 저웁다(拜佛) ≪譯語 上 25≫. *저숩다.

저:의[1]【底意】[一/一이] 명 겉으로 나타나지 않은 속으로 작정한 뜻. 본의(本意). 밑바닥. 본심(本心). 속뜻. ¶~를 모르겠다.

저의[2]【紵衣】[一/一이] 명 모시옷.

저의[3] 인대〈방〉저희.

저:이[1]【儲貳】명〖역〗'황태자(皇太子)·왕세자(王世子)'의 별칭.

저-이[2] 인대 그 자리에서 보일 정도로 떨어져 있는 사람을 가리키는 말. 저 사람. ¶~는 누구더라. ㈜저.

-저이 미〈옛〉-적게. -스러이. ¶쟝군을 핀잔저이 흠을 보고 ≪三譯 Ⅵ:20≫. *-젓다.

저이-들 인대 저 사람들. ¶~을 보라. ㈜저들.

저:익【低翼】명 주익(主翼)이 동체의 아래쪽에 붙은 비행기의 형식.

저:익-기【低翼機】명 ↗저익 비행기·저익 단엽기(單機).

저:익 단엽기【低翼單葉機】명 저익 비행기. ㈜저익기.

저:익 비행기【低翼飛行機】명 기체(機體)의 중심선보다 하부에 주익(主翼)이 장치되어 있는 단엽(單葉) 비행기.

저:인【邸人】명〖역〗①경저리(京邸吏). ②영저리(營邸吏).

저:인구 밀도 영역【低人口密度領域】[一또一] 명〔low population zone〕〖공〗핵설비(核設備)의 주변에 요구되는 일이 있는 저인구 밀도 영역. 거주자의 수와 밀도가 낮으면, 심각한 사태가 발생했을 때 쉽게 효과적인 대처를 할 수 있음.

저:인-망【底引網】명 트롤망(trawl網). 쓰레그물. 저예(底曳)망. ¶~ 어업(漁業).

저:인망 어선【底引網漁船】명 트롤선(船).

저:인망 어업【底引網漁業】명 트롤(trawl) 어업. 저예망(底曳網) 어업.

저:일-계【低日季】명 동지(冬至)를 중심으로 한 그 앞뒤의 기간.

저:-임금【低賃金】명 낮은 임금. 싼 공전. ¶~ 노동자.

저:임피던스 절환관【低一切換管】명〔low impedance switching tube〕〖전〗정(靜)임피던스는 $10^4\,\Omega$ 정도이지만, 동(動)임피던스는 영(零) 또는 마이너스인 가스 전자관(電子管). 따라서, 계전기(繼電器)로 쓸 수 있고, 극히 낮은 손실로 정보를 전송할 수 있음.

저자[1] 명〔중세 : 져재〕①장이나 시장에서 물건을 파는 가게. ②아침 저녁으로 반찬 거리를 매매하기 위하여 열리는 장. ③〈속〉시장. *장[20](場).
저자(를) 보다 구 저자에 가서 물건을 매매하다.
저자(가) 서다 구 저자에서 물건의 매매가 시작되다.

저:자[2]【低資】명 ↗저리 자금(低利資金).

저자[3]【詆訾】명 훼자(毀訾). ――하다 타여불

저:자[4]【著者】명 ①↗저작자(著作者). ②↗저술자(著述者). ¶~ 불명의 책. *작자(作者).

저자[5]【豬鮓】명 제육 젓.

저-자[6]【一者】인대 '저 사람'의 비어(卑語). ¶~는 뭘 하는 사람인가. [*이자(者).

저자 망태 명 장구럭.

저자-상어 명〖어〗전자리상어.

저:-자세【低姿勢】명 상대방에게 눌려서 자신을 비하(卑下)하는 자세. ¶~ 외교/~로 나오다. ↔고자세(高姿勢).

저:작[1]【咀嚼】명 음식(飮食)을 입에 넣어 씹음. 베어 물고 씹음. ――하다 타여불

저:작[2]【著作】명 ①사상이나 기술·연구 결과·문예 작품 등을 글로 써서 나타내는 일. ¶~권. *저술(著述). ②〖역〗중국 한(漢)나라 때 국사(國史) 편찬을 위하여 두었던 벼슬아치의 이름. ③〖역〗교서관(校書館)·승문원(承文院)·홍문관(弘文館)의 정팔품(正八品) 벼슬. ――하다 타여불

저:작-가【著作家】명 저작을 업으로 하는 사람. 저술가.

저:작-구【咀嚼口】명 곤충 등에서 아래위턱이 단단하여 식물을 씹어 먹기에 알맞은 입. 메뚜기·잠자리 등의 입. ↔흡수구(吸收口).

저:작-권【著作權】명〖법〗지적 재산권(知的財産權)의 하나. 저작물을 저작자(著作者)가 독점적으로, 복제(複製)·반포(頒布)·연술(演述)·번역(飜譯)·흥행(興行)·상영(上映)·방송(放送) 등에 이용하든지 또는 타인에게 이를 허락하는 권리. 저작권의 존속 기간은 원칙으로 저작자의 생존 기간 및 사후(死後) 50 년임. ¶~ 침해. *판권(版權).

저:작권-법【著作權法】[一뻡] 명〖법〗저작자의 권리와 이에 인접(隣接)하는 권리를 보호하고, 저작물의 공정한 이용을 도모함으로써 문화의 향상 발전에 이바지하게 할 목적으로 제정된 법률.

저:작권 심:의회【著作權審議會】[一/一이一] 명〖법〗문화 관광부의 자문 기관의 하나. 저작권의 등록(登錄), 저작권의 이용(利用)에 대한 보상 금액(補償金額) 또는 저작권에 관한 일반적인 사항을 조사·심의하기 위해 설치된 기관.

저:작권-자【著作權者】명〖법〗저작권법에 의하여 저작권(著作權)을 인정받아 그 권리를 행사할 수 있는 사람.

저:작권 침해【著作權侵害】명〖법〗저작권자의 승인 없이 저작권의 내용을 이용하는 행위. 곧, 저작권자의 정당한 승인이 없이 출판·상영·방송·흥행 등을 하는 행위.

저:작-근【咀嚼筋】명〖생〗안면근(顔面筋)의 하나. 얼굴에 붙어 있어 물건을 씹는 작용을 하는 근육.

저:작-기【咀嚼器】명〖생〗음식물을 씹는 기관. 곧, 포유류의 이나 곤충의 저작구(咀嚼口) 등.

저:작-랑【著作郎】[一낭] 명〖역〗중국 위(魏)나라 명제(明帝) 때부터 문서의 초안(草案)을 맡기기 위하여 둔 벼슬 이름.

저:작-물【著作物】명 저자(著者)가 저작한 물건. 정신적 노작(勞作)의 소산으로서, 문예·학술·미술·음악·사진·건축·조각 등에 관한 사상·감정을 나타내어 이를 창작·안출(案出)한 물건.

저:작-위【咀嚼胃】명〖생〗저작의 기능을 갖춘 특수한 위(胃). 조류(鳥類)의 모래주머니, 곤충의 전위(前胃) 같은 것.

저:작 인접권【著作隣接權】명 실연자(實演者)·음반(音盤) 제작자·방송 사업자에게 인정되는 저작권에 준하는 권리. 녹음·녹화·복제(複製) 등을 독점할 수 있는 권리. 보호 기간은 실연(實演)한 때, 처음 음반에 고정한 때, 방송을 한 때부터 권리가 발생하며, 그 다음 해부터 20년간 존속함.

저:작-자【著作者】명 저작한 사람. ㈜작자(作者)·저자(著者).

저:작 재산권【著作財産權】[一뀐] 명〖법〗'저작권'을 고친 이름.

저잣-거리 명 가게가 죽 늘어서 있는 거리. 시가(市街).

저:장[1]【低張】명 한 용액의 삼투압(滲透壓)이 딴 용액의 삼투압과 비교하여 낮음. 주로 생물학에서 각종 용액의 농도(濃度)를 체액(體液)이나 혈액(血液)과 비교할 때 쓰는 말. *고장(高張)·등장(等張). ――하다 형여불

저:장[2]【貯藏】명 ①물건을 모아 간수함. ¶식품을 ~하다. ②〖경〗재화(財貨)를 생산(生産)이나 영리(營利)에 활용하지 아니하고, 다만 모아 두는 일. ――하다 타여불

저:장-고【貯藏庫】명 저장해 두는 창고. 갈무리광.

저:장-구덩【貯藏一】명〖고고학〗움집의 내부나 어깨 부분에 곡물 등을 저장하던 지름 1m 안팎의 구덩이. 저장혈(貯藏穴).

저:장-근【貯藏根】명〖식〗저장 물질(貯藏物質)을 많이 저장해 두어 비

대(肥大)해진 뿌리. 그 모양에 따라 괴근(塊根)·무청근(蕪菁根)·방추근(紡錘根)·원추근(圓錐根) 등 여러 가지가 있음. 저장뿌리.

저:장-기【貯藏器】명 저장해 두는 용기(容器).

저:장 녹말【貯藏綠末】명 식물의 탄소 동화 작용에 의하여 식물체의 저장 조직, 곧 뿌리·지하경·씨 등에 저장되어 있는 녹말. 밤 동안에 수분에 녹아 당류(糖類)로 변하여 체내의 각 부분에 보내어지고, 특히 씨의 녹말은 싹이 틀 때 양분이 됨. 고구마·감자 등은 특히 저장 녹말이 많음. 저장 전분. ↔동화 녹말.

저:장-뇨【低張尿】명〖의〗비중이 낮은 오줌. 생리적인 것과 병적(病的)인 것이 있음.

저:장뇨-증【低張尿症】[一쯩] 명〖의〗신장(腎腸)의 오줌 농축력이 약해져서 비중이 낮은 오줌을 누는 증상.

저:장-량【貯藏量】[一냥] 명 ①저장되어 있는 물건의 양. ②저장할 수 있는 용량(容量).

저:장 맥주【貯藏麥酒】명 라거 비어(lager beer).

저:장 물질【貯藏物質】[一찔] 명〖생〗에너지원·대사(代謝) 산물로서 생물체, 주로 식물체내에 저장되어 있는 영양 물질(營養物質)의 총칭. 예컨대, 씨·줄기·뿌리 등에 포함되어 있는 함수 탄소(含水炭素)·단백질(蛋白質)·지방(脂肪) 등과 동물 간장(肝臟)내에 저장되어 있는 글리코오겐 등. 저장 양료(養料).

저:장-미【貯藏米】명〖경〗쌀값의 하락(下落)을 방지하기 위하여, 또는 장래의 등귀(騰貴)를 기다려 저장해 두는 쌀. 전자에 정부 보유미, 후자에 민간 저장미 등이 있음.

저:장-법【貯藏法】[一뻡] 명 ①물건을 상하지 아니하게 갈무리하는 방법. ②방사성(放射性) 폐수 처리(廢水處理)의 하나. 연구실·병원·공장 등에서 생기는, 방사능이 강한 폐수를 일정한 용기에 모아 격리된 창고에 저장하는 방법.

저:장-뿌리【貯藏一】명〖식〗저장근(貯藏根).

저:장 사료【貯藏飼料】명 사일로(silo)나 구덩이에 가득 채워서 발효시켜 저장한 가축의 사료.

저:장-성¹【貯藏性】[一썽] 명 오래 저장해 두어도 상하지 아니하는 성질(性質).

저장 성²【一省】[浙江] 명〖지〗중국 남동부 황해 연안의 성. 양쯔 강 하류의 남부를 점하고 있으며, 첸탕 강(錢塘江)에 의해 동서(東西)로 나뉨. 쌀·밀·옥수수·차·삼·과일 등 외에, 석탄·철·인(燐)·석회석·아연·알루미늄 등의 광산(鑛山)도 있음. 생사(生絲) 생산이 활발하여 방적 공업 등 경공업외에 중화학 공업도 발달함. 성도(省都)는 항저우(杭州). 절강성(浙江省). [101,800km²: 39,930,000명(1984)]

저:-장애【低障礙】명〖체〗↗저장애물 경주.

저:장애물 경:주【低障礙物競走】명 로 허들(low hurdles). ㊕저장애(低障礙).

저:-장액【低張液】명〖생〗혈액이나 원형질보다 저장(低張)인 용액. 저침투액(低浸透液). *고장액(高張液)·등장액(等張液).

저장 재벌【一財閥】[중浙江] 명 저장 성 출신의 장 제스(蔣介石)·쑹 쯔원(宋子文)·쿵 샹시(孔祥熙)·천 리푸(陳立夫) 등을 중심으로 국민당 정권 유지의 경제적 기초를 이룬 재벌. 중일(中日) 전쟁의 피해로 기반을 잃고, 제2차 대전 후에 해체됨. 절강 재벌.

저:장 양:료【貯藏養料】[一뇨] 명〖식〗저장 물질(物質).

저:장 양:분【貯藏養分】명 생물체 안에 저장되어 있는 양분.

저:장-엽【貯藏葉】명〖식〗여러 가지 양분이나 수분 등을 많이 저장하여 두꺼워진 잎. 양파·백합의 인엽(鱗葉) 등.

저:장 용액【低張溶液】명〖생〗저장액.

저:장 전:분【貯藏澱粉】명〖식〗저장 녹말.

저:장 조직【貯藏組織】명〖생〗식물체내에서 여러 가지 영양 물질을 저장하는 조직. 과실·씨·뿌리·줄기 등에서 볼 수 있음.

저:장-주【貯藏株】명〖법〗장래 환가(換價)하여 자금을 얻을 목적으로 회사 자체가 보유(保有)하고 있는 주식(株式). 형식은 타인의 명의(名義)로 되어 있으나 실질은 회사의 자기 주식임. 환가주(換價株). *금고주(金庫株).

저장-증【豬腸蒸】명 순대찜.

저:장-탑【貯藏塔】명 사일로(silo).

저:장-포【底裝砲】명 포미(砲尾)에서 탄약을 장전하는 화포(火砲). 후장포(後裝砲).

저:장-품【貯藏品】명 ①저장하는 물품. 저장하는 생산품. ②〖경〗구입한 연료·사무용품 등이 다액일 때에 설치하는 계정 과목(計定科目). 소액이면 비용으로 처리하여 계상(計上)함. 그 평가(評價)는 원료(原料)에 준거하여야 함.

저:장-혈【貯藏穴】명〖고고학〗저장(貯藏)구덩.

저:장 화분【貯藏花粉】명 꿀벌이 꽃에서 모아 들여 꿀과 섞어서 저장해 놓은 꽃가루.

저재¹ 명 〈방〉 저자¹.

저:재²【貯財】명 축재(蓄財). ——-하다 자여불

저재³【樗才】명 ①아무 소용이 되지 않는 재능(才能). ②저재(樗材)❶.

저재⁴【樗材】명 ①아무 소용이 없는 재목(材木). ②저재(樗才)❶.

저:저¹【這這】부 저저이.

저:저²【低低】부 목소리 따위가 매우 낮은 모양. ——-하다 형여불

저-저금 부 〈방〉 제각기.

저:저-이【這這一】부 낱낱이 모두. ¶ ~ 아뢰다 / 저번 올라오셨을 적에 제가 ~ 일러 드렸잖니다《玄鎭健 : 無影塔》.

저:저-히【這這一】부 〈방〉 저저이. ¶ 여간 얼뜬 계집 같으면 당장에 ~ 자백을 하였으련마는…《崔瓚植 : 春夢》.

저:적¹【抵敵】명 ①대적(對敵)❶. ②저당(抵當)❶. ——-하다 자타여불

저:적²【貯積】명 저축(貯蓄). ——-하다 타여불

저적-거리다 자 ①힘없는 걸음으로 천천히 걷다. ②겨우 걸음발을 타서 위태(危殆)롭게 걷다. 1)·2):>자작거리다. 저적-저적 부. ——-하다 자여불

저적-대다 자 저적거리다.

저:적-에 부 지난 번에. 접때에.

저적-창【儲積倉】명〖역〗고려 충선왕(忠宣王) 때 전농사(典農司)를 고친 이름. 공민왕(恭愍王) 5년(1356)에 사농시(司農寺)로 고쳤는데, 궁중의 대제(大祭)에 쓸 곡식을 맡아 보았음.

저:전¹【苧田】명 모시를 심는 밭.

저전²【楮田】명 닥나무를 심은 밭.

저전³【楮錢】명 종이로 만든 돈. 지폐(紙幣).

저전⁴【豬廛】명 돼지를 내다 파는 가게.

저:절【底節】명〖동〗절지 동물(節肢動物)의 부속지(附屬肢)를 구성하는 맨 아래의 마디. 측면(側面)에 외지(外肢)나 아가미 따위가 있는 것이 많음.

저-절로 부 다른 힘을 빌리지 아니하고 스스로. 인공(人工)을 가하지 아니하고 자연적(自然的)으로. 제물로. ¶일이 ~ 되다/촛불이 ~ 꺼지다. ㊕절로.

저-절루 부 〈방〉 저절로(함경·평안).

저:점【邸店】명〖역〗여각(旅閣).

저:정-낭【貯精囊】명 [seminal vesicle]〖생〗정소내(精巢內)에서 성숙한 정자(精子)를 사정시까지 저장해 놓은 부속낭. 척추 동물의 포유류에서는 수정관(輸精管)의 부속낭이 되어 있고, 그 분비물은 정액의 액체 성분이 됨. 척추 동물·환형 동물·연체 동물·갑각류 등에서 볼 수 있으며 수컷의 정자를 일시 저장함.

저:-제¹ 명부 지난 번. 접때. *이제¹.

저:제²【邸第】명 ①저사(邸舍)❶. ②귀인(貴人)의 집.

저제금 부 〈방〉 제각기.

저:조¹【低調】명 ①낮은 가락. ¶~한 곡조. ②활기가 없이 침체(沈滯)함. ¶~한 타선(打線)/~한 시장 경기. ③능률(能率)이 오르지 아니함. ¶~한 성적. ——-하다 형여불

저:조²【低潮】명 간조(干潮)의 극한에 이른 때의 일컬음. *썰물. ↔고조(高潮).

저:조-선【低潮線】명〖지〗간조(干潮)의 극한(極限)에 달했을 때의 해면과 육지가 접하는 경계선. ↔고조선(高潮線). *간조선(干潮線).

저:조-시【低潮時】명〖지〗간조(干潮)가 극한(極限)에 달했을 때·시각. ↔고저시(高潮時).

저:조-파【低調波】명〖전〗사인파(sine波)의 전압(電壓). 또는 전류(電流)의 주파수(周波數)의 정수분(整數分)의 1의 주파수를 갖는 파동. ↔고(高)조파.

저:죄【抵罪】명 죄의 경중(輕重)에 따라 알맞게 형벌을 받아 때움. ——-하다 자여불

저:주¹【紵紬】명 중국에서 전래(傳來)된 모시와 명주실을 섞어 짠 깁의 한 가지.

저:주²【詛呪】명 남이 못 되게 되기를 빌고 바람. 주저(呪詛). ¶그놈을 ~한다/~받을 놈. *방자. ——-하다 타여불

저:주-롭다【詛呪一】형ㅂ불 저주를 하여 마땅하다. 저주스럽다. **저:주-로이**【詛呪一】부

저:주-스럽다【詛呪一】형ㅂ불 저주롭다. ¶저주스런 세상. **저:주-스레**【詛呪一】부

저:주정 맥주【低酒精麥酒】명 [low alcohol beer] 알코올 도수(度數)가 낮은 맥주.

저-주지【楮注紙】명〖역〗조선 시대 때 저화(楮貨)로 쓰이던 종이. 닥나무 껍질로 만들었으며, 길이가 한 자 여섯 치, 폭이 한 자 네 치임.

저:-주파【低周波】명 [low frequency]〖물〗주파수(周波數)가 적은 파(波). 경우에 따라 여러 범위를 가리킴. 전파(電波)에서는 흔히 음성(音聲) 주파, 즉 가청(可聽) 주파를 가리키나, 무선 주파를 검파(檢波)한 신호 주파수의 파를 가리킬 때도 있음. 때에 따라서는 킬로미터파(波)의 뜻으로도 쓰임. 진동 전류(振動電流). 전파(電波). 가청(可聽) 주파. ↔고주파(高周波).

저:주파-관【低周波管】명 [low-frequency tube]〖전〗충분히 낮은 주파수로써 동작하는 전자관(電子管). 전극간(電極間) 전자의 주행 시간은 발진 전압(發振電壓)의 주기에 비해서 매우 짧음.

저:주파 발진기【低周波發振器】[一찐一] 명〖전〗가청(可聽) 주파수 이상의 주파수를 발생하는 장치. 전기 회로의 특성(特性)을 측정하는 데 쓰임.

저:주파 안테나【低周波一】명 [low-frequency antenna]〖전자〗주파수 300 kHz 이하의 전파 송수신용(送受信用) 안테나.

저:주파 유도 전:기로【低周波誘導電氣爐】명〖공〗유도로(誘導爐)의 한 가지. 50 사이클(cycle) 교류(交流)에 의하여 수직한 윤상(輪相)의 이차 회로(二次回路)에, 저압의 강전류(強電流)를 유도하여 그 회로에 있는 금속을 용해하도록 함.

저:주파 증폭【低周波增幅】명〖전〗진공관(眞空管)의 A급 증폭을 사용하여 보통 10 킬로사이클 이하의 주파수의 교류 전압(交流電壓)을 증폭하는 일.

저:주파 통과 필터【低周波通過一】명 [low-pass filter]〖전〗주어진 차단(遮斷) 주파수 이하의 교류 전류는 통과시키고, 기타의 전류는 모두 크게 감쇠시키는 필터.

저줍다 형 〈옛〉 전삽(蹇澁)하다. ¶ ᄇᆞ룸마자 왼녁 올혼 녁을 다 몯ᄡᅥ 거

름 거로미 어려우며 말소미 저주브며(中風左癱右瘓行步艱難語言蹇澁)≪救簡 Ⅰ:8≫.

저즈다 타 〈옛〉 저지르다. =저즐다. ¶다 너희 婦人의 저즈는 배니라(皆汝婦人所作)≪內訓 Ⅲ:37≫.

저즈르다 타르불 〈방〉 저지르다.

저즈리다 타 〈옛〉 ①접쳐 헤아리다. ¶모더 혜아리며 저즈리디 말며(不要思量卜度)≪蒙法 28≫. ②절제(節制)하다. ¶모매 저즈리며 이베 져기호야(節身儉口)≪永嘉 上 42≫.

저즈리분간【惠伊分揀】명 〈이두〉 고르게 하는 분간. 즉, 죄를 공평하게 하는 분간.

저-즈막 명 〈방〉 접때.

저즐다 타 〈옛〉 저지르다. =저즈다. ¶陰陽을 爲頭호야 자바시며 造化를 저즈러(主執陰陽權衡造化)≪眞言勸供 供養文 36≫.

저-즘 명 〈방〉 접때.

저-즘께 명 〈방〉 접때.

저:증【著增】명 현저한 증가(增加). 많이 붙어남. ——하다 자여불

저:증식성 빈혈【低增殖性貧血】명 〔hypoproliferative anemia〕 적혈구 아세포(芽細胞) 수의 이상(異常)으로, 혈색소(血色素) 농도 및 적혈구 세포수가 감소된 상태.

저:지[1]【低地】명 낮은 토지. 낮은 곳. ↔고지(高地).

저:지[2]【沮止】명 막아서 그치게 함. ¶적의 침략(侵略)을 ~하다. ——하다 타여불

저:지[3]【底止】명 벌어져 나가던 것이 목적지에 이르러 그침. ——하다 자여불

저지[4]【豬脂】명 돼지의 지방(脂肪). 저고(豬膏).

저:지[5] 〔jersey〕 명 ①트리콧(tricot)과 꼭 같이 짠 두꺼운 메리야스 직물. 양복이나 스웨터 감으로 씀. ②저지종(Jersey種).

저지[6] 〔judge〕 명 ①재판관. 판사. ②운동 경기의 진행·판정을 맡은 심판 또는 심판원(審判員). ③심판. 판단.

저-지난 관 지난번의 바로 전번.

저지난-달 명 ①이삼 개월(二三個月) 전의 달. ② ☞ 지지난달.

저지난-밤 명 ①이삼 일 전의 밤. 엊그제 밤. ② ☞ 지지난밤.

저지난-번【一番】명 ①지난번의 전번. ② ☞ 지지난번.

저지난-해 명 ①이삼 년(二三年) 전의 해. ② ☞ 지지난해.

저:지-능【沮止能】명 〔stopping power〕〖물〗 여러 가지의 물질이 그 내부를 통과하는 α선 따위의 입자선(粒子線)을 감속(減速)·저지하는 정도를 나타내는 양(量).

저지다 자타 〈옛〉 적시다. 젖다. ¶潤沾은 저질씨라≪月序 7≫.

저:-지대【低地帶】명 ①낮은 지대. ②〖식〗 식물의 수직 분포에 따른, 평지로부터 산허리에 이어지는 부분. 상록 활엽수가 생장함. ↔고지대(高地帶).

저:지 독일어【低地獨逸語】명 〔도 Niederdeutsch〕 독일 북부 및 북서부의 방언. 남부 및 중부의 고지 독일어와 음운적(音韻的)으로 현저(顯著)하게 다름. 네덜란드어의 시조임. *독일어(語).

저지 램프 〔judge lamp〕 명 ①레슬링 경기에서, 승부를 판정할 때, 경기자의 우열 또는 판정 불가능을 표시하기 위하여 부심이 점등(點燈)하는 신호등. ②역도에서, 시합 기술이 반칙 없이 성공했다고 인정되었을 때 심판원이 점등하는 램프 시스템.

저지레 명 일이나 물건을 버르집어 그르치는 짓. ¶"때리고 꼬집은 것을 나무람이 아니라, 애들이 무슨 ~를 했느냐 말이다"?≪吳永壽:남이와 엿장수≫. ——하다 타여불

저:지-력【沮止力】명 저지하는 힘.

저지르다 타르불 〔중세:저즐다〕 잘못하여 그르치다. ¶잘못을 ~/일을 ~.

저지먼트 〔judgement〕 명 재판. 판결.

저:지방형 식품【低脂肪型食品】명 동물성 단백이나 지방의 일부 또는 전량(全量)을, 식물성 단백이나 식물성 지방으로 대치(代置)하여 제조한 식품. 마가린·저지방 우유 등이 있음.

저:지-선【沮止線】명 더 이상 범하지 못하게 막는 경계선. ¶적의 ~을 돌파하다.

저:지-시티 〔Jersey City〕 명 〖지〗 미국 뉴저지 주(New Jersey 州)의 상공업 도시. 허드슨 강 서안(西岸)의 도시로, 동안(東岸)의 뉴욕 시(市)와는 하저(河底) 터널 등으로 연결되어, 동시(同市)에의 통근자가 많음. 식품 가공·철강·담배·화학 공업이 성함. 철도의 요지로, 17세기 초 네덜란드인이 창건함. 노예 제도의 반대 운동 기지로 유명한 곳임. 〔228,537 명(1990)〕

저:지 전:압【沮止電壓】명 〔stopping potential〕〖전〗 광전자(光電子) 또는 열전자(熱電子)의 작용에 의해서 방출된 전자(電子)의 외향 운동(外向運動)을 정지(停止)시키는 데 필요한 전압.

저:지-종【一種】〔Jersey〕 명 젖소의 한 품종. 영국 저지(Jersey) 섬 원산으로 체중이 400 kg 전후의 작은 품종임. 털빛은 담갈색(淡褐色) 또는 농갈색(濃褐色)임. 유량(乳量)은 적으나, 지방분이 5% 가량 많아, 버터나 크림 생산에 적합함. 준저지.

〈저지종〉

저지 페이퍼 〔judge paper〕 명 권투·레슬링에서, 판정 용지(判定用紙). 심판원(審判員)이 선수의 득점을 각 라운드마다 기입하는 용지. 스코어링 페이퍼.

저지 플래그 〔judge flag〕 명 유도·레슬링 시합에서, 승부를 판정할 때 경기자의 우열을 표시하기 위하여 부심이 올리는 기(旗).

저:지 항:체【沮止抗體】명 〔blocking antibody〕〖생〗 항체가 어떤 특정한 면역 반응(免疫反應)을 저해(沮害)할 때의 그 항체를 이름. 이식편(移植片)이 항체로 둘러싸이면, 림프구(球)에 의한 이식 면역 반응이 저해받는 따위.

저:질[1]【低質】명 ①품질이 낮음. 바탕이 좋지 않음. ¶~ 상품. ②〈속〉 사람의 품위가 고상하지 못하고 저열(低劣)함. ¶노는 꼴이 왜 그리 ~이냐.

저:질[2]【底質】명 〖지〗 해양·호소(湖沼)·하천(河川) 등의 바닥을 구성하고 있는 물질.

저:질-탄【低質炭】명 화력이 약하고 질이 나쁜 석탄.

저-짝 명 ↗저편짝.

저-쪽 명 ①제자리에서 떨어진 곳을 가리키는 말. ¶~에 있는 집. ②저편❷. ¶~으로 가라. ↔이쪽.

저:차【低次】명 낮은 차원(次元)·정도.

저:착륙 진:입 방식【低着陸進入方式】〔—뉴—〕명 〔low-approach system〕 항공기 유도 방식의 하나. 착륙 진입 개시 고도에서 지표(地表) 부근까지 강하(降下)하는 동안, 수직면(垂直面)과 수평면(水平面) 상의 위치를 지시하는 방식임.

저:착-약【底着葯】명 〖식〗 각생약(脚生葯).

저:착-어【底着魚】명 〖어〗 저서어(底棲魚).

저:창【低唱】명 낮은 음성으로 노래 부름. ——하다 타여불

저:창 천:작【低唱淺酌】명 간단한 주연을 베풀면서 작은 소리로 시가(詩歌) 등을 읊음. 천작 저창. ——하다 타여불

저:채【邸債】명 〖역〗 조선 시대 때 경저리(京邸吏) 또는 영저리(營邸吏)가 백성의 공납(貢納)을 방납(防納)함으로써 지방 관청(地方官廳)이 이들에게 진 빚. 이를 구실로 그 배(倍)로 가로채는 등 작폐(作弊)가 심하였음.

저책【楮冊】명 종이로 만든 책.

저-처럼 부 ①저만한 정도로. ¶~ 큰 나무. ②저와 같이. ¶~ 훌륭한 사람이 되어야지.

저-천우【楮天牛】명 〖충〗 하늘소.

저:체온 마취법【低體溫痲醉法】〔—뻡〕명 〖의〗 저온 마취.

저:체온-법【低體溫法】〔—뻡〕명 〖의〗 저체온 마취법.

저초【豬酢】명 제육 젓.

저:촉【抵觸·牴觸·觝觸】명 ①서로 부딪침. 서로 모순(矛盾)됨. ②법률(法律)·규칙(規則) 등에 위반(違反)됨. ¶법률에 ~되는 행위. ——하다 자여불

저:촉 규정【抵觸規定】명 〖법〗 국제 사법(國際私法)상의 용어. 법률의 저촉을 해결하는 규정으로, 그 규정의 형식에 따라 일방적 저촉 규정·완전 저촉 규정·불완전 쌍방적(雙方的) 저촉 규정 등으로 분류됨. 충돌(衝突) 규정.

저:촉 규정적 지정【抵觸規定的指定】명 〖법〗 국제 사법상 준거법(準據法) 자체를 당사자가 지정하는 것으로, 섭외적 사법 관계에 있어서 법률 행위 자체를 지배하는 법률. 저촉법적 지정.

저:촉법적 지정【抵觸法的指定】명 〖법〗 저촉 규정적(規定的) 지정.

저촉이다 자 〈옛〉 절룩거리다. =저추기다. ¶자히 놀라 다리롤 저촉이는 이는 찬근이 알품이오(驚地點脚 攢筋痛)≪馬經 上 75≫.

저추기다 자 〈옛〉 절룩거리다. =저촉이다. ¶데문이 브어 알코 다리롤 저추기는 병을 고티노니(治蹄門腫痛點脚病)≪馬經 上 67≫.

저축[1]【杼柚】명 베틀의 북. 북.

저:축[2]【貯蓄】명 ①절약하여 모아 한데 쌓아 둠. ②〖경〗 소득(所得)을 모두 소비(消費)하지 아니하고, 그 일부를 적립(積立)함. ③현재의 잉여를 장래를 위해 모아 둠. 저류(貯留). 저적(貯積). ¶~ 생활/식량을 ~하다. ——하다 타여불

저축-거리다 자 힘이 없어 절름거리며 잘 걷지 못하다. >자축거리다.

저축-저축 부. ——하다 자여불

저:축-계【貯蓄契】명 〖경〗 돈을 저축하기 위한 계(契).

저:축-금【貯蓄金】명 저축된 돈.

저축-대다 자 저축거리다.

저:축-률【貯蓄率】〔—뉼〕명 저축을 국민 소득으로 나눈 값.

저:축 보:험【貯蓄保險】명 〖경〗 학자(學資) 보험·혼인(婚姻) 보험 등의 자금(資金) 보험 및 징병(徵兵) 보험 같은 생존(生存) 보험으로 피보험자(被保險者)가 일정한 연령에 달하였을 때에 일정한 금액 지급을 약속하는 보험.

저:축 성:향【貯蓄性向】명 〖경〗 케인스의 용어로, 사회의 소득 증가(所得增加)의 한 단위(單位)에 대한 저축 증가의 비율(比率). ↔소비 성향(消費性向).

저:축-심【貯蓄心】명 금전을 저축하려는 마음. ¶~을 고취하다.

저:축 예:금【貯蓄預金】〔—네—〕명 〖경〗 ①자력(資力)이 적은 자의 영세한 자금을 장기(長期)에 걸쳐 저축하는 예금. 곧, 보통 예금·정기 예금·통지(通知) 예금·저축 예금 등. ②은행 예금의 하나. 개인이 저축 및 이식(利殖)을 목적으로 하여 맡기는 예금으로, 정기 예금의 형태를 취하는 경우가 많음. ↔영업(營業) 예금·소득(所得) 예금.

저:축 은행【貯蓄銀行】명 〖경〗 일반 서민들의 저축을 주안(主眼)으로 하는 은행. 서민층의 영세 저금을 보관(保管)·이식(利殖)하는데, 비교적 이자가 높음.

저:축의 날【貯蓄—】〔—/—에—〕명 국민 저축 정신을 앙양(昂揚)시키고 저축 보험 및 증권 사업의 증진을 다짐하는 날. 10월 마지막 화요일.

저:축 채:권【貯蓄債券】〔—꿘〕명 〖경〗 대중의 영세(零細)한 자금을 흡수할 목적으로 정부가 발행하는 채권.

저:축 투자설【貯蓄投資說】명 〖경〗 국민 소득의 균형 수준(均衡水準)이 저축과 투자의 균형에 의해 결정된다는 J.M. 케인스의 학설.

저:출-엽【低出葉】명〖식〗지상경(地上莖)의 기부(基部)나 지하경(地下莖)에 나는 잎과 동아(冬芽)를 싸는 인아(鱗芽) 등의 총칭.

저축-거리다 자 조금 저축거리다. >자축거리다. **저축-저축** 부. ——-하다 자여불

저축-대다 자 저축거리다.

저:취【低吹】명 저음(低音)을 내기 위하여, 관악기(管樂器)를 여리게 붊. ↔역취(力吹). ——-하다 타여불

저:층【底層】명 기층(基層)❷.

저:층-류【底層流】[—뉴] 명 해양(海洋)이나 호소(湖沼)의 바닥 가까이의 물의 흐름.

저:층-수【底層水】명〔bottom water〕〖지〗①남북 양극의 해면에서 냉각(冷却)하여 대류(對流)에 의하여 해저(海底)에 가라앉아 해저를 쓸면서 적도(赤道) 방향으로 흐르는 물. ②산출층(產出層) 가운데의 석유 또는 가스층 바로 밑에 있는 물.

저:층 습원【低層濕原】명〔low moor〕〖생〗지하 수위가 낮은 늪이나 하천의 물가에 발달하는 식물 사회(植物社會). 주로, 줄·갈대·사초 등이 식생(植生)을 구성함. 무기 염류(無機塩類)의 공급으로 중성(中性)의 이탄층(泥炭層)이 퇴적되고 늪은 이 퇴적물로 점차 매립되어 수목이 들어서게 됨.

저:치【貯置】명 저축하여 둠. ——-하다 타여불

저치-국【儲置局】명〖역〗조선 시대 말에 탁지 아문(度支衙門)에 딸린 한 국(局). 고종(高宗) 31년(1894)에 베풀어서 이듬해에 폐함.

저치다 타〈옛〉적시다. =저지다. ¶출히 피를 무덤 우희 저치고 넉슨 디하의 조초리라 ᄒᆞ고(寧血濺塚上魂隨地下)≪東國新續三綱 烈女圖 V:79≫.

저치-미【儲置米】명〖역〗나라에서 비축(備蓄)하는 쌀.

저:-침투액【低浸透液】명 저장 용액(低張溶液).

저:칼슘뇨-증【低—尿症】〔calcium〕[—쯩] 명〔hypocalcemia〕〖의〗오줌 속의 칼슘 배출량이 감소되는 상태.

저:칼슘혈-증【低—血症】〔calcium〕[—쯩] 명〔hypocalciuria〕〖의〗혈액 중의 칼슘량(量)이 감소된 상태.

저컨대 타〈옛〉저어하건대. 두렵건대. ¶저컨대 네 밋디 아니커든(怕你不信時)≪老乞 上 17≫. *저타².

저켜-지다 자〈방〉젖혀지다.

저코 타〈옛〉두려워하고. ¶눈과 서린가 저코(懼雪霜)≪杜諺 Ⅵ:41≫ *저타².

저퀴 명〖민〗사람에게 씌워서 몹시 앓게 한다는 귀신.

저퀴(가) 들다 구〖민〗사람에게 저퀴 귀신이 씌워 몹시 앓게 되다.

저:크〔jerk〕명 역도 경기의 한 종목. 양팔을 구부리고 바벨(barbel)을 쇄골(鎖骨) 있는 곳에 떠받치고 일단 구부린 양무릎을 서서히 펴면서 동시에 양팔을 펴며 바벨을 머리 위로 올리고 양팔을 일직선(一直線) 상에 나란히 함. 용상(聳上).

저큼 명 잘못을 고치고 다시 하지 아니하는 버릇. ¶~을 해라.

저킈ᄒᆞ다 타〈옛〉두려워하게 하다. ¶金翅 드외야 龍올 저킈ᄒᆞ니 ≪月釋 Ⅶ:24≫. *저타².

저키다 타〈방〉젖히다.

저타¹ 명〈방〉곁(경상).

저타² 타〈옛〉두려워하다. =젓다·젓타. ¶公州ㅣ江南올 저ᄒᆞ샤 子孫올 ᄀᆞᄅᆞ치신돌(公州江南畏且訓嗣)≪龍歌 15章≫. *저킈ᄒᆞ다.

저:탄【貯炭】명 숯이나 석탄(石炭)을 저장함. 또, 그 석탄. ¶~장(場). ——-하다 자여불

저:탄-고【貯炭庫】명 숯·석탄 따위를 저장하는 창고.

저:탄-량【貯炭量】[—냥] 명 저장되어 있는 석탄의 분량.

저:탄-선【貯炭船】명 석탄(石炭)을 저축하였다가 다른 배에 공급(供給)해 주는 배.

저:탄-소【貯炭所】명 숯이나 석탄을 저장해 두는 곳.

저:-탄소강【低炭素鋼】명〖광〗탄소의 함유량이 0.12~0.2%인 강철. 연철(軟鐵).

저:탄-장【貯炭場】명 석탄이나 숯을 저장하는 장소.

저:탄 포켓【貯炭—】〔pocket〕명 탄광(炭鑛)의 갱내(坑內)에서 채굴된 석탄을 컨베이어(conveyer)나 탄차(炭車)에 실어 밖으로 운반할 때, 도중에 일시 석탄을 저장하는 장소. 운반하는 방식이 바뀌어 다른 수단을 쓸 때에 쓰임.

저탈밑 명〈방〉겨드랑이(전북).

저태【豬胎】명 암퇘지의 뱃 속에 든 새끼.

저:택¹【邸宅】명 ①왕후(王侯)의 집. ②규모가 퍽 큰 집. 저사(邸舍). 제관(第館). ¶으리으리한 ~.

저:택²【沮澤】명 낮고 물기가 많은 땅. 수초(水草)가 무성(茂盛)한 곳. 습지(濕地).

저택³【瀦宅】명〖역〗형벌로서, 대역 죄인(大逆罪人)의 집을 헐어 없애고 그 터를 파서 못을 만드는 일. ——-하다 타여불

저:토【底土】명 하층(下層)의 흙. 밑바닥의 흙. 심토(心土).

저토다 타〈옛〉두려워하도다. '저타²'의 활용형. ¶泥滯ᄒᆞ야 寸心을 잇블가 저토다(恐泥勞寸心)≪杜諺 XV:3≫.

저통【箸筒】명 수저를 꽂아 두는 통. 수저통.

저:-퇴석【底堆石】명〖지〗저빙퇴석(底氷堆石).

저투리다 타〈옛〉두려워하다. ¶勃然히 분발ᄒᆞ야 ᄀᆞ다ᄃᆞᆷ아 可히 저투리디 아니콰뎌 홈이니라(勃然奮厲不可恐懼也)≪小諺 V:121≫.

저트랑 명〈방〉겨드랑이(경남).

저트랑-이 명〈방〉겨드랑이(경상).

저트랭-이 명〈방〉겨드랑이(경상).

저티 타〈옛〉두려워하지. '저타²'의 활용형. ¶놀라디 아니ᄒᆞ며 두리디 아니ᄒᆞ며 저티 아니ᄒᆞ면(不驚不怖不畏)≪金剛 上 77≫.

저:판【底板】명 밑에 댄 널빤지. 밑널.

저-팔계【豬八戒】명 ①중국의 소설 서유기(西遊記)에 나오는 돼지의 이름. ②성질이 모질고 흉악한 사람의 별명.

저패 걸음 명〈방〉동행(同行). ——-하다 자여불

저:팽창 합금【低膨脹合金】명〔low-expansion alloy〕온도에 의해 치수가 크게 변하지 않는 합금.

저퍼ᄒᆞ다 타〈옛〉두려워하다. ¶저퍼ᄒᆞ다(恐怕)≪同文 上 20≫.

저페라 형〈옛〉두려워라. '저프다'의 활용형. ¶또 창굼그로 여어 볼가 저페라(又怕窓孔裏偸眼兒看)≪朴解 中 18≫.

저-편【—便】명 ①저쪽❶. ¶~에 있는 집. ②저쪽 편의 사람들. 저쪽. ¶~에서 싸움을 걸어오다. ↔이편.

저-편짝 명 저쪽의 편짝. 준저짝.

저:평【低平】명 낮고 평평함. ——-하다 형여불

저폐【楮幣】명〖역〗저화(楮貨).

저폐-장【楮幣匠】명〖역〗사섬시(司贍寺)에 딸린 공장(工匠)으로, 저화(楮貨)를 만드는 장인(匠人).

저:포¹【紵布】명 모시❶.

저포²【樗蒲】명〖민〗백제 때의 유희의 한 가지. 주사위 같은 것을 나무로 만들어 던져서 그 사위로 승부를 겨룸.

저:포-전【紵布廛】명〖역〗조선 시대 육주비전(六注比廛)의 하나. 저포(紵布)만을 파는 시전(市廛)이며, 유분전(有分廛)으로 국역(國役) 육분(六分)을 부담함. 순조(純祖) 원년(1801)에 포전(布廛)과 합쳐 한 주비(注比)로 하였음. 모시전. *육주비전(六注比廛).

저품 명〈옛〉두려움. =저품. ¶一切 저포믈 업게 호니(能滅一切怖畏)≪佛頂 上 1≫.

저품 명〈옛〉두려움. =저품. ¶저품내며(生恐)≪永嘉 下 40≫/큰 저품 업수믈 得ᄒᆞ야(得大無畏)≪楞嚴 V:52≫. *저프다.

저:품위 우라늄 회수 기술【低品位—回收技術】명〔low grade uranium recovery technique〕저품위(低品位)의 빈광(貧鑛)에서 경제적으로 우라늄을 채굴하는 기술. 일종의 섬유화(纖維化) 물질을 가늘게 잘라 공 모양으로 성형(成形)한 것을 우라늄 용액에 적셔 흡착(吸着)시켜서 우라늄을 회수함.

저프다 형〈옛〉두렵다. 무섭다. ¶忌는 저플씨라 ≪月序 6≫/날회여 간들 므스시 저프리오(慢慢的去怕甚麼)≪老乞 上 28≫.

저피 수정회【豬皮水晶膾】명 돼지 가죽을 얇게 썰어서 흰 파뿌리 썬 것과 같이 흠씬 곯여 체에 밭아서 묵처럼 굳은 것을 썰어 초장을 찍어서 먹는 술안주. *족편.

저:하¹【低下】명 ①밑으로 내려앉아 낮아짐. ¶사기(士氣) ~/품질이 ~하다. ②비하(卑下). ——-하다 자여불

저:하²【邸下】명〖역〗조선 시대 때 왕세자의 존칭.

저:하³【底下】명 ①용렬(庸劣)함. 비열(卑劣)함. ②아주 천(賤)함. ——-하다 형여불

저:하⁴【底荷】명 운송에 있어서 선적품(船積品)이 부족할 때에 선박의 안전을 유지하기 위하여 실어 넣는 흙·모래·물 등. 바닥짐.

저:-학년【低學年】명〖교〗낮은 학년. ↔고학년(高學年).

저:함【低陷】명 낮아서 우묵하게 빠짐. 준함(陷). ——-하다 자여불

저:합-탕【紵蛤湯】명 와가탕.

저:항【抵抗】명 ①대항(對抗)❶. ¶완강한 ~. ②〖물〗힘의 작용에 대하여 그 방향과 반대의 방향으로 작용하는 힘. ③〖물〗전기 저항(電氣抵抗). ④〖심〗정신 분석의 용어로서, 치료에 대하여 감정적으로 반항하는 경향. 억압 또는 마음 속의 갈등이 있음을 나타냄. ⑤권력이나 권위(權威)·구도덕(舊道德)에의 반항. ¶~ 정신. ⑥저항 운동(抵抗運動). 레지스탕스(resistance). ——-하다 자여불

저:항 가요【抵抗歌謠】명 반체제적(反體制的)인 주장이나 항의를 가사(歌詞)에 넣어, 듣는 이에게 호소하려는 노래.

저:항-감【抵抗感】명 ①육체적 또는 정신적으로 몸에 받는 느낌. ②반항하고 싶은 기분.

저:항 감:각【抵抗感覺】명〔sense of resistance〕〖의〗물건을 들어 올리거나 잡아당길 때 받는 감각. 중량감(重量感)은 이의 일종이며, 역감(力感)·근각(筋覺) 등과도 밀접한 관계가 있음.

저:항 감:쇠기【抵抗減衰器】명〖물〗전기 저항을 이용하여 전기 통신용 회선(回線)의 특성이나 증폭기(增幅器) 등 기계의 이득·손실 등 기타 전기 전달량(傳達量)의 비교(比較)·측정(測定)에 쓰이는 가변(可變) 감쇠기의 일종.

저:항-계【抵抗計】명〔ohmmeter〕〖물〗옴(ohm)의 단위에 의해 도선(導線)의 전기 저항(電氣抵抗)을 측정하는 계기(計器). 눈금은 옴(Ω) 또는 메가옴(MΩ)으로 표시됨. 옴계(ohm計).

저:항-권【抵抗權】[—꿘] 명〖법〗기본적 인권을 침해하는 국가 권력에 대하여 저항할 수 있는 권리.

저:항-기【抵抗器】명〔resistor〕〖전〗필요한 전기 저항을 얻기 위한 기구(器具)나 부품. 저항 재료로서는 금속선·탄소 피막(炭素皮膜)·전해액(電解液) 등이 있고 저항치(抵抗値)가 일정한 고정 저항기와 가감할 수 있는 가변 저항기가 있음. 또, 고주파수에서도 실효 저항이 변하지 않는 고주파 저항기와 저항치의 표준기로서 쓰이는 표준 저항기 따위가 있음. 전기 저항기. 레지스터.

저:-항라【紵亢羅】[—나] 명 모시 실로 짠 항라.

저:항-력【抵抗力】[—녁] 명 ①외부(外部)의 힘에 반항하는 힘. 외력(外力)에 견디는 힘. ②외력이 몸 따위에 닿아서 느끼는 역감(力感). ③질병·병원균을 견디어 낼 수 있는 힘. 선천적인 것과 예방 접종·신체 훈련 등 후천적·인위적인 것이 있음. 항력(抗力).

저:항력 저:위부【抵抗力低位部】[―녁―] 명 〔locus minoris resistentiae〕〖생〗 어떤 병인(病因)의 작용을 가장 잘 받기 쉬운 생체(生體)의 부위. 곧, 결핵(結核)에 잘 걸리는 폐(肺)나 림프절(節) 따위.

저:항-로【抵抗爐】[―노] 명 〔resistance furnace〕〖전〗 도선(導線)에 흐르는 전류의 열(熱)작용으로 고온도를 얻도록 만들어진 전기로(電氣爐)의 한 가지. 피가열물(被加熱物)을 직접 저항체로 쓰는 직접 저항로와 발열용 저항체를 사용한 간접 저항로가 있음.

저:항-률【抵抗率】[―뉼] 명〖물〗 비저항(比抵抗).

저:항 문학【抵抗文學】 명〖문〗 제2차 세계 대전중의 프랑스의 저항 운동 중에 생긴 문학. 나치스 및 비시 정권(Vichy 政權)의 반동적(反動的) 탄압에 항거하여 조국의 해방·자유의 옹호를 위해 싸우는 입장에 섰음. 사르트르(Sartre)·카뮈(Camus) 등이 이에 참가하였으며, 제2차 대전 후의 프랑스 문학의 출발점을 이루었음. *레지스탕스 문학.

저:항-법【抵抗法】[―뻡] 명〖생〗 동물의 행동의 동인(動因)을 분석하는 방법의 하나. 어떤 양성 경향(陽性傾向)의 강도(強度)를, 이것에 길항적(拮抗的)으로 평형(平衡)하는 음성 작인(陰性作因)의 강도로 측정하거나, 그 반대 방법으로 어떤 음성 경향의 강도를 측정하는 방법.

저:항 상자【抵抗箱子】 명 〔resistance box〕〖전〗 저항기(抵抗器)의 한 가지. 저항 코일을 넣은 상자로, 보통 인덕턴스가 적어지도록 코일을 이중으로 감아 놓음. 상자 위의 금속 마개를 빼어서 저항치(抵抗值)를 임의(任意)로 바꿀 수 있음.

저:항-선【抵抗線】 명 ①〖군〗 적과 맞서 싸우는 방어선(防禦線). 보통 후퇴(後退)한 후의 반격 저지선(反擊沮止線)을 일컬음. ②〔resistance wire〕〖물〗 전기 에너지를 열(熱)에너지로 바꾸기 위하여 전류를 통한 고유 저항(固有抵抗)이 큰 도선(導線). 니크롬선 따위.

저:항-성【抵抗性】[―썽] 명 저항하는 성질.

저:항성 비평형【抵抗性非平衡】[―썽―] 명 〔resistive unbalance〕〖전〗 전송 선로(傳送線路)의 두 선의 저항이 같지 않은 데서 일어나는 비평형.

저:항성 품종【抵抗性品種】[―썽―] 명 기후·병충해·화학 물질 등에 대한 저항성이 큰 품종.

저:항성 획득【抵抗性獲得】[―썽―] 명〖생〗 병인(病因)이 되는 환경 조건이나 약제(藥劑)의 사용, 미생물의 침습(侵襲), 이종 세포(異種細胞)의 이식(移植) 등에 대하여 생물의 저항성이 증대하는 일. 내성(耐性) 획득·면역계(系) 증강 등의 광범한 생체 방어 기구가 이에 관계됨.

저:항-손【抵抗損】 명 〔ohmic dissipation〕〖전〗 전류가 저항체를 흐를 때, 열이 되어 소산(消散)하는 전기 에너지의 손실.

저:항-심【抵抗心】 명 저항하는 마음.

저:항-아【抵抗芽】 명〖식〗 겨울눈.

저:항 온도계【抵抗溫度計】 명 〔resistance thermometer〕〖물〗 도체(導體)의 전기 저항(電氣抵抗)이 온도에 의하여 일정한 율로 변하는 성질을 이용하여 온도를 잴 수 있도록 고안(考案)한 온도계. 보통 백금선(白金線)이 쓰임.

저:항 용접【抵抗鎔接】 명 〔resistance welding〕〖공〗 압접법(壓接法)의 한 가지. 전류의 줄열(Joule熱)을 이용하여, 접합부(接合部)를 가열 용융(加熱鎔融)하는 동안에 가압(加壓)해서 접착(接着)시키는 방법.

저:항 용접기【抵抗鎔接機】 명〖공〗 전기 저항의 발열 현상(發熱現象)을 이용하여 금속을 용접시키는 기계.

저:항 운:동【抵抗運動】 명 ①〖사〗 1789년의 프랑스 혁명 이후 쓰인 정치적 용어 내지 관념으로서 점령군이나 자국(自國)의 반동 정권에 대하여 항쟁하는 국민의 운동. 레지스탕스(resistance). ②압제나 외국의 점령군에 대해 싸우는 국민의 운동. 특히, 제2차 세계 대전 중에 독일에 점령당한 유럽 각국에서 전개된 반나치스 운동을 가리킴.

저:항-자【抵抗者】 명 나라나 윗사람에게 반발하는 사람.

저:항 접지【抵抗接地】 명 〔resistance grounding〕〖전〗 저항성 임피던스에 의해서 선로가 대지에 접속되는 일.

저:항 증폭【抵抗增幅】 명 〔resistance amplication〕〖물〗 플레이트 회로(plate 回路)에 저항기(抵抗器)를 넣어 이에 의한 전압 강하(電壓降下)를 이용하는 증폭 회로. 주파수(周波數)의 영향이 적고, 저주파(低周波)로 비교적 넓은 범위에 걸쳐 균일한 증폭도(增幅度)를 가짐.

저:항 표준기【抵抗標準器】 명〖전〗 전기 저항을 측정할 때에 표준으로 사용하는 저항기. 보통, 망가닌선(manganin 線) 등과 같은 저항 온도 계수(係數)가 작은 것을 원통에 감아서, 이중벽의 원통 용기(容器) 안에 밀봉(密封)한 것을 씀.

저:해[1]【沮害】 명 막아서 못 하게 해침. ¶발전을 ～하다/～ 요인(要因). ――하다 타여불

저해[2]【菹醢】 명 ①김치와 젓갈. ②젓이겨 죽임. 살육(殺戮)함.

저:해-제【沮害劑】 명 〔repressor〕〖생〗 대사 경로(代謝經路)에서 효소(酵素)의 합성을 억제하는 대사의 최종 생성물.

저허 타 〈옛〉 두려워하여. ¶우는 소리를 모딘 버미 드를가 저허(啼畏猛虎聞) ≪杜諺 Ⅰ:12≫. *저타[2]·저허ᄒᆞ다.

저허ᄒᆞ다 타 〈옛〉 두려워하다. =저ᄒᆞ다. ¶오히려 일흘가 저허홀띠니라(猶恐失) ≪論語 Ⅱ:38≫.

저혈【豬血】 명 돼지의 피.

저:-혈당증【低血糖症】[―땅쯩] 명 〔hypoglycemia〕〖의〗 인슐린 주사나 갑상선·부신(副腎)·뇌하수체의 질환 등으로 말미암아 혈액 속의 당(糖)의 양이 병적으로 감소한 상태. 기관(器官)의 활동에 필요한 에너지를 만들어 낼 수가 없게 되어 허탈감(虛脫感)이 일어나고 식은 땀이 나며 떨리면서 경련(痙攣)을 일으키고, 혼수 상태에 빠지게 됨. 혈당 감소증(減少症).

저:혈성 연축【沮血性攣縮】[―썽―] 명〖의〗 신경(神經) 손상·정맥 폐색·동맥 손상 등이 원인이 되어 혈행(血行) 두절로 말미암아 관절부(關節部)의 골절(骨折) 때에 일어나는 관절 강직(強直).

저:-혈압【低血壓】 명〖의〗 일반적으로 성인으로서 정상 혈압의 최하 한계치인 100 mmHg 보다 낮은 혈압을 이름. 의학적으로는 혈압이 낮고 동맥혈이 충분히 장기(臟器)에 순환하기 어려운 상태를 말함. 원인으로서는 심장의 구출력(驅出力)의 저하, 순환 혈액량의 저하 및 말초(末梢) 혈관의 저항 감퇴의 세 가지가 있음. ↔고(高)혈압.

저:혈압 마취법【低血壓痲醉法】[―뻡] 명〖의〗 저혈압법.

저:혈압-법【低血壓法】 명〖의〗 많은 출혈이 예상되는 수술에서 환자의 혈압을 인위적(人爲的)으로 저하시켜서 출혈을 될 수 있는 대로 방지하는 특수한 마취(痲醉) 방법. 저혈압 마취법. *인위 동면(人爲冬眠)·저온 마취.

저:혈압-증【低血壓症】 명 〔hypotension〕〖의〗 저혈압이 원인이 되어 발생하는 증세. 피로하기 쉽고 나른하며 두통 또는 어깨의 결림 따위가 나타남. 증후성(症候性)·본태성(本態性)·기립성(起立性)으로 나뉨. ↔고(高)혈압증.

저화【楮貨】 명〖역〗 고려 말 원(元)나라의 보초(寶鈔)를 본떠서 닥나무 껍질로, 종이를 만들어 쓰던 지전(紙錢). 이 종이 한 장을 쌀 두 말에 비기게 하였으며, 조선 시대 전기(前期)에는 쌀 한 되로 쓰이었음. 저폐(楮幣).

저:환【苧環】 명〖식〗 매발톱꽃.

저:황 원유【低黃原油】 명 〔low sulfur crude oil〕〖화〗 함유(含有) 황성분(黃性分)이 중량비(重量比)로 1% 이하인 원유. *중(重)설퍼 원유·하이 설퍼 원유.

저:황-화【低黃化】 명〖화〗 석유에 있는 황성분(黃性分)을 낮추는 일. 매연(煤煙)에 이어 화력 발전소 굴뚝에서 나오는 이산화 황이 스모그나 천식의 원인이 된 데서 문제화되어 원유(原油) 또는 중유(重油)에서 황 성분을 낮추자는 것임. ――하다 자타여불

저:회【低回·低徊】 명 머리를 숙이고 사색(思索)하면서 왔다갔다 함. ――하다 자여불

저:회 취:미【低徊趣味】 명 ①〖문〗 문학적 사상 및 감정을 급하고 강렬히 표현하지 아니하고, 천천히 우회(迂廻)하여 표현하는 태도. 또, 그러한 취미의 내용. ②세속(世俗)의 잡사(雜事)에서 피하여 여유 있는 기분으로 동양적(東洋的)인 시미(詩美)의 지경에서 자적(自適)코자 하는 취미.

저훼【詆毁】 명 훼자(毁訾). ――하다 타여불

저:휘발성-탄【低揮發性炭】[―썽―] 명 〔low-volatile coal〕〖광〗 덩어리져 있지 않은 석탄의 일종. 78-86% 이하의 비휘발성 탄소(非揮發性炭素)와, 14-22% 이하의 휘발성 물질을 함유하고 있음.

저흐다 타 〈옛〉 두려워하다. ¶法令을 저흐며(畏法令) ≪呂約 4≫/佛道를 일우려홇가 저흐신 전ᄎᆞ로(恐成佛道故) ≪圓覺 上 一之二 129≫.

저:흔【底痕】 명〖지〗 지층의 하저면(下底面)에서 볼 수 있는 여러 가지 무늬의 총칭. 특히, 사암층(砂岩層)의 하저(下底)에 많음. 수류(水流)·생물 기타에 의해 하위의 이암층(泥岩層) 표면에 형성된 무늬의 자형(雌型)임. 지표에 노출할 경우 이암층은 풍화(風化)되어 부스러져 버리고, 바로 위에 있는 사암층의 하저면에 형태(形態)가 남음. 수류(水流)에 의해 형성(形成)된 유흔(流痕)은 퇴적물의 공급 방향(供給方向)을 나타내는 것으로서, 최근 널리 연구되고 있음. 플리시(Flysch)에 많음. 솔마크(sole mark).

저:희[1]【沮戲】[―히] 명 남을 지근덕거려 방해함. ¶귀객이 만일 나의 죽고자 하는 일에 ～하여 죽지 못하게 하시면 이는 은혜가 될 것이 아니라 도리어 적악이 적지 아니할지니…≪作者未詳：恨月≫. ――하다 타여불

저희[2] [―히] 인대 ①'우리'의 겸사말. ¶～들이 하겠습니다. ②저 사람들. 거배(渠輩). ¶～들끼리 놀러 가다.

저히다 타 〈옛〉 두렵게 하다. ¶罪福올 저히 숩거든(怵誘以罪福) ≪龍歌 124章≫.

저ᄒᆞ다 타 〈옛〉 두려워하다. =저허ᄒᆞ다. ¶二隊玄甲올 보숩고 저ᄒᆞ니 ≪龍歌 59章≫.

적[1] 명 ①나무나 돌이 금이 가서 떨어진 조각. ②굴의 껍질을 따낸 다음에 아직 굴에 붙어 있는 껍질 조각.
적을 따다 구 굴에 붙어 있는 껍질 조각을 뜯어 내다.

적[2] 명 〈옛〉 소금쩍. ¶적 겸(鹻) ≪字會 中 22≫.

적[3] 명 〈옛〉 쪽. ¶호적 귀예 디내면(一歷耳根) ≪佛頂 上 2≫.

적:[4] 명 〈방〉 저녁(경북).

적[5]【赤】 명 ↗적색(赤色). ¶～과 흑(黑).

적[6]【狄】 명 북적(北狄).

적[7]【狄】 명 성(姓)의 하나. 우리 나라에는 현존하지 않음.

적[8]【炙】 명 어육(魚肉)을 대꼬챙이에 꿰어서 양념하여 구운 음식. *산적·누름적.

적[9]【的】 명 ①관혁(貫革). ②대상(對象). 목표(目標). 표적(標的). ¶비난의 ～/선망의 ～.

적[10]【荻】 명〖식〗 물억새.

적[11]【笛】 명〖악〗 ①저[1]. *피리. ②'가는 피리'의 잘못 일컫는 말.

적[12]【賊】 명 도둑. 도적.

적[13]【翟】 명 중국의 일무(佾舞)에서 문무(文舞)를 할 때 춤을 추는 사람이 오른손에 가지고 추는 도구. 짤막한 자루의 끝인 용두(龍頭)의 구부(口部)에 암꿩의 꼬리털을 꽂아 맴. 우리 나라의 아악(雅樂)에서는 두부(頭部)인 용두의 악하(顎下)에서부터 우모제(羽毛製)의 술을 느리었음.

〈적[13]〉

적[14]【敵】 명 ①서로 대적(對敵)되는 편. 또, 그 사람. ¶～의 무리/～과

싸우다. ②원수(怨讎).
적[15]【積】명〖수〗'곱²❸'의 구용어. ↔상(商).
적[16]【積】명〖한의〗↗적취(積聚).
적[17]【篴】명〖악〗아악기(雅樂器)에 속하는 피리의 하나. 퉁소보다 약간 긴데, 뒤에 하나, 앞에 다섯 지공(指孔)이 있으며, 아래 끝 양옆에 허공(虛孔)이 하나씩 뚫려 있음. 예전에는, 아래끝 마구리에 십자공(十字孔)이 있었음. 고려 예종(睿宗) 때 중국 송(宋)나라에서 들어옴.
적[18]【籍】명 호적(戶籍)·병적(兵籍)·학적(學籍)·당적(黨籍) 등의 문서. ¶~을 두다.
적[19]【癪】명〖한의〗심한 위경련(胃痙攣)으로 가슴과 배가 몹시 아픈 병. 심하면 인사 불성(人事不省)의 상태에 이르며, 흔히 여자(女子)에 많음.

〈적[17]〉

적[20] 의명 사물이 어찌 되었을 당시. ¶밥먹을 ~/어릴 ~에 놀던.
-적【的】미 명사(名詞) 밑에 붙어 '…임', '…인', '…와 같은' 또는 '그런 성질을 띤', '그런 상태를 이룬'의 뜻으로 명사 및 관형사를 만드는 한정어(限定語). ¶문학~/세계~.
적가【嫡家】명 서자(庶子)가 적자손(嫡子孫)의 집을 일컫는 말임. ↔서가(庶家).
적-가사【赤袈裟】명〖불교〗붉은 가사.
적각[1] 명 〈방〉〖민〗박수[1].
적각[2]【赤脚】명 ①맨다리. ②계집종의 딴이름. 적각 여비(女婢). ↔창두(蒼頭). ③다목다리.
적각-마【赤脚馬】명 정강말.
적각-선【赤脚仙】명〖불교〗적각 선인(仙人).
적각 선인【赤脚仙人】명〖불교〗인도의 한 학파에 속하며 나체로 만유(漫遊)하던 사람. 불가에서는 나형 외도(裸形外道)라고 함.
적각 여비【赤脚女婢】[—녀—] 명 적각(赤脚)❷.
적간【摘奸】명 부정(不正)이 있나 없나를 캐어 살핌. 척간(擲奸). ——-하다 타여불
적간-패【摘奸牌】명〖역〗군관(軍官)이 밤에 대궐을 순시할 때 가지던 나무패. '摘奸'·'御押'이라 새기었음.

御押 摘奸

〈적간패〉

적갈【赤葛】명〖한의〗'하수오(何首烏)'의 딴이름.
적-갈색【赤褐色】[—쌕] 명 붉은 빛이 나는 갈색. 고동색. 적토색(赤土色). 빨간 고동색.
적감-성【赤感性】[—썽] 명 감광 재료(感光材料)가 적색 광선에도 감응(感應)하는 성질.
적강【謫降】명 ①신선(神仙)이 인간 세상에 내려오거나 사람으로 태어남. ②〖역〗관리가 외직(外職)으로 좌천(左遷)됨. ——-하다 자여불
적-강홍【赤降汞】명〖화〗〈속〉적색 산화 제이 수은(赤色酸化第二水銀).
적개【敵愾】명 ①적에 대한 의분(義憤). ¶~심. ②군주(君主)의 한(恨)을 덜어 주고자 하는 마음.
적개 공신【敵愾功臣】명〖역〗조선 세조(世祖) 13년(1467) 이시애(李施愛)의 난(亂)을 평정(平定)한 공으로 조문석(曺文錫) 등 마흔 한 사람에게 내린 훈호(勳號).
적개-심【敵愾心】명 적에 대한 의분과 성낸 마음. ¶~에 불타다.
적객【謫客】명 귀양살이하는 사람.
적거[1]【翟車】명 황후(皇后)가 타는 수레. 적로(翟輅).
적거[2]【謫居】명 귀양살이를 함. ——-하다 자여불
적격【適格】명 격에 맞음. 어떤 격식이나 자격에 합당함. ¶~ 여부를 심사하다. ↔결격(缺格). ——-하다 형여불
적격-성【適格性】명 어떤 사물(事物)에 적합한 성질.
적격 어음【適格—】명 [eligible paper]〖경〗중앙 은행이 금융 기관에 대하여 융자하는 경우에 재할인(再割引) 또는 담보 대부의 대상으로 인정되는, 일정한 조건을 구비한 어음. 그 구체적 내용은 은행 감독원에서 정하며, 한국 은행에서는 상품 거래에 의하여 발행된 상업 복명(複名) 어음으로 기한 3개월 이내의 것을 적격으로 함. 무역(貿易) 어음에 대하여는 단명(單名) 어음도 인정하고 있음.
적격-자【適格者】명 어떤 자격에 합당(合當)한 사람. 적임자. ¶이 일에는 그가 가장 ~다.
적견【的見】명 어김없이 봄. ——-하다 타여불
적결【摘抉】명 적발(摘發). ——-하다 타여불
적경[1]【赤經】명 [right ascension]〖천〗적도 좌표(赤道座標)의 하나. 천구(天球)상의 한 정점(頂點)을 통하는 경선(經線)과 춘분점(春分點)을 통하는 경선이 하늘의 극(極)에서 이루는 각도. 보통 춘분점에서 동쪽으로 향하여 재며, 시(時)·분(分)·초(秒)로 나타냄. 0-24시까지의 시간이나 0°-360°까지로 잼. 천체의 위치를 표시하는 가장 일반적인 방법으로 널리 쓰임.
적경[2]【賊警】명 ①도적을 경계함. ②도적이 일어날 기미가 미리 드러남. ——-하다 자여불
적경[3]【敵境】명 적국(敵國)의 국경.
적경[4]【積慶】명 거듭 생기는 경사스러운 일.
적고 병간【積苦兵間】명 여러 해를 싸움에 종사함. ——-하다 자여불
적곡【積穀】명 곡식을 쌓아 둠. ——-하다 자여불
적공【積功】명 ①많은 공을 들임. ②많은 공적을 쌓음. 적훈(積勳). 적로(積勞). ——-하다 자여불
적공 교:위【迪功校尉】명〖역〗조선 시대 때 종육품(從六品) 잡직(雜職)의 무관 품계(武官品階). 등용 부위(騰勇副尉)의 위, 현공 교위(顯功校尉)의 아래임.
적공 누:덕【積功累德】명〖불교〗불과(佛果)의 보리(菩提)를 얻기 위하여 언제나 착한 일을 하며, 공덕(功德)을 쌓는 일.
적과[1]【摘果】명〖농〗열매솎기. ——-하다 자여불
적과[2]【適過】명 잘못을 나무람. ——-하다 타여불
적과[3]【謫過】명 죄로 말미암아 유배(流配)됨.
적과-기【炙果器】명 적틀.
적과-자【賊科者】명〖역〗과장(科場)에서 남의 과거 답안(科擧答案)을 도둑질하여 본인(本人)의 이름을 지우고 제 이름을 써 넣던 사람. 절과자(竊科者).
적과-제【摘果劑】명〖농〗과실을 나무에서 따내는 약제. 미국 등에서 1940년경부터 사과나 복숭아를 약제로 따고 있음.
적과 흑【赤—黑】명 [프 Le Rouge et le Noir]〖문〗프랑스의 스탕달(Stendhal)이 1830년에 지은 장편 소설. 적(赤)은 군복(軍服), 흑(黑)은 성직복(聖職服)을 나타낸 것으로, 1830년대 반동기(反動期)의 사회상을 교묘히 반영하고, 계급 관념(階級觀念)을 통렬히 풍자한 최초의 사회(社會) 소설인 동시에 본격적 심리(心理) 소설임.
적관[1]【適觀】명 확실히 봄. ——-하다 타여불
적관[2]【謫官】명 벼슬아치가 죄로 인하여 좌천됨. 적환(謫宦).
적광【寂光】명〖불교〗①세상의 번뇌(煩惱)를 끊고 적정(寂靜)의 진리(眞理)에 의하여 발하는 진지(眞智)의 광명(光明). 또, 고요히 빛나는 마음. ②↗적광토(寂光土).
적광 정토【寂光淨土】명〖불교〗적광토(寂光土).
적광-토【寂光土】명〖불교〗사토(四土)의 하나. 법신불(法身佛)이 사는 정토(淨土). 적정(寂靜)·상주(常住)인 진리(眞理)의 지혜(智慧)에 의하여 비추어 보이는 세계. 곧, 부처가 되는 세계(世界). 적광 정토(寂光淨土). 준적광(寂光).
적괴[1]【賊魁】명 도적의 괴수(魁首). 적수(賊首). 도괴(盜魁).
적괴[2]【敵魁】명 적의 우두머리.
적괴[3]【積塊】명 겹쳐 쌓인 흙덩이. 땅을 이름.
적교【吊橋】명 ☞조교(弔橋).
적구[1]【赤狗】명 공산당의 앞잡이를 얕잡아 일컫는 말.
적구[2]【適口】명 맛이 입에 맞음. ——-하다 자여불
적구[3]【謫咎】명 재앙(災殃).
적구[4]【積久】명 아주 오래 걸림. ——-하다 자여불
적구 독설【赤口毒舌】명 남을 몹시 저주하는 말.
적구지-병【適口之餠】명 입에 맞는 떡. *입[1].
적국【敵國】명 적대(敵對) 관계에 있는 나라. 원수의 나라. 교전국(交戰國). *가상(假想) 적국.
적국 외:환【敵國外患】명 ①적대(敵對)하는 나라와 외국으로부터 침공(侵攻)당하는 걱정. 외환(外患). ②국외(國外)로부터 나를 해(害)치는 사물(事物).
적국-인【敵國人】명 자기 나라와 전쟁(戰爭) 상태에 있는 적국(敵國)의 사람.
적국 재산【敵國財產】명 ①〖법〗적국의 공유 재산과 사유 재산. 현행 국제법상 개전(開戰)에 즈음하여 사유 재산은 원칙적으로 몰수할 수 없으며, 공유 재산도 점령지 안에 있는 부동산은 병합 이외에는 몰수할 수 없고, 동산은 작전 행위에 제공할 수 있는 것만 몰수할 수 있음. ②적국 또는 적국인의 재산. 준적산.
적군[1]【赤軍】명 ①소련의 정규군(正規軍). 원이름은 노농 적군(勞農赤軍)으로, 1918년 적위군(赤衛軍)에 대신하여 노동자·농민으로 조직되었음. ②공산군(共產軍). *홍군(紅軍).
적군[2]【賊軍】명 적도(賊徒)의 군대. ↔관군(官軍).
적군[3]【敵軍】명 적대(敵對)의 군사. ↔아군(我軍).
적군[4]【敵群】명 적군(敵軍)의 떼.
적굴[1]【賊窟】명 도적이 웅거하는 소굴. 적소(賊巢). 적혈(賊穴).
적굴[2]【敵窟】명 적의 무리가 뿌리 박고 있는 소굴. ¶~을 쳐부수다.
적궁【赤窮】명 몹시 궁핍(窮乏)함. 적빈(赤貧). ——-하다 형여불
적권-운【積卷雲】명〖기상〗'고적운(高積雲)'의 구칭.
적귀[1]【赤鬼】명 ①지옥의 옥졸(獄卒)의 하나. 살갗이 붉은 귀신. ②공산당을 얕잡아 일컫는 말.
적귀[2]【適歸】명 좇아감. 향하여 감. ——-하다 자여불
적-그리스도【敵—】[Christ] 명〖성〗그리스도에 적대하여 하느님에 반역하는 사탄적(Satan的) 세력. 말세에 교회를 해치고 이스라엘 백성을 격심히 박해할 것이라 함. 안티크리스트.
적극【積極】㊀명 바싹 다잡아 활동(活動)함. 표(表)·양(陽)·긍정(肯定)·플러스(plus)·능동(能動)·진취(進取)·철저(徹底) 등의 뜻을 나타내는 말. ¶~적인 태도 /~ 예산. ↔소극(消極). ㊁부 ①적극적으로. ¶~ 추진하다. ②〈유〉긍정적으로. ¶~ 검토하겠다.
적극 대:리【積極代理】명〖법〗의사 표시(意思表示)를 하는 대리. 본인(本人)을 대신하여 계약의 청약(請約)을 하는 것 등. 능동(能動) 대리. ↔소극(消極) 대리.
적극 명사【積極名辭】명〖논〗적극적 개념(槪念)을 나타내는 명사. 적극적 명사. ↔소극 명사(消極名辭).
적극 명:제【積極命題】명〖논〗긍정 명제(肯定命題).
적극 방공【積極防空】명〖군〗내습하여 오는 적기를 격파하기 위한 직접적인 방어 전투. 적극적 방공. ↔소극(消極) 방공.
적극 방어【積極防禦】명〖군〗화기(火器) 사용에 의한 저항. ↔소극 방어(消極防禦).
적극-설【積極說】명 ①적극적인 주장을 하는 학설. ②긍정(肯定)하여 단정(斷定)을 하는 학설.
적극-성【積極性】명 적극적인 성질. ¶~을 띠다.
적극 예:산【積極豫算】[—네—] 명〖경〗정부의 각종 정책을 적극적으

로 경비(經費)에 계상하고, 조세(租稅) 기타의 경영 세입(經營歲入)에 부족이 있을 경우에는 공채(公債)를 발행하여서라도 정부 정책을 수행하게 하는 예산. ↔긴축 예산(緊縮豫算).

적극 요법【積極療法】[—뇨뻡] 명 〖심〗 정신 분석에서 환자의 자발적인 발표에 의하지 않고 분석자가 적극적으로 명령을 내리거나 하여 환자의 심리적·내부적 저항을 없애 나가자는 치료법.

적극 의:무【積極義務】명 일정한 행위를 하지 아니하면 안 되는 의무. 작위(作爲) 의무. ↔소극 의무.

적극 재산【積極財產】명 〖경〗 어느 특정인에 속하는 재산권(財產權)의 총체(總體). ↔소극 재산(消極財產).

적극 재정【積極財政】명 정부가 적극적으로 지출을 늘리고 경제의 확대를 꾀하려는 재정 정책. ↔긴축 재정.

적극-적【積極的】명 관 사물에 대한 태도가 긍정적이고 능동적인 모양. ¶～인 행동. ↔소극적.

적극적 개:념【積極的概念】명 〖논〗 긍정적 개념(肯定的概念).

적극적 계:약 이:익【積極的契約利益】명 〖경〗 계약이 유효(有效)하게 성립되고, 채권자가 채무자로부터 그 채무의 이행을 받음으로써 갖는 이익. ＊이행(履行).

적극적 급부【積極的給付】명 채권(債權)의 목적으로서의 채무자(債務者)의 작위(作爲).

적극적 명:령【積極的命令】[—녕] 명 무슨 일을 하라고 하는 명령. ↔소극적(消極的) 명령.

적극적 명사【積極的名辭】명 〖논〗 적극 명사.

적극적 방공【積極的防空】명 적극 방공(積極防空).

적극적 범:죄【積極的犯罪】명 〖법〗 사람의 적극적인 행위, 곧 동작·거동을 구성 요건으로 하고 있는 범죄. 형법에 규정되어 있는 범죄의 대부분이 이에 해당됨. 작위범(作爲犯).

적극적 불신【積極的不信】[—씬] 명 〖천주교〗 교리(敎理)를 충분히 알고서도 믿지 않는 일.

적극적 손:해【積極的損害】명 〖법〗 물건의 멸실(滅失)·훼손과 같이 기존(既存)의 재산이 적극적으로 감소되는 것. ↔소극적 손해.

적극적 의:지【積極的意志】명 어떤 목적을 달성하려는 의지. ↔소극적(消極的) 의지.

적극적 잔상【積極的殘像】명 [positive afterimage] 〖심〗 자극(刺戟)이 강하고 짧을 때 일어나는 자극과 같은 성질의 잔상. ↔소극적(消極的) 잔상.

적극적 쟁의【積極的爭議】[—/—이] 명 〖법〗 특정 사항이 서로 자기 주관(主管)에 딸린다고 하는 주관 쟁의. ＊주관 쟁의.

적극적 판단【積極的判斷】명 〖논〗 긍정 판단(肯定判斷).

적극 조건【積極條件】[—껀] 명 〖논〗 현상(現狀)의 변경(變更)을 이루는 것을 내용으로 하는 조건. 현상이 변경되면 조건은 성립되고, 변경하지 아니하면 조건은 성립되지 아니함.

적극-주의【積極主義】[—/—이] 명 ①〖철〗 실증론(實證論). ②〖윤〗 일을 적극적으로 하는 주의. ↔소극주의.

적극-책【積極策】명 적극적인 정책. ↔소극책.

적극 철학【積極哲學】명 〖철〗 셸링(Schelling, F.W.J.)의 용어로, 현실 존재(現實存在)의 근거를 현실적으로 파악하고, 그 근원에 잠긴 비합리성(非合理性)의 원리를 인정하는 철학. 셸링 후기의 철학을 특징 짓는 말임. ↔소극 철학. ＊실증 철학(實證哲學).

적극 행위【積極行爲】명 〖법〗 사람의 행위 중에서 적극적인 동작이나 거동. 살인·절도(竊盜) 등. 작위(作爲).

적극-화【積極化】명 적극적인 것으로 됨. 또, 그렇게 되게 함. ——-하다 자타 여불

적근-산【赤根山】명 〖지〗 강원도 철원군(鐵原郡) 원남면(遠南面)과 화천군(華川郡) 상서면(上西面) 사이에 있는 산. [1,073 m]

적근-채【赤根菜】명 〖식〗 시금치.

적금¹【赤金】명 〖화〗 ①붉은색을 띤 금의 합금(合金)의 속칭(俗稱). 금에 구리 25-50 %를 가한 합금으로, 장식용(裝飾用)으로 쓰임. ②'구리'의 별칭(別稱).

적금²【積金】명 ①돈을 모아 둠. 또, 그 돈. 적립금. ¶다달이 ～하다. ②일정한 기간마다 일정한 금액을 적립하는 저금. 기간에 따라 연부(年賦)·월부(月賦)·일부(日賦) 등의 구별이 있고, 불입(拂入)하는 시기에 따라 기초불(期初拂)·기말불(期末拂)로 나뉨. 적립 저금(積立貯金). ¶정기 ～. ＊저금. ——-하다 자타 여불

적금-광【赤金鑛】명 〖광〗 운석(隕石) 속에서 발견되는 광물. 비행 중이나 변질(變質)에 의해 형성(形成)되는 것으로 믿어짐. [β-FeO(OH)]

적금-도【積金島】명 〖지〗 전라 남도의 남해안(南海岸), 여수시(麗水市) 화정면(華井面) 적금리(積金里)에 위치한 섬. [0.80 km²]

적금 무:당【赤衿武幢】명 〖역〗 신라의 군대 이름. 삼무당(三武幢)의 하나로 신문왕(神文王) 7년(687)에 둠. ＊황금(黃衿) 무당.

적금 서:당【赤衿誓幢】명 〖역〗 신라 구서당(九誓幢)의 하나. 신문왕(神文王) 6년(686)에 보덕성(報德城)의 고구려 유민으로 편성된 군대. 금색(衿色)이 적흑색(赤黑色)임. ＊벽금(碧衿) 서당.

적기¹【赤記】명 빨간 글씨. 또, 그 기록. ——-하다 타 여불

적기²【赤旗】명 ①붉은 기. ②위험 신호의 기. ¶～로 위험을 알리다. ③공산주의(共產主義)를 상징하는 기.

적기³【赤驥】명 ①붉은 색의 잉어. ②말의 이름. 중국 주(周)나라 목왕(穆王)의 팔기(八驥)의 하나.

적기⁴【炙器】명 적틀.

적기⁵【摘記】명 요점(要點)만 뽑아 기록함. ——-하다 타 여불

적기⁶【適期】명 적당한 시기(時期). 적시(適時). ¶～ 파종(播種)/지금이 ～다.

적기⁷【敵旗】명 적의 깃발.

적기⁸【敵騎】명 적의 기병(騎兵). 적병.

적기⁹【敵機】명 적국의 비행기. ¶～ 내습(來襲).

적기¹⁰【積氣】명 〖한의〗 적취(積聚).

적-기시【適其時】명 마침 그 때.

적-꼬치【炙—】명 적(炙)을 꿰는 대꼬챙이. ㊟적꽂.

적-꽂【炙—】명 ↗적꼬치.

적-나나【赤裸裸】명 ☞ 적나라.

적-나라【赤裸裸】명 ①아무 것도 몸에 걸치지 아니하고 발가벗은 상태. ②아무 숨김 없이 본 진상(眞相) 그대로 드러남. 아무 거짓 꾸밈이 없음. 또, 그 모양. ¶～한 인간상. ③〖불교〗 진리를 구하는 중의 해탈 경계(解脫境界)가 마치 모든 분별심(分別心)이 떨어져 발가벗음과 같다는 비유. ——-하다 형 여불

적난【賊難】명 도둑에게 재난(災難)을 당함. ——-하다 자 여불

적남【嫡男】명 적자(嫡子).

적녀【嫡女】명 정실(正室)의 몸에서 난 딸. ↔서녀(庶女).

적년【積年】명 여러 해. 적세(積歲). ¶～의 공(功).

적년 누:월【積年累月】명 오랜 세월. 또, 여러 해를 거듭함.

적년 신고【積年辛苦】명 여러 해를 두고 하는 수고와 괴로움. ——-하다 자 여불

적년 회포【積年懷抱】명 여러 해 동안 쌓인 회포.

적념【寂念】명 〖불교〗 속념(俗念)을 떠난 적정(寂靜)한 생각. 조용한 마음.

적노【積怒】명 적분(積忿).

적니【赤泥】명 [red mud] ①〖지〗 바다 밑에 쌓인 붉은 진흙. 황하(黃河)·아마존 강 등의 입구 밑바닥에 쌓인 것. 산화철(酸化鐵)·석영·유공충(有孔蟲)의 사체 등이 포함되어 붉게 보임. ＊청니(靑泥). ②〖화〗 알루미늄 정련(精鍊)에서 나오는, 산화철을 주성분으로 하는 적갈색의 폐기물.

적다¹【摘茶】명 차(茶)의 싹을 따냄. ——-하다 자 여불

적다² 타 [근대 : 뎍다] 글로 쓰다. ¶연필로 ～/수첩에 ～. ＊적바림하다.

적:다³ 형 [중세 : 젹다] 수나 양이 많지 않다. 조금이다. ¶보수가 ～/말수가 ～. ↔많다.

[적게 먹으면 약주요 많이 먹으면 망주다] 모든 일은 정도에 맞게 하여야 한다는 말.

적다-마【赤多馬】명 절따말.

적담¹【赤痰】명 피가 섞여 붉은빛을 띤 담(痰).

적담²【敵膽】명 적의 담. ¶～을 서늘하게 하다.

적당¹【的當】명 꼭 들어맞음. ——-하다 형 여불. ——-히 부

적당²【賊黨】명 도둑의 무리. 적도(賊徒). 적중(賊衆).

적당³【適當】명 ①어떤 성질·상태·요구 따위에 꼭 알맞음. ¶～한 시기. ②정도가 알맞게 적합함. 합당(合當). ——-하다 형 여불. ——-히 부. ①적당하게. ¶약을 ～ 배합하다. ②요령 있게 합리화해서. 앞뒤가 맞도록 얼버무려서. ¶～ 넘기다.

적당⁴【敵黨】명 적의 도당. 적도(敵徒).

적당-량【適當量】[—냥] 명 쓰임에 알맞은 분량. 적량(適量). ¶～을 마시다.

적당 자:극【適當刺戟】명 적합(適合) 자극.

적대¹【赤帶】명 ①〖천〗 적도(赤道)❶. ②붉은 혁대.

적대²【的對】명 가장 기본적인 대구(對句). 또, 적실(的實)하게 맞는 대구. 곧, 천(天)에는 지(地)를, 산(山)에는 곡(谷)을, 동(東)에는 서(西)를 이르는 따위.

적대³【炙臺】명 ①적틀. ②〖역〗 제향(祭享)에 희생(犧牲)을 담는 그릇. 책상반(冊床盤)과 비슷한 모양임.

〈적대³❷〉

적대⁴【敵對】명 ①마주 대하여 버팀. ¶～ 행위. ②적으로 간주함. ——-하다 자 여불

적대⁵【敵臺】명 〖역〗 적의 동정을 살피는 망루(望樓). 적루(敵樓).

적대-감【敵對感】명 대항하는 심정. 적(敵)으로서 맞서는 감정. ¶～을 노출하다.

적대-국【敵對國】명 서로 적대하는 나라.

적-대모【赤玳瑁】명 빛깔이 검붉고 광택이 있는 대모갑(玳瑁甲).

적대-성【敵對性】[—썽] 명 적대되는 성질.

적대-시【敵對視】명 적으로 여겨 봄. ¶～하는 태도(態度). ㊟적시(敵視). ＊적대 행위. ——-하다 타 여불

적대-심【敵對心】명 적대하는 마음. ¶～을 가지다.

적대 원:조【敵對援助】명 교전국 또는 교전 단체의 한 편을 군사적으로 방조(幇助)하는 일.

적대 의:사【敵對意思】명 적으로 여겨서 마주 대하여 버티려는 생각. ¶강력한 ～의 표시.

적대-자【敵對者】명 맞서서 대적하는 사람.

적대-적【敵對的】명 관 적대하거나 적대되는 모양. ¶～ 관계.

적대적 모순【敵對的矛盾】명 〖사〗 마르크스주의 용어. 상호간의 이해(利害)가 근본적으로 대립하여 타협의 여지가 없으며, 힘에 의해서 해결할 수 밖에 없는 대립 관계. 특히, 노사(勞使) 대립에 관하여 씀. 세대(世代) 간의 대립과 같이 이해가 상치해도 타협의 여지가 있는 것은 비(非)적대적 모순이라 함.

적-대하【赤帶下】명 〖한의〗 피가 섞여 나오는 대하증(帶下症).

적대 행위【敵對行爲】명 적으로 여겨 마주 대하여 겨루는 행동. ¶공공연한 ~. *적대시(敵對視).

적덕【積德】명 은혜를 많이 베풀어 덕을 쌓음. 또, 쌓은 덕행. 누덕(累德). *적선(積善). ——-하다 자여불

[적덕은 백년이오 앙해(殃害)는 금년이라] 덕을 쌓으면 그 공효(功効)가 오래 가고 재앙이나 손해는 유한(有限)한 것이니, 불행 중에도 좋은 일을 하며 후덕하게 살라는 말.

적덕 누:선【積德累善】명 인덕(仁德)을 쌓고 선행을 거듭함.

적덕 누:인【積德累仁】명 인덕(仁德)이 널리 세상에 미침. ——-하다 자여불

적-도¹【赤島】명 〖지〗 ①함경 북도의 동해상, 경흥군(慶興郡)에 위치한 섬. [$0.154km^2$] ②경상 남도의 남해상(南海上), 통영시(統營市) 욕지면(欲知面) 동항리(東港里)에 위치한 섬. [$0.05km^2$]

적도²【赤都】명 ①공산 국가의 수도. ②소련 당시의 모스크바의 별칭.

적도³【赤道】명 [equator] ①〖천〗 천구상(天球上)의 상상선(想像線). 지구의 적도면(赤道面)과 천구(天球)와의 교선(交線). 천구의 남북 양극으로부터 등거리(等距離)에 있는 대권(大圈). 적대(赤帶). ②지구의 중심(重心)을 통하는 지축(地軸)에 직각인 평면이 지표(地表)와 교차된 선. 곧, 지구의 남북 양극으로부터 90°의 거리에 있는 대권(大圈).

적도⁴【賊徒】명 적당(賊黨). ¶~를 소탕하다.

적도⁵【賊盜】명 도둑. 도적(盜賊).

적도⁶【適度】명 적당한 정도.

적도⁷【敵徒】명 적의 도당(徒黨). 적당(敵黨).

적도⁸【敵都】명 적국(敵國)의 수도.

적도 가속【赤道加速】명 [equatorial acceleration] 〖천〗 태양의 자전(自轉) 속도가 적도 부분에서는 다른 태양면(太陽面)상의 위도(緯度) 부분에 비하여 크다는 사실. 태양·목성·토성에서 볼 수 있음. 1860년 캐링턴(Carrington, R. C.)이 이를 확인했음.

적도 건조대【赤道乾燥帶】명 [equatorial dry zone] 〖기상〗 적도의 저압부(低壓部) 안에 있는 건조 지역. 가장 유명한 건조 지대는, 중부 태평양의 약간 남쪽에 위치함.

적도-권【赤道圈】[—꿘] 명 〖천〗 적도(赤道)가 되는 대권(大圈).

적도 기니【赤道—】[Guinea] 명 [Republic of Equatorial Guinea] 〖지〗 아프리카 중서부의 공화국(共和國). 비오코(Bioko)섬과 대륙 서안(西岸)의 리오무니(Rio Muni)로 이루어짐. 적도에 가깝고, 열대 기후. 공용어는 스페인어. 커피·카카오를 산출하며 목재 자원(木材資源)도 풍부함. 구(舊)스페인 식민지로, 1964년 내정 자치권(內政自治權)을 획득, 1968년 10월에 독립함. 정식 명칭은 '적도 기니 공화국(Republic of Equatorial Guinea)'. 수도는 말라보(Malabo). [$28,051km^2$: 396,000명(1995)]

적도 기단【赤道氣團】명 [equatorial air mass] 〖기상〗 적도 부근의 해양상에서 형성되는 고온 다습(高溫多濕)한 기단(氣團).

적도 기후【赤道氣候】명 [equatorial climate] 〖기상〗 적도를 중심한 위도(緯度)로 약 5° 이내에 드는 기후. 고온 다습(高溫多濕)하여 온도의 차가 극히 적고, 매일 오후 6시쯤의 스콜(squall)이 특징임.

적도 다우림【赤道多雨林】명 〖지〗 적도 상우대(赤道常雨帶) 안에 드는 무성한 열대 식물(熱帶植物)의 숲. 우림(雨林).

적도-대【赤道帶】명 [equatorial zone] 〖지〗 적도를 중심으로 하여 어떤 특성(特性)을 나타내는 지대.

적도 도법【赤道圖法】[—뻡] 명 [equatorial projection] 〖지〗 적도상에 중심(中心)을 두는 지도 투영법(投影法).

적도-류【赤道流】명 〖지〗 ↗적도 해류(海流).

적도-면【赤道面】명 ①〖지〗 지구의 중심을 통과하며 지구의 자전축(自轉軸)에 수직(垂直)인 평면(平面). ②〖생〗 적도판(赤道板). ③〖생〗 동물란(動物卵)에 있어서 동물극(動物極)과 식물극(植物極)과를 잇는 난축(卵軸)을 2등분하는 면.

적도 무풍대【赤道無風帶】명 [equatorial calms] 〖기상〗 적도 부근의, 바람이 없는 지대. 적도 부근의 공기는 높은 온도에 의하여 끊임없이 상승하기 때문에 저기압(低氣壓)이 되고, 이를 채우기 위하여 남북으로부터 흘러 드는 북반구의 북동 무역풍과 남반구의 남동 무역풍이 서로 밀리어서 저지(沮止)되어 침체(沈滯)하여 무풍 상태(無風狀態)를 나타냄. 뇌우(雷雨)·스콜이 발생하기 쉽고, 아열대(亞熱帶) 무풍대와 함께 항해상(航海上)의 용어로도 쓰임. 적도 수렴대(赤道收斂帶).

적도 반:경【赤道半徑】명 〖지〗 적도 반지름.

적도 반:지름【赤道半—】명 〖지〗 지구를 표준 타원형으로 보았을 때의 반지름. 그 길이는 6,378,388km임. 적도 반경.

적도 반:류【赤道反流】[—발—] 명 〖지〗 적도 역류(逆流).

적도 상우대【赤道常雨帶】명 〖지〗 적도 기후로 늘 비가 오는 지대. 적도 중심의 위도(緯度)로 약 5° 이내의 지역을 이름.

적도-수【赤道水】명 〖지〗 적도 해역(海域)의 수괴(水塊)를 이름. 대서양에서는 뚜렷하지 않으나, 태평양에서는 적도부(赤道部)에 동서(東西)로 길게 가로 뻗쳐 있으며, 남북 양수괴(兩水塊)를 확실히 분리하고 있음.

적도 수렴대【赤道收斂帶】명 〖기상〗 적도 무풍대(無風帶).

적도 역류【赤道逆流】[—뉴] 명 [equatorial counter current] 〖지〗 적도의 북쪽에서 북적도 해류(北赤道海流)와 남(南)적도 해류와의 사이를 이와 반대로 동쪽으로 흐르는 해류. 적도 반류(反流).

적도 우림 기후【赤道雨林氣候】명 〖지〗 열대(熱帶) 우림 기후.

적도-의【赤道儀】[—/—이] 명 [equatorial] 〖천〗 천체 관측기의 하나. 어느 지점의 지축(地軸)의 방향과 이에 직각되는 방향(方向)과의 두 개의 회전축(回轉軸)을 갖도록 장치(裝置)한 것으로 이를 회전시켜 천체(天體)의 운동을 자동적으로 관측할 수 있음. 회전축을 일 항성일(一恒星日)에 일 회전하도록 하면, 특정의 천체가 항상 시야(視野)에 있게 됨. 대(大)망원경은 모두 적도의임. *적도(赤道).

적도 인구【適度人口】명 적정(適正) 인구. *과소(過少) 인구.

적도 잠류【赤道潛流】[—뉴] 명 [equatorial undercurrent] 〖지〗 적도 직하(直下)의 해역에서 수면 밑을 서쪽에서 동쪽으로 흐르는 해류. 적도 역류(逆流)와는 별개의 것으로 대충 북위 2°-남위 2°의 좁은 범위(範圍)를 수면 밑 100m를 시속 2노트가 넘는 속도로 흐름. 1952년 중부 태평양에서 미국의 크롬웰(Cromwell) 등이 확인함. 대서양·인도양에서도 그 존재가 확인되었음. 크롬웰 해류.

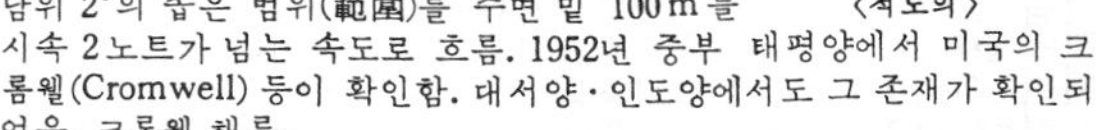

〈적도의〉

적도 저:압대【赤道低壓帶】명 [equatorial low pressure belt] 〖기상〗 적도 부근의 온도가 높아 기류가 상승하므로 기압이 낮아지는 곳. 적도 무풍대(無風帶)와 일치함. 계절에 따라 남북으로 이동함.

적도 전선【赤道前線】명 [equatorial front] 〖기상〗 북반구의 북동 무역풍과 남반구의 남동 무역풍의 두 열대 기단(熱帶氣團) 사이에 형성되는 전선. 겨울과 여름의 마지막 철에 잘 발달하며 이 위에 열대 저기압이 발생함. 열대(熱帶) 전선.

적도-제【赤道祭】명 배가 적도 직하를 지날 때, 배 안에서 올리는 제전(祭典).

적도 조석【赤道潮汐】명 [equatorial tide] 〖해〗 ①태음(太陰) 2주간 주기(周期)의 조석. ②328시간 주기의 조석 성분(成分).

적도 좌:표【赤道座標】명 [equatorial coordinates] 〖천〗 천구상(天球上)에 있어서의 천체의 위치를 나타내기 위하여 쓰이는 구면(球面) 좌표의 하나. 적도를 기준으로 하여 남북 각각 90°의 적위(赤緯)를 잡고, 춘분점(春分點)을 기준으로 서쪽에서 동쪽을 향하여 360°의 적경(赤經)을 설정한 좌표.

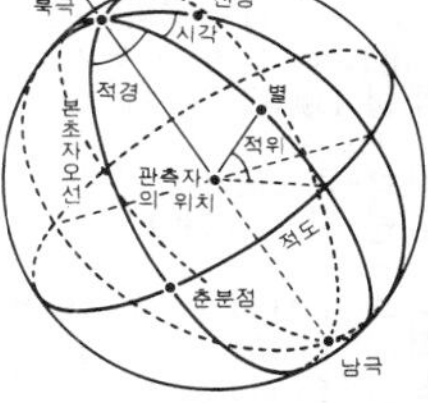

〈적도 좌표〉

적도 직하【赤道直下】명 〖지〗 적도의 선에 해당하는 지역. 연중(年中) 태양이 직상(直上) 또는 그 부근에 있기 때문에 직사(直射)를 받아 몹시 더움.

적도-축【赤道軸】명 [equatorial axis] 측지학(測地學)의 용어. 적도상의 두 점을 연결하는 지구의 지름.

적도 투영법【赤道投影法】[—뻡] 명 〖지〗 지도 제작법의 하나. 회전 타원체를 이룬 지구 표면의 형상을 평면으로 옮기기 위하여, 평면 또는 원통(圓筒)을 지구 표면과 적도에서 접(接)하도록 하여 지구상의 형상(形狀)을 이들 면에 투영하는 방법.

적도-파【赤道波】명 [equatorial wave] 〖기상〗 적도 저압대(低壓帶)를 넘어서 퍼져 나가는 적도 편동풍(偏東風)의 파동 교란.

적도-판【赤道板】명 [equatorial plate] 〖생〗 유사 분열(有絲分裂)에서, 세포의 양극(兩極)으로부터 등거리(等距離)에 있는 면. 세포의 핵분열의 중기(中期)에 각 염색체가 방추체(紡錘體)의 중앙에 가로로 평면을 이루어 늘어선 부분. 적도면(赤道面).

적도 해:류【赤道海流】명 [equatorial current] 〖지〗 무역풍(貿易風) 때문에 적도의 남북(南北) 양쪽을 서쪽으로 향해 흐르는 두 해류. 남에서 흐르는 것을 남적도 해류(南赤道海流), 북에서 흐르는 것을 북적도 해류(北赤道海流)라 하며, 대륙의 동해안(東海岸)에 부딪쳐 북쪽 또는 남쪽으로 여러 해류를 만듦. (준)적도류(赤道流).

적도 환상 전:류【赤道環狀電流】[—절—] 명 [equatorial ring current] 〖물〗 적도 부근, 지구 반지름의 여러 배 되는 거리만큼 떨어진 곳에 동쪽에서 서쪽으로 향하여 흐르는 환상(環狀) 전류. 자기 폭풍(磁氣暴風) 때에 이 전류가 형성하는 자기장(磁氣場)에 의하여, 지구 자기장의 수평 분력(水平分力)의 감소(減少)가 일어난다고 생각되고 있음.

적독¹【摘讀】명 띄엄띄엄 가려서 읽음. ——-하다 타여불

적독²【積讀】명 책을 읽지 않고 쌓아 두기만 함을 이르는 신소리.

적돈-수【積噸數】명 적화(積貨) 톤수.

적동【赤銅】명 〖광〗 적동광(赤銅鑛)에서 나는 구리. 검은 빛이 짙은 것을 오동(烏銅)이라 함. 자동(紫銅). 적석(赤錫). 홍동(紅銅).

적동-광【赤銅鑛】명 〖광〗 적동을 포함한 광석. 보통 팔면체(八面體)의 결정(結晶)으로, 괴상(塊狀)·입상(粒狀)·토상(土狀) 또는 모상(毛狀) 등의 여러 가지가 있음. 질이 무르고 빛이 검붉으며 광택이 있음. 동제련(銅製鍊)의 원료가 됨.

적동-색【赤銅色】명 적동(赤銅)과 같은 자색을 띤 광택 있는 흑색(黑色). ¶~ 피부.

적동-설【赤銅屑】명 〖한의〗 구리의 가루. 안질(眼疾)·겯땀내 등에 약으로 쓰임.

적동-자【赤銅—】명 적동으로 만든 주전자의 한 가지.

적동-전【赤銅錢】명 동전(銅錢).

적동-화【赤銅貨】명 동전(銅錢).

적두¹【赤豆】명 붉은 팥.

적두²【賊豆】명 〖식〗 쇠팥.

적두-반【赤豆飯】명 팥밥.

적두-병【赤豆餠】명 팥떡.

적두-함【赤豆餡】명 팥소.

적락【謫落】[—낙] 명 죄(罪)로 인하여 관직(官職)으로부터 퇴직(退職)

당함. ——-하다 자여불

적란-운【積亂雲】[—난—] 명 〔cumulonimbus〕《기상》 수직운(垂直雲)의 한 가지. 적운(積雲)과 층운(層雲)의 중간쯤의 높이에 뜨는 구름. 위는 산 모양으로 솟고, 아래는 대개 비를 머금음. 기호(記號)는 Cb. 쎈비구름. 소나기 구름. 뇌운(雷雲).

적람【積藍】[—남] 명 《미술》 쪽빛과 흡사한 도자기(陶瓷器)의 빛.

적랭 복통【積冷腹痛】[—냉—] 명 《한의》 뱃속에 찬 기운이 들어가서 아픈 배앓이.

적량[1]【適量】[—냥] 명 적당한 분량. 적당량. ¶약의 ~ 복용 / ~을 초과하다. *치사량.

적량[2]【積量】[—냥] 명 적재한 화물의 중량(重量). 적재량. ¶배의 ~.

적량[3]【積糧】[—냥] 명 저장한 군량(軍糧).

적려【積慮】[—녀] 명 사려(思慮)를 짜냄. ——-하다 타여불

적력[1]【的歷】[—녁] 명 또렷또렷하여 분명함. ——-하다 형여불

적력[2]【滴瀝】[—녁] 명 물방울이 떨어짐. 또, 그 소리. ——-하다 자여불

적력[3]【磧礫】[—녁] 명 물가에 있는 자갈. 겹쳐 쌓인 자갈. 많은 자갈.

적력[4]【積力】[—녁] 명 힘을 쌓음. 열심히 일함. ——-하다 자여불

적렴 조산【糴斂糶散】[—념—] 명 《역》 풍년이 들어 쌀값이 쌀 때 관(官)에서 매상(買上)하는 적렴(糴斂)과, 흉년에 쌀값이 비쌀 때 백성에게 싸게 파는 조산(糶散). 중국 제(齊)나라의 관중(管仲)에 비롯되고, 위(魏)나라의 이이(李悝)에 이르러 제도가 갖춰짐. 후세의 상평창(常平倉)·의창(義倉) 등은 이를 본뜬 것임. ㊈염산(斂散).

적령【適齡】[—녕] 명 어떤 표준이나 규정에 알맞은 나이. ¶취학 ~에 이르다.

적령-기【適齡期】[—녕—] 명 나이가 어느 표준에 이른 때. ¶결혼 ~.

적령-자【適齡者】[—녕—] 명 나이가 어느 표준에 이른 사람. ¶징병 ~.

적례[1]【適例】[—녜] 명 적당한 예. 적절한 예. ¶~를 들다.

적례[2]【敵禮】[—녜] 명 대등한 예. 평등한 예.

적로[1]【赤露】[—노] 명 적화(赤化)한 러시아. 곧, 소련의 별칭.

적로[2]【滴露】[—노] 명 방울지어 떨어지는 이슬.

적로[3]【積勞】[—노] 명 ①쌓은 공로(功勞). 또, 공로를 쌓음. 적공(積功). ②노고(勞苦)를 쌓음. ③겹친 피로(疲勞). ——-하다 타여불

적로[4]【翟輅】[—노] 명 황후(皇后)가 타는 수레. 적거(翟車).

적로-마【馰盧馬】[—노—] 명 《동》 별박이[2].

적로 병:고【積勞病故】[—노—] 명 겹친 피로로 말미암아 병몰(病歿)함. ——-하다 자여불

적로 성질【積勞成疾】[—노—] 명 오랜 수고로 말이암아 병(病)이 남. ——-하다 자여불

적록【摘錄】[—녹] 명 요점(要點)을 적음. 또, 그 기록. 적바림. ——-하다 타여불

적록-색【赤綠色】[—녹—] 명 적색에 녹색을 띤 빛깔.

적록 색맹【赤綠色盲】[—녹—] 명 《생》 홍록(紅綠) 색맹. *청황(靑黃) 색맹.

적뢰【摘蕾】[—뇌] 명 〔disbudding〕 과수(果樹)·채소 따위에서, 개화(開花)나 결실(結實)에 의한 남는 양분(養分)의 낭비(浪費)를 막고자 꽃봉오리를 따 주는 일.

적료[1]【赤蓼】[—뇨] 명 《식》 줄기가 붉은 빛을 띤 여뀌의 한 종류.

적료[2]【積潦】[—뇨] 명 장마져서 난 홍수(洪水).

적료-하다【寂寥—】[—뇨—] 형 →적요(寂寥)하다.

적룡【赤龍】[—뇽] 명 ①붉은 용. ②앞머리에 용의 형상을 장식한 배.

적룡-피【赤龍皮】[—뇽—] 명 《한의》 참나무의 껍질. 산증(疝症)·이질(痢疾) 등에 약으로 쓰임.

적루[1]【吊樓】[—누] 명 ☞ 조루(弔樓).

적루[2]【賊壘】[—누] 명 도적 또는 적군의 성채. 적새(賊塞). 적보(賊堡).

적루[3]【滴淚】[—누] 명 ①눈에서 흘러 떨어지는 눈물. ②말의 눈 밑에 있는 소용돌이꼴의 털.

적루[4]【敵樓】[—누] 명 성채(城砦)의 누대(樓臺). 적대(敵臺).

적루[5]【敵壘】[—누] 명 《군》 적의 보루(堡壘). 적보(敵堡). 적채(敵砦). 적채(敵寨).

적루[6]【積累】[—누] 명 누적(累積). ——-하다 자타여불

적류[1]【賊類】[—뉴] 명 역적의 일당. 도적의 무리.

적류[2]【嫡流】[—뉴] 명 적가(嫡家)의 계통. 정통(正統)의 유파(流派). 적적(嫡嫡). ¶그는 김씨 집안의 ~다. ↔서류(庶流).

적률【賊律】[—뉼] 명 도적을 벌하는 형률(刑律).

적리[1]【赤痢】[—니] 명 《의》 급성 전염병인 이질(痢疾)의 한 가지. 적리균(赤痢菌)이 음식물과 더불어 경구적(經口的)으로 감염하여 일어나는 대장(大腸)의 질환. 2-4일의 잠복기를 지나 아랫배가 아프고 자주 변의(便意)를 일으키며 주로 점액질(粘液質)의 피똥을 누게 됨. 특히, 여름에 흔함. 혈리(血痢). ¶~ 환자. ↔백리(白痢).

적리[2]【積痢】[—니] 명 《한의》 음식이 체하여 생기는 이질.

적리[3]【謫吏】[—니] 명 죄를 지은 벌로 노역(勞役)당하는 관리.

적리-균【赤痢菌】[—니—] 명 《의》 [*Badllus dysentericus*] 간균(桿菌)의 하나. 간상(桿狀)으로 편모(鞭毛)가 없고 고유 운동이 없으며, 그 성상(性狀)은 장티푸스균(菌)과 비슷함. 저항력(抵抗力)이 약(弱)하여 60°C의 온도에서 10분이면 사멸함. 적리의 병원균으로, 적리 본형균(本型菌)·적리 이형균(赤痢異型菌)·메타(Meta) 적리균의 세 가지가 있음. 이질 박테리아(痢疾 bacteria).

적리 아메:바【赤痢—】[amoeba] [—니—] 명 《생》 아메바 적리의 원인이 되는 원생 동물. 핵(核)과 질긴 피막(被膜)을 가진 낭자(囊子)를 가지고 있으며, 혈구(血球)를 좀먹고 위족(僞足)으로 운동하며, 큰 저항력을 가짐. 대장(大腸) 아메바와 같은 속(屬)임.

적린【赤燐】[—닌] 명 《화》 공기의 공급을 끊은 밀폐기(密閉器) 안에 황린(黃燐)을 넣고 260℃ 정도로 열하여 얻은 적갈색(赤褐色)의 가루로 된 인(燐). 황린에 비하여 화학 작용(化學作用)이 활발하지 않고, 독성(毒性)이 없으므로 성냥·꽃불 등의 원료, 인화합물(燐化合物)의 합성 원료 등으로 쓰임. 붉은인.

적림【積霖】[—님] 명 계속하여 내리는 장마.

적립[1]【赤立】[—닙] 명 ①공허한 모양. 아무 것도 없는 모양. ②적빈(赤貧). ——-하다 형여불

적립[2]【積立】[—닙] 명 모아서 쌓아 둠. ——-하다 타여불

적립-금【積立金】[—닙—] 명 ①적립해 둔 돈. 준비금(準備金). 적금(積金). ②《경》 회사가 순이익(純利益)의 일부를 처분하지 않고 기업내(企業內)에 유보(留保)하여 두는 경우의 축적 자본(蓄積資本).

적립 금곡【積立金穀】[—닙—] 명 지방 자치 단체가 특별한 목적을 위하여 적립하는 금전·유가 증권(有價證券)·미곡(米穀) 등의 재산.

적립 보:험료【積立保險料】[—닙—뇨] 명 《경》 사망률(死亡率)이 연령과 더불어 증가하기 때문에 생명 보험에서 피보험자(被保險者)의 보험료도 매년 증가시킴이 원칙이나, 보통 매해의 보험료를 평균하여 가입(加入)에서 탈퇴(脫退)까지 시종 일정한 보험료를 물게 함을 말함. 평균 보험료.

적립식 목적 신:탁【積立式目的信託】[—닙—] 명 주택 자금·노후 생활 자금 등 일정한 목적을 위해 일정한 날에, 일정한 액수의 돈을 적립하고, 신탁 기간이 만료된 때 원금 및 이자를 타게 되는 금융 상품(金融商品).

적립 저:금【積立貯金】[—닙—] 명 《경》 적금(積金)❷.

적립 판매【積立販賣】[—닙—] 명 《경》 유가(有價) 증권의 판매 방법의 하나. 장래 일정한 유가 증권을 사는 조건으로, 고객(顧客)에게 일정한 액수의 매입(買入) 대금을 납입(納入)시켜, 매입 대금 상당액에 도달했을 때에 매입을 실현하는 방법. *할부(割賦) 판매.

적마[1]【赤馬】명 붉은 말.

적마[2]【赤魔】명 붉은 마귀. 곧, 공산주의자들의 마수를 일컫는 말.

적막【寂寞】명 쓸쓸하고 고요함. ¶~ 강산(江山). ——-하다 형여불 ——-히 부

적막-감【寂寞感】명 적막한 느낌. 적적한 마음.

적면[1]【赤面】명 ①부끄럽거나 성이 나서 얼굴을 붉힘. ②망신당함. *홍당무. ——-하다 자여불

적면[2]【覿面】명 목전(目前).

적면 공:포증【赤面恐怖症】[—쯩] 명 《생》 공포증의 하나. 남의 앞에 나설 때 얼굴이 붉어짐을 두려워하여, 남 앞에 나서지 않고자 하는 강박성(強迫性) 신경증.

적멸【寂滅】명 《불교》 ①생멸(生滅)이 함께 없어져 무위 적정(無爲寂靜)함. 번뇌(煩惱)의 경계를 떠남. 열반(涅槃). ②죽음. 입적(入寂)함. ——-하다 자여불

적멸-궁【寂滅宮】명 《불교》 불상(佛像)을 모시지 않고 법당(法堂)만 있는 불전(佛殿).

적멸 도:량【寂滅道場】명 《불교》 ①석존(釋尊)이 깨달음을 연 이연선하(尼連禪河)의 하반(河畔)의 도량. ②화엄경(華嚴經)을 강술한 도량. 적장(寂場).

적멸 위락【寂滅爲樂】명 《불교》 적정(寂靜)한 열반(涅槃)의 경지를 참된 즐거움으로 삼는 일.

적멸-인【寂滅忍】명 《불교》 오인(五忍)의 하나. 모든 번뇌를 끊어 버리고, 몸과 마음이 흔들림이 없이 매우 고요한 경지에 안주하는 지위.

적멸지-도【寂滅之道】명 《불교》 적멸에 이르는 도리. 곧, 불교(佛敎)를 이름.

적명【謫命】명 관직을 좌천시켜 유배(流配)하는 명령.

적모[1]【赤毛】명 붉은 털.

적모[2]【赤帽】명 〔본디 '아카보(赤帽)'란 일본말로, 붉은 모자를 쓰는 데서 유래〕 일제 강점기에, 정거장(停車場)에서 짐을 날라 주던 인부(人夫). 짐꾼.

적모[3]【嫡母】명 서자(庶子)가 아버지의 정실(正室)을 일컫는 말. 큰 어머니.

적목【赤木】명 《식》 이깔나무.

적목-질【赤木質】명 심재(心材). 적신(赤身).

적몰【籍沒】명 《역》 중죄인(重罪人)의 가산(家產)을 모두 몰수하는 일. ——-하다 타여불

적묵【寂默】명 말없이 명상(瞑想)에 잠겨 잠잠함. ——-하다 형여불

적문【迹門】명 《불교》 법화경(法華經) 팔권(八卷) 이십팔품(二十八品) 중 전반(前半)의 사 권(四卷) 십 사 품을 일컫는 말. ↔본문(本門).

적물【積物】명 실어 쌓인 화물.

적미[1]【赤米】명 앵미.

적미[2]【糴米】명 쌀을 사들임. 적(糴). ——-하다 자여불

적미의 난:【赤眉—亂】[—/—에—] 명 《역》 중국 전한(前漢) 말에 왕망(王莽)의 실정(失政)으로 인한 사회적 혼란으로, 서기(西紀) 18년 산둥성(山東省) 낭야(瑯琊)의 번숭(樊崇)이 일으킨 농민 반란(農民叛亂). 왕망의 군과 구별하기 위해 눈썹을 붉게 물들였다 함. 왕망의 정권(政權)이 무너진 뒤에도 화북(華北) 등지에서 세력을 떨쳤으나, 후에 후한(後漢)의 광무제(光武帝)가 된 유수(劉秀)에게 평정됨.

적민[1]【賊民】명 적대(敵對)하여 세상을 어지럽히는 백성(百姓). 사람을 해치는 백성.

적민[2]【謫民】명 벌받은 백성.

적-바르다 형 르불 어느 규준(規準)에 겨우 자라다.
적-바림 명 글로 적어 둠. 적록(摘錄). ——-하다 타 여불
적반【赤斑】명 붉은 반점.
적-반하장【賊反荷杖】명〔도둑이 도리어 매를 든다는 뜻〕잘못한 사람이 도리어 잘한 사람을 나무랄 경우에 쓰는 말. ¶～도 유분수(有分數)지. ＊주객 전도(主客顚倒).
적발¹ 명 적바림하여 놓은 글발.
적발²【赤髮】명 붉은 모발(毛髮). 또, 머리털이 붉은 이국인(異國人). 홍모(紅毛).
적발³【摘發】명 숨겨 있는 사물을 들추어 냄. 적결(摘抉). ¶비위(非違)를 ～하다. ——-하다 타 여불
적발⁴【謫發】명 잘못을 나무람. ——-하다 타 여불
적방【敵方】명 적편. 적편의 사람. ↔아방(我方).
적-방산【赤方繖】명〘역〙의장(儀仗)의 한 가지.

〈적방산〉

적방 편이【赤方偏移】명〘천〙적색 이동(赤色移動).
적배¹【賊輩】명 도둑의 무리.
적배²【嫡配】명 ①적처(嫡妻). ②적자(嫡子)의 처.
적배³【敵背】명 적군의 뒤쪽. ¶～를 급습하다.
적백¹【赤白】명 적과 백. 붉은 것과 흰 것.
적백²【赤帛】명 붉은 비단.
적백 규석【赤白硅石】명〘광〙거의 석영(石英)으로 구성되는 수성암(水成岩)의 하나. 철분(鐵分)을 내포(內包)한 붉은 부분과 철분을 내포하지 아니한 회백색(灰白色)의 부분이 뒤섞여 있는 것. 요업(窯業)의 원료(原料)가 됨.
적백-리【赤白痢】[—니] 명〘의〙①적리(赤痢)와 백리(白痢)가 한데 어울린 이질. ②적리와 백리.
적벌【謫罰】명 꾸짖어 벌함. ——-하다 타 여불
적법【適法】명 법규(法規)에 맞음. 또, 알맞은 법규. ¶～ 행위. ↔위법(違法). ——-하다 형 여불
적법-성【適法性】명 ①〔도 Legalität〕〘윤〙칸트의 용어(用語). 행위가 그 동기(動機)의 여하를 불문하고, 법칙에 합치하느냐 않느냐를 문제로 하는 경우의 행위의 외면적 합법칙성(外面的合法則性). 합법성(合法性). ＊도덕성(道德性). ②법에 맞는 행위.
적법 절차【適法節次】명〘법〙듀 프로세스 오브 로(due process of law).
적법 행위【適法行爲】명〘법〙법률에서 허용·시인하고 있는 행위. 합법적(合法的)인 행위. ↔위법 행위(違法行爲).
적벽【赤壁】명〘지〙①중국 후베이 성(湖北省) 자위 현(嘉魚縣) 양쯔 강(揚子江) 연안에 있는 땅. 삼국(三國) 시대에 적벽전(赤壁戰)이 있던 곳임. ②중국 후베이 성 황강 현(黃岡縣) 성 밖에 있는 명승지. 송(宋)나라 때의 소동파(蘇東坡)가 적벽부(赤壁賦)를 지은 곳.
적벽-가【赤壁歌】명〘악〙①중국 삼국 시대의 적벽전(赤壁戰)을 주제로 한 경기 십이 잡가(京畿十二雜歌)의 하나. 적벽 대전에 패한 조조(曹操)가 관우(關羽)에게 잔명(殘命)을 비는 대목을 그림. ②판소리 다섯 마당의 하나. 삼국지 연의(三國志演義)의 삼고 초려(三顧草廬)에서 시작하여 적벽전에 패한 조조가 화용도(華容道)로 달아나기까지의 줄거리를 엮은 것. 화용도(華容道).
적벽 대:전【赤壁大戰】명〘역〙적벽전(赤壁戰).
적벽-부¹【赤壁賦】명〘문〙중국 송(宋)나라 때의 소식(蘇軾)이 지은 글. 송의 신종(神宗) 5년(1082) 가을에 친구 양세창(楊世昌)과 더불어 적벽(赤壁)에서 놀고, 그 해 겨울에 다시 곽구(郭遘)·고경도(古耕道)와 함께 놀 때에 지음. 천지(天地)의 장구(長久)함과 인생과 삶의 짧음을 대비시키고, 자연의 아름다움에 대한 환희와 감동을 읊음. 먼젓 것을 '전(前)적벽부', 뒤엣 것을 '후적벽부'라 함.
적벽-부²【赤壁賦】명〘미술〙큰 사기 대접의 한 가지. 옛날 중국에서 들여오던 것으로, 겉에 송(宋)나라 소식(蘇軾)의 적벽부(赤壁賦) 글을 쓰고 적벽의 경치를 그려 넣은 것. 뒤에 우리 나라에서 글과 그림이 없이 만들어 쓴 도자기도 이 이름을 그대로 썼음.
적벽-전【赤壁戰】명〘역〙중국 삼국(三國) 시대에, 손권(孫權)·유비(劉備)의 소수 연합군이 조조(曹操)의 대군을 격파한 싸움. 유비가 제갈공명(諸葛孔明)을 손권에게 파견, 설득시켜 연합한 후, 208년에 손권의 부장(部將) 주유(周瑜)의 부하인 황개(黃蓋)가 항복을 가장하고 양쯔 강(揚子江)의 적벽에 줄줄이 매놓은 조조의 배에 접근하여 불을 지르고 동남풍(東南風)을 이용하여 쳐서 크게 격파했음. 이로 인해 손권은 강남(江南)의 대부분을, 유비는 파촉(巴蜀)을 얻어 중국 천하를 삼분(三分)했음. 적벽 대전(赤壁大戰).
적변 장:인【赤弁丈人】명〘충〙고추잠자리.
적병¹【賊兵】명 도적(盜賊)의 병졸.
적병²【滴甁】명〘의〙점적병(點滴甁).
적병³【敵兵】명 적국(敵國)의 병사. ¶～이 출몰하다.
적병⁴【積病】명〘한의〙적취(積聚)❷.
적보¹【的報】명 적확(的確)한 통보(通報).
적보²【賊堡】명 적군(賊軍)의 보루(堡壘). 적루(賊壘).
적보³【敵堡】명 적군의 보루(堡壘). 적루(敵壘).
적복【積福】명 행복을 거듭함.
적-복령【赤茯苓】[—녕] 명〘한의〙빛이 붉은 복령. 수종(水腫)·임질(淋疾) 등의 이뇨제(利尿劑)로 쓰임.
적봉¹【吊棒】명 한쪽 끝을 천장에 매어 달아 놓은 장대. 양손으로 더위잡고 오르내리는 운동 기구임.
적-봉²【赤峰】명〘지〙함경 남도 고원군(高原郡) 수동면(水洞面)과 운곡면(雲谷面) 경계에 있는 산. [856m]
적봉³【赤峰】명〘지〙'츠펑'을 우리 음으로 읽은 이름.
적봉⁴【敵鋒】명 적의 예봉(銳鋒).
적부¹【狄俘】명 북방 오랑캐의 포로.
적부²【的否】명 꼭 그러함과 그러하지 아니함. ¶～를 따지다.
적부³【嫡父】명 실부(實父)를 일컬음. 친아버지.
적부⁴【嫡婦】명 적자(嫡子)의 처.
적부⁵【適否】명 어떤 표준이나 법에 맞고 안 맞음. 당부(當否). ¶직업의 「～/구속 ～ 심사.
적부⁶【積付】명〘법〙선박 소유자가 선박 및 적하(積荷)의 안전을 유지하기 위하여 적하를 계획적으로 선박내에 배치하는 일.
적부⁷【積富】명 부(富)를 쌓음. 또, 겹겹이 쌓인 부. 곧, 많은 재산.
적-부루마【赤一馬】명 붉은 빛과 흰 빛의 털이 섞여 난 말. 홍사마(紅紗馬).
적부-병【赤腐病】[—뻥] 명 양식(養殖) 중인 해태(海苔)에 생기는 병. 병원균(病原菌)의 기생으로 세포가 죽어 생기는 것으로, 파르께한 병환부(病患部)의 가장자리가 담홍색으로 변색하는 데서 붙여진 이름임. 늦가을에서 초겨울에 걸쳐 발생하는데 난동(暖冬)의 해에는 그 피해가 극심함.
적부 심:사【適否審査】명〘법〙영장(令狀)의 집행이 적법(適法)한가의 여부(與否)를 법원이 심사하는 일. 영장의 피집행인(被執行人)이나 또는 변호사의 신청으로 구속 만기일(滿期日) 이전에 심사함. 구속 적합 여부 심사. 구속 적부 심사.
적-부인지자【賊夫人之子】명 남의 자식을 버리어 놓음.
적-부적【適不適】명 적합한 것과 적합하지 아니한 것. 적당과 부적당. ¶사람에 따라 ～이 있다.
적분¹【積分】명〔integral〕〘수〙①주어진 함수(函數)를 미분(微分)의 역함수(逆函數)로 고치는 연산법(演算法). 함수의 적분에 관한 이론·응용을 연구하는 수학의 한 분과로, 미분학과 함께 해석학(解析學)의 기초를 이루는 것임. 적분학(學). ②원시 함수(原始函數). 또, 이것을 구하는 일. ③정적분(定積分). 또, 이것을 구하는 일. ↔미분(微分).
적분²【積忿·積憤】명 쌓이고 쌓인 분한 마음. 적노(積怒).
적분 곡선【積分曲線】명〔integral curve〕〘수〙상미분 방정식(常微分方程式)을 풀이한 그래프의 본디의 상미분 방정식에 대한 일컬음. 해곡선(解曲線)이라고도 함.
적분-기【積分器】명〔integraph〕〘수〙함수의 부정 적분(不定積分)을 기계적으로 구하는 도해(圖解) 장치.
적분 동:작【積分動作】명〔integral action〕〘공〙자동적 제동 장치(制動裝置)에 있어서, 제동(制動) 대상의 상태량(狀態量)에 따라 출력량(出力量)이 입력량(入力量)의 적분(積分)값에 비례(比例)하는 동작 방식(方式).
적분 방정식【積分方程式】명〔integral equation〕〘수〙미지(未知) 함수(函數)의 적분(積分)을 포함하는 방정식의 총칭.
적분-법【積分法】[—뻡] 명〔integral calculus〕〘수〙적분학(積分學)에 의한 계산법.
적분 상수【積分常數】명〔integral constant〕〘수〙부정 적분(不定積分) 값의 끝에 항상 붙여 주는 상수.
적분 선량【積分線量】[—설—] 명〔integral does〕〘물〙이온화 방사선(ion化放射線)에 의해서 조사 물체(照射物體)에 주어진 전체 에너지. 그램 뢴트겐 등으로 나타냄.
적분-약【赤奮若】명〘민〙지지(地支) 축(丑)의 고갑자(古甲子) 이름.
적분 인수【積分因數】[—쑤] 명〘수〙적분 인자(積分因子).
적분 인자【積分因子】명〔integral factor〕〘수〙완전 미분(完全微分)이 아닌 편미분 방정식(偏微分方程式)에 있어서, 이의 해답(解答)을 얻기 위하여 완전 미분의 형태(形態)로 고칠 때에 곱해 주는 적당한 함수(函數).
적분 재:중【積忿在中】명 노엽고 분함이 쌓임. ——-하다 자 여불
적분 정:수【積分定數】명〘수〙적분 상수(積分常數)의 구칭.
적분-학【積分學】명〘수〙수학의 한 분과. 함수(函數)의 적분에 관한 성질을 연구하는 학문. 미분학(微分學)과 함께 해석학(解析學)의 기초를 이룸. 적분.
적분형 제:어 장치【積分型制御裝置】명〔integral-mode controller〕오차(誤差) 신호의 적분(積分)값에 비례하는 제어 신호를 발생하게 하는 제어 장치.
적불【赤韍】명〘역〙임금의 정복(正服)에 무릎을 가리는 옷.
적-불선【積不善】[—썬] 명 착하지 아니한 행실(行實)을 쌓음. ↔적선(積善). ——-하다 자 여불
적비¹【赤匪】명 공비(共匪).
적비²【賊匪】명 도둑질·약탈을 일삼는 못된 무리. 비적.
적비³【積肥】명 퇴비(堆肥).
적비 심력【積費心力】[—녁] 명 마음과 힘을 많이 허비함. ——-하다 자 여불
적-비취【赤翡翠】명〘조〙호반새.
적빈【赤貧】명 몹시 가난함. 적립(赤立). 적궁(赤窮). ¶～에 시달리다. ——-하다 형 여불
적빈 무의【赤貧無依】[—/—이] 명 몹시 가난하고 의지할 곳도 없음. ——-하다 형 여불
적빈 여세【赤貧如洗】명 가난하기가 마치 물로 씻은 듯하여 아무 것도 가진 것이 없음. ——-하다 형 여불
적사¹【嫡嗣】명 적출(嫡出)의 사자(嗣子).
적사²【敵使】명 적의 사자(使者).
적사³【積仕】명 ↗적사 구근(積仕久勤). ——-하다 자 여불
적사⁴【積卸】명 배에 짐을 실음과 부려 내림. ——-하다 타 여불
적사⁵【積邪】명 온갖 부정(不正)한 일. 또, 그것을 행하는 자.
적사⁶【謫死】명 귀양 갔다가 그곳에서 죽음. ——-하다 자 여불

적사[7]【謫徙】명 죄를 지은 관리 등을 관위(官位)를 강등(降等)시켜 변경(邊境)으로 좌천함. 적천(謫遷). ——-하다 타여불

적사 구:근【積仕久勤】명 여러 해를 벼슬살이함. 준적사(積仕). ——-하다 자여불

적사-장【積卸場】명 배에 짐을 싣기도 하고 부려 내리기도 하는 곳.

적-사탕【赤砂糖】명 홍당(紅糖).

적사 핵실【積仕核實】명 벼슬아치가 다년간 근무 실적을 쌓음으로써 그 실력을 양성함.

적삭【積朔】명 삭일(朔日)을 거듭함. 곧, 오랜 세월을 이름.

적산[1]【敵產】명 ①자국(自國)이나 점령지(占領地)내에 있는 적국(敵國)의 재산(財產). ②〖사〗 1945년 8월, 광복 이전에 한국 안에 있던 일본인(日本人) 재산의 속칭. 국유화(國有化)됨. 귀속(歸屬) 재산. ¶～ 가옥/～을 몰수하다.

적산[2]【積散】명 쌓아 모음과 흩어짐.

적산[3]【積算】명 모아서 계산함. 누계(累計). ——-하다 타여불

적산 계:기【積算計器】명 과거의 어떤 시각부터 현재까지의 양을 시간적으로 적산한 양을 지시하는 계기의 하나. ↔지시(指示)계기·기록(記錄)계기.

적산 관리【敵產管理】[—괄—] 명 전시에 있어서, 교전국이 자기 나라 안에 있는 적국인의 사유 재산을, 적국의 전력(戰力)에 공헌하지 못하도록 자기 관리 밑에 두는 일. 때로는 청산(清算)·처분(處分)하는 수도 있는데 그 손해는 전후에 배상함을 원칙으로 함.

적산 노비【籍產奴婢】명 〖역〗 가산(家產)을 적몰(籍沒)당한 중죄인이 소유하던 노비 또는 몰수되어 노비가 된 자.

적산-법【積算法】[—뻡] 명 ①공사(工事)의 실비(實費)를 정확히 산출하는 방법. 수량(數量)의 결정, 단가(單價)의 기입(記入), 간접비(間接費)의 가산(加算)의 세 부분으로 되어 있음. ②〖법〗 재산의 감정 평가(鑑定評價)에서, 가격 시점(價格時點)에 있어서의 대상 물건의 정상 시가를 기대 이율(期待利率)로 곱하여 산정한 금액에, 대상 물건을 계속 임대차(賃貸借)하는 데 필요한 경비를 가산(加算)하여 임료(賃料)를 산정(算定)하는 방법. 이에 의한 감정 임료를 적산 임료라 함. *가격 시점.

적산 법화원【赤山法華院】명 〖역〗 적산원(赤山院).

적산 온도【積算溫度】명 생물의 생육(生育)이나 융설량(融雪量)을 나타내는 지표(指標)로서, 1일 평균 기온과 기준 온도의 차(差)를 어느 기간 동안 합계한 것.

적산-원【赤山院】명 〖역〗 중국 당(唐)나라 때에 산둥 성(山東省)에 장보고(張寶皐)가 창건한 신라의 사원(寺院). 법회(法會) 기타 모든 풍속(風俗)이나 생활 등이 신라와 거의 같았으며, 이 곳에서 겨울에는 ≪법화경(法華經)≫을, 여름에는 ≪금광명경(金光明經)≫을 강의 하는 법회가 있어 많은 사람들이 모이었다고 함. 법화원(法華院). 적산 법화원(赤山法華院).

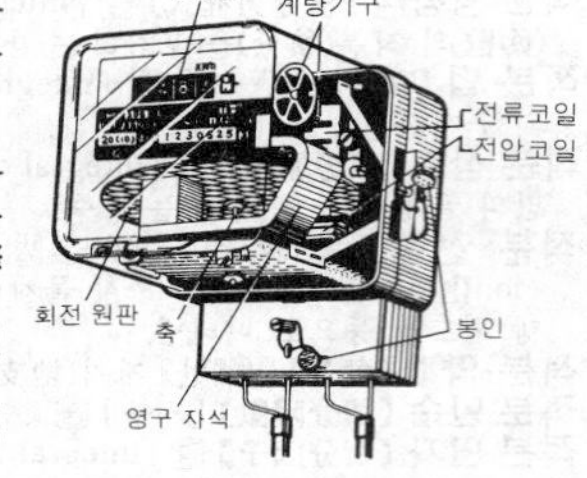

〈적산 전력계〉

적산 전:력계【積算電力計】[—절—] 명 〔integrating wattmeter〕〖전〗 어떤 기간 중에 사용한 전력의 총량을 재는 계기(計器). 전기 미터. 전기 계량기(電氣計量器).

적산 체적계【積算體積計】명 관로(管路)를 흐르는 액체·기체 등의 통과(通過) 체적을 계량하는 체적계의 하나.

적산화 수은【赤酸化水銀】명 〖화〗 적색 산화 제이 수은(赤色酸化第二水銀).

적삼 명 〔중세 : 젹삼〕 윗도리에 입는 홑옷. 보통, 여름에 입으며, 모양은 저고리와 똑같음. 단삼(單衫). 주의 '赤衫'으로 씀은 취음.
[적삼 벗고 은가락지 낀다] 격에 맞지 않는 일을 한다는 비유.

적상[1]【赤裳】명 붉은 치마.

적상[2]【積想】명 오랫 동안 쌓이고 쌓인 생각. 또, 쌓이는 상념(想念).

적상[3]【積傷】명 오랜 근심으로 마음이 몹시 상함. ——-하다 자여불

적상-마【的顙馬】명 〖동〗 별박이[2].

적상-산【赤裳山】명 〖지〗 전라 북도 무주군(茂朱郡) 적상면(赤裳面)에 있는 산. 우리 나라의 사고(史庫)가 있었음. [1,031 m]

적상산 사:고【赤裳山史庫】명 〖역〗 조선 선조(宣祖) 39년(1606)에 전라(全羅) 북도 무주군(茂朱郡)의 적상산에 두었던 사고(史庫). 임진 왜란 후, 전주(全州) 사고에 있던 선조(宣祖) 때의 실록(實錄)을 보관했음. *사고(史庫).

적새[1] 명 〖건〗 ①기와집 지붕 마루를 포개어 덮어 쌓는 암키와. ②초가집 지붕 마루에 이영을 물매지게 틀어 덮은 것.

적새[2]【賊塞】명 적루(賊壘).

적새[3]【敵塞】명 적의 요새(要塞).

적색[1]【赤色】명 ①붉은 빛깔. 붉은 빛. 준적(赤). ②〖사〗 공산주의(共產主義)나 그 혁명(革命)을 상징(象徵)하는 빛깔. 레드(red). ¶～ 테러/～ 분자. ↔백색(白色).

적색[2]【炙色】명 〖역〗 중국의 각 전궁(殿宮)에 딸린 사역(使役)의 하나.

적색 거:성【赤色巨星】명 〔red giant star〕〖천〗 대부분의 거성(巨星)이 표면 온도가 낮고 붉게 보이므로 이를 일컫는 말. 주계열성(主系列星) 내부의 수소(水素)가 연소, 곧 핵융합(核融合)하여 헬륨이 되면 이 별은 팽창하여 커지고 광도(光度)도 높아져 적색 거성이 됨. 오리온자리의 초거성(超巨星) 베텔게우스(Betelgeuse) 따위.

적색 골수【赤色骨髓】[—쑤] 명 〖생〗 조혈 조직(造血組織)을 포함한 뼈의 수강(髓腔)을 채우는 골수 조직을 이름. 적아 세포(赤芽細胞)나 적혈구(赤血球)가 다량으로 함유되어 있으므로 새빨갛게 보임. ↔황색 골수(黃色骨髓).

적색 공:포【赤色恐怖】명 〖사〗 적색(赤色) 테러.

적색 노동 조합 인터내셔널【赤色勞動組合—】〔international〕명 〖사〗 프로핀테른.

적색 리트머스【赤色—】〔litmus〕명 〖화〗 리트머스의 수용액(水溶液)에 약간의 염산(塩酸)을 가한 것. 붉은 색이며, 알칼리(alkali)와 만나면 푸르게 변함. ↔청색 리트머스.

적-색맹【赤色盲】명 〖의〗 적색과 그 보색(補色)인 대청록색(帶青綠色)이 무색(無色) 또는 회색(灰色)으로 보이는 색맹. 제일맹(第一盲). ↔녹색맹.

적색 반점병 【赤色斑點病】[—뼝] 명 〔chocolate spot〕〖식〗 보트리티스속(Botrytis屬)의 균에 의하여 생기는 콩과(科) 식물 특히 잠두(蠶豆)의 균류병(菌類病). 잎과 줄기에 적색 또는 갈색의 반점이 생김.

적색 분자【赤色分子】명 공산주의자나 사회주의자를 일컫는 말.

적색 산화 망간【赤色酸化—】〔mangan〕명 〖화〗 사산화 삼망간(四酸化三 mangan).

적색 산화 수은【赤色酸化水銀】명 〖화〗 산화 수은(Ⅱ)의 한 가지. 수은을 공기 중에서 300°C 이상 끓는점(點) 이하의 온도에서 가열(加熱)할 때 생기는 붉은 가루. 유독(有毒)하여 의약용의 살포제(撒布劑)·연고(軟膏) 등에 쓰임. 적강홍(赤降汞).

적색 선하 증권【赤色船荷證券】[—꿘] 명 〔붉은 빛 문자(文字)로 인쇄된 데서 이르는 말〕 선적(船積) 화물에 보험이 붙여진 선하 증권. 선하 증권과 보험 증권을 겸한 것. 보험부(保險附) 선하 증권.

적색 요오드화 수은【赤色—化水銀】〔도 Jod〕명 〖화〗 성홍색(猩紅色)의 미결정성(微結晶性) 가루. 알코올에 잘 녹고, 매독과 선병(腺病) 등에 약으로 쓰임. *요오드화 제이 수은.

적색 이동【赤色移動】명 〔red shift〕〖천〗 멀리 있는 성운(星雲)에서 오는 빛의 스펙트럼선(spectrum 線)이 파장이 긴 쪽, 곧 붉은 쪽으로 쏠리는 현상. 일반 상대성 이론에 의하면 중력(重力)이 큰 별에서 오는 빛도 이 현상을 일으킴. 적방 편이(赤方偏移).

적색 인터내셔널【赤色—】〔International〕명 〖사〗 제삼(第三) 인터내셔널.

적색-제충국【赤色除蟲菊】명 〖식〗 붉은제충국.

적색 조합【赤色組合】명 〖사〗 프로핀테른(Profintern)의 지도 하에 성립한 혁명적 노동 조합. *황색(黃色) 조합.

적색 테러【赤色—】〔terror〕명 〖사〗 공산주의자(共產主義者)들이 행하는 폭력. ↔백색(白色) 테러.

적색-토【赤色土】명 〖농〗 강산성(強酸性)으로 붉은 빛을 띤 땅. 작물의 경작에 적합치 않아, 유기물(有機物)과 석회(石灰)를 주어 중화(中和)시키면 개선됨.

적색 혈로염【赤色血滷塩】명 〖화〗 적혈염(赤血塩).

적색 혐기【赤色嫌忌】명 〔erythrophobia〕〖심〗 붉은 빛깔을 매우 무서워하는 상태. 피에 대한 공포와 관련됨.

적색 황화홍【赤色黃化汞】명 〖화〗 괴주(塊朱).

적서[1]【赤黍】명 〖식〗 기장의 한 종류. 이삭이 붉고 알은 누른데 차진 기가 있음. 단서(丹黍).

적서[2]【赤鼠】명 〖민〗 간지(干支)로 병자(丙子)의 일컬음.

적-서[3]【嫡庶】명 ①적자(嫡子)와 서자(庶子). ②적파(嫡派)와 서파(庶派).

적석[1]【赤舄】명 〖역〗 임금의 정복(正服)에 신는 신. 코가 높고, 겹창이며, 분홍 비단을 여러 겹 겹쳐서 만듦. *청석(青舄).

〈적석[1]〉

적석[2]【赤錫】명 〖광〗 적동(赤銅).

적석[3]【積石】명 ① 여러 겹으로 쌓은 돌. ②〖고고학〗 돌무지❶.

적석 목곽분【積石木槨墳】명 〖고고학〗 '돌무지 덧널무덤'의 구용어.

적석 석곽묘【積石石槨墓】명 〖고고학〗 '돌무지 돌덧널무덤'의 구용어.

적석-수【積石數】명 〖법〗 선박(船舶)의 적재량(積載量)을 표시하는 표준(標準).

적석-장【積石葬】명 돌무지무덤.

적석-지【赤石脂】명 중국의 지난(濟南) 등지에서 나는, 암석이 풍화(風化)하여 된 선홍색(鮮紅色)의 물건. 한방(韓方)에서 강장제(強壯劑)·수렴제(收斂劑) 등의 약으로 쓰임.

적석-총【積石塚】명 돌무지무덤.

적선[1]【赤線】명 붉은 선. 붉은 줄.

적선[2]【賊船】명 해적(海賊)의 배.

적선[3]【敵船】명 적의 배. 적국의 선박. ¶～을 격침시키다.

적선[4]【敵線】명 〖군〗 적의 전선(前線).

적선[5]【積善】명 ①착한 일을 많이 함. 선행(善行)을 쌓음. ②동냥질에 응(應)하는 행위를 미화(美化)하여 이르는 말. ¶～합쇼. ↔적불선(積不善). *적덕(積德). ——-하다 자여불

적선[6]【謫仙】명 ①선계(仙界)에서 인간계(人間界)로 쫓겨 내려온 선인(仙人). ②대시인(大詩人)의 미칭(美稱). 시선(詩仙). ③〖사람〗 이백(李白)의 미칭.

적선 여경【積善餘慶】[—녀—] 명 〔적선지가 필유여경(積善之家 必有餘慶)에서 유래함〕 쌓이고 쌓인 선행(善行)의 응보로서, 경복(慶福)이 자손에게까지 미침.

적선 지대【赤線地帶】명 '홍등가(紅燈街)'를 달리 일컫는 말.

적선 포:획 면:장【敵船捕獲免狀】[—짱] 명 〖역〗 사인(私人) 소유의 선

박에게 적국의 선박·화물·금제품(禁制品) 등을 수송하는 중립선(中立船)을 포획하는 것을 특허하는 면장. 1856년 해전(海戰) 법규에 관한 파리 선언에 의해 폐지됨.

적설[1]【赤雪】명〖지〗한대 지방(寒帶地方) 및 높은 산의 항설대(恒雪帶)에서, 눈 위에 붉은 빛의 원조류(原藻類)가 번식(繁殖)하기 때문에 붉게 보이는 것.

적설[2]【積雪】명 쌓인 눈. ¶~량(量).

적설-계【積雪計】명 쌓인 눈의 깊이를 재는 기구. 사방 약 1자씩의 목판(木板)을 땅 위에 수평으로 정치하여 놓고, 그 가운데에 수직으로 나무자를 세웠음. 설량계(雪量計).

적설-량【積雪量】명 눈이 내려 쌓인 분량. 강설량(降雪量).

적설-초【積雪草】명〖식〗[*Glechoma hederacea*] 꿀풀과에 속하는 다년생의 만초(蔓草). 잎과 줄기에 향기가 있고, 줄기는 방형(方形)이며, 잎은 대생하고, 둔한 톱니가 있는 신장형(腎臟形)임. 4-5월에 엽액(葉腋)에서 홍자색의 순형화(脣形花)가 피고, 꽃의 후경(後莖)이 땅에 뻗어 나가면서 뿌리가 내리며 길이 3-4 m에 달함. 들이나 길 가에 나는데, 아시아 및 유럽에 분포함. 줄기와 잎은 소아병·감기·당뇨병 및 강장제로 씀. 연전초(連錢草). 긴병꽃풀.

〈적설초〉

적성[1]【赤誠】명 참된 마음에서 우러나오는 정성. 단성(丹誠).

적성[2]【笛聲】명 ①피리를 부는 소리. ②기적(汽笛) 소리.

적성[3]【適性】명 알맞은 성질. ¶~에 맞는 직업.

적성[4]【敵性】명 적의 성질을 띤 것. 적국 또는 가상 적국인으로서, 전쟁 법규(戰爭法規)의 범위 안에서 공격·파괴·약탈 및 포획 등의 가해 행위를 할 수 있는 성질. ¶~ 국가. ↔비(非)적성.

적성[5]【敵城】명 적의 성.

적성[6]【積城】명〖지〗경기도 파주시(坡州市) 적성면의 한 마을. 구릉(丘陵)에 둘리어 있고 북쪽만 임진강(臨津江)에 통하여 천연의 요해지(要害地)로 '중성(重城)'이라는 산성(山城)터가 있음.

적성[7]【積誠】명 오랫 동안 정성을 쌓음. ——-하다 자 여불

적성 감:염주의【敵性感染主義】[―/―이] 명〖법〗전시에 선박을 나포하였을 경우, 적선(敵船)인 경우에는 그 선박과 화물을 모두 몰수하고, 중립국(中立國) 선박인 경우에는 그 중에 적의 화물이 있으면 그 화물과 함께 선박도 몰수하는 주의.

적성 검:사【適性檢査】명 [aptitude test]〖심〗개인의 특수 성능(特殊性能)의 성질을 밝히기 위한 검사. 보통, 신체 검사·일반 지능 검사·특수 지능 검사·인물 판정(人物判定) 등으로 구성되며, 심리학적·의학적(醫學的)·통계적 지식 및 수단에 의하여 행해짐. 현재의 능력만이 아니고 장래의 가능성을 측정하려는 데 특색이 있음.

적성 국가【敵性國家】명 교전(交戰)하고 있는 적국(敵國)을 이롭게 해 주는 나라.

적성 권:축【積成卷軸】명 글발이나 장부·서신 등이 많이 쌓여 축(軸)으로 세기에 이름. ——-하다 자 여불

적성 배:치【適性配置】명〖심〗적성 검사의 결과에 따라 인물(人物)을 뽑고, 또한 직무 분석(職務分析)에 의하여 어느 작업에 관한 적성을 검사한 후, 그 인물의 재능을 최대한으로 발휘할 수 있는 직업에 종사하도록 배치하는 일.

적성-병【赤星病】[―뼝] 명〖식〗담배·배나무·사과나무 등의 잎에 붉은 병적 반문(斑紋)이 생기는 병. 붉은별무늬병.

적성-어【敵性語】명 적국의 언어.

적성의-전【翟成義傳】[―/―이―] 명〖책〗조선 시대 때의 효행(孝行) 소설. 작자와 연대 모두 미상(未詳)임.

적성 증인【敵性證人】명〖법〗형사 재판 또는 민사 재판에서, 상대방이 신청한 증인을 일컫는 속칭(俗稱).

적세[1]【賊勢】명 도둑의 형세.

적세[2]【敵勢】명 적의 세력. 적군의 기세. ¶~를 크게 꺾다.

적세[3]【積世】명 여러 세대(世代). 누세(累世).

적세[4]【積歲】명 적년(積年).

적세[5]【積勢】명 세력을 쌓음. 또, 쌓은 기세. ——-하다 자 여불

적소[1]【積蘇】명 적신(積薪).

적소[2]【賊巢】명 도적의 소굴. 적굴(賊窟).

적소[3]【適所】명 적당한 곳. 적당한 지위. ¶적재(適材) ~.

적소[4]【謫所】명〖역〗죄인이 유배(流配)되어 있는 곳. 배소(配所).

적-소두【赤小豆】명 붉은 팥.

적소두-계【赤小豆契】[―계] 명〖역〗관아(官衙)에 붉은 팥을 공물(貢物)로 바치던 계.

적소 성대【積小成大】명 ①작은 것도 쌓이면 크게 됨. ②적은 것도 모아 쌓이면 많아짐. ——-하다 자 여불

적속【積粟】명 쌓아 놓은 미곡(米穀).

적손【嫡孫】명 적자(嫡子)의 적자. ↔서손(庶孫).

적손 승조【嫡孫承祖】명 적손이 직접으로 조부(祖父)의 가독(家督)을 계승하는 일. 적손 승중(承重).

적손 승중【嫡孫承重】명 적손 승조(承祖).

적송[1]【赤松】명〖식〗소나무❷.

적송[2]【積送】명 물품을 적재(積載)하여 보냄. ——-하다 타 여불

적송-림【赤松林】[―님] 명 적송으로 이루어진 숲.

적송-인【積送人】명 짐을 실어 보내는 사람. 하송인(荷送人).

적송-자【赤松子】명 신선(神仙)의 이름. 신농(神農) 시대에 비를 다스렸다고 함.

적송-품【積送品】명〖경〗①실어서 보내는 물건. ②부기(簿記)상 위탁 판매(委託販賣)를 위해서, 객주(客主) 또는 대리인(代理人)에게 적송하는 상품. 적송품 계정(計定)으로 처리함.

적-쇠【炙―】명 →석쇠.

적쇠 신조【積衰新造】명 오랫동안 쇠(衰)하여 있는 것과 새로 나온 것.

적쇳-가락【炙―】명 두 개의 굵고 큰 철사로 만들어진 부젓가락. 화로(火爐)나 풍로(風爐)에 걸쳐 놓고 적을 굽거나, 음식 익히는 그릇을 올려 놓기도 함.

적수[1]【赤手】명 맨손. 손에 아무것도 가지지 않는 일. ¶~ 공권(空拳). *공수(空手).

적수[2]【赤髓】명〖생〗적색 골수(赤色骨髓).

적수[3]【赤鬚】명 ①붉은 수염. ②붉은 갈기.

적수[4]【笛手】명〖역〗세악수(細樂手)의 하나. 대금(大笒)을 부는 사람.

적수[5]【賊首】명 ①도둑의 머리. ②도둑의 괴수. 적괴(賊魁).

적수[6]【滴水】명 떨어지는 물방울.

적수[7]【敵手】명 재주나 힘이 서로 맞서 상대되는 사람. 대수(對手). 대적(對敵). ¶호(好)~.

적수[8]【敵數】명 적병(敵兵)의 수.

적수[9]【敵讐】명 원수(怨讐). 구적(仇敵).

적수[10]【積水】명 ①모여서 괸 물. ②바다. 호수(湖水).

적수[11]【積愁】명 적우(積憂).

적수[12]【積數】명〖수〗서로 곱한 수.

적수[13]【謫戍】명 죄를 짓고 변방(邊方)에서 수자리살이함. 또, 그 병사. 적졸(謫卒).

적수 공권【赤手空拳】명 맨손과 맨주먹. 곧, 아무것도 가진 것이 없음. ¶~으로 성공하다.

적수 기가【赤手起家】명 적수 성가(赤手成家). ——-하다 자 여불

적수 단신【赤手單身】명 맨손과 홑몸. 곧, 가진 재산도 없고 의지할 일가붙이도 없는 외로운 몸.

적수-령【積水嶺】명〖지〗함경 남도 풍산군(豐山郡)에 위치한 산(山). [1,669 m]

적수-병【赤銹病】[―뼝] 명 식물의 줄기·이삭·뿌리 따위에 녹이 슨 것처럼 적갈색의 무늬가 생기는 병. 3-4월에 병균이 있는 포자(胞子)가 날아와서 식물에 병을 옮김.

적수 성가【赤手成家】명 아무것도 없는 가난한 사람이 맨손으로 일어나 가산을 장만함. 적수 기가(起家). ——-하다 자 여불

적수 성연【積水成淵】명 적은 물이라도 모이고 괴면 못을 이룸. 한 방울씩의 물이 모여 못을 이룸. 전(轉)하여, 작은 것도 모이면 큰 것이 됨의 비유. ——-하다 자 여불

적수-증【赤手症】[―쯩] 명〖한의〗혀의 끝이 부어 올라 점점 퍼지는 병(病).

적순【摘筍】명〖농〗순지르기. *적심(摘心)·적아(摘芽).

적순 부:위【迪順副尉】명〖역〗조선 시대 때 정칠품 무관(武官)의 품계. 분순(奮順) 부위의 위. *병절 교위(秉節校尉).

적습[1]【賊習】명 물건을 훔치는 버릇.

적습[2]【敵襲】명〖군〗적의 습격.

적습[3]【積習】명 옛적부터의 버릇. 오래 된 버릇. ¶~에 젖다.

적습[4]【積襲】명 겹쳐 쌓임. 적첩(積疊).

적습 상연【積習相沿】명 습관(習慣)이 변함없이 지켜져 감. ——-하다 자 여불

적승【赤繩】명 인연을 맺는 끈. 부부(夫婦)의 인연.

적승 계:족【赤繩繫足】명 혼인이 정해짐.

적승-자【赤繩子】명 중국 당(唐)나라 위고(韋固)가 만났다고 하는 이인(異人). 월하 빙인(月下氷人)을 이름.

적시[1]【摘示】명 지적하여 제시(提示)함. ——-하다 타 여불

적시[2]【適時】명 적당한 시기(時期). 꼭 알맞은 시기. 적기(適期). ¶~ 안타(安打).

적시[3]【敵視】명 ↗적대시(敵對視). ——-하다 타 여불

적시[4]【積屍】명 겹겹이 쌓인 시체. 많은 시체.

적시[5]【鏑矢】명〖역〗선전(宣戰)의 표시나 수렵장(狩獵場)의 신호로 쓰이던 화살. 곧, 우는 살. 명적(鳴鏑)이라는, 사슴·물소 등의 뿔 속을 깎아 내어 비게 한 것을 화살 자루 끝에 달아 쏘면 날아가면서 소리가 남.

적시다 타 [중세:적시다] ①액체를 묻혀서 축축이 젖게 하다. ¶옷을 ~. ②정조(貞操)를 빼앗아 더럽히다.

적시-류【積翅類】명〖충〗강도래목(目).

적시 재:상【赤屍在床】명 몹시 가난하여 죽은 사람을 장사지내지 못함. ——-하다 자 여불

적시 적기【適時適期】명 꼭 알맞은 시기. 적시·적기를 강조한 말.

적시 적지【適時適地】명 시간과 장소가 알맞음. ——-하다 형 여불

적시-증【赤視症】[―쯩] 명 [erythropsia]〖의〗모든 물체가 적색으로 보이는 시각의 이상.

적시-타【適時打】명 타임리 히트(timely hit). ¶~를 날리다.

적신[1]【赤身】명 ①벌거벗은 알몸뚱이. ②목재(木材) 중심의 생활 기능을 잃은 대홍색(帶紅色)의 부분. 심재(心材). 적목질(赤木質).

적신[2]【賊臣】명 반역(反逆)하는 신하. 불충(不忠)한 신하.

적신[3]【積薪】명 쌓은 장작(長斫). 또, 장작을 쌓음. 적소(積蘇). ——-하다 자 여불

적-신호【赤信號】명 ①교통 기관의 정지(停止) 신호. 붉은 깃발이나 등(燈)을 이용함. ↔청신호(靑信號). ②앞길에 위험이 있는 표시. ③위험 신호(危險信號). ¶건강에 대한 ~.

적실[1]【赤實】명 ①빛깔이 붉은 열매. ②거짓이 없고 진실함. ——-하다

[형][여불]. ——-히 [부]

적실²【的實】[명] 틀림 없이 확실함. ¶ 네놈이 길아무개가 ～하면 지대 위로 기어오를 생념은 말고 게 끓어라 이놈《金周榮 : 客主》. ——-하다 [형][여불]. ——-히 [부]

적실³【嫡室】[명] 정실(正室). 본처.

적실⁴【適實】[명] 실제에 적합(適合)함. 실제에 잘 들어맞음. ——-하다 [형][여불]

적실⁵【敵失】[명] 적의 실책(失策). 또, 야구 등 운동 경기에서 상대(相對)의 실책.

적실⁶【積失】[명] 거듭 잃어 버림. 또, 과실(過失)을 거듭함. 온갖 실책. ——-하다 [타][여불]

적-실인심【積失人心】[명] 여러 가지로 인심(人心)을 많이 잃음. ——-하다 [자][여불]

적심¹ [명] 재목을 물에 띄워 내리는 일.

적심² [명]〖건〗①알매흙 위에 물매를 잡기 위하여 보공하는 잡목(雜木). 지저깨비·나무 토막 또는 헌 재목 등을 씀. ②마루나 서까래의 뒷목을 보강(補強)하기 위하여 큰 원목(原木)을 눌러 박은 것. [주의] '積心'으로 씀은 취음.

적심³【赤心】[명] ①거짓없고 참된 마음. 단심(丹心). ②붉은 알맹이.

적심⁴【賊心】[명] ①도둑질할 마음. ②해치고자 하는 마음. 해심(害心). ¶ ～을 품다. ③반역을 꾀하는 마음. 왕가에 반대하는 마음.

적심⁵【摘心】[명]〖농〗성장이나 결실(結實)을 조절하기 위하여, 수목(樹木)이나 작물(作物) 줄기의 정아(頂芽)·생장점 부위를 제거하는 일. *적순(摘筍)·적아(摘芽).

적심-돌【積心—】[명]〖건〗축석(築石)의 안쪽에 심을 박아 쌓는 돌. 적심석(積心石).

적심 보:국【赤心報國】[명] 성심(誠心)으로써 나라에 충성(忠誠)을 다함. ——-하다 [자][여불]

적심-석【積心石】[명]〖건〗적심돌.

적심-쌓기【積心—】[—싸—] [명]〖건〗벽의 안쪽을 돌 또는 벽돌로 튼튼히 쌓는 일. 보통, 잡석을 씀.

적-십자【赤十字】[명]〔Red Cross〕①흰 바탕에 붉은 십자형을 그린 휘장(徽章). 적십자사(赤十字社)의 표장으로, 적십자사의 조직이 발의(發議)된 스위스(Swiss)의 국기인 백십자(白十字)를 전용(轉用)한 것임. ②↗적십자사(赤十字社)·적십자 병원(赤十字病院). ¶ 남북 ～ 회담.

적십자 국제 위원회【赤十字國際委員會】[명] 1863년 스위스에서 발족한 적십자 국제 본부. 본부는 제네바(Geneva)에 있으며 영세 중립국인 스위스 사람으로만 구성되어 있어, 전쟁 희생자의 구제(救濟) 등의 인도적 활동을 하고 있음. 1963년에 노벨 평화상을 수상하였음. 아이 시 아르 시(I.C.R.C.).

적십자 국제 회:의【赤十字國際會議】[—/—이] [명] 4년마다 각국 적십자사 및 적십자 가맹국 정부 대표가 출석 개최하여 다음 회의까지의 세계 적십자의 방침을 협의하는 적십자 최고의 회의.

적십자-기【赤十字旗】[명] 흰 바탕에 붉은 '十'자를 그린 적십자사의 기. *적십자.

적십자 병:원【赤十字病院】[명] 적십자사가 경영하는 병원. 전시·사변 때의 부상자 구호, 간호사의 양성 및 일반 환자의 치료를 목적으로 하며, 국민의 협력(協力)·가입(加入)에 의하여 자주적(自主的)으로 경영함. [준]적십자(赤十字).

적십자-사【赤十字社】[명]〖사〗전시·사변에 있어서의 상병자의 간호 및 포로의 보호 송환, 난민과 어린이의 구호 등을 비롯하여, 평상시의 재해, 질병의 구조·예방 등을 목적한 국제적 협력 조직인 만국 적십자사(萬國赤十字社)와 그 지부(支部). 1863년 스위스의 뒤낭(Dunant, J.H.)의 발의로 나이팅게일(Nightingale, F.)의 뜻을 이어, 1864년에 16개국의 참가로 체결된 적십자 조약(赤十字條約)으로 국제화(國際化)하였음. [준]적십자.

적십자사 연맹【赤十字社聯盟】[명]〔League of Red Cross Societies〕 1919년 각국 적십자사에 의하여 조직된 범(汎)세계적인 연합체. 각국 적십자사의 창설과 발전을 돕고 재해 구호 활동을 조정함. 본부는 제네바에 있고, 이사회(理事會)와 집행 위원회가 있음. 1963년에 노벨 평화상을 수상함. 우리 나라는 1955년에 가입하였음.

적십자 원칙【赤十字原則】[명] 인도(人道)·공정(公正)·중립(中立)·독립(獨立)·봉사(奉仕)·단일(單一)·보편(普遍)의 적십자 칠대 원칙(七大原則)을 일컬음. 또, 공평·정치 경제 종교상의 자주 독립·보편·각국 적십자사의 평등 등 사대 원칙(四大原則)을 말할 때도 있음.

적십자의 날【赤十字—】[—/—에—] [명] 적십자 운동의 아버지라 불리는, 적십자의 창시자 뒤낭(Dunant, J. H.)의 생일인 1828년 5월 8일을 기념하여 정한 날로 매년 5월 8일임. 국제 적십자일.

적십자 정신【赤十字精神】[명] 적십자사의 취지에 따라, 모든 사람을 사랑하고 서로 돕자는 박애(博愛) 정신.

적십자 조약【赤十字條約】[명] ①제네바 조약❶❷. ②제네바 협약(協約).

적쌍룡 단선【赤雙龍團扇】[—농—] [명]〖역〗의장(儀仗)의 한 가지. 둥그런 부채에 붉은 쌍룡을 그리고 긴 자루가 달렸음.

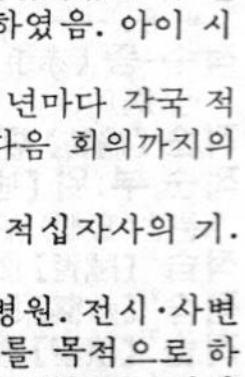

〈적쌍룡 단선〉

적아¹【赤鴉】[명]〔한 가운데에 세 발 달린 까마귀가 있다는 전설에서〕태양의 딴이름.

적아²【摘芽】[명]〖농〗농작물의 새싹을 골라서 필요 이외의 것을 따 버리는 일. 작물의 필요한 부분만의 성숙을 촉진하기 위한 것임. 순지르기. 순따주기. 곁순치기.

적아³【積痾】[명] 오래도록 낫지 않는 병. 숙아(宿痾).

적아 세:포【赤芽細胞】[명]〔erythroblast〕〖생〗적혈구 계열(赤血球系列)의 것으로 인정(認定)되는 가장 젊은 세포. 골수(骨髓)에서 볼 수 있으며 유핵(有核)임.

적아 세:포증【赤芽細胞症】[—쯩] [명]〖의〗말초(末梢) 혈액 속에 정상 상태에서는 볼 수 없는 미성숙의 유핵(有核) 적혈구가 출현하여 증가하는 병. 또, 그 증상. 흔히, 부모와 태아의 혈액의 관계로, 태아나 신생아(新生兒)에게서 볼 수 있으며, 치료에는 폴산(folic acid)이나 비타민 B_{12}가 유효함.

적-악¹【赤嶽】[명]〖지〗제주도 한라산(漢拏山) 기슭에 이루어진 기생 화산(寄生火山)의 하나. [1,061m]

적악²【積惡】[명] 못된 짓만 하여 많은 죄악(罪惡)을 쌓음. ¶ 가만히 자빠라져서 죽기나 바라는 신세가 병 나을 생각을 하다니 뇌게다 ～을 하려고?《朴花城 : 고개를 넘으면》. ——-하다 [자][여불]

적악 여앙【積惡餘殃】[명] 악한 짓을 많이 하면 그 죄 때문에 재앙(災殃)이 자손에게 미침.

적앙【積殃】[명] 재앙(災殃)이 거듭됨. 온갖 재난(災難). 또, 큰 재앙. ——-하다 [자][여불]

적애【積愛】[명] 쌓이는 자애(慈愛). 온갖 은애(恩愛). 또, 자기가 많은 은애를 베푼 사람.

적약¹【適藥】[명] 그 병에 맞는 약.

적약²【敵藥】[명] ①배합(配合) 여하에 따라 서로 독이 되는 약. ②함께 먹으면 독이 되는 약.

적양¹【赤楊】[명]〖식〗오리나무.

적양²【赤壤】[명] 붉은 토양(土壤). 적토(赤土).

적양³【積陽】[명] 쌓이고 쌓인 양기(陽氣). 전(轉)하여, 열기(熱氣) 또는 여름을 이름.

적어【赤魚】[명] 빛깔이 붉은 물고기.

적어도 [부] ①적게 보이기는 하여도. ②줄잡아 어림하여도. 최소한도로. ¶ ～ 열흘은 걸리겠다. ③마음에 부족하나마 그런대로. ¶ ～ 만 원은 있어야지. ④아무리 적게 평가하여도. ¶ ～ 남자라면.

적어-지다 [자] 적게 되다. ¶ 실수입이 많이 적어졌다.

적업【適業】[명] 적당한 직업. 능력·재질에 알맞은 직업. 적직(適職).

적여【敵與】[명] 적국과 우방국(友邦國).

적-여구산【積如丘山】[명] 산더미같이 많이 쌓임. ——-하다 [형][여불]

적여 디디다 [타]〈방〉제겨 디디다.

적역¹【敵役】[명] 연극 같은 데서 악인(惡人)으로 분장(扮裝)하고 나오는 역(役).

적역²【適役】[명] 알맞은 배역(配役). 적절한 배역. ¶ 그 연극에는 그 배우야말로 ～이다.

적역³【適譯】[명] 적절한 번역 또는 통역(通譯). ¶ 그 말에 대한 영어의 ～이 없다.

적연【寂然】[명] 조용하고 쓸쓸함. ——-하다 [형][여불]. ——-히 [부]

적연 무문【寂然無聞】[명] 괴괴하고 조용하여 아무 소문도 없음. ——-하다 [형][여불]

적연 부동【寂然不動】[명] 아주 조용하여 움직이지 아니함. ——-하다 [형][여불]

적연-하다【的然—】[형][여불] 확실히 그러하다. 확실하다. **적연-히¹**【的然—】[부]

적연-히²【適然—】[부] 마침 우연히.

적열¹【赤熱】[—널] [명] 물체(物體)가 빨갛게 달 때까지 열(熱)을 가함. ——-하다 [타][여불]

적열²【積熱】[—널] [명]〖한의〗열이 올라서 입안이 헐고 자주 목이 마르며, 온 몸이 벌겋게 상기(上氣)되어 몸이 괴로워지다가 나중에는 몸이 부어오르는 병.

적염【賊炎】[명] 적도(賊徒)의 세력.

적엽【摘葉】[명]〖농〗과수·소채 등에서, 잎이 너무 무성하여 햇빛·공기의 유통이 잘 안 될 때 잎의 일부를 따 주는 일.

적영¹【赤瑛】[명] 붉은 옥(玉).

적영²【賊營】[명] 적도(賊徒)의 진지. 적도가 모이는 곳.

적영³【敵影】[명] 적의 그림자. 적의 모습.

적영⁴【敵營】[명] 적의 진영(陣營).

적오-기【赤烏旗】[명]〖역〗의장기(儀仗旗)의 한 가지.

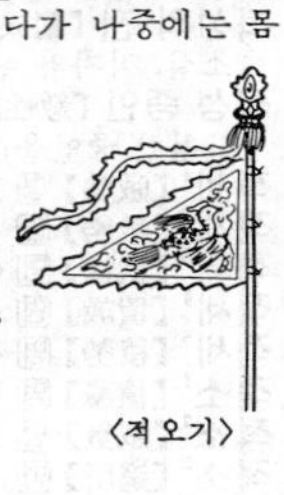

〈적오기〉

적옥【赤玉】[명] 붉은 보옥(寶玉).

적온【適溫】[명] 적당한 온도. 알맞은 온도.

적왕-장【敵王章】[—짱] [명]〖악〗악장(樂章)의 이름.

적외 망:원경【赤外望遠鏡】[명] 적외선을 이용한 망원경. 목표의 검출이나 적외 통신(赤外通信), 천체 사진 촬영, 태양 스펙트럼의 연구 등에 사용됨.

적외 분광학【赤外分光學】[명]〔infrared spectroscopy〕〖물〗물질계(物質系)와 적외선과의 상호 작용을 이용하여, 그 계(系)의 성질을 연구하는 일. 보통, 적외선을 물질에 통과시킨 후, 스펙트럼(spectrum)에 분산(分散)시켜 물질 속의 흡수를 조사함.

적외-선【赤外線】[명]〔infrared ray〕〖물〗파장(波長)이 약 0.75-400μ로서 적색(赤色) 가시 광선(可視光線)보다 길고 마이크로파(波)보다 짧은 열(熱)작용이 큰 전자기파(電磁氣波). 스펙트럼(spectrum)이 적색 가시 광선의 스펙트럼보다 밖에 있으며, 눈에는 보이지 않고 공기 중의 투과력(透過力)이 크므로 비밀 통신(秘密通信)·적외선 사진(赤外線寫眞) 등에 이용됨. 1800년에 허셜(Herschel, F.W.)에 의하여 최초로 발견되었고, 1835년 앙페르(Ampère, A.)에 의해 증명되었음. 열선(熱線). 넘빨강살. 암열선(暗熱線). 열선(熱線). ↔자외선(紫外線).

적외선 감:광 필름【赤外線感光―】〔film〕명 적외선 필름.

적외선 건조【赤外線乾燥】명 적외선에 의한 방사 에너지(放射 energy)를 이용하는 건조법. 물체의 표면만을 건조시키는 데 적합하고, 시간의 허비나 열손실이 적고, 장치도 간단하여 컨베이어 방식(conveyer 方式)에 의한 생산에 알맞음. 자동차의 도장면(塗裝面)의 건조·인화(印畫)·종이나 천 같은 얇은 것의 건조에 이용됨.

적외선 건조기【赤外線乾燥機】명〖기〗가열 건조 기체(加熱乾燥氣體)를 직접 사용하지 않고, 적외선 램프나 적당한 가열체(加熱體)로부터의 적외선을 대어서 건조시키는 장치.

적외선 검:출기【赤外線檢出器】〔infrared detector〕〖전〗적외선에 응답(應答)하는 장치. 화재(火災)나 기계·비행기·자동차 따위의 과열(過熱)을 검출하거나, 온도에 민감(敏感)한 생산 공정(生産工程)을 제어(制御)하거나 하는 데 씀.

적외선 방해【赤外線妨害】명〔infrared jamming〕적외선 방사(放射)에 의하여 열탐사형(熱探査型) 미사일을 혼란에 빠뜨리는 방법. 적외선은, 그 입력을 과부하(過負荷)로 만들기도 하고, 미사일의 진로를 오도(誤導)하기도 함.

적외선 분광 분석【赤外線分光分析】명 적외 흡수 스펙트럼을 이용하여 주로 유기 물질을 분석하는 방법.

적외선 사진【赤外線寫眞】명〔infrared photography〕〖물〗적외선을 이용하여 특수한 필터 건판(filter 乾板)으로 찍는 사진. 적외선은 대기(大氣)를 통과하는 힘이 크므로 수증기(水蒸氣)가 많을 때 또는 야간(夜間)에도, 먼 거리에 있는 물체나 육안(肉眼)으로는 보이지 않는 것까지도 찍힘.

적외선-성【赤外線星】명〔infrared star〕〖천〗전자기파(電磁氣波)의 적외역(赤外域)에 많은 양의 방사 에너지를 방출하는 별.

적외선 송:신기【赤外線送信機】명〔infrared transmitter〕〖전〗적외스펙트럼 영역(spectrum 領域)의 에너지를복사(輻射)하는 송신기. 적외선은 정보 신호로 변조(變調)할 수가 있음.

적외선 수신기【赤外線受信機】명〔infrared receiver〕〖전〗정보를 포함하는 적외선 복사(輻射)를 방수(傍受) 또는 복조(復調)하는 장치.

적외선 암:시 장치【赤外線暗視裝置】명 적외선을 이용하여 어두운 곳에서 눈에 보이지 않는 영상을 보는 장치. 암야(暗夜)의 전장(戰場)에서의 감시나 소총과의 병용(倂用) 또는 문서나 그림의 감정 등에 이용됨. 녹토비전(noctovision).

적외선 요법【赤外線療法】〔―뇨뻡〕명〖의〗광선 요법의 하나. 적외선을 환부(患部)에 조사(照射)하여 그 열작용(熱作用)에 의해 혈관 운동을 자극시켜, 혈류(血流)를 왕성하게 하고, 영양(營養)을 좋게 하려고 적외선등(赤外線燈)을 이용하는 요법임. 류머티즘·동상(凍傷) 등에 유효함.

적외선 유도탄【赤外線誘導彈】명〔heat seeker〕〖군〗비행기의 엔진이나 용광로(熔鑛爐)처럼 열을복사(輻射)하는 기계 또는 설비를 자동 추적(自動追跡)하기 위해, 적외선 검지 장치(檢知裝置)를 부착(附着)한 유도탄.

적외선 전:구【赤外線電球】명 필라멘트 온도를 내려, 보다 많은 적외선을 복사하도록 만든 전구. 적외선 건조용(乾燥用) 및 의료용(醫療用) 등에 쓰임.

적외선 천문학【赤外線天文學】명〔infrared astronomy〕〖천〗천체(天體)의 적외선 복사(輻射)를 관측하며, 천체의 연구를 행하는 천문학의 한 분야. 비교적 저온(低溫)의 천체가 연구 대상임.

적외선 카메라【赤外線―】〔camera〕명 적외선 건판(乾板)을 사용하여 촬영하는 카메라. 원경(遠景) 촬영, 특수 감열체(感熱體)에 의한 열사진(熱寫眞) 촬영, 복사도(輻射度)의 측정 및 미소 온도차(微小溫度差)의 검출 등에 이용됨.

적외선 필름【赤外線―】〔film〕명 적외선에 감광하는 필름. 적외선 사진 촬영시에는 이 필름이 청색으로도 감광하므로 적색 필터를 사용함. 적외선 감광 필름.

적외선 현:미경【赤外線顯微鏡】명 적외선을 촬상관(撮像管) 등의 전자관으로써 가시 광선(可視光線)으로 바꾸어 나타난 광상(光像)을 관찰하는 현미경. 녹토비전(noctovision)에 광학(光學) 현미경을 결합한 장치임.

적외선 호:밍【赤外線―】명〔infrared homing〕〖공〗표적(標的)이 복사(輻射)하는 적외선을 감지(感知)하여 추적(追跡)을 행하는 자동 유도(自動誘導) 장치.

적외선 흡수 스펙트럼【赤外線吸收―】〔spectrum〕명 적외선 부분이 흡수되어 검게 된 스펙트럼. 화합물의 분자 구조(分子構造) 등을 조사하는 데 이용됨.

적외 인광체【赤外燐光體】명〔infrared-sensitive phosphor〕〖물〗미리 빛을 쬐어 해신(解燼)시킨 인광체(燐光體)를 이용하여 적외선(赤外線)을 감지(感知)하는 데 쓰이는 잔광성(殘光性)의 인광체.

적외 천연색 사진【赤外天然色寫眞】명 적외 컬러 사진.

적외 컬러 사진【赤外―寫眞】〔color〕명 녹(綠)·적(赤)·적외선에 대하여 감광성을 갖는 컬러 필름을 사용하는 사진. 색채의 재현(再現)을 목적으로 하지 않고, 군사상의 미채 식별용(迷彩識別用)이나 삼림의 수상(樹相) 판별용 등에 쓰임. 적외 천연색 사진.

적요【摘要】명 요점(要點)을 따서 적음. 또, 그 기록. ――하다 타여불

적요-란【摘要欄】명 요점을 따서 적는 난. ¶금전 출납부의 ～.

적요-하다【寂寥―】형여불〔←적료(寂寥)하다〕적적하고 고요하다. 요적(寥寂)하다. ¶어느 깊은 가을날, … 혼자서 둑길을 걸어 나오던 그 적요한 기분에 젖어 주형은 밤길을 걸었다≪洪性裕 : 사랑과 죽음의 세월≫.

적용【適用】명 ①쓰기에 알맞음. ②어디에 맞추어 씀. ¶법률의 ～. ――하다 타여불

적우[1]【赤羽】명 ①붉은 날개. ②태양. ③붉은 깃의 궁시(弓矢).

적우[2]【翟羽】명〖역〗공작우(孔雀羽).

적우[3]【敵偶·敵耦】명 필적(匹敵)함. ――하다 형여불

적우[4]【適雨】명 시기에 알맞은 비. 좋은 시기(時期)에 오는 비.

적우[5]【積雨】명 ①오랫동안 계속해 오는 비. 장마. ②쌓이고 쌓인 걱정.

적우[6]【積憂】명 오래 쌓인 근심. 쌓이고 쌓인 우수(憂愁). 적수(積愁).

적우 침:주【積羽沈舟】명〔새털 같은 가벼운 것도 많이 쌓이면 배를 침몰시킨다는 뜻으로〕여럿의 힘이 모이면 큰 힘이 됨을 비유한 말.

적운【積雲】명〔cumulus〕〖기상〗수직운(垂直雲)의 한 가지. 밑은 평평하고 꼭대기는 둥글어 솜을 쌓아 놓은 것처럼 뭉실뭉실한 구름임. 주로, 무더운 여름에 상승 기류(氣流)로 말미암아 높이 1,000-1,500 m 사이에 생김. 쎈구름. 기호(記號)는 Cu. *산봉우리 구름·뭉게 구름·솜구름.

적울【積鬱】명 답답(沓沓)한 마음이 쌓여 오래 풀리지 아니함. ――하다 자여불

적웅-기【赤熊旗】명〖역〗의장기(儀仗旗)의 한 가지.

적원【積怨】명 오랫동안 쌓이고 쌓인 원망. ¶～을 풀다.

적원 심노【積怨深怒】명 원망이 쌓이고 쌓여 노염이 깊어짐. ――하다 자여불

적월【積月】명 여러 달을 거듭함. 연월(連月).

적위[1]【赤位】명〖역〗신라 때 사천왕사 성전(四天王寺成典)·봉덕사 성전(奉德寺成典)·감은사 성전(感恩寺成典)의 한 벼슬.

적위[2]【赤緯】명〖천〗천구상(天球上)에 있어서의 별의 위치를 나타내기 위하여 적도를 기준으로 하여 설정한 좌표(座標)의 하나. 적도(赤道)로부터 북쪽 또는 남쪽으로 재어 나간 각거리(角距離). 북쪽을 플러스(+), 남쪽을 마이너스(－)로 따짐. ↔적경(赤經).

적위[3]【敵僞】명 적이 짜낸 계략(計略).

적위[4]【積威】명 선대(先代)로부터 쌓아 내려온 위세(威勢). 또, 큰 위력. 굉장한 위세.

적위-군【赤衛軍】명〖역〗1918년에 소비에트 정권(政權) 방위를 위하여 무장(武裝)한 노동자·농부로 편성된 군대. 적군(赤軍)의 전신(前身). ↔백위군(白衛軍).

적위-권【赤緯圈】〔―꿘〕명〖천〗①적위 등권(赤緯等圈). ②적위(赤緯)를 세기 위하여 적도의(赤道儀)에 부속한 눈금판.

적위대 성표【赤緯帶星表】명〖천〗하늘을 몇 개의 적위대로 나눠, 그 한정된 구역 안의 별의 위치를 관측·수록한 성표. *소천표(掃天表).

적위 등:권【赤緯等圈】〔―꿘〕명〖천〗천구상(天球上), 등적위(等赤緯)를 연결한 선. 곧, 천구상의 적도에 평행한 소권(小圈). 적위권(赤緯圈). 위권(緯圈).

적위 세:차【赤緯歲差】명〔precession in declination〕〖천〗지구의 일반 세차에 의한 항성(恒星)의 적위의 이동. 항성의 적경(赤經)에 따라 다르지만, 최대의 경우 1년에 각도로 약 20초(秒)임.

적위-차【赤緯差】명〔declination difference〕〖물〗두 개의 적위(赤緯)의 차. 어떤 천체(天體)의 적위와 표(表)에 기입된 개산(槪算) 적위와의 편차.

적유년-소【積有年所】명 여러 해.

적유-령【狄踰嶺】명〖지〗①평안 북도 희천(熙川)과 강계(江界) 사이에 있는 재. 〔963 m〕②서울 특별시 동소문(東小門) 밖, 정릉(貞陵) 신흥사(新興寺) 남쪽에 있는 고개. ③충청 남도 공주시(公州市) 동쪽 약 10 km 지점에 있는 고개.

적유 산맥【狄踰山脈】명〖지〗평안 북도를 남북으로 2등분하는 산맥. 와갈봉(臥碣峰) 산릉(山陵)에서 시작하여 강남 산맥과 병행하여 서남방향으로 뻗쳤으며 주로 편마암으로 형성됨.

적유-풍【赤遊風】명〖한의〗단독(丹毒).

적:으-나부〈방〉적이나(경상).

적:으나-하면부 ☞적이나하면.

적은【積恩】명 은혜를 거듭함. 또, 쌓인 은혜.

적은 손님명〈방〉홍역(紅疫)(평북).

적:은-아명〈방〉아우(평안).

적:은 에미명〈방〉계모(繼母)(함경).

적:은-집명 ☞작은집.

적음[1]【適飮】명 알맞게 마심. ――하다 타여불

적음[2]【積陰】명 ①연일(連日) 날이 흐림. ②쌓이고 쌓인 음기(陰氣). 전(轉)하여, 한기(寒氣) 또는 겨울철.

적음 유성【笛音流星】〔―뉴―〕명〔whistling meteor〕〖전〗검출하는 데 특별한 장치가 쓰이는 전파 유성에 붙인 이름. 급속히 변화하는 가청 주파수(可聽周波數) 전파 신호를 발함.

적응[1]【適應】명 ①어떤 조건·요구 따위에 맞음. 꼭 들어맞음. 또, 그 모양. ¶시대적 요구에 ～한 대책. ②개인이 환경에 순응(順應)하기에 이르는 과정(過程). ③〔adaptation〕〖생〗생물이 환경에 적합하도록 자신의 형태·습성을 변화시키는 현상. 일시적(一時的)인 것과 유전적(遺傳的)으로 되는 것이 있음. 응화(應化). ――하다 자여불

적응[2]【敵應】명 서로 대함. 대응(對應)함. ――하다 자여불

적응 계:수【適應係數】명〖물〗상이한 온도인 고체와 기체와의 사이에 이루어지는 에너지 교환에 관하여 크누센(Knudsen, M.H.C.)이 제시한 계수.

적응-력【適應力】〔―녁〕명 적응하는 힘. ¶～이 뛰어나다.

적응 반:응【適應反應】명〔adjustment reaction〕〖심〗상황 인자(狀況因子)에 의해서 생긴 일시적인 인격 장애. 개인에 따라 특별한 사람과

만났을 때, 사건에 직접 조우(遭遇)했을 때, 내적인 감정적 갈등이 생겼을 때 따위에 일어남.

적응 방:산【適應放散】명〔adaptive radiation〕〖생〗영국의 생물학자 오즈번(Osborn,H.F.)이 제창한 생물 진화사(進化史)상의 현상으로, 동물의 종족(種族)은 허용된 범위 안에서 가능한 한의 모든 적응 양식(適應樣式)에 순응하여 확산(擴散) 발전한다는 학설.

적응-병【適應病】[—뼝] 명〔adaptive disease〕〖생〗생체(生體)에 스트레스(stress)가 가해져서 생기는 여러 가지 질병.

적응 부전【適應不全】명 자연·사회의 환경에 자기의 생존을 적응시킬 수 없는 일. 사회적으로는 열등감(劣等感)·이상 심리(異常心理) 등이 원인이 됨.

적응-성【適應性】[—썽] 명 외적(外的) 자극이나 변화에 순응하는 성질·능력.

적응 이:상【適應異常】명〔maladjustment〕〖심〗개인(個人)이 갖는 여러 가지의 욕구(欲求)를 조정(調整)하면서, 그 개인의 생활 조건(生活條件)에 응하여 실현해 나감이 곤란하기 때문에 정신적으로 파탄의 상태에 빠지는 일.

적응 자:극【適應刺戟】명 적합(適合) 자극.

적응-증【適應症】[—쯩] 명〖의〗특정의 약제(藥劑)나 수술 등에 의한 치료의 효과가 기대되는 질환(疾患) 또는 증후(症候).

적응 증:후군【適應症候群】명〔adaptation syndrome〕〖의〗캐나다의 셀리에(Selye, H.)가 제창한 개념으로, 생체(生體)는 외부의 스트레스에 대하여 먼저 경고 반응(警告反應)을 나타내며, 이어서 뇌하수체(腦下垂體)·부신 피질계(副腎皮質系)의 활동이 나타나게 되는데, 이 기능 항진(亢進) 또는 저하에 의해 발생되는, 고혈압·관절 류머티즘·위궤양 등의 질환을 일컬음. ＊스트레스·경고 반응.

적응 형질【適應形質】명〖생〗생물이 생명을 유지하기 위해 환경 변화에 따라 형태·기능 등을 변화시켜 이에 순응하는 형질. 건생(乾生) 식물은 건조에 견디기 위해 수분 결핍에 순응하는 잎·줄기 따위의 면적 축소, 왜소화(矮小化), 다육화(多肉化) 따위의 공통 성질이 있으며, 고산(高山) 식물이나 기타 특징이 있는 환경 조건에서 생육하는 생물에도 이 형질은 있음. 동물에도 초식성 동물의 구치(臼齒)·장관(腸管)의 신장(伸長) 따위에 그 형질을 볼 수 있음.

적응 호르몬【適應—】명〔adaptive hormone〕〖생〗범적응 증후군(汎適應症候群) 발생 때에 중요한 역할을 하는 호르몬. 곧, 부신 피질 자극 호르몬·생장 호르몬·부신 피질 호르몬·아드레날린 등.

적응 효소【適應酵素】명〔adaptive enzyme〕〖생〗생물이 외계(外界)의 환경에 적응하기 위해 체내(體內)에 형성하는 효소. 예를 들면, 먹이의 종류·질(質)이 바뀌면, 바뀐 먹이를 소화시키기 위하여 새로운 효소가 형성됨.

적의¹【赤衣】[—/—이] 명 ①붉은 옷. ②〖불교〗진언종(眞言宗)에서, 군다리 명왕(軍荼利明王)에게 수법(修法)할 때 중들이 입던 붉은 옷.

적의²【翟衣】[—/—이] 명 옛날 왕후가 입던 붉은 비단 바탕에 꿩을 수놓은 옷.

적의³【適宜】[—/—이] 명 그 자리에 맞음. 무엇을 하기에 알맞음. ——하다 형여불

적의⁴【適意】[—/—이] 명 뜻에 맞음. 중의(中意). ——하다 자여불

적의⁵【敵意】[—/—이] 명 ①적대(敵對)하는 마음. ¶～를 품다. ②해(害)를 가하고자 하는 마음.

적의 사:자【赤衣使者】[—/—이—] 명〖충〗고추잠자리.

적:이 부 약간. 다소. ¶그 소식에 ～ 당황했소 /그의 얼굴빛이 ～ 쓸쓸한 빛을 띤다.

적:이-나 부 ①약간이라도. ¶～ 후회하니 다행이오. ②'적이'를 약간 꼬집어 부인하는 말. ¶홍 고소를 하다니 ～ 두렵군.

적:이나-하면 부 형편이 다소나마 우연만하면. ¶그런 일이라니 ～ 가 보련만.

적이다 자타 〈방〉 제기다¹·³.

적인¹【狄人】명 ①중국 북쪽의 야만 종족. 북적(北狄). ②옛날 우리 나라의 북쪽에 살던 여진족(女眞族). 오랑캐.

적인²【敵人】명 원수(怨讎).

적인³【積因】명 쌓이고 쌓인 원인. 오랫동안의 관계.

적-인걸【狄人傑】명〖사람〗중국 당(唐)나라의 명신(名臣). 고종(高宗) 때 거란(契丹)의 내습을 평정하여 민심(民心)을 안정시킴. 측천 무후(則天武后)가 그 친조카 무삼사(武三思)에게 황통(皇統)을 전하려 함을 막아, 당나라 황통을 회복하기에 힘썼음. 시호(諡號)는 문혜(文惠). [630-700]

적인-장【狄人章】[—짱] 명 용비 어천가 제4장의 이름.

적일¹【赤日】명 빛이 붉은 태양. 빛이 강한 태양.

적일²【積日】명 누일(累日).

적일 누:구【積日累久】[—루—] 명 오랜 세월이 지남. ——하다 자여불

적일 백천【赤日白天】명 대낮.

적임【適任】명 임무에 적당함. 또, 재능에 적당한 임무. 적격.

적임-자【適任者】명 어느 임무에 마땅한 사람. 적격자(適格者).

적자¹【赤子】명 ①갓난 아이. ②임금이 백성을 '갓난 아이'로 여기어 사랑한다는 뜻으로 백성을 일컫는 말.

적자²【赤字】명 ①붉게 쓴 글씨. 교정(校正)을 본 글자. ②〖경〗장부(帳簿)상 수입(收入)이 지출(支出)보다 적어 결손(缺損)이 있을 때를 이름. 부채(負債)를 붉은 빛깔로 쓰는 데서 이 이름이 있음. ¶～를 내다/～ 가계부. ↔흑자(黑字).

적자³【赤髭】명 붉은 수염. 붉은 갈기.

적자⁴【炙子】명 번철(燔鐵).

적자⁵【賊子】명 임금이나 부모에게 반역(反逆)하는 불충 불효(不忠不孝)한 사람.

적자⁶【嫡子】명 정실(正室) 아내가 낳은 아들. 수자(樹子). 적남(嫡男). ↔서자(庶子).

적자⁷【適者】명 적당한 사람. 적응한 자. ¶～ 생존.

적자 공채【赤字公債】명〖경〗국가가 적자 재정(赤字財政)의 세입(歲入)을 보전(補塡)하기 위하여 발행하는 공채. 공황(恐慌)에 당면하여 대내적(對內的) 및 대외적 각종 국가 시설을 필요로 할 경우에 흔히 발행함. 세입 보전 공채(歲入補塡公債).

적-자극【適刺戟】명 각 감각 기관이 자연 상태로 수용하고 있는 자극의 종류. 예를 들면 눈에는 빛, 귀에는 소리가 적자극임.

적자 상속【嫡子相續】명 정실(正室) 아내가 낳은 아들만이 상속하는 형태(形態).

적-자색【赤紫色】명 붉은 빛깔이 나는 자줏빛.

적자 생존【適者生存】명〔survival of the fittest〕〖생〗영국의 철학자 스펜서(Spencer, H.)의 용어로, 생존 경쟁(生存競爭)의 결과, 외계의 환경에 가장 적합한 것만이 생존·번영(繁榮)하고, 적합치 않은 것은 도태(淘汰)되어 쇠퇴(衰退)·멸망하는 현상. 생물 진화론에서 자연 도태(自然淘汰)를 일컫는 말. ¶～의 법칙.

적자-선【赤字線】명 영업한 때의 수지(收支) 결산에서, 수입보다 지출이 많은 철도·버스·배·항공기 등의 노선.

적자 예:산【赤字豫算】명〖경〗일반적으로 수입(收入)이 지출(支出)보다 부족될 경우, 예산 편성 때 그 부족액을 적자 공채(公債)의 발행으로 보전하여 균형을 잡는 예산.

적자 운영【赤字運營】명 수지 타산(收支打算)이 맞지 아니하여 밑진 운영.

적자 융자【赤字融資】명〖경〗금융 기관(金融機關)이 기업체(企業體) 사업을 정상적으로 건전히 유지해 가는 데 자금을 융통하는 것이 아니라, 기업체의 손실(損失) 곧 장부 상의 적자(赤字)를 메우기 위하여 정부가 보조금(補助金) 또는 융자의 형식으로 자금을 융통해 주는 것. 구제(救濟) 융자.

적자 재정【赤字財政】명〖경〗조세 기타의 경영 수입(經營收入)이 지출보다 부족되어 그 예산(豫算)이 적자 상태인 국가 재정. 전시 재정(戰時財政), 전후(戰後)의 부흥 재정(復興財政) 등이 원인이 되는 수가 많음. ↔건전(健全) 재정

적자지-심【赤子之心】명 태어난 그대로의, 죄악에 물들지 아니한 깨끗한 마음. 순일(純一)하고 거짓이 없는 마음.

적작【適作】명 그 토지에 알맞은 작물. ¶적지(適地) ～.

적-작약【赤芍藥】명 ①〖식〗[*Paeonia albiflora* var. *typica*] 미나리아재빗과에 속하는 다년초. 뿌리는 방추형(紡錘形)이고 절단면(切斷面)이 적색을 띠며, 줄기는 높이 90cm 내외이고 잎은 호생함. 5-6월에 흰 꽃이 가지 끝에 하나씩 정생(頂生)하여 피고, 과실은 골돌(蓇葖)임. 산이나 들에 나는데, 황해도의 장산곶·해주(海州) 등지에 분포함. ②〖한의〗적작약의 뿌리. 보양(補陽)·파혈(破血)·통경(通經)·이뇨(利尿) 등에 귀중(貴重)한 약재(藥材)로 씀.

적작-장【赤爵章】명 용비어천가 제7장의 이름.

적:잖다 [—잔타] 형 ↗적지 아니하다. ¶나는 그에게 적잖은 신세를 졌다.

적:잖이 [—잔—] 부 적잖게. 적지않이. ¶그 소식에 ～ 놀랐다.

적장¹【寂場】명〖불교〗적멸 도량(寂滅道場).

적장²【賊將】명 적군(賊軍)의 대장(大將).

적장³【賊贓】명 도둑의 장물(贓物).

적장⁴【嫡長】명 적파(嫡派)의 장자(長子)와 장손(長孫).

적장⁵【敵將】명 적대하는 편의 장수. ¶～을 쓰러뜨리다.

적장⁶【積藏】명 저장(貯藏). ——하다 자여불

적-장손【嫡長孫】명 주손(胄孫).

적-장자【嫡長子】명 정실(正室)의 몸에서 난 장자(長子).

적장자 상속【嫡長子相續】명 가계(家系) 내지 제사를 적출(嫡出)의 장자손(長子孫)이 우선적으로 상속하는 주의, 또는 제도.

적재¹【摘載】명 요점만을 따서 기록하여 실음. ——하다 타여불

적재²【適材】명 어느 일에 적당한 재능. 또, 그 사람. ¶～ 적소.

적재³【積財】명 재화(財貨)를 쌓음. 재산을 모음. 또, 많은 재산. ——하다 자여불

적재⁴【積載】명 물건·짐을 쌓아 실음. 재적(載積). ¶～ 톤수/～ 능력. ——하다 타여불

적재-기【積載機】명〖컴퓨터〗로더².

적재-량【積載量】명 물건을 쌓아 실은 분량(分量) 또는 중량(重量). 재적량(載積量). ㈜재량(載量).

적재-율【積載率】명 적재 정량에 대한 실제 적재량의 비율.

적재 적소【適材適所】명 마땅한 인재를 마땅한 자리에 씀. 적재 적처. ¶～에 배치하다. ＊적지 적수(適地適樹).

적재 적처【適才適處】명 적재 적소(適材適所).

적재 정:량【積載定量】[—냥] 명 자동차 등에 적재할 수 있는 정량.

적재-함【積載函】명 화차(貨車)·화물 자동차 등에서, 짐을 싣는 칸.

적저【積貯·積儲·積著】명 쌓아 모음. 축적(蓄積). ——하다 타여불

적적¹【的的】명 ①밝은 모양. 고운 모양. ②확실한 모양. ——하다 형여불

적적²【嫡嫡】명 적자(嫡子)에서 적자로 계승하는 일. 정통의 혈통(血統). 적류(嫡流).

적적다 형 〈방〉 수줍다.

적적 상승【嫡嫡相承】명 대대로 적파(嫡派)의 장자·장손이 가계(家系)를 이어 내려옴. ——-하다 자 여불

적적-하다【寂寂—】형 여불 외롭고 쓸쓸하다. 조용하여 괴괴하다. ¶ 적적하게 지내다. 적적-히【寂寂—】부

적전[1]【赤箭】명〖식〗천마(天麻)❶.

적전[2]【藉田】명〖역〗임금의 친경전(親耕田).

적전[3]【嫡傳】명 정통(正統)에서 정통으로 전함. 바른 혈통을 이어받음. ——-하다 타 여불

적전[4]【敵前】명 적의 전면(前面). ¶ ~ 내분(內紛).

적전 도:하【敵前渡河】명〖군〗적이 병력을 배치하고 있는 피안(彼岸)에 강행(強行)으로 그 강을 건너가는 일. ¶ ~를 감행하다. ——-하다 자 여불

적전 상:륙【敵前上陸】[—뉵] 명〖군〗적이 병력을 배치하고 있는 전면에 강행(強行)으로 상륙하는 일. ¶ ~에 성공하다.

적-전선【敵戰線】명〖군〗적의 병력(兵力)이 배치(配置)되어 있는 일선(一線).

적전-장【藉田章】명〖악〗악장(樂章)의 이름. 임금이 적전(藉田)에 거둥하여 관예(觀刈)할 때에 연주함.

적절【適切】명 꼭 알맞음. 아주 적합함. ¶ ~한 예(例). ——-하다 형 여불. ——-히 부

적점【滴點】명〔dropping point〕〖화〗표준 상태 밑에서 그리스(grease)가 고체로부터 액체 상태로 변하는 온도.

적-점토【赤粘土】명〖지〗대양의 바닥에 널리 분포되어 있는 해저 침적물의 하나. 산화철을 포함하기 때문에 적갈색을 띠며 거의 순수한 점토인데, 알루미늄·이산화(二酸化) 망간·화산암편(火山岩片)·우주진(宇宙塵) 등도 약간 섞여 있음.

적정[1]【寂靜】명 ①퍽 조용하여 괴괴함. ②〖불교〗번뇌를 떠나 고(苦)를 멸(滅)한 해탈(解脫)·열반(涅槃)의 경지(境地). ——-하다 형 여불

적정[2]【賊情】명 도둑의 내정(內情). 도둑의 정황(情況).

적정[3]【滴定】명〔titration〕〖화〗부피 분석(分析)에 있어서, 시료(試料) 물질의 용액(溶液)의 일정량(一定量)과 과불급(過不及) 없이 반응(反應)하는 기지 농도(旣知濃度)의 시약(試藥)의 양(量)을 구하여, 계산에 의해서 시료의 농도를 알아내는 일.

적정[4]【適正】명 알맞고 바름. ¶ ~한 가격(價格). ——-하다 형 여불.

적정[5]【敵情】명 적대하는 편의 정세. ¶ ~을 살피다.

적정[6]【積精】명 정기(精氣)를 축적(蓄積)함. 또, 축적한 정기. ——-하다 타 여불

적정-가【適正價】[—까] 명 적정 가격. ¶ ~를 매기다.

적정 가격【適正價格】[—까—] 명 원가(原價)·이윤 등을 감안하여 적당하다고 여겨지는 값. 적정가(適正價). ¶ 미곡(米穀)의 ~.

적정 곡선【滴定曲線】명〔titration curve〕〖화〗적정(滴定)되는 양과 적정하는 용액의 특성과의 관계를 그린 곡선. 이 곡선의 특성을 이용하여 적정의 종말점(終末點)을 정함.

적정 규모【適正規模】명〖경〗최적 기업 규모.

적정 기술【適正技術】명〔appropriate technology의 역어(譯語)〕도입국(導入國)의 개발을 위하여 최대의 효과를 올릴 수 있는 기술 수준. 도입국의 생산 요소(生産要素)의 부존 상태(賦存狀態), 시장 규모(市場規模), 문화적·사회적 환경, 현재의 기술 상태 등 관련되는 여러 측면에서 검토·선택됨.

적정 성장률【適正成長率】[—뉼] 명〖경〗자본재(資本財)의 공급과 수요가 일치할 경우의 경제 성장률. 자본재의 공급과 수요가 일치할 때는 자본재의 생산이 과잉도 부족도 아니며, 자본 설비가 완전 가동 상태에 있어 기업자가 극대 이윤을 얻고 있음을 나타냄. R.F. 해러드의 경제 성장률 개념의 하나임.

적정-액【滴定液】명〔titrant〕〖화〗적정(滴定)에 쓰이는, 농도와 조성(組成)이 알려진 표준 용액.

적정 오:차【滴定誤差】명〔titration error〕〖화〗부피 분석(分析) 때에 당량점(當量點)이 적정의 종말점(終末點)과 일치되지 아니하여 생기는 오차.

적정 외:화 준:비액【適正外貨準備額】명〔reasonable foreign exchange reserve〕〖경〗경제의 안정 성장을 실현해 가기 위하여 필요한 외화 보유액(保有額).

적정 인구【適正人口】명〔optimum population〕〖사〗일정한 지역 사회(地域社會) 안에서 가장 그 사회적 복지(福祉)를 만족시키며 부양(扶養)해 낼 수 있는 인구 수. 곧, 산업의 최대 생산성(生産性)을 발휘할 수 있는 인구수임. 적도 인구(適度人口).

적정-주의【寂靜主義】[—/—이] 명 만사를 고요히 사념(思念)하여 거동하고 결코 서두르지 아니하는 주의.

적정 지수【滴定指數】명〔titration exponent〕〖화〗적정의 당량점(當量點)에 있어서 정량(定量)할 이온(ion)의 이온 농도 지수(濃度指數)를 말함.

적정-창【赤疔瘡】명〖한의〗부리가 붉게 부풀어 오른 정(疔).

적제[1]【赤帝】명 오제(五帝) 중의 하나로 여름을 맡은 남쪽의 신(神). 적제 장군(赤帝將軍). 「사람.

적제[2]【狄鞮】명〖역〗옛날, 중국에서 서역(西域)의 말을 통역(通譯)하던

적제[3]【嫡弟】명 서출(庶出)로서 적파(嫡派)의 아우에 대한 일컬음.

적제[4]【滴劑】명 적은 분량으로 효과를 크게 보기 때문에 용량(用量)을 방울 수로 정하는 극성(劇性)의 약액(藥液).

적제-자【赤帝子】명 중국 전한(前漢)의 고조(高祖)의 별칭.

적제-장【赤帝章】[—짱] 명 용비 어천가 제22장의 이름.

적제 장군【赤帝將軍】명 적제(赤帝).

적제 장군탈【赤帝將軍—】명〖민〗오광대 탈놀음에 나오는 적제의 탈. 얼굴 바탕은 붉고, 각막은 황금빛, 수염은 검으며, 탈 전면은 붉은데 검은 가로줄과 세로줄이 많이 있음.

적조[1]【赤潮】명〔red tide〕플랑크톤(plankton)의 이상 번식(異常繁殖)으로 바닷물이 붉게 물들어 보이는 현상. 바닷물이 부패하기 때문에 어패류(魚貝類)가 크게 해를 입게 됨.

적조[2]【積阻】명 오랫동안 서로 떨어져서 소식이 막힘. 격조(隔阻). ¶ 오랫동안 ~했습니다. ——-하다 자 여불

적족【適足】명 알맞게 족함. ——-하다 형 여불

적졸【赤卒】명〖충〗고추잠자리.

적종[1]【吊鐘】명 ☞ 조종(弔鐘).

적종[2]【嫡宗】명 ①동족(同族) 중의 총본가(總本家). 종가(宗家). ②정계(正系). 정통(正統).

적종[3]【適從】명 따라감. 의지하여 붙좇음. ——-하다 타 여불

적종-곡【適從谷】명〔subsequent valley〕〖지〗지질 구조 체계가 형성된 후 지질 구조상의 약선(弱線), 예를 들면 연한 지층 부분을 따라서 선택 침식이 작용한 결과 생기는 골짜기. 오랜 침식을 받은 산지(山地)에 발달함. 이 골짜기를 흐르는 하천을 적종 하천이라 함.

적종 하천【適從河川】명〔subsequent stream〕〖지〗암석의 연한 곳을 따라 흐르면서 적종곡(適從谷)을 형성하는 하천. 처음에는 사면(斜面)의 일반 경사를 따라 흐르다가 차츰 암석의 무른 곳을 따라 흐르게 되어, 지표(地表)의 일반 경사 방향과는 관계 없이 격자상 수계(格子狀水系)를 나타냄.

적주[1]【赤酒】명 적포도주.

적주[2]【賊住】명〖불〗아직 구족계(具足戒)를 받지 못한 사람이 비구(比丘)들과 함께 있으면서 승사(僧事)를 같이 하는 일.

적중[1]【的中】명 어김없이 꼭 목표에 들어맞음. 명중(命中). ¶ 예상이 ~했다. ——-하다 자 여불

적중[2]【賊衆】명 적당(賊黨).

적중[3]【適中】명 과부족(過不足)이 없이 똑 알맞음. ——-하다 형 여불

적중[4]【敵衆】명 많은 사람에 필적함. ——-하다 자 타 여불

적중[5]【積中】명 속에 쌓임. ——-하다 자 여불

적중[6]【積重】명 거듭 쌓임. 또, 물건을 축적함. ——-하다 자 여불

적중[7]【謫中】명 적소(謫所)에 귀양가 있는 동안.

적중-률【的中率】[—뉼] 명 예상·추측·목표 따위가 들어맞는 비율. ¶ ~이 높은 예상 문제집.

적증【的證】명 적확(的確)한 증거(證據). 틀림 없는 증거.

적-증손【嫡曾孫】명 적자(嫡子)의 적손(嫡孫).

적지[1]【赤地】명 흉년이 들어 거둘 것이 아주 없게 된 땅.

적지[2]【赤池】명 함경 북도 경흥군(慶興郡) 경흥면(慶興面)에 있는 못. [1,664 km²]

적지[3]【的知】명 적확(的確)하게 앎. ——-하다 타 여불

적지[4]【賊地】명 적도(賊徒)가 있는 곳. 적도가 점령한 땅. 도적이 출몰(出沒)하는 곳.

적지[5]【適止】명 알맞게 그침. ——-하다 타 여불

적지[6]【適地】명 ①무엇을 하는 데 알맞은 곳. 적합한 땅. ¶ 장사하기는 ~이다. ②그 농작물에 적합한 토지. ¶ 채소 재배에는 ~이다.

적지[7]【敵地】명 서로 적대하는 편의 영지(領地). 곧, 적의 영지. 적의 점령지. ¶ ~에 침입하다.

적지[8]【適志】명 뜻에 맞음. ——-하다 자 여불

적지[9]【積地】명 배에 화물(貨物)을 싣는 장소.

적지[10]【積志】명 여러 해 전부터의 뜻.

적지[11]【積祉】명 쌓인 행복.

적지[12]【積智】명 지혜를 쌓음. 궁리(窮理)를 짜냄. 또, 축적(蓄積)한 지혜. ——-하다 타 여불

적지[13]【的只】부〈이두〉적확(的確)히.

적지-성【適地性】[—썽] 명 그 땅에 적합(適合)한가 그렇지 않은가 하는 성질.

적:지-않다[—안타] 형 적다고는 할 수 없게 많다. ¶ 적지않은 재산.

적:지-않이[—안—] 부 적다고는 할 수 없게 많이. ¶ 그 소식(消息)에 ~ 놀랐다. 준적잖이.

적지 적수【適地適樹】명 마땅한 나무를 마땅한 땅에 심음. *적재 적소(適材適所).

적지 적작【適地適作】명 마땅한 작물을 마땅한 땅에 심음.

적지 천리【赤地千里】[—철—] 명〖민〗춘상갑(春上甲)에 비가 오면 그해 봄에 크게 가물어서 천리(千里)에 걸치는 넓은 땅이 모두 적지가 된다 함.

적직【適職】명 그 사람의 능력(能力)·성격(性格) 등에 적합한 직업. 적업(適業).

적진[1]【敵陣】명 적의 진지(陣地). 적의 진영(陣營). ¶ ~ 돌파.

적진[2]【積陳】명 죽 벌여 쌓음. ——-하다 타 여불

적진[3]【積塵】명 모인 티끌.

적진 성산【積塵成山】명 적소 성대(積小成大). ——-하다 자 여불

적진포 해:전【赤珍浦海戰】명〖역〗조선 선조(宣祖) 25년(1592) 5월에 이순신(李舜臣)이 고성(固城) 적진포에 왜선(倭船)이 정박하고 있음을 알고 이를 습격하여 대선(大船) 9척, 중선(中船) 2척을 불사른 해전. *임진 왜란.

적질【積帙】명 많이 쌓인 서적(書籍).

적집【積集】명 모임. 또, 쌓아 모음. ——-하다 타 여불

적집-설【積集說】명〖철〗적취설(積聚說).

적-집합【積集合】명〖수〗'곱집합'의 구용어.

적찰【赤札】[명] 매약(賣約)된 상품(商品)이나 팔다 남아서 싼 값으로 치우려는 상품 등에 붙이는 붉은 쪽지. 또, 그 쪽지가 붙은 물건(物件). 빨간 딱지.
적창【積倉】[명] 곡식 따위를 쌓는 일과 창고에 넣는 일. 또, 쌓거나 창고에 넣은 곡식 등. ——-하다 [타][여불]
적채[1]【敵砦】[명] 적의 성채(城砦). 적루(敵壘).
적채[2]【敵寨】[명] 적루(敵壘).
적채[3]【積債】[명] 쌓이고 쌓여 많아진 빚.
적처【嫡妻】[명] 정식(正式)으로 예(禮)를 갖추어 맞은 아내. 장가처. 정적(正嫡).
적천【謫遷】[명] 죄를 지은 관리(官吏) 등을 먼 곳으로 귀양 보냄. 유배(流配). ——-하다 [타][여불]
적철【炙鐵】[명] 적쇠.
적철-광【赤鐵鑛】[명]〖광〗육방 정계(六方晶系)에 속하는 광석. 결정(結晶) 또는 괴상(塊狀)으로 산출되며 판상(板狀)·추상(錐狀)·섬유상(纖維狀)·토상(土狀)·입상(粒狀)의 모양을 하고 있음. 적갈색·암회색·철흑색(鐵黑色)의 질(質)이 무른 광석으로 금속 광택이 있음. 제철상(製鐵上) 가장 필요한 광석이며 적색의 토상(土狀)을 이룬 것은 대자석(大赭石)이라 하여 채료(彩料)로 쓰임.
적첩[1]【嫡妾】[명] 적처(嫡妻)와 첩. 처첩(妻妾).
적첩[2]【積疊】[명] 첩첩이 쌓임. 적습(積襲). ——-하다 [자][여불]
적체[1]【赤體】[명]〖생〗응혈(凝血)이 차 있어서 빨갛게 된 배란(排卵) 후의 위축된 난포(卵胞). 이것이 황체(黃體)가 됨.
적체[2]【積滯】[명] 몰려 쌓이거나 막히어 잘 통하지 아니함. ¶교통의 ~ 현상. ——-하다 [자][여불]
적-초상【赤綃裳】[명]〖역〗조선 시대 때, 백관(百官)이 조복(朝服)에, 적초의(赤綃衣)에 갖춰 입는 아랫도리. 붉은 생초(生綃)로 만듦.
적-초의【赤綃衣】[—/—이] [명]〖역〗조선 시대 때, 백관(百官)의 조복(朝服)의 윗도리. 붉은 생초(生綃)로 만듦.
적축【積蓄】[명] 축적(蓄積)❶. ——-하다 [타][여불]
적출[1]【赤朮】[명]〖한의〗창출(蒼朮).
적출[2]【摘出】[명] ①집어 냄. 솎아 냄. ¶상처에서 총알을 ~하다. ②들추어 냄. 폭로함. ¶남의 비행을 ~하다. ——-하다 [타][여불]
적출[3]【嫡出】[명] 정실(正室)의 소생(所生). 본처의 자식. 정출(正出). ↔서출(庶出).
적출[4]【積出】[명] 출하(出荷). ¶~항(港). ——-하다 [타][여불]
적출-술【摘出術】[명]〖의〗수술의 한 방법. 어떤 병소(病巢)나 장기(臟器) 전체를 잘라 내는 수술. 위암의 경우에 위 전체를 잘라 내는 것과 같은 수술.
적출 안:내서【積出案內書】[명] 선적(船積) 통지서.
적출-자【嫡出子】[—짜] [명]〖법〗법률상의 처(妻)가 혼인 중에 회태(懷胎)한 자식. 혼인 성립일부터 200일 후, 혼인 해소(解消) 혹은 취소일부터 300일 이내에 낳은 자식은 이를 부(夫)의 자로 추정하고, 부(夫)가 부인(否認)의 소(訴)에서 승소(勝訴)하지 않는 한 이를 적출자(嫡出子)로 취급함. ↔비적출자(非嫡出子).
적출-항【積出港】[명] 화물을 선박에 의하여 적출하는 항구. 적하항(積荷港). 적화항(積貨港). 선적항(船積港).
적충[1]【赤蟲】[명] 장구벌레.
적충[2]【滴蟲】[명]〖충〗적충류에 속하는 원생(原生) 동물의 총칭.
적충-류【滴蟲類】[—뉴] [명]〖동〗[Infusoria] 건초(乾草) 등의 침출액(浸出液) 속에 생기는 극소(極小) 동물이라는 뜻으로 명명(命名)된 섬모충류(纖毛蟲類)의 구칭(舊稱). 편모충류(鞭毛蟲類)를 포함할 때도 있었음.
적취[1]【積翠】[명] 겹친 푸른 빛. 청산(靑山)을 형용하는 말.
적취[2]【積聚】[명] ①쌓여서 모임. ②〖한의〗[적(積)은 늘 한 곳에 몰려 있는 덩어리, 취(聚)는 간혹 생기고, 또 이리저리 돌아다님을 뜻함] 체증이 오래 되어 뱃속에 덩어리지는 병. 적기(積氣). 적병(積病). [준]적(積). ——-하다 [자][여불]
적취-설【積聚說】[명] [범 Arambha vada]〖철〗인도 철학에서의 우주론(宇宙論)의 하나. 우주는 다수의 극미(極微) 곧, 원자의 결합에 의해 이루어졌다는 세계관. 일명 적집설(積集說)이라고도 함.
적측【敵側】[명] 서로 대적(對敵)이 되는 편.
적층 공법【積層工法】[—뻡] [명] 기둥·대들보·외벽(外壁) 등을 공장에서 생산해서, 건설 현장에서는 이것을 한 층(層)씩 차례로 조립하여 가는 새로운 빌딩 건축법.
적층 금속【積層金屬】[명] [laminated metal]〖야금〗둘 이상의 층을 결합해서 만든, 금속의 복합판(複合板) 또는 막대.
적층 문학【積層文學】[명]〖문〗공동작(共同作).
적층 압연【積層壓延】[명] [pack rolling] 두 장 이상의 금속판(金屬板)을 함께 열간 압연(熱間壓延)하는 방법. 표면(表面)에 산화물(酸化物)의 피막(被膜)이 있기 때문에 녹아 붙지 않음.
적층-재【積層材】[명] 톱으로 켠 여러 장의 널빤지를 같은 섬유 방향으로 접착제(接着劑)로 접착시킨 재목. *합판(合板).
적층 전:지【積層電池】[명] 소형의 납작한 망간 건전지를 여러 개 겹쳐 쌓아 고전압(高電壓)을 얻도록 한 것. 전류 용량은 작음. 소형 라디오 등에 쓰임.
적치[1]【赤幟】[명] 붉은 기(旗).
적치[2]【敵治】[명] 적의 다스림. ¶~ 하(下)의 고생.
적치[3]【積峙】[명] 높이 겹쳐 쌓음. ——-하다 [자][여불]
적치[4]【積置】[명] 쌓아 둠. ——-하다 [타][여불]
적침[1]【赤沈】[명]〖의〗↗적혈구 침강 속도.
적침[2]【敵侵】[명] 적의 침입. 적의 침략. ¶~을 분쇄하다.
적-탁목【赤啄木】[명] 오색딱따구리.
적탄【敵彈】[명] 적군이 쏜 탄알. 적환(敵丸). ¶~을 무릅쓰고.
적탈-민【赤脫民】[명] 아주 가난한 백성.
적토[1]【赤土】[명]〖광〗①석간주(石間硃). ②주토(朱土)❶.
적토[2]【積土】[명] 흙을 쌓음. 또, 겹쳐 쌓인 흙. ¶~ 성산(成山). ——-하다 [타][여불]
적토-국【赤土國】[명]〖역〗옛날 중국의 수(隋)나라 양제(煬帝) 때 남방에 있던 나라. 당시 수나라와 통상(通商)하였다 하나, 어느 곳인지는 확실하지 않음.
적토-마【赤兎馬】[명] 중국 삼국(三國) 시대에 관운장(關雲長)이 탔었다는 준마(駿馬)의 이름. 그 주인이 죽자 굶어 죽었다 함.
적토-색【赤土色】[명] 적토와 같은 색. 적갈색(赤褐色).
적토 성산【積土成山】[명] 흙이 쌓여 산이 된다는 말로, 작은 것도 많이 모이면 커진다는 말. 적소 성대. 적진 성산.
적톳-길【赤土—】[명] 적토의 길.
적통【嫡統】[명] 적파(嫡派)의 계통.
적투-어【赤鬪魚】[명]〖어〗[*Myripristis murdjan*] 얼게돔과에 속하는 바닷물고기. 몸길이 24cm 내외, 몸빛은 노랑빛을 띤 붉은 빛이고, 열대성 물고기임. 우리 나라의 남쪽 바다·일본 남부·하와이·사모아·괌·동인도 제도·인도·아프리카 등지에 분포함.
적-틀【炙—】[명] 제사 때에 산적(散炙)을 담는 직사각형의 그릇. 놋쇠 또는 나무로 높이 굽을 달아 만들었음. 적과기(炙果器). 적기(炙器). 적대(炙臺).
적파[1]【嫡派】[명] 적출(嫡出)로서만 이어진 자손. ↔서파(庶派).
적파[2]【摘播】[명] 종자(種子)를 몇 알씩 모아 군데군데 뿌림. ——-하다 [타][여불]
적판【滴板】[명] 점적 분석(點滴分析)에 쓰이는 기구. 자제 판상(瓷製板上)에 여러 개의 오목한 부분을 만들어 시료(試料)의 용액을 넣게 되었음. 점적판(點滴板).

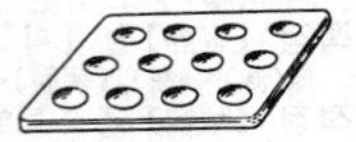

〈적판〉

적패[1]【積敗】[명] 기운이 몹시 지침. ——-하다 [자][여불]
적패[2]【籍牌】[명]〖역〗별급 호적(別給戶籍)과 호패(號牌). 16세 이상의 모든 사람은 반드시 이를 소지해야 함.
적평【適評】[명] 알맞은 비평(批評). ¶~을 내리다.
적폐【積弊】[명] 오랫동안 뿌리박힌 폐단. ¶~를 일소하다.
적-포도주【赤葡萄酒】[명] 적색의 포도주. 타닌산(tannin酸)이 함유되어 있는데, 흥분제·강장제(強壯劑)로 쓰임. 적주(赤酒).
적피-장【適彼章】[—짱] [명] 용비 어천가 제28장의 이름.
적필【趯筆】[명] 영자 팔법(永字八法)의 하나. 종획(縱畫)의 말필(末筆)을 멈추고 왼쪽 위로 삐치는 것.
적하[1]【赤霞】[명] 저녁놀.
적하[2]【滴下】[명] 방울이 져서 떨어짐. 방울지어 떨어지게 함. ——-하다 [자][여불]
적하[3]【積荷】[명] '적화(積貨)'의 법전 상의 용어.
적하 깔때기【滴下—】[명]〖화〗화학 반응을 보기 위한 혼합물 중에 액체를 한 방울씩 가할 때에 쓰이는 깔때기.
적하-법【滴下法】[—뻡] [명] [falling-drop method]〖물〗시료(試料) 액적(液滴)이 기준 액체 속으로 낙하하여 가는 시간을 측정함으로써 액체 밀도를 측정하는 기술.
적하 시험【滴下試驗】[명] [dropping test]〖야금〗도금(鍍金)한 금속판(金屬板)의 아연(亞鉛)이나 카드뮴 층(層)의 두께를 측정하는 화학적 방법. 금속판 표면에, 모재(母材)가 노출할 때까지 시약(試藥)을 떨어뜨려 감.
적학[1]【積學】[명] 학문(學問)의 공(功)을 쌓음. 또, 몸에 배인 많은 학문. ——-하다 [자][여불]
적학[2]【積壑】[명] 겹겹이 싸인 골짜기. 깊은 계곡.
적한[1]【賊漢】[명] 흉악한 도둑놈.
적한[2]【積恨】[명] 쌓이고 쌓인 원한. ¶~을 풀다.
적한[3]【少爲】〈이두〉적은.
적함[1]【敵艦】[명] 적의 군함.
적함[2]【銜銜】[명] 말의 입에 물리는 재갈.
적합【適合】[명] 알맞게 들어 맞음. 의합(宜合). ¶여성에게 ~한 운동. ——-하다 [형][여불]
적합성 조건【適合性條件】[—껀] [명] [consistency condition]〖수〗수학 이론이 모순을 일으키지 않는 요청(要請).
적합 운임【積合運賃】[명]〖경〗화물의 운송(運送) 때에 용선 계약(傭船契約)에 의하지 않고, 개개의 운송 계약(運送契約)에 의하여 가산(加算)되는 운임.
적합 자:극【適合刺戟】[명] 어떤 감각 세포나 감각 기관이 자연적으로 흥분되어지는 것과 같은 감각 자극. 눈에 있어서의 빛의 자극, 귀에 있어서의 음향(音響) 자극 등을 말함. 이에 반하여 눈에 대한 기계적(器械的) 자극, 자외선(紫外線) 등에 의한 자극과 같이 부자연한 것을 부적합(不適合) 자극이라 함. 적응(適應) 자극. 적당(適當) 자극.
적항【敵港】[명] 적진의 항구.
적해[1]【賊害】[명] 도둑에게 입은 해.
적해[2]【積害】[명] 쌓인 해. 온갖 해독.
적핵【赤核】[명]〖생〗중뇌(中腦)의 정중선(正中線)의 양쪽에 있는 좌우 한 쌍의 불그스름한 큰 회백질의 덩이. 거의 타원형이며, 사람에 있어서는 간뇌(間腦)의 뒤쪽에까지 뻗치고 있음. 운동 계통의 중요한 하나의 중심을 이룸.
적-행낭【赤行囊】[명] 우체국에서 등기 우편 등의 귀중한 우편물을 담아 다른 데로 나르는 데 쓰이는 붉은 주머니.

적혈[1]【赤血】[명] 붉은 피.

적혈[2]【賊穴】[명] 도둑의 소굴. 적굴(賊窟).

적혈[3]【積血】[명]〖한의〗어혈(瘀血).

적-혈구【赤血球】[명]〔erythrocyte〕〖생〗혈액 중의 유형 성분(有形成分)의 하나. 고등 포유(哺乳) 동물 중에는 사람과 낙타만이 핵(核)이 있으며 둥근 원판(圓板)이 가운데 약간 움푹 들어간 모양임. 사람의 경우 지름이 6-10 미크론으로, 1 mm^3의 혈액 중에 남자 약 500만 개, 여자 약 450만 개가 있음. 그 중에 포함되어 있는 혈색소(血色素), 곧 헤모글로빈 때문에 붉게 보이며, 헤모글로빈은 허파에서 산소(酸素)와 결합(結合)되어 이것을 몸의 각 부분(部分)에 나르는 작용을 함. 붉은 피톨. ↔백혈구(白血球).

적혈구 응집소【赤血球凝集素】[명]〔hemagglutinin〕〖생〗적혈구를 응집시키는 것의 총칭. 항체(抗體)·세포 응집소·바이러스 따위.

적혈구 증가증【赤血球增加症】[─쯩] [명]〖의〗적혈구의 수가 600만 이상, 심한 경우엔 1,000만 이상으로 증가한 상태. 산소(酸素)의 결핍 상태 때 또는 심장(心臟)과 폐장(肺臟)의 질환(疾患) 및 약물 중독(藥物中毒) 등에 나타남.

적혈구 침강 반:응【赤血球沈降反應】[명]〔erythrocyte sedimentation reaction〕〖의〗결핵증(結核症)의 진단에 사용되는 반응. *적혈구 침강 속도.

적혈구 침강 속도【赤血球沈降速度】[명]〔erythrocyte sedimentation rate〕〖생〗응고를 억제하는 약품을 섞은 소량의 혈액을 가는 유리관에 넣어 수직으로 세워 두면, 시간이 경과함에 따라 위쪽으로는 혈장(血漿)이, 아래 쪽으로는 적혈구가 분리되는 속도. 적혈구의 비중이 혈장의 비중보다 큰 원인으로 일어남. 정상 상태의 경우 남자는 대체로 1 시간에 10 mm 이하, 여자는 15 mm 이하인데, 결핵·암·간장 질환 등 중질환일 때는 이 현상이 커짐. [준]적침(赤沈)·혈침(血沈).

적-혈염【赤血塩】[명]〈속〉〖화〗페리시안화 칼륨(ferricyan化 kalium). 적색 혈로염(赤色血鹵塩).

적혈 칼리【赤血─】[kali] [명]〖화〗페리시안화 칼륨.

적형【嫡兄】[명] 서출(庶出)로서 적파(嫡派)의 형에 대한 일컬음.

적호【適好】[명] 알맞고 좋음. ──-하다 [형][여불]

적-홍유【積紅釉】[명]〖공〗중국 청(淸)나라 때 낭요(朗窯)에서 명(明)나라의 선홍 보석유(鮮紅寶石釉)를 본떠 그보다 더 짙게 만든 도자기(陶瓷器)의 잿물.

적화[1]【赤化】[명] ①붉게 됨. ②〖사〗공산주의(共產主義) 사상에 공명(共鳴)하여 그에 치우친 색채를 띠게 됨. 또, 공산주의화함. 좌익화(左翼化). ¶ ~ 선전/~ 통일의 야욕. ──-하다 [자][타][여불]

적화[2]【赤禍】[명] 적화(赤化)에 의한 화해(禍害). 공산주의에 의한 화(禍). ¶ ~를 입다.

적화[3]【迪化】[명]〖지〗'우루무치(Wulumuchi)'의 한자 이름.

적화[4]【摘花】[명] 꽃솎아내기. ──-하다 [자][여불]

적화[5]【敵貨】[명] 적의 화물. 적성(敵性)을 띤 화물.

적화[6]【積貨】[명] 화물을 차나 배에 실음. 또, 그 화물. ──-하다 [자][타][여불]

적화[7]【積禍】[명] 거듭한 재화(災禍). 온갖 재화.

적화 계:수【積貨係數】[명]〖경〗1 중량 톤(重量 ton), 곧 2,240 파운드의 화물을 선적(船積)하였을 때, 그것이 선창(船艙) 안에서 차지하는 용적을 입방 피트로 나타낸 수치.

적화 명세서【積貨明細書】[명]〖경〗인보이스(invoice).

적화 목록【積貨目錄】[─녹] [명]〖경〗외국 화물을 적재한 선박이 입항할 때 선장(船長)이 입항 24시간 내에 작성·제출하는 적화의 명세서. 운송 화물에 관하여 선명(船名)·국적(國籍)·하인(荷印)·번호·품명·출하주(出荷主)·하수인(荷受人)·수량 등을 상세히 기입한 서류임. 적화 운임 명세 목록. 매니페스트.

적화 보:험【積貨保險】[명]〖경〗해상 보험(海上保險)의 하나. 선박 보험(船舶保險)·선임 보험(船賃保險)과 함께 해상 보험의 삼대 부문(三大部門)의 하나로서, 화물을 해상 수송하는 도중에 발생하는 각종 우발적(偶發的) 위험을 대상으로 하는 보험임.

적화 보:험 신청장【積貨保險申請狀】[─짱] [명]〖경〗적화 보험 계약(積貨保險契約)을 체결함에 있어서 그 계약의 신청인(申請人)으로서 보험 회사에 제출하는 서식(書式).

적화 보:험 증권【積貨保險證券】[─꿘] [명]〖경〗피보험자(被保險者)로부터 적화 보험 신청(積貨保險申請)을 받아, 적당하다고 인정할 경우에 보험료(保險料)를 현수(現收)하고 교부하는 증권.

적화 보:험 특약서【積貨保險特約書】[명]〖경〗피보험자와 해상 보험 회사와의 사이에 적화의 해상 보험을 특약함에 있어서, 양편 사이에 체결하는 조항을 기재한 것.

적화 사:상【赤化思想】[명]〖사〗공산주의에 공명하여 좌경적(左傾的) 색채를 띤 사상.

적화 서류【積貨書類】[명]〖경〗선적 서류.

적화 안:내【積貨案內】[명]〖경〗선적 통지서(船積通知書).

적화 용적 톤수【積貨容積─數】[명]〔measurement tonnage〕선박(船舶)의 크기를 나타내는 선박 톤수의 하나. 화물 창고(貨物倉庫)의 용적 40 ft^3, 곧 1.13 m^3를 1 톤으로 침. 화물 중량에 대하여 명확치 않아서 잘 안 쓰임.

적화 운:동【赤化運動】[명]〖사〗적화(赤化)를 위한 운동.

적화 운임 명세 목록【積貨運賃明細目錄】[─녹] [명]〖경〗적화 목록.

적화 위임 신청장【積貨委任申請狀】[─짱] [명]〖경〗화주가 해상 보험(海上保險)에 가입하였을 때, 본선(本船)이 파선(破船)하여 적화 구조(救助)의 가망이 없을 경우에, 보험 증권(保險證券) 조항에 의거하여 적화를 포기(抛棄)하고 보험자로부터 보험 금액의 지급을 청구할 때에 제시(提示)하는 서류.

적화 중:량 톤수【積貨重量─數】[─냥─] [명]〔deadweight tonnage; D/W〕선박의 크기를 나타내는 선박 톤수의 하나. 만재 배수량(滿載排水量)에서 선체 중량(船體重量)을 뺀 것.

적화 증권【積貨證券】[─꿘] [명] 보험의 조항이 첨가된 선하 증권.

적화 처:분권【積貨處分權】[─꿘] [명]〖법〗선장(船長)이 선박 소유자를 위하여 항해 계속의 필요상 적화를 처분할 수 있는 법률 상의 권리.

적화 톤수【積貨─數】[ton] [명]〖해〗선박의 화물 적재 능력을 나타내는 톤수. 적화 중량(重量) 톤수와 적화 용적(容積) 톤수의 두 가지가 있음. 적돈수(積噸數). ↔선박 톤수.

적화-항【積貨港】[명] 선적항.

적화 흘수선【積貨吃水線】[─쑤─] [명]〖해〗화물을 만재(滿載)하였을 때의 배의 흘수선. 이것이 그 배의 최대 흘수선임.

적확【的確】[명] 확실함. 틀림이 없음. ¶ ~한 숫자(數字)/~한 판단. ──-하다 [형][여불]. ──-히 [부]

적환[1]【賊患】[명] 도둑에 대한 근심.

적환[2]【敵患】[명] 적습(敵襲)에 대한 근심.

적환[3]【敵丸】[명] 적탄(敵彈).

적환 약관【積換約款】[─냐─] [명]〖경〗현재 선박에 적선(積船)되어 있는 화물을 다른 선박으로 적환할 수 있는 뜻을 정한 선하 증권 상의 약관(約款).

적황[1]【赤黃】[명] ↗적황색.

적황[2]【敵況】[명] 적의 상황(狀況). 적정(敵情).

적-황동【赤黃銅】[명]〔red brass〕〖야금〗구리 85%, 아연(亞鉛) 15%로 이루어지는 놋쇠.

적황-색【赤黃色】[명] 붉은 빛이 도는 누런 빛.

적회[1]【炙膾】[명] 잘게 저민 고기를 구움. ──-하다 [자][여불]

적회[2]【積懷】[명] 오랫 동안 만나지 못하여 서로 보고 싶어하는 회포(懷抱).

적회[3]【積灰】[명] 쌓인 재.

적회[4]【適會】[부] 마침[2]❶.

적획【積畫】[명] 자획(字畫)을 포개는 뜻. 전서(篆書)에서 一·二·三과 같은 서법을 말함.

적훈【積勳】[명] 적공(積功)❷.

적훼【積毁】[명] 많이 쌓인 비난. 많은 참언(讒言).

적훼 소골【積毁銷骨】[명] 참언(讒言)을 자꾸 하면 뼈도 녹아 없어짐. 곧, 남들이 헐뜯는 말의 무서움의 비유.

적흉【赤凶】[명] 매우 심한 흉년.

적흑【赤黑】[명] ↗적흑색(赤黑色).

적흑-색【赤黑色】[명] 붉은 빛이 도는 검은 빛. 검붉은 빛. 흑적색(黑赤色). [준]적흑.

적-히다 [一][피동] 적음을 당하다. ¶ 명단에 이름이 ~. [二][타] ①적게 하다. ¶ 내가 부르고, 그것을 막내아들에게 적히었다. ②무엇을 적음을 당하다. ¶ 나는 지각자로 이름을 적히었다.

적다 [타]〈방〉겪다(함경·경상).

전:[1] [명] 물건(物件)의 위쪽 가장자리가 나부죽하게 된 부분. ¶ 마룻~/화로~.

전:[2] [명] 갈퀴·낫 따위와 손으로 한 번에 껴안을 정도의 나무나 꼴 따위의 분량. 풋나무는 보통 네 줌이 한 전이 됨.

전[3]【田】[명] 밭.

전[4]【田】[명] 성(姓)의 하나. 주요 본관은 담양(潭陽)·태산(泰山)·영광(靈光) 등 3 본임.

전[5]【全】[명] 성(姓)의 하나. 주요 본관(本貫)은 정선(旌善)·천안(天安)·용궁(龍宮)·옥천(沃川)·경산(慶山)·나주(羅州)·평강(平康)·전주(全州) 등 17 본임.

전[6]【前】[一][명] ①현재보다 이전. 과거의 시점(時點). ¶ 20년도 ~의 일이다/~에 만난 적이 있다. ②어떤 상태에 이르기 이전. 앞선 때. ¶ 결혼 ~/전쟁 ~의 사회 / 먹기 ~에. ③ ↗기원전(紀元前). ¶ ~ 5세기. [二][의명] 편지나 사연을 보낼 어른의 앞. ¶ 아버님 ~ 상서. *앞. [三][관] 일부 한자어 명사 앞에서 ①과거의 경력을 나타내는 말. ¶ ~ 장관. ②'…에 앞서는' '…이 되기 이전의'의 뜻을 나타내는 말. ¶ ~ 학기.

전[7]【專】[명] 성(姓)의 하나. 우리 나라에는 현존하지 아니함.

전[8]【牋】[명] ①〖문〗중국 문체(文體)의 하나. 한(漢)·위(魏) 시대에는 천자·태자·제왕 등에 대한 상주문(上奏文)의 총칭. 후세에는 황후·태자에 대한 것을 일컬음. 전(箋). *표(表)·계(啓). ②전(箋)❷.

전:[9]【奠】[명] 장례(葬禮) 전에 영좌(靈座) 앞에 간단히 주과(酒果)를 차려 놓는 예식.

전:[10]【煎】[명] ①번철에 기름을 두르고 재료를 얇게 썰어 밀가루를 묻혀서 지진 음식의 총칭. ②↗전유(煎油).

전[11]【箋】[명]〖문〗①경전이나 옛 책 가운데 이해하기 어려운 곳을 해설하여 옛 지은이의 뜻을 밝히거나 자기의 의견을 써 넣은 것. ¶ ~주(註). ②간단한 시 한 수 또는 편지를 적는 데 쓰는 폭이 좁은 종이. 전(牋). ③전(牋)❶.

전[12]【滇】[명]〖역〗중국 한대(漢代)의 윈난 방면(雲南方面)에 있었던 변방(邊方) 민족의 한 부족 국가. 전국(戰國) 시대에 초(楚)의 위왕(威王) 때 초장(楚將)이 이 땅을 개척하여 전한(前漢)의 무제(武帝) 때에 장건(張騫)이 이 지역에 왔음. 원봉(元封) 2년(109 B.C.)에 한(漢)나라의 속국(屬國)이 됨.

전[13]【傳】[명]〖역〗옛날, 중국에서 관문(關門)을 통과할 때에 내어 보이던 표적.

전[14]【傳】[명]〖문〗①경서(經書)에 대한 옛 어진 학자의 전통적인 주해(註解). 시경(詩經)의 모전(毛傳), 서경(書經)의 공전(孔傳), 춘추(春秋)의 좌전(左傳) 따위. ②문체의 명칭. 어떤 사람의 사적(事蹟)을 후세에 전하기 위하여 기술한 글. ¶홍길동~.

전:[15]【殿】명〖역〗전최(殿最) 고사(考査)의 하(下)등급.

전:[16]【臇】명 지짐이.

전:[17]【篆】명 ↗전자(篆字).

전[18]【磚·塼·甎】명 동양 건축 용재(用材)의 하나. 벽돌 모양과 비슷한데 흙을 구워 사각형 또는 직사각형으로 넓적하게 만들며 여러 가지 모양과 무늬를 새김. 낙랑(樂浪) 시대의 고분(古墳)과 건축물에서 많이 출토(出土)됨. 대방전(大方甎)·소방전(小方甎)·반방전(半方甎)·문전(文甎) 등이 있음.

전:[19]【廛】명 물건을 늘어놓고 파는 가게. 전포(廛鋪).

전[20]【錢】명 ①옛날 중국에서 쓰이던 농구(農具)의 한 가지. ②〖불교〗시식단(施食壇)에 걸어 놓기 위하여 종이로 사람의 형상을 만들어 혼(魂)의 의지할 곳으로 삼는 물건.

전[21]【錢】명 성(姓)의 하나. 현재 우리 나라에는 본관이 문경(聞慶) 하나뿐임.

전:[22]【氈】명 짐승의 털로 짠 모직물(毛織物)의 한 가지. 또, 이것으로 만든 자리 방석.

전:[23]【轉】명 ↗전구(轉句). ¶기승~결(起承轉結).

전[24]【纏】명〖불교〗마음을 구속하여 수행(修行)을 가로 막는 번뇌의 이칭(異稱).

전[26] 의명 1962년 6월 10일의 통화 개혁에 의한 보조 화폐의 단위. '원'의 백분의 일.

전[27]【錢】의명 ①돈의 단위. '원(圓)·환(圜)'의 백분의 일. *환(圜)·원(圓). ②옛날, 엽전 열 푼의 단위. 양(兩)의 십분의 일. 보통, 한문 숫자 밑에 붙어 쓰임. 돈. ¶이십~. ③돈[1]■. ④중국 당(唐)나라 때에 쓰이던 돈의 단위.

전[28] 자 〈옛〉 저는. 절룩거리는. '절다'의 활용형. ¶전 모리 현버늘 디돌(爰有蹇馬 雖則屢蹶)≪龍歌 31章≫.

전[29]【全】관 ①'전체'의 뜻으로 한자(漢字)로 된 명사 앞에 쓰는 말. ¶~ 국민/~ 인류. ②'온통'·'아주 지독한' 등의 뜻을 나타내는 말. ¶~ 도둑놈/~ 깍쟁이.

전[30] 준 저는. ¶~ 못 하겠습니다.

전-【前】두 ①자격(資格) 등을 나타내는 일부 명사 앞에 붙어 과거의 경력을 나타내는 말. ¶~남편/~서방. ②일부 한자어 명사 앞에 붙어 지난날, 이전의 뜻을 나타냄. ↔후-(後). ¶~시대/~세상(世上). ③일부 한자어 명사 앞에 앞 부분의 뜻을 나타냄. ↔후-(後). ¶~반신(半身).

-전[1]【展】미 어떤 명사 아래 붙어서 전람회의 뜻을 나타내는 말. ¶시화(詩畫)~/개인~.

-전[2]【傳】미 ①현인(賢人)의 저서(著書)인 명사 밑에 붙어 그 글을 주석(註釋)한 책을 나타내는 말. ¶좌씨~(左氏傳). ②인명(人名)의 명사 밑에 붙어 그 개인의 이력(履歷)을 적은 글 또는 책을 나타냄. ¶춘향~/홍길동~.

-전[3]【殿】미 명사 밑에 붙어 써서 궁궐·신당(神堂)·불각(佛閣) 등의 집의 뜻을 나타내는 말. ¶대웅(大雄)~/복마(伏魔)~.

-전[4]【戰】미 '전쟁'·'시합'·'경쟁'의 뜻으로, 어느 사실 또는 지명(地名)의 명사 밑에 붙어 그러한 싸움 또는 그 곳에서의 싸움을 나타내는 말. ¶육박(肉迫)~/살수(薩水)~/청백(青白)~/월남(越南)~/사상(思想)~.

전가[1]【田家】명 농부의 집. 전려(田廬). 전사(田舍).

전가[2]【全家】명 한 집안의 전부. 온 집안. 합가(合家). 전호(全戶). 거가(擧家). 혼가(渾家).

전가[3]【全跏】명〖불교〗↗전가부좌(全跏趺坐).

전가[4]【前家】명 앞집.

전가[5]【傳家】명 ①아버지가 아들에게 집안 살림을 물려 줌. ②대대로 그 집에 전하여 내려옴. ¶~의 보도(寶刀). ——-하다 타여불

전:가[6]【錢價】[—까] 명 돈과 은(銀)과의 비가(比價). 중국 청(淸)나라의 초기에 돈 일천 문(一千文)을 은 일 량(一兩)으로 정하였음.

전:가[7]【轉嫁】명 ①두 번째 시집감. 재가(再嫁). ②자기의 허물·책임·세금 등을 남에게 넘겨 씌움. ¶책임을 남에게 ~하다. ③〖경〗조세 부담(租稅負擔)이 사경제적(私經濟的)인 유통 과정(流通過程)을 통하여 납세자로부터 딴 곳으로 이전되는 것. 이에 밀수(密輸)·탈세(脫稅) 등은 포함되지 아니함. ④〖심〗감정이 다른 대상(對象)에도 미치는 일. 애인의 소지품을 보고 애인을 대하는 것과 같은 감정을 품는 따위. ——-하다 타여불

전:가벌 규정【轉嫁罰規定】명〖법〗업무 주체 처벌(業務主體處罰)의 한 입법 형식(立法形式). 법인 또는 개인의 대리인(代理人)·사용인(使用人) 기타 종업원이 법인 또는 개인의 업무에 관하여 일정한 법령(法令)의 위반 행위를 하였을 경우에, 그 법인 또는 개인을 처벌하는 취지(趣旨)의 규정.

전-가부좌【全跏趺坐】명〖불교〗결가부좌(結跏趺坐). 준전가(全跏)·전가좌(全跏坐).

전가 사변율【全家徙邊律】[—뉼] 명〖역〗조선 시대에, 죄인을 그 가족과 함께 변방(邊方)으로 옮겨 살게 한 형벌. 북변(北邊) 개척의 방편(方便)으로 이용한 것임.

전-가산기【全加算器】명 [full adder]〖컴퓨터〗온덧셈기.

전가언적 삼단 논법【全假言的三段論法】[—뻡] 명〖논〗대소(大小) 전제(前提)가 모두 가언(假言)으로 되어 있는 삼단 논법. ↔반가언적(半假言的) 삼단 논법.

전가 입거【全家入居】명〖역〗전가 사변(全家徙邊)의 규정에 따라 한 집안 전원(全員)을 평안 북도 또는 함경도 등의 변경(邊境)에 옮겨 살게 하던 일.

전-가좌【全跏坐】명〖불교〗↗전가부좌(全跏趺坐).

전가지-보【傳家之寶】명 조상 때부터 집안에 전해 내려오는 보배로운 물건.

전가 후:옹【前呵後擁】명 앞에서 벽제(辟除)하고, 뒤에서 옹위(擁衛)함.

전각[1]【全角】명〖인쇄〗활자(活字)의 폭의 길이.

전각[2]【前脚】명 앞다리❶.

전:각[3]【殿閣】명 ①임금이 거처하는 궁전. ②궁전(宮殿)과 누각(樓閣). ③옛날 중국의 관아(官衙). 당말(唐末)에는 천자(天子)의 보도(輔導), 청(淸)나라 때에는 정무의 기밀에 참여하였음.

전:각[4]【篆刻】명 ①나무나 돌 또는 금옥(金玉) 등에 인장(印章)을 새김. 또, 그 새긴 글자. 흔히 그 글자를 전자(篆字)로 쓰기 때문에 이 이름이 있음. ②어구(語句)의 치레에만 힘쓰고 실질이 없는 문장.

〈전각[4]❶〉

전:각[5]【轉角】명〖악〗악조의 각(角)의 음을 바꿈. ——-하다 자여불

전:각-가【篆刻家】명 전각으로 일가(一家)를 이룬 사람. 철필가(鐵筆家).

전:각 대:학사【殿閣大學士】명 중국 명(明)·청(淸) 시대의 재상(宰相)의 칭호. 명(明)나라 성조(成祖) 이후 궁중의 전각에서 기무(機務)에 참획(參畫)하였음.

전:각-사【殿閣司】명〖역〗조선 시대 말에 전각(殿閣)의 수호(守護)와 수리(修理)를 맡은 관아. 고종(高宗) 31년(1894)에 궁내부(宮內府)의 소속으로 베풀어서 다음 해에 주전사(主殿司)라 고치고 동 광무(光武) 9년(1905)에 다시 주전원(主殿院)이라 고치었음.

전간[1]【田間】명 ①밭과 밭 사이. ②시골.

전:간[2]【典幹】명 관장(管掌)함. 주관(主管)함. ——-하다 타여불

전간[3]【傳簡】명 사람을 시켜서 편지를 전함. ——-하다 자여불

전간[4]【癲癇】명〖의〗간질(癎疾).

전:간-목【電桿木】명 전선주(電線柱).

전간 성:격【癲癇性格】[—껵] 명〖심〗전간 환자(癲癇患者)들에게 있는 현저한 성격. 행동은 느리나 사소한 일에 잘 구애되고 이기적이며 융통성(融通性)이 없고 기묘한 수집벽(蒐集癖)이나 정리벽(整理癖)을 가지며 갑자기 폭발적(爆發的)으로 골을 내기도 하는 성격임. *전간성(性) 정신병질(精神病質).

전간성 정신병질【癲癇性精神病質】[—썽—뼝—] 명〖심〗정신 기능(精神機能)의 지둔(遲鈍), 감정의 자극성이 특질(特質)이며 꼼꼼하고 완고(頑固)하여 사소한 일에 얽매어 때로는 분노(憤怒)·격동(激動)하는 성격(性格). 혼자서 고민(苦悶)하며 사회적으로 해로운 영향을 끼침.

전간-전【傳簡錢】명 사람을 시켜서 편지를 전할 때에 주는 삯전.

전간 중적 상태【癲癇重積狀態】명 [status epilepticus]〖의〗장시간성·미만성(瀰漫性)의 전간성 급발작(急發作). 혼수(昏睡)가 단시간 간격으로 빠르게 계속됨.

전간-질【癲癇質】명〖심〗심리학적인 유형(類型)에서 기질 내지 정신병질을 분류한 경우의 한 형. 변덕스럽고 동기 불명(動機不明)의 기분 변화가 심한 기질. 충동적 행위·음주·배회·가출(家出) 등을 하는 일이 많음.

전갈[1]【全蠍】명〖동〗①전갈류(全蠍類)에 속하는 지주류(蜘蛛類)의 총칭. ②[*Buthus martensii*] 전갈과에 속하는 동물. 몸의 길이 60mm 내외이고 배면(背面)은 녹갈색, 후복부(後腹部)는 황색인데 석 줄의 과립(顆粒)이 있음. 흉판(胸板)은 심장형이고 후연(後緣)은 앞으로 굽었음. 보통 미부(尾部)라고 부르는 후복부는 6절(節)부터인데 말절(末節)의 독낭(毒囊)에는 못 모양의 독침(毒針)이 있음. 사람·동물에 독낭의 독액(毒液)이 주사(注射)되면 치명적(致命的)임. 복부의 복면(腹面)에는 한 쌍의 독특한 즐상기(櫛狀器)에 16-25개의 이(齒)가 있음. 야행성(夜行性)인데 한의(韓醫)에서는 중풍(中風)·와사(喎斜)·소아경풍(小兒驚風) 및 풍증(風症) 등에 약으로 씀. 한국·만주·중국 등의 아열대(亞熱帶)에 분포함. 채미충(蠆尾蟲). 채충(蠆蟲).

〈전갈[1]❷〉

전갈[2]【傳喝】명 ①임금이나 상전의 전언(傳言)을 받아 이어서 전달함. 흔히, 남의 말을 간접으로 받아 길게 늘어 빼어 전하였음. ②옛날 남을 방문하였을 때나 남녀 간의 대화(對話) 때에 그 종을 불러 전언(傳言)하던 일. 보통, 방문시에는 '이리 오너라', 대화시에는 '…라고 여쭈어라' 등을 씀. ③사람을 시켜서 남의 안부를 묻거나 말을 전하는 일. ¶병환이 좀 어떠시냐고 ~하고 오너라. ——-하다 타여불

전:갈[3]【錢渴】명 돈이 잘 돌지 않음. 돈이 귀함. ——-하다 자여불

전갈-과【全蠍科】[—꽈] 명〖동〗전갈류(全蠍類)에 속하는 한 과.

전갈-류【全蠍類】명〖동〗[Scorpionida] 지주류(蜘蛛類)에 속하는 한 목(目). 몸은 두흉부와 복부로 구분되는데, 네 쌍의 폐낭(肺囊) 호흡기가 있고, 기문(氣門)은 복부의 3·4·5·6째 마디에 각 한 쌍씩 있음. 태생(胎生)임. 돌·풀에 숨었다가 밤에 나와 곤충을 잡아먹으며 독침의 독액(毒液)은 극렬(劇烈)하여 사람·동물에 위험함. 현재 전세계에 600여 종이 있는데, 6과(科)로 분류함.

전갈-자리【全蠍—】명 [라 Scorpius]〖천〗황도상(黃道上)의 제9 별자리. 천칭(天秤)자리의 동쪽, 궁수(弓手)자리의 서쪽에 있음. 7월 하순 저녁 때 지평선 부근에 남중(南中)함. α성(星)은 안타레스(Antares). 약자 : Sco.

전감[1]【前鑑】명 앞 사람이 남긴 본보기. 또, 선인(先人)들의 경험한 일

을 거울삼아 스스로를 잡도리하는 일. ↔후감(後鑑).

전:감[2]【殿監】명 〖역〗 각 전(殿)에 딸린 사역(使役)의 하나.

전감[3]【傳感】명 열·전기·감정 등이 전도(傳導)되어 느껴짐.

전감 소연【前鑑昭然】명 거울을 보는 것과 같이 앞의 일이 환히 밝음. ——-하다 형여불

전강[1]【前腔】명 〖악〗 전통 음악의 한 형식. 전강·후강(後腔)·대엽(大葉)이 한 군(群)을 이룰 때의 곡(曲)의 앞 마디.

전:강[2]【殿講】명 〖역〗 조선 정조 초(正祖初) 이후에, 성균관(成均館)의 유생(儒生)·생원(生員)·진사(進士)·사학 재임(四學齋任)·문벌가(門閥家) 자제 중에서 학식이 많은 사람을 대궐 안에 모으고, 임금이 친히 행하던 시험. 삼경(三經)이나 오경(五經)에서 찌를 뽑아서 외게 하였음. *찌[3].

전강 동:물【前腔動物】명 항문이 몸의 앞 끝에 붙어 있는 동물.

전-강풍【全強風】명 〖기상〗 '노대바람'의 구용어.

전개[1]【全開】명 만개(滿開). ——-하다 자여불

전개[2]【悛改】명 개전(改悛). ——-하다 자여불

전:개[3]【展開】명 ①눈앞에 벌어짐. 개전(開展). ¶경치가 눈앞에 ~되다. ②늘이어 폄. ¶사건을 이리저리 ~시키다/절미(節米) 운동을 ~하다. ③〖군〗 밀집 대형으로부터 전투 대형으로 산개하면서 부대 정면을 확대하거나 넓히는 일. 전략적인 의미로는, 요망되는 작전 지역으로 부대의 위치를 바꾸는 일을 말하며, 해군 용어로는 순항 접근 배치나 순항 접촉 배치로부터 해군 전투 배치로 배치를 바꾸는 것을 일컬음. ④[development] 〖수〗 일반의 함수(函數)를 급수(級數)의 형태로 고치는 일. 보통 대수(代數)에서는 다항식(多項式)을 분해 법칙을 써서 순차로 괄호를 벗겨 일반 수식으로 고침을 말함. 또는 입체 기하(立體幾何)에서 입체를 일 단면(斷面)에 의하여 한 평면 위에 펴 놓는 일. ⑤〖화〗 크로마토그래피(chromatography)에 있어서 각 색소 물질(色素物質)이 분리(分離)·흡착(吸着)되어 명확히 구별이 서는 것. ⑥〖악〗 작곡(作曲)에 있어서 주제(主題)를 분석·변화·연관·발전시켜 여러 가지 각도(角度)에서 자유로이 변화시키는 일. 소나타 형식에 쓰임. ——-하다 자타여불

전:개-도【展開圖】명 입체의 표면을 적당히 잘라 평면 위에 펼치어 놓은 도형(圖形). 펼친그림. ¶정육면체의 ~.

전:개 도법【展開圖法】[—뻡] 명 지구를 원기둥꼴 또는 원뿔꼴의 종이로 싸고 시점(視點)을 지심(地心)에 두었다고 가정하여 경위선(經緯線)을 이 종이에 투영(投影)한 다음 전개하였을 때 평면 위에 나타나도록 하는 지도 투영법(投影法). 원주(圓柱) 도법·원추(圓錐) 도법 등으로 나뉨.

전:개 도표【展開圖表】명 〖군〗 주정단(舟艇團)이 상륙 작전(上陸作戰)의 돌격(突擊) 단계에 도달될 때 대기(待機) 구역으로부터 공격 개시선(攻擊開始線)에 이르는 진입 대형(進入隊形)과 상륙 대형으로 전개 기동하는 방법을 표시한 도표.

전:개-력【展開力】명 일을 벌이어 나가는 힘.

전:개-부【展開部】명 〖악〗 발전부(發展部).

전:개-설【展開說】명 〖생〗 생물이 그 난생 시대(卵生時代)부터 후에 발달될 체질(體質)의 각부 기관이 미리 다 갖추어져서 차차 자람에 따라 전개된다는 학설. 지금은 이 학설을 믿지 아니함.

전:개-식【展開式】명 〖수〗 다항식(多項式)과 다항식 또는 단항식(單項式)과 다항식의 곱의 꼴로 나타낸 식을 전개하여 얻은 식(式).

전객【佃客】명 남의 농토를 빌려 농사 짓는 사람. 전호(佃戶).

전:객-사【典客司】명 〖역〗 조선 시대 때 예조(禮曹)의 한 분장. 중국 사신이나 일본 사람 또는 야인(野人)의 영접(迎接) 및 조공(朝貢)·회사(回賜)에 관한 일을 맡아 보았음.

전:객-시【典客寺】명 〖역〗 고려 예빈성(禮賓省)의 후신. 충렬왕 24년(1298), 동왕 34년, 공민왕 11년(1362), 동(同) 21년에 예빈성을 고친 이름임.

전갱이 명 〖어〗 [*Trachurus japonicus*] 전갱잇과에 속하는 바닷물고기. 몸길이 40cm 가량인데 긴 방추형(紡錘形)으로 옆 줄이 구부러지고 그 위에 방패지느러미가 발달하여 있음. 몸빛은 등쪽이 암청색, 배쪽이 은백색임. 온대성어(溫帶性魚)로 한국 연해·일본 중부 이남에 분포함. 전광어. 매가리.

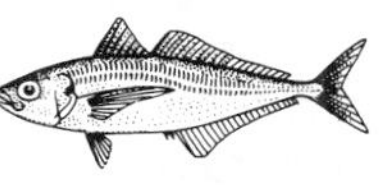

〈전갱이〉

전갱잇-과【—科】명 〖어〗 [Carangidae] 농어목(目)에 속하는 어류의 한 과. 가라지·갈고등어·전갱이·방어·잿방어 등이 있음.

전갱 작업【前更作業】명 [preregeneration system] 임업(林業)에서, 벌기(伐期)에 이른 성숙한 나무를 일부 베고 그 자리에 어린 나무를 심어, 어린 나무가 거의 생장할 때에 남은 성숙한 나무를 베어 갱신(更新)을 마치는 일.

전거[1]【全擧】명 역도에서, 바벨(barbell)을 두 발뒤꿈치를 이은 직선과 바벨의 봉(棒)이 평행되게 놓고, 두 손으로 바벨을 막 들고 일어서서 허리를 펴는 운동. *인상(引上).

전:거[2]【典據】명 말이나 문장 따위의 근거가 되는 문헌상의 출처. ¶믿을 만한 ~.

전거[3]【前拒】명 전면(前面)의 방위. 전위(前衛).

전:거[4]【奠居】명 전접(奠接).

전:거[5]【轉居】명 살던 곳을 떠나 다른 데로, 옮기어 삶. 전주(轉住). 천거(遷居). ——-하다 자여불

전:-거리 명 전으로 쌓아 둔 나무. 또, 한 전씩 묶어서 지은 잎나무.

전거지-신【傳遽之臣】명 〖역〗 역참(驛站)에서 운송에 종사하는 바쁜 말단 벼슬아치란 뜻으로, 선비가 자기를 낮추어 일컫는 말.

전건[1]【前件】[—껀] 명 〖논〗 가언적 판단(假言的判斷)에 있어서 그 조건(條件)·이유(理由) 등을 표시하는 부분(部分). ↔후건(後件).

전건[2]【前愆】명 전과(前過).

전:건[3]【電鍵】명 〖전〗 ①전기 회로(電氣回路) 중에서 이를 열었다 닫았다 하여 전류를 접속 또는 단절하는 장치. 보통 전기용은 스위치(switch), 전화·전신용은 키(key)라 함. ②유선 전신에서 손가락으로 눌러 전류를 단절·접속함으로써 전신 부호를 보내는 용수철 장치의 기기(機器).

〈전건[3]❷〉

전:건[4]【戰巾】명 〖역〗 군사들이 머리에 쓰던 수건.

전-건망【全健忘】명 〖의〗 모든 체험(體驗)을 전혀 생각하여 내지 못하는 증상.

전:건-반【電鍵盤】명 전건이 설치되어 있는 반.

전건-재【全乾材】명 건조실(乾燥室)에 넣어서 전혀 물기가 없도록 건조한 재목.

전겁【前劫】명 전생(前生).

전게【前揭】명 앞에 듦. 앞에 게재(揭載)함. ¶~한 논문(論文). ——-하다 타여불

전게-서【前揭書】명 앞에 게재한 책.

전격[1]【傳檄】명 격문(檄文)을 전함. ——-하다 자여불

전:격[2]【電激】명 번개같이 격렬하게 일어남. ——-하다 자여불

전:격[3]【電擊】명 ①번개같이 급자기 들이침. ¶~적. ②강한 전류(電流)를 갑자기 몸에 느꼈을 때에 일어나는 충격(衝擊). ③갑자기 적을 공격함. ¶~ 작전. ——-하다 타여불

전:격[4]【戰擊】명 싸워서 공격함. 격렬하게 싸움. ——-하다 타여불

전:격 마비【電擊痲痺】명 〖의〗 전격(電擊)에 의하여 순간적으로 의식을 상실하였을 때 또는 수시간에 걸쳐 혼수(昏睡) 중에 또는 회복 후에 일어나는 운동성·지각성(知覺性)의 마비.

전:격-사【電擊死】명 전력 치사량(致死量)이 생체(生體)를 통전(通電)하여 일으키는 쇼크사(死). 감전사(感電死).

전:격-상【電擊傷】명 〖의〗 감전에 의해서 일어나는 상해(傷害).

전:격 요법【電擊療法】[—뇨뻡] 명 〖의〗 정신과 영역에 있어서의 특수 치료의 하나. 주로 정신 분열병·조울병·히스테리 등의 환자의 좌우 전두부(前頭部)에 전극(電極)을 대어, 100 volt 내외의 교류(交流)를 수초 동안 통하면 환자는 즉시로 의식을 잃고 전신 경련을 일으키면서 잠을 자는데, 이것을 보통 1주일에 두 번씩 10-20 차례에 걸쳐 되풀이하는 요법임. 전기 치료. 전기 쇼크 요법.

전:격-적【電擊的】명관 번개와 같이 급자기 들이치거나 행(行)하는 모양. ¶~인 환율(換率) 인상 조치/~으로 기습하다.

전:격-전【電擊戰】명 〖군〗 갑자기 적을 들이치는 싸움.

전견【田犬】명 사냥개.

전결[1]【田結】명 〖역〗 논밭의 구실.

전결[2]【專決】명 결정권(決定權)을 갖는 그 사람만의 생각으로 결정하는 일. ¶국장 ~ 사항. ——-하다 타여불

전:결[3]【轉結】명 〖문〗 한시(漢詩)의 전구(轉句)와 결구(結句).

전:결[4]【纏結】명 얽어 맺음. 매어 묶음. ——-하다 타여불

전결 공:물【田結貢物】명 〖역〗 전공(田貢).

전결 처:분【專決處分】명 〖법〗 지방 자치 단체의 의회(議會)의 의결 사항을 그 단체의 장(長)이 단독으로 행하는 처분.

전-겸익【錢謙益】명 〖사람〗 중국 청(淸)나라의 정치가·문인. 자는 수지(受之). 호는 수재(收齋). 명(明)나라의 동림당(東林黨)의 일원으로 뒤에 청나라를 섬기어 예부 시랑(禮部侍郞)이 됨. 여러 학문에 통달하였으나 특히 시부(詩賦)에 뛰어나 오위업(吳偉業)·공정자(龔鼎孶) 등과 함께 강좌(江左)의 삼가(三家)로 불렸음. 저서에 ≪초학집(初學集)≫·≪유학집(有學集)≫ 등이 있음. [1582-1664]

전경[1]【全景】명 ①한눈에 바라보이는 전체의 경치. 모든 경치. ¶서울의 ~. ②〖연〗 영화에서 어떤 장면의 배경 전부를 화면(畫面) 가득히 집어넣은 것. 풀 신(full scene).

전경[2]【全經】명 완전한 경서(經書).

전:경[3]【典經】명 ①〖역〗 조선 시대 경연청(經筵廳)의 정구품 벼슬. 설경(說經)의 아래. ②규범(規範). ③경전(經典).

전경[4]【前景】명 ①앞쪽에 보이는 경치. ②그림이나 사진 등에서, 사람이나 물건 앞에 있는 경치.

전경[5]【前頸】명 〖생〗 목의 앞쪽. ↔후경(後頸).

전경[6]【傳經】명 〖한의〗 상한병(傷寒病)이 차츰 중병(重病)이 됨.

전:경[7]【戰警】명 ↗전투 경찰대.

전:경[8]【轉經】명 〖불교〗 경문(經文)을 띄엄띄엄 가리어 읽는 일. *전장(轉藏). ——-하다 자여불

전경련【全經聯】[—년] 명 ↗전국 경제인 연합회.

전경 문신 전:강【專經文臣殿講】명 〖역〗 조선 시대 때 나이 서른일곱 살 미만의 당하관(堂下官)이 보던 문과(文科). 인조(仁祖) 19년(1641)에 비롯하였음.

전:경-법【轉經法】[—뻡] 명 〖역〗 경행[5](經行)❹.

전:경-의【轉鏡儀】[—/—이] 명 〖공〗 트랜싯(transit).

전경 작업【前更作業】명 '전갱 작업'의 잘못임.

전경 전:강【專經殿講】명 〖역〗 무과(武科)의 한 가지. 매년 네 절계(節季)의 첫 달에 마흔 살 미만의 무신(武臣)으로 전에 동·서반(東西班)의 실직(實職)에 있었던 사람 또는 현재 군문(軍門)에 봉직하고 있는 사람 중에서 선발하여 임금이 친림(親臨)하여 행하는 병서 강독(兵書講讀)의 시험.

전계[1]【田鷄】명 〖동〗 참개구리.

전:계[2]【典契】[명]〖역〗전당(典當)을 증명하는 문서(文書). 채무자가 작성하여, 채권자에게 줌. 전당 문기(文記).
전계[3]【前計】[명] 이전에 세운 계략. 전책(前策).
전계[4]【前戒】[명] 앞사람들의 훈계.
전계[5]【前溪】[명] 전방(前方)에 있는 골짜기.
전계[6]【傳戒】[명]〖불교〗계법(戒法)을 전함. ——-하다 [자][여불]
전:계[7]【電界】[명]〖전〗전기장(電氣場).
전계[8]【傳係·傳繼】[명]〖역〗재산을 누구에게 상속시킨다는 뜻을 기입한 문권(文券).
전계[9]【傳啓】[명]〖역〗조선 시대 때 사간원(司諫院)·사헌부(司憲府)에서 이미 처벌한 죄인의 죄명(罪名)·성명(姓名) 등을 적어서 왕에게 상주(上奏)하던 서류.
전:계[10]【殿階】[명] 궁전(宮殿)에 올라가는 계단. 대궐(大闕)의 섬돌. 전폐「(殿陛).
전:계[11]【廛契】[명]〖역〗조선 시대 때 개성 지방(開城地方)에서 상인들이 상업과 서로의 보호를 위하여 조직한 동업 조합.
전:계[12]【戰悸】[명] 두려워 부들부들 떪. 전율(戰慄)함. ——-하다 [형][여불]
전:계[13]【纏繫】[명] 동여맴. ——-하다 [타][여불]
전:계 강도【電界強度】[명]〖전〗전기장(電氣場)의 세기.
전:계 발광【電界發光】[명] 전기 루미네선스(電氣 luminescence).
전계-사【傳戒師】[명]〖불교〗계법(戒法)을 전하여 주는 스님.
전:계의 세:기【電界—】[—/—에—] [명]〖전〗전기장(電氣場)의 세기.
전:계 편향【電界偏向】[명]〖전〗전자선(電子線)에 전기장을 가하여 그 진행을 굽히는 일. 브라운관·촬상관(撮像管) 등에 쓰임.
전:고[1]【典故】[명] ①전례(典禮)와 고사(故事). ②전거(典據)가 되는 고사. 고실(故實). ¶～에 밝은 사람.
전:고[2]【典誥】[명] ①서경(書經)의 요전(堯典)·순전(舜典)과 탕고(湯誥)·강고(康誥) 등. 곧, 태고의 제왕의 언행(言行)의 기록. ②고서(古書). ③조칙(詔勅). 「적놈.
전고[3]【前古】[명] 지나간 옛날. 왕고(往古). ¶～에 듣지 못하던 흉악한 도
전고[4]【前誥】[명] 옛 사람의 훈계. 고인(古人)의 말씀.
전고[5]【詮考】[명] 의논하여 상고(詳考)함. ——-하다 [타][여불]
전고[6]【傳告】[명] 전하여 알림. ——-하다 [타][여불]
전고[7]【傳稿】[명] 뒤에 남길 목적으로 자기의 일생을 적어 놓음. 또, 그 글. 자서전(自敍傳). 자전(自傳). ——-하다 [자][여불]
전:고[8]【銓考】[명] 인물(人物)을 전형(銓衡)하여 상고(詳考)함. ——-하다 [타][여불]
전:고[9]【戰鼓】[명] 싸울 때에 치는 북.
전:고[10]【轉雇】[명] 남에게 고용(雇用)당한 사람이 다시 남을 고용(雇用)함. ——-하다 [타][여불]
전:고-국【銓考局】[명]〖역〗조선 시대 말에 판위 문관(判位文官)의 시험을 맡아 보던 의정부(議政府)의 한 국(局).
전고 미:문【前古未聞】[명] 전에 들어 보지 못한 일. ¶～의 대사건.
전고 미:증유【前古未曾有】[명] 전에 한번도 있어 보지 아니하였던 최초(最初)의 일.
전고:전파 음악【前古典派音樂】[명]〖악〗①〔도 Altklassik〕17세기 이탈리아에 기악(器樂)이 생긴 이후 고전파 음악에 이를 때까지의 음악의 총칭. ②〔도 Vorklassik〕직접적으로 고전파 음악의 출현을 준비하고 그 양식을 고정화하였던 고전파 직전의 극히 짧은 시기의 음악. 이 시대는 바흐에 의해서 완성된 복선(複旋)양식을 버리고 화성적 단선(單旋)양식을 채용하고 소나타 형식을 완성한 과도적(過渡的)인 시대(時代)였음.
전:곡[1][명] 집터의 경계선.
전곡[2]【田穀】[명] 밭 곡식.
전곡[3]【全曲】[명] 그 곡 전체. ¶～ 연주.
전:곡[4]【典穀】[명]〖역〗조선 시대 내수사(內需司)의 종팔품 벼슬.
전:곡[5]【錢穀】[명] 돈과 곡식. 전량(錢糧). 금곡(金穀).
전:곡-간에【錢穀間—】[부] 돈이고 곡식이고 간에 무엇이든지. ¶～ 시주(施主)하십시오.
전-곡률【全曲率】[—늘] [명]〖수〗곡면(曲面) 상의 한 점에 있어서의 곡률 $1/r_1$과 $1/r_2$의 곱 $1/r_1r_2$을 말함. 전곡률이 항상 일정한 것으로는 평면 원통(圓筒)·구(球) 등이 있음.
전곡리 유적【全谷里遺蹟】[—니—] [명]〖고고학〗경기도 연천군(漣川郡) 전곡읍(全谷邑) 일대에 있는 구석기(舊石器) 시대의 유적. 1978-79년에 지표(地表) 및 지층(地層)에서 주먹도끼 등 구석기 연모가 다수 발굴(發掘)됨. 아시아에서는 처음으로 발견된 아쉘(Acheul) 문화에 속하는 석기라는 점에서 주목됨.
전:곡 아:문【錢穀衙門】[명]〖역〗호조(戶曹)나 선혜청(宣惠廳)과 같이 창고(倉庫)를 가진 관아의 총칭.
전:골[1][명] 쇠고기 혹은 돼지고기를 잘게 썰고 양념과 채소를 섞어서 쟁개비나 전골틀에 담고 국물을 부어 끓인 음식. ¶～ 백반.
전골[2]【全骨】[명] ↗전신골(全身骨).
전:골-틀[명] 전골을 끓이는 그릇. ＊벙거짓골.
전공[1]【田貢】[명]〖역〗조선 전기(前期)에, 전조(田租)의 일부를 미곡(米穀) 대신, 베·기름·꿀·밀 등 토산물(土產物)로 바치는 일. 후기(後期)에 위미태(位米太)로 바뀜. 전결 공물(田結貢物). 전세 포화(田稅布貨).
전공[2]【全功】[명] ①모든 공로(功勞). ②온전(穩全)한 공로. 결점이 없는 공로.
전:공[3]【典工】[명]〖역〗공조(工曹)❷.
전공[4]【前功】[명] ①이전(以前)의 공로(功勞). ②전인(前人)의 공적(功績). 전훈(前勳).
전공[5]【專攻】[명] 전문적(專門的)으로 공구(攻究)함. ¶～ 과목(科目). ——-하다 [타][여불]
전:공[6]【電工】[명] ①↗전기 공업(電氣工業). ②↗전기공(電氣工).
전공[7]【傳供】[명]〖불교〗부처 앞에 공물(供物)을 여러 사람 손을 거쳐 전해 바치는 일. ——-하다 [타][여불]
전:공[8]【戰功】[명] 전쟁에서 세운 공훈. 싸움에서의 공로. 전훈(戰勳). ¶～을 세우다.
전:공[9]【戰攻】[명] 싸워서 공격함. ——-하다 [타][여불]
전공 가:석【前功可惜】[명] 애써 하던 일을 중도에서 그만두거나 또는 헛일이 되었을 때, 그 전에 들인 정성(精誠)이 아깝다는 말. ——-하다 [형][여불]
전공-과【專攻科】[—꽈] [명] 전문적으로 연구하는 학과.
전공 과목【專攻科目】[명] 전문적(專門的)으로 연구하는 과목. ¶～을 정하다.
전:공-비【戰功碑】[명] 싸움에서 세운 공로를 기리어 전공과 관계 깊은 곳에 세워 두는 비석.
전:공-사【典工司】[명]〖역〗고려 때에 상서 공부(尙書工部)를 일컫던 이름. 공민왕(恭愍王) 11-18년(1361-69)까지, 또 동 21년부터 공양왕(恭讓王) 원년(1389)까지의 명칭임. ＊상서 공부(尙書工部).
전공-의【專攻醫】[—/—이] [명] 수련 병원이나 수련 기관에서 전문의(專門醫) 자격을 얻으려고 수련을 받고 있는 의사. 레지던트(resident).
전:공-탑【戰功塔】[명] 싸움에서 세운 공로를 기리어 전공과 관계 깊은 곳에 세워 두는 탑.
전:-공후【鈿箜篌】[명]〖악〗자개로 장식하여 만든 공후.
전곶-교【箭串橋】[명] 서울 특별시 성동구 행당동에 있는 조선 시대의 다리. 세종 3년(1420), 태종(太宗)을 위해 세종이 다리를 놓도록 명하였으나 홍수에 시달리는 등 공사의 어려움으로 교기(橋基)만 세운 채 중지했다가, 63년 후인 성종 14년(1483)에 완공. 길이 78m(258척), 너비 6m(20척)로 조선 시대에 가장 긴 다리였음. 사적 제160호. 일명 살곶이 다리.
전과[1]【全科】[—꽈] [명] ①학교에서 규정한 모든 교과(敎科) 또는 모든 학과. 전과목(全科目). ¶～를 마치다. ②초등 학교의 전과목에 걸친 학습 참고서의 이름. ¶～ 지도서.
전과[2]【全課】[—꽈] [명] ①전부의 과(課). ②그 과(課)의 전부. ③전부의 과목(課目).
전과[3]【前科】[—꽈] [명] 이전에 형벌(刑罰)을 받은 일. 형여(刑餘). ¶～ 삼범(三犯).
전과[4]【前過】[명] 이전에 잘못한 허물. 전실(前失). 전건(前愆). ¶～를 뉘우치다.
전과[5]【專科】[—꽈] [명] 전문의 학과.
전:과[6]【煎果】[명] 정과(正果).
전:과[7]【戰果】[—꽈] [명] 전쟁의 결과. 전쟁의 성과(成果). ¶혁혁한 ～를 올리다.
전:과[8]【轉科】[—꽈] [명] 학과(學科) 또는 병과(兵科) 따위를 옮김. ——-하다 [자][여불]
전-과목【全科目】[명] 전과(全科)❶.
전과-범【前科犯】[—꽈—] [명] 전과가 있는 범인.
전과-서【全科書】[—꽈—] [명] 전과(全科)를 한데 엮은 참고서.
전:과-음【轉過音】[명]〔changing note〕〖악〗'바뀌지남음(音)'의 한자 이름.
전과-의【全科醫】[—꽈— / —꽈이] [명]〖의〗↗전과 전문의(專門醫).
전과-자【前科者】[—꽈—] [명] 이전에 죄를 저질러서 형벌을 받은 일이 있는 사람. 곧, 전과가 있는 자.
전과 전문의【全科專門醫】[—꽈— / —꽈—이] [명]〖의〗혼자서 의료 전과(全科)의 진료·치료를 맡은 전문의(專門醫). 1967년 미국에서 비롯됨. 가정의(家庭醫). [준]전과의.
전곽【磚槨】[명] 벽돌로 된, 관(棺)을 담는 궤.
전곽-분【磚槨墳】[명]〖고고학〗벽돌 덧널무덤.
전관[1]【全館】[명] ①모든 관(館). ②그 관(館)의 전체.
전관[2]【前官】[명] 이전(以前)에 그 벼슬자리에 있던 관원(官員). 원임(原任). ¶～ 예우(禮遇).
전:관[3]【展觀】[명] 전람(展覽)❶❷. ——-하다 [자][타][여불]
전관[4]【專管】[명] ①그 일만을 오로지 관리함. 오로지 그 관할에 속함. ②〖법〗전혀 그 관할에 속함. 전속 관할(專屬管轄). ¶～ 수역(水域). ——-하다 [타][여불]
전:관[5]【銓官】[명]〖역〗조선 시대 때 문무관(文武官)을 전형(銓衡)하는 직위에 있는 이조(吏曹) 당상관(堂上官)과 병조 판서(兵曹判書)의 일컬음. 정관(政官).
전:-관[6]【錢貫】[—꽌] [명] 돈관.
전:관[7]【轉官】[명] 한 관직(官職)에서 다른 관직으로 옮김. ——-하다 [자][여불]
전관 거류지【專管居留地】[명]〖법〗거류지의 하나. 한 나라가 전유(專有)하고 있는 거류지. 그 한 나라의 영사(領事)에 의하여 행정권·경찰권이 행사되고, 그 나라 국민만의 거류와 영업 행위가 인정됨. 전관 조계(專管租界). ↔공동 거류지.
전관 수역【專管水域】[명] 연안국(沿岸國)이 자국(自國)의 연안에서의 어선(漁船)의 조업(操業), 그 밖의 자원(資源)의 발굴(發掘) 따위에 대해 배타적(排他的) 권리를 주장하고 있는 수역. 어업 전관 수역·경제 전관 수역 따위.
전관 예:우【前官禮遇】[—녜—] [명] 장관급 이상의 관직을 지냈던 이에게, 퇴관(退官) 후에도 재임 당시의 예우를 베푸는 일.

전관 조계【專管租界】명〖법〗전관 거류지. ↔공동(共同) 조계.
전:광[1]【電光】명〖물〗①번개. 번갯불. ②전기 등의 불빛. ¶～ 뉴스.
전광[2]【癲狂】명 ①〖한의〗정신 이상(精神異常)으로 실없이 잘 웃는 미친 병. ②광증(狂症). ③전간(癲癎)과 광기(狂氣).
전:광 게:시판【電光揭示板】명 면상(面狀)으로 배열한 전구를 명멸(明滅)시켜 문자·그림 등이 나타나게 만든 게시판. ㊟전광판.
전:광 뉴:스【電光―】〔news〕명 게시판·접촉판(接觸板)·문자판대(文字板臺)의 세 부분으로 되어 있는, 뉴스를 알리기 위한 전기 조명 장치. 소요의 글자를 볼록하게 판 위에 나오게 만들어 이것이 접촉판에 닿음으로써 게시되는 판 위의 많은 전구(電球)를 명멸(明滅)시켜서 글자를 순차로 이동시켜 나타냄.
전광-도【全光道】명〖역〗전라도(全羅道)를 조선 영조(英祖) 4년(1728)에서 14년(1738)까지 개칭(改稱)한 이름.
전광 병:원【癲狂病院】명 미친 사람을 수용(收容)하는 병원. 정신(精神) 병원.
전:광 석화【電光石火】명 ①극히 짧은 시간. ②아주 신속(迅速)한 동작(動作).
전:광-식【電光飾】명 일류미네이션(illumination). 전광 장식.
전:광-어 명〖어〗전갱이.
전:광-욕【電光浴】〔―뇩〕명〖의〗광선 요법에서, 인공적으로 적외선(赤外線)·자외선(紫外線)·태양 광선 등을 비추는 요법.
전광-원【癲狂院】명 전광들린 사람을 수용·치료하는 병원.
전광-인【癲狂人】명 미친 사람. 광인(狂人).
전:광 장식【電光裝飾】명 전기의 불빛으로 꾸미는 장식. 곧, 일루미네이션.
전광 전:구【全光電球】명 전구의 유리알 내면에 흰 빛 확산성 도료(擴散性塗料)를 칠한 것. 전등 빛의 직사(直射)를 피하고 조명(照明)을 보다 좋게 하기 위한 것임.
전:광-판【電光板】명 ↗전광 게시판.
전괴【全壞】명 전부 파괴됨. ――-하다 자여불
전교[1]【全校】명 한 학교(學校)의 전체. ¶～생.
전:교[2]【典校】명〖역〗지방 향교를 관리하는 직원(直員). 지방 문묘(文廟)를 수호하며, 지역 사회의 윤리 문화 창달을 위해 활동하는 향교의 책임자.
전:교[3]【典敎】명 항상 지켜야 할 가르침. ¶～를 받들어.
전교[4]【傳敎】명〖역〗왕의 명령. 하교(下敎)❷. ――-하다 자여불
전교[5]【傳敎】명 종교를 널리 전도함. ¶～ 수녀. ――-하다 자여불
전:교[6]【錢驕】명 돈 많은 사람의 교만(驕慢).
전:교[7]【轉交】명 ①서류 같은 것을 다른 사람의 손을 거쳐서 교부(交付)함. ②'다른 사람의 손을 거쳐서 받게 함'의 뜻으로 편지 겉봉에 쓰는 말. ――-하다 타여불
전:교[8]【轉校】명 학생(學生)이 어떤 학교에서 다른 학교로 옮겨감. 전학(轉學). ――-하다 자여불
전교 관:정【傳敎灌頂】명〖불교〗밀법(密法)을 전수(傳授)하여 아사리(阿闍梨) 자리의 직(職)을 잇는 중을 위하여 행하는 관정. 전법 관정(傳法灌頂). 수직 관정(授職灌頂). ↔결연(結緣) 관정.
전:교-사【戰敎司】명 ↗전투 교육 사령부(戰鬪敎育司令部).
전교-생【全校生】명 전교의 학생. 학교의 전 학생.
전:교-시【典校寺】명〖역〗고려 때 경적(經籍)·축소(祝疏)를 맡아 보던 관아. 국초(國初)에는 내서성(內書省)이라 이르다, 성종 14년(975) 비서성(祕書省)으로 개칭, 충렬왕(忠烈王) 24년(1298) 비서감(祕書監)으로 고쳤다가 동34년 이 이름으로 고쳐서 일컬었는데, 그 뒤에도 여러 번 이름이 바뀌었음.
전교-회【傳敎會】명〖천주교〗전교(傳敎)를 목적으로 하는 단체.
전구[1]【全句】명 전체의 구.
전구[2]【全具】명 완전히 갖추어짐. 완비(完備). ――-하다 자여불
전구[3]【全球】명〖농〗배추의 한 가지. 지부(芝罘)배추보다 잎이 조금 길고 연한 초록색이며 결구(結球)는 포탄 모양인데, 품질이 좋음. 거름을 많이 주어야 함. 우리 나라 배추 육종상(育種上) 주요 교배친(交配親)으로 쓰이고 있음.
전구[4]【全歐】명 유럽 전체.
전구[5]【全軀】명 전신(全身).
전구[6]【佃具】명 농구(農具).
전구[7]【前矩】명 옛 사람이 끼친 모범. 전규(前規).
전구[8]【前驅】명 ①기마(騎馬)할 때 선도(先導)하는 사람. 선구(先驅). ②어떤 행렬(行列)의 앞잡이.
전:구[9]【電球】명 전기(電氣)를 통하여 밝게 하는 기구. 텅스텐 등의 융해열(融解熱)이 높은 금속을 필라멘트(filament)로 하고 그 산화(酸化)를 방지하기 위하여 이것을 유리로 만든 진공관(眞空管) 또는 질소(窒素)와 같은 불활성(不活性) 가스(gas)가 들어 있는 둥근 관내(管內)에 봉입(封入)하였음. 줄열(joule熱)에 의한 필라멘트의 백열(白熱)로 말미암아 발생하는 빛을 이용하여, 밝게 하는 것임. 네온 전구(neon 電球)·나트륨 전구·수은등(水銀燈) 따위 방전(放電) 작용을 이용한 것도 있음. 전등알.
전:구[10]【戰具】명 전쟁의 도구.
전:구[11]【戰懼】명 두려워 떪. ――-하다 자여불
전:구[12]【轉句】명〖문〗한시(漢詩) 절구(絕句)의 제삼구(第三句). 이 구(句)로 뜻을 바꿈. ㊟전(轉). *기승 전결(起承轉結).
전:구[13]【轉求】명〖천주교〗직접적이 아니고 간접적으로 구(求)함. 흔히 성모(聖母) 마리아와 그 밖의 성인(聖人)을 통해서 은혜를 구함. ――-하다 타여불
전-구개음【前口蓋音】명〖언〗전설면(前舌面)과 경구개(硬口蓋) 사이에서 나는 소리. ↔후(後)구개음.
전구-관【殿驅官】명〖역〗고려 시대의 이속(吏屬) 중 잡류직(雜類職).
전구 동:물【前口動物】명〖동〗선구(先口) 동물.
전구-류【前口類】명〖동〗[Prosostomata] 흡충강(吸蟲綱)이생류(二生類)에 속하는 편형(扁形) 동물의 한 목(目). 입은 몸의 전단(前端)에 흡반(吸盤)으로 싸여 있음. 흡반은 복면(腹面)과 몸의 후단(後端)에도 있음. *복구류(腹口類).
전:구-서【典廏署】명〖역〗①고려 때 목축에 관한 일을 맡아 보던 관아. 충렬왕(忠烈王) 34년(1308)에 전의시(典儀寺)의 관할에 들어감. ②조선 시대 때 목축에 관한 일을 맡아 보던 관아. 태조(太祖) 원년(1392)에 베풀어서 뒤에 예빈시(禮賓寺)에 합쳐 분례빈시(分禮賓寺)라 일컫다가 세조(世祖) 12년(1466)에 사축서(司畜署)라 고치어 독립함.
전구 증상【前驅症狀】명〖의〗전염병(傳染病)의 잠복기 및 뇌출혈(腦出血)·전간(癲癎) 등이 일어나는 전조(前兆)로서 나타나는 증상.
전구-체【前驅體】명 일련의 생화학(生化學) 반응에서 A에서 B로, B에서 C로 변화할 때, 이를테면 C라는 물질에서 본 A나 B를 말함. 즉, C에 앞서 생겼으며 그 전부 또는 일부가 C의 재료가 되어 있는 것. 피브린(Fibrin)에 대한 피브리노겐(Fibrinogen), 비타민에 대한 프로비타민(provitamine) 따위. 전구 물질.
전-국[1]【全―】명 간장·술 등의 액체에 군 물을 타지 아니한, 농도가 진한 국물. 순액(純液). 진국. ¶～ 간장.
전국[2]【全局】명 전체(全體)의 국면(局面). 전체의 판국.
전국[3]【全國】명 온 나라. 국내(國內) 전체. 통국(通國). ¶～ 체육 대회.
전:국[4]【戰局】명 싸움이 벌어지고 있는 국면(局面). 전쟁이 되어 가는 판국. ¶～이 아군에게 유리하게 전개되다.
전:국[5]【戰國】명 ①영웅(英雄)이 할거(割據)하여 서로 싸우는 나라들. 전쟁으로 몹시 어지러워진 세상. ②〖역〗전국 시대(戰國時代).
전:국[6]【錢局】명 전장(錢裝).
전국 경제인 연합회【全國經濟人聯合會】[―년―] 명 전국의 업종별(業種別) 경제 단체와 대기업(경영자)으로 구성된 사단 법인. 산업·경제 전반에 걸친 의견의 종합 구현(具顯), 주요 산업 개발, 국제 경제 교류의 촉진으로 국민 경제의 향상 발전에 이바지할 목적으로 설립된 한국 경제인의 구심체(求心體)임. 1961년 8월 '한국 경제인 협회'로 출발, 1968년 3월에 지금의 명칭으로 바뀜. ㊟전경련(全經聯).
전국 과학 기술 정보 시스템【全國科學技術情報―】〔system〕명 엔아이 에스 티(N.I.S.T.).
전국-구【全國區】명〖법〗전국을 한 구로 하는 선거구(選擧區). ¶～로 출마하다.
전국구-제【全國區制】명〖법〗전국을 한 선거구로 하여 의원을 선출(選出)하는 제도.
전국 문화 단체 총:연합회【全國文化團體總聯合會】[―년―] 명 8·15 광복 후 좌익 계열(左翼系列)의 문화 단체 조직에 대항해 민족 문화의 유산(遺產)을 지키며 그 독자성(獨自性)을 옹호하고 세계 문화의 이념 아래 민족 문화를 창조할 목적으로 결성된 문화 단체의 연합체. 1947년 2월 12일 창립 총회를 가졌으며 학술·문화·예술 전반에 걸친 산하 단체(傘下團體)가 있었고, 1961년 해산하여 한국 예술 단체 총연합회로 바뀌었음. ㊟문총.
전-국민【全國民】명 온 국민. 모든 국민. ¶～이 총궐기하다.
전국 민속 예:술 경:연 대회【全國民俗藝術競演大會】[―네―] 명 우리 나라 각 지방의 민속 예술을 발굴 전승하기 위하여 1958년부터 시작된 전국 규모의 문화 행사. 1967년부터는 매년 10월 각 지방 도청 소재지에서 순회 개최됨.
전:국 사:군【戰國四君】명〖역〗중국 전국 시대의 대표적인 호족(豪族) 네 사람. 곧, 제(齊)나라의 맹상군(孟嘗君), 조(趙)나라의 평원군(平原君), 위(魏)나라의 신릉군(信陵君), 초(楚)나라의 춘신군(春申君).
전국 산:업 부:흥법【全國產業復興法】[―뻡] 명〖법〗'니라(NIRA)'의 역어(譯語).
전국-새【傳國璽】명〖역〗중국의 진시황(秦始皇) 이후로 후한(後漢)의 순제(順帝) 때까지 전하여 오던 황제의 옥새. 가로 세로 네 치에 '受命於天旣壽永昌'의 여덟 글자를 새겼음. 순제 이후의 것은 모조품(模造品)임.

〈전국새〉

전국 소:년 체육 대:회【全國少年體育大會】명 우리 나라에서 해마다 전국적인 규모로 베풀어지는 소년·소녀의 체육 대회. 국민학교 5·6학년과 중학교의 남녀 학생들이 각 시·도 및 재일 동포를 대표하여 참가함. '몸도 튼튼, 마음도 튼튼, 나라도 튼튼'이라는 표어 아래 스포츠 정신의 고취(鼓吹), 체력 향상(體力向上), 체육 인구의 저변 확대(底邊擴大)를 목적으로 함. 제1회 대회는 1972년 6월 16일 서울에서 열린 후 각 시·도(道)로 순회하며 매년 개최하였다가 1989년 제18회 대회부터는 시·도별로 주관·개최하였음. 그 후 1992년부터 다시 전국 대회로 부활·개최되었음. 경기 종목은 육상을 비롯하여 각종 구기와 수영·씨름·검도·유도 등 20여 종임. 전국 소년 체전.
전국 소:년 체전【全國少年體典】명 전국 소년 체육 대회.
전국-술【全―】명 군물을 타지 아니한, 전국의 술. 진국술. 구온주(九醞酒).
전:국 시대【戰國時代】명〖역〗①중국 진(晉)나라의 대부(大夫)인 위(魏)·조(趙)·한(韓)의 삼씨(三氏)가 집정(執政) 지백(知伯)을 쓰러뜨리고 사실상 삼진(三晉)이 분립한 주(周)나라 정정왕(貞定王) 18년부터 진(秦)나라 시황제가 중국을 통일할 때까지의 시대. 학자에 따라, 삼진(三晉)이 동주(東周) 왕조로부터 승인된 위열왕(威烈王) 23년(403 B.C.)부터 치기도 하고, ≪사기(史記)≫처럼 기원전 476년부터 진(秦)나라

가 망하는 기원전 206년까지를 포함시키기도 함. [453-221 B.C.] ②일본의 아시카가 막부(足利幕府) 말기서부터 도요토미 히데요시(豊臣秀吉)가 국내를 통일할 때까지의 시대. [1467-1568]

전국 인민 대:표 대:회【全國人民代表大會】[명] 중국의 국가 최고 권력 기관(最高權力機關)이며 입법(立法) 기관. 각 지역 단위·군대·화교(華僑) 대표로 구성되며 임기는 5년, 매년 1회 개최함. 상설(常設) 기관인 상무(常務) 위원회가 있음. [준]전인대(全人代).

전국 재해 대:책 협의회【全國災害對策協議會】[—/—이—] [명] 재해 대책과 이재민 구호를 위해서 조직된 단체.

전국-적【全國的】[명][관] 전국에 걸치는 모양. 온 나라에 관계되는 모양. ¶～으로 퍼지다.

전국-지【全國紙】[명] 전국(全國)의 독자(讀者)를 대상으로 하여 발행되는 신문. ↔지방지(地方紙).

전:국-책【戰國策】[명]〖책〗중국 전국 시대에 종횡가(縱橫家)가 제후(諸侯)에게 논(論)한 책략(策略)을 국별(國別)로 모은 책. 한(漢)나라의 유향(劉向)이 편찬함. 시대는 주(周)나라의 안왕(安王)에서 진시황까지의 250년으로 저자는 알 수 없음. 모두 33권임.

전국 체육 대:회【全國體育大會】[명] 전국적인 규모로 해마다 거행되는 체육 대회. 스포츠를 보급·발전시켜 아마추어 정신을 함양하며 국제적으로 국위를 선양할 목적으로 각 시·도, 재일(在日)·재미(在美) 등 재외 동포 선수단이 참가, 고등부·대학부·일반부로 나뉘어 육상을 비롯하여 각종 구기와 권투·유도·레슬링·역도·사격·씨름·체조·궁도·배드민턴·펜싱·수영 등 20여 종목에 걸쳐 경기를 벌임. 제1회 대회는 1920년 서울에서 개최되었음. 1972년부터 전국 소년 체육 대회를 별도(別途)로 베풂. 전국 체육 제전(祭典). [준]국체(國體).

전국 체육 제:전【全國體育祭典】[명] 전국 체육 대회. [준]전국 체전.

전국 체전【全國體典】[명] ↗전국 체육 제전.

전:국 칠웅【戰國七雄】[명]〖역〗중국 전국(戰國) 시대의 제(齊)·초(楚)·연(燕)·한(韓)·조(趙)·위(魏)·진(秦)의 일곱 제후(諸侯).

전국 학생 총:연맹【全國學生總聯盟】[—년—] [명] 1946년 7월 31일 반탁 학련(反託學聯)·독립 학생 전선(獨立學生戰線) 등 민족 진영 학생 단체들이 좌익(左翼) 학생 단체인 재경 학생 행동 통일 촉성회(在京學生行動統一促成會)에 대항하여 반공·반탁과 학원의 질서를 유지하고자 결성한 학생 단체. [준]학련(學聯).

전군[1]【全軍】[명] 전체의 군대(軍隊). 삼군(三軍). 총군(總軍). ¶～을 지휘하다.

전군[2]【全郡】[명] 한 고을의 전체(全體).

전군[3]【前軍】[명] 전방(前方)의 군대. 선봉(先鋒)의 군대. 선진(先陣).

전:군[4]【殿軍】[명] 후미(後尾)의 군대. 후군(後軍). ＊전후(殿後).

전:군[5]【轉軍】[명]〖군〗군인이 자기 소속군(所屬軍)을 변경하는 일. ¶육군에서 해군으로 ～하다. ——-하다 [자][여불]

전군 함몰【全軍陷沒】[명] 한 떼의 군대(軍隊)가 전멸(全滅)함. ——-하다 [자][여불]

전권[1]【田券】[명] 전지(田地)의 매도 증서. 또, 관부(官府)에서 교부(交付)하는 토지 소유의 문서. 지권(地券).

전권[2]【全卷】[명] ①모든 권(卷). ②그 권(卷) 전부. 완전한 한 질의 서적.

전권[3]【全權】[—꿘] [명] ①위임(委任)된 어떤 일을 처리(處理)하는 일체의 권리. ¶～을 위임하다. ②완전(完全)한 권리. ¶～을 장악하다. ③↗전권 위원(全權委員).

전:권[4]【典券】[명] 문권(文券)을 전당으로 함. ——-하다 [자][여불]

전권[5]【前卷】[명] 책의 앞의 권.

전권[6]【專權】[—꿘] [명] 마음대로 권력을 휘두름. ——-하다 [자][여불]

전권 공사【全權公使】[—꿘—] [명]〖법〗국가를 대표하는 외교 사절(外交使節) 중 제2급에 속하는 공무원. 각국이 상호간에 파견·주차(駐箚)하여 본국 정부의 훈령(訓令)에 의하여, 주차국과의 외교에 당하며 그 나라에 사는 자국민의 보호에 임함.

전권 대:사【全權大使】[—꿘—] [명]〖법〗국가를 대표하는 외교 사절 중 제1급에 속하는 공무원. 대사관의 장이 되며 직책은 전권 공사와 같음. 특명(特命) 전권 대사.

전권 대:신【全權大臣】[—꿘—] [명]〖역〗중국 청(淸)나라 때 전권 위원(全權委員)을 일컫던 말.

전권 위원【全權委員】[—꿘—] [명]〖법〗국제 조약의 체결(締結), 국제 회의, 기타의 외교 교섭에 전권 위임장(全權委任狀)을 소유(所有)하고 파견되는 위원(委員). [준]전권(全權).

전권 위임장【全權委任狀】[—꿘—짱] [명]〖법〗임시 외교 사절(臨時外交使節)이 국제 회의·국제 조약 회의(國際條約會議) 등에 참가하여 특정 사항에 관한 외교 교섭(外交交涉)에 당하여 국가의 이름으로 외교 교섭을 행하고 조약의 체결에 임할 수 있는 권한을 원수(元首)로부터 위임(委任)받은 문서.

전궐【顚蹶】[명] 전질(顚跌). ——-하다 [자][여불]

전:궐-증【煎厥症】[—쯩] [명]〖한의〗정신을 지나치게 써서 상기(上氣)가 되고 정신이 황홀하여지는 병.

전궤【前軌】[명] 전철(前轍).

전귀 전수【全歸全受】[명] 자식은 부모로부터 완전한 신체를 받았으므로, 몸을 삼가고 훼손함이 없이 죽을 때 완전한 몸을 부모에게 돌려주어야 한다는 말.

전규[1]【前規】[명] 전구(前矩).

전:규[2]【錢葵】[명]〖식〗당아욱.

전:극[1]【電戟】[명] 번갯불과 같이 번쩍이는 창(槍).

전:극[2]【電極】[명] [electrode]〖물〗진공관·전지 등에서 전류(電流)가 드나들게 된 곳. 나가는 쪽을 양극(陽極), 들어가는 쪽을 음극(陰極)이라고 하며 전위(電位)의 고저(高低)로써 구별함. 금속을 사용하는데 판(板)모양, 막대기 모양 등이 있음. 폴(pole).

전:극 반:응【電極反應】[명]〖물〗전극에서 일어나는 음극 반응과 양극 반응의 총칭.

전:극 스위치【轉極—】[명] [reversing switch]〖전〗회로(回路)의 일부의 접속을 역전(逆轉)시키는 스위치.

전:극 전:류【電極電流】[—절—] [명] [electrode current]〖전자〗진공관(眞空管)의 전극간 공간을 통하여 전극에 흐르는 전류.

전:극 전:위【電極電位】[명] [electrode potential]〖물〗전극과 이에 접촉하는 전해질 용액(電解質溶液) 간에 생기는 전위차(電位差). 단극(單極) 전위.

전근[1]【前根】[명] [anterion root]〖생〗척수(脊髓)의 전외측부(前外側部)로부터 나온 척수 신경(脊髓神經)의 하나.

전:근[2]【轉根】[명]〖불교〗①하근(下根)인 성문(聲聞)으로부터 중근(中根)인 연각(緣覺)으로 또는 다시 상근(上根)인 보살(菩薩)로 전(轉)하는 일. ②남근(男根)에서 여근(女根)으로 또는 여근에서 남근으로 성(性)이 바뀌는 일.

전:근[3]【轉勤】[명] 근무처(勤務處)를 옮김. ¶지방으로 ～되다. ＊전직(轉職). ——-하다 [자][여불]

전:근[4]【轉筋】[명] 근육(筋肉)이 뒤틀려서 오그라짐. 쥐가 나서 근육이 오그라짐.

전:근 곽란【轉筋癨亂】[—난] [명]〖한의〗곽란(癨亂)이 심하여 근육(筋肉)이 뒤틀리는 병.

전-근대【前近代】[명] 근대의 바로 앞 시대.

전근대 사회【前近代社會】[명]〖사〗근대 이전의 사회 또는 근대 이외의 사회를 포괄적으로 나타내는 사회 유형의 하나. 원시 사회·고대 사회·중세 사회·미개 사회 등이 포함됨. 생산력이 발달되지 않았기 때문에 지연(地緣) 집단으로서의 촌락(村落)이나 혈연(血緣) 집단으로서의 가족(家族)이 큰 역할을 하며, 사회 구조가 단순하고 개인은 전통적 봉쇄적(封鎖的) 사회 질서 밑에 생활하고, 매몰(埋沒)되어 있는 것이 특징임. ↔근대 사회.

전근대-적【前近代的】[명][관] 현대적이 못되고 그 앞 시대의 색채를 벗어나지 못한 모양. ¶～ 사고 방식.

전:근-랑【展勤郞】[—글—] [명]〖역〗조선 시대 때 종구품 잡직(雜職)의 문관 품계 이름. 복근랑(服勤郞)의 아래.

전:근-루【轉筋瘻】[—글—] [명]〖한의〗감루(疳瘻)의 한 가지. 근육이 굳어지고 그 속에 누공(瘻孔)이 생기어 고름이 나옴.

전:근-증【轉筋症】[—쯩] [명]〖한의〗전근을 일으키는 병증(病症).

전금【前金】[명] ①대차(貸借) 관계를 셈할 때에 그 전에 치른 돈. ②선금(先金)❶.

전금속 진공관【全金屬眞空管】[명] 유리 대신에 강철의 합금을 사용한 진공관. 기계적으로 극히 견고(堅固)하며 고증폭률(高增幅率) 진공관에 있어서는 차폐 작용(遮蔽作用)이 완전하며, 또 소형(小型)으로 만들 수 있음. 금속 진공관. 메탈 튜브(metal tube).

전:금-화【翦金花】[명]〖식〗장구채.

전급[1]【傳給】[명] 전달하여 줌. ——-하다 [타][여불]

전:급[2]【轉給】[명] 다른 데로 바꾸어 지급함. ——-하다 [타][여불]

전:긍【戰兢】[명] ↗전전 긍긍(戰戰兢兢). ——-하다 [자][여불]

전-기[1]【田琦】[명]〖사람〗조선 시대 후기의 화가. 자는 위공(瑋公)·기옥(奇玉), 호는 고람(古藍). 개성(開城) 사람. 시(詩)·서(書)·화(畫)를 다 잘 하였음. 그림은 송(宋)·원(元)의 남종파(南宗派)의 화풍을 계승, 특히 산수화에 능했음. 작품은 ≪매화 서옥도(梅花書屋圖)≫ 등이 있음. [1825-54]

전기[2]【田器】[명] 논밭을 경작하는 데 쓰이는 기구. 농구.

전기[3]【全期】[명] ①모든 기간(期間). ②그 기간의 전체.

전기[4]【全機】[명] 전대(戰隊) 등을 편성하는 전부의 비행기. ¶～ 무사 귀환(歸還).

전기[5]【前記】[명] 앞에 기록(記錄)하여 있음. 또, 그 기록. ¶～ 장소로 이전하다/～한 글. ——-하다 [타][여불]

전기[6]【前紀】[명] 전대(前代)의 기사(紀事).

전기[7]【前期】[명] ①한 기간을 몇 개로 나눈 첫 시기. ¶～ 대학 입시. ↔후기. ②앞의 시기. 특히, 앞의 결산기. ¶～ 이월금. ③[prophase]〖생〗세포 분열의 개시 단계. 개개의 염색소(染色素)가 구성되고 인(仁)이 소실(消失)됨.

전기[8]【前騎】[명] 전방(前方)의 기병(騎兵). 전구(前驅)의 기병.

전기[9]【傳奇】[명] ①잡록체(雜錄體)의 소설. ②장편(長篇) 소설. ③중국 문학의 한 장르. 당대(唐代)에 시작된 문어(文語)로 쓴 단편 소설과 명대(明代)의 희곡. ④희문(戲文). ⑤기이(奇異)한 일을 취재하여 쓴 소설. 희곡. 곧, 일사(逸事)·기담(奇談)의 총칭. ⑥기이한 일을 세상에 전함. ——-하다 [자][여불]

전기[10]【傳記】[명] ①옛적부터 전하여 내려오는 사적(事跡)의 기록. ②개인 일대(個人一代)의 사적(事跡)을 기록함. 또, 그 기록. ¶위인(偉人) ～. ——-하다 [타][여불]

전:기[11]【電氣】[명] ①[electricity]〖전〗물체에 전기 현상을 일으키는 원인. 곧, 전자(電子)의 이동으로 생기는 에너지의 한 형태. 음양(陰陽)의 두 종류가 있어 동종(同種)의 전기는 서로 배척하며, 이종(異種)의 전기는 서로 잡아 당김. ②전등(電燈). ¶～를 켜라.

전:기[12]【電機】[명] 전력(電力)을 사용하여 운전(運轉)하는 기계.

전기[13]【傳騎】[명] 전령(傳令)의 임무(任務)를 맡은 기병(騎兵).

전:기[14]【殿騎】[명] 후미(後尾)의 기병(騎兵).

전:기[15]【戰技】[명] 전투 행동(戰鬪行動)에 직접 필요한 기술(技術). 전투

기술.

전:기[16]【戰記】명 전쟁(戰爭)에 관한 기록(記錄). 군기(軍記). ¶태평양(太平洋) ~.

전-기[17]【錢起】명〖사람〗중국 당(唐)나라의 시인. 자(字)는 중문(仲文). 천보(天寶) 10년(751)에 진사(進士)가 되어, 벼슬이 상서 고공 낭중(尙書考功郎中)에 이름. 청신 수려(清新秀麗)하고 온화(溫和)한 시풍으로 대력 십재자(大曆十才子)의 한 사람으로 꼽힘. 근체시(近體詩) 특히 오언 율시(五言律詩)에 뛰어남. 《전고공집(錢考功集)》 10권이 남아 있음. 생몰년 미상(未詳).

전:기[18]【戰旗】명 전쟁에 쓰는 기.

전:기[19]【戰機】명 ①전쟁이 일어나려는 기운(氣運). ¶~가 무르익다. ②전쟁의 기회. 싸워서 제승(制勝)할 수 있는 기회. 병기(兵機). ¶~를 잃다. ③전쟁의 기밀(機密). 전투의 계획. 군기(軍機). ¶~를 누설(漏泄)하다.

전:기[20]【戰騎】명 전쟁에 참가하는 기병(騎兵).

전:기[21]【轉記】명 한 장부(帳簿)에서 다른 장부에 기재(記載) 사항을 옮기어 씀. ¶대장(臺帳)에 ~하다. ──하다 타여불

전:기[22]【轉機】명 사물이 바뀌는 기회. 전환(轉換)의 시기. ¶~를 이루다/정국(政局)의 진전에 하나의 ~가 되다/생애의 ~.

전:기 가스세【電氣一稅】〔gas〕명〖법〗전기 또는 가스의 사용자에게 부과하는 국세(國稅). 전기 또는 가스 사업자(事業者)가 요금과 함께 징수하여 납세함. 1977년 부가 가치세법(附加價值稅法)의 시행에 따라 폐지됨.

전:기-가오리【電氣一】명〖어〗시끈가오리.

전:기 각도【電氣角度】명〔electrical degree〕〖전〗1사이클의 360 분의 1에 해당하는 각도. 교류(交流)에서 쓰임.

전:기 각로【電氣脚爐】〔一노〕명 전기 저항선(抵抗線)을 장치하여 전기 발열(發熱)을 이용한 각로.

전:기 감:수율【電氣感受率】명〔electric susceptibility〕〖물〗전기장(電氣場)에 의하여 물질이 분극(分極)을 일으키는 정도(程度)를 나타내는 양(量).

전:기 감:응【電氣感應】명〖물〗정전 감응(靜電感應).

전:기 개폐기【電氣開閉器】명〖전〗스위치(switch)❶.

전:기 거:리【電氣距離】명〔electrical distance〕〖전자〗두 점(點) 간의 거리를, 그 사이의 자유 공간(自由空間)을 전자기파(電磁氣波)가 전파(傳播)하는 데 소요되는 시간으로 나타낸 수치.

전:기 검:층【電氣檢層】명〖전〗갱정(坑井) 안의 전기적 성질을 대상으로 하는 물리(物理) 검층의 하나. 주로 암석의 비저항(比抵抗)과 자연 전위(自然電位)의 두 성질을 측정함.

전:기-계【電氣計】명〔electrometer〕〖물〗전위차(電位差)를 측정(測定)하는 장치(裝置). 박(箔) 전기계·절대(絕對) 전기계·상한(象限) 전기계 등이 있음.

전:기 계:기【電氣計器】명〖전〗전압·전류·전력·저항·자기력선속(磁氣力線束)·인덕턴스 등 전자기(電磁氣)에 관계되는 양의 측정을 행하는 계기(計器)의 총칭. 관측(觀測)시의 전기량(電氣量)을 나타내는 전류계·전압계·전력계 등의 지시계(指示計), 전기량을 시간적으로 적산한 것을 나타내는 적산계(積算計), 전기량의 시간(時間)에 대한 변화를 도시적(圖示的)으로 기록하는 자기계(自記計)의 세 가지로 대별(大別)됨.

전:기 계:량기【電氣計量器】명〖물〗적산 전력계(積算電力計).

전:기 계:산기【電氣計算器】명〖기〗계산을 순 전기적으로 행하는 장치. 보통의 계산기를 전기적으로 동작시키는 것과 주어진 문제를 등가(等價)의 전기 회로로 치환(置換)하여 소정(所定)의 원인에 대한 수치적(數值的) 결과를 이끌어 내게 한 것의 두 가지가 있음. 최근에는 진공관 회로(回路)를 이용한 전자 계산기가 발달하여 생물학·기상학 등 복잡한 문제에 이용되고 있음.

전:기 계:측【電氣計測】명 전기·자기(磁氣) 현상 또는 이에 관련된 물리적 사상(事象)을 수량적으로 파악하는 일.

전기 고:분【前期古墳】명 고분 문화기를 3기로 나눈 제1기인 4세기경의 고분. 자연 지형(自然地形)을 이용, 수혈식 석실(竪穴式石室), 거울·구슬 따위의 부장품(副葬品) 등 원초적(原初的) 요소를 갖는 고분을 총칭함.

전:기-공【電氣工】명 발전·변전 등의 전기장치를 가설·수리하는 등의 작업에 종사하는 공원(工員). ㊟전공(電工).

전:기 공사【電氣工事】명 전기 사업자(電氣事業者) 이외의 일반 전기 공작물(工作物)의 설치·변경을 위한 공사. 전기 공사업법(法)의 규제를 받음.

전:기 공사업자【電氣工事業者】명 옥내 및 가옥 외면(外面)의 전기 공사에 종사하는 사람. 전기 공사업법(電氣工事業法)에 의한 면허를 소지한 자에 한함.

전:기 공업【電氣工業】명 전기를 원동력(原動力)으로 하는 공업. 전력(電力) 공업. ㊟전공(電工).

전:기 공작물【電氣工作物】명〖법〗발전·송전·변전·배전 또는 전기 사용을 위하여 설치하는 기계·기구·댐·수로·저수지·전선로·보안 통신 선로 등의 공작물.

전:기 공학【電氣工學】명〖공〗공학상(工學上)에 있어서의 전기의 이론 및 응용을 연구하는 학문.

전:기 공학과【電氣工學科】명〖교〗대학에서, 전기 공학을 전공하는 학과. *전자 공학과·통신 공학과.

전:기 관리사【電氣管理士】〔一괄一〕명 국가 기술 자격법에 따른 전기 관리에 관한 기술 자격 시험에 합격하여 면허증을 받은 사람.

전:기 광학 물질【電氣光學物質】〔一찔〕〔electrooptic material〕〖광학〗전기장(電氣場)을 가하면 굴절률(屈折率)이 변하는 물질.

전:기 기계【電氣機械】명〖전〗회전 운동 또는 어떤 동역학적 구조를 가지는 전기 기기(機器). 발전기(發電機)·전동기(電動機) 같은 것. ↔전기 장치(電氣裝置).

전:기 기계 공업【電氣機械工業】명〖공〗전동기(電動機)·변압기(變壓機)·전구(電球)·건전지(乾電池)·축전지(蓄電池) 등과 같이 전기와 관계 있는 기계에 관한 공업.

전:기 기관【電氣器官】명〔electric organ〕〖생〗발전어(發電魚)의 발전(發電) 기관. 시끈가오리는 머리의 양측에 있으며, 어떤 물고기는 동부(胴部)·미부(尾部)에 있음.

전:기 기관사【電氣機關士】명 전기 기관차에 승무(乘務)하여 이의 운전 등에 종사하는 철도 직원.

전:기 기관차【電氣機關車】명 전동기(電動機)에 의하여 운전되는 기관차. 직류식(直流式)·단상식(單相式)·삼상식(三相式)·전동 발전기식(電動發電機式)·축전지식(蓄電池式) 등이 있음.

전:기 기구【電氣器具】명 전기를 열·광(光)·동력원(動力源) 등으로 이용한 기구. 전기 제품.

전:기 기구 혼식【電氣器具婚式】명 결혼(結婚) 기념식의 하나. 결혼 8주년을 축하하여, 부부가 전기 기구 선물을 주고받아 기념함. *석혼식(錫婚式).

전:기 기술자【電氣技術者】〔一짜〕명 국가 기술 자격법에 의한 전기 기술 분야의 기술 자격을 취득한 사람.

전:기 기타【電氣一】〔guitar〕명 전기 악기의 하나. 증폭기(增幅器)가 달린 마이크로폰과 확성기를 갖춘 기타.

전:기 긴장【電氣緊張】명〔electrotonus〕〖생〗생체(生體)에 약한 직류를 통하였을 때 생기는 생리학적 내지는 물리학적인 변화. 음극 쪽에 생기는 것을 음극 전기 긴장, 양극 쪽에 생기는 것을 양극 전기 긴장이라 함. 전기 생리학의 가장 중요한 현상임. 「토브.

전:기 난:로【電氣煖爐】〔一날一〕명 전열(電熱)을 이용한 난로. 전기스

전:기 난:방【電氣暖房】명 전열을 응용한 실내 보온. 전기 난로 등을 사용함.

전:기 냄비【電氣一】명 열원(熱源)으로 전력을 사용한 냄비.

전:기 냉:장고【電氣冷藏庫】명 전력(電力)을 이용하여 냉동 장치를 작동시키는 냉장고. 전기 모터(motor)를 이용하여 염화 에틸렌(塩化 ethylene) 또는 암모니아를 압축해서 이것을 갑자기 팽창시켜 그 때의 기화열(氣化熱)의 흡수(吸收)를 이용하여 물체의 온도를 냉각시킴.

전:기 노:출계【電氣露出計】명 황화(黃化) 카드뮴·셀렌 광전지(光電池) 등의 광전 소자(光電素子)를 이용하여 피사체(被寫體)의 밝기를 측정하는 기구. 단독으로 노출계로 쓰는 것 외에 카메라에 장치하여 셔터 스피드·조리개 등과 연동(聯動)하여 사용하는 것도 있음.

전:기 뇌관【電氣雷管】명〖공〗전기적 점화 장치를 결부시킨 공업(工業) 뇌관.

전:기 능률【電氣能率】〔一늘〕명〖전〗전기 모멘트.

전:기 다리미【電氣一】명 전류(電流)의 발열 작용(發熱作用)을 이용하여 만든 다리미. 전기 아이론(電氣 iron).

전:기 담:요【電氣毯一】〔一뇨〕명 보온구(保溫具)의 하나. 가느다란 발열체(發熱體)를 석면(石綿) 등의 절연성(絕緣性) 내열 물질(耐熱物質)로 싸서 담요 속에 넣은 것. 전기 모포(毛布). 「量).

전:기 당량【電氣當量】〔一냥〕명〖화〗↗전기 화학 당량(電氣化學當

전:기 도:금【電氣鍍金】명〖화〗도금법의 하나. 도금하려는 금속의 이온을 함유하는 전해질(電解質) 용액 속에서, 도금시키는 물체를 음극(陰極)으로 해서 전기 분해를 하여, 그 표면에 금속을 석출(析出)시킴. 치밀·견고하고 아름다운 도금면을 얻을 수 있음. ㊟전도(電鍍).

전:기 도:화선【電氣導火線】명 화약을 전기적으로 점화하기 위하여 만들어진 도화선.

전:기-동【電氣銅】명〖물·화〗전해(電解) 구리.

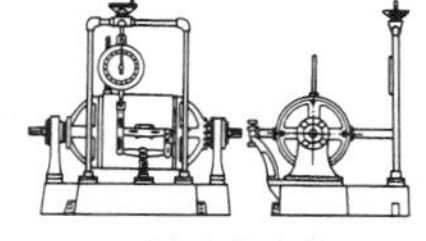
〈전기 동력계〉

전:기 동:력계【電氣動力計】〔一녁一〕명 동력계의 하나. 자유로 회전할 수 있는 고정자(固定子)를 갖는 발전기 또는 전동기(電動機)의 고정자를 고정하는 데 필요한 회전력(回轉力)을 계측(計測)함으로써 기관의 출력(出力) 또는 입력(入力)을 측정하는 기계.

전:기 동판【電氣銅版】명〖인쇄〗전기 분해(電氣分解)를 이용하여 원판(原版)에 구리를 올리고 그것으로 꼭 같은 현상(現象)을 옮겨 만든 동판. 전기판.

전:기 드릴【電氣一】〔drill〕명〖공〗소형 전동기(小型電動機)로서 회전시켜 구멍을 뚫는 기계.

전:기-등【電氣燈】명 전등(電燈).

전:기-량【電氣量】명〔quantity of electricity〕〖물〗전하(電荷)의 양. 그 단위로서는 진공 중에서 같은 전기량을 가진 작은 물체를 1cm 떨어지게 놓을 때 그 사이에 작용하는 힘이 1다인(dyne)이면 그 전기량은 1정전 단위(靜電單位)라 함. 전량(電量).

전:기량 보:존 법칙【電氣量保存法則】명〔principle of conservation of electricity〕〖물〗전기량은 소멸하지 않는다는 법칙. 전자(電子)·양성자(陽性子) 등의 전기의 중화(中和) 현상은 거시적(的)으로 보면 외부에 대한 작용이 없어질 뿐이라고 생각하는 일.

전:기-력【電氣力】명〔electric force〕〖물〗대전체(帶電體) 사이에 작용하는 전기의 힘. 전기장(場)의 세기와 전하량(電荷量)에 비례함. 흡인력과 반발력이 있음. ㊟전력(電力).

전:기력-선【電氣力線】 명 〔line of electric force〕〖물〗 전기장(電氣場) 안에서 전기장의 크기와 방향을 나타내는 곡선. 전기 지력선(電氣指力線). ㊀전력선.

전:기력 선속 밀도【電氣力線束密度】 명 〔electric flux density〕〖물〗 전기 변위.

전:기-로【電氣爐】 명 〔electric furnace〕〖물〗 전류에 의한 줄열(joule 熱) 또는 아크 방전이 일으키는 열, 고주파(高周波)에 의한 유도 전류(誘導電流) 등이 일으키는 열을 이용하는 노(爐). 고온도(高溫度)를 연속적으로 얻을 수 있으며, 온도 조절이 용이(容易)하고 용해 손실(熔解損失)이 적은 것이 특징임. 아크식·유도식(誘導式)·저항식(抵抗式)의 세 종류가 있음. 제철·제강·연마재(硏磨材) 제조 등에 이용됨. 전로(電爐).

전:기로-강【電氣爐鋼】 명 〖공〗 전기로로 만든 질이 좋은 강철.

전:기로 제:강법【電氣爐製鋼法】〔—뻡〕 명 전기를 열원(熱源)으로 하는 제강법. 1923년 이후 세계적으로 보급됨.

전:기-료【電氣料】 명 전기를 사용한 요금. 전기 사용료(電氣使用料). 전기 요금.

전:기 루미네선스【電氣—】 명 〔electroluminescence〕〖전〗 투명한 판상(板狀) 도체간(導體間)에 황화 아연계(黃化亞鉛系)의 형광 물질(螢光物質)을 끼워 양쪽 도체에 교류(交流) 전압을 가했을 때 발광(發光)하는 현상. 전압 발광. 전계(電界) 발광. 일렉트로루미네선스.

전:기 마이크로미터【電氣—】〔micrometer〕 명 〖전〗 콤퍼레이터의 하나. 길이의 변위(變位)를 전기량으로 바꾸고 이것을 다시 관측(觀測)할 수 있는 모양으로 변환시켜 측정하는 장치.

전:기 마취【電氣痲醉】 명 〔electric anesthesia〕〖의〗 전기적 수법에 의한 마취. 단속적(斷續的)인 직류 따위를 이용함.

전:기 메가와트년【電氣—年】 의명 〔megawatt year of electricity〕〖전〗 태양년(太陽年) 사이에 1,000,000 W의 전력(電力)이 주는 에너지와 같은 전기(電氣) 에너지의 단위(單位). 3.1557×10^{13} 줄(joule)과 같음. 기호:MWYE.

전:기-메기【電氣—】 명 〖어〗〔*Malapterurus electricus*〕 전기메깃과(科)에 속하는 민물고기. 몸길이 20–30cm이며 메기를 닮음. 몸빛은 다갈색이고 피부와 근육 사이에 발전 조직(發電組織)이 있어 고압의 전기를 일으킴. 방전(放電)은 먹이의 채취(採取)와 외적(外敵)을 방어할 때 행하며 최대 전압은 450 V에 달함. 야행성(夜行性)으로 작은 수생(水生) 동물을 포식(捕食)함. 아프리카 열대 지방의 하천에 분포하며 관상용으로 사육됨.

전:기 메스【電氣—】〔네 mes〕 명 〖의〗 고주파 전류를 이용한 메스. 절연체로 된 손잡이 끝에 금속판이 달려 있는 것으로 금속판에 전류를 통하여 가열한 다음 병조직(病組織)의 절단·응고(凝固) 등에 사용함. 동통·출혈이 적으므로 내장 수술에 많이 이용됨. 전기 수술도.

전:기 면:도기【電氣面刀器】 명 전자기력(電磁氣力)을 이용하여 수염을 깎는 면도기. 전력 8–10 W를 소요하는 모터식(式)과 진동식(振動式)의 두 가지가 있으며, 또 좌우로 왕복하는 것과 회전하는 것이 있음. 셰이버(shaver).

전기 모멘트【電氣—】〔moment〕 명 〖전〗 거리(距離) a를 두고 $+e$와 $-e$의 전기가 있을 때의 ea를 이름. 이것은 벡터(vector)로서, 그 방향은 $-e$에서 $+e$로 향하는 것으로 정함. 전기 능률.

전:기 모세관 현:상【電氣毛細管現象】〔electro-capillarity〕〖물〗 모세관 속의 접촉한 두 개의 액체 사이에 전압(電壓)을 가하였을 때 그 사이의 계면 장력(界面張力)이 변화하여 계면(界面)의 이동이 일어나는 현상. 전기적 모세관 현상.

전:기 모포【電氣毛布】 명 전기 담요.

전기 문학[1]【傳奇文學】 명 〖문〗 공상적이고 기이한 것을 주제로 한 흥미 본위(興味本位)의 문학.

전기 문학[2]【傳記文學】 명 〖문〗 개인의 생애의 사적(事跡)을 주제로 한 문학. 대개는 역사적인 의의를 가진 인물의 생애를 취급함.

전:기 미싱【電氣—】 명 전동기(電動機)를 동력원(動力源)으로 이용한 재봉틀.

전:기 미터【電氣—】〔meter〕 명 적산 전력계(積算電力計).

전:기 바리캉【電氣—】〔bariquant〕 명 전동기(電動機) 또는 바이브레이터(vibrator)를 동력원으로 한 바리캉.

전:기 발동기【電氣發動機】〔—똥—〕 명 〖전〗 전력을 이용하여 운전하는 발동기.

전:기 발파【電氣發破】 명 〖공〗 전기로 뇌관(雷管)을 자극하거나 전기 도화선(導火線)을 사용하여 행하는 발파. 한 번에 여러 개의 남포 구멍을 발파할 수 있음.

전:기 밥솥【電氣—】 명 밥이 다 되면 자동적으로 스위치가 꺼지는 전열 이용의 밥솥. 요즘은 밥이 다 된 다음 계속 보온(保溫)되는, 전기 밥통 겸용의 것도 시판(市販)되고 있음. 전기솥. 전기 취반기(炊飯器).

냄비
발열체
서머스탯
〈전기 밥솥〉

전:기 밥통【電氣—桶】 명 전열(電熱)을 이용한 밥통. 밥의 온도를 일정하게 유지함.

전:기 방석【電氣方席】 명 전열 이용의 방석. 석면(石綿)과 같은 내열성 절연물(耐熱性絕緣物) 안에 아주 가는 전열선(電熱線)을 감아 넣고 주위(周圍)를 솜으로 싸서 만듦.

전:기 방식【電氣防蝕】 명 철강(鐵鋼)·건조물(建造物)·시설 등이 수중 또는 지중에서 부식(腐蝕)하는 것을 막기 위하여 철강부(鐵鋼部)에 음극의 전류를 통하여 부식을 방지하는 일.

전:기-뱀장어【電氣—長魚】 명 〖어〗〔*Electrophorus electricus*〕 전기뱀장어과(科)에 속하는 민물고기. 모양은 뱀장어와 비슷하고 몸길이는 2–2.4 m에 달함. 피부는 연하고 비늘이 없으며 몸빛은 암갈색(暗褐色). 근육이 변화하여 생긴 발전판(發電板)을 가짐. 발전량은 발전어(發電魚) 중 최고로 300–850 V임. 때때로 수면(水面)에 나와서 공기를 마시는데 15 분 이상 나오지 못하면 죽는다 함. 남아메리카의 아마존강, 오리노코 강 등에 살며 작은 수생(水生) 동물을 포식(捕食)함.

전:기 버스【電氣—】〔bus〕 명 전동기에 의하여 움직이는 버스.

전:기 변:성 반:응【電氣變性反應】 명 〖의〗 어떤 종류의 신경 질환이 있는 신경과 근육에 감응 전류(感應電流)를 통하여 전기적으로 자극(刺戟)할 때 보이는 근수축(筋收縮)의 이상(異常) 반응. 여러 가지 원인으로 오는 말초 신경(末梢神經)의 마비(痲痺) 등의 진단에 이용함.

전:기 변:위【電氣變位】 명 〖전〗 유전체(誘電體) 안에 전기장(電氣場)이 있을 때 그 가운데에서 음양의 전기가 나뉘어 각기 분극되어 가는 현상. 이 양은 전기장의 크기를 표시하는 벡터량(vector量)으로 유전체 안의 단위 면적을 통하는 전자기 유도(電磁氣誘導)에 상당(相當)함. 전기 변화(電氣變化).

전:기 변:화【電氣變化】 명 〖전〗 전기 변위(電氣變位).

전:기 보일러【電氣—】〔boiler〕 명 가열 장치(加熱裝置)로서 전열을 이용한 보일러(boiler).

전:기 보:호 장치【電氣保護裝置】 명 〔electric protective device〕〖전〗 전기 계통에서 쓰이는 특수한 장치. 이상 상태(異常狀態)를 검출하고 적정(適正)한 보정 동작(補正動作)을 개시(開始)시키는 데 쓰임.

전:기 부화【電氣孵化】 명 전기 부화기를 이용하여 누에의 알, 달걀 또는 각종 새의 알 들을 까게 하는 일.

전:기 부화기【電氣孵化器】 명 자동적으로 온도가 조절되는, 전열을 이용하여 알을 부화시키는 장치.

전:기 부화법【電氣孵化法】〔—뻡〕 명 전기 부화기로써 알 따위를 부화시키는 방법.

전:기-분【電氣盆】 명 〖물〗 전기 쟁반.

전:기 분석【電氣分析】 명 〖화〗 전기 적정(滴定)·전기 분해 등을 이용하는 화학 분석.

전:기 분해【電氣分解】 명 〔electrolysis〕〖물·화〗 전해질(電解質)의 수용액에 전류를 통하여 액중(液中)의 양음 이온(陽陰 ion)이 각각 음극 양극에 모여 여기에 화학적인 전기 생성물(電氣生成物)이 형성되는 현상. ㊀전해(電解).

전:기 분해 자기기【電氣分解自記器】 명 〖화〗 폴라로그래피(polarography).

전:기 불꽃【電氣—】 명 〖전〗 스파크(spark).

전:기 브레이크【電氣—】〔brake〕 명 〖기〗 전기 제동(電氣制動).

전:기 사:무관【電氣事務官】 명 공업직(工業職) 국가 공무원 직급 명칭의 하나. 전기 직렬(職列)에 속하며, 전기 주사(主事)의 위, 공업 서기관의 아래로 5급 공무원임.

전:기 사:무소【電氣事務所】 명 〖법〗 전력(電力)·통신·신호 보안 시설의 보수(補修)·관리에 관한 업무를 분장(分掌)하는 지방 철도청의 현업(現業) 기관.

전:기 사:업【電氣事業】 명 전기를 공급하는 사업. 일반의 수요에 응하여 전기를 공급하는 일반 전기 사업과, 일반 전기 사업자에게 전기를 공급하는 발전 사업이 있음.

전:기 사:업자【電氣事業者】 명 〖법〗 산업 자원부 장관(産業資源部長官)의 허가를 얻어 전기 사업을 영위하는 자. 일반 전기 사업자와 발전 사업자로 나뉨.

전:기 사:용료【電氣使用料】〔—뇨〕 명 전기료(電氣料).

전:기 사인【電氣—】〔sign〕 명 전구(電球)나 네온 사인관(neon sign 管) 등을 이용(利用)하여 신호(信號)·표지·광고 등에 쓰는 장치. 전광 뉴스(電光 news)·네온 사인 같은 것.

전:기 사:자기【電氣寫字機】 명 〖기〗 텔레라이터.

전:기 사진【電氣寫眞】 명 전기를 응용하여 찍는 사진.

전:기 살충기【電氣殺蟲器】 명 히터를 장치하여 살충제가 서서히 휘발(揮發)하도록 만든 살충 기구.

전:기 삼투【電氣滲透】 명 〔electro-endosmosis〕〖화〗 습기를 함유한 다공질체(多孔質體)에서 전압에 의하여 액체가 한쪽 극(極)으로 이동하는 현상.

전:기-삽【電氣鍤】 명 〖공〗 전력을 이용하여 움직이게 만든 삽.

전:기-상【電氣商】 명 전기에 관계된 부속품, 즉 전구(電球)·전깃줄·소켓 등을 파는 가게. 또, 그 사람.

전-기생【全寄生】 명 〖식〗 엽록소를 갖지 못하여 동화 작용(同化作用)을 행할 수 없는 식물이, 필요한 모든 양분을 그 숙주(宿主)로부터 흡수하여 살아가는 일. ↔반기생(半寄生).

전:기 생리학【電氣生理學】〔—니—〕 명 〔electrophysiology〕〖생〗 생체(生體)의 움직임을 전류·전위차·전기 저항 등의 전기적 측정으로 이해하며, 그 기구(機構)를 전기 화학적으로 설명하려는 생리학의 한 부문.

전기생 식물【全寄生植物】 명 〖식〗 전기생으로 사는 식물. 새삼·실새삼·세균 등.

전:기 서기【電氣書記】 명 공업직(工業職) 국가 공무원 직급 명칭의 하나. 전기 직렬(職列)에 속하며, 전기 서기보(書記補)의 위, 전기 주사(主事)의 아래로 8급 공무원임.

전:기 서기보【電氣書記補】 명 공업직(工業職) 국가 공무원 직급 명칭의 하나. 전기 직렬(職列)에 속하며, 전기 서기(書記)의 아래로 9급 공무원임.

전:기-석【電氣石】 명〔tourmaline〕〖물〗 육방 정계 능형(六方晶系菱形)의 광물. 흑색·흑갈색·청흑색 또는 청록색·홍색의 것도 있는데 흔히 주상(柱狀)의 결정으로 주면(柱面)에 뚜렷한 종선(縱線)이 있음. 질이 무르고 유리 또는 수지 광택(樹脂光澤)이 있으며, 불투명 내지는 반투명임. 성분은 알루미늄(aluminium)의 규산염(硅酸塩)이며 편광(偏光)이 생기기 쉽고 마찰을 하거나 열을 가하면 전기가 생김.

전:기-선【電氣線】 명 전선(電線).

전:기 선:광【電氣選鑛】 명 이종(異種) 광물간의 전기 전도율(傳導率)의 차를 이용하여 선별하는 정전(靜電) 선광을 이름. 고압 대전체(帶電體) 위에 광물립(鑛物粒)을 놓으면 양도체는 동종(同種)의 전기를 내어 튀고 불량도체는 중력(重力)으로 낙하(落下)하여 선별됨. 티탄광(Titan鑛)·텅스텐광(tungsten 鑛)의 선광 등에 이용됨.

전:기선-대【電氣線—】[—때] 명 〈방〉 전주(電柱).

전:기선-줄【電氣線—】[—쭐] 명 〈방〉 전선(電線).

전:기-세【電氣稅】[—쎄] 명 '전기료'의 속칭.

전:기 세:탁기【電氣洗濯機】 명 전력을 이용하여 세탁을 행하는 기계. 교반식(攪拌式)·회전식·반전식(反轉式)·분류식(噴流式)·진동식(振動式)·펌프식(pump 式) 등이 있음.

전:기 소:량【電氣素量】 명〔elementary charge〕〖물〗 전자가 갖는 전기량의 절댓값. 기호는 e. 모든 전기량은 이의 정수배(整數倍)임. 하전(荷電) 입자와 전자기장(電磁氣場)과의 상호 작용의 세기의 척도로, 기초 상수(常數)의 하나임.

전기 소:설[1]【傳奇小說】 명 ①공상적(空想的)이고 기이한 일을 주제(主題)로 하여 흥미 본위(興味本位)로 쓴 소설. ↔사실 소설(寫實小說). ②당·송대(唐宋代)의 단편 소설. 지괴(志怪) 소설.

전기 소:설[2]【傳記小說】 명〖문〗 실제로 생존했던 사람의 일대기를 소설 형태로 형상화하여 작품으로 꾸민 소설.

전:기 소작【電氣燒灼】 명〔electrocautery〕〖의〗 고주파 전류를 통하여 백열(白熱)된 전기 메스(mes)로써 병이 난 인체 조직(組織)을 태워 제거하는 치료법. 지혈(止血)도 동시에 되며, 농양(膿瘍)·치핵(痔核) 등의 외과 수술에 이용됨.

전:기 소:제기【電氣掃除機】 명 전기 청소기.

전:기-솥【電氣—】 명 전기 밥솥.

전:기 쇼크【電氣—】 명〔electric shock〕〖의〗 생체내(生體內)에 전류가 흐름으로써 일어나는 쇼크. 갑자기 동통·경련·의식 불명이 생기고, 심할 때는 죽음.

전:기 쇼크 요법【電氣—療法】〔shock〕[—뻡] 명 전격(電擊) 요법.

전기-수【傳奇叟】 명〖문〗 고전 소설을 직업적으로 낭독하는 사람.

전:기 수술도【電氣手術刀】[—또] 명 전기 메스(電氣 mes).

전:기 수진기【電氣收塵器】 명〖기〗 기체·액체 속에 있는 고체나 액체의 입자가 대전(帶電)하고 있음을 이용하여 강한 전기장(電氣場)을 만들어 전기적으로 흡인 침착(吸引沈着)시켜 가스(gas)의 정제(精製) 또는 유용 성분(有用成分)을 회수하는 장치. 대기 오염 방지와 유가물(有價物)의 회수를 위해 널리 쓰임. 전기 집진기.

전:기 수진법【電氣收塵法】[—뻡] 명〖화〗 전기 수진기(電氣收塵器)로 기체·액체 속에 있는 고체나 액체의 입자(粒子)를 회수하는 법. 전기 집진법.

전:기 스탠드【電氣—】〔stand〕 명 책상 위에 놓도록 된 이동식(移動式) 전등(電燈).

전:기 스토:브【電氣—】〔stove〕 명 전기 난로.

전:기 습도계【電氣濕度計】 명 염화 리튬(塩化 lithium)의 막의 전기 저항이 습도의 변화에 따라서 변화하는 일을 이용하여 라디오존데(Radiosonde)용 및 실내 습도 조절용으로 고안된 습도계.

전:기 습윤기【電氣濕潤器】 명〖물〗 공기 중의 습도(濕度)를 높이기 위하여 전구(電球)에 금속망(金屬網)을 하고, 그 위에 물기 있는 헝겊을 얹어 놓아 수분을 증발시키는 장치.

전:기 시계【電氣時計】 명〔electric clock〕 전력으로 가게 하는 시계. 교류를 사용하며, 그 주파수(周波數)가 일정한 것을 이용한 것과 추를 일정한 거리까지 내려가면 전기적으로 말아 올리게 된 것 등이 있음.

전:기 신:관【電氣信管】 명 전기의 증폭(增幅) 작용을 이용하여 기뢰(機雷)·어뢰(魚雷) 등을 폭발시킬 수 있도록 만든 신관.

전:기 심:전도【電氣心電圖】 명〔electrocardiogram〕〖의〗 심장(心臟)의 동작 전류(動作電流)를 곡선으로 나타낸 기록(記錄). 심장의 상태를 타진(打診)·청진(聽診)하는데 X광선 이상으로 정밀 적확(精密的確)함.

전:기 쌍극자【電氣雙極子】 명〖물〗 음양(陰陽)의 같은 전하(電荷)가 썩 가까운 거리에 존재하는 현상. 전기 이중극(電氣二重極).

전:기 쌍극자 천:이【電氣雙極子遷移】 명〔electric dipole transition〕〖원자〗 하나의 에너지 상태에서 다른 에너지 상태로 천이할 때, 전기 쌍극자 방사에 의해서 전자기파(電磁氣波)가 방사 또는 흡수되는 유(類)의 원자나 원자핵의 천이.

전:기 쌍정【電氣雙晶】 명〔electric twinning〕 천연 수정(天然水晶)에 있는 결함. 인접한 영역(領域)이 반대 방향의 전기축(電氣軸)을 가지고 있음.

전:기 아연【電氣亞鉛】 명 전기 정련(精鍊)으로 얻는 순도(純度)가 높은 아연.

전:기 아연 도:금【電氣亞鉛鍍金】 명〔electrogalvanizing〕〖야금〗 황산 아연 또는 시안화(cyan 化) 아연의 액체에 전류(電流)를 통하여 음극(陰極)의 금속, 특히 철이나 강(鋼)의 표면에 아연을 전기 도금하는 일.

전:기 아이론【電氣—】〔iron〕 명 전기 다리미.

전:기 악기【電氣樂器】 명〖악〗 연주(演奏)할 때에 전기를 이용하여, 최종적으로는 확성기를 써서 음(音)을 발생하는 악기. 전기 기타(電氣 guitar)·전기 오르간(電氣 organ) 등이 있음.

전:기 안:마【電氣按摩】 명 전기 안마기를 사용하여 하는 안마.

전:기 안:마기【電氣按摩器】 명 전력으로 움직이게 하는 안마기.

전:기 야:금【電氣冶金】 명〔electrometallurgy〕〖화〗 전류의 화학 작용을 이용하여 금속 염류(金屬塩類)의 용액 또는 용융체(鎔融體)로부터 금속을 분리하거나 또는 전류를 열원(熱源)으로 하여 금속·합금 또는 화합물을 만드는 방법. 전기 정련(電氣精鍊).

전:기-어【電氣魚】 명 발전어(發電魚).

전:기 에너지【電氣—】 명〔electric energy〕〖물〗 전하(電荷)·전류·전자기파(電磁氣波) 등이 갖는 에너지의 총칭.

전:기 에너지 미:터【電氣—】 명〔electric energy meter〕〖전〗 전기 회로(電氣回路)에서 전력의 시간 적분(時間積分)을 측정하는 장치.

전:기 역학【電氣力學】 명〔electrodynamics〕〖전〗 맥스웰(Maxwell)이 주장한 이론으로서 전류의 자기 작용(磁氣作用)·전자 유도(電磁誘導) 등의 현상을 역학계(力學系)와의 유추(類推)에 의하여 일반 역학(一般力學)의 형식에 맞추어 논한 것으로, 현재는 일반으로 맥스웰 방정식을 기초로 하여 전류의 자기 작용, 전자 유도, 전자기파(電磁氣波) 등의 현상을 수학적으로 취급하는 학문을 말함.

전:기 영:동【電氣泳動】 명〔cataphoresis〕〖물·화〗 전기 이동.

전:기 영:상【電氣影像】 명〔electric image〕〖전〗 도체(導體) 부근의 고정 전하(固定電荷)에 의하여 만들어지는 전기장을 구하는 데 쓰이는 가상적인 전하. 표면에 유도 전하(誘導電荷)가 분포(分布)한 도체를 이 같은 몇 개의 가상(假想) 전하로 바꾸어 놓고 계산함.

전:기 오거【電氣—】〔auger〕 명〖기〗 회전식 착암기(回轉式鑿岩機)의 하나. 전동기(電動機)로 송곳을 회전시켜 암석(岩石)에 남포 구멍을 뚫게 되었음.

전:기 오르간【電氣—】〔organ〕 명〖악〗 전기 악기의 하나. 기계적 발진(發振) 장치를 전기적으로 증폭하여 스피커로 소리내는 오르간. 해먼드 오르간 따위가 이에 속하며 전자 오르간을 포함하여 일컫기도 함.

전:기 온돌【電氣溫突】 명 전열 장치를 한 온돌. 재래식 온돌 대신에 방습층(防濕層), 방열층(防熱層)을 만들고 그 위에 발열선(發熱線)을 배선(配線)함.

전:기 외:과학【電氣外科學】[—꽈—] 명〔electrosurgery〕〖의〗 전기 소작 작용(電氣燒灼作用)을 응용하여 신체 조직을 소각(燒却)·제거(除去)·절단(切斷)하는 방법을 연구하는 학문.

전:기-요【電氣褥】 명 석면(石綿)과 같은 내열성 절연물(耐熱性絕緣物) 안에 아주 가는 전열선(電熱線)을 넣고, 솜으로 싸서 만든 요.

전:기 요:금【電氣料金】 명 전기료(電氣料). 전기 사용료(使用料).

전:기 요법【電氣療法】[—뻡] 명 전기 치료(電氣治療).

전:기-욕【電氣浴】 명〖의〗 목욕탕의 물에 전류를 흘려 보내고, 환자를 이 물에 입욕(入浴)시켜 치료하는 방법.

전:기 용량【電氣容量】[—냥] 명〔electric capacity〕〖물〗 절연(絕緣)된 고립 도체(孤立導體)의 전위(電位) 또는 축전기(蓄電器)의 극판(極板) 사이의 전위차를 단위 압력(單位壓力)까지 올리는 데 필요한 전기량. 정전(靜電) 용량.

전:기 용접【電氣鎔接】 명〖공〗 열원(熱源)에 전기를 사용하는 용접의 총칭. 양금속(兩金屬)의 접촉부(接觸部)에 전류를 통하여 가열 용해하여 압력으로 용접하는 저항법(抵抗法)과 두 개의 전극간(電極間) 또는 전극과 공작물(工作物)과의 사이에 아크(arc)를 날려 보내어 그 열로 용접하는 아크 용접법이 있음.

전:기 용:품【電氣用品】 명 ①전기를 이용하게 만든 여러 기구. ②〖법〗 전기 사업법(電氣事業法)에 의한 전기 공작물의 구성 부분이 되거나, 전기 공작물에 접속하여 사용되는 기계·기구 및 재료(材料)로서 법령으로 정한 것의 총칭.

전:기 용:품 안전 관리법【電氣用品安全管理法】[—괄—뻡] 명〖법〗 전기 용품의 제조·판매 및 사용에 관한 사항을 규제한 법. 불량 전기 용품으로 인한 위험 및 장애의 발생을 방지함을 목적으로 함.

전:기-원【電氣員】 명 전신직(電信職) 기능 공무원의 직급 명칭의 하나. 전기장(電氣長)의 아래. 8급·9급·10급의 세 등급이 있음.

전:기 위치 에너지【電氣位置—】 명〔electrical potential energy〕〖전〗 전기장 안의 위치에 따라서 전하(電荷)가 보유하는 에너지.

전:기 유량계【電氣流量計】 명〔electric flowmeter〕〖전〗 유체(流體) 흐름의 비율 변화를 인덕턴스나 임피던스 브리지 혹은 전기 저항 소자(素子)에 의하여 검출하는 유체 유량(流量) 측정 장치.

전:기 유체설【電氣流體說】 명〖전〗 전기는 음·양 두 가지로 된 유체와 같은 것이라는 학설. 전위차가 높은 곳에서 낮은 곳으로 흐르는 것으로써 전도·유도 등의 현상을 설명하였음.

전:기 음성도【電氣陰性度】 명〖전〗 분자내의 원자가 그 원자에 결합될 수 있는 전자를 끌어 잡아당기는 능력의 정도. 즉, 결합 상태(結合狀態)에 있는 원자의 결합 전자에 대한 친화 에너지(親和 energy)를 말함.

전:기 음차【電氣音叉】 명〖물〗 전기를 이용하여 일정한 강도로 지정한 시간 동안 계속하여 울리게 장치한 음차.

전:기 음향 변:환기【電氣音響變換器】 명 전기계(電氣系)로부터 유입하는 에너지를 음향계로 변환하거나 또는 음향 에너지를 전기계로 변환시키는 장치. 곧, 전자는 스피커 전환기의 수화기 등이고 후자는 마이크로폰(microphone) 송화기 등임.

전:기 음향학【電氣音響學】 명〔electro-acoustics〕 전기에 관한 음향학 또는 전자기학(電磁氣學)을 응용한 음향학. 곧, 전기와 음향 에너지의 상호 변환(相互變換)을 기초로 하여 음의 재생(再生)·증폭(增幅)·기록

(記錄)·분석(分析) 등을 연구하여 액체·고체 중의 탄성파(彈性波)를 연구 응용하는 학문.

전:기 의자【電氣椅子】명 고압 전류를 쓰는 사형 집행용의 의자.

전:기 이동【電氣移動】명 〔electrophoresis〕〖물·화〗교질 용액(膠質溶液) 속에 전극(電極)을 두고 이에 전압(電壓)을 가하는 경우, 교질 입자(粒子)가 일방(一方)의 극(極) 쪽으로 이동하는 현상. 단백질 등의 분석에 이용됨. 전기 영동.

전:기 이동 효:과【電氣移動效果】명 〔electrophoretic effect〕〖물·화〗전위 구배(電位勾配)를 갖는 전해질 용액 중에서, 이온화 경향이 그 반대 방향으로 이동하려고 하기 때문에, 이온의 본래의 이동 속도를 감소시키는 효과.

전기 이월금【前期移越金】명〖경〗사업 경영의 1 회계 기간의 손익 계산에 의한 이익 중 처분 미정인 채로 차기(次期)로 이월된 금액. 차기 결산에서 생긴 이익에 가산하여 처리됨.

전:기 이:중극【電氣二重極】명〖물〗전기 쌍극자.

전:기 인두【電氣—】명 전열선(電熱線)에 전류를 통하여 생기는 열을 이용한 인두.

전:기-자【電氣子】명 〔armature〕〖물〗발전기의 발전자(發電子), 전동기에 있어서의 전동자의 총칭. 발전기나 전동기의 자기장(磁氣場)에서 유도 기전력(誘導起電力)을 발생시키는 코일을 가진, 회전하는 부분. 아마추어.

전:기 자기 효:과【電氣磁氣效果】명〖물〗자기 전기(磁氣電氣) 효과.

전:기 자동차【電氣自動車】명 전동기를 원동기(原動機)로 하는 자동차. 축전지 등의 전력원(電力源)을 적재하고 이에 의하여 전동기를 회전시킴. 구조가 간단하여 용이하게 운전되며, 유독(有毒) 가스를 발생하지 아니하는 이점(利點)이 있음.

전:기 자석【電氣磁石】명 전자석(電磁石).

전:기자 철심【電氣子鐵心】〔—씸〕명 전기자의 코일선을 감은 철심. 얇은 규소 강판(硅素鋼板)을 여러 장 포개어 표면을 절연(絶緣)한 것.

전:기자 코일【電氣子—】〔coil〕명〖전〗전기자에 감는 코일. 연한 구릿줄 또는 대상(帶狀)의 구리를 사용함.

전기 작가【傳記作家】명 전기를 쓰는 작가.

전:기 작살【電氣—】명 포경(捕鯨)할 때에 쓰는 전류를 통하게 한 작살. 로프(rope) 속에 전선이 들어 있어, 작살을 발사 명중시킨 후 1-2분이면 고래는 죽음. 로프의 절약, 능률 향상 등의 장점이 있으나 설비의 비용, 전선의 고장, 조작(操作)의 복잡, 감전(感電)의 위험 등으로 널리 쓰이지는 아니함. *전기 포경법.

전:기 잡음【電氣雜音】명 〔electrical noise〕〖전〗전기 기기, 이를테면 전동기(電動機)·엔진의 점화(點火)·전력선(電力線) 따위에 의하여 생겨나는 잡음 전자기파(電磁氣波). 잡음원(源)으로부터 수신(受信) 안테나의 방향으로 전파되는 잡음임.

전:기-장[1]【電氣長】명 전신직(電信職) 기능 공무원의 직급 명칭의 하나. 전기원(電氣員)의 위. 6급·7급의 두 등급이 있음.

전:기-장[2]【電氣場】명 〔electric field〕〖물〗대전체(帶電體)의 전기 작용이 존재하고 있는 장소. *자기장(磁氣場)·전자기장(電磁氣場).

전:기장 렌즈【電氣場—】〔lens〕명 정전(靜電) 렌즈. 전장(電場) 렌즈. ↔자기(磁氣) 렌즈.

전:기장의 세기【電氣場—】〔—/—에—〕명 〔intensity of electric field〕〖전〗무선 설비(無線設備) 또는 고주파(高周波) 이용(利用) 설비로부터 발사되는 전파(電波)의 세기. 전계 강도(電界強度).

전:기 장치【電氣裝置】명〖전〗아무런 동역학적(動力學的) 구조가 없는 전기 기기(機器). ↔전기 기계(電氣機械).

전:기 장판【電氣壯版】명 전열을 이용한 장판. 비닐 절연체(絶緣體) 위에 도전성 수지(導電性樹脂)를 발라 도전층을 만들고, 완전 절연시킨 발열체를 다시 비닐 장판으로 포장했음.

전:기 쟁반【電氣錚盤】명 〔electrophorus〕〖물〗정전기(靜電氣) 유도를 이용해 전기를 얻는 장치. 에보나이트 원판과 절연체(絶緣體)의 자루가 있는 납작한 금속 원판으로 되어 있음. 에보나이트 원판을 가죽으로 문질러 양(陽)으로 대전(帶電)시키고 여기에 금속판을 올려놓으면 감응(感應)에 의하여 금속판의 아래쪽에는 양전기(陽電氣)가 생기고 위쪽에는 음전기가 생김. 이 때 금속판 상면에 손가락을 대면 음전기는 손가락을 통하여 달아나고 양전기만 남게 됨.

절연봉
음전기가 나간다
어스
금속원판
에보나이트 원판
〈전기 쟁반〉

전:기 저:항【電氣抵抗】명 〔electric resistance〕〖물〗도체(導體)가 전류의 흐름을 방해하려는 작용. 전압을 전류로 나눈 값으로 나타냄. 단위는 옴(ohm). 그 크기는 도체의 길이에 비례하고, 절단면(切斷面)의 면적에 반비례함. 저항(抵抗).

전:기 저:항기【電氣抵抗器】명 저항기(抵抗器).

전:기 저:항 압력계【電氣抵抗壓力計】〔—녁—〕명 〔electric-resistance manometer〕〖물〗금속의 전기 저항이 압력에 의하여 변화하는 것을 이용하여 만든 압력계.

전:기 저:항 온도계【電氣抵抗溫度計】명 〔electric-resistance thermometer〕〖물〗도체의 전기 저항이 온도와 함께 증가하는 것을 이용하여 전기 저항을 측정함으로써 온도를 재는 온도계.

전기-적【傳奇的】명관 괴기(怪奇)·환상(幻想)이 풍부한 모양. 공상적·몽환적(夢幻的) 경향이 있는 모양.

전:기적 모세관 현:상【電氣的毛細管現象】명〖물〗전기 모세관 현상.

전:기적 불안정성【電氣的不安定性】〔—썽〕명 〔electrical instability〕〖전〗증폭기나 기타 전기 회로에서의 바람직하지 못한 자기 발진(自己發振)의 고유(固有) 상태.

전:기적 양성【電氣的陽性】명〖화〗원자의 화학적 성질의 하나. 최외각(最外殼)의 전자를 방출하여 양이온(陽 ion)을 만드는 경향. ↔전기적 음성.

전:기적 온도계【電氣的溫度計】명 전기적인 원리를 이용하여 고안된 온도계. 보통 저항 온도계(抵抗溫度計)와 열전 온도계(熱傳溫度計)가 사용되고 있음.

전:기적 원:격 측정【電氣的遠隔測定】명 〔electric telemetering〕〖통신〗검출기(檢出器)로부터의 전기 임펄스(電氣 impulse)를 먼 수신점(受信點)으로, 유선 또는 무선으로 전송(傳送)하는 측정 방식.

전:기적 음성【電氣的陰性】명〖화〗원자의 화학적 성질의 하나. 최외각(最外殼)이 외부의 전자를 받아들여 음이온(陰 ion)을 만드는 경향. ↔전기적 양성.

전기적 자:본【前期的資本】명〖경〗단순한 상품 유통과 화폐 유통의 발생과 더불어 자본주의 이전의 여러 사회에 있었던 자본 형태. 이자를 낳는 자본인 고리대 자금(高利貸資金)과 상업 자본을 일컫던 상인 자본을 가리킴.

전:기적 작용【電氣的作用】명〖전〗전기로 인하여 일어나는 모든 작용. 전류의 자기 작용(磁氣作用)·열작용·화학 작용 등을 일컬음.

전:기 적정【電氣滴定】명 〔electrometric titration〕〖화〗화학 반응의 종말점(終末點)을 전기적 측정으로 판정하는 적정의 총칭. 전도도(傳導度) 적정·전위차(電位差) 적정·전류(電流) 적정·고주파(高周波) 적정 등이 있음. 전시 용량 분석(電示容量分析). *중화(中和) 적정.

전:기적 중성【電氣的中性】명 〔charge neutrality〕〖물〗체적(體積) 전체에서의 음양(陰陽) 전하(電荷)의 밀도가 거의 같을 때의 일컬음.

전:기 전도【電氣傳導】명 〔electric conduction〕〖물〗전위차(電位差)가 있는 두 물체를 도체로 연결하였을 때 전류가 통하는 현상. 「율.

전:기 전도도【電氣傳導度】명 〔electric conductivity〕〖물〗전기 전도

전:기 전도성 고분자【電氣傳導性高分子】〔—썽—〕명 〔electroconductive polymers〕전기를 전도하는 고분자 화합물. 폴리아세틸렌 따위 고분자는 반도체(半導體)인데 여기에 소량의 불순물을 첨가하여 반도체의 전기 특성을 조절하여 전기 전도도를 높인 것. 고분자 폴리아세틸렌의 박막(薄膜)을 요오드 증기로 산화(酸化)시키는 방법이 있음.

전:기 전도율【電氣傳導率】명 〔electric conductivity〕〖물〗도체(導體) 속을 흐르는 전류(電流)의 크기를 나타내는 상수(常數). 비저항(比抵抗)과는 역수 관계(逆數關係)에 있음. 사용 단위(使用單位)는 모(mho). 전기 전도도. ㈜전도율.

전:기 절연물【電氣絶緣物】명〖전〗나무·운모(雲母)·종이 등과 같이 전류를 통하지 아니하는 물건.

전:기 절연유【電氣絶緣油】명 트랜스유(trans 油).

전:기 절연지【電氣絶緣紙】명 전기의 절연에 쓰는 종이의 총칭. 전선 피복용(電線被覆用)·콘덴서용·패킹용(packing 用) 등 종류가 많음. 크라프트 펄프(craft pulp)·마닐라삼·목면(木棉)·삼지닥나무 등을 원료(原料)로 함.

전:기 점:화【電氣點火】명 실린더(cylinder)의 압축실(壓縮室)에 장치된 점화전(點火栓)에 점화할 때에 전기 스파크(電氣 spark)를 일으켜 가스(gas)를 폭발시키는 방법. 항공 기관·자동차 기관 그 밖의 모든 가솔린 기관과 가스 기관에 이용되고 있음.

전:기 접점【電氣接點】명〖전〗스위치·계전기(繼電器)·차단기(遮斷器) 등에서 전기 회로의 개폐를 하는 끝 부분. 접점의 재료로서 금·은·구리·몰리브덴·백금 및 탄소 등이 쓰임.

전:기 정련【電氣精鍊】〔—년〕명 전기 야금(電氣冶金).

전:기 제:강【電氣製鋼】명 전력을 열원으로 하는 제강법. 주로 특수강·주강(鑄鋼)의 제조에 적용함. 에루식 아크로(Héroult式 arc 爐) 또는 고주파 유도로(誘導爐)를 쓰며 후자는 특히 양질의 강제조(鋼製造)에 적합함.

전:기 제:강법【電氣製鋼法】〔—뻡〕명 전기로(電氣爐)로써 강철을 정련(精鍊)하는 방법. 성분 구성을 정확히 제어(制御)할 수 있으므로 양질의 합금강(合金鋼)을 얻게 되나 생산 가격이 비쌈. 저항로와 아크로(爐)를 사용함.

전:기 제:동【電氣制動】명〖기〗제동 방식의 하나. 전기 차량용 전동기의 결선(結線)을 바꾸어, 발전기의 형(形)으로 하여 그 역회전력(逆回轉力)에 의해서 제동함. 전기 브레이크.

전:기 제:동법【電氣製銅法】〔—뻡〕명 건식법(乾式法)을 이용하여 광석으로 조동(粗銅)을 만든 후, 전해 정련(電解精鍊)을 거쳐 높은 순도의 구리를 얻는 방법. 조동을 양극(陽極)으로, 산성(酸性)의 황산(黃酸) 구리 용액을 전해액으로, 순동(純銅)을 음극으로 하여 직류로 전해함. 조동에 함유된 금·은 등의 귀금속은 양극(兩極) 부근에 가라앉음.

전:기 제:선【電氣製銑】명 전기로(電氣爐)를 이용한 제철. 코크스·무연탄을 환원제로 사용함. 용광로법에 비하여 불순물이 적은 특수 선철을 만드는 데 유리하고 설비·조작도 간단하나 전력비가 많이 듦. 수력 전기가 풍부한 노르웨이 등지에서 행하여짐.

전:기 제:어【電氣制御】명 〔electric control〕〖전〗개폐기·계전기(繼電器)·저항기 등에 의한 기기 또는 장치의 제어. ↔전자(電子) 제어.

전:기 제:염【電氣製塩】명〖공〗전열에 의하여, 해수(海水)를 농축(濃縮)·증발시켜 소금을 얻는 방법. 직접 전극(電極)을 꽂아 저항 발열시키는 직접법(直接法)과 니크롬선과 같은 발열용 저항체를 이용하는 간접법(間接法)이 있음.

전:기 제:품【電氣製品】명 ①전기를 열·광·동력원 등으로 이용한 제품. ②상품으로 제조된 전기 기구. 전기 기구.

무원임.

전:산 처:리관【電算處理官】명 행정직 국가 공무원 직급 명칭의 하나. 전산 처리사의 위, 서기관의 아래. 5급임.

전:산 처:리 담당관【電算處理擔當官】명 재무부 기획 관리실장의 보조 기관. 행정 업무의 기계화 처리 방안의 연구·지도, 전산 처리 업무에 관하여 국장을 보좌함. 서기관으로 보(補)함.

전:산 처:리사【電算處理士】명 행정직 국가 공무원 직급 명칭의 하나. 전산 처리사보의 위, 전산 처리관의 아래. 6급임.

전:산 처:리사보【電算處理士補】명 행정직 국가 공무원 직급 명칭의 하나. 전산 처리원의 위, 전산 처리사의 아래. 7급임.

전:산 처:리원【電算處理員】명 행정직 국가 공무원 직급 명칭의 하나. 전산 처리원보의 위, 전산 처리사보의 아래. 8급임.

전:산 처:리원보【電算處理員補】명 행정직 국가 공무원 직급 명칭의 하나. 전산 처리원의 아래. 9급임.

전:산-화【電算化】명 전자 계산기, 곧 컴퓨터를 갖추어서 정보를 처리함. ——-하다 타여불

전-삼강【錢三強】명〖사람〗'첸 산창'을 우리 음으로 읽은 이름.

전-삼세【田三稅】명〖역〗전지(田地)에 매기는 세, 곧 삼세(三稅).

전상[1]【全象】명 전체의 형상(形象).

전상[2]【全喪】명 전부 잃음. ——-하다 타여불

전:상[3]【典常】명 항상 지켜야 할 불변(不變)의 도리(道理).

전:상[4]【殿上】명 전각(殿閣)이나 궁전의 위.

전상[5]【傳觴】명 전배(傳杯). ——-하다 타여불

전:상[6]【戰狀】명 전쟁의 상황. 전황(戰況).

전:상[7]【戰傷】명 전투(戰鬪)에서 상처를 입음. 또, 그 상처. ¶~을 입다. ——-하다 자여불

전:상-병【戰傷兵】명 전상을 입은 병사.

전:상-악【殿上樂】명〖악〗조선 시대 초기에, 궁중에 특별히 마련된 사당의 댓돌 위에서 연주하던 음악. 사당의 앞뜰인 전정(殿庭)에서 연주된 전정악(殿庭樂)의 대칭어로, 종묘 제례 의식 때의 등가악(登歌樂)에 해당함.

전상-의【田相衣】[—/—이] 명〖불〗가사(袈裟).

전:상-자【戰傷者】명 전상을 입은 사람.

전상 평화【全相平話】명〔전상(全相)은 전상(全像)의 뜻으로, 각 면(面)마다 상단(上段)에 삽화가 실려 있음을 가리킴〕〖책〗중국 원대(元代) 초의 통속(通俗) 사서(史書). ≪무왕 벌주서(武王伐紂書)≫·≪악의 도제 칠국 춘추 후집(樂毅圖齊七國春秋後集)≫·≪진병육국 평화(秦併六國平話)≫·≪전한서 속집(前漢書續集)≫·≪평화 삼국지(平話三國志)≫의 5종을 모은 것으로, 모두 3권임. 저자는 불분명하고, 원(元)나라의 지치(至治) 연간인 1321-23년에 건안(建安)의 우씨(虞氏)가 간행하였음.

전:상-호【殿上虎】명〔중국 송(宋)나라 유안세(劉安世)가 직간(直諫)한 고사(故事)에서〕궁전 위에서 임금을 준절히 직간하는 사람을 일컬음.

전새-류【前鰓類】명〖동〗〔Aspidobranchia〕연체(軟體)동물 복족류(腹足類)에 속하는 한 목(目). 아가미는 심장(心臟)의 앞에 있고 신경계는 내장낭(內臟囊)이 선회(旋回)하여 교차되었고 한 쌍의 촉각(觸角)이 있음. 선설류(扇舌類)·주설류(柱舌類)·광족류(廣足類)·이족류(異足類)의 네 아목(亞目)으로 분류함. 순새류(楯鰓類). *후새류(後鰓類)·유폐류(有肺類).

전색[1]【栓塞】명〖의〗혈관(血管)이 염증(炎症)으로 말미암아 막히는 일. ¶동맥 ~.

전색[2]【塡塞】명 메어서 막힘. 또, 막음. ——-하다 자타여불

전색 건판【全色乾板】명〖화〗팬크로매틱 건판(panchromatic 乾板).

전-색맹【全色盲】명〔monochromasia〕〖의〗전혀 빛깔을 느끼지 못하고 회색(灰色)의 명암(明暗)만을 감지(感知)하는 색맹. 극히 드묾. 완전 색맹. 전색 소경.

전색 소:경【全色—】명 전색맹(全色盲). ↔부분색(部分色) 소경.

전:색-제【展色劑】명〖화〗도료(塗料)의 구성 요소 중 안료(顏料)이외의 액상의 성분을 이름. 예를 들면 유성(油性) 페인트에서는 보일유(boil 油), 수성(水性) 페인트에서는 결합제를 포함한 수용액(水溶液), 에나멜에서는 니스 등임.

전생[1]【全生】명 온 생애(生涯). 평생(平生). 일생(一生). ¶~을 사회 사업에 바치다.

전생[2]【前生】명〖불교〗삼생(三生)의 하나. 이 세상에 나오기 이전에 태어났던 세상. 전겁(前劫). 과거세(過去世). 미생 이전(未生以前). 전세(前世). ¶~의 인연. ↔내생(來生).

전:생[3]【轉生】명 다른 것으로 다시 태어남. ——-하다 자여불

전-생각【前—】[—쌩—] 명 이전에 있었던 일에 대한 생각.

전생-담【前生譚】명 불교의 교리가 내세우는 윤회(輪廻) 과정에서, 사람이 현세에 태어나기 이전인 전세(前世)에서 겪은 이야기.

전:생-서【典牲署】명〖역〗조선 시대에, 제향(祭享)에 쓸 양·돼지 등을 기르는 일을 맡은 관아. 조선 초기에 베풀어 고종(高宗) 31년(1894)에 폐합.

전-생애【全生涯】명 일평생(一平生). ¶~를 통하여.

전생 연분【前生緣分】[—년—] 명 전생에서 맺은 연분. ㊀전분(前分)·「전연(前緣).

전생 전귀【全生全歸】명 어버이로부터 완전(完全)한 신체(身體)를 받아 태어나서 이를 손상(損傷)함이 없이 일생(一生)을 마치고 완전한 채로 돌린다는 말.

전생지-단【傳生之端】명〖역〗사형에 처해야 할 죄인에 의심쩍은 점이 있어, 감형(減刑)하여 죽음을 모면하게 할 실마리.

전생 차생【前生此生】명〖불교〗전생(前生)과 차생(此生).

전서[1]【田鼠】명〖동〗두더지.

전서[2]【全書】명 ①어떤 학설(學說)이나 어떤 사람의 저작을 모아 한 질로 만든 책. ¶안도산(安島山) ~. ②어떤 한 종류의 것을 총망리(總網羅)한 문서(文書). ③빠진 것이 없는 완전한 책. ¶백과 ~/의학 ~.

전:서[3]【典書】명〖역〗①고려 충렬왕 34년(1308)에 전리사(典理司)·군부사(軍簿司)·판도사(版圖司)·전법사(典法司)의 사사(四司)를 폐하여 선부(選部)·민부(民部)·헌부(讞部)를 두고 그 전의 판서(判書)를 고친 이름. 품계는 정삼품, 뒤에 곧 폐하고, 공민왕 18년(1369)에 다시 회복했다가, 21년에 또 폐함. ②조선 시대 초 육조(六曹)의 으뜸 벼슬. 품계는 정삼품. 태종 5년(1405)에 판서(判書)를 두어 으뜸 벼슬로 하고 좌참의(左參議)라 고침.

전서[4]【前書】명 ①전대의 서책(書册). ②전신(前信).

전서[5]【前緖】명 선업(先業)❶.

전:서[6]【銓敍】명 재능을 시험하여 우열(優劣)을 따라서 벼슬을 시킴. ——-하다 타여불

전서[7]【傳書】명 서신(書信)을 전함. ——-하다 자여불

전서[8]【塡書】명 빠진 글자를 채워서 씀. ——-하다 타여불

전:서[9]【篆書】명 ①전자체(篆字體)로 쓴 글씨. ②전자(篆字).

전:서[10]【戰書】명 개전(開戰)의 통지서(通知書).

전:서[11]【轉書】명 이서(裏書). 배서(背書). ——-하다 자여불

전서-구【傳書鳩】명 통신에 이용하기 위하여 훈련한 비둘기. 비둘기의 잘 발달된 귀소성(歸巢性)을 이용하여 교통(交通)이 불편(不便)한 지역의 통신(通信)에 씀.

전-서방【前書房】명 전남편.

전서-피【田鼠皮】명 두더지 껍질.

전석[1]【全石】명 ①곡식 같은 것의 마되 수효가 완전히 차서 모자람이 없는 온 섬. ②〖역〗대곡(大斛).

전석[2]【前夕】명 어젯저녁. 작석(昨夕).

전석[3]【前席】명 앞에 있는 자리. 앞의 자리.

전석[4]【箭石】명〖동〗벨렘나이트(belemnite).

전석[5]【甎石】명 벽돌.

전:석[6]【轉石】명 암반(岩盤)에서 떨어져 흐르는 물 등에 밀려 나간 돌.

전:석[7]【轉席】명 자리를 옮김. ——-하다 자타여불

전:석 탐광【轉石探鑛】명〔heavy-mineral prospecting〕〖광〗하천(河川)의 퇴적물 중의 유가 광물(有價鑛物)을 단서(端緖)로 하여 그 하계(河系)의 상류로 거슬러 올라가서 유가 광물을 발견하는 일.

전선[1]【全善】명 온전하고 한없이 선함. ——-하다 형여불

전선[2]【全線】명 모든 선로(線路). ¶~ 운휴(運休).

전선[3]【全鮮】명 온 조선. 조선 전체.

전:선[4]【典膳】명〖역〗①중국에서 천자(天子)의 선부(膳部)를 맡아보던 관직. ②조선 시대의 정칠품 궁인직(宮人職)의 하나.

전선[5]【前線】명 ①〖군〗적전 부대(敵前部隊)가 형성하는 가로의 선. ¶~에서 싸우는 용사. ②전체의 맨 선두에 서서 활동하는 일. 또, 그 지위(地位). ¶산업 ~. ③〖기상〗기단(氣團)이 진행하여 갈 때 전선면이 지표면과 만나서 이루는 경계선. 불연속선. ¶한랭(寒冷) ~/장마 ~. ④상이(相異)한 두 해류(海流)가 접촉하는 자리.

전선[6]【傳宣】명 조칙(詔勅)을 전(傳)하여 일러 줌. ——-하다 타여불

전-선[7]【錢選】명〖사람〗13세기경의 중국 원(元)의 문인화가(文人畫家). 자는 순거(舜擧). 송인(宋人)의 그림을 배워 조맹부(趙孟頫)와 함께 원대 화단의 복고 운동을 펼쳤음. 화조(花鳥)·풍월·인물에 뛰어났었고 특히 절지화(折枝花)에 묘미를 발휘하였음. 생몰년 미상.

전:선[8]【電扇】명 전력으로 돌리는 선풍기(扇風機).

전:선[9]【電線】명 전기를 통하게 하는 도체(導體)로서 쓰는 동선(銅線)·알루미늄선·철선(鐵線) 등의 금속선(金屬線). 전기선줄. 전깃줄. 전봇줄. 전신선.

전:선[10]【銓選】명 ①인물을 전형(銓衡)하여 선발함. ②〖역〗고려·조선 시대에 이부(吏部) 또는 이조(吏曹) 및 병부(兵部) 또는 병조(兵曹)에서 행한 문관(文官)·서리(胥吏) 및 무관(武官)에 대한 인사 행정(人事行政). ——-하다 타여불

전:선[11]【戰船】명 전투에 사용하는 선박. 전함(戰艦).

전:선[12]【戰線】명 ①〖군〗전시(戰時)에 있어서의 적전(敵前)에 배치한 보병 부대의 배치선(配置線). 최전선(最前線)의 전투 부대가 점유한 지점을 연결한 가상선(假想線). ¶서부 ~. ②정치 운동·사회 운동에서, 투쟁의 장면·형태를 일컫는 말. ¶야당 연합 ~/직업 ~.

전:선[13]【轉旋】명 빙빙 굴려서 돌아감. 또, 굴려서 돌림. ——-하다 자타여불

전:선-관【電線管】명〖전〗배전선(配電線)을 넣는 강철제의 파이프. 빌딩의 배전 공사에 사용함.

전선 뇌우【前線雷雨】명〔frontal thunderstorm〕〖기상〗한랭 전선(寒冷前線) 부근에서 급격한 상승 기류(上昇氣流)가 일어남으로써 발생하는 뇌우(雷雨). 전선뢰(前線雷). 계뢰(界雷).

전선-대[1]【前線帶】명〖기상〗①전선의 폭을 특히 강조하는 경우의 이름. ②지리적으로 전선이 형성되기 쉬운 지대를 말함.

전:선-대[2]【電線—】[—때] 명 ☞ 전봇대.

전:선-로【電線路】[—노] 명 발전소·변전소·개폐소 및 이와 비슷한 곳과 전기 사용 장소 상호간(相互間)의 전선 및 이를 지지하거나 보장하는 공작물(工作物).

전선-뢰【前線雷】[—뇌] 명〖기상〗전선 뇌우(前線雷雨).

전선-면【前線面】명〖기상〗성질이 다른 두 기단(氣團)의 경계면. 밀도(密度) 외에, 기온·습도·풍향(風向) 등의 불연속 변화를 수반함. 불연속면(不連續面).

전선-병 【傳線病】[—뼝] 명 여자의 긴 양말이 세로 올이 풀리는 일.

전:선-사[1] 【典膳司】 명 〖역〗 대한 제국 때 어공(御供)과 연향(宴饗)을 맡던 관아. 고종 32년(1895)에 사옹원(司饔院)을 고쳐서 두고, 융희(隆熙) 4년(1910)까지 있었음.

전:선-사[2] 【典選司】 명 〖역〗 조선 말기의 관청. 고종(高宗) 17년(1880) 12월 재지(才智)와 기예(技藝)를 가진 인재의 등용과 각 관사에 필요한 물자를 공급하는 일을 맡기기 위해 통리 기무 아문(統理機務衙門)에 소속된 12사(司)의 하나로 설치됐다가 고종 19년(1882) 11월 통리 기무 아문이 개편될 때 통리 군국(軍國) 사무 아문에 소속됨.

전선 상:승 【前線上昇】 명 〖기상〗 전선 부근에서 상대적으로 따뜻하고 가벼운 공기가 강제적으로 밀려 올라가는 일. 두 개 기단(氣團)의 상대 속도가 전선에서 수렴(收斂)될 때 일어남.

전:선-주 【電線柱】 명 전주(電柱).

전:선-줄 【電線—】[—쭐] 명 전선(電線).

전:선 착설 【電線着雪】 명 설편(雪片)이 전선에 부착하여 아이스캔디 모양으로 발달하는 현상. 기온이 비교적 높고 (0°C 전후), 바람을 수반한 강설이 있으면 설편의 함수량(含水量)이 증대하여 부착력이 강해지기 때문에 일어남. 착설의 무게로 인해 전선이 끊어지거나 눈이 녹을 때의 반동으로 인접 전선과 얽히는 등의 장애가 일어남.

전:선 탁송 【電線託送】 명 전보(電報) 탁송.

전:설[1] 【典設】 명 〖역〗 조선 시대의 종칠품 궁인직(宮人職)의 하나.

전설[2] 【前說】 명 ①옛날 사람들이 남겨 놓은 설(說). ②전에 논한 논설. ¶ ~을 번복하다. ③전언(前言).

전설[3] 【湔雪】 명 깨끗이 씻음. ——-하다 타여불

전설[4] 【傳說】 명 ①옛날부터 전하여 내려오는 말, 또는 이야기. 실설(實說)은 아니지만 실설처럼 믿어 내려옴. ¶ ~로 내려온 이야기. *민간 설화. ②전언(傳言).

전설-곡 【傳說曲】 명 [legend] 〖악〗 서사시적(敍事詩的)·사시적(史詩的)인 소곡. 일반적으로 신비감을 가지며 기악곡에 쓰임.

전설 모:음 【前舌母音】 명 [front vowel] 〖언〗 전설면(前舌面)과 경구개(硬口蓋) 사이에서 조음(調音)되는 모음. 기본 모음 i·e·ɛ·a 및 평순(平脣) 모음 i·e·ɛ가 원순(圓脣)으로 조음되는 'y'·'ϕ'·'œ' 등.

전:설-사 【典設司】 명 〖역〗 조선 시대에 장막(帳幕)을 치는 일을 맡아보던 관아. 초기에 베풀어서 고종 31년(1894)에 폐하였음.

전설-요 【傳說謠】 명 〖문〗 서사 민요(敍事民謠).

전설-음[1] 【前舌音】 명 〖언〗 경구개음(硬口蓋音).

전:설-음[2] 【顫舌音】 명 〖언〗 유음(流音)의 하나. 혀끝을 윗잇몸에 굴리어 내는 소리. 곧 초성(初聲)의 'ㄹ' 소리. 굴림 소리. 혀굴림 소리. *설측음(舌側音).

전설-적 【傳說的】[—쩍] 명관 전설과 같은 모양. 전설에 등장하기에 알맞은 모양. ¶ ~인 인물.

전설-화 【傳說化】 명 전설적인 것이 됨. 또, 전설이 되게 함. ——-하다 자타여불

전:섬 【電閃】 명 ①번갯불과 같이 번쩍임. ②번개. 번갯불.

전성[1] 【全城】 명 한 성 안의 전부.

전성[2] 【全盛】 명 ①한창 왕성함. 영화(榮華)를 다함. ¶ ~기. ②한창 유행함. ——-하다 형여불

전성[3] 【全聲】 명 〖악〗 황종(黃鐘)·대려(大呂) 등의 탁성(濁聲), 즉 낮은 음을 가리키는 말. 전성의 옥타브 위의 음은 청성(淸聲)·반성(半聲) 또는 자성(子聲)이라고 함.

전:성[4] 【典聲】 명 〖역〗 조선 시대 때 장악원(掌樂院)의 정구품 잡직(雜職)의 하나.

전성[5] 【前星】 명 '황태자(皇太子)'의 이칭.

전성[6] 【前聖】 명 이전의 성인(聖人). 선성(先聖).

전:성[7] 【展性】 명 [malleability] 〖물〗 소성(塑性)의 일종. 두드리거나 압착하면 얇게 펴지는 금속의 성질. 금(金)·은(銀)·구리에 현저함. 물리적(物理的)으로는 가단성(可鍛性)과 같음.

전성[8] 【傳聲】 명 전언(傳言)함. 또, 그 말. ——-하다 타여불

전성[9] 【塡星】 명 '토성(土星)'의 이칭(異稱).

전:성[10] 【電聲】 명 〖악〗 거문고 연주법의 하나. 거문고를 탈 때 손가락쓰기를 번개같이 빨리 하라는 말. 또 그렇게 해서 내는 소리. 번개 전(電)의 약자인 〈电〉로 기보(記譜)함.

전:성[11] 【戰聲】 명 ①싸움터에서 나는 모든 소리. 총성(銃聲)·포성·함성 등. ②전성(顫聲).

전성[12] 【甎城】 명 벽돌로 쌓은 성(城). *토성(土城).

전:성[13] 【氈城·氊城】 명 진영(陣營)·변경(邊境)의 성. 또, 유목 민족(遊牧民族)의 천막.

전:성[14] 【轉成】 명 ①바뀌어 다른 것이 됨. ②〖언〗 ↗품사 전성(品詞轉成). ——-하다 자여불

전:성[15] 【轉聲】 명 〖악〗 거문고·가야고 등 현악기 연주법에서 줄을 굴려서 내는 소리. *농현(弄絃).

전:성[16] 【顫聲】 명 떨리는 목소리. 전성(戰聲).

전:성 감:탄사 【轉成感歎詞】 명 〖언〗 원래 감탄사가 아닌 어떤 품사가 감탄사로 전성한 것. 곧 '옳지'·'됐다' 등. 몸바꾼 느낌씨.

전성-관 【傳聲管】 명 분리된 두 방을 연결하여 음성을 전하는 파이프. 일반적으로 양쪽에 작은 나팔 같은 것이 달려 있으며, 항공기·선박·철도 등에서 연락용으로 쓰임.

전:성 관형사 【轉成冠形詞】 명 〖언〗 원래 관형사가 아닌 어떤 품사가 관형사로 전성한 것. 한 말 두 되 서 홉의 '한·두·서' 등 수사(數詞)에서 전성한 것과 '그 사람보다 이 사람이 낫다'의 '그·이' 등 대명사에서 전성한 것이 있음. 몸바꾼 매김씨.

전성-기[1] 【全盛期】 명 한창 왕성한 시기. 최성기(最盛期). 황금 시대(黃金時代). ¶ 그 때가 그의 ~였다.

전성-기[2] 【傳聲器】 명 말을 전하는 기계의 총칭.

전-성기기 【前性器期】 명 〖심〗 정신 분석학 용어. 성기가 아직 중심적 역할을 가지지 못하고 구순(口脣)·항문(肛門) 및 남근(男根) 등이 각각 본능적 욕구 만족의 중심이 되어 있는 유유아기(乳幼兒期)의 시기. ↔ 성기기(性器期).

전:성 대:명사 【轉成代名詞】 명 〖언〗 원래 대명사가 아닌 어떤 품사가 대명사로 전성한 것. 곧, 군(君)·생(生)·각하(閣下)·귀하(貴下) 등. 몸바꾼 대이름씨.

전:성 동:사 【轉成動詞】 명 〖언〗 원래 동사가 아닌 어떤 품사가 동사로 전성한 것. 곧, '낮추다·밝히다' 등. 몸바꾼 움직씨.

전:성 명사 【轉成名詞】 명 〖언〗 명사가 아닌 어떤 품사가 명사로 전성한 것. 곧, 열매·무덤·가물·놀이·높이·웃음 등. 몸바꾼 이름씨.

전성 보:진 【全性保眞】 명 〖철〗 중국 전국 시대의 사상가 양주(楊朱)의 근본 사상. 정신과 육체의 일체적(一體的) 구조로서의 인간의 성(性)에 지상(至上) 가치를 부여하여, 그 순수성이 상실되지 않고 선천적인 그대로 보존 실현함을 이상으로 삼는 생각.

전:성 부:사 【轉成副詞】 명 〖언〗 원래 부사가 아닌 어떤 품사가 부사로 전성한 것. 곧, '빨리·같이·멀리' 등. 몸바꾼 어찌씨.

전성-설 【前成說】 명 〖생〗 생물의 몸의 모든 부분이 발생 이전에, 곧 알 또는 정자(精子) 속에 다 되어 있다는 설. 19세기 초까지 지배적이었으나 발생학(發生學)의 발달로 말미암아 부정(否定)됨.

전성-시 【全盛時】 명 한창 왕성한 때.

전성 시대 【全盛時代】 명 한창 왕성한 시대.

전:성-어 【轉成語】 명 〖언〗 ①어떤 품사(品詞)가 다른 품사로 바꾸어진 말. ②외국어가 자국어로 된 말.

전:성 어:미 【轉成語尾】 명 〖언〗 어말 어미의 한 갈래. 용언(用言)의 어간에 붙어 다른 품사의 성질로 바꾸는 어미. 명사형 어미·관형사형 어미·부사형 어미로 나뉨. '-음'·'-기'·'-을'·'-은'·'-아/-어'·'-게'·'-지'·'-고' 등. *종결 어미.

전:성 조사 【轉成助詞】 명 〖언〗 원래 조사가 아닌 어떤 품사가 조사로 전성한 것. 곧, '밖에'·'조차' 등. 몸바꾼 토씨.

전성지-양 【專城之養】 명 한 골의 원으로서 그 어버이를 봉양하는 일.

전:성 형용사 【轉成形容詞】 명 〖언〗 원래 형용사가 아닌 어떤 품사가 형용사로 전성한 것. 곧, '가난하다·영광스럽다·사람답다' 등. 몸바꾼 그림씨.

전세[1] 【田稅】 명 논밭의 구실. 전조(田租).

전세[2] 【前世】 명 ①전대(前代). 숙세(夙世). ②〖불교〗 전생(前生). 과거세(過去世). ↔후세(後世)·내세(來世). *당세(當世).

전세[3] 【前歲】 명 전년(前年).

전세[4] 【專貰】 명 약정(約定)한 기간 그 사람에게만 빌려 주고 다른 사람의 사용을 허락하지 않음. 대절(貸切). ¶ ~ 버스.

전세(를) 내:다 구 어떤 물건을 약정을 맺고 전세로 빌리다.

전세[5] 【專勢】 명 권세를 독차지함. ——-하다 자여불

전세[6] 【傳世】 명 대를 물려 전하여 감. ——-하다 자타여불

전세[7] 【傳貰】 명 〖경〗 부동산의 소유자에게 일정한 금액을 지불하고, 그 부동산을 일정한 기간 빌려 쓸 경우의 관계의 일컬음. 그 부동산을 반환할 때에는 그 돈의 전액을 도로 찾음. ¶ ~로 든 집/~를 놓다.

전:세[8] 【戰勢】 명 전쟁의 형세(形勢). ¶ 불리한 ~를 만회하다.

전:세[9] 【轉世】 명 이 세상에 다시 태어남. ——-하다 자여불

전세-경 【傳世鏡】 명 만든 지 얼마 안 되어 버리거나 묻지 않고 장기간 사용한 거울. 특히 고분(古墳)의 부장품(副葬品)으로 출토(出土)하는 것은 연대(年代) 결정의 대상이 됨.

전-세계[1] 【全世界】 명 세계의 전체. 온 세계. 일세계(一世界).

전-세계[2] 【前世界】 명 지금의 세계가 성립하기 이전의 세계. 유사(有史) 이전의 세계. ¶ ~의 유물.

전세-권 【傳貰權】[—꿘] 명 〖법〗 민법에서 인정된 담보 물권의 하나. 전세금을 치르고 타인의 부동산을 점유(占有)하여 그 용도에 따라 사용·수익(收益)할 수 있는 권리. 농경지(農耕地)는 전세권의 목적이 되지 못함.

전세-금 【傳貰金】 명 전셋돈.

전-세기[1] 【前世紀】 명 지나간 세기.

전세-기[2] 【專貰機】 명 세를 내고 빌려 쓰는 비행기.

전-세(:)록 【田世祿】 명 〖사람〗 조선 인조(仁祖) 때의 의병(義兵). 담양(潭陽) 사람. 정묘 호란(丁卯胡亂) 때 의병을 모집, 인산(釖山)의 월봉(月峰)에서 내침한 적을 물리쳤으며, 다시 복병(伏兵)으로 기습, 많은 전공을 세웠음. 의주(義州)의 이성득(李成得)이 항복하여 적의 군량을 보급하자 이를 계략으로 포살(捕殺)하여 판관(判官)이 되었음. 생몰년 미상.

전세-방 【傳貰房】[—빵] 명 전세로 빌려 주는 방. 또, 전세로 빌려 쓰는 방.

전-세상 【前世上】 명 지난 날의 세상.

전-세월 【前歲月】 명 지나간 세월. 전시절(前時節).

전세-차 【專貰車】 명 세차(貰車).

전-세포 【前細胞】 명 [procell] 〖생〗 아미노산에 열을 가하여 중합(重合)시켜서 얻어진 미립자(微粒子)에 붙여진 이름. 세포막(細胞膜) 비슷한 울타리를 만들고, 출아(出芽)도 하는 것으로 생각되고 있음. *원세포(原細胞).

전세 포화 【田稅布貨】 명 〖역〗 전공(田貢).

전세-품 【傳世品】 명 옛날부터 세상에서 애완(愛玩)·전래(傳來)된 물건. 주로, 미술품을 가리킴.

전셋-돈【傳貰—】[명] 전세를 얻을 때에 그 부동산의 소유자에게 맡기는 돈. 전세금.
전셋-집【傳貰—】[명] 전세로 빌려 주는 집. 또, 전세로 빌려 쓰는 집.
전소[1]【全燒】[명] 죄다 타 버림. ¶가옥 3동(棟)이 ~하다. ——-하다 [자][여불]
전소[2]【前宵】[명] 어젯밤.
전소[3]【傳疏】[명] 경서(經書)의 자세하게 단 주석(註釋).
전:소[4]【轉所】[명] ①장소를 옮김. ②주소를 옮김. ——-하다 [자][여불]
전:-소작인【轉小作人】[명] 소작인으로부터 그 소작지를 다시 빌려 부치는 소작인.
전속[1]【全速】[명] ↗전속력(全速力).
전속[2]【全屬】[명] 모두가 한 곳에 속함. ——-하다 [자][여불]
전속[3]【專屬】[명] 오직 한 곳에만 속함. 특히, 연예인 등이 한 회사나 단체와 계약하고 다른 데의 일에는 관계하지 않는 일. ¶ ~ 계약제. ——-하다 [자][여불]
전:속[4]【轉屬】[명] ①원적(原籍)을 다른 데로 옮김. ②소속(所屬)을 바꿈. 또, 다른 데에 속함. ——-하다 [자][여불]
전속 가수【專屬歌手】[명] 한 단체나 기관에만 전적(全的)으로 소속하는 가수.
전속 계:약【專屬契約】[명] 특정의 사람이나 기관만을 위해 일하기로 하는 계약.
전속 공장【專屬工場】[명] 어떤 관청이나 단체 또는 업체에 전적(全的)으로 소속하여 그 관리 운영을 받는 공장.
전속 관:할【專屬管轄】[명] ①오로지 그 일만 관리함. ②오로지 그 관할에 속함. 전관(專管). ③〖법〗법정 관리(法定管理)의 하나. 어떤 종류의 소송 사건을 특정 법원의 재판권에만 복속(服屬)시켜 당사자에 의하여 변경될 수 없는 것과 같은 관할. 전속 재판적(裁判籍). ↔임의 관할(任意管轄).
전-속력【全速力】[—녁] [명] 최대한(最大限)의 속력. [준]전속(全速).
전:속 명:령【轉屬命令】[—녕] [명] 전속을 명하는 상부의 명령.
전속-물【專屬物】[명] 어느 한 곳에만 전적(全的)으로 속해 있는 물건.
전속 부:관【專屬副官】[명] 〖군〗장관급(將官級)에 속하여 개인 참모의 역할을 하는 장교. 장관을 보좌하며 신변(身邊)에 대한 보호, 사무 연락(事務連絡) 등을 맡음. [준]부관(副官).
전속 재판적【專屬裁判籍】[명] 〖법〗전속 관할(專屬管轄)❸.
전:속 전:류【電束電流】[—절—] [명] 변위(變位) 전류.
전손【全損】[명] ①죄다 없어진 손실. ②〔total loss〕〖경〗해상 보험의 목적물인 선체(船體)나 적하(積荷)가 완전히 형체를 멸실하거나 전부 아무 소용도 없게 되는 일. ↔분손(分損).
전손에 한:한 담보【全損—限—擔保】[명] 〔total loss only; TLO; free of all average; FAA〕〖경〗보험의 목적이 전손(全損)인 경우나 보험 위부(委付)가 있는 경우에 한하여 보험자가 손해 보상의 책임을 진다는 해상 보험의 약관. 따라서 공동 해손(海損)·단독 해손 등과 같은 경우에는 보상되지 아니함. 보험료를 절약하기 위하여 영국 관례에 따라 이용됨.
전:송[1]【電送】[명] 사진을 전류 또는 전파로 원격지(遠隔地)에 보냄. ¶~ 사진. ——-하다 [타][여불]
전송[2]【傳送】[명] 전하여 보냄. ——-하다 [타][여불]
전송[3]【傳誦】[명] 사람의 입에서 입으로 전하여 욈. ¶대대로 ~되어 온 민요. ——-하다 [타][여불]
전:송[4]【戰悚】[명] 전율(戰慄). ——-하다 [자][여불]
전:송[5]【餞送】[명] 전별(餞別)하여 보냄. ——-하다 [타][여불]
전:송[6]【轉送】[명] 간접으로 남의 손을 거쳐 물건을 보냄. ¶우편물을 이사간 곳으로 ~하다. ——-하다 [타][여불]
전송-대【傳送帶】[명] 〖기〗컨베이어(conveyer).
전송대 작업【傳送帶作業】[명] ①〖경〗컨베이어 시스템. ②〔transmission band〕〖전〗도파관(導波管)의 차단(遮斷) 주파수를 초과하는 주파수 영역(領域). 또, 전송선(傳送線)이나 계(系), 장치(裝置)에서의 유용(有用)한 주파수 영역.
전:송 사진【電送寫眞】[명] 전송된 사진. [준]전사(電寫).
전:송 서기【電送書記】[명] 통신직(通信職) 국가 공무원의 직급 명칭의 하나. 전송 기술 직렬(職列)에 속하며, 전송 서기보의 위, 전송 주사보(主事補)의 아래로 8급 공무원임.
전:송 서기보【電送書記補】[명] 통신직(通信職) 국가 공무원의 직급 명칭의 하나. 전송 기술 직렬(職列)에 속하며, 전송 서기(書記)의 아래로 9급 공무원임.
전송-선【傳送線】[명] 〖전〗전신·전화를 전송하기 위하여 설치한 통신 선로(線路).
전송 속도【傳送速度】[명] 〔transmission speed〕〖통신〗단위 시간에 전송되는 정보의 단위의 수. 1초당 또는 1분당 비트(bit)·자수(字數)·밴드·어군(語群) 따위의 수로 나타냄.
전:송 시간【傳送時間】[명] 〔transmission time〕〖통신〗신호의 송신(送信)으로부터 수신(受信)까지의 전시간(全時間).
전:송 시험【傳送試驗】[명] 〔transfer test〕〖통신〗일시적인 축적(蓄積)과 재전송(再傳送)에 의하여 전송(傳送)된 정보(情報)를 대조(對照)하는 일.
전:송 신문【電送新聞】[명] 전기 통신 수단을 이용하여 각 가정이나 원격지(遠隔地)에 직접 전송(電送)하는 신문. 팩시밀리 신문.
전:송 주사【電送主事】[명] 통신직(通信職) 국가 공무원의 직급 명칭의 하나. 전송 기술 직렬(職列)에 속하며, 전송 주사보의 위, 통신 사무관(事務官)의 아래로 6급 공무원임.
전:송 주사보【電送主事補】[명] 통신직(通信職) 국가 공무원의 직급 명칭의 하나. 전송 기술 직렬(職列)에 속하며, 전송 서기(書記)의 위, 전송 주사(主事)의 아래로 7급 공무원임.
전:송 진:료【電送診療】[—질—] [명] 농어촌의 공공 의료 기관과 대도시의 종합 병원을 연결시키는 원격 의료 정보 전송 체계를 통한 진료. 곧 이 체계를 통하여 X레이 사진·컴퓨터 단층 촬영·자기 공명 영상(磁氣共鳴映像) 등의 자료와 일반 진료 기록부 등을 대도시 종합 병원으로 보내면 그 곳에서 분석한 결과를, 의뢰한 병원으로 통보해 줌으로써 시골에서도 진찰을 받을 수 있음.
전수[1]【田叟】[명] 농촌의 노인.
전수[2]【全壽】[명] 신체에 손상(損傷)이 없이 장생(長生)하는 일. 또, 천수(天壽)를 다하는 일.
전수[3]【全數】[一][명] ①전체의 수량(數量). ②〖생〗체세포(體細胞)의 반(半)의 염색체수(染色體數)를 가지는 배우자(配偶子)의 상태를 반수(半數)라 부르는 데 대하여, 그 두 배의 염색체수를 갖는 접합자(接合子)의 상태를 이르는 말. [二][부] 온통. 모두. ¶그의 말은 ~ 거짓말이다.
전:수[4]【典需】[명] 〖역〗조선 시대 때 내수사(內需司)의 정오품 벼슬.
전수[5]【前垂】[명] 〖악〗종묘 제향(宗廟祭享)의 일무(佾舞) 정대업지무(定大業之舞)에서 추는 춤사위의 하나. 허리를 굽히며 두 손을 앞쪽 아래로 내림. 「배.
전수[6]【前修】[명] ①옛날의 덕을 닦은 현인. 옛 군자. ②앞서 공부한 선
전수[7]【專修】[명] 오로지 한 가지 일만을 닦음. ¶~ 학원(學院)/~ 과목. ——-하다 [타][여불]
전수[8]【傳受】[명] 전하여 받음. ——-하다 [타][여불]
전수[9]【傳授】[명] 전하여 줌. ¶비법을 ~하다. ——-하다 [타][여불]
전수[10]【傳輸】[명] 전하여 보냄. ——-하다 [타][여불]
전:수[11]【戰守】[명] ①나아가서 싸우는 일과 물러서서 지키는 일. ②싸워서 지킴. ——-하다 [타][여불]
전-수[12]【瀍水】[명] 〖지〗'찬수이'를 우리 음으로 읽은 이름.
전:수[13]【轉銹】[명] 〖공〗기와나 검은 빛깔의 토기(土器)를 불에 더 그슬러서 검은 광채가 나게 하는 일. ——-하다 [타][여불]
전:수[14]【轉輸】[명] 수송(輸送)되어온 물건을 다시 다른 지방(地方)으로 운반함. ——-하다 [타][여불]
전수 가:결【全數可決】[명] 회의에 모인 사람 전체가 좋다고 찬성하여 가결함. ——-하다 [타][여불]
전수-금【前受金】[명] 〖경〗물품의 대금(代金) 결제 또는 노무(勞務) 보수의 수수(授受)에 관하여 그 지불을 확보하기 위하여 미리 받는 돈. ↔전도금(前渡金).
전수-성【全數性】[—썽] [명] 〖생〗이배성(二倍性).
전수 수익【前受收益】[명] 〖경〗몇 기(期)에 걸쳐 미리 수취(受取)한 수익. 미경과(未經過) 집세·텃세·선수 이자(先受利子) 등.
전수 염:불【專修念佛】[명] 〖불교〗자기의 제행(諸行)을 행하지 아니하고 오로지 나무 아미타불(南無阿彌陀佛)의 명호(名號)만 외는 일.
전-수용【全垂鏞】[명] 〖사람〗대한 제국 때의 의병장(義兵將). 자는 기홍(基洪), 호는 해산(海山). 천안(天安) 사람. 전북 출신. 융희 1년(1907) 조경환(曺京煥)의 의병군에 가담, 조경환이 전사하자 의병장이 되어 광주(光州)·장성(長城) 등지에서 분전함. 선봉장 정원집(鄭元集)이 전사한 후 의병을 해산, 왜적이 부모를 볼모로 잡아가자 자수하여 사형됨. [1878-1910]
전수-이【全數—】[부] 죄다. 전수. ¶~ 늙은이만 모였다.
전-수익【全收益】[명] 수익의 전부.
전수 일절【全守一節】[—쩔] [명] 절개를 온전히 지킴. ——-하다 [자][여불]
전수 조사【全數調査】[명] 〔complete enumeration〕대상이 되는 통계 집단의 단위를 하나하나 전부 조사하는 관찰 방법. ↔표본(標本) 조사·일부(一部) 조사.
전:숙【轉宿】[명] 숙소를 다른 곳으로 옮김. ——-하다 [자][여불]
전:순【轉瞬】[명] 눈을 깜박함. 또, 그 눈 깜짝할 정도의 짧은 시간. 순간(瞬間).
전:순-간【轉瞬間】[명] 순식간(瞬息間).
전순서 집합【全順序集合】[명] 〔totally ordered set〕〖수〗순서 집합의 하나. 순서 집합 A의 순서 R가 다음 조건을 채울 때, A를 전순서 집합이라고 함. A의 임의의 이원(二元) $a \cdot b$에 대해서도 a에서 b로의 관계 R에 있거나, b에서 a로의 관계 R에 있는 것 중의 적어도 한쪽이 성립되는 집합. 선형(線形) 순서 집합.
전-순열【全順列】[명] 〖수〗n개의 것을 전부 취하여 늘어놓는 순열. n개의 것으로 만든 전순열의 수는 $_nP_n$ 곧 $n!$ 임.
전-순의【全循義】[—/—이] [명] 〖사람〗조선 시대 초기의 의관(醫官). 세종(世宗) 27년(1445) 왕명으로 김문(金汶)·신석조(辛碩祖) 등과 함께 《의방 유취(醫方類聚)》 365권을 편찬했고, 동 27년 김의손(金義孫)과 더불어 《침구 택일(鍼灸擇一)》을 편저(編著)했음. 저서에 《식료 찬요(食療纂要)》가 있음. 생몰년 미상.
전-술[1]【全—】[명] 전내기의 술.
전술[2]【前述】[명] 앞에서 이미 진술 또는 논술함. 전진(前陳). ¶~한 바와 같이. ↔후술(後述). ——-하다 [자][여불]
전술[3]【傳述】[명] 전하여 기술(記述)함. ——-하다 [자][여불]
전:술[4]【戰術】[명] 〔tactics〕〖군〗①전쟁(戰爭) 실시의 방책. 넓은 의미로는 어떤 국면(局面)에서의 계획과 실행을 말하며, 좁은 뜻으로는 전장(戰場)에 있어서의 무력전(武力戰), 곧 작전 행동을 지휘하는 술책을 말함. 전법(戰法). 군법(軍法). 군술(軍術). ¶~에 능하다. ②정치 운동 등에 있어서의 투쟁의 방법. ¶태업(怠業) ~로써 기업주에 대항하다.

*전략(戰略).
전:술-가【戰術家】명 전술에 능숙(能熟)한 사람.
전:술 공군【戰術空軍】명〖군〗적과 접촉한 지역 또는 교전 중(交戰中)인 지상·해상 부대의 작전 및 자기 부대 작전에 밀접한 관계가 있는 지역에 있어서의 항공전을 주요 임무로 하는 항공 부대. 주로 전투기·전투 폭격기·소중형(小中型) 폭격기·정찰기·각종 수송기 및 소중형 유도탄 부대로 구성됨. *전략(戰略) 공군.
전:술 관:제용 레이더【戰術管制用—】명〔tactical control radar〕〖군〗 대공포용(對空砲用)의 레이더. 본질적으로는 목표 포착(目標捕捉) 레이다와 같은 성능을 가지며, 주로 대공포의 제어용 전술 정보를 제공하는 데 있음.
전:술 단위【戰術單位】명〖군〗전투 때에 독립 부대로 행동할 수 있도록 편성된 부대·비행기 및 함선군(艦船群). 전술 단위 부대를 직접 지원하는 보급 부대도 포함하는 수가 있음. *전략 단위.
전:술 목표【戰術目標】명 적의 전투 능력을 파괴하기 위하여 전투 중에 공격 목표로 꼽히는 사람·집단 또는 진지(陣地) 등의 물리적 목표. *전략 목표.
전:술용 방위 기록계【戰術用方位記錄計】명〔tactical range recorder〕〖군〗 수중 음파 탐지기의 하나. 해상 선박(船舶)에서 쓰이며 잠수함의 시각(時刻)·방향(方向)의 좌표를 표정(標定)하여 폭파 심도(爆破深度)의 결정에 쓰임.
전:술-적【戰術的】명관 회전(會戰) 또는 전투에서 목표를 달성하기 위해, 적과 접촉하거나 가까이 있는 부대의 배치, 진지 점령 또는 이동 등의 방책(方策)에 관계되는 모양. *전략적(戰略的).
전:술적 사격 통:제【戰術的射擊統制】명〔tactical fire control〕〖군〗 목표의 선택, 사격의 종류·개시·일시·중지·종료(終了) 등에 관한 화력(火力) 운영 및 통제.
전:술 지도【戰術地圖】명〖군〗전투용 지도.
전:술 폭격【戰術爆擊】명〖군〗지상·해상 부대 및 자기 부대의 작전을 직접 지원하기 위한 폭격. 주로 소형·중형의 항공기 및 근거리 미사일을 사용함. *전략(戰略) 폭격.
전:술 폭격기【戰術爆擊機】명〖군〗전술 폭격에 사용되는 비행기. 곧 경폭격기(輕爆擊機). *전략 폭격기.
전:술-학【戰術學】명〖군〗전술에 관한 군사학.
전:술 항:공 작전【戰術航空作戰】명〔tactical air operation〕〖군〗육해군(陸海軍)의 협력 하에 수행되는 공군의 작전. 제공권(制空權)의 획득·유지(維持), 적군 및 그 지원 시설(支援施設)의 발견 및 파괴, 교전 중(交戰中)인 적군에 대한 직접적인 지원 공격, 적군의 움직임을 일정 영역(一定領域)에 한정(限定)시키는 임무 등을 수행함. *전략(戰略) 항공 작전.
전:술 항:공 지원【戰術航空支援】명〔tactical air support〕〖군〗육해군(陸海軍)과 공동으로, 육상 또는 해상 작전을 직접 지원하는 공군의 작전.
전:술 항:공 통:제 본부【戰術航空統制本部】명〔tactical air control center〕〖군〗육상 또는 함선(艦船)에 설치되어, 모든 전술 대공(對空) 부대의 항공기 및 공중 경계(空中警戒) 기관을 감독·통제하는 항공 작전의 중추 기관. 약칭: 티 에이 시 시(TACC).
전:술 핵무기【戰術核武器】명〖군〗전술적(戰術的)으로 군사 목표를 공격하기 위한 핵무기. 155밀리포(砲), 203밀리포(砲), 지대공(地對空) 미사일, 공대공(空對空) 미사일, 핵지뢰(核地雷) 등 대체로 탄두 위력(彈頭威力)이 킬로톤급(級)의 것을 가리킴. *전략 핵무기.
전습[1]【前習】명 이전의 습관.
전습[2]【傳習】명 ①전수(傳受)하여 익힘. ②〖역〗수습(修習) 과정의 장인(匠人). ——-하다 타여불
전습[3]【傳襲】명 전하여 물려받음. 전하여 내려오는 대로 답습함. ——-하다 타여불
전습-록【傳習錄】〔—녹〕명〖책〗중국 명(明)나라의 왕양명(王陽明)의 어록(語錄), 양명학(陽明學)의 대강(大綱)을 문인(門人)인 서애(徐愛) 등이 편찬한 것임. 모두 3권.
전습-법【全習法】명〔whole method〕〖심〗어떤 재료를 학습 기억하는 방법의 하나. 아무리 긴 재료라 할지라도 몇 개로 나누지 아니하고 처음부터 끝까지 내리 읽는 것을 반복하여 기억하는 방법. 유의미(有意味) 재료의 기억에는 부습법(部習法)보다 낫다고 함. ↔부습법.
전승[1]【全勝】명 한 번도 지지 아니하고 모조리 이김. 전첩(全捷). ¶10전 ~의 기록. ↔전패(全敗). ——-하다 자여불
전승[2]【傳承】명 계통(系統)을 전(傳)하여 계승함. 예로부터의 제도·신앙·습속(習俗)·구비(口碑)·전설(傳說) 등을 이어받아 후세(後世)에 전함. ¶민간 ~. ——-하다 타여불
전승[3]【傳乘】명 다른 역마(驛馬)를 갈아 탐. ——-하다 자여불
전:승[4]【戰勝】명 싸움에 이김. 승전(勝戰). ¶~국(國). ↔전패(戰敗). ——-하다 자여불
전:승[5]【轉乘】명 다른 말·차·배 따위로 갈아 탐. ——-하다 타여불
전:승 공:취【戰勝攻取】명 싸우면 이기고, 공격하면 차지함. 무적(無敵)임.
전:승-국【戰勝國】명 전쟁에 이긴 나라. 전첩국(戰捷國). ↔패전국(敗戰國).
전승 문학【傳承文學】명〖문〗구승 문학(口承文學).
전:승-사【戰勝史】명 싸움에 이긴 역사.
전승-자【傳承者】명 사물(事物)을 이어받아 전하는 사람. 예로부터의 문화 사상(文化事象)을 잘 기억하고 있는 사람. 민속학에서는 민간(民間) 전승을 많이 보유한 사람을 가리킴.

전시[1]【田矢】명 수렵 때 쓰는 화살.
전-시[2]【全市】명 시의 전체. 온 시(市).
전시[3]【前時】명 이전.
전시[4]【前翅】명 곤충류(昆蟲類)의 날개 중, 앞에 있는 한 쌍의 날개. 앞날개. ↔후시(後翅).
전:시[5]【展示】명 ①책이나 편지 등을 펴서 봄. 또, 펴서 보임. ②여러 가지 물건을 모아 벌여 놓고 보임. ¶~회. ——-하다 타여불
전:시[6]【展翅】명 곤충을 채집하여 표본으로 만드는 일. 하루나 이틀 동안 촉각(觸角)·날개·다리 같은 것을 잘 펴서 핀으로 판에 꽂아 만듦. ——-하다 자여불
전시[7]【傳尸】명〖한의〗노채(癆瘵).
전시[8]【傳示】명 전수(傳授)하여 보임. ——-하다 타여불
전:시[9]【殿試】명〖역〗조선 시대 때 문과(文科)의 복시(覆試)에서 선발된 33명 및 무과(武科)의 복시에서의 28명을 궐내(闕內)에 모아 왕의 친림(親臨)하에 보이던 과거. 문무과의 초시(初試)·복시(覆試)를 거친 자의 최종 시험으로, 이에서 문과는 갑과(甲科) 3인, 을과(乙科) 7인, 병과(丙科) 23인과, 무과는 갑과 3인, 을과 5인, 병과 20인의 등급(等級)을 판정함.
전:시[10]【戰時】명 전쟁이 벌어진 때. 전쟁 중(戰爭中). ¶~ 체제.
전:시-검【戰時劍】명 싸울 때에 장교가 가지는 칼.
전:시 경제【戰時經濟】명〔war economy〕〖경〗전쟁 수행(遂行)을 위하여 편성하는 국민 경제. 곧 소비(消費) 절약·생산 증가 등을 꾀하는 계획적·통제적인 경제. 전시 조세(戰時租稅)의 징수, 전시 공채(戰時公債)의 발행, 지폐 또는 금융책(金融策) 같은 것으로 국민 경제의 안전을 도모함.
전:시 공법【戰時公法】〔—뻡〕명〖법〗전시 국제 공법(戰時國際公法).
전:시 공:산주의【戰時共產主義】〔—/—이〕명〖역〗러시아의 10월 혁명 직후, 소련 정부가 백위군(白衛軍)의 반혁명(反革命)과 자본주의 제국의 군사적 간섭에 대항하여 취한 프롤레타리아 독재의 비상 정책. 대기업 외에 중소 기업까지도 국가가 통제하고 농민으로부터 전체 잉여 농산물(剩餘農產物)을 징발(徵發)하며, 모든 계급에게 의무 병역제와 노동 의무제를 시행하고, 소비 물자의 국가적 분배를 하였음. 1920년 반혁명(反革命)이 진압되면서 신경제 정책(新經濟政策 ; NEP)으로 이행(移行)됨. *네프(NEP).
전:시 공수 계:약 불이행죄【戰時公需契約不履行罪】〔—리—쬐〕명〖법〗전쟁·천재(天災) 기타 사변에 있어서, 국가 또는 공공 단체와 체결한 식량(食糧) 기타 생활 필수품의 공급 계약을 정당한 이유 없이 이행하지 아니하거나, 이러한 계약 이행을 방해하는 죄.
전:시 공채【戰時公債】명〖경〗전시에 국가가 군사비의 지출을 위하여 모집하는 공채. *군사 공채(軍事公債).
전시-과【田柴科】명〖역〗고려 때 관리(官吏)·서리(胥吏)·향직자(鄕職者)·군인(軍人)·한인(閑人) 등에게 그 관급(官級)에 따라 토지와 땔나무를 댈 임야(林野)를 반급(頒給)하던 규정. 경종(景宗) 1년(976)의 직산관(職散官) 전시과에 비롯되어, 문종(文宗) 30년(1076)의 양반(兩班) 전시과로 제도가 완비됨. 원칙적으로 세습(世襲)이 아니나 중엽(中葉)에 붕괴되었고, 뒷날 신전법(神田法)으로 계승됨.
전:시 국제 공법【戰時國際公法】〔—뻡〕명〔international law in time of war〕〖법〗전시에 있어서의 국제간의 법률 관계의 규준(規準)을 규정한 법률. 교전 법규(交戰法規)와 중립 법규(中立法規)로 나눔. 전자(前者)는 교전국(交戰國) 사이의 적대 행위(敵對行爲)에 관한 법규이고, 후자(後者)는 중립국과 교전국 사이에 관한 법규임. 전시 공법. 전시 국제법.
전:시 국제법【戰時國際法】〔—뻡〕명〖법〗전시 국제 공법. ↔평시(平時) 국제법.
전:시 규약【戰時規約】명〖법〗전시에 두 교전국의 군사령관, 그 밖의 지휘관 사이에 맺어지는 군사적 성질의 협정. 항복 규약·정전 협정·휴전 협정·포로 교환 협정 같은 것. 군사(軍事) 규약.
전:시 근로 동:원법【戰時勤勞動員法】〔—글—뻡〕명〖법〗전쟁의 완수 및 재해 복구에 필요한 국민의 노력 동원을 목적으로 한 법률.
전:시 근무 소집【戰時勤務召集】명〖군〗전시(戰時)·사변(事變) 또는 동원령이 선포된 경우에, 군사 업무를 지원하기 위해 방위 소집이 면제된 보충역 및 제 2 국민역에 대해서 하는 소집.
전:시 금:제서【戰時禁制書】명〔contraband paper〕〖법〗교전국(交戰國) 한 쪽의 군대, 또는 관청(官廳) 사이에 왕복(往復)되는 모든 공문서(公文書). *전시 금제인·전시 금제품.
전:시 금:제인【戰時禁制人】명〔contraband person〕〖법〗전시 국제법상, 전시 금제품(禁制品)과 같이 취급되는 사람. 현재 적국의 병력(兵力) 구성원(構成員)에 속하는 사람. 적국의 병력 구성원에 속할 것을 목적으로 하는 사람, 적국의 원수(元首)·장관 그 밖의 요인(要人), 전쟁에 관한 중요한 임무를 띠고 외국에 가는 사람 등을 말함. *전시 금제서·전시 금제품.
전:시 금:제품【戰時禁制品】명〔contraband of war〕〖법〗전시 국제법상, 전쟁에 공용(供用)할 수 있는 화물로 적국에 수송되면 적국의 교전능력(交戰能力)을 증가시킬 가능성이 있는 것으로서 일방(一方)의 교전국이 다른 교전국에의 수송(輸送)을 방지할 수 있는 화물. 병기·탄약 등과 같은 절대(絕對) 금제품과 조건부(條件附) 금제품의 구별이 있음. *전시 금제서·전시 금제인.
전-시대[1]【前時代】명 이전의 시대. 지난 시대.
전:시-대[2]【展示臺】명 전시해 놓는 대.
전:시 문생【殿試門生】명〖역〗고려 충렬왕(忠烈王) 때 전시(殿試)에 뽑힌 사람. 특별히 황패(黃牌)를 주며 내시(內侍)에 붙임.

전원[2] 【田園】 명 ①논밭과 동산. ②시골. 교외(郊外). ¶ ~ 생활.
전원[3] 【全員】 명 전체의 인원.
전원[4] 【全院】 명 한 원(院)의 전체.
전:원[5] 【殿元】 명 전시(殿試)에서 장원 급제한 사람.
전:원[6] 【電源】 명 ①전력을 공급하는 원천(源泉). 발전 시설 등 전기 에너지를 얻는 원천. ②기계 등에 전류가 오는 원천. 전기 코드의 플럭의 구멍 따위.
전:원 개발 【電源開發】 명 〖공〗 전원을 확보하기 위하여 발전(發電)에 필요한 댐(dam)·수로(水路)·저수지(貯水池) 기타의 공작물(工作物)을 설치하고 개량하는 일.
전원-곡 【田園曲】 명 〔pastoral〕 〖악〗 전원의 감상을 주는 기악곡(器樂曲). 보통 목동의 피리 소리를 암시(暗示)하는 곡조로 되며 박자(拍子)는 6박자임. 파스토랄.
전-원관 【錢元瓘】 명 〖사람〗 중국 오대 십국(五代十國) 오월(吳越)의 제2대 왕. 자는 명보(明寶). 전류(錢鏐)의 일곱째 아들. 오(吳)나라와 자주 싸워 큰 공을 세우고, 932년 오월 국왕(吳越國王)을 습봉(襲封)함. 학문을 좋아하고 시문(詩文)에 능했으며 택능원(擇能院)을 두어 문사(文士)를 등용했으나 천성이 사치를 즐겨서 궁실(宮室)의 조영(造營) 등 폐단이 많았음. [887-941; 재위 932-941]
전원 교외 【田園郊外】 명 〔garden suburb〕 도시의 교외에 있는 근교(近郊) 주택지.
전원 교향곡 【田園交響曲】 명 〖악〗 베토벤 작곡의 제6 교향곡. 자신이 표제를 붙인 것으로서 표제악(標題樂)의 선구(先驅)임. 오악장(五樂章)으로 되어 있으며, 1808년에 초연(初演)되었음. 파스토랄 심포니.
전원-극 【田園劇】 명 〖연〗 ①널리 전원 생활을 취급한 극. 목가극(牧歌劇). ②이탈리아의 르네상스, 영국의 엘리자베스 시대에 발달한 전원을 배경으로 하여 자연의 소박(素朴)과 정서(情緖)를 노래한 목인(牧人)에 관한 극. 내용은 대개 목양자(牧羊者)를 주요 인물로 하여 변덕스런 연인(戀人), 불충실한 친구를 등장시키고, 무상(無償)의 사랑 또는 정절(貞節)의 추구를 중심 테마로 하고 있음. 주로 귀족들 사이에 애호(愛好)되어 17세기 오페라의 전신(前身)을 이룸. 이탈리아의 서사시인 타소(Tasso)의 ≪아민타(Aminta)≫, 영국의 플레처(Fletcher, J.)의 ≪충실한 목녀(牧女)≫ 등이 유명하며, 괴테의 ≪헤르만과 도로테아≫도 이 계열에 속함.
전원 도시 【田園都市】 명 ①도시 생활의 편익(便益)과 전원 생활의 미취(美趣)를 갖추어 전원 지대에 건설한 이상적인 도시. ②19세기 말 영국의 하워드(Howard, E.)가 제창한 새로운 방식의 소도시(小都市). 규모를 계획적으로 결정하고 인구를 감안한 산업·기타 시설을 갖춘 자기 충족적인 도시. 1904년 런던에서 75km 떨어진 레치워스(Letchworth)에 처음으로 건설됨.
전원 문학 【田園文學】 명 〖문〗 전원의 정경(情景)과 생활을 제재(題材)로 한 문학. ↔도회 문학(都會文學).
전원 생활 【田園生活】 명 도회지(都會地)를 떠나 전원에서 농사짓고 지내는 생활.
전원-시[1] 【田園詩】 명 전원의 생활이나 자연미(自然美)를 읊은 시.
전-원시[2] 【全遠視】 명 〖의〗 잠복(潛伏) 원시와 현재(現在) 원시를 겸한 원시(遠視).
전원 시인 【田園詩人】 명 전원·자연의 미를 노래하는 시인.
전원 위원장 【全院委員長】 명 전원 위원회의 위원장.
전원 위원회 【全院委員會】 명 국회에서 특별한 안건(案件)을 다루기 위하여 의원(議員) 전원으로 구성되는 위원회. 현재 우리 나라에서 이 제도는 없어졌음.
전원 일치제 【全員一致制】 명 소속 인원 전부의 의견이 일치하는 것을 조건으로 하여 결정하는 제도.
전:원 지대 【電源地帶】 명 수력 발전이나 화력 발전 등의 설비가 많이 있는 지대. 전자는 수량(水量)이 풍부한 산악 지대에 많고, 후자는 연료 공급에 편리한 해안 지대에 많음.
전:원 회로 【電源回路】 명 〔power supply circuit〕 〖전〗 교류(交流)를 직류(直流)로 변환하기 위한 전기 회로망(回路網).
전원 후:포 【前園後圃】 명 동산을 앞에 하고, 밭을 뒤로 함. 곧, 벼슬을 물러나서 전원(田園)에서 자적(自適)함을 이름.
전월[1] 【全月】 명 만월(滿月).
전월[2] 【前月】 명 지난달. 전달.
전위[1] 【全委】 명 전부를 위임함. ——-하다 타여불
전:위[2] 【典衛】 명 〖역〗 대한 제국 때 친왕부(親王府)의 판임(判任) 벼슬.
전위[3] 【前胃】 명 〖조〗 조류의 식도(食道) 하단에 있는 위(胃)의 전반부. 위의 후반부는 사낭(砂囊)이라고 함. 선위(腺胃).
전위[4] 【前衛】 명 ①전방의 호위(護衛). ②〖군〗 ↗전위대(前衛隊). ③정구·배구 등 구기(球技)에서, 자기 진(陣)의 전방에 위치하여 주로 공격을 하는 선수. ¶ ~를 보다. ④사회(社會) 운동이나 예술(藝術) 운동에서 제일 선구적(先驅的)인 분자(分子). ¶ ~ 음악/~ 예술. 1)-3): ↔후위(後衛). *중위(中衛).
전위[5] 【專委】 명 전임(專任). ——-하다 타여불
전위[6] 【專爲】 명 특히 한 가지 일만을 위하여 함. ——-하다 타여불
전위[7] 【傳位】 명 왕위를 전하여 줌. *양위(讓位). ——-하다 자여불
전:위[8] 【電位】 명 〔electric potential〕 〖물〗 전장(電場) 내의 한 점에, 어떤 표준점으로부터 단위(單位)의 전기량(電氣量)을 옮기는 데 필요한 두 점 사이의 전압의 차. 직관적(直觀的)으로는 수위(水位)에 비교(比較)되며, 전류(電流)는 전위의 높은 곳으로부터 낮은 곳으로 흐름.
전:위[9] 【轉位】 명 ①위치가 바뀜. 또, 위치를 바꾸는 일. ②〔dislocation〕 〖물〗 결정(結晶)에 있어서의 격자 결함(格子缺陷)의 일종. 결정의 일부를 일정한 방향으로 이동시켰을 때 원자(原子) 배열이 비뚤어지는 일. 디스로케이션. ③〔rearrangement〕 〖화〗 유기 화합물(有機化合物)의 한 분자(分子) 안에서 두 개의 원자(原子) 또는 원자단(原子團)이 서로 그 결합(結合) 위치를 바꾸는 반응. 이를테면 베크만(Beckmann) 전위, 벤지딘(benzidine) 전위 등. ④〔displacement〕 〖심〗 정신 분석의 용어로, 감정이 한 대상(對象)에서 다른 대상을 향하여 옮겨지는 일. 이를테면 살인(殺人)을 억압·금지하면 다른 동물을 죽이게 되는 현상 따위. ⑤〔dislocation〕 〖의〗 관절(關節)의 뼈가 한 개 또는 그 이상 위치가 어긋나는 일. ⑥〖수〗 반전(反轉) ❸. ——-하다 자여불
전:위-계 【電位計】 명 〔electrometer〕 〖물〗 충전(充電)된 물체 사이의 정전기력(靜電氣力)에 의하여, 전위(電位) 또는 두 점 사이의 전위차(電位差)를 측정하는 계기(計器). 전기계.
전위-극 【前衛劇】 명 〖연〗 혁신적 정신을 가지고 그 시대의 제 1 선에 서는 연극. 1919 년 이후 미국에서 일어난 소극장(小劇場) 운동 따위.
전위-대 【前衛隊】 명 〖군〗 전진(前進)할 때, 본대의 전방(前方)에 있어서, 진로(進路)에 있는 모든 장애(障礙)를 배제하거나 또는 경계·수색(搜索)을 하여 아군(我軍)의 전투를 유리하게 하는 임무를 맡은 부대. ㊥전위(前衛). ↔후위대(後衛隊).
전:위-망 【轉位網】 명 〔dislocation network〕 〖물〗 망상(網狀)으로 배열한 전위. 비교적 많은 전위를 함유하는 결정(結晶)에서, 전위의 선(線)에너지나 전위끼리의 상호 작용 에너지를 극소화(極小化)하기 위하여 만드는 경향이 있음.
전위 미술 【前衛美術】 명 〖미술〗 20세기 초두 이래 기성의 미술 양식에 도전해 온 혁신적인 미술. 큐비즘·미래파·추상 회화·초현실주의 따위. 아방가르드(avant-garde). 「도자(指導者).
전위 분자 【前衛分子】 명 〖사〗 공산주의 운동의 앞잡이로 활동하는 지
전:위 분포 【電位分布】 명 〖전〗 전극(電極)에 의하여 공간(空間)에 생기는 전위(電位)의 분포.
전위 서도 【前衛書道】 명 전통적인 서법(書法)을 부정하고 문자를 단순한 기호로 취급하여 추상적인 미(美)를 표현하려는 서도. 한자(漢字)의 자형(字形) 그 자체에 내재(內在)하는 심미성(審美性)에서 새로운 조형(造形)을 기도하거나, 문자로서의 자형을 배제하고 회화적(繪畫的)인 공간 구성을 추구하는 입장의 총칭으로, 후자의 경우는 묵상(墨象)이라고도 함.
전위-선 【前位腺】 명 〖생〗 전립선(前立腺).
전위 영화 【前衛映畫】 명 〔avant-garde film〕 〖연〗 새로운 실험적(實驗的)인 표현 기술(表現技術)을 가지고 제작하는 영화.
전위 예:술 【前衛藝術】 명 〖예〗 제1차 세계 대전 중 유럽에서 일어난 큐비즘·다다이즘·초현실주의 따위 및 제2차 세계 대전 후의 문예의 누보 로망, 연극의 부조리극(不條理劇) 따위 첨단적(尖端的)·변혁적(變革的)인 예술의 총칭.
전위 음악 【前衛音樂】 명 〖악〗 제2차 대전 이후에 대두된, 새로운 양식을 대상으로 하는 음악.
전위 재즈 【前衛—】 명 〔avant-garde jazz〕 실험적(實驗的)인 재즈맨에 의하여 제창된 새로운 이념(理念)과 형식에 의한 재즈. 비트(beat)·하머니(harmony)·조성(調性) 등을 무시한 보다 자유로운 형식의 재즈. 프리 재즈(free jazz). 뉴 재즈(new jazz).
전:위-차 【電位差】 명 〔electric potential difference〕 〖물〗 전기장(電氣場) 또는 도체(導體) 내의 두 점 사이의 전위(電位)의 차. *전압(電壓).
전:위차-계 【電位差計】 명 〔potentiometer〕 〖전〗 전기 회로의 임의(任意)의 두 점 사이의 전위차·기전력(起電力) 등을 정밀히 측정하는 측정기. 표준 전지(電池)와 저항(抵抗)을 사용 측정하는 직류용과 여러 가지의 교류용이 있음. 포텐쇼미터.
전:위차 분석기 【電位差分析器】 명 〔potentiometric analyzer〕 석유 유층(油層) 내에서 유체(流體)가 흐르는 상황을 전위차(電位差) 분포에 의하여 연구하기 위한 장치.
전:위차 적정 【電位差滴定】 명 〔potentiometric titration〕 〖화〗 적정(滴定)에 있어서, 반응(反應)의 종점(終點)을 판정하는 데, 검액(檢液) 중에 적당한 전극(電極)을 삽입하고, 표준(標準) 전극과 조합하여 전지(電池)를 만들어 그 전극 전위(電位)의 변화를 측정하여 아는 방법.
전위-파 【前衛派】 명 〖예〗 제1차 세계 대전 때부터 유럽에서 일어난 예술 운동. 기성(既成) 관념이나 유파(流派)를 부정 말살(抹殺)하고 새로운 것을 이룩하려는 입체파·표현파·추상화파(抽象畫派)·초현실파 등 혁신적 예술의 총칭. 아방가르드.
전유[1] 【全乳】 명 탈지(脫脂)하지 않은 그대로의 우유. 지방분(脂肪分)을 뽑지 않은 온전한 우유. ↔탈지유(脫脂乳).
전유[2] 【全癒】 명 전쾌(全快). 전치(全治). ——-하다 자여불
전유[3] 【前儒】 명 전대의 유자(儒者). 선유(先儒).
전유[4] 【專有】 명 혼자만 소유함. 독점함. ——-하다 타여불
전유[5] 【痊癒】 명 병이 나음. 쾌복(快復). ——-하다 자여불
전:유[6] 【煎油】 명 지짐질함. ㊥전(煎). ——-하다 자타여불
전유[7] 【傳諭】 명 〖역〗 왕의 유지(諭旨)를 의정(議政) 또는 유현(儒賢)에게 전함. ——-하다 자여불
전:유[8] 【轉游】 명 여기저기를 주유(周游)함. ——-하다 자여불
전유-물 【專有物】 명 자기 개인 소유의 물건. ↔공유물.
전유 부분 【專有部分】 명 〖법〗 구분(區分) 소유권의 목적인 건물의 부분.
전-유성 【錢維城】 명 〖사람〗 중국 청(淸)나라의 관리·화가. 자는 유안(幼安), 호는 인암(紉庵) 또는 다산(茶山). 장쑤 성(江蘇省) 우진 현(武進縣) 출신. 1745년에 진사. 형부 시랑(刑部侍郎)으로서 율례(律例)의 적용에 힘쓰고, 구이저우(貴州)의 적자 재정을 바로잡고 묘족(苗族)의 반란을 진압하는 등 공을 세움. 한편 산수화와 글씨에 능했음. 저서

에 ≪다산집(茶山集)≫이 있음. [1720-72]

전:유-어【煎油魚】명 저냐.

전-유(:)형【全有亨】명〖사람〗조선 시대 중기의 문신. 자는 숙가(叔嘉), 호는 학송(鶴松). 평강(平康) 사람. 선조 25년(1592) 임진 왜란이 일어나자 괴산(槐山)의 유생(儒生)으로 조헌(趙憲)과 함께 의병을 일으켰음. 광해군 때 형조 참판을 지낸 후, 인조 2년(1624) 이괄(李适)의 난 때 무고로 인하여 참형당함. 의술(醫術)에 능하여 ≪오장도(五臟圖)≫를 그렸음. 인조 6년에 신원(伸寃)됨. [1566-1624]

전:유-화【煎油花】명 저냐.

전윤【傳胤】명 계통(系統)을 전수(傳受)함. ——-하다 타여불

전:율¹【典律】명 ①정해진 법률(法律). ②〖역〗조선 시대, 장악원(掌樂院)의 정칠품 잡직(雜職)의 하나.

전:율²【戰慄】명 두려워서 몸이 벌벌 떨림. 전송(戰悚). 계율(悸慄). 능긍(凌兢). ¶~할 광경. ——-하다 자여불

전:율-적【戰慄的】[-쩍] 명관 무서워서 전율하는 모양. ¶~인 사건.

전:율 통보【典律通補】명〖역〗조선 정조(正祖) 9년(1785)에 능성군(綾城君) 구윤명(具允明)이 경국 대전(經國大典)·속대전(續大典)·대전 통편(大典通編)의 전(典)과 대명률(大明律)을 종합한 법전. 6권. 동 11년(1787) 사본(寫本)으로 반포(頒布)함.

전은【前恩】명 전에 입은 은혜. 구은(舊恩).

전음¹【全音】명〖악〗'온음'의 한자 이름. ↔반음(半音).

전:음²【典音】명〖역〗조선 시대의 장악원(掌樂院)의 정팔품 잡직(雜職)의 하나.

전음³【前陰】명 음부(陰部).

전:음⁴【餞飮】명 전배(餞杯).

전:음⁵【轉音】명 조금 변하여 달리 나는 음.

전:음⁶【顫音】명〖악〗'떤꾸밈음'의 한자 이름.

전-음계【全音階】명〖악〗'온음계'의 한자 이름. ↔반음계(半音階).

전음-기【傳音器】명 소리를 전하는 기계. 메가폰·확성기 등.

전-음부【全音符】명〖악〗'온음표'의 한자 이름.

전음 음계【全音音階】명〖악〗'온음 음계'의 한자 이름. ↔반음 음계.

전-음정【全音程】명〖악〗'온음정'의 한자 이름.

전읍【全邑】명 도읍(都邑) 전체.

전:읍-서【典邑署】명〖역〗신라 때의 관청. 수도 경주(慶州)의 도시 행정 사무를 맡음. 경덕왕(景德王) 18년(759)에 전경부(典京府)로 고쳤다가 혜공왕(惠恭王) 12년(776)에 다시 본래대로 바뀜.

전:의¹【典衣】[-/-이] 명 ①옷을 전당(典當)잡힘. ②〖역〗조선 시대의 여관(女官)으로 정칠품 내명부(內命婦)의 품계 이름. ③〖역〗중국에서 천자(天子)의 의류를 맡았던 벼슬. 전복(典服). ——-하다 자여불

전:의²【典儀】[-/-이] 명 ①법식(法式). 의식(儀式). ②〖역〗대한 제국 때 장례원(掌禮院)의 판임(判任) 벼슬.

전:의³【典醫】[-/-이] 명〖역〗대한 제국 때 태의원(太醫院)에 딸린 주임(奏任) 벼슬. 네 사람이 있었음.

전의⁴【前誼】[-/-이] 명 이전부터 사귀어 온 정의.

전의⁵【前議】[-/-이] 명 앞에서 한 의논.

전의⁶【專意】[-/-이] 명 오직 한 곳에만 뜻을 씀. ——-하다 자여불

전:의⁷【奠儀】[-/-이] 명 부의(賻儀). 향전(香奠).

전의⁸【傳衣】[-/-이] 명〖불교〗↗ 전의발(傳衣鉢). ——-하다 타여불

전의⁹【傳意】[-/-이] 명 나의 뜻을 남에게 전함. ——-하다 타여불

전:의¹⁰【詮議】[-/-이] 명 ①평의(評議)하여 사물(事物)을 밝힘. ②범죄(犯罪) 또는 죄인(罪人)을 수색(搜索)함. ——-하다 자여불

전:의¹¹【戰意】[-/-이] 명 싸우려고 하는 의지. ¶~를 상실하다/~를 불태우다.

전:의¹²【氈衣】[-/-이] 명 전(氈)으로 만든 옷.

전:의¹³【轉意】[-/-이] 명 ①마음이 달라짐. 변심(變心). ②뜻이 바뀜. ——-하다 자여불

전:의¹⁴【轉義】[-/-이] 명 근본 뜻에서 전화(轉化)된 뜻.

전의¹⁵【前矣】〈이두〉 이전의.

전:의-감【典醫監】[-/-이-] 명〖역〗왕실의 의약(醫藥)을 맡던 관아. 조선 태조 원년(1392)부터 고종 31년(1894)까지 있었음.

전:의 고주【典衣沽酒】[-/-이-] 명 옷을 전당잡히어 술을 삼. ——-하다 자여불

전-의길【錢儀吉】명〖사람〗중국 청(淸)나라의 학자. 자는 애인(藹人), 호는 심허(心虛). 벼슬을 사임한 뒤 광동(廣東) 학해당(學海堂), 허난(河南)의 대량 서원(大梁書院)에서 수십 년간 강학(講學)에 종사함. 훈고학(訓詁學)에 뛰어나고 문장을 잘 했음. 편저서에 ≪삼국지 증문(三國志證聞)≫·≪비전집(碑傳集)≫ 등이 있음. [1783-1850]

전-의발【傳衣鉢】명〖불교〗제자에게 법(法)을 전하여 줌을 일컫는 말. 초조(初祖) 달마(達磨)로부터 육조(六祖) 혜능(慧能)까지 가사와 바리를 전하여 준 옛일에서 나옴. ㊟전의(傳衣). ——-하다 자여불

전:의-보【典醫補】[-/-이-] 명〖역〗겸전의(兼典醫)의 고친 이름.

전:의-성【轉義性】[-썽/-이썽] 명 근본 뜻에서 전화(轉化)되는 성질.

전:의-시¹【典儀寺】[-/-이-] 명〖역〗고려 때 제사(祭祀)·증시(贈諡)에 관한 일을 맡아 보던 관아. 충렬왕(忠烈王) 34년(1308)에 봉상시(奉常寺)를 고친 이름. *대상부(大常府).

전:의-시²【典醫寺】[-/-이-] 명〖역〗고려 때 태의감(太醫監)의 뒷 이름. 충선왕(忠宣王) 뒤에 사의서(司醫署)를 고쳐서 공민왕(恭愍王) 5년(1356)까지와 동 11년(1362)에서 18년까지, 21년(1372)에서 공양왕 때까지의 일컬음. *태의감.

전-의식【前意識】명〖심〗정신 분석학 용어. 의식이나 기억에 나타나는 억압된 잠재 의식. *무의식(無意識).

전:의-원【典醫院】[-/-이-] 명〖역〗조선 시대의 삼의원(三醫院)의 하나.

전:의-적【轉義的】[-/-이-] 명관 근본 뜻에서 전화(轉化)된 모양.

전:이¹【煎餌】명 찹쌀 가루와 날콩가루를 섞어 묽은 엿으로 반죽하여 새알만큼씩하게 빚어 바싹 말렸다가 불에 구워 부풀린 과자.

전:이²【轉移】명 ①옮김. 이전(移轉). ②사물이 변하여 감. 변화함. ③[metastasis]〖의〗병원체(病原體)나 종양 세포(腫瘍細胞) 등이 원발소(原發巢)에서 다른 곳으로 옮아 가 그 곳에 원발소와 같은 변화를 일으키는 일. 혈행성(血行性)과 림프행성(lymph 行性)의 두 종류가 있는데, 전이성 안염(眼炎)·암전이(癌轉移) 등에서 볼 수 있음. ④〖심〗㉠어떤 내용을 학습한 결과, 직접 훈련하지 않아도 다른 정신적·운동적 기능이 향상하는 일. ㉡장님이 시각적인 것을 촉각적(觸覺的)으로, 촉각적인 것을 시각적으로 나타내는 일 등의 공간 지각(空間知覺)의 경우를 이름. ㉢감정을 전가(轉嫁)함. ⑤[transition]〖화〗일반적으로는 물질의 한 상태에서 다른 상태로의 변화를 뜻하나, 보통 집합 상태(集合狀態)의 변화, 이를테면 동소체(同素體) 변화·다형(多形) 변화·공정(共晶) 변화·포정(包晶) 변화 따위, 또는 상전이(相轉移)를 가리킴. 전이에 의해 나타나는 각 상태를 변태(變態)라고 함. 천이(遷移). ——-하다 타여불

전이³【饘酏】명 전죽(饘粥).

전:이-사【轉移射】명 [transfer of fire]〖군〗변환 사격법의 하나. 최초의 목표에 대한 수정 제원(修正諸元)을 다음 목표에 관한 제원(諸元)에 적응시켜, 하나의 목표에서 다른 목표로 사격을 바꿔 감.

전:이성 안:염【轉移性眼炎】[-썽-념] 명 [라 ophthalmia matestatica]〖의〗안염(眼炎)의 하나. 안구(眼球) 이외의 곳에 화농소(化膿巢)가 있을 때, 세균이 이 곳에서 혈행(血行)이나 림프를 통하여 안구내에 도달, 염증을 일으킨 상태. 각종 열성(熱性)의 전염병이나 피부의 절저(癤疽) 등이 원인일 때가 많음.

전:이성 종:양【轉移性腫瘍】[-썽-] 명 [도 Metastische Geschwulst]〖의〗원발 종양(原發腫瘍)에 대한 새 병소(病巢). 원발 종양의 종양 세포가 주위 조직 내에 점차 침윤하거나 다른 부위(部位)로 옮겨 가서 형성한 새로운 병소를 이름.

전:이 아:르 엔 에이【轉移 RNA】명〖생〗운반 아르 엔 에이.

전:이-암【轉移癌】명〖의〗처음 발생한 부위(部位)에서 혈관·림프관을 통하여 다른 부위에 전이(轉移)하여 생긴 암종(癌腫).

전:이 엔트로피【轉移—】명 [entropy of transition]〖물·화〗상변화(相變化)에서 흡수 또는 방출(放出)된 열을, 그 변화가 일어난 절대 온도로 나눈 값.

전:이-열【轉移熱】명 [heat of transition]〖물〗물질이 전이할 때, 일정한 압력 하에서 발생 또는 흡수하는 열량(熱量).

전:이 온도【轉移溫度】명 [transition temperature]〖물〗물질의 상태가 전이할 때의 그 물질 고유(固有)의 일정 온도. 일반적으로 가열(加熱) 방향과 냉각(冷却) 방향과는 온도의 차이가 있으며 히스테리시스(hysteresis)가 나타남. 전이점(轉移點). 변태점(變態點).

전:이 원소【轉移元素】명 [transition element]〖화〗금속 원소의 한 집단. 원자 번호 21번부터 29번, 39번부터 47번, 57번부터 79번, 그리고 89번 이상이 포함됨. 전자수(電子數)가 각 전자 궤도(軌道)에 들어갈 수 있는 최대수보다 적은 것이 특색임. 천이(遷移) 원소.

전:-이재민【戰罹災民】명 전재민(戰災民)과 이재민(罹災民).

전:이-점【轉移點】[-쩜] 명〖물〗전이 온도(轉移溫度).

전:이 효소【轉移酵素】명〖생〗한 화합물에서 딴 화합물로 각종 원자단(原子團)을 전이하는 반응을 촉매하는 효소. 아미노기(基) 전이 효소 등이 있음.

전인¹【田人】명 농업에 종사하는 사람.

전인²【全人】명 지(知)·정(情)·의(意)가 완전히 조화된 원만한 인격자(人格者). 또, 오체(五體)가 완전한 사람. ¶~ 교육.

전인³【前人】명 이전 사람. 옛날 사람. 선인(先人). ¶~ 미답.

전인⁴【前因】명 ①전세(前世)에 생긴 원인. ②〖불교〗전생의 인연. 전연(前緣).

전인⁵【專人】명 어떤 일을 위하여 특히 사람을 보냄. 전족(專足). 전팽(專伻). ¶지금 곧 ~을 하여 쫓아 보내겠습니다≪作者未詳 : 홍도화≫. ——-하다 타여불

전:인⁶【廛人】명 가게에서 물건을 파는 사람. 전시정(廛市井).

전인 교:육【全人教育】명 편벽된 교육을 배제하고 성격(性格) 교육·정서(情緒) 교육 등을 중히 여기는 교육.

전-인구【全人口】명 모든 인구. 인구 전체.

전인 급보【專人急報】명 특히 사람을 보내어 급히 알려 줌. ——-하다 타여불

전인대【全人代】명 ↗중국 전국 인민 대표 대회.

전-인도【前印度】명〖지〗갠지스 강(Ganges 江) 이서(以西)의 인도(印度), 곧 구영령(舊英領) 인도의 별칭. *후인도(後印度).

전인도 회교 연맹【全印度回教聯盟】명 [All-Indian Moslem League] 인도에 있어서의 소수민인 회교도(回教徒)의 이익과 정치적 각성(覺醒)을 도모하기 위한 단체. 1906년 진나(Jinnah, Mohammed Ali)가 창립한 것으로 인도교도와 회교도와의 거주지 분할안(居住地分割案)을 주장함. 국민 회의파(國民會議派)와 일면 제휴(提携), 일면 항쟁(抗爭)하여 오다가 1947년 인도가 독립함에 따라 구인도를 이분(二分)하고 연맹의 숙원이던 회교도국 파키스탄 자치령(自治領)의 건국(建國)을 성취하고, 연맹 총재(總裁)인 진나가 초대 총독(總督)이 되었음. ㊟회교도 연맹.

전인 미:답【前人未踏】명 ①이제까지 아무도 발을 들여놓거나, 도달

한 사람이 없음. ¶ ～의 오지(奧地). ②이제까지 아무도 손을 대 본 일이 없음. ¶ ～의 연구 분야.

전인-자【前引子】명〖악〗정재(呈才) 때에 아뢰던 풍류의 이름.

전인 후:과【前因後果】명 전에 원인이 있으면 후에 결과가 온다는 말.

전일[1]【全一】명 하나로서 완전(完全)한 모양. 통일(統一)이 있는 모양.

전일[2]【全日】명 ①하루 종일. ②모든 날. 매일(每日).

전일[3]【前日】명 전날. 선일(先日).

전일[4]【專一】명 한 가지 일에만 오로지하여 다른 것을 돌아보지 아니함. ──-하다 타 여불

전-일본【錢一本】명〖사람〗중국 명말(明末)의 학자. 자는 국서(國瑞). 장쑤 성(江蘇省) 우진 현(武進縣) 출신. 1583년에 진사. 어사가 되었을 때 건저(建儲)의 이소(二疏)로써 각신(閣臣)의 전단(專斷)을 통렬히 규탄하여 파직(罷職)된 후로는 동림 서원(東林書院)에서 후학을 양성함. 학풍(學風)은 육경 염락(六經濂洛)의 시서(詩書)를 중심으로 삼았는데 특히 역학(易學)에 밝았음. 저서에 ≪상상 관견(像象管見)≫ 등이 있음. [1539-1610]

전일-제【全日制】[-쩨] 명 [full-time system]〖교〗원칙적으로 매일 학생을 등교시키는 교육 제도. 학교에서 보통 채택하는 방식임. ↔정시제(定時制).

전-일학【專一壑】명 멧갓이나 또는 논밭의 어떤 한 구역을 온통 차지해 가짐. ──-하다 자 여불

전:일 회천【轉日回天】명 임금의 뜻을 뒤집어 돌리게 함. ──-하다 타 여불

전임[1]【前任】명 전에 그 임무를 맡음. 또, 그 사람. 전함(前銜). 선임(先任). ¶ ～자. ↔후임(後任).

전임[2]【專任】명 ①오로지 어떤 한 일만을 맡음. 또, 오로지 그 일을 맡김. 전위(專委). ②오로지 한 조직이나 단체에만 속해 있음. ↔겸임(兼任). ③↗전임 강사. ──-하다 타 여불

전임[3]【傳任】명〖역〗조선 시대 때, 이 객점(客店)에서 저 객점으로, 전하여 가며 관원(官員)의 짐을 대신 져서 나르던 구실.

전:임[4]【轉任】명 다른 관직이나 임무로 옮김. 이임(移任). 천임(遷任). ¶ 서울로 ～되다. ──-하다 자 여불

전임 강:사【專任講師】명 ①그 학교에 전임으로 있는 강사. ↔시간 강사(時間講師). ②〖교〗대학 등에서, 상근(常勤)의 신분으로 일정한 교과(教科)를 교수하거나 연구·지도를 담당하는 교수·부교수(副教授)·조교수(助教授) 이외의 교원(教員).

전임-자[1]【前任者】명 전임이었던 사람. ↔후임자.

전:임-자[2]【轉任者】명 전임하여 오는 사람. 또, 전임하는 사람.

전임 책성【專任責成】명 오로지 남에게 맡겨서 그 책임을 지게 함. ──-하다 타 여불

전:입【轉入】명 ①다른 거주지나 소속(所屬)으로부터 옮기어 들어옴. ¶ ～ 신고. ②전교(轉校)하여 입학함. ¶ ～생(生). 1)·2):↔전출(轉出). ──-하다 자 여불

전:입 신고【轉入申告】명 새로 시·군의 동(洞)·면(面)·리(里) 안에 주거(住居)를 정할 때에 관할 관청에 성명·주소·전입 연월일 등을 신고하는 일. 또, 그 서류. ↔퇴거 신고.

전자[1]【田子】명 농부. 전부(田夫).

전자[2]【全姿】명 전체의 모습.

전자[3]【前者】명 ①지난 번. ¶ ～에 있었던 일. ②두 가지 사실이나 사물을 기술할 때 이미 앞에 기술한 사실이나 사물. ¶ ～에 비해서 후자(後者)가 좋다. ↔후자(後者).

전자[4]【專恣】명 제 마음대로 하여 방자(放恣)함. ¶ 광주 유수 역시 부임은 흉내만 냈을 뿐 서울 장안에 앉아서 …다급한 공사가 있거나 옥사가 일어나면 판관이 ～하게 고을을 맡기고 있었다≪金周榮 : 客主≫. ──-하다 형 여불

전:자[5]【電子】명 [electron]〖물〗소립자(素粒子)의 하나. 처음에 음극선 입자(陰極線粒子)로 발견되어 후에 물질(物質)의 기본적 구성 단위(構成單位)로서 개념이 확립되었음. 원자(原子) 안에 그 원자 번호와 같은 수(數)가 들어 있으며, 그 질량수(質量數)는 원자의 질량에 비하여 매우 적어서 수소(水素) 원자의 1,824분의 1, 곧 9.11×10^{-28} 그램임. 음전기(陰電氣)를 띠고 있으며, 원자핵(原子核)의 주위를 회전(回轉)하고 있음. 일렉트론. 기호: e.

전:자[6]【電磁】명 전자기(電磁氣).

전:자[7]【篆字】명 한자(漢字)의 서체(書體)의 하나. 대전(大篆)과 소전(小篆)의 두 가지가 있음. 전서(篆書). ㊟전(篆).

전:자[8]【轉字】명 위치가 전도(顚倒)된 글자.

전:자[9]【顚字】명 전자(轉字).

전:자 가:설【電子假說】명〖물〗전자설(電子說).

전:자 가속기【電子加速器】명 [electron accelerator]〖전〗전자를 고(高)에너지 상태로 가속하는 장치.

전:자 가스【電子—】명 [electron gas]〖물〗자유 전자(自由電子)를 기체(氣體)로 간주했을 때의 호칭.

전:자 가:시선【電子可視線】명 대기권(大氣圈)에 의한 반사 또는 굴절의 영향을 받지 않는 전자 자기파(磁氣波)의 통과 경로.

전:자-각【電子殼】명〖물〗전자 껍질.

전:자 감:응【電磁感應】명〖물〗전자기 유도(電磁氣誘導).

전:자 개폐기【電磁開閉器】명〖물〗전자석(電磁石)으로 회로를 개폐하는 스위치. 전동기(電動機) 등 대전류 회로(大電流回路)의 개폐에 쓰이고 있음.

전:자 건판【電子乾板】명〖물〗원자핵(原子核) 건판 중 특히 전리(電離) 작용이 매우 작은 전자(電子)에까지도 감각(感覺)되는 고감도(高感度)의 건판.

전:자 게:시판【電子揭示板】명〖컴퓨터〗중앙 컴퓨터와 개인의 단말기를 접속하여 불특정 다수의 가입자에게 여러 가지 서비스를 제공하는 게시판 시스템. 가입자들은 모뎀과 전화선을 이용·접속함으로써 다른 가입자와 편지·메시지·데이터 등을 주고받을 수 있음. 비비에스(BBS).

전:자 결합[1]【電子結合】명 [electron coupling]〖전〗주로 다격자관(多格子管)을 사용하여 전자관(電子管) 안에서 두 회로(回路)를 결합시키는 방법.

전:자 결합[2]【電磁結合】명〖전〗전자기(電磁氣) 결합.

전:자 경:찰봉【電子警察棒】명 한 쪽에 플래시 라이트가 있고, 다른 한 쪽에 전류(電流)가 통하도록 되어 있어, 사람의 피부에 닿으면 인체에 해(害)는 끼치지 않는 극초단파(極超短波) 전류가 발생하여 전기 충격(衝擊)으로 놀라게 만드는 경찰봉.

전:자-계【電磁界】명〖물〗전자기장(電磁氣場).

전:자 계:산기【電子計算機】명 ①[electronic computer] 컴퓨터. ㊟전산기(電算機)·전산(電算). ②전자식 탁상 계산기.

전:자 계:수 장치【電子計數裝置】명 펄스(pulse)를 계수(計數)하여 숫자로 표시하는 장치. 주파수·주기(周期)·시간 간격의 측정이나 방사선 등의 계수에 쓰임.

전:자 공기 브레이크【電磁空氣—】[brake] 명 전자기(電磁氣) 공기 브레이크.

전:자 공업【電子工業】명 [electronic industry] 전자 기계 공업 중 라디오나 텔레비전·통신 기기(機器)·컴퓨터, 그 밖의 전자 응용 장치 등의 전자 기기를 제조하는 분야. 초기에 진공관이나 그 밖의 전자관(電子管)에 의한 통신 기기 관계로 발전해 오다가, 1950년대부터 반도체(半導體) 이용에 의한 장치의 소형화(小形化)·고성능화를 토대로 비약적인 발전을 보았음. 오늘날 가장 유망한 성장 산업(成長產業)의 하나로 꼽히고 있음.

전:자 공:여기【電子供與基】명 [electron releasing group]〖물〗전자설(電子說)에서, 공명(共鳴) 효과나 유기(誘起) 효과에 의하여 상대편에게 전자를 주는 원자단(原子團). 아닐린(aniline)의 아미노기(amino 基)는 전자 흡인기(吸引基)로서의 작용도 하지만 전체적으로 전자 공여기로서 작용함. ↔전자 흡인기.

전:자 공:여체【電子供與體】명 [electron donor]〖전〗원자 또는 분자(중성(中性) 또는 이온) 사이에서 전자(電子)의 수수(授受)가 행하여질 경우, 전자 수용체(受容體)에 전자를 주는 입자. 전자 도너. ↔전자 수용체(受容體).

전:자 공학【電子工學】명 [electronics]〖물〗전자 운동에 의한 현상이나 그 응용 기술 등을 연구하는 공학의 한 분야. 진공관(眞空管)·반도체(半導體)·자성체(磁性體) 등을 쓰는 산업 기술의 기초가 됨. 전자학(電子學).

전:자 공학과【電子工學科】명〖교〗대학에서, 전자 공학을 전공하는 학과. *전기 공학과.

전:자-관[1]【電子管】명〖물〗진공(眞空)이나 저압 가스(低壓 gas) 공간에서의 전자(電子) 또는 이온(ion)의 운동을 이용하여 정류(整流)·증폭(增幅)·발진(發振) 그 밖의 작용을 행하게 하는 전자 부품의 총칭. 진공관·마이크로파관(micro 波管)·방전관(放電管)·수신관(受信管)·수상관(受像管) 및 광전관(光電管) 따위.

전:자-관[2]【篆字官】명〖역〗조선 시대 때 도화서(圖畫署)의 한 벼슬. 전자(篆字) 쓰는 일을 맡아 봄.

전:자관 발진기【電子管發振器】[-찐-] 명 [electron-tube generator]〖전〗발진 회로 중의 전자관(電子管)에 의해, 직류(直流) 에너지를 무선 주파 에너지로 바꾸는 발진기.

전:자관 시계【電子管時計】명 수정 시계(水晶時計)나 원자(原子) 시계처럼 전자관 회로(回路)를 응용하여 안정된 전기 진동을 발진(發振)시켜 그 주파수를 제어(制御)하여 정밀도(精密度) 높은 기준을 만들고 다시 또 주파수를 차례로 내려서 동기 전동기(同期電動機) 시계를 회전시키는 장치.

전:자관 증폭기【電子管增幅器】명 [electron-tube amplifier]〖전〗전자관(電子管)에 의해서 필요한 신호 증폭을 하는 증폭기.

전:자광-론【電磁光論】[-논] 명〖물〗전자기설(電磁氣說).

전:자 광학【電子光學】명 [electron optics]〖물〗전기장(電氣場)이나 자기장(磁氣場) 속에서의 전자의 궤도를 매질(媒質) 속의 빛의 궤도와 동일하게 다루는 학문.

전:자 교반【電磁攪拌】명 전자기(電磁氣) 교반.

전:자 교환기【電子交換機】명 자동 전화 교환기의 한 가지. 트랜지스터나 다이오드(diode) 등에 의한 전자 스위치를 사용함. 스텝 바이 스텝식(step by step 式)이나 크로스바(crossbar) 교환기에는 전자기식(電磁氣式) 스위치가 사용되고 있으나, 점차 컴퓨터와 함께 발달된 전자 부품에 의한 디지털 제어 회로가 쓰임. 고속(高速) 대용량(大容量)으로 단축 다이얼·전송(轉送) 전화 등의 다양한 기능이 있음.

전:자 구름【電子—】명 [electron cloud]〖물〗원자핵의 주위를 운동하는 전자의 존재 상태가 양자 역학적(量子力學的)인 확률로 보아 핵(核)의 주위를 둘러싼 구름과 같이 보이는 것을 일컫는 말. 전자운(電子雲). 전하운(電荷雲).

전:자 구조【電子構造】명 [electronic structure]〖물〗원자·분자 또는 개체(個體) 가운데에 있어서의 전자(電子)의 배치.

전:자 궤:도【電子軌道】명 [electron orbit]〖물〗원자 모형(原子模型)에 있어서 원자핵(原子核)의 주위를 운행(運行)하는 전자(電子)의 궤도.

전:자 궤:도학【電子軌道學】명 [electron ballistics]〖물〗전기장(電氣場)·자기장(磁氣場) 중의 전자나 다른 하전 입자(荷電粒子)의 운동을

연구하는 학문.

전:자 금속 조직학【電子金屬組織學】 명 〔electron metallography〕 전자 현미경을 사용하여 금속의 미시적(微視的) 조직을 연구하는 학문.

전:-자기【電磁氣】 명 〔electromagnetism〕〖물〗 영구 자성체(永久磁性體)가 아니고 전류(電流)에 의해서 생기는 자기(磁氣). 전자(電磁).

전:자기 결합【電磁氣結合】 명 ①〔electromagnetic coupling〕〖전〗 동일 전자기장(電磁氣場)에 의해 서로 영향을 미치고 있는 회로 사이에 존재하는 결합. ②〔inductive coupling〕〖전〗 변압기가 갖춘 상호(相互) 인덕턴스에 의한 두 개의 회로의 결합. 전자(電磁) 결합. 유도 결합.

전:자기 공기 브레이크【電磁氣空氣—】〔brake〕 명 빠른 제동(制動)을 위해 전자기(電磁氣) 밸브(valve)로 공기압(空氣壓)을 제어(制御)하도록 만든 에어 브레이크(air brake). 전자(電磁) 공기 브레이크.

전:자기 교반【電磁氣攪拌】 명 〔electromagnetic mixing〕 야금에서, 용융(鎔融)한 합금의 혼합법. 용융 금속에 강한 자기장(磁氣場)을 가하고 동시에 도가니 양 끝에 있는 전극(電極)에 직류 전기를 보냄. 교반은 전류가 통하는 용융 금속 중에 생기는 자기장과 외부의 자기장과의 교호(交互) 작용으로 행해짐. 전자(電磁) 교반.

전:자기 단위【電磁氣單位】 명 〔electromagnetic unit〕〖물〗 전자기적(電磁氣的)인 양(量)을 나타내는 단위의 하나. 이를 토대로 한 단위계(單位系)를 전자기 단위계라 함. 전자(電磁) 단위. 약호(略號) : emu.

전:자기 단위계【電磁氣單位系】 명 〔unit system of electromagnetic quantities〕〖물〗 길이·질량(質量)·시간 외에 '쿨롱(Coulomb)의 법칙'에 의해 정의되는 자극(磁極)의 강도(強度)를 기본 단위로 하는 단위계. 전류(電流)와 자기(磁氣)의 상호 작용을 나타내는 데 편리함. 전자(電磁) 단위.

전:자기 답사【電磁氣踏査】 명 〔electromagnetic reconnaissance〕〖군〗 적의 전파 송신기의 위치 결정·식별 등을 목적으로 한 탐색(探索). 대상(對象)은 레이더(radar)·통신(通信)·미사일 유도(誘導)·항행용(航行用)의 기기(機器) 등임. 전자(電磁) 답사.

전:자기 렌즈【電磁氣—】 명 〔electromagnetic lens〕〖전〗 전자 빔(電子beam)이 자기장(磁氣場)에 의해 집속되는 렌즈. 전자(電磁) 렌즈.

전-자기력[1]【全磁氣力】 명〖물〗 지구 자기장(地球磁氣場)의 강도(強度)를 이름. CGS 단위의 가우스(gauss) 또는 그 10만분의 1의 감마(γ)로 나타냄. 전자력(全磁力).

전:자기-력[2]【電磁氣力】 명 〔electromagnetic force〕〖전〗 전기나 자기(磁氣)에 기인하는 힘의 총칭. 일반적으로 전자기장(電磁氣場) 내의 전하(電荷)·자기량(磁氣量)·전류에 전자장이 작용하는 힘을 가리킴. 전자력(電磁力).

전:자 기록【電子記錄】 명 〔electronic recording〕 정전(靜電) 기록.

전:자 기만【電子欺瞞】 명 〔electronic deception〕 적(敵)을 오도(誤導)하거나 그릇된 정보를 제공하기 위하여 전자 자기(磁氣)를 계획적으로 방사(放射)하거나 변경 또는 흡수하는 일.

전:자기 브레이크【電磁氣—】〔brake〕 명 전자석(電磁石)으로 마찰 브레이크를 조작하게 된 브레이크. 안전을 위하여 스프링으로 마찰 브레이크를 작동시켜 전자석으로 늦추는 형식이 많음. 전자(電磁) 브레이크.

전:자기-설【電磁氣說】 명〖물〗 1837년 영국의 물리학자 맥스웰(Maxwell, J.C.)이 패러데이(Faraday,M.)의 전자기(電磁氣)의 실험과 전자기의 매질(媒質)로서의 전자기장(電磁氣場)에 대한 연구를 기초로 하여 모든 전자기의 현상을 설명하려고 한 이론. 빛이 전자기파(電磁氣波)라는 것이 이론적으로 증명되었으며 1888년 헤르츠(Hertz, H.R.)에 의해 실험적으로 증명되었음. 전자설(電磁說). 빛의 전자기설. 전자광론(電磁光論). 맥스웰의 전자기설.

전:자기 소리굽쇠【電磁氣—】 명〖물〗 소리굽쇠의 진동을 전자기적(電磁氣的)으로 지속시킨 소리굽쇠. 소리굽쇠가 일정한 진동수를 가진 것을 이용하여 정해진 주파수의 교류(交流)를 만들어 시간의 표준에 사용함. 전자 음차(電磁音叉).

전:자기식 뇌조영법【電磁氣式腦造影法】〔—뻡〕 명 〔magnetoencephalography〕〖의〗 초전도 자석(超電導磁石)을 사용하여 뇌의 전기적 활동을 조사하는 방법. 전자식(電磁式) 뇌조영법.

전:자기 에너지【電磁氣—】 명 〔electromagnetic energy〕〖물〗 전기장(電氣場)·자기장(磁氣場)이 갖는 에너지. 전자(電磁) 에너지.

전:자기 오실로그래프【電磁氣—】 명 〔electromagnetic oscillograph〕〖물〗 전자기력(電磁氣力)에 의해 진동파형(振動波形)을 기록하는 기계. 전자(電磁) 오실로그래프.

전:자기 유도【電磁氣誘導】 명 〔electromagnetic induction〕〖물〗 전기장(電氣場)과 코일을 상대적으로 움직이게 할 때 그 운동을 하고 있는 동안 코일에 전류가 일어나는 현상. 전자(電磁) 유도. 전자 감응(電磁感應).

전:자기 유체 역학【電磁氣流體力學】 명 〔magnetohydrodynamics;약칭 MHD〕 도전성(導電性)이 있는 유체(流體)가 자기장(磁氣場) 안에서 하는 운동을 연구하는 학문. 전자(電磁) 유체 역학. 자기(磁氣) 유체 역학.

전:자기 유체파【電磁氣流體波】 명〖물〗 전자기 유체 역학에서, 예상되는 유체 내의 파동. 태양풍(太陽風)이 행성(行星)의 자기권(磁氣圈)에 부딪혀서 생기는 충격파는 그 하나임. 전자(電磁) 유체파.

전:자기-장【電磁氣場】 명 〔electromagnetic field〕〖물〗 전기장(電氣場)과 자기장(磁氣場)이 같이 있는 곳. 전류(電流)나 움직이고 있는 자석(磁石)의 주위에는 전기력(電氣力)과 자기력(磁氣力)이 관련적(關聯的)으로 생기는데, 이런 힘은 일반적으로 동일한 매질(媒質)에 의해 전파한다고 생각됨. 전자계(電磁界). 전자장(電磁場). ＊ 자기장(磁氣場)·전기장(電氣場).

전:자기장의 강도【電磁氣場—強度】〔—/—에—〕 명〖물〗 어떤 한 점의 전자기파(電磁氣波)의 강도와 전기장(電氣場)의 강도. 전자장(電磁場)의 강도.

전:자기적 기록의 상업 장부화【電磁氣的記錄—商業帳簿化】〔—/—에—〕 명 컴퓨터 및 마이크로필름으로 작성한 장부를 상법상(商法上)의 상업 장부로 인정하는 일. 전자적(電磁的) 기록의 상업 장부화.

전:자기적 산:란【電磁氣的散亂】〔—살—〕 명 〔electromagnetic scattering〕〖물〗 전자기파 빔에서 에너지가 제거되어, 파장(波長)의 큰 변화 없이 재방사(再放射)되는 과정.

전:자기적 상호 작용【電磁氣的相互作用】 명 〔electromagnetic interaction〕〖물〗 광자(光子) 또는 전자기장(電磁氣場)과 하전 입자(荷電粒子)와의 상호 작용.

전:자기적 세:계관【電磁氣的世界觀】 명 물리학 세계(物理學世界)를 전자기적(電磁氣的)으로만 해석하려는 세계관(世界觀). 맥스웰 이후 20세기 초기의 물리학계를 풍미했으나 상대성(相對性) 이론과 양자론(量子論)의 출현에 의해 이 세계관은 바뀌었음. 전자적(電磁的) 세계관.

전:자기적 우:주관【電磁氣的宇宙觀】 명 우주의 모든 물리학적 현상을 전자기적으로 설명하려는 우주관. 전자적(電磁的) 우주관.

전:자기적 충격파【電磁氣的衝擊波】 명 〔electromagnetic shock wave〕〖물〗 고강도(高強度)의 전자기파(電磁氣波). 선형(線形)이 아닌 광학 매질(光學媒質) 속을 여러 가지 강도(強度)의 전자기파가 각기 다른 속도로 전파될 때, 빠른 진행파(進行波)가 앞의 느린 진행파와 충돌하여 발생하는 빛의 펄스(pulse). 전자적(電磁的) 충격파.

전:자기 제트 추진【電磁氣—推進】〔jet〕 명 스크루를 대신하는 선박의 새 추진 장치. 강력한 자석(磁石)으로 해수(海水)에 자기장(磁氣場)을 작용시킨 뒤, 전류를 흘려보내면 자기장과 전류의 작용으로 선체(船體)에 접한 해수가 제트류(jet流)처럼 밀려 흘러서 그 반동(反動)으로 선체가 나아감. 전자(電磁) 제트 추진.

전:자기 질량【電磁氣質量】 명 〔electromagnetic mass〕〖물〗 물체의 전기장(電氣場) 에너지와 자기장(磁氣場) 에너지에 의해 부가(附加)되는 여분(餘分)의 질량. 전자(電磁) 질량.

전:자기 차:폐【電磁氣遮蔽】 명 〔electromagnetic shielding〕〖물〗 전기 회로(回路) 또는 기구(器具) 등의 전자기 작용이 다른 데에 영향을 미치지 못하게 막는 현상. 전도율이 큰 금속의 두꺼운 판으로 자기력선(磁氣力線)을 방지함. 전자(電磁) 차단.

전:자기 철판【電磁氣鐵板】 명〖전〗 전력용 변압기·발전기·전동기 등의 철심(鐵心)으로 쓰이는 판상(板狀)의 자성(磁性) 재료. 규소 강판(珪素鋼板) 따위. 전자(電磁) 철판.

전:자기 탐사【電磁氣探査】 명 〔electromagnetic surveying〕〖공〗 지표에서 전자기파(電磁氣波)를 발사해서 하는 지하의 측량. 이 전자기파는 지구에 침투하여 유전성(誘電性) 광석 중에 전류를 유기(誘起)하는데, 이 때 발생하는 새로운 전자파를 지표에 있는 장치나 땅에 파묻은 수신 코일로 탐지함.

전:자기-파【電磁氣波】 명 〔electromagnetic wave〕〖물〗 전자기장(電磁氣場)의 진동이 진공(眞空) 중 또는 물질 속을 전파(傳播)하는 현상. 파장(波長)이 긴 쪽부터 음성 주파(音聲周波)·전파(電波)·적외선(赤外線)·가시 광선(可視光線)·자외선(紫外線)·X선·γ선 등으로 구분되며, 전파는 또 초장파(超長波)·장파(長波)·중파(中波)·단파(短波)·초단파(超短波)·마이크로파(micro波) 등으로 구분함. 전자파(電磁波). 헤르츠파(波).

전:자기파 파:쇄법【電磁氣波破碎法】〔—뻡〕 명 마그네트론으로 강력한 전자기파를 발생시켜 콘크리트에 조사(照射)하여 빌딩·교각(橋脚)·제방(堤防) 등의 콘크리트를 부수는 새로운 방법. 전자파(電磁波) 파쇄법.

전:자기파-포【電磁氣波砲】 명 〔rail gun〕〖군〗 직류(直流) 리니어 모터를 이용하여, 한 쌍의 구리 레일 사이에 고압(高壓)의 전기 에너지를 가하여 포탄을 발사하는 대포. 화약을 쓰지 않으므로 발포할 때 포연(砲煙)이 없고 초속(初速)이 라이플의 10배가 되므로 장갑 관통력(裝甲貫通力)이 큼. 전자파포(電磁波砲).

전:자기 펌프【電磁氣—】 명 〔electromagnetic pump〕〖물〗 액체 금속의 전기 전도성을 이용하여 전동기(電動機)와 같은 원리에 의해 움직이는 특수한 펌프. 용접(鎔接) 등에서, 나트륨과 칼륨은 공기 또는 물과 접촉하여 폭발적으로 연소하는데, 그들을 순환시키는 데 사용함. 전자(電磁) 펌프.

전:자 기하 광학【電子幾何光學】 명 〔geometric electron optics〕〖물〗 전자(電子)에 작용(作用)하는 힘을 전자선(電子線)에 대한 굴절(屈折)로 생각하여 기하 광학적(幾何光學的)으로 해석하는 학문. 이것은 전기장(電氣場) 및 자기장(磁氣場)에 의한 전자선의 결상(結像)을 만드는 전자 렌즈(電子lens)에 중요한 영향이 있음.

전:자기-학【電磁氣學】 명 〔electromagnetics, electromagnetic theory〕〖물〗 일반적으로는 전기 및 자기(磁氣)에 관한 현상과 이론을 취급하는 물리학(物理學)의 한 부문. 특히, 전류(電流)와 자기(磁氣)와의 관계를 논하는 데 그치는 수도 있음. 전자학(電磁學).

전:자기-혼:【電磁氣—】 명 〔electromagnetic horn〕〖전〗 마이크로파(micro波) 영역(領域)에서 사용되는 개구면(開口面) 방사기(放射器). 나팔처럼 생긴 금속통으로 전자기파(電磁氣波)를 방사함. 전자(電磁)혼. 전자(電磁) 나팔.

전:자 껍질【電子—】 명 〔electron shell〕〖물〗 보어(Bohr, N.)의 원자(原子) 모형에서, 전자(電子)의 궤도(軌道)의 모임. 원자핵의 주위를 운동하는 전자의 궤도는 원자핵을 중심으로 하는 저마다의 에너지 상태에 적합한 공 모양의 껍질을 형성한다고 보고 이것을 모형적으로 나타낸 말.

핵(核)에 가까운 쪽에서부터 각각 K·L·M·N·O·P·Q껍질이라 부르며 이에 속한 전자의 수는 정해져 있음. 전자각(電子殼).

전:자 나팔【電磁喇叭】명〖전〗전자기혼(電磁氣 horn).

전:자 냉:난방【電子冷暖房】명 반도체(半導體)를 이용하여, 직류(直流)전류를 흘려 보내는 것만으로 냉방(冷房)이나 난방(暖房)을 하는 방법(方法).

전:자 냉:동【電子冷凍】명 두 종류의 도체(導體)를 접속하였을 때 직류(直流)가 흐르는 방향에 따라 그 접속점(接續點)에 발열(發熱) 또는 흡열(吸熱)이 일어나는 현상을 이용하여 저온(低溫)을 얻는 방법. *펠티에(Peltier) 효과.

전:자 단위【電磁單位】명〖물〗전자기(電磁氣) 단위.

전:자 단위계【電磁單位系】명〖물〗전자기(電磁氣) 단위계.

전:자 답사[1]【電子踏査】명〔electronic reconnaissance〕〖전〗핵폭발이나 방사선원(放射線源) 이외(以外)에서 나오는 외래 전자파 방사의 검출(檢出)이나 식별(識別) 및 평가·위치 결정 등을 행하는 일.

전:자 답사[2]【電磁踏査】명〖군〗전자기(電磁氣) 답사.

전:자 도:너【電子—】명〔electron donor〕〖전〗전자 공여체(供與體).

전자동 물류 시스템【全自動物流—】〔system〕명 입체 무인 창고(立體無人倉庫)를 한 걸음 발전시켜, 물건의 반입(搬入)에서 분류·포장·보관·반출까지의 각 작업을 모두 자동화한 종합 시스템.

전:자 두뇌【電子頭腦】명〔electronic brain〕계산이나 논리적 판단을 할 수 있는 '컴퓨터'를 뇌에 비유하여 일컫는 말. 인공(人工) 두뇌.

전:자띠 스펙트럼【電子—】명〔electronic band spectrum〕〖물〗분자의 전자 상태 천이(遷移)에 따라 진동(振動) 상태·회전(回轉) 상태에 도 천이가 생길 때 방출 또는 흡수되는 스펙트럼. 전자 상태의 성질·진동의 성질·분자의 관성 모멘트(慣性 moment)·핵간(核間) 거리·해리(解離) 에너지 등의 분자 상수(常數)를 결정할 수 있음. *전자 스펙트럼·회전 스펙트럼·분자 스펙트럼.

전:자 레인지【電子—】〔range〕명 고주파(高周波)로 가열하는 조리 기구(調理器具). 고주파 전기장(電氣場) 중의 분자(分子)가 심하게 진동하여 발열(發熱)하는 것을 이용한 것임. 단시간(短時間)에 고르게 가열할 수 있음.

전:자 렌즈[1]【電子—】명〔electron lens〕〖물〗전기장(電氣場)이나 자기장(磁氣場)을 만들어 전자의 흐름을 집속(集束)시키거나 발산시키거나 하는 장치. 전극(電極)을 사용한 정전(靜電) 렌즈와 코일을 사용한 자기장(磁氣場) 렌즈가 있음. 브라운관(管)·오실로스코프(oscilloscope)·전자 현미경 등에 이용됨.

전:자 렌즈[2]【電磁—】명〖전〗전자기(電磁氣) 렌즈.

전-자력[1]【全磁力】명〖물〗전자기력(全磁氣力).

전:자-력[2]【電磁力】명〖물〗전자기력(電磁氣力).

전:자-론【電子論】명〔electronic theory〕〖물〗①물질을 전자 및 양이온(陽 ion)의 집합이라고 보아 물질의 광학적(光學的)·전자기적(電磁氣的) 성질을 전자기장(電磁氣場)의 작용에 의한 전자의 운동으로 설명하는 전자에 관한 이론(理論). 네덜란드의 로렌츠(Lorentz, H.A.)가 주장한 것으로, 맥스웰(Maxwell)의 전자기(電磁氣) 이론에서 도입되는 전자의 운동 방정식을 근본 법칙으로 함. ②영국의 디랙(Dirac)이 주장한 전자론. 양자 역학(量子力學)에 상대성 이론을 도입하여 로렌츠의 전자론을 발전시켜 새로운 전자의 파동(波動) 방정식을 도입, 이것을 기초 이론으로 하여 전자의 스핀이나 양전자(陽電子)의 존재를 설명함. 전자 가설(假說). 전자설(電子說).

전:자-류【電子流】명〔electron flow〕〖물〗자유 전자(自由電子)의 움직임에 따라 만들어지는 전류(電流). 그러나 방향(方向)은 전류 방향과 반대임.

전자리-상어 명〖어〗[*Squatina japonica*] 전자리상어과에 속하는 바닷물고기. 상어와 가오리의 중간형으로, 몸길이 1.5m이며 넓적하고, 가슴지느러미가 커서 좌우로 벌어졌음. 몸빛은 암갈색으로 다수의 불규칙한 소흑점(小黑點)이 산재함. 양 턱에 석 줄의 날카로운 이를 갖춤. 바다 밑 깊은 곳의 모래 속에 숨어 사는 어류로서 한국 남부 및 일본 중부 이남에 분포(分布)함. 태생(胎生). 가죽은 줄 대신 쓰이며, 고기는 식용(食用)이 됨. 저자상어.

〈전자리상어〉

전자리상어-과【—科】[—꽈] 명〖어〗[Squatinidae] 곱상어목(目)에 속하는 어류의 한 과. 범수구리와 전자리상어가 있음.

전:자 링 가속기【電子—加速器】명〔electron ring accelerator; ERA〕〖물〗상대론적(相對論的)인 속도를 지닌 도넛 모양의 전자류(電子流) 속에 양성자(陽性子)를 넣은 다음 이 전자링을 축 방향(軸方向)으로 가속하여 양성자에게 높은 에너지를 갖게 하는 입자(粒子) 가속기. 종래의 가속기보다 두 자리 정도 높은 에너지를 얻을 수 있으리라 생각됨.

전:자 마:크【—字—】〔mark〕[—짜—] 명 중소 기업청(中小企業廳)이 공장 심사와 안전도(安全度) 심사를 거쳐 전기 용품 안전 관리법 규정의 기준에 맞게 생산된 제품에 붙이는 것을 승인한 표시. 백열 전구(白熱電球)·형광등·텔레비전·다리미·선풍기·전선(電線) 등의 제품이 대상이 됨. 동그라미에 한글로 '전'자가 씌어 있음.

전:자 망:원경【電子望遠鏡】명〖물〗전자빔과 전자 렌즈를 이용하여 어두운 천체의 촬영을 용이하게 한 장치. 곧, 보통의 망원경을 써서 광전면(光電面) 위에 별의 상(像)을 짓도록 광전면으로부터 비출(飛出)하는 전자를 가속(加速)하여 전자 렌즈(電子 lens)에 의하여 형상을 비추고 전자의 충돌(衝突)로써 감광(感光)되는 건판(乾板)을 써서 직접 사진으로 촬영함.

전:자 메일【電子—】〔mail〕명 전자 우편(電子郵便)❷.

전:자 문서 교환【電子文書交換】명〖컴퓨터〗컴퓨터 등으로 만든 일정한 파일 형태의 서류를 전산망을 통하여 주고받는 일.

전:자 밀도【電子密度】[—또] 명〔electron density〕〖물〗단위 체적 중의 전자의 수(數). 또, 전자의 파동 함수(波動函數)로 표시한 확률(確率) 밀도.

전:자 바이러스【電子—】〔virus〕명〖컴퓨터〗컴퓨터 바이러스.

전:자 방공 방위 체계【電子防空防衛體系】명 나지(NADGE).

전:자 방:출【電子放出】명〔electron emission〕〖물〗진공관이나 광전관(光電管)의 음극(陰極) 등에서 전자가 방출되는 현상. 모든 전자관에 응용됨. 냉전자(冷電子) 방출·열전자(熱電子) 방출·이차(二次) 전자 방출·광전자(光電子) 방출 등으로 구분됨.

전:자 배:치【電子配置】명〖물〗원자나 분자의 전자 상태를 나타내기 위해 각 궤도 함수의 전자 분포를 표시한 것.

전:자 번역기【電子飜譯機】명 대규모 집적 회로(集積回路)를 쓴 자동 번역 기계.

전:자 복사기【電子複寫機】명 전자 사진(電子寫眞)에 의해 문서(文書) 등을 복사하는 기계.

전:자 복제【電子複製】명 정전기(靜電氣)나 전자의 작용을 이용하여 원고를 복제하는 방법.

전:자 볼트【電子—】〔volt〕명〖물〗소립자(素粒子)·원자핵·원자·분자 등의 에너지를 나타내는 단위의 하나. $(1.602192 \pm 0.000007) \times 10^{-19}$줄(joule)과 같음. 일렉트론 볼트(electron volt). 기호: eV.

전:자 부족 분자【電子不足分子】명〔electron deficient molecule〕〖물〗원자가(原子價)에 관여하는 바깥 전자(電子)껍질 궤도수가 원자가전자(價電子)의 수보다 많은 원자를 가진 분자. 상대편으로부터 전자 또는 전자쌍(雙)을 끌어들여 새로운 결합을 형성하고자 하는 경향이 있어, 일반적으로 강한 전자 수용체(受容體)가 됨.

전:자 분광법【電子分光法】[—뻡] 명〔electron spectroscopy〕〖물〗물질에 빛이나 엑스선과 같은 전자기파(電磁氣波)·전자 이온과 같은 하전(荷電) 입자 및 여기(勵起) 입자를 비추어, 발생하는 전자의 운동량 분포, 운동 에너지 분포, 또한 각도(角度) 분포 등을 측정하는 분광법의 총칭. 입사선(入射線)의 종류에 따라 광전자(光電子) 분광법·이온 중성화(中性化) 분광법 등 여러 가지가 있음.

전:자 분극【電子分極】명〔electronic polarization〕〖전〗외부 전기장(外部電氣場)을 가하였을 때, 핵(核)에 대하여 전자(電子)가 변위(變位)함으로써 발생하는 분극.

전:자 브레이크【電磁—】〔brake〕명 전자기(電磁氣) 브레이크.

전:자-빔:【電子—】명〔electron beam〕〖물〗선상(線狀)으로 가늘게 수속(收束)된 전자의 흐름. 전자총(電子銃)으로 발생시킴.

전:자빔: 가공【電子—加工】〔beam〕명 전자총에서 방사시킨 고속 전자(高速電子)의 흐름을 전자기(電磁氣) 코일로 국부에 수속(收束)시켜 이를 공작물에 쐬어 생기는 고온으로 물질이 용해됨을 이용한 가공법. 경질(硬質) 금속·반도체·보석 등 절삭(切削)이 곤란한 재료의 미세한 구멍 뚫기나 절단 또는 고융점(高融點) 금속의 용접 등에 이용됨.

전:자빔:-관【電子—管】명〔electron-beam tube〕〖전〗그 특성이 하나 또는 다수의 전자빔의 생성(生成)과 제어(制御)에 의존해 있는 전자관.

전:자빔: 노출 장치【電子—露出裝置】명〔electron beam lithography system〕〖물〗전자총(電子銃)에서 튀어 나오는 전자선(電子線)을 사용하여 포토레지스트(photoresist) 위에 반도체 소자(半導體素子)의 회로(回路) 패턴을 써 넣어가는 장치. 전자선의 파장(波長)이 빛의 1000분의 1 이하이므로 선(線)의 폭이 1μ 이하의 패턴을 그릴 수도 있어, 초(超) LSI 제작을 위한 미세(微細) 가공 기술로서 불가결한 것임.

전:자빔: 용접【電子—鎔接】명〔electron-beam welding〕야금학의 용어. 고도(高度)로 집중된 열원(熱源)을 만들기 위해, 10^{-3}mmHg 이하의 높은 진공 하에서 고속 전자선(高速電子線)을 사용하여 물질을 접합하는 기술. 우주 공간에서 쓰임.

전:자빔: 용해【電子—鎔解】명〔electron-beam melting〕야금에서, 전자선을 쐬어 생긴 열로 금속을 녹이는 방법.

전:자 사:무관【電子事務官】명 공업직(工業職) 국가 공무원의 직급 명칭의 하나. 전자 직렬(職列)에 속하며, 공업 서기관의 아래, 전자 주사의 위로 5급 공무원임.

전:자 사전【電子辭典】명〖컴퓨터〗사전의 내용을 자기 테이프나 시디롬(CD-ROM) 등의 기록 매체에 수록하여 컴퓨터로 검색할 수 있도록 만든 사전.

전:자 사진【電子寫眞】명〔electrophotography〕현상액(現像液)이나 정착액(定着液) 등을 사용하는 화학적 조작을 필요로 하지 아니하고, 광도전 효과(光導電効果)와 정전기(靜電氣)의 흡착(吸着) 현상을 이용한 정전적(靜電的) 사진법. 현상 방법에 따라 습식(濕式)과 건식(乾式)이 있으며, 도면이나 서류 복사에 널리 이용됨.

전:자 사태【電子沙汰】명〔electron avalanche, avalanche effect〕〖물〗기체 분자(氣體分子)에 가속된 전자가 충돌하여 그 전리(電離)가 급격히 증가하는 현상. 기체 중에서 방전(放電)하는 계기가 되는 것으로 생각됨.

전:자 상거래【電子商去來】명 통신망 특히 인터넷을 활용해서 상품 및 서비스를 사고 파는 일. 인터넷상의 가상 점포를 통해서 신속하고 염가로 거래할 수 있는 이점이 있음.

전:자 상실 원자【電子喪失原子】명〔stripped atom〕〖물〗핵(核) 안의 양성자수(陽性子數)에 비하여 훨씬 적은 전자밖에 갖지 않은, 이온화(ion 化)된 원자.

전:자 상자성【電子常磁性】[—썽] 명〔electron paramagnetism〕〖물〗물질 가운데의 원자(原子)나 분자(分子)가 정량(正量)의 자기 모멘

트(磁氣 moment)를 가지고 있을 때 나타나는 상자성(常磁性).

전:자 서기【電子書記】[명] 공업직(工業職) 국가 공무원의 직급 명칭의 하나. 전자 직렬(職列)에 속하며, 전자 주사보의 아래, 전자 서기보의 위로 8급 공무원임.

전:자 서기보【電子書記補】[명] 공업직(工業職) 국가 공무원의 직급 명칭의 하나. 전자 직렬(職列)에 속하며, 공업 서기의 아래로 9급 공무원.

전:-자석【電磁石】[명]〔electron magnet〕〖물〗투자율(透磁率)이 큰 강자성체(強磁性體)의 둘레에 코일을 감은 것. 코일에 직류(直流)를 통하면 그 자기장(磁氣場)에 의해 철심(鐵心)은 자기화(磁氣化)되어 자석과 같은 작용을 함. 전기 자석(電氣磁石).

전:자-선【電子線】[명]〔electron rays〕〖물〗진공(眞空) 중에 방사(放射)된 전자의 흐름. 음극(陰極)을 가열하여 방출되고, 양극(陽極)을 향하여 곧바로 나아감. 물질에 닿으면 이차(二次) 전자나 X선을 방출하기도 하고, 형광(螢光)·전리(電離) 등의 작용을 함. 음극선(陰極線)·베타선(β線) 등.

전:자선-관【電子線管】[명]〖물〗방향이 가지런하고 일정한 전자의 흐름인 전자선을 이용한 진공관. 브라운관·촬상관(撮像管) 따위.

전:자선 회절【電子線回折】[명]〔electron diffraction〕〖물〗전자의 파동성(波動性)에 의하여 전자선(電子線)은 전자파(電子波)라고 생각되며 이것이 결정(結晶)에 의하여 산란(散亂)될 때 X선(線)과 같은 회절(回折)이 생기는 현상. 전자선의 파동성에 의하여 생김. 전자 회절.

전:자선 회절 장치【電子線回折裝置】[명]〔electron diffractograph〕〖물〗전자 현미경에 쓰이는 부속 장치. 전자를 시료(試料)에 댈 때 그 회절상(回折像)에 결정형(結晶型)이나 다른 물리적 속성(物理的屬性)이 반영(反映)되는 성질을 이용함. 화학 분석(化學分析)이나 원자 구조(原子構造)의 결정에 쓰임. 전자 회절 장치.

전:자선 회절 카메라【電子線回折—】[명]〔electron diffraction camera〕〖물〗시료(試料)를 전자빔(電子 beam)으로 조사(照射)했을 때 생기는 회절 전자선의 강도(強度)와 위치를 사진으로 기록하기 위해 쓰이는 카메라. 전자 회절 카메라.

전:자-설[1]【電子說】[명]〖물〗전자론(電子論). 전자 가설(電子假說).

전:자-설[2]【電磁說】[명]〖물〗전자기설(電磁氣說).

전:자 셔터【電子—】〔shutter〕[명]전기 회로를 사용한 사진기의 셔터. 기계적 작동을 전기적(電氣的)으로 조작하는 것과, 물리 현상을 이용한 것이 있음.

전:자 소자【電子素子】[명] 고체 내의 전자의 전도(傳導)를 이용하는 전자 부품. 트랜지스터·다이오드·태양 전지·조지프슨 소자(素子) 등.

전:자 수용체【電子受容體】[명]〔electron acceptor〕〖물〗전자 공여체(供與體)로부터 전자를 받아들이는 입자. 즉, 원자·분자 또는 이온. ↔전자 공여체(供與體).

전:자 수첩【電子手帖】[명]〖컴퓨터〗간단한 연산 및 메모·전화 번호·스케줄·주소 따위를 입력할 수 있는 수첩 크기의 휴대용 컴퓨터.

전:자 스펙트럼【電子—】[명]〔electronic spectrum〕〖물〗원자·분자·이온의 전자 배치 변화에 따른 전자기파(電磁氣波)의 흡수·방출의 스펙트럼. 기저(基底) 전자 상태에서 여기(勵起) 전자 상태로의 천이(遷移)에 대응하는 흡수 스펙트럼과 그 역(逆)으로의 천이에 대응하는 방출(放出) 스펙트럼이 관측되고 있으며, 이의 측정에 의하여 원자·분자의 여기 에너지 준위(勵起 energy 準位)가 정확히 결정될 뿐만 아니라 해석에 따라 각종 물리량(物理量)을 구할 수 있음. 분자의 경우는 전자띠 스펙트럼이라고 할 때가 많음. ＊분자(分子) 스펙트럼.

전:자 스핀【電子—】[명]〔electron spin〕〖물〗양자(量子) 역학의 용어. 전자(電子)의 어떤 축(軸) 주위에 각(角)운동량을 일으키게 하는 성질.

전:자 스핀 공:명【電子—共鳴】[명]〔electron spin resonance〕〖물〗전자의 스핀 자기(磁氣) 능률이 남아 있는 물질을 자장(磁場) 속에 두면 이 자기(磁氣) 능률은 세차(歲差) 운동을 하는데, 이 때 세차 운동의 주기(周期)와 같은 주기를 갖는 전자기파(電磁氣波; 마이크로파)를 이 원자(原子)에 대면 전자기파가 흡수되는 것을 말함.

전:자 시계【電子時計】[명] 흔들이나 톱니바퀴 따위 대신에 트랜지스터 또는 IC 등과 같은 반도체 소자(半導體素子)를 사용한 시계.

전:자식 뇌조영법【電磁式腦造影法】[—뻡] [명] 전자기식(電磁氣式) 뇌조영법.

전:자식 탁상 계:산기【電子式卓上計算機】[명]전자 운동의 특성을 응용한 소형(小型)계산기. 전자 계산기. [준]전탁(電卓).

전:자 심판 장치【電子審判裝置】[명]전자 공학 기술에 의한 스포츠 심판 장치. 1974년의 뮌헨 올림픽에서 전면적으로 이용됨. 육상 경기·수영의 착순 판정(着順判定)과 1,000분의 1초 단위의 계시(計時), 육상 경기의 도약(跳躍)·투척(投擲)의 기록 측정과 그 결과의 동시 속보(同時速報) 등에서 효과를 발휘함.

전:자-쌍【電子雙】[명]〔electron pair〕〖화〗공유 결합(共有結合)에 있어서, 두 개의 원자(原子)가 공유하고 있는 한 쌍의 원자가 전자(原子價電子)를 이름.

전:자쌍 결합【電子雙結合】[명]〔electron-pair bond〕〖화〗공유 결합(共有結合).

전:자쌍 생성【電子雙生成】[명]〔electron-pair production〕〖화〗양전자(陽電子)와 음(陰)전자의 한 쌍이 만들어지는 과정을 이름. 1932년 앤더슨(Anderson, C.A.)이 윌슨(Wilson, H.A.)의 안개함을 사용하여 우주선(宇宙線) 촬영을 하다가 양(陽)전자를 발견하였는데, 그 후 방사성 원소에서 방출하는 감마선(γ線)이 물질에 비칠 때에도 전자쌍이 발생함을 알아냄. ↔전자쌍 소멸(消滅).

전:자쌍 소멸【電子雙消滅】[명]〔annihilation of electron-pair〕〖물〗양(陽)전자와 음(陰)전자가 한 쌍이 되어 감마선(γ線)이 되는 과정으로, 물질이 빛의 에너지로 바뀜. ↔전자쌍 생성(生成).

전:자 악기【電子樂器】[명]〔electronic musical instrument〕전기(電氣) 악기의 하나. 전자 회로에 의한 발진음(發振音)을 이용하여 연주하는 것. 전자 오르간·신시사이저 등이 그것임.

전:자 에너지【電磁—】[명]〔energy〕〖물〗전자기(電磁氣) 에너지.

전:자 에너지 레벨【電子—】〔energy level〕[명] 전자 에너지 준위.

전:자 에너지 스펙트럼【電子—】[명]〔electron spectrum〕〖물〗엑스선(X線)이나 기타 방사선을 조사(照射)했을 때 물질에서 방출되는 전자의 강도(強度)를 전자의 운동 에너지의 함수(函數)로서 기록한 그래프. 사진처럼 한눈에 볼 수 있게 만듦.

전:자 에너지 준:위【電子—準位】[명]〔electron energy level〕〖물〗핵(核) 주위에 있는 전자의 에너지 준위에 대한 양자 역학적(量子力學的) 개념. 전자 에너지는 특정 종류의 원자의 함수임.

전:자 오락【電子娛樂】[명] 비디오 게임. ¶∼실(室).

전:자 오:락실【電子娛樂室】[명] 소형 컴퓨터를 가정용 텔레비전에 세트한 전자식 오락기(娛樂機)를 여러 대 갖춰 놓은 유희장(場). 게임에는, 탁구 경기·축구 경기·우주전(宇宙戰) 게임 등 종류가 많음.

전:자 오르간【電子—】〔organ〕[명]〖악〗전기를 이용하여 여러 가지 악기의 소리를 합성(合成)하는 오르간과 비슷한 악기.

전:자 오실로그래프【電磁—】〔oscillograph〕[명]〖물〗전자기(電磁氣) 오실로그래프.

전:자 온도【電子溫度】[명]〔electron temperature〕〖물〗자유 전자를 가지는 계(系)에서, 자유 전자의 에너지 분포에 대응하는 온도.

전:자 우편【電子郵便】[명]〔electronic mail〕①발신인(發信人)에게서 접수한 통신문(通信文)을 고속 팩시밀리를 이용하여 수신인(受信人)이 사는 상대 우체국에 송신(送信)하여, 이것을 봉투에 넣어 속달(速達)로 배달하는 방식. ②컴퓨터 이용자끼리 네트워크를 통해서 문서(文書)·화상(畫像) 등의 정보를 전달·축적하기 위한 통신 시스템. 개인용 컴퓨터 통신의 이용 형태의 하나임. 전자 메일(mail).

전:자-운【電子雲】[명]〖물〗전자 구름.

전:자 유도【電磁誘導】[명]〖물〗전자기(電磁氣) 유도.

전:자 유량계【電磁流量系】[명]〔electromagnetic flowmeter〕〖물〗전기 전도성(電氣傳導性) 유체가 흐르는 관로(管路)에 수직인 자기장(磁氣場)을 작용시키고, 자기장의 방향과 유체가 흐르는 방향에 수직인 관벽(管壁)에 마주 대하는 전극(電極)을 설치하여 전자기 유도(電磁氣誘導)로 전극 간에 생기는 전압(電壓)을 측정하여 유량을 구하는 유량계. 물·혈액·용융(鎔融) 금속의 유량 측정 등에 쓰이며, 표층 해류(表層海流)의 유속(流速)을 측정하는 해양 측기(海洋測器) 지 이 케이(GEK)는 이 원리를 이용한 것임.

전:자 유체 역학【電磁流體力學】[명] 전자기(電磁氣) 유체 역학.

전:자 유체파【電磁流體波】[명]〖물〗전자기(電磁氣) 유체파.

전:자 음악【電子音樂】[명]〔electronic music〕〖악〗전자적 발진음(發振音)을 테이프에 녹음하여 그것을 합성하여 만든 음악. 전기 악기(電氣樂器)에 의해서 생산된 원료적 음향(音響)을 음향 여과 장치(音響濾過裝置)에 의해 음색(音色)을 자유 자재로 변경시키고 변조기(變調器)를 사용하여 배율적(倍率的)으로 혼합(混合)시켜 지상(地上)에 존재하는 여러 가지 종류의 음(音)을 합성(合成)함으로써 구성됨. 1953년에 독일의 쾰른(Köln)에서 열린 현대 음악제(現代音樂祭)에서 최초로 공개(公開)되었음.

전:자 음차【電磁音叉】[명]〖물〗전자기(電磁氣) 소리굽쇠.

전:자 의:수【電子義手】[명]마이크로 컴퓨터를 장치한 전동(電動)의수.

전:자 이동【電子移動】[명]〔electron transfer〕①〖물〗계(系)의 어떤 부분에서 다른 부분으로의 전자의 이동. ②〖화〗전자의 이동으로 행해지는 생체(生體)의 산화 환원 반응(酸化還元反應). 호흡계(呼吸系)에서 전자 또는 수소(水素)의 수수(授受)가 이루어져 결국 기질(基質)에서 빼앗긴 전자 및 수소 이온이 산소와 결합하여 물이 되는 일 따위.

전:자 이동도【電子移動度】[명]〔electron mobility〕〖물〗반도체(半導體) 속의 전자의 이동도. 전자 속도를 외부 전기장(電氣場)으로 나눈 것.

전:자 이동 반:응【電子移動反應】[명]〖화〗반응 물질 사이에서 전자(電子)가 주고 받아진다는 뜻으로 화학 반응(化學反應)을 일컫는 딴이름. ＊산화 환원 반응.

전:자 이:론【電磁理論】[명]〖물〗맥스웰 전자기설(Maxwell電磁氣說).

전:자 인쇄【電子印刷】[명]〔electronic printing〕대전(帶電)한 가루 잉크와 판(版)을 사용하여, 정전기력(靜電氣力)으로 종이 또는 다른 피(被)인쇄물 위에 화상(畫像)을 만드는 무압(無壓) 인쇄 방식. 정전(靜電) 스크린 인쇄·정전 평판(平版) 인쇄·정전 그라비어 인쇄 등이 있음.

전자-자:【電子—】〔jar〕[명] 전열(電熱)로 70°C 전후로 보온(保溫)하는 밥통.

전:자 자기 복사【電子磁氣輻射】[명]〖전〗전파를 발사하는 전기 및 자기장(磁氣場)으로 된 복사. 광속(光速)으로 전파됨.

전:자-장【電磁場】[명]〖물〗전자기장(電磁氣場).

전:자장의 강도【電磁場—強度】[—/—에—] [명]〖물〗전자기장(電磁氣場)의 강도.

전:자 장치【電子裝置】[명]〖전〗전자관(電子管)·트랜지스터·반도체(半導體)를 응용한 전기 기기(機器). 전류계(電流計)·컴퓨터·전자 현미경 따위.

전:자 저울【電子—】[명]전자식 장치의 저울. 전자식 탁상 계산기와 자동 칭량기(自動秤量器)를 짜맞춘 것 같은 것으로, 스위치를 넣으면 저울판 위에 올려 놓은 상품의 무게와 값이 숫자로 표시됨. 식품 가게에서 흔히 이용됨.

전:자적 기록의 상업 장부화【電磁的記錄—商業帳簿化】[—/—에—]

명 전자기적(電磁氣的) 기록의 상업 장부화.

전:자적 세:계관【電磁的世界觀】 명 전자기적(電磁氣的) 세계관.

전:자적 우:주관【電磁的宇宙觀】 명 전자기적(電磁氣的) 우주관.

전:자적 충격파【電磁的衝擊波】 명 〖물〗 전자기적(電磁氣的) 충격파.

전:자-전【電子戰】 명 〔electronic warfare〕〖군〗 적의 전자 자기(磁氣) 스펙트럼의 사용을 감소시키거나 방해하는 한편 우군(友軍)의 효과적인 사용을 보장하기 위한 전자 자기력(磁氣力)의 군사적 사용 분야.

전:자 전달계【電子傳達系】 명 〖생〗 생체(生體) 내에서 여러 가지 탈수소(脫水素) 반응에 의해 생기는 전자 또는 수소가 일련(一聯)의 산화 환원 효소(酸化還元酵素)에 의해 연쇄적으로 주고받아지는 계(系). 이 과정에서 산화적(酸化的) 인산화(燐酸化)가 진행되어, 에이 티 피(ATP)가 됨. 호흡 연쇄(呼吸連鎖)·광합성(光合成)의 반응에서 볼 수 있음.

전:자 전도【電子傳導】 명 〔electronic conduction〕〖물〗 물체 가운데에서 작용하고 있는 전자(電子)의 운동으로 인한 전기 전도(電氣傳導).

전:자 전:류【電子電流】 〔—절—〕 명 〔electron current〕〖물〗 다수의 전자의 운동에 의해 생기는 전류. 보통 볼 수 있는 대부분의 전류는 전자 전류이며, 비교적 이동하기 쉬운 자유 전자에 의해 전하(電荷)가 운반되어 이루어짐.

전:자 전:하【電子電荷】 명 〔electron charge〕〖물〗 전자에 의해 운반되는 전하. -1.602×10^{-19} 쿨롱(coulomb), -4.803×10^{-10} 정전 단위(靜電單位; esu)임.

전:자 정:류자【電子整流子】 〔—뉴—〕 명 〔electronic commutator〕〖물〗 어떤 회로 접속(接續)을 빨리 또한 연속적으로 바꾸는 전자관(管) 또는 트랜지스터 회로. 기계적 스위치와 같은 마멸이나 소리가 없음.

전:자 정보 위성【電子情報衛星】 명 통신 방수(傍受)를 목적으로 하는 군사 위성.

전:자 정찰【電子偵察】 명 〔electronic intelligence〕〖군〗 전파의 강약·방향·파장(波長) 등을 조사하여 경계 레이더의 전파인가, 미사일에 직결한 전파인가 등을 판독(判讀)하는 일. 또, 통신 정보라고 불리는 통신 내용을 포착하기도 함. *전자 정보.

전:자 제:어【電子制御】 명 〔electronic control〕〖전〗 전자관(電子管)이나 트랜지스터·자기 증폭기(磁氣增幅器) 또는 그것에 상당하는 기능을 가진 장치를 사용한 회로(回路)에 의해 행하여지는 기계 등의 제어. ↔전기(電氣) 제어.

전:자 제트 추진【電磁—推進】 명 전자기(電磁氣) 제트 추진.

전:자 제판【電子製版】 명 〖인쇄〗 광전관(光電管)·진공관(眞空管) 등과 기계적인 조각(彫刻) 장치를 이용하여 인쇄판(印刷版)을 조각하는 제판(製版).

전:자 주사【電子主事】 명 공업직(工業職) 국가 공무원의 직급 명칭의 하나. 전자 직렬(職列)에 속하며, 전자 사무관의 아래, 전자 주사보의 위로 6급 공무원임.

전:자 주사보【電子主事補】 명 공업직(工業職) 국가 공무원의 직급 명칭의 하나. 전자 직렬(職列)에 속하며, 전자 주사의 아래, 전자 서기의 위로 7급 공무원임.

전:자 주:행 시간【電子走行時間】 명 〔electron transit time〕〖물〗 자유 전자 또는 도전(導電) 전자가 일정한 거리를 주행하는 데 소요되는 시간. 보통 전자관(管)의 전극간(電極間)의 주행 시간을 말함.

전:자 질량[1]【電子質量】 명 〔electron mass〕〖물〗 전자의 질량. 9.11×10^{-28}g 또는 0.511 MeV에 상당함.

전:자 질량[2]【電磁質量】 명 〖물〗 전자기(電磁氣) 질량.

전자-집【田字—】 〔—짜—〕 명 평면의 칸살이 '田'자 모양을 이루는 집. 구조는 겹집과 비슷함. 남부 해안 지방에서 볼 수 있음.

전:자 집속【電子集束】 명 〔electromagnetic focusing〕〖전〗 텔레비전 수상관(受像管) 안에서 전자빔(電子 beam)에 평행한 자기장(磁氣場)에 의하여 빔을 집속하는 일. 자기장은 관의 목 부분의 외부에 장치한 집속 코일에 조정이 가능한 직류 전류를 보냄으로써 이루어짐.

전:자 차:단【電磁遮斷】 명 〖물〗 전자기(電磁氣) 차폐(遮蔽).

전자-창【田字窓】 〔—짜—〕 명 〖건〗 창살을 '十'의 형상으로 끼워 '田'자 모양으로 된 창.

전:자 채널식 텔레비전【電子—式—】 명 〔electronic sensor television〕 하나뿐인 코일에 가변 용량(可變容量) 다이오드를 써서 콘덴서의 용량을 변경시킴으로써 전파(電波)를 선택하도록 된 채널 방식의 텔레비전. 로터리 스위치식을 전자식으로 개량한 것임.

전:자 철판【電磁鐵板】 명 〖전〗 전자기(電磁氣) 철판.

전:자-체【篆字體】 명 전자(篆字) 모양으로 쓰는 글씨체.

전:자-총【電子銃】 명 〔electron gun〕〖물〗 전자관(電子管) 안에서 전자빔(beam)을 발생시키는 기구(機構). 음극(陰極)·제어 전극(制御電極)·가속(加速) 전극 등으로 구성됨. X선관·텔레비전 송수상관(送受像管)의 주사용(走査用)·의료용 등에 씀.

전:자 출판【電子出版】 명 서적의 편집·인쇄 과정을 컴퓨터로 관리하는 출판 방식. 전자 기호화된 판(版)을 사용하여 레이저빔 프린터나 액정(液晶) 프린터 등으로 인쇄함으로써, 적은 부수도 낮은 원가로 인쇄할 수 있음.

전:자 치료【電子治療】 명 〖의〗 전기(電氣) 치료.

전:자 친화력【電子親和力】 명 〔electron affinity〕〖화〗 할로겐족(Halogen族)과 같은 전형적(典型的)인 비금속 원자(原子)가 전자(電子)와 결합하여 음이온(陰ion)이 될 때 방출하는 에너지.

전:자 카리용【電子—】 〔프 carillon〕 명 〖악〗 방울 소리와 닮은 악음(樂音)을 내며, 증폭(增幅)·재생(再生)을 하기 위해 전기 또는 전자 회로를 쓰는 카리용.

전:자 카메라【電子—】 〔camera〕 명 자동 노출 카메라. 셔터 속도나 조리개를 결정하기 위하여 트랜지스터·IC 등의 전자 부품을 씀.

전:자 통신 사:무관【電子通信事務官】 명 통신직(通信職) 국가 공무원의 직급 명칭의 하나. 전자 통신 기술 직렬(職列)에 속하며, 전자 통신 주사(主事)의 위, 전자 통신 서기관(書記官)의 아래로 5급 공무원임.

전:자 통신 서기【電子通信書記】 명 통신직(通信職) 국가 공무원의 직급 명칭의 하나. 전자 통신 기술 직렬(職列)에 속하며, 전자 통신 서기보의 위, 전자 통신 주사보(主事補)의 아래로 8급 공무원임.

전:자 통신 서기보【電子通信書記補】 명 통신직(通信職) 국가 공무원의 직급 명칭의 하나. 전자 통신 기술 직렬(職列)에 속하며, 전자 통신 서기의 아래로 9급 공무원임.

전:자 통신 주사【電子通信主事】 명 통신직(通信職) 국가 공무원의 직급 명칭의 하나. 전자 통신 기술 직렬(職列)에 속하며, 전자 통신 주사보의 위, 전자 통신 사무관(事務官)의 아래로 6급 공무원임.

전:자 통신 주사보【電子通信主事補】 명 통신직(通信職) 국가 공무원의 직급 명칭의 하나. 전자 통신 기술 직렬(職列)에 속하며, 전자 통신 서기(書記)의 위, 전기 통신 주사의 아래로 7급 공무원임.

전:자-파[1]【電子波】 명 〔electron wave〕〖물〗 전자(電子)를 입자(粒子)로서가 아니라 물질파(物質波)로서 생각할 때의 일컬음.

전:자-파[2]【電磁波】 명 〖물〗 전자기파(電磁氣波).

전:자파-관【電子波管】 명 〖전〗 전자 흐름 속에 생기는 공간 전하파(空間電荷波)의 상호 작용을 이용하여 전자파의 증폭(增幅)을 하는 마이크로파(波) 전자관.

전:자파 파:쇄법【電磁波破碎法】 〔—뻡〕 명 전자기파 파쇄법.

전:자파-포【電磁波砲】 명 〖군〗 전자기파포(電磁氣波砲).

전:자 펌프【電磁—】 〔pump〕 명 〖물〗 전자기(電磁氣) 펌프.

전:자 평형【電子平衡】 명 〔electronic equilibrium〕〖물〗 엑스선(X線)·γ선의 조사(照射)에 의하여 물질 속에 입사(入射) 방향으로 2차 전자가 생성하는 경우, 물질 속의 어떤 부분에서 그 2차 전자의 출입이 거의 같아지는 현상.

전:자 포:착【電子捕捉】 명 〔electron capture〕〖물〗 ①원자 또는 이온이 물질 매체 속을 통과하면서 궤도 전자(軌道電子)를 잃었다가 획득했다가 하는 과정. ②궤도 전자의 하나가 핵(核)에 흡수되는, 핵종(核種)의 방사성 변환(放射性變換).

전:자 필름【電子—】 〔film〕 명 〔electronic image memory device〕 컬러 텔레비전 화상(畫像)이나 컬러 사진을 전기적(電氣的)으로 기록하는 정지 화상 기억 소자(靜止畫像記憶素子)의 속칭. 가로 세로 약 1 cm의 소자(素子)로, 영상(映像)을 가로 554개, 세로 245개의 점(點)으로 나누고, 각 점을 254단계의 명암(明暗)과 색신호(色信號)로 기억시켜 두고, 보조 회로(補助回路)와 함께 텔레비전 기체(機體)에 꽂아 놓으면 카세트 방식으로 기록·재생이 가능함.

전:자-학[1]【電子學】 명 〖물〗 전자 공학(電子工學).

전:자-학[2]【電磁學】 명 〖물〗 전자기학(電磁氣學).

전:자 해:류계【電磁海流計】 명 〖해〗 〔geomagnetic electrokinetograph; GEK〕 전자 유량계(電磁流量計)의 원리를 이용하여 해류(海流)의 표면 유속을 측정하는 장치. 길이의 차가 일정한 두 줄의 케이블 말단에 전극(電極)을 달고, 배 위에서 전위차계(電位差計)로 전극 간의 전위차를 잼. 지 이 케이(GEK).

전:자 현:미경【電子顯微鏡】 명 〔electron microscope〕〖물〗 광선 대신에 전자선을 쓰는 현미경. 전자(電子)빔을 전기적(電氣的) 또는 자기적(磁氣的)으로 그 방향을 집중(集中) 또는 발산(發散)시켜, 광선의 역할을 하게 함으로써 물질의 미소 구조(微小構造)를 봄. 전자선을 굴절시키는 데는 전자 렌즈(電子 lens)라는 전기장(電氣場) 또는 자기장(磁氣場)을 이용함. 10만 배의 배율(倍率)을 가지고 있음.

전:자-혼:【電磁—】 〔horn〕 명 〖전〗 전자기혼(電磁氣horn).

전:자화 주택【電子化住宅】 명 〔electronic cottage; 미국의 저널리스트 토플러의 조어(造語)〕 자가 근무(自家勤務)·자가 학습(自家學習)을 가능하게 하는 전자 기기를 완비한 미래의 개인 주택.

전:자 화:폐【電子貨幣】 명 〖컴퓨터〗 마이크로칩이 내장되어 화폐 기능을 하는 플라스틱 카드. 개인용 컴퓨터 등에 연결하여 국제적으로도 사용할 수 있음.

전:자 화합물【電子化合物】 명 〔electron compound〕〖화〗 조성(造成)이 변화하면 이에 따라 결정 구조(結晶構造)의 차이로 인한 상전이(相轉移)가 일어나는 두 금속의 합금.

전:자 회절【電子回折】 명 전자선 회절.

전:자 회절 장치【電子回折裝置】 명 〖물〗 전자선 회절 장치.

전:자 회절 카메라【電子回折—】 〔camera〕 명 〖물〗 전자선 회절 카메라.

전:자 효:율【電子效率】 명 〔electron efficiency〕〖전〗 어떤 주파수(周波數)에서 전자류(電子流)가 발진기 또는 증폭기(增幅器) 회로에 주는 전력을, 그 전자류에 직접 공급된 전력으로 나눈 값.

전:자 흡인기【電子吸引基】 명 〔electron withdrawing group〕〖물〗 전자설(電子說)에서, 공명(共鳴) 효과나 유기(誘起) 효과에 의하여 상대편으로부터 전자를 끌어들이는 원자단(原子團)을 말함. 니트로벤젠의 니트로기(nitro基)가 대표적이며, 니트로소기(nitroso基)·카르보닐기(carbonyl基)·카르복실기(carboxyl基) 등이 있음. ↔전자 공여기.

전작[1]【田作】 명 〖농〗 ①밭농사. 밭에서 나는 곡식. ②밭을 경작함. ——하다 타여불

전작[2]【全作】 명 모든 작품.

전작[3]【佃作】 명 농업에 종사함. ——-하다 타여불

전작[4]【前作】 명 ①전의 작품. ②이전 사람의 저작·제작. ③〖농〗 앞그루. 1)·2): ↔후작(後作).

전작[5]【前酌】 명 그 술자리에 참여하기 전에 이미 마신 술. 전배(前杯). ¶ ~이 있어 더 못 마시겠다.

전:작[6]【轉作】명 하나의 작품을 번안(飜案)하여 다른 작품으로 새로 개작(改作)함. ——-하다 타여불

전:작-례【奠酌禮】[—녜] 명〖역〗왕(王)이나 왕비(王妃)가 되지 못하고 돌아간 조상(祖上)이나, 또는 왕자(王子)·왕녀(王女)를 임금이 몸소 제사하던 예(禮).

전작 장편 소:설【全作長篇小說】명〖문〗여러 횟수로 나누지 아니하고 한꺼번에 계속하여 길게 써내는 장편 소설.

전작-지【田作地】명〖농〗밭농사를 짓는 땅.

전잠【田蠶】명 밭농사와 누에치기.

전장[1]【田庄·田莊】명 소유하는 논밭. 장토(庄土).

전장[2]【全長】명 ①전체(全體)의 길이. ¶~ 1,200m에 달하는 다리. ②〖어〗물고기의 주둥이 끝에서 꼬리지느러미 끝까지의 길이. 온장. *체장(體長).

전장[3]【全張】명 종이 따위의 온 장.

전:장[4]【典章】명 ①제도(制度)와 문물(文物). 전문(典文). ②법칙. 규칙. 장전(章典).

전:장[5]【典掌】명 일을 맡아서 주장(主掌)함. ——-하다 타여불

전장[6]【前章】명 앞의 장(章). 앞의 개조(箇條). ¶~에서 논술(論述)한 바와 같이. ↔후장(後章).

전장[7]【前場】명〖경〗거래소에서, 오전에 행하는 입회(立會). ¶~보다 시세가 폭등하다. ↔후장(後場).

전장[8]【前腸】명 [foregut] ①〖생〗척추 동물배(脊椎動物胚)의 소화관의 전방 부역(部域). 이 곳에 구강(口腔)·인두(咽頭)·식도(食道)·위(胃) 및 작은창자 전부(前部)가 형성됨. ②〖동〗무척추 동물(無脊椎動物), 특히 절지 동물(節肢動物)의 세 창자 중 앞의 창자. 앞창자. *중장(中腸)·후장(後腸).

전장[9]【前裝】명 앞쪽 총구(銃口)로 탄약을 장전(裝塡)함. ↔후장(後裝). ——-하다 타여불

전장[10]【前檣】명 뱃머리 쪽에 있는 돛대.

전장[11]【傳掌】명 전임자가 후임자에게, 맡아 보던 사물을 전하여 맡김. 사무 인계. ——-하다 타여불

전:장[12]【電場】명〖물〗전기장(電氣場).

전:장[13]【戰場】명 전쟁이 행하여지는 장소. 싸움터. 전야(戰野). 전지(戰地). 교전 구역(交戰區域).

전:장[14]【錢莊】명 옛날 중국에서 환전을 업으로 하던 집. 전포(錢鋪). 전국(錢局).

전장[15]【甎匠】명〖역〗벽돌을 만드는 장인(匠人). 선공감(繕工監)에 딸림.

전:장[16]【氈匠】명〖역〗모전(毛氈)을 만드는 장인(匠人).

전:장[17]【氈帳】명 모전(毛氈)으로 만든 장막(帳幕). 또, 이것을 쓰는 이적(夷狄)의 옥사(屋舍).

전:장[18]【轉藏】명〖불교〗대장경(大藏經)의 권(卷)마다 초·중·후(初中後)의 수행(數行)만을 가려 읽고 다른 책장은 그냥 넘기는 일. *전경(轉經). ——-하다 타여불

전장[19] 〔鎭江〕명〖지〗중국 장쑤 성(江蘇省) 남부의 도시. 양쯔 강(揚子江)과 대운하(大運河)의 교점(交點)에 위치함. 원래 남북 왕래의 요지였음. 강북(江北)의 밀·콩기름과 강남(江南)의 공업 제품의 교류지임. 1929년에 영국의 조계(租界)를 회수했음. 부근에 금산사(金山寺)·감로사(甘露寺) 등의 고적이 있음. 진강. [350,000명(1982)]

전장 궤:차【全裝軌車】명 완전 무한 궤도 차량.

전:장 렌즈【電場—】[lens] 명 정전(靜電) 렌즈. ↔자기(磁氣) 렌즈.

전-장운【全長雲】명〖사람〗조선 시대 말의 천주교인. 교명은 마테오. 서울 출신. 조선 교구장(敎區長) 베르뇌(Berneux)의 서사(書士)로, 교인 최형(崔炯)과 ≪성교 일정(聖敎日程)≫·≪성찰 기략(省察紀略)≫ 등의 교리 서적을 목판(木板)으로 간행, 천주교 서적 보급에 힘씀. 고종(高宗) 3년(1866) 병인 박해(丙寅迫害) 때 참수(斬首)됨. [?-1866]

전:장-창【纏腸瘡】명〖한의〗장옹(腸癰).

전장-총【前裝銃】명 탄약을 총구(銃口)로 장전(裝塡)하는 구식 소총.

전장-포【前裝砲】명 탄약을 포구(砲口)로 장전하는 화포. 구장포(口裝砲).

전:장 핵무기【戰場核武器】명〖군〗전술(戰術) 핵무기 가운데 특히 소형(小型)의 핵무기.

전:장-화【戰場化】명 싸움터로 됨. 또, 그렇게 되게 함. ——-하다 자타여불

전재[1]【全才】명 자기가 가진 전재능(全才能). 또, 만능(萬能)의 재능.

전재[2]【全載】명 소설·논문 등을 한꺼번에 모두 실음. ¶일면에 ~하다. ——-하다 타여불

전재[3]【前載】명 ①앞에 게재함. 전게(前揭). ②전년(前年). ——-하다 타여불

전:재[4]【剪裁·翦裁】명 옷감을 베어서 마름질함. ——-하다 타여불

전재[5]【輇才】명 작은 재주. 소재(小才).

전:재[6]【戰災】명 전쟁(戰爭)으로 말미암아 입은 재해(災害). 병난(兵難). ¶~ 복구.

전:재[7]【錢財】명 돈.

전:재[8]【轉載】명 어떤 곳에 이미 발표한 글을 다른 곳에 옮겨서 실음. ¶무단 ~를 금함. ——-하다 타여불

전:재 고아【戰災孤兒】명 전재로 말미암아 부모를 잃은 아이.

전:재 구역【轉載區域】명 [transfer area]〖군〗상륙 작전에 있어서, 상륙 함정으로부터 수륙 양용(水陸兩用) 차량에 보급물이나 부대를 전재(轉載)하는 해역(海域).

전:재-민【戰災民】명 전재를 입은 국민. 전재자(戰災者).

전:재-자【戰災者】명 전재민.

전:쟁【戰爭】명 ①싸움. 간과(干戈). 병과(兵戈). ②〖군〗병력(兵力)에 의한 국가 상호간 또는 국가와 교전 단체간의 투쟁 행위(鬪爭行爲). 전화(戰火). 군려(軍旅). ——-하다 타여불

전:쟁 가스【戰爭—】명 [war gas]〖군〗독성(毒性) 또는 자극성을 띤 가스를 발생시켜 인체에 해독을 미치는, 전쟁시에 사용되는 화력 작용제(作用劑). 고체·액체 및 기체로 된 것이 있음.

전:쟁 고아【戰爭孤兒】명 전쟁으로 인하여 어버이를 잃은 아이.

전:쟁 공채【戰爭公債】명〖경〗전쟁의 수행에 필요한 자금을 조달하기 위한 공채.

전:쟁과 평화【戰爭—平和】명 [러 Voina i Mir]〖책〗톨스토이의 장편 소설. 나폴레옹의 러시아 침공을 중심으로 하여 19세기 초기의 러시아 상류 사회의 전제화(專制化)와 그에 저항하는 청년 귀족의 번민 및 각성을 테마로 하였음. 1869년 간행.

전:쟁 권한법【戰爭權限法】[—뻡] 명 [War Powers Resolution] 미국에서, 대통령의 전쟁 권한에 제약을 가하기 위하여 제정된 법. 1973년 11월 7일에 성립한 이 법은 대통령이 의회의 승인 없이 60일 이상 미군(美軍)을 투입하는 것을 금하고, 이것도 국가의 긴급 사태가 발생한 때로 한(限)한다고 못박고 있음.

전:쟁 놀음【戰爭—】명 ☞전쟁 놀이.

전:쟁 놀이【戰爭—】명 아이들이 전쟁 흉내를 내며 노는 일. ——-하다 자여불

전:쟁-론【戰爭論】[—논] 명 [도 Vom Kriege]〖책〗프로이센의 장군 클라우제비츠(Clausewitz K.)가 육군 대학 교장 시절(1818-30)에 나폴레옹 1세의 여러 전쟁을 분석하여 저술한 군사 과학의 고전. 사후(死後) 1832년에 간행됨. 전쟁의 본질을 다른 수단으로서의 정책의 연장으로 보고, 전쟁의 이론·전략론(戰略論)·전투·전투력·방어·공격 및 작전 계획 등을 논술(論述)했음. 모두 8권.

전:쟁 문학【戰爭文學】명〖문〗전쟁을 그 제재(題材)로 한 문학. 보통 제1차 세계 대전 이후의 것을 말하며, 객관적·기록적(記錄的)·비판적·호전적(好戰的) 또는 반전적(反戰的)인 성격을 나타냄. ≪서부 전선(西部戰線) 이상 없다≫·≪누구를 위하여 종은 울리나≫·≪나자(裸者)와 사자(死者)≫ 등이 대표적임.

전:쟁-물【戰爭物】명 전쟁을 소재(素材)로 한 작품. ¶~ 영화.

전:쟁 미:망인【戰爭未亡人】명 전쟁으로 남편을 잃은 부인.

전:쟁 범:죄【戰爭犯罪】명〖법〗①국제 조약에 규정된 전투 법규를 범한 행위. 항복자의 살상, 무방비 도시의 공격, 금지 병기의 사용 등. 교전국은 행위자를 체포하여 처벌할 수 있음. 전시 범죄(戰時犯罪). 전시 중죄(戰時重罪). ②침략 전쟁이나 국제법에 위반되는 전쟁을 준비·개시·실행하거나 또는 그것을 위한 공동 모의나 계획에 참가하는 죄. 곧, 평화에 대한 죄와 전쟁 전(前) 또는 전쟁 중에 일반 국민에 대하여 행해지는 살해·대량 학살·노예화 등 비인도적 행위 및 정치상·종교상·인종상의 박해 등의 행위는 제2차 세계 대전 이후 새로이 전쟁 범죄가 되었음. ㊤전범. *국제 군사 재판.

전:쟁 범:죄인【戰爭犯罪人】명〖법〗전쟁 범죄를 범한 사람. 전쟁 범죄자. ㊤전범(戰犯).

전:쟁 범:죄자【戰爭犯罪者】명 전쟁 범죄인.

전:쟁-법【戰爭法】[—뻡] 명〖법〗전쟁에 관한 법규 및 관례(慣例). 1856년의 파리 선언(宣言), 1907년의 제2회 헤이그(Hague) 평화 회의 등 조약에 있어서의 개전(開戰)에 관한 조약 및 1928년의 부전 조약(不戰條約) 따위.

전:쟁 법규【戰爭法規】명 전쟁을 함에 있어서, 교전(交戰) 당사자가 지켜야 할 법규. 전시에 있어서의 해적(害敵) 행위의 제한, 비(非)전투원의 보호를 주요 내용으로 하고, 또 중립국의 권리·의무 규정을 포함, 전시(戰時) 국제법과 같은 뜻으로 쓰이는 일도 있음. 전시 법규. *교전 법규.

전:쟁 보:험【戰爭保險】명 전쟁에 의한 인적 및 물적 손해를 전보(塡補)하는 보험. 전쟁 사망 상해(傷害) 보험, 육상(陸上) 또는 해상(海上) 전쟁 보험 등이 있음. 전시 보험.

전:쟁 사회학【戰爭社會學】명 전쟁의 현실을 종합적으로 파악하고 전쟁의 수단·방법을 과학적으로 연구·규명하는 사회 과학.

전:쟁 상인【戰爭商人】명 전쟁을 이윤 획득의 수단으로서 병기 등의 군수품을 생산·판매하는 자본가나 기업. 흔히 전쟁 도발의 일익을 담당함. 죽음의 상인.

전:쟁 상태【戰爭狀態】명 국제법상 두 나라 또는 그 이상의 나라가 그 평시 상태를 중지하고 서로 병력에 의하여 적대 행위(敵對行爲)나 그 밖의 대적 조치를 취할 수 있는 상태.

전:쟁 상태 종결 선언【戰爭狀態終結宣言】명 [declaration on the termination of a state of war]〖법〗전쟁 당사자간에 휴전이 성립되어 사실상의 휴전'이 되어 있어도 '법률상의 평화'를 위하여 행해지는 선언. 전승국의 패전국에 대한 일방적인 의사 표시가 일반적임.

전:쟁 선전 금:지 선언【戰爭宣傳禁止宣言】명 [Declaration Against War Propaganda] 1947년 UN에서 채택된, 호전적(好戰的) 선전을 비난한 결의. 1950년 11월 반(反)평화적 선전을 비난하는 결의가 채택됨. 다시 1962년 5월 25일 제네바 군축(軍縮) 회의에서 미·소 공동으로 구체적 선언이 제안되었으나, 5월 29일 소련의 돌연한 추가 수정 요구로 유산(流産)됨.

전:쟁 소:설【戰爭小說】명〖문〗전쟁을 소재로 한 소설. *전쟁 문학.

전:쟁-시【戰爭詩】명〖문〗전쟁을 주제로 한 시. *전쟁 문학.

전:쟁 시대【戰爭時代】명 전쟁이 행하여지고 있는 시대. 전쟁중의 시대. ↔평화 시대.

전:쟁 신경증【戰爭神經症】[—쯩] 명〖의〗전쟁으로 인하여 일어나는 정신적인 증상을 통틀어 이름. 실제 전투 행위에 참가하기 전이나, 부상으로 후방으로 후송(後送)되었을 때에 특히 발병이 많음. 마비(痲痺)·경련(痙攣)·감각 이상(感覺異常)·의식 장애(意識障礙)·흥분(興奮)·혼미(昏迷) 등의 증상을 나타냄.

전:쟁-열【戰爭熱】[—녈] 명 전쟁을 하려고 하는 열.
전:쟁 예:비 물자【戰爭豫備物資】[—네—짜] 명 〖군〗 전쟁 예비품.
전:쟁 예:비품【戰爭豫備品】[—네—] 명 〔war reserves〕〖군〗 전쟁 발발시에, 증가되는 군소요(軍所要)에 충당하기 위해 평화시에 쌓아 놓은 물자의 저장. 재보급(再補給)이 가능할 때까지의 중간 보급을 위한 것. 전쟁 예비 물자.
전:쟁의 개시에 관한 조약【戰爭—開始—關—條約】[—/—에—] 명 개전(開戰)에 관한 조약.
전:쟁 인플레이션【戰爭—】〔inflation〕 명 〖경〗 전쟁 수행(遂行)을 위한 거액의 군사비(軍事費) 지출의 증대가 원인이 되어 발생하는 인플레이션.
전:쟁 저:항자 인터내셔널【戰爭抵抗者—】〔International〕 명 제1차 대전 후에 나타난 평화 운동의 하나. 지식층을 중핵(中核)으로 한 28개국 43개 단체의 참가로 결성, 전쟁 불복종 운동을 전개함.
전:쟁 정신병【戰爭精神病】[—뼝] 명 〖의〗 전쟁 중의 공포에 찬 경험이 원인이 되어 일어나는 정신병.
전:쟁 책임【戰爭責任】 명 전쟁의 계획·수행에 대한 책임. 제2차 대전 후, 연합국은 독일과 일본의 전쟁 지도자의 책임을 국제 군사 법정에서 추궁하였음.
전:쟁-터【戰爭—】 명 싸움을 치르는 장소. 전장(戰場).
전:쟁-판【戰爭—】 명 ①전쟁터. ②싸움판. ¶남의 나라의 ~에 끼어들었다.
전:쟁 포:기【戰爭抛棄】 명 국가간의 분쟁 해결에 무기를 사용하지 않는 일. 1928년의 '전쟁 포기에 관한 조약'·'UN 헌장'·'이탈리아 협정'에 이것을 명시했으나 자위전(自衛戰)은 포함되지 않음.
전:쟁 포:기에 관한 조약【戰爭抛棄—關—條約】 명 〖역〗 1928년 파리에서 조인된 조약. 프랑스 외상(外相) 브리앙이 제창한 '미국·프랑스 부전(不戰) 조약안'을 수락한 미국의 켈로그 국무 장관이 이것을 각국에 호소한 것이 계기가 되어 처음엔 15개국이 조약을 체결했는데, 그 후 62개국의 참가를 보게 됨. 그러나 이념적(理念的)·추상적인 것에 불과하여 1930년 이후의 비상 사태에는 대처(對處)할 수 없었음. 켈로그 브리앙 조약(Kellogg-Briand 條約). 부전 조약.
전:쟁-화【戰爭畫】 명 〖미술〗 전쟁을 주제로 하여 그린 그림.
전:-저당 【轉抵當】 명 〖법〗 저당권자(抵當權者)가 그 저당권을 자기의 채무(債務)의 담보(擔保)로 하는 것. 저당권자는 자기의 채권액(債權額)의 범위 안에서 또한 그 저당권의 존속 기간(存續期間)중 저당권을 다른 채권의 담보로 할 수 있음. *전질(轉質).
전적[1]【田積】 명 전지(田地)의 면적.
전적[2]【田籍】 명 〖역〗 양안(量案).
전적[3]【全的】[—쩍] 명관 전체에 걸친 모양. 전부를 통튼 모양. ¶~으로 찬성이다.
전:적[4]【典籍】 명 서적(書籍).
전:적[5]【典籍】 명 〖역〗 조선 시대의 성균관(成均館)의 정육품 벼슬.
전적[6]【前績】 명 그 전에 이루어 놓은 치적(治績). ¶미미한 ~.
전적[7]【傳籍】 명 옛날부터 전해지고 있는 도적(圖籍).
전:적[8]【戰跡】 명 전쟁의 자취. 싸움한 자취.
전:적[9]【戰績】 명 대전(對戰)하여서 얻은 실적(實績). ¶3승 1패의 ~.
전:적[10]【轉籍】 명 호적·학적·병적 등을 다른 곳으로 옮김. ¶서울에서 시골로 ~하다. ——-하다 자여불
전적 생활【全的生活】[—쩍—] 명 〖철〗 정신적·육체적 기타 모든 면에 있어서의 자기의 욕구(慾求)를 모두 충족(充足)시키는 생활.
전:적-자【轉籍者】 명 호적·학적 등을 다른 곳으로 옮긴 사람.
전:적-지[1]【戰跡地】 명 전적이 남아 있는 곳. ¶6·25 전쟁의 ~.
전:적-지[2]【轉籍地】 명 전적하여 새로 적(籍)을 둔 곳.
전전[1]【田田】 명 ①북치는 소리. 또, 가슴을 두드리는 소리. 전(轉)하여, 울음 소리의 형용. ②연잎이 여러 개 물 위에 떠 있는 모양. ③전지(田地)가 죽 연하여 있는 모양. 전(轉)하여, 많은 물건이 줄지어 있는 모양.
전전[2]【前電】 명 전번에 친 전보(電報).
전:전[3]【展轉】 명 전전(輾轉). ——-하다 자타여불
전전[4]【傳傳】 명 끊임없이 전하여짐. ——-하다 타여불
전:전[5]【殿戰】 명 군(軍)의 후미(後尾)에 지켜서서 싸우는 일. ——-하다 자여불
전:전[6]【戰前】 명 전쟁이 시작되기 전. ¶~파(派). ↔전후(戰後).
전전[7]【甎全】 명 와전(瓦全). ——-하다 자여불
전:전[8]【轉傳】 명 여러 다리를 거쳐서 전달함. ——-하다 타여불
전:전[9]【輾轉】 명 ①누워서 이리저리 몸을 뒤척임. 전전 반측(輾轉反側). ②구르거나 뒹굶. 또, 회전함. ③태도를 이랬다 저랬다 함. ④구르듯이 옮겨다님. ——-하다 자타여불
전:전[10]【轉戰】 명 이리저리 자리를 옮기어 가며 싸움. ——-하다 자여불
전:전[11]【轉轉】 명 이리저리 굴러다님. ¶남의 집을 ~하다. ——-하다 자여불
전전[12]【前前】 관 이전의 이전. 전번의 전번. ¶~번.
전:전 걸식【轉轉乞食】[—씩] 명 정처 없이 이리저리 돌아다니면서 빌어먹음. ——-하다 자여불
전:전 긍긍【戰戰兢兢】 명 매우 두려워하여 조심함. ¶전염병 유행으로 ~하다. 준전긍(戰兢)·긍긍(兢兢). ——-하다 자여불
전전-날【前前—】 명 ①앞날의 그 앞날. 이틀 전. ②그저께.
전전-년【前前年】 명 지지난해. 그러께.
전전-달【前前—】[—딸] 명 전(前)달의 전달. 지지난달. 전전월.
전:전 반:측【輾轉反側】 명 전전 불매(輾轉不寐). ——-하다 자여불
전전-번【前前番】[—뻔] 명 지지난번.
전:전 불매【輾轉不寐】 명 누워서 이리저리 뒤척거리며 잠을 못 이룸. 전전 반측. ——-하다 자여불
전:-전세【轉傳貰】 명 〖법〗 전세권(傳貰權) 위에 전세권을 설정하는 일. 곧, 전세낸 것을 다른 사람에게 다시 전세를 놓는 일.
전전-월【前前月】 명 전전달.
전:전 율률【戰戰慄慄】 명 전율(戰慄). ——-하다 자여불
전:전-치【錢田峙】 명 〖지〗 전라 남도 강진군(康津郡)과 영암군(靈巖郡) 사이에 있는 고개. [193 m]
전:전-파【戰前派】 명 아방게르(avant-guerre). ↔전중파(戰中派)·전후파(戰後派).
전절[1]【全節】 명 완전한 절조(節操).
전:절[2]【剪截】 명 가위로 잘라 버림. ——-하다 타여불
전:절[3]【轉折】 명 서법(書法)의 한 가지. 가로 획(畫)에서 세로 획으로 변하거나 세로획에서 붓끝을 위로 채는 등 필봉(筆鋒)이 갑자기 변하는 일. 또, 그 부분. ——-하다 자여불
전절[4]【轉節】 명 〔trochanter〕〖생〗 곤충의 다리의 둘째 마디 중, 체절(體節)의 측판에 부착한 기절(基節)과 퇴절(腿節)사이에 끼어 있는 소형의 지절(肢節).
전점【專占】 명 자기 혼자서 점유함. ——-하다 타여불
전:접【奠接】 명 머물러서 살 만한 곳을 정함. 전거(奠居). ——-하다 자여불
전접-스럽다 형ㅂ불 ☞ 던적스럽다.
전정[1]【田丁】 명 전장(田庄)과 부리는 사람.
전:정[2]【典正】 명 〖역〗 조선 시대의 궁중의 종팔품(從八品) 궁인직(宮人職)의 하나.
전정[3]【前定】 명 전생에 이미 정해진 것.
전정[4]【前庭】 명 ①앞뜰. ②〖생〗 내이(內耳)의 일부로 측두골(側頭骨)의 암양부(岩樣部) 속에 있는 한 강소(腔所). 안으로는 와우각(蝸牛殼)에 통하고, 밖으로는 삼반규관(三半規管)에 통함. 속에 막미로(膜迷路)의 일부인 난형낭(卵形囊)과 구형낭(球形囊)이 있음. ③〖생〗 해부학(解剖學) 등에서, 어느 부위(部位)의 전부(前部)에 있는 평평한 부분.
전정[5]【前情】 명 구정(舊情). ¶~을 못 잊다.
전정[6]【前程】 명 앞길[1]. ¶~ 만리(萬里).
전정이 구만리 같다 구 앞날이 아주 유망하다는 뜻.
전:정[7]【剪定】 명 〖농〗 ① 가지치기. ¶~ 가위. ②적아(摘芽)·적화(摘花)·적엽(摘葉)·전지(剪枝) 등의 총칭. ——-하다 타여불
전정[8]【專政】 명 〖정〗 ↗전제 정치(專制政治).
전:정[9]【奠定】 명 자리를 정함. ——-하다 타여불
전:정[10]【殿庭】 명 궁전의 뜰.
전:정[11]【電霆】 명 번개.
전:정[12]【錢政】 명 돈에 관한 모든 일. 재정(財政).
전:정 가위【剪定—】 명 과수(果樹) 등의 가지를 전정할 때 쓰는 가위. 대상이나 목적에 따라 형태가 조금씩 다름.

〈전정 가위〉

전정-계【前庭階】 명 〖생〗 내이(內耳)의 와우각(蝸牛殼)내에서 달팽이관(管)의 바깥 부분. 안쪽 부분을 고실계(鼓室階)라고 함.
전:정 고취【殿庭鼓吹】 명 〖악〗 조선 시대에 대궐 뜰에서 벌이는 행사 때 연주하던 고취악. 조참(朝參)·문과 전시(文科殿試) 따위의 권정례(權停禮)에 진설(陳設)함. 헌가악(軒架樂)에는 여민락 영(與民樂令)을, 군신배례(群臣拜禮)에는 낙양춘(洛陽春)을 연주함.
전정 기관【前庭器官】 명 〖생〗 평형각(平衡覺)을 맡고 있는 감각 기관. 사람에 있어서는 전정 속에 있는 난형낭(卵形囊)과 구형낭(球形囊) 및 세반고리관으로 이루어짐. 두 낭에 각각 하나씩 있는 평형반(平衡斑)과 세반고리관에 하나씩 있는 팽대부능(膨大部稜)에 감각 상피 세포(感覺上皮細胞)와 전정 신경의 가지가 분포되어 있음.
전정-낭【前庭囊】 명 〖생〗 귀의 전정(前庭) 내부에 있는 막미로(膜迷路)의 일부인 난형낭(卵形囊) 및 구형낭(球形囊)의 총칭. 앞의 것은 전정의 후부(後部)를 차지하고 뒤의 것은 전하방(前下方)에 있어 서로 잇닿아 있으며 연낭관(連囊管)으로 연락되어 있음.
전정색 필름 【全整色—】〔film〕 명 감광유제(感光乳劑)를 특수 물감으로 염색하여 모든 가시 광선에 감광하도록 만든 필름. 팬크로 필름.
전정 신경【前庭神經】 명 〖생〗 제8 뇌신경인 내이(內耳) 신경의 구성 요소의 하나. 내이도(內耳道)의 막바지 부근에서 전정 신경절(節)을 만든 다음 두 가지로 갈라져 전정과 반규관에 각각 분포함. 평형 감각과 머리의 위치(位置) 감각을 맡음.
전:정-악【殿庭樂】 명 〖역〗 조선 초기에 궁중 전정에서 연주되었던 음악. 종묘 제례 의식 때의 헌가악(軒架樂)에 해당됨. ↔전상악(殿上樂).
전정-자【銓錠子】 명 가락[1]❶.
전정-창【前庭窓】 명 〖생〗 중이(中耳)의 고실(鼓室)로부터 내이(內耳)에 통하는 뼈 구멍. 난원형(卵圓形)이므로 난원창(卵圓窓)이라고도 함. 이 구멍에 등골(鐙骨)의 바닥 부분이 꽂혀 있는데, 고막에서 받아들인 소리의 진동이 추골(槌骨)·침골(砧骨)·등골(鐙骨)을 거쳐 전정창으로부터 내이로 전달되는 것임. 난원창(卵圓窓).
전제[1]【田制】 명 논밭에 관한 제도(制度). ¶고려 때의 ~.
전제[2]【田齊】 명 〖역〗 중국 전국 시대(戰國時代)의 나라 이름. 진(陳)의 여공(厲公)의 아들인 진완(陳完)이 내분으로 인하여 제(齊)의 환공(桓公) 밑으로 달아나 전씨(田氏)로 개성(改姓)하였는데, 그 후 그의 자손인 전화(田和)가 기원전 386년 주(周)의 왕명에 의하여, 제후(諸侯)가 되어 제(齊)의 영토 대부분을 차지하고 태공(太公)을 칭하였으므로 이 전화(田和)의 제(齊)를 전제(田齊)라고 함. 기원전 221년 진(秦)나라에 망함. [386-221 B.C.]
전제[3]【全制】 명 완전히 제어(制御)함. ——-하다 타여불
전제[4]【全濟】 명 완전히 구제함. ——-하다 타여불
전:제[5]【典製】 명 〖역〗 조선 시대의 궁중의 종칠품(從七品) 궁인직(宮人職)의 하나.
전제[6]【前帝】 명 앞의 황제. 선황(先皇).
전제[7]【前提】 명 ①어떠한 사물(事物)을 논의할 때 맨 먼저 내세우는, 기

본이 되는 것. ¶결혼을 ～로 한 교제. ②〔premise〕〖논〗추리(推理)를 할 때의 결론(結論)의 기초가 되는 판단(判斷). 삼단 논법(三段論法)의 대소(大小)의 두 전제. ――-하다 타여불

전제[8]【專制】명 ①다른 사람의 의사(意思)를 존중함이 없이 전단(專斷)으로 일을 결정함. ¶～적. ②↗전제 정체. ③↗전제 정치. ↔공화(共和). ――-하다 타여불

전제[9]【專製】명 도맡아서 제조함. 독점적(獨占的)으로 제조함. ――-하다 타여불

전:제[10]【剪除·翦除】명 베어서 없애 버림. ――-하다 타여불

전:제[11]【奠祭】명〖기독교〗모세의 율법에 나오는 제사의 하나.

전제[12]【筌蹄】명 ①고기를 잡는 통발과 토끼를 잡는 올가미란 뜻. 전(轉)하여, 목적을 달성하기 위한 방편. ②사물의 길잡이가 되는 것. ③남조(南朝)의 사대부(士大夫)가 설법(說法)을 할 때 손에 쥐던 불자(拂子) 같은 것.

전:제-관【典製官】명〖역〗대한 제국 때, 규장각(奎章閣)의 칙임(勅任) 또는 주임(奏任) 벼슬.

전제-국【專制國】명〖정〗전제 정체(專制政體)의 국가. ↔공화국.

전제 군주【專制君主】명〖정〗전제 정치를 하는 군주.

전제 군주 정치【專制君主政治】명 군주의 전단(專斷)을 가능하게 하는 군주 정치.

전-제동【全制動】명 스키에서, 정지 또는 감속(減速)하기 위한 방법의 하나. 스키의 선단(先端)을 맞추고 후단을 열어 안쪽의 에지(edge)를 세워서 함.

전제동 회전【全制動回轉】명 스키의 후단 사이를 V자형으로 벌리어 각을 이루게 하여 좌우 교대로 하중(荷重)을 주면서 스피드를 줄여서 회전하는 방법. 플루크보겐(Pflugbogen).

전제 상정소【田制詳定所】명〖역〗조선 세종(世宗) 26년(1444)에 전제(田制)를 고치느라고 임시로 베풀었던 관아.

전제-자【專制者】명 전제 정치를 하는 사람.

전제-적[1]【前提的】명관 어떤 상태나 판단의 전제로 되는 모양.

전제-적[2]【專制的】명관 혼자의 의사(意思)대로 모든 일을 결정하는 모양.

전제 정체【專制政體】명〖정〗군주 등이 전제 정치를 행하는 정치 체제. 준전제(專制). ↔공화 정체(共和政體)·입헌 정체.

전제 정치【專制政治】명〖정〗국민 대중의 의사나 법률상의 제약을 받지 않고 운용(運用)되는 정치. 근세 초두의 군주정(君主政)에 현저함. 준전정(專政)·전제(專制). ↔공화 정치(共和政治)·민주 정치(民主政治)·입헌 정치(立憲政治).

전제 제:도【專制制度】명〖정〗전제 정치의 제도.

전제 조건【前提條件】[―껀] 명 어떠한 일에 전제가 되는 조건. ¶～을 내세우다.

전제-주의【專制主義】[―/―이] 명〔absolutism〕〖정〗국민의 의사를 존중하지 않고, 지배자의 전단(專斷)에 의해 정치를 하는 주의. ↔민주주의·입헌주의.

전-제품【全製品】명 ①모든 제품. ②정제품(精製品).

전조[1]【田租】명 전지(田地)의 조세(租稅). 전세(田稅).

전조[2]【前兆】명 미리 나타나는 조짐. ¶지진의 ～.

전조[3]【前條】명 앞의 조항(條項) 또는 조문(條文).

전조[4]【前朝】명 전대(前代)의 왕조(王朝). 선조(先朝). 승국(勝國). 승조(勝朝).

전조[5]【前趙】명〖역〗중국의 오호 십육국(五胡十六國)의 하나. 서진(西晉) 때에 흉노(匈奴)의 유연(劉淵)이 지금의 산시(山西) 지방에 있다가 도읍을 평양(平陽)에 정하여 한(漢)이라 칭하고, 그 제4대인 유요(劉曜)가 장안(長安)으로 천도하여 조(趙)라 칭하였음. 5대 26년 만에 후조(後趙)에 망하였음. [304-329]

전조[6]【前藻】명 전인(前人)의 시문(詩文).

전:조[7]【電槽】명 ①전기 도금에 쓰는 전해조(電解槽). ②전해 공업(電解工業)에 쓰는 전해조. ③축전지(蓄電池)의 케이스.

전조[8]【傳祚】명 ①복을 후세에 전함. ②천자의 제위(帝位)를 전하여 줌. ――-하다 자여불

전조[9]【銓曹】명〖역〗①고려 때 이조(吏曹)를 충렬왕(忠烈王) 24년(1298)부터 동 34년까지 일컫던 이름. ②조선 시대에 문무관(文武官)을 전형(銓衡)하던 이조(吏曹)와 병조(兵曹)의 통칭.

전:조[10]【轉照】명 차례로 돌리어 가면서 봄. ――-하다 타여불

전:조[11]【轉漕】명 조운(漕運)❷. ――-하다 타여불

전:조[12]【轉調】명〖악〗'조바꿈'의 한자 이름. *이조(移調). ――-하다 자여불

전조-등【前照燈】명 자동차·기관차(機關車) 등의 앞에 단 등. 헤드라이트(headlight).

전-조망【全祖望】명〖사람〗중국 청(淸)나라의 학자. 자는 소의(紹衣). 호는 사산(謝山). 저장 성(浙江省) 닝보(寧波) 사람. 16세에 이미 고문(古文)·경사(經史)·장고(掌故)에 정통하여, 건륭 초(乾隆初)에 진사(進士)에 급제, 벼슬이 현(縣)의 장관이 됨. 벼슬을 버리고, 유종주(劉宗周)의 학통(學統)을 이어 인재 교육과 저술에 전념, ≪수경주(水經注)≫를 교정함. [1705-55]

전-조시【前―】명〖악〗춤사위의 하나. 부포놀이에서, 새가 모이를 쪼듯이 부포로 전립(戰笠)의 테를 쪼는 동작.

전:조 재:배【電照栽培】명〔전조(電照)는 전등 조명의 준말〕식물의 광주성(光周性)을 이용하여 일몰(日沒) 후 2-3시간 전등 조명을 하여 단일성(短日性) 식물의 화아 분화(花芽分化)를 늦추어 개화(開花)를 억제하거나 장일성(長日性) 식물의 화아(花芽) 발달을 촉진하여 개화를 빠르게 하는 재배법.

전족[1]【全足】명 양 발을 완전히 구비함을 이름. 완전한 발.

전족[2]【前足】명 앞쪽에 있는 발. 앞발.

전족[3]【專足】명 전인(專人). ――-하다 타여불

전:족[4]【塡足】명 채움. 부족을 보충함. ――-하다 타여불

전:족[5]【箭鏃】명 →전촉(箭鏃).

전:족[6]【纏足】명 중국에서 계집아이가 4-5세 될 무렵 발을 긴 피륙으로 감아서 발을 작게 하던 풍속. 당(唐) 말기에 비롯하여 유행하여 오다가 청(淸) 말기에 금지령(禁止令)을 내고부터는 쇠퇴하기 시작하여 지금은 거의 볼 수 없음.

전존【傳存】명 전해져서 있음. ――-하다 자여불

전-존재【全存在】명 존재의 전부. 모든 존재.

전종[1]【前蹤】명 옛 사람의 사적(事蹟). 기왕(旣往)의 사적. 선종(先蹤).

전종[2]【專從】명 오로지 한 가지 일에만 종사함. ――-하다 자여불

전:종[3]【剪鬃】명 말의 목 부분의 갈기를 깎는 일. ――-하다 자여불

전:종[4]【電鐘】명 전령(電鈴). 전기종(電氣鐘).

전:종[5]【轉宗】명 믿고 있던 종교(宗敎)·종파(宗派)를 바꿈. 개종(改宗). ――-하다 자여불

전-종지【全終止】명〔perfect cadence〕〖악〗'갖춘마침'의 한자 이름.

전:좌[1]【典座】명〖불교〗선종(禪宗)에서, 대중(大衆)의 와구(臥具)·식사(食事) 등을 주장(主掌)하는 중.

전:좌[2]【殿座】명〖역〗친정(親政)이나 조하(朝賀) 때에, 왕이 자리에 나옴. ――-하다 자여불

전:좌[3]【轉座】명〔translocation〕〖생〗염색사(染色絲) 안에 배열되는 일련의 유전자좌(遺傳子座) 중에서 일부의 좌위(座位)가 떨어져 나가 같은 염색사의 다른 부분이나 다른 염색사 속으로 좌위를 바꾸는 일. 또, 임의(任意)의 두 염색체(染色體)가 서로 좌위의 일부를 교환하는 것은 상호(相互) 전좌라고 함.

전-좌우【前左右】명 앞쪽과 좌우 쪽. ¶～를 살피다.

전죄【前罪】명 전에 저지른 죄. ¶～를 뉘우치다.

전주[1]【田主】명 논밭의 주인. 땅의 임자.

전주[2]【田疇】명 ①전답(田畓). 전지(田地). ②밭두둑.

전주[3]【全州】명 ①모든 주(州). ②그 주의 전체.

전주[4]【全州】명〖지〗전라 북도의 도청 소재지인 시(市). 2구 49동. 완주군(完州郡)에 둘러싸여 있으며, 만경강(萬頃江)의 상류인 전주천(全州川) 연안에 발달한 도시로서, 북서(北西)로는 내포(內浦) 평야로 향하고, 남동으로는 구릉과 험한 산으로 둘러싸임. 조선 왕조 발상(發祥)의 고지(故地)로 경기전(慶基殿)·조경단(肇慶壇)·오목대(梧木臺)·한벽루(寒碧樓)·남고산성지(南固山城趾) 등이 있음. 근대적인 공업으로 식품·섬유·기계 등의 공업이 성하고, 그 밖에 한지·화선지·합죽선(合竹扇) 등의 전통 수공업이 있는데, 특히 전주 부채·전주 한지는 유명함. 1949년 부(府)를 시(市)로 개칭함. [569,424명(1996)]

전:주[5]【典主】명 전당(典當)을 잡은 사람.

전주[6]【前主】명 ①전의 군주(君主). 선주(先主). ②전의 주인(主人).

전주[7]【前奏】명〖악〗악곡(樂曲)의 처음 또는 가극(歌劇) 등의 막을 열기 전에 연주하는 악곡. *서주(序奏). ↔후주(後奏).

전주[8]【前週】명 지난 주(週). 선주(先週). ↔후주(後週). ¶～ 토요일.

전주[9]【專主】명 혼자서 일을 주관(主管)함. ――-하다 타여불

전주[10]【傳注】명 ①〖한의〗노채(癆瘵). ②책의 주석(注釋).

전주[11]【傳奏】명 다른 사람을 거쳐서 상주함. ――-하다 타여불

전:주[12]【殿主】명〖불교〗전사(殿司).

전:주[13]【電柱】명 전선(電線)을 늘여 매기 위하여 세운 기둥. 전간목(電桿木). 전기선대. 전선대. 전선주. 전신주(電信柱). 전봇대.

전:주[14]【電奏】명 전보로 상주(上奏)함. 또, 그 상주. ――-하다 타여불

전:주[15]【電鑄】명〖화〗↗전기 주조.

전주[16]【銓注】명 인물을 전형(銓衡)하여 적소(適所)에 배정함. ――-하다 타여불

전:주[17]【箋註·箋注】명 본문(本文)의 뜻을 설명한 주해(註解). 주석(註釋).

전:주[18]【篆籒】명 대전(大篆).

전:주[19]【錢主】명 ①사업에 밑천을 대어 주는 사람. 자본주. ¶～를 구하다. ②빚을 준 사람.

전:주[20]【戰走】명 싸움에 패하여 달아남. 패주. ――-하다 자여불

전:주[21]【轉住】명 전거(轉居). ――-하다 자여불

전:주[22]【轉注】명 ①돌아 흘러 들어감. ②한자 육서(漢字六書)의 하나. 어떤 글자의 뜻을 그 글자와 같은 부류(部類) 안에서 다른 뜻으로 전용(轉用)하는 일. 자음(字音)을 바꾸는 것이 보통임. '악(惡)'을, 미워한다는 뜻에서는 '오'로 하는 따위.

전주-곡【前奏曲】명 ①〔prelude〕〖악〗17세기 말엽에는 무도곡(舞蹈曲)의 처음에 연주하는, 무도 형식에 의하지 아니한 악장(樂章)을 일컬었으나 지금은 즉흥적인 일종의 환상곡(幻想曲)이나 형식이 자유로운 소기악곡(小器樂曲)을 말함. 프렐류드. ②〖악〗가극(歌劇)의 서곡(序曲). ③어떠한 일이 본격화하기 전에 첫 계제로서의 암시를 주는 일. ¶세계 대전의 ～. *서곡(序曲).

전주 관노의 난:【全州官奴―亂】[―/―에―] 명〖역〗고려의 무신 경대승(慶大升)이 집권 중이던 명종(明宗) 12년(1182), 전주에서 관노와 군인들이 일으킨 반란. 전주 사록(全州司錄) 진대유(陳大有)는 용형(用刑)이 가혹하여 백성의 원성이 잦았는데, 조정의 지시로 관선(官船)을 제조하는 일에 상호장(上戶長) 이택민(李澤民) 등의 독역(督役)이 가혹하매 기두(旗頭) 죽동(竹同) 등이 난을 일으켜 40여 일이나 전주성에서 관군(官軍)과 공방전(攻防戰)을 벌이다가 일품군(一品軍)과 승도(僧徒)들에게 평정됨. 죽동(竹同)의 난.

전:주-국【典酒局】명『역』조선 시대에 영흥(永興)·함흥(咸興)·평양(平壤)·영변(寧邊)·경성(鏡城)·의주(義州)·회령(會寧)·경원(慶源)·종성(鐘城)·온성(穩城)·부령(富寧)·경흥(慶興)·강계(江界)의 각 부(府)에 두었던 토관(土官)의 동반(東班) 직소(職所).

전주느다 타 〈방〉 겨누다(강원·경북).

전주다[1] 타 〈방〉 견주다(경상).

전주다[2] 타 〈방〉 겨냥하다(경상).

전주르다 자 르불 어떤 동작을 진행하다가 더욱 힘을 내기 위하여 한 번 쉬다. ¶ 이봉학이와 황천왕동이 외의 다른 두령들도 여러 차례에 전줄러서 떠나는 내행을 배행(陪行)들 하느라고 잠시는 청석골을 비다시피 하였다 ≪洪命憙 : 林巨正≫.

전:주 모:형【電鑄母型】명『인쇄』전태 자모(電胎字母).

전주 반:닫이【全州半―】[―다지] 명 전라도 지방, 주로 전주에서 나는 반닫이. 대체로, 제비초리 경첩을 달며, 안의 윗부분에 세 개의 서랍이 있는 것이 특색임. *개성(開城) 반닫이.

전주 비빔밥【全州―】[―빱] 명 전라 북도 전주의 전통적인 비빔밥. 밥솥에 뜸을 들일 때 콩나물을 넣어 밥김으로 데치어 솥 안에서 밥과 섞은 다음, 거섶으로 육회·햇김·녹말묵·쑥갓 따위를 곁들임. *진주(晋州) 비빔밥.

전주 사:고【全州史庫】명『역』전주시 완산구(完山區) 풍남동(豐南洞)의 경기전(慶基殿) 안에 있었던 조선 전기 4 사고의 하나. 임진 왜란으로 내장산·묘향산 등지로 옮겼고, 이후 강화도로 옮기었으나, 전주 사고는 다시는 계승 복구되지 못함.

전:주-술【電鑄術】명 전주(電鑄)하는 기술.

전:주 연:와【電鑄煉瓦】명 내화물(耐火物) 원료를 전기로(電氣爐)로 용융(熔融)하여 내화성 주형(鑄型) 속에 넣어 성형(成形)한 벽돌. 각종 공업용 노(爐) 등에 사용함.

전:주-판【電鑄版】명『인쇄』전기판(電氣版).

전:죽[1]【箭竹】명 화살대.

전죽[2]【饘粥·饘粥】명 죽.

전준[1]【田畯】명『역』중국 주대(周代)에 농업을 장려하는 일을 맡은 벼슬아치.

전준[2]【傳准】명『역』관에서 개인의 일정 재산, 곧 사패 전민(賜牌田民)이나 별급(別給)된 재산, 매득(買得)한 재산 등에 대해 소유권을 인증(認證)해 준 문서.

전:중[1]【典重】명 언행이 규구(規矩)에 맞고 점잖음. ――하다 형 여불. ――히 부

전중[2]【傳重】명 조상의 제사를 후손에게 전하여 받들어 잇게 함. ――하다 타 여불

전:중[3]【殿中】명 궁전 안. 대궐 안. 궁중(宮中).

전:중-감【殿中監】명『역』고려 충렬왕(忠烈王) 때 종정시(宗正寺)의 고친 이름. 전중성(殿中省)의 후신(後身).

전-중기【前中期】명 [prometaphase]『생』세포 분열에서, 유사 분열(有絲分裂)의 전기(前期)와 중기 사이에 오는 기간. 핵막(核膜)이 소실(消失)되며 방추체(紡錘體)가 형성됨.

전:중 내:시사【殿中內侍史】명『역』고려 때 사헌부(司憲府)의 정육품(正六品) 벼슬. 충렬왕(忠烈王) 24년(1298)에 전중 시어사(殿中侍御史)의 고친 이름. *전중 시어사(侍御史).

전:중-성【殿中省】명『역』①신라 경덕왕(景德王) 18년(759)에 내성(內省)의 고친 이름. 뒤에 다시 내성으로 고쳤음. ②고려 때 왕가(王家)의 보첩을 맡아 보던 관아. 목종(穆宗) 때 베풀어 문종(文宗) 뒤에 전중시(殿中寺)라 고치고, 충렬왕(忠烈王) 24년(1298)에 종정시(宗正寺)로, 다음에 전중감(殿中監)으로, 충선왕(忠宣王) 2년(1310)에 종부시(宗簿寺)로, 공민왕(恭愍王) 5년(1356)에 다시 종정시로, 11년에 또 종부시로, 18년에 다시 종정시로, 21년에 또 종부시로 개변(改變)을 되풀이하였음. *전중시(殿中寺).

전:중-시【殿中寺】명『역』①고려 문종(文宗) 뒤에 전중성(殿中省)의 고친 이름. 충렬왕(忠烈王) 24년(1298)에 종정시(宗正寺)로 고쳤음. *전중성(殿中省). ②조선 시대 초에 왕가(王家)의 보첩(譜牒)을 맡아 보던 관아. 태종(太宗) 원년(1401)에 종부시(宗簿寺)라 고침.

전:중 시어사【殿中侍御史】명『역』고려 때 어사대(御史臺) 정육품이나 종오품 또는 감찰사(監察司)의 정육품 벼슬. *전중 내시사(內侍史).

전중이 명 〈속〉 징역꾼.

전:중-파【戰中派】명 전쟁 중, 특히 제2차 대전 중에 청년 시절을 보낸 세대. ↔전전파(戰前派)·전후파(戰後派).

전:증[1]【典證】명 전거(典據).

전-증[2]【錢曾】명『사람』17세기경 중국 청(淸)나라의 학자. 장쑤 성(江蘇省) 창서우(常熟) 사람. 자는 준왕(遵王). 호는 야시옹(也是翁)·관화도인(貫花道人). 족조(族祖) 전겸익(錢謙益)에게 배움. 장서가(藏書家)로서, 그 서실(書室)을 술고당(述古堂)이라 이름붙이고, ≪독서 민구기(讀書敏求記)≫를 지어 판본(版本) 연구로 이름이 남. 생몰년 미상.

전지[1] 명 ①아이들에게 억지로 약을 먹이려 할 때 위아래 턱을 벌리어 물리는 막대기 따위의 물건. ②↗전짓대. ③↗전지 다리.

전지(를) 물리다 구 어린아이에게 억지로 약을 먹이기 위하여 입을 벌리고 있도록 전지를 입에 물리다.

전지[2]【田地】명 전답(田畓).

전지[3]【全知】명 ①모든 것을 다 아는 지혜. ②『천주교』모든 것을 아는 천주(天主)의 적극적 품성(稟性).

전지[4]【全紙】명 ①온 장의 종이. 특히, 양지(洋紙)에서 에이판(A 判), 비판(B 判), 하도롱판(判) 따위의 규격으로 크게 마름질한 그대로의 종이. 전판(全判). ②신문 따위의 한 면 전체. ③모든 신문.

전지[5]【全智】명 모든 일에 통달한 지혜.

전지[6]【前地】명 [foreland]『지』①주위의 산지(山地)로부터 산록 빙하(山麓氷河)가 이동해 온 저지(低地). ②조산대(造山帶)나 변동대(變動帶)에 접하고 있는 대륙의 안정(安定)된 부분.

전지[7]【前志】명 ①전에 품었던 뜻. ②아버지의 뜻. ③이전의 서적(書籍)이나 기록. 「여불

전지[8]【前知】명 일이 일어나기 전에 미리 앎. 예지(豫知). ――하다 타

전지[9]【前肢】명 사지(四肢)가 있는 동물(動物)의 앞쪽의 두 다리. 앞다리. *상지(上肢)·후지(後肢).

전:지[10]【剪枝·翦枝】명 나무의 발육 촉진(發育促進)·병해 예방(病害豫防) 및 미관을 더하기 위하여 가위 따위로 나뭇가지를 잘라 냄. 가지치기. ¶～ 가위. *전정(剪定). ――하다 자타 여불

전:지[11]【剪紙】명 색종이를 접어서 가위로 무늬를 내어 부채에 오려 붙이는 일. 또 그 종이.

전지[12]【傳旨】명『역』상벌(賞罰) 등에 관한 왕지(王旨)를 그 맡은 관아에 전달하던 일. ――하다 자 여불

전지[13]【傳持】명『불교』법(法)을 받아 전하여 유지함. ――하다 자 여불

전-지[14]【滇池】명『지』'덴츠'를 우리 음으로 읽은 이름.

전:지[15]【電池】명 [electric cell]『물』물질의 화학 반응이나 물리 반응에 의하여 방출되는 에너지를 직접 전기(電氣) 에너지로 발생시키는 장치. 일반적으로 음극(陰極)과 양극(陽極) 사이에 이온 도전체(ion 導電體)를 두어, 산화(酸化)·환원(還元) 반응을 일으켜 이 때의 에너지를 전기 에너지로 발생시키는 화학 반응 전지와, 물질에 외부로부터 빛·방사선·열 등의 물리적(物理的) 에너지를 가하여 이를 전기 에너지로 변환(變換)시키는 물리 반응 전지로 대별됨. 전자(前者)에는 1차 전지·2차 전지·연료 전지(燃料電池) 등이 있으며, 후자에는 태양 전지·원자력 전지·열(熱)전지·광(光)전지 등이 있는데, 일반적으로는 화학 반응 전지를 가리킴. 「는 못. [0.144 km²]

전:-지[16]【電池】명『지』함경 남도 함주군(咸州郡) 주지면(朱地面)에 있

전:지[17]【戰地】명 싸움터. 전장(戰場). ¶～에 나가다.

전:지[18]【轉地】명 있는 곳을 바꾸어 다른 곳으로 옮김. ¶～ 훈련. ――하다 자 여불

전:지[19]【顚躓】명 전질(顚躓). ――하다 자 여불

전:지 가위【剪枝―】명 전정(剪定) 가위.

전:지-도지【顚之倒之】부 엎드러지고 곱드러지며 아주 급히 달아나는 모양. ――하다 자 여불

전지 분유【全脂粉乳】명 전유(全乳)의 성분 그대로 말려서 얻어지는 가루로 만든 우유(牛乳).

전지-산【田地山】명『지』함경 남도 삼수군(三水郡) 삼서면(三西面)과 평안 북도 후창군(厚昌郡) 동흥면(東興面) 사이에 있는 산. [1,623 m]

전:지 시계【電池時計】명 동력원(動力源)으로 전지를 사용하는 시계의 총칭. 트랜지스터 시계·전자석(電磁石) 시계 등이 있음.

전:지-약【電池藥】명〈속〉'건전지(乾電池)'를 약에 비겨 일컫는 말. 준약(藥).

전지-왕【腆支王】명『사람』백제의 제18대 왕. 아신왕(阿莘王)의 원자(元子). 왕 4년(408)에 왕제(王弟) 여신(餘信)을 상좌평(上佐平)으로 임명하였는데 이것이 상좌평의 시초임. [?-420; 재위 405-420]

전:지 요법【轉地療法】[―뻡] 명 기후가 온화하고 공기가 신선한 곳으로 전거(轉居)하여, 기후가 인체에 미치는 영향을 적극적으로 이용하는 기후 요법. 기관지 천식·류머티즘성(性) 질환 등의 경우에 응용하여 효과가 큼. 기후 요법.

전:지 요양【轉地療養】명 전지(轉地) 요법에 의하여 병의 치료를 하는 일. ――하다 자 여불

전:지 용량【電池容量】[―냥] 명『물』전지가 방전(放電)할 때에 낼 수 있는 전기량.

전지-자손【傳之子孫】명 자손에게 물리어 줌. ――하다 타 여불

전지 전능【全知全能】명 완전 무결(完全無缺)한 지능. 곧, 어떠한 사물이라도 잘 알고 또한 할 수 있는 신불(神佛)의 능력. ¶～하신 천주여. ――하다 형 여불

전지-전지【傳之傳之】부 전하고 전하여.

전:지-전청【轉之轉請】명 여러 사람을 통하여 간접적(間接的)으로 청함. ¶ 그에게 따라다니는 불미로운 잡음을 중간 사람의 ～으로 듣고 화가 났다 / 당장 광경을 목도한 사람이나 ～으로 소문을 듣는 사람이나 …≪作者未詳 : 홍도화≫. ――하다 타 여불

전지-화【全枝花】명 가지가 있는 꽃의 모양. 당초무늬.

전:지 훈:련【轉地訓鍊】[―훌―] 명 신체의 적응력을 개발·향상시키기 위하여 환경 조건이 다른 곳으로 옮겨 가서 하는 훈련.

전직[1]【前職】명 전에 가졌던 직업. 또 직책. 전함(前銜). ¶～ 경찰.

전:직[2]【殿直】명『역』전각(殿閣)을 지키는 사람.

전:직[3]【轉職】명 ①직업을 바꾸어 옮김. 이직(移職). ¶교사로 ～하다. ②『법』공무원이 동일 직급(職級)으로 다른 직군(職群)이나 직렬(職列)로 옮김. ――하다 자 여불

전-직선【全直線】명『수』무한 직선(無限直線).

전진[1]【前陣】명 여러 진 가운데서 앞에 친 진. ↔후진(後陣).

전진[2]【前秦】명『역』중국 오호 십육국(五胡十六國)의 하나. 서진(西晉) 말엽 저족(氐族)의 부홍(苻洪)이 세운 나라로서 동쪽의 회사(淮泗)에서 서쪽으로는 서역(西域)까지 미쳤음. 6대 43년 만에 후진(後秦)의 요흥(姚興)에게 망함. [351-394]

전진[3]【前陳】명 전술(前述). ――하다 자 여불

전진[4]【前進】명 앞으로 나아감. ¶일보(一步) ～. ↔후퇴(後退)·역진(逆進). ――하다 자 여불

전진[5]【前塵】명〖불교〗망심(妄心)의 앞에 나타나는 육진(六塵)의 경계를 이름.

전진[6]【前震】명〖지〗대지진(大地震)에 앞서서 그 지방에 일어나는 작은 지진. 전진이 없이도 대지진이 일어나는 때가 있음.

전:진[7]【戰陣】명 ①진을 치고 싸우는 곳. ②싸우기 위하여 벌이어 친 진영. ③싸움의 수단. 전법(戰法).

전:진[8]【戰塵】명 ①싸움터에서 일어나는 풍진(風塵). 병진(兵塵). ¶～을 씻다. ②전쟁의 소란. ¶～을 피하다.

전:진[9]【轉進】명 진로(進路)를 바꿈. 또, 군대가 주둔하던 곳을 떠나 다른 방면으로 이동함. ——-하다 자여불

전진-교【全眞敎】명〖종〗중국 금(金)나라 때 산시 성(陝西省) 센양(咸陽) 사람 왕중양(王重陽)이 1163년에 시작한 도교(道敎)의 한 파. 좌선(坐禪)과 수행(修行)을 중시(重視)하며 유교·불교·도교를 조화시킨 실천적·서민적인 특색을 가졌음. 재래의 도교가 써 오던 약이나 부적에 의한 불로 장생의 법을 배척하고 주·색·재·기(酒色財氣)의 네 계율을 엄격히 따졌는데, 화북(華北) 지방을 중심으로 발전하여 한때 큰 세력을 가졌었음.

전진-국【前進國】명 선진국(先進國).

전진 기지【前進基地】명〖군〗작전 기지의 임무 수행을 위한 작전(作戰)의 전진 근거지(根據地).

전진성 건:망증【前進性健忘症】[-썽-쯩] 명〖심〗기억 장애의 하나. 새롭게 경험한 일을 기억해 낼 수는 없으나, 이미 고정(固定)된 과거의 일은 기억해 낼 수 있음. 또 어떤 시기로부터 그 이전의 시기에 걸쳐 점차 기억 상실이 연장됨. *역행성(逆行性) 건망증.

전진 속공【前陣速攻】명 탁구(卓球)에서의 공격법의 하나. 경기자(競技者)가 코트에서 1m 정도의 거리에 있으면서 상대의 공을 재빨리 받아 공격하는 속공.

전진식 장벽 채:탄【前進式長壁採炭】명 [advancing longwall]〖광〗갱내(坑內)의 채탄(採炭)이 끝난 구역(區域)을 지나는 주요 갱도(主要坑道)를 이용하면서, 수갱(竪坑) 기둥에서 바깥쪽으로 향해서 석탄(石炭)을 채탄하는 일.

전진적 논증【前進的論證】명〖논〗전제(前提)에서 한 걸음씩 논증을 쌓아 올려 마지막에 결론에 이르는 논증 방법. 순진적 논증(順進的論證). ↔후퇴적 논증(後退的論證).

전진적 연쇄식【前進的連鎖式】명 순진적(順進的) 연쇄식.

전진 전:략【前進戰略】[-절-] 명 [forward strategy]〖군〗해외의 멀리 떨어진 곳에 전진 군사 기지를 베풀어, 평시에 이 곳에 병력을 전개(展開)시켜 두는 전략. 또, 평상시에 제 1 선에 많은 병력을 전진 배치(前進配置)시키는 전략.

전진지-망【前進之望】명 앞으로 나아갈 희망. 장래에 대한 희망.

전진-파【前進波】명 [progressive wave]〖물〗한 방향으로 전파되어 가는 파동, 음원(音源)에서 주위로 퍼지는 음파, 진원(震源)에서 주위로 전해지는 지진파 및 광원(光源)에서 나가는 광파(光波) 등의 총칭. 전향파. 진행파(進行波).

전-진(:)한【錢鎭漢】명〖사람〗정치가. 경북 문경(聞慶) 출생. 일본 와세다(早稻田) 대학 경제과 졸업. 1946년에 대한 노동 총연맹(大韓勞動總聯盟) 위원장. 1948년에 초대(初代) 사회부 장관(社會部長官)이 됨. 5선 의원. [1901-72]

전질[1]【全帙】명 한 질로 된 책의 전부.

전:질[2]【典質】명 물건을 전당잡힘. ——-하다 타여불

전:질[3]【轉質】명〖법〗질권자(質權者)가 질권의 존속 기간(存續期間) 내에 자기의 책임(責任)으로 질물(質物)을 다시 전당잡히는 일. *전저당(轉抵當).

전:질[4]【顚跌】명 ①굴러 넘어짐. ②일이 어긋나서 실패함. 전궐(顚蹶). ——-하다 자여불

전:질[5]【顚躓】명 엎드러지고 미끄러짐. 전지(顚躓). ——-하다 자여불

전질[6]【癲疾】명〖한의〗전간(癲癎).

전짐 명 〈방〉 기저귀(전북).

전집[1]【全集】명 어떤 사람의 저작(著作)의 모두, 또는 같은 종류, 혹은 같은 시대(時代)의 저작을 모아서 출판한 책. ¶문학 ～/이 광수 ～. ↔단행본(單行本).

전:집[2]【典執】명 전당을 잡히거나 잡음. ——-하다 타여불

전집[3]【前集】명 전에 가리어 모은 시집(詩集) 또는 문집(文集). ↔후집(後集).

전집[4]【專執】명 어떤 일을 오로지 주장하여 잡음. ——-하다 자여불

전짓-다리 명 삼이나 모시를 삼을 때에 쓰는 제구. 가지 돋친 기둥 두 개를 각각 토막 나무에 박아 세운 것으로서, 이 둘을 벌려 세워 놓고 그 위에 삼가래 또는 모싯가래를 건너질러 걸어 놓고 한 오리씩 빼내어서 삼음. ㊌전지.

전짓-대 명 끝이 두 갈래지게 하여 감을 따는 간짓대. 두 갈래진 사이에 감이 달린 가지를 끼어 비틀어서 꺾음. ㊌전지.

전:짓-불【電池-】명 회중 전등에서 나오는 불빛.

전-짬【全-】명 묽지 아니하고 아주 진한 물건.

전차[1]【田車】명〖역〗조선 시대에 풀·거름·곡식 등을 나르는데 쓰던 시골의 허술한 수레.

전차[2]【前次】명 지난 번.

전차[3]【前此】명 지금보다 이전. 종전(從前).

전차[4]【前借】명 ①뒷날에 받을 돈을 기일 전에 당겨 씀. ②어떠한 조건 밑에 뒷날에 갚기로 하고 앞당기어 빚을 씀. 흔히 노력(勞力)으로써 갚음. ——-하다 타여불

전차[5]【詮次】명 골라 정한 순서. 말·글에서, 짜여진 조리나 차례.

전:차[6]【電車】명 전동기(電動機)를 장치하고, 이에 궤도(軌道)와 공중에 가설한 전선(電線)으로부터 전력(電力)을 공급받아서 궤도 위를 달리는 차량(車輛). 전력의 종류에 따라 직류식(直流式) 및 교류식(交流式)이 있고, 교류식에 다시 단상(單相) 교류식 및 삼상(三相) 교류식이 있음. ¶노면(路面) ～/고가(高架) ～.

전차[7]【鈿車】명 나전(螺鈿)으로 장식한 수레.

전차[8]【塡差】명 비어 있는 벼슬 자리에 관원(官員)을 임명하여 보충함. ——-하다 타여불

전:차[9]【煎茶】명 차잎을 차기(茶器)에 담고, 끓인 물을 부어 우려낸 물을 마시는 차. *말차(抹茶).

전:차[10]【戰車】명〖군〗①전쟁에 쓰이는 차. 병거(兵車). ②무장(武裝)·장갑(裝甲)한 차체(車體)에 무한 궤도(無限軌道)를 갖춘 공격 병기(攻擊兵器). 수륙 양용형(水陸兩用型)·화염 방사용(火焰放射用)·정찰용(偵察用) 등의 종류가 있음. 탱크(tank). ¶～전(戰).

전:차[11]【磚茶】명 중국 차의 하나. 홍차(紅茶) 또는 녹차(綠茶)의 가루를 반죽하여 엷게 펴서 말린 것.

전:차[12]【轉借】명 남이 빌려 온 것을 다시 빌려 옴. ↔전대(轉貸). ——-하다 타여불

전차[13]【躔次】명〖천〗①별이 운행하는 길. ②별의 자리.

전:차-간【電車間】[-깐] 명 전차 차체(車體)의 안. 전차의 속.

전차-금【前借金】명 ①뒷날에 받을 돈을 기일 전에 당겨 받은 돈. ②뒷날에 노력(勞力)으로 빚을 갚기로 하고 앞당기어 쓰는 돈.

전차금 계:약【前借金契約】명〖법〗고용 계약의 체결에 있어, 고용주로부터 돈을 빌려 쓰고 장래의 임금(賃金)으로써 변제(辨濟)할 것을 약속하는 계약.

전:차-대[1]【戰車隊】명〖군〗전차로써 편성된 부대.

전:차-대[2]【轉車臺】명 철도 차량(鐵道車輛)이나 자동차 등의 방향 전환(方向轉換)을 하기 위한 회전대(回轉臺). 차량을 대 위에 올려 놓고 그 대로 회전함.

전:차-선【電車線】명 ①전기 철도에서, 전차나 전기 기관차에 전기를 공급하기 위하여 공중에 가설하는 접촉(接觸) 전선. 집전(集電) 장치와 접촉하는 트롤리선, 이것을 매달고 있는 가공선(架工線) 등으로 되어 있음. ②↗전차 선로❶.

전:차 선로【電車線路】[-설-] 명 ①전차 궤도인 철로(鐵路). ㊌전차선. ②전차선과 이를 지탱하는 공작물.

전:차-인【轉借人】명 전차하고 있는 사람.

전:차-임【轉借賃】명 전차하고 있는 사람이 전대인(轉貸人)이나 소유주에게 지불하는 차임(借賃).

전:차-전【戰車戰】명〖군〗전차로써 서로 공방(攻防)하는 전투.

전:차-포【戰車砲】명 전차에 장재(裝載)된 화포(火砲).

전:차-표【電車票】명 전차를 타는 데 내는 표.

전:차-호【戰車壕】명〖군〗①전차를 적으로부터 엄폐하기 위한 참호. ②대전차호.

전차 후:옹【前遮後擁】명 여러 사람이 앞뒤에서 옹위(擁衛)하고 감. ——-하다 타여불

전:착[1]【展着】명 늘이고 넓혀 부착(附着)시킴. ¶～제(劑). ——-하다 타여불

전:착[2]【電着】명 [electrodeposition]〖물〗전기 분해(電氣分解)에 의하여 전극(電極)에 어떤 물질이 석출(析出)되어 그 표면에 부착하는 일. 전기 도금 및 전주(電鑄)는 각각 그 목적에 따라 금속(金屬)을 음극(陰極)에다 전착시키는 방법인데, 이산화(二酸化)납처럼 양극(陽極)에 전착하는 것도 있음.

전:착[3]【顚錯】명 앞뒤를 뒤집어서 어그러뜨림. ——-하다 타여불

전:착[4]【纏着】명 감기어 붙음. 덩굴 같은 것이 나무에 감아 뻗어서 붙음. 전요(纏繞). ——-하다 자여불

전:착 도장【電着塗裝】명 수용성(水溶性) 또는 수분산성(水分散性) 도료에 피도물(被塗物)을 담그고, 피도물을 양극, 도료 통을 음극으로 하여 직류 전류를 통하여 도금과 같은 원리로 도장하는 방법. 복잡한 모양의 것도 균일(均一)한 두께로 도장할 수 있으며 손실(損失)이 적고 도장 시간이 짧아 경제적이며 안전하기 때문에 자동차의 차체(車體)·전기 기기 부품 등의 도장에 널리 이용됨.

전:착-제【展着劑】명〖약〗농약(農藥)을 효과 있게 살포·사용하기 위하여 살충제(殺蟲劑)나 살균제 등의 주되는 약제(藥劑)에 배합하는 보조제(補助劑). 비누·카세인·석회 같은 것.

전:찬[1]【典贊】명〖역〗조선 시대의, 궁중의 정팔품(正八品) 궁인직(宮人職)의 하나.

전찬[2]【傳餐】명 아침 저녁으로 끼니 밥을 나름. 전식(傳食). ——-하다 자여불

전참【前站】명 앞참.

전:찻-길【電車-】명 ①노면(路面) 전차의 궤도가 부설된 도로. ②전차가 다니는 큰길.

전:찻-삯【電車-】명 전차를 타는 데 내는 돈.

전창[1]【傳唱】명 전하여 부름. 불러 전함. ——-하다 타여불

전:창[2]【箭窓】명〖건〗살창.

전-창근【全昌根】명〖사람〗영화 감독. 함경 북도 회령(會寧) 출신. 중국 우창(武昌) 대학 졸업. 상하이(上海)에 영화계에 있을 때부터 관여, ≪자유 만세(自由萬歲)≫·≪단종 애사(端宗哀史)≫·≪여인 천하(女人天下)≫ 등의 작품을 감독함. 만년에 실어증(失語症)에 걸림. [1907-72]

전-채[1]【全-】명 〈방〉 온채.

전:채[2]【典彩】명〖역〗조선 시대의, 궁중의 종팔품(從八品) 궁인직(宮人職)의 하나.

전채[3]【前菜】명 오르되브르(hors-d'oeuvre).

전채[4]【前債】명 전에 진 빚.
전채[5]【箭釵】명 전동(箭筒).
전:채[6]【戰債】명〖경〗전비(戰費)에 충당하기 위하여 발행하는 국채(國債). 내채(內債) 및 외채(外債)의 두 가지가 있음.
전:채-서【典彩署】명〖역〗신라 때 도화(圖畫)를 맡은 관아. 경덕왕(景德王) 때에 채전(彩典)의 고친 이름.
전책[1]【全策】명 완전한 책략(策略).
전책[2]【前策】명 이전에 세운 계책. 전계(前計).
전-책임【全責任】명 모든 책임.
전챗-집【全一】명〈방〉온챗집.
전처【前妻】명 재혼하기 전의 아내. 전취(前娶). 전부(前婦). 선처(先妻). ↔후처(後妻).
전처 소:생【前妻所生】명 전처의 몸에서 난 자식. 전취 소생(前娶所生).
전척【田尺】명〖역〗전지(田地)를 측량(測量)하는 데 쓰는 자. 전지(田地)의 등급(等級)에 따라 각각 길이가 다름. 예컨대 3등 전척은 주척(周尺)으로 5,703 척(尺)임.
전천[1]【全天】명 하늘 전체.
전천[2]【專擅】명 전행(專行). ――-하다 타여불
전:천[3]【錢千】명 돈천.
전:천[4]【轉遷】명 변천(變遷). 전이(轉移). ――-하다 자타여불
전천 사진기【全天寫眞機】명 어안(魚眼) 렌즈나 구면경(球面鏡)을 써서, 하늘 전체의 구름을 촬영하기 위한 기상 관측용 사진기.
전-천후【全天候】명 어떠한 기상 조건(氣象條件)에도 견딜 수 있음.
전천후-기【全天候機】명 밤이나 일기 불순(日氣不順)으로 시계(視界)가 불완전할 때에도 활동할 수 있는, 레이더를 장비한 항공기.
전천후 농업【全天候農業】명 가뭄이나 홍수(洪水) 등의 나쁜 기상 조건(氣象條件) 아래서도 별 지장 없이 경영할 수 있는 농업. 저수지 개발이나 배수로(配水路)를 정비(整備)하여 가뭄이나 장마의 피해를 극소화(極小化)시킴. *수한 병식(水旱並食).
전천후 카메라【全天候一】〔camera〕명 지상의 어떠한 날씨나 또는 수중(水中)에서도 촬영이 가능하도록, 완전 방수 처리(防水處理)가 된 카메라.
전천후 트랙【全天候一】〔track〕명 어떠한 날씨에도 평상시와 동일한 조건 하(條件下)에서 경기할 수 있도록 아스팔트 유제(乳劑)에 고무 따위를 혼입시킨 재료로 만든 경주로. 탄력성(彈力性)이 있어 좋은 기록을 내기 쉬움.
전철[1]【前哲】명 전대(前代)의 철인(哲人). 옛날의 현인(賢人). 선철(先哲).
전철[2]【前轍】명 ①앞에 지나간 수레 바퀴의 자국. ②이전 사람의 그릇된 일이나 행동의 자취. 복철(覆轍). 전궤(前軌). ¶～을 밟지 말라.
전철을 밟:다 구 앞의 사람의 실패를 되풀이하다.
전:철[3]【煎鐵】명 번철(燔鐵).
전:철[4]【電鐵】명 ↗전기 철도(電氣鐵道). ¶수도권(首都圈) ～/～역(驛).
전:철[5]【轉轍】명 철로의 분기선(分岐線)에 있는 전철기를 작동하여 기차나 전차가 방향을 바꿔 가도록 궤도를 돌림. ――-하다 타여불
전:철-기【轉轍機】명 철도 선로의 분기점(分岐點)에 붙이어 차량을 다른 선로로 옮기는 장치. 끝이 점차로 좁아지게 만든 가동(可動) 궤조를 기본 궤조의 안쪽에 붙이어 차량을 본선(本線)에서 다른 선으로 옮김. 전로기(轉路器). 스위치(switch). 포인트(point).
전:철-수【轉轍手】〔一쑤〕명 전철기를 조작(操作)하는 철도 종업원. 포인트맨(point man).
전:철-역【電鐵驛】〔一력〕명 전기 철도(電氣鐵道) 노선(路線)의 역(驛).
전:첨【典籤】명〖역〗조선 시대, 종친부(宗親府)의 정사품(正四品) 벼슬.
전첨 후:고【前瞻後顧】명 일을 당하여 결단하지 못하고 앞뒤를 재어보며 주저함. 첨전 고후(瞻前顧後). ――-하다 자여불
전첩[1]【全捷】명 전승(全勝). ――-하다 자여불
전:첩[2]【戰捷】명 전승(戰勝). 승전(勝戰). ――-하다 자여불
전:첩-국【戰捷國】명 전승국(戰勝國).
전:첩-비【戰捷碑】명 전첩을 기념하기 위하여 세운 비(碑).
전청[1]【全清】명〖언〗①훈민 정음 또는 동국 정운(東國正韻) 초성(初聲) 체계 중 '君ㄱ·斗ㄷ·彆ㅂ·戍ㅅ·卽ㅈ·挹ㆆ' 등에 공통되는 음적 특질(音的特質). ②중국의 음운학(音韻學)의 용어. 음의 청탁(清濁)을 네 가지, 곧 청(清)·차청(次清)·탁(濁)·청탁으로 분류하였을 경우의 청의 별칭으로, 차청에 대한 일컬음.
전:청[2]【電請】명 전보나 전화로 청함. ――-하다 타여불
전:청[3]【轉請】명 다른 사람을 넣어서 간접적(間接的)으로 청함. ――-하다 타여불
전:청[4]【轉聽】명 딴 사람이 전하는 말을 통해서 들음. ――-하다 타여불
전체[1]【全體】명 ①온 몸. 전신(全身). ②온통. 전부. 총체(總體). 전부(全部). ¶～ 합쳐서. ③개개(個個) 또는 부분의 집합으로써 구성되어 있으면서도 그 총합(總合) 이상의 기능·의의(意義)·가치 등을 가지는 존재. ④전야(全野)❶.
전체[2]【傳遞】명 차례로 전하여 보냄. ――-하다 타여불
전:체[3]【轉遞】명 차례로 전하여 보내는 인편(人便). 전편(轉便). ――-하다 타여불
전체 감:정【全體感情】명〔total feeling〕〖심〗부분 감정(部分感情)이 일괄(一括)되어 있을 때의 감정.
전체 개:념【全體概念】명〖논〗종합 개념(綜合概念).
전체 국가【全體國家】명〖정〗전체주의 국가.
전체-론【全體論】명〔holism〕〖철·생〗생명 현상(生命現象)의 전체성을 강조하고, 전체는 단순한 부분의 총합(總合)으로서는 설명할 수 없다는 입장. 따라서 전체가 부분에 선행(先行)하고 부분이 존재하기 위한 조건이 된다는 점에서 기계론(機械論)과 대립됨. 생물학(生物學)에서는 생명론(生命論)의 하나임.
전체 사회【全體社會】명〔community〕〖사〗촌락·도시·국가·민족·부족 등과 같이 인간의 공동 생활이 영위(營爲)되는 일정한 지역(地域). ↔부분 사회(部分社會).
전체-성【全體性】〔一썽〕명 하나의 전체(全體)로서 고찰되는 사물에 특유한 것이라고 생각되는 법칙성(法則性)이나 목적성.
전체성 심리학【全體性心理學】〔一썽一니一〕명〔도 Ganzheitpsychologie〕〖심〗심리적 전체로서의 감정을 중시하여 주관적(主觀的) 태도에 중점을 두고 연구하여 전체의 개념을 단순한 동일체로부터 복합체(複合體)로 전진(前進)시켜서 그 개념과 감정과의 특별한 관계를 강조하는 발달(發達) 심리학의 한 입장(立場). 라이프치히 학파(Leibzig 學派)가 제창하였음.
전체 소:설【全體小說】명〔프 roman total〕〖문〗사회 및 다른 사람과 연관을 갖고 살고 있는 개인을 전체적으로 파악하고자 하는 소설. 톨스토이의 《전쟁(戰爭)과 평화(平和)》, 스탕달의 《적(赤)과 흑(黑)》, 프루스트의 《잃어버린 시간을 찾아서》, 조이스의 《율리시스》 등의 흐름을 이은 것으로, 아인슈타인의 일반 상대성 원리를 문학 세계에 도입(導入)하고자, 프랑스의 사르트르가 제창함.
전체 송:장【傳遞一】명 ①고향으로 돌려보내 주는 객사(客死)한 송장. 어디에서 죽었든지 이 골에서 저 골로, 저 골에서 다시 다른 골로 차례로 넘기어 거쳐서 제 고향으로 보내 주는 송장. ②귀찮은 일을 억지로 남에게 떠맡김의 비유.
전체-수【全體需】명 ①통째로 삶거나 구워서 익힌 음식. ②닭·꿩 또는 물고기 등을 통째로 양념하여 구운 적. 전체숙(全體熟).
전체-숙【全體熟】명 전체수(全體需).
전체 운:동【全體運動】명〖식〗세균류(細菌類)·규조류(珪藻類) 등의 하등 동물(下等動物)이나 고사리의 정자(精子)와 같이 몸 전체를 이동하여 움직이는 운동.
전체 의:식【全體意識】명 인간의 공동체(共同體)에 있어서의, 그 구성 요소인 개인의 의식과는 다른, 그 공동체 전체의 의식.
전체 의:지【全體意志】명〔프 volonté de tous〕〖사〗루소가 사회 계약설(社會契約說)에서, 공공의 복지를 고려(考慮)하는 일반 의지(一般意志)와 대비(對比)시킨 개인적(個人的) 이익을 지향하는 특수(特殊) 의지의 총합(總合)을 이름.
전체-적【全體的】명관 전체에 관계되는 모양. ¶～으로 보면. ↔부분적(部分的).
전체 전:쟁【全體戰爭】명〔total war〕교전국이 정치 목적의 존망을 건 무제한의 전쟁. 전장(戰場)의 지리적 제약, 사용 무기의 종류, 파괴·살상의 대소를 불문함. *제한 전쟁·국지(局地) 전쟁.
전체-주의【全體主義】〔一/一이〕명〔totalitarianism〕〖사〗국가·민족의 전체를 궁극(窮極)의 실재(實在)로 보고 개인의 모든 활동은 전체의 존립(存立)과 발전을 위해서 바쳐져야 한다는 이념(理念) 아래 국민의 모든 자유를 억압하는 파시즘적 입장 및 그 체제. 나치스 독일과 파시스트 이탈리아의 체제가 그 대표적(代表的)임. ↔개인주의❶❹·자유주의·개체주의.
전체주의 경제학【全體主義經濟學】〔一/一이一〕명〖경〗오스트리아의 경제학자 슈판(Spann, Othmar ; 1878-1950)을 주도자로 하는, 1920 년대로부터 30 년대에 걸쳐 성했던 경제학의 한 파. 전체는 개체에 우선(優先)하며 각 개체는 항상 전체의 한 부분이므로 개별적인 사경제(私經濟)는 국민 경제 사회의 일부분이고, 국민 경제는 세계 경제적 전체성 속에서의 자기 충실로서 의의가 있다고 주장했음. 중세기적인 정치적 낭만파(政治的浪漫派)에 속함.
전체주의 국가【全體主義國家】〔一/一이一〕명 전체주의를 통치 원리로 하는 국가. 흔히 일국 일당제(一國一黨制)를 취함. 전체 국가.
전체 집합【全體集合】명〖수〗어떤 고찰의 대상 전체의 집합을 이름. 즉, 어떤 수학적 고찰에 있어서, 생각하는 집합이 전부 어떤 하나의 집합 U의 부분 집합(部分集合)이 되어 있을 때, U를 그 고찰에서의 전체 집합이라 함. 실수(實數)의 이론에서는 실수 전체, 평면(平面) 기하학에서는 평면이 이것임.
전체 표상【全體表象】명〖심〗어떤 복잡한 사상 내용이 아직 전개(展開)되지 아니하였거나 전개된 후 요약(要約)된 상태에 있어서의 막연한 통일적·혼일적(渾一的)인 전체로서의 표상.
전초[1]【全草】명 뿌리·잎·줄기 등의 풀 전체.
전초[2]【前哨】명〖군〗군대가 주둔할 때에 적(敵)을 경계하기 위하여 적에 가장 가까운 곳에 배치하는 부대. 또, 그 임무. ¶～ 기지.
전:초[3]【顚草】명 몹시 괴상하고 함부로 쓴 초서(草書). 당(唐)나라의 장욱(張旭)은 이 초서를 잘 써 자칭 '전(顚)'이라고 일컬었음.
전초-병【前哨兵】명〖군〗전초로서 배치된 병사(兵士).
전초-선【前哨線】명〖군〗전초 부대를 연결한 가상선(假想線).
전초-전【前哨戰】명〖군〗①전초에서 하는 전투. ②본격적인 전투에 들어가기 전의 작은 충돌.
전촉[1]【前蜀】명〖역〗중국 오대(五代) 십국(十國)의 하나. 당(唐)나라 장군 왕건(王建)이 촉(蜀) 땅에 세운 나라. 2 세(世) 35 년 만에 후당(後唐)에게 망하였음. 촉(蜀). [891-925]
전:촉[2]【箭鏃】명 화살촉.
전촌【全村】명 온 마을.
전총[1]【專叢】명 어떤 주제(主題)에 관하여 발행(發行)한 총서(叢書).
전총[2]【專寵】명 사랑과 귀여움을 혼자서 받음. ――-하다 자여불
전:최【殿最】명〖역〗고려·조선 시대에, 경외(京外)의 문무 관리(文武官吏)의 공과 근만(功過勤慢)을 조사하여 고과(考課)에 매기는 성적.

특히, 지방 감사(監司)가 관하 각 고을 수령(守令)의 치적을 심사하여 중앙에 보고하는 우열(優劣). 성적을 고사(考査)할 때 상(上)을 최(最), 중간을 중(中), 하(下)를 전(殿)이라 하며, 음력 유월 보름과 섣달 보름에 두 번 시행함. 포폄(褒貶).

전추[1]【前秋】명 작년 가을. 거추(去秋).

전:추[2]【顚墜】명 굴러 떨어짐. 전락(顚落). ——-하다 자 여불

전:추-라【翦秋羅】명〖식〗[*Lychnis senno*] 너도개미자릿과에 속하는 다년초. 높이 60-90cm이나 재배종(栽培種)은 1.5-2m에 달함. 잎은 대생(對生)하고 달걀꼴 피침형인데, 끝이 뾰족하고 줄기와 함께 잔털이 났음. 여름과 가을에 심홍색(深紅色)의 오판화(五瓣花)가 줄기 위의 화경(花梗) 끝에 핌. 산과 들에 나는데, 중국 원산으로 한국과 일본에도 분포함. 관상용으로 심음.

〈전추라〉

전:축【電蓄】명 ↗전기 축음기(電氣蓄音器). ¶스테레오 ~.

전축-기【全縮器】명 정류탑(精溜塔)의 부속 장치의 하나로, 탑정(塔頂)에서 나오는 증기를 냉각하여 액체로 만드는 응축기(凝縮器)의 하나.

전:축-묘【塼築墓】명〖고고학〗벽돌 무덤.

전:축-분【塼築墳】명〖고고학〗벽돌 무덤.

전춘[1]【前春】명 거춘(去春).

전:춘[2]【殿春】명 음력 삼월의 이칭(異稱).

전:춘[3]【餞春】명 봄을 마지막으로 보냄. 송춘(送春). ——-하다 자 여불

전:춘-날【餞春—】명 봄을 마지막 보내는 날. 곧, 음력 삼월 그믐날.

전:춘-놀이【餞春—】명 봄을 마지막 보내는 뜻으로 음력 삼월 그믐날에 노는 놀이.

전:춘-라【翦春羅】[—출—] 명〖식〗털동자꽃.

전:춘-시【餞春詩】명〖문〗봄을 보내는 감상을 읊은 시.

전:출【轉出】명 ①딴 곳으로 이주(移住)하여 감. ¶~ 신고. ②다른 임지(任地)로 전임(轉任)하여 감. ¶지방의 지사(支社)로 ~하다. ↔전입(轉入). ——-하다 자 여불

전:출 신고【轉出申告】명 거주지(居住地)를 옮긴 사람이 거주하던 지역의 시장·군수 또는 구청장에게 전출을 신고하는 일. 퇴거 신고. ↔전입 신고. ——-하다 자 여불

전:출 증명서【轉出證明書】명 딴 곳으로 이주(移住)하였음을 증명하는 문서. 이동(移動) 증명서.

전충【塡充】명 빈 곳을 채워서 메움. 충전(充塡). ——-하다 타 여불

전충-성【塡充性】[—썽] 명〖물〗물질이 공간을 채워서 메우는 성질. 다공도(多孔度).

전취[1]【前娶】명 다시 장가 들기 이전의 아내. 전처(前妻). 구부(舊婦). 전실(前室). 초취(初娶). ↔후취(後娶).

전:취[2]【戰取】명 싸워서 목적한 바를 얻음. ¶자유를 ~하다. ——-하다 타 여불

전취[3]【羶臭】명 노린내.

전취 소:생【前娶所生】명 전취의 몸에서 난 자식. 전처 소생(前妻所生).

전취 처가【前娶妻家】명 전취의 친정집.

전:측【轉側】명 ①방향을 바꿈. ②구르거나 자빠짐. ③자다가 돌아누움. ——-하다 자 여불

전측면-각【全側面角】명〖생〗턱의 전방 돌출 각도. 비근부(鼻根部)와 상악골(上顎骨) 전단(前端)을 잇는 직선과 이안 평면(耳眼平面)이 이루는 각. 인류에서는 진화에 따라 각도가 커졌음.

전층 군락【全層群落】[—굴—] 명〖식〗식물의 군락으로, 두 개 또는 그 이상의 분층(分層) 군락으로 구성되는 군락. 삼림(森林)은 그 좋은 예로서, 교목층(喬木層)·관목층(灌木層)·초본층(草本層)·이끼층 따위의 분층 군락으로 분할되는 전층 군락임.

전층 눈:사태【全層—沙汰】명〖지〗적설(積雪)의 전층이 무너져 내리는 사태(沙汰). 지면(地面) 근처의 적설의 재결정(再結晶), 다량의 신설(新雪)에 의한 무게, 이른 봄의 눈 녹은 물, 비를 머금은 눈의 무게 따위가 원인(原因)이 되어 일어남.

전층 시:비【全層施肥】명 논의 작토(作土) 전층에 질소 비료가 혼입(混入)되도록 비료를 주는 일.

전치[1]【全治】명 병을 완전히 고침. 완치(完治). ¶~ 3주의 부상(負傷). ——-하다 타 여불

전치[2]【前置】명 앞에 놓음. 앞에 놓임. ¶~ 태반(胎盤). ——-하다 자타 여불

전치[3]【前齒】명〖생〗앞니.

전:치[4]【電馳】명 번개처럼 매우 빨리 달림. ——-하다 자 여불

전:치[5]【轉致】명 물건을 타지방으로 운반함. ——-하다 타 여불

전:치[6]【轉置】명 놓는 장소를 바꿈. ——-하다 타 여불

전치-사【前置詞】명 [preposition]〖언〗서구어(西歐語)의 문법에서, 명사나 대명사의 앞에 놓이어, 기타의 품사와의 관계를 나타내는 품사. 영어에 있어서의 at·in·on·of·to·from 등. 앞토씨.

전치 태반【前置胎盤】명〖의〗태반의 일부 또는 전부가 정상 위치보다 아래쪽인 자궁의 협부(峽部)에 자리잡은 상태. 임신 말기에 무통성(無痛性) 출혈을 일으킴. 협부 태반(峽部胎盤).

전:치 행렬【轉置行列】[—녈] 명〖수〗행(行)과 열(列)을 바꾸어 넣어 생긴 행렬. 본래의 행렬에 대한 명칭.

전:칙[1]【典則】명 법칙(法則). 전법(典法).

전:칙[2]【電飭】명 전보로써 신칙(申飭)함. ——-하다 타 여불

전-칠자【前七子】[—짜] 명 중국 명(明)나라 홍치(弘治)·정덕(正德) 연간의 문인 하경명(何景明)·서몽양(李夢陽)·하정경(徐禎卿)·변공(邊貢)·강해(康海)·왕구사(王九思)·왕정상(王廷相)의 일곱 사람의 총칭. 후에 이반룡(李攀龍) 등 일곱 명의 후계자(後繼者)가 나왔기 때문에 이들과 구별하여 '전칠자'라 부름. 온아(溫雅)·평담(平淡)을 존중하는 당시의 문학에 반대, 웅건(雄健)한 작풍을 강조함. ↔후(後)칠자.

전칭[1]【全稱】명 [universal]〖논〗정언적(定言的) 명제 중에서, 주어(主語)가 가리키는 외연(外延) 전체에 관하여 긍정적(肯定的) 또는 부정적(否定的)으로 서술하는 명제를 가진 성질. 주어를 수식하는 '모든'이라는 말로 나타내는 특성(特性). '모든 사람은 죽는다'·'모든 광물은 동물이 아니다'의 특성.

전칭[2]【傳稱】명 ①전하여 일컬음. ②서로 전하여 칭찬(稱讚)함. ——-하다 타 여불

전칭 긍:정 명:제【全稱肯定命題】명 [universal affirmative proposition]〖논〗형식 논리학에서, 정언적(定言的) 명제 중, 주어의 모든 것이 술어의 모든 것에 포함되는 명제. '모든 새는 깃털을 가진다' 따위. 기호(記號) 논리학에서는 $(x)(F_x \supset G_x)$의 형식으로 기호화(記號化)됨. ↔전칭 부정 명제.

전칭 긍:정 판단【全稱肯定判斷】명 [universal affirmative judgement]〖논〗전칭 긍정 명제(全稱肯定命題). ↔전칭 부정(全稱否定) 판단.

전칭 명:제【全稱命題】명〖논〗정언적(定言的) 명제 중에서, 그 주어가 가리키는 모든 것에 대하여 긍정적 또는 부정적으로 서술하는 명제. 주어에 '모든'이라는 수식어를 가지는 명제. '모든 사람은 죽을 것이다'·'모든 사람은 사족수(四足獸)가 아니다' 등.

전칭 부:정 명:제【全稱否定命題】명 [universal negative proposition]〖논〗형식 논리학(形式論理學)에서, 정언적(定言的) 명제 중, 주어(主語)의 모든 것이 술어(述語)의 모든 것에 포함되지 아니하는 명제. 이를테면, '모든 고양이는 물고기는 아니다' 따위. 기호(記號) 논리학에서는 $(x)(F_x \supset -G_x)$의 형식으로 기호화(記號化)됨. 전칭 부정 판단(全稱否定判斷). ↔전칭 긍정 명제.

전칭 부:정 판단【全稱否定判斷】명 [universal negative judgement]〖논〗전칭 부정 명제(全稱否定命題). ↔전칭 긍정 판단.

전칭 판단【全稱判斷】명 [universal judgement]〖논〗주사(主辭)의 모든 범위에 걸쳐서 긍정 또는 부정하는 판단. 전칭 긍정 판단 및 전칭 부정 판단의 두 가지가 있음. *단칭 판단(單稱判斷).

전ᄎᆞ 명 〈옛〉 까닭. ¶전ᄎᆞ 전ᄎᆞ로 벗님의 전ᄎᆞ로 ≪古時調≫.

전쾌【全快】명 병이 완전히 나음. 전유(全癒). ——-하다 자 여불

전:타【轉舵】명 선박·비행기의 방향타(方向舵)의 각도를 바꿈. 또, 바꾸어 선회함. ——-하다 자 여불

전:타-각【轉舵角】명 배의 키가 돌아가는 각.

전타라【旃陀羅】명 [범 Caṇḍāla] 인도의 카스트의 최하급인 수다라(sūtra)보다 더 아래의 하급 종족. 도살(屠殺)·수렵 등을 업으로 하는 천민(賤民)임. 여자는 전타리(旃陀利). 도자(屠者). 전다라.

전타라-화【旃陀羅華】명 인도(印度)에 난다고 하는 전설 상의 꽃.

전-타음【前打音】명〖악〗'앞꾸밈음'의 한자 이름. 의음(倚音).

전탁[1]【全託】명 어떤 사물을 모두 남에게 부탁함. ——-하다 타 여불

전탁[2]【全濁】명〖언〗①동국 정운(東國正韻)의 23 자모 체계에 포함되어 있는 'ㄲ·ㄸ·ㅃ·ㅉ·ㅆ·ㆅ' 등에 공통되는 음적 특질(音的特質). ②중국의 음운학에서, 중고(中古) 중국어의 자음을 구분하는 용어. 음의 청탁(淸濁)을 네 가지, 곧 청·차청(次淸)·탁(濁)·청탁으로 분류했을 때의 탁의 별칭으로, 청탁(또는 차탁(次濁)이라고도 함)에 상대하여 일컬은 이름.

전탁[3]【專託】명 오로지 남에게만 부탁함. ——-하다 타 여불

전:탁[4]【電卓】명 ↗전자식 탁상 계산기.

전:탁[5]【轉託】명 사람을 사이에 넣어 무슨 일을 남에게 부탁함. ——-하다 타 여불

전:탐【電探】명 ↗전파 탐지기.

전:탐-기【電探機】명 ↗전파(電波) 탐지기.

전:탐 기지【電探基地】명〖군〗작전 기지(作戰基地)의 임무 수행에 필요한 작전의 전파 탐지(電波探知)·통신(通信) 지원(支援)을 위한 작전 근거지(根據地).

전탑【塼塔】명〖건〗흙벽돌로 쌓아 올린 탑. 벽탑(甓塔).

전:탕【奠湯】명〖불교〗점탕(點湯). ——-하다 자 여불

전태【銓汰】명 선악을 가려냄.

전:태 자모【電胎字母】명〖인쇄〗원형(原形) 겉면에 전기 분해로써 구리를 두껍게 입힌 다음 원형으로부터 벗겨서 구리 깍지를 만들고, 납으로 뒷면을 보강한 자모. 전주 모형(電鑄母型).

전:태-판【電胎版】명 전기판(電氣版).

전-택[1]【田宅】명 논밭과 집. 전도(田堵).

전:택[2]【轉宅】명 집을 옮김. 이사(移徙). ——-하다 자 여불

전택-궁【田宅宮】명〖민〗①십이궁(十二宮)의 하나로서 전택을 맡은 성좌(星座). ②논밭과 집을 가질 수 있고 없음이 매인 명수(命數).

전토[1]【田土】명 전답(田畓).

전토[2]【全土】명 국토(國土)의 전체.

전:-토기【—土器】명〖고고학〗아가리가 곧게 끝나지 않고 깔대기 모양으로 옆으로 튀어나온 토기. 유악(有鍔) 토기.

전통[1]【全通】명 ①모든 이치에 통달함. ¶고시(古詩)에 ~하다. ②가설 중(架設中)인 전선(電線) 또는 부설 중(敷設中)인 철로(鐵路)나 도로 등이 모두 개통함. ——-하다 자 여불

전통[2]【全統】명 부 온통.

전통[3]【傳統】명 ①계통을 받아 전함. 또는 이어받은 계통. ②[tradition] 관습(慣習) 가운데서 역사적 배경(歷史的背景)을 가지고 특히 높은 규범적 의의(規範的意義)를 지닌 것. 넓은 뜻으로는 일정한 집단 공동체(集團共同體)인 가족·국가·민족 및 지역 사회의 단위로서 전해 내려오는 사상·관습·행동 기술 등의 양식(樣式)인데 때로는 그 문화적 유산

(遺產) 속에서 현재의 생활에 의미·효용이 있는 인습(因習)이나 습관(習慣)을 일컬음. 좁은 뜻으로는 그 양식이나 인습·관습의 핵심이 되는 정신만을 지칭(指稱)함.

전:통[4] 【電通】 [명] '전화 통신'·'전보 통신'의 준말.

전:통[5] 【箋筒】 [명] 전문(箋文)을 넣어 두는 봉투.

전:통[6] 【箭筒】 [명] →전동(箭筒).

전통-미 【傳統美】 [명] 전통적으로 전해 내려오는 미. ¶ ~를 살리다.

전통-장 【箭筒匠】 [명] 1989년, 중요 무형 문화재 제93호로 지정된 화살통 공예 전승자의 호칭.

전통-적 【傳統的】 [명][관] 전통에 관한 모양. ¶ ~인 문화.

전통적 논리학 【傳統的論理學】 [—놀—] [명] [traditional logic] 〖논〗 아리스토텔레스·스콜라 철학을 통해 계승되어 온 개념 논리학(概念論理學)을 중심으로 한 구래(舊來)의 형식 논리학. 기호(記號) 논리학에 대한 일컬음.

전통적 지배 【傳統的支配】 [명] 〖논〗 예로부터 존재하는 질서와 권력과의 신성성(神聖性)을 믿는 신념에 의거하고 있는 지배. 베버(Weber, M.)가 설정(設定)한 지배의 3유형(類型)의 하나. 전통에 의하여 성화(聖化)된 지배자 자신의 권위(權威)에 대하여 피지배자(被支配者)는 공순(恭順)한 마음으로 복종함.

전:통 조:승 【箭筒釣繩】 [명] 전동을 달아서 허리에 차는 쇠나 뿔로 만든 조승.

전:통 주머니 【箭筒—】 [명] 궁시(弓矢)의 부속품을 넣는 주머니.

전통-주의 【傳統主義】 [—/—이] [명] ①구래(舊來)의 전통을 존중하고 이것을 고수(固守)하려는 보수적(保守的) 경향. ②〔프 traditionalisme〕〖철〗18세기 계몽기(啓蒙期)의 프랑스의 한 철학파의 주장. 진리(眞理)는 계시(啓示)에 기초를 둔 종교적 전통에서 구하여야 한다고 주장하고 중세의 종교적 전통을 고수하려고 한 입장. ③19세기 말, 프랑스에 있어서 자유주의·과학주의에의 반동(反動)으로 일어난 문학 운동에 나타난 주장. 철학 상에 있어서의 입장을 계승 부활(繼承復活)하여 더 나아가 사회·정치 상에까지 전개한 민족주의적 경향.

전통 지향형 【傳統志向型】 [명] 리스먼(Riesman, D.)이 설정한 인간 유형(類型)의 하나. 정체적(停滯的)인 전통적 사회에 맞는 유형이며, 이 유형의 기본적 특징은 사회의 형성(形成) 주체로서의 의식, 곧 사회적·정치적 책임감의 결여, 현세적(現世的)인 권위에 대한 공순(恭順), 비합리적·정서적 경향 등임.

전퇴 【前退】 [명] 〖건〗 집채의 앞쪽에 잇달은 물림.

전:투 【戰鬪】 [명] 〖군〗 ①싸움. 교전(交戰). ②넓은 뜻에서는 적을 쳐부수고 전첩(戰捷)을 얻기 위한 행동. 좁은 뜻으로는 규모가 작은 개개의 전쟁. 투전(鬪戰). ——-하다 [자][여불]

전:투 감시 【戰鬪監視】 [명] 〖군〗 전술적인 지상 전투 작전을 위한 첩보를 적시(適時)에 제공하기 위한 전투 지역에서의 계속적인 전천후(全天候)·주야간(晝夜間)의 체계적인 감시.

전:투 개발 연:구 【戰鬪開發硏究】 [—련—] [명] 〔combat development study project〕〖군〗 야전(野戰)에 있어서 작전 상(作戰上)의 개념 및 기술, 새로운 편제(編制) 또는 질적(質的)인 병기 자재(兵器資材)의 요구 성능 등을 결정하기 위해서 행하여지는 연구. 또, 그와 같은 결정에 공헌(貢獻)하는 연구.

전:투 경:찰대 【戰鬪警察隊】 [—때] [명] 〖법〗 대간첩 작전(對間諜作戰)을 수행하고 치안 업무를 보조하기 위해 지방 경찰청장 및 기타 경찰 기관의 장(長) 소속 아래에 둔 경찰대. [준]전경(戰警).

전:투 경:찰 순경 【戰鬪警察巡警】 [명] ①대간첩 작전의 수행을 위하여, 현역병으로 입영, 소정의 군사 교육을 마친 자 중에서 임용하는 경찰. ②치안 업무의 보조를 위하여, 지원에 의한 선발 시험에 합격 후 소정의 군사 교육을 받고 임용된 경찰. 의무 전투 경찰 순경. 의무 경찰.

전:투-기[1] 【戰鬪記】 [명] 전투의 체험·견문(見聞)·감상 등을 기록한 글.

전:투-기[2] 【戰鬪旗】 [명] 〖군〗 군함(軍艦)이 전투 개시의 신호로 올리는 기.

전:투-기[3] 【戰鬪機】 [명] 〖군〗 군용기(軍用機)의 한 가지. 적기(敵機)를 공격하고 또, 아군(我軍)의 폭격기·수송기(輸送機) 등 대형기(大型機)의 호위나 지상 전투의 엄호(掩護)를 맡는, 고속(高速)의 비교적 소형(小型)의 기종(機種).

전:투 대형 【戰鬪隊形】 [명] 〖군〗 전투 부대 또는 전함선(戰艦船)의 배열(配列).

전:투-력 【戰鬪力】 [명] 전투를 할 수 있는 병력(兵力). 전투에 견딜 수 있는 힘. 전투에서 발휘할 수 있는 힘.

전:투 명:령 【戰鬪命令】 [—녕] [명] 〖군〗 야전(野戰)에서의 작전과 행정에 관한 명령. 직접 명령·행정 명령·훈령(訓令)이 포함됨.

전:투 법규 【戰鬪法規】 [명] 〖법〗 전시 국제법 중, 교전국 상호 간의 관계를 규율하는 교전(交戰) 법규 가운데, 직접 전투 관계를 규율하는 규칙. 육전·해전·공전(空戰) 및 그 전체에 걸치는 것, 그 밖에 점령지의 주민이나 전상병자·포로에 관한 규칙 등이 포함됨.

전:투 병과 【戰鬪兵科】 [—꽈] [명] 보병·포병·기갑·공병 및 통신 병과로서 실제 전투에 투입되는 병과. ↔기술 병과.

전:투-복 【戰鬪服】 [명] 〖군〗 군인이 전투할 때에 입는 옷.

전:투 부대 【戰鬪部隊】 [명] 〖군〗 실제로 전투에 종사하는 부대.

전:투 서:열 【戰鬪序列】 [명] 〖군〗 군 부대의 인원, 예속 부대 및 장비의 식별, 병력 지휘 기구 및 배치.

전:투-선 【戰鬪線】 [명] 〖군〗 전시에 전투 부대가 차지한 최전선(最前線)의 지점을 연결하는 가상선(假想線).

전:투 예:비량 【戰鬪豫備量】 [명] 〖군〗 부대 및 개인 예비품에 부가(附加)하여 전투 지역 부근의 군·독립 군단·독립 사단에 의하여 축적된 예비 보급품.

전:투용 지도 【戰鬪用地圖】 [명] 〖군〗 전술용으로 사용되는 상세한 지형 표시 지도(地形表示地圖). 통상 2만 5천분의 1 축척(縮尺)으로 표시됨. 전술 지도(戰術地圖). ↔전략 지도.

전:투-원 【戰鬪員】 [명] 〖군〗 전투에 직접 참가하는 사람. 교전 법규(交戰法規)에 의한 교전 자격을 가지며, 적(敵)의 공격 대상이 되는 전투 병과(戰鬪兵科)의 병력. ↔비전투원.

전:투-적 【戰鬪的】 [명][관] 싸우려는 의욕(意慾)이 있는 모양.

전:투 적재 【戰鬪積載】 [명] 〖군〗 예기되는 전술 작전을 고려하여 편성된 탑재에 의거, 지정된 방법으로 인원을 배치하고 장비 및 보급품을 적재하는 일.

전:투 전:대 【戰鬪戰隊】 [명] 〖군〗 2-5개의 전투 대대로 구성되는 공군 부대 편성의 단위의 하나. 대대의 위, 비행단의 아래임.

전:투 전:차 【戰鬪戰車】 [명] 〖군〗 장갑(裝甲)이 두껍고 화포(火砲) 1문(門)을 적재하는 25-75 t 급(級)의 전차. *구축(驅逐)전차.

전:투 정보 【戰鬪情報】 [명] 〖군〗 전술적 작전의 계획 및 수행에 있어, 지휘관이 필요로 하는 적정(敵情)·기상 및 지리적 지형 지물(地形地物)에 관한 정보.

전:투 정보 센터 【戰鬪情報—】 〔center〕 [명] 〖군〗 레이더(radar)·소너(sonor) 등 장치로부터의 전술 상의 정보를 수신·해석 및 평가하는 기관.

전:투 정찰대 【戰鬪偵察隊】 [—때] [명] 〖군〗 독립 작전(獨立作戰)을 수행하기 위하여 본대(本隊)에서 파견되는 전술적 단위 부대(戰術的單位部隊). 필요하면 전투시 본대의 전방·측방 또는 후방 등을 방호하도록 지정된 분견대(分遣隊).

전:투 준:비 【戰鬪準備】 [명] 〖군〗 전투를 할 준비.

전:투 지대 【戰鬪地帶】 [명] 〖군〗 작전 수행 상, 전투 부대가 필요로 하는 지대.

전:투 차량 【戰鬪車輛】 [명] ①전투할 때 특수한 기능을 발휘할 수 있도록 설계된, 육상(陸上) 또는 수륙 양용 차량. ②전투 때에 직접 조준 사격을 할 수 있도록 설계된 차량.

전:투 탑재 【戰鬪搭載】 [명] 〖군〗 신속히 전투에 임할 수 있도록, 함정(艦艇)·항공기·차량에 장비(裝備)와 보급품을 함께 탑재하는 일.

전:투 폭격기 【戰鬪爆擊機】 [명] 〖군〗 지상(地上) 부대에 협력하여 적의 지상 부대·진지(陣地) 등의 공격을 주임무(主任務)로 하는 군용기. [준]전폭기(戰爆機).

전:투-함 【戰鬪艦】 [명] 〖군〗 군함 가운데서 가장 탁월한 공격력과 방어력(防禦力)을 가진 크고 튼튼한 군함. [준]전함(戰艦).

전:투 함:정 【戰鬪艦艇】 [명] 주력함(主力艦)·항공 모함(航空母艦)·순양함(巡洋艦)·구축함(驅逐艦)·잠수함(潛水艦) 등 직접 전투에 참가하는 해군 함정. ↔보조(補助) 함정.

전:투 행위 【戰鬪行爲】 [명] 전투의 방법으로 적군의 저항력을 불가능하게 함을 목적으로 하는 행위.

전:투 휴대량 【戰鬪携帶量】 [명] 〖군〗 전투 참가시, 개인 및 차량으로 운반되며 재보급(再補給)이 실시 가능할 때까지 전투 작전 수행에 긴요(緊要)한 장비 및 보급품.

전파[1] 【全破】 [명] 전부 파괴함. 또, 전부 파괴됨. ¶ ~ 가옥. ——-하다 [자][타][여불]

전:파[2] 【電波】 [명] 〔electric wave, radio wave〕〖물〗 전자기파(電磁氣波) 중 적외선(赤外線) 이상의 파장(波長)을 갖는 것. 주파수 10^3 헤르츠 내외로부터 10^{12} 헤르츠 내외 사이의 전자기파. 주로 무선 통신에 쓰이며, 장파(長波)·중파(中波)·단파(短波)·초단파(超短波)·극초단파(極超短波)·밀리파(波) 등이 있음. 전기파(電氣波).

전파[3] 【傳播】 [명] ①전하여 널리 퍼뜨림. 전포(傳布). 파전(播傳). ¶ 취지를 널리 ~하다. ②〔propagation〕〖물〗 파동(波動)이 매질(媒質) 속을 퍼져 감. ¶ 음향의 ~. ——-하다 [자][타][여불]

전:파 간섭계 【電波干涉計】 [명] 〔radio interferometer〕〖물〗 1초(秒) 이하까지의 각거리(角距離)를 측정하기 위하여 따로따로인 수신(受信) 안테나를 사용하는 전파 망원경 또는 방사계(放射計). 각각 다른 천체의 전파원(源)으로부터의 전파의 간섭 결과를 기록함.

전:파 강도 【電波强度】 [명] 〖전〗 어떤 지점에서의, 전파가 통과할 때의 전계(電界)나 자계(磁界)의 강도.

전:파 경:보 【電波警報】 [명] 〖전〗 전파의 전파(傳播) 상황의 이상(異常)에 관한 예보(豫報)나 경고(警告).

전:파-계 【電波計】 [명] 〔wavemeter〕〖전〗 무선 주파 발진기(周波發振器)의 출력(出力) 또는 도달한 전파의 파장(波長)이나 주파수를 측정(測定)하는 장치(裝置).

전:파 고도계 【電波高度計】 [명] 〔radio altimeter〕〖물〗 초단파(超短波)를 사용하여 비행 고도(飛行高度)를 측정하는 항공기용 계기. 주파수 변조(周波數變調) 전파 고도계·레이더 고도계 등이 있음.

전:파 관리 【電波管理】 [—괄—] [명] 전파를 공평(公平)하고 능률적으로 이용하기 위하여 국가에서 전파와 방송에 관하여 규정하는 일.

전:파 관리법 【電波管理法】 [—괄—뻡] [명] 〖법〗 전파의 합리적인 관리와 공공 복지를 증진함을 목적으로 한 법률. 1961년 제정. 방송국을 비롯한 무선국의 허가·설비·종사자·운용·검사·감독 등을 규정함.

전:파 기상 【電波氣象】 [명] 〔radio meteorology〕〖기상〗 전파(電波)가 지면 부근(附近)을 전파(傳播)할 때 관계되는 기상.

전:파 기후학 【電波氣候學】 [명] 〔radio climatology〕〖기상〗 전파 에너지가 대기 속을 통과할 때의, 전파(傳播) 방법의 지역적·계절적 변동을 연구하는 학문.

전:파 렌즈 【電波—】 〔lens〕 [명] 〖전〗 적당한 형태의 유도체(誘導體)나 평행 금속판(平行金屬板)을 마이크로웨이브의 전파 통로(傳播通路)에 가설한 장치. 이 장치 안에서의 전파 진행 속도는 공중(空中)에서의 속

도와 다른 점을 이용하여 전파를 수렴(收斂)시킴.
전파-로【傳播路】명〔propagation path〕〖물〗직접 대류권 산란(直接對流圈散亂)·전리층(電離層) 산란·이층 반사(E層反射)·에프(F)층 반사·에코(echo) 등을 포함하는 송수신기간(間)의 전파 통로.
전:-파리 명 절름거리는 파리.
전:파 망:원경【電波望遠鏡】명〖천〗천체(天體) 또는 우주 공간(宇宙空間)으로부터 오는 전파를 수신·증폭하여 관측하는 장치. 파라볼라 안테나를 비롯해서 대상으로 하는 전파에 따라 갖가지 형태의 안테나가 쓰임.
전:파-별【電波―】명〔radio star〕〖천〗우주에 점상(點狀)으로 존재하는 전파원(電波源). 은하계 내의 가스상 성운(gas狀星雲)·은하계 외의 성운·준성(準星) 등이 있으며, 특히 백조(白鳥)자리 및 카시오페이아(Cassiopeia)자리에는 강렬한 전파원이 있음. 라디오성(星). 라디오별. 전파성. 전파 천체(天體).
전:파 병기【電波兵器】명 전파를 이용한 군용 기재(器材). 통신 병기나 레이더(radar), 암시 망원경(暗視望遠鏡) 같은 것.
전:파 분광학【電波分光學】명〔radio-frequency spectroscopy〕고주파(高周波)의 진동(振動) 전류에 의해서 발생되는 전자기파(電磁氣波)에 의하여 여러 가지 물질 속의 원자핵·전자·원자·분자 또는 원자단의 상태를 연구하는 분광학.
전:파-사【電波社】명 라디오·텔레비전 따위 전자기파(電磁氣波)를 이용한 전기 기기(機器)를 주로 취급하는 가게. *전업사(電業社).
전파 상수【傳播常數】명〔propagation constant〕〖물〗전송로(傳送路)를 전파(傳播)하는 전파(電波)는 보통 감쇠(減衰)하여 위상(位相)도 어긋나게 되는데, 이 감쇠와 위상의 관계를 나타내는 상수를 전파 상수라 일컬음.
전파-설【傳播說】명〔diffusionism〕문화의 기원(起源)이나 전달(傳達)의 연구에 있어 다른 요소를 경시(輕視)하고 역사적 접촉에 의한 전파의 역할만을 특히 강조하는 이론.
전:파-성【電波星】명〖천〗전파별.
전:파 성운【電波星雲】명〖천〗은하계(銀河系) 바깥의 성운 중 특히 강한 전파를 발사하고 있는 성운. 전파의 세기는 은하계나 안드로메다(Andromeda) 성운의 수십 배로부터 백만 배에까지 달하며, 은하의 폭발(爆發)로 방출된 가스 속의 고속 전자(高速電子)의 싱크로트론 방사라고 생각되고 있음. 전파별의 일종임.
전파 수신기【全波受信機】명〔all-wave receiver〕중파 방송 외에 단파(短波) 방송 등 넓은 주파수대(周波數帶)를 수신할 수 있는 수신기. 올웨이브(all-wave) 수신기. 올웨이브 리시버.
전:파 시계【電波時計】명 동기 전동기(同期電動機) 시계, 곧 전기 시계에 라디오 수신기를 짝지워 시보 신호(時報信號)에 의해 자동으로 시계 바늘을 맞추게 된 시계.
전:파 연:구소【電波硏究所】명〖법〗체신부 장관 소속의 연구 기관. 전파의 예보 및 경보, 무선 기기의 형식 검정, 전파 및 전기 통신 기술의 연구에 관한 업무를 관장함.
전:파-원【電波源】명〔radio source〕〖천〗은하계 밖 또는 안에서 전자기파(電磁氣波) 방사를 하는 근원. 전파별 따위.
전:파 은하【電波銀河】명〔radio galaxy〕〖물〗전파 영역(電波領域)에 다량의 강한 에너지를 방출(放出)하는 은하. 현재 약 3,000개가 동정(同定)되고 있음. 광학적(光學的)으로는 아무것도 보이지 않는 영역으로부터의 전파에 관한 것을 이를 때가 많음.
전:파-전【電波戰】명 라디오를 통한 선전전(宣傳戰). 냉전(冷戰)의 한 방식임.
전파 정:류【全波整流】[―뉴] 명〖물〗반파 정류기(半波整流器)를 두 개 사용하여 교류 전류의 전부를 같은 방향으로 흐르게 하는 일.
전:파 천문학【電波天文學】명〖천〗전파 관측(電波觀測)을 이용하는 천문학의 새로운 한 분과(分科). 천체 자신이 발하는 전파를 받아 연구하는 좁은 의미의 전파 천문학과 지상에서 발사한 전파의 반사에 의하는 레이더(radar) 천문학의 두 가지로 분류됨.
전:파 천체【電波天體】명〖천〗전파별.
전:파 탐지기【電波探知器】명 레이더(radar).
전:파 폭풍【電波暴風】명〔radio storm〕〖물〗전파의 발신(發信) 수신(受信)이 오랫동안 산란(散亂)되는 일. 수시간에서 수일 동안 계속됨.
전:파 항:법【電波航法】[―뻡] 명〔electronic navigation〕선위(船位)를 도출(導出)하는 방법의 하나. 레이더(radar)·로란(Loran) 등의 전자 공학(電子工學) 장치를 이용하여 선위를 결정함.
전판[1]【全―】명부 '남김없이 모두'의 뜻. 온통. 온판. ¶~ 못 쓰게 되었다.
전판[2]【全判】명 ①전지(全紙). ②〖인쇄〗전지(全紙)를 인쇄할 수 있는 크기의 인쇄 기계(印刷機械). A열(列), B열의 두 가지가 있으며, A5판·B5판이면 편면(片面)에서 16페이지 분, A6판·B6판이면 편면에서 32페이지 분이 인쇄됨.
전판[3]【前判】명 동일 사건(事件)의 이전의 판결(判決).
전:판[4]【殿版】명 무영 전본(武英殿本). 전본(殿本).
전:판[5]【篆板】명 →전반.
전-팔십【前八十】[―씹] 명 상팔십(上八十).
전패[1]【全敗】명 모조리 패함. 싸우는 족족 모두 짐. 완전히 패함. ¶십전(十戰) ~. ――-하다 자여불
전:패[2]【殿牌】명〖역〗지방 객사(客舍)에 '殿'자를 새겨 세운 나무 패. 왕의 상징으로, 출장 간 관원(官員)이나 그 골 원이 배례하였음.

〈전패[2]〉

전:패[3]【戰敗】명 싸움에 짐. 싸워서 짐. 패전(敗戰). ↔전승(戰勝). ――하다 자여불
전:패[4]【顚沛】명 엎드러지고 자빠짐. ――-하다 자여불
전:패-국【戰敗國】명 전쟁에 진 나라. 패전국. ↔전승국.
전:패 위공【轉敗爲功】명 실패를 이용하여 도리어 유공(有功)하게 함. *전화 위복. ――-하다 자여불
전팽【專伻】명 전인(專人). ――-하다 타여불
전편[1]【全篇】명 한 편의 시문(詩文)이나, 서적(書籍)의 전체. ¶~에 일관되게 흐르는 정신 / 단시간에 ~을 독파하다.
전편[2]【前篇】명 두세 편으로 나누인 책의 앞의 편. ↔후편.
전편[3]【專便】명 어떠한 일을 특히 부탁하여 보내는 인편(人便).
전:편[4]【轉便】명 전체(轉遞). ――-하다 타여불
전:평【錢評】명 돈으로 치는 셈평.
전폐[1]【全閉】명 모두 닫음. 아주 닫아 버림. ――하다 타여불
전폐[2]【全廢】명 아주 없애 버림. 전부 폐지함. ¶공창 제도의 ~/식음(食飮)을 ~하다. ――하다 타여불
전폐[3]【前弊】명 이전부터 내려오는 폐단.
전:폐[4]【奠幣】명〖역〗나라의 대제(大祭)에 폐백(幣帛)을 올림. ――-하다 자여불
전:폐[5]【殿陛】명 전각(殿閣)의 섬돌. 전계(殿階).
전:폐[6]【箭幣】명〖역〗조선 세조(世祖) 10년(1464)에 쇠로 주조(鑄造)한 화폐의 한 가지. 유엽전(柳葉箭)의 살촉 모양으로 되었는데, 촉꽂이 부분의 두 쪽에다가 '八方通貨'라는 네 글자를 나누어서 기록하였음. 이 한 잎의 가격은 저화(楮貨) 석 장과 맞먹었음.
전:폐[7]【錢幣】명 돈[1]❶.
전:폐[8]【錢弊】명 화폐 제도(貨幣制度)의 불완비로 인하여 일어나는 여러 가지의 폐단.
전포[1]【田圃】명 채마전(菜麻田). 남새밭.
전포[2]【全鮑】명 전복(全鰒).
전:포[3]【典布】명〖역〗성균관 재생(齋生)들이 식사할 때, 늘어앉은 재생들 앞에 소반 대신 식당 바닥에 펴 놓는 긴 삼베의 속칭(俗稱).
전:포[4]【典鋪】명 ↗전당포(典當鋪).
전포[5]【傳布】명 전파(傳播)❶. ――-하다 자타여불
전:포[6]【電泡】명〖불교〗번갯불이나 물거품같이 덧없는 것.
전:포[7]【廛鋪】명 전방(廛房).
전:포[8]【戰袍】명〖역〗예전에 장수(將帥)가 입던 긴 웃옷.
전:포[9]【錢鋪】명 전장(錢莊).
전폭[1]【全幅】명 ①한 폭의 전부. 화면(畫面)·지면(紙面) 등의 전체. 온 나비. 온폭. ¶날개의 ~. ②일정한 범위의 전체. ¶~적 지지(支持).
전폭[2]【前幅】명 앞의 폭. 앞폭.
전폭[3]【傳爆】명 폭발되기 쉬운 것으로부터 어려운 것으로 차차 폭발을 전달 확장하는 방법. 가령 티 엔 티(TNT)는 뇌관(雷管)으로, 폭발이 잘 되는 압축(壓縮) 티 엔 티를 폭발시켜 그 힘으로 본체(本體)의 둔감(鈍感)한 티 엔 티를 폭발시킴. ――-하다 자여불
전:폭-기【戰爆機】명 ↗전투 폭격기.
전폭-약【傳爆藥】[―냑] 명 전폭에 사용되는 폭약.
전폭-적【全幅的】명관 있는 대로의 전부에 걸친 모양. ¶~인 지지.
전표[1]【全豹】명 전체의 모양.
전표[2]【前表】명 앞에 보인 표. ¶~에 보인 바와 같이.
전표[3]【傳票】명 은행·회사·상점(商店) 등에서 금전 출납(金錢出納) 또는 거래 내용 등을 간단히 기재(記載)하여 책임을 분명히 하는 쪽지. 입금(入金)·출금(出金)·매출(賣出)·매입(買入)·출하(出荷) 등의 구별이 있음. ¶~를 떼다/입금 ~.
전:표[4]【錢票】명 흔히 공사장(工事場) 등에서 일용(日傭) 근로자들에게 현금대신 지급하는 쪽지. 가지고 오는 사람에게 현금으로 바꾸어 주도록 되어 있음. 돈표.
전표-산【傳票算】명 전표셈.
전표-셈【傳票―】명 전표의 숫자를 읽어가며 놓는 주산(珠算). 전표산(傳票算).
전표 제:도【傳票制度】명〖경〗회계적 기록(會計的記錄)을 위하여 전표를 사용하며, 따로 장부 또는 장부 제도를 채용(採用)하지 않는 기업 회계(企業會計)의 한 방식.
전:품[1]【典品】명 전당잡힌 물품. 전물(典物).
전품[2]【田品】명 전지(田地)의 품등.
전:풍【癜風】명〖한의〗어루러기.
전피-장【猠皮匠】명〖역〗너구리의 털가죽을 다루는 장인(匠人).
전필[1]【前蹕】명 임금이 거둥할 때 벽제(辟除)하는 사람.
전필[2]【傳蹕】명 경필(警蹕)의 소리를 냄. ――-하다 자여불
전:필승 공:필취【戰必勝攻必取】[―씅―] 명 싸우면 반드시 이기고 성을 공격하면 반드시 빼앗음. 상승(常勝).
전푸리 명〈옛〉전파리. 저는 파리. 민첩하지 못한 파리. ¶두텹이 전푸리 물고 두엄 우희 치드라셔셔 ≪古時調≫.
전:하[1]【殿下】명 ①궁전의 아래. 전당의 계단 아래. ②왕이나 왕비(王妃)·황태자 등 왕족에 대한 존칭. ③〖천주교〗추기경(樞機卿)에 대한 존칭. *각하(閣下)·성하(聖下).
전:하[2]【電荷】명〔electric charge〕〖물〗전기 현상(電氣現象)의 근원이 되는 실체(實體). 양(陽)전기와 음(陰)전기로 나뉘며, 전기량(電氣量)에 의해 규정됨. 또, 물체가 띠고 있는 정전기(靜電氣)의 양(量)을 가리킴.
전:하[3]【轉荷】명 ①짐을 딴 데로 옮김. ②책임이나 죄과(罪過) 같은 것의 전가(轉嫁). ――-하다 타여불
전하[4]【瀍河】명 전수(瀍水).

전:하 결합【電荷結合】[명]〔charge coupling〕〖전〗 반도체 기억 소자(記憶素子) 안의 모든 전하를 전압 조작에 의해, 옆에 있는 같은 종류의 소자로 옮기는 일.

전:하 결합 장치【電荷結合裝置】[명]〔charge coupled device ; CCD〕〖전〗 반도체 속에 주입한 소수 반송자(搬送子, carrier)의 신호를 한 덩어리의 전하로 하여 외부 전압에 의해 결정 표면(結晶表面)과 평행 방향으로 전송(轉送)할 수 있는 소자(素子). 전하 결합 소자.

전-하다[1]【傳―】[타][여불] ①이 곳에서 저 곳으로 옮기다. ¶물건을 ~/이 책을 김 선생께 전해 주시오. ②물려 내려 주다. ¶가보(家寶)를 자손에게 ~. ③이어 받아 가다. ¶예로부터 전하는 말에 의하면. ④소식을 알리다. ¶기쁜 소식을 ~.

전-하다[2]【轉―】[자][타][여불] (방향·상태 등이) 바뀌다. 또는 바꾸다. ¶전하여, 덕을 널리 편다는 뜻임.

전:하 밀도【電荷密度】[―또][명]〔density of electric charge〕〖전〗 전기량(電氣量)의 밀도. 미시적(微視的)으로는 하전 입자(荷電粒子)가 있는 곳에서만 큰 값을 갖는 불연속적(不連續的)인 것이나, 거시적(巨視的)으로는 이들의 평균값을 말함.

전:하의 법칙【電荷―法則】[―/―에―][명]〔law of electric charges〕〖전〗 같은 부호(符號)의 전하는 서로 반발(反撥)하고, 다른 부호의 전하는 서로 끌어당긴다는 법칙.

전하이〔鎭海〕[명]〖지〗 중국 저장 성(浙江省) 동북부의 도시. 융장(甬江) 강 어귀에 있으며, 닝보(寧波)의 외항 구실을 함. 상하이(上海)까지 정기 항로가 열리고 어업이 활발함. 진해.

전:하 이동【電荷移動】[명]〔charge transfer〕〖물·화〗 이온이나 중성 원자(中性原子) 사이에서 전자(電子)의 수수(授受)가 있으며, 그 결과 전하가 이동하는 일.

전:하 이동력【電荷移動力】[―녁][명]〔charge-transfer force〕〖물〗 전하 이동 착체(錯體)의 결합력. 이를테면, 전자 공여체(電子供與體)에서 전자 수용체(電子受容體)로 전자가 부분적으로 이동하여 결합(結合)이 생기는 따위.

전:하 이동 착체【電荷移動錯體】[명]〔charge-transfer complex〕〖물〗 전하 이동력에 의하여 전자 공여체(電子供與體)와 전자 수용체(受容體) 사이에 형성된 분자 화합물. 전자 공여체로는 벤젠 따위의 방향족(芳香族) 탄화 수소, 아민류(類)나 에테르류·알코올류 등이 있고 전자 수용체로는 요오드·염소(塩素)·니트로 화합물 등이 있음.

전:학【轉學】[명] 다니던 학교에서 다른 학교로 옮기어 가서 배움. 전교(轉校). ¶~생. ――하다 [자][여불]

전-학삼【錢學森】[명]〖사람〗 '첸 쉐썬'을 우리 음으로 읽은 이름.

전한[1]【田閒】[명] 전원 속.

전-한[2]【田漢】[명]〖사람〗 '톈 한'을 우리 음으로 읽은 이름.

전:한[3]【典翰】[명]〖역〗 조선 시대의, 홍문관(弘文館)의 종삼품 벼슬. 직제학(直提學)의 아래, 응교(應教)의 위.

전한[4]【前恨】[명] 이전의 원한.

전한[5]【前漢】[명]〖역〗 중국 왕조(王朝)의 하나. 고조(高祖) 유방(劉邦)이 진(秦)이 붕괴된 뒤, 항우(項羽)를 쓰러뜨리고 장안(長安)에서 제위(帝位)에 오르고부터 왕망(王莽)에게 찬탈(簒奪)되기까지의 한(漢)나라의 칭호. 서한(西漢). *후한(後漢). [202 B. C.–A. D. 8]

전:한[6]【展限】[명] 관한(寬限). ――하다 [타][여불]

전:한[7]【廛閒】[명] 가게.

전:한[8]【戰汗】[명] 무서워서 땀이 남. 또, 그 땀.

전한-서【前漢書】[명]〖책〗 전한(前漢)의 정사(正史)인 한서(漢書)의 일컬음. ↔후한서(後漢書).

전할【全割】[명]〖생〗 동물란(動物卵)의 난할 형식(卵割形式)의 하나. 알 전체가 세포로 분할되는 난할. 개구리·성게의 경우 같은 것. 생긴 할구(割球)의 대소(大小)에 따라 등할(等割)·부등할(不等割)로 세분(細分)됨. ↔부분할(部分割).

전할-란【全割卵】[명]〖생〗 전할을 하는 알.

전함[1]【前銜】[명] 전임(前任). 전직(前職).

전:함[2]【戰艦】[명] ①전쟁에 직접 사용하는 함선(艦船)의 총칭. 군함(軍艦). 병선(兵船). 병함(兵艦). ②↗전투함(戰鬪艦).

전:함 병량 도감【戰艦兵糧都監】[―냥―][명]〖역〗 고려 때 전함의 병량을 맡은 관아. 원종(元宗) 14년(1273)에 둠.

전:함-사【典艦司】[명] 조선 시대 때, 경기(京畿)와 지방에 있는 함선(艦船)에 관한 일을 맡아 보던 관아. 사수감(司水監).

전:-함지[명] 전이 달린 함지박.

전함 품:관【前銜品官】[명]〖역〗 여말 선초(麗末鮮初)에, 전직(前職)의 품관(品官)이란 뜻으로 한량 품관(閑良品官)을 일컫던 딴이름.

전합【鈿合】[명] 나전 세공(螺鈿細工)을 한 작은 상자.

전항【前項】[명] ①앞에 적혀 있는 사항. ②〖수〗 둘 이상의 항(項) 중의 앞의 항. 앞항. ↔후항(後項).

전항 동:물【前肛動物】[명]〖동〗[Prosopygii] 성충류(星蟲類)·외항류(外肛類)·완족류(腕足類)·추충류(箒蟲類)·익새류(翼鰓類)의 5 강(綱)을 합하여 한 문(門)으로 분류했을 때의 명칭. 무척추(無脊椎) 동물로서, 구부(口部) 주위에 다수의 촉수(觸手)가 발달하였고 항문(肛門)은 몸 전부(前部)에 있는 입 부근에 있음. 입은 원구(圓口)이고 내부에 넓은 체강(體腔)이 있으며 소화관(消化管)은 장간막(腸間膜)으로 되었는데, 체벽(體壁)에 붙어 있고, 구개 돌기(口蓋突起)는 장새(腸鰓) 동물의 부리 같으며 복부(腹部)가 늘어나고 등은 줄어들어 감각성(感覺性)의 돌기가 됨. 신경계(神經系)의 인두절(咽頭節)은 한두 개 있음. *의연체 동물(擬軟體動物).

전해[1]【全解】[명] 전부 이해하거나 풀이함. ――하다 [타][여불]

전-해[2]【前―】[명] ①지난 해. ②어떤 해의 바로 전의 해.

전:해[3]【電解】[명]〖물〗↗전기 분해(電氣分解). ――하다 [타][여불]

전:해-고【典解庫】[명]〖역〗 고려 때의 관아 이름. 공민왕(恭愍王) 5년(1356)에 설치되었으나 그 맡은 바 직무는 알려지지 않음.

전:해 공업【電解工業】[명] 전기 분해를 이용하는 전기 화학 공업의 하나. 수소·산소·수산화 나트륨·염소의 전기 도금(鍍金), 제조, 금속의 전해에 의한 채취 또는 정제(精製), 알루미늄·마그네슘 등의 제련 같은 것이 이에 속함. *고온(高溫) 전기 화학 공업.

전:해 구리【電解―】[명]〔electrolytic copper〕〖물·화〗 전기 정련(精鍊)으로 얻은 구리. 99.9%의 구리 성분을 지니며, 전도율(電導率)이 가장 큼. 전기 도체(導體)에 사용됨. 전기동(電氣銅). 전해동(電解銅).

전:해 기록【電解記錄】[명]〔electrolytic recording〕〖전〗 지면(紙面)에 유기(有機) 색소 등 전해 발색성(發色性) 물질을 바르고, 나선형의 전극(電極)을 주사(走査)하면서 직류 전압(直流電壓)의 정보 신호를 발색 기록하는 일.

전:해-동【電解銅】[명]〖화〗 전해 구리.

전-해(:)룡【全海龍】[명]〖사람〗 백백교(白白教)의 교주(教主). 평북 영변(寧邊) 출생. 1923년 경기도 가평군(加平郡)에서 민심 교화와 광명 세계 실현을 명목으로 포교(布教) 활동을 폄. 그 동안 신도를 갈취·간음, 100여 명을 참살하는 등 그 죄과가 드러나자 자살하였음. [?-1937]

전:해-물【電解物】[명]〖화〗 전해질(電解質).

전:해 부식【電解腐蝕】[명]〖전〗 ①지하 매몰 또는 수중(水中) 매몰된 금속 물체에 전류가 흘러 들어 부식되는 현상. [준]전식(電蝕). ②전기 화학적 작용을 응용하여 금속 판재(金屬板材)를 부식시켜 인쇄용 망판(網版)·선화(線畫)·볼록판 등을 만드는 방법.

전:해 분극【電解分極】[명]〔electrolytic polarization〕〖물〗 분극.

전:해 분석【電解分析】[명]〔electrolytic analysis〕〖화〗 정량 분석(定量分析)의 한 방법. 이온(ion)의 혼합 용액을 전기 분해하여 한 종류의 물질 전부를 양전극(兩電極)에 석출(析出)시켜 그 중량을 측정함.

전:해 사진 복사【電解寫眞複寫】[명]〔electrolytic photocopying〕 사진 복사법의 하나. 종이를 지지체(支持體)로 하고, 알루미늄의 박층(薄層)을 쌓아 그 위를 흰색의 광전도성(光電導性) 물질로 덮은 시트(sheet)에 상(像)을 투영(投影)함. 이 시트는 전해질과 접촉하고 있으므로 알루미늄층(層)과 전해질 사이에 직류 전류(直流電流)를 흐르게 하면, 빛이 닿은 부분에서 전해가 일어나 가시(可視) 물질이 석출(析出)되고 상(像)이 형성됨.

전:해 산화【電解酸化】[명]〖전〗 전기 분해 때 음이온(陰ion)이 양극(陽極)에 모여 전극(電極)과 이온 사이에서 일어나는 산화 반응을 말함. ↔전해 환원(電解還元).

전:해 소:다【電解―】[명]〔electrolytic soda〕〖화〗 식염수(食塩水)의 전해에 의해서 제조된 수산화 나트륨. 이 때 수소(水素)와 염소(塩素)가 부산물(副產物)로 얻어짐.

전:해 소:다법【電解―法】[―뻡][명]〔electrolytic soda process〕〖전〗 식염수(食塩水)를 전기 분해하여 염소(塩素)와 수산화(水酸化) 나트륨과 수소(水素)를 제조하는 방법. 격막법(隔膜法)과 수은법(水銀法)이 있음.

전:해-액【電解液】[명]〖화〗 ①전기 분해를 할 때, 전해조(電解槽) 안에 넣어 이온 전류(ion電流)로 전류를 흘려 보내는 매체(媒體)가 되는 용액. ②↗전해질 용액.

전:해 연:마【電解研磨】[명]〔electrolytic polishing〕〖전〗 특수한 조성(組成)의 액 속에 금속을 침석(浸析)하여 이것을 직류 전원(直流電源)의 플러스극(極)에 연결하여 양극(陽極)으로 하여서 전해할 때에 금속 표면(金屬表面)이 연마되는 현상. 제2차 대전 후 각국에서 공업적(工業的)으로 실용함.

전:해-운【電解雲】[명]〖물〗 전자(電子) 구름.

전:해의 법칙【電解―法則】[―/―에―][명]〖전〗〔↗패러데이의 전기 분해 법칙〕 패러데이(Faraday)가 발견한 전기 분해(電氣分解)에 관한 법칙. 전해 생성물(生成物)의 양(量)은 분해에 사용한 전기량(電氣量)과 그 화학 당량(化學當量)에 비례(比例)한다는 것. 패러데이의 법칙.

전:해 정련【電解精鍊】[―년][명]〖화〗 전해 제련(電解製鍊).

전:해 정:류기【電解整流器】[―뉴―][명]〔electrolytic rectifier〕〖물〗 정류기의 하나. 탄산 나트륨·인산 암모늄 또는 붕산 암모늄의 수용액 속에 알루미늄의 판(板)과 철판 또는 납판을 전극(電極)으로 사용한 것. 건식(乾式) 정류기가 발달한 후로는 쓰이지 않음. ↔건식 정류기.

전:해 정제【電解精製】[명]〖화〗 전해 정련(電解精鍊).

전:해 제:련【電解製鍊】[명]〖화〗 습식 전기 야금법(濕式電氣冶金法)의 하나. 조금속(粗金屬)을 양극으로, 목적하는 금속과 같은 금속염(塩)의 수용액을 전해액으로 전기 분해하여 음극에 순도가 높은 목적 금속을 석출(析出) 정련하는 방법. 구리·니켈·백금·안티몬 등을 정련함. 전해 정제. 전해 정련.

전:해-조【電解槽】[명]〔electrolytic cell〕〖화〗 전기 분해를 행하는 장치. 전해액(液)을 넣는 용기(容器)·전해액(液)·음극(陰極) 및 양극(陽極)으로 이루어짐. 양극(兩極)에 생긴 전해 생성물(電解生成物)을 분리해 둘 필요가 있을 때는 격막(隔膜)을 가로막음.

전:해조 전:압【電解槽電壓】[명]〖전〗 욕전압(浴電壓).

전:해-질【電解質】[명]〔electrolyte〕〖물〗 물 등 용매(溶媒)에 용해(溶解)하여 수용액(水溶液)으로 되었을 때, 전리(電離)하여 이온(ion)이 생기고 전류(電流)를 이끄는 물질. 산(酸)·알칼리·염류(塩類) 등. 전해물(電解物). ↔비전해질.

전:해질 용액【電解質溶液】[명]〖화〗 전해질이 용해되어 양이온(陽ion)과 음이온(陰ion)으로 전리(電離)한 용액. 이온이 이동함으로써 전류

가 흐르는 것임. 일반적으로는 용해한 수용액을 전해질이라 일컬음. 링거액. ㊀전해액.

전:해 채:취【電解採取】명 〔electrowinning〕『야금』 전기 화학적인 방법에 의해서, 용액으로부터 금속을 얻어내는 방법.

전:해-철【電解鐵】명 공업용 순철(純鐵)의 하나. 철염(鐵塩)을 함유하는 수용액의 전해에 의하여 얻어지는 순도(純度)가 높은 금속철. 진공관 재료·합금 재료 등으로 쓰임.

전:해 콘덴서【電解—】〔condenser〕명 〔electrolytic capacitor〕『전』 금속 알루미늄을 전해질 속에서 전기 분해하여, 이 때 양극 산화(陽極酸化)에서 생긴 얇은 절연성(絶緣性)의 산화 피막(酸化被膜)을 유전체(誘電體)로 하고 전해질을 음극(陰極)으로 하는 콘덴서. 소형으로 대용량(大容量)을 얻을 수 있어 저주파 회로(低周波回路) 등에 쓰임.

전:해 투석【電解透析】명『화』 전해질을 포함한 콜로이드(colloid) 용액을 가운데 넣고 막으로 칸을 막아 물을 양쪽에 넣어, 음양 양극을 꽂아서 막으로 하는 투석. 보통, 투석보다 콜로이드 용액 속의 이온의 제거(除去)가 빠름. 전기(電氣) 투석.

전:해 표백【電解漂白】명 전기 표백.

전:해 환원【電解還元】명『전』 전기 분해 때, 양이온(陽ion)이 음극(陰極)에 모여 전극(電極)과 이온 사이에서 일어나는 환원 반응을 말함. ↔전해 산화(電解酸化).

전핵【前核】명 〔pronucleus〕『생』 정자(精子)가 난자(卵子)에 들어가서 융합(融合)하기 전의 정핵(精核)과 난핵(卵核).

전핵 생물【前核生物】명『생』 원핵 생물(原核生物).

전핵 세:포【前核細胞】명 〔prokaryote cell〕『생』 세균이나 남조(藍藻)와 같은 원시적인 핵을 가지고 있는 세포. 핵의 디옥시리보핵산(DNA) 함유부(含有部)에 막이 없음.

전행[1]【前行】명 ①앞의 행렬. 앞의 줄. ②이전의 행위. ③전진(前進).

전행[2]【專行】명 오로지 제 마음대로 결단하여 행함. 전천(專擅). 천행(擅行). ¶적신(賊臣)들의 ~. ——-하다 타여불

전:행[3]【轉行】명 옮겨 감. 또, 굴러 감. ——-하다 자여불

전향[1]【前向】명 앞으로 향함. ——-하다 타여불

전향[2]【傳香】명『역』 왕실(王室)의 제향(祭享)에 쓸 향(香)과 축문을 왕이 친히 헌관(獻官)에게 전하는 일. ——-하다 자여불

전:향[3]【轉向】명 ①방향을 바꿈. ②현실 사회와 배치되는 자기의 사상을 그 사회와 합치하도록 바꿈. 방향 전환. ¶~ 작가(作家). ——-하다 타여불

전:향[4]【轉餉】명 식사(食事)를 운반함. ——-하다 자여불

전:향-력【轉向力】〔—녁〕명 〔deflecting force〕『물』 지구의 자전(自轉)으로 말미암아 지상에서 운동하는 질점(質點) 또는 물에 작용하는 힘. 편향력(偏向力). 코리올리 힘.

전:향 문학【轉向文學】명『문』 사상(思想)의 전향 현상을 취재(取材)한 문학.

전:향-사【典享司】명『역』 조선 시대 때, 예조(禮曹)의 한 분장(分掌). 나라의 연향(宴享)·제사(祭祀)·제물(祭物)·음선(飮膳)·의약(醫藥)에 관한 사무를 맡았음.

전:향 소:설【轉向小說】명『문』 전향 문학에 속하는 소설.

전:향-식【轉向式】명 보기식(bogie式).

전:향-자【轉向者】명 전향한 사람.

전:향 작가【轉向作家】명 전향한 문예 작가.

전:향-점【轉向點】〔—쩜〕명『기상』 태풍의 진행 방향이 급히 변화하는 지점.

전:향-차【轉向車】명 보기차(bogie車).

전향-파【前向波】명『물』 전진파(前進波).

전:헌【典憲】명 전범(典範).

전혀[1]【全—】부 도무지. 아주. 온전히. 전연(全然). ¶~ 모르는 일.

전혀[2]【專—】부 오로지.

전현【前賢】명 예전의 현인(賢人). 선현(先賢). 고현(古賢).

전-현동【錢玄同】명『사람』 '첸 쉬안둥'을 우리 음으로 읽은 이름.

전:혈[1]【戰血】명 전쟁에서 흘린 피.

전혈[2]【殰血】명 ①비린내 나는 피. ②이적(夷狄)의 피.

전혐【前嫌】명 지난날의 혐의(嫌疑).

전형[1]【全形】명 ①전부의 형체(形體). ②완전한 형체.

전:형[2]【典刑】명 ①예로부터 전(傳)하여 내려오는 법전(法典). ②전형(典型)❶.

전:형[3]【典型】명 ①어떤 부류의 본질적 특색을 나타내는 본보기. 또, 그 틀. 유형(類型). 이상 유형(理想類型). 전형(典刑). ¶고전(古典)의 ~. ②조상이나 스승을 본받은 틀.

전:형[4]【電型】명『물』 전주(電鑄).

전:형[5]【銓衡】명 인물의 됨됨이나 재능(才能)을 시험하여 뽑음. 선고(選考). ¶~ 고사(考査). ——-하다 타여불

전:형[6]【箭形】명『식』 식물의 잎 모양의 한 종류. 화살 모양으로 끝이 뾰족하고 기각(基脚)이 날카롭게 갈라짐. 가는벗풀의 잎 같은 것.

전:형[7]【轉形】명 ①물건이 구르는 모양. ②형식이나 형태(形態)를 바꿈. ——-하다 자여불

전:형 계:약【典型契約】명『법』 민법이 정하는 증여(贈與)·매매(賣買)·교환(交換)·소비 대차(消費貸借)·사용 대차(使用貸借)·임대차(賃貸借)·고용·도급(都給)·현상 광고(懸賞廣告)·위임(委任)·임치(任置)·조합·종신 정기금(終身定期金)·화해(和解)의 열네 가지 계약. 유명(有名) 계약.

전:형 원소【典型元素】명『화』 주기표의 원소를 분류한 명칭의 하나. 처음에는 각 족(各族)의 전형적인 뜻으로 주기율표 제 2 주기에 속하는 리튬(Li)·베릴륨(Be)·붕소(B)·탄소(C)·질소(N)·산소(O)·플루오르(F)의 일곱 원소를 일컬었으나, 이는 반드시 각 족을 대표한 것이 아니므로, 현재는 주기율표 비아족(B亞族)에 속하는 모든 원소를 가리킴.

전:형 위원【銓衡委員】명 전형하는 일을 맡은 위원.

전:형-적【典型的】명관 전형(典型)이 될 만한 모양. ¶~ 미인/~인 영국 신사(紳士).

전:형 조사【典型調査】명 전형 표본 조사.

전:형 표본 조사【典型標本調査】명 통계에서, 집단 가운데 어떤 이론적·경험적인 근거에 의하여 전형적인 표본을 가려서 조사하는, 일부 조사의 한 방법. 전형(典型) 조사. ↔임의(任意) 표본 조사.

전-형필【全鎣弼】명『사람』 문화재 수집가·교육가. 호는 간송(澗松). 서울 출생. 일본 와세다(早稻田) 대학 법학부 졸업. 오세창(吳世昌)의 지도로 문화재를 수집하여 개인 박물관인 보화각(葆華閣)에 ≪훈민정음≫ 원본 등 10여 점의 국보급 문화재를 수장(收藏)함. 보성 중학교 교주(校主)로서 교장을 역임하였음. [1906-62]

전호[1]【田戶】명 전답의 소작인(小作人).

전호[2]【全戶】명 ①한 집안의 전원. 온 집안. 전가(全家). ②모든 집.

전호[3]【佃戶】명『역』 중국에서, 지주의 토지를 빌려 경작하고, 소작료를 지불하는 농민. 그 시대에 따라 성격이 다르나, 서양 중세(中世)의 농노(農奴)에 가까운 성격을 가짐. 당 말(唐末)에서 송 초(宋初)에 걸쳐 보편화(普遍化)됨. 전객(佃客).

전호[4]【前胡】명 ①『식』 〔*Anthriscus sylvestris*〕 미나릿과에 속하는 다년초. 털전호와 비슷한데, 줄기 높이 1m 가량이며, 잎은 이회 삼출(二回三出)하는 우상(羽狀) 복엽이고, 열편(裂片)은 달걀꼴에 잔 털이 없음. 5-7월에 흰 오판화(五瓣花)가 복산형(複繖形) 화서로 줄기 끝에 피고, 과실은 길이 8mm의 긴 타원형이고 흑록색으로 익음. 산지(山地)의 습지에 나는데, 거의 한국 각지 및 홋카이도·일본·시베리아·유럽 동부에 분포함. 어린 잎은 식용, 뿌리는 약용함. 사양채. ②『한의』 바디나물의 뿌리. 성질이 약간 찬데, 외감(外感)에서 오는 두통·해소·담 등에 약으로 쓰임.

전호[5]【前號】명 앞의 번호(番號) 또는 호수(號數). ¶~에서 계속.

전:호[6]【電弧】명『물』 '아크(arc)'의 한자(漢字) 말.

전호[7]【傳呼】명 전하여 부름. 점호함. ——-하다 타여불

전:호-로【電弧爐】명『공』 호광로(弧光爐).

전:호 용접【電弧鎔接】명『공』 아크(arc) 용접.

전호 후:랑【前虎後狼】명 〔전문거호 후문진랑(前門拒虎後門進狼)의 준말〕 앞문에서 호랑이를 막고 있으려니까, 뒷문으로 이리가 들어온다는 말로, 재앙이 끊일 사이 없이 닥침의 비유.

전혼[1]【全渾】명 완전함. 완벽한 것. ——-하다 형여불

전혼[2]【前婚】명『법』 재혼한 경우, 전의 혼인을 이름.

전화[1]【田禾】명 오곡(五穀)의 일컬음.

전:화[2]【典貨】명『역』 조선 시대의, 내수사(內需司)의 종구품 벼슬.

전:화[3]【典貨】명 전당포에 잡힌 물품. 전물(典物).

전:화[4]【電火】명 번갯불.

전:화[5]【電化】명 사회 생활이나 가정 생활에 있어, 열·빛·동력 등을 전력을 써서 얻도록 함. ¶농촌 ~ 계획. ——-하다 자타여불

전:화[6]【電話】명『물』 ①음성에 의한 정보를 전기 신호로 바꾸어, 유선(有線) 또는 무선(無線)에 의하여 전송(傳送), 본래의 음(音)으로 재생(再生) 통화하는 일. 또, 그 통화. 1876년 벨(Bell, A.G.)이 발명한 전화기에 의하여 일반화됨. 송화기(送話機)·수화기(受話機)를 전화선이 연결, 중간의 전화국에서 전화 교환기가 이것을 선택 접속(接續)함. 장거리 전화 중계에는 마이크로웨이브·동축(同軸) 케이블·해저 케이블 등이 이용되고, 통신 위성이나 태평양 횡단 케이블 등을 이용한 국제 전화도 활발함. 우리 나라의 전화는 한국 전기 통신 공사가 설치·운영하는 가입(加入) 전화가 주체(主體)이고, 하나의 전화 회선을 두 곳 이상에서 공용하는 공동 전화나 구내 전화 따위를 포함함. 또, 일반에 개방된 공중 전화 외에, 열차·선박·자동차 등 이동체(移動體)를 연결하는 전화도 개발되었고, 상대를 보면서 통화하는 텔레비전 전화 등의 연구도 진척되고 있음. ②↗전화기. ¶~ 가설. ——-하다 자여불

전:화[7]【電畫】명『물』 텔레비전.

전:화[8]【錢貨】명 돈❶[1].

전:화[9]【戰火】명 ①전쟁으로 말미암아 일어나는 화재. 병화(兵火). ②전쟁(戰爭). ¶~는 중동으로 번졌다.

전:화[10]【戰禍】명 전쟁(戰爭)으로 말미암은 재화(災禍). 전쟁으로 인한 피해와 재난. 병화(兵禍). ¶~를 입다.

전:화[11]【轉化】명 ①바뀌어서 달리됨. ②〔becoming〕 변화의 상태. 일정한 상태에 도달하는 과정. ③『화』 일산화 탄소(一酸化炭素)로 수소를 만드는 일. ④〔inversion〕『화』 자당(蔗糖)의 가수 분해(加水分解)의 일컬음. ——-하다 자타여불

전:화 가입권【電話加入權】명 전화 수요자가 한국 전기 통신 공사에 전화 가입을 신청하여, 이를 승낙받음으로써 얻는 권리로서, 전화·통신 역무(役務)의 제공을 받을 수 있는 권리. 1970년 8월 10일 이후로는 전기 통신법 개정으로 양도·증여 등이 인정되지 않아 가입 전화 사용권으로 바뀌었음. ㊀가입권. *전화 사용권.

전화 가입 원부【電話加入原簿】명 가입 전화 사용권에 관한 사항을 등록하는 공부(公簿).

전:화 가입자【電話加入者】명 전화국으로부터 전화의 가설을 받은 사람. 한국 전기 통신 공사와 가입 계약을 체결한 사람.

전:화 교환【電話交換】명 전화 가입자의 전화선(電話線)을, 통화하고자 하는 상대편의 전화선에 접속(接續)하는 일. ㊀교환.

전:화 교환국【電話交換局】 명 〖법〗 가입 구역내(加入區域內)의 가입 전화를 수용(收容)하여, 가입 전화의 교환 사무를 취급하는 기관. ㊟교환국.

전:화 교환기【電話交換機】 명 전화 교환을 하는 데 쓰이는 기계. 전화의 접속과 절단을 교환수가 하는 수동식(手動式)과, 인력에 의하지 않고 자동적으로 하는 자동식의 두 가지가 있음. ㊟교환기.

전:화 교환원【電話交換員】 명 전화선(電話線)을 이었다 끊었다 하여 전화 교환의 작업에 종사하는 사람. ㊟교환원(交換員).

전:화-국【電話局】 명 한국 전기 통신 공사의 현업 기관(現業機關). 전화의 가입 신청의 접수, 전화의 가설(架設), 전화의 교환(交換) 따위의 업무를 행함.

전:화-기【電話機】 명 말의 음파(音波)를 전파 또는 전류로 바꾸어서 먼 곳으로 보내어 이것을 음파로 환원(還元)시켜 통화를 하게 하는 장치. 전파에 의한 것을 무선 전화, 전류에 의한 것을 유선 전화라 함. 전화통(電話筒). ㊟전화(電話).

전:화-당【轉化糖】 명 〔invert sugar〕〖화〗 사탕을 산(酸) 또는 전화 효소(轉化酵素)의 작용에 의해서 가수 분해하여 얻은 포도당과 과당(果糖)과의 등분자(等分子) 혼합물. *사카로오스(saccharose).

전:화 도:수제【電話度數制】〔—쑤—〕 명 전화 가입자로부터 전화 사용의 기본 요금 이외에 그 사용 도수에 따라 요금을 받는 제도.

전:화 도청기【電話盜聽機】 명 〔detectophone〕 통화(通話)를 몰래 엿듣기 위해 사용되는 가청(可聽) 시스템. 감도(感度)가 좋은 마이크로폰을 실내에 감추어 두고, 헤드폰이나 자기(磁氣) 테이프 리코더에 공급하는 가청 증폭기(增幅器) 또는 무선 송신기(無線送信機)에 접속시킴.

전-화로【—火爐】 명 넓은 전이 달린 놋쇠 화로.

전:화-료【電話料】 명 ↗전화 사용료.

전:화 리퀘스트【電話—】〔request〕 명 텔레폰 리퀘스트.

전:화 박스【電話—】〔box〕 명 ①전화실(電話室). ②공중 전화를 설치하여 놓은, 상자 모양의 작은 건물. ㊟박스.

전:화 번호【電話番號】 명 각 전화기마다 매기어 있는 번호. 전화 가입자의 번호.

전:화 번호부【電話番號簿】 명 전화 번호를 수록(收錄)하여 그 가입자 및 주소 등을 밝히어 놓은 책.

전:화 번호 지정 통화【電話番號指定通話】 명 국제 통화의 하나. 국내 전화와 같이 상대방의 전화 번호를 지정하는 통화. 통화 상대방이 회사이면, 그 회사의 어떤 사람이 응답해도 무방할 때 또는 그 회사의 교환대(交換臺)에서 연결하도록 할 때 이용하는 통화. 스테이션 콜(station call).

전:화 사:용권【電話使用權】〔—꿘〕 명 〖법〗 전화 가입자가 가입 전화에 의하여 공중 통신 역무(役務)를 받아 사용할 수 있는 권리. 양도·증여 등 재산권(財産權)이 인정되었던 전화 가입권이 개정된 것임. *전화 가입권(電話加入權).

전:화 사:용료【電話使用料】〔—뇨〕 명 전화 사용자가 치르는 요금. 전화 가입자가 일정 기간 사용한 데 대해 치르는 요금으로, 보통, 1개월을 단위로 하여, 사용 실액(實額)에 일정한 기본 요금을 가산한 것임. ㊟전화료.

전:화-선【電話線】 명 유선 전화기(有線電話機)에 전류(電流)를 보내는 전선. 전화줄.

전:화-설【電話說】 명 〔telephone theory〕〖생〗 청각(聽覺) 성립 이론의 진동수설(振動數說)의 하나. 와우관(蝸牛管)은 마이크로폰의 역할을 하며, 어떤 음(音)이건 기초막(基礎膜) 전체가 진동하고, 음의 상위점(相違點)을 결정하는 것은 중추(中樞)라고 하는 설(說).

전:화-세【電話稅】 명 전화 가입자가 전화 사용료에 따라 일정액을 전화 사용료 납부와 동시에 내는 국세(國稅).

전:화 수리원【電話修理員】 명 전신직(電信職) 기능 공무원 직급 명칭의 하나. 전화 수리장(修理長)의 아래. 8급·9급·10급의 세 등급이 있음.

전:화 수리장【電話修理長】 명 전신직(電信職) 기능 공무원 직급 명칭의 하나. 전화 수리원(修理員)의 위. 6급·7급·8급의 세 등급이 있음.

전:화-실【電話室】 명 전화 통화(電話通話)를 위하여 특별히 마련하여 놓은 방. 전화 박스(電話box).

전:화 연락【電話連絡】〔—열—〕 명 전화를 사용하여 연락하는 일. 또, 그 기별. ——-하다 타여불

전:화 요:금【電話料金】 명 전화 사용료.

전:화 위복【轉禍爲福】 명 재화(災禍)가 바뀌어 오히려 복이 됨. 화전위복(禍轉爲福). *새옹지마(塞翁之馬). ——-하다 자여불

전:화 전:보【電話電報】 명 ①전화로 발신을 신청하는 전보. ②전화 가입자가 그 가입 전화에 의하여 송달을 받는 전보.

전:화 중계기【電話中繼器】 명 전화·반송(搬送) 전신 등에서, 전송로(傳送路)에 의한 신호의 손실을 보충하기 위하여 전송로의 도중에 적당한 간격을 두고 삽입한 증폭기(增幅器).

전:화-지【轉花持】 명 〖악〗 춘앵전(春鶯囀)에 나오는 춤사위의 하나. 뒤로 두 팔을 여미고 한 팔씩 들고 솟아 뛰는 사위로 춤. 이 때 음악은 볶는 장단으로 몰아 나감.

전:화-질【電話—】 명 걸핏하면 또는 연하여 자주 전화를 걸어대는 짓. ——-하다 자여불

전:화 채:권법【電話債券法】〔—꿘뻡〕 명 〖법〗 공중(公衆) 전기 통신 시설의 확장 및 개량을 위한 자금을 조달하기 위하여 정부가 발행하는 전화 채권에 관한 법률.

전:화-통【電話筒】 명 ①전화기(電話機). ②전화기의 통화(通話)하는 장치가 있는 부위(部位).

전:화 팩시밀리【電話—】〔facsimile〕 명 전화로 전송(傳送)하는 팩시밀리. 상대방 전화 번호를 돌린 다음, 편지 따위를 송신구(送信口)에 꽂으면 상대방의 팩시밀리에서 그 복사(複寫)가 나오게 됨.

전:화-학[1]【電話學】 명 전기적으로 말소리를 먼 곳에 보내는 방법과 그 기술에 관한 학문.

전:화-학[2]【錢貨學】 명 고대(古代)부터의 돈을 수집하여 그 연혁(沿革)·유별(類別)·계통(系統)을 고증(考證)하는 학문. *고전학(古錢學).

전:화 회선【電話回線】 명 전화의 신호를 전송(傳送)하기 위하여 설치한 선로(線路).

전:화 효소【轉化酵素】 명 〖화〗 인베르타아제(invertase).

전환[1]【悛換】 명 개전(改悛). ——-하다 자여불

전:환[2]【錢還】 명 〖역〗 조선 시대 후기에 환곡(還穀)을 작전(作錢)하여, 그 돈을 다시 백성에게 꾸어 주고 곡식으로 거두어들이던 일.

전:환[3]【轉換】 명 ①이리저리 바꾸거나 바뀜. ¶기분 ~. ②〔conversion〕〖심〗 정신 분석학에서, 히스테리 증상처럼 억눌린 마음 속의 소망(所望)이 신체적 증상의 형태로 나타나는 일. ③〔conversion〕〖물〗 중성자(中性子)·양성자·중양자(重陽子)·α입자·γ선 등의 충격에서 일어난 핵반응 때문에 원소가 다른 핵종(核種)으로 바뀌는 일. ④ 〔conversion〕 컴퓨터 조작 과정에서, 정보를 한 형태에서 다른 형태로 바꾸어 주거나 정보 처리(情報處理) 방법을 한 형태에서 다른 형태로 바꿈. ——-하다 자타여불

전:환 가격【轉換價格】〔—까—〕 명 〔conversion price〕〖경〗 전환 사채(社債)와 주식을 교환할 경우의 가격. 주식 일주(一株)와 교환되는 사채의 액면 기준(額面基準)의 금액으로 표시됨.

전:환-국【典圜局】 명 〖역〗 ①근대 화폐 주조 일을 맡았던 관아(官衙). 조선 고종(高宗) 20년(1883)에 베풀어서 동 31년에 폐(廢)하였음. 처음에 경성(京城)에 설치하여 당오전(當五錢)을 주조, 29년에 인천(仁川)으로 옮겨, 닷 냥·한 냥짜리 은화(銀貨), 이전 오 푼짜리 백동화, 5푼짜리 적동화(赤銅貨), 한 푼짜리 황동화(黃銅貨)를 주조함. ②탁지 아문(度支衙門)에 딸린 한 국. 고종 31년에 베풀어서 이듬해에 폐하였음. ③탁지부에 딸린 관아. 돈 만드는 일을 맡았음. 건양(建陽) 원년(1896)에 베풀어서 광무(光武) 8년(1904)에 폐하였음. 처음 인천(仁川)에 설치, 광무(光武) 4년(1900)에 용산(龍山)으로 옮김.

전:환-권【轉換權】〔—꿘〕 명 어느 증권의 소유자가 발행 회사와의 계약에서 정해져 있는 기간 안에 다른 증권과 교환할 수 있는 권리. 전환사채(社債)의 경우, 사채를 주식으로 전환하는 일과 같음. 전환권은 권리일 뿐 의무가 아니기 때문에 권리의 행사 여부(行使與否)는 증권 소유자의 자유임.

전:환-기[1]【轉換期】 명 사물이 전환하는 시기. 변하여 바뀌는 시기. 회두기(回頭期). ¶역사적인 ~.

전:환-기[2]【轉換器】 명 〖물〗 전기 회로(回路)나 전자기 회로 등의 개폐·전환을 행하는 기구 또는 장치. 여러 개의 구리 조각을 절연체(絶緣體)로 묶어서 원통 모양으로 만든 것임. 전환자(轉換子). 교환자. 스위치(switch).

전:환 논법【轉換論法】〔—뻡〕 명 〖논〗 새로운 명제(命題)를 만들기 위해 한 명제의 주사(主辭)와 빈사(賓辭)의 위치를 바꾸는 논법.

전:환-로【轉換爐】〔—노〕 명 〖물〗 원자로의 하나. 에너지를 생산하면서, 시용(試用)이 끝난 핵연료로써 새로운 핵연료 물질을 만드는 원자로. 곧, 천연 우라늄·저농축(低濃縮) 우라늄을 사용한 원자로에서는 비핵분열성(非核分裂性)의 우라늄 238이 중성자를 흡수하여 핵분열성의 플루토늄 239로 변환하는데, 이 현상을 전환이라 하며 이런 전환을 목적으로 한 원자로를 말함.

전:환 무:대【轉換舞臺】 명 모든 장면의 뼈대가 되는 고정된 간단한 장치를 중심으로, 배경이나 소품(小品)을 바꾸는 무대.

전:환 반:응【轉換反應】 명 〔conversion reaction〕〖심〗 히스테리성(性) 신경증의 한 형(型). 억압된 충동(衝動)이 특정의 감각이나 자율 신경계통(自律神經系統)의 기능 장애로 변화함.

전:환-법【轉換法】〔—뻡〕 명 〖수〗 한 군(群)의 정리가 있을 때, 그들 가정(假定)이 일어날 수 있는 모든 경우를 들고, 그 결론들이 서로 저촉되지 않으면, 이 정리의 역(逆)은 모두 옳다고 하는 증명법.

전:환 사격【轉換射擊】 명 〖군〗 한 표적에서 딴 표적으로 바꿔 하는 사격.

전:환 사채【轉換社債】 명 〖경〗 소유자의 희망에 따라, 어떤 일정한 조건 아래, 주식(株式)에의 전환이 허용되는 사채(社債). 시비(CB).

전:환 사채 투자 신:탁【轉換社債投資信託】 명 〔convertible fund investment trust〕〖경〗 전환 사채를 중심으로 공사채(公社債) 및 전환 사채를 전환하여 얻은 주식에만 투자(投資)하는 투자 신탁.

전:환-수【轉換數】 명 〔turnover number〕〖화〗 최대 속도로 작용하고 있는 효소(酵素) 1분자가 1분간에 작용(作用)하는 기질(基質)의 분자수(分子數).

전:환식 비행기【轉換式飛行機】 명 좁은 장소에서 이착륙할 수 있고, 공중에서 정지할 수 있는 헬리콥터의 장점과 속도·항속력(航續力)이 뛰어난 보통 비행기의 장점을 겸한 비행기.

전:환-열【轉換熱】〔—녈〕 명 〔conversive heating〕〖의〗 에너지의 형태를 전환하는 일. 특히, 방사파(放射波)의 열(熱)로의 전환은 온열 요법(溫熱療法)에 이용됨.

전:환 인자【轉換因子】 명 〔conversion factor〕〖수〗 어떤 단위로 표시되는 양(量)을 다른 단위로 나타내기 위해, 곱하든가 또는 나누는 수인자(數因子).

전:환-자【轉換子】 명 〖물〗 전환기(轉換器).

전:환 작가【轉換作家】 명 〖문〗 사상을 바꾼 문예 작가.

전:환-점【轉換點】[—쩜] 명 전환하는 계기.
전:환-주【轉換株】명 〖경〗 ↗전환 주식.
전:환 주식【轉換株式】명 〖경〗 발행 후, 다른 종류의 주식으로 전환(轉換)될 수 있는 권리(權利)를 인정 받은 주식. 우선주(優先株)를 보통주(普通株)로 전환하는 등. ㊎전환주.
전:홧-줄【電話—】명 전화선(電話線).
전황[1]【田荒】명 논이 황폐하는 일.
전:황[2]【戰況】명 전쟁의 상황. 전상(戰狀). ¶ ~을 보고하다.
전:황[3]【戰惶】명 두려워서 떪. ——하다 자 여불
전:황[4]【錢荒】명 돈의 융통이 잘 되지 아니하여 돈이 귀(貴)하여짐.
전:회[1]【典會】명 〖역〗 조선 시대의, 내수사(內需司)의 종칠품 벼슬.
전회[2]【前回】명 먼젓번. 전번. 지난번. 전차(前次).
전회[3]【前悔】명 과거에 한 일에 대한 뉘우침. 전의 실수.
전:회[4]【轉回】명 ①회전(回轉). ②〖악〗 '자리바꿈'의 한자(漢字) 이름. ——하다 자타 여불
전:회 대위법【轉回對位法】[—뻡] 명 〖악〗 자리바꿈 대위법.
전:획[1]【篆畫】명 전자(篆字)의 획.
전:획[2]【戰獲】명 전리품(戰利品).
전횡【專橫】명 권세를 오로지하여 제 마음대로 함. ¶ 무신(武臣)의 ~. ——하다 자 여불
전후[1]【前後】명 ①어떤 물체·장소 따위의, 앞과 뒤. ¶ ~ 좌우. ②어떤 때를 중심으로 한 일련의 상황. 처음과 마지막. ¶ ~ 사정 이야기를 듣다. ③시간·나이·연대를 나타내는 말에 붙어서, '경(頃)·쯤'의 뜻을 나타내는 말. 앞뒤. ¶ 20세 ~/9시 ~. ——하다 자 여불
전:후[2]【腆厚】명 차림새가 성대함. ——하다 형 여불
전:후[3]【殿後】명 ①퇴각하는 군대의 맨 뒤에 남아서 적군의 추격(追擊)을 가로막는 군대. *전군(殿軍). ②뒤떨어진 맨 뒤. ③등수(等數)에 있어서 맨 끝.
전:후[4]【戰後】명 전쟁이 끝난 뒤. 특히, 제2차 세계 대전 후를 이름. ↔ 전전(戰前).
전후 개각【前後開脚】명 체조 경기에서, 마루 운동·평균대·이단(二段) 평행봉의 경기 종목에 들어가는 기법의 하나로, 양다리를 뻗은 채 앞뒤로 벌린 자세.
전:후 고취【殿後鼓吹】명 〖악〗 임금의 출궁(出宮)과 환궁(還宮) 때에 연주하던 고취악.
전후 곡절【前後曲折】명 일의 처음부터 마지막까지의 곡절.
전:후-기【戰後期】명 전쟁이 끝난 뒤의 시기.
전후 문의【前後文意】[—/—이] 명 앞뒤의 문맥(文脈).
전:후 문학【戰後文學】명 〖문〗 전후파 문학.
전후-방【前後方】명 전방과 후방. 곧, 전선의 제일선과 전투를 뒤에서 효과적으로 지원하는 지역.
전후-부【前後部】명 앞 부분과 뒷부분.
전후 불계【前後不計】명 한 가지 일에만 마음을 쏟고 다른 사정을 헤아리지 않음. ——하다 자 여불
전후 사:연【前後事緣】명 일의 처음부터 끝까지의 연유(緣由).
전:후 점령【戰後占領】[—녕] 명 보장(保障) 점령.
전후 좌:우【前後左右】명 앞뒤쪽과 좌우의 쪽. 곧, 사방(四方).
전후-퇴【前後退】명 〖건〗 집채의 앞뒤로 드린 물림. 전퇴와 후퇴.
전:후-파【戰後派】명 아프레 게르(après-guerre)❶❷. ↔전전파·전중파(戰中派).
전:후파 문학【戰後派文學】명 〖문〗 아프레 게르의 경향이나 사조(思潮)를 띤 문학. 전후 문학(戰後文學).
전:후-풍【纏喉風】명 〖한의〗 목젖이 붓는 급성의 염증(炎症). 심하게 되면 외부(外部)까지 붓게 됨. 양의학의 디프테리아에 상당함.
전:훈[1]【典訓】명 〖역〗 ①조선 시대의 종학(宗學)의 정오품 벼슬. ②대한 제국 때 궁내부(宮內部)의 종인 학교(宗人學校)에 둔 칙임(勅任) 또는 주임(奏任)의 벼슬.
전훈[2]【前勳】명 이전에 세운 공훈(功勳). 전공(前功).
전:훈[3]【電訓】명 전보(電報)로 보내는 훈령(訓令).
전:훈[4]【戰訓】명 6·25전쟁 때 초전(初戰)의 패배로 흐트러진 국군의 기강을 바로잡고 사기를 진작시키기 위해 육군 참모 총장 명의로 예하 장병들에게 하달했던 훈령. 장병 전원에게 암송을 시켰었음. '1. 나는 전투간(戰鬪間) 자세를 낮추고 호(壕)를 파서 쓸데 없는 손해를 피하겠다'로 시작됨.
전:훈[5]【戰勳】명 전공(戰功). 군공(軍功). ¶ ~을 세우다.
전훈[6]【羶葷】명 누린내 나는 어육(魚肉)과 맵고 독한 냄새가 나는 마늘이나 파 따위.
전휘【前徽】명 전인(前人)의 미덕(美德).
전휴【全休】명 온 하루를 내쳐서 쉼. ——하다 타 여불
전-휴부【全休符】명 〖악〗 '온쉼표'의 한자어(漢字語).
전휼【田鷸】명 〖조〗 메추라기도요.
전흉【前胸】명 〖충〗 앞가슴. 흉부(胸部)를 나눈 전반부(前半部). ↔후흉(後胸).
전흉 배:판【前胸背板】명 〖충〗 전흉의 등이 되는 부분.
전흉-선【前胸腺】명 〖충〗 곤충의 내분비(內分泌) 기관의 하나. 인시류(鱗翅類)의 유충에서는 전흉 기문(氣門) 안 쪽의 기관총(氣管叢)에 얽힌 삼각형의 백색 불투명한 선으로, 전흉선 호르몬을 분비하며, 유충의 탈피(脫皮), 번데기의 성충화(成蟲化)에 불가결한 기관임. 성충이 되면 퇴화(退化)함.

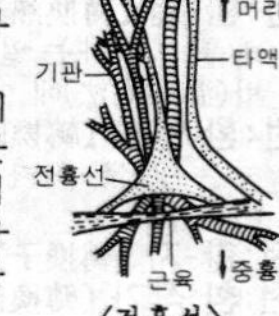

〈전흉선〉

전흉-절【前胸節】명 〖충〗 곤충의 세 흉절 중 맨 앞 부분. 한 쌍의 앞다리가 붙었음. 앞가슴마디.
전:흔【戰痕】명 전쟁의 흔적.
전흥법사 염거 화상탑【傳興法寺廉居和尙塔】명 〖불교〗 강원도 원주시(原州市) 지정면(地正面) 안창리(安昌里)에 있었던 염거 화상의 묘탑(墓塔). 통일 신라 문성왕(文聖王) 6년(844) 때의 작품. 우아한 기품(氣品)과 소박한 조법(彫法)을 보이며, 세부 조각(細部彫刻)이 청아(淸雅)함. 현재 국립 중앙 박물관 경내로 이전되어 있음. 높이 1.7m. 국보(國寶) 제104호.
전희[1]【前戲】[—히] 명 ①이전의 장난. ②성교(性交) 전의 애무 행위.
전희[2]【牷犧】[—히] 명 희생(犧牲). ——하다 타 여불
젇노라 타 〈옛〉 두려워하노라. '저타'의 활용형. = 전노라. ¶ 네 信티 아니홀가 젇노라(恐汝不信) ≪牧訣 7≫.
젇:다[1] 자 〈방〉 겯다[1·2].
젇:다[2] 자타 〈방〉 겯다[1].
절[1] 명 〔중세 : 뎔〕 〖불교〗 불상을 모셔 놓고 불도 수행을 위해 중들이 거처하는 집. 사적(私的)인 성격이 강한 암자나 특정한 수행을 목적으로 하는 도량(道場)에 대해 일정한 설비를 가지는 보다 정식(正式)의 종교 시설임. 불사(佛寺), 사문(寺門), 감원(紺園), 감전(紺殿), 범동(法棟), 사찰(寺刹), 불찰(佛刹), 범찰(梵刹), 사원(寺院), 산문(山門), 승사(僧舍), 불가(佛家), 선궁(禪宮), 승원(僧院). 속칭은 절간.
[절 모르고 시주하기] ㉠애써 한 일이 아는 이가 없어, 아무 보람이 없음을 이르는 말. ㉡영문도 모르고 돈이나 물건을 갹출함을 이르는 말. [절에 가면 중 노릇 하고 싶다] ㉠일정한 주견(主見) 없이 남의 일을 보면 덮어놓고 따르려고 한다는 말. ㉡남의 일을 보면 그것이 좋아 보여, 하고 싶어짐이 인간의 심리라는 말. ¶ 절에 가면 중 노릇 하고 싶고, 배에 가면 사공 노릇 하고 싶다더니, 진정 좋은데≪朴陌陽:明月亭≫. [절에 가면 중이 되라] 환경에 적응하라는 말. [절에 가면 중인 체 촌에 가면 속인인 체] 행색이 일정하지 않고 처소에 따라 지조와 태도를 변한다는 말. [절에 가서 젓국 달라 한다] ㉠있을 수 없는 데 가서 없는 것을 구한다는 말. ㉡엉뚱한 것을 함을 이르는 말. [절에 간 색시] ㉠남이 시키는 대로만 따라 하는 사람을 이르는 말. ㉡아무리 싫어도 남이 시키는 대로 따라 하지 않을 수 없는 처지에 있는 사람을 이르는 말. [절에는 신중단(神衆壇)이 제일이라] 신중단은 절의 복화(福禍)를 주관하는 지위이므로, 곧 어느 때나 벌을 줄 수도 있고 복을 내릴 수도 있는 이의 위치(位置)가 가장 높고 어렵다는 말. [절이 망하려니까 새우젓 장수가 들어온다] 운수(運數)가 그릇되려면 뜻밖의 괴변(怪變)이 생긴다는 말.
절[2] 명 〔중세 : 절〕 남에게 공경하는 뜻으로 하는 예(禮). 공경하는 정도와 경우 및 남녀에 따라 법식이 다름. ¶ 맞~/큰~/~을 받다. ——하다 자 여불
절을 맞다 구 상대방의 절에 마주 절하여 웅대하다.
[절하고 뺨맞는 일 없다] 누구에게나 겸손하게 대하면 욕을 먹는 일이 없다는 말.
절[3] 명 〈방〉 젓가락(경북·강원·함경·충북).
절[4] 명 〈방〉 겨울(경상·충청).
절[5] 명 〈방〉 저울(평안).
절[6]【節】명 ①〖언〗 주어와 술어를 갖추었으나 독립적으로 쓰이지 않고 문장의 한 부분으로 있는 것. ②〖물〗 '마디'의 한자말. ↔복(腹). ③↗절개(節槪). ④〖민〗 ↗절패(節卦). ⑤〖민〗 풍수설에서 용맥(龍脈)을 이루고 있는 여러 산등성이. ⑥〖역〗 왕명을 받은 장군이나 외국에 가는 사신에게 신표(信標)로 주는 기(旗). ⑦〖경〗 예산 편제상의 단위의 하나. 목(目)의 아래. ⑧여러 개의 대문이 모여 하나의 시가(詩歌)·문장·음곡(音曲)을 이루는 경우의 그 한 대문. 곧, 시가·문장·음곡 중의 작은 단락(段落).

〈절[6]❻〉

절[7]【癤】명 〖의〗 ↗절양(癤瘍).
절[8] 준 저를. ¶ ~ 도와 주시오.
-절【節】미 ①명절(名節)·국경일의 뜻. ¶ 개천~. ②절기(節氣)의 뜻.
절가[1]【折價】[—까] 명 ①결가(決價). ②물건을 교환할 때, 그 값을 겨누어 수량을 정함. ③물건의 값을 깎음. ——하다 타 여불
절가[2]【絶佳】명 ①더없이 훌륭하고 좋음. ②뛰어나게 아름다움. ¶ ~한 미인. ——하다 형 여불
절가[3]【絶家】명 ①혈통이 끊어져 상속자가 없는 집. 절호(絶戶). ¶ 독자(獨子)마저 죽으니 ~되다. ②〖법〗 '무후가(無後家)'의 구관습법(舊慣習法) 상의 용어. ——하다 자 여불
절-가치 명 〈방〉 젓가락(황해).
절각[1]【折角】명 ①뿔이 부러짐. ②두건의 건(巾)을 접음. ——하다 자 여불
절각[2]【折脚】명 다리가 부러짐. ——하다 자 여불
절각[3]【截脚】명 다리를 자름. ——하다 자 여불
절각 소:지【折脚所志】명 〖역〗 다리가 부러진 소를 도살(屠殺)하기 위하여 관아에 드리는 소지.
절간[1]【—間】[—깐] 명 〈속〉 절[1].
절간[2]【切諫】명 간절히 간함. ——하다 타 여불
절간[3]【折簡】명 온 장을 둘로 접은 편지.
절간[4]【絶澗】명 깊고 험한 골짜기.
절간 고구마【切干—】명 얇게 썰어서 볕에 말린 고구마.
절간 성장【節間成長】명 〔internodal growth〕 〖식〗 볏과(科) 식물 등에서 볼 수 있는, 줄기 마디 사이의 분열 조직의 세포 분열에 의한 성장. 중간 성장(中間成長).

양모·피혁·소맥 등을 수출함. [143,000 명(1982 추계)]
절룩-거리다 자타 가볍게 약간 절름거리다. ≒쩔룩거리다. ＞잘룩거리다. 절룩-절룩 부. ――-하다 자타여불
절룩-대다 자타 절룩거리다.
절룩-이다 자타 다리를 절룩절룩 절다. 절룩거리다. 절룩대다.
절류【折柳】 명 ①버드나무 가지를 꺾음. ②〔중국의 고사에서, 버드나무 가지를 꺾어 주고서 재회를 기약한 데서 유래〕 사람을 배웅하여 이별하는 일. 절지(折枝). ③〖악〗 중국 고악부의 곡명(曲名).
절륜【絶倫】 명 기술·역량 등이 월등하게 뛰어남. 절등(絶等). ¶정력(精力)이 ～한 사람. ――-하다 형여불
절름-거리다 자타 다리 하나가 짧거나 탈이 나서 약간 절다. ¶부상당한 다리를 절름거리며 백 리를 걸었다. ≒쩔름거리다. ＞잘름거리다[2]. *절뚝거리다. 절름-절름 부. ――-하다 자타여불
절름-대다 자타 절름거리다.
절름발-이 명 절름거리는 사람. 건각(蹇脚). 건파(蹇跛). 기기(踦跂). ≒쩔름발이. ＞잘름발이. *절뚝발이.
절름발이왕-부【一尢部】 명 한자 부수(部首)의 하나. '尤'나 '尪' 등에서 '尢'·'尣'의 이름.
절름-방이 명 〈방〉 절름발이.
절름-뱅이 명 〈방〉 절름발이.
절리【節理】 명 ①갈라진 틈. ②〖지〗 화성암(火成岩)에서 볼 수 있는 좀 규칙적인 틈새. 마그마가 냉각 응고(冷却凝固)한 결과 생긴 것으로 주상(柱狀)·판상(板狀)·구상(球狀) 등의 종류가 있음.
절리-계【節理系】 명 〔joint system〕〖지〗 두 쌍 이상의 절리로 된 쌍. 일정한 방향의 것을 일괄하여 부르는 이름임.
절리 고기압【切離高氣壓】 명 〖기상〗 아열대 고기압에서 분리한 온난 고기압. 보통, 대상 서풍(帶狀西風)이 그 흐름을 현저하게 저지당했을 경우 이에 수반하여 형성됨.
절리 과:정【切離過程】 명 〔cutting process〕〖기상〗 온난 고기압·한랭 저기압이 편서풍(偏西風)으로부터 분리되어 각기 극방향·적도 방향으로 변위(變位)하는 일련의 과정. 매우 높은 층에서 일어나며, 때때로 블로킹 현상을 일으킴.
절리 광:맥【節理鑛脈】 명 〔joint vein〕〖지질〗 절리 속에 생기는 작은 광맥.
절리다 자 〈방〉 결리다(함경·경상).
절리 저:기압【切離低氣壓】 명 〖기상〗 중위 편서풍대(中緯偏西風帶)의 적도편에 생긴 저기압. 편서풍대(偏西風帶)의 기압골이 깊어졌을 때에 형성됨.
절린【切隣】 명 〖역〗 →겨린.
절린-잡다【切隣一】 타 〖역〗 →겨린잡다.
절린-잡히다【切隣一】 피동 〖역〗 →겨린잡히다.
절마【切磨】 명 ↗절차 탁마(切磋琢磨). ――-하다 자타여불
절-마을 명 절 아래쪽에 형성(形成)된 마을. 절 아랫마을.
절망[1]【切望】 명 간절히 바람. ――-하다 타여불
절망[2]【絶望】 명 ①희망(希望)이 끊어짐. 희망을 버리고 체념(諦念)하는 일. ¶～에 빠지다. ②〖철〗 본래의 자기 자신을 잃음. 인간이 그 극한 상황(極限狀況)에 직면하여 자기의 유한성(有限性) 및 허무성(虛無性)을 자각하였을 때의 정신 상태를 실존 철학(實存哲學)에서 일컫는 용어. ――-하다 자여불
절망-감【絶望感】 명 모든 희망이 끊어진 느낌.
절-망고【絶望顧】 명 일이 매우 바빠서 다른 일을 돌아볼 겨를이 없음. ――-하다 형여불
절망-적【絶望的】 명관 희망이나 기대를 아주 잃게 된 모양. 희망을 버리고 체념한 모양. ¶～인 상태. ↔희망적(希望的).
절맥[1]【切脈】 명 맥을 짚어서 진찰함. 진맥(診脈). ――-하다 타여불
절맥[2]【絶脈】 명 ①〖의〗 맥박이 끊어짐. 죽음. ②〖민〗 산의 혈맥(穴脈)이 끊어짐. ――-하다 자여불
절-메주 명 〖역〗 조선 시대 때 훈조계(燻造契)에서 만든 메주. 보통, 검은 콩으로 쑴.
절면【切面】 명 ↗절단면(切斷面).
절면-기【切綿機】 명 저마 방적(苧麻紡績)·견사(絹絲) 방적의 절면 공정(工程)에 쓰이는 기계. 섬유를 평행으로 늘어놓아 먼지를 없애고 적당한 길이로 잘라서 나중의 소면(梳綿) 공정에 편리하게 함.
절멸【絶滅】 명 아주 멸망(滅亡)하여 없어짐. 또, 멸(滅)하여 뒤를 끊음. ――-하다 자여불
절멸 동:물【絶滅動物】 명 과거에 생존하고, 현재는 절멸한 동물. 일반적으로 화석종(化石種)을 포함하지 아니하고 유사(有史) 이래 절멸한 것을 가리키는 일이 많음. 절멸의 원인으로는 남획(濫獲), 생식지(生殖地)의 파괴, 가축이나 이입(移入)된 동물과의 접촉 등 인위적(人爲的) 영향도 큼.
절멸-론【絶滅論】 명 〖종〗 악인(惡人)은 내세(來世)에 가서는 절멸할 것이라고 하는 종교론. 영혼 절멸론(靈魂絶滅論).
절멸-조【絶滅鳥】 〔一쪼〕 명 과거에 생존해 있었으나 현재에는 볼 수 없는 조류. 넓은 뜻에서는 지질 시대(地質時代)에 살아 있었으며, 현재는 화석으로만 볼 수 있는 새를 포함하나, 일반적으로는 역사 시대에 들어와서 절멸한 새를 가리킴.
절명【絶命】 명 목숨이 끊어짐. 죽음. ――-하다 자여불
절명-사【絶命辭】 명 절명할 때에 남기는 말. 또, 그 때 남기는 문장(文章)이나 시가(詩歌).
절명-일【絶命日】 명 〖민〗 생기법(生氣法)으로 본 흉일(凶日).
절모【節旄】 명 〖역〗 옛날 중국에서 천자로부터 임명의 표적으로서 정장(征將)·사절(使節)에게 주던 기(旗).
절목[1]【折木】 명 나무를 부러뜨림. 나무를 꺾음. ――-하다 자여불
절목[2]【絶目】 명 눈에 보이는 것 전부. 보이는 한. 만목(滿目).
절목[3]【節目】 명 ①〖식〗 초목의 마디와 눈. ②조목(條目).
절묘【絶妙】 명 아주 기묘함. 절기(絶奇). 수묘(殊妙). ¶～한 플레이. ――-하다 형여불
절묘 호:사【絶妙好詞】 명 〖책〗 중국 송말 원초의 문학자 주밀(周密)이 남송(南宋) 시대의 132명의 사(詞) 382수를 모은 책. 7권. 뒤에 강희(康熙) 24년(1685)에 출판됨.
절무[1] 명 〈방〉 전모(氈帽).
절무[2]【絶無】 명 아주 없음. 개무(皆無). 전무(全無). ――-하다 형여불
절문[1]【切問】 명 간절(懇切)히 물음. 열심히 질문함. 또, 그러한 질문. ――-하다 타여불
절문[2]【節文】 명 예절에 관한 문장. 예절의 규정.
절물【節物】 명 철을 따라 나는 물건.
절-물첨하【切勿添下】 명 절대로 정해진 수량 이상으로 늘릴 수 없음. ――-하다 자여불
절뭉이 명 〈방〉 며느리.
절미[1]【折米】 명 낟알이 여러 개로 깨진 쌀. 토막 쌀.
절미[2]【絶美】 명 더없이 아름다움. ――-하다 형여불
절미[3]【絶微】 명 ①아주 작음. ②더 없이 미묘함. ――-하다 형여불
절미[4]【節米】 명 쌀을 절약함. ¶～ 운동. ――-하다 자여불
절박[1] 명 〈방〉 결박(結縛)(전라·경상·함경). ――-하다 타
절박[2] 명 〈방〉 절벽(경남).
절박[3]【切迫】 명 ①시기나 기한이 아주 가까이 닥침. ¶시간이 ～하다. ②여유가 없이 됨. 급절(急切). 절촉(切促). ¶사태(事態)가 ～하다. ――-하다 자여불
절박[4]【節拍】 명 ①〖악〗 아악(雅樂)의 한 곡조마다 박자를 쳐서 음조의 마디를 지음. ②끝을 막음. ――-하다 타여불
절박-감【切迫感】 명 절박한 느낌.
절박 유산【切迫流産】 〔一뉴一〕 명 〖의〗 유산이 갓 시작되었을 때 자궁구(子宮口)가 그다지 열려 있지 아니한 초기의 상태. 소량의 출혈·혈성대하(血性帶下)·하복통·하복부의 압박감 등의 증상을 나타냄. 곧, 치료하면 유산을 방지할 수 있음.
절박 흥정 명 빡빡하여 융통성이 없는 흥정.
절반【折半】 명 ①하나를 반으로 가름. 또, 그 반. 일반(一半). ¶～으로 꺾다. ②유도(柔道)에서, 판정승(判定勝)의 하나. 메치기의 '한판'에 가까운 효과가 인정되거나, '누르기'가 선언된 후 25초가 경과(經過)하는 등으로 이김.
절발【竊發】 명 강도나 절도(竊盜)가 생김.
절발지-환【竊發之患】 〔一찌一〕 명 도둑에 대한 근심.
절버덕 부 얕은 물 위를 거칠고 어지럽게 밟는 것과 같은 소리. ≒철버덕. ＞잘바닥. ――-하다 자타여불
절버덕-거리다 자타 계속하여 절버덕 소리가 나다. 또, 계속하여 절버덕 소리를 나게 하다. ¶절버덕거리며 내를 건너가다. ≒철버덕거리다. ＞잘바닥거리다. 절버덕-절버덕 부. ――-하다 자타여불
절버덕-대다 자타 절버덕거리다.
절버덩 부 깊은 물에 큼직한 돌멩이 같은 것이 떨어져서 울리어 나는 소리. ¶～ 하고 물에 뛰어들다. ≒철버덩. ＞잘바당. ――-하다 자타여불
절버덩-거리다 자타 계속하여 절버덩 소리가 나다. 또, 계속해서 절버덩 소리를 나게 하다. ≒철버덩거리다. ＞잘바당거리다. 절버덩-절버덩 부. ――-하다 자타여불
절버덩-대다 자타 절버덩거리다.
절벅 부 얕은 물 위를 밟아 끈기 있게 나는 것과 같은 소리. ≒철벅. ＞잘박. ――-하다 자타여불
절벅-거리다 자타 자꾸만 절벅 소리가 나다. 또, 자꾸만 그런 소리를 내다. ≒철벅거리다. ＞잘박거리다. 절벅-절벅 부. ¶물 위를 ～ 걸어가다. ――-하다 자타여불
절벅-대다 자타 절벅거리다.
절벙 부 깊은 물에 돌멩이 같은 묵직한 물건이 떨어져서 웅숭깊게 울리어 나는 소리. ¶～ 하고 물에 빠지다. ≒철벙. ＞잘방. ――-하다 자타여불
절벙-거리다 자타 계속하여 절벙 소리가 나다. 또, 자꾸만 그런 소리를 내다. ≒철벙거리다. ＞잘방거리다. 절벙-절벙 부. ――-하다 자타여불
절벙-대다 자타 절벙거리다.
절벽 명 〈방〉 절벽(전북).
절벽【絶壁】 명 ①썩 험한 낭떠러지. ¶～을 오르다. ②아주 귀가 먹었거나 또는 사리에 어두운 사람의 비칭(卑稱). 절벽 강산(絶壁江山).
절벽 강산【絶壁江山】 명 절벽(絶壁)❷.
절병【切餠】 명 절편.
절병-통【節甁桶】 명 〖건〗 궁전·육모 정자·사모 정자 등의 지붕 마루의 가운데에 세우는, 탑 모양의 기와로 된 장식. 모양은 연가(煙家)와 비슷함.

〈절병통〉

절복【折伏】 명 〖불교〗 불법을 설교하여 악법(惡法)을 꺾고, 정법(正法)을 따르게 함. ↔섭수(攝受). ――-하다 타여불
절복-문【折伏門】 명 〖불교〗 중생(衆生)을 가르쳐 인도(引導)하는 데 그 악을 꺾어 없애고 인도하는 방법. ↔섭수문(攝受門).
절본【折本】 명 서적 장정(裝幀)의 일종. 긴 것을 접어서 간편히 한 것으로 불전(佛典) 등이 이 형식임. 첩장(帖裝).
절봉[1]【折俸】 명 〖역〗 관리의 봉급을 반감(半減)하여 지급함. 또, 관리의 봉급을 다른 물건으로 대신 지급함.

절봉[2]【絶峰】명 아주 험한 산봉우리.

절봉-면【切峰面】명〖지〗대소의 계곡(溪谷)에 끼인 산지(山地)에, 예를 들어 보자기 모양의 커버를 씌워, 계곡(溪谷)의 영향을 제거(除去)하였을 경우에 생각되는 곡면(曲面). 침식(浸蝕)에 의하여 계곡이 형성(形成)되기 전의 원래의 지형(地形)을 나타내는 면으로 생각되며, 이것을 도화(圖化)한 것을 절봉면도(切峰面圖)라고 함.

절부[1]【切膚】명 살을 에는 듯이 사무침. ——-하다 자여불

절부[2]【節婦】명 절개가 굳은 부인.

절-부월【節斧鉞】명〖역〗조선 시대 때 지방에 관찰사(觀察使)·유수(留守)·병사(兵使)·수사(水使)·대장(大將)·통제사(統制使) 등이 부임할 때 왕이 내주던 절(節)과 부월(斧鉞). 절은 수기(手旗)와 같고, 부월은 도끼같이 만든 것으로 생살권(生殺權)을 상징함. ㊂절월(節鉞).

절부지-의【竊鈇之疑】[—/—이] 명〔도끼를 훔쳐 갔다고 의심받은 사람의 동작·언어가 모두 틀림없이 훔쳐 간 것처럼 보이나, 다른 데서 발견되어 누명을 벗은 후에는 그렇게 보이지 않았다는 고사(故事)에서〕공연한 혐의(嫌疑).

절분[1]【切忿】명 몹시 원통하고 분함. ——-하다 형여불

절분[2]【節分】명 입춘·입하·입추·입동의 변천하는 때.

절분[3]【節叱分】〈이두〉지금뿐.

절분-음【切分音】명〖악〗'당김음'의 한자 이름.

절사[1]【折死】[—싸] 명 일찍 죽음. 요절(夭折). ——-하다 자여불

절사[2]【絶嗣】[—싸] 명 무후(無後). ——-하다 형여불

절사[3]【節士】[—싸] 명 절개가 있는 사람.

절사[4]【節死】[—싸] 명 절개를 지키어 죽음. ——-하다 자여불

절사[5]【節祀】[—싸] 명 철이나 명절을 따라 지내는 제사.

절삭【切削】[—싹] 명 금속 등을 끊어 버림. 절단(切斷)하여 없앰. ¶~ 공구(工具). ——-하다 타여불

절삭 가공【切削加工】[—싹—] 명 공업용 재료 따위를 끊고 깎고 하여 가공함.

절삭 공구【切削工具】[—싹—] 명〖공〗공작 기계에 붙여서 금속의 절삭에 사용하는 공구. 바이트(bite), 밀링 머신(milling machine)의 커터(cutter), 보르 반(盤)의 드릴(drill) 등.

절삭-기【切削機】[—싹—] 명 ↗절삭 기계.

절삭 기계【切削機械】[—싹—] 명 절삭하는 일을 하는 기계. ㊂절삭기.

절삭-유【切削油】[—싹—] 명 금속의 절삭 가공에 쓰이는 기름. 마찰·저항을 덜게 하고, 절삭점의 온도를 저하시키며, 방수(防銹) 작용을 하기 때문에, 공구의 수명이 길어지고, 가공 정도(精度)가 향상됨. 광유(鑛油) 따위가 쓰임.

절산【折算】[—싼] 명 타산(打算). ——-하다 타여불

절-살이 명〈방〉고공살이(함경). ——-하다 자

절상[1]【切上】[—쌍] 명 ①〖경〗화폐의 대외(對外) 가치를 높임. ¶평가(平價) ~. ↔절하(切下). ②〖수〗'올림'의 구용어. ——-하다 타여불

절상[2]【折傷】[—쌍] 명 뼈가 부러져 상함. ——-하다 자여불

절새【絶塞】[—쌔] 명 멀리 국경에 가까운 땅.

절색[1]【折色】[—쌕] 명 중국 명대(明代)의 제도로, 녹미(祿米) 대신 다른 것으로 지급하던 일.

절색[2]【絶色】[—쌕] 명 절등하게 아름다운 여자. *일색(一色).

절색[3]【節嗇】명 검소하고 인색함. ——-하다 형여불

절생【節省】[—쌩] 명 절약(節約). ——-하다 타여불

절서【節序】[—써] 명 절기의 차례.

절선[1]【切線】[—썬] 명〖수〗접선(接線).

절선[2]【折線】[—썬] 명 '꺾은선'의 구용어.

절선[3]【節宣】[—썬] 명 철을 따라 몸을 조섭함.

절선[4]【節扇】[—썬] 명〖역〗단오절(端午節)에 선사하는 부채. 부채를 생산하는 지방에서는 우선 왕실에 진상(進上)하고, 그 곳 지방관(地方官)은 중앙의 여러 곳에 선물함.

절선[5]【節線】[—썬] 명〖물〗판(板) 또는 막(膜)의 진동(振動)으로, 정재파(定在波)가 존재할 때, 부동점(不動點)의 집단(集團)이 만드는 곡선. 가루 따위를 조금씩 떨어뜨리면 절선 위에 모이는 것을 알 수 있음.

절선 그래프【折線—】〔graph〕[—썬—] 명〖수〗'꺾은선 그래프'의 구용어.

절세[1]【折稅】[—쎄] 명〖역〗옛날 중국의 납세법의 하나. 물품으로 세금을 대납(代納)하던 일. 절납(折納).

절세[2]【絶世】[—쎄] 명 ①세상(世上)과 교제(交際)를 끊음. ②절대(絶代). ¶~의 미인. ——-하다 타여불

절세[3]【節稅】[—쎄] 명 세금을 적법(適法)하게 되도록 덜 내는 일. ——-하다 자여불

절세 가인【絶世佳人】[—쎄—] 명 절대 가인(絶代佳人).

절세 미인【絶世美人】[—쎄—] 명 절대 가인(絶代佳人).

절소[1]【絶所】[—쏘] 명 아주 험악한 곳.

절소[2]【絶笑】[—쏘] 명 몹시 자지러지게 웃음. 또, 그런 웃음. ——-하다 자여불

절소[3]【竊笑】[—쏘] 명 남몰래 웃음. ——-하다 자여불

절속【絶俗】[—쏙] 명 ①시속(時俗)의 일에서 떨어져 상관하지 아니함. ②보통 시속 사람보다 빼어남. ——-하다 형자여불

절손【絶孫】[—쏜] 명 무후(無後). ——-하다 형여불

절수[1]【切手】[—쑤] 명〖일제〗①우표(郵票). ②〖경〗↗소절수(小切手).

절수[2]【折收】[—쑤] 명 징수액(徵收額)을 한 번에 얼마씩 나누어서 거둠. ——-하다 타여불

절수[3]【折受】[—쑤] 명 ①몇 번에 나누어서 받음. ②〖역〗봉록(俸祿)으로 토지 또는 결세(結稅)를 떼어 받음. ③〖역〗조선 시대 후기에, 양안(量案)에 없거나 버려진 땅을 관(官)에 신고하게 하여, 신고자에게 경작하게 하고, 지세(地稅)를 받던 일. ——-하다 타여불

절수[4]【絶秀】[—쑤] 명 아주 빼어남. ——-하다 형여불

절수[5]【節水】[—쑤] 명 물, 특히 수도물을 아껴 씀. ¶~ 운동. ——-하다 자여불

절승【絶勝】[—씅] 명 아주 뛰어나게 좋은 경치(景致). 절경(絶景). ¶~지(地).

절승-지【絶勝地】[—씅—] 명 뛰어나게 경치가 좋은 곳.

절시【竊視】[—씨] 명 훔쳐 봄. 몰래 들여다봄. ——-하다 타여불

절시-증【竊視症】[—씨쯩] 명 관음증(觀淫症).

절식[1]【絶食】[—씩] 명 ①먹을 것이 끊어져 없음. 절곡(絶穀). ②단식(斷食). ——-하다 자타여불

절식[2]【絶息】[—씩] 명 숨이 끊어짐. ——-하다 자여불

절식[3]【節食】[—씩] 명 ①음식을 절약하여 먹음. ②건강·미용 등을 위하여 먹는 양(量)을 절제함. ——-하다 자여불

절식 동맹【絶食同盟】[—씩—] 명〖사〗단식 동맹(斷食同盟).

절식 복약【節食服藥】[—씩—] 명 음식을 절도 있게 먹으면서 약(藥)을 복용함. ——-하다 자여불

절식 요법【絶食療法】[—씩뇨뻡] 명〖의〗절식하여 위병 등을 치료하는 방법. 단식 요법. 기아 요법(飢餓療法).

절신【絶信】[—씬] 명 음신(音信)을 끊음. 또, 끊어진 음신. ——-하다 자여불

절실【切實】[—씰] 명 ①적절하여 실제에 꼭 들어맞음. ②아주 긴요함. ¶~한 요청. ——-하다 형여불. ——-히 부

절심【絶心】[—씸] 명 폭약에 연결한 도화선이 타 들어가다가 끊어짐. 또, 도화선을 끊음. ——-하다 자타여불

절써덕 부 물의 표면을 넓적한 물건으로 때리어 거칠고 요란스럽게 나는 소리. ㅆ철써덕. >잘싸닥. ——-하다 자타여불

절써덕-거리다 자타 계속하여 절써덕 소리가 나다. 또, 연하여 절써덕 소리를 나게 하다. ㅆ철써덕거리다. >잘싸닥거리다. **절써덕-절써덕** 부. ——-하다 자타여불

절써덕-대다 자타 절써덕거리다.

절썩[1] 부 ①물의 표면을 넓적한 물건 등으로 때릴 때에 나는 소리. ②물결이 부딪치는 소리. 1)·2): ㅆ철썩. >잘싹. ——-하다 자타여불

절썩[2] 부〈방〉더럭.

절썩-거리다 자타 계속하여 절썩 소리가 나다. 또, 계속해서 절썩 소리를 나게 하다. ㅆ철썩거리다. >잘싹거리다. **절썩-절썩** 부. ——-하다 자타여불

절썩-대다 자타 절썩거리다.

절쑥-거리다 자타 약간 절뚝거리다. ㅆ쩔쑥거리다. >잘쏙거리다. **절쑥-절쑥** 부. ——-하다 자타여불

절쑥-대다 자타 절쑥거리다.

절쑥-이 부 절쑥하게.

절악【折嶽】명〖지〗제주도 남제주군 중문면(中文面)에 있는 산봉우리. [743 m]

절애[1]【切愛】명 몹시 사랑함. 깊이 사랑함. ——-하다 타여불

절애[2]【絶崖】명 깎아 세운 듯한 낭떠러지.

절애지-하다【切愛之—】타여불 몹시 사랑하다. 깊이 사랑하다.

절약【節約】명 아끼어 씀. 객적은 비용을 내지 않고 꼭 필요한 데에만 씀. 절략(節略). 절생(節省). ¶경비 ~. ——-하다 타여불

절약-가【節約家】명 절약하는 사람.

절양【癤瘍】[—량] 명〖의〗피부에만 나는 화농성 염증. 모낭공(毛囊孔) 또는 피지선(皮脂腺)에 화농 구균(化膿球菌)의 침입이 원인이 되며 종창(腫脹)·동통(疼痛) 등을 수반함. 중심의 화농이나 농전(膿栓)이 방출되어야 나으며, 특히 얼굴의 것을 면정(面疔)이라 함. 부스럼. 절종(癤腫). ㊂절(癤).

절억【節抑】명 참고 억제함. ——-하다 타여불

절언【切言】명 ①간절한 말. ②통절(痛切)한 말.

절엄【切嚴·截嚴】명 지엄(至嚴). ——-하다 형여불

절업【絶業】명 뒤가 끊인 사업.

절역【絶域】명 멀리 떨어져 있는 지역이나 나라. 절경(絶境).

절연[1]【絶緣】명 ①인연을 끊음. 관계를 끊음. ¶그와 ~했다. ②〖물〗도체(導體) 사이에 절연체(絶緣體)를 끼우거나 도체 사이를 연락하는 도선(導線)을 끊어, 전기나 열의 전도(傳導)를 끊음. ¶~ 테이프(tape). ——-하다 타여불

절연[2]【節煙】명 담배 피우는 양을 줄임. ¶~ 운동. ——-하다 자여불

절연[3]【截然】명 구별(區別)이 칼로 자른 듯이 분명함. ——-하다 형여불. ——-히 부

절연 강도【絶緣強度】명〔insulating strength〕〖전〗절연 물질이 절연 파괴되지 않고 전압(電壓)에 견디는 능력의 척도. 파괴 방전을 시작하는 데 필요한 단위 두께당의 전압으로써 정의(定義)됨. 보통은 V/cm로 측정됨.

절연 계급【絶緣階級】명〖전〗전력용의 기계나 뚱딴지 등의 절연 강도(強度)의 계급.

절연 내:력【絶緣耐力】명〖물〗절연 파괴를 일으키지 아니하고 사용할 수 있는 최고의 전압.

절연-대【絶緣臺】명〖물〗애자(礙子) 등을 사용하여 대지(大地)와 전기적으로 절연한 대. 고전압·정전기(靜電氣) 등의 절연에 쓰임.

절연 도료【絶緣塗料】명 전기 절연성이 큰 도료. 건성유(乾性油)·천연 수지·피치(pitch) 등으로 만들어졌으나, 근년에는 페놀 수지 따위의 합성 수지를 원료로 한 것이 많이 쓰임.

절연-물【絶緣物】명 〖물〗 절연 재료.

절연-선【絶緣線】명 〔insulated wire〕〖물〗 절연 재료(材料)인 무명·고무·비닐 등을 입혀서 전류(電流)가 새지 아니하도록 한 전선. 절연 전선(絶緣電線). 피복선(被覆線).

절연-성【絶緣性】[-썽] 명 〖물〗 전기가 통하지 아니하는 성질.

절연용 니스【絶緣用―】[-뇽―] 명 〔insulating varnish〕〖물〗 유지(油脂)·수지(樹脂)·아스팔트·피치 등으로 만든 전기 절연용으로 사용하는 니스.

절연-유【絶緣油】[-뉴] 명 〖물〗 전기 기계·기구 등의 절연 재료로 사용하는 정제한 기름. 주로 광물성임.

절연-장【絶緣狀】[-짱] 명 인연을 끊는 편지.

절연-재【絶緣材】명 ↗절연 재료.

절연 재료【絶緣材料】명 〖물〗 전기 또는 열의 도체(導體)를 절연하는 데 쓰는 물질. 종이·유리·사기·에보나이트·파라핀·플라스틱·운모·공기·니스·기름 등. 절연물(絶緣物). 준절연재.

절연 저:항【絶緣抵抗】명 〔insulation resistance〕〖물〗 절연된 송전선·전기 기계의 코일 등과 지면과의 사이의 전기 저항. 절연 효과의 양부(良否)를 나타냄.

절연 저:항계【絶緣抵抗計】명 〖물〗 메거(megger).

절연 전:선【絶緣電線】명 〖물〗 절연선.

절연-지【絶緣紙】명 〖물〗 전기 절연물로 사용하는 종이. 전선이나 각종 기기(器機) 코일의 전기 절연과 콘덴서의 유도체로 쓰임.

절연-체【絶緣體】명 〔insulator〕〖물〗 전기 또는 열을 잘 전하지 못하는 물체. 부도체(不導體).

절연 테이프【絶緣―】〔tape〕명 〖물〗 고무·유지(油紙)·비닐 등으로 만든 테이프로, 절연하기 위해 도선(導線)에 감거나 전기 기구(器具)에 붙여서 씀.

절연 파:괴【絶緣破壞】명 〖전〗 전기 절연체(體)에 가해진 전기장(電氣場)이 어느 정도 이상이 되면 그 물질이 거의 불연속적(不連續的)으로 절연성(絶緣性)을 잃어 큰 전류가 흘러가게 되는 현상(現象). *파괴 전압(破壞電壓).

절염【絶艶】명 견줄 사람이 없을 만큼 아주 예쁨. ――-하다 형 여불

절영【絶影】명 그림자조차 끊어짐. ――-하다 자 여불

절영-도【絶影島】명 〖지〗 '영도(影島)'의 구칭.

절예【絶藝】명 절기(絶技).

절옥【折獄】명 옥사(獄事)를 처결함. ――-하다 자 여불

절요[1]【切要·絶要】명 매우 긴요함. ――-하다 형 여불

절요[2]【折腰】명 허리를 꺾음. 곧, 허리를 굽혀 남에게 머리를 숙임. 절개를 굽히고 남에게 굽실거림. ――-하다 자 여불

절욕[1]【折辱】명 기를 꺾어 욕보임. ――-하다 타 여불

절욕[2]【節慾】명 ①색욕(色慾)을 억제(抑制)함. ②욕심(慾心)을 억제함. ――-하다 자 여불

절욕-설【節慾說】명 〖경〗 영국의 경제학자(經濟學者) 시니어(Senior, W.N.; 1790-1846)가 제창한, 이자·이윤에 관한 원리. 자본은 사람들이 소비를 억제하고 저축한 것이므로, 그 희생에 대한 보수로서 이자·이윤이 지급된다고 설명함.

절용[1]【切茸】명 썬 녹용(鹿茸).

절용[2]【節用】명 절약하여 씀. 아끼어 씀. ――-하다 타 여불

절운【切韻】명 ①반절(反切)에 의하여 한자(漢字)의 운(韻)을 아는 일. ②〖책〗 중국 수(隋)나라 인수 원년(仁壽元年)에 육법언(陸法言)의 주저(主著)로 이룩된 운서(韻書). 193의 운목(韻目)을 '평(平)·상(上)·거(去)·입(入)'의 사성(四聲)으로 나누고 각 운 중에서 동음(同音)에 속하는 글자를 한데 모아 놓고 반절에 의한 발음의 표시와 글자의 뜻을 달아 놓았음. 지방·사람·시대에 따라 각각 다른 발음에 통일된 기준을 부여하려 한 것으로, 이후 수차에 걸쳐 개정되어 북송 때 '광운(廣韻)'이 나타나기에 이르러 본서는 흩어져 없어졌으나 그 체계는 절운계(切韻系)로 불리어 운서(韻書)의 모범이 되었음.

절운-학【切韻學】명 〖언〗 한자의 음운(音韻)에 관해 연구하는 학문의 하나. ≪절운(切韻)≫과 그 계통에 속하는 운서(韻書)를 기초로 하여, 반절(反切)의 방법과 이에 의해 만들어지는 음(音)에 관한 역사적(歷史用)인 연구를 행함.

절원[1]【切願】명 간절히 바람. ――-하다 타 여불

절원[2]【絶遠】명 격원(隔遠). ――-하다 형 여불

절월【節鉞】명 〖역〗 ↗절부월(節斧鉞).

절웨다 자 〈옛〉 저리다. ¶늘근 겨지븐 안자 절웨요믈 시름ᄒᆞ고(老妻憂坐痺)≪初杜諺 XIX:8≫.

절위【竊位】명 ①벼슬자리를 훔침. ②재덕(才德)이 없으면서 벼슬자리에 있음. ――-하다 자 여불

절유【竊惟】명 절념(竊念). ――-하다 타 여불

절육【切肉】명 고기를 얄팍얄팍하게 썰어서 잰 다음 양념을 하여 익힌 것.

절음[1] 명 마소의 다리를 저는 병.

절음(이) 나다 구 마소가 다리 저는 병이 생기다. ¶혹시 상사가 들거나 절음 난 나귀는 아니오?≪金周榮:客主≫.

절음[2]【絶飮】명 술을 끊음. ――-하다 자 여불

절음[3]【節飮】명 주량(酒量)을 알맞게 줄여 마심. 절주(節酒). ――-하다 자 여불

절음 법칙【絶音法則】명 〖언〗 음성 법칙의 하나. 복합 명사에 있어서 그 윗말의 받침이 딴 소리로 변하거나 아랫말의 모음 음절(母音音節)이 'ㄴ'·'ㄹ'로 변하는 현상. 예를 들면, '꽃 위'가 '꼳 위', '담요'가 '담뇨'로 변하는 따위. *말음 법칙(末音法則).

절의[1]【絶義】[-/-이] 명 의절(義絶). ――-하다 자 여불

절의[2]【節義】[-/-이] 명 절개와 의리. ¶~를 지키다.

절의-가【節義歌】[-/-이-] 명 〖문〗 시·시조 따위를 내용에 따라 분류하는 경우, 임금이나 나라에 대한 절개·의리를 담은 노래들의 총칭.

절의-념【節義念】[-/-이-] 명 절개와 의리에 대한 신념.

절이【絶異】명 아주 훌륭하여 다른 것과 다름. ――-하다 형 여불

-절이 미 '절이거나 담금'의 뜻. ¶소금~/ 겉~.

절이 김치 명 〈방〉 겉절이.

절이다 타 염분(塩分)을 먹이어 절게 하다. ¶소금에 ~.

절인【絶人】명 남보다 아주 뛰어남. ――-하다 형 여불

절인지-력【絶人之力】명 남보다 아주 뛰어난 힘. *절인지용(絶人之勇).

절인지-용【絶人之勇】명 남보다 아주 뛰어난 용맹(勇猛). *절인지력(絶人之力).

절일【節日】명 ①한 철의 명절. 곧, 인날·삼짇날·단오·칠석·중양(重陽). ②〖역〗 임금이 탄생한 날.

절일과 증광【節日科增廣】명 〖역〗 절일제(節日製).

절일-제【節日製】[-쩨] 명 〖역〗 조선 시대 때 인일절(人日節)·상사절(上巳節)·칠석절(七夕節)·중양절(重陽節)의 각 명절에 의정부(議政府)·육조(六曹) 및 제관(諸館)의 당상관(堂上官)이 성균관(成均館)에 모여 제술(製述)로써 성균관과 지방의 유생(儒生)을 시취(試取)하던 일. 절일과 증광. 준절제(節製).

절일-첩【節日帖】명 〖역〗 조선 시대 때 음력으로 원조(元朝)·입춘(立春)·단오(端午)의 명절에 대궐 안 기둥에 써 붙이던 시(詩)나 주련(柱聯). 곧, 연상시(延祥詩)·춘첩자(春帖子)·단오첩(端午帖)의 총칭.

절자-옥【切子玉】[-짜-] 명 〖고고학〗 여러면 구슬.

절장 보:단【絶長補短·截長補短】[-짱-] 명 〔긴 것을 잘라서 짧은 것에 보탠다는 뜻〕 잘 되거나 넉넉한 부분에서 못 되거나 부족한 것을 보충함. ――-하다 타 여불

절재【絶才】[-째] 명 아주 뛰어난 재주.

절재-봉【切裁峰】[-째-] 명 〖지〗 급한 사면으로 둘러싸인 날카롭게 뾰족한 봉우리. 높은 산지(山地)의 꼭대기에서 볼 수 있음.

절적[1]【絶迹】[-쩍] 명 발을 끊고 왕래(往來)하지 아니함. 절족(絶足). ――-하다 자 여불

절적[2]【節適】[-쩍] 명 절중(節中).

절전[1]【折錢】[-쩐] 명 ①할인(割引)하는 일. ②값을 돈으로 침. ③돈으로 점을 치는 전서법(錢筮法)의 하나.

절전[2]【絶巓】[-쩐] 명 산의 절정(絶頂).

절전[3]【節電】[-쩐] 명 전기를 아끼어 씀. ――-하다 자 여불

절전 댐퍼【節電―】〔damper〕[-쩐-] 명 냉장고의 냉각기(冷却機)에서 냉장실(冷藏室)로 유입(流入)되는 냉기(冷氣)를 자동 조절하는 셔터(shutter). 온도에 따라서 셔터가 개폐(開閉)되어 냉장실을 적온(適溫)으로 유지함.

절전 신경 섬유【節前神經纖維】[-쩐-] 명 〖생〗 중추 신경계 및 뇌척수로부터 나온 신경 섬유가 자율 신경계 속으로 들어가 그 신경절(節) 속에서 끝날 때까지의 부분. 유수성(有髓性)이며 굵음. ↔절후(節後) 신경 섬유.

절절[1]【折節】[-쩔] 명 자기를 굽히고 의지(意志)를 꺾음.

절절[2]【截截】[-쩔] 명 구변(口辯)이 좋은 모양. ――-하다 형 여불. ――-히 부

절절[3] 부 ↗절레절레. 쓰쩔쩔[1]. >잘잘[1]. ¶고개를 ~ 흔들다.

절절[4] 부 열이 높아서 매우 더운 모양. ¶아랫목이 ~ 끓는다. 쓰쩔쩔[2]. >잘잘[2].

절절[5] 부 무엇을 손에 쥐고 크게 천천히 흔드는 모양. 쓰쩔쩔[3]. >잘잘[3].

절절[6] 부 이리저리 치신 없이 바삐 쏘대는 모양. 쓰쩔쩔[4]. >잘잘[4]. <질질[3].

절절[7] 부 물이 많이 흐르는 모양. 또, 그 소리. 쓰쩔쩔[5]. >잘잘[7].

절절-거리다 자 이리저리 치신 없이 몹시 바쁘게 쏘다니다. 쓰쩔쩔거리다. >잘잘거리다. <질질거리다.

절절-대다 자 절절거리다.

절절-이【節節―】부 말의 마디마다. 말의 한 마디 한 마디가 모두. ¶구구(句句) ~.

절절-하다【切切―】형 여불 매우 간절(懇切)하다. **절절-히**【切切―】부. ¶설희가 ~ 뼈에서 우러나오는 듯싶게 흥금을 토로했다≪朴花城:고개를 넘으면≫.

절점【切點】[-쩜] 명 ①요점. ②〖수〗 접점(接點).

절접【切接】[-쩝] 명 ①잘라서 물건과 물건을 서로 이어 붙이는 일. ②〖농〗 깎기접.

절정[1]【切釘】[-쩡] 명 대가리를 잘라 없앤 쇠못.

절정[2]【絶頂】[-쩡] 명 ①산의 맨 꼭대기. ②사물의 치오른 극도. 고조(高潮). ¶인기 ~에 오르다.

절제[1]【切除】[-쩨] 명 잘라 버림. ¶충수(蟲垂) ~술(術). *삭제. ――-하다 타 여불

절제[2]【節制】[-쩨] 명 ①알맞게 조절(調節)함. ②〖윤〗 방종(放縱)하지 아니하도록 자기의 욕망(欲望)을 이성(理性)으로써 제어(制御)함. ――-하다 타 여불

절제[3]【節製】[-쩨] 명 〖역〗 ↗절일제(節日製).

절제 도위【節制都尉】[-쩨-] 명 〖역〗 조선 시대 때 절도사(節度使) 밑에 딸려 있던 제진(諸鎭)의 종육품 벼슬. 현령(縣令) 또는 현감(縣監)이 겸함. 정식 이름은 병마 절제 도위(兵馬節制都尉)로, 세조(世祖) 12년(1466)에 병마 단련 판관(兵馬團練判官)을 고친 이름임.

절제-사【節制使】[—쩨—] 명〖역〗①고려 공양왕(恭讓王) 원년(1389)에 원수(元帥)를 고친 이름. ②조선 시대초에 의흥 친군위(義興親軍衛)에 딸린 군직(軍職)의 하나. 순문사(巡問使). ③조선 시대 때 절도사 밑에 딸려 있던 거진(巨鎭)의 정삼품 벼슬. 본이름은 병마 절제사(兵馬節制使)로 부윤(府尹)이 겸하였음.

절제-술【切除術】[—쩨—] 명〖의〗수술의 한 방법. 어떤 장기(臟器)나 조직의 일부를 잘라 내는 일.

절조[1]【絶調】[—쪼] 명 아주 뛰어난 곡조. ＊절창(絶唱).

절조[2]【節操】[—쪼] 명 ①절개와 지조. ②굳게 지키는 지조.

절족[1]【絶足】[—쪽] 명 절적(絶迹). ——-하다 자여불

절족[2]【節族】[—쪽] 명 [‘절(節)’은 골절(骨節), ‘족(族)’은 뼈와 살이 이어지는 데의 뜻] 골육(骨肉) 관계가 있는 집안 식구.

절족 동:물【節足動物】[—쪽—] 명〖동〗‘절지(節肢) 동물’의 구용어.

절종[1]【絶種】[—쫑] 명 씨가 끊어져서 아주 없어짐. ——-하다 자여불

절종[2]【癤腫】[—쫑] 명〖의〗절양(癤瘍).

절주[1]【節奏】[—쭈] 명〖악〗리듬(rhythm).

절주[2]【節酒】[—쭈] 명 절음(節飮). ——-하다 자여불

절주[3]【節族】[—쭈] 명〖악〗절주(節奏).

절주-배【節酒杯】[—쭈—] 명 계영배(戒盈杯).

절중[1]【切中】[—쭝] 명 절실하게 이치에 맞음. ——-하다 형여불

절중[2]【折中】[—쭝] 명 절충(折衷)❷. ——-하다 타여불

절중[3]【折中】[—쭝] 명 사리(事理)나 형편에 꼭 들어맞음. 절적(節適). ——-하다 형여불

절증지-하다【切憎之—】[—쯩—] 타여불 몹시 미워하다. ¶나는 본래 의리 없는 놈이라면 절증지하는 줄을 너도 이왕 알았지? ≪崔瓚植：능라도≫.

절지[1]【折枝】[—찌] 명 ①나뭇 가지를 꺾음. ②사지(四肢)를 안마(按摩)함. ③〖미술〗꽃을 그릴 때 오직 한둘의 가지만 그리고 뿌리를 그리지 아니하는 화법. ④절류(折柳)❷. ——-하다 자여불

절지[2]【絶地】[—찌] 명 멀리 떨어진 외진 땅.

절지[3]【竊脂】[—찌] 명〖조〗콩새.

-절지【截紙】[—찌] 미 온 장의 종이를 여러 조각으로 접은 그 조각. ¶반~/12~.

절지 동:물【節肢動物】[—찌—] 명〖동〗[Arthropoda] 동물 분류의 한 문(門). 일반적으로 몸이 작고 좌우 상칭(左右相稱)이며, 여러 개의 환절(環節)로 이루어짐. 대개 두부·흉부·복부의 세 부분으로 나누는데, 머리·가슴을 합쳐서 두흉부(頭胸部)라고 하며, 복부를 전복부(前腹部)·후복부(後腹部)로 구분하기도 함. 외피(外皮)는 경고(硬固)하여 외골격(外骨格)이 되고 그 내면(內面)에 근육이 부착되었음. 발육 도중에 변태(變態)하는 것이 특징임. 갑각류(甲殼類)·거미류(類)·지네류·노래기류·곤충류(昆蟲類) 등의 5강(綱)으로 분류함. 마디발 동물.

절지-림【截枝林】[—찌—] 명 절지 작업을 한 삼림.

절지 작업【截枝作業】[—찌—] 명〖생〗나무 줄기를 보존하고 가지만을 잘라서 그 절단면에 새 가지를 발아(發芽)시키는 작업.

절지-화【折枝畫】[—찌—] 명〖미술〗절지 화법(折枝畫法)에 의한 그림. 화훼(花卉) 절지화·기명(器皿) 절지화·영모(翎毛) 절지화 등이 있음. ＊절지(折枝)❸.

절직【切直】[—찍] 명 매우 정직함. 직절(直切). ——-하다 형여불

절진[1]【切診】[—찐] 명〖한의〗촉진(觸診)을 한의학(韓醫學)에서 일컫는 말.

절진[2]【絶盡】[—찐] 명 다 없어짐. ——-하다 자여불

절질【折跌】[—찔] 명 다리가 부러지거나 접질림.

절질-상【折跌傷】[—찔쌍] 명 다리가 부러지거나 접질려서 다침. 또, 그 상처.

절-집[—찝] 명 중이 사는 집이라는 뜻으로 절을 일컫는 말. ¶~ 계율.

절차[1]【切磋】명 ①옥·뼈·뿔·돌 등을 깎고 닦음. ②부지런히 학문이나 도덕을 닦음. ＊탁마(琢磨). ——-하다 자타여불

절차[2]【節次】명 일의 순서나 방법. 수속(手續). ¶~가 바뀌다.

절차-법【節次法】[—뻡] 명〖법〗실체법(實體法)의 운용상의 절차. 특히, 권리의 실질적 내용을 실현하는 데 관하여 국가 기관이 관여하는 방법·형식을 정한 법. 민사 소송법(民事訴訟法)·형사 소송법(刑事訴訟法)·부동산 등기법(不動産登記法)·호적법(戶籍法) 같은 것. 형식법(形式法). 수속법(手續法). ＊실체법(實體法).

절차 탁마【切磋琢磨】명 ①옥·돌 따위를 갈고 깎음. ②학문과 덕행을 닦음. 준절마(切磨). ——-하다 자타여불

절착-유【切鑿油】명〖공〗주로 금속 재료를 천공(穿孔)·절단·연마할 때 공구(工具)와 재료와의 마찰·발열·작업 능률 등의 장해를 방지하기 위하여 공구와 재료 사이에 치는 기름.

절찬【絶讚】명 지극히 칭찬함. 또, 그 칭찬. ¶절찬을 받은 연주회. ——-하다 타여불

절찬-리【絶讚裡】[—니] 명 지극히 칭찬하는 가운데. ¶음악회는 ~에 끝났다.

절창[1]【切創】명〖의〗칼날이나 유리 조각 같은 날카로운 것에 벤 상처.

절창[2]【絶唱】명 뛰어난 명창(名唱). 또, 그러한 시(詩). ＊절조(絶調).

절창[3]【癤瘡】명〖한의〗뾰루지.

절책【切責】명 크게 책망함. 심책(深責). ——-하다 타여불

절처 봉생【絶處逢生】명 극도로 궁박한 끝에 살 길이 생김. ¶김씨 부인이 일개 옥동을 순산하니 ~으로 기쁜 마음이 한량이 없으리요마는… ≪李海朝：九疑山≫.

절척[1]【切戚】명 본종(本宗)이 아닌 가까운 친척.

절척[2]【折尺】명 접자.

절척[3]【絶尺】명 피륙을 몇 자씩으로 끊음. ——-하다 타여불

절첩-관【折疊冠】명 접관(摺冠).

절첩-본【折帖本】명 첩장(帖裝).

절청【竊聽】명 남의 비밀을 몰래 엿들음. ——-하다 타여불

절체-일【絶體日】명〖민〗생기법(生氣法)으로 본 길일(吉日)의 하나.

절체 절명【絶體絶命】명 [일 ぜったいぜつめい(絶體絶命). 절체와 절명은 별점을 보는 데 흉한 별의 이름] 빠져 나갈 방법을 찾을 수 없을 정도의 어려운 처지에 놓여 있음. 피할 수 없는 경우에 처해 있음.

절초[1]【切草】명 살담배.

절초[2]【折草】명 풀이나 잎나무를 벰. ——-하다 타여불

절초-전【切草廛】명 살담배를 파는 가게.

절촉【切促】명 절박(切迫). ——-하다 자여불

절축[1]【切祝】명 간절히 축원(祝願)함. ——-하다 타여불

절축[2]【截軸】명〖수〗원주(圓錐)의 초점(焦點)을 통과하는 축.

절축-절축 부 ☞ 절뚝절뚝.

절충[1]【折衷】명 ①어느 한편으로 치우치지 아니하고 이것과 저것을 취사(取捨)하여 알맞은 것을 얻음. ¶~안(案)/오랜 ~ 끝에 매듭을 짓다. ②상반하는 의견 중, 중용적(中庸的)인 언설(言說)을 형성하는 일. 절중(折中). ③〖심〗대립하는 둘 이상의 욕구를 하나의 행동으로써 불안전(不安全)하나마 동시에 만족(滿足)시키려고 하는 방위 기제(防衛機制). ——-하다 타여불

절충[2]【折衝】명 [적의 창끝을 꺾어 막는다는 뜻에서] 외교(外交), 기타의 교섭(交涉)에서 담판(談判)하거나 흥정하는 일. ¶~을 거듭하다. ——-하다 타여불

절충 못자리【折衷—】명〖농〗밭못자리와 물못자리의 결함을 없애기 위하여 고안된 못자리. 처음에는 물못자리처럼 기르다가 나중에는 통로(通路)에만 물을 대어 기르는 방법과, 그 반대로 하는 방법이 있는데 보온(保溫) 절충 못자리가 발달하면서 거의 이용(利用)되지 아니하고 있음.

절충-부【折衝府】명〖역〗중국 당대(唐代)의 부병제(府兵制)의 기초가 된 지방 설치의 군부(軍府). 장관을 절충 도위(都尉)라 하며 부병이 예속함.

절충-설【折衷說】명 대립되는 둘 이상의 학설을 취사(取捨)하여 절충한 학설.

절충 어:모【折衝禦侮】명 적의 공격을 쳐부수어 나를 얕보는 마음을 꺾어 두려워하게 만듦.

절충 장군【折衝將軍】명〖역〗조선 시대 때 정삼품 당상관(堂上官) 무관 품계. 어모(禦侮) 장군의 위임.

절충-주의【折衷主義】[—/—이] 명 [eclecticism] ①〖법〗두 개 이상의 대립되는 법학설(法學說)에서 각각 장점을 취하여 절충하는 주의. ②〖철〗여러 가지 사상에서 진리라고 생각되는 것을 절충·조화하여 학설을 구성하려는 사상 경향. 3세기경의 알렉산드리아(Alexandria) 학파나 17세기의 라이프니츠(Leibniz) 등의 학설이 대표적이나, 19세기의 쿠쟁(Cousin) 등이 이루는 학파가 전형적임. 싱크리티즘(syncretism). 제설(諸說) 혼합주의.

절충-파【折衷派】명〖한의〗한의학의 한 유파(流派). 임상 치료에 있어서 고방파(古方派)와 후세방파(後世方派)의 술법의 장단(長短)을 보합(補合)하여 치료의 법칙으로 삼는 파.

절취[1]【截取·切取】명 잘라 냄. ¶~선(線). ——-하다 타여불

절취[2]【節取】명 ①악(惡)을 버리고 선(善)을 취함. ②문장의 한 구절(句節)을 따. ——-하다 자여불

절취[3]【竊取】명 남의 물건을 몰래 훔치어 가짐. 투취(偸取). ¶남의 물건을 ~하다. ——-하다 타여불

절-치[1] 명 [본시 절에서 만들어 신었던 데서 유래] 거칠게 삼은 미투리.

절치[2]【切齒】명 분하여 이를 갊. ¶~ 부심(腐心). ——-하다 자여불

절치-룡【節齒龍】명〖동〗[*Pliasaurus*] 파충류(爬蟲類) 기룡류(鰭龍類)에 속하는 화석(化石) 동물. 트라이아스기(Trias紀)·쥐라기(Jura紀)에 생존하였음.

절치 부심【切齒腐心】명 몹시 분하여 이를 갈며 속을 썩임. ——-하다 자여불

절치 액완【切齒扼腕】명 몹시 분하여 이를 갈고, 팔을 걷어올리며 벼름. ——-하다 자여불

절친【切親】명 아주 친근함. ¶~한 친구 사이이다. ——-하다 형여불. ——-히 부

절칸 명〈방〉절[1](경북).

절커덕 부 ①끈기 있는 물건이 서로 세차게 들러붙었다가 떨어지는 소리. ¶~ 떨어지다. ②서로 닿으면 걸리어 붙게 된 단단한 물건끼리 맞부딪치어 마치게 나는 소리. ¶기차의 연결기(連結器)가 ~ 붙다. ③넓적한 물건끼리 맞부딪치어 끈기 있게 나는 소리. 1)-3):ㅅ절거덕. ㅆ절꺼덕·쩔꺼덕. ㅆ철커덕. >잘카닥. 준절컥. ——-하다 자타여불

절커덕-거리다 자타 계속하여 절커덕 소리가 나다. 또, 계속해서 절커덕 소리를 나게 하다. ㅅ절거덕거리다. ㅆ절꺼덕거리다·쩔꺼덕거리다. ㅆ철커덕거리다. >잘카닥거리다. 준절컥거리다. 절커덕-절커덕 부. ——-하다 자타여불

절커덕-대다 자타 절커덕거리다.

절커덩 부 서로 닿으면 걸리어 붙게 되어 있는 단단한 물건끼리 맞부딪치어 울리어 나는 소리. ㅅ절거덩. ㅆ절꺼덩·쩔꺼덩. ㅆ철커덩. >잘카당. ——-하다 자타여불

절커덩-거리다 자타 계속하여 절커덩 소리가 나다. 또, 계속해서 절커덩 소리를 나게 하다. ㅅ절거덩거리다. ㅆ절꺼덩거리다·쩔꺼덩거리다. ㅆ철커덩거리다. >잘카당거리다. 절커덩-절커덩 부. ——-하다 자타여불

절커덩-대다 자타 절커덩거리다.

절컥 부 ↗절커덕. ㅅ절걱. ㅆ절꺽·쩔꺽. ㅆ철컥. >잘칵. ——-하다 자타여불

葉)은 피침형임. 6월에 흰 꽃이 원추(圓錐) 화서로 정생하여 피고 과실은 골돌과(蓇葖果)인데 9월에 익음. 산록(山麓)의 양지에 나는데 강원·평북·함남 등지에 분포함. 관상용·산울타리용으로 심음. 어린 잎은 식용함.

점-쉼표【點一標】명〔dotted rest〕〖악〗점(點)이 덧붙어 찍혀 있는 쉼표. 점 온쉼표(▬·)·점 이분 쉼표(▬·)·점 사분 쉼표(𝄽·)·점 팔분 쉼표(𝄾·) 등이 있음. 점휴지부. 부점 휴지부(附點休止符). ↔민쉼표.

점슴 명〈방〉점심(點心)(경기·강원).

점습【霑濕·沾濕】명 젖음. 또, 적심. ——-하다 자타여불

점:시[1]【覘視】명 규시(窺視). ——-하다 타여불

점시[2]【點視】명 검분(檢分)함. 조사하여 봄. ——-하다 타여불

점시[3]【點示】명 하나하나 지적하여 표시함. ——-하다 타여불

점-시력【點視力】명〖의〗미세한 점의 존재 유무를 분간할 수 있는 눈의 능력. ↔선시력(線視力).

점식【粘埴】명〖공〗눈황니(嫩黃泥).

점:신【漸新】명 점점 새로와짐. ——-하다 자여불

점:신-세【漸新世】명〖지〗'올리고세(世)'의 구칭.

점:심【點心】명 ①낮에 끼니로 먹는 음식. ②〖불교〗선종(禪宗)에서 배고플 때에 조금 먹는 음식. ③〖민〗무당이 삼신(三神)에게 떡과 과실 등을 차려 놓고 갓난 아이의 젖이나 명복(命福)을 비는 일. ④중국 요리에 곁들여 나오는 과자. ——-하다 자여불 ①점심먹이를 짓다. ②점심을 먹다.

점:심(을) 바치다 구 무당이 갓난 아이의 젖이나 명복(命福)을 빌기 위하여 삼신(三神)에게 점심을 올리다.

점:심 싸 들고 나서다 구 '발벗고 나서다'와 같은 뜻.

점:심-거리【點心一】[一꺼一] 명 점심 끼니를 지을 거리. *저녁거리.

점:심-나절【點心一】명 조반 이후 점심 때까지의 반나절.

점:심-때【點心一】명 점심을 먹을 때. 또, 그 무렵.

점:심-먹이【點心一】명 점심으로 먹을 음식.

점:심-밥【點心一】[一빱] 명 점심으로 먹는 밥. 오반(午飯). 주식(晝食).

점:심-상【點心床】[一쌍] 명 점심밥을 차린 상.

점:심 시간【點心時間】[一씨一] 명 점심을 먹은 후의 휴식 시간.

점:심-참【點心站】명 점심을 먹을 참.

점:안【點眼】명 ①눈에 안약을 떨어뜨리어 넣음. ¶ ~수(水). ②〖미술〗점정(點睛). ③〖불교〗점불정(點佛睛). ——-하다 자여불

점:안-기【點眼器】명〖의〗점안에 사용하는 의료 기구.

점:안-병【點眼甁】명〖의〗안약을 넣어 점안하는 데 쓰는 병.

점:안 불사【點眼佛事】[一싸] 명〖불교〗점불정(點佛睛)할 때에 잡귀를 물리치고자 올리는 불공.

점:안-수【點眼水】명〖약〗눈에 한 방울씩 떨어뜨리게 되어 있는 안약. 점안약(點眼藥).

점:안-약【點眼藥】[一냑] 명〖약〗점안수(點眼水).

점액[1]【粘液】명 ①끈끈한 액체. ②〔mucus〕〖생〗생물체 내의 점액선(粘液腺) 등에서 분비되는 끈끈한 액체. 단백질 등을 함유하여 피부의 건조(乾燥)를 막는 등의 여러 가지 역할을 함. 끈끈물. 끈끈액.

점:액[2]【點額】명〔용문(龍門)을 올라간 잉어는 용이 되고, 그렇지 아니한 것은 이마에 점이 찍혀서 돌아간다는 고사에서 유래〕시험에 낙제하는 일.

점액-균【粘液菌】명 점균(粘菌).

점액-낭【粘液囊】명〔mucilage〕〖생〗생물체내에서 점액이 들어 있는 주머니 모양의 물건. 근육이 뼈와 접촉하는 관절 같은 곳에서 마찰이나 압박을 덜게 하는 역할을 함.

점액-막【粘液膜】명〖생〗점막(粘膜).

점액-병【粘液病】명〔slime disease〕〖식〗식물 조직이 점액 모양으로 되고 부패하는 병의 총칭.

점액-선【粘液腺】명〔mucous gland〕〖생〗점막에 있어서 점액을 분비하는 선. 보통 1 내지 다수의 점액 세포로 되어 있음. 동식물체에 널리 존재하며, 고등 동물에서는 구강(口腔)·비강(鼻腔)·기도(氣道)·식도(食道)·위(胃)·장(腸)에 다수 존재하여 점막(粘膜) 형성에 기여하고 있음. ↔장액선(漿液腺).

점액 세:균류【粘液細菌類】[一뉴] 명〖식〗〔Myxobacteriales〕흙·부식(腐植)된 식물의 유체(遺體) 등에 널리 분포하는 세균류의 한 무리. 셀룰로오스·수크로오스·단백질(蛋白質) 등 고분자 유기물(高分子有機物)을 분해하여 점액질의 물질을 다량으로 형성함.

점액 수종【粘液水腫】명〔myxedema〕〖의〗갑상선(甲狀腺)의 기능 감퇴에 따라 일어나는 질환. 피부가 비후(肥厚)·긴장하여 종기가 생긴 것처럼 되고, 담화(談話)·사고(思考)·운동 등이 둔하게 됨.

점액 아메:바【粘液一】명〔myxamoeba〕〖생〗점균류(粘菌類)의 포자(胞子)가 발아해서 유주체(遊走體)로 변화한 것. 편모(鞭毛)가 없는 소체(小體)로, 아메바와 같이 여러 가지로 모양을 바꾸며 운동하고, 이것이 많이 집합하여 원형질체를 이룸. *점균류(粘菌類).

점액-증【粘液症】명〔mucinosis〕〖의〗점액 또는 점소 물질(粘素物質)을 함유하는 물질이 피층(皮層)에 축적하여, 구진(丘疹)이나 작은 결절(結節)의 형성을 수반하는 병증.

점액-질【粘液質】명 ①〖화〗당단백질(糖蛋白質)의 한 가지. 점막이 분비하는 점액의 주성분으로, 끈끈하며 타액(唾液)에도 함유되어 있음. 효소에 의하여 가수 분해됨. ②〖심〗기질(氣質)의 한 가지. 자극에 대한 정신적인 반응이 둔하고 열심도와 활기가 적으며 보수적이나 정(情)에 편중하지 아니하고 의지와 인내력이 있음. 림프질(lymph 質). ↔다혈질(多血質). ③〖식〗식물계에 널리 분포되어 물에 의하여 끈끈한 액체를 내는 물질. 준점질(粘質).

점액-층【粘液層】명〔mucous layer〕〖생〗표피(表皮)의 증식층(增殖層)을 이르는 말. 세포 해리(解離)에 의하여 점액상(粘液狀)이 됨.

점액 포자충증【粘液胞子蟲症】[一쯩] 명〔Myxosporidia disease〕〖어〗원충(原蟲)의 일종인 *Myxobolus pfeiffer* 에 의해 생기는 어류(魚類)의 병. 근육이나 결합 조직(結合組織)에 큰 종양괴(腫瘍塊)를 형성하여 마지막에는 죽음.

점:약【點藥】명 눈에 약물을 넣음. 또, 그 약. ——-하다 자여불

점-양태【點一】[一냥一] 명〖어〗〔*Inegocia japonica*〕양탯과에 속하는 바닷물고기. 몸길이 20cm 내외로 머리에 다수의 골질(骨質) 돌기(突起)와 톱니와 가시를 갖추며 비늘이 작음. 몸빛은 등 쪽이 담갈색(淡褐色), 배 쪽은 황백색이며 등쪽 측면에 여섯 개의 불분명한 흑색 띠가 있고 머리에 작은 흑점이 산재(散在)함. 한국 중남부·일본 중부 이남·대만·남중국해 등지에 분포함.

점-양토【粘壤土】[一냥一] 명〖지〗양토에 점토분(粘土分)이 조금 많이 섞인 토질.

점어【鮎魚】명〖어〗메기.

점어-구【鮎魚灸】명 메기 구이.

점어-전【鮎魚膞】명 메기 지짐이.

점없는 책받침【點一】[一업一] 명 한자 부수(部首)의 하나. '廷'이나 '建' 등에서 '廴'의 이름. 민책받침.

점역【點譯】명 말이나 보통의 일반 글자를 점자(點字)로 고침. ——-하다 타여불

점:열【點閱】[一널] 명 점검하고 사열함. ——-하다 타여불

점:염[1]【漸染】명 차차 번져서 물듦. 점점 전염됨. ——-하다 자여불

점:염[2]【點染】명 조금씩 젖어 물듦. ——-하다 자여불

점엽[1]【粘葉】명 호접장(蝴蝶裝).

점:엽[2]【點葉】명〖미술〗동양화에서 나뭇잎을 묘사할 때에 윤곽선(輪廓線)을 사용하지 아니하고 붓을 사용하여 점묘(點描)하는 수법.

점:오【漸悟】명〖불교〗점점 깊이 깨달음. ——-하다 타여불

점-왕거미【點王一】명〖동〗〔*Araneus quadratus*〕호랑거밋과에 속하는 거미의 하나. 몸길이는 암컷이 10-20mm, 수컷은 10-11mm 가량이고, 몸빛은 황갈색 또는 적갈색이며 복부에는 백색 원반(圓斑)과 황색 반달 무늬가 한 쌍 있고, 다리는 황색임. 관목의 잎을 의지하여 집을 짓는데 전세계의 북온대(北溫帶) 및 아한대(亞寒帶)에 분포함. 넉점박이 왕거미.

점욕【玷辱】명 면목을 손상시켜 욕보임. ——-하다 타여불

점용【占用】명 차지하여 씀. ——-하다 타여불

점-용접【點鎔接】명 스포트 용접(spot 鎔接).

점운【點雲】명 점점(點點)으로 흩어진 구름 모양의 무늬.

점:원[1]【店員】명 상점에서 물건을 팔거나 기타의 일에 종사하는 고용인(雇傭人).

점원[2]【點圓】명〖수〗반경(半徑)이 제로(zero)인 원. 실제는 점인 데서 붙인 이름임.

점원-문【點圓文】명〖고고학〗'고리점무늬'의 구용어.

점유[1]【占有】명 ①차지하여 자기의 소유로 함. ②〖법〗자기를 위하여 하는 의사로써 유체물(有體物)을 사실상 소지하여 지배하는 일. ③〖지〗경지·삼림·취락(聚落) 등이 지표면을 차지하는 일. 위치·팽창·상호 관계 등으로 시기적 변이(變移)가 일어날 때에 문제되는 개념임. 점거(占居). ——-하다 타여불

점유[2]【沾濡】명 젖음. 또, 적심. ——-하다 자타여불

점:유[3]【漸癒】명 병이 차차 나아 감. ——-하다 자여불

점유 개:정【占有改定】명〔도Besitzkonstitut〕〖법〗물건을 점유하는 자, 곧 인도(引渡)에 있어서의 양도인이 타인, 곧 인도에 있어서의 양수인을 위하여 간접 점유(間接占有)를 설정하고, 스스로 타주 점유자(他主占有者)로서 직접 점유(直接占有)를 계속함으로써 인도가 된 것으로 하는 간편한 인도 방법.

점유-권【占有權】[一꿘] 명〖법〗점유라는 사실을 법률 요건으로 하여 발생하는 물권(物權). 유체물(有體物)의 점유에 대하여 부여되며, 일시적으로 그 유체물의 소지를 유지하는 것을 내용으로 함.

점유 기관【占有機關】명〖법〗점유자의 지시에 따라 그의 수족(手足)이 되어 물건을 가지고 있는 자. 주인의 명령으로 상품을 가지고 있는 점원 등이 그 예임. 점유 보조자.

점유-물【占有物】명〖법〗점유의 목적인 유체물.

점유 보:조자【占有補助者】명〖법〗점유 기관(占有機關).

점유 보:호 청구권【占有保護請求權】[一꿘] 명〖법〗점유 소권(占有訴權).

점유 소권【占有訴權】[一꿘] 명〖법〗점유에 대한 침해를 배제하여 완전한 점유 상태를 회복하고, 또한 점유 침해로 인한 손해의 배상을 침해자에게 청구함을 내용으로 하는 사권(私權). 점유 보호 청구권(占有保護請求權).

점유 이탈물 횡령죄【占有離脫物橫領罪】[一녕쬐] 명〖법〗유실물, 표류물(漂流物) 또는 다른 사람의 점유를 이탈한 재물이나 매장물(埋藏物)을 횡령한 죄.

점유-자【占有者】명 어떤 유체물을 점유하는 사람.

점윤【霑潤】명 비나 이슬에 젖어서 불음. ——-하다 자여불

점-음표【點音標】명〔dotted note〕〖악〗점(點)이 덧붙어 찍혀 있는 음표. 점 온음표(𝅝·), 점 이분 음표(𝅗𝅥·), 점 사분 음표(♩·), 점 팔분 음표(♪·), 점 십육분 음표(𝅘𝅥𝅯·) 등이 있음. 부점 음표(附點音標). 부점 음부(附點音符). ↔민음표.

〈점음표〉

점:이【漸移】명 차차 옮아감. ——-하다 자여불

점:이-성【漸移性】[—썽] [명] 차차 옮아가는 성질.

점:이 지대【漸移地帶】[명]〖지〗어떤 지리적 특상(特相)을 가진 지역과 다른 지역적 특상(特相)을 가진 지역 사이에서 중간적인 현상을 나타내는 지대. 산록(山麓) 지대 등이 이 예임.

점:이 층리【漸移層理】[—니] [명]〔graded bedding〕〖지〗공기나 물의 도태 작용으로 조립 물질(粗粒物質)이 아래에, 세립(細粒) 물질이 그 위에 겹쳐 쌓인 퇴적 배열. 지층의 상하 판정의 기준으로 쓰임.

점:입 가경【漸入佳境】[명] 점점 재미있는 경지로 들어감. ¶이야기가 ~하다. ——-하다 [자][여불]

점자[1]【占者】[명] 점쟁이.

점자[2]【點子】[명]〖악〗옛 군악용(軍樂用) 악기의 한 가지. '田'자 모양의 정간(井間)이 있고, 자루가 달린 틀에 면(面)의 두께가 같지 아니한 소라(小鑼) 네 개를 달아 왼손에 쥐고 오른손에 북채를 들고 침. *운라(雲羅).

점자[3]【點字】[—짜] [명] 시각 장애자가 손가락으로 더듬어 읽게 만든 부호 글자. 두꺼운 종이에 도드라진 점을 일정한 방식으로 맞추어 손가락으로 만져서 알게 하였음. 세계에서 가장 보편적인 삼점 이행식(三點二行式) 점자는 1829년에 프랑스의 소경 브라유(Braille, L.)가 고안한 것임.

점자-기【點字器】[—짜—] [명] 맹인용 점자를 치는 기구.

점자 도서관【點字圖書館】[—짜—] [명] 맹인(盲人)을 위하여 점자 도서를 우송(郵送)하여 빌려 주는 도서관. 1882년에 설립된 런던의 내셔널 라이브러리 포 더 블라인드(National Library for the Blind)가 세계 최대 최고의 시설임.

점-자돔【點紫—】[명]〖어〗[*Pomacentrus violascens*] 점자돔과에 속하는 바닷물고기. 몸은 갸름하며 측편(側扁)하고 빛깔은 누름. 우리 나라 남해와 일본의 중부 이남·남인도 제도 등에 분포함.

점자돔-과【點紫—科】[—꽈] [명]〖어〗[Pomacentridae] 농어목에 속하는 어류의 한 과. 자리돔·파랑돔·점자돔 등이 이에 속함.

점자리 [명]〈방〉잠자리.

점자 블록【點字—】[block] [명] 시각(視覺) 장애자의 유도용(誘導用)으로 도로에 깐 특수한 블록. 시각 장애자가 길을 걸으면서 발바닥의 촉감(觸感)으로, 위치와 방향을 알 수 있도록 표면에 돌기(突起)를 붙인 블록.

점자-수【點子手】[명]〖역〗군중(軍中)에서 점자를 치는 취타수(吹打手)의 하나.

점자 우편【點字郵便】[—짜—] [명] 맹인용(盲人用) 점자 우편.

점-자이【占—】[명]〈방〉점쟁이(황해).

점자 투표【點字投票】[—짜—] [명] 선거에서, 맹인(盲人)이 점자로 투표하는 일.

점:잔 [명] 언행이 야하지 아니하고 묵중한 태도.

점:잔(을) 부리다 [구] 점잖은 태도를 자꾸 나타내다.

점:잔(을) 빼:다 [구] 짐짓 점잖은 태도를 짓다.

점:잔(을) 피우다 [구] 점잖은 태도를 애써 드러내다. 점잖은 체하다.

점:잖다 [—잔타] [형] ①언행이 야하지 아니하고 묵중하다. ②됨됨이나 생김새가 품위 있고 고상하다. ¶점잖게 앉아 있다. 1)·2):>잠잖다. [점잖은 개가 똥을 먹는다] 겉으로 점잔을 피우면서 못된 짓을 한다는 말. [점잖은 개 부뚜막에 오른다] ㉠겉으로는 점잖은 체하는 사람이 엉뚱한 짓을 한다는 말. ㉡자기가 생각하면 바와는 달리 좋지 않은 행실을 하는 것을 볼 때 이르는 말.

점:잖-이 [—잔—] [부] 점잖게.

점:잖-잖다 [—잔찬타] [형] ↗점잖지 아니하다. ¶사람이 점잖잖게 그게 무슨 짓인가?

점장[1]【粘匠】[명]〖역〗공조(工曹)에 딸린 공장(工匠). 말다래를 만드는 장인(匠人).

점장[2]【簟匠】[명]〖역〗삿자리를 만드는 장인(匠人).

점:장 도법【漸長圖法】[—뻡] [명] 지도 투영법의 하나. 지구 중심에 놓은 시점(視點)에서 적도를 둘러싸는 원통면상에 경·위선을 투영하는 방법.

점-장이【占—】[명] ☞점쟁이.

점장-제【粘漿劑】[명] 장제(漿劑).

점-재[1]【占—】[명]〈방〉점쟁이(황해).

점재[2]【點在】[명] 여기저기 점점이 흩어져 있음. ¶섬들이 ~하는 남해의 절경. ——-하다 [자][여불]

점-재이【占—】[명]〈방〉점쟁이(경상·황해).

점-쟁이【占—】[명] 남의 신수를 점쳐 주고 돈을 받는 일로 업을 삼는 사람. 복사(卜師). 복인(卜人). 복자(卜者). 일자(日者). 점자(占者). 주역 선생(周易先生). 매복자(賣卜者).

점:적[1]【覘敵】[명] 적의 형세를 엿봄. ——-하다 [자][여불]

점:적[2]【漸積】[명] ①차츰 쌓아서 저축함. ②점점 겹쳐짐. ——-하다 [재타][여불]

점적[3]【點滴】[명] ①낱낱의 액체 방울. ②물방울을 떨어뜨림. ¶~ 주사(注射). ③〖화〗시료(試料)에 시약(試藥) 방울을 적정(滴定)하는 일. ——-하다 [타][여불]

점적 반:응【點滴反應】[명]〖화〗점적 분석에 이용되는 화학 반응.

점적-병【點滴甁】[명] 약이나 액즙 따위의 분량을 한 방울씩 떨어뜨려서 헤아리는 기구. 적병(滴甁).

점적 분석【點滴分析】[명]〖화〗한 방울의 시료(試料) 용액에 한 방울 또는 극히 미량(微量)의 시약(試藥)을 가하여 예민한 반응을 일으키게 하여 시료 용액에 포함된 물질을 검출 확인하는 미량 정성(定性) 분석. 염점(染點) 분석. 반점(斑點) 분석.

점적 사고【點的思考】[—쩍—] [명] 순간순간적인 인스피레이션을 중요시하는 사고법.

점적 시험【點滴試驗】[명]〔spot test〕〖화〗정성 분석법(定性分析法)의 하나. 한두 방울의 시료 용액(試料溶液)에 시약(試藥)을 떨어뜨려 빛깔의 변화나 침전(沈澱)으로 시료 용액의 성분을 판정함.

점적 주:사【點滴注射】[명]〖의〗입으로 충분한 식사를 할 수 없는 환자에게 또는 식사한 것 이상으로 다량의 수분(水分)이나 약제(藥劑)를 투여(投與)하기 위하여 정맥(靜脈)에 장시간에 걸쳐 전해질(電解質)·혈액·단백질(蛋白質)이나 갖가지 약제를 한 방울씩 주사하는 일. 또, 그 방법. 점적(點滴).

점적-판【點滴板】[명]〖화〗적판(滴板).

점적-하다 [형]〈방〉점직하다(평안).

점전【苫前】[명] 초상(初喪)을 치르기 전의 상제에게 편지를 낼 때 상제의 이름 아래에 쓰는 말.

점전-제【占田制】[명]〖역〗중국 서진(西晉)의 무제(武帝)가 시행한 토지 제도. 농민에게 일정한 토지를 가지게 하여 귀족의 토지 소유를 한정하려 한 것으로 균전법(均田法)의 선구를 이루었음.

점:점【漸漸】[부] 조금씩 더하거나 덜하여지는 모양. 점차. 차차. 초초(稍稍). ¶~ 좋아지다.

점점-이【點點—】[부] 여기저기 하나씩 흩어져 있는 모양. ¶~ 떨어진 핏자국/~ 흩어지다.

점점-홍【點點紅】[명] ①점점이 붉음. ②여기저기 울긋불긋하게 꽃이 핀 모양.

점-접촉【點接觸】[명]〔point contact〕〖전자〗특별히 만든 반도체(半導體) 표면과 금속점(金屬點) 사이의 접촉. 보통은 기계적 압력(機械的壓力)에 의하여 접촉이 유지되지만, 때로는 용접(鎔接) 또는 접착(接着)되는 경우도 있음.

점접촉 트랜지스터【點接觸—】[명]〔point-contact transistor〕〖전〗n형 반도체의 표면에, 하나의 베이스 전극(base 電極)과 서로 근접한 둘 이상의 점접촉 전극을 갖는 트랜지스터. 아주 초기의 트랜지스터로서 알려지고 있음.

점정[1]【占定】[명] 점쳐서 일을 정함. ——-하다 [자][여불]

점:정[2]【點定】[명] 문장(文章)을 비평(批評)하여 정정함. 비정(批正). ——-하다 [타][여불]

점:정[3]【點睛】[명] 사람이나 짐승을 그릴 때 맨 나중에 눈동자를 찍음. 점안(點眼). 화룡 점정(畫龍點睛). ——-하다 [자][여불]

점제【粘劑】[명] ↗점조제(粘稠劑).

점제현-비【秥蟬縣碑】[명] 평남 용강군(龍岡郡)에 있는 우리 나라 최고(最古)의 석비(石碑). 기원 85년경에 세워진 것으로, 예서(隸書)로 씌어졌으며, 현재 읽을 수 있는 것은 59자이고, 내용은 산신(山神)을 제사 지낸 것임. 높이 1.5 m, 폭 1.1 m.

점제현 신사비【秥蟬縣神祠碑】[명] 점제현비(秥蟬縣碑).

점-젱이 [명]〈방〉점쟁이(경남).

점조[1]【占兆】[명] 점의 조짐.

점조[2]【粘稠】[명] 차지고 밀도가 조밀함. ——-하다 [형][여불]

점조-성【粘稠性】[—썽] [명] 점성이 있어 밀도가 조밀한 성질.

점조-제【粘稠劑】[명] 액체에 점력(粘力)을 부여하기 위하여 쓰이는 물질. [준]점제(粘劑).

점:주[1]【店主】[명] 가게의 주인.

점주[2]【粘酒】[명] 술의 한 가지. 끈기가 있는 술이라는 뜻.

점주[3]【點—】[명] 한자 부수(部首)의 하나. '丸' '丹' 등의 '丶'의 이름.

점:주[4]【點奏】[명]〖역〗고려 때 이부(吏部)에서 처음 벼슬시킬 사람들의 성명을 적어서 그 위에 낙점을 상주(上奏)하던 일.

점-주둥치【點—】[명]〖어〗[*Leiognathus rivulatus*] 주둥칫과에 속하는 바닷물고기. 몸길이 6cm 가량으로 몸이 주둥치와 비슷하나 체고(體高)가 좀 낮고 등쪽에 불규칙한 유문상(流紋狀)의 검은 반점이 있음. 심해(深海)에 사는데 한국 남부·제주도·일본 남부에 분포(分布)함. 맛이 별로 없음.

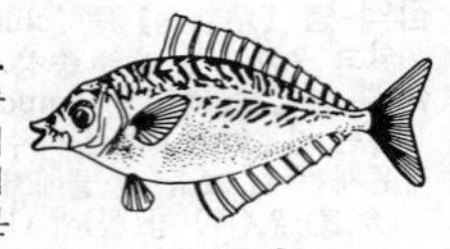

〈점주둥치〉

점-줄【點—】[명]〖언〗줄임표.

점줄-무늬【點—】[—니] [명]〖고고학〗점줄로 나타낸 무늬. 빗살무늬 토기와 신라 토기에 자주 나타남. 점렬문(點列文).

점즉-하다 [형]〈방〉점직하다.

점:증【漸增】[명] 점점 증가함. ¶인구가 ~하다. ——-하다 [자][여불]

점:지[1] [명] 신불(神佛)이 사람에게 자식을 낳게 하여 주는 일. 점수(點授). ¶늙마에 산신령이 ~해 준 외아들. ——-하다 [타][여불]. [주의] '點指'로 씀은 취음.

점지[2]【漸漬】[명] 물 같은 것이 차츰 스며듦. ——-하다 [자][여불]

점직-스럽다 [형][ㅂ불] 점직하게 느껴지다. 점직-스레 [부]

점직-하다 [형][여불] 약간 부끄럽고 미안한 느낌이 있다. [준]점하다. ¶제가 생각해도 무단히 그리 납뛴 것이 남 보기에 점직했던 것이다《蔡萬植 : 濁流》.

점:진【漸進】[명] 순서대로 차차 나아감. ¶~주의. ↔급진(急進). ——-하다 [자][여불]

점:진-적【漸進的】[명][관] 목적·이상 등을 급하지 아니하게 순서를 좇아 서서히 실현하려는 모양. ¶~인 개선책. ↔급진적(急進的).

점:진-주의【漸進主義】[—/—이] [명] 급격한 수단을 피하고 순서를 따라 서서히 나아가려는 주의. ↔급진주의.

점질【粘質】[명] ①차지고 끈끈한 성질 또는 물질. ②↗점액질(粘液質).

점질-층【粘質層】[명]〖지〗점질을 이루고 있는 지층.

점-집합【點集合】명 〖수〗 점을 원소(元素)로 하는 집합. 점이 일직선상, 일평면상 또는 공간내에 한정되어 있을 때 이를 각각 1차·2차·3차의 점집합이라고 함.

점집합-론【點集合論】[ㅡ논] 명 〖수〗 점집합의 집합론적·위상 공간론적(位相空間論的) 성질을 연구하는 수학의 한 분야.

점-찍다【點ㅡ】자 마음 속에 작정하여 두다.

점차[1]【苫次】명 '점석(苫席)'의 낮춤말. 어른에 대하여 자기를 일컫거나 거상중인 재하자(在下者)에게 하는 말.

점:차[2]【漸次】부 차례대로 차차. 점점. ¶～ 나아지다.

점차[3]【點差】명 점수의 차이. 득점(得點)의 차(差).

점:차-로【漸次ㅡ】부 '점차'의 힘줌말.

점:차-적【漸次的】명 관 점차로 진행되는 모양.

점착【粘着】명 ①끈끈하게 착 달라붙음. ②〖물〗 부착(附着)❷. ——-하다 자여불

점착 과:실【粘着果實】명 점모(粘毛)를 가지고 다른 물건에 부착하는 성질을 가진 과실. 진득찰 등의 과실이 이 예임.

점착-력【粘着力】[ㅡ녁] 명 점착하는 힘.

점착-성【粘着性】명 ①점결성(粘結性). ②점착질(質).

점착 세:포【粘着細胞】명 〔adhesive cell〕〖동〗 해파리류의 강장(腔腸) 동물에서 자포(刺胞)가 전연 없이 식물을 포획하는 무수한 특수 세포. 원래 배엽(胚葉)에서 유래한 것인데, 낚시 바늘 모양의 주부(主部)와 촉수(觸手)를 휘감은 나선사(螺旋絲)와 중추를 이룬 축사(軸絲)가 있고, 주부에는 점착성의 과립(顆粒)이 많아 먹이가 이 부분에 들러 붙음.

주부
점착립
나선사
축사

〈점착 세포〉

점착-어【粘着語】명 교착어(膠着語).

점착 유탄【粘着榴彈】[ㅡ뉴ㅡ] 명 탄체(彈體) 안에 가소성(可塑性)의 고성능 폭약을 충전한 대전차(對戰車) 공격용의 중공탄(中空彈). 전차 내부의 인원을 살상하고 기재를 파괴함.

점착-제【粘着劑】명 〔tackness agent〕 물질을 점착시키는 데 쓰이는 물질. 풀·고무풀 등.

점착-질【粘着質】명 간질 환자의 성격에 가까운 기질. 보수적·도덕적이고 정신적 템포가 느리나, 때로는 폭발적으로 감정을 방출할 때가 있음. 점착성(粘着性). *점액질.

점착 테이프【粘着ㅡ】명 〔pressure-sensitive tape〕 셀로판·폴리 염화 비닐·종이·천 등의 테이프에 점착제를 바른 것.

점:찬【點竄】명 ①문장의 자구(字句)를 고침. ②↗점찬술(點竄術). ——-하다 타여불

점:찬-술【點竄術】명 〖수〗 지금의 대수학과 비슷한 일본 화산법(和算法)의 한 가지. 방정식을 푸는 데 여러 항을 빈번히 생살 가감(生殺加減)함. ㊥점찬(點竄).

점찰-경【占察經】명 〖불교〗 불교의 경전. 두 권으로 됨. 지장 보살(地藏菩薩)이 부처님의 명(命)에 의하여 과거의 선악(善惡)의 행위와 그 보(報)를 점치는 법을 설파(說破)하고 아울러 대승(大乘)의 실천을 밝힌 것임.

점:철【點綴】명 ①여러 가지 흐트러진 점들이 서로 이어짐. 또, 그 이음. ¶애틋한 사연이 ～된 편지. ②이것저것 매만져서 꾸며 맞춤. ——-하다 자타여불

점:철 성금【點鐵成金】명 〔쇳덩이를 다루어서 황금을 만든다는 뜻〕 나쁜 것을 고쳐서 좋은 것으로 만듦의 비유.

점체【粘體】명 고체와 액체의 중간적인 성질을 띤 물체. 엿·풀 등.

점초【點椒】명 〖식〗 천초(川椒)❷.

점:촌【店村】명 〖지〗 경상 북도에 속했던 시(市). 1986년 읍(邑)에서 시로 승격하였다가 1995년 1월, 문경군과 통합하여 문경시로 개편됨.

점:추-법【漸墜法】[ㅡ뻡] 명 〖문〗 수사법(修辭法)의 한 가지. 점차로 어구(語句)를 빼어 문장의 뜻을 줄이는 수법. 점강법(漸降法). ↔점층법(漸層法).

점취【霑醉】명 대단히 취함. 대취(大醉). ——-하다 자여불

점:층-법【漸層法】[ㅡ뻡] 명 〔climax〕〖문〗 수사법(修辭法)의 한 가지. 어구(語句)를 점점 겹치어 써서 차차로 문장의 뜻을 강화(強化)시켜 독자의 느낌을 절정(絕頂)으로 이끄는 수법. ↔점강법(漸降法)·점추법(漸墜法).

점-치개【占ㅡ】명 〈방〉 점쟁이(함북).

점-치다【占ㅡ】타 길흉을 판단하기 위하여 점괘를 내어 보다.

점:칙【店則】명 그 상점에서 지켜야 할 규칙.

점-큰물결나방【點ㅡ】[ㅡ껼라ㅡ] 명 〖충〗 [*Calleulype whitelyi*] 자벌레나방과에 속하는 곤충. 편 날개 길이 33-39 mm이고 몸빛은 황색인데, 두부(頭部)·다리는 암갈색이고 복부 배면(背面)에 흑점 줄이 하나 있음. 날개는 백색이고 외연부(外緣部)는 등황색을 띠었음. 날개의 각 횡선(橫線)은 대부분이 흑색의 큰 점무늬가 있고, 뒷날개 중앙에 흑색의 굵은 띠가 한 개 있음. 일본·한국 등에 분포함.

점-탄:성【粘彈性】명 〔viscoelasticity〕〖물〗 점성과 탄성이 함께 어울린 성질.

점탄:성-체【粘彈性體】명 〖물〗 고분자(高分子) 물질 가운데 탄성과 점성을 함께 가지고 있는 물질. 에보나이트 같은 것.

점탈【占奪】명 남의 것을 빼앗아서 차지함. ——-하다 타여불

점:탕【點湯】명 〖불교〗 선종(禪宗)에서 불전(佛前) 또는 대중에게 차를 끓여 공양하는 일. 전(轉)하여, 사자(死者)의 영전(靈前)에 차를 올리는 일. 전탕(奠湯). ——-하다 타여불

점태【點苔】명 〖미술〗 동양화에서, 암석·나뭇가지 등의 이끼를 나타내기 위하여 요소(要所)에 찍는 점. 화면의 조화를 갖추기 위한 중요한 기교임.

점토【粘土】명 〔clay〕〖지〗 흙 종류의 한 가지. 석영(石英)·장석(長石) 등의 암석이 풍화(風化)하여 직경 0.01 mm 이하로 분해된 흙으로, 물에 이기면 점성을 가짐. 철분(鐵分)의 다소에 따라 회색·갈색 등의 빛깔이 생기며, 수분(水分)을 잘 흡수하고 마르면 균열(龜裂)됨. 차진 것은 도토(陶土)라 하여 벽돌·기와·시멘트·도자기 등의 원료가 됨.

점토-곽【粘土槨】명 목관(木棺)의 둘레를 점토로 덮어 보호하는 시설. 이런 종류의 외부 시설에는 역곽(礫槨)·수혈식 석실(竪穴式石室) 등이 있음. 점토관(粘土棺).

점토-관【粘土棺】명 ①고분(古墳) 매장 시설의 하나. 목관(木棺) 따위를 쓰지 아니하고 유해(遺骸)를 직접 점토로 싼 것. ②점토곽(粘土槨).

점토 광:물【粘土鑛物】명 〖광〗 점토의 주구성(主構成) 광물. 카올린(Kaolin) 광물·몬모릴로나이트(montmorillonite) 광물·운모(雲母) 점토 광물·녹니석(綠泥石) 광물 등 여러 가지로 나뉨. 거의 전부가 층상(層狀)의 결정(結晶) 구조를 갖는 함수 규산염(含水珪酸塩) 광물로 양(陽)이온이며, 주로 마그네슘·알루미늄·철·나트륨 등을 포함함. 암석과 지상에서의 광물의 화학적 풍화(風化)·해저(海底) 풍화·열수(熱水) 작용에 의한 변질, 온천 작용 등으로 생기며, 셰일(shale)·이암(泥岩) 등의 주요 구성 광물이기도 함.

점토-기【粘土器】명 점토를 원료로 하여 만든 질그릇.

점토대 토기【粘土帶土器】명 〖고고학〗 '덧띠토기'의 구용어.

점토 세:공【粘土細工】명 점토로 여러 가지 모양의 물건을 만드는 일. 또, 그 물건.

점토-암【粘土岩】명 〖광〗 수성암(水成岩)의 한 가지. 약간 굳은 점토로 이루어짐. 점판암(粘板岩)·셰일(shale) 등이 이에 속함.

점토 영양호【粘土營養湖】명 〔argillotrophic lake〕〖지〗 점토가 항상 현탁(懸濁)하고 있는 특수 환경의 호소(湖沼). 영양 염류(塩類)가 현탁물(物)에 흡착(吸着)되어 있어 생산력이 극히 적음. 보통 산간의 작은 못이나 인공(人工) 못이 이러함.

점토-질【粘土質】명 〔argillaceous〕〖지〗 점토(粘土)가 많이 섞인 지질(地質).

점토질 내:화물【粘土質耐火物】명 카올린(Kaolin) 및 납석(蠟石)을 주원료로 하여 만든 산성(酸性) 내화물. 고온에서의 안정성이 크고 가장 널리 이용됨.

점토질 석고【粘土質石膏】명 〔gypsite〕〖지〗 흙과 모래로 된 석고의 변종. 건조한 지역에서 풍화성 광상(風化性鑛床)으로 발견되며, 석고의 위에 있음.

점토-층【粘土層】명 〖지〗 점토를 이루고 있는 지층.

점토판 문서【粘土板文書】명 충적토(沖積土)를 이겨서 갈대의 줄기 따위로 글씨를 써서 볕에 말린 것으로, 고대 오리엔트를 중심으로 널리 쓰였음. 기원전 3100년경의 우루크(Uruk) 출토 문서가 최고(最古)이며, 메소포타미아 지방에는 설형(楔形) 문자를 기록한 것이 많이 있음. 경작지와 용수로(用水路) 지도를 그린 것도 있음. 점판(粘板) 문서. 이판(泥板) 문서.

점:퇴[1]【漸退】명 ①점점 뒤로 물러남. ②차차 쇠퇴(衰退)하여 감. ——-하다 자여불

점퇴[2]【點退】명 받은 물건을 조사하여 마음에 맞지 않는 것은 도로 퇴함. ——-하다 타여불

점-퉁돔【點ㅡ】명 〖어〗 [*Lutjanus russeli*] 퉁돔과에 속하는 바닷물고기. 몸길이 30 cm 남짓한데 연장형으로 조금 측편되고 빗비늘로 덮였음. 몸빛은 담홍색인데 배 쪽은 담색임. 한국 중부 이남, 일본 중부 이남, 대만, 동·남중국해, 필리핀, 오스트레일리아 연안에 분포함.

점파[1]【占婆】명 〖역〗 '참파(Champa)'의 취음.

점파[2]【點播】명 〖농〗 씨앗을 한 개 또는 몇 개씩을 한 곳에 일정한 사이를 두고 뿌리는 파종법(播種法). 점뿌림. *산파(散播). ——-하다 타여불

점파-기【點播機】명 〖농〗 점파에 쓰이는 파종기(播種器)의 한 가지. 땅을 파는 부분과 씨를 뿌리는 부분이 있으며 스프링 장치로 되어, 일정한 간격을 두고 씨를 뿌리게 되어 있음.

점:판【店ㅡ】명 〖광〗 금·은·구리 등의 광구(鑛區)의 통칭.

점판 문서【粘板文書】명 점토판 문서(粘土板文書).

점판-암【粘板岩】명 〔clay slate〕〖광〗 수성암(水成岩)의 한 가지. 점토(粘土)가 굳어져서 생긴 흑색의 치밀한 암석으로, 평면적인 얇은 조각으로 갈라지기를 잘하며, 슬레이트(slate)·석반(石盤)·벼룻돌 등을 만드는 데에 쓰임.

점퍼 〔jumper〕 명 잠바.

점퍼 스커트 〔jumper skirt〕 명 블라우스 위에 입는, 상의(上衣)와 스커트가 한데 붙은 옷. 흔히 여학생들이 입음. 잠바 스커트.

〈점퍼스커트〉

점:편【占便】명 편리한 방법을 골라서 가림. ——-하다 타여불

점:포【店鋪】명 가게를 벌인 집. 가겟집. 점사(店肆). 전사(廛肆). ¶～를 벌이고 장사를 하다.

점:폭-약【點爆藥】[ㅡ냑] 명 폭약에 폭발을 일으키게 하기 위하여 쓰이는 약제. 화염(火炎)에 의해서 용이하게 폭발을 일으키고 폭발시킴. 뇌홍(雷汞)을 그대로 사용하기도 하고 뇌홍 폭분(爆粉)으로 만들어 쓰기도 함. *점화약(點火藥).

점:표【覘標】명 측량 용구의 하나. 육지를 측량할 때 선정된 지점에 설치하도록 세 개나 네 개의 나무로 버티어서 목가(木架)를 만든 것. 먼 곳에서 바라볼 수 있게도 되고 측량 기계(測量機械)를 올려놓아 다루는 데도 쓰임.

점풍【占風】명 〖민〗 점술과 지술(地術).

점풍-기【占風旗】명 풍향을 알기 위하여 돛대 머리에 단 기.

점프〔jump〕명 ①뜀뛰기. 육상 경기에는 멀리뛰기·높이뛰기·장대높이뛰기·세단뛰기 등이 있음. 도약 경기(跳躍競技). ②『연』필름 편집의 착오로 장면(場面)의 접속(接續)이 틀리는 일. ——-하다 자여불

점프 경:기【一競技】명〔special jump〕스키에서, 공중 비행의 자세와 비거리(飛距離)를 겨루는 경기. 국제 경기에서는 60 m 또는 70 m 급(級)과 90 m 급의 두 종류가 있음.

점프-대【一臺】〔jump〕명 스키의 점프 경기를 하기 위해 마련된 장소.

점프 볼:〔jump ball〕명 농구에서, 서로 마주 선 양(兩) 팀의 두 사람의 플레이어 사이에 심판(審判)이 공을 던져 올려서 공을 인플레이로 하는 방법.

점프 서:클〔jump circle〕명 농구에서, 점프 볼을 하는 원(圓). 센터 서클(center circle)과 양군 골 밑에 있는 프리 스로 서클(free throw circle)의 세 개가 있음.

점프 턴:〔jump turn〕명 스키의 회전법의 하나. 뛰면서 방향을 바꾸는 일. 도약 회전(跳躍回轉).

점필【佔畢】명〔'점(佔)'은 엿보다, '필(畢)'은 간책(簡册)의 뜻〕책의 글자만 읽을 뿐이고, 그 깊은 뜻에는 통하지 못함.

점필-재【佔畢齋】〔-째〕명『사람』김종직(金宗直)의 호(號).

점핑〔jumping〕명 뛰는 일. 도약. ——-하다 자여불

점핑 스키:〔jumping ski〕명 점프 전용의 스키. 보통 스키보다 길이·무게·너비가 크고, 뒷면에는 텔레마크(telemark)라는 홈이 세 줄 있어서 안정을 유지하게 되어 있음.

점-하다[1]【占一】타여불 자리를 차지하다.

점:-하다[2] 형여불 ↗점직하다.

점한【霑汗】명 땀이 뱀. 땀에 젖음. ——-하다 자여불

점:험【漸險】명 점점 험해짐. ——-하다 형여불

점:혈【點穴】명『한의』뜸을 뜰 자리에 먹으로 점을 찍는 일. ——-하다 자여불

점호[1]【霑毫】명 ①붓의 끝을 적심. ②글을 쓰거나 그림을 그림. 휘호(揮毫). ——-하다 타여불

점호[2]【點呼】명 ①한 사람 한 사람 호명하여 인원의 이상 유무를 파악하는 일. ②『군』조석이나 취침 전에 행하는 병영 생활의 일과(日課)의 하나. 각 단위 부대(單位部隊)의 병사를 총집합시켜 인원을 파악하고, 무기 보존(武器保存)과 건강 상태(健康狀態) 등을 조사함. ¶ 각개(各個)~. ——-하다 타여불

점호-장【點呼場】명『군』점호를 하는 장소.

점호-채【粘糊菜】명『식』진득찰.

점:화[1]【點火】명 ①불을 켬. ②장마 때 방안의 습기를 말리기 위하여 불을 때는 일. ③『물』내연 기관에 있어서 가스를 폭발시키기 위하여 가스체(gas 體)에 가연물 또는 전기 불꽃을 접촉시키는 일. 열관(熱管) 점화·열벽(熱壁) 점화·전기 점화 등 세 가지의 방법이 있음. 착화(着火). ¶ ~ 장치. ——-하다 자여불

점:화[2]【點化】명 ①도가(道家)에서 쓰는 말로, 종래의 사물을 고치어 새롭게 하는 일. ②전인(前人)의 시문(詩文)의 격식을 취하여 따로 더 새로운 기축(機軸)을 열어서 고인의 작품보다 훌륭하게 시문을 짓는 일. ——-하다 타여불

점:화-구【點火口】명 불을 켜는 부리의 구멍.

점:화-대【點火臺】명 등대 따위의 불을 켜는 대좌(臺座).

점:화-법【點火法】〔-뻡〕명 점화하는 방법.

점:화-약【點火藥】명 화약에 연소를 일으키기 위하여 사용되는 약제. 충격(衝擊)·마찰(摩擦)·전기적 가열(電氣的加熱) 등에 의하여 발화(發火)시킴. *점폭약(點爆藥).

점:화 장치【點火裝置】명 ①총포의 장약의 발화나 수뢰(水雷) 기타의 폭약을 폭발시키는 장치. 발화 장치. ②내연 기관에서 압축된 가스를 폭발시키기 위하여 전기 불꽃을 일으키는 장치.

점:화-전【點火栓】명『기』내연 기관에서 압축된 혼합기(混合氣)에 점화하기 위하여 고압 전류를 통하여 불꽃 방전을 일으키는 기계 부분품. 발화전(發火栓). 플러그(plug). 점화 플러그(點火 plug). 착화전(着火栓). 마그네틱 플러그(magnetic plug).

점:화 점:폭약【點火點爆藥】〔-냑〕명 연소 또는 폭발에 의하여 다른 화약류의 점화·점폭을 일으키게 하는 데 쓰이는 화약.

점:화 플러그【點火一】〔plug〕명 점화전(點火栓).

점-획【點畫】명 글자의 점과 획.

점후【占候】명 구름의 모양·빛·움직임 등을 보고 길흉을 점치는 일. ——-하다 타여불

점-휴지부【點休止符】명『악』'점쉼표'의 구용어.

점흡【霑洽】명 구석구석까지 빠짐없이 적심. ——-하다 자여불

접[1] 명〈방〉겹(경상·전라).

접[2] 명〈방〉거짓말(함남).

접[3]【接】명『역』①↗거접(居接)❷. ②보부상(褓負商)의 떼. ③동학(東學)의 군(郡)·현(縣) 단위의 교단 조직(敎團組織) 또는 그 집회소. 몇 개의 접(接)이 포(包)를 이룸.

접[4]【椄·接】명『식』과실 나무나 수목 등의 품종 개량 또는 번식을 위한 한 방법. 같은 종류나 비슷한 종류의 접지(椄枝)를 접본(椄本)의 목질부(木質部)와 껍질 사이에 밀착시켜서 조직을 연결시킴. 접목(椄木). ¶ 자두나무에 배를 ~붙이다. ——-하다 타여불

접[5] 의명 과실이나 마늘·무·배추 등을 100 개씩 세는 말. ¶ 감 한 ~. 주의 '接'으로 씀은 취음.

접각【接角】명『수』평면상에서 정점(頂點) 및 한 변을 공유하였을 때 이 변의 양쪽에 있는 두 각을 서로 다른 각의 접각이라고 함.

접객【接客】명 손님을 접대(接待)함. 접빈(接賓). 접빈객(接賓客). ——-하다 자여불

접객-부【接客婦】명 접대부(接待婦).

접객-업【接客業】명 음식점·다방·이발관·미장원·목욕탕 등 손님을 접대하고 서비스하는 영업. ¶ ~소(所).

접거【接居】명 잠시 동안 머물러 삶. ——-하다 자여불

접견【接見】명 ①신분이 높은 사람이 공식적으로 손님을 만남. 접납(接納). 리셉션(reception). ¶ 사절(使節)을 ~하다. ②『법』구류중의 피고인(被告人)·수형자(受刑者) 등이 변호사 등 외부 사람과 만남. ——-하다 자타여불

접견 교통권【接見交通權】〔-꿘〕명『법』신체 구속을 당하고 있는 피의자·피고인·수형자(受刑者)와 면회하고 서류·서신·물건(物件)의 수수(授受)를 하는 권리. 변호인은 제한(制限) 없이 적접 교통할 권리가 있음.

접경【接境】명 경계가 서로 접함. 두 지역이 서로 접한 경계. 접계(接界). 연경(連境). 교계(交界). ¶ 양국의 ~ 지대. ——-하다 자여불

접경-선【接境線】명 맞닿아 있는 경계선.

접계【接界】명 접경(接境). ——-하다 자여불

접골【接骨】명 부러지거나 어그러진 뼈를 이어 맞춤. 정골(整骨). 뼈맞추기. ——-하다 타여불

접골-목【接骨木】명『식』말오줌나무. 말오줌대.

접골-사【接骨士】〔-싸〕명 의료법의 규정에 의거한 자격 인정을 받고, 골절(骨折)이나 관절을 삔 것, 염좌(捻挫) 등을 주로 부목(副木)·안마·깁스(Gips) 등의 방법으로 치료하는 것을 업으로 하는 사람.

접골-술【接骨術】명『의』접골(接骨)하는 의술.

접골-원【接骨院】명 접골을 전문으로 하는 병원. 정골원(整骨院).

접골-의【接骨醫】〔-/-이〕명『의』접골의 치료를 전문으로 하는 의사.

접-관【摺冠】명 동파관(東坡冠)의 하나로, 접어서 가지고 다닐 수 있는 관. 접첩관.

접구【接口】명 ①근구(近口). ②음식을 겨우 입에 대어 조금 먹음. ——-하다 타여불

접군【接軍】명『역』접솔(接率).

접근【接近】명 가까이 함. 서로 바싹 다붙음. ¶ 위험물에 ~ 금지/의견이 ~하다. ——-하다 자여불

접근-로【接近路】〔-노〕명 접근하는 길.

접근 연합【接近聯合】〔-년-〕명『심』시간적(時間的)·공간적(空間的) 접근에 의한 연합. 동시에 경험한 것, 같은 장소에 있던 것이 연합하는 것으로 지각(知覺)의 경우나 관념(觀念)의 경우에도 볼 수 있음. 외적(外的) 연합.

접꽤 명〈방〉족집게(제주).

접납【接納】명 ①접견(接見). ②납품(納品)을 접수함. ——-하다 타여불

접-낫 명 자그마한 낫.

접-눈【椄一】명『식』접아(椄芽).

접다[1] 타 ①꺾어서 겹치다. ↔펴다. ¶ 종이를 ~. ②↗접어주다. ¶ 한 수 ~. ③쇠살쭈의 은어(隱語)로, 값을 반으로 깎다.

접다[2] 보형〈방〉싶다(경남).

접담【接談】명 서로 말을 주고받음. 접어(接語). ——-하다 자여불

접대[1]【接待】명 손을 맞아서 대접함. ¶ 손님을 ~하다/~부. ——-하다 타여불

접대[2]【接對】명 응접(應接)하여 대면(對面)함. 접우(接遇). ¶ 내객을 ~하다. ——-하다 타여불

접대[3]【椄臺】명 접본(椄本).

접대 등:절【接待等節】명 손님을 접대하는 모든 예절.

접대-부【接待婦】명 요리집 같은 곳에서 손님을 접대하는 여자. 접객부(接客婦). 여급(女給).

접대-비【接待費】명 손님을 접대하는 데 쓰이는 비용.

접대-소【接待所】명 손님을 접대하기 위하여 마련된 장소.

접대-실【接待室】명 응접실(應接室).

접대-용【接待用】명 손님 접대에 소용됨. ¶ 이쪽 식탁은 ~이다.

접대-원【接待員】명 잔치나 모임 같은 곳에서 내객(來客)을 접대하는 일을 맡은 사람.

접-대:패【接一】명 날 위에 덧날을 끼운 대패. 나무에 거스러미가 일지 않도록 썩 곱게 깎기 위하여 씀.

접-도[1]【接島】명『지』전라 남도의 서남해상, 진도군(珍島郡)의신면(義新面) 접도리(接島里)에 위치한 섬. [4.32 km²: 693명(1984)]

접도[2]【接道】명 도로에 닿음. ——-하다 자여불

접도[3]【椄刀】명 접(椄)칼[1].

접도[4]【摺刀】명 '접칼[2]'의 군두목.

접도 구역【接道區域】명『법』장래의 도로 확장을 공간 확보, 도로 보호, 도로변의 미화(美化), 위험 방지 등을 위하여 법으로 지정된 도로 또는 도로 예정 경계선으로 일정 거리의 구역(區域). 토지의 형질(形質) 변경 행위·건축(建築)·식목(植木)·벌목(伐木) 등이 금지(禁止) 또는 제한(制限)됨.

접도-국【接塗國】명『역』삼국지(三國志) 위지(魏志)의 동이전(東夷傳)에 전하는 변한(弁韓) 12국의 하나. 위치는 지금의 경상 남도 함안군 칠원(漆原)으로 추정됨.

접동-꽃 명〈방〉두견화(杜鵑花).

접동-새: 명〈방〉두견이(경남).

접두【接頭】명『역』동학교(東學敎) 교구(敎區)의 접(接)의 우두머리. 접장(接長).

접두-사【接頭辭】[명]〔prefix〕〖언〗접사(接辭)의 한 가지. 어떤 단어의 앞에 붙어서 의미를 첨가(添加)하여 한 다른 단어를 이루는 말. '개-'·'덧-'·'새-'·'짓-'·'대(大)-'·'범(汎)-'·'전(全)-' 등. 머리가지. 앞가지. 접두어. ↔접미사.

접두-어【接頭語】[명]〖언〗접두사(接頭辭). ↔접미어.

접동이 [명]〈방〉두견이.

접득【接得】[명]〖불교〗①수도자를 친히 지도함. ②자기 몸 가까이 끌어 당김.

접-등【摺燈】[명] 등의 한 가지. 종이로 만들어 주름을 잡아서 위아래로 접었다 폈다 하며, 그 안에 초나 등을 넣게 되어 있음.

접:-때 [명][부]〔←저+때〕며칠된 과거의 때를 막연하게 이르는 말. 향래(向來). 향일(向日). 향자(向者). ¶~ 만났을 때.

접:때-에 [부] 지난번에. 저적에.

접랍[1]【接臘】[—납] [명]〖화〗뱀납.

접랍[2]【椄蠟】[—납] [명] 접목 자리에 습기가 차거나 마르지 않게 하기 위하여 절면에 바르는 물질. 밀랍 수지(蜜蠟樹脂)를 주원료로 하여 돼지 기름·알코올 등을 섞어 만듦.

접령지-기【接靈之氣】[—녕—] [명]〖천도교〗신령과 서로 맞닿아 합일하는 기운.

접류【蝶類】[—뉴] [명] 나비의 종류.

접리-법【接離法】[—니뻡] [명]〔disjunction〕〖문〗끊을 곳은 잇고, 이을 곳은 떼어서 취미를 덧붙이는 수사법.

접린【接隣】[—닌] [명] 서로 가까이 닿음. 서로 닿은 이웃. ——-하다 [자](여불)

접마【接魔】[명] 못된 귀신이 붙음. ——-하다 [자](여불)

접면【接面】[명] 맞아들이어 대면함. ——-하다 [타](여불)

접목[1]【椄木·接木】[명]〖농〗①나무를 접붙임. ②접붙인 나무. 접(椄). ↔ 실생(實生). ——-하다 [자](여불)

접목[2]【接目】[명] 잠을 자기 위하여 눈을 붙임. 교첩(交睫). ——-하다 [자](여불)

접목 교잡【椄木交雜】[명]〖식〗접목에 의하여 계통·품종·종(種)이 다른 두 식물의 중간 형질(形質)의 식물을 만드는 일. 또, 그 방법.

접목-법【椄木法】[명]〖식〗접목하는 방법. 보통 잘라 낸 접본(椄本)의 목질부(木質部)와 껍질 사이에 접지(椄枝)를 밀착시켜서 헝겊으로 감고 흙을 걸에다 바름.

접목 변:이【椄木變異】[명]〖식〗접지와 접본(椄本)이 서로 작용하여 나타나는 영양적인 변이. 각 기관에 나타남.

접목 잡종【椄木雜種】[명]〖식〗접목에 의하여 대목(臺木)과 접지(椄枝) 쌍방의 중간의 형질을 나타내는 식물 개체. 또, 이것을 만드는 일. 예가 드묾.

접목 재:배【椄木栽培】[명]〖식〗접목에 의하여 과수(果樹)나 야채를 번식(繁殖)·재배하는 일.

접문[1]【接吻】[명] 키스(kiss)❶. ——-하다 [자](여불)

접문[2]【接問】[명] 대면하여 물어 봄. ——-하다 [타](여불)

접물【接物】[명] 물건에 접함. ——-하다 [타](여불)

접물-경【接物鏡】[명]〖물〗'접물 렌즈(接物 lens)'의 한자말.

접물 렌즈【接物—】〔lens〕[명] 대물 렌즈(對物 lens).

접미-사【接尾辭】[명]〔suffix〕〖언〗접사(接辭)의 한 가지. 어떤 단어의 끝에 붙어서 의미를 첨가하여 한 다른 단어를 이루는 말. '-님'·'-들'·'-질'·'-거리다'·'-답다'·'-장이'·'-보'·'-종(種)'·'-인(人)'·'-씨(氏)' 등. 끝가지. 뒷가지. 발가지. 접미어. ↔접두사.

접미-어【接尾語】[명]〖언〗접미사(接尾辭). ↔접두어.

접-바둑 [명] 하수(下手)가 미리 화점(花點)에 두 점 이상 놓고 두는 바둑. ↔맞바둑.

접반【接伴】[명] 함께 모시고 다님. ——-하다 [타](여불)

접반-사【接伴使】[명]〖역〗외국 사신(使臣)을 접대하던 관원.

접변【接變】[명]〖언〗①단어(單語)와 단어, 음절(音節)과 음절이 서로 만나서 발음(發音)이 변하는 현상. ②자음(子音) 접변. 이어바뀜. ——-하다 [자](여불)

접본[1]【椄本】[명]〖식〗접을 붙일 때 그 바탕이 되는 나무. 보통 윗동이 잘린 나무로 그곳에 접지(椄枝)를 꽂게 되었음. 접대(椄臺). 대목(臺木). 밑나무.

접본[2]【摺本】[명] 책장을 베지 아니하고 긴 것을 차례차례 접어 만든 책. 가첩(家牒) 같은 것. 첩장(帖裝).

접-부채【摺—】[명] 쥘부채.

접분 봉황【蝶粉蜂黃】[명]〔나비 날개의 흰 가루와 벌의 누른 빛〕① 나비가 교미(交尾)하면 그 가루를 잃고, 벌이 교미하면 그 누른 빛이 스러진다는 말. ②당(唐)나라 궁인(宮人)이 하던 단장(丹粧)의 이름.

접-붙이【椄—】[—부치] [명]〖식〗접붙이기. ——-하다 [타](여불)

접-붙이기【椄—】[—부치—] [명]〖식〗접을 붙이는 일. 접붙이. ——-하다 [타](여불)

접-붙이다【椄—】[—부치—] [타] 나무의 접을 붙이다.

접빈【接賓】[명] 접객(接客). ——-하다 [자](여불)

접-빈객【接賓客】[명] 접객(接客). ——-하다 [자](여불)

접빈-실【接賓室】[명] 응접실(應接室).

접사[1]【接司】[명]〖역〗동학(東學)에서, 접주(接主)를 보좌하던, 접(接)의 버금 임원(任員).

접사[2]【接邪】[명]〔못된 귀신이 붙었다는 뜻〕시름시름 앓는 병에 걸림. ——-하다 [자](여불)

접사[3]【接寫】[명]〖사진〗피사체(被寫體)에 접근하여 촬영함. ¶~ 장치. ——-하다 [타](여불)

접사[4]【接辭】[명]〔affix〕〖언〗어떤 단어나 어간(語幹)에 첨가되어 새 단어를 이루게 하는 말. 곧, 접두사·접미사·접요사 등의 총칭. 접착어(接着語). 씨가지. 가지. 접어(接語).

〈접사리❶〉

접사리 [명] ①비옷의 한 가지. 띠 또는 밀짚 등으로 머리로부터 덮어 써서 무릎 가까이까지 이르게 만든 것으로, 흔히 농군이 모심을 때에 씀. ②미사리[1].

접서-법【接敍法】[—뻡] [명] 문장이나 단어를 접속사로써 이어 가는 법. ↔단서법(斷敍法).

접석【接席】[명] 자리를 가까이 대어 앉음. ——-하다 [자](여불)

접선[1]【接線】[명] ①〔tangent〕〖수〗곡선상의 두 점 P·Q를 연결하는 직선을 가정하고, 점 Q가 이 곡선에 따라 한없이 점 P에 접근할 때의 직선 PQ의 극한의 위치. 이 때 이 직선을 점 P에서의 접선이라 함. ②〖수〗곡면상(曲面上)의 임의의 곡선을 가정하고, 그 위에 임의의 한 점을 통하는 접선을 그을 때, 이것을 곡면의 그 점에서의 그 곡선 방향의 접선이라고 함. 절선(切線). 종법선(從法線). 촉선(觸線). ③줄을 댐. 접촉함. ¶간첩과 ~하다. ——-하다 [자](여불)

〈접선❶〉

접선[2]【摺扇】[명] 쥘부채.

접선 속도【接線速度】[명]〔tangential velocity〕〖역학〗원형의 궤도 위를 움직이는 물질의 순간 직선 속도(瞬間直線速度). 그 방향은 문제로 삼고 있는 지점에 있어서 원형 궤도의 접선 방향임.

접소【接所】[명]〖역〗동학(東學)의 접(接)의 집회소(集會所).

접속【接續】[명] ①서로 맞대어 이음. ②〖전〗사용할 목적으로 여러 개의 기계를 도선(導線)으로 연결하는 일. ——-하다 [자][타](여불)

접속-격【接續格】[명]〖언〗체언이 가지는 격의 하나. 체언과 체언을 열거하여 접속시키는 구실을 함. 학교 문법(學校文法) 이전에 쓰던 말. 열거격(列擧格).

접속-곡【接續曲】[명]〔프 pot pourri〕〖악〗여러 가지 악곡(樂曲)의 일부(一部)씩을 접속하여 한 곡으로 편곡한 악곡(樂曲).

접속-기【接續器】[명]〖전〗전기 기구나 절연 전선·코드 등을 접속할 때 사용하는 전기 기구.

접속 매매【接續賣買】[명]〔post trading〕〖경〗단일 가격에 의한 개별 경쟁 매매 방법으로, 시초가(始初價)가 결정된 직후부터 가격 및 시가(時價) 우선 원칙에 따라 매도 호가(賣渡呼價)와 매수 호가의 경쟁에 의하여 유리한 호가 간에 계속적으로 매매 거래를 성립시켜 가는 복수 가격에 의한 개별 경쟁 매매 방법을 이름.

접속-범【接續犯】[명]〖법〗시간적·공간적으로 극히 근접한 기회에 수 개의 동종 범죄를 행하는 일. 범죄 구성 요건(構成要件)의 해석상 한 행위로 간주하여 한 죄를 구성함.

접속 부:사【接續副詞】[명]〖언〗접속사와 같은 구실을 하는 부사.

접속-사[1]【接續詞】[명]〖언〗품사(品詞)의 한 가지. 자립어(自立語)로서 활용이 없는 말 가운데 단어와 단어 또는 구절과 구절 사이를 접속·연속시키는 말. '및'·'그런데' 등. 접속 부사(接續副詞)로 보는 설(說)도 있음. 이음씨. 잇씨.

접속-사[2]【接續辭】[명]〖언〗문법(文法)에서, 문장(文章) 가운데에서 접속사(接續詞) 등과 같이 문(文)의 접속에 쓰이며, 표현(表現)의 전개(展開)에 소용되는 말. 접속어(接續語).

접속-선【接續線】[명] 접속하는 선.

접속 수역【接續水域】[명] 영해(領海)에 접속한 일정 범위의 공해(公海) 수역으로서 연안국이 관계국과의 협정에 의해 그들 나라의 선박에 경찰·관세·위생 등의 특정 사항에 대하여 관리권을 연장 행사함을 인정받은 수역. 보충(補充) 수역. 인접(隣接) 수역.

접속-어【接續語】[명]〖언〗①교착어(膠着語). ②접속사(接續辭).

접속 조:사【接續助詞】[명]〖언〗조사의 분류의 하나. 체언과 체언을 연결하여 접속시키는 구실을 함. 이음토씨.

접속-형【接續形】[명]〖언〗연결 어미로 끝나는 활용형. 접속 관계에 따라 대립적·종속적 연결 어미로 나뉨. 대립적 연결 어미는 '-다가' 등 뒤 용언과 대등한 위치 관계에 놓이게 하며, 종속적 연결 어미는 '-매' 등 설명(說明)·원인(原因)·가정(假定)·양보(讓步)·의도(意圖) 등의 의미를 갖게 함. 이음꼴.

접솔【接率】[명]〖역〗과유(科儒) 및 그에 딸린 사람의 일컬음. 접군(接軍). 접졸(接卒).

접수[1]【接手】[명]〖건〗길이 이음.

접수[2]【接收】[명] ①받아서 거둠. ②권력 기관이 그 필요상 국민의 소유물을 일방적 의사로 수용(收用)하는 일. ¶~ 가옥/점령군에게 ~되다. ——-하다 [타](여불)

접수[3]【接受】[명] ①받아들임. ②관청이나 공공 단체가 서류 또는 구두로 제출되는 신청 사실을 처결할 목적으로 받아들임. ¶서류 ~. ——-하다 [타](여불)

접수[4]【椄穗】[명]〖식〗나무를 접붙일 때 접본(椄本)에 꽂는 나뭇가지. 또, 그것을 꽂음. 접지(椄枝). 접순. ——-하다 [타](여불)

접수-계【接受係】[명] 관청이나 회사·공공 단체 등에서 접수를 맡은 계.

접수-구【接受口】[명] 접수 창구(窓口).

접수-국【接受國】[명] 외국의 외교 사절·영사(領事) 등을 접수하는 쪽의 나라. 주차국(駐箚國).

접수-부【接受簿】[명] 관청이나 공공 단체에서 접수한 사실이나 건수(件數)를 기록하는 장부.

접수-소【接受所】[명] 접수처.

접수 시각 증명 우편【接受時刻證明郵便】[명] 등기로 발송하는 접수 시각을 증명하는 우편물. 광업의 출원(出願), 특허(特許)·실용 신안의 원서 등을 제출할 때 쓰임.

접수-증【接受證】[—쯩] [명] 접수하였음을 증명(證明)하는 표. ¶~을 발부하다.

접수 창구【接受窓口】[명] 관청이나 회사·공공 단체에서 접수 사무를 맡아 보는 창구. 접수구.

접수-처【接受處】[명] 관청이나 회사·공공 단체에서 접수 사무를 맡아 보는 곳. 접수소.

접-순[1]【椄一】명〖식〗접수(椄穗). ——-하다 타 여불

접순[2]【接脣】명 근구(近口). ——-하다 타 여불

접슬【接膝】명 무릎을 가까이 맞대고 앉음. ——-하다 자 여불

접시 명〔중세:뎝시. 중 楪子〕운두가 낮고 납작한 그릇. 반찬이나 과실등을 담는 데 쓰임. 접자(楪子). 주의 '楪匙'로 씀은 취음(取音).

[접시 물에 빠져 죽지] 처지가 매우 궁박하여 어찌할 줄을 모르고 답답해함을 이르는 말. [접시 밥도 담을 탓이다] 그릇이 작을지라도 담는 솜씨에 따라 많을 수도 있다 함이니, 무슨 일이든 성의와 수단에 따라 달라진다는 말.

접시-거미 명〖동〗[*Linyphia marginata*] 접시거밋과에 속하는 거미. 몸길이 4-7mm이고 두흉부(頭胸部)는 갈색임. 복부는 백색 또는 담황색에 앞쪽은 흑갈색, 뒤쪽은 흑색 반문(斑紋)이 있고, 다리는 황색에 흑색 횡문(橫紋)이 있음. 들이나 산지(山地)의 관목(灌木)에 접시 모양의 집을 짓고 서식하며, 전세계의 북부 온대(溫帶)에 분포함.

접시-꽃 명〖식〗[*Althaea rosea*] 아욱과에 속하는 다년초. 양아욱과 비슷한데 높이 2m가량이며 잎은 넓은 심장형(心臟形)으로 5-7갈래로 깊게 찢어지며 쭈글쭈글함. 6-8월에 각 엽액(葉腋)에서 접시 모양의 크고 납작한 꽃이 피는데, 끝으로 갈수록 수상(穗狀)을 이루며 빛깔은 적색·백색·자색 등이고 과실은 편평한 원형임. 중국 원산(原產)으로 한국·일본 등지에 분포함. 흔히 정원(庭園)에 심음. 촉규(蜀葵). 촉규화(蜀葵花). 층층화(層層花). 덕두화(德頭花).

〈접시꽃〉

접시-대갈못 명 못의 머리가 둥글납작한 못.

접시 대공【一臺工】명〖건〗소로를 받치고 있는 짧은 기둥. 동자주(童子柱).

접시-돌리기 명 ①접시를 손가락·젓가락·막대 따위의 끝에 올려 놓고 돌리는 곡예(曲藝). ②장구놀이에서, 궁글채를 손가락 사이에 쥐고 돌리는 동작. ——-하다 자 여불

접시랑-물 명〈방〉낙수물(전라).

접시 받침 명〖건〗두공·첨차·한대·제공·장여·화반 등의 사이에 틈틈이 끼우는 네모난 나무. 소로(小櫨). 소루(小累).

〈접시 받침〉

접시 저울 명 ①접시가 위쪽에 달린 저울의 하나. 접시 위에 물건을 놓고 닮. ②접시 천칭.

접시 천칭【一天秤】명〖기〗화학 실험실 등에서 상용(常用)하는 저울의 하나. 화학 저울로 칭량(秤量)할 필요가 없는 정도의, 대체의 질량을 알고자 할 때에 쓰임. 접시 저울.

접신【接神】명 ①신령이 내려서 지핌. ②중국에서 제야(除夜)의 12시가 지나면 하늘에서 내려오는 신(神)들을 집안에 맞아들이는 의식. 집집에서는 부엌의 신을 비롯하여 여러 신의 화상(畫像)을 걸고 향을 피우며 제물을 차려 놓고 폭죽(爆竹)을 터뜨리면서 신 앞에 예배(禮拜)함. ——-하다 자 여불

접심【接心】명 ①마음이 외물(外物)을 접하여 느낌. ②〖불교〗선종(禪宗)에서, 중이 선(禪)의 교의(教義)를 보이는 일. ——-하다 자 여불

접아[1]【椄芽】명 접목(椄木)할 때에 접지(椄枝)에 같이 붙여서 자른 눈. 접눈.

접아[2]【蝶兒】명〖충〗나비.

접안【接眼】명〔synophthalmy〕〖생〗척추 동물에서 볼 수 있는 눈의 억압적 기형(抑壓的畸型)의 하나. 좌우의 눈이 정중면(正中面)에 접하여 생김.

접안-경【接眼鏡】명〖물〗'접안 렌즈'의 한자말. ↔대물경.

접안 렌즈【接眼一】〔lens〕명〖물〗광학 기계의 눈으로 보는 쪽에 장치된 렌즈. 대물(對物) 렌즈에 의하여 만들어진 상(像)을 더욱 확대하는 작용을 함. 아이피스(eyepiece). 대안(對眼) 렌즈. ↔대물(對物) 렌즈.

접안 안:경【接眼眼鏡】명 안경을 귀에 걸어 쓰지 않고 안구(眼球)에 접촉시켜 굴절 이상(異常)을 교정하는 렌즈. 유리 또는 투명한 합성 수지(合成樹脂)로 만듦. 콘택트 렌즈(contact lens).

접안 측미계【接眼測微計】명 망원경·현미경 등의 대물(對物) 렌즈에 의하여 생긴 극히 작은 실상(實像)의 길이·각도 등을 정밀히 측정하기 위하여 쓰는 일종의 대안 렌즈. 보통의 대안 렌즈의 초점면(焦點面)에 측미척(測微尺)이 달려 있음.

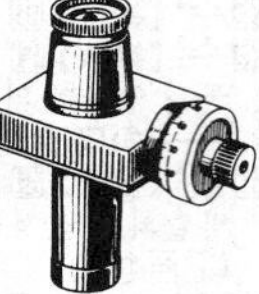

〈접안 측미계〉

접약【接藥】명 접합제(接合劑).

접양【接壤】명 다른 구역의 땅과 서로 맞닿음. 또, 그러한 땅. ——-하다 자 여불

접어[1]【接語】명 ①서로 말을 주고받음. ②접사(接辭). ——-하다 자 여불

접어[2]【鰈魚】명〖어〗가자미.

접어-놓다 [一노타] 타 제쳐 놓고 상관하지 않다. ¶남의 일은 접어놓고 내 일에만 몰두하다.

접어-들다 자 ① 작정한 날짜나 때 또는 나이가 다가오다. ¶추수기에 ~. ②어느 지점을 넘거나 갈림길로 들어서다. ¶산길로 ~. 1)·2): > 잡아들다.

접어-전【鰈魚腆】명 가자미 지짐이.

접어 전:유화【鰈魚煎油花】명 가자미 저냐.

접어-주다 타 ①자기보다 못한 사람에게 얼마쯤 너그럽게 대하여 주다. ②바둑이나 장기 등에서, 수가 낮은 사람에게 유리한 조건을 붙여 주다. ¶바둑을 다섯 점 ~. 준접다.

접어-해【鰈魚醢】명 가자미젓.

접어-회【鰈魚膾】명 가자미회.

접역【鰈域】명 가자미 형국(形局)과 같다는 뜻으로, 우리 나라를 일컫는 말.

접영【蝶泳】명 버터플라이.

접옥 연가【接屋連家】[一년一] 명 연장 접옥(連牆接屋). ——-하다 형 여불

접옥 연장【接屋連牆】[一년一] 명 연장 접옥(連牆接屋). ——-하다 형 「여불

접-옷 명〈방〉겹옷(경상·전라·함경).

접-요【摺一】[一뇨] 명 접도록 되어 있는 요. 짐승의 털로 병풍처럼 접었다 폈다 할 수 있도록 만든 것으로 먼 길을 가는 데 쓰임.

접요-사【接腰辭】명〖언〗독립해 쓰이지 못하고 말 중간에 끼여 함께 한 단어를 이루는 접사(接辭). 곧, '먹이다'·'좁쌀'에서 '-이-'·'ㅂ' 따위. 삽요사(揷腰辭). 접요어(接腰語). 접중사(接中辭). 속가지. 허리가지. ↔접두사·접미사.

접요-어【接腰語】명〖언〗접요사(接腰辭).

접우【接遇】명 손을 맞아 대접함. 접대. 응대. ——-하다 타 여불

접우-도【接友島】명〖지〗전라 남도의 서남해상, 진도군(珍島郡) 조도면(鳥島面)에 위치한 무인도(無人島). [0.037 km²]

접원【接圓】명〖수〗단 하나의 점을 공유하는 두 개의 원.

접위-관【接慰官】명〖역〗조선 시대 때 왜사(倭使)가 올 때 영접하던 관원. *영위사(迎慰使).

접응【接應】명 응접(應接). ——-하다 타 여불

접-의자【摺椅子】명 접도록 된 의자. 앉는 자리와 등 대는 곳을 이어 댄 곳에서 접었다 폈다 할 수 있게 만들었음.

접이【接耳】명 귀에 입을 대고 가만가만 말을 함. 귀엣말을 함. ——-하다 자 여불

접-자[1]【摺一】명 접었다 폈다 할 수 있게 만든 자. 절척(折尺). 접척(摺尺).

〈접자[1]〉

접자[2]【楪子】명 접시.

접잠【蝶簪】명 나비잠[2].

접장[1]【接長】명 ①〖역〗보부상(褓負商)의 접(接)의 우두머리. ②〈속〉선생(先生). ¶~질. ③〖역〗동학(東學) 교도들이 접주(接主)를 부르던 이름. 접두(接頭).

접장[2]【接狀】명 서류를 접수함. ——-하다 자 여불

접-장[3]【摺張】명〖인쇄〗접지(摺紙)한 것.

접-장기【一將棋】명 실력의 차이에 따라 고수(高手)가 일정한 장기짝을 떼거나 한 수를 더 주고 두는 장기.

접적【接敵】명 적과 맞부딪침. 적진에 근접함. ——-하다 자 여불

접전【接戰】명 ①서로 어울려 싸움. 합전(合戰). ②서로 힘이 비슷하여 승부가 쉽게 나지 아니하는 싸움. ——-하다 자 여불

접점【接點】명 ① 〖수〗곡선 또는 곡면과 접선과의 공유점. 곧, 곡선이나 곡면과 접선이 닿는 자리. 절점(切點). ②〖전〗전류가 좁은 면적의 접촉에 의하여 흐르거나 끊어지는 부분.

접점-력【接點力】[一녁] 명〔contact force〕〖전〗스위치 또는 계전기(繼電器)의 가동 접점(可動接點)에 의하여 고정 접점(固定接點)에 가해지는 힘.

접점 추종【接點追從】명〔contact follow〕〖전〗두 개의 접점이 접촉 후에 함께 움직이는 거리.

접제【接濟】명 살림살이에 필요한 물건을 차려서 살아 나갈 방도를 세움. ⌈사상이 유없이 영롱하여 아무리 어려운 일을 당하더라도 능히 ~할 만한 계교가 있는 위인이라…《李海朝:昭陽亭》. ——-하다 타 여불

접족【接足】명 발을 붙임. 디디고 들어감. ——-하다 자 여불

접족-례【接足禮】[一녜] 명 인도(印度)의 최경례배(最敬禮拜)의 형식. 꿇어 앉아서 두 손을 상대방의 두 발에 대고 두 손바닥을 위로 하여 절하는 법과 두 손바닥을 아래로 향하는 법이 있음.

접졸【接卒】명〖역〗접솔(接率).

접종[1]【接種】명〖의〗병의 예방(豫防)·치료(治療)·진단(診斷) 또는 생물학상의 실험(實驗) 등을 위하여 병원균(病原菌)이나 독소(毒素)를 사람 또는 기타의 동물의 체내(體內)에 주입(注入)하는 일. ¶병균을 ~하다. ——-하다 타 여불

접종[2]【接踵】명 ①남에게 바싹 대서서 나아감. ②사물이 연해 뒤를 이어 일어남. 종접(踵接). ¶~하는 유괴 사건. ——-하다 자 여불

접종-법【接種法】[一뻡] 명〖의〗접종하는 방법. 표피(表皮) 접종·피내(皮內) 접종·피하 주사(皮下注射)·복강내 주사(腹腔內注射)·정맥 주사·근육 주사 및 음식물에 접종 재료를 섞어 섭취시키는 경구(經口) 접종 등의 종류가 있음.

접주【接主】명〖역〗①과유(科儒)의 단체를 설두(設頭)하는 사람. ②동학(東學)의 교단 조직(敎團組織)인 접(接)을 주관(主管)하는 임원(任員). 접장(接長). 포주(包主). *면접주(面接主).

접-주인【接主人】명〖역〗와주(窩主).

접중【接中】명 어떤 접(接)의 속. 또, 접(接)에 딸린 모든 사람.

접중-사【接中辭】명〖언〗접요사(接腰辭).

접중-어【接中語】명〖언〗접요사(接腰辭).

접지[1]【接地】〔earth〕명〖전〗전기 회로(電氣回路)를 동선(銅線) 등의 도체(導體)로 땅과 연결하는 일. 또, 그 장치. 회로와 땅의 전위(電位)를 동일하게 유지하고, 이상 전압의 발생으로부터 기기(器機)를 보호하여 인체(人體)에 대한 위험을 방지함. 어스(earth).

접지[2]【椄枝】명〖식〗접수(椄穗). ——-하다 타 여불

접지[3]【摺紙】명 ①종이를 접음. 또, 접은 종이. ②장책(粧冊)할 때 책장을 접는 일. ——-하다 자 여불

접지-기【摺紙機】명 종이를 접는 기계.

접지 기온【接地氣溫】명〔grass temperature〕〖기상〗짧은 잔디 잎의 끝에 온도계의 감수부(感受部)를 대고서 잰 기온.

접지 기층【接地氣層】명〖지〗지표에 매우 근접한 보통 2m 이하의 대기의 최하층.

접지 기후【接地氣候】명〖기상〗접지 기층(氣層)의 기후.

접지-대【接地帶】명〔touchdown zone〕〖항공〗활주로의 입구에서 시작하여 3,000 피트까지의 활주로상의 구역.

접지대 고도【接地帶高度】명〔touchdown zone elevation〕〖항공〗접지대의 활주로(滑走路) 중심선(中心線)의, 제일 높은 지점의 해발(海拔) 고도.

접지-선【接地線】명〖전〗전기 회로의 일부를 지구와 연결시키는 선(線). 어스선(earth 線).

접지 역전【接地逆轉】명〔surface inversion〕〖기상〗지표면(地表面)에서 시작되는 기온의 역전. 지표로부터 고도가 높아질수록 기온이 증대(增大)함.

접지 저:항【接地抵抗】명 땅에 매설(埋設)한 접지 전극과 땅과의 사이의 전기 저항.

접지 전:류【接地電流】[—절—] 명〔earth current〕〖전〗전기 장치에서, 땅으로 흐르는 귀환 전류(歸還電流)·고장 전류(故障電流)·누출 전류(漏出電流)·표유 전류(漂遊電流) 따위.

접지점 상:공 고도【接地點上空高度】[—쩜—] 명〔height above touchdown〕〖항공〗착륙 접지대의 최고(最高) 지점을 기준으로 하여 나타내는 고도. 계기 비행(計器飛行)의 최저 기상 조건 속에서의 최소 고도 한계(高度限界)를 나타내는 데 쓰임.

접-질리다 ㊀자 ①근육과 관절이 생긴 방향대로 움직이지 않거나 너무 빨리 움직여서 삘 지경에 이르다. ¶발목이 ~. ②기가 꺾이다. ㊁타 근육과 관절이 생긴 방향대로 움직이지 않거나 너무 빨리 움직여서 삘 지경이 되게 하다. ¶팔을 ~.

접:-짝 명〈방〉저쪽.

접:-쪽 명〈방〉저쪽.

접착【接着】명 달라붙음. 또, 붙임. ¶~제. ——-하다 자타여불

접착-성【接着性】명 달라붙는 성질. ¶~이 강하다.

접착-심【接着心】명 천에 특수한 풀을 바르고 다리미로 다릴 뿐으로 접착되는 심지.

접착-어【接着語】명〖언〗접사(接辭).

접착-제【接着劑】명 접착에 쓰이는 천연 또는 인공 고분자(高分子) 물질의 총칭. 비닐 수지(vinyl 樹脂)·페놀(phenol) 수지 등.

접책【摺册】명 ①종이를 앞뒤로 가지런히 여러 겹 접어서 책처럼 만든 것. ②장첩(粧帖)으로 꾸민 책. 첩장(帖裝).

접처【摺處】명 접은 곳. 접힌 자리.

접척【摺尺】명 접자.

접천【接天】명 하늘에 닿음. ——-하다 자여불

접철【摺綴】명 접어서 한데 맴. ——-하다 타여불

접첨-접첨 부 여러 번 접는 모양. ¶진안초 넓은 잎새… 마디마디 빼어서 ~ 발 밑에 넣었다가 잠이 꼭 잔 연후에…《金周榮: 客主》. ——-하다 타여불

접첨-하다 타여불 접어 겹치다. ¶왼손길을 행주치마 속에다 쑥 집어 넣어 한편 자락을 접첨하여 죽 그릇을 받쳐 들고 중문 안으로 들어간다《李海朝: 鬢上雪》.

접첩【摺帖】명 접을 수 있도록 만든 서화첩(書畫帖).

접첩-본【摺疊本】명 첩장(帖裝).

접촉【接觸】명 ①맞붙어서 닿음. ②교섭함. 촉접(觸接). ¶외부와의 ~을 끊다. ③〖수〗직각 좌표상 두 접한 곡선이 한 접촉점에 있어서 그 미계수(微係數)가 일치하는 일. n차의 미계수까지 일치할 때에 제 n위(位)의 접촉을 한다 함. ④〖화〗촉매(觸媒)에 의하여 화학(化學) 반응을 일으키는 일. ——-하다 자타여불

접촉-각【接觸角】명〔angle of contact〕〖물〗정지(靜止)하고 있는 액체의 자유 표면(自由表面)이 그릇의 벽(壁)에 닿는 자리에서 액체의 표면과 그릇의 벽이 짓는 각. 보통 액체 안에 있는 각을 취함.

〈접촉각〉

접촉 감:염【接觸感染】명〖의〗접촉 전염.

접촉 개:질【接觸改質】명〔catalytic reforming〕〖공〗가솔린의 끓는점 영역의 탄화 수소(炭化水素)를 보다 높은 앤티노크성(anti-knock 性)의 탄화 수소로 만들기 위하여 탄화 수소 분자를 전위(轉位) 시키는 일.

접촉 광:맥【接觸鑛脈】명〖광〗접촉 변성(變成) 작용을 받은 광맥.

접촉 광:물【接觸鑛物】명〔contact mineral〕〖광〗접촉 변성 작용(變成作用)으로 생긴 광물 중에서 특징적인 것. 홍주석(紅柱石)·스피넬(spinel)·흑운모(黑雲母) 등.

접촉 광:상【接觸鑛床】명〔contact deposit〕〖지〗암석의 접촉 변성 작용으로 말미암아 암장(岩漿)의 일부가 수성암(水成岩), 특히 석회암 속으로 들어가서 석회암(石灰岩)의 일부를 교대(交代)하여 여기에 많은 규산(硅酸) 광물과 금속 광물을 집중(集中)시켜서 된 광상. 접촉 변성(變性) 광상.

접촉 교대 광:상【接觸交代鑛床】명〖광〗고온(高溫) 교대 광상.

접촉 궤:도【接觸軌道】명〔osculating orbit〕〖천〗어떤 시점에 있어서의, 모든 섭동(攝動)을 무시한 경우의 천체 궤도.

접촉-기【接觸器】명〖전〗전동기(電動機) 등에서 회로를 개폐(開閉)하는 데 쓰이는 기구.

접촉 대:비【接觸對比】명〔contact contrast〕〖심〗보색(補色) 또는 그와 가까운 관계에 있는 빛깔을 공간적 또는 시간적으로 접근시켰을 때 일어나는 색채 대비. 각기의 색조(色調)와 포화도(飽和度)로 서로 강조하여 산뜻하게 보임. *변연(邊緣) 대비.

접촉 렌즈【接觸—】〔lens〕명 콘택트 렌즈. 접안 안경.

접촉-면【接觸面】명 ①맞붙어서 닿는 면. 접촉되는 면. ②〖수〗↗접촉 평면(接觸平面).

접촉-법【接觸法】명〔contact action process〕〖화〗촉매(觸媒)를 사용하는 방법. 백금(白金)을 촉매로 하여 황산(黃酸)을 제조(製造)하는 방법 등.

접촉 변:성 광:상【接觸變成鑛床】명〔contact metamorphic deposit〕〖지〗접촉 광상.

접촉 변:성대【接觸變成帶】명〔contact aureole〕〖지〗접촉 변성 작용이 미치고 있는 범위. 큰 화강암 저반(底盤) 주위에서는 1-2km에 미치나, 소(小)화성암체의 주위에서는 수 cm 일 때도 있음.

접촉 변:성암【接觸變成岩】명〔contact metamorphic rock〕〖지〗접촉 변성 작용에 의하여 생긴 편리(片理)가 적은 치밀한 암석(岩石). 열변성암(熱變成岩).

접촉 변:성 작용【接觸變成作用】명〔contact metamorphism〕〖지〗고열(高熱)의 마그마(magma)의 관입(貫入)에 의하여, 그 주변에 생기는 변성 작용(變成作用). 열에 의하여 암석을 형성하고 있는 광물 사이에 반응이 생겨서 그 조직이 변화함. 열(熱) 변성 작용.

접촉 변:질【接觸變質】명〖광〗마그마가 내는 열 및 휘발성 물질 때문에 주위의 암석이 변질하는 일.

접촉 분석【接觸分析】명〔catalytic analysis〕〖화〗용액 중의 반응에서 미량(微量)으로 존재하는 물질이 접촉 촉매 작용을 나타내어 반응 속도에 영향을 주는 것을 이용하여, 미량 물질의 검출 또는 그 정량(定量)을 알아내는 분석법.

접촉 분해【接觸分解】명〔contact cracking〕〖화〗석유 정제(精製) 공정의 하나. 합성 실리카(合成 silica)·알루미나(alumina)·활성 백토(活性白土) 등을 촉매로 써서 450-500°C, 상압(常壓)에서 중질 석유 유분(重質石油溜分)을 분해하여 옥탄값이 높은 가솔린을 제조하는 일. 수율(收率)이 좋음. 접촉 크래킹(cracking).

접촉 분해법【接觸分解法】[—뻡] 명〖화〗옥탄값이 높은 가솔린을 얻기 위하여, 경유나 중유 따위를 촉매를 써서 분해하는 방법.

접촉성 피부염【接觸性皮膚炎】명〖의〗외부로부터 직접 피부에 작용하여, 작용 국소에 일어나는 피부염. 옻 따위의 식물독, 개미반날개 따위의 충독(蟲毒), 피혁(皮革)·도료(塗料)·농약(農藥)·화장품 따위에 의한 것 등이 있음.

접촉 수소화【接觸水素化】명〔catalytic hydrogenation〕〖화·공〗촉매 수소 첨가.

접촉 억제【接觸抑制】명〔contact inhibition〕〖생〗배양되고 있는 세포가 서로 접촉하면 분열을 행하지 않게 되는 일.

접촉 여과【接觸濾過】[—녀—] 명〔contact percolation〕〖화·공〗미분말(微粉末) 백토 흡착제를 기름과 섞고 착색물(着色物)을 제거하여 기름의 안정성(安定性)을 개선하는 공정(工程).

접촉 운:동【接觸運動】명〖식〗식물이 그 접촉으로 인하여 일어나는 운동. 채송화의 수꽃술을 건드리면 건드린 쪽으로 수꽃술들이 몰리거나, 식충 식물(食蟲植物)이 먹이의 접촉으로 움직여 벌레를 잡아먹는 일 등은 이 예임.

접촉-원【接觸圓】명〔osculating circle〕〖수〗곡선상(曲線上)에서 접근(接近)한 세 점(點)을 통하는 원. 반지름은 곡선의 곡률(曲率)반지름과 같음.

접촉 작용【接觸作用】명〔contact action〕〖화〗접촉 촉매 반응에 있어서 촉매가 반응을 촉진 또는 방해하는 작용.

접촉 저:항【接觸抵抗】명〔contact resistance〕〖전〗두 물체(物體)의 접촉면(面)을 통하여 전기가 흐를 때, 그 사이에서 생기는 전기 저항.

접촉 전:기【接觸電氣】명〔contact electricity〕〖물〗다른 종류의 두 금속을 접촉시킬 때 생기는 양(陽)전기와 음(陰)전기. 마찰(摩擦) 전기는 이 예임.

접촉 전:압【接觸電壓】명〖전〗접촉 전위차(接觸電位差).

접촉 전염【接觸傳染】명〔contact transmission〕〖의〗환자(患者)의 병원균(病原菌)을 가진 분비물(分泌物)이나 배설물(排泄物)에 타인의 피부나 점막(粘膜)이 직접 접촉하여 일어나는 전염. 접촉 감염(接觸感染). ——-하다 자여불

접촉 전:위차【接觸電位差】명〔contact potential difference〕〖물〗다른 종류의 물체(物體)가 서로 접촉할 때, 한쪽에서 다른 쪽으로 전기(電氣)가 이동(移動)하여 그 결과로 일어나는 두 물체 사이의 전위차. 접촉 전압(接觸電壓).

접촉-점【接觸點】명〔point of tangency; P.T.〕〖토〗도로(道路) 곡선(曲線)이나 철도(鐵道) 곡선이 직선으로 옮기는 점 또는 그 곡률(曲率)을 변경하는 점.

접촉-제【接觸劑】명 ①접촉 촉매 반응에 있어서의 촉매. ②〖농〗해충의 몸에 부착하면 신경을 마비시켜 살충(殺蟲) 효과를 나타내는 살충제의 한 가지. 비누·석유·니코틴 등.

접촉 촉매 반:응【接觸觸媒反應】명〔contact catalytic reaction〕〖화〗촉매(觸媒)에 의하여 반응(反應)의 속도를 변화시키는 화학 반응.

접촉 측각기【接觸測角器】명〔contact goniometer〕〖지〗광물 결정(結晶)의 면각(面角)을 재는 기계. 눈금이 그려져 있는 판(板)과 두 개의 다리가 있어 다리 사이에 결정면을 끼워 그 벌어지는 각의 크기를 눈에 의하여 알게 한 장치.

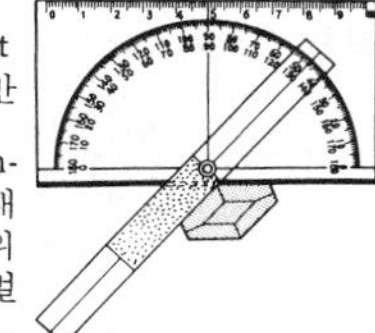

〈접촉 측각기〉

접촉 크래킹【接觸—】〔cracking〕명〖화〗접촉

분해(接觸分解).

접촉 평면【接觸平面】명〔osculating plane〕『수』공간(空間)의 곡선상(曲線上)에서 무한(無限)히 근접한 세 점(點)을 지나는 평면. ㉾접촉면(接觸面).

접촉 피스톤【接觸—】명〔contact piston〕『전자』도파관(導波管)의 벽과 접촉하는 피스톤.

접촉 황산【接觸黃酸】명『화』이산화황(二酸化黃)과 산소(酸素)를 바나듐계(vanadium系)의 촉매(觸媒)를 써서, 접촉·산화(酸化)시켜 만든 황산.

접촉 흡착【接觸吸着】명〔contact absorption〕『화·공』유체를 분말이나 입상(粒狀)의 흡착제와 교반하면서 직접 접촉시키거나, 활성탄(活性炭) 또는 이온 교환 수지(樹脂)와 같은 흡착제의 고정층에 유체(流體)를 통하게 하여 유체로부터 어떤 물질의 소량 성분(少量成分)을 제거하는 공정(工程). 윤활유의 탈색, 공기로부터의 용매 증기(溶媒蒸氣)의 제거 등에 쓰임.

접-치【接峙】명『지』전라 남도 순천시(順天市)의 주암면(住巖面)과 승주읍(昇州邑)의 경계에 있는 고개. [261 m]

접치다[1] 타 '접다'의 힘줌말.

접치다[2] 피동 ↗접치이다.

접치-이다 피동 접침을 당하다. ¶종이가 잘 ~. ㉾접치다[2].

접침【摺枕】명 ①짐승의 털을 두껍게 두고 드문드문 누벼서 병풍짝처럼 여러 조각을 포개어 만든 베개. ②다리를 접었다 폈다 하는 목침. 여행용으로 쓰임.

접-침상【摺寢牀】명 접을 수 있도록 만든 침상.

접침-접침 부 질서(秩序) 없이 함부로 이리저리 접힌 모양. ¶그 사람이 휘장 끝을 ~ 접어서 줄 위로 걸어 올린 뒤에…≪洪命憙 : 林巨正≫. ——-하다 타여불

접-칼[1]【椄—】명 나무를 접붙일 때에 접본(椄本)을 째는 데 쓰는 칼. 접도(椄刀).

접-칼[2]【摺—】명 접을 수 있게 만든 칼. 접도(摺刀).

접-평면【接平面】명『수』곡면(曲面)상의 한 점에 있어서 그 곡면에 접촉하는 평면.

접피-술【接皮術】명『의』흉터·상처에 피부를 이식(移植)하는 외과(外科) 수술.

접-하다【接—】자타여불 ①이어서 닿다. ¶두 집이 서로 ~. ②마주 닿아서 붙다. ③어떤 일에 부닥치다. ¶일대 난관에 ~. ④『수』직선 또는 곡선이 다른 곡선과 한 점에서 만나다. 또, 직선·평면·곡면(曲面)이 다른 곡면과 한 점에서 만나다.

접합【接合】명 ①한데 대어 붙임. 조인트(joint). ②용접(鎔接). ¶~제(劑). ③〔junction〕『전자』반도체(半導體) 장치 가운데서의 두 개의 서로 다른 반도체 영역(領域) 사이의 전이(轉移). 즉, pn접합 또는 금속과 반도체간의 접합 따위. ④〔anastomosis〕『물·화』2차원·3차원에 있어서의 분기(分岐)한 계(系)의 결합 또는 교차(交差). ⑤〔conjugation〕『동』유성 생식(有性生殖)에 있어서 생식 세포가 자웅(雌雄)의 구별이 없이 동형(同型)인 경우 양자가 서로 달라붙는 현상. 원생(原生) 동물이 분열(分裂)에 의한 증식(增殖)을 하지 않고 핵(核)이 서로 달라붙는 현상. 합체(合體)❷. ⑥〔conjugation〕『식』어떤 엽상 식물(葉狀植物)에 있어서의 유성 생식. 두 개의 원형질체(原形質體)가 합일하여 접합체를 형성함. ⑦〔conjugation〕『생』세균이 균체의 표면 일부에서 서로 결합하여 한쪽의 유전 물질(遺傳物質)이 다른쪽으로 전달되는 현상. ——-하다 자타여불

접합 개:체【接合個體】명〔conjugant〕『동』원생(原生) 동물의 접합에 참가하는 두 개체.

접합-관【接合管】명〔conjugation tube〕『생』접합 조류(藻類) 해캄 따위의 배우자(配偶子) 접합 때에 생기는 관상(管狀)의 돌기(突起). 양(兩)배우자간을 연결하며, 이 관을 통해 한쪽의 세포 내용물이 다른쪽으로 옮겨 접합함.

접합-구【接合具】명『건』못·리벳·걸쇠 따위, 건축 재료를 접합할 때 쓰는 부품.

접합-균류【接合菌類】[—뉴] 명『생』[Zygomycetes] 조균류 중 배우자낭(配偶子囊)이 접착하여 접합자(接合子)를 만드는 균류의 총칭. 유성(有性) 생식이든 무성(無性) 생식이든 운동성이 있는 생식 세포를 만들지 않으며, 유성 생식에서는 배우자낭 접합으로 다핵성(多核性) 접합자를 만듦.

접합-류【接合流】[—뉴] 명『지』두 강을 연락하는 물줄기.

접합-면【接合面】명〔composition plane〕『광』쌍정(雙晶)에 있어서 각 결정 개체가 접하고 있는 면.

접합-봉【接合棒】명『기』연접봉(連接棒). 커넥팅 로드(connecting rod).

접합-부【接合符】명『언』하이픈(hyphen). 붙임표.

접합 생식【接合生殖】명『생』①접합에 의한 유성(有性) 생식. ②접합에 의한 원생(原生) 동물의 생식. ↔분체(分體) 생식.

접합 완료체【接合完了體】[—왈—] 명〔exconjugant〕『생』원생 동물(原生動物)의 접합(接合)으로 이동핵(移動核)의 교환, 합체(合體) 형성이 끝난 개체(個體).

접합-자【接合子】명〔zygote〕『생』자웅(雌雄)의 생식 세포(生殖細胞), 곧 두 개의 배우자(配偶子) 또는 배우자낭(囊)의 접합에 의하여 생긴 세포. 수정란(受精卵)도 접합자임. 현화 식물(顯花植物)에서는 화분관(花粉管) 안의 웅핵(雄核)과 난자(卵子) 안의 자핵(雌核)이 접합한 것이고, 양치류(羊齒類)에서는 정자(精子)와 난자가 합체(合體)한 것임. 조만간 발육(發育)하여 새로운 개체(個體)가 됨. 접합체(接合體).

접합자-낭【接合子囊】명〔oocyst〕『동』원생(原生) 동물 포자충류(胞子蟲類)의 배우자(配偶子)가 합체(合體)하여 접합자를 만들면 그 주위에 만들어지는 피낭(被囊). 구형(球形)·난형(卵形)·방추형(紡錘形) 등 각각 속종(屬種)의 특징을 나타냄. 접합자는 이 안에서 분열(分裂), 다수의 포자(胞子) 세포를 만들게 되며, 이에 피낭이 형성(形成)된 것이 포자임.

접합자 불임성【接合子不稔性】[—썽] 명〔zygotic sterility〕『생』접합자에서 배(胚)가 형성되기까지 사이에 생기는 이상(異常) 때문에 일어나는 불임성. 유연(類緣)이 먼 식물간의 교잡(交雜), 즉 종간(種間) 교잡·속간(屬間) 교잡 등을 행하였을 때 생기기 쉬움.

접합자 환원【接合子還元】명〔zygotic reduction〕『생』접합자가 발아(發芽)할 때 환원 분열이 일어나는 일. 담자균(擔子菌)·자낭균(子囊菌)·조류(藻類)·포자충류(胞子蟲類)의 어떤 종에서도 볼 수 있음.

접합 재료【接合材料】명『건』못·땜납·아교 등 건축상(建築上) 접합에 쓰이는 재료.

접합-제【接合劑】명 물체의 접합에 쓰이는 물질. 풀·고무풀 등 수분 발산에 의하는 접합제와 땜납같이 냉각 고화(固化)에 의하는 접합제 또는 산화(酸化) 작용·화학 변화에 의하는 접합제 등의 구별이 있음. 접약(接藥).

접합-조류【接合藻類】명『식』[Conjugatae] 엽록소(葉綠素)를 가지며 담수(淡水) 중에 생기는 단세포 또는 사상(絲狀)의 녹조(綠藻) 식물의 한 무리. 체(體) 세포의 직접 접합 또는 접합자에 의한 유성(有性) 생식을 함. 반달말·장구말·해캄 등이 이에 속함.

접합-체【接合體】명『식』접합자(接合子).

접합 평면【接合平面】명〔composition plane〕『광』하나의 접촉 쌍정(接觸雙晶)을 구성하는 두 개의 개체(個體)를 결부시키는 결정(結晶) 안의 평면.

접형-골【蝶形骨】명〔sphenoid〕『생』척추 동물(脊椎動物)의 두개(頭蓋)에 연골성(軟骨性)으로 발생하여 눈 가까이로부터 두개저(頭蓋底) 중앙까지에 있는 보통 여섯 개로 된 뼈. 고등(高等) 척추 동물은 나비 모양으로 되어 있음.

접형-화【蝶形花】명『식』나비꽃.

접형 화관【蝶形花冠】명〔papilionaceous corolla〕『식』다섯 개의 화판(花瓣)으로 되어 모양이 나비와 비슷한 좌우 상칭(左右相稱)의 화관. 위의 한 화판은 크고 넓으나 밑의 두 쌍의 화판은 아물어 붙은 것이 많음. 콩과 식물의 완두 등에서 볼 수 있음. 나비꽃부리.

접히다 피동 ①접음을 당하다. ¶세 겹으로 ~. ②남에게 접어 줌을 당하다. ¶한 수 ~.

젓 명 새우·조기·멸치 등의 생선의 살·알·창자 따위를 소금에 짜게 절이어 맛들인 식품(食品). ¶새우~/멸치~.

젓(을) 담그다 구 소금에 절이어 젓을 만들다.

젓-가락【箸—】명 음식이나 그 밖의 물건을 끼워서 집는 제구. 가늘고 길이가 같은 두 개의 쇠붙이나 나무 등으로 짤막하게 만듦. ㉾저(箸).

[젓가락으로 김칫국 집어 먹을 놈] 어리석고 용렬하여 어처구니없는 짓을 하는 사람에게 하는 말.

젓가락-나물【箸—】명『식』[*Ranunculus chinensis*] 미나리아재빗과에 속하는 월년초(越年草). 높이 60cm 내외, 하엽(下葉)은 장병(長柄)이고 경엽(莖葉)은 단병(短柄) 혹은 무병(無柄)이며 세 갈래로 전열(全裂)하였음. 6월에 황색 꽃이 취산(聚繖) 화서로 정생(頂生)하여 피며, 과실은 수과(瘦果)임. 들의 습지(濕地)나 초원(草原) 지대에 남. 거의 한국 각지에 야생(野生)함. 유독(有毒)함. 젓가락풀. 작은젓가락나물.

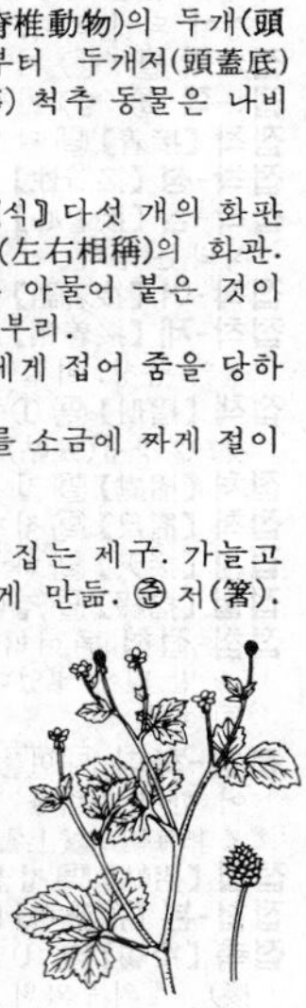

〈젓가락나물〉

젓가락-돈【箸—】명 양반이 기생(妓生)에게 젓가락으로 집어 주는 화대(花代).

젓가락-질【箸—】명 젓가락으로 먹을 것을 집는 짓. ¶~이 서투르다. ——-하다 자여불

젓가락-풀【箸—】명『식』젓가락나물.

젓-가래 명〈심마니〉젓가락.

젓-가지 명〈방〉젓가락(평안).

젓-가치 명〈방〉젓가락(경상·황해·함경).

젓-갈[1] 명 젓을 담근 물건.

[젓갈 가게에 중] 어떤 장소에 어울리지 않는 사람이나 인연이 먼 사람이 나타남을 이르는 말.

젓-갈[2]【箸—】명 ↗젓가락.

젓갈-류【—類】명 여러 가지 젓갈붙이.

젓갈-붙이【—부치】명 젓갈을 담근 음식들. 해속(醢屬).

젓갖 명 사냥용으로 기르는 매의 두 발을 각각 잡아매는 가느다란 가죽끈.

젓-구락 명〈방〉젓가락(전라).

젓-구멍 명 악기(樂器) 저에 뚫린 구멍.

젓-국 명 젓 담근 물건에서 생긴 국물. 해장(醢漿).

젓국 수란【—水卵】명 쇠고기나 파를 젓국에 썰어 넣어 끓이다가 달걀을 깨뜨려 넣어 반쯤 익힌 반찬. 해즙 수란(醢汁水卵).

젓국-지 명 조기 젓국을 냉수(冷水)에 타서 국물을 부어 담근 김치. 해즙저(醢汁菹).

젓국 찌개 명 새우젓국을 친 무찌개.

젓국-포【—脯】명 쇠고기를 넓게 저미어 물과 젓국을 쳐서 조금 끓이다가 말린 포. 해즙포(醢汁脯).

젓나모 명〈예〉전나무. ¶젓나모 회(檜)≪字會 上 10≫.

젓:-나무 명 전나무.

젓다[1] 자 〈옛〉 젖다. ¶비는 호 마ᄉ로 골오 젓고 螺는 호 소리로 다 ᄉ뭇고≪釋譜 XIII:26≫.

젓다[2] 타 〈옛〉 두려워하다. =저타·젓타. ¶젓ᄉ와 오라ᄃ록 몯나오라(怵惕久未出)≪杜諺 I:1≫.

젓:다[3] 타 ㅅ불 ①액체를 고르게 하기 위해 휘둘러 섞다. ¶국을 숟가락으로 ~. ②배를 움직이려고 노를 두르다. ¶노를 ~. ③어떤 의사(意思)를 말 대신 손이나 머리를 흔들어 표시하다. ¶고개를 젓고 외면하다.

-젓다 미 〈옛〉 -적다. -롭다. -스럽다. =-젓다. ¶비치 누르고 마시 香氣젓더니 ≪月釋 I:43≫.

「컬음.

젓-대 명 〖악〗 ①저의 대. ②'저'의 속칭(俗稱). ③특히, 대금(大笒)의 일

젓독발이 명 〈옛〉 절뚝발이. ¶조막손이거나 젓독발이어나 머리 믜엿거나(攣跛禿頭)≪無寃錄 I:25≫.

젓딥 명 〈방〉 이엉.

젓딸밀 명 〈방〉 겨드랑이(전남).

젓-무우 명 〈방〉 깍두기.

젓삽다 자 '저어하다'의 공손한 옛투. 젓삽다. ¶젓사오대 폐하께옵서는 아직 춘추 넉넉하시옵고…≪李光洙 : 異次頓의 死≫.

젓-새우 명 〖동〗 보리새우.

젓소이 부 〈옛〉 황송하게. ¶하 젓소이 너기ᄋ와 다 먹습ᄂ이다≪新語 II:7≫.

젓숩다 타 〈옛〉 두려워하다. '저타'의 활용형. =젓다². ¶님그미 그르호실 이리 겨실가 젓숩노라(恐君有遺失)≪杜諺 I:1≫/젓ᄉ와 오라ᄃ록 몯나오라(怵惕久未出)≪杜諺 I:1≫.

젓자래 명 〈심마니〉 전나무.

젓-조기 명 젓을 담그는 조기. 잡아 올 때부터 젓 담글 소용(所用)으로 제쳐 놓은 조기.

젓타 타 〈옛〉 두려워하다. =저타·젓다². ¶그저 젓티 아니호니라(只是不怕)≪老乞 上 6≫.

젓해 【節該】 명 〈이두〉 이번. *절해(節該).

-젔다 미 -적다. -롭다. -스럽다. =-젓다. ¶支는 서르 잡드러 괴올 씨니 모딘 서르 업디 몯호야 힘저은 쁘디라≪釋譜 IX:18≫.

정:[1] 명 돌에 구멍을 파고 글씨를 새기고 다듬거나, 돌을 쪼개고 쪼는 데 쓰는 연장. 쇠를 다듬어 한쪽 끝에는 날을 세우고, 반대쪽은 쇠메를 맞도록 평평하게 만듦. 뾰족한 쪽은 부리, 메를 맞는 데는 정머리라 하며 끌과 같이 자루가 없는 것과 마치처럼 자루를 꿰어 쓰는 것이 있음.

〈정¹〉

정[2] 【丁】 명 ①십간(十干)의 네째. ②↗정방(丁方). ③↗정시(丁時).

정[3] 【丁】 명 성(姓)의 하나. 현재 우리 나라의 주요 본관은 나주(羅州)·창원(昌原)·영광(靈光)·의성(義城)임.

정[4] 【井】 명 ①〖천〗 ↗정성(井星). ②〖민〗 ↗정괘(井卦).

정[5] 【井】 명 성(姓)의 하나. 우리 나라에는 현존(現存)하지 아니함.

정:[6] 【正】 ㊀ 명 ①옳은 길. 올바른 일. ↔사(邪). ②〖역〗 신라의 상사서(賞賜署)와 대도서(大道署)의 대정(大正)을 경덕왕(景德王) 때에 고친 이름. ③〖역〗 고려의 내알사(內謁司)·사복시(司僕寺)·사의서(司醫署)·서운관(書雲觀)·전농시(典農寺)의 으뜸 벼슬. 품계(品階)는 삼품(三品)에서 사품까지. ④〖역〗 조선 시대 때 봉상시(奉常寺)·내의원(內醫院)·내자시(內資寺)·예빈시(禮賓寺)·제용감(濟用監)·장악원(掌樂院)·사역원(司譯院) 및 기타 여러 관아의 으뜸 벼슬. 품계는 정삼품. ⑤〖역〗 조선 시대 때 세자(世子)의 중증손(衆曾孫), 대군(大君)의 중손(衆孫), 왕자군(王子君)의 중자(衆子) 등에게 주던 작호(爵號). 품계는 정삼품 당하관(堂下官). 부정(副正)의 위. *도정(都正). ⑥〖역〗 조선 시대 때 금군(禁軍)에 딸린 서반 잡직(西班雜職)의 종팔품 벼슬. ⑦〖철〗 정립(定立)❸. ↔반(反). ⑧〖수〗 정수(正數). ↔부(負). ㊁ 수 ①간(澗)의 억 배(億倍), 재(載)의 억분(億分)의 일의 수. 곧, 10^{72}. ②간(澗)의 만 배(萬倍), 재(載)의 만분(萬分)의 일의 수. 곧, 10^{40}.

정[7] 【疔】 명 〖의〗 피부의 지선공(脂腺孔) 또는 한선공(汗腺孔) 등으로 화농균(化膿菌) 특히 포도상 구균이 침입함으로써 피부 및 피하 결합 조직(結合組織) 안에 생기는 부스럼. 불그스름하고 잠두(蠶頭)만하게 부르터 오르는데 몹시 아프고 고름이 듦. 이 병에 걸리면 날콩을 씹어도 비린내를 모른다 함. 정저(疔疽). 정종(疔腫).

정:[8] 【定】 명 〔범 Ramādhi〕 〖불교〗 마음을 한 곳에 집중하여 움직이지 아니하는 안정(安定)된 상태(狀態). 선정(禪定).

정[9] 【貞】 명 성(姓)의 하나. 우리 나라에는 현존(現存)하지 아니함.

정[10] 【情】 명 ①사물(事物)에 느끼어 일어나는 마음의 작용. ②서로 사귀는 정의(情誼), 특히 남녀간의 애정. ¶부부의 ~/~에 무른 사나이/보지 않으면 ~도 멀어진다. ③마음 속으로부터 우러나는 참된 생각. ¶연민(憐憫)의 ~/오는 ~이 있어야 가는 ~이 있다. ④정실(情實). 정황(情況). ⑤〖심〗 마음을 이룬 두 요소(要素) 중의 하나. 곧, 이지적(理智的)인 요소에 대하여 극히 감동적(感動的)인 요소. ⑥〖불교〗 혼탁(昏濁)하여 있는 망념(妄念).

[정에서 노염이 난다] 정다울수록 언행을 삼가야 한다는 뜻.

정 각각 흉 각각 구 ㉠정과 그 사람의 결점(缺點)과는 서로 달라 결점이 있다고 해서 쏠리는 정이 막히지는 않으며, 정이 쏠리더라도 흉은 없어지지 않는다는 말. ㉡사람은 저마다 정이 쏠리게 되는 장점(長點)도 있고 흉이 되는 결점도 갖고 있다는 말.

정[11] 【停】 명 〖역〗 신라 때 군영(軍營)의 이름. *육정(六停)·십정(十停).

정[12] 【旌】 명 〖역〗 새의 깃으로 장목을 꾸미어 깃대 끝에 늘어뜨린 기(旗).

〈정¹²〉

정[13] 【程】 명 성(姓)의 하나. 현재 우리 나라의 본관(本貫)은 한산(韓山) 단본(單本)임.

정[14] 【鼎】 명 ①〖역〗 금속제의 발이 셋, 귀가 둘 달린 솥. 음식을 익히는 데나 죄인을 삶아 죽이는 데 쓰였음. 중국 하(夏)나라 우왕(禹王)이 구주(九州)의 금속을 모아 만든 아홉 개의 솥을 왕위(王位) 전승(傳承)의 보기(寶器)로 삼은 후, 국가·왕위·제업(帝業)의 뜻이 됨. ②〖민〗 정괘(鼎卦).

정[15] 【鉦】 명 〖악〗 →징².

정[16] 【精】 명 ①↗정수(精髓). ②↗정수(精水). ③↗정기(精氣).

정:[17] 【鄭】 명 〖역〗 중국 춘추 시대(春秋時代)의 한 나라. 주(周)나라 선왕(宣王)의 아우 환공(桓公)을 그 시조(始祖)로 함. 지금의 산시성(陝西省) 화현(華縣)에 있었고, 뒤에 허난성(河南省) 신정현(新鄭縣)으로 옮기었음. 기원 전 375년 23대(代) 432년으로 한(韓)나라 애후(哀侯)에게 망함.

정:[18] 【鄭】 명 성(姓)의 하나. 현재 우리 나라의 본관은 동래(東萊)·연일(延日)·해주(海州)·진주(晋州)·하동(河東)·초계(草溪)·온양(溫陽)·경주(慶州) 등 30여 본임.

정:[19] 【靜】 명 조용하고 움직임이 없음. 고요하고 평화스러움. ¶동중(動中)에 ~. ↔동(動).

정[20] 【淨】 수 소수(小數)의 단위(單位)의 하나. 청(淸)의 억분의 일, 곧 10^{-128}. *청정(淸淨).

정[21] 【町】 의명 ①〖수〗 거리(距離)의 단위. 60간(間), 곧 곡척(曲尺)으로 360척(尺), 약 109.1m. ②〖수〗 지적(地積)의 단위. 10단(十段), 곧 3,000평(坪), 약 99.17아르.

정[22] 【梃·挺】 의명 총(銃)·노(櫓)·호미·삽 등을 셀 때 쓰는 단위. ¶총(銃) 3~. *자루.

정[23] 부 〈방〉 저렇게(제주).

정:[24] 부 '정말로'나 '참으로'의 뜻을 나타내는 말. ¶~ 안 되겠으면…/아프리카에 ~ 가시려거든 혼자 가십시오/눈이 ~ 많이 오면 갈 수 없겠소.

정:- 【正】 두 ①'부(副)'에 대하여 주장됨을 나타내는 말. ¶~교수(教授) 임명. ②〖역〗 '종(從)'에 대하여 한 자리 높은 품계를 나타내는 말. 품수(品數) 위에 붙어서 종(從)과 구별함. 정일품(正一品)으로부터 정구품(正九品)까지 있음.

-정[1] 【亭】 미 어떤 명사(名詞) 밑에 붙어서 정자(亭子)의 이름을 이루는 말. ¶세검(洗劍)~/팔각(八角)~.

-정[2] 【艇】 미 어떤 명사(名詞) 밑에 붙어 갸름한 작은 배, 특히 군함(軍艦)의 종류 이름을 이루는 말. ¶쾌속~/경비~.

-정[3] 【整】 미 돈의 액수(額數) 밑에 붙이는 말. ¶일금(一金) 일천 오백만(壹阡五百萬)원~.

-정[4] 【錠】 미 약 이름 밑에 쓰이어 그 약이 정제(錠劑)임을 나타내는 말. ¶아스피린~.

정가[1] 명 지나간 허물을 초들어 흉봄. ¶어머니의 무죄한 ~로 인하여 어린 봉남이는 이후에 생장하여서 평생의 유한이 되리니…≪李相協 : 눈물≫. ——-하다 자 여불

정가[2] 【-稼】 명 〖식〗 형개(荊芥) ❶.

정:가[3] 【正歌】 명 〖악〗 노래로서의 정악(正樂). 가곡(歌曲)·가사(歌詞)·시조가 이에 속함. ↔속요(俗謠)·잡가(雜歌).

정:가[4] 【正價】 [-까] 명 정당한 가격. 에누리 없는 값. ¶~표.

정:가[5] 【定價】 [-까] 명 ①정하여진 값. 일정한 가격. ¶~ 판매/~표. ②값을 매김. ——-하다 자타 여불

정가[6] 【庭柯】 명 뜰에 있는 나무. 정수(庭樹). 원수(園樹).

정가[7] 【情歌】 명 연정(戀情)을 읊은 노래. 연가(戀歌).

정:가[8] 【靜柯】 명 조용한 나뭇 가지.

정:가[9] 【整暇】 명 일을 정리하고 난 뒤의 여가.

정:-가교 【正駕轎】 명 〖역〗 임금이 타고 있는 가교. ↔공가교(空駕轎). *정련(正輦).

〈정가교〉

정:-가극 【正歌劇】 명 〖악〗 그랜드 오페라.

정:가-둔 【鄭家屯】 명 〖지〗 쌍료(雙遼)의 구명.

정가-롭다 형 ㅂ불 몹시 정갈하다. ¶마당에 수석도 있어 오래된 집이나 이전에는 정가롭게 지은 집이더라≪隱菊散人 : 누구의 죄≫. **정가-로이** 부

정:가-봉 【鄭哥峰】 명 〖지〗 평안 북도 자성군(慈城郡)에 위치한 산(山). [1,228m]

정:-가(:)신 【鄭可臣】 명 〖사람〗 고려의 문신. 초명(初名)은 홍(興), 자는 헌지(獻之). 나주(羅州) 사람. 관직이 판삼 사사(判三司事)·정당 문학(政堂文學)·첨의 중찬(僉議中贊) 등을 지냈고, 벽상 삼한 삼중 대광 수사도(壁上三韓三重大匡守司徒)에 이름. 전고(典故)에 밝고 문장에 능하였음. ≪금경록(金鏡錄)≫을 저술한 외에 많은 사명(辭命)을 지음. 시호는 문정(文靖). [?-1298]

정:가-표 【定價票】 [-까-] 명 물건 값을 써 붙인 표.

정각[1] 명 〔←경객(經客)〕 〖민〗 〈방〉 박수¹.

정:각[2] 【正角】 명 〖수〗 삼각법(三角法)에서 각(角)을 이루는 두 직선(直線) 중의 한 직선이 시계(時計)의 바늘과 반대 쪽으로 돌아서 만드는 각. ↔부각(負角).

정:각[3] 【正刻】 명 틀림없는 그 시각. ¶~ 한 시에 출발하다.

정:각[4] 【正覺】 명 〖불교〗 올바른 깨달음. 곧, 망혹(妄惑)을 단멸(斷滅)한 여래(如來)의 참되고 바른 각지(覺智). 정등각(正等覺).

정:각[5] 【定刻】 명 작정한 시각. 정한 시각. ¶기차는 ~에 도착했다.

정각[6]【亭閣】명 정자(亭子).
정각[7]【政閣】명 정당(政堂).
정각[8]【頂角】명〖수〗'꼭지각'의 구용어.
정각[9]【精覺】명 자세히 깨달음. ——-하다 자여불
정:-각기둥【正角—】명〖수〗밑면이 정다각형인 각기둥. 정각도(正角壔). 정각주(正角柱).
정:-각도【正角壔】명〖수〗'정각기둥'의 구용어. 정각주(正角柱).
정:각 도법【正角圖法】[—뻡] 명 지도 투영법에 있어서 지구상의 어떤 작은 부분이 지도상 이것에 대응하는 부분과 상사(相似)의 관계에 있는 도법. 지구상의 2선이 이루는 각(角)은, 지도상에서 상등(相等)하게 투영(投影)됨. 그러나, 길이·면적(面積)은 왜곡(歪曲)을 받음. 등각(等角) 도법.
정:-각뿔【正角—】명〖수〗밑면이 정다각형이고, 옆면이 모두 이등변 삼각형인 각뿔. 정각추(正角錐).
정각-사【征推司】명〖역〗조선 말기에 외교 통상 사무를 맡아 보도록 설치한 관청.
정:-각주【正角柱】명〖수〗정각기둥. *사각주·직각주.
정:-각추【正角錐】명〖수〗'정각뿔'의 구용어.
정간[1]【丁艱】명 정우(丁憂). ——-하다 자여불
정간[2]【井間】명 바둑판 등과 같이 종횡으로 여러 평행선을 그어 '井'자 모양으로 된 각각의 간살. 사란(絲欄).
정:간[3]【正間】명〖건〗건물의 중앙에 있는 간.
정:간[4]【正諫】명 윗사람에게 바른 말로 간함. ——-하다 타여불
정간[5]【停刊】명 감독 관청(監督官廳)의 명령(命令)으로 신문·잡지 등의 정기 간행물(定期刊行物)의 간행을 한때 중지함. *폐간(廢刊). ¶~ 처분(處分). ——-하다 타여불
정간[6]【楨幹】명 ①나무의 으뜸되는 줄기. ②사물(事物)의 근본(根本)을 뜻하는 말.
정간[7]【精簡】명 정선(精選). ——-하다 타여불
정간[8]【精懇】명 정성스럽고 간절함. ——-하다 형여불
정간-보【井間譜】명〖악〗소리의 길이를 똑똑히 표시할 수 있는 특징을 지닌 옛날 악보(樂譜). 1정간 1박(拍)이 원칙이나 악곡(樂曲)에 따라 2정간 1박, 3정간 1박으로도 기보(記譜)함. 조선 시대 세종(世宗) 때 창안되었음.
정간색 서리【井間色書吏】명〖역〗문서를 고준(考準)하여 착오 여부를 간심(看審)하는 서리(書吏).
정간-자【釘竿子】명 물레의 가락.
정간-지【井間紙】명 글씨를 쓸 때에 글자의 간격을 고르게 하기 위하여 종이 밑에 받치는 정간(井間)을 그은 종이. 영지(影紙).
정간-치다【井間—】자 정간을 그어서 만들다.
정갈-스럽다 형ㅂ불 정갈하게 보이다. 정갈한 성벽(性癖)이 있다. 정갈-스레 부
정갈-하다 형여불 모양이나 옷 따위가 정하고 깨끗하다. 정갈-히 부
정감[1]【廷監】명〖역〗갑오 개혁(甲午改革) 이후(以後)에 '무감(武監)'의 고친 이름.
정감[2]【停減】명〖역〗흉년이 들어 백성이 조세(租稅)·환곡(還穀)을 제대로 내기 어려울 때에 나라에서 그 정도에 따라 받지 아니하든지 감하여 주는 일. ——-하다 타여불
정감[3]【情感】명 정조(情調)와 감흥(感興). ¶~이 넘치다.
정감[4]【情感】명 ①정령(精靈)이 느낌. ②신령이 느낌. ③정성으로써 움직이게 함. ——-하다 자타여불
정감[5]【精鑑】명 ①자세히 관찰(觀察)함. ②뛰어난 감식(鑑識). ——-하다 타여불
정:감-록【鄭鑑錄】[—녹] 명〖책〗조선 초에 만들어졌다는 참서(讖書). 풍수학상(風水學上)으로 본 조선 건국 후 역대의 변천 등을 예언한 책. 정감(鄭鑑)과 이담(李湛)의 문답을 기록한 책이라 하나 이본(異本)이 많아서 확실한 것은 알 수 없음. 1책.
정:-갑손【鄭甲孫】명〖사람〗조선 세종(世宗) 때의 명신. 자는 인중(仁仲), 동래(東萊) 사람. 대사헌이 되어 대강(臺綱)을 크게 바로잡아 세종의 신임을 얻었으며, 뒤에 좌참찬 겸 이조 판서에 이르렀음. 중종(中宗) 때 청백리(淸白吏)에 녹선됨. 많은 일화(逸話)를 남김. 시호는 정절(貞節). [?-1451]
정:강[1]【政綱】명 ①정치의 대강(大綱). ②정부 또는 정당(政黨)이 국민(國民)에 대하여 실현(實現)을 공약(公約)한 정책(政策)의 대강. ¶~을 발표하다.
정강[2]【精剛】명 뛰어나고 강함. ——-하다 형여불
정강[3]【精強】명 올차고 셈. 정력(精力)이 있고 강함. 정강(精彊). ——-하다 형여불
정강[4]【精鋼】명 정련(精鍊)한 강철.
정강[5]【精彊】명 정강(精強). ——-하다 형여불
정강-마루 명〖생〗정강이뼈 앞 거죽의 마루가 진 곳.
정강-말 명 정강이의 힘으로 걷는 말이란 뜻으로, 무엇을 타지 아니하고 제발로 걷는 일을 농으로 이르는 말. 적각마(赤脚馬).
　정강말(을) 타다 구 아무 것도 타지 아니하고 제발로 걷다.
정강-뼈 명〖생〗↗정강이뼈.
정강-산【井崗山】명〖지〗'징강산'을 우리 음으로 읽은 이름.
정:강-왕【定康王】명〖사람〗신라 제50대의 왕. 휘(諱)는 황(晃). 경문왕(景文王)의 제2자로 진성 여왕(眞聖女王)의 오빠. 몸이 약하여 재위 2년에 승하하였음. 황룡사(皇龍寺)에 백고좌(百高座)를 베풀고 청강(聽講)하였으며, 이찬(伊飡) 김요(金蕘)의 반란을 평정하였음. 능은 보리사(菩提寺) 동남쪽에 있음. [재위 886-887]
정강의 변:【靖康—變】[— / —에—] 명〖역〗〔정강은 당시의 연호(年號)〕1127년 금(金)나라 태종(太宗)이 송(宋)나라 서울 변경(汴京)을 쳐서 휘종(徽宗)과 흠종(欽宗)을 비롯하여 많은 정신(廷臣)을 포로(捕虜)로 하여 북으로 돌아간 사변. 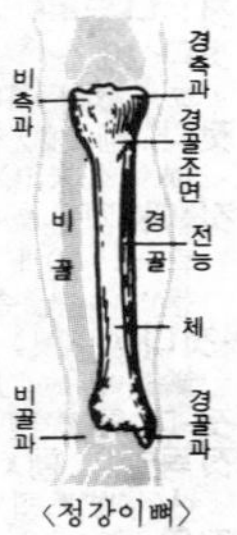
정강이 명〔근대:경강〕아랫다리의 앞 몸. 곧, 다리 아랫마디의 앞쪽의 뼈가 마루를 이룬 부분.
정강이-가리개 명〖고고학〗정강이에 대는 금속제의 갑옷의 일부. 경갑(脛甲).
정강이-뼈 명〖생〗하지골(下肢骨)의 하나로 하퇴부(下腿部) 안쪽에 있는 긴 뼈. 비골(腓骨)·슬개골(膝蓋骨)과 함께 하퇴골(下腿骨)을 이룸. 경골(脛骨). 준 정강뼈.

〈정강이뼈〉

정:개[1]【正開】명〖역〗후백제 임금 견훤(甄萱)의 다년호. 건국 10년(901)부터 19년까지의 10년 동안.
정:개[2]【定改】명〖천주교〗다시 죄를 짓지 않기로 결심하는 고해(告解)의 다섯 가지 요건 중의 하나.
정개[3]【政開】명〖역〗태봉(泰封)의 다년호. 건국 14년(914)부터 18년 멸망할 때까지의 5년 동안.
정:-개청【鄭介清】명〖사람〗조선 선조(宣祖) 때의 도학자. 자(字)는 의백(義伯), 호는 곤재(困齋). 고성 정씨(固城鄭氏)의 시조. 서인(西人) 박순(朴淳)에게 10여 년간 배웠으며, 이산해(李山海)의 추천으로 곡성현감(谷城縣監)이 되자, 스승을 배반했다는 비방을 받음. 정여립(鄭汝立)의 옥사 때, 그와 교분이 두터웠던 탓으로 연루되어 유배 도중 사망했음. 저서 ≪수수기(隨手記)≫·≪우득록(愚得錄)≫. [1529-90]
정:객[1]【正客】명 정좌(正座)의 손님. 정빈(正賓). 주빈(主賓).
정객[2]【政客】명 정치에 종사하는 사람.
정객[3]【偵客】명 정탐꾼.
정갱이 명〈방〉정강이(경기·강원·충청·전라·경상).
정갱이-뼈 명〈방〉정강이뼈.
정거[1]【停車】명 가던 차가 머무름. 또, 머무르게 함. 정차(停車). ¶급~. ——-하다 자타여불
정거[2]【停擧】명〖역〗유생(儒生)에게 얼마의 연한(年限) 동안 과거(科擧)를 보지 못하게 하는 벌(罰). ——-하다 타여불
정:거[3]【鄭渠】명〖지〗정국거(鄭國渠).
정거[4]【靜居】명 세상 일을 떠나 한가히 지냄. ——-하다 자여불
정거-장【停車場】명 열차(列車)를 정지시켜 여객(旅客)·화물(貨物)을 취급하는 곳.
정:건 삼절【鄭虔三絕】명〔중국 당(唐)나라의 정건이, 시(詩)·서(書)·화(畫)의 삼예(三藝)에 절묘(絕妙)했던 데서 유래〕남의 산수화(山水畫)를 칭찬할 때 쓰는 말.
정걸【挺傑】명 남달리 썩 뛰어난 걸출(傑出).
정것-대【停車—】명 자전거 따위에서 손으로 눌러서 정거하게 하는 간단한 장치.
정게 처대〈방〉저기(함경).
정:격[1]【正格】[—껵] 명 ①바른 격식. 정당한 규격(規格). ↔변격(變格). ②〖문〗한시(漢詩) 작법상(作法上) 절구(絕句)·율시(律詩) 등에 있어서 구(句)의 둘째 자(字)가 측(仄)자로 시작되는 일. ¶~ 활용(活用). ↔편격(偏格).
정:격[2]【定格】[—껵] 명〔rating〕〖물〗발전기·전동기·변압기의 전동기 기기(器機)에 대하여 제조자(製造者)가 규정한 사용 한도. ¶~ 전압/~ 전류.
정격[3]【政格】명〖역〗관원(官員)의 임면(任免)·출척(黜陟)에 관(關)한 법식(法式).
정격[4]【霆擊】명 벼락을 침. ——-하다 자여불
정:격 마:력【定格馬力】[—껵—] 명〔rated horse power〕〖기계〗엔진·터빈 모터, 그 밖의 원동기(原動機)가 연속해서 내는 정규(正規)의 최대 출력(最大出力).
정:격 부:하【定格負荷】[—껵—] 명〔rated load〕〖전〗기계의 설계상(設計上)의 최대 부하.
정:격 전:압【定格電壓】[—껵—] 명〖전〗전기 기기(電氣器機)의 정격 출력(出力)을 정할 때 제조업자(製造業者)가 지정한 전압(電壓). *정격 출력(出力).
정:격 종지【正格終止】[—껵—] 명〖악〗'바른마침'의 한자 이름.
정:격 출력【定格出力】[—껵—] 명〖경〗제조업자가 기기(器機)에 대하여 보증하는 사용 한도를 그 기기의 출력으로 표시(表示)한 것. *정격 전압.
정:격 활용【正格活用】[—껵—] 명〖언〗규칙 활용.
정:견[1]【正見】명〖불교〗팔정도(八正道)의 하나. 사제(四諦)의 이치(理致)를 알고 제법(諸法)의 진상(眞相)을 바르게 판단하는 지혜(智慧). ↔사견(邪見).
정:견[2]【定見】명 일정한 주견(主見). ¶저 자는 도무지 ~이 없다.
정견[3]【政見】명 정치상의 의견. 정치에 관한 식견(識見). ¶~ 발표.
정결[1]【貞潔】명 정조(貞操)가 굳고 행실이 결백(潔白)함. ¶~한 부인. ——-하다 형여불. ——-히 부
정결[2]【淨潔】명 정하고 깨끗함. 결정(潔淨). ¶~한 환경/~한 생애를 보내다. ——-하다 형여불. ——-히 부
정결[3]【精潔】명 깨끗하고 조촐함. 건정(乾淨). ¶~한 암자. ——-하다 형여불. ——-히 부
정결-스럽다【精潔—】형ㅂ불 깨끗하고 조촐한 느낌이 있다. 정결-스레【精潔—】부

정:-결정【正結晶】[一쩡] 명 [positive crystal] 〖광〗 단축(單軸) 결정에서, 이상(異常) 광선에 대한 굴절률(屈折率)이 정상 광선에 대한 굴절률보다 큰 결정체. 양성(陽性) 결정이라고도 함.

정-겹다【情一】 형 ㅂ불 정에 넘치는 듯하다. 매우 다정하다. ¶정겨운 미소(微笑).

정경[1]【井陘】명 〖지〗 '징싱'을 우리 음으로 읽은 이름.

정:경[2]【正逕】명 옳고 바른 길. 정도(正道).

정:경[3]【正卿】명 〖역〗 조선 시대 때, 정이품(正二品) 이상의 벼슬인 의정부(議政府) 참찬(參贊), 육조(六曹)의 판서(判書), 한성부(漢城府) 판윤(判尹), 홍문관(弘文館) 대제학(大提學) 등을 아경(亞卿)에 대하여 이르는 말.

정:경[4]【正經】명 ①행하여야 할 바른 길. ②올바른 유교(儒敎)의 책. ③〖기독교〗 구약과 신약의 총칭. ④〖천주교〗 구약과 신약과 외경(外經)의 총칭.

정경[5]【政經】명 정치와 경제. ¶～ 분리.

정경[6]【情境 : 情景】명 ①정(情)과 경(景). 곧, 감흥과 경치. ②가엾은 처지에 놓여 있는 딱한 경상(景狀). ¶눈물겨운 ～. *정상(情狀)·정적(情迹)·정지(情地)·정형(情形)·정황(情況).

정:경[7]【靜景】명 조용한 장소.

정:경계-장【正經界章】[一짱] 명 〖악〗 악장(樂章)의 이름. 군신(君臣)이 연향(宴享)할 때 쓰는 문덕곡(文德曲)의 세째 장. 정도전(鄭道傳)이 지었다고 함.

정경공-도【貞敬公徒】명 〖역〗 [정경(貞敬)은 황영(黃瑩)의 시호(諡號)] 고려의 사학(私學) 십이도(十二徒)의 하나. 평장사(平章事) 황영(黃瑩)이 세웠음.

정경-구【井陘口】명 〖지〗 '징싱커우'를 우리 음으로 읽은 이름.

정:경 대:원【正經大原】명 바른 길과 큰 원칙(原則).

정경-대학【政經大學】명 〖교〗 정치학과(政治學科), 경제학과 등 사회 과학 계통의 학과로 이루어진 단과(單科) 대학의 하나.

정경 부인【貞敬夫人】명 〖역〗 조선 시대 때 정·종일품(正從一品)의 문무관(文武官)의 아내의 봉작(封爵). 고종(高宗) 2년(1865)부터 문무관·종친(宗親)의 아내의 봉작으로 병용(並用)하였음. 정부인(貞夫人)의 윗 품계(品階).

정경 분리【政經分離】[一불一] 명 〖정〗 국제 외교에서, 정치와 경제를 분리하여 각각 독자적인 정책을 취하는 일. ¶～ 정책.

정:-경(:)선【鄭敬善】명 〖사람〗 조선 시대 초기의 의학자. 정종(定宗) 1년(1399) 왕명으로 ≪향약 제생 집성방(鄕藥濟生集成方)≫을 편찬하여 향약 연구의 기초를 마련함. 생몰년 미상.

정:-경세【鄭經世】명 〖사람〗 조선 인조(仁祖) 때의 성리학자(性理學者). 자(字)는 경임(景任), 호는 우복(愚伏)·일묵(一默)·하거(荷渠). 진주(晋州) 사람. 유성룡(柳成龍)의 문인. 인조 때 이조 판서와 대제학(大提學)을 겸하였음. 예론(禮論)에 밝아 김장생(金長生) 등과 함께 예학파(禮學派)로 불리었음. 문집에 ≪우복집(愚伏集)≫이 있음. 시호는 문장(文莊). [1563-1633]

정:-경(:)흠【鄭慶欽】명 〖사람〗 조선 시대 중기의 학자. 자는 선숙(善叔), 호는 육오당(六吾堂). 하동(河東) 사람. 송시열(宋時烈)의 문인. 예론(禮論)에 밝았고, 그림에도 뛰어나 인물·난초·포도·대를 잘 그렸음. ≪황여도(皇輿圖)≫·≪동여도(東輿圖)≫를 편찬했으며, 저서에 ≪육오당 일기(日記)≫가 있음. [1620-78]

정:계[1]【正系】명 바른 혈통(血統). 바른 계통(系統). 적종(嫡宗).

정:계[2]【定界】명 ①일정한 한계 또는 경계. ②한계 또는 경계를 정함. ¶～비(碑). ——-하다 타 여불

정계[3]【政界】명 정치 및 정치가의 세계. 정치 활동에 관계되는 사회. 정해(政海). ¶～의 거물(巨物)／～를 떠나다.

정계[4]【政誡】명 〖역〗 고려 태조(太祖) 왕건(王建)이 신하로서 지켜야 할 규범에 관해서 기록한 책. 왕권의 강화를 위하여 국민들을 교화시키려는 저서로 추정되나 전해지지 아니함.

정계[5]【庭階】명 뜰과 계단. 전(轉)하여, 문안·집안.

정:계[6]【淨戒】명 〖불교〗 오덕(五德)의 하나. 부처의 청정(淸淨)한 계행(戒行). 오계(五戒)·십계(十戒) 등. 불계(佛戒).

정:계[7]【淨界】명 ①정하고 깨끗한 곳. 곧, 신불(神佛)을 모시는 곳. ②〖불교〗 정토(淨土)❶.

정계[8]【停啓】명 〖역〗 전계(傳啓) 속에서 죄인의 이름을 삭제(削除)함.

정계[9]【晶系】명 결정계(結晶系). └——-하다 타 여불

정계[10]【精系】명 〖생〗 고환(睾丸)에서 복벽(腹壁)으로 연해있는 새끼 손가락만한 크기의 편평한 원주상(圓柱狀)의 줄. 그 속에 수정관(輸精管)·림프(lymph)·신경·동맥·정맥 등이 들어 있음.

정:계-비【定界碑】명 〖역〗 백두산 정계비.

정:계-장【定繫場】명 선박을 계류(繫留)하는 일정한 장소.

정:계-표【定界標】명 한계를 정하여 세우는 푯말.

정:계-함【定繫艦】명 일정한 항구에 계류(繫留)하는 함선(艦船).

정:계-항【定繫港】명 선박(船舶)을 계류(繫留)하는 일정한 항구.

정고[1]【貞固】명 마음이 곧고 굳음. 정도(正道)를 굳게 지킴. ——-하다 형 여불

정고[2]【庭誥】명 가교(家敎).

정고[3]【旌鼓】명 기(旗)와 북.

정고[4]【鉦鼓】명 징과 북. 행군할 때 징은 군사를 정지시키고 북은 군사를 움직임. 전(轉)하여, 병사(兵事)의 뜻으로 쓰임.

정고[5]【艇庫】명 보트(boat)를 넣어 두는 창고.

정:-고미천【正苦味泉】명 고미천의 한 가지. 물 1kg 가운데 고형 성분(固形成分) 1g 이상을 함유하고, 음(陰)이온으로서 황산 이온, 양(陽)이온으로서 마그네슘 이온이 주성분이 되는 광천(鑛泉). 대개 냉천(冷泉)이며 주로 음용 요법(飮用療法)의 하제(下劑)로 쓰임.

정:곡[1]【正鵠】명 ①과녁의 한가운데 되는 점(點). ②목표 또는 핵심(核心)의 비유. 곡적(鵠的). ¶～을 찌르다.

정곡[2]【情曲】명 간곡(懇曲)한 정. 심곡(心曲).

정곡[3]【精穀】명 깨끗이 쓿은 곡식.

정:-곤수【鄭崑壽】명 〖사람〗 조선 시대 중기의 문신. 초명은 규(逵), 곤수는 선조(宣祖)의 하사명(下賜名). 자는 여인(汝仁), 호는 백곡(栢谷). 청주(淸州) 사람. 강원도 관찰사(觀察使) 때 단종(端宗)의 능에 사묘(祠廟)를 세우고 위판(位版)을 봉안(奉安)했고, 황해도 관찰사 때는 대기근(大飢饉)을 구제함. 임진 왜란 때 명(明)나라에 가서 구원병을 청해 오는 등 대명 외교(對明外交)에 큰 공을 세움. 청백리(淸白吏)에 녹선됨. 문집에 ≪백곡집(栢谷集)≫이 있음. 시호는 충익(忠翼). [1530-1602]

정:골[1]【正骨】명 〖한의〗 '접골(接骨)'의 한의학 용어. ——-하다 타 여불

정:골[2]【整骨】명 접골(接骨). ¶～의(醫). ——-하다 타 여불

정:골-원【整骨院】명 〖의〗 정골하는 병원. 접골원(接骨院).

정곳【頂一】명 갓모자의 꼭대기의 한가운데.

정:공[1]【正孔】명 [positive hole] 〖물〗 반도체(半導體)의 결정(結晶)에서 가전자(價電子)가 결핍되어 생긴 구멍. 양(陽)의 전하(電荷)와 양(陽)의 질량(質量)을 가진 입자(粒子)처럼 행세하여 전기 전도(電氣傳導)의 캐리어(carrier)가 됨. 홀(hole).

정:공[2]【正攻】명 ①정면(正面)으로 하는 공격. ¶～ 돌파 작전. ②기계(奇計)·모략(謀略)을 쓰지 아니하고 정정 당당(正正堂堂)히 하는 공격. ——-하다 타 여불

정:공[3]【正供】명 〖역〗 부세(賦稅)·방물(方物)의 정당한 부담(負擔).

정공[4]【停工】명 정역(停役). ——-하다 타 여불

정공[5]【精工】명 정교(精巧)하게 공작(工作)하는 일. 또, 그 공작물(物). ——-하다 타 여불

정공-등【丁公藤】명 〖식〗 마가목.

정:공-법【正攻法】[一뻡] 명 기계(奇計)·모략 등을 쓰지 않고 정정 당당하게 공격하는 방법. ¶～을 쓰다.

정공 식물【挺空植物】명 〖식〗 월동아(越冬芽)가 지상(地上) 30cm 이상의 위치에 나는 식물.

정:과[1]【正果】명 온갖 과실·새앙·연근(蓮根)·인삼 등을 꿀이나 설탕물에 조리어 만든 과자. 전과(煎果).

정:과[2]【正科】[一꽈] 명 〖역〗 문과(文科)와 무과(武科)의 통칭(通稱). ↔잡과(雜科).

정:과[3]【正課】[一꽈] 명 학교 같은 곳에서 배워야 할 정규(正規)의 과업(課業).

정:-과정【鄭瓜亭】명 〖악〗 ≪악학 궤범(樂學軌範)≫에 전하는 고려 가요의 하나. 의종(毅宗) 때 정서(鄭敍)가 지은 노래로, 정배지(定配地)인 동래(東萊)에서 자기의 외로운 신세를 산접동새에 비기어 임금을 사모하는 절절한 심정을 읊은 것임. 형식은 십구체(十句體)이고, 곡조는 가장 빠른 삼진작(三眞勺)임. 정과정곡(鄭瓜亭曲).

정:과정-곡【鄭瓜亭曲】명 〖악〗 정과정.

정:관[1]【正官】명 으뜸의 관리(官吏). 버금이나 다음의 관리에 대하여 쓰는 말.

정관[2]【呈官】명 관부(官府)에 소장(訴狀) 같은 것을 제출하여 하소연함. 관정(官呈). ——-하다 타 여불

정:관[3]【定款】명 〖법〗 회사·공익 법인(公益法人)·협동 조합 그 밖에 일반적으로 사단 법인(社團法人)의 목적·조직 및 그 업무 집행에 관한 기본 규칙. 또, 그것을 기재(記載)한 문서.

정관[4]【政官】명 〖역〗 ①전관(銓官). ②↗정관사(政官司).

정관[5]【情款】명 두터운 정의(情誼).

정관[6]【精管】명 〖생〗 수정관(輸精管). ¶～ 수술. ↔난관(卵管).

정:관[7]【靜觀】명 ①조용히 사물을 관찰함. 주위의 정세의 변화에 따라서 움직이지 아니하고 조용히 사태의 추이(推移)를 바라봄. ¶사태를 ～하다. ②[contemplation] 〖철〗 실천적 관여(實踐的關與)의 입장을 떠나 현실적 관심(現實的關心)을 버리고 순객관적(純客觀的)으로 바라봄. 순이론적(純理論的) 관찰(觀察). ③〖철〗 무상(無常)한 현상계(現象界)의 속에 있는 불변의 본체적(本體的)·이념적(理念的)인 것을 심안(心眼)에 비추어서 바라봄. 체관(諦觀). 관조(觀照). 명상(冥想). 묵상(默想). ——-하다 타 여불

정:-관검【鄭觀儉】명 〖사람〗 조선 시대 말기의 서예가. 자는 경용(景容), 호는 학파(鶴坡). 연일(延日) 사람. 일찍부터 서예를 익혀 진촉(晉蜀)의 모든 명가(名家)의 필법을 체득하였으며, 특히 촉체(蜀體)를 잘 썼음. 만년에 필법이 더욱 신묘하여 원근에서 금석(金石)·편액(扁額)을 구하러 운집하였다고 함. [1813-83]

정:-관사[1]【定冠詞】명 〖언〗 관사의 하나. 모든 명사 앞에 붙어서 강한 지시(指示)·한정(限定)의 뜻을 나타냄. 영어의 the, 프랑스어의 le, la, les, 독일어의 der, die, das, 스페인어의 el, la, los 등. ↔부정 관사(不定冠詞).

정관-사[2]【政官司】명 〖역〗 신라의 관아 이름. 대사(大舍) 한 사람과 사(史) 두 사람으로 구성되었는데 원성왕(元聖王) 때에 이 곳에 승관(僧官)을 두어 승려 가운데서 재주와 행실 있는 사람을 뽑아서 시키었음. 정법사(政法司). ㊀정관(政官).

정관 수술【精管手術】명 〖의〗 남성에게 하는 피임(避姙) 수술. 정관의 일부를 절제(切除)하여 실로 묶거나 전기로 지지거나 하여 정액(精液)의 배출을 막음.

정관의 치【貞觀一治】[一／一에一] 명 〖역〗 [정관은 태종의 연호] 중국 당(唐)나라 태종의 선정(善政). 태종은 방현령(房玄齡) 등의 명신(名

臣)을 등용하여 율령(律令)의 찬정(撰定), 군정(軍政)의 정비, 학예(學藝)의 장려 등에 힘써 선정을 베풀고 국세를 내외에 떨치니, 이것이 당나라의 극성 시대였음. *개원(開元)의 치.

정:관-적【靜觀的】명관 정관하는 모양. ¶~인 태도.

정관 정요【貞觀政要】명〖책〗중국 당(唐)나라 오 긍(吳兢)이 지은 책. 태종(太宗)의 가언 선행(嘉言善行)을 기록하였음. 10 권(卷).

정:광[1]【正匡】명〖역〗①태봉(泰封)의 한 벼슬. ②고려초에 태봉의 제도를 따서 정한 문무(文武)의 관호(官號). 성종(成宗) 14년(995)에 특진(特進)으로 고쳐서 문반(文班)의 관계(官階)로 정하고, 충선왕(忠宣王) 2년(1310)에 정이품의 하(下)로 하였다가 공민왕 5년(1356)에 폐함. ③고려 때 향직(鄕職)의 이품(二品).

정광[2]【頂光】명〖불교〗부처·보살의 머리에서 비치는 원광(圓光). 후광(後光).

정광[3]【晶光】명 밝은 빛. 번쩍번쩍하는 빛.

정광[4]【靖匡】명 천하(天下)를 편안(便安)하게 잘 다스리어 바로잡음. ——-하다 자여불

정광[5]【精鑛】명〖광〗선광(選鑛) 작업에 의하여 불필요 성분이 제거되고 유용(有用) 성분의 함유율이 높아진 광물. 금속 광석의 경우는 이것이 제련(製鍊)의 원료가 됨.

정:-광필【鄭光弼】명〖사람〗조선 중종(中宗) 때의 문신. 자(字)는 사훈(士勛), 호는 수천(守天). 동래(東萊) 사람. 난종(蘭宗)의 아들. 중종 11년(1518) 영의정에 올랐으며, 기묘 사화(己卯士禍) 때 조광조(趙光祖)를 구하려다 파직됨. 동 22년 다시 좌의정에 이어 영의정에 오름. 시호는 문익(文翼). [1462-1538]

정-괘[1]【井卦】명〖민〗64괘의 하나. 감괘(坎卦)와 손괘(巽卦)가 거듭된 것인데, 나무 위에 물이 있음을 상징함. ㊟정(井).

정:-괘[2]【鼎卦】명〖민〗64괘의 하나. 이괘(離卦)와 손괘(巽卦)가 거듭된 것인데, 나무 위에 불이 있음을 상징함. ㊟정(鼎).

정:교[1]【正校】명〖역〗대한 제국 때 무관(武官) 계급의 하나. 하사(下士) 계급으로 특무 정교(特務正校)의 다음, 부교(副校)의 위.

정:교[2]【正敎】명〖종〗①사교(邪敎)가 아닌 바른 종교. ②〖기독교〗〔정통(正統)의 종교라는 뜻〕정교회(正敎會). ③〖대종교〗대종교 총본사(總本司)에서 전선(銓選)하는 교직(敎職).

정교[3]【政敎】명 ①정치와 종교. ¶~ 분리(分離)/~ 일치(一致). ②정치와 교육.

정교[4]【情交】명 ①썩 가깝게 사귀는 두터운 교정(交情). 친밀한 교제(交際). ②남녀 사이에 정(情)을 주고받는 교제. 또, 색정(色情)에 빠진 남녀의 교합(交合). ——-하다 자여불

정교[5]【精巧】명 정밀하고 교묘함. ¶~한 세공품(細工品). ——-하다 형여불. ——-히 부

정:-교[6]【鄭喬】명〖사람〗학자. 애국 지사. 호는 추인(秋人). 일찍이 수원 판관(水原判官)·장연 군수(長淵郡守) 등을 역임(歷任)하였으며, 광무 2년(1898) 독립 협회 간부가 되어 정부의 폐정을 직언하였음. 뒤에 제주(濟州) 군수 등을 지냈으나 한일 합방 후 은거함. 국학(國學) 관계의 많은 저술을 남겼고, 특히 편년체(編年體)로 기록한 ≪대한 계년사(大韓季年史)≫는 귀중한 사료(史料)임. [1856-1925]

정:교-도【正敎徒】명 정교(正敎)를 믿는 신도(信徒).

정교-롭다【精巧―】형ㅂ불 사물(事物)에 정교한 데가 있다. **정교-로이**【精巧―】부

정:-교사【正敎師】명〖교〗교육부 장관이 수여하는 정교사 자격증(資格證)을 가지고 정식 교사로서 복무하는 교사. 정교원(正敎員). ↔준교사(準敎師).

정:-교수【正敎授】명〖교〗대학에서 급(級)이 가장 위인 선생. 부교수(副敎授)의 위.

정:-교원【正敎員】명〖교〗정교사(正敎師). ↔준교원.

정교 일치【政敎一致】명 제정 일치(祭政一致).

정:-교점【正交點】[-쩜] 명〖천〗승교점(昇交點).

정교 조약【政敎條約】명 구미 제국(歐美諸國)에서, 특히 중시(重視)되는, 국가와 교회, 학교 교육, 혼인 등 정치와 종교 쌍방에 걸친 문제 등을 적시(適時)에 해결하거나, 정교(政敎) 양(兩)당국의 협약으로 원만히 조정(調整)하기 위해 국가와 교황청(敎皇廳)간에 체결되는 조약. 종교 협약(協約). 콘코르다트(concordat).

정:교-회【正敎會】명〔Orthodox Church〕정통(正統)의 종교를 믿는 교회라는 뜻으로 동방(東方) 교회를 일컫는 말. 정교(正敎). *그리스 교회·러시아 정교회.

정구[1]【丁口】명〖역〗성년(成年) 남자. 본디는 성년 남자를 '정', 성년 여자와 미성년 남자를 '구'라 했음. 조선 시대에는 16세면 성년이었으나 고종 때에 15세로 낮춤.

정구[2]【井臼】명 정구지역(井臼之役).

정구[3]【庭球】명 ①테니스(tennis)의 종전의 일컬음. ②연식 정구(軟式庭球)의 일컬음. ——-하다 자여불

정구[4]【停柩】명 행상(行喪) 때 상여가 길에 머무름. ——-하다 자여불

정구[5]【精究】명 정밀히 연구함. ——-하다 타여불

정:-구[6]【鄭逑】명〖사람〗조선 광해군(光海君) 때의 학자. 호(號)는 한강(寒岡). 청주 사람. 퇴계(退溪)와 남명(南冥)에게 배우고 백매원(百梅園)에서 고례(古例)를 연구하였음. 주자학(朱子學)을 연구하여 ≪심경 발휘(心經發揮)≫를 저술하였으며, 이 외에 저서로는 ≪한강집(寒岡集)≫·≪성현 풍범(聖賢風範)≫·≪무이지(武夷志)≫·≪와룡지(臥龍誌)≫·≪고금 회수(古今會粹)≫ 등이 있고 ≪청구 영언(靑丘永言)≫에 시조 3수가 전함. 시호는 문목(文穆). [1543-1620]

정구[7]【鼱鼩】명 생쥐.

정구 건즐【井臼巾櫛】명〔물을 긷고 절구질하고 낯을 씻고 머리를 빗음〕아내가 응당히 하여야 할 일의 일컬음.

정구-장【庭球場】명 정구를 치도록 설비된 경기장(競技場). 테니스 코트(tennis court).

정구지 명〈방〉〖식〗부추.

정구지-역【井臼之役】명 물을 긷고 절구질하는 일. 살림살이의 수고로움을 이르는 말. 정구(井臼).

정구-채【庭球―】명〈속〉정구를 칠 때에 쓰이는 라켓.

정구-청【停柩廳】명〖역〗인산(因山) 때, 행상(行喪)하는 도중에 상여(喪輿)를 머물러 쉬려고 임시로 베풀어 놓은 곳.

정:-구품【正九品】명〖역〗①고려 벼슬 품계의 하나. 문산계(文散階)로는 문종(文宗) 때에 둔 상(上) 유림랑(儒林郞), 하(下) 등사랑(登仕郞), 충렬왕(忠烈王) 때에 고친 통사랑(通仕郞). 무산계(武散階)로는 상(上) 인용 교위(仁勇校尉), 하(下) 인용 부위(仁勇副尉) 등. ②조선 시대 벼슬 품계의 하나. 문관(文官)의 종사랑(從仕郞), 무관(武官)의 효력 부위(效力副尉), 잡직(雜職)의 동반(東班)은 복근랑(服勤郞), 서반(西班)은 치력 부위(致力副尉), 토관(土官)의 동반은 계사랑(啓仕郞), 서반은 여력도위(勵力徒尉).

정국[1]【政局】명 정치의 국면(局面). 정치계의 형편. ¶~ 안정(安定).

정국[2]【庭鞫】명〖역〗의금부(義禁府) 또는 사헌부(司憲府)에서 왕명(王命)에 의하여 죄인을 국문(鞫問)하는 일. ——-하다 타여불

정:국[3]【靖國】명 나라를 진정(鎭定)함. 진국(鎭國). ——-하다 자여불

정:국-거【鄭國渠】명〖지〗중국 전국 시대(戰國時代)에 파서 만든 강(江) 이름. 징허(涇河)를 갈라서 싼위안(三原)·푸청(蒲城) 등 여러 현계(縣界)를 지나 뤄수이(洛水)로 흘러가게 하였음. 정거(鄭渠).

정:국 공신【靖國功臣】명〖역〗조선 중종(中宗) 원년(1506)에 연산군(燕山君)을 내쫓고 중종(中宗)을 세운 공신 박원종(朴元宗) 등 107인에게 내린 훈호(勳號).

정:군[1]【正軍】명〖역〗조선 시대 때, 장정(壯丁)으로 군역(軍役)에 복무하는 병종(兵種). 대부분 일반 농민으로 구성됨. 정병(正兵).

정:군[2]【整軍】명 군대를 정비·재편함. ——-하다 자여불

정:군-산【定軍山】명〖지〗'딩쥔 산'을 우리 음으로 읽은 이름.
정:군산 같다 구 사물이 아주 튼튼함을 비유하는 말.

정:궁[1]【正宮】명〖역〗제왕의 정실(正室). 곧, 왕비(王妃)나 황후(皇后)를 후궁(後宮)에 대하여 이르는 말. ↔후궁(後宮).

정:궁[2]【淨宮】명〖불교〗절. 사찰(寺刹).

정:권[1]【正權】명 정당한 권리.

정권[2]【呈券】명〖역〗과거(科擧)의 답안(答案)을 시관(試官)에게 드림. ——-하다 자여불

정권[3]【政權】[-꿘] 명〖정〗정치상의 권력. 정부를 조직하여 정치를 담당하는 권력. 정병(政柄). ¶~을 잡다.

정권 교체【政權交替】[-꿘-] 명 정권이 교체되는 일. ¶평화적인 ~.

정권 분답【呈券紛遝】명〖역〗조선 시대 때, 과거(科擧) 제도의 팔폐(八弊)의 하나. 시험 답안지를 바꿔쳐서 내는 일.

정권-욕【政權慾】[-꿘뇩] 명 정권을 탐하는 마음.

정권 쟁탈【政權爭奪】[-꿘-] 명 정권을 서로 다투어 빼앗음. ——-하다 자여불

정:궤[1]【正軌】명 정규(正規).

정:궤[2]【淨几】명 깨끗한 책상.

정귀【精鬼】명 죽은 사람의 혼령. 정령(精靈).

정:규[1]【正規】명 바른 규정. 정식의 규정. 정식으로 정해져 있음. 정칙(正則). 정궤(正軌). ¶~군(軍)/~ 과정.

정:규[2]【定規】명 ①일정한 규약. 또, 규칙. ②제도(製圖)에 쓰는 제구의 한 가지. 그 모양에 따라 삼각 정규·사각 정규·직각 정규·원형 정규 등 여러 가지가 있음. 자.

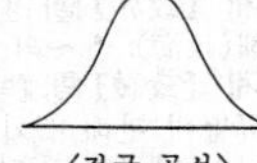
〈정규 곡선〉

정:규 곡선【正規曲線】명〔normal curve〕〖수〗좌우 대칭(左右對稱)의 산형 곡선(山形曲線). 정상 곡선(正常曲線). *정규 분포(正規分布).

정:규-군【正規軍】명〖군〗한 나라의 정부 소속 아래 제도화되어 정식 훈련을 받은 군대.

정:규 등:고선【正規等高線】명〔accurate contour〕〖지〗기준 고도 간격의 2분의 1 이내의 정도(精度)를 갖는 등고선.

정:규 분포【正規分布】명〔normal distribution〕〖수〗도수 분포 곡선(度數分布曲線)이 정규 곡선(正規曲線)이 되는 것과 같은 분포(分布). 정상 분포(正常分布). 가우스(Gauss) 분포 *정규 곡선(正規曲線).

정:규 윤회【正規輪廻】명〖지〗하천(河川)의 침식 작용에 의하여 이루어지는 윤회.

정:-균[1]【鄭筠】명〖사람〗고려 의종(毅宗)·명종(明宗) 때의 무신. 중부(仲夫)의 아들. 명종 4년(1174) 지병마사(知兵馬使)로 조위총(趙位寵)의 난을 평정할 때 승병(僧兵)을 꾀어 이의방(李義方)을 죽임. 그 아버지와 함께 횡포를 일삼다가 명종 9년(1179) 장군 경대승(慶大升)에게 죽음. 생몰년 미상.

정:균[2]【靜菌】명〔bacteriostasis〕〖생〗세균의 성장(成長)·대사(代謝)가 저해(沮害)되는 일.

정:균 작용【靜菌作用】명〔bacteriostasis〕세균의 증식(增殖)을 저지(沮止)하는 작용.

정:극[1]【正極】명〖물〗전기(電氣)에서는 양극(陽極), 자기(磁氣)에서는 북(北)을 가리키는 극(極). ↔부극(負極).

정:극[2]【正劇】명〖연〗가면극(假面劇)·인형극(人形劇)·창극(唱劇) 등에 대하여 보통 연극을 일컫는 말.

정:극[3]【定極】명 ①궁극에 달함. 끝이 남. ②머물러 영주(永住)하는 곳. ——-하다 자여불

정:극[4]【靜極】명 〖생〗 동물의 난세포(卵細胞)를 자연 그대로의 위치에 놓아 둘 적에 밑이 되는 부분. 많은 영양분과 함께 난황(卵黃)이 들어 있음. 식물극(植物極). ↔동극(動極).

정:극[5]【靜劇】명〔static drama〕〖연〗 근대극(近代劇)의 한 양식. 무대 위의 정조적(情調的) 효과를 중시하여 될수록 적은 동작과 대사(臺詞)로 내면적 갈등을 표현하는 극. 입센(Ibsen)·마테를링크(Maeterlinck) 등에서 흔히 볼 수 있음.

정:-극영【鄭克永】명〖사람〗 고려 예종(睿宗) 때의 학자. 자는 사고(師古). 중서 사인(中書舍人) 등을 거쳐 인종(仁宗) 원년(1123) 한림 학사로 보문각 학사(寶文閣學士)가 되었으나 권신 이자겸(李資謙)의 참소로 유배되었다가 자겸의 사후, 평장사(平章事) 최홍사(崔弘嗣)와 함께 송(宋)나라로 가서 문명(文名)을 크게 떨침. [1067-1127]

정-극인【丁克仁】명〖사람〗 조선 시대 때의 문신·학자. 자는 가택(可宅), 호는 불우헌(不憂軒)·다헌(茶軒)·다각(茶角). 영광(靈光) 사람. 세종(世宗) 11년(1429)에 생원이 되고, 단종(端宗) 원년(1453)에 식년 문과(式年文科)에 급제, 정언(正言)에 이르러 단종이 왕위를 빼앗기자 사직하고 고향에 돌아가 후진을 가르침. 국문학사상 최초의 가사 ≪상춘곡(賞春曲)≫을 지음. 저서≪불우헌집(不憂軒集)≫. [1401-81]

정:극-적【靜劇的】명 관 정극과 같은 모양.

정:근[1]【定根】명 ①〖식〗 식물이 종자로부터 발아할 때 배(胚)의 유근(幼根)이 발육·성장해서 땅 속에 곧게 뻗어 주축(主軸)이 되는 뿌리. 주근(主根). 제뿌리. ②〖불교〗 오근(五根)의 하나. 일체의 공덕(功德)을 낳게 한다는 뜻에서, 선정(禪定)을 뿌리에 비유해서 이르는 말. *정력(定力).

정근[2]【情近】명 정분(情分)이 매우 가까움. ——-하다 형여불

정근[3]【精勤】명 쉬지 않고 부지런히 힘씀. ¶~상(賞). ——-하다 형여불

정근-장【精勤狀】[—짱] 명 정근(精勤)한 사람을 표창하여 주는 상장(賞狀).

정글〔jungle〕명 ①열대의 밀림(密林). 또, 그 지대(地帶). ②약육 강식하는 열대 밀림의 냉혹한 현실에서, 권투 경기의 링의 일컬음. ¶사각(四角)의 ~.

정글다 자 〈방〉 저물다.

정글 북〔The Jungle Book〕명〖문〗 영국의 소설가 키플링(Kipling, R.)의 소설. 1894년 발간. 속편은 1895년 발간. 합계 15편의 이야기로 이루어짐. 정글에서 길을 잃은 소년이 늑대에게 키워져, 동물들의 규범을 지켜 정글의 지도자가 되었다가 성인이 되어 인간의 세계에 돌아갈 때까지를 묘사함.

정글 짐〔jungle gym〕명 아동용의 운동구. 둥근 나무나 철봉을 종횡(縱橫)으로 조립(組立)하여 만들었음. 아이들이 올라갔다 내려갔다 하며 놂.

〈정글짐〉

정글-화【—靴】〔jungle〕명 정글에서 신도록 만든 신.

정:금[1]【正金】명 ①순금(純金). ②〖경〗 지폐에 대하여 금은(金銀)으로 만든 정화(正貨). 금은 화폐. ¶~으로 지불하다.

정:금[2]【整襟】명 옷깃을 여미어 모양을 바로잡음. ——-하다 자여불

정금-나무 명〖식〗[*Vaccinium oldhami*] 석남과(石南科)에 속하는 낙엽 활엽 관목. 잎은 달걀꼴 또는 타원형임. 5-6월에 홍백색의 꽃이 이삭 모양의 총상(總狀) 화서로 정생(頂生)하고 장과(漿果)는 가을에 까맣게 익음. 산 중턱에 나는데 전남북·경남·충남·황해도 및 일본에 분포함. 과실은 식용함.

〈정금나무〉

정:금 단좌【正襟端坐】명 옷매무시를 바로하고 단정(端正)하게 앉음. ——-하다 자여불

정:금-도【井金島】명〖지〗 전라 북도의 서해상(西海上), 부안군(扶安郡) 위도면(蝟島面) 정금리(井金里)에 위치한 섬. [0.11 km²:59명(1985)]

정금 미옥【精金美玉】명 인품(人品)이나 또는 시문(詩文)이 맑고도 아름다움의 비유. 정금 양옥(精金良玉).

정:금 수송점【正金輸送點】[—쩜] 명 정화 수송점(正貨輸送點).

정금 양옥【精金良玉】[—냥—] 명 순금(純金)과 좋은 옥(玉). 순결하고 온량(溫良)한 품성. 또, 전아(典雅)하고 유려(流麗)한 문장의 비유. 정금 미옥(精金美玉).

정:급【定級】명〖법〗 국가 공무원법에서, 직위를 직급에 배정시키는 일.

정기[1]【丁幾】명〔←tinkture〕〖약〗 팅크.

정:기[2]【正氣】명 ①지공(至公)·지대(至大)·지정(至正)한 천지(天地)의 원기(元氣). ②바른 기풍(氣風). ③〖한의〗 생명(生命)의 원기. 병에 대한 저항력(抵抗力).

정:기[3]【正旗】명〖역〗 대오방기(大五方旗).

정:기[4]【定氣】명 태양의 황경(黃經)에 의하여 1년을 24절기로 구분한 역법(曆法). ↔평기(平氣).

정:기[5]【定期】명 ①정한 기한. 또, 기간. ¶~ 간행물. ②일정하게 지키는 시기. 1)·2):↔부정기(不定期).

정:기[6]【定器】명 ①언제나 정해서 쓰는 기물(器物). ②〖불교〗 밥을 담는 불구(佛具).

정-기[7]【旌旗】명 정(旌)과 기(旗).

정기[8]【精記】명 정하게 적어 기록함. 또, 그 기록. ——-하다 타여불

정기[9]【精氣】명 ①만물의 생성(生成)하는 원기. ②생명의 원천(源泉)이 되는 원기. 정력(精力). ③정신과 기력. ④사물의 순수한 기운. ⑤정령(精靈). 영기(靈氣). ㈜정(精).

정기[10]【精騎】명 날쌔고 용맹한 기병(騎兵).

정기[11]【精機】명 ↗정밀 기계(精密機械).

정:기-가【正氣歌】명 중국 송(宋)나라 말기의 충신 문천상(文天祥)이 원나라 군대와 오파령(五坡嶺)에서 싸우다가 패배, 포로의 몸이 되어 1281년 원나라 대도(大都)의 옥중에서 읊은 오언(五言)의 고시(古詩). 호연 지기(浩然之氣)인 천지 정기는 있으니 살고 죽는 것이 문제가 아니라는 심정을 노래한 것임.

정:기 간행【定期刊行】명 신문·잡지·연보(年報) 등을 일정한 시기에 간행(刊行)하는 일. ——-하다 타여불

정:기 간행물【定期刊行物】명 정기로 간행하는 출판물. 신문·잡지 등. 정시 간행물. ㈜정기물.

정:기 개:선【定期改選】명 일정한 임기(任期)가 만료될 때에 정기적으로 다시 행하는 선거. ——-하다 타여불

정:기 거:래【定期去來】명〖경〗 '장기 청산 거래(長期淸算去來)'의 구칭(舊稱).

정:기 교환 부품【定期交換部品】명〖공〗 설계상의 제약(制約) 또는 안전 관계로, 일정한 사용 기간 뒤에는 다시 만들거나 또는 해체 수리(解體修理)를 하게끔 정해진 부품. 항공기의 엔진·프로펠러 따위.

정:기 국회【定期國會】명〖정〗 정기회(定期會)❷. ↔임시 국회.

정:기-권【定期券】[—꿘] 명 ↗정기 승차권(定期乘車券).

정:기-금【定期金】명〖경〗 일정한 시기에 지급 또는 영수(領受)할 돈.

정:기 금:욕【定期禁慾】명〔periodical continence〕〖의〗 여성의 배란기(排卵期)를 미리 산정(算定)하여, 그 전후 약 일 주일 동안 금욕하여 수태 조절(受胎調節)을 하는 일.

정:기금 채:권【定期金債權】[—꿘] 명〖경〗 일정한 기간 정기적으로 발부하여 금전(金錢) 및 그 밖의 대체물(代替物)의 일정 양액(一定量額)의 급부(給付)를 받을 것을 목적으로 하는 채권.

정:기-급【定期給】명〖경〗 ①일정한 기간 안이나 또는 기간마다 하는 지급. ②어음 지불인이 일정한 기일 또는 일자후(日字後) 일정한 기일이 경과한 뒤에 하는 출급(出給). 확정일 출급(確定日出給)과 일자후(日字後) 정기 출급이 있음. ——-하다 타여불

정:기급 어음【定期給—】명〔bill payable at a fixed or determinable future time〕〖경〗 일람 출급(一覽出給) 어음에 대하여 일정한 기일에 지급되는 어음. *일람후 정기 출급 어음·발행 일자후 정기 출급 어음·확정일 출급 어음.

정기 대:감【精騎大監】명〖역〗 태봉(泰封)의 무관(武官)의 하나.

정:기 대:부【定期貸付】명〖경〗 은행 대부의 한 가지. 대부 기한이 일정한 대부. ↔당좌 대부(當座貸付). ——-하다 타여불

정:기-록【正氣錄】명〖책〗 임진 왜란 때 순국한 고경명(高敬命) 부자(父子)의 충절(忠節)을 기록한 책. 그 아들 고유후(高由厚)가 편찬하고 1599년 아우인 용후(用厚)가 증보 간행함. 1책. 인본.

정:-기룡【鄭起龍】명〖사람〗 조선 선조(宣祖) 때의 무신. 자(字)는 경운(景雲), 호는 매헌(梅軒). 곤양(昆陽) 정씨의 시조. 임진 왜란 때 별장(別將)으로 왜군을 격파, 호남 지방을 지키고, 상주성(尙州城)을 탈환하여 상주 목사(牧使)가 되었으며 정유 재란(丁酉再亂) 때는 토왜 대장(討倭大將)이 되어 고령(高靈) 등지에서 적을 대파하는 등 큰 공을 세워 삼도 통제사(三道統制使)가 됨. 시호는 충의(忠毅). [1562-1622]

정:기 매매【定期賣買】명〖경〗 장기 청산 거래(長期淸算去來).

정:기-물【定期物】명 ①정기 거래(定期去來)에서 매매(賣買)의 목적이 되는 물건. ②↗정기 간행물.

정:기-미【定期米】명 양곡 거래소에서 정기 거래의 목적물이 되는 쌀. 청산미(淸算米). ㈜기미(期米).

정:기 보:험【定期保險】명〖경〗 피보험자(被保險者)가 일정한 기간 안에 죽었을 때에만 보험금을 지급하는 사망 보험. 대개는 보험 기간이 짧음. ↔종신(終身) 보험.

정:기-산【正氣散】명〖한의〗 위장(胃臟)을 범한 외감(外感)을 다스리는 탕약. 곽향 정기산(藿香正氣散)·불환금 정기산(不換金正氣散) 등.

정:기 상환【定期償還】명〖경〗 정기에 공채(公債)·채권(債券) 등을 상환하는 일. ——-하다 타여불

정:기-선【定期船】명 정기 항해(定期航海)를 하는 배. 라이너(liner). ↔부정기선(不定期船).

정:기 선:거【定期選擧】명〖법〗 규정한 임기(任期)를 만료(滿了)하였을 때에 행하는 선거.

정:기성 예:금【定期性預金】[—썽녜—] 명〖경〗 일정한 기간(期間)이 지나기 전에는 찾지 못하는 예금. 정기 예금(定期預金)과 정기 적금(定期積金)의 두 가지가 있음.

정:기 소:작【定期小作】명 계약으로 존속 기간(存續期間)이 정해져 있는 소작.

정:기 승급 제:도【定期昇給制度】명 정년(停年)에 이를 때까지 매년 정기에 승급하는 제도. 연공 임금 제도(年功賃金制度)의 골격(骨格)을 이루고 있음.

정:기 승차권【定期乘車券】[—꿘] 명 통근(通勤)·통학(通學) 등을 위하여 일정한 기간 중, 기차·전동차 등의 일정 구간(一定區間)의 왕복에 사용하는 할인 승차권(割引乘車券). ㈜정기권(定期券).

정:기 시:장【定期市場】명 정기 거래(定期去來)가 행하여지는 시장.

정:기 시험【定期試驗】명 정기적으로 보는 시험. ↔임시 시험.

정-기-신【精氣神】명 정수(精髓)와 기분(氣分)과 심신(心身).

정기 신:호【旌旗信號】명 시호 통신(視號通信)의 하나로, 수기(手旗)

나 단기(單旗)로 하는 통신 및 신호. 수기 신호는 오른손에 붉은 기, 왼손에 흰 기를 갖고, 단기 신호는 긴 장대의 큰 기를 두 손에 들고서 함.

정:기압 배:치 비행【定氣壓配置飛行】명〔constant-pressure-pattern flight〕〖항공〗기압 배치 비행 기법(技法)의 하나. 순풍을 이용함과 아울러, 일정 기압선(氣壓線)의 고도(高度)를 따라서 비행함.

정:기 연금【定期年金】명〖법〗연금 수급자(年金受給者)가 일정한 연령에 이른 때로부터 일정한 기간에 한하여 연금 수급자의 생존을 조건으로 하여 연금을 지급하는 제도.

정:기 예:금【定期預金】명〖경〗은행 예금의 한 가지. 기한(期限)을 정하여 그 안에는 예금을 찾지 않겠다는 계약(契約) 밑에서 하는 예금. ——-하다 자여불

정:기 용선【定期傭船】명 타임 차터(time charter).

정:기 운송 계:약【定期運送契約】명〖경〗일정 기간, 일정 구간을 방향의 제한 없이 여객의 신청에 의하여 몇 번이고 운송할 것을 약정하는 운송 계약. 여객에 대하여 정기 승차권(定期乘車券)을 교부(交付)하는 것이 보통임.

정:기 입장권【定期入場券】[—꿘] 명 철도에서, 일정 기간 회수의 제한을 받음이 없이 역 구내에 입장할 수 있는 입장권. 역(驛) 승강장에 있는 매점(賣店)의 점원, 일상적(日常的)으로 역(驛)의 통로를 지나다닐 필요가 있는 사람 등에 이용되고 있음.

정:기-적【定期的】명관 일정 기간을 두거나 또는 정해진 시기에 일이 행하여지는 모양. ¶~으로 개최하다.

정:기 적금【定期積金】명〖경〗쌍무 계약(雙務契約)에 의한 예금의 한 가지. 은행 등에서 일정 기한에 일정 금액을 계약자로 하여금 적립(積立)하게 하는 예금. 정기 또는 일정한 기간 안에 몇 번에 나누어 예금하게 함.

정:기-전【定期戰】명 운동 경기 등에서, 정기적으로 하는 시합(試合).

정:기 점검 정:비【定期點檢整備】명 도로 운송 차량법의 규정에 의하여, 정기적으로 행하는, 자동차의 점검 및 정비.

정:기 증여【定期贈與】명〖법〗일정한 기간(期間)마다 일정한 급여(給與)를 목적으로 하는 증여. 당사자(當事者)의 일방의 사망(死亡)으로 효력이 상실됨.

정:기 총:회【定期總會】명〖법〗①정기에 여는 총회. ②매년 일정 시기에 소집(召集)되는 주주 총회(株主總會). 결산(決算) 보고와 배당안(配當案) 등의 결의를 목적으로 함. 정시 총회(定時總會). ㊣정총(定總). 1)·2):↔임시 총회(臨時總會).

정:기-편【定期便】명 일정한 장소 사이에 정기적으로 행해지는 연락·수송. 또, 그 교통 기관. ¶~을 이용하다. ↔부정기편.

정:기-풍【定期風】명 일정 시기에 따라 풍향(風向)을 달리하는 바람. 해륙풍(海陸風)·계절풍(季節風) 등.

정:기 항:공로【定期航空路】[—노] 명 정기적으로 여객(旅客)·화물 등을 항공 수송(航空輸送)하는 항로(航路). 에어라인(airline). ↔부정기(不定期) 항공로.

정:기 항:공 운송 사:업【定期航空運送事業】명 일정한 노선(路線)을 일정한 시일에 비행기로 사람이나 화물을 운송하는 사업.

정:기 항:로【定期航路】[—노] 명 선박의 항해(航海)가 정기적으로 행하여지는 항로(航路). ↔부정기 항로(不定期航路).

정:기 항:해【定期航海】명 정기적으로 일정한 항로(航路)를 항행(航行)함. ——-하다 자여불

정:기 행위【定期行爲】명〖법〗일정 시일 또는 일정 기간내에 이행해야만 계약 목적이 달성되는 성질의 계약. 연하장(年賀狀)의 인쇄, 결혼식에 입기 위한 웨딩 드레스의 주문계약 따위.

정:기 협의【定期協議】[—/—이] 명 국제 정세 전반에 관한 의견 교환이나, 현안 중(懸案中)의 문제의 토의·해결을 위해, 관계국이 해마다 정기적(定期的)으로, 서로 만나서 협의하는 일. 한일 각료 회담·한미 각료 회담 따위.

정:기-형【定期刑】명〖법〗법원이 자유형(自由刑)을 선고(宣告)할 경우에 형기(刑期)가 정하여진 형. ↔부정기형(不定期刑).

정:기-회【定期會】명 ①어떤 회나 단체에서 정기적으로 개최되는 모임. ②〖정〗국회법(國會法)의 규정에 따라 매년 한 번씩 9월 10일에 소집되는 국회. 회기(會期)는 집회 후 즉시 이를 정해야 함. 법률상의 정식 명칭임. 정기 국회. 1)·2):↔임시회(臨時會).

정:기 휴업【定期休業】명 상점(商店)·백화점(百貨店)·회사 등에서 정기적으로 영업(營業)을 쉬는 일. ㊣정휴(定休). ↔임시(臨時) 휴업. ——-하다 자여불

정긴【精緊】명 정묘하고 썩 긴요함. 정요(精要). ——-하다 형여불

정:-길【鄭吉】명〖사람〗중국 전한(前漢)의 무장. 회계(會稽) 출신. 선제(宣帝) 때 서역(西域) 여러 나라에 군사를 일으켜 차사국(車師國)을 쳐서 멸하고 선선(鄯善) 이서(以西)의 땅을 지배, 또 흉노(匈奴) 일축왕(日逐王)의 항복을 받고 기원 전 60년 서역 도호(西域都護)가 되어 전한(前漢)의 국세를 널리 서역 땅에 폈음. [?-49 B.C.]

정깅이 명〈방〉정강이(경북).

-정께 미 어떤 때를 가리키는 데 막연하게 이르는 말. ¶그 행사는 시월~ 있다/삼월~나 떠나려 하오.

정:-나라【鄭—】명〖역〗중국의 '정(鄭)'을 나라로서 똑똑히 일컫는 말.

정-나무 명〖식〗쪽동백.

정-나미【情—】명 사물에 대한 애착(愛着)의 정(情).

정나미(가) 떨어지다 구 정나미가 아주 없어져서 다시 대할 마음이 없게 되다.

정:난【靖難】명 나라의 위난을 평정(平定)함. ——-하다 타여불

정:난 공신[1]【定難功臣】명〖역〗조선 중종(中宗) 2년(1507) 이과(李顆)의 모반(謀反)을 고(告)한 공로로 노영손(盧永孫) 등 21명에게 내린 훈호(勳號).

정:난 공신[2]【靖難功臣】명〖역〗조선 중기 단종(端宗) 원년(元年)(1453)에 찬위(簒位)를 엿보던 수양 대군(首陽大君)이 김종서(金宗瑞)·황보인(皇甫仁) 등 중신(重臣)을 제거한 공로로 정인지(鄭麟趾) 등 36인에게 내린 훈호(勳號).

정:-난교【鄭蘭教】명〖사람〗대한 제국의 개화당원(開化黨員). 고종 21년(1884) 갑신 정변(甲申政變) 때 사관 생도(士官生徒)로 전위적(前衛的) 역할을 담당하였으며, 정변 실패 후 일본에 망명하여 김옥균(金玉均)·박영효(朴泳孝) 등의 신변 보호를 담당하였음.

정:-난시【正亂視】명〖의〗각막(角膜) 또는 수정체(水晶體)가 상하 좌우 또는 비낀 방향으로부터 압박을 받는 상태가 되어서 각 경선(徑線)에서의 만곡도(彎曲度)가 다르고, 또 보통 어떤 방향의 굴절력이 가장 강하고 그것과 직각 방향의 굴절력이 가장 약한 난시. 원주(圓柱) 렌즈로 교정할 수 있음. ↔부정(不正) 난시.

정:난의 변:【靖難—變】[—/—에—] 명〖역〗중국 명초(明初)의 왕실 일족의 내분. 태조 홍무제(太祖洪武帝)는 여러 아들을 왕으로 봉하고 각지에 배치하였으나, 2대 혜제(惠帝)가 삭봉책(削封策)을 쓴 것으로 인하여 동(同) 2년(1399)에 일어난 변(變). 베이징(北京)의 연왕(燕王)은 '군측(君側)의 간신(奸臣)을 제거하고 제실(帝室)의 난을 평정한다'고 칭하여 거병(擧兵), 난징(南京)을 공략(攻略)하고, 1402년 즉위하였음.

정:-난종【鄭蘭宗】명〖사람〗조선 세조(世祖) 때의 명신. 자(字)는 국형(國馨), 호는 허백당(虛白堂). 동래(東萊) 사람. 이시애(李施愛)의 난(亂)을 물리쳐서 공을 세웠으며 벼슬은 이조·공조·호조 판서 등을 지냄. 《세조 실록(世祖實錄)》·《예종 실록(睿宗實錄)》 편찬에 참여하였으며 성리학에 밝았고, 서예에도 뛰어났음. 시호는 익혜(翼惠). [1433-89]

정남[1]【丁男】명 장정(壯丁).

정:남[2]【正南】명 ↗정 남방(正南方).

정남[3]【征南】명 ①남쪽을 향해 감. ②남방(南方)을 정벌(征伐)함. ——-하다 자여불

정남[4]【貞男】명 동정(童貞)을 깨뜨리지 아니한 남자. ↔정녀(貞女).

정남[5]【情男】명 정부(情夫).

정:-남방【正南方】명 꼭 바른 남쪽. ㊣정남(正南).

정:-남북【正南北】명 꼭 바른 남쪽과 북쪽. 또, 그 방향. 곧, 지구의 두 극(極)의 방향을 뜻함.

정남 일구【定南日晷】명〖역〗조선 초기에 있었던 해시계의 하나.

정:-남향【正南向】명 ①정남방(正南方)을 향한 쪽. ②정확히 남쪽을 향함. ¶~의 집. ——-하다 자여불

정납[1]【呈納】명 물건을 보내서 바침. 정상(呈上). 정송(呈送). ——-하다 타여불

정납[2]【停納】명 상납(上納)을 그침. ——-하다 타여불

정낭[1] 명〈방〉뒷간(강원·경상).

정낭[2]【精囊】명〖생〗편평(扁平)한 긴 타원형의 막질낭(膜質囊)으로 된 남성 생식기의 배설도(排泄道)의 한 부분. 한 쌍의 좁고 가는 배설관(管)으로 되어 오줌통의 밑에서 수정관(輸精管)의 바깥쪽에 위치하여 앞쪽은 요도(尿道)에 통하고 뒤쪽은 직장(直腸)에 접함. 단백질(蛋白質)이 풍부한 정액(精液)이 생산되며, 무수한 정충(精蟲)을 가지고 있음. 정낭선(精囊腺). 정액 주머니.

정낭-간 [—깐] 명〈방〉뒷간(함경).

정낭-선【精囊腺】명〖생〗정낭(精囊).

정낭-염【精囊炎】[—념] 명〖의〗정낭에 생기는 염증. 주로 임균(淋菌), 때로는 결핵균(結核菌)·대장균(大腸菌) 그 밖의 감염에 의하여 또는 수음(手淫)·방사 과다(房事過多) 등으로 정낭 점막(粘膜)에 생김. 흔히, 전립선염(前立腺炎)에 병발함.

정:-낮【正—】명〈방〉한낮(평안).

정내[1]【廷內】명 법정의 안. ¶~의 질서 유지.

정내[2]【庭內】명 뜰 안. 정중(庭中).

정내[3]【艇內】명 함정·요트·보트 등의 내부.

정:-네모기둥【正—】명〖수〗정사각 기둥. 정사각주(正四角柱).

정:-네모뿔【正—】명〖수〗정사각추(正四角錐).

정녀[1]【丁女】명 ①한창때의 여자. ↔정남(丁男). ②정(丁)은 오행(五行)의 화(火)에 해당하는 말로, 불을 일컬음.

정녀[2]【貞女】명 ①동정(童貞)을 깨뜨리지 아니한 여자. 동정녀(童貞女). ↔정남(貞男). ②정부(貞婦).

정년[1]【丁年】명 남자의 20세. ¶~에 이르다.

정년[2]【丁年】명〖민〗정축(丁丑)·정미(丁未)·정오(丁午) 등과 같이 태세(太歲)의 천간(天干)이 정(丁)으로 된 해.

정년[3]【停年】명 공무원이나 기타 직원이 일정한 연령에 달하면 당연히 퇴직(退職)함을 요(要)하는 연령. 정한 연령(停限年齡). ¶~ 퇴직/~에 달하다.

정:년[4]【整年】명 온 일년.

정년-병【停年病】[—뼝] 명〖의〗정년 퇴직자가, 오랜 세월의 규칙적인 봉급 생활에서 은퇴한 후, 장래에 대한 불안, 정신적·육체적인 해이(解弛) 등으로 말미암아 일어나는 노이로제 증상.

정년-자【丁年者】명 정년(丁年)에 달한 사람. 성년자(成年者).

정년-제【停年制】명 일정한 연령(年齡)에 달하면 퇴직(退職)하도록 정해진 제도(制度). ¶계급 ~.

정:념[1]【正念】명〖불교〗①팔정도(八聖道)의 한 가지. 즉, 제법(諸法)의 성상(性相)을 바로 기억하여 잊지 아니함. ②정법(正法)에 의하여 극락(極樂)에 왕생(往生)함을 믿는 생각. ③아미타불(阿彌陀佛)에 열심히

염불(念佛)하는 일.

정념[2]【情念】명 ①감정에서 생기는 사념(思念). ¶끝없는 사랑의 ~/~이 솟아 오르다. ②『심』 정조(情操)와 같은 뜻인데 애정(愛情)이 그 전형적(典型的)인 것임.

정녕[1]【丁寧】명 ①군중(軍中)에서 쓰는 정(鉦) 비슷한 악기. 전시(戰時)에 쳐서 군사들이 경계를 게을리하지 아니하도록 함. ②전(轉)하여, 재삼 고함. 되풀이하여 알림. ③정중(鄭重)함. 친절함. ——-하다 형여불. ——-히 부

정녕[2]【叮嚀·丁寧】부 추측컨대 틀림 없이. 꼭. ¶~ 네가 한 짓이렷다/~ 그렇다면 같이 가세.

정녕[3]【叮聹】명 귀에지.

정녕 전색【叮聹栓塞】명 『의』 귀에지가 외청도(外聽道)에 끼어 구멍을 막는 일.

정녕-코【丁寧—】부 '정녕[2]'의 강조어(強調語). ¶~ 네가 한 짓이 아니렷다/~ 틀림없으렷다.

정:노【靜弩】명 『역』 고려(高麗) 별무반(別武班)의 하나. 쇠뇌를 쏘는 군대(軍隊).

정농【精農】명 정려 노력(精勵努力)하는 농민. 경작(耕作)이나 재배(栽培)에 고심(苦心)하여 연구적으로 농사에 힘쓰는 농민. ↔타농(惰農). *독농(篤農).

정니【晶泥】명 『화』 마그마가 액체에서 분화(分化)를 시작하여 광물이 결정(結晶)되어 가라앉고 나서 위에 떠 있는 물질.

정:-다각형【正多角形】명 『수』 모든 변(邊)의 길이가 서로 같으며 모든 꼭지점의 내각(內角)이 서로 같은 다각형. 정다변형.

정:-다면체【正多面體】명 『수』 모든 면(面)이 정다각형이고 모든 입체각(立體角)이 다 같아 각각 꼭지점에 모이는 능선(稜線)의 수효가 같은 다면체. 정다면체는 다섯 가지뿐임.

정다면체	구성면	꼭지점의 수	능선의 수	면의 수
정사면체	정삼각형	4	6	4
정육면체	정사각형	8	12	6
정팔면체	정삼각형	6	12	8
정십이면체	정오각형	20	30	12
정이십면체	정삼각형	12	30	20

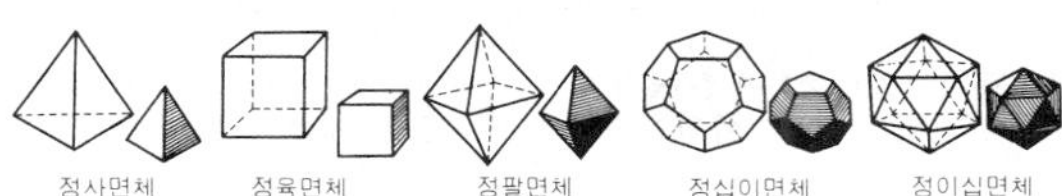

〈정다면체〉

정:-다변형【正多邊形】명 『수』 정다각형.

정-다산【丁茶山】명 『사람』 정약용(丁若鏞)을 호(號)로 일컫는 이름.

정-다시다【精—】자 무슨 일에 욕을 톡톡히 당하여 다시는 아니할 만큼 정신을 차리게 되다.

정다우-【情—】간 '정답다'의 불규칙 어간(不規則語幹). ¶~ㄴ/~니/~면.

정다웁다 형 〈방〉 정답다.

정다이【情—】부 정답게. ¶~ 굴다/~ 대하다.

정단[1]【—團】명 〈방〉 경단(瓊團).

정단[2]【正旦】명 원단(元旦).

정:단[3]【正旦】명 중국 연극에서, 현모(賢母)·절부(節婦) 따위로 분(扮)하는 주연급 남성 연기자.

정단[4]【呈單】명 서면을 관아에 제출하는 일. ——-하다 자여불

정단[5]【頂端】명 맨 꼭대기.

정단 세:포【頂端細胞】명 〔apical cell〕『식』 성장점(成長點)의 꼭대기에 있어서 가장 왕성하게 규칙적인 분열(分裂)을 하는 세포. 또, 그 세포군(細胞群).

정단 수정【頂端受精】명 『식』 주공(珠孔) 수정.

정:-단층【正斷層】명 『지』 단층 분류(斷層分類)의 한 가지. 강한 횡압력(橫壓力) 때문에 지각(地殼)에 틈이 생겨 이에 따라 지반(地盤)이 밑으로 꺼져서 이루어진 단층. ↔역단층(逆斷層).

정담[1]【政談】명 ①그 때의 정치에 관한 담론(談論). ②그 때의 정치나 재판(裁判)에 관한 설화(說話). ——-하다 자여불

정담[2]【情談】명 ①다정한 이야기. 속에서 우러나는 이야기. ¶~을 나누다. ②남녀가 애정(愛情)을 주고 받는 이야기. 정화(情話).

[정담도 길면 잔말이 생긴다] 말이 많고 길어지면, 군말·잔말이 나오게 마련이라는 말.

정:담[3]【鼎談】명 세 사람이 마주 앉아서 하는 이야기.

정:-담[4]【鄭湛】명 『사람』 조선 선조(宣祖) 때의 순국자. 자(字)는 징경(澄卿). 평해(平海) 사람. 김제(金堤) 군수로 있을 때 임진 왜란이 일어나자 의병을 모집, 나주 판관(羅州判官) 이복남(李福男) 등과 함께 분전했는데, 때마침 금산(錦山)으로부터 웅치(熊峙)를 넘어 전주(全州)로 들어가려는 수천의 왜적을 맞아 육박전을 벌여 끝까지 싸우다 죽음. 적병도 그 의(義)에 크게 감동했다 함. [?-1592]

정담-가【政談家】명 정담을 썩 잘하거나, 또 전문으로 하는 사람.

정담 연:설【政談演說】[—년—] 명 그 때의 정치에 관한 담론(談論)을 피력(披瀝)하는 연설.

정:답【正答】명 옳은 답. ¶~을 내다. ↔오답(誤答).

정-답다【情—】형 ㅂ불 의가 좋아 따뜻하다. ¶정다운 친구.

정:당[1]【正堂】명 몸채의 대청(大廳). 안당.

정:당[2]【正當】명 바르고 옳음. 이치에 합당함. ¶~한 사유/~ 방위. ↔부당(不當)·부정당(不正當). ——-하다 형여불. ——-히 부

정당[3]【政堂】명 옛날 시골의 관아. 정각(政閣).

정당[4]【政黨】명 『정』 정치상의 당파. 일정한 정치 이상(理想)의 실현을 위하여 정견(政見)이 같은 사람끼리 정치 권력에의 참여(參與)를 목적으로 하는 정치적인 단체. 당(黨). ¶~에 가입하다.

정당[5]【停當】명 사리(事理)에 합당(合當)함. ——-하다 형여불. ——-히 부

정당[6]【精當】명 정상(精詳)하고 당연함. ——-하다 형여불. ——-히 부

정당[7]【精糖】명 『화』 정백당(精白糖).

정:-당기시【正當其時】명 그 시기에 꼭 맞음. ——-하다 자여불

정당 내:각【政黨內閣】명 『정』 입헌 정체(立憲政體)하에서, 주로 수상(首相)이 정당의 수반이고 내각원(內閣員)의 전부 또는 대다수가 정당원(政黨員)으로써 조직되며 또한 지도 세력이 정당에 있는 내각. 하나의 정당으로 구성된 단독 내각과 둘 이상의 정당으로 된 연립 내각(聯立內閣)이 있음. ↔관료(官僚) 내각.

정당-론【政黨論】[—논] 명 『정』 정당의 본질을 규명하고 정당의 발달 과정·조직 원리(組織原理) 및 행동 원리(行動原理) 등을 연구하는 정치학의 한 분과.

정당 문학【政堂文學】명 『역』 ①고려 중서 문하성(中書門下省)의 종이품(從二品) 벼슬. 충렬왕(忠烈王) 원년(1275)에 참문학사(參文學事)라 고치고 동왕 16년에 다시 본 이름으로 함. 충선왕(忠宣王) 때에 없앴다가 뒤에 다시 베풀었음. ②조선 시대초에 문하부(門下府)의 정이품 벼슬. 태종(太宗) 원년(1401)에 문하부가 혁파(革罷)되고 의정부(議政府)에 붙으면서 의정부 문학(議政府文學)이라 고침.

정:당 방어【正當防禦】명 『법』 정당 방위(正當防衛). ——-하다 자여불

정:당 방위【正當防衛】명 『법』 급박(急迫) 부당(不當)한 침해(侵害)에 대하여 자기 또는 타인의 권리를 방위하기 위하여 부득이(不得已) 행하는 가해(加害) 행위. 형법상 처벌되지 아니하고 민법상 손해 배상의 책임을 지지 아니함. 긴급(緊急) 방위. 정당 방어(正當防禦). *정당 행위(正當行爲)·긴급 피난(緊急避難). ——-하다 자여불

정:당-법[1]【正當法】[—뻡] 명 정법(正法).

정당-법[2]【政黨法】[—뻡] 명 『법』 국민의 정치적 의사 형성(政治的意思形成)에 참여하는 데 필요한 조직을 확보하고 정당(政黨)의 민주적인 조직과 활동을 보장함으로써 민주 정치의 건전한 발달에 기여함을 목적으로 하는 법.

정당-사【政黨史】명 『정』 정당의 성립(成立)·투쟁(鬪爭)·흥망 성쇠(興亡盛衰)에 관한 역사.

정:당-성[1]【正當性】[—썽] 명 법령 또는 사회 통념으로 미루어 정당하다고 인정되는 상태. ¶~을 주장하다.

정당-성[2]【政堂省】명 『역』 발해 관제(渤海官制)인 삼성(三省)의 하나. 백관의 감독과 정치 집행을 관장하는 최고의 국정 기관으로, 장관은 대내상(大內相)이라 하여 수상격이었음. 특히 국사의 중요한 일은 모든 귀족이 정당성에 모여서 의결하였으며, 따라서 그 의결의 최고 의장인 대내상은 절로 최고관(最高官)이 되었음. *선조성(宣詔省)·중대성(中臺省).

정:당 업무 행위【正當業務行爲】명 정당한 업무에 의한 행위. 설사 그 행위가 형벌 법규(刑罰法規)에 저촉(抵觸)되는 일이 있어도 위법성(違法性)이 조각(阻却)되어 처벌(處罰)당하지 않음. 치료 행위(治療行爲) 따위.

정당-원【政黨員】명 『정』 정당에 소속하는 사람. 당원(黨員).

정당 정치【政黨政治】명 『정』 정당을 기초로 한 정당 내각(政黨內閣)에 의하여 시행되는 정치. ↔관료(官僚) 정치.

정당 지지의 자유【政黨支持—自由】[—/—에—] 명 『사』 노동 조합원(勞動組合員)이 총선거(總選擧)나 그 밖의 정치(政治) 문제와 연관해서 특정 정당을 지지할 수 있는 자유.

정:당한 당사자【正當—當事者】명 『법』 민사 소송법상 특정한 소송물에 관하여 원고 또는 피고로서 소송을 추행(追行)하고 본안(本案) 판결을 구할 권능 또는 자격이 있는 자.

정:당 행위【正當行爲】명 『법』 위법성이 없기 때문에 죄가 되지 않는 행위. 직권·직무 또는 권리·의무의 행사로서의 행위 같은 것. *정당 방위·긴급 피난.

정:당-화【正當化】명 정당하게 됨. 또, 정당하게 되도록 함. ——-하다 자타여불

정당 후:원회【政黨後援會】명 『정』 정당의 정치 자금을 마련하기 위하여 당원이 아닌 사람이나 법인(法人) 1,000명 이하로 구성하는 모임. 각 정당은 중앙당(中央黨)에 하나, 서울 특별시·직할시 및 도(道)에 각 하나씩 지부(支部)를 둘 수 있음. 회원으로부터 후원금을 받고, 회원 이외의 사람에게서 금품(金品)을 모집하여 해당 정당에 기부(寄附)할 수 있음.

정:대[1]【正大】명 ①바르고 옳아서 사사로움이 없음. *공명 정대(公明正大). ②중정(中正)하고 웅대(雄大)함. ——-하다 형여불

정대[2]【晶帶】명 결정학(結晶學)에서, 어느 결정축(軸)에 평행하며, 딴 결정축과는 임의(任意)의 각도(角度)로 교차하는 결정면의 집합(集合)을 말함.

정대[3]【艇隊】명 수뢰정(水雷艇) 등의 2척 이상으로 이루어진 대.

정-대(:)수【丁大水】명 『사람』 조선 선조(宣祖) 때의 무장. 호(號)는 용서(龍西). 창원(昌原) 사람. 임진 왜란 때 만금(萬金)을 털어 의병을 모집, 이순신(李舜臣) 장군 밑에서 별장(別將)이 되어 예교(曳橋)·노량(露梁)에서 큰 공을 세움. 당진 현감(唐津縣監)에 임명되었으나 사양하고 정운(鄭雲)과 함께 거제(巨濟)·옥포(玉浦)를 자주 기습, 철수하는

적을 추격하다 전사함. 병조 판서에 추증(追贈)됨. 생몰년 미상.

정:대업【定大業】 명 〖악〗 ↗정대업지무(定大業之舞).

정:대업-악【定大業樂】 명 〖악〗 ↗정대업지악(定大業之樂).

정:대업지-무【定大業之舞】 명 〖악〗 정재(呈才)에는 여악(女樂), 제향(祭享)에는 남악(男樂)을 쓰던 춤의 한 가지. 향악(鄕樂)과 당악(唐樂)을 섞어 아룀. 각 오색기(五色旗)와 소라·북을 든 외무(外舞) 35명과 검(劍)·창(槍)·궁시(弓矢)를 든 내무(內舞) 36명 도합 71명의 여기(女妓)가 오색 단갑(五色緞甲)과 푸른 비단 주(冑)로 치장하여 곡진(曲陣)·직진(直陣)·예진(銳陣)·원진(圓陣)·방진(方陣)으로 진형(陣形)을 바꾸어 가며 춤. 준정대업(定大業).

정:대업지-악【定大業之樂】 명 〖악〗 정대업지무(定大業之舞)에 아뢰는 음악. 준정대업악(定大業樂).

정-대(:)위【程大位】 명 〖사람〗 중국 명(明)나라의 수학자. 자는 여사(汝思), 호는 빈거(賓渠). 1592년 종래의 수학서(數學書)를 모아 ≪산법 통종(算法統宗)≫ 17권을 펴냈음. [1533-92?]

정-대(:)유【丁大有】 명 〖사람〗 근대 서예가(書藝家). 호는 우향(又香). 나주(羅州) 사람. 글씨의 대가로서 조선 미술 전람회 제1회전(展)부터 심사 위원을 맡아봄. 예서(隸書)·행서(行書)를 다 잘했으며, 그림은 매화(梅花)에 능했음. [1852-1927]

정-대(:)창【程大昌】 명 〖사람〗 중국 남송(南宋)의 정치가·학자. 자는 태지(泰之). 안후이성(安徽省) 휴령(休寧) 출생. 여러 벼슬을 거쳐 이부 상서(吏部尙書)에 오름. 어려서부터 문재(文才)가 뛰어났으며 충실한 자세로 학문에 임해 고금(古今)의 여러 문제를 궁구(窮究)했음. 저서에≪연번로(演繁露)≫·≪북변 비대(北邊備對)≫ 등이 있음. [1123-95]

정:대-화평【正大和平】 명 〖악〗 평조(平調)의 악상(樂想). 깊고 바르며 화평한 느낌의 음악이라는 뜻. ＊웅심화평(雄深和平)·평조화(平調和).

정:덕[1]【定德】 명 〖불교〗 조계종(曹溪宗)에서, 비구니(比丘尼) 법계(法階)의 4급. 혜덕(慧德)의 아래, 계덕(戒德)의 위.

정덕[2]【貞德】 명 정숙(貞淑)의 덕. 정결(貞潔)의 덕.

정:덕 대:부【靖德大夫】 명 〖역〗 조선 시대 때 종일품(從一品) 의빈(儀賓)의 품계. 광덕 대부(光德大夫)의 고친 이름. ＊명덕(明德) 대부.

정:도[1]【正度】 명 ①바른 규칙(規則). 정칙(正則). ②규칙을 바로잡음. ——-하다 자여불

정:도[2]【正道】 명 올바른 길. 정당한 도리(道理). 정로(正路). 정경(正逕). ¶ ~를 걷다/~를 벗어나다. ↔사도(邪道).

정도[3]【征途】 명 ①정벌(征伐)하러 가는 길. ¶ ~에 오르다. ②여행하는 길. 정로(征路).

정:도[4]【定都】 명 도읍(都邑)을 정함. 건도(建都). ——-하다 자여불

정:도[5]【定道】 명 자연적(自然的)으로 정해진 도리(道理). 일정하여 변경(變更)시킬 수 없는 도리.

정:도[6]【定賭】 명 풍흉(豐凶)에 상관없이 해마다 정액(定額)으로 마련한 도조(賭租). 정조(定租). 도지(賭地).

정도[7]【政道】 명 정치의 길. 시정(施政) 방침.

정도[8]【情到】 명 애정(愛情)이 깊음. ¶ 지금 관찰사 어른이 나의 ~한 친구라 필시 괄시치 아니하리라≪李海朝 : 昭陽亭≫. ——-하다 형여불

정도[9]【程度】 명 ①알맞은 한도(限度). 정한(程限). ¶ 장난도 ~껏 하라/실수도 ~ 문제다. ②얼마 가량의 분량(分量). ¶ 숟가락 하나 ~의 소금/정거장까지 20분 ~ 걸린다.

정도[10]【程道】 명 노정(路程).

정도[11]【精到】 명 아주 정묘(精妙)한 경지에까지 이름. ——-하다 자여불

정도[12]【精度】 명 〖물〗 ↗정밀도(精密度).

정:도령-전【鄭道令傳】 명 〖문〗 정진사전(鄭進士傳).

정도 문:제【程度問題】 명 정도의 여하(如何)에 관한 문제. ¶ 농담도 ~다/실수도 ~지.

정:-도(:)소【鄭道昭】 명 〖사람〗 중국, 북위(北魏)의 서가(書家). 자는 희백(僖伯), 호(號)는 중악 선생(中岳先生). 광주 자사(光州刺史)에 임명되어 산둥(山東) 지방에 비문(碑文)을 다수 남겼음. 북조(北朝)에는 드문, 남조풍(南朝風)의 둥근 자체(字體)의 해서(楷書)가 많음. 작품에는 ≪정희 상하비(鄭羲上下碑)≫ 등이 있음. [?-516]

정:-도(:)응【鄭道應】 명 〖사람〗 조선 현종(顯宗) 때의 학자. 자(字)는 봉휘(鳳輝), 호는 무첨(無忝). 진양(晋陽) 사람. 인조(仁祖) 27년(1649) 음보(蔭補)로 대군 사부(大君師傅)·자의(諮議)를 역임. 저서에 ≪소대 명신 행적(昭代名臣行蹟)≫·≪소대 수언(昭代粹言)≫이 있음. [1618-67]

정:-도(:)전【鄭道傳】 명 〖사람〗 조선 왕조 건국의 공신. 자는 종지(宗之), 호는 삼봉(三峰). 봉화(奉化) 사람. 이색(李穡)의 문하생. 고려말에 내외 요직을 역임하고 이성계(李成桂)와 긴밀히 접촉, 후에 조선 왕조 건국에 중요한 역할을 함. 성리학(性理學)을 지도 이념으로 세울 것을 주장, 불교를 배격하였으며, 전략(戰略)·외교·법제·행정에 밝았음. 세자 방석(芳碩)을 옹호하고, 정실 소생의 여러 왕자들을 죽이려 한다는 혐의로 방원(芳遠)의 난(亂) 때 참수(斬首)됨. 문장과 시에 능했으며, 정총(鄭摠) 등과 ≪고려사≫ 37권을 찬술함. 작품으로 ≪궁수분곡(窮獸奔曲)≫·≪납씨가(納氏歌)≫·≪문덕곡(文德谷)≫·≪신도가(新都歌)≫·≪정동방곡(靖東方曲)≫ 등의 악장(樂章)및 시조 1수가 전함. 문집으로 ≪삼봉집(三峰集)≫이 있음. 시호는 문헌(文憲). [1337-98]

정:-도전의 난:【鄭道傳一亂】[—/—에—] 명 〖역〗 조선 태조(太祖) 7년(1398) 왕위 계승권을 놓고, 방석(芳碩)을 세자로 삼은 데 불만을 품은 방원(芳遠)이 방석의 지지 세력인 정도전(鄭道傳) 일파를 타도한 '방원의 난'의 딴이름.

정도-충【釘倒蟲】 명 〖충〗 장구벌레.

정:독[1]【正讀】 명 글의 참뜻을 바르게 파악함. ——-하다 타여불

정독[2]【亭毒】 명 양육(養育)함. 정육(亭育). ——-하다 타여불

정독[3]【精讀】 명 ①자세히 살피어 읽음. ¶ 책을 ~하다. ②서책(書册)에 기재(記載)된 재료(材料)의 내용과 형식을 자세히 검토하면서 읽는 일. ＊남독(濫讀). ——-하다 타여불

정:-독본【正讀本】 명 주(主)가 되는 학습용(學習用)의 독본. ↔부독본(副讀本).

정돈[1]【停頓】 명 한때 멈춤. 침체(沈滯)하여 나아가지 아니함. 데드록(deadlock). ¶ ~ 상태에 빠지다. ——-하다 자여불

정:돈[2]【整頓】 명 가지런히 정리하여 바로잡음. ¶ 잘 ~된 실내(室內). ——-하다 타여불

정동[1]【丁東】 명 ①옥(玉) 같은 것이 서로 부딪쳐 나는 소리. ②풍경(風磬) 같은 것이 울리는 소리.

정:동[2]【正東】 명 ↗정동방(正東方).

정동[3]【征東】 명 ①동쪽을 향하여 감. ②동방(東方)을 정벌(征伐)함. 동쪽으로 정벌하러 감. ——-하다 자여불

정동[4]【情動】 명 [emotion] 〖심〗 감정 중 노공 희비(怒恐喜悲)와 같이 갑자기 일어난 일시적인 급격한 감정. 타오르는 듯한 애정, 강렬한 증오(憎惡) 등이 이에 속함.

정동[5]【晶洞】 명 〖광〗 정족(晶簇).

정동[6]【精銅】 명 정련(精鍊)한 구리. 99.9% 이상의 구리를 포함함.

정동 과:민【情動過敏】 명 〖심〗 정동이 과민하여 불안정한 신체적 현상을 나타내는 성질. 곧, 사소한 일에도 얼굴이 붉어지거나 창백해지고 손이 떨리거나 심장이 두근거림. ＊정동 장애.

정동 구락부【貞洞俱樂部】 명 〖역〗 조선말 서울 정동(貞洞)에 있던 구미인(歐美人)들의 사교 클럽. 당시 일본의 침략을 막기 위해 열강(列強)의 힘을 빌리려던 고종(高宗)과 민비(閔妃)가 비밀리에 시신(侍臣)들을 이 사교장에 보내어 친분을 맺게 하고 호의를 베풀기도 했음.

정:-동방【正東方】 명 똑바른 동쪽. 준정동(正東).

정:동방-곡【靖東方曲】 명 〖악〗 조선 시대 태조(太祖) 때 정도전(鄭道傳)이 지은 노래 곡조의 이름. 이 태조의 위화도(威化島) 회군을 찬양한 것으로 ≪악학 궤범(樂學軌範)≫에 그 가사가 전함.

정:-동사【定動詞】 명 [finite verb] 〖언〗 구미어(歐美語)에서 수(數)·인칭(人稱)·시제(時制) 등에 의하여 한정된 동사형(動詞形). 문장의 술어가 되는 경우의 대개의 동사는 이런 형태가 됨.

정:-동식【鄭東植】 명 〖사람〗 대한 제국의 지사(志士). 자는 경필(敬必). 연일(延日) 사람. 고종 13년(1876) 무과에 급제, 훈련원 첨정(訓練院僉正)에 이르렀을 때 일본과의 강화(講和) 및 관리의 부패를 통탄하고 사직함. 뒤에 한일 합병이 이루어지자 자결함. [?-1910]

정:-동유【鄭東愈】 명 〖사람〗 조선 시대 후기의 학자. 호는 현동(玄同). 동래(東萊) 사람. 이광려(李匡呂)의 문인 정제두(鄭齊斗)의 양명학(陽明學)을 연구하였고, 실학자로서 특히 언어학 분야에서 한글을 분석하여 우리 문자의 우수성을 입증했음. 일찍이 박지원(朴趾源)·김만중(金萬重)에 의해 제창된 지동설(地動說)을 지지하여 세인을 놀라게 하였음. 우리 나라의 문자·역사·문화·지리 등에 독특한 견해를 밝힌 ≪주영편(晝永編)≫이 있음. [1744-1808]

정동 장애【情動障礙】 명 [emotional disorders] 〖심〗 연소자(年少者)의 경우, 실패·좌절(挫折)·외적 구속·압력·상실(喪失) 등에 직면함에 있어서 그 원인이 객관적으로 인식되지 못하고 이에 대처하는 방법의 객관적(客觀的)·이성적(理性的) 인식도 결핍되어 있으므로, 사태가 오로지 정동적으로만 받아들여지는 결과, 대상이 없고 이유를 알 수 없는 불만·노여움·공포·불안·질투·혐오(嫌惡) 등이 일어나는 것을 말함. 언뜻 보기에 이유를 알 수 없는 위와 같은 비정상적 정동의 폭발은 정동적 적응 이상(適應異常), 정동적 부적응 반응(不適應反應)이라고도 할 수 있음.

정동행-성【征東行省】 명 〖역〗 중국 원(元)나라가 고려 개경(開京)에 두었던 관청의 이름. 원세조(元世祖)가 일본을 정벌할 때에 처음에는 정동행 중서성(征東行中書省)이란 관부(官府)를 개경에 설치하여 일본 정벌에 관한 사무를 행하다가 동정(東征)을 그만 둔 뒤로는 그것을 정동행성(征東行省)으로 고치어 원나라의 관리를 내주(來駐)시키고 고려의 내정(內政)을 감시 내지 간섭하게 하였음. 정동행성 이문소. ＊정동행 중서성.

정동행성 이:문소【征東行省理問所】 명 〖역〗 정동행성.

정동행 중서성【征東行中書省】 명 〖역〗 '정동행성'의 고치기 전의 이름. ＊정동 행성.

정두[1]【釘頭】 명 못의 대가리.

정:두[2]【淨頭】 명 〖불교〗 선종(禪宗)에서, 변소의 청소를 맡아보는 소임(所任).

정두[3]【飣餖】 명 음식을 죽 늘어놓고 먹지 아니함. 전(轉)하여, 의미 없는 문사(文詞)를 죽 늘어놓음.

정:-두경【鄭斗卿】 명 〖사람〗 조선 현종(顯宗) 때의 문신. 자(字)는 군평(君平), 호는 동명(東溟). 온양(溫陽) 사람. 이항복(李恒福)의 문인으로 병자 호란(丙子胡亂) 때 '어적 십난(禦敵十難)'을 상소하고, 공조 참판(工曹參判)에 임명되었으나 노환으로 취임하지 않았음. 시문·서예에 뛰어났고, 시조(時調) 2수가 남음. 후에 대제학(大提學)에 추증됨. ≪동명집(東溟集)≫이 있음. [1597-1673]

정두 서:미묘【釘頭鼠尾描】 명 기필(起筆)을 못 대가리처럼 세게 하고 서서히 쥐 꼬리와 같이 가늘게 선을 긋는 법.

정:-두원【鄭斗源】 명 〖사람〗 조선 인조(仁祖) 때 사람. 자(字)는 정숙(丁叔), 호는 호정(壺亭). 광주(光州) 사람. 벼슬은 지사(知事)에 이르렀음. 인조 9년(1631)에 명(明)나라에 사신으로 가서 홍이포(紅夷砲)·천리경(千里鏡)·자명종(自鳴鐘) 등 기계와 마테오 리치(Matteo Ricci)의 ≪천문서(天文書)≫·≪직방 외기(職方外記)≫·≪서양 풍속기(西洋風俗

記)≫ 등 서적을 처음으로 가져왔음. 시호는 민충(敏忠). [1581-?]

정:-두통【正頭痛】명〖한의〗중풍(中風)으로 온 머리가 다 아픈 증.

정-들다【情—】자 정이 깊어지다. 정이 생기다. ¶타향도 정들면 고향 /정든 임과 헤어지다.

정:-등각【正等覺】명〖불교〗올바른 깨달음. 정각(正覺). 등정각(等正覺). 정진각(正盡覺).

정-떨어지다【情—】자 애착심이 떨어져 싫어지다. 싫은 생각이 나서 마음에서 멀어지다. ¶정떨어지는 행동.

정라[1]【偵邏】[—나] 명 형세를 살피기 위하여 순회(巡廻)함. 또, 그 사람. ＊순라(巡邏).

정라[2]【鉦鑼】[—나] 명〖악〗농악에 쓰이는 징. 민속 음악에서 이르는 말.

정란[1]【汀蘭】[—난] 명 물가에 자란 난(蘭).

정:란[2]【靖亂】[—난] 명 국란(國亂)을 평정함. ——-하다 타여불

정:란 공신【靖亂功臣】[—난—] 명 국가의 난리를 평정(平定)하는 데에 공적(功績)이 큰 신하(臣下).

정랑[1] 명〈방〉뒷간(강원).

정:랑[2]【正郎】[—낭] 명〖역〗①고려 육부(六部)를 충렬왕 원년(1275)에 고친 사사(四司), 곧 전리사(典理司)·군부사(軍簿司)·판도사(判圖司)·전법사(典法司)와 공민왕(恭愍王) 11년(1362)과 21년에 고친 육사(六司), 곧, 전리사·군부사·판도사·전법사·예의사(禮儀司)·전공사(典工司) 및 공양왕(恭讓王) 원년(1389)에 고친 육조(六曹)의 정오품(正五品) 벼슬. ②조선 시대 때 육조의 정오품 벼슬. 관아(官衙)의 개변에 따라 낭중(郎中)·직랑(直郎) 등으로 바뀌었음.

정랑[3]【情郎】[—낭] 명 여자가 남편 외에 정을 둔 사내.

정략【政略】[—냑] 명 정치상의 책략(策略).

정략-가【政略家】[—냑—] 정략에 능한 사람.

정략 결혼【政略結婚】[—냑—] 명 정략혼(政略婚).

정:략 장군【定略將軍】[—냑—] 명〖역〗조선 시대에 종사품 무관(武官)의 품계. 선략 장군(宣略將軍)의 위, 진위(振威) 장군의 아래임.

정략-적【政略的】[—냑—] 명관 정치상의 책략을 목적으로 삼는 모양이나 성질. ¶～ 포석(布石).

정략-혼【政略婚】[—냑—] 명 주혼자(主婚者)가 자기 이익을 얻으려고 당사자의 의사를 도외시하고 무리하게 혼인시키는 일. 정략 결혼(政略結婚). ¶～의 희생이 되다.

정:량[1]【正兩】[—냥] 명 큰활.

정:량[2]【正量】[—냥] 명 〔conditioned weight〕 면사(綿絲)·견사(絹絲)·마포(麻布) 등의 완전 건조시(完全乾燥時)의 무게에 일정한 수분량(水分量)을 가산(加算)한 무게. 예를 들면 생사(生絲)는 완전 건조시의 중량에 11%의 수분량을 가산한 것이 정량임.

정:량[3]【定量】[—냥] 명 일정한 분량. ¶～ 미달.

정량[4]【貞亮】[—냥] 명 마음이 곧고 신의(信義)가 있음. 정순(貞純). ——-하다 형여불

정량[5]【程糧】[—냥] 여행 중의 식량.

정량[6]【精良】[—냥] 명 매우 정묘(精妙)하고 훌륭함. ——-하다 형여불

정:량-대【正兩—】[—냥때] 명 정량으로 쏘는 큰 쇠화살.

정:량-물【定量物】[—냥—] 명〖경〗특정물에 대해서, 분량으로 계산하여 거래되는 물건. 쌀·석유 따위.

정:량 분석【定量分析】[—냥—] 명 〔quantitative analysis〕〖화〗화학 분석의 한 가지. 시료(試料)를 구성하고 있는 성분 물질의 양을 측정하는 분석 방법. 주로 무게 분석과 부피 분석의 두 가지가 있음. ↔정성 분석(定性分析). ——-하다 타여불

정:량 음악【定量音樂】[—냥—] 명 〔mensural music〕〖악〗중세에서 르네상스에 걸쳐, 음의 장단이 엄격히 정해졌던 다성(多聲) 음악. 악보는 현재와 같이 소절선(小節線)으로 구분되지 않았으며 1250년경 쾰른(Kōln)의 프랑코(Franco)에 의해서 확립된 정량 기보법(記譜法)에 따라서 적혀져 있음. 각성부(各聲部)의 리듬의 독립, 주기적인 악센트의 반복을 피한 것 등이 특징임.

정:량-적【定量的】[—냥—] 명관 분량(分量)을 측정하여 정하는 모양. 분량이 일정한 모양이나 성질.

정:량 펌프【定量—】[—냥—] 명 〔metering pump〕〖공〗미소 유량(微小流量)을 정확히 제어할 수 있는 플런저형(plunger型)의 펌프. 연속적으로 흐르는 액체에 미소량의 물질을 주입할 때 씀.

정:량-화【定量化】[—냥—] 명 〔quantification〕 양을 정하는 일. 계산기의 응용이나 심리학·시장(市場) 조사 등에서 행해지는 것과 같이 어떤 양(量)을 측정하고 거기에 수치(數値)를 부여하는 일.

정:량-활【正兩—】명〈방〉큰 활.

정려[1]【旌閭】[—녀] 명 충신·효자·열녀(烈女) 들을, 그들이 살던 고을에 정문(旌門)을 세워 표창하는 일. ——-하다 타여불

정:려[2]【淨侶】[—녀] 명〖불교〗지계 청정(持戒淸淨)한 승려. 더러움이 없는 승려(僧侶).

정려[3]【精慮】[—녀] 명 ①정세(精細)한 생각. ②자세히 생각함. ¶～를 거듭하여 신중을 기하다. ——-하다 타여불

정려[4]【精勵】[—녀] 명 힘을 다하여 부지런히 행함. 부지런히 힘씀. ¶각고(刻苦) ～. ——-하다 자여불

정려[5]【精麗】[—녀] 명 정교하고 고움. ——-하다 형여불

정:려[6]【靜慮】[—녀] 명 조용히 생각함. 정사(靜思). ——-하다 타여불

정력[1]【丁力】[—녁] 명 장성(長成)한 한 사람 몫의 노동력.

정:력[2]【定力】[—녁] 명 ①확정된 학문의 힘. 일정한 힘. ②〖불교〗선정(禪定)에 의해 마음을 적정(寂靜)하게 하는 힘. 정근(定根).

정력[3]【葶藶】[—녁] 명〖식〗두루미냉이.

정력[4]【精力】[—녁] 명 심신(心身)의 활동력. 원기(元氣). 기력(氣力). 정기(精氣). ¶～이 왕성하다.

정력-가【精力家】[—녁—] 명 정력이 왕성한 사람.

정력-자【葶藶子】[—녁—] 명〖한의〗두루미냉이의 씨. 약간 맵고 무독(無毒)하며 찬 성질이 있어 이뇨(利尿)·통경(通經)·거담(祛痰)의 약재로서, 부종(浮腫)·해수(咳嗽)·천촉(喘促)·적취(積聚)·징가(癥瘕)에 씀.

정력-적【精力的】[—녁—] 명관 피로를 모르고 정진하는 모양. 기력·체력 등이 넘치는 모양. ¶～인 활동.

정력 절륜【精力絕倫】[—녁—] 명 정력이 유달리 강함.

정력-제【精力劑】[—녁—] 명 정력을 돋우는 약.

정력-주의【精力主義】[—녁— / —녁—이] 명〖윤〗도덕의 최고 표준인 지선(至善)에 달하기 위하여 개인의 능력을 원만히 발달시켜 우선 개인과 사회의 완성을 기(期)해야 한다는 윤리설(倫理說). 세력주의(勢力主義). 활동주의(活動主義).

정:련[1]【正輦】[—년] 명〖역〗거둥할 때 임금이 타는 연(輦). 성련(聖輦). ↔부련(副輦). ＊정가교(正駕轎).

정련[2]【精練】[—년] 명 ①동식물 섬유(纖維) 중의 잡물(雜物)을 없애고 섬유의 특성을 발휘시켜 완전한 표백(漂白) 및 염색(染色)을 하는 준비 공정(準備工程). ¶～ 공장. ②정련[3](精鍊)❶. ——-하다 타여불

정련[3]【精鍊】[—년] 명 ①잘 훈련함. 잘 단련(鍛鍊)함. ②〖광〗광석이나 그 밖의 원료에서 함유 금속(含有金屬)을 빼내어 정제(精製)하는 일. ¶～해서 순금(純金)으로 만들다. ——-하다 타여불

정련-목【精練木】[—년—] 명〖건〗손질을 잘한 썩 좋은 목재(木材).

정:련-배【正輦陪】[—년—] 명〖역〗임금의 정련을 메는 사람. ↔부련배(副輦陪).

정련-병【精鍊兵】[—년—] 명 잘 훈련되어 있는 병사(兵士). 정병(精兵).

정련-소【精鍊所】[—년—] 명〖광〗광산에서 채굴(採掘)·선광(選鑛)한 광석(鑛石)이나 야금 반제품(冶金半製品)에서 금속을 뽑아 내어 정제(精製)하는 장소. 제련소(製鍊所).

정련-제【精練劑】[—년—] 명〖화〗동식물의 섬유(纖維)를 정련하는 데 쓰이는 약제(藥劑). 소다·비누 등.

정렬[1]【貞烈】[—녈] 명 여자의 행실(行實)이나 지조(志操)가 곧고 매움. ¶～ 부인. ——-하다 형여불

정:렬[2]【整列】[—녈] 명 가지런히 줄지어 섬. ¶～하여 기다리다 / 4열 종대로 ～할 것. ——-하다 자여불

정렬-가【貞烈歌】[—녈—] 명〖악〗한국 구전 민요의 하나. 영남 지방에 퍼져 있는데 처녀가 순결을 의심받고 죽음으로써 항변한 노래.

정렬 부인【貞烈夫人】[—녈—] 명 ①정조(貞操)가 굳고 행실(行實)이 곧은 여자. ②〖역〗정렬이 있는 여자에게 내리는 가자(加資).

정렴[1]【貞廉】[—념] 명 절조(節操)가 곧고 마음이 깨끗함. ——-하다 형여불

정:-렴[2]【鄭𥖝】[—념] 명〖사람〗조선 중종 때의 유의(儒醫). 호(號)는 북창(北窓). 온양(溫陽) 사람. 천문·의학에 정통하여 관상감(觀象監)·혜민서 교수(惠民署敎授)를 역임하였으며, 특히 치병(治病)에 능하였음. 저서에 ≪동원 진주낭(東垣珍珠囊)≫·≪북창 비결(北窓祕訣)≫ 등이 있음. [?-1549]

정-령[1]【丁玲】[—녕] 명〖사람〗'딩링'을 우리 음으로 읽은 이름.

정령[2]【丁零·丁令·丁靈】[—녕] 명 중국 한(漢)·위(魏) 시대의 사서(史書)에 나오는 북적(北狄)의 하나. 예니세이(Enisei) 강의 상류로부터 바이칼 호(Baikal 湖) 지방에 살던 투르크 종족. 당명(唐名)으로는 철륵(鐵勒).

정:령[3]【正領】[—녕] 명〖역〗조선 고종(高宗) 31년(1894) 갑오 경장(甲午更張) 이후의 무관(武官) 계급의 하나. 영관(領官)의 맨 위로 참장(參將)의 아래, 부령(副領)의 위임.

정령[4]【政令】[—녕] 명〖법〗정치상의 명령. 또, 법령.

정령[5]【精靈】[—녕] 명 ①육체를 떠난, 죽은 사람의 혼백. 정상(精爽). 정백(精魄). 정혼(精魂). 영혼(靈魂). ②만물의 근원이 된다고 하는 불가사의(不可思議)한 기운. ③〖민〗초목이나 무생물 등 갖가지 물건에 붙어 있다는 혼령(魂靈). 정기(精氣). ¶숲의 ～. ④〖철〗생활력이나 생명력의 근원을 이루는 신성(神聖)하고 초자연적인 존재로서의 자유 자재한 영혼(靈魂).

정:령-관【正領官】[—녕—] 명〖역〗갑오 경장(甲午更張) 이전 신군제(新軍制)의 무관 계급의 하나. 부령관(副領官)의 위.

정령-설【精靈說】[—녕—] 명 ①〖철〗모든 물체 안에는 형상과 활동을 부여하는 정령이 깃들어 있다는 학설. ②〖철〗생물의 성능이 무생물과 다른 하나의 요소로 화학적 또는 물리학적인 힘의 작용 이외에 정령의 힘이 작용한다는 학설. ③〖종〗모든 사물에는 정령이 있다는 신앙(信仰), 또 물체(物體)를 떠난 정령이 다시 다른 물체 속으로 들어가거나 죽은 사람·동물 등의 영혼(靈魂)이 활동할 수 있다는 신앙. ＊애니미즘(animism).

정령 숭배【精靈崇拜】[—녕—] 명 〔spiritism〕〖종〗사람·동물의 혼령이나 초목(草木)·소택(沼澤) 등의 정령의 활동이 인간 생활에 중대한 영향을 끼친다고 믿어, 갖가지 방법으로 유화(宥和)하여 가호(加護)를 받고 화를 피하기 위해 섬기는 원시 신앙(原始信仰)의 한 형태(形態). 사령(死靈) 숭배.

정령 신:앙【精靈信仰】[—녕—] 명〖종〗애니미즘(animism).

정:례[1]【正禮】[—네] 명 합례(合禮)❶. ——-하다 자여불

정:례[2]【定例】[—네] 명 ①일정한 규례(規例). ¶～ 국무 회의. ②정해

놓은 사례(事例). ¶ ~ 기자 회견 / ~에 의하여 처리하다.

정례[3] 【頂禮】[ㅡ네] 명 이마를 땅에 대고 가장 공경하는 뜻으로 하는 절. ——하다 자 여불

정-례[4] 【情禮】[ㅡ네] 명 정리(情理)와 예의(禮儀).

정례-심 【頂禮心】[ㅡ네ㅡ] 명 이마를 땅에다 대고 절할 만큼 경건한 마음.

정:례악-장 【定禮樂章】[ㅡ네ㅡ] 명 〔악〕 문덕곡(文德曲)의 넷째 장. 군신(君臣)이 연향(宴享)할 때 쓰던 악장의 이름.

정:례 행사 【定例行事】[ㅡ네ㅡ] 명 정기적으로 거행하는 행사.

정:례-회 【定例會】[ㅡ네ㅡ] 명 정기적으로 열리는 회.

정:로[1] 【正路】[ㅡ노] 명 ①바른 길. ②정도(正道).

정로[2] 【呈露】[ㅡ노] 명 드러남. 나타남. 나타냄. 노정(露呈). ——하다 자 타 여불

정로[3] 【征路】[ㅡ노] 명 여행 길. 정도(征途).

정로[4] 【情露】[ㅡ노] 명 숨김없이 실정이 드러남. ——하다 자 여불

정:-로[5] 【鄭魯】[ㅡ노] 명 〔사람〕 조선 순조(純祖) 때의 의사(義士). 자는 공면(公勉), 호는 창파(蒼坡). 청주(淸州) 사람. 순조 11년(1811) 홍경래(洪景來)의 난(亂)이 일어나자 군수인 아들이 피난을 권하였으나, 국적(國賊)을 막아야 한다고 떠나지 않고 싸우다가 아들과 함께 죽음. 시호는 충경(忠景). [1751-1811]

정:로[6] 【鼎爐】[ㅡ노] 명 솥 모양으로 된 화로.

정:로-위 【定虜衛】[ㅡ노ㅡ] 명 조선 중종(中宗) 때에 서방(西方)의 야인(野人)의 침입을 막기 위해 베푼 군대.

정로-창 【征虜瘡】[ㅡ노ㅡ] 명 〔한의〕 어목창(魚目瘡).

정:록-청 【正錄廳】[ㅡ녹ㅡ] 명 〔역〕 조선 시대에 성균관(成均館)의 직원(直員)이 시정(時政)을 뽑아 적어 보관하던 곳. 뒤에 성균관의 직소(直所)의 이름이 되었음.

정:론[1] 【正論】[ㅡ논] 명 정당한 언론. 이치에 합당한 의론(議論). 당론(讜論). ¶ ~을 펴다.

정론[2] 【廷論】[ㅡ논] 명 조정(朝廷)의 공론(公論).

정:론[3] 【定論】[ㅡ논] 명 일정한 언론. 고정(固定)된 논지(論旨). 정설(定說). ¶ 자기를 알아야 적을 이긴다는 것이 ~이다.

정론[4] 【政論】[ㅡ논] 명 정치상의 언론.

정료 【庭燎】[ㅡ뇨] 명 나라에 큰일이 있을 때 입궐하는 신하를 위해 밤중에 대궐의 뜰에 피우던 화톳불.

정:루[1] 【井樓】[ㅡ누] 명 싸움터의 적당한 곳에 세워, 사람이 올라가서 적진(敵陣)을 정찰(偵察)하도록 만든 망루(望樓).

정루[2] 【亭樓】[ㅡ누] 명 누정(樓亭).

정루[3] 【情累】[ㅡ누] 명 인정에 끌림. ——하다 자 여불

정:류[1] 【定流】[ㅡ뉴] 명 방향이 일정한 수류(水流)나 전류(電流).

정류[2] 【停留】[ㅡ뉴] 명 ①가다가 머무름. 또, 머무르게 함. ②자동차나 전동차 등이 가다가 머무름. 정주(停駐). 정거. ¶ ~장. ——하다 자 타 여불

정류[3] 【精溜】[ㅡ뉴] 명 〔화〕 어떤 액체를 분류(分溜)에 의해 잡물(雜物)을 제거(除去)하여 정제(精製)하는 일. 특히 주정(酒精)의 제조에 많이 쓰임. ——하다 타 여불

정:류[4] 【整流】[ㅡ뉴] 명 ①물 또는 공기와 같은 유체(流體)의 흐름을 고르게 하여 혼란이 없는 흐름으로 하는 일. ②〔rectification〕〔물〕 전류(電流)의 교류(交流)를 직류(直流)로 바꾸는 일. 전파 정류(全波整流)와 반파 정류(半波整流)의 두 가지가 있음. ——하다 타 여불

정류[5] 【檉柳】[ㅡ뉴] 명 〔식〕 능수버들.

정류 고환 【停留睾丸】[ㅡ뉴ㅡ] 명 〔의〕 고환 하강(下降)이 되지 않아 복강(腹腔)속에 남아 있거나, 서혜부(鼠蹊部) 또는 음낭(陰囊)의 극히 윗부분에 위치하는 고환. 기능(機能)이 나쁠 뿐만 아니라 악성 종양(腫瘍)의 발생률이 높다고 함.

정:류-관 【整流管】[ㅡ뉴ㅡ] 명 〔rectifying tube〕〔물〕 교류(交流)를 정류하는 데 쓰이는 진공관(眞空管). 보통 이극(二極) 진공관임. 정류용 진공관.

정:류-극 【整流極】[ㅡ뉴ㅡ] 명 〔물〕 보극(補極).

정류-기[1] 【精溜器】[ㅡ뉴ㅡ] 명 〔화〕 특히 높은 순도(純度)의 증류물(蒸溜物)을 얻기 위한 장치(裝置). 정류탑.

정:류-기[2] 【整流器】[ㅡ뉴ㅡ] 명 〔rectifier〕 ①〔물〕 교류(交流)를 직류(直流)로 변경하는 장치(裝置). 수은 정류기(水銀整流器)와 진공 정류기(眞空整流器)가 있음. ②〔전〕 다른 방향보다 한 방향으로 더 많은 전류를 보내는 비선형(非線形) 회로 소자(回路素子).

정:류기 정:격 【整流器定格】[ㅡ뉴ㅡ껵] 명 〔rectifier rating〕 반도체(半導體) 정류기의 동작 정격. 흔히, 정류기가 견딜 수 있는 역(逆)방향의 정현파(正弦波) 전압의 실효치(實效値)와 순(順)방향으로 흐르는 평균 전류 밀도를 기준(基準)으로 함.

정류-료 【停留料】[ㅡ뉴ㅡ] 명 항공기가 공항에 착륙하여 이륙할 때까지 일정한 시간이 초과하면 착륙료 외에 항공기의 중량과 체류하는 시간에 따라 공항 관리자가 징수하는 요금.

정류-부 【停留符】[ㅡ뉴ㅡ] 명 〔언〕 머무름표.

정류-소 【停留所】[ㅡ뉴ㅡ] 명 정류장(停留場).

정:류용 진공관 【整流用眞空管】[ㅡ뉴ㅡ] 명 〔물〕 정류관(整流管).

정:류-자 【整流子】[ㅡ뉴ㅡ] 명 〔commutator〕〔물〕 직류 발전기(直流發電機)·직류 전동기(直流電動機) 등의 코일에 일어난 전류를 바깥으로 유도(誘導)하여 전류가 항상 일정한 방향으로 흐르게 하는 장치. 전류전환기(電流轉換器).

정:류자 전:동기 【整流子電動機】[ㅡ뉴ㅡ] 명 〔commutator motor〕〔물〕 정류자를 장치한 전동기.

정:류 작용 【整流作用】[ㅡ뉴ㅡ] 명 〔rectifying action〕〔물〕 교류 입력(交流入力)을 직류 출력(直流出力)으로 바꾸는 작용. 전기적 과정만으로 이루어지는 것을 이름.

정류-장 【停留場】[ㅡ뉴ㅡ] 명 자동차나 전동차 등이 사람을 승강(乘降)시키기 위해 정류하는 일정한 장소. 정류소(停留所). 정거장(停車場).

정류 증류 【精溜蒸溜】[ㅡ뉴ㅡ뉴] 명 〔rectification distillation〕〔화·공〕 정류탑(精溜塔)을 이용한 증류 기술.

정류-탑 【精溜塔】[ㅡ뉴ㅡ] 명 〔rectifying column〕〔화〕 정류기(精溜器).

정:류-판 【整流板】[ㅡ뉴ㅡ] 명 풍동(風洞)의 공기 통로(空氣通路) 가운데에 있으며, 공기류(空氣流)를 돌려서 흐르게 하도록 고정(固定)시킨 익면형(翼面型)의 판(板).

정:류형 계:기 【整流型計器】[ㅡ뉴ㅡ] 명 〔전〕 〔rectifier instrument〕 아산화 구리 정류기 또는 게르마늄 다이오드(germanium diode) 등으로 교류(交流)를 정류하여, 직류 전류계(直流電流計)로 나타내는 전기 기기(電氣器機).

정:류 회로 【整流回路】[ㅡ뉴ㅡ] 명 〔물〕 이극 진공관(二極眞空管)에서는 전류가 한 방향으로만 흐르는 정류 작용(整流作用)을 이용하여, 이극(二極) 진공관을 삽입하여, 정류를 시키는 회로.

정:률[1] 【正律】[ㅡ뉼] 명 ①바른 규율. ②〔악〕 음역(音域)에 있어서 가장 중간에 위치한 12율(律). 이보다 1옥타브 높은 음을 청성(淸聲), 1옥타브 낮은 음을 탁성(濁聲)이라고 함.

정:률[2] 【定律】[ㅡ뉼] 명 ①어떤 행위에 대해 죄형(罪刑)을 마련하여 놓은 규정. 곧, 정해진 법이나 규율(規律). ②어떤 경우에 관찰한 관계에 대해 만든 가설(假說)을 다른 경우에 적용하여 항상 그것이 정당하다고 확정된 때의 명칭.

정:률[3] 【定率】[ㅡ뉼] 명 일정한 비율(比率).

정:률 강:하 【定率降下】[ㅡ뉼ㅡ] 명 〔rate descent〕〔항공〕 일정한 강하율로 항공기가 강하하는 일.

정:률-법 【定率法】[ㅡ뉼뻡] 명 〔경〕 매기(每期)의 미상각(未償却) 잔액(殘額), 곧 장부 잔액에 일정률을 곱한 것을 매기의 고정 자산의 감가 상각액(減價償却額)으로 하는 방법. *정액법(定額法).

정:률 비:율 【定率比率】[ㅡ뉼ㅡ] 명 〔경〕 이자 제한법(利子制限法)에 의해 정하는 이자의 최고 제한율.

정:률 상:승 【定率上昇】[ㅡ뉼ㅡ] 명 〔rate climb〕〔항공〕 일정한 상승률로 항공기가 고도를 높이는 일.

정:률-세 【定率稅】[ㅡ뉼쎄] 명 〔법〕 미리 과세물(課稅物)·세율(稅率)·과세 표준(課稅標準) 따위를 정해서 부과하는 조세. 배부세(配賦稅).

정:-릉[1] 【正陵】[ㅡ능] 명 〔지〕 고려 공민왕(恭愍王)의 비 노국 대장 공주(魯國大長公主)의 능으로 경기도 개풍군(開豐郡) 중서면(中西面)에 있음.

정:-릉[2] 【定陵】[ㅡ능] 명 〔지〕 ①조선 태조(太祖)의 아버지 환조(桓祖)의 능. 함경 남도 함흥(咸興) 동쪽 귀주동(歸州洞)에 있음. ②중국 허베이 성(河北省) 창핑 현(昌平縣) 샤오위 산(小峪山) 동쪽에 있는 명(明)나라 제14대 황제 신종(神宗; 1563-1620)의 능. 1958년에 발굴되어 규모의 장대함, 껴묻거리의 현란함과 호화로움으로 주목을 끌었음. 널방은 5개의 광대한 석축 전당을 연결하여 지어졌으며 입구에서 안쪽 벽까지는 87m, 껴묻거리는 봉관(鳳冠)·금관(金冠)·의복·대구(帶鉤)·금은 용기(金銀容器)·옥제 용기(玉製容器)·칠기(漆器)·동경(銅鏡)·무기(武器) 등임.

정-릉[3] 【貞陵】[ㅡ능] 명 〔지〕 조선 태조(太祖)의 계비(繼妃) 신덕 왕후(神德王后)의 능(陵). 서울 정릉동(貞陵洞)에 있음. 처음에는 지금의 정동(貞洞)에 있었으나, 태종(太宗)이 이 곳으로 옮김.

정:-릉[4] 【靖陵】[ㅡ능] 명 〔지〕 조선 중종(中宗)의 능. 선릉(宣陵)의 동쪽에 있는데 이 두 능을 함께 부를 때 선정릉(宣靖陵)이라 함. 서울 강남구(江南區) 삼성동(三成洞)에 있음.

정릉동 모전 【貞陵洞毛廛】[ㅡ능ㅡ] 명 조선 시대 때의 여섯 모전의 하나. 지금의 정동(貞洞)에 있었음.

정리[1] 【丁吏】[ㅡ니] 명 〔역〕 고려 때, 관원(官員)의 등급에 따라 배속된 종자(從者)로서의 장정(壯丁). 국상(國相)에는 네 명, 경(卿) 이상은 세 명, 정랑(正郞)은 두 명, 원외랑(員外郞) 이상은 한 명이 배정됨.

정:리[2] 【正理】[ㅡ니] 명 올바른 도리(道理).

정리[3] 【廷吏】[ㅡ니] 명 〔법〕 '법정 경위(法廷警衛)'의 구칭.

정:리[4] 【定理】[ㅡ니] 명 이미 진리(眞理)라고 증명된 일반적인 명제(命題). 곧, 공리(公理)를 기초로 하여 증명된 일정한 이론적 명제. 가정(假定)과 결론(結論)의 두 부분으로 성립함. ¶ 피타고라스의 ~.

정:리[5] 【定離】[ㅡ니] 명 이별해서 헤어지기로 마련되어 있음. ¶ 회자(會者) ~.

정리[6] 【偵吏】[ㅡ니] 명 정탐하는 벼슬아치.

정리[7] 【情理】[ㅡ니] 명 인정과 도리(道理). ¶ ~를 무시하다 / ~에 어긋나다.

정리[8] 【程里】[ㅡ니] 명 이정(里程).

정리[9] 【整理】[ㅡ니] 명 ①흐트러진 것을 가지런히 바로잡음. ¶ 교통 ~. ②불필요한 것을 없애고 일이 잘 되게 함. ¶ 인원 ~ / 잔 가지를 ~하다. ③〔경〕 회사가 지불 불능·채무 초과에 빠질 염려가 있을 때 법원의 감독하에 회사의 재건을 목표로 취하는 절차. ——하다 타 여불

정:리 공채 【整理公債】[ㅡ니ㅡ] 명 〔경〕 이미 발행한 여러 공채(公債)를 정리할 목적으로 발행하는 공채.

정:리-기[1] 【整理期】[ㅡ니ㅡ] 명 정리하는 시기나 기간.

정:리-기[2] 【整理機】[ㅡ니ㅡ] 명 제직(製織)·염색 등을 마친 천의 시장

가격을 높이기 위해, 각종의 가공·조정을 하는 기계의 총칭. 포밀도 조정기(布密度調整機)·기모기(起毛機)·수지 가공기(樹脂加工機) 따위.

정:리 담보권【整理擔保權】[—니—꿘] 명〖법〗회사 정리 절차에 있어서 절차 개시 당시 회사 재산상에 존재하는 유치권(留置權)·질권(質權)·저당권(抵當權)·전세권(傳貰權) 또는 우선 특권(優先特權)으로 담보(擔保)된 청구권.

정:리-대【整理臺】[—니—] 명 정리하는 데 쓰는 대.

정:리 매매【整理賣買】[—니—] 명〖경〗건옥(建玉)을 정리하기 위한 반대 매매.

정:리 부:사【整理副使】[—니—] 명〖역〗대한 제국 때 평양(平壤) 풍경궁(豐慶宮)의 정리사(整理使)를 보좌하던 벼슬. 광무(光武) 7년(1903)에 베풀었다가 융희(隆熙) 3년(1909)에 폐지했음.

정:리-사【整理使】[—니—] 명〖역〗①임금이 거둥할 때에 행궁(行宮)의 수리, 기타 모든 일을 맡아 보던 벼슬. 호조 판서(戶曹判書)가 임시로 겸함. ②대한 제국 때, 평양 풍경궁(豐慶宮)의 으뜸 벼슬. 평양부윤(平壤府尹)이 겸했는데, 광무(光武) 7년(1903)에 베풀었다가 융희(隆熙) 3년(1909)에 폐지했음.

정:리 융자【整理融資】[—니—] 명〖경〗기업의 합리화를 한 후에 기업의 수익이 증대할 것을 예측하여, 기업의 합리화를 조건으로 하는 융자. 인원 정리에 필요한 퇴직금(退職金), 배치 전환(配置轉換)에 필요한 여러 가지 자금 등을 융자함.

정:리 의궤【整理儀軌】[—니—] 명〖책〗조선 정조(正祖) 19년(1795)에 원행(園行)의 의절(儀節)을 적은 책. 10권 8책.

정:리-자【整理字】[—니—] 명〖역〗조선 정조(正祖) 때에 정리 의궤(整理儀軌)를 인쇄하기 위해 생생자(生生字)를 본보기로 하여 만든 구리 활자(活字).

정:리-장【整理欌】[—니—] 명 정리한 서류나 물품을 넣어 두는 장.

정:리 절차【整理節次】[—니—] 명〖법〗재정적 궁핍으로 파탄에 직면했으나, 재기의 가망이 있는 주식 회사에 대해 채권자·주주(株主) 등의 이해(利害)를 조정(調整)하며 그 사업의 정리 재건을 도모하는 재판상의 절차. 회사 정리법에 규정되어 있음.

정:리-지【整理地】[—니—] 명〖지〗경작지(耕作地) 정리를 시행(施行)해야 할 토지(土地).

정:리 채권【整理債權】[—니—꿘] 명〖법〗회사의 정리 절차에 참가하여 정리 계획에 의거 배당(配當)을 받을 수 있는 채권. 파산 절차에 있어서 파산 채권에 상당(相當)함.

정리-표【程里表】[—니—] 명 이정표(里程表).

정:리 해:고제【整理解雇制】[—니—] 명〖경〗사용자가 경제적·기술적 여건의 변화에 따른 경영의 악화로 구조 조정·기술 혁신·사업 부문의 일부 폐지를 위하여 종업원을 해고할 수 있도록 합법화한 제도.

정린【征躪】[—닌] 명 정복하여 짓밟음. ——-하다 타여불

정:립[1]【定立】[—닙] 명〔도 These〕〖철〗①어떤 논점에 대하여, 반론을 예상하고 주장되는 의견·학설 따위. ②구체적인 전체에서 그 특정한 면(面)이나 일정한 내용을 추출(抽出)하여 고정(固定)하는 일. 어떤 사물을 타당(妥當)·실재(實在)·진실(眞實)한 것이라 하고, 잠정적·가정적 혹은 항상적·결정적으로 규정하는, 사유(思惟)의 기초적인 판단 작용. ③헤겔 변증법에서 논리를 전개(展開)하기 위한 최초의 명제(命題) 또는 사물 발전의 최초의 상태(狀態). 정(正). 조정(措定). 테제. ↔반정립(反定立).

정립[2]【停立】[—닙] 명 멈추어 섬. ——-하다 자여불

정립[3]【挺立】[—닙] 명 ①높이 솟음. ②남보다 뛰어남. ——-하다 자여불

정:립[4]【鄭岦】명〖사람〗조선 시대 인조(仁祖) 때의 문신. 자는 여수(汝秀). 연일(延日) 사람. 이조 정랑(吏曹正郞)으로, 임진 왜란 때 소실된 역대의 실록(實錄) 재간(再刊)에 참여하고 선조 실록도 편찬하였으며 도승지·공조 참판을 지냈음. [1574-1629]

정:립[5]【鼎立】[—닙] 명 셋이 솥발과 같이 벌여 섬. 정족(鼎足). 정치(鼎峙). ¶ 삼국(三國)이 ∼하다. ——-하다 자여불

정:립 배:사【正立背斜】[—닙—] 명〖지〗대칭(對稱) 배사.

정:립-상【正立像】[—닙—] 명〔erect image〕〖물〗렌즈 등의 광학계(光學系)에 의해 물체의 상이 생겼을 때, 물체의 상하와 상(像)의 상하가 같은 것. 직립상(直立像).

정립-파【停立波】[—닙—] 명〖물〗정상파(定常波).

정마[1]【征馬】명 먼 길을 가는 말.

정마[2]【停馬】명 가는 말을 멈추어 세움. ——-하다 자여불

정:마그마 광:상【正—鑛床】〔magma〕명〖광〗마그마 분화 광상(分化鑛床).

정:마그마-기【正—期】명〔orthomagmatic stage〕〖지질〗전형적(典型的) 마그마에서 규산염(珪酸塩)이 정출(晶出)하는 주요한 시기로 마그마의 90 %가 이 기간에 고결(固結)됨.

정 막【程邈】명〖사람〗기원전 3세기경의 중국 진대(秦代)의 사람. 자(字)는 원잠(元岑). 옥중에서 예서(隸書)를 만들었다고 전해지나 불명(不明)함. 생몰년(生沒年) 미상.

정:-만(:)양【鄭萬陽】명〖사람〗조선 시대 후기의 학자. 자는 개춘(皆春), 호는 훈수(塤叟). 오천(烏川) 사람. 벼슬하는 것을 명예롭지 않게 생각했으며, 많은 저서를 남겼음. 저서로 ≪곤지록(困知錄)≫·≪이기집설(理氣輯說)≫·≪가례 차의(家禮箚疑)≫·≪훈호록(塤箎錄)≫ 등 다수가 있음. [?-1730]

정:-만(:)조【鄭萬朝】명〖사람〗한문 학자. 자는 대경(大卿), 호는 무정(茂亭). 본관은 동래(東萊). 서울 출신. 강 위(姜瑋)의 문인. 내부 참의관(內府參議官)·경학원(經學院) 대제학(大提學)등을 역임. 유교의 진흥에 노력하였고 명륜 전문 학원을 설립하여 초대 총재(總裁)가 됨. 유고(遺稿) ≪무정 전고(茂亭全稿)≫. [1859-1936]

정말[1]【丁抹】명〖지〗'덴마크(Denmark)'의 취음(取音).

정:-말[2]【正—】㊀명 거짓이 없는 진실한 말. *참말. ㊁감 어떤 일에 대하여 심각한 느낌을 나타내는 말. ㊂부 ↗정말로.

정:말-로【正—】부 진실로. 참말로. ¶ ∼ 갈테냐/∼ 참을 수 없다/∼ 멋이 있더라. ㊌정말.

정말 체조【丁抹體操】명 덴마크 체조.

정:망[1]【定望】명 마음 속으로 지정(指定)하여 천망(薦望)하여 둠. ——-하다 타여불

정망[2]【停望】명〖역〗허물 있는 사람에게 벼슬시키는 일을 정지(停止)함. ——-하다 타여불

정맥[1]【精麥】명 ①깨끗이 쓿은 보리쌀. ②보리를 찧어서 대낌. ——-하다 타여불

정맥[2]【靜脈】명〖생〗정맥혈(靜脈血)을 심장으로 보내는 순환 계통(循環系統)의 하나. 맥벽(脈壁)은 얇고 곳곳에 판(瓣)이 있어 피의 역류(逆流)를 막음. 살가죽 겉으로 퍼렇게 드러나 보이는 혈맥으로, 동맥(動脈)과 같이 근육(筋肉)의 신축(伸縮)으로 피를 이동시키는 기능은 없음. ↔동맥(動脈)❶.

정:맥[3]【整脈】명〖의〗정상적이고 규칙적인 율동(律動)을 가지고 맥동하는 맥박. ↔부정맥(不整脈).

정맥-관【靜脈管】명〖생〗정맥혈(靜脈血)을 심장으로 돌려보내는 혈관계통.

정맥-기【精麥機】명〖기〗보리를 찧어서 대끼는 기계(機械). *정미기(精米機).

정맥 노:장【靜脈怒張】명〖생〗정맥류(靜脈瘤) 중에서, 낭상(囊狀)으로 확장된 것. *정맥류.

정맥-류【靜脈瘤】[—뉴] 명〔도 Varix〕〖생〗정맥의 일부분이 기계적(機械的)인 혈행 장애(血行障礙)로 인하여 혹과 같이 불룩하게 된 뭉치. *정맥 노장(怒張).

정맥 마취【靜脈痲醉】명〖의〗마취제를 직접 정맥에 주입하는 전신 마취 방법. *흡입(吸入) 마취·직장(直腸) 마취.

정맥 마취법【靜脈痲醉法】[—뻡] 명〖의〗전신 마취법의 한 가지. 주와(肘窩) 정맥에 10초 동안에 1cc의 꼴로 천천히 약제를 주사하여 마취시키는 방법. 마취의 도입(導入)이 빠르고 마취 후의 회복이 빠르므로 30분 이내에 끝나는 소수술에 이용됨.

정맥-벽【靜脈壁】명〖생〗정맥의 벽(壁).

정맥 산:업【靜脈産業】명〖사〗더러워진 피를 새로운 피로 만들기 위해 심장으로 되보내는 정맥의 구실처럼, 산업 폐기물(産業廢棄物)을 해체(解體)·재생·재가공하는 산업. 돼지의 배설물로부터 돼지의 먹이를 재생산한다거나, 농업 폐기물로부터 플라스틱·세제(洗劑) 등을 만들어 내는 따위.

정맥성 색전증【靜脈性塞栓症】[—쯩] 명〖의〗색전의 운반 경로가 정맥인, 색전증의 한 형. ↔동맥성 색전증.

정맥-압【靜脈壓】명〖생〗정맥의 내압(內壓). 정맥에서는 혈관 내압이 동맥에 비하여 극히 낮으나, 주위의 기계적 영향을 받기 때문에 장소에 따라 변화가 현저함. 심장 근처에서는 우심방(右心房) 내압의 영향으로 박동(搏動)을 나타냄.

정맥 조:영법【靜脈造影法】[—뻡] 명〖의〗정맥 안에 방사선의 불투과(不透過) 물질을 주사하고 X선 촬영을 하는 방법.

정맥 주:사【靜脈注射】명〖의〗정맥에다 놓는 혈관(血管) 주사. ↔동맥(動脈) 주사.

정맥-판【靜脈瓣】명〖생〗정맥의 내벽(內壁)에 있어서 혈액의 역류(逆流)를 방지하는 반월형(半月形)의 판(瓣). 수족(手足)의 정맥에 특히 발달함.

정맥-피【靜脈—】명〖생〗정맥혈(靜脈血). ↔동맥피.

정맥-혈【靜脈血】명〔venous blood〕〖생〗정맥에 의하여 심장에 보내지는 노폐(老廢)한 피. 산소(酸素)의 양이 적고 탄산 가스(炭酸 gas)가 많으며 헤모글로빈(hemoglobin)은 환원(還元)되어 암홍색(暗紅色)을 나타냄. 정맥피. ↔동맥혈(動脈血).

정:맹【訂盟】명 언약을 맺음. 체맹(締盟). ——-하다 자여불

정:면[1]【正面】명 꼭 마주 보이는 편. ↔측면·후면.

정면[2]【精綿】명 면사 방적(綿絲紡績)의 장면 방적(長綿紡績)으로서 소면기(梳綿機)에서 나오는 일정한 길이의 평행한 면(綿)섬유.

정:면 공:격【正面攻擊】명 ①마주 대고 상대방을 직접 비난함. ②〖군〗적을 마주 대고 정면에서 공격하는 전투 방식(方式). ↔측면 공격(側面攻擊). ——-하다 타여불

정:면-도【正面圖】명 ①〖미술〗사물의 정면을 보고 그린 그림. ②〖수〗입화면(立畫面)에 그려진 투영도(投影圖). 입면도(立面圖). 수직 투영도(垂直投影圖).

정:면 선:반【正面旋盤】명〔surface lathe〕〖기〗주축대(主軸臺)에 직경이 큰 척(chuck)을 장치한 선반. 직경이 커서 짧은 공작물(工作物)의 처리에 알맞음. 경선반(鏡旋盤). 평면 선반. 평면반.

정:면 충돌【正面衝突】명 ①두 물체가 정면으로 부딪침. ②두 편의 의견이 맞부딪쳐 서로 싸움. ——-하다 자여불

정:면 커터【正面—】〔cutter〕명〖기〗프레이즈반(fraise盤)의 칼날의 한 가지. 모양은 둥글고 한쪽은 원주(圓周)에 날이 있어 회전기(回轉機)의 축(軸)대에 장치하여 평면(平面)을 깎는 데 씀.

정:면 투쟁【正面鬪爭】명 정정 당당히 바로 맞서서 벌이는 싸움.

정:면 프레이즈【正面—】〔fraise〕명〖기〗공작 기계에서 프레이즈축(軸)에 수직한 평면(平面)을 깎는 데 쓰는 프레이즈. 원판(圓板) 또는

원주(圓柱) 모양으로서, 측면 및 밑면의 한쪽에만 칼날이 달렸음.

정:명[1]【正名】[명]〔≪논어≫의 자로편(子路篇)에 나오는 공자의 말로, 명칭(名稱), 곧 말의 개념을 바르게 한다는 뜻〕①〖논〗명칭에 즉응(卽應)하는 실질(實質)의 존재. ②〖윤〗명분(名分)에 상응하여 실질을 바르게 함. 예를 들면, 군신(君臣)·부자(父子)에는 그에 상부한 윤리·질서가 존재한다고 하는 사상.

정:명[2]【正明】[명] 정대(正大)하고 공명(公明)함. ——하다 [형][여불]

정:명[3]【正命】[명] ①천명(天命)❶. ②〖불교〗팔정도(八正道)의 하나. 정법(正法)을 좇는 바른생활.

정:명[4]【定名】[명]〖역〗옛날, 남자가 성년(成年)이 되어 관례(冠禮)를 지낼 때, 아명(兒名) 대신 짓는 본이름. 또, 그 이름을 지음. ——하다 [자][여불]

정:명[5]【定命】[명] ①날 때부터 정하여진 운명. ②〖불교〗전세(前世)의 인연으로 정해진 명수(命數).

정명[6]【貞明】[명]〖악〗조선 세종 때 회례악(會禮樂)으로 창작된 보태평지악(保太平之樂) 중 아홉 번째 곡으로 제8변(變). 노래말은 사언십구(四言十句)의 한시.

정:명[7]【淨命】[명]〖불교〗오덕(五德)의 하나.

정명[8]【旌銘】[명] 명정(銘旌).

정:명[9]【鼎銘】[명] 솥에 새긴 명(銘).

정명[10]【精明】[명] 아주 깨끗하고 밝음. ——하다 [형][여불]

정명 가:도【征明假道】[명]〖역〗조선 선조(宣祖) 24년(1591) 3월에 일본의 도요토미 히데요시(豊臣秀吉)가 통신사(通信使) 편(便)에 보내 온 답서(答書) 중에 나온 글로서, 조선 정부에 대하여 명(明)나라를 치는 데 필요한 길을 빌려 달라고 요구한 말.

정:명-경【淨名經】[명]〖불교〗유마경(維摩經).

정:명-론【定命論】[—논] [명]〖철〗숙명론(宿命論).

정:-명(:)수【鄭命壽】[명]〖사람〗조선 인조(仁祖) 시대의 매국노(賣國奴). 천민 출신으로 청(淸)나라의 포로가 되자 청국어를 배워 통역이 되었고, 우리 나라 사정을 밀고(密告)하여 그들의 신임을 얻음. 병자호란(丙子胡亂) 때 청장(淸將)을 따라 입국, 강압하여 자신은 영중추부사(領中樞府事)가 되고 친척도 군수에 임명하도록 강청(強請)하는 등 갖은 만행을 자행함. 뒤에 선양(瀋陽)에서 청국에 의해 관직을 삭탈당함. [?-1653]

정:모[1]【正帽】[명] 정복(正服)에 갖추어 쓰는 모자. ↔약모(略帽).

정모[2]【旌旄】[명]〖역〗정절(旌節)과 모절(旄節).

정모[3]【情貌】[명] 심정(心情)과 용모(容貌).

정모[4]【睛眸】[명] 눈동자.

정모 세:포【精母細胞】[명]〔spermatocyte〕〖생〗동물의 정원 세포(精原細胞)로부터 만들어져 정자(精子)의 근원이 되는 세포. 두 번의 감수 분열(減數分裂)에 의해 네 개의 정세포(精細胞)가 생김.

정목[1]【貞木】[명] 사철을 통하여 잎의 빛깔이 변하지 아니하는 나무. 상록수(常綠樹).

정목[2]【政目】[명]〖역〗조선 시대 때 벼슬아치의 임면(任免)을 적은 기록.

정:몽【正夢】[명] 사실(事實)과 일치하는 꿈.

정:-몽(:)주【鄭夢周】[명]〖사람〗고려 말의 충신·유학자. 자는 달가(達可), 호는 포은(圃隱). 연일(延日) 사람. 공민왕(恭愍王) 때에 성균관 학감(學監)으로 있으면서 오부 학당(五部學堂)을 세워 후진을 가르치고 밖으로 향교를 베풀어 유학을 크게 진흥하여 성리학(性理學)의 기초를 세웠음. 한때 배명 친원(排明親元) 정책을 반대하다가 이인임(李仁任)에 의해 유배되기도 했고, 이성계(李成桂)를 따라 왜구(倭寇)를 토벌하기도 하였으며, 끝까지 여조(麗朝)를 떠받들다가 이방원(李芳遠)이 보낸 조영규(趙英珪)에게 피살되었음. 삼은(三隱)의 한 사람. 문묘(文廟)에 배향(配享)됨. 문집(文集)은 ≪포은집≫. 시호는 문충(文忠). [1337-92]

정묘[1]【丁卯】[명]〖민〗육십 갑자(六十甲子)의 넷째.

정:묘[2]【淨妙】[명] ①깨끗하고 묘함. ②〖불교〗청정(淸淨)하고 무구(無垢)함. ——하다 [형][여불]

정묘[3]【精妙】[명] 정세(精細)하고 묘함. 미묘(微妙). ¶~한 세공(細工) 솜씨. ——하다 [형][여불] ——히 [부]

정묘 노란【丁卯虜亂】[명]〖역〗정묘 호란.

정묘 조약【丁卯條約】[명]〖역〗조선 인조(仁祖) 5년(1627) 정묘 호란(丁卯胡亂) 때 후금(後金)과 맺은 강화 조약. 형제국의 맹약, 후금(後金)의 철병 등을 화약(和約) 조건으로 하였음.

정묘 호란【丁卯胡亂】[명]〖역〗조선 인조(仁祖) 5년(1627)에 후금(後金)의 왕자 아민(阿敏)과 장군 패륵(貝勒)이 명(明)나라를 치기 전에 배후를 위협하고 있는 우리 나라를 공격하기 위해 3만여 군대를 이끌고 침입한 난. 파죽지세(破竹之勢)로 밀려오는 후금군을 피하여 소현세자(昭顯世子)는 전주(全州)로, 왕은 강화(江華)로 피난하였으나 화전양론(和戰兩論)이 분분하다가 주화론(主和論)이 채택되어 후금과 평화조약을 맺어 형제국이 됨. 정묘 노란. *병자(丙子) 호란.

정무[1]【政務】[명] 정치상(政治上)의 사무. 행정 사무(行政事務). ¶~ 위원.

정무[2]【停務】[명] 사무를 그치고 쉼. ——하다 [자][여불]

정무 공채【政務公債】[명]〖경〗행정(行政) 공채. ↔재무(財務) 공채.

정무-관【政務官】[명]〖정〗내각 책임제에서 사무 계통(事務系統)의 정부 직원(政府職員)이 아니고 장관(長官)을 도와서 오직 정책(政策)에만 관여(關與)하여 국회(國會)와의 연락 교섭(連絡交涉)에 임(臨)하는 직원(職員). 별정직(別定職)으로 국회 의원 중에서 임명되는 것이 통례임. 정무 차관(政務次官) 같은 것.

정무-비【政務費】[명]〖경〗국가 목적의 수행을 위한 경비. 곧, 국방비(國防費)·치안비(治安費)·복리 후생비(福利厚生費) 등.

정무 수입【政務收入】[명] 수익자 부담(受益者負擔)의 원칙에 의한 정무(政務)에 수반되는 국가의 수입.

정무 위원회【政務委員會】[명] 국회 상임 위원회의 하나. 국무 총리실·공정 거래 위원회·국가 보훈처·금융 감독 위원회 소관 사항을 심의함.

정무 장:관【政務長官】[명]〖법〗전에, 대통령 및 국무 총리가 지정하는 사무를 담당하였던 국무 위원. 정원은 2명으로, 정치 관련 담당은 제1 정무 장관, 여성 정책 관련 담당은 제2 정무 장관이라 했음.

정무직 공무원【政務職公務員】[명]〖법〗특수 경력직(特殊經歷職) 공무원의 한 갈래. 선거에 의해서 취임하거나 임명(任命)에 국회의 동의를 필요로 하는 공무원, 감사원의 원장·감사 위원 및 사무 총장, 민주 평화 통일 자문 회의의 사무 총장, 국회의 사무 총장 및 차장, 헌법 재판소의 재판관 및 사무처장, 중앙 선거 관리 위원회의 상임 위원 및 사무총장, 국무 총리, 국무 위원, 처의 처장, 각 원·부·처의 차관 또는 차장, 청장(통계청장·기상청장·경찰청장과 중앙 행정 기관이 아닌 청의 장은 제외), 국무 조정실장, 서울 특별시장, 광역시장, 도지사, 차관급 상당의 보수를 받는 비서관, 국가 정보원의 부장 및 차장, 다른 법령이 정무직으로 지정하는 공무원을 일컬음. *별정직 공무원.

정무 차관【政務次官】[명] 전에, 장관을 보좌하여 정책과 기획(企劃)의 수립에 참가하며 정무를 처리하던 별정직(別定職)의 차관. *사무 차관(事務次官)·정무관(政務官).

정무 차관보【政務次官補】[명]〖법〗외교 통상부의 차관보의 하나. 각 지역을 담당하는 국(局)과 국제 기구·조약 및 정보 문화 업무(情報文化業務)에 관하여 장관과 차관을 보좌하는 별정직 국가 공무원.

정무 총:감【政務總監】[명]〖일제〗조선 총독부(朝鮮總督府)의 총독에 버금가던 관리.

정:묵【靜默】[명] 아무 말 없이 조용히 있음. ¶기도의 자세로 ~을 지켰다. ——하다 [형][여불] ——히 [부]

「대되는 이름.

정:문[1]【正文】[명] 문서의 본문(本文). 주석(註釋)·이유서(理由書) 등에 상

정:문[2]【正吻】[명]〖건〗중국 건축의 대들보의 양쪽에 만든 치미(鴟尾).

정:문[3]【正門】[명] ①정면의 문. 본문(本門). ↔후문(後門) ②삼문(三門)의 가운뎃문. ↔측문(側門).

정문[4]【呈文】[명] ①아름다운 무늬를 나타내는 일. ②〖문〗한문학(漢文學)에서, 문체의 명칭. 하위 관직으로부터 윗사람에게 올려지는 공문의 일종. 신문(申文). 상문(詳文). 고(藁).

정문[5]【頂門】[명] ①숫구멍. ②정수리.

정문[6]【旌門】[명] 충신·효자·열녀 등을 표창하고자 그의 문 앞에 세우던 붉은 문. 작설(綽楔). 홍문(紅門).

정문[7]【程文】[명] 과거의 고시장에서 쓰는 일정한 법식(法式)이 있는 글.

정-문강【丁文江】[명]〖사람〗'딩 원장'을 우리 음으로 읽은 이름.

정문-경【精文鏡】[명]〖고고학〗'잔무늬거울'의 구용어.

정문 금추【頂門金椎】[명] 정수리를 쇠망치로 두들긴다는 뜻으로, 정신을 바짝 차리도록 깨우침을 이르는 말.

정:-문부【鄭文孚】[명]〖사람〗조선 선조(宣祖) 때의 의사(義士). 자(字)는 자허(子虛), 호는 농포(農圃). 해주(海州) 사람. 북평사(北評事)로 있을 때 임진 왜란이 일어나자 경성(鏡城)에서 의병을 일으켜 국경인(鞠景仁) 등의 반란을 평정함. 뒤에 이괄(李适)의 난에 연루되어 애매히 죽음. 시호는 충의(忠毅). [1565-1624]

정문 일침【頂門一鍼】[명] 정수리에 침을 놓는다는 뜻으로, 따끔한 충고를 이르는 말. 정상 일침(頂上一鍼).

정:물【靜物】[명] ①정지(靜止)하여 움직이지 아니하는 물건. 생명이 없는 물건. ②〖미술〗↗정물화(靜物畫).

정:물-화【靜物畫】[명]〔프 nature morte〕〖미술〗인물화(人物畫)·풍경화(風景畫) 등에 대하여 꽃·과실·기물(器物) 같은 정물(靜物)을 소재(素材)로 하여 그린 회화(繪畫). [준]정물.

정미[1]【丁未】[명]〖민〗육십 갑자(六十甲子)의 마흔넷째.

정:미[2]【正米】[명] ①현재 있는 쌀. ②실제로 거래되는 쌀. 실미(實米). 실물미(實物米).

정:미[3]【正味】[명] ①물건의 외피(外皮)를 제외(除外)한 내용. ②전체(全體)의 무게에서 포장(包裝) 등의 무게를 뺀 알몸의 정확한 무게. 정량(正量). ¶~ 60 kg.

정미[4]【情味】[명] ①따뜻한 정의 맛. ②↗인정미(人情味).

정미[5]【艇尾】[명] 요트·보트·수뢰정·소방정(消防艇) 등의 맨 뒷부분.

정미[6]【精米】[명] ①↗정백미(精白米). ↔조미(粗米). ②기계 등으로 벼를 찧어 입쌀을 만듦. ¶~소. ——하다 [자][여불]

정미[7]【精美】[명] ①정교(精巧)하고 아름다움. ②순수(純粹)하고 아름다움. 정연(精姸). ——하다 [형][여불]

정미[8]【精微】[명] 정밀(精密)하고 자세함. ——하다 [형][여불]

정:미 거:래【正米去來】[명] 쌀의 실물 거래(實物去來).

정미-기【精米機】[명]〖기〗현미(玄米)를 찧어 희고 깨끗하게 만드는 기계. 껍질을 벗기는 방법에 따라 동도식(胴搗式)·마찰식(摩擦式)·나선식(螺旋式)·타격식(打擊式) 등으로 나뉨. *정맥기(精麥機).

정:미 마:력【正味馬力】[명] 제동 마력(制動馬力).

정미 사:화【丁未士禍】[명]〖역〗조선 시대 십이 사화(十二士禍)의 하나. 명종(明宗) 2년(1547)에 정언각(鄭彦愨)·정순붕(鄭順朋) 등이 문정 왕후(文定王后)에게 무고(誣告)하여 송인수(宋麟壽)·이약수(李若水)·봉성군(鳳成君) 항(岏)·임형수(林亨秀) 등이 사사(賜死)되고 이언적(李彦迪)·노수신(盧守愼)·백인걸(白仁傑) 등이 유배(流配)되었음. 을사(乙巳) 사화의 여파로 일어난 사화로서 이후 사림(士林)은 침체해지고 윤원형(尹元衡) 일파의 권세는 강화됨.

정미-소【精米所】[명] 방앗간❶.

정:-미수【鄭眉壽】[명]〖사람〗조선 전기의 문신. 자(字)는 기수(耆叟), 호는 우재(愚齋). 해주(海州) 사람. 부마(駙馬) 종(悰)의 아들. 어머니는

문종(文宗)의 딸로 단종(端宗)의 누이인 경혜 공주(敬惠公主). 아버지가 사사(賜死)되자 어머니와 함께 서울에 소환되어 세자의 시중을 들었음. 뒤에 이조 정랑 등 벼슬을 역임. 죄인의 자식이라 하여 수차 탄핵을 받았으나 세자의 무마로 무사하였음. 중종 반정(中宗反正) 때 공을 세워 우찬성으로 해평 부원군(海平府院君)에 봉해짐. 시호는 소평(昭平). [1456-1512] 「장.

정:미 시:장【正米市場】[명]〖경〗쌀의 현물 매매(現物賣買)를 행하는 시

정미 약조【丁未約條】[명]〖역〗조선 명종(明宗) 2년(1547) 정미년(丁未年)에 일본과 맺은 약조(約條). 중종(中宗) 39년(1544)에 왜선(倭船)이 경상 남도 사량진(蛇梁鎭) 지금의 통영(統營) 부근에 침입하여 약탈을 자행한 뒤 임신 약조(壬申約條)를 파기하고 일본인의 내왕(來往)을 금한 것을 풀어 통교(通交)를 재개하기로 정함.

정미-업【精米業】[명] 정미하는 영업.

정미 의병【丁未義兵】[명]〖역〗조선 고종(高宗)의 강제 퇴위, 정미 칠조약 체결, 군대 해산을 계기로 1907-10년 사이에 일어난 구국 항일 무력전(救國抗日武力戰)의 일컬음. 그 중에서도 1908년이 가장 치열했음.

정:미 중:량【正味重量】[—냥] [명] 정미의 무게.

정미 칠조약【丁未七條約】[—쪼—] [명]〖역〗한일 신협약(韓日新協約).

정미 환:국【丁未換局】[명]〖역〗조선 영조(英祖) 3년(1727)에 당쟁(黨爭)을 조정할 목적으로 정부의 인사(人事)를 개편한 일. 노론(老論)·소론(少論)을 막론하고 당파심이 강한 자를 제거하기 위하여, 당시 정권을 맡고 있던 노론 일파를 추방하는 한편 소론의 이광좌(李光佐)·조태억(趙泰億) 등을 기용함.

정민[1]【貞珉】[명] 단단하고 아름다운 돌. 정석(貞石).

정민[2]【貞敏】[명] 마음이 곧고 명민(明敏)함. ——-하다 [형][여불]

정민[3]【精敏】[명] 정세(精細)하고 민첩함. ——-하다 [형][여불]

정:-민시【鄭民始】[명]〖사람〗조선 정조(正祖) 때의 문신. 자(字)는 회숙(會叔). 온양(溫陽) 사람. 벼슬은 좌참찬·각 조 판서를 지냄. 시파(時派)의 거두로 오랫동안 선혜청(宣惠廳)에 있으면서 삼남(三南)의 약재(藥材) 진상을 반감시켰고, 미곡 운반과 조세(租稅)의 수납 사무를 통일하는 등 백성의 부담을 덜어주고, 문물(文物) 개혁에 크게 공헌함. 시호는 충헌(忠獻). [1745-1800]

정밀[1]【精密】[명] ①가늘고 촘촘함. ②아주 잘고 자세함. 정세(精細)하고 치밀함. ¶~한 지도. ——-하다 [형][여불]

정:밀[2]【靜謐】[명] ①썩 고요함. ②세상이 태평함. ——-하다 [형][여불]

정밀 공업【精密工業】[명]〖공〗정밀 기계·기구를 제조하는 공업.

정밀 과학【精密科學】[명] [exact sciences] 엄밀한 양적 규정(量的規定)에 의한 논증 체계(論證體系)로 조직되는 과학. 수학(數學)·물리학(物理學)·화학(化學) 등.

정밀 기계【精密機械】[명]〖기〗공차(公差)가 아주 작고 극히 정밀하게 만들어진 기계. 곧, 전문학상의 고급 기계, 특히 순정 과학(純正科學)·전기 공학(電氣工學)에 쓰이는 계량기(計量器)·특수 공작 기계 및 각종 병기(兵器) 등. [준]정기(精機).

정밀 기계 공업【精密機械工業】[명] 각종 정밀 기계를 제조(製造)하는 산업(産業).

정밀-도【精密度】[—또] [명] [accuracy] 측정(測定)의 정밀함을 나타내는 정도. [준]정도(精度).

정밀-성【精密性】[—썽] [명] 정밀한 특성.

정밀 수정【精密修正】[명] [precision adjustment]〖군〗탄착(彈着)의 중심이 목표 위에 정확히 오도록 화기(火器)의 사격을 신중히 수정(修正)하는 일.

정밀 유도 병기【精密誘導兵器】[명] [precision guided munition; PGM]〖군〗①유도 장치에 의하여 정밀하게 명중하는 병기의 총칭. 레이저 유도 폭탄·순항(巡航) 미사일 등이 포함됨. ②명중률이 높은 유도탄의 일컬음.

정밀 주:조【精密鑄造】[명]〖공〗치수의 공차(公差)가 작은 주물(鑄物)을 제조하는 일.

정밀 진:입 레이더【精密進入—】[명] [precision approach radar] 지상 관제 진입 장치에서, 활주로에 진입하는 항공기를 관제하는 레이더.

정밀 천칭【精密天秤】[명]〖물〗천칭의 한 가지. 미소하거나 정밀하게 측정하는 데 쓰이는데, 대(臺)의 안정, 공기(空氣)·일광(日光)의 영향 등을 피하게 할 수 있음.

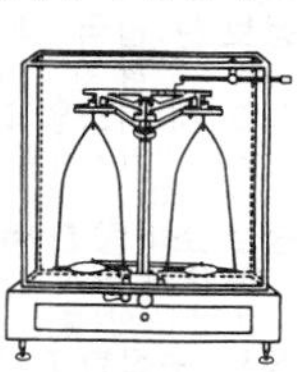
〈정밀 천칭〉

정밀 폭격【精密爆擊】[명] [precision bombing]〖군〗비교적 작은 용적(容積) 또는 면적의 목표를 폭격하기 위하여 정밀 기기 및 장치를 이용한 수평 폭격(水平爆擊).

정밀-화[1]【精密化】[명] 정밀하게 됨. 정밀하게 함. ——-하다 [자][타][여불]

정밀-화[2]【精密畫】[명] 대상을 세부에 걸쳐 정밀하게 묘사하는 그림. 주로 펜 따위를 사용하여 가느다란 점(點)이나 선(線)으로써 작은 대상을 그린 것. 예술 작품 외에 도감(圖鑑) 등 실용 목적으로 쓰임.

정바기【頂—】[명] 〈방〉 정수리.

정박【碇泊·渟泊】[명] 배가 닻을 내리고 머무름. 선박(船泊). ——-하다 [자][여불]

정박 기간【碇泊期間】[명] 선적(船積) 기간과 양륙(揚陸) 기간의 총칭. 화물의 선적·양륙을 위하여 배가 발착항내(發着港內)에 정박하는 기간. *선적 기간.

정박-등【碇泊燈】[명] 정박중(碇泊中)의 배가 밤에 그 위치를 나타내기 위하여 갑판(甲板) 위에 높이 내거는 등불.

정박-료【碇泊料】[—뇨] [명] 일정한 정박 기간을 경과한 뒤의 선적 또는 양륙(揚陸)에 대하여 그 초과 기간에 따라서 용선자(傭船者)가 선주(船主)에게 지불하는 보수(報酬). 체선료.

정박-선【碇泊船】[명] 정박하고 있는 선박.

정박-아【精薄兒】[명]〖심·의〗↗정신 박약아.

정박-장【碇泊場】[명] 배가 정박하고 있는 장소.

정박-지【碇泊地】[명] 배가 안전하게 정박할 수 있는 해안 지역.

정박-항【碇泊港】[명] 배가 정박하는 항구.

정반【碇盤】[명] 현수교(懸垂橋)의 양끝에서 줄이나 쇠사슬을 지지(支持)하고 있는 것.

정:-반:대【正反對】[명] 전적으로 반대되는 일.

정:-반:사【正反射】[명]〖물〗투사(投射)된 광선이 반사(反射) 법칙에 따라 일정한 방향으로 반사되는 현상. ——-하다 [자][여불]

정:반-왕【淨飯王】[명] [범 Suddhodana]〖사람〗기원전 6세기경 인도 가비라위국(迦毘羅衛國)의 왕. 석가의 아버지.

정:반왕-궁【淨飯王宮】[명]〖불교〗정반왕이 있던 궁전(宮殿).

정:-반:응【正反應】[명]〖화〗가역 반응(可逆反應)에 있어서, 화학 변화가 원물질(原物質)로부터 생성(生成) 물질의 방향으로 진행하는 반응. ↔역반응(逆反應).

정:-반:-합【正反合】[명] [도 These-Antithese-Synthese]〖철〗[정립(定立)·반립(反立)·종합(綜合)의 뜻] 헤겔에 의해서 정식화(定式化)된, 변증법의 사고 방식(思考方式). 논리 전개(論理展開)를 3개의 단계(段階)로 나눈 것. 하나의 판단, 곧 정(正)과, 이것에 모순(矛盾)되는 다른 판단, 곧 반(反)이, 더 한층 높은 종합적(綜合的)인 판단인 합(合)에 통합(統合)되는 과정(過程)을 가리킴. 이 과정을 '지양(止揚: Aufheben)'이라고 함.

정-받이【精—】[—바지] [명]〖생〗수정(受精).

정:발[1]【淨髮】[명] 중의 삭발(削髮)을 이름. ——-하다 [자][타][여불]

정:-발[2]【鄭撥】[명]〖사람〗조선 선조(宣祖) 때의 무신. 자는 자고(子固), 호는 백운(白雲). 경주(慶州) 사람. 임진 왜란 초반 부산진 첨절제사(釜山鎭僉節制使)로 왜군을 맞아 싸우다가 중과 부족으로 성을 점령당하고 전사함. 시호는 충장(忠壯). [1553-92]

정:-밤중【正—中】[—쭝] [명] ☞한밤중.

정방[1]【丁方】[명]〖민〗이십 사 방위(方位)의 하나. 정남(正南)에서 서쪽으로 15도(度)째 되는 방위를 중심으로 한 각도의 안. [준]정(丁).

정:방[2]【正方】[명] ①바른 사각. ②똑바로 되는 정면.

정:방[3]【正房】[명] 몸채.

정방[4]【貞方】[명] 마음이 곧고 방정함. ——-하다 [형][여불]

정방[5]【政房】[명]〖역〗고려 때, 정무(政務)를 행하던 곳. 고종(高宗) 12년(1225)에 최이(崔怡)가 처음으로 베푼 사설 정치 기관(私設政治機關)인데, 무인 정권(武人政權)이 거꾸러진 뒤에도 없어지지 않고, 나라의 행정 기구(行政機構) 안에 흡수되어 예전과 같이 전주(銓注)를 맡아보았고, 충렬왕(忠烈王) 이후 여러 번 폐치(廢置)를 거듭하다가 창왕(昌王) 때에 상서사(尙瑞司)로 고치었음. 지인방(知印房). 차자방(箚子房).

정:방[6]【淨房】[명] 뒷간.

정방[7]【精紡】[명]〖공〗방적의 마지막 공정(工程)으로, 조사(粗絲)를 소요(所要)의 굵기와 질기고 탄력(彈力) 있는 실로 만들기 위하여 실을 잡아당기면서 비틀어 꼬는 공정.

정방-기【精紡機】[명]〖기〗방적 기계의 하나. 정방하는 데 쓰는 기계.

정:방-산【正方山】[명]〖지〗황해도 황주군(黃州郡) 주남면(州南面)과 봉산군(鳳山郡) 사인면(舍人面) 사이에 위치하는 산. [480 m]

정:방 정계【正方晶系】[명]〖광〗결정계(結晶系)의 하나. 서로 직각으로 만나는 세 개의 결정축(結晶軸) 가운데 두 개의 횡축(橫軸)은 길이가 같고, 상하(上下)로 뻗은 한 축은 길이가 다른 결정계.

정:-방정식【整方程式】[명]〖수〗방정식의 하나. 미지수에 관한 어떤 정식(整式)이 0과 같다는 꼴로 정리할 수 있는 방정식. 그 정식의 차수(次數)가 n이면 n차 방정식이라고 함.

정:방 폭포【正房瀑布】[명]〖지〗제주도 서귀포시(西歸浦市) 동쪽에 있는 폭포. 한라산(漢拏山) 남쪽 기슭으로부터 절벽을 흘러내려 바다로 떨어지는 기관(奇觀)을 이룸. 높이 23 m.

정:방 행렬【正方行列】[—녈] [명]〖수〗정방형의 행렬. 즉, 행(行)의 개수(個數)와 열(列)의 개수가 같은 행렬.

정:방-형【正方形】[명]〖수〗정사각형(正四角形). 평방형(平方形).

정:방형 그래프【正方形—】[graph] [명] 사각형 그래프.

정:배[1]【正配】[명] 적처(嫡妻).

정:배[2]【正褙】[명] 초배를 한 뒤에 정작으로 하는 도배(塗褙). ——-하다 [타][여불]

정:배[3]【定配】[명]〖역〗배소(配所)를 정하여 죄인을 유배(流配)시킴. 찬배(竄配). ——-하다 [타][여불]

정배[4]【頂拜】[명] 머리를 숙이고 예배함. ——-하다 [자][여불]

정:배[5]【淨配】[명]〖천주교〗깨끗한 배필. 특히, 예수의 양부(養父) 성요셉과 성모 마리아의 사이를 가리킴.

정:-배(:)걸【鄭倍傑】[명]〖사람〗고려 문종(文宗) 때의 문신·학자. 초계(草溪) 정씨의 시조. 현종(顯宗) 때 문과에 장원, 여러 벼슬을 거쳐 예부 상서 중추사(禮部尙書中樞使)에 이름. 사숙(私塾)을 열어 제자들을 가르쳤는데 세상에서 이들을 홍문공도(弘文公徒)라 불렀음. 생몰년 미상.

정배기【頂—】[명] 〈방〉 정수리(경상).

정:백[1]【淨白】[명] 정하고 흼. ——-하다 [형][여불]

정백[2]【精白】[명] 티 없이 아주 흰 빛. 순백(純白).

정백[3]【精魄】[명] 정령(精靈)❶.

정:-백[4]【鄭白】[명]〖역〗중국 전국 시대(戰國時代) 한(韓)나라의 정 국(鄭國)과 한대(漢代)의 조 대부(趙大夫) 백공(白公)을 일컬음. 또, 그 두 사람이 만든 관개용(灌漑用)의 도랑.

정백-경【精白鏡】명 중국 전한(前漢) 시대의 거울의 한 형식. 특색 있는 소전체(小篆體)로 쓰인 명문(銘文)인 권계구(勸戒句)의 첫 머리에 '정백(精白)' 또는 '청백(淸白)'이란 글씨가 새겨져 있음. 낙랑(樂浪) 유적에서도 출토됨. 청백경(淸白鏡).

정:백단-잔【正白壇盞】명 제단(祭壇)에 쓰는 자기(瓷器)의 한 가지. 중국 명(明)나라 가정(嘉靖) 때에 만들어 낸 것임.

정백-당【精白糖】명 조당(粗糖)을 용해·여과한 다음 여러 과정을 거쳐 얻은 순수한 설탕. 곧, 흰설탕. ㊜정당(精糖). ↔조당(粗糖).

정백-미【精白米】명 깨끗하게 쓿은 흰 쌀. 쓿은 쌀. 아주먹이. ㊜정미(精米). 「다 타여불

정벌【征伐】명 죄 있는 무리를 군대(軍隊)로써 침. 정토(征討). ──-하

정벌-군【征伐軍】명 정벌하는 군대. 정토군(征討軍).

정:범[1]【正犯】명〖법〗형법상(刑法上) 범죄 행위를 실행한 사람. 단독 정범과 공동 정범으로 크게 나뉨. 원범(元犯). 주범(主犯). ＊종범(從犯)·교사범(敎唆犯).

정범[2]【征帆】명 항해(航海)하는 배.

정:법[1]【正法】[一뻡] 명 ①바른 법칙. ②〖불교〗바른 교법(敎法). 불법(佛法). ③〖불교〗↗정법시(正法時). ＊상법(像法)·말법(末法). ④〖법〗정형(正刑). ⑤〖법〗법의 이념(理念)에 비추어 객관적 정당성(客觀的正當性)을 갖는다고 인정된 법. 슈타믈러(Stammler)가 주장한 기본 개념(基本概念). 정당법(正當法).

정:법[2]【定法】[一뻡] 명 정해진 법칙.

정-법[3]【政法】[一뻡] 명 ①정치와 법률. ②정치와 법도(法度).

정법-사【政法司】[一뻡一] 명〖역〗정관사(政官司).

정:법-시【正法時】[一뻡一] 명〖불교〗정법이 행하여지는 시기. 곧, 부처의 입적(入寂) 후 오백 년 또는 천 년 동안. ㊜정법(正法)·상법시·말법시.

정:법안-장【正法眼藏】[一뻡一] 명〖불교〗석가(釋迦)가 성각(成覺)한 비밀(秘密)의 극의(極意)로, 직지 인심 견성 성불(直指人心見性成佛)의 묘리(妙理).

정:법-적【正法賊】[一뻡一] 명〖역〗사형에 처해야 할 적도(賊徒).

정법-전【政法典】[一뻡一] 명〖역〗정관사(政官司).

정:벽-처【靜僻處】명 고요하고 궁벽한 곳. 「데타 따위.

정변[1]【政變】명 정치상의 큰 변동. 내각(內閣)의 돌연한 교체(交替)나 쿠

정:변[2]【靖邊】명 변방을 다스려 평정시킴. ──-하다 자여불

정:변성 작용【靜變成作用】명〔static metamorphism〕〖지질〗높은 정암압(靜岩壓) 아래에서, 열과 용액의 작용에 의해서 생기는 광역(廣域) 변성 작용.

정:변-지【正遍知】명〖불교〗여래 십호(如來十號)의 하나. 온 세상의 모든 일을 모르는 것 없이 바로 안다는 뜻으로, 불타(佛陀)를 일컫는 말. ＊명행족(明行足).

정:병[1]【正兵】명 ①기책(奇策)·궤계(詭計)에 의하지 아니하고 정정 당당히 싸우는 군대. ↔기병(奇兵). ②〖역〗정군(正軍).

정병[2]【廷兵】명〖법〗군법 회의에서 재판관의 명을 받아 소송 관계자의 인도(引導), 법정의 정돈 등 소송 진행에 필요한 업무를 집행하는 헌병 하사관 및 병(兵).

정병[3]【政柄】명 정권(政權).

정병[4]【淨甁】명 군지(軍持).

정병[5]【精兵】명 우수하고 강한 군사. 정련병(精鍊兵). 정졸(精卒). 선병(選兵). 양병(良兵). 영병(逞兵). ¶～주의(主義).

정:-병욱【鄭炳昱】명〖사람〗국문학자. 경남 하동(河東) 출신. 서울 대학교 국문과를 졸업, 1957년부터 서울 대학교 교수를 지냄. 저서(著書)에 ≪국문학 산고(散藁)≫ ≪시조(時調) 문학 사전≫ 등이 있으며, 판소리 연구에 업적이 많음. [1922-82]

정:-병(:)조【鄭丙朝】명〖사람〗근대 한국의 문장가·서가(書家). 자는 우서(禹書), 호는 규원(葵園). 동래 사람. 백형(伯兄)인 무정(茂亭) 만조(萬朝)와 함께 당시의 형제 문장가로 이름이 높았음. 한일 합방 후 중추원 촉탁으로≪조선사≫ 편찬에 참여함. [1863-1945]

정:병-택【正兵宅】명 대대로 무명(武名)을 떨친 가문.

정:-병(:)하【鄭秉夏】명〖사람〗조선 말의 개화파(開化派) 문신. 유대치(劉大致)의 문하에서 어윤중(魚允中) 등과 교유하였으며, 전운서(轉運署)에 있을 때 한청(韓淸) 양국 외교에 활약함. 김홍집(金弘集)의 3차 내각에 농상공부 대신으로 입각, 개화 정책에 힘썼으나, 이듬해 고종(高宗)의 아관 파천(俄館播遷) 때 난민(亂民)에게 타살됨. 시호는 충희(忠僖). [?-1896]

정:보[1]【正甫】명〖역〗①고려초에 태봉(泰封)의 관제를 본떠서 정한 문무의 관호(官號). ②고려 때 향직(鄕職)의 오품(五品).

정보[2]【情報】명〔information〕①사정이나 정황의 보고. ②〖군〗전쟁 수행상 필요한 첩보(諜報)를 수집하여 해석·평가·분석한 적(敵)의 상황(狀況). 또, 그에 관한 보고. ③〖컴퓨터〗여러 형태로 표시된 자료의 집단. 또는 여러 가지 선택 상대들로부터 특별히 하나를 지시하는 기호들의 집합.

정보[3]【町步】의명 한 정(町)으로 끝이 나고 단수(端數)가 없을 때의 일컬음. ¶10 ～의 논.

정보 검:색【情報檢索】명〔information retrieval〕연구 개발이나 경영 관리 따위에서, 방대한 자료 속에서 필요한 정보를 가능한 한 빨리 빼어 내는 기술. 아이 아르(I.R.).

정보 격차【情報格差】명〔information gap〕정보 기술(情報技術)의 국제간의 격차.

정보 경제학【情報經濟學】명〔information economics〕정보의 가치·생산·유통(流通)·이용에 관한 학문.

정보 공간【情報空間】명〔information space〕정보망(網)이나 각종 정보 기술의 복합적(複合的) 결과의 발달에 의해서 형성되는, 눈에 보이지 않는 공간.

정보 공개【情報公開】명〔information disclosure〕〖광고〗기업(企業)이 소비자의 이익 옹호, 특히 소비자의 건강과 안전을 위하여 자사(自社) 상품의 결함 따위를 공개하는 일.

정보 공개법【情報公開法】[一뻡] 명〖법〗정부에 대하여 국민이 정보의 공개를 요구하는 권리를 보장(保障)하는 법률.

정보 공해【情報公害】명 정보화(情報化) 사회의 진전에 따라, 정보의 홍수와 작위적(作爲的)인 정보 조작(操作)으로 말미암아, 일반 사람의 정신과 언행에 미치는 해.

정보과【情報課】[一꽈] 명 정보에 관한 업무를 맡아 처리하는 과.

정보 과학【情報科學】명〔information science〕정보의 형태·전송(傳送)·처리(處理)·축적(蓄積)에 관한 이론이나 기술을 연구하는 분야. 컴퓨터·통신 기술·사이버네틱스(cybernetics) 따위.

정보-관【情報官】명 정보를 취급하는 공무원. 국가·정치 체제의 기밀(機密)을 다루며, 정보 활동과 같은 역할을 감당하는 수가 많음.

정보 관리【情報管理】[一괄一] 명 정보화 사회에서, 인재(人材)·자금(資金)과 마찬가지로, 자원으로서의 가치가 있는 정보를 유효하게 이용하기 위해 효율적이고도 통합적으로 운용하는 일.

정보 교환【情報交換】명〖통신〗기기(機器) 사이에서 부호(符號)의 형태로 정보를 교환하는 일.

정보 기관【情報機關】명 정보의 수집·반포(頒布)·선전(宣傳) 및 통제(統制)에 이르는 각종 정보 활동을 담당하는 기관. 주로 국가 기관을 가리킴.

정보 도시【情報都市】명〔computopolis〕컴퓨터 기술을 최대한으로 활용하여 고도(高度)의 정보 기능(情報機能)을 갖게 한 미래의 정보화 사회(情報化社會)에 출현할 것으로 예상되는 도시. 디지털 통신망(通信網)·의료 교육 정보 시스템·무인 교통(無人交通) 시스템·정보 사업 공영(公營) 등이 그 중핵(中核)을 이룰 것으로 보임.

정보-량【情報量】명〖수〗사건의 발생에 관한 정보의 양(量). 어떤 사건이 일어나는 확률(確率)이 P일 때, 그 대수(對數)의 부호(符號)를 바꾼 $-\log P$를 그 사건의 발생에 관한 정보량이라 함.

정보 마찰【情報摩擦】명〔information gap〕〖사〗매스 미디어(mass media)의 상호적인 정보가, 관련되는 두 나라 사이의 대립을 격화시키는 일.

정보-망【情報網】명 정보 수집을 위하여 그물과 같이 팔방으로 편 조직망(組織網).

정보 문화의 달【情報文化一】[一/一에一] 명 정보화(情報化)의 중요성에 대한 인식을 확산시키고 정보 기기(機器) 이용의 생활화를 유도하기 위해 정한 달. 매년 6월. 1967년 6월 24일에 경제 기획원 조사 통계국에서 컴퓨터가 가동(稼動)된 일을 기념하여 1988년에 제정함.

정보 민주주의【情報民主主義】[一/一이] 명 프라이버시(privacy)의 권리, 알 권리, 정보 이용권(利用權), 정보 참여권(參與權) 등 정보에 관한 기본적 인권(基本的人權)에 입각한 민주주의.

정보 부대【情報部隊】명〖군〗정보의 수집(蒐集)을 주요 임무(任務)로 하는 부대.

정보-비【情報費】명 정보 활동(情報活動)을 하는 데 소요(所要)되는 경비(經費).

정보 사회【情報社會】명 정보화 사회.

정보 사회 과학【情報社會科學】명 정보 과학의 기초 해명(解明), 사회 시스템의 기초 이론과 수법, 정보화(情報化) 사회의 분석 등을 대상으로 하는 학문.

정보 산:업【情報産業】명 정보의 취급에 관한 산업. 정보의 발생·전달·기록·축적·검색·복제(複製)·배포 따위를 취급함. 지식(知識) 산업. 정보 지식 산업.

정보 산:업국【情報産業局】명〖법〗전에, 과학 기술처의 한 국(局). 정보 산업의 진흥 및 정보 처리에 관한 업무를 관장함. 1981년 폐지됨.

정보 서:비스업【情報一業】〔service〕명 컴퓨터를 써서 다른 사람의 정보의 처리·검색을 해 주거나, 소프트웨어 작성을 직업으로 하는 산업. 정보 처리 산업.

정보 소비량【情報消費量】명 일반 국민이 우편(郵便)·전신(電信)·전화(電話)·텔레비전·라디오·신문·잡지 등 각종 미디어(media)를 사용하고 있는 양(量).

정보 수집함【情報收集艦】명 해상에서 상대국의 전파 정보나 전자 정보의 수집 임무를 수행하는 해군 함정.

정보 스트레스【情報一】〔stress〕명〖사〗과다한 정보를 수용(受容)함으로써 생기는 정신의 불안정(不安定).

정보 시스템【情報一】명〔information system〕〖통신〗사람들 사이에서 지식을 전달하기 위한 모든 수단. 단순한 언어에 의한 전달이나, 펀치 카드 시스템, 결합 색인법(索引法)에 의한 광학 일치 시스템, 정보의 축적·검색·회수(回收) 등에 컴퓨터를 사용하는 방법이 있음.

정보 신디케이트【情報一】명〔information syndicate〕〖사〗몇 개의 기업(企業)이 그룹을 이루어 설치하는 공동(共同)의 정보 처리 서비스 기관(機關).

정보 오:염【情報汚染】명 인간의 정보 환경(情報環境)이 정보 과다(過多) 또는 결함(缺陷) 정보의 범람(氾濫)으로 오염되고 환경을 파괴(破壞)하는 일.

정보-원[1]【情報員】명 정보의 수집·분석 등에 종사하는 실무자(實務者).

정보-원[2]【情報源】명 정보가 흘러나오는 근원.

정보 위원회【情報委員會】명 국회 상임 위원회의 하나. 국가 안전 기획부와 정보 및 보안 업무의 기획·조정 대상 부처 소관 정보 예산안과 결산 심사에 관한 사항을 심의함.

정보 은행【情報銀行】[명]〔data bank〕대량(大量)의 데이터를 축적(蓄積)하여 두고, 이용자에게 필요한 각종 데이터나 정보를 서비스하는 기관. 데이터 뱅크.

정보 이:론【情報理論】[명] 미국의 위너(Wiener) 및 섀넌(Shannon) 등에 의해서 전개된 정보에 관한 수학적 이론. 정보량이나 정보원(源)에 수학적인 정의(定義)를 부여하고, 잡음(雜音)·통신로(通信路)의 정보 전송 용량(傳送容量), 정보원(源)에서 발생(發生)하는 통신문(通信文)의 능률적 부호화(符號化), 예측(豫測) 따위를 수학적(數學的)인 입장에서 연구하려 함.

정보 장:교【情報將校】[명] 군 정보부에 근무하는 장교. 정보의 수집·분석에 종사함.

정보 전달【情報傳達】[명] ①새로이 입수한 정보 지식을 전하는 일. ②〖생〗DNA의 배열 순서에 관한 유전 암호(遺傳暗號)가 전령 RNA에 의해 리보솜(Ribosom)에 전달되는 일.

정보 조정 협의회【情報調整協議會】[－/－이－] [명]〖정〗국가 정보 정책의 수립과 정보 판단 및 그 운영에 관한 사항을 협의하는 기구. 국가 정보원에 둠.

정:-보증인【正保證人】[명] 채무 보증 또는 신원 보증으로, 두 사람의 보증인을 필요로 하는 경우의 주된 보증인.

정보-지【情報誌】[명] 정보만을 나열한 잡지. 영화·연극·음악·스포츠·전시회 등의 이벤트 정보, 주택 정보, 열차 시간 정보 등, 부문별로 발간됨.

정보 참모부【情報參謀部】[명]〖군〗군사령부 등의 한 참모 부서(參謀部署). 정보에 관한 사항을 분장함.

정보 처:리【情報處理】[명] 필요한 정보를 획득할 수 있도록 자료를 처리하는 일. 특히 컴퓨터를 이용하는 것을 가리키는 수가 많음.

정보 처:리 산:업【情報處理産業】[명] 정보 서비스업.

정보 청구권【情報請求權】[－꿘] [명]〖사〗언론(言論) 종사자가 일반적으로 접할 수 있는 정보원(情報源), 특히 국가(國家) 및 공공 단체(公共團體)의 장(長) 등에게 공익(公益) 사항에 대하여 정보 제공을 청구할 수 있는 권리.

정보-통【情報通】[명] 그 방면의 정보에 정통한 사람.

정보 통신 공무원 교:육원【情報通信公務員敎育院】[명]〖법〗정보 통신부 장관 소속의 교육 기관. 정보 통신부 소속 공무원에 대하여 그 업무 수행에 필요한 지식과 기술 습득을 위한 교육 훈련을 담당함.

정보 통신부【情報通信部】[명] 행정 각부의 하나. 정보 통신·전파 관리·우편·우편환 및 우편 대체(對替)에 관한 사무를 맡아 처리함. [준]정통부.

정보 통신부 장:관【情報通信部長官】[명] 정보 통신부의 장(長)인 국무위원.

정보 통신 산:업【情報通信産業】[명] 전자적(電子的) 통신망을 통하여 정보 유통을 담당하는 정보 산업.

정보 폭발【情報爆發】[명]〔information explosion〕신문·텔레비전·전화에 이어 컴퓨터·통신 위성 등 새로운 정보 수단이 출현하고, 여기 따라 정보의 양(量)이 폭발적으로 증가(增加)하여 가는 현상.

정보 학교【情報學校】[명]〖군〗↗육군 정보 학교.

정보 혁명【情報革命】[명]〔information revolution〕컴퓨터의 발전으로 야기되는 사회 변혁. 컴퓨터 혁명.

정보화 사회【情報化社會】[명]〔information society〕공업 제품(工業製品)에 가름하여 정보의 생산이 가치(價値)를 낳는 사회. 정보가 물품이나 에너지·서비스 이상으로 유력한 자원(資源)이 되어, 정보를 중심으로 사회·경제가 운영되고 발전되어 감.

정보 환경【情報環境】[명]〔information environment〕신문·서적·방송·광고·전신·전화·영화·연극·음악·대화(對話)·교육 등 갖가지 방법과 매체(媒體)에 의한 정보 공간 안에서의 정보의 흐름으로 성립되는 인간의 환경.

정보 환경학【情報環境學】[명] 전파(電波)에 실려 전달되는 갖가지 정보(情報)와 인간 사회(人間社會)와의 바람직한 관련 상황(關聯狀況)에 관하여 연구하는 학문.

정보 활동【情報活動】[－똥] [명] 개인 또는 집단에 필요한 지식을 생산 또는 수집·전달하고 처리하는 일.

정:복¹【正服】[명] ①의식(儀式) 때에 입는 정식의 복장. ②제복. ¶～ 경찰관.

정복²【征服】[명] ①정벌(征伐)하여 복종시킴. 남의 나라를 쳐서 땅을 빼앗음. ②어려운 일을 겪어 이겨냄. ¶에베레스트 정상의 ～. ──-하다 [타][여불]

정복³【情服】[명] 사람이 죽었을 때, 촌수(寸數) 따위에 관계 없이 정(情)으로 입는 복(服).

정:복⁴【淨福】[명] ①맑고도 조촐한 행복. ②〖불교〗부처의 혜택. 불교를 믿음으로써 얻는 행복.

정복 국가론【征服國家論】[명] 국가는 강자(強者)가 약자(弱者)를 정복·지배하게 됨으로써 성립된다는 이론. 정복자들은 많은 토지(土地)와 노예(奴隸)를 소유하게 되어 지배자(支配者)로 군림(君臨)하게 되고, 이들의 지배 관계가 법(法)이라는 형식이 되고 그에 따라 국가가 발생한다고 함. 굼플로비츠(Gumplowicz, L.)·오펜하이머(Oppenheimer, F.) 등이 그 대표자임.

정복-왕【征服王】[명]〖사람〗'윌리엄 일세'의 별칭.

정복 왕조【征服王朝】[명] 중국사상(中國史上), 이민족의 정복에 의해 세워진 왕조. 요(遼)·금(金)·원(元)·청(淸) 등을 말함.

정복-욕【征服慾】[－뇩] [명] 정복하고자 하는 욕망.

정복-자【征服者】[명] 남의 나라나 어떤 사물을 정복하는 사람.

정:본¹【正本】[명] ①전사(轉寫) 또는 부본(副本)의 원본(原本). ¶～과 사본. ②〖법〗판결의 원본을 토대로 하여 법원 서기관이 작성한 문서. 소송법상 원본과 동일한 효력을 가짐. 1)·2):↔부본.

정:본²【定本】[명] ①많은 이본(異本)을 비교·검토·교정하여, 원본과 가장 가깝게 복원(復元)했다고 작업자(作業者)가 생각하는 본문(本文)을 정(定)한 책. ②저자(著者)가 손질한 결정판(決定版).

정본³【政本】[명] ①정치의 근본이라는 뜻으로, 농사(農事)를 이르는 말. ②정치의 근본이라는 뜻으로 예(禮)를 이르는 말.

정봉¹【停捧】[명]〖역〗흉년이 들거나 했을 때, 환자(還子)나 대동미(大同米) 따위를 거두기를 정지하고 연기하는 일. *정봉 퇴한(退限). ──-하다 [타][여불]

정봉²【精捧】[명] 세곡(稅穀)을 꼭 바르게 받아들임. ──-하다 [타][여불]

정:봉 대:부【正奉大夫】[명]〖역〗고려(高麗) 때 종이품(從二品) 문관(文官)의 품계(品階). 충렬왕(忠烈王) 24년(1298)에 충선왕(忠宣王)이 즉위하여 정했다가 곧 폐함.

정:-봉(:)수【鄭鳳壽】[명]〖사람〗조선 선조(宣祖)·인조(仁祖) 때의 무신. 자는 상수(祥叟). 하동(河東) 사람. 임진 왜란 때는 선전관(宣傳官)으로서 왕을 호종(扈從)하였고, 정묘 호란(丁卯胡亂) 때는 철산(鐵山)의 의병장(義兵將)으로 아우 기수(麒壽)와 함께 용골산성(龍骨山城)에서 많은 후금(後金) 병사를 살해하고 포로로 된 백성 수천 명을 구출함. 뒤에 전라 좌도 수군 절도사, 경상도·전라도 병마 절도사를 거쳐 훈련원 도정(都正)을 지냄. 시호 양무(襄武). [1572-1645]

정봉 퇴:한【停捧退限】[명]〖역〗환자(還子) 따위를 거두기를 1년 동안 물리어 연기하는 일.

정부¹【丁夫】[명] 정역(丁役)의 일과 잡역(雜役)의 일을 하는 장정.

정부²【丁部】[명]〖책〗집부(集部).

정부³【丁賦】[명] 중국에서 정남(丁男)에 부과(賦課)하던 세(稅). 처음에는 남자의 병역 면제(兵役免除)의 대상(代償)으로 돈이나 재물을 받았으나 뒤에는 노동력 징발(勞動力徵發)의 대납(代納)으로 재화(財貨)를 받고 빈부(貧富)에 따라 할당하였음.

정:-부⁴【正否】[명] 바름과 바르지 못함. 옳고 그름.

정:-부⁵【正負】[명] ①〖수〗양수(陽數)와 음수(陰數). 정호(正號)와 부호(負號). ②양(陽)과 음(陰).

정:-부⁶【正副】[명] 주장되는 으뜸과 그의 버금. ¶～ 2통의 서류.

정부⁷【征夫】[명] ①출정(出征)하는 군사(軍士). ②먼 길을 가는 사람. 정인(征人).

정부⁸【征賦】[명] 조세(租稅)를 책정함. 또, 그 조세.

정부⁹【政府】[명]〖역〗↗의정부(議政府).

정부¹⁰【政府】[명]〔government〕①국가의 통치권을 행사하는 기관. 곧, 입법(立法)·행정(行政)·사법(司法)의 세 기관을 포함한, 한 나라의 통치 기구의 총칭. ②근대 국가의 행정부. ③재산권(財産權)의 주체로서의 나라. 곧, 국고(國庫). ¶～ 부담.

정부¹¹【貞婦】[명] 현철하고 정조(貞操)가 곧은 아내. 정녀(貞女).

정부¹²【情夫】[명] 유부녀(有夫女)가 몰래 사통(私通)하는 남자(男子). ↔정부(情婦).

정부¹³【情婦】[명] 몰래 사통하는 여자. ↔정부(情夫).

정부¹⁴【頂部】[명] 가장 높은 꼭대기의 부분. 머리 부분.

정부간 해:사 협의 기구【政府間海事協議機構】[－/－이－] [명]〔Intergovernmental Maritime Consultative Organization ; IMCO〕유엔 전문 기구의 하나. 해운(海運)에 관한 각국간의 국제 협력 촉진, 특히 해상에서의 인명(人命)의 안전, 효율적인 항행(航行), 선박에 의한 해양 오염 방지를 목적으로 하여 설립됨. 1948년 2월 19일, 미국·영국 등 32개국에 의해 스위스의 제네바에서 설립되었으나, 정식 발족(正式發足)은 1958년 3월 17일. 우리 나라는 1962년 4월 10일 정회원국(正會員國)이 됨. 1982년 국제 해사 기구(IMO)로 개칭됨.

정부 간:행물【政府刊行物】[명] 정부의 각 관청이 국민에의 선전·계몽 등을 위해 발행하는 간행물. 백서(白書)·각종의 자료(資料)·조사 보고서(調査報告書) 등.

정부간 협정【政府間協定】[명] 행정 협정.

정부-군【政府軍】[명] 정부에 딸린 군대. 정부편의 군사.

정부 금융 기관【政府金融機關】[－/－늉－] [명] 정부가 자본금 전액을 출자하고 있는 금융 기관. 한국 은행·한국 산업 은행 등. *국책 은행.

정부 기록 보:존소【政府記錄保存所】[명] 총무처(總務處)에 속하여, 정부의 영구 보존 및 준 영구 보존의 문서·인쇄물·서적·지적도·계획서·도안·사진·마이크로 필름·영사 필름·녹음 기록·기타 중요한 기록물을 수집·관리·보존 및 열람시키는 일을 관장하는 기관.

정부 단:기 증권【政府短期證券】[－꿘] [명]〖정〗정부가 국고 수지(國庫收支)의 일시적 부족을 메우기 위하여 발행하는 단기의 증권. 양곡 증권(糧穀證券) 같은 것.

정부-당【政府黨】[명]〖정〗여당(與黨)❶.

정부 무:역【政府貿易】[명] 한 나라의 정부가 외국의 정부 기관 또는 민간 업자와 스스로 계약의 당사자가 되어서 하는 무역. ↔민간 무역(民間貿易).

정부-미【政府米】[명] 미가(米價)의 조절(調節) 및 군수(軍需)·구호용(救護用)에 충당(充當)할 목적으로 정부가 보유하고 있는 쌀. 정부 보유미(保有米).

정부 민원 상담실【政府民願相談室】[명]〖법〗행정 자치부 장관(行政自治部長官) 소속 기관의 하나. 정부의 민원 전반에 관한 접수 및 상담에 관한 사항을 처리함.

정부 보:유미【政府保有米】[명] 정부미(政府米).

정부 보:유불【政府保有弗】[명] 정부불. [준]보유불.

정부 보:증채【政府保證債】[명]〖경〗정부의 채무 보증에 의해 발행되는 공사(公社)나 공단(公團)의 채권. 주택 채권 따위.

정부-불【政府弗】[명] 국고금으로서 정부가 보관·관리하고 있는 달러(dollar). 정부 보유불.

정부 수요 물자【政府需要物資】[－짜] [명]〖법〗정부 및 정부 투자 기관의 수요에 의하여 도입되는 외자(外資)와 조달청장이 정하는 조달 물자(調達物資).

정부 수표【政府手票】[명] 국가의 지급 기관인 지출관(支出官) 또는 출납 공무원(出納公務員)이 지급을 할 때 발행하는 수표. 한국 은행을 지급인(支給人)으로 함.

정부 승인【政府承認】[명] 〔recognition of government〕 혁명이나 쿠데타 등 비합법적인 수단에 의해 정부가 변경된 경우에, 외국이 신정부를 그 나라의 정식 정부로서 승인하는 일. *국가 승인.

정부-안【政府案】[명]〖정〗정부가 작성하여 의회(議會)에 제출하는 의안(議案).

정부 예:금【政府預金】[명]〖경〗한국 은행에 예치(預置)된 정부의 예금. 국고금의 세입(歲入)·세출(歲出)은 모두 이 정부 예금 계정을 통하여 행하여 짐. *동업자(同業者) 예금.

정부 위원【政府委員】[명] 국회의 본회의나 위원회에 출석하여 장관(長官)의 답변 설명을 보좌하며, 발언도 할 수 있는 정부 기관의 직원. 중앙 행정 기관의 처장(處長)·차관(次官)·청장(廳長)·차장(次長)·차관보(次官補)·실장(室長)·국장(局長)·본부장(本部長)·부장(部長) 등.

정:-부의장【正副議長】[—/—이—] [명] 의장(議長)과 부의장(副議長).

정-부인【貞夫人】[명]〖역〗조선 시대 때 정·종이품(正從二品)의 문무관(文武官)의 아내의 봉작(封爵). 고종(高宗) 2년(1865)부터 문무관·종친(宗親)의 아내의 봉작으로 병용(並用)하였음. 숙부인(淑夫人)의 위, 정경(貞敬) 부인의 아래 품계임.

정부 자:금【政府資金】[명]〖경〗①자금의 출자 및 융자에 관하여 정부가 그 운용을 규제(規制)하는 자금. ↔민간 자금. ②그 자금의 수불(受拂)이 정부의 창구(窓口)를 통하여 행하여지는 자금. 곧, 넓은 의미의 국가의 재정 자금.

정부 자:금 통:계【政府資金統計】[명] 정부 관계 자금 전반에 관한 통계. 국고금의 수지 상황·정부 예금의 현황 등을 나타냄.

정부 전:산 정보 관리소【政府電算情報管理所】[—괄—] [명] 행정 자치부 장관 소속 기관의 하나. 정보 기기에 의한 행정 업무 처리의 과학화·능률화의 도모 및 행정 정보의 공동 활용 촉진과 공무원의 전산 교육에 관한 사무를 맡아봄.

정부 조달【政府調達】[명] 정부 기관이 필요로 하는 물자나 기재(機材)를 민간 업체로부터 구입하는 일.

정부 조직법【政府組織法】[명] 중앙 행정 조직의 대강(大綱)을 정하여 통일적(統一的)이고 체계(體系) 있는 국가 행정 사무의 수행을 기함을 목적으로 하는 법.

정부 증권【政府證券】[—꿘] [명]〖경〗정부가 발행하는 증권. 국채(國債)와 같은 장기(長期) 증권과 양곡(糧穀) 증권과 같은 단기(短期) 증권의 두 가지가 있음.

정부 지폐【政府紙幣】[명] 국가가 직접 발행한 지폐.

정:-부통령【正副統領】[명] 대통령(大統領)과 부통령(副統領).

정부 투자【政府投資】[명] 정부에 의한 투자. ↔민간 투자.

정부 합동 민원실【政府合同民願室】[명]〖법〗행정 자치부 장관 소속 기관의 하나. 정부에 대한 민원을 접수·상담하고 국민 고충 처리 위원회의 고충 민원에 관한 사무를 처리함.

정부 화:폐【政府貨幣】[명] 정부가 직접 발행하는 화폐.

정:북[1]【正北】[명] ↗정북방(正北方).

정북[2]【征北】[명] ①북쪽을 향해 감. ②북방(北方)을 정벌(征伐)함. ——하다 [자][여불]

정:-북방【正北方】[명] 똑 바른 북쪽. [준]정북(正北).

정:-북향【正北向】[명] 정북을 향한 쪽.

정분[1]【丁粉】[명] 분색 안료(粉色顔料)의 한 가지.

정분[2]【汀濆】[명] 물가. 정저(汀渚).

정분[3]【情分】[명] 정이 넘치는 따뜻한 마음. 사귀어 정이 든 정도. ¶～이 두텁다.

정분(이) 나다 [구] 서로 사랑하게 되다.

정:분[4]【鼎分】[명] 「정(鼎)」은 세발솥」 삼분(三分)함. ——하다 [타][여불]

정분[5]【精分】[명] ①정력(精力)의 근원. ②자양분(滋養分). ③순수한 성분(成分).

정:-분[6]【鄭苯】[명]〖사람〗조선 세종(世宗)·문종(文宗) 때의 문신. 자는 자유(子虛), 호는 애일당(愛日堂). 진주(晋州) 사람. 문종의 고명 대신(顧命大臣)의 한 사람. 우의정을 지냄. 단종(端宗) 1년(1453)에 전라·충청·경상도 도체찰사(都體察使)로 충주(忠州)로 가던 중 계유정난(癸酉靖難)으로 낙안(樂安)에 안치(安置)되었다가 사사(賜死)됨. 시호는 충장(忠莊). [?-1454]

정:비[1]【正比】[명]〖수〗보통의 비(比). a:b를 b:a에 대하여 정비(正比)라고 하는 등. ↔반비(反比)·역비(逆比).

정:비[2]【正妃】[명]〖역〗왕의 정실(正室)인 왕비. ↔후궁(後宮).

정비[3]【情費】[명]〖역〗구실을 바칠 때에 비공식으로 아전(衙前)들에게 주는 잔돈푼. *인정미(人情米).

정:비[4]【鼎沸】[명] 솥 안의 탕(湯)이 끓는 것같이 여러 사람이 마구 떠들썩하고 요란함의 비유.

정:비[5]【整備】[명] ①정돈하여 갖춤. 정돈하여 준비함. ¶기업을 ～하다. ②차량·비행기 등의 이상(異常) 유무를 보살피고 수리함. 닦고 죄고 기름칠. ——하다 [타][여불]

정:비-공【整備工】[명] 차량·비행기 같은 것을 잘 매만져 수리 및 이상(異常)의 유무(有無)를 보살피는 기술자. 정비원.

정:-비례[1]【正比例】[명]〖수〗본래의 직접적인 비례 관계. 곧, 두 양(量)이 서로 관련되어 변화하여 그 비(比)가 늘 일정할 적에 두 양에 대한 일컬음. 같은비. ↔반비례(反比例)·역비례(逆比例).

정:-비례[2]【定比例】[명] 일정한 비율(比率).

정:비례-율【定比例律】[명]〖화〗정비례의 법칙.

정:비례의 법칙【定比例—法則】[—/—에—] [명]〖화〗화학 반응에 관여하는 물질의 질량의 비율은 변하지 않으므로 주어진 한 화합물의 성분 원소(成分元素)의 질량비(質量比)는 항상 일정(一定)하다고 하는 법칙. 정비례율(定比例率).

정:비 보:급단【整備補給團】[명]〖군〗↗육군 공병 정비 보급단.

정:비 부호【定比符號】[명] 〔constant ratio code〕〖통신〗모든 글자를 1과 0을 일정 비율로 조합하여 만든 부호.

정:비-사【整備士】[명] 비행기 같은 것의 엔진을 정비하는 일에 종사하는 기술자(技術者).

정:-비석【鄭飛石】[명]〖사람〗소설가. 본명은 서죽(瑞竹). 평북 의주(義州) 출신. 1932년 일본 니혼(日本) 대학 문과를 중퇴하고 창작에 전념하여 36, 37년 동아일보와 조선일보의 신춘 문예 현상에 《졸곡제(卒哭祭)》와 《성황당(城隍堂)》이 각각 입선, 당선되어 본격적인 문학의 길을 걸음. 40-45년 매일신보(每日新報) 기자, 46년 중앙 신문(中央新聞) 문화부장을 역임함. 54년 서울신문에 연재한 《자유 부인(自由夫人)》에서 자유로운 여성의 성(性)모럴을 제시함으로써 큰 화제(話題)를 불러 일으켰으며 80년대에는 중국 고전을 소재로 한 《손자병법(孫子兵法)》 등의 소설이 대중적 성공을 거둠. 저작에 《소설 작법(小說作法)》 단편집에 《성황당》, 장편에 《고원(故苑)》·《민주어족(民主魚族)》 등 80여 편의 작품이 있음. [1911-91]

정:비 안씨【定妃安氏】[명]〖사람〗고려 공민왕의 비(妃). 죽주(竹州) 사람. 1374년 공민왕이 살해되자 중이 되었으며, 1389년 창왕(昌王)이 쫓겨날 때 대비(大妃) 자격으로 국왕의 인(印)을 공양왕에게 넘겨줌. 1392년 조선 태조 이 성계의 즉위 때도 대비 자격으로 옥새를 공양왕에게서 인수, 태조에게 전함. [?-1428]

정:비-원【整備員】[명] 정비공(整備工).

정:빈【正賓】[명] 정객(正客).

정-빗【政—】[명]〖역〗조선 시대 무비사(武備司)의 속칭. 정색(政色).

정:빙-기【整氷機】[명] 스케이트장(場)의 얼음 면을 고르는 기계.

정사[1]【丁巳】[명]〖민〗육십 갑자(六十甲子)의 쉰넷째.

정:사[2]【正士】[명] ①의로운 사람. ②〖불교〗'보살'의 별칭(別稱). 바른 법리를 보는 사람이라는 뜻임.

정:사[3]【正史】[명] ①정확한 사실의 역사. ↔야사(野史). ②기전체(紀傳體)에 의한 중국 역대(歷代)의 역사.

정:-사[4]【正邪】[명] ①바른 일과 간사한 일. ¶～를 구별하다. ②정기(正氣)와 사기(邪氣).

정:사[5]【正使】[명]〖역〗사신(使臣)의 수석(首席). 상사(上使).

정:사[6]【正射】[명] ①정면(正面)에서 쏨. ②수직(垂直)으로 투사(投射)함. ——하다 [타][여불]

정:사[7]【正寫】[명] 정서(正書). ——하다 [타][여불]

정사[8]【呈辭】[명]〖역〗벼슬아치가 사직(辭職)·청가(請暇)의 원서(願書)를 관부(官府)에 제출함. ——하다 [타][여불]

정사[9]【貞士】[명] 지조가 곧은 선비.

정사[10]【政社】[명] ↗정사 결사(政事結社).

정사[11]【政事】[명] ①정치상(政治上)의 일. 행정에 관한 사무. ¶～에 바쁜 몸. ②벼슬아치의 임면(任免)·출척(黜陟)에 관한 일.

정사[12]【亭舍】[명] 풍치가 아름다운 곳에 지어 놓고 거처하는 정자 모양의 집.

정사[13]【亭榭】[명] 정자(亭子).

정사[14]【情史】[명] 남녀의 애정에 관한 일을 기술한 소설. 또, 그 책.

정사[15]【情死】[명] 서로 사랑하는 남녀가 현세(現世)에서 사랑을 이루지 못할 적에 이를 슬퍼하고 미래의 행복을 꿈꾸어 함께 죽는 일. ——하다 [자][여불]

정사[16]【情私】[명] 친족 사이의 사정(私情).

정사[17]【情事】[명] ①남녀 사이의 사랑에 관한 일. ②정부(情夫)와 정부(情婦) 사이의 관계. 특히, 육체적인 교섭을 일컬음. ¶혼외(婚外) ～.

정사[18]【情思】[명] ①감정과 생각. ②남녀가 서로 사랑하는 생각.

정:사[19]【淨寫】[명] 정서(淨書). ——하다 [타][여불]

정사[20]【偵伺】[명] 정탐(偵探). 정찰(偵察). ——하다 [타][여불]

정사[21]【精舍】[명] ①학문을 가르치려고 베푼 집. ②정신을 수양하는 곳. ③〖불교〗〔범 vihara; 정련 행자(精練行者)의 옥사(屋舍)라는 뜻〕중이 불도(佛道)를 닦는 곳. '사원(寺院)'의 별칭. ¶기원(祇園) ～.

정사[22]【精査】[명] 자세히 조사(調査)함. ——하다 [타][여불]

정:사[23]【靜思】[명] 고요히 생각함. 정상(靜想). 정려(靜慮). ——하다 [타][여불]

정:-사각기둥【正四角—】[명]〖수〗밑면이 정사각형으로 된 각기둥. 정네모기둥. 정사각주.

정:-사각뿔【正四角—】[명]〖수〗밑면이 정사각형인 각뿔. 정사각추. 방추형(方錐形).

정:-사각뿔대【正四角—】[—때] [명]〖수〗윗면과 아랫면이 정사각형으로 된 뿔대. 정사각추대(正四角錐臺).

정:-사각주【正四角柱】[명]〖수〗'정사각기둥'의 구용어.

정:-사각추【正四角錐】[명]〖수〗'정사각뿔'의 구용어.

정:-사각추대【正四角錐臺】[명]〖수〗'정사각뿔대'의 구용어.

정:-사각형【正四角形】[명]〖수〗네 변(邊)과 네 각(角)이 서로 같은 사각형(四角形). 평방형(平方形). 정사변형(正四邊形). 정방형(正方形).

정사 결사【政事結社】[—싸] [명]〖정〗정사(政事)에 영향을 끼치게 할 목적으로 조직된 결사. *정치 결사. [준]정사(政社).

정:사 공신[1]【定社功臣】[명]〖역〗조선 태조(太祖) 때 일어난 소위 방석(芳碩)의 난(亂)을 평정한 공로로 정종(定宗) 때에 의안 대군(義安大

君) 등 18 인에 내린 훈호(勳號).

정:사 공신[2]【靖社功臣】 명 〖역〗 조선 광해군(光海君) 10년(1618)에 일어난 인조 반정(仁祖反正)의 공신 김류(金瑬)·이괄(李适) 등 50인에게 내린 훈호(勳號).

정:-사궁【正四宮】 명 바둑에서, 네모 반듯한 네 집으로 이루어진 사궁(四宮). 살지 못함. *직(直)사궁.

정:-사도【鄭思道】 명 〖사람〗 고려 말기의 문신. 연일(延日) 사람. 충숙왕(忠肅王) 복위 5년(1336) 문과(文科)에 급제, 후에 직제학(直提學)에 오름. 공민왕(恭愍王)으로부터 일성군(日城君)에 봉해지고, 동지밀직(同知密直)으로서 합포(合浦)를 지킬 때 최영(崔瑩)의 제거(除去)를 꾀하는 신돈(辛旽)을 반대하다가 파직되었으나 다시 복직(復職)됨. 우왕(禑王) 때 오천군(烏川君)에 개봉(改封)되고 공신이 됨. 시호는 문정(文貞). [1318-79]

〈정사 도법〉

정:사 도법【正射圖法】 [—뻡] 명 〔orthographic projection〕〖지〗 투시 도법(透視圖法)의 한 가지. 시점(視點)을 무한히 먼 곳에 두었을 경우에 해당함. 지구를 대단히 먼 거리에서 본 경우의 모양을 나타내는 데에 쓰임. 정사 투영법(正射投影法).

정:-사(:)룡【鄭士龍】 명 〖사람〗 조선 명종(明宗) 때의 대제학. 호는 호음(湖陰). 동래(東萊) 사람. 시문(詩文)을 잘하였으며 음악에도 정통하였음. 누차 명사(明使)를 접대하여 문화의 교류를 조장하였음. 저서 ≪호음 잡고(湖陰雜稿)≫. [1491-1570]

정:-사면체【正四面體】 명 〖수〗 정다면체(正多面體)의 하나. 각 면이 정삼각형(正三角形)인 사면체.

〈정사면체〉

정사-범【政事犯】 명 〖정〗 정치범(政治犯)❶.

정:-사변형【正四邊形】 명 〖수〗 정사각형.

정:사-색【淨事色】 명 〖역〗 고려 때 하늘·땅·별에 지내는 초제(醮祭)를 맡아 보던 관아. 충선왕(忠宣王) 때에 재초 도감(齋醮都監)이라 고침.

정사-암【政事岩】 명 〖역〗 백제 때의 재상을 뽑던 곳. 백제의 후기 수도인 사비(泗沘) 부근의 호암사(虎岩寺)에 있었다는 바위로, 재상(宰相)을 뽑을 때에 자격자 서너 명의 이름을 봉함(封函)하여 그 바위 위에 두었다가 그 이름 위에 인적(印跡)이 있는 자를 재상에 임명하였다고 함. 이는 아마도 국사의 중대사를 논의하는 특별 회의 장소로 정해진 영암(靈岩)으로서, 재상과 같은 중신을 뽑을 때에도 여기에 모여 투표를 행한 것으로 해석됨.

정:-사영【正射影】 명 〖수〗 한 점에서 한 직선 또는 한 평면 위에 그은 수선의 발. 수사영(垂射影).

정:-사원【正社員】 명 회사 등에 근무하는 보통의 사원. 일정한 자격을 지닌 정식(正式)의 사원. ↔임시 사원.

정:-사철【鄭師哲】 명 〖사람〗 조선 선조(宣祖) 때의 학자. 자(字)는 계명(季明), 호는 임하(林下). 동래(東萊) 사람. 대구(大丘)출신. 선조 3년(1570) 남부 참봉(南部參奉)에 임명되었으나 사퇴, 성리학의 연구에 힘씀. 동 25년(1592) 임진 왜란이 일어나자 의병을 모집하여 관군(官軍)을 도왔음. 대구의 금호 서원(琴湖書院)에 배향(配享)됨. 저서 ≪임하집(林下集)≫. [?-1593]

정:-사체【正斜體】 명 〖인쇄〗 사진 식자에서, 정체(正體)를 어느 한쪽으로 기울어지게 찍는 글자체.

정:사 투영법【正射投影法】 [—뻡] 명 정사 도법(正射圖法).

정:-사품【正四品】 명 〖역〗 ①고려 때 벼슬 품계(品階)의 하나. 문산계(文散階)의 문종(文宗) 때의 상(上) 정의 대부(正議大夫), 하(下) 통의(通議) 대부, 충렬왕 때의 대중(大中) 대부·봉상(奉常) 대부, 공민왕 때 고친 상(上) 중산(中散) 대부, 하(下) 중의(中議) 대부, 무산계(武散階)의 상(上) 중무 장군(中武將軍), 하(下) 장무(將武) 장군 등. ②조선 시대 때 벼슬 품계의 하나. 문관의 봉정(奉正) 대부·봉렬(奉列) 대부, 무관의 진위(振威) 장군·소위(昭威) 장군, 종친(宗親)의 선휘(宣徽) 대부·광휘(光徽) 대부 등.

정:삭[1]【正朔】 명 ①해의 처음과 달의 처음. 곧, 정월 초하루. ②책력. ③천자(天子)의 정령(政令).

정:삭[2]【定朔】 명 신월(新月)이 초하루가 되도록 달의 대소(大小)를 적당히 배정하는 역법(曆法). ↔평삭(平朔).

정삭[3]【精索】 명 〔spermatic cord〕〖생〗 남자 생식기의 일부. 고환의 상단부(上端部)로부터 서혜관(鼠蹊管)의 안 쪽 끝까지의 사이에 있는 길이 약 11.5 cm, 굵기 약 0.5 cm의 끈 모양의 부분. 정관(精管)과 그에 수반하는 동맥과 정맥총(靜脈叢)·신경총·평활근·지방 조직 등으로 이루어짐.

정:산[1]【正產】 명 태아(胎兒)를 정상적(正常的)으로 잘 해산(解產)함. *도산(倒產). ——-하다 타여불

정:산[2]【正酸】 명 〖화〗 비금속의 산화물(酸化物)이 물과 화합하여 몇 가지의 산을 만들 적에 그 중에서 염기도(塩基度)가 가장 높은 산. 오르토산(ortho 酸).

정:산[3]【定算】 명 예정(豫定)한 계산(計算).

정:산[4]【定散】 명 〖불교〗 마음을 하나의 대상(對象)에 오로지 집중시키고 산란(散亂)시키지 않는 정신 작용 및 그 상태를 '정(定)'이라고 하며, 이와 반대로 마음이 흩어져 어지러워져서 움직이는 상태를 '산(散)'이라고 말하되, 이것을 합해서 정산(定散)이라고 병칭(倂稱)함.

정산[5]【精算】 명 정밀한 계산. ¶운임을 ~하다/연말(年末) ~/세금 ~. ——-하다 타여불

정산-표【精算表】 명 정규의 장부 결산을 정확하게 하기 위하여 결산에 앞서서 손익 계산서가 작성될 때까지의 계산 과정을 하나의 표(表)로 나타낸 것.

정:-삼각주【正三角柱】 명 〖수〗 밑면이 정삼각형(正三角形)으로 된 각주. 정세모기둥.

정:-삼각형【正三角形】 명 〖수〗 각 변(邊)의 길이가 다 같은 삼각형.

정:-삼품【正三品】 명 〖역〗 ①고려 때 벼슬 품계(品階)의 하나. 문종(文宗)이 문산계(文散階)에 둔 은청 광록 대부(銀青光祿大夫), 충렬왕이 고친 정의(正議) 대부·정순(正順) 대부·봉순(奉順) 대부, 공민왕이 고친 정의 대부·통의(通議) 대부, 무산계(武散階)의 관군 대장군(冠軍大將軍) 등. ②조선 시대 때 벼슬 품계의 하나. 문관의 통정(通政) 대부·통훈(通訓) 대부, 무관의 절충(折衝) 장군·어모(禦侮) 장군, 종친(宗親)의 명선(明善) 대부·창선(彰善) 대부, 의빈(儀賓)의 봉순(奉順) 대부 등.

정:-삼화음【正三和音】 명 〖악〗 주요 삼화음(主要三和音).

정:상[1]【正狀】 명 정상(正常)의 상태. ↔이상(異狀).

정:상[2]【正常】 명 바르고 떳떳함. ¶~ 상태/~ 회복. ——-하다 형여불

정:-상[3]【正像】 명 〖불교〗 정법(正法)과 상법(像法).

정상[4]【呈上】 명 정납(呈納). ——-하다 타여불

정:상[5]【定常】 명 일정하여 변하지 아니함.

정상[6]【政商】 명 정치가와 결탁하고 있는 상인(商人). ¶~배(輩).

정상[7]【頂上】 명 ①산꼭대기. ¶~에 오르다/~을 정복하다. ②그 이상 더 없는 것. 최상(最上). 절정(絕頂). ③최상급의 지도자. ¶~ 회담.

정상[8]【情狀】 명 ①사실의 있는 그대로의 상태. ¶~을 피력하다. ②인정상 차마 볼 수 없는 가련한 상태. ¶~이 가엾다. ③〖법〗 구체적 범죄의 구체적 책임의 경중(輕重)에 영향을 미치는 일체의 사정. ¶~ 참작의 여지가 없다. *정경(情景)·정적(情迹)·정지(情地)·정황(情況).

정상[9]【頂相】 명 선종(禪宗)의 고승(高僧)의 초상화. 상반신상(上半身像)과 전신상(全身像)이 있으며 사실적(寫實的)이고, 고승(高僧) 자신의 찬(讚)이 있는 초상화가 많음.

정상[10]【情想】 명 감정과 사상.

정상[11]【旌賞】 명 공로를 표창함. ——-하다 타여불

정상[12]【晶相】 명 결정(結晶)의 형상.

정상[13]【精爽】 명 정령(精靈)❶.

정상[14]【禎祥】 명 경사롭고 복스러운 징조.

정상[15]【精詳】 명 정밀하고 자상함. ——-하다 형여불. ——-히 부

정:상[16]【整商】 명 〖수〗 정제(整除)가 되었을 때의 정수(整數)의 상(商).

정:상[17]【靜想】 명 명상에 잠김. 정사(靜思).

정:상 가격【正常價格】 [—까—] 명 〔normal price〕〖경〗 수요·공급의 관계에서, 시시로 생기는 우발적 요인(偶發的要因)을 제외한 항상적 요인(恒常的要因)에 의하여 결정되는 가격. 자연 가격(自然價格). ↔시장 가격(市場價格).

정:상 곡선【正常曲線】 명 〖수〗 정규 곡선(正規曲線).

정:상 굴성【正常屈性】 [—썽] 명 〖식〗 식물(植物)이 자극이 오는 방향과 평행으로 생장(生長)하려는 경향. 자극원(刺戟源) 방향으로 굽는 것을 양(陽)의 굴성, 반대로 굽는 것을 음(陰)의 굴성이라 함.

정:-상(:)기【鄭尙驥】 명 〖사람〗 조선 후기의 실학자. 자는 여일(汝逸), 호는 농포자(農圃子). 하동(河東) 사람. 이 익(李瀷)의 문인. 실학파(實學派) 지리학자 중의 대표적 인물로, 백리척(百里尺)의 축척법(縮尺法)을 써서 ≪팔도도(八道圖)≫를 제작하였음. 저서에 ≪인자 비감(人子備鑑)≫·≪농포 문답(農圃問答)≫ 등이 있음. [1678-1752]

정:상 나선 은하【正常螺線銀河】 명 〖천〗 나선 은하의 한 형태로, 은하의 핵에서 직접 두 개의 나선 모양의 팔이 뻗어 있는 은하. 기호는 S. 팔이 붙어 있는 것을 S0형, 팔이 떨어져 보이기 시작하는 것을 Sa형이라 함. 팔이 떨어져 보이는 정도에 따라 Sb형, Sc형 등으로 구분함. 우리 은하와 안드로메다 은하는 Sb형임. ↔막대 나선 은하. *나선 은하.

정:상 노력【正常勞力】 명 〔normal effort〕〖경〗 평균적인 작업자가, 평균적인 숙련도(熟練度)와 근면성을 가지고 손으로 하는 일을 할 때에 소비되는 노고(勞苦)를 이르는 말.

정:상-류【定常流】 [—뉴] 명 〔stationary flow〕〖물〗 시간적으로 변화하지 않는 유체(流體)의 흐름.

정상-배【政商輩】 명 정치가(政治家)와 결탁하여 부당(不當)한 이익을 노리는 무리.

정:상 분포【正常分布】 명 〖수〗 정규 분포(正規分布).

정:상 상태[1]【正常狀態】 명 정상적(正常的)인 상태.

정:상 상태[2]【定常狀態】 명 〔stationary state〕〖물〗 어떤 물리적 체계(物理的體系)를 결정하는 변수(變數)가 시간과 더불어 변하지 않는 경우에 그 변수에 관한 체계를 일컫는 말.

정:상 상태 원자로【定常狀態原子爐】 명 〔steady-state reactor〕〖물〗 온도·반응도·중성자 선속(線束) 따위의 조건이 시간이 흘러도 크게 변화하지 않는 원자로.

정:상성 단위 생식【定常性單爲生殖】 [—썽—] 명 〖생〗 모든 생식에서 정상적·항상적으로 영위되는 단위 생식. 특정한 종류의 생물에서만 볼 수 있는데, 수컷은 극히 적거나 완전히 소멸되며, 그 형식은 배수성(倍數性) 단위 생식임. 식물에서 조팝나물 같은 것이 이에 해당하며 화분(花粉)이 발달하지 않음. *선택성(選擇性) 단위 생식.

정:상 시가【正常時價】 [—까] 명 〖법〗 재산의 감정 평가에서, 시장성(市場性)이 있는 물건이 합리적인 자유 시장에서 충분한 기간 방매(放賣)된 후 물건의 내용에 정통(精通)한 매매 당사자간에 자유 의사로 합의될 수 있는 매매 가능 가격.

정:상-아【正常兒】 명 심신 상태(心身狀態)에 이상(異常)이 없는 어린이. ↔이상아(異常兒).

정상 일침【頂上一鍼】 명 정문 일침(頂門一鍼).

관이 범죄의 사정에 가련한 점을 특히 참작하여 형벌을 경감(輕減)하는 일. 정상 참작(參酌). ——-하다 타여불

정:상-적【正常的】명관 상태가 정상인 모양. ¶일이 ~으로 돌아가다.

정:상 전:류【定常電流】명 [stationary current]〖물〗시간적으로 그 크기나 방향이 변하지 않는 전류. ↔맥류(脈流)·교류(交流).

정상지-곡【呈祥之曲】명〖악〗궁중 연례악(宴禮樂) 별곡(別曲)의 관악(管樂)으로서의 아명(雅名).

정상 참작【情狀參酌】명 정상 작량(情狀酌量).

정:상-파【定常波】명 [stationary wave]〖물〗몇 개의 파형(波形)이 겹쳐서 부딪치는 결과로 그 파형(波形)이 매질(媒質) 가운데로 더 진행(進行)하지 못하고 일정한 장소에서 진동하는 파. 유한(有限)한 현(弦)이나 실이 진동하는 파형(波形) 같은 것. 정재파(定在波). 정립파(定立波). 정립파(停立波).

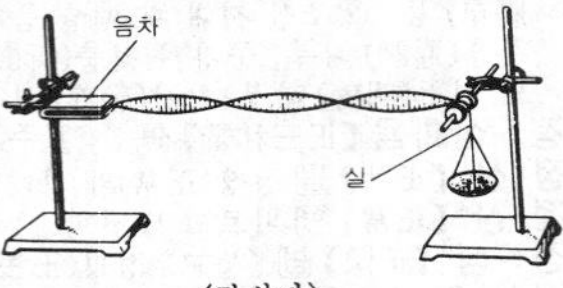

〈정상파〉

정:상-화【正常化】명 비정상적(非正常的)인 상태가 정상대로 됨. 또, 그렇게 되게 함. ¶국교(國交) ~. ——-하다 자타여불

정상 회:담【頂上會談】명 두 나라 이상의 대통령이나 수상(首相) 등 수뇌(首腦)가 모여 하는 회담. *거두(巨頭) 회담.

정상 회:의【頂上會議】[—/—이] 명 수뇌(首腦) 회의.

정:색[1]【正色】명 ①안색(顔色)을 바르게 함. ②얼굴에 나타난 엄정(嚴正)한 빛. 정안(正顔). ¶~하고 대들다. ——-하다 자여불

정:색[2]【正色】명 ①간색(間色)이 아닌 다섯 가지의 순정(純正)한 빛깔. 곧, 적(赤)·황(黃)·백(白)·청(靑)·흑(黑). ②그 물체 자체의 빛깔.

정색[3]【呈色】명 색채(色彩)를 나타냄. 빛깔을 띰. ——-하다 자여불

정색[4]【政色】명〖역〗정빗.

정색[5]【情色】명 ①감정(感情)과 안색(顔色). ②색정(色情).

정색[6]【程色】명 황금의 품위.

정색[7]【精索】명 [spermatic cord]〖생〗남자 생식기의 일부. 고환의 상단부(上端部)로부터 서혜관(鼠蹊管)의 안 쪽 끝까지의 사이에 있는 길이 약 11.5cm, 굵기 약 0.5cm의 끈 모양의 부분. 정관(精管)과 그에 수반하는 동맥과 정맥총(靜脈叢)·신경총·평활근·지방 조직 등으로 이루어짐.

정:색 건판【整色乾板】명 [orthochromatic plate]〖물〗보통의 건판(乾板)보다 녹색(綠色)에 강한 감광성(感光性)을 보이는 사진 건판. 오르토크롬(orthochrom) 건판.

정색 반:응【呈色反應】명〖화〗발색(發色) 반응.

정색 상서【政色尙書】명〖역〗고려 최씨 집권 시대에 최충헌(崔忠獻)의 요속(僚屬)으로서 정안(政案)을 가지고 백관(百官)을 전주(銓注)하는 직임을 맡았던 삼품(三品) 이상의 관원.

정색 서제【政色書題】명〖역〗고려 최씨 집권 시대에 최충헌(崔忠獻)의 요속(僚屬)으로 정색 상서(政色尙書)·정색 소경(政色少卿) 밑에서 일보던 서리(書吏).

정색 소:경【政色少卿】명〖역〗고려 최씨 집권 시대에 최충헌(崔忠獻)의 요속(僚屬)으로서 정색 상서(政色尙書)와 같이 백관(百官)을 전주(銓注)하는 직임을 맡았던 사품 이하의 관원.

정색 승선【政色承宣】명〖역〗고려 최씨 집권 시대에 최충헌(崔忠獻)이 사사로이 정안(政案)을 만들어 전주(銓注)할 때에 저희 당여(黨與)로 시키던 승선(承宣).

정색 시약【呈色試藥】명〖화〗발색(發色) 시약.

정생[1]【頂生】명 ①꼭대기에 남. ②줄기의 맨 끝에 남. ——-하다 자여불

정:-생[2]【鄭生】명〖사람〗조선 정조(正祖) 시대 때의 서화가. 젊어서부터 글씨와 그림을 공부하였으며, 정조가 그 글씨를 사랑하여 신라의 김 생(金生)에 비하여 이름을 정생이라고 지어 주었음. 수원(水原)의 팔달문(八達門)의 액자를 썼음. 생몰년 미상.

정 샤오쉬〔鄭孝胥〕명〖사람〗중국 청(淸)나라 말기의 정치가. 자(字)는 쑤칸(蘇龕). 청(淸)나라 멸망 후, 톈진(天津)에서 청나라 재흥 운동을 하다가 1932년 만주국의 성립과 함께 국무 총리가 됨. [1859-1938]

정:서[1]【正西】명 ↗정서방(正西方).

정:서[2]【正書】명 ①해서(楷書). ②글씨를 흘려 쓰지 않고 또박또박 박아서 씀. ③초(草)잡았던 글을 정식(正式)으로 베껴 씀. 정사(正寫). ——-하다 타여불

정서[3]【征西】명 서쪽으로 나아감. 서쪽을 정토(征討)함. ——-하다 자여불

정서[4]【政書】명〖역〗중국에서 정치 제도사(政治制度史)에 관한 책의 일컬음. 당(唐)나라 두 우(杜佑)의 《통전(通典)》, 송(宋)나라 정 초(鄭樵)의 《통지(通志)》, 마 단림(馬端臨)의 《문헌 통고(文獻通考)》 따위.

정:서[5]【淨書】명 ①글씨를 깨끗하게 씀. ②초잡은 글을 다시 바르게 베낌. 정사(淨寫). 청서(淸書). ——-하다 타여불

정서[6]【情緖】명 ①어떤 사물 또는 경우에 부딪쳐 일어나는 갖가지 감정·상념. 또, 그러한 감정을 불러 일으키는 기분·분위기. ¶~가 풍부하다/이국(異國) ~. ②[emotion]〖심〗감정 경험(感情經驗)의 한 가지. 또, 그때의 정신 상태. 희로애락(喜怒哀樂)과 같이 갑자기 일시적으로 급격하게 일어나 본능적이며 신체적 표출(身體的表出)이 따르는 감정. *감정(感情)·정조(情操).

정서[7]【精書】명 정신을 들이어 글씨를 씀. ——-하다 타여불

정:-서[8]【鄭敍】명〖사람〗고려 인종(仁宗) 때의 문관·시인. 호는 과정(瓜亭). 동래(東萊) 사람. 벼슬은 내시 낭중(內侍郎中)에 이름. 사람됨이 경박했으나 문재(文才)가 뛰어났는데, 의종(毅宗) 5년(1151)에 참소를 받아 동래(東萊)로 귀양감. 적소(謫所)에서 연군(戀君)의 정(情)을 읊은 《정과정곡(鄭瓜亭曲)》 노래는 유명함. 저서 《과정 잡서(瓜亭雜書)》. 생몰년 미상.

정서 교:육【情緖敎育】명〖교〗직관 교수(直觀敎授)를 응용하여 문학·미술·음악·무용 등에 대한 올바른 이해와 감상력을 육성시켜서 미적(美的) 정서의 함양을 꾀하는 교육.

정:-서방【正西方】명 똑바른 서쪽. 준정서(正西).

정:서-법【正書法】[—뻡] 명 [orthography]〖언〗말을 올바르게 적는 방법. 한 언어를 표기하는 바른 법의 체계. 곧, 옳은 철자법(綴字法)을 말하는데, 그 조건으로 같은 말의 표기는 일정하여야 하며, 공중(公衆)이 사용하는 것이라야 하고, 권위 있는 규범(規範)이 사전의 형태로 되어 있어야 함. 정자법(正字法).

정서 장애【情緖障礙】명〖심〗외계의 자극에 따른 반응을 보이지 못하는 하나의 정신 이상 상태.

정서 장애아【情緖障礙兒】명 정서에 장애가 있는 아이. 가족간의 인간관계, 특히 부모의 거부적 태도나 냉담·방임(放任)·과보호(過保護)·기대 과잉 등에 의하여 불안정한 심리 상태가 지속되어 생활 환경에 적응이 곤란한 어린이.

정서 장애아 시:설【情緖障礙兒施設】명〖법〗아동 복지 시설의 하나. 정서 장애의 정도가 가벼운 아동을 단기간 입소시켜 수용(收容)·보호하거나 보호자로부터 위탁받아 통원(通院)시켜 치료함을 목적으로 하는 시설.

정서-적【情緖的】명관 정서를 띤 모양. ¶~인 불안정.

정서-주의【情緖主義】[—/—이] 명 [emotionalism]〖문〗정서를 보다 중히 여기는 문학상의 한 주의. 인간 세계에 대한 절망감을 숙명으로 체념해버리고, 평범한 생활 속에 안주하여 오로지 정서적인 것에 의하여 그 절망감을 카무플라주하려는 한 문학 경향(文學傾向). ↔합리주의(合理主義)·이성주의(理性主義).

정:-서향【正西向】명 정서(正西)로 향한 쪽.

정:석[1]【定石】명 ①바둑에서, 고래(古來)로부터 공수(攻守)에 최선(最善)이라고 일컬어지는 정하여진 방식으로 돌을 놓는 법. ¶~대로 두다. ②사물의 처리에 정하여진 방식. ¶~대로의 대응책.

정:석[2]【定席】명 일정한 좌석(座席).

정석[3]【貞石】명 단단하고 아름다운 돌. 정민(貞珉).

정석[4]【晶析】명〖화〗정출(晶出). ——-하다 타여불

정:석[5]【鼎席】명 ①세 사람이 자리를 같이 함. ②〖역〗삼공(三公)의 자리, 곧 영의정(領議政)·좌의정(左議政)·우의정(右議政)의 정승 지위의 일컬음. *태정(台鼎).

정:석-가【鄭石歌】명〖문〗고려 때의 가요. 작자·제작 연대 미상. 임금의 만수 무강(萬壽無疆)을 빌고, 남녀간의 끝없는 애정을 읊었음. 현재 《악장 가사(樂章歌詞)》에 이 노래의 전문이 실려 전함. 모두 6련(聯)으로 됨.

정:-석면【鄭錫冕】명〖사람〗조선 말의 의병장. 전라도 함평(咸平) 출신. 광무 10년(1906) 의병을 일으켜 광주(光州)·나주(羅州)·장흥(長興)에서 일군(日軍)과 교전, 일군 장교를 죽이고, 포·탄환을 노획하였으나 이듬해 백양사(白羊寺) 전투에서 전사함. [?-1907]

정:선[1]【正善】명 마음이 바르고 착함. ——-하다 형여불

정선[2]【汀線】명 [strandline]〖지〗해면(海面)과 육지(陸地)가 맞닿는 선(線). 물결의 침식(浸蝕) 등으로 항상 변동되는데, 간만(干滿)의 두 정선의 중간을 해안선(海岸線)으로 정함.

정:선[3]【定先】명 바둑의 치수(置數)의 하나. 한쪽이 늘 흑(黑)을 가지고 선수로 두는 일. 전문 기사에서는 2단, 아마추어에서는 1급의 차에 상당함. 준선(先). ↔호선(互先).

정선[4]【停船】명 ①선박(船舶)이 항행(航行)을 정지함. ②선박의 진항(進航)을 정지시키고 선박으로서의 업무에 종사하는 것을 금지시킴. 평시에는 국가 주권이 자국의 영토내에 있는 일체의 선박에 대하여 해상경찰권(海上警察權)의 집행·세관(稅關) 단속·소독(消毒)·검역(檢疫)을 하기 위하여 행하며, 전시(戰時)에 있어서는 교전국(交戰國)의 군함이 임검 수색(臨檢搜索)을 위하여 행하며 또는 선주(船主)가 행하기도 함. ——-하다 자여불

정선[5]【旌善】명 선행(善行)을 공표(公表)하여 중인(衆人)에게 알림. 선행을 표창함. ——-하다 자여불

정선[6]【旌善】명〖지〗강원도 정선군의 군청 소재지로 읍(邑). 군(郡)의 중서부에 위치함. 특산물로 꿀·버섯·잣 등이 있음. [13,995명(1996)]

[정선골 물레방아 물레바퀴 돌듯] 세상의 일이란 일정 불변(一定不變)한 것이 아니라 돌고 돈다는 말.

정선[7]【精選】명 많은 것 가운데서 특히 뛰어난 것을 골라 뽑음. 적당한 인물이나 물건을 선출함. 또, 그 뽑힌 사람이나 물건. 정간(精簡). ¶~한 문제(問題). ——-하다 타여불

정:선[8]【鄭敾】명〖사람〗조선 중기의 화가. 자는 원백(元伯), 호는 겸재(謙齋)·난곡(蘭谷). 광주(光州) 사람. 도화서(圖畫署)의 화원으로 있었으며 현감(縣監)을 지냄. 국내 명승 고적을 찾아다니면서 진경적(眞景的)인 사생화(寫生畫)를 많이 그려 한국적 산수화풍(山水畫風)을 세운 공로자임. 현재(玄齋) 심사정(沈師正)·관아재(觀我齋) 조영석(趙榮祏)과 함께 삼재(三齋)로 일컬어짐. 작품에 《여산 초당도(廬山草堂圖)》·《금강산 만폭동도(萬瀑洞圖)》 등이 있으며, 저서에 《도설 경해(圖說經解)》가 있음. [1676-1759]

정선-군【旌善郡】명〖지〗강원도의 한 군. 4읍(邑) 5면(面). 북쪽은 평창군(平昌郡)과 강릉시(江陵市), 동쪽은 동해시와 삼척시(三陟市), 남쪽은 영월군(寧越郡)과 태백시(太白市), 서쪽은 평창군과 영월군에 접함. 주요 산물은 농산·임산·공산·광산물 등이고, 명승 고적으로는 정

선 소금강(小金剛)·석문(石門)·구미정(九美亭)·정암사(淨巖寺)·동계 십이경(東溪十二景)·비룡굴(飛龍窟)·용추(龍湫)·화암굴(畫巖窟)과 화암 팔경(八景)·의상대(義湘臺)·아우라지 나루터 등이 있음. 군청 소재지는 정선읍. [1,220.64 km^2 : 61,110 명(1996)]

정선-기【精選器】[명] 탈곡(脫穀)한 뒤에 낟알과 겨·먼지 같은 협잡물을 분리하거나 또는 곡실(穀實)과 싸라기·뉘 같은 것을 가르는 데 쓰는 기구. 키·어레미·풍구 등.

정선-본【精選本】[명] ①퇴고(推敲)가 잘 된 책. ②많은 책 가운데 뽑힌 우수한 책.

정선-선【旌善線】[명]〖지〗강원도 증산(曾山)에서 정선(旌善)·여량(餘糧)을 지나 구절리(九切里)에 이르는 산업 철도. [45.9km]

정:-선수【正選手】[명] 운동 경기 팀에서, 후보 선수가 아닌 정규의 선수. 레귤러 플레이어(regular player). ↔후보 선수.

정선 아리랑【旌善一】[명]〖악〗강원도 정선 지방의 민요. 긴 장절(章節) 형식의 노래로 처음에는 빠른 가락으로 촘촘히 엮어 나가다가 뒤에는 노래가 청승스레 늘어지면서 제 가락이 됨. 후렴 부분은 구슬프고도 아름다워, 애처로운 느낌이 진함.

정:-선율【定旋律】[명]〔라 cantus firmus〕〖악〗'정한 가락'의 한자(漢字) 이름.

정선 지층【汀線地層】[명]〖지〗정성 지층(汀成地層).

정:설[1]【定說】[명] 확정(確定)된 설. 결정된 의논(議論). 정론(定論). ¶종래의 ~을 뒤엎다.

정설[2]【情說】[명] 정화(情話). ——-하다 [자][여불]

정:-섭[1]【鄭燮】[명]〖사람〗중국 청대(淸代)의 문인·화가·서가(書家). 호는 판교(板橋). 장쑤 성(江蘇省) 출생. 1752년에 60세로 퇴관(退官)한 후, 시·서·화(詩書畫)로 세월을 보냈음. '양주 팔괴(揚州八怪)'의 한 사람임. [1693-1765]

정섭[2]【靜攝】[명] 정양(靜養). ——-하다 [자][타][여불]

정:성[1]【井星】[명]〖천〗이십 팔수(二十八宿)의 스물 두째 별. [준]정(井).

정:성[2]【正聲】[명] ①바른 성음(聲音). 정조(正調)의 음악. ②음탕하지 아니한 음률(音律).

정:성[3]【定性】[명] 물질의 성분을 정하는 일. 정질(定質). ¶~ 분석.

정:성[4]【定星】[명]〖천〗항성(恒星).

정:성[5]【定省】[명] ↗혼정 신성(昏定晨省). ——-하다 [자][여불]

정성[6]【政聲】[명] 선정(善政)의 명성(名聲). 정치상의 명예.

정-성[7]【情性】[명] 인정과 성질. 성정(性情).

정성[8]【精誠】[명] 참되고 성실(誠實)한 마음. ¶~을 다하다.
[정성을 들였다고 마음을 놓지 말라] 무슨 일에든지 한 시라도 마음을 놓지 말고 항상 실답게 가지라는 말. [정성이 있으면 한식(寒食)에도 세배(歲拜) 간다] 정성만 있으면 아무리 때가 늦어도 하려던 일을 이룬다는 뜻. [정성이 지극하면 돌 위에 풀이 난다] 정성을 다하면 안 되는 일이 없다는 뜻.

정:성[9]【鼎盛】[명] 나이가 한창임. ——-하다 [형][여불]

정:-성[10]【鄭成】[명]〖사람〗고려 현종(顯宗) 때의 장군. 현종 1년(1010) 거란(契丹) 군사가 침입할 때 호부 낭중(戶部郎中)으로 양 규(楊規)와 더불어 흥화진(興化鎭)을 지키다가 패주하는 적을 압록강에서 격파 큰 공을 세움.

정:성[11]【鄭聲】[명] ①〔중국 정(鄭)나라의 가요(歌謠)가 음외(淫猥)한 데서 유래함〕음란하고 야비한 속곡(俗曲). ②〖한의〗병적으로 시룽시룽 지껄여서 분명히 알아들을 수 없이 하는 말.

정:-성공【鄭成功】[명]〖사람〗중국 명말(明末)의 유신(遺臣). 정지룡(鄭芝龍)의 아들. 명조(明朝)의 부흥을 꾀하여 청(淸)에 항전하고 명왕실의 주성(朱姓)을 받아 국성야(國姓爺)라 불렀음. 부친이 청에 항복한 후에도 항전을 계속, 1661년 네덜란드인(人)을 쫓아내고 대만(臺灣)을 점령했음. [1624-62]

정:-성근【鄭誠謹】[명]〖사람〗조선 성종(成宗) 때의 문신. 자(字)는 이신(而信). 진주(晋州) 사람. 성종 5년(1474) 문과에 급제. 벼슬이 직제학(直提學)에 이르렀음. 일찍이 사신으로 쓰시마(対馬)에 가니 도주(島主)가 토물(土物)을 주었으나 받지 않았고 뒤에 도주가 사람을 보내어 물건을 나누어 주기를 청하니 성종이 허락하였으나 받지 않았음. 청백리(淸白吏)에 녹선되었고 성종이 죽자 홀로 3년간 복(服)을 입었으며, 갑자 사화(甲子士禍)에 몰려 살해됨. 시호는 충절(忠節). [?-1504]

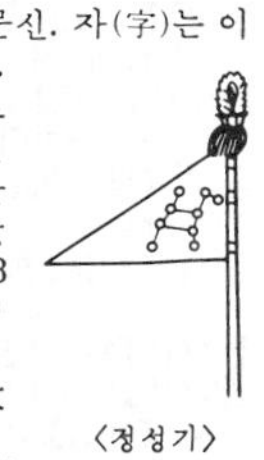
〈정성기〉

정:성-기【井星旗】[명]〖역〗조선 시대 때, 의장기(儀仗旗)의 한 가지.

정성-껏【精誠一】[부] 정성을 다하여. 지성껏. ¶~ 모시다.

정:성 분석【定性分析】[명]〔qualitative analysis〕〖화〗화학 분석의 한 가지. 피검(被檢) 물질의 성분 물질이 무엇인가를 검출(檢出)하는 일. 원소·기(基) 등의 특유한 화학 반응·물리적 성질을 이용하여 확인함. *정량 분석(定量分析).

정성-스럽다【精誠一】[형][ㅂ불] 정성이 있어 보이다. ¶부모를 정성스럽게 봉양하다. **정성-스레**【精誠一】[부]

정성 지층【汀成地層】[명]〖지〗옅은 바다의 지층. 곧, 바닷가의 물 속에 하류(河流)의 운반물이나 파도로 인한 파괴물이 침전(沈澱), 퇴적(堆積)하여 이루어진 지층. 정선 지층(汀線地層).

정세[1] [명]〈방〉이야기.

정:세[2]【正稅】[명] 정규(正規)의 조세(租稅).

정세[3]【征稅】[명] 조세(租稅)를 강제적(強制的)으로 징수(徵收)함. ——-하다 [타][여불]

정:세[4]【定稅】[명] 조세(租稅)를 정함. 또, 그 조세. ——-하다 [자][여불]

정세[5]【政勢】[명] 정치상의 형세. 정치에 관한 정세(情勢). 정정(政情). 형세(形勢).

정세[6]【情勢】[명] 사정(事情)과 형세(形勢). ¶국제 ~/~를 살피다.

정:세[7]【淨洗】[명] 깨끗이 씻음. ——-하다 [타][여불]

정세[8]【靖世】[명]〖악〗세조(世祖) 때의 종묘 제례악(宗廟祭禮樂)의 하나. 정대업 11곡 중 9번째 곡으로 황종(黃鐘; C) 계면조. 정세(靖世)는 가사 중의 세이정(世以靖)의 뜻으로 된 이름임.

정세[9]【精細】[명] 정밀하고 세세함. ——-하다 [형][여불]. ——-히 [부]

정:-세모기둥【正一】[명]〖수〗정삼각주(正三角柱).

정:-세(:)아【鄭世雅】[명]〖사람〗조선 선조 때의 의병장. 자는 화숙(和叔), 호는 호수(湖叟). 연일(延日) 사람. 선조 25년(1592) 임진 왜란이 일어나자 의병을 규합, 영천(永川)의 적을 격퇴한 후, 벼슬을 사양하고 후진을 양성하였음. 시호는 강의(剛義). [1535-1612]

정:-세(:)운【鄭世雲】[명]〖사람〗고려 공민왕(恭愍王) 때의 무신. 광주(光州) 사람. 왕의 신임이 두터웠으며 홍건적(紅巾賊)의 난으로 서경(西京)이 함락되자 왕을 모시고 피난, 총병관(摠兵官)에 임명되어 압록강 변에서 홍건적을 물리쳐 공을 세웠으나 김용(金鏞)의 모해로 죽음. 사후 첨의 정승(僉議政丞)에 추증됨. [?-1362]

정:세-장【靖世章】[—짱] [명]〖악〗악장(樂章)의 이름. 정대업(定大業) 춤에 혁정장(赫整章) 전에 아뢰.

정-세포【精細胞】[명]〖생〗유성 생식(有性生殖)하는 동식물의 웅성(雄性)의 생식기 속에 생성되는 세포. 그 모양을 바꾼 것이 정자(精子)임. 정자 세포. ↔난세포(卵細胞).

정소[1]【呈訴】[명] 정장(呈狀). ——-하다 [타][여불]

정:소[2]【定所】[명] 정하여진 거소(居所). 일정한 장소.

정소[3]【情疏】[명] 정분(情分)이 버성김. ——-하다 [형][여불]

정:소[4]【淨掃】[명] 깨끗이 쓺. ——-하다 [타][여불]

정소[5]【精巢】[명]〖생〗웅성(雄性)의 생식소(生殖巢). 정자(精子)를 만들어 내는 조직으로 포유 동물(哺乳動物)의 불알 같은 것. 정집.

정소 상:체【精巢上體】[명]〖생〗부고환(副睾丸).

정소 잠복【精巢潛伏】[명]〔cryptorchidism〕〖생〗포유류(哺乳類)에서 음낭내(陰囊內)에 내려 가야 할 정소가 복강내(腹腔內)에 남아 있는 현상. 불임(不妊)의 원인이 되며, 또 가끔 종양을 발생함.

정소-질【呈訴一】[명] ☞ 정장(呈狀)질. ——-하다 [타][여불]

정소 호르몬【精巢一】[명]〔testicular hormone〕〖생〗정소에서 분비되는 각종 호르몬의 총칭.

정:속[1]【正俗】[명] 올바른 풍속.

정:속[2]【正續】[명] 정편(正篇)과 속편(續篇).

정:속[3]【定屬】[명]〖역〗적몰(籍沒)된 집 사람을 종으로 삼음. ——-하다 [타][여불]

정:속 언:해【正俗諺解】[명]〖책〗조선 중종 때의 국경(國卿) 김안국(金安國)이 중국의 왕 일암(王逸庵)의 《정속편(正俗篇)》을 번역한 책. 원간본은 전하지 아니하고 임진 왜란 이후의 후판본만이 전함. 중종 13년(1518) 간행. 1권.

정송[1]【呈送】[명] 정납(呈納). ——-하다 [타][여불]

정송[2]【停訟】[명] 송사를 중지함. ——-하다 [자][여불]

정:-송강【鄭松江】[명]〖사람〗정철(鄭澈)을 호로 일컫는 말.

정송 오:죽[1]【正松五竹】[명] 소나무는 정월에, 대나무는 오월에 옮겨 심어야 잘 산다는 말.

정:송 오:죽[2]【淨松汚竹】[명] 깨끗한 땅에는 소나무를 심고 지저분한 땅에는 대나무를 심음.

정쇄[1]【淨刷】[명]〖인쇄〗활판 조판 또는 요판(凹版)·철판(凸版) 따위를 사진 찍어서 딴 종류의 판을 만들기 위한 인쇄.

정쇄[2]【精碎】[명] 매우 곱게 빻음. ——-하다 [타][여불]

정쇄[3]【精灑】[명] 매우 맑고 깨끗함. ¶~한 방안에 밝은 등불이 휘황하다. ——-하다 [형][여불]

정:수[1]【井水】[명] 우물물.

정:수[2]【井宿】[명] 동정(東井).

정:수[3]【正手】[명] 바둑·장기 등에서, 속임수나 암수가 아닌 정당한 법수. *과수(過手).

정:수[4]【正數】[명]〖수〗'양수(陽數)'의 구용어. ↔부수(負數).

정수[5]【征戍】[명] 변방을 수비(守備)함. 또, 그 병정. ——-하다 [자][여불]

정:수[6]【定數】[명] ①일정한 수효나 수량. ¶출석자가 ~에 차다. ②정하여진 운수(運數). 상수(常數). ③〖수·물·화〗'상수(常數)'의 구용어. ↔변수(變數).

정수[7]【挺秀】[명] 빼어나게 뛰어남. ——-하다 [형][여불]

정수[8]【庭樹】[명] 뜰에 심은 나무.

정:수[9]【淨水】[명] 깨끗한 물. 정한 물.

정수[10]【渟水】[명] 괴어 있는 물.

정수[11]【艇首】[명] 작은 배의 이물. ¶~를 돌리다.

정:수[12]【靖綏】[명] 안온(安穩)함. 또, 안온하게 함. ——-하다 [형][타][여불]

정수[13]【精水】[명]〖생〗정액(精液)❶. [준]정(精).

정수[14]【精秀】[명] 정량(精良)하고 뛰어남. ——-하다 [형][여불]

정수[15]【精修】[명] 정세(精細)하게 학문을 닦음. ——-하다 [자][여불]

정수[16]【精粹】[명] ①깨끗하고 순수함. 또, 여럿 중에서 골라 뽑은 가장 뛰어난 것. ②청백(淸白)하고 사욕(私慾)이 없음. 순수(純粹). ——-하다 [형][여불]

정수[17]【精髓】[명] ①뼈 속에 있는 골. [준]정(精). ②사물의 중심이 되는 요점. ¶학문의 ~.

정:수[18]【靜水】[명] 정지(靜止)하고 있는 잔잔한 물.

정:수[19]【靜修】[명] 고요한 마음으로 학덕(學德)을 닦음. 심신(心身)을 조

용히 하여 수양(修養)함. ——-하다 타여불

정:수[20]【整數】명 [integer]〖수〗 하나 또는 그것에 하나씩 순차로 가하여 이루어지는 자연수(自然數). 또, 이에 대응(對應)하는 음수(陰數) 및 영(零)의 총칭. 완전수(完全數). ↔소수(小數)❷·가수(假數)·분수(分數). *수(數).

정-수강【丁壽崗】명〖사람〗 조선 중종(中宗) 때의 문신. 자(字)는 불붕(不崩), 호는 월헌(月軒). 나주(羅州) 사람. 성종(成宗) 5년(1474) 진사(進士)가 되어 동지중추부사(同知中樞府事)에까지 이름. 당대의 명문장가로 한문 소설 ≪포절 군절(抱節君節)≫을 지음. [1454-1527]

정:수경-전【鄭壽景傳】명〖문〗 조선 시대의 소설의 하나. 작자·제작 연대 미상. 국문본. 주인공 정수경이 점을 쳐서 그 점괘에 의하여 액을 면한다는 이야기와 '총각 보쌈'이 인연이 되어 결혼하게 되었다는 이야기.

정:수 국사【正秀國師】명〖사람〗 신라 애장왕(哀莊王) 때의 명승(名僧). 본래 경주(慶州) 황룡사(皇龍寺)의 중으로 있다가, 나중에 왕의 부름을 받아 국사(國師)가 됨.

정:수-기【淨水器】명 물을 정화(淨化)하는 장치·기구.

정:-수동【鄭壽銅】명〖사람〗 조선 시대 후기의 시인. 본명은 지윤(芝潤). '수동'은 별호. 자는 경안(景顔), 호는 하원(夏園). 자유 분방한 성격의 소유자로 위항 시인(委巷詩人)으로서 대표적인 인물임. 권력이나 금력에 대한 저항 속에 날카로운 풍자와 야유로 일관하여 많은 일화가 전해지고 있음. 당대의 명사인 김흥근(金興根)·김정희(金正喜) 등과 교분이 두터웠음. 시집 ≪하원 시초(夏園詩鈔)≫가 있음. [1808-58]

정:수-론【整數論】명 [theory of numbers]〖수〗 정수의 성질을 연구하는 수학의 한 부문. *대수적(代數的) 정수론·해석적(解析的) 정수론.

정수리【頂—】명 머리 위에 숫구멍이 있는 자리. 뇌천(腦天). 신문(囟門). 정문(頂門).

[정수리에 부은 물이 발뒤꿈치까지 흐른다] 윗사람의 한 일은 좋건 궂건 간에 모두 아랫사람에게 본보기로 영향을 미친다는 말.

정수배기 명 〈방〉 정수리(강원).

정:수-법【淨水法】[—뻡] 명 물을 정화(淨化)하는 방법. 침전(沈澱)·여과(濾過)·살균(殺菌)의 세 방법이 있음.

정수 분자【精粹分子】명 어떤 사회나 단체에서 가장 우수하고 골간(骨幹)이 되는 사람.

정:수 비:례【定數比例】명〖화〗 '상수 비례(常數比例)'의 구용어.

정:수-식【整數式】명〖수〗 정수(整數)로 된 식. 정수로 나타낸 식.

정수 식물【挺水植物】명〖식〗 수생(水生) 식물의 한 가지. 뿌리는 물 속의 땅에 박고, 잎·우듬지는 물 위로 내밂. 연·줄·부들 같은 식물. 물위식물.

정:수-압【靜水壓】명 [hydrostatic pressure]〖물〗 정수(靜水) 중에 작용하는 압력. 깊이와 밀도와 중력 가속도의 곱으로 나타냄.

정:수압 가:설【靜水壓假說】명 ①바닷물의 압력은 수심(水深)이 약 10m 마다 1기압이 증가된다는 가설. 정확하게는 해수 밀도(海水密度)와 그 장소의 중력의 가속도로 결정됨. ②액체(液體)는 수직 방향의 가속도를 받지 않는다는 가설. 단위 질량에 대하여 받는 힘의 기울기의 수직 성분은 중력장(重力場)의 가속도 g와 같음.

정:수압 롤:러 컨베이어【靜水壓—】[roller conveyor] 명〖기〗 액체에 의해서 롤러에 하중(荷重)을 작용시켜, 운반 속도를 제어하는 롤러 컨베이어의 일종.

정:수 역학【靜水力學】명 [hydrostatics]〖물〗 정지(靜止)한 유체(流體)나, 유체에 작용하는 힘 또는 유체에 의해서 작용되는 힘을 연구하는 학문(學問).

정:-수영【鄭遂榮】명〖사람〗 조선 시대 후기의 문인·화가. 자는 군방(君芳), 호는 지우재(之又齋). 하동(河東) 사람. ≪한강·임강 도권(漢江臨江圖卷)≫·≪해산첩(海山帖)≫ 등 산수화(山水畫)가 유명함. [1743-1831]

정:수-장【淨水場】명 물을 음용(飮用)·공업용 등의 용도·목적에 적합하게 처리하는 시설. 일반적으로 상수도(上水道)의 정수장을 말하며 침전지(池)·여과지·정수지 등의 시설을 갖추고 있음.

정:수-정【淨水錠】명 물의 소독에 쓰이는 정제(錠劑).

정:수정-전【鄭秀貞傳·鄭壽貞傳·鄭水晶傳】명〖문〗 여장군전(女將軍傳).

정:수-지【淨水池】명〖토〗 수도 설비(水道設備)로, 여과지(濾過池)에서 거른 정수를 일시 저장하여 두는 못.

정:수치 함:수【定數値函數】[—쑤] 명〖수〗 상수 함수(常數函數).

정:수-학【靜水學】명〖물〗 정수 역학.

정:수-항【定數項】명〖수〗 '상수항'의 구용어.

정숙[1]【貞淑】명 여자의 행실이 곧고 마음씨가 맑음. ¶~한 부인. ——-하다 형여불. ——-히 부

정숙[2]【情熟】명 정분이 두텁고 친숙함. ——-하다 형여불. ——-히 부

정숙[3]【精熟】명 사물(事物)에 정통(精通)하고 능숙(能熟)함. ——-하다 형여불. ——-히 부

정:숙[4]【靜淑】명 태도(態度)가 조용하고 마음이 맑음. ——-하다 형여불 「——-히 부

정:숙[5]【靜肅】명 고요하고 엄숙함. 숙정(肅靜). ¶~히 해라. ——-하다 형여불. ——-히 부

정:숙[6]【整肅】명 의용(儀容)이 정제하고 엄숙함. 숙정(肅整). ——-하다 형여불. ——-히 부

정:-숙하【鄭淑夏】명〖사람〗 조선 선조(宣祖) 때의 문신. 호는 월호(月湖). 동래(東萊) 사람. 선조 31년(1958) 관찰사가 된 후 좌승지·병조와 형조 참의를 역임함. 이에 앞서, 동 25년 임진 왜란 때는 의병장으로 무공을 세웠음. 생몰년 미상.

정:순[1]【正巡】명 활을 쏘는 데 정식(正式)의 순(巡).

정:순[2]【正順】명 정상적인 순서. 바른 순서. ↔역순(逆順).

정순[3]【呈旬】명〖역〗 각 관아(官衙)의 낭관(郎官)이 치사(致仕)를 빌 때 열흘마다 한 번씩 세 차례를 연거푸 정사(呈辭)함.

정순[4]【貞純】명 정량(貞亮). ——-하다 형여불

정순[5]【貞順】명 정조(貞操)가 굳고 마음씨가 순함. ——-하다 형여불

정순[6]【赬脣】명 붉은 입술. 주순(朱脣). 단순(丹脣).

정:순 대:부【正順大夫】명〖역〗 ①고려 때 문관의 한 품계(品階). 정삼품의 상(上). 충렬왕 34년(1308)에 베풀었다가, 공민왕 5년(1356)에 폐하고, 11년에 다시 베풀어서 18년에 폐함. ②조선 시대 때 정삼품 의빈(儀賓)의 당하관(堂下官)의 품계.

정:-순(:)붕【鄭順朋】명〖사람〗 조선 시대 중기의 문신. 자는 이령(耳齡), 호는 성재(省齋). 온양(溫陽) 사람. 인종 원년(1545) 지중추부사(知中樞府事)가 되었을 때, 명종이 즉위하자 소윤(小尹)으로서 윤원형(尹元衡) 등과 함께 을사 사화(乙巳士禍)를 일으켜 윤임(尹任) 등 대윤(大尹)을 제거하는 데 앞장을 섰음. 이 해 영의정까지 올랐으나 선조 3년(1570) 관작(官爵)이 추탈(追奪)됨. [1484-1548]

정:순 왕후[1]【定順王后】명〖사람〗 조선 시대 단종(端宗)의 비. 성은 송(宋), 여산(礪山) 사람. 단종 2년(1454) 왕비에 책봉, 세조(世祖) 원년(1455) 의덕왕 대비(懿德王大妃)에 봉해졌으나, 사육신(死六臣) 사건으로 1457년 단종이 노산군(魯山君)으로 강등되자 부인(夫人)으로 강봉(降封)됨. 숙종(肅宗) 24년(1698) 노산군이 단종으로 추복(追復)되자 정순왕후가 되고 그 신위(神位)가 창경궁(昌慶宮)에 옮겨짐. 능은 사릉(思陵)으로, 양주(楊州)에 있음. [1440-1521]

정순 왕후[2]【貞純王后】명〖사람〗 조선 시대 영조(英祖)의 계비. 성은 김(金), 경주(慶州) 사람. 영조 35년(1759) 왕비에 책봉되었으나 소생은 없었고 사도 세자(思悼世子)와의 사이가 좋지 않아 세자에 대하여 참소를 심히 하여 세자의 죽음에 작용함. 세자를 동정하는 시파(時派)와 그와 반대되는 벽파(僻派)와의 대립에서 벽파를 두둔하였고, 정조(正祖)가 죽고 어린 순조(純祖)가 즉위하자 수렴 청정(垂簾聽政)하면서 정조 때 눌려 살던 벽파와 손을 잡고, 시파에 천주교도(天主敎徒)가 많음을 기화로 천주교 금지령을 내리고 소위 신유 옥사(辛酉獄事)를 일으키게 하였음. [1745-1805]

정술【政術】명 정치상의 술책(術策). 정책(政策).

정슴 명 점심(강원·함북).

정:-습곡【正褶曲】명〖지〗 습곡축(軸)의 양측의 지층의 경사도가 같고 습곡축면(面)이 직립(直立)한 습곡. *경사 습곡·등사(等斜) 습곡·횡와 습곡(橫臥褶曲).

정:-습명【鄭襲明】명〖사람〗 고려 의종(毅宗) 때의 중신. 연일(延日) 사람. 향공(鄕貢)으로 문과에 급제, 지제고(知制誥)를 역임. 최충(崔沖)·김부식(金富軾)과 시폐 십조(時弊十條)를 인조(仁祖)에게 올렸으나 거부당했음. 의종 즉위 후 선왕의 유명(遺命)을 받들어 거침없이 간(諫)함으로써 왕의 미움을 삼. 또, 폐신(嬖臣)들의 무고가 있자 자결함. 문명(文名)이 있었음. [?-1151]

정:승[1]【正承】명〖역〗 정승(政丞)❷.

정승[2]【政丞】명〖역〗 ①대신(大臣)❶. ②고려 태조(太祖) 18년(935)에 항복해 온 신라의 경순왕(敬順王)에게 봉한 벼슬. 그 위(位)가 태자(太子)의 위에 있었음. 정승(正承). ③고려 때 시중(侍中)의 고친 이름. 충렬왕 34년(1308)에 중찬(中贊)의 고친 이름인데, 처음에 한 사람 두었다가 뒤에 좌우(左右) 각 한 사람으로 늘렸음. ④조선 시대초 시중의 고친 이름. 태조(太祖) 3년(1394)에 고쳐서 일컫다가 뒤에 폐함.

[정승도 저 싫으면 안 한다] 아무리 좋은 것이라도 제 마음에 내키지 않으면 좋을 게 없다는 말.

정:시[1]【正矢】명〖수〗 어떤 각(角)의 여현(餘弦)을 1에서 뺀 것. 즉, 1−cos A는 A각의 정시가 됨. 근세 말에 쓰였음. *여시(餘矢).

정:시[2]【正始】명 ①올바른 시작. ②시작을 바르게 함. 또, 인륜(人倫)의 시초, 곧 부부 관계를 바르게 함. ——-하다 자여불

정시[3]【丁時】명〖민〗 이십 사시(二十四時)의 열 넷째 시(時). 낮 열두 시 반부터 한 시 반까지의 시간. 준정(丁).

정:시[4]【正視】명 ①똑바로 봄. ¶사물을 ~하다. ②〖생〗 ↗정시안(正視眼). ——-하다 타여불

정시[5]【呈示】명 ①꺼내 보임. ②〖경〗 '제시(提示)❸'의 구용어. ——-하다 타여불

정시[6]【廷試】명 중국의 과거 제도에서 천자가 성시(省試) 급제자(及第者)를 궁정에 불러 친히 고시(考試)를 보이던 일.

정:시[7]【定示】명 대어 보임. ——-하다 타여불

정:시[8]【定時】명 일정한 시기(時期) 또는 시간. ¶~ 운행(運行).

정시[9]【庭試】명〖역〗 조선 시대 후기(後期)에 시행하던 경과(慶科)의 하나로, 대궐 안마당에서 보였음. 경사(慶事)·중대사가 있을 때, 문과(文科)·무과(武科)에 시행하되, 초시(初試)·전시(殿試)만 있었음. 시어소 전정(時御所殿庭)에서 춘추에 관학 유생(館學儒生)을 시험하여 직부전시(直赴殿試) 자격을 주던 것을 선조(宣祖) 16년(1583)에 정식 과거로 승격함.

정시[10]【情詩】명 연애의 마음을 읊은 시가.

정:-시[11]【鄭蓍】명〖사람〗 조선 순조(純祖) 때의 무신. 자는 덕원(德圓), 호는 백우(伯友). 청주(淸州) 사람. 노(魯)의 아들. 홍경래(洪景來)의 난(亂) 때 가산 군수(嘉山郡守)로 아버지와 함께 적과 싸우다 피체, 살해됨. 병조 판서를 추증(追贈). 시호는 충렬(忠烈). [1768-1811]

정:시 간행물【定時刊行物】명 정기(定期) 간행물.

정시 기간【呈示期間】명〖경〗 '제시 기간(提示期間)'의 구용어.

정:시-법【定時法】[—뻡] 명 하루를 등분(等分)하여 시각을 나타내는 방법. 낮과 밤을 각기 등분 표시(等分表示)하는 불시법(不時法)에 상대되는 말.

納)의 아래. ──-하다 자 여불

정:언[2] 【定言】 명 ①어떤 명제(命題)·주장·판단을 '만일'·'혹은' 따위의 조건을 붙이지 않고 단정하는 일. ②직언(直言). 단언(斷言). ──-하다 자 여불

정:-언(:)각 【鄭彦慤】 명 〖사람〗 조선 명종(明宗) 때의 간신(奸臣). 해주(海州) 사람. 명종 2년(1547) 부제학으로 있으면서 경기도 광주(廣州)의 양재역(良才驛)에서 벽에 첩부된 불온한 내용의 벽서(壁書)를 발견, 이를 밀계(密啓)하여 송인수(宋麟壽) 등을 죽이는 옥사(獄事)를 일으킴. 이후 권세를 마음대로 하고 횡포를 자행, 경기도 관찰사에까지 이르렀으나 낙마(落馬)하여 죽음. [1498-1556]

정:언 명:제 【定言命題】 명 〖논〗 정언적 명제.

정:-언(:)신 【鄭彦信】 명 〖사람〗 조선 선조(宣祖) 때의 문신. 자는 입부(立夫), 호는 나암(懶庵). 동래(東萊) 사람. 명종(明宗) 21년(1566) 문과에 급제, 우부승지(右副承旨)·경기도 관찰사를 역임하였음. 선조 16년(1583) 이탕개(尼湯介)가 쳐들어오자 우찬성(右贊成)으로 도순찰사(都巡察使)를 겸하여 이순신(李舜臣)·신립(申砬)·김시민(金時敏) 등을 거느리고 적을 격퇴하고 관찰사로서 북변(北邊)을 방비하였음. 동 22년 우의정이 되어 정여립(鄭汝立)의 모반 후의 옥사(獄事)를 다스리는 위관(委官)이 되었으나 여립과 구촌친(九寸親)이므로 공정한 처리를 할 수 없다는 탄핵을 받고 사직하였으며, 계속되는 모함으로 갑산(甲山)에 유배되어 그곳에서 죽음. [1527-91]

정:언-적 【定言的】 명관 〖논〗 어떤 명제(命題)·주장(主張)·판단(判斷)을 무조건 단정(斷定)하는 모양. 단언적(斷言的). ↔선언적(選言的)·가언적(假言的).

정:언적 가:언 삼단 논법 【定言的假言三段論法】 [―뻡] 명 〖논〗 반가언적(半假言的) 삼단 논법.

정:언적 명:령 【定言的命令】 [―녕] 명 〔도 Kategorischer Imperativ〕 〖철〗 행위의 결과 여하에 관계없이 그것 자체가 선으로서 절대적·무조건으로 명령되어 보편 타당할 수 있는 도덕법. 칸트(Kant)가 주창한 도덕적 명령의 방식. 지상 명령. 단언적 명령(斷言的命令). 무상 명법(無上命法). 직언적(直言的) 명령. 무상 명령. 무상 대법.

정:언적 명:법 【定言的命法】 [―뻡] 명 ①〖철〗 정언적(定言的) 명령. 지상 명령(至上命令). ②무상 명법. ↔가언적(假言的) 명법.

정:언적 명:제 【定言的命題】 명 〔categorical proposition〕 〖논〗 '새가 난다'·'개는 짖는다'와 같이 정언적 판단을 표시하고 형식상 주사(主辭)와 빈사(賓辭)와의 일치나 불일치를 아무런 가정 조건(假定條件) 없이 무제약적(無制約的)으로 입언(立言)하는 명제. 단언적 명제. 정언 명제. ↔선언적 명제(選言的命題).

정:언적 삼단 논법 【定言的三段論法】 [―뻡] 명 〔categorical syllogism〕 〖논〗 추리(推理)의 두 전제(前提)가 정언적 판단으로 이루어지는 삼단 논법. 예를 들면, '모든 동물은 죽는다. 개는 동물이다. 그러므로 개는 죽는다'로 됨. *삼단 논법.

정:언적 추리 【定言的推理】 명 〖논〗 정언적 명제(定言的命題)로 된 추리.

정:언적 판단 【定言的判斷】 명 〔categorical judgement〕 〖논〗 '날이 좋으면 소풍간다'·'그는 대학생 아니면 회사원이다' 따위 조건부(條件附)의 판단에 대하여, '모든 인간은 죽는다'와 같이 무조건적(無條件的)으로 주사(主辭)와 빈사(賓辭)와의 일정한 관계를 주장하는 판단. 전칭 긍정(全稱肯定) 판단·전칭 부정(全稱否定) 판단·특칭 긍정(特稱肯定) 판단·특칭 부정 판단의 네 가지가 있음. 단언적 판단(斷言的判斷). 정언 판단. 직언적 판단(直言的判斷). ↔선언적 판단(選言的判斷)·가언적(假言的) 판단.

정:언 추론식 【定言推論式】 명 〖논〗 형식 논리학에서, 정언 명제(命題)로부터 다른 정언 명제를 추론(推論)하는 방식. 직접 추리와 간접 추리를 포함함.

정:언 판단 【定言判斷】 명 〖논〗 정언적 판단.

정:업[1] 【正業】 명 ①정당한 직업이나 생업(生業). ②〖불교〗 살생(殺生)과 투도(偸盜)를 하지 않는 일. ③유교(儒教)에서, 선왕(先王)의 바른 전적(典籍).

정:업[2] 【定業】 명 ①일정한 직업이나 업무. 정직(定職). ②〖불교〗 전생(前生)에 지은 선악을 이승에서 업으로 정하는 일. 정정업(正定業).

정:업[3] 【淨業】 명 〖불교〗 ①깨끗한 행위. 맑고 깨끗한 행업(行業). 선업(善業). ②정토 왕생(淨土往生)의 정업(正業). 곧, 염불(念佛).

정업[4] 【停業】 명 생업(生業)을 정지함. ──-하다 타 여불

정업-원 【淨業院】 명 고려와 조선 시대에 도성 안에 있었던 여승방(女僧房).

정-여노위 【政如魯衛】 명 중국 노(魯)나라의 태조(太祖) 주공(周公)과 위(衛)나라의 태조 강숙(康叔)은 형제간이므로, 정치가 서로 비슷함을 일컫는 말.

정:-여(:)립 【鄭汝立】 명 〖사람〗 모반자(謀叛者). 조선 선조(宣祖) 때에 기축 옥사(己丑獄事)의 원인이 된 사람. 자는 인백(仁伯). 동래(東萊) 사람. 성격이 사납고 잔인했으나 통솔력이 있었고 두뇌가 명석하여 경사(經史)와 제자 백가(諸子百家)에 통달하였음. 처음 서인(西人)이었으나 동인(東人)이 집권하자 이에 아부하여 비방을 받게 되자 벼슬에서 물러나 선비들과 접촉하면서 성망(聲望)이 높아지자 정권을 잡으려는 야심으로 대동계(大同契)를 조직, 도참설(圖讖說)을 만들어 모반을 꾀하다가 탄로되어 진안(鎭安) 죽도(竹島)로 도주, 자살하였음. 그러나 이 사건으로 동인들에 대한 박해가 시작되어 기축 옥사가 일어났음. [?-1589]

정-여(:)창[1] 【丁汝昌】 명 〖사람〗 중국 청말(淸末)의 해군 제독. 안후이 성(安徽省) 사람. 영국·프랑스·독일 등에 유학했으며 청나라 해군의 근대화에 힘씀. 한국의 임오 군란(壬午軍亂)과 청불 전쟁(淸佛戰爭)에도 활약했음. 청일(淸日) 전쟁에서 북양 함대(北洋艦隊)를 지휘, 황해·웨이하이웨이(威海衛) 해전에 패하여 자살함. [?-1895]

정:-여(:)창[2] 【鄭汝昌】 명 〖사람〗 조선 성종(成宗) 때의 학자. 호(號)는 일두(一蠹). 하동(河東) 사람. 김종직(金宗直)의 문인. 당시 성리학(性理學)의 대가로 경사(經史)에 통달하여 이름이 높았음. 무오 사화(戊午士禍)로 인하여 종성(鐘城)에 귀양갔다가 이어 형을 받았음. 저서로 ≪용학 주소(庸學註疏)≫가 있었으나 무오 사화 때 불타버렸으며 정구(鄭逑)가 엮은 ≪문헌공 실기(文獻公實記)≫ 속에 그 유집(遺集)이 전할 뿐임. 시호는 문헌(文獻). 문묘(文廟)에 배향(配享)됨. [1450-1504]

정역[1] 【丁役】 명 중국 고대에, 여러 나라로부터 정남(丁男)·정녀(丁女)가 경도(京都)에 와서 여러 가지 일에 복역(服役)하던 일.

정:역[2] 【定役】 명 징역수(懲役囚)에게 과하는 노역(勞役).

정역[3] 【征役】 명 〖역〗 조세(租稅)와 부역(賦役).

정:역[4] 【定譯】 명 표준이 되는 바른 번역.

정역[5] 【停役】 명 하던 일이나 역사(役事)를 쉼. 정공(停工). ──-하다 타 여불

정:역[6] 【淨域】 명 〖불교〗 ①절의 경내(境內)나 영지(靈地). ②극락 정토(極樂淨土).

정-역[7] 【程驛】 명 〖역〗 노정(路程)과 역참(驛站).

정:역-수 【定役囚】 명 정역에 복무하는 죄수. 곧, 징역수(懲役囚).

정:-역학 【靜力學】 [―녁―] 명 〖물〗 물체에 작용하는 힘의 균형을 다루는 학문. 정학(靜學). ↔동역학(動力學).

정:역-형 【定役刑】 명 정역을 과(科)하는 자유형(自由刑). 곧, 징역형(懲役刑).

정연[1] 【挺然】 명 여러 사람 가운데 빼어난 모양. 뛰어나게 훌륭한 모양. ──-하다 형 여불. ──-히 부

정연[2] 【情緣】 명 남녀가 인연을 맺는 일.

정연[3] 【精姸】 명 정묘하고 고움. 정미(精美). ──-하다 형 여불

정연[4] 【精研】 명 정세(精細)하게 연구함. ──-하다 타 여불

정:-연[4] 【鄭年·鄭連】 명 〖사람〗 신라 시대의 무장. 무예에 뛰어나고 특히 잠수술(潛水術)에 능하였음. 장보고(張保皐)와 함께 당나라로 건너가 무령군 소장(武寧軍小將)이 되었고 귀국 후 민애왕 2년(838) 청해진(淸海鎭)에 있는 장보고의 군사 5천을 거느리고 김우징(金祐徵)을 도와 관군을 무찔러 그를 신무왕(神武王)으로 세우는 데 공을 세움. 그 후 장보고의 뒤를 이어 청해진을 지킴.

정:연적 판단 【正然的判斷】 명 〖논〗 실연적 판단(實然的判斷).

정:연-하다[1] 【井然―】 형 여불 구격(具格)이 맞고 조리가 있다. *정연(整然)하다. 정:연-히 【井然―】 부

정연-하다[2] 【亭然―】 형 여불 우뚝 솟아 있다. 정연-히 【亭然―】 부

정:연-하다[3] 【整然―】 형 여불 가지런하고 질서가 있다. ¶그의 이론은 조리가 ~. *정연(井然)하다. 정:연-히 【整然―】 부

정열 【情熱】 [―녈] 명 불 일 듯 맹렬하게 일어나는 감정. 열띤 감정. 열정(熱情). ¶~을 불태우다.

정열-가 【情熱家】 [―녈―] 명 정열적인 사람. 무슨 일에 남달리 열렬한 사람.

정열-적 【情熱的】 [―녈쩍] 명관 정열에 불타는 모양. ¶~인 사랑.

정:염[1] 【井塩】 [―념] 명 염분(塩分)이 녹아 있는 지하수(地下水)를 퍼올려서 채취한 소금.

정:염[2] 【正塩】 [―념] 명 〔normal salt〕 〖화〗 다염기산(多塩基酸)의 수소 원자를 전부 금속으로 치환(置換)한 소금. 혹은 다산 염기(多酸塩基)의 수산기(水酸基)를 전부 산기(酸基)로 치환한 소금. 중성염(中性塩). 정식염(正式塩).

정염[3] 【情炎】 [―념] 명 불같이 타오르는 욕정(慾情). 격렬한 욕정. ¶~에 불타다.

정:-엽 【鄭曄】 명 〖사람〗 조선 선조 때의 문신. 자(字)는 시회(時晦), 호는 수몽(守夢)·설촌(雪村). 선조 26년(1593) 황주 판관(黃州判官)으로 왜군(倭軍)을 격퇴, 그 공으로 중화 부사(中和府使)가 되었으며, 동 30년(1597) 정유 재란 때는 급고사(急告使)로 명나라에 다녀왔음. 그 후 벼슬이 대사간에 이르렀다가 성혼(成渾)의 문인이라는 혐의로 일시 좌천, 인조 반정(仁祖反正) 후 대사성(大司成) 겸 동지경연 원자 사부(同知經筵元子師傅)가 되어 학제(學制)를 상정(詳定)하고, 여러 번 타직에 전임되었으나 언제나 대사성을 겸임함. 좌참찬(左參贊)·좌부빈객(左副賓客) 등을 지냄. 저서에 ≪수몽집(守夢集)≫·≪근사록 석의(近思錄釋疑)≫가 있음. [1563-1625]

정영 【呈營】 명 〖역〗 조선 시대 때, 각 도(道)의 관찰사(觀察使)에게 직접 정소(呈訴)함. ──-하다 타 여불

정영-수 【精英樹】 명 생장(生長)·수형(樹形)·재질(材質) 등이 둘레의 다른 나무보다 각별히 우수한 개체(個體). 우량 임업 품종(優良林業品種)을 만드는 데 중요함.

정예[1] 【釘瞖】 명 〖한의〗 눈동자를 움직일 때에 아프고 예막(瞖膜)이 생겨 오래 두면 검은자가 은빛으로 침윤(浸潤)당하여 고치기 힘드는 눈병의 한 가지.

정:예[2] 【淨穢】 명 깨끗함과 더러움.

정예[3] 【精詣】 명 정수(精粹)한 학술에 대한 조예(造詣)가 깊은 정도.

정예[4] 【精銳】 명 ①썩 날래고 용맹스러움. ②정련(精鍊)된 군사. 예병(銳兵). ──-하다 형 여불

정:-예남 【鄭禮男】 명 〖사람〗 조선 선조(宣祖) 때의 의관(醫官). 자(字)는 자화(子和), 호는 서주(西疇). 온양(溫陽) 사람. 상의원 주부(尙衣院主簿)를 지내고 어의(御醫)로서 첨지중추부사(僉知中樞府事)에 이름. 의학에 밝아 허준(許浚)·정작(鄭碏) 등과 함께 ≪의방 신서(醫方新

書)≫를 편찬하다가 정유 재란으로 중단함. ≪육가 잡영(六家雜詠)≫에 그의 시가 전함.

정예 부대【精銳部隊】명 매우 정예한 병사로 조직된 부대.

정예 분자【精銳分子】명 사회나 단체에서 가장 우수하고 넘뜰 힘이 있는 사람.

정:오[1]【正午】명 낮 열두 시. 곧, 태양이 표준 자오선(子午線)을 통과하는 시각. 상오(晌午). 오중(午中). 오정(午正). 정오(亭午). 일오(日午). 한낮. ¶～의 시보.

정:오[2]【正誤】명 ①잘못을 바로잡음. ②옳음과 그름. ——-하다 타 여불

정오[3]【亭午】명 정오(正午).

정:-오각형【正五角形】명〖수〗각 변의 길이가 같고 각 내각(內角)이 같은 오각형.

정:오-문【正誤文】명 정오(正誤)의 요지를 기록한 글.

정:오-표【正誤表】명 출판물 등의 잘못된 글자나 부분을 바로잡아 꾸민 일람표(一覽表).

정:-오품【正五品】명〖역〗관계(官階)의 하나. ①고려 때, 문산계(文散階)의 문종(文宗) 때에 둔, 상(上) 중산 대부(中散大夫), 하(下) 조의 대부(朝議大夫), 충렬왕 때의 통직랑(通直郞), 공민왕이 고친 조의랑(朝議郞) 및 무산계(武散階)의 상 정원 장군(定遠將軍), 하 영원(寧遠) 장군 등. ②조선 시대 때, 문관의 통덕랑(通德郞)·통선랑(通善郞)·종친(宗親)의 통직랑(通直郞)·병직랑(秉直郞), 무관의 과의 교위(果毅校尉)·충의 교위(忠毅校尉), 토관(土官)의 통의랑(通議郞)·건충 대위(健忠隊尉) 등.

정옥-사【錠玉沙】명〖광〗옥과 돌을 갈거나 깎는, 적갈색(赤褐色)의 매우 단단한 모래.

정:-옥탄【正一】[octane] 명 옥탄(octane)❶.

정-옥형【丁玉亨】명〖사람〗조선 중종(中宗) 때의 문신. 자(字)는 가중(嘉仲), 호는 월봉(月峰). 나주(羅州) 사람. 수강(壽崗)의 아들. 대사헌·대사간에 이르렀으나 당시의 권신 김안로(金安老)에 아부하지 않고 외직(外職)에 나갔으며 형조 판서 때 법령 조목의 전후 모순을 조절한 ≪대전 후속록(大典後續錄)≫을 저술함. 그 후 을사 사화(乙巳士禍) 때 대윤(大尹)을 몰아내는 데 가담함. [1486-1549]

정:온[1]【定溫】명 일정한 온도.

정:-온[2]【鄭蘊】명〖사람〗조선 중기의 문신. 자(字)는 휘원(輝遠), 호는 동계(桐溪)·고고자(鼓鼓子). 초계(草溪)사람. 광해군 6년(1614) 부사직(副司直)으로 영창 대군(永昌大君)의 처형이 인륜에 어긋남을 상소하여 그로 인해 10년간 제주도에 유배됨. 유배 생활 중 ≪덕변록(德辨錄)≫·≪망북두시(望北斗詩)≫·≪망백운가(望白雲歌)≫를 지어 애군우국(愛君憂國)의 뜻을 토로함. 인조 반정 후 석방되어 부제학(副提學) 등을 역임, 인조 14년(1636) 병자 호란 때 이조 참판으로서 김상헌(金尙憲)과 함께 척화(斥和)를 주장, 이듬해 화의가 성립되자 벼슬을 버리고 덕유산(德裕山)으로 들어감. 시호는 문간(文簡). [1569-1641]

정:온[3]【靜穩】명 풍파(風波)가 없이 고요하고 평온(平穩)함. ——-하다 형 여불

정:온-기【定溫器】명 항온기(恒溫器).

정:온 동:물【定溫動物】명〖동〗조류(鳥類)나 포유류(哺乳類)처럼 체온의 조절 작용(調節作用)이 발달하여, 외계(外界)의 온도에 관계 없이 체온이 거의 일정하고 늘 따뜻한 동물. 등온(等溫) 동물. 상온(常溫) 동물. 온혈(溫血) 동물. 더운피 동물. ↔변온(變溫) 동물❶.

정:온-성【定溫性】[一썽] 명 항온성(恒溫性).

정:온 태양 잡음【靜穩太陽雜音】명 [quiet sun noise]〖물〗흑점 활동(黑點活動)이 적거나 또는 없을 때에 태양에서 발생하는 잡음 전자파(電磁波).

정:온 태양 전:파【靜穩太陽電波】명 태양면의 흑점 등에 아무런 이상이 없는 정온 상태의 태양이 방사하는 전파.

정:온 홍염【靜穩紅焰】명〖천〗높이 100,000 km 이하에 존재하여, 지구상의 구름처럼 생겨 며칠 동안 지속하는 홍염의 한 가지. 정태(靜態) 홍염. *폭발 홍염.

정:와[1]【井蛙】명 ↗정저와(井底蛙).

정와[2]【訂訛】명 잘못을 고침. 정정(訂正). ——-하다 타 여불

정완【貞婉】명 정숙(貞淑)하고 음전함. ——-하다 형 여불

정:-왕【定王】명 발해(渤海)의 일곱째 임금. 강왕(康王)의 아들. 성명은 대원유(大元瑜). 영덕(永德)으로 개원(改元)함. [재위 809-813]

정외[1]【廷外】명 법정(法廷)의 밖.

정외[2]【情外】명 가까이 지내는 사람을 멀리함. 가까이 지낼 사람에게 버성기게 굶. ——-하다 타 여불

정외지-언【情外之言】명 가까이 지내는 사람에게 버성기게 구는 말.

정:요[1]【定窯】명〖공〗북송(北宋)의 도요(陶窯). 허베이 성(河北省) 곡양(曲陽)에 있었음. 기품(氣品) 있는 백자(白磁)를 산출함.

정요[2]【精要】명 정긴(精緊). ——-하다 형 여불

정욕[1]【情欲】명 ①마음에 이는 여러 가지 욕구(欲求). ②이성에 대한 성적 욕망. 성욕(性慾). 색욕(色慾). 정욕(情慾). ③〖불교〗사욕(四欲)의 하나. 물건을 탐내고 집착(執着)하는 마음.

정욕[2]【情慾】명 정욕(情欲)❶❷. ¶～을 채우다.

정:용[1]【正容】명 용모를 바로잡음. ——-하다 자 여불

정:용[2]【整容】명 모양을 가지런히 함. 자세(姿勢)를 바로잡음. ——-하다 자 여불

정:용-기【整容器】명 정용하는 기구. 운동기(運動器) 계통이나 얼굴 모양이 완전하지 못한 사람을 정용하는 기구.

정:용 반:응열【定容反應熱】[一녈] 명〖화〗용적을 일정하게 유지하면서 측정한 반응열. 정적 반응열.

정:용-법【整容法】[一뻡] 명 체조를 시작할 때, 준비 운동을 하여 자세를 바르게 하는 법. 두 팔을 벌리고 손바닥을 펴서 앞뒤와 위 아래로 원형(圓形)을 그리며 발 뒤축을 들었다 놓았다 하여 가슴이나 어깨의 위치를 바로하여 자세(姿勢)를 바로잡음.

정:용 비:열【定容比熱】명 정적 비열(定積比熱).

정:용 열량계【定容熱量計】명 압력 변화는 있으나 용적이 일정한 용기 속에서의 반응을 측정하는 열량계. ↔정압(定壓) 열량계.

정용-체【晶溶體】명〖화〗두 가지 이상의 결정물(結晶物)이 섞이어 녹아서 다시 결정된 물체.

정우[1]【丁憂】명 부모의 상사(喪事)를 당함. 정간(丁艱). ——-하다 자 여불

정우[2]【政友】명 정견(政見)이 같은 벗. ↔정적(政敵).

정:우[3]【整羽】명 [preening]〖생〗새가 깃털을 다듬는 행동. 부리 끝으로 깃털을 빗고, 미선(尾腺)에서 분비되는 기름을 깃털에 바르는 등 깃털의 청소(淸掃)·손질을 하는 일.

정우-회【政友會】명〖역〗대한 제국의 정당. 1910년 4월, 김종한(金宗漢)·민원식(閔元植) 등 71인이 조직한 보수적인 정당으로, 황실 존영(皇室尊榮), 착실한 정치의 실현, 교육 진흥, 산업 발전, 사회 개량, 빈민 구제, 한일 친선 등을 그 창당(創黨) 취지로 삼음.

정:운[1]【鼎運】명 제왕(帝王)의 운명.

정:-운[2]【鄭運】명〖사람〗조선 선조 때의 무신. 자(字)는 창진(昌辰). 하동(河東) 사람. 벼슬은 웅천 현감(熊川縣監)·제주 판관(濟州判官)을 지냈으며, 임진 왜란 때 이순신(李舜臣)의 선봉(先鋒)에서 싸우다가 전사하였음. 병조 참판에 추증(追贈)됨. 시호는 충장(忠壯). [1543-92]

정:운 공신【定運功臣】명〖역〗조선 광해군 5년(1613)에, 유영경(柳永慶)의 옥사(獄事)를 다스린 공으로, 이산해(李山海)·정인홍(鄭仁弘)·이이첨(李爾瞻) 등 11인에게 내린 훈호(勳號). 뒤에 1623년 인조 반정(仁祖反正)으로 훈적(勳籍)에서 삭제됨.

정:-운복【鄭雲復】명〖사람〗언론인·민족 운동가. 1906년 이갑(李甲) 등과 함께 서우 학회(西友學會)를 조직, 1908년 한북 학회(漢北學會)와 통합하여 서북(西北) 학회를 결성, 회장이 되어 민족 계몽과 항일 운동을 전개함. 이어 '제국 신문'의 초대 주필, 제2대 사장을 지내다가 국권 피탈로 신문이 폐간되고 학회는 해산되었으나 계속 항일 운동에 헌신함. 생몰 연대 미상.

정울 명 〈방〉 저울[1](경상).

정:원[1]【正員】명 정당한 자격을 가진 사람. 또, 정원(定員)내의 인원.

정:원[2]【正圓】명 아주 둥근 원(圓).

정:원[3]【定員】명 일정한 인원(人員). ¶～ 초과.

정:원[4]【定遠】명 중국 청(淸)나라가 독일에 발주(發注)하여 건조한 군함. 진원(鎭遠)의 자매함(姉妹艦)으로 청일 전쟁(淸日戰爭) 때에 웨이하이웨이(威海衛)에서 침몰됨.

정원[5]【政院】명〖역〗↗승정원(承政院).

정원[6]【庭園·庭院】명 ①집 안의 뜰. 원정(園庭). ¶～을 가꾸다. ②미관(美觀)이나 위락(慰樂) 또는 실용(實用)을 목적으로, 주로 주거 주위(住居周圍)에 수목(樹木)을 심든가 또는 이 밖에 특별히 조경(造景)이 된 토지(土地).

정:원[7]【淨院】명 절간처럼 맑고 조용한 집.

정:원[8]【淨源】명〖사람〗조선 숙종(肅宗) 때의 중. 호(號)는 상봉(霜峰), 성은 김(金). 20세 때 구족계(具足戒)를 받았고, 의심(義諶)의 법을 이어받음. 해인사(海印寺)에서 ≪열반경(涅槃經)≫ 등 3백여 경전(經典)에 토를 달았으며, 뒤에 ≪도서(都序)≫와 ≪절요(節要)≫의 과문(科文)을 지었음. [1627-1709]

정원[9]【情願】명 진정으로 바람. ——-하다 타 여불

정:-원범【鄭元範】명〖사람〗독립 운동가. 평북 철산(鐵山) 출신. 일찍이 유인석(柳麟錫)과 함께 의병을 일으켰으며, 1911년 105인 사건으로 복역함. 3·1운동에 참여한 후 독립군 자금을 모아 상해 임시 정부로 보내고 그후 만주로 건너가 독립 운동 단체인 숭의단(崇義團)을 조직하여 단장으로 활약. 국내에 잠입하여 일본군과 싸우다 전사함. [1881-1920]

정원-사【庭園師】명 정원의 화단이나 수목을 가꾸는 것을 업으로 삼는 사람. 원정(園丁).

정-원세포【精原細胞】명 [spermatogonia]〖생〗동물의 정소(精巢)에 있는 생식 세포. 유계 분열(有系分裂)을 반복하여 정모(精母) 세포가 됨. ↔난원 세포(卵原細胞).

정원-수[1]【庭園手】명 정원사(庭園師).

정원-수[2]【庭園樹·庭院樹】명 정원에 심어 가꾸는 나무.

정:-원용【鄭元容】명〖사람〗조선 후기의 문신. 자(字)는 선지(善之), 호는 경산(經山). 동래(東萊) 사람. 1849년 헌종(憲宗)이 죽자 영의정으로서 강화(江華)에 살고 있던 철종(哲宗)을 모셔와 즉위하게 하였으며, 관기(官紀)가 문란해지고 각처에서 민란(民亂)이 일어나자 암행 어사(暗行御史) 제도 부활을 건의하는 등 삼정(三政)의 문란을 시정코자 노력하였음. 시호는 문충(文忠). [1783-1873]

정원-자【頂圓子】명〖공〗중국 저장 성(浙江省)에서 나는 회청색(灰靑色) 물감의 한 가지. 노원자(老圓子).

정:원 장군【定遠將軍】명〖역〗고려 때 무관의 품계(品階). 정오품(正五品)의 상(上). 성종(成宗) 14년(995)에 정하였음. 영원(寧遠) 장군의 위, 명위(明威) 장군의 아래임.

정:원-제【定員制】명 규정에 의해 참가 인원의 수효가 정해져 있는 제도.

정:-원집【鄭元執】명〖사람〗의병장. 대한 제국 육군 참위(參尉)로 융희 1년(1907) 고종이 강제로 양위되자 결사대의 간부로 항일전을 계획하

다 체포되어 진도(珍島)로 유배됨. 이해 한일 신협약(韓日新協約)이 체결되자 유배지에서 탈출, 전해산(全海山)의 의병 부대에 가담, 그 선봉장으로 광주(光州)·장성(長城) 등지에서 전공을 세우고 특히 대치(大峙) 전투에서 크게 용맹을 떨치고 전사함. 생몰년 미상.

정:원-창【正圓窓】 명 〖생〗 중이(中耳)의 고실(鼓室)로부터 내이(內耳)의 와우(蝸牛)로 통하는 구멍. 제2 고막이라는 얇은 막으로 닫혀 있음. 와우창(蝸牛窓).

정월[1] 명 〈방〉 저울[1](경상).

정월[2]【丁月】 명 〖민〗 정축(丁丑)·정묘(丁卯)·정사(丁巳) 등과 같이 월건(月建)의 천간(天干)이 정(丁)으로 된 달.

정월[3]【正月】 명 일년 중의 첫째 달. 일월(一月). 정월달. 원월(元月). [정월 지난 무에 삽심 넘은 여자] 철이 지나 시세가 없게 된 사물. [정월 초하룻날 먹어 보면 이월 초하룻날 또 먹으려 한다] 한번 재미를 보면 자꾸 하려고 한다는 말. [정월 대보름날 귀머리 장군 연 떠나가듯] 멀리에 가서 떨어지는 모양. ¶갓귀영자가 쑥 빠지며 머리에 썼던 제모립이 정월 대보름날 귀머리 장군 연 떠나가듯 삼 마장은 가서 떨어진다《李海朝:驅魔劒》.

정월-달【正月一】[—딸] 명 정월(正月).

정월 원단【正月元旦】 명 사시(四始).

정:위[1]【正位】 명 바른 자리. 정당한 위치.

정:위[2]【正位】 명 〖역〗 ①고려 국초(國初)에 태봉(泰封)의 관제를 본떠서 정한 문무(文武)의 관호(官號). ②고려 때 9품 향직(鄕職)의 7품의 하품(下品).

정:위[3]【正尉】 명 〖역〗 조선 시대 고종(高宗) 32년(1894)에 고친 무관(武官) 장교(將校) 계급의 하나. 참령(參領)의 아래, 부위(副尉)의 위로 위관(尉官)의 맨 윗지위임.

정:-위[4]【正僞】 명 올바름과 거짓. 진위(眞僞).

정:위[5]【定位】 명 ①생물체가 몸의 위치 또는 자세를 능동적으로 정함. 또, 그 위치나 자세(姿勢). *추성(趨性). ②〖수〗 단위 또는 단위로서의 수인 1. ③〖의〗 분만할 때 태아의 머리의 시상 봉합(矢狀縫合)과 골반축(骨盤軸)과의 관계. 정축(正軸) 정위·전노정(前顱頂) 정위·후노정(後顱頂) 정위의 세 가지가 있음.

정위[6]【庭闈】 명 부모가 거처하는 방. 전(轉)하여, 부모를 일컬음.

정-위[7]【情僞】 명 진정과 허위.

정위[8]【精衛】 명 중국의 상상(想像)의 새. 여름을 맡은 염제(炎帝)의 딸이 동해에 빠져 새로 화한 것으로서, 늘 서산(西山)의 목석(木石)을 입에 물어다가 동해를 메우려 했으나 이루지 못했다고 함.

〈정위[8]〉

정:위 상간【鄭衛桑間】 명 중국, 정(鄭)과 위(衛) 두 나라의 음란한 음악. 상간(桑間)은 음란한 망국(亡國)의 음악.

정:위-점【定位點】[—쩜] 명 '자릿점'의 구용어.

정유[1]【丁酉】 명 〖민〗 육십 갑자(六十甲子)의 서른넷째.

정:유[2]【定有】 명 [도 Dasein] 가장 추상적(抽象的)인 개념인 유(有)에 대하여, '그 곳에 있다'고 규정을 짓는 유(有).

정유[3]【貞蕤】 명 〖사람〗 박제가(朴齊家)의 호(號).

정유[4]【情由】 명 사유(事由).

정유[5]【精油】 명 〖화〗 ①각종 식물의 꽃·잎·열매·가지·줄기·뿌리 등에서 채취하여 정제(精製)한 특유한 방향(芳香)을 가지는 휘발성 기름. 방향유(芳香油). ②석유를 정제(精製)함. 또, 그 석유. ¶～ 공장. ——-하다 자 여불

정:-유길【鄭惟吉】 명 〖사람〗 조선 선조 때의 문신. 자(字)는 길원(吉元), 호는 임당(林塘)·상덕재(尙德齋). 중종 33년(1538) 별시 문과(別試文科)에 장원, 선조 14년(1581) 이조 판서에서 우의정에 임명되었으나 권신(權臣) 윤원형(尹元衡) 등과 가까웠었다 하여 사직, 동 16년에 조 판서를 거쳐 우의정이 되고 동 18년 좌의정이 됨. 문장·시에 모두 능했고 글씨는 송설체(松雪體)로 이름 있었음. 저서에 《임당유고》가 있음. [1515-88]

정:-유리【淨瑠璃】[—뉴—] 명 〖불교〗 청정(淸淨)하고 투명(透明)한 유리.

정:-유산【鄭惟産】 명 〖사람〗 고려 시대의 문신. 문종 16년(1062) 중서사인(中書舍人)으로서 국자시(國子試)를 관장, 시권(試券)에 봉미법(封彌法)을 처음으로 시행케 함. 문종 31년(1077) 판상서예부사(判尙書禮部事) 등을 역임, 문하 시랑 평장사(門下侍郎平章事)에 이르렀음. 문명(文名)이 높았고, 특히 시(詩)에 뛰어남. 시호는 정순(貞順). [?-1091]

정유 삼흉【丁酉三兇】 명 〖역〗 조선 중종(中宗) 32년(1537) 정유(丁酉)에 외척(外戚) 윤원로(尹元老) 등에 의하여 세 흉물(兇物)이라 하여 피살(被殺)된 김안로(金安老)와 그 일파 허항(許沆)·채무택(蔡無擇)의 세 사람.

정:-유성【鄭維城】 명 〖사람〗 조선 현종(顯宗) 때의 상신(相臣). 호(號)는 도촌(陶村). 연일(延日) 사람. 효종·현종 시대를 통하여 인망이 높았던 재상임. 시호는 충정(忠貞). [1596-1664]

정유-소【精油所】 명 정유를 생산할 목적으로 정유 생산에 필요한 시설을 갖춘 영조물(營造物).

정:유소 가스【精油所—】[gas] 명 석유 원유(原油)를 가공해서 각종 석유 제품을 만들 때 부생(副生)하는 탄화 수소 가스. 연료 외에, 석유 화학 공업의 원료, LPG의 제조 등에 이용됨.

정:-유일【鄭惟一】 명 〖사람〗 조선 중기의 문신. 자(字)는 자중(子中), 호는 문봉(文峯). 시부(詩賦)에 뛰어나 당시 명망이 높았으며 벼슬은 대사간·승지(承旨)·이조 판서 등을 역임함. 《한중 필록(閑中筆錄)》·《관동록(關東錄)》·《송조 명현록(宋朝名賢錄)》 등을 저술하였으나 임진 왜란 때 소실됨. [1533-76]

정유-자【丁酉字】 명 〖역〗 조선 정조(正祖) 원년(1777)에 구리로 만든 활자. 전 평안도 관찰사 서명응(徐命膺)에게 명하여 기영(箕營)에서 갑인자(甲寅字)를 자본(字本)으로 하여 15만 자를 주조(鑄造)하였음.

정유 재:란【丁酉再亂】 명 〖역〗 임진 왜란 중 화의(和議) 교섭의 결렬로 선조(宣祖) 30년(1597 : 정유년)에 왜군이 재차(再次) 조선에 침입하여 일어난 전쟁. *임진 왜란.

정:육[1]【正肉】 명 쇠고기의 살코기.

정육[2]【亭育】 명 양육(養育)함. ——-하다 타 여불

정육[3]【精肉】 명 지방이나 뼈 따위를 발라 낸 살코기.

정:-육각형【正六角形】[—뉵—] 명 〖수〗 각 변의 길이가 같고 각 내각(內角)이 같은 육각형.

정:-육궁【正六宮】[—뉵—] 명 바둑에서, 석 집씩 두 줄이 나란히 붙은 여섯 집으로 된 육궁. *매화 육궁.

정:-육면체【正六面體】[—뉵—] 명 〖수〗 여섯 개의 면이 정사각형인 평행 육면체. 입방체.

정육-점【精肉店】 명 정육을 파는 점포(店鋪). 푸주.

정:-육품【正六品】[—뉵—] 명 〖역〗 관계(官階)의 하나. ①고려 때, 문산계(文散階)의 문종 때에 둔 상(上)조의랑(朝議郞), 하(下)승의랑(承議郞), 충렬왕 때에 고친 승봉랑(承奉郞), 공민왕 때에 고친 조청랑(朝請郞) 및 무산계(武散階)의 상(上) 요무 장군(耀武將軍), 하(下) 요무 부위(副尉) 등. ②조선 시대 때, 문관의 승훈랑(承訓郞), 종친(宗親)의 집순랑(執順郞)·종순랑(從順郞), 무관의 돈용 교위(敦勇校尉), 잡직(雜職)의 공직랑(供職郞)·여직랑(勵職郞)·봉임 교위(奉任校尉)·수임(修任) 교위, 토관직(土官職)의 선직랑(宣職郞)·건신대위(健信隊尉) 등.

정:윤[1]【正尹】 명 〖역〗 ①고려 때 종친(宗親)과 훈신(勳臣)의 작호(爵號). 충렬왕(忠烈王) 24년(1297)에 종친은 종이품(從二品), 훈신은 정삼품으로 정함. ②조선 초기의 제종친(諸宗親)의 작호의 하나.

정:윤[2]【正胤】 명 〖역〗 고려 초에, 임금의 적자(嫡子)를 일컫던 말.

정:-윤[3]【正閏】 명 ①평년과 윤년. ②정위(正位)와 윤위(閏位).

정:-윤목【鄭允穆】 명 〖사람〗 조선 중기의 학자. 자(字)는 목여(穆如), 호는 청풍자(淸風子)·죽창 거사(竹窓居士). 청주(淸州) 사람. 탁(琢)의 아들. 유성룡(柳成龍)·정구(鄭逑)의 문인. 경사(經史)에 통달했고, 예악(禮樂)·병형(兵刑)·음양(陰陽)·율력(律曆)에까지 정통하였음. 특히, 초서(草書)를 잘 써 당대 1인자로 불리었음. [1571-1629]

정:-윤용【鄭允容】 명 〖사람〗 조선 말기의 학자. 자(字)는 경집(景執), 호는 수암(睡庵). 순조 때 공조 참의를 거쳐 헌종 때 공주 판관(公州判官) 등을 역임했는데, 많은 저술을 남긴 중 《자류 주석(字類註釋)》은 국문학 연구에 귀중한 자료가 됨. 글씨는 대자(大字)로 명성을 떨쳤으며 《수암 만록(睡庵漫錄)》 등의 저서가 있음. [1792-1865]

정:-윤희【丁胤禧】[—히] 명 〖사람〗 조선 선조 때의 문신. 자는 경석(景錫), 호는 고암(顧庵)·순암(順庵). 이황(李滉)의 문인. 예조·호조의 참의(參議)를 지내고, 선조 21년(1588) 강원도 관찰사를 역임함. 문장으로 이름을 떨치어 사륙문(四六文)에 뛰어나 한때 홍문관(弘文館)과 예문관(藝文館)의 모든 서류를 찬술하였음. 저서에 《고암집》이 있음. [1531-89]

정은[1]【丁銀】 명 품질(品質)이 가장 나쁜 은(銀). 70 %의 순분(純分)이 들어 있는 은의 일컬음. 칠성은(七成銀). 황은(黃銀).

정:은[2]【正銀】 명 순은(純銀).

정:을선-전【鄭乙善傳】[—썬—] 명 〖문〗 작자·창작 연대 미상의 고전 소설의 하나. 국문본. 정 재상의 아들 을선과 계모의 학대 속에 자라난 유 재상의 딸 추년(秋年)과의 파란 많은 애정을 그림.

정:음[1]【正音】 명 ①글자의 올바른 제 소리. ②한자(漢字)의 속음(俗音)이나 와음(訛音)이 아닌 본래의 바른 음(音).

정:음[2]【正音】 명 ①〖언〗 ↗훈민 정음(訓民正音). ②〖책〗 ↗훈민 정음 해례(訓民正音解例).

정:음[3]【淨音】 명 청정(淸淨)한 음성.

정:음 종훈【正音宗訓】 명 〖책〗 한글의 발음·제자(制字)·청탁(淸濁) 등을 해설한 책. 광무 10년(1906) 권정선(權靖善)이 저술함.

정:음-청【正音廳】 명 〖역〗 조선 문종(文宗)이 즉위하자 설치하였고 단종(端宗) 즉위년 11월에 폐지된 기관. 정확한 설치 연대와 목적은 뚜렷하지 아니함. 세종이 궁중에 설치한 사설 인쇄 기관인 책방(冊房)과 더불어 일종의 인쇄 기관으로 그 성격이 주자소(鑄字所)와 비슷하였음. *언문청(諺文廳).

정:음 통석【正音通釋】 명 〖책〗 《화동 정음 통석 운고(華東正音通釋韻考)》의 준말. 조선 영조(英祖) 때 박성원(朴成源)이 지은 한자의 운서(韻書). 2권 1책.

정:읍[1]【井邑】 명 〖악〗 수제천(壽齊天)의 속명(俗名).

정:읍[2]【井邑】 명 〖지〗 전라 북도의 한 시(市). 1 읍(邑) 14 면(面) 12 동(洞). 도의 남서부에 있고, 동쪽은 임실군(任實郡)·완주군(完州郡), 북쪽은 김제시(金堤市), 서쪽은 부안군(扶安郡)·고창군(高敞郡), 남쪽은 순창군(淳昌郡)과 전라 남도 장성군(長城郡)에 접함. 전국 유일의 다원(茶園)이 있음. 명승 고적으로는 내장산(內藏山) 국립 공원·입암산성지(笠巖山城址)·군자정(君子亭)·황토현 전적지(黃土峴戰蹟址)·만화루(萬化樓)·피향정(披香亭) 등이 있음. 1995년 1월 정주시와 정읍군을 통합, 정읍시로 개편됨. [692.44 km² : 150,979 명(1996)]

정읍[3]【呈邑】 명 〖역〗 고을 원에게 정소(呈訴)함. ——-하다 타 여불

정읍[4]【庭揖】 명 〖역〗 조선 시대 때, 성균관 유생들이 아침 식사 전에 뜰에 나와 읍(揖)하고 식당(食堂)으로 들어가는 일.

정:읍-군【井邑郡】 명 〖지〗 전라 북도에 속했던 군. 1995년 1월, 정주시와 통합하여 정읍시가 되었음.

정:읍-사【井邑詞】 명 〖악〗 무고(舞鼓)에 맞추어 부르던 삼국 시대 속악

(俗樂)의 창사(唱詞). 현존하는 유일한 백제 시대의 가요(歌謠)로, 행상(行商)을 나간 남편의 밤길을 염려하는 내용임.

정읍 장단【井邑長短】명〖약〗장단치는 법의 하나. 삼현 영산회상(三絃靈山會相) 중 상영산(上靈山) 장단.

정:-응(:)문【鄭應文】명〖사람〗고려 인종(仁宗) 때의 문신. 김포 정씨(金浦鄭氏)의 시조. 인종 6년(1128) 어사 중승(御史中丞)으로 남계 선무사(南界宣撫使)가 되어 남해안 일대에서 봉기한 도적을 진압, 투항(投降)해 온 828 명을 합천(陜川) 삼기현(三岐縣)에 귀원장(歸原場)·취안장(就安場), 진주(晋州) 의령현(宜寧縣)에 화순장(和順場)을 설치, 이들을 살게 했음.

정:의[1]【正意】[—/—이] 명 ①바른 마음. 바른 의지(意志). ②올바른 의의(意義). 바른 의미(意味).

정:의[2]【正義】[—/—이] 명 ①올바른 도리. ¶ ~를 위해 싸우다. ②바른 의의(意義). ③[justice]〖윤〗지혜·용기·절제(節制)가 완전한 조화를 유지하는 일. 플라톤의 설. ④〖윤〗여러 가지 덕(德)의 중정(中正)한 상(相). 분배적(分配的)인 정의와 보상적(報償的)인 정의의 두 가지가 있음. 아리스토텔레스의 설.

정의[3]【廷議】[—/—이] 명 조정의 의론. 묘의(廟議).

정의[4]【征衣】[—/—이] 명 ①여행용 복장. 여장(旅裝). ②출정할 때의 복장. 군복.

정:의[5]【定義】[—/—이] 명 ①술어(術語)의 의미를 명백히 하여 개념(槪念)의 내용을 한정하는 일. 계설(界說). 뜻 매김. ¶ ~를 내리다. ②〖논〗개념이 속하는 가장 가까운 유(類)를 들어 그것이 체계 중에 차지하는 위치를 밝히고, 또 다시 종차(種差)를 들어 그 개념과 동위(同位)의 개념에서 구별하는 일. 예를 들면 '사람은 이성적(종차)인 동물(유개념)이다' 따위. 본질적 정의. ——-하다 타여불
　정:의를 내리다 구 정의하다.

정의[6]【庭儀】[—/—이] 명〖불교〗대법회(大法會)에 여러 중이 전정(前庭)을 걸어서 본당(本堂)에 입장하는 의식.

정-의[7]【情意】[—/—이] 명 정과 뜻. 감정과 의지(意志).

정-의[8]【情義】[—/—이] 명 인정과 의리(義理).

정의[9]【情誼】[—/—이] 명 사귀어 친해진 정(情). 진정어린 사귐. ¶ 동숙(同宿)의 ~/두터운 ~. 준의(誼).

정의[10]【精義】[—/—이] 명 자세한 의의(意義). 또, 정확한 의의. ¶ 헌법 ~.

정:의-감【正義感】[—/—이—] 명 사물을 처리할 때, 정의를 관철코자 하는 마음. 정의심(正義心). ¶ ~이 두텁다.

정의 검:사【情意檢査】[—/—이—] 명〖심〗성격이나 정의의 경향을 측정하려는 심리학적인 방법. 보통, 자기 평가 목록(自記評價目錄)·작업 테스트·제삼자의 관찰 평가 등의 세 종류가 있음. 성격 검사.

정:의-관[1]【正義觀】[—/—이—] 명 정의에 대한 관념. 정의를 보는 견해.

정:-의관[2]【整衣冠】[—/—이—] 명 의관을 바로잡아 몸가짐을 단정하게 함. ——-하다 자여불

정:의 구역【定義區域】[—/—이—] 명〖수〗①두 변수(變數) x, y 사이에 y가 x의 함수(函數)로 나타내어질 때 x가 취할 수 있는 값의 범위. ②f가 집합(集合) A에서 집합 B에의 사상(寫像)일 때의 A의 f에 대한 일컬음. 정의역(定義域).

정의-당【精義堂】[—/—이—] 명〖역〗고려 때 학사(學士)들이 모여서 경의(經義)를 강론하던 보문각(寶文閣)에 딸린 전각(殿閣)의 이름.

정:의당 전서【正誼堂全書】[—/—이—] 명〖책〗(정의당은 편자가 푸젠(福建)에 세워 제자를 양성한 서원(書院)의 당호(堂號)) 중국 청(淸)나라의 장백행(張伯行)이 송(宋)나라 이후 청초(淸初)에 이르기까지의 주자학파 및 그 파가 존숭하는 학자의 저작 55종을 모은 총서(叢書). 송학(宋學)의 요령을 아는 데 편리함.

정:의 대:부[1]【正義大夫】[—/—이—] 명〖역〗조선 시대 때 종이품 종친(宗親)의 품계. 중의 대부(中義大夫)의 아래임.

정:의 대:부[2]【正議大夫】[—/—이—] 명〖역〗고려 때 문관(文官)의 품계(品階). 정사품의 위. 문종(文宗) 때에 정했는데, 충렬왕(忠烈王) 원년(1274)에 폐했다가, 24년(1308)에 정삼품으로 승격하고, 34년(1308)에 폐했음. 공민왕(恭愍王) 5년(1355)에 정삼품의 위로 고치고, 11년(1362)에 또 폐했다가, 18년(1369)에 다시 회복(回復)했음. *통의 대부(通議大夫).

정의 돈목【情誼敦睦】[—/—이—] 명 정의가 두텁고 화목함. ——-하다 형여불 ——-히 부

정의 만다라공【庭儀曼荼羅供】[—/—이—] 명〖불교〗정의(庭儀)에 의해서 양부(兩部)의 대만다라(大曼荼羅) 제불(諸佛)을 공양하는 법회(法會).

정-의(:)배【丁義培】명〖사람〗조선 후기(後期)의 천주교도. 교명(敎名)은 말구, 나주(羅州) 사람. 기해 박해(己亥迫害) 때 순교자들의 태도를 보고 감동하여 46세로 입교함. 천주교 서울 지구 회장을 지냈으며, 전도에 노력하다가 고종(高宗) 3년(1866) 병인(丙寅) 박해 때 체포되어 순교함. [1794-1866]

정:의-부【正義府】[—/—이—] 명〖역〗1925년 1월 만주 길림 성(吉林省)에서 통의부(統義府)·길림 주민회(吉林住民會)·의성단(義成團)·광정단(匡正團) 등이 통합(統合)해서 조직된 독립 운동 단체(獨立運動團體). 군사(軍事) 행동을 영구적이고 전면적으로 실시할 것을 목적으로 하고 일본 관서(官署)를 습격하는 한편, 신문 간행(刊行), 학교 설립 등 문화 사업도 했음.

정의 상통【情意相通】[—/—이—] 명 정의가 소통(疏通)하여 서로 친함. ——-하다 자여불

정:의-심【正義心】[—/—이—] 명 정의감(正義感).

정의아비 명〈옛·방〉허수아비. ¶ 정의아비(草人)《漢淸 X:9》

정:의-역【定義域】[—/—이—] 명〖수〗정의 구역(定義區域).

정:의의 허위【定義—虛僞】[—/—이에—] 명〖논〗논리적 허위의 한 가지. 정의를 그릇되게 함으로써 야기되는 허위. 순환 정의(循環定義)·동어 반복(同語反復) 등.

정의 투합【情意投合】[—/—이—] 명 ①따뜻한 마음이 서로 잘 맞아서 합함. ②남녀간의 관계가 성립함. ——-하다 자여불

정:의-한【正義漢】[—/—이—] 명 정의감(正義感)이 강한 사나이.

정:의 함:수【定義函數】[—쑤/—이—쑤] 명〖수〗특징 함수(特徵函數).

정이[1] 명〈방〉허수아비(함경).

정이[2]【征夷】명 오랑캐를 정벌함. ——-하다 자여불

정-이[3]【程頤】명〖사람〗중국 북송(北宋)의 학자. 자는 정숙(正叔). 호(顥)의 아우. 뤄양(洛陽) 사람. 이천백(伊川伯)을 봉한 까닭에 이천 선생이라 부름. 처음으로 이기(理氣)의 철학을 제창하였으며, 유교 도덕에 철학적 기초를 부여하였음. 저서 《역전(易傳)》·《어록(語錄)》 등. 시호는 정공(正公). [1033-1107]

정이[4]【聤耳】명〖한의〗귀에서 궂은 물이 흐르는 귓병의 한 가지.

정:-이사지【靜而俟之】명 가만히 기다리고 있음. ——-하다 타여불

정이-월【正二月】명 정월과 이월.

정-이통【精而通】명 썩 자세(仔細)하면서도 널리 통(通)함. ——-하다 자타여불

정:-이품【正二品】명〖역〗관계(官階)의 하나. ①고려 때 문종(文宗)이 신라 관제를 고친 문산계(文散階)의 특진(特進), 충렬왕 24년(1298)에 고친 흥록 대부(興祿大夫), 충선왕 2년(1310)에 고친 상(上) 대광(大匡), 하(下) 정광(正匡), 공민왕 5년(1356)에 고친 상(上) 은청 광록 대부(銀靑光祿大夫), 하(下) 은청 영록 대부(銀靑榮祿大夫), 11년(1362)에 고친 광정 대부(匡正大夫), 18년(1369)에 고친 상(上) 광록 대부(光祿大夫), 하(下) 숭록 대부(承祿大夫) 등이고, 무산계(武散階)로는 보국 대장군(輔國大將軍) 등. ②조선 시대 때 문무관(文武官)의 정헌 대부(正憲大夫)·자헌(資憲) 대부, 종친(宗親)의 숭헌(崇憲) 대부·승헌(承憲) 대부, 의빈(儀賓)의 봉헌(奉憲) 대부·통헌(通憲) 대부 등.

정:인[1]【正人】명 마음씨가 올바른 사람.

정:인[2]【正因】명〖불교〗이인(二因)의 하나. 직접적(直接的)인 원인(原因). ↔연인(緣因).

정인[3]【征人】명 ①출정(出征)하는 사람. ②여객(旅客).

정:인[4]【淨人】명 속인으로서 절에 사는 신자(信者).

정인[5]【情人】명 ①진정(眞情)으로 사귀는 사람. ②연애 관계에 있는 이성(異性). 또, 정사(情事)의 상대. 연인(戀人).

정:인 군자【正人君子】명 마음씨가 올바르며 학식(學識)과 덕행(德行)이 높고 어진 사람.

정:-인보【鄭寅普】명〖사람〗학자. 자는 경업(經業), 호는 위당(爲堂)·담원(薝園). 1910년 중국에서 동양학을 연구하며 박은식(朴殷植)·신채호(申采浩) 등과 동제사(同濟社)를 조직, 동포 계몽에 힘쓰고, 1918년 귀국하여 이화 여전, 세브란스 의전 등에서 교편을 잡는 한편, 동아일보 논설 위원으로 총독부 정책을 비판함. 해방후 초대 감찰 위원장이 되고, 6·25 때 납북(拉北)됨. 저서에 《조선사 연구》·《담원 시조집(薝園時調集)》 등이 있음. [1892-?]

정:-인복【鄭仁福】명〖사람〗독립 운동가. 평안도 출신. 1920년 광복단군영(光復團軍營) 특파 결사대원으로 국내에 잠입, 미국 의원단의 내한(來韓)을 계기로 일본 기관을 파괴하려다 실패, 신의주역(新義州驛)을 폭파하고 겸이포(兼二浦) 제철소를 폭파한 후 일경(日警)에 체포되어 압송 도중 만주로 탈출함. 1922년, 밀정 김윤옥(金允玉)의 밀고로 만주에서 일경의 습격을 받고 안용봉(安龍鳳) 등 동지 7 명과 함께 전사했음. [?-1922]

정:-인산【正燐酸】명〖화〗인산(燐酸)❷.

정:-인승【鄭寅承】명〖사람〗국문 학자. 명예 문학 박사, 호는 건재(健齋). 전북 장수(長水) 출생. 연희 전문 학교 문과 졸업. 1935년 조선어 학회 이사를 맡으면서 《큰사전》 편찬을 주재했고, 조선어 학회 사건으로 함흥(咸興) 감옥에 투옥됨. 광복후 전북대·중앙대 교수 등을 거쳐 61년 전북대 총장, 건국대 교수 등을 지냄. 66년 학술원 회원. 저서에 《한글 강화》·《새 한글 사전》·《소사전》 등이 있음. [1897-1986]

정:-인연【正因緣】명〖불교〗육근(六根)을 인(因)으로 하고, 육진(六塵)을 연(緣)으로 하여 일체 제법(一切諸法)을 생성(生成)하는 이치. 사인연(邪因緣)에 상대되는 일컬음.

정:-인지【鄭麟趾】명〖사람〗조선 초기의 문신·학자. 자(字)는 백휴(伯睢), 호는 학역재(學易齋). 하동(河東) 사람. 벼슬이 대제학(大提學)·영의정에 이름. 대통력(大統曆)과 역법(曆法)을 개정하였으며 천문(天文)·아악(雅樂) 등에 관한 많은 책을 편찬하고, 김종서(金宗瑞) 등과 《고려사》를 찬수(撰修)함. 훈민 정음(訓民正音) 창제에 공이 컸으며, 안지(安止)·최항(崔恒)등과 《용비어천가(龍飛御天歌)》를 지음으로써 국어(國語)·국문학사(國文學史)에 크게 기여(寄與)함. 7대(代) 임금을 섬기면서 네 차례 공신(功臣)에 녹훈(錄勳) 되었고 계유 정난(癸酉靖難)의 공으로 하동 부원군(河東府院君)에 봉해짐. 시호는 문성(文成). [1396-1478]

정:-인홍【鄭仁弘】명〖사람〗조선 광해군(光海君) 때의 상신(相臣). 호(號)는 내암(萊庵). 서산(瑞山) 사람. 대북(大北)의 영수(領袖). 임진왜란 때 공을 세웠으며, 소북(小北)과 대립하여 광해군 즉위를 주장 유배되었다가, 풀려나와 광해군 4년(1612)에 영의정(領議政)이 되었는데, 영창 대군(永昌大君)을 죽이게 하고 폐비(廢妃)의 논(論)을 일으키는

등 포학(暴虐)한 일이 많았음. 문집(文集) ≪내암집(萊庵集)≫이 있음. [1535-1623]

정일[1]【丁日】[명]〖민〗정유(丁酉)·정미(丁未)·정사(丁巳) 등과 같이 일진(日辰)의 천간(天干)이 정(丁)으로 된 날.

정:일[2]【定日】[명] 정한 날짜. 또, 날짜를 정함. ——-하다 [타][여불]

정일[3]【精一】[명] 정성(精誠)스럽고 한결같음. ——-하다 [형][여불]. ——-히 [부]

정:일[4]【靜逸】[명] 조용하고 심신(心身)이 평안함. 또, 그 모양. ——-하다 [형][여불]. ——-히 [부]

정:일당 강씨【靜一堂姜氏】[—땅—] [명]〖사람〗조선 정조(正祖) 때의 여류 시인·서화가(書畫家). 정일당은 호. 진주(晉州) 사람. 윤광연(尹光演)의 처. 서화에 능하고 시문(詩文)에 뛰어났으며, 경술(經術)·성리학(性理學)에도 밝았음. 시작(詩作)으로 ≪야좌(夜坐)≫·≪제석감(除夕感)≫ 등 31 수가 전함. [1772-1832]

정:일-불【定日拂】[명]〖경〗'정일 출급'의 구칭. ——-하다 [타][여불]

정:일 시:장【定日市場】[명] 날짜를 정하여 놓고 정기적(定期的)으로 서는 장. *장(場).

정일 출급【定日出給】[명]〖경〗확정일 출급. 구용어: 정일불.

정:일 출급 어음【定日出給—】[명]〖경〗확정일 출급(確定日出給) 어음.

정:-일품【正一品】[명]〖역〗관계(官階)의 하나. ①고려 때 충렬왕이 둔 문산계(文散階)의 삼중 대광(三重大匡)·벽상 삼한 삼중 대광(壁上三韓三重大匡), 공민왕이 고친 상(上) 개부 의동삼사(開府儀同三司), 하(下) 의동삼사(儀同三司), 상(上) 특진 보국 삼중 대광(特進輔國三重大匡), 하(下) 특진 삼중 대광(特進三重大匡) 등. ②조선 시대 때 문관(文官)의 대광 보국 숭록 대부(大匡輔國崇祿大夫)·보국 숭록 대부, 종친(宗親)의 현록(顯祿) 대부·흥록(興祿) 대부, 의빈(儀賓)의 유록(綏祿) 대부·성록(成祿) 대부 등.

정:-일형【鄭一亨】[명]〖사람〗정치가. 평안 남도 용강(龍岡) 출생. 1927년 연희 전문(延禧專門)을 졸업, 1936년 미국 두루 대학에서 법학 박사 학위를 받음. 연대(延大)·감리교 신학 대학 등에서 교편을 잡는 한편, 1948년 유엔 총회 한국 대표단 고문을 역임하고, 2-9대 국회 의원에 당선되었으며, 1960년 외무부 장관을 지냄. [1904-82]

정:임[1]【正任】[명] 실직(實職)❶.

정:임[2]【定賃】[명] 정해져 있는 임금(賃金). 일정한 임금.

정:임 대:신【正任大臣】[명]〖역〗실직(實職)에 있는 대신.

정임 야:반 생경자【丁壬夜半生庚子】[명]〖민〗일진(日辰)의 천간(天干)이 정이나 임으로 된 날의 자시(子時)는 경자(庚子)가 됨.

정임지년 임:인두【丁壬之年壬寅頭】[명]〖민〗태세(太歲)의 천간(天干)이 정(丁)이나 임(壬)으로 된 해의 정월(正月) 월건(月建)은 임인(壬寅)이 됨.

정자[1]【丁字】[—짜] [명] ↗정자형(丁字形).

정:자[2]【正字】[명] ①틀리지 않은, 바른 글자. ②점획(點畫)을 생략·변경하지 않은 한자(漢字)의 자체(字體). '円'에 대한 '圓', '氷'에 대한 '冰' 따위. ↔속자(俗字)·약자(略字)·오자(誤字).

정:자[3]【正字】[—짜] [명]〖역〗①고려 비서성(祕書省)·전교시(典校寺)의 종구품 벼슬. ②조선 시대 때 홍문관(弘文館)·승문원(承文院)·교서관(校書館)의 정구품 벼슬.

정자[4]【亭子】[명] 산수(山水)가 좋은 곳에 놓기 위하여 지은 아담한 집. 정각(亭閣). 정사(亭榭). 사정(舍亭).

〈정자[4]〉

정자[5]【頂子】[명]〖역〗증자(鏳子).

정자[6]【晶子】[명]〖광〗파리질(玻璃質)의 화성암(火成岩)에 들어 있는 아주 미세(微細)한 결정립(結晶粒).

정자[7]【程子】[명]〖사람〗중국 송(宋)나라의 유학자(儒學者) 정 호(程顥)·정 이(程頤) 형제에 대한 존칭.

정자[8]【精子】[명]〖생〗①[spermatozoa] 동물(動物)에 있어서의 웅성(雄性)의 생식 세포(生殖細胞)의 하나. 사람의 것은 길이 0.05mm 가량이고 머리·목·꼬리의 부분으로 구분(區分)되며, 편모(鞭毛)·섬모(纖毛)도 갖추어 활발하게 운동함. 머리는 몹시 얇은 막(膜)으로 싸여 세포핵(細胞核)에 해당하고, 꼬리는 수축성(收縮性)이 있는 섬유축(纖維束)으로 되어 원형질(原形質)에 상당함. 난자(卵子)와 결합하여 개체(個體)의 생성(生成)을 촉진하는 주체(主體)가 됨. 특히, 알칼리성의 액중(液中)에서 운동(運動)이 활발함. ↔난자(卵子). ②이형 접합(異形接合)을 행하는 하등 식물(下等植物)의 소배우자(小配偶子). 정충(精蟲).

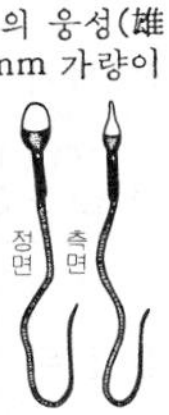

〈정자[8]❶〉

정자-각【丁字閣】[—짜—] [명]〖역〗'丁'자 모양으로 지은 집. 능원(陵園)에서 묘(墓) 앞 아래쪽 홍살문 안에 있으며, 그 안에서 제사를 지냄. 침전(寢殿). 침묘(寢廟).

〈정자각〉

정:자-고누【井字—】[—짜—] [명] 네모 속의 우물정(井)자를 그은 말밭을 쓰는 '넉줄고누'의 딴이름.

정자 과:소증【精子過少症】[—쯩] [명]〖의〗정액(精液) 속의 정자의 수가 극히 적은 상태. 보통 1cc의 정액 속에 30,000,000이하의 경우를 가리키며 불임(不姙)의 원인이 됨. *무정자증(無精子症).

정자-관【程子冠】[명]〖역〗말총으로 짜거나 떠서 만든 관의 하나. 위는 터지고 세 봉우리가 지게 두 층 또는 세 층으로 되었음. 유자(儒者)가 집안에서 창의(氅衣)나 도포를 입고 있을 때, 갓 대신 썼음. 중국 송(宋)나라의 정자가 썼었다고 함.

〈정자관〉

정자-기【精子器】[명]〖생〗병포자기(柄胞子器).

정:-자기학【靜磁氣學】[명] [magneto statics] 시간에 따라 변화하지 않는 자기장(磁氣場)에 관한 학문.

정자 나무【亭子—】[명] 집 근처나, 길가, 동리 마당 같은 곳에 있는 큰 나무. 그늘이 좋아서 사람들이 많이 모여 놀고 쉴 수 있음.

정:-자당【鄭子堂】[명]〖사람〗조선 중기의 시인. 자(字)는 승고(升高), 호는 청송(青松). 동래(東萊) 사람. 성종(成宗) 때 문과에 급제, 교리(校理)를 지냄. 연산군(燕山君) 때 광인(狂人)으로 행세하여 사화(士禍)를 면함. 시에 뛰어나고 해학(諧謔)을 즐겼음. 저서 ≪청송 시집≫. 생몰년 미상.

정자-대【丁字帶】[—짜—] [명] 정자형(丁字形)으로 매게 되어 있는 붕대(繃帶).

정자-로【丁字路】[—짜—] [명] 정자형(丁字形)의 도로(道路).

정자-모【亭子—】[명]〖농〗산골 논에 듬성듬성 심은 모.

정:자-법【正字法】[—뻡] [명]〖언〗정서법(正書法).

정자-보【丁字—】[—짜—] [명]〖건〗정자(丁字) 모양으로 짠 보.

정:자살 교창【井字—交窓】[—짜—] [명]〖건〗문살을 정자(井字) 모양으로 짠 교창(交窓).

정:자살-문【井字—門】[—짜—] [명]〖건〗문살을 정자(井字) 모양으로 짠 세전문(細箭門)의 한 가지.

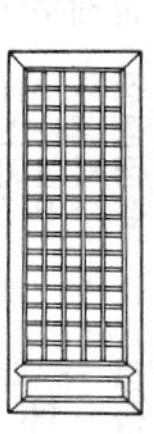
〈정자살문〉

정자 세:포【精子細胞】[명] 정세포(精細胞).

정자 응:집소【精子凝集素】[명] [sperm agglutinin]〖생〗정자를 응집하는 작용을 나타내는 물질. 섬게 기타의 해산(海産) 무척추 동물의 알에서 얻어짐. 동종간(同種間)에서 일어나는 응집을 동종 응집 작용(iso-agglutination)이라고 하고 가역적(可逆的)이며, 이종간(異種間)에서 일어나는 것을 이종 응집 작용(hetero-agglutination)이라 하는데 불가역적(不可逆的)임.

정자-자【丁字—】[—짜—] [명] 정자 모양으로 된 자. 티(T)자.

정자 전:법【丁字戰法】[—짜—뻡] [명]〖군〗함대(艦隊)의 대열(隊列)을 정자형(丁字形)으로 벌이어 대전(對戰)하는 전법.

정자 정:규【丁字定規】[—짜—] [명]〖수〗정자자. [준]정정규(丁定規).

정자-집【丁字—】[—짜—] [명]〖건〗종(宗)마루가 정자형(丁字形)으로 된 집.

〈정자집〉

정자충-류【丁字蟲類】[—짜—뉴] [명]〖동〗[Caryophyllacea] 단체 조충류(單體條蟲類)에 속하는 한 목(目). 보통 몸길이 25mm, 폭 1mm 내외(內外)의 원주상(圓柱狀)으로 되고 머리 끝은 부채 모양(貌樣)으로 퍼져서 정(丁)자 모양을 이루고 있음. 잉어 등의 장내(腸內)에 기생(寄生)함.

정:자-통【正字通】[명]〖책〗중국의 음운 자서(音韻字書). 명(明)나라 장자열(張自烈)이 지은 것으로, 청(淸)나라의 요 문영(廖文英)이 남강(南康)의 백록동(白鹿洞)에서 판각(版刻)하였음. 12권.

정자-핵【精子核】[명]〖생〗정핵(精核)❶.

정자-형【丁字形】[—짜—] [명] 정(丁)자 모양(貌樣)으로 생긴 형상. [준] 정자(丁字).

정자 형성【精子形成】[명] 정원(精原) 세포가 감수(減數) 분열하여 정자로 변형해 가는 일.

정자형-약【丁字形葯】[—짜—냑] [명]〖식〗참나무나 중다리의 약(葯)과 같이 화사(花絲)의 꼭대기에 붙어서 정자형으로 생긴 약(葯). ↔각생약(脚生葯).

정:작[1] [一][명] ①요긴(要緊)한 물건. 진짜인 물건. ②요긴한 점. 요긴한 부분. ③〈방〉정말. [二][부] 긴히. 꼭. 막상. ¶~ 당하면 꽁무니를 뺀다/~해 보면 어렵다.

정:-작[2]【鄭碏】[명]〖사람〗조선 선조(宣祖) 때의 학자. 자(字)는 군경(君敬), 호는 고옥(古玉). 온양(溫陽) 사람. 아버지 순붕(順朋)이 을사 사화(乙巳士禍)의 원흉으로 관작이 삭탈되었으므로 벼슬에 뜻을 두지 않고 학문에 정진함. 시명(詩名)이 높았고, 글씨에도 뛰어났으며, 의학에도 조예가 깊어 선조 29년(1596) ≪동의 보감(東醫寶鑑)≫ 편찬에도 참여함. [1533-1603]

정:작-으로 [부] 정말로. 요새 시체어(時體語)의 '진짜·진짜로'와 같은 말.

정장[1]【丁匠】[명] 관아(官衙)의 공장(工匠).

정장[2]【丁壯】[명] 장년(壯年)의 남자.

정:장[3]【正章】[명] 훈장·문장·휘장 등의 약식이 아닌 정식의 것.

정:장[4]【正裝】[명] 정식(正式)의 복장(服裝). 또, 정식의 복장을 함. ¶~하고 식전에 참석하다. ——-하다 [자][여불]

정장[5]【呈狀】[명] 소장(訴狀)을 관청(官廳)에다 바침. 정소(呈訴). ——-하다 [자][여불]

정장[6]【亭障】[명] 변방(邊方)의 요새에 설치하여 사람의 출입을 다스리던 관문(關門).

정장[7]【艇長】[명] 보트·요트 및 정(艇)으로 불리는 배의 장(長).

정:-장석【正長石】[명] [orthoclase]〖광〗칼륨·알루미늄을 함유하는 규산염(硅酸塩) 광물. 유리와 같은 광택을 지니고 단단하지 못하며, 무색(無色) 또는 백색·담황색·녹색 등을 띰. 단사 정계(單斜晶系) 광물로 보통 주상(柱狀) 또는 괴상(塊狀)으로 화강암(花崗岩)이나 편마암(片麻岩) 중에서 산출함.

정:장-제【整腸劑】[명]〖약〗장의 수렴(收斂)·흡착·방부 살균(防腐殺菌) 따위 기능을 갖는 약제. 지사제(止瀉劑).

정장-질【呈狀—】[명] 관청(官廳)에 정장하는 짓. ——-하다 [타][여불]

정재[1]【呈才】명 『역』 대궐 안 잔치에 하는 춤과 노래.
정:재[2]【定在】명 『철』 다자인(Dasein).
정:재[3]【淨財】명 신불(神佛) 또는 자선(慈善)을 위하여 깨끗하게 쓰는 재물(財物).
정:재[4]【淨齋】명 『불교』 ↗정재소(淨齋所).
정:-재(:)관【鄭在寬】명 『사람』 독립 운동가. 황해도 황주(黃州) 출신. 광무 6년(1902) 미국에 건너가 1905년 신한민보(新韓民報)의 주필이 되었으며, 1908년 친일 미국인 고문 스티븐스를 찾아가 구타함. 뒤에 재미(在美) 한인 국민회를 조직하고 독립 운동을 계속함. [1880-1920]
정재무:도 홀기【呈才舞圖笏記】명 조선 말기 궁중무(宮中舞)의 절차를 기록한 무보(舞譜)의 일종. 궁중 정재무도 홀기(宮中呈才舞圖笏記).
정재-사리 명 〈심마니〉 뗄나무.
정:재-소【淨齋所】명 『불교』 절에서 밥을 짓는 곳. 준정재(淨齋).
정재실이 명 〈심마니〉 부엌.
정재 의장【呈才儀仗】명 『역』 당악(唐樂)의 정재 때에 좌우(左右)에 벌여 서는 의장(儀仗). 인장(引杖)·용선(龍扇)·봉선(鳳扇)·작선(雀扇)·미선(尾扇)의 다섯 가지이고, 그의 사이사이에 끼워서 서는 정절(旌節)이 있음.
정:재-파【定在波】명 『물』 정상파(定常波).
정:-재(:)홍【鄭在洪】명 『사람』 대한 제국의 지사(志士). 서울 출신. 광무 9년(1905) 을사 조약이 체결되자 이토 히로부미(伊藤博文)의 살해를 계획중, 그가 내한(來韓)하자 환영연을 베풀어 그 자리에서 죽이려 했으나 눈치를 챈 이토의 불참(不參)으로 거사(擧事)에 실패, 자결(自決)하였음. [?-1907]
정잿-간【一間】명 〈심마니〉 부엌.
정쟁[1]【廷爭】명 임금의 면전에서 간(諫)하여 다툼. ——-하다 자여불
정쟁[2]【政爭】명 정치상의 주의·주장 등에 관한 싸움. 정권 쟁탈. 정전(政戰). ¶ ～의 불씨/～에 말려 들다.
정쟁[3]【挺爭】명 몸을 빼어 나와 다툼. 남보다 앞질러 반대(反對)함. ——-하다 타여불
정-쟁이 명 〈방〉 경장이.
정:저[1]【井底】명 우물의 밑바닥.
정저[2]【汀渚】명 물가. 정분(汀濆).
정저[3]【疔疽】명 『한의』 정(疔).
정:저-와【井底蛙】명 우물 안 개구리. 견문이 좁고 세상 형편에 어두운 사람을 이르는 말. 정정와(井庭蛙). 준정와(井蛙). *우물.
정저우〔鄭州〕명 『지』 중국 허난 성(河南省) 중부의 도시. 동성(同省)의 성도(省都). 징한(京漢)·룽하이(隴海) 두 철도의 교차점(交叉點)에 있어 물산(物産)의 집산(集散)이 많으며 특히, 면화로 유명한 대시장임. 허난 성 최대의 상항(商港)으로 제분(製粉)·방적(紡績) 공업이 성함. 정주. [4,800,000명(1984)]
정저우 유적【一遺跡】〔鄭州〕명 『지』 중국 허난 성(河南省) 정저우에 있는 룽산기(龍山期)·은대(殷代)·전국 시대(戰國時代)의 유적군(群). 정저우 시(市)의 남동쪽 교외(郊外)에 있는 얼리강(二里崗)은 은대 중기(中期)의 대표적인 유적으로, 건축 기단(基壇)·구덩식 집터·저장구덩 등이 발견되고, 토기(土器)·골기(骨器)·석기(石器)·복골(卜骨) 등 많은 유물(遺物)이 출토(出土)되었음. 또한 212기(基)의 전국 시대 묘(墓)도 발견된 바 있음. 정주 유적.
정:적[1]【正嫡】명 ①적처(嫡妻). ②본처에서 낳은 적자(嫡子). ③종가(宗家). 본가(本家).
정:적[2]【正籍】명 바른 호적(戶籍). 본적(本籍).
정:적[3]【定積】명 ①일정한 승적(乘積). ②일정(一定)한 면적(面積) 또는 체적(體積).
정:적[4]【政敵】명 정치상 대립하는 입장에 있는 상대. 정치상(政治上)의 적(敵). ↔정우(政友).
정적[5]【政績】명 정치상의 업적.
정적[6]【情迹】명 감정의 눈으로 엿볼 수 있는 흔적. 사정의 흔적. *정경(情景)·정상(情狀)·정형(情形)·정황(情況).
정:적[7]【靜的】〔一쩍〕명관 정지(靜止)하여 움직이지 않는 모양. 조용한 모양. ↔동적(動的).
정:적[8]【靜寂】명 고요하여 괴괴함. 고요. ¶ ～을 깨뜨리다/～만이 감도는 항일 격전지. ——-하다 형여불
정:적 도법【正積圖法】〔一뻡〕명 『지』 각 부분의 면적이 어디서나 같은 비율로 되어 있는 지도 작도법(地圖作圖法)의 하나. *등적 도법(等積圖法).
정:적-미【靜寂美】명 고요하고 호젓한 데서 오는 미감(美感). 정적(靜寂)한 맛.
정:적 반:응열【定積反應熱】〔一녈〕명 〔heat of reaction at constant volume〕『화』 정용 반응열.
정:-적분【定積分】명 〔definite integral〕『수』 일정 구간(區間) 안의 적분. 일정한 상하단(上下端)「a,b」의 $f(x)$의 정적분은 $\int_a^b f(x)dx$로 나타냄. 준적분(積分). ↔부정 적분(不定積分).
정:적 비:열【定積比熱】명 〔specific heat of constant volume〕『물』 물질 1g을, 체적(體積)을 일정하게 유지하면서 그 온도를 1°C 높이는 데 소요되는 열량(熱量). 정용 비열(定容比熱).
정:적 안전【靜的安全】〔一쩍一〕명 〔프 sécurité statique〕『법』 거래하는 당사자(當事者)의 이익과 거래에 관여하지 않은 제삼자의 이익이 서로 대립(對立)하는 경우에, 제삼자에게 불리(不利)하지 않게 하는 일. ↔동적(動的) 안전.
정:적 우:주【靜的宇宙】〔一쩍一〕명 시간적으로 밀도(密度)가 일정하여 본질적으로 모습을 바꾸지 않는 우주. 현대 천문학(天文學)에 의한 우주의 가설(假說)로, 아인슈타인과 데 시테르(de Sitter, Willem; 1872-1934)의 설은 유명함.
정:적 위험【靜的危險】〔一쩍一〕명 『경』 사업가가 불가항력으로 말미암아 받는 위험. ↔동적 위험. *인적(人的) 위험·산업적(産業的) 위험·영업(營業) 위험.
정:적-주의【靜寂主義】〔一/一이〕명 『종』 키에티슴(quiétisme).
정:적-토【定積土】명 『지』 원적토(原積土).
정전[1]【丁田】명 『역』 신라 때, 토지 제도에서, 성인(成人)인 정(丁)에게 나누어 준 전토(田土). 성덕왕(聖德王) 21년(722)에 시작됨.
정전[2]【丁錢】명 『역』 ①장정이 군역(軍役) 의무 대신에 바치는 돈. ②중이 도첩(度牒)을 받음으로써 군역(軍役)이 면제되므로, 이때 관아에 군포(軍布) 대신으로 내는 돈. 보통, 정포(正布) 30 필씩이었음.
정:전[3]【井田】명 『역』 ①샘을 파서 물을 마시고 논을 경작하여 식량을 얻음. 생활을 영위함. ②정전법(井田法).
정:전[4]【正田】명 『역』 양안(量案)에 올려 있고, 해마다 농사 짓는 논밭. *속전(續田).
정:전[5]【正典】명 『기독교』 정경(正經) ❷.
정:전[6]【正殿】명 『역』 왕이 임어(臨御)하여 조회(朝會)를 행하는 궁전. 정아(正衙).
정전[7]【征戰】명 출정(出征)하여 싸움. 공격(攻擊)하여 싸움. ——-하다 타여불
정전[8]【政戰】명 정치상(政治上)의 싸움. 정쟁(政爭). ——-하다 타여불
정전[9]【庭前】명 뜰 앞. ¶ ～의 주목(朱木) 한 그루.
정전[10]【挺戰】명 스스로 앞장서서 싸움. ——-하다 자여불
정전[11]【情田】명 온갖 정욕(情慾)을 낳게 하는 밭이란 뜻으로, 사람의 마음을 말함.
정전[12]【停電】명 송전(送電)이 한때 중지(中止)되는 일. 흔히 그 때문에 전등(電燈)이 꺼지거나 전동기(電動機)가 정지하는 일 따위를 이름. ——-하다 자여불
정전[13]【停戰】명 전쟁중, 합의(合意)에 의해서 일시적으로 국지(局地) 또는 전역(全域)에 걸쳐 적대 행위(敵對行爲)를 중지하는 일. ¶ ～ 회담. ——-하다 자여불
정:전[14]【靜電】명 『물』 ↗정전기(靜電氣).
정:전 감:응【靜電感應】명 〔electro-static induction〕『물』 양(陽) 또는 음(陰)에 대전(帶電)한 도체(導體)를 대전하지 않은 다른 도체에 접근시키면 가까운 표면에 반대되는 대전이 일어나는 현상. 정전 유도(靜電誘導). 전기 감응(電氣感應).
정:전 결합【靜電結合】명 『화』 화학 결합(化學結合)의 한 가지. 이온(ion)이나 원자 집단의 사이에서 작용하는 정전기적(靜電氣的)인 인력(引力)에 의한 화학결합.
정:-전극【正電極】명 〔positive electrode〕『물』 양전극(陽電極).
정:-전기[1]【正電氣】명 〔positive electricity〕『물』 양전기(陽電氣).
정:-전기[2]【靜電氣】명 〔static electricity〕『물』 대전체(帶電體)에 고착(固着)하여 그 장소에 정지(靜止)하고 있는 전기. 수지(樹脂)를 담요에 마찰하여 생긴 전기 따위. 마찰 전기(摩擦電氣). 준정전(靜電). ↔동전기(動電氣).
정:전기 단위【靜電氣單位】명 『물』 정전기력(靜電氣力)을 기본으로 하여 정한 전기의 단위.
정:전기 단위계【靜電氣單位系】명 〔electrostatic unit system〕『물』 정전기 단위를 기본으로 전자기(電磁氣)에 관한 전량(電量)의 단위를 정하여 놓은 단위계. e.s.u. 등으로 표시함.
정:전 기록【靜電記錄】명 〔electrostatic recording〕 폴리스티렌(polystyrene) 등의 절연성 수지막(樹脂膜) 위에 금속 바늘이나 활자 전극(活字電極)을 접촉시켜, 200-500 볼트의 직류 전압에 의한 정보 신호를 보내어 정전하(靜電荷)를 준 후, 토너(toner)를 사용하여 가시화(可視化)하는 전기 신호의 기록 방법. 팩시밀리·전보·전자 사진 등에 이용됨. 전자(電子) 기록.
정:전기 방지제【靜電氣防止劑】명 섬유 제품·플라스틱·종이 제품 등에 쓰이는 첨가제의 하나. 하전(荷電)을 누출(漏出)시켜, 정전기의 대전(帶電)을 방지함.
정:전 도장【靜電塗裝】명 금속 부분(部分)에 도장(塗裝)을 할 때에 도료의 가는 입자(粒子)를 하전(荷電)시켜서 물체에 정전적(靜電的)인 힘으로 달라붙는 작용을 이용한 도장 방법. 도료를 절약할 수 있으며, 도장면(面)이 고르고 대량 생산에 적합함.
정 전둬〔鄭振鐸〕명 『사람』 중국의 문학사가(文學史家)·고고학자. '문학 연구회'의 발기인의 한 사람으로, '소설 월보(小說月報)'를 비롯하여 많은 잡지를 편집하였음. 저서에 ≪삽도본(揷圖本) 중국 문학사≫·≪중국 문학 연구≫가 있음. [1898-1958]
정:전 렌즈【靜電一】〔lens〕명 전기장(電氣場)을 이용한 전자(電子) 렌즈의 하나. 전기장(電氣場) 렌즈. ↔자기장(磁氣場) 렌즈.
정:전-법【井田法】〔一뻡〕명 『역』 중국의 하(夏)·은(殷)·주(周) 삼대(三代) 때에 실시된 전제(田制). 일리 사방(一里四方)의 농지를 정자(井字) 모양으로 아홉 등분하여 중앙의 한 구역을 공전(公田), 주위의 여덟 구역을 사전(私田)이라 하여 여덟 농가에 나누어 사유(私有)로 맡기고 여덟 집에서 공동으로 공전(公田)을 경작하여 그 수확을 국가에 바치게 하였음. 정전(井田).
정:전 선:광【靜電選鑛】명 종류가 다른 광물의 전기 전도도(傳導度)의 차를 이용하여 이들을 분리 선별하는 방법. 텅스텐광·다이아몬드 등의 선광에 공업적으로 이용되고 있음.
정:전 선:광법【靜電選鑛法】〔一뻡〕명 『광』 광물에 대전(帶電)하는 성질에 차가 있어 양도체(良導體)와 불량 도체(不良導體)가 있음을 이용한 선광 방법.
정:전 선:별【靜電選別】명 정전기 현상을 응용하여 물질을 분리(分離)

하는 등의 기술의 총칭. 물질의 전기 전도율(電氣傳導率)의 차를 이용하는 방법, 마찰대전(摩擦帶電)의 특성이 다른 점을 이용하는 방법, 유전율(誘電率)의 다른 점을 이용하는 방법 등이 있음.

정:전압 제:어계【定電壓制御系】 명 〖전〗 자동(自動) 제어계의 하나. 출력 전압(出力電壓)이 부하(負荷)의 크기에 관계 없이 일정(一定)하게 되도록 제어함.

정:전 용량【靜電容量】[—농냥] 명 [electrostatic capacity] 〖물〗 절연(絕緣)된 도체(導體)의 전위(電位) 또는 콘덴서의 양극(兩極)의 전위차(電位差)를 단위량만큼 올리는 데 드는 전기량(電氣量). 단위는 패럿(farad). 전기 용량. ㊟용량(容量).

정:전 유도【靜電誘導】[—뉴—] 명 [electrostatic induction] 〖물〗 양전기나 음전기에 대전(帶電)한 도체(導體)를 대전하지 않은 다른 도체에 접근시키면 가까운 표면에 반대(反對)되는 대전이 일어나는 현상. 정전 감응(靜電感應).

정:전 유도 트랜지스터【靜電誘導—】[—뉴—] 명 [static induction transistor] 〖전〗 삼극관(三極管)과 비슷한 구조·기능을 반도체(半導體)로 실현시킨 트랜지스터. 종래의 반도체에 비해, 입력 신호(入力信號)를 충실히 증폭하며, 고속 동작이 가능하고, 소비 전력이 적으므로, 대전력용(大電力用)으로 쓰일 수 있음.

정:전 인쇄【靜電印刷】 명 정전압(靜電壓)을 이용하여 분말(粉末) 잉크를 자기화(磁氣化)하여 대상물에 부착하여 인쇄하는 무압(無壓) 인쇄법. 형상이 복잡한 물건의 표면에 인쇄할 때 이용됨.

정:전 전:압계【靜電電壓計】 명 〖전〗 한 쌍의 극판(極板)에 전압을 가할 때, 그 사이에 작용하는 정전력을 재어서 전압의 크기를 구하는 원리를 응용한 전압계. 고주파의 전압도 측정할 수 있음.

정전-제【丁田制】 명 〖역〗 통일 신라 시대에 국가가 매정(每丁)에게 일정한 면적의 토지를 반급(班給)해 준 일종의 반전 수수(班田授受)의 제도. 중국의 균전제(均田制)와 비슷함.

정:전 편향【靜電偏向】 명 전자(電子)의 흐름의 방향을 전계(電界)의 작용으로 바꾸는 것을 말함.

정전 협정【停戰協定】 명 〖군〗 참전국(參戰國)이나 부대 쌍방의 합의에 의하여 정전하기로 협정함. ——-하다 자여불

정전 회:담【停戰會談】 명 참전국이나 교전국 쌍방이 정전을 하기 위하여 여는 회담.

정:절[1]【正切】 명 〖수〗 탄젠트.

정절[2]【貞節】 명 여자의 곧은 절개. ¶ ~을 지키다.

정절[3]【挺節】 명 절개를 굳게 세우고 굽히지 아니함. ——-하다 자여불

정절[4]【旌節】 명 〖역〗 의장(儀仗)의 한 가지.

〈정절[4]〉

정절[5]【情節】 명 궂은 일의 가엾은 정상(情狀).

정절[6]【精切】 명 정밀하고 적절함. ——-하다 형여불

정:점[1]【定點】[—쩜] 명 ①일정한 점. 정해져 있는 점. ②〖기상〗 기상 관측을 하기 위하여 국제 조약에서 해양상(海洋上)에 정하여진 지점. 북대서양에 10 개소, 북태평양에 8 개소가 있음.

정점[2]【頂點】[—쩜] 명 ①맨 꼭대기의 점. ②사물의 절정(絕頂). 가장 왕성할 때. 클라이맥스. ③〖수〗 '꼭짓점❷'의 구용어.

정:점 관측【定點觀測】[—쩜—] 명 〖기상〗 기상 관측의 하나. 정점(定點)에서 행하는 관측.

정:점 관측선【定點觀測船】[—쩜—] 명 〖기상〗 기상 관측선의 하나. 정점 관측에 종사하는 배.

정점 수정【頂點受精】[—쩜—] 명 〖식〗 화분관(花粉管)이 주두(柱頭) 및 화주(花柱)를 거쳐 자방강(子房腔)에 들어가 주공(珠孔)을 거쳐 배낭(胚囊)에 이르러 성립하는 수정(受精).

정:점 조사【定點調査】[—쩜—] 명 〖생〗 일정한 장소에서, 관찰한 조류(鳥類)의 종류와 개체수(個體數)를 기록하고, 조류가 살고 있는 상태나 환경을 조사하는 일.

정접[1] 명 〈방〉 〖건〗 경첩.

정:접[2]【正接】 명 〖수〗 삼각 함수의 하나. 직각 삼각형의 예각(銳角)의 대변과 그 각을 낀 밑변의 비(比)를 그 각에 대하여 일컬음. '탄젠트'의 구용어.

정:접 곡선【正接曲線】 명 〖수〗 '탄젠트 곡선(曲線)'의 구용어.

정:접 법칙【正接法則】 명 〖수〗 '탄젠트 법칙(法則)'의 구용어.

정:접 전:류계【正接電流計】[—절—] 명 [tangential galvanometer] 〖물〗 자침 전류계의 한 가지. 전류의 강약(強弱)이 자침의 기울어진 각의 정접에 비례하도록 만들었음.

〈정접 전류계〉

정정[1]【丁丁】 명 ①말뚝을 박는 소리. ②나무를 베는 소리. ③바둑을 두는 소리. ④물시계의 소리. ——-하다 자여불

정:정[2]【井井】 명 ①질서가 정연한 모양. 조리가 정연한 모양. ②왕래가 빈번한 모양. ——-하다 형여불. ——-히 부

정:정[3]【正丁】 명 〖역〗 직접 군역(軍役)에 나아가는 사람. 정정 한 사람에 봉족(奉足) 두 사람이 붙음. *봉족(奉足).

정:정[4]【正正】 명 ①바르게 정돈된 모양. ②바르고 떳떳한 모양. ¶ ~ 당당. ——-하다 형여불

정:정[5]【正定】 명 〖지〗 '청팅'을 우리 음으로 읽은 이름.

정정[6]【呈正】 명 정정(呈政). ——-하다 자여불

정정[7]【呈政】 명 남에게 자기 시문(詩文)을 고쳐 주기를 부탁하는 일. 정정(呈正) ——-하다 자여불

정정[8]【征頂】 명 산의 정상(頂上)을 정복함. ——-하다 자여불

정:정[9]【定情】 명 진귀한 장식품을 보내어 결혼의 증표(證票)로 삼음. 전(轉)하여, 부부가 됨. 결혼. ——-하다 자여불

정:정[10]【定鼎】 명 〖역〗 새로 창업(創業)하여 도읍(都邑)을 정함. ——-하다 자여불

정:정[11]【訂正】 명 잘못을 고쳐서 바로잡음. 수정(修正). ¶ ~판. ——-하다 타여불

정정[12]【貞正】 명 절조(節操)를 지키고 마음이 바름. ——-하다 형여불

정:정[13]【訂定】 명 잘잘못을 협의하여 정함. ——-하다 타여불

정정[14]【亭亭】 명 ①나무 같은 것이 우뚝하게 높이 솟은 모양. ②늙은 몸이 굳세고 강건한 모양. ¶ ~한 노인. ——-하다 형여불

정정[15]【政情】 명 정치(政治)의 모양. 정계(政界)의 정황(情況). 정세(政勢). ¶ ~의 불안정.

정정[16]【貞靜】 명 여자의 정조가 바르고 성질이 조용함. ——-하다 형여불. ——-히 부

정정[17]【庭丁·廷丁】 명 〖일제〗 법원의 사환.

정:정[18]【淨淨】 명 아주 맑고 깨끗함. ——-하다 형여불

정-정규【丁定規】 명 ↗정자 정규(丁字定規).

정:정 당당【正正堂堂】 명 태도(態度)나 수단(手段)이 공정(公正)하고 떳떳함. ¶정면에서 ~하게 말하다. ——-하다 형여불. ——-히 부 ¶ ~ 싸워 이겨라.

정-정렬【丁貞烈】[—녈] 명 〖사람〗 광대. 서편(西便)의 명창. 전북 익산 출생. 1925년 송만갑(宋萬甲)·이동백(李東伯) 등과 제휴하여 '조선 성악 연구회'를 조직하고 창극(唱劇)의 정립에 진력했음. 수리성·부침새의 특기로 춘향가에 특출하였음. [1876-1938]

정:정 방방【正正方方】 명 조리(條理)가 발라 어지럽지 아니함. ——-하다 형여불. ——-히 부

정:정 백백【正正白白】 명 정대(正大)하고도 순백(純白)함. ——-하다 형여불. ——-히 부

정:정 보:도 청구권【訂正報道請求權】[—꿘] 명 〖사〗 공포된 사실적 주장에 대하여 피해를 받은 사람이나 그 대리인이 그 언론 기관에 정정 보도를 청구할 수 있는 권리.

정:정-안【訂正案】 명 정정하여 제출하는 안.

정:-정:업【正定業】 명 〖불교〗 정토교(淨土教)에서 아미타불(阿彌陀佛)의 본원(本願)에 의하여 틀림없이 정토 왕생(淨土往生)을 결정하는 행업(行業). 정업(正業). 칭명 염불(稱名念佛).

정:정-와【井庭蛙】 명 우물안 개구리. 정저와(井底蛙).

정:정 장세【訂正場勢】 명 〖경〗 증권 시장에서, 시황(市況)이 급변하여 주가(株價)가 실세(實勢) 이상으로 오르내릴 때, 그 과열(過熱) 현상을 수정하는 일.

정:정-제제【整整齊齊】 명 잘 정돈(整頓)하여 가지런히 함. 정제(整齊). ——-하다 타여불

정:-정진【正精進】 명 〖불교〗 팔정도(八正道)의 하나. 일심 노력하여 아직 나지 않은 악은 못 나게 하고 나지 않은 선은 나게 함.

정제[1] 명 〈방〉 부엌(전남·경북·제주).

정제[2]【丁祭】 명 선성(先聖)·선사(先師)를 모시는 제사. 중춘(仲春)·중하(仲夏)·중추(仲秋)·중동(仲冬)의 사중월(四仲月) 또는 중춘(仲春) 2월, 중추(仲秋) 8월의 상정일(上丁日)에 행함. 특히, 공자(孔子)에게 지내는 제사. 석전제(釋奠祭).

정:제[3]【井祭】 명 우물에 지내는 제사.

정:제[4]【定制】 명 제도를 정함. 또, 정한 제도. ——-하다 타여불

정제[5]【庭除】 명 섬돌 아래.

정제[6]【庭際】 명 뜰가.

정제[7]【情弟】 명 다정(多情)한 벗 사이에 자기(自己)를 일컫는 말. ↔정형(情兄).

정제[8]【精製】 명 ①정성(精誠)을 들여 잘 만듦. ②조제품(粗製品)에 인공(人工)을 가하여 한층 좋은 물건으로 만듦. ¶ ~ 설탕/~유(油). ——-하다 타여불

정:제[9]【整除】 명 〖수〗 '나누어 떨어짐'의 구용어. 완제(完除).

정:제[10]【整齊】 명 정돈하여 가지런히 함. 정정 제제. ——-하다 타여불. ——-히 부

정제[11]【錠劑·錠製】 명 〖약〗 가루약을 뭉쳐서 눌러 동글납작한 원판상(圓板狀) 또는 원추형(圓錐形)으로 만든 약제(藥劑). 주약(主藥)에 유당(乳糖)·초콜릿 또는 아라비아 고무 등을 가하여 만듦. 타블렛(tablet). ↔산제(散劑).

정제-기【精製器】 명 정제하는 데 쓰이는 기구.

정:제 꽃부리【整齊—】 명 〖식〗 '정제 화관'의 풀어쓴 이름.

정제-당【精製糖】 명 조당(粗糖)을 정제하여 아주 희게 만든 설탕.

정:-제두【鄭齊斗】 명 〖사람〗 조선 중기의 학자. 자(字)는 사앙(士仰), 호는 하곡(霞谷). 연일(延日) 사람. 학덕(學德)이 높아 중신(重臣)들의 천거로 경종(景宗) 때, 대사헌·이조 참판, 영조(英祖) 때 우찬성(右贊成) 등을 잠시 지냈을 뿐, 오로지 학문 연구에 생애를 바침. 이론에만 치우친 주자학(朱子學)에 반기를 들고 지식과 행동의 통일을 주장하는 양명학(陽明學)에 심취, 최초로 그 사상적 체계를 완성했음. 저서에 ≪성학설(聖學說)≫·≪경학 집요(經學集要)≫ 기타 다수가 있음. 시호는 문강(文康). [1649-1736]

정제 두묘【精製痘苗】 명 〖의〗 피하(皮下)에 주사할 수 있도록 정제한 두묘. 효력 지속 기간이 짧은 것이 단점이나 종두(種痘)처럼 반흔(瘢痕)이 남지 않음.

정제-면【精製綿】 명 〖의〗 탈지면(脫脂綿). 소독면(消毒綿).

정제-법【精製法】[—뻡] 명 정제하는 방법.

정제-유【精製油】 명 정제한 기름.

정제-품【精製品】명 조제품(粗製品)을 다시 가공하여 정제한 물건. 면사(綿絲)·모직물(毛織物) 같은 것. 전제품(全製品). ↔ 조세품(粗製品).

정:제-화【整齊花】명〖식〗복숭아꽃이나 벚꽃처럼 같은 크기, 같은 모양의 꽃잎이 방사 상칭(放射相稱)의 배열을 하고 있는 꽃. ↔부정제화(不整齊花).

정:제 화관【整齊花冠】명〖식〗화관(花冠)의 한 가지. 각 꽃잎의 모양과 크기가 동일하여 규칙 바르게 방사상(放射狀)으로 배열(配列)된 화관. 장다리꽃 따위. 정제 꽃부리. ↔부정제 화관.

〈정제화〉

정:조[1]【正祖】명〖사람〗조선 제22대 왕(王). 장헌 세자(莊獻世子)의 아들. 즉위하자 벽파(僻派) 일당의 음모를 분쇄, 이를 몰아내고 홍국영(洪國榮)을 중용했으나 국영이 왕의 총애를 믿고 세도 정치를 펴는 등 횡포가 심하므로 그를 추방한 후로는 탕평책(蕩平策)을 써서 인재를 고루 널리 등용했음. 규장각(奎章閣)을 설치하여 역대 서적을 보관하고 임진자(壬辰字)·정유자(丁酉字) 등의 새 활자를 만들어 자신의 문집 ≪홍재 전서(弘齋全書)≫를 위시하여 많은 서적을 간행함. 또, 공리공론(空理空論)의 주자학(朱子學) 대신 실사 구시(實事求是)의 실학(實學)이 크게 발전하는 등 조선 왕조 후기의 문화적 황금 시대(黃金時代)를 이룩하였음. [1752-1800; 재위 1777-1800]

정:조[2]【正租】명 ①벼. ②정규(正規)의 조세(租稅).

정:조[3]【正條】명 ①법에 규정된 조례(條例). ②바른 줄.

정조[4]【正朝】명 원단(元旦).

정:조[5]【正朝】명〖역〗①태봉(泰封)의 벼슬 이름. ②고려 국초(國初)에 태봉의 관제를 본떠서 정한 문무(文武)의 관호(官號). ③고려 때 향직(鄕職)의 칠품(七品).

정:조[6]【正調】명 바른 곡조.

정:조[7]【定租】명 정도(定賭). 도지(賭只).

정조[8]【征鳥】명 ①날아가는 새. ②매·독수리 따위의 맹금류(猛禽類).

정조[9]【貞操】명 ①여자의 깨끗한 절조(節操). 정절(貞節). ¶~가 굳은 여자. ②여자 또는 남자가 성적(性的) 관계의 순결(純潔)을 지니는 일. ¶~ 관념.

정조[10]【釘彫】명〖공〗도자기의 몸 위에 그림을 새기는 수법(手法).

정조[11]【停潮】명 [stand] 만조(滿潮)나 간조(干潮)에 있어서 수위(水位)의 변동이 없는 기간.

정조[12]【情調】명 ①기분. 취미. ②〖심〗감각에 따라 일어나는 감정. 아름다운 빛깔에 따르는 쾌(快), 추위나 나쁜 냄새에 따르는 불쾌(不快) 등의 감각 감정(感覺感情). 감관적 감정(感官的感情).

정조[13]【情操】명 ①정감(情感)이 풍부한 마음. 또, 그 작용. ②[sentiment]〖심〗정서(情緖)가 더욱 발달되어 지적 작용(知的作用)이 가해진 고차적(高次的)인 복합 감정(複合感情). 한층 안정되고 경향이 만성적(慢性的)인데 그 대상의 종류에 따라 미적(美的) 정조·지적(知的) 정조·도덕적(道德的) 정조·종교적(宗教的) 정조 등으로 나뉨. *감정(感情)·정서(情緖).

정조[14]【精粗】명 정밀(精密)한 것과 거친 것. 정추(精麤).

정:조[15]【鼎俎】명 ①솥과 도마. ②솥에 삶기어 도마 위에서 잘린다는 말. 곧, 대단히 위험한 운명에 다다른 경우.

정:조[16]【鼎祖】명 [중국 하(夏) 나라의 우왕(禹王)이 아홉 주(州)의 금을 모아 아홉 개의 정(鼎)을 만들어 왕위(王位) 계승의 보기(寶器)로 삼았다는 데서] ①왕위. ②국운(國運).

정:-조[17]【鄭造】명〖사람〗조선 광해군(光海君) 때의 문신. 자(字)는 시지(始之). 해주(海州) 사람. 광해군 5년(1605) 문과에 급제, 벼슬이 대사간에 이르렀음. 이이첨(李爾瞻)의 주구(走狗)가 되어 폐모(廢母)의 논(論)을 주장함. 인조 반정(仁祖反正) 후 사형됨. [1559-1623]

정조-권【貞操權】[一꿘] 명〖법〗여자가 자기의 성적 순결(性的純潔)을 지키기 위하여, 강간(強姦) 등 위법(違法)한 침해에 대하여 주어지는 법률상의 보호.

정조-대【貞操帶】명 15-16세기경 유럽에서 십자군(十字軍)의 기사(騎士)가 그들의 아내의 정조를 지키기 위하여 이용했다는, 자물쇠가 달린 금속제의 월경대 모양의 띠.

정조 문:안【正朝問安】명〖역〗정월(正月) 초하룻날 조신(朝臣)이 임금에게 문안(問安)하며, 젊은이들이 어른에게 절하고 뵙는 일. ——-하다 자여불

정조-사【正朝使】명〖역〗조선 시대 때, 명나라 또는 청나라로 정월 초하룻날 새해를 축하하러 가던 사신. 동지와 정월은 시기적으로 가까우므로 동지사(冬至使)가 정조사를 겸하였음. 하정사(賀正使). 하정조사(賀正朝使). *동지사(冬至使).

정:조-수【整調手】명 보트 레이스에서, 타수(舵手)와 마주보고 앉아 노잡이 전원(全員)의 속도를 조절하는 사람. 스트로크(stroke).

정:조 수필 일기【正祖手筆日記】명〖책〗정조(正祖) 21년(1797) 한 해 동안 왕 자신이 쓴 일기. 네 과(課)로 나누어 공무(公務)에 관한 것은 과무(課務), 독서에 관한 것은 과독(課讀), 저술에 관한 것은 과술(課述), 사례(射禮)에 관한 것은 과사(課射)라 하였음. 9책.

정-조시【停朝市】명〖역〗국상(國喪)이나 원로(元老)의 대신(大臣)이 죽었을 때 또는 비상(非常)한 재변(災變)이 있을 때에, 각 아문(衙門)은 공사(公事)를 보지 아니하고, 저자는 문을 닫아 장사하지 아니함. ——-하다 자여불

정조시-일【停朝市日】명〖역〗정조시(停朝市)하는 날.

정:조-식【正條植】명〖농〗농작물을 줄을 갖추고 간격을 바르게 심음. 또, 그 일. *줄모·편조식(偏條植). ——-하다 타여불

정:조 실록【正祖實錄】명〖책〗조선 왕조 정조(正祖)의 재위 24년간의 실록. 순조(純祖) 5년(1805)에 이병모(李秉模)의 주재(主宰)하에 찬수하여 실록청(實錄廳)에서 발간함. 56권 56책.

정:조 아:악【正朝雅樂】명〖악〗정월 초하루에 임금을 뵙고 하례(賀禮)할 때에 연주하던 아악. 정월에 해당하는 율(律)로서 태주궁(太簇宮)을 썼음.

정조 의:무【貞操義務】명〖법〗부부(夫婦)가 서로 정조를 지킬 의무. 이것을 어기면 부정(不貞)한 행위(行爲)로 보고 법적(法的)인 이혼 사유(離婚事由)로 인정됨.

정:-조준【正照準】명〖군사〗정확한 조준. 올바른 조준. ——-하다 타여불

정조 하:례【正朝賀禮】명〖역〗정조에 백관(百官)이 임금에게 하례함. 또, 그 식(式). ——-하다 자여불

정조 호:장【正朝戶長】명〖역〗조선 시대 때, 정조(正朝)에 수령(守令) 대신 대궐(大闕)에 문안 드리는 호장(戶長)에게 내리는 직첩(職牒).

정족[1]【晶族】명〖광〗결정(結晶)을, 대칭(對稱)의 요소(要素)들의 짜임 방식에 따라 분류(分類)한 종류. 결정계(結晶系)를 다시 세분(細分)한 것으로 32종류가 있음.

정족[2]【晶簇】명〖광〗암석이나 광맥(鑛脈) 등의 속의 공동(空洞)에서 내면(內面)에 결정(結晶)이 밀생(密生)해 있는 일. 정동(晶洞).

정:족[3]【鼎足】명 ①솥발. ②정립(鼎立).

정:족산-성【鼎足山城】명〖지〗인천 광역시 강화군(江華郡)에 있는 산성. 조선 현종(顯宗) 원년(1660)에 마니산(摩尼山)의 사고(史庫)를 옮겨 세우고 실록(實錄)을 이장(移藏)한 일로 유명함. 삼랑성(三郎城).

정:족-수【定足數】명 [quorum]〖법〗합의체(合議體)가 의사(議事)를 진행시켜 의결(議決)을 하는 데에 필요로 하는 최소 한도의 구성원 출석수. ¶~에 미달하여 유회(流會)가 되다.

정:족지-세【鼎足之勢】명 솥발처럼 셋이 맞서 대립한 형세. ¶삼국(三國)이 ~를 이루다.

정졸【精卒】명 정선(精選)한 병정. 정예(精銳)의 병정. 정병(精兵).

정종[1]【丁種】명 넷째 등급의 종류. 병종(丙種)의 다음.

정:종[2]【正宗】명〖불교〗개조(開祖)의 정통을 이어 받은 종파(宗派).

정:종[3]【正宗】명 [일 正宗:まさむね; 상표 이름] 일본식으로 빚어 만든 청주(清酒)의 한 가지. 청주(清酒).

정종[4]【疔腫】명〖한의〗정(疔).

정:종[5]【定宗】명〖사람〗고려 제3대 왕. 고려 초창기에 왕 규(王規)의 난(亂)을 평정하고 불교를 숭상하였으며 서경(西京)에 왕성(王城)을 쌓고 도참설(圖讖說)을 좇아 그 곳에 천도하려다 뜻을 이루지 못한 채 죽었음. [923-949; 재위 946-949]

정:종[6]【定宗】명〖사람〗조선 제2대 왕(王). 이름은 방과(芳果). 제1차 왕자(王子)의 난(亂)으로 세자에 책립되었음. 태조(太祖)의 양위(讓位) 후 왕위에 올라 관제의 일부를 개정하고 권근(權近)의 상소로 사병(私兵)을 삼군부(三軍府)에 편입하였으며 즉위 2년에 동생 방원(芳遠)에게 양위하고 상왕(上王)이 되었음. [1357-1419; 재위 1399-1400]

정:종[7]【定鐘】명〖역〗인정(人定)의 종.

정:종[8]【靖宗】명〖사람〗고려 제10대 왕. 동왕 3년(1037)에 거란(契丹) 침입(侵入)을 받고 나서 북방 경비(警備)에 전력(全力)을 기울여 동왕의 10년(1044) 천리 장성(千里長城)을 완성하였음. 재위(在位) 중, ≪예기 정의(禮記正義)≫·≪모시 정의(毛詩正義)≫ 등을 간행(刊行)케 하였고, 장자 상속법(長子相續法)과 적서(嫡庶)의 구별(區別)을 정함. [1018-46; 재위 1035-46]

정:종[9]【鼎鐘】명 솥과 종. 모두 종묘(宗廟)에 비치하는 기구로서, 사람의 공적(功績)을 새겼음.

정:-종[10]【鄭悰】명〖사람〗조선 문종(文宗)의 사위. 경혜(敬惠) 공주와 결혼하여 영양위(寧陽尉)가 됨. 단종(端宗)초 형조 판서로서 왕의 신임을 받았으나 수양 대군(首陽大君) 제거 음모를 꾀한 금성 대군(錦城大君)과 가깝다 하여 여러 곳에서 유배 생활을 하던 중 세조(世祖) 7년(1461) 중 성탄(性坦) 등과 모반을 꾀하였다 하여 능지 처참을 당함. 영조(英祖) 때 신원되었음. 시호는 헌민(獻愍). [?-1461]

정:-종로【鄭宗魯】[一노] 명〖사람〗조선 시대 때의 학자. 자는 사앙(士仰), 호는 입재(立齋). 진주 사람. 벼슬은 지평(持平)에 이르렀으며, 그의 학설은 주리론(主理論)과 주기론(主氣論)을 절충시킨 것이었음. [1738-1816]

정-종-모-발【頂踵毛髮】명 이마와 발뒤꿈치와 털과 터럭이라는 뜻으로, 곧 온 몸을 가리키는 말.

정:종 실록【定宗實錄】명〖책〗조선 정종(定宗)의 재위(在位) 2년간의 실록. 세종(世宗) 6년(1424) 실록청(實錄廳)을 개설하고 변계량(卞季良)·윤회(尹淮) 등이 편찬, 세종(世宗) 8년(1426) 완성하였으나 기사 착오로 세종 24년(1442)에 개수(改修)하였음. 6권 1책. 공정왕(恭靖王) 실록.

정:-종영【鄭宗榮】명〖사람〗조선 명종(明宗)·선조(宣祖) 때의 문신. 자는 인길(仁吉), 호는 항재(恒齋). 초계(草溪) 사람. 명종 때 청백리(清白吏)에 녹선되었고 강원도·경상도 관찰사를 지냈음. 특히, 경상도 관찰사 때 당시의 권신 윤원형(尹元衡)에 아부하여 불법 행위를 자행하는 수령(守令)들을 응징하였고 뒤에 한성부 판윤(漢城府判尹)을 거쳐 우찬성(右贊成)에 이름. 시호는 정헌(靖憲). [1513-89]

정좌[1]【丁坐】명〖민〗묏자리나 집터 같은 것의 정방(丁方)을 등진 좌(坐).

정:좌[2]【正坐】명 몸을 바르게 하고 앉음. 위좌(危坐). 광좌(匡坐). ——-하다 자여불

정:좌[3]【鼎坐】명 세 사람이 솥발 모양으로 서로 대하고 앉음. ——-하다 자여불

정:좌[4]【靜坐】명 마음을 가라앉히어 단좌(端坐)함. 앉아서 심신을 조용

히 가라앉힘. ——-하다 자여불

정좌 계:향【丁坐癸向】명〖민〗정방(丁方)을 등지고 계방(癸方)을 바라보는 좌향(坐向).

정:좌-법【靜坐法】[—뻡] 명 심신 수련법(心身修鍊法)의 한 가지. 정좌하여 호흡을 조정하고, 심기(心氣)를 가라앉히며, 정신을 통일시키고, 복식 호흡(腹式呼吸)에 의해서 횡격막(橫隔膜)의 활동성을 보전토록 하며, 정신의 수양과 신체의 건강을 꾀하는 법.

정:죄[1]【定罪】명 ①죄가 있는 것으로 규정함. ②〖불교〗전생에 정하여

정죄[2]【情罪】명 사정과 죄상. ㄴ진 죄. ——-하다 타여불

정:죄[3]【淨罪】명 ①죄를 깨끗이 씻음. ②〖천주교〗이 세상에서 충분히 죄의 보속(補贖)을 하지 않은 자가 사후(死後) 연옥(煉獄)에 떨어져 그곳의 불로 고행(苦行)을 하여 죄를 씻고 비로소 천국(天國)에 들어감. ——-하다 자여불

정:주[1]【井州】명〖지〗전에, 전라 북도의 한 시. 호남선(湖南線) 연변의 도시, 전주(全州)·고창(高敞)·순창(淳昌)·부안(扶安)에 이르는 도로 교통망의 중심지임. 농업이 주이며, 모시의 산출도 많음. 부근에 호남(湖南)의 금강산(金剛山)이라고 하는 내장산(內藏山) 국립 공원(國立公園)이 있음. 1995년 1월 정읍군과 통합하여 정읍시로 개편됨.

정주[2]【汀洲】명 강·늪·못·바다 등의 물이 얕고 흙 모래가 드러난 곳.

정:주[3]【正株】명〖경〗현품(現品)의 주권(株券).

정:주[4]【定州】명〖지〗평안 북도 정주군의 군청 소재지. 경의선(京義線)의 요역으로 평북선(平北線)의 분기점이며 교통상의 요지임. 종교·교육의 중심지로 한국의 예루살렘이란 칭이 있으며, 교육 기관으로 역사 깊은 오산 고보(五山高普)가 있었음. 「하다 자여불

정:주[5]【定住】명 한 장소에 주거(住居)를 정함. ¶서울에 ~하다. ——-

정주[6]【亭主】명 한 집안의 주인.

정주[7]【頂珠】명〖불교〗육계(肉髻). 「자여불

정주[8]【停駐·停住】명 어떤 장소(場所)에 머무름. 정류(停留). ——-하다

정-주[9]【程朱】명 정호(程顥)·정이(程頤) 형제와 주희(朱熹).

정:주[10]【鼎廚】명 ↗정주간(鼎廚間).

정:주[11]【鄭州】명〖지〗'정저우'를 우리 음으로 읽은 이름.

정:주[12]【鄭注·鄭註】명 중국 후한(後漢)의 정현(鄭玄)이 베푼 고전(古典)의 주석(註釋).

정:주-간【鼎廚間】[—깐] 명〖건〗부엌과 안방 사이에 벽이 없이 부뚜막과 방바닥이 한데 잇닿은 곳. 함경도(咸鏡道) 지방에서 많이 볼 수 있음. 준정주(鼎廚).

정:주-군【定州郡】명〖지〗평안 북도의 한 군. 관내 1읍 11면. 도의 서남 해안에 위치하고 동은 박천군(博川郡), 동북은 태천군(泰川郡), 북은 구성군(龜城郡), 서는 선천군(宣川郡) 등 제군(諸郡)에 인접하고 서남쪽은 황해에 면함. 주요 산물은 농산·임산·축산·공산·수산·광산 등이며, 명승 고적으로는 양성 기적비(兩聖記蹟碑)·대진현(大陣峴)·석굴암(石窟庵)·옥호동 약수(玉壺洞藥水)·납량정(納涼亭)·표절사(表節祠)·장성 유지(長城遺址)·사창 유지(社倉遺址)·충의단(忠義壇) 등이 있음. 군청 소재지는 정주읍(定州邑). [880 km²]

정-주목【—柱木】명 제주도에서, 집의 문간에, 긴 나무막대를 가로 걸쳐 놓을 수 있게 구멍을 뚫어 양쪽에 대문 대신 세운 기둥.

정:-주영【鄭周永】명〖사람〗실업가. 호는 아산(峨山). 강원도 통천(通川) 출신. 1947년 현대 건설의 전신인 현대 토건사를 창립, 국내외의 여러 어려운 공사를 성공적으로 끝내 사세(社勢)를 키웠음. 이를 기반으로 자동차·조선(造船)·전자·금융 등 분야로 사업을 넓혀, 현대 그룹을 한국 5대 재벌의 하나가 되게 하였음. 이 외에 88년 서울 올림픽 대회 유치, 금강산 관광 사업 등을 추진하여, 한국의 경제 발전, 국위 선양, 남북 대화의 물꼬를 트는 등의 공이 있음. [1915-2001]

정:주 유적【鄭州遺跡】명〖지〗정저우 유적.

정:주-자【定住者】명 일정한 곳에 오래 정주(定住)하는 사람.

정주-제[1]【井主祭】명 샘굿.

정:-주제[2]【正主題】명〖악〗주요 주제(主要主題).

정:-주체【正柱體】명〖수〗밑면이 정다각형인 직주체(直柱體).

정주-파【程朱派】명 정주학파(程朱學派). 주자학파(朱子學派).

정주-학【程朱學】명 중국 송나라 때의 정 호(程顥)·정 이(程頤) 및 주 희(朱熹) 계통의 유학(儒學). 송학(宋學). 성리학(性理學). 낙민지학(洛閩之學). 주자학(朱子學).

정주학-파【程朱學派】명〖철〗정 호(程顥)·정 이(程頤)와 주 희(朱熹)의 학파. 이 학파는 우주론(宇宙論)·윤리관(倫理觀)에 있어서 이기 이원론(理氣二元論)의 위에 서 있고, 또 수양설(修養說)에 있어서는 지경(持敬)·궁리(窮理)를 중시(重視)하여 육왕학파(陸王學派)와 대립함. 정주파. 주자학파(朱子學派).

정:준[1]【定準】명 정해진 표준(標準). 일정한 표준.

정:준[2]【鼎樽】명 솥 모양으로 된 술 항아리.

정:중[1]【正中】명 ①한가운데. ¶~선(線). ②[culmination]〖천〗천체가 최대 시고도(最大視高度) 또는 최저(最低) 시고도에 이르는 일. 또, 그 위치. 자오선 통과(子午線通過).

정:중[2]【鄭重】명 점잖고 묵직함. 친절(親切)하고 은근함. ¶~한 인사. ——-하다 형여불. ——-히 부

정:중 관천【井中觀天】명 좌정 관천(坐井觀天).

정:중-동【靜中動】명 조용히 있는 가운데 어떤 움직임이 있음.

정:중-면【正中面】명 생물체(生物體)가 좌우 상칭(左右相稱)을 이룬 경우의 상칭면.

정:-중(:)부【鄭仲夫】명〖사람〗고려 때의 무신. 해주(海州) 사람. 의종(毅宗)이 문무(文武)에 차별을 두어 무신을 학대한 까닭에 보현원(普賢院)에서 반란을 일으켜 의종을 폐하고 문신(文臣)들을 죽이고 정권을 잡음. 그 후 문신 김보당(金甫當) 등이 왕위(王位)를 회복하고자 일으킨 반란을 진압, 더욱 독재 정치를 하다가 경대승(慶大升)에게 피살(被殺)됨. [1106-79]

정:중부의 난:【鄭仲夫—亂】[—/—에—] 명〖역〗고려 의종(毅宗) 24년(1170) 정중부·이의방(李義方)·이고(李高) 등이 일으킨 무신들의 반란. 고려초(初) 이래의 숭문 억무(崇文抑武)의 정책으로 무신들에 대한 천대(賤待)가 극심하자 난을 일으켜 왕과 태자(太子)를 추방하고 문신(文臣)들을 죽이고 왕제(王弟)를 신왕(新王)으로 영립(迎立)하여 정권(政權)을 잡았으나, 후에 경대승(慶大升) 등에 의하여 평정(平定)되었음. 무신(武臣)의 난(亂).

정:중-선【正中線】명 신체의 앞뒷면의 중앙을 수직으로 지나는 선.

정:중-수【井中水】명〖민〗정천수(井泉水).

정:중 신경【正中神經】명〖생〗팔의 손바닥 쪽의 한가운데를 지나는 큰 신경. 완신경총(腕神經叢)에 속하는데 운동지(運動枝)는 전박(前膊)의 근육에, 지각지(知覺枝)는 손바닥에 분포하고 있음.

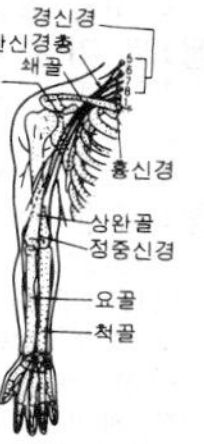

〈정중 신경〉

정:중 신경 시험【正中神經試驗】명 [median nerve test]〖의〗정중선 신경 결손(缺損) 테스트의 하나. 엄지손가락을 손바닥에 대하여 직각으로 외선(外旋)시키고, 손 끝을 모두어서 피라미드를 만들게 함.

정중-와【井中蛙】명 정저와(井底蛙).

정지[1] 명 ①〈방〉부엌(경상·전라·강원). ②☞ 정주(鼎廚).

정-지[2]【正至】명 정조(正朝)와 동지(冬至). 「맞는 지혜.

정:지[3]【正智】명 [범 Samyak-Jñāna]〖불교〗바른 지혜. 정리(正理)에

정지[4]【貞志】명 바르고 곧은 뜻. 「다 자타여불

정지[5]【停止】명 중도(中途)에서 머무르거나 그침. ¶발행 ~. ——-하

정:지[6]【淨地】명 맑고 깨끗한 곳. 곧, 절 따위가 있는 곳.

정지[7]【情地】명 ①정다운 처지. ②딱한 사정에 있는 가엾은 처지. *정경(情景)·정상(情狀)·정황(情況). ③몸둘 곳. 마음 붙일 곳.

정지[8]【情知】명 명확(明確)히 앎. 정말로 앎. 진실(眞實)로 생각함. ——-하다 타여불

정지[9]【偵知】명 정찰(偵察)하여 앎. ——-하다 타여불

정:-지[10]【鄭地】명〖사람〗고려 말기(末期)의 무신(武臣). 초명은 준제(准提). 나주(羅州) 사람. 원수(元帥)로서 여러 번 왜구(倭寇)의 침입을 막고, 요동(遼東) 정벌 때는 안주도 도원수(安州道都元帥)로 출전, 이성계(李成桂)의 위화도 회군(威化島回軍)에 동조(同調)하여 2등 공신이 되었음. 시호는 경렬(景烈). [1347-91]

정:지[11]【靜止】명 ①머물러 움직이지 아니함. ¶~한 자세. ②〖물〗물체가 그 위치를 변하지 아니함. ↔운동. ——-하다 자여불

정:지[12]【整地】명 ①땅을 고르게 만드는 일. ②〖농〗농작물을 재배하기 전에 땅을 갈아 흙을 부드럽게 하여 식물의 생육(生育)에 알맞도록 경지(耕地)를 정리(整理)하는 일. ¶~ 작업. ——-하다 자여불

정:지[13]【整枝】명 가지 고르기. ——-하다 자여불

정지 가격【停止價格】[—까—] 명〖경〗경제 통제의 필요상 물가 등귀를 억제하기 위하여 일정한 현상에서 상승(上昇)을 금지한 가격.

정:지-각【靜止角】명〖물〗평면(平面)상에서 물체를 끌 적에 면(面)의 마찰과 면의 압력과의 합력(合力)과, 압력의 방향이 이루는 각 중에서 가장 큰 각. 양자(兩者)가 이루는 각이 정지각보다 작으면 그 물체는 움직이지 아니함.

정:지 개폐【靜止開閉】명 [static switching]〖전〗자기 증폭기(磁氣增幅器)나 반도체(半導體) 등의 움직이는 부분이 없는 장치를 사용하여 회로(回路)의 개폐를 행하는 일.

정지 거:리【停止距離】명 자동차를 운전하고 가다가 급(急)브레이크를 밟아서 자동차가 정지하는 지점까지의 거리.

정:-지검【鄭志儉】명〖사람〗조선 정조(正祖) 때의 문신. 자(字)는 자상(子尙), 호는 철재(澈齋). 동래(東萊) 사람. 정조 5년(1781) 규장각 직제학(奎章閣直提學)으로 ≪국조보감(國朝寶鑑)≫ 찬집 당상(纂輯堂上)을 지냈으며 부(副)제학을 거쳐 이조 참판에 이름. 경술(經術)과 문장에 능하고 글씨에도 뛰어나 건원릉 재실(健元陵齋室)의 벽시 게판(壁詩揭板) 22매를 썼음. [1737-84] 「——-하다 자여불

정지 경:례【停止敬禮】[—녜] 명 가던 걸음을 멈추고 경례(敬禮)함.

정지 공권【停止公權】[—꿘] 명〖법〗형(刑)의 한 가지. 일정한 기간(期間) 공권(公權)의 행사(行使)를 정지하는 일. 자격(資格) 정지. 공권 정지(公權停止).

정:지 궤:도【靜止軌道】명 적도 상공(赤道上空) 약 35,800 km의 원궤도(圓軌道). 이 궤도에 따라 서쪽에서 동쪽으로 도는 인공 위성은 주기(週期)가 지구의 자전(自轉)과 일치하기 때문에 지상(地上)에서는 우주의 한 점에 정지하고 있는 것처럼 보임.

정지 궤:도 위성【靜止軌道衛星】명 적도상의 고도 3만 5천 8백 킬로미터의 원궤도에 쏘아올린 인공 위성. 지구의 자전(自轉) 시간과 일치하므로 정지해 있는 것처럼 보임. 통신 위성·방송 위성·기상 위성에 많음. 정지 위성.

정:지-기【靜止期】명 [resting stage]〖생〗세포가 핵분열(核分裂) 또는 세포 분열을 하지 않고 있는 시기. 휴지기(休止期). *정지핵(靜止核).

정지-등【停止燈】명 자동차의 브레이크를 밟으면 자동적으로 불이 켜져 뒤차가 알게 되는 정지 신호등.

정:-지룡【鄭芝龍】명〖사람〗중국 명말(明末) 청초(淸初)의 무장(武將). 자(字)는 비황(飛黃). 푸젠 성(福建省) 사람. 해적(海賊)과 같은 밀무역(密貿易)으로 거부(巨富)를 쌓았음. 명나라가 멸망한 후에 그 부흥(復興) 운동에 가담했다가 1646년 청(淸)나라에 귀순(歸順)하였으나 아

들인 정성공(鄭成功)에 대한 설득에 실패, 도리어 반역죄로 몰리어 일족(一族)이 살해되었음. [1604-61]

정:지-류【靜止流】명〖생〗정지 전류.

정:지 마찰【靜止摩擦】명〔static friction〕〖물〗어떤 면(面)에 놓인 물체에 그 면에 따른 방향으로 힘을 가하여 움직이게 하려 할 때에 힘과 반대의 방향으로 물체의 운동을 저지(沮止)하는 저항력(抵抗力). ↔운동 마찰(運動摩擦).

정:지 마찰 계:수【靜止摩擦係數】명〔coefficient of static friction〕〖물〗최대 마찰력과 수직 항력과의 비(比). 물체의 종류·면(面)의 종류에 따라 결정되며, 물체의 크기나 중량에 관계치 않음. 값이 적은 것일수록 작은 힘으로 움직일 수 있음.

정:-지상【鄭知常】명〖사람〗고려 인종(仁宗) 때의 문신·시인. 초명은 지원(之元), 호는 남호(南湖). 평양(平壤) 정씨의 시조. 예종(睿宗) 7년(1112)에 등제, 정언(正言)·사간(司諫) 등의 벼슬을 역임함. 묘청(妙淸)·백수한(白壽翰) 등과 함께 서경(西京) 천도(遷都)와 칭제(稱帝)할 것을 주장, 묘청(妙淸)의 난이 일자 이에 관여하였다는 혐의로 김부식(金富軾)에게 피살되었음. 역학(易學)과 노장(老莊) 철학에 조예가 깊었으며, 특히 그의 시풍(詩風)은 만당(晩唐)의 풍으로 매우 청아하며 호일(豪逸)하였음. [?-1135]

정지-선【停止線】명 교통 안전 표지(標識)의 하나. 횡단 보도 앞 등에 정지 신호에 따라 차량이 정지하는 위치를 나타낸 선.

정지 설교【停止說敎】명〖불교〗중이 체면을 더럽히면 설교를 정지시키는 일.

정지 신:호【停止信號】명 열차·자동차 또는 통행인의 정지를 지시하는 신호의 하나. ＊경계(警戒) 신호·유도(誘導) 신호.

정지-액【停止液】명 사진 감광(感光) 재료를 일정 시간 현상한 후, 그 이상 현상이 진행되지 않도록 처리하기 위한 산성액(酸性液). 현상액 중의 주된 약은 일반적으로 알칼리성이어서 산성이 되면 환원력(還元力)을 잃는 것을 이용하여 보통 1.5-3% 정도의 아세트산(酸)이 사용됨. 정착액(定着液)이 현상액(現像液)의 알칼리에 의해 약화(弱化)되는 것을 방지하는 효과도 있음.

정:지-열【靜止熱】명〔resting heat〕〖생〗골격근(骨格筋)이 정지 상태에서 발생하는 열. 정지시의 대사 과정(代謝過程)에서 나타난다고 생각되며, 힐(Hill, A.V.)에 의하면 18°C에서 근육의 수분(水分) 1 kg당(當) 열량(熱量)은 매시(每時) 약 400 칼로리임. 또한 나트륨의 능동 수송(能動輸送)에 요하는 에너지는 정지열의 10-20 %에 해당함.

정:-지용【鄭芝溶】명〖사람〗시인. 충청 북도 옥천(沃川) 출생. 일본 도시샤(同志社) 대학 영문과 졸업. 1929년부터 모교인 휘문 고보(徽文高普) 교사로 재직했고, 광복 후 이화 여전 교수, 경향 신문 편집 국장 등을 역임했으며 6·25 전쟁 때 납북(拉北)됨. '시는 언어의 예술'이라는 자각 아래 한국 현대시의 새로운 방향을 제시하고 실천해 보인 공적은 시사적(詩史的)으로 지대함. 대표작인 《향수》·《별》·《은혜》·《임종》·《다른 한울》 등은 첫 시집 《정지용 시집》(1935)에 수록되어 있고, 그 뒤 변모를 보인 산문시 《장수산》·《백록담》·《비로봉》 등은 제2시집 《백록담》(1941)에 수록되어 있음. 이상(李箱)을 시단에 등단시키고, 《문장(文章)》을 통해서 청록파(靑鹿派) 시인 박두진(朴斗鎭)·박목월(朴木月)·조지훈(趙芝薰) 등을 추천한 일도 큰 업적의 하나임. [1903-?]

정:지 우:주【靜止宇宙】명〔static universe〕〖천〗가설(假說) 우주의 하나. 영원히 정상(定常)이며, 닫혀 있다고 봄.

정:지 위성【靜止衛星】명 정지 궤도 위성.

정:-지윤【鄭芝潤】명〖사람〗'정 수동(鄭壽銅)'을 본명(本名)으로 일컫는 이름.

정지-음【停止音】명〖언〗파열음(破裂音).

정:지 인구【靜止人口】명 늘지도 않고 줄지도 않는 인구. 곧, 매년 출생과 사망의 수가 같고, 남녀별 출생률과 사망률이 일정하여 인구의 증가율이 0이 되고, 그 크기 및 남녀 연령별 인구 구조가 일정한 것으로 가정하였을 때의 인구. ＊안정(安定) 인구.

정:지 전:류【靜止電流】명〖생〗생체의 신경·근(筋)·선(腺) 등의 흥분성 조직이 활동하지 않을 때, 조직의 두 점 사이에 증명되는 미소한 전류. 정지류. ↔활동 전류.

정:지 전:위【靜止電位】명〖생〗살아 있으면서 흥분하지 않은, 즉 정지 상태에서 세포가 나타내는 전위. ↔활동 전위.

정:지-제【定只堤】명〖지〗전라 북도 부안군(扶安郡) 행안면(幸安面)에 있는 못. [0.02 km²]

정지 조건【停止條件】[―껀] 명〖법〗조건이 성취되면 법률 행위의 효력이 발생하는 조건. 곧, 법률 행위의 효력은 조건이 성취될 때까지는 정지하여 발생하지 않고 성취에 의하여 비로소 발생하는 일. ↔해제 조건(解除條件).

정:지 좌:표계【靜止座標系】명〔rest frame〕〖물〗관성(慣性)의 법칙의 기준(基準)으로 절대 공간에 정지하고 있다고 가정(假定)된 좌표계. 아인슈타인(Einstein)의 '특수 상대성 이론'에 의하면 이론상 존재하지 않음.

정:지 질량【靜止質量】명〖물〗로렌츠(Lorentz)의 좌표계(座標系)에서, 입자(粒子)가 정지 상태에 있을 때의 질량.

정지-칼 명〈방〉식칼(경상).

정지 탁발【停止托鉢】명〖불교〗품행이 나빠 행화 수재(行化受財)의 덕을 깨뜨린 중에게 동냥을 금하는 일. ――하다 타여불

정지-표【停止標】명〔stop sign〕정류장에서 열차 또는 차량이 정지하는 위치 또는 한계를 표시하는 표지.

정:지-핵【靜止核】명〖생〗세포가 분열을 일으키지 아니한 때의 핵. 곧, 평상 상태(平常狀態)의 핵. 휴지핵. ＊정지기(靜止期).

정:직[1]【正直】명 거짓이나 꾸밈이 없이 마음이 바르고 곧음. 경경(梗梗). ↔부정직. ――하다 형여불. ――히 부

정:직[2]【正職】명〖역〗①사족(士族) 이상의 신분에 한하여 임용되는 문무 관직(文武官職). ↔잡직(雜職). ②실직(實職)❶.

정:직[3]【定職】명 일정한 직업. 정업(定業).

정직[4]【貞直】명 마음이 곧고 바름. ――하다 형여불

정직[5]【停職】명〖법〗공무원(公務員)의 징계 처분(懲戒處分)의 한 가지. 일반직(一般職)의 국가 공무원이 신분을 그대로 지닌 채 일정한 기간 직무를 정지당하는 일. 그 기간은 1 개월 내지 6 개월이며 봉급의 3분의 1을 받음. ¶~ 처분. ――하다 자여불

정:-직선【定直線】명〖수〗정해진 직선. 문제(問題)를 풀 때 미리 주어져 있으며 다른 도형(圖形)이 바뀌어도 그 위치(位置)를 바꾸지 않는 직선.

정직-자【停職者】명 정직이 된 사람. 또, 정직중인 사람.

정:진[1]【正眞】명 ①거짓이 없이 아주 참됨. ②〖불교〗불타(佛陀)의 이칭. ――하다 형여불

정진[2]【呈進】명 드림. 바침. 진정(進呈). ――하다 타여불

정진[3]【征塵】명 병마(兵馬)가 달리면서 일으키는 먼지.

정진[4]【挺進】명 여럿 가운데서 앞질러 나아감. ――하다 자여불

정진[5]【精進】명 ①정력을 다하여 나아감. 아주 열심히 노력함. ¶학업에 ~하다. ②몸을 깨끗이 하고 마음을 가다듬음. ③어육(魚肉)을 삼가고 채식(菜食)함. ¶~ 요리(料理). ④〔범 vīrya〕〖불교〗정신을 가다듬어 악행(惡行)을 버리고 선행(善行)을 닦음. 잡념을 버리고 한 마음으로 불도를 닦아 게으름이 없음. ――하다 자여불

정:진[6]【靜振】명〔프 seiche〕해만(海灣)·호소(湖沼)의 표면에 일어나는 정상파(定常波)에 의한 주기적 진동 현상(週期的振動現象).

정진 결재【精進潔齋】[―째] 명 육식(肉食)을 끊고 몸을 깨끗하게 함.

정:진 국사【靜眞國師】명〖사람〗고려의 중 긍양(兢讓)을 시호(諡號)로 일컫는 이름.

정:진균-제【靜眞菌劑】명〖생〗균류(菌類)의 번식을 방해(妨害)·방지(防止)하는 화합물.

정진-근【精進根】명〖불교〗오근(五根)의 하나. 잡념을 버리고 정법(正法)을 굳게 믿어 근행(勤行)하는 일.

정진-대【挺進隊】명〖군〗특별한 임무를 띠고 멀리 본대(本隊)를 떠나 적중(敵中)에 독립 전진(獨立前進)하거나 또는 적의 후방(後方)에서 본대의 작전(作戰)을 유리(有利)하게 이끌기 위해 각종의 작전을 행하는 부대(部隊).

정:진사-전【鄭進士傳】명〖문〗작자·창작 연대 미상의 고전 소설의 하나. 국문본. 정(鄭)·박(朴)·최(崔)씨 삼가(三家)를 둘러싼 가연담(佳緣談)과 정 도령이 판서가 된 후의 처첩간(妻妾間)의 싸움을 다루었고 결국은 잘 된다는 줄거리. 정도령전(鄭道令傳).

정:-진(:)탁【鄭振鐸】명〖사람〗'정 전둬'를 우리 음으로 읽은 이름.

정:진폭 녹음【定振幅錄音】명 같은 세기를 가지는 모든 주파수의 음이 같은 진폭으로 녹음되는 녹음 방식.

정:질[1]【定質】명 ①불변(不變)의 성질. ②타고난 성질·성격·체격. ③〖화〗물질의 성질을 정함. 정성(定性).

정질[2]【晶質】명 결정성(結晶性)의 물질.

정질 석회암【晶質石灰岩】명〖광〗결정질 석회암.

정-집【精一】[―찝] 명〖생〗정소(精巢).

정짓-간【一間】명 ①〈방〉부엌(경상). ②☞ 정주간(鼎廚間).

정:짜【正一】명 위조(僞造)가 아닌 정당(正當)한 물건(物件). ↔가짜. ＊진짜.

정:차[1]【定差】명〖수〗수열(數列)에서 잇닿은 두 항(項)의 차. 함수(函數)의 독립 변수에 일정한 간격이 있는 값을 주었을 때의 함수값의 차. 차분(差分).

정차[2]【停車】명 정거(停車). ↔발차(發車). ――하다 자타여불

정차[3]【艇差】명 보트 레이스에서, 보트와 보트와의 거리. ¶~는 일정신(一艇身).

정차 금:지【停車禁止】명 차(車) 못 섬.

정-차다【情一】형 매우 정답다.

정차-등【停車燈】명〔parking light〕야간에 정차 위치를 알리기 위하여 차량의 전·후면의 좌우에 다는 등. 전구는 2-3촉광임.

정:차 방정식【定差方程式】명〖수〗함수(函數)에 관한 방정식의 하나. 독립 변수 x, 미지(未知) 함수 y, 그 정차 y_1, 정차의 정차가 y_2…일 때 $F(x,y,y_1,y_2\cdots)$의 형식으로 나타냄. 차분(差分) 방정식.

정:차-법【定差法】[―뻡] 명〖수〗정차에 관한 수학적 이론. 차분법(差分法).

정:차-산【定差算】명〖수〗산수 응용 문제 해법(解法)의 하나. 문제 중의 연령 등 일정한 차(差)가 있는 것을 찾아 내어 이것을 적극적으로 이용하는 일. 차일 정산(差一定算).

정:착【定着】명 ①일정한 장소·지위 따위에 단단히 자리잡음. 또, 그 자리에 머물러 움직이지 않음. ¶~지. ②어떤 곳에 달라붙어 떨어지지 아니함. 고정함. ③어떤 의견이나 설(說)이 사회 일반이나 학계에 인정되어 정해진 것이 됨. ④사진술(寫眞術)에서, 사진 건판(乾板) 또는 필름을 노광(露光)시켜 현상(現像)을 마친 뒤에 감광(感光)되지 아니한 부분의 할로겐화은(Halogen化銀)을 감광막(感光膜)에서 제거(除去)하는 일. ――하다 자타여불

정:착-물【定着物】명〖법〗인위(人爲) 또는 자연(自然)으로 줄곧 일정한 물건에 고착(固着)하여 쉽사리 그 소재(所在)를 움직일 수 없게 된 물건. 특히, 토지의 정착물로서 부동산(不動産)이라 일컬어지는 건물

및 수목(樹木) 따위.

정:착 생활【定着生活】명 일정한 곳에 정착하여 사는 생활.

정:착성 예:금【定着性預金】[—씽녜—] 명 〖경〗 비교적 장기간 구좌(口座)에 정착되어 있는 예금. 곧, 정기(定期) 예금·통지(通知) 예금·특별 저축 예금 등.

정:착-액【定着液】명 ①사진술에서, 정착하는 데 쓰이는 액(液). 할로겐화은(銀)을 용해하여 제거하는 액체. 하이포(hypo)의 수용액(水溶液) 따위. ②〖미술〗 목탄·콩테(conté)·연필·파스텔 등으로 그린 그림의 표면에 뿜어서 바른 액. 송진·셸락(shellac)을 알코올에 녹인 것으로, 채료(彩料)의 입자를 화면에 정착시켜 화면이 무지러져 화상(畫像)이 손상되는 것을 막음. 픽서티브(fixative).

정:찬【正餐】명 정식의 메뉴에 의한 식사.

정:찰¹【正札】명 물건의 에누리 없는 정당한 값을 적은 종이 쪽이나 나무 쪽. ¶~제(制).

정:찰²【正察】명 똑바로 살핌. 정확(精確)하게 관찰(觀察)함. ——-하다 타여불

정찰³【貞察】명 〖역〗 신라 내사정전(內司正典)의 한 벼슬. 의사(議史)의 다음임.

정찰⁴【情札】명 따뜻한 마음으로 주는 정다운 편지.

정:찰⁵【淨刹】명 〖불교〗 ①정토(淨土). ②사원(寺院).

정찰⁶【偵察】명 ①더듬어서 알아 냄. ②〖군〗 몰래 적의 정세를 살펴 냄. ¶적정(敵情)을 ~하다. ——-하다 타여불

정찰⁷【精察】명 세밀하게 관찰함. ——-하다 타여불

정찰 간격【偵察間隔】명 같은 진로를 따라서 항행하는 두 척의 정찰함 사이의 간격.

정찰-기【偵察機】명 〖군〗 정찰을 임무로 하는 비행기.

정찰-대【偵察隊】[—때] 명 정찰을 위하여 파견되는 부대.

정찰-로【偵察路】명 〖군〗 정찰 활동에 쓰이는 길.

정찰-병【偵察兵】명 〖군〗 적(敵) 혹은 지형(地形)에 관한 첩보(諜報)를 수집하는 병사.

정찰 비행【偵察飛行】명 적정(敵情)을 정찰하기 위하여 비행하는 일.

정찰-선【偵察船】[—썬] 명 〖군〗 정찰을 위하여 파견(派遣)되는 선박(船舶).

정찰 위성【偵察衛星】명 적국 또는 가상(假想) 적국의 상공을 날며 정찰 사진을 촬영하는 군사 위성. 사진은 전송(電送) 및 회수(回收)에 의하여 입수(入手)함. 미국 공군의 사모스(Samos) 위성이 대표적인 것임. 스파이 위성.

정찰-함【偵察艦】명 〖군〗 정찰을 그 주요 임무로 하는 군함.

정창【挺槍】명 창을 꼬나 듦. ——-하다 자여불

정창 출마【挺槍出馬】명 창을 꼬나 들고 말을 타고 나아감. ——-하다 자여불

정:-창손【鄭昌孫】명 〖사람〗 조선 시대 초기의 문신. 자는 효중(孝中). 동래(東萊) 사람. 갑손(甲孫)의 아우. 세종(世宗) 때 한글 창제(創製)와 왕실의 불교(佛敎) 숭상을 반대하여 두 번 파직 투옥되었으며, 용서되어 예문관(藝文館) 대제학·대사헌·병조 판서를 지냈음. 세조(世祖) 초년에 사위 김질(金礩)과 함께 단종(端宗) 복위 계획을 고변(告變)하여 봉원 부원군(蓬原府院君)이 되었고, 승진을 거듭 영의정에 이름. 시호는 충정(忠貞). [1401-87]

정:-창연【鄭昌衍】명 〖사람〗 조선 광해군(光海君)·인조(仁祖) 때의 문신. 자(字)는 경진(景眞), 호는 수죽(水竹). 동래 사람. 유길(惟吉)의 아들. 광해군 6년(1614) 우의정을 거쳐 좌의정에 이르렀으나 폐모론(廢母論)이 일어나자 사퇴함. 인조 반정(仁祖反正) 후 다시 좌의정이 됨. 광해군 때 군의 비(妃) 유씨(柳氏)가 조카딸이어서 억울하게 옥사(獄事)에 관련된 많은 사람을 구해 냄. [1552-1636]

정채¹【情債】명 〖역〗 시골 관원이 서울에 있는 중앙 관청의 서리에게 아쉬운 청을 하고 정례(情禮)로 주는 돈.

정채²【精彩】명 ①아름답고 빛나는 색채. 정묘(精妙)하고 뛰어난 광채. ②정신의 활기(活氣). 생기가 넘치는 활발한 기상(氣象).

정:책¹【定策】명 신하(臣下)가 천자(天子)의 옹립(擁立)을 도모(圖謀)함. ——-하다 자여불

정책²【政策】명 정치(政治)의 방책(方策). 시정(施政)의 방침(方針). 정술(政術). ¶외교 ~.

정책 감:세【政策減稅】명 정부가 공공 투자의 촉진, 자본 축적의 추진, 중소 기업의 근대화 등, 특정한 정책 목적(政策目的)을 달성하기 위해 행하는 감세.

정책 과학【政策科學】명 제2차 세계 대전 중에 미국의 라스웰(Lasswell, H.)에 의해서 구상된 것으로, 정책 형성 과정, 대표적 정책 수단의 비교 평가, 예측(豫測), 계획, 의사 결정, 분쟁 해결, 커뮤니케이션 등의 여러 문제를 중심으로 한 응용 연구의 한 분야.

정:책 국로【定策國老】[—노] 명 천자(天子)의 옹립권(擁立權)을 갖는 국가의 원로(元老)라는 뜻으로, 중국 당(唐)나라 때 정권을 좌우한 환관(宦官)을 일컫는 말.

정책 금융【政策金融】[—늉/—] 명 특정한 정책 목적을 달성하기 위하여 하는 금융. 저리 주택 융자나 수출 금융 따위.

정책 기획 위원회【政策企畫委員會】명 대통령 자문 기관의 하나. 국가 중·장기 발전 목표의 설정과 국가 주요 정책에 관한 사항을 심의 건의함.

정책-면【政策面】명 정책적인 견지에서 본 면.

정책 원유【政策原油】명 통상적인 원유의 무역 거래 이외에, 정책적인 관점에서 국제적으로 거래되는 원유.

정책 임:금론【政策賃金論】[—논] 명 〖사〗 구조적 불황을 극복하고 국가 경제를 발전시키기 위해서는 개인 소비의 확대가 필요하므로, 기업의 지급 능력을 초과하더라도 정책적인 임금 인상이 시행되어야 한다는 주장. ↔지불 능력론.

정책 자문 위원회【政策諮問委員會】명 정부의 중요 정책의 입안, 계획의 수립 및 시행에 있어서 각계 전문가의 의견을 청취·반영하기 위하여 각 행정 각부의 장의 자문에 응하는 기관. 심의 안건과 관련되는 중앙 행정 기관의 장은 행정 자치부 장관과 협의하여 위원회를 설치함.

정책-적【政策的】명관 정책에 관한 모양. 정책에 관계되는 상태.

정책 집단【政策集團】명 정당 안에서 파벌과는 별도로 정책 연구를 목적으로 결성된 집단.

정책-학【政策學】명 〖정〗 산업·노동·금융·교통·정치·교육·외교·군사·식민 등의 정책을 실천적 견지에서 연구하는 학문.

정:처¹【正妻】명 정실(正室)❶.

정:처²【定處】명 정한 곳. 일정한 처소. ¶~없이 떠돌다.

정:-척【鄭陟】명 〖사람〗 조선 초기의 명신. 자(字)는 명지(明之), 호는 정암(整庵)·창재(暢齋). 진주(晋州) 사람. 한성 판윤(漢城判尹)과 지중추 원사(知中樞院事) 등을 지냈으며, 양계 지도(兩界地圖)와 동국(東國) 지도를 찬진(撰進)하였음. 해자(楷字)·전서(篆書)를 잘 썼으며, 옥새(玉璽)와 관인(官印)을 많이 새겼음. [1390-1475]

정:천-수【井泉水】명 〖민〗 육십 화갑자(六十花甲子)에서, 갑신(甲申)을 유(乙酉)에 붙이는 납음(納音). 신유(申酉)는 샘이요, 갑을(甲乙)은 숲이니, 숲 속에 가리운 샘에서 물이 솟아 흐른다는 말. 정중수(井中水).

정:-천익【鄭天益】명 〖사람〗 고려말 공민왕(恭愍王) 때에 목화를 퍼뜨린 사람. 문익점(文益漸)의 장인으로, 문익점이 원(元)나라에 가서 가져온 목화씨를 심어 목화를 퍼뜨리고 다시 씨아와 물레를 만들어 사용하도록 하였음. 생몰년 미상.

정:철¹【正鐵】명 ①시우쇠. ②〖광〗 잡된 것이 섞이지 않은 순수(純粹)한 무진동(銅).

정철²【呈徹】명 〖역〗 왕에게 올릴 상소문(上疏文)을 먼저 승정원(承政院)에 드려, 이것을 승정원에서 왕에게 바침. ——-하다 타여불

정철³【精鐵】명 잘 정련(精鍊)된 쇠. 숙철(熟鐵).

정:-철⁴【鄭澈】명 〖사람〗 조선 명종(明宗)·선조(宣祖) 때의 상신·시인. 자(字)는 계함(季涵), 호는 송강(松江). 연일(延日) 사람으로 서울 출생. 벼슬이 직제학(直提學)·승지(承旨) 등을 거쳐, 강원도·전라도 및 함경도 관찰사, 형조·예조 판서, 대사성(大司成), 우의정 등을 거쳐 좌의정에 오름. 서인(西人)의 거장(巨將). 동인(東人)의 탄핵 등으로 여러 번 유배되었으며 만년을 강화(江華)에서 보냄. 당대 가사 문학(歌辭文學)의 대가로 국문학사상 중요한 많은 작품을 남김. 저서로는 ≪송강집≫·≪송강 가사≫, 작품으로는 ≪관동 별곡(關東別曲)≫·≪사미인곡(思美人曲)≫ 등 많음. 시호는 문청(文淸). [1536-93]

정첩¹ 명 〈방〉 경첩¹.

정첩²【偵諜】명 적정(敵情)을 정탐(偵探)하는 사람. 척후병(斥候兵).

정청¹【政廳】명 ①정무를 행하는 관청. ②〖역〗 조선 시대 이조(吏曹)나 병조(兵曹)의 전관(銓官)이 궁중에서 정사(政事)를 보던 곳. 각기 따로 있음.

정청²【庭請】명 〖역〗 세자(世子)나 의정(議政)이 백관(百官)을 거느리고 궁정(宮庭)에 이르러 큰 일을 계품(啓稟)하여 하교(下敎)를 기다림. ——-하다 타여불

정:청³【靜聽】명 조용히 들음. ——-하다 타여불

정:체¹【正體】명 ①참된 본디의 형체. 변하기 전의 본래의 몸. 본체(本體). ¶~가 드러나다. ②본심(本心)의 모양.

정체²【政體】명 ①지방관으로서 행정(行政)하는 사람의 체후(體候). ②〖정〗 국가의 조직 형태(組織形態). 군주 정체·귀족 정체·민주 정체 등. ③〖정〗 통치권(統治權)의 운용(運用) 형식. 입헌 정체와 전제 정체로 나뉨. *국체(國體).

정체³【停滯】명 사물이 그쳐서 쌓임. 움직이지 아니하고 머물러 밀림. ¶화물의 ~. ——-하다 자여불

정체⁴【艇體】명 보트의 동체(胴體). 또, 그 형체(形體).

정:체⁵【整體】명 지압(指壓)이나 마사지에 의하여 등뼈를 바르게 하거나 몸의 컨디션을 좋게 함. ¶~ 마사지/~ 요법.

정체 공기【停滯空氣】명 [dead air] 〖광〗 갱내(坑內)의 정체한 공기 또는 탄산 가스를 함유한 공기.

정체 빙하【停滯氷河】명 [stagnant glacier] 〖지〗 운동(運動)을 정지(停止)한 빙하(氷河).

정체-수【停滯水】명 사수(死水).

정체 순환론【政體循環論】[—논] 명 〖정〗 헬레니즘 시대의 그리스의 역사가 폴리비오스(Polybios)가 그의 ≪세계사≫ 제6권에 풀어 놓은 정체 순환에 관한 역사 이론. 그에 의하면 국가에는 왕·귀족·인민의 세 요소가 있고, 따라서 왕정(王政)·귀족 정치·민주 정치의 세 기본적 정치 형태가 생기는데, 이것이 각각 악화(惡化)하면 참주(僭主) 정치·과두(寡頭) 정치·중우(衆愚) 정치가 되며, 왕정→참주 정치→귀족 정치→과두 정치→민주 정치→중우 정치→왕정의 순서로 순환을 되풀이하는 것이라고 함. 그런데 로마는 앞에 말한 세 기본 정체의 요소를 혼합하여 가지므로 이 순환 법칙을 벗어나서 단시일내에 발전할 수 있었다고 함.

정체 얼음【停滯—】명 [anchor ice] 호수(湖水)나 하천(河川) 등의 수면(水面) 아래 생기는 얼음. 또, 물 밑이나 물 속의 물체(物體)에 부착(附着)하는 얼음.

정체-적【停滯的】명관 사물(事物)이 진전(進展)하지 못하고 처져 머물러 있는 모양.

정체적 실업【停滯的失業】명 [stagnant unemployment] 〖사〗 실업 형태의 하나. 취업을 하고 있으나 전혀 불규칙한 취업 상태에 있는 일. 저

임금·장시간 노동을 특징으로 함. 가내(家內) 노동이나 일용(日傭) 노동이 대표적임.

정체 전선【停滯前線】명 『기상』 거의 움직임이 없는 전선. 입체 구조(立體構造)나 일기(日氣) 분포는 온난(溫暖)전선과 비슷함. 장마 전선·추우(秋雨)전선 등은 정체 전선일 경우가 많음.

정체 진:화【停滯進化】명 〔arrested evolution〕『생』 안정된 상태를 유지하면서 매우 천천히 하는 진화. 억제 진화(抑制進化).

정초1【正初】명 정월의 초승. 그 해의 맨 처음.

정:초2【正草】명 ①시지(試紙). ②정서(正書)로 기초(起草)함. ——-하다 타여불

정:초3【定草】명 완전히 결정된 글의 초.

정:초4【定礎】명 ①집 짓는 데 기초가 되는 돌. 집의 기둥 밑에 받치는 돌. 머릿돌. ②사물의 기초가 되는 것.

정초5【庭草】명 뜰의 풀.

정초6【旌招】명 『역』 학덕이 높은 선비를 과시(科試)를 거치지 아니하고 유림(儒林)의 천거로 벼슬에 부름. ——-하다 타여불

정:-초7【鄭招】명 『사람』 조선 세종(世宗) 때의 문신. 벼슬은 공조·이조 판서를 거쳐 대제학(大提學)에 이르렀으며, 왕명으로 정인지(鄭麟趾) 등과 함께 간의대(簡儀臺)를 만들었으며, ≪농사 직설(農事直說)≫·≪회례 문무 악장(會禮文武樂章)≫·≪삼강 행실도(三綱行實圖)≫ 등의 편찬을 주재하였고 역법(曆法)을 개정하였음. 시호는 문경(文景). [?-1434]

정초-군【精抄軍】명 『역』 조선 인조(仁祖) 때, 병조 판서 관할 아래, 기병(騎兵)의 정장자(精壯者)를 뽑아 편성한 군대. 숙종 8년(1682)에 훈련 도감 중부 별대(中部別隊)와 합쳐, 금위영(禁衛營)에 소속됨.

정:초-식【定礎式】명 『건』 건설 공사에 있어서 연월일을 기록한 돌이나 그 밖의 물건을 계획하고 있는 건조물에 박아서 보존할 목적으로 공사터에 놓고 행하는, 공사 개시를 기념하기 위한 서양식(西洋式)의 의식(儀式).

정:-초점【正焦點】[—쩜] 명 『물』 평행 입사 광선(平行入射光線)이 반사(反射)한 뒤에 축(軸) 위의 한 점에 모이는 점.

정초-청【精抄廳】명 『역』 조선 후기에 설치되었던 군영(軍營)의 하나.

정촉【叮囑】명 단단히 부탁함. ——-하다 타여불

정:-촉매【正觸媒】[—총—] 명 화학 반응의 속도를 빠르게 하는 촉매. ↔ 역촉매(逆觸媒).

정촌 유적【丁村遺跡】명 『지』 딩춘 유적.

정:총1【正總】명 『역』 양안(量案)에 올려진 결세(結稅)의 총수.

정:총2【定總】명 『법』 ↗정기 총회(定期總會).

정:-총3【鄭摠】명 『사람』 여말 선초(麗末鮮初)의 문신·학자. 자는 만석(曼碩), 호는 복재(復齋). 청주(淸州) 사람. 우왕(禑王) 때 문과에 장원, 공양왕(恭讓王) 때 이조 판서를 거쳐 정당 문학(政堂文學)에 이름. 조선 시대 초 개국 공신 1등으로 서원군(西原君)으로 피봉되었고, 정도전(鄭道傳) 등과 함께 ≪고려사(高麗史)≫를 편찬하였음. 뒤에 이 태조의 고명(誥命) 및 인신(印信)을 줄 것을 청하기 위해 명(明)에 갔다가 그 표사(表辭)가 불손하다 하여 유배되어 가던 중 죽음. 시호는 문민(文愍). [1358-97]

정-추【精麤】명 정밀(精密)한 것과 거친 것.

정추 불계【精麤不計】명 정추를 가리지 아니함. ——-하다 자여불

정축1【丁丑】명 『민』 육십 갑자(六十甲子)의 열 네째.

정:축2【正軸】명 ①주축(主軸)❹. ②〔positive axis〕『기상』 열대 지방의 천기도 해석(解析)에서 편동풍(偏東風)의 유선 곡률(流線曲率)이 최대로 되는 점의 궤도(軌道). ③〔orthoaxis〕 단사 정계(單斜晶系)의 수직축에 직교(直交)하는 좌우의 축.

정축3【頂祝】명 이마를 땅에 대고 빎. ——-하다 타여불

정축4【渟滀】명 물이 흥건하게 괴어 있는 곳.

정축-자【丁丑字】명 조선 세조(世祖) 3년(1457)에 만든 구리 활자(活字).

정:-춘수【鄭春洙】명 『사람』 삼일 운동 때 민족 대표 33인 중의 한 사람. 자는 명옥(明玉), 호는 청오(靑吾). 광주(光州) 사람. 청주(淸州) 출생. 감리교 대표로 독립 선언(獨立宣言)에 참가하였고 독립 운동을 계속함. [1875-1951]

정:출1【正出】명 적출(嫡出).

정출2【挺出】명 쑥 비어져 나옴. 남달리 뛰어나 있음. 무리 가운데서 빼어나 있음. ——-하다 자여불

정출3【晶出】명 『화』 ①용액의 온도를 변화하거나, 용액을 증발 농축(蒸發濃縮)하거나 또는 이 두 가지를 동시에 행함으로써 용액의 농도를 그 포화 농도(飽和濃度)보다 높은 상태로 하여, 액체나 드물게는 기체 중에 용해되어 있는 용질(溶質)을 고체 결정으로서 분리하는 일. ②용질과 반응하거나 용질의 용해도(溶解度)를 감소시키는 제3의 물질을 용액에 가하여 용질을 고체 결정으로서 석출(析出)하는 일. 정석(晶析). ——-하다 타여불

정-출다문【政出多門】명 문외한(門外漢)으로서 정치에 대하여 아는 체하는 사람이 많음. ——-하다 형여불

정충1【貞忠】명 절개가 곧고 충성스러움. ——-하다 형여불

정충2【精忠】명 자기를 돌보지 않는 순수한 충의(忠義). 순충(純忠).

정충3【精蟲】명 『생』 정자(精子).

정충-단【旌忠壇】명 나라를 위해 죽은 고혼(孤魂)들의 제사를 지내던 곳. 오늘날의 충혼탑(忠魂塔)이나 위령탑(慰靈塔)과 같은 것.

정:-충신【鄭忠信】명 『사람』 조선 인조(仁祖) 때의 공신. 자(字)는 가행(可行), 호는 만운(晩雲). 광주(光州) 사람. 임진 왜란(壬辰倭亂) 때는 권율(權慄)의 휘하에 있었으며 광해군(光海君) 때 만포 첨사(滿浦僉使)를 지내고, 이괄(李适)의 난에 공을 세워 금남군(錦南君)에 봉군(封君)되었음. 인조 5년(1627) 정묘 호란(丁卯胡亂) 때 부원수(副元帥)를 지냈음. 천문(天文)·지리(地理)·복서(卜筮)·의술(醫術) 등 다방면에 걸쳐 정통(精通)하였음. 저서로는 ≪만운집(晩雲集)≫·≪백사 북천록(白沙北遷錄)≫·≪금남집(錦南集)≫이 있고, ≪청구 영언(靑丘永言)≫·≪대동풍아(大東風雅)≫에 시조(時調) 3수(首)가 전함. 시호(諡號)는 충무(忠武). [1576-1636]

정:-충엽【鄭忠燁】명 『사람』 조선 영조(英祖) 때의 서화가. 자(字)는 일장(日章)·아동(亞東), 호는 이호(梨湖)·이곡(梨谷). 하동(河東) 사람. 초서(草書)·예서(隸書)를 잘 썼으며, 그림은 정선(鄭歚)의 화법(畫法)에 따라 산수화에 능했음. 생몰년 미상.

정충-증【怔忡症】[—쯩] 명 공연히 가슴이 울렁거리며 불안해 하는 증세. 양의학의 심장 신경증(心臟神經症)에 상당함. ㊟정충(怔忡). ¶그 말을 들으니 가슴이 공연히 덜컥 내려 앉으며 ～이 나서 얼른 대답을 못 하고 있다가≪李海朝：花世界≫.

정:-충필【鄭忠弼】명 『사람』 조선 정조(正祖) 때의 학자. 자(字)는 창백(昌伯)·왈경(曰敬), 호는 노우(魯宇). 연일(延日) 사람. 경사자집(經史子集)에 정통했으며, 성명(性命)·이기(理氣)·도화(圖畫)·천문·지리·상수(象數)·의약(醫藥)·복서(卜筮) 등 다방면에 조예가 있었음. 일찍부터 글씨로 유명했고 병액(屛額)을 많이 썼음. [1725-89]

정-취【情趣】명 정조(情調)와 흥취(興趣). 풍취(風趣). ¶예술적 ～.

정측【精測】명 ①정밀(精密)하게 측량함. ②〔precision〕『항공』 활주로에 유도하기 위한 방위각(方位角)과 활공 구배(勾配)를 알려 주는 항공 보조 시설. ——-하다 타여불

정측 진:입 레이더【精測進入—】〔radar〕명 『항공』 착륙 진입로에 대한 항공기의 위치 감시를 위한 공항의 레이더 장치. 착륙 진입에서 활주로까지 항공기의 유도가 그 목적임.

정:치1 명 『어』 알을 배지 아니한 뱅어.

정:치2【定置】명 일정한 장소에 놓음. ¶～어업. ——-하다 타여불

정치3【政治】명 『정』 ①국가의 주권자(主權者)가 그의 영토 및 인민을 통치함. ②권력의 획득(獲得)·유지(維持) 및 행사(行使) 등에 관한 현상. 주로 국가의 통치 작용에 관한 것이나 그 밖의 사회 집단 등에도 이 개념은 적용됨. ——-하다 자여불

정치4【情致】명 정을 돋구는 아름다운 흥치. 풍치(風致).

정치5【情癡】명 색정(色情)에 빠져서 이성(理性)을 잃어버림.

정:치6【鼎峙】명 정립(鼎立). ——-하다 자여불

정치7【精緻】명 정교(精巧)하고 치밀(緻密)함. ——-하다 형여불

정치-가【政治家】명 ①정치에 종사하는 사람. 정계에 있어서 직접 자기의 정견(政見)을 나라 또는 지방 자치 단체의 정책에 반영시킬 수 있는 입장에 있는 사람. 국회 의원 따위. 위정자(爲政者). ②의견의 차이나 이해 관계의 대립 따위의 조정 또는 흥정이 능한 사람. 또, 이런 저런 책략을 쓰는 사람. 정치인.

정치 결사【政治結社】[—싸] 명 정치적 권력의 획득(獲得)·유지(維持) 또는 확대(擴大)를 위하여 결성된 집단. 정당(政黨)이 그 전형적인 예임. ＊정사(政事) 결사.

정치 경제학【政治經濟學】명 ①정치 현상이나 사회 구조와의 관련에 중점을 두고 경제 현상을 해명하려고 하는 학문. ②국민 경제 내지 사회 경제를 대상으로 하는 경제학.

정치 경:찰【政治警察】명 지배적인 정치 세력에 불이익을 주며 또는 불복종한다고 생각되는 경우에, 불특정(不特定)의 개인 또는 단체의 행동, 때로는 사상까지를 대상으로 하여, 그 정보 수집·감시·규제(規制)·금압(禁壓) 및 순화(順化)·세뇌(洗腦) 등을 행하여, 반대 세력 또는 야당 세력의 고립화(孤立化)·말살을 도모하며, 일정한 정치 체제 또는 정권의 안정을 꾀하는 경찰의 한 부문.

정치-계【政治界】명 정치상의 의론과 활동이 행하여지는 사회. 정치 사회(政治社會). 정계(政界).

정치 계:절【政治季節】명 국회의 개기(開期)와 더불어 정치계가 가장 긴장되고 활동이 빈번한 시기.

정치-과【政治科】[—꽈] 명 ↗정치학과(政治學科).

정치 과:정【政治過程】명 〔governmental process〕『정』 연속적(連續的)인 개개의 정치 활동으로 이루어지는 정치 운동의 총칭.

정치 과:정론【政治過程論】[—논] 명 『정』 정치 사상이나 정치 제도론을 중심으로 한 낡은 정치학의 경향에 대해서, 정치 운동이나 정치 행동을 동태적(動態的)으로 다루는 정치학 부문. 미국의 벤틀리(Bently)가 개척한 새로운 분야임.

정치-광【政治狂】명 정치상의 사건(事件)에 열중(熱中)하여 광분(狂奔)하는 사람.

정치 광:고【政治廣告】명 정치가나 정치 단체가 정치적인 의견과 계몽을 위하여 하는 사회 광고(社會廣告)의 일종.

정치 교:육【政治教育】명 ①『교』 일반 민중의 정치 지식(政治知識)의 진보와 정치 도덕(政治道德)의 향상을 도모하는 교육. ②특정한 이데올로기에 근거한 정치 활동을 위한 교육.

정치-국【政治局】명 1919년 소련 공산당 중앙 위원회에 의해 설치, 서기국과 더불어 당의 실권을 가진 기관. 사실상의 소련 최고 정책 결정 기관이며 정치 방침의 입안 지도를 행함.

정치 권력【政治權力】[—궐—] 명 사회 권력의 한 가지. 정치적 기능(機能)을 수행(遂行)하기 위하여 권력 관계가 조직화(組織化)될 때에 생기는 공권력(公權力).

정치 기구【政治機構】명 『정』 정치 권력을 중심으로 하여 정치 권력이 정치 기능(機能)과의 관계에 있어서 일정한 조직 또는 메커니즘을 구성하는 기구.

정치 깡패【政治—】명 정치인과 밀착하거나 정치인에게 매수되어 그 비호 아래 정치적인 목적 달성을 위해 폭력을 휘두르기를 일삼는 불량배.

정치 단체【政治團體】명 정치상의 일에 관련하여 결합된 단체.

정치-담【政治談】[명] 정치에 관한 이야기.

정:치 도감【整治都監】[명]〖역〗고려 충목왕(忠穆王) 3년(1347)에 폐정(弊政)을 개혁(改革)하기 위하여 임시로 베풀었던 관아. 다음 충정왕(忠定王) 원년(1349)에 폐함.

정치 도:덕【政治道德】[명] 정치에 있어서의 도덕. 정치의 방침이 도덕에 어긋나지 않도록 하는 일.

정치 도시【政治都市】[명] 경제·문화 등의 기능에 비해 정치 기능이 특히 우월한 도시.

정치-력【政治力】[명] 정치적으로 사물을 처리하는 능력. 정치적인 수완(手腕)이나 역량(力量).

정:치-망【定置網】[명] 정치 어구(漁具)의 하나로서, 일정한 장소에 쳐 놓고 물고기를 잡는 그물. 대모망(大謀網) 등이 있음.

정치 망명【政治亡命】[명] 정치적인 견해 차이로 타국(他國)에 탈출하는 일. 정치범은 그의 나라에서는 위법(違法)이라 하더라도 타국에서는 범죄를 구성하지 않기 때문에 본국에 인도(引渡)하지 않는 것이 국제 관례(國際慣例)임.

정치-면【政治面】[명] ①정치적인 방면(方面). 정치적인 입장에서 본 국면. ②신문 등에서, 국내외(國內外)의 정치에 관한 기사(記事)를 실은 면. 흔히 신문의 제일면을 차지함.

정치 문학【政治文學】[명]〖문〗정치상의 사상이나 풍자(諷刺)를 취급하고 또는 정계(政界)의 이면(裏面)을 폭로하는 문학.

정치 발전【政治發展】[—쩐] [명]〖정〗구체제(舊體制)를 청산하고, 민주화(民主化)를 지향하는 정치 체제를 마련하는 일.

정:치 배:양【靜置培養】[명]〖생〗미생물 배양법의 하나. 미생물을 접종(接種)한 액체 배지(培地)를 흔들지 아니하고 놓아 둔 채로 배양함. 액체 배지에서는 배양물이 가라앉아 혐기 조건(嫌氣條件)으로 되므로, 흔히 고형(固形) 배지에서 행함. 균주(菌株)의 보존, 배지 중의 물질의 배양 세포의 성장·분화(分化) 등에 관한 작용을 관찰할 때 쓰임. ↔진탕(震盪) 배양.

정치-범【政治犯】[명]〖법〗①객관적 의미에서는 한 나라의 정치적 질서를 침해하는 행위. 주관적 의미에서는 정치적 동기(動機)에서 저지른 범죄. 또, 그 범인. 정사범(政事犯). ②국사범(國事犯).

정치범 불인도의 원칙【政治犯不引渡—原則】[—/—에—] [명]〖법〗외국에서 정치 범죄를 범한 자가 자국(自國)에 도망해 왔을 경우에, 관행(慣行)으로나 조약상의 의무로 인도하지 아니하는 원칙.

정:치-법【正置法】[—뻡] [명]〖언〗문장의 성분을 통상의 바른 순서대로 배열하는 일. ↔도치법(倒置法).

정치-부【政治部】[명] 신문사 등에서 정치에 관한 기사(記事)를 전적으로 취급하는 편집 부문.

정치-사【政治史】[명] 정치적 사실 및 정치 권력의 발전 과정을 연구의 대상으로 하는 역사.

정치 사:상【政治思想】[명] 정치에 관한 사상. 정치적 문제에 대하여 갖는 견해 또는 사상.

정치 사회【政治社會】[명]〖정〗①주권자(主權者)에 의한 통치 행위가 행하여지고 있는 사회. ②정치계(政治界).

정치 사회학【政治社會學】[명] 정치와 사회의 관련(關連)을 추구하는 학문. 정치를 여러 사회 집단의 동태(動態)로서 포착하여, 사회 집단이 가지는 사회 의지는 정책 결정에 반영되는 과정으로, 또 정책 결정의 충격은 여러 사회 집단에 침투하는 정치 의지의 사회화의 과정으로서 포착하려고 시도함.

정치 산:술【政治算術】[명] 국가 통치에 관한 모든 사항에 대하여 수자(數字)를 써서 추리(推理)하는 학술. 역사적으로 17세기경 영국에서 일어난 사회 과학의 맹아적(萌芽的) 형태로서, 사회 제현상(諸現象)을 수량화(數量化)하여 그에 근거를 둔 추리로써 행하는 사회 해부학(解剖學)임. 뒤에 경제학(經濟學)과 통계학(統計學)이 성립하는 데 그 모태(母胎)가 되었음.

정치-성【政治性】[—썽] [명] 정치적인 성질. ¶ ~을 띤 활동.

정치 소:설【政治小說】[명]〖문〗정치적 사건(事件)이나 인물(人物)을 취급한 소설. 또, 정치 사상(思想)의 선전(宣傳)이나 보급(普及)을 목적으로 한 소설.

정치 스트라이크【政治—】〔strike〕[명]〖정〗노동자가 정치 투쟁의 수단으로서 행하는 스트라이크. 이를테면 내각 타도, 전쟁 반대 따위 목표를 걸고 행해지는 것을 가리킴.

정치 심리학【政治心理學】[—니—] [명]〖심〗정치에 관련되는 사상(事象)에 관한 여러 조건(條件)이나 메커니즘을 취급하는 사회 심리학(社會心理學)의 한 분야.

정:치 어구【定置漁具】[명] 일정한 장소에 상당한 기간 부설하며 이동·변형시키지 않고 목적물을 어획 수납할 때만 조작하는 어구. 대모망(大謀網) 등이 있음.

정:치 어업【定置漁業】[명] 정치 어구를 써서 운영하는 어업.

정:치 어업권【定置漁業權】[명] 어업권의 하나. 정치 어업을 영위(營爲)하는 권리.

정치-열【政治熱】[명] 정치에 대한 정열. 정치계에 열중하는 정열.

정치 운:동【政治運動】[명] 정치 권력의 획득·변경·행사를 공동 목적으로 하는 다수자(多數者)에 의해서 계속적이고 일관적으로 행하여지는 정치 활동.

정치 의:식【政治意識】[명] 정치 세계의 일반 또는 특정한 정치 사상(事象)에 대하여 사람들이 품는 관심·태도·신념·사상 또는 그에 유래하는 반응·행동 양식의 총칭.

정치-인【政治人】[명] 정치가.

정치 자:금【政治資金】[명] 정치 활동을 위하여 소요되는 금전이나 유가증권이나 그 밖의 물건. 기탁에 의해 꾸려짐.

정치-적【政治的】[명][관] ①정치에 관한 모양. 정치에 관련된 성격을 다분히 내포(內包)하는 모양. ¶ ~ 수완(手腕)/그의 말은 다분히 ~이다. ②사무적(事務的)이 아니고 흥정·변통(變通)에 의하는 모양. ¶ ~으로 해결(解決)하다.

정치적 무관심【政治的無關心】[명]〔political apathy〕정치 권력이나 그 상징에 대하여, 적극적인 충성을 보이는 것도 아니고, 그렇다고 뚜렷하게 반항하는 것도 아닌 태도 내지 상황. 민중이 깨이지 않은 경우도 있으나 지식 계급이 정치에 실망하여 적극적으로 정치에서 무관심이 되는 경우가 문제임.

정치적 상징【政治的象徵】[명]〔political symbol〕지배의 수단으로서 대중의 복잡한 의식을 정치적 통일로 높이기 위해 쓰이는 심리적 조작을 이름. 시각적인 것으로서 이탈리아 파시즘의 검은 샤쓰, 일본의 일장기(日章旗), 청각적(聽覺的)인 것으로는 나치스의 '하일 히틀러'의 호칭 등. 공산주의에서의 이데올로기, 국체(國體)라는 신화의 관념 등도 정치적 상징으로서의 구실을 하고 있으며, 민주주의하에서도 정치적 상징은 쓰이고 있음. 정치적 심볼.

정치적 심볼【政治的—】〔symbol〕[명] 정치적 상징.

정치적 책임【政治的責任】[명] 정치 책임.

정치적 행동【政治的行動】[명] 권력을 형성하고, 또 분배하는 모든 활동을 이름. 라스웰(Lasswell, H.)이 정의(定義)한 것으로서, 정치 연구를 할 때에 제도나 주의뿐 아니라 현실의 정치가와 민중의 행동부터 분석하려고 하는 근대 정치학의 중심 개념임.

정치 제:도【政治制度】[명]〖정〗정치의 목적 실현 또는 권력 행사를 위한 한 수단으로서의 제도. 곧, 일정한 정치 목적과 권력 구조(權力構造)를 갖추며 정치나 국가의 행동을 규제(規制)하는 기능을 하고 그 속에서 정치 과정이 행하여지는 제도.

정:치 제:어【定値制御】[명]〔constant value control〕〖전〗자동 제어계(自動制御系)의 하나로, 목표치(目標値)가 일정치(一定値)인 것. 정전압(定電壓) 제어계 따위임. ↔추종(追從) 제어.

정치 지리학【政治地理學】[명]〖지〗국가나 지방 행정의 구획·제도·정책·계획을, 인구 구성·민족·경제나 생산의 상태, 영역의 지리적 위치·지형·해양·기후 등의 자연적 환경이나 지역적 특성과 관련시켜 연구하는 지리학의 한 분야.

정치 집단【政治集團】[명]〖정〗사회 집단 가운데 가장 집단 의식(集團意識)이 강하고 정권의 획득(獲得)을 목표로 하는 집단. 정당이 대표적인 예(例)임.

정치 차:관【政治借款】[명]〖정〗정치상의 비용에 충당할 목적으로 하는 차관(借款).

정치 책임【政治責任】[명] 정치가가 지는 책임. 특히, 정치가가 자기의 언동의 결과에 대하여 설령 법적인 책임은 면한다고 해도 여전히 남는 책임을 이름. 정치적 책임.

정치 철학【政治哲學】[명]〖철〗국가 및 정치에 관한 최고 이념(理念)을 연구하고 아울러 정치의 본질(本質)·가치(價値)·방법(方法)을 논하는 학문.

정치 체제【政治體制】[명]〖정〗정치 권력을 중심으로 하여 그 지배적 기능의 방향 또는 성질을 나타내는 체제(體制).

정치 통:계【政治統計】[명] 한 나라 국민의 정치 생활에 관한 통계. 주로 선거에 관한 통계, 곧 유권자(有權者) 통계·투표(投票) 통계·당선(當選) 통계 따위를 가리킴.

정치 투쟁【政治鬪爭】[명] ①정치적 수단에 의한 투쟁. ②〖정〗정치적 자유의 획득 및 정치적 권리의 확장을 위한 온갖 투쟁. ↔경제(經濟) 투쟁. *권력(權力) 투쟁.

정치-학【政治學】[명]〔political science〕〖정〗사회 과학의 한 분과. 사회의 여러 현상 중에서 특히 정치 및 정치 현상을 연구의 대상으로 하는 학문. 정치 원론·정치 철학·정치 사상사·정치사(政治史)·행정학·정치 정책학 등의 총칭. 정학(政學).

정치학-과【政治學科】[명]〖교〗대학의 한 분과. 정치학을 연구하는 학과. [준]정치과.

정치학-자【政治學者】[명] 정치학을 전공(專攻)하는 학자.

정치 헌:금【政治獻金】[명]〖정〗개인이나 회사가 정당이나 정치가에게 활동 자금을 기탁하는 일. 또, 그 돈.

정치 혁명【政治革命】[명]〖정〗기성(既成) 정치 제도의 근본적인 변혁(變革)을 가져오는 혁명. *쿠데타.

정치 형태【政治形態】[명]〖정〗정치 권력의 소재(所在)나 구성(構成)의 해명에 초점을 둔 '정치 제도'의 다른 표현.

정치 활동【政治活動】[—똥] [명] 개인이나 특정한 집단이 정치에 관해 여러 가지 수단으로 행하는 활동의 총칭.

정:칙¹【正則】[명] ①〔normal〕바른 법칙. 규칙에 맞는 일. 정규(正規). ↔변칙(變則). ②〔regular〕〖수〗복소(複素) 평면의 일정한 영역에서 정의된 복소 변수 함수가 그 영역의 모든 점에서 미분(微分)이 가능할 경우를 이름.

정:칙²【定則】[명] 일정한 규칙이나 법칙. 정규(定規).

정:칙 곡선【正則曲線】[명]〖수〗곡선상(曲線上)의 점(點)의 좌표(座標)를 매개 변역(媒介變域)의 함수(函數)로서 나타낼 적에, 그 함수가 연속의 미분 계수(微分係數)를 가지되, 단 이것이 동시에 영(零)이 되지 아니하는 연속 곡선(連續曲線).

정:칙 변:환【正則變換】[명]〖수〗역변환(逆變換)을 가지는 선형(線形) 변환. 영 벡터(零 vector)만으로 이루어지는 영공간핵(零空間核)을 갖는 것과 같은 값임.

정:칙 위상 공간【正則位相空間】[명]〖수〗임의의 점과 그것을 포함하

지 않는 폐집합(閉集合)이 서로 소(素)가 되는 개집합(開集合)으로 싸이게 되는 위상 공간.

정:칙 함:수【正則函數】[─쑤] 명 〖수〗 미분 계수(微分係數)를 갖는 복소 변수 함수(複素變數函數).

정:칙 행렬【正則行列】[─녈] 명 〖수〗 역행렬(逆行列)을 갖는 행렬. 즉, 행렬식의 값이 0이 아닌 행렬.

정친【情親】 명 정분이 썩 가까움. 정의(情誼)가 아주 두터움. ──-하다 형여불. ──-히 부

정칠-월【正七月】 명 정월과 7월을 맞세워 일컫는 말. 7월의 강우량(降雨量)은 그 해 정월의 강설량(降雪量)에 비례한다고 하여 이름.

정:-칠품【正七品】 명 〖역〗 관계(官階)의 하나. ①고려 때 문종(文宗)이 둔, 문산계(文散階)의 상(上) 조청랑(朝請郞), 하(下) 선덕랑(宣德郞), 충렬왕이 고친 종사랑(從事郞), 공민왕이 고친 수직랑(修職郞) 및 무산계(武散階)의 상 치과 교위(致果校尉), 하 치과 부위(副尉) 등. ②조선 시대 때 문관의 무공랑(務功郞), 무관의 적순 부위(迪順副尉), 잡직(雜職)의 봉무랑(奉務郞)·등용 부위(騰勇副尉), 토관(土官)의 희공랑(熙功郞)·돈의 도위(敦義徒尉) 등.

정:침[1]【正寢】 명 ①제사를 지내는 몸채의 방. ②거처하는 곳이 아닌, 주로 일을 잡아 하는 몸채의 방.

정침[2]【停寢】 명 하던 일을 중도에서 정지(停止)함. 정폐(停廢). ──-하다 타여불

정:침-의【定針儀】[─/─이] 명 자이로스코프를 이용한 항공기용 컴퍼스. 회전축(回轉軸)이 수평 위치로 유지되어 자기(磁氣) 컴퍼스와 같이 항공기의 선회나 자세 변화(姿勢變化)에 의해 영향을 받음이 없이 항상 정확한 기수 방위(機首方位)를 표시함. 그러나 지구(地球)의 자전(自轉)에 의해 세차 운동(歲差運動)을 일으키기 때문에 보통 15분에 1회씩 수정(修正)할 필요가 있음. 이 수정을 자동적으로 행하는 자이로신 컴퍼스도 있음.

정:케이형 필터【定K型─】 명 〔constant-K filter〕 〖전자〗 직렬 임피던스(直列 impedance)와 병렬(並列) 임피던스의 곱이 주파수에 의존하지 않는 상수(常數)인 그러한 필터.

정:케이형 회로망【定K型回路網】 명 〔constant-K network〕 〖전자〗 직렬 임피던스(直列 impedance)와 병렬(並列) 임피던스의 곱이 동작 주파수 범위내에서 주파수에 의존하지 않는 사다리꼴 회로망.

정크〔junk〕 명 중국 사람이 연해나 하천에서 승객 또는 화물을 운송(運送)하는 밑이 평평한 범선(帆船). 적재량은 100-200톤 가량임.

〈정크〉

정:타【正打】 명 똑바로 침. 정통으로 침. ──-하다 타여불

정:-탁【鄭琢】 명 〖사람〗 조선 선조(宣祖) 때의 상신. 자(字)는 자정(子精), 호는 약포(藥圃)·백곡(栢谷). 청주(淸州) 사람. 선조 28년(1595)에 우의정, 33년(1600)에 좌의정을 역임함. 임진 왜란 때 왕을 호종(扈從)한 공으로 서원 부원군(西原府院君)에 봉군되었음. 박학 다식하여 경서(經書)는 물론 천문·지리·상수(象數)·병법(兵法) 등에도 조예가 깊었음. 시호는 정간(貞簡). [1526-1605]

정탄[1]【町疃】 명 마당. 빈터.

정탄[2]【精炭】 명 〖광〗 선탄(選炭)에 의해서 불순물이 분리 제거된 결과 품위가 높아진 석탄.

정:탈【定奪】 명 임금의 재결(裁決).

정탈-목 명 활의 꼭뒤 다음이고 고자잎 못 미쳐서의 부분.

정탐【偵探】 명 탐정(探偵). 정사(偵伺). ¶적진(敵陣)을 ~하다. ──-하다 타여불

정탐-객【偵探客】 명 정탐(偵探)꾼.

정탐-꾼【偵探─】 명 정탐하는 사람. 탐정하는 데 능숙한 사람. 정객(偵客). 정탐객(偵探客).

정:탑【淨榻】 명 깨끗한 의자.

정:탕-지【正湯池】 명 〖지〗 경상 남도 합천군(陜川郡) 대양면(大陽面)에 있는 못. [0.021 km²]

정태[1]【情態】 명 ①아첨하는 사람의 마음씨와 그 태도(態度). ②어떤 일의 됨됨이.

정:태[2]【靜泰】 명 조용하고 태연함. ──-하다 형여불

정:태[3]【靜態】 명 조용하게 있는 모양. 정지(靜止)하고 있는 상태.

정:태 경제【靜態經濟】 명 〔static economy〕 〖경〗 마샬(Marshall, A.)이 사용한 경제 개념(槪念)의 하나. 경제의 여러 요소(要素) 사이에 조화(調和)를 유지하며, 또 변화가 없는 정적(靜的)인 경제 상태. ↔동태 경제(動態經濟).

정:태 분석【靜態分析】 명 현상(現象)의 순간적인 상태 분석. 현상의 종류에 따라 여러 방법이 있음. ↔동태 분석.

정:태 비:율【靜態比率】 명 〖경〗 재무(財務) 비율의 하나. 기업의 정태적인 재정 상태를 나타내는 대차 대조표의 각 항목 상호간의 비율을 나타내는 것. 유동 비율·자본 고정 비율·자본 부채 비율 등이 있으며, 경리의 안전도의 척도가 됨. ↔동태 비율.

정:태-세【靜態稅】 명 소득(所得)·재산 상태를 과세(課稅) 물건으로 한 조세(租稅).

정-태진【丁泰鎭】 명 〖사람〗 국어학자. 경기도 파주(坡州) 출생. 연희 전문 학교 문과를 졸업하고 미국 컬럼비아 대학 대학원을 나옴. 조선어 학회 사전 편찬 위원. 1942년 어학회 사건으로 2년간 투옥됨. 저서 ≪고어 사전(古語辭典)≫·≪고어 독본(古語讀本)≫·≪국어학 개론(國語學槪論)≫ 등이 있음. [1903-52]

정:태 집단【靜態集團】 명 일정한 시점(時點)에 있어서의 사물의 순간적인 존재 상태(存在狀態)를 내용으로 하는 통계(統計) 집단. ↔동태(動態) 집단.

정:태 통:계【靜態統計】 명 정태 집단의 조사 결과인 통계. 예를 들면 인구·기업수·세대수 등의 순간적인 존재 상태에 관한 통계 같은 것. ↔동태 통계.

정:-태현【鄭台鉉】 명 〖사람〗 식물학자. 경기도 용인(龍仁) 출생. 수원 농림 학교 졸업. 1910년에 총독부 기수(技手)로 공무원 생활을 시작, 1947년에 중앙 임업 시험장장을 거쳐 전남 대학(全南大學)·성균관 대학(成均館大學) 교수를 역임하였음. 저서에 ≪한국 식물 도감(圖鑑)≫ 등이 있음. [1883-1971]

정:태 홍염【靜態紅焰】 명 〖천〗 정온(靜穩) 홍염. *분출상 홍염.

정:-태화【鄭太和】 명 〖사람〗 조선 인조(仁祖) 때의 상신(相臣). 자(字)는 유춘(囿春), 호는 양파(陽坡). 동래(東萊) 사람. 병자 호란이 끝난 다음 소현 세자(昭顯世子)를 따라 선양(瀋陽)에 가 그 재주와 인물을 떨침. 인조 27년(1639)에 영의정이 되었고, 효종(孝宗)·현종(顯宗)간에 여섯 차례 영의정이 되었음. 시호는 익헌(翼憲). 현종 묘정(廟庭)에 배향됨. [1602-73]

정택【精擇】 명 극택(極擇). ──-하다 타여불

정토[1]【征討】 명 정벌(征伐). ──-하다 타여불

정:토[2]【淨土】 명 〖불교〗 ①번뇌의 속박을 벗어난 아주 깨끗한 국토(國土)로 불보살(佛菩薩)이 사는 곳. 광대(廣大)하고 심심(深甚)한 법락(法樂)이 무한으로 향수(享受)되는 국토. 불보살의 수효가 많으므로 정토의 수효도 많아 210억(億)이나 된다고 함. 아미타불(阿彌陀佛)의 서방 정토(西方淨土)도 그 하나임. 정계(淨界). 청정 세계(淸淨世界). 정찰(淨刹). 각원(覺苑). 불계(佛界). 불소(佛所). ↔예토(穢土). ②↗정토종(淨土宗).

정토[3]【精討】 명 정밀하게 검토함. ──-하다 타여불

정:토-교【淨土敎】 명 〖불교〗 정토문(淨土門)의 교법(敎法). 곧, 이승에서 염불을 닦아, 죽은 뒤에 정토 왕생(淨土往生)을 얻기를 기(期)하는 교법(敎法).

정토-군【征討軍】 명 정벌군(征伐軍).

정:토-론【淨土論】 명 〖책〗 왕생론(往生論).

정:토 만다라【淨土曼陀羅】 명 〖불교〗 극락 만다라(極樂曼陀羅).

정:토-문【淨土門】 명 〖불교〗 정토교(淨土敎)에서 말하는 타력문(他力門)으로, 아미타불(阿彌陀佛)에 귀의(歸依)하여 염불(念佛)·정진(精進)하면 아미타불의 극락 정토에 왕생하여 성불(成佛)할 수 있다고 하는 교문(敎門). ↔성도문(聖道門).

정:토 발원【淨土發願】 명 〖불교〗 극락에 가기를 원하는 것.

정:토-변【淨土變】 명 〖불교〗 정토 변상(淨土變相).

정:토 변:상【淨土變相】 명 〖불교〗 제불(諸佛)의 정토의 모양을 그린 그림. 노사나(盧舍那) 정토 변상·미타(彌陀) 정토 변상·약사(藥師) 정토 변상·미륵(彌勒) 정토 변상 등이 있음. 정토변.

정:토 사:상【淨土思想】 명 〖불교〗 부처의 본원력(本願力)에 의지하여 정토의 실현을 추구(追求)하는 여러 논리와 방법.

정:토 사:업【淨土事業】 명 〖불교〗 참선(參禪)을 떠나서 염불(念佛)을 주로 하는 일.

정:토사 홍법 국사 실상탑【淨土寺弘法國師實相塔】[─쌍─] 명 〖불교〗 충청 북도 중원군(中原郡) 동량면(東良面) 하천리(荷川里) 정토사 터에 있었던 탑. 고려 현종(顯宗) 8년(1017)경 홍법 국사의 입적(入寂)에 즈음하여 세운 탑. 팔각 원당(八角圓堂)의 기본형을 가지면서도 탑신(塔身)이 원구형(圓球形)으로 되어 기발한 의장(意匠)을 보임. 총높이 2.55 m. 경복궁 소재. 국보 제102호.

정:토 산림【淨土山林】[─살─] 명 〖불교〗 미타 산림(彌陀山林).

정:토 삼부경【淨土三部經】 명 〖불교〗 정토종(淨土宗)에서 가장 존중하는 세 경(經). 곧, 아미타경(阿彌陀經)·관무량수경(觀無量壽經)·무량수경의 총칭. 서방 정토 삼부경(西方淨土三部經). *삼부경.

정:토 오:조【淨土五祖】 명 〖불교〗 정토종(淨土宗)의 조사(祖師)인 중국의 다섯 고승(高僧). 곧, 담란(曇鸞)·도작(道綽)·선도(善導)·회감(懷感)·소강(少康).

정:토 왕:생【淨土往生】 명 〖불교〗 극락 왕생.

정:토-율【淨土律】 명 〖불교〗 정토종(淨土宗)의 각 파(派)에서 엄수(嚴修)하는 계율(戒律).

정:토-종【淨土宗】 명 〖불교〗 일본 불교의 한 파. 무량수경(無量壽經)·관무량수경(觀無量壽經)·아미타경(阿彌陀經)의 삼부경(三部經)을 소의(所依)로 하고 백련사(白蓮社)의 혜원(慧遠)을 종조(宗祖)로 함. 아미타불의 대원 업력(大願業力)에 의하여 성취된 정토를 이상(理想)으로 삼고 미타(彌陀)의 광대한 비원(悲願)을 믿고 염불하여 극락 정토에 왕생(往生)함을 목적으로 하는 정토문의 교(敎). ㊟정토.

정:토 회향【淨土回向】 명 〖불교〗 젊었을 때에는 다른 일을 하다가 늙바탕에 염불을 하는 일.

정:통[1]【正統】 명 ①바른 계통(系統). 정당한 혈통(血統). 적류(嫡流). 적종(嫡宗). ②올바른 조리(條理).

정:통[2]【淨桶】 명 〖불교〗 대중(大衆)의 세숫물을 맡아 보는 일. 또, 그 일을 맡은 사람.

정통[3]【精通】 명 사물(事物)에 밝고 자세히 통(通)함. ¶~한 소식통(消息通). ──-하다 자여불

정:통 경제학파【正統經濟學派】 명 〖경〗 고전(古典) 경제학파.

정:통-론【正統論】[─논] 명 어떤 학설이나 종교상의 교의(敎義)를 가장 올바르게 계승한 이론.

정통-부【情通部】 명 ↗정보 통신부.

정:통-성【正統性】[─썽] 명 어떤 사회에서의 정치 체제·정치 권력·

전통 등을 정당하게 보는 일반적 관념. 이 정통성에 의해 자발적 복종이 조성되고 정치 권력은 권위화되어 안정된 지배가 확립됨. 독일의 베버(Weber, Max W.)는 정통성의 근거를 전통(傳統)·카리스마·합법(合法)의 세 가지로 유형화(類型化)했음.

정:통-적【正統的】명관 정통에 속하는 모양.

정:통-주의【正統主義】[—/—이] 명〖역〗1814-15년의 빈(Wien) 회의의 지도 이념(指導理念)의 하나. 프랑스 혁명과 나폴레옹 전쟁으로 말미암아 유럽 제국에 일어난 변화를 일소하고 혁명 이전의 왕조(王朝)를 복귀시키고 앙시앵레짐(ancien régime)의 부활을 꾀하는 입장.

정:통 칼리프 시대【正統一時代】[caliph] 명 마호메트가 죽고부터 옴미아드 왕조(Ommiad王朝)의 건설에 이르기까지의 사인(四人)의 칼리프 시대. 사라센 제국(Saracen 帝國)의 기초(基礎)가 공고하게 된 시기(時期). [632-661]

정:통-파【正統派】명 시조(始祖)의 교의(敎義) 또는 학설을 가장 바르고 충실하게 이어받은 파. 오소독스(orthodox).

정:통파 경제학【正統派經濟學】명〖경〗정통 학파(正統學派).

정:통파 마르크스주의【正統派一主義】[Marx] [—/—이] 명〖역〗19세기 말에서 20세기 초에 걸쳐 독일 사회 민주당 안에 마르크스주의의 수정을 주장하는 베른슈타인(Bernstein, E.) 등의 수정주의가 일어났을 때, 이를 비판하고 마르크스주의의 원칙을 고수한 파. 카우츠키(Kautsky, K.J.)를 이론적 지도자로 삼음. ↔수정파 마르크스주의.

정:통파 사회주의【正統派社會主義】[—/—이] 명 정통파 마르크스주의.

정:통 학파【正統學派】명〖경〗애덤 스미스를 비조(鼻祖)로 하고 맬서스(Malthus)·리카도(Ricardo) 등에 의하여 기초가 확립된 경제학의 한 학파. 개인의 이기심(利己心)을 발달의 원동력(原動力)으로 보고 개인주의와 자유 방임주의를 주장하였음. 고전(古典) 학파. 정통파 경제학. 고전파 경제학.

정퇴【停退】명 기한(期限)을 뒤로 물림. ——-하다 타여불

정:투영 도법【正投影圖法】[—뻡] 명 입체 도형을 평면상에 나타내는 방법의 하나. 서로 직교(直交)하는 세 개의 평면, 곧 평화면(平畫面)·입화면(立畫面)·측화면(側畫面)에 입체를 정사(正射)하여 생기는 세 개의 도형, 곧 평면도·입면도·측면도를 맞추어 그 입체를 표현하는 일. 정투영법.

정:투영-법【正投影法】[—뻡] 명 정투영 도법. 투영 도법(投影圖法).

정:-특성【靜特性】명〖전자〗전자관·트랜지스터 또는 다른 증폭 장치(增幅裝置)에 대한 모든 다른 동작 전압이 일정하게 유지(維持)되는 상태에서 전극(電極) 전압과 전극 전류 같은 한 벌의 변수(變數) 간에 성립되는 관계.

정파【政派】명 ①정치상의 파벌(派閥). ¶정당 ～. ②정당의 내부에 생기는 당파나 그룹.

정:-파리【淨玻璃】명 흐림이 없이 맑은 파리(玻璃).

정:파리-경【淨玻璃鏡】명〖불교〗지옥의 염마왕청(閻魔王廳)에 있으며, 망자(亡者)가 생전(生前)에 행한 선악(善惡)의 소업(所業)을 비쳐 나타낸다는 거울.

정판[1]【精版】명〖인쇄〗①오프셋. ②오프셋 인쇄.

정:판[2]【整版】명〖인쇄〗오자(誤字)나 조판(組版)의 오류를 교정(校正)의 지시대로 고쳐서 활자(活字)를 바꿔 끼거나 판을 다시 짜는 일. ——-하다 자여불

정판사 위폐 사:건【精版社僞幣事件】[—껀] 명 1946년 5월, 해방 직후의 혼란한 사회 정세(情勢)를 틈타 공산당이 당비(黨費)의 조달(調達) 및 남한의 경제를 교란(攪亂)시킬 목적으로 위조(僞造) 지폐를 인쇄한 사건.

정:-팔각형【正八角形】명〖수〗각 변의 길이와 각 내각(內角)이 같은 팔각형.

정:-팔면체【正八面體】명〖수〗여덟 개의 정삼각형으로 이루어지는 다면체(多面體). 꼭지점은 여섯임.

정:-팔품【正八品】명〖역〗관계(官階)의 하나. ①고려 때 문종(文宗)이 둔, 문산계(文散階)의 상(上) 급사랑(給事郞)·하(下) 징사랑(徵事郞), 공민왕이 고친 승사랑(承事郞), 무산계(武散階)의 상 선절 교위(宣折校尉)·하 선절 부위(副尉) 등. ②조선 시대 때 문관의 통사랑(通仕郞), 무관의 승의 부위(承義副尉), 잡직(雜職)의 면공랑(勉功郞)·맹건 부위(猛健副尉), 토관(土官)의 공무랑(供務郞)·분용 도위(奮勇徒尉) 등.

정패【征覇】명 정복하여 패권을 잡음. ——-하다 타여불

정편[1] 명〈방〉경(經)편[1].

정:편[2]【正編】명 주편(主編)으로서 맨 먼저 편술(編述)된 책(册). ↔속편(續編).

정:-편마암【正片麻岩】명〖지〗암원(岩源)이 화강암(花崗岩)으로 된 편마암. ↔준(準)편마암.

정:-편석【正偏析】명〖야금〗합금의 저융점 성분(低融點成分)이 주조물의 중앙부(최후에 경화(硬化)되는 부분)에 주로 많아지는 일.

정:평[1]【正平】명 되질이나 저울질을 꼭 바르게 함. ——-하다 타여불

정:평[2]【正評】명 꼭 바른 평론. 공정한 비평.

정:평[3]【定平】명〖지〗함경 남도 정평군의 군청 소재지. 함경선(咸鏡線)의 요역으로 잡곡의 산지이며, 콩·조·보리의 산출이 많음. 언어학상 함경도 방언구(方言區)와 경기도 방언구의 경계지임.

정:평[4]【定評】명 ①세간에 널리 퍼져 이제 움직일 수 없게 된 평판(評判). 세평(世評). ②타당하다고 일반에게 인정된 비평. 일반에게 널리 행하여지는 좋은 평판. ¶～ 있는 상품.

정:-평구【鄭平九】명〖사람〗조선 선조(宣祖) 시대의 발명가. 전라도 김제(金提) 출생. 선조 25년(1592), 임진 왜란 때 비거(飛車)를 발명, 진주(晋州) 싸움에서 사용하였다고 함. 생몰년 미상.

정:평-군【定平郡】명〖지〗함경 남도의 한 군. 관내 9면. 도의 남부에 위치하고 동북쪽은 함주군(咸州郡), 서북쪽은 낭림 산맥(狼林山脈)으로서 평안 남도 영원군(寧遠郡)에 대하고, 남쪽은 영흥군(永興郡), 동쪽은 함흥만(咸興灣)에 접함. 주요 산물로는 농산·수산·임산·축산·공산(工產) 등이 있고, 명승 고적(名勝古蹟)으로는 고장성(古長城)·검산령(劍山嶺)·관음사(觀音寺)·화도(花島) 등이 있음. 군청 소재지는 정평. [1,226 km²]

정:평 평야【定平平野】명〖지〗함경 남도 금진강(錦津江) 유역에 전개된 평야. 중심지는 정평(定平)으로 쌀 이외에도 조·콩·보리 등을 산출(產出)함.

정폐[1]【停廢】명 정침(停寢). ——-하다 타여불

정폐[2]【情弊】명 정실(情實)로 인한 폐단.

정포[1]【丁布】명〖역〗군정(軍丁)이나 공역(公役)에 종사하는 장정이 군역·공역 대신으로 바치는 삼베나 무명. *군포(軍布).

정:포[2]【正布】명 ①품질이 좋은 베. ②오승포(五升布).

정:-포[3]【鄭誧】명〖사람〗고려 말기의 문인. 자는 중부(仲孚), 호는 설곡(雪谷). 벼슬이 예문 수찬(藝文修撰)을 거쳐 좌사의 대부(左司議大夫)에 이름. 악정(惡政)을 상소했다가 면직되고 무고로 울산(蔚山)에 유배됨. 시문집에 ≪설곡 시고(雪谷詩藁)≫가 있고, 1887년 ≪설곡 선생 실기≫ 3권 1책이 간행됨. [1309-45]

정포 도감【征袍都監】명〖역〗고려 때, 군복(軍服)에 관한 일을 맡아 보던 관아.

정:-포은【鄭圃隱】명〖사람〗정몽주(鄭夢周)를 호로 일컫는 말.

정표[1]【旌表】명 사람의 선행(善行)을 칭송하고 이를 세상에 드러내어 널리 알림. ——-하다 타여불

정표[2]【情表】명 물건을 보내어 마음을 표시함. 또, 그 물건. ¶～로 주는 것이니 받으시오. ——-하다 타여불

정품【精品】명 정제(精製)한 물품.

정:풍[1]【正風】명 바른 국풍(國風)의 시(詩). ≪시경(詩經)≫의 주남(周南)·소남(召南) 등 이십 오 편의 일컬음. ↔변풍(變風).

정:풍[2]【整風】명 ①기풍(氣風)·작풍(作風) 등을 바르게 잡음. ②마오쩌둥(毛澤東)이 제창한 중국 공산당에 있어서의 당원(黨員)의 활동 쇄신 운동(活動刷新運動). 학풍(學風:학습의 방법)·당풍(黨風:당의 공작(工作) 및 당 생활의 방법)·문풍(文風:문장이나 연설 등의 방법)의 삼풍(三風)에 있어서 편향(偏向)이나 악습(惡習)을 일소(一掃)함을 목적으로 하여 1943년에 시작함. 정식 명칭은 삼풍 정돈(三風整頓).

정:풍-초【定風草】명〖식〗천마(天麻)❶.

정피【丁皮】명〖한의〗정향나무의 껍질. 치통약(齒痛藥)·건위제(健胃劑) 등으로 씀.

정:필[1]【正筆】명 ①바른 필적(筆跡). 당자의 진짜 필적. 진필(眞筆). ②육필(肉筆).

정필[2]【停筆】명 ①글을 쓰다가 멈춤. ②글을 쓰다가 남의 잘된 글을 보고 압도되어 그만둠. ——-하다 자여불

정하【庭下】명 ①뜰. ②조정(朝廷).

정-하다[1]【呈—】타여불 ①어떤 모양이나 빛깔 등을 나타내다. ②소장(訴狀)이나 원서(願書) 등을 제출하다.

정:-하다[2]【定—】타여불 바뀌거나 옮겨지지 아니하게 하다. 결정하다. 작정하다. ¶법이 정한 바에 따라/정한 이치.

정:-하다[3]【淨—】형여불 맑고 깨끗하다. 때가 없이 조촐하다. 잡됨이 없이 경건(敬虔)하다. ¶정한 냉수. **정:-히**[1]【淨—】부

정-하다[4]【精—】형여불 거칠지 아니하다. 곱고 가늘다. ¶정하게 빻다. **정-히**[2]【精—】부

정-하(:)상【丁夏祥】명〖사람〗조선 시대 후기의 천주교 순교자(殉敎者). 교명(敎名)은 바오로. 본관 나주(羅州). 약종(若鍾)의 둘째 아들. 신유박해(辛酉迫害)에 아버지와 형을 여의었고 신부 영입 운동(神父迎入運動)을 벌여 9차례나 베이징을 왕래하였고 순조 25년(1825) 로마 교황에게 직접 신부 파견을 호소하여 그 다음해 조선 대리 감목구(代理監牧區)를 두고 브뤼기에르 주교(Bruguière 主敎)를 초대 감목 대리로 임명케 하는 데 성공함. 순조 33년(1833) 중국인 신부 유 방제(劉方濟)를 맞아들이고 순조 36년(1836) 프랑스 모방 신부(Maubant 神父)를 맞아들이었으며, 김대건(金大建)·최양업(崔良業)을 마카오로 보냄. 헌종 5년(1839)의 기해 박해(己亥迫害) 때에 서소문 형장(刑場)에서 순교함. 1925년 복자(福者), 1984년에 시성(諡聖)됨. 조선 교구 설정자(設定者)로 추앙(追仰)됨. [1795-1879]

정:-하중【靜荷重】명 구조물(構造物)이 받는 하중 가운데, 시간적으로 변화하지 않는 하중. ↔동하중(動荷重).

정:학[1]【正學】명 올바른 학문. ↔곡학(曲學).

정학[2]【政學】명 정치학(政治學).

정학[3]【停學】명〖교〗학생이 잘못이 있어 교규(校規)를 위반(違反)했을 경우, 등교(登校)를 정지(停止)하는 일. ¶～ 처분. ——-하다 타여불

정:학[4]【靜學】명 ①〖물〗정역학(靜力學). ②〖경〗경제를 분석할 때, 경제 제량(經濟諸量)을 시간의 차이·기대·예상·변화 등 시간에 관한 요소나 원인·결과의 관계를 고려에 넣지 않고, 어느 시점에서의 사상(事象)을 대상으로 행하는 이론. ↔동학(動學).

정-학교【丁鶴喬】명〖사람〗근대 한국의 서화가. 자는 화경(化景·花鏡), 호는 몽인(夢人)·향수(香壽). 나주 사람. 군수(郡守)를 지냈으며, 글씨는 전·예·해·행·초 등 각체를 다 썼고, 그림은 난죽(蘭竹)과 괴석(怪石)을 특히 전문으로 하였음. 작품에 ≪묵죽도(墨竹圖)≫ 등이 있음. [1832-1914]

정-학유【丁學游】명〖사람〗조선 헌종(憲宗) 때의 문인. 호(號)는 운포

(耘逋). 약용(若鏞)의 둘째 아들. ≪농가 월령가(農歌月令歌)≫를 지었다고 함. 생몰년 미상.

정학 처:분【停學處分】명〖교〗정학을 시키는 처벌(處罰). ——-하다 타여불

정:한[1]【定限】명 ①일정한 기한. ②일정한 한도. 일정한 제한.

정-한[2]【情恨】명 정과 한.

정한[3]【程限】명 정도(程度)❶.

정한[4]【精悍】명 거동이 날쌔고 사나움. 민첩하고 용감(勇敢)함. ——-하다 형여불

정:한[5]【靜閑】명 조용하고 한가로움. ——-하다 형여불

정:한-가락【定—】명〔라 cantus firmus〕〖악〗대위법(對位法)에서, 대위(對位)를 붙이는 데 기초가 되는 가락. 정선율(定旋律).

정:-한(:)경【鄭翰景】명〖사람〗독립 운동가. 1910년 미국 샌프란시스코에서 안창호(安昌浩)·이승만(李承晩) 등과 함께 대한 국민회를 조직, 그 간부로 재미(在美) 교포의 자치 활동과 독립 정신 앙양에 기여하였고, 1919년 이승만과 함께 윌슨(Wilson) 대통령에 한국의 독립 청원서를 제출하였음. 이해 재미 교포의 성금 30만 달러를 모아 상해 임시 정부에 전달함. [1891-?]

정한-론【征韓論】[—논] 명〖역〗조선 고종(高宗) 때, 당시 대원군(大院君)의 강경한 배일(排日)·쇄국(鎖國) 정책으로 감정이 좋지 못한 일본내 일부 지도층에 대두된 우리 나라를 정복해야겠다는 주장. 일찌기 왕정 복고(王政復古)에 성공한 일본은 중앙 권력의 강화와 불평분자의 관심을 밖으로 돌림으로써 단결을 꾀하고 아울러 구미(歐美) 열강에 대항하기 위한 군사적·경제적 조치로서의 전술적 필요에 의해서였으나 내치 우선파(內治優先派)에 밀려 좌절되자 사이고 다카모리(西鄕隆盛) 등 중심 인물이 반란을 일으키기에 이르렀음.

정:-한모【鄭漢模】명〖사람〗시인·평론가. 충청 남도 부여(扶餘) 출생. 1955년 서울대학교 문리대(文理大) 국문과와 59년 동대학원 국문과 졸업. 모교 교수 등을 지냈으며, 문예 진흥원장, 문공부(文公部) 장관 등을 역임함. 세계의 순수한 본질을 탐구하여 이를 정확하게 전달하려는 그의 태도는 중요 대표작에서, 대상의 내면에 대한 치열한 구심적(求心的)인 응시를 통하여 짙은 농도(濃度)의 서정 세계를 이룩했음. 시집에 ≪카오스의 사족(蛇足)≫·≪여백(餘白)을 위한 서정(抒情)≫·≪아가의 방(房)≫과 평론집으로 ≪현대 작가 연구≫·≪한국 현대 시사(韓國現代詩史)≫ 등이 있음. [1923-91]

정:한-수【井—水】명〈방〉정화수(井華水).

정한 연령【停限年齡】[—년—] 명 정년(停年).

정:한 이:자【定限利子】[—니—] 명〖법〗이율(利率)의 최고액을 법률로서 한정(限定)한 이자.

정:할【正割】명〖수〗'시컨트(secant)'의 구용어.

정:할 곡선【正割曲線】명〖수〗'시컨트(secant) 곡선'의 구용어.

정:-함수【整函數】[—쑤] 명〖수〗복소수(複素數)를 변수(變數)로 하는 복소 수치(數値) 함수로, 모든 복소수구(複素數區)에 있어 미분(微分)이 가능(可能)한 것. $f(z)=a_0+a_1z+\cdots+a_nz^n$ 처럼 다항식(多項式)으로 나타내는 것을 유리(有理) 정함수, 그렇지 않은 것을 초월(超越) 정함수라고 함.

정:합【整合】명 ①가지런히 맞음. ②〖지〗두 개 이상의 지층(地層)이 나란히 연속하여 퇴적(堆積)하여 있는 현상. 지각 변동·침식 작용의 부활·퇴적 작용의 휴지 등이 없었던 것을 표시함. ↔부정합(不整合). ③〖물〗전지(電池) 등의 기전력(起電力)을 가변 회로(可變回路)에 삽입할 때, 출력(出力)이 가장 크게 조절된 경우의 회로와 기전력의 관계를 말함. ——-하다 자여불

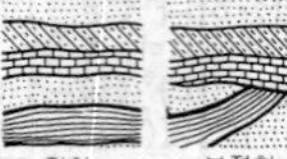

〈정합❷〉

정합-국【政合國】명 다수의 국가가 정무(政務)의 어떤 부분, 특히 외무(外務)를 공동으로 처리하기 위하여 결합하는 연합국의 한 형태. 실합국(實合國). 물(物)합국.

정:합-산【定合算】명〖수〗산수의 응용 문제 해법(解法)의 하나. 문제 속의 합(合)이 일정한 것을 찾아내어 이를 적극적으로 이용하려는 방법. 합일 정산(合一定算).

정:합-성【整合性】명〖논〗어떤 논리 체계 중, 정리(定理)로 인정된 것과 모순되는 것을 동시에 정리라고 하지 않을 경우의 그 논리 체계의 상태·성질. 무모순성(無矛盾性).

정:항【正項】명〖수〗'양(陽)의 항(項)'의 구용어.

정:항 급수【正項級數】명〖수〗'양의 항 급수'의 구용어.

정:-항(:)령【鄭恒齡】[—녕] 명〖사람〗조선 영조(英祖) 때의 문신·학자. 자는 현로(玄老). 하동(河東) 사람. 실학자(實學者)로 특히 지리학을 깊이 연구하였고, 백리척(百里尺) 지도인 ≪동국 대지도(東國大地圖)≫를 제작하였음. 벼슬은 사간(司諫)·집의(執義) 등을 지냈음. [1700-?]

정해[1]【丁亥】명〖민〗육십 갑자(六十甲子)의 스물 넷째.

정:해[2]【正解】명 바른 풀이나 해석. 바른 해답. 또, 바르게 해석하거나 풀이함. ——-하다 타여불

정해[3]【征海】명 바다를 정복함. ——-하다 자여불

정해[4]【政海】명 정계(政界).

정해[5]【精解】명 치밀하고 자상하게 해석함. 또, 그 해석. ¶영문법 ~. ——-하다 타여불

정해[6]【蟶醢】명 맛젓.

정해-감【丁奚疳】명〖한의〗팔다리와 목이 가늘어지고 배는 똥똥하게 부르며 몸이 몹시 여위고, 살갗에 누른 빛이 생겨 생쌀과 숯을 즐기는 변태증이 일어나는 감병(疳病)의 한 가지.

정해 서정【丁亥西征】명〖역〗조선 세조(世祖) 13년(1467)에 조선과 명(明)나라가 건주위(建州衛) 여진(女眞)을 정벌한 사건. 반항적인 건주좌위의 추장 동산(董山)을 살해한 명나라가 일거에 모든 여진 세력을 누를 목적으로 5만 명의 토벌군으로 원정하여 올린 전과(戰果)를 '성화(成化) 3년의 역(役)'이라 하는데, 동시에 조선군도 큰 전과를 세워 '정해 서정'이라 함.

정:해-자【正解者】명 수학 문제나 퀴즈 등을 바르게 해답한 사람.

정핵[1]【精核】명〖생〗①웅성(雄性) 배우자(配偶子)의 핵. 일반적으로 동물에서는 정자의 핵을 말함. 피자(被子) 식물에서는 화분관(花粉管) 내의 생식핵(生殖核)이 분열해서 생기는 두 개의 핵을 가리킴. 웅핵(雄核). 정자핵(精子核). ②다세포(多細胞) 동물란(動物卵)의 수정에서, 난세포(卵細胞)에 들어가서 자성 전핵(雌性前核)과 합일(合一)하기까지의 정자의 핵. ③정핵(精覈). ——-하다 타여불

정핵[2]【精覈】명 자세히 조사하여 밝힘. 정핵(精核). ——-하다 타여불

정:행[1]【正行】명 ①올바른 행실. ②〖불교〗극락에 가기 위하여 마음을 닦는 맑고 깨끗한 행업(行業). 또, 그러한 사람. 명호(名號)를 부르는 일을 정업(正業)이라 이르고, 독송(讀誦)·관찰(觀察)·예배(禮拜)·찬탄(讚歎)·공양(供養)을 조업(助業)이라고 함. ↔잡행(雜行).

정행[2]【征行】명 ①여행(旅行). ②출정(出征).

정:행[3]【淨行】명〖불교〗청정(淸淨)한 수행(修行).

정행[4]【精行】명 한결같고 정성된 행실.

정향[1]【丁香】명〖한의〗'정향나무❷'의 꽃봉오리를 말린 약제. 더운 성질을 가져 심복통(心腹痛)·구토(嘔吐)·번위(反胃) 등에 씀.

정향[2]【庭享】명〖역〗↗묘정 배향(廟庭配享). ——-하다 타여불

정향-나무【丁香—】명〖식〗①[*Syringa palibiniana*] 물푸레나뭇과에 속하는 낙엽 활엽 관목. 높이 1.5m 가량이고 잎은 타원형 또는 거꿀달걀꼴인데 톱니가 없음. 5월에 적자색 내지 담자색 꽃이 원추(圓錐)화서로 묵은 가지 끝에 액생(腋生)하여 피며, 삭과(蒴果)는 9월에 익음. 산기슭에 나는데, 한국 특산종임. 관상용으로 심음. ②[*Syzygium aromatica*] 마삭나뭇과에 속하는 상록 교목. 높이 10m 가량이고 잎은 대생하는데, 혁질(革質)이며 길이 5-10cm의 긴 타원형에 유점(油點)이 있고, 뒷면은 흼. 담자색 사판화(四瓣花)가 가지 끝에 집산형(集繖形)으로 피고, 핵과(核果)는 길이 2cm의 타원형이며 씨가 한 개씩 들어 있음. 동남 아시아의 몰루카 제도(Molucas 諸島) 원산(原産)으로 아프리카에서도 많이 재배함. 빨개진 꽃봉오리를 따서 말린 것을 '정향(丁香)'이라고 하여 약제 및 정향유(丁香油)의 원료로 씀.

〈정향나무❷〉

정:향 반:사【定向反射】명〖생〗동물이 이상(異常) 위치·자세로부터 정상(正常) 위치·자세로 복귀하는 반사. 이 반사 중추는 중뇌에 있음. 고양이에 특히 잘 발달되어 있음. 체위(體位) 반사.

정향-유【丁香油】[—뉴] 명〖화〗정향나무❷의 꽃봉오리와 열매에서 채취하는 기름. 방향(芳香)이 높아 양주·향장료(香粧料)·향미료(香味料) 등에 쓰임.

정:향 진:화【定向進化】명〖생〗정향 진화설.

정:향 진:화설【定向進化說】명〔orthogenesis〕〖생〗생물은 형태적 특징면에서 일정한 방향을 향해 변화한다는 진화 학설. 생물의 어떤 계통군(系統群)에 속하는 화석(化石)을 산출 연대순으로 배열하면 그것들이 형태적 특징에서 일정한 방향성을 지닌 변화를 볼 수 있는데, 이런 변화의 경향을 말함. 지향 진화(指向進化). ＊바이스마니즘(Weismanism).

정향-풀【丁香—】명〖식〗[*Amsonia elliptica*] 협죽도과에 속하는 다년초. 줄기는 높이 60cm 가량이고, 잎은 호생하며 피침형에 단병(短柄)임. 5월에 남자색 꽃이 총상(總狀) 화서로 정생(頂生)하고 과실은 골돌과(蓇葖果)임. 들에 나는데, 전남의 완도 및 황해도의 구월산 등지에 분포함.

〈정향풀〉

정향-화【丁香花】명 정향나무의 꽃.

정:허【靜虛】명 마음이 조용하고 공허함. ——-하다 형여불

정헌[1]【貞軒】명〖사람〗이가환(李家煥)의 호(號).

정헌[2]【靖獻】명 선왕(先王)의 영(靈) 앞에 성의(誠意)를 바침. ——-하다 자여불

정헌공-도【貞憲公徒】명〖역〗〔정헌(貞憲)은 문정(文正)의 시호(諡號)〕고려 문종(文宗) 때, 사학(私學)으로 유력했던 십이도(十二徒)의 하나. 문하 시중(門下侍中) 문정(文正)이 세웠음.

정:헌 대:부[1]【正憲大夫】명〖역〗조선 시대 때 정이품 문무관(文武官)의 품계. 고종 2년(1864)부터 문무관·종친(宗親)·의빈(儀賓)의 품계로 병용하였음.

정:헌 대:부[2]【正獻大夫】명〖역〗고려 충렬왕(忠烈王) 때 문관(文官)의 품계(品階)의 하나.

정:험【定驗】명〖철〗규정된 경험.

정:험 철학【定驗哲學】명〖철〗철학이 과학을 규정하는 내재적(內在的)인 원리가 된다는 철학.

정:혁【鼎革】명 왕자(王者)의 역성 혁명(易姓革命).

정:현[1]【正弦】명 '사인(sine)'의 구용어. ↔여할(餘割).

정현[2]【旌顯】명 선행(善行)을 나타내 보이는 일.

정:현[3]【鼎賢】명〖사람〗고려 중기의 중. 속성(俗姓)은 이(李), 정현은 법호. 성종(成宗) 15년(996) 승과(僧科)에 합격, 목종(穆宗) 2년(999) 대사(大師), 현종(顯宗) 때 수좌(首座), 덕종(德宗) 때 승통(僧統)이 되어 현화사(玄化寺) 주지가 됨. 문종(文宗) 즉위년(1046)에 왕에게 ≪금고

경(金鼓經)≫을 강(講)하고 동 2년 가뭄에 경(經)을 읽어 비를 내리게 했고, 이듬해 왕사(王師), 동 8년 국사(國師)가 됨. 시호는 혜소(慧昭). [972-1054]

정:-현[4]【鄭玄】명〖사람〗중국 후한 때의 유학자.자는 강성(康成). 고밀(高密) 사람. 일경 전문(一經專門)의 학풍을 타파하고, 훈고(訓詁)의 대가(大家)가 되어 ≪주역(周易)≫·≪모시(毛詩)≫·≪예기(禮記)≫·≪논어(論語)≫·≪효경(孝經)≫ 등에 주해를 베풀었으며, ≪육예론(六藝論)≫ 등을 저술함. [127-200]

정:현 곡선【正弦曲線】명〖수〗'사인 곡선'의 구용어.

정:현 법칙【正弦法則】명〖수〗'사인 법칙'의 구용어.

정:현 정:리【正弦定理】[—니] 명〖수〗정현 법칙.

정:현-파【正弦波】명〖수〗'사인파'의 구용어.

정:현파 교류【正弦波交流】명〖전〗'사인파 교류'의 구용어.

정:현 함:수【正弦函數】[—쑤] 명〖수〗'사인 함수'의 구용어.

정혈【精血】명 생생한 피.

정협【精莢】명〖생〗외부 생식기(生殖器)가 발달되지 않은 동물에서 볼 수 있는, 정충(精蟲)의 일단(一團)을 집어넣는 집. 수컷이 만들고, 암컷이 이를 몸 안에 넣어 수정(受精)함.

정:형[1]【正刑】명〖법〗죄인을 사형(死刑)에 처하는 형벌. 정법(正法).

정:형[2]【正形】명〖어〗꼬리의 상하 두 갈래의 크기와 형상이 같은 꼬리 지느러미의 한 형상.

정:형[3]【定刑】명 형(刑)을 정함. ——-하다 자여불

정:형[4]【定形】명 일정한 형상.

정:형[5]【定型】명 일정한 형(型). ¶ ~시(詩).

정:형[6]【政刑】명 정치와 형벌.

정형[7]【情兄】명 다정한 벗 사이에 상대편을 일컫는 말. ↔정제(情弟).

정형[8]【情形】명 ①심정이 드러난 형편. ②그냥 볼 수 없는 딱한 형편. *정경(情景)·정상(情狀)·정적(情迹)·정지(情地)·정황(情況).

정형[9]【晶形】명 결정형(結晶形).

정:형[10]【整形】명 모양을 가지런히 함. 모양을 바르게 고침. ¶~ 수술. ——-하다 타여불

정:형-구【井陘口】명〖지〗'징싱커우'를 우리 음으로 읽은 이름.

정:형-목【正形目】명〖동〗[Regularia] 성게강(綱)에 속하는 극피 동물의 한 목(目). 껍질은 반구상(半球狀) 또는 원반상(圓盤狀)인데 입과 항문은 등배의 한가운데의 선 위에 있고 입 안에 '아리스토텔레스 제등(提燈)'이란 저작기(咀嚼器)가 있음.

정:형 수술【整形手術】명〖의〗정형 외과(整形外科)의 수술. 뼈·관절·근육의 선천적 또는 후천적 장애를 교정(矯正)·회복시키기 위한 외과 수술. *성형(成形) 수술.

정:형-시【定型詩】명〖문〗한시(漢詩)의 오언 절구(五言絕句)나 칠언(七言) 절구, 우리 나라의 시조(時調) 등과 같이 전통적으로 시구(詩句)나 글자의 수와 배열(配列)의 순서, 발음상의 리듬 등이 일정하게 정해져 있는 시. ↔자유시(自由詩)·산문시(散文詩).

정:형 외:과【整形外科】[—꽈] 명〖의〗임상(臨床) 의학의 한 부문. 주로 척추·사지(四肢) 등 운동 기관의 형태 이상 교정·기능 회복을 목적으로 함. 치료 대상은 뼈·관절 질환, 선천성 기형, 외상(外傷)·염증에 의한 후천성 변형, 골절·탈구(脫臼), 뼈·관절의 염증이나 영양 장애 등임. *성형(成形) 외과.

정:-혜[1]【定慧】명〖불교〗선정(禪定)과 지혜(智慧).

정:혜[2]【淨慧】명〖불교〗깨끗하고 밝은 지혜. 밝은 지혜.

정:혜-사[1]【定慧寺】명〖불교〗충청 남도 예산군(禮山郡) 덕산면(德山面) 덕숭산(德崇山) 속에 있는 마곡사(麻谷寺)의 말사(末寺)로 수덕사(修德寺)의 위쪽에 있음.

정:혜-사[2]【淨惠寺】명〖불교〗경상 북도 경주시(慶州市) 안강읍(安康邑) 옥산동(玉山洞)에 있던 신라의 고찰(古刹). 13층 석탑이 남아 있음.

정:혜사지 십삼층 석탑【淨惠寺址十三層石塔】명 정혜사 터에 있는 석탑. 신라 변형(變形) 석탑의 유일한 유례(遺例)임. 높이 약 6.4m. 국보 제40호.

정:혜 쌍수【定慧雙修】명〖불교〗선정(禪定)·지혜를 함께 닦는 불교의 수행법. 보조 국사(普照國師)가 시작함.

정:호[1]【正號】명〖수〗양수(陽數)를 나타내는 부호. 곧, '+'. 플러스. ↔부호(負號).

정호[2]【情好】명 정의(情誼)가 서로 좋은 사이.

정-호[3]【程顥】명〖사람〗중국 북송(北宋)의 대유(大儒). 자는 백순(伯淳), 호는 명도(明道). 주돈이(周敦頤)의 문인(門人)이며, 아우 정이(程頤)와 함께 이정자(二程子)로 불림. 우주(宇宙)의 본성과 사람의 성이 본래 동일한 것이라고 하였으며, 저서에 ≪정성서(定性書)≫·≪식인편(識仁篇)≫ 등이 있음. 시호는 순(純). [1032-85]

정:-호[4]【鼎湖】명〖지〗'딩후'를 우리 음으로 읽은 이름.

정:-호[5]【鄭澔】명〖사람〗조선 중기의 문신·학자. 자(字)는 중순(仲淳), 호는 장암(丈巖). 연일(延日) 사람. 송시열(宋時烈)의 문인. 숙종(肅宗) 15년(1689) 기사 환국(己巳換局) 때 파직, 경성(鏡城)으로 유배되었다가, 동 20년 갑술 옥사(甲戌獄事)로 풀려 나와 대사성 등을 거쳐 동 41년 부제학에 이름. 이해 유계(兪棨)의 ≪가례 원류(家禮源流)≫의 발문(跋文) 논의 때 파직되었다가 노론(老論)이 승리하여 대사헌이 되었고 소론(少論) 윤선거(尹宣擧)의 문집 ≪노서 유고(魯西遺稿)≫를 탓하여 윤선거 부자의 관작을 수탈케 하였음. 경종(景宗) 1년(1721) 신임 사화(辛壬士禍) 때 강진(康津)에 유배되었다가 영조(英祖) 1년(1725) 풀려 나와 좌의정을 거쳐 영의정이 됨. 노론의 선봉으로 활약했으며, 글씨와 시문(詩文)에 능했음. 시호는 문경(文敬). [1648-1736]

정:혼[1]【定昏】명 ①일모(日暮). ②혼정(昏定).

정:혼[2]【定婚】명 혼인을 정함. ¶그들은 ~한 사이다. ——-하다 자여불

정혼[3]【精魂】명 정령(精靈)❶.

정:-홍래【鄭弘來】[—내] 명〖사람〗조선 중기의 화가. 호(號)는 국오(菊塢)·만향(晩香). 벼슬은 내시 교수(內侍教授)를 지냈음. 화조·영모(翎毛)·범 등을 잘 그렸고 특히 농염(濃艷)한 채색으로 매를 잘 그려 이름이 높았음. 유작(遺作)은 ≪의송 관수도(倚松觀水圖)≫ 등. [1720-?]

정:-홍순【鄭弘淳】명〖사람〗조선 영조(英祖)·정조(正祖) 때의 문신. 자(字)는 의중(毅仲), 호는 호동(瓠東). 동래(東萊) 사람. 호조 판서로 10년간이나 재직하면서 재정(財政) 문제에 특히 재능을 발휘하여 당대 제일의 명재정관으로 손꼽힘. 뒤에 좌의정에 이름. 시호는 충헌(忠憲). [1720-84]

정-홍진【丁鴻進】명〖사람〗고려 때의 문인·화가. 자는 이안(而安). 나주(羅州) 사람. 고종(高宗) 때 비서감(祕書監)을 지냄. 시문(詩文)에 능했으며, 묵죽(墨竹)을 절묘하게 그려 이름이 높았음. 생몰년 미상.

정:화[1]【正化】명 [pelory]〖식〗[그리스어로 도깨비의 뜻] 순형 화관(脣形花冠) 등과 같이 상칭면(相稱面)이 적은 꽃이, 상칭면이 보다 많은 꽃, 곧 방사(放射) 상칭화로 변했을 때의 현상(現象)을 이르는 말. 디기탈리스·박하(薄荷) 따위처럼 화서(花序)의 꼭대기에 위쪽으로 향해서 달린 큰 꽃에 잘 일어남. 꽃의 진화, 곧 상칭면 감소의 격세 유전(隔世遺傳)이라고 해석됨.

정:화[2]【正貨】명〖경〗금본위국(金本位國)에서는 금화, 은본위국에서는 은화와 같은 명목 가치(名目價值)와 소재(素材) 가치가 일치하는 본위 화폐. 무제한 법화(法貨)로서 자유로운 주조(鑄造)와 용해(熔解)가 허용되며 국내 화폐로서의 태환(兌換) 준비와 세계 화폐로서의 국제 지급 준비의 두 가지 역할을 함. 단, 태환 정지(兌換停止) 및 금수출(金輸出) 금지가 행하여지는 경우에는 위의 특질을 상실하므로 정화는 실제상 존재하지 않음. 실화(實貨).

정화[3]【政化】명 정치로써 백성을 다스려 교화시킴. ——-하다 타여불

정화[4]【政禍】명 정쟁(政爭) 등에서 오는 정치상의 화란(禍亂).

정:화[5]【淨火】명 신성한 불.

정:화[6]【淨化】명 ①깨끗하게 함. ¶거리를 ~하다/정치 풍토를 ~하다. ②〖종〗비속(卑俗)한 상태를 신성한 상태로 전화(轉化)함. ③카타르시스(katharsis)❶. ——-하다 타여불

정화[7]【情火】명 불꽃같이 맹렬하게 타오르는 정욕.

정화[8]【頂花】명 줄기나 가지의 맨 끝에 피는 꽃. ↔액화(腋花).

정화[9]【情話】명 ①정담(情談). ②남녀간의, 애정을 주고받는 정다운 이야기.

정:화[10]【靖和】명 세상이 잘 다스려져서 인심이 부드러워지는 일.

정화[11]【精華·菁華】명 ①물건 속의 깨끗하고 아주 순수한 부분. ②뛰어나게 우수함. ③광채(光彩).

정:-화[12]【鄭和】명〖사람〗14-15세기 중국 윈난성(雲南省)에서 출생한 이슬람교도(教徒). 삼보 대감(三保大監). 명(明)나라의 영락제(永樂帝)로부터 선종(宣宗) 시대에 이르기까지 전후 일곱 차례에 걸쳐 대함대를 거느리고 동서·서남 아시아에 원정하였음.

정:화[13]【靜話】명 조용히 이야기함. 또, 그 이야기. 정어(靜語). ——-하다 자여불

정:화-릉【定和陵】명 정릉(定陵)과 화릉(和陵). 함경 남도 함흥(咸興)에 있음.

정:화-수【井華水】명〖민〗이른 새벽에 길은 우물물. 정성을 들이는 일에나 약 달이는 데 쓰임.

정:화 수송【正貨輸送】명〖경〗국제간의 대차 결제(貸借決濟)를 위하여 정화를 해외로 수송하는 일. 정화 현송(正貨現送).

정:화 수송점【正貨輸送點】[—쩜] 명〖경〗외국환 시세(外國換時勢)가 떨어져서 외국환 어음에 의존하는 것보다 수송비(輸送費)를 지급하고 정화를 수송하는 편이 유리하게 되는 한계점(限界點). 정화 현송점(正貨現送點).

정:화 수입점【正貨輸入點】명〖경〗환시세(換時勢)가 등귀(騰貴)하여 외국의 정화가 수입되게 되는 한계점(限界點). 금화 유입점(金貨流入點).

정화-아【頂花芽】명〖식〗정화를 피우기 위하여 줄기의 꼭대기에 돋아나는 눈.

정:화 정책【正貨政策】명〖경〗정부 또는 중앙 은행이 정화 집중 정책, 할인(割引) 정책, 금리(金利) 정책, 금의 수출 금지, 태환(兌換)의 정지 등의 수단에 의하여 정화의 유출입(流出入)을 조절하여 한 나라에 존재하는 정화의 액수를 적당히 유지하려는 정책.

정:화-조【淨化槽】명 오물(汚物) 정화 시설의 하나. 오물 처리 시설이 완비되어 있지 않은 지역에서 수세식(水洗式) 변소를 사용할 경우, 시뇨(屎尿)를 잠시 저류(貯留)·정화한 후 방류(放流)하는 시설을 이름. 부패 액화(液化)시키는 부패조, 호기성균(好氣性菌)으로 산화·살균하는 산화조, 표백분(漂白粉)·묽은 염산 등으로 살균하는 소독조의 순으로 정화됨.

정:화 준:비【正貨準備】명〖경〗중앙 은행이 그 발행한 은행권을 정화로 태환(兌換)할 수 있도록 금은화(金銀貨)나 지금은(地金銀)을 적립(積立)하여 두는 일. ↔보증(保證) 준비.

정:화 준:비금【正貨準備金】명〖경〗정화 준비로서 적립하여 두는 금은화나 지금은(地金銀).

정:화 준:비 발행【正貨準備發行】명〖경〗중앙 은행이 보유하는 정화 준비량에 따라 동액의 태환(兌換) 은행권 또는 본위 화폐(本位貨幣)를 발행하는 일.

정:화-중【淨華衆】명〖불교〗청정한 연꽃에서 난 대중이란 뜻으로, 극락 정토에 있는 성인들을 이름.

정:화-치【淨化値】명〖의〗클리어런스(clearance)❷.

정:화 현:송【正貨現送】명〖경〗정화 수송(正貨輸送).

정:화 현:송점【正貨現送點】[—쩜] 명〖경〗정화 수송점(正貨輸送點). ㉮현송점.

정:확[1]【正確】명 바르고 확실함. ¶ ~한 시간. ——-하다 형여불. ——-히 부

정확[2]【貞確】명 바르고 곧음. ——-하다 형여불. ——-히 부

정:확[3]【鼎鑊】명 ①발이 있는 솥과 발이 없는 솥. ②〖역〗중국 전국 시대에 죄인을 삶아 죽이던 큰 솥. ③극형(極刑).

정확[4]【精確】명 자세하고 확실함. ¶ ~한 관찰. ——-하다 형여불. ——-히 부

정:확-성【正確性】명 정확한 성질(性質). 정확한 정도(程度). ¶ ~이 부족하다.

정:환(:)직【鄭煥直】명〖사람〗대한 제국의 문신·의병장. 자는 백온(伯溫), 호는 동엄(東巖). 연일(延日) 사람. 고종 31년(1894) 동학란이 일어나자 삼남 참오령(三南參伍領)이 되어 황해도에 출정했으며, 광무(光武) 3년(1899) 삼남 검찰사 겸 토포사(三南檢察使兼討捕使), 이듬해 삼남 도시찰사(都視察使)를 지냄. 동 9년 을사 조약(乙巳條約)이 체결되자 의병을 일으켰으며, 융희(隆熙) 1년(1907) 아들 용기(鏞基)가 의병으로 전사하자 남은 의병으로 흥해(興海)·의흥(義興)·영덕(盈德) 등지에서 크게 적을 무찌르다가 피체, 총살당함. [1854-1907]

정:-활차[1]【定滑車·靜滑車】명〖물〗'고정(固定) 도르래'의 구용어.

정황[1]【政況】명 정계의 상황.

정황[2]【情況】명 ①사정과 상황. ¶ ~ 판단. ②인정상 딱한 처지에 있는 상황. *정경(情景)·정상(情狀)·정적(情迹)·정지(情地)·정형(情形)·정(情). ¶ ~이 딱하다.

정황 증거【情況證據】명〖법〗상황 증거(狀況證據).

정황 판단【情況判斷】명 어떤 목적을 달성하기 위하여 여러 가지 상황을 판정하는 일.

정:회[1]【正會】명〖역〗정월 초하룻날에 신하들이 조정에 참하(參賀)하던 일. ——-하다 자여불

정회[2]【停會】명 ①회의를 정지함. ¶ ~에 들어가다. ②국회의 개회(開會) 중, 한때 그 활동을 정지함. ——-하다 자여불

정회[3]【情懷】명 생각하는 마음. 정서와 회포. ¶ 쌓인 ~를 나누다.

정:-회원【正會員】명 규정에 맞는 온전한 자격을 갖춘 회원.

정:-효(:)서【鄭孝胥】명〖사람〗'정 샤오쉬'를 우리 음으로 읽은 이름.

정:-효(:)항【鄭孝恒】명〖사람〗조선 성종(成宗) 시대의 문신. 경주(慶州) 사람. 성종 12년(1481) 서거정(徐居正) 등과 ≪동국 여지 승람(東國輿地勝覽)≫ 50권을 편찬하였고, 동 16년 다시 ≪동국 통감(東國通鑑)≫ 57권을 편수하였음. 벼슬은 대사성을 거쳐 첨지 중추부사(僉知中樞府事)에 이르렀음. 생몰년 미상.

정후【偵候】명 정탐(偵探). ——-하다 타여불

정:-후(:)교【鄭後僑】명〖사람〗조선 영조(英祖) 때의 문신·학자. 자(字)는 혜경(惠卿), 호는 국당(菊塘). 하동(河東) 사람. 고서(古書)에 통하고 특히 시(詩)에 뛰어나 여러 문인들의 격찬을 받았음. 벼슬은 동지 중추부사(同知中樞府事)에 이름. [1675-1755]

정후 은성【丁後殷聲】명〖악〗거문고 연주법의 하나로, 소리를 멈춘 다음 울려치는 법.

정:훈[1]【正訓】명 올바르게 읽는 법.

정훈[2]【政訓】명 〔troop information & education〕〖군〗군대에서 군인의 교양 및 보도·선전을 맡아 보는 일. 약칭:TI&E. ¶ ~ 장교.

정훈[3]【庭訓】명 가정의 교훈.

정훈-감【政訓監】명〖군〗정훈감실의 장.

정훈감-실【政訓監室】명〖군〗군의 정훈에 관한 사항을 분장하는 한 부서(部署). 육군·해군·공군 본부에 둠.

정:훈 공신【正勳功臣】명〖역〗자기의 공적으로 훈적(勳籍)에 등록된 친공신(親功臣).

정훈-관【政訓官】명〖군〗해군 통제부에 둔 한 직명(職名). 군인 정훈에 관한 사항을 분장함.

정훈-부【政訓部】명〖군〗정훈 참모부.

정훈 장교【政訓將校】명〖군〗정훈 업무를 맡아보는 장교.

정훈 참모부【政訓參謀部】명〖군〗각급(各級) 사령부의 한 특별 참모 부서(參謀部署). 정훈에 관한 사항을 분장함. 정훈부.

정훈 학교【政訓學校】명〖군〗↗육군 정훈 학교.

정훼【廷毁】명 조정에서 공공연히 비난함. ——-하다 타여불

정휘【旌麾】명〖역〗지휘하는 기(旗). 통수관(統帥官)의 기.

정:휴【定休】명 ↗정기 휴업(定期休業).

정:휴-일【定休日】명 정기로 휴업하는 날.

정:-흡착【正吸着】명〖화〗흡착시에 계면(界面) 근처의 농도(濃度)가 상(相)의 내부의 농도보다 크게 될 때의 흡착. ↔부(副)흡착.

정희[1]【呈戲】[—히] 명〖역〗대체로 정재(呈才)와 같되, 그보다 극적 요소(劇的要素)가 많이 들어 있는 가무(歌舞).

정희[2]【禎禧】[—히] 명〖악〗조선 세종(世宗) 때 지은 무곡(舞曲)인 '발상(發祥)'의 제6변(變)의 이름. 4언(言) 12구(句)임.

정:-희등【鄭希登】[—히—] 명〖사람〗조선 중기의 문신. 자는 원룡(元龍). 동래(東萊) 사람. 성격이 강직, 사람의 과실을 묵과하는 일이 없었으며, 고관(高官)일지라도 언행이 옳지 못하면 멸시하였음. 일찌기 상처(喪妻)하자 당시의 권신 김안로(金安老)의 청혼(請婚)을 물리쳐 미움을 받았고, 뒤에 윤원형(尹元衡)이 자기 사람으로 만들려고 회유·위협하였으나 굴하지 않았음. 지평(持平)·장령(掌令) 등을 지냈으며 을사사화(乙巳士禍)를 반대하다가 혹독한 고문을 당하고 귀양가던 중 죽음. 시호는 의민(毅愍). [?-1545]

정희 왕후【貞熹王后】[—히—] 명〖사람〗조선 세조의 비(妃). 성은 윤(尹), 본관은 파평(坡平). 1468년 예종(睿宗)이 14세로 즉위하자 수렴 청정(垂簾聽政)을 했으며, 이듬해 예종이 죽고 성종(成宗)이 즉위하자 계속 7년간 섭정(攝政)함. [1418-83]

정:-히【正—】부 바로 틀림없이. 확실히. ¶ ~ 영수(領收)함.

젖 명〔중세: 졎〕〖생〗①분만 후 포유 동물의 유방에서 분비하는 유백색(乳白色)의 불투명한 액체. 단백질·지방·당분을 많이 함유하여 자식이나 새끼를 양육하는 먹이가 됨. 유즙(乳汁). ②유방(乳房). ③식물의 줄기나 잎에서 나오는 희고 끈끈한 진(津).
[젖 먹던 힘이 다 든다] 무슨 일이 몹시 힘듦을 이르는 말. [젖먹는 강아지 발뒤축 문다] 약자(弱者)가 강자(強者)를 겁내지 않음을 이름.

젖-가슴 명 젖이 달려 있는 근처의 가슴. ¶ ~을 드러내다.

젖-감질【—疳疾】명〖한의〗젖이 부족하여 일어나는 유아(乳兒)의 병의 한 가지.

젖겨-지다 자〈방〉젖혀지다.

젖기다 타〈방〉젖히다.

젖-기름 명 '유지(乳脂)'의 풀어 쓴 말.

젖-꼭지 명〖생〗유방(乳房)의 한가운데에 쏙 내민 살덩이의 꼭지. 유두(乳頭)·

젖-꽃판 명〖생〗젖꼭지가 붙어 있는 둘레의 가뭇하고 동그란 자리. 유륜(乳輪).

젖-내 명 젖의 냄새. 유취(乳臭).
젖내(가) 나다 구 하는 짓이나 말이 유치하다.

젖-니 명 유치(乳齒). 배냇니.

젖다[1] ㊀자 뒤로 기울어지다. >잦다[2]. ㊁형 뒤로 기울다.

젖다[2] 자〔중세: 젖다〕①물이 묻어 축축하게 되다. ¶ 이슬에 ~. ②무슨 일이 버릇이 되다. ¶ 나쁜 습성에 ~. ③귀에 익다. ¶ 귀에 젖은 목소리.

젖-당【—糖】명 〔milk sugar〕〖화〗'락토오스(lactose)'의 관용명.

젖당 분해 효소【—糖分解酵素】명〖화〗락타아제(lactase).

젖당 분해 효소 결핍증【—糖分解酵素缺乏症】명〖의〗락타아제 결핍증.

젖-동냥 명 남의 젖을 얻으러 다니는 짓. *동냥젖. ——-하다 자여불

젖-동생【—同生】명 자기의 유모(乳母)가 낳은 아들이나 딸.

젖 떨어지다 자 어미의 젖을 안 먹게 되다. ¶ 젖떨어진 아이.
젖 떨어진 강아지 같다 구 몹시 보챔을 이르는 말.

젖-떼기 명 ①젖 뗄 때가 된 아이나 짐승. ②이유(離乳).

젖-떼다 타 다른 방법에 의한 양육(養育)을 목적으로 수유(授乳)를 중지하다. 이유(離乳)하다.

젖-뜨리다 타 힘을 써서 뒤로 젖게 하다. >잦뜨리다.

젖-마【—媽】명 임금의 유모(乳母). 유마(乳媽).

젖-먹이 명 젖을 먹는 어린 아이. 유아(乳兒). 포유아(哺乳兒). 해동(孩童). 해자(孩子). 영아(嬰兒). 유영(孺嬰). 해영(孩嬰).
[젖먹이 두고 가는 년은 자국마다 피가 맺힌다] 어린 자식(子息)을 떼어놓고 가는 어머니의 심정(心情)은 걸음걸음에 피가 맺힐 것같이 침통하다는 말.

젖먹이 동:물【—動物】명〖동〗포유 동물.

젖먹이 동:물 시대【—動物時代】명〖지〗포유류 시대(哺乳類時代).

젖-멍울 명 ①유선(乳腺). ②젖에 서는 멍울. 유종(乳腫). ¶ ~이 서다.

젖-몸살 명 유방(乳房)의 탈로 일어나는 몸살. ¶ ~을 앓다.

젖-무덤 명 ☞젖퉁이.

젖-미수 명 구덩이 속에 멥쌀가루를 넣고, 풀로 덮은 뒤에 쇠통으로 막아 두었다가 비가 온 뒤에, 쌀가루가 뜨고 변하여 반대기가 되고 축축하게 진이 난 것을 즙(汁)을 내어, 다른 쌀가루와 반죽하여 쪄서 볕에 말린 가루. 몸을 보한다고 함.

젖-배 명 젖을 먹는 아이의 배.
젖배(를) 곯다 구 젖먹이가 젖을 배불리 먹지 못하다.

젖버듬-하다 형여불 ①뒤로 자빠질 듯이 비스듬하다. ②덤비지 아니하고 물러날 듯한 태도를 보이다. 1)·2):>잦바듬하다. 젖버듬-히 부

젖-병【—甁】명 ①〖민〗젖이 모자라는 산모(産母)가 삼신(三神)께 젖을 빌 때에 샘물을 담아 놓는 목이 긴 흰 사기병. ②유아(幼兒)에게, 짠 모유(母乳)나 우유 같은 것을 먹일 때 쓰는 병. 보통, 원통형의 병과 고무젖꼭지로 이루어짐. 포유병(哺乳甁).

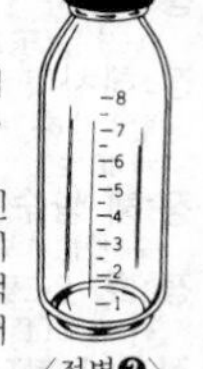

〈젖병❷〉

젖-부들기 명 짐승의 젖퉁이의 살코기.

젖분비 자:극 호르몬【—分泌刺戟—】명 〔lactogenic hormone〕〖생〗뇌하수체 호르몬의 일종. 배란(排卵) 후의 난소 황체(卵巢黃體)를 자극하여, 황체 호르몬이나 유즙(乳汁) 분비를 촉진시키는 작용을 가진 호르몬. 비유(泌乳) 자극 호르몬. *비유(泌乳).

젖-비린내 명 ①젖에서 풍기는 비린 냄새. ②유치한 느낌. ¶ 입에서 ~도 안 가신 것들.
젖비린내(가) 나다 구 언행이 몹시 치기(稚氣)가 어리고 앳되 뵈다. ㉮비린내 나다.

젖-빌다 자〖민〗젖이 모자라는 산모(産母)가 약물터나 삼신(三神) 앞에서 젖병에다 샘물을 담아 놓고 젖이 흔하기를 빌다.

젖-빛 명 젖과 같은 뿌연 빛깔. 유백색(乳白色).

젖빛 유리【—琉璃】[—뉴—] 명 빛깔이 부옇게 되어, 투명하지 못한 유리. 금강사(金剛砂) 따위로 표면을 갈아서 광택과 투명성을 없앰. 흐린 유리.

젖빨이 동:물【—動物】명〖동〗포유 동물.

젖-산【—酸】명 〔lactic acid〕〖화〗유기산(有機酸)의 하나. 젖산 발효나 격렬한 근육 운동 따위로 당(糖)을 무산소(無酸素) 상태로 분해함으

로써 생김. 포도당을 젖산균(菌)으로 발효시켜 만들기도 함. 조청과 같은 물질로 무색이며 신맛이 나고 냄새는 없음. 공업용 또는 청량 음료의 산제(酸劑)로 쓰임. 락트산(酸). 유산(乳酸). [$C_2H_4(OH)(CO_2H)$]

젖산-균 【一酸菌】 명 〔lactic acid bacteria〕〖식〗당류(糖類)를 분해(分解)하여 젖산을 만드는 작용을 하는 세균의 총칭. 구균(球菌)과 간균(桿菌)의 두 종이 있으며, 원칙적으로 산(酸)에 대한 내성(耐性)이 강함. 식품의 산패(酸敗) 등 유해 작용(有害作用)을 하는 것도 있으나, 유해 미생물(微生物)의 발육을 억제하므로 젖산의 제조·정장약(整腸藥)으로 이용됨. 젖산 박테리아.

젖산균 음:료 【一酸菌飮料】 [一뇨] 명 발효유(醱酵乳)에 설탕·향료(香料) 등을 넣어 가열 살균(加熱殺菌)한 음료. 요구르트 따위. 유산(乳酸) 음료. 유산균 음료. ＊과실(果實) 음료.

젖산 박테리아 【一酸一】 〔bacteria〕 명〖화〗젖산균(酸菌).

젖산 발효 【一酸醱酵】 명〖화〗젖산균의 작용으로 당류(糖類)를 산소(酸素)가 존재하지 않는 데에서 분해하여 젖산을 생기게 하는 발효. 동물체의 조직에서의 해당(解糖)은 화학적으로 이것과 같은 반응으로 넓은 뜻의 젖산 발효에 포함시킬 때가 있음. 알코올 발효와 더불어 생물의 주요 발효의 하나임. 유산(乳酸) 발효.

젖-살 명 젖을 먹고 오른 살. ¶～이 오르다.

젖-샘 명 〔milk gland, mammary gland〕〖생〗포유류(哺乳類)의 유방(乳房) 속에 있어 젖을 분비하는 샘. 땀샘이 발달한 것으로, 많은 세포에서 나뭇가지 모양으로 도관(導管)이 나와 모여 유두(乳頭)에 열려 있음. 임신(妊娠)하면 활동을 시작하여 분만하면 젖을 분비함. 젖멍울. 유선(乳腺).

젖-소 명 젖의 생산을 주목적으로 하여 기르는 소. 유우(乳牛).

젖-송이 명 젖 속에 몽얼몽얼하게 엉기어 있는 부분.

젖-앓이 [전알一] 명 젖을 앓는 병. 유종(乳腫)·유선염(乳腺炎) 등 주로 염증에 의함.

젖-양 【一羊】 [一냥] 명 젖을 짜기 위하여 기르는 양.

젖-어머니 [전一] 명 유모(乳母).

젖-어멈 [전一] 명 '젖어머니'의 비칭(卑稱).

젖-어미 [전一] 명 '젖어머니'의 비칭(卑稱).

젖-유종 【一乳腫】 [一뉴一] 명 〈속〉 유종(乳腫)을 똑똑히 이르는 말.

젖을-개 [一깨] 명 길쌈할 때, 실이 마르면 물을 적시었다가 축이는 나무 토막. 끝에 헝겊을 달았음.

젖-줄 명 ①젖샘에서 젖이 분비되어 나오는 줄기. ②긴요한 것을 가져다주는 중요한 수단. ¶낙동강(江)은 경상도민의 ～이다.

젖치다 타 〈방〉 젖히다.

젖키다 타 〈방〉 젖히다.

젖-털 명 남자의 젖꽃판 가로 둘러서 나는 털.

젖-통 명 젖퉁이.

젖-퉁이 명 젖꽃판의 언저리로 넓게 살이 불룩하게 두드러진 부분. 유방(乳房).

젖-트리다 타 젖뜨리다. ＞잦트리다.

젖-풀 명 〈방〉〖식〗애기똥풀.

젖혀 놓다 [一노타] 타 ①뒤집어 놓다. ¶책을 ～. ②바닥이 드러나게 열어 놓다. ¶덮었던 거적을 ～. ③무엇을 하다가 뒤로 밀어 놓다. 1)-3):＞잦혀놓다.

젖혀-지다 자 ①물건의 밑쪽이 겉으로 드러나다. ②속의 것이 겉으로 드러나게 열리다. 1)-2):＞잦혀지다.

젖히다 타 ①몸의 윗 부분을 뒤로 젖게 하다. ¶상대를 젖혀 넘어뜨리다. ②물건의 밑쪽이 겉으로 드러나게 하다. ¶모자를 뒤로 젖혀 쓰다. ③속의 것이 겉으로 드러나게 열다. ¶웃통을 벗어 ～/문을 열어 ～. ④바둑에서, 자기의 돌에서 대각선 방향으로 상대방의 돌에 붙여 놓아 상대방의 진로(進路)를 막다. 1)-3):＞잦히다.

젙 명 〈방〉 곁(경기·강원·충청·경상·전라·함경).

젛다 타 〈옛〉 두려워하다. =저허ᄒᆞ다. ¶二隊玄甲ᄋᆞᆯ 보ᅀᆞᆸ고 저ᄒᆞ니(二隊玄甲見而驚使)《龍歌 59章》.

제[1] 명 〈방〉 젓가락(경상).

제[2] 명 〈방〉 겨(강원·충북·전라·경상·함경).

제[3] 명 〈옛〉 때. 적. ¶녀西京의 이실제(往在西京時)《杜諺 Ⅳ:20》/바ᄅᆞᆯ 건너싫제(爰涉于海)《龍歌 19章》.

제:[4] 명 〈방〉 기와[1](강원).

제[5] 【弟】 명 성(姓)의 하나. 우리 나라에는 현존하지 아니함.

제:[6] 【制】 명〖문〗한문학에서, 문체의 명칭. 임금이 내리는 조령(詔令)의 일종. 중국 진(秦)나라에 이르러 명(命)을 제(制)라 부르고, 영(令)을 조(詔)라 부르게 되었음.

제[7] 【除】 명〖수〗①〔↗제법(除法)〕'나누기'의 구용어. ②↗제거(除去). ——하다 타 여불

제:[8] 【祭】 명 제사(祭祀)의 범연한 일컬음.

제[9] 【齊】 명〖역〗중국 춘추 시대의 한 나라. 주 무왕(周武王)이 태공망(太公望)에게 봉하여 준 나라. 지금의 산둥성(山東省) 일대를 영토로 하여 29대 739년에 그 가신(家臣) 전씨(田氏)에게 빼앗기었음. ＊남제(南齊)·북제(北齊). [1123-386 B.C.]

제[10] 【諸】 명 성(姓)의 하나. 우리 나라에는 칠원(漆原)·의성(義城) 등 두 개의 본관이 있음.

제[11] 【題】 명 ①↗제목(題目)❶❷. ②〖역〗↗제사(題詞).

제[12] 인대 ①'나'의 낮춤말인 '저'가 특별히 변한 말. 주격 조사 '가' 또는 부사격 조사 '에게'의 준말 '게'의 앞에서만 쓰임. ¶～가 하겠습니다/그 책임은 ～게 있습니다. ②'자기'의 낮춤말인 '저'가 특별히 변한 말. 조사 '가'의 앞에서만 쓰임. ¶～가 무엇인데.
[제가 기른 개에게 발꿈치 물린다] 자기가 은혜를 베푼 자에게 도리어 해를 받게 됨을 이르는 말. [제가 제 뺨을 친다] 제 죄를 스스로 뉘우친다는 말. [제가 춤추고 싶어 동서(同壻)를 권한다] 제가 하고 싶으나 먼저 나서기가 겸연쩍어서, 남부터 먼저 권한다는 말.

제:[13] 【第】 인대 '아우'의 뜻으로 평교간 편지에 자기를 낮추어 쓰는 말.

제[14] 一 지대 ↗저기[3] ❶. ¶그 놈이 ～ 있다. 二 부 ↗저기[3] ❷.

제[15] 【劑】 의명〖한의〗탕약(湯藥) 스무 첩 또는 그만한 분량으로 지은 환약을 일컫는 말. ¶쌍화탕 한 ～.

제[16] 관 ①'나의'의 낮춤말인 '저의'의 뜻. ¶～ 생각은 이렇습니다. ②'자기의'의 낮춤말인 '저의'의 뜻. ¶～ 낯에 침 뱉기.
[제 것 주고 뺨 맞는다] 이쪽의 호의가 도리어 저 편의 악감을 사게 된다는 뜻. [제 꾀에 넘어간다] 남을 속이려다가 도리어 자기가 속게 됨을 이름. 지나치게 꾀를 부리면 손해를 보게 된다는 말. [제 나락 주고 제 떡 사 먹기] 남의 덕을 보려다가 뜻대로 안 되고 결국 제 돈을 쓰게 되었다는 말. [제 낯에 침 뱉기; 제 발등에 오줌 누기; 제 얼굴 가죽을 제가 벗긴다] 자기가 자기를 모욕하는 결과가 됨을 이르는 말. [제 논에 물 대기] 아전 인수(我田引水). [제 눈 똥에 주저앉는다] 자기가 남을 해하고자 한 일에 도리어 자기가 해를 보게 되어 제 꾀에 걸림을 이름. [제 눈에 안경이다] 보잘것없는 물건이라도 제 마음에 들면 좋아 보인다는 뜻. [제 도끼에 제 발등을 찍히다] 자기가 한 일이 자기에게 해가 됨을 이르는 말. [제 돈 칠푼(七分)만 알고 남의 돈 열 네 잎은 모른다] 그리 대단치 못한 자기 물품만 중히 알고 배(倍)나 많은 남의 물품은 대수롭지 않게 안다는 말. [제 딴죽에 제가 넘어졌다; 제 발등을 제가 찍는다; 제 오라를 제가 졌다] 제 일을 제가 그르쳐 놓음을 이르는 말. [제 똥 구린 줄은 모른다; 제 밑 핥는 개다] 자기의 허물을 반성할 줄 모름을 이르는 말. [제 몸 구린 줄은 모른다] 자기의 허물은 모른다는 말. [제 몸이 중이면 중의 행세를 하라고] 제 신분을 지켜야 하며 분에 어긋나는 짓을 하면 안 된다고 다그치는 말. [제 물에 배를 잃어버렸다] 무엇이 되어 가는 서슬에 가장 긴요한 것을 잃었다는 말. [제 밑 들어 남 보이기] 자기의 결점이나 추한 것을 남의 앞에 드러낸다는 말. [제 발등의 불을 먼저 끄고 아비 발등의 불을 끈다] 매우 급한 경우에는 이론은 어떠하든지 비록 골육(骨肉)의 관계라도 자기를 먼저 구함이 실정이라는 말. [제 발등의 불을 먼저 끄랬다] 남의 일을 간섭하기 전에 자기의 급한 일을 먼저 살피라는 뜻. [제 밥 덜어 줄 샌님은 물 건너서부터 안다] 사람의 후박(厚薄)은 겉으로 보아서도 안다는 말. [제 방귀에 제가 놀란다] 자기가 무의식적으로 한 일을 도리어 자기가 뜻밖으로 여김을 이르는 말. [제 버릇 개 줄까; 제 버릇 개 못 준다] 나쁜 습성은 용이하게 개전(改悛)하기 어렵다는 뜻. [제 새끼 잡아 먹는 범은 없다] 아무리 무서운 자라도 제 자식에게는 인정스럽다는 말. [제 손도 안팎이 다르다] 하물며 남의 마음이 서로 다른 것은 당연하다는 말. [제 손으로 제 뺨을 친다] 제가 잘못하여 제 일을 망쳐 버린다는 말. [제 언치 뜯는 말이라] 제 언치를 뜯으면 장차 자기 등이 시리게 되는 것이니 친척이나 동기(同氣)를 해치는 것은 결국 자기를 해치는 것과 같다는 말. [제 얼굴 더러운 줄 모르고 거울만 나무란다]「선무당이 장구 탓 한다」와 같은 뜻. [제 얼굴엔 분 바르고 남의 얼굴엔 똥 바른다] ㉠저만 위할 줄 안다는 말. ㉡잘 된 일은 제 낯만 세우고 못된 일은 다 남이 한 것처럼 말한다는 뜻. [제 자루 떡에] 공교롭게 일이 잘 맞아 들어가 쉽게 되었다는 말. [제 자식 잘못은 모른다] 제 자식의 결점이 눈에 잘 비치지 않는다는 말. [제 절 부처는 제가 위하랬다] 제 물건은 제가 소중히 여길 것이고 남에게 맡길 것이 아니라는 말. [제 죄 남 안 준다] 제가 지은 죄에 대하여는 반드시 제가 벌을 받게 된다는 말. [제 집 개에게 발뒤꿈치를 물리었다] 제게 신세를 진 사람한테 도리어 해를 입었다는 뜻. [제 집 어른 섬기면 남의 어른도 섬긴다] 제 집에서 잘 하는 자가 밖에 나가서도 잘 한다는 말. [제 집 연기는 남의 집 연기보다 낫다] 대수롭지 않은 것이라도 정든 것은 좋다는 말. [제 칼도 남의 칼집에 들면 찾기 어렵다] 비록 자기의 물건이라도 한 번 남의 손에 옮겨 가면 마음대로 할 수 없다는 말. [제 코도 못 닦는 것이 남의 코 닦으려고 한다] 제 일도 감당 못하는 주제에 남의 일에 참견하여 무엇을 해 주려 함. [제 털 뽑아 제 구멍에 박기] 사람이 너무 엄격하고 융통성이 없음을 비웃는 말. [제 흉 열 가진 놈이 남의 흉 한 가지를 본다] 자기는 열 가지나 많은 결점을 가진 사람이 타인의 한 가지 결점을 들어 나쁘게 말함을 이르는 말. [제 힘 모르고 강(江)가 씨름 갈까] 자기 힘을 스스로 알아야 한다는 말.
제 발 저리다 구 지은 죄가 있어, 스스로 떳떳하지 못하고 뒤가 켕기다.
제 앞을 가리다 구 ㉠제 앞에 드러난 제 허물을 가리어 은폐하다. ㉡제 앞에 당한 일을 해내다. 감당하다.

제[17] 【諸】 관 한자로 된 명사 위에 붙어 '모든·여러'의 뜻을 나타내는 말. ¶～ 단체/～국(國).

제[18] 부 〈옛〉 스스로. 저절로. ¶ᄌᆞ조 ᄒᆡᆫ 여슬 만히 머그면 즉재 제 노가 ᄂᆞ리리라(即自消化)《救簡 Ⅵ:20》.

제[19] 감 원망스럽거나 답답할 때 내는 소리.

제[20] 준 적에. ¶해돋을 ～ 왔다.

제:- 【第】 두 한자(漢字)로 된 수(數)의 앞에 놓이어 차례의 몇째를 가리키는 말. ¶～일과/～이 성질.

-제[1] 【制】 미 제도(制度)의 뜻을 표시하는 말. ¶양원～/대통령～.

-제[2] 【祭】 미 의식(儀式)이나 제전(祭典)을 뜻하는 말. ¶예술～/위령～.

-제[3] 【製】 미 어떤 제조품(製造品)의 그 제조한 데를 표시하는 말. ¶외국(外國)～/한국～.

-제[4] 【劑】 미 조제(調劑)한 약품임을 표시하는 말. ¶소화～/보양～.

제가[1] 【齊家】 명 집안을 잘 다스려 정제(整齊)하게 함. ¶수신(修身)～. ——하다 자 여불

제가[2] 【諸家】 명 ①문내(門內) 여러 집안. ②여러 대가(大家). ¶～의 학

설. ③↗제자 백가(諸子百家).

제-가끔 뷔 제각기.

제-가루받이 [—바지] 명 『식』 ↗제꽃가루받이.

제가 역상집【諸家曆象集】명 『책』 조선 세종(世宗)의 명으로 이순지(李純之)가 편찬한 천문(天文)·역법(曆法) 등에 관한 책. 4 권.

제가 회:의【諸加會議】[—/—이] 명 『역』 부여·고구려 때에 둔 대가(大加)들로 구성된 협의 기구. 왕의 옹립·폐위 문제, 대외적인 군사 문제, 중대한 범죄 사건의 처리, 중요 관리의 선정 문제 등의 국사를 논의·결정하였음.

제:각¹【帝閣】명 천자(天子)가 사는 누각(樓閣).

제각²【除角】명 소나 염소의 뿔을 없앰. 가축은 뿔을 없애면 성질이 순해지고 안전함. ——-하다 자 여불

제각³【除却】명 제거(除去). ——-하다 타 여불

제:각⁴【祭閣】명 무덤 근처에 제청 소용으로 지은 집.

제각⁵【題刻】명 문자(文字)나 물형(物形)을 새김. ——-하다 타 여불

제-각각【—各各】뷔 여럿이 모두 각각.

제-각기【—各其】뷔 여럿이 다 각각. 모두 저마다. 각자(各自). 제가끔. ¶~ 한마디씩 하다.

제-각사【諸各司】명 모든 관아(官衙).

제-각택【諸各宅】명 ①모든 사부(士夫)의 집. ②각각의 집.

제:간 하:회【第看下回】명 나중에 결과가 나타나게 되는 일.

제갈【諸葛】명 성(姓)의 하나. 본관은 남양(南陽) 단본임.

제갈-공(:)명【諸葛孔明】명 『사람』 제갈량(諸葛亮)을 자로 일컫는 이름. [제갈공명 칠성단에 동남풍 기다리듯] 잔뜩 기다리는 모양. 학수고대하는 모양.

제갈-근【諸葛瑾】명 『사람』 중국 삼국 시대 오(吳)의 대신. 자는 자유(子瑜). 산둥성 사람. 양(亮)의 형. 담론(談論)에 능하였고 공사(公私)의 구별이 확연하여 중용(重用)됨. 뒤에 대장군 등을 지냄. [174-241]

제갈 동지【—同知】명 [제가 스스로 가로되 동지라 한다는 뜻] ①언행이 좀 건방지며 나잇살이나 먹고 지체는 낮은 사람을 가리키는 말. ②부잣집 늙은이.

제갈-량【諸葛亮】명 『사람』 중국 삼국 시대 촉한(蜀漢)의 정치·전략가. 자는 공명(孔明). 산둥 성(山東省) 사람. 공전(空前)의 전략가(戰略家)로 유비(劉備)의 삼고지례(三顧之禮)에 감격, 그를 도와 오(吳)와 연합하여 조조(曹操)의 위군(魏軍)을 적벽(赤壁)에서 대파하고 파촉(巴蜀)을 얻어 촉한국(蜀漢國)을 세우고 유비가 제위(帝位)에 오르자 승상(丞相)이 되었음. 유비가 죽은 후 무향후(武鄕侯)로서 남방의 만족(蠻族)을 평정, 이어 위(魏)를 여러 차례 치산(祁山)에서 쳤으나 우장위안(五丈原)에서 사마의(司馬懿)와 대전 중 병사하였음. 시호는 충무(忠武)·무후(武侯). [181-234]

제갈-윤(:)신【諸葛允信】명 『사람』 대한 제국의 의병장. 영덕(盈德) 출신. 대한 제국군에 복무 중 융희1년(1907)군대가 해산되자 의병장 연기우(延基羽)의 부장(副將)이 되어 전공을 세웠고, 1910년 일인(日人)이 수탈한 세금 수송 마차를 습격, 호송하던 헌병 수명을 사살하였음. 뒤에 철원(鐵原)·평강(平康) 등지에서 여러 번 격전을 벌여 많은 공을 세우다가 전사함. 생몰년 미상.

제갈-채【諸葛菜】명 『식』 순무¹.

제갈-첨【諸葛瞻】명 『사람』 중국 삼국 시대 촉(蜀)의 장군. 자는 사원(思遠). 제갈량의 아들. 위군(魏軍)의 입구(入寇)를 면주(綿竹) 곧, 쓰촨 성(四川省) 더양 현(德陽縣)의 북쪽에서 막고 전사함. [227-263]

제:감¹【弟監】명 『역』 ①신라 병부(兵部)의 한 벼슬. 진평왕(眞平王) 11년(589)에 두었는데, 위계(位階)는 나마(奈麻)에서 사지(舍知)까지임. ②신라의 육정(六停)·구서당(九誓幢)·계금당(罽衿幢)의 무관(武官) 벼슬. 대대감(隊大監)의 다음으로, 위계는 대나마(大奈麻)에서 사지까지임. ③신라 무직(武職)의 외관(外官). 두상 제감(頭上弟監)의 다음으로, 위계는 나마에서 당(幢)까지임. ④고려 때 향직(鄕職)의 하나. 성종(成宗) 6년(987)에 촌정(村正)으로 고침.

제감²【除減】명 수효를 덜어 내어 줄임. ——-하다 타 여불

제-감작【除感作】명 『의』 과민증(過敏症) 상태에 있는 생체에 대하여 항원(抗原)을 주사 또는 투여(投與)할 때에 일어나는 아나필락시(anaphylaxie)의 발생을 방지·제거하는 처치(處置). 탈감작(脫感作). 감감작(減感作). ↔감작(感作). ——-하다 자 여불

제-값 [—갑] 명 물건의 값어치에 알맞은 가격. ¶~을 받다.

제:강¹【帝綱】명 제왕이 천하를 다스리는 대강(大綱).

제강²【提綱】명 제요(提要).

「——-하다 자 여불

제:강³【製鋼】명 시우쇠를 불리어서 강철을 만듦. 또, 그 만들어진 강철.

제:강 절목【制講節目】명 『역』 조선 영조(英祖) 18년(1742)에 관학 유생(館學儒生)의 정원과 보원(補員)에 관하여 제정한 규정. 성균관 교육의 내실화를 위한 운영 규칙이었음.

「등용했던 제도.

제:거¹【制擧】명 『역』 당대(唐代)에 칙명(勅命)에 의하여 사람을 관리로

제:거²【帝居】명 ①황거(皇居). ②상제(上帝)의 거주(居住).

제거³【除去】명 덜어 없앰. 제각(除却). ¶방해자를 ~하다. ㊗제(除). ——-하다 타 여불

제거⁴【提擧】명 『역』 ①고려 때 보문각(寶文閣)·국자감(國子監)·연경궁 제거사(延慶宮提擧司)의 한 벼슬. ②조선 시대 때 사옹원(司饔院)의 정·종삼품(正從三品)의 벼슬. ③조선 시대말(末) 종묘서(宗廟署)·사직서(社稷署)·영희전(永禧殿)·경모궁(景慕宮)의 칙임(勅任)의 으뜸 벼슬. ④제조(提調).

제거 반:응【除去反應】명 [elimination reaction] 『화』 유기 화합물에서 간단한 분자가 떨어져서 다른 유기 화합물로 변환하는 반응의 총칭. 탈리 반응.

제거:스 [Seghers, Anna] 명 『사람』 독일의 여류 작가. 사회주의 리얼리즘의 입장에서 쓴 많은 작품이 있음. 대표작 《성(聖)바르바라의 어민 봉기(漁民蜂起)》. [1900-83]

제거식 변소【除去式便所】명 분뇨(糞尿)를 변조(便槽) 등의 속에 모았다가 찼을 때 제거하는 방식의 변소. ＊개량 변소·수세식 변소.

제검【提檢】명 『역』 조선 시대 때, 사옹원(司饔院)·예빈시(禮賓寺)·수성 금화사(修城禁火司)·전설사(典設司)·전함사(典艦司)·전연사(典涓司)의 정·종사품(正從四品)의 벼슬.

제게 명 〈방〉 제기¹(경기).

제:게르-추【—錐】[도 Seger] 명 『공』 점토(粘土)의 연화 용융도(軟化熔融度)를 측정하는 고온계(高溫計)의 한 가지. 알루미나에 여러 혼합물을 넣어 섭씨 20°마다 각 단계의 온도에 녹도록 배합하여 만든 것으로, 그 모양은 길이 5cm 정도의 원추 또는 삼각추임. 노(爐) 안에 소성물(燒成物)과 나란히 놓으면 연화되어 그 끝이 구부러진 추(錐)의 번호를 보고 측정함. 1886년 독일의 제게르(Seger, H.A.; 1839-93)가 고안하였음. 제게르콘.

〈제게르추〉

제:게르-콘: [도 Seger cone] 명 제게르추.

제겨 내:다 타 ①돈치기할 때, 지정한 돈을 영락없이 맞혀 내다. ②나뭇가지 같은 것을 베어 내다.

제겨 디디다 타 발끝이나 뒤꿈치로 땅을 제기어서 디디다.

제겨 잇:다 타 ㅅ불 두 끈의 끝을 서로 어긋매껴 대고 한 끝씩 꼬부리어

제겨 차다 타 발등으로 올려 차다.

「옭매어 잇다.

제-격【—格】명 ①그 지닌 바의 정도에 알맞은 격식. ②제 신분에 알맞은 격식. ¶그 사람이라면 그 일엔 ~이다.

제:견【猘犬】명 광견(狂犬).

제결【鶗鴂】명 『조』 소쩍새.

「천상(天上).

제:경¹【帝京】명 ①천자(天子)가 있는 도읍(都邑). ②천제(天帝)가 사는

제경²【諸經】명 『불교』 불가의 모든 경전(經典). 군경(群經).

제:계¹【制戒】명 금제(禁制).

제:계²【帝系】명 천자(天子)의 계통. 제통(帝統).

제계³【梯階】명 사닥다리.

제계⁴【提契】명 제설(提挈).

제계⁵【諸系】명 여러 가지 계통. 수다한 계도(系圖).

제:고¹【制誥】명 제왕이 내리는 사령(辭令).

제고²【提高】명 쳐들어 높임. ——-하다 타 여불

제고³【諸苦】명 가지가지의 괴로움. 많은 괴로움.

제:고⁴ 뷔 〈방〉 겨우(경상).

「천장.

제-고물 명 『건』 반자를 들이지 아니하고 서까래에 흙을 붙이어서 만든

제-고장 명 본고장. ㊗제곳.

제-고집【—固執】명 제 생각이 옳다고 우겨대는 고집. ¶~만 내세운다.

제:곡¹【帝嚳】명 『사람』 옛날 중국의 오제(五帝)의 한 사람. 황제(黃帝)의 증손이요, 요(堯)의 할아버지라고도 함. 전욱(顓頊)을 보좌하여 그 공으로 신(辛) 땅에 봉함을 받았으므로 고신씨(高辛氏)라 일컬음. 뒤에 전욱의 뒤를 이어서 박(亳) 땅에 도읍하였다고 함.

제곡²【啼哭】명 큰 소리로 울. ——-하다 자 여불

제곰 뷔 〈옛〉 제각기. 제가끔. =제여곰. ¶乾坤이 제곰인가 이거시 어드메오 《古時調 尹善道》.

제곱 명 『수』 ①같은 수를 두 번 곱함. 4^2, $(9+6)^2$ 등. 평방(平方). 이승(二乘). 자승(自乘). ②길이의 단위 위에 붙어서 넓이의 단위를 나타내는 말. m^2 따위. ——-하다 타 여불

제곱-근【—根】명 『수』 어떤 수의 제곱이 다른 수와 같을 때, 그 다른 수에 대한 어떤 수. 예를 들면, 5의 제곱이 25이므로, 5는 25의 제곱근임. 하나의 수에 대하여 그 제곱근은 양(陽)과 음(陰)의 두 개가 있음. 평방근(平方根). 자승근(自乘根).

제곱근-표【—根表】명 『수』 각 정수 n에 대하여 제곱근 $\sqrt{n}$을 표로 만든 것. 평방근표(平方根表).

제곱근 풀이【—根—】명 『수』 제곱근을 계산하여 그 답을 구함. 개평방(開平方). ——-하다 타 여불

제곱 눈금 [—끔] 명 [square scale] 『수』 함수 $f(x)=x^2$의 함수 눈금. 기점으로부터 x^2의 길이가 되는 점(點)에 x의 눈금을 매김.

제곱-또곱 명 『수』 제곱한 수를 또 제곱하여 몇 번이든지 곱함. 자승 우승(自乘又乘). ——-하다 타 여불

제곱-멱【—羃】명 『수』 제곱의 멱수(羃數). 가령 5의 제곱은 5^2과 같이 적는 따위. 자승멱.

제곱-미:터 [meter] 의명 『수』 미터법에 의한 넓이의 단위의 하나. 변(邊)의 길이가 1 미터인 정사각형(正四角形)의 넓이가 1 제곱미터임. 평방미터. 기호 : m^2.

제곱-법【—法】명 『수』 제곱하는 법. 자승법(自乘法).

제곱-비【—比】명 『수』 서로 같은 두 개의 비(比)의 복비(複比). 곧, 한 개의 비의 전항(前項) 및 후항(後項)의 제곱을 각각 전항 및 후항으로 하는 비를 그 비의 제곱비라 함. 이승비(二乘比). 자승비(自乘比). 평방비(平方比).

제곱 비:례【—比例】명 『수』 어떤 양이 다른 양의 제곱에 비례되는 관계. A수(數)가 n배로 늘어감에 따라 B수가 n^2배로 늘어가는 일.

제곱-수【—數】명 『수』 어떤 수를 제곱하여 이루어진 수. 가령 4는 2의 제곱수가 됨. 자승수(自乘數). 평방수(平方數).

제곱-자 명 『수』 제곱 눈금을 매긴 자. 평방척(平方尺). 이승척(二乘尺). ＊제곱 눈금.

제곱-표【—表】명 『수』 각 정수 n에 대하여 그 제곱 n^2을 표로 만든 것.

제-곳 명 ☞ 제곳.

「평방표(平方表).

제:공[1]【祭供】명 제사에 이바지하는 일. ──-하다 자 여불

제공[2]【提供】명 바치어 이바지함. ¶실비(實費) ~. ──-하다 타 여불

제공[3]【提栱】명『건』 풋집의 关가지를 따로따로 일컫는 말.

제공[4]【提控】명『역』 ①고려 때 연경궁 제거사(延慶宮提擧司)의 정칠품 벼슬. ②고려 때 순군 만호부(巡軍萬戶府)의 한 벼슬. ③조선 시대 초기의 수창궁 제거사(壽昌宮提擧司)·경복궁 제거사(景福宮提擧司)·경덕궁 제거사(敬德宮提擧司)의 종칠품 벼슬.

제공[5]【諸公】명 점잖은 여러분.

제:공-권【制空權】[─꿘] 명 항공력(航空力)으로 공중을 지배하는 권력. 주로 영토와 국가의 권익(權益)을 보호하는 공중 제패권(制覇權)을 말함. ¶~을 잡다. ↔제해권(制海權).

제:공 센터【制空─】명〔aircontrol center〕『군』 항공기를 제어하기 위해서 잠수함 안에 설치한 구획. 항공기·선박의 전투 정보 센터에 상당함.

제:공-소【祭供所】명 제사를 지내는 곳.

제:공-호【制空號】명『군』 우리 나라에서 1982년 처음으로 생산된 전투기(戰鬪機)의 이름. 미국의 F5 F를 조립 생산한 초음속 제트 전투기로, 최대 속도 마하 1.6, 기총과 로켓포(砲) 및 유도탄으로 무장되어 있음.

제-꽂명 ↗제고장.

제:과[1]【制科】명 중국의 과거(科擧)의 한 가지. 천자(天子)가 친히 시험하였음.

제:과[2]【製菓】명 과자를 만듦. ──-하다 자 여불

제:과-업【製菓業】명 과자류를 만드는 직업.

제:과-점【製菓店】명 과자류를 만들어 파는 가게.

제과 출신【諸科出身】[─씬] 명『역』 조선 시대 때, 문과·무과를 비롯하여 생원 진사과(生員進士科)·잡과(雜科) 등 각 과(科)의 과거에 합격한 사람.

제:관[1]【祭官】명 ①제사를 맡은 관원. 향관(享官). ②제사에 참여하는 사람.

〈제관[2]〉

제:관[2]【祭冠】명 제사 때에 제관이 쓰는 관.

제:관[3]【第館】명 저택(邸宅).

제:관[4]【製罐】명『공』 보일러(boiler)를 제작하는 작업. 강판(鋼板)을 원통형으로 구부리고, 가두리를 못과 나사못으로 조립함. 철골 구조(鐵骨構造)·교량(橋梁)의 제작 등에도 응용함.

제관-전【諸館殿】명『역』 고려 시대에 왕을 시종하기 위해 학자들로 구성한 기구로, 홍문관(弘文館)·수문전(修文殿)·집현전(集賢殿)의 총칭. 고려 초기에는 숭문관(崇文館)·문덕전(文德殿)·연영전(延英殿)이라 했으나 뒤에 개칭함.

제광-액【除光液】명 폴리시 리무버.

제:굉【帝紘】명 천자가 천하를 다스리는 강기(綱紀).

제:교【制教】명『불교』 신(身)·구(口)·의(意) 삼업(三業)의 과오를 제지하는 교법. 율(律)을 지키는 가르침. ↔화교(化教)❶.

제교 혼:효【諸教混淆】명〔syncretism〕『종』 종교가 변천할 때에 나타나는 현상으로, 다른 신앙(信仰)이나 숭배의 혼효·절충(折衷) 혹은 각기 다른 교의(教義)·의례(儀禮)의 첨가(添加)를 말함. 로마 제정 시대의 동서(東西) 여러 종교의 혼효 따위.

제:구[1]【制球】명 야구에서, 투수가 공을 뜻하는 곳으로 던질 수 있는 일. ¶~력(力).

제:구[2]【祭具】명 제사에 쓰는 여러 가지 기구.

제:구[3]【製具】명 물건을 만드는 연장.

제구[4]【諸具】명 여러 가지의 기구. 도구(道具).

제:구[5]【第九】수 관 아홉째.

제:구[6] 부〈방〉 겨우(경상).

제:구 교향곡【第九交響曲】명『악』 베토벤 작곡의 교향곡 제9번. 작품 제125번. 1822-24년 작. 실러의 시 ≪환희(歡喜)에 부침≫이 독창·합창으로 제4악장에 있으므로 '합창 교향곡'이라고도 함. 그의 후기에 있어서의 종교적인 성격과 초월성(超越性)을 나타낸 교향곡으로, 초연(初演)은 1824년 빈(Wien)에서 행하여졌음.

제구녁-치기 명〈방〉 제구멍박이.

제:구래 부〈방〉 겨우(함경).

제구리 부〈방〉 겨우(경남).

제구멍-박이 명『농』 김맬 때에 흙덩이를 떠서 도로 그 자리에 덮는 일.

제구무-빼기 명〈방〉 제구멍박이.

제-구실 명 ①제가 마땅히 해야 할 일. ¶~을 못하다. ②어린 아이들이 으레 치러야 할 역질(疫疾). 홍역(紅疫) 따위. ③〈방〉 홍역(紅疫).

제:구 예:술【第九藝術】명 '토키(talkie)'의 일컬음. 영화를 제8 예술이라고 하는 데 대하여, 그 뒤에 발생한 새로운 예술이라는 뜻.

제-국[1] 명 거짓이나 꾸밈이 없이 또는 다른 것이 섞이지 아니하고 본디 제 생긴 그대로.

제:국[2]【帝國】명 황제(皇帝)가 다스리는 나라. ¶대영(大英) ~/제삼 ~. *왕국(王國).

제국[3]【諸國】명 여러 나라. 제방(諸邦).

제국 대:장 공주【齊國大長公主】명『사람』 고려 충렬왕(忠烈王)의 비(妃). 원나라 세조(世祖)의 딸. 충렬왕이 세자로서 원나라에 체류할 때 결혼하여 고려에 들어왔으며, 충선왕(忠宣王)을 낳았음. [1259-97]

제:국 신문【帝國新聞】명『역』 광무 2년(1898) 8월 8일에 창간된, 한글로 쓰인 일간(日刊) 신문. 이종일(李鍾一)·심상익(沈相翊) 등이 중심이 되었으며, 민족적·애국적 색채가 짙었음. 한일 합방(韓日合邦) 때 폐간됨.

제:국-주의【帝國主義】[─/─이] 명〔imperialism〕 ①넓은 뜻으로는 국가가 영토나 세력 범위 확대를 목표로 행하는 활동·정책. ②좁은 뜻으로는 자본주의가 고도로 발달하여 자본의 독점(獨占)이 일어나고 자본 수출이 왕성해진 단계. 19세기 말부터 이 단계에 이른 열강(列強)은 식민지 획득 경쟁에 나섰고, 국내에서는 반동(反動) 정치·군국주의를, 국외(國外)에서는 식민지 지배와 타민족의 억압을 강화시켰음.

제:국주의-론【帝國主義論】[─/─이─] 명〔러 Imperializm, kak vysshaja stadiya kapitalizma〕『책』 레닌이 저술한 사회 경제학 서적. 종래의 힐퍼딩(Hilferding, R.)·홉슨(Hobson, J.A.)·카우츠키(Kautsky, K.J.) 등의 제국주의론을 비판하면서 자본주의의 최후 단계를 제국주의로 보고, 이의 사회·경제·정치의 변혁을 논하였음. 1917년 간행.

제:국 특혜 관세【帝國特惠關稅】명〔Empire Preference Tax〕『경』 영국 연방 제국(聯邦帝國)이 연방 안에서 상호간에 특별히 적용하고 있는 저율(低率)의 관세. 19세기 중엽부터 이 관세가 대영 제국주의의 중핵(中核)이었는데 1932년의 오타와(Ottawa) 회의에서 한층 강화(強化)되었음. 그러나 1973년 영국의 유럽 공동체(E.C.) 가입으로 이 특혜 관세 제도는 폐지되었음.

제:국 회:의【帝國會議】[─/─이] 명〔Imperial Conference〕『역』 1887년 이래 제2차 세계 대전 전까지 몇 년마다 한 번씩 대영 제국의 영국 본국 및 자치령 등의 대표를 런던에 모아 열던 회의. 처음에 '식민지(植民地) 회의'로 불렸는데 1907년에 제국 회의로 고침. *영연방(英聯邦) 회의.

제군[1]【諸軍】명 여러 군대. 여러 군사.

제군[2]【諸郡】명 제읍(諸邑).

제군[3]【諸君】인대 '여러분'의 뜻으로 손아랫 사람에게 대하여 쓰는 말. 제자(諸子). ¶학생 ~.

제-군자【諸君子】명 제현(諸賢).

제:궁【帝弓】명 무지개의 딴이름. 천궁(天弓).

제-궁조【諸宮調】명『악』 중국 북송말(北宋末)에 산시 성 출신의 예인(藝人) 공삼전(孔三傳)이 창시한 일종의 창극(唱劇). 탄사(彈詞)의 선구(先驅)를 이룸. 노래와 대사(臺詞)의 연쇄(連鎖)로 현악기의 반주에 의하여 한 사람이 창연(唱演)하는 형식인데 한 편(編)이 각종 궁조(宮調)의 여러 가곡으로 구성됨.

제:권【帝權】[─꿘] 명 황제(皇帝)의 권한(權限).

제:권-곡【帝眷曲】명『악』 경모궁 제례악(景慕宮祭禮樂) 가운데 초헌(初獻)의 인입장(引入章). 종묘 제례악인 보태평(保太平) 가운데 희문(熙文)을 줄인 곡.

제:권-주의【帝權主義】[─꿘─/─꿘─이] 명 교권(教權)보다 제권이 우위(優位)임을 주장하는 주의. ↔교황 황제주의.

제권 판결【除權判決】[─꿘─] 명『법』 공시 최고(公示催告) 절차에 있어서 신청인의 이익이 되도록 권리를 변경하는 효력을 갖는 형성 판결(形成判決). 수표나 주권 등의 유가 증권을 도난·분실당하였을 경우에 신청인에게 증권이 아니라도 권리 행사를 할 수 있도록 그 증권의 무효를 선언하는 판결 따위.

제:궐【帝闕】명 궁궐.

제궤 의혈【堤潰蟻穴】명 개미 구멍으로 말미암아 마침내 큰 둑이 무너짐.

제귀-왕【諸貴王】명『사람』 조분왕(助賁王).

제:규【制規】명 정하여 놓은 규칙.

제균【齊均】명 모두 가지런함. ──-하다 형 여불

제금[1] 명『악』 자바라(啫哱囉)의 한 가지. 놋쇠로 냄비 뚜껑 비슷이 만들었는데, 두 개를 한 벌로 하여 한복판의 내민 데에 구멍을 뚫고 끈을 꿰어서 두 손에 들고 마주 쳐서 소리를 냄. 그 직경(直徑)이 16-23cm쯤 되고 '자바라'보다 작음. 동발(銅鈸).

〈제금[1]〉

제금[2] ─명〈방〉 딴 살림(경상). ═부〈방〉 따로.

제금 나다 구〈방〉 따로 나다(경상).

제금 내:다 구〈방〉 따로 내다(경상).

제:금[3]【制禁】명 금제(禁制). ──-하다 타 여불

제금[4]【提金】명『역』 대한 제국 광무(光武) 4년(1900) 군악대(軍樂隊)가 처음 생겼을 때, 심벌즈(cymbals)의 한자 이름.

제금[5]【提琴】명『악』 ①'호금(胡琴)'의 딴이름. ②'바이올린(violin)'의 역어(譯語).

제금[6] 부〈옛〉 제각기. 제가끔. =제여곰. ¶乾坤이 제금인가 이 짜히 엇으미오 ≪古時調 尹善道≫.

제금-가【提琴家】명『악』 바이올리니스트(violinist).

제급[1]【除給】명 한 부분을 제하고 줌. ──-하다 타 여불

제급[2]【梯級】명 등급(等級).

제급[3]【齊給】명 금품 따위를 균등하게 줌. ──-하다 타 여불

제급[4]【題給】명 제사(題辭)를 매기어 줌. ──-하다 타 여불

제기[1] 명 장난감의 한 가지. 또, 그것을 가지고 발로 차는 장난. 구멍 뚫린 돈을 종이로 말아 두 끝을 구멍으로 내보내어 만든 것도 있고, 마른 파 잎을 가지런히 많이 묶어서 만들기도 하고, 또 헝겊으로 만든 것 등이 있는데 발로 차서 떨어뜨리지 아니하고 많이 차는 사람이 이김. 쌈제기·사방 제기·종로 제기 등의 구별이 있음. ¶~를 차다. ──-하다 자 여불

제:기[2] 감 ↗제기랄. ¶~ 비싸기도 하다.

제:기[3]【帝畿】명 제도(帝都)가 있는 지방. 천자의 직할지(直轄地).

제기[4]【除棄】명 제쳐 놓음. 빼어 버림. ──-하다 타 여불

제:기[5]【祭器】명 제사에 쓰는 그릇. 유기(鍮器) 또는 사기(沙器)·목기(木器)·스테인리스 등이 있음. 예기(禮器).

제기[6]【提起】명 ①의견을 붙이어 의논할 것을 제출함. ②드러내어 문제를 일으킴. ¶소송을 ~하다. ──-하다 타 여불

제:기[7]【製器】명 기구(器具)나 그릇을 제조함. ──-하다 자 여불

제기[8]【題記】명 제언(提言).

제기다[1] 자 ①↗알제기다. ②있던 자리에서 빠져 달아나다. ③〈방〉 제키다[1].

제기다[2] 자 소장(訴狀)이나 원서(願書)에 제사(題辭)를 적다.

제기다[3] 타 ①팔꿈치나 발꿈치로 지르다. ②자귀 같은 연장으로 한 번씩

한 번씩 힘을 가볍게 주어 톡톡 깎다. ③물이나 국물 등을 조금씩 조금씩 부어 떨어뜨리다. ④돈치기하는 데 여러 개의 돈이 다붙어 놓였을 때, 그 중에서 맞히라고 지정하여 준 돈을 목대를 던져 꼭 맞히다.

제:기 도감【祭器都監】명〖역〗고려 때에 제기의 공급(供給)을 맡아 보던 관아.

제:기랄 감 마음에 흡족하지 못하여 한탄하거나 아주 단념할 때 내는 소리. ¶~ 또 허탕인걸/~ 종일 비만 온다. 준제기. 제길.

제:기-차기 명 제기를 차는 놀이. ——하다 자여불

제-긴 명 윷놀이에서, 모 한 사리에 맞는 긴.

제:길 감 ↗제기랄. ¶~, 무슨 놈의 날이 이리도 춥담.

제:길-할 명 ☞제기랄.

제김-에 부 ☞제풀에.

제깃-물 명 간장을 담그고 뜨기 전에 장물이 줄어 드는 대로 채우는 소금물.

제:깃-접시【祭器—】명 제기(祭器)로 쓰는 접시. 굽이 썩 높게 생겼음.

제까닥 부 ☞재까닥.

제까락 명 〈방〉 젓가락(전남·경남).

제-까짓 관 겨우 저 따위 정도의. ¶~ 것이 무엇이기에 그리 뽐내느냐.

제까치 명 〈방〉 젓가락(경남).

제깍 부 〈방〉 금세(함경).

제깍-하문 부 〈방〉 걸핏하면(함경).

제-깐에 부 제딴은. ¶~ 잘한 줄 안다.

제꺼덕 부 '제꺽'을 강조하여 이르는 말. >재까닥.

제꺽[1] 부 ①단단한 물건이 부러지거나 맞부딪쳐 나는 소리. ¶~하고 총을 재다. ②시계의 톱니바퀴가 돌아가는 소리. 1)·2):쓰쩨꺽. >재깍[1]. ——하다 자여불 「*쩨꺽.

제꺽[2] 부 무슨 일을 시원스럽게 해내는 모양. ¶돈을 ~ 내놓다. >재깍[2].

제꺽-거리다 자타 잇달아 제꺽 소리가 나다. 또, 잇달아 제꺽 소리를 나게 하다. 쓰쩨꺽거리다. >재깍거리다. 제꺽-제꺽[1] 부. ——하다 자여불

제꺽-대다 자타 제꺽거리다.

제꺽-제꺽[2] 부 무슨 일을 닥치는 대로 시원스럽게 해내는 모양. ¶무슨 일이고 ~ 해치운다. >재깍재깍[2].

제껻 명 〈방〉 곁(제주).

제꼬리 배:당【—配當】명〖경〗문어발 배당.

제꽃-가루받이【—바지】명〖식〗자화 수분(自花受粉). ↔딴꽃가루받이.

제꽃-정받이【—精—】【—바지】명〖식〗자가 수정(自家受精). 준제정받이. ↔딴꽃정받이.

제끼 의명 〈방〉 겪이(경상).

제끼다 타 〈방〉 젖히다(경상).

제-나라【齊—】명〖역〗중국의 '제(齊)'를 나라로서 똑똑히 일컫는 말. 주의 예전에는, '젯나라'로 발음했음.

제나-부【提那部】명〖역〗고구려 5부의 하나.

제-날[1] 명 ↗제날짜.

제-날[2] 명 짚신이나 미투리 같은 것에 삼는 재료와 같은 재료로 낸 날.

제-날짜 명 정하였거나 또는 기한이 찬 날짜. ¶~에 어김없이 오다. 준제날.

제남【濟南】명〖지〗'지난'을 우리 음으로 읽은 이름.

제남 사:건【濟南事件】【—껀】명〖역〗지난(濟南) 사건.

제:-남색【霽藍色】명〖공〗조금 누른 빛을 띤 남빛의 잿물.

제낭【臍囊】명〖어〗알에서 막 깐 어린 물고기의 배에 달린 주머니. 난황(卵黃)이 들어 있음. 스스로 먹이를 찾아 먹을 수 있을 때까지 이 난황을 흡수하여 성장함.

제내-지【堤內地】명〖토〗둑 안에 있어서 둑의 보호를 받는 땅.

제냑 명 〈방〉 저녁(강원·황해).

제너 〔Jenner, Edward〕명〖사람〗영국의 의사. 종두(種痘)의 연구에 몰두하여 우두독(牛痘毒)을 시험하고, 성공 후 이의 면역을 1798년에 발표하여 종두법을 완성하였음. [1749-1823]

제너럴 〔general〕명 ①일반적. 총체적. ②〖군〗장군(將軍). 사령관.

제너럴 다이내믹스 회:사【—會社】명〔General Dynamics Corp.〕미국 최대의 함선(艦船), 항공 우주(航空宇宙), 전자 기기(電子機器) 등의 종합 제조 회사. 1952년 잠수함 건조로 저명한 일렉트릭 보트사(社)를 모체로 설립한 신흥 회사로, 잇따른 타사(他社)와의 합병으로 다각화하면서 급성장하였음.

제너럴 룰: 〔general rule〕명 골프에서, 그 나라의 골프 협회가 제정하여, 국내의 모든 골퍼가 지키고 있는 일반적 공통의 골프 규칙.

제너럴리시모 〔generalissimo〕명 대원수(大元帥). 총통(總統).

제너럴 모:기지 〔general mortgage〕명〖경〗채무자(債務者) 쪽으로 보아 사회적으로 유리한 입장을 조성(造成)하기 위하여, 현재나 장래에 있어서의 회사의 전재산에 대하여 포괄적(包括的)으로 설정하는 담보(擔保).

제너럴 모:터스 회:사【—會社】명〔General Motors Corp.〕미국에 있는 세계 최대의 자동차 제조 회사. 1908년 창립. 그후, 캐딜락(Cadilac)·시보레(Chevrolet)·올즈모빌(Oldsmobile)·비크(Buick) 등의 자동차 제조 회사를 산하로 하여 특히 제2차 세계 대전 후는 미국의 자동차 시장의 절반을 차지하였음. 자동차 이외에도 모터류·가정 전기 기기·군수품을 생산하고 있음. 약칭: 지 엠(GM). *지 엠 시(GMC).

제너럴 셔:먼 호 사:건 【—號事件】〔General Sherman〕〔—껀〕명〖역〗셔먼 호 사건.

제너럴 스태프 〔general staff〕명 ①기업 활동이 고도화(高度化)한 경영 조직에 있어서의 스태프의 일종으로, 경영의 전체적인 관리에 대하여 계획·조사·운영·조정 등을 총괄 관리하여, 최고 경영자의 결정을 보좌하는 사람. 또, 그 기관. 전문 스태프에 대비해서의 특징은, 보좌의 대상이 라인의 관리자 일반이 아니고 최고 경영자이며, 보좌의 내용이 좁은 전문 분야에 한하지 않고 종합적·전체적인 점에 있음. ②〖군〗일반 참모부(一般參謀部). 또, 일반 참모. 「준제네스트.

제너럴 스트라이크 〔general strike〕명〖사〗총동맹 파업(總同盟罷業).

제너럴 일렉트릭 회:사【—會社】〔General Electric Co.〕명 미국의 종합 전기 기구 제조 회사. 세계 최대의 규모로, 1882년에 설립된 에디슨 제너럴 일렉트릭이 그 전신(前身)임. 에디슨의 백열(白熱) 전구의 독점 제조와 모건(Morgan) 재벌의 원조로 발전하여 왔으며, 적극적인 신제품 개발로 성장하여, 사업 범위는 전구(電球)로부터 원자력·항공 우주기기(航空宇宙機器)에까지 미치고 있음. 판매 거점(據點)·판매망(販賣網)은 전 세계에 걸쳐 있음. 약칭:지 이(GE).

제너럴 푸:드 회:사【—會社】〔General Foods Corp.〕명 미국의 대표적 종합 식품 회사. 1895년 설립. 냉동 식품(冷凍食品)·음료(飮料)·애완용 동물(愛玩用動物)의 사료 따위도 취급하지만, 각종 인스턴트(instant) 식품, 특히 맥스웰 커피(Maxwell coffee)로 유명함.

제너레이션 〔generation〕명 세대(世代). ¶영거(younger) ~.

제너레이터 〔generator〕명〖물〗발전기(發電機).

제네바 〔Geneva〕명〖지〗중유럽 스위스 서쪽 끝, 레만 호(Leman 湖)에서 론 강(Rhône 江)으로의 유출구(流出口)에 있는 국제적 도시. 독일·프랑스·이탈리아 3국을 연결하는 요지로 국제 활동의 중심지임. 국제 적십자사(國際赤十字社) 본부·국제 노동 기구 본부 등이 있음. 칼뱅(Calvin)의 포교지(布敎地)임. 정밀 공업(精密工業) 등 상공업이 성하며, 스위스의 금융업 중심지의 하나임. 공원이 많은 아름다운 도시로, 몽블랑 산(Mont Blanc 山)의 경관(景觀)이 뛰어나, 관광지(觀光地)로서도 유명함. 주네브(Genève). 수부(壽府). [165,400 명(1989)]

제네바 관세 협정【—關稅協定】〔Geneva〕명〖경〗1947년 10월에 제네바에서 23개국에 의해 체결된 국제적 관세 협정. 가트(GATT).

제네바 군축 회:의【—軍縮會議】〔Geneva〕〔—/—이〕명〖역〗①제네바 회의❷. ②제네바 회의❸.

제네바 명:명법【—命名法】〔Geneva〕〔—뻡〕명〖화〗1892년 유럽 9개국의 화학자가 제네바에 모여서 만든 유기(有機) 화합물의 명명법. 만국(萬國) 명명법의 시초임.

제네바 의:정서【—議定書】〔Geneva〕명〖역〗①1922년 10월, 영국·프랑스·이탈리아·체코슬로바키아와 오스트리아 사이에 체결된 오스트리아의 경제 원조 조약 의정서. ②1924년 10월, 국제 연맹 총회에서 채택된 조약. 국제 분쟁의 평화적 해결을 위한 보장 협정. 국제 분쟁의 평화적 처리, 안전 보장, 군비 축소를 규정함. 영국의 반대로 성립하지 못함. ③1925년 6월, 전쟁 때 독(毒)가스와 세균 등의 사용 금지에 관한 국제 협정. 1928년 2월 발효. 40개국이 참가하였으나, 미국·일본 등은 비준(批准)하지 아니함. ④1928년 9월, 국제 연맹에서 채택된 '국제 분쟁 평화적 처리에 관한 일반 의정서' 또는 단순히 '일반 의정서'라고도 함. 가맹국간의 국제 분쟁에 있어서는 상설 조정 위원회를 설치하여 심의하도록 하고, 국가간의 법률적 분쟁은 당사국의 합의가 있으면 상설 국제 사법 재판소에 회부하여야 한다고 규정함. 1929년 8월 발효, 1949년 4월, 국제 연합 헌장에 의하여 일부 자구(字句)의 수정이 있었음. ⑤1958년 4월의 분쟁에 대한 의무적 해결에 관한 선택 서명(署名) 의정서. 해양법에 관한 분쟁에 대한 의정서임.

제네바 장치【—裝置】명〔Geneva stop〕〖공〗시계에서, 균등한 힘을 얻기 위하여 태엽의 중앙 부분에서만 동력을 전달하는 장치.

제네바 조약【—條約】〔Geneva〕명〖역〗①1864년 제네바에서 열린 국제 적십자 회의의 결과로 조인된 조약. 전시의 상병자(傷病者)의 상태 개선에 관한 것으로, 이 조약 이후에 각국 적십자사가 조직되었음. 적십자 조약. ②1929년 제네바에서 조인된 적십자 조약으로, 포로의 대우에 관한 것임. 포로에 대한 보호와 인도적 취급(人道的取扱), 포로에 관한 정보 제공 등 수용국(收容國)의 의무 및 포로의 권리 따위를 규정함. 적십자 조약.

제네바 협상【—協商】〔Geneva〕명 제네바 회의❶.

제네바 협약【—協約】〔Geneva〕명 1949년 제네바 외교 회의에서 채택된 전쟁 희생자의 보호에 관한 조약. 전시에 있어서의 군대의 상병자(傷病者)의 상태 개선 조약, 해상에 있는 군대의 상병자·난선자(難船者)의 상태 개선 조약, 포로의 대우에 관한 조약, 전시에 있어서의 민간의 보호에 관한 조약의 네 조약임. 종래의 적십자 관계 여러 조약을 개정·통일한 것임. 적십자 조약.

제네바 협정【—協定】〔Geneva〕명 1954년 7월 21일, 제네바에서 조인된 인도차이나 전쟁 종결에 관한 협정 및 제(諸)선언의 총칭. 인도차이나 삼국, 곧 베트남·라오스·캄보디아에서의 휴전, 북위 17도선의 베트남의 잠정 군사 경계선(暫定軍事境界線)의 설정, 국제 감시 위원회 설치, 인도차이나 삼국의 독립·주권·통일의 존중, 외국 군대의 주둔·기지(基地) 건설의 금지 등이 정해져 있음. 미국과 바오 다이 (Bao Dai)의 남베트남은 휴전 협정(休戰協定) 승인에 관한 최종 선언(最終宣言)에 참가하지 아니함.

제네바 호【—湖】〔Geneva〕명〖지〗레만 호(Leman 湖).

제네바 회:의【—會議】〔Geneva〕〔—/—이〕명〖역〗①1863-64년 제네바에서 열린 국제 적십자 회의. 이 결과 전지(戰地)의 상병자(傷病者)에 대한 평등한 구제, 구호 시설의 중립 등을 정한 제네바 조약이 성립되었음. 제네바 협상. ②1927년 보조함(補助艦)의 제한을 목적으로 개최된, 미·영·일(美英日)의 회의. 각국의 주장이 대립되어 협정에 이르지 못하였음. 제네바 군축 회의. ③1932년 열린 국제 연맹의 군축(軍縮) 회의. 61개국이 참가하여 1935년까지 계속되었으나, 일본·독일의 연맹

과 그들의 회의 탈퇴로 실패하였음. 제네바 군축 회의. ④1954년 4월 26일-7월 21일 제네바에서 열린 한국 통일과 인도차이나 휴전에 관한 국제 회의. 참가국은 미국·영국·프랑스·소련·중공 외에 여러 관계국. 한국 문제는 19개국이 참가하였지만, 미·소간의 의견 대립으로 6월 15일에 별다른 성과 없이 토의를 끝냄. 인도차이나 문제는 7월 21일에 휴전 협정을 조인하고 경계선을 북위 17도로 정하고 감시 위원회를 설치하였음. *제네바 협정. ⑤1955년 7월에 제네바에서 열린, 미국·영국·소련·프랑스 4개국의 거두(巨頭) 회담. 유럽의 안전 보장·군축·동서 관계 등을 토의하였음.

제네-스트 명 ↗제너럴 스트라이크(general strike).

제네펠더 〔Senefelder, Aloys〕 명 『사람』 독일의 석판화(石版畫)의 발명자. 체코슬로바키아 태생으로, 뮌헨으로 가서 왕실 인쇄소의 지도 검사관이 되어, 연구를 계속하여, 화학적 방법에 의한 색쇄(色刷) 평판 인쇄를 발명함. 이 새로운 인쇄 기술은 유럽 각국에 보급됨. 주저에 ≪석판 인쇄술 교본≫이 있음. [1771-1834]

제넉 명 〈방〉 저녁(강원).

제년 명 〈방〉 작년(昨年).
[제년 팔월(八月)에 먹은 오려 송편이 나온다] '작년 팔월에 먹었던 오례 송편이 나온다'와 같은 뜻.

제념【諸念】명 여러 가지 생각.

제노 〔Zeno, Apostolo〕 명 『사람』 이탈리아의 시인·평론가. 쇠퇴한 이탈리아의 멜로드라마의 부흥에 노력하여, 음악과 가사와의 균형 유지에 노력함. 신성 로마 황제 카를(Karl) 6세의 궁정 시인(宮廷詩人), 수사관(修史官)으로서 빈(Wien)에 체재 중 66편의 멜로 드라마를 지음. [1668-1750]

제노바 〔Genova〕 명 『지』 이탈리아 서북부 제노바 만에 임한 상항(商港). 지중해 최고항(最古港)의 하나로 콜럼버스의 탄생지임. 낮은 리구리안 아페닌 산맥(Ligurian Apennines 山脈)을 등지고 있는 계단 모양의 도시로 관광지인 동시에 조선(造船)·기계·견직물(絹織物)·전기 기구(電氣器具)·가구(家具) 등의 공업도 성행(盛行)하고 있음. 12-13세기가 전성기(全盛期)이며, 1805년에는 프랑스령이 되었었지만, 1815년에 사르디니아 왕국(Sardinia 王國)에 병합(併合)되었다가 지금(至今)에 이름. 제노아(Genoa). [727,427 명(1987)]

제노바 회:의【一會議】〔Genova〕〔一 / 一이〕 명 『역』 1922년 제노바에서 열린 유럽 경제 부흥 회의. 제1차 세계 대전 후 독일·소련이 참가를 인정받은 최초의 국제 회의였으나, 실질적인 성과는 없었음. 그러나 이 회의 중에 독일과 소련 간에 라팔로 조약(Rapallo 條約)이 체결되어, 유럽 제국(諸國)의 외교 관계에 일대 변혁을 가져왔음.

제노사이드 〔genocide〕 명 전쟁이 일어난 경우에, 어떤 인종이나 민족을 계획적으로 말살하거나 그들의 생활 조건을 박탈하는 정책·행위. 집단 살해(集團殺害).

제노사이드 조약【一條約】명 〔Genocide Treaty〕 국민·인권·민족·종교상의 집단을 박해(迫害)하고 살해하는 행위를 국제 범죄로 규정하고 각국이 협력하여 이를 방지·처벌한다는 것을 골자로 한 조약. 1948년 유엔 총회에서 채택됨. 정식 명칭은 '집단 살해죄의 방지 및 처벌에 관한 조약'.

제노아 〔Genoa〕 명 『지』 '제노바(Genova)'의 영어명.

제노아 저:기압【一低氣壓】명 〔Genoa cyclone〕 『기상』 이탈리아의 제노바 만 가까이에 발생·발달하는 저기압.

제논 〔Zenon〕 명 『사람』 ①〔Z. ho Elea〕 고대 그리스의 철학자. 엘레아파(Elea派)의 한 사람으로, '다(多)'도 '운동(運動)'도 존재할 수 없음을 부정적 논법(否定的論法)으로 설파하여 스승 파르메니데스(Parmenides)의 일자설(一者說)을 변호하였음. 그의 '아킬레스(Achilles)와 거북이'의 비유, '날아가는 화살'의 비유는 유명하여 변증법(辨證法)의 조(祖)로 불림. [490?-430 B.C.] ②〔Z. ho Kypros〕 고대 그리스의 철학자. 상인(商人)으로 항해 중 난파하여 재물을 잃은 후 철학 길에 들어 아테네에 학원을 설치하고 스토아 학파(Stoa 學派)를 창설하였음. 플라톤(Platon)의 국가론(國家論)에 반대하고 철학의 목적을 운명(運命)의 변전(變轉)에서 자유로운 부동심(不動心)의 확립(確立)에 있다고 하였음. [335-263 B.C.]

제논의 역설【一逆說】〔Zenon〕〔一 / 一에一〕 명 『철』 엘레아(Elea)의 제논이 수량(數量)의 '다(多)'와 물체의 '운동'과의 가정(假定)이 모순적 결론에 빠지는 것을 논증(論證)한 역설(逆說). 이 같은 다부정론(多否定論)과 운동 부정론(運動否定論)에 관한 그의 이론으로서 '아킬레스는 앞서간 거북이를 앞지를 수 없다', '날아가는 화살은 움직이지 않는다' 등의 비유를 썼음.

제놈 〔genome〕 명 『생』 게놈.

제뇌 경직【除腦硬直】명 『동』 동물의 중뇌(中腦)를 사구체(四丘體)의 상구(上丘)와 하구(下丘) 사이에서 절단할 때 사지(四肢)와 목이 경직하고 척추나 꼬리가 활처럼 구부러지는 현상.

제뇌 동:물【除腦動物】명 『동』 중뇌(中腦) 앞쪽에 있는 뇌의 부분을 절단 제거한 동물. 절단에 의하여 일어나는 자세·동작의 변화, 반사(反射)의 항진(亢進)·감퇴 등을 관찰하여 절단된 중추의 운동 효과에 대한 역할을 조사하는 데 사용함.

제-눈 명 『식』 정아(頂芽)나 액아(腋芽)와 같이 정상적인 위치, 곧 줄기의 끝이나 엽액(葉腋)에 생기는 싹. 정아(定芽). ↔엇눈.

제니[1]【薺苨】명 ①『식』 모싯대. ②『한의』 모싯대의 뿌리. 성질이 차며 다른 약독(藥毒)을 풀고, 해수(咳嗽)·갈증(渴症)·부스럼에 씀.

제니[2] 〔Gény, François〕 명 『사람』 프랑스의 대표적 법철학 및 민법 학자. 자유 법학(自由法學)의 제창자로 조문 주석주의를 비판하고 자연법의 사상에 기초한 과학적 자유 탐구를 주장함. 주저에 ≪실정 사법(實定私法)에 있어서의 해석 방법과 법원(法源)≫·≪실정 사법에 있어서의 과학과 기술≫ 등이 있음. [1861-1956]

제니[3] 〔Jenney, William Le Baron〕 명 『사람』 미국의 건축가(建築家). 파리(Paris)에서 수학(修學)하고 시카고(Chicago)에서 주로 일했음. 철골 고층 건축 방법을 대성(大成)하여 '마천루(摩天樓)의 아버지'라고 일컬어짐. [1832-1907]

제닌 부 〈방〉 일부러.

제:다[1]【製茶】명 차를 만듦. ——-하다 자 여불

제다[2] 〔Jedda〕 명 『지』 지다(Jidda).

제다가【提多迦】명 『불교』 다섯째 조사(祖師). 우파국다(優波毱多)의 전법을 받은 제오 존자(第五尊者). 인도의 마가타국(摩伽陀國)의 사람. 8천의 신선(神仙)을 거느린 미차가를 제도(濟度)하여 그에게 전법하였음.

제단[1]【梯團】명 『군』 ①대병단(大兵團)이 수송 또는 행군할 때 수송·작전의 편의상 몇 개의 부대로 나눈 각 부대. ②편대로 나는 비행기의 한 떼. *제대(梯隊).

제:단[2]【祭壇】명 ①제사를 지내게 만들어 놓은 단. 단장(壇場). ②〔altar〕 『종』 의식(儀式)에 있어서 공물(供物)을 바치기 위하여 다른 곳과 구별하여 신성화한 곳. 여러 종교에 있어서 의식의 중심을 이룸. ③〔라 Altare〕 『천주교』 미사 성제(missa 聖祭)를 드리는 단(壇). '제대(祭臺)'의 고친 이름.

제:단 앞 기도【祭壇一祈禱】명 『천주교』 미사가 시작될 때 사제(司祭)가 제단 아래서 읽는 기도문. 사제와 신자(信者)가 교송(交誦)함. 층하경(層下經).

제:단-자리【祭壇一】명 〔라 Ara〕 『천』 남천(南天)에 있는 성좌. 전갈자리의 남쪽에 있고, 우리 나라에서는 거의 보이지 않음.

제-달 명 작정하였거나 또는 기한이 찬 달.

제:답【祭畓】명 수확물을 조상의 제사에 쓰기 위하여 마련한 논. *위답(位畓).

제당[1]【堤塘·隄塘】명 제방(堤防).

제:당[2]【製糖】명 야자·사탕수수·첨채 등과 같이 당분의 함유량이 많은 식물의 즙액을 달이어, 이것을 결정화(化)시켜서 설탕을 만듦. ——-하다 자 여불

제:당덕-산【祭堂德山】명 『지』 평안 북도 위원군(渭原郡) 위원면(渭原面)과 화창면(和昌面) 사이에 있는 산. [1,239 m]

제:당-업【製糖業】명 사탕류(砂糖類)의 제조를 전문으로 하는 직업. 준 당업(糖業).

제대[1] 명 〈방〉 기생(妓生).

제대[2]【除隊】명 『군』 현역(現役)으로 복무한 군인이 규정된 연한이 차거나 혹은 다른 일로 말미암아 복무가 해제되어 예비역(豫備役)에 편입되는 일. 만기 제대·의가사(依家事) 제대·의병(依病) 제대·과령(過齡) 제대·명예 제대·불명예 제대 등이 있음. ¶ ~증(證). ↔입대·입영(入營). ——-하다 자 여불

제대[3]【梯隊】명 『군』 군대·군함·비행기 같은 것을 제형(梯形)으로 편성한 대. *제단(梯團).

제:대[4]【祭臺】명 『천주교』 '제단(祭壇)❸' 의 구칭.

제대[5]【諸隊】명 모든 부대(部隊). 많은 부대.

제대[6]【諸臺】명 대간(臺諫).

제대[7]【臍帶】명 『생』 탯줄.

제대-각시 명 『민』 수영 야유(水營野遊)·동래(東萊) 야유 가면극·통영 오광대 등에 나오는 영감의 첩.

제대 군인【除隊軍人】명 장교·준사관(准士官)·하사관 또는 병(兵)으로서 병역법·군인사법(軍人事法) 등에 의한 의무 복무 기간(義務服務期間)을 마치고 전역(轉役)한 자.

제대 권락【臍帶卷絡】〔一궐一〕 명 『의』 탯줄이 태아의 목이나 몸뚱이 또는 사지(四肢)에 감겨져 있는 상태. 모체에 대하여는 별다른 악영향이 없으나, 태아는 그 안에 있는 혈관이 압박되어 순환 장애(循環障碍)가 일어나기 때문에 자궁(子宮) 안에서 죽거나, 탯줄이 감긴 부분에서 사지가 절단되거나 사지의 말단 부분이 위축됨.

제대기 명 〈방〉 두루마기(함경).

제-대로 부 ①응당한 정도로. ¶~ 먹지 못하다. ②규격이나 격식 대로. ¶~ 지은 집. ③마음먹은 대로. ¶일이 ~ 풀리다.

제대로-근【一筋】명 『생』 불수의근(不隨意筋). ↔ 맘대로근(筋).

제대로-신경【一神經】명 『생』 자율(自律) 신경.

제대로-운동【一運動】명 『생』 불수의(不隨意) 운동.

제대-병【除隊兵】명 『군』 제대한 사병.

제대-복【除隊服】명 『군』 제대하는 사병에게 지급되는 옷.

제대-식【除隊式】명 『군』 제대하는 날에 거행하는 의식.

제대-염【臍帶炎】명 『의』 탯줄을 자를 때 세균이 침범하여 배꼽 언저리에 생기는 염증.

제대-자【除隊者】명 제대 군인.

제대-증【除隊證】〔一쯩〕 명 『군』 제대한 군인에게 발행되는, 군무(軍務)로부터 해제되었음을 증명하는 증서. 근무 종목(勤務種目) 및 제대 이유 등이 적혀 있음.

제:대 춘만【帝臺春慢】명 『악』 고려 시대에 송(宋)나라에서 전래된 사악(詞樂)의 한 곡명. 당악(唐樂)의 산사(散詞)에 속하는 곡의 하나로, 쌍조(雙調) 97자로 구성됨.

제:대-포【祭臺布】명 『천주교』 제대에 까는 흰 보자기.

제대 헤르니아【臍帶一】〔hernia〕 명 『의』 폐쇄(閉鎖)하지 않은 제대 내에 복부 내장(腹部內臟)이 탈출한 병증. 탈출하는 장기(臟器)는 주로 장(腸)이지만 위·간장(肝臟)·신장(腎臟) 등이 모두 나오는 경우도 있음.

중증(重症)인 경우는 생후 곧 사망하고, 경증(輕症)일 때는 내용을 밀어넣고 반창고로 고정시키기도 하나, 성공하지 못하는 경우가 많고, 결국 외과적 수술(外科的手術)을 행하는 것이 보통임.

제:덕【帝德】명 제왕(帝王)의 성덕(聖德).

제:-도[1]【弟島】명〖지〗전라 남도의 서남해상, 완도군(莞島郡) 신지면(薪智面)에 위치한 무인도(無人島). [0.002 km²]

제:도[2]【制度】명 제정된 법규(法規). 나라의 법칙. 마련된 법도. 법제(法制). 시스템(system). ¶의회 ～.

제:도[3]【帝都】명 제국의 수도. 황성(皇城). 곡하(轂下).

제:도[4]【帝道】명 인의(仁義)로 나라를 다스리는 제왕의 정도(正道). 왕도(王道).

제:도[5]【帝圖】명 천자(天子)의 계획. 천자의 사업. 제모(帝謨).

제도[6]【齊刀】명 중국의 전국 시대(戰國時代)에, 제(齊)나라에서 발행한 도폐(刀幣).

제:도[7]【製陶】명 질그릇을 만듦. ――하다 자 여불

제:도[8]【製圖】명 기계·건축물·공작물(工作物) 등의 도면(圖面)을 그리어 만듦. 드로잉(drawing). ――하다 자 여불

제도[9]【諸島】명 ①모든 섬. 여러 섬. ②〖지〗어떤 지역(地域)에 산재(散在)해 있는 여러 섬.

제-도[10]【諸島】명〖지〗전라 남도의 남해안(南海岸), 여수시(麗水市) 화정면(華井面) 제도리(諸島里)에 위치한 섬. [1.04km²]

제도[11]【諸道】명 ①행정 구획의 모든 도(道). ②모든 길. 대로(大路)·중로(中路)·소로(小路).

제:도[12]【濟度】명〖불교〗보살이 중생(衆生)을 고해(苦海)에서 건지어, 성불 해탈(成佛解脫)하는 피안(彼岸)인 극락 세계(極樂世界)로 인도하여 줌. ¶중생을 ～하다. ――하다 타 여불

제:도-공【製圖工】명 제도(製圖)에 종사하는 직공. 도공(圖工).

제:-도구【諸道具】명 여러 가지의 도구.

제:도-국【制度局】명〖역〗대한 제국 때 궁내부(宮內府)의 한 분장(分掌). 광무(光武) 10년(1906)에 제실 제도 정리국(帝室制度整理局)이 이 이름으로 바뀌었다가 다음 해에 폐함.

제:도-기【製圖器】명 제도(製圖)하는 데에 쓰는 기구. 제도판·컴퍼스·디바이더·가막부리 등. 최근에는 수치(數値)로부터 자동적으로 도면을 그리는 장치도 있음. 제도 기계.

제:도 기계【製圖器械】명 제도기.

제:도 문화【制度文化】명 인류의 문화 중에서, 특히 인간의 사회 생활을 규제하는 제도적인 방면의 것. 법률·규칙·관습 같은 것.

제:도 방편【濟度方便】명〖불교〗중생(衆生)을 제도하는 수단과 방법.

제:도-사【製圖士】명 제도를 전문으로 하는 기술자.

제:도 사:객【諸道使客】명〖역〗각 도에 나가는 봉명 사신(奉命使臣).

제:도-실【製圖室】명 제도하는 방.

제:도 용:구【製圖用具】명 제도할 때 사용되는 도구의 총칭. 각종 제도 기계·자·각도기·신축기(伸縮器)·제도 연필·지우개 등.

제:도 용:지【製圖用紙】명 제도하는 데에 쓰이는 종이. 원도용(原圖用)으로는 켄트지이나 두꺼운 상질지(上質紙), 방안지(方眼紙) 등을 쓰며 트레이스(trace)용으로는 트레이싱 페이퍼 등을 씀.

제:도 이:론【制度理論】명 ①사회학·정치학에서의 제도에 관한 이론. ②〔프 théorie de l'institution〕〖법〗프랑스의 공법(公法) 학자 오리우(Hauriou, Maurice; 1856-1929)가 제창한 법인(法人)에 관한 이론. 법인은 개인의 의사에 따른 계약이 아니고 그 성원(成員)의 의사를 초월한 사회적 존재이며 한 개의 제도라고 주장함. 「일.

제:도 이:생【濟度利生】명〖불교〗중생(衆生)을 제도하여 이익을 주는

제:도적 문화【制度的文化】명 법률·제도·관습 따위와 같이, 인간의 행동면이나 사회 생활을 구체적으로 규정하고 있는 문화.

제:도 중생【濟度衆生】명〖불교〗고해(苦海)에 있는 중생(衆生)을 건져주는 일. ――하다 자 여불

제:도-판【製圖板】명 제도할 때에 그림을 그릴 종이 밑에 받치는 평평한 널빤지. *경사 자재 제도판(傾斜自在製圖板).

제:도 학파【制度學派】명〖경〗주로 1880년대(代) 이후 미국에서 일어난 경제학의 한 유파. 인간의 본능에 따른 개인적·사회적 행동의 누적적(累積的) 결과인 제도로서의 경제 현상을 집단 심리학(集團心理學)과 행동 철학(行動哲學)을 전제(前提)로 하고 진화론적·역사학적 방법에 의하여 해명하려는 것이 특징이며, 일종의 사회 개량주의적(社會改良主義的) 사상을 가미한 것도 이 학파의 특색임. 베블런(Veblen, Thorstein; 1857-1929)에 의하여 창시(創始)되고 코먼스(Commons, John Rogers; 1862-1945)·클라크(Clark, John Maurice; 1884-1963) 등에 의하여 발전되었음. 「다 자타 여불

제:도-화【制度化】명 하나의 제도로 화함. 또, 제도로 되게 함. ――하

제:독[1]【制毒】명 독(毒)이 퍼지는 것을 막음. ――하다 자타 여불

제:독(을) 주다 구 기운을 꺾어서 다시 꿈쩍을 못 하게 하다.

제독[2]【除毒】명 독을 없애 버림. ――하다 자 여불

제:독[3]【祭犢】[―똑] 명 제사(祭祀) 때 쓸 송아지.

제독[4]【提督】명 ①〖군〗해군의 장관(將官). 함대(艦隊)의 사령관. ②〖역〗조선 선조(宣祖) 때 교육(敎育)을 감독 장려하는 일을 맡아 본 관원. 선조 19년(1586)에 팔도(八道)에 한 사람씩 두어 관하 각 향교(鄕校)의 학사(學事)를 감독하게 하다가 동왕 25년에 폐지하였음. 훈도(訓導).

제독-검【提督劍】명〖역〗십팔기(十八技) 또는 무예 이십사반(武藝二十四般)의 하나. 보졸(步卒)이 요도(腰刀)를 가지고 하는 검술(劍術). 열 네 가지의 자세가 있음. 임진 왜란 때 명(明)나라 제독(提督) 이여송(李如松)의 장졸(將卒)이 처음으로 이 법을 전하였음.

〈제독검〉

제독 동창【提督東廠】명〖역〗중국 명대(明代)의 동창의 장관. 황제가 신임하는 환관(宦官)으로 임명됨.

제돈-과【齊墩果】명〖식〗때죽나무.

제:-돗【祭―】명 ☞제석(祭席).

제:동[1]【制動】명 운동을 제지(制止)함. 또, 속력을 떨어뜨림. ¶～ 장치. ――하다 자 여불

제:동(을) 걸:다 구 사물의 진행(進行)이나 활동을 방해하거나 멈추게 하다. 브레이크를 걸다.

제:동[2]【製銅】명 구리광석(石)을 제련하여 조동(粗銅)을 만드는 일. 조동은 전기 분해(電氣分解)에 의하여 정동(精銅)으로 만들어짐. ――하다 타 여불

제:동-기【制動機】명〔brake〕〖공〗기관·기계 등의 운동을 정지(停止) 또는 감속(減速)시키는 장치(裝置). 브레이크(brake). 제차기(制車機). 제동 장치.

제:동-력【制動力】[―녁] 명〖기〗운동을 조절하거나 멈추게 하는 힘.

제:동 마:력【制動馬力】명〔brake horsepower〕〖물〗제동식(制動式)의 동력계(動力計)에 있어서, 동력계에 흡수된 마력. 수치(數値)는 측정 대상의 축(軸)마력과 같음. 정미(正味) 마력. *지시 마력(指示馬力).

제-동맥【臍動脈】명〖생〗태아(胎兒)의 배꼽 구멍을 지나서 탯줄 속을 통하여 태아와 태반(胎盤)을 잇댄 핏줄. 배꼽 동맥

제:동 복사【制動輻射】명〔bremsstrahlung〕〖물〗운동하고 있는 하전입자(荷電粒子)가 강한 전기장(電氣場)에 의해 가속(加速) 또는 감속될 때 발생하는 전자기파(電磁氣波). X선관에서 발생하는 X선 가운데 연속 스펙트럼을 이루는 부분이 이에 상당하는데, 전자(電子)가 대음극(對陰極) 물질에 닿아서 그 원자의 강한 정전력(靜電力)에 의해 제동을 받기 때문에 발생하는 것임.

제:동-비【制動比】명〖물〗관성력(慣性力)·복원력(復元力)에 대한 제동력(制動力)의 크기를 나타내는 지수.

제동 야:인【齊東野人】명 중국 제(齊)나라 동비(東鄙)의 사람됨이 어리석어서 그의 말을 믿을 수 없다는 뜻에서, 사리(事理)를 모르는 시골 사람을 이르는 말.

제:동용 낙하산【制動用落下傘】[―뇽―] 명 제트기 등 고속의 항공기가 착륙할 때, 그 활주 거리를 짧게 하기 위하여 사용하는 낙하산. 접지(接地) 직전 또는 직후에 기체의 후미(後尾) 부분에서 방출해서 펴게 하여 공기 저항을 크게 만들어 기체를 제동함. 드래그 슈트(drag chute).

제:동-자【制動子】명〖기〗제동기에서 제동륜(制動輪)을 눌러 그 마찰에 의하여 제동의 목적을 이루는 금속 또는 나무로 만든 물체. 제륜자(制輪子).

〈제동자〉

제:동 장치【制動裝置】명 제동기(制動機).

제:동 회전【制動回轉】명 스키의 방향 전환·이전 기술의 하나. 슈템크리스티아니아.

제드〔Z, z〕명 ☞제트.

제등[1]【提燈】명 ①자루가 있어서 들고 다닐 수 있게 된 등. ②〖불교〗등불을 들고 부처님 앞에 축하하는 일.

제등[2]【齊等】명 비등함. 동등함.

제등[3]【諸等】명 ①모든 등급(等級). ②↗제등수(諸等數).

제등 명:법【諸等命法】[―뻡] 명〖수〗단명수(單名數)를 제등수(諸等數)로 바꾸어 계산하는 법. 70분을 한 시간 10분으로 바꾸는 것과 같은 것.

제등-수【諸等數】[―쑤] 명〖수〗여러 가지 단위의 명칭으로 표시되는 명수(名數). 2시간 30분 16초, 9원 28전 같은 것. 복명수(複名數). 준제등(諸等).

제등 통법【諸等通法】[―뻡] 명〖수〗제등수(諸等數)를 단명수(單名數)로 고치는 계산법. 한 시간 10분을 70분으로 고치는 것과 같은 것.

제등 행렬【提燈行列】[―녈] 명 축하하는 뜻을 표하기 위하여, 여러 사람이 제등을 들고 줄을 지어 돌아다니는 일. ――하다 자 여불

제-딴은 부 저 사람으로서는. 저 사람의 의견으로서는. 저의 생각으로서는. 제깐에. ¶～ 잘 하노라고 한 일이 이 지경이 되었다.

제-때 명 무슨 일이 있을 그 때. 작정하여 놓은 그 시각. ¶～에 오다.

제-떠리다 타〈방〉[←자떠리다] 잦히다.

제라늄〔geranium〕명〖식〗양아욱.

제라늄-유【―油】[―뉴] 명〔geranium oil〕〖화〗알제리(Algerie) 및 지중해(地中海) 연안의 여러 나라에서 산출되는, 양아욱속(屬)의 식물에서 얻는 향유(香油). 개화전(開花前) 방향(芳香)을 낼 때, 증류하여 만듦. 성분은 시트로넬롤(citronellol)과 게라니올(Geraniol). 향수(香水)·향미료(香味料)에 쓰임.

제라-립【濟羅笠】명 방(方)갓.

제랄디〔Géraldy, Paul〕명〖사람〗프랑스의 시인·극작가. 그의 시는 감미롭고 서정적인 경향을 띠었고, 희곡은 면밀한 심리적 해부와 완벽한 구성으로 이루어짐. 시집에 《귀여운 영혼》·《영국 시인》 등과, 희곡에 《사랑한다》·《크리스틴》 등이 있음. [1885-1960]

제랑【弟郞】명 제부(弟夫).

제:량[1]【濟涼】명 ↗제량갓.

제:량[2]【濟梁】명 제주도(濟州島)에 본관(本貫)을 두고 사는 양씨(梁氏). *육량(陸梁).

제:량-갓【濟涼―】명 제주도(濟州島)에서 만들어 내는 품질(品質)이 낮은 갓양태. 준제량.

제럴드〔Jerrold, Douglas William〕명〖사람〗영국의 극작가·저널리스

트. 구성보다는 기지(機智) 있는 회화(會話)를 구사하여 70편에 가까운 희곡을 썼음. 잡지 ≪펀치(Punch)≫에 진보적인 자유주의자로서 풍자적인 글을 기고함. [1803-57]

제:력【帝力】명 제왕(帝王)의 은택(恩澤).

제:련【製鍊】명 광석 기타의 원료로부터 함유(含有) 금속을 분리 추출(抽出)하여 정제하거나, 합금(合金)을 만듦. 또, 그 공정(工程). 취련(吹鍊). ——하다 타여불

제:련-소【製鍊所】명〖공〗제련(製鍊)을 하는 곳. 정련소(精鍊所). 취련소(吹鍊所).

제:렴【製一】명 ←제염(製塩). ——하다 자여불

제:령[1]【制令】명 ①법도(法度). ②제도 법령(制度法令). ③〖일제〗일제 강점기에 조선 총독이 발한 명령 중에서, 당시의 조선에서 시행될 법률 사항을 규정한 명령.

제:령[2]【濟寧】명〖지〗'지닝'을 우리 음으로 읽은 이름.

제:례[1]【制禮】명 예법(禮法)을 제정함. ——하다 자여불

제례[2]【除例】명 갖추어야 할 식례(式例)를 덜어 버림. ——하다 자여불

제례[3]【除禮】명 갖추어야 할 예의를 덜어 내림. 흔히, 편지의 초두(初頭)에 씀. ¶ ~하옵고. ——하다 자여불

제:례[4]【祭禮】명 제사의 예절(禮節).

제례[5]【諸禮】명 모든 예절.

제:례-악【祭禮樂】명〖악〗아악(雅樂)의 향부악(鄕部樂)의 하나. 옛날 종묘(宗廟)·문묘(文廟)의 춘추 사대제(四大祭)를 비롯한, 나라의 제향(祭享)에 쓰는데, 아부 악기(雅部樂器)로써 일무(佾舞)에 맞추어 일정한 악곡과 악장을 아뢺. 종묘 제례악·문묘 제례악·경모궁(景慕宮) 제례악·관왕묘악(關王廟樂) 등이 전해짐.

제로[1]【齊魯】명 중국 춘추(春秋) 시대의 제나라와 노나라를 말함. 각각 공자(孔子)와 맹자(孟子)의 탄생지이므로 교육·문화의 중심지로 비유됨. ¶ ~지학(之學).

제로[2][zero] 명 ①영(零). ②전혀 아무 것도 없음. ¶교양이나 인격이 ~다. ③득점이 없음. 영점.

제로 게임〔zero game〕명 전패 시합(全敗試合). 영패(零敗) 시합. 올 게임(all game).

제로 교차파【一交叉波】〔zero〕명 음성의 파형(波形)을 '아'라든가 '파'라든가 하는 음절의 종류만을 알 수 있을 정도로 극단으로 단순화한 것. 파형은 극히 간단한 구형파(矩形波)이고, 진폭(振幅)은 플러스 또는 마이너스의 일정치(一定値)로 균등화되며, 원파형(原波形)이 음압(音壓) 제로가 되는 시각(時刻)만이 보존됨. 전화·음성 타이프라이터 등에 이용될 수 있음.

제로그래피〔xerography〕명 전자 사진법의 하나. 금속판 위에 무정형(無定形) 셀렌과 같은 반도체의 얇은 막을 증착(蒸着)하여 감광판으로 하여, 대전(帶電)시킴. 여기에 광선을 쐬이면 빛이 쐬인 부분의 전하(電荷)는 금속판 쪽으로 이동하므로 쐬이지 않은 부분에 정전기(靜電氣)에 의한 잠상(潛像)이 생김. 여기에 판(板)과 반대 전하를 가진 분말(토너)을 살포하여 상(像)으로 나타내고, 이것을 종이에 전사(轉寫) 가열하여 고정시키는 방법. *제록스.

제로 디펙츠 운:동【一運動】〔zero defects〕명〖경〗무결점(無缺點) 운동. 인간이 오류(誤謬)를 범하지 않는 것이 가능하다고 보고, 종업원에게 바른 작업을 할 동기를 주어, 이들의 주의(注意)와 연구로 작업의 결함을 방지 내지 제거하고, 제품과 서비스에 신뢰성을 높이고, 원가(原價)를 줄여 고객을 만족시키려는 노력. 제트 디(ZD) 운동.

제로 리:더〔zero reader〕명 항공기가 소정의 항공로나 경로를 따라 비행할 수 있도록 조종사에게 지시하는 장치. 지상국(地上局)으로부터의 유도 전파(誘導電波)와 비행기의 방위·고도·자세 등의 변화에 따라 발생하는 신호에 의하여 지시기(指示器)의 표지가 움직이나, 이것을 항상 영, 곧 제로의 위치에 맞게 하면 정확한 비행을 할 수 있는 데서 이와 같이 이름.

제로 베이스 예:산【一豫算】명〔zero base budget; ZBB〕예산 편성(豫算編成)의 한 방식. 전년도(前年度) 예산의 단순한 증분(增分)주의에서 벗어나, 전체 예산(全體豫算) 항목을 대상으로, 매년(每年) 제로에서 출발하여 과거의 실적(實績)과 우선 순위를 다시 사정(査定)하여 필요한 금액을 계상(計上)함.

제로 벡터〔zero vector〕명〖수〗영(零) 벡터.

제로섬 사회【一社會】명〔zero-sum society〕플러스 마이너스 제로가 되는 세상의 뜻. 예컨대, 강력한 정부(政府)의 유지에는 많은 세금(稅金)이 필요하게 되는 따위. 미국 매사추세츠 공과 대학(MIT)의 레스터 서로 교수의 같은 이름의 논문에서 나온 말.

제로 성장【一成長】명〔zero growth〕〖경〗경제 성장률(經濟成長率)이 제로로 추이(推移)하는 일.

제로 성장 사회【一成長社會】명〔zero-growth society〕경제 성장률과 인구 성장률이 제로인 정상 상태(定常狀態)의 사회. 로마 클럽의 보고서 ≪성장(成長)의 한계≫에서 유래한 말임. 제로 성장 경제의 사회를 바람직한 안정된 상태의 사회로 간주하느냐 또는 정체(停滯) 상태의 사회로 간주하느냐에 대해서는 견해가 크게 갈라짐. 사회의 미래(未來) 모델로서 논하여져 온 제로 성장 사회론은, 석유 위기 이후의 세계적 불황(不況)과 함께, 현실적으로 경제 성장률이 제로 또는 마이너스로 된 경제 사회의 실태(實態)를 가리키는 말로 쓰이게 되었음.

제로 출력로【一出力爐】〔zero〕〔—노〕명 원자로나 핵융합에서, 핵반응이 지속적으로 일어나는 상태. 즉, 임계(臨界)에는 달하나 그 이상 출력이 오르지 않고, 따라서 전력(電力)도 발생하는 데까지는 이르지 아니하는 실험 단계를 일컬음.

제로 행렬【一行列】〔zero〕〔—녈〕명〖수〗요소가 모두 제로인 행렬.

제록스〔Xerox〕명 전자 사진(xerography) 장치를 갖춘 복사기의 상표명.

제록스 저:널리즘〔Xerox journalism〕명〔극비 문서(極秘文書)를 제록스로 몰래 복사해서 발표하는 저널리즘의 뜻〕비합법적 내지 안이한 취재 방법이나, 문서(文書)를 근거로 한 폭로 기사(暴露記事) 일변도의 언론 경향을 꼬집어 이르는 말.

제록스 회:사【一會社】〔Xerox〕명 1906년에 창업한 미국의 회사. 초창기에는 한 이름 없는 감광지(感光紙) 회사에 불과하였지만, 1950년 제로그래피(xerography)에 의한 자동 복사기(複寫器)를 개발, 현재의 사명(社名)으로 개칭하고, 기기 임대(機器賃貸) 방식으로 급성장하여 미국 및 주요국 복사기 시장의 60 % 이상을 점하였음.

제론【提論】명 제의(提議). ——하다 타여불

제롬[1]〔Gérôme, Jean Léon〕명〖사람〗프랑스의 화가·조각가. 이탈리아에 유학, 작품 ≪투계(鬪鷄)≫로 유명해지고, 미술 학교 교수가 됨. 섬세하고 고전적인 아카데믹한 스타일을 특색으로 함. [1824-1904]

제롬[2]〔Jerome〕명〖사람〗고대 로마 사대 교부(四大敎父)의 한 사람. 베들레헴에서 성서(聖書)의 라틴어역(Latin 語譯) 벌게이트(Vulgate)를 완성하였음. 라틴명은 Eusebius Hieronymus. [340?-420]

제롬[3]〔Jerome, Jerome Klapka〕명〖사람〗영국의 소설가·극작가. ≪한인 한화(閑人閑話)≫·≪보트의 세 사람≫ 등의 유머 소설이 유명하며, 신문 기자로도 활약함. [1859-1927]

제롬스키〔Zeromski, Stefan〕명〖사람〗폴란드 작가. 20세기 초엽의 신사실주의(新寫實主義)를 대표하는 거장(巨匠)으로, ≪집 없는 사람들≫·≪이른 봄≫ 등 많은 소설·희곡에서 절박한 정치·사회 문제를 다루었음. 독립 운동의 비극을 묘사한 역사 소설 ≪재(灰)≫는 매우 유명함. [1864-1925]

제류【儕流】명 동배(同輩).

제류-미【除留米】명〖역〗세미(稅米)를 조운(漕運)하는 비용으로, 세미 가운데에서 따로 떼어 그 군(郡)에 유치(留置)해 두는 쌀.

제:륜-자【制輪子】명〖기〗제동자(制動子).

제르니케〔Zernike, Frits〕명〖사람〗네덜란드의 물리학자. 1920년 흐로닝언(Groningen) 대학 교수. 천체 망원경의 반사경의 광학적 검사법에 관한 연구를 하던 중 현미경 관찰의 위상차법(位相差法)을 발견하고, 1935년 차이스사(Zeiss社)와 협력, 위상차 현미경을 완성함. 1953년 노벨 물리학상 수상. [1888-1966]

제르멜로의 공리【一公理】〔Zermelo〕〔—니 / —에—니〕명〖수〗선출 공리(選出公理).

제르미〔Germi, Pietro〕명〖사람〗이탈리아의 영화 감독. 데시카 감독에게 사사(師事), 처녀 감독 작품 ≪증인(證人)≫으로 명성을 얻어, ≪철도원(鐵道員)≫·≪위험한 관계≫ 등에 감독·주연을 맡아 주목을 끌었음. 소박한 인간상을 부조(浮彫)시킴이 특징임. 1961년에 ≪이탈리아식(式) 이혼 광상곡(離婚狂想曲)≫으로 아카데미 각본상(脚本賞)을 받음. [1918-74]

제르미날〔Germinal〕명〖책〗졸라(Zola)작의 소설. 1885년 간행. ≪루공 마카르 총서(Rougon-Macquart 叢書)≫의 일부. 사회주의적 정열에 불타는 탄광부를 주인공으로, 탄광 스트라이크를 둘러싼 군중의 힘찬 모습을 그린 걸작.

제르킨〔Serkin, Rudolf〕명〖사람〗서킨.

제름 명〈방〉삼대[1](경상).

제:릉[1]【帝陵】명 천자의 능.

제릉[2]【悌凌】명〖사람〗신라 때의 장군. 헌덕왕 14년(822) 웅천주 도독(熊川州都督) 김헌창(金憲昌)이 반란을 일으키자 파진찬(波珍飡)으로서 일길찬(一吉飡) 장웅(張雄) 등과 함께 그 토벌전에 출전, 삼년산성(三年山城)·속리산(俗離山) 등에서 적을 격파한 뒤 웅진성(熊津城)을 함락, 난을 평정하였음. 생몰년 미상.

제-릉[3]【齊陵】명〖역〗조선 태조비(太祖妃) 신의 왕후(神懿王后)의 능. 지금 경기도 개풍군 상도면 풍천리(開豐郡上道面楓川里)에 있음.

제릉-서【諸陵署】명〖역〗고려 때 산릉(山陵)에 대한 일체의 일을 맡아 보던 관아.

제리[1]【提理】명〖역〗대한 제국 때 군부(軍部)·군기창(軍器廠)의 으뜸 벼슬. 참장(參將)·정령(正領)·부령(副領) 중에서 임명하였음.

제리[2]【諸吏】명 모든 아전.

제리다[1] 타〈방〉①접이다(경상). ②지리다[1].

제리다[2] 형〈방〉지리다[2].

제리아〔Jeria〕명〖지〗인도 비하르 주에 있는 인도에서 가장 큰 탄전(炭田).

제리아트릭스〔geriatrics〕명〖의〗①노쇠 예방 의학(老衰豫防醫學). ②노인병과(老人病科).

제리코[1]〔Géricault, Théodore〕명〖사람〗19세기 프랑스의 대표적 화가. 대담한 데생 및 색조(色調)와 정감적(情感的)인 표현에 의해 들라크루아(Delacroix) 등과 함께 낭만파의 거장이 되었으며, 거작 ≪메뒤즈 호의 뗏목≫ 등이 유명함. [1791-1824]

제리코[2]〔Jerico〕명〖지〗요르단의 지명(地名) '예리코'의 영어식 이름.

제:마[1]【製麻】명 ①대마(大麻)·아마(亞麻)와 같은 인피 섬유(靭皮纖維)를 목질부(木質部)로부터 분리하여 방적(紡績) 원료로 쓸 수 있도록 정제(精製)함. ②삼실로 삼베를 만듦. ——하다 자여불

제:마[2]【濟馬】명 제주도(濟州島)에서 나는 말.

제마겸 부〈방〉제가끔.

제:마 공업【製麻工業】명 삼의 섬유를 원료로 하여 삼실과 삼베를 제조하는 산업.

제마기 명〈방〉두루마기(함경·평안).

제마 무-전【諸馬武傳】명〖문〗작자·창작 연대 미상의 고전 소설의 하나. 꿈 속의 현세 생활을 통하여 인생의 무상함을 그림. 마무전. 몽결초한송(夢決楚漢訟).

제마수 장단【一長短】명〖악〗경상도·강원도 동해안 지역 무가(巫歌)에 쓰이는 장단의 하나. 방심 장단.

제막【除幕】명 막을 걷어 냄. ——-하다 자여불

제막-식【除幕式】명 동상(銅像)이나 기념비(記念碑) 같은 것을 다 만들고 공개하기 전에 행하는 의식. 보통, 그 동상이나 기념비를 백포(白布)로 씌워 두었다가 그것을 연고(緣故) 있는 사람이 걷어 냄.

제:만〔Zeeman, Pieter〕명〖사람〗네덜란드의 물리학자. 강한 자기장(磁氣場) 안에서의 발광체 연구에서 '제만 효과'를 발견하였고, 1902년 노벨 물리학상을 받았음. [1865-1943]

제-만사【除萬事】명 제백사(除百事). ——-하다 자여불

제:만 효:과【一効果】명〔Zeeman effect〕〖물〗광원(光源)이 강한 자기장(磁氣場) 안에 놓일 때에, 그 각 스펙트럼 휘선(輝線)이 여러 가닥으로 분기(分岐)하는 현상. 원자(原子) 안의 전자(電子)를 연구하는 데 가장 중요함. 1896년 네덜란드의 물리학자 제만이 발견함.

제:망【製網】명 그물을 만듦. ——-하다 자여불

제:망-공【製網工】명 그물 만드는 일에 종사하는 직공.

제:망-기【製網機】명〖기〗실 또는 철사를 결어서 그물을 만드는 기계.

제:망매-가【祭亡妹歌】명〖문〗신라 경덕왕 때, 중 월명사(月明師)가 지은 십구체(十句體)의 향가(鄕歌). 그의 죽은 누이를 위하여 재(齋)를 올릴 때 지은 것으로 삼국 유사에 전함. 위망매 영재가(爲亡妹營齋歌).

제:-매【弟妹】명 남동생과 여동생.

제맹【齊盟】명 모두 함께 맹세함. ——-하다 타여불

제-멋 명 각기 자기 나름의 멋. ¶～에 살다.

제멋-대로 부 제 마음대로. 제가 하고 싶은 대로. ¶～ 지껄이다/～ 놀아나다.

제멜바이스〔Semmelweis, Ignaz Philipp〕명〖사람〗헝가리의 산과의(産科醫). 산욕열(產褥熱)의 원인이 의사의 손가락의 불결함에 있음을 밝히고, 염화 칼슘액으로 손가락을 씻음으로써 이를 방지함. 주저≪산욕열의 원인·개념 및 그 예방≫. [1818-65]

제면[1]【除免】명 면제(免除)❶. ——-하다 타여불

제:면[2]【睇眄】명 곁눈질함. 제시(睇視). ——-하다 자타여불

제면[3]【綈綿】명〖역〗사궤장(賜几杖)의 궤(几)에 가을과 겨울에 덮는 보(褓). 녹색의 운문 대단(雲紋大緞)으로 만들되, 끈이 사방으로 모두 열 둘이 있어, 궤의 구멍에 꿰어 잡아 매게 되었음.

〈제면[3]〉

제:면[4]【製綿】명 목화(木花)를 다루어서 솜을 만듦. ——-하다 자여불

제:면[5]【製麪】명 국수를 만듦. ——-하다 자여불

제:면-기【製麪機】명 국수를 만드는 틀.

제면-쩍다 형〈방〉겸연쩍다.

제-명[1]【一命】명 타고난 목숨. ¶～에 못 죽을 놈.

제:명[2]【制命】명〖역〗제왕(帝王)의 명령.

제:명[3]【帝命】명 천자의 명령. 황제의 명령. 칙명(勅命).

제명[4]【除名】명 ①명부에서 성명을 빼어 버림. 할명(割名). ②〖법〗조합(組合)이나 사단(社團)에 있어서 어떤 조합원이나 사단 구성원의 자격을 그의 의사에 반하여 박탈하는 행위. ③〖법〗국회 의원의 징계(懲戒) 종류의 하나. 국회의 의결로 징계 대상 의원의 신분(身分)을 상실하게 하는, 가장 중(重)한 것임. 의원을 제명하려면 국회 재적 의원(在籍議員) 3분의 2 이상의 찬성이 있어야 함. ④한 가맹국이 다른 가맹국의 의사에 의하여 국제 연합으로부터 제외되는 일. ——-하다 타여불

제명[5]【題名】명 ①표제(表題)의 이름. ②명승지에 자기의 이름을 기록함. ——-하다 자여불

제-명[6]【題銘】명 서적의 머리에 쓰는 제사(題詞)와 기물(器物)에 새기는 명(銘).

제명울이 명〈방〉계명워리.

제명 처:분【除名處分】명 단체의 위신을 오손(汚損)한 사람을 쫓아내는 처분. ——-하다 타여불

제:명-첩【祭名帖】명 제향(祭享)에 제관(祭官)으로 뽑힌 사람의 관직과 성명을 적은 책.

제:모[1]【制帽】명 학교·관청·회사 등에서 제정(制定)된 모자. ¶제복(制服)～. ＊정모(正帽).

제:모[2]【帝謨】명 천자가 하는 치국(治國)의 계책(計策). 천자의 사업. 제도(帝圖). 제업(帝業). 제유(帝猷).

제모[3]【諸母】명 제부(諸父)의 아내.

제목【題目】명 ①겉장에 쓴 책의 이름. 표제(表題). ②글제. 과제(課題). ¶'자유'라는 ～의 논문. 1)·2):준제(題).

제몰라이트〔gemolite〕명 암시야(暗視野)의 조명(照明) 장치가 달린 쌍안(雙眼)의 확대경. 합성 보석과 천연 보석을 식별하는 데 쓰임.

제:묘【帝廟】명 천자(天子)의 사당(祠堂).

제:문[1]【制門】명〖불교〗부처의 가르침에서, 중생(衆生)의 악(惡)의 제지(制止)에 관하여 설도(說道)한 것을 말함.

제:문[2]【祭文】명 죽은 사람을 조상(弔喪)하는 글. 흔히, 제물을 올리고 축문(祝文)처럼 읽음. 애뢰(哀誄).

제물[1] 명 ①음식을 익힐 때 처음부터 든 물. 또, 제 몸에서 우러난 국물. ②딴 것이 섞이지 아니한 순수하게 제대로 된 물건.

제:물[2]【祭物】명 ①제사에 쓰는 음식. 제수(祭需). 천수(薦羞). 제품(祭品). ②희생물(犧牲物). 공물(供物). ¶～로 바치다.

제물-국수 명 삶은 물을 갈지 않고 그대로 먹는 국수.

제물-낚시〔一락一〕명 깃털로 모기 모양으로 만든 낚싯바늘. ¶～로 낚다.

제물-땜 명 ①깨어진 쇠붙이 그릇에 덧조각을 대지 아니하고 같은 쇠붙이를 녹여서 붙이는 땜. ②뚫어진 물건(物件)에 같은 종류(種類)의 조각을 대어 깁는 일. ③무슨 일을 그 자체(自體) 속에서 마감하는 짓. ——-하다 자여불

제물-로 부 그 자체(自體)가 스스로. 저절로. ¶～ 화가 풀어졌다.

제물-론【齊物論】명〖철〗중국 고대의 사상가 장자(莊子)의 중심 사상을 나타내는 논설. 또, 그의 저서 ≪장자≫의 제2편의 편명(編名). 세상의 여러 가지 진위 시비(眞僞是非)를 다투는 의론을 모두 상대적인 것으로 보고 함께 하나로 돌아가야 한다고 하는 주장. 모든 형상은 모두 유기적으로 연관을 가진 하나의 전체이므로 그 기능의 우열을 논할 수는 없으며, 만물 일체의 무차별 평등 상태에 도달하는 것이 수양(修養)의 극점(極點)이라고 설명함.

제물-묵 명 물에 불린 녹두를 갈아 전대에 담아 짜서 그 물로 쑤어 굳힌 묵. 녹두유(綠豆乳).

제물-물부리〔一뿌一〕명 지궐련 한 끝에 제물로 붙여 만든 물부리.

제물-에 부 저 혼자 스스로의 바람에. ¶～ 잠들다/～ 넘어지다.

[제물에 배를 잃어버렸다] 되어 가는 서슬에 휩쓸리어 가장 긴요한 것이 빠졌음을 가리키는 말.

제물-옷 명〈방〉진솔옷.

제물-장【一欌】〔一짱〕명 방에 본래 설비되어 있어 운반할 수 없는 장.

제물-집 명〈방〉진솔집.

제:물-포【濟物浦】명〖지〗'인천(仁川)'의 구칭.

제:물포 조약【濟物浦條約】명〖역〗조선 고종(高宗) 19년(1882)에 일어난 임오 군란(壬午軍亂) 뒤에 그 해 7월 제물포에서 일본(日本)과 맺은 조약. 일본에 손해 배상금 50만 원을 지불할 것, 군란 수모자(軍亂首謀者)의 엄단, 일본 공사관 경비병 주둔 등 몇 가지를 규정하였음.

제믈엣깁 명〈옛〉물하지 아니한 비단. ¶제믈엣깁(水光絹)≪老乞下23≫.

제:미[1] 명 ↗제 어미.

제:미 붙을 구 남을 욕하는 말. 저의 어미를 붙을 것이라는 말.

제:미[2]【祭米】명 젯메쌀.

제미[3]【稊米】명〖식〗돌피.

제:미[4]【濟美】명 미(美)를 성취함. 조상의 유업(遺業)을 이어 이를 성취함. ——-하다 자여불

제미나:르〔도 Seminar〕명〖교〗'세미나'의 독일어.

제미니 계:획【一計劃】〔Gemini〕명 1964-66년에 있었던 미국의 2인승 유인 위성 비행 계획. 머큐리(Mercury) 계획의 다음 단계이며, 아폴로(Apollo) 계획의 준비 단계의 성격을 가짐. 타이탄(Titan) 2형 로켓을 사용, 3호 때 부터 유인 비행(有人飛行)을 하였고, 12호로 끝났는데, 궤도 수정, 장기 비행(7호의 206바퀴, 303시간 35분), 랑데부(6·7호), 도킹(8·10·11·12호), 베리고라운드(11호), 우주 유영(4·9·11호), 우주 활동(12호) 등 각종 실험을 하고 끝났음.

제미니 위성【一衛星】〔Gemini〕명 제미니 계획용의 2인승 위성. 승무원을 태울 캡슐은 원추형으로 밑바닥의 직경 2.3 m, 길이 3.45 m, 무게 2.1 t, 밑바닥에는 열차단벽(熱遮斷壁), 첨단에는 레이더·파라슈트·재돌입 자세 제어 장치(再突入姿勢制御裝置) 등이 있음. 비행중에는 배후(背後)에 역추진(逆推進) 로켓실(rocket室)·기계실(機械室)이 합해져서 무게가 약 3.2 t이 됨. 기계실에는 추진제 탱크·자세 제어(姿勢制御) 로켓·통신 설비·선내 환경 조절 장치·음료수·액체 산소·전력원(電力源) 등이 실리어 있음.

제미다 타 ☞저미다.

제민[1]【齊民】명 일반 백성. 서민(庶民).

제:민[2]【濟民】명 백성을 도탄(塗炭)에서 건져 줌. ——-하다 자여불

제민 요술【齊民要術】〔一뇨一〕명〖책〗완전한 책으로 남아 있는 중국 최고(最古)의 농업에 관한 책. 북위(北魏)의 고양 태수(高陽太守) 가사협(賈思勰)의 저서로 6세기 전반(前半)시대의 저작으로 추측됨. 조를 비롯한 주요 곡물 및 야채·과수 등의 경종법(耕種法), 가축의 사육법, 술·된장의 양조법(釀造法) 등을 체계적으로 기술했음. 10권.

제:민-창【濟民倉】명〖역〗조선 영조(英祖) 39년에 설치된 구호(救護) 사업 기관의 하나. 북방의 교제창(交濟倉)에 대하여, 남쪽의 사천(泗川)·비인(庇仁)·순천(順天) 등지에 설치하였음. 각각 2만 석의 곡물을 저장해 두었다가 춘궁기에 농민들에게 저리(低利)로 대여해 주고 추수기에 받아들였음.

제밋-대 명〈방〉상앗대.

제밀 동생【一同生】명 자기 바로 다음의 성별(性別)이 저와 같은 동생.

제-바닥 명 ①물건 자체의 본바닥. ②자기가 본디 살고 있는 고장.

제바달다【提婆達多】명〔범 Devadatta〕〖불교〗곡반왕(斛飯王)의 아들. 석가(釋迦)의 종제(從弟). 출가(出家)하여 석가의 제자가 되었으나 스승에게 위해(危害)를 주려다가 실패하고 죽은 뒤에 무간 지옥(無間地獄)에 떨어졌다고 함. 조달(調達). 천수(天授). 조바달다(調婆達多).

제바달다-품【提婆達多品】명〖불교〗법화경(法華經)이십 팔품(二十八品) 중의 제12품. 제바달다의 성불(成佛) 및 8세의 용녀(龍女)가 성불하는 일 등을 해설하고 일경(一經) 중에서 가장 공덕(功德)이 뛰어났다고 되어 있음. 준제바품(提婆品).

제-바라밀【諸波羅蜜】명〖불교〗모든 바라밀. 곧, 육(六)바라밀·십(十)바라밀 등의 총칭.

제-바람 명 외력(外力)으로 인하지 아니하고 제 동작으로 인한 영향. ¶～에 넘어지다.

제바리 감 노동자패들이 자기의 불만을 표하는 말.

제바-품【提婆品】명〖불교〗↗제바달다품(提婆達多品).

제:박【制縛】명 제재(制裁)를 가하여 자유를 속박함. ——-하다 타여불

제반[1]【除飯】명〖민〗끼니때마다 밥 먹기 전에 밥을 조금 떠 내어서, 곡신(穀神)에게 감사의 뜻을 표하는 일. ——-하다 자여불

제:반[2]【祭飯】명 젯메.

제:반[3]【祭盤】명 제례(祭禮)에 젯상(祭床)에 올릴 음식을 나르는 소반.

제반[4]【際畔】명 경계(境界)의 가장자리.

제반[5]【諸般】명관 모든 것. 여러 가지. 각반(各般). 백반(百般). ¶～ 사정으로 대회(大會)를 연기하다/～ 조치를 취하다.

것으로 적어 놓는 글. [준]제(題).

제사[12] 【題辭】 [명] ①제언(題言). ②〖역〗 관부(官府)에서 백성이 제출한 소장(訴狀) 또는 원서(願書)에 쓰는 관부의 판결이나 지령(指令). 제지(題旨).

제:사[13] 【第四】 [수][관] 넷째.

제:사-계 【第四系】 [명] 〖지〗 제사기(第四紀)에 생긴 지층. 곧, 홍적층(洪積層) 및 충적층(沖積層)의 총칭. 제사기계(第四紀系). 제사기층(第四紀層).

제:사 계급 【第四階級】 [명] 〔fourth estate〕 〖사〗 ①칼라일(Carlyle)의 계급 분류에 의한 넷째 계급. 곧, 무산 계급을 일컫는 말. ②신문 기자들. 언론계.

제:사-공 【製絲工】 [명] 실을 만드는 일에 종사하는 직공. 특히, 고치에서 실을 뽑아 내는 여공(女工).

제:사 공업 【製絲工業】 [명] 제사업(製絲業).

제:사 공장 【製絲工場】 [명] 실을 만드는 공장. 실 공장.

제:사 공:화국 【第四共和國】 [명] 1972년 10월 대통령의 비상 사태 특별 선언으로 국회가 해산되고, 그 해 11월에 실시된 국민 투표로써 확정되어 12월에 공포된 유신 헌법(維新憲法)에 의하여 성립된 우리 나라의 네번째의 공화정(共和政). 통일 주체 국민 회의(統一主體國民會議)의 신설, 국회 의원 정수의 ⅓은 대통령의 일괄 추천을 받아 통일 주체 국민 회의가 선출하도록 했으며, 대통령 및 국회 의원의 임기 6년제(통일 주체 국민 회의에서 선출된 의원은 3년), 특히 필요할 때에는 대통령이 행사하게 될 긴급 조치권의 창설 등이 유신 헌법의 주요 특색임. 1979년 10월에 박정희 대통령(朴正熙大統領)이 저격됨으로써 막이 내림.

제:사 공:화정 【第四共和政】 [명] 〖역〗 제2차 세계 대전 종결 후 1946년 10월에 공포한 헌법에 의해서 성립된 프랑스의 공화 정체. 양원(兩院) 중 하원인 국민 의회의 우위(優位), 대통령 권한의 제한, 정변(政變)의 계속과 정국의 불안정 등이 특징이었음. 처음에는 좌익 세력의 진출이 현저하였으나 1949년 5월을 전기(轉機)로 중간파 여러 내각이 계속되었는데 불인(佛印) 문제·알제리 문제 등 내외의 곤란에 당면하여 정변(政變)이 심하였으며, 1958년 10월 드골 장군 영도하의 제5 공화정 성립으로 종결되었음. *제오 공화정.

제:사 금융 【製絲金融】 [—/—늉] [명] 제사업에 대한 운영 자금(運營資金)의 융자.

제:사-기 【第四紀】 [명] 〔Quaternary Period〕 〖지〗 지질 시대의 한 구분. 신생대(新生代)의 후반 약 250만 년 전부터 현대까지를 일컫는 말. 지구사상(地球史上) 최근의 빙하 시대에 해당하는데 빙기(氷期)와 간빙기(間氷期)가 되풀이되었으며 인류(人類)의 진화가 특징임. 홍적세(洪積世)·충적세(沖積世)로 나눔.

제:사기-계 【第四紀系】 [명] 〖지〗 제사계(第四系).

제:사기-층 【第四紀層】 [명] 〖지〗 제사계(第四系).

제-사날로 [부] 남의 시킴을 받지 아니하고 제 생각으로. ¶~ 한 짓.

제:사 뇌실 【第四腦室】 [명] 〖생〗 소뇌(小腦)와 연수(延髓)로 둘러싸여 있는 거의 마름모꼴의 강소(腔所).

제:사-답 【祭祀畓】 [명] 제답(祭畓).

제:사-병 【第四病】 [명] 〖의〗 발진성 급성 전염병의 하나. 성홍열(猩紅熱)과 비슷하나 그보다 조금 가벼운 증세로, 발열·발진을 수반함. 성홍열·마진(痲疹)·풍진(風疹)의 다음의 질병이라는 뜻.

제:사 비:례항 【第四比例項】 [명] 〖수〗 비례식(比例式)의 넷째 항.

제:사 빙기 【第四氷期】 [명] 〖지〗 뷔름(Würm) 빙기.

제:사-상 【祭祀床】 [—쌍] [명] '제상(祭床)'의 원말.

제:사 상속 【祭祀相續】 [명] 가부장적(家父長的) 가족 제도에 있어서 그것의 정신적인 기반으로 선조의 제사를 모시는 것을 중요시하는 데에서 생긴 상속 제도. 민법은 제사 상속을 법률 제도로부터 제외하여 관습에 일임하고 있음.

제:사 상:한 【第四象限】 [명] 〖수〗 ①사분원(四分圓)의 넷째 부분. ②평면 위에서 두 직선이 직각으로 만날 때, 직선이 나누는 평면의 넷째 부분. 270°에서 360° 사이임. *상한(象限)·제1 상한.

제:사 성:병 【第四性病】 [—뼝] [명] 〖의〗 서혜 림프 육아종(鼠蹊lymph肉芽腫). *제오 성병.

제:사 세:계 【第四世界】 [명] 발전 도상국(發展途上國) 가운데, 자원(資源)도 갖지 못하고 식량의 자급조차 어려운 후발(後發) 도상국들의 일컬음. *제삼 세계.

제:사 세대 컴퓨:터 【第四世代—】 [명] 〔fourth-generation computer〕 컴퓨터를 발전 과정상으로 분류한 것. 고밀도(高密度) 집적 회로를 이용한 1970년대 중엽 이후의 컴퓨터, 1980년대의 초(超)고밀도 집적 회로를 사용한 컴퓨터를 일컬음. 초기의 컴퓨터와 비교하여 가격은 6000분의 1, 집적도(集積度)는 100만 배로 소형화, 신뢰도는 약 20만 배의 향상 등을 볼 수 있음. *제5 세대 컴퓨터.

제:사-업 【製絲業】 [명] 고치나 솜으로 실을 만드는 공업. 제사 공업.

제:사:-위 【第四胃】 [명] 반추위(反芻胃)의 제4실(室). 곧, 추위(皺胃).

제:사 유적 【祭祀遺跡】 [명] 고고학(考古學)상의 유적의 한 종류. 종교적인 제사 의식이 행하여졌음을 입증할 수 있는 장소.

제:사의 벽 【第四—壁】 [—/—에—] [명] 〖연〗 실내 무대(室內舞臺)에 있어서 관람석과 무대를 격리하는 면(面). 즉, 막이 오르내리는 벽면(壁面). 다른 세 면은 관람석에서 보이되 이것은 실지로 있는 것이 아니지만 진실을 존중하는 근대의 사실극(寫實劇)에서 배우들이 이 벽이 있는 것으로 생각하고 관객이 보고 있지 않은 것같이 연기를 하여야 할 것으로 되어 있음.

제:사의 불 【第四—】 [—/—에—] [명] 핵융합 반응에 의한 에너지의 일컬음. *제삼의 불.

제:사-장 【祭司長】 [명] 〔priest〕 ①〖성〗 유태교(猶太敎)에서, 성장막(聖帳幕)이나 예루살렘의 성전(聖殿)에서 하느님을 섬기고, 종교상의 의식·전례(典禮)를 맡아 보던 공직자(公職者). 처음에는 수가 적었으나, 다윗 왕 때에는 3,700 명의 제사장이 있었음. 사제(司祭). *대제사장(大祭司長). ②미개(未開)한 여러 민족에 있어서, 제례(祭禮)·주문(呪文)에 밝아, 영험(靈驗)을 얻게 하는 사람.

제:사 재산 【祭祀財產】 [명] 〖법〗 조상의 제사용으로 쓰는 재산. 특히, 상속상(相續上) 특별한 조치가 취해지는 족보(族譜)·제구(祭具)·분묘(墳墓)·위토(位土) 등의 총칭.

제:사 접촉 【第四接觸】 [명] 〖천〗 복원(復圓).

제:사종 우편물 【第四種郵便物】 [명] 〖법〗 국내 통상 우편물의 하나. 서적·인쇄물·업무용 서류·사진·서화·상품의 견본과 모형·박물학상의 표본·농산물 종자·잠종(蠶種) 같은 우편물. *제오종 우편물.

제:사차 경제 개발 오:개년 계:획 【第四次經濟開發五個年計劃】 [명] 1977-1981년의 우리 나라의 경제 개발 계획. 자력 성장 구조(自力成長構造)의 확립, 사회 개발을 통한 형평(衡平)의 증진, 기술 혁신과 능률의 향상 등이 그 주요한 목표로 되어 있음. *제삼차 경제 개발 오개년 계획.

제:사차 산:업 【第四次產業】 [명] 〖경〗 넓은 뜻의 제3차 산업을 세분한 것의 하나. 정보(情報)·의료(醫療)·교육 및 서비스 산업 등 지식 집약형(知識集約型)의 산업. *제오차 산업.

제:사차원 세:계 【第四次元世界】 [명] 〖물〗 사차원 세계.

제:사차원 소:설 【第四次元小說】 [명] 〖문〗 제사차원 세계를 다룬 소설. 초현실적이기는 하나 논리적으로는 가능한 이차원(異次元)의 세계를 탐색하는 공상 과학 소설의 일종.

제삭 【梯索】 [명] 줄사닥다리.

제산[1] 【除算】 [명] 〖수〗 '나눗셈'의 구용어. 제법(除法). ↔승산(乘算). ——하다 [타][여불]

제:산[2] 【製產】 [명] 물건을 만들어 냄. ——하다 [타][여불]

제산[3] 【諸山】 [명] ①많은 산. ②〖불교〗 많은 절.

제:산-제 【制酸劑】 [명] 〖약〗 위산 과다증·위궤양·십이지장 궤양 등의 경우에, 위액의 분비를 억제하고 위산(胃酸)을 중화(中和) 또는 흡착(吸着)하여 그 작용을 감쇠(減衰)시키며 또는 침전(沈澱)이 되어 위장의 점막(粘膜)에 침착(沈着)하여 궤양면(潰瘍面)을 싸서 보호하여 산의 자극을 완화하는 약제. 중탄산 나트륨·산화 마그네슘·탄산 마그네슘·과산화(過酸化) 마그네슘·규산(硅酸) 알루미늄·규산 마그네슘·아트로핀 같은 것.

제:살 【制煞】 [명] 〖민〗 살풀이를 하여 미리 재액(災厄)을 막음. ——하다 [자][여불]

제살-붙이 [—부치] [명] 같은 혈통을 받은 가까운 일가붙이. [준]제붙이.

제-살이 [명] 어른에게 눌리거나 또는 남에게 의탁하지 아니하고 자기 힘으로 살아가는 살림. ——하다 [자][여불]

제살이(를) 가다 [구] 시가에 시부모 등 어른이 없는 집으로 시집을 가다.

제:삼 【第三】 [수][관] 셋째.

제:삼각-법 【第三角法】 [명] 〖미술〗 정투영법(正投影法)의 하나. 공간은 직교 좌표축(直交座標軸) xox'·yoy'·zoz'에 의해 8개의 부분으로 나누어지나 그 중 3개의 반직선(半直線) ox'·oy'·oz'에 의해 정해지는 부분에 입체를 두고 투영도를 그리는 방법. 입면도(立面圖) 위에 평면도가 오고 또 오른쪽에 측면도가 옴. *제1각법.

제:삼-계 【第三系】 [명] 〖지〗 제삼기에 생긴 지층(地層). 석탄·석유 그 밖의 광상(鑛床)이 많음. 제삼기층(第三紀層).

제:삼 계급 【第三階級】 [명] 칼라일(Carlyle)의 계급 분류에 의한 셋째 계급. 봉건 사회에서 귀족·성직자 등의 특권 계급에 대하여 평민 계급을 가리키는 말. 또, 부르주아를 중심으로 소상공업자(小商工業者)·노동자·농민 등의 계급. *제삼 신분.

제:삼 고조파 【第三高調波】 [명] 〔third harmonic〕 〖물〗 복합파 중에서 기본 진동수의 3배의 진동수를 가지고 있는 사인파(sine波) 성분.

제:삼 공:화국 【第三共和國】 [명] 1962년 12월 17일 국가 재건 최고 회의의 개헌안에 대한 국민투표가 실시되고, 12월 26일 개정 헌법의 공포, 1963년 10월 대통령 선거와 동 11월 국회 의원 선거를 거쳐, 개정 헌법 발효 일자인 1963년 12월 17일 박정희 대통령의 취임과 제6대 국회 개원으로 성립된 우리 나라의 세번째 공화국. 1972년 10월 유신이 단행될 때까지 존속하였음. 제1차·2차 경제 개발 5개년 계획, 한일 국교 정상화, 경부 고속 도로 개통, 월남 파병 등의 정책을 수행하고 1972년말 시월 유신(十月維新)으로 종결됨.

제:삼 공:화정 【第三共和政】 [명] 〖역〗 제이 제정(帝政)의 붕괴에 이은 1870-1940년의 프랑스 공화 정체. 의회 중심주의가 특징이나, 잡다한 정당·정파(政派)의 이합 집산(離合集散)으로 의회 세력 분포가 늘 불안정하여 내각의 동요가 심하였음. 공상농업(工商農業)에 있어서의 독점 자본의 지배 확립, 제국주의와 식민지 정책의 강행이 전개된 시기로, 제2차 대전 중 비시(Vichy) 정부의 수립으로 제삼 공화국 헌법이 폐지되고 종결되었음. *제사 공화정.

제:삼-국 【第三國】 [명] 당사국(當事國) 이외의 국가.

제:삼 국가군 【第三國家群】 [명] 〖정〗 제2차 세계 대전 이후 미국과 소련의 양대 진영의 중간에 끼어 있으면서 어느 쪽에도 가담하지 않고 제삼 세력을 형성하고 있는 나라들로 인도·아랍 제국(諸國)·유고·인도네시아 등임.

제:삼국 시:장 【第三國市場】 [명] 당사국(當事國) 이외의 시장을 이름.

제:삼국-인 【第三國人】 [명] 관계국(關係國) 이외의 나라의 사람. 곧, 제삼국의 사람.

제:삼 권리자 【第三權利者】 [—궐—] [명] 〖법〗 어떤 채권(債權) 관계의

권리자에 대하여 채권을 갖는 제삼자.

제:삼 궤:조【第三軌條】명 전기 철도에서, 전력을 공급하기 위해 주행(走行) 레일 곁에 부설된 제3의 레일. 지하철이나 고가 철도 등에 이용됨. 제3 레일.

제:삼급-선【第三級船】명 호수·강·항내(港內) 등 평수 구역(平水區域)만을 항행하는 배.

제:삼급 알코올【第三級—】〔alcohol〕명〖화〗수산기(水酸基)와 결합해 있는 탄소 원자와 직접 결합하는 수소 원자가 한 개도 없는 알코올. 보통 산화제(酸化劑)에 대한 안정성이 높아 에스테르화(Ester化)하기 어려움. 제삼 알코올.

제:삼-기【第三紀】명〔Tertiary Period〕〖지〗지질 시대의 한 구분. 신생대(新生代)의 전반(前半)으로 약 6500만 년 전부터 약 250만 년 전까지의 시대. 포유 동물과 쌍떡잎 식물이 번성하고 화산 활동·조산 운동(造山運動) 등 지각(地殼)의 변동이 심했으며, 이 시기에 알프스(Alps)·히말라야(Himalaya) 등의 대산맥이 생겼음.

제:삼기-계【第三紀系】명〖지〗제삼계(第三系).

제:삼기 매독【第三期梅毒】명〖의〗감염된 뒤 3년 이상 지나서 나타나는 매독의 증상. 결절성(結節性) 매독·고무 종성(gomme 腫性) 매독·점막성(粘膜性) 매독이 있음.

제:삼기-층【第三紀層】명〖지〗제삼계(第三系).

제:삼 뇌실【第三腦室】명〖생〗투명한 물 모양의 액체가 가득 차 있는 뇌 내부의 강소(腔所)의 일부. 대부분 간뇌(間腦) 범위에 있음.

제:삼-당【第三黨】명〖정〗이대 정당(二大政黨) 사이에 끼어 있어서 어느 정도 캐스팅 보트(casting vote)를 쥐고 있는 정당.

제:삼 독회【第三讀會】명〖법〗국회의 의사(議事)에 있어서 의안(議案)에 대한 제삼차(第三次)의 독회. 의안 전체에 대한 가부(可否)를 의결함이 관례(慣例)임. 삼독회(三讀會).

제:삼 레일【第三—】〔rail〕명 제삼 궤조.

제:삼-맹【第三盲】명〖의〗청황(青黃) 색맹. 제삼 색맹. ↔제일맹(第一盲)·제이맹(第二盲).

제:삼 상한【第三象限】명〖수〗①사분원(四分圓)의 셋째 부분. ②평면 위에서 두 직선이 직각으로 만날 때, 직선이 나누는 평면의 셋째 부분. 180°에서 270° 사이임. *제4 상한.

제:삼 색맹【第三色盲】명〔tritanopia〕〖의〗장파상(長波狀)을 적색으로 느끼고 단파상(短波狀)을 녹색으로 느끼며, 청색과 황색을 혼동(混同)하는 색맹. 제삼맹.

제:삼-성【第三聲】명 거성(去聲).

제:삼 성:질【第三性質】명〖철〗한 물체(物體)가 다른 물체에 작용하는 힘. *제일 성질·제이 성질.

제:삼 세:계【第三世界】명〔the Third World〕〖정〗제2차 세계 대전 이후, 아시아·아프리카·라틴 아메리카의 100 개국 이상의 발전 도상국(發展途上國)을 편의적으로 총칭하여 일컫는 말. *제일 세계·제이 세계·제사 세계.

제:삼 세:계 연:극제【第三世界演劇祭】명〖연〗아시아·아프리카·라틴 아메리카의 제3 세계, 곧 개발 도상국들이 주축(主軸)이 되어 제3 세계 연극의 전통성을 지키고 발전시키기 위해 국제 연극 협회(ITI)가 마련하는 국제 연극 제전(祭典). 1971년 필리핀의 마닐라에서 제1회가 열린 후, ITI 총회와 교대로 2 년마다 열림. 1981년에 제5차 연극제가 서울에서 열렸음.

제:삼 세:대 컴퓨:터【第三世代—】명〔third-generation computer〕컴퓨터를 발전 과정상으로 분류한 것. 1960년대 후반에 등장한 것으로, 트랜지스터 대신 집적 회로(集積回路)를 이용하고, 동시에 다수의 프로그램을 다루는 능력, 주처리 장치(主處理裝置)에서 떨어진 위치로부터의 입출력 조작(入出力操作)의 가능성과 소프트 웨어 등이 특징임. *제사 세대 컴퓨터.

제:삼 세:력【第三勢力】명〖정〗①서로 대립하는 이대 세력의 중간에 있는 세력. 중립파(中立派). ②좌익과 우익의 어느 것에도 속하지 않는 민주주의적 정치 세력. 중간파.

제:삼 시:장【第三市場】명〖경〗증권 거래소 시장과 코스닥(KOSDAQ) 시장에 이어, 중소 기업의 육성 자금 조달을 위하여 설립된 증권 시장.

제:삼 신분【第三身分】명〔프 tiers état〕〖역〗프랑스의 삼부회(三部會)에서, 제삼부를 구성한 상인·수공업자 등의 도시 부르주아. 일반적으로는 성직자·귀족 등의 특권적 신분 이외의 모든 계급의 사람들을 포함해서 이름. *제삼 계급(第三階級).

제:삼-심【第三審】명〖법〗소송에서 제삼차로 받는 심판. 또, 그 심판 기관. 보통 상고심(上告審) 및 재항고심(再抗告審)이 이에 상당함.

제:삼 아민【第三—】명〔tertiary amine〕〖화〗트리메틸아민처럼, 암모니아의 세 개의 수소 원자를 1가(價)의 탄화 수소기(炭化水素基)로 치환(置換)한 화합물의 총칭. [R_3N]

제:삼 안:검【第三眼瞼】명〖생〗순막(瞬膜).

제:삼 알코올【第三—】명〔tertiary alcohol〕〖화〗알코올 중, 수산기(水酸基)를 갖는 탄소 원자에 세 개의 알킬기(基) 등이 결합하여 수소 원자를 갖지 않는 것을 이름.

제:삼 우:주 속도【第三宇宙速度】명〔third astronautical velocity〕로켓의 운동에 관련되어 쓰이는 말. 로켓이 태양계(太陽系)를 탈출하는 데 필요한 속도. 16.7 km/s임. *우주 속도.

제:삼-위【第三胃】명〖생〗반추위(反芻胃)의 제삼실(第三室). 곧, 중판위(重瓣胃).

제:삼의 물결【第三—】〔—껼/—에—껼〕명〔the third wave;미국의 저널리스트 토플러가 1980년에 낸 같은 이름의 책에서 유래〕농경 기술의 발견에 따른 '제1의 물결' 및 산업 혁명(産業革命)으로 말미암은 기술 혁신(技術革新)에 입각(立脚)한 현대의 '제2의 물결'에 이어, 미래 사회의 고도로 발달한 과학 기술에 뒷받침된 대변혁(大變革)의 물결을 일컬음.

제:삼의 불【第三—】〔—/—에—〕명 원자핵 분열 반응에 의한 열을 이름. 원시적인 불 또는 석탄·석유에 의한 것을 제1의 불, 증기 기관·전기 또는 다이너마이트를 제2의 불이라고 하는 데 대해 이르는 말. *제사의 불.

제:삼의 창구【第三—窓口】〔—/—에—〕명〖경〗자원이 없는 발전 도상국에 세계 은행(世界銀行)이 저리 융자(低利融資)하는 제도. 세계 은행의 통상 융자 및 '제2의 창구'인 국제 개발 협회(國際開發協會)의 대출에 상대하여 일컫는 말. 자금 10억 달러, 7년 거치(据置) 25년 상환(償還), 실지 차주(借主) 부담 금리 4.5%로, 1인당 국민 소득 375 달러 이하의 중간적 발전 도상국을 대상으로 함. 1975년 세계 은행 이사회에서 결정됨.

제:삼 의학【第三醫學】명 전쟁이나 산업 사고로 신체 장애를 입은 환자를 육체적·정신적·경제적으로 재기(再起)시켜 사회에 복귀(復歸)시키려는 의학. 「❸.

제:삼 인산 나트륨【第三燐酸—】〔도 Natrium〕명〖화〗인산 나트륨

제:삼 인산 암모늄【第三燐酸—】〔ammonium〕명〖화〗인산 암모늄❸.

제:삼 인산 칼륨【第三燐酸—】〔도 Kalium〕명〖화〗인산 칼륨❸.

제:삼 인산 칼슘【第三燐酸—】〔calcium〕명〖화〗인산 칼슘❸.

제:삼-인칭【第三人稱】명〖언〗대화자 이외의 사람의 이름 대신에 쓰는 인칭. 그이·저이 등.

제:삼 인터내셔널【第三—】〔International〕명〖사〗세계 각국의 공산당의 통일적인 국제 조직. 1919년 주로 레닌(Lenin) 등의 지도하에 러시아 공산당과 독일 사회 민주당 좌파(左派)를 중심으로 세계 각국의 공산당·좌파 사회당 그룹의 가맹(加盟)에 의하여 창립되어 국제 공산주의 운동의 지도를 하였으나 제2차 세계 대전중, 1943년에 해산되었음. 공산주의 인터내셔널. 적색 인터내셔널. 코민테른(Komintern). 국제 공산당.

제:삼-자【第三者】명 당사자 이외의 사람. 직접으로 관계하는 사람이 아닌 남. 삼자(三者). ¶~는 간섭하지 마시오. ↔당사자.

제:삼자를 위한 계:약【第三者—爲—契約】명〖법〗계약 당사자(當事者)의 일방이 제삼자에 대하여 어떤 급부(給付)를 할 것을 약정(約定)하는 계약.

제:삼자의 변:제【第三者—辨濟】〔—/—에—〕명〖법〗채무자 이외의 사람이 채무자를 대신하여 변제하는 일. 제삼자의 판제(辦濟).

제:삼자의 소송 담당【第三者—訴訟擔當】〔—/—에—〕명〖법〗어떤 권리 또는 이익에 관하여, 그 실질적 귀속 주체 이외의 사람이 자기의 이름으로 당사자로서 소송을 추행(追行)하는 권능 또는 자격에 의해 소송을 하는 것. 법률의 규정에 의하는 경우와 귀속 주체의 수권(授權)에 의하는 경우가 있음.

제:삼자의 판제【第三者—辦濟】〔—/—에—〕명〖법〗제삼자의 변제.

제:삼자 이:의의 소【第三者異議—訴】〔—/—이이에—〕명〖법〗제삼자가 강제 집행의 목적물에 관해 소유권 기타의 집행을 방해할 실체상의 관계를 주장하여 집행의 저지 배제(沮止排除)를 구하는 소송.

제:삼자 집행【第三者執行】명 강제 집행의 잠탈(潛脫) 수단 중 가장 악질·교묘한 것의 하나. 채무자(債務者)가 압류 채권자(押留債權者)로 가장하여 자기 압류를 하고 압류물의 매득금(賣得金)을 그 손에 환원케 하는 일 등.

제:삼 전:회【第三轉回】명〖악〗'셋째 자리바꿈'의 한자 이름.

제:삼 접촉【第三接觸】명〖천〗생광(生光)❹.

제:삼 정당【第三政黨】명 이대(二大) 정당제의 나라에서, 그 이대 정당에 대한 제3위의 정당.

제:삼 제:국【第三帝國】명 ①〔도 das Dritte Reich〕〖역〗〔중세의 독일 로마 제국을 제일 제국, 프로이센 프랑스 전쟁 후의 호엔촐레른가(Hohenzollern家)의 제국을 제이 제국으로 하고 그 뒤에 오는 제국의 뜻〕나치스 통치하의 독일. *제이 제국. ②〖문〗육(肉)의 세계를 제일 제국, 영(靈)의 세계를 제이 제국이라고 하는 데 대하여, 영육이 일치하여 이상과 현실이 혼연히 일체(一體)되는 세계.

제:삼종 소:득【第三種所得】명〖일제〗제일종·제이종 이외의 개인의 소득.

제:삼종 소:득세【第三種所得稅】명〖일제〗제삼종 소득에 대하여 부과하는 세(稅).

제:삼종 영:구 기관【第三種永久機關】명〔perpetual motion machine of the third kind〕〖물〗어떤 부분의 움직임이 영구히 계속되고 있는 장치. 초전도체(超傳導體) 따위.

제:삼종 우편물【第三種郵便物】명〖법〗국내 통상 우편물의 일종. 정기 간행물과 관보로서 관할 체신청장의 인가를 받은 것. *제사종 우편물.

제:삼종 전염병【第三種傳染病】〔—뼝〕명〖법〗법률상 그 환자를 격리 병사에 수용하여야 하는 법정전염병 중, 결핵·성병(性病)·나병(癩病) 등의 병을 말함. *법정 전염병.

제:삼-줄나비【第三—】〔—라—〕명〖충〗〔*Limenitis homeyeri*〕네발나빗과에 속하는 곤충. 편 날개의 길이가 54mm 내외이고 몸빛은 제일줄나비와 비슷하나 수컷의 날개 표면이 흑색이고 앞날개 중앙실에 삼각형 무늬와 바깥쪽에 흥색 줄무늬가 있으며, 뒷날개 후면 외반부(外半部)의 토황색(土黃色) 부분에 흑색 점이 선명(鮮明)함. 한국·아무르·중국·시베리아 등지에 분포함. *줄나비.

제:삼 지역【第三地域】명〖정〗미·소 양대 세력의 어느 쪽에도 가담하지 않는 중립 지역. 인도 수상 네루가 처음으로 사용하였음.

제:삼차 경제 개발 오:개년 계:획【第三次經濟開發五個年計劃】명 우리 나라에서 1972-1976년에 실시된 경제 개발 계획. 농어촌 경제 개발에 중점이 놓여져, 식량 증산, 농어민 소득 증대, 영농의 기계화, 농촌 전화(電化) 등을 목표로 하고 또한 국제 수지의 개선, 중화학(重化學) 공업의 육성 등이 그 내용으로 되어 있음. ＊제사차 경제 개발 오개년 계획.

제:삼차 산:업【第三次產業】명 판매업·금융업·운수 통신업·서비스업·공무(公務) 등 주로 제품의 유통·분배 따위를 담당하는 산업 부문. 준삼차 산업. ＊제일차 산업·제이차 산업.

제:삼차 산:업 혁명【第三次產業革命】명 〖경〗 증기(蒸氣)와 전력(電力)에 이어 원자력(原子力)의 원동력을 평화 이용(平和利用)함으로써 일어날 산업(產業)의 획기적 전환(劃期的轉換). ＊제일차 산업 혁명·제이차 산업 혁명.

제:삼차 성:징【第三次性徵】명 동물의 성징의 하나. 동물의 성(性)에 의한 심리·행동의 차이를 이름. ＊제일차 성징·제이차 성징.

제:삼 채:무자【第三債務者】명 〖법〗 어떤 채권 관계의 채무자에 대하여 채무를 지는 제삼자.

제:삼 취:득자【第三取得者】명 〖법〗 담보 물권(擔保物權)이 설정된 물건에 대하여 소유권 또는 용익 물권(用益物權)을 취득한 제삼자.

제:삼 탄:소 원자【第三炭素原子】명 〖화〗 유기 화합물에 있어, 다른 세 개의 탄소 원자와 결합한 탄소 원자.

제:삼-파【第三派】명 〖법〗 형법상 이탈리아 학파, 특히 롬브로소(Lombroso, C.)의 학파로부터 분리한 한 학파. 범죄(犯罪)의 성립에 있어서 생물학적 원인을 제한적(制限的)으로 해석하여, 사회적 원인을 특히 강조하는 학파. 비평 학파(批評學派) 또는 조화(調和) 학파라고도 함.

제:삼 한:강교【第三漢江橋】명 〖지〗 '한남 대교(漢南大橋)'의 옛 이름.

제:삼 혁명【第三革命】명 〖역〗 중국의 제1 혁명, 곧 신해 혁명(辛亥革命)과 제2 혁명에 이은 혁명 운동. 1915-16년, 위안스카이(袁世凱)의 제정(帝政) 운동에 반대하여 각지에서 거병(擧兵)함. 제2 혁명 후 대총통(大總統)에 취임한 위안스카이는 독재 정치를 행하고 제정 부활을 꾀하였으나 좌절되었음. ＊민국 혁명.

제:삿-날【祭祀—】명 제사를 지내는 날. 기일(忌日). 제일(祭日). 준젯날.

제:삿-밥【祭祀—】명 제사를 지내고 나서 나누어 먹는 밥.

제:삿-술【祭祀—】명 제주(祭酒).
[제삿술 가지고 친구 사귄다] 곗술에 낯내기.

제상[1]【除喪】명 상기(喪期)를 마치거나, 또는 복상(服喪)을 도중에서 그만두어 상(喪)을 벗는 일. ——-하다 자 여불

제:상[2]【祭床】[—쌍] 명 제사 때 제물(祭物)을 벌여 놓기 위하여 만든 상. 다리를 길게 하여 폈다 접었다 할 수 있게 됨. 또, 제물을 벌이어 놓은 상. 제사상(祭祀床).
[제상 다리를 친다] 제사 지내려고 차려 놓은 상의 다리를 친다 함이니, 공들여 이루어 놓은 일을 심술부려 망쳐 놓는다는 말.

제상[3]【梯狀】명 사다리 모양. 제형(梯形).

제상[4]【蹄狀】명 짐승의 발굽 모양.

제색【諸色】명 ①각 방면. 또, 각 부류(部類). ②갖가지 물품.

제생[1]【諸生】명 ①여러 학생. ②여러 유생(儒生).

제:생[2]【濟生】명 ①생명을 구제함. ②〖불교〗 중생을 구제함. ——-하다 자 여불

제:생-원【濟生院】명 〖역〗 조선 태조(太祖) 6년(1397)에 베풀어서 각 도(道)로부터 해마다 약재(藥材)를 실어서 바치는 일을 맡아 보던 관아(官衙).

제:서[1]【制書】명 조서(詔書).

제:서[2]【帝壻】명 임금의 사위.

제:서[3]【帝緖】명 제왕의 사업(事業).

제서[4]【題書】명 제자(題字).

제서[5]【臍緖】명 〖생〗 탯줄.

제서우〔界首〕명 〖지〗 중국 안후이 성(安徽省) 북서부에 있는 푸양 현(阜陽縣)의 현청 소재지. 화이허(淮河) 강 지류인 잉허(潁河) 강의 하항(河港)으로 허난 성(河南省)과 접경을 이루며 방부(蚌埠) 방면으로부터 카이펑(開封) 방면에 이르는 교통로로 상업이 발달됨. 계수(界首).

제:서 유:위【制書有違】명 〖역〗 제서에 적힌 임금의 명령에 위반함.

제석[1] 명 〈방〉 자식(子息)(평안).

제:석[2]【帝釋】명 ①〖불교〗 ↗제석천(帝釋天). ②〖민〗 ↗제석신(帝釋神).
[제석 아저씨도 먹지 않으면 안 된다] 어떤 사람이고 안 먹고는 살 수 없으니 애써 벌어야 한다는 말. [제석의 아저씨도 벌지 않으면 안 된다] 어떠한 사람이든지 힘써 벌어야만 된다는 말.

제석[3]【除夕】명 섣달 그믐날 밤. 세제(歲除). 제야(除夜). ¶ ~의 종.

제:석[4]【祭席】명 제사 때 까는 돗자리.

제:석 거리【帝釋—】명 무당의 열 두 거리 굿의 여덟째 거리. 무당이 장삼(長衫)에 고깔 차림을 함.

제:석-굿【帝釋—】명 〖민〗 제석신(帝釋神)을 제향(祭享)하는 굿거리. 재수굿이나 경사굿 등 큰굿의 하위 굿거리로서, 불사 제석굿(중부 지방)·시준굿(동해안)·셍굿(함경도) 등의 딴 이름이 있음.

제:석-궁【帝釋宮】명 〖불교〗 ①제석천(帝釋天)의 궁전. 수승전(殊勝殿)이라고도 하며, 선견성(善見城) 안에 있음. ②제석천을 모신 전당.

제:석-단지【帝釋—】명 〖민〗 ①신줏단지. ②세존단지.

제:석 도량【帝釋道場】명 〖불교〗 불교의 신중 신앙(神衆信仰)에 근거를 두고 하는 의식 도량. 불교의 신중 신앙이란 재래 토속신(土俗神)을 수용하여 불교의 호법신(護法神)으로 삼은 신앙 형태임.

제:석-망【帝釋網】명 〖불교〗 제석궁에 있다는 보배 그물.

제:석-병【帝釋甁】명 〖불교〗 제석천(帝釋天)에 있다는 보배 병. 원하는 물건은 무엇이든지 솟아 나온다는 병. 덕병(德甁)·현병(賢甁)·길상병(吉祥甁)이라고도 함.

제:석 본풀이【帝釋本—】명 〖민〗 무가(巫歌)의 일종. 제석신(帝釋神)의 유래를 읊은 것으로, 큰굿의 '제석거리'나 '안택(安宅)'과 같은 무의(巫儀)에서 구송(口誦)됨.

제:석-상【帝釋床】명 〖민〗 무당이 굿을 할 때에 제석신에게 올리기 위하여 차리는 제물상. 술과 고기가 없는 소상(素床)임.

제:석-신【帝釋神】명 〖민〗 무당이 숭봉(崇奉)하는 신의 하나. 집안 사람들의 수명·곡물·의류 및 집안의 안녕(安寧)을 맡아 봄. 신체(神體)는 쌀 또는 조를 넣고 백지로 덮어 뚜껑을 한 조그마한 단지로, 다락이나 부엌 한 귀퉁이에 안치함. 준제석(帝釋).

제:석 오가리【帝釋—】명 〈방〉 세존 단지(전라).

제석의 종【除夕—鐘】[—/—에—] 명 섣달 그믐날 밤 자정에 절에서 백팔 번뇌(百八煩惱)를 없앤다는 뜻으로 108 번을 치는 종.

〈제석천〉

제:석-제【帝釋祭】명 〖민〗 제주도에서, 추곡(秋穀)의 풍년을 빌던 마을제 형식의 제의(祭儀). 여기서의 제석은 농업을 관장 수호하는 신임.

제:석-천【帝釋天】명 〔범 Śakra, devānām indra〕 〖불교〗 범왕(梵王)과 더불어 불법을 지키는 신. 또, 십이천(十二天)의 하나로, 동쪽의 수호신(守護神). 수미산(須彌山)의 꼭대기의 도리천(忉利天)에 살고, 희견성(喜見城)의 주인으로서 대위덕(大威德)을 가지고 있음. 천제석(天帝釋). 석제(釋帝). 준제석(帝釋).

제:석-풀이【帝釋—】명 〖민〗 무당이 제석을 숭봉(崇奉)하여 하는 굿. ——-하다 자 여불

제설[1]【除雪】명 쌓인 눈을 치우는 일. ¶ ~ 작업. ——-하다 자 여불

제설[2]【提挈】명 몸에 지니어 가짐. 제시(提撕). 제계(提契). ——-하다 타 여불

제설[3]【諸說】명 ①여러 사람의 학설. ②여러 사람이 주장하는 말. ¶ ~이 분분하다.

제설[4]【蹄齧】명 말이 발로 차고 이로 물어 뜯음. ——-하다 타 여불

제설-기【除雪機】명 〖기〗 길에 쌓인 눈을 치워 없애는 기계. 트랙터의 앞면에 제설용 삽이 장치되어 있음. 소설기(掃雪機).

제설-차【除雪車】명 〖기〗 철도 선로 위에 쌓인 눈을 제거하는 차. 기관차 앞에 삽 모양으로 된 눈을 떨어 내는 기구가 장치되었음. 러셀식(Russell式)·로터리식(rotary式) 등이 있음. 설소차(雪掃車).

제설 혼:합주의【諸說混合主義】[—/—이] 명 싱크리티즘(syncretism).

제:섭[1]【濟涉】명 물을 건넘. ——-하다 자 여불

제섭[2]〔Jessup, Philip〕명 〖사람〗 미국의 정치가·국제법 학자. 컬럼비아 대학 교수. 언라(UNRRA: 국제 연합 구제 부흥 기관) 사무국 차장 및 UN의 국제법 위원회 미국 대표 등을 역임하였으며, '베를린 봉쇄'를 해결하는 실마리를 만들었음. [1897-]

제:성[1]【帝城】명 황성(皇城).

제성[2]【提醒】명 잊어 버렸던 것을 깨우침. ——-하다 타 여불

제성[3]【啼聲】명 동물이 우는 소리.

제성[4]【齊聲】명 여러 사람이 일제히 소리를 지름. ——-하다 자 여불

제성 첨례【諸聖瞻禮】[—네] 명 〔All Saint's Day〕 〖천주교〗 '모든 성인의 축일'의 구용어.

제성 토죄【齊聲討罪】명 여러 사람이 일제히 한 사람의 죄를 꾸짖음. ——-하다 자 여불

제성 통공【諸聖通功】명 〖천주교〗 세상·천국·연옥의 모든 성조들의 기구와 공로가 서로 통한다는 교리(敎理). '사도 신경'의 신조 중 하나. ——-하다 자 여불

제:세【濟世】명 세상을 구제(救濟)함. ¶ ~ 안민(安民). ——-하다 자 여불

제:세 경륜【濟世經綸】[—뉸] 명 세상을 구제할 만한 역량과 계획·포부.

제:세 안민【濟世安民】명 세상을 구제하고 백성을 편안하게 함. ——-하다 자 여불

제:세-재【濟世才】명 ↗제세지재(濟世之才).

제:세-주【濟世主】명 세상을 구제하는 거룩한 사람.

제:세지-재【濟世之才】명 세상을 구제할 만한 뛰어난 재주. 제시재(濟時才). 준제세재(濟世才).

제:소[1]【帝所】명 천자 또는 천제(天帝)가 있는 곳.

제소[2]【除召】명 임관(任官)하기 위해서 부름을 받음.

제소[3]【提訴】명 〖법〗 소송(訴訟)을 제기함. ¶ 당국에 ~하다. ——-하다 타 여불

제:소[4]【製疏】명 〖역〗 소(疏)를 지음. ——-하다 자 여불

제-소리[1] 명 글자의 바른 음. 정음(正音).

제-소리[2] 명 본심에서 나오는 말. ¶ 이제 ~가 나오는군.

제소 명:령【提訴命令】[—녕] 명 〖법〗 기소(起訴) 명령.

제소전 화해【提訴前和解】명 〖법〗 민사상의 쟁의(爭議)에 관하여, 화해하고자 하는 당사자가 상대방의 보통 재판적 소재지의 지방 법원에 출석하여 하는 화해. 화해가 성립되지 않으면 화해 신청을 한 때에 소(訴)가 제기된 것으로 간주됨. 화해가 성립하면 확정 판결과 동일한 효력이 있는 화해 조서를 작성함. 상습적인 땅 투기꾼들이 이 제도를 악용, 고의로 패소하여 소유권 이전을 함.

제:수[1]【弟嫂】명 계수(季嫂).

제:수[2]【制守】명 〖역〗 소수(少守).

제수[3]【除水】명 물을 배제(排除)함. ——-하다 자 여불

제수[4]【除授】명《역》①벼슬에 천거하는 절차를 밟지 아니하고 임금이 바로 벼슬을 시킴. 제배(除拜). ②구관직(舊官職)을 없애고 신관직을 내려줌. ——하다 타여불

제수[5]【除數】[—쑤] 명《수》제법(除法)에서 피제수(被除數)를 나누는 수. 15÷3=5에서 3과 같은 수. 법(法). 나눗수. ↔피제수.

제:수[6]【祭需】명 ①제사에 소용되는 여러 가지 음식이나 재료. ②제물(祭物).

제:수[7]【濟水】명《지》'지수이'를 우리 음으로 읽은 이름.

제:수-답【祭需畓】명 제위답(祭位畓).

제:수-문【制水門】명 하천 등에서 홍수에 대비한 방수로(放水路)에의 수량(水量)을 가감(加減)하는 수문.

제수이트〔Jesuit〕명《천주교》예수회의 신도. 예수회원.

제수이트 양식【—樣式】〔Jesuit〕명《건》①17-18세기에 예수회가 중남미에서 행한 바로크식의 건축 양식(建築樣式). 목조(木造)의 지붕으로 되어 있으며, 구조체에도 목조를 사용한 것이 많음. ②16세기 후반, 로마에 건설된 예수회 본부인 제수(il Gesù) 교회에 입각한 건축 양식.

제수이트-회【—會】〔Jesuit〕명《천주교》예수회.

제:수-장【弟雖章】[—짱] 명《악》용비어천가(龍飛御天歌) 백삼 장의 이름.

제:수-전【祭需錢】명 제수를 장만하는데 드는 금전.

〈제수창〉

제:수-창【帝壽昌】명《악》정재(呈才) 때에 추는 춤의 이름. 당악(唐樂)·남악(男樂)·여악(女樂) 등 삼종이 있음. 그 형식은 죽간자(竹竿子) 두 사람이 좌우로 벌려 선 가운데 봉족자(奉簇子)가 나란히 서고, 그 뒤에 네 사람이 두 줄로 나누어 사방에 서고, 한가운데에 선모(仙母)나 무동(舞童)이 서고, 봉황개(奉黃蓋)가 뒤에 따르고, 맨 뒷줄에 네 사람이 둘씩 둘씩 나란히 서서 주악에 맞추어 춤을 추는데, 장면을 따라서 사(詞)를 부름. 조선 순조(純祖) 29년(1826)에 예제(睿製)되었음.

제:수-판【制水瓣】명 물의 유출량을 가감(加減)하는 판(瓣). 배관의 분기점·기점(起點) 등에 설치함.

제:술【製述】명 시나 글을 지음. 제작(製作). ——하다 타여불

제:술-과【製述科】명《역》고려(高麗) 때 과거 과목(科舉科目)의 하나. 선비들에게 시(詩)·부(賦)·송(頌)·책(策)·논(論) 등의 문예(文藝)로써 시취(試取)하였으며, 초시(初試)·복시(覆試)가 있음. 합격자에게 진사(進士) 칭호를 줌. 제술업(製述業). 진사과(進士科).

제:술-관【製述官】명《역》①조선 시대 때 승문원(承文院)의 한 벼슬. ②조선 시대 때 전례문(典禮文)을 지어 바치던 임시(臨時)의 벼슬.

제:술-업【製述業】명《역》제술과(製述科).

제스처〔gesture〕명 ①몸짓. 손짓. 짓. ②의사 표시. 태도. ③성실성이 없는 형식뿐인 태도. 공허한 선전 행위. ¶정치적 ~.

제습【除濕】명 습기를 없앰. ¶~기/~제. ——하다 자여불

제:승[1]【制勝】명 ①《역》세자(世子)가 섭정(攝政)할 때에 군무(軍務)의 문서에 찍는 나무 도장. ②승리함. ——하다 자여불

제승[2]【諸勝】명 여러 명승(名勝).

제승[3]【諸僧】명 모든 중. 여러 중.

제:승[4]【濟勝】명 명승지(名勝地)를 발섭(跋涉)함. ——하다 자여불

제:승-당【制勝堂】명《지》경상 남도 통영시(統營市) 한산면(閑山面)에 소재한 1593-97까지 삼도 수군(三道水軍)의 본영(本營). 사적 제113호. 이순신(李舜臣) 장군이 제해권(制海權)을 장악했던 곳. 이순신 장군은 당시 운주당(運籌堂)이라 불리던 이 곳에 거처하면서 삼도 수군을 지휘, 무기를 만들고 군량(軍糧)을 비축하면서 왜적(倭敵)을 무찔렀음.

제:승 방략【制勝方略】[—냑] 명《책》함경도 팔진(八鎭)의 지세와 공수(攻守)의 방법을 적은 책. 조선 태종(太宗) 때 김종서(金宗瑞)가 안출(案出)하고 선조(宣祖) 때 이일(李鎰)이 수보(修補)하였음. 2권 2책.

제:승지-구【濟勝之具】명 ①제승(濟勝)할 때 가지고 가는 제구. ②놀이 갈 때 가지고 가는 제구.

제:시[1]【祭詩】명 자기가 지은 시를 제사(祭祀)지냄. 작시(作詩)의 고심(苦心)을 위로하기 위함임.

제시[2]【提示】명 ①어떤 의사(意思)를 글이나 말로써 드러내어 보임. ¶증거를 ~하다. ②《교》오단 교수법(五段教授法)의 제이단. 곧, 신교재(新教材)를 아동에게 보임. ③《경》어음·수표 그 밖의 증권 등의 소지자가 인수(引受)나 지급을 요구하기 위하여 지급인 또는 인수인에게 제출하여 보이는 일. ——하다 타여불

제시[3]【提撕】명 ①기운을 내어 진작(振作)함. ②제설(提挈). ——하다 타여불

제시[4]【睇視】명 곁눈질함. 제면(睇眄). ——하다 자여불

제시[5]【題詩】명 제(題)를 붙여 시를 지음. ——하다 자여불

제-시간【—時間】명 정해 놓은 시각. 정한 시각. ¶~에 오다.

제시 기간【提示期間】명《경》어음·수표의 소지인이 지급 또는 인수(引受)를 위해 증권을 제시하는 일정한 기간.

제시-부【提示部】명〔exposition〕《악》어느 하나의 악곡(樂曲)에서 주제(主題) 또는 그에 대신하는 중요한 소재(素材)를 제시하는 부분. 이에 의하여 주된 악상(樂想)을 나타냄.

제:시-재【濟時才】명 제세지재(濟世之才).

제시 증권【提示證券】[—꿘] 명《경》증권상의 권리를 주장함에 있어 의무 이행자(義務履行者)에게 제시함을 필요로 하는 유가 증권. 정시(呈示) 증권.

제:식【制式】명 규정(規定).

제:식 교:련【制式教鍊】명《군》여러 가지 법식(法式)을 숙달하게 하는 교련. 도수(徒手)·집총(執銃)·밀집(密集)교련 등이 있음. 제식 훈련(制式訓鍊).

제:식-복【祭式服】명 관혼 상제(冠婚喪祭) 또는 공식적인 의식(儀式)에 착용하는 특정된 복장. 예복(禮服)·상복(喪服) 같은 것. *활동복·직업복·휴양복.

제:식 훈:련【制式訓鍊】[—훌—] 명《군》제식 교련.

제:신[1]【帝宸】명 제왕의 궁전(宮殿).

제:신[2]【祭臣】명 제사를 모시는 신하.

제:신[3]【祭神】명 제사로서 모시는 신.

제신[4]【諸臣】명 여러 신하. 군신(群臣).

제신[5]【諸神】명 여러 신. ¶북구(北歐) 신화의 ~.

제신-기【除燼器】명 굴뚝의 끝에 달아서, 그을음이 날아 흩어지는 것을 막고 연기만을 통과하도록 쇠망으로 만든 장치.

제:실【帝室】명 황실(皇室).

제:실 재산 정:리국【帝室財產整理局】[—니—] 명《역》황실(皇室) 재산의 정리·유지·경영을 맡은 관아. 융희(隆熙) 원년(1907)에 베풂.

제:실 제:도 정:리국【帝室制度整理局】[—니—] 명《역》조선 말기에 제실 제도의 정리를 위하여 광무 8년(1904)에 설치한 궁내부(宮內府)의 한 분장(分掌). 총재(總裁) 1명과 의정관(議政官) 6명을 두어 약 1년간에 걸쳐 궁내부(宮內府) 관제를 정리하고, 제실 재정 회의 장정(帝室財政會議章程) 등 7개 법령을 제정했음. 광무 10년(1906) 제도국(制度局)으로 바뀜. *의정관.

제:실 회:계 감사원【帝室會計監査院】명《역》융희(隆熙) 원년(1907)에 '제실 회계 검사국'을 고친 이름. 융희 4년까지 있었음.

제:실 회:계 검:사국【帝室會計檢査局】명《역》황실(皇室) 재산의 검사 확정(確定)과 회계의 심사를 맡은 관아(官衙). 광무(光武) 9년(1905)에 베풀어서 융희(隆熙) 원년(1907)에 '제실 회계 감사원(帝室會計監査院)'으로 고침.

제심【齊心】명 마음을 같이함. 마음을 합함. ——하다 자여불

제:십【第十】명 열째. 열 번째.

제:씨[1]【弟氏】명 계씨(季氏).

제씨[2]【諸氏】명 여러 사람의 성명을 열거(列擧)하고, 그 아래에 붙이어 '여러분'의 뜻으로 쓰는 말. ¶독자(讀者) ~.

제-아무리 부 남을 얕잡아 보는 뜻에서 하는 말. ¶~ 잘난 체해도 별 수 없다.

제악[1] 명 〈방〉저녁(함북).

제:악[2]【祭樂】명《역》제향(祭享) 때에 공식(公式)으로 연주하는 아악(雅樂).

제악[3]【提握】명 손에 꼭 듦. ——하다 타여불

제악[4]【諸惡】명 모든 악(惡). 온갖 악(惡). 많은 악행(惡行)이나 악사(惡事). ¶~의 근원은 욕심이다.

제악 막작【諸惡莫作】명《불교》제악(諸惡)은 하여서는 안 됨.

제-악취【諸惡趣】명《불교》이 세상에 악을 행한 자가 죽은 다음에 가는 여러 세계. 지옥 따위를 가리킴.

제안[1]【除案】명 죄과(罪科) 있는 이예(吏隷)의 성명을 녹명안(錄名案)에서 빼어 버림. ——하다 타여불

제안[2]【提案】명 ①의안(議案)을 제출함. ¶~자. ②제출된 의안(議案). ¶~을 받아들이다. ——하다 타여불

제안-권【提案權】[—꿘] 명 법률안이나 예산안을 국회에 제출하는 권리. 법률안의 제출은 정부 및 국회가 다 가지고 있으나 예산안의 제출은 정부만이 이를 가지고 있음. 발안권. 제출권.

제안-자【提案者】명 법률안(法律案) 또는 예산안(豫算案)을 제출하는 기관 또는 사람.

제안 제:도【提案制度】명 ①〔suggestion system〕종업원이 자기 업무에 관계 있건 없건 개선·고안에 대한 착상을 제안함(提案函) 따위로 제기하는 제도. 제안이 채택되면 보상이 있는 것이 보통임. 사내 의사 소통과 종업원의 근로 의욕을 증진하는 따위의 효과가 있음. ②《법》국가·지방 공무원법상, 행정 운영의 능률화와 경제화를 위한 공무원의 창의적 의견 또는 고안(考案)을 계발(啓發)하고 이를 채택하여 행정 운영의 개선에 반영하는 제도. 제안의 채택으로 예산 절약 등 행정 운영 발전에 실적이 있는 사람을 심사하여 그 점수에 따라 금상·은상·동상·장려상 및 노력상을 부상과 함께 주며, 인사상의 특전도 줌.

제암리 삼일 운:동 순국 유적【提巖里三一運動殉國遺蹟】[—니—] 명《역》삼일 운동 당시 일본 헌병들에 의해 경기도 화성군(華城郡) 향남면(鄕南面) 제암리의 기독교 주민 23명이 학살되어 순국한 사건의 유적지. 1982년 9월에 도이리(桃李里) 옛 공동 묘지에서 23구의 시체를 발굴하여 제암리 뒤에 묘를 조성하고, 옛 제암리 교회 자리에는 3·1운동 순국 기념탑을 세움. 사적 제299호.

제:암-제【制癌劑】명 암의 치료에 사용되는 약제. 암세포의 분열(分裂)·증식(增殖)을 저해하고 암세포를 사멸(死滅)시키는 작용을 함. 항암제(抗癌劑).

제:암 항:생 물질【制癌抗生物質】[—찔] 명〔antitumor antibiotic〕《약》미생물에 의해서 만들어지며 어떤 종류의 암에 효과가 있는 물질. 악티노마이신(actinomycin) 등이 있음.

제:압【制壓】명 제어(制馭)하여 강압함. 위력이나 위엄으로 남을 꽉 눌러서 통제함. ¶적을 ~하다. ——하다 타여불

제:압 사격【制壓射擊】명《군》적의 이동이나 사격을 제압하기 위하여 하는 사격.

제:애【際涯】명 ①끝 닿는 곳. ②넓고 큰 물의 맨 가.

제:액[1]【帝掖】명 제왕이 사는 곳. 대궐.

제액[2]【提掖】명 도와 인도(引導)함. ——-하다 타여불

제액[3]【題額】명 액자(額子)에 그림이나 글씨를 그리거나 씀. ——-하다 └타여불

제야【除夜】명 제석(除夕). ¶~의 종소리.

제야의 종【除夜—鐘】[—/—에—]명 양력 12월 31일 밤 12시 정각에 묵은 해를 보내고 새해를 맞이하는 뜻으로 서른 세 번 치는 종.

제:약[1]【制約】명 ①사물의 성립에 필요한 조건(條件)이나 규정(規定). ¶시간의 ~을 받다. ②『철』 한 현상의 타당(妥當)·존재(存在)·생기(生起)·변화(變化) 등에 대한 규정. ③조건을 붙임. 제한(制限). ——-하다 └타여불

제:약[2]【制弱】명 약한 사람을 제압함. ——-하다 자여불

제:약[3]【製藥】명『약』의약을 제조함. 또, 제조한 약제. ¶~ 회사. ——-하다 자여불

제:약-사【製藥師】명〈속〉약을 짓는 사람. 제약하는 사람.

제:약-성【制約性】명 제약하는 성질 또는 특성.

제:약-소【製藥所】명 약을 만드는 곳.

제:약적 판단【制約的判斷】명『철』가언적 판단(假言的判斷)과 선언적 판단(選言的判斷)의 총칭.

제:약 화학【製藥化學】명 [pharmaceutical chemistry]『화·공』약제(藥劑)나 의약품 제조를 위한 화학.

제:약 회:사【製藥會社】명 제약(製藥)하는 사업을 전문으로 하는 회사.

제:어[1]【制御·制馭】명 ①통제하여 어거함. ②기계나 화학 반응·전자 회로·원자핵 반응 등이 적당한 상태로 움직이도록 조절하는 일. 컨트롤. ¶자동 ~ 장치. ——-하다 타여불

제어[2]【諸御】명 ①군중(軍中)의 서무관(庶務官). ②많은 첩(妾).

제어[3]【紫魚·鱭魚】명『어』웅어.

제어[4]【鯷魚】명『어』큰 메기.

제:어 공학【制御工學】명『공』각종 기기(機器)·설비에 대한 자동 제어를 목적으로 하고 제어 이론 및 제어 기기를 주체로 하는 공학의 한 분야. 제2차 세계 대전 후에 있어서의 공업 기술의 발달과 오토메이션의 발전에 따라 일어난 새로운 학문임.

제:어 그리드【制御—】[grid] 명『물』다극(多極) 진공관에서 양극(陽極)을 제어하는 그리드. 삼극(三極) 진공관의 그리드와 같은 작용을 함. 억제(抑制) 그리드.

제:어-기【制御器】명 ①전동기(電動機)나 내연 기관(內燃機關)의 속도를 제어하는 기구. ②발전기의 단자 전압(端子電壓)의 제어에 사용되는 기구. 콘트롤러.

제:어된 열핵 반:응로【制御—熱核反應爐】[—노]명 [controlled thermonuclear reactor]『물』핵융합 우주선 추진계(系)의 심장부. 중수소(重水素)와 헬륨 3이, 열핵 융합 반응에 의하여 헬륨 4와 양성자(陽性子)를 만들어 냄.

제:어 매체【制御媒體】명 [controlled medium]『화』프로세스 자동 제어 공정(工程)에 있어서, 프로세스 시스템 중 제어 인자(因子)로서 쓰이는 변수(變數). 곧 농도(濃度) 같은 것.

제:어 문자【制御文字】[—짜]명 [control character] 컴퓨터에서, 특수 기능을 가진 문자의 하나. 특정한 문장의 구성 중에 이 문자가 나타나면, 계산기나 그 관련 장치 등이 제어 조작의 개시·변경·정지(停止) 등을 행함.

제:어-봉【制御棒】명『물』원자로(原子爐)의 출력(出力)을 조종하는 데 └사용하는 막대기.

제:어 사:무소【制御事務所】명 열차 집중 제어 시설과 신호 보안 시설의 보수·관리에 관한 업무를 분장(分掌)하는, 지방 철도청의 현업(現業) 기관.

제:어용 로켓【制御用—】[rocket] 명 로켓·우주선 등의 속도를 조정하거나 유도 및 자세(姿勢) 변경 등에 쓰이는 보조 엔진이나 역추진(逆推進) 로켓 등을 이름.

제:어용 컴퓨터【制御用—】명 [control computer]『컴퓨터』①공정 과정(工程過程)을 직접 제어하는 컴퓨터. ②장치를 필요한 상태로 유지하기 위한 동작에 사용되는 컴퓨터. 자동 감시 기구의 역할을 함.

제:어 유전자【制御遺傳子】명『생』조절(調節) 유전자.

제:어 인자【制御因子】명 [control agent] 화학 공업에서, 프로세스의 자동 제어를 행하는 공정에서, 하나의 프로세스 시스템 중 그 조건이나 특성이 제어 변량(變量)으로서 채택된 물질 내지 에너지.

제:어 장치【制御裝置】명 컴퓨터에서, 주어진 명령을 차례로 해독(解讀)하고, 그것을 실행하기 위해 필요한 정보(情報)의 흐름을 제어하는, 컴퓨터의 한 구성 요소.

제:어지-도【制御之道】명 통제하는 방법.

제:어-판【制御瓣】명 [control valve]『공』유체 수송(流體輸送) 시스템에서, 압력·부피·흐름의 방향 등을 제어하는 판.

제:어 프로그램【制御—】[program] 명『컴퓨터』시스템 전체의 동작 상태를 감시하고 프로그램의 실행 과정을 지시하며 다음에 실행할 프로그램을 준비하는 역할을 맡은 프로그램의 집합. 감독 프로그램·데이터 관리 프로그램·작업 관리 프로그램 따위로 구성되어 있음. 관리 프로그램. 통제 프로그램.

제:어 핵융합【制御核融合】[—늉—] 명『물』동력(動力)을 만들기 위해서 열핵(熱核) 융합 반응을 제어하여 쓰는 일.

제:어 회로【制御回路】명 컴퓨터에서, 주회로(主回路)에 대하여 제어선(制御線)의 회로를 말함.

제억【擠抑】명 배척하고 억누름. ——-하다 타여불

제언[1]【提言】명 생각이나 의견을 제출함. 또, 제출한 생각이나 의견. 제기(提起). 제의(提議). ¶~을 받아들이다. ——-하다 자여불

제언[2]【堤堰】명『토』바닷물이나 강물을 가두어 놓기 위하여 그 일부를 가로질러 막은, 돌이나 콘크리트(concrete)로 쌓은 둑. 언제(堰堤). 방축. └댐(dam).

제언[3]【諸彦】명 제현(諸賢). ¶독자 ~.

제언[4]【題言】명 서적·화폭·빗돌 등의 위에 적은 글. 제사(題辭).

제언-사【堤堰司】명『역』조선 시대 때 각 도의 제언(堤堰)과 수리(水利)에 관한 일을 맡아 보던 관아. 조선 시대 초기에 베풀어져 한때 폐하고, 현종(顯宗) 3년(1662)에 다시 베풀어서 비변사(備邊司)에 붙이었다가, 고종(高宗) 2년(1865)에 의정부(議政府)의 소속으로 옮김.

제언 절목【堤堰節目】명『역』조선 정조(正祖) 2년(1778) 비변사(備邊司)에서 제정·시달한 제언 수축(堤堰修築)에 관한 절목. 제언은 제방과 방죽인데 건답(乾畓)에 볍씨를 바로 뿌리던 농법에서 모를 길러 이앙하는 벼농사로 바뀌던 시대에 물의 중요성을 인식한 결과로 나온 것임.

제:-언지【第言之】명 시험적으로 말하여 봄. ——-하다 타여불

제:업【帝業】명 제왕(帝王)의 업(業). 임금이 이루어 놓은 업적(業績). 제모(帝謨).

제업 박사【諸業博士】명『역』신라 시대에 국학(國學)에서 교육을 담당한 전문 관직.

제여곰 부〈옛〉제각기. =저여곰·제금[4]. ¶받도 제여곰 논호며 집도 제 「여곰 짓더니≪月釋 I:45≫.

제역【除役】명 ①병역(兵役)의 전부 또는 일부를 면제함. ②면역(免役). ——-하다 자여불

제역-촌【除役村】명『역』조선 시대에 연호 잡역(煙戶雜役), 곧 매(每) 민가에 부과하던 잡역(雜役)을 면제받던 마을.

제연【諸緣】명 ①여러 가지 연장. ②모든 인연(因緣).

제열【齊列】명 가지런히 늘어섬. ——-하다 자여불

제:염[1]【製塩】명 소금을 만듦. ——-하다 자여불

제염[2]【臍炎】명『의』배꼽과 그 부근이 염증으로 곪는 갓난 아이 병. 갓난 아이의 탯줄을 끊은 후 삼일 이내에 발생하며 곪아서 위험해지는 └경우가 많음.

제:염-소【製塩所】명 제염하는 곳. 소금을 굽는 곳.

제:염-업【製塩業】명 제염을 하는 업. 염업(塩業).

제영【題詠】명 제목을 붙여서 시(詩)를 읊음. 또, 그 시가(詩歌). ——-하다 타여불

제예【諸藝】명 여러 가지 기예(技藝). 여러 가지 예도(藝道).

제:-오【第五】수관 다섯째.

제:오 계급【第五階級】명 [fifth estate]『사』영화계(映畫界). *제사 「(第四) 계급.

제:오 공:화국【第五共和國】명 1979년 10월의 박정희(朴正熙) 대통령의 저격 사건 후, 1980년 10월 27일에 공포된 새 헌법의 발효(發效)로 발족된 우리 나라의 다섯 번째 공화정(共和政). 선거인단(選擧人團)의 선출에 의한 7년 임기의 대통령 단임제(單任制), 기본적 인권(人權)의 불가침성(不可侵性) 확인, 국회(國會) 지위의 회복 등이 새 헌법의 특징임. *제일 공화정·제사 공화정.

제:오 공:화정【第五共和政】명『정』1958년 9월의 국민 투표로 제사 공화정이 부정되고 그 해 10월 5일에 드골 장군의 영도 아래 성립한 프랑스의 정치 체제. 대통령 권한의 압도적 강화(壓倒的強化)와 상대적으로 내각(內閣) 및 의회(議會)의 지위 약화, 프랑스 공동체(共同體)의 성립 등이 특색임.

제:오:-병【第五病】[—뼝] 명 [fifth disease]『의』전염성 홍반(傳「染性紅斑).

제:오: 부대【第五部隊】명 제오열(第五列).

제:오: 성:병【第五性病】[—뼝] 명『의』종래의 성병에 대하여 열대 지방에 특유한 성병적 육아종(性病的肉芽腫). 악취(惡臭)가 나는 분비물(分泌物)이 나오며 육아(肉芽)가 생기는 성병. 성병적 육아종(性病的肉芽腫). *임질(淋疾)·매독(梅毒)·연성 하감(軟性下疳)·제사 성병(第四性病).

제:오 세대 컴퓨:터【第五世代—】명 [fifth-generation computer] 앞으로 개발될 것으로 예상되는 컴퓨터. 추론 기능(推論機能)·자연 언어 처리(自然言語處理)·패턴 인식(認識) 기능 향상 등 인공 두뇌적(人工頭腦的) 기능이 높아지고, 새로운 소자(素子)·회로(回路)의 실용화가 기대되고 있음. *제사(第四) 세대 컴퓨터·제일 세대 컴퓨터.

제:오-열【第五列】명 [the fifth column]『사』[스페인 내란시 4 개 부대를 이끌고 마드리드를 공격한 프랑코 장군이 시내에도 우리에게 호응하는 1 개 부대가 있다고 말한 데서 유래함] 적군에 내응하는 자. 내통자. 제오 부대(第五部隊). 준오열(五列).

제:오의 힘【第五—】[—/—에—] 명 [fifth force]『물』근거리(近距離)의 물체 사이에는 뉴턴의 만유 인력(萬有引力) 외에 다른 종류의 힘이 작용한다고 이론적(理論的)으로 예상하는 힘. 중력(重力)보다 약하며 도달거리는 수백 미터 이하 정도로 생각되고 있는데, 이를 검증(檢證)하기 위한 실험이 계속되고 있으나 아직 확인되지 않았음. 이 힘의 존재가 확인되면 뉴턴의 중력의 역(逆)제곱의 법칙·등가 원리(等價原理) 등에 약간의 변화가 예상됨.

제:오종 우편물【第五種郵便物】명『법』국내 통상 우편물의 하나. 농산물의 씨앗 및 잠종(蠶種)을 싼 우편물. *제사종 우편물.

제:오차 경제 사:회 발전 오:개년 계:획【第五次經濟社會發展五個年計劃】[—쩐—] 명 1982-1986년의 우리 나라의 경제 및 사회 발전 계획. 안정(安定)과 능률·균형을 기조로 삼고, 물가 안정·사회 개발 추진, 국토의 균형적인 발전, 형평(衡平)있는 분배를 꾀함. 종래의 '경제 개발 계획'을 바꾼 이름. *제사차 경제 개발 오개년 계획.

제:오차 산:업【第五次産業】명『경』넓은 뜻의 제3차 산업을 세분한 것의 하나. 취미(趣味)·오락(娛樂)·패션 등의 산업. *제1차 산업·제4차 산업.

제올라이트 [zeolite] 명『광』나트륨·칼슘·알루미늄 따위의 함수(含水) 규산염 광물. 다량의 물을 함유하여 취관(吹管)으로 가열하면 끓어 거품이 일기 때문에 비석(沸石)이라고도 함. 무색 또는 백색에, 유리 광택이 남. 방비석(方沸石)·능비석(菱沸石)·소다 비석·휘비석(輝沸石)·탁비석(濁沸石)·속비석(束沸石)·어안석(魚眼石) 등 종류가 많으

며, 보통, 현무암·휘록 응회암(輝綠凝灰岩) 등의 구멍이나 틈에서 산출됨. 옛날부터 경수(硬水)의 연화(軟化)에 쓰였으며 합성물은 종이의 충전재(充塡材)·토지 개량·흡습제(吸濕劑)·촉매(觸媒) 등으로 쓰임.

제옹 명 〈방〉 제웅[1].

제:와[1] 【製瓦】 명 기와를 만듦. ——-하다 [자][여불]

제:와[2] 부 〈방〉 겨우(강원·경북).

제:와-공 【製瓦工】 명 기와장이.

제와라 부 〈방〉 겨우(함남).

제:와-장 【製瓦匠】 명 2,000년의 역사를 지닌 한국의 전통 기와를 만드는 기술자. 전라 남도 장흥군 안량면 모령리(安良面 茅嶺里)에 전승되는데, 수조(手造) 제와 공정에 따라 만들고 있음. 원토(原土)찾기·가마박기·움짓기로 시설을 갖추고, 흙군 작업(질일)·통군 작업(기와짓기)·통군 물레작업·물기와 작업·받기와 작업·가마일(불일)·불통일 등의 공정을 거쳐 기와가 제조됨. 중요 무형 문화재 제 19호.

제완 【提腕】 명 모필(毛筆)에 의한 서법(書法)의 하나. 팔꿈치를 책상에 대고 팔을 들고 씀. *현완 직필(懸腕直筆).

제-왈 【一曰】 부 제랍시고 장담(壯談)으로. ¶ ~, 천만 원쯤은 문제 없이 구한단다 / 귀 밑에 옥관자를 붙이고 ~ 점잖다 하는 위인이 남 부끄러운 줄도 그다지 모르던지…《李海朝: 驅魔劍》.

제:왕[1] 【帝王】 명 황제와 국왕. 독립 군주국의 원수.

제왕[2] 【諸王】 명 제국(諸國)의 임금. 여러 임금.

제:왕-가 【帝王家】 명 제왕(帝王)의 가정.

제:왕 기관설 【帝王機關說】 명 〖법〗 국가 자체가 주권을 가지고 있는 본체이며 제왕은 주권을 가지지 않는 단순한 국가의 기관에 불과하다는 설. ↔제왕 주권설(帝王主權說).

제왕-부 【諸王府】 명 〖역〗 고려 때 왕자(王子)의 일을 맡은 관아. 충렬왕(忠烈王) 34년(1308)에 왕자부(王子府)로 고침.

제:왕 수술 【帝王手術】 명 〖의〗 제왕 절개 수술.

제:왕 신권설 【帝王神權說】 [—꿘—] 명 〖법〗 제왕의 권력은 신(神)으로부터 받은 것이고 피치자(被治者)의 동의로 성립되는 것이 아니므로 인민(人民)은 반항의 권리가 없다는 설. 근세초 폭군 방벌론(暴君放伐論)·민약론(民約論) 등이 주권은 인민에게 있다고 고창(高唱)함에 대하여 주권은 하늘이 제왕에게 준 것이라고 하여 이들에 대항하기 위하여 나온 설. 왕권 신수설(王權神授說). 준신권설(神權說).

제:왕 운:기 【帝王韻紀】 명 〖책〗 고려 고종(高宗) 때, 이승휴(李承休)가 지은 역사 책. 2권으로 되었는데 상권은 중국 역대(歷代)를, 하권은 우리 나라의 역대를 칠언시(七言詩)로 기술하였음.

제:왕 절개 수술 【帝王切開手術】 명 [도 Kaiserschnitt] 〖의〗 임부(姙婦)의 배를 째고 태아(胎兒)를 꺼내는 수술. 태아가 자연 산도(自然產道)를 통하여 분만될 수 없을 만큼 모체의 골반이 협소하거나, 자연 산도를 통한 분만이 산모나 태아에 위험하다고 인정되는 경우 등에 행하여짐. 제왕 수술. 대왕 수술(大王手術).

제:왕 주권설 【帝王主權說】 [—꿘—] 명 〖법〗 주권은 제왕(帝王)에 있고 제왕은 국가이며 단순히 나라의 기관은 아니라는 학설. ↔제왕 기관설(帝王機關說).

제:외[1] 【制外】 명 제도의 범위 밖.

제외[2] 【除外】 명 어느 범위 밖으로 취급하여 한데 셈치지 아니함. ¶ 그 사람을 ~하고는. ——-하다 [타][여불]

제외-례 【除外例】 명 예외 규정(例外規定).

제외-지 【堤外地】 명 둑 바깥 강가에 있는 땅.

제요 【提要】 명 요령을 제시(提示)함. 제강(提綱). ¶ 논리학(論理學) ~. ——-하다 [자][여불]

제:욕 【制慾】 명 욕심을 억제함. ——-하다 [자][여불]

제:욕-설 【制慾說】 명 〖경〗 절욕설(節慾說).

제:욕-주의 【制慾主義】 [—/—이] 명 〖윤〗 금욕주의(禁慾主義).

제용 명 〈방〉 〖민〗 제웅. ¶ 일생에 생사고락이 다 남자 압제 아래 있어, 말하는 ~과 숨쉬는 송장을 면치 못하니…《李海朝: 自由鐘》.

제:용-감 【濟用監】 명 〖역〗 조선 시대 때 포물(布物)·인삼(人蔘)의 진헌(進獻) 및 의복(衣服)·사(紗)·나(羅)·능(綾)·단(緞)의 사여(賜與)와 포화(布貨)의 염직(染織)을 맡아 보던 관아. 태조(太祖) 원년(1392)에 제용고(濟用庫)를 베풀었다가, 얼마 뒤에 제용감(濟用監)으로 고치고 고종(高宗) 3년(1866)에 폐함.

제:용-고 【濟用庫】 명 〖역〗 조선 시대 초에 필백(匹帛)·주저(紬紵)를 간직하는 일을 맡아 보던 관아. 뒤에 제용감(濟用監)으로 고침.

제:용-사 【濟用司】 명 〖역〗 ①고려 때 저화(楮貨)를 맡은 관아. 충렬왕 34년(1308)에 둠. 충선왕 2년(1310)에 자섬사(資贍司)로 고치었다가 곧 폐하고, 공양왕 4년(1392)에 자섬 저화고(資贍楮貨庫)라는 이름으로 다시 베풀었다가, 또 곧 폐함. ②대한 제국 때 포사(庖肆)와 그 밖의 특종(特種) 물품에 관한 사무를 맡아 보던 궁내부(宮內府)의 한 분장(分掌). 광무(光武) 8년(1904)에 베풀어서 이듬해에 폐함.

제:우[1] 부 〈방〉 겨우(경상·제주·전라·충청·강원).

제우[2] 【悌友】 명 형제간에 우애(友愛)가 깊음. 정의(情誼)가 두터움. 우제(友悌).

제:우[3] 【際遇】 명 제회(際會)❶. ——-하다 [자][여불]

제우[4] 【諸友】 명 여러 친구. 제익(諸益).

제:우-교 【濟愚敎】 명 〖종〗 조선 시대 말 최제우(崔濟愚)를 교조(敎祖)로 하는 교. 그 교리(敎理)는 종래 민간에서 믿어 오던 천신 사상(天神思想)·기도 의식(祈禱儀式)에 유(儒)·불(佛)·선(仙) 세 교의 사상 및 약간의 도참적(圖讖的) 요소를 가미했음. 서학(西學)인 천주교에 대하여 동학(東學)이라고 함. 동학교(東學敎).

〈제우스〉

제우스 [Zeus] 명 〖신〗 그리스 신화 중의 최고신(最高神). 천상(天上)을 지배하는 천공(天空)·뇌정(雷霆)의 신(神)인 동시에 인간 사회의 정치·법률·도덕(道德) 등 모든 생활을 지배함. 로마 신화의 주피터(Jupiter)에 상당함.

제우시 부 〈방〉 겨우(경남).

제욱시스 [Zeuxis] 명 〖사람〗 기원전 5세기 그리스의 화가. 남이탈리아의 헤라클레아(Heraclea) 태생. 주로 에페수스(Ephesus)에서 제작을 하였으며, 파르라시오스(Parrhasios)와 아울러 이오니아파(Ionia 派)의 거장(巨匠)임. 신들이나 초상화를 그렸는데, 특히 미녀(美女)의 그림에 뛰어났으나 작품은 한 점도 현존하지 않음. 플라톤의 《프로타고라스》 편에 이름이 나와 있음. 또, 그가 그린 포도가 너무나 생생하여 새가 날아왔다는 이야기도 전해짐.

제:운-기 【製雲器】 명 [nepheloscope] 실험실 등에서 구름을 만드는 장치. 습한 공기를 압축·팽창시켜서 만듦.

제운-시 【題韻詩】 명 〖문〗 남이 내놓은 운(韻)에 맞추어 짓는 시(詩).

제울 명 〈방〉 저울[1].

제-움직씨 명 〖언〗 자동사(自動詞).

제웅[1] 명 [근대: 제웅] 〖민〗 ①짚으로 사람의 형상을 만든 것. 제웅 직성이 된 사람의 옷을 입히고 그 안에 푼돈도 넣고 성명·출생년(出生年)의 간지(干支)를 적어서 음력 정월 십사일 저녁에 길가에 내버리면 그 해의 액을 막는다 함. ②무당이 앓는 사람을 위하여 짚으로 사람의 형상을 만들어 환자의 옷으로 감고 산 영장을 지내는 데 씀. ③아무 분수를 모르는 사람의 별명.

〈제웅[1]〉

제웅(을) 치다 구 정월 열나흗날 아이들이 각 집으로 돌아다니며 제웅에 입힌 옷과 또는 그 속에 넣은 돈푼을 얻으려고 제웅을 거두다.

제웅[2] 【除雄】 명 〖식〗 식물의 교배(交配)를 할 경우에, 자화 수정의 우려를 없애기 위하여 꽃이 피기 전 봉오리 때에 약(葯)을 뽑아 버려 미리 제거하는 일. ——-하다 [자][여불]

제웅 직성 【—直星】 명 〖민〗 사람의 나이에 따라 그 해의 운수를 맡아 본다는 아홉 직성의 하나. 9년 만에 한 번씩 돌아오는데 이 제웅 직성에 당(當)하는 나이는 남자 10·19·28·37·46·55세 등이고, 여자 11·20·29·38·47·56세 등임. 나후 직성(羅睺直星).

제웅-치기 명 〖민〗 타추희(打芻戲).

제워 부 〈방〉 겨우(강원).

제원[1] 【諸元】 명 여러 가지의 인자(因子). ¶ M1 소총의 ~.

제원[2] 【諸員】 명 여러 인원(人員).

제원-군 【堤原郡】 명 〖지〗 지금의 제천시(堤川市)를 개칭(改稱)하여 1980년 4월 1일부터 90년 12월 31일까지 부르던 이름. 91년 1월 1일부터 '제천군'으로 환원되었다가 1997년 '제천시'로 됨.

제월[1] 【除月】 명 음력 12월의 별칭.

제:월[2] 【霽月】 명 비가 갠 날의 달. 전(轉)하여, 공하게 맺힌 데가 없는 산뜻한 심경의 비유.

제:월 광풍 【霽月光風】 명 도량이 넓고 시원함.

제:위[1] 【帝位】 명 제왕(帝王)의 자리. 제조(帝祚). 신극(宸極). ¶ ~에 오르다.

제:위[2] 【帝威】 명 황제(皇帝)의 위광(威光). 황위(皇威). 성조(聖祚).

제:위[3] 【祭位】 명 ①제사를 받는 신위. ②제전(祭田).

제위[4] 【諸位】 명 여러분.

제:위-답 【祭位畓】 명 제위(祭位)로서의 논. 묘전(墓田). 제수답(祭需畓).

제:위-보 【濟危寶】 명 ①〖역〗 고려 때 보(寶)의 하나. 나라에서 돈·곡식 등을 저축하였다가 이를 백성에게 꾸어 주고 그 변리(邊利)를 받아 빈민(貧民)의 구제 사업에 썼음. 광종(光宗) 14년에 베풀어서 공양왕(恭讓王) 3년에 폐했음. ②〖악〗 고려 가사(歌詞)의 하나. 어떤 부인이 죄를 짓고 제위보(濟危寶)에서 도역(徒役)할 때 남에게 손을 잡히어도 설욕(雪辱)할 수 없음을 스스로 원망하는 내용임. 이제현(李齊賢)의 한문 번역시가 전함.

제:위-전 【祭位田】 명 제위(祭位)로서의 밭.

제:위-토 【祭位土】 명 제위답(祭位畓)·제위전(祭位田) 등, 추수한 것을 제사에 드는 비용으로 쓰기 위하여 마련한 토지. 묘위토(墓位土)와 함께 위토(位土)라고도 함.

제:유[1] 【帝猷】 명 제모(帝謨).

제:유[2] 【製油】 명 압착(壓搾)·추출(抽出)·용해(溶解) 등의 방법으로 동식물체(動植物體)로부터 기름을 만듦. ——-하다 [타][여불]

제유[3] 【諸有】 명 〖불교〗 ①제법(諸法)❷. ②중생(衆生). 유정(有情). ③모든 것.

제유[4] 【諸儒】 명 여러 선비. 모든 유생(儒生).

제유-법 【提喩法】 [—뻡] 명 〖논〗 수사법(修辭法)의 하나. 전부와 부분과의 관계를 기본으로 하여 구성된 비유(譬喩). 전체의 명칭을 제시하여 하나의 명칭으로 변하거나, 하나의 명칭을 제시하고 전체를 나타내는 일.

제육[1] 명 [←저육(豬肉)] 돼지 고기.

제:육[2] 【第六】 수관 여섯째.

제:육-감 【第六感】 명 〖심〗 오관(五官) 이외의 감각. 오관을 통하여 직접 느끼는 이외에 무엇을 직접 느껴서 깨닫는 한 신비한 심리 작용(心理作用). 준육감(六感).

제육 구이 명 돼지 고기를 얇게 저미어서 고명을 하여 구운 음식. 저육구이. 저육구(豬肉炙).

제육 두부 【—豆腐】 명 갖은 양념을 넣어 끓인 돼지 고기를 날두부와 함께 끓인 음식.

제육 무침 명 비계 없는 돼지 고기를 삶아 내어 잘게 썰어 갖은 양념을 넣고 무친 음식.

제육 방자고기 명 날돼지 고기를 얇게 썰어 소금을 쳐 구운 음식.

제육 볶음 명 날돼지 고기를 갖은 양념을 넣어 볶다가 다시 부추와 함께 볶은 음식.

제육뼈 조림 명 돼지의 뼈를 잘게 제겨서 간장에 조린 음식. 저골초(豬骨炒).

제-육아종【臍肉芽腫】명〖의〗신생아(新生兒)의 배꼽이 떨어진 후에 배꼽 속에서 새 살이 뾰족이 나와 쌀알이나 콩알 만한 조직이 생기며 주위는 훨씬 무르고 피도 가끔 나오는 병.

제:육 의:식【第六意識】명〖불교〗육식(六識)의 여섯 번째의 의식. 곧, 감각(感覺)의 결과를 종합하여 이지(理智)·감정(感情)·의욕(意欲) 등을 발동시키는 정신의 활동. *의식(意識).

제육 저:냐 명 돼지 고기의 살만 저미어서 소금을 뿌렸다가 밀가루와 달걀을 씌워서 지진 음식.

제육-전【一廛】명 돼지 고기를 파는 가게.

제육-젓 명 날돼지 고기를 잘게 썰고 소금과 술을 쳐서 하룻밤 지난 뒤에 국물을 따라 버리고 파·새앙·후춧가루를 넣어 주무른 뒤에 다시 술을 치고 그릇에 담아 단단히 봉하여 삭힌 것. 저자(豬鮓). 저초(豬酢).

제육 조림 명 돼지 고기를 굵게 썰어 간장에 조린 음식.

제육 지짐이 명 저민 날돼지 고기를 양념을 쳐서 국물이 적게 지져낸 음식. 저육전(豬肉臇).

제:육-천【第六天】명〖불교〗욕계 육천(欲界六天)의 여섯 번째로 욕계(欲界)의 최고소. 이 곳에서 태어난 사람은 다른 것의 즐거움도 자유자재(自由自在)로 자기의 낙(樂)으로 할 수 있으므로 타화 자재천(他化自在天)이라고도 함.

제육 편육【一片肉】명 삶은 돼지 고기를 얇게 저미어서 조각이 지게 만든 편육.

제육-포【一脯】명 돼지 고기에 소금을 쳐서 약간 말린 것을 물 탄 술에 넣어 무름하게 삶아 내서 다시 말려 만든 포.

제:윤【帝胤】명 임금의 혈통. 천자의 혈통.

제:융【製絨】명 모직물(毛織物)을 만듦. ――-하다 자여불

제읍[1]【啼泣】명 소리를 높이어 욺. ――-하다 자여불

제읍[2]【諸邑】명 각지의 고을. 제군(諸郡).

제:의[1]【祭衣】[―/―이] 명〖천주교〗미사 성제 때에 장백의(長白衣) 위에 입는 앞뒤가 늘어지고 양 옆이 터진 큰 옷. 백(白)·적(赤)·녹(綠)·자(紫)·흑(黑)·장미색(薔薇色)의 여러 가지가 있음.

제:의[2]【祭儀】[―/―이] 명 제사의 의식.

제의[3]【提議】[―/―이] 명 의논 또는 의안을 제출함. 제출한 의논. 또, 의안. 제론(提論). 제언(提言). ¶계획을 ~하다. ――-하다 타여불

제의[4]【題意】[―/―이] 명 제(題)의 의미(意味).

제이[1]【提耳】명 귀에 입을 가까이하고 말함. 친절히 가르치거나 타이름. *제이 면명(提耳面命).

제이[2] 〔J, j〕명 영어 자모의 열째.

제:이[3]【第二】⊟수관 둘째. ⊟명 가장 좋은 것 다음째 가는 것. 맨 앞 것 바로 뒤.

제:이격 능력【第二擊能力】[―녁] 명〔second strike capability〕〖군〗적으로부터 전략 핵무기에 의한 제일격을 받았을 때에, 그 손해를 견뎌 내고 살아 남아서 충분히 보복을 할 수 있는 전략 핵전력(核戰力). ↔제일격 능력.

제:이격 전략【第二擊戰略】[―절―] 명〔second strike strategy〕〖군〗적의 제일격(第一擊)에 대하여, 적의 인구 중심지 또는 군사력을 목표로 하는 전략 핵무기(戰略核武器)에 의한 보복(報復) 공격. ↔제일격 전략(第一擊戰略).

제:이 경추【第二頸椎】명〖생〗척추의 둘째 추골(椎骨). 위쪽에 원주상(圓柱狀)의 돌기(突起)가 있어 제일(第一) 경추의 구멍에 물리어 두부(頭部)의 회전 운동을 맡음.

제:이 계급【第二階級】명〖사〗칼라일(Carlyle)의 계급 분류에 의한 둘째 계급. 봉건 사회에 있어 귀족(貴族)·성직자 등의 계급. *제일(第一) 계급·제삼(第三) 계급·제사(第四) 계급.

제:이 고막【第二鼓膜】명〔secondary tympanic membrane〕〖생〗와우 각창(蝸牛殼窓)을 막고 있는 막.

제:이-골【第二骨】명〖역〗신라(新羅) 때 골품(骨品)의 하나. 모든 귀족이 이에 속하였음.

제:이 공:화국【第二共和國】명〖역〗1960년 4월 의거 진통을 겪은 뒤, 6월 15일에 개정 헌법이, 6월 23일에 새 선거법이 제정되고, 7월 29일에 총선거가 실시되어, 8월 8일 첫 국회가 열림으로써 탄생한 우리 나라의 두 번째 공화정. 8월 12일에는 국회에서 대통령에 윤보선(尹潽善)이, 국무 총리에 장면(張勉)이 선출됨으로써 일차 내각이 성립됨. 내각 책임제·사법의 독립성을 보장하기 위한 대법원장 및 대법관의 법관으로 구성되는 선거인단에 의한 선출제·국회의 양원제·헌법 재판소 설치 등이 신헌법(新憲法)의 주요 내용을 이룸. 5.16 군사 혁명 때까지 존속함.

제:이 공:화정【第二共和政】명〖역〗1848년의 2월 혁명에 의하여 7월 왕정(王政)에 대신하여 성립한 프랑스의 공화 정체. 인민 주권의 민주주의 공화국. 삼권 분립·성년 남자의 보통 선거권·일원제(一院制)·대통령제를 내용으로 하였는데, 1852년 12월에 대통령 루이 나폴레옹이 황제가 되어 제2 제정(帝政)을 개시하매 제2 공화정은 단명(短命)으로 끝났음. *제삼 공화정.

제:이 과:거【第二過去】명〖언〗대과거(大過去).

제:이 국민역【第二國民役】명〖법〗병역(兵役)의 한 가지. 징병 검사 또는 신체 검사 결과 현역 복무는 할 수 없으나 전시(戰時) 근무 소집에 의한 군사 지원 업무는 감당할 수 있다고 결정된 자와 병역법에 의해 이 역(役)에 편입된 자가 복무함.

제:이 권리【第二權利】[―궐―] 명〖법〗타인이 제일 권리를 침해함에 의하여 비로소 발생하는 권리. 예컨대 타인의 불법 행위로 인한 손해 배상 청구권(損害賠償請求權)과 같은 것.

제:이 금융권【第二金融圈】[―꿘/―늉꿘] 명 은행을 전형적 금융 기관으로 보는 관점에서 그 밖의 보험 회사·신탁 회사·증권 시장·단자(短資) 회사 등을 통틀어 가리키는 말.

제:이급-선【第二級船】명 연해 구역을 항행 구역으로 하는 배. *제일급선.

제:이-기【第二紀】명 중생대.

제:이기 체관【第二期一管】명〖식〗인피(靭皮).

제:이 독회【第二讀會】명 의안(議案)에 대한 두 번째의 독회. 의안을 축조 심의(逐條審議)하며 수정 동의(修正動議)를 제출할 수 있음.

제:이-맹【第二盲】명 녹색맹(綠色盲). 제이 색맹. *제일맹(第一盲)·제삼맹(第三盲).

제:이 메신저설【第二―說】〔messenger〕명〖생〗호르몬은 그 자체가 세포(細胞)에 직접 작용하는 것이 아니고 세포 내에서 작용하는 물질(제2 메신저)의 생산을 촉진한다고 하는 가설(假說). 이 물질로서 환상(環狀) AMP가 거론되고 있음. 서덜랜드(Sutherland, E.W.)가 1960년대 초에 제창(提唱)함.

제이 면:명【提耳面命】명 귀에 입을 가까이 하고 얼굴을 맞대고 가르쳐 명함. 간곡히 타이르고 가르쳐 줌. *제이(提耳).

제:이 바이올린【第二―】〔violin〕명〖악〗①관현악단의 악기 배치에 있어서 지휘자의 오른쪽 또는 제일 바이올린 뒤에 있는 바이올린의 일단(一團). 대편성의 관현악단에서는 15명 전후로 구성되며 제일 바이올린보다 낮은 음역의 연주를 맡음. ②실내악 연주에서, 두 사람의 바이올린 연주자 가운데 부(副)연주자.

제:이 반:항기【第二反抗期】명〖심〗청년기의 자아 의식의 발달에 따라 부모나 어른의 말을 듣지 않게 되는 시기. 2,3세의 유아에서 볼 수 있는 제일 반항기와 구별되어 불림.

제:이 분열【第二分裂】명〖생〗동형(同形) 분열.

제:이 상업【第二商業】명 간접으로 재화의 이전을 보조하는 상업. 금융·보험·수송 등.

제:이 상한【第二象限】명〖수〗①사분원(四分圓)의 둘째 부분. ②평면 위에서 두 직선이 직각으로 만날 때, 직선이 나누는 평면의 둘째 부분. 90°에서 180° 사이임. *제3 상한.

제:이 색맹【第二色盲】명〔deuteranopia〕〖의〗적색·녹색을 식별하지 못하는 시각 이상(視覺異常). 각 색채의 명도(明度)는 식별 가능함. 제이맹(第二盲).

제:이 성:질【第二性質】명〔secondary qualities〕〖철〗영국의 로크(Locke, John)가 물(物)의 성질을 둘로 나눈 것의 하나. 물의 빛깔·향(香)·음(音)·맛 등 감각 기관에 대한 물(物)의 작용에 의하여 생기는 주관적인 성질. *제삼 성질.

제:이 성:징【第二性徵】명〖생〗제이차 성징.

제:이 세:계【第二世界】명〔the second world〕제2차 세계 대전 후, 소련을 선두로 중공·쿠바·동유럽 등 10여 개의 공산권 세계를, 편의적으로 총칭하여 일컫던 이름. *제일(第一) 세계·제삼(第三) 세계·제사(第四) 세계.

제:이 세대 무선 전:화기【第二世代無線電話器】명〔cordless telephone Ⅱ; CT·Ⅱ〕가정이나 사무소 내의 전화기를 경유하여 이용하는 현재의 무선 전화기를 더욱 발전시켜, 그런 전화기를 거치지 않고 옥내외(屋內外)나 지상·지하를 불문하고, 지상에 설치된 기지국(基地局)을 통해 어느 누구와 언제라도 통화할 수 있는 무선 전화기.

제:이 세대 컴퓨:터【第二世代―】명〔second-generation computer〕〖컴퓨터〗컴퓨터를 발전 과정상으로 분류한 것. 1950년대 말부터 1960년대 초까지의 것을 이르며, 진공관(眞空管) 대신에 트랜지스터(transistor) 등, 고체 소자 반도체(固體素子半導體)를 사용하여, 입력(入力)·출력(出力)의 조작과 계산의 동시 실시가 가능해졌고 기억 용량의 증대·연산(演算) 속도의 신속화가 이루어짐. *제일 세대(第一世代) 컴퓨터·제삼 세대 컴퓨터.

제이 소:자【J素子】명 조지프슨 소자(Josephson 素子)의 약칭.

제이 시:【JC】명〔Junior Chamber〕청년 회의소(青年會議所).

제이 아:르 시:【JRC】명〔Junior Red Cross〕청소년 적십자(青少年赤十字).

제:이 신분【第二身分】명 프랑스의 3부회(部會)에서 제2부를 구성했던 귀족. *제이 계급.

제:이 신:호계【第二信號系】명 언어를 매개로 하는 고도의 신호 체계. 파블로프의 조건 반사의 이론 중에서 인간의 학습을 해명하는 기초 개념. 감각이 자극이 되는 반응의 체계를 제1 신호계라고 하는 데 대해 제1 신호계에 대한 신호, 즉 신호의 신호라는 뜻에서 제2 신호계로 이름지어졌음.

제:이-심【第二審】명〖법〗제일심의 재판에 대하여 불복 신청(不服申請)이 있는 경우에 행하여지는 제이차의 심리. 항소심(抗訴審). 준이심(二審). *재심(再審).

제:이 여현 법식【第二餘弦法式】명〖수〗제이 여현 정리.

제:이 여현 정:리【第二餘弦定理】[―니] 명〖수〗'제이 코사인 정리'의 구용어. 제이 여현 법식.

제:이 예:비금【第二豫備金】명〖법〗예비비(豫備費)의 하나. 예산 항목(豫算項目) 외에 생기는 사건의 비용에 충당함. *제일 예비금(第一豫備金).

제:이 우:주 속도【第二宇宙速度】명〔second astronautical velocity〕

물체, 곧 로켓의 운동에 관련되어 쓰이는 말. 로켓이 지구 표면에 가까운 근지점(近地點)을 갖는 포물선 궤도를 취하는 데 필요한 속도. 제일 우주 속도의 $\sqrt{2}$ 배(倍), 곧 11.2km/s. *우주 속도.

제:이-위【第二胃】 명 〖생〗 반추위(反芻胃)의 제이실(第二室). 곧, 봉소위(蜂巢胃).

제:이-음【第二音】 명 〖악〗 전음계(全音階)의 둘째 음. 주음(主音)의 위에 있으므로 상주음(上主音)이라고도 부름.

제:이-의【第二義】[-/-이] 명 〖철〗 첫째의 근본(根本)되는 의의가 아닌 둘째의 의의.

제:이의 고향【第二-故鄕】[-/-에-] 명 두 번째의 고향. 자기가 나서 자란 곳 이외에 정들어 오래 산 곳.

제:이의 성【第二-性】[-/-에-] 명 〔프 Le deuxième sexe〕〖책〗 S. 보부아르가 지은 여성론. 1949년 간행. 책이름은 남성에 이어 두 번째로 만들어진 성이라는 뜻으로, 실존주의적인 관점에서 종래 남성 중심의 사회에서 만들어진 여성의 실태(實態)와, 주체성(主體性) 획득에 의한 여성 해방을 논함.

제:이의적 생활【第二義的生活】[-/-이이-] 명 〖철〗 인생의 근본(根本) 의의와는 직접 관련이 없는 생활. *제일의적 생활.

제:이 인산 나트륨【第二燐酸-】〔도 Natrium〕 명 〖화〗 인산 수소(水素) 이(二)나트륨.

제:이 인산 암모늄【第二燐酸-】〔ammonium〕 명 〖화〗 인산 수소(水素) 이(二) 암모늄.

제:이 인산 칼륨【第二燐酸-】〔도 Kalium〕 명 〖화〗 인산 수소(水素) 이(二)칼륨.

제:이 인산 칼슘【第二燐酸-】〔calcium〕 명 〖화〗 인산 수소(水素) 칼슘.

제:이-인칭【第二人稱】 명 〖언〗 자기와 대화하는 상대방의 이름 대신에 쓰는 인칭. '너'·'자네'·'당신' 등. 대칭(對稱). 둘째 가리킴.

제:이 인칭 대:명사【第二人稱代名詞】 명 〖언〗 인대명사(人代名詞)의 하나. 말하는 사람의 상대방을 일컫는 말. 대칭(對稱) 대명사. *제일 인칭 대명사.

제:이 인터내셔널【第二-】〔International〕 명 〖사〗 1889년 파리에서 창설된 각국 사회주의 정당을 주로 하는 연합 조직. 아나키스트(anarchist)의 배격과 비전론(非戰論)을 주장하였으나 각 파간의 대립이 심하여 제1차 세계 대전 발발 후 붕괴하였음. 대전 후 1919년 제3 인터내셔널의 무산 계급(無産階級) 독재에 반대하여 재건(再建)되었는데, 개량주의적·협조적 경향이 강하고 영국·벨기에의 노동당, 독일·오스트리아의 사회 민주당, 프랑스의 사회주의당이 중심 세력이었음. 사회주의 노동자 인터내셔널.

제:이 전:선【第二戰線】 명 〖군〗 적의 병력을 견제(牽制)하고 전력을 분산시키기 위하여 주전선(主戰線) 이외에 설치하는 전선.

제:이 전:회【第二轉回】 명 〖악〗 '둘째 자리바꿈'의 한자 이름.

제:이 제:국【第二帝國】 명 〖역〗 1871년 보불(普佛) 전쟁의 결과 성립한 '독일 제국'의 별칭. 프로이센 이하 25개국(22군주국과 3자유시)의 연방. 연방 참의원(聯邦參議院)이 상원, 제국 의회(帝國議會)가 하원을 구성하고 프로이센왕(王)이 독일 황제를 겸하였음. 영국과의 패권(霸權) 다툼의 결과 제1차 세계 대전(第一次世界大戰)이 일어났는데, 이에 패(敗)하고 1918년 독일 혁명(獨逸革命)을 맞아 해체되었음. *제삼(第三) 제국.

제:이 제:정【第二帝政】 명 〖역〗 프랑스 나폴레옹(Napoléon) 3세 치하(治下)의 시대. 대혁명(大革命)·제일 공화(第一共和)·제일 제정(第一帝政)·왕정 복고(王政復古)·제이 공화(第二共和)의 순서로 심한 정변(政變)을 겪은 후에 온 제정기(帝政期)로서 제삼 공화정(第三共和政)이 결성되기 전의 18년간임. *제일 제정.

제:이 조합【第二組合】 명 〖사〗 이미 노동 조합(勞動組合)이 조직되어 있는 경우에 그 조합이 분열(分裂)되거나 외부로부터 다른 조합 세력이 들어와 새로 조합이 하나 더 생기는 경우의 그 조합. 이 조합에도 단체 교섭권(團體交涉權)을 인정해야 한다는 학설이 있음.

제:이 존재【第二存在】 명 〔the double〕〖종〗 미개인(未開人)들 사이에 영혼 표상(靈魂表象)의 기초를 이루는 것. 예를 들면 사자(死者) 자체에 대하여 꿈이나 추상(追想) 가운데 나타나는 사자(死者)의 복사적(複寫的) 존재.

제:이종 과:오【第二種過誤】 명 통계학상의 용어. 가설이 잘못임에도 불구하고 그것을 버리지 않은 잘못.

제:이종 소:득【第二種所得】 명 〖일제〗 '배당 이자 소득(配當利子所得)'의 구칭.

제:이종 소:득세【第二種所得稅】 명 〖일제〗 제이종 소득에 부과(賦課)하는 세금.

제:이종 영:구 기관【第二種永久機關】 명 〔perpetual motion machine of the second kind〕〖물〗 열원(熱源)에서 열을 빼내어 이것을 다른 에너지 형태로 완전히 변환시키는 가상적(假想的) 기계.

제:이종 우편물【第二種郵便物】 명 〖법〗 국내 통상 우편물의 한 가지. 통상(通常) 엽서·봉함(封緘) 엽서·왕복(往復) 엽서·광고 엽서·그림 엽서·소포 엽서·경조(慶弔)엽서 따위. *제삼종 우편물.

제:이종 운:전 면:허【第二種運轉免許】 명 도로 교통법에 의해 일반 자동차의 운전 자격자에게 주어지는 면허. 보통 면허(普通免許)·소형(小型) 면허·특수 면허·원동기 장치(原動機裝置) 자전거 면허 등의 4종류가 있으며, 이 면허를 받은 자는 자동차 운수 사업법에서 규정한 사업용 자동차의 운전을 할 수 없음. *제일종 운전 면허.

제:이종 전염병【第二種傳染病】[-뼝] 명 법정 전염병의 한 가지. 폴리오·백일해·홍역·유행성 이하선염(耳下腺炎)·공수병(恐水病)·말라리아(malaria)·발진열(發疹熱)·성홍열·재귀열·아메바(amoeba)성 이질·수막 구균성(髓膜球菌性) 수막염·유행성 출혈열·파상풍 등. *법정(法定) 전염병·제일종 전염병.

제:이 종:족【第二種族】 명 〖천〗 노령(老齡)의 항성(恒星)의 종족을 이름. 구상 성단(球狀星團)·와상 성운(渦狀星雲)의 핵·타원 성운·고속도성(高速度星)·장주기 변광성(長周期變光星) 등이 이에 속함.

제:이 주제【第二主題】 명 〖악〗 부주제(副主題). *제일 주제(第一主題).

제:이차 경제 개발 오:개년 계:획【第二次經濟開發五個年計劃】 명 우리 나라에서 1967-71년에 실시된 경제 개발 5개년 계획. 4대강(낙동강·영산강·한강·금강) 유역 개발, 원자력 발전소(原子力發電所) 기공, 포항 종합 제철 공장 건설을 비롯하여 식량의 자급화(自給化)와 기간 산업(基幹產業)의 육성 등을 그 주요 내용으로 하였음. *제삼차 경제 개발 오개년 계획.

제:이차 국공 합작【第二次國共合作】 명 〖역〗 중국 국민당과 중국 공산당의 제2차 협력 체제. 1936년의 시안(西安) 사건을 계기로, 내전(內戰) 반대·일치 항일(一致抗日)의 국민적 요구로 인한 항일 민족 통일 전선(抗日民族統一戰線) 결성에 의해 성립함. 중일 전쟁(中日戰爭) 후 1946년 7월의 내전(內戰)에 의해 국공 양당은 재차 분열(分裂)하였음. *국공 합작.

제:이차 납세 의:무자【第二次納稅義務者】 명 납세 의무자가 조세를 납부하지 않거나 납부 불능(不能)인 경우 그와 일정한 관계에 있는 자로서 그를 대신하여 납세 의무를 부담하는 자. 이를테면 합자 회사(合資會社)·합명 회사(合名會社)의 납세 의무에 대해서는 무한 책임 사원(無限責任社員), 해산한 법인의 납세 의무에 대해서는 청산인이 제2차 납세 의무자가 됨.

제:이차 모네 플랜【第二次-】〔Monnet Plan〕 명 프랑스에서 제2차 세계 대전직후에, 경제·산업의 근대화를 위하여 세운 계획. 제1차에 이어 1954년부터 시작되어 기초 산업 외에 제조 공업·건축을 비롯하여 과학 기술의 연구 및 새로운 생산 방법의 도입(導入) 등 경제 활동 전반의 발전을 꾀하여 세움. 제이차 근대화 설비 계획. *제일차 모네 플랜.

제:이차 발칸 전:쟁【第二次-戰爭】〔Balkan〕 명 〖역〗 발칸 전쟁 ❷.

제:이차 산:업【第二次產業】 명 광업·건설업·제조업 등 주로 원재료의 정제·가공을 담당하는 산업 부문. 이차 산업. *제일차 산업·제삼차 산업.

제:이차 산:업 혁명【第二次產業革命】 명 〖경〗 증기에 의한 18세기 후반의 산업 혁명에 이어 20세기초 전력(電力)에 의하여 획기적 전환을 이룬 산업 혁명.

제:이차-색【第二次色】 명 〖미술〗 간색(間色)❷.

제:이차 성:징【第二次性徵】 명 〖생〗 제일차 성징 이외의 성(性)에 부수되는 특질. 이를테면, 수사슴의 뿔, 수사자의 갈기, 짐승류의 암컷의 유방 등을 말함. 제이(第二) 성징. *제일차 성징·제삼차 성징.

제:이차 세:계 대:전【第二次世界大戰】 명 〖역〗 1939년 9월부터 1945년 8월까지 사이에, 후진 자본주의 국가인 일본·독일·이탈리아 등 파시즘 국가와 미국·영국·프랑스·소련 등의 연합국간에 있었던 세계 대전. 베르사유 체제에 대한 불만과 대공황(大恐慌)이 몰고 온 일반적인 위기를 전쟁에 의해 해결하려 한 일본의 중국 침략, 독일의 베르사유 조약 파기와 재군비, 이탈리아의 에티오피아 침공, 그리고 이러한 사태들에 대한 영국·프랑스의 유화 정책(宥和政策) 등이 이 대전에 앞선 전사(前史)를 이룸. 이 대전은 1939년 9월 1일 독일이 폴란드를 침공하자 그 다음다음 날 영국·프랑스가 독일에 대해 선전(宣戰)을 포고함으로써 시작되었는데, 독일군은 한때 유럽 여러 나라들을 석권(席捲), 1940년 6월에는 파리를 점령하였고, 1941년에는 독소 불가침 조약을 파기하고 폴란드 동부·우크라이나 지방에 침입하여 독소 전쟁을 개시, 모스크바까지 육박하였음. 한편 1941년 12월에는 일본의 진주만 기습·대미 선전(對美宣戰)으로 태평양 전쟁이 발발하여 전역(戰域)은 전세계로 확대됨. 1942년 여름부터 연합군은 총공격을 개시하여, 1943년에는 불고그라드에서의 독일군의 괴멸, 영·미 연합군의 상륙에 의한 이탈리아 항복을 보게 되었고, 1945년 5월에는 영·미·소군의 베를린 점령으로 독일이 항복함으로써 유럽에서의 전쟁이 종식되고, 이어 같은 해 8월에는 미국의 원폭 투하와 소련의 대일(對日) 참전(參戰)으로 일본이 무조건 항복함으로써 6개년에 걸친 대전은 막을 내림. 사자(死者)는 소련 750만, 독일 285만, 중국 220만, 일본 150만, 영국 45만, 이탈리아 30만, 미국 30만, 프랑스 20만 등으로 합계(合計) 약 1,500만 명, 부상자 3,440만 명, 직접 전비는 미국 3,176억 달러, 독일 2,229억 달러, 소련 1,920억 달러, 영국 1,200억 달러, 이탈리아 940억 달러, 일본 560억 달러, 도합 1조억 달러를 초과함. 전후 처리 문제는, 얄타 회담과 포츠담 협정에서 협정되었고, 종전(終戰) 직후 또 다른 대전을 방지하고 평화(平和)를 이룩하기 위한 목적으로 국제 연합 기구(國際聯合機構)가 창설됨.

제:이차 소비자【第二次消費者】 명 〖생〗 생물의 먹이 사슬에서, 식물을 먹고 사는 초식 동물인, 제일차 소비자를 잡아먹는 생물. *제일차 소비자.

제:이차 정모 세:포【第二次精母細胞】 명 〖생〗 정자 형성의 과정에 있어 제1차 정모 세포의 성숙 분열에 의해 2개로 형성되는 정모 세포. 이 세포는 계속 분열하여 4개의 정세포가 됨. 이 동안 감수 분열(減數分裂)이 일어나서 염색체수는 반감함. 외형은 구상(球狀)이며 보통 세포의 형태를 보임. *제일차 정모 세포.

제:이차 정보 혁명【第二次情報革命】 명 반도체(半導體) 기술의 진보와 컴퓨터의 소형화·고성능화로 이룩된 정보 혁명의 둘째 단계. 산업 분야의 정보화에서 사회·개인·가정의 정보화(情報化)로의 진전이 그 특징임. *제일차 정보 혁명.

제:이차 집단【第二次集團】 명 〔secondary group〕 『사』 관청·회사·학교 등의 거대하고 형식적인 근대적 조직으로서의 사회 집단. 대개 성년기(成年期) 이후에 경험되므로 인간성에 대한 영향이 제일차 집단만큼 깊지 않음. *제일차 집단.

제:이차 한:일 협약【第二次韓日協約】 명 『역』 을사 오조약(乙巳五條約). *제일차 한일 협약.

제:이 촉각【第二觸角】 명 『동』 갑각류(甲殼類)에 있어 제일 촉각의 바로 다음의 발이 변화하여 된 촉각. *제일 촉각.

제이 카 〔J car〕 명 미국의 GM사(社)가 1980년에 개발한 소형차(小型車). 엔진 배기량(排氣量) 1,600-2,000cc. *케이 카.

제:이 코사인 정:리【第二一定理】 〔cosine〕 [一니] 명 『수』 평면 기하학의 정리의 하나. 삼각형 ABC의 꼭지점 A, B, C의 대변(對邊)을 각각 a, b, c로 할 때 $a^2=b^2+c^2-2bc\cos A$, $b^2=c^2+a^2-2ca\cos B$, $c^2=a^2+b^2-2ab\cos C$라는 관계가 성립되는 일. 제이 여현 정리. *제일 코사인 정리.

제:이 코일【第二一】 〔coil〕 명 『물』 이차 코일(二次 coil). *제일(第一) 코일.

제:이 탄:소 원자【第二炭素原子】 명 『화』 유기 화합물(有機化合物)에 있어서 다른 두 개의 탄소 원자와 결합하고 있는 탄소 원자. *제일(第一) 탄소 원자.

제이프사이 입자【J / Ψ粒子】 명 『물』 1974년 미국의 리히터(Richter, B.)와 팅(Ting, S.C.C.)에 의해 발견된 참 쿼크(charm quark)와 그 반입자(反粒子)로 구성된 질량(質量) 3.097GeV / c^2의 소립자(素粒子). 이 입자의 발견으로 네 번째 쿼크인 참 쿼크의 존재가 입증되었고, 이 공로로 두 사람은 1976년도 노벨 물리학상을 수상함. 프사이 입자. *입실론 입자.

제:이 하:새【第二下顋】 명 『동』 갑각류(甲殼類)의 다섯째의 발.

제:이 한:강교【第二漢江橋】 명 '양화 대교(楊花大橋)'의 구칭.

제이 함:수【J函數】 [一쑤] 명 〔J function〕 『지』 비슷한 지질 형성체(地質形成體)의 모세관 압력(毛細管壓力)의 데이터를 보정하기 위한, 무차원(無次元)의 수식(數式).

제:이 혁명【第二革命】 명 『역』 중국에서 제1 혁명(신해 혁명)에 이어 일어난 혁명 운동. 1913년 위안 스카이(袁世凱)의 국민당 탄압에 반대한 거병. 1912년 임시 대총통에 취임한 위안 스카이에 대해 중국 혁명 동맹회(中國革命同盟會)는 국민당을 결성하여 대항, 다음해 군사를 일으켰으나 패하고 혁명은 좌절됨. 이 결과 위안 스카이의 독재적 권력(獨裁的權力)이 강화되었음.

제:이 화합물【第二化合物】 명 『화』 2종의 산화수(酸化數)를 갖는 금속 원자가 각각 두 가지 금속 화합물을 만들 때, 높은 산화수(酸化數)를 갖는 화합물을 말함. 산화철(Ⅱ)를 산화 제일철, 산화철(Ⅲ)를 산화 제이철이라고 하는 따위. *제일 화합물.

제익【諸益】 명 제우(諸友).

제인【諸人】 명 모든 사람. 많은 사람.

제인 에어 〔Jane Eyre〕 명 『문』 영국의 여류 소설가 샬롯 브론테(Charlotte Brontë)가 지은 장편 소설. 1847년 발표. 고아로서 충족되지 않는 나날을 보낸 가정 교사 제인의, 주인 로체스터에의 애정이 싹트는 중에서, 당시의 억압받는 여성의 독립과 자유에의 열망을 그린 작품임.

제:일[1]【帝日】 명 음양도(陰陽道)에서 그 사람의 성(姓)에 따라 여러 가지 일에 길(吉)하다고 하는 날. 화성(火姓)을 가진 사람은 병오일(丙午日), 수성(水姓)은 임자일(壬子日), 목성(木姓)은 을묘일(乙卯日), 금성(金姓)은 신유일(辛酉日), 토성(土姓)은 무자일(戊子日)의 날이 각각 해당함.

제일[2]【除日】 명 섣달 그믐날.

제:일[3]【祭日】 명 제삿날.

제일[4]【齊一】 명 똑같이 가지런함. ——-하다 형여불

제:일[5]【第一】 ㊀ 수관 첫째. ¶뭐니 해도 먹는 것이 ~이다. ㊁ 부 가장. ㈜젤. ¶~ 좋다/~ 끝 순서.

제:일-가다【第一一】 자 으뜸가다. 첫째가다. ¶동네 안에서 제일가지요.

제:일각-법【第一角法】 명 정투영법(正投影法)의 하나. 공간은 직교 좌표축(直交座標軸) xox′, yoy′, zoz′에 의해 8개로 나누어지는데, 그 중 3개의 반직선(半直線) ox, oy, oz에 의해 구획되는 부분에 입체를 놓고 투영법을 그리는 방법. *제3각법.

제:일 강산【第一江山】 명 경치가 매우 좋은 곳.

제:일격 능력【第一擊能力】 [一녁] 명 〔first strike capability〕 『군』 선제 제일격(第一擊)에 의해서 군사적인 성공을 거둘 수 있는 전략 핵무기 전력(戰力). ↔제이격 능력.

제:일격 전:략【第一擊戰略】 [一절一] 명 〔first strike strategy〕 『군』 제일격 능력을 중심으로 한 전략. ↔제이격 전략.

제:일 경추【第一頸椎】 명 『생』 척주의 제일 위의 척추. 위쪽에 두골(頭骨)과 연결되는 상관절와(上關節窩)가 있음.

제:일 계급【第一階級】 명 『사』 칼라일(Carlyle)의 계급 분류에 의한 첫째 계급. 봉건 사회(封建社會)에 있어서 국왕(國王)을 중심한 왕족 계층을 말함. *제일 신분.

제:일-골【第一骨】 명 『역』 신라 때 골품(骨品)의 하나. 모든 왕족(王族)이 이에 속함.

제:일 공:화국【第一共和國】 명 『역』 1948년 8월 15일 대한 민국(大韓民國)이 수립된 이후, 1960년 4·19 의거로 제2 공화국이 탄생하기까지의 우리 나라의 공화정(共和政). 이승만(李承晩)이 대통령(大統領)으로 재임(在任)하면서, 주로 자유당(自由黨)이 정권(政權)을 담당한 시대(時代)임.

제:일 공:화정【第一共和政】 명 프랑스 최초의 공화정. 1792년 국민 공회(國民公會)가 루이 16세의 폐위와 공화정 선언을 한 때부터 총재(總裁) 정부·집정(執政) 정부를 거쳐 1804년의 나폴레옹의 황제 즉위에 이르기까지를 가리킴. *제이 공화정.

제:일 국민역【第一國民役】 명 『법』 병역(兵役)의 한 가지. 18세 부터 30세까지의 병역 의무자로서 현역·예비역·보충역 또는 제2 국민역이 아닌 자가 복무함.

제:일 권리【第一權利】 [一꿜一] 명 『법』 타인(他人)의 불법 행위에 의하여 침해(侵害)되지 않은 이전부터 존재(存在)하는 권리. 소유권(所有權) 같은 것. 원시권(原始權).

제:일기 분열 조직【第一期分裂組織】 명 〔primary meristem〕 『식』 배조직(胚組織)으로부터 직접 발생하는 분열 조직. 표피(表皮)·관다발 조직(組織)·피층(皮層)이 생김.

제:일 독회【第一讀會】 명 『정』 의안(議案)에 대한 첫번째의 독회. 의안 낭독(朗讀)과 질의 응답(質疑應答) 및 대체 토론(大體討論)을 행함.

제:일-류【第一流】 명 제일 가는 등급.

제:일-맹【第一盲】 명 『의』 적색맹(赤色盲). 제일 색맹. *제이맹(第二盲)·제삼맹(第三盲).

제:일-미【第一美】 명 『미술』 정신미(精神美)·자연미(自然美)의 원천(源泉)을 이루는 절대미(絶對美).

제:일 바이올린【第一一】 〔violin〕 명 『악』 ①관현악단(管絃樂團)의 악기 배치에 있어서 지휘자의 왼쪽 맨 앞에 위치하는 바이올린의 일단(一團). 대편성의 관현악단에서는 20명 정도로 구성되며, 주선율의 연주를 맡음. ②실내악 연주에서, 두 사람의 바이올린 연주자 가운데 주(主)연주자.

제:일 반:항기【第一反抗期】 명 『심』 정신 발달의 단계에서 자아 의식의 성립에 의해 부모나 어른의 말을 듣지 않게 되는 시기. 2-4세의 유아기에 나타남.

제:일-보【第一步】 명 첫걸음. ¶~를 내디디다.

제:일-봉【第一峰】 명 『지』 평안 북도(平安北道) 자성군(慈城郡)에 있는 산. [1,093m]

제:일 부인【第一夫人】 명 적처(嫡妻). 정실(正室). 일부 다처(一夫多妻)의 나라에서 사용함.

제:일 분열【第一分裂】 명 『생』 이상 분열(異常分裂).

제:일 상한【第一象限】 명 『수』 ①사분원(四分圓)의 첫째 부분. ②평면 위에서 두 직선이 직각으로 만날 때, 직선이 나누는 평면의 첫째 부분. 0°에서 90° 사이임. *제2 상한.

제:일 색맹【第一色盲】 명 〔protanopia〕 『의』 적색(赤色) 시각에 결함이 있는 부분 색맹. 녹시자(綠視者). 제일맹(第一盲).

제:일 서기【第一書記】 명 『정』 공산당 서기국(書記局)의 중심이며 당을 대외적으로 대표하는 자.

제:일-선【第一線】 [一썬] 명 ①일을 계획하여 실행하는 데 있어서의 맨 앞장. ¶~에서 활약하다. ②『군』 최전선(最前線)❷. ¶~ 장병. ㈜일선.

제:일 성:질【第一性質】 명 〔primary qualities〕 『철』 로크(Locke, John)의 인식론에서 물(物)의 성질을 둘로 나눈 그 하나. 물의 연장(延長)·형상·운동·정지·응고성(凝固性) 등 물 그 자체에 항상적(恒常的)으로 내재(內在)하는 객관적인 성질. *제이 성질.

제:일 세:계【第一世界】 명 〔the First World〕 제2차 세계 대전 이후, 미국을 비롯하여 서유럽·일본·오스트레일리아 등 20개국 가량의 발달한 자본주의 국가를, 편의적으로 총칭하여 일컫는 이름. *제이 세계·제삼 세계·제사 세계.

제:일 세대 컴퓨:터【第一世代一】 [一쎄一] 명 〔first-generation computer〕 『컴퓨터』 컴퓨터를 발전 과정상으로 분류한 것. 최초 단계의 것으로서 1940년대 중엽부터 1950년대 중엽까지의 진공관식(眞空管式) 컴퓨터 시스템. 컴퓨터의 실용화와 하드웨어(hard ware) 개발에 중점을 두었음. 1946년 진공관 18,000여 개를 사용하고 무게가 30톤이나 되는 최초의 컴퓨터 에니악(ENIAC)이 개발되었고, 그 후 에드박(EDVAC)·에드삭(EDSAC)·유니박 원(UNIVAC I) 등이 개발 완성됨. *제이 세대(第二世代) 컴퓨터.

제:일 신분【第一身分】 명 프랑스의 3부회에서 제1부를 구성한 사제. 「*제1 계급.

제:일-심【第一審】 [一씸] 명 『법』 소송(訴訟)에서 제일차로 받는 심판. 최초의 심급(審級)으로서의 지방 법원 등의 심리 재판. 시심(始審). 초심(初審). ㈜일심(一審).

제:일 여현 법칙【第一餘弦法則】 명 『수』 제일 여현 정리.

제:일 여현 정:리【第一餘弦定理】 [一니] 명 『수』 '제일 코사인 정리(定理)'의 구용어.

제:일-엽【第一葉】 명 〔first leaf〕 『식』 종자 식물의 개체 발생 때에 자엽(子葉)에 이어 나오는 잎. 단자엽류(單子葉類)에서는 자엽과 줄기를 끼고 반대 쪽에 달리며, 쌍자엽류(雙子葉類)에서는 자엽 두 개의 선과 직교(直交)하여 달림.

제:일 예:비금【第一豫備金】 [一례一] 명 『법』 예비비(豫備費)의 하나. 항목에 들어 있는 예산의 불가피한 부족을 보충하기 위하여 설치함. *제이(第二) 예비금.

제:일 요추【第一腰椎】 명 『생』 척주의 20번째 척추. 제일 위의 요추.

제:일 우:주 속도【第一宇宙速度】 명 〔first astronautical velocity〕 물체, 곧 로켓의 운동에 관련되어 쓰이는 말. 로켓이 지표(地表)에서 극히 가까운 원궤도(圓軌道)에 오르기 위하여 필요한 속도. G를 만유 인력 상수(萬有引力常數), M을 지구의 질량(質量), r를 지구 반경(半徑)이라 하면 $\sqrt{GM/r}$이고 7.9 km/s가 됨. 인공 위성(人工衛星) 속도.

＊우주(宇宙) 속도.

제:일 원리【第一原理】[―월―] 명 ①〖철〗 현상(現象)의 배후(背後)에 있는 초인식적인 근본 원리. ②〔First Principles〕〖책〗 영국의 철학자 스펜서(Spencer, Herbert)의 주저(主著). 그의 종합 철학 체계를 서술하였음. 1862년 발간.

제:일 원인【第一原因】명〔라 causa prima〕①〖철〗 운동(運動)의 구극원인(究極原因). 그것 자신(自身)은 운동하지 않으며 다른 것의 운동의 원인이 되는 부동(不動)의 동자(動者)임. ②〖종〗 만물(萬物)의 창조자(創造者)·지배자(支配者)로서의 신(神).

제:일-위¹【第一位】명 맨 앞의 자리. 으뜸이 되는 자리. 또, 그 차례. ¶～를 차지하다.

제:일-위²【第一胃】명〖생〗 반추위(反芻胃)의 제일실(第一室). 곧, 유위(瘤胃). 첫째 밥통.

제:일-은【第一銀】명 ↗제일 은행.

제:일 은행【第一銀行】명 시중 은행의 하나. 1929년 7월, 식산(殖產) 은행 저축부에서 분리 독립하여 '조선 저축 은행'으로 발족함. 8.15 해방 후 상업 은행령에 의하여 일반 은행 업무도 겸영(兼營)하게 되었고, 1954년 식산 은행이 산업 은행으로 개편됨에 따라 식산 은행의 일반 은행 업무를 인수하여 기구를 확장함. 1958년 제일 은행으로 개칭하여 현재에 이름. ㊟제일은(第一銀).

제:일-의【第一義】[―/―이] 명 ①〖철〗 근본되는 첫째 의의. 궁극의 진리(眞理) ②〖불교〗 더할 수 없는 깊은 묘의(妙義). 제법 실상(諸法實相)의 이(理). 또, 제일의제(第一議題).

제:일의-공【第一義空】[―/―이―] 명〖불교〗 제일의(第一義)인 열반(涅槃)이나 실상(實相)도 공(空)이라는 것. 제일의천(第一義天).

제:일 의:무【第一義務】명〖법〗 법률(法律)에 의하여 직접 설정(設定)된, 위배(違背)를 허(許)하지 않는 제일차적 의무. 납세 의무(納稅義務)·부채 변제 의무(負債辨濟義務) 등임.

제:일의-적【第一義的】[―/―이―] 명관 일의적(一義的)❶.

제:일의적 생활【第一義的生活】[―/―이―] 명〖철〗 근본(根本)이 되는 생활. 즉, 인간(人間)의 본성(本性)에 따라서 개성을 존중하여 본연의 사명을 충실히 하는 생활. ＊제이의적 생활.

제:일의-제【第一義諦】[―/―이―] 명〖불교〗 그것 자신이 진실인 이법(理法). 곧, 심묘(深妙)한 절대적 진리. 진제(眞諦). 승의제(勝義諦).

제:일의-천【第一義天】[―/―이―] 명〖불교〗 제일의공(第一義空).

제:일-인【第一人】명 ↗제일인자(第一人者).

제:일 인산 나트륨【第一燐酸―】〔도 Natrium〕명〖화〗 인산 이수소(燐酸二水素) 나트륨.

제:일 인산 암모늄【第一燐酸―】〔ammonium〕명〖화〗 인산 이수소(燐酸二水素) 암모늄.

제:일 인산 칼륨【第一燐酸―】〔도 Kalium〕명〖화〗 인산 이수소(燐酸二水素) 칼륨.

제:일 인산 칼슘【第一燐酸―】〔calcium〕명〖화〗 인산 이수소(燐酸二水素) 칼슘.

제:일 인상【第一印象】명 사물을 대(對)하였을 때 제일 처음에 얻은 인상. 첫인상.

제:일인-자【第一人者】명 어느 방면에 있어서 그와 견줄 이가 없을 만큼 뛰어나서 첫째로 치는 사람. ¶기계(棋界)의 ～. ㊟제일인(第一人).

제:일-인칭【第一人稱】명〖언〗 말하는 사람이 자기를 일컬을 때 쓰는 인칭. ＊제일인칭 대명사.

제:일인칭 대:명사【第一人稱代名詞】명〖언〗 인대명사(人代名詞)의 하나. 말하는 사람이 자기를 일컫는 말. '나'·'저'·'우리' 같은 것. 자칭(自稱) 대명사. ＊제이인칭 대명사.

제:일 인터내셔널【第一―】〔International〕명〖사〗 1864년 런던에서 창립된 세계 최초의 국제적 노동자 조직. 창립 선언과 규약의 기초자는 마르크스. 마르크스파와 생디칼리스트 및 아나키스트와의 대립이 격렬하였음. 1876년 해산함. 국제 노동자 협회. ＊제이 인터내셔널·제삼 인터내셔널.

제:일 전:회【第一轉回】명〖악〗 '첫째 자리바꿈'의 한자 이름.

제:일 제:정【第一帝政】명〖역〗 프랑스 최초의 제정. 나폴레옹 1세가 황제에 즉위한 1804년부터 1814년 4월의 퇴위까지를 이르며 소위 100일 천하를 포함하기도 함. ＊제이 제정.

제:일-종【第一種】[―쫑] 명 갑종(甲種)❷.

제:일종 과:오【第一種過誤】[―쫑―] 명 통계학상의 용어. 가설(假說)이 진실(眞實)임에도 불구하고 이를 버리는 과오.

제:일종 소:득【第一種所得】[―쫑―] 명〖일제〗 '법인 소득(法人所得)'의 구칭.

제:일종 소:득세【第一種所得稅】[―쫑―] 명〖일제〗 제일종 소득에 대하여 부과(賦課)하는 세.

제:일종 영:구 기관【第一種永久機關】명〔perpetual motion machine of the first kind〕〖물〗 일단 움직이기 시작하면 에너지의 보충 없이도 일을 계속할 수가 있다든지 또는 외부에서 흡수한 것보다 더 많은 에너지를 만들어 낸다든지 하는 가정적(假定的)인 기계. 사고 실험(思考實驗)에서 가정된 것임.

제:일종 우편물【第一種郵便物】[―쫑―] 명〖법〗 국내 통상(通常) 우편물의 한 가지. 우편법에서 보통의 편지 및 제2종에서 제4종까지의 우편물에 해당되지 아니하는 것을 말함.

제:일종 운전 면:허【第一種運轉免許】[―쫑―] 명 도로 교통법에 의해 일반 자동차의 운전 자격자에게 주어지는 면허. 대형(大型) 면허·보통 면허·소형 면허·특수 면허 등의 4종류가 있으며, 이 면허를 받은 자는 비사업용(非事業用) 자동차나 자동차 운수 사업법에서 규정한 사업용 자동차를 운전할 수 있음. ＊제이종 운전 면허.

제:일종 전염병【第一種傳染病】[―쫑―뼝] 명 법정 전염병의 한 가지. 콜레라·페스트·발진 티푸스·장티푸스·파라티푸스·두창(痘瘡)·디프테리아·세균성 이질·황열(黃熱)·일본 뇌염 등. ＊제이종 전염병.

제:일 종족【第一種族】명〖천〗 생성하여 얼마 되지 아니하는 나이가 젊은 항성(恒星). 주계열성(主系列星)·초거성(超巨星)·산개 성단(散開星團)·나선 성운(螺線星雲)의 팔 따위.

제:일-주의【第一主義】[―/―이] 명 무슨 일에든지 제일이 되고자 하는 주의.

제:일 주제【第一主題】명〔principal subject〕〖악〗 소나타 형식(形式)을 이룬 악장(樂章)의 모두(冒頭)에 제시(提示)되는 주제(主題). 그 음악의 주상(主想)이 되는 것. ＊제이 주제.

제:일-줄나비【第一―】[―라―] 명〖충〗〔*Limenitis helmanni*〕네발나빗과에 속하는 곤충. 편 날개의 길이 46-66mm이고 날개 표면은 흑색이며, 앞날개의 중앙실(中央室)에는 삼각형의 백색 무늬와 그 안쪽에 곤봉(棍棒) 모양의 백색 무늬가 있고, 그 외연(外緣) 안쪽에는 두 개의 작은 흰무늬가 있는데, 뒷날개의 백색띠는 직선에 가까움. 한국·중국 등지에 분포함.

제:일 질료【第一質料】명〔primary matter〕〖철〗 현실(現實)에는 존재하지 않고, 단지 사고(思考)에 있어서만 존재하는 순수(純粹)한 소재(素材) 그 자체. 즉, 현실에 존재하는 소재는 어떤 형상(形相)에 의하여 한정(限定)되고, 일정한 성질(性質)·양(量)을 가지고 있으나, 이러한 일체(一切)의 한정(限定)을 제거(除去)한 구극(究極)에 있다고 생각되는 순수한 소재를 말함.

제:일차 객관【第一次客觀】명〔도 primäres Objekt〕〖철〗 독일의 철학자(哲學者) 브렌타노(Brentano, F.)의 용어(用語). 의식(意識)은 이중(二重)의 객관(客觀) 즉, 대상(對象)과 심적 작용(心的作用)을 가지는데 이 둘 중 대상 그 자체를 말함. 예를 들면 색(色)을 보는 경우에 색 그 자체와 그것을 보는 심적 작용이 구별(區別)되며 색 그 자체가 제일차 객관임.

제:일차 경제 개발 오:개년 계:획【第一次經濟開發五個年計劃】명 우리 나라에서 1962-1966년에 실시된 경제 개발 5개년 계획. 에너지의 확보·농산물 증산·소득 증진·기간 산업과 사회 간접 자본의 확충·국토 건설 등을 목표로 시행하였음. ＊제이차 경제 개발 오개년 계획(第二次經濟開發五個年計劃).

제:일차 국공 합작【第一次國共合作】명〖역〗 중국 국민당과 중국 공산당의 제1차 협력 체제. 1924년에서 1927년까지 코민테른의 지도, 쑨원(孫文)의 연소 용공 정책(連蘇容共政策)에 의해 성립됨. 뒤에 반공 난징 정부(南京政府)가 출현하고, 우한 정부(武漢政府)내의 국민당 좌파와 공산당이 결별함으로써 분열했음. ＊국공 합작.

제:일차 모네 플랜【第一次―】〔Monnet Plan〕명〖역〗 제2차 세계 대전 직후의 프랑스에서, 전후의 경제·산업의 근대화(近代化)를 위한 계획. 모네(Monnet, J.)에 의해서 세워진 플랜으로, 1947년 1월 10일을 기점(起點)으로 하여 4년 동안 석탄·전기·철강·시멘트·농업 기계·수송 등 6개 기초 부문을 근대화함. 제일차 근대화 설비 계획. ＊제이차(第二次) 모네 플랜.

제:일차 발칸 전:쟁【第一次―戰爭】〔Balkan〕명〖역〗 발칸 전쟁❶.

제:일차 산:업【第一次產業】명 산업 구조를 나타내기 위한 세 가지 유형(類型)에서, 주로 자연 상태를 이용하여 성립된 산업. 농업을 주체로 임업(林業)·수산업(水產業)·축산업(畜產業) 등. 광공업(鑛工業)을 포함시킬 때도 있음. 원시 산업(原始產業). 일차 산업. ＊제이차(第二次) 산업·제삼차(第三次) 산업.

제:일차 성:징【第一次性徵】명〖생〗 자웅(雌雄) 이체의 다세포 동물에서 개체의 성(性)을 판별하는 준거로 할 수 있는 형질. 특히, 생식선(生殖腺) 자체의 특징을 이름. 일차(一次) 성징. ＊성징·제이차(第二次) 성징·제삼차(第三次) 성징.

제:일차 세:계 대:전【第一次世界大戰】명〖역〗 독일·오스트리아·이탈리아의 삼국 동맹(三國同盟)과, 영국·프랑스·러시아의 삼국 협상(三國協商)과의 대립을 배경으로 하여 일어난 세계적 규모의 제국주의적 전쟁. 1914년 7월 사라예보 사건(Sarajevo事件)을 도화선으로, 오스트리아가 세르비아에 선전(宣戰)하고, 이어 독일·오스트리아와 영국·프랑스·러시아간에 선전 포고가 오가고 거기에 또한 일본·루마니아·그리스와 동맹을 이탈한 이탈리아가 협상측에, 터키·불가리아가 동맹측에 가담함으로써 전쟁 규모가 확대되었음. 1917년 미국마저 협상측에 참전하게 되어, 독일은 1918년 11월에 항복하게 되고, 다음해 베르사유 강화 조약(講和條約)이 체결되었음. 구주 대전(歐洲大戰). 유럽 대전. ＊세계 대전.

제:일차 소비자【第一次消費者】명〖생〗 생물학(生物學)에서 생산자인 녹색 식물(綠色植物)을 먹는 초식 동물(草食動物)을 이름. ＊제이차(第二次) 소비자.

제:일차 위험 보:험【第一次危險保險】명〖경〗 실손 전보(實損塡補)를 목적으로 하는 보험. 곧, 보험 사고(事故) 발생의 경우에 보험 금액을 한도로 하여 원칙적으로 손해액(損害額)의 전액(全額)을 피보험자(被保險者)에게 지급함.

제:일차 정모 세:포【第一次精母細胞】명〖생〗 정자 형성의 한 시기. 정원 세포(精原細胞)의 유사 분열(有絲分裂)의 반복에 의한 증식기(增殖期)에 이어지는 성숙 분열(成熟分裂)의 준비기(準備期)의 정모 세포를 이름. 이 정모 세포는 제1회의 성숙 분열을 하여 제2차 정모 세포가 됨. ＊제이차 정모 세포.

제:일차 정보 혁명【第一次情報革命】명 컴퓨터가 기업(企業)이나 산업에 이용되기 시작함으로써 비롯된 정보 혁명의 첫 단계. ＊제이차 정보 혁명.

제:일차 조직【第一次組織】명〖생〗 초생(初生) 조직.

제:일차 집단【第一次集團】[명]〖사〗미국의 사회학자 쿨리(Cooley, Charles; 1864-1929)가 사용한 사회학의 개념. 모든 발달 단계의 사회에서 인간 생애의 초기에 형성되는 제1차적인 집단. 가족·어릴 적 동무·이웃이 이에 속함. 상당히 장기간에 걸쳐 밀접한 관계를 가지며, 소수의 사람들이 특정한 구속 없이 직접 접촉하는 점이 이 집단의 특징임. 일차 집단. *제이차 집단.

제:일차 한:일 협약【第一次韓日協約】[명]〖역〗광무(光武) 8년(1904) 2월에 일어난 노일 전쟁(露日戰爭)이 일본에 유리하게 전개되고 있던 동년 7월에 일본과 맺은 조약. 재정 및 외교에 일본 정부가 추천한 일본 사람과 외국 사람을 고문으로 용빙(傭聘)할 것과 일본의 승인 없이 외국과 협약을 맺지 말 것 등을 규정한 것인데, 우리의 주권을 침해(侵害)함이 컸음. *제이차 한일 협약(第二次韓日協約).

제:일-착【第一着】[명] 어떤 일에 가장 먼저 착수하거나, 어떤 지점에 가장 먼저 도착함. ¶ ~으로 골인하다 / ~을 하다.

제:일 천계【第一天界】[명]〔first heaven〕〖철〗아리스토텔레스의 우주론(宇宙論)에 나오는 우주의 가장 외부(外部)의 영역(領域). 고정(固定)되어 있는 별들의 영역.

제:일 철학【第一哲學】[명]〔라 philosophia prima; 그 prote philosophia〕〖철〗자연(自然)이나 정신(精神) 같은 특수한 존재(存在)가 아니라, 존재 일반(一般)의 성질(性質)이나 원리(原理)를 연구하는 형이상학의 부문. 아리스토텔레스로부터 시작되어 중세(中世)·근세 초기(近世初期)에까지 널리 쓰이었음. 존재론(存在論)과 대체로 같음.

제:일 촉각【第一觸角】[명]〖동〗갑각류(甲殼類)에 있어 두부(頭部)에 있는 맨 앞의 발이 변화하여 된 촉각. *제이 촉각.

제:일 코사인 정:리【第一一定理】〔一니〕[명]〖수〗평면 기하학의 정리의 하나. 삼각형 ABC의 꼭지점 A, B, C의 대변(對邊)을 각각 a, b, c로 할 때 $a=b\ \cos C+c\ \cos B$, $b=a\ \cos C+c\ \cos A$, $c=a\ \cos B+b\ \cos A$라는 관계가 성립되는 일. 제일 여현 정리. *제이 코사인 정리.

제:일 코일【第一一】〔coil〕[명]〖물〗일차 코일. *제이(第二) 코일.

제:일 탄:소 원자【第一炭素原子】[명]〔primary carbon atom〕〖화〗유기 화합물에서, 탄소 원자가 만드는 사슬의 말단(末端)에 있어서 오직 한 개의 다른 탄소 원자와 결합하는 탄소 원자. *제이 탄소 원자.

제:일-편【第一篇】[명] 시문(詩文)이나 서적 같은 것의 여러 편(篇)으로 된 것 중 첫째 편.

제:일 하:새【第一下顎】[명]〖동〗갑각류(甲殼類)의 넷째 발. *제이 하새.

제:일 학기【第一學期】[명]〖교〗학교에서 한 학년의 수업 기간(修業期間)을 몇으로 나눈 첫 학기.

제:일 형상【第一形相】[명]〔그 proton eidos〕〖철〗아리스토텔레스 철학의 개념(槪念). 만유(萬有)를 형상 질료(形相質料)의 질서(秩序)에서 볼 때 서열(序列)의 최초에 있다고 생각되는 순수 형상(純粹形相). 가능성으로서의 질료(質料)는 형상(形相)을 목적으로 하여 실현화(實現化)하지만, 질료와 더불어 존재하는 한 형상은 순수한 형상이 아님. 순수한 형상은 질료, 즉 모든 가능성을 벗어나서 영구히 변하지 않는 완성자(完成者)이어야 함.

제:일 화합물【第一化合物】[명]〖화〗2종의 산화수(酸化數)를 갖는 금속 원자가 제각기 두 개의 금속 화합물을 만들 때 낮은 산화수를 갖는 화합물을 이름. 산화철(Ⅱ)을 산화 제1철, 산화철(Ⅲ)을 산화 제2철이라고 하는 따위. *제이 화합물.

제:일 흉추【第一胸椎】[명]〖생〗척주를 이룬 제일 위의 흉추.

제임스〔James〕[명]〖사람〗①〔William, J.〕미국의 철학자·심리학자. 미국에 있어서의 실험 심리학(實驗心理學)의 확립자. 생물학 및 영국 경험론에서 출발하여, 철학에서는 절대적인 실체를 부정하여 프래그머티즘을 수립하고, 심리학에서는 연상주의(聯想主義)를 배격하여 기능적(機能的) 심리학을 제창하였음. 저서에 ≪종교 경험의 제상(諸相)≫·≪심리학 원리≫ 등이 있음. [1842-1910] ②〔Henry, J.〕영국의 소설가. ❶의 동생. 미국 태생이나 1915년 영국에 귀화(歸化)하였음. 심리적 사실주의(寫實主義)의 선구자로, 단순 조야(粗野)한 미국인의 생활과 유럽 문명과의 충돌 모순을 예리하게 추구(追求)하는 것이 그의 작품의 주요 테마였음. 대표작 ≪데이지 밀러 (Daisy Miller)≫·≪어느 부인의 초상(肖像)≫ 등이 있음. [1843-1916]

제임스 랑게설【一說】〔James Lange〕[명]〖심〗미국의 제임스(James, W.)와 독일의 랑게(Lange, C.)가 거의 동시에 발표한 정서(情緖)의 본질에 대한 설. 이 설은 자극→정서→신체 변화가 아니라 자극→신체 변화→정서의 순서로 간주된 것. 슬퍼서 우는 것이 아니라 우는 고로 슬프다는 표현으로 상징되고 있음.

제임스 이:세【一二世】〔James Ⅱ〕[명]〖사람〗영국의 왕 찰스 1세의 아들. 청교도 혁명(淸敎徒革命)으로 일시 망명한 후, 왕정 복고(王政復古)로 귀국, 형 찰스 2세의 뒤를 이어 즉위함. 구교의 부활·상비군의 설치 등으로 전제 정치(專制政治)를 하려다 의회와 대립, 1688년의 명예 혁명(名譽革命)으로 다시 프랑스로 망명, 루이 14세의 원조를 받아 재기를 노렸으나 실패함. [1633-1701; 재위 1685-88]

제임스 일세【一一世】〔James Ⅰ〕〔一쎄〕[명]〖사람〗영국의 왕. 스코틀랜드 왕으로서는 제임스 6세(재위 1557-1625). 엘리자베스 1세의 뒤를 이어, 영국왕을 계승하여 스튜어트 왕조(Stuart 王朝)를 창시함. 영국 국교회(英國國敎會) 입장에서 구교도·청교도를 다 같이 탄압하였기 때문에, 1605년에는 구교도에 의한 화약 음모 사건(火藥陰謀事件)이 일어남. 또, 왕권 신수설(王權神授說)을 주장하여 의회와 크게 대립함. [1566-1625; 재위 1603-25]

제자[1] [명]〈방〉저자[1] (강원·충북·경상).

제:자[2]【弟子】[명] ①스승으로부터 가르침을 받는 사람. 문도(門徒). ②〔disciples〕〖기독교〗예수의 가르침을 받아 그의 뒤를 따른 사람들. 이 중에서 특히 선택을 받아 스승과 생활을 같이하고, 신(神)의 나라를 위하여 훈련을 받고, 전도에 파견된 사람들이 열 두 제자임.

제:자[3]【帝者】[명] 일국의 원수(元首)로서 제(帝)로 일컬어지는 사람.

제:자[4]【祭粢】[명] 젯메.

제:자[5]【祭資】[명] 제사에 필요한 비용.

제자[6]【諸子】[명] ①아들 또는 아들과 같은 항렬(行列)이 되는 사람의 통칭. ②제군(諸君). ③〖역〗춘추 전국 시대에 일가(一家)의 학설을 세운 사람. 또, 그 저서. 학파(學派). 학설. *제자 백가.

제자[7]【題字】[명] 서적의 머리나 족자 같은 데 쓴 글자. 제서(題書).

제자[8]【題者】[명]〖불교〗경론에 대해 토론할 때, 그 제목을 선정(選定)하는 사람.

제자-관【賫咨官】[명]〖역〗자문(咨文)을 가지고 중국에 사신으로 가는 벼슬아치.

제자-단【梯子段】[명] 사닥다리로 된 계단.

제자루-칼 [명] 자루를 따로 박지 아니하고 제물에 자루가 되게 만들어진 칼.

제-자리 [명] 본디 있던 자리. 거기에 마땅히 있어야 할 자리. ¶ ~에 놓다 / ~를 떠나다.

제자리 걸음 [명] ①앞으로 나아가지 않고 그대로의 위치에서 발을 교대로 밟는 일. ②정체되어 진보하지 않음. 답보(踏步). ¶생산이 ~하다. ——-하다 [자][여불]

제자리걸음 반:사【一反射】[명]〔stepping reflex〕신생아(新生兒)나 유아(幼兒)에서 볼 수 있는 반사 반응. 걸음을 걷듯 두 다리를 번갈아 움직이며 제자리걸음을 함. 발바닥이 평면(平面)에 닿도록 부축하여 세워서 앞으로 이동함으로써 볼 수 있음.

제자리-멀:리뛰기 [명] 도움닫기 없이 구름판 위에 두 발을 놓고 되도록 멀리 뛰는 필드 경기.

제자리 무늬〔一니〕[명] 뜨개질에서, 겉뜨기나 안뜨기만을 떠서 밋밋한 무늬. 뜨개실이 굵을수록 입체감을 냄.

제자리-음【一音】[명]〖악〗보표(譜表)에 있어서 ♯·♭의 부호가 없는 음. 본위음(本位音).

제자리-접【一椄·一接】[명]〖농〗거접(据接). ——-하다 [타][여불]

제자리-표【一標】[명]〖악〗♯나 ♭에 의해 변화된 음을 본래의 음으로 돌아가게 하는 표로서 '♮'로 나타냄. 본위 기호(本位記號).

〈제자리표〉

제자 백가【諸子百家】[명]〖역〗춘추 전국 시대의 여러 학파. 공자(孔子)·관자(管子)·노자(老子)·맹자(孟子)·장자(莊子)·묵자(墨子)·열자(列子)·한비자(韓非子)·윤문자(尹文子)·손자(孫子)·오자(吳子)·귀곡자(鬼谷子) 등의 학파. 유가(儒家)·도가(道家)·묵가(墨家)·법가(法家)·명가(名家)·병가(兵家)·종횡가(縱橫家)·음양가(陰陽家) 등의 총칭. 제자(諸子)가 백 팔십 구 종(種)이나 되는데, 백가라 함은 거성수(擧成數)를 일컬음. [준]제가(諸家).

제자 백가서【諸子百家書】[명] 백가어(百家語).

제:자-해【制字解】[명]〖언〗'해례본 훈민 정음(解例本訓民正音)'에서 보인 해례(解例)의 하나로 중국의 각종 운서(韻書)와 '성리 대전(性理大全)' 중 '황극 경세서(皇極經世書)'의 이론과 방법을 뒷받침한 제자(制字)에 대한 해례.

제:작[1]【制作】[명] ①정하여 만듦. 생각하여 정함. ②예술(藝術) 작품을 만듦. 또, 그 작품. ——-하다 [타][여불]

제:작[2]【製作】[명] ①재료(材料)를 가지고 물건을 만듦. ②제술(製述). ③영화·연극·방송 프로 등을 맡은 사람이 협력하여 만듦. 또, 그 경영면의 책임자. ——-하다 [타][여불]

제작[3]【題作】[명] 제목을 내어 걸고 시문(詩文) 등을 짓게 함. ——-하다 [자][여불]

제:작 과:정【製作過程】[명] 어느 물건이나 예술 작품 같은 것을 만드는 과정.

제:작-권【製作權】[명] 어떤 물건이나, 예술 작품(藝術作品) 같은 것을 제작(製作)하는 권리(權利).

제:작-대【製作臺】[명] 물건을 만들 때에 올려 놓는 받침대.

제:작-도【製作圖】[명] 공장이나 작업장의 작업자를 대상으로 하여 그려져 제작에 쓰이는 도면의 하나. *주문도(注文圖).

제:작-물【製作物】[명] 제조 공업에서 만들어 낸 물건. 작품(作品).

제:작-법【製作法】[명] 만드는 방법. ¶항공기 ~.

제:작-비【製作費】[명] 물건이나 예술 작품(藝術作品)을 만드는 데 드는 비용(費用).

제:작-소【製作所】[명] 물품을 만드는 장소. 또, 그 공장. 라보라토리.

제:작-자【製作者】[명] 물건이나 예술 작품 따위를 제작(製作)한 사람.

제:작-체【製作體】[명] 제작하기 위하여 이루어진 단체.

제:작-품【製作品】[명] 제작(製作)된 물품(物品)이나 작품(作品).

제잠[1]【蹄涔】[명] 마소의 발자국에 괴어 있는 물. 곧, 조금 괴어 있는 물. 전(轉)하여, 미소(微少)한 사물의 비유.

제잠[2]【鯷岑】[명] 옛날 중국에서 우리 나라를 일컬은 말. 한서(漢書)에 회계 해외(會稽海外)에 동제학(東鯷壑)이라는 땅이 있는데 이십여 나라로 나누어졌다 하였음.

제-잡담【除雜談】[명] 여러 말 하지 아니함. ——-하다 [자][여불]

제-잡비【除雜費】[명] 각종(各種) 잡비를 제(除)하고, 실속으로 셈을 침. ——-하다 [자][여불]

제:장[1]【祭場】[명] 제사를 지내는 곳.

제장[2]【諸將】[명] ①여러 장수. ②〖민〗출전(出戰)하였다가 죽은 신령(神靈). 군복을 만들어 놓고 위함.

제:장-국【制章局】명〖역〗대한 제국 때 표훈원(表勳院)의 한 국. 훈장·기장·포장과 그 밖의 상여(賞與)에 관한 일을 맡음.

제:재[1]【制裁】명 ①법령이나 규칙 위반자에게 가하여지는 불이익(不利益) 또는 징벌(懲罰)을 이름. ¶법의 ~를 받다. ②집단의 규율을 어겼을 때 가하여지는 심리적·물리적 압력. 또, 그러한 압력을 가하는 일. ¶~를 가하다. ——-하다 타 여불

제:재[2]【製才】명 제술(製述)하는 재주.

제:재[3]【製材】명 베어 낸 나무를 각목이나 널빤지로 켬. ——-하다 자 타 여불

제재[4]【諸宰】명 여러 재상(宰相).

제재[5]【題材】명 예술 작품·학술 연구 같은 것의 주제(主題)가 되는 재료(材料).

제:재-기【製材機】명 통나무를 판재(板材)·각재(角材)로 만드는 기계. 기계톱.

제:재-목【製材木】명 원목(原木)을 각재(角材)나 판재(板材)로 가공한 목재(木材).

제:재-소【製材所】명 베어 낸 나무로 재목을 만드는 곳.

제:재-업【製材業】명 베어 낸 나무로 각목(角木)이나 판자(板子)를 만드는 일로 업을 삼는 직업.

제적【除籍】명 호적(戶籍)·학적(學籍)·당적(黨籍) 등에서 이름을 지워 버림. ¶학교에서 ~당하다. ——-하다 타 여불

제적-부【除籍簿】명 ①신(新)호적의 편제(編製), 딴 호적으로의 입적(入籍), 사망·실종 선고 등에 의하여 전원(全員)이 제적된 호적을 호적부에서 빼어 따로 맨 장부. ②학적(學籍)·당적(黨籍)·회원적(會員籍) 등에서 제적한 사람을 따로 적어 두거나 묶어 두는 명부.

제전[1]【除田】명 사전(寺田)처럼 면세(免稅)를 받던 토지.

제전[2]【梯田】명 사닥다리 형상으로 된 논밭.

제:전[3]【祭田】명 ①조상의 제사(祭祀)를 받들기 위해 설정한 위토(位土). 제주(祭主)인 종자(宗子)가 관리함. 제위전(祭位田)과 제위답(祭位畓)이 있음. 제위(祭位). 제위토(祭位土). *묘전(墓田). ②↗제위전(祭位田). ③〖역〗조선 시대 때, 국가·왕실의 의례(儀禮)·제례(祭禮)에 소요되는 비용을 마련하기 위해 설정된 토지. 신사전(神祠田)·국행 수륙전(國行水陸田)·숭의전전(崇義殿田)·수릉군전(守陵軍田)·빙부전(氷夫田) 등이 이에 속함.

제:전[4]【祭典】명 ①제사의 의식(儀式). ②성대히 열리는 예술 발표회나 체육회 등을 뜻하는 말. ¶음악의 ~. ③〖역〗신라 시대의 관청. 제사 지내는 일을 맡아 보았음.

제:전[5]【祭奠】명 ①의식을 갖춘 제사와 의식을 갖추지 아니한 제사의 통칭. ②제사의 공물(供物). ③〖악〗서도 잡가(雜歌)의 하나. 제물(祭物) 올리는 법과 제상(祭床)에 차려진 산해 진미, 초헌(初獻)·아헌(亞獻)·종헌(終獻)의 절차를 밝힌 뒤, 인생의 무상함을 읊은 것임.

제:전-악【祭典樂】명〖악〗제전에서 아뢰는 음악.

제:절[1]【制節】명 잘 말라서 쓰기에 알맞게 함. ——-하다 타 여불

제절[2]【除節】명 ←계절(階節).

제:절[3]【祭節】명 제사 지내는 절차.

제절[4]【諸節】명 ①남의 집안의 모든 사람의 기거 동작. ¶댁내 ~이 균안(均安)하옵니까. ②한 사람의 기거 동작. ¶자당(慈堂) ~이 안녕하신가. ③모든 절차.

제-절로 부 〈방〉 저절로(경상).

제점[1]【提點】명〖역〗고려 때 서운관(書雲觀) 사의서(司醫書)의 정삼품(正三品) 또는 사온서(司醞署)·사선서(司膳署)·사설서(司設署)·자운방(紫雲坊)의 정오품 벼슬.

제점[2]【提點】명〖불교〗①제시 점검(提示點檢)의 뜻. 낱낱이 지시하고, 잘못되지 않았는가 검토하는 일. ②선사(禪寺)에서 돈이나 식량에 대한 사무를 맡은 소임. 송(宋)나라에서 유래됨.

제:정[1]【制定】명 ①제도 등을 만들어서 정함. ②법(法)으로서의 규범(規範)을 일정한 절차(節次)를 따라서 정립(定立)하는 활동(活動). 입법권(立法權)의 작용으로서 행하여지며, 문서(文書)로 표현(表現)하는 것이 보통임. ——-하다 타 여불

제:정[2]【帝政】명 ①황제가 통치하는 정치·정체. ¶~ 러시아. ②제국주의의 정치.

제:-정[3]【祭政】명 제사(祭事)와 정치.

제정[4]【提呈】명 바침. 드림. ¶신임장을 ~하다.

제정[5]【齊整】명 정돈됨. 또, 정돈함. ——-하다 자 타 여불

제:정-당【帝政黨】명〖정〗제정(帝政)을 옹호하는 정당.

제:정 러시아【帝政—】〔Russia〕명〖역〗유럽 대륙의 북동쪽의 광대한 지역에 군림하였던 옛 러시아 제국(帝國)의 일컬음. 8세기경부터 우크라이나에 정주(定住)하기 시작한 슬라브 민족이 826년 키예프 공국(Kiev 公國) 밑에 통일되어 오다가 12세기 말에는 여러 공국(公國)으로 분열, 1223년 몽골에 정복되어 킵차크 한국(Kipchak 汗國)의 속령(屬領)이 되었는데, 14세기초에 대두한 모스크바 공국의 이반(Ivan) 3세에 이르러 북동러시아를 통일하고 독립, 이반 4세, 곧 뇌제(雷帝)는 중앙 집권을 강화하고 차리즘(tsarism)을 확립하였음. 1613년에 새로운 차르로 선출된 미하일 로마노프(Michail Romanov)에서 비롯한 로마노프 왕조(王朝)는 농노제(農奴制)의 강화, 귀족제(貴族制)의 옹호, 군사적 관료제의 확립 등으로 300년간 러시아를 통치하였으나, 1917년의 러시아 혁명으로 제정은 몰락하였음.

제-정맥【臍靜脈】명 제대(臍帶)를 통하여 태반(胎盤)으로부터 태아(胎兒)에게 깨끗하고 영양이 풍부한 혈액을 보내는 혈관.

제-정받이【—精—】〔—바지〕명〖식〗↗제꽃정받이.

제:정-법【制定法】〔—뻡〕명〖법〗관습법(慣習法)과 같은 불성문법(不成文法)에 대하여 문서(文書)로서 나타낸 법률·조례(條例) 등. 성문법(成文法).

제-정신【—精神】명 자기 본래의 똑바른 정신. 본정신. ¶~이 아니다.

제:정 양식【帝政樣式】명 나폴레옹 1세의 제정 시대를 중심으로 유행한 고전적인 프랑스의 공예·건축 양식. 파리의 에투알 광장(廣場)의 개선문은 그 대표적인 것임.

제:정 일치【祭政一致】명 제사와 정치가 일치한다는 사상 및 그러한 정치 형태. 정교 일치(政教一致).

제:정-주의【帝政主義】〔—/—이〕명 군주주의.

제:제[1]【帝制】명 제왕이 정한 제도.

제:제[2]【濟濟】명 부 ①많고 성함. ¶~ 다사(多士). ②엄숙하고 장함. ——-하다 형 여불

제:제[3]【製劑】명 의약품을 치료 목적에 따라 조합(調合)·성형(成型)함. 또, 그 제품. ¶생약(生藥) ~.

제-제금 부 〈방〉 제각기.

제:제 다사【濟濟多士】명 훌륭한 여러 선비.

제:제 창창【濟濟蹌蹌】명 위의(威儀)가 정숙하고, 질서(秩序)가 정연함. ——-하다 형 여불

제제합이【齊齊哈爾】명〖지〗'치치하얼'의 한자 이름.

제:조[1]【制條】명 제정(制定)된 조규(條規).

제:조[2]【制詔】명 황제의 칙명(勅命). *교지(敎旨).

제:조[3]【帝祖】명 ①황제의 선조. 황조(皇祖). ②황제의 조부(祖父).

제:조[4]【帝祚】명 황제의 지위. 제위(帝位).

제조[5]【提調】〖역〗각 사(司) 또는 각 청(廳)의 관제상(官制上)의 우두머리가 아닌 사람이 그 관아의 일을 다스리게 하던 벼슬로서, 종일품 또는 이품(二品)의 품질(品秩)을 가진 사람이 되는 경우의 일컬음. 정일품이 되는 때는 도제조(都提調), 정삼품의 당상(堂上)이 되는 때는 부제조(副提調)라고 함. 제거(提擧).

제조[6]【啼鳥】명 우는 새. 또, 새의 우는 소리.

제:조[7]【製造】명 ①큰 규모로 물건을 만듦. ②원료에 인공을 가하여 정교품(精巧品)을 만듦. ——-하다 타

제조[8]【蠐螬】명〖동〗굼벵이❶.

제:조-가【製造家】명 ①제조업을 영위(營爲)하는 사람. ②제조에 능한 사람.

제:조 가스【製造—】명〔manufactured gas〕기체 연료의 하나. 역청탄(瀝青炭) 또는 각종 석유 제품으로부터 제조되며 그 가스 혼합물은 발생로(發生爐) 가스·증열(增熱)된 수성(水性) 가스로 이루어짐.

제:조 간접비【製造間接費】명 일정 단위의 제품에 있어서 그 발생이 직접적으로 인지되지 않는 원가. 간접 재료비·간접 노무비·간접 경비로 이루어짐.

제:조 계:정【製造計定】명〖경〗제조 원가를 집계하는 계정.

제:조-량【製造量】명 제조한 물건의 양.

제조-루【蠐螬瘻】명〖한의〗부스럼의 구멍이 굼벵이가 뚫은 구멍과 비슷하고 고름이 늘 흐르는 병.

제:조 면:허【製造免許】명〖경〗어떤 제품의 제조에 관하여 행정부에서 하는 인가. 행정 처분의 하나임.

제:조-법【製造法】〔—뻡〕명 물건을 만드는 법. ㊟제법(製法).

제:조-비【製造費】명 물품 등을 만드는 데 드는 비용.

제-조사【除朝辭】명〖역〗지방 관리의 임지 부임(赴任)을 재촉하기 위하여 특히 왕에의 숙배(肅拜)를 면하여 줌. ——-하다 타 여불

제:조 상궁【提調尙宮】명〖역〗조선 시대 때, 가장 지체가 높은 상궁. 가장 고참(古參)의 상궁으로, 내전(內殿) 어명(御命)을 받들며, 내전의 크고 작은 치산(治產)을 통관(統管)함. 옥색 저고리·자주 삼회장 저고리에 남치마를 입고, 어여머리에 금첩지를 닮. 큰방 상궁. *부제조(副提調) 상궁.

제:조-소【製造所】명 큰 규모로 물품을 만들어 내는 곳. 제조장.

제:조-업【製造業】명 물품(物品)을 제조하는 영업. 원료품을 가공하여 새로운 물자를 생산하는 산업. 제2차 산업에 속함.

제:조-원【製造元】명 특정 상품을 제조해 내는 본고장이 되는 곳.

제:조 원가【製造原價】〔—까〕명〖경〗특정 제품의 제조를 위하여 소비된 재화(財貨)와 용역(用役)의 경제 가치의 합계액. 제조 원가는 일반적으로 직접 재료비·직접 노무비(勞務費) 및 제조 간접비(間接費)로 구성됨.

제:조-자【製造者】명 물건을 제조(製造)하는 사람.

제:조-장【製造場】명 제조하는 현장(現場). 제조소.

제:조-품【製造品】명 만들어 낸 물품.

제족【諸族】명 일문(一門)의 여러 겨레붙이.

제졸【諸卒】명 많은 병졸(兵卒).

제종[1]【諸宗】명 한 겨레붙이 사이의 본종(本宗)과 지파(支派).

제종[2]【諸種】명 여러 종류.

제종[3]【臍腫】명〖한의〗어린 아이의 배꼽에 부스럼이 나는 병. 제창(臍瘡).

제-종남매【諸從男妹】명 여러 종형제(從兄弟)와 종자매(從姉妹).

제-종형제【諸從兄弟】명 여러 종형제.

제:좌[1]【帝座】명 ①황제의 옥좌(玉座). ②천제(天帝)의 자리.

제좌[2]【諸座】명〖경〗①여러 계좌(計座). ②부기에서, 분개(分介)할 때 한 거래의 대차(貸借) 어느 한쪽의 계정 과목(計定科目)이 둘 이상에 걸쳐 있는 일. 차변(借邊)의 상품에 대하여 대변(貸邊)은 현금과 당좌 예금이 되는 따위.

제:주[1]【帝主】명 신(神)으로 모시는 제왕(帝王)의 신주.

제:주[2]【祭主】명 제사를 주장하는 사람. 주장이 되는 상제.

제:주[3]【祭酒】명 제사에 쓰는 술. ¶~를 올리다. 제삿술. *채주(祭酒).

제주[4]【齊奏】명 많은 악기(樂器) 등이 동시에 같은 선율(旋律)을 연주함. ――하다 타여불

제:주[5]【濟州】명〖지〗①제주도(濟州道)의 한 시. 북은 제주 해협, 동·서·남 3면은 북제주군에 둘러 싸여 있음. 도청 소재지로 도내(道內)의 정치·교육·교통의 중심지이고, 부산·목포·여수와 연락되는 항구(港口)와 공항(空港)이 있음. 알코올·전분 공업을 비롯해 수산 가공업·조선(造船) 및 섬유 공업 등이 행하여짐. 감귤의 생산이 많음. 명승 고적(名勝古蹟)으로는 삼성혈(三姓穴)·관덕정(觀德亭)·용연(龍淵) 등이 있음. [235,353명(1992)] ②↗제주도(濟州島). ③↗제주도(濟州道).
[제주 말 제 갈기 뜯어 먹기] 남에게 의지하지 아니하고 제 힘으로 살아간다는 뜻. [제주 미역 머리 감듯] 길게 나풀거리는 것을 잡아 감을 때 이르는 말. [제주에 말 사놓은 듯] 멀리에 사 두어서 아무 소용이 없다는 말.

제주[6]【題主】명 신주(神主)에 글자를 씀. ――하다 자여불

제:주-가시나무【濟州―】명〖식〗[*Rosa taquetii*] 장미과에 속하는 낙엽 활엽 관목. 잎은 우상 복생(羽狀複生)하고 소엽(小葉)은 타원형이며 가에 잔 톱니가 있음. 5월에 장미색 또는 홍백색 꽃이 가지 끝에 한두 개씩 정생하여 피며, 과실은 달걀꼴 타원형 또는 방추형으로 가을에 익음. 제주도에 야생함. 관상용임.

제:주 개발 건:설 사:무소【濟州開發建設事務所】명〖법〗건설부 소속의 지방 관서(地方官署)의 하나. 제주도 종합 개발 사업에 관하여 건설부 장관의 소관 업무를 분장함.

제:주-고지새【濟州―】명〖조〗밀화부리.

제:주-곤줄박이【濟州―】명〖조〗제주도에서 나는 곤줄박이.

제주-광나무【濟州―】명〖식〗[*Ligustrum lucidum*] 물푸레나뭇과의 상록 활엽 교목. 광나무와 비슷한데 높이·잎·꽃·과실이 좀 큼. 잎은 대생하며 달걀꼴이고 혁질(革質)임. 6월에 깔때기 모양의 흰 꽃이 복총상(複總狀)화서로 피고, 11월에 까만 핵과(核果)가 익음. 중국 원산으로, 산에 나는데, 제주도 및 일본 등지에 분포함. 정원수로 심고 과실은 약용.

제:주-긴나무좀【濟州―】명〖충〗[*Crossotarsus simplex*] 긴나무좀과에 속하는 곤충. 몸길이 3.5-4.4mm이고 몸은 원통형에 광택 있는 암갈색을 띠며 시초(翅鞘)의 전반부(前半部)는 황갈색이고, 시초 끝의 양측은 돌출(突出)했음. 북가시나무·벚나무 등에 기생(寄生)하는데, 한국·일본 등지에 분포함.

제:주-꼬마팔랑나비【濟州―】명〖충〗[*Pelopidas mathias*] 팔랑나빗과에 속하는 나비의 하나. 편 날개의 길이 30-42mm이고 날개 표면은 갈색인데 수컷의 앞날개에는 8개, 암컷에는 9개의 백색 반문(斑紋)이 있으며 날개 후면은 담색에 황녹색을 띠고 뒷날개는 외연(外緣)에 백색 무늬가 5개 있음. 한국의 제주 등지에 분포함.

제:주-꿩【濟州―】명〖조〗꿩❷.

제:주-납작달팽이【濟州―】명〖동〗[*Metalycaeus kuroda*] 납작달팽잇과에 속하는 달팽이의 하나. 몸은 원뿔형. 와우상(蝸牛狀)의 작은 육서 패류(陸棲貝類)인데 높이 2mm, 지름 4.5mm 내외이고 나층(螺層)은 $3^3/_4$임. 각표(殼表)는 담갈색이며 밀접한 잔 각맥(殼脈)이 있음. 제주도의 특산종임. 제주튀밥고둥.

제:주-달구지풀【濟州―】명〖식〗[*Trifolium lupinaster* var. *alpinum*] 콩과에 속하는 다년초. 줄기는 높이 10-15cm 가량으로 직립(直立) 또는 사립(斜立)하며, 잎은 호생(互生)하는데 단병(短柄)이고 장상(掌狀)으로 복생(複生)함. 소엽(小葉)은 4-5개로 긴 타원형임. 6-7월에 엷은 홍자색의 두화(頭花)가 다소 산형 화서(繖形花序)로 피며 열매는 협과(莢果)로 '달구지풀'에 비하여 소형임. 제주도 특산이며 산지에 분포함.

제:주 대학교【濟州大學校】명 국립 대학교의 하나. 1952년 제주 대학으로 설립되어, 1982년 종합 대학교로 승격됨. 소재지는 제주시(濟州市).

제:주-도[1]【濟州島】명〖지〗한반도(韓半島)의 최남단에 위치한 한국 최대의 화산도(火山島). 북은 제주 해협을 건너 전라 남도, 동은 대한 해협과 쓰시마(対馬), 서는 중국해(中國海), 남은 멀리 일본과 대하고 있으며, 동서의 길이 73km, 남북 41km의 타원형임. 상고 시대에 양(良)·고(高)·부(夫)의 삼성신(三姓神)이 탐라국(耽羅國)을 세웠고, 그 후 백제·신라에 예속, 고려·조선 왕조를 거쳐 고종 때는 목사·군수·도사(島司)를 두었었음. 대륙(大陸)과 멀리 떨어져 독특한 생활 풍습으로 여자들의 해녀(海女)·경작(耕作)이 현저하고, 독특한 방언(方言)을 형성하고 있음. 해안(海岸) 지대에 약간의 농경이 있고 목축과 고구마·감귤·평지가 나며, 도미·정어리·고등어가 많이 잡힘. 명승 고적으로는 한라산(漢拏山)·백록담(白鹿潭)을 비롯, 제주시의 삼성혈(三姓穴)·용두암(龍頭岩), 북제주군의 만장굴(萬丈窟)·금녕사굴(金寧蛇窟)·협재굴(挾才窟), 남제주군의 천지연 폭포(天地淵瀑布)·천제연(天帝淵) 폭포·정방(正房) 폭포 등이 있고, 섬 주위에 많은 해수욕장이 산재(散在)함. 또, 제주 국제 공항(國際空港)이 있고, 연장 181km에 이르는 도내 일주 우회 도로와 한라산 중턱을 가로지르는 41km와 37km의 두 횡단 도로가 뚫려 교통도 매우 편리하여 제주 섬을 찾는 관광객이 많음. 준제주(濟州). [1,820km²]

제:주-도[2]【濟州道】명〖지〗한국의 한 도(道). 관내 2시 2군. 한반도 서남 해상에 위치한 제일 작은 도(道)로서 제주도와 부속 37개 도서로 이루어지며, 1946년에 전라 남도로부터 분리하여 제주도(道)로 승격했음. 환해(環海)의 고도인 지리적 환경과 이른바 삼다(三多)의 환경은 산업 경제상 특수성을 나타내고 있음. 농업·목축업·어업·임업·관광 사업이 성행되며, 특히 해녀(海女)들의 해상 활동은 맹렬함. 도청 소재지는 제주시(濟州市). 준제주(濟州). [1,825km² : 502,788명(1992)]

제:주-땃쥐【濟州―】명〖동〗[*Crocidura russula quelpartis*] 땃쥣과에 속하는 쥐의 하나. 땃쥐와 비슷한데 몸의 윗면은 농암갈색(濃暗褐色)이고, 아랫면은 암갈색, 사지(四肢)는 갈백색, 꼬리의 윗면은 암갈색이고, 아랫면의 기반(基半)은 백색을 띰. 산의 숲속에 서식하며 곤충·지렁이·달팽이 따위를 포식함. 제주도의 특산종임.

제:주-말【濟州―】명 제주의 제주마.

제:주 목장【濟州牧場】명 북(北)제주군 구좌면(舊左面) 송당리(松唐里)에 있는 목장. 육용(肉用)·유용(乳用) 등 특수 가축의 육성과 이에 대한 연구를 하기 위하여 1947년 국립 제주 목장을 설치하였는데, 1963년 민간 업자에게 불하하였고, 그 명칭도 송당(松唐) 목장으로 개칭함.

제:주 민란【濟州民亂】[―밀―] 명〖역〗조선 철종(哲宗) 13년(1862) 9-11월에 세 차례에 걸쳐 제주도에서 일어난 민중 운동. 수만 명이 제주의 영(營)으로 모여들어 평역(平役)과 장세(場稅)의 감액·화전세(火田稅)의 시정을 요청하면서 폭동을 일으킨 사건임.

제:주 민속 박물관【濟州民俗博物館】명 제주시 삼양 3동에 있는 사설(私設) 민속 박물관. 200여 평의 전시실에 3,000여 점의 소장품을 전시하고 있음. 1964년 진성기(秦聖麒)가 사재(私財)로 개관.

제:주 민요【濟州民謠】명〖악〗제주도에서 불리는 토속적인 민요와 통속적인 민요. 농사짓기 소리인 농요(農謠)·고기잡이 소리인 어요(漁謠)·일할 때 부르는 소리인 노동요(勞動謠)·의식에서 부르는 소리인 의식요(儀式謠)·부녀요(婦女謠)와 동요(童謠), 통속화된 잡요(雜謠) 등이 있음.

제:주 발전소【濟州發電所】[―쩐―] 명〖지〗제주시에 있는 화력 발전소. 1955년에 건설함. 연료는 중유(重油), 발전량은 750kW임.

제:주 산굼부리 분화구【濟州―噴火口】명 제주도 북제주군 조천읍 교래리(朝天邑橋來里)에 있는 기생 화산의 분화구. 면적 29만 7,000m², 바깥 둘레 2,067m, 내부 둘레 756m, 깊이 100-140m, 동서 지름 544m, 남북 길이 450m. 온대성 식물과 고산 식물 등 420여 종이 공존하여 학술적 연구 자료가 풍부한 곳이기도 함. 천연 기념물 제236호.

제:주-산버들【濟州山―】[―뻐―] 명〖식〗[*Salix blinii*] 버들과에 속하는 낙엽 활엽의 작은 관목. 높이가 50cm 이내이고 잎은 도피침형 또는 긴 타원상 피침형임. 자웅 이가(雌雄異家)로 봄에 꽃이 유제(葇荑)화서로 잎과 함께 피며 삭과(蒴果)는 여름에 익음. 산꼭대기 부근에 나는데 거의 전국 각지에 분포함. 관상용임.

제:주 삼읍【濟州三邑】명〖역〗조선 시대 때, 제주도에 둔 제주(濟州)·대정(大靜)·정의(旌義)의 세 고을. 또, 제주도(濟州島)의 일컬음.

제:주 시험장【濟州試驗場】명〖법〗제주도의 과수(果樹)·원예·사료 작물 등의 농업과 축산에 관한 시험 연구를 하기 위하여 농촌 진흥청장 소속하에 둔 시험장의 하나.

제:주 오메기술【濟州―】명 차조로 빚은 탁주의 하나. 제주도의 토속주(土俗酒)임.

제:주-오목눈이【濟州―】명〖조〗[*Aegithalos caudatus trivirgatus*] 박샛과에 속하는 새. 날개 길이 53-65mm, 꽁지 길이 80mm 가량인데, 몸의 배면(背面)은 흑색에 적자색이 섞이고 하면(下面)은 백색, 머리 위도 백색이며 그 양측은 눈에 이르기까지 흑색이고, 후경(後頸)의 중앙은 흑색이며 이하는 포도 적색임. 꽁지는 흑색이나 외연(外緣)은 백색 또는 남청색으로 아름다움. 저산(低山)·인가(人家) 근처의 수림(樹林)에 집을 짓고, 떼지어 곤충·과실 등을 먹음. 제주도·일본에 분포함.

〈제주오목눈이〉

제:주-왕나비【濟州王―】명〖충〗[*Danaus tytia*] 제주왕나빗과에 속하는 나비의 하나. 편 날개의 길이 110mm 내외이고 날개는 연한 물빛에 반투명(半透明)이며, 앞날개의 외반부(外半部)는 흑색에 연한 빛의 반점(斑點)이 여러 개 있음. 뒷날개 주위(周圍)의 밤색 부분은 암컷이 발달되어 부분적으로나마 중앙실(中央室) 복판까지 침입하였으나 수컷은 그 곳에 밤색 부분이 없음. 한국의 남부·일본 등지에 분포함. 왕알락나비.

〈제주왕나비〉

제:주왕나빗-과【濟州王―科】명〖충〗[Danaidae] 나비목(目)에 속하는 한 과. 몸은 대형(大形)인데 그 빛은 대개 선명한 갈색을 띠며 등황색(橙黃色)에 흑색 반문(斑紋)이 있음. 보통 자웅 이형(二型)의 나비인데 수컷은 암컷보다 작고 색채도 다르며 뒷날개의 일정한 부분에 취선(臭腺)이 있으며 앞다리에 엽상의 부속물이 있음. 전세계에 900여 종이 분포함.

제:주의 제:주마【濟州―濟州馬】[―/―에―] 명 제주도에 사는 재래마(在來馬). 제주도 조랑말. 제주말. 천연 기념물 제347호.

제:주 자제【濟州子弟】명〖역〗조선 시대 때 하급 무관(下級武官)에 가려 쓰려고 제주도(濟州島)로부터 해마다 뽑아 내던 사람.

제:주-잔【祭酒盞】[―짠] 명 제주를 담는 잔.

제주-전【題主奠】명 장사지낸 뒤에 산소에서 신주를 만들어 혼령이 거기에 의지하게 할 때에 지내는 제식(祭式). 제주제(題主祭).

제주-제【題主祭】명 제주전(題主奠).

제:주-조릿대【濟州―】명〖식〗[*Sasa quelpaertensis*] 볏과에 속하는 대나무의 하나. 줄기는 높이 10-80cm로 총생(叢生)하고, 잎은 타원형 혹은 좁고 긴 타원형임. 꽃은 아직 보지 못함. 산허리에 나는데, 제주도에 야생하는 한국 특산 관상종임.

제:주-직박구리【濟州―】명〖조〗[*Hypsipetes amaurotis amaurotis*] 직박구릿과에 속하는 새. 날개 길이 120-136mm 가량이고 머리는 회색, 뒷머리의 깃은 유엽상(柳葉狀)이며 이우(耳羽)는 밤색임. 배면(背面)은 암회색이고 꼬리 깃은 갈색이며 그 가장자리는 회색인데 가슴은

회갈색에 백색 무늬가 있고 복면(腹面)은 백색임. 5-6월에 산지(山地)에서 4-5개의 알을 낳아 번식하고, 나무 열매·곤충 등을 포식함. 제주도 및 필리핀·대만·쿠릴 열도·중국·일본 등지에 분포함. 후루루비쭉새. *직박구리.

제:주 칠머리당굿【濟州一堂一】 명 〖민〗 제주도 해안 부락에 예로부터 전해 내려오는 영등굿의 하나. 음력 2월 초하루에 들어와 보름날에 떠난다는 해신(海神) 영등 대왕, 속칭 영등할망에게 그 해 해녀들의 채취 대상물의 풍요와 어업의 무사 형통하기를 빎.

제:주-튀밥고둥【濟州一】 명 〖동〗 제주납작달팽이.

제:주 해:류【濟州海流】 명 〖지〗 제주도 근해를 흐르는 난류(暖流)·쿠로시오의 지류로서 일본 규슈(九州) 서쪽을 흐르는 쓰시마(対島) 해류에서 갈라져 제주도 남서쪽을 지나 황해(黃海)로 흐름.

제:주 해:협【濟州海峽】 명 〖지〗 제주도와 추자도(楸子島) 사이의 바다.

제:주 화:력 발전소【濟州火力發電所】[一쩐一] 명 제주도 제주시 건입동(健入洞)에 위치한 총시설 용량 1만 8,750kW의 화력 발전소. 1968년에 착공하여 1970년에 준공함.

제줌〔포 jejum〕 명 〖종〗 단식재(斷食齋).

제:중【濟衆】 명 모든 사람을 구제함. ——-하다 자 여불

제:중 신편【濟衆新編】 명 〖책〗 조선 정조(正祖) 때 강명길(康命吉)이 왕명(王命)으로 지은 의서(醫書). 8권 5책.

제:중-원【濟衆院】 명 〖역〗 조선 시대 말에 통리 교섭 아문(統理交涉衙門)의 관리 아래 베풀어 일반 사람의 병을 치료하던 병원. 고종(高宗) 22년(1885)에 지금 서울 재동(齋洞)에 광혜원(廣惠院)을 베풀고, 곧 이 이름으로 고쳐서 일컫다가 동 31년에 폐하였음.

제증【諸症】 명 여러 가지 병 증세.

제지[1]【一脂】 명 ←저지(豬脂).

제:지[2]【制止】 명 하려고 하는 일을 말리어서 못하게 함. ¶독주(獨走)를 ～하다. ——-하다 타 여불

제:지[3]【製紙】 명 종이를 만듦. ¶～용 펄프/～ 공장/～ 회사. ——-하다 자 여불

제지[4]【蹄紙】 명 국지[1].

제지[5]【諸誌】 명 여러 가지 잡지(雜誌).

제지[6]【題旨】 명 〖역〗 제사(題辭)❷.

제:지 기계【製紙機械】 명 〖기〗 목재(木材)로부터 종이를 만드는 데 사용되는 기계의 총칭. 거단기(鋸斷機)·박피기(剝皮機)·할목기(割木機)·선별기(選別機)·탈수기(脫水機)·포삭기(鉋削機)·초지기(抄紙機) 등이 있으며 그 중 초지기가 가장 중요함.

제:-지내다【祭一】 자 제물(祭物)을 차려 놓고 신위(神位)에 바치다. 제사를 행하다.

제-지레 명 지레[1].

제:지-술【製紙術】 명 종이를 만드는 기술.

제:지-업【製紙業】 명 여러 가지 종이를 만드는 생산업.

제:지용 도포제【製紙用塗布劑】 명 〔paper coating〕 종이를 만들 때 쓰는 표면 피복재(被覆材). 점토(粘土)·녹말(綠末)·카세인(casein)·로진(rosin)·폴리머(polymer)·납(蠟) 등의 성분을 조합(調合)한 현탁액(懸濁液). 종이에 강도(強度)나 특별한 표면 특성을 주기 위해 쓰임.

제직[1]【除職】 명 〖역〗 실직(實職)을 제수(除授)하는 일. ——-하다 타 여불

제:직[2]【製織】 명 옷감 같은 것을 짬. ——-하다 자 여불

제직[3]【諸職】 명 여러 직책. 모든 직원.

제직-회【諸職會】 명 〖기독교〗 장로교(長老敎) 등에서 한 교회(敎會)의 여러 직책을 가진 사람들이 모이는 회.

제진[1]【除塵】 명 수진(收塵). ——-하다 자 여불

제진[2]【梯陣】 명 〖군〗 군대·군함·비행기 등의 제형(梯形)의 편성.

〈제진[2]〉

제:진[3]【製進】 명 왕명(王命)을 받아서 시문(詩文)을 초(抄)하여 올림. ——-하다 타 여불

제진[4]【齊進】 명 일제히 나아감. ——-하다 자 여불

제진[5]【諸鎭】 명 〖역〗 조선 시대의 여러 진영(鎭營).

제:진[6]【濟進】 명 세물(稅物)을 내는 일.

제:진-기[1]【制振器】 명 〖물〗 대시 포트(dash pot).

제진-기[2]【除塵機】 명 〖기〗 헝겊·천 같은 섬유질(纖維質)에 끼여 있는 모래나 먼지 등을 털어 없애는 기계. 주로 회전 원통(回轉圓筒)의 둘레에 굵은 바늘을 장치하고 이것과 바깥 둘레의 안벽에 장치한 바늘이 섬유를 열어 헤치며 불순물(不純物)을 선풍기로 털어 없애게 되었음.

제:-집[1] 명 자기의 집. ¶～을 찾아 가다.

제:-집[2] 명 〈방〉 계집(전남·경상·제주·함경).

제-짝 명 한 벌이 이루어지는 그 짝. ¶～을 찾다.

제-찌르다 타 〈방〉 겯지르다.

제-찔리다 피동 자 〈방〉 겯질리다.

제:차【第次】 명 차례(次例).

제:차-기【制車機】 명 제동기(制動機).

제:찬[1]【制撰】 명 〖역〗 왕의 사명(辭命)을 신하가 대신 지어 올림. 대찬(代撰). ——-하다 타 여불

제:찬[2]【祭粲】 명 젯메.

제:찬 봉:령【祭粲奉領】[一녕] 명 〖천주교〗 미사에서 성변화(聖變化)된 제물, 곧 밀떡과 포도주를 사제(司祭)와 신자가 받아 먹는 비적(祕蹟). 영성체. ——-하다 자 여불

제:찰【制札】 명 제부(制符).

제찰-사【提察使】[一싸] 명 〖역〗 고려 후기 외관직(外官職)의 하나. 안찰사(按察使)의 후신임.

제참 부 〈방〉 제창[4].

제창[1]【提唱】 명 ①어떤 일을 제시하여 주장함. ¶자유주의를 ～하다. ②〖불교〗 경전(經典)·어록(語錄) 들을 들어 말함. ③〖불교〗 선종(禪宗)에서 종사(宗師)가 법상(法床)에 올라 앉아 대중을 위하여 종지(宗旨)의 대강(大綱)을 제시하여 설법함. ——-하다 타 여불

제창[2]【齊唱】 명 ①여러 사람이 다 같이 소리를 질러 부름. ¶많은 학생이 ～하다. ②민요의 가창 방식(歌唱方式)의 하나. 여러 사람이 같이 부르며, 독창(獨唱)과 다름이 없음. *선후창(先後唱)·교환창(交換唱). ——-하다 타 여불

제창[3]【臍瘡】 명 〖한의〗 제종(臍腫).

제창[4] 부 애쓰지 않고, 제물로 알맞게. 주의 명사적으로 써서 서술어가 되는 경우도 있음. ¶짐작으로 한번 맞혀 봤더니 그것 참 ～이다.

제창-자【提唱者】 명 어느 학설이나 의견을 들고 나와 제창한 사람.

제채【薺菜】 명 〖식〗 냉이.

제:책[1]【制策】 명 〖역〗 중국에서 황제가 자신이 시사 문제를 내어서, 선비에게 시험 보게 하고, 선비가 이에 대답하던 일.

제:책[2]【製冊】 명 제본(製本)❷. ¶～소(所). ——-하다 타 여불

제처【諸處】 명 여러 곳.

제:척[1]【帝戚】 명 황제의 친척. 황족(皇族).

제척[2]【除斥】 명 ①배척하여 물리침. ②〖법〗 재판관이나 법원 서기가 특정한 사건에 관하여 불공평한 취급을 할 우려가 많은 법정 원인(法定原因)이 있는 경우에, 응당 그의 직무 집행(執行)의 자격을 상실(喪失)하는 일. 제척 원인이 있는 이들 직원이 행한 행위는 위법(違法)이 됨. ——-하다 타 여불

제척[3]【梯尺】 명 지상(地上)의 실물(實物)을 묘사할 경우에 실물의 길이와 도면상(圖面上)의 물체의 길이와의 비(比). 축소한 척도(尺度). 축척(縮尺). 비례척(比例尺).

제척 기간【除斥期間】 명 〖법〗 어떤 종류의 권리에 대해서 법률상 정해져 있는 존속(存續) 기간. 곧, 이 기간이 경과하면 권리는 소멸(消滅)함. 점유 소권(占有訴權), 혼인(婚姻)의 취소권(取消權), 상소권(上訴權), 즉시 항고권(即時抗告權) 등에 이 기간이 적용됨.

제:천[1]【祭天】 명 하늘에 제사 지냄. ——-하다 자 여불

제천[2]【堤川】 명 〖지〗 충청 북도의 한 시(市). 1읍(邑) 7면(面) 13동(洞). 도의 북동부에 있으며, 동쪽은 단양군(丹陽郡)과 강원도 영월군(寧越郡), 서쪽은 충주시(忠州市)와 괴산군(槐山郡), 남쪽은 경상 북도 문경시(聞慶市), 북쪽은 강원도 원주시(原州市)에 접함. 금·은·구리·석회석·형석(螢石) 등의 광업과 시멘트 공업이 활발하고 고추·잎담배 등 농업과 임업이 성함. 명승 고적으로는 의림지(義林池)·한벽루(寒碧樓)·관란정(觀瀾亭)·백련사(白蓮寺)·옥순봉(玉筍峰)·탁사정(濯斯亭)·박달재 등이 있음. 1995년 1월, 제천군과 통합, 개편됨. [882.24 km^2 : 146,053 명(1996)]

제천[3]【諸天】 명 〖불교〗 모든 하늘. 불교에서는 하늘이 여덟으로 되어 있는데, 그 여러 하늘은 마음을 수양(修養)하는 경계를 따라서 나뉘어 있으며 이 여덟의 모든 하늘을 말함.

제:천[4]【霽天】 명 맑게 갠 하늘. 청천(晴天).

제천-고【諸天苦】 명 〖불교〗 오고(五苦) 가운데 천상계(天上界)의 괴로움. 천상계에서도 생로 병사(生老病死)의 고(苦), 전세(前世)의 업(業)에 의한 수명의 장단(長短) 따위의 고가 있다고 함.

제천-군【堤川郡】 명 〖지〗 충청 북도에 속했던 군. 1980년 4월에 제천읍(堤川邑)이 시(市)로 승격되면서 제원군(堤原郡)으로 개칭(改稱)되었다가 91년 1월 1일부터 다시 제천군으로 환원되었으며, 1995년 1월, 제천시에 통합됨.

제천 선:신【諸天善神】 명 〖불교〗 제천과 선신. 불법을 수호하고 행복을 가져다 준다는 신들.

제천-원【諸天院】 명 〖불교〗 외금강부원(外金剛部院).

제:천 의식【祭天儀式】 명 하늘을 숭배하고 제사지내는 원시 종교 의식. 부여(扶餘)에서 납월(臘月)에 베푸는 영고(迎鼓), 동예(東濊)에서 10월에 베푸는 무천(舞天), 고구려의 동맹(東盟), 마한(馬韓)의 10월제 등 일종의 추수 감사절(秋收感謝節)의 성격을 띤 부족 전체의 행사로서 미분화(未分化)된 원시 종합 예술을 형성한 것으로 예술 발생상 중대한 의의를 가짐.

제:천-전【濟川煎】 명 〖한의〗 허약한 사람의 변비(便祕)에 쓰는 탕약.

제철[1] 명 옷·음식 같은 것의 알맞은 시절. 당(當)철. ¶～에 맞는 물건/～이 지나다.

제:철[2]【製鐵】 명 철광(鐵鑛)으로 철재(鐵材), 특히 선철(銑鐵)을 만드는 공정(工程). ¶～ 회사. ——-하다 자 여불

제철[3]【蹄鐵】 명 편자[1]❶.

제철-공【蹄鐵工】 명 편자를 만들거나 이것을 마소의 굽에 다는 일을 하는 사람.

제:철-법【製鐵法】[一뻡] 명 쇠를 만드는 방법.

제:철-소【製鐵所】[一쏘] 명 제철을 하는 곳.

제:철-업【製鐵業】 명 선철과 강철의 생산을 주요 대상으로 하는 대표적인 기간 산업.

제철-형【蹄鐵形】 명 편자형. 유자형(U字型).

제철형 자석【蹄鐵型磁石】 명 말굽 자석.

제:철 화학【製鐵化學】 명 제철소에서 생기는 고로(高爐) 가스·코크스로(爐) 가스 등에 함유되어 있는 수소·일산화 탄소·메탄 등을 이용하여, 비료나 각종 유기 약품을 만드는 기술. 근대적인 제철소에는 이를 위해 화성품(化成品) 공장이 부설되어 있음.

제첨【題簽】 명 표지에 직접 쓰지 아니하고, 다른 종이 쪽지에 써서 앞표지에 붙인 외제(外題).

제:청[1]【祭廳】명 ①장사(葬事) 때에 무덤 옆에 제사를 지내기 위하여 마련한 곳. ②제사를 지내기 위하여 마련한 대청.
제청[2]【提請】명 제시하여 임명을 청구함. ¶공석 장관을 국무 총리가 ~하다. ——-하다 타여불
제:청[3]【霽靑】명〖공〗회회청(回回靑)의 일종.
제:청-유【霽靑釉】[—뉴] 명〖공〗제청(霽靑)으로 된 도자기(陶瓷器)의 「잿물.
제체【諸體】명 가지가지의 체재(體裁).
제체시온: 〔도 Sezession〕명〖예〗시세션(secession).
제쳐-놓다 [—노타] 명 ①거치적거리지 아니하게 치워 놓다. ¶빨랫감을 한 쪽으로 ~. ②일정한 표준하에 따로 골라 놓다. ③어느 일을 뒤에 하려고 미루어 놓다. ¶하던 일을 제쳐놓고 놀러 가다니. ④어떤 대상에서 빼다. ¶형을 제쳐놓고 아우가 상속하였다.
제쳐-지다 자 〈방〉 젖혀지다.
제초[1]【除草】명 잡초(雜草)를 뽑아 없앰. 김매기. ¶~ 작업. ——-하다 자여불
제초[2]【齊楚】명 성(姓)의 하나. 우리 나라에는 현존(現存)하지 아니함.
제초-기【除草器】명〖기〗잡초(雜草)를 뽑아 없애는 기계. 김매기틀.
제초-약【除草藥】명〖약〗농작물(農作物)을 해치지 아니하고, 잡초만을 없애는 약제(藥劑). 기음약. 제초제.
제초-제【除草劑】명〖약〗제초약. 살초제.
제:-축문【祭祝文】명 제사를 지낼 때 신명(神明)에게 고하는 글월.
제축-증【臍縮症】명〖한의〗배꼽 아래가 아픈 병.
제출[1]【除出】명 덜어 냄. ——-하다 타여불
제출[2]【提出】명 문안(文案)이나 의견·법안(法案) 등을 내어 놓음. ¶~ 서류/사표를 ~하다. ——-하다 타여불
제:출[3]【製出】명 만들어 냄. ——-하다 타여불
제출-권【提出權】[—꿘] 명 제안권(提案權).
제출 명:령【提出命令】[—녕] 명〖법〗형사 사건(刑事事件)에서 법원이 압수할 물건을 지정하여 소유자·소지자·보관자에게 그 물건의 제출을 명령하는 재판.
제출물-로 부 남의 시킴을 받지 아니하고 제 생각 나는 대로. 남의 힘을 빌지 아니하고 제 힘으로. ¶제 심기를 ~ 다루지 못함이 또한 그것이 └아닌가《金周榮 : 客主》.
제출물-에 부 제 생각대로 하는 바람에.
제출-안【提出案】명 제출한 안건(案件).
제충【除蟲】명 해충(害蟲)을 없애 버림. 구충(驅蟲). 살충(殺蟲). ——-하다 자여불
제충-국【除蟲菊】명〖식〗①붉은제충국·흰제충국의 통칭. ②[*Chrysanthemum cinerariaefolium*] 국화과에 속하는 다년초. 줄기는 길이 30-60 cm 이고 잎은 장병(長柄)으로 우상 전열(羽狀全裂)하며 열편(裂片)은 서로 떨어져 있고, 2-3 회 거듭 우상 심렬(羽狀深裂)하며 종편(終片)은 선형(線形)임. 5-6월에 흰 두화(頭花)가 줄기 끝이나 가지 끝에 정생(頂生)하여 핌. 유럽의 달마티아 원산(原產)으로, 각지에서 재배함. 꽃의 분말은 구충용(驅蟲用)임. 백색 제충국(白色除蟲菊). 흰제충국.

〈제충국〉

제충국-분【除蟲菊粉】명〖약〗제충국의 꽃을 말려 가루로 만든 것. 강력한 살충제(殺蟲劑)임.
제충-약【除蟲藥】[—냑] 명〖약〗살충제(殺蟲劑).
제충-제【除蟲劑】명〖약〗살충제(殺蟲劑).
제취【除臭】명 냄새를 없이함. ——-하다 자여불
제치다 타 ①거치적거리지 아니하게 치워 없애다. ②☞젖히다.
제-치수 명 실물과 같은 치수. ¶~와 같은 크기.
제:칙[1]【制勅】명 조서(詔書).
제:칙[2]【帝勅】명 천자의 조칙(詔勅).
제:칠【第七】수관 일곱째.
제:칠 뇌신경【第七腦神經】명〖생〗안면 신경(顔面神經).
제:칠 천국【第七天國】명 ①위안(慰安)의 이상향(理想鄕). ②〖일제〗'전당포(典當舖)'의 별칭.
제:칠 함:대【第七艦隊】명〖군〗제2차 세계 대전 때부터 극동 아시아 해상을 경비하고 있는 미국의 함대. 1957년 7월 1일부터 미(美)극동군 사령부가 하와이의 태평양지역 사령부로 폐합(廢合)되어 원자 전략 체제(原子戰略體制)로 개편되자 이 함대도 항공 모함(航空母艦)을 중심으로 한 강력한 이동 기지(移動基地)가 되었음.
제:침-문【祭針文】명〖문〗조침문(弔針文).
제:크트 〔Seeckt, Hans von〕명〖사람〗독일의 군인. 제1차 세계 대전에 참모장으로 참전, 전후 통수부(統帥府) 장관으로서 소수 정예 군대 육성에 노력하여 성과를 거둠. [1866-1936]
제키다[1] 자 살 거죽이 조금 다쳐서 벗겨지다.
제키다[2] 타 ☞젖히다.
제타【ZETA】명〖물〗〔Zero Energy Thermonuclear Assembly의 약칭〕영국 하우엘(Howell) 원자력 연구소가, 핀치 효과를 이용, 수백만 도(度)의 초(超)고온을 100분의 5초 유지하여 중성자(中性子)를 검출(檢出)한 장치. 이 중성자가 핵융합 반응에 의한 것이라고 발표되었으나 후에 정정됨. 연구 초기의 대표적인 것으로 생각되었었는데 이 방법으로는 핵융합 실현의 희망은 없다 함.
제타가【制吒迦】명〖불교〗세다가(勢多迦).
제타가 동:자【制吒迦童子】명〖불교〗세다가(勢多迦).
제:탄【製炭】명 탄(炭)·연탄을 만듦. 또, 숯을 구워 만듦. ¶~업(業). ——-하다 자여불
제탕【薺湯】명 냉잇국.
제태[1]【一胎】명 ←저태(豬胎).
제태[2]【除汰】명〖역〗칠반 천역(七般賤役)에 종사하는 사람의 구실을 뗌. ——-하다 타여불
제:태[3]【祭駄】명 제수(祭需)를 실은 짐바리.
제:택[1]【第宅】명 살림집. 제사(第舍).
제택[2]【諸宅】명 '제가(諸家)❶'의 높임말.
제:-터【祭—】명 제사를 올리려고 마련해 놓은 터. 단유(壇壝).
[제터 방축(防築)에 줄 남생이 늘어앉듯] 많은 사람이 열을 지어 늘어앉음을 조롱하는 말.
제-턱 명 ①변함이 없는 그 정도. ②걸맞은 분량.
제:토【帝土】명 황제가 통치하는 국토(國土).
제:토-제【制吐劑】명〖약〗구토(嘔吐) 중추의 흥분을 진정시켜 구토를 제지하는 약. 주로 수면제(睡眠劑)·포수 클로랄(抱水 chloral)·베로날(veronal)·브롬화 칼륨(potassium bromide) 등이 사용되며, 한방(韓方) 의학에서는 반하(半夏)를 씀. 진토제(鎭吐劑).
제:통【帝統】명 제왕(帝王)의 계통. 제계(帝系).
제:-퇴선【祭退膳】명 제사를 지내고 제상에서 물려낸 음식. 준여(餕餘). 준퇴선(退膳).
제트[1] 〔jet〕명 노즐이나 파이프에서 유체(流體)가 연속적으로 분출하는 형태. 강력히 가스를 분출시켜 추진력을 얻어 비행기 등에 널리 이용되고 있음. 분류(噴流). ¶~ 엔진.
제트[2] 〔Z, z〕명 영어의 스물 여섯째 자모(字母).
제트-기[1]【—機】〔jet〕명 제트 엔진에 의하여 추진하는 비행기의 총칭. 제트 엔진의 종류에 의하여 터보제트기(機)·펄스제트기(pulse jet機) 등이 있음. 연료를 태우는 산소를 공기 중에서 얻는 고로 로켓과는 달리 우주 공간에의 비행은 못함. 분사 추진식 비행기.
제트-기[2]【Z旗】명 만국 선박 신호기의 Z에 해당하는 기. 두 줄의 대각선으로 사분(四分)되며 황(상)·흑(좌)·적(하)·청(우)의 사색(四色)으로 염색되어 있음.
제트 기관【—機關】명〔jet engine〕〖물〗고온도(高溫度)의 가스를 노즐로부터 분출하고 그 반동으로 추진력(推進力)을 얻는 열기관(熱機關). 가스 터빈 분사 추진 기관과 동압 분사(動壓噴射) 기관의 두 가지가 있으며 항공기에는 주로 전자가 쓰임. 제트 엔진.
제트 기류【—氣流】〔jet〕명 ①〖기상〗대기(大氣)를 거의 수평한 축(軸)으로 흐르는 강풍대(強風帶). 최대 풍속은 매초 100 m를 넘는 일도 있음. 때로, 지표 수km의 높이에서 집중 호우(豪雨)의 한 원인으로 생각되는 하층(下層) 제트 기류, 온대 저기압족(族)의 하나인 전선(前線) 제트 기류, 아열대 고기압 상공을 흐르는 아열대 제트 기류, 그 밖에 국지(局地) 제트 기류 등 여러 종류가 있음. 제트 스트림(jet stream). 대기 분류(大氣噴流). 분류(噴流). ②〖항공〗반응 장치(反應裝置)로부터 분출(噴出)되는 액체 또는 가스의 흐름. 특히, 제트 엔진·로켓 엔진·로켓 모터 등에서 분출되는 연소 생성물(燃燒生成物)의 흐름.
제트 노즐 〔jet nozzle〕명 제트를 발생시키기 위해 특별한 모양을 한 노즐. 제트 엔진이나 로켓 엔진의 배기(排氣) 노즐과 같음.
제트 더블유 형【ZW型】[—류—] 명〖생〗성염색체에 의한 성의 결정 양식의 하나. 암컷은 두 종류의 성염색체, 수컷은 두 개의 같은 성염색체를 갖는 것으로, 암컷은 ZW, 수컷은 ZZ로 나타냄. 누에에서 알 수 있음.
제트 디: 운:동【ZD運動】명 〔zero defects〕〖경〗제로 디펙츠 운동.
제트로【JETRO】명〔Japan External Trade Organization의 약칭〕〖경〗일본 무역 진흥회(日本貿易振興會)의 통칭. 한국의 코트라(KOTRA)에 상당함.
제트 마:커 〔Z marker〕명 항공기의 위치에 대한 정보를 주기 위하여 역원추형(逆圓錐形)의 지향성 전파(指向性電波)를 수직(垂直)으로 상공에 발사하는 무선 표지(無線標識) 업무를 하는 설비.
제트 스키: 〔jet ski〕명 엔진과 핸들을 갖춘 배 모양의 판 위에 서거나 앉아서 드라이빙을 즐기는 해상 레저 스포츠. 수상(水上) 오토바이.
제트 스트림 〔jet stream〕명〖기상〗제트 기류(氣流).
제트 엔진 〔jet engine〕명 제트 기관(機關).
제트 여객기【—旅客機】〔jet〕명 제트식 추진기를 가진 여객기.
제트 연료【—燃料】[—열—] 명 〔jet fuel〕인화점이 52°C인 특급 등유. 제트기에 사용됨. 군용기용으로는, 인화점을 43°C로 하기 위해, 메탄이나 나프텐(naphtene)을 첨가할 때도 있음.
제트 염:색체【Z染色體】명〖생〗암컷이 헤테로(hetero)형의 성결정(性決定)을 하는 생물에 있어서, 수컷이 호모(homo)에 갖는 성염색체(性染色體).
제트 입자【Z粒子】명〖물〗위크 보손(weak boson) 중에서 전하(電荷)를 갖지 않는 입자. 'Z°'로 표기함. ＊더블유 입자.
제트 전:투기【—戰鬪機】〔jet〕명〖군〗제트식 추진기를 가진 전투기.
제트 제로 형【Z0型】명〖생〗성염색체(性染色體)에 의한 성의 결정 양식의 하나. ZW형과 비슷하나 암컷은 W염색체가 없으며, 암컷은 Z0, 수컷 ZZ로 표시됨. 닭·도롱이벌레 따위에서 볼 수 있음.
제트 추력【—推力】〔jet〕명 제트 엔진의 추력을 말하며 다음과 같은 식으로 표시됨. $T=(W/g)(Vj-Vp)$. 단, T:제트 추력(kg), W: 흡입 공기량(kg/s), g: 중력 가속도(m/s²), Vj: 분출 속도(m/s), Vp: 비행기의 속도(m/s). $Vp=0$, 즉 기체가 정지하고 있을 때의 추력을 정지 추력이라고 하며, 어떤 제트 추력이라고 하면 대개 이 정지 추력을 말함.
제트 추진【—推進】명 〔jet propulsion〕①〖항〗제트 엔진에 의해서 로켓이 그 밖의 비행체를 추진하는 일. ②〖공〗유체(流體)의 분사(噴射)에 의한 추진.
제트 코:스터 〔jet＋coaster〕명 유원지(遊園地) 등에 설치되는 오락 시설의 하나. 승객이 탄 차를 높은 데로 끌어 올렸다가 놓으면 굉장한

속도로 기복(起伏)이 있는 환상(環狀) 레일을 달림.

제트 클리:닝 명 〔abrasive jet cleaning〕 『공』 연마재(研磨材)를 섞은 기체나 액체의 고속 분출(高速噴出)에 의해 표면을 연마하고 더럼을 제거하는 일.

제트-탄【一炭】명 〔jet coal〕 『지질』 단단하고 광택이 있는 검정색 갈탄(褐炭)의 변종(變種). 역청질(瀝靑質)의 셰일(shale) 중에 분리된 덩어리로 발견되는데, 물을 흡수한 유목(流木)에서 유래된다고 생각됨.

제트 파일럿 〔jet pilot〕 명 제트기(機)의 조종사(操縱士).

제트 펌프 〔jet pump〕 명 가는 원추형(圓錐形) 통구(筒口)에서 압력이 높은 증기 또는 압축 공기 등을 분출시켜, 그 힘으로 흡수(吸水)하거나 송수(送水)하는 펌프의 총칭. 가정용의 7m 이상 되는 깊은 우물물을 올리는 데 사용함. 분사 펌프(噴射 pump).

제트 프로펠러선【一船】〔jet propeller〕 명 강력한 펌프로써 선체(船體)의 앞 부분에서 물을 흡입(吸入)하여 선미(船尾) 쪽으로 분출시켜 그 반동(反動)으로 추진하는 배.

제트-항【Z項】명 위도 변화(緯度變化)의 실험식의 제3항. 위도 변화 중에는 극운동(極運動)에 의하지 않은 부분이 있음을 나타냄. 1902년에 일본의 기무라 히사시(木村栄)가 발견하였음.

제파달다【提婆達多】명 ☞제바달다(提婆達多).

제파달다-품【提婆達多品】명 ☞제바달다품(提婆達多品).

제파-품【提婆品】명 ☞제바품(提婆品).

제-판[1] 명 거리낄 것이 없이 제 마음대로 꺼떡거리는 판.

제:판[2]【製版】명 『인쇄』 ①인쇄판(印刷版)을 제작(製作)하는 일. 사진판(寫眞版)·동판(銅版)·석판(石版) 같은 것의 판을 만드는 일. ②조판(組版). ──-하다 자여불

제판[3]【題判】명 『역』 관부(官府)에서 백성이 올린 소장(訴狀)에 쓰는 판결(判決).

제:판-부【製版部】명 『인쇄』 인쇄판을 제작하는 부서. 특히, 사진 제판(寫眞製版)을 맡은 부서.

제:팔【第八】수관 여덟째.

제:팔 예:술【第八藝術】[一례一] 명 〔문학·음악·회화(繪畫)·연극(演劇)·건축(建築)·조각(彫刻)·무용(舞踊)에 이어서 여덟 번째로 생겨 난 예술이라는 뜻에서〕 영화(映畫), 특히 무성 영화의 별칭. *제구(九) 예술.

제:패[1]【制覇】명 ①패권(覇權)을 잡음. ②경기(競技) 따위에서 우승(優勝)함. ¶세계 ～. ──-하다 타여불

제패[2]【稊稗】명 『식』 피[2]❶.

제퍼 〔zephyr〕 명 ①여성 양장지(洋裝地)의 한 가지. 엷은 바탕에 올새가 고운 목면 직물(木綿織物). ②자수(刺繡)하는 데 쓰는 털실. ③제피로스(Zephyros).

제퍼스 〔Jeffers, Robinson〕 명 『사람』 미국의 시인. 원시적인 성(性)을 취급한 《청부루의 종마(種馬)》, 엘렉트라 콤플렉스를 취급한 《비극(悲劇) 저너머의 탑(塔)》, 시극 《유다》 등이 있음. [1887-1962]

제퍼슨 〔Jefferson, Thomas〕 명 『사람』 미국의 정치가. 제3대 대통령. 독립 선언서(獨立宣言書)를 기초하였으며, '미국 민주주의의 아버지'로 불림. [1743-1826]

제평【齊平】명 가지런하고 평평함. 균등(均等)함. ──-하다 형여불

제폐[1]【除弊】명 폐단이 될 만한 일을 덜어 버림. ──-하다 자여불

제폐[2]【除廢】명 덜어서 없이하다. ──-하다 타여불

제폐[3]【諸弊】명 여러 가지 폐단.

제폐 사:목소【除弊事目所】명 『역』 고려 때 나라 안의 큰 폐단을 바로잡기 위하여 베푼 임시(臨時)의 관아. 충숙왕(忠肅王) 5년에 두고, 곧 찰리 변위 도감(拶理辨違都監)으로 고치었다가, 권귀(權貴)의 반대로 곧 폐하고, 8년에 찰리 변위 도감으로 다시 두었으며, 곧 또 폐하였음.

제포[1]【綈袍】명 두꺼운 명주로 만든 솜옷.

제-포[2]【薺浦】명 『역』 내이포(乃而浦).

제포 연:연【綈袍戀戀】명 〔중국 위(魏)나라의 수가(須賈)가 진(秦)나라로 사신(使臣) 왔을 때, 전에 허물없이 그에게서 내쫓김을 당한 범저(范雎)가 재상(宰相)이면서도 짐짓 거지 행세를 하고 나타난 것을 보고 가엾이 여겨 옷 한 벌을 주었기 때문에, 범저로부터 전의 죄(罪)를 용서받았다는 고사(故事)에서〕 구은(舊恩)을 생각함의 비유. 또, 우정의 두터움을 이름.

제폭【除暴】명 폭력(暴力)을 제거함. ──-하다 자여불

제:폭-제【制爆劑】명 앤티노크(antiknock).

제표【除標】명 『수』 나눗셈법의 부호의 일컬음. 나눗셈표. 제호(除號).

제풀-로 부 저 혼자 저절로. 남이 시키지 아니하고 제 힘으로.

제풀-에 부 남이 시키지 아니하고 제힘으로 하는 바람에. ¶～ 털썩 넘어지다.

제:품[1]【祭品】명 제물(祭物).

제:품[2]【製品】명 (상품으로서) 원료(原料)를 써서 만들어 낸 물품. 또, 원료를 가지고 물건을 만듦. ¶ 비닐 ～/ 제1차 ～/반(半)～/ 1류 회사의 ～. ──-하다 타여불

제:품[3]【題品】명 어느 사물(事物)을 문예적 표현으로 그 가치를 평하는 일. 품제(品題).

제:품 개발【製品開發】명 『경』 신제품을 연구하여 공장 생산(工場生產)으로 넘기며, 현재 제조중인 제품을 개량하는 생산 관리(管理)의 한 방법. *생산 분석(分析).

제:품 라인【製品一】명 〔product line〕 『경』 ①회사가 제공하는 일련의 제품. ②빛깔·모양·크기 등의 특징만 다르고 기본적으로는 같은 제품군(群).

제:품 설계【製品設計】명 제품의 부품(部品)이나 부품간의 상호 관계(相互關係)를 결정하고 시방서(示方書)를 만들어 전체로서 조립(組立)할 수 있게 하는 일.

제:품 수입 비:율【製品輸入比率】명 『경』 수입 총액(輸入總額)에서 제품 수입액(輸入額)이 차지하는 비율.

제:품 차별화【製品差別化】명 『경』 광고(廣告)와 같은 마케팅 수단에 의해 자사(自社)의 브랜드 로열티를 높여 시장에서의 우위성을 확립하고, 타사(他社)의 새로운 브랜드의 시장 참가를 방지하거나, 세분화(細分化)된 시장을 상정(想定)하여 각 시장을 대상으로 독자적인 제품을 개발하여 시장에 내놓는 것을 이름.

제프리:스 〔Jeffreys, Harold〕 명 『사람』 영국의 천문학자·지구 물리학자. 1946년 케임브리지 대학 교수. 지구의 모양·구조·지진파(地震波)·수파(水波)·조석 마찰(潮汐摩擦)·바람 등 다방면으로 연구함. 태양계 기원(太陽系起原)에 관한 진스(Jeans, J.H.)의 조석설(潮汐說)을 발전시킴. [1891-1967]

제:피【製皮】명 제혁(製革). ──-하다 자여불

제피렐리 〔Zeffirelli, G. Franco〕 명 『사람』 이탈리아의 연출가·영화 감독. 오페라 무대 감독으로 일하다가 무대 연출·영화 감독으로 진출, 구미(歐美) 각처에서 정력적으로 활약함. 감독한 영화로는 《로미오와 줄리엣》·《챔프》·《엔드리스 러브》·《토스카니니》 등이 있음. [1923-]

제피로스 〔그 Zephyros〕 명 그리스 신화에서, 신격화(神格化) 또는 의인화(擬人化)된 서풍(西風). 트라키아(Thracia)의 동굴에 살며, 꽃의 여신 플로라(Flora)의 연인. 제퍼(zephyr).

제하[1]【除下】명 손아랫 사람에게 나누어 줌. ──-하다 타여불

제하[2]【除荷】명 『항해』 배가 조난(遭難)하였을 때에 선체(船體)를 가볍게 하기 위하여 짐을 바다 속에 던짐. 또, 그 화물(貨物). 투하(投荷). ──-하다 타여불

제하[3]【諸夏】명 ①옛날 사방(四方)의 이적(夷狄)에 대해서 중국 본토(中國本土)의 일컬음. ②중국의 제후(諸侯).

제하[4]【題下】명 제목 아래. ¶'자유'라는 ～의 글을 발표하다.

제하[5]【臍下】명 배꼽 밑.

제:-하다[1]【制一】타여불 제어(制御)하다. ¶기선(機先)을 ～.

제-하다[2]【除一】타여불 ①어떤 몫에서 무엇을 빼다. ¶수입에서 지출을 제하고 5만 원의 수입. ②나눗셈을 계산(計算)하다. 나누다. ¶20을 6으로 ～. ③없애다.

제:-하다[3]【製一】타여불 『한의』 한약의 첩약·환약(丸藥) 같은 것을 짓기 위하여, 건재(乾材)를 썰고 갈고 빻고 하다.

제:-하다[4]【際一】자여불 즈음하다.

제하 단전【臍下丹田】명 단전(丹田).

제하-물【除荷物】명 제하(除荷)한 화물(貨物).

제학【提學】명 『역』 ①고려 때 예문 춘추관(藝文春秋館)·예문관(藝文館)·보문각(寶文閣)·우문관(右文館)·진현관(進賢館)의 정삼품 벼슬. 대제학(大提學)의 다음. ②조선 시대 때 예문관·홍문관(弘文館)의 종이품 또는 규장각(奎章閣)의 종일품 내지 종이품 벼슬.

제학-서【諸學署】명 『역』 조선 시대 때 영흥(永興)·함흥(咸興)·평양(平壤)의 각 부(府)에 두었던 토관(土官)의 동반(東班)의 직소(職所).

제:한[1]【制限】명 ①정해진 한계(限界). 또, 한계를 정함. 한제(限制). 한정(限定). ¶～ 전쟁/속도 ～. ②『논』 어떤 개념(槪念)에 새로운 내포(內包)를 가(加)하여서 외연(外延)을 작게 하는 일. 가령, '동물(動物)'이라는 개념에 '이성적(理性的)'이라는 내포를 더하여 '이성적 동물(理性的動物)'이라는 개념을 만드는 것과 같은 일. 제약(制約). ──-하다 타여불

제:한[2]【際限】명 가으로 끝이 되는 부분(部分). 끝. 한도(限度). ¶무(無)～으로.

제:한 공역【制限空域】명 〔air space reservation〕 대통령의 행정 명령(行政命令)에 의하여 지정된 육지(陸地) 또는 수역(水域)의 상공으로서 국방이나 그 밖의 정부 목적을 위하여 항공기의 비행(飛行)이 금지 또는 제한된 공역(空域).

제:한 구배【制限勾配】명 『토』 기관차(機關車)가 끄는 열차의 수효를 제한하게 될 만큼 급한 구배.

제:한 구역【制限區域】명 ①항공기의 비행(飛行)이 제한을 받는 공역(空域). ②선박(船舶)의 투묘(投錨), 저인망어(底引網漁)·낚시 등의 금지 수역(水域). ③농구에서, 볼을 가진 공격측 플레이어가 상대편 바스켓 근처에서 3초 이상 머물 수 없게 된 구역. 프리 드로 라인의 좌우에서 앤드 라인 쪽으로 비껴 그은 줄의 안쪽.

제:한 군주제【制限君主制】명 『정』 군주에 속하는 권능(權能)의 범위에 의하여 분류한 군주제의 하나. 군주가 법률이나 기관(機關)에 의하여 제약을 받는 정치 체제. 등족(等族) 군주제와 입헌(立憲) 군주제가 있음. ↔절대(絕對) 군주제.

제:한내 발행【制限內發行】명 『경』 은행권을 법정 제한액 내에서 발행하는 일.

제:한-림【制限林】[一님] 명 보안림(保安林) 등과 같이 입목(立木)의 벌채가 제한되어 있는 삼림. *보통림(普通林).

제:한 물권【制限物權】[一꿘] 명 『법』 목적물을 일정하게 한정(限定)된 목적을 위하여 이용할 수 있는 물권(物權). 지상권(地上權)·영소작권(永小作權) 같은 용익 물권(用益物權)과 질권(質權)·저당권 같은 담보 물권(擔保物權)으로 크게 나누며 목적물의 전면적인 지배권(支配權)인 소유권(所有權)과 대립함.

제:한 발행법【制限發行法】[一뻡] 명 『경』 은행권 발행 제도의 하나. 은행권의 발행액, 정화(正貨) 준비 등에 법령으로 여러가지 제한 및 조건을 붙인 것. *자유 발행.

제:한 배:서【制限背書】명 어음의 배서인(人)이 배서 양도(讓渡)를 금한다든가, 그 배서에 지정한 사항에 한해서 유효(有效)를 증명한다든가 하는 따위. 어음의 유통력(流通力)을 제한하는 일.

제:한 법화【制限法貨】명 일정액(一定額)에 한하여 강제 통용력(强制通用力)을 부여하고 있는 화폐. 실질 가치(實質價値)가 액면(額面) 가치보다 낮은 보조(補助) 화폐는 모두 이에 해당됨.

제:한 선:거【制限選擧】명〖법〗선거권(選擧權)의 요건(要件)에 일정액(一定額)의 재산(財産)·납세액(納稅額) 또는 교육·신앙(信仰) 등의 제한을 설정하는 제도. ↔보통 선거(普通選擧).

제:한-성【制限性】[一썽] 명 어떤 제한을 가지게 되는 성질.

제:한 속도【制限速度】명 ①철도에서, 레일이 그리는 곡선의 반경 또는 경사의 크기 및 분기점(分岐點)의 분기의 각도에 의해 제한을 받는 운전 속도. ②도로를 통행하는 자동차에 과하는 최고 속도 또는 최저 속도. *경제 속도(經濟速度).

제:한-외【制限外】명 제한의 범위 밖.

제:한외 과세【制限外課稅】명〖법〗국세에 대한 부가세(附加稅). 지세(地稅)·소득세 같은 것에 대하여 특별히 부과하는 까닭에 원칙상으로 1년을 기한으로 함.

제:한외 발행【制限外發行】명 [over-issue]〖경〗은행권(銀行券)의 발행자가 필요한 경우에 법정(法定)의 제한액(制限額) 이외에 공채(公債)·증권(證券)·어음과 같은 것을 보증(保證)으로 하여 은행권을 발행하는 일. 한외 발행(限外發行). ↔자유 발행.

제:한 전:쟁【制限戰爭】명 [limited war] 전쟁 목적·전투 수단과 규모·참전국(參戰國)·교전(交戰) 지역 등이 한정되고 핵무기(核武器)를 사용하지 아니하는 전쟁. ↔무제한 전쟁. *국지(局地) 전쟁·전면(全面) 전쟁·전체 전쟁.

제:한-제【制汗劑】명〖약〗지한제(止汗劑).

제:한 카르텔【制限一】[도 Kartell] 명〖경〗가격 유지(價格維持)를 목적으로, 다소간에 가맹(加盟) 기업의 활동을 제한하는, 보통의 카르텔. *할당(割當) 카르텔.

제:한 항:소주의【制限抗訴主義】[一/一이] 명〖법〗항소심(抗訴審)에서 사실 인정을 다시 함에 있어 그 자료가 제일심(第一審)에서 제출되고 조사된 것에 한하고 새로운 자료의 추가를 허용하지 않는 입장. 제일심 중심주의를 철저화한 것으로 오스트리아법(法)이 이것을 채용하고 있음. *복심(覆審)·속심(續審).

제:한 해:석【制限解釋】명〖법〗축소(縮少) 해석.

제:함[1]【製艦】명 군함을 만듦. ——-하다 자여불

제함[2]【擠陷】명 악의(惡意)로 남을 못된 데로 밀어 넣어 해침. 제해(擠害). ——-하다 타여불

제:함-기【製函機】명 마분지 따위로 상자를 만드는 기계.

제항【梯航】명 산에 오르는 사닥다리와 바다를 건너는 배 같은 것의 통칭(通稱).

제:해[1]【制海】명 바다를 지배(支配)함. ¶ ~권(權). *제공(制空). ——-하다 자여불

제해[2]【除害】명 해가 되는 사물을 덜어 버림. ——-하다 자여불

제해[3]【擠害】명 제함(擠陷). ——-하다 타여불

제:해-권【制海權】[一꿘] 명 바다를 지배(支配)하는 권력(權力). 평시(平時)나 전시(戰時)를 막론하고 군사(軍事)·통상(通商)·항해(航海) 같은 것에 관하여 해상(海上)에서 보유(保有)하는 실력(實力). 해상권(海上權). ¶ ~을 장악하다. *제공권(制空權).

제행【諸行】명〖불교〗①일체 유위(一切有爲)의 현상. 우주간의 만물. 만유(萬有). ¶ ~ 무상(無常). ②모든 수행(修行).

제행 무상【諸行無常】명〖불교〗우주 만물은 항상 돌고 변하여 한 모양으로 머물러 있지 아니함. ——-하다 형여불

제행-성【蹄行性】[一썽] 명〖동〗포유(哺乳) 동물의 보행법의 하나. 발가락 끝을 덮고 있는 발톱만을 땅에 대고 걷는 걸음걸이. 말·사슴·소 따위에서 볼 수 있음.

제:향[1]【帝鄕】명 ①황성(皇城). ②제왕(帝王)이 난 곳. ③하느님이 있다는 곳.

제:향[2]【祭享】명 ①나라에서 지내는 제사(祭祀). ②제사의 높임말.

제:향[3]【祭香】명 제사(祭祀)에 쓰는 향.

제:향 공:상 제사 채:전【祭享供上諸司菜田】명〖역〗조선 시대 때, 왕실 및 국가의 제향(祭享)에 쓰일 채소의 마련을 위해 설정된 제전(祭田)의 하나.

제:향-날【祭享一】명 제향일(祭享日).

제:향-일【祭享日】명 제향을 지내는 날. 제향날.

제:향 진:상【祭享進上】명〖역〗조선 시대 때 왕실의 제향에 쓰일 물건을 진상하는 일. *약재(藥材) 진상.

제:헌[1]【制憲】명 헌법(憲法)을 제정(制定)함. ¶ ~ 국회(國會). ——-하다 자여불

제헌[2]【提憲】명〖역〗↗감찰(監察) 제헌. *시승(侍丞).

제:헌[3]【祭獻】명〖천주교〗제헌 미사 때, 사제(司祭)가 제물을 천주에게 바침. 봉헌(奉獻). ——-하다 자여불

제:헌-경【祭獻經】명〖천주교〗'봉헌송(奉獻誦)'의 구용어.

제:헌 국회【制憲國會】명 ①헌법을 제정한 국회(國會). ②〖역〗국제 연합의 감시 아래 실시된 1948년 5월 10일의 총선거의 결과 소집되어 대한 민국 헌법을 제정한 우리 나라의 초대(初代) 국회.

제:헌 미사【祭獻彌撒】명〖천주교〗'성찬(聖餐)의 전례(典禮)'의 구용어(舊用語).

제:헌-절【制憲節】명 국경일의 하나. 7월 17일. 1948년 7월 17일 헌법(憲法)이 공포(公布)된 것을 기념하는 경축일(慶祝日).

제:혁【製革】명 생가죽을 다루어 유피(鞣皮)로 만듦. 제피(製皮). ¶ ~ 공업. ——-하다 자여불

제현【諸賢】명 점잖은 여러 분. 제군자(諸君子). 제언(諸彥).

제:형[1]【弟兄】명 아우와 언니.

제형[2]【梯形】명 '사다리꼴'의 한자 이름. 제상(梯狀).

제형[3]【諸兄】명 ①집안 간의 여러 형들. ②동료(同僚) 간의 여러분을 높여 일컫는 말.

제형[4]【諸兄】명〖역〗고구려 후기(後期) 직제(職制)의 칠품(七品)쯤 되는 벼슬. 예속(翳屬).

제형[5]【蹄形】명 말굽같이 생긴 형상. ¶ ~ 자석.

제형 신경계【梯形神經系】명〖생〗사다리형 신경계.

제형 자석【蹄形磁石】명〖물〗말굽 자석.

제형-체【蹄型體】명 말굽 모양으로 된 물체(物體).

제:혜【祭鞋】명〖역〗제례(祭禮)에 신는, 운두가 낮은 검은 가죽신. 신울 가장자리에 넓게 흰 선을 둘렀으며 신코가 넓적하고, 들메끈이 달려 있음.

제:호[1]【帝號】명 제왕(帝王)의 칭호.

제호[2]【除號】명〖수〗'나눗셈'의 구용어. 제표(除標).

제호[3]【諸豪】명 많은 호걸(豪傑). 군웅(群雄).

제호[4]【醍醐】명 우유에 갈분(葛粉)을 타서 쑨 죽.

제호[5]【題號】명 책 같은 것의 제목(題目)이 되는 이름. 표제(表題).

제호[6]【鵜鶘】명〖조〗사다새.

제호 관:정【醍醐灌頂】명 제호탕(醍醐湯)을 정수리에 부은 것같이 정신이 시원하고 깨끗함을 가리키는 말.

제호-유【鵜鶘油】명〖한의〗사다새의 기름. 옹종(癰腫)·풍비(風痺)·이롱(耳聾) 같은 데에 약으로 씀.

제호-탕【醍醐湯】명〖한의〗오매육(烏梅肉)·사인(砂仁)·백단향(白檀香)·초과(草果)를 곱게 가루로 만들어 꿀에 버무리어 끓였다가 냉수에 타서 먹는 청량제(淸涼劑).

제:혼【帝閽】명 제왕의 궁성(宮城)의 문.

제:홍【祭紅】명〖공〗동질유(銅質釉)의 환원 소성(還元燒成)으로 된 잿물. 도자기에 바르는 유약의 하나. 중국 명(明)나라 선덕(宣德) 때에 된 까닭에 선홍(宣紅)이라고도 함. 선홍(鮮紅).

제:홍 요변【祭紅窯變】[一뇨一] 명〖공〗제홍유(祭紅釉)가 산화염(酸化焰)으로 말미암아 선홍색(鮮紅色)을 잃어버리고 녹색(綠色)으로 변해 └진 잿물.

제화[1]【除禍】명 재앙을 없애 버림. ——-하다 자여불

제:화[2]【祭靴】명〖역〗제향(祭享) 때에 제관(祭官)이 신는, 목이 긴 가죽 └신.

제:화[3]【製靴】명 구두를 만듦. ¶ ~업. ——-하다 자여불

제:화[4]【濟化】명 가르쳐 인도하여 잘 하게 함. ——-하다 타여불

제화[5]【題畫】명 그림에 그 내용(內容)에 어울리는 시나 글을 적어 넣음. ——-하다 자여불

제:화-공【製靴工】명 제화를 업으로 하는 사람.

제:회【際會】명 ①당하여 만남. 제우(際遇). ②임금과 신하 사이에 뜻이 잘 맞음. ——-하다 자타여불

제후【諸侯】명 봉건 시대에 일정한 영토(領土)를 가지고 그 영내(領內)의 인민(人民)을 지배하는 권력을 가진 사람. 열후(列侯). 공후(公侯). 군공(君公). 번봉(藩封).

제후-국【諸侯國】명 제후가 다스리는 나라.

제후 도시【諸侯都市】명〖역〗유럽 중세 도시의 한 유형. 국왕 또는 지방 영주(領主)가 사는 성(城)을 중심으로 상인(商人)·직인(職人)들이 정주(定住)하여 발달한 도시.

제휴【提携】명 서로 붙들어 도와 줌. 악수(握手). ¶ 기술(技術) ~. ——-하다 자여불

제-힘 명 자기의 힘. ¶ ~으로 해내다.

제힘 움직씨 명〖언〗능동사(能動詞).

젠더〔建德〕명〖지〗중국 저장 성(浙江省) 중서부, 첸탕 강(錢塘江) 상류에 있는 도시. 안후이 성(安徽省) 남부에서 저장 성 서부 일대에 걸쳐 산출되는 동유(桐油)·차·목재·종이·꿀·밀랍 등을 집산함. 부근에 출력 65만 kW의 신안 강(新安江) 수력 발전소가 있음. 건덕(建德). [436,000명(1982)]

젠드-아베스타〔페 Zend-Avesta〕명 '아베스타(Avesta)'의 별칭. 중고(中古)에 이 경전(經典)의 주석(註釋)을 페르시아에서 잔드(Zand)라고 일컫은 것이 오전(誤傳)되어 젠드아베스타라고 부르게 되었음.

젠수이〔漸水〕명〖지〗'첸탕 강(錢塘江)'의 구칭(舊稱).

젠야오〔建窯〕명〖공〗중국 푸젠 성(福建省) 젠양 현(建陽縣) 수이지전(水吉鎭) 부근에 있던 가마터. 특히 여기서 구워 낸 찻종은 젠잔(建盞)이라 하여 천하에 이름을 떨쳤음. 건요(建窯).

젠어우〔建甌〕명〖지〗중국 푸젠 성(福建省) 북쪽에 있는 젠어우 현의 현청 소재지. 상업이 성하고 차(茶)·목재의 집산지임. 부근에서 석탄이 산출됨. 건구(建甌). [438,000명(1982)]

젠:장 감 ①↗제장 맞을. ②↗젠장칠.

젠:장 맞을 감 뜻에 맞지 아니함을 저주(詛呪)하는 말의 한 가지. '제기 난장(亂杖)을 맞을 것'이라는 뜻. ¶ ~, 비가 오네. 준젠장.

젠:장-칠 감 뜻에 맞지 아니함을 저주(詛呪)하는 말의 한 가지. '제기 난장(亂杖)을 칠 것'이라는 뜻. 준젠장.

젠-체하다 자여불 제가 제일인 체하다. 잘난 체하다.

젠타마이신〔gentamycin〕명 내열성균(耐熱性菌)인 미크로모노스포라균(Micromonospora菌)이 만드는 항생 물질. 스트렙토마이신(streptomycin), 카나마이신(kanamycin)과 비슷함. 특히, 그램 음성 간균(gram陰性桿菌)의 감염으로 일어나는 요로 결석(尿路結石) 등의 질환에 쓰 └임.

젠트리〔gentry〕명 신사 계급(紳士階級). 상류 사회(上流社會).

젠틀 [gentle] 명 성격(性格)·태도 따위가 온화(溫和)하고 상냥한 모양. ――하다 형여불

젠틀맨 [gentleman] 명 신사(紳士)❸.

젠틀맨-십 [gentlemanship] 명 신사도 정신(紳士道精神).

젠틸레[1] [Gentile, Giovanni] 명 『사람』 이탈리아의 철학자. 파시즘(fascism)의 대표적 이론가로, 스스로의 철학을 능동적 관념론(能動的觀念論)이라 하였으며, 헤겔(Hegel)의 변증법(辨證法)을 개조하여 사유(思惟)하는 실재(實在) 또는 행(行)으로서의 사유를 세우려고 하였으며, 개인(個人)이 전체(全體)에 헌신(獻身)하는 파시즘의 이론을 세웠음. [1875-1944]

젠틸레[2] [이 gentile] 명 『악』 '고상(高尙)하게'의 뜻.

젠틸레 다 파브리아노 [Gentile da Fabriano] 명 『사람』 이탈리아의 화가. 베네치아·로마·피렌체 등지에서 활약함. 후기(後期) 고딕 양식의 대표적 화가(代表的畫家)로서 대표작에 ≪세 박사의 예배≫(1423)가 있음. [1370?-1427]

젤: 명부 ↗제일(第一).

젤라티나아제 [gelatinase] 명 『생·화』 어떤 종류의 효모(酵母)·곰팡이에서 볼 수 있는 효소. 젤라틴을 액화(液化)함.

젤라티노브로마이드 [gelatinobromide] 명 젤라틴상(gelatine 狀) 브롬화물(Brom 化物).

젤라틴 [gelatine] 명 『화』 단순 단백(蛋白)의 하나. 황소 같은 동물의 가죽·뼈·결체 조직(結締組織) 등을 장시간 석회액(石灰液)에 담갔다가 물을 가하여 끓이거나 또는 산(酸)을 가하여 만듦. 찬물에는 녹지 않으나 열탕(熱湯)에서는 급속히 녹고 식히면 다시 겔(Gel) 상태로 됨. 식용(食用), 지혈제(止血劑), 미생물의 배양기(培養基), 사진막의 재료, 기타 보호 교질(保護膠質)로 쓰임.

젤라틴 배:지 [―培地] [gelatine] 명 세균의 영양 물질과 젤라틴을 섞은 배지. 세균이 내는 젤라틴 액화 효소(液化酵素)의 유무를 알기 위해 사용됨.

젤라틴상 브롬화물 [―狀―化物] 명 [gelatinobromide] 젤라틴상 브롬화은(銀)을 함유하는 조합품(調合品). 감광성(感光性)이 있으며 사진용재(寫眞用材)에 쓰임.

젤라틴 액화 [―液化] 명 [gelatin liquefaction] 『생』 세균에서 생성되는 효소(酵素)를 써서 젤라틴 배지(培地)를 액체로 만드는 일. 세균의 동정(同定)에 쓰임.

젤라틴-판 [―版] [gelatine] 명 『인쇄』 젤라틴의 얇은 막을 음화(陰畫)에 응용한 석판(石版)의 인쇄판.

젤라틴 페이퍼 [gelatine paper] 명 『연』 젤라틴을 정제(精製)하여 적당한 색소를 가하여 만든, 조명에 쓰는 종이. 전기에 대한 절연(絕緣)이 강하고 광선의 투과율(透過率)이 좋은 것이 장점이나, 습기에 닿으면 썩는 것이 단점임.

젤라틴 필터 [gelatine filter] 명 무대 조명 용구의 하나. 광선을 착색하기 위해 광원(光源) 앞에 세우는 젤라틴제의 필터. 현재는 플라스틱으로 바뀌고 있음.

젤:레 [도 Seele] 명 영혼. 정신.

젤:렌 [도 Selen] 명 『화』 셀렌.

젤로소 [이 zeloso] 명 『악』 '열심히·열성적으로'의 뜻.

젤리 [jelly] 명 ①동물성 특히 어육류(魚肉類) 또는 식물성 특히 과실(果實)의 교질분(膠質分)을 채취한 맑은 즙(汁). 또, 이것을 젤라틴으로 응고시킨 것. ②과실즙(汁)에 설탕을 가하고 조려서 펙틴(pectin)을 굳게 만든 과자(菓子).

젤:리거 [도 Seeliger, Hugo von] 명 『사람』 독일의 천문학자. 이론 천문학을 연구하였으며, 항성(恒星) 통계학의 기초를 세웠음. 베를린 과학 아카데미 회원. [1849-1924]

젤리-빈: [jellybean] 명 젤리를 각종 빛깔의 딱딱한 당의(糖衣)로 싼, 갸름한 강낭콩 크기의 과자.

젬 [GEM] 명 [ground effect machine의 약칭] 공기를 아래쪽으로 분사시켜 기체(機體)의 부양력(浮揚力)을 이용한 교통 기관의 하나. 시속 100km 이상의 고속으로 달릴 수 있으나 지상에서는 방향 조종·제동(制動)·소음(騷音) 등의 단점이 많아 주로 수상용(水上用)으로 사용됨. 1962년 영국에서 먼저 실용화되어, 현재 영불 해협에 정기 항로가 개설되고 있음.

젬랴 프란차 요시파 [Zemlya Frantsa Iosifa] 명 『지』 북극해상(上)에 있는 러시아령의 군도. 132개 섬으로 이루어지며, 대부분이 빙하로 덮임. 1873년에 발견. 현재 러시아의 항공 기지가 있음. 프란츠 요제프 란트(Franz Josef Land).

젬병 명 ①☞전병(煎餅). ②〈속〉 형편없음. ¶이거 아주 ∼인데.

젬스트보 [러 zemstvo] 명 『역』 1864년에 설치된 러시아의 지방 자치 기관. 제한 선거제로 임기 3년의 군·현·참사(參事)의 각 회(會)로 이루어지며, 토목·위생·교육·경제 관계의 문제 처리를 담당했으나, 실질적으로는 지주(地主) 귀족의 이익 옹호 기관임. 후에 입헌 운동의 중심이었고, 러시아 혁명 후 폐지됨.

젬 클립 [gem clip] 명 철사를 갸름한 타원형으로 일회 반(一回半) 가량 말아서 만든 클립. 몇 장의 종이를 철하는 데 쓰임.

젬파흐 전:투 [―戰鬪] [Sempach] 명 『역』 스위스 독립 운동에 따른 전투의 하나. 1386년 스위스 독립 8주(州) 동맹 민병대(民兵隊)가 오스트리아군을 스위스 중부인 젬파흐에서 격파한 전투로, 사실 상의 독립을 쟁취하였음.

젬퍼 [Semper, Gottfried] 명 『사람』 함부르크 태생의 독일의 건축가. 법률과 수학을 배운 뒤, 건축으로 전향하여 드레스덴의 예술 아카데미의 교수가 되고 드레스덴 극장·미술관을 설계하였음. 르네상스 양식을 기저(基底)로 하는 건축이 특색이며 이론가로서도 독자적인 견해를 가짐. 저서 ≪양식론(樣式論)≫. [1803-79]

젯가락 명 〈방〉 젓가락(경상·전라).

젯가치 명 〈방〉 젓가락(경상·평안).

젯구락 명 〈방〉 젓가락(전라).

젯:-날 [祭―] 명 ①↗제사(祭祀)날. ②'제삿날'의 낮춤말.

젯:-돗 [祭―] 명 ☞제석(祭席).

젯:-메 [祭―] 명 제사 때에 올리는 밥. 제자(祭粢). 제찬(祭粲).

젯:메-쌀 [祭―] 명 젯메를 지을 쌀. 제반미(祭飯米). 제미(祭米).

젯:-밥 [祭―] 명 제사(祭祀)에 쓰고 물린 밥. 제삿밥.

젯:-상 [祭床] 명 ☞제상(祭床).

젱겅 부 얇고 조금 무거운 쇠붙이가 맞부딪혀 나는 가벼운 소리. ≫쩽경. >쟁강. ――하다 자타여불

젱겅-거리다 자타 연하여 젱경 소리가 나다. 또, 연하여 젱경 소리를 나게 하다. ≫쩽경거리다. >쟁강거리다. **젱겅-젱겅** 부. ――하다 자타여불

젱겅-대다 자타 젱경거리다.

젱그렁 부 얇은 쇠붙이가 떨어지어 울리는 소리. ≫쩽그렁. >쟁그랑. ――하다 자타여불

젱그렁-거리다 자타 연해 젱그렁 소리가 나다. 또, 연하여 젱그렁 소리를 나게 하다. ≫쩽그렁거리다. >쟁그랑거리다. **젱그렁-젱그렁** 부. ――하다 자타여불

젱그렁-대다 자타 젱그렁거리다.

젱가 명 〈방〉 쟁기(전남).

젱이 명 〈방〉 체[1](강원·경남).

젱편 명 ☞증편.

져[1] 명 〈방〉 겨(경북).

져[2] 명 〈옛〉 저. 젓가락. ¶블근칠ᄒᆞᆫ 져(紅漆筯), 놋 져(銅筯)≪老乞 下 30≫.

-져 어미 〈옛〉 -자. -으려. ¶일후미 法華ㅣ니 ᄒᆞᆫᄃᆡ가 듣져ᄒᆞ야ᄃᆞᆫ 그 말 듣고≪月釋 XVII:51≫.

져고리 명 〈옛〉 딱따구리. ¶부리 긴 져고리ᄂᆞᆫ 어ᄂᆡ 곳에 가 잇ᄂᆞᆫ고≪永言≫.

져고마 부 〈옛〉 조금. ¶軍中ㅅ 이리 져고마도 기투미 업도다(軍事無子遺)≪杜諺 XXII:23≫.

져고마ᄒᆞ다 형 〈옛〉 조그마하다. ¶블근幡은 무틔 올아 져고마ᄒᆞ도다(朱幡登陸微)≪初杜諺 XXIX:48≫.

져고맛 관 〈옛〉 조그마한. =져구맛·죠고맛. ¶져고맛 져제셔 샹녜 ᄡᆞᆯ ᄃᆞ토ᄂᆞ니(小市常爭米)≪杜諺 VII:10≫.

져곰 형 〈옛〉 적음. 져다'의 명사형. ¶너붐과 져고미 겨시며(有廣略)≪圓覺 序 6≫.

져구맛 관 〈옛〉 조그마한. =죠고맛·져고맛. ¶져구맛 모미 이 밧긔 다시 므스글 求ᄒᆞ리오(微軀此外更何求)≪初杜諺 VII:4≫.

져굼 형 〈옛〉 적음. '져다'의 명사형. ¶또 能히 廻向ᄒᆞ면 하며 져구믈 묻디 아니ᄒᆞ야≪月釋 XXI:144≫.

져그나 부 〈옛〉 적으나마. 좀. 적이. ¶져그나 니쳔 잇ᄂᆞ냐(也有些利錢麽)≪老乞 上 11≫.

져그니 명 〈옛〉 작은 것. '져다'의 명사꼴 활용형. ¶根이 크니 져그니 업시(根無大小)≪圓覺 下 一之二 55≫.

져근덛 부 〈옛〉 잠깐 동안. 어느덧. ¶ᄒᆞᆫ번 져근덛ᄒᆞ고(一上少時)≪蒙法 1≫.

져근덧 부 〈옛〉 잠깐 동안. 어느덧. ¶져근덧 밤이 드러 風浪이 定ᄒᆞ거ᄂᆞᆯ≪松江 關東別曲≫.

져근듯 부 〈옛〉 잠깐. 잠깐 동안. =져근ᄃᆞᆺ. ¶져근듯 비러다가 머리 우희 불니고져≪古時調 禹倬≫.

져근ᄃᆞᆺ 부 〈옛〉 잠깐. 잠시 동안. =져근듯. ¶져근ᄃᆞᆺ 解圍ᄒᆞ야 士氣를 쉬우더가≪蘆溪 太平詞≫.

져근몰 명 〈옛〉 오줌. 소변(小便). ¶져근ᄆᆞᆯ 보라 가ᄂᆞ이다(出外)≪譯語 上 39≫.

져기 부 〈옛〉 적이. 좀. ¶더 위ᄒᆞ야 져기 가져 가쟈(與他將些去)≪老乞 上 38≫.

져기다 타 〈옛〉 돋우다. 발 돋우다. ¶하ᄂᆞᆯ이 놉다 ᄒᆞ고 발 져겨 셔지 말며 ≪古時調 朱義植≫.

져김 명 〈옛〉 제금. ¶져김(鈸)≪才物譜 5≫.

-져라 어미 〈옛〉 -자. ¶父王이 病ᄒᆞ야 겨시니 우리미처 가 보ᅀᆞᄫᅡ ᄆᆞᅀᆞᆷ 훤히 너기시게 ᄒᆞ져라 ᄒᆞ시고≪月釋 X:6≫.

져르다 형 〈옛〉 짧다. =져ᄅᆞ다. ¶입시울 져르다(上脣短)≪漢淸 VI:5≫.

져ᄅᆞ다 형 〈옛〉 짧다. =져르다. ¶됴ᄒᆞᆫ 모도미 심히 져ᄅᆞ고 ᄲᆞᄅᆞ니(良會苦短促)≪重杜諺 XXII:40≫.

져몸 형 〈옛〉 젊음. '졈다'의 명사형. ¶늘그며 져모ᄆᆞᆯ 묻디 말오(無問老少)≪救簡 I:90≫.

져므니 명 〈옛〉 젊은이. ¶늘그니며 져므니며 貴ᄒᆞ니 놀아ᄫᆞ니며≪月釋 XXI:46≫.

져므리 부 〈옛〉 저물도록. ¶일 져므리ᄒᆞ야 命을 그릇디 말라(夙夜無違命)≪初內訓 I:84≫.

져믄 형 〈옛〉 젊은. '졈다'의 활용형. ¶마치 열다ᄉᆞ신 져믄 겨지븨 허리 ᄀᆞᆮ도다(恰似十五兒女腰)≪杜諺 X:9≫.

져믄 갓나히 명 〈옛〉 소녀(少女). 차환(叉鬟). ¶져믄 갓나히(丫鬟)≪字會 中 25 鬟字註≫.

져믄것 명 〈옛〉 젊은 것. 젊은 사람. ¶나 ᄃᆞ린 져믄 것 둘흘 ᄢᅳ놀려 뵈ᅀᆞᆸ고져 ᄒᆞᄂᆞᆼ이다≪新語 VI:7≫.

져믄 젯 명 〈옛〉 젊을 때. 소시(少時). ¶져믄 젯 물란 무던히 너기고(脫略小時輩)≪重杜諺 II:38≫.

져믈다 자 〈옛〉 저물다. ¶나리 져믈어ᄂᆞᆯ 거두디 아니ᄒᆞ니(日暮未收)≪杜諺 XVII:27≫/져믈 모(暮)≪字會 上 1≫.

져믈오다 자 〈옛〉 저물게 하다. ¶겨지븐 閨門안해셔 나를 져믈오고(女及日乎 閨門之內)《初內訓 I:86》.
져미다 타 〈옛〉 저미다. ¶아ᄉᆞ 져미연 ᄇᆞᆯ다호라《樂範 動動》.
져버보다 타 〈옛〉 접어 보다. 용서하다. ¶ᄆᆞᅀᆞᆷ져버볼셔(恕)《字會 下 25》.
져봄 명 〈옛〉 웅큼. =져붐. ¶섈리 뎡바기옛 머리터리 ᄒᆞᆫ 져봄을 ᄆᆡ이 자바ᄃᆞᆯ이 요틔(急取頂心髮一撮毒掣之)《救簡 I:30》.
져붐 명 〈옛〉 웅큼. ¶소곰 ᄒᆞᆫ 져붐과(塩一撮)《救方 上 32》.
져븨 〈옛〉 져비의. '져비'의 소유격형. ¶ᄆᆞᆯᄀᆞᆫ ᄀᆞᅀᆞᆯ 져븨 삿기는 ᄇᆞ러 ᄂᆞ니ᄂᆞ다(淸秋燕子故飛飛)《初杜諺 X:34》.
져비 명 〈옛〉 제비. =졉이. ¶져비爲燕《訓例》/西로 ᄂᆞ라 가ᄂᆞᆫ 져비 ᄀᆞᆮᄒᆞ야(西飛燕)《杜諺 X:1》.
져비쑬 명 〈옛〉 제비꿀. ¶져비쑬(夏枯草)《經驗方》/져븨쑬(夏枯草)《方藥 13》.
져ᄇᆞ리다 타 〈옛〉 저버리다. ¶ᄠᅳᆫ 구루미 프른 봆비츨 져ᄇᆞ리디 아니ᄒᆞ니(浮雲不負青春色)《杜諺 XXI:22》.
져봄 타 〈옛〉 접어 줌. 용서함. '졉다'의 명사형. ¶제 몸 져ᄇᆞ므란 어즐ᄒᆞᄂᆞ니(恕己則昏)《內訓 I:3》.
져울 명 〈옛〉 저울. ¶이거슨 이 져울이로다(這箇是秤)《朴解 上 38》.
져재 명 〈옛〉 저자. 시장. =져제. ¶東海ㅅᄀᆞᅀᆡ 져재 ᄀᆞᆮᄒᆞ니(東海之濱如市之歸)《龍歌 6章》.
져제 명 〈옛〉 저자. 시장. =져재. ¶長安ㅅ져제 숤지븨셔(長安市上酒家)《杜諺 XV:41》.
져조다 타 〈옛〉 고문(拷問)하다. =져주다. ¶져조다(拷問)《譯語 上 67》.
져조아뭇다 타 〈옛〉 고문하다. ¶져조아뭇다(拷問)《同文 下 29》.
져죠다 타 〈옛〉 고문(拷問)하다. ¶져죠다(拷問)《華類 38》.
져주다 타 〈옛〉 힐고(詰拷)하다. 신문(訊問)하다. =져조다. ¶져주니(詰之)《內訓 II:78》/의심ᄒᆞ여 텨 져주더니(涉疑打拷)《老乞 上 25》.
져주움쎄 명 저즈음께. 저번에. ¶ᄒᆞᆫ번 져주움쎄 錫杖을 뫼셔(一昨陪錫杖)《杜諺 IX:15》.
져줌 타 〈옛〉 신문(訊問)함. 힐문(詰問)함. 고문(拷問)함. '져주다'의 명사형. ¶힝혀 법으로 져주미 이시면 비록 니ᄅᆞ다 므어시 해로 오리오 ᄒᆞ고《太平廣記 I:26》.
젹 명 〈옛〉 적. ¶아직 젹을 굽디 말고(且休燒簽子)《朴解 下 2》.
젹곰 부 〈옛〉 조금. 잠시. ¶도라보실 니믈 젹곰 좃니노이다《樂範 動動》.
젹다 형 〈옛〉 작다. ¶根이 크나 져그나 업시(根無大小)《圓覺 下 一之二 55》.
젹삼 명 〈옛〉 적삼. ¶青州ㅅ 뵈젹삼이로다(青州布衫)《金三 II:61》.
젹젹 부 〈옛〉 조금조금. 조그마치. 작작. ¶슬픈 ᄇᆞᄅᆞ미 젹젹 ᄂᆞᄂᆞ다(悲風稍稍飛)《初杜諺 XVI:51》.
젼 명 〈옛〉 전. 전더구니. ¶젼 메울구(釦)《字會 下 16》.
젼국 명 〈옛〉 전국. ¶젼구기 노ᄀᆞ니 蓴ㅅ 시리 닉고(豉化蓴絲熟)《初杜諺 XV:27》.
젼ᄌᆞ 부 〈옛〉 마음껏. 마구. 함부로. =젼ᄎᆞᆺ·젼ᄌᆞ·젼ᄌᆞᆺ. ¶삿기를 만히 머그되 복그며 구어 젼ᄌᆞ 먹더니《地藏 上 25》.
젼메오기 명 테 두르기. 선 두르기. ¶만일 젼메오기를 잘ᄒᆞ면(若廂的好時)《朴解 上 19》.
젼메우다 자 〈옛〉 그릇의 전에 쇠를 메우다. ¶젼메울 구(釦)《字會 下 16》/닷냥金으로 젼메윗ᄂᆞ니라(五兩金子廂的)《朴解》.
젼뙤 명 〈옛〉 잔디. ¶宮闕엣 젼뙤ᄂᆞᆫ 보ᄃᆞ라오미 소오미라와 느도다(宮莎軟勝綿)《初杜諺 XX:17》.
젼ᄎᆞᆺ 부 〈옛〉 마음껏. 마구. 함부로. =젼ᄌᆞ. ¶僧尼를 너러빙거나 시혹 伽藍內예 젼ᄎᆞᆺ 淫欲올 行커나《月釋 XXI:39》.
젼술 명 〈옛〉 거르지 않은 술. 전국 술. ¶젼술 비(醅), 젼술 발(醱)《字會 中 21》.
젼ᄌᆞ 명 〈옛〉 까닭. =젼ᄎᆞ. ¶ᄀᆡ 이러ᄒᆞᆫ 젼짇ᄉᆡ니라(其所以以此)《龜鑑 下 52》.
젼ᄎᆞ 명 〈옛〉 까닭. =젼ᄎᆞ. ¶이런 젼ᄎᆞ로(因此上)《老乞 上 53》.
젼ᄎᆞ 명 〈옛〉 까닭. ¶이런 젼ᄎᆞ로(是故로)《訓諺》/故ᄂᆞᆫ 젼치라《訓諺》.
젼치- 〈옛〉 까닭이-. '젼ᄎᆞ'의 서술격형(敍述格形). ¶故ᄂᆞᆫ 젼치라《訓諺》.
젼혀 부 〈옛〉 전혀. ¶젼혀 이 東山은 남기 도ᄒᆞᆯᄊᆡ 노니ᄂᆞᆫ ᄯᅡ히라《釋譜 VI:24》.
졋ᄌᆞ 부 〈옛〉 마음껏. 건방지게. 조심성 없이. =젼ᄎᆞᆺ·젼ᄌᆞ. ¶庖丁의 ᄂᆞᆯ 호ᄅᆞᆯ 젼ᄌᆞ ᄒᆞᄂᆞᆫ 觀이오(庖丁恣刃觀)《圓覺 下 二之二 9》.
졋ᄌᆞᄒᆞ다 타 〈옛〉 마음껏 하다. 함부로 하다. =졋ᄌᆞ. ¶둘흔 庖丁의 ᄂᆞᆯ ᄒᆞᆯ 졋ᄌᆞᄒᆞᄂᆞᆫ 觀이오(二庖丁恣刃觀)《圓覺 下 二之二 9》.
젼ᄌᆞᆺ 부 〈옛〉 함부로. 마음대로. ¶봇그며 구버 젼ᄌᆞ 먹더니《月釋 XXI:54》/젼ᄌᆞ 즁이 드러 내에 흐ᄫᆞᆷ(恣任僧學)《楞嚴 I:29》.
졀 명 〈옛〉 결. 길. ¶졀 듀려 굿블이샤(調伏)《妙蓮 II:253》. *질.
졀고공이 명 〈옛〉 절굿공이. ¶杵 졀고공이라《無寃錄 I:38》.
졀다몰 명 〈옛〉 절따말. ¶졀다ᄆᆞᆯ(赤馬)《老乞 下 8》.
졀다 악대몰 명 〈옛〉 불 친 붉은 빛 말. ¶졀다 악대ᄆᆞᆯ(赤色騸馬)《老乞 下 14》.
졀당ᄒᆞ다 형 〈옛〉 절당(切當)하다. ¶이러ᄒᆞ 小學烈女 女教明鑑이 至極 졀당ᄒᆞ며 ᄯᅩ 明白ᄒᆞ되(是以小學烈女 女教明鑑至切且明)《內訓 序 8》.
졂다 형 〈옛〉 짧다. ¶길면 졂다ᄒᆞ고 졀으면 기다ᄒᆞ니《古時調 金壽長》.
졀ᄯᅡ몰 명 〈옛〉 절따말. ¶졀ᄯᅡᄆᆞᆯ(騂)《譯語 下 28》.
졈 부 〈옛〉 좀. ¶내논 다 ᄆᆡ여든 네논 졈 ᄆᆡ여주마《古時調 鄭澈》.
졈그리 부 〈옛〉 저무도록. ¶일 졈그리 님금 시름 호ᄆᆞᆯ 드로니(夙夜聽憂主)《初杜諺 XXIII:33》.
졈글다 자 〈옛〉 저물다. ¶졈그ᄃᆞ록 아ᄋᆞᆯᄒᆞ야(終日冥冥)《佛頂 上 3》.
졈글우다 타 〈옛〉 저물게 하다. 마치다. '졈글다'의 활용형. =졈을오다. ¶날 졈글워 ᄒᆞᄂᆞᆫ 이리 업스리니(飽食終日無所猷爲)《飜小 VIII:12》.
졈다 형 〈옛〉 어리다. 젊다. ¶져머셔ᄇᆞ터(自少)《內訓 I:25》.
졈불 명 〈옛〉 말 다래의 덧가죽. ¶졈불 장(韂)《字會 中 27》.
졈을오다 타 〈옛〉 저물게 하다. 마치다. '졈글다'의 활용형. =졈글우다. ¶겨집이 방門 안해셔 날을 졈을오고(女及日乎 閨門之內)《小諺 II:54》.
졈을이 부 〈옛〉 저물게. 저물도록. ¶일 졈을이ᄒᆞ야 命을 어긔옷디 말라(夙夜無違命)《小諺 II:51》.
졈졈 부 〈옛〉 점점(漸漸). ¶졈졈 밀면(漸推)《救簡 III:10》.
졉낫 명 〈옛〉 〖농〗 낫. ¶길 아래 樵童의 졉나시야 거러볼 줄 이시랴《古時調 松伊》.
졉다 타 〈옛〉 접어주다. 용서하다. ¶제 몸 져ᄇᆞ므란 어즐ᄒᆞᄂᆞ니(恕己則昏)《內訓 I:3》.
졉동새 명 〈옛〉 접동새. 소쩍새. ¶졉동새 오디 아니ᄒᆞ고(杜鵑不來)《杜諺 XXV:44》.
졉어보다 타 〈옛〉 접어 보다. 용서하다. =져버보다. ¶내 몸 졉어봄은 아득ᄒᆞᄂᆞ니(恕己則昏)《內訓 I:28》.
졉어 싱각ᄒᆞ다 타 〈옛〉 양해하다. ¶졉어 싱각ᄒᆞ다(體諒)《漢淸 III:12》.
졉이 명 〈옛〉 제비. =져비. ¶졉이 雙雙 나비 雙雙《海謠》.
졋 명 〈옛〉 젖. ¶졋 내(嬭), 졋 유(乳)《字會 上 27》/졋 일흔 아히(失乳兒)《楞嚴 V:29》/졋어미 모(姆)《字會 上 33》.
졋바누이다 타 〈옛〉 반듯이 눕히다. ¶졋바누이고(仰臥)《救簡 I:33》.
졋바뉘이다 타 〈옛〉 반듯이 눕히다. ¶졋바뉘이고 ᄆᆞᅀᆞᆷ조초 머기라(仰臥隨意服)《救簡 I:16》.
졋바디다 자 〈옛〉 자빠지다. ¶沛ᄂᆞᆫ 졋바딜 씨오《楞嚴 V:32》.
졋버디다 자 〈옛〉 자빠지다. =졋바디다. ¶女子ᄂᆞᆫ 陰氣 등에 모도인 故로 등이 무거워 반ᄃᆞ시 졋버디ᄂᆞ니(女子陰氣聚背故 背重必仰)《無寃錄 III:14》.
졋어미 명 〈옛〉 젖어머니. ¶女ㅣ盛히 ᄭᅮ뭇고 졋어미 도와 室밧긔 셔셔 南向ᄒᆞ엿거든《家禮 IV:15》.
졍화슈 명 〈옛〉 정화수(井華水). ¶새로 기른 졍화슈의 타 머기되(新汲水調下)《痘方 19》.
졍회아비 명 〈옛〉 허수아비. ¶草偶 졍회아비 或云庭虛子《農家月俗》.
졍진ᄒᆞ다 자 〈옛〉 정진하다. ¶우리 ᄇᆞ지러니 精졍進진ᄒᆞ야《月釋 XIII:33》.
졔 의명 〈옛〉 제[20]. 적에. 때에. ¶白雪이 滿乾坤ᄒᆞᆯ 졔 獨也青青ᄒᆞ리라《古時調 成三問》.
졔-밥 명 ↗지에밥.
졔비 명 〈옛〉 제비. ¶우ᄂᆞᆫ 비두리와 삿기 치ᄂᆞᆫ 졔비예 프른 보미 기펫도다(鳴鳩乳燕青春深)《初杜諺 VI:14》.
졔오 명 〈옛〉 체부(遞夫). ¶남ᄒᆞ여 片紙 傳치 말고 當身이 졔오 되여《古時調 青丘》.
졔용 명 〈옛〉 제웅[1]. ¶졔용 卽壇弓所謂芻靈故金秋史詩亦云一錢飽與芻靈腹《農家月俗》.
졔제 명 〈옛〉 저자[1]. =져제. ¶네 손조 ᄆᆞᆯ 졔제 ᄭᅳ어 사라가더여(你自馬市裏揀着買去)《朴解 上 63》.
졔터 명 〈옛〉 제터. ¶졔터 단(壇)《字會 中 10》.
졧다 타 〈옛〉 의지하여 있다. 등지고 있다. ¶城郭올 졧ᄂᆞᆫ 지비(背郭堂)《初杜諺 VII:1》. *지이다[1].
조[1] 명 〖식〗 [*Setaria italica*] 벼과(科)에 속(屬)하는 일년초(一年草). 높이 1 m 이상이고 잎은 호생(互生)하며 선상(線狀) 피침형(披針形)임. 9월에 줄기 끝에서 이삭이 나와, 원통(圓筒)형의 가는 꽃이 피고, 이삭은 소수(小穗)가 밀착하여 다소 굽었으며 세립상(細粒狀)의 열매는 작은 구형(球形)이고 황색임. 동부 아시아 원산(原産)으로, 유럽 및 아시아 각지에서 재배하고 많은 품종이 있으며, 한국에서도 오곡(五穀)의 하나로 오래 전부터 재배하였음. 열매는 '조', 방아에 찧은 것은 '좁쌀'인데, 단백질·지방(脂肪)의 함유량이 많아 널리 식용됨. [조 비비듯하다] 마음을 몹시 조리고 있음을 이르는 말. ¶소식이 끊어져 마음은 조 비비듯 하였고 형편 몰라 끌탕이었더니…《金周榮: 客主》

〈조[1]〉

조:[2] 명 〈방〉 종이(경북).
조[3] 【召】 명 〖한의〗 약화제(藥和劑)나 약복지(藥袱紙)에 조(棗), 곧 대추의 뜻으로 쉽게 쓰는 말. ¶간삼 ~이(干三~二). *간(干)❺.
조[4] 【助】 명 〖역〗 신라 때 각 궁원(宮園)의 끝 벼슬.
조[5] 【俎】 명 제사(祭祀) 때에 고기를 얹어 놓는 그릇.
조[6] 【租】 명 〖역〗 옛날 조(租)·용(庸)·조(調)로 일컫던 공부(貢賦)의 하나. 나라에 전세(田稅)를 바치던 것.
조[7] 【祖】 명 ①그 혈통(血統)·가계(家系)의 첫째 사람. 조상(祖上). ②어떤 사물을 창시(創始)한 사람. ¶민족 중흥(民族中興)의 ~.
조[8] 【曺】 명 성(姓)의 하나. 현재 우리 나라의 주요 본관(本貫)은 창녕(昌寧)·능성(綾城)·남평(南平)·옥주(玉州)·장흥(長興)·안동(安東) 등이 있음. 주의 우리 나라 성씨(姓氏)로는 반드시 '曺'로 씀.

조[9]【曹】명 ①〖역〗중국 고대의 나라 이름. 주(周)나라 무왕(武王)의 아우 숙진탁(叔振鐸)이 봉(封)해진 나라로, 도구(陶丘) 곧 지금의 산둥 성(山東省) 딩타오 현(定陶縣)에 도읍함. 춘추 시대 중기에 송(宋)나라에 의해 멸망됨. ②성(姓)의 하나. ＊조(曺).

조[10]【粗】명〖역〗과거(科擧)의 소과(小科)·대과(大科)에서 강서(講書)의 성적 등급의 하나. 급제로서 세 등분의 맨 아래의 등급으로, 약(略)의 다음 등급임. ＊통(通)·약(略)·불(不).

조[11]【組】㊀명 어떤 일을 위하여 적은 인원으로 조직된 소규모의 집단. 팀. ¶여러 ~로 나누다. ㊁의명 두 개 이상 몇 개로 이룬 한 벌의 물건을 세는 단위.

조[12]【彫】명〖역〗'彫'자를 나무에 새긴 큰 도장. 수결(手決) 대신으로 쓰임.

조[13]【條】명 줄거리나 항목의 뜻을 나타내는 데 쓰는 말. ¶제3 ~.

조:[14]【詔】명 ↗조서(詔書).

조:[15]【趙】명〖역〗중국 전국 시대(戰國時代)의 나라 이름. 진(晉)나라 재상(宰相) 한(韓)·위(魏)·조(趙)의 세 집이 진(晉)나라를 삼분하여 제 각기 나라를 세워 각각 제후국(諸侯國)이 된, 그 중에 지금 허베이성(河北省) 서남부와 산시 성(山西省) 동부의 지방. 10대(代) 176년 만에 진(秦)에 망하였음. [403-228 B.C.]

조:[16]【趙】명 성(姓)의 하나. 주요 본관(本貫)은 풍양(豐壤)·한양(漢陽)·양주(楊州)·평양·임천(林川)·배천(白川)·함안(咸安)·순창(淳昌)·횡성(橫城)·김제(金堤) 등.

조[17]【調】명 ①품격을 높고 깨끗하게 가지려 하는 행동. ¶~를 지키다. ②↗곡조(曲調). ③〖악〗음계(音階)의 종류와 으뜸음의 위치를 밝히는 용어. ④〖역〗예전에 조(租)·용(庸)·조(調)로 일컫던 공부(貢賦)의 한 가지. 각지의 특산물(特產物)을 나라에 바치던 것.

조[18]【操】명 깨끗이 가지는 몸과 굳게 잡은 마음. ¶~가 바르다/~를 지키다.

조(를) 빼다 구 조빼다. ¶도량이 넓어서 아쉬운 소리를 한다고 조를 뺄 사람은 아니네.

조[19]【竈】명 ①〖역〗옛날 궁중(宮中)에서 칠사(七祀)의 하나로 위하던, 부엌의 신(神). 음식의 일을 주장한다 함. ②조왕(竈王).

조[20]【糶】명 쌀 또는 곡식을 판매함. 조량(糶糧). ↔적(糴).

조[21]【條】[쪼] 의명 '어떤 조건으로'란 뜻으로, 다른 말 아래 쓰이는 말. ¶계약금~/방세~/십일(十一)~.

조[22]【朝】의명 왕조(王朝)의 뜻. ¶고려~(朝)/전~(前朝).

조[23]【調】[쪼] 의명 ①다른 말 아래에 쓰이어, 말이나 문장에서, 표현되는 것의 형식·특징 등이 그 범주(範疇)에 듦을 나타내는 말. ¶시비~/비난~. ②시가(詩歌)에 있어서, 음수(音數)에 의한 리듬을 나타내는 말. ¶오칠(五七)~.

조[24] 인대 '저'를 얕잡아 쓰는 말.

조[25]【兆】수 ①억(億)의 억 배(億倍), 경(京)의 억분(億分)의 일의 수. 곧, 10^{16}. ②억(億)의 만 배(萬倍), 경(京)의 만분의 일의 수. 곧, 10^{12}.

조[26] 관 그 자리에서 보일 정도로 떨어져 있는 사물이나 사람을 가리키는 말. ¶~책/~학생. <저[10].

조:- 간 '좋다'의 불규칙 어간. ¶~니/~는 사람.

조:가[1]【弔歌】명 죽은 사람을 애도(哀悼)하는 노래.

조가[2]【朝家】명 조정(朝廷).

조가[3]【朝歌】명〖지〗중국 허난 성(河南省) 북부, 안양(安陽)의 남쪽, 치현(淇縣)의 옛 지명. 은(殷)나라 주왕(紂王)의 도읍이 되었던 곳.

조가리-나무 명 〈방〉 정금나무.

조가비 명 조개의 껍데기. 패각(貝殼).

조가 야:현【朝歌夜絃】명 [아침에는 노래하고 저녁에는 거문고를 탄다는 뜻으로] 종일 즐거이 놂.

조가-양【曹家樣】명〖미술〗중국 수(隋)나라 때의 화가 조중달(曹仲達)의 화풍(畫風)으로 그리는 불화(佛畫)의 양식. 조장(曹裝).

조가지 명 〈방〉 조개(함남).

조각[1] 명 ①넓적하거나 또는 얇은 물건에서 떼어낸 부분. ¶헝겊 ~으로 만든 인형/빵~/유리 ~. ②갈라져서 따로 떨어진 물건. ¶두 ~ 났다. ③〖어〗'성분(成分)'의 풀어 쓴 말.

조각(이) 나다 구 ㉠서로 갈라져 조각이 생기다. ¶산산이 ~. ㉡의견(意見)이 맞지 아니하여 서로 갈라지다. ¶회담이 ~.

조각[2] 명 〈옛〉 틈. 기틀. ¶幾는 조가기니 님금 이리 만호실쎠 호롯內예 一萬조가기시다 호느니라≪月序 16≫.

조각[3]【爪角】명 손톱과 뿔. 전(轉)하여, 자신(自身)을 지키고 남을 막는 물건(物件).

조각[4]【皁角】명〖한의〗조협(皁莢).

조:각[5]【阻却】명 물리침. 방해함. ¶위법성(違法性) ~ 사유(事由)가 있으면 그 행위는 위법이 아닌 것으로 된다.

조각[6]【組閣】명〖정〗내각(內閣)을 조직(組織)함. ¶~본부/~명단. ──-하다 자여불

조각[7]【彫刻·雕刻】명〖미술〗조형 미술(造形美術)의 하나. 나무·돌·금속(金屬) 같은 데에 서화(書畫)·인물·동물을 새기거나 또는 물상(物像) 같은 것을 입체적(立體的)으로 새기는 일. 그 형식(形式)에 따라서 환조(丸彫)와 부조(浮彫)의 두 가지로 나누어짐. 조전(彫鐫). ¶~가. 준 각(刻). ──-하다 타여불

조:각[8]【豬角】명 주아[1].

조각-가【彫刻家】명 조각을 전문(專門)으로 하는 미술가(美術家). ＊조각사(師)·각공(刻工)·각수(刻手).

조각-공【彫刻工】명〖건〗새김질을 하는 목수. 새김질 목수.

조각-구【彫刻具】명 ①조각할 때 쓰는 기구. ②〖천〗조각도자리.

조각-기【彫刻機】명 제품(製品) 등에 문자(文字)나 도안(圖案) 같은 것을 조각(彫刻)하는 기계(機械).

조각-놀이【組閣—】명 역대 인물 가운데서 적임자(適任者)를 뽑아 내각(內閣)과 나라의 요직(要職)을 구성하는 유희(遊戲).

조각-달 명 음력 초닷새 무렵과 스무 닷새 무렵의 달.

조각 대황탕【皁角大黃湯】명〖한의〗태음인(太陰人) 체질의 급성 전염병인 온병(瘟病)으로 인한 고열(高熱)을 치료하는 데 쓰는 처방의 하나.

조각-도【彫刻刀】명 조각용(彫刻用)의 작은 칼.

조각도-자리【彫刻刀—】명 [라 Caelum]〖천〗1751년 프랑스의 천문학자 라카유(Lacaille, N.L. de)에 의해서 설정(設定)된, 남쪽 하늘의 작은 별자리. 오리온자리 훨씬 아래, 비둘기자리의 오른쪽에 있으며, 지평선 가까이에 보임. 1월 하순에 남중(南中)함. 조각구.

조각돌 명 조각을 내거나 조각이 난 돌.

조각 동판【彫刻銅版】명 동판의 하나. 동판면에 방부제(防腐劑)를 바르고 그 위에 원도(原圖)의 윤곽을 놓고, 바늘로 묘화(描畫)한 위에 다시 부식제(腐蝕劑)를 바르고 얕게 요각(凹刻)한 뒤에 다시 각선(刻線)을 깊이 조각한 제판(製版). 유가 증권(有價證券)·지도(地圖) 따위의 제판에 쓰임.

조각-메역 명 〈방〉 조곽(早藿).

조각-배 명 작은 배. 편주(片舟).

조각-보【—褓】명 여러 조각의 헝겊으로 만든 보자기.

조각비늘-구름 명 편난운(片亂雲).

조각-사【彫刻師】명 조각을 업(業)으로 하는 사람. 새김질을 잘 하는 사람. 각수(刻手). 각공(刻工).

조각-상【彫刻像】명 조상(彫像).

조각-석【彫刻石】명 조각에 쓰이는 돌. 대리석·화강암·현무암·설화 석고(雪花石膏) 등.

조각 석판【彫刻石版】명 석판의 하나. 석판면에 질산(窒酸) 고무를 바르고 마른 뒤에 원도(原圖)를 놓고 조각하여 그 요선(凹線)에 아마인유(亞麻仁油)를 침윤(浸潤)시킨 제판.

조각-술【彫刻術】명 조각하는 기술(技術).

조각-실【彫刻室】명 ①조각하는 방. ②〖천〗↗조각실자리.

조각실-자리【彫刻室—】명 [라 Sculptor]〖천〗남쪽 하늘의 작은 성좌. 고래자리의 아래 남쪽, 물고기자리의 왼쪽에 있으며, 지평선 가까이에 보임. 11월 하순에 남중(南中)함. 준조각실.

조각 오목판【彫刻—版】명〖인쇄〗오목판(版)의 하나. 동판(銅版)·강판(鋼板) 등에 수지층(樹脂層)을 칠하고 조각도나 기계로 조작하여 화학적으로 부식시켜서 제판(製版)한 오목판. 미술 인쇄 및 유가 증권 등의 인쇄 제판(印刷製版)에 쓰임. 조각 요판.

조각 요판【彫刻凹版】[—뇨—] 명〖인쇄〗조각 오목판.

조각-자[1]【皁角子】명〖한의〗조협자(皁莢子).

조각-자[2]【皁角刺】명〖한의〗조협자(皁莢刺).

조각자-나무【皁角刺—】명〖식〗[*Gleditschia officinalis*] 참풀과에 속하는 낙엽 활엽 교목. 가시가 있으며, 잎은 우상 복생(羽狀複生)하고 소엽(小葉)은 달걀꼴 또는 난상 타원형임. 6월에 자웅 잡가(雌雄雜家)의 꽃이 총상(總狀) 화서로 피고, 과실은 협과(莢果)인데 10월에 익음. 중국 원산(原產)으로, 개울가 및 인가 부근에 심는데, 경북의 경주 등지에 분포함. 가시 및 과실은 약용함.

〈조각자나무〉

조각 자모【彫刻字母】명〖인쇄〗활자 자모의 하나. 벤톤 조각기를 써서 사진 제판(製版)에 의해 아연판(亞鉛版)에 부식(腐蝕)시킨 모양을 덧그리면서 황동(黃銅)의 모형 재료(模型材料)에 조각하여 만듦. 정밀도(精密度)가 높음.

조각-장【彫刻匠】명〖민〗금속제 공예품에 무늬나 글씨를 조각하는 전통 기술을 가진 사람. 이 조각 기법을 '조이질'이라고 하며, 보통은 금·은·백금·철·주석·납·아연·알루미늄 등의 금속이나 이들을 합금한 것을 소재로 만든 물건의 금속면에 시공함. 중요 무형 문화재 제35호.

조각-장이【彫刻匠—】명 조각사(彫刻師)의 낮춤말.

조각-적【彫刻的】명관 조각처럼 요철(凹凸)이 뚜렷하여 입체적(立體的)인 모양.

조각-조각 부 여러 조각으로 깨어진 모양. ¶~ 깨어지다.

조각-침【彫刻針】명 조각하는 데 쓰는 침.

조각-칼【彫刻—】명 조각도(彫刻刀).

조각-판【彫刻版】명 조각할 때 쓰는 판.

조각편-변【—片邊】명 한자 부수(部首)의 하나. '版'·'牒' 자 등의 '片'의 이름.

조각-품【彫刻品】명 조각한 물품.

조간[1]【刁姦】명 계집을 꾀어 내서 간통함. ──-하다 타여불

조:간[2]【釣竿】명 낚싯대.

조간[3]【朝刊】명 ↗조간 신문. ↔석간(夕刊).

조:간[4]【遭艱】명 당고(當故). ──-하다 자여불

조간-대【潮間帶】명 해안에서, 만조시(滿潮時)의 해안선과 간조시(干潮時)의 해안선 사이의 부분.

조간 신문【朝刊新聞】명 일간 신문 중에서, 아침에 발행하는 신문. 조간지(朝刊紙). 준조간(朝刊). ↔석간(夕刊) 신문.

조간-지【朝刊紙】명 조간 신문(朝刊新聞). ↔석간지(夕刊紙).

조갈【燥渴】명 목이 마름. ¶~이 나다.

조갈-소【藻褐素】[—쏘] 명〖식〗엽록소와 더불어 갈조류(褐藻類)에 포함되어 있는 갈색 색소(色素). 갈조소.

조갈-증【燥渴症】[—쯩] 명〖한의〗목이 몹시 마르는 병. 소갈증.

조감[1] 【鳥瞰】 명 높은 곳에서 넓은 범위(範圍)를 내려다봄. 전(轉)하여, 전체를 한눈으로 관찰함. ——-하다 자여불
조:감[2] 【照鑑】 명 ①대조(對照)하여서 봄. ②신불(神佛)이 밝게 보살핌. ——-하다 타여불
조감[3] 【潮減】 명 →조금[4].
조감[4] 【藻鑑】 명 인물이나 물품(物品)의 감별. 또, 뛰어난 감식(鑑識).
조감-경 【鳥瞰景】 명 높은 곳에서 내려다본 전체의 경치.
조감-도 【鳥瞰圖】 명 [bird's eye view] 높은 곳에서 내려다본 것처럼 그린 그림. 보통, 지평선(地平線)을 화면의 상단(上端) 또는 그 이상으로 상정(想定), 지상(地上)의 사물의 높이를 지평선보다 낮게 그림. 부감도(俯瞰圖).
조:-감독 【助監督】 명 감독의 조수(助手). 흔히, 영화(映畫) 감독의 조수를 말함.
조감 사진 【鳥瞰寫眞】 명 높은 곳에서 내려다보고 찍은 사진.
조감-적 【鳥瞰的】 명관 내려다보는 듯한 모양. 내려다보는 것처럼 전체를 바라보는 모양.
조갑 【爪甲】 명 손톱 또는 발톱. 지갑(指甲).
조갑지 명 〈방〉 ①조가비(평안). ②조개(경상).
조갑-창 【爪甲瘡】 명 『한의』 갑저창(甲疽瘡).
조강[1] 【條鋼】 명 강재(鋼材)의 한 분류. 궤조(軌條)·봉강(棒鋼)·형강(形鋼)·선재(線材) 등의 총칭.
조강[2] 【粗鋼】 명 압연(壓延)·단조(鍛造) 따위 가공이 되지 않은, 제강로(製鋼爐)에서 제조된 그대로의 강철.
조강[3] 【朝講】 명 ①『역』 이른 아침에 강연관(講筵官)이 왕께 진강(進講)하는 일. ②『불교』 아침에 불도(佛徒)들이 모여 앉아서 불경을 강담(講談)하는 일. *주강(晝講)·석강(夕講). ——-하다 자여불
조강[4] 【燥強】 명 땅바닥에 물기가 없어서 흙이 마르고 깨끗함. ——-하다 형여불
조강[5] 【糟糠】 명 ①지게미와 쌀겨. ②가난한 살림. ③↗조강지처.
조강지-처 【糟糠之妻】 명 구차하고 천할 때에 고생을 같이 하던 아내. ¶~ 박대하고 잘되는 놈 못 봤다. 준조강(糟糠).
조강지처 불하당(不下堂) 구 조강지처는 존중하고 대우를 해주어야 한다는 말.
조-같이 [-가치] 부 조 모양으로. 조렇게. <저같이. *요같이.
조개[1] 명 [중세 : 조개] 『동』 두족류(頭足類)를 제외한 대부분의 연체(軟體) 동물의 총칭. 주로 조가비를 가진 것을 일컬으며, 속의 살은 연하여 식용함. 하나로 된 권패류(卷貝類)와 두 개가 밀합(密合)된 쌍각류(雙殼類)로 구분함. 관상(管狀)·나선상(螺旋狀)·접시 모양의 것 등이 있음. 대합(大蛤)·마합(馬蛤)·살조개·안다미조개·바지락조개·자패(紫貝)·새조개·참조개 등이 있음.
조개 부:전 이 맞듯 구 둘이 꼭 맞아서 틈새가 없는 모양.
조개[2] 【皁蓋】 명 『역』 검은 빛의 수레 포장. 조선 시대 때, 갑과 급제자(甲科及第者)에게 방방(放榜) 의식 석상(儀式席上)에서 이것을 특별히 내림.
조개 관자 【一貫子】 명 조개 껍데기에 조갯살이 붙어 있게 한 단단한 근육. 모양이 젖꼭지같이 생겼음. 폐각근.
조개관자-탕 【一貫子湯】 명 조개 관자에 육수(肉水)를 부어 끓인 중국 요리(料理).
조개-구름 명 〈속〉 권적운(卷積雲).
조개-귀 명 〈방〉 조개 관자.
조개 깍두기 명 조갯살을 넣어서 담근 깍두기. 합홍저(蛤紅菹).
조개 껍데기 명 조개의 껍데기.
[조개 껍데기는 녹슬지 않는다] 천성(天性)이 선량(善良)한 사람은 다른 사람의 악습(惡習)에 감동(感動)이 되지 아니한다는 말.
조개-껍질 명 ☞조가비.
조개-나물 명 『식』 [*Ajuga multiflora*] 꿀풀과에 속하는 다년초. 줄기 높이 30 cm 가량이고, 잎은 대생하며 밑의 잎은 왕왕 장병(長柄)인데, 피침형이며, 길이 17cm에 달하는 것도 있음. 경엽(莖葉)은 무병(無柄)인데 달걀꼴 또는 난상 타원형이며, 길이 5 cm 이내임. 5-6월에 벽자색(碧紫色)의 꽃이 엽액(葉腋)에 윤산(輪繖) 화서로 밀집하여 피며, 분과(分果)는 편구형(扁球形)임. 들의 초지(草地)에 나는데, 전남·경남·경기·평북·함남 등지에 분포함.
조개-더미 명 [shell mounds] ①『고고학』 원시인(原始人)이 까먹고 버린 조가비가 쌓인 무더기. 주로 석기 시대의 유적인데, 그 속에 토기(土器)·석기(石器) 등의 유물이 있어 고고학상(考古學上) 귀중한 연구 자료가 됨. 조개류(類)의 채취에 편리한 바닷가나 호반에 널리 분포되고 있는데 한국에서는 김해(金海)·고성(固城)·영일(迎日)·북청(北靑)·웅기(雄基)·성진(城津)·몽금포(夢金浦) 등이 유명함. 조개무지. 패총(貝塚). ②조개를 쌓아 놓은 더미.
조:개덕-산 【造介德山】 명 『지』 평안 남도 양덕군(陽德郡)에 있는 산. [1,075 m]
조개-류 【一類】 명 패류(貝類).
조개 모:변 【朝改暮變】 명 아침에 고치고 저녁에 또 바꿈. 일정한 방침(方針)이 없이 항상 변하여 정하여지지 아니함. 조변 석개. *조령 모개(朝令暮改). ——-하다 자여불
조개-무덤 명 ☞조개더미.
조개-무지 명 조개더미.
조개-밥 명 조갯살을 넣고 간장을 친 입쌀밥. 합반(蛤飯).
조개-벌레 명 『충』 패각충(貝殼蟲).
조개-볼 명 ①조가비 형상(形狀) 비슷이 가운데가 불룩하게 생긴 볼. ② ☞보조개❶.
조개-봉[1] 명 낚싯봉의 하나. 옆구리의 틈새가 갈라진 납덩이인데, 그 틈새에 낚싯줄을 물리고, 이로 물어 눌러서 고정시킴.
조:개-봉[2] 【照蓋峰】 명 『지』 강원도 회양군(淮陽郡)에 위치한 산(山). [1,060 m]
조개비 명 〈방〉 조개(경상).
조개-삿갓 명 『동』 [*Lepas antifera*] 조개삿갓과(科)에 속하는 갑각류(甲殼類)의 하나. 두부 길이 30-50 mm, 밑의 길쭉한 병부(柄部)는 20-50 mm임. 다섯 개의 조개 비슷한 석회질판(石灰質板)으로 삿갓을 쓴 것처럼 되고, 그 사이에서 여섯 쌍(雙)의 덩굴손 모양의 발이 나와 호흡하며 먹이를 취함. 몸은 두부(頭部)·병부(柄部)로 되었는데, 각판에는 동심원상(同心圓狀)의 성장선(成長腺)이 있으며, 병부는 흑자색임. '노플리우스'의 유생(幼生)을 거쳐 변태(變態)함. 해안에 보통 서식(棲息)하며 부표(浮標) 또는 선저(船底)에 착생(着生)함. 식용하지 아니함.

〈조개삿갓〉

조개-새우 명 『동』 [*Caenestheriella gifuensis*] 조개새웃과(科)에 속하는 갑각류(甲殼類) 물벼룩의 한 가지. 몸길이 11-14 mm, 폭은 7-10 mm 내외임. 몸은 두 개의 패각(貝殼)으로 덮였고 그 껍질은 타원형에 호박 갈색 또는 황갈색인데 15-16개의 동심선(同心線)이 있음. 머리는 크고 다리는 24 쌍, 꼬리의 발톱에 여섯 개의 강모(剛毛)가 있음. 체절은 다수임. 여름에 못·무논·늪 등에 서식하는데, 일본 및 한국에 분포함.

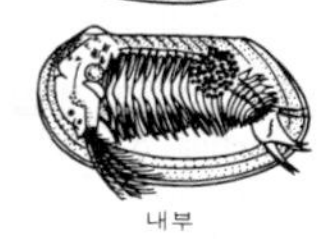

내부
〈조개새우〉

조개 어채 【一魚菜】 명 조갯살로 만든 어채. 합어채(蛤魚菜).
조개 저:냐 명 조갯살로 만든 저냐. 합전 유어(蛤煎油魚).
조개-젓 명 잔 조개의 살로 담근 젓. 합해(蛤醢).
[조개젓 단지에 괭이 발 드나들듯] 한 번 맛을 들여 잊지 못하고 자주 드나듦을 뜻하는 말.
조개 젖꼭지 명 〈방〉 조개 관자(貫子).
조개 찌개 명 간장과 고추장을 탄 물에 쇠고기를 넣어 끓이다가 조갯살을 넣어 만든 찌개.
조개-치레 명 『동』 [*Dorippe japonica*] 조개치렛과(科)에 속하는 게의 하나. 등딱지의 길이 20 mm, 폭은 21 mm 내외(內外)이며, 온 몸의 빛깔은 흔히 진흙빛임. 액각(額角)은 돌출(突出)하지 아니하고 두 개의 둔한 돌기(突起)가 있고, 수컷의 겸각(鉗脚)은 두 개가 같지 않으나 암컷은 거의 같음. 등딱지가 사람 얼굴 비슷하며 조개 껍질 등을 등에 업고 진흙 속으로 숨는 성질이 있음. 한국·만주·일본 등의 연안(沿岸)에 분포함.

〈조개치레〉

조개치렛-과 【一科】 명 『동』 [Dorippidae] 절지 동물(節肢動物) 십각목(十脚目)에 속하는 한 과(科). 꼬마조개치레·조개치레·옴조개치레가 이에 속함.
조개-탄 【一炭】 명 연탄(煉炭)의 한 가지. 무연탄 가루에 숯가루·아탄콜라이트(亞炭 Coalite) 등을 섞어, 조가비 모양으로 굳힌 것. 마세크.
조개-탕 【一湯】 명 모시조개를 맹물에 삶아서 국물째 먹는 국. 조갯국.
조개-풀 명 『식』 [*Arthraxon hispidus* var. *breviseta*] 볏과(科)에 속하는 일년초(一年草). 잎은 호생(互生)하고 피침상(披針狀)의 달걀꼴이며, 8월에 녹자색 꽃이 가지끝과 엽액(葉腋)에 수상 화서(穗狀花序)로 족생(簇生)하여 핌. 들이나 논둑에 나는데 거의 한국 각지에 분포함. 줄기와 잎은 황색 물감용으로 쓰임.

〈조개풀〉

조개 황률 【一黃栗】 명 〈방〉 짜개 황밤.
조개-회 【一膾】 명 조개의 살을 초고추장에 찍어 먹는 술안주의 한 가지. 합회(蛤膾).
조:객[1] 【弔客】 명 조상(弔喪)하는 사람. ¶~록. ↔하객(賀客).
조객[2] 【槽客】 명 이익이 적은 고객(顧客).
조:객-록 【弔客錄】 [-녹] 명 조객의 이름을 적은 책.
조갯-국 명 조개탕.
조갯-날 명 『고고학』 양면을 갈아 조개의 다문 입 모양으로 세운 날. 안팎날과는 갈고 뗀 기법(技法)의 차이에서 구별이 됨. 양인(兩刃). 합인(蛤刃). *쌍날·안팎날.
조갯-더미 명 ☞조개더미.
조갯-살 명 ①조개의 살. ②조개의 살을 말린 것.
조갯-속 명 ☞조갯살.
조갯속-게 명 ①『동』 속살이. ②몸이 희며 연약하고 가냘퍼서 일을 감당할 수 없게 생긴 사람을 비유하는 말.
조갱이 명 〈방〉 조개(제주).
조거[1] 【漕渠】 명 『토』 짐을 싣거나 풀거나 하려고 배를 들여 대기 위하여 파서 만든 깊은 개울. 조구(漕溝).
조거[2] 지대 ↗조것. <저거. *요거[4].
조건[1] 【條件】 [-껀] 명 ①무슨 일을 어떻게 규정한 항목. ¶매매 ~/계약 ~. ②[condition] 어떤 사물이 성립하거나 또는 발생하는 데 기본이 되는 사항 중 직접의 원인이 아닌 것. ③『법』 법률 행위(行爲)의 효력의 발생이나 소멸(消滅)을 장차 발생할지 어떨지 분명치 않은 사실의 성부(成否)에다 연결시키는 제한 약관(制限約款). 이를테면 '합격하면 학비를 낸다' '낙방하면 급비 중지' 따위.
조건[2] 준 조것은. ¶~ 뭐 것일까. <저건. *요건.

조건 명:제【條件命題】[―껀―] 명 ①〖논〗 가언(假言) 명제. ②〖수〗 집합(集合) A의 요소(要素) 중, A의 어느 일정한 부분집합(部分集合) B에 속하는 것은 모두 가지나, 속하지 아니하는 것은 결코 갖지 아니하는 성질.

조건 반:사【條件反射】[―껀―] 명〔conditioned reflex〕〖생〗 동물이 그 환경에 적응(適應)하기 위하여 후천적(後天的)으로 획득하는 반사(反射). 즉, 어떤 자극(刺戟)에 의해서 무조건(無條件)으로 일어나는 반사(反射) 곧, 무조건 반사가 그 반사와 무관계한 제이(第二)의 자극을 동시에 반복(反復)하여 줌으로써 결국 제이의 자극 곧, 조건 자극(條件刺戟)만에 의해서도 일어나게 되었을 경우를 말함. 개에게 밥줄 때마다 방울을 울리면 나중에는 방울만 울려도 침이 분비되는 것과 같은 일. 소련의 생리학자(生理學者) 파블로프(Pavlov, I. P.)에 의하여 연구되었음. ↔무조건 반사. *조건 자극.

조건 반:응【條件反應】[―껀―] 명〔conditioned response〕〖심〗 일정한 조건 밑에서 새로이 형성되는 반응. 파블로프(Pavlov I. P.)의 조건 반사(反射)에 관한 사고(思考)가 심리학자에 의하여 확장(擴張)되어 생리학적(生理學的)인 의미(意味)에 있어서의 반사(反射)에 국한되지 아니하고 더욱 거시적(巨視的)인 운동 단위(運動單位)를 나타내는 것으로서 인간이나 동물의 행동 일반에 적용될 때 조건 반사의 사상(事象)을 총칭하는 의미로 쓰임.

조건 발생적 방법【條件發生的方法】[―껀―쌩―] 명〔conditional genetical method〕〖심〗 레빈(Lewin, K.)이 생물 과학(生物科學) 특히 심리학(心理學)에 있어서 개념 구성(概念構成)의 방법에 관하여 강조한 방법. 어떤 사상(事象)에 관계되는 조건을 조직적으로 변화시켜 어떠한 조건하에 어떠한 심리적 사상(事象)이 일어나는지에 관하여 양자(兩者)의 역학적 의존 관계(依存關係)를 명확히 하여 과학적 이론이나 법칙을 얻으려고 하는 연구 방법임.

조건-법【條件法】[―껀뻡] 명〖언〗 영문법 따위에서 가정적 조건에 대한 귀결(歸結)의 구(句)에 쓰이는 동사의 변화형.

조건-부【條件附】[―껀―] 명 어떤 행위 판단, 약속 같은 것에 대해 일정한 제한(制限)을 붙인 것. 무슨 일에 어떤 조건이 붙은것. ¶~ 원조/~ 후원.

조건부 권리【條件附權利】[―껀―궐―] 명〖법〗 ①조건의 성취에 의해 취득된 권리. ②조건부 법률 행위의 당사자의 일방(一方)이 조건의 성부(成否)가 미정(未定)일 동안에 갖는 기대 또는 희망을 권리로서 보호한 바 그 권리.

조건 부등식【條件不等式】[―껀―] 명〔conditional inequality〕〖수〗 그 안에 포함되는 문자의 한정된 범위의 수치일 때에만 성립되는 부등식. $(x-1)(x-1)<0$ 같은 것. 조건부 부등식이 성립하는 문자의 범위를 구하는 일을 부등식을 푼다고 함. ↔절대 부등식.

조건부 불안정【條件附不安定】[―껀―] 명〔conditional instability〕〖기상〗 기주(氣柱)의 기온 감률(減率)이 건조 단열(乾燥斷熱) 감률보다 작으며, 습윤(濕潤) 단열 감률보다 큰 상태.

조건부 안정 회로【條件附安定回路】[―껀―] 명〔conditionally stable circuit〕〖전〗 어떤 값의 입력 신호(入力信號)와 이득(利得)에 대해서는 안정하며, 다른 값에 대해서는 불안정한 회로.

조건부 융자【條件附融資】[―껀―] 명〔conditional financing〕〖금융〗 금융 기관이 대부금(貸付金)의 용도를 지정하거나 대부금의 반제(返濟)에 조건을 붙이어 행하는 융자.

조건부 확률【條件附確率】[―껀―뉼] 명〔conditional probability〕〖수〗 사물 A가 일어났다는 제약(制約)하에 사물 B가 일어나는 확률. A·B 가 동시에 일어나는 확률을 A가 일어나는 확률로 나눈 것과 같음.

조건 수렴【條件收斂】[―껀―] 명〖수〗 수렴은 하지만 절대 수렴은 하지 않는 급수(級數)의 성질.

조건 이:론【條件理論】[―껀―] 명〔contingency theory〕〖경〗 개별 구체적 특수 이론과 보통 이론의 중간에 있다는 뜻으로, 중범위(中範圍) 이론의 하나로 봄. 추상도(抽象度)가 높은 보편(普遍) 이론의 존재를 부정하는 것은 아니지만, 조작성(操作性)과 구체성을 높이기 위해, 국별(國別)의 문화적 조건, 업종(業種)의 특성 등 환경 조건을 도입(導入)하여 정밀화(精密化)를 도모하려는 이론. 조건 적합(適合) 이론.

조건 자:극【條件刺戟】[―껀―] 명〔conditioned stimulus〕〖심〗 조건 반사(反射) 또는 조건 반응(反應)을 일으키게 하는 자극. ↔무조건 자극. *조건 반사(條件反射).

조건적 기생자【條件的寄生者】[―껀―] 명 독립해서도 살 수 있지만 환경 조건에 따라 기생적으로 되는 생물. 벼룩 따위.

조건 적합 이:론【條件適合理論】[―껀―니―] 명〖경〗 조건 이론.

조건-제【條件劑】[―껀―] 명 부유(浮遊) 선광을 할 때, 기포제(起泡劑)·포집제(捕集劑) 등을 써서, 광물의 부유를 변화시키는 부유 선광의 시약(試藥). 포집제와 입자 표면 사이의 인력(引力)을 강하게 하며 또는 입자 표면을 젖기 쉽게 만듦.

조건 제시법【條件提示法】[―껀―뻡] 명〖수〗 어떤 주어진 집합에 속하는 원소들을 모두 나열하고 { }로 묶는 방법.

조건 치:사 돌연 변:이【條件致死突然變異】[―껀―] 명 일정한 온도 범위에서와 같이 특정한 성장 조건(成長條件)에서만 치사적(致死的)으로 되는 돌연변이.

조건 카르텔【條件―】〔도 Kartell〕[―껀―] 명〖경〗 같은 종류의 기업자가 연합하여 상품의 인도 조건(引渡條件)·지급(支給) 조건 등 판매 제조건(諸條件)을 협정(協定)하는 일. 운임·포장비의 계산 가격 등을 협정하는 것 따위.

조건 투쟁【條件鬪爭】[―껀―] 명 사회 운동이나 노동 쟁의(爭議) 등에서 당초의 요구를 관철하기가 어려울 때, 권력 또는 사용자측이 어느 정도의 양보를 했을 때, 전술을 전환해서 일정한 조건의 획득으로 투쟁의 해결을 도모하려고 교섭을 진행시키는 일.

조걸 준 조것을. ¶~ 주시오. <저걸. *요걸.

조걸-로 준 조것으로. <저걸로. *요걸로.

조:걸 위악【助桀爲惡】 명 조걸 위학(助桀爲虐). ――-하다 자 여불

조:걸 위학【助桀爲虐】 명 못된 사람을 부추기어 악한 짓을 하게 함. 조걸 위악(助桀爲惡). ――-하다 자 여불

조것[1] 명 〈옛〉 조짜. ¶조것(僞物)≪字會 下 21 賈字註≫.

조것[2] 지대 조기 있는 사물(事物)을 가리키는 말. ¶~을 주시오. 준조거. <저것. *요것.

조게 준 조것이. ¶~ 사람을 놀려. <저게[2]. *요게.

조:격[1]【阻隔】 명 가려 막혀서 서로 통하지 못함. ――-하다 자 여불

조:격[2]【造格】[―껵] 명〖언〗 부사격(副詞格).

조격[3]【調格】 명 시의 가락과 격식.

조:견[1]【早見】 명 한눈에 얼른 쉽게 봄. ¶~표. ――-하다 타 여불

조견[2]【朝譴】 명 조정(朝廷)에서 내리는 견책(譴責). 조정에서 꾸짖음. ――-하다 타 여불

조:견-표【早見表】 명 한눈에 얼른 쉽게 보도록 만든 표.

조경[1]【鳥逕】 명 겨우 새나 통할 정도의 산 속의 좁은 길.

조:경[2]【造景】 경치를 아름답게 꾸미는 일. ――-하다 자 여불

조:경[3]【照鏡】 명 물건을 비추어 보는 거울.

조:-경[4]【趙絅】 명〖사람〗 조선 인조(仁祖)·효종(孝宗) 때의 문신(文臣). 자는 일장(日章), 호는 용주(龍洲). 한양(漢陽) 사람. 병자 호란(丙子胡亂) 때 척화(斥和)를 주장함. 대제학(大提學)·형조(刑曹)·예조(禮曹) 판서를 거쳐 이조(吏曹) 판서가 되어 이도(吏道)를 쇄신, 관리 등용의 공정을 기해 명망(名望)을 얻음. 숙종(肅宗) 때 청백리(淸白吏)에 녹선(錄選)되고 기로소(耆老所)에 들어감. 저서에 ≪용주집(龍洲集)≫이 있음. 시호는 문간(文簡). [1586-1669]

조:-경[5]【趙儆】 명〖사람〗 조선 선조(宣祖) 때의 무신. 자(字)는 사척(士惕). 풍양(豐壤) 사람. 선조 24년(1591) 강계 부사(江界府使)로 있을 때 귀양 온 정철(鄭澈)을 우대했다가 파직되었으나 이듬해 임진 왜란이 일어나 경상 우도 방어사(慶尙右道防禦使)로 재등용되어 황간(黃澗) 등지에서 싸움. 그해 수원 부사(水原府使)가 되었고 권율(權慄)을 도와 가선 대부(嘉善大夫)가 되었고, 동 29년(1596) 훈련 대장(訓練大將)이 됨. 시호는 장의(莊毅). [1541-1609]

조경[6]【調經】 명 월경(月經)을 고르게 함. ――-하다 자 여불

조경[7]【潮境】 명〖지〗 다른 해류 등이 한 선의 양측에서 모여서 접하여 불연속선(不連續線)을 이루는 수렴선(收斂線).

조경[8]【躁競】 명 마음을 조급히 굴면서 권세를 다툼. ――-하다 자 여불

조:-경망【趙景望】 명〖사람〗 조선 숙종(肅宗) 때의 학자. 자(字)는 운로(雲老), 호는 기와(寄窩). 임천(林川) 사람. 군수(郡守)를 지냈으나 숙종 15년(1689) 기사 환국(己巳換局) 이후 벼슬을 버림. 서사(書史)를 연구, 경적(經籍)에 통달했고, 글씨도 전서(篆書)·예서(隸書)·해서(楷書)에 뛰어났음. [1629-94]

조:경-묘【肇慶廟】 명〖역〗 조선 왕조의 먼 조상인 신라의 사공공(司空公)의 위패(位牌)를 봉안하던 곳. 전주(全州) 시내에 있음.

조:경 어장【潮境漁場】 명 성질이 다른 두 조류가 만나는 곳에 형성되는 어장.

조경 종옥탕【調經種玉湯】 명〖한의〗 부인의 임신(妊娠)에 응용하는 처방의 하나. 정서적으로 불안하여 월경이 고르지 못하고 임신이 되지 않는 증세를 다스림.

조:경 풍치림【造景風致林】 명 풍치를 아름답게 할 수풀.

조:경-학【造景學】 명 쾌적하고 아름다운 환경을 조성하기 위하여 외부 공간의 계획 및 설계 등을 연구하는 학문.

조-경환【曺京煥】 명〖사람〗 대한 제국 때의 의병장. 광주(光州) 출신. 융희(隆熙) 1년(1907) 군대가 해산되자 의병을 일으켜 학포 마병대(鶴浦馬兵隊)·영광군(靈光郡)의 사창(社倉) 등을 습격했고 이듬해 호남 창의 대장(湖南倡義大將)이 되어 광주·나주(羅州)·장성(長城) 등지에서 싸웠으며, 1909년 일본군과 교전하다가 전사함. [1877-1909]

조:계[1]【早計】 명 아직 적당(適當)한 시기에 이르지 못한 계획(計劃). 너무 이른 계획.

조계[2]【阼階】 명 관혼 상제(冠婚喪祭) 때에 주인이 손을 맞는 동쪽 섬돌.

조계[3]【租界】 명〔concession〕 중국에서 아편 전쟁 이후, 개항 도시(開港都市)에서 외국인이 그들의 거류 지구(居留地區) 안의 경찰 및 행정을 관리하는 조직 및 그 지역. 1845년 영국이 상하이(上海)에 창설(創設)한 이래 한때는 8 개국이 28 개처에 설치하였으나 제2차 대전 이후에는 폐지되었음. 정식 명칭은 공관 거류지(共管居留地) 또는 전관(專管) 거류지. ¶공동(共同) ~지.

조계[4]【朝啓】 명〖역〗 중신(重臣)과 시종신(侍從臣)이 편전(便殿)에서, 관원(官員)의 죄를 논(論)하고 단죄(斷罪) 내리기를 임금에게 아뢰는 일.

조계[5]【鶪鷄】 명〖조〗 물수리. 징경이.

조계[6]【鼂雞】 명〖충〗 꼽등이.

조계 대:사【曹溪大師】 명〖사람〗 혜능(慧能)의 통칭(通稱).

조계-사【曹溪寺】 명〖불교〗 서울 특별시 종로구 수송동(壽松洞)에 있는 조계종 총무원 직할의 절. 일제 시대 산만하던 불교 교단(敎團)을 통일하기 위해 1929년사찰령(寺刹令)에 의해 선교 양종(禪敎兩宗)의 종헌(宗憲)을 제정, 중앙 교무원(中央敎務院)을 설치하고 1937년 조선 불교 총본산을 설립, 태고사(太古寺)라 했다가 1955년 불교 정화 운동이 성취되면서 조계사로 개칭하였음. 높이 1.54 m, 구경 89 cm의 동종(銅鐘)이 있고, 천연 기념물인 수송 백송(壽松白松)이 있음.

조계-종【曹溪宗】 명〖불교〗 ①고려 때 신라의 구산 선문(九山禪門)을

합친 종파로 천태종(天台宗)에 대하여 부르는 말. 구산(九山)이 모두 중국 선종 육조(禪宗六祖)인 조계 혜능 선사(曹溪慧能禪師)의 종풍(宗風)을 계승하였기 때문임. 칠종(七宗)과 또는 칠종 십이파의 하나로서, 나중에 선종(禪宗)이 되었는데, 우리 나라 불교의 여러 교파 가운데 오직 이 교파만이 법맥(法脈)을 지금까지 전함. *구산(九山). ②태고 국사(太古國師)를 종조(宗祖)로 삼은 우리 나라 불교를 부르는 말. 이때까지의 우리 나라 불교는 선교(禪教) 양종(兩宗)이었으나 1941년 융섭(隆攝)한 단일종(單一宗)을 만들었는데 우리 나라의 선종(禪宗)은 여러 가지 종풍(宗風)과 종맥(宗脈)이 한데 합쳐졌으므로 종명(宗名)은 그 여러 가지 종맥이 흘러 나온 혜능 선사가 있던 조계산(曹溪山) 이름을 빌려다 붙이었음.

조계종 신:도회【曹溪宗信徒會】명 〖불교〗 조계종 신도 및 신도 단체의 전국적인 조직체(組織體). 중앙 본부가 서울에 있고, 각 교구(教區)마다 교구 지부(支部)를 두고, 그 밑에 분회(分會)가 있음. 정식 명칭은 대한 불교 조계종 전국 신도회(大韓佛教曹溪宗全國信徒會).

조계-지【租界地】명 조계(租界)로 정하여진 땅.

조:고[1]【早孤】명 어려서 어버이를 여읨. ——-하다 자여불

조고[2]【祖考】명 죽은 할아버지. 왕고(王考).

조고[3]【祖姑】명 조부모(祖父母)의 자매(姉妹).

조고[4]【凋枯】명 시들어 죽음. ——-하다 자여불

조:고[5]【照考】명 율문(律文)을 참조(參照)하고 자상하게 생각함. ——-하다 타여불

조:-고[6]【趙高】명 〖사람〗 중국 진(秦)나라의 환관(宦官). 시황제(始皇帝)가 죽자 조서를 거짓 꾸며 시황제의 장자 부소(扶蘇)를 죽이고 우둔한 호해(胡亥)를 제2세 황제로 즉위시킴. 이어 이 사(李斯)를 죽이고 정승(政丞)이 되어 온갖 횡포한 짓을 많이 하였음. [?-207 B.C.]

조:고[7]【遭故】명 당고(當故). ——-하다 자여불

조고[8]【潮高】명 〖지〗 조석(潮汐)에 의하여 일어나는 수위(水位)의 상승량(上昇量).

조고[9]【操觚】명 〔고(觚)는 옛날 종이가 없을 때 글자를 쓰던 네모진 나무패〕 글자를 쓰는 패를 잡음. 곧, 붓을 들고 글을 지음. 문필(文筆)에 종사(從事)함.

조고[10] 지대 〈방〉 조것²(경상).

조고-계【操觚界】명 문필(文筆)에 종사하는 사람의 사회.

조고랭이 명 〈방〉 조롱박(경남).

조고리 명 〈방〉 저고리(경기·강원).

조고마치 부 〈방〉 조그만큼.

조고마큼 부 〈방〉 조그만큼.

조고마-하다 형 ☞ 조그마하다.

조고만치 부 〈방〉 조그만큼.

조고만큼 부 〈방〉 조그만큼.

조:고 사인【詔誥舍人】명 〖역〗 발해 시대에 중대성(中臺省)에 속했던 관직.

조:고 여생【早孤餘生】명 어려서 어버이를 잃고 자란 사람.

조고-자【操觚者】명 문필에 종사하는 사람.

조:곡[1]【弔哭】명 조문 가서 조상하여 우는 울음. ——-하다 자타여불

조곡[2]【組曲】명 〖악〗 '모음곡(曲)'의 한자 이름.

조곡[3]【†粗麯】명 〔← 조국(粗麴)〕 섬누룩.

조곡[4]【朝哭】명 소상(小喪)까지 이른 아침마다 궤연(几筵) 앞에서 우는 울음. ——-하다 자여불

조곡-관【鳥谷關】명 〖역〗 문경(聞慶) 새재의 제2 관문(關門)의 이름. *조령관(鳥嶺關).

조곤[1]【彫困】명 영락(零落)하여 고생함. 또, 그 사람.

조-곤[2]【曹錕】명 〖사람〗 '차오 쿤'을 우리 음으로 읽은 이름.

조:골 세:포【造骨細胞】명 〔osteoblast〕 〖생〗 골질(骨質)을 분비(分泌)하여 뼈를 만드는 세포(細胞).

조:골편 세:포【造骨片細胞】명 〖동〗 골편 모세포(骨片母細胞).

조곰[1] 명 〈옛〉 조금⁴. 조감(潮減). ¶첫 조곰(上弦) ≪譯語 上 3≫.

조곰[2] 부 〈방〉 조금⁶.

조:공[1]【助攻】명 조세(助勢)해서 공격(攻擊)함. 또, 그 공격. ↔주공(主攻). ——-하다 타여불

조공[2]【租貢】명 조세(租稅) 등을 바침. ——-하다 타여불

조공[3]【彫工】명 조각(彫刻)을 업으로 하는 사람. 조각사(彫刻師).

조공[4]【朝貢】명 〖역〗 옛날 종주국(宗主國)에 속국(屬國)이 때맞추어 예물(禮物)로 물건을 바치는 일. ——-하다 타여불

조:공[5]【照空】명 하늘을 비춤. ——-하다 자여불

조:공-대【照空隊】명 〖군〗 밤에 적기(敵機)의 발견과 또는 자기 편의 고사포대와 항공대에게 구축(驅逐)·격추의 편의를 주기 위하여 조공등(照空燈)과 청음기(聽音機)로써 공중을 비추어 보거나 소리를 듣는 일로 정찰하는 부대.

조:공-등【照空燈】명 〖군〗 탐조등(探照燈).

조:과[1]【早課】명 〖천주교〗 '아침 기도'의 구용어.

조과[2]【租課】명 연공(年貢). 조세(租稅). 또, 조세의 할당.

조:과[3]【造菓】명 유밀과(油蜜菓)·과자(菓子) 같은 것을 일컫는 말. ↔실과(實果)❷.

조:과[4]【釣果】명 낚시질의 성과. 낚아 올린 수확물.

조과[5]【朝課】명 아침 일과.

조:과동 천실서【造菓東天實西】명 제사의 제물(祭物)을 진설(陳設)할 때에, 유밀과·과자 등속은 동쪽에, 천연 과일은 서쪽에 차리는 격식. *조율 이시(棗栗梨柿).

조과지-도【調過之道】명 살아 가는 길.

조:곽【早藿】명 일찍이 따서 말린 미역.

조관[1]【條款】명 벌여 놓은 조목(條目).

조관[2]【朝官】명 〖역〗 ①조신(朝臣). ②고려 때, 육칠품(六七品)인 국자감(國子監)의 사업 박사(司業博士), 사관(史館)의 교서(校書), 태의감(太醫監), 사천대(司天臺)의 녹사(錄事)와 종칠품인 문하성(門下省) 녹사(錄事) 등의 관원의 일컬음. *서관(庶官).

조관[3]【朝冠】명 관원이 조복에 쓰던 관.

조:관[4]【照管】명 맡아서 보관함. ——-하다 타여불

조관[5]【澡罐】명 절에서 중들이 손 씻는 물을 담아 두는 그릇. 주전자(酒煎子) 모양과 비슷함.

조광[1]【粗鑛】명 파 내어 정선(精選)하지 아니한 광석(鑛石). 원광(原鑛).

조광[2]【朝光】명 아침 햇빛. 조휘(朝暉).

조광[3]【朝光】명 〖역〗 조선 일보사(朝鮮日報社)에서 발행한 월간(月刊) 종합지(綜合誌). 1935년 11월 창간(創刊)되어 1944년 12월까지 존속됨.

조:광[4]【照光】명 번쩍이는 빛.

조:-광[5]【趙匡】명 〖사람〗 고려 인종(仁宗) 때의 반란자. 서경(西京) 출생. 인종 13년(1135) 묘청(妙淸)의 난 때 서경 분사 시랑(西京分司侍郞)으로 이에 가담하였으나, 후에 묘청을 참살하고, 항복을 청했으나, 김부식(金富軾)이 서경을 함락함에 분사(焚死)하였음. [?-1136]

조광[6]【躁狂】명 미쳐 날뜀. ——-하다 자여불

조광-권【租鑛權】[-꿘] 명 남의 광구(鑛區)에서 광물을 채굴(採掘)·취득(取得)하는 권리. ¶~자(者).

조광-기【調光機】명 〖연〗 무대(舞臺) 및 관람석(觀覽席)의 조도(照度)를 서서히 변화시키는 장치(裝置). 저항식(抵抗式)·변압기식(變壓器式) 및 리액터식(reactor 式)의 세 가지가 있음.

조광-료【租鑛料】[-뇨] 명 덕대가 광구주(鑛區主)로부터 빌린 조광권(租鑛權)의 사용료(使用料)로 광구주에게 바치는 얼마의 광물이나 돈.

조:-광(:)윤【趙匡胤】명 〖사람〗 중국 송(宋)나라 태조. 후주(後周)의 절도사(節度使)로 군공(軍功)을 세워 위망(威望)을 얻었음. 뒤에 동생 광의(匡義)와 명신 조보(趙普)의 힘을 입어 송나라를 건설하여 문치주의 정치를 하였음. [927-976; 재위 960-976]

조:-광조【趙光祖】명 〖사람〗 조선 중종(中宗) 때 기묘 사화(己卯士禍)를 만난 학자. 자는 효직(孝直), 호는 정암(靜庵). 한양(漢陽) 사람. 성리학자(性理學者) 김종직(金宗直)의 학통(學統)을 이은 사림파(士林派)의 영수로서 도덕적(道德的) 이상 정치(理想政治)를 꾀하여 향촌(鄕村)의 상호 부조를 위하여 여씨 향약(呂氏鄕約)의 실시, 미신 타파를 위하여 소격서(昭格署)의 폐지, 현량과(賢良科)의 실시, 훈구파(勳舊派)의 삭훈(削勳) 등 급진적인 개혁을 추진하였으나 원로들과 충돌, 훈구파 홍경주(洪景舟)·남곤(南袞)·심정(沈貞) 등이 일으킨 기묘 사화(己卯士禍)로 능주(綾州)로 귀양갔다가 사사(賜死)됨. 문묘(文廟)에 배향되었음. 시호는 문정(文正). [1482-1519]

조-광(:)진【曺匡振】명 〖사람〗 조선 정조(正祖) 때의 명필. 자는 정보(正甫), 호는 눌인(訥人). 용담(龍潭) 사람. 원교(圓嶠) 이광사(李匡師)의 글씨를 배우고 만년에 안노공(顔魯公)의 체를 썼으며, 행초서(行草書)는 중국 청(淸)나라의 유석암(劉石庵)의 체를 많이 썼고, 예서(隸書)는 장수옥(張水屋)을 따랐음. [1772-1840]

조:괴【造塊】명 ①덩이를 만듦. ②강괴(鋼塊)를 만듦. ——-하다 자여불

조:교[1]【弔橋】명 〖토〗 현수교.

조:교[2]【助教】명 ①〖역〗 신라 때 국학(國學)의 박사(博士)의 다음 벼슬. ②〖역〗 고려 때 국학(國學)·태의감(太醫監)의 한 벼슬. ③〖역〗 대한 제국(帝國) 때 무관 학교(武官學校)·육군 유년 학교(陸軍幼年學校)의 한 벼슬. ④대학(大學)의 교수(教授) 밑에서 연구(研究)와 사무의 보조(補助)를 맡은 사람. ⑤〖군〗 교관(教官)을 도와 교재(教材)의 관리·시범(示範) 훈련·피교육자(被教育者)의 인솔(引率) 등의 일을 맡은 하사관(下士官).

조:교[3]【照校】명 대조(對照)하여 보아 맞는지 안 맞는지를 검토(檢討)함. ——-하다 타여불

조교[4]【調教】명 승마(乘馬)를 훈련함. ——-하다 타여불

조:교-법【助教法】[-뻡] 명 〔monitorial system〕 〖교〗 교사(教師)의 지도 아래 학생 중에서, 가장 나이 많고 우수한 학생으로 하여금 다른 학생을 교수하게 하는 방법.

조교-사【調教師】명 조교(調教)를 직업으로 하는 사람.

조:-교수【助教授】명 〖교〗 대학 교수의 하나. 부교수(副教授)의 아래.

조:-교육【早教育】명 〖교〗 학령(學齡)에 달하기 전에 가정에서 교육시키는 일. 주로 읽기·쓰기·산술·어학 등 지적 측면(知的側面)의 교육을 유아기(幼兒期)중에 행하는 일.

조구[1] 명 〈방〉 〖어〗 조기(평안·전라).

조:구[2]【釣鉤】명 낚시.

조구[3]【朝駈】명 이른 아침 불시에 적을 침공(侵攻)함. ——-하다 타여불

조구[4]【漕溝】명 〖토〗 조거(漕渠).

조:구-등【釣鉤藤】명 ①〖식〗 꼭두서닛과에 속하는 목질 만초(木質蔓草). 잎은 대생(對生)하고 끝이 뾰족한 달걀꼴인데, 엽액(葉腋)마다 두 개의 낚시 비슷한 가시가 있어, 다른 물건에 붙어서 감김. 흰 바탕에 황갈색(黃褐色)을 띤 긴 깔때기 모양의 둥글둥글한 소화(小花)가 여름에 핌. 가시는 약용(藥用)함. ㊀조등(釣藤). ②〖한의〗 응달에서 말린 조구등의 가시. 성질(性質)은 조금 찬데, 풍증(風症)이나 어린애의 경간(驚癎)에 씀.

조구랭이 명 〈방〉 조롱박(경남).

조구리 명 〈방〉 저고리(평안).

조구 일세【——世】〔Zogu Ⅰ〕 [-쎄] 명 〖사람〗 알바니아의 국왕. 제1차 대전중 오스트리아에서 독립 운동으로 이름을 높이고, 전후 알바

니아의 내상 겸 군사령관, 수상 등을 거쳐 1925년 대통령이 되었고, 보수파를 배경으로 독재권을 쥔 채 왕위에 올랐으나, 1939년 이탈리아군의 침입으로 그리스로 망명하였음. [1895-1961]

조:구조 운:동【造構造運動】[명]〖지〗구조 운동(構造運動).

조국¹【祖國】[명] ①조상 적부터 살던 나라. 자기가 난 나라 또는 외국에 있으면서 자기 나라를 가리켜 이름. 부모국(父母國). 부모지방(父母之邦). ②민족의 일부 또는 국토(國土)의 일부가 떨어져서 딴 나라에 합쳤을 적에 그 본디의 나라.

조국²【粗麯·粗麴】[명] →조곡(粗麴).

조:국³【肇國】[명] 나라를 비로소 세움. ——-하다 [자][여불]

조국 문학【祖國文學】[명]〖문〗조국을 사모(思慕)하는 내용의 문예 작품(文藝作品).

조국 사:상【祖國思想】[명] 조국을 잊지 않는 사상.

조국-애【祖國愛】[명] 조국에 대한 사랑. 애국심.

조국 정신【祖國精神】[명] 조국을 위하는 정신.

조군¹【一軍】[명] ←교군(轎軍).

조군²【阜君】[명]〖조〗황새.

조군³【漕軍】[명]〖역〗조졸(漕卒).

조군-꾼【一軍一】[명] ←교군(轎軍)꾼.

조:궁【造宮】[명] 궁전(宮殿)을 만듦. ——-하다 [자][여불]

조:궁-장이【造弓匠一】[명] 활을 만드는 장색(匠色). 궁인(弓人). [준]궁장(弓匠)이.

조궁 즉탁【鳥窮則啄】[명] 쫓기는 새가 도망갈 곳을 잃으면 도리어 상대방을 쫀다는 뜻. 비록 약한 짐승이라도 궁지에 몰리면 강적을 해침을 비유하는 말.

조권【朝權】[一꿘] [명] 조정(朝廷)의 권력. 조정의 권위.

조:귀¹【早歸】[명] 일찍이 돌아감. ——-하다 [자][여불]

조귀²【朝歸】[명] 아침이 돌아옴. 아침이 됨. ——-하다 [자][여불]

조규【條規】[명] 조문(條文)의 규정(規定).

조균¹【朝菌】[명] 덧없는 짧은 목숨. 아침에 생겼다가 저녁에 스러지는 버섯에 비유하여 이르는 말.

조균²【調均】[명] 조화(調和). ——-하다 [자][타][여불]

조균-류【藻菌類】[一뉴] [명]〖식〗조균 식물.

조균 식물【藻菌植物】[명]〖식〗[Phycomycophta] 하등 식물의 한 문(門). 진균(眞菌) 식물과 함께 엽록소(葉綠素)가 없어 종속 영양을 함. 몸은 단세포(單細胞) 또는 다(多)세포의 균사체(菌絲體)로 세포 사이에 격벽(隔壁)이 없음. 무성적(無性的)으로 포자(胞子)나 유주자(遊走子)를, 유성적(有性的)으로 접합 포자(接合胞子)를 만들어 번식함. 진균 식물의 한 강(綱)으로 분류되기도 함. 거미줄곰팡이·물곰팡이·빵곰팡이 등이 이에 속함. 조균류. *진균 식물.

조그랭이-박 [명]〈방〉조롱박(경북).

조그마치 [부] ☞조그만큼.

조그마큼 [부] ☞조그만큼.

조그마-하다 [형][여불] 조금 작거나 적다. 그리 크거나 많지 아니하다. [준]조그맣다. ㅆ조끄마하다.

조그만 [준] 조그마한. ㅆ조끄만.

[조그만 실뱀이 온 바닷물을 흐린다] 못된 사람 하나가 한 집안이나 한 사회를 망침의 비유.

조그만치 [부] ☞조그만큼.

조그만큼 [부] 매우 적은 정도로.

조그만-하다 [형] ☞조그마하다.

조그맣다 [一마타] [형][ㅎ불] ↗조그마하다. ㅆ조끄맣다.

조:-극관【趙克寬】[명]〖사람〗조선 초기의 문신. 양주(楊州) 사람. 태종(太宗) 18년(1418) 양녕 대군(讓寧大君)이 세자에서 물러나게 됨에 따라 잘못 보도(輔導)했던 죄로 파직되었음. 뒤에 재등용되어 세종(世宗) 31년(1449) 함길도 관찰사(咸吉道觀察使)로 야인(野人)의 침입을 막아 전공을 세웠고, 문종(文宗) 1년(1451) 동지중추부사(同知中樞府事)로 재직 중 함경도 일대의 방수(防戍) 대책을 건의하여 성곽을 보수·신축하고 군사 훈련 제도를 강화하게 함. 단종 1년(1453) 계유 정난(癸酉靖亂) 때 격살(擊殺)당함. [?-1453]

조근¹【朝槿】[명] 아침에 피었다가 저녁에 시드는 무궁화. 전(轉)하여, 덧없는 것의 비유.

조근²【朝覲】[명] 조현(朝見). ——-하다 [자][여불]

조:금¹【造金】[명] 인조(人造)로 된 황금.

조금²【條芩】[명]〖한의〗황금초(黃芩草)의 새로 생긴 가는 뿌리. 해열제(解熱劑)로 쓰는 약재. 자금(子芩).

조금³【彫金】[명] 금속 조각(金屬彫刻)의 한 기법. 끌을 이용하여 금속에 조각(彫刻)함. ——-하다 [자][여불]

조금⁴【潮一】[명] [←조감(潮減)] 음력(陰曆) 매달 초여드레와 스무 사흘. 조수(潮水)가 가장 낮은 때의 일컬음.

조금⁵【調金】[명] 금전을 조달(調達)함. ——-하다 [자][여불]

조금 [중세: 죠곰] [一][명] ①적은 정도나 분량. ¶~이라도 다르면 안 된다. ②짧은 동안. ¶~만 더 기다리면 된다. [二][부] ①정도나 분량이 적게. ②시간적으로 짧게. ¶~ 후에. [준]좀. ㅆ조끔·쪼끔.

조금-날【潮一】[명] 조금 때인 그 날.

조금-도 [부] 전혀. 전연. 뒤에 부정(否定)의 표현이 옴. ¶~ 슬픈 기색이 없다.

조금-씩 [부] 많지 아니하게 여러 번 계속하여.

조금-조금 [부] 어느 것이나 다 조금인 모양. ㅆ조끔조끔. ——-하다 [형][여불]

조:금-치¹【造金峙】[명]〖지〗전라 북도(全羅北道) 무주군(茂朱郡)에 있는 고개. [413 m]

조금-치²【潮一】[명] 조금 때 날씨가 궂는 일. ——-하다 [자][여불]

조:급¹【早急】[명] 늦지 않고 이르며, 느즈러지지 않고 급함. ¶이 학설의 당부는 ~히 판정하지 못한다. ——-하다 [형][여불]. ——-히 [부]

조:급²【造給】[명] 만들어서 지급함. ——-하다 [타][여불]

조급³【躁急】[명] 성질이 참을성이 없이 썩 급함. 급조(急躁). 변급(卞急). ¶~하게 굴다. ——-하다 [형][여불]. ——-히 [부]

조급-성【躁急性】[명] 조급히 구는 성질.

조급-스럽다【躁急一】[형][ㅂ불] 조급한 데가 있다. **조급-스레**【躁急一】[부]

조급-증【躁急症】[명] 조급하게 서두는 성질.

조:-긍하【趙肯夏】[명]〖사람〗영화 감독. 1957년 《황진이(黃眞伊)》로 데뷔. 《육체(肉體)의 길》·《과부(寡婦)》·《광복 20년과 백범 김구(白凡金九)》 등 50여 편을 연출함. [1915-82]

조긔 [명]〈옛〉〖어〗조기¹ =죠긔. ¶조긔 종(鯼)《字會 上 21》.

조기¹ [명]〖어〗참조기·보구치 등의 통칭(通稱). 석수어(石首魚). 석어(石魚). 종어(鯼魚). *참조기.

조:기²【弔旗】[명] ①반기(半旗). ②조의(弔意)를 표하여 검은 선(線)을 두른 기. 남의 행상(行喪)에 흔히 들고 감.

조:기³【早起】[명] 아침에 일찍 일어남. ¶~ 축구회. ——-하다 [자][여불]

조:기⁴【早期】[명] 어떤 기한(期限)이 빨리 옴. 또, 빠른 시기. ¶~ 선거(選擧)/~ 치료.

조기⁵【祖忌】[명]〖불교〗조사(祖師)의 기일(忌日). 조사기(祖師忌).

조기⁶【彫技】[명] 조각(彫刻)의 기술.

조:기⁷【造機】[명] 기관(機關)이나 기계(機械)의 제조.

조:기⁸【釣磯】[명] 낚시터.

조기⁹【朝紀】[명] 조정의 기율(紀律). 조정(朝廷)의 기강(紀綱).

조:기¹⁰【肇基】[명] 토대를 닦음. 기초를 확립함. ——-하다 [자][여불]

조기¹¹【調驥】[명]〖역〗조선 시대 사복시(司僕寺)의 종칠품(從七品) 잡직(雜職)의 하나.

조기¹²【躁氣】[명] 조급한 성미.

조기¹³ [一] [지대] 조곳. ¶~가 종점이다. [二][부] 조곳에. ¶~ 있습니다. < 저기³. *고기¹²·요기⁶.

조:기 경:계기【早期警戒機】[명] [airborne early warning; AEW]〖군〗지상(地上)의 레이더의 전파(電波)를 뚫고 초저공(超低空)으로 침입해 오는 적기를 조기에 발견하기 위하여, 레이더 등을 탑재(搭載)한 색적기(索敵機).

조:기 경:보 위성【早期警報衛星】[명] [early warning satellite]〖군〗'미사일 탐지 위성'의 원명.

조:기 경:보 조직【早期警報組織】[명] [early warning system]〖군〗침공(侵攻)하는 적의 항공기나 미사일을 조기에 탐지(探知)하여 효과적인 방어 태세(防禦態勢)를 전개시키기 위한 레이더 장치와 통신 연락망(通信連絡網).

조:기 공중경:보 통:제기【早期空中警報統制機】[명] [airborne warning and control system]〖군〗조기 경계기(早期警戒機)를 개량한 비행기. 기체(機體) 꼭대기에 공중의 원거리(遠距離) 목표물을 탐지하는 레이더를 달고, 정밀 컴퓨터가 장치되어 있음. 자체 무장(武裝)이 되어 있지 않아, 엄호 전투기나 항로(航路)를 따라 배치된 지대공(地對空) 미사일의 보호를 받아야 함. 에이왁스(AWACS).

조:기 교:육【早期教育】[명] 종래의 상식·관행·정설 등에 의해 인정되는 연령(학령기)이나 시기보다 일찍 실시하는 교육. 개념상으로는 천재교육·영재 교육(英才教育)·재능(才能) 교육 등과 혼용되고 있음.

조기 국수 [명] 조기로 도미 국수 만들 듯 만든 음식.

조기다 [타]〈방〉패다²(평북).

조기-류【條鰭類】[명]〖어〗[Actinopterygia] 경골어류(硬骨魚類)에 속하는 한 아강(亞綱). 대부분의 어류가 이에 속하는데 뼈는 경질(硬質), 피부는 골린(骨鱗) 또는 치질린(齒質鱗)임. 꼬리지느러미는 대개 정형(正形)이고 아가미 뚜껑은 있으나 분수공은 없으며 부레를 가졌음. 농어목(目)·관새목(冠鰓目)·철갑상어목(目)·청어목(靑魚目)·샛비늘치목(目)·잉어목·뱀장어목·대구목·큰가시고기목·송사리목·두렁허리목·금눈돔목·복어목 등이 이에 속함.

조기 모:새【朝祈暮賽】[명] 신불(神佛)에게 아침 저녁으로 참예(參詣)·기원(祈願)하는 일.

조:기-성【早期星】[명]〖천〗특이성(特異星)의 하나. 스펙트럼형(型)에 휘선(輝線)이 있는 항성(恒星).

조:기 수술【早期手術】[명]〖의〗병의 조기에 행하는 수술. 곧, 질환이 어느 국소나 장기(臟器)에 한정되어 있어 그 부분의 수술만으로 완전하고 용이(容易)하게 근치(根治)시킬 수 있는 시기에 행하는 수술. ↔만기(晩期) 수술.

조:기-암【早期癌】[명]〖의〗극히 초기의 암. 주위 조직에의 침윤(浸潤), 림프선 전이(lymph 腺轉移), 다른 장기(臟器)에의 전이도 없어 수술에 의해 근치를 기대할 수 있는 암.

조:기 왕적【肇基王迹】[명] 개국(開國)의 기초.

조:기 유아 자폐증【早期幼兒自閉症】[一쯩] [명]〖의〗정신 질환의 하나. 1-2세경부터 명확한 원인이 없이 정동적(情動的)인 인간 관계를 상실하고 오로지 자기 중심적인 다동적(多動的) 행동을 하는 점이 특징임. *자폐증.

조:기-장【造器匠】[명]〖공〗옹기(甕器)나 사기 그릇의 형태(形態)를 만드는 사람.

조:기 재:배【早期栽培】[명]〖농〗농작물을 보통보다 한두 달 가량 일찍 심어서 거두어 들이는 일. *촉성(促成) 재배.

조기 저:냐 [명] 조기로 만든 저냐.

조기-젓 [명] 조기로 담근 젓.

조기젓-편 명 조기젓의 살과 쇠고기를 함께 고아서 그릇에 얇게 퍼담고, 버섯·석이·알고명·실고추 따위를 뿌려 굳힌 반찬. 염석어교(塩石魚膠).
조기 조림 명 조기를 간장에 조린 반찬.
조기-죽【一粥】명 조기의 살로 쑨 죽. 멥쌀을 끓이다가 간장을 치고 조기의 살을 넣어 끓인 죽.
조기 지짐이 명 조기로 만든 지짐이.
조:기 청소【早期淸掃】명 이웃끼리 아침 일찍 일어나 동네 안팎을 청소하는 일.
조:기 침윤【早期浸潤】명〖의〗폐결핵(肺結核)의 특수한 초기의 병형(病型). 흔히 유행성 감기와 같은 증상으로 발열(發熱)함. 뢴트겐 검사를 하면, 쇄골(鎖骨) 밑의 바깥 쪽에 원형(圓形)의 침윤이 있음. 쇄골하침윤(鎖骨下浸潤). 원형 침윤(圓形浸潤).
조:기 파:수【早期破水】명〖의〗이상(異常) 파수의 일종. 임상상(臨床上)으로는 진통이 일어나기 전의 파수와, 자궁구(子宮口)가 전개대(全開大)하지 않고 태아 하향부(胎兒下向部)가 골반 입구에 진입 고정(進入固定)하기 전의 파수의 양쪽을 말함. 원인은 협골반(狹骨盤)·태아 위치 이상·복강 내압(腹腔內壓)의 급승(急昇) 등임.
조:기 파종【早期播種】명 제철보다 일찍 파종하는 일. ——-하다 자 여불
조:기 품종【早期品種】명 일찍 파종하여 일찍 수확하는 품종. 올품종.
조-기호【調記號】명〖악〗조표(調標).
조기-회[1]【一膾】명 조기의 살로 만든 회.
조:기-회[2]【早起會】명 한 동네 사람끼리 아침 일찍 일어나서 함께 운동·청소 등을 하기 위해 조직한 모임. 조기 축구회(蹴球會) 따위.
조깃-국 명 조기로 끓인 국. 미나리와 쇠고기를 넣고 맑은 장국이나 고추장을 풀어 끓임.
조깃-배 명 조기잡이에 종사하는 배.
[조깃배에는 못 가리라] 조깃배가 조기를 잡을 때에 떠들면 조기가 놀라서 도망치는 것이므로, 쓸데없이 말이 많은 사람을 꾸짖는 말.
조깅〔jogging〕명 일종의 건강 증진(健康增進)을 위한 완주(緩走). 속도(速度)는 뛰면서 대화(對話)를 나눌 수 있을 정도로, 100 미터에 55 초가 표준임.
조-까지로 부 겨우 조만한 정도로. ¶～ 무엇을 하겠다는 거냐. <저까지로. *고까지로·이까지로·요까지로.
조-까짓 관 겨우 조것만한 정도(程度)의. ¶～ 문제(問題). <저까짓. *요까짓·이까짓.
조-깜부기 명 가맣게 깜부기로 된 조의 이삭.
조깨 부〈방〉조금(전라).
조께 명〈방〉조끼[1].
조끄마-하다 형 여불 ☞조그마하다.
조끄만 손까락 명〈방〉새끼 손가락(함경).
조끔 부 ☞조끔.
조꼽-질 명〈방〉소꿉질. ——-하다 자
조끄마-하다 형 여불 조금 작거나 적다. ㅅ조그마하다.
조끄만 준 조끄마한. ㅅ조그만.
조끄맣다〔一마타〕형 ㅎ불 ↗조끄마하다. ㅅ조그맣다.
조끔 一 명 ①적은 정도나 분량. ②짧은 동안. 二 부 ①정도나 분량이 적게. ②시간적으로 짧게. 1)·2): ㅅ조금. ㅆ쪼끔.
조끔-조끔 부 여럿이 다 적은 모양. ㅅ조금조금.
조끼[1] 명 배자(褙子)와 같이 되고, 호주머니가 둘 이상 넷까지 달린 옷. 동의(胴衣). ¶방탄(防彈)～. 취음(取音):족기(簇只).

〈조끼[1]〉

조끼[2]〔jug〕명 맥주를 담아 마시는 주둥이가 넓고 손잡이가 달린 컵.
조끼 적삼 명 모양이 조끼 같고 소매가 달린 등거리.
조끼 주머니 명〈방〉호주머니(함경).
조끼 치마 명 점퍼 스커트.
조끼-허리 명 조끼를 붙여서 앞이나 뒤로 여며 입게 된 여자용의 치마허리나 바지 허리.
조끼허리 통치마 명 조끼허리를 달아서 어깨에 걸어 입는 여자의 통치마.
조-나라[1]【曹一】명〖역〗중국의 '조(曹)'를 나라로서 똑똑히 일컫는 말.
조:-나라[2]【趙一】명〖역〗중국의 '조(趙)'를 나라로서 똑똑히 일컫는 말.
조-나마 부 조것이나마. ¶～ 있었더라면. <저나마. *요나마.
조:난【遭難】명 재난(災難)을 만남. ¶～ 현장. ——-하다 자 여불
조:난-선【遭難船】명 재난을 당한 배.
조:난 신:호【遭難信號】명 재난을 만난 배나 항공기가 그 긴급 사태를 알리고 구조를 바라기 위해 발하는 신호. 무선 전신의 SOS, 무선 전화의 구난 신호(救難信號) 외에 국제 신호기·발연통(發煙筒)·등화(燈火)·기적·수기(手旗) 따위로 행함.
조:난-자【遭難者】명 재난을 당한 사람.
조:난-지【遭難地】명 재난을 당한 곳.
조:난 통신【遭難通信】명〖해〗항해중인 자기 배가 중대한 위험에 빠져서 구조를 필요로 할 때 또는 통신 불능인 딴 배의 조난을 인정하였을 때에 행하는 통신. 부호는 주파수 500 킬로사이클로 SOS를 세 번 되풀이함. *긴급(緊急) 통신·안전(安全) 통신.
조남【洮南】명〖지〗'타오난'을 우리 음으로 읽은 이름.
조난-거리다 타〈방〉조잔거리다. 조난-조난 부. ——-하다 타
조남-부리 명〈방〉조잔부리.
조냥 부 ①변화없이 조 모양으로. ②조대로 줄곧. 1)·2): <저냥[2].

조널이 부〈옛〉감(敢)히. ¶ᄇᆞ라와도 조널이 던닙디 말며(嬖不敢褻)≪內訓 Ⅰ:45≫.
조녀 타〈옛〉좇아. 따라. '좃니다'의 활용형. ¶아마도 녀 조녀 다니다가 남 우일가 ᄒᆞ노라≪古時調≫.
조:년[1]【早年】명 젊은 나이. ↔노년(老年).
조년[2]【徂年】명 왕년(往年).
조-년[3] 인대 자기로부터 떨어져 있는 여자를 얕잡아 욕되게 이르는 말. <저년.
조-놈 인대 지대 자기로부터 조금 떨어져 있는 사내나 어떤 작은 것을 얕잡아 욕되게 이르거나 귀엽게 이르는 말. ¶～ 좀 봐라/～으로 주시오. <저놈.
조니 워:커〔Johnnie Walker〕명 스카치 위스키의 상품명의 하나. 적(赤)라벨과 흑(黑)라벨의 두 종류가 있음.
조:닐 부 ↗조닐로.
조:닐-로 부 남에게 '제발 빈다'는 뜻으로 쓰는 말. 준조닐.
조:닐-에 부〈방〉조닐로.
조:닝〔zoning〕명〖건〗건물의 평면 계획이나 도시 계획에 있어서, 각 부분의 용도(用途)나 기능별(機能別)로 분류하여 배치하는 일. 병원 건축에서, 진료 부문과 입원 병동(病棟)으로 분리한다든가, 도시 계획에서 용도별 지역제를 지정하는 따위.
조:다 타〔중세 : 좃다 근대 : 조으다〕①정으로 쪼아 울퉁불퉁한 것을 고르게 다듬다. ②〈방〉죄이다. ③〈방〉새기다.
조-다지 부 저렇게까지. 저러하도록. <저다지. *요다지.
조다지-도 부 '조다지'를 강조하는 말. 조렇게도. <저다지도. *요다지도.
조닥지 부〈방〉조다지.
조:단[1]【早旦】명 조조(早朝).
조:단[2]【早斷】명 속단(速斷). ——-하다 타 여불
조단[3]【朝端】명 조정(朝廷).
조단[4]【操短】명〖경〗↗조업 단축(操業短縮).
조:달[1]【早達】명 ①젊은 나이에 높은 지위에 오름. ②어려도 어른같이 보임. 숙성(夙成)함. ——-하다 자 여불
조달[2]【曹達】명〖화〗'소다(soda)'의 취음(取音).
조달[3]【調達】명 ①자금이나 물자 등을 대어 줌. ¶자금 ～. ②조화(調和)되어 통함. ——-하다 자 타 여불
조달[4]【調達】명〖불교〗석가의 종제(從弟)로, 석가에 적대(敵對)한 악비구(惡比丘). 교단(敎團)의 화합(和合)을 깨뜨리고, 선(仙)을 손상시키고 비구니를 살상하는 등 삼역죄(三逆罪)를 범하고 그 때문에 산 채로 지옥에 떨어졌다고 함. 조바달다(調婆達多).
조달-감【調達監】명〖군〗조달감실의 장(長).
조달감-실【調達監室】명〖군〗군수 물자의 조달에 관한 사무를 맡아 보는 육군 본부의 한 실.
조달 기금【調達基金】명〖법〗정부 수요 물자(政府需要物資)와 물가의 급격한 변동의 방지를 위한 중요 물자의 구매·보관·조작 및 공급 업무를 효율적으로 수행하기 위하여 국가 예산으로 조성(造成)하여 조달 특별 회계(調達特別會計)에 설치한 기금.
조달-청【調達廳】명 재정 경제부에 소속된 외청(外廳)의 하나. 정부가 행하는 물자의 구매·공급 및 관리에 관한 사무와 정부의 주요 시설 공사 계약에 관한 사무를 관장(管掌)함.
조달청-장【調達廳長】명 조달청의 장.
조:담[1]【助痰】명 담이 더 생기어 성하게 함. ——-하다 자 여불
조담[2]【燥痰】명〖한의〗울담(鬱痰).
조:당[1]【阻擋·阻攩】명 막아서 가림. ——-하다 타 여불
조당[2]【粗糖】명 정제(精製)하지 않은 설탕. 막설탕. ↔정당(精糖).
조당[3]【朝堂】명 조정(朝廷).
조-당수 명 좁쌀로 묽게 쑨 당수. 속탕수(粟湯水).
조-당조 명〈방〉조당수.
조-당죽【一粥】명 ☞조당수.
조:-대[1] 명 대나 진흙 따위로 담배통을 만든 담뱃대.
조대[2]【措大】명 청렴 결백(淸廉潔白)한 선비.
조대[3]【粗大】명 거칠고 큼. ——-하다 형 여불
조대[4]【條對】명 조목조목 들어 대답함. ——-하다 자 여불
조:대[5]【釣臺】명 낚시터.
조대[6]【朝大】명 ↗조선 대학교.
조대[7]【調帶】명 벨트(belt)❷.
조대도록 부〈방〉조다지.
조:-대모【造玳瑁】명 인조(人造) 대모.
조: 대:비【趙大妃】명〖사람〗①조선 16 대 인조(仁祖)의 계비(繼妃). 양주(楊州) 사람. 한원 부원군(漢原府院君) 창원(昌遠)의 딸. 1659년 효종(孝宗)이 죽자 그가 입을 복상(服喪)에 관하여 서인(西人)과 남인(南人)이 대립, 결국 서인이 득세하였고, 1674년 효종의 비 인선 왕후(仁宣王后)가 죽으매 또다시 복상 문제가 일어나 이번에는 남인이 집권하게 됨. 효종 2년(1651) 자의(慈懿)의 존호를 받았고 뒤에 공신(恭愼)·휘헌(徽獻)·강인(康仁) 등의 존호가 가상(加上)됨. 능은 양주의 휘릉(徽陵). 자의 대비. 장렬(莊烈) 왕후. *복상 문제. [1624-88] ②조선 순조(純祖)의 세자(世子) 익종(翼宗)의 비. 헌종(憲宗)의 생모. 본관은 풍양(豐壤). 풍은(豐恩) 부원군 만영(萬永)의 딸. 1863년 철종(哲宗)이 후사(後嗣)가 없이 죽자 대왕 대비로서 흥선군(興宣君) 하응(昰應)의 아들을 고종(高宗)으로 즉위케 하고 수렴 청정(垂簾聽政)을 함. 능은 양주의 수릉(綏陵). 신정(神貞) 왕후. [1808-90]
조대-산【朝對山】명〖민〗풍수 지리(風水地理)에 있어서 혈(穴) 앞의 높

은산.

조대 쓰레기【粗大一】[명] 텔레비전·라디오·냉장고·전기 세탁기·선풍기·승용 자동차 등의 내구(耐久) 소비재의 폐물.

조-대우 [명]『농』조를 심은 대우.

조대우 파다 [구] 이른 봄에, 보리나 밀을 심은 밭이랑에 조를 호미로 파서 드문드문 심다.

조대지 [부]〈방〉조다지.

조:대-흙 [명]〈방〉질흙.

조댕이 [명]〈방〉주둥아리(경북).

조:던〔Jordan, John Newell〕[명]『사람』영국의 외교관. 1896년 조선(朝鮮) 총영사(總領事)로 부임, 주한 변리 공사(辨理公使)로 있으면서, 한일 합방의 합법성을 주장, 제2회 영일(英日) 동맹의 체결에 노력하였음. [1852-1952]

조:던의 규칙【一規則】〔一/一에一〕[명]〔Jordan's rule : 미국의 어류학자 David Starr Jordan (1851-1931)의 이름에서 유래〕『동』저온(低溫)에서 사는 어류(魚類)는 따뜻한 수온(水溫)에서 사는 것들보다 척추골(脊椎骨)의 수가 많은 경향이 있다는 규칙.

조도[1] [명]〈속〉창기(娼妓).

조도[2]【刁刀】[명]〔조(刁)와 도(刀)의 자획(字畫)이 비슷하여 틀리기 쉬운 데서〕틀리기 쉬운 글자. *노어지오(魯魚之誤).

조:도[3]【弔悼】[명] 조문(弔問)하고 추도(追悼)함. ——-하다 [자][여불]

조:도[4]【早到】[명] 빠르게 도착함. 일찍이 다다름. ——-하다 [자][여불]

조:도[5]【早稻】[명]『농』올벼.

조-도[6]【俎刀】[명] 도마와 식칼.

조도[7]【祖道】[명]『민』먼 길을 떠나는 사람에게 술을 베풀어서 이별하여 보내는 일. ——-하다 [타][여불]

조도[8]【祖道】[명]〔범 pitryāna〕『철』고대 인도 철학의 이도설(二道說)에서, 제사(祭祀)와 선행(善行)을 한 사람이 죽어서 가게 되는 길의 하나. 화장(火葬)의 연기, 밤, 달이 이우는 반 달, 태양이 남행(南行)하는 6개월, 조령계(祖靈界), 허공을 지나 달로 가서 선업(善業)의 과보(果報)가 끝날 때까지 그 곳에 머물러 있다가 허공·바람·연기·안개·구름·비가 되어 지상으로 내려와 보리나 쌀 같은 음식물이 되어 남자의 체내에 들어가면 정자(精子)가 되고, 이어 여태(女胎)로 들어가 사람으로 재생하게 된다고 함.

조:도[9]【釣徒】[명] 낚시질하는 무리.

조-도[10]【鳥島】[명]『지』경상 남도의 남해상(南海上), 남해군(南海郡) 미조면(彌助面) 미조리(彌助里)에 위치한 섬. [$0.32\ km^2$]

조도[11]【鳥道】[명] 나는 새도 넘기 어려울 만큼 험한 길. 조경(鳥逕).

조:도[12]【照度】[명] 조명도.

조도[13]【調度】[명] ①사물(事物)을 정도에 맞게 처리함. ②경비를 쓰는 것. ③정도를 따라서 살아 가는 계교. ——-하다 [타][여불]

조:도-계【照度計】[명]『물』조명계(照明計).

조:도 곡선【照度曲線】[명]『물』횡축(橫軸)을 거리, 종축(縱軸)을 조도(照度)로 하여 그린, 광점(光點)에서의 밝기를 나타내는 곡선.

조-도기【朝到記】[명]『역』성균관에서, 아침 식사 때 받는 도기. ↔석도기(夕到記).

조:도-병【早稻餠】[명] 오례 송편.

조독【爪毒】[명]『한의』손톱으로 긁은 자리에 균이 들어가 생긴 염증.

조독(이) 들다 [구] ㉠손톱으로 긁은 자리에 균이 들다. ㉡심히 주물러서 손톱의 독이 오르게 되다.

조독(을) 들이다 [구] 긁거나 주물러서 손톱의 독이 들게 하다.

조독수호 통상 조약【朝獨修好通商條約】[명] 조선 시대 말 독일과 우리나라 사이에 체결된 통상 조약. 1883년 중국 청나라 주재(駐在) 독일 외교관 폰 브란트(von Brandt, M.)와 전권 대신(全權大臣) 조영하(趙寧夏), 부관(副官) 김홍집(金弘集)이 우호 관계 유지, 최혜국(最惠國) 대우, 선박의 왕래 및 관세 규정, 치외 법권(治外法權)의 인정, 밀무역(密貿易)의 금지, 특권에 대한 균등한 참여 등 14관(款)의 조약에 조인(調印)하였으며, 여기에 약간의 수정을 가하여 이듬해 10월 27일 조선 전권 대신 민영목(閔泳穆)과 독일 전권 대신인 일본 요코하마(橫濱) 총영사(總領事) 자페(Zappe, Ed.; 擦貝) 사이에 정식으로 조인을 완료함.

조돈【朝暾】[명] 아침에 돋는 해.

조돌【竈突】[명] 굴뚝❶.

조:동[1]【早冬】[명] 이른 겨울.

조:동[2]【早動】[명] 남보다 일찍이 움직임. 이른 시간에 움직임. ——-하다 [자][여불]

조동[3]【曹洞】[명]『불교』↗조동종(曹洞宗).

조동[4]【粗銅】[명]『광』거친 구리.

조:동[5]【肇冬】[명] 초겨울.

조동[6]【調動】[명] 파견함. 보냄. ——-하다 [타][여불]

조동[7]【躁動】[명] 조급하고 망령되게 움직임. ——-하다 [자][여불]

조동 모:서【朝東暮西】[명] 정착된 주소가 없이 여기저기 옮아 다님.

조:-동사【助動詞】[명]『언』보조 동사(補助動詞).

조동-선【曹洞禪】[명]『불교』조동종(曹洞宗)에 전하여지는 선(禪).

조:-동식【趙東植】[명]『사람』교육가. 서울 출생. 1908년에 동원(東媛) 여학교를 설립, 1950년에 동덕(同德) 여자 대학을 설립, 1956년에는 학교 법인 동덕 여학원 이사장에 취임하고, 고려 중앙 재단 이사 등에 있으면서 교육 사업에 일생을 바쳤음. [1887-1969]

조동아리 [명] 입 또는 부리의 낮춤말. [준]조동이. <주둥아리.

조동 율서【棗東栗西】〔一늘써〕[명] 제물(祭物)을 차리는 데 있어, 대추는 동쪽으로 밤은 서쪽으로 놓는다는 말.

조동이 [명] ↗조동아리.

조동이(가) 싸다 [구] 남이 하는 말을 정중히 듣지 아니하고 쫑쫑거려 말대답을 하다. <주둥이(가) 싸다.

조동-종【曹洞宗】[명]『불교』선가 오종(禪家五宗)의 한 파. 중국 선종의 육조(六祖) 혜능(慧能)이 조계(曹溪)에서 법(法)을 전하고 그의 6 세손(世孫)인 양개(良价)가 동산(洞山)에서 이를 널리 폈으므로 조동종(曹洞宗)이라고도 하고, 그의 제자 조산(曹山)의 본적(本寂)과 함께 법을 세웠다 하여 일컫기도 함.

조두[1]【刁斗】[명]『군』군중(軍中)에서 야경(夜警)하느라고 치던 동라(銅鑼).

조두[2]【俎豆】[명] 제기(祭器)의 이름.

조두[3]【鳥頭】[명] 연의 '새대가리'의 한자말.

조두[4]【澡豆】[명] 팥 같은 것을 갈아서 만든 가루 비누.

조:-두순【趙斗淳】[명]『사람』조선 말기의 문신. 자(字)는 원칠(元七), 호는 심암(心庵). 양주(楊州) 사람. 우의정·좌의정을 거쳐 철종(哲宗) 13년(1862) 삼정(三政)의 문란을 바로잡기 위하여 이정청(釐整廳)을 설치하게 하고 그 총재관(摠裁官)이 되어 삼정 개혁에 진력함. 철종(哲宗) 별세 후 고종(高宗) 추대를 적극 추진, 조 대비(趙大妃)와 흥선 대원군(興宣大院君)의 절대적인 신임을 얻음. 영의정이 되어 경복궁 영건도감(景福宮營建都監)의 도제조(都提調)·≪대전 회통(大典會通)≫ 편찬 총재관을 겸함. 시호 문헌(文獻). [1796-1870]

조둥이 [명] ☞ 주둥이.

조둥이(가) 싸다 [구] ☞ 주둥이 싸다.

조드럴뱅크 천문대【一天文臺】〔Jodrell-Bank〕[명] 영국의 맨체스터 대학 부속의 천문대. 주로 천체 전파 관측을 하며, 1957년에 완성한 직경(直徑) 76 미터의 가동(可動) 파라볼라형(parabola 型) 전파 망원경과 직경 67 미터의 고정 파라볼라 안테나가 설치되어 있음.

조드푸르〔Jodhpur〕[명]『지』인도 서부 라자스탄(Rajasthan) 주 남서부의 도시. 철도 분기점으로, 밀·면화의 집산지임. 상아 세공, 쇠나 놋쇠 그릇, 칠기 등을 생산하며, 시가(市街)는 성벽(城壁)으로 둘러싸여 있음. [648,621 명(1991)]

조득 모:실【朝得暮失】[명] 아침에 얻어 저녁에 잃는다는 말이니 얻은 지 얼마 안 되어서 곧 잃어버림. ——-하다 [타][여불]

조등[1]【刁蹬】[명]〔독수리가 토끼를 좇아서 그 힘이 지치기를 기다리어 잡는다는 뜻에서 온 말〕간사한 꾀를 써서 시장의 물가(物價)를 오르게 함의 비유.

조:등[2]【釣藤】[명]『식』↗조구등(釣鉤藤)❶.

조:등[3]【照謄】[명] 글을 하나하나 비교해 보면서 베껴 씀. ——-하다 [타][여불]

조라[1] [명]『민』↗조라술.

조라[2]【鳥羅】[명] 새를 잡는 그물.

조라[3]【蔦蘿】[명]『식』겨우살이[2]❷.

조라기 [명] 삼 껍질의 부스러진 오라기. 조락노·조락신 따위를 만드는 데 씀.

조라-떨다 [자] 경망스럽게 굴어서 일을 망치다.

조라-술 [명]『민』산신제(山神祭)나 용왕제(龍王祭) 등에 쓰는 술. 술을 빚어서 제단(祭壇) 옆에 묻었다가 씀. [준]조라.

조라치[1]【吹螺赤】[명]『역』취라치(吹螺赤).

조라치[2]【詔羅赤】[명]『역』①고려 때 위사(衛士)의 일종. ②겸내취(兼內吹)의 속칭. ③왕실이나 나라에서 세운 절이나 불당의 뜰을 청소하는 하례(下隷).

조락[1]【殂落】[명] 제왕(帝王)의 죽음.

조락[2]【凋落】[명] ①나뭇잎이 시들어 떨어짐. ¶~의 가을. ②영락(零落)함. ——-하다 [자][여불]

조락-노 [명] 조라기로 꼬아 만든 노.

조락-신 [명] 조라기로 만든 신.

조란[1]【鳥卵】[명] 새의 알.

조란[2]【棗卵】[명] 세실과(細實果)의 일종. 대추를 쪄서 씨를 빼고 체에 걸러 꿀로 반죽하고, 밤 가루에 꿀을 버무려 소를 만들어 박고 대추만큼 씩하게 빚어 그 겉에 잣가루를 묻힌 것.

조:란-기【造卵器】[명]〔archegonium〕『생』윤조류(輪藻類)·선태(蘚苔) 식물·양치(羊齒) 식물에 생기는 자성 생식 기관(雌性生殖器官). 불룩한 복부(腹部)와 가느다란 경부(頸部)로 이루어지며, 복부에 난자(卵子)가 있어 수정(受精) 후에 배(胚)가 됨.

조:란기 식물【造卵器植物】[명]『생』자성 생식 기관(雌性生殖器官)으로서 조란기를 형성(形成)하는 식물. 선태(蘚苔) 식물과 양치(羊齒) 식물을 가리킴.

조:람[1]【眺覽】[명] 멀리 바라봄. 조촉(眺矚). ——-하다 [타][여불]

조:람[2]【照覽】[명] ①똑똑히 봄. ②『불교』신불(神佛)이 굽어 살핌. ——-하다 [타][여불]

조람-소【藻藍素】[명]〔phycocyanin〕남조(藍藻)에 고유(固有)한 청람색의 색소 단백(色素蛋白). 청자색(靑紫色)의 마름모의 결정으로 엽록체(葉綠體) 속에 함유되어 있으며 물 및 유기 용매(有機溶媒)에 녹지 않고 묽은 알칼리 용액에 녹아 청람색을 나타내며 붉은 형광(螢光)을 발함. 조청소(藻靑素).

조랍다[1] [자]〈방〉졸리다[1](제주).

조랍다[2] [형]〈옛〉친근(親近)하다. ¶어딘이는 조라온디 공경ᄒᆞ고(賢者狎而敬之)≪明宗版 小諺 Ⅲ:3≫.

조랑[1] [명]〈방〉아가위.

조랑[2]【曹郎】[명]『역』조선 시대 육조(六曹)의 정랑(正郎)·좌랑(佐郎)의 통칭(通稱).

조랑[3]【潮浪】[명] 조수의 물결. 조석(潮汐) 현상에 의하여 간만(干滿)에 따라 매일 두 번씩 주기적으로 일어나는 해수의 파동.

조랑 마:차【一馬車】[명] 조랑말이 끄는 마차.

조랑-말 [명]『동』몸체가 작은 종자의 말. 왜마(矮馬).

조랑말-자리 명 〔라 Equuleus〕 『천』 북천(北天)에 있는 작은 별자리. 페가수스자리의 서남, 독수리자리의 동쪽에 있음. 10월 상순 저녁에 남중(南中)함. 망아지자리.

조랑-망아지 명 조랑말의 새끼.

조랑-조랑 부 ①한 나무에 잔 열매가 아주 많이 열리어 있는 모양. ②한 사람에게 여러 사람이 딸려 있는 모양. 1)·2): <주렁주렁. ③어린 사람이 똑똑하게 말을 하거나 글을 읽는 모양.

조:래[1] 명 〈방〉 조리[3](전남·경상).

조래[2] 【朝來】 명 아침부터. 아침 일찍부터.

조래[3] 준 ①조러하여. ②조리하여. 1)·2): <저래. *요래[2]·고래[6].

조래기 명 〈방〉 조라기.

조래도 준 ①조러하게 하여도. ②조러하여도. 1)·2): <저래도. *고래도·요래도.

조:래미 명 〈방〉 조리(笊籬)(경기·충북·전남).

조래서 준 ①조러하여서. ②조러하여서. 1)·2): <저래서. *고래서·요래서.

조:램 명 〈방〉 졸음[1](강원).

조:랭이 명 〈방〉 조리(笊籬)(경기·강원·전라·충청).

조랭이-떡국 명 개성(開城) 지방 향토 음식의 하나. 흰떡을 누에고치 모양으로 만든 조롱이떡으로 끓인 떡국.

조략[1] 명 〈방〉 조라기.

조략[2] 【粗略】 명 함부로 여기어 등한하게 함. ——-하다 형 여불

조략[3] 【調略】 명 조의(調義)❷.

조:량 【照諒·照亮】 명 사정(事情)을 밝혀서 잘 앎. ——-하다 타 여불

조러- 감 '조렇다'의 불규칙 어간. ¶ ~나/~면. <저러-.

조러고 부 '조러하고'가 줄어 변한 접속(接續) 부사. <저러고.

조러루-하다 형 여불 대충 조런 것들과 비슷하다. <저러루하다.

조러면 준 조러하면. <저러면. *고러면·요러면.

조러므로 준 조러하므로. <저러므로. *고러므로·요러므로.

조러조러-하다 형 여불 ①↗조러하고 조러하다. ②대개 조런 따위와 같아 신기함이 없다. 1)·2): <저러저러하다.

조러-찮다 〔—찬타〕 준 ↗조러하지 않다.

조러-하다 형 여불 조 모양과 같다. ¶ 조러한 것쯤은 얼마든지 만들겠다. <저러하다. 준조렇다.

조런[1] 관 ↗조러한. ¶ ~ 놈은 혼을 내야 해. <저런[1]

조런[2] 감 멀찍이 또는 간접(間接)으로 놀라운 일이 있을 때 부르짖는 소리. ¶ ~, 저걸 어째. <저런[2].

조런 대로 준 ↗조러한 대로.

조럽다 자 〈방〉 졸리다[1](강원).

조렇게 〔—러케〕 부 ↗조러하게. ¶ ~ 까불어서야. <저렇게. *그렇게·이렇게.

조렇다 〔—러타〕 형 ㅎ불 ↗조러하다. <저렇다. *고렇다.

조렇-듯 〔—러틋〕 부 ① ↗ 조러하듯 ②조렇게까지도 몹시. 심히. ¶ ~ 똑똑하니…. 1)·2) <저렇듯.

조렇듯-이 〔—러틋—〕 부 ↗조러하듯이. ¶ ~ 야박할 수가 있으랴. <저렇듯이.

조렇-지[1] 〔—러치〕 감 '틀림없이 저러하다'라는 뜻으로 하는 말. <저렇지.

조렇지[2] 〔—러치〕 준 ↗조러하지. <저렇지. ¶ 생긴 모습이 꼭 ~.

조레 명 〈방〉 조리[3](경상).

조레스 〔Jaurès, Jean Léon〕 명 『사람』 프랑스의 정치가·사회주의자. 드레퓌스(Dreyfus) 사건에서는 피고 옹호를 위해 활약함. 1904년 사회주의 일간지 '위마니테(l'Humanité)'를 창간하였고 통일 사회당 결성에 진력하여 반전(反戰) 운동을 전개하였으나, 제1차 세계 대전 직전 암살(暗殺)당했음. 그의 주저(主著) ≪사회주의적(社會主義的) 프랑스 혁명사(革命史)≫는 혁명의 사회 경제적 분석의 단서(端緖)가 되었음. [1859-1914]

조려[1] 【粗糲】 명 궂은 쌀. 전하여, 악식(惡食). 앵미.

조려[2] 【琱麗】 명 조각(彫刻)의 아름다움.

조:-려[3] 【趙旅】 명 『사람』 생육신(生六臣)의 한 사람. 자는 주옹(主翁), 호는 어계 은자(漁溪隱者). 함안(咸安) 사람. 단종(端宗) 때 진사(進士)가 되었으나, 세조(世祖)의 왕위 찬탈에 항거, 고향에서 낚시와 독서로 여생을 보냈음. 저서로 ≪어계집(漁溪集)≫이 있음. 시호는 정절(貞節). [1420-89]

조려[4] 【雕鑢】 명 금(金)·은(銀)·구리 같은 것으로 만든 물건에 용문(龍紋)을 새기는 일.

조려쓰다 타 〈옛〉 절약하다. 줄여 쓰다. ¶ 검박히 조려쓰믄 몸 가쫄 근본닐서(儉約爲立身之本故) ≪正俗 24≫.

조:력[1] 【助力】 명 힘을 써 도와 줌. ¶ ~을 청하다. ——-하다 타 여불

조:력[2] 【釣歷】 명 낚시질을 해온 경력.

조력[3] 【潮力】 명 바닷 물결의 힘. 조수(潮水)의 힘.

조:력-꾼 【助力—】 명 조력자(助力者).

조력 발전 【潮力發電】 〔—쩐〕 명 조수(潮水)의 간만(干滿)의 차를 이용하는 수력 발전의 한 방식.

조:력 성:총 【助力聖寵】 명 『천주교』 '도움의 은총'의 구용어. 격외 성총(格外聖寵). *성성 성총.

조:력-자 【助力者】 명 도와 주는 사람. 조력꾼.

조련[1] 【調練】 명 ①병사(兵士)를 조종(操縱)하는 연습. 연병(練兵). ②훈련을 거듭하여 쌓음. 숙련(熟練). ——-하다 자 여불

조:련[2] 【操鍊】 명 『군』 ①교련(敎鍊). 연조(演操). ②남을 몹시 강박함. ——-하다 타 여불

조:련-국 【操鍊局】 명 『역』 조선 말기인 고종(高宗) 21년(1884)에 사관 학교 설립 준비를 위해 설치된 임시 사관 학교.

조련-사 【調練師】 명 동물에게 곡예 따위를 훈련시키는 사람.

조:련-장 【操鍊場】 명 『군』 교련을 하는 마당.

조:련-질 【操鍊—】 명 못되게 굴어 남을 괴롭히는 짓. ¶ 이가 박가를 모조리 잡아다가 ~을 하시면 어느 연놈의 입에서든지 바로 말이 나오고야 말 터이올시다≪李海朝 : 雨中行人≫. ——-하다 타 여불

조련-찮다 〔—찬타〕 형 만만할 정도로 헐하거나 쉽지 않다. ¶ 30여 평에 차지 못하는 뜰이언만, 날마다의 시중이 ~≪李孝石 : 落葉을 태우면서≫.

조렵다 자 〈방〉 졸리다[1](경기·강원).

조령[1] 【凋零】 명 조락(凋落). ——-하다 자 여불

조령[2] 【祖靈】 명 선조(先祖)의 신령(神靈).

조령[3] 【條令】 명 『법』 조례(條例).

조령[4] 【鳥嶺】 명 『지』 새재❶.

조령[5] 【朝令】 명 ①조정의 명령. ②아침에 명령을 내림.

조:령[6] 【詔令】 명 천자(天子)의 명령. 조명(詔命). 조칙(詔勅).

조령[7] 【組寧】 명 조안(組安). ——-하다 형 여불

조령-관 【鳥嶺關】 명 『역』 문경 새재의 제3 관문(關門)의 이름.

조령 모:개 【朝令暮改】 명 〔아침에 영을 내리고 저녁에 다시 고친다는 뜻〕 법령을 자꾸 고쳐서 질정(質定)하기가 어려움. 조령 석개(朝令夕改). ——-하다 자 여불

조령 석개 【朝令夕改】 명 조령 모개(朝令暮改). ——-하다 자 여불

조:례[1] 【弔禮】 명 조상하는 예절. 남의 상사(喪事)에 대하여 슬픈 뜻을 표하는 예절.

조례[2] 【皁隷】 명 『역』 서울의 각 관아에서 부리는 하인(下人). 칠반 천역(七般賤役)의 하나로 천히 여겼음. 사령(使令).

[조례만 있으면 사또질하겠다] 자기는 손도 까딱않고 남만 시켜 먹으려는 자를 빗대어 이르는 말.

조례[3] 【條例】 명 ①조목을 적은 규례(規例). ②『법』 지방 자치 단체의 자주법(自主法). 지방 자치 단체는 그 행하는 고유 사무(固有事務)와 위임 사무(委任事務)에 관하여 법령에 위반하지 않는 한 조례를 제정할 수 있음. ¶ ~를 반포하다. ③『법』 회사 또는 조합(組合)의 정관(定款). 조령(條令).

조례[4] 【朝禮】 명 학교 같은 데에서 직원(職員)과 학생이 집합하여 시업전(始業前)에 행하는 아침의 인사. 조회(朝會). ↔종례(終禮).

조:례[5] 【照例】 명 전례(前例)에 비추어 상고함. ——-하다 타 여불

조:례기-척 【造禮器尺】 명 자의 일종. 이 자의 8촌(寸) 3분(分) 3리(釐)가 황종척(黃鐘尺) 한 자에 해당함.

조:로[1] 【早老】 명 빨리 늙음. 겉늙음.

조로[2] 【朝露】 명 ①해를 보면 곧 스러지는 아침 이슬. ②인생의 덧없음을 아침 이슬에 비유하는 말.

조:로[3] 〔프 jorro〕 명 초목 등에 물을 주는 데 쓰는 제구. 생철·비닐 등으로 만듦. 통 모양으로 된 곳에 물을 담고 그 통에 도관(導管)이 내밀려 있고 그 끝에 작은 구멍이 많이 뚫려 있어 이리로 물이 고루 나오게 되어 있음.

조로로 부 ☞조르르.

조로록 부 ☞조르륵.

조로 수호 통상 조약 【朝露修好通商條約】 명 『역』 조선 고종(高宗) 21년(1884)에 조선과 러시아간에 체결된 조약. 전권 대신 외무 독판(外務督辦) 김병시(金炳始)와 러시아 전권 대신 베베르(Waeber; 韋貝)가 우호 관계의 유지, 최혜국(最惠國) 대우, 선박 왕래(船舶往來)와 관세에 관한 규정, 밀무역(密貿易)의 금지, 치외 법권(治外法權)의 인정, 특권의 균등한 부여 등을 주요 내용으로 하는 조약을 맺었으며, 1885년 7월 7일 조로 조약의 비준(批准)을 교환함으로써 정식으로 국교가 수립되었음.

조로아스터 〔Zoroaster〕 명 『사람』 '자라투스트라(Zarathustra)'의 영어명.

조로아스터-교 【—敎】 〔Zoroaster〕 명 〔Zoroastrianism〕 『종』 페르시아의 고대 종교(古代宗敎). 기원전 6세기경에 조로아스터가 창시하였고, 아베스타(Avesta)를 경전(經典)으로 함. 선악(善惡)의 두 신(神)을 세워 선신(善神) 아후라 마즈다(Ahura Mazda)와 악신(惡神) 앙라 마이뉴(Angra-mainyu)의 대립(對立)·투쟁(鬪爭)을 가르치는 이원교(二元敎). 근검 역행(勤儉力行)의 노력주의에 의하여 악신을 극복하고 선신의 승리를 기함을 그 교지(敎旨)로 삼고, 선신의 상징인 해·별·불 등을 숭배함. 한때는 국교(國敎)로서 성행(盛行)하였으나 회교(回敎)가 들어온 후 점차로 쇠퇴(衰退)하였고, 중국에는 남북조(南北朝) 때에 전래(傳來)하여, 현교(祆敎) 또는 배화교(拜火敎)라 일컬어져 수당(隋唐)의 시대에 유행되었음.

조로 인생 【朝露人生】 명 초로 인생(草露人生).

조록 부 가는 물줄기 따위가 좁은 구멍으로 빨리 흐르다가 그치는 소리. 쓰조록. <주룩.

조록-나무 명 『식』 〔*Distylium racemosum*〕 조록나뭇과(科)에 속하는 상록 활엽 교목. 높이 7-8m, 잎은 호생하며 거꿀달걀꼴 또는 타원형에 톱니가 없고 동글동글한 벌레집이 있음. 자웅 잡가이며, 4-5월에 무판화(無瓣花)가 수상 화서(穗狀花序)로 액출(腋出)하여 피고, 삭과(蒴果)는 달걀꼴로서 두 쪽으로 갈라지며 10월에 익음. 산기슭의 낮은 지대에 나는데, 제주도 및 남해의 섬, 일본·대만·중국 등지에 분포함. 재목(材木)은 몹시 단단하여 건축재·기구재·악기(樂器) 및 신탄재(薪炭材)로, 껍질을 태운 재는 도자기의 칠에 씀. 금루매(金縷梅).

〈조록나무〉

조록나뭇-과【一科】명〖식〗[Hamamelidaceae] 쌍자엽(雙子葉) 식물 이판화류(離瓣花類)에 속하는 한 과. 난대(暖帶)·온대에 5종이 있는데, 한국에는 2종이 분포함.

조록-싸리 명〖식〗[*Lespedeza maximowiczii*] 콩과에 속하는 낙엽 활엽 관목(落葉闊葉灌木). 잎은 달걀꼴 타원형인데, 가에 톱니가 있음. 7월에 홍자색 꽃이 복총상(複總狀) 화서로 피며, 협과(莢果)는 10월에 익음. 산기슭이나 산등성이에 나는데, 함북(咸北)을 제외한, 한국 각지에 분포함. 신탄재(薪炭材), 잎은 사료(飼料), 수피(樹皮)는 섬유용(纖維用)으로 씀.
[조록싸리 피거든 님의 집도 가지 마라] 조록싸리꽃이 피는 초여름은 궁한 때이니 남의 집을 찾아가면 폐가 된다는 말.

조록-조록 부 ①비가 그치려 하면서 띄엄띄엄 나는 소리. ②가는 물줄기가 구멍이나 면을 흐르다가 그치어 방울방울 떨어지는 소리. 1)-2): ㅆ쪼록쪼록. <주룩주룩. ——-하다 자여불

조롬 명〈옛〉주름[1] ¶그 허리 가온대를 조롬 잡디 아니ᄒ면 ≪家禮 Ⅵ : 14≫.

조롭다 자〈방〉졸리다[1](경기).

조롱[1] 명〖민〗어린 아이들이 액막이로 주머니 끈이나 옷끈에 차는 물건. 그 모양은 호리병처럼 나무로 밤톨만하게 만들어, 붉은 물을 들이고 잘록한 허리에 청홍실을 매어 끝에 돈을 달았음. 동짓날부터 정월 열 나흗날 밤에 제웅치러 다니는 아이들에게 줄 때까지 늘 차고 있음. 계집아이가 차는 것은 서캐조롱이라고 함.

〈조롱[1]〉

조롱[2]【鳥籠】명 새장.
조롱 안의 새 : 구 자유를 속박당한 몸의 비유.

조롱[3]【嘲弄】명 비웃거나 깔보고 놀림. 조별(誂撆). ——-하다 타여불

조롱-거리【嘲弄一】[一꺼一] 명 남의 비웃음이나 놀림을 받는 대상.

조롱 국병【操弄國柄】명 나라의 권력을 잡은 자가 경솔하게 정사(政事)를 번롱(飜弄)함. ——-하다 자여불

조롱-노린재 명〖충〗[*Syromastes marginatus*] 조롱노린잿과에 속하는 곤충. 몸길이 15 mm 가량이고 몸빛은 갈색 내지 적갈색이며, 촉각이 굵고 복부(腹部)의 양쪽이 몹시 뚱뚱함. 국화과 식물 등에 기생하는데, 한국·일본 등지에 분포함.

조롱노린잿-과【一科】명〖충〗[Coteidae] 유문목(有吻目)에 속하는 곤충의 한 과.

조롱 동:자【一童子】명〖건〗조롱박 모양으로 장식한 동자주(童子柱).

조롱-말 명〈방〉조랑말.

조롱-목 명 ①조롱박 모양으로 생긴 물건의 잘룩한 부분. 난간의 기둥이나 책상의 다리에 흔히 씀. ②조롱 모양으로 된 길목.

조롱-박 명 ①〖식〗호리병박. ②호리병박으로 만든 바가지.

조롱박-벌 명〖충〗[*Sphex umbrosus*] 구멍벌과에 속하는 벌의 하나. 암컷의 몸길이 25-30 mm이고 몸빛은 전부 흑색에 회백색의 단모(短毛)가 있음. 얼굴·후두(喉頭)·전흉배판(前胸背板)의 후연(後緣)의 양측과 중앙의 두 횡선(橫線)에는 은색(銀色)의 단모가 있음. 땅 속에 집을 짓고 베짱이와 곤충을 잡아 유충의 먹이로 하는 특성이 있음. 한국·일본·대만 등지에 분포함.

〈조롱박벌〉

조롱-벌 명〖충〗애호리병벌. *미카도개미벌.

조롱-복【一福】명 아주 짧게 타고난 복력(福力).
[조롱복이야] 복을 얻어 이를 향유(享有)하지 못하는 사람을 말함.

조롱-이[1] 명〖조〗[*Accipiter virgatus gularis*] 맷과에 속하는 새. 날개 길이 수컷은 16 cm, 암컷은 18-20 cm, 꽁지는 11-15 cm 내외임. 수컷의 몸의 상면(上面)은 짙은 석판 회색(石板灰色), 머리 뒤에는 백색 반문(白色斑紋)이 있고, 암컷은 회암갈색(灰暗褐色)을 띠며, 몸의 하면(下面)이 수컷은 적갈색에 백색의 가로무늬가 있고 암컷은 백색에 적갈색의 가로무늬가 있음. 흔히 단독(單獨) 생활을 하며 작은 새·곤충 등을 포식하고, 5월에 큰 갈색 반문이 있는 너덧 개의 알을 낳음. 암컷은 사냥매로 사육하는데, 중국·인도·대만·한국 등지에 분포함. *황조롱이.

〈조롱이[1]〉

조롱-이[2] 명〈방〉조롱박❷.

조롱이-떡 명 흰떡을 조그만 조롱박 모양으로 허리가 잘록하게 빚어 만든 떡. 설을 전후하여 떡국을 끓여 먹음. 조랭이떡국.

조롱-조롱 부 ①열매 같은 것이 많이 매달려 있는 모양. ②한 사람에게 많은 사람이 딸려 있는 모양. ¶아이들이 ~ 딸렸으니. <주렁주렁.

조롱태 명〈방〉도롱태[1]❶(함경·황해).

조룸 타〈옛〉졸임. '조리다[2]'의 명사형. ¶ᄆᆞ장 조료ᄆᆞᆯ 減이라 ᄒᆞ고≪月釋 1 : 14≫.

조룹다 자〈방〉졸리다[1](강원).

조:룡-대【釣龍臺】명〖지〗용을 낚았다는 전설이 있는 바위. 충청도 부여(扶餘) 백마강(白馬江)의 상류(上流)에 있는 수중암(水中岩)으로 낙화암(落花岩) 가까이에 있음.

조루[1] 명〈방〉조리[3](전북).

조:루[2]【弔樓】명 군진(軍陣)에서 임시로 베푸는 누(樓). 적루(吊樓).

조:루[3]【早漏】명〖의〗성교(性交)시에 사정(射精)이 병적으로 빠름. 또, 그러한 병. 조루증. 조루병. ——-하다 자여불

조루[4]【粗漏】명 소루(疏漏). ——-하다 형여불

조루[5]【雕鏤】명 아로새김. 새기어 박음. ——-하다 타여불

조루다 타〈방〉줄이다(경남).

조루루 부 '조르르'의 잘못.

조:루리〔일 浄瑠璃 : じょうるり〕명 일본 에도(江戶) 시대에 생겨난, 샤미센(三味線)의 반주(伴奏)로 하는 이야기조(調)의 노래의 한 가지. '기다유부시(義太夫節)'가 불리게 된 후부터 '기다유부시'의 별칭이 되었음.

조:루-병【早漏病】[一뼝] 명〖의〗조루(早漏).

조:루-증【早漏症】[一쯩] 명〖의〗조루(早漏).

조룸 명〈방〉졸음[1](경기·강원·충북).

조룹다 자〈방〉졸리다[1](강원·충북).

조류[1]【鳥類】명 '새강(綱)'의 관용어.

조류[2]【潮流】명 ①조석(潮汐) 때문에 일어나는 바닷물의 수평(水平) 운동. 지형(地形)에 지배되기 때문에 장소에 의한 변화가 심함. ②시세의 경향(傾向). 세태의 기울어져 가는 형세. ¶시대의 ~를 타다.

조류[3]【藻類】명〖식〗은화(隱花) 식물인 수초(水草)의 통칭. 광의(廣義)로는 수중에서 생장하며 동화 색소(同化色素)를 보유하고 독립 영양 생활을 하는 하등 식물의 총칭. 보통 유글레나(Euglena) 식물·황색(黃色) 식물·황갈색 식물·남조(藍藻) 식물·갈조(褐藻) 식물·녹조(綠藻) 식물·윤조(輪藻) 식물·홍조(紅藻) 식물의 8문(門)을 가리킴. 그러나 협의(狹義)로는 녹조 식물·갈조 식물·홍조 식물의 3문을 가리킬 때가 많음. 특히, 갈조와 홍조는 거의 바다에서만 나므로 해조(海藻)라고 할 때는 여기에 녹조를 더한 3문으로 한정하며, 이에 대하여 담수조(淡水藻)를 지칭할 때는 주로 남조류(藍藻類)·황금색 조류(黃金色藻類)·녹조류(綠藻類)·유글레나 식물 등을 가리킴. 대부분 물 속이나 습한 곳에 나며, 식용(食用)·의약(醫藥)·비료 등으로 씀. *저생 식물(底生植物).

조류-계【潮流計】명 조류의 방향과 속도를 재는 기계.

조류 기뢰【潮流機雷】명 조류가 센 해류(海流)에서, 해류압(海流壓)에 의한 침강(沈降)을 방지하기 위하여 특수한 모양으로 만든 부유(浮遊) 기뢰. *각식(角式) 기뢰.

조류-마【棗騮馬】명〖동〗배는 희고 갈기와 꼬리는 검은 말.

조류-병【鳥類病】[一뼝] 명 [Psittacosis]〖의〗애완용(愛玩用) 조류에서 사람에게 옮는 병. 리케차(Rickettsia)에 의하여 갑자기 고열(高熱)을 내고 설사·구토·갈증이 심하며, X선 사진에서 강한 폐렴상(肺炎像)을 나타냄.

조류 신:호【潮流信號】명 간만(干滿)이 일정치 못한 물길에서 조류의 방향과 시종기(始終期)를 알리는 신호.

조:륙 운:동【造陸運動】명〖지〗지반(地盤)이 융기(隆起)·침강(沈降)하여 넓은 육지를 만드는 것과 같은 지각 변동(地殼變動). 넓은 지역에 걸쳐 서서히 작용하며 조산 운동(造山運動)과 같은 현저한 습곡(褶曲)이나 단층(斷層)을 수반(隨伴)하지 않음. 조륙 작용(造陸作用). *조산 운동(造山運動).

조:륙 작용【造陸作用】명〖지〗조륙 운동.

조르개 명 ①물건을 졸라 매는 데 쓰는 가는 줄. ¶멜빵 ~ ② ☞ 조리개.

조르게〔도 Sorge〕명〖철〗하이데거(Heidegger)의 기초 존재론, 곧 실존 철학의 근본 개념. 관심(關心)이란 뜻으로, 무릇 모든 실존주(實存疇)를 통일하는 기본을 이루고 인간 존재(人間存在)를 규정하는 근본의 실존주를 말함.

조르게 사:건【一事件】[Sorge] [一껀] 명〖역〗1941년 일본에서 발생한 국제 간첩 사건. 코민테른의 지령으로 중일(中日) 전쟁하의 일본의 정치·경제·외교·군사 등 기밀을 탐지하고 있던 주일(駐日) 독일 대사 고문인 독일인 조르게(Sorge, Richard; 1895-1944)와 일본인 오자키 호쓰미(尾崎秀実) 등이 체포 처형된 사건.

조르다[1] 타르불〔중세 : 조ᄅᆞ다〕①끈 따위로 단단히 죄다. ¶목을 ~/허리띠를 ~. ② 사진기의 조리개를 조절하여 빛이 들어오는 구멍을 좁게 하다.

조르다[2] 타르불〔중세 : 졸오다〕①끈덕지게 무엇을 요구하다. ¶용돈을 달라고 ~. ②재촉하다. 독촉하다.

조르다노〔Giordano, Umberto〕명〖사람〗이탈리아의 작곡가. 나폴리 음악원 시대부터 오페라를 써서 주목됨. 대표작인 오페라 ≪앙드레아 셰니에≫(1896)는 프랑스의 시인 셰니에(Chénier, A.)의 반생을 극적으로 그린 것임. [1867-1948]

조르당〔Jordan, Camille〕명〖사람〗프랑스의 수학자. 위상(位相) 수학의 시조이며, 군론(群論)의 개척자임. 저서에 ≪이공과 대학 해석 과정(理工科大學解析課程)≫이 있음. [1838-1922]

조르르 부 ①가는 물줄기 같은 것이 좁은 구멍이나 면을 끊이지 않고 흐르는 소리. ¶물이 ~ 흐르다. ②날쌘 발걸음으로 앞만 바라보고 빨리 나가는 모양. ③경사진 곳에서 작은 물건이 거침없이 미끄러져 내리는 모양. ④어린 아이들이나 작은 짐승들이 잇따라 빨리 따르는 모양. ¶엄마 뒤를 ~ 따라간다. ⑤비나 물에 함빡 젖은 모양. 1)-5): ㅆ쪼르르. <주르르.

조르륵 부 액체가 좁은 구멍이나 면을 흐르다가 그치는 소리. ㅆ쪼르륵. <주르륵.

조르륵-거리다 자타 연이어 조르륵 소리가 나다. 또, 연이어 조르륵 소리를 나게 하다. ㅆ쪼르륵거리다. <주르륵거리다. **조르륵-조르륵** 부. ——-하다 자타여불

조르륵-대다 자타 조르륵거리다.

조르조네〔Giorgione, da Castelfranco〕명〖사람〗이탈리아의 화가. 본명은 Giorgio Barbarelli. 베네치아파(Venezia派) 벨리니(Bellini)에게 배움. 몽상적(夢想的)인 정서(情緖)와 부드러운 색채, 완전한 구도(構圖)로 ≪잠자는 비너스(Venus)≫·≪전원(田園)의 합주(合奏)≫ 등을 제작함. [1478 ?-1511]

조:름 명 ①물고기의 아가미 안에 있는 숨을 쉬는 기관(器官). 반원형으로 빛이 검붉고 빗살같이 생겼음. 새소엽(鰓小葉). ②소의 염통에 붙은 고기의 한 가지.

조름-나물 명 〖식〗 [*Menyanthes trifoliata*] 용담과에 속하는 다년생의 수초(水草). 잎은 장병(長柄)이고 삼출(三出)하며 소엽(小葉)은 타원형 또는 긴 타원형임. 7-8월에 근생엽(根生葉) 사이에 높이 30-50 cm의 꽃줄기가 나와 백색 또는 엷은 자색 꽃이 총상(總狀) 화서로 피고 과실은 삭과(蒴果)임. 연못이나 늪에 나는데, 한국 북부 및 북반구에 분포함. 전초(全草)를 건위제(健胃劑)로 약용함. 수채(睡菜).

〈조름나물〉

조름다 자 〈방〉 졸리다¹(경기·강원).

조리¹ 명 〈방〉 조림.

조리²【阜李】명 〖식〗 갈매나무.

조:리³【笊籬】명 쌀을 이는 데 쓰는 제구. 가는 대오리나 철사로 조그마하게 삼태기 모양으로 만든 것으로 위로 제물 자루가 기다랗게 달림.

[조리에 옻칠한다] 조리에 좋은 옻을 칠해 봤자 무슨 소용이 있겠느냐의 뜻으로, 소용 없는 데 산재(散財)함을 말함.

〈조리³〉

조리⁴【條理】명 ①일을 하여 가는 도리. ②일의 경로(經路), 또는 가닥. 두서(頭緖). ¶～ 없는 말. ③〖법〗 법률 또는 계약의 내용을 결정함에 있어서 그 표준이 되며 또한 재판의 준거(準據)가 되는 사회 생활의 도리(道理).

조리⁵【調理】명 ①음식·동작 또는 거처 등을 적당히 몸에 맞게 하여 쇠약해진 몸을 회복되게 함. 조섭(調攝). 조양(調養). 조장(調將). 조치(調治). ¶병후에는 ～를 잘 해야 한다. ②사리를 따라서 잘 처리함. ③음식을 잘 맞추어 요리함. ¶～사(士). ——-하다 타여불

조리⁶【操履】명 마음으로 지키는 지조(志操)와 몸으로 행하는 행실.

조리⁷【雕螭】명 →조이(雕螭).

조리⁸ 타 〈옛〉 줄이어. 주리게. '조리다²'의 활용형. ¶네 모로매 밥 조리머거 뎌 말ᄊᆞ미 올티 아니케 ᄒᆞ라≪月釋 IX:36 上≫.

조리⁹ 부 ①조러하게. ②조곳으로. 저쪽으로. ¶～ 돌아가면 약방이 있네.1)·2):＜저리⁵·⁶. 요리⁴.

조리개 명 ①속도나 어떤 구멍 등을 적당히 조절할 수 있는 부분의 기계. ②[stop diaphragm] 〖물〗 광학계(光學系)에서 광속(光束)을 제한하는 구멍. 특히 렌즈로부터 들어오는 광량(光量)을 조절하는 장치. 동물의 눈의 홍채(虹彩)도 이 조리개의 작용을 함. ¶카메라의 ～.

열림 닫혀짐 A B 금속환 고정점

〈조리개❷〉

조리-기【調理器】명 음식을 조리하는 데 쓰이는 기구(器具).

조리다¹ 타 [근대 : 조리다] 어육이나 채소 등을 양념하여 국물이 적게 바짝 끓이다.

조리다² 타 〈옛〉 졸이다. 줄이다. ¶菩薩은 菩提薩埵라 혼 마롤 조려 니ᄅᆞ니 ≪月印 I:5≫/조릴 싱(省) ≪類合 下 30≫.

조리-대【調理臺】명 음식 등을 조리하는 데 쓰이는 받침.

조리-대풀【笊籬—】명 〖식〗 [*Lophatherum eratum*] 볏과(科)에 속하는 다년초. 뿌리 줄기는 목질(木質)이며, 수염 뿌리는 방추상(紡錘狀)의 덩이가 있음. 가늘고 긴 줄기가 곧게 모여 났으며 높이 60cm임. 잎은 줄기에 호생하는데, 좌우로 벌어져 넓은 피침형을 이루며, 길이 15-20cm, 너비 2-3cm이고 끝이 뾰며, 짧은 잎자루는 엽초(葉鞘)에 이어짐. 꽃은 8월에 피는데 원추 화서로서 정생하며 거칠고 큼. 산지의 숲 밑에 나며, 제주도에 분포함.

조리-돌리다 타 죄를 지은 사람을 징계(懲戒)하여 벌을 주느라고 끌고 돌아다니면서 망신을 당하게 하다.

조리-로 부 '조리'의 힘줌말. 저쪽으로. ㊄졸로. ＜저리로.

조리-법【調理法】[—뻡] 명 음식을 조리하는 방법. 요리법(料理法).

조리복-선이 명 ☞ 조리복소니. ¶이 애는 ～가 되어 키는 자랄 줄 모르고 얼굴에 노랑꽃이 피어…≪李海朝 : 彈琴臺≫.

조리복-소니 명 큰 물건을 깎고 저미어서 못 쓰게 만든 것. ¶한 날 한 시에 심었는데 저의 봉선화는 번성해서 꽃이 함박같이 피고, 우리 것은 조 모양으로 ～가 되어 갈까!≪李海朝 : 鳳仙花≫.

조리복-송이 명 〈방〉 조리복소니.

조리-사【調理士】명 ①식품 위생법(食品衛生法)의 규정에 의한 소정의 면허(免許)를 소지하고 음식점 및 집단 급식소(集團給食所)에서 식품의 조리를 업으로 하는 사람. ②음식점 등에서 음식을 조리하는 사람. 요리사. 숙수(熟手).

조리-실【調理室】명 음식을 조리하는 방. 요리실(料理室).

조리-용【調理用】명 음식 조리에 쓰는 물건. 요리용(料理用).

조:리 자:지【笊籬—】명 오줌을 자주 누는 자지.

조리지-제【調理之劑】명 몸을 조리하는 약제.

조:리지-희【照里之戲】[—히] 명 〖민〗 조리희(照里戲).

조:리-질【笊籬—】명 조리로 쌀 같은 것을 이는 짓. ——-하다 타여불

조리차-하다 타여불 아껴서 알뜰히 쓰다. ¶살림을 ～.

조:리-참나무 명 〈방〉 〖식〗 떡갈나무.

조리-치기 명 아주 연한 살코기를 가늘게 썬 다음 양념을 넣고, 바싹 볶다가 썬 파와 깨소금·후춧가루 등을 쳐서 익힌 반찬.

조리-치다 자 졸음이 올 때 잠깐 졸고 깨다. ¶그 북새통에도 조리쳤다/잠깐 눈을 붙여 조리치고 일어나려는데 귓결에 낯선 소리가 들려 왔다≪金周榮 : 客主≫.

조리 폐:원탕【調理肺元湯】명 〖한의〗 태음인(太陰人)의 중병(重病) 뒤에 조리의 목적으로 쓰이는 처방의 하나.

조리-풀 명 〖식〗 민족두리풀.

조리-하다 자여불 조렇게 하다. ＜저리하다. ＊고리하다.

조리 해:석【條理解釋】명 법(法)이 정하지 않은 사물(事物)이 있을 경우에 사회 생활에 있어서의 조리에 의거해서 해석하는 일.

조리혀다 자 〈옛〉 오그라들다. ¶믹줄리기 법ᄒᆞ면 조리혀ᄂᆞ니 아니삼가미 가티 아니ᄒᆞ니라(繫縛者相拘不可不愼)≪胎產集要 14≫.

조:리-희【照里戲】[—히] 명 〖민〗 제주도의 풍습으로, 음력 팔월 보름날 남녀가 한데 모여 노래하고 춤추다가 좌우 두 패로 갈라져 줄을 당겨 줄이 끊어지면 모두 쓰러져 웃곤 한다는 놀이.

조린-젓 명 조려서 진하게 만든 젓. 설탕을 넣고 조리기도 함.

조림¹ 명 고기나 채소 등을 조려서 만든 음식의 통칭. ¶생선 ～.

조림² 명 〈방〉 졸음¹(전남).

조:림³【造林】명 나무를 심어 숲을 만듦. 또, 기성 삼림(既成森林)의 손질이나 자연 갱신(自然更新) 등의 유지 관리(維持管理)를 함. ¶～ 사업. ——-하다 타여불

조:림⁴【眺臨】명 내려다봄. ——-하다 타여불

조림⁵【稠林】명 ①조밀(稠密)한 삼림. ②〖불교〗 번뇌(煩惱)·망견(妄見)이 심한 것을 비유하는 말.

조:림⁶【照臨】명 ①해나 달이 위에서 내리 비침. ②신불(神佛)이 세상을 굽어봄. ③군주가 국토·인민을 통치함. ④귀인(貴人)의 방문(訪問)·입장(臨場) 등의 경칭(敬稱). ——-하다 타여불

조:림-학【造林學】명 산림의 조성(造成)·갱신(更新)·육성(育成)의 기술을 연구하는 임업학(林業學)의 한 분야. 임목(林木)의 생리, 갱신 방법, 임목 성장의 원리, 산림 육성의 기술 등을 내용으로 함. ＊삼림 이용학(森林利用學).

조립¹【組立】명 ①짜 맞춤. 또, 그 방법. ②짜 맞춘 것. ——-하다 타여불

조:립²【造粒】명 [size enlargement] 〖화·공〗 정출(晶出)이나 입자(粒子)의 고화(固化) 또는 정제화(錠劑化)·응집(凝集)·응축(凝縮)·용융(溶融)·주조(鑄造)·소결(燒結) 등으로 작은 입자에서 큰 입자를 만들어 내는 일.

조립 건:축【組立建築】명 [prefabrication] 〖건〗 어떤 일정한 규격(規格)에 의해서 주택(住宅)의 뼈대를 구성하는 자재(資材)를 대량으로 생산하여, 이것을 현장에서 짜 맞추는 건축 양식. ＊프리패브(prefab).

조립-공【組立工】명 기계 제작에서, 기계 부품(部品) 또는 여러 부분(部分)의 기계들을 하나의 완전한 기계로 짜 맞추는 일을 하는 사람.

조립 구조【組立構造】명 건축물의 구조 부재(構造部材)를 공장에서 규격화·양산화(量產化)하여 현장에서 조립할 수 있도록 설계한 구조. 공법(工法)에 따라 패널식(panel 式)·블록식(block 式) 등이 있음.

조립 단위【組立單位】명 [derived unit] 〖물〗 유도 단위(誘導單位).

조립-도【組立圖】명 제작물 또는 구조물의 전체의 조립을 나타낸 도면의 하나. 그 구조를 밝히고 각 단위 또는 부분의 연관을 분명히 알도록 그림. ＊부분 조립도.

조립-률【粗粒率】[—뉼] 명 [fineness modulus] 〖공〗 미세한 응집체(凝集體)나 모래·페인트와 같은 고운 물질의 미세(微細)한 정도를 나타내는 수(數).

조립-법【組立法】명 [assembly method] 〖경〗 조립 작업에 쓰이는 기술. 이를테면 수동 조립(手動組立), 컨베이어에 의한 이동 조립(移動組立), 자동 조립(自動組立) 등임.

조립 산:업【組立產業】명 〖경〗 다수의 부품(部品)이나 부재(部材)를 사용하여 일정한 제품을 조립하는 제조업. 조립하는 공정 자체는 건축업 등에서도 엿볼 수 있으나 기계 조립 공업이 그 전형(典型)임.

조립-식【組立式】명 조립의 방법으로 꾸미는 방식.

조립식 동:력로【組立式動力爐】[—녁노] 명 [package power reactor] 〖핵물리〗 이동식의 소형 동력로. 출력(出力)은 적으나 항공기로 어디에나 수송되는 이점이 있음. 미국에서 군용으로 개발함.

조립식 주:택【組立式住宅】명 조립 구조(組立構造)에 의한 주택. 공장에서 각 단위(單位)마다 규격화하여 대량 생산한 부재(部材)를 현장에서 조립해 지은 집. 조립 주택. 프리패브(prefab) 주택. 공장 생산 주택.

조립식 진공관【組立式眞空管】명 [demountable tube] 〖전자〗 자기(磁氣)로 절연(絶緣)된 금속제 용기(容器)를 가지는 고출력 무선 주파(高出力無線周波) 진공관.

조립 응:력【組立應力】[—녁] 명 〖역〗 건조중(建造中), 구조 부재(構造部材)에 작용하는 내력(內力).

조립 장난감【組立—】[—깜] 명 몇 종류의 형태가 일정한 부품(部品)을 짜 맞추거나 분해하여 노는 장난감의 일종. 집짓기·플라스틱 장난감 따위.

조립 주:택【組立住宅】명 조립식 주택.

조립 현무암【粗粒玄武岩】명 〖광〗 현무암과 같은 화학 조직을 가진 반심성암(半深成岩). 완정질(完晶質)로, 염기성 사장석(塩基性斜長石)과 보통 휘석(輝石)으로 이룩됨. 영국 등에서는 조립 현무암이 변성된 것을 특히 휘록암이라고 부르나 미국·독일에서는 같은 뜻으로 씀. ＊휘록암(輝綠岩).

조릿-대 명 〖식〗 [*Sasamorpha purpurascens* var. *borealis*] 볏과에 속하는 식물. 줄기 높이 1-2m이며 여름에 자색(紫色)의 소화수(小花穗)가 두 송이 내지 다섯 송이씩 복총상(複總狀) 화서로 피고, 영과(穎果)는 가을에 익는데, 보통 5년 만에 결실한 후 고사(枯死)함. 산허리 이하의 숲 속 또는 개방지(開放地)에 나는데, 한국 각지와 일본에 분포함. 죽세공(竹細工) 특히 조리를 만들며, 잎은 약재로, 과실은 식용함.

〈조릿대〉

조릿-조릿 부 마음을 놓을 수 없는 모양. ——-하다 형여불

조:마¹【照磨】명 〖역〗 고려 때 중서 문하성(中書門下省)의 이속(吏屬).

조마²【調馬】[명] ①말을 타고 길들임. ②말을 징발(徵發)함. 징마(徵馬). ——-하다 [자][여불]

조마³【竈馬】[명]〖충〗왕뚱이.

조마 거:둥【調馬—】[명]〖역〗왕의 거둥 때를 위하여 그 절차대로 미리 어승마(御乘馬)를 연습시키는 일. ——-하다 [자][여불]

[조마 거둥에 격쟁(擊錚)한다] 조마 거둥을 어가(御駕) 거둥인 줄 알고 격쟁하듯, 경우를 모르고 어리석은 짓을 한다는 말.

조마-거리다 [자] 자꾸 마음이 초조하고 불안하여지다. ¶마음이 조마거려 못 살겠다.

조:마-경【照魔鏡】[명] ①숨은 마귀의 본성(本性)도 비추어 보인다는 신통한 거울. 조요경(照妖鏡). ②사회의 숨겨진 본체를 비춰 내는 것. 조요경(照妖鏡).

조마구 [명]〈방〉주먹(평북). ¶땅을 파서 먹는 것이 ~ 빨 때부터 길러 온 습관이요, 손 익은 일이었기 때문에…《桂鎔默:백치 아다다》.

조마귀 [명] ①〖공〗독의 몸통을 늘일 때 쓰는 방망이. ② ☞조막.

조마니 [명]〈방〉주머니(전남·경북).

조마-사【調馬師】[명] 말을 타고 길들이는 사람.

조마이 [명]〈방〉주머니(전라).

조마-조마 [부] 마음이 연해 위태한 느낌이 있는 모양. ¶마음이 ~하다. ——-하다 [형][여불]

조-마큼 [부] ↗조만큼. <저마큼. *고마큼.

조막 [명] 주먹보다 작은 물건의 덩이를 형용하는 말. ¶크기가 ~만하다/신랑이 작기가 ~만하여 다 큰 색시에게 대면 어린 동생 폭밖에 안 되었다《洪命憙:林巨正》.

조막 도끼 [명]〈방〉까뀌(함경).

조막-손 [명] 손가락이 오그라져서 펴지 못하는 손.

조막손-이 [명] 조막손을 가진 사람.

[조막손이 달걀 놓치듯] 물건이나 기회를 잡지 못하고 놓치는 모양.

[조막손이 달걀 도둑질한다] ㉠조막손이는 달걀 같은 것을 쥘 수가 없으니 달걀을 어찌 도둑질할 수 있느냐는 말. ㉡자기 능력 이상의 일을 이루었을 때 하는 말. [조막손이 달걀 떨어뜨린 셈] 낭패를 보고 어쩔 줄을 모른다는 말. [조막손이 달걀 만지듯] 사물을 자꾸 주무르기만 하고 꽉 잡지 못함의 비유.

조:만¹【早晩】[명] 이름과 늦음.

조만²【朝晩】[명] 조석(朝夕)❶.

조:만-간【早晩間】[부] 머지 않아. 이르든지 늦든지 필경은. 어느 때에든지. 언제인가. ¶~에 범인은 잡힐 것이다.

조:-만과【早晩課】[명]〖천주교〗조과(早課)와 만과(晩課).

조:만두【糟饅頭】[명] 재강 만두.

조만-때 [명]〈방〉조맘때(경상).

조:만-사【早晩仕】[명]〖역〗조선 시대 때 형조(刑曹)나 한성부(漢城府)의 서리(書吏)가 두 사람씩 아침 저녁으로 번갈아 당상관(堂上官)의 집에 가서 일을 보살핌. ——-하다 [자][여불]

조-만(:)식【曺晩植】[명]〖사람〗민족 운동가·정치가. 호는 고당(古堂). 창녕(昌寧) 사람. 평남 강서(江西) 출신. 1913년 일본 메이지(明治) 대학 법학부 졸업. 3·1 독립 운동에 참가하였고, 그 해 오산(五山) 학교 교장, 1932년 조선 일보사 사장을 역임함. 1943년 지원병 제도 실시에 반대하다 구금당함. 해방후 평양에서 조선 민주당(朝鮮民主黨)을 창당하여 반탁 운동(反託運動)을 전개함으로써 소련군에 의해 연금된 후 소식을 모름. [1882-?]

조:-만(:)영【趙萬永】[명]〖사람〗조선 후기의 문신. 자는 윤경(胤卿), 호는 석애(石厓). 본관은 풍양(豐壤). 순조 19년(1819) 그의 딸이 세자빈(世子嬪)이 되자 풍은 부원군(豐恩府院君)으로 봉해지고 이후 풍양 조씨가 정계에 등장하는 길을 엶. 이조·호조·예조·형조의 판서와 한성부 판윤(漢城府判尹)·판의금부사(判義禁府事) 등 여러 요직을 역임함. 1845년 궤장(几杖)을 하사받고, 영돈령부사(領敦寧府事)가 되었음. 저서. 《동원 인물고(東援人物考)》. 시호는 충경(忠敬). [1776-1846]

조만조만-하다 [형][여불] ①일의 정도나 사태가 보통이 아니다. ¶조만조만한 정도의 일이 아닐세. ②사실·내용이 조렇고 조렇다. 1)·2): <저만저만하다.

조-만치 [부] 조만큼. <저만치. *요만치.

조-만큼 [부] 조만한 정도로. <저만큼. [준]조마큼. *조만치.

조만-하다 [형][여불] ①작지도 크지도 않고 더하지도 덜하지도 않고 조러한 대로 있다. ②일이 그 정도에 있다. ③별로 대단하지 아니하다. 1)-3): <저만하다. **조만-히** [부] 꽤. 어지간히. ¶말이 되느냐고 ~ 타일러 보냈지만, 워낙 길들지 아니한 생마 같아…《洪命憙:林巨正》.

조맘-때 [명] ①크기와 정도가 조것만할 때. ¶~부터 길을 들여야 한다. ②어떤 날이나 해나 나이가 꼭 조만큼 된 때. 1·2): <저맘때. *요맘때.

조맛-증【—症】[명] 조마조마 애가 타는 증세. ¶만일 그 '대감'이 ~이나 내시지 않고 눈을 껌벅껌벅하며 기다리고 있다면야 일은 되었다《玄鎭健:無影塔》.

조:망¹【眺望】[명] 먼 곳을 내다봄. 또, 그 광경. ——-하다 [타][여불]

조망²【鳥網】[명] 새 잡는 그물. 새그물.

조망³【罩網】[명] 반두.

조망⁴【躁妄】[명] 조급하고 경망함. ——-하다 [형][여불]

조:망-대【眺望臺】[명] 먼 곳을 내다볼 수 있는 높은 대.

조:매¹【造昧】[명] 세상이 아직 발달되지 아니한 때. 초매(草昧).

조매²【嘲罵】[명] 비웃으며 꾸짖음. ——-하다 [타][여불]

조매³【糶賣】[명] ①쌀을 냄. ②경매(競賣). ——-하다 [타][여불]

조매조매-하다 [형]〈방〉조마조마하다.

조매-화【鳥媒花】[명]〖식〗조류(鳥類)에 의하여 화분(花粉)이 매개(媒介)되는 꽃. 동백나무 꽃 등이 있음. *풍(風)매화·충(蟲)매화.

조:-맹(:)부【趙孟頫】[명]〖사람〗중국 원(元)나라 초기의 문인. 자는 자앙(子昂). 호는 집현(集賢) 또는 송설 도인(松雪道人). 서화(書畫)·시문(詩文)을 잘 하였으며, 글씨는 진당(晉唐)을 종(宗)으로 하고, 그림은 오진(吳鎭)·황공망(黃公望)·왕몽(王蒙)과 더불어 원대(元代)의 사대가(四大家)로 꼽힘. [1254-1322]

조:-맹(:)선【趙孟善】[명]〖사람〗대한 제국의 항일 투사. 호는 원석(圓石). 황해도 평산(平山) 출신. 1905년 을사 조약이 체결되자 칠적(七賊) 살해를 뜻했으나 이루지 못하고 평산(平山)에서 박정빈(朴正彬)·우병렬(禹炳烈)·이진룡(李鎭龍) 등과 함께 의병을 일으켜 그 참모장으로서 각지에서 왜군과 싸움. 3·1 운동 후에는 독립단을 조직하고 총단장이 되어 많은 항일 투사를 양성하다가 병사함. [1872-1922]

조머-스키: [도 Sommer-ski] [명] 1-1.5 m의 짧은 스키. 잔설기(殘雪期)나 여름철에 눈 계곡을 지치는 데 씀.

조머펠트 [Sommerfelt, Arnold] [명]〖사람〗독일의 물리학자. 보어(Bohr)의 원자 구조론을 발전시켜 X선·스펙트럼선과의 여러 관계를 해명하고 금속의 전자론 따위 양자론의 발전에 공헌함. 주저에 《팽이의 이론》·《원자 구조와 스펙트럼선》이 있음. [1868-1951]

조:면¹【早眠】[명] 일찍 잠. 조침(早寢). ——-하다 [자][여불]

조면²【阻面】[명] ①오랫 동안 서로 만나보지 못함. ②절교(絶交). →죄면. ——-하다 [자][여불]

조면³【粗面】[명] 거친 면. 면밀(綿密)하지 아니한 물건의 면.

조면⁴【繰綿】[명] 씨를 앗아 틀어 놓은 솜. 지닝(ginning). ——-하다 [자][여불] 목화의 씨를 앗아 솜을 만들다.

조면-기【繰綿機】[명] 면화의 씨를 빼거나 솜을 트는 기계.

조면-암【粗面岩】[명] [trachyte]〖광〗화산암(火山岩)의 한 가지. 알칼리 장석(長石)이 전장석(全長石)의 3분의 2 이상으로 된 알칼리 화산암으로서 흰빛·회색·흑색임. 울릉도(鬱陵島)나 일본에서 남.

조:명¹【助命】[명] 목숨을 건져 줌. ——-하다 [타][여불]

조명²【祚命】[명] 하늘이 복을 내려 도움.

조:명³【釣名】[명] 거짓을 꾸미어 명예를 구함. ——-하다 [자][여불]

조:명⁴【詔命】[명] 조서(詔書).

조명⁵【朝命】[명] 조정의 명령.

조:명⁶【照明】[명] ①밝게 비춤. ②무대 효과(舞臺效果)·촬영(撮影) 효과를 높이기 위하여 광선을 사용함. 또, 그 광선. 간접 조명·반간접 조명·직접 조명 등의 방법이 있음. 인공(人工) 조명. ——-하다 [타][여불]

조명⁷【嘲名】[명] 남들이 빈정거리는 뜻으로 지목하여 부르는 이름.

조명 나다 [구] 좋지 않은 소문이 나다.

조:명-계【照明計】[명] [illumination meter]〖물〗조명도를 재는 계기. 눈금은 럭스(lux)나 칸델라(candela)로 표시하며, 분광 감도(分光感度)가 표준 비시(標準比視) 감도에 가깝도록 보정(補正)한 광전지(光電池)나 광전관(光電管)의 출력 광전류(出力光電流)로 바늘을 움직임. 조도계(照度計). 럭스 미터(lux meter). 럭스계(計). 조명도계.

조:명 기구【照明器具】[명] 전등의 갓처럼 광원을 보호하거나 조명에 편리한 성격을 줄 목적으로 사용되는 부속 기구의 총칭.

조-명나방【—螟—】[명]〖충〗[*Pyrausta nubilalis*] 명(螟)나방과(科)에 속하는 곤충. 편 날개의 길이 25-36 mm, 몸길이 25-30 mm임. 몸빛은 암컷은 담색, 수컷은 황갈색에 두부는 흑색이며, 유충은 몸길이 25 mm 내외임. 조·옥수수 등의 재배 식물의 줄기를 파 먹는 큰 해충임. 구북구(舊北區)와 북아메리카에 널리 분포함.

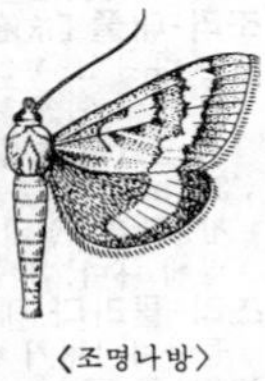

〈조명나방〉

조:명-대【照明臺】[명] 조명등을 놓는 대(臺).

조:명-도【照明度】[명] [intensity of illumination]〖물〗빛을 받는 면의 단위 면적(單位面積)에 단위 시간(時間)에 받는 빛의 양(量). 광원(光源)의 광도(光度)에 비례하고, 광원으로부터의 거리에 반비례함. 조도(照度). 비침도.

조:명도-계【照明度計】[명]〖물〗조명계.

조:명-등【照明燈】[명] 조명하는 데 쓰이는 촉수가 높은 전등.

조:명-록【照明錄】[—녹] [명] 명사들의 이름을 적은 기록.

조:-명리【趙明履】[—니] [명]〖사람〗조선 영조(英祖) 때의 문신. 자는 중례(仲禮), 호는 노강(蘆江)·도천(道川). 임천(林川) 사람. 문명(文名)이 있어 《광묘 어제훈사(光廟御製訓辭)》·《천의 소감(闡義昭鑑)》을 편찬하였으며, 한성부 판윤(漢城府判尹)을 지냈음. 시조 4 수가 전하며, 문집 《도천집(道川集)》이 있음. 시호는 문헌(文憲). [1697-1756]

조:명 분기 회로【照明分岐回路】[명] 조명을 설비할 때만 쓰는 콘센트에 전력을 공급하는 회로.

조:명 설계【照明設計】[명] 광원(光源) 및 시스템의 설계. 시각적으로 쾌적한 환경을 만드는 것을 목적으로 함.

조:명 소방차【照明消防車】[명] 야간 재해 현장에서의 작업을 용이하게 하기 위하여 자동차의 엔진으로 구동(驅動)하는 발전기와 수개의 투광기(投光器)를 장비하고 스스로 발전하여 조명하는 소방차.

조명 시:리【朝明市利】[명] 명예(名譽)는 조정(朝廷)에서, 이(利)는 저자에서 다루라는 말이니 무슨 일을 적당한 곳에서 하라는 말.

조:명-실【照明室】[명] 조명을 하기 위하여 마련한 방.

조:명-지【照明紙】[명] 조명에 쓰이는, 색이 있고 투명한 종이.

조:명-탄【照明彈】[명]〖군〗공중에서 작렬(炸裂)하여 강한 빛을 발하는 장치의 탄환. 야간(夜間)의 적정(敵情)을 알기 위하여 또는 야간 항공기의 착륙 유도(着陸誘導) 등 다목적으로 쓰임.

조모¹【祖母】[명] 할머니❶. ↔조부(祖父).

조모[2]【粗毛】명 동물의 피모(被毛) 분류의 하나. 중심부에 모수(毛髓)가 있고 굵으며 딱딱하고 곧은 털. 주로 안면·귀·다리 부분에 많이 나 있는 것인데 털로서의 가치가 낮음. 미개량종(未改良種)의 동물일수록 이것의 율이 높음. 거센털. ↔면모(綿毛).

조모[3]【朝暮】명 아침 때와 저녁 때. 조석(朝夕). 조만(朝晩). 조포(朝晡).

조모[4]【朝謨】명 조정의 계책. 조정의 정책.

조모-님【祖母—】명 할머님. ↔조부님.

조모락-거리다 타 〈방〉 조몰락거리다.

조-모음【調母音】명 『언』 조음소(調音素). 매개 모음.

조목[1]【條目】명 한 개 한 개씩 벌인 일의 가닥. 조항(條項). 절목(節目). 항목(項目). 조조(條條). ¶～별로 심리하다.

조목[2]【棗木】명 『식』 대추나무.

조목[3]【潮目】명 〔current rip〕 『지』 난류(暖流)·한류(寒流)와 같은, 성질이 서로 다른 수괴(水塊)의 경계. 해수(海水)의 불연속선(不連續線)이라고 할 수 있음.

조목-조목【條目條目】부 조목마다. ¶요구 사항을 ～ 다 쓰다 /～ 따지며 덤비다.

조목조목-이【條目條目—】부 ☞조목조목.

조몰락-거리다 타 물건을 손으로 자꾸 주무르다. <주물럭거리다. 조몰락-조몰락 부. ——-하다 타여불

조몰락-대다 타 조몰락거리다.

조묘[1]【祖廟】명 선조(先祖)의 묘(廟).

조묘[2]【粗描】명 줄거리만 대충 묘사함. ——-하다 타여불

조무[1]【祖武】명 조상이 남긴 공적(功績).

조무[2]【朝務】명 조정의 정무(政務).

조무[3]【朝霧】명 아침에 끼는 안개.

조무래 부 〈방〉 좀처럼(함경).

조무래기 명 자잘구레한 아이나 또는 물건.

조무래선 부 〈방〉 좀처럼(함경).

조-무상【曹無傷】명 〔한패공(漢沛公)을 항우(項羽)에게 참소(讒訴)하던 사람의 이름이 조무상이었던 데서 유래함〕 남을 참소하는 소인(小人)을 비유하여 일컫는 말. 「乳).

조-묵 명 좁쌀 가루로 죽을 쑤어 굳혀서 만든 묵과 같은 음식. 속유(粟

조:문[1]【弔文】명 고인(故人)의 생전의 업적을 기리고 그의 명복을 비는 글. ¶～을 읽다.

조:문[2]【弔問】명 상주(喪主)된 사람을 조상(弔喪)하여 위문함. ——-하다 타여불

조문[3]【爪紋】명 손톱 끝으로 낸 무늬.

조문[4]【條文】명 조목(條目)으로 벌여 적은 글. ¶～에 명시하다.

조문[5]【彫文】명 파서 새긴 글.

조문[6]【鳥文】명 각종 새의 형상을 도안화(圖案化)하여 새기거나 그려서 장식한 문양(文樣).

조:문[7]【照門】명 『군』 가늠구멍.

조문[8]【藻文】명 잘 지은 글.

조:문-객【弔問客】명 문상(問喪) 온 사람.

조문-경【粗文鏡】명 『고고학』 '거친 무늬 거울'의 구용어.

조문 석사【朝聞夕死】명 아침에 진리(眞理)를 들어 깨치면 저녁에 죽어도 한(恨)이 없다는 뜻. 즉, 사람이 참된 이치(理致)를 듣고 각성(覺醒)하면 당장 죽어도 한될 것이 없으니 짧은 인생(人生)이라도 값 있게 살아야 한다는 뜻.

조물[1]【兆物】명 많은 물체(物體). 만물(萬物).

조:물[2]【造物】명 ①↗조물주(造物主). ②조물주가 만든 것. 천지간의 만물. 자연(自然).

조물[3]【彫物】명 조각한 물건. 조각물.

조물-사【彫物師】[—싸] 명 물건을 조각하는 사람.

조:물-자【造物者】[—짜] 명 조물주(造物主).

조:물-주【造物主】[—쭈] 명 우주간(宇宙間)의 만물을 만든 신(神). 조화(造化)의 신. 조물자(造物者). 조화신(造化神). 조화옹(造化翁). ㊉조물(造物).

조물-통이 명 〈방〉 조무래기.

조:미[1]【助味】명 음식의 맛을 좋게 함. ——-하다 타여불

조미[2]【租米】명 조세(租稅)로서 바치는 쌀. ——-하다 타여불

조미[3]【祖彌】명 성(姓)의 하나. 우리 나라에는 현존하지 않음.

조미[4]【粗米】명 잘 닦이지 않은 거친 쌀. ↔정미(精米).

조:미[5]【造米】명 매갈이. ——-하다 타여불

조미[6]【調味】명 음식의 맛을 고르게 맞춤. 조합(調合). ——-하다 타여불

조:미[7]【糙米】명 ①매갈이. ②매조미 쌀. ——-하다 타여불

조미-료【調味料】명 음식의 맛을 맞추는 데 쓰는 재료. 양념감. 미료(味料).

조:미-상【造米商】명 조미(造米)를 업으로 하는 사람.

조미 수호 통상 조약【朝美修好通商條約】명 『역』 조선 시대 말 고종(高宗) 19년(1882)에 우리 나라와 미국 사이에 수호(修好)와 통상(通商)을 목적으로 맺은 조약. 청(淸)나라 사신(使臣) 마건충(馬建忠)·정여창(丁汝昌)의 알선으로 인천(仁川)에서 맺음. 우리 나라가 구미(歐美) 제국과 맺은 최초의 조약임.

조-미음【—米飮】명 ↗좁쌀 미음.

조:미-장이【造米匠—】명 〈방〉 용정장(舂精匠)이.

조:민[1]【弔愍】명 조휼(弔恤).

조민[2]【兆民】명 일반 인민. 모든 백성. 조서(兆庶). 조억(兆億).

조민[3]【朝民】명 조정의 치하(治下)에 있는 백성.

조민[4]【躁悶】명 마음이 조급하여 가슴이 답답함. ¶별생각을 다하며 누웠다 앉았다 ～히 지내는 중에…≪崔瓚植 : 春夢≫. ——-하다 형여불 ——-히 부

조민-당【朝民黨】명 ↗조선 민주당.

조-민수【曺敏修】명 『사람』 고려 말기의 무신. 창녕(昌寧) 사람. 우왕(禑王) 14년(1388) 요동 정벌군(遼東征伐軍)의 좌군 도통사(左軍都統使)로 출정, 이성계(李成桂)와 함께 위화도(威化島)에서 회군(回軍)하여 우왕을 폐하고 창왕(昌王)을 옹립하였으나, 뒤에 이성계 일파의 전제 개혁(田制改革)을 반대하다가 유배되었음. [?-1390]

조밀【稠密】명 촘촘하고 빽빽함. ¶인구가 ～한 도시.

조:-밀화【造蜜花】명 인공으로 만든 밀화.

조바귀 명 〈방〉 조바위.

조바기 명 〈방〉 조바위.

조-바꿈【調—】명 〔modulation〕 『악』 악곡(樂曲)의 진행 중 계속되던 곡조를 다른 곡조로 바꾸어 진행시키는 일. 잠시 바꾸는 것은 임시 기호로, 오래 바꾸는 것은 조표(調表)를 씀. 전조(轉調). ——-하다 타여불

조바달다【調婆達多】[—따] 명 『불교』 제바달다(提婆達多). 조달(調達).

조-바심[1] 명 조의 이삭을 떨어서 좁쌀을 만듦. ——-하다 자여불

조바심[2] 명 조마조마하여 마음에 불안을 느낌. ¶떨어질까 못내 ～하다. ——-하다 자여불

조바위 명 추울 때 여자가 쓰는 방한모(防寒帽)의 일종. 아얌과 비슷한데 제물 볼끼가 커서 귀를 덮음.

〈조바위〉

조박[1] 명 〈방〉 조각(평안).

조박[2]【漕舶】명 『역』 조운(漕運)하는 배.

조:-박[3]【趙璞】명 『사람』 조선 태종 때의 문신. 자(字)는 안석(安石), 호는 우정(雨亭). 평양 사람. 이방원(李芳遠)과 동서(同壻)간으로 이성계(李成桂)를 도와 개국 공신이 되어 예조 전서(禮曹典書)에 이르렀고 평원군(平原君)에 피봉됨. 정종(定宗)의 즉위 후 정사(定社)의 훈(勳)에 책록되고 참찬 문하부사(參贊門下府事)에 승진, 사헌부 대사헌(司憲府大司憲)을 겸함. 태종(太宗)초에 좌명 공신(佐命功臣)이 되고 이조 판서에 이름. 시호는 문평(文平). [1356-1408]

조박[4]【糟粕】명 ①재강. ②무슨 학문이나 서화나 음악에 있어서 옛 사람이 다 밝혀 낸 찌끼의 비유. ③양분을 빼고 난 불용물(不用物). 정신이 없는 유물(遺物).

조:반[1]【早飯】명 아침 밥 전에 조그만큼 먹는 음식.

조반[2]【皁礬】명 『화』 녹반(綠礬).

조:반[3]【造反】명 반역. 반항. 조직으로부터의 탈퇴. ——-하다 자여불

조반[4]【朝班】명 『역』 조회(朝會)에 참여하는 벼슬아치의 벌여 서는 차례. 조열(朝列).

조반[5]【朝飯】명 아침밥.

조:-반[6]【趙胖】명 『사람』 고려말 조선초의 문신(文臣). 본관은 배천(白川). 어려서 부친을 따라 연경(燕京)에 가서 공부하여 한어(漢語)와 몽고어에 능했음. 공양왕(恭讓王) 1년(1389) 명(明)나라에 왕의 즉위를 알리러 갔을 때 윤이(尹彝)·이초(李初) 등의 본국에 대한 무고(誣告)를 변해(辯解)하여 명나라 황제의 의심을 풀게 함. 조선 왕조 개국 때에는 이성계(李成桂)를 추대, 개국 공신(開國功臣)이 됨. 판중추원사(判中樞院事)를 거쳐 참찬 문하부사(參贊門下府事)를 지냄. 시호는 숙위(肅魏). [1341-1401]

조:반-기【早飯器】명 놋쇠로 만든 식기(食器)의 한 가지. 모양이 반병두리 비슷하고 뚜껑이 있음.

조반니 다 몬테 코르비노 〔Giovanni da Monte Corvino〕 명 『사람』 이탈리아의 프란체스코회 수사(修士). 동방 포교에 종사하다 로마 교황의 명을 받고 1294년 원(元)나라의 대경(大京)에 이르러 그 후 약 30년간 중국에서 포교, 대주교(大主教)에 임명됨. 성서를 몽고어로 번역했다고 함. [1247?-1328]

조반-류【鳥盤類】[—뉴] 명 『동』 〔Ornischia〕 용반류(龍盤類)와 함께 공룡류(恐龍類)의 한 아목(亞目). 조형(鳥型)의 요골(腰骨)을 갖고 있으며, 검룡(劍龍)·금룡 등이 이에 속함.

조반-병【條斑病】[—뼝] 명 『식』 식물의 잎이나 잎꼭지에 세로 황색 또는 갈색의 긴 병반이 생기는 병. 불완전균 또는 바이러스에 의해 보리·밀·귀리·감자 등에 감염함.

조반-상【朝飯床】[—쌍] 명 아침밥을 차린 상.

조반 석죽【朝飯夕粥】명 아침에는 밥을, 저녁에는 죽을 먹는 정도의 구차한 생활. ——-하다 자여불

조:발[1]【早發】명 ①어떤 꽃이 다른 꽃보다 일찍이 핌. ②아침 일찍이 출발함. 조행(早行). ③열차·기선 같은 것이 정한 시간보다 일찍이 떠남. ——-하다 자여불

조발[2]【調發】명 징발(徵發)❶. ——-하다 타여불

조발[3]【調髮】명 ①머리를 땋음. ②머리를 깎음. ——-하다 자여불

조발-낭【爪髮囊】명 『민』 염습(殮襲)할 때에 시신(屍身)의 손톱·발톱을 깎고, 흩어진 머리카락을 주워 담아, 관(棺) 구석에 넣는 조그마한 주머니.

조:발-도【早發島】[—또] 명 『지』 전라 남도 여수시(麗水市) 화정면(華井面) 조발리(早發里)에 위치한 섬. 여수 반도(麗水半島)와 고흥(高興) 반도 사이의 순천만(順天灣)에 있음. [1.05 km²]

조발 석지【朝發夕至】명 아침에 출발하여 저녁에 이름. ——-하다 자여불

조:발성 치매【早發性癡呆】[—썽—] 명 『의』 정신 분열증.

조:발암 물질【助發癌物質】[—찔] 명 『의』 그것 자체는 발암 작용(發癌作用)이 없지만 다른 발암 물질의 효과를 높이고 발암 과정을 촉진시키는 물질.

조-밥 명 강조밥이나 또는 입쌀에 좁쌀을 많이 두어서 지은 밥의 통칭. 속반(粟飯). 황량반(黃粱飯).
[조밥에도 큰 덩이 작은 덩이가 있다] 어디나 크고 작은 구별이 있는 법이라는 말.
조밥-나무 명 ☞ 조팝나무❶.
조밥-나물 명 〖식〗 ☞ 조팝나물.
조:방¹【助幇】명 오입판에서 계집과 사내 사이에 있어 온갖 일을 주선하여 심부름하여 주는 일. *포주(抱主).
조방²【粗放】명 거칠고 맺힌 데가 없는 모양. 면밀(綿密)하지 못한 모양. ——-하다 형여불
조방³【粗紡】명 방적 공정(紡績工程)의 하나. 연조기(練條機)를 거친 슬라이버(sliver), 곧 소면(梳綿)의 섬유를 조방기(粗紡機)로 다시 가늘게 늘여서 꼼.
조방⁴【朝房】명 〖역〗 조신(朝臣)들이 조회(朝會) 때를 기다리느라고 모여 있던 방. 대궐(大闕) 문 밖에 있었음. 직방(直房).
조:방-가새 명 〖식〗 조뱅이.
조방 경작【粗放耕作】명 〖농〗 일정한 토지 면적에 대하여 자본(資本)과 노력(勞力)을 적게 들이고 자연력의 작용을 주로 하여 경작하는 방법. ↔집약(集約) 경작.
조방-기【粗紡機】명 방적 공정(紡績工程) 가운데서 굵은 섬유 다발을 다시 가늘게 늘여 조사(粗絲)로 만드는 기계. 시방기(始紡機)·간방기(間紡機)·연방기(練紡機)를 한 조로 하는 것과, 한 공정으로 행하는 단방기(單紡機)가 있음.
조:방-꾸니【助幇—】명 ①오입판에서 조방(助幇)을 보는 사람. ②어린 아이들의 놀이 동무가 되는 사람을 가리키는 말.
조:방-꾼【助幇—】명 ☞ 조방꾸니.
조방 농업【粗放農業】명 〔extensive farming〕 〖농〗 일정 면적(一定面積)의 땅에 대하여 자연물(自然物)·자연력(自然力)을 주로 하여 자본(資本)과 노력(勞力)을 적게 들이는 원시적(原始的) 농업. ↔집약 농업(集約農業).
조방거싀 명 〈옛〉 〖식〗 조방가새. ¶大薊는 한거싀 小薊는 조방거싀≪救簡 Ⅲ:97≫.
조방이 명 〈옛〉 〖식〗 조뱅이. ¶조방이 계(薊)≪字會 上 3≫.
조:방-질【助幇—】명 조방을 보는 일. ¶~하여 화초방을 차려 주고 구문을 뜯어 수월찮이 재미를 보는 창가(娼家)인 것 같았다≪金周榮: 客主≫. ——-하다 자여불
조-밭 명 조를 심은 밭. 속전(粟田).
조배【朝拜】명 〖천주교〗 흠숭(欽崇)하고 기도하는 일. ——-하다 타여불
조:배-식【早拜式】명 〖대종교〗 신도(信徒)들이 날마다 첫새벽에 천진전(天眞殿)에 모여서, 네 번 절한 뒤에 원도(願禱)를 드리고 천악(天樂)을 부르는 의식.
조백¹ 명 〖악〗 예로부터 전승(傳承)되어 오는 판소리의 법통(法統).
조:백²【早白】명 마흔 살 안팎의 나이에 머리 털이 셈. ——-하다 자여불
조백³【早白】명 ①잘잘못. ②검은 것과 흰 것. 흑백(黑白).
조뱅-이 명 〖식〗 〔*Cephalonoplos segetum*〕 국화과에 속하는 월년초(越年草). 줄기는 높이 30-50 cm이고 근생엽(根生葉)은 총생(叢生), 경엽(莖葉)은 호생하며 긴 타원형임. 5-8월에 홍자색 꽃이 가지 끝에 하나씩 피며, 과실은 수과(瘦果)임. 정원에 심는데, 한국 각지에 분포함. 줄기와 뿌리는 각각 '소계묘(小薊苗)'·'소계근(小薊根)'이라 하여 약용하고, 잎은 식용함. 조방가새.
조:번 순작【助番巡綽】명 〖역〗 비번(非番) 군사가 상번(上番) 군사를 도와 순라(巡邏) 경계하는 일.
조:법¹【助法】〔—뻡〕 명 〖법〗 주법(主法) 즉 실체법(實體法)을 실행하는 방법 및 절차를 규정한 법률. 형사 소송법(刑事訴訟法)·민사 소송법(民事訴訟法) 등. ↔주법(主法).
조법²【祖法】〔—뻡〕 명 선조(先祖)가 시작한 법.
조법³【調法】명 〖불교〗 조복(調伏)의 주법(呪法).
조:법 처:분【照法處分】명 법률이 정하는 바에 따라서 처분함. *의법(依法) 처단.
조베르티〔Gioberti, Vincenzo〕명 〖사람〗 19세기 이탈리아의 철학자·정치가. 플라톤의 이상주의를 바탕으로, 교황(敎皇)을 장(長)으로 하는 이탈리아 연방 형성을 호소하는 저작에 전념함. 주저(主著)에 ≪이탈리아인의 도덕적·시민적 우월성≫이 있음. [1801-52]
조:-벽암【趙碧岩】명 〖사람〗 시인·소설가. 본명은 중흡(重治). 충북 진천(鎭川) 벽암리(碧岩里) 출생. 경성 제이(第二) 고보를 거쳐 경성 제대 법학과 졸업. 시 ≪대설계(大設計)≫로 1934년에 데뷔. 일제하 지식인의 비참한 현실을 그린 소설 ≪결혼 전후≫·≪구인몽(蚯蚓夢)≫·≪풍차(風車)≫·≪농군≫ 등을 발표함. 시집 ≪향수(鄕愁)≫·≪지열(地熱)≫ 등이 있음. 목적 의식이 너무 강해 예술성이 부족하다는 지적을 받기도 했음. 월북(越北) 작가의 하나. [1908-?]
조:변¹【早變】명 일찍 변함. 빨리 변함. ——-하다 자여불
조변²【調辨】명 ①조사(調査)하여 처치함. ②〖군〗 출정(出征)한 군대와 군마(軍馬)의 양식(糧食)을 현지(現地)에서 구하여 조달(調達)함. ——-하다 타여불
조변 석개【朝變夕改】명 아침 저녁으로 뜯어 고침. 조석 변개(朝夕變改). ——-하다 타여불
조:-변수【助變數】명 〖수〗 매개 변수(媒介變數). 모수(母數).
조:변수 표시【助變數表示】명 〖수〗 매개(媒介) 변수 표시.
조별¹【組別】명 조마다. *반별(班別).
조별²【誂撆】명 비웃고 놀림. 조롱(嘲弄). ——-하다 타여불
조:병¹【造兵】명 〖군〗 병기(兵器)를 제조함. ——-하다 자여불
조병²【凋兵】명 피로(疲勞)하여 지쳐 버린 병사(兵士).
조병³【朝柄】명 조정의 권력. 권병(權柄).
조병⁴【操兵】명 〖군〗 군사를 조련(操鍊)함. ——-하다 자여불
조병⁵【躁病】명 조울병(躁鬱病)의 어느 시기에 또는 독립적으로 오는 정신 이상(精神異狀)의 하나. 발병중에는 감정 상쾌(感情爽快)·다변(多辯)·다동(多動)하며 침착성이 없음.
조:-병(:)갑【趙秉甲】명 〖사람〗 조선 고종 때의 군수. 1893년 고부(古阜) 군수로 부임, 만석보(萬石洑)를 증축하여 수세(水稅)를 징수 착복하고 무고한 사람에게 죄목을 씌워 재산을 착취하는 한편, 그의 부친의 비각을 세운다고 금품을 늑탈하는 등 학정이 심하여, 이에 군민들이 궐기, 항의했으나 듣지 않아 결국 동학 운동의 불씨를 만듦. 뒤에 파면당하고 섬에 유배됨. 생몰년 미상.
조:-병(:)덕【趙秉悳】명 〖사람〗 조선 후기의 학자. 자(字)는 유문(孺文), 호는 숙재(肅齋). 양주(楊州) 사람. 홍직필(洪直弼)·오희상(吳熙常)의 문인. 벼슬은 호조 참판을 지냄. 조선말의 거유(巨儒)로 문하에 많은 제자를 배출하였음. 시호는 문경(文敬). [1800-70]
조:-병(:)세【趙秉世】명 〖사람〗 조선 고종(高宗) 때의 상신(相臣)·순국 열사. 자는 치현(穉顯), 호는 산재(山齋). 양주(楊州) 사람. 고종 30년(1893)에 좌의정(左議政)이 되고, 갑오 개혁(甲午改革) 이후 가평(加平)에 은거하였다가, 을사 오조약(乙巳五條約)의 체결을 보고 궁궐에 연좌, 을사 조약의 무효를 연소(聯疏)하다가 뜻을 이루지 못하자, 표훈원(表訓院)에 되돌아가 유소(遺疏)와 각국 공사 및 동포에게 보내는 유서를 남기고 자결했음. 시호는 충정(忠正). [1827-1905]
조:-병(:)식【趙秉式】명 〖사람〗 조선 고종 때의 문신. 자(字)는 공훈(公訓). 양주 사람. 고종(高宗) 22년(1885) 진주 부사(陳奏副使)로 청나라에 가서 대원군의 석방을 주청했고, 동왕 25년 조선국 대표로 러시아 대표 베베르와 조로 육로 통상 장정(朝露陸路通商章程)을 체결함. 함경도 관찰사 때 방곡령(防穀令)을 선포함으로써 일본의 반발을 사게 했고 충청도 관찰사로 있을 때 동학 교도를 탄압하여 동학 농민 운동의 원인(遠因)을 만듦. 그 후 의정부 찬성(贊成)으로 있으면서 황국 협회(皇國協會)를 배후에서 조종하여 독립 협회 타도의 선봉에 섰음. [1823-1907]
조:-병(:)옥【趙炳玉】명 〖사람〗 정치가. 호는 유석(維石). 천안(天安) 출신. 연희(延禧) 전문 학교를 거쳐 도미해 1925년 컬럼비아 대학에서 수학함. 광주 학생 사건·수양 동지회(修養同志會) 사건 등으로 복역했으며, 해방이 되자, 송진우(宋鎭禹) 등과 한국 민주당(韓國民主黨) 창당에 참여한 후 미군정청 경무 부장, 1950년 내무부 장관을 역임함. 1960년 민주당(民主黨) 대통령 후보 공천을 받았으나 신병으로 미국에서 가료중 별세함. [1894-1960]
조:-병(:)준【趙秉準】명 〖사람〗 대한 제국의 독립 운동가. 자는 유평(幼平), 호는 국동(菊東). 평북 의주(義州) 출신. 유학(儒學)을 배운 후 고종 32년(1895) 을미 사변(乙未事變)이 일어나자, 유인석(柳麟錫) 휘하에 들어가 평안도 의병장이 되어 일본군과 싸우다가 만주로 망명, 항일 투쟁을 계속하다가 병사함. [1862-1931]
조:-병(:)직【趙秉稷】명 〖사람〗 조선 말기의 문신. 자는 치문(稚文). 양주(楊州) 사람. 고종(高宗) 29년(1892) 형조 판서가 되었다가 이듬해 협판 교섭 통상 사무(協辦交涉通商事務)에 올라 외교 문제(外交問題)를 담당. 일본의 침투를 막기에 노력하는 한편 김옥균(金玉均)의 암살범 홍종우(洪鍾宇)를 옹호(擁護)하는 등 사대당(事大黨)으로 활약함. 동 31년 청일(淸日) 전쟁 때 일본의 압력으로 실각(失脚), 건양(建陽) 1년(1896) 아관 파천(俄館播遷) 때 친로파(親露派)에 가담, 법무·농상공부 대신 등을 지냄. 뒤에 만민 공동회(萬民共同會)에서 맹렬한 비난을 받음. [1833-1901]
조:병-창¹【造兵廠】명 〖군〗 ①↗육군 조병창(陸軍造兵廠). ②병기를 만드는 공장.
조:-병(:)창²【趙秉昌】명 〖사람〗 조선 말기의 문신. 흥선 대원군(興宣大院君)의 심복으로 이조 판서를 세 번 중임(重任)하였으나 고종(高宗) 13년(1876) 조정을 문란하게 했다는 이유로 추자도(楸子島)에 유배, 3년 후 석방됨. 임오 군란(壬午軍亂)이 일어난 다음 해 군란을 배후에서 조종했다는 혐의로 사사(賜死)됨. [?-1883]
조:병-학【造兵學】명 〖군〗 병기의 구조(構造)·이론(理論) 즉 조병 기술을 연구하는 학문.
조:-병(:)현【趙秉鉉】명 〖사람〗 조선 순조(純祖)·헌종(憲宗) 때의 문신. 자는 경길(景吉), 호는 성재(成齋)·우당(羽堂). 풍양(豐壤) 사람. 여러 벼슬을 거쳐, 헌종 5년(1839) 병조 판서가 되어 이조 판서 조만영(趙萬永)과 함께 대대적인 천주교 탄압을 감행하여 많은 신부·신자들을 죽임. 이후 예조·이조·공조 판서를 지냈으나 안동 김씨(安東金氏)의 탄핵을 받고 사사(賜死)됨. [1791-1849]
조보【朝報】명 〖역〗 기별(奇別)❶.
조:보【釣父】명 낚시질하는 노인.
조보왜다 형 〈옛〉 좁다. ¶商山ㅅ芝草ㅣ 먹더니도 조보왜니라(局促商山芝)≪初杜諺 Ⅸ:4≫.
조:복¹【阻卜】명 〖역〗 타타르(Tartar) 부족의 이명(異名).
조복²【鳥卜】명 〔augury; 'augur'는 고대 로마의 성직자(聖職者)의 최고 계급을 가리키는 말〕 새의 나는 모양에 의하여 길흉(吉凶)을 예언하는 복점(卜占). *조점술(鳥占術).
조복³【粗服】명 거칠고 값싼 의복.
조복⁴【朝服】명 〖역〗 조하(朝賀) 때에 입는 예복. 붉은빛의 비단으로 지음. ——-하다 자여불 조하 때 예복을 입다.
조:복⁵【照覆】명 조회(照會)에 대한 회답. ——-하다 타여불
조복⁶【調伏】명 〖불교〗 ①마음과 몸을 고르게 하여 모든 악행(惡行)을 제어(制御)함. ②부처에게 기도하여 불력(佛力)에 의하여 원적(怨敵)

과 악마를 항복 받는 일. 항복(降伏). ——-하다 타여불

조복[7]【調服】명 무슨 약에 다른 약을 타서 먹음. ——-하다 타여불

조복-미【漕復米】명〖역〗일찍이 충청도·전라도의 조군(漕軍)에게 복결(復結) 두 결을 주었는데, 그 뒤 이것이 폐단이 많다 하여 도로 선혜청(宣惠廳)에 바치게 하고, 대가(代價)를 그 소속 조창(漕倉)에서 나누어 주도록 한 쌀.

조복-법【調伏法】명〖불교〗부동존불(不動尊佛)·항삼세(降三世)·군다리(軍茶利)·금강 야차(金剛夜叉) 등의 분노(忿怒)의 상을 나타내는 부처를 본존(本尊)으로 하여, 원적(怨敵)·악마를 조복(調伏)하는 수법(修法). 항복법(降伏法).

조:-복성【趙福成】명〖사람〗동물학자. 평양 출신. 1924년 평양 고보(高普) 사범과(師範科)를 졸업한 후, 중국으로 건너가 국민 정부 문물 보존 위원회(國民政府文物保存委員會) 연구원이 됨. 1945년에 국립 과학 박물관장을 지내고, 이어 성균관 대학·고려 대학 교수를 지냄. 저서에 ≪한국 동물 도감 나비류(類)≫가 있음. [1905-71]

조:복성-박쥐【趙福成一】명〖동〗[*Myotis formosus tsuensis*] [조복성은 이 학명의 명명자(命名者)인 동물학자] 애기박쥣과에 속하는 짐승. 털빛은 집박쥐와 비슷한데, 앞팔 날개의 길이는 35-38 mm이고 귀는 좀 길며 다리가 큼. 상하면(上下面)이 모두 적색을 띤 등황색(橙黃色)이며 털 끝이 흑색인 것도 있음. 귀는 적갈색인데 끝과 양가장자리는 흑색이며 완전막(完全膜)은 적갈색에 흑갈색의 큰 삼각 반문(三角斑紋)이 있음. 흔히, 냇가·연못 가에 날아 다니는데, 한국의 특산종(特産種)임. 붉은박쥐.

조-봉[1]【祖峰】명〖지〗강원도 양양군(襄陽郡)에 있는 산. [1,183 m]

조:봉[2]【遭逢】명 조우(遭遇)❷. ——-하다 자타여불

조봉 대:부【朝奉大夫】명〖역〗조선 시대 때 종사품(從四品) 문관(文官)의 품계. 고종(高宗) 2년(1865)부터 문관·종친(宗親)의 품계로 병용(並用)하였음.

조봉-랑【朝奉郞】[—낭] 명〖역〗고려 때 종오품 문관의 품계. 충선왕(忠宣王) 2년(1310)에 정하였음.

조-봉(:)암【曺奉岩】명〖사람〗정치가. 호는 죽산(竹山). 경기 강화(江華) 출신. 본관은 창녕(昌寧). 1925년 조선 공산당 조직에 참여하였으나 해방 후 공산당을 탈당하고, 초대(初代) 농림부 장관·민의원 부의장을 거쳐 1952년 대통령 후보로 출마하여 낙선함. 1956년 진보당(進步黨)을 창당, 정치 활동을 하다가 국가 보안법 위반으로 사형되었음. [1898-1959]

조뵈압다 형〈옛〉좁다. ¶조뵈압다(量窄)≪同文 上 23≫.

조:부[1]【弔賻】명 조문(弔問)과 부의(賻儀).

조부[2]【祖父】명 할아버지❶. ↔조모(祖母).

조부[3]【租賦】명 조세(租稅).

조부[4]【調夫】명〖역〗조선 시대 사옹원(司饔院)의 종팔품 잡직(雜職). 선부(膳夫)의 아래, 임부(飪夫)의 위.

조부[5]【調府】명〖역〗신라 때 공부(貢賦)를 맡은 관아. 진평왕(眞平王) 6년(584)에 베풀어서, 경덕왕(景德王)이 대부(大府)라 고쳤다가 혜공왕(惠恭王)이 다시 본 이름으로 고치었음.

조부[6]【調賦】명 공물(貢物). 연공(年貢).

조부-님【祖父一】명 조부(祖父)의 높임말. ↔조모(祖母)님.

조-부모【祖父母】명 할아버지와 할머니. 왕부모(王父母).

조분[1]【躁忿】명 성급하여 화를 잘 냄. ——-하다 자여불

조분[2]【鳥糞】명 새똥.

조분-석【鳥糞石】명 [guano]〖광〗인광(燐鑛)의 한 가지. 해조(海鳥)의 똥이 해안(海岸)의 바위 위에 쌓이어서 변질(變質)한 덩어리. 인비료(燐肥料)에 쓰임. 구아노(guano). 해조분(海鳥糞). 분화석(糞化石).

조:분-왕【助賁王】명〖사람〗신라 제11대 왕. 성은 석(昔). 감문국(甘文國)을 정벌하고, 침입한 왜구를 격퇴시켰으며, 골벌국(骨伐國)의 항복을 받았음. 제귀왕(諸貴王). [재위 230-247]

조:불【造佛】명〖불교〗부처의 소상(塑像)이나 또는 화상(畫像)을 만듦. ——-하다 자여불

조-불려석【朝不慮夕】명 형세가 절박하여 아침에 저녁 일을 헤아리지 못함. 곧, 당장을 걱정할 뿐이고, 앞일을 돌아볼 겨를이 없음. 조불모석(朝不謀夕). ——-하다 자여불

조-불모석【朝不謀夕】명 조불려석(朝不慮夕). ——-하다 자여불

조불식 석불식【朝不食夕不食】[—씩—씩] 명 아주 구차하여 끼니를 늘 굶음. ——-하다 자여불

조붓-이 부 조금 좁게. 조붓하게.

조붓-하다 형여불 조금 좁은 듯하다. ¶조붓한 길.

조-붕(:)구【曺鵬九】명〖사람〗조선 영조(英祖) 때의 학자. 자(字)는 능만(能萬), 호는 옥여재(玉余齋). 창녕(昌寧) 사람. 신동(神童)으로 18세에 ≪주역(周易)≫에 통달했고, 항상 책을 지어 감추어 두었다고 함. 죽은 뒤 2백여 권의 저서가 발견되었으나 빗물이 스며들어 대부분 못 보게 되어 있었다고 함. 저서 ≪경서 질의(經書質疑)≫·≪학문 통요(學問通要)≫ 등. [1700-35]

조브 로:테이션 [job rotation] 명〖경〗①후계(後繼) 경영자 육성(育成) 방법의 하나. 계획적으로 각종 직무를 차례로 역임시켜서 그 수행(遂行) 경험을 집적(集積)하여 능력·지식·자질(資質) 등을 계발(啓發)시키는 방법. 경영자는 종합적·대국적·전략적으로 의사를 결정해야 하므로 특정한 영역에 치우치지 않는 넓은 시야가 요구되기 때문임. ②종업원으로 하여금 여러 가지 업무를 차례로 번갈아서 담당하게 하는 방식. 같은 일을 오래 하지 않으므로 단조로운 느낌에서 오는 의욕 저하(低下)나 직업병이 없어지고 공평감(公平感)과 향상 의욕이 생김.

조비[1] 명〈방〉다람쥐.

조비[2] 명〈방〉조[1](경상).

조비[3]【祖妣】명 죽은 할머니.

조-비[4]【曹丕】명〖사람〗중국 삼국 시대, 위(魏)나라의 황제. 자는 환(桓). 조 조(曹操)의 맏아들로, 220년에 후한(後漢)의 헌제(獻帝)를 폐하고, 낙양(洛陽)에 도읍하여 국호를 위라 하고, 황초(黃初)라 건원(建元)하였음. 문제(文帝). [186-226]

조:-비[5]【趙備】명〖사람〗조선 중기의 학자. 자는 사구(士求), 호(號)는 총계와(叢桂窩). 한양(漢陽) 사람. 벼슬은 교리(校理)를 지냈으며, 경사(經史)에 통달하고 문장에 뛰어났음. 사어(射御)·도화(圖畫)에도 능하였고 특히 사부(詞賦)와 병려문(騈儷文)에 이름이 높았음. [1616-59]

조비비-하다 자〈방〉안타까워하다.

조:비-술【造鼻術】명 [rhinoplasty]〖의〗코의 성형 수술(成形手術).

조빙[1]【粗氷】명〖기상〗과냉각(過冷却)의 안개 입자가 나무나 그 밖의 돌출한 지상 물체에 바람에 불려 붙어서 된, 반투명 또는 유백색(乳白色)의 단단한 얼음 덩어리. *수빙(樹氷)·무빙(霧氷).

조빙[2]【朝聘】명 조정에서 불러들임.

조발 명〈옛〉좁쌀. ¶므롤 조발 머겨(粟馬)≪杜諺 I:50≫.

조-빼다【操一】자 난잡히 굴지 않고 짐짓 조촐한 태도를 나타내다. ⌈이넌이 두고 보자하니 꽤나 조빼고 있네그려? 네년이 몸을 사려 정절문을 세울 것이냐?≪金周榮 : 客主≫.

조뼛-조뼛 부 거리낌없이 내닫지 못하고 부끄러운 태도로 머뭇거리는 모양. ㅆ쪼뼛쪼뼛. <주뼛주뼛. ——-하다 형여불

조:사[1]【弔死】명 죽은 이에 대하여 슬픈 뜻을 표함.

조:사[2]【弔使】명 조문(弔問)을 하러 가는 사자(使者).

조:사[3]【弔詞·弔辭】명 죽은 이를 슬퍼하여 조상(弔喪)의 뜻을 나타낸 글. 도사(悼詞).

조:사[4]【早死】명 젊어서 일찍 죽음. 조세(早世). 조졸(早卒). ——-하다 자여불

조:사[5]【助事】명〖기독교〗장로교(長老敎)에서 목사를 도와서 전도하는 교직(敎職).

조:사[6]【助詞】명〖언〗체언(體言)이나 부사 또는 부사 구실을 하는 용언(用言) 밑에 붙어서 그 말과 다른 말과의 관계를 나타내거나 또는 그 말의 뜻을 도와 주거나 하는 품사. 이·가·는·에게·한테·부터·올·도·에 등. 격조사(格助詞)인 주격(主格)·보격(補格)·목적격·관형격·부사격·호격·서술격 조사 및 접속 조사·보조사 등으로 분류함. 토. 토씨. 관계사(關係詞). *허사(虛辭).

조:사[7]【助辭】명 ↗어조사(語助辭).

조사[8]【徂謝】명 사망(死亡). ——-하다 자여불

조사[9]【祖師】명 ①어떤 학파(學派)의 개조(開祖). ②〖불교〗한 종파(宗派)를 세워서, 그 종지(宗旨)를 열어 주장한 사람의 존칭. 선종(禪宗)의 달마 대사(達磨大師)와 같은 사람.

조사[10]【曹司】명 ①관직(官職)·계급·재능 같은 것의 쩨마리가 되는 사람의 일컬음. ②〖역〗정삼품(正三品)의 문신(文臣)으로 임명한 오위장(五衛將) 두 사람의 일컬음.

조:사[11]【造士】명 ①학문을 성취한 사람. ②인물을 양성함. ——-하다 자여불

조:사[12]【造寺】명 절을 지음. ——-하다 자여불

조:사[13]【釣師】명 낚시꾼.

조:사[14]【釣絲】명 낚싯줄.

조사[15]【措辭】명〖문〗글의 마디를 얽어서 만듦. 곧, 시가(詩歌)의 문장에 있어서, 문자(文字)의 용법과 사구(辭句)의 배치(配置).

조사[16]【朝士】명 조신(朝臣).

조사[17]【朝仕】명 전날, 벼슬아치가 아침마다 으뜸 벼슬아치를 뵈는 일. ——-하다 자여불

조사[18]【朝使】명 조정의 사자(使者).

조사[19]【朝事】명 ①이른 아침에 올리는 제사. ②조정에서 하는 일.

조:사[20]【詔使】명 옛날 중국 천자의 조칙(詔勅)을 가지고 온다 하여 중국 사신을 이르던 말.

조사[21]【朝辭】명〖역〗임금에게 말미를 받고 그 은혜를 감사하며 하직함. ——-하다 자여불

조사[22]【粗砂】명 토양 입자(土壤粒子) 중 지름이 1.00-0.50 mm의 것을 이름.

조:사[23]【照査】명 대조하여 조사함. ——-하다 타여불

조:사[24]【照射】명 ①햇빛 따위가 내리쬠. ¶태양의 ~. ②광선 따위를 쬠. ¶방사선의 ~를 받다. ——-하다 자타여불

조사[25]【調査】명 사물의 내용을 자세히 살펴 봄. ——-하다 타여불

조사[26]【繰絲】명 쪄낸 누에에서 실을 뽑아 생사(生絲)를 만드는 작업. 고치켜기.

조사[27]【藻思】명 글을 잘 짓는 재주.

조사-관【祖師關】명〖불교〗조사선(祖師禪)의 관문(關門). 선(禪)을 닦는 수행자는 이 관문을 통과해야 도를 깨칠 수 있다고 함.

조사-구【調査區】명 통계 조사를 할 때에 그 대상이 되는 집단의 전체 단위 및 지역을 적당히 구획한 단위 수와 면적. 조사의 기초 단위(基礎單位)가 됨.

조사-단【調査團】명 어떤 사건이나 사항을 조사하기 위하여 여러 사람으로 조직된 단체.

조사-당【祖師堂】명〖불교〗각 종(宗)의 절에서 조사(祖師)를 모신 당. 특히 선종(禪宗)의 조사인 달마 대사(達磨大師)의 상(像)을 안치(安置)한 법당.

조:사-량[1]【照射量】명 방사선 등이 조사(照射)하는 양.

조사-량[2]【繰絲量】명 고치 등에서 실을 뽑아 생사(生絲)를 만든 양.

조-사료【粗飼料】명 지방(脂肪)·단백질(蛋白質)·녹말(綠末) 등의 함량(含量)이 적고, 섬유(纖維)가 많은 사료. 청초(青草)·건초(乾草) 따위. ↔농후 사료(濃厚飼料).

조사-망【調査網】명 어떤 사건(事件)을 조사하기 위하여 널리 편 조직.

조:-사민【趙思敏】명〖사람〗고려 시대의 무신(武臣). 공민왕(恭愍王) 12년(1363) 흥왕사(興王寺)의 변에 대호군(大護軍)으로서 서울 수복의 공으로 1등 공신에 오르고 우왕(禑王) 3년(1377) 원수(元帥)로서 각지에서 왜구(倭寇)를 격파하여 평양군(平壤君)에 봉해짐. [?-1378]

조사 보:고【調査報告】명 어떠한 사실을 조사한 결과의 보고. ——-하다 타여불

조사-부【調査部】명 조사 통계를 맡아 보는 부서.

조사-비【調査費】명 어떤 일을 조사하는 데 드는 비용.

조사-서【調査書】명 조사한 내용을 적은 문서.

조사 서래【祖師西來】명〖불교〗선종(禪宗)에서, 조사(祖師) 달마(達磨)가 양(梁)나라 대통 원년(大通元年)에 인도(印度)로부터 중국 동쪽에 도래(渡來)하여, 이조(二祖) 혜가(慧可)에게 불심(佛心)을 이심 전심(以心傳心)한 일.

조:-사석【趙師錫】명〖사람〗조선 숙종(肅宗) 때의 문신. 자(字)는 공거(公擧), 호는 만회(晩悔)·만휴(晩休). 양주(楊州) 사람. 현종(顯宗) 3년(1662)에 문과에 급제 후, 여러 벼슬을 거쳐 좌의정이 됨. 숙종(肅宗) 15년(1689) 기사 환국(己巳換局) 때 형(刑)이 고르지 못함을 상소하고, 동 17년 동궁 책봉 하례(賀禮)에 불참하였다 하여 고성(固城)에 귀양을 가 죽음. [1632-93]

조:사 식품【照射食品】명 저장을 위하여 또는 품질의 저하를 막기 위하여 방사선을 조사(照射)한 식품. 베이컨·양파·감자 등의 식품에 이용됨.

조사-원【調査員】명 필요한 사항을 조사하는 임무를 띤 사람.

조사 위원【調査委員】명 어떠한 사실을 잘 살펴 보고 그 내용을 연구하기 위하여 두는 위원.

조사 위원회【調査委員會】명 어떠한 일을 조사할 목적으로 조직한 위원회. 준조위(調委).

조:사 절차【照査節次】명〖법〗금전 채권에 기인한 강제 집행에서, 이미 압류(押留)된 유체 동산(有體動產)에 대하여 집행력 있는 정본(正本)을 가진 자가 배당 요구를 하는 절차.

조:-사지[1]【助舍知】명〖역〗신라 때 회궁전(會宮典)·예궁전(穢宮典)의 한 벼슬.

조-사지[2]【租舍知】명〖역〗신라 때 창부(倉部)의 한 벼슬. 위계(位階)는 대사(大舍)에서 사지(舍知)까지였으며 효소왕(孝昭王) 8년(699)에 베풀고, 경덕왕(景德王)이 사창(司倉)이라 고쳤다가, 혜공왕(惠恭王)이 다시 본 이름으로 회복하였음.

조사-탕【繅絲湯】명 고치를 켜낸 물.

조사-표【調査表】명 어떠한 사실을 조사하여 그 내용을 나타낸 도표.

조사-회[1]【祖師會】명〖불교〗선사(禪寺)에서 역대 조사(祖師)를 공양하는 법회.

조사-회[2]【調査會】명 어떠한 사실을 조사하기 위한 모임.

조:산[1]【早產】명 임삭(臨朔) 전에 출산(出產)함. 달이 차기 전에 낳음. 조생(早生). ——-하다 타여불

조:산[2]【助產】명 ①분만(分娩)을 도움. ②산업을 조성(助成)하는 일. ——-하다 타여불

조산[3]【祖山】명〖민〗풍수 지리(風水地理)에서 말하는 것으로 혈(穴)에서 가장 멀리 있는 용(龍)의 봉우리.

조:산[4]【造山】명 쌓아서 만든 산.

조산[5]【醋酸】명 →초산(醋酸).

조:산-대【造山帶】명〖지〗조산 운동이 있었던 지역. 습곡(褶曲)·단층(斷層)·변성대(變成帶) 등을 수반하고, 보통 띠 모양으로 길게 이어짐. 환태평양(環太平洋) 조산대·알프스(Alps) 조산대·히말라야(Himalaya) 조산대 등이 있음.

조산 대:부【朝散大夫】명〖역〗①고려 때 문관(文官)의 품계(品階). 종오품의 하(下). 문종(文宗) 때에 정하였다가, 충렬왕(忠烈王) 원년(1275)에 폐하였고 동 24년에 다시 회복하였다가 곧 폐함. 공민왕(恭愍王) 5년(1356)에 다시 베풀어 종사품으로 하고, 동왕 11년에 또 폐하였다가, 동왕 18년에 또 다시 종사품의 상(上)으로 하였음. *조청(朝請) 대부·중산(中散) 대부. ②조선 시대 때 종사품 문관의 품계. 고종(高宗) 2년(1865)부터 문관·종친(宗親)의 품계로 병용(並用)하였음.

조산-랑【朝散郞】[—살—] 명〖역〗고려 때 문관(文官)의 품계. 종칠품의 하(下). 문종(文宗) 때에 정하였는데, 충렬왕(忠烈王) 원년(1275)에 폐하고 24년에 다시 두었다가, 곧 또 폐함. 선의랑(宣議郞)의 아래, 급사랑(給事郞)의 위.

조:산-만【造山灣】명〖지〗함경 북도 동북단에 있는 만. 웅기만(雄基灣)은 이 속에 포함됨.

조:산-봉【造山峰】명〖지〗평안 북도(平安北道) 강계군(江界郡)에 있는 산. [1,476 m]

조:산-부【助產婦】명 조산사(助產師).

조:산-사【助產師】명〖의〗의료인(醫療人)의 하나. 아기 해산 때 아이를 받고 산모를 구호하는 일을 업으로 하는 여자. 조산소(助產所)를 개설할 수 있음. 구칭: 조산원(助產員).

조:산-술【助產術】명 산파술(產婆術).

조:산 시:설【助產施設】명〖법〗아동 복지 시설의 하나. 요보호(要保護) 임산부를 입소(入所)시켜 조산을 받게 하는 곳.

조:산-아【早產兒】명〖의〗모체(母體)의 질병, 태아의 이상으로 인하여 임신 29-38 주(週) 사이에 출생한 신생아. 대개 출생시 체중이 적음. ↔성숙아(成熟兒). *미숙아.

조:산 운:동【造山運動】명〖지〗산맥을 형성하는 지각 변동을 이름. 마그마의 상승(上昇)을 수반하는 습곡(褶曲)·단층(斷層) 등의 운동에 의하여 지향사(地向斜)가 솟아서 생김. 조산 작용. *조륙(造陸) 운동.

조:산-원【助產員】명 '조산사(助產師)'의 구칭.

조:산 윤회【造山輪廻】[—뉸—] 명〖지〗구조(構造) 운동을 중심으로 일련(一連)의 운동이 계속해서 진행하여 조산대(造山帶)를 형성하여 가는 과정. 지향사(地向斜)의 형성, 구조 운동, 기반(基盤)의 융기의 세 단계를 밟아 진행함. *침식(浸蝕) 윤회.

조:산 작용【造山作用】명〖지〗조산 운동(造山運動).

조:-산호【造珊瑚】명 인공으로 만든 산호.

조:삼[1]【造蔘】명 수삼(水蔘)을 쪄서 백삼(白蔘) 또는 홍삼(紅蔘)을 만듦. ——-하다 자여불

조삼[2]【朝三】명 ↗조삼 모사(朝三暮四).

조삼 모:사【朝三暮四】명〔옛날 중국 송(宋)나라 저공(狙公)이 원숭이에게 향하여 너희들에게 열매를 아침에 세 개 저녁에 네 개씩 주겠노라 한즉 원숭이들이 그 적은 것을 노하는지라 곧 말을 고치어 그러면 아침에 넷 저녁에 셋씩 하자 한즉 여러 원숭이들이 좋아하였다는 우언(寓言)에서 나온 말〕①눈 앞에 당장 나타나는 차별만을 알고 그 결과가 같음을 모름의 비유. ②간사한 꾀로 사람을 속여 희롱함을 이르는 말. 준조삼(朝三).

조삽【燥澁】명 말라서 부드럽지 못하고 파슬파슬함. ——-하다 형여불

조:상[1]【弔喪】명 남의 상사(喪事)에 대하여 조의(弔意)를 표함. 문상(問喪). ——-하다 타여불

[조상에는 정신 없고 팥죽에만 정신이 간다] 딴전 본다는 뜻.

조상[2]【爪傷】명 손톱 혹은 발톱에 긁혀서 입은 생채기.

조상[3]【兆祥】명 ①조짐(兆朕). ②징험(徵驗).

조:상[4]【早霜】명 철보다 이르게 또는 아침 일찍 내리는 서리. ——-하다 자여불

조상[5]【祖上】명 ①돌아간 어버이 위로 대대의 어른. 상종(上宗). 윗대. 조선(祖先). ¶～ 전래(傳來)의 땅. ②자기 세대 이전의 모든 세대. 선대(先代).

[조상같이 안다] 무슨 물건을 끔찍하게 귀히 여긴다는 말. [조상 덕에 이밥을 먹는다] 선조(先祖)의 덕택으로 영귀 득달(榮貴得達)하여 생활이 부유(富裕)함에 이름.

조상[6]【凋傷】명 시들어 상함. ——-하다 자여불

조상[7]【彫像】명〖미술〗조각(彫刻)한 상(像). 스태튜(statue). 조각상(彫刻像).

조상[8]【朝霜】명 아침 서리.

조:상[9]【照像】명 사진(寫眞)❷.

조:상-객【弔喪客】명 조상을 하는 손님. 문상객(問喪客).

조상-굿【祖上—】[—꿋] 명〖민〗집안 조상의 영혼을 위로하기 위하여 무당을 시키어 하는 굿. ——-하다 자여불

조:상-기【造像記】명 석상(石像)·동상(銅像)·목상(木像)·화상(畫像) 등을 만든 인연(因緣)이나 유래를 적은 기록.

조:상-꾼【弔喪—】명 조상하는 사람. 문상(問喪)꾼.

조상 단지【祖上—】[—딴—] 명〖민〗집안에서 조령(祖靈)을 모시는 단지. 쌀·보리를 봄가을에 담아서, 한지(韓紙)로 덮어 묶고 안방의 시렁 위에 놓음.

조상 대:감【祖上大監】명〖민〗조상신(祖上神).

조:-상부모【早喪父母】명 어려서 부모를 여읨. 조실부모(早失父母). ——-하다 자여불

조상-사【彫像師】명 조상(彫像)을 새기는 일을 업으로 하는 사람.

조상-상【祖上床】[—쌍] 명〖민〗무당이 굿할 때에 차려 놓는 제물상(祭物床)의 한 가지. 조상에게 올린다 함.

조상-새【祖上—】명〖조〗시조(始祖)새.

조상 숭배【祖上崇拜】명 가족·부족 내지 민족의 조상을 신으로 모셔 제사하는 습속. 죽은 신령을 숭배(崇拜)하는 일이 가족 제도(家族制度)의 확립(確立)과 더불어 자손 수호(子孫守護)의 조령(祖靈)의 숭배(崇拜)로 변한 것임. 조선 숭배(祖先崇拜).

조-상식【朝上食】명 아침 상식(上食).

조상-신【祖上神】명〖민〗가신제(家神祭)의 대상의 하나. 사대조(四代祖) 이상인 조상의 신으로 자손의 보호를 맡아 본다고 하며 신체(神體)는 없음. 조상 대감(祖上大監).

조:-상우【趙相愚】명〖사람〗조선 숙종(肅宗) 때의 문신. 자(字)는 자직(子直), 호는 동강(東岡). 풍양(豐壤) 사람. 숙종 원년(1675) 스승 송준길(宋浚吉)의 삭직(削職) 반대의 소(疏)를 올렸다가 한때 유배된 일이 있으나 다시 기용되어 숙종 37년(1711) 우의정으로서 세제(稅制)의 폐단을 시정, 판중추부사(判中樞府事)에 이름. 경사(經史)에 밝고 글씨와 그림에 뛰어남. 시호는 효헌(孝憲). [1640-1718]

조상-육【俎上肉】[—뉵] 명 도마에 오른 고기. 곧, 어찌할 수 없이 된 운명을 비유하는 말.

조상육 불외도(俎上肉不畏刀) 구 도마에 오른 고기는 칼을 두려워하지 않음. 곧, 운명이 궁극에 달하면 두려운 것이 없다는 말.

조상 청배【祖上請陪】명〖민〗무당이 굿을 하는데, 굿하는 집의 조상이나 또는 그 친척 가운데의 죽은 사람의 혼령을 청하여 오는 일. 그 혼령이 시키는 말을 받아 옮김. ——-하다 타여불

조상 축원【祖上祝願】명〖민〗무속(巫俗) 의식 중 조상 거리나 안택(安宅) 때에 부르는 축원 무가(巫歌). 조상신에게 자손들의 수명·복록(福祿)·재수 등을 기원함.

조-상(:)치【曺尙治】명〖사람〗조선 단종(端宗) 때의 문신. 자(字)는 자경(子景), 호는 단고(丹皐)·정재(靜齋). 창녕(昌寧) 사람. 단종(端宗) 3년(1455) 집현전 부제학(集賢殿副提學)에 올랐고, 세조 즉위 후 예조 참판에 임명되었으나 사퇴하고 은거함. 노산조 부제학 포인 조상치지묘(魯山朝副提學逋人曺尙治之墓)라는 묘비를 미리 써 세조의 신하가 아님을 밝히고 죽음. 시호는 충정(忠貞). 생몰년 미상.

조상 치레【祖上―】[명] ①조상을 자랑하고 위함. ②조상 치다꺼리. ――-하다 [자][여불]

조새 [명] 굴조개를 따는 데 쓰는 쇠로 만든 제구.

조색[1]【皁色】[명] 곱지 않게 검은 빛깔.

조:색[2]【阻塞】[명] 방해해서 가로막음. ――-하다 [타][여불]

조색[3]【調色】[명] ①〖미술〗그림을 그리는 데 채색을 조합(調合)하여 만들고자 하는 빛깔을 내는 일. ②〔toning〕영화 필름의 착색(着色)에서, 도금법(鍍金法)에 의하여 필름면(film面)의 빛깔을 바꾸어 흑색은(黑色銀)을 다른 금속염(金屬塩)으로 착색하는 법. ――-하다 [자][여불]

조:색 기구【阻塞氣球】[명]〖군〗방공 기구(防空氣球). 저색 기구(沮塞氣球).

조:색-단【助色團】[명]〖화〗물감의 모체(母體)인 색원체(色原體)가 발색단(發色團)만으로 약하거나 바래는 경우, 이에 도입(導入)함으로써 색을 강하게 하고 염착성(染着性)을 주어 염료로서 사용할 수 있게 하는 원자단(原子團). 예컨대 수산기(水酸基)·아미노기(基) 같은 것.

조색 족두리【皁色―】[명] 족두리의 한 가지. 족두리의 겉을 흰 헝겊으로 바르고 검은 빛을 칠하였는데 복인(服人)이 씀.

조색-판【調色板】[명]〖미술〗유화(油畫)나 수채화(水彩畫)를 그릴 때에 채색을 조합(調合)하는 데에 쓰는 제구. 나무나 금속 혹은 도기(陶器)로 타원형으로 만들되 한 끝에 엄지손가락이 들어갈 만한 구멍이 뚫려 있음. 팔레트(palette).

조:생[1]【早生】[명] ①식물의 열매 따위가 보통 철보다 빨리 나는 일. ↔만생(晩生). ②보통보다 빨리 출생하는 일. 조산(早產). ――-하다 [자][여불]

조생[2]【朝生】[명] 목근(木槿)의 별칭.

조생 모:몰【朝生暮沒】[명] 아침에 나왔다가 저녁에 없어짐. 나왔다가 곧 스러짐. 조출 석몰(朝出夕沒). ――-하다 [자][여불]

조:생-아【早生兒】[명] 조산아(早產兒).

조:생원-전【趙生員傳】[명]〖책〗작자·연대 미상의 고전 소설. 국문본. 중국 명대(明代)를 배경으로 한 가정 소설로, 한림 학사가 된 조 생원의 아들이 천자의 외손녀 후주(後主)와 결혼했는데, 그보다 앞서 부모의 승낙 없이 결혼한 김 소저(金小姐) 때문에 말썽이 생기게 되나 잘 다스려서 한 집에서 살게 된다는 내용임. '장학사전(張學士傳)'이라 개작(改作)되기도 하였음.

조:생-종【早生種】[명]〖농〗같은 식물(植物) 중에서 특별히 일찍 성숙(成熟)되는 종류. 조숙종(早熟種). [준]조종(早種). ↔만생종(晩生種).

조:서[1]【弔書】[명] 조문(弔問)하는 뜻을 적은 편지. 조장(弔狀).

조서[2]【兆庶】[명] 많은 백성. 만민(萬民). 억서(億庶). 조민(兆民).

조:서[3]【早逝】[명] 요절(夭折). ――-하다 [자][여불]

조서[4]【徂暑】[명] 음력 6월의 별칭.

조:서[5]【詔書】[명] 제왕의 선지(宣旨)를 일반에게 알릴 목적으로 적은 문서. 제서(制書). 제칙(制勅). 봉조(鳳詔). 조명(詔命). 조칙(詔勅). 조유(詔諭). 조책(詔冊). 황마(黃麻). [준]조(詔).

조서[6]【調書】[명] ①조사한 사실을 기록한 문서. ②〖법〗소송 절차(訴訟節次)의 경과·내용을 공증(公證)하기 위하여 법원(法院)이나 그 밖의 기관(機關)에서 작성하는 공문서. 민사(民事) 관계에서는 변론 조서(辯論調書)·준비 절차 조서(準備節次調書)·증거 조사 조서(證據調査調書)·화해 조서(和解調書)·압류 조서(押留調書)·경매 조서(競賣調書), 형사(刑事) 관계에서는 공판 조서(公判調書)·신문 조서(訊問調書)·검증 조서(檢證調書) 등이 있음. ③〖법〗범죄 수사에 있어, 검사 또는 사법 경찰관이 피의자나 그 밖의 관계인의 진술을 들어 기록·작성하는 서면. 구용어는 청취서(聽取書). ¶~를 받다/~를 꾸미다.

조-석[1]【朝夕】[명] ①아침과 저녁. 조포(朝晡). 조만(朝晩). 조모(朝暮). 단모(旦暮). 흔석(昕夕). ②↗조석반(朝夕飯). 아침 저녁.

조석-으로 [구] 아침 저녁으로. 늘. ¶~ 드나들다.

조-석[2]【潮汐】[명]〖해〗①↗조석수(潮汐水). ②〔tide〕달·태양 등의 기조력(起潮力)에 의해 해면(海面)이 주기적으로 승강(昇降)하는 현상. 기상조(氣象潮) 등 다른 원인의 것을 포함할 때도 있음. 보통 수직 방향의 변화만을 가리킴. 지구의 자전(自轉), 달과 태양과의 상대적 위치에 따르는 변화, 지형(地形)의 영향 등으로 복잡한 양상을 보임. 달로 인한 태음조(太陰潮), 태양으로 인한 태양조(潮)로 나누어 생각하기도 함. 반일 주기(半日周期)의 변화로 고조(高潮)·저조(低潮)·조차(潮差)·월조간격(月潮間隔) 등이 정의되고, 반월(半月) 주기의 변화로 대조(大潮)·소조(小潮)가 정의됨. 천체조(天體潮). 천문조(天文潮).

조석 거리【朝夕―】[명] 끼니거리.

조석-곡【朝夕哭】[명] 조곡(朝哭)과 석곡(夕哭).

조석 곡읍【朝夕哭泣】[명] 상가(喪家)에서, 아침·저녁 상식을 올릴 때 소리내어 욺. ――-하다 [자][여불]

조석 공:양【朝夕供養】[명] 아침 저녁으로 웃어른께 음식을 드림. ――-하다 [타][여불]

조석 관측공【潮汐觀測孔】[명]〔tide hole〕〖해〗조석의 높이를 관측하기 위해서 얼음에 뚫어 놓은 구멍.

조석-력【潮汐力】[―녁] [명]〖해〗기조력(起潮力).

조석 마찰【潮汐摩擦】[명]〔tidal friction〕〖해〗조석에 의해서 바닷물이 이동하여, 주로 얕은 해저(海底)와 마찰을 일으키는 현상. 이에 의하여 지구의 회전 에너지가 감소되어 회전 속도가 느려진다고 함.

조-석문【曺錫文】[명]〖사람〗조선 전기의 문신. 자(字)는 순보(順甫). 창녕(昌寧) 사람. 동부승지(同副承旨)로 있을 때 세조의 즉위에 공헌하여 좌익 공신(佐翼功臣) 3등에 책록되고, 세조 13년(1467) 이시애(李施愛)의 난에는 병마 부총사(兵馬副摠使)로 평정에 공을 세워 적개 공신(敵愾功臣) 1등이 되어 좌의정을 거쳐 영의정이 됨. 예종초 남이(南怡) 등의 옥사를 잘 처리하여 익대 공신(翊戴功臣) 3등이 되고 성종 2년(1471) 또 좌리 공신(佐理功臣) 1등, 그후 벼슬은 영중추부사(領中樞府事)에까지 오름. 시호는 공간(恭簡). [1413-77]

조석-반【朝夕飯】[명] 아침 밥과 저녁 밥. [준]조석(朝夕).

조석 변:개【朝夕變改】[명] 조변 석개(朝變夕改). ――-하다 [타][여불]

조석 상:식【朝夕上食】[명] 아침 상식과 저녁 상식.

조석-설【潮汐說】[명]〔tidal hypothesis〕〖천〗1916년경 영국의 진스(Jeans, J.H.)가 제창(提唱)하고, 제프리스(Jaffreys, H.)가 수정한 태양계의 기원에 관한 학설. 옛날에 태양은 단독의 항성(恒星)이었는데, 어떤 딴 항성이 접근해 와서 그 두 별 사이에 기조력(起潮力)이 작용하여 물질이 분출(噴出)하였으며, 분출 물질은 기조력이 거리의 3승에 비례하는 결과 중앙 부분에서 가장 많고 양단(兩端) 부분에서는 작은 고구마 모양으로 되고, 냉각됨에 따라 분리되어 덩이가 되어 이것이 각 행성(行星)이 되었다는 설. 행성의 밀도의 차, 반경의 차 등을 설명함에는 편리하나 행성의 질량(質量) 1g 당(當)의 각운동량(角運動量)을 설명할 수 없어 지금은 역사적인 설로 간주됨.

조석-수【潮汐水】[명]〖해〗①조수(潮水)와 석수(汐水). [준]조석(潮汐). ②조수(潮水)❶.

조석 수두【潮汐水頭】[명] [tide head]〖해〗조석으로 들어오는 물의, 가장 내륙(內陸)으로 들어온 한계(限界).

조석 예불【朝夕禮佛】[―네―] [명]〖불교〗아침 저녁으로 부처에게 절하는 일.

조석-전【朝夕奠】[명] 조전(朝奠)과 석전(夕奠). 조포전(朝晡奠).

조:-석진【趙錫晋】[명]〖사람〗조선 고종(高宗) 때의 화가. 호(號)는 소림(小琳). 함안(咸安) 사람. 정규(廷奎)의 손자. 산수(山水)·인물(人物)·화조(花鳥)에 능했으며 고종의 초상화를 그려 영춘 군수(永春郡守)가 되었음. 작품에 ≪군리도(群鯉圖)≫ 등이 있음. [1853-1920]

조석 진:화설【潮汐進化說】[명] 조석(潮汐)의 마찰에 근거한 달의 진화 이론. 19세기말 다윈이 주창, 제프리스(Jeffreys, H.)가 협력하여 전개한 설. 조석의 마찰로 지구(地球)의 자전(自轉)이 늦어지면 달의 공전 각운동량(公轉角運動量)이 커짐. 이때문에 달은 지구에서 자꾸 멀어지고 공전주기는 길어지는데 이 경향이 계속되어, 달이 지구에서 지금의 거리와 1.5배가 되면 지구의 자전과 달의 공전은 같아진다고 함. 그 후, 태양(太陽)에 의한 조석 마찰로 지구의 자전은 더욱 늦어지고, 이번에는 달의 조석 마찰이 거꾸로 지구 자전을 빠르게 하여 달은 점차(漸次) 지구에 접근(接近), 최후에는 지구의 기조력(起潮力)에 의해 분쇄된다고 함.

조석-파【潮汐波】[명] 조석을 전달하는 물결. 파장(波長)이 수심(水深)에 비해 매우 깊.

조석-표【潮汐表】[명]〖해〗수로 서지(水路書誌)의 하나. 매년 미리 추산한 각지의 조수에 관한 여러 표. 특히 연안이나 내해(內海) 항해에 필요 불가결한 것임.

조석-풍【潮汐風】[명]〔tidal wind〕〖기상〗조석이 강하게 일어나는 강어귀에서, 잔잔한 날씨에 이는 매우 약한 바람. 밀물 때는 내륙 방향으로, 썰물 때는 바다 쪽으로 붊.

조선[1]【祖先】[명] 조상(祖上).

조:선[2]【造船】[명] 선박(船舶)을 설계(設計)하여 건조(建造)함. ――-하다 [타][여불]

조:선[3]【釣船】[명] 낚시질하는 배. 낚싯배. 조주(釣舟).

조선[4]【條線】[명] ①금. 선(線). ②결정면(結晶面)에 보이는, 평행되는 많은 금. 결정의 대칭성(對稱性)을 아는 데 필요함.

조선[5]【朝鮮】[명] ①우리 나라의 상고 때부터 써 내려 오던 이름. 처음에 단군(檀君)이 다스리던 때를 '단군 조선(檀君朝鮮)', 소위 기자(箕子)가 다스리던 때를 '기자 조선(箕子朝鮮)'이라 하며, 이성계(李成桂)가 고려(高麗)를 이어 세운 나라를 '이씨 조선(李氏朝鮮)' 또는 '근세 조선(近世朝鮮)'이라 함. 다만, 삼한(三韓)·삼국(三國)·고려(高麗) 때와 대한 제국(大韓帝國) 이후에는 각각 특별한 이름으로 고치어 썼음. *한국(韓國). ②↗근세 조선.

[조선 망하고 대국 망한다] 엄청난 저지레를 저지른다는 말. [조선 바늘에 되놈 실 꿰듯] 섭세한 조선 바늘에 무딘 호인(胡人)의 손으로 실을 꿰려고 애쓰듯 되지 않을 일을 헛되이 애씀을 빗대어 이르는 말. [조선 사람은 낯 먹고 산다] 한국 사람이 체면을 너무 차림을 빗댄 말.

조선 공사(公事) 삼일(三日) [구] 한국 사람이 참을성이 부족하고 자주 변경함을 이름. 조정(朝廷) 공사 사흘.

조선[6]【漕船】[명] ①물건을 실어 나르는 배. ②〖역〗나라에 수납(收納)하는 조세미(租稅米)와 대동미(大同米)를 각 지방의 주창(州倉)에서 경창(京倉)으로 운반하는 데 쓴 배.

조선[7]【操船】[명] 배를 부림. ――-하다 [타][여불]

조선 건:국 준:비 위원회【朝鮮建國準備委員會】[명]〖정〗8.15 해방(解放) 이후, 처음으로 조직된 정치 단체. 여운형(呂運亨)을 중심으로 과도기(過渡期)의 국내 질서를 자주적(自主的)으로 유지하는 것 등이 목표였고 미군정(美軍政)이 실시되자 자연 해체됨. [준]건준(建準)·건국 준비 위원회.

조선 경국전【朝鮮經國典】[명]〖책〗1394년 정도전(鄭道傳)이 지은, 조선 왕조 개국의 기본 강령을 논한 규범(規範) 체계에서, 정보위(正寶位)·국호(國號)·안국본(安國本)·세계(世系)·교서(敎書) 등으로 나누어 국가 형성의 기본을 논하고 뒤이어 ≪주례(周禮)≫ 이래 동양의 전통 관계를 따라서 치(治)·부(賦)·예(禮)·정(政)·헌(憲)·공(工)의 6 전을 설치, 각 전(各典)의 사무를 규정함. 상하 2권.

조선 고:적 도보【朝鮮古蹟圖譜】[명]〖책〗조선 총독부 간행의 우라 고적의 도보를 모은 책. 일본 학자들이 냈는데 낙랑(樂浪) 시 조선 시대까지의 고적을 중심으로 각종 유물(遺物)들의 도판(

수록함.

조선-골담초【朝鮮一】명〖식〗[*Caragana koreana*] 콩과에 속하는 낙엽 활엽 관목. 가시가 있고 잎은 우상 복생(羽狀複生)하며 소엽(小葉)은 거꿀달걀꼴 또는 도피침형(倒披針形)임. 5월에 적황색 꽃이 액생(腋生)하여 하나씩 피고, 삭과(蒴果)는 선형(線形)이며, 가을에 익음. 산지에 나는데, 강원·황해·평남 등지에 분포함. 관상용이며 뿌리는 약용함.

조:선-공【造船工】명 배를 고치거나 만드는 것을 업으로 하는 사람.

조선 공:산당【朝鮮共產黨】명 1925년 4월에 조직된 공산주의 단체. 김재봉(金在鳳)·김약수(金若水) 등이 주동이 되어 아서원(雅敍園)에서 조직했음. 국제 공산당의 결의에 따라 공산주의적인 항일(抗日)운동을 목적하였으며, 일본 경찰에 의해 탄압되어 와해된 후 4차에 걸쳐 다시 조직했으나 모두 해체되었음. 8·15 광복 때 조선 인민당·남조선 신민당과 함께 남조선 노동당으로 되었음.

조:선 공학【造船工學】명 선박(船舶)을 설계하고 건조하는 공업 분야의 학문.

조선관 역어【朝鮮館譯語】명〖책〗≪화이 역어(華夷譯語)≫ 중의 하나인 중국어와 국어의 대역(對譯) 어휘집. 천문·지리·시령(時令) 등 19문(門)의 596 단어가 기재됨. 이본(異本)이 많은데, 현재 전해지고 있는 것은 명(明)나라 모서징(茅瑞徵)의 편집으로 되었음. 1권.

조선-교【祖先教】명〖종〗조상의 신령을 숭배하는 것으로 근본을 삼는 종교.

조선 금석 총:람【朝鮮金石總覽】[一남]명〖책〗일본 학자 가쓰라기 스에하루(葛城末治)가 1913-1919년간에 편찬한 금석서. 조선 총독부가 수집한 금석문(金石文)을 정리 편찬한 ≪금석 총람 원고(金石總覽原稿)≫ 사본(寫本) 31 책 이후와 또 다른 중요한 것 545권을 선택·인쇄하였음.

조선 기와【朝鮮一】명〖건〗우리 나라 재래의 기와. 암키와와 수키와가 있고 기왓골이 깊은 것이 특징임. 한와(韓瓦). 한식(韓式) 기와.

조선-낫【朝鮮一】명 재래식의 낫. ↔왜낫.

조:선-대【造船臺】명 수면(水面)에 향한, 구배(勾配)가 완만하고 견고한 구축물(構築物)로서, 그 위에서 선체(船體)를 건조(建造)함.

조선 대학교【朝鮮大學校】명 광주(光州) 광역시에 있는 사립 종합 대학. 1946년 조선 대학원으로 발족하여 1953년에 대학교로 승격. 대학원·각(各) 단과 대학 외에 야간 대학, 여자 전문 대학, 전문 대학 부설(附設) 중·고등 학교 및 부설 공장 등이 있음. 1974년 치의예과(齒醫豫科)가 새로 설치됨. ㊟조대(朝大).

조선 도서 해:제【朝鮮圖書解題】명〖책〗우리 나라 사람의 저서를 해제한 책. 1919년, 조선 총독부가 간행. 경(經)·사(史)·자(子)·집(集)의 4부문(部門)의 도서 목록을 작성하고 간단한 해설을 붙였음. 1 책.

조선-동박새【朝鮮一】명〖조〗[*Zosterops erythropleura erythropleura*] 동박샛과에 속하는 새. 동박새와 비슷하나 약간 작고, 날개 길이 60 mm 가량에 눈의 주위에는 백색의 깃털이 환상(環狀)을 이루고 있으며, 목과 가슴의 측면은 담청색이고 그 중앙은 백색이며 특히 겨드랑이에는 밤색의 반문이 하나 있는 것이 특색임. 한국·만주·아무르 지방 등지에 서식하고 중국 남부에서 월동함. 북동박새.

〈조선동박새〉

조선-뜸부기【朝鮮一】명〖조〗[*Porzana paykulli*] 뜸부깃과에 속하는 새. 날개 길이 120-140 mm이고, 몸의 상부는 짙은 감람색에 날개에는 백색 무늬가 있고 턱·목·복부는 백색인데, 이마·얼굴·목·가슴은 율적색(栗赤色)임. 남부 시베리아·만주에서 번식하고, 인도 차이나·말레이 지방에서 월동함. *뜸부기.

조선-말【朝鮮一】명 조선어(朝鮮語).

조선-무【朝鮮一】명 왜무에 대한 둥글고 단단한 재래의 무.

조선 문단【朝鮮文壇】명〖문〗1924년 9월에 창간된 순문예지(純文藝紙). 방인근(方仁根) 개인의 출자(出資)와 편집으로 창간하였고 여러 번 중단되었다가 속간(續刊)하는 등 하다가 1936년에 폐간됨. 이 잡지는 민족주의적·반(反)계급주의적 경향을 취하였고 많은 문인을 배출하였음.

조선 문자 급 어:학사【朝鮮文字及語學史】[一짜一] 명〖책〗김윤경(金允經)이 지은 책. 국어학의 입장에서 한국어의 역사적인 변천을 다룬 것으로, 1938년에 간행. 일반 언어학적 개요를 서론으로, 우랄 알타이 어족(語族)의 특징과 국어의 범위 등을 규정하였고, 본론에서 훈민 정음 창제를 전후한 우리 나라의 문자와 훈민 정음의 시대적 변천을 역대 문헌을 통하여 상술(詳述)하였음.

조선 물산 장:려 운:동【朝鮮物產獎勵運動】[一싼一녀一]명〖역〗일제 시대, 1922년에 일어난 민족 운동의 하나. 1922년에 조만식(曺晩植)을 중심으로 평양에 설립된 조선 물산 장려회가 계기가 되어, 서울의 조선 청년 연합회가 주동이 되어, 전국적 규모의 조선 물산 장려회를 조직, 국산품 애용, 민족 기업의 육성 등을 내걸고 강연회와 시위 선전을 벌였으나, 일제(日帝)의 탄압으로 유명 무실해지고, 1940년에는 총독부 명령으로 조선 물산 장려회가 강제 해산되었음. *물산 장려 운동.

조선 물산 장:려회【朝鮮物產獎勵會】[一싼一녀一] 명 1920년대에 국산품 장려 운동으로 경제적인 자립 정신을 북돋우려고 세웠던 민족 운동 단체.

조선 미술 전:람회【朝鮮美術展覽會】[一절一] 명 일제 강점기(日帝強占期)에 조선 총독부가 개최한 미술 작품 공모전(公募展). 1922년부터 1944년까지 23회를 거듭했음. ㊟선전(鮮展).

조선 민족 청년단【朝鮮民族青年團】명 1946년 10월에 이범석(李範奭)이 조직한 우익 청년 단체. 처음에는 순수한 청년 운동이 목적이었으나 정부 수립 후 정치 운동에 가담하다가 1949년 1월에 해체됨. 그 후 한때 자유당(自由黨)의 헤게모니를 장악하기도 했으나, 1953년 9월 12일 이승만(李承晩) 대통령의 숙청 선언으로 완전히 해체됨. ㊟족청(族青).

조선 민주당【朝鮮民主黨】명 1945년 11월 3일, 이북의 각도(各道) 대표 5명씩이 평양에 모여 결성한 정당. 당수에 조만식(曺晩植). 통일된 민주 국가 수립을 위한 활동을 하다가 탄압을 받아 일부 당원이 집단 월남하여 서북 청년회(西北青年會)를 조직, 반공 투쟁의 전위적 역할을 담당하였음. 그 후 당 활동을 전개해 오다가 1961년 5·16군사 정변으로 당 기능이 정지됨. ㊟조민당(朝民黨).

조선 보부상고【朝鮮褓負商考】명〖책〗유자후(柳子厚)가 저작하여 1948년에 간행한, 보부상에 관한 여러 가지 사실에 대한 잡고(雜考). 보부상의 의의, 심정변(審正辨), 복장과 지품(持品), 인사법 등 30 편이 실림.

조선-부【朝鮮賦】명〖책〗우리 나라 풍토(風土)를 부(賦)로 읊은 책. 중국 명(明)나라 사신 동월(董越)이 지음. 저자(著者)가 조선 성종(成宗) 19년(1488)에 우리 나라에 사신으로 왔다가 돌아간 다음 명종(明宗) 때 간행함. 중국 남북조 시대의 사영운(謝靈運)의 산거부(山居賦)의 예에 따라 자신의 주(注)를 닮.

조선-사【朝鮮史】명〖책〗1938년 조선 총독부에서 편찬 간행한 책. 우리 나라 고대로부터 고종(高宗) 31년(1894) 6월까지의 편년체(編年體)의 국사. 총목록·총색인 각 1책, 본문 35책. 각 사항에 연월일을 붙여 연대순으로 배열했고, 거기에 건명(件名)·사료(史料)를 덧붙였음.

조:선 사:무관【造船事務官】명 공업직(工業職) 국가 공무원 직급 명칭의 하나. 조선 직렬(職列)에 속하며, 조선 주사(主事)의 위, 공업 서기관의 아래로 5급 공무원임.

조선-산개구리【朝鮮山一】명〖동〗[*Rana amurensis coreana*] 개구릿과에 속하는 개구리의 일종. 몸길이 9cm 가량이고, 등은 암흑갈색 또는 적갈색으로 흑색 반점(斑點)이 산재하며, 복부(腹部)는 담회백색 또는 적등색(赤橙色)에 발이 긴 것이 특징임. 2-3월경에 산란(產卵)하는데 알은 암갈색임. 한국 특산임. 낙지발송장개구리.

조선-상【朝鮮相】명〖역〗고조선의 관직. 위만(衛滿) 조선에 소속된 성읍(城邑) 국가의 지배자.

조선 상:고사【朝鮮上古史】명〖책〗1931년에 조선 일보에 연재했던 것을 책으로 낸 사서(史書). 1948년 출판. 저자는 신채호(申采浩). 모두 11편.

조선 상:고사감【朝鮮上古史鑑】명〖책〗1947년에 출판된, 안재홍(安在鴻)이 지은 사서(史書).

조선 상업 은행【朝鮮商業銀行】명 1899년에 설치된 한국 최초의 은행. 민간 실업인들이 발기하여, 명칭을 대한 천일 은행(大韓天一銀行)으로 창립, 1911년 조선 상업 은행으로 이름을 고침. 광복 후 '한국 상업 은행'으로 개칭함.

조:선 서기【造船書記】명 공업직(工業職) 국가 공무원 직급 명칭의 하나. 조선 직렬(職列)에 속하며, 조선 서기보의 위, 조선 주사보의 아래로 8급 공무원임.

조:선 서기보【造船書記補】명 공업직(工業職) 국가 공무원 직급 명칭의 하나. 조선 직렬(職列)에 속하며, 조선 서기(書記)의 아래로 9급 공무원임.

조선 서지【朝鮮書誌】명〖책〗대한 제국 때 주한(駐韓) 프랑스 공사관에 근무하던 모리스 쿠랑(Maurice Courant; 1865-1935)이 지은 한국 서지에 관한 책. 우리 나라에서 간행된 전주제(全主題) 분야의 고서 3,821 부를 9 부 36 류로 분류하여, 한자 서명(漢字書名)·로마자 서명·프랑스어 번역 서명과 해제(解題)를 붙임. 그 중에는 당시에는 있었으나 지금은 일몰된 희귀서(稀貴書)에 관한 것도 적지 않으며, 우리 나라의 도서·문자·사상·학예·문학 등에 관하여 문화사적으로 정채롭게 다룬 서론도 실림. 모두 4 책으로 1-3 책은 1894-96년에, 4 책은 1901년에 각각 파리에서 간행됨.

조:선 선거【造船船渠】명 조선(造船)에 쓰이는 축조물(築造物). 물을 채우거나 비우게 할 수 있는 구조의 수로(水路)로 되어 있음.

조:선-소[1]【造船所】명 선박(船舶)을 지어 만들거나 개조(改造)하거나 또는 수리하는 일을 하는 곳. 선창(船廠).

조선-소[2]【朝鮮一】명 한국소.

조선 수경【朝鮮水經】명〖책〗정약용(丁若鏞)이 지은, 우리 나라 하천(河川)을 고증한 책. 15권 4책.

조:선-술【造船術】명 선박을 설계(設計)하여 건조(建造)하는 기술.

조선 숭배【祖先崇拜】명 조상(祖上) 숭배.

조선 시단【朝鮮詩壇】명〖책〗시인(詩人) 황석우(黃錫禹)가 주재한 시(詩) 전문 잡지. 1928 년 11 월에 창간, 1930 년 1 월, 통권(通卷) 6 호로 종간함. 특히 제 5 호(1929. 4)는 2·3·4 호의 합병 특대호로서 102 인의 시가 수록되어 있음.

조선 식산 은행【朝鮮殖產銀行】명 1918년 식산 자금의 원활을 위하여 설립된 특수 은행. 동양 척식 회사(東洋拓殖會社)의 실질적 지배를 받으면서 일본의 한국에의 경제적 침략에 큰 역할을 함. 8·15 후 '한국 식산 은행'으로 개칭하였다가, 1952년 한국 산업 은행에 흡수됨.

조선 신:탁 주식 회:사【朝鮮信託株式會社】명 1932년에 설립된 금융 기관. 자본이 영세한 신탁 회사를 정리, 신탁 사업을 독점적으로 영위하기 위한 것인데 금전 신탁(金錢信託)·유가 증권(有價證券) 신탁, 토지·부동산 신탁이 주요 업무였음. 지금의 '한일 은행(韓一銀行)'의 전신(前身)임.

조선 십삼도【朝鮮十三道】명〖역〗조선 시대 말 건양(建陽) 1년(1896)에, 조선 8도 중 경기도·황해도·강원도를 제외한 5도를 각기 남북도로 나뉘어 만들어진 13도를 이름. 1946년 제주도(濟州道)가 생길 때까지

우리 나라 전국을 일컬음.

조선-애거머리불가사리【朝鮮一】명〖동〗 가시거미불가사리.

조선-어【朝鮮語】명 한국어(韓國語).

조선어 문법【朝鮮語文法】[一뻡] 명 〖책〗 ①주시경(周時經)이 지은 ≪국어 문법≫을 1911년에 개제(改題)한 이름. ②[Grammaire Coréenne] 프랑스 선교사 리델(Ridell)이 지은 문법서. 1881년 일본 요코하마(橫浜)에서 간행됨. 품사론과 통사론(統辭論)으로 되어 있는데, 서울말을 기초로 하여 불문(佛文)으로 쓰인 최초의 문법서로, 그 후에 출판된 여러 문법 책에 큰 영향을 끼쳤음.

조선어 연:구회 【朝鮮語硏究會】명 조선 어학회(朝鮮語學會)의 전신(前身). 1921년 서울의 휘문 의숙(徽文義塾)에 최두선(崔斗善)·임경재(任璟宰)·권덕규(權悳奎)·장지영(張志暎)·이승규(李昇圭)·이규방(李奎昉)·신명균(申明均) 등이 모여 발족함. 1931년 조선어 학회로 이름을 고침. *한글 학회.

조선어 학회【朝鮮語學會】명 조선어 연구회를 1931년 11월에 고친 이름. 한글의 연구·발전을 목적으로 하는 학술 단체로, 일제의 탄압 아래 꾸준히 우리 말을 연구·보급해 왔음. 1949년 9월에 '한글 학회'로 개칭하여 현재에 이름. ㊈어학회. *한글 학회.

조선어 학회 사:건【朝鮮語學會事件】 [一껀] 명 〖역〗 1942년 10월 일제(日帝)가 일본어 사용과 국어 말살을 꾀하여 조선어 학회의 회원을 민족주의자로 몰아 투옥한 사건. 이 사건으로 학회는 해산되고 사전 원고의 많은 부분이 없어지기도 했음.

조:선-업【造船業】명〖공〗기선·군함 등을 만드는 근대적 공업. 배를 만드는 모든 재료의 획득(獲得)과 또는 그 기술상으로 보아 철강업·기계 제조업 등의 중공업(重工業) 부문과 경공업(輕工業) 부문이 밀접한 관련을 가진 종합 공업의 하나임.

조선-옷【朝鮮一】명 한복(韓服).

조선 왕조【朝鮮王朝】명〖역〗고려(高麗)의 뒤를 이어 이성계(李成桂)가 한반도에 세운 왕조. 조선 태조(太祖) 원년(1392)으로부터 순종(純宗) 4년(1910)에 이르기까지 27명의 임금이 승계하면서 519년 동안 지속되었음. 조선조(朝鮮朝). 한양조(漢陽朝). 근세 조선(近世朝鮮).

조선 왕조 실록【朝鮮王朝實錄】명〖책〗조선 왕조 태조 때부터 철종에 이르기까지 25대 472년간의 역사적 사실을 편년체(編年體)로 기술한 것. 조선 왕조 선조(宣祖) 36년(1603)으로부터 융희 4년(1910)에 걸쳐 인출(印出)되었으며, 태백산본(太白山本) 1,181책·정족산본(鼎足山本) 848책·오대산본(五臺山本) 27책·잔여분 21책, 모두 2,077책이 서울 대학교 부속 도서관에 보존됨. 국보 제151호. 이조 실록(李朝實錄).

태조 실록(太祖實錄)	15권	3책
정종 실록(定宗實錄)	6권	1책
태종 실록(太宗實錄)	36권	16책
세종 실록(世宗實錄)	163권	67책
문종 실록(文宗實錄)	12권	6책
단종 실록(端宗實錄)	14권	6책
세조 실록(世祖實錄)	49권	18책
예종 실록(睿宗實錄)	9권	3책
성종 실록(成宗實錄)	297권	47책
연산군 일기(燕山君日記)	63권	17책
중종 실록(中宗實錄)	105권	53책
인종 실록(仁宗實錄)	2권	2책
명종 실록(明宗實錄)	34권	21책
선조 실록(宣祖實錄)	221권	116책
선조 수정 실록(宣祖修正實錄)	42권	8책
광해군 일기(光海君日記)	187권	64책
인조 실록(仁祖實錄)	50권	50책
효종 실록(孝宗實錄)	21권	22책
현종 실록(顯宗實錄)	22권	23책
현종 개수 실록(顯宗改修實錄)	28권	29책
숙종 실록(肅宗實錄)	65권	73책
경종 실록(景宗實錄)	15권	7책
경종 수정 실록(景宗修正實錄)	5권	3책
영조 실록(英祖實錄)	127권	83책
정조 실록(正祖實錄)	54권	56책
순조 실록(純祖實錄)	34권	36책
헌종 실록(憲宗實錄)	16권	9책
철종 실록(哲宗實錄)	15권	9책
고종 실록(高宗實錄)	一권	一책
순종 실록(純宗實錄)	一권	一책

조선 월귤【朝鮮越橘】명〖식〗애기월귤.

조선 은행【朝鮮銀行】명〖역〗일제 때, 조선의 중앙 금융 기관. 융희(隆熙) 3년(1909) 설립된 한국 은행을 한일 합방 후 1911년에 이 이름으로 고쳐 조선 은행권(銀行券)을 발행하고, 일반 은행 업무도 취급하였음. 1945년 해방(解放) 후, '한국 은행(韓國銀行)'으로 개편됨.

조선 일보【朝鮮日報】명 우리 나라 신문의 하나. 1920년 3월 5일에 서울 관철동(貫鐵洞)에서 예종석(芮宗錫)의 이름으로 제1호를 발행(發行)하였음.

조선 저:축 은행【朝鮮貯蓄銀行】명 1929년 7월에 설립된 은행. 설립 취지인 서민 금융 기관으로서의 기본 사명보다는 식산 은행(殖産銀行)의 자금 흡수 기관으로 일관하였음. 지금의 '제일 은행(第一銀行)'의 전신(前身)임.

조선 정감【朝鮮政鑑】명〖책〗정식 이름은 '근세(近世) 조선 정감'. 조선 철종(哲宗) 옹립(擁立)에서 대원군(大院君) 집정(執政) 때까지의 정치 사정을 적은 책. 저자는 박제형(朴齊炯). 고종(高宗) 23년(1886) 목판본(木板本)으로 간행됨. 2책.

조선-조【朝鮮朝】명 조선 왕조(朝鮮王朝).

조선-종【朝鮮鐘】명 조선 시대 이전에 주조(鑄造)된 동제(銅製)의 범종(梵鐘). 용두(龍頭)에 관(管)이 있고 견부(肩部)와 구변(口邊)에 당초문(唐草紋)의 띠를 두르고 비천(飛天)의 양주(陽鑄)를 동부(胴部)에 나타냄.

조선 종이【朝鮮一】[一쫑一] 명 닥나무나 삼지닥나무의 껍질로 한국에서 전통 방식으로 만든 종이. 한지(韓紙). 조선지. 창호지. ↔왜지(倭紙).

조:선 주사【造船主事】명 공업직(工業職) 국가 공무원 직급 명칭의 하나. 조선 직렬(職列)에 속하며, 조선 주사보(主事補)의 위, 조선 사무관의 아래로 6급 공무원임.

조:선 주사보【造船主事補】명 공업직(工業職) 국가 공무원 직급 명칭의 하나. 조선 직렬(職列)에 속하며, 조선 서기의 위, 조선 주사의 아래로 7급 공무원임.

조선 중국 상민 수륙 무:역 장정【朝鮮中國商民水陸貿易章程】명〖역〗조선 시대 말 외국에 문호(門戶)를 개방할 때에 청(淸)나라와 맺은 근대적 통상 조약(通商條約). 고종 20년(1883)에 성립됨.

조선 중앙 일보【朝鮮中央日報】명 1933년 2월에 창간된 일간지. 초대 사장은 여운형(呂運亨). 계속 지면(紙面)을 늘리다가 1936년 7월 1일부터 조석간 12면을 발행, 이 해 9월 5일, 일장기(日章旗) 말살 사건으로 자진 휴간하다가 1937년 11월 5일 폐간됨.

조선-지【朝鮮紙】명 조선 종이.

조선지-광【朝鮮之光】명〖문〗1922년대에 발간된 월간 종합지. 주간(主幹)에 장도빈(張道斌). 민족 운동을 목적으로 한 것이 창간호에 엿보이며, 학술 논문과 문예 작품의 발표 등에 주력하였음.

조선-지네【朝鮮一】명〖동〗[*Otostigmus politus*] 왕지넷과에 속하는 절지 동물. 몸길이 65 mm 내외이고 배면(背面)은 암청색에 복면(腹面)은 배면보다 다소 연한 빛임. 촉각은 15-18 절로 되고 다리는 21 쌍임. 한국 북부와 만주에 분포함.

조선-집【朝鮮一】[一찝] 명 양식(洋式) 건물에 대하여 재래식의 집. 조선 기와·이엉 등으로 지붕을 임. 한옥(韓屋). ↔양옥집.

조선 책략【朝鮮策略】[一냑] 명〖책〗'사의 조선 책략(私擬朝鮮策略)'의 통칭.

조선 총:독부【朝鮮總督府】명〖일제〗일본이 1910년부터 1945년까지 우리 나라를 통치하기 위하여 설치하였던 최고 행정 관청. 총독 밑에 정무 총감(政務總監), 그 밑에 총무·내무·탁지·농상공·사법의 5부(部)가 있었고 그 밑에 9개의 국(局)이 있었음. 이외 중추원(中樞院)·취조국(取調局)·경무 총감부(警務總監府)·재판소·감옥·철도국·통신국·세관 등과 각 도(道)가 있었으며, 도 밑에 부(府)·군(郡)·면(面)을 두고 면을 지방 행정의 최하급 기관으로 삼았음.

조선 총:독부령【朝鮮總督府令】명〖역〗일제 강점기에 조선 총독이 직권(職權) 또는 위임에 의하여 발(發)한 명령. 제령(制令)의 하위법(下位法)임.

조선 통보【朝鮮通寶】명 〖역〗 조선 세종(世宗) 5년(1423)에 발행(發行)된 엽전(葉錢). 쇠로 만든 유문전(有文錢)으로, '朝鮮通寶'라 쓰이었음.

조:선-학【造船學】명 선박의 설계(設計) 및 건조(建造)에 관하여 연구하는 학문. 선박 공학.

조선-학질모기【朝鮮瘧疾一】명〖충〗진학질모기.

조선 해:안 경:비대【朝鮮海岸警備隊】명 해방 후 손원일(孫元一)이 조직한 해방 병단(海防兵團)이, 1946년 6월 15일에 개칭된 것. 정부 수립과 함께 대한 민국 해군으로 발족되었음.

조:설[1]【早雪】명 제 철보다 일찍이 내리는 눈.

조:설[2]【造設】명 만들어 설치함. ——-하다 타여불

조섬【粗纖】명 아마(亞麻)의 섬유를 뽑는 공정에서 생긴 찌꺼기 섬유.

조섭【調攝】명 조리(調理)❶. ——-하다 타여불

조:성[1]【早成】명 ①일찍이 성취(成就)함. 숙성(夙成). ②조숙(早熟)❷. ——-하다 자여불

조:성[2]【助成】명 ①도와서 이루게 함. ②〖화〗성분비(成分比). ——-하다 타여불

조:성[3]【造成】명 만들어서 이룸. ¶분위기를 ~하다 / 주택 단지의 ~. ——-하다 타여불

조성[4]【組成】명 짜맞추어 만듦. ¶화합물의 ~. ——-하다 타여불

조성[5]【鳥聲】명 새의 소리.

조:성[6]【照星】명 가늠쇠.

조:-성[7]【趙晟】명〖사람〗조선 명종(明宗) 때의 학자. 자(字)는 백양(伯陽), 호는 양심당(養心堂). 평양(平壤) 사람. 의약(醫藥)·율려(律呂)·산수(算數)·천문·지리 등에 정통하여 의(醫)·산(算)·율(律)의 삼학 교관(三學敎官)을 지냈음. 성리학(性理學)에도 밝았으며, 글씨도 잘 썼음. [1492-1555]

조성[8]【調性】명 [tonality]〖악〗곡조(曲調)의 성질(性質). 주음(主音) 및 그 화음(和音)에 의해서 결정되는 곡조의 형(形). 토낼리티(tonality).

조성[9]【調聲】명 소리를 낼 때에 그 높낮이와 장단(長短)을 고름. ——-하다 자여불

조성[10]【潮聲】명 조수(潮水)의 소리.

조성[11]【臊聲】명 추문(醜聞).

조:-성(:)기【趙聖期】명〖사람〗조선 숙종 때의 학자. 자(字)는 성경(成卿), 호는 졸수재(拙修齋). 임천(林川) 사람. 평생을 독서와 학문에만 전심하여 한문 소설 ≪창선 감의록(彰善感義錄)≫을 지었음. 집의(執義)에 추증(追贈)됨. [1638-89]

조성 모:음【調聲母音】[명]〖언〗 매개 모음(媒介母音).
조성 사회【組成社會】[명] 국가·정당·교회·클럽 등 특정한 활동을 하기 위해 인위적으로 조직되는 사회 집단.
조:성-성【早成性】[一썽] [명] 〔precocity〕〖생〗 이소성(離巢性)인 새끼 새의, 그 발생·생장(生長)이 빠른 성질. ↔만성성(晩成性). *이소성.
조성-식【組成式】[명] 실험식(實驗式)을 이름. 실험식은 유기 화학에서, 조성식은 무기 화학에서 쓰이는 일이 많음. 「위.
조:성-품【助成品】[명] 생산물을 조성하는 물품(物品). 곧, 비료·약품 따
조:-성하【趙成夏】[명] 조선 고종(高宗) 때의 중신(重臣). 자(字)는 순소(舜韶), 호는 소하(小荷). 풍양(豐壤) 사람. 지경연사(知經筵事)·예조 판서·이조 판서를 거쳐 좌찬성을 지냄. 신정 왕후(神貞王后) 조씨(趙氏)의 조카로 민씨(閔氏)와 손을 잡고 흥선 대원군(興宣大院君)을 배척했다가 민비 피살 후 실각함. [1845-81]
조-성환【曺成煥】[명]〖사람〗 독립 운동가. 일명 욱(煜), 호는 청사(晴簑). 서울 출신. 1907년 안창호(安昌浩)·이갑(李甲) 등과 신민회(新民會)를 조직하여 항일 구국 운동에 투신함. 한일 합방(韓日合邦) 후 중국으로 망명. 1919년 임시 정부 수립에 참여하여 군무 차장(軍務次長)을 지내고 다시 만주에 가서 활약하다가 임시 정부 국무 위원겸 군무 총장(軍務總長)을 지냄. 2차 대전 말기에는 임시 정부의 군사 특파원으로 시안(西安)에 파견되어 중국 정부와 협의, 광복군(光復軍) 창설의 기초를 닦음. 해방 후 귀국하여 대한 독립 촉성 국민회 위원장·성균관 부총재 등을 역임함. [1875-1948]
조:세[1]【早世】[명] 조사(早死). ——-하다 [자][여불]
조:세[2]【早歲】[명] 젊은 시절. 약년(弱年). 조세(蚤歲).
조:세[3]【助勢】[명] 힘을 보탬. 도와줌. ——-하다 [타][여불]
조세[4]【徂歲】[명] 조년(徂年). ——-하다 [자][여불]
조세[5]【租稅】[명] 〔tax〕〖법〗 국가(國家) 또는 지방 자치 단체(地方自治團體)가 그 필요한 경비를 쓰기 위하여 국민으로부터 강제(強制)로 징수(徵收)하는 수입. 국가가 징수하는 것을 국세(國稅)라 하고 지방 자치 단체가 징수하는 것을 지방세(地方稅)라 함. 공조(公租). 조부(租賦). 공세(貢稅). [준]세(稅).
조세[6]【蚤世】[명] 조세(早世). ——-하다 [자][여불]
조:세[7]【蚤歲】[명] 젊은 시절. 약년(弱年).
조세[8]【粗細】[명] 거친 것과 고운 것. 조잡함과 세밀함.
조:세[9]【肇歲】[명] 한 해를 비롯하는 첫머리. 연두(年頭).
조세[10]【潮勢】[명] 조수(潮水)의 형세(形勢).
조세 객체【租稅客體】[명]〖법〗 과세 물건(課稅物件).
조-세(:)걸【曺世杰·曺世傑】[명]〖사람〗 조선 후기의 화가. 호는 패주(浿洲)·수천(須川). 평양(平壤) 출신. 벼슬은 첨절제사(僉節制使)를 지냈으며, 김명국(金命國)의 화법을 후세에 전함. 그의 단채(丹彩)는 다른 화가의 수묵 도말(水墨塗抹)과 다른 독자적인 수법을 보였으며, 섬세·정교한 필치와 선명한 색채로 명말(明末)·청초(淸初)의 화풍을 보여 줌. 생몰 연대 미상.
조세 공수설【租稅公需說】[명] 17세기 독일에서 관방학파(官房學派)가 국가의 과세권(課稅權)에 관하여 제창한 학설. 국가의 직분은 공공 복리(公共福利)를 도모하는 데 있으므로 국가 활동에 필요한 수요(需要)는 국민으로부터의 조세 징수로 충당할 것을 주장함.
조세 교환설【租稅交換說】[명] 중농학파(重農學派)와 고전학파(古典學派)가 사회 계약설을 기초로 하여 주창한 국가 과세권(課稅權)의 근거에 관한 학설. 국가가 국민에게 주는 이익과 국민이 그 대상(代償)으로 내는 조세는 서로 교환 관계에 있다고 주장함.
조세 국가【租稅國家】[명] 〔도 Steuerstaat〕 슘페터(Schumpeter, J.) 등 재정 사회학자의 용어. 국가의 재정적 수입이 사유 재산 제도 밑에서 생산된 상품 곧, 화폐 중에서 국가 권력에 의하여 징수된 조세에 의존하는 국가. 자본주의 체제하의 재정의 근본적 특징임. *부채자(負債者) 국가. 「심으로 보아 일컫는 말.
조세 귀착【租稅歸着】[명]〖법〗 조세 전가(轉嫁)를 담세자(擔稅者)를 중
조세-범【租稅犯】[명] 조세의 부과·징수·납부에 직접 관계되는 범죄. 조세 위해범(危害犯)과 탈세범이 있음.
조세-법【租稅法】[一뻡] [명] 〔tax law〕〖법〗 조세에 관한 법규의 총칭. 납세 의무자·과세 물건·세율·과세 방법 또는 납세 의무 위반자에 대한 처벌 방법 같은 것을 규정하였음. 세법(稅法).
조세 법률주의【租稅法律主義】[一뉼一/一뉼一이] [명]〖법〗 조세의 전단적(專斷的) 부과·징수를 폐(廢)하고 국회의 의결을 거쳐 법률로써 규정하는 주의.
조세 보:험설【租稅保險說】[명] 국가의 과세권의 근거에 관한 학설의 하나. 국가를 국민의 생명·재산·경제 활동의 보호자, 곧 보험자에 비유하여 국민을 피보험자로 보고 국민은 국가로부터 받는 이익에 비례하여 보험료에 상당한 조세를 물지 않으면 안된다고 주장하는 학설. 티에르(Thiers)가 주창한 것으로 기조(基調)는 조세 교환설과 같음.
조세 부:담률【租稅負擔率】[一뉼] [명] 국민 소득에 관한 국세·지방세 부담액의 비율. 한 나라의 세금이 무겁다든가 가볍다든가를 말할 때에는 보통 이 조세 부담률을 놓고 말함.
조세 수입【租稅收入】[명] 나라나 지방 자치 단체가 재정권에 의해 조세로서 사경제(私經濟)로부터 강제적으로 징수하는 수입.
조세 신고【租稅申告】[명] 납세 의무자가 세법(稅法)의 규정에 따라 스스로 과세 표준과 세액(稅額)을 계산하여 정부에 신고하는 제도. *신고 납세 제도·부과 과세 제도.
조세-안【租稅案】[명]〖역〗 결세(結稅)를 적은 장부(帳簿).
조세 원칙【租稅原則】[명]〖경〗 국가가 경비를 조달하기 위하여 국민에게 과세함에 있어 규준(規準)으로 삼아야 할 원칙. A. 스미스는 공평·명확·편의·최소 징세비의 4 원칙을 들었고 바그너는 수입의 충분성, 탄력성, 정당한 세원(稅源)의 선택, 과세의 작용을 고려한 세종(稅種)의 선택, 공정성, 부담의 보편성, 평등성, 명확성, 납세의 편의성, 최소 징세비 등의 10 원칙을 들었음.
조세의 날【租稅一】[一/一에一] [명] 국민의 납세 정신을 계몽하고 세수(稅收) 증대를 도모하기 위해서 제정한 날. 3월 3일.
조세 의:무설【租稅義務說】[명] 국가의 과세권의 근거에 관한 학설의 하나. 국가와 국민의 관계를 국가 유기체설적 입장에서, 교환 경제 조직과는 다른 강제 공동 경제 조직으로 보고, 국가 활동 때문에 요하는 재(財)의 국민에 의한 제공, 곧 조세는 무보수의 의무, 곧 희생이라고 설파(說破)함. 밀(Mill, J. S.)이 처음 주창, 바그너(Wagner, A. H. G.)가 대성시킨 학설로, 이는 오늘날 거의 통설로 되어 있음.
조세의 소:득 탄:력성【租稅一所得彈力性】[一탈一/一에一탈一] [명] 〔income elasticity of tax〕〖경〗 조세 수입 변동률의 국민 소득 변동률에 대한 경험적 비율을 표시하는 계수.
조세 전:가【租稅轉嫁】[명]〖법〗 조세의 부담이 가격(價格) 관계를 통하여 법률상의 납세 의무자로부터 담세자(擔稅者)로 옮아지는 일. 납세자(納稅者)를 중심으로 본 용어로, 간접 소비세(間接消費稅)에서 볼 수 있음. *조세 귀착.
조세 제:도【租稅制度】[명] 〔tax system〕 각종 조세의 특징과 작용(作用)을 고려하여 형성(形成)된 전체(全體)로서 통일(統一)된 조세의 조직. 조세 체계. 「체결되는 국제 조약.
조세 조약【租稅條約】[명]〖법〗 국제간의 이중 과세의 방지를 목적으로
조세 주체【租稅主體】[명]〖법〗 조세를 낼 의무자인 자연인(自然人) 또는 법인(法人). 곧, 납세 의무자.
조세 증권【租稅證券】[一꿘] [명] ①조세로서 수령(受領)되는 국가 증권. ②특히 1929년 공황기(恐況期)의 독일에서 공황 탈출의 한 방법으로 정부에 의하여 일정 기간에 있어서의 거래세(去來稅)·영업세(營業稅)·부동산세(不動產稅)·운수세(運輸稅)의 납부자 또는 전보다 많은 노동자를 고용한 사업체에게 교부하여 장래 소득세를 제외한 일체의 조세의 지불에 충당토록 한 국가 증권. 히틀러(Hitler) 정부에서는 일종의 상업 어음으로서 정부에 물품이나 그 밖의 것을 납입한 자에 대해서도 대금의 일부로서 교부하였음. 「쌓아 두는 창고, 곧 조창(漕倉).
조세-창【漕稅倉】[명]〖역〗 조선 시대 때, 조운(漕運)할 세곡(稅穀) 등을
조세 채:권【租稅債權】[一꿘] [명]〖경〗 국가 또는 지방 자치 단체가 조세라는 금전 급부(金錢給付)를 납세 의무자에게 청구하는 권리.
조세 청부【租稅請負】[명] 국가가 특정한 개인에게 조세의 징수를 청부
조세 체계【租稅體系】[명] 조세 제도. ㄴ시키는 일.
조세 체납 처:분【租稅滯納處分】[명]〖법〗 납세 의무자가 독촉을 받고도 그 의무를 이행하지 않을 경우, 과세권(課稅權)을 확보하기 위하여 납세자의 재산에 대하여 행하는 압류(押留) 처분.
조세 통:계【租稅統計】[명] 국가나 지방 자치 단체가 조세를 부과·징수할 때의 여러 자료를 이용하여 작성하는 통계. 내국세·관세(關稅)·지방세 등에 관한 통계가 중심이 됨.
조세 특면【租稅特免】[명]〖경〗 특별히 규정된 특정한 경우에 한하여 특정인에게 납세 의무를 감면(減免)해 주는 행정 처분.
조:-세포【助細胞】[명]〖식〗 배낭(胚囊)에서 난세포와 더불어 알을 형성하는 세포. 배낭의 주공(珠孔) 쪽에 두 개의 조세포가 있는데 수정 후 또는 수정 직전에 퇴화하여 없어져 버림. 이 세포는 화분관(花粉管)에서의 정세포(精細胞)의 방출에 필요하다고 함.
조세 협정【租稅協定】[명]〖법〗 국제간의 이중 과세의 방지를 목적으로 체결되는 국제 협정.
조:-세(:)환【趙世煥】[명]〖사람〗 조선 중기의 문신. 자는 의망(嶷望), 호는 수촌(樹村). 임천(林川) 사람. 동래 부사(東萊府使) 때 사재(私財)를 털어 빈민을 구제하고, 순국(殉國)한 노비의 후손을 천적(賤籍)에서 삭제하는 등 선정을 베풀어 왕으로부터 칭송을 받음. 전라도 관찰사·병조 참지(兵曹參知)·승지(承旨) 등을 역임함. [1615-83]
조소[1]【彫塑】[명]〖미술〗 소상(塑像)으로 새김. 또, 그 소상.
조소[2]【嘲笑】[명] 조롱하는 태도로 웃는 웃음. 비웃음. ¶∼의 대상이 되다. ——-하다 [타][여불] 「*회화과(繪畫科).
조소-과【彫塑科】[一꽈] [명]〖교〗 대학에서, 조소를 전공하는 학과.
조:-소(:)앙【趙素昻】[명]〖사람〗 독립 운동가·정치가. 경기도 파주(坡州) 출생. 3·1 운동 이후 상하이(上海)로 망명, 임시 정부 국무 위원·의정원 의원을 역임하고 한국 독립당(韓國獨立黨)을 창당했음. 해방 후 귀국하여 이승만(李承晩)·김구(金九) 등과 국민 의회(國民議會)를 설치하고 1948년 남북 협상(南北協商)에 찬동하여 김구·김규식(金奎植)과 평양(平壤)에 갔으나 실패하고 돌아옴. 6·25 전쟁 때 납북(拉北)되었음. [1887-1958]
조:속[1]【早速】[명] 이르고도 빠름. ¶∼한 시일내로. ——-하다 [형][여불]. ——-히 [부]. ¶∼ 완성하라.
조속[2]【粗俗】[명] 조야(粗野)한 풍속(風俗).
조:-속[3]【趙涑】[명]〖사람〗 조선 인조(仁祖) 때의 서화가. 호(號)는 창강(滄江). 풍양(豐壤) 사람. 인조 반정(仁祖反正) 때 공을 세웠으나 공(功)을 사양하고, 경서(經書)·서화에 전심(專心)하였으며, 그림은 영모(翎毛)·매죽(梅竹)에 능했음. [1596-1668]
조속[4]【操束】[명] 단단히 잡아서 단속함. 조절(操切). ——-하다 [타][여불]
조속-기【調速機】[명] 원동기(原動機)에서 하중(荷重)의 증감(增減)에 대하여 회전 속도(回轉速度)를 될 수 있는 대로 일정하게 조정하는 장치. 여러 가지 종류와 모양이 있음. 동력식(動力式)·관성식(慣性式)·중계식(中繼式) 등으로 대별함. 거버너(governor).
조:속-령【早粟嶺】[一녕] [명]〖지〗 평안 북도(平安北道) 자성군(慈城郡)

에 있는 재. [653 m]
조속-조속 부 기운 없이 꼬박꼬박 조는 모양.
조손【祖孫】명 할아버지와 손자.
조솔【粗率】명 거칠고 경솔(輕率)함. 정세(精細)하지 아니함. ——-하다 형여불
조송【祖送】명 떠나는 사람을 전송함. ——-하다 타여불
조:쇠【早衰】명 나이보다 일찍 쇠해짐. ——-하다 자여불
조:수[1]【助手】명 ①주장(主掌)하는 사람을 도와 주는 사람. ②대학에서 교수의 지휘를 받아 학술·기예에 관한 사무를 보조하는 사람.
조:수[2]【釣叟】명 낚시질하는 늙은이.
조수[3]【條數】명 개조(個條)의 수.
조수[4]【鳥獸】명 새와 짐승. 금수(禽獸).
조:수[5]【照數】명 수효를 맞추어 봄. ——-하다 타여불
조수[6]【潮水】명 〖지〗 ①해와 달, 특히 달의 인력(引力)에 의하여 일정한 시간을 두고 주기적(週期的)으로 해면(海面)의 수준(水準)이 올라갔다 내려갔다 하는 현상을 이루는 바닷물. 보통 하루 두 번씩 간만(干滿)이 일어나는데 만조(滿潮)에서 다음 만조에 이르는 시간은 12시간 25분쯤 됨. 해조(海潮). 조석수(潮汐水). *밀물·썰물. ②아침 때에 밀어 들어왔다가 나가는 바닷물. ↔석수(汐水).
조수[7]【操守】명 지조를 삼가서 지킴. ——-하다 자여불
조수 보:호구【鳥獸保護區】명 조수의 보호·번식을 위하여, 산림청장 또는 시장·도지사가 설정하는 구역. 조수의 사냥은 특별히 허가를 받은 경우를 제외하고는 금지됨. 산림 조수 서식 보호구·대규모 서식 보호구·집단 도래(渡來) 보호구·집단 번식 보호구 등이 있음.
조수 보:호 및 수렵에 관한 법률【鳥獸保護—狩獵—關—法律】[—뉼] 명 〖법〗 야생 조수의 보호와 수렵에 관한 사항을 규정함으로써 야생 조수를 보호·번식시키고, 자연 생태계의 균형을 유지하도록 하여 국민의 쾌적한 자연 환경과 생활 환경을 확보하는 한편, 수렵으로 인한 국민의 생명·신체와 재산에 대한 위해(危害)의 발생을 미리 방지할 목적으로 제정된 법률.
조수 불급【措手不及】명 일이 썩 급하여 손을 댈 나위가 없음. ——-하다 형여불
조:-수삼【趙秀三】명 〖사람〗 조선 영조(英祖)·헌종 때의 시인. 초명(初名)은 경유(景濰). 자는 지원(芝園), 호는 추재(秋齋)·경완(經畹). 한양(漢陽) 사람. 중인층(中人層) 출신이면서 풍도(風度)·시문(詩文)·공령(功令)·의학(醫學)·혁기(奕碁)·자묵(字墨)·강기(強記)·담론(談論)·복택(福澤)·수고(壽考) 등 십복(十福)을 두루 갖추었다고 함. 중국에 여섯 차례나 다녀왔으며, 사대부·학자들과 깊이 사귀었음. 시문집으로 ≪추재집≫이 있으며, ≪고려 궁사(高麗宮詞)≫·≪추재 기이(秋齋紀異)≫ 등 장편시가 있음. [1762-1849]
조:수-석【助手席】명 자동차, 특히 트럭의 운전석(運轉席) 옆에 조수가 앉게 되어 있는 좌석.
조-수입【粗收入】명 필요한 경비(經費)를 빼지 아니한 수입(收入). 조수입으로부터 경영비(經營費)를 뺀 것이 소득(所得)인데, 이 소득으로 개인의 생활을 꾸미어 나가는 것임.
조-수족【措手足】명 손발을 움직임. 곧 생활이 겨우 살아갈 만함. ——-하다 자여불
조:수-하다 형 〈방〉 조쌀하다.
조:숙【早熟】명 ①곡식·과일 등이 일찍 익음. ②심신의 발달이 빨라, 어리면서 어른스러워짐. 조성(早成). 숙성(夙成). ¶~한 아이. ↔만숙(晩熟). ——-하다 자여불
조:숙 재:배【早熟栽培】명 〖농〗 육묘(育苗)만을 온상(溫床)에서 하고 그 이후는 맨 땅에서 재배하는 방법. 비용이 많이 드나 수확 시기가 빠르므로 비싼 값에 팔 수 있음. *촉성(促成) 재배.
조:숙-종【早熟種】명 조생종(早生種).
조술【祖述】명 선인(先人)의 설(說)을 본받아서 서술(敍述)하여 밝힘. ——-하다 타여불
조숫-물【潮水—】명 조수(潮水).
조:-숭지【趙崇之】명 〖사람〗 조선 초기의 무신. 자(字)는 무백(武伯), 호는 죽촌(竹村). 옥천(玉川) 사람. 벼슬이 병마 절도사에 이르렀으나 세조(世祖) 2년 사육신(死六臣)의 단종(端宗) 복위 운동에 관련되어 아들 철산(哲山)과 함께 사형당함. 시호는 절민(節愍). [?-1456]
조스캥 데 프레[Josquin des Pres] 명 〖사람〗 르네상스기(期) 프랑스의 최대 작곡가. 이탈리아에서 성가대(聖歌隊) 가수로 있은 후 플랑드르 및 프랑스에 체재(滯在), 루이 12세의 궁정 음악가로 미사곡(曲)·모테토(motetto) 이외에 기악곡 및 다수의 세속적 성악곡을 지음. 군주의 칭호(稱號)의 철자(綴字)를 음명(音名)으로 읽은 미사곡은 유명함. [1450?-1521]
조-슬【蚤蝨】명 벼룩과 이.
조습[1]【調習】명 정숙하게 배워 익힘. ——-하다 타여불
조습[2]【燥濕】명 바싹 마름과 축축히 젖음. 조강(燥強)과 누습(漏濕).
조승 모:문【朝蠅暮蚊】명 [아침엔 파리가 꾀고 저녁에는 모기가 들끓는다는 뜻에서] 소인(小人)이 발호(跋扈)함을 이름.
조시[1] 명 〈방〉 노른자위와 흰자위의 총칭.
조:시[2]【弔詩】명 애도(哀悼)의 뜻을 실은 시.
조시[3]【朝市】명 ①조정(朝廷)과 시정(市井). ②아침에 서는 장(場). ↔야시(夜市).
조:시[4]【肇始】명 무엇이 비롯됨. 또는 무엇을 비롯함. ——-하다 자타여불
조시 조근【朝時朝勤】명 〖불교〗 진언종(眞言宗)에서 아침마다 경전(經典)을 읽으며 기도하는 일. ——-하다 자여불
조시-참【朝時參】명 〖불교〗 진언종(眞言宗)에서 교도(敎徒)들이 아침마다 절에 가서 기도 참배하는 일. ——-하다 자여불
조:식[1]【早食】명 ①아침밥을 일찍 먹음. ②아침밥. ——-하다 타여불
조식[2]【粗食】명 검소한 음식. 또, 그 음식을 먹음. 악식(惡食). ——-하다 자여불
조식[3]【朝食】명 아침밥.
조식[4]【彫飾】명 조각하여 장식함. ——-하다 타여불
조-식[5]【曺植】명 〖사람〗 조선 명종(明宗) 때의 학자·처사(處士). 자(字)는 건중(楗仲/健中), 호는 남명(南冥). 창녕(昌寧) 사람. 세상에 나오지 않고 두류산(頭流山)의 산천재(山天齋)에서 성리학의 연구와 후진 양성에 전념하여 명망이 높았음. 저서로는 ≪남명집≫·≪남명 학기(南冥學記)≫·≪상례 절요(喪禮節要)≫·≪파한 잡기(破閑雜記)≫ 등이 있고, 작품으로는 ≪남명가≫·≪왕롱가(王弄歌)≫·≪권선 지로가(勸善指路歌)≫ 등이 있었으나 전하지 아니하고, 다만 ≪해동 가요(海東歌謠)≫·≪청구 영언(青丘永言)≫에 시조 3수가 전함. 시호는 문정(文貞). [1501-72]
조-식[6]【曹植】명 〖사람〗 중국 삼국 시대의 위(魏)나라 시인. 자는 자건(子建). 위나라의 무제(武帝) 조조(曹操)의 아들. 붓만 들면 당장에 문장이 되었다는 ≪칠보시(七步詩)≫의 고사(故事)는 유명함. 시문집에 ≪조자건집(曹子建集)≫이 있음. [192-232]
조식[7]【藻飾】명 ①몸치장을 함. 외양을 꾸밈. ②아름답고 훌륭한 말로 문장을 꾸밈. 미사 여구(美辭麗句)를 씀. ——-하다 자여불
조:신[1]【早晨】명 이른 아침. 조조(早朝). 조천(早天).
조신[2]【祖神】명 신으로 모시는 선조.
조-신[3]【曺伸】명 〖사람〗 조선 성종(成宗) 때의 문인. 자(字)는 숙분(叔奮), 호는 적암(適庵). 창녕(昌寧) 사람. 문장이 뛰어나 사역원정(司譯院正)으로 발탁되었고 왕명으로 ≪이륜 행실도(二倫行實圖)≫를 편찬하였으며, 역관(譯官)으로 명(明)나라에도 여러 번 다녀 왔음. 저서에 ≪적암 시집≫ 등이 있음. 생몰 연대는 미상.
조신[4]【朝臣】명 조정에서 근무하는 신하. 조관(朝官). 조사(朝士).
조신[5]【潮信】명 조후(潮候).
조신[6]【調信】명 〖사람〗 신라의 중. 꿈 속에서, 아름다운 여인과 40여 년간을 같이 돌아다니며 살았는데 끝내 먹고 입지 못하여 아이를 굶어 죽게 하는 등 비참한 지경을 당하고 그 여인과 헤어질 때 꿈에서 깨어나, 인생의 고락이 헛됨을 깨닫고 정토사(淨土寺)를 지었다 함.
조신[7]【操身】명 삼가서 몸을 가짐. ——-하다 형여불
조신[8]【竈神】명 〖불교〗 조왕(竈王).
조:-신(:)철【趙信喆】명 〖사람〗 조선 후기의 천주 교도. 교명(敎名)은 바오로. 회양(淮陽) 출신. 천민 출신으로 정하상(丁夏祥)의 권유로 천주교에 입교해 베이징(北京)과의 비밀 연락 임무를 맡았음. 순조 33년(1833) 유방제(劉方濟), 헌종 2년(1836) 모방(Maubant) 신부 등의 입국을 인도하였고, 이들을 시중하며 전도하다가 헌종 5년(1839) 기해 박해(己亥迫害) 때 어머니와 함께 순교함. 1925년 모자가 함께 복자(福者)의 위(位)에 오름. [1795-1839]
조실[1]【祖室】명 〖불교〗 ①조사(祖師)가 거처하는 방. ②선방(禪房)의 「수행 지도 선사(禪師). ③선문(禪門).
조:실[2]【篷室】명 첩(妾). 「——-하다 자여불
조:-실부모【早失父母】명 어려서 부모를 여읨. 조상부모(早喪父母).
조심[1]【彫心】명 마음에 새기는 일. 뼈에 사무치는 고심(苦心).
조:심[2]【操心·造心】명 삼가 마음을 써서 그릇되거나 틀림이 없도록 함. 또, 그러한 마음. ——-하다 자타여불
조심기-노래[—끼—] 명 〖민〗 평안 남도 동부의 산간 지방인 맹산(孟山)·양덕(陽德)·영원(寧遠)·덕천(德川) 등의 농요(農謠). 조농사에 따르는 김매기 소리, 부녀자들의 타령 소리가 어울림.
조심 누골【彫心鏤骨】명 ①마음에 새기고 뼈에 사무침. 몹시 고심함. ②시문(詩文) 등을 극히 애를 써서 다듬는 일. ——-하다 자여불
조:심-성【操心性】[—썽] 명 무슨 일에나 미리 조심하는 성질.
조:심-스럽다【操心—】형ㅂ불 조심하는 태도가 있어 보이다. **조:심-스레**【操心—】부
조:심-조:심【操心操心】부 매우 조심스럽게. ¶~ 말하다. ——-하다 자타여불 '조심하다'를 강조하여 이르는 말.
조심ᄒᆞ다 자타 〈옛〉 조심하다. ¶房事잇부믈 조심ᄒᆞ고(忌…房事勞倦)≪救方 下 73≫.
조-쌀 명 〈방〉 좁쌀.
조:쌀-스럽다 형ㅂ불 조쌀한 데가 있다. **조:쌀-스레** 부
조:쌀-하다 형여불 노인의 얼굴이 깨끗하고 조촐하다.
조ᄡᆞᆯ 명 〈옛〉 좁쌀. =조ᄫᆞᆯ. ¶조ᄡᆞᆯ(小米)≪漢淸 XII:63≫.
조ᅀᅩ로이 부 〈옛〉 종요롭게. =조ᅀᆞ로이. ¶큰 지비 ᄒᆞ다가 기울면 梁棟ᄋᆞ로 조ᅀᅩ로이 너기리니(大廈如傾要梁棟)≪初杜諺 XVIII:13≫.
조ᄉᆡ 명 〈옛〉 울방개. ¶조ᄉᆡ(薺藥草)≪四解 上 27 薺字註≫.
조ᅀᆞ로이 부 〈옛〉 종요로이. =조ᅀᅩ로이·조ᅀᆞᄅᆞ이. ¶겨스레 錦니브레 ᄌᆞ오로ᄆᆞᆯ 조ᅀᆞ로이 너기노라(冬要錦衾眠)≪初杜諺 XXII:11≫.
조ᅀᆞ리라 형 〈옛〉 종요로움이라. '조ᅀᆞᄅᆞᆸ다'의 활용형. ¶慧目열며 覺心 조히옴 조ᅀᆞ리라(乃開慧目淨覺心之要也)≪楞嚴 II:83≫.
조ᅀᆞᄅᆞᄫᅵ 부 〈옛〉 종요롭게. ¶조ᅀᆞᄅᆞᄫᅵ ᄡᅮ미 몯ᄒᆞ리라(不可要用)≪牧訣 11≫.
조ᅀᆞᄅᆞᄫᆞᆫ 형 〈옛〉 종요로운. '조ᅀᆞᄅᆞᆸ다'의 활용형. =조ᅀᆞᄅᆞ왼. ¶므스거스로 조ᅀᆞᄅᆞᄫᆞᆫ 거슬 사ᄆᆞ료 ≪月釋 II:22≫.
조ᅀᆞᄅᆞᄫᆡ니라 형 〈옛〉 종요로우니라. '조ᅀᆞᄅᆞᆸ다'의 활용형. ¶서르 도보미 조ᅀᆞᄅᆞᄫᆡ니라(相資爲妙)≪蒙法 9≫.
조ᅀᆞᄅᆞᄫᆡ다 형 〈옛〉 종요롭다. ¶要ᄂᆞᆫ 조ᅀᆞᄅᆞᄫᆞᆯ씨니 ≪月釋 XIII:23≫.
조ᅀᆞᄅᆞᄫᆡ욤 형 〈옛〉 종요로움. '조ᅀᆞᄅᆞᆸ다'의 명사형. ¶조ᅀᆞᄅᆞᄫᆡ요미

ᅌᅵᆷᅌᅵᆷ호매 잇ᄂᆞ니(妙在惺惺)≪蒙法 6≫.

조ᅀᆞᄅᆞ외다 형 〈옛〉 종요롭다. ＝조ᅀᆞᄅᆞᇦ다. ¶要ᄂᆞᆫ 조ᅀᆞᄅᆞ욀씨라≪心經 8≫.

조ᅀᆞᄅᆞ외욤 형 〈옛〉 종요로움. '조ᅀᆞᄅᆞᇦ다'의 명사형. ¶조ᅀᆞᄅᆞ외요ᄆᆞ로 니ᄅᆞ건댄(以要言之)≪妙蓮 Ⅵ:34≫.

조ᅀᆞᄅᆞ왼 형 〈옛〉 종요로운. ＝조ᅀᆞᄅᆞᄫᆡᆫ·조오로왼·조요ᄅᆞ왼. ¶조ᅀᆞᄅᆞ왼 길ᄒᆡ 旌旗ᄅᆞᆯ ᄃᆞ랏고(懸旌要路口)≪初杜諺 Ⅸ:7≫.

조ᅀᆞᄅᆞ이 부 〈옛〉 종요로이. ＝조ᅀᆞ로이·조ᅀᆞ로이·조오로이. ¶조ᅀᆞᄅᆞ이 行ᄒᆞᇙ 거슬≪圓覺 序 78≫.

조ᅀᆞᄅᆞᇦ다 형 〈옛〉 종요롭다. ¶조ᅀᆞᄅᆞᇦ디 아니ᄒᆞᆫ 말란 더러 ᄡᅳᆯ 씨라≪釋譜 序 4≫.

조ᅀᆞᄅᆞᄫᆡ다 형 〈옛〉 종요롭다. ¶서르 도ᄫᅩ미 조ᅀᆞᄅᆞᄫᆡ니라(相資爲妙)≪蒙法 9≫.

조ᅀᆞᆯ 명 〈옛〉 요체(要諦). ¶覺心조ᄒᆡ올 조ᅀᆞ리다(淨覺心之要也)≪楞嚴 Ⅱ:83≫.

조아[1] 【爪牙】 명 ①발톱과 어금니. ②자기에게 썩 긴요한 물건이나 사람의 비유. ③국가 보필(國家輔弼)의 신하(臣下).

조-아[2] 【曹娥】 명 〖사람〗 2세기의 중국 후한(後漢)의 효녀. 아버지 조간(曹旰)이 조아강(曹娥江)에 빠져 죽었으나 시체를 발견하지 못해 14세의 아(娥)는 강가에서 17일간 밤낮으로 호읍(號泣)하다가 마침내 강에 몸을 던져 죽었다 함. 뒤에 비가 세워졌음. 생몰년 미상.

조아[3] 【條兒】 명 〖역〗 조선 시대 때, 녹사(錄事)·서리(書吏)·향리(鄕吏)·별감(別監)·차비(差備)·나장(羅將)·조례(皁隷) 등 구실아치가 매는 띠. 실로 땋아 만듦.

조아[4] 【藻雅】 명 시문(詩文)에 능하고 고아(高雅)함. 문아(文雅). ——하다 형 여불

조아리다 타 〔중세: 좃다〕 황송(惶悚)하여 머리를 땅에 닿을 만큼 여러 번 숙이다. 조다. ¶머리를 조아리고 아뢰다.

조아지-사 【爪牙之士】 명 믿을 만하고 도움이 되는 신하.

조아-팔다 타 크거나 많은 물건을 조금씩 헐어서 팔다.

조악[1] 명 〈방〉 주악[1].

조악[2] 【刁惡】 명 교활함. 간악(奸惡).

조악[3] 【粗惡】 명 거칠고 나쁨. ¶～품(品). ——하다 형 여불

조:악[4] 【造惡】 명 나쁜 일을 함. ——하다 자 여불

조:안[1] 【早雁】 명 예년(例年)보다 일찍이 오는 기러기.

조안[2] 【粗安】 명 별로 큰 탈이 없이 대체로 편안함. 흔히 편지에 씀. 조령(粗寧). ——하다 형 여불

조안[3] 【潮安】 명 〖지〗 '차오안'을 우리 음으로 읽은 이름.

조알 【朝謁】 명 ↗조알례(朝謁禮).

조알-례 【朝謁禮】 명 〖역〗 왕세자(王世子)가 책봉(冊封)된 뒤에 부왕(父王)께 뵈는 예식. 준조알(朝謁).

조:암 광:물 【造岩鑛物】 명 〖광〗 화성암(火成岩)·변성암(變成岩) 등 암석(岩石)을 구성(構成)하는 광물(鑛物). 주요(主要)한 것으로 석영(石英)·장석(長石)·운모(雲母)·각섬석(角閃石)·휘석(輝石)·감람석(橄欖石) 등이 있음.

조:암 물질 【造癌物質】 〔—찔〕 명 〖의〗 암원성 물질(癌原性物質).

조압 【刁鴨】 명 〖조〗 가창오리.

조압-도 【漕鴨島】 명 〖지〗 평안 남도 용강군(龍岡郡)의 서해 상에 위치하여 있는 섬. [0.246km²]

조앙[1] 명 〈방〉 살강(함경).

조:앙[2] 【早秧】 명 볏모를 일찍이 냄. ——하다 타 여불

조앙이 명 〈옛〉 챙이. ¶조앙이질ᄒᆞ다(撈魚)/큰 조앙이(尖網)≪漢淸 Ⅹ:24≫.

조:애[1] 【助哀】 명 남의 슬픔에 같이 서럽게 욺. ——하다 자 여불

조:애[2] 【阻隘·阻阨】 명 험하고 좁음. 험조(險阻)하고 협애(狹隘)함. ——하다 형 여불

조:애[3] 【阻礙·阻碍】 명 막아서 가리움. 막히어서 거리낌. 저애(沮礙). ——하다 자타 여불

조애[4] 【朝靄】 명 아침에 끼는 아지랑이.

조야[1] 【粗野】 명 사람 됨됨이가 촌스럽고 천함. ——하다 형 여불

조야[2] 【朝野】 명 조정(朝廷)과 민간(民間).

조야 집요 【朝野輯要】 명 〖책〗 조선 정조(正祖) 8년(1784)에 이루어진 조선 왕조(王朝)의 편년사(編年史). ≪용비어천가(龍飛御天歌)≫·≪국조 보감(國朝寶鑑)≫ 등 80여 권의 책을 인용(引用)하여 건국 이전(建國以前)과 태조(太祖) 이래(以來) 영조(英祖)까지의 사실(史實)이 기록됨. 28권 21책.

조야 첨재 【朝野僉載】 명 〖책〗 조선 왕조의 편년사(編年史). 윤득운(尹得運)의 저서로 전해지는 설이 있으며 ≪용비어천가≫·≪국조 보감≫을 참고로 하여 저술됨. 태조 1년(1392)부터 숙종 36년(1710)까지의 사적이 수록됨. 29권.

조야 회:통 【朝野會通】 명 〖책〗 조선 왕조의 편년사(編年史). 국초(國初)로부터 경종(景宗) 때까지의 것과, 태조(太祖) 탄생으로부터 영조(英祖) 1년(1725)까지의 기사가 수록되어 있는 것이 있음. 김재구(金載久)의 저라는 설이 있음. 28권 16책.

조약[1] 명 〈방〉 자갈[1](강원).

조약[2] 【條約】 명 ①조목(條目)을 세워서 약정(約定)함. ②〔treaty〕 〖법〗 광의(廣義)로는 문서(文書)에 의한 국가간의 합의로, 협약(協約)·협정(協定)·선언(宣言)·각서(覺書)·규약(規約)·결정서(決定書)·의정서(議定書)·교환 공문(交換公文)·잠정 협정(暫定協定)·헌장(憲章) 등의 명칭을 전부 말하며, 협의(狹義)로는 특히 조약의 이름을 붙이는 것으로서, 보통 비교적 중요한 것을 말함. 명칭의 여하를 불문하고 국제법상 당사국을 구속(拘束)함. ¶～을 체결하다/～을 폐기하다.

조약[3] 【跳躍】 명 '도약(跳躍)'을 잘못 일컫는 말.

조약[4] 【調藥】 명 〖약〗 조제(調劑)❷. ——하다 자 여불

조약-국 【條約國】 명 〖법〗 상호간(相互間)에 수교 통상(修交通商) 조약을 맺은 나라.

조:약-도 【助藥島】 명 〖지〗 전라 남도 서남해상, 완도군(莞島郡) 약산면(藥山面)에 위치한 섬. 거금도(居金島)와 고금도(古今島) 사이에 있음. 약산도(藥山島). [23.84km² : 6,826명(1985)]

조약-돌 명 〔중세: 지벽돌〕 자질구레하고 동글동글한 돌.

조약-밭 명 조약돌이 많이 있는 땅. 또, 그러한 땅의 밭.

조약 헌:법 【條約憲法】 〔—뻡〕 명 〖법〗 많은 나라가 합의에 의해서 하나의 연방 국가를 만들었을 경우의 헌법. 1787년의 아메리카 합중국 헌법, 1867년의 북(北) 독일 연방 헌법 등.

조:양[1] 【早穰】 명 〖식〗 올벼.

조:양[2] 【助陽】 명 성적 양기(性的陽氣)를 돋움. ——하다 자 여불

조양[3] 【朝陽】 명 ①아침 볕. 초양(初陽). ↔석양. ②새벽에 동하는 남자의 양기.

조양[4] 【朝陽】 명 〖지〗 '차오양'을 우리 음으로 읽은 이름.

조양[5] 【調養】 명 조리(調理)❶. ——하다 타 여불

조양-폭 【朝陽瀑】 명 〖지〗 금강산(金剛山)에 있는 폭포의 하나. 구룡폭(九龍瀑)보다 작은데 경치가 아름다움.

조:어[1] 【助語】 명 문장(文章)에 어구(語句)를 보태어 넣음. ——하다 자 여불

조:어[2] 【助語】 명 〖언〗 어조사(語助詞).

조어[3] 【祖語】 명 〔parent language〕 〖언〗 비교 언어학(比較言語學)에서, 몇몇 동계(同系)의 언어에 대하여, 이것이 분출(分出)·발전(發展)하여 나온 것으로 상정(想定)되는 언어. 이탈리아어·프랑스어 등에 대하여 라틴어는 중간 조어(中間祖語)에 해당함. 공통 기어(共通基語). *어족(語族).

조:어[4] 【釣魚】 명 물고기를 낚음. 어조(魚釣). ——하다 자 여불

조어[5] 【措語】 명 말의 뜻을 글자로 엉구어서 만듦.

조:어[6] 【造語】 명 ①새로 말을 만듦. 또, 그 만든 말. ②이미 있는 말을 엉구어 복합어(複合語)를 만듦.

조어[7] 【鳥語】 명 ①새가 지절거리는 소리. ②야만인들의 알아 듣지 못하게 지껄이는 말 소리.

조어[8] 【藻魚】 명 해조(海藻)가 많은 곳에 사는 어류(魚類).

조:어 대:전 【釣魚大全】 명 〔Complete Angler〕 〖책〗 영국의 수필가 월턴(Walton)이 1653년에 간행한 것으로, 낚시질의 비결을 공개한 책. 고기의 종류·습성·서식 장소·낚는 법 등을 세세히 적었으며, 또한 연안(沿岸)의 풍경을 목가적(牧歌的)인 아름다운 문장으로 표현하였음. 문학적으로도 우수한 고전(古典)의 하나로 전해 옴.

조:어 문인 【釣魚文引】 명 〖역〗 조선 시대 때, 대마도(對馬島) 왜인(倭人)으로서 우리 나라 연안에 와서 고기잡이하는 자에게 대마도주(對馬島主)가 발행하는 문인. 이 문인을 받은 왜인은 거제도(巨濟島)·지세포(知世浦)에 와서 만호(萬戶)에게 이를 바치고, 전라 남도 남해안에서 고기를 잡았음.

조:어-법 【造語法】 〔—뻡〕 명 〖언〗 단어의 구성 규칙. 단어의 하위 단위인 형태소(形態素)들이 결합하여 단어를 구성하는 방식.

조:어 성분 【造語成分】 명 복합어(複合語)를 구성하는 상위(上位) 또는 하위(下位)의 말.

조:어-장 【釣魚場】 명 낚시질하는 놀이 터. 물고기를 모아 놓고, 일정한 요금을 내면 고기를 잡게 함.

조어 장:부 【調御丈夫】 명 〖불교〗 여래 십호(如來十號)의 하나. 말을 부리듯 모든 중생을 잘 가르치는 대장부라는 뜻으로, 불타(佛陀)를 일컫는 말. *천인사(天人師)·무상사(無上士).

조억 【兆億】 명 ①대단히 많은 수(數). 억조(億兆). ②많은 백성(百姓). 조민(兆民).

조:언[1] 【助言】 명 ①남의 말에 참견하여 옆에서 말을 덧붙이어 도와줌. 또, 돕는 말. ②어떤 문제나 일에 지도적 입장에서 가르쳐 주는 말. 도움말. ——하다 타 여불

조언[2] 【粗言】 명 거친 말. 난폭한 말.

조:언[3] 【造言】 명 지어낸 말.

조:언[4] 【繰言】 명 ①말을 되풀이함. ②중얼거림. 두덜거림. ——하다 타 여불

조:언-자 【助言者】 명 조언을 하는 사람.

조:-엄 【趙曮】 명 〖사람〗 조선 영조(英祖) 때의 문신(文臣). 자(字)는 명서(明瑞), 호는 영호(永湖). 풍양(豐壤) 사람. 영조 39년(1763) 통신사(通信使)로 일본에 갔을 때 고구마 종자(種子)와 그 재배 저장법(栽培貯藏法)을 익히고 돌아와 우리 나라 최초의 고구마 재배를 실현함. 산업 발전과 재정(財政)의 충실을 위하여 노력했으며 문장에도 뛰어났음. 벼슬은 대사간(大司諫)·이조 판서(吏曹判書)등을 지냄. 시호는 문익(文翼). [1719-77]

조:업[1] 【助業】 명 본업(本業)이나 부업(副業)에 도움이 되는 직업.

조업[2] 【祖業】 명 조상 때부터 내려 오는 가업(家業).

조:업[3] 【肇業】 명 어떠한 사업을 처음으로 시작함. ——하다 자 여불

조업[4] 【操業】 명 공장(工場) 등에서 기계(機械) 같은 것을 움직이어 작업을 실시함. ——하다 자 여불

조업 단축 【操業短縮】 명 〖경〗 기계(機械)의 일부(一部) 운전 휴지(運轉休止) 또는 작업 시간(作業時間)의 단축에 의하여, 생산을 제한(制限)하는 일. 가격의 유지(維持)를 목적으로 하는 과잉 생산 대책(過剩生產對策)임. 쇼트 타임(short time). 준조단(操短).

조업-도【操業度】명〖경〗일정 기간에 있어서의 경영(經營)의 생산(生產) 설비를 이용(利用)하는 정도.

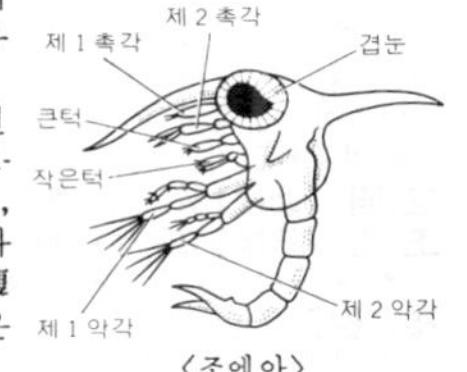

〈조에아〉

조에아〔zoëa〕명〖동〗갑각류(甲殼類)의 변태 과정의 한 유생(幼生). 노플리우스(nauplius)유생에서 변태(變態)하여 되는 것으로, 큰 두흉부(頭胸部)에 한 쌍의 복안(複眼)과 분지(分枝)된 악각(顎脚)이 있으며, 복부(腹部)는 길쭉하며 다리는 아직 생기지 않은 것임.

조여-들다 자 ☞죄어들다.

조역[1]【兆域】명 무덤이 있는 지역. 묘소(墓所).

조:역[2]【助役】명 ①도와서 거들어 주는 일. 또, 그 사람. ↔주역(主役). ②철도청의 열차 사무소·객화차(客貨車) 사무소 및 5급 이상의 역장(驛長)이 있는 역(驛)에서 현업 기관장(現業機關長)을 보좌(補佐)하는 계장(係長)의 구칭. 또, 6급의 역장이 있는 역(驛)에서 부역장(副驛長)의 구칭. ③↗조역꾼. ——-하다 타여불

조:역[3]【肇域】명 지경(地境)을 열어서 정(定)함. 국가를 정함. ——-하다 자여불

조:역-꾼【助役一】명 수고로운 일을 도와주는 사람. 준조역(助役).

조역-문【兆域門】명 무덤의 광중(壙中) 앞쪽에 있는 문.

조:연[1]【助演】명〖연〗연극·영화·텔레비전 등에서 주역(主役)의 연기(演技)를 보조함. 또, 그러한 역을 맡은 사람. ¶~자(者)/~상(賞). ——-하다 타여불

조연[2]【朝宴】명 조정에서 베푸는 연회.

조연[3]【朝煙】명 ①아침에 하늘에 끼는 연기. ②아침밥을 짓는 연기.

조:-연[4]【趙淵】명〖사람〗조선 명종(明宗) 때의 서예가. 자(字)는 정경(靜卿), 호는 내헌(耐軒). 함안(咸安) 사람. 당대의 명필(名筆)로서 특히 전서(篆書)·예서(隸書)·잡체(雜體)에 뛰어났으며 시문(詩文)에 능했음. [1489-1594]

조연[5]【躁然】명 시끄러운 모양. 평정(平靜)하지 않은 모양. ——-하다 형여불

조연-하다【嘈然一】형여불 ①바람 등이 소리 내어 불어 소란하다. ②떠들썩하다. **조연-히**【嘈然一】부

조:-연(:)현【趙演鉉】명〖사람〗문학 평론가. 호는 석제(石濟). 경남 함안(咸安) 출생. 본관은 함안. 1946년 좌익계 단체인 문학가 동맹측과 맞서 김동리(金東里)·서정주(徐廷柱) 등과 함께 청년 문학가 협회를 결성함. 55년 월간(月刊) 《현대 문학》 초대 주간(主幹)을 맡음. 한양 대학교 문과 대학장을 역임하고, 여러 대학 강단에서 문학 강의를 함. 탁월한 인상 비평(印象批評)의 새 영역을 구축, 순수 문학적 입장에서 전통을 적극 옹호함. 《한국 현대 문학사(史)》(1961) 등 20여 권의 저서가 있음. [1920-81]

조열[1]【朝列】명〖역〗조회(朝會)에 참여하는 관원(官員)의 벌여 서는 차례. 조반(朝班).

조열[2]【潮熱】명 정기적(定期的)으로 일어나는 신열(身熱).

조열[3]【燥熱】명 ①바싹 마르고 더움. ②마음이 답답하고 몸에 열기가 남. ——-하다 형여불

조열 대:부【朝列大夫】명〖역〗고려 때 문관(文官)의 품계(品階). 종사품(從四品)의 하(下). 공민왕(恭愍王) 18년(1369)에 정함. 조의랑(朝議郞)의 위. ＊조산 대부(朝散大夫).

조:염 발색【造塩發色】[一쌕] 명〖화〗유기 화합물이 강산(強酸)과 염(塩)을 만들 때, 가시부(可視部)에 흡수(吸收)가 일어나서 발색하는 현상. 성염(成塩) 발색.

조:염 원소【造塩元素】명〖화〗할로겐족 원소(halogen 族元素).

조:엽수-림【照葉樹林】명 아열대(亞熱帶)로부터 난온대(暖溫帶)에 걸친 다습(多濕)한 지역에 분포되어 있는 상록 활엽수(常綠闊葉樹)를 주로 한 삼림군계(森林群系). 임상(林床)은 어둡고, 하층 식생(下層植生)의 발달이 나쁨. 상록 활엽수림.

조:영[1]【造營】명 집 같은 것을 지음. 건축(建築). 축조(築造). ——-하다 타여불

조 영[2]【朝榮】명 ①아침에는 기운이 왕성함. ②일시적으로 번영함.

조:영[3]【照映】명 비침. ——-하다 타여불

조:영[4]【照影】명 ①비치는 그림자. ②사진. 초상(肖像).

조:-영[5]【趙嶸】명〖사람〗조선 선조(宣祖) 때의 화가. 자(字)는 사안(士安), 호는 양호(楊湖). 양주(楊州) 사람. 산수화를 잘 그렸고 글씨도 잘 썼음. 《군산 이우도(君山二友圖)》를 그려 여기에 시(詩)와 서(序)를 붙였다고 하나 전하지 않음. 생몰년 미상.

조:-영규【趙英珪】명〖사람〗조선 초기의 무신으로 개국 공신(開國功臣). 초명은 평(評). 신창(新昌) 사람. 이성계의 문객(門客)으로 방원(芳遠)과 모의, 정몽주(鄭夢周)를 선죽교(善竹橋)에서 격살(擊殺)하고, 이성계를 추대, 조선 개국에 공을 세웠음. [?-1395]

조:-영무【趙英茂】명〖사람〗조선 초기의 문신(文臣). 한양(漢陽) 사람. 방원(芳遠)의 명으로 조영규(趙英珪) 등과 함께 정몽주(鄭夢周)를 격살한 뒤, 이성계(李成桂)를 추대, 개국 공신이 됨. 제1차 및 제2차 왕자(王子)의 난에 방원을 도와 정사 공신(定社功臣)·좌명(佐命) 공신이 됨. 시호는 충무(忠武). [?-1414]

조:영-법【造影法】[一뻡] 명〖의〗X선 진단에 있어서 목적하는 장기(臟器)가 X선 사진으로 영출(映出)되지 아니하는 경우, 혈관내(血管內)·관강내(管腔內) 등에 조영제(造影劑)를 주입(注入)함으로써 장기의 형태를 영출하는 방법. 위장관·기관지·뇌·간장·신장(腎臟)·담낭 등의 진단에 쓰임.

조:-영석【趙榮祏】명〖사람〗조선 중기의 화가. 자(字)는 종보(宗甫), 호는 관아재(觀我齋)·석계 산인(石溪山人). 함안(咸安) 사람. 산수화와 인물화에 뛰어난 재질을 지니어, 당대 명화가 정선(鄭歚)·심사정(沈師正)과 함께 삼재(三齋)로 일컬어짐. 시와 글씨에도 일가를 이루었음. 작품에 《종보 부장·임수도(宗甫扶杖臨水圖)》·《암상 포금도(巖上抱琴圖)》 등이 있음. [1686-1761]

조:-영양【趙令穰】명〖사람〗중국 북송(北宋) 철종조(哲宗朝)의 화가. 태조(太祖)의 5대손으로 자는 대년(大年). 소식(蘇軾)에게 묵죽(墨竹)을 배우고, 왕유(王維)에 사숙(私淑)하여 산수(山水)를 그림. 시적 정취를 담은 세밀한 화풍의 산수화는 성당(盛唐)의 이사훈(李思訓) 부자의 화풍에 영향을 줌. 생몰 연대 미상.

조:영-제【造影劑】명〖약〗X선 촬영 진단에 쓰이는, X선에 대하여 불투명하고 원자 번호가 높은 원소의 화합물. 인체에 무해(無害)이어야 함. 황산 바륨 같은 것. 위장·기관지·척수·담낭(膽囊)·뇌동맥·신장·대동맥 촬영 등에 쓰임. ＊조영법.

조:-영하【趙寧夏】명〖사람〗조선 고종(高宗) 때의 문신. 자(字)는 기삼(箕三), 호는 혜인(惠人). 풍양(豐壤) 사람. 신정 왕후(神貞王后) 조씨의 조카. 병조 판서를 역임하면서 사대당(事大黨)의 중진이 되어 대원군의 실각을 획책하였고 임오 군란(壬午軍亂) 후 주동자 색출과 대원군(大院君)의 납치를 실현, 민씨(閔氏)의 재집권을 가져 오게 하였음. 갑신 정변(甲申政變) 때 죽음. [1845-84]

조:영-학【造營學】명 건축학(建築學).

조:예[1]【早刈】명〖농〗곡식을 일찍 벰. ——-하다 타여불

조:예[2]【造詣】명 학문·기예(技藝) 등의 깊은 지경에 이른 정도. ¶음악에 ~가 깊다.

조예[3]【鑿枘】명 예조(枘鑿).

조오 명〈방〉종이[1](경상).

조오로왼 형〈옛〉종요로운. =조ᄉᆞᄅᆞ왼. ¶조오로왼 길히 또 놉고 깁도다(要路亦高深)《重杜諺 XV:20》.

조오로이 부〈옛〉종요롭게. =조ᄉᆞᄅᆞ이. ¶向陽ᄒᆞᆫ 뮛부리 더운ᄃᆡ 어두믈 조오로이 너기고(要求陽岡暖)《重杜諺 IX:13》.

조오롬 명〈옛〉졸음[1]. ¶조오롬 면(眠)《字會 上 30》/입ᄣᅢ예 혹 조오롬을 계워(此時或有耽睡)《痘方 66》.

조:옥【詔獄】명〖역〗칙명(勅命)에 의하여 죄를 다스리는 곳. 또, 그 옥. 금부옥(禁府獄). ＊의금부(義禁府).

조온【潮溫】명 해수(海水)의 온도.

조올다 자〈옛〉졸다[1]. ¶믈어뎌 지여서 조오라 셔디 몯호라(頹倚睡未醒)《杜諺 1:50》.

조-옮김【調一】명 [一옴一]〔transposition〕〖악〗악곡 전체를 그대로 다른 조로 옮겨서 연주하거나, 악보에 옮겨 쓰는 일. '다'장조의 곡을 한 음 낮게 조옮김하면 내림 '나'장조의 곡이 됨. 이조(移調). ＊조(調) 바꿈. ——-하다 자여불

조옮김 악기【調一樂器】[一옴一] 명〖악〗악보(樂譜)에 나타난 음을 연주하면 실제의 음과 다르게 나오는 악기. 따라서 실제의 음은 악보보다 4도·5도 또는 3도나 틀리게 되므로 이들 악기는 특별히 조옮김한 악보에 의해서 연주하게 됨. 클라리넷·색소폰·트롬본 등을 제외한 대부분의 금관(金管) 악기가 이에 속함. 이조 악기(移調樂器).

조옹【糟甕】명 술지게미를 넣은 독.

조:-완기【趙完基】명〖사람〗조선 선조(宣祖) 때의 의사(義士). 자(字)는 덕공(德恭), 호는 도곡(道谷). 조헌(趙憲)의 아들. 임진 왜란 때, 아버지를 따라 종군, 금산(錦山) 싸움에서 순사함. 적에게 주장(主將)으로 오인되어 그 시신(屍身)도 거두지 못했다 함. [1570-92]

조왕[1] 명〈방〉살강(황해·함남).

조왕[2]【徂往】명 가는 일. ——-하다 자여불

조왕[3]【竈王】명〖불교〗부엌을 맡은 신(神). 부엌에 있어서 모든 길흉을 판단한다 함. 조신(竈神). 조왕 대신(大神). 조왕신. 조(竈)❷.

조왕-경【竈王經】명〖불교〗조왕의 공덕(功德)을 말한 경전(經典).

조왕-굿【竈王一】명〖민〗조왕에게 치성을 드리는 굿.

조왕-단【竈王壇】명〖불교〗조왕(竈王)을 봉안(奉安)한 곳. 절의 부엌의 뒷벽에 만듦.

조왕 대:신【竈王大神】명〖불교〗조왕(竈王).

조왕 모:귀【朝往暮歸】명 아침에 갔다가 저녁에 돌아옴. ——-하다 자여불

조왕-상【竈王床】명〖민〗무당이 굿을 할 때에, 조왕에게 올리기 위하여 차리는 제물상(祭物床).

조왕-신【竈王神】명 ①〖불교〗조왕(竈王). ②〖역〗구나(驅儺)할 때의 나자(儺者)의 하나. 청포(靑袍)를 입고, 탈과 복두(幞頭)를 쓰고 목홀(木笏)을 쥐었음.

조왕 신:앙【竈王信仰】명〖민〗조왕(竈王)을 모시는 가신(家神) 신앙의 하나. 조왕은 부엌의 신으로서 불을 맡아 관리하는 신이므로, 불의 신앙과 맥락을 같이하는 것임. 조왕신은 여신(女神)으로 간주되어 '조왕 각씨' 또는 '조왕 할망'이라 하지만, 신격(神格)은 분명함.

조왕 중발【竈王中鉢】명〖민〗호남(湖南) 지방에서, 조왕(竈王)으로서, 부뚜막 정면(正面) 복판의 벽에 흙으로 조그맣게 만들고, 그 위에 올려 놓는 중발.

조왕 탱화【竈王幀畫】명〖불교〗조왕을 그린 탱화.

조외 명〈방〉종이[1](전라).

조:요【照耀】명 비치어서 빛남. ¶홀연히 주의 사자가 곁에 서매 옥중에 광채가 ~하며…《신약 사도 행전 12:7》. ——-하다 자여불

조:요-경【照妖鏡】명 조마경(照魔鏡).

조요ᄅᆞ왼 형〈옛〉종요로운. =조ᄉᆞᄅᆞ왼·조오로왼. ¶사라쇼매 조요ᄅᆞ

윈 놀음 버서나롸(生涯脫要津) ≪重杜諺 XI:1≫.

조욕[1]【潮浴】명 해수욕(海水浴). ——-하다 자여불

조욕[2]【澡浴】명 목욕함. ——-하다 자여불

조용[1]【刁踊】명 고등(高騰). ——-하다 자여불

조용[2]【調用】명 관리를 골라서 등용(登用)함. ——-하다 타여불

조용[3] 감 '조용히 해'의 뜻.

조:-용순【趙容淳】명〖사람〗법률가. 충남 대덕(大德) 태생. 1948년 대구 고등 법원장을 거쳐 대법관(大法官)·중앙 선거 관리 위원장·법무부 장관을 지내고 1960년에 대법원장에 임명되었음. [1898-1975]

조-용-조【租庸調】명〖역〗당(唐)나라의 조세법(租稅法). 균전제(均田制)를 배경으로 조(租)는 구분전(口分田)에 과(課)한 세, 용(庸)은 사람에 대하여 과하는 노역 의무(勞役義務), 조(調)는 집에 과한 현물세(現物稅)임. 그 뒤 양세법(兩稅法)으로 대치(代置)하였음.

조용조용-하다 형여불 매우 조용하다. **조용조용-히** 부

조용-품【粗用品】명 막잡이❶.

조:-용하【趙鏞夏】명〖사람〗독립 운동가. 소앙(素昂)의 형. 양주(楊州) 출신. 대한 제국 때 주불(駐佛)·주독(駐獨) 참사관(參事官)을 지낸 뒤, 1905년 중국으로 망명, 한살림(韓薩林)을 조직하여 항일(抗日) 운동을 전개하였으며, 1913년 하와이에 건너가 한국 독립단·한인 협회(韓人協會) 등을 조직함. 1932년 한중(韓中) 연맹 강화를 위해 중국으로 가다가 피체(被逮), 병사함. [1882-1937]

조용-하다 형여불 [중세 : 종용(從容)ᄒᆞ다] 떠들지 아니하고 고요하다. 언행이 왁자지껄하지 아니하고 몹시 얌전하다. **조용-히** 부

조우[1] 명 〈방〉 종이[1](강원·충북·경상).

조우[2]【朝雨】명 아침에 내리는 비.

조:우[3]【遭遇】명 ①뜻 맞는 임금에게 신임을 받음. ②우연히 만남. 뜻밖에 서로 만남. 조봉(遭逢). 회우(會遇). ¶적의 복병(伏兵)에 ~하다. ——-하다 자여불

조우-관【鳥羽冠】명〖역〗좌우 양쪽에 새의 깃털을 꽂은 관(冠). 고구려 시대의 관원(官員)의 풍습(風習)임.

조우다 타 〈방〉 죄다(경상).

조:우 예:정 시각【遭遇豫定時刻】명 [estimated time of interception]〖항행〗선박(船舶)이나 항공기가 항행중에 다른 선박이나 항공기와 조우할 것이 예지(豫知)된 시각.

조-우(:)인【曺友仁】명〖사람〗조선 인조(仁祖) 때의 문신(文臣). 자(字)는 여익(汝益), 호는 매호(梅湖). 창녕(昌寧) 사람. 이이첨(李爾瞻) 일당의 무고(誣告)로 투옥(投獄)되었다가 인조 반정(仁祖反正)으로 우부승지(右副承旨)에 올랐으며, 글씨·그림·시에 능하여 삼절(三絕)이라 일컬어졌음. [1561-1625]

조:우-전【遭遇戰】명〖군〗두 편의 군대가 진군(進軍) 중에 우연히 만나서 일어나는 전투.

조욱[1]【朝旭】명 아침의 태양. 아침해

조:-욱[2]【趙昱】명〖사람〗조선 명종(明宗) 때의 학자. 자(字)는 경양(景陽), 호는 우암(愚菴). 평양 사람. 성(晟)의 아우. 조광조(趙光祖)·김정(金淨)의 문인. 용문산(龍門山)에 은거하며 학문에만 전심, 용문 선생(龍門先生)으로 알려짐. 시문·서화에 능했으며, 당대의 명사 서경덕(徐敬德)·이황(李滉) 등과 교유함. 시호는 문강(文康). [1498-1557]

조-운[1]【曺雲】명〖사람〗시조 시인. 본명은 주현(柱鉉). 호는 정주랑(靜州郎). 전남 영광(靈光) 출생. 소설가 최학송(崔鶴松)의 매부. 한학(漢學)을 수학함. ≪웃는 채로 산에 가면≫으로 데뷔, 민족주의적 시조를 창작함. ≪조운 시조집≫이 있음. 광복 후 문학가 동맹 중앙 집행 위원이 됨. 월북 작가의 하나. [1898-?]

조운[2]【彫雲】명 ①아로새긴 듯한 아름다운 구름. ②운기(雲氣)를 뿌리어 놓는 일.

조운[3]【鳥雲】명 작은 새가 떼를 지어 나르는 모양이, 멀리서 보면 구름처럼 보이는 일.

조운[4]【朝雲】명 아침에 낀 구름.

조운[5]【漕運】명 ①배로 물건을 실어 나름. ②〖역〗조세(租稅)로 징수한 미곡이나 포백(布帛) 등을 해상 수송하는 일. 전조(轉漕). 조전(漕轉). *참운(站運)·수운(水運). ——-하다 타여불

조운 모:우【朝雲暮雨】명 [아침에는 구름이 되고 저녁에는 비가 된다는 뜻] 남녀의 정교(情交)를 비유하는 말.

조운 모:월【朝雲暮月】명 아침의 구름과 저녁의 달.

조운-배【漕運一】[―빼] 명 물건을 실어 나르는 배. 조운선(漕運船).

조운-사【漕運使】명〖역〗전운사(轉運使)❶.

조운-산【鳥雲山】명〖지〗경상 북도 안동시(安東市)에 있는 산. [632 m]

조운-선【漕運船】명 조운(漕運)배.

조운-업【漕運業】명 배로 물건을 실어 나르는 일을 전문으로 하는 업.

조운-읍【漕運邑】명〖역〗세곡(稅穀)의 조운(漕運)을 맡은 고을.

조운지-진【鳥雲之陣】명 새가 집산(集散)하고, 구름이 변화하는 것처럼, 군사(軍士)를 분산시켜 놓고 집합 이산(集合離散)이 자유롭도록 치는 진(陣).

조운-창【漕運倉】명〖역〗①조운(漕運)과 조창(漕倉). ②조창(漕倉).

조울-병【躁鬱病】[―뼝] 명 [manic-depressive psychosis]〖의〗정신 이상의 한 가지. 상쾌하고 흥분된 상태와 우울하고 불안한 상태가 번갈아 또는 한쪽만이 나타나는 증상.

조울성 기질【躁鬱性氣質】[―썽―] 명〖심〗기분의 조양(躁揚) 상태와 우울한 상태가 번갈아 나타난다는 뜻으로 일컫는 순환성(循環性) 기질의 딴이름.

조울-질【躁鬱質】[―찔] 명〖의〗조울성 기질.

조:웅-전【趙雄傳】명〖문〗조선 시대 때의 군담 소설(軍談小說)의 대표적 작품. 중국 송(宋)나라 문제(文帝) 때 간신 이두병(李斗柄)에게 몰리어 죽은 조승상(趙丞相)의 아들 웅(雄)은 태자와 더불어 후일을 기약하고 헤어져 방랑하던 중, 장소저(張小姐)와 만나 백년 가약을 맺고, 위태롭게 된 태자를 구하고 수십만 대군으로 송나라를 회복한다는 내용. 작자·연대 미상.

조:원[1]【助援】명 원조(援助). ——-하다 타여불

조:원[2]【造園】명 정원(庭園)·공원(公園)·유원지(遊園地) 따위를 만듦. ¶~ 기사(技師). ——-하다 자여불

조:-원길【趙元吉】명〖사람〗고려 말의 충신. 자는 성중(聖中), 호는 농은(農隱). 순창(淳昌) 사람. 정몽주(鄭夢周)·설장수(偰長壽)와 함께 공양왕(恭讓王)을 옹립한 공으로 옥천 부원군(玉川府院君)으로 봉해짐. 고려가 망하자 조선조에 벼슬을 하지 않음으로써 절의(節義)를 지켜 이색(李穡) 등과 함께 오은(五隱)으로 불림. 시호는 충헌(忠獻).

조원-전【朝元殿】명 신라 시대의 왕궁 건물로서 신년 하례(新年賀禮)를 받던 곳.

조-원정【曺元正】명〖사람〗고려 명종(明宗) 때의 무신. 정중부(鄭仲夫)의 난에 세운 공으로 장군(將軍)·추밀원 부사(樞密院副使)가 되었으나 탐학(貪虐)이 심하고 백성의 재물을 탈취 횡령하고 문극겸(文克謙) 등을 모함하다가 살해되었음. [?-1187]

조:위[1]【弔慰】명 죽은 이를 조상(弔喪)하고, 유족(遺族)을 위문(慰問)함. ——-하다 타여불

조위[2]【凋萎】명 시듦. ——-하다 자여불

조:위[3]【造位】명〖역〗신라 십칠 관등(十七官等)의 열일곱째 위계. 소오(小烏)의 아래. 사두품(四頭品)의 벼슬. 선저지(先沮知).

조-위[4]【曺偉】명〖사람〗조선 성종(成宗) 때의 학자. 자(字)는 태허(太虛), 호는 매계(梅溪). 창녕(昌寧) 사람. 김종직(金宗直)의 문인(門人)으로, 대사성(大司成) 지춘추관사(知春秋館事)가 되어 ≪성종 실록≫을 편찬할 때 김일손(金馹孫)이 그들의 스승 김종직이 쓴 조의제문(弔義帝文)을 수록, 무오 사화(戊午士禍) 때 유배되어 죽음. 성리학(性理學)의 대가로 당시 사림(士林)의 대학자로 추앙되었음. 시호는 문장(文莊). [1454-1503]

조위[5]【曹魏】명 [조조(曹操)를 시조(始祖)로 한다는 뜻에서] 중국 삼국(三國) 중의 위(魏)의 별칭.

조위[6]【朝威】명 조정(朝廷)의 위광(威光).

조위[7]【潮位】명 조위 기준면(潮位基準面)으로부터의 해면의 높이. 풍랑·파도 등에 의한 단주기(短周期)의 승강(昇降)을 뺀 것으로서, 추산(推算) 조위와 실측(實測) 조위가 있음. 조고(潮高). *조위 기준면.

조위[8]【調委】명 ↗조사 위원회(調査委員會).

조위[9]【調胃】명〖의〗위병(胃病)을 조절하여 고침. ——-하다 자여불

조:위-금【弔慰金】명 조위의 뜻을 나타내기 위하여 내는 돈.

조위 기준면【潮位基準面】명 해면(海面)의 높이의 기준이 되는 면. 추산(推算) 조위는 기본 수준면(水準面)을, 실측(實測) 조위는 검조소(檢潮所)에서 관측된 최저 조면(最低潮面)에 가까운 값을 기준으로 함. *기준면(基準面).

조위-부【調位府】명〖역〗태봉국(泰封國)의 관아 이름. 고려의 삼사(三司)와 같음.

조위 승기탕【調胃承氣湯】명〖한의〗승기탕의 한 가지. 상한(傷寒)·이증(裏症)으로 오줌이 붉으며, 변비(便祕)가 되고 열이 높으며, 헛소리하는 증세에 씀.

조위 승청탕【調胃升淸湯】명〖한의〗태음인(太陰人) 체질이 식후에 배가 부르고 숨이 가쁜 증세와 다리에 힘이 빠지는 증세를 치료하는 데 쓰는 처방의 하나.

조:-위총【趙位寵】명〖사람〗고려 중기의 문신. 의종(毅宗) 24년(1170) 병부 상서(兵部尙書) 겸 서경 유수(西京留守)로 있을 때, 정중부(鄭仲夫)·이의방(李義方) 등이 정변을 일으켜 의종을 폐하고 전횡(專橫)을 일삼자, 명종(明宗) 4년(1174) 격문을 여러 성에 보내어 반란을 일으킴. 처음 승전하여 개경(開京) 부근까지 이르렀으나 패하여 참형(斬刑)당함. 처음 정(鄭)·이(李)를 토벌한다는 대의 명분을 세웠으나 종말에 외세를 끌어들이려 했으므로 반역에 그치게 됨. [?-1176]

조:유【詔諭】명 ①조서(詔書). 조칙(詔勅). ②조칙(詔勅)을 내리어 효유(曉諭)함. ——-하다 타여불

조유-장【朝有章】[―짱] 명 용비어천가(龍飛御天歌) 제37장(章)의 이름.

조육【鳥肉】명 새고기.

조윤【祚胤】명 자손(子孫).

조:-윤(:)제【趙潤濟】명〖사람〗국문학자. 호는 도남(陶南). 경북 예천(醴泉) 출신. 경성 대학 조선 문학과 졸업. 광복 후, 서울 대학교 문리대 학장·성균관 대학교 대학원장 등을 역임함. 저서에 ≪조선 시가사강(詩歌史綱)≫·≪국문학사≫·≪국문학 개설≫ 등이 있음. [1904-76]

조율[1]【棗栗】명 대추와 밤.

조:율[2]【照律】명 [←조률]〖법〗의율(擬律). ——-하다 타여불

조율[3]【調律】명 [←조률] 악기의 음을 표준음에 맞추어 고르는 일. 특히, 피아노·오르간·타악기(打樂器) 등의 경우를 이르기도 함. 조음(調音). *조현(調絃). ——-하다 타여불

조율-공【調律工】명 조율사(調律師).

조율 미음【棗栗米飮】명 대추와 황밤과 찹쌀 또는 차좁쌀·생동쌀 등을 한데 끓이어 만든 미음.

조율-사【調律師】[―싸] 명 악기(樂器)의 조율을 업으로 하는 사람. 조율공.

조율 이:시【棗栗梨柹】[―리―] 명 제사에 흔히 쓰는 대추·밤·배·감 등의 과실. 또, 제사의 제물을 진설할 때, 왼쪽부터 대추·밤·배·감의

차례로 차리는 격식. *홍동 백서(紅東白西).

조:율 징판【照律懲判】[명]〖법〗법률에 비추어서 징벌(懲罰)을 결단함. 의율 징판(擬律懲判). ——-하다 [타][여불]

조으다1 [자]〈옛〉졸다1. ¶조으다(打盹)《四解 上 63 盹字註》.

조으다2 [타]〈옛〉새기다. 조각하다. ¶조을 루(鏤)《類合 下 41》/조을 명(銘)《石千 23》.

조으름 [명]〈방〉졸음1(충남·전북).

조:은1【造銀】[명] 인공으로 만든 은.

조은2【朝恩】[명] 조정(朝廷)의 은혜.

조:음1【助音】[명] 남이 노래하는 옆에서 소리를 맞추어 도와 주는 노래 소리.

조:음2【助淫】[명] 음욕(淫慾)을 도움. ——-하다 [자][여불]

조음3【潮音】[명] ①바다 물결의 소리. ②해조음(海潮音).

조음4【調音】[명] ①〔articulation〕음성학(音聲學)에서, 발음 기관이 어떤 음을 내는 데 필요한 위치를 취하거나 운동하거나 하는 일. ②〖악〗악기의 음정을 고르는 일. 또, 음률(音律)을 고른 악음(樂音). 조율(調律). ③〖악〗다스름. ——-하다 [타][여불]

조음5【噪音】[명] 시끄러운 음. ↔악음(樂音).

조음-기【調音器】[명] 소리굽쇠.

조음 기관【調音器官】[명]〖언〗성대(聲帶)보다 위에 있는 음성 기관(音聲器官)의 총칭. 입술·이·치경(齒莖)·구개(口蓋)·구개수(垂)·혀·인두(咽頭) 등.

조음-소【調音素】[명]〖언〗윗말의 끝이 자음(子音), 곧 받침으로 끝난 말 아래에 자음으로 시작하는 말이 올 적에 이 둘 사이에 끼어 들어 소리를 고르는 일을 하는 소리. 알타이 말의 특색의 하나. '먹으니·먹으면'의 '으' 같은 것. 고름 소리. 조모음. 매개 모음.

조음-역【調音域】[명]〔region of articulation〕〖언〗조음점(調音點)이 넓은 부위에 걸쳐 있는 것.

조음-점【調音點】[―쩜] [명]〖언〗조음체의 작용을 직접 받는 부분. 's'의 조음에 있어서의 치경(齒莖), 'k'의 조음에 있어서의 연구개(軟口蓋) 따위.

조음-차【調音叉】[명] 소리굽쇠.

조음-체【調音體】[명]〖언〗어떤 음의 조음을 하며, 자유로이 움직이는 음성 기관. 's', 'k' 등의 조음에 있어서의 혀 따위.

조:응1【照應】[명] ①두 개의 물건이 서로 대응(對應)함. ②문장의 앞뒤의 문구(文句)가 서로 맞음. ③원인(原因)에 따라서 결과(結果)가 생김. ——-하다 [자][여불]

조응2【調應】[명]〖생〗우리의 눈이, 어두운 데나 또는 밝은 데에 대하여 「점차로 길이 들게 되는 기능(機能).

조:의1【弔衣】[―/―이] [명] 조문(弔問)하거나 조의(弔意)를 표할 때 입는 옷.

조:의2【弔意】[―/―이] [명] 죽은 이를 애도하는 마음. ¶상가 ～를 표「하다.

조의3【皁衣】[―/―이] [명]〖역〗고구려 전기 직제(前期職制)의 벼슬 이름. 사자(使者)의 다음. *선인(先人).

조의4【粗衣】[―/―이] [명] 너절한 옷. ¶～ 조식(粗食).

조의5【朝衣】[―/―이] [명]〖역〗공복(公服).

조의6【朝意】[―/―이] [명] 조정(朝廷)의 의견. 조지(朝旨).

조의7【朝儀】[―/―이] [명] ①조정(朝廷)의 의식. ②중국에서 조현(朝見)의 의식.

조의8【朝議】[―/―이] [명] 조정(朝廷)의 평의(評議).

조의9【調義·調儀】[―/―이] [명] ①계획을 세움. ②출진(出陣)하여 공격함. 조략(調略). ③전쟁(戰爭). 승부(勝負). ——-하다 [타][여불]

조:의-금【弔意金】[―/―이―] [명] 조의를 표하기 위한 돈.

조의 대:부【朝議大夫】[―/―이―] [명]〖역〗고려 때 문관(文官)의 품계(品階). 정오품(正五品)의 아래. 문종(文宗) 때에 정했는데 충렬왕(忠烈王) 원년(1275)에 폐하고 동 24년에 다시 두었다가 곧 또 폐함. 조청(朝請) 대부의 아래.

조의 두대형【皁衣頭大兄】[―/―이―] [명]〖역〗고구려 후기 직제(後期職制)의 삼품(三品)쯤 되는 벼슬. 국가의 기밀(機密)과 개법(改法)·징발(徵發)·관작 수여(官爵授與) 등을 맡음.

조의-랑【朝議郎】[―/―이―] [명]〖역〗고려 때 문관(文官)의 품계(品階). 정육품(正六品)의 위. 문종(文宗) 때 정했는데 충렬왕(忠烈王) 원년(1275)에 폐했다가 동 24년에 다시 회복하고, 곧 또 폐함. 공민왕(恭愍王) 5년(1356)에 다시 정오품(正五品)으로 하고, 11년에 또 폐했다가 18년에 다시 회복했음. *통직랑(通直郞).

조:의-록【弔儀錄】[―/―이―] [명] 부의록(賻儀錄).

조의 서답 [명]〈방〉개짐(평안).

조의 선인【皁衣先人】[―/―이―] [명]〖역〗고구려 12등급(等級)의 하나. 서인(庶人). 선인(仙人).

조:-의(:)설【趙義卨】[명]〖사람〗서양사 학자. 평남 용강(龍岡) 출신. 연희 전문을 거쳐, 일본 도호쿠(東北) 대학 서양사학과 졸업, 연세대 부총장을 지냄. 고대(古代) 그리스 연구에 주력하였음. 저서에 《서양사 개설》·《희랍 사회 연구》 등이 있음. [1906-78]

조:의제-문【弔義帝文】[―/―이―] [명]〖역〗〔의제(義帝)는 중국 초(楚)나라 회왕(懷王)〕조선 성종(成宗) 때의 학자 김종직(金宗直)이 세조(世祖)의 찬탈(簒奪)을 풍자하여 지은 글. 항우(項羽)가 회왕을 죽인 고사(故事)를 비유한 것으로, 뒤에 김종직의 문인(門人) 김일손(金馹孫)이 사관(史官)으로 있을 때 이 글을 사초(史草)에 실은 것이 사이가 좋지 않던 이극돈(李克墩)·유자광(柳子光)에 의해 연산군(燕山君)에게 알려져, 이른바 무오 사화(戊午士禍)가 일어나 김종직은 부관 참시(剖棺斬屍)되고 김일손은 사형되었으며, 많은 신진 사류(士類)는 유배되는 등 화를 입었음.

조의 조식【粗衣粗食】[―/―이―] [명] 악의 악식(惡衣惡食).

조이1 [명]〈방〉종이1(강원·충청·전북·경북).

조이2 [명]〈방〉〖식〗조1(강원·함경).

조:이3【早移】[명]〖농〗볏모를 일찍 옮겨서 심음. ——-하다 [타][여불]

조:이4【釣餌】[명] 낚싯밥.

조이5【鳥彝】[명] 새를 그린 잔.

조이6【雕螭】[명]〔←조리(雕螭)〕금·은·구리 따위로 만든 물건에 어떤 「무늬를 새김.

조이7【召史】[명]〈이두〉양민(良民)의 아내. 상류 계급이 아닌 사람의 과「부. *소사(召史).

조이8 [부]〈방〉좋이.

조이-개 [명]〖악〗장구의 부속품의 하나. 가죽으로 깔때기처럼 만들어, 장구의 좌우 마구리에 얼기설기 얽은 줄의 두 가닥을 끼워서 한쪽으로 밀면 줄이 팽팽해지고, 다른 한 쪽으로 밀면 줄이 늘어지게 되어 장구의 소리를 조절함. 축수(縮綏).

조이다 [타] 죄다.

조이데르 해【―海】〔Zuider〕[명]〖지〗네덜란드 북부에 있었던 해만(海灣). 프리지아 제도(Frisia 諸島)에 의하여 북해(北海)와 분리됨. 원래 육지였으나 13세기 해침(海侵)에 의하여 만(灣)이 되었는데, 1932년 제방(堤防)이 완성되어 담수화(淡水化)되었으며, 아이쎌 호(Ijssel 湖)라「고 명명(命名)됨.

조이-말이 [명]〈방〉두루마리(함경).

조이사이트〔zoisite〕[명]〖광〗사방 정계(斜方晶系)에 속하는 기둥 모양으로 된 광물의 하나. 철이 거의 함유되지 않은 녹렴석(綠簾石)의 변종(變種)임. 결정 편암(結晶片岩)과 기성암(氣成岩) 속을 통하는 석영맥(石英脈) 중에서 남. 유렴석(黝簾石). [$Ca_2Al_3Si_3O_{12}(OH)$]

조이스〔Joyce, James〕[명]〖사람〗영국의 작가. 자서전적(自敍傳的)인 《젊은 날의 예술가의 초상》이 발표되자 그 새로운 형식이 주목되고, 1922년 문제작 《율리시스(Ulysses)》로 20세기 심리 소설(心理小說)의 효시(嚆矢)가 되었음. 평생 빈곤 속에서 복잡 미묘한 내면 심리의 갈등을 체험하면서 당시의 혼돈상을 가장 잘 표현하였음. [1882-1941]

조이 스틱〔joy stick〕[명]〖컴퓨터〗화면에서 점을 이동하는 데 쓰는 입력 장치. 컴퓨터 게임이나 그래픽에서, 막대 모양의 손잡이를 전후좌우로 이동시켜 도형이나 물체를 입력함.

조이 우호 통상 조약【朝伊友好通商條約】[명]〖역〗조선 시대 고종(高宗) 21년(1884)에 우리 나라와 이탈리아 사이에 체결된 통상 조약. 당시 조선의 전권 대신(全權大臣) 김병시(金炳始)와 이탈리아 전권 대신 루카(Luca, Ferdinand de) 간에 조인되었는데, 우호 관계의 유지, 최혜국(最惠國) 대우, 선박 왕래와 관세(關稅)에 관한 규정, 밀무역(密貿易)의 금지, 치외 법권(治外法權)의 인정, 통상 장정(通商章程)은 만국의 통례에 따를 것, 특권의 균등한 부여 등의 주요 내용이 들어 있음. 한이(韓伊) 우호 통상 조약.

조-이찹살 [명]〈방〉차좁쌀(황해·함남).

조이트로프〔zoetrope〕[명] 회전통(回轉筒) 안에 운동체(運動體)의 일정 시간마다의 상태를 그린 종이를 붙이고, 수평으로 회전시키면서 원통(圓筒)의 바깥 쪽의 틈새로 들여다 보면, 실물(實物)이 활동(活動)하는 것같이 보이는 일종의 장난감. 1933-1934년에 활동 사진의 전신(前身)으로, 윌리엄 호너가 처음으로 만듦. 활동 요지경.

〈조이트로프〉

조이-풀 [명]〈방〉〖식〗선목단풀.

조익1【鳥翼】[명] 새의 날개.

조:-익2【趙翼】[명]〖사람〗조선 효종(孝宗) 시대의 상신(相臣)·학자. 자는 비경(飛卿), 호는 포저(浦渚). 풍양(豐壤) 사람. 인조(仁祖) 때 예조 판서(禮曹判書)를 지냈으며 효종(孝宗) 초년에 좌의정이 됨. 성리학(性理學)의 대가(大家)로 예학(禮學)에 밝았으며, 음률(音律)·병법(兵法)·복서(卜筮)에도 능하였음. 특히, 김육(金堉)의 대동법(大同法) 시행을 적극 주장하였음. 저서에 《포저집(浦渚集)》이 있음. 시호는 문효(文孝). [1579-1655]

조:-익3【趙翼】[명]〖사람〗중국 청(淸)나라의 사학자. 자는 운송(耘松), 호는 구북(甌北). 한림원 편집(編輯)이 되어 《통감 집람(通鑑輯覽)》을 편집하고 《이십이사 차기(二十二史箚記)》·《해여 총고(陔餘叢考)》 등의 유명한 저서를 남겼으며, 문집에 《구북 전집(甌北全集)》이 있음. [1727-1812]

조인1【鳥人】[명] '비행가(飛行家)'의 곁말.

조인2【稠人】[명] 많은 사람. 뭇사람. 중인(衆人).

조인3【調印】[명] ①약정서(約定書)에 도장을 찍음. ②〔signature〕〖법〗조약(條約) 당사국(當事國)의 대표자가 조약의 공문서(公文書)에 서명 날인(署名捺印)하는 일. 조약 성립의 한 요건(要件)임. ¶～식(式). ——-하다 [자][여불]

조인 광:좌【稠人廣座】[명] 빽빽하게 여러 사람이 모인 자리. ¶고명녀가 겨우 세상에를 나와 천진이 변치 아니해서…남녀의 분별을 모르며 ～에서 옷 벗고 살 드러내는 설만하고 무례함을 모르는도다《金敎濟 : 地藏菩薩》. [준]조좌(稠座).

조인 광:중【稠人廣衆】[명] 빽빽하게 모인 많은 사람.

조:-인규【趙仁規】[명]〖사람〗고려 충렬왕(忠烈王)·충선왕(忠宣王) 때의 문신. 자는 거진(去塵). 평양(平壤) 사람. 선발되어 몽고어를 배우고, 충렬왕 1년(1275) 성절사(聖節使)로 원(元)나라에 다녀온 것을 비롯하여 전후 30여 차례나 사신으로 원나라를 왕래하였음. 충렬왕 24년(1298) 충선왕이 즉위하자 사도 시중 참지광 정원사(司徒侍中參知光政院事)가 되었으나 딸인 충선왕비에 대한 원나라 공주 보탑실련 공주(寶塔實憐公主)의 무고로 원나라에 장류(杖流)되었다가 7년 만에 석방됨. 시호는 정숙(貞肅). [1227-1308]

조인-식【調印式】[명] 조약(條約)의 공문서(公文書)에 당사국의 대표자가 서명 날인하는 의식.

조:-인영【趙寅永】명〖사람〗조선 헌종(憲宗) 때의 상신(相臣). 자(字)는 희경(羲卿), 호는 운석(雲石). 풍양(豐壤) 사람. 만영(萬永)의 아우. 헌종 1년(1835)에 이조 판서가 되었고 순원 왕후(純元王后)의 수렴 청정(垂簾聽政)으로 안동(安東) 김씨의 세도 정치(勢道政治)가 시작되자 이에 대항함. 동 5년 기해 박해(己亥迫害)를 일으켜 천주교를 탄압하여 우의정이 되었고 죽을 때까지 4번 영의정을 지냄. 문장·글씨·그림에 모두 능하였음. 문집으로 ≪운석 유고(雲石遺稿)≫가 있음. 시호는 문충(文忠). [1782-1850]

조-인절미 명 차좁쌀로 만든 인절미.

조인트〔joint〕명 ①접합(接合)❶. ②기계·목공 기계 따위의 이음매. ③합동(合同). 연합. ¶~ 리사이틀/~ 벤처(venture).

조인트 광:고【一廣告】〔joint〕명 광고주(廣告主)가 동업자나 관련 업계의 여러 기업 또는 자사(自社)의 유통 경로, 예를 들면 판매점(販賣店) 등과 공동으로 하는 광고. 공동 광고(共同廣告).

조인트 리사이틀〔joint recital〕명〖음〗두 사람 이상의 솔리스트가 합동으로 여는 연주회. 주체 연주자끼리 공연(중창 또는 중주)을 하는 일도 있고, 각각 별도의 곡목을 병렬적으로 연주하는 경우도 있음.

조인트 벤처〔joint venture〕명〖경〗①하나의 사업을 복수의 사업자가 공동 출자해서 영위하는 방식. ②자국(自國)과 외국과의 공동 출자·공동 경영의 형태로 설립·운영되는 기업체. 합작 회사.

조일【朝日】명 아침 해. 서일(曙日).

조:-일신【趙日新】[一씬] 명〖사람〗고려 말기의 반역자(反逆者). 공민왕(恭愍王)이 세자(世子)일 때 같이 원(元)나라에 갔었음을 빙자하여, 많은 신하를 죽이고 왕을 협박하여 우정승(右政丞)이 됨. 뒤에 왕의 밀지(密旨)를 받은 삼사 좌사(三司左使) 이인복(李仁復) 등에게 참살(斬殺) 당함. [?-1352]

조:-일재【趙一齋】[一째] 명〖사람〗신소설 작가 조중환(趙重桓)을 호(號)로써 일컫는 이름.

조입【租入】명 ①조세(租稅)의 수입. ②조세의 납입(納入). 또, 납입해야할 조세.

조-입살 명〈방〉차좁쌀(함남).

조ᄋᆞ로이 부〈옛〉종요롭게. ¶죠히 기러 스싀로 세 번 디내 닐구믈 조ᄋᆞ로이호라(紙長要自三過讀)≪重杜諺 XIV:20≫.

조ᄋᆞᄅᆞ왼 형〈옛〉종요로운. '조ᄋᆞᄅᆞᆸ다'의 활용형. ¶丈人은 조ᄋᆞᄅᆞ왼 ᄯᅡ홀 보라(丈人視要處)≪重杜諺 IV:7≫.

조ᄋᆞᄅᆞᆸ다 형〈옛〉종요롭다. ¶要衝ᄋᆞᆫ 조ᄋᆞᄅᆞ왼 通道ㅣ라 ≪重杜諺 I:15≫.

조:자[1]【助字】명 한문(漢文)에서 다른 말에 붙어서, 그 뜻을 보조하는 말. 언(焉)·호(乎)·어(於)·야(也) 등. 어조사(語助辭).

조자[2]【躁恣】명 몹시 떠들며 방자함. ——-하다 형 여불

조자리[1] 명 지저분한 물건이 어지럽게 매달리거나 또는 한데 묶이어진 것을 이르는 말. <주저리.

조자리[2] 명 대문의 윗 장부.

조:자-복【照字鰒】[一짜一] 명 품질이 썩 좋아서 글자가 내비칠 만큼 투명하게 마른 전복.

조:-자앙【趙子昻】명〖사람〗조맹부(趙孟頫)를 자(字)로 일컫는 이름.

조:-자(:)양【趙紫陽】명 '자오 쯔양'을 우리 음으로 읽은 이름.

조:자인〔도 Sosein〕명〖철〗'이러이러하다'라고 하는 본질적·가능적 존재를 이름. ↔다자인(Dasein).

조:작[1]【造作】명 ①물건을 지어서 만듦. ②일부러 무엇과 비슷하게 만듦. ③일을 꾸미어 만듦. ¶사건을 ~하다. ——-하다 타 여불

조작[2]【鳥雀】명 새와 참새. 곧, 인가의 근처에 모이는 새.

조작[3]【朝爵】명 조정에서 내려 주는 작위. 곧, 공·후·백·자·남(公侯伯子男)의 오등작(五等爵).

조작[4]【操作】명 ①기계 등을 움직이어 작업함. ¶인공 ~/원격 ~/기계를 ~하다. ②사물을 자기에게 편리하게 만들기 위해 조종함. ¶주가 ~/장부 상의 ~으로 세금을 포탈하다. ——-하다 타 여불

조작-거리다 자 ①지나치게 아는 체하며 떠들다. ②걸음발 타는 어린애가 제 마음대로 귀엽게 걷다. 느리게 아장아장 걷다. 1)-2): <주적거리다. 조작-조작 부. ——-하다 자 여불

조작-대다 자 조작거리다.

조작-주의【操作主義】[一/一이] 명〖심〗심리학에 있어서의 용어나 개념은 공공 객관적(公共客觀的)인 조작에 의하여 규정되는 것이 아니면 안 된다는 주장.

조잔【凋殘】명 말라서 쇠약함. ——-하다 형 여불

조잔-거리다 타 때 없이 군음식을 자꾸 먹다. <주전거리다. 조잔-조잔 부. ——-하다 타 여불

조잔-대다 타 조잔거리다.

조잔-부리 명 때를 가리지 아니하고 군음식을 자꾸 먹는 입버릇. <주전부리. ——-하다 자 여불

조잘-거리다 자 ☞종잘거리다. 조잘-조잘[1] 부. ——-하다 자 여불 [조잘거리는 아침까치로구나] 말을 유난히 크고 높은 소리로 하는 사람을 빈정대는 말.

조잘-새 명〈방〉〖조〗종달새(강원).

조잘-조잘[2] 부 끄나불 같은 것이 어지럽게 달린 모양. <주절주절[2]. ——-하다 형 여불

조잠-거리다 타〈방〉조잔거리다. 조잠-조잠 부. ——-하다 타

조잡[1]【粗雜】명 거칠고 잡스러워 품위가 없음. ¶~한 작품. ——-하다 형 여불

조잡[2]【稠雜】명 빽빽하고 복잡함. ——-하다 형 여불

조잡-들다 자 ①생물체가 잔병이 많아서 잘 자라지 못하다. ②기를 펴지 못하고 배리배리 시들다. 1)·2): <주접(이) 들다.

조잡-스럽다 형 ㅂ불 ①음식물에 대하여 츱츱하게 욕심을 부리는 태도가 있다. ②자잘구레한 것에 체신없이 욕기를 부리며 다랍게 굴다. 1)·2): <주접스럽다. 조잡-스레 부

조잡-증【嘈雜症】명〖한의〗만성(慢性)으로 앓는 위병(胃病). 양의학의 위산 과다증(胃酸過多症)에 상당함.

조잡-화【粗雜化】명 조잡하게 됨. 조잡하게 함. ——-하다 자타 여불

조잣-상 명〈방〉교자상(交子床).

조:장[1]【弔狀】명 조상(弔喪)하는 편지. 조서(弔書).

조:장[2]【助長】명 도와서 더 자라게 함. ¶악폐(惡弊)를 ~하다. ——-하다 타 여불

조장[3]【租藏】명〖역〗고려 초에 지방의 조세를 징수하기 위해 중앙에서 파견했던 관리.

조장[4]【彫匠】명 조각(彫刻)을 하는 사람. 조각가(彫刻家).

조장[5]【彫章】명 ①새겨 꾸민 무늬. 또, 무늬를 새겨서 장식함. ②아름답게 꾸민 문장.

조장[6]【組長】명 조(組)로 편성한 단위의 우두머리. *반장(班長).

조장[7]【條章】명 여러 조목으로 된 장정(章程). ¶법규의 ~을 고치다.

조장[8]【曹裝】명〖미술〗중국 북제(北齊)의 조중달(曹仲達)식의 불화(佛畫). 인도 및 서역(西域)의 풍취(風趣)를 이은 조밀한 화풍(畫風)으로 화중 인물의 옷이 몸에 찰싹 붙어 있는 것이 특징임. 조가양(曹家樣). *오장(吳裝).

조장[9]【鳥葬】명 사장(四葬)의 하나. 시체를 들에 내다 놓아, 새가 파먹게 하는 장사(葬事). *임장(林葬).

조장[10]【彫牆】명〖건〗화초담.

조장[11]【朝章】명 조정의 기장(旗章) 또는 전장(典章). 조전(朝典).

조장[12]【朝獎】명 조정(朝廷)에서 은전(恩典)을 내리어 장려함. ——-하다 타 여불

조장[13]【調將】명 조리(調理)❶. ——-하다 타 여불

조장[14]【鯛醬】명 도미를 절이어 만든 장.

조장-석【曹長石】명〖광〗나트륨 장석.

조:재[1]【造材】명 벌채(伐採)한 나무를 다듬어서 껍질을 벗겨 이용하기에 편리한 길이로 자르는 일. ——-하다 타 여불

조재[2]【朝裁】명 조정의 재결(裁決). 조정의 재단(裁斷).

조:-재(:)호【趙載浩】명〖사람〗조선 영조(英祖) 시대의 상신(相臣). 자는 경대(景大), 호는 손재(損齋). 풍양(豐壤) 사람. 우의정·영돈령부사(領敦寧府事) 등을 지냈으며, 장헌 세자(莊獻世子)를 구하려다가 오히려 홍봉한(洪鳳漢) 등의 무고로 사사(賜死)됨. [1702-62]

조쟁이 명〈방〉좆.

조:저[1]【釣渚】명 낚시질을 하는 물 가.

조저[2]【朝著】명 조정(朝廷).

조적[1]【鳥迹·鳥跡】명 ①새의 발자국. ②〔중국 황제(黃帝) 때 창힐(蒼頡)이란 사람이 새 발자국을 보고 글자를 만들었다는 전설에서 나옴〕한자(漢字)의 이칭(異稱).

조적[2]【朝敵】명 조정에 반역하는 적. 국적(國賊).

조적[3]【糶糴】명 ①〖역〗환곡(還穀)의 출납. ②곡식의 매매(賣買). ——-하다 타 여불

조적식 구조【組積式構造】명〖건〗돌·벽돌·콘크리트·블록 등의 조각을 쌓아 올려 벽을 만드는 건축 구조의 하나.

조적-전【鳥迹篆】명〖문〗조전(鳥篆).

조:전[1]【弔電】명 조상(弔喪)의 뜻을 표시하는 전보(電報). ¶~을 치다.

조전[2]【兆前】명 조짐(兆朕)이 아직 나타나기 전.

조전[3]【租典】명〖역〗신라의 관아 이름.

조전[4]【祖奠】명 발인(發靷) 전에 영결(永訣)을 고하는 제식(祭式). 일포제(日晡祭).

조전[5]【祖餞】명 멀리 가는 사람을 전별함. ——-하다 타 여불

조:전[6]【造錢】명〖불교〗저승에 가서 빚을 갚는 데 쓰게 종이로 만든 돈.

조전[7]【彫鐫】명〖미술〗조각(彫刻). ——-하다 타 여불

조전[8]【鳥篆】명 중국 옛 서체(書體)의 한 가지. 전서(篆書)를 말함. 조적전(鳥迹篆). *과두 조전(蝌蚪鳥篆).

조전[9]【朝典】명 조정(朝廷)의 의식(儀式)이나 전장(典章). 국전(國典). 조장(朝章).

조전[10]【朝奠】명 장사(葬事)에 앞서 이른 아침마다 영전(靈前)에 지내는 제식(祭式).

조전[11]【漕轉】명 조운(漕運)❷. ——-하다 타 여불

조:전[12]【操典】명〖군〗교련(教鍊)의 제식(制式)·전투 원칙(戰鬪原則) 및 법칙을 규정한 교칙서(教則書).

조:전 원수【助戰元帥】명〖역〗도원수(都元帥)·상원수(上元帥)·원수·부원수 등의 주장(主將)을 돕는 장수. 고려 말에 두었음.

조절[1]【調節】명 ①사물을 정도에 맞추어서 잘 고르게 함. ¶온도를 ~하다. ②〔accommodation〕〖생〗눈의 망막(網膜)과 수정체(水晶體)의 거리를 조절하거나 또는 수정체의 모양을 바꾸어, 광선의 입사각(入射角)을 바꿈으로써 외계(外界)의 상(像)을 망막 위에 맺도록 하는 작용. 조절 작용. ——-하다 타 여불

조절[2]【操切】명 조속(操束). ——-하다 타 여불

조절-기【調節器】명 조절하는 데 쓰이는 기구. ¶온도 ~.

조절 기능【調節機能】명 어떠한 기관(器官)이든지 정도에 맞추어서 작용하는 능력.

조절-란【調節卵】명〔regulation egg〕〖동〗동물의 알에서, 그 발생 초기에는 각 부분의 운명(運命)이 결정되어 있지 아니하고 발생의 과정에 있어서 각기의 조건하(條件下)에 조절이 행하여져 완전한 동물이 되는 알. 성게·영원(蠑螈)의 알 등. 조정란(調整卵).

조절 박리【調節剝離】[一니] 명〖고고학〗겨냥떼기.

조절-봉【調節棒】명〔regulating rod〕원자로(原子爐)의 제어봉(制御棒)의 하나. 반응도(反應度)의 급속(急速)·정밀(精密) 때로는 연속적인 조절을 행하기 위한 것임. 보통, 거친 제어봉(shim rod) 보다 빨리 움직이지만, 반응도의 변화는 작음.

조절 유전자【調節遺傳子】[一류一] 명〔regulator gene〕『생』다른 유전자의 형질 발현을 조절하는 기능을 가진 유전자. 오페론(operon)의 작용을 억제하는 억제 물질을 합성하여 구조(構造) 유전자의 효소 단백질 합성을 억제함. 제어(制御) 유전자. *작동 유전자·구조 유전자·억제 물질.

조절 작용【調節作用】명『생』조절(調節)❷.

조절-판【調節瓣】명 기구·기계 따위의 작용을 조절하는 판.

조점【兆占】명 점(占)을 침. 또, 그 점괘(占卦). ——-하다 자 여불

조-점술【鳥占術】명 점의 하나. 새의 동작이나 울음 소리에 의하여 길흉(吉凶)·기상(氣象) 등의 판단을 하는 점술.

조접-들다 자〈방〉조잡들다.

조정[1]【徂征】명 가서 정벌(征伐)함. ——-하다 타 여불

조정[2]【措定】명〔posit〕『논』어떤 물건을 대상(對象)으로서 또는 존재(存在)하는 것으로서 규정함. 다른 물건과 구별하여 어떠한 규정성에 있어서 고정(固定)하는 일. 판단력을 통하여 어떠한 물건을 타당(妥當)한 것, 존재하는 것, 현실적인 것, 참다운 것으로서 잠정적(暫定的)으로나, 항구적(恒久的)으로나 또는 가정적으로나, 결정적(決定的)으로나, 상정(想定)·규정(規定)·고정(固定)·긍정(肯定)·주장(主張)하는 일. 정립(定立).

조:정[3]【釣艇】명 낚싯배.

조정[4]【朝廷】명 군주(君主)가 나라의 정치를 의논 또는 집행하는 곳. 정하(庭下). 조가(朝家). 조단(朝端). 조당(朝堂). 조저(朝著).
[조정엔 막여작(莫如爵)이요 향당(鄕黨)엔 막여치(莫如齒)라] 조정에서는 벼슬의 등급을 중히 여기고, 향당에서는 나이의 차례를 중히 여긴다는 말.
조정 공사(公事) 사흘 구 '조선(朝鮮) 공사 삼일'과 같은 뜻.

조정[5]【朝政】명 조정(朝廷)의 정치.

조정[6]【漕艇】명 ①보트를 저음. ②운동 경기의 하나. 경기 종목은 에이트·포어(타수(舵手)의 유무에 따라 2 종목)·페어(타수의 유무에 따라 2 종목)·더블 스컬·싱글 스컬의 7개. 올림픽과 세계 선수권 경기는 직선 2000 m 코스에서 행하여지는데, 보트와 노(櫓)의 규격에는 제한이 없음. ——-하다 자 여불

조정[7]【調定】명 조사하여 확정(確定)함. ——-하다 타 여불

조정[8]【調停】명 ①분쟁(紛爭)의 중간에 서서 화해(和解)시킴. 중재(仲裁). 조제(調劑). ②『사』노동 쟁의 처리(勞動爭議處理)의 한 방법. 노동 위원회 중에서 조정 위원이 선출되어 조정안(調停案)을 작성, 노사(勞使) 쌍방에 제시(提示)하여 그 수락(受諾)을 권고(勸告)하는 방법. 임의 조정(任意調停)과 강제 조정(強制調停)의 두 가지가 있음. ③『법』민사 상(民事上) 또는 가정 내의 분쟁(紛爭)을 해결하기 위하여 법원이 중간에 서서 당사자 쌍방의 호양(互讓)에 의한 합의(合意)로 원만하게 화해(和解)를 시키는 일. 또, 그 절차. 가사(家事) 조정·차지 차가(借地借家) 조정·광해(鑛害) 조정 등이 있음. ——-하다 타 여불

조정[9]【調整】명 골라서 알맞게 정돈(整頓)함. ¶의견의 ～/라디오의 음량을 ～하다. ——-하다 타 여불

조정[10]【藻井】명『건』소란 반자.

조정 경:기【漕艇競技】명〔boat race〕조정(漕艇).

조정 관세【調整關稅】명『법』새로이 수입 자동 승인 품목으로 지정된 후 3년이 경과되지 않은 물품 중에서, 현저히 낮은 가격으로 수입되어 국내 산업이 저해되거나 저해될 우려가 있어 수입을 억제할 필요가 있는 경우, 당해 물품에 대해 추가로 과해지는 관세(관세법 12조의 2).

조:-정규【趙廷奎】명『사람』조선 순조(純祖) 때의 화가. 자(字)는 성서(聖瑞), 호는 임전(琳田). 함안(咸安) 사람. 석진(錫晋)의 조부. 산수·인물·화초를 잘 그렸는데 그 중 어해(魚蟹)를 특히 잘 그렸음. 작품에 ≪촉잔도(蜀棧圖)≫ 등이 있음. [1791-?]

조:정-기【造精器】명〔antheridium〕『생』이끼·양치류(羊齒類)의 배우체(配偶體)에 생기는 웅성(雄性) 생식 기관. 주머니 모양의 막(膜)에 쌓여 있으며 성숙하면 열개(裂開)하여 안에서 다수의 정자(精子)를 방출함. *생란기(生卵器).

조정 담당 판사【調停擔當判事】명『법』민사 조정법 및 가사 소송법에 의거, 민사(民事)·가사(家事) 조정 사건을 처리하는 판사. 직접 사건을 조정하거나 조정 위원회로 하여금 조정하게 함.

조정-란【調整卵】[一난] 명『동』조절란(調節卵).

조정-력【調整力】[一녁] 명 마음대로 자기 몸을 가눌 수 있는 능력.

조정 버터【調整一】〔butter〕명 순수한 버터에 식물성 유지(油脂)를 혼합한 버터. 제과(製菓) 원료로 쓰임.

조정-법[1]【調停法】[一뻡] 명『법』각종 분쟁(紛爭)을 조정하는 법(法)의 총칭. 민사 조정법(民事調停法)·노동 쟁의 조정법(勞動爭議調停法) 따위.

조정-법[2]【調整法】[一뻡] 명『심』정신 물리학적 측정법(測定法)의 하나. 일반적인 형식은 일정한 표준 자극(刺戟)에 대하여 주어지는 비교 자극(比較刺戟)을 피검자(被檢者) 자신이 자유로 변화하여, 미리 실험자(實驗者)의 교시(敎示)에 의하여 정해진 특정의 판단을 내리는 방법. 등가 자극(等價刺戟)의 측정, 자극정(刺戟頂)의 측정, 등가 자극(刺戟) 차이의 측정 등에 이용됨.

조정 사:원【祖庭事苑】명『책』운문록(雲門錄) 이하의 어록(語錄) 중에서 불교(佛敎)의 인연담(因緣談)이나 숙어(熟語)를 들어 그 출전(出典)을 밝히고 주석(註釋)을 가한 선종 사전(禪宗辭典). 목암 선경(睦庵善卿)이 편찬(編纂)한 것으로 송(宋)나라 원부 연간(元符年間)에 발간(發刊)됨. 8권.

조정 수조【調整水槽】명 서지 탱크(surge tank).

조정 신학【調停神學】명〔도 Vermittelungs Theologie〕『종』기독교 신학의 한 학파. 고대의 기독교 교의(敎義) 및 신앙(信仰)과 근대 과학의 사이에 조정을 꾀하는 파.

조정-안【調停案】명 노동 쟁의의 조정에서, 조정 위원회가 작성하는 쟁의의 해결안. 중재(仲裁)의 경우와 달리, 노사 쌍방(勞使雙方)이 임의로 수락한 경우에만 구속력을 지님.

조정-액【調定額】명『경』조사하여 확정(確定)한 액수.

조정 위원【調停委員】명『법』①민사(民事)·가사(家事) 조정 사건에서, 조정 위원회를 구성하는 학식과 명망(名望)이 있는 사람. 조정에 관여하는 외에 조정장(長)의 촉탁에 따라 분쟁 해결을 위해 사건 관계인의 의견을 청취하거나 조정 사건의 처리를 위한 사무를 봄. ②노동 쟁의 조정법상, 조정 위원회를 구성하는 사람. 노동 위원회 위원장이 위원 중에서 3명을 지명함.

조정 위원회【調停委員會】명『법』①민사(民事)·가사(家事) 조정 사건을 처리하는 기관. 조정장(長) 1인과 조정 위원 2인 이상으로 구성됨. ②노동 쟁의를 조정시키기 위해 노동 위원회에 둔 기관. 사용자·근로자·공익을 각각 대표하는 3인의 위원으로 구성됨.

조정 이혼【調停離婚】명『법』가정 법원의 조정에 의하여 이루어진 이혼. *협의 이혼·심판 이혼.

조정 인플레이션【調整一】〔inflation〕명『경』국내 물가의 상승(上昇)이 국제 수지(收支)의 대폭적인 흑자를 감소시키는 효과(效果). 또, 그런 효과를 기대하여, 국내 물가 상승을 어느 정도 방임(放任)하거나, 또는 정책적으로 진행시키는 일.

조정-자【調停者】명 조정하는 사람.

조정-장【調停長】명『법』가사(家事)·민사(民事) 조정에서, 조정 위원회의 구성원으로 조정 절차를 지휘하는 법관. 가사 조정에서는 가정 법원장 또는 가정 법원 지원장이, 민사 조정에서는 지방 법원장 또는 지방 법원 지원장이 그 관할 법원 판사 중에서 임명함.

조정 전치주의【調停前置主義】[一/一이] 명『법』가사(家事) 조정의 대상이 되는 사건에 대해서는 소송을 제기하기 전에 먼저 조정에 의한 해결을 꾀하여야 한다는 주의.

조정 조서【調停調書】명『법』가사(家事) 조정·차지 차가(借地借家) 조정·광해(鑛害) 조정 등에서, 당사자 간에 합의가 성립하였을 때 작성되는 조서. 재판상 화해(和解)와 동일한 효력이 있음.

조정 좌:평【朝廷佐平】명『역』백제 육 좌평(六佐平)의 하나. 형옥(刑獄)의 일을 주장(主掌)하던 장관(長官).

조정-지【調整池】명 저수지(貯水池)·정수장(淨水場)·하수(下水) 처리장 등에서, 수위(水位)·송수량(送水量) 등을 조정하기 위하여 물을 모아 두는 못.

조정 천장【藻井天一】명『건』우물 모양으로 만든 천장.

조정 판단【措定判斷】명『논』비인칭적 판단(非人稱的判斷).

조:제[1]【弔祭】명 죽은 이의 영혼을 조상하여 제사함. 또, 그 의식(儀式). ——-하다 타 여불

조:제[2]【助劑】명『약』보제(補劑).

조제[3]【粗製】명 물건을 거칠게 만듦. 조조(粗造). ——-하다 타 여불

조제[4]【調製】명 ①물건을 주문(注文)에 의하여 만듦. ②조절하여 만듦. ——-하다 타 여불

조제[5]【調劑】명 ①조정(調停)❶. ②『약』여러 가지 약품을 적절히 조합하여 한 가지 약제를 만듦. 조약(調藥). ——-하다 자 타 여불

조제 남:조【粗製濫造】명 조제품(粗製品)을 함부로 많이 만듦. ——-하다 타 여불

조제 모:염【朝薺暮塩】명〔아침에는 냉이를, 저녁에는 소금을 반찬으로 먹는다는 뜻〕몹시 가난한 생활을 비유하는 말.

조제-법【調劑法】[一뻡] 명 약품을 조제하는 방법.

조제 분유【調製粉乳】명 보통의 가루 우유에 비타민 A·D·B_1·C 및 철분과 칼슘 그 밖에 유당(乳糖) 등을 첨가하여 유아(乳兒)에 대한 완전 식품으로 만든 분유.

조제-사【調劑師】명 약품을 조제하는 약사(藥師).

조제-실【調劑室】명 약을 조제하는 방.

조제-약【調劑藥】명 조제한 약품.

조제-품【粗製品】명 거칠게 만든 물건. 막치.

조제핀:〔Joséphine, Marie Rose〕명『사람』나폴레옹 1세의 첫번째 처. 서인도 태생. 전부(前夫) 보아르네(Beauharnais) 남작은 프랑스 혁명 중 처형되었음. 1796년 나폴레옹과 결혼, 1804년 황후가 됨. 1809년, 나폴레옹이 오스트리아의 황녀 마리 루이즈(Marie Louise)와 결혼함에 이르러 이혼당하였음. [1763-1814]

조:젯〔Georgette〕명〔본디, 상표명(商標名)〕날줄과 씨줄로 각각 왼쪽과 오른쪽으로 꼰 실을 번갈아 짠 얇고 톡톡한 견포(絹布) 또는 면포(綿布). 여름철 여자옷에 많이 쓰임. 깔깔이.

조:조[1]【早朝】명 이른 아침. 조단(朝旦). 조신(朝晨). 신조(晨朝). 조천(朝天). 힐조(詰朝). ¶～ 할인.

조조[2]【粗造】명 거칠게 만듦. 조제(粗製). ——-하다 타 여불

조조[3]【條條】명 ①하나하나의 개조(箇條). 조목(條目). ②여러 줄기의 초목이 가늘게 자라고 있는 일. 초목의 가지가 무성한 모양. ③조리(條理)가 있음. 또 지혜가 깊음. ——-하다 형 여불

조조[4]【朝朝】명 매일 아침.

조-조[5]【曹操】명『사람』중국 삼국 시대 위(魏)나라의 왕. 자(字)는 맹덕(孟德). 권모(權謀)에 능하고 시문(詩文)을 잘 하였음. 후한(後漢) 말기

에 황건(黃巾)의 난을 평정하여 공을 세우고 동탁(董卓)을 주멸(誅滅)한 후 실권을 장악, 208년에 호북 적벽(湖北赤壁)에서 유비(劉備)·손권(孫權) 연합군에게 대패함. 216년 위왕(魏王)에 오르고 화북(華北)을 지배함. [154-220]

조:조[6] 【肇造】 명 처음으로 만듦. 창조(創造). ——하다 타여불

조-조[7] 【鼂錯】 명 『사람』 중국 전한(前漢)의 정치가. 허난(河南) 사람. 문제(文帝) 때에 발탁되어, 경제(景帝) 때 어사 대부(御史大夫)가 되어 제후(諸侯)의 세력을 꺾으려 하다가 오초 칠국(吳楚七國)이 들고 일어나자, 반대파의 참언으로 사형됨. [?-154]

조조 모:모 【朝朝暮暮】 명 매일 아침, 매일 밤.

조:-조반 【早朝飯】 명 노인이나 병자에게 아침 식사 전에 허기를 덜어 주기 위해 일찍 내는 가벼운 요깃거리.

조조-이 【條條—】 부 조목조목이.

조조-하다[1] 【嘈嘈—】 자여불 작은 소리로 지껄이다.

조조-하다[2] 【躁躁—】 자여불 매우 조급하게 굴다. **조조-히** 【躁躁—】 부

조:조 할인 【早朝割引】 명 극장 등에서 보통 오전에는 입장 요금 등을 할인하는 일. ——하다 타여불

조족 【祖族】 명 선조(先祖)와 일족(一族). 또는 조상과 그 겨레.

조족-철 【鳥足鐵】 명 새발 장식.

조족지-혈 【鳥足之血】 명 새발의 피. 극히 적은 분량의 비유. *새[10].

조:-존성 【趙存性】 명 『사람』 조선 중기의 문신. 자(字)는 수초(守初), 호는 정곡(鼎谷). 양주(楊州) 사람. 광해군(光海君) 때 생모 추존(生母追尊)을 반대, 파직당하였으나 인조 반정(仁祖反正) 후에 호조 참판·동지돈령부사(同知敦寧府事)를 역임하고 이괄(李适)의 난이 일어나자 왕을 공주(公州)에 호종(扈從), 지중추부사(知中樞府事)에 올랐으며, 정묘호란(丁卯胡亂) 때는 분조(分朝)의 호조 판서(戶曹判書)로 세자를 따라 전주(全州)에 갔다가 병사함. 시조 4 수가 전함. 시호는 소민(昭敏). [1553-1627]

조:졸[1] 【早卒】 명 조사(早死). ——하다 자여불

조졸[2] 【漕卒】 명 『역』 조선 시대 때 조운선(漕運船)을 부려 조운에 종사하던 사람. 조군(漕軍). 수부(水夫).

조:종[1] 【弔鐘】 명 ①죽은 사람을 애도하는 뜻으로 치는 종. ②일의 마지막을 뜻하는 말.

조:종[2] 【早種】 명 ①↗조생종(早生種). ②올벼.

조종[3] 【祖宗】 명 ①군주(君主)의 조상. ②군주(君主)의 시조(始祖)와 중흥(中興)의 조(祖). ③현대 이전의 대대(代代)의 군주의 총칭.

조:종[4] 【釣鐘】 명 사원(寺院)의 종루(鐘樓) 등에 달아 놓은 큰 종. 청동(青銅)으로 만들며 당목(撞木)으로 쳐 울림. 범종(梵鐘).

조종[5] 【朝宗】 명 ①[조(朝)는 봄에, 종(宗)은 여름에 천자께 알현(謁見)한다는 뜻] 옛날 중국에서, 제후(諸侯)가 봄과 여름에 천자(天子)께 뵙. ②강하(江河)가 바다로 흐름의 비유.

조종[6] 【操縱】 명 [‘조(操)’는 손에 꽉 쥠, ‘종(縱)’은 손에서 놓는다는 뜻] ①마음대로 다루어 움직임. 자유로이 다룸. 현금(現今)에는 직접 손을 대거나 지시하지 않고, 결과적으로 자기 뜻대로 사람을 움직이는 일에도 이름. ¶배후에서 ～하다. ②특히 비행기·자동차 등의 기계를 부리는 일. ——하다 타여불

조종-간 【操縱杆】 명 비행기나 토목 기계 등을 조종하는 막대 모양의 장치. 비행기의 경우, 방향타(方向舵) 및 보조익(補助翼)을 움직이는 장치의 손잡이.

조종 기업 【祖宗基業】 명 조종(祖宗)으로부터 대대로 전하는 왕업(王業).

조:종-당 【釣鐘堂】 명 종루(鐘樓).

조:-종도 【趙宗道】 명 『사람』 조선 선조(宣祖) 때의 문신. 자(字)는 백유(伯由), 호는 대소헌(大笑軒). 함안(咸安) 사람. 조식(曺植)의 문인. 양지 현감(陽智縣監)으로 선정을 베풀어 표리(表裏)를 하사 받았음. 정여립(鄭汝立)의 모반 사건에 연류, 투옥되었다가 석방됨. 정유 재란(丁酉再亂)때 의병을 규합, 안음(安陰) 현감 곽준(郭䞭)과 함께 안의(安義)의 황석산성(黃石山城)에서 왜장 가토 기요마사(加藤清正)의 군사와 싸우다가 전사함. 시호는 충의(忠毅). [1537-97]

조종-사 【操縱士】 명 비행기를 조종하는 사람. 파일럿(pilot).

조종-산 【祖宗山】 명 『민』 종주산(宗主山).

조종-석 【操縱席】 명 조종사가 앉는 자리.

조종 세:업 【祖宗世業】 명 조종 기업(祖宗基業).

조종-실 【操縱室】 명 조종을 하는 방.

조종실 음성 기록 장치 【操縱室音聲記錄裝置】 명 [cockpit voice recorder : CVR] 『항공』 블랙 박스에 내장되어, 조종사와 부조종사 사이, 또는 이들과 공항 관제사 사이에 오고간 대화를 기록함. 30분짜리 엔드리스 테이프가 돌아가면서 마지막 30분 간의 대화 내용을 기록 보존함. 시 브이 아르.

조종-익 【操縱翼】 명 조종하는 날개.

조종-자 【操縱者】 명 ①기계·기구 등을 움직이도록 다루는 사람. ②인형·꼭두각시 등을 뒤에서 다루어 움직이게 하는 사람. ③뒤에서 마음대로 남을 움직이는 사람. ¶배후 ～.

조종-타 【操縱舵】 명 조종하는 데 쓰는 키.

조좌[1] 【朝座】 명 ①임금이 정사(政事)를 듣고, 신하(臣下)의 알현(謁見)을 받는 자리. ②조당(朝堂)의 자리.

조좌[2] 【稠座】 명 ↗조인 광좌(稠人廣座).

조:-좌[3] 【趙左】 명 『사람』 중국 명(明)나라 말기의 문인 화가. 자는 문탁(文度). 장쑤 화팅(江蘇華亭) 태생. 만력 연간(萬曆年間:1573-1620) 후반 이후에 활약함. 산수화를 잘했으며 물기가 적은 초묵(焦墨)을 써서 개성적으로 표현하였음. 화풍(畫風)으로는 동향(同鄕)이며 같은 시대 사람이었던 동기창(董其昌)의 영향이 보임. 조좌를 시조로 하는 화파(畫派)를 소송파(蘇松派)라 이름. 생몰년 미상.

조:주[1] 【助奏】 명 [이 obligato] 『악』 주주부(主奏部)·반주부(伴奏部)의 합주(合奏)에 다시 보조적인 제삼 주부(第三奏部)를 합해서 연주하는 일. 피아노 반주의 독창곡에 플루트(flute) 조주를 더하는 예와 같은 일. 오블리가토.

조주[2] 【祖主】 명 『역』 품주(稟主).

조:주[3] 【造主】 명 『민』 신주(神主)를 만듦. ——하다 자여불

조:주[4] 【造珠】 명 인공으로 만든 구슬.

조:주[5] 【造酒】 명 술을 양조(釀造)함. ——하다 자여불

조:주[6] 【造鑄】 명 주조(鑄造). ——하다 타여불

조:주[7] 【助走】 명 도움닫기. ——하다 자여불

조:주[8] 【釣舟】 명 조선(釣船).

조주[9] 【粗酒】 명 ①변변하지 않은 술. ②남에게 대접하는 술의 겸사말. 박주(薄酒).

조주[10] 【朝酒】 명 아침에 마시는 술. 묘주(卯酒).

조주[11] 【漕舟】 명 배를 저음.

조주[12] 【潮州】 명 『지』 ‘차오저우’를 우리 음으로 읽은 이름.

조준[1] 【俎尊】 명 적대(炙臺)와 술그릇.

조:준[2] 【照準】 명 ①발사(發射)하는 탄환(彈丸)이 목표에 명중(命中)하도록 총이나 화포(火砲)의 방향과 사각(射角)을 겨냥하는 일. 직접(直接) 조준과 간접(間接) 조준이 있음. ②대조(對照)해 보는 표준(標準). ——하다 타여불

조:-준[3] 【趙浚】 명 『사람』 조선 개국 초의 재상. 호(號)는 우재(吁齋) 또는 송당(松堂). 평양 사람. 《제생 집성방(濟生集成方)》의 편집자의 한 사람. 고려 때의 관리로 이성계(李成桂)의 후원을 받고 전제 개혁안(田制改革案)을 건의하여 많은 물의를 빚었으며 이성계를 도와 개국 공신이 되고 좌정승(左政丞)을 거쳐 영상을 지냈으며 부원군(府院君)에 봉해짐. 토지 제도에 해박한 학자로 하륜(河崙) 등과 함께 《경제 육전(經濟六典)》을 편찬하였으며 시문(詩文)에도 능하여 《청구 영언(青丘永言)》에 시조 2 수가 전함. 시호는 문충(文忠). [?-1405]

조:준-구 【照準具】 명 『군』 ①병기(兵器)의 조준을 보조하기 위한 장치 또는 기구. ②소화기(小火器)를 조준할 때나, 포(砲)·발사통(發射筒)의 사격 자세를 부여하기 위해서 사용하는 기계적(機械的)·광학적(光學的) 장치(裝置).

조:준-기 【照準器】 명 조준의 표준이 되는 장치(裝置). 가늠쇠 등.

조:준-선 【照準線】 명 조준에 표준이 되는 선. *기준선(基準線).

조:준-의 【照準儀】 [—/—이] 명 앨리데이드.

조:준-점 【照準點】 [—쩜] 명 『군』 ①화기(火器)의 조준선(線)의 방향을 정하거나 관측자가 관측 기구를 장치하는 물체 또는 점. *기준점(基準點). ②폭격수 또는 조종사가 폭탄·로켓·기뢰·수뢰 등을 투하하는 데 참조점(參照點)으로 사용하는 점.

조:준 집단 【照準集團】 명 『사』 준거 집단(準據集團).

조:-중(:)묵 【趙重默】 명 『사람』 조선 말기의 화가. 자(字)는 덕행(悳荇), 호는 운계(雲溪)·자산(蔗山). 한양(漢陽) 사람. 수삼(秀三)의 손자. 화원(畫員)으로 감목관(監牧官)을 지냈으며, 특히 초상화를 잘 그렸음. 작품에 《추림 독조도(秋林獨釣圖)》·《하동 산수도(夏冬山水圖)》 등이 유명함. 생몰년 미상.

조중 상민 수륙 무:역 장정 【朝中商民水陸貿易章程】 명 『역』 조선 고종(高宗) 19년(1882)에 조선의 어윤중(魚允中)과 중국 청나라의 주복(周馥)에 의해 의정(議定)된 해륙 양로(海陸兩路)의 통상(通商) 규정. 전문(全文) 8조(條)로 이루어지는데, 조선이 청국의 속방(屬邦)임을 명문(明文)으로 규정하고, 청상(清商)의 특혜를 인정하였음.

조중-차 【操重車】 명 철도 사고(鐵道事故)가 난 경우, 사고 현장을 복구하기 위하여 쓰는 차량(車輛). 강철로 만들며, 마음대로 돌릴 수 있는 기중기(起重機)로 전복(顚覆)한 차량을 들어올리는 장치(裝置)가 되어 있음.

조:-중(:)환 【趙重桓】 명 『사람』 신소설 작가. 호는 일재(一齋). 윤백남(尹白南)과 함께 극단 문수성(文秀星)을 결성, 일본 소설을 번안하여 상연(上演)함. 《장한몽(長恨夢)》의 번안, 창작 신소설 《국(菊)의 향(香)》 등이 유명하고, 우리 나라 최초의 희곡 《병자 삼인(病者三人)》이 있음. [1863-1944]

조증[1] 【鳥蒸】 명 새찜.

조증[2] 【燥症】 명 『한의』 답답하여 마음이 편하지 아니한 증세.

조증[3] 【躁症】 명 조급하게 구는 성질.

조지[1] 명 〈옛〉 그릇의 손잡이. ¶쏘아리 버서 桶 조지에 걸고《永言》.

조:지[2] 【早知·早智】 명 어려서부터 지혜가 있음. 또, 그 지혜.

조:지[3] 【阻止】 명 ‘저지(沮止)’의 잘못된 말.

조지[4] 【朝旨】 명 조정(朝廷)의 의사(意思). 조의(朝意).

조지[5] 【朝紙】 명 『역』 기별(奇別)❶.

조:지[6] 【詔旨】 명 조서(詔書)의 요지(要旨).

조:-지겸 【趙持謙】 명 『사람』 조선 숙종(肅宗) 때의 문신. 자(字)는 광보(光甫), 호는 우재(迂齋)·구포(鳩浦). 풍양(豐壤) 사람. 익(翼)의 손자. 같은 서인(西人)의 과격파 김익훈(金益勳)이 남인(南人)의 모반 사건을 조작하여 남인을 해치려고 하자 이를 탄핵하여, 익훈을 옹호하는 송시열(宋時烈)과 대립함으로써 서인은 노소론(老少論)으로 분당(分黨)하게 되었으며, 윤증(尹拯)과 더불어 소론의 거두(巨頭)가 됨. 벼슬은 대사성·형조 참의·경상도 관찰사 등을 지냄. [1639-85]

조지다[1] 타 [중세 : 조지다] ①사개가 느슨하지 아니하게 단단히 맞추다. ②일이나 말을 호되게 단속하다. ③호되게 때리다. 늘씬하게 갈기다. ¶다시는 나서지 못하게 조져라.

조지다[2] 타 〈방〉 쪽찌다(제주).

조:지 사:세 【—四世】 [George Ⅳ] 명 『사람』 영국의 왕. 조지 3세의 아들. 문란한 사생활(私生活) 때문에 왕권의 실추(失墜)를 초래하였음. [1762-1830; 재위 1820-30]

조:지 삼세【一三世】〔George Ⅲ〕 명 〖사람〗 영국의 왕. 조지 2세의 손자. 조지 1·2세와는 달리 왕권 회복에 노력하였음. 휘그 당(Whig黨) 지배하의 의회(議會)에 대항(對抗), 토리 당(Tory黨)에 정권을 위임하였는데 북(北)아메리카 식민지 정책에 실패하여 미국의 독립을 초래, 국민의 불평을 삼. 1811년 이후는 정신 이상과 실명으로 폐인이 됨. [1738-1820; 재위 1760-1820]

조:지-서[1] 【造紙署】 명 〖역〗 조선 시대에, 종이 뜨는 일을 맡은 관아. 태종(太宗) 15년(1415)에 베푼 조지소(造紙所)를 세조(世祖) 12년(1466)에 고쳐서 이 이름으로 일컫다가 고종(高宗) 19년(1882)에 폐하였음.

조:-지서[2] 【趙之瑞】 명 〖사람〗 조선 중기의 문신. 자(字)는 백부(伯符), 호는 지족정(知足亭)·충헌(忠軒). 임천(林川) 사람. 세자 시강원(世子侍講院) 보덕(輔德)으로 세자 연산군(燕山君)에게 진강(進講)하였으나 학문을 싫어하는 그에게 미움을 받았으며, 연산군 10년(1504) 갑자 사화(甲子士禍) 때 참수(斬首)됨. 성종(成宗) 때 청백리(淸白吏)에 녹선(錄選)됨. [1454-1504]

조:지-소【造紙所】 명 〖역〗 조선 시대 때 조지서(造紙署)의 전(前) 이름. 태종(太宗) 15년(1415)에 베풀어서 세조(世祖) 12년(1466)에 조지서라 고침.

조:지아 주【一州】〔Georgia〕 명 〖지〗 미국의 대서양 연안 남부에 있는 한 주(州). 대부분이 평야와 구릉지(丘陵地)로 이루어지며 면화 재배와 면방직 공업이 극히 성함. 땅콩·담배·콩·옥수수도 재배함. 화섬(化纖)·화학·기계 공업(機械工業)도 발달함. 수도는 애틀랜타(Atlanta). [152,577 km² : 6,478,216 명 (1990)]

조:-지약차【早知若此】 명 '일찍이 이와 같은 것을 알았더라면'이란 말로 후회함을 뜻함.

조:지 오:세【一五世】〔George Ⅴ〕 명 〖사람〗 영국의 왕. 에드워드 7세의 차남. 전형적인 입헌 군주로 왕실의 지위를 확립함. 제1차 세계 대전 중 하노버 가(Hanover家)를 윈저 가(Windsor家)로 고쳤음. [1865-1936; 재위 1910-36]

조:지왕의 싸움【一王一】〔George〕〔一/一에一〕 명 유럽 대륙에서 싸운 오스트리아 계승 전쟁의 일환으로, 1744-48년 사이에 오스트리아와 동맹을 맺은 영국과 이에 반대하는 프랑스가 미국 대륙에서 싸운 식민지 쟁탈전. 분명한 결판은 나지 아니하였음. 이 호칭은 당시의 영국왕 조지 2세에서 유래함.

조:지 육세【一六世】〔George Ⅵ〕 명 〖사람〗 영국의 왕. 조지(George) 오세의 아들로, 현 여왕 엘리자베스(Elizabeth)의 부친. 형(兄) 에드워드(Edward) 8세의 퇴위로 즉위하여, 제2차 대전을 치르고 전후(戰後) 과로(過勞)로 죽음. [1895-1952; 재위 1936-52]

조:지 이:세【一二世】〔George Ⅱ〕 명 〖사람〗 영국의 왕. 조지 1세의 아들. 수상(首相) 대(大) 피트(Pitt)와 함께 식민지(植民地)의 기초를 구축하고 책임 내각제(責任內閣制)를 더욱 발전시키었음. 오스트리아 계승(繼承) 전쟁 때는 몸소 군대를 이끌고 프랑스군을 격파함. [1683-1760; 재위 1729-60]

조:지 일세【一一世】〔George Ⅰ〕〔一쎄〕 명 〖사람〗 영국의 왕. 독일의 하노버 가(Hanover家)에서 태어남. 1701년의 왕위 계승법(繼承法)에 의거하여 앤 왕녀(王女)의 사후(死後) 영국 왕에 즉위하여 하노버 왕조(王朝)의 시조가 됨. 영어를 이해하지 못하여 하노버에 체류하는 일이 많았고 국정(國政)은 내각과 의회에 위임하였기 때문에 여기에서 '국왕은 군림하되 통치하지 아니한다'는 영국의 입헌 군주제가 발전하였음. [1660-1727; 재위 1714-27]

조지장사 기명야애【鳥之將死其鳴也哀】 명 새가 장차 죽으려 할 때에는 그 우는 소리가 몹시 슬프다는 말. *인지장사 기언야선(人之將死其言也善).

조:지지-사【蚤知之士】 명 선견지명(先見之明)이 있는 재사(才士).

조:지-타운[1] 〔George Town〕 명 〖지〗 피낭(Pinang).

조:지타운[2] 〔Georgetown〕 명 〖지〗 남미 북동부, 가이아나(Guyana)의 수도. 대서양에 임한 항구 도시로, 이 나라의 정치(政治)·경제(經濟)·문화(文化)의 중심지임. 설탕·쌀·커피 등을 수출하는데, 1781년 영국인이 창건했음. [190,000 명 (1991)]

조지프슨〔Josephson, Brian David〕 명 〖사람〗 영국의 물리학자. 1967년부터 케임브리지 대학 교수. 1973년 조지프슨 효과(效果)의 이론적 예지(理論的豫知)로 노벨 물리학상을 수상함. [1940-]

조지프슨 소자【一素子】〔Josephson〕 명 〖물〗 조지프슨 효과(效果)를 이용한 초고속 대용량(超高速大容量)의 전자 소자(電子素子). −269°C의 극저온(極低溫) 상태로 하여 사용함. 약칭 제이 소자(J素子).

조지프슨 효:과【一効果】〔Josephson effect〕 〖물〗 전자 소자(電子素子)를 절대 영도, 곧 −273°C에 가까운 극저온(極低溫)까지 냉각하면 초전도 현상(超電導現象)이 일어나서 소자의 작동 속도(作動速度)가 광속(光速) 가까이까지 가속되는 효과. 조지프슨이 1962년 이론적으로 예지(豫知)하였음.

조지 필립서【操紙筆立書】 명 시문(詩文)을 빨리 지음.

조:-지훈【趙芝薰】 명 〖사람〗 시인·국문학자. 본명은 동탁(東卓). 경북 영양(英陽) 출생. 혜화(惠化) 전문 학교 졸업. 청록파(靑鹿派) 시인의 한 사람으로 초기의 시작(詩作)은 ≪고풍 의상(古風衣裳)≫·≪승무(僧舞)≫ 등 민족적 전통(民族的傳統)이 담긴 향수를 나타냈으며, 6.25 전쟁 이후는 조국의 역사적 현실(現實)을 담은 평론(評論) ≪역사(歷史) 앞에서≫ ≪지조론(志操論)≫ 등을 발표함. [1920-68]

조직【組織】 명 ①짜서 이룸. 얽어서 만듦. ②〔tissue〕 〖생〗 거의 모양과 크기가 같으며, 작용도 비슷한 세포(細胞)의 집단(集團). 조직이 여러 개 모여 기관(器官)을 이룸. 동물에서는 상피(上皮) 조직·결체(結締) 조직·근육 조직·신경(神經) 조직, 식물에서는 유(柔)조직·방추(紡錘) 조직 등이 있음. ③〔organization〕 〖사〗 단체 또는 사회(社會)를 구성하는 각 요소(要素)가 결합하여 유기적(有機的)인 움직임을 갖는 통일체(統一體)로 되는 일. 또, 그 구성의 방법. ¶사회 ~/회사의 ~을 고치다. ——-하다 타 여불

조직-계【組織系】 명 〔tissue system〕 〖식〗 식물에서 해면상(海綿狀) 조직·책상(柵狀) 조직 등의 각종 조직이 모여서 이루는 고차(高次)의 조직. 표피계(表皮系)·기본 조직계(基本組織系)·관다발계(系) 등이 있음.

조직-구【組織球】 명 생체 염색(生體染色)이 강양성(強陽性)을 나타내고 유주성(遊走性)과 탐식성(貪食性)이 많으며 작은 원형의 핵(核)을 갖는 원형의 큰 세포. 골수·비장(脾臟)·간장·림프선 및 결체 조직 등에 있는데, 염증·종양(腫瘍) 그 밖의 병소(病巢)에 나타남.

조직 근로자【組織勤勞者】〔一글一〕 명 〔organized laborer〕 〖사〗 노동조합에 가입하고 있는 근로자. 조직의 힘에 의하여 그들의 사회적·경제적 이익을 확보(確保)하는 데 있음. 조직 노동자. ↔미조직 근로자.

조직 기생충【組織寄生蟲】 명 〖충〗 세포 조직에서 영양분을 흡수하여 생활하는 기생충.

조직 노동자【組織勞動者】 명 〖사〗 조직 근로자. ↔미조직(未組織) 노동자.

조직-도【組織圖】 명 〔organization chart〕 정부 및 기업을 비롯한 조직체의 구조(構造)와 권한(權限) 관계를 일견(一見)해서 알 수 있도록 도시(圖示)해 놓은 것.

조직 동:물【組織動物】 명 〖동〗 후생 동물(後生動物).

조직-력【組織力】〔一녁〕 명 조직하는 힘. 또는 조직으로 뭉쳐진 힘.

조직-론【組織論】〔一논〕 명 ①조직에 관한 이론. ②조직학(組織學).

조직-망【組織網】 명 그물과 같이 널리 편 조직.

조직 면:역【組織免疫】 명 〔tissue immunity〕 〖의〗 혈액 중의 항체(抗體)에 의하지 않은 면역. 그 본태(本態)는 아직 불명(不明)임.

조직 박편【組織薄片】 명 〔tissue slice〕 〖생〗 생물의 조직을 얇게 떼어낸 것. 적당한 생리적 식염수(生理的食塩水)나 완충액(緩衝液) 속에 넣고 산소나 기질(基質)이 확산할 수 있도록 0.3 mm 이하로 얇게 하여 연구 검사함. 슬라이스.

조직 배:양【組織培養】 명 〔tissue culture〕 〖생〗 생물체의 조직의 한 조각을 체외(體外)에서 적당한 배양기(培養基)에 옮겨서 생존(生存)·증식(增殖)시키는 일. 발생학(發生學) 및 병리학(病理學)의 연구(硏究)에 응용됨.

조직-법【組織法】 명 〖법〗 인간 행위(行爲)의 기초(基礎) 또는 수단이 되는 조직에 관하여 정하는 법. ↔행위법(行爲法).

조직 병:리학【組織病理學】〔一니一〕 명 〔histopathology〕 〖병리〗 병리학의 한 분야. 병과 더불어 생기는 조직의 변화를 다룸.

조직 분화【組織分化】 명 〔histo-differentiating〕 〖생〗 미분화(未分化)한 세포군(群)에 특정한 형태적 기능적 성질이 나타나 특정한 조직이 형성되는 과정. 근절(筋節) 속에 근섬유가 생기는 과정, 수정체(水晶體)의 재생(再生)에서 재생아(芽)의 세포군이 수정체 섬유로 변화하여 수정체의 분화가 완성되는 과정 따위가 있음.

조직 생리학【組織生理學】〔一니一〕 명 〔histophysiology〕 〖생〗 주로 조직을 대상으로 하는 생리학.

조직 선량【組織線量】〔一설一〕 명 〔tissue dose〕 〖물〗 문제로 삼고 있는 부분의 조직에 의해서 받은 X선·γ선의 선량. 뢴트겐(R)으로 표시함.

조직 섬유【組織纖維】 명 〖식〗 단자엽(單子葉) 식물의 잎의 관다발의 섬유. 마닐라삼 따위.

조직 신학【組織神學】 명 〖종〗 기독교의 교의(敎義)를 학술적 지식에 비추어서 계통(系統)있는 진리(眞理)로서 표명하는 신학.

조직-액【組織液】 명 〖생〗 생체(生體) 세포의 틈을 채우고 있는 액체. 원래 혈장(血漿)이 모세관(毛細管)의 관벽(管壁)에서 삼출(滲出)하여 생긴 것으로 림프관(lymph管)의 림프액과 연속되어 있음. 모세관에 의하여 운반된 세포에 필요한 물질이 이 조직을 매개(媒介)로 하여 세포에 전달되고 세포에서 생긴 대사(代謝) 산물은 조직액을 통하여 혈관으로 보내어짐.

조직 이완【組織弛緩】 명 〔organization slack〕 〖경〗 환경 조건이 호황(好況)일 때 조직이 이완되어 개선의 여지가 남는 현상. 이를 '잠재적 비능률'이라고도 하나 환경 조건이 악화하였을 때 과거의 이완이 여유(餘裕)로 나타나서 조직의 존속력에는 유익하므로 반드시 배제할 것은 아님.

조직-자【組織者】 명 오거나이저(organizer)❶.

조직-적【組織的】 명 관 개개(個個)의 사물이 일정한 계통에 속해있는 모양.

조직-점【組織點】 명 직물(織物) 조직의 씨와 날이 교차된 점.

조직-진【組織診】 명 〔biopsy〕 〖의〗 병변(病變)을 확인하는 검사 기술의 하나. 생체의 의심스러운 곳의 조직을 조금 떼어 내어 현미경 등으로 분석 진단함. 세포진(細胞診)보다 정확하여 간경변(肝硬變)·암(癌) 등의 진단에 유효함. 생검(生檢).

조직 집단【組織集團】 명 군중이나 공중 등의 무조직 집단에 대하여 성원(成員)의 행위에 다소나마 통일성·규칙성이 있고 공통의 집단 의식이 인정되는 사회 집단. 혈연(血緣)·지연(地緣) 따위로 맺어지는 기초적 집단과 인위적(人爲的)·목적적(目的的)으로 맺어지는 파생적(派生的) 집단으로 나뉨.

조직-책【組織責】 명 조직체(組織體)를 구성하는 업무(業務) 분야의 책임자. 특히, 정당(政黨) 조직에서 일컫는 말.

조직-체【組織體】 명 조직을 이룬 몸뚱이나 단체.

조직-학【組織學】 명 〖생〗 형태학(形態學)의 한 분과. 생물의 조직의 구성(構成)·분화(分化)·발생(發生)·기능(機能) 등을 연구하는 과학. 조직

론(組織論).

조직 호흡【組織呼吸】명〖생〗내호흡(內呼吸).

조직-화【組織化】명 사물이 일정한 질서를 갖고 유기적인 활동을 하게끔 통일화함. ——-하다 자타여불

조직 화학【組織化學】명〖생〗현미 화학(顯微化學).

조진[1]【凋盡】명 시들어 없어짐. 시들어 버림. ——-하다 자여불

조진[2]【條陳】명 ①조목조목 들어서 말함. ②조목별로 써서 진술(陳述)함. ——-하다 타여불

조진[3]【蜩蟟】명〖충〗쓰르라미.

조진[4]【調進】명 주문(注文) 받은 물건을 만들어서 바침. ——-하다 타여불

조진[5]【躁進】명 급작스럽게 높은 벼슬아치가 되려고 조급(躁急)하게 굶. ——-하다 자여불

조진 모:초【朝秦暮楚】명〔아침에는 북쪽의 진(秦)나라에서, 저녁에는 남쪽의 초(楚)나라에서 지낸다는 뜻〕일정한 주소가 없이 유랑함. 또, 이 편에 붙었다 저 편에 붙었다 함의 비유. ——-하다 자여불

조짐[1]【兆朕】명 길흉(吉凶)이 생길 동기가 미리 드러나 보이는 변화 현상. 어떤 일이 일어날 징조. ¶심상찮은 ~이 보이다. *전조(前兆)·조상(兆祥)·조후(兆候)·징조(徵兆)·징후(徵候).

조짐[2] 의명 쪼갠 장작 더미를 세는 데 쓰는 말. 목척(木尺)으로 사방 여섯자 부피를 쌓은 것을 말함. 평(坪).

조짐 머리 명 궁궐과 반가(班家)에서 의식이나 경사 때, 또는 문안차 입궐(入闕)할 때에 하는 머리. 다리 열 꼭지로 쪽을 찌어 첩지끈과 연결시킨 가체(加髢)의 하나로, 쪽머리에 가식(加飾)했음. 소라 딱지 비슷하게 틀어 만듦.

조-짚 명 조·피 같은 낟알을 떨어 낸 짚.

조:짜【造一】명 진짜처럼 만든 가짜 물건.

조:짜-복【照一鰒】명 ←조자복(照字鰒).

조짜-빼다【操一】자〈속〉조빼다.

조쪼ᄫᆞ니 타〈옛〉좇자오니. '조쫍다'의 활용형. ¶부텨는 寶階를 타 오거시늘 天王이 조쪼ᄫᆞ니《月釋 XXI:189》.

조쫍다 타〈옛〉'좇다'의 공대말. =조줍다. ¶諸天이 조쫍고 하ᄂᆞᆯ 고지 드르니이다《月釋 II:17》/조쪼와 두루펴(隨須分布)《楞嚴 I:4》.

조쭙다 타〈옛〉'좇다'의 공대말. =조줍다. ¶虛空애 ᄀᆞᄃᆞ기 八部도 조쪼ᄫᅡ 가더라《月釋 II:28》.

조차[1]【租借】명 ①집이나 땅을 빌려 씀. ②〖법〗특별한 합의에 의하여 어떤 나라가 그 영토의 일부를 다른 나라에 대여(貸與)하는 일. 조차국(租借國)의 통치권(統治權)이 행사되는 경우와 단순히 그 토지의 비정치적 이용(非政治的利用)만이 행하여지는 경우가 있음. ③〖광〗조광권(租鑛權)을 전세내어 빌림. ——-하다 타여불

조:차[2]【造次】명 ↗조차간(造次間).

조차[3]【粗茶】명 ①변변하지 않은 차(茶). ②손님에게 대접하는 차의 겸사말.

조차[4]【潮差】명〔range of tides〕〖해〗만조(滿潮) 및 간조(干潮)에 있어서의 조고(潮高)의 차(差). 일조 부등(日潮不等)이 있으며, 대조(大潮) 때의 조차의 평균치(平均值)를 대조차(差), 소조(小潮) 때의 것을 소조차라고 함.

조차[5]【操車】명 차량(車輛)을 다룸. ——-하다 자여불

조차[6] 조 '도, 따라서'의 뜻으로 위의 말을 강조할 때 쓰는 보조사(補助詞). ¶너~ 나를 원망하느냐/태도도 나쁘거니와 말~ 불손하다/비가 오는데 바람~ 분다.

조:차-간【造次間】명 ①얼마 아닌 짧은 시간(時間). ②아주 급한 때. 준조차(造次).

조-차떡 명 차조로 만든 떡.

조:차 불리[1]【早車不利】명〔조차 불리(造次不離)의 음을 따서 만든 말〕장기에서, 초반에 차(車)를 움직이면 불리하다는 말.

조:차 불리[2]【造次不離】명 잠간(暫間)도 떠나지 아니함. ——-하다 자여불

조차 이:용 발전기【潮差利用發電機】〔—쩐—〕명〖기〗조수의 간만(干滿)에 따라 수위(水位)가 오르고 내림을 이용하여 톱니바퀴를 움직여 원동(原動) 톱니바퀴를 회전, 발전하는 발전기.

조차-장【操車場】명 열차의 조성(造成) 및 차량의 입환(入換)에 관한 업무를 분장하는 지방 철도청 소속의 현업(現業) 기관.

조:차 전:패【造次顚沛】명 잠시 동안.

조차-지【租借地】명〔leased territory〕한 나라가 다른 나라로부터 조차(租借)한 토지.

조:착[1]【早着】명 열차 같은 것이 예정 시간보다 일찍 도착함. ——-하다 자여불

조착[2] 부〈방〉자주.

조착-거리다 자 ☞조작거리다❷. ¶여인은… 앞서서 조착거리는 계집애에게 입속말로 길을 재촉하였다《金周榮:客主》.

조찬[1]【粗餐】명 ①검소한 식사. ②남에게 식사를 향응(饗應)할 때에 쓰는 겸사의 말. ↔성찬(盛餐).

조찬[2]【朝餐】명 아침밥. 조식(朝食). ¶~ 기도회(祈禱會). *만찬(晩餐)·오찬(午餐).

조찬[3]【粗饌】명 ①변변하지 않은 반찬. ②남에게 식사를 대접할 때의 겸사의 말.

조:-찬한【趙纘韓】명〖사람〗조선 선조(宣祖)와 인조(仁祖) 때의 문신. 자(字)는 선술(善述), 호는 현주(玄洲). 동부승지(同副承旨)·상주 목사(尙州牧使)·선산 부사(善山府使) 등을 역임. 문장(文章)에 뛰어나고 시부(詩賦)에 능하였음. 《청구 영언(靑丘永言)》에 시조 2 수가 전함. [1572-1631]

조찬-회【朝餐會】명 손님을 초청해서 아침 식사를 베푸는 모임. *오찬회(午餐會)·만찬회(晩餐會).

조:찰【照察】명 잘잘못을 보아 살핌. ——-하다 타여불

조:참[1]【早參】명 이르게 참석함. ↔지참(遲參). ——-하다 자여불

조참[2]【朝參】명〖역〗왕이 정전(正殿)에 친림(親臨)한 앞에, 모든 조신(朝臣)이 나아가 뵈는 일. 한 달에 네 번씩 모여 할 말을 드렸음. ——-하다 자여불

조-찹살 명〈방〉차좁쌀(경남·경기·황해·함남).

조-찹쌀 명〈방〉차좁쌀(경기·강원·충남·전북·경북).

조:-창[1]【趙昌】명〖사람〗중국 북송(北宋) 전기(前期)의 화조 화가(花鳥畫家). 자는 창지(昌之). 강남(江南)의 서씨체(徐氏體)를 참작하여, 몰골(沒骨) 사생화를 창시하고, 황씨체(黃氏體) 이후의 원체화(院體畫)에 영향이 큼. 작품에 《죽충도(竹蟲圖)》 등이 있음. 생몰년 미상.

조창[2]【漕倉】명〖역〗고려·조선 시대에, 조운(漕運)할 곡식을 쌓아 놓은 곳집. 조선 시대 때에는 전국에 열 곳이 있었음. 조운창(漕運倉).

조창 오:광대【漕倉五廣大】명〖민〗〔조선 시대에 가산(駕山)에는 조창(漕倉)이 있었음〕'가산 오광대(駕山五廣大)'의 조선 시대의 일컬음.

조채[1]【調菜】명 ①부식물의 나물을 조리(調理)함. ②정진 요리(精進料理)의 부식물. ——-하다 자여불

조채[2]【彫彩】명 조각하여 채색함. ——-하다 타여불

조:책【詔冊】명 조서(詔書).

조처【措處】명 일을 잘 정돈하여 처치함. 조치(措置). ——-하다 타여불

조:척【照尺】명 '가늠자'의 한자 이름.

조:천[1]【早天】명 ①조조(早朝). ②밝을 무렵의 하늘.

조천[2]【祧遷】명〖역〗종묘(宗廟) 본전(本殿) 안의 위패(位牌)를 그 안의 영녕전(永寧殿)으로 옮겨 모시는 일. ——-하다 자여불

조천[3]【朝天】명 ①입궐함. 천자를 배알함. ②아침. 아침 하늘. ——-하다 자여불

조천[4]【調遷】명 조정(調整)하여 다른 자리로 옮김. ——-하다 타여불

조천-가【朝天歌】명〖문〗조선 중기(中期)의 문신 이수광(李睟光)이 지은 가사(歌辭). 전후 두 곡이 있었다고 하나 전하지 않으며, 《상촌집(象村集)》에 가사가 있었다고 기록되고 있음.

조천 고창【朝天高唱】명 새벽에 수탉이 홰치는 것을 그린 그림.

조천-사【朝天使】명〖역〗조선 시대에 명(明)나라에 보내던 조선 사신의 총칭.

조철[1]【條鐵】명 가늘고 길게 생긴 철재(鐵材). 봉상(棒狀)의 철재.

조:철[2]【照徹】명 ①두루 비춤. ②환하게 비침. ——-하다 자타여불

조철[3]【銚鐵】명 들쇠❶.

조첩【稠疊】명 연해 거듭됨. 거듭 포개짐. ——-하다 형여불

조:청【造淸】명 인공으로 만든 꿀. 묽게 고아서 굳어지지 아니한 엿.

조청 대:부【朝請大夫】명〖역〗고려 때 문관(文官)의 품계(品階). 종오품의 상(上). 문종(文宗) 때에 정하여 충렬왕 원년(1275)에 폐하고, 24년에 다시 회복하였다가 곧 또 폐함. 조의(朝議) 대부의 아래. *조산(朝散) 대부.

조청-랑【朝請郞】〔—낭〕명〖역〗고려 때 문관의 품계. 정칠품의 위. 문종(文宗) 때에 정하여 충렬왕(忠烈王) 원년(1275)에 폐하고, 동 24년에 다시 회복했다가 곧 또 폐함. 공민왕(恭愍王) 5년(1356)에 다시 정육품으로 하고, 동 11년에 또 폐했다가, 동 18년에 다시 회복함. 선덕랑(宣德郞)의 위.

조청-소【藻靑素】명 조람소(藻藍素).

조:체[1]【繰替】명 다른 것과 엇바꿈. 다른 데에 전용함. ——-하다 타여불

조체[2]【朝體】명 조정(朝廷)의 체면과 위신(威信).

조체 모:개【朝遞暮改】명 관원(官員)의 경질(更迭)이 썩 잦음. ——-하다 자여불

조쳐[1] 부〈옛〉아울러. ¶亡兒ᄅᆞᆯ 조쳐 爲ᄒᆞ야(兼爲亡兒)《月序 18》.

조쳐[2] 조〈옛〉①조차. 마저. 까지. =조ᄎᆞ. ¶도ᄌᆞᆨ 罪주는 法은 주겨 제 겨집조쳐 사ᄅᆞ 묻더니《月釋 X:25》. ②로부터. ¶이믜셔발조쳐 피내라(就蹄子放血)《朴解 上 43》.

조초[1] ㊀ 의명〈옛〉대로. ¶믌ᄀᆞ온ᄃᆡ 곳 니플 잇는 조초 노코(水中隨安所有華葉)《楞嚴 Ⅶ:12》. ㊁ 조 대로. ¶다 븥고ᄅᆞᆯ 어더 ᄆᆞᅀᆞᆷ 조초 이ᄅᆞᆯ ᄒᆞ고 호리라《月釋 IX:15》.

조초[2]【隨乎·追乎·追于】조〈이두〉조차.

조:초 산호【造礁珊瑚】명 산호초를 만드는 산호의 총칭. 주로 석(石)산호류가 포함됨.

조초ᄒᆞ다 자〈옛〉좇아하다. 마음대로 하다. =흔조초ᄒᆞ다. ¶그뒤흔 조초ᄒᆞ야 뉘웃븐 ᄆᆞᅀᆞ물 아니호리라 ᄒᆞ더니《釋譜 Ⅵ:8》.

조:촉[1]【弔燭】명 장례식이나 위령제에서 켜는 초.

조:촉[2]【眺矚】명 조람(眺覽).

조:촉[3]【照燭】명 정재(呈才) 때에 풍악 진행의 신호(信號)로 쓰는 촛불. 촛불을 들면 풍류(風流)를 치기 시작하고 내리면 그침.

〈조촉[3]〉

조:-촉매【助觸媒】명〖화〗촉매(觸媒)의 활성(活性)을 돕는 물질. 일반적으로 금속 촉매(觸媒)는 이것에 소량의 다른 금속 또는 그 산화물을 가(加)하면 현저하게 활성이 커짐.

조촐-하다 형여불〔중세: 조촐ᄒᆞ다〕①아주 아담하고 깨끗하다. ¶조촐한 집. ②행동(行動)이 난잡하지 않고 단정하다. ③외모(外貌)가 해사하다. 준조하다. 조촐-히 부

조촘 타〈옛〉좇음. '좇다'의 명사형. ¶뒤움과 조촘괘 眞實을 어즈리디 몯ᄒᆞ니《月釋 Ⅷ:16》.

조춤-거리다 자 ①걸음을 짧게 떼면서 머뭇거리다. ②일을 결단성 있게 하지 못하고 주저주저하다. 1)·2):<주춤거리다. **조춤-조춤** 부. ——-하다 자여불

조춤-대다 자 조춤거리다.

조춤-병【一病】[一뼝] 명 무슨 일을 결단성(決斷性) 있게 행하지 못하고 조춤거리는 결점. <주춤병.

조:총[1]【弔銃】명 저명 인사·지사(志士)·군인(軍人) 등의 장례식·위령제·추념식(追念式) 같은 데서, 조상(弔喪)하기 위하여 소총(小銃)을 몇 발씩 일제히 쏘는 예총(禮銃). *조포(弔砲).

조총[2]【鳥銃】명 ①새총. ②'화승총(火繩銃)'의 구칭.

조총련【朝總聯】[一년] 명 ↗재일본 조선인 총연합회.

조추[1] 명 〈방〉 조치.

조:추[2]【早秋】명 이른 가을.

조:추[3]【肇秋】명 초가을.

조추[4] 부 추후(追後)로.

조:축【造築】명 건물 따위를 만듦. 축조(築造). 건축(建築). ——-하다 타여불

조:춘[1]【早春】명 이른 봄. 천춘(淺春).

조:춘[2]【肇春】명 초봄.

조:출[1]【早出】명 ①아침에 일찍 나감. ②정각(定刻)보다 이르게 나감. *조퇴(早退). ——-하다 자여불

조:출[2]【造出】명 만들어서 세상에 냄. ——-하다 타여불

조:출[3]【繰出】명 고치를 삶아 실을 켜냄. ——-하다 타여불

조출 모:귀【朝出暮歸】명 ①날마다 아침에 일찍 나가고, 저녁에 늦게 돌아와서, 집에 있을 동안이 얼마 되지 못함. ②사물이 항상 바뀌어서 떳떳함이 없음의 비유. ——-하다 자여불

조출 모:입【朝出暮入】명 조출 모귀(朝出暮歸). ——-하다 자여불

조출 석몰【朝出夕沒】명 조생 모몰(朝生暮沒). ——-하다 자여불

조출-하다 형 〈방〉 조촐하다.

조충[1]【彫蟲】명 ①작은 벌레의 조각품을 만듦. 전하여, 세밀한 세공. 또, 아이들의 장난. ②조충 소기(彫蟲小技).

조충[2]【絛蟲】명〖동〗[←도충(絛蟲)] 촌충(寸蟲).

조:-충[3]【趙冲】명〖사람〗고려 시대 문무를 겸한 문신. 자는 담약(湛若). 횡성(橫城) 사람. 희종(熙宗) 때에, 국자감 대사성(國子監大司成) 겸 한림 학자(翰林學者)가 됨. 고종(高宗) 초년에는 문관으로 상장군을 겸하여 거란병(契丹兵)을 물리쳤음. 개선 후에는 정당 문학 판례부사(政堂文學判禮部事)에 오르고, 곧 수태위 동중서문하시랑 평장사(守太尉同中書門下侍郎平章事)가 더하여짐. 시호는 문정(文正). [1171-1220]

조충-류【絛蟲類】[一뉴] 명〖동〗[←도충류(絛蟲類)] 촌충류(寸蟲類).

조충-서【鳥蟲書】명 왕망(王莽)의 육체서(六體書)의 하나. 새와 벌레의 모양을 모방하여 쓰는 글씨인데, 기치(旗幟)와 부신(符信)에 씀. 준 충서(蟲書).

조충 소:기【彫蟲小技】명 문장을 짓는 데 너무 글귀만을 수식하는 일. 조충(彫蟲). 조충 전각(彫蟲篆刻).

조:충의-전【趙忠毅傳】[一/一이一] 명〖책〗구소설의 하나. 봉림 대군(鳳林大君)이 병자 호란으로 중국 청(淸)나라에 인질로 갔다가 돌아와 즉위(卽位)하고 세상을 마치기까지의 일을 소설화했음. 작자·연대 미상.

조충 전:각【彫蟲篆刻】명 조충 소기(彫蟲小技).

조-충지【祖冲之】명〖사람〗중국 송(宋)·제(齊)의 수학자·역학자(曆學者). $3.1415926<\pi<3.1415929$, $\pi=355/113$을 산출했음. [430-501]

조취【臊臭】명 누린 내.

조취 모:산【朝聚暮散】명 아침에 모였다가 저녁에 헤어짐. 곧, 모이고 헤어짐이 무상(無常)함. ——-하다 자여불

조취모:산지-배【朝聚暮散之輩】명 이합 집산(離合集散)이 무상(無常)한 무리.

조치[1] 명 ①국물이 바특하게 잘 만든 찌개나 찜 같은 것. ②조칫보에 담아서 잘 차린 밥상에 놓는 반찬. ③↗조칫보.

조치[2] 명〖어〗[*Parapelecus jouyi*] 잉어과에 속하는 민물고기. 몸은 편평하고 폭이 넓으며 빛깔은 은백색이고 등 쪽은 암갈색임. 입의 끝부분이 오목하고 배의 외곽이 등보다 굽어 있으며 눈 사이가 볼록 돋아 났음. 1905년 요르단(Jordan)·슈타르크스(Starks) 두 사람이 인천(仁川)에서 입수한 표본(標本)에 의해 신종으로 발표되었는데, 그 외에는 아무도 이 고기를 본 적이 없는 우리 나라 특산임.

조치[3] 명 〈옛〉 세로. 종(縱). ¶뵈 훈오리 조치로 길의 훈자 여슷치오 ᄆᆞᄅᆞ 너븨 여듧치를 ᄯᅩ 조치로 뎌버 가온듸 分ᄒᆡ야 그 아래 一半을 左右 두긋티 各 네 치식 ᄆᆞᆯ라≪家禮 Ⅵ:7≫.

조치[4]【措置】명 조처(措處). ¶응급 ~/엄히 ~하다. ——-하다 타여불

조치[5]【調治】명 조리(調理)❶. ——-하다 타여불

조치개 명 무엇에 마땅히 딸려 있어야 할 물건. 흔히, 밥에 대하여 반찬 같은 것을 가리키는 데에 씀.

조치다 자 〈옛〉 쫓기다. ¶ᄂᆞᄆᆡ 軍馬ᄅᆞᆯ 이길써 ᄒᆞᄫᅡ 믈리조치샤(克彼鄕兵 挺身陽北)≪龍歌 35章≫.

조치-원【鳥致院】명〖지〗충청 남도 연기군(燕岐郡)의 군청 소재지(郡廳所在地)로 읍. 군의 동부, 충청 북도와의 경계(境界)에 가까운 곳에 위치한 경부선(京釜線)의 요역이며 충북선(忠北線)의 분기점(分岐點)임. [34,111 명(1991)]

조:칙[1]【詔勅】명 조서(詔書).

조칙[2]【操飭】명 경계하여 삼감. ——-하다 타여불

조칠【彫漆】명〖미술〗금속이나 나무 그릇의 거죽에 옻칠을 한 다음 그 위에다 산수(山水)·화조(花鳥)·인물(人物) 등을 부조(浮彫)하는 공예 미술(工藝美術)의 한 방식(方式). 흔히, 쟁반·향합(香盒) 같은 데 이 수법(手法)을 씀.

조:침[1]【釣針】명 낚시.

조침[2]【朝寢】명 아침잠❶.

조침-떡 명 메밀 가루로 전병을 부쳐 반듯반듯하게 썰고 닭고기·쇠고기와 그 밖에 여러 가지 채소로 소를 넣어, 한 번 말아서 두 끝을 붙인 떡. 초장을 찍어 먹음.

조:침-문【弔針文】명〖문〗조선 순조(純祖) 시대에 유씨(兪氏) 부인이 지은 수필(隨筆). 바늘을 의인화(擬人化)하여 쓴 운문(韻文)으로, 섬세하고 애절한 운치를 지니고 있음. 부인이 문벌가에 출가 후, 남편을 여의고 바느질에 재미를 붙여 나날을 보내왔는데, 어느날 자기가 쓰던 바늘이 부러지자 슬픈 심회를 누를 길 없어 이 글을 지은 것이라 함. 형식은 제문(祭文)임. 제침문(祭針文).

조침-젓 명 여러 가지 물고기를 마구 섞어 담근 젓. 교침해(交沈醢).

조칫-보 명 김칫보보다 조금 크고 운두가 조금 낮은, 조치를 담는 데에 쓰는 그릇. 준 조치.

조ᄎᆞ 조 〈옛〉 까지. 조차. =조쳐[2]. ¶ᄀᆡ조차 즈줄일 업셔≪永言≫.

조카 명 [근대 : 족하] 형이나 아우나 누이들이 낳은 아들. 유자(猶子). 종자(從子). 질아(姪兒). 질자(姪子).

조카-님 명 ①남의 조카를 높이어 일컫는 말. ②자기보다 나이 많은 조카의 호칭.

조카-딸 명 형제 자매의 딸. 여질(女姪). 유녀(猶女). 질녀(姪女).

조카-며느리 명 조카의 아내. 질부(姪婦).

조카-뻘 명 조카가 되는 항렬(行列). 질항(姪行).

조카 사위 명 조카딸의 남편. 질서(姪婿).

조카 아들 명 〈방〉 조카.

조카-자식【一子息】명 조카나 조카딸의 통칭.

조캐 명 〈방〉 조카(함경).

조:커 [joker] 명 ①농담을 잘하는 사람. 익살꾼. ②트럼프 패의 하나. 다이아먼드·하트 등 어떠한 표지의 패에도 속하지 않는 특별한 패. 놀이에 따라 으뜸패도 될 수 있으며 다른 패의 대용으로도 쓸 수 있음.

조콰 〈옛〉 조와. '조[1]'의 공동격형(共同格形). ¶吳門에서 조콰 기블 옮겨(吳門轉粟帛)≪初杜諺 XXI:36≫.

조:크 [joke] 명 ①농담. 익살. ②웃음가마리.

조: 크러셔 [jaw crusher] 명 분쇄기(粉碎機)의 하나. 고정된 톱니판(板)과 요동(搖動)하는 톱니 사이로 광석 따위를 투입(投入), 분쇄(粉碎)하는 장치(裝置).

조:-타[1]【趙佗】명〖사람〗중국 진 말(秦末), 군웅(群雄)의 한 사람. 진 말의 내란을 틈타 광둥(廣東)에 도읍을 정하고 남월(南越)의 무왕(武王)이라 자칭했음. 나중에 한(漢)의 고조(高祖)에 의해 남월왕(南越王)으로 책봉됨. [?-137 B.C.]

조타[2]【操舵】명 키를 다루어 배를 조종함. ——-하다 자여불

조타[3] 형 〈옛〉 깨끗하다. ¶ᄆᆞᅀᆞᆯ히 멀면 乞食ᄒᆞ디 어렵고 하 갓가ᄫᆞ면 조티 몯ᄒᆞ리니≪釋譜 Ⅵ:23≫.

조타-기【操舵機】명 선박의 키를 조종하는 장치. 일반적으로 유압(油壓)·전력(電力) 등의 동력을 사용하여 조작함.

조타-륜【操舵輪】명 타륜(舵輪).

조타-실【操舵室】명 배의 브리지(bridge) 위에 마련되어, 타륜(舵輪) 그 밖의 조종 장치 등을 갖춘 방. 조종 장치 외에, 컴퍼스(compass)·해도(海圖)·항해 기기(航海機器) 및 기관실(機關室)과 그 밖의 곳으로 통하는 통신 설비도 장비함.

조탁[1]【彫琢】명 ①보석 같은 것을 새기거나 쪼는 일. ②문장을 다듬는 일. ——-하다 타여불

조-탁[2]【曺倬】명〖사람〗조선 광해군(光海君) 때의 문신. 자(字)는 대이(大而), 호는 이양당(二養堂). 창녕(昌寧) 사람. 우승지·공조 참판(工曹參判)을 지내고, 이이첨(李爾瞻) 등과 폐모론(廢母論)을 주장했음. [1552-1621]

조탁[3]【澡濯】명 씻어 깨끗이 함. ——-하다 타여불

조탁-성【鳥啄聲】명 사실이 없는 말을 듣고 잘못 옮기는 헛소문. 새까먹은 소리.

조탄【粗炭】명〖광〗아주 거칠게 된 석탄. 흙이 많이 섞이고, 충분히 탄화(炭化)되지 못하여 광택이 없음.

조탕【潮湯】명 바닷물을 데운 목욕물.

조:태【釣太】명 주낙으로 잡은 명태. 잔 것이 많고 굵은 것이 적음.

조:-태구【趙泰耉】명〖사람〗조선 숙종(肅宗)과 경종(景宗) 때의 상신(相臣). 자(字)는 덕수(德叟), 호는 소헌(素軒). 양주(楊州) 사람. 사석(師錫)의 아들. 소론(少論)의 영수로 신임 사화(辛壬士禍)를 일으켜 사촌인 조태채(趙泰采) 등 노론(老論) 4대신을 역모죄로 사사(賜死)케 한 뒤 영의정에 올랐음. [1660-1723]

조:-태억【趙泰億】명〖사람〗조선 숙종·경종 때의 상신(相臣). 자(字)는 대년(大年), 호는 태록당(胎祿堂) 또는 겸재(謙齋). 태구(泰耉)의 종제(從弟). 숙종(肅宗) 38년(1712)에 대사성(大司成)으로 있다가 일본에 통신사로 갔었고 영조 초에 좌의정이 되었음. 소론(少論)의 중진으로 종형 태구 등과 함께 신임 사화를 일으킴. 문집 ≪겸재집(謙齋集)≫이 있음. 시호는 문충(文忠). [1675-1728]

조:-태채【趙泰采】명〖사람〗조선 숙종·경종 때의 상신(相臣). 자(字)는 유량(幼亮), 호는 이우당(二憂堂). 양주(楊州) 사람. 태구(泰耉)·태억(泰億)과 사촌. 숙종 43년(1717)에 우의정이 되었으며, 노론(老論) 4대신 중의 한 사람. 소론(少論)의 김일경(金一鏡) 등의 탄핵으로 생긴 신임 사화(辛壬士禍) 때 사사(賜死)됨. 문집에 ≪이우당집(二憂堂集)≫이 있음. 시호는 충익(忠翼). [1660-1722]

조:-택원【趙澤元】명〖사람〗무용가. 서울 출생. 보성 전문 학교 법과를 중퇴한 뒤, 일본의 무용가 이시이 바쿠(石井漠)에게 사사(師事), 현대 무용의 원로이었음. [1907-76]

조토 〈옛〉 조도. '조[1]'의 공동격형(共同格形). ¶것바슬만흔 조토 아ᄎᆞ미 먹디 몯ᄒᆞ얏노라(脫粟朝未食)≪初杜諺 XX:57≫.

조토 디 본도네 〔Giotto di Bondone〕 명〖사람〗이탈리아의 화가·건축가. 비잔틴 양식(Byzantine 樣式)을 벗어나 피렌체파(Firenze 派)를 형성하여 르네상스의 선구가 됨. 투시법(透視法)에 의한 공간(空間)의 묘사에 성공, 생기 있는 묘사로 종교 예술의 신경지를 개척하였음. 작품은 벽화 ≪성 프란체스코전(聖 Francesco傳)≫ 등. [1266?-1337]

조:-통【趙通】명〖사람〗고려 시대의 문인. 자는 역락(亦樂). 본관은 옥과(玉果). 경사 백가(經史百家)에 두루 통하였으며, 국자감 대사성 한림 학사(國子監大司成翰林學士)에 이름. 해좌 칠현(海左七賢)의 한 사람이며, 문장으로 이름이 있었음. 생몰년 미상.

조:퇴[1]【早退】명 정각(定刻) 이전에 물러감. *지각(遲刻)·조출(早出). ——-하다 자여불

조퇴[2]【潮退】명 조수가 물러감. ——-하다 자여불

조:파[1]【早播】명 씨를 제철보다 일찍 뿌림. ——-하다 타여불

조파[2]【條播】명〖농〗밭에 고랑을 치고 줄이 지도록 씨앗을 뿌리는 일. 줄뿌림. ——-하다 타여불

조:파[3]【照破】명〖불교〗불타(佛陀)가 지혜의 광명으로써 범부(凡夫)의 무명(無明)을 비추어 깨치는 일.

조파심 명 〈방〉 조바심[2].

조:파 저:항【造波抵抗】명 유체(流體) 속을 운동하는 물체가 파도를 만듦으로써 받는 저항. 배의 파도나 천음속(遷音速)·초음속(超音速)으로 비행하는 물체의 충격파(衝擊波)에 의한 것 등이 있음.

조판[1]【組版】명〖인쇄〗활판(活版) 인쇄의 한 공정(工程). 원고에 따라서 문선(文選)한 활자를, 원고의 지시대로 순서·행수(行數)·자간(字間)·행간(行間)·위치 등을 맞추어 짜는 일. *제판(製版)·식자(植字). ——-하다 자여불

조판[2]【彫版】명 나무 따위에 조각(彫刻)·각자(刻字)하는 일. 또, 그 판자. ——-하다 타여불

조판[3]【措辦】명 조처(措處)하여 마무리지음. 조치(措置). ——-하다 타여불

조판[4]【調辦】명 ①정리하여 조처함. 조사하여 처리함. ②조달(調達) 물품을 구입하여 정리함. ——-하다 타여불

조판-공【組版工】명 조판에 종사하는 공원(工員).

조판-소【組版所】명 조판하는 곳이나 공장.

조팝 명 〈방〉 조밥(평안·함경·황해).

조팝-나무 명〖식〗①조팝나뭇과에 속하는 갈기조팝나무·인가목조팝나무·꼬리조팝나무·산조팝나무·참조팝나무 등의 총칭. ②[*Spiraea prunifolia*] 조팝나뭇과에 속하는 낙엽 활엽의 관목. 높이 1-2 m이고 어린 가지에는 털이 났으며, 잎은 호생하고 거꿀달걀꼴 또는 타원형에 잔 톱니가 있고 뒷면은 잔 털이 있으며 고약한 냄새가 남. 4월에 흰 꽃이 산형(繖形) 화서로 장미꽃처럼 피고 골돌과(蓇葖果)는 5월에 익음. 산기슭의 양지나 밭둑에 나는데, 중국 원산으로 함북을 제외한 한국 각지와 일본·중국에 분포함. 산울타리와 정원수로 심고, 유독(有毒)한 뿌리는 '상산(常山)', 줄기는 '촉칠(蜀漆)'이라 하여 약용(藥用)하며 어린 잎은 식용(食用)함. 계뇨초(鷄尿草). 목상산(木常山). 압뇨초(鴨尿草). ③'누리장나무'의 잘못 일컫는 말.

〈조팝나무❷〉

조팝-나물 명〖식〗[*Hieracium umbellatum*] 꽃상추과에 속하는 다년초. 줄기 높이는 60-90 cm이고, 잎은 호생하며, 피침형 내지 긴 타원형 또는 선상(線狀) 피침형임. 7-10월에 황색 설상화(舌狀花)가 소방상(疎房狀) 화서로 핌. 산지(山地)나 들에 나는데, 한국 각지에 분포함. 어린잎은 식용함. 조밥나물.

조팝나뭇-과【—科】명〖식〗[Spiraeaceae] 이판 화류(離瓣花類)에 속하는 한 과. 전세계에 150여 종, 한국에는 가침박달·국수나무·개쉬땅나무·조팝나무 등의 20여 종이 분포함.

〈조팝나물〉

조:패【造牌】명 작패(作牌). ——-하다 타여불

조폐[1]【凋弊】명 시들어 없어짐. 쇠약하여 해짐. 피폐(疲弊). ——-하다 자여불

조:폐[2]【造幣】명 화폐(貨幣)를 만듦. ——-하다 자여불

조:폐 공사【造幣公社】명 ↗한국 조폐 공사.

조:폐-권【造幣權】[—꿘] 명〖경〗법률에 정해진 화폐 제도에 의하여 화폐의 제조 및 발행을 장악하는 권능. 조폐권은 한 국가의 정부에 독점되는 것이 상례임.

조:폐 평가【造幣平價】[—까] 명 〔mint par of exchange〕〖경〗두 나라의 화폐 단위에 법제상 함유되어야 할 순금량(純金量)(또는 순은량)을 기초로 한 양국 화폐 단위의 환산(換算) 비율.

조:포[1] 명 〈방〉 두부[1](경상).

조:포[2]【弔砲】명〖군〗장례(葬禮) 때에 군대에서 조의(弔意)를 표하는 예포(禮砲). 죽은 이의 관직(官職)에 따라 발포의 수효가 달라짐. *조총(弔銃).

조포[3]【租包】명 벼를 담은 섬.

조포[4]【粗布】명 거친 피륙. 올이 설피고 질이 좋지 아니한 피륙.

조:포[5]【造布】명 함경 북도에서 나는 베의 한 가지. 나비가 좁고 두꺼우며 배게 짰음.

조포[6]【粗暴】명 거동이 몹시 거칠은 모양. 난폭(亂暴). ——-하다 형여불

조:포[7]【造脯】명〖역〗봉상시(奉常寺)에서 크게 만든 편포(片脯). 나라 제향(祭享)에 씀.

조포[8]【朝晡】명 아침과 밤. 조석(朝夕).

조포[9]【躁暴】명 조급하고 사나움. ——-하다 형여불

조:포-사[1]【造泡寺】명〖역〗능(陵)이나 원(園)에 속하여 있어 제향(祭享)에 쓰는 두부를 맡아 만들던 절. 조포소.

조:포-사[2]【造胞絲】명 〔ganimoblast〕〖생〗홍조류(紅藻類)에서, 조과기(造果器)가 수정한 다음 그것에서, 직접 생긴 또는 연락지(連絡枝)로써 연락한 조세포(助細胞)에서 생긴 식물체(植物體).

조:포-소【造泡所】명〖역〗①조포사(造泡寺). ②관가(官家)에 두부를 만들어 바치던 곳.

조포-전【朝晡奠】명 조석전(朝夕奠).

조:포-체【造胞體】명 〔sporophyte〕〖식〗세대 교번(世代交番)을 하는 식물(植物)에 있어서, 유성 생식(有性生殖)의 결과로 된 무성 세대(無性世代)의 식물체(植物體). 포자(胞子)를 만듦. 배우체(配偶體)에 대한 식물체임.

조표【調標】명〖악〗음자리표 오른쪽에, 일정한 규칙 밑에 붙이는 샤프(♯)나 플랫(♭). 이것은 그 조(調)의 음계를 만드는 데 필요한 반음을 정해진 자리에 놓이게 하기 위한 표임. 조호(調號). 조기호(調記號).

〈조표〉

조:푸 명 〈방〉 두부[1](경상).

조품【粗品】명 ①아주 간략하여 변변하지 못한 물품. ②남에게 보내는 선물의 겸칭(謙稱).

조풍[1]【條風】명 북동풍(北東風).

조풍[2]【潮風】명 바닷바람.

조프 명 〈방〉 두부[1](경북).

조프르 〔Joffre, Joseph Jacques Césaire〕 명〖사람〗프랑스의 군인. 원수(元帥)로 육군 참모 총장을 역임함. 제1차 대전 때는 연합군의 최고 사령관으로 서부 전선에서 활약, 마르느 전투(Marne 戰鬪)에서 독일군을 격파함. [1852-1931]

조피[1] 명 조피나무의 열매. 껍질은 한방(韓方)에서 천초(川椒)라 일컬음.

조피[2] 명 〈방〉 두부(豆腐)(경상).

조피-나무 명〖식〗초피나무.

조피-볼락 명〖어〗[*Sebastes schlegeli*] 양볼락과에 속하는 바닷물고기. 몸길이 30 cm 가량으로 체형이 볼락과 비슷하고 몸빛은 암회갈색 바탕에 배 쪽이 담색이고 옆구리에 너더댓 줄의 똑똑치 않은 흑갈색 가로띠가 있음. 한국 전연해(全沿海) 및 일본 각지 연해에 분포함. 맛이 좋음. 재우러기.

〈조피볼락〉

조:필[1]【助筆】명 남의 글을 고쳐 더 좋게 함. 가필(加筆). ——-하다 자여불

조:필[2]【造畢】명 만들어 끝마침. ——-하다 타여불

조필[3]【粗筆】명 거칠은 붓. 잘 못 쓴 필적(筆跡) 또는 자기 필적의 겸칭. 졸필(拙筆).

조필[4]【操筆】명 글씨를 쓰기 위해 붓을 듦. ——-하다 자여불

조핏-가루 명 천초(川椒)의 씨를 빼고 만든 가루. 음식의 조미료로 씀. 천초말(川椒末).

조:하[1]【弔賀】명 흉사를 조문하고 경사를 축하함. 경조(慶弔).

조:하[2]【早夏】명 이른 여름. ↔만하(晩夏).

조하[3]【朝賀】명〖역〗조정(朝廷)에 나아가 왕께 하례(賀禮)함. ——-하다 자여불

조하[4]【朝霞】명 아침놀.

조:하[5]【肇夏】명 초여름.

조하-금【朝霞錦】명 예전 비단의 한 가지.

조-하다[1] 형여불 ↗조촐하다.

조-하다[2]【燥—】형여불 축축하거나 부드러운 맛이 없이 깔깔하게 마르다. *건조하다.

조-하다[3]【躁—】형여불 성미가 몹시 급하다.

조하-례【朝賀禮】명〖역〗동지(冬至)·정조(正朝)·성절(聖節)·삭일(朔日)에 신하가 조정에 나아가 임금에게 하례(賀禮)하던 예(禮).

조하-방【朝霞房】명〖역〗신라 시대의 관청. 내성(內省)에 소속되어 비단 등 직물 생산을 담당했음.

조하-주[1]【朝霞紬】명 주(紬)의 하나. 섬세한 실로 제직(製織)된 단아한 직물로서, 이 조하주는 신라 때 당(唐)나라에 보냈다는 기록이 있음.

조하-주[2]【糟下酒】명 용수뒤.

조학[1]【嘲謔】명 조롱(嘲弄)하고 놀림. 실없는 말로 빗대어 놀림. ——-하다 타여불

조학[2]【燥涸】명 물기가 걷혀서 바짝 말라 붙음. ——-하다 자여불

조한【藻翰】명 ①아름다운 깃털. ②아름답게 꾸민 문장.

조-한(:)영【曺漢英】명 〖사람〗 조선 인조(仁祖)·현종(顯宗) 시대의 문신. 자는 수이(守而), 호는 회곡(晦谷). 창녕(昌寧) 사람. 벼슬이 예조참판(禮曹參判)·한성부 우윤(漢城府右尹)을 거쳐 한성부 좌윤(左尹)에 이름. 하흥군(夏興君)에 봉군됨. 저서에 ≪회곡집≫이 있고 ≪해동 가요(海東歌謠)≫에 시조 2수가 전함. 시호는 문충(文忠). [1608-70]

조:함-술[1]【造艦術】명 군함(軍艦)을 만드는 기술.

조함-술[2]【操艦術】명 함선을 조종하는 기술.

조합[1]【組合】명 ①〖법〗 민법상 두 사람 이상이 출자(出資)하여 공동 사업을 경영하는 계약. 조합은 계약이지만 일종의 단체성을 가지며 사단(社團)과 대비(對比)되나 대외적으로 법인격(法人格)을 가지지 않는 것이 보통임. ②〖법〗 특별법상 각종의 공동 목적의 수행(遂行)을 위한 사단 법인(社團法人)의 한 형태. 공공적 사업을 수행하기 위한 각종의 공공 조합(公共組合), 경제 활동(經濟活動)에 관한 사업 수행을 위한 각종의 협동 조합(協同組合)·동업 조합(同業組合), 근로자(勤勞者)의 노동 조건 개선을 위한 노동 조합, 직원(職員)의 상호 구제(相互救濟)를 위한 공제(共濟) 조합 같은 것. ③[combination] 〖수〗 몇 개 속에서 정한 수를 뽑아서 모은 수. 가령 a·b·c 셋 중에서 두 개씩 뽑아 모은 조합은 ab, bc, ca의 세 가지임과 같음. ④여럿을 모아 합하여 한 덩이가 되게 함. ——하다 타 여불

조합[2]【鳥蛤】명 〖조개〗 새조개.

조:합[3]【照合】명 서로 맞추어 봄. ——-하다 타 여불

조합[4]【調合】명 ①음식의 맛을 맞춤. 조미(調味). ②약재(藥材) 또는 안료(顏料) 같은 것을 분량에 따라 한데 섞음. ——-하다 타 여불

조합 경제【組合經濟】명 〖경〗 공동 사업을 영위하는 출자자(出資者)의 조합 계약에 의하여 성립한 단체의 경제 활동.

조합 계:산【組合計算】명 〖경〗 손익(損益)의 분담 또는 분배를 계약한 두 사람 이상이, 상거래(商去來) 또는 사업 경영을 공동으로 하였을 때의 계산.

조합 계:약【組合契約】명 〖법〗 조합의 당사자가 서로 출자(出資)하여 공동의 사업을 경영할 것을 약속하는 계약.

조합 교:회【組合教會】명 〖기독교〗 예수교의 신교(新教)의 한 파(派). 필그림 파더스(Pilgrim Fathers)가 연, 미국 회중파 교회(美國會衆派教會)의 계통(系統)에 속하는데, 신앙(信仰)의 자유와 심령(心靈)의 평등을 표방함.

조합 국가【組合國家】명 〖정〗 기업체의 노사(勞使) 쌍방에게 조합을 조직케 하여 이를 국가의 구성 요소로 하고, 노동과 생산을 사회적으로 의무화한 국가 형태. 파시즘이나 나치즘에 의하여 이용되었으며, 실질적으로는 자본가(資本家)를 옹호하면서 노동을 국가 권력의 직접 지배하에 두는 체제(體制)가 되었음.

조합 규약【組合規約】명 조합의 조직 및 운영에 관한 기본 규칙을 정한 자치 규범(自治規範).

조합 금융【組合金融】[—늉/—] 명 〖경〗 협동 조합의 조직과 원칙에 의하여 행하여지는 상호 금융.

조합 기업【組合企業】명 〖경〗 공동 기업의 한 가지. 소규모의 생산자와 노동자가 서로 도와서 각자의 경제적 이익을 직접 또는 간접으로 도모하는 기업.

조합-림【組合林】[—님] 명 협동 조합이 소유하는 삼림(森林).

조합 민주주의【組合民主主義】[—/—이] 명 〖정〗 노동 조합의 조직이나 운영에 전(全)조합원의 의사를 반영하여야 한다는 주의. 조직이 거대(巨大)하여지면 조합의 운영이 흔히 관료주의적(官僚主義的)이 되기 쉬운 경향이 있으므로 주장되는 것임.

조합-비【組合費】명 ①조합의 운영에 필요한 비용. ②조합원(組合員)이 내는 회비(會費).

조합 비:료【組合肥料】명 배합(配合) 비료.

조합-원【組合員】명 조합을 조직한 당사자.

조합 위상 기하학【組合位相幾何學】명 [combinatorial topology] 〖수〗 다면체(多面体)의 단체(單体) 분할에 의한 복체(複體) 등을 대상으로 하여 그들의 위상적 성질을 연구하는 위상 기하학. 오늘날에는 복체와 같은 복합적인 것에서 발전하여 대수적(代數的)인 방향으로 나아가고 있어 대수적 위상 수학이라 일컫고 있음.

조합 은행【組合銀行】명 〖경〗 일정한 지역 내에 있는 은행으로써 조직하는 은행 집회소(集會所) 조합·예금 협정(預金協定) 조합·어음 교환소 조합 등에 가입한 은행.

조합 이:론【組合理論】명 〖수〗 사물의 배열이나 조합을 연구하는 수학의 한 분야.

조합-장【組合長】명 조합의 우두머리.

조합 재산【組合財產】명 〖경〗 민법 상의 조합의 재산. 조합에 귀속(歸屬)하며 모든 조합원이 공유(共有)하는 재산.

조합 전종자【組合專從者】명 사용자와의 고용(雇傭) 관계를 유지한 채, 사실은 취업(就業)하지 않고, 노동 조합의 업무만을 행하는 자. 사용자와의 관계는 휴직(休職)으로 취급됨.

조합-주의【組合主義】[—/—이] 명 노동 조합의 활동을 정치에서 분리하여 경제 투쟁에 한정하고, 자본주의 하에서 노동 운동의 목적을 달성코자 하는 입장. 국제 자유 노련(國際自由勞聯)계의 노동 조합들은 이 입장을 취하고 있음.

조합 주:택【組合住宅】명 주택 조합 조합원이 지은 주택.

조합 채:권【組合債權】[—꿘] 명 〖경〗 조합원 전원(全員)의 공동(共同) 채권.

조합 채:무【組合債務】명 〖경〗 민법 상의 조합이 부담하는 채무. 조합 재산에서 변제되지만, 조합 재산으로 완제(完濟)하지 못할 경우, 채권자는 각 조합원에 대하여 채권을 행사할 수 있음.

조합-초【調合醋】명 다른 조미료(調味料)나 향미료(香味料) 등을 섞어서 만든 초.

조합-회【組合會】명 〖법〗 공공 조합의 의사 기관(意思機關). 조합원으로서 조직함.

조합 회로【組合回路】명 [combinational circuit] 〖전자〗 동시에 들어간 몇 개의 입력(入力)만으로 출력(出力)이 결정되는 스위칭 회로.

조항[1]【祖行】명 할아버지와 같은 항렬. 대부항(大父行).

조항[2]【條項】명 조목(條目).

조:해[1]【阻害】명 '저해(沮害)'의 잘못된 말.

조해[2]【潮害】명 간석지(干潟地) 등에 조수가 들어서 입는 피해.

조해[3]【潮海】명 염분을 함유한 바다.

조해[4]【潮解】명 〖화〗 흡습 용해(吸濕溶解).

조해[5]【藻海】명 북대서양의 북위 20-40도, 서경 30-80도의 해역(海域). 해류에 실려 온 모자반류(類)의 해조(海藻)가 모여, 풍부하게 번식하고 있으므로 이 이름이 있음. 북대서양의 해양 순환(海洋循環)의 거의 중심부에 위치하기 때문에 조류(潮流)는 거의 없음. 또, 강수량(降水量)보다 증발량(蒸發量)이 커서 수온·염분·투명도(透明度)가 높고 플랑크톤은 적음. 사르가소 해(Sargasso 海).

조:해구 운:동【造海溝運動】명 [taphrogeny] 〖지질〗 지구(地溝)나 해구(海溝)를 형성하는 운동. 지괴(地塊) 단층 운동(斷層運動)으로 특징지어지며, 침강(沈降)을 수반함.

조:행[1]【早行】명 아침 일찍이 길을 떠남. 조발(早發). ——-하다 자 여불

조행[2]【操行】명 평상시의 행실. 품행(品行).

조향【調香】명 화장품의 향(香)을 조합(調合)하는 일. ——-하다 자 여불

조향-사【調香師】명 [perfumer] 화장품의 향(香)의 조합(調合)을 전문으로 하는 사람.

조헌[1]【朝憲】명 ①조정(朝廷)의 법규. ②국헌(國憲).

조:-헌[2]【趙憲】명 〖사람〗 조선 선조(宣祖) 때의 문신·학자. 자(字)는 여식(汝式), 호는 중봉(重峰)·도원(陶原)·후율(後栗). 이이(李珥)·성혼(成渾)의 문인(門人). 직간(直諫)으로 왕의 노여움을 받아 유배·파직(罷職)·강등(降等) 등 파란이 많았으나, 임진 왜란 때 의병(義兵)을 일으켜 금산(錦山)서 싸우다 7백 의병 및 아들 완기(完基)와 함께 전사함. 이이(李珥)의 기발 이승 일도설(氣發理乘一途說)을 지지하여, 이이의 학문을 계승 발전시켰음. 영조(英祖) 때 영의정으로 추증됨. 저서로는 ≪중봉집(重峰集)≫·≪중봉 동환 봉사(重峰東還封事)≫가 있고, ≪청구 영언(青丘永言)≫에 시조 3수가 전함. 문묘(文廟)에 배향(配享)됨. 시호는 문열(文烈). [1544-92]

조헌 문:란【朝憲紊亂】[—물—] 명 〖법〗 국헌 문란(國憲紊亂).

조:험[1]【阻險】명 길이 막히고 험난함. ——-하다 형 여불

조:험[2]【照驗】명 비춰 보아서 징험함. ——-하다 타 여불

조현[1]【朝見】명 신하가 임금께 뵘. 조근(朝覲). ——-하다 자 여불

조현[2]【調絃】명 현악기의 음률을 고름. ——-하다 타 여불

조현 대:부【朝顯大夫】명 〖역〗 고려 충렬왕(忠烈王) 때의 문관(文官)의 품계(品階).

조현-례【朝見禮】[—네] 명 〖역〗 새로 간택(揀擇)된 비(妃)·빈(嬪)이 가례(嘉禮) 지낸 뒤에 처음으로 부왕(父王)·모비(母妃)께 뵙는 예식.

조:-현(:)명【趙顯命】명 〖사람〗 조선 영조(英祖) 때의 상신(相臣). 호(號)는 귀록당(歸鹿堂). 영조 4년(1728) 이인좌(李麟佐)의 난 때 공을 세워 풍원 부원군(豐原府院君)에 봉군되었으며 그 후 우의정·영의정을 역임함. 성품이 청렴 검소하고, 언행이 단정 강직하여 공사(公私)에 분명하고, 시종 탕평론(蕩平論)을 주장, 붕당(朋黨)에 끼지 않았음. 문집에 ≪귀록집(歸鹿集)≫이 있고, ≪해동 가요(海東歌謠)≫에 시조 1수가 전함. 시호는 충효(忠孝). [1690-1752]

조현-봉【祖顯峰】명 〖지〗 강원도 강릉시(江陵市)에 있는 산. [1,237 m]

조:혈【造血】명 피를 만듦. ¶ ~제(劑). ——-하다 자 여불

조:혈-기【造血器】명 〖생〗 조혈 조직으로서 몸의 몇몇 부분에 존재하여 적혈구를 만들어 내는 기관. 백혈구도 동시에 만듦. 사람 및 포유류에서는, 발생 초기에는 난황낭(卵黃囊)의 벽에 붙어서 증식(增殖)하는 간엽성(間葉性)의 세포 덩어리로 존재하고, 태생(胎生) 말기 이후에는 주로 골수(骨髓)에서 조혈되며, 나이가 많아지면 체간(體幹)의 골수에서만 조혈이 됨.

조:혈-제【造血劑】[—쩨] 명 〖약〗 빈혈(貧血)의 치료 약제. 철(鐵)결핍성 빈혈에는 환원철(還元鐵)이나 황산철 등의 철제(鐵劑), 악성(惡性) 빈혈에는 소·돼지의 간장이나 비타민 B_{12}가 유효함.

조:혈 조직【造血組織】명 〖생〗 혈구(血球) 특히 적혈구를 만드는 조직. 생후는 주로 골수(骨髓) 속에서 볼 수 있고 태내(胎內)에서는 난황낭(卵黃囊)·간장·비장 등에 산재하고 있음.

조협【皁莢】명 〖한의〗 쥐엄나무 열매의 껍데기. 장조협(長皁莢)·저아조협(猪牙皁莢)의 두 가지가 있는데 모두 약으로 씀. 성질은 따스하고 맛은 시며 짠데, 독이 조금 있으며, 중풍(中風)·편두통(偏頭痛)·마비(痲痺) 또는 살충약으로 씀. 아조(牙皁). 조각(皁角).

조협-자[1]【皁莢子】명 〖한의〗 쥐엄나무 열매의 씨. 장(腸)을 유화(柔和)시키고 풍열(風熱)을 다스리는 약으로 씀. 아조자(牙皁子). 조각자(皁角子). 천정(天丁).

조협-자[2]【皁莢刺】명 〖한의〗 쥐엄나무의 가시. 성질은 온한데 옹창(癰瘡)과 대풍(大風)을 다스리는 약으로 외과(外科)에 많이 쓰임. 조각자(皁角刺). 천정(天丁).

조:형【造形·造型】명 ①여러 가지 것을 사용하여 어느 관념에서 형체 있는 것을 만들어 냄. ②조형 예술. ③기계 공학에서, 주형(鑄型)을 만듦. ——-하다 자 여불

조:형-기【造型機】명 주로 압축 공기를 동력으로 하여, 자동적으로 모래를 다져, 주형(鑄型)을 만드는 기계. 동일한 주형을 많이 만드는 데 이용됨.

조:형 미술【造形美術】명 조형 예술.

조:형 예:술【造形藝術】[一녜一] 명 예술 상의 분류의 하나. 물질적 재료를 써서 사물을 유형적으로 표현함으로써 성립하며, 전적으로 시각(視覺)을 대상으로 하는 미술. 조각·회화(繪畫)·건축·공예 등. 조형(造形). 공간(空間) 예술.

조:혜【早慧】명 나이가 어려서부터 슬기가 있음. 숙성함.

조:호[1]【助護】명 도와서 보호함. ——-하다 타 여불

조호[2]【調號】명〖악〗조표(調標).

조호[3]【調護】명 ①매만져서 보호함. ②〖역〗고려 때 동궁(東宮)의 한 벼슬. 충렬왕(忠烈王) 3년(1277)에 베풀었음. ——-하다 타 여불

조호[4]【竈戶】명〖역〗중국 원(元)·명(明)·청(淸)나라의 염제조업자(塩製造業者)의 일컬음. 이에 부과하는 세를 조세(竈稅)라 함. 당(唐)나라에서는 정호(亭戶)라 하였음.

조호르〔Johore〕명〖지〗말레이시아 연방의 한 주(洲). 반도의 최남단에 위치하고 있어 싱가포르와 다리로 연결되며, 풍광이 아름다움. 주민은 말레이인과 중국인을 주로 하고, 고무가 주산물로서 수출품의 대부분을 차지하며, 야자유·후추 등도 산출함. 주도는 조호르 바루(Johore Bahru). [19,061 km²: 1,963,600 명(1987)]

조호르 바루〔Johore Bahru〕명〖지〗말레이시아 조호르 주(州)의 주도(主都). 싱가포르와 타이의 방콕을 잇는 철도가 통과함. 파인애플 재배·가공 및 야자유·제분 공업이 성함. [246,400명(1980)]

조호르수로【一水路】〔Johore〕명〖지〗말레이 반도 남단의 조호르 주(州)와 싱가포르 섬과의 사이에 있는 좁은 해협.

조호-미【彫胡米】명 줄의 열매.

조-호(:)익【曺好益】명〖사람〗조선 선조(宣祖) 때의 학자. 자(字)는 사우(士友), 호는 지산(芝山). 창녕(昌寧) 사람. 이황(李滉)의 문인. 선조 25년(1592) 임진 왜란 때, 소모관(召募官)이 되어 군민(軍民)을 규합, 중화(中和)·상원(祥原) 등지에서 전공을 세웠으며, 그 후 성주(星州)·안주(安州)·정주(定州)·성천 목사(成川牧使) 등을 지냄. 동 30년(1597) 정유 재란(丁酉再亂) 때에도 강동(江東)에서 의병을 일으켜 활약하였음. 죽은 뒤 이조 판서에 추증(追贈)됨. 저서에 《지산집(芝山集)》·《가례고증(家禮考證)》·《주역 석해(周易釋解)》 등이 있음. 시호는 문간(文簡). [1545-1609]

조호-장【調護長】명〖역〗대한 제국 때, 각 군대와 육군 위생원(衛生院)의 한 벼슬. 일등·이등·삼등의 계급이 있었고, 군인의 질병 치료에 종사하였음.

조:혼[1]【早婚】명 혼인할 나이가 채 못 되어서 혼인함. 또, 그 혼인. ↔만혼(晩婚). ——-하다 자 여불

조:혼[2]【助婚】명 ①혼인의 비용을 도와 줌. ②혼인에 새색시 집이 구차한 경우에 새서방 집에서 돈을 보태 줌. ——-하다 자 여불

조:혼-전【助婚錢】명 혼인 때에 신부 집이 군색할 경우에, 신랑 집에서 그 비용으로 보태어 주는 돈.

조홀【粗忽】명 간략하고 경홀(輕忽)함. ——-하다 형 여불

조홈 형〈옛〉조촐함. 깨끗함. '조타[1]'의 명사형. ¶法界 조호물 어드리니(得法界淨)《圓覺 序 57》/조홈과 더러움 괘 둘 아니오(淨穢不二)《圓覺 上 一之二 57》.

조:홍[1]【早紅】명 감의 한 가지. 여느 것보다 일찍 익고 빛깔이 썩 붉음.

조홍[2]【朝虹】명 아침에 서쪽에 서는 무지개. 큰비가 올 징조라 함.

조홍[3]【潮紅】명 부끄러워서 얼굴이 붉어짐.

조홍-소【藻紅素】명〖생〗홍조류(紅藻類)가 함유하고 있는 홍색의 색소(色素). 홍조소(紅藻素). 피코에리트린(phycoerythrin).

조:홍-시【早紅柿】명 조홍(早紅)을 똑똑히 일컫는 말.

조:홍시-가【早紅柿歌】명〖문〗박인로(朴仁老)가 지은 시조의 하나. 작자가 한음(漢陰) 이덕형(李德馨)이 보낸 조홍시(早紅柿)를 보고 어머니를 생각하고 지은 작품. 4수.

조:화[1]【弔花】명 조상(弔喪)하는 뜻으로 깃에 달거나, 관(棺)이나 상가(喪家)에 바치는 꽃.

조:화[2]【造化】명 ①대자연의 이치를 가리키는 말로, 모든 물건을 만들어 기른다는 뜻. ¶~의 신(神). ②사람의 힘으로는 어찌할 수 없이 신통하게 된 사물을 가리키는 말. ¶~의 묘(妙).

조:화(를) 부리다 구 어떤 신비로운 힘으로 기묘하게 변화를 일으키다.

조:화[3]【造花】명 인공으로 만든 꽃. 가화(假花). ↔생화(生花).

조화[4]【彫花】명〖공〗도자기에 꽃무늬를 새김. ——-하다 자 여불

조화[5]【彫畫】명 그림을 조각함. 또, 조각한 그림.

조화[6]【調和】명 ①이것저것을 서로 잘 어울리게 함. ②이것저것이 서로 모순되거나 어긋남이 없이 잘 어울림. 조균(調均). 해화(諧和). 어울림. ¶~의 미(美)/빛깔이 잘 ~되다. ——-하다 자 여불

조:화[7]【遭禍】명 재앙을 만남. ——-하다 자 여불

조화 곡선형 감:퇴【調和曲線型減退】명〔harmonic decline〕석유(石油) 또는 가스의 산출률(産出率)이 나타내는 세 감퇴 형식의 하나로, 산출률에 비례하여 감퇴하는 일. 다른 두 개는 일정률에서의 감퇴나 쌍곡선적인 감퇴.

조화 급수【調和級數】명〔harmonic progression〕〖수〗각항(各項)의 역수(逆數)가 등차 급수(等次級數)를 이룬 급수.

조화-롭다【調和一】형 ㅂ불 조화가 되어 모순되거나 어긋남이 없다. 조화-로이【調和一】부

조:화 무궁【造化無窮】명 신통(神通)하게 일어나는 변화가 한없이 많음. ——-하다 자 여불

조화-미【調和美】명 조화된 아름다움.

조화 비:례【調和比例】명〖수〗a, b, c 사이에 $a-b : b-c = a : c$의 관계가 있을 때 a, b, c는 조화 비례의 관계에 있다고 하는 피타고라스 학파의 비례론(比例論) 용어.

조:화 사:상【造化思想】명〖대종교〗대종교(大倧敎)의 중심 교리(敎理) 가운데의 하나. 조화를 창조(創造)라 통칭하나, 창조란 절대 유일신(絕對唯一神)인 하느님이 우주 만물을 하나하나 만들어냈다는 뜻이고, 조화(造化)란 하느님이 우주 만물을 이룩하는 데 천도(天道)로써 만들어 되게 했다는 과정을 뜻하는 말.

조화-성【調和性】[一썽] 명 조화를 이루는 성질.

조화 수:열【調和數列】명〖수〗각항(各項)의 역수(逆數)가 등차 수열(等次數列)을 이룬 수열.

조화 수조【調和水槽】명 식물 발육에 필요한 10 원소 가운데, 어느 것이든지 최저 필요량 이하가 되면 순조로운 생육을 할 수 없음을 나타낸 리비히(Liebig)의 최소 필요량의 법칙을 설명하기 위하여 도식화(圖式化)한 물통. 10 원소를 물통을 둘러싼 10장의 판(板)에 비유하여 그린 것으로, 한 장의 판이 1원소를 나타내고, 판의 높이가 그 양(量)을 나타냄. 이 물통에 채울 수 있는 물의 양은 가장 낮은 판의 높이에 의하여 정해지는데, 이와 같이 원소의 최저량(最低量)에 의하여 식물의 생육(生育)이 정해짐을 나타냄.

조:화-신【造化神】명 조물주(造物主).

조:화 신공【造化神功】명 만물을 창조한 신의 공로.

조:화-옹【造化翁】명 조물주(造物主).

조화 운:동【調和運動】명〖공〗시간의 사인 함수(sine 函數)로 표시되는 주기적 운동. $x = a\cos(kt+\theta)$로 나타내는 직선에 따르는 운동. 여기서 t는 시간의 배개 변수(媒介變數), a, k, θ는 상수(常數)임.

조화 월석【朝花月夕】[一썩] 명 화조 월석(花朝月夕).

조화의 법칙【調和一法則】[一/一에一] 명〖천〗행성(行星)의 공전 주기(公轉週期)의 제곱과 타원(楕圓)의 긴지름의 세제곱과의 비(比)는 각 행성이 모두 같다는 학설. 16세기 독일의 천문학자 케플러(J. Kepler)가 발견한 세 가지 법칙 중의 제3 법칙. *케플러의 법칙.

조화-적【調和的】명 관 이것저것을 서로 잘 어울리게 하는 모양. 잘 어울리는 모양.

조화 점렬【調和點列】[一녈] 명〖수〗두 점 C·D가 각각 선분 AB를 같은 비(比)로 내분(內分) 및 외분(外分)할 때, C·D는 AB를 조화(調和)로 나눈다고 하며, 두 쌍(雙)의 점 A·B, C·D는 조화 점렬을 이룬다고 함.

조:화 정부【造化政府】명〖증산교〗증산교(甑山敎)의 사상. 강증산(姜甑山)의 지휘 아래 지난 세상 즉, 선천(先天)의 잘못들을 바로잡으며 이상 사회(理想社會)를 실현할 것을 결의하고 그 결의 사항을 신명(神明)들의 기능에 따라 처결하는 공정(公庭)과 기관을 두고 행한다는 사상임.

조화 중항【調和中項】명〖수〗a, x, b가 조화 수열(數列)이 될 때, x를 a, b에 대해서 이르는 말.

조화 진:동【調和振動】명〖물〗하나의 고유한 진동수로, 일정한 진폭으로 진행되는 가장 단순한 진동.

조화 진:동자【調和振動子】명〖물〗단진동(單振動)을 하는 진동체. 탄성(彈性) 진동·전기(電氣) 진동 등에서 볼 수 있음.

조화 평균【調和平均】명〔harmonic mean〕〖수〗통계적 평균치(値)의 하나. 몇 개의 수가 주어졌을 때, 그것들의 역수(逆數)의 상가(相加) 평균의 역수를 그것들의 조화 평균이라 함. 두 수 a, b의 조화 평균은 $\frac{2ab}{a+b}$와 같음.

조화 함:수【調和函數】[一쑤] 명〔harmonic function〕〖수〗함수의 하나. 라플라스(Laplace)의 미분 방정식 $\Delta u = \frac{\partial^2 u}{\partial x^2} + \frac{\partial^2 u}{\partial y^2} = 0$을 만족시키는 x, y의 함수 u의 일컬음. 우조화(優調和) 함수.

조화 해:석【調和解析】명〖수〗일반적으로 어떤 함수를 사인 함수의 합(合)으로 분해하는 일. 푸리에 급수 또는 푸리에 적분으로 표시됨.

조화 해:석기【調和解析器】명〖수〗주기 함수(周期函數)의 그래프로부터 푸리에 급수(Fourier 級數)의 각 계수(係數)를 구하는 계산기(計算器)의 하나.

조:환【吊環】명 링(ring)❺.

조:환 운:동【吊環運動】명 링 운동.

조:홧-속【造化一】명 어떻게 된 것인지 알 수 없는 신통한 일의 속내. ¶이게 당최 무슨 ~인지 모르겠다.

조:황【釣況】명 낚시질의 상황(狀況).

조-황련【朝黃蓮】[一년] 명〖식〗깽깽이풀.

조회[1]【朝會】명 ①〖역〗모든 벼슬아치가 함께 정전(正殿)에 모여 왕께 조현(朝見)함. ②아침에 학교나 관청 등에서 아침 인사·지시 사항(指示事項)·생활 반성(生活反省)·체조(體操) 등을 하기 위한 모임. 조례(朝禮). ——-하다 자 여불

조:회[2]【照會】명 ①무엇을 묻거나 알리기 위해 공문을 보냄. 또 그 공문. ②어떤 사항에 관하여, 관련된 기관에 공적(公的)으로 물어 봄. ¶신원 ~. ——-하다 타 여불

조회-악【朝會樂】명〖악〗왕세자와 백관(百官)이 정전(正殿)에서 임금을 알현(謁見)하는 의식에 쓰이는 음악.

조:회-장【照會狀】[一짱] 명 조회하기 위하여 작성한 문서.

조:효[1]【早曉】명 이른 새벽. 밝을 무렵.

조효[2]【粗肴】명 변변하지 않은 안주. 또, 대접하는 쪽에서 안주를 권할 때의 겸칭(謙稱). ¶박주(薄酒) ~.

조효[3]【嘲哮】명 짐승이 큰 소리로 짖어댐. 포효(咆哮). ——-하다 자 여불

조:-효소【助酵素】명〔coenzyme〕〖화〗효소 단백질과 결합하여 효소 작용

을 일으키는, 단백질(蛋白質)이 아닌 유기물로 된 효소. 일반적으로 열(熱)에 강하며 효소와 결합하여 촉매(觸媒)작용을 함. 비타민 중에는 조효소 성분이 되는 것이 많으므로 생체(生體)에 있어 매우 중요한 물질임. 보(補)효소. 코엔자임.

조:효 협심증【早曉狹心症】[—쯩] 명 〖의〗 협심증의 하나. 관상(冠狀) 동맥 경화의 한 증상인데 말초의 세(細)동맥이 심장 근육내에서 경화(硬化)하여 심근(心筋)에서의 산소 공급 부족에서 오는 심장의 통증(痛症)을 주증상(主症狀)으로 함. 층계를 오를 때 발작을 일으키는 수도 있으나 흔히 이른 새벽에 빈발함.

조후¹ 명 〈방〉 종이¹(경북).

조후²【兆候】 명 조짐의 동태(動態).

조후³【潮候】 명 조수가 드나드는 시각. 조신(潮信).

조후⁴【嘲詬】 명 비웃으며 비난함. ——-하다 타 여불

조후⁵【雕朽·彫朽】 명 〔썩은 나무에 조각한다는 뜻으로〕 사물(事物)의 쓸모없음의 비유.

조후 곡선【潮候曲線】 명 〔marigram〕 〖지〗 조석의 상승(上昇)·하강(下降)의 관측 기록. 가로축(軸)에 시간, 세로축에 수위(水位)를 잡아서 조석(潮汐)을 나타낸 곡선.

조후-차【潮候差】 명 달이 자오선(子午線)을 통과해서부터 만조(滿潮)가 될 때까지의 평균 시간. 평균 고조 간극(平均高潮間隙).

조후 추산기【潮候推算機】 명 〖지〗 어떤 장소에서의 조석(潮汐)을 미리 계산하고, 또 그것을 계속해서 자기(自記)케 하는 기계. 미래(未來)의 조석의 예보나 과거의 조석의 추산에 이용됨.

조훈【祖訓】 명 조상이 내린 훈계(訓戒). 조상의 가르침.

조휘【朝暉】 명 아침 햇빛. 조광(朝光). 신휘(晨暉).

조:휼【弔恤】 명 불쌍히 여기고 조상하여 위로함. ——-하다 타 여불

조흔¹【爪痕】 명 ①물건에 붙어 있는 손톱의 자국. ②손톱으로 할퀸 상처(傷處). 손톱 자국.

조흔²【條痕】 명 ①줄을 친 자국. ②〖광〗애벌 구운 자기(瓷器)에 광물을 문질렀을 때 나는 줄의 자국. 광물의 가루가 그 위에 붙은 것으로서, 그 빛은 각 광물에 특유(特有)하므로 광물의 감정(鑑定)에 널리 쓰임.

조흔-색【條痕色】 명 〖광〗 조흔(條痕)으로 나타난 광물의 빛깔.

조:흘-강【照訖講】 명 〖역〗 과거를 보는 유생(儒生)에게 시험 보기 전에 먼저 성균관(成均館) 또는 각 읍(各邑) 수령(守令)이 주재(主宰)하여 호적(戶籍)의 대조를 마치고, 소과 복시(小科覆試)에는 소학(小學)과 가례(家禮)를, 대과 복시(大科覆試)에는 경국 대전(經國大典)과 가례(家禮)를 임문(臨文)으로 강(講)하게 하던 일. 이에 합격한 사람에게 조흘첩(照訖帖)을 주어 과거를 보게 하였음.

조:흘-첩【照訖帖】 명 〖역〗 과거보기 전에 성균관(成均館) 또는 각 읍(各邑) 수령(守令)이 주재(主宰)하여 행하는 조흘강(照訖講)에 합격한 사람에게 주던 증서(證書). 이것이 있는 사람만이 과거를 볼 자격이 있었음.

조:흥【助興】 명 흥취(興趣)를 도움. ——-하다 자 여불

조:흥-세【助興稅】 [—쎄] 명 1920년 당시에 경성부(京城府)가, 요리점에 나와 손님에게 화대(花代)를 받고 놀아 준 기생에게 시간당(時間當)으로 따져 거두던 세금.

조흥 은행【朝興銀行】 명 시중 은행의 하나. 1943년 10월에 구(舊)한성(漢城) 은행과 동일(東一) 은행이 합병하여 설립되었으며, 1945년 야스다(安田) 은행의 업무 일체를 인수하였음. 보통 은행 업무를 담당함.

조희¹【朝曦】 [—히] 명 〔희(曦)는 햇빛〕 아침 햇빛. 조광(朝光).

조희²【嘲戱】 [—히] 명 빈정거리며 희롱함. ——-하다 타 여불

조희³【調戱】 [—히] 명 ①희롱하여 놀림. 파롱(簸弄). ②고려 때, 재담과 익살 등으로 이끌어가던 즉흥극. 당시에 우희(優戱)·배우희(俳優戱) 등은 조희였을 것으로 추측됨. 조선 시대에는 소학지희(笑謔之戱)로 계승되었음. ——-하다 타 여불

조:-희룡【趙熙龍】 [—히—] 명 〖사람〗 조선 후기의 화가. 자는 치운(致雲), 호는 우봉(又峰)·호산(壺山)·매수(梅叟)·단로(丹老). 함안(咸安) 사람. 김정희(金正喜)의 문인. 서화(書畫)에 뛰어나 글씨는 추사체(秋史體)를, 그림은 특히 매화(梅花)를 잘 그렸음. 헌종(憲宗) 10년(1844) 박태성(朴泰星) 등 41명의 전기를 수록한 ≪호산 외사(壺山外史)≫와 작품 ≪매화 대병(梅花大屛)≫·≪홍매도(紅梅圖)≫·≪수묵 산수도(水墨山水圖)≫ 등이 있음. [1797-?]

조히¹ 〈옛〉 조가. '조¹'의 주격형. ¶날로 불근 조히 서구물 듣ᄂᆞ니(日聞紅粟腐) ≪杜諺 V:14≫ / 힌 이스레 누른 조히 니그니(白露黃粱熟) ≪初杜諺 Ⅶ:39≫.

조히² 부 〈옛〉 조촐히. 깨끗이. ¶모몰 조히 ᄒᆞ시며(潔己) ≪圓覺 上 一之二 99≫/滄波에 조히 시슨 몸을 더러일가 ᄒᆞ노라 ≪永言≫/三業 조히 닷골 第三이라(淨修三業第三) ≪永嘉 上 5≫.

조ᄒᆞᆫ 형 〈옛〉 깨끗한. '조타'의 활용형. ¶조ᄒᆞᆫ 나라해 가 나거든(往生淨國) ≪佛頂 上 4≫.

조ᄒᆞᆯ 〈옛〉 조를. '조¹'의 목적격형. ¶ᄒᆞᆫ 맔 조ᄒᆞᆯ 營求ᄒᆞ니(營斗粟) ≪初杜諺 XXV:42≫.

조히오다 타 〈옛〉 깨끗하게 하다. 맑게 하다. ¶各各 ᄆᆞᅀᆞᄆᆞᆯ 조히와 듣고(各令淨心聞了) ≪六祖 上 47≫/悟人은 제 ᄆᆞᅀᆞᄆᆞᆯ 조히오ᄂᆞ니(悟人自淨其心) ≪六祖 上 91≫.

족¹ 명 〈옛〉 쪽 빛. 남색(藍色). ¶족 람(藍) ≪字會 上 9≫/흐르ᄂᆞᆫ 므른 파라호미 족 ᄀᆞᆮ도다(流水碧如藍) ≪南明 下 10≫.

족²【足】 ㊀명 소·돼지 등의 다리 아랫 부분을 식용(食用)으로 일컫는 말. ¶~탕(湯). ㊁ 의명 켤레. ¶양말 일~.

족:³ 부 ①무엇이 한 줄로 잇따라 줄지어 있는 모양. ¶한 줄로 ~ 서다. ②동작이 거침없이 곧장 나아가는 모양. ¶~ 읽어 가다. ③종이나 피륙을 찢는 소리. ④입으로 빠는 소리. ¶빨대를 대고 ~ 빨아 먹다. 1)-4): 쓰쪽. <죽.

-족【族】 미 ①명사 밑에 붙어, 한 조상에서 갈라져 나온 같은 혈통의 무리를 뜻하는 말. ¶아파치~/여진~. ②명사 밑에 붙어, 일정한 범위를 형성하는 같은 종류의 사람을 뜻하는 말. ¶장발(長髮)~/히피~.

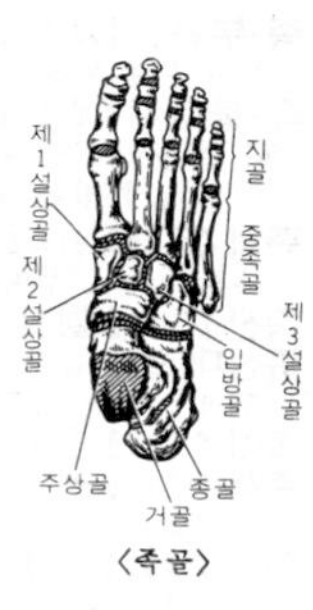

〈족골〉

족가【足枷】 명 〖역〗 차꼬. *족쇄(足鎖).

족건【足件】 명 〈궁중〉 버선.

족견【足肩】 명 목기(木器)의 다리의 윗부분.

족골【足骨】 명 〖생〗 족부(足部)를 구성한 뼈의 통칭. 발뼈. *족근골.

족-과평생【足過平生】 명 한 평생을 넉넉히 지낼 만함. ¶소인은 더 바랄 것 없이 이천 원만 생기면 ~을 하고 자손대까지라도 물려 주겠습니다 ≪崔瓚植:春夢≫. ——-하다 형 여불

족-관절【足關節】 명 〖생〗 ①발에 있는 모든 관절의 총칭. ②하퇴(下腿)와 족근골(足根骨) 사이의 거퇴(距腿)관절과 족근골 상호 간에 있는 몇 개의 족근골 간(足根骨間) 관절의 병칭(倂稱).

족구【足球】 명 ①야구와 비슷한 규칙 아래, 발로 공을 차서 두 팀이 승부를 다투는 구기(球技). ②공을 발로 차 넘겨 배구처럼 하는 구기.

족근-골【足根骨】 명 〖생〗 발 뒤꿈치 부분에 있는 일곱 개의 뼈. 거골(距骨)·종골(踵骨)·주상골(舟狀骨)·입방골(立方骨)·제1 설상골(楔狀骨)·제2 설상골·제3 설상골의 일곱 뼈의 총칭(總稱). 발목뼈. 부골(跗骨). [*족골(足骨).

족기【族只】 명 '조끼'의 취음(取音).

족내-혼【族內婚】 명 〔endogamy〕 미개 민족의 혼인 관습의 하나. 동일 집단(同一集團), 곧 같은 종족·씨족·카스트(caste) 사이에서 행하는 혼인. 내혼(內婚). ↔족외혼(族外婚).

족답【足踏】 명 ①발로 밟음. ¶~기(機). ②족적(足迹).

족당【族黨】 명 족속(族屬).

족대¹ 명 어구(漁具)의 한 가지. 작은 반두와 같되 가운데 불이 처지게 되었음.

〈족대¹〉

족대²【足臺】 명 목기(木器)의 발 밑에 건너 대는 널.

족대기다 타 ①남을 견디지 못하게 볶아치다. ②함부로 우겨대다.

족-대모【族大母】 명 족대부의 아내.

족-대부【族大父】 명 대부(大父)뻘이 되는 동성(同姓)의 먼 일가붙이. ↔족손(族孫).

족도【足蹈】 명 발로 뛰는 짓. ——-하다 자 여불

족도리 명 ☞족두리.

족두리 명 〔근대:족두리〕 의식(儀式) 때 부인네가 쓰는 관(冠)의 일종. 위는 분명하지 않게 여섯모가 지고, 아래는 둥글고 검은 비단으로 된 관으로, 머리에 들어 얹어 매고, 잠(簪)을 지르게 되었음. 칠보 족두리·민족두리·조색(皁色) 족두리 등이 있음. 주의 '簇頭里'로 씀은 취음(取音).

〈족두리〉

족두리-잠【—簪】 명 족두리를 머리에 얹고 지르는 비녀.

족두리-전【—廛】 명 족두리와 노리개를 파는 가게.

족두리-풀 명 〖식〗 〔*Asiasarum heterotropoides* var. *seoulense*〕 세신과(細辛科)에 속하는 다년초. 근경(根莖)은 가늘고 마디가 있으며 다육질(多肉質)에 매운 맛이 있음. 잎은 꼭지가 길고 줄기 끝에 두 조각씩 달리며 길이 30cm 가량의 둥근 달걀꼴 또는 신상(腎狀) 달걀꼴을 이룸. 잎이 피기 전 4-5월경에 홍자색 꽃이 줄기 끝과 잎 사이에서 나온 긴 꽃줄기 끝에 하나씩 달리며 해면질(海綿質)의 과실을 맺음. 산지의 숲 밑에 나는데, 거의 한국 전역에 분포함. 뿌리는 '세신(細辛)'이라 하여 약재로 씀.

〈족두리풀〉

족두리-하님 명 혼행(婚行) 때 신부를 따라가는 하인의 하나. 계집아이에게 향꽂이를 들리고 당의를 입히고 족두리를 씌웠음.

족두리-함【—函】 명 족두리를 넣어 두는 함.

족류【族類】 [—뉴] 명 ①일족(一族). ②동족(同族). ③친족(親族).

족립【簇立】 [—닙] 명 몰려서 서 있음. 밀집하여 서 있음. ——-하다 자 여불

족망【族望】 명 가문(家門)의 성망.

족멸【族滅】 명 일족(一族)을 남김없이 멸망시킴. ——-하다 타 여불

족박 명 〈방〉 쪽박.

[족박에 밤 담아 놓은 듯] 올망졸망한 모양. ¶족박에 밤 담아 놓은 것 같은 아이들 오 남매와 ≪李人稙:牡丹峰≫.

족-박자【足拍子】 명 발로써 맞추는 장단. 발장단.

족반-거상【足反居上】 명 아래 될 것이 위가 되어 거꾸로 뒤집힘. ——-하다 자 여불

족-발【足—】 명 족여서 각뜬 돼지의 발모가지.

족배-근【足背筋】 명 〖생〗 발등 부분의 근육.

족병【足餠】 명 족편.

족보【族譜】 명 한 족속의 세계(世系)를 적은 책. 세지(世誌). 성보(姓譜). 씨보(氏譜).

족-볶이【足—】 명 〈방〉 주저탕.

족부¹【足部】 명 〖생〗 발에서부터 발목까지의 언저리.

족부²【族父】 명 씨족(氏族)·부족(部族)의 우두머리.

족부-권【族父權】 [—꿘] 명 족장(族長)이 갖는 통솔권(統率權).

족-부족간【足不足間】 뷔 자라든지 모자라든지 간에. ¶~에 공평히 나누기나 해 봐라.

족-불리지【足不履地】 명 발이 땅에 닿지 않을 정도로 썩 급히 달아나거나 걸음. ¶늦돌이더러 건장한 하인 두 명을 영솔하고 가서 칠성 어미를 ~하게 잡아 오되…≪李海朝 : 九疑山≫. ——-하다 자여불

족사【足絲】 명〖동〗 부족류(斧足類)에 있는 실 모양의 분비물(分泌物). 다른 물건에 부착되는 작용을 함. 섭조개 등에서 볼 수 있음.

족산【族山】 명 일가의 뫼를 함께 쓴 산. 선산(先山).

족산대 명 그물의 한 가지. 두 막대기 사이에 그물을 맨 것으로, 손으로 두 막대기를 잡고 떠 올림.

족살【族殺】 명 일족(一族)을 남김없이 죽임. ——-하다 타여불

족생【族生】 명 풀숲 등의 떨기가 더부룩하게 남. 총생(叢生). ——-하다 자여불

족성【族姓】 명 ①족속(族屬)과 성씨(姓氏). ②어느 종류의 문벌(門閥)을 가리키는 말.

족속【族屬】 명 같은 종문(宗門)이나 계통(系統)에 속하는 겨레붙이. 족당(族黨).

족손【族孫】 명 같은 성을 가진, 유복친(有服親) 이외의 손자 항렬의 사람. ↔족대부(族大父).

족쇄【足鎖】 명〖역〗 죄인 발목에 채우는 쇠사슬. *족가(足枷).

〈족쇄〉

족숙【族叔】 명 같은 성을 가진 유복친(有服親) 이외의 아저씨뻘 항렬이 되는 남자. ↔족질(族姪).

족-신경절【足神經節】 명〖동〗 발신경절.

족심【足心】 명 발바닥의 중앙 발바닥이 오목하게 들어간 곳.

족연【族緣】 명 친족의 인연.

족완【足腕】 명〖생〗 발회목.

족외-혼【族外婚】 명 [exogamy] 미개 민족의 혼인 관습의 하나. 동일 집단(同一集團)에 속하는 사람끼리의 혼인을 금하고, 다른 집단원(集團員)과 하는 결혼. 외혼(外婚). 씨족 외혼(氏族外婚). 이족 혼인(異族婚姻). ↔족내혼(族內婚). *토테미즘(totemism).

족욕【足浴】 명〖의〗 두열 족한(頭熱足寒)으로 두통·현기증(眩氣症)·불면증(不眠症)이 생겨 고통 받는 사람에게 적용하는 물리적 요법(物理的療法). 처음에는 온수(溫水) 속에서 두 발을 마찰하고, 뒤에 냉수로 두 발을 마찰하는 방법.

족음【足音】 명 발자국 소리. 공음(跫音).

족이다 타 ☞ 족치다❸. ¶만일 제 몸에 아니 가진 것을 잡아 ~가, 그런 일 없다고 내뻗는 날이면…≪李海朝 : 雨中行人≫.

족인【族人】 명 같은 종문(宗門)이면서 유복친(有服親)이 아닌 겨레붙이. *족속(族屬).

족자【簇子】 명 ①글씨나 그림 등을 꾸며서 벽에 걸게 만든 축(軸). 떼어서 말아 두게 되었음. ②〖역〗 정재(呈才) 때에 쓰는 제구의 일종.

족자-걸이【簇子—】 명 족자(簇子)를 높은 곳에 걸기 위하여 쓰는 막대기. 두 갈래로 된 쇠붙이를 끝에 달았음.

족자리[1] 명 옹기 등의 좌우 쪽으로 달린 손잡이.

족자리[2] 명〈방〉 조자리.

족자카르타 [Djokjakarta] 명〖지〗 인도네시아 자바 섬 중부의 도시. 메라피(Merapi) 화산의 남쪽 기슭에 있으며 이 일대는 자바 전통 문화의 중심을 이룸. 자바 사라사·은(銀) 세공 등의 수공업이 성하며 북방 50 km에는 유명한 불교의 유적인 보로 부두르(Boro Budur)가 있음. 제2차 대전 후 한때 수도이었음. [399,000 명(1980)]

족잡개 명〈방〉 족집게(제주).

족장[1]【足掌】 명 ①발바닥. ②〈궁중〉 발.

족장(을) 맞다 구 족장 침을 당하다.

족장(을) 치다 구 동상례(東床禮)를 받아 먹으려고 장난 삼아 신랑(新郞)을 거꾸로 매달고 발바닥을 때리다.

족장[2]【族丈】 명 동성(同姓)의 유복친(有服親) 이외의 윗 항렬(行列)이 되는 어른.

족장[3]【族長】 명 일족(一族)의 우두머리 되는 사람. 민족·종족(種族)·부족(部族)·가족 등의 장(長).

족장-골【足掌骨】 명〖생〗 발바닥뼈.

족장 국가【族長國家】 명〖정〗 고대 국가의 가장 오랜 단계에 있어서의 국가. 씨족(氏族) 제도 밑에서 가장(家長) 또는 장로(長老)들 가운데 가장 유력한 자가 제사·수렵·외적으로부터의 방위 및 전쟁·토지 분배 등을 통하여 족장(族長) 정치를 행하는 국가. 지배권(支配權)은 일부다처제(一夫多妻制)·남계(男系) 장자(長子) 상속제에 의한 전통적인 지배 계급의 씨족을 통하여 계승됨.

족장 대야【足掌—】 명〈궁중〉 발을 씻는 대야.

족-장아찌【足—】 명〈방〉 장족편.

족-장이【足匠—】 명〈은어〉 제화공(製靴工).

족장 정치【族長政治】 명〖정〗 족장 국가(族長國家)에서 행하는 정치 제도.

족장-톱【足掌—】 명〈궁중〉 발톱.

족장톱(을) 가시다 구〈궁중〉 발톱을 깎으시다.

족저비 명〈방〉〖동〗 족제비.

족적[1]【足炙】 명 삶은 쇠족을 저미어 갖은 양념을 발라 다시 구운 적.

족적[2]【足迹·足跡】 명 ①발자국. ②경험해 온 일의 자취.

족적[3]【族籍】 명 족칭(族稱)과 본적(本籍).

족전[1]【足膞】 명 쇠족 지짐이.

족전[2]【族田】 명〖역〗 의전(義田)·제전(祭田)·묘전(墓田) 등 중국의 동족적(同族的) 총유(總有) 재산으로서의 소유지. 보통, 동족 가운데서 윤번제(輪番制)로 그 관리인이 지정되었음.

족정【足丁】 명〖역〗 고려 때, 토지의 수세 단위(收稅單位)로, 17결(結)의 토지. 남자가 20살이 되면 군역(軍役)을 담당하고 1족정, 곧 17결의 토지를 지급받음.

족제[1]【族弟】 명 유복친(有服親) 이외의 아우뻘이 되는 남자. *족형(族兄).

족제[2]【族制】 명 가족 또는 씨족(氏族)과 같이, 혈연(血緣) 관계에 의하여 결합하는 집단(集團) 제도.

족제비 명 [근대 : 죡져비]〖동〗 ①족제빗과 포유 동물의 총칭. ②[*Mustela sibirica coreana*] 족제빗과의 동물. 몸길이 수컷은 30-37 cm, 암컷은 16-22 cm 가량임. 털빛은 보통 황적갈색에 광택이 나며, 상하 입술과 턱은 백색이고, 주둥이 끝은 흑갈색을 이룸. 평지·물가·인가 근처의 나무 뿌리·돌무덤 등의 굴에 서식하며, 들쥐·집쥐·새·뱀·개구리·곤충 등을 잡아 먹는 유익(有益)한 동물인 한편, 닭 등을 해치기도 하는데, 한국 및 일본·대만·만주 등지에 분포함. 목도리·오버 등의 방한용의 의복(衣服)에 사용하고 붓도 만듦. 서랑(鼠狼). 유서(鼬鼠). 황서(黃鼠). 황서랑(黃鼠狼).

〈족제비❷〉

[족제비 꼬리 보고 잡는다] 족제비는 긴요하게 쓸 부분인 꼬리가 있으므로 잡는다는 뜻으로, 모든 일은 까닭이 있어 행한다는 말. [족제비 난장 맞고 홍문재 넘어가듯] 겁결에 정신을 잃고 죽을둥 살둥 허겁지겁 달아나는 모양. [족제비도 낯짝이 있다] 염치없는 사람을 나무라는 말. [족제비 똥 누듯 한다] 눈물을 조금씩 흘리는 형상을 비유하는 말. [족제비 밥 탐하다 치어 죽는다] 이겨 내지도 못하면서 너무 많이 먹으려다 망신한다는 말. [족제비 잡아 꽁지는 남 주었다] 가장 필요하고 소중한 것은 남을 주었다는 말. [족제비 잡으니까 꼬리를 달란다] 애써 일을 했는데 그 중 긴요한 부분을 빼앗으려는 염치없는 행동을 두고 이르는 말. [족제비 잡은 데 꼬리 달라는 격] 수고한 일에서 가장 긴요한 부분을 남이 차지하려는 것을 가리키는 말.

족제비-고사리 명〖식〗 [*Dryopteris varia*] 꼬리고사릿과에 속하는 다년생 상록 양치류. 잎은 총생(叢生)하여 2회 우상 복생(羽狀複生)하고 광택 있는 심녹색(深綠色)이며, 잎꼭지와 중축(中軸)에는 짙은 갈색의 인편(鱗片)이 있음. 잎과 줄기는 단단한 혁질(革質)이고 피막(皮膜)이 있는 자낭군(子囊群)이 산재하여 그 빛은 흑갈색을 이룸. 산기슭에 나는데, 전남의 백양산(白羊山) 및 전북·경남·경북·충남·강원·경기 및 일본 등지에 분포함.

〈족제비고사리〉

족제비-눈 명 작고 매서운 눈.

족제비 얼레 명 실을 다루는 데 쓰는 통이 좁고 갈쭉하게 생긴 얼레.

족제비-업 명〖민〗 족제비를 업왕으로 모시는 일.

족제빗-과【—科】 명〖동〗 [Mustelidae] 개목(目)에 속(屬)하는 한 과. 상구치(上臼齒)는 한 쌍이고, 하구치(下臼齒)는 두 쌍이나, 멜리보라속(Mellivora屬)은 한 쌍임. 발가락은 다섯 개이고 꼬리는 길. 대부분이 육지에 살고 잡식성(雜食性)이며 그 중 몇 종류는 바다에 서식하는데, 오스트레일리아·마다가스카르를 제외한 전세계에 분포함.

족제피 명〈방〉 족제비.

족졉이 명〈옛〉 족제비. ¶족졉이(鼠狼)≪農家月俗≫.

족족[1]【足足】 명 ↗족족 유여(足足有餘). ——-하다 형여불. ——-히 부

족족[2]【簇簇】 명 더부룩한 모양. 빽빽하게 엉클어진 모양. ——-하다 형여불. ——-히 부

족족[3] 의명 동사 어미 '-는'이나 불완전 명사 '데'의 아래에 쓰이어 '하나 하나마다'의 뜻을 나타내는 말. ¶보는 ~ 죽여라/가는 데 ~ 배척을 당하다. *-는 족족.

족:-족[4] 부 ①여러 줄로 늘어지거나 떨어지는 모양. ②동작이 여러 번 거침없이 나아가는 모양. ③줄을 고르게 긋는 모양. ④물건을 찢거나 훑는 모양. ⑤무엇을 입으로 계속 빠는 소리. 1)-5): 쪽쪽. <죽죽.

족족 유:여【足足有餘】 명 넉넉하여 남음이 있음. 준족족(足足). ——-하다 형여불

족종[1]【足腫】 명 근육(筋肉)이나 뼈의 피로에 의한 척골(蹠骨)의 외상성 질환(外傷性疾患). 흔히, 행군(行軍) 뒤에 생기므로 행군종(行軍腫)이라고도 함.

족종[2]【足種】 명 발로 구덩이를 파고 씨를 심는 일. 밟아심기. ——-하다 자타여불

족좌【足座】 명〖고고학〗 발받침❷.

족주[1]【族誅】 명 한 사람의 죄로 일족을 죽임. 멸문(滅門). ——-하다 타여불

족주[2]【簇酒】 명 여러 집에서 모아 놓은 술.

족지[1]【足指】 명〖생〗 발가락.

족지[2]【足趾】 명〖생〗 발뒤꿈치.

족지족【族之族】 명 친척의 관계.

족질[1]【足疾】 명 발의 질병.

족질[2]【族姪】 명 동종(同宗)·유복친(有服親) 이외의 조카뻘이 되는 남자. ↔족숙(族叔).

족집개 명〈방〉 족집게(충남·경북).

족집게 명 [중세 : 죡졉개, 죡집개] ①화장(化粧)할 때 쓰는 쇠로 만든 작은 기구. 잔털이나 가시 같은 것을 뽑음. ②〈속〉 무꾸리할 때 족집게로 집어내듯 잘 맞히는 만신. *족집게 장님.

족집게 장:님 명〖민〗 무꾸리하는 데 남의 지낸 일을 족집게로 집어내듯 잘 알아 맞히는 영검한 장님.

족징【族徵】 명〖역〗 지방 고을의 이속(吏屬)들이 공금(公金)이나 관곡(官穀)을 포흠(逋欠)해 내었거나, 군정(軍丁)이 도망·사망하여 군포세(軍布稅)가 축났을 때, 이를 대충하기 위하여 억지로 그 일족(一族)에

게서 추징(追徵)해 내는 일. *일족(一族) 물리다. ——-하다 타여불

족차 족의【足且足矣】[—/—이] 명 넉넉하여 아주 능준함.

족-채[1]【足—】명 겨자채의 한 가지. 편육·족편·제육·표고·석이·전복·배 따위를 채쳐서 겨자를 넣어 만듦.

족채[2]【足債】명 ①먼 곳에 보내는 사람에게 주는 삯. ②차사 예채(差使例債).

족척[1]【足蹠】명 발바닥.

족척[2]【族戚】명 동성(同姓)이나 타성(他姓)의 겨레붙이. 친척(親戚).

족척-근【足蹠筋】명 〖생〗 발바닥의 근육.

족천【足釧】명 〖역〗 피장자(被葬者)의 발목에 두른 고리 모양의 장식.

족첨【足尖】명 〖생〗 발부리.

족청【族青】명 ↗조선 민족 청년단.

족출【族出】명 떼를 지어 연달아 나옴. ——-하다 자여불

족충【族蟲】명 〖동〗 포자충강(胞子蟲綱) 족충류(簇蟲類)에 속하는 원생동물의 총칭. 무척추 동물에 기생하며 거개가 미세함. 세포 속에서 자라며, 후에 체강(體腔)으로 나와서 자유 생활 또는 부착(附着) 생활을 함. 떼를 짓는 일이 많음. 번식법(繁殖法)은 복잡함.

족치다 타 〔근대 : 족치다〕 ①규모를 줄이어 작게 만들다. ②쾌쳐서 쭈그러지게 하다. ③몹시 족대기다. ¶ 죄인을 ～.

족친【族親】명 동성(同姓)이지만 유복친(有服親)이 아닌 일가붙이.

족친-위【族親衛】명 〖역〗 조선 시대 때 오위(五衛)의 호분위(虎賁衛)에 딸린 한 부(部). 종성(宗姓)의 단문(袒免) 이상의 친(親), 이성(異姓)으로 왕대비(王大妃)·대왕 대비(大王大妃)의 시마(緦麻) 이상의 친, 왕비(王妃)의 소공(小功) 이상의 친, 세자빈(世子嬪)의 대공(大功) 이상의 친으로 시킴. 성중관(成衆官)의 하나임.

족침【足枕】명 〖고고학〗 발받침❷.

족칭【族稱】명 백성의 신분의 계급명.

족탈 미:급【足脫未及】명 〔발벗고 뛰어도 미치지 못함〕 '역량이나 능력이 썩 뒤짐의 비유. 족탈 불급. ¶네 재주로는 ～이다. ——-하다 형여불

족탈 불급【足脫不及】명 족탈 미급(足脫未及). ——-하다 형여불

족탕【足湯】명 쇠족과 사태를 삶아 굵게 썰고 양념하여 다시 그 국물에 넣고 끓인 국.

족-통[1]【足—】명 ①장(欌)이나 농(籠) 따위 가구의 부분 이름. 마대(馬臺)에서, 네 귀의 다리. ②〈방〉 굽통[1].

족통[2]【足痛】명 발의 아픔.

족-편【足—】명 ①소의 족·꼬리·가죽 등을 고아서 식히어 묵같이 만든 음식. ②쇠족 두 개를 뼈를 바르고 데쳐서 꿩고기와 한데 삶아, 간장을 넣어 간을 맞춘 뒤에, 넓은 그릇에 옮겨 양념을 하고 굳혀 반듯반듯하게 썬 음식. 족병(足餠). 교병(膠餠).

족하【足下】명 편지를 받아 보는 사람의 이름 아래에 존칭어(尊稱語)로 쓰는 말. *귀하(貴下)·좌하(座下).

족-하다【足—】형여불 ①수량이 충분하다. ¶열 개로 ～. ②분에 어울리다. 임무를 맡을 만하다. ¶자격은 ～. ③할 만하다. 가치가 있다. ¶일견(一見)함에 족한 경치. **족-히**【足—】부 충분히. 능히. ¶～ 칭찬할 만하다/～ 그럴 수 있는 인간일세.

족하-점【足下點】[—쩜] 명 관측자(觀測者)의 눈을 통과하는 수직선이 발 밑에서 천구(天球)와 교차(交叉)하는 점. 곧, 천구상 연직(鉛直)의 최하점(最下點). 천정점(天頂點)에 대하여 천저(天底)라고도 일컬음.

족형[1]【足形】명 발의 모양. 발의 생김새.

족형[2]【族兄】명 동종(同宗) 유복친(有服親) 이외의 형 뻘 되는 남자.

족-형제【族兄弟】명 동종(同宗) 유복친(有服親) 이외의 같은 항렬의 형제.

족형제-간【族兄弟間】명 족형제의 인척 관계인 사이.

족흔【足痕】명 ①발자국. ②흔적 화석(痕跡化石)의 하나. 주로 수성암(水成岩) 위에 남은 동물의 발자국.

존[1] 〔John, Augustus Edwin〕 명 〖사람〗 영국의 화가. 런던의 미술 학교를 졸업한 후, 파리에 유학하여 프랑스 회화(繪畫)의 영향을 많이 받음. 로이드 조지(Lloyd George, D.)·쇼(Shaw, G.B.) 등의 초상(肖像)을 그렸으며, 견실(堅實)한 소묘력(素描力)과 날카로운 성격 묘사를 잘하였음. [1878-1961]

존[2] 〔John, Lackland〕 명 〖사람〗 영국왕. 헨리 2세의 아들. 프랑스 국왕 필리프 2세와 싸워 프랑스내 영토를 태반 잃고, 로마 교황 인노켄티우스(Innocentius) 3세와도 싸워 파문당하는 한편 대내적으로는 중세(重稅)를 과하는 등 실정이 많았음. 이 때문에 제후·사제의 반항을 자초하고, 마그나 카르타를 승인하였음. 이로써 영국민의 정치적 및 인간적 자유의 기초가 확립됨. [1167-1216; 재위 1199-1216]

존[3] 〔John of Gaunt〕 명 〖사람〗 영국의 랭커스터공(Lancaster 公). 에드워드 3세의 아들. 백년 전쟁에서 형 에드워드와 함께 스페인·프랑스에 원정한 후 정치 실권을 장악하고, 교회를 억압하기 위하여 위클리프(Wycliffe, J.)의 교회 개혁 운동을 도움. 만년에 스페인 원정에 출병하였으나 실패함. *[1340-99]*

존:[4] 〔zone〕 명 지대(地帶). 구역(區域). 계(界). ¶아시아 ～.

존가[1]【尊家】명 타인의 집의 경칭. 귀가(貴家).

존가[2]【尊駕】명 타인, 특히 천자(天子)를 공경하여 그 탈것을 이르는 말.

존객【尊客】명 귀한 손님.

존견【尊見】명 존의(尊意).

존경【尊敬】명 타인의 인격·사상·행위 등을 훌륭한 것으로 높이어 공경함. ——-하다 타여불

존경-각【尊經閣】명 〖역〗 조선 성종(成宗) 6년(1475)에 성균관(成均館) 안에 지어, 도서를 보관하던 전각. 중종(中宗) 9년(1514)에 불에 타 인조(仁祖) 4년(1626)에 재건함.

존경-법【尊敬法】[—뻡] 명 〖언〗 공손법(恭遜法).

존경-심【尊敬心】명 존경하는 마음.

존경-어【尊敬語】명 존경하는 뜻으로 쓰는 말. 경어.

존고[1]【存稿】명 살아 있는 동안에 모아 둔 초고(草稿).

존고[2]【尊姑】명 '시어머니'의 존칭.

존고[3]【尊高】명 귀하고 높음. ——-하다 형여불

존공【尊公】명 손윗사람의 아버지에의 존칭. 존대인(尊大人).

존관【尊官】명 귀한 관위. 높은 지위. 고관(高官).

존교【尊教】명 남의 가르침의 존칭.

존구【尊舅】명 '시아버지'의 존칭.

존-구고【尊舅姑】명 '시부모'의 존칭.

존귀【尊貴】명 지위가 높고 귀함. ↔비천(卑賤). ——-하다 형여불

존귀-성【尊貴性】[—썽] 명 존귀한 성질. 존귀한 성품.

존념【存念】명 늘 생각하여 잊지 않음. ——-하다 타여불

존당【尊堂】명 남의 어머니의 존칭.

존대[1]【尊大】명 벼슬이나 학식·인격이 높고도 큼. ——-하다 형여불

존대[2]【尊待】명 높이 존경하여 대접함. ↔하대(下待). ——-하다 타여불 [존대하고 뺨 맞지 않는다] 남에게 공손히 하면 욕이 돌아오지 않는다는 말. 절하고 뺨맞는 일 없다.

존대[3]【尊臺】명 존경하는 당신.

존대-법【尊待法】[—뻡] 명 〖언〗 공손법(恭遜法).

존대-어【尊待語】명 존댓말. ↔비어(鄙語).

존대-인【尊大人】명 존공(尊公).

존댓-말【尊待—】명 윗사람이나 남에게 존대하여 쓰는 말. 존대어.

존데 〔도 Sonde〕 명 ①〖의〗 소식자(消息子). ②〖기상〗 라디오 존데. ③우물·유정(油井) 등의 보링(boring) 장치.

존드 〔Zond〕 명 소련의 행성 및 달의 무인 탐사기(無人探查機). 1호는 1964년 4월 2일 발사되고, 2호는 실패한 듯하며, 3호는 인류 최초로 달의 이면(裏面) 촬영에 성공함. 4호는 지구 주변의 우주 공간을 탐측, 5호는 달의 주위를 돌고 지구로 귀환하였음.

존득-거리다 자 ①음식물이 검질겨서 탄력성 있게 씹히는 느낌이 계속해서 나다. ②약간 말라서 검질기고 잘 끊어지지 아니하는 느낌이 계속해서 나다. 1)·2):쓰쫀득거리다. <준득거리다. **존득-존득** 부. ——-하다 형여불

존득-대다 자 존득거리다.

존: 디펜스 〔zone defence〕 명 ①농구·핸드볼에서, 볼을 중심으로 하여 찬스에 연결된다고 생각하는 지역을 미리 분담하여 책임을 지는 방어법. 지역 방어. ↔맨투맨 디펜스. ②축구에서, 방어 구역을 분담한 방어법. ③배구에서, 네트와 코트를 구분하여 분담 범위 안에 온 볼을 책임지고 스톱시키는 방어법.

존: 라인 〔zone line〕 명 아이스하키에서, 링크를 세 구역으로 나누는 두 개의 선. 푸른 색으로 되어 있음. 블루 라인(blue line).

존람【尊覽】[졸—] 명 남이 '본다'는 말의 존대어. 고람(高覽). 귀람(貴覽). ——-하다 타여불

존래【尊來】[졸—] 명 왕림(枉臨). 왕가(枉駕). ——-하다 자여불

존려【尊慮】[졸—] 명 존견(尊見). 존의(尊意).

존령【尊靈】[졸—] 명 '영혼(靈魂)' '망령(亡靈)'의 존칭어.

존로【尊老】[졸—] 명 '노인'의 존대어.

존류【存留】[졸—] 명 머물러 둠. 남아서 머무름. ——-하다 자타여불

존립【存立】[졸—] 명 ①생존하여 자립(自立)함. ②생존시켜 따로 세움. 보존(保存)하여 생존시킴. ③〖철〗 객관적인 실재(實在)로서의 관념적인 대상. ——-하다 자타여불

존-망【存亡】명 존속(存續)과 멸망. 삶과 죽음. 존몰(存沒). ¶국가 ～의 위기.

존망지-추【存亡之秋】명 존속하느냐 멸망하느냐의 절박한 때. 죽느냐 사느냐의 중대한 경우. ¶국가 ～.

존: 멜팅 〔zone melting〕 명 〖공〗 금속 정제법의 한 가지. 봉상(棒狀) 금속의 한 끝을 가열·용융하여, 가열 부위를 서서히 이행(移行)시키면, 냉각 부분으로부터 순차적으로 응고하는데, 이때 불순물은 용융 부분과 함께 이동하여 다른 끝에 모이게 됨. 게르마늄·실리콘 따위의 초고도 정제(超高度精製), 미량(微量) 불순물의 농도 균일화 따위에 이용되며, 반도체(半導體) 공업의 중요한 기술로 되어 있음.

존-멸【存滅】명 존재함과 멸망함. ——-하다 자여불

존명[1]【存命】명 목숨을 붙여 살아 있음. 생존(生存). ——-하다 자여불

존명[2]【尊名】명 존함(尊啣).

존명[3]【尊命】명 분부(分付).

존모[1]【尊母】명 남의 어머니의 경칭.

존모[2]【尊慕】명 높이어 사모함. ——-하다 타여불

존-몰【存沒】명 존망(存亡).

존무【存撫】명 위안하고 무마함. 불쌍히 여겨 은혜를 베풀고 어루만짐. ——-하다 타여불

존문[1]【存問】명 〖역〗 고을 수령(守令)이 그 지방의 찾아볼 만한 사람을 인사로 방문함. ——-하다 타여불

존문[2]【尊門】명 상대방의 가문을 높여서 부르는 말.

존문[3]【尊問】명 윗사람의 물음. ——-하다 타여불

존문-장【存問狀】[—짱] 명 〖역〗 존문 편지.

존문 편:지【存問片紙】명 〖역〗 존문함을 알리거나 또는 의뢰하는 편지. 존문장(存問狀).

존발【存拔】명 어떤 것은 남겨두고 어떤 것은 빼어버림. ——-하다 타여불

존본 취:리【存本取利】명 돈이나 곡식을 꾸어 주고 해마다 원

은 남겨둔 채 변리(邊利)만 받음. ——-하다 타여불

존봉【尊奉】명 높이어 받듦. ——-하다 타여불

존부【存否】명 존재함과 존재하지 않음.

존-부인【尊夫人】명 '부인'을 높이어 일컫는 말.

존-불〔John Bull〕명 〔아버스넛(Arbuthnot, John; 1667-1735)이 프랑스와의 전쟁 중지를 주장한 《존불의 역사》에서 나온 말〕영국인의 별명. 전형적인 영국인.

존-비【尊卑】명 지위·신분 등의 높음과 낮음. 등강(登降).

존비 귀:천【尊卑貴賤】명 지위·신분 등의 높고 낮음과 귀함과 천함.

존사【尊師】명 ①'스승'에 대한 경칭. ②'도사(道士)'의 경칭.

존상[1]【尊尙】명 존경하고 숭상함. ——-하다 타여불

존상[2]【尊像】명 존귀한 상(像). '상(像)'의 경칭.

존성【尊姓】명 상대방의 성을 높이어 부르는 말.

존성 대:명【尊姓大名】명 높은 상대자의 성명.

존성-왕【尊聖王】명 〖불교〗 묘견 보살(妙見菩薩).

존소【尊疏】명 상대자의 조장(弔狀)을 높인 말. 「타여불

존속[1]【存續】명 그대로 계속하여 있음. 존재하여 지속함. ——-하다 자

존속[2]【尊屬】명 〖법〗 자기 부모와 그 계열 이상의 혈족. 부모·조부모는 직계 존속이며, 숙부·숙모 등은 방계(傍系) 존속임. ↔비속(卑屬).

존속 살해【尊屬殺害】명 〖법〗 자기 또는 배우자의 직계(直系) 존속을 살해함으로써 성립하는 범죄. 보통, 사형이나 무기 징역(無期懲役)에 처해짐.

존속-친【尊屬親】명 〖법〗 부모·조부모·백숙모(伯叔母)를 친족적(親族的)으로 부르는 말. ↔비속친(卑屬親).

존속 회:사【存續會社】명 회사의 흡수 합병(吸收合併)이 있는 경우에 종전대로 존속하는 회사. 존속 회사는 정관(定款) 변경을 하여야 하며 소멸 회사의 권리 의무를 승계(承繼)함.

존숭【尊崇】명 존경하고 숭배함. ——-하다 타여불

존숭 악장【尊崇樂章】명 〖악〗 태상왕(太上王)·대왕 대비(大王大妃)·임금·왕비 등의 아름다운 덕을 기리던 악장.

존:스[1]〔Jones, Daniel〕명 〖사람〗 영국의 음성학자(音聲學者). 현대 영국 음성학의 권위자로 《영어 발음 사전》에서 새로운 표기법(表記法)을 창시하고 음성학의 보급, 음운론(音韻論)의 발달 및 발음 교육에 공헌(貢獻)함. 저서로 《영어 음성학 개설》·《음소(音素)》 등이 있음. [1881-1967]

존:스[2]〔Jones, George Heber〕명 〖사람〗 미국의 선교사. 감리교 전도차 내한하여 성서 협회(聖書協會)의 회장과 감리교 신학교장 등을 지냄. 한국에 관한 저서가 있음. [1867-1919]

존:스[3]〔Jones, Inigo〕명 〖사람〗 영국의 건축가·무대 장치가·풍경 화가. 건축 양식에 이탈리아식 고전주의를 도입하여 건축·기구 및 공예품(工藝品)에 영향을 끼쳤음. [1573-1652]

존:스[4]〔Jones, James〕명 〖사람〗 미국의 소설가. 제2차 대전에 참전. 일본군의 진주만(眞珠灣) 공격 전후의 하와이를 무대로 한 소설 《지상에서 영원으로》로 알려짐. 기타 작품으로 《도망쳐 온 놈》·《피스톨》 등이 있음. [1921-77]

존스[5]〔Johns, Jasper〕명 〖사람〗 미국의 화가. 오거스타(Augusta) 태생. 알파벳·숫자·지도 등을 추상 표현 양식으로 그려 추상 표현에서 팝 아트로의 가교 구실을 함. 작품 가격이 가장 높은 인기 화가의 한 사람임. [1930-]

존:스[6]〔Jones, Richard〕명 〖사람〗 영국의 고전 경제학자. 자본주의 경제의 역사적 성격을 해명함. 주저(主著)로 《부(富)의 분배와 조세(租稅)의 원천에 대한 논구(論究)》가 있음. [1790-1855]

존:스[7]〔Jones, Robert Edmond〕명 〖사람〗 미국의 무대 예술가. 단순한 조형(造形)에 의한 장치로 사실주의(寫實主義) 중심이었던 미국의 무대 미술을 쇄신하였음. 주저(主著)에 《극적(劇的) 상상력》이 있음. [1887-1954]

존스턴 기관【一器官】명〔Johnston's organ〕〖생〗 곤충류(昆蟲類) 각목(各目)의 촉각의 제2절, 곧 경절(梗節)에 갖추어 있는 특수한 기계적 수용기(受容器)로 현음 기관(絃音器官)의 한 가지. 특히 쌍시목(雙翅目) 곤충의 성충(成蟲)의 수컷에 발달하였는데, 촉각 신경 주위에 초상(鞘狀)으로 배열한 수많은 현음 기관의 집단으로 이루어짐. 각 현음 요소의 끝은 제2절·제3절 사이의 관절막(關節膜)에 부착하여, 기부(基部)는 신경 섬유에 의하여 촉각 신경에 연락됨. 촉각의 운동을 관절막의 장력(張力) 변화에 의하여 감수(感受)하는 일종의 자기 수용기(自己受容器)라고 하며, 나가서는 풍압(風壓)·기류(氣流)·진동 따위의 외적인 자극도 감수할 수 있는 것 같다고 함.

존:스 홉킨스 대학【一大學】〔Johns Hopkins〕명 미국 메릴랜드 주 볼티모어에 있는 사립 대학. 퀘이커 교도 존스 홉킨스의 기부에 의하여 1876년에 창립. 당초부터 본격적인 종합 대학으로 출발, 아카데믹한 전통으로 알려짐. 문리학부·의학부·공중 위생학부·국제 연구학부 외에 야간 대학을 둠.

존슨[1]〔Johnson, Andrew〕명 〖사람〗 미국의 정치가. 제17대 대통령. 테네시 주에서 선출된 민주당원이었으나, 남북 전쟁 때 합중국에 충성을 지킨 유일한 남부 출신 상원 의원이었음. 1865년 부통령이 되었다가 링컨이 암살된 후, 대통령으로 승격함. 남부에 대한 관대한 정책을 펴려고 하다가 공화당의 격렬한 비난 공격을 받았음. [1808-75]

존슨[2]〔Johnson, Hewlett〕명 〖사람〗 영국의 종교가. 1931년 이래 켄터베리 주교(主教). 평화 옹호 운동에 적극 참여하고, 용공적(容共的) 평화주의 자로서 1950년 스탈린 평화상을 받았음. [1874-1966]

존슨[3]〔Johnson, Lionel〕명 〖사람〗 영국의 시인. 독자적(獨自的)인 시풍(詩風)을 수립했고, 아일랜드 문예 부흥 운동(文藝復興運動)에 진력(盡力)하였음. [1867-1902]

존슨[4]〔Johnson, Lyndon Baines〕명 〖사람〗 미국의 정치가. 제36대 대통령. 민주당에 속하고, 하원 의원(下院議員)·상원 의원을 거쳐 1961년 부통령으로 선출됨. 1963년 케네디(Kennedy, J.F.) 대통령이 암살되자 대통령으로 승격, 1965년 재선됨. 내정면(內政面)에서 '위대한 사회' 건설을 주장했으나, 월남 전쟁에서는 사태의 심각화(深刻化)를 초래하였음. [1908-73]

존슨[5]〔Johnson, Samuel〕명 〖사람〗 영국의 저술가. 가난한 가운데서 여러 시작품을 발표하고 대저 《영어 사전》을 완성, 이후 《라셀라스(Rasselas)》 등의 소설과 《영국 시인전》 10권을 집필하였음. 인망(人望)이 있어 많은 문인들이 따랐음. [1709-84]

존슨[6]〔Johnson, Ben〕명 〖사람〗 영국의 시인·극작가. 《사람 각자의 기질》의 상연 성공으로 소위 기질극(氣質劇)의 유행을 보게 하고, 궁정(宮廷)의 신임을 얻어, 1616년 이래 사실상 초대 계관 시인(桂冠詩人)의 대우를 받았음. 《여우》·《말없는 여자》·《연금술사》는 그의 삼대(三大) 희극으로 꼽힘. [1573?-1637]

존승 다라니【尊勝陀羅尼】명 〖불교〗 불정 존승(佛頂尊勝)의 공덕을 해설(解說)하는 다라니. 팔십칠구(八十七句)로 이루어지며 영검하다고 일컬어짐.

존승-법【尊勝法】[—뻡] 명 〖불교〗 불정 존승(佛頂尊勝)을 본존(本尊)으로 하며, 존승 다라니(尊勝陀羅尼)를 암송(暗誦)하여 일체(一切)의 번뇌(煩惱)를 없애기 위한 수법(修法). 천태종(天台宗)·진언종(眞言宗)에서 행함.

존시【尊侍】명 존장(尊長)과 시생(侍生). 웃어른과 나이 어린 사람.

존시-간【尊侍間】명 나이가 많은 사람과 적은 사람의 사이. 20세 정도의 차가 있을 때 씀.

존신【尊信】명 존숭(尊崇)하여 믿음. ——-하다 타여불

존심[1]【存心】명 ①마음에 두고 잊지 아니함. 처심(處心). 택심(宅心). ②심중(心中)의 생각. ——-하다 타여불

존심[2]【存心】명 맹자(孟子)에 기원을 두는 유가(儒家)의 실천 명제(命題)의 하나. 욕망 등에 의해서 본심을 해치는 일 없이 항상 그 본연의 상태를 유지하는 일. ——-하다 자여불

존안[1]【存案】명 없애지 아니하고 보존하여 두는 안건.

존안[2]【尊顔】명 상대자의 얼굴을 높이어 부르는 말. 대안(臺顔).

존앙【尊仰】명 존경하고 추앙(推仰)함. ——-하다 타여불

존양【存養】명 본연(本然)의 양심을 잃지 아니하도록 하고 착한 성품을 기르는 일.

존양지-의【存羊之義】[—/—이] 명 허례(虛禮) 또는 구례(舊禮)를 버리지 아니하고 보존하고 있는 일.

존엄【尊嚴】명 ①높고 엄숙함. ②높아서 범할 수 없음. ——-하다 형여불

존엄-사【尊嚴死】명 소생할 가망도 없이 장기간 식물 상태로 있거나 계속 심한 고통에 시달리고 있는 환자에 대해 생명 유지 장치 따위에 의한 연명을 중지하고 인간으로서의 존엄을 유지하면서 죽음에 이르게 하는 일. ＊호스피스.

존엄-성【尊嚴性】[—썽] 명 존엄한 성질. ¶법의 ～.

존영[1]【尊詠】명 남의 시가(詩歌)의 경칭. 귀영(貴詠).

존영[2]【尊榮】명 지위가 높고 영화로움. ——-하다 형여불

존영[3]【尊影】명 높은 사람의 화상(畫像)이나 사진에 대한 경칭. 존조(尊照).

존온【尊媼】명 '노모(老母)'의 경칭.

존옹【尊翁】명 '노인'의 경칭.

존외【尊畏】명 경외(敬畏). ——-하다 타여불

존용【尊容】명 남의 용모를 높이어 일컫는 말. 옥모(玉貌).

존위[1]【尊位】명 ①존귀한 지위. ②천자(天子)의 지위.

존위[2]【尊位】명 〖역〗 한 면(面)이나 마을의 어른이 되는 이를 일컫는 말.

존위[3]【尊威】명 높은 위광(威光). '위광(威光)'의 경칭.

존의[1]【尊意】[—/—이] 명 남의 의견을 존대해 부르는 말. 존견(尊見).

존의[2]【尊儀】[—/—이] 명 불타(佛陀)·보살(菩薩)의 형체. 또, 귀인(貴人)의 초상·위패(位牌) 등의 경칭.

존-이불론【存而不論】명 그대로 두어 더 따지지 아니함. ——-하다 타여불

존:일 부 〈방〉 조닐로.

존자【尊者】명 ①〖불교〗 학문과 덕행이 높은 불타(佛陀)의 제자의 경칭. ¶목련 ～. ②〔venerable〕〖천주교〗 그 사람의 덕행(德行)이 영웅적(英雄的)이라고 인정되는 이에게 교황청이 공인(公認)하는 경칭(敬稱). 주(主)의 종의 아래.

존작【尊爵】명 높은 벼슬. 높은 지위.

존장[1]【尊丈】명 ①지위가 자기보다 높은 사람에의 경칭. ②자기 아버지와 허교(許交)하는 사람. ③자기 나이보다 16세 이상 되는 사람. 사장(師丈)·연척(緣戚)·노주(奴主) 등 특별한 경우는 제외함.

존장[2]【尊長】명 존대(尊待)해야 할 나이 많은 어른.

존재【存在】명 ①실제로 거기 있음. 인간·사물이 어떤 기능이나 가치를 지니고 거기 있음. 또, 있는 그것. ¶신(神)의 ～. ②어떤 인간. 또는 작용을 갖는 능력을 지닌 인간. ¶위대한 ～. ③독특성이나 가치·능력을 갖고 있음으로써 자립이 인정되는 일. ¶독립국으로서의 ～를 잃다/그 소설로 ～를 인정받다. ④〔도 Sein〕〖철〗 의식(意識)으로부터 독립하여 외계(外界)에 객관적으로 실재하는 일. 그 양상(樣相)에 따라, 물리적·수리적(數理的)·사회적·인격적 존재 등으로 구분함. 형이상학적(形而上學的) 의미로서는, 현상(現象)의 변천의 근저(根底)에 있는 실재(實在)임. 본체(本體). 본질(本質). 자인(Sein). ↔무(無)·비존재·사유(思惟). ＊실존(實存). ——-하다 자여불

존재 근거【存在根據】명 〖철〗 사물의 존재를 가능하게 하는 근거. 실재

근거(實在根據). 인식 근거. 실재 이유.

존재 녹지【存在綠地】명 도시의 시민이 간접으로 혜택을 받게 되는 녹지대(綠地帶). 산림이나 근교(近郊) 농업 지대 같은 것. ↔이용 녹지(利用綠地).

존재-론【存在論】명〔ontology〕〖철〗존재 그 자체에 관한 학설. 아리스토텔레스에서는 존재 일반의 근거인 제일 원리를 연구하는 제일 철학을 일컬음. 오늘날에도 개개의 존재물을 특수 과학의 형태로 연구하는 것이 아니라 모든 존재물에 공통적이며 기본적인, 존재의 양식이나 여러 관계 등을 원리적으로 밝히는 철학을 말함. 형이상학. 실체론. 본체론(本體論).

존재론적 증명【存在論的證明】[—쩍—] 명〖철〗신의 존재의 증명법의 하나. 신은 모든 완전성을 구비한 것이니까 그 완전성 안에는 존재라는 것도 내포되어 있어야 하며, 그것이 내포되어 있지 않다면 완전성이 결여되어 있는 것이 되므로 신은 존재해야만 한다는 논법에 의해 신의 개념으로부터 신의 존재를 증명하는 방법. 본체론적 증명(本體論的證明).

존재 법칙【存在法則】명〖철〗사물(事物)을 존재해 있게 하는 법칙. ↔규범 법칙(規範法則)·당위 법칙(當爲法則).

존재-사【存在詞】명〖언〗사물의 존재를 나타내는 품사. 곧, '있다'·'없다'·'계시다'·'안 계시다'의 네 단어뿐임. 어미 활용(活用)을 하며, 시제(時制)에는 현재·과거·미래가 있음. 통일된 학교 문법에서는 이 품사를 인정하지 않고 형용사에 포함시킴.

존재-성【存在性】[—썽] 명〖철〗존재의 확실성.

존재와 무【存在—無】명〔프 L'Être et le Néant〕〖책〗사르트르의 철학 논문. 실존주의(實存主義)·무신론적(無神論的) 입장에서 사르트르가 논한 존재론으로서, '현상학적(現象學的) 존재론의 시도(試圖)'라는 부제(副題)가 붙어 있는데 반신학적(反神學的)인 철학 체계를 내세워, 제2차 대전에서 전후(戰後)에 걸쳐서의 문제작이 되었음. 1943년 간(刊).

존재 즉 피:지각【存在卽被知覺】명〖철〗엣세 에스트 페르키피(esse est percipi).

존재 판단【存在判斷】명〖철〗'갑이 있다'라는 명제에 있어서, 이 판단은 주사(主辭)와 빈사(賓辭)의 결합이 아니라, '갑이 없다'라는 부정에 대하여 승인하는 것으로 모든 판단은, 주사와 빈사의 결합이 아닌 승인(承認)과 부정(否定)의 판단이라는 설.

존재-학【存在學】명〖철〗존재론(存在論).

존저[1]【存貯·存儲】명 남겨서 모으는 일. 저축(貯蓄). ——-하다 타여불

존저[2]【尊邸】명 상대방의 집의 경칭.

존저리 명〈방〉방어(魴魚).

존전【尊前】명 존엄한 자리의 앞. 존귀한 사람의 앞. ¶어느 ~이라고 감히 그러느냐.

존전-집【尊前集】명〖책〗중국 당오대사(唐五代詞)의 선집(選集). 찬자(撰者) 불명. 당오대(唐五代)의 사인(詞人) 38 가(家), 290 수를 담음. 대부분 ≪화간집(花間集)≫에 실려 있지 않은 것인데 ≪화간집≫과 함께 당오대 사집(詞集)의 쌍벽을 이루고 있음. 2권.

존:절 명〔←준절(撙節)〕쓰씀이를 절약함. ¶돈을 ~히 써라. ——-하다 타여불. ——-히 부

존절ᄒᆞ다 타〈옛〉절용(節用)하다. ¶비록 天子ㅣ 되야 겨샤도 존절ᄒᆞ고 검박홈을 편안히 너기샤(雖爲天子 安於節儉)≪內訓 Ⅱ:106≫.

존조【尊照】명 존영(尊影).

존:조리 부 설유하는 뜻으로 조리 있고 친절하게. ¶~ 타이르다. *준절(峻截)히.

존족【尊族】명 존귀한 족속.

존족-산【尊足山】명〖지〗계족산(鷄足山).

존존-하다 형여불 피륙의 발이 고르고 곱다. ¶발이 존존한 무명. 〃쫀쫀하다.

존주 비:민【尊主庇民】명 임금을 받들어 높이고 백성을 두둔하여 보호함. ——-하다 자여불

존중【尊重】명 높이고 중히 여김. ¶남의 의사를 ~하다. ——-하다 타여불. ——-히 부

존중-시【尊重視】명 존중하게 여기어 봄. ——-하다 타여불

존중-심【尊重心】명 존중하는 마음.

존집【尊執】명 웃어른을 높이어 부르는 말.

존찰【尊札】명 존한(尊翰). 존함(尊函).

존체【尊體】명 상대자의 몸을 높이어 부르는 말. 옥체(玉體). ¶~만안하십을….

존총【尊寵】명 높은 사람에 대하여, 그에게서 받는 총애(寵愛)를 말함. ¶~을 받자와.

존치【存置】명 없애지 아니하고 존속시켜 둠. ¶연구소를 ~하다. ——-하다 타여불

존칭【尊稱】명 공경하여 높이 부르는 칭호(稱號). 높임. ↔비칭(卑稱). ——-하다 타여불 공경하는 뜻으로 높여 부르다.

존칭-어【尊稱語】명〖언〗경어(敬語).

존타 클럽〔Zonta Club〕명〖사〗여성 경영자(經營者)와 전문직(專門職) 및 관리직(管理職) 여성들이 지역 사회 지도자로서 공헌하기 위해 봉사하는 국제적인 모임. 1919년에 미국에서 처음 생겨, 1930년대에 세계 각국에 퍼지기 시작했으며, 우리 나라에서는 1966년에 서울 존타 클럽이 설립됨.

존택【尊宅】명 상대자의 집을 높여 일컫는 말.

존폐【存廢】명 보존과 폐지. 폐립(廢立). ¶적부(適否) 심사 제도의 ~에 관한 문제.

존: 폴리티콘〔그 zoon politikon〕명〖철〗사회적 동물(社會的動物) 또는 정치적(政治的) 동물의 뜻. 아리스토텔레스가 지어 낸 말.

존필【尊筆】명 상대자의 필적(筆蹟)을 높여 부르는 말.

존하【尊下】인대 귀하(貴下).

존한【尊翰】명 상대자의 편지를 높여 부르는 말. 존함(尊函). 존찰(尊札). ¶~을 받자옵고.

존함[1]【尊函·尊緘·尊椷】명 존한(尊翰).

존함[2]【尊啣·尊銜】명 상대자의 이름을 높여 부르는 말. 존명(尊名). ¶~은 익히 듣고 있습니다.

존항【尊行】명 숙항(叔行) 이상의 높은 항렬.

존현[1]【尊賢】명 어진 사람을 존경함. ——-하다 자여불

존현[2]【尊顯】명 지위가 높고 이름이 드러남. ——-하다 형여불

존형【尊兄】인대 동배 간(同輩間)에 상대자를 높여 부르는 호칭.

존형 만다라【尊形曼荼羅】명〖불교〗대만다라(大曼荼羅).

존호【尊號】명〖역〗왕·왕비의 덕을 칭송하는 칭호.

존호 도감【尊號都監】명〖역〗임금이나 왕비에게 존호(尊號)를 올리게 된 때에 임시로 베푸는 관아.

존후[1]【存候】명 위문함. 찾아가 문안함. 또, 그 사람.

존후[2]【尊候】명 상대자의 체후(體候)를 높이는 말. 흔히 편지에 씀.

졷ᄂᆞ니 형〈옛〉깨끗하나니. '조타'의 활용형. ¶ᄆᆞᅀᆞ미 조ᄒᆞ면 곧 佛土ㅣ 졷ᄂᆞ니(心淨卽佛土淨)≪金剛 59≫.

졷ᄂᆞ니라 형〈옛〉깨끗하나니라. '조타'의 활용형. ¶ᄆᆞᅀᆞ미 더러우면 더럽고 ᄆᆞᅀᆞ미 조ᄒᆞ면 졷ᄂᆞ니라(心穢則穢心淨則淨)≪圓覺 下 一之二 22≫.

졷다 타〈옛〉좇다[1]. =좇다[2]❷. ¶ᄒᆡ ᄆᆞ장 가난ᄒᆞᆫ 저글 맛나 后ㅣ 帝ᄭᅴ 졷ᄌᆞ와(値歲大歉后從帝)≪內訓 Ⅱ 下 35≫.

졷ᄌᆞᆸ다 타〈옛〉좇잡다. =좇ᄌᆞᆸ다. ¶ᄒᆞ마 부텨를 졷ᄌᆞᄫᅡ 敎化를 受ᄒᆞᅀᆞᄫᅡ 잇ᄂᆞ니 ≪釋譜 XIII:45≫.

졸[1] 명〈방〉조(操).

졸:[2] 명〈방〉〖식〗부추(충청).

졸[3]【卒】명 장기에서, 각각 앞에 놓는 다섯 개의 작은 말. 한편은 '卒'자, 다른 한편은 '兵'자를 새기며, 앞과 옆으로만 한 발씩 갈 수 있음. 졸때기.

졸[4]【卒】명 '죽음'을 이르는 말. 몰(歿). ¶1902년 ~.

졸[5]【卒】명〖역〗신라 시위부(侍衛府)의 맨 아래 벼슬. 영(領)의 다음으로 위계(位階)는 대사(大舍)에서 조위(造位)까지임.

졸[6]〔도 Sol〕명〖화〗콜로이드 중에서 액체를 분산매(分散媒)로 하는 것으로, 곧 현탁질(懸濁質)과 유탁질(乳濁質)의 총칭. 졸의 생성법에는 분산법과 응집법(凝集法)이 있음. *겔(Gel).

졸가【拙家】명 '자기 집'의 겸칭.

졸가리 명 ①잎이 다 떨어진 가지. ②지저분한 것은 다 떼어 놓은 나머지의 골자. ¶뭐가 잘못돼서 그렇다네. ~는 나중에 캐기로 하고 우선 눕게≪金周榮:客主≫. <줄거리.

졸개【卒—】명〈비〉남의 부하로 붙좇으며, 부분적으로 심부름도 하는 사람.

졸거【卒遽】명 갑작스러움. 갑작스러워 허둥거림.

졸견【拙見】명 ①시시한 의견. ②자기 의견의 겸칭. 우견(愚見).

졸경【卒更】명 ①〖역〗순라군(巡邏軍)이 밤을 경계하느라고 도성(都城) 안을 돌아다님. 순라(巡邏). ②밤이 새도록 괴로움을 당해 잠을 자지 못함을 이르는 말.

졸경(을) 치다 구 ↗졸경(을) 치르다.

졸경(을) 치르다 구 ㉠〖역〗인정(人定) 후에 밤길을 다니다 순라군(巡邏軍)에게 잡혀 벌을 당하다. ㉡한동안 남에게 모진 시달림을 당하다. ㊀졸경 치다.

졸경-군【卒更軍】명 졸경꾼.

졸경-꾼【卒更—】명 밤중에 졸경을 도는 사람. 순라꾼.

졸계【拙計】명 졸책(拙策).

졸고【拙稿】명 자기 원고의 겸칭. ↔귀고(貴稿).

졸고 천백【拙藁千百】명〖책〗고려의 문인 최해(崔瀣)의 문집. 일본 존경각 문고(尊經閣文庫)에 소장된 고려판이 유일본임. 이 문집에 수록된 시문들은 ≪동문선(東文選)≫에 전함. 2권.

졸곡【卒哭】명 졸곡제.

졸곡-제【卒哭祭】명〔무시곡(無時哭)을 마친다는 뜻〕삼우제(三虞祭)를 지낸 뒤에 지내는 제사. 삼우(三虞) 후에 강일(剛日)을 만나면 지내는데, 사람이 죽은 지 석달 만에 지냄. 졸곡 후에는, 다만 아침 저녁 일정한 때에만 곡함. 졸곡. ¶채옥의 ~가 몇 날 남지 아니한 어느 봄날…≪鄭飛石:故苑≫

졸공[1]【拙工】명 서투른 공장(工匠).

졸공[2]【拙攻】명 졸렬하고 서투른 공격. ¶~으로 승기(勝機)를 놓치다.

졸-규모【拙規模】명 졸렬하게 생긴 인물이나 변변찮은 규모.

졸근박 명〈방〉조롱박(충북).

졸금 부 ①액체가 조금 쏟아지다 그치는 모양. ②눈물을 조금 흘리는 모양. ③비가 조금 내리다가 멋는 모양. 1)-3):〃쫄끔. >잘금. <질금. ——-하다 자타여불

졸금-거리다 자타 연해 졸금하다. 또, 연해 졸금하게 하다. >잘금거리다. <질금거리다. 졸금-졸금 부. ——-하다 자타여불

졸금-대다 자타 졸금거리다.

졸기[1] 명〈방〉조리(條理).

졸기[2]【拙技】명 ①서투른 기예(技藝). ②자기의 기예의 겸칭.

졸깃-졸깃 부 차지고 질겨 씹을 때 뛰길 힘이 있는 모양. 〃쫄깃쫄깃. <줄깃줄깃·질깃질깃. ——-하다 형여불

졸깃-하다 형여불 차지고 질겨 씹을 때 뛰길 힘이 있는 듯하다. 〃쫄깃

하다. <줄깃하다. *잘깃하다·질깃하다.

졸-난변통【猝難變通】[—란—] 명 일을 갑자기 당하여 미처 조처할 수 없음.

졸-남생이 명 〈방〉 줄남생이.
 졸남생이 따르듯 구 여럿이 모두 줄지어 뒤를 따르는 모양. ¶그 불한당 밑에 졸개 도적은 졸남생이 따르듯 하였더라 ≪李人稙:銀世界≫.

졸납【拙衲】[—랍] 인대 〖불교〗 중이 자신을 낮추어 부르는 말. 졸승(拙僧).

졸년【卒年】[—련] 명 죽은 해. 몰년(沒年).

졸-년월일【卒年月日】[—련—] 명 죽은 연월일. ↔생년월일(生年月日).

졸눌【拙訥】[—룰] 명 재주가 무디고 말이 어줍음. ——-하다 형여불

졸:다[1] 자 〔중세 : 조올다〕 앉은 채로 자다. 무엇을 하는 도중에 깜박 잠이 들다. ¶꾸벅꾸벅 ~/졸면서 운전하다.

졸:다[2] 자 분량이나 부피가 적어지다. ¶간장이 햇볕에 ~/찌개가 졸아붙다. <줄다.

졸다[3] 자 〈옛〉 졸다. 줄다. ¶蹙은 ᄆᆞᄃᆞ혈씨오 縮은 졸씨라≪月釋 X: 122≫.

졸대 [—때] 명 〖건〗 ①엇평. ②좁고 가늘게 쓰는 재료(材料)의 통칭.

졸대-목【—木】[—때—] 명 〖건〗 엇평.

졸도[1]【卒徒】[—또] 명 ①부하 군졸(軍卒). ②부하로 있는 변변하지 못한 사람.

졸도[2]【卒倒】[—또] 명 갑자기 현기증을 일으키며 넘어지는 일. 뇌빈혈이나 심장 발작 등으로 일어나며 잠시 정신을 잃음. ¶심장 마비로 ~하다. ——-하다 자여불

졸도-균【卒倒菌】[—또—] 명 〖식〗 [*Bacillus sotto*] 간균과(桿菌科)에 속하는 세균(細菌). 누에의 졸도병 병균임. 독소(毒素)를 분비함. *고초균.

졸도-병【卒倒病】[—또뼝] 명 〖충〗 누에의 중독증(中毒症)의 하나. 졸도균(菌)의 기생으로 인하여 생기는 독소에 의해 일어남. 식욕 부진·발육 부진·위축 등의 증상이 있고 대개 급작스럽게 죽음. 죽으면 갈색이나 흑갈색으로 변함.

졸독【卒讀】[—똑] 명 읽기를 마침. 다 읽음. ——-하다 타여불

졸-들다 자 발육이 부진(不振)하고 주접이 들다.

졸딱-졸딱 부 ①규모가 작아서 옹졸한 모양. ②무슨 일을 한 번에 하지 못하고 조금씩 여러 차례에 하는 모양. 1)·2): ㅆ쫄딱쫄딱.

졸때기 명 ①규모가 작은 일. ¶~ 장사. ②지위가 변변하지 못한 사람. ¶~ 직원. ③졸[3](卒).

졸라 [Zola, Émile] 명 〖사람〗 프랑스의 소설가. 자연주의(自然主義) 문학의 대표자로서 사회의 암흑면이나 군중(群衆)·집단의 대담하고 소상한 묘사에 뛰어났음. 1898년, 드레퓌스 사건(Dreyfus 事件)을 변호하고 금고형을 받음. 소설 ≪목로 주점≫·≪나나≫·≪루공가(家)의 운명≫ 외에 ≪실험 소설론≫·≪자연주의 소설가≫ 등의 저작(著作)이 있음. [1840-1902]

졸라-대다 타 무리하게 조르다. 바득바득 요구하다. ¶돈을 달라고 ~.

졸라-매다 타 느슨하지 않도록 단단히 동여 매다. ¶허리띠를 ~. *잘라매다.

졸라이슴 [프 zolaïsme] 명 〖문〗 프랑스의 작가 졸라가 창작(創作)에 임하여 쓴 과학적 및 실험적 방법으로, 자연주의 문학의 주지(主旨)를 말함. 뒤에 이 방법이 극단(極端)으로 흘러 반대자가 이러한 경향을 공격하는 뜻으로 쓰게 됐음.

졸라-코:트 [Zolacoat] 명 페인트의 상품명. 여러 가지 빛깔이 융합되지 않은 채 혼합되어 있으므로 내뿜어서 시공할 경우, 매우 아름답게 칠해지는 고급 도료.

졸랑-거리다 자 경망하여 언행에 조심성이 없이 연해 까불다. ㅆ촐랑거리다. 졸랑-졸랑 부. ——-하다 형여불

졸랑-대다 자 졸랑거리다.

졸래-졸래 부 경망스럽고 주책없는 사람이 몸을 흔들면서 행동하는 모양. ¶~ 따라오다. ㅆ쫄래쫄래. <줄레줄레. ——-하다 형여불

졸러로 부 〈방〉 조리로.

졸렌 [도 Sollen] 명 〖철〗 당위(當爲).

졸렬【拙劣】명 옹렬하고 잔졸함. ¶~한 방법. ——-하다 형여불

졸렬-성【拙劣性】[—썽] 명 졸렬한 성질.

졸렵다 자 〈방〉 졸리다[1](경기·충북).

졸로[1]【拙老】인대 늙은이가 자기를 겸손하게 일컫는 말. 우로(愚老).

졸로[2] 부 ↗조리로.

졸로파【拙老婆】명 〖조〗 멋쟁이새.

졸론【拙論】명 ①자기의 언론(言論)을 낮추어 일컫는 말. ②보잘것없는 언론.

졸루【拙陋】명 졸렬하고 비루함. ——-하다 형여불

졸:리다[1] 자 〔근대 : 조올리다. '졸다'의 피동형〕 졸음이 와서 자고 싶은 느낌이 들다.

졸리다[2] 피동 ①남에게 조름을 당하다. 시달림을 당하다. ¶빚쟁이에게 ~. ②단단하게 매어지다. 1)·2): ㅆ쫄리다.

졸리베 [Jolivet, André] 명 〖사람〗 프랑스의 작곡가. 바레즈(Varèse) 등에게 배우고, 신고전주의적 풍조(風潮)에 반발하여, 1936년 메시앵(Messiaen) 등과 '젊은 프랑스'를 결성함. 무대 음악·가곡·관현악곡·각종 협주곡 등이 있으며, 특히 피아노 협주곡 ≪적도 지방≫은 유명함. 라무뢰(Lamoureux) 관현악단 회장·파리 음악원 교수 등을 역임함. [1905-74]

졸리스트 [도 Solist] 명 〖악〗 독창자. 독주가.

졸리오 퀴리 [Joliot-Curie] 명 〖사람〗 ①[Jean Frédèric J.-C.] 프랑스의 원자 물리학자. 부인과의 협력으로 원자 파괴(原子破壞)의 실험에서 인공 방사능(人工放射能)을 발견하여 1935년 노벨 화학상을 받았음. [1900-58] ②[Irène J.-C.] ❶의 부인. 퀴리(Curie, P.)의 장녀. 남편과의 연구로 같이 노벨상을 받았으며, 일시 블룸(Blum) 내각에도 참여, 어머니의 뒤를 이어 파리 대학 교수를 지냈음. 국장(國葬)됨. [1897-1956]

졸리티 [Giolitti, Giovanni] 명 〖사람〗 이탈리아의 정치가. 자유주의자로, 1892-1921년에 극우(極右)에서 극좌(極左)에 이르는 제당파를 조종하며 5회에 걸쳐 수상이 되어 이탈리아의 공업화 및 참정권의 확대를 실현, 소위 졸리티 체제를 구축함. 제1차 대전시에는 중립을 주장함. 전후에는 사회당의 진출을 누르기 위해 파시스트당과 제휴했으나 일당 독재제 출현에는 반대했음. [1842-1928]

졸림 명 〈방〉 졸음[1](경기·전북).

졸립다 자 〈방〉 졸리다[1](경기·충남).

졸링겐 [Solingen] 명 〖지〗 독일 중서부 루르 지방(Ruhr 地方) 라인 강의 작은 지류(支流)인 부페 강(Wuppe 江) 강변의 공업 도시. 강철업(鋼鐵業)의 중심지이며 날붙이의 산지로서 알려졌고, 졸링겐 면도날은 특히 유명함. [165,000명(1981)]

졸마【卒痲】명 〖역〗 주조마국(走漕馬國).

졸막-졸막 부 여러 개의 크고작은 물건이 뒤섞여서 차이가 두드러진 모양. <줄먹줄먹. ——-하다 형여불

졸망【拙妄】명 졸렬하고 잔망함. ——-하다 형여불. ——-히 부

졸망이【卒—】명 〈방〉 졸[3](卒).

졸망-저구리 명 〈방〉 〖조〗 쇠딱다구리.

졸망-졸망 부 ①거죽이 울퉁불퉁하게 생긴 모양. ②자질구레한 것이 많이 모여 보기에 사랑스러운 모양. ¶애들이 ~ 모여 있다. 1)·2): <줄멍줄멍. ——-하다 형여불

졸모【拙謀】명 졸렬한 꾀.

졸목【拙目】명 사물을 보는 눈이 졸렬함. 졸렬한 안식(眼識).

졸무【拙舞】명 ①서투른 춤. ②자기 춤의 겸칭.

졸무래기 명 〈방〉 조무래기.

졸문【拙文】명 ①졸렬하게 지은 글. ②자기 글을 겸손하게 일컫는 말.

졸-밥 명 사냥하는 매에 꿩을 잡을 생각이 나게 조금 주는 꿩고기 미끼.

졸뱅이[1] 명 〈방〉 졸보(拙甫).

졸뱅이[2] 명 〈방〉 조리(경북).

졸병【卒兵】명 병졸(兵卒).

졸보【拙甫】명 재주가 없고 아주 졸망하게 생긴 사람.

졸-보기 명 근시(近視). ↔멀리보기.

졸보기-눈 명 근시안(近視眼). ↔멀리보기눈.

졸-복【—鰒】명 〖어〗 [*Sphoeroides pardalis*] 참복과에 속하는 바닷물고기. 몸길이 38cm 가량으로 몽똑하게 짧은데 피부 표면이 거칠거칠함. 몸빛은 황갈색에 배쪽이 흰데 등 쪽에 다갈색의 둥근 반점이 산재함. 한국 전연해(全沿海) 및 일본의 내만(內灣)에 분포함. 난소(卵巢)와 간장(肝臟)에 맹독이 있음.

〈졸복〉

졸본【卒本】명 〖역〗 고구려의 시조 동명 성왕(東明聖王)이 도읍을 정한 곳. 광개토왕(廣開土王) 비문(碑文)에 나타난 홀본(忽本)과 같은 말로서, 고구려 5부족(部族) 중, 계루부(桂婁部)가 위치한 곳이며, 2대 유리왕(琉璃王) 22년(3)에 도읍을 국내성(國內城)으로 옮김. 지금 훈강(渾江) 유역의 환인(桓仁) 지방일 것으로 비정(比定)되고 있으나 이에 대해서는 여러 가지 설이 있음. 홀본(忽本).

졸본 부여【卒本扶餘】명 〖역〗 '고구려'의 이칭(異稱).

졸부[1]【猝富】명 벼락 부자.

졸부[2]【拙夫】인대 아내에게 남편이 자신을 낮추어 일컫는 말. 흔히 편지에 씀.

졸-부귀【猝富貴】명 졸지에 된 부귀(富貴).

졸부귀 불상【猝富貴不祥】[—쌍] 명 졸지에 된 부귀는 도리어 상서롭지 못함. 곧, 뒤에 재앙이 따르기 쉽다는 말.

졸사【猝死】[—싸] 명 졸지에 죽음. ——-하다 자여불

졸사-간【猝乍間】[—싸—] 명 갑작스러운 짧은 동안. ¶규중 여자가 동서 방향을 모르오니 어디라 ~ 말을 할 수 없사오니…≪李海朝 : 琵琶聲≫.

졸생【拙生】[—생] 인대 '자기'의 겸칭. 소생(小生). 우생(愚生).

졸서【卒逝】[—써] 명 죽어서 멀리 감. ——-하다 자여불

졸성【拙誠】[—썽] 명 옹렬한 정성.

졸세【卒歲】[—쎄] 명 해를 마침. ——-하다 자여불

졸속【拙速】[—쏙] 명 일을 지나치게 서둘러 어설프고 서투름. ¶~주의. ↔교지(巧遲). ——-하다 형여불

졸수【拙守】[—쑤] 명 수비가 서투름. 운동 경기에서, 서투른 수비를 함.

졸-수단【拙手段】[—쑤—] 명 매우 졸렬한 수단.

졸슨 [Jolson, Al] 명 〖사람〗 미국의 포퓰러 가수·영화 배우. 러시아 태생으로 알려짐. 1911년 브로드웨이에 등장, 1924년 할리우드에 진출하여 최초의 토키 영화 ≪재즈 싱거≫에 주역으로 출연하여 성공을 거두고 스타가 됨. [1886-1950]

졸승[1]【卒乘】[—씅] 명 걷는 군사와 말탄 군사.

졸승[2]【拙僧】[—씅] 인대 〖불교〗 졸납(拙衲).

졸아-들다 자 부피가 작게 되다. 많던 것이 적어지다. ¶국물이 ~. <줄어들다.

졸아-붙다 자 열에 의해 수분이 거의 없을 정도에 이르다. ¶찌개가 바짝 ~.

졸아이 [부] 〈옛〉 친하게. 친근하게. =즈올아비·즈올아이. ¶둘히 샹해 골와 놀으딗 서로 졸아이 아니ᄒᆞ야《內訓 Ⅱ:4》.

졸아-지다 [자] 차차 졸아들다. <줄어지다.

졸악 【拙惡】 [명] 졸렬하고도 조악(粗惡)함. ¶~한 상품. ——-하다 [형][여불]

졸압다 [형] 〈옛〉 친하다. ¶子 상복ᄒᆞ니를 보시고 비록 졸아오나 반ᄃᆞ시 변석ᄒᆞ시며(子 見衰者 雖狎必變)《明宗版 小諺 Ⅲ:15》.

졸업 【卒業】 [명] ①『교』 규정(規定)된 교과 또는 학과 과정을 마침. ¶~장. ②어떤 일이나 기술에 숙달(熟達)하거나 익숙해짐. ¶객지 생활에도 이젠 ~이 되어 잘 지낸다. *필업(畢業). ——-하다 [타][여불]

졸업-기 【卒業期】 [명] 졸업할 시기.

졸업-꾼 【卒業—】 [명] 어떤 일이나 기술에 아주 익숙한 사람. 졸업생.

졸업 논문 【卒業論文】 [명] 『교』 졸업 때 졸업 예정자가 전공(專攻)한 부문에 관해서 제출하는 논문.

졸업-반 【卒業班】 [명] 졸업을 앞둔 학년.

졸업-생 【卒業生】 [명] ①졸업한 사람. ②규정한 학과를 마친 사람. ③졸업꾼.

졸업-식 【卒業式】 [명] 졸업장을 주는 의식(儀式).

졸업-자 【卒業者】 [명] 졸업생(卒業生).

졸업-장 【卒業狀】 [명] 졸업한 사항을 적어 졸업자에게 주는 증서. 졸업증서.

졸업 증명서 【卒業證明書】 [명] 졸업한 사실을 증명해 주는 문서.

졸업 증서 【卒業證書】 [명] 졸업장(卒業狀).

졸역 【拙譯】 [명] ①졸렬한 번역. ②자기의 번역의 겸칭.

졸연 【拙鷰】 [명] 『조』 갈색제비.

졸연-간 【猝然間】 [一][명] 갑작스런 사이. [二][부] 졸연간에.

졸연간-에 【猝然間—】 [부] 갑작스런 사이에. ¶~ 적의 기습이 시작되었다.

졸연-하다 【猝然—·卒然—】 [형][여불] 갑작스럽다. ¶아씨 병이 졸연치 아니하니 여기서 이대로 있으면 병만 더하고 낫지는 아니할 듯하여…《金宇鎭:榴花雨》. **졸연-히** 【猝然—】 [부]

졸영[1] 【拙詠】 [명] ①서투른 시가(詩歌). ②자기가 지은 시가의 겸칭.

졸영[2] 【拙影】 [명] 자기의 초상(肖像)이나 사진의 겸칭.

졸오 【卒伍】 [명] 병졸(兵卒)들의 대오(隊伍).

졸오다 [타] 〈옛〉 조르다. ¶졸오다(賴我賴你)《四聲上 46 賴字註》.

졸우 【拙愚】 [명] 용렬하고 어리석음. ——-하다 [형][여불]

졸:음[1] [명] 자고 싶은 기분. 잠이 오는 느낌. ¶~이 오다.

졸음[2] 【拙吟】 [명] ①잘 짓지 못한 시(詩). ②자기의 지은 시의 겸칭.

졸의[1] 【拙意】 [—/—이] [명] 자기의 의견이나 의사의 겸칭.

졸의[2] 【拙醫】 [—/—이] [명] 의술이 신통치 않은 의사. *돌팔이 의사.

졸이다 [타] ①졸아들게 하다. ¶국물을 ~. <줄이다. ②속을 태우다시피 조바심하다. ¶마음을 ~.

졸자 【拙者】 [—짜] [一][명] 몹시 용렬한 사람. [二][인대] '자기'의 겸칭.

졸:-자라다 [자] 키나 신체의 부분이 적게 자라다.

졸작 【拙作】 [—짝] [명] ①보잘것없는 작품. ②자기의 작품을 겸손하게 일컫는 말. *졸저(拙著).

졸:-잡다 [타] 어느 표준보다 졸이어 잡아 보다. <줄잡다.

졸장 【拙匠】 [—짱] [명] 서투른 목수.

졸-장부 【拙丈夫】 [—짱—] [명] 도량이 좁고 용렬한 사내. ¶에끼, 이 ~야. ↔대장부.

졸저 【拙著】 [—쩌] [명] 자기의 저작(著作)을 겸손하게 일컫는 말. *졸작(拙作).

졸전 【拙戰】 [—쩐] [명] 졸렬한 시합이나 싸움. ¶~을 벌이다.

졸:졸 [부] ①가는 물줄기 등이 잇따라 순하게 흐르는 소리. ¶시냇물이 ~ 흐르다. ②가는 줄 등이 연달아 끌리는 모양. ③어린아이나 강아지 등이 떨어지지 아니하고 뒤를 따라다니는 모양. ¶강아지가 ~ 따라오다. 1)-3):ㅆ 쫄쫄. <줄줄.

졸졸-거리다 [자] 가는 물줄기 등이 잇따라 졸졸 소리를 내며 흐르다. ㅆ쫄쫄거리다. <줄줄거리다.

졸졸-대다 [자] 졸졸거리다.

졸졸 요:당 【猝猝了當】 [—료—] [명] 갑작스럽게 마침.

졸:졸졸 [부] 잇따라 졸졸거리는 모양. ㅆ쫄쫄쫄. <줄줄줄. ——-하다 [자][여불]

졸중 【卒中】 [—쭝] [명] 『한의』 ↗뇌졸중·졸중풍(卒中風).

졸중 체형 【卒中體型】 [—쭝—] [명] 『의』 졸중을 일으키기 쉬운 체형. 비만형으로 목이 짧고 얼굴이 붉으며 어깨·가슴패기가 넓고 근육의 발육도 좋은 체형을 말함.

졸-중풍 【卒中風】 [—쭝—] [명] 『한의』 뇌일혈 또는 뇌혈전(腦血栓)·뇌색전 발작(腦塞栓發作) 등의 뇌혈관(腦血管)의 장애에 의하여, 갑자기 의식을 잃고 쓰러지며 깊은 혼수 상태에 빠지는 증상. 격부증(擊仆症). [준]졸중(卒中).

졸지[1] 【拙遲】 [—찌] [명] 일하는 것이 서투르고도 느림. ——-하다 [형][여불]

졸지[2] 【猝地】 [—찌] [명] 느닷없고 갑작스러운 판.

졸지-에 【猝地—】 [—찌—] [부] 느닷없이. 갑자기. ¶~ 망하다/불이 나서 ~ 알거지가 되다.

졸지 풍파 【猝地風波】 [—찌—] [명] 갑작스럽게 일어나는 풍파.

졸직 【拙直】 [—찍] [명] 고지식하고 변통성(變通性)이 없음. ——-하다 [형][여불]

졸직-이 【拙直—】 [—찌—] [부] 졸직하게.

졸-참나무 [명] 『식』 [*Quercus serrata*] 참나뭇과에 속(屬)하는 낙엽 활엽 교목. 잎은 거꿀달걀꼴 또는 거꿀달걀꼴의 긴 타원형을 이루며 잎 뒤에는 털이 났음. 5-6월에 자웅 일가(雌雄一家)의 수꽃이삭이 길게 늘어지고 짧은 암꽃이삭은 한두 개가 피며, 견과(堅果)는 9월에 익음. 양지 쪽의 산중턱 및 산기슭에 나는데, 거의 한국 전역 및 일본·중국에도 분포함. 신탄재 및 기구재로 쓰고 표고버섯의 원목(原木)으로도 씀. 과실은 식용하며 수피(樹皮)는 물감용임.

〈졸참나무〉

졸창-간 【卒倉間】 [명] 창졸간(倉卒間).

졸책 【拙策】 [명] ①졸렬한 계책. 졸계(拙計). ¶~으로 실패하다. ②자기의 계책을 낮추어 이르는 말.

졸처 【拙妻】 [인대] 아내가 남편에게 자기를 낮추어 이르는 말.

졸토 【拙—】 [명] 〈방〉 졸보(拙甫).

졸토-뱅이 【拙—】 [명] 〈방〉 졸보(拙甫).

졸편 【卒篇】 [명] 시문(詩文)의 전편(全篇)을 죄다 끝맺거나 또는 읽기를 마침. 종편(終篇). ——-하다 [타][여불]

졸품 【拙品】 [명] 졸렬한 작품이나 물품.

졸필 【拙筆】 [명] ①졸렬한 글씨. 조필(粗筆). 우필(愚筆). ②서투른 문장. 조필. 우필. ③자기의 필적의 겸칭. 조필. 우필. ④글씨를 잘 못 쓰는 사람.

졸-하다[1] 【卒—】 [자][여불] '죽다'의 약간 높임말.

졸-하다[2] 【拙—】 [형][여불] ①재주가 없고 용렬하다. ②씩씩하지 못하고 생각이 좁다.

졸한 【猝寒】 [명] 갑자기 닥치는 추위. 갑작스러운 추위. ¶근래에 없는 ~이 날마다 계속되다.

졸형 【拙荊】 [명] '내자(內子)'의 뜻으로 편지에 쓰는 말.

좀[1] [명] 〔중세:좀〕 ①『충』 ↗수시렁좀. ②『충』 ↗나무좀. ③『충』 ↗반대좀 ❶. ④사물에 대하여 은연중에 조금씩 조금씩 손해되게 하는 물건이나 사람의 비유(比喩).

좀이 쑤시다 [구] 가만히 참고 기다리지 못하다. ¶날은 추운데 모친이 혼자 쩔쩔 매는 양이 눈에 선히 보이는 것 같아서 좀이 쑤시고 곧 일어나고만 싶었다 《廉相涉:三代》.

좀[2] [명] 〈방〉 『충』 바구미(전남).

좀[3] [명] 〈옛〉 줌. 줌통. 활의 손잡이. ¶좀 파(弝)《字會 中 28》.

좀[4] [부] ↗조금. ¶~ 수고해 주게/~ 나은 편이다.

좀:[5] [부] 그 얼마나. ¶~ 예쁜가/~ 잘하나.

좀- [두] ①'좀스러움'을 나타내는 말. ¶~도둑/~생원. ②'소형(小形)'의 뜻을 나타내는 말. ¶~매미. *왕(王).

좀-가래 [명] 『식』 [*Potamogeton fluitans*] 가랫과에 속하는 다년생의 수초(水草). 줄기는 길이 5cm 가량이고, 부엽(浮葉)은 장병(長柄)이며 엽신(葉身)은 타원형을 이룸. 8월에 황록색 꽃이 수상(穗狀) 화서로 액생(腋生)하여 핌. 논이나 연못에 나는데, 제주·전남·전북·강원·경기·함남 등지에 분포함.

좀-가지풀 [명] 『식』 [*Lysimachia japonica*] 앵초과에 속하는 다년초. 줄기 높이 10-20cm 이고, 잎은 대생(對生)하며 유병(有柄)에 둥근 달걀꼴임. 5-6월에 노란 꽃이 액출(腋出)하고, 삭과(蒴果)를 맺음. 산지에 나는데, 제주·전남의 지리산에 분포함.

〈좀가지풀〉

좀-갈매나무 [명] 『식』 [*Rhamnus taquetii*] 갈매나뭇과에 속하는 낙엽 활엽 관목. 작은 잎은 거꿀달걀꼴의 둥근 모양임. 5-6월에 자웅 이가(雌雄異家)의 꽃이 액생(腋生)하여 피며, 핵과(核果)를 맺음. 산중턱 이상에 나는데 드물며, 제주도 특산임. 관상용으로 심음.

좀-감탕나무 [명] 『식』 먼나무.

좀-개구리밥 [명] 『식』 [*Lemna paucicostata*] 개구리밥과에 속하는 다년초(多年草). 수면(水面)에 뜨는 수초(水草)로 엽상체(葉狀體)는 편평하고 길이 2-3.5cm의 거꿀달걀꼴 또는 거꿀달걀꼴의 넓은 타원형을 이루는데, 잎 뒤의 중심(中心)에서 실 모양의 뿌리가 한 개 늘어짐. 8월에 백색 꽃이 피는데 주걱 모양의 포(苞) 속에 두 개의 수꽃과 한 개의 암꽃이 들어 있으며 화피(花被)는 없음. 논이나 연못에 나는데, 제주·충북·강원·경기도 및 일본 등지에 분포함.

〈좀개구리밥〉

좀-개미붙이 [—부치] [명] 『충』 [*Tarsostenus univittatus*] 개미붙잇과에 속하는 곤충. 몸은 길이 4-5mm에 가늘고 편평하며 몸빛은 흑색에 촉각·기부(基部)·부절(跗節)·경절(脛節)의 일부는 황갈색이고, 시초(翅鞘)의 중앙에 황백색의 횡대(橫帶)가 있으며 시초에는 회색 내지 암색 털이 있음. 삼림(森林)과 목재의 해충을 잡아먹는데, 세계 공통종으로 널리 분포함.

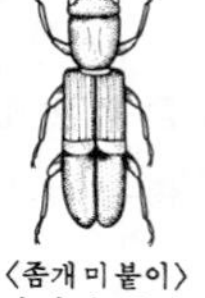
〈좀개미붙이〉

좀-개미취 [명] 『식』 [*Aster maackii*] 국화과에 속하는 다년초. 줄기 높이 60cm 가량. 자색(紫色)을 띠며, 무병(無柄)의 잎은 호생하고 피침형(披針形)을 이룸. 8-9월에 자색의 두화(頭花)가 직경 4.5cm의 방상(房狀) 화서로 피며 변화(邊花)는 설상화(舌狀花)인데 자색, 심화(心花)는 관상화(管狀花)이며 황색임. 산지에 나는데 충남·강원·경기·평북·함남·함북 등지에 분포함.

좀-거위 [명] 『동』 요충(蟯蟲).

좀-것 [—껏] [명] 좀스럽게 생긴 물건이나 사람.

좀-고추나물 명 〖식〗 [*Hypericum laxum*] 물레나물과에 속하는 다년초. 줄기 높이 5-10cm, 잎은 대생하며 무병(無柄)임. 7-8월에 황색 꽃이 취산(聚繖) 화서로 정생하며, 소형의 삭과를 맺음. 들에 나는데, 제주·전남·경남·강원·경기·평남 등지에 분포함.

좀-골담초 명 〖식〗 [*Caragana microphylla*] 콩과에 속하는 낙엽 활엽의 관목. 가시가 있고, 잎은 6-9 쌍이 우상 복생(羽狀複生)하며, 소엽(小葉)은 타원형 또는 거꿀달걀꼴임. 5월에 노란 꽃이 1-2개씩 액생(腋生)하고 협과(莢果)는 원기둥꼴이며 가을에 익음. 산지에 나는데, 한국의 함북 및 만주·시베리아 등지에 분포함. 뿌리는 약용하고 관상용으로 심음.

좀-굴거리나무 명 〖식〗 [*Daphniphyllum glaucescens*] 대극과에 속하는 상록 활엽의 작은 교목. 잎은 타원형 또는 긴 거꿀달걀꼴임. 5월에 자웅 이가(雌雄異家)의 꽃이 총상(總狀) 화서로 액생(腋生)하고, 핵과(核果)는 12월에 흑색으로 익음. 산지의 숲 속에 나는데, 전남 및 일본·대만·중국·인도 등지에 분포함. 정원수로 심고 잎은 약용함.

좀-긴썩덩벌레 명 〖충〗 [*Scotodes nipponicus*] 긴썩덩벌렛과에 속하는 곤충. 몸길이 9mm 내외, 몸빛은 갈색에 촉각·다리는 적갈색, 시초(翅鞘)는 황색 털이 드문드문 뭉쳐져서 반문(斑紋)을 이룸. 썩은 나무에 많이 모이는데, 한국·일본·사할린 등지에 분포함.

좀-길앞잡이 명 〖충〗 [*Cicindela japana*] 길앞잡잇과에 속하는 곤충. 몸길이 17mm 내외, 몸빛은 대체로 녹색 내지 갈색에 두부(頭部)는 청동색이며 시초(翅鞘)·외연(外緣)에 따라 어깨에 점문(點紋), 시저(翅底)에 사문(斜紋), 중앙에 전광형(電光形), 시단(翅端)에 「, 」 모양의 네 가지 황백색 무늬가 있음. 한국·일본 등지에 분포함.

〈좀길앞잡이〉

좀-깻잎나무 [—닙—] 명 〖식〗 [*Duretia spicata*] 쐐기풀과에 속하는 낙엽 활엽 관목. 잎은 둥근 달걀꼴이고 끝은 꼬리 모양으로 뾰족하며 거친 톱니가 있음. 7-8월에 담황록색 꽃이 자웅 일가(雌雄一家)의 수상(穗狀) 화서로, 수꽃이삭은 하부에 암꽃이삭은 상부에 피며, 수과(瘦果)는 가을에 익음. 골짜기의 바위 틈에 나는데, 평남북과 함북을 제외한 한국 전역 및 일본·중국 등지에도 분포함. 수피(樹皮)는 섬유용이며 어린 잎은 식용함. 새끼거북꼬리.

좀-깽깽매미 명 〖충〗 [*Tibicen bihamatus*] 매밋과에 속하는 곤충. 몸길이 33-35mm에 몸빛은 검은데 중흉배(中胸背)의 측연(側緣) 중앙의 「W」자형 무늬와 십자(十字)형 융기(隆起)의 양쪽은 황록색, 날개는 무색 투명함. 복판(腹瓣)은 담녹갈색의 설상(舌狀)을 이루고, '기야기야' 하면서 욺. 한국에도 분포함.

좀-꽃 명 작은 꽃.

좀꽃-마리 명 〖식〗 [*Trigonotis coreana*] 지칫과에 속하는 다년초. 줄기는 만성(蔓性)이고 높이 30cm 내외, 장병(長柄)의 잎은 호생하고 달걀꼴을 이룸. 5월에 엷은 남자색 꽃이 총상(總狀) 화서로 정생하고, 견과(堅果)를 맺음. 산지에 나는데, 경남의 거제도·함북의 무산(茂山) 등지에 분포함.

좀-꾀 명 좀스러운 잔꾀.
[좀꾀에 배꾸러기] 좀꾀를 부리는 것은 배벌이밖에 안 된다는 말.

좀-꿩의다리 [—/—에—] 명 〖식〗 [*Thalictrum thunbergii* var. *hypaleucum*] 미나리아재빗과의 다년초. 높이 2m 내외, 잎은 호생하며, 삼회(三回) 우상 복생(羽狀複生)하고 소엽(小葉)은 원형·타원형 또는 거꿀달걀꼴 설형(楔形)인데 끝이 얕게 셋으로, 더러는 다섯으로 갈라지고 잎 뒤는 분처럼 흼. 7-8월에 엷은 황백색(黃白色) 꽃이 원추(圓錐) 화서로 정생(頂生)하여 피며 과실은 수과(瘦果)임. 산이나 들에 나는데, 거의 한국 각지에 분포함. ＊큰꿩의다리.

〈좀꿩의다리〉

좀-꿩의밥 [—/—에—] 명 〖식〗 [*Luzula wahlen bergii*] 골풀과의 다년초. 줄기 높이 15-25cm, 잎은 선형(線形), 7월에 흑갈색 꽃이 줄기 끝에 서너 개씩 서로 접착(接着)하여 피고, 삭과(蒴果)를 맺음. 산중턱에 나는데, 함경도 등지에 분포함.

좀-나무 명 〖식〗 ☞관목.

좀-나방 명 〖충〗 명나방.

좀-날 명 〈방〉 〖민〗 종날.

좀-날개바퀴 명 〖충〗 잔날개바퀴.

좀-낭아초 【—狼牙草】 명 〖식〗 [*Chamaerhodos erecta*] 장미과에 속하는 다년초. 줄기 높이 40cm 내외, 근생엽(根生葉)은 총생(叢生)하며, 경엽(莖葉)은 호생하고 열편(裂片)은 피침형임. 6-7월에 황색 꽃이 취산(聚繖) 화서로 줄기 끝과 가지 끝에 정생(頂生)하여 피고, 삭과(蒴果)를 맺음. 길가에 나는데, 함북에 분포함.

좀-내 명 ①좀이 생긴 물체에서 나는 냄새. ②낡은 느낌이나 낡은 티의 비유.

좀-넓적꽃등에 [—넙—] 명 〖충〗 [*Chrysotoxum festivum*] 꽃등엣과에 속하는 곤충. 몸길이 12-14mm, 촉각은 흑색, 복부는 담갈색에 황색 가로띠가 있음. 흉부(胸部)는 흑색, 중흉배(中胸背)는 중앙에 회색 종선(縱線)이 두 개 있고, 날개는 갈색을 띠며 말단 앞쪽에 암갈색 부분이 있음. 한국·일본·시베리아·유럽에 분포함.

좀-네잎갈퀴 명 〖식〗 [*Galium gracilens*] 꼭두서닛과에 속하는 다년초. 줄기는 총생(叢生)하고 네모가 났으며 높이 30cm 내외임. 잎은 각 마디에 네 개씩 윤생(輪生)하고 피침형이며 길이 8mm 가량임. 5-6월에 담녹색 꽃이 취산(聚繖) 화서로 정생 혹은 액출(腋出)하여 핌. 산이나 들에 나는데, 제주·전남의 완도(莞島) 및 경남 등지에 분포함.

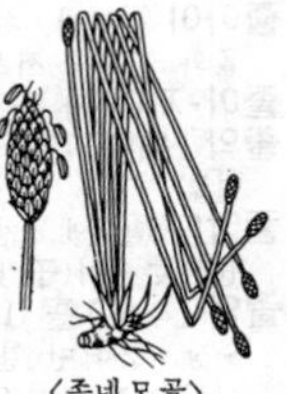
〈좀네모골〉

좀-네모골 명 〖식〗 [*Eleocharis Wichuroei*] 방동사닛과에 속하는 다년초. 줄기는 사각주(四角柱)로 다수 총생하고, 높이 40cm 내외이며, 잎은 없음. 꽃이삭은 줄기 끝에 단립(單立)하고 달걀꼴의 긴 타원형을 이루는데, 담갈색 영(穎)은 달걀꼴 타원형이며, 8-9월에 피고, 수과(瘦果)를 맺음. 들의 습지에 나는데, 경남·강원·경기·함북 등지에 분포함.

좀-녕 명 〈비〉 좀스러운 사람.

좀노래기-벌 명 〖충〗 [*Corceris japonica*] 구멍벌과에 속하는 곤충. 암컷의 몸길이는 13-15mm, 몸빛은 흑색에 점각(點刻)이 있음. 전흉배판(前胸背板) 양측의 점반(點斑), 후흉배판 상의 한 개의 횡선, 복부 제2절 전연(前緣)의 반문, 제3절 양측 반문과 제5절 후연(後緣)의 횡반(橫斑) 및 복면(腹面), 제3절 등은 황색임. 땅 속에 집을 짓고 사는데, 한국·일본 등지에 분포함.

좀-노릇 명 좀스러운 일.

좀-놈 명 〈비〉 좀스러운 사람.

좀-닭의장풀 【—欌—】 [—달기—] 명 〖식〗 [*Commelina coreana*] 닭의장풀과의 다년초. 줄기는 높이 40cm 내외, 잎은 선형(線形) 또는 선상 피침형(披針形)인데, 길이 3-10cm, 폭 1-1.2cm 정도임. 6-8월에 파란 꽃이 총상(總狀) 화서로 주걱 모양의 포엽(苞葉) 속에 달리어 피고, 삭과(蒴果)를 맺음. 들이나 강가에 나는데, 제주·전남·경남·경기 등지에 분포함.

좀-담배풀 명 〖식〗 [*Carpesium cernuum*] 국화과에 속하는 월년초(越年草). 줄기 높이 50-90cm, 근생엽(根生葉)은 넓으며 경엽(莖葉)은 호생하고 아래쪽 잎은 타원형 또는 달걀꼴 타원형을 이룸. 8-9월에 흰 꽃이 줄기 끝과 가지 끝에 정생(頂生)하여 핌. 산이나 들에 나는데, 전남 매가도(梅加島) 등지에 분포함. 어린 잎은 식용함.

좀-더 부 조금 더. ¶ ~ 놀다 가시오.

좀-도깨비사초 【—莎草】 명 〖식〗 [*Carex idzuroi*] 방동사닛과에 속하는 다년초. 줄기는 삼릉주(三稜柱)로 총생(叢生)하고, 높이 60cm 가량, 넓은 선형(線形)의 잎은 호생(互生)하며 폭이 5-7mm 임. 4-6월에 소수(小穗)는 4-5개, 수꽃이삭은 1-2개가 정생(頂生)하고 선형(線形)을 이루며, 암꽃이삭은 3-4개가 측출(側出)하여 긴 타원형으로 피며, 과낭(果囊)은 삼릉상(三稜狀)의 좁은 달걀꼴임. 들이나 물가에 나는데, 평북에 분포함.

좀-도둑 [—또—] 명 자질구레한 물건을 훔쳐 가는 좀스러운 도둑. 서적(鼠賊). 소도(小盜). 소모적(小毛賊). 소적(小賊). 좀도적. 초적(草賊).

좀도둑-놈 [—또—] 명 〈비〉 좀도둑.

좀도둑-질 [—또—] 명 자질구레한 물건을 훔치는 짓. ——-하다 자 여불

좀-도리 명 전라도에서, 주부(主婦)가 밥 지을 때 퍼낸 양에서 한 줌씩 떠내어 모아 두는 일. 또, 그 쌀. 나중에 요긴한 가용(家用)에 씀. 좀도리-쌀.

좀도리-쌀 명 좀도리로 모아 둔 쌀. ⌊도리쌀. ¶ ~ 단지.

좀-도요 명 〖조〗 [*Calidris ruficollis ruficollis*] 도욧과에 속하는 새. 날개 길이 90-105mm, 부리 17-20mm, 꽁지 36-50mm 가량임. 암수 같은 빛깔이나 여름과 겨울의 깃 빛깔이 다름. 여름 깃의 배면(背面)은 밤색 바탕에 검은 점이 있는데 겨울철에는 회갈색으로 변함. 몸의 아랫면은 희고 무늬가 없으며, 윗가슴에는 갈색의 작은 무늬가 있는데 부리와 다리는 검음. 바닷가, 강 어귀의 삼각주·염전 등지에서 5-6마리씩 떼를 지어, 갯지렁이·우렁이·소라·곤충류 등을 잡아먹고 삶. 산란기는 6월 하순부터 7월 상순 사이로 4개의 알을 낳음. 시베리아 동부에서 번식하고 우리 나라·일본을 거쳐 말레이 등지의 따스한 곳에서 월동(越冬)하는 나그네새로, 우리 나라에서는 4-6월과 10-11월 통과할 때에 볼 수 있음.

좀-도적 【—盜賊】 [—또—] 명 좀도둑.

좀도적-질 【—盜賊—】 [—또—] 명 좀도둑질. ——-하다 자 여불

좀-돌배나무 명 〖식〗 [*Pyrus fauriei*] 능금나뭇과에 속하는 낙엽 활엽의 작은 교목. 잎은 원형 또는 넓은 달걀꼴임. 4-5월에 백색의 꽃이 짧은 가지 위에 총생(叢生)하여 피고, 둥근 과실은 9월에 익음. 산기슭에 나는데, 전남북·충남·강원·경기 등지에 분포함. 울타리용 및 땔나무로 쓰임.

좀-되다 [—뙤—] 형 사람의 됨됨이나 언행(言行)이 너무 단작스럽다. ¶ 좀된 사내.

좀두쌍니-청벌 【—雙—靑—】 명 〖충〗 [*Chrysis ignita*] 청벌과에 속하는 곤충. 암컷의 몸길이는 6-10mm, 몸빛은 흑색에 두부·흉부·다리에는 자감색(紫紺色)과 청람색의 반문이 있고, 복부(腹部) 제1절의 전연(前緣) 및 외연(外緣)은 녹색이며, 중앙부와 제2절 이하는 적색 또는 적황색을 이룸. 꼬리 끝에는 두 쌍니 모양의 돌기가 있음. 한국·일본·사할린 등지에 분포함.

좀:-뒤 명 〈방〉 줌뒤.

좀-뒤쥐 명 〖동〗 [*Sorex minutus gracillimus*] 땃쥣과(科)에 속하는 쥐의 하나. 뒤쥐와 비슷하여 몸집이 작고 몸의 윗면(面)은 담혈갈색(淡血褐色), 아랫면은 회백색, 꼬리도 담혈갈색이며, 사지(四肢)의 윗면은 담갈색, 표면은 백색임. 산 속에서 곤충·지렁이 등의 동물을 잡아먹는데, 사할린·백두산 부근에 분포함. 쇠뒤쥐.

좀-등빨간소금쟁이 명 〖충〗 [*Gerris gracilicornis*] 소금쟁잇과에 속하는 곤충. 몸길이 12-14mm이고 몸빛은 적갈색인데, 암색(暗色)인 것도 많음. 각 복안(複眼)의 앞쪽 한 개의 무늬와 기부(基部)의 두 개의 무늬는 갈색이고, 흉부(胸部) 측면과 몸의 아래쪽은 흑색이며, 다

리와 복부 측연(側緣)은 갈색을 이룸. 못·늪에 사는데, 한국·일본 등지에 분포함.

좀-딱취 명 〖식〗 [*Ainsliaea apiculata*] 국화과에 속하는 다년초. 줄기는 높이 8-30 cm이고, 잎은 호생하며 장상(掌狀)에 3-9 갈래로 째지고, 열편(裂片)은 삼각상의 달걀꼴임. 엽심(葉心)에서 높이 10-20 cm의 꽃줄기가 나와서 8-10월에 백색의 꽃이 이삭 모양으로 피고, 선형(線形)의 수과(瘦果)를 맺음. 산지에 나는데, 제주 및 전남의 매가도(梅加島) 및 일본 등지에 분포함.

〈좀딱취〉

좀-땅비싸리 명 〖식〗 [*Indigofera koreana*] 콩과에 속하는 다년초. 줄기는 목질(木質)이고 높이 30 cm 이상이며, 유병(有柄)의 잎은 호생하고 기수 우상복엽(奇數羽狀複葉)이며 3-7쌍의 소엽(小葉)은 둥근 달걀꼴 또는 달걀꼴 타원형을 이룸. 6-7월에 담홍색 꽃이 총상(總狀) 화서로 액출(腋出)하고, 협과(莢果)를 맺음. 산지에 나는데, 전남의 완도(莞島) 등지에 분포함.

좀-말 명 좀스럽게 하는 말.

좀-매미 명 〖충〗 거품벌레.

좀매밋-과 【一科】 명 〖충〗 거품벌렛과.

좀-머귀나무 명 〖식〗 [*Fagara fauriei*] 콩과에 속하는 낙엽 활엽 교목. 가시가 있고 잎은 우상 복생(羽狀複生)하며 소엽(小葉)은 달걀꼴의 긴 타원형이며 잔 톱니가 있음. 8월에 황백색 꽃이 취산(聚繖) 화서로 정생하여 피고, 삭과(蒴果)는 11월에 익음. 해안 부근에 나는데, 전남 및 일본 등지에 분포함. 나막신 등을 만듦.

좀-먹다 재타 ①좀이 물건을 쏠다. ②어떤 사물에 대하여 은연 중 손해를 입히다. ¶ 나라를 좀먹는 밀수범.

좀-멸구 명 〖충〗 모무늬매미충.

좀-명아주 명 〖식〗 [*Chenopodium bryniaefolium*] 명아줏과에 속하는 일년초. 줄기 높이 60 cm 가량, 잎은 호생하고 능상(稜狀)의 긴 타원형 또는 선상 피침형을 이룸. 7월에 녹색 꽃이 원뿔 모양의 총상(總狀) 화서로 줄기 끝과 가지 끝에 정생(頂生) 또는 액생(腋生)하고, 포과(胞果)를 맺음. 황폐된 들에 나는데, 한국의 거의 전역(全域)에 분포함. 어린 잎은 식용함.

좀-명주잠자리 【一明紬一】 명 〖충〗 [*Glenuroides japonicus*] 명주잠자릿과에 속하는 곤충(昆蟲). 몸길이 30-35 mm, 편 날개 65-80 mm임. 몸빛은 암갈색(暗褐色), 전흉배(前胸背)에는 두 개, 중·후흉배(中後胸背)에는 여러 개의 황색 무늬가 있는데, 날개는 투명(透明)하고 백색띠와 암갈색 점문(點紋)이 있으며 제3·4 복배(腹背)에는 황색 무늬가 있음. 한국에도 분포함.

좀-모형 【一牡荊】 명 〖식〗 [*Vitex chinensis*] 마편초과에 속하는 낙엽 활엽 관목. 장상(掌狀)의 잎은 복생(複生)하고, 소엽(小葉)은 잎꼭지가 있으며 잎 뒤에 백색의 털과 선점(腺點)이 있음. 7-8월에 파란 꽃이 원추상 기산(岐繖) 화서로 피고, 핵과(核果)는 가을에 빨갛게 익음. 산기슭의 바위 위에 나는데, 경남북·경기도 및 중국·만주 등지에 분포함. 관상용임.

좀-목 【一目】 명 〖충〗 [Thysanura] 무시 아강(無翅亞綱)에 속하는 곤충의 한 목(目). 몸은 방추형(紡錘形)으로 날개가 없으며, 입은 물기에 적합하고, 촉각(觸角)은 길고 실 모양을 이루는데, 복부(腹部)의 각 마디 아랫면에 각기 돌기(脚基突起)라고 하는 것이 한 쌍씩 부속됨. 흔히, 낙엽 밑·땅 속·나무 껍질·선태(蘚苔) 속에 서식함. 총미류(總尾類).

좀물뚝-새 명 〖식〗 [*Sacciolepis indica*] 볏과에 속하는 일년초. 줄기는 총생(叢生)하며, 높이 20-35cm이고 잎은 호생하며 선형(線形)으로 길이는 4-15cm임. 6-8월에 원추형의 꽃이 원추(圓錐) 화서로 핌. 밭이나 습지에 나는데, 거의 한국 각지에 분포함. 이삭피.

좀-민들레 명 〖식〗 [*Taraxacum hallaisanensis*] 꽃상춧과에 속하는 다년초. 줄기는 높이 15cm 가량, 잎은 뿌리에서 총생(叢生)하며 긴 타원형에 윗부분은 크게 우상 심렬(羽狀深裂)하고 열편(裂片)은 삼각형을 이룸. 5-6월에 황색의 두화(頭花)가 줄기 끝에 하나씩 달리며 과실은 수과(瘦果)임. 들에 나는데, 제주도에 분포함. 어린 잎은 식용함.

좀바 [Zomba] 명 〖지〗 아프리카 동남부 말라위(Malawi) 남부의 도시. 1975년까지 수도였음. 표고 약 1,000미터의 시레(Shire) 고원에 있으며 담배 재배 지대의 중심지로 피서지임. 1880년경 농업 식민지로서 창건되어 영령(英領) 니아살랜드(Nyasaland)의 주도(主都)로 영국군의 주둔지였음. [25,000명(1981)]

좀-바늘사초 【一莎草】 명 〖식〗 [*Cobresia bellardii*] 방동사닛과에 속하는 다년초. 줄기는 삼릉주(三稜柱)로 실 모양이고, 높이 20cm 정도임. 잎은 총생(叢生)하고 실 모양임. 7월에 줄기보다 짧은 화수(花穗)는 양성(兩性)으로 웅수(雄穗)는 정생(頂生)하며, 측생(側生)의 소수(小穗)는 자웅 이가(雌雄異家)로 수꽃은 위에, 암꽃은 아래에 각각 핌. 과실은 수과(瘦果)임. 높은 산의 습지에 나는데, 함남·함북 등지에 분포함.

좀바르트 [Sombart, Werner] 명 〖사람〗 독일의 경제학자. 베를린 대학 교수. 베버(Weber, M.)와 함께 잡지 《사회 과학 및 사회 정책》을 발간. 경제 이론과 역사의 종합을 꾀하여 마르크스(Marx)의 영향 아래 '경제 체제(經濟體制)'의 개념을 확립하였음. [1863-1941]

좀-바위솔 명 〖식〗 [*Orostachys minutus*] 돌나물과에 속하는 다년초. 바위솔과 비슷한데 높이는 약 18cm, 잎은 인차(鱗次)로 되고 긴 타원형 또는 긴 타원상의 주걱 모양을 이룸. 9월에 장미빛의 꽃이 길이 약 4cm의 총상(總狀) 화서로 피고 골돌과(蓇葖果)를 맺음. 산지의 바위에 나는데, 거의 한국 전역에 분포함. *바위솔.

좀-반날개 【一半一】 명 〖충〗 [*Philonthus japonicus*] 반날갯과에 속하는 곤충. 몸길이 11mm 내외이고 몸빛은 광택 있는 흑빛이며, 시초(翅鞘)는 흑갈색에 다소 구리빛을 띠고, 복부는 엷은 청람색, 다리는 흑색임. 동물의 사체(死體)나 먼지가 쌓인 곳에 사는데, 한국·일본·사할린 등지에 분포함.

좀-방울벌레 명 〖충〗 [*Pteronemobius taprobanensis*] 귀뚜라밋과에 속하는 곤충. 몸길이 6.5-8 mm이고, 몸빛은 담갈색에 흑색 강모(剛毛)가 있으며, 다리는 황갈색, 경절(脛節)에는 가시가 있음. 잔디밭·초원에 사는데, 한국에도 분포함.

좀-보리사초 【一莎草】 명 〖식〗 [*Carex pumila*] 방동사닛과에 속하는 다년초. 줄기는 삼릉주(三稜柱)로 총생(叢生)하고 높이 25 cm 정도임. 잎은 줄기의 하부에서 총생하고 좁은 선형(線形)을 이루는데 줄기보다 길게 나와 있음. 5-6월에 웅수(雄穗)는 1-3개가 위에, 자수(雌穗)는 1-4개가 측생(側生)하여 핌. 바닷가의 모래 땅에 나는데, 한국 각지에 분포함.

〈좀보리사초〉

좀-복숭아 명 열매가 잘게 열리는 복숭아의 한 가지.

좀-분버들 【一粉一】 명 〖식〗 [*Salix roridaeformis*] 버드나뭇과에 속하는 낙엽 교목. 풋가지는 백분(白粉)이 덮이고, 잎은 피침형이며 어린잎은 안으로 말림. 4월에 자웅 이가(雌雄異家)로 된 유제(荑薹) 화서의 수꽃이삭이 액생(腋生)하며, 암꽃이삭은 기둥꼴로 피고, 삭과(蒴果)는 여름에 익음. 개울 가에 나는데, 한국의 함남 및 일본 등지에 분포함. 세공용(細工用)임.

좀-사마귀 명 〖충〗 [*Statilia maculata*] 사마귓과에 속하는 곤충. 몸길이 48-65 mm이고 몸빛은 황갈색 내지 암갈색인데, 보통 불규칙한 흑갈색 무늬가 산재함. 앞날개는 오황색(汚黃色) 내지 황갈색에 적갈색·흑갈색의 반점이 산재하고 뒷날개는 암갈색, 횡맥(橫脈)은 황색임. 이마에는 흑색 줄이 있고, 전흉배(前胸背)의 앞 1/3 부분이 불쑥 돌출하였는데 그 양쪽에 갈색의 작은 이빨이 늘어섬. 동양 각지에 분포함. 쇠버마재비.

〈좀사위질빵〉

좀-사위질빵 명 〖식〗 [*Clematis brevicaudata*] 미나리아재빗과에 속하는 낙엽 만목(蔓木). 잎은 2회 우상 복생(羽狀複生)하고 달걀꼴의 소엽(小葉)에는 거친 톱니가 있음. 여름에 백색 꽃이 취산(聚繖) 화서로 피고, 수과(瘦果)를 맺으며 그 미상체(尾狀體)에는 날개 모양의 털이 나 있음. 산기슭의 숲 속에 나는데, 전남·경북·강원·함북 및 일본·중국·만주·몽고·시베리아·유럽에 분포함. 어린 잎은 식용함.

〈좀산초〉

좀-산초 【一山椒】 명 〖식〗 [*Fagara schinifolia* var. *microphyllum*] 운향과에 속하는 낙엽 활엽 관목. 산초나무와 거의 비슷하나, 잎에서 악취(惡臭)가 나며, 가지에 가시가 대생하지 않고 한 개밖에 없음. 잎은 호생하고 우상 복생(羽狀複生)함. 4-5월에 담녹색 꽃이 자웅 이주(雌雄異株)의 산방(繖房) 화서로 피고, 삭과(蒴果)는 '분디'라 하며 가을에 익음. 산과 들에 나는데, 한국 각지 및 일본·중국에 분포함. 과실은 제유(製油)·약재로 씀. 분디나무.

좀상-스럽다 형 〈방〉 좀스럽다❷.

좀상이 명 〈옛〉 묘성(昴星). 좀생이. ¶ 昴星 좀상이《農家月俗》.

좀상좀상-하다 형여불 여럿이 모두 좀스럽다.

좀-생원 【一生員】 명 국량이 좁고 좀스러운 남자. 옹졸한 사람.

좀생이 명 ①〖천〗 '묘성(昴星)'의 속칭. ②잔 물건의 별명.

좀생이 보다 구 〖민〗 음력 2월 6일에 묘성(昴星)의 빛깔과 달과의 거리를 살펴 그 해의 풍흉(豐凶)을 미리 헤아리다.

좀생이 구멍 명 〖농〗 쟁기의 좀생이 막대를 끼게 된 구멍.

좀생이 막대 명 〖농〗 쟁기의 웃덧방을 누르는 나무. 좀생이 구멍에 끼게 되었음.

좀-설앵초 【一雪櫻草】 명 〖식〗 [*Primula sachalinensis*] 앵초과에 속하는 다년초. 꽃줄기는 높이 3-10 cm, 근생엽(根生葉)은 총생(叢生)하며 잎꼭지가 있으며 도피침형을 이룸. 7-8월에 벽자색 꽃이 산형(繖形) 화서로 정생(頂生)하여 피고, 삭과(蒴果)를 맺음. 높은 산에 나는데, 함남에 분포함.

좀-송장벌레 명 〖충〗 [*Silpha sinuata*] 송장벌렛과(科)에 속하는 곤충. 몸길이 14 mm 내외, 몸빛은 광택 있는 흑색이고, 촉각은 암갈색임. 시초(翅鞘)는 짧고 시단(翅端)은 절단상(切斷狀)을 이루며 하면에는 황색 털이 많고 복절(腹節)에는 황갈색의 털, 각 후연(後緣)에는 갈색 털이 열생(列生)하였음. 썩은 동물질에 사는데, 한국에도 분포함.

좀-스럽다 [一쓰一] 형ㅂ불 ①사물의 규모가 보통보다 작다. ②성질이 잘고 도량이 좁다. **좀-스레** 부

좀-시호 【一柴胡】 명 〖식〗 [*Bupleurum leveillei*] 미나릿과에 속하는 다년초. 줄기 높이 30 cm 가량이고, 잎은 호생하며, 근생엽(根生葉)은 장병(長柄), 경엽(莖葉)은 무병(無柄)이고, 피침형 또는 선형(線形)을 이룸. 8-9월에 황색 꽃이 복산형(複繖形) 화서로 줄기 끝과 가지 끝에 정생(頂生)하며, 달걀꼴의 과실을 맺음. 산지에 나는데, 제주도에 분포함.

좀-싱아 명 〖식〗 [*Pleuropteropyrum ochreatum*] 마디풀과에 속하는 다년초. 줄기 높이 약 15cm, 잎은 호생하며 거의 무병(無柄)임. 7-8월에 녹백색의 꽃이 원추상 총상(總狀) 화서로 정생(頂生)하며, 과실은 수과(瘦果)임. 심산에 나는데, 함북 등지에 분포함.

좀-싸리 명 〖식〗 [*Lespedeza virgata*] 콩과에 속하는 낙엽 활엽 관목. 잎은 삼출 복엽(三出複葉)이고, 소엽(小葉)은 거꿀달걀꼴 또는 피침형을 이루며 초가을에 담황색 꽃이 총상(總狀) 화서로 핌. 산기슭의 숲 속에 나는데, 전남·경남·경기 및 일본·대만·중국 등지에 분포함. 관상용임. 좀풀싸리.

좀-쌍꼬리하루살이【—雙—】명〖충〗[*Isonychia japonica*] 쌍꼬리하루살잇과에 속하는 곤충. 몸길이는 16-18mm, 편 날개의 길이는 36-40mm임. 두부(頭部)는 수컷이 칠흑색(漆黑色)이고 암컷은 황색이며, 전흉배(前胸背)는 어두운 밤색, 중후흉배(中後胸背)는 밤색인데 암컷의 복부(腹部)는 적갈색을 이룸. 날개는 무색 투명(無色透明)하고 기부(基部)는 호박 갈색이며 끝은 암회갈색임. 한국·일본에 분포함.

좀-씀바귀 명〖식〗[*Ixeris stolonifera*] 꽃상춧과에 속하는 다년초. 화경(花莖)은 높이 10cm 내외, 잎은 꼭지가 길고 원형(圓形) 또는 달걀꼴의 타원형을 이루며, 톱니는 거의 없음. 5-6월에 황색의 두화(頭花)가 지름 약 2cm로 피고, 과실은 수과(瘦果)임. 논밭이나 길가에 나는데, 제주·경남·경북·함남 등지에 분포함.

〈좀씀바귀〉

좀:-앞 명〈방〉줌앞.

좀-약【—藥】[—냑] 명 좀벌레가 해치는 것을 막기 위하여 쓰는 약품. 나프탈린 따위.

좀-양지꽃【—陽地—】명〖식〗[*Potentilla matsumurae*] 장미과에 속하는 다년초. 줄기 높이 10-20cm이고, 잎은 근생(根生)하며 장병(長柄)이고, 삼출(三出)복엽의 소엽(小葉)은 거꿀달걀꼴 설형(楔形)을 이룸. 7-8월에 황색 꽃이 취산(聚繖) 화서로 정생(頂生)하며, 수과(瘦果)를 맺음. 높은 산의 양지에 나는데, 제주도 및 일본 등지에 분포함. 긴양지꽃.

〈좀양지꽃〉

좀어깨넓은-버섯벌레 [—널븐—] 명〖충〗[*Aulacochilus japonicus*] 버섯벌렛과에 속하는 곤충. 몸길이는 55-70mm이고 몸은 긴 달걀꼴에 광택 있는 흑청색 내지 흑자색이고, 시초(翅鞘) 앞뒤에 두 쌍의 농적색 내지 농적갈색의 띠모양 무늬가 대칭적(對稱的)으로 있음. 한국·일본 등지에 분포함.

좀-어리연꽃【—蓮—】명〖식〗[*Nymphoides cristatum*] 조름나물과에 속하는 다년생의 수초(水草). 뿌리는 가늘고 길며, 잎은 장병(長柄)인데 수면에 뜨며 타원상 심장형(心臟形)을 이룸. 6-7월에 흰 꽃이 긴 잎꼭지 위에 무병산형(無柄繖形)으로 총생(叢生)하고, 둥근 달걀꼴의 과실을 맺음. 연못에 나는데, 강원도 통천(通川) 등지에 분포함.

좀-왕팽나무【—王—】명〖식〗[*Celtis leveilleana*] 느릅나뭇과에 속하는 낙엽 활엽의 작은 교목. 잎은 거꿀달걀꼴임. 5월에 꽃이 액생(腋生)하고, 둥근 핵과(核果)를 맺으며 10월에 까맣게 익음. 산기슭에 나는데, 전남·경남·황해·함남 등지에 분포함. 신탄재. 과실은 식용함.

좀-이깔나무 명〈방〉〖식〗이깔나무.

좀-자작나무 명〖식〗[*Betula gmelini*] 자작나뭇과에 속하는 낙엽 활엽의 작은 교목. 잎은 타원형에 톱니가 있고 뒷면에 선점(腺點)이 있음. 5-6월에 꽃이 자웅 동가(雌雄同家)의 수상(穗狀) 화서로 피고 작은 견과(堅果)는 날개가 있으며, 과실 이삭은 짧은 원기둥꼴로 10월에 익음. 깊은 산 및 고원 지대에 나는데, 평북·함남·함북 및 중국·만주·아무르·바이칼·시베리아 등지에 분포함. 땔나무로 쓰임.

좀-작살나무 [—라—] 명〖식〗[*Callicarpa dichotoma*] 마편초과의 낙엽활엽 관목. 높이 3m 가량, 잎은 타원상 피침형(披針形)임. 여름에 담자색 꽃이 취산(聚繖) 화서로 액생(腋生)하고, 핵과(核果)는 10월에 짙은 자색으로 익음. 골짜기나 암석지(岩石地)에 나는데, 한국 중부 이남 및 일본·중국 등지에 분포함. 관상용임.

〈좀작살나무〉

좀-잠자리꾸정모기 명〖충〗[*Tipula bubo*] 꾸정모깃과에 속하는 곤충. 몸길이 18-21mm, 날개 길이 18-20mm임. 몸빛은 대체로 담황갈색에 두부(頭部)·흉배(胸背)는 회갈색 내지 흑갈색을 이룸. 날개의 기부(基部)는 황갈색이고 그 이외는 무색(無色)의 부분과 암갈색 부분이 섞여 있음. 산지에 사는데, 한국·일본·사할린 등지에 분포함.

좀-점나도나물【—點—】명〖식〗[*Cerastium brachypetalum*] 너도개미자리과에 속하는 월년초(越年草). 줄기 높이 10cm 내외, 대생(對生)의 잎은 달걀꼴이며 잎꼭지가 없음. 6-7월에 백색 꽃이 취산(聚繖)화서로 정생(頂生)하고, 삭과(蒴果)는 황갈색으로 익음. 산지나 밭·들에 나는데, 평남 양덕(陽德) 등지에 분포함.

좀-조개 명〖조개〗[*Teredo navalis*] 판새류(瓣鰓類)에 속하는 바닷조개의 하나. 패각(貝殼)의 길이는 10cm 이상인데, 퇴화하여 몹시 작고 흰데 가는 실 모양으로 동물체의 전단(前端)에 부착하고 있음. 석회질의 관(管)을 분비 형성하여 그 속에 서식함. 6-7월에 산란하는데, 어린 조개는 7-9월경에 목조 선박·부목(浮木) 등에 붙어 그 내부에 칩입하여 큰 해를 줌. 전세계에 널리 분포함.

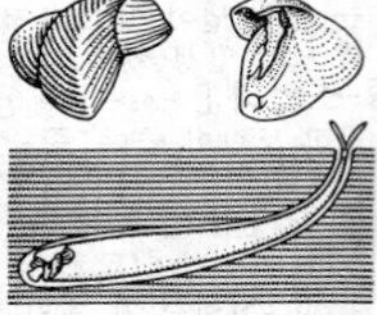
〈좀조개〉

좀-조팝나무 명〖식〗[*Spiraea microgyna*] 조팝나뭇과에 속하는 낙엽 활엽 관목. 잎은 타원형인데, 봄에 대홍백색(帶紅白色) 또는 엷은 홍색의 꽃이 기산(岐繖) 화서로 피고, 광택이 많은, 골돌과(蓇葖果)를 맺는데 가을에 익음. 산지에 나는데, 경남·경북·강원·함남 등지에 분포함. 관상용(觀賞用)임.

좀-쥐오줌 명〖식〗[*Valeriana coreana*] 마타릿과에 속하는 다년초. 줄기 높이 30cm 내외이고, 잎은 대생(對生), 우상 전열(羽狀全裂)하며, 열편(裂片)은 달걀꼴 피침형 또는 피침형을 이룸. 5월에 담홍색 꽃이 줄기 끝에 다수 찬족(攢簇)하여 산방상 화수(繖房狀花穗)로 핌. 산지에 나는데, 제주 및 경남 거제도(巨濟島)에 분포함.

좀-지네 명〖동〗[*Hanseniella* sp.] 좀지넷과에 속하는 절지(節肢) 동물의 하나. 몸길이 5mm 내외이고, 몸빛은 백색인데 온 몸에 잔 털이 밀생하고 머리는 둥글며 'V'자 모양의 주름이 있음. 체절(體節)은 15절이고 보각(步脚)은 12쌍임. 음습(陰濕)한 산지나 돌밑·가랑잎 사이에 사는데 한국에도 분포함.

좀-집게벌레 명〖충〗[*Anechura japonica*] 집게벌렛과에 속하는 곤충. 몸의 길이는 겸각(鉗脚) 끝까지 16mm 내외이고, 몸빛은 칙칙한 갈색(褐色) 또는 흑갈색이며, 전흉배(前胸背)의 측연(側緣)은 대황색을 이룸. 수컷의 집게발 기부(基部)의 내부에는 한 개의 짧은 돌기가 있음. 한국·일본 등지에 분포함. 흑집게벌레.

좀-집다 자타〈방〉좀먹다. ¶남 보기에 대수롭지 아니하게 의구히 행동은 하면서 은근히 좀집듯 기골이 고갈하여 가는 고로…《李海朝 : 昭陽亭》.

좀-쪽동백【—冬柏】명〖식〗[*Styrax shiraiana*] 때죽나뭇과에 속하는 낙엽 활엽 교목. 전체에 성상모(星狀毛)가 밀포(密布)함. 잎은 능상 원형(稜狀圓形) 또는 거의 원형임. 6월에 백색의 꽃이 총상(總狀) 화서로 액생(腋生) 또는 정생(頂生)하고, 달걀꼴 또는 둥근 과실을 맺는데 9월에 익음. 산중턱·골짜기의 숲 속에 나는데, 경남의 지리산 및 일본 등지에 분포함.

좀-참꽃나무 명〖식〗[*Therorhodion redowskianum*] 철쭉과에 속하는 낙엽 활엽의 작은 관목. 잎은 거꿀달걀꼴 또는 도피침형이며 가장자리에 선모(腺毛)가 밀포(密布)함. 여름에 장밋빛의 꽃이 총상(總狀) 화서로 피고, 삭과(蒴果)는 10월에 익음. 높은 산의 산꼭대기에 나는데 한국 북부 및 북만주의 아무르 등지에 분포함. 고산 식물로서 관상용임.

〈좀참꽃나무〉

좀-참빗살나무 [—라—] 명〖식〗[*Euonymus bungeanus*] 노박덩굴과의 낙엽 활엽의 작은 교목. 잎은 넓은 타원형임. 5-6월에 흰꽃이 취산(聚繖) 화서로 액생(腋生)하고, 삭과(蒴果)는 10월에 익음. 산지에 나는데 제주 및 전남의 백양산(白羊山) 및 일본·중국·만주에 분포함. 정원수(庭園樹)로 심음.

좀:-처럼 부 여간 하여서는. 힘을 많이 쓴 뒤라야. 좀체. ¶~ 풀기 어려운 문제다/~ 찾아 볼 수 없는 일.

좀-청실잠자리【—靑—】명〖충〗[*Lestes japonica*] 실잠자릿과에 속하는 곤충. 복부의 길이 28mm, 뒷날개 20mm 내외이며, 두부(頭部) 후면은 황색에 흉부(胸部) 측면은 칙칙한 황백색(黃白色)을 이루며 복부 배면(背面)은 금속 녹색인데, 시막(翅膜)은 폭이 넓고 연문(緣紋)은 짧음. 한국에도 분포함.

좀:-체 부 좀처럼.

좀:체-로 부 ☞ 좀처럼.

좀:쳇-것 명 여간한 물건. 웬만한 물건. ¶~으로는 거들떠도 안 본다.

좀-털보재니등에 명〖충〗[*Bombylius shibakawae*] 재니등엣과에 속하는 곤충. 큰재니등에와 비슷한데 몸길이 10mm 내외이고 흉측(胸側)과 복부 하면(下面)에 황갈색 털이 밀생, 복부 제3절의 외연(外緣)에는 검은 털이 섞여 났으며 날개는 투명하고 기부(基部)는 흑갈색임. 한국·일본 등지에 분포함.

좀:-통 명〈방〉줌통.

좀-파랭이 명〈방〉〖충〗바구미²(제주).

좀-파리 명〖충〗[*Stypocladius appendiculatus*] 좀파릿과에 속하는 곤충. 몸길이 8-10mm, 몸빛은 갈색인데, 흉배(胸背)에는 세 개의 갈색 세로띠가 있고, 그 사이에는 가는 종선(縱線)이, 복부(腹部)의 각 배절(背節) 후연(後緣)에는 회색 가로띠가 있으며, 날개에는 몇 개의 갈색 반점이 산재함. 한국·일본·대만 등지에 분포함.

좀파리-매 명〖충〗[*Psilocephala albata*] 좀파리맷과에 속하는 곤충. 몸길이 9-11mm이고 몸빛은 흑색에 수컷은 백색, 암컷은 황회색의 가루로 덮였음. 흉배(胸背)는 수컷은 백색, 암컷은 황색 가루로 된 두 개의 종선(縱線)이 있고, 복부 제2절 이하의 후연(後緣)은 황백색, 암컷은 등황색을 이룸. 한국·일본 등지에 분포함.

좀파리맷-과【—科】명〖충〗[Therevidae] 파리목(目)에 속(屬)하는 한 과(科). 몸은 가늘고 가시와 털이 있으며, 흉부(胸部)의 각 마디 측부(側部)에 한 쌍씩, 제10절에는 세 쌍의 가시가 있고 꼬리 끝에 두 개의 작은 돌기를 가짐. 전세계에 350여 종이 분포함.

좀파릿-과【—科】명〖충〗[Neriidae] 파리목(目)에 속(屬)하는 한 과(科). 긴 다리와 말단 촉각에 가시가 있고, 복부 배면(背面)은 넓적한데 산란관(産卵管)은 길고 복부 밑으로 만곡(彎曲)하였음. 물가 등의 습지에 사는데, 대부분이 열대산임.

좀-팽이 명[←좀+'놈팽이'의 '팽이'] ①몸피가 작고 좀스러운 사람. ②자질구레한 물건.

좀-풀싸리 명〖식〗좀싸리.

좀-풍개나무 명〖식〗[*Celtis bungeana*] 느릅나뭇과에 속하는 낙엽 활엽 교목. 잎은 심장형 또는 달걀꼴에 톱니가 없거나 상반부에만 있음. 꽃은 자웅 잡가(雌雄雜家)로 수꽃이삭은 기산(岐繖) 화서, 암꽃은 액생(腋生)하고, 5월에 꽃이 피고 둥근 핵과(核果)는 9월에 까맣게 익음. 산기슭 및 골짜기에 나는데, 한국 각지 및 일본·남만주·중국 등지에 분포함. 신탄재. 과실은 식용함.

〈좀풍개나무〉

좀-풍뎅이붙이 [—부치] 명〖충〗[*Hister cadaverinus*] 풍뎅이붙잇과에 속하는 곤충. 몸길이 6-9mm, 몸빛은 광택 있는 흑색에, 촉각·경절(脛節)·부절(跗節)은 암적갈색이며, 전배판(前背板)의 측구(側溝)는 두 줄임. 전경절(前脛節)에는 다섯 개의 외치(外齒)가 있고 중후경절(中後脛節) 외연(外緣)에는 긴 가시가 두 줄 있음. 썩은 동물질에 모이는데, 한국에도 분포함.

좀피[1] 명 〈방〉 조피.

좀피[2] 명 〈방〉 줌피.

좀피-나무 명 〈방〉 『식』 조피나무.

좀-하다 형 여불 '어지간하다·웬만하다'의 뜻. '아니하다·못하다·없다' 따위의 말과 함께 쓰임. ¶좀해서 그런 일은 않는다.

좀:-해 부 〈방〉 좀처럼(평안).

좀:-해선 부 〈방〉 좀처럼(평안).

〈좀현호색〉

좀-현호색【一玄胡索】명 『식』 [*Corydalis decumbens*] 양귀비과에 속하는 다년초. 괴경(塊莖)은 부정형(不定形)이고, 줄기는 총생(叢生)하며, 높이는 약 17 cm임. 잎은 2-3갈래 째지고 열편(裂片)은 거꿀달걀꼴 설형(楔形)임. 5월에 홍자색 꽃이 총상(總狀) 화서로 정생(頂生)하고, 삭과(蒴果)를 맺음. 들에 나는데, 제주도 등지에 분포함. 괴경은 약용함.

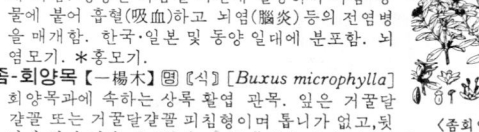

성충 유충 〈좀홍모기〉

좀-홍모기【一紅一】명 『충』 [*Culex tritaeniorhynchus*] 모깃과에 속하는 집모기의 하나. 홍모기와 비슷한데, 몸의 길이 4.5mm이고, 암컷의 날개 길이는 3.5mm임. 몸빛은 암적갈색에 주둥이 중앙에 흰 띠가 있고 다리의 각 관절부에도 좁은 흰 띠가 있음. 알은 주상(舟狀)의 난괴(卵塊)이고, 유충은 몹시 가는 호흡관을 가지며, 개울·연못 등의 지표수(地表水)에 자람. 성충은 여름철 야간에 활동하여 사람·동물에 붙어 흡혈(吸血)하고 뇌염(腦炎) 등의 전염병을 매개함. 한국·일본 및 동양 일대에 분포함. 뇌염모기. *홍모기.

〈좀회양목〉

좀-회양목【一楊木】명 『식』 [*Buxus microphylla*] 회양목과에 속하는 상록 활엽 관목. 잎은 거꿀달걀꼴 또는 거꿀달걀꼴 피침형이며 톱니가 없고, 뒷면에 털이 없음. 3-4월에 잔 꽃이 자웅 일가(雌雄一家)로 피고, 삭과(蒴果)는 10월에 익음. 산지에 나는데, 경기·경남 및 일본에 분포함. 정원수로 심음.

좁:다[1] 타 〈방〉 쪼다❶.

좁다[2] 형 [중세 : 좁다] ①넓지 않다. ¶좁은 마당. ②길이보다 넓이가 작다. ¶좁은 골목길/띠가 ～. ③도량이나 소견이 작다. ¶마음이 ～. ④공간(空間)으로 빠듯하다. 꼭 끼다. ¶옷의 품이 ～. 1)-4): ↔넓다. [좁은 데 장모 낀다] 차마 가라고는 할 수 없으나 가 주었으면 싶은 사람이 가지 않고 있을 때 하는 말. [좁은 입으로 말하고 넓은 치맛자락으로 못 막는다] 말은 하기 전에 미리 생각해서 하라는 뜻. [좁은 틈에 장목 낀다] 어울리지 않는 곳에 어색하게 끼어 있어 없어졌으면 좋겠다고 여기게 하는 것을 이름. 좁은 데 장모 낀다.

좁다라-니 부 좁다랗게. ¶사이를 ～ 다가붙이다.

좁다랗다 [一라타] 형 ㅎ불 ①넓이가 매우 좁다. ¶좁다란 방. ②생각보다 너무 좁다.

좁다래-지다 자 좁다랗게 되다. ¶골목이 ～.

좁디-좁다 형 더할 수 없이 좁다. 몹시 좁다.

좁쌀 명 〈옛〉 좁쌀. ¶좁쌀ᄆᆞ티(如粟) ≪痘方 6≫.

좁-살 명 ☞좁쌀.

좁-쌀 명 ①조의 열매인 쌀. 소미(小米). 속미(粟米). ②몹시 작은 사물을 일컬을 때 쓰는 말. ¶～ 친구. [좁쌀만큼 아끼다가 담돌만큼 해(害)본다] 미리 손을 조금 쓰면 될 것을 물건이 아까운 생각에서 내버려 두면 나중에는 큰 손해를 본다는 말. [좁쌀에 뒤웅 판다] ㉠좁쌀을 파서 뒤웅박을 만드는 일은 불가능한 것이니, 가망 없는 일이란 말. ㉡잔소리가 심하다는 말. [좁쌀 한 섬 두고 흉년 들기를 기다린다] 변변찮은 것을 가지고 큰 효과를 노림을 가리키는 말.

좁쌀-고둥 명 『조개』 [*Hawaiia minuscula*] 좁쌀고둥과에 속하는 고둥의 하나. 몸은 몹시 작고 아랫면(面)이 평평하며, 껍질은 반투명임. 각백색(角白色)에 나층(螺層)은 4층이며 껍질 표면에는 극히 미소(微小)한 각맥(刻脈)이 있음. 건조한 곳의 조약돌 사이나 모래땅을 덮은 낙엽 밑에 사는데, 한국·일본·대만·인도·미국 등지에 분포함.

좁쌀 과:녁 명 좁쌀만한 물건으로도 능히 맞히겠다는 뜻으로, 얼굴이 매우 큰 사람을 이르는 말.

좁쌀-냉이 [一랭一] 명 『식』 [*Cardamine fallax*] 겨자과의 월년초. 줄기 높이 20cm 가량이고, 잎은 호생하며 유병(有柄)임. 4-6월에 흰 꽃이 총상(總狀) 화서로 다수 정생(頂生)하고, 과실은 장각(長角)임. 들의 습지에 나는데, 전남·전북·경북·경기·평남·평북 등지에 분포함. 어린 잎은 식용함.

좁쌀-눈 [一룬] 명 아주 작은 눈. 또, 그런 눈을 가진 사람.

좁쌀-떡 명 좁쌀로 만든 떡.

좁쌀-메뚜기 명 『충』 [*Tridactylus japonicus*] 좁쌀메뚜깃과에 속하는 작은 곤충. 몸길이 5-5.5mm, 몸빛은 검은데 광택이 있음. 머리는 원추형, 촉각은 짧고 연쇄상(連鎖狀), 후퇴절(後腿節)은 매우 굵으며 겉면에 황색 또는 백색 반문이 있음. 채소의 해충으로, 한국에도 분포함.

좁쌀메뚜깃-과【一科】명 『충』 [Tridactylidae] 메뚜기목(目)에 속(屬)하는 한 과. 진기(珍奇)한 소형의 곤충으로, 앞다리의 경절(脛節)은 땅을 파기에 적합하고, 후퇴절(後腿節)은 굵고 크며 뛰기에 알맞음. 단안(單眼)은 세 개, 촉각은 짧고 11절(節)이며 주로 습한 곳에 사는데, 야채류의 해충이 많음. 전세계에 50여 종이 분포함.

좁쌀무늬-고둥 [一니一] 명 『조개』 [*Nassarius livescens*] 좁쌀무늬고둥과에 속하는 고둥의 하나. 패각(貝殼)의 높이 20mm, 지름 12mm 내외인데 달걀꼴이며 나탑(螺塔)은 뾰족하고, 나층(螺層)은 7층 내외이며 껍질 표면은 패맥(貝脈)이 서로 교차되어 거적이나 멍석을 엮은 것 같음. 대체로 엷은 황갈색이고 입은 달걀꼴임. 잡식성(雜食性)으로 얕은 바다에 서식하는데, 한국·일본에 분포함. 거적고둥.

좁쌀 미음【一米飮】명 좁쌀로 쑨 미음. 좁쌀과 인삼을 함께 끓여 체에 밭은 것이 더욱 좋음. 속미음(粟米飮). ㊀조미음. *조당수.

좁쌀-뱅이 명 ①몸피가 썩 작은 사람. ②소견이 좁고 언행이 잔 사람.

좁쌀-알 명 좁쌀의 낱 알.

좁쌀 여우 [一려一] 명 좀스럽고 요변을 잘 부리는 아이를 이르는 말.

좁쌀-엿 [一렫] 명 좁쌀로 고아 만든 엿.

좁쌀 영:감【一令監】[一령一] 명 좀스러운 늙은이.

좁쌀 친구【一親舊】명 나이 어린 조무래기 친구.

좁쌀-풀 명 『식』 ①[*Lysimachia davurica*] 앵초과에 속하는 다년초. 지하경(地下莖)이 길게 뻗고, 줄기는 높이 1m에 달함. 잎은 대생(對生) 또는 윤생(輪生)하며, 피침형(披針形) 또는 선형(線形)임. 6-8월에 황색 꽃이 원추(圓錐) 화서로 다수 액생(腋生)하고, 꽃부리는 다섯 갈래로 심렬(深裂)하며, 열편(裂片)은 달걀꼴이고 삭과(蒴果)는 구형(球形)임. 산야에 나는데, 한국 각지 및 일본에 분포함. 관상용임. ②[*Euphrasia maximowiczii*] 현삼과에 속하는 일년초. 줄기 높이 25 cm 내외이고, 잎은 총생(叢生)하며 무병(無柄)인데, 넓은 달걀꼴임. 6-8월에 홍자색 꽃이 가지 위 잎 사이에 달리며 꽃부리는 깔때기 모양의 순형(脣形)이고, 삭과(蒴果)는 거꿀달걀꼴의 긴 타원형임. 깊은 산에 나는데, 경남·경북·강원·평북·함남·함북 등지에 분포함.

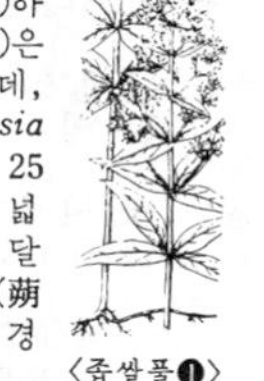

〈좁쌀풀❶〉

좁쌀풀-떡 명 차좁쌀 가루로 새알심을 만들어 끓는 물에 삶아 내어 고물 또는 삶은 청대콩을 묻힌 떡.

좁은 간격【一間隔】명 『군』 왼쪽 팔꿈치를 구부려 손바닥을 허리에 갖다 대고, 구부린 팔굽이 옆에 서 있는 사람의 오른 팔에 닿을 정도로 바싹 붙어 정렬하는 병사 간의 간격. *정식(正式) 간격.

좁은 문【一門】명 ①기독교에서, 천국(天國)으로 이르는 길이 좁고 험함의 비유. ¶～으로 들어가라 ≪마태 복음 Ⅶ:13≫. ②경쟁이 심해서, 입학·취직 등이 어려움의 비유. 또, 그와 같이 들어가기가 매우 어려운 곳. ¶～을 뚫다. ③[프 La porte étroite] 『문』 프랑스의 작가 지드(Gide)의 소설. 1909년의 작품. 알리사와 쥘리엣 두 자매가 사촌 동생 제롬을 둘 다 사랑하면서, 쥘리엣은 언니에게 사랑을 양보하고, 또 언니는 현세적(現世的)인 욕구를 거부하고 맑은 세계로 들어가는 좁은 문을 지향하며 병사(病死)한다는 줄거리로, 종교적 모랄을 추구하는 고민과 비련(悲戀)을 그림.

좁은잎-배풍등【一排風藤】[一닙一] 명 『식』 [*Solanum japonense*] 가짓과에 속하는 다년생 만초(蔓草). 줄기 높이는 90cm 가량으로 잎은 호생하고 유병(有柄)이며 달걀 모양의 피침형임. 잎과 잎 사이의 줄기 위에서 긴 꽃꼭지가 나와 다시 갈리고 6월에 백색의 꽃이 가지 끝마다 피며, 열매는 장과(漿果)임. 산지에 나는데, 경북·경기에 분포함. 산꽈리.

좁직-하다 형 여불 매우 좁아 뵈다. ¶부엌이 ～.

좁치다 타 〈방〉 족대기다(전라).

좁히다 타 ①좁게 만들다. ¶거리를 ～/수사 범위를 ～. ②족대기다.

좁혀 지:내다 구 ㉠남에게 몹시 눌려 지내다. ㉡기운을 못 펴고 살아가다.

좃니다 타 〈옛〉 좇아가다. =쫏니다. ¶괴시란ᄃᆡ 우러곰 좃니노이다 ≪樂詞 西京別曲≫/無心ᄒᆞᆫ 江湖 白鷗나 좃니러 놀ᄶᅡ ᄒᆞ노라≪海謠≫/淸風明月은 간곳마다 좃닌다≪古詩調≫.

좃다[1] 타 〈옛〉 조아리다. ¶이바디예 머리를 좃ᄉᆞᄫᆞ니(當宴敬禮)≪龍歌 95章≫.

좃다[2] 타 〈옛〉 쪼다. 깨다. ¶㾊이 므레 가 울오 어르믈 좃고 어든대(㾊就淵上呼泣鑿氷求之)≪續三綱 孝子圖≫.

좃다[3] 타 〈옛〉 좇다. 따르다. ¶生곳 이시면 老死苦惱ㅣ 좃ᄂᆞ니≪月釋 Ⅱ:22 之1≫.

좃딥 명 〈옛〉 조짚. ¶이 좃딥피 됴ᄒᆞ니(是稈草好) ≪老乞 上 16≫/콩은 검은 콩이오 딥픈 좃딥피라 (料是黑豆草是稈草) ≪老乞 上 16≫.

좃븥다 자 〈옛〉 붙다. 딸리다. ¶官屬은 그위예 좃브튼 사ᄅᆞ미라 ≪釋譜 Ⅺ:7≫.

좃ᄉᆞᆸ다 타 〈옛〉 조아리옵다. ¶如來ㅅ긔 현맛 衆生이 머리 좃ᄉᆞᄫᅡ뇨 ≪月釋 Ⅱ:48≫/이바디예 머리를 좃ᄉᆞᄫᆞ니(當宴敬禮)≪龍歌 95章≫.

좃ᄌᆞᄫᅡ 타 〈옛〉 좇자와. '좃ᄌᆞᆸ다'의 활용형. ¶내 몸도 좃ᄌᆞᄫᅡ 갏 싸ᄒᆡᆫ가 몯 갏 싸ᄒᆡᆫ가≪月釋 Ⅷ:94≫.

좃ᄌᆞᆸ다 타 〈옛〉 좇잡다. =좃ᄌᆞᆸ다. ¶그러커든 나도 大王 뫼ᅀᆞᄫᅡ 比丘좃ᄌᆞᄫᅡ 가리이다 ≪月釋 Ⅷ:93≫.

좃ᄌᆞᆸ다 타 〈옛〉 좇잡다. =좃ᄌᆞᆸ다. ¶諸天이 虛空애 ᄀᆞᄃᆞ기 ᄢᅧ 좃ᄌᆞᄫᅡ 오며 풍류ᄒᆞ고 ≪月釋 Ⅱ:19≫.

좃초아【追良】〈이두〉 좇아.

좃치다 자 〈옛〉 쫓기다. =조치다. ¶나무도 바히 돌도 업슨 뫼희 민게 휘좃친 갓토리 안과≪古時調≫.

좆다 타 ☞쫓다.

좃다 타 〈옛〉 ①조아리다. =좃다[1]. ¶니마조올 계(稽), 니마조올 돈(頓) ≪字會下 26≫/부텻긔 머리 조사 禮數ᄒᆞᅀᆞᆸ고≪月釋 XⅧ:36≫. ②좇다. 따르다. =좃다[3]. ¶늘며 ᄃᆞ모ᄆᆞᆯ 좃ᄂᆞ니(逐其飛沉)≪楞嚴 Ⅳ:26≫. ③쪼

다. 새기다. ¶피조쇠 경(黥)≪字會 下 29≫.

종[1] 명 마늘이나 파종 등의 꽃대. ¶~이 나오다.

종[2] 명 ↗종작. ¶~ 잡다.

종:[3] 명 〔중세 : 종〕 ①〖역〗 남의 집에 몸이 팔려 그 집에서 대대로 천역(賤役)에 종사하던 사람. 노비(奴婢). 예복(隷僕).예어(隷御). 예인(隷人). 배복(陪僕). 장획(臧獲). ¶~살이. ↔ 상전. ②자기 의사대로 행동할 자유가 없고 남의 명령에 따라 움직이는 사람의 비유.

[종과 상전은 한 솥의 밥이나 먹지] 너무 차등(差等)이 커서 같이 어울릴 수 없음을 이르는 말. [종의 자식을 귀애하면 생원(生員)님 나룻에 꼬꼬마를 단다]. ㉠너무 귀여워하면 도리어 조롱을 산다는 말. ㉡비천하고 버릇없는 사람은 조금만 각별히 대해 주면 도리어 방자해져서 함부로 군다는 말. [종이 종을 부리면 식칼로 형문(刑問)을 친다] 남에게 눌려 지내던 사람이 귀해지면 전일의 생각을 않고 남에게 더 모질게 대함을 이르는 말.

종[4]【宗】 명 〖불교〗 ①경론(經論) 등, 그 교설(教說)의 중심이 되는 교의(教義)·종요(宗要)·종지(宗旨) 등의 뜻. ②한 절에서 경전(經典)·교의(教義) 등을 연구하거나 신앙(信仰)을 위해 각각 모인 중들의 모임. ③인명(因明)에서, 논증(論證)하고자 하는 명제(命題). *인(因)·유(喩)·합(合). ④경론(經論) 가운데 그 중심 요소(要素)가 되는 교의(教義)를 말함.

종[5]【宗】 명 성(姓)의 하나. 현재 우리 나라의 주요 본관은 임진(臨津)·통진(通津)임.

종[6]【終】 명 끝. 마지막. ¶유~의 미(美).

종:[7]【腫】 명 종기(腫氣).

종[8]【種】 명 ①종자(種子). ②사물이 생기는 근원. ③종류(種類). 품류(品類). ¶여러 ~이 있다. ④〔species〕〖생〗 생물 분류의 기초 단위. 곧, 최소 개체(個體)를 형성하며 유사한 종이 모여서 속(屬)을 이루고, 또 종의 상이(相異)에 의하여 아종(亞種)·변종(變種)·품종(品種) 등으로 나눔. ⑤〖철〗 ↗종개념(種槪念). *유(類).

종[9]【種】 명 성(姓)의 하나. 현존하지 아니함.

종[10]【鍾】 ㊀명 옛날 술 그릇의 한 가지. ㊁의명 양(量)의 한 단위. 팔곡(八斛)들이.

종[11]【鍾】 명 성(姓)의 하나. 현재 우리 나라의 주요 본관은 하음(河陰)임.

종[12]【縱】 명 세로. ¶~과 횡(橫)/~으로 가르다.

종[13]【鐘】 명 ①어떤 시간이나 시각을 알리기 위해서 혹은 신호용으로 치거나 울리어 소리를 내는 금속 기구. 예로부터 타악기(打樂器)의 하나로, 청동기(青銅器) 시대부터 발달하였으며, 군악(軍樂) 등에 쓰이고 용도에 따라 불교의 범종(梵鐘) 및 악종(樂鐘)·시종(時鐘)·경종(警鐘) 등이 있는데, 보통 청동으로 만들며 길쭉한 원주형·반타원형에 속은 비고 아래로 구부(口部)가 열려 있음. 소형(小型)의 것은 '방울'이라고도 함. ②↗자명종(自鳴鐘).

종:-[1]【從】 튼 사촌이나 오촌의 겨레 관계를 나타내는 말. ¶~형(兄)/~조부(祖父). *당-(堂).

종-[2]【從】 튼 〖역〗 직품(職品)을 구별하는 한 가지 이름. '정(正)-' 보다 한 품계(品階)씩 낮고, 종일품부터 종구품까지 있음.

-종[1]【宗】 미 불교(佛教)·도교(道教)·화가(畫家)들의 파별을 표시하는 말. ¶화엄~/천태~.

-종[2]【種】 미 다른 말 아래에 붙어서 종류의 뜻을 나타내는 말. ¶원~/개량~/재래~.

종가[1]【宗家】 명 맏파(派)의 집안. 큰집. 적종(嫡宗).

[종가가 망해도 신주보(神主褓)와 향로 향합(香盒)은 남는다] ㉠문벌 있는 집안은 아무리 망하여 없어지더라도 그 집안의 규율과 품격·지조는 남는다는 말. ㉡무엇이나 다 없어진다 하더라도 남는 것 하나 둘은 있다는 말. [종가 집 며느리 틀이 있다] 사람이 덕성스럽고 인복이 있어 보인다는 뜻.

종가[2]【從駕】 명 〖역〗 왕의 수레를 모셔 따름. ——-하다 재여불

종가[3]【終價】〔—까〕 명 〖경〗 거래소의 입회에서, 오전·오후의 각 최종 시세. ↔시가(始價).

종:-가래 명 〖농〗 작은 가래. 한 손으로도 쓸 수 있게 되었음.

종가리 명 〈방〉〖식〗 조롱박(전남).

종가-세【從價稅】〔—까—〕 명 〖법〗 과세(課稅) 물건의 가격을 표준으로 그 가격에 대한 일정 비율로 부과(賦課)하는 세금(稅金). 수입 물자의 관세(關稅)의 대부분이 포함됨. 물품세(物品稅). *종량세(從量稅).

종-가시나무【鐘—】 명 〖식〗 [*Cyclobalanopsis glauca*] 참나뭇과에 속(屬)하는 상록 활엽 교목. 높이 16m 가량. 잎은 피침상의 긴 타원형임. 4-5월에 자웅 일가(雌雄一家)의 수꽃이삭이 늘어지고 암꽃이삭은 수 개가 피며, 견과(堅果)는 10월에 익음. 남향(南向)한 골짜기에 나는데, 제주도 및 일본·대만·중국·히말라야 등지에 분포함. 기구재·신탄재로 쓰임. 과실은 식용함.

수꽃 암꽃 열매

〈종가시나무〉

종가 임:금법【從價賃金法】〔—까—뻡〕 명 〖경〗 슬라이딩 스케일 제도(sliding scale 制度). *에스컬레이터 조항.

종각【鐘閣】 명 큰 종을 달아 두는 누각(樓閣). 종루(鐘樓). 종당(鐘堂).

종간[1]【宗侃】 명 〖역〗 태봉(泰封) 궁예(弓裔) 때의 관리. 관등은 소판(蘇判)이었음.

종간[2]【宗幹】 명 〖사람〗 중국 금(金)나라의 종실(宗室) 출신의 중신(重臣). 태조(太祖) 아골타(阿骨打)의 서장자(庶長子). 요(遼)나라와의 싸움에서 창춘로(長春路) 방면 경략(經略)에 전공(戰功)을 세우고 내몽고(內蒙古)로 패주한 요제(遼帝)를 추격하여 산시(山西)까지 진출했음. 태부(太傅)·태사(太師) 등을 역임(歷任)하고 금조(金朝)의 제도를 확립했으며 제위(帝位)를 넘보는 종실 세력을 꺾음으로써 제권(帝權) 확립에 공이 컸음. [?-1141]

종간[3]【終刊】 명 최후로 간행(刊行)함. 간행을 끝냄. 또, 끝낸 그 것. ↔ 창간(創刊). ——-하다 재여불

종간[4]【從間】 명 〖건〗 건물에 있어서 측면(側面)의 우주(隅柱)와 우주 사이의 간수(間數).

종간 교잡【種間交雜】 명 〖생〗 이종 교배(異種交配). 종간 잡종(雜種).

종간 잡종【種間雜種】 명 〔interspecific hybrid〕〖생〗 같은 속(屬)의 이종간(異種間)의 교잡(交雜)으로 생기는 잡종(雜種) 제일대(第一代)를 이름. 동종 간(同種間)의 교잡보다 어려우나 동식물(動植物)을 통하여 많은 예가 있음.

종갑 싸리 명 〈방〉 소꿉장난(강원).

종강【終講】 명 강의를 끝마침. 또, 그 강의. ——-하다 재타여불

종개 명 〖어〗 ①[*Barbatula toni*] 기름종갯과에 속하는 물고기. 미꾸라지와 비슷한데, 몸길이 18-22cm, 머리는 조금 평평하고 꼬리지느러미의 끝이 일직선 또는 조금 오목함. 몸빛은 황갈색 바탕에 배 쪽이 담색이고 체측에서 등 쪽에 걸쳐 암갈색 구름 모양의 무늬가 있음. 하천 상류에 사는데, 한국·중국 북부·일본 등지에 분포함. ②〈방〉 미꾸라지(함북).

〈종개❶〉

종-개념【種槪念】 명 〖철〗 유(類)와 개(個)에 대한 논리적 개념. 유(類)·종(種)·개(個)는 보편·특수·개별과 같음. 종은 유보다 작고 개보다 큰 대소(大小)가 부정(不定)한 것임. 이를테면 인간은 동물의 종개념임. ㊟종(種). ↔유개념(類槪念).

종개미 명 〈방〉 미꾸라지(함북).

종-개체군【種個體群】 명 어떤 일정한 시간 및 공간에서 생식(生息)하는 동종(同種) 생물의 한 군(群).

종갱이 명 〈방〉 정강이(강원·경북).

종격[1]【縱隔】 명 〖생〗 좌우의 흉막강(胸膜腔) 사이에 있는 부분. 앞쪽은 흉골(胸骨), 뒤쪽은 척주(脊柱), 밑은 횡격막(橫隔膜)임. 심장과 대혈관(大血管)은 이 안에 있음.

종격[2]【縱擊】 명 〖군〗 군대를 풀어서 침. ——-하다 타여불

종격-염【縱隔炎】〔—념〕 명 〖의〗 흉강의 중격(中隔)이 되는 여러 기관(器官)의 집합체인 종격의 염증. 발열(發熱)과 흉골 뒤의 통증 및 기침·연하(嚥下) 장애 등이 일어남.

종격 이동【縱隔移動】 명 종격이 인공 기흉(氣胸)이나 흉곽 성형술(胸廓成形術) 때에 좌우로 움직이는 일. 호흡 곤란과 순환 장애(循環障礙)가 일어남.

종격 종:양【縱隔腫瘍】 명 〖의〗 종격 안에 생긴 종류(腫瘤). 처음에는 흉강(胸腔)내의 장기(臟器)에 압박감이 오며, 흉통(胸痛) 및 점차로 기침이 나며 정맥계(靜脈系)의 울체(鬱滯)에 의하여 피하(皮下) 정맥의 노장(怒張)·부종(浮腫)과 간장의 종대(腫大) 등을 일으킴.

종격 진:전【縱隔振顫】 명 〖의〗 흉벽(胸壁)의 손상(損傷)·자연 기흉(自然氣胸)·흉곽 성형술(胸廓成形術) 등에 의한 좌우의 흉막강 내압(胸膜腔內壓)의 변화 때문에 호흡(呼吸)할 때에 종격이 반대 방향(反對方向)으로 이동(移動)하는 상태.

종견[1]【種犬】 명 씨를 받을 개.

종견[2]【種繭】 명 잠종(蠶種)을 얻는 데 쓰이는 고치. ↔사견(絲繭).

종결[1]【終決】 명 결정이 내려짐. ——-하다 재여불

종결[2]【終結】 명 ①일을 끝마음. 끝을 냄. 결료(結了). 끝막음. ②〖논〗 'A는 B다'라는 형태의 명제(命題)에 있어서, 가설 A에서 추론(推論)된 결과인 B를 전자에 대하여 하는 말. 귀결(歸結). ——-하다 타여불

종결(을) 짓:다 구 종결이 되도록 만들다.

종결-구【終結句】 명 〔coda〕〖악〗 코다.

종결 숙주【終結宿主】 명 〖생〗 성장에 따라 숙주를 바꾸는 기생 동물이 마지막으로 기생하는 숙주를 이름.

종결 어:미【終結語尾】 명 〖언〗 글월 끝에 쓰인 어간에 붙어, 그 글월을 휘갑하여 마치는 구실을 하는 어미. '-다'·'-냐'·'-ㄴ가' 등.

종결-책【結終策】 명 종결을 지을 계책(計策).

종경[1] 명 〈방〉 요령(搖鈴)(함경).

종경[2]【終境】 명 땅의 지경이 끝나는 곳.

종경[3]【從輕】 명 〖법〗 ↗종경론(從輕論).

종경[4]【縱景】 명 세로 보이는 경치.

종-경[5]【鐘磬】 명 〖악〗 종(鐘)과 경(磬).

종경-도【從卿圖】 명 승경도(陞卿圖).

종경-론【從輕論】〔—논〕 명 〖법〗 두 가지 죄(罪)가 한꺼번에 드러난 때에 가벼운 죄를 따라 처단함. ㊟종경(從輕). ↔종중론(從重論). ——-하다 타여불

종-경사【從傾斜】 명 트림[3].

종계[1]【宗契】 명 조상(祖上)을 위할 목적으로 모으는 계.

종계[2]【種鷄】 명 씨를 받을 닭. 씨닭.

종계 변:무【宗系辨誣】 명 〖역〗 조선 시대에 왕조의 조상이 명(明)나라 서적에 잘못 기재된 것을 고치고자 주청(奏請)하던 일. 명나라 ≪태조 실록(太祖實錄)≫과 ≪대명 회전(大明會典)≫에는 조선 왕조의 태조가 고려 때의 권신 이인임(李仁任)의 아들로 되어 있어, 그 동안 누차 정정을 요구했으나, 명나라는 ≪태조 실록≫은 고칠 수 없다고 거절했음. 그 후 선조 17년(1584) 5월에 종계 변무 주청사(奏請使) 황정욱(黃廷彧) 등을 보내어 그것을 고쳤으며, 1587년에는 유홍(兪泓)이 다시 들어가서 고쳐진 ≪대명 회전≫을 가지고 돌아왔음. 이때 왕은 친히 모화관(慕華館)까지 나가 칙사를 맞아들이고 종묘(宗廟)에 종계 개정(宗系改正)을 고하는 제사를 지냈음.

종고[1]【宗高】명〖건〗지반면(地盤面)에서 지붕 마루 끝까지의 높이.
종고[2]【鐘鼓】명〖악〗종과 북. 금고(金鼓).
종고기 명〈방〉〖어〗송사리(강원).
종고래기 명〈방〉〖식〗조롱박(충남).
종고-로【從古一】부〈방〉자고(自古)로.
종고리 명〈방〉종구라기(충청).
종:-고모【從姑母】명 아버지의 사촌 자매(姉妹). 당(堂)고모.
종:고모-부【從姑母夫】명 아버지의 사촌 자매의 남편. 당고모부(堂姑母夫).
종고 이:래로【從古以來一】부 ☞자고 이래(自古以來).
종고지-락【鐘鼓之樂】명 음악의 즐거움.
종고지-성【鐘鼓之聲】명 종과 북의 소리. 종고지음(鐘鼓之音).
종고지-음【鐘鼓之音】명 종고지성(鐘鼓之聲).
종곡[1]【終曲】명〔이 finale〕〖악〗①교향곡·소나타·협주곡·조곡(組曲) 등의 최종 악장(樂章). ②오페라에서 각 막(各幕)을 맺는 곡. 피날레.
종곡[2]【種穀】명 씨를 받을 곡물.
종곡[3]【†種麯】명〔←종국(種麴)〕누룩을 만들 때 씨가 되는 것. 흔히 좁쌀에 곡균(麴菌)을 배양하여 만든 황곡(黃麯)·백곡(白麯)·흑곡(黑麯) 등.
종곡[4]【縱谷】명〖지〗산맥의 주축(主軸)과 평행하는 골짜기.
종곱-질 명〈방〉소꿉장난(강원).
종-공양【鐘供養】명〖불교〗큰 종을 주조하여 처음 타종(打鐘)할 때의 불사(佛事). 명종 불사(鳴鐘佛事)❷.
종과-경【終果經】명〖천주교〗끝기도.
종과 득과【種瓜得瓜】명〔오이를 심으면 오이가 난다는 뜻〕원인이 있으면 결과가 생김의 비유. 인과 응보. 종두 득두(種豆得豆).
종관[1]【從官】명〖역〗①임금을 따라다니는 벼슬아치. ②문학(文學)으로 임금의 곁에서 섬기는 벼슬아치. 시종신(侍從臣). ③고려 때, 정사품(正四品)인 육시랑(六侍郎)과 주(州)·목(牧)의 유수(留守), 종사품인 어사 중승(御史中丞)·간관(諫官)의 일컬음. *경감(卿監).
종관[2]【縱貫】명 세로 꿰뚫음. ↔횡관(橫貫). ——하다 타여불
종관[3]【綜觀】명 종람(綜覽).
종관 관측【綜觀觀測】명〔synoptic observation〕〖기상〗정해진 시각(時刻)의 대기(大氣) 상태를 파악하기 위하여 모든 관측소(觀測所)에서 같은 시각에 실시하는 지상(地上) 관측. 일기도 작성을 목적으로 함.
종관 규모【綜觀規模】명〔synoptic scale〕〖기상〗일기도에 표현되어 있는 보통의 이동성 고기압이나 저기압의 공간적 크기 및 수명. 수평 방향의 규모는 1,000km, 연직(鉛直) 방향의 두께는 10km, 수명은 하루임.
종관 기상학【綜觀氣象學】명〔synoptic meteorology〕〖기상〗고기압·저기압·전선(前線)·제트 기류 등 일기도 상에 나타나는 제현상과 그 동향을 분석, 대기의 상태를 종합적으로 구명(究明)하는 기상학의 한 분야. 대상으로 하는 현상의 규모는 수십에서 2,000 킬로 정도임. 통상, 1-3일 간을 대상으로 하는 일기 예보의 기초가 됨. 종관(綜觀) 기상학.
종관 분석【綜觀分析】명〔synoptic analysis〕〖기상〗종관(綜觀) 규모 크기의 현상 분석을 주체(主體)로 하는 일기 분석. 종관 해석.
종관 예:보【綜觀豫報】[一네一] 명〔synoptic forecast〕〖기상〗일기도의 종관 해석(解析)에 의한 일기 예보를, 수치(數値) 예보나 통계적 예보에 상대하여 일컫는 말.
종관 일기도【綜觀日氣圖】명〔synoptic chart〕〖기상〗일정 시각의 넓은 지역에 걸친 기상 상태가 기호나 등치선(等値線)으로 표현되어 있는 지도. 대기 중의 기상 상태를 입체적으로 관찰하기 위한 것임.
종관-적【綜觀的】명 관〔synoptic〕〖기상〗종관 일기도(綜觀日氣圖)를 기초로 하는 연구 또는 기술의 입장을 표시하는 말.
종관 철도【縱貫鐵道】[一또] 명 남북으로 관통하는 철도.
종관 해:석【綜觀解析】명〖기상〗종관 분석.
종교【宗教】명〔religion〕〖종〗초인간적(超人間的)인 숭고(崇高)함이나 위대한 것을 외경(畏敬)하는 정의(情意)에 의거, 이것을 인격화하고 신앙(信仰) 기원(祈願) 및 예배(禮拜)함으로써 안심 입명(安心立命)·축복·해탈 및 구제를 얻기 위한 봉사의 생활을 영위(營爲)할 때의 그 관계를 말함. 따라서 일면(一面)에는 예배 의식, 다른 한 면에는 명령의 권위(權威)가 있음. 교리(敎理)나 행사(行事)의 차이에 따라, 기독교·불교·이슬람교·천도교 등이 있음. ㊣교(教).
종교-가【宗教家】명〖종〗종교에 통달한 사람. 또, 목사·승려(僧侶)와 같이 종교에 종사·전도하는 사람.
종교 개:혁【宗教改革】명〔Reformation〕〖역〗유럽에서 근세초, 로마 가톨릭 교회(教會)의 폐해에 대하여 개혁을 꾀하고 이로부터 이탈하여 프로테스탄트 교회를 세운 교회 개혁. 1517년 독일인 마르틴 루터가 95개조의 의견서를 제출하여 교황(教皇)의 면죄부(免罪符) 판매를 공격하고, 인간은 신앙에 의해서만 신(神)의 나라에 도달할 수 있으며 성서(聖書)는 직접 우리에게 신(神)의 도(道)를 가르친다고 주장하고 교권(教權)을 부인하였음. 이 운동은 점차 전유럽에 퍼져 큰 세력을 형성하여 마침내 프로테스탄트라고 불리는 '신교(新教)'의 성립을 보았음. *프로테스탄트.
종교 경험【宗教經驗】명〖종〗신앙을 가지고 있는 사람이 어떤 문제에 당면하여 내적(內的)으로 의식하는 경험. 흔히 외경감(畏敬感)·신성(神聖) 의식·청정감(淸淨感) 등의 정서적(情緒的) 특징을 수반함. 종교 체험(宗教體驗).
종교-계【宗教界】명 종교의 세계.
종교-관【宗教觀】명 종교에 대한 관념과 견해.
종교-광【宗教狂】명 상식으로는 판단할 수 없을 만큼 광적으로 어떤 종교에 집착하는 사람.
종교 교:육【宗教教育】명 아동·청소년의 종교성을 도야하는 교육. 종교 상의 지식·의례(儀禮) 등에 관한 교양을 주며, 종교적 정서(情緖)를 함양하고, 종교적인 인격을 형성함. 성육(聖育).
종교-극【宗教劇】명〖연〗종교의 한 의식(儀式)으로서나 종교 행사에 수반(隨伴)하여 행해지거나 또는 종교적 테마를 각색한 연극.
종교 기사단【宗教騎士團】명〖역〗십자군 때 성지(聖地)에 결성된 수도사(修道士)의 군사적 단체. 성묘 방위(聖墓防衛)·순례자 보호(巡禮者保護)·환자 및 부상자들의 구호(救護)를 하였음. 기사 수도회.
종교 단체【宗教團體】명 종교의 교의(教義)의 선포, 의식(儀式)의 집행 및 신자의 교화를 주요 목적으로 하는 단체. 교단(教團).
종교 도시【宗教都市】명〖지〗종교적으로 발달한 도시.
종교 망:상【宗教妄想】명〖심〗발양(發揚) 망상의 하나. 자신을 신(神)이라고 생각하거나, 종교의 창시자(創始者) 또는 그 재래(再來)라고 생각하는 것 등.
종교 무:용【宗教舞踊】명 종교 의식의 일부로서 이루어진 무용. 넓은 뜻으로는 종교적 목적으로 이루어진 무용. 원시 무용은 거의가 종교 무용이었음.
종교 문학【宗教文學】명〖문〗종교적 내용을 가지는 문학의 총칭. 소재(素材)를 성서(聖書)나 경전(經典)에서 취한 것 외에, 종교적 정신으로 창작된 것이나 어록(語錄) 같은 것이 이에 포함됨.
종교 민족학【宗教民族學】명 종교학의 한 영역(領域). 주로 원시 민족의 종교 현상을 민족학 또는 인류학(人類學)의 자료(資料)·방법 등을 써서 연구하는 학문. 비교 종교사(比較宗教史) 및 종교 사회학과 깊은 연관이 있음.
종교-법【宗教法】[一뻡] 명 종교에 관한 국가로서의 제도나 종교 집단의 존재·활동을 규정하는 법.
종교-불【宗教弗】명 종교 사업을 위하여 재외(在外) 단체로부터 송금(送金)된 달러(doller).
종교-사【宗教史】명 고금·동서의 모든 성립 종교(成立宗教)의 역사적 소장(消長)을 연구하는 학문.
종교 사:관【宗教史觀】명 종교적인 것을 역사 변동의 결정 원인이라고 보는 견해.
종교사 학파【宗教史學派】명 19세기 유럽에서 비판적 성서학(聖書學)을 주장하던 프로테스탄트계(系)의 학문 경향.
종교 사회【宗教社會】명 종교에 관계를 갖는 승려·목사 등의 집단 또는 종교 신자의 세계.
종교 사회학【宗教社會學】명 종교학(宗教學)과 사회학(社會學)에 걸친 한 부문. 종교 현상을 근본적으로 사회적 사실로 보고 그 성질·기능을 연구하고 혹은 종교와 사회와의 상호 관련 또는 종교의 사회적 부문을 연구하는 학문.
종교-성【宗教性】[一썽] 명 인간이 가지는 종교적인 성질·감정. 또, 종교가 가지는 독특한 성질.
종교 소:설【宗教小說】명〖문〗종교적 교훈이나 기적 따위를 종교적인 정신 또는 포교의 의도 등으로 쓴 소설.
종교 -시【宗教詩】명〖문〗종교적 사상과 신앙을 노래한 시.
종교-심【宗教心】명 종교를 믿고자 하는 마음. 신불(神佛) 또는 초월자에 대한 귀의(歸依)에서 오는 경건한 마음의 상태. 종교를 믿는 사람이 가지고 있는 박애(博愛) 정신. 종교 의식(宗教意識).
종교 심리학【宗教心理學】[一니一] 명〖심〗종교 현상을 심리학적 방법에 의해 해명(解明)하려고 하는 심리학의 한 분야.
종교 예:술【宗教藝術】명 종교적 신앙에 의하여 창작되거나 종교적 사실을 제재로 다루는 예술.
종교 용:어【宗教用語】명 종교에 관한 사항을 표시하기 위해 쓰는 말. 기독교 용어나 불교 용어와 같은 것.
종교 운:동【宗教運動】명 근대화(化)에 의해서 위협 받게 되고 혹은 파괴된 사회나 개인의 생활에 새로운 마음의 지주를 주려는 운동.
종교 음악【宗教音樂】명〖악〗①종교적 제재(題材)에 의한 연주회용(演奏會用)의 음악. ②종교 의식이나 포교 상의 필요에 따라 발달한 음악. 가톨릭의 그레고리오 성가(聖歌), 프로테스탄트의 찬송가, 불교(佛教)의 성명(聲明), 유교(儒教)에서 발달한 아악(雅樂) 등 중요한 음악 형식을 만들어 낸것이 많음.
종교 음악과【宗教音樂科】명〖교〗음악 대학에서, 종교 음악을 전공하는 학과. *국악과(國樂科).
종교 의:식[1]【宗教意識】명〖심〗종교심(宗教心).
종교 의식[2]【宗教儀式】명 종교에서 행하는 의식.
종교의 자유【宗教一自由】[一/一에一] 명〖법〗제한이나 간섭을 받지 않고 어떤 종교이건 믿을 수 있는 자유. 개종(改宗)의 자유, 종교를 신앙하지 않는 자유도 포함함. 우리 헌법도 제20조에 이것을 보장하고 있음. 신교(信教)의 자유. 신앙의 자유.
종교-인【宗教人】명 종교를 가진 사람.
종교 재판【宗教裁判】명 로마 가톨릭 교회를 옹호하기 위하여 13-18세기에 행하여진 종교 상의 재판. 이단자(異端者)를 적발·박멸하기 위하여 설치하였으며 이들을 박해·처형하였음.
종교-적【宗教的】명 관 종교에 관한 모양이나 성질. 종교와 관계가 있는 모양.
종교적 감:정【宗教的感情】명〖심〗초월적 절대자 또는 위력(偉力)의 표상(表象)에 대하여 경험하는 외경(畏敬)의 감정.
종교적 상징【宗教的象徵】명 종교적 가치가 있음을 나타내는 상징. 예를 들면 기독교의 십자가(十字架) 따위.
종교 전:쟁【宗教戰爭】명 종교 상의 충돌에 기인하는 전쟁. 특히, 종교개혁 후에 구교도(舊教徒)와 신교도(新教徒) 사이에 행해진 학살·암살 등이 따른 격렬한 전쟁.

종교 조약【宗教條約】명 콘코르다트(concordat).
종교 철학【宗教哲學】명 〖철〗 철학의 한 부문. 종교 일반의 본질을 철학의 입장과 방법을 가지고 연구하는 학문. 특수 종교와 그 신앙의 논리를 전제로 하지 않고, 신학과 경험 과학(經驗科學)의 방법에 의하지 않는 점에서 종교학과 다름.
종교 체험【宗教體驗】명 종교 경험.
종교 취:락【宗教聚落】명 특정 종교나 종파 또는 숭배(崇拜) 대상을 중심으로 형성된 취락. 우리 나라의 대표적인 종교 취락으로는 전일의 계룡산 신도(新都)안과 풍기읍(豐基邑)의 정감록촌(鄭鑑錄村), 부천시의 박장로(朴長老) 신앙촌, 김제군의 증산교촌(甑山敎村) 등이 있었음.
종교-학【宗教學】명 〔science of religion〕〖철〗 여러 가지 종교 현상을 비교 연구하고, 종교의 본질을 객관적·보편적으로 파악하려는 학문. 광의로는 종교사(宗教史)·비교(比較) 종교학·종교 민족학·종교 사회학·종교 심리학 및 종교 철학 등이고, 협의로는 이것들을 보조학(補助學)으로 함. 특수 종교에 대해서, 그 신앙을 전제로 하는 신학(神學)과는 다름. 19세기말부터 개척됨.
종교 학교【宗教學校】명 ①종교를 선전·포교(布教)하는 사람을 양성하는 학교. ②종교 단체에서 경영하는 학교.
종교 현:상【宗教現象】명 종교에 관계가 있는 문화 현상. 즉, 인간의 행위나 사회 활동 중에서 종교를 계기로 해서 존재하는 현상. 성당(聖堂)·신앙 집단 따위.
종교-화【宗教畫】명 〖미술〗 종교 상의 사실(事實)·전설·인물 등을 제재(題材)로 한 그림. 종교에 관한 그림. 성화(聖畫).
종교 회:의【宗教會議】[—/—이] 명 ①〖천주교〗 공의회(公議會). ②종교에 관한 문제를 해결하려고 여는 회의.
종구【終句】명 〔codetta〕〖악〗 짧은 코다. *코다(coda).
종구-담 명 〈방〉〖건〗 화방(火防).
종구디 명 〈방〉 진눈깨비.
종구라기 명 조그마한 바가지. ㊥종구락.
종구락 명 ①↗종구라기. ②〈방〉 조롱박❷(충남).
종구래기 명 〈방〉 조롱박(경기·충청·전북).
종구래기-박 명 〈방〉 조롱박(전북).
종구랭이 명 〈방〉 조롱박(경남).
종-구품【從九品】명 〖역〗 벼슬 품계(品階)의 하나. ①고려 때 문종(文宗)이 둔 문산계(文散階)의 상(上) 문림랑(文林郎), 하(下) 장사랑(將仕郎), 공민왕이 고친 등사랑(登仕郎)·통사랑(通仕郎), 무산계(武散階)의 상(上) 배융 교위(陪戎校尉)·하(下) 배융 부위(副尉). ②조선 시대 때 문관의 장사랑(將仕郎), 무관의 전력 부위(展力副尉), 토관(土官)의 시사랑(試仕郎)·탄력 도위(殫力徒尉), 잡직(雜職)의 전근랑(展勤郎)·근력 부위(勤力副尉), 외명부(外命婦)의 유인(孺人).
종국[1]【宗國】명 종주(宗主)로 우러러 받드는 나라. 본가(本家) 계통의 나라. 종주국. ↔속국(屬國).
종국[2]【終局】명 ①사건(事件)의 낙착(落着). 끝판. 저극(底極). 만미(滿尾). ②바둑을 다 둠. *투료(投了).
종국[3]【種麴】명 →종곡(種麯).
종국 등기【終局登記】명 〖법〗 등기의 본래의 효력인 대항력(對抗力)을 발생시키는 등기. 내용에 따라 기입 등기(記入登記)·변경 등기·말소(抹消) 등기·회복(回復) 등기로 분류하며, 형식에 따라 주등기(主登記)·부기(附記) 등기로 분류함.
종국 목적【終局目的】명 〖철〗 구극 목적(究極目的)❷.
종국 재판【終局裁判】명 〖법〗 종국 전의 재판·중간 재판 등에 대하여, 당해 사건의 전부 또는 일부를 완결하는 재판의 총칭. 형사 소송법 상 유죄(有罪)·무죄·면소(免訴)·공소 기각(公訴棄却) 등과, 민사 소송법 상 소장(訴狀)의 각하 명령(却下命令)·종국 판결 등임.
종국-적【終局的】명관 마지막인 모양. 끝판의 성질.
종국 판결【終局判決】명 〖법〗 민사 소송법 상 당해 심급(當該審級)에 있어서 사건의 전부 또는 일부를 완결(完結)하는 판결. 중간 판결과 달라서 독립하여 상소(上訴)의 대상이 됨.
종군【從軍】명 군대를 따라 전지(戰地)로 나감. ¶백의(白衣)~. ——하다 자여불
종군 간호사【從軍看護師】명 전지(戰地)에서 군대의 상병자(傷病者)를 간호하는 것을 임무로 하며, 군(軍)의 명령에 복종하는 의무를 지는 간호사.
종군-기【從軍記】명 종군한 상황을 묘사한 기사(記事). 또, 종군 기자(記者)가 쓴 기사.
종군 기자【從軍記者】명 전지(戰地)에 나가 전황(戰況)을 보도하는 기자(記者).
종군 기장【從軍記章】명 〖군〗 종군하였던 군인·군무원에게 주는 기장. 종군패(從軍牌).
종군 목사【從軍牧師】명 군목(軍牧).
종군 작가【從軍作家】명 종군하여 체험하거나 목격한 전투 실황을 작품으로 창작하는 작가.
종군-패【從軍牌】명 〖군〗 종군 기장(從軍記章).
종굴-박 명 ①작은 표주박. ②〈방〉 조롱박(강원).
종권[1]【終卷】명 최종의 권(卷).
종권[2]【從權】명 시의(時宜)를 좇아 변통함. ——하다 자타여불
종귀 일철【終歸一轍】명 종국에는 다 서로 같이 됨.
종규[1]【宗規】명 ①〖불교〗 종문(宗門)의 규약. 종법(宗法). ②종약(宗約).
종규[2]【柊楑】명 메[1].
종규[3]【鍾馗】명 중국에서 역귀(疫鬼)·마귀를 쫓는 신(神). 당(唐)나라 현종(玄宗)이 꿈에 본 형상을 오도자(吳道子)를 시켜 그린 것이라고도 하는데, 문에 붙여서 악귀(惡鬼)를 방비하는 풍습이 당송(唐宋) 때 성행했다 함.

〈종규[3]〉

종그라미 명 〈방〉 조롱박(전남).
종그락 명 〈방〉 조롱박(충남).
종그래기 명 〈방〉 ①종지(전남). ②조롱박(전북).
종극【終極】명 끝. 마지막. ¶~의 목적.
종근【種根】명 〖식〗 씨뿌리.
종:금[1]【縱擒】명 용서하여 놓아 줌과 포로로서 사로잡음. *금종(擒縱).
종금[2]【從今】부 지금으로부터.
종금 이:후【從今以後】[—니—] 명부 지금으로부터 그 뒤. 종차 이후(從此以後). 종자 이왕(從玆以往). 종차 이왕(從此以往).
종기[1] 명 〈방〉 종지(경남).
종기[2]【終期】명 ①어떤 일이 끝나는 시기. 끝날 때. 말기(末期). ②〖법〗 법률 행위(法律行爲)의 효력이 소멸(消滅)하게 되는 기한. ¶계약의 ~. 1)·2):↔시기(始期).
종:기[3]【腫氣】명 큰 부스럼. 종환(腫患).
[종기가 커야 고름이 많다] ㉠물건이 커야 그 속에 든 것도 많다는 말. ㉡기본이 든든하지 않으면 생기는 것도 적다는 뜻.
종:기[4]【鍾氣】명 정기(精氣)가 한데 뭉침. ——하다 자여불
종꼴-꽃부리【鐘—】명 〖식〗 종상(鐘狀) 꽃부리.
종:-나기【種—】명 〈방〉 종내기.
종:-날 명 〖민〗 농가에서 음력 2월 초하룻날을 이르는 말. 농사일을 시작하는 마음의 준비를 하기 위하여 온 집안의 먼지를 쓸어내고, 송편을 크게 만들어서 하인들에게 그 나이의 수효대로 나누어 줌.
종:-남매【從男妹】명 사촌의 오누이.
종남-산【終南山】명 〖지〗 ①목멱산(木覓山). ②중난 산.
종낭 명 〈방〉 처마(충청).
종내【終乃】부 끝끝내. 필경에. 마침내. ¶그는 ~ 안 왔다/~ 항복하고 말았다.
종내 경:쟁【種內競爭】명 〔intraspecies competition〕〖생〗 같은 종류의 생물 사이에서 일어나는 경쟁으로, 종간(種間) 경쟁과는 달리 다른 생물을 전멸(全滅)시키는 일이 없고, 서로 경쟁하며 살아 가는 경우가 많음. 닭에 모이를 주면, 서로 다투어 먹거나 다른 닭을 쫓아서 먹지 못하게 하는 것 등은 종내 경쟁의 예임.
종:-내기【種—】명 종류(種類)나 계통(系統)의 같고 다름을 가리켜 이르는 말. 종락(種落).
종:-년[1] 명 〈비〉 계집종. ↔종놈.
[종년 간통은 소타기] 무릇 지위나 권세로써 일을 하기는 쉽다는 뜻.
종년[2]【終年】명 종세(終歲).
종년 열세【終年閱歲】[—녈쎄] 명 일이 오래 끌려 해가 걸침. ——하다 자여불
종:-놈 명 〈비〉 사내종. ↔종년.
종-다라니 명 〖건〗 다라니 중심에 그린 꽃무늬.
종-다래끼 명 대나 싸리로 만든 작은 다래끼.

〈종다래끼〉

종다래미 명 〈방〉 종다래끼(충청).
종다리[1] 명 〈방〉 종다래끼.
종다리[2] 명 〖조〗 ①종다릿과에 속하는 새의 총칭. ②[*Alauda arvensis japonica*] 종다릿과에 속하는 새. 몸은 참새보다 좀 큰데 날개의 길이는 90-110 mm, 꽁지는 60-70 mm 가량임. 몸의 배면(背面)은 갈색이며, 깃은 적갈색 바탕에 많은 흑색 반문이 있고, 하면(下面)은 담색(淡色)이고 가슴에 암갈색의 반점(斑點)이 있음. 다리는 튼튼하여 보행(步行)에 알맞음. 4-7월에 땅 위에 집을 짓고 회백색에 갈색 반점이 있는 3-5개의 알을 낳는데, 길들이기가 쉬우며, 봄 하늘에 높이 수직으로 날며 곱게 욺. 한국·중국·일본에 분포함. 고천자(告天子). 규천자(叫天子). 운작(雲雀). 종지조(從地鳥).

〈종다리〉

종다리-꽃 명 〖식〗 [*Cortusa matthioli* var. *pekinensis*] 앵초과에 속하는 다년초. 화경(花莖)은 높이 30cm 내외, 잎은 꼭지가 길고 근생(根生)하며, 둥근 신형(腎形)을 이룸. 7월에 자홍색 꽃이 산형(繖形) 화서로 정생(頂生)하고, 삭과(蒴果)를 맺음. 산지에 나는데, 함북의 관모봉(冠帽峰) 등지에 분포함.
〈종다리꽃〉
종다리-조개 명 〖조개〗 [*Volsella traili*] 홍합과에 속하는 조개의 하나. 패각(貝殼)은 길이 40 mm, 높이 20 mm, 폭 20 mm 가량의 설형(楔形)이고 각표(殼表)에 방사맥(放射脈)이 없으며 각정(殼頂)을 중심으로 미세한 윤맥(輪脈)만 있음. 각표는 대체로 대황갈색이며 내면은 홍색을 띤 진주 광채가 남. 얕은 바다의 암초·조약돌 따위에 착생(着生)생활을 하는데, 한국·일본 등지에 분포함.
종다리-집 명 씨름의 다리 재간에서, 연장걸이의 한 가지. 상대자의 다리를 비꼬아 걸지 않고 다리 관절에다 댐.
종다릿-과【—科】명 〖조〗 [Alaudidae] 참새목(目)에 속(屬)하는 한 과(科). 두정(頭頂)의 깃털이 길어서 우관(羽冠)을 형성하는 종류가 많음. 주로 초원과 들에서 지상 생활을 하고, 4-7월경 한 배에 회백색의 작은 반점이 있는 알을 3-5개 낳음. 잡식성이며 공중에서 잘 욺. 몽고종다리·쇠종다리·왕종다리·종다리 등이 있는데, 전세계에 170여 종이 분포함.
종-다수【從多數】명 여러 의사(意思) 중 많은 편의 의사에 좇음. ——하다 자여불
종다수-결【從多數決】명 ↗종다수 취결.

종다수 취:결【從多數取決】명 다수자(多數者)의 의사를 좇아 결정함. ㊀종다수결. ——-하다 타여불

종단[1]【宗團】명 종교 또는 종파(宗派)의 단체.

종단[2]【終端】명 맨 끝. 마지막.

종단[3]【縱斷】명 ①세로 끊음. 길이로 가름. ②남북(南北)의 방향으로 끊음. ¶ ~ 비행. 1·2):↔횡단(橫斷). ——-하다 타여불

종단 구배【縱斷勾配】명 〖토〗 길이나 제방(堤防) 등에 세로로 기울게 한 경사(傾斜).

종단-면【縱斷面】명 물체를 길이로 자른 면. ↔횡단면(橫斷面).

종단-역【終端驛】[—녁] 명 종점이 되는 정거장. 종착역(終着驛). ↔시발역(始發驛). 「단 조합.

종단 조합【縱斷組合】명 〖사〗 종단주의(縱斷主義)로 조직된 조합. ↔횡

종단-주의【縱斷主義】[—/—이] 명 〖사〗 한 공장의 자본주(資本主)와 노동자가 공동으로 조합을 조직하려는 주의. ↔횡단주의.

종단-항【終端港】명 항로(航路)의 맨 마지막 항구.

종달-거리다 자 불평을 품은 태도로 연달아 종알거리다. ㅆ쫑달거리다. <중덜거리다. 종달-종달 부. ——-하다 자여불

종:-달다【腫—】자 종기의 옆에 또 종기가 잇대어 생기다.

종달-대다 자 종달거리다.

종달-새[—쌔] 명 〖조〗 '종다리'를 분명히 일컫는 말.

종담【縱談】명 마음대로 이야기함. 거리낌없이 이야기함. 방담(放談). ——-하다 자여불

종답【宗畓】명 종중(宗中) 소유의 논. 종중답(宗中畓).

종당[1]【鐘堂】명 종루(鐘樓).

종당[2]【從當】부 이 뒤에 마땅히. 마침내. ¶ ~ 그렇게 되고야 말 것이다.

종대[1] 명 〈방〉 서랍(함남).

종-대[2] [—때] 명 파·마늘 따위의 한가운데에서 올라오는 줄기. 종.

종:대[3]【腫大】명 〖의〗 간 따위가, 부풀어서 커짐. ¶ 간(肝)~. ——-하다 자여불

종대[4]【縱帶】명 세로띠.

종대[5]【縱隊】명 세로 줄을 지어서 늘어선 대형(隊形). ¶ 일열(一列) ~로 늘어서다. ↔횡대.

종대[6]【鐘臺】[—때] 명 적종(吊鐘)을 다는, 나무로 만든 대.

종-대공【宗臺工】명 〖건〗 마룻대공.

종-대상【從大相】명 〖역〗 고구려 말기의 관등. 14 관등제 중 6 위인 대사자(大使者)에 해당됨.

종-댕기 명 ①도투락 댕기에 다는 좁은 끈. ②땋은 머리끝이 풀리지 않게 머리에 드리는 작은 댕기.

종댕이 명 〈방〉 종다래끼.

종덕[1]【宗德】명 〖불교〗 조계종(曹溪宗)에서, 비구(比丘) 법계(法階)의 3급 1호. 종사(宗師)의 아래, 대덕(大德)의 위. 나이 40세, 승랍(僧臘) 20년 이상으로서, 6년 이상 대덕(大德)으로 수지(受持)한 자에게 줌.

종덕[2]【種德】명 은덕이 될 일을 행함. ——-하다 자여불

종-덩굴【鐘—】명 〖식〗 ①[*Clematis subtriternata*] 미나리아재빗과에 속하는 낙엽 활엽 만목(蔓木). 잎은 장상 전열(掌狀全裂)하였음. 7월에 자색 꽃이 하나씩 액생(腋生)하여 피고, 수과(瘦果)의 미상체(尾狀體)는 갈색의 털이 있으며, 9월에 익음. 산중턱 이상의 숲 속에 나는데, 함북의 관모봉(冠帽峰)과 무산(茂山) 등지에 분포함. 관상용임. ② 세잎종덩굴.

〈종덩굴〉

종도[1]【宗徒】명 ①종문(宗門)의 신자(信者). 신도(信徒). ②〖천주교〗 사도(使徒).

종도[2]【種稻】명 〖농〗 볍씨.

종도 신:경【宗徒信經】명 〖천주교〗 '사도 신경'의 구용어.

종:독【腫毒】명 종기의 독기(毒氣).

종돈【種豚】명 씨를 받을 돼지. 씨돼지. *종마(種馬).

종동【鐘銅】명 청동(靑銅)의 하나. 당금(唐金)이라는 주석 20-23%를 포함한 것으로, 단단하고 소리가 맑음. 파면(破面)은 흰 빛임. 벨 메탈(bell metal).

종동-축【從動軸】명 〖기〗 외부(外部)의 동력(動力)에 의해서 회전(回轉)되는 축(軸).

종:-되다 자 남의 종이 되다.

종두[1]【種痘】명 〖의〗 우두(牛痘)를 인체에 접종(接種)함. 천연두(天然痘)에 대하여 면역성(免疫性)을 가지게 하여, 두창(痘瘡)의 감염(感染)을 예방(豫防)함. 제너(Jenner)가 1798년에 발견함. *우두(牛痘). ——-하다 자여불

종두[2]【鐘頭】명 〖불교〗 ①결제(結制)할 때에 머리를 모아 공부하라는 말. ②의식(儀式) 때나 결제(結制) 때에 종을 치고 또 심부름하는 소임(所任).

종두 금:족【鐘頭禁足】명 〖불교〗 머리를 모아 공부하며 출입을 끊는다는 말. 절의 큰방의 문밖의 문지방 밑 좌우에 써서 붙임.

종두 득두【種豆得豆】명 [콩 심은 데 콩이 난다는 뜻] 원인에 따라 결과가 나온다는 말. 종과 득과(種瓜得瓜).

종두-법【種痘法】[—뻡] 명 ①종두하는 방법. ②정기(定期)로 종두하는 것을 정한 법규.

종두-소【種痘所】명 〖역〗 주로 우두(牛痘)를 접종(接種)하고 두묘(痘苗)를 제조하거나 종두의(種痘醫) 양성을 담당했던 대한 제국 때의 의료 사업 기구의 하나.

종두의 양성소【種痘醫養成所】[—/—이—] 명 〖역〗 대한 제국 때 천연두(天然痘) 예방을 목적으로 종두를 하는 의사를 양성하기 위해 설치한 교육 기관.

종두 지미【從頭至尾】명 처음부터 끝까지. 자두 지미. 자초지종.

종두-진【種痘疹】명 〖의〗 종두에 이어 발생한 발진을 통틀어 이르는 말.

종:락【種落】[—낙] 명 종내기.

종란【種卵】[—난] 명 알을 깨기 위해 쓰는 알. 씨알.

종람【縱覽】[—남] 명 마음대로 보고 구경함. 종관(縱觀). ¶ ~ 사절(謝絶). ——-하다 타여불

종람-권【縱覽券】[—남꿘] 명 마음대로 구경할 수 있는 표. *입장권(入場券).

종람-소【縱覽所】[—남—] 명 신문(新聞)·잡지(雜誌) 등을 갖추어 놓고 누구나 마음대로 보게 하는 곳.

종람 수의【縱覽隨意】[—남—/—남—이] 명 누구나 마음대로 종람할 수 있음.

종람-자【縱覽者】[—남—] 명 종람하는 사람.

종래【從來】[—내—] 명부 이전부터 최근까지 내려온 그대로. 이제까지. ¶ ~의 방침대로 하다.

종래-로【從來—】[—내—] 부 예로부터. 자고 이래(自古以來)로.

종량[1]【宗樑】[—냥] 명 〖건〗 ①두 겹으로 얹는 보에서 마룻대가 되는 보. ②마룻대의 밑까지 높이 쌓아올린 보.

종량[2]【從良】[—냥] 명 〖역〗 양인과 천인 사이에 태어난 자식은 양인의 신분에 따라 양인이 되던 일. ——-하다 자여불

종량-등【從量燈】[—냥—] 명 계량기(計量器)를 장치하고 전력(電力)의 소모량에 따라 요금을 내는 전등. ↔정액등(定額燈).

종량-법【從良法】[—냥뻡] 명 〖역〗 양인(良人)과 천인(賤人) 사이에 난 자식은 양인의 신분을 좇아 양인으로 되던 법. ↔종천법(從賤法).

종량-세【從量稅】[—냥쎄] 명 화물의 중량·용적·개수 등 수량을 기준으로 해 1단위 수량의 세율을 결정하는 조세(租稅). 보통, 어떤 기간 내의 기준 세율을 곱한 금액을 기준으로 하고 있음. 주세(酒稅)·석유류세(石油類稅) 등이 있음. *종가세(從價稅).

종려【棕櫚·椶櫚】[—녀] 명 〖식〗 종려나무.

종려-나무【棕櫚—·椶櫚—】[—녀—] 명 〖식〗 [*Trachycarpus excelsa*] 야자과의 상록 교목. 높이 3-7 m, 자웅 이주(雌雄異株) 잎은 대형으로 줄기 끝에 총생(叢生)하고, 부채 모양으로 갈라져 평행맥이 있는데, 열편(裂片)은 긴 선형(線形)을 이룸. 엽질(葉質)은 뻣뻣하고 튼튼한 잎꼭지는 길이 1 m에 달하며, 기부(基部)는 편평(扁平)한 삼각상으로 그 끝에 부드러운 섬유 조직의 '종려모(棕櫚毛)'라 하는 엽초(葉梢)가 발달함. 5-6월에 엽액(葉腋)에서 담황색의 꽃이삭이 나와 작은 꽃이 피고 과실(果實)은 둥근 액과(液果)로 까맣게 익음. 일본 및 중국 원산(原產)인데, 각지에서 고급 정원수(庭園樹)로 재배함. 장식용 재목(材木), 고급 기명(器皿)의 재료로 쓰고, 꽃은 '종어(椶魚)'라 하여 중국 요리(中國料理)에 씀. 종려.

〈종려나무〉

종려-모【棕櫚毛】[—녀—] 명 종려나무의 잎꼭지 기부(基部)에 있는 갈색 섬유. 갈갈이 찢어진 것이 짐승의 털 비슷한데, 비나 새끼 등을 만드는 데 씀. 종려털.

종려-비【棕櫚—】[—녀—] 명 종려나무 털로 만든 비.

종려-선【棕櫚扇】[—녀—] 명 종려나무 잎으로 반든 부채.

종려-승【棕櫚繩】[—녀—] 명 종려나무 털로 꼰 줄.

종려-유【棕櫚油】[—녀—] 명 〖화〗 종려나무의 과실에서 짜 낸 불그스레한 황색(黃色) 지방유. 팔미틴산(palmitin酸)의 글리세리드가 주성분이며 비누 외에 각종 유지(油脂) 공업의 원료가 되며 식용(食用)도 함. 팜유(palm油).

종려-죽【棕櫚竹】[—녀—] 명 〖식〗 [*Rhapis humilis*] 야자과의 상록 관목. 원산지는 중국 대륙 남부. 관엽(觀葉) 식물로서 분(盆)에 심음. 높이 약 2 m. 그루를 이루어 총생(叢生)함. 잎은 반원형으로 7 개 이상으로 나누어지며 각 편(各片)은 종려와 비슷하나 소형(小形)인데, 약간 부드러움. 여름철에 엽액(葉腋)에서 이삭 모양의 화서(花序)를 내며, 담황색(淡黃色)의 잔 꽃이 핌.

종려-털【棕櫚—】[—녀—] 명 종려모(棕櫚毛).

종려-피【棕櫚皮】[—녀—] 명 〖한의〗 종려의 줄기를 싸고 있는 섬유질의 큰 엽초(葉鞘). 지혈(止血)에 씀.

종려핵-유【棕櫚核油】[—녀—뉴] 명 〖화〗 종려나무 과실(果實)의 핵 중에 9-25% 포함되어 있는 기름. 올레산(酸)·팔미트산(酸)·라우르산(酸)의 글리세리드(glyceride)가 주성분(主成分)이며 비누의 원료임.

종렬[1]【縱列】[—녈] 명 세로로 줄지음. 또, 그 열. 세로줄. ↔횡렬(橫列).

종렬[2]【縱裂】[—녈] 명 ①세로 째어짐. 세로 틈이 감. ②〖식〗 꽃밥의 열개법(裂開法)의 하나. 꽃밥이 세로로 터져 꽃가루가 날림. 유채·무·배추꽃 등이 이에 속함. 세로트기. ——-하다 자여불

종렬 사구【縱列砂丘】[—녈—] 명 〖지〗 해안선(海岸線)에 직각으로 평행하게 이루어진 사구(砂丘).

종례【終禮】[—녜] 명 학교에서 일과가 끝나고 직원(職員)과 학생이 한 자리에 모여 나누는 인사. 종회(終會). ↔조례(朝禮).

종로[1]【宗老】[—노] 명 문중(門中)의 존장자(尊長者).

종로[2]【鐘路】[—노] 명 〖지〗 서울의 중앙부, 종각(鐘閣)이 있는 동서로 뻗은 큰 거리. 참고 한자로는 '鍾路'로도 씀.

[종로 깍쟁이 각 집 집 앞으로 다니면서 밥술이나 빌어먹듯] 이 집 저 집 돌아다니며 문전 걸식하는 모양. ¶ 마치 종로 깍쟁이 각 집 집 앞으

로 다니면서 밥술이나 빌어먹듯이 구구하게 따라다니어 ≪金宇鎭:榴花雨≫. [종로에서 뺨 맞고 행랑 뒤에서 눈 흘긴다; 종로에서 뺨 맞고 한강(漢江)에 가서 눈 흘긴다] ㉠욕을 본 자리에서는 아무 말도 못하고 뒤에 가서 불평한다는 말. ㉡노여움을 애매한 다른 데에 옮긴다는 말. 노갑 이을(怒甲移乙).

종로 결장【鐘路決杖】[―노―짱] 명 〖역〗 사람의 왕래가 많은 종로 거리에서, 탐관 오리의 볼기를 치던 일. ――하다 타 여불

종로-구【鐘路區】[―노―] 명 〖지〗 서울 특별시의 한 구. 서울의 중심부에 위치하며 동은 동대문구, 서는 서대문구, 북은 성북구, 남은 중구에 인접함. 북서쪽이 높고 남동쪽이 낮은 지형임. 청와대·정부 종합 청사·창덕궁·창경궁(昌慶宮)·종묘(宗廟)·파고다 공원·비원(祕苑) 등이 있음. [24.01km²: 236,806명(1992)]

종로 제기【鐘路―】[―노―] 명 〔이전에 종로의 전방 앞에서, 상인들이 추위를 덜기 위해 차던 데서 유래〕 두 사람이 마주 서서 발로 제기를 서로 받아차는 놀이. 떨어뜨리지 않음으로써 승부(勝負)를 결정(決定)함. *사방(四方) 제기.

종론【宗論】[―논] 명 ①종중(宗中)의 여론(輿論). ②〖종〗 각각 다른 종교가 서로 그 우열(優劣)·진위(眞僞)를 들어 다투는 언론(言論). ③〖불교〗 법론(法論).

종료【終了】[―뇨] 명 일을 끝마침. 끝냄. ¶～식(式). ――하다 타 여불

종료 미:수【終了未遂】[―뇨―] 명 〖법〗 실행 미수(實行未遂).

종료 미:수범【終了未遂犯】[―뇨―] 명 〖법〗 실행(實行) 미수범. 결효(缺效) 미수범.

종루[1]【鐘漏】[―누] 명 때를 알리는 종과 각루(刻漏). 또, 그 설비(設備)가 있는 궁궐(宮闕) 안.

종루[2]【鐘樓】[―누] 명 종(鐘)을 달아 두는 누각(樓閣). 종당(鐘堂).

종루 결장【鐘樓決杖】[―누―짱] 명 많은 사람이 모이는 곳에서 매를 때리는 형을 집행함.

종:류【種類】[―뉴] 명 성질·형태 등에서 공통점을 가진 것끼리 나눈 저마다의 갈래. 종속(種屬). ¶동물의 ～. 준유(類).

종:류-별【種類別】[―뉴―] 명 종류에 따라 각각 다른 구별.

종:류 주주 총:회【種類株主總會】[―뉴―] 명 〖경〗 회사에서 수종(數種)의 주식을 발행하고 있을 경우, 일정 종류의 주주의 총회. 정관(定款)의 변경이 어느 종류의 주주에게 손해(損害)를 미치게 될 때에는 주주 총회의 결의(決議) 외에 그 종류의 주주의 총회 결의를 요하며, 따라서 종류 주주 총회를 열게 됨.

종:류 채:권【種類債權】[―뉴―꿘] 명 〖법〗 일정한 종류에 속하는 물건의 일정량(一定量)의 급부(給付)를 목적으로 하는 채권. 술 한 말, 쌀 두 가마의 인도(引渡) 등을 목적으로 한 채권 같은 것.

종륜【從輪】[―눈] 명 〖기〗 기관차 동륜(動輪)의 뒤에 프레임을 항상 정상 위치로 오게 하는 작용을 하는 차량의 한 부분.

종률-세【從率稅】[―뉼쎄] 명 〖법〗 일정한 세율(稅率)에 따라서 매기는 조세(租稅). 생산·매매·소비·수출입·상속·주권(株券) 또는 채권(債券)의 발행으로 과세 기준(課稅基準)이 될 만한 일이 생길 때, 그 과세의 목적물에 대해 일정한 세율을 물리는 간접세(間接稅).

종리【綜理】[―니] 명 주밀(周密)하고 조리(條理)있게 처리(處理)함. ――하다 타 여불

종리-관【倧理觀】[―니―] 명 〖대종교〗 대종교(大倧敎)의 핵심 교리. 아득한 옛날 한얼님이 이 세상에 '홍익 인간(弘益人間) 이화 세계(理化世界)'를 이룩하고자 한얼문을 열어 한얼 사람으로 하여금 한밝뫼, 곧 백두산에 내려가게 한 것에 근원을 두고 있음. 이 한얼 사람이 단군 한배검(天祖神)임.

종리-장【宗理長】[―니―] 명 시천교(侍天敎)에서, 대도사(大道師)의 지휘를 받아 교무를 총리하는 교직(敎職).

종립【鬉笠】[―닙] 명 종모(鬉帽).

종마【種馬】 명 씨를 받을 말. 씨말. *종우(種牛).

종-마루【宗―】 명 〖건〗 건물의 지붕 중앙에 있는 주요한 마루.

종마-소【種馬所】 명 씨를 받을 말을 먹이는 곳.

종막【終幕】 명 ①연극 등의 최후의 막. ②사건의 최후(最後). 낙착(落着). ¶～을 고하다.

종말【終末】 명 맨 나중의 끝. 끝판. ¶인생의 ～.

종말-관【終末觀】 명 종말론(終末論).

종말-구【終末球】 명 〔end bulb〕 〖의〗 소구상(小球狀)의 구조를 한, 감각 신경 섬유의 말단부. 감구(感球).

종말 기관【終末器官】 명 〔end organ〕 〖생〗 신경계의 말단부 곧, 말초에 있는 기관. 말초 신경의 종말부의 구조적 분화(構造的分化)나 그 연접(連接) 구조물로서, 그 신경의 분포(分布) 내지 지배를 받음. 구심(求心) 신경의 종말기인 감각(感覺) 종말기는 수용기(受容器)로, 원심(遠心) 신경의 종말기인 운동 종말기는 효과기(效果器)의 기능을 함. 말단(末端) 기관.

종말-론【終末論】 명 〖종〗 유태교·기독교에서 세상의 종말을 믿고, 그 때에 최후의 심판이 있으며, 선인(善人)과 악인은 그 운명을 달리하여 신(神)의 선(善)이 영원히 승리한다는 설.

종말 버튼【終末―】 명 〔프 boutons terminaux〕 〖의〗 신경 섬유(神經纖維)의 말단에 있는 볼록한 곳으로, 다른 신경 세포의 세포체나 수상(樹狀) 돌기와 접합하고 있는 부분.

종말 분지【終末分枝】 명 〔telodendrion〕 〖의〗 축삭(軸索)의 말단 분지.

종말 빙퇴석【終末氷堆石】 명 〖지〗 빙하(氷河)의 말단(末端)까지 운반(運搬)되어 퇴적(堆積)된 빙퇴석. *측빙퇴석(側氷堆石)·저빙퇴석(底氷堆石).

종말-이【終末―】 명 막내 자식을 이름처럼 일컫는 말. ¶우리집 ～예요.

종말 자:극【終末刺戟】 명 〖심〗 자극정(頂).

종말 잔류【終末殘留】[―잘―] 명 〔terminal residue〕 〖생〗 농약 등의 독물이 생물체나 환경 중에서, 대사(代謝)·분해·중합(重合)·축합(縮合) 등을 받아, 그 이상은 분해·변화할 수 없는 대사 산물이나 분해 중합물로 된 잔류물.

종말-점【終末點】[―쩜] 명 〔end point〕 〖화〗 적정(滴定)이 끝나는 점. 정량(定量)해야 할 물질에 대하여 당량(當量)의 적정제(劑)가 가해졌다는 것이 지시되어야 할 점. 빛깔의 변화 등으로 앎. 종점(終點).

종말 처:리장【終末處理場】 명 하수(下水)를 최종적으로 처리하여 하천(河川)·바다 기타 공유 수면(公有水面)에 흘려 보내기 위한 하수도의 처리 시설.

종말 출혈【終末出血】 명 〖의〗 요도 후부(尿道後部) 특히 방광 내 괄약근부 질환(膀胱內括約筋部疾患) 때문에 배뇨(排尿)가 끝나는 순간 요도구(尿道口)에서 출혈하는 것.

종:매【從妹】 명 손아래의 친사촌 누이.

종:-매부【從妹夫】 명 친사촌 누이의 남편.

종명[1]【宗名】 명 종파의 이름.

종명[2]【終命】 명 목숨을 마침. ――하다 자 여불

종명[3]【種名】 명 생물학상 종(種)에 부여된 명칭.

종명[4]【鐘銘】 명 종에 새긴 명(銘).

종명[5]【鐘鳴】 명 종을 침. 때를 알리는 종이 울림. ――하다 자 여불

종명 누:진【鐘鳴漏盡】 명 〔종이 울고 누수(漏水)가 다 되어 밤이 지나갔다는 뜻〕 벼슬아치의 노경(老境)을 이르는 말.

종명 자동증【從命自動症】[―쯩] 명 〔command automatism〕 〖의〗 피영향성(被影響性)이 항진(亢進)한 상태로, 반향(反響) 증상과 같은 종류의 정신 장애(精神障礙)의 하나. 어떤 동작을 명(命)하면 자동적(自動的)으로 이에 따름. 정신 분열증, 특히 긴장병(緊張病) 등에 나타남. ↔거절증(拒絶症).

종명 정식【鐘鳴鼎食】 명 〔옛적에 부귀한 집에서 솥을 벌여 놓고 먹으며, 먹기 전에 종을 울려 사람을 모았다는 데서〕 부귀한 집을 가리키는 말. 준종정(鐘鼎).

종모【鬉帽·鬃帽】 명 〖역〗 기병이 쓰던 모자. 갓보다 조금 높고 위의 통형(筒形)의 옆에 우모(羽毛)를 붙였음. 종립(鬉笠).

종-모돈【種牡豚】 명 씨를 받을 수돼지.

종-모마【種牡馬】 명 씨를 받을 수말.

종모-법【從母法】[―뻡] 명 〖역〗 고려·조선 시대에 노비(奴婢)를 만들던 신분 제도의 하나. 노비 간에 출생한 자녀는 물론, 평민과 여종 사이에 난 자녀도 어머니의 신분을 따라 노비가 됨. 수모법(隨母法). ↔종부법(從父法).

종모-아【鬉帽兒】 명 〖역〗 쇠털을 눌러 굳혀서 만든 전립(戰笠).

종모아-장【鬉帽兒匠】 명 〖역〗 평안도 관찰사(觀察使)에 딸린 외공장(外工匠). 종모를 만드는 장인(匠人).

종모양【種牡羊】 명 씨를 받을 수양. 씨수양.

종모양 꽃부리【鐘模樣―】 명 〖식〗 '종상 화관(鐘狀花冠)'의 풀어 쓴 말.

종-모우【種牡牛】 명 씨 받을 황소. 씨수소.

종-모축【種牡畜】 명 씨를 받을 가축의 수컷.

종:목[1]【種目】 명 ①종류의 명목(名目). 종류의 항목(項目). ②〖경〗 증권 시장(證券市場)에서, 거래(去來)의 대상 물건이 되는 유가(有價) 증권의 통칭.

종목[2]【種牧】 명 〖농〗 식물(植物)을 심고 짐승을 치는 일.

종목[3]【樅木】 명 〖식〗 전나무.

종:목-별【種目別】 명 종목에 따라 각각 다른 구별.

종묘[1]【宗廟】 명 ①〖역〗 조선 시대 때 제왕가(帝王家)의 역대 제왕의 위패(位牌)를 모시는 사당. 큰 공이 있는 임금의 위패를 모신 본전(本殿)과 그 외의 임금 및 죽은 뒤에 왕호(王號)를 얻은 왕세자(王世子)의 위패를 모신 영녕전(永寧殿)이 남아 있음. 태묘(太廟). 대묘(大廟). ②〖역〗 중국 제왕가(帝王家)의 조상의 위패를 모신 묘. 주(周)나라 이후는 천자는 7묘(廟), 제후(諸侯)는 5묘를 베풀었음. 준묘(廟).

종묘[2]【種苗】 명 ①식물의 싹을 심어서 기름. ②묘목(苗木)이 될 씨를 심음. 씨모. ③씨앗과 모종.

종묘 사:무소【宗廟事務所】 명 문화재 관리국(文化財管理局)에 속하는 한 사무소. 종묘 내의 문화재 및 시설물과 수목의 보호·관리 및 관람에 관한 사항을 분장(分掌)함.

종묘 사직【宗廟社稷】 명 왕실(王室)과 나라를 아울러 이르는 말. ¶～이 위태롭다.

종묘-상【種苗商】 명 농작물(農作物)의 씨앗이나 묘목(苗木)을 사고 파는 장사. 또, 그 장수.

종묘-서【宗廟署】 명 〖역〗 조선 시대 때 종묘의 수위(守衛)를 맡은 관아. 태조(太祖) 때에 베풀어서 순종 융희(隆熙) 3년(1909)에 폐하였음.

종묘-악【宗廟樂】 명 〖악〗 ↗종묘 제례악.

종묘-업【種苗業】 명 농작물 씨앗이나 묘목을 생산하는 직업.

종묘-장【種苗場】 명 식목(植木)의 싹을 심어서 기르는 곳. 양묘장(養苗場).

종묘 재:배【種苗栽培】 명 농작물의 우수한 새 품종의 육성·유지 관리를 목적으로 식물을 기르는 일.

종묘 정:전【宗廟正殿】 명 〖지〗 서울 특별시 종로구 훈정동(薰井洞) 종묘 안에 있는 건물. 역대 임금의 신위(神位)를 모신 건물로, 현재의 건물은 조선 시대의 공덕 있는 임금의 신위를 모시고 있음. 국보 제227호.

종묘 제:례【宗廟祭禮】 명 종묘의 제향 의식(祭享儀式). 정시제(定時祭)와 임시제(臨時祭)가 있었는데, 대제(大祭)로 봉행(奉行)했음. 중요

무형 문화재 제56호. *대제(大祭).

종묘 제:례악【宗廟祭禮樂】명〖악〗조선 시대 때, 종묘에서 제사지낼 때 아뢰던 음악. 세종(世宗) 말기에 창작된 정대업(定大業)과 보태평(保太平)을, 세조(世祖) 9년(1463)에 최항(崔恒)이 손질하고 줄여서, 그 이듬해 종묘 제례악으로 채택한 것임. 무형 문화재 제1호로 지정됨. ㊟종묘악. *관왕묘악(關王廟樂).

종무[1]【宗務】명 종교·종단(宗團)·종파(宗派)에 관한 사무.

종무[2]【終務】명 ①맡아보던 일을 끝냄. ②관공서(官公署)나 회사(會社) 등에서 연말(年末)에 근무(勤務)를 끝내는 일. ↔시무(始務). ——-하다 자여불

종무-소【宗務所】명〖불교〗절의 사무소.

종-무소식【終無消息】명 끝끝내 아무 소식이 없음.

종무-식【終務式】명 종무(終務)할 때에 행하는 의식. ↔시무식(始務式).

종무-원【宗務員】명〖불교〗종무에 종사하는 임원(任員).

종무-장【宗務長】명〖종〗시천교(侍天教)에서, 지방 교무(教務)를 총찰하는 교직(教職).

종무 회:의【宗務會議】[-/-이] 명〖불교〗대한 불교 조계종(曹溪宗) 총무원(總務院)의 의결 기관. 총무원장 및 총무원의 각 부장으로 조직(組織)됨.

종문[1]【宗門】명 ①종가(宗家)의 문중(門中). ②〖불교〗종파(宗派)❸.

종문[2]【縱紋】명 세로무늬.

종물[1]【從物】명〖법〗어떤 물건의 효용(效用)을 돕기 위하여 그에 부속된 물건. 칼과 칼집, 장농에 대한 열쇠 등. 종물은 주물(主物)의 구성 부분 곧, 가옥의 문 같은 것은 아니고 독립된 물건임. ↔주물(主物).

종:물[2]【腫物】명 종기(腫氣).

종물[3]【種物】명 ①근본. 근원. 원인. ②씨. 종자.

종미【終尾】명 끝. 마지막. 종말.

종밀【宗密】명〖사람〗중국의 선승(禪僧). 화엄종(華嚴宗)의 제5조로, 징관(澄觀)에게 화엄을 배웠음. 저서에 ≪원각경소(圓覺經疏)≫·≪규봉 선사(圭峰禪師)≫ 등이 있음. [780-841]

종바리 명〈방〉①종지[1](경상). ②보시기(경북).

종박이-무 명〈방〉장다리무.

종반[1]【宗班】명 임금의 본종(本宗)되는 겨레붙이. 종성(宗姓).

종반[2]【宗磐】명〖사람〗중국 금(金)나라 제2대 황제 태종(太宗)의 아들. 성(姓)은 완안(完顏). 여진명은 포로호(蒲盧虎). 장자로서 의당 황위 계승자가 될 것을 예기했으나 종친(宗親)인 종간(宗幹)·종한(宗翰) 등의 책동으로 희종(熙宗)이 즉위하자 불평을 품고 종준(宗雋) 등과 결탁하여 기회를 엿보던 중 탄로되어 모반죄로 죽음. [?-1139]

종반[3]【終盤】명 ①장기나 바둑·경기 등에서 승부가 끝판에 이름. ②행사·일 따위의 최종 단계.

종반[4]【縱斑】명 세로 죽 있는 아롱진 무늬. 세로무늬. ↔횡반(橫斑).

종반-전【終盤戰】명 장기·바둑·경기(競技) 등에서 승부(勝負)가 끝나게 되는 판. 종반의 싸움. 싸움의 끝무렵. *초반전(初盤戰)·중반전(中盤戰).

종발[1] 명〈방〉①종지[1](강원·충남·전북·경북). ②보시기(경북).

종발[2]【終發】명 그 날 마지막으로 발차함. 또, 그 열차·버스 따위. ↔시발(始發). ——-하다 자여불

종발[3]【鍾鉢】명 중발(中鉢)보다는 작고, 종지보다는 조금 나부죽한 그릇. ¶반찬 ~. *종지·탕기.

종-방울【鐘—】명〖고고학〗종 모양의 방울. 청동기 시대에는 의식용으로, 삼국 시대에는 말갖춤으로 쓰였음.

종-배[1]【終—】[-빼] 명 짐승이 마지막으로 새끼를 치는 일. 또, 그 새끼. ↔첫배❷.

종배[2]【終杯】명 ①차례로 돌아가는 맨 나중의 잔. 말배(末杯). 납배(納杯). ②술자리에서의 마지막 잔. 필배(畢杯).

종-배율【縱倍率】명〖물〗광학계(光學系)에 의해서 생긴 상(像)과 원물체와의 크기의 비(比)로 표시한 배율(倍率). ↔각배율(角倍率).

종백[1]【宗伯】명〖역〗①예조 판서(禮曹判書)의 딴이름. ②조선 시대 말, 종백부(宗伯府)의 한 벼슬. ③주(周)나라 육관(六官)의 하나. 예악(禮樂)·제사를 맡아보던 관리. 춘관(春官).

종:백[2]【從伯】명 자기 사촌 맏형을 남에게 이르는 말. 종백씨(從伯氏).

종백-부【宗伯府】명〖역〗조선 시대 말에 궁내부(宮內府)에 딸려 궁중의 의식(儀式)·제사·능침(陵寢)·종실·귀족에 관한 일을 맡은 관아. 고종(高宗) 31년(1894)에 베풀어서 이듬해에 장례원(掌禮院)으로 고침.

종:-백씨【從伯氏】명 종백(從伯).

종-벌레【鐘—】명〖동〗[*Vorticella nebulifera*] 섬모충류(纖毛蟲類) 연모목(緣毛目: Peritricha)에 속하는 원생(原生) 동물. 몸길이는 신축성이 강하여 뻗으면 100-200 μ이고, 움츠리면 작은 심장형이 됨. 몸은 거꿀종꼴인데, 몸빛은 무색·담황색 또는 담녹색이고 핵(核)은 대핵(大核)·소핵(小核)을 이루며 수축포는 1-2개임. 분체법(分體法) 또는 포자 형성에 의하여 증식(增殖)함. 체연(體緣)에는 몸길이의 4-5배나 되는 섬모가 있어서 물결을 일으키어 먹이를 입에 운반하며, 몸의 하단(下端)에는 긴 자루가 있어서 다른 물체에 부착함. 여름의 연못, 웅덩이, 더러운 물 속의 나무나 돌 등에 착생함. 보르티켈라 네불리페라.

〈종벌레〉

종범【從犯】명〖법〗①정범(正犯)을 방조(幇助)하는 범죄. 공동(共同) 정범에 비해서 정범자보다 현저히 가벌 가치(可罰價値)가 작고, 또 교사(教唆)와의 차이는 범의(犯意)를 결정시킨 것이 아니고 편의를 준 것에 불과함. ②정범을 방조한 범인. 종범자. *정범(正犯).

종범-자【從犯者】명〖법〗종범❷.

종법[1]【宗法】[-뻡] 명 ①한 겨레붙이의 사이에 정한 규약(規約). ②〖불교〗종문(宗門)의 법규. 종규(宗規).

종법[2]【宗法】명〖역〗주대(周代) 상층 사회의 제도. 이거(異居)·이산(異産)의 경향에서 적장자(嫡長子) 상속제 확립을 위하여 일어났으며, 대종(大宗)·소종(小宗)으로 나뉘어, 조종묘(祖宗廟)의 제사·공동 향찬(共同饗餐)·일정한 때의 복상(服喪)·동종 불혼(同宗不婚) 등을 행하였으나 춘추 전국(春秋戰國) 시대에 쇠망함.

종법[3]【從法】[-뻡] 명〖법〗주법(主法)을 실행할 방법을 규정한 법률. 절차법 등.

종-법사【宗法師】[-뻡-] 명 원불교에서, 교단을 주재하고 원불교를 대표하는 사람. 법사(法師)들에 의해 선거되며 임기는 6년임.

종-법선【從法線】[-뻡-] 명〖수〗접선(接線).

종법 신:문【宗法訊問】[-뻡-] 명 교회가 법규에 의하여 이단자(異端者)를 처벌하는 재판 신문(裁判訊問).

종벽【宗甓】명 방전(方甎).

종-벽돌【宗甓—】명〖건〗홍예(虹蜺) 중앙부에 끼우는 설형(楔形)의 마루 벽돌.

종:별【種別】명 종류를 따라 된 구별. 유별(類別). ¶~로 나누다. ——-하다 타여불

종병【從兵】명 따라다니는 병졸.

종보[1] 명〈방〉화방(火防).

종-보[2]【宗—】[-뽀] 명〈방〉종량(宗樑).

종복【從僕】명 사내종. ↔종비(從婢).

종부[1] 명〈방〉화방(火防).

종부(를) 쌓:다 구〈방〉〖건〗화방(을) 쌓다.

종부[2]【宗婦】명 종자(宗子)나 종손(宗孫)의 아내. 곧, 종가의 맏며느리. 총부(冢婦).

종부[3]【從夫】명 남편을 좇음. ¶여필(女必) ~. ——-하다 자여불

종부[4]【終傅】명〖천주교〗↗종부 성사.

종부-돋움 명 ①물건을 차곡차곡 쌓아 올리는 일. ②발돋움❶. ——-하다 타여불

종부-디딤 명〈방〉종부돋움.

종부-법【從父法】[-뻡] 명〖역〗양인(良人)과 천인 사이에 난 자식이 아버지의 신분을 따르던 법. ↔종모법(從母法).

종부-사【宗簿司】명〖역〗대한 제국 고종(高宗) 광무(光武) 9년(1905)에 종정원(宗正院)의 고친 이름으로, 순종(純宗) 융희(隆熙) 원년(1907)까지 있었음.

종부 성:사【終傅聖事】명〖천주교〗'병자(病者)의 성사'의 구용어. ㊟종부(終傅).

종부-시【宗簿寺】명〖역〗①고려 때, 왕실의 보첩(譜牒)을 맡은 관아. 충선왕(忠宣王) 2년(1310)에 전중감(殿中監)의 고친 이름. 그 뒤에도 종정시(宗正寺) 또는 종부시로 여러 번 이름이 바뀌었음. *전중성(殿中省). ②조선 시대 때, 왕실의 계보(系譜)를 찬록(撰錄)하고 왕족의 허물을 살피던 관아. 태조(太祖) 원년(1392)에 베푼 전중시(殿中寺)를 태종(太宗) 원년(1401)에 이 이름으로 고쳐서 일컫다가 고종(高宗) 원년(1864)에 종친부(宗親府)에 합함.

종부 종모법【從父從母法】[-뻡] 명〖역〗고려와 조선 시대에, 아비가 천인이고 어미가 양인일 때는 자식은 아비의 신분을 따라 천인이 되고, 아비가 양인이고 어미가 천인일 때는 자식은 어미의 신분을 따라 천인이 되던 법. 악법(惡法)으로서 조선 중종 때는 없애자는 의론이 나왔으며 종부 종모 이법(異法)이 나오기도 했음.

종부 종모 이:법【從父從母異法】[-뻡] 명〖역〗조선 중종 때에 만든 법으로, 양인과 천인 사이에 난 자식을 종량법(從良法)에 따라 모두 양인의 신분으로 만들어 주던 법. *종부 종모법(從父從母法).

종-부직【從夫職】명〖역〗남편의 직품(職品)에 따라 아내의 작위(爵位)를 봉함. *외명부(外命婦). ——-하다 타여불

종-분열【縱分裂】명〖동〗동물체가 체축(體軸)에 평행한 방향으로 분열하는 일. 원생(原生) 동물에 잘 나타나는 세포 분열 방식. 편모충류(鞭毛蟲類) 따위에서 볼 수 있음. ——-하다 자여불

종-불여의【終不如意】[-/-이] 명 끝내 여의치 못함. ——-하다 형

종-불출급【終不出給】명 끝내 빚돈을 갚지 아니함. ——-하다 자여불

종-불투족【終不投足】명 끝내 방문하지 아니함. ——-하다 자여불

종-불회개【終不悔改】명 끝끝내 회개하지 아니함. ——-하다 자여불

종비[1]【從婢】명 여자종. ↔종복(從僕).

종비[2]【種肥】명〖농〗싹을 빨리 돋게 하기 위하여 주는 거름. 또, 생장을 돕기 위하여 씨앗의 주위(周圍)에 주는 거름.

종비-나무【樅榧—】명〖식〗[*Picea koraiensis*] 소나뭇과에 속하는 상록 침엽 교목. 잎은 네모진 침상(針狀), 꽃은 자웅 동가(雌雄同家)이며 꽃이삭은 5월에 타원형으로 피고, 구과(毬果)는 10월에 익음. 깊은 산이나 고원 지대에 나는데, 만주·함남·함북 등지에 분포함. 건축·기구 및 펄프재로 씀.

〈종비나무〉

종빙【縱騁】명 말을 멋대로 달림.

종사[1]【宗寺】명〖불교〗①여러 종파(宗派)의 주된 절. ②여러 속사(屬寺)를 거느리는 각 지역의 으뜸이 되는 절. 1)·2):↔속사(屬寺).

종-사[2]【宗社】명 종묘(宗廟)와 사직(社稷). 곧, 나라의 복조(福祚)를 가리키는 말.

종사[3]【宗師】명 ①모든 사람들이 숭앙(崇仰)하는 사람. ②〖불교〗법맥(法脈)을 받고 건당(建幢)한 높은 중. ③〖대종교〗성도 천리(成道闡理)한 사람의 경칭. ④〖불교〗조계종(曹溪宗)에서, 비구(比丘) 법계(法階)의 2급. 대종사(大宗師)의 아래, 종덕(宗德)의 위. 나이 50세, 승랍(僧

臘) 30년 이상으로서, 종덕 법계를 수지(受持)한 후 7년 이상 된 승려에게 줌. ⑤〖불교〗 태고종(太古宗)에서, 선정(禪定)을 닦은 승려(僧侶)의 법계(法階)의 2급. 대종사(大宗師)의 아래, 대덕(大德)의 위. 대덕(大德) 법계를 수지(受持)한 지 3년이 지난 자로서, 7년 이상 안거(安居)한 자에게 줌.

종사[4]【宗嗣】명 종가 계통의 후손(後孫).

종사[5]【從士】명 ①따르는 무사. ②〖역〗 고대 게르만 사람 사이에서, 유력한 자를 따라다니며 이를 호위하던 종자(從者).

종사[6]【從史】명〖역〗 조선 시대 때, 세손 위종사(世孫衛從司)의 종칠품(從七品) 벼슬. 좌우(左右) 각 한 사람씩 둠.

종사[7]【從死】명 망인(亡人)을 따라서 죽음. ——-하다 타여불

종사[8]【從祀】명 배향(配享)❶❷. ——-하다 타여불

종사[9]【從事】명 ①일에 마음과 힘을 다하여 당해 감. ②어떤 일을 일삼아서 함. ——-하다 자여불

종사[10]【從事】명〖역〗 조선 시대 때, 무반 잡직(武班雜職)의 종팔품 벼슬.

종사[11]【綜絲】명 잉아.

종사[12]【縱射】명〖군〗 전후로 중첩한 적이나 또는 행군 대형(行軍隊形)의 적에게 직각 방향에서 사격함. ——-하다 타여불

종사[13]【縱絲】명 경사(經絲). ↔횡사(橫絲).

종사[14]【縱奢】명 방종하고 사치함. ——-하다 형여불

종사[15]【縱肆】명 종자(縱恣). ——-하다 자여불

종사[16]【螽斯】명 ①〖충〗 메뚜기[2]❶. ②〖충〗 베짱이. ③〖충〗 여치. ④〔여치가 한 번에 99개의 알을 깐다는 데서〕 부부가 화합하여 자손이 번창함을 비유하는 말.

종사-관【從事官】명〖역〗 ①조선 시대 때, 각 군영(軍營) 포도청(捕盜廳)의 종육품(從六品) 벼슬. ②조선 시대 때, 통신사(通信使)를 따라가던 임시 벼슬. 당하(堂下)의 문관(文官)을 시켰는데, 서장관(書狀官)과 직권(職權)이 같음.

종사-당【宗社黨】명〖역〗 중국 청나라 선통제(宣統帝) 말로부터 민국 원년(民國元年)에 걸치어 청조(淸朝)의 복벽(復辟)을 목적으로 황족(皇族) 재도(載濤)·재순(載洵) 등이 양필(良弼)·철량(鐵良) 등의 대신들과 결탁해서 공화제(共和制)에 반대하여 조직한 결사(結社).

종사-랑[1]【從仕郎】명〖역〗 조선 시대 때, 정구품(正九品) 문관의 품계. 장사랑(將仕郎)의 위, 승사랑(承仕郎)의 아래.

종사-랑[2]【從事郎】명〖역〗 고려 때 칠품 문관(文官)의 품계(品階). 충렬왕(忠烈王) 34년(1308)에 정하였다가, 공민왕(恭愍王) 5년(1356)에 폐하고, 10년(1361)에 다시 베풀었다가, 18년(1369)에 또 폐하였음. 징사랑(徵事郎)의 위, 승봉랑(承奉郎)의 아래. *수직랑(修職郎).

종-사위【宗—】명 아들 대신 대(代)를 이어 줄 사위.

종사 제:도【從士制度】명〔vassality〕〖역〗 봉건 제도의 요소의 하나. 군주(君主)와 가신(家臣)의 주종 관계(主從關係).

종-사지【從舍知】명〖역〗 신라의 예궁전(穢宮典)·세택(洗宅)·숭문대(崇文臺) 등 여러 관아의 한 벼슬.

종사지-망【螽斯之望】명〔여치는 99개의 알을 깐다는 데서〕 아들을 많이 두는 소망.

종-사품【從四品】명〖역〗 ①고려 벼슬 품계의 하나. 문산계(文散階)에 문종(文宗)이 둔, 상(上) 대중대부(大中大夫), 하(下) 중대부(中大夫), 충렬왕(忠烈王)이 고친 봉선(奉善) 대부, 공민왕(恭愍王)이 고친 조산(朝散) 대부 (뒤에 상(上)), 하(下) 조열(朝列) 대부, 무산계(武散階)의 상(上) 선위(宣威) 장군, 하(下) 명위(明威) 장군. ②조선 시대 벼슬 품계의 하나. 종친(宗親)의 봉성(奉成) 대부·광성(光成) 대부, 문관의 조산(朝散) 대부·조봉(朝奉) 대부, 무관의 선절(宣節) 장군, 뒤에 고친 정략(定略) 장군·선략(宣略) 장군.

종삭【終朔】명 한 해의 마지막 달. 곧, 섣달.

종산【宗山】명 ①↗종중산(宗中山). ②〖민〗↗종주산(宗主山).

종:-살이 명 지난날 남의 종 노릇하던 일. ——-하다 자여불

종삼【種蔘】명 종자로 쓰는 삼.

종삼-포【種蔘圃】명 삼 종자를 심는 밭.

종-삼품【從三品】명〖역〗 ①고려 벼슬 품계의 하나. 문산계(文散階)에 문종(文宗)이 둔, 광록(光祿) 대부, 충렬왕(忠烈王) 원년(1275)에 고친 통의(通議) 대부, 34년에 고친 상(上) 중정(中正) 대부·하(下) 중현(中顯) 대부, 공민왕(恭愍王) 5년(1356)에 고친 상(上) 대중(大中) 대부·하(下) 중대부(中大夫), 11년(1362)에 고친 상(上) 중정(中正) 대부·하(下) 중현(中顯) 대부, 동 18년(1369)에 고친 상(上) 대중(大中) 대부, 하(下) 중정(中正) 대부, 무산계(武散階)의 운휘 대장군(雲麾大將軍). ②조선 시대 벼슬 품계의 하나. 종친(宗親)의 보신(保信) 대부·자신(資信) 대부, 의빈(儀賓)의 명신(明信) 대부·돈신(敦信) 대부, 문관의 중직(中直) 대부·중훈(中訓) 대부, 무관의 보의(保義) 장군, 뒤에 고친 건공(建功) 장군·보공(保功) 장군.

종상[1]【終喪】명 해상(解喪).

종상[2]【種桑】명 뽕나무를 심음. ——-하다 자여불

종상[3]【綜詳】명 치밀하고 상세함. ——-하다 형여불

종상[4]【鐘狀】명 종형(鐘形).

종상-꽃부리【鐘狀—】명〖식〗 합판(合瓣)꽃부리의 한 가지. 모양이 종과 같은데, 제비꽃·도라지꽃 같은 것임. 종꼴 꽃부리. 종상 화관(鐘狀花冠). 종형 화관.

종상-법【種桑法】[—뻡] 명〖역〗 조선 세조(世祖) 5년(1459)에 제정 반포한 것으로, 양잠(養蠶)을 권장하기 위해 뽕나무를 의무적으로 심게 했던 제도.

〈종상꽃부리〉

종상-화【鐘狀花】명〖식〗 종상 화관으로 된 꽃.

종상 화관【鐘狀花冠】명〖식〗 종상꽃부리.

종상 화:산【鐘狀火山】명〖지〗 산꼭대기가 종 모양으로 되고, 마그마는 산성암(酸性岩)으로 된 화산. 괴상(塊狀) 화산. 톨로이데.

종생[1]【終生】명 목숨이 다할 때까지의 동안. 평생(平生).

종생[2]【縱生】명〔superposition〕〖식〗 측생 기관(側生器官)이 경축(莖軸)에 따라서 똑바로 세로로 벌이어 선 배열 상태(配列狀態).

종생 면:역【終生免疫】명〖의〗 어떤 병을 한 번 앓고 나면, 그 병원체(病原體)에 대하여 종생토록 면역이 되는 일.

종-생태학【種生態學】명〔genecology〕〖생〗 종(種)이나 그 유전적 구조(構造)를 연구하는 학문. 자연계에서의 종의 위치나 종형성(種形成)을 제어하는 유전학적·형태학적 요소에 대하여 연구함.

종서【縱書】명 글을 아래로 내리 씀. 세로로 씀. 세로 쓰기. ↔횡서(橫書). ——-하다 타여불

종석【宗石】명〖건〗 홍석(虹石).

종석-산【鐘石山】명〖지〗 황해도 곡산군(谷山郡) 상도면(上圖面)과 하도면(下圖面) 사이에 있는 산. 언진 산맥(彥眞山脈)에 속함. [1,273 m]

종선[1]【從船】명 큰 배에 딸린 작은 배.

종선[2]【縱線】명 ①세로로 그은 줄. 세로줄. ↔횡선(橫線). ②〖악〗 '세로줄❷'의 구용어.

종설[1]【終雪】명 그 해 봄의 마지막 눈. ↔초설(初雪).

종-설[2]【種說】명〔species concept〕〖생〗 자연은 다종 다양(多種多樣)이나, 유한개(有限個)의 종(種)으로 정의(定義)·분류(分類)할 수 있다는 설(說).

종성[1]【宗姓】명 ①종반(宗班). ②왕실(王室)의 성(姓).

종성[2]【終成】명 이루어짐. 성취(成就). ——-하다 자여불

종성[3]【終聲】명〖언〗 ①받침. 끝닿소리. ②나중 소리. 말음(末音). ↔초성(初聲)·중성(中聲).

종성[4]【從聲】명 오음(五音) 중의 궁(宮)·상(商)·각(角)의 세 음. 치(徵)·우(羽)의 두 음을 변성(變聲)이라 하는 것의 상대어.

종성[5]【種姓】명 카스트(caste). 사성(四姓).

종성[6]【鐘城】명〖지〗 함경 북도 종성군의 군청 소재지. 군의 서북 두만강 우안(右岸)에 있고, 북한선(北韓線)에 연하여 만주의 간도(間島)와 마주보는 국경 도시. 부근은 면양·소의 목장 지대로 유망시됨. 옛날 국방 상의 요지이며 성곽 도시로서 고적이 남아 있음.

종-성[7]【鍾惺】명〖사람〗 중국 명말(明末)의 시인. 자(字)는 백경(伯敬). 후베이성(湖北省) 징링(竟陵) 출신. 담원춘(譚元春)과 공동으로 ≪고시귀(古詩歸)≫·≪당시귀(唐詩歸)≫를 편술하고, 경릉파(竟陵派)를 일으켜 의고적(擬古的)인 고문사파(古文辭派)에 대하여 신풍(新風)을 불어넣었음. 저서에 ≪제경도(諸經圖)≫·≪은수헌집(隱秀軒集)≫·≪명원시귀(名媛詩歸)≫·≪주문귀(周文歸)≫ 등이 있음. [1574-1625]

종성[8]【鐘聲】명 종소리.

종성-군【鐘城郡】명〖지〗 함경 북도의 한 군. 관내 6면. 도의 동북서에 위치하고 북쪽은 온성군(穩城郡), 동쪽은 경원군(慶源郡), 남쪽은 경흥군(慶興郡)·부령군(富寧郡)·회령군(會寧郡) 등에 인접함. 산물로는 콩·수수·귀리·감자 등과 축산·임산 등이 있음. 수항루(受降樓)·동건산성(童巾山城)·동관진(潼關鎭) 등 명승 고적(古蹟)이 있음. 군청 소재지는 종성(鐘城). [1,122 km²]

종성 유전【從性遺傳】[—뉴—] 명〔sex-controlled inheritance〕〖생〗 유전자(遺傳子)의 형질(形質) 발현(發現)이 개체의 성형(性型)에 의해 영향을 받으므로, 자웅(雌雄)에 의해 상이(相異)한 표현형(表現型)이 되는 따위의 유전 양식.

종성-해【終聲解】명〖언〗 ≪해례본(解例本) 훈민 정음≫에서 보인 해례의 하나. 종성에 대한 규정을 내림.

종세【終歲】명 한 해를 마침. 종년(終年). ——-하다 자여불

종소【終宵】명 종야(終夜).

종-소리【鐘—】[—쏘—] 명 종을 울리는 소리. 종성(鐘聲). 경음(鯨音).

종-소명【種小名】명〔specific epithet〕〖생〗 이명명법(二命名法)으로 나타낸 생물의 학명으로, 속명(屬名) 다음에 이어지는 일어(一語)를 가리킴. 보통 동·식물에서, 그 종(種)을 나타내는 특징을 가리키는 말. 관계있는 지명·인명·토어(土語) 등으로 라틴어화한 형용사 또는 명사의 형용형임.

종-소원【從所願】명 소원을 들어 줌. 종자원(從自願). ——-하다 타여불

종속[1]【從俗】명 ↗종시속(從時俗). ——-하다 자여불

종속[2]【從屬】명 ①주되는 것에 딸려 붙음. ②〖언〗 문법에서, 글의 구성 부분으로, 다른 부분에 대하여 독립 또는 대립(對立)의 관계가 아닌, 주술(主述)·수식(修飾)·조건적 접속 등의 관계를 가짐. ——-하다 자여불

종:속[3]【種屬】명 종류(種類).

종속 관계【從屬關係】명 ①신분적·정치적 등으로 타(他)에 종속되어 있는 관계. ②〖철〗 상위 개념(上位槪念)과 하위(下位) 개념과의 관계. 유(類)에 대한 종(種)의 관계. 이를테면 인간이란 개념은 동물이란 개념에 종속함.

종속-국【從屬國】명 ①법적으로는 독립국이나, 정치·경제·군사면에서 실제로는 다른 나라에 의해 지배되는 나라. ②종주국(宗主國)의 국내법에 의거하여 외교 관계의 일체는 독립해서 처리하고 나머지는 종주국에 의하여 처리되는 국가. 터키에 대한 제1차 세계 대전 전의 이집트 및 1908년까지의 불가리아 따위. 부속국(附屬國). 속국(屬國). 일부 주권국(一部主權國). ↔종주국(宗主國).

종속 국가【從屬國家】명 종속국.

종속 노동【從屬勞動】명 타인의 지휘 명령 하에, 사용 종속(使用從屬)의 관계에 있어서 행하는 노동.

종-속도【終速度】명〖물〗 ①운동의 종점에서의 물체의 속도. ②가속도

운동을 하고 있던 물체나 유체(流體)가 주위의 저항(抵抗)으로 가속이 줄고 등속도(等速度) 운동으로 되었을 때의 속도. *초속도(初速度)·가속도(加速度).

종속-론【從屬論】[—논] 명 세계적인 자본 축적 과정에서, 자본주의의 중추부와 주변부(周邊部) 사이에 종속 관계가 형성되고, 선진 각국에는 경제 발전이, 제3 세계에는 저개발이 축적되어 간다고 보는 주장 내지 사관(史觀).

종속-문【從屬文】명 〖언〗 한 문장에서 종속이 되는 문장. 딸림월. ↔주문(主文)❶.

종속-물【從屬物】명 어떤 것에 종속하여 있는 물건.

종속-범【從屬犯】명 〖법〗 정범(正犯)에 종속하여 성립하는 교사범·종범(從犯). 또, 그 범인. 하담범(荷擔犯).

종속 변:수【從屬變數】[—쑤] 명 ①〔dependent variable〕〖심〗 행동주의적(行動主義的) 경향을 띤 심리학의 용어. 환경의 조건이나 자극, 곧 독립 변수(獨立變數)에 응해서 종속적으로 결정되는 반응(反應) 또는 행동. ↔독립 변수. ②〖수〗 독립 변수에 응해서 변하는 변수. ↔독립 변수. *함수(函數).

종속 사:건【從屬事件】[—껀] 명 〖수〗 사건 A가 일어나느냐 일어나지 않느냐 하는 일이 사건 B가 일어나는 확률에 영향을 끼칠 때, B의 A에 대한 일컬음. B가 A의 종속 사건일 때, B는 A에 종속하고 있다고 함. 종속 사상. ↔독립 사건.

종속 사:상【從屬事象】명 〖수〗 '종속 사건'의 구용어.

종속 성분【從屬成分】명 〖언〗 글월에 있어서 딴 부분을 수식하거나 한정하는 부분. 딸림조각. 부속 성분.

종속-시【宗屬寺】명 〖역〗 발해 시대에 왕실 친속적(王室親屬籍)을 관장했던 중앙 관부.

종속 시:행【從屬試行】명 〖수〗 확률론(確率論)에서, 일련의 시행의 하나. 각 시행 간에는 종속 관계가 있으며 각 사건(事件)이 일어날 확률이 어느 시행에서나 같은 것. 주사위를 몇 번 반복해서 던지는 경우 등. ↔독립 시행.

종속 영양【從屬營養】명 다른 생물이 만든 유기물에 의존하는 영양 양식(樣式). 타(他)에 의존·종속하기 때문에 유기물의 합성 능력이 결여(缺如)되어 있는 것이 특징임. 광합성(光合成)이나 화학 합성(化學合成)을 하지 않는 균류(菌類)나 기생(寄生) 식물, 초식(草食)·육식(肉食)을 불문하고 모든 동물이 이것을 함. 유기 영양(有機營養). 타양(他養). ↔독립 영양.

종속 영양 생물【從屬營養生物】명 〔heterotroph〕〖생〗 특정의 화학적 암반응(暗反應) 또는 광화학(光化學) 반응에 의해 획득되는 에너지를 사용하여, 무기 탄산(無機炭酸)이 아닌 유기 화합물(化合物)을 환원 동화(還元同化)하여 생활 증식하는 생물. 유기(有機) 영양 생물. 종속 영양체.

종속 영양체【從屬營養體】명 〖생〗 종속 영양 생물.

종속 원인【從屬原因】명 주(主)된 원인에 따르는 원인(原因).

종속-적【從屬的】명관 종속의 관계에 있는 모양이나 성질.

종속적 관계【從屬的關係】명 ①어떠한 사물의 종속적인 관계. ②〖언〗 체언에 대한 조사(助詞), 용언의 어간에 대한 어미 및 한 단어의 내부에서 볼 수 있는 접어(接語)의 그 주되는 말에 대한 관계. 이 경우 대체로 윗 받침이 제대로 발음되거나 구개음화(口蓋音化)함. 곧, 웃은 →오손, 같이→가치로 됨. ↔대립적 관계(對立的關係).

종속-절【從屬節】명 〖언〗 하나의 문장의 성분(成分)이 되는 절. 곧, 주어절(主語節)·술어절(述語節)·수식절(修飾節) 등의 총칭. ↔주절(主節)·대립절.

종속 증폭기【縱續增幅器】명 〖물〗 직렬(直列)로 접속된 두 단(段) 이상의 진공관 증폭기(眞空管增幅器).

종속 특이성【種屬特異性】[—썽] 명 〖생〗 생물체의 조직과 장기(臟器)는 모두 항원(抗原)으로서 활동하고 있으나, 동물의 종(種)과 속(屬)에 따라 면역학적(免疫學的)으로도 다른 성질을 나타내는 현상. 법의학(法醫學)과 식품 위생(食品衛生)에 이용됨.

종속 회:사【從屬會社】명 〖경〗 자본 참가 외에 계약·정관(定款) 등에 의하여 어떤 회사의 지배에 종속하는 회사.

종속-히【從速—】부 오래 걸리지 않고 빠르게.

종손[1]【宗孫】명 종가(宗家)의 맏자손. ↔지손(支孫).

종:손[2]【從孫】명 형이나 아우의 손자.

종:-손녀【從孫女】명 형이나 아우의 손녀. ↔친손녀.

종:-손부【從孫婦】명 종손(從孫)의 아내.

종:손-서【從孫婿】명 종손녀(從孫女)의 남편.

종송【鐘頌】명 〖불교〗 사찰(寺刹)에서 타종(打鐘)할 때 독송(讀誦)하는 게송(偈頌). 아침 타종 때의 조례 종송(朝禮鐘頌)과 저녁 타종 때의 석례 종송(夕禮鐘頌)이 있음.

종-쇠【從—】명 〖민〗 삼쇠.

종쇠-놀이【從—】명 〖민〗 삼쇠놀이.

종:수[1]【從嫂】명 사촌 형이나 아우의 아내.

종수[2]【種樹】명 ①식목(植木). ②곡식의 씨앗과 나무를 심어 가꿈. ——-하다 자타여불

종:수[3]【縱囚】명 죄인을 용서하여 석방함.

종:수-씨【從嫂氏】명 친형제 외의 같은 항렬(行列)의 형이나 아우의 아내를 친근히 일컫는 말.

종수 일별【終須一別】명 언제 어디서 이별(離別)하나 이별하기는 마찬가지임.

종:숙【從叔】명 아버지의 사촌 형제. 당숙(堂叔).

종:-숙모【從叔母】명 종숙의 아내. 당숙모(堂叔母).

종순【從順】명 순순히 복종함. 순종. ——-하다 자여불

종순-랑【從順郎】[—술—] 명 〖역〗 조선 시대 때 정육품 종친(宗親)의 품계. 집순랑(執順郎)의 아래임.

종숭아리 명 〈방〉 종아리(함남).

종승【從僧】명 고승(高僧)이나 주지에 수종(隨從)하는 중.

종-시[1]【終始】명 마지막과 처음. 마침과 비롯함. *시종(始終). ——-하다 자여불 처음에서 끝까지 하다.

종시[2]【終是】부 나중까지 끝이 나도록. 종내(終乃). 끝내. ¶~ 말을 꺼내지 않다.

종-시가【從時價】[—까] 명 시가(時價)대로 좇음. 종시세(從時勢). ——-하다 자여불

종-시세【從時勢】명 종시가(從時價). ——-하다 자여불

종-시속【從時俗】명 시속(時俗)대로 좇음. ㈜종속(從俗). ——-하다 자여불

종시 여일【終始如一】명 시종 여일(始終如一). ——-하다 형여불

종시 일관【終始一貫】명 시종 일관(始終一貫). ——-하다 자여불

종식[1]【終熄】명 한 때 매우 성하던 것이 주저앉아서 그침. ¶내란의 ~. ——-하다 자여불

종식[2]【種植·種殖】명 씨를 뿌리고, 식물을 심는 일.

종신[1]【宗臣】명 ①나라의 원훈(元勳). ②왕족(王族)으로 벼슬 자리에 있는 사람.

종신[2]【終身】명 ①명을 마칠 때까지의 동안. ¶~ 회원. ②한 평생을 마침. ③필명(畢命). 임종(臨終). ——-하다 자여불

종신[3]【從臣】명 늘 따라다니는 신하.

종-신경【終神經】명 〖생〗 코의 점막(粘膜)의 일부에 분포하는 가는 신경. 연골 어류(軟骨魚類)와 같은 하등의 척추 동물(脊椎動物)에 꽤 발달되었음.

종신-계【終身計】명 한 평생을 지낼 계책. 종신지계(終身之計).

종신 고용 제:도【終身雇傭制度】명 기업이 노동자를 특별한 경우 이외에는 해고(解雇)하지 않고, 정년(停年)까지 고용하는 제도. 평생 고용 제도.

종신-관【終身官】명 유죄 선고(有罪宣告) 또는 징계 처분(懲戒處分)에 의하는 외에 자신이 사직(辭職)하지 않는 한, 죽을 때까지 면관(免官)되지 않는 관리.

종신-병【終身病】[—뼝] 명 종신지질(終身之疾).

종신 보:험【終身保險】명 생명 보험의 하나. 피(被)보험자가 사망하였을 때, 보험자가 일정한 금액을 보험금 수취인(受取人)에게 지불하는 보험. 보험 기간이 계약 체결 당시에 확정되지 않는 점에서 정기 보험과 구별됨.

종신 연금【終身年金】[—년—] 명 연금의 일종. 권리자가 사망할 때까지 매년 일정 금액을 급여 받을 수 있는 채권(債權).

종신 연금 보:험【終身年金保險】[—년—] 명 피(被)보험자에게 사망할 때까지 매년 일정한 연금을 지급하는 경우의 보험. 노후(老後)의 경제 생활을 보장하는 것을 목적으로 한 것임.

종신 자식【終身子息】명 부모가 운명(殞命)할 때 임종(臨終)한 자식.

종신 정:기금【終身定期金】명 ①당사자의 일방이 자기 상대방 또는 제삼자가 사망에 이르기까지 정기적으로 금전 기타의 물품을 상대방 또는 제삼자에게 지급할 것을 약속하는 계약. 종신 정기금 계약. ②종신 정기금 계약에 의하여 주어지는 금전 기타의 물품.

종신 정:기금 계:약【終身定期金契約】명 종신 정기금❶.

종신지-계【終身之計】명 종신계(終身計).

종신지-질【終身之疾】명 평생 고칠 수 없는 병. 종신병(終身病).

종신-직【終身職】명 사퇴하지 않는 한 면직(免職)되지 않는, 평생 종사할 수 있는 직위(職位).

종신직-제【終身職制】명 커리어 시스템(career system).

종신 징역【終身懲役】명 〖법〗 '무기 징역(無期懲役)'의 구칭(舊稱).

종신-토록【終身—】부 평생(平生)토록.

종신-형【終身刑】명 '무기형(無期刑)'의 구용어.

종신 회:원【終身會員】명 스스로 사퇴하지 않는 한 평생토록 회원의 자격을 가지는 회원. 평생 회원.

종실[1]【宗室】명 종친(宗親).

종실[2]【從實】명 거짓이 없이 사실대로 함.

종실-장【宗室章】[—짱] 명 용비 어천가의 제76장의 이름.

종실 제군【宗室諸君】명 〖역〗 종실의 여러 대군(大君)·왕자군(王子君)·승습군(承襲君) 들.

종심[1]【從心】명 일흔 살의 별칭.

종심[2]【終審】명 ①최후의 심리. ②〖법〗 심급(審級) 제도에 있어서의 최종 법원의 심리.

종심[3]【縱深】명 〖군〗 전선에 배치된 부대의 최전선에서 후방 부대까지의 세로의 선. 종대의 경우에는 최선두(最先頭)의 병사에서 최후미(最後尾)의 병사까지의 거리를 말함. 적을 향하여 수직(垂直)이 되는 선을 가리킴.

종심 도리【宗心—】명 〖건〗 마루에 있는 도리. 마룻 도리.

종심 법원【終審法院】명 종심의 심리(審理) 재판을 하는 법원. 곧, 대법원을 가리킴.

종심 소:욕【從心所欲】명 마음에 하고 싶은 대로 좇아서 함. ——-하다 자타여불

종심 진지【縱深陣地】명 〖군〗 세로 깊게 된 진지.

종씨[1]【宗氏】명 같은 성(姓)으로서 계촌(計寸)하지 아니하는 겨레붙이에 대한 호칭(呼稱).

종:씨[2]【從氏】명 ①남에게 대하여 자기 사촌형을 높여 부르는 말. ②남

의 사촌 형제를 높여 부르는 말.
종:아리 [근대 : 종아리] 명 『생』 다리 아랫 마디의 뒤쪽. 하퇴(下腿).
종:아리(를) 맞다 구 벌(罰)로 종아리를 맞다.
종:아리(를) 치다 구 벌(罰)로 종아리를 때리다.
종:아리-마디 명 『생』 종아리뼈의 마디.
종:아리-뼈 명 『생』 비골(腓骨).
종:아리-채 명 종아리를 때리는 회초리.
종:-아이 명 종으로 둔 아이.
종안[1] 【宗案】 명 부계 혈연 친족 집단(父系血緣親族集團)인 문중(門中)에 관련된 문서를 총칭하여 부르는 이름. 문중 문부(門中文簿). 종중 문부(宗中文簿).
종안[2] 【棕眼】 명 『공』 자기(瓷器)에 있어서 동물의 턱 아래에 있는, 수염 구멍 비슷한 잿물의 형상의 하나.
종안 첨백 【棕眼甜白】 명 『공』 중국 명(明)나라 영락(永樂)·선덕(宣德) 연대에 만든 흰 자기(瓷器)의 한 가지.
종알-거리다 자 남이 잘 알아듣기 어려울 정도로 혼자 연해 불평을 말하다. ㅆ쫑알거리다. <중얼거리다. 종알-종알 부. ——-하다 자 여불
[종알거리기는 아침 까치로구나] '조잘거리기는 아침 까치로구나'와 같은 뜻.
종알-대다 자 종알거리다.
종앙 【宗仰】 명 숭상하여 우러러 봄. ——-하다 타 여불
종애[1] 명 남을 약올려서 화를 돋구는 짓. ¶ ~(를) 곯리다.
종애[2] 명 〈방〉 종이(평안).
종:애[3] 【鍾愛】 명 사랑을 모음. 곧, 몹시 사랑함. 종정(鍾情). ——-하다 타 여불
종야 【終夜】 명 하룻밤 동안. 밤새도록. 종소(終宵). 종석(終夕).
[종야 통곡에 부지(不知) 하(何) 마누라 상사] 아무 까닭도 모르면서 기를 쓰고 덤빌 만큼 어리석다는 뜻.
종약[1] 【宗約】 명 종중(宗中)이 모여, 종회(宗會)의 운영에 관하여 협정한 규약. 종규(宗規)❷.
종약[2] 【從約】 명 『역』 중국 전국 시대(戰國時代)의 한(韓)·위(魏)·제(齊)·초(楚)·조(趙)·연(燕) 여섯 나라가 합종(合從)하여 진(秦)나라에 대항한 공수 동맹(攻守同盟). 소진(蘇秦)이 주창하였음.
종약[3] 【種藥】 명 약재(藥材)로 쓸 식물(植物)을 심음. ——-하다 자 여불
종약-색 【種藥色】 명 『역』 조선 시대 때 전의감(典醫監)에 딸린 약재 담당관(藥材擔當官).
종약-소 【宗約所】 명 종약(宗約)의 집행(執行)·관리를 맡은 종중(宗中)의 사무소.
종약-전 【種藥田】 명 『역』 조선 시대 때 혜민서(惠民署)에 딸린 약재(藥材)로 쓰이는 식물을 심던 논밭.
종:양[1] 【腫瘍】 명 『의』 본래는 종기의 뜻. 특히 세포가 병적으로 증식하여 생리적으로 무의미한 조직괴(組織塊)를 만드는 병증을 말하는 경우가 많음. 비교적 낫기 쉬운 근종(筋腫) 등을 양성(良性) 종양, 사망률이 높은 암육종(癌肉腫) 등을 악성(惡性) 종양이라 함. 육종(肉腫).
종양[2] 【種羊】 명 씨를 받을 양.
종양-장 【種羊場】 명 종양(種羊)을 사육하는 곳.
종:양-학 【腫瘍學】 명 [oncology] 『의』 종양의 원인·발달·특징 및 치료에 관한 연구를 하는 학문 분야.
종:어[1] 명 〈방〉 종이(경남).
종어[2] 【宗魚·鯮魚】 명 『어』 [*Leiocassis dumerili*] 동자갯과에 속하는 민물고기. 몸길이는 20-50 cm가 보통이고, 76 cm에 달하는 것도 있음. 머리는 부드러운 피부로 덮이고, 돌출한 주둥이는 아래 턱이 위턱보다 짧으며, 입가에 네 쌍의 수염이 있음. 몸빛은 등 쪽이 황갈색, 배 쪽이 담색임. 큰 강 하류의 흐린 물에 사는데, 황해에 흘러드는 하천 및 중국·남만주에 분포함. 백마강의 명산(名産)으로, 조선 시대에는 궁정과 고관에의 진상물로 유명하였음. 맛이 아주 좋음. 한국산 담수어 중 가장 맛있는 물고기라는 뜻에서 이 이름이 붙음. 여메기.
종어[3] 【種魚】 명 키워서 번식시킬 때 종자로 삼는 물고기. 씨고기.
종어[4] 【鯼魚】 명 『어』 조기.
종언[1] 【終焉】 명 ①세상을 피하여 조용히 노년(老年)을 보냄. 여생(餘生)을 보냄. ②마지막. 최후. 전(轉)하여, 죽음. ¶ ~을 고하다. ——-하다 자 여불
종:언[2] 【縱言】 명 각 방면(方面)에 걸쳐 여러 가지 이야기를 함. ——-하다 자 타 여불
종업[1] 【從業】 명 업무(業務)에 종사함. ——-하다 자 여불
종업[2] 【終業】 명 ①업무를 끝마침. ②『교』 학교에서 한 학기 또는 한 학년 간의 학업을 마침. ——-하다 타 여불
종업-식 【終業式】 명 종업할 때 행하는 식(式). ↔시업식(始業式).
종업-원 【從業員】 명 어떤 업무(業務)에 종사하는 사람.
종업원 이:익 참가 제:도 【從業員利益參加制度】 명 『법』 종업원이 사용자와의 명시(明示) 또는 묵시(默示)의 약정(約定)으로 예정된 기준에 따라서 기업 수익(企業收益)의 일부의 분배를 받는 제도.
종업원 조합 【從業員組合】 명 종업원이 조직하는 노동 조합.
종업원 지주 제:도 【從業員持株制度】 명 『경』 회사가 그 종업원에게 자사(自社)의 주식을 소유시키는 제도. 주식 구입 자금의 대여, 신주(新株) 인수권의 부여 등으로 주식 소유를 촉진함. 종업원도 이윤(利潤)의 분배(分配)에 참가시켜 기업 의식을 높이어 노사(勞使) 협조를 꾀하는 것이 목적임.
종업원-할 【從業員割】 명 『법』 종업원의 급여 총액을 과세 표준으로 하여 부과하는 사업소세(事業所稅).

종-없다 [—업—] 형 ↗종작없다.
종-없이 [—업씨] 부 ↗종작없이. ¶ 못난 형님들이 ~ 지껄였는지 누가 아우? 《洪命憙 : 林巨正》.
종에 명 〈방〉 종이(황해).
종연 【終演】 명 『연』 연극 등의 상연(上演)이 끝남. ¶ 오후 8시 ~. ——-하다 자 타 여불
종-열차 【終列車】 [—녈—] 명 그 날의 마지막 열차. 막차.
종영 【終映】 명 영화가 끝남. 상영(上映)을 끝냄. ——-하다 자 타 여불
종영-류 【鐘泳類】 [—뉴] 명 『동』 유종류(有鐘類).
종예[1] 【終譽】 명 명예를 끝까지 잃지 아니함. ——-하다 자 여불
종예[2] 【種藝】 명 온갖 식물을 심어서 기름. ——-하다 타 여불
종예-가 【種藝家】 명 종예를 업으로 하는 사람.
종오 명 〈방〉 종이(경상).
종오리 명 〈방〉 조리(강원).
종-오소호 【從吾所好】 명 자기가 좋아하는 대로 좇아서 함. ——-하다 자 여불
종-오품 【從五品】 명 『역』 ①고려 벼슬 품계의 하나. 문산계(文散階)에 문종(文宗)이 둔, 상(上) 조청(朝請) 대부, 하(下) 조산(朝散) 대부, 충선왕(忠宣王)이 고친 조봉랑(朝奉郎), 무산계(武散階)의 상(上) 유기(遊騎) 장군, 하(下) 유격(遊擊) 장군 등. ②조선 시대 벼슬 품계의 하나. 종친(宗親)의 근절랑(謹節郎)·신절랑(愼節郎), 문관의 봉직랑(奉直郎)·봉훈랑(奉訓郎), 무관의 현신 교위(顯信校尉)·창신(彰信) 교위, 토관(土官)의 봉의랑(奉議郎)·여충 대위(勵忠隊尉).
종옥 【種玉】 명 [수신기(搜神記)에 양공 옹백(楊公雍伯)이 옥을 심어 미인 아내를 얻었다는 고사에서] 미인을 아내로 삼음.
종외 명 〈방〉 종이(평안).
종-요[2] 【鍾繇】 명 중국 삼국 시대 위(魏)나라의 정치가·서가(書家). 자는 원상(元常). 허난 성(河南省) 잉촨(潁川) 출신. 처음 후한(後漢)의 시중 상서 복야(侍中尙書僕射)였으나 조조(曹操)를 도와 공(功)이 있어, 위(魏)가 건국하자 태위(太尉)가 되고 이어 명제(明帝) 때에는 태부(太傅)가 됨. 서(書)를 유덕승(劉德昇)에게 배워 명석서(銘石書)·장정서(章程書)·행압서(行狎書)의 삼체(三體)에 능했다 하며, 그의 서풍(書風)은 종법(鍾法)이라 일컬어져 후세에 숭상됨. [151-230]
종요-롭다 형 ㅂ불 없어서는 아니 될 만큼 긴요하다. 사물에 있어서 가장 중추(中樞)의 부분이 될 만하다. 종요-로이 부
종용 【慫慂】 명 꾀어서 권함. 잘 설명하고 달래어 하게 함. ——-하다 타 여불. ——-히 부
종용-하다 【從容—】 형 여불 →조용하다. 종용-히 【從容—】 부
종우[1] 명 〈방〉 종이(강원·충북·전라·경상).
종우[2] 【種牛】 명 씨를 받을 소. 씨소. *종돈(種豚).
종웅 【宗雄】 명 『사람』 중국 금(金)나라의 종실 출신 장군. 성(姓)은 완안(完顏). 태조(太祖)의 조카. 숙부 아골타(阿骨打)의 측근으로서 여러 번 헌책(獻策)을 올렸으며, 친정(親征)해 온 요제(遼帝)의 군사를 대파하는 등 혁혁한 공을 세웠음. 학문을 즐겨 거란 문자(契丹文字)에 통달했으며 국초(國初)의 제도(制度)를 만드는 데에도 많은 힘을 썼음. 시호는 위민(威敏). [1083-1122]
종원-론 【種原論】 [—논] 명 『책』 종(種)의 기원.
종위 접속사 【從位接續詞】 명 『언』 서양 문법에서, 어떤 절(節)을 다른 절에 접속시키는 작용을 가지면서, 실은 절을 인도하는 일종의 전치사(前置詞). 'since' 같은 것. ↔등위(等位) 접속사.
종유[1] 【從遊】 명 ①따라가 놂. ②학덕(學德)이 있는 사람과 더불어 놂. ——-하다 타 여불
종유[2] 【種油】 명 ①씨앗에서 짠 기름. ②평지씨에서 뺀 기름.
종유[3] 【鍾庾】 명 [종(鍾)은 육 곡 사 두(六斛四斗), 유(庾)는 일 곡 육 두(一斛六斗)] 얼마 안 되는 벼.
종:유[4] 【縱臾】 명 권함. 종용(慫慂)함. 부추김. 사주(使嗾)함. ——-하다 타 여불
종유-굴 【鍾乳窟】 명 『지』 카르스트 지형의 하나. 석회암 지대가 석회암 속의 층면(層面)을 따라 흐르는 지하수의 용해 작용에 의해 생긴 동굴. 천장과 바닥에 종유석·석순(石筍)·석회주(石灰柱) 같은 것을 볼 수 있음. 평안 북도 영변군(寧邊郡)의 동룡굴(蝀龍窟) 같은 것. 종유동(鍾乳洞). 석회동(石灰洞).
종유-동 【鍾乳洞】 명 『지』 종유굴.
종유-석 【鍾乳石】 명 『광』 석회굴(石灰窟)의 안에서 탄산을 함유한 지하수에 의하여 녹은 석회질이, 천장에서 떨어지는 수분의 증발과 함께 방해석(方解石)의 침전으로, 긴 원뿔꼴로 생장한 것. 백색·황색·회색·갈색 등을 띰. 돌고드름.
종유-체 【鍾乳體】 명 『식』 표피(表皮)나 기본 유조직(基本柔組織)의 세포 중에 생긴 탄산 칼슘의 결정(結晶).
종유체 세:포 【鍾乳體細胞】 명 [lithocyst] 『식』 종유체(鍾乳體)가 형성되는 표피(表皮) 식물 세포.
종-육품 【從六品】 [—뉵—] 명 『역』 ①고려 벼슬 품계의 하나. 문산계(文散階)에 문종(文宗)이 둔, 상(上) 봉의랑(奉議郎), 하(下) 통직랑(通直郎), 충선왕(忠宣王)이 고친 선덕랑(宣德郎), 무산계(武散階)의 상(上) 진위 교위(振威校尉), 하(下) 진위 부위(振威副尉) 등. ②조선 시대 벼슬 품계의 하나. 문관의 선교랑(宣敎郎)·선무랑(宣務郎), 무관의 승의 교위(承義校尉)와 뒤에 고친 여절(勵節) 교위, 수의(修義) 교위와 뒤에 고친 병절(秉節) 교위, 토관(土官)의 봉직랑(奉職郎)·여신 대위(勵信隊尉), 잡직(雜職)의 근임랑(謹任郎)·효임랑(効任郎)·현공 교위(顯功校尉)·적공 교위(迪功校尉).
종-으로 【縱—】 부 세로[1].

종음【縱飮】 명 실컷 술을 마심. ——-하다 자타여불

종의[1] 명 〈방〉 종이(평안).

종의[2]【宗依】[—/—이] 명 〖불교〗 인명(因明)에서 명제(命題)로서의 종(宗)을 둘로 나눈 하나. 종(宗)을 이루는 주어(主語)와 술어(述語)를 말함. 종체(宗體)에 대한 일컬음.

종의[3]【宗義】[—/—이] 명 종문(宗門)의 교의(敎義).

종의[4]【宗儀】[—/—이] 명 종교 상의 의례·의식.

종의[5]【宗誼】[—/—이] 명 동종(同宗) 사이에 친한 정의(情誼).

종:의[6]【腫醫】[—/—이] 명 〖한의〗 종기(腫氣)를 고치는 의원(醫員).

종의 기원【種—起源】[—/—에—] 명 〔On the Origin of Species by Means of Natural Selection〕 〖책〗 다윈이 자연 선택(自然選擇)을 주요한 요인으로 해서 생물 진화론(進化論)을 창도한 책. 1859년에 초판이 간행됨. 종원론(種原論). 진화론.

종이[1] 명 〔중세 : 죠히〕〔paper〕 주로 식물성 섬유를 재료로 하고, 수산화 나트륨 또는 석회를 가하여 끓인 다음 짓찧어서 연한 덩어리를 짓고, 수지(樹脂) 또는 풀을 가해서 뜬 얇은 물건. 정보의 기록·전달 및 물건의 포장의 세 가지 주요 용도 외에 다양하게 쓰임. 닥나무·뽕나무의 껍질, 잇짚·귀릿짚·넝마·펄프 등이 원료이며, 중국 후한(後漢)의 채륜(蔡倫)이 발명했다 함.

[종이도 네 귀를 들어야 바르다] 힘을 합해야 일하기가 쉽다는 뜻.

종이 한 장(張)의 차이 구 사물의 간격이나 틈이 지극히 작은 모양. 또, 수량·정도의 차가 지극히 적은 모양.

종이[2]【宗彝】 명 〖역〗 ①종묘(宗廟)의 제례(祭禮)에 쓰는 술그릇. ②곤룡포(袞龍袍)에 범을 그린 그림.

종이[3]【縱弛】 명 방종(放縱)함. ——-하다 형여불

종이 광:대 명 죄인의 얼굴을 남에게 보이지 않으려고 눈과 코만 내놓을 만큼 구멍을 뚫고 나머지 얼굴을 가리는 종이. *용수.

종-이권【鍾離權】 명 〖사람〗 중국 옛 선인(仙人)의 이름. 셴양(咸陽) 사람. 호는 화곡자(和谷子) 또는 정양자(正陽子)·운방(雲房). 한(漢)·위(魏)·진(晉)에 역사(歷仕)하였다고도 하고, 당대(唐代)의 사람이라고도 전함.

종-이금【縱而擒】 명 놓아 줄 듯하면서 사로잡음. ↔금이종(擒而縱). └——-하다 타여불

종이-돈 명 지폐(紙幣).

종이-말이 명 〈방〉 두루마리.

종이-배 명 종이로 접어 만든 배.

종-이부:시【終而復始】 명 어떠한 일을 마치고 다시 잇따라 시작함. ——-하다 타여불

종이 비누 명 종이에 비누를 입혀 만든 1회용 비누.

종이 상자【—箱子】 명 종이로 만든 상자.

종이-옷 명 부직포(不織布)로 만든 의복. 부직포는 합성 수지 접착제로 결합시킨 펠트 상태의 피복 재료로, 가로 세로의 방향성(方向性)이 없음. 값이 싸고 종이와 비슷한 느낌이 나며 간단히 이용하고 곧 버릴 수 있는 이점이 있음.

종이 우:산【—雨傘】 명 지우산(紙雨傘).

종이-쪽 명 종이의 작은 조각. 종잇조각.

종이-창【—窓】 명 종이를 바른 창.

종이-컵〔cup〕 명 종이로 만든 1회용 컵.

종이-탈 명 〖민〗 종이로 만든 탈. 봉산 탈춤의 탈이 대표적임.

종이 테이프 명 〔paper tape〕 ① 종이로 만든 테이프. ②컴퓨터용의 종이로 만든 리본. 부분 천공(穿孔) 또는 완전 천공을 하여 데이터를 표시함.

종이-팩〔pack〕 명 종이로 만든 포장용(包裝用) 그릇. 1회용으로, 즉석 요리 등을 싸는 데 씀.

종-이품【從二品】 명 〖역〗 ①고려 벼슬 품계의 하나. 문산계(文散階)에 문종(文宗)이 둔, 금자 광록 대부(金紫光祿大夫), 충렬왕이 고친 광정(匡正) 대부·정봉 대부(正奉大夫)·통헌(通憲) 대부, 공민왕(恭愍王)이 고친 상(上) 광록 대부(光祿大夫), 하(下) 영록(榮祿) 대부·봉익(奉翊) 대부, 상(上) 영록(榮祿) 대부, 하(下) 자덕(資德) 대부, 무산계(武散階)의 진국 대장군(鎭國大將軍). ②조선 시대 벼슬 품계의 하나. 종친(宗親)의 중의 대부(中義大夫)·정의(正義) 대부와 뒤에 고친 소의(昭義) 대부, 의빈(儀賓)의 자의(資義) 대부·순의(順義) 대부, 문무(文武)의 가정(嘉靖) 대부와 뒤에 고친 가의(嘉義) 대부·가선(嘉善) 대부.

종이 풍선【—風船】 명 종이 공에 공기를 넣어 쳐 올리며 가지고 노는 아이들의 장난감. 준풍선.

종이 호:랑이【—虎狼—】 명 ①나무틀이나 대오리를 걸어 만든 틀에 종이를 여러 겹 발라 만든 호랑이의 형상(形象). ②전하여, 실질(實質) 없이 허세(虛勢)부리는 사람을 비웃는 말.

종인[1]【宗人】 명 ①같은 족속 가운데서 촌수가 아주 먼 사람. ②제왕(帝王)의 일가. 종친(宗親). ③〖역〗 중국 명(明)·청(淸)나라의 벼슬 이름. 종친의 일을 맡아봄. *종인부(宗人府).

종인[2]【從人】 명 종자(從者).

종인[3]【從因】 명 주(主)가 아닌 간접적인 원인.

종인-령【宗人令】[—녕] 명 〖역〗 종인부(宗人府)의 장(長).

종인-부【宗人府】 명 〖역〗 중국 명(明)·청(淸)나라 때의 관아(官衙). 황족(皇族)을 감독하고, 그 보첩(譜牒)·봉작(封爵)·상휼(賞恤)·소송(訴訟) 등의 일을 봄. *종인(宗人)❸.

종인 지과【從因至果】 명 〖불교〗 인위(因位)에서 과위(果位)에 이름을 일컫는 말. 종인 향과(從因向果).

종인 학교【宗人學校】 명 〖역〗 대한 제국 때 왕족의 자제를 가르치던 학교. 종학(宗學)의 후신(後身)으로, 고종(高宗) 광무(光武) 3년(1899)에 베풀어서 순종(純宗) 융희(隆熙) 원년(1907)에 폐하였음.

종인 향과【從因向果】 명 〖불교〗 종인 지과(從因至果).

종일[1]【終日】 명부 아침부터 저녁까지 하룻낮 동안.

[종일 가는 길에 중도 보고 속(俗)도 본다] 먼 길 가는 데는 여러 가지 사람을 겪게 된다는 말.

종일[2]【縱逸】 명 버릇이 없이 제 마음대로 함. ——-하다 자여불

종일-껏【終日—】 부 종일토록. ¶ 염불만 ～ 외우고 있다.

종일지-역【終日之役】[—찌—] 명 하룻낮 동안 들인 수고.

종일-토록【終日—】 부 아침부터 저녁까지. 하룻낮 내내. ¶～ 너를 찾았다.

종-일품【從一品】 명 〖역〗 ①고려 벼슬 품계의 하나. 문산계(文散階)에 문종(文宗)이 둔 개부 의동삼사(開府儀同三司), 충렬왕(忠烈王)이 고친 숭록 대부(崇祿大夫)·중대광(重大匡)·벽상 삼한 중대광(壁上三韓重大匡), 공민왕 5년(1356)에 고친 상(上) 금자 광록 대부(金紫光祿大夫), 하(下) 금자 숭록 대부(金紫崇祿大夫), 18년에 고친 상(上) 삼중 대광(三重大匡), 하(下) 중대광(重大匡), 무산계(武散階)의 표기 대장군(驃騎大將軍). ②조선 시대 벼슬 품계의 하나. 종친(宗親)의 소덕(昭德) 대부와 뒤에 고친 수덕(綏德) 대부와 가덕(嘉德) 대부, 의빈(儀賓)의 광덕(光德) 대부와 뒤에 고친 정덕(靖德) 대부와 숭덕(崇德) 대부 및 뒤에 고친 명덕(明德) 대부, 문무(文武)의 숭록(崇祿) 대부와 숭정(崇政) 대부.

종임【縱任】 명 방종(放縱)함. ——-하다 형여불

종잇-권【—卷】 명 많지 아니한 종이 몇 권. 종이 여러 권. ¶～이나 없앴지.

종잇-장【—張】 명 종이의 낱장.

종잇장 같다 구 몹시 얇다.

종잇 조각 명 종이쪽.

종자[1] 명 〈방〉 종지[1](경상).

종자[2]【宗子】 명 종가(宗家)의 맏아들.

종:자[3]【從子】 명 조카.

종:자[4]【從姉】 명 손위의 사촌 누이.

종자[5]【從者】 명 데리고 다니는 사람. 종인(從人).

종자[6]【種子】 명 ①〔seed〕〖식〗 고등 식물의 씨방 안의 밑씨가 수정(受精)하여 성숙(成熟)한 것. 종피(種皮)에 싸여 있으며 그 속에 배(胚) 및 배젖이 있음. 성숙한 후에 산포(散布)되어 싹이 터서 새로운 개체(個體)가 됨. 씨. 씨앗. *종(種). ②〖불교〗 법상종(法相宗)에서, 일체의 현상·사물로 나타나야 할 세력. ③〖불교〗 밀교(密敎)에서, 불타·보살(菩薩) 또는 여러 가지 사항을 표시하는 범자(梵字). 종자(種字). 종자자(種子字). ④〖불교〗 보리심(菩提心). ⑤씨알머리. ¶ 저런 몹쓸 놈을 어찌 인간의 ～라 하겠는가.

종자[7]【種字】 명 〖불교〗 종자(種子)❸.

종자[8]【鍾子】 명 종지[1].

종자[9]【縱恣】 명 제 멋대로 함. 마음 내키는 대로 함. 종사(縱肆). ——-하다 자여불

종자-골【種子骨】 명 〖생〗 인대(靭帶) 또는 힘줄 속에 발생한 뼈. 인접하고 있는 뼈와 관절(關節)을 이루어 활차(滑車) 같은 역할을 함. 힘줄과 인대의 방향을 변경하며 힘줄과 인대가 골면(骨面)에서 탈구(脫臼)하는 것을 방지함. 슬개골(膝蓋骨)은 종자골의 일종임.

종자골 / 힘줄 또는 인대

〈종자골〉

종자 공:급소【種子供給所】 명 ↗국립 종자 공급소.

종-자기【鍾子期】 명 〖사람〗 중국 춘추 시대(春秋時代)의 초(楚)나라 사람. 당시 백아(伯牙)는 거문고를 잘 탔는데, 그 거문고 소리를 듣고 타는 사람 즉 백아의 심정(心情)을 잘 헤아렸다는 일로 유명함. 자기(子期)가 죽자 백아는 자기의 거문고를 알아주는 이 없음을 탄하여 다시는 거문고에 손을 대지 않았다고 함.

종자리 명 〈방〉 종작.

종:-자매【從姉妹】 명 사촌간인 자매(姉妹).

종자-문【鍾子紋】 명 〔종지에는 흔히 '壽福'자 무늬를 아로새겨 넣음〕 수복자(壽福字)를 놓은 무늬.

종자 살균제【種子殺菌劑】 명 〖화〗 종자 소독에 사용하는 약제. 주로 유기 수은 화합물(有機水銀化合物)이 사용되며, 유기 유황 화합물(有機硫黃化合物)·퀴논(quinone) 화합물도 사용됨.

종자 소독【種子消毒】 명 종자에 붙어 있는 병원체를 죽이는 일. 약제를 쓰는 화학적 방법과 열(熱)이나 자외선(紫外線) 등에 의한 물리적 방법이 있음.

종자-순【種子筍】 명 〖식〗 종자에서 나는 어린 새 순.

종자-식【種子識】 명 〖불교〗 아뢰야(阿賴耶).

종자 식물【種子植物】 명 〔seedplants〕〖식〗〔Spermatophyta〕 꽃이 피고 열매를 맺어 씨로 번식하는 식물로 한 문(門)을 이룸. 식물계에서 가장 발달한 고등 식물로서 뿌리·줄기·잎의 구분이 확실함. 꽃을 형성하므로 현화(顯花) 식물이라고도 하는데 대략 10만 종류가 넘는다고 함. 크게 겉씨 식물과 속씨 식물로 나눔.

종-자원【從自願】 명 종소원(從所願).

종-자음【終子音】 명 〖언〗 종성(終聲)으로 되는 자음(子音). 받침. 종성(終聲). 끝닿소리.

종자 이:왕【從玆以往】 명부 종자 이후.

종자 이:후【從玆以後】 명부 이제부터 뒤.

종자-자【種子字】 명 〖불교〗 종자(種子)❸.

종작 명 대중으로 헤아려 잡은 짐작. 준종.

종작-없다[—업—] 형 아주 요량이 없다. 일정한 주견이 없다. ¶ 죄없는 어린애를 악착스럽게 죽인다는 것이 종작없는 풍설만이 아닌 줄 알고는…《洪命憙 : 林巨正》. 준종없다.

종작-없이[—업씨] 부 정한 주견이 없이. 종작이 없게. 준종없이.

종잔【—盞】 명 〈방〉 등잔(燈盞).

종잘-거리다 자 수다스럽게 종알거리다. 쓰쫑잘거리다. <중절거리다.

종잘-종잘 부. ——-하다 자여불

[종잘거리기는 아침 까치로구나] 말 소리가 유난히 큰 사람을 조롱하는 말.

종잘-대다 자 종잘거리다.

종잘-새 명 〈방〉〖조〗종달새(강원).

종-잡다 타 대중으로 헤아려 잡다. ¶무슨 말인지 종잡을 수 없다.

종장[1]【宗匠】명 경학(經學)에 밝고 글을 잘하는 사람.

종장[2]【終章】명 ①풍류·노래 등의 초장(初章)·중장(中章)에 대한 마지막 장(章). ②〖문〗초중종(初中終)할 때에 어떠한 정한 글자가 맨 끝에 있는 시구(詩句). *초중종(初中終).

종장[3]【終場】명 ①〖역〗이틀 또는 사흘로 나눈 마지막 날의 과시(科試) 마당. ②〖경〗증권 거래소에서, 그날의 마지막 장. ¶~ 거래.

종장[4]【從葬】명 옛날 장사지낼 때 허수아비를 송장과 함께 묻던 일. *부장(副葬). ——-하다 타여불

종-장[5]【鍾張】명 중국 위(魏)나라의 종요(鍾繇)와 한(漢)나라의 장지(張芝). 모두 서가(書家)임.

종재[1]【宗宰】명 ①종척(宗戚)과 재신(宰臣). ②종친(宗親) 중의 으뜸인 대군(大君) 및 왕자군(王子君).

종재[2]【宗財】명 종중(宗中)의 재산.

종재기 명 〈방〉 종지[1](경기·강원·충청·전라·경상·제주).

종재이 명 〈방〉 종지[1](경북).

종적[1]【宗敵】명 어떤 종파(宗派)의 적.

종적[2]【蹤迹·蹤跡·綜跡】명 ①발자취. ②고인(古人)의 행적. 사적. ③행방. ¶~을 감추다/~을 쫓다.

종적[3]【縱的】[—쩍] 명관 사물의 상하(上下), 곧 종(縱)으로 관계되는 모양·상태. ¶~ 연락/~인 조직. ↔횡적(橫的).

종적 공:범【縱的共犯】[—쩍—] 명〖법〗교사범처럼 인과 관계의 연장에 있어서 몇 사람이 공동하는 경우의 공범. 횡적(橫的) 공범과 비유적으로 대립시켜 이르는 말. ↔횡적 공범.

종적 부지【蹤迹不知】명 행방을 알 수가 없음.

종적 사회【縱的社會】[—쩍—] 명 고대 사회·봉건 사회와 같이 임금과 신하, 영주와 백성 등의 주종(主從) 관계가 생기면서부터 정하여진 신분에 의하여 맺어진 사회.

종적 조사【蹤迹調査】명〖법〗송금인(送金人) 또는 수취인의 신청에 따라 관계 체신 관서가 국제환(國際換)의 송달 경위를 조사하여 신청인에게 회보하는 일.

종적 탄:로【蹤迹綻露】[—탈—] 명 행방이 탄로됨.

종전[1]【宗田】명 ①종중(宗中) 소유의 밭. 종중전(宗中田). ②종중 전답(宗中田畓).

종전[2]【宗典】명〖불교〗한 종파의 의지가 되는 경전(經典). 또, 한 종파의 교의(教義)·신조(信條)를 서술한 전적(典籍).

종전[3]【從前】명 이전. 지금보다 이전. 이제까지. 전차(前此). ¶~에 볼 수 없던/요금은 ~대로.

종전[4]【終戰】명 전쟁이 끝남. 전쟁을 끝냄. ↔개전(開戰). ——-하다 자타여불

종전[5]【縱轉】명 앞 또는 뒤로 회전함. 세로 뒤집힘. ——-하다 자여불

종전-군【種田軍】명〖역〗고려 후기에 원(元)나라가 고려에 주둔시켰던 둔전군(屯田軍).

종점【終點】[—쩜] 명 ①맨 끝이 되는 지점. 종착지. ②기차·전차·버스 등의 마지막 도착점. ¶버스 ~. ③[end point]〖화〗원유(原油) 및 그 제품의 증류 분석에서 어떤 지정된 액체가 유출(溜出)될 때의 온도계의 최고의 점. ④〖화〗종말점(終末點).

종접【踵接】명 접종(接踵). ——-하다 자여불

종정[1]【宗正】명 ①종파의 가장 높은 어른. ②〖불교〗우리 나라 불교의 최고 통할자.

종정[2]【宗政】명 ① 종교(宗教)·종단(宗團)에 관한 행정. ②종교와 정치. ¶~ 일체(一體).

종:정[3]【鍾情】명 따뜻한 사랑을 한쪽으로 모음. 종애(鍾愛). ——-하다 자여불

종정[4]【鐘鼎】명 ①종과 솥 등 금속 고기(金屬古器)의 통칭. ②↗종명 정식(鐘鳴鼎食).

종정-경【宗正卿】명〖역〗조선 시대 때 종친부(宗親府)의 종이품(從二品) 벼슬. 고종(高宗) 6년(1869)에 베풀었는데, 종성 조신(宗姓朝臣)으로 시켰음.

종정-도[1]【從政圖】명 승경도(陞卿圖).

종정-도[2]【鐘鼎圖】명 여러 금속 고기(金屬古器)를 그린 그림.

종정-문【鐘鼎文】명〖역〗중국의 은(殷)·주(周) 때 석비(石碑)나 종정(鐘鼎)의 명(銘)에 씌어진 고문(古文). 주문(籀文). *금석 문자(金石文字).

종정-부【宗正府】명〖역〗조선 시대 말에 왕실의 계보(系譜)의 사무를 맡던 관아(官衙). 종친부(宗親府)의 후신(後身). 고종(高宗) 31년(1894)에 베풂. 이듬해에 종정사(宗正司)로, 곧 이어 다시 종정원(宗正院)으로 고침.

종정-사【宗正司】명〖역〗조선 고종(高宗) 32년(1895)에 종정부(宗正府)의 고친 이름. 그 해에 다시 종정원(宗正院)으로 고치었음.

종정-시【宗正寺】명〖역〗고려 때 전중성(殿中省)의 뒷 이름으로, 충렬왕(忠烈王) 24년(1298)에 전중시(殿中寺)의 고친 이름. *전중성.

종정-원【宗正院】명〖역〗대한 제국 때 왕실의 계보(系譜)의 사무를 맡던 관아. 고종(高宗) 32년(1895)에 종정사(宗正司)를 고쳐서 일컫다가, 광무(光武) 9년(1905)에 종부사(宗簿司)로 고치었음.

종제[1]【宗制】명 ①종교의 제도. ②종문의 제도.

종:제[2]【從弟】명 사촌 아우.

종제[3]【終制】명 해상(解喪). ——-하다 자여불

종제기 명 〈방〉 종지[1](전남·경북·제주).

종조[1]【宗祖】명 한 종파의 개조(開祖). 교조(教祖). 조사(祖師).

종:조[2]【從祖】명 ↗종조부(從祖父).

종조[3]【終朝】명 하루 아침이 마칠 때까지의 시간.

종조[4]【縱組】명〖인쇄〗세로짜기.

종조리[1] 명 〈방〉〖조〗종다리(전북).

종-조리[2]【終條理】명 사소한 조리. 끄트머리의 자지레한 조리.

종조리-새: 명 〈방〉〖조〗종다리(전라).

종:-조모【從祖母】명 종조부(從祖父)의 아내.

종:-조부【從祖父】명 할아버지의 형이나 아우. ㉾종조(從祖).

종조-우【終朝雨】명 아침에 오는 비.

종:조 형제【從祖兄弟】명 아버지의 사촌 형제. 곧, 조부의 형제의 아들.

종족[1]【宗族】명 동종(同宗)의 겨레붙이. 동족(同族).

종족[2]【種族】명 ①동일한 종류의 것. ②[tribe]〖사〗동일한 조상(祖上)으로부터 나온 가족·씨족(氏族) 등으로 이루어진 사회 집단. 보통, 노예·피(被)정복자를 가지며, 흔히 언어·거주지(居住地)·군비(軍備)가 같고 유일한 추장(酋長)에 의해 통어(統御)되나, 아직 국가로서의 조직은 갖추지 못한 것. ¶~ 사회.

종족-별【種族別】명 종족을 따라 한 구별.

종족 보:존【種族保存】명 종족을 보존하려는 생물의 본능(本能). ¶~의 본능.

종족-적【種族的】명관 어떤 종족에만 있거나 온 종족에 관계되는 모양·성질.

종족적 사회【種族的社會】명 혈연에 따라서, 성립하는 합성 사회. 공동의 언어·거주지·군비 등을 가지고 족장에 의하여 통치됨.

종졸【從卒】명 따라다니며 심부름하는 사람.

종:종[1]【種種】㊀명 ①근신하는 모양. ②머리가 짧은 모양. ③여러 가지. 물건의 가지가지. ㊁부 가끔. ¶~ 찾아오는 친구.

종종[2] 부 발을 가까이 자주 떼며 급히 걷는 모양.

종종-거리다 자 ①원망하는 태도가 보이게 자꾸 종알거리다. <종종거리다. ②발을 자주 가까이 떼며 급히 걷다. ¶추워서 종종거리는 발걸음. ㉦쫑쫑거리다. ㉦총총거리다.

종종-걸음 명 발을 가까이 자주 떼며 급히 걷는 걸음. ㉦총총걸음.

종종걸음(을) 치다 구 종종걸음으로 걷다. 바쁘게 움직이다.

종:종계 지력【種種界智力】명 〔범 Nānādhātu-jñānabala〕〖불교〗십력(十力)의 하나. 중생들이 제각기 지니고 있는 갖가지의 성질을 다 아는 지혜.

종종-대다 자 종종거리다.

종종-머리 명 바둑머리가 좀 지난 뒤 한쪽에 세 층씩 석 줄로 땋고 그 끝을 모아 땋아서 댕기를 드린 머리.

종종-모 명〖농〗아주 총총히 심은 볏모.

종:종 색색【種種色色】명 여러 가지 종류. 가지각색.

종:종 승해 지력【種種勝解智力】명 〔범 Nānādhimukti-jñāna-bala〕〖불교〗십력(十力)의 하나. 중생들의 여러 가지 원(願)이나 바깥 경계에 대하여 품고 있는 견해(見解)를 밝게 아는 지혜.

종종-이 명 ①〖인쇄〗말을 일단 끝내고 그 뜻을 그 말 밖에 더 나타낼 적에 쓰는 문장의 부호. 곧, '…'. 줄임표. ②〈심마니〉 별.

종-좌표【縱座標】명〖수〗엑스 좌표.

종죄【從罪】명 종범(從犯)에 과하는 죄.

종주[1] 명 〈방〉 종지[1].

종주[2]【宗主】명 ①대본(大本)으로 삼는 데서의 우두머리. 숭앙하는 주장(主長). ②〖역〗봉건 시대 제후(諸侯)의 위에서 패권(霸權)을 잡던 맹주(盟主).

종주[3]【縱走】명 ①능선을 따라 산을 걸어 많은 산정(山頂)을 밟는 등산 형식. ②산맥 따위가 지형이 긴 쪽으로 또는 남북으로 연하여 뻗어 있음. ¶한반도(韓半島)를 ~하는 산맥. ——-하다 자타여불

종주[4]【縱酒】명 제 몸을 가누지 못할 정도로 술을 마심. ——-하다 자여불

종주-국【宗主國】명 종속국(從屬國)에 대하여 종주권(宗主權)을 갖는 국가.

종주굽 떨어지다 구 〈방〉 종짓굽 떨어지다.

종주-권【宗主權】[—꿘] 명 ①종주(宗主)의 권능. ②일국이 타국의 내치(內治)·외교(外交)를 관리하는 특수한 권력.

종주 단:층【縱走斷層】명〖지질〗주위의 구조 방향과 평행인 단층.

종:-주먹 명 쥐어지르며 을러대는 주먹. 주로 '대다' '들이대다' 등과 함께 쓰임.

종:주먹(을) 대:다 구 주먹으로 쥐어지르며 을러대다. ¶바른 대로 불라고 ~.

종주:-뼈 명 〈방〉 ①종지뼈. ②복사뼈(충남).

종-주산【宗主山】명〖민〗주산(主山) 위에 있는 주산(主山). 조종산(祖宗山). ㉾종산(宗山).

종준【宗雋】명〖사람〗중국 금(金)나라 태조(太祖)의 아들. 제3대 황제로 태조의 적손(嫡孫)인 희종(熙宗)이 즉위하자 제위(帝位)를 넘보는 종반(宗磐) 등의 종친 세력에 가담, 제권(帝權)의 수호를 꾀하는 종간(宗幹) 등 측근파와 암투를 벌임. 상서 좌승상(尙書左丞相)·시중(侍中) 등을 역임하고 진왕(陳王)에 봉해졌으나, 반역죄가 탄로나서 처형됨. [?-1139]

종줏-굽 명 〈방〉 종짓굽.

종중[1]【宗中】명 조상을 같이하는 종족(宗族)의 단체. 조상의 제사(祭祀)

와 분묘(墳墓)의 보존, 족인(族人) 사이의 친숙 등을 목적으로 함. *문중(門中).

종중²【從重】[명] ↗종중론(從重論).

종중³【從衆】[명] 여러 사람의 언행에 따라 함. ——-하다 [자][여불]

종중-논【宗中—】[명] 종답(宗畓). 종중답(宗中畓).

종중-답【宗中畓】[명] 종답(宗畓). 종중(宗中)논.

종중-론【從重論】[—논][명]〖법〗두 가지의 죄(罪)가 한꺼번에 드러난 때에 중한 죄를 좇아서 처벌함. [준]종중(從重). ↔종경론(從輕論). ——-하다 [타][여불]

종중 문부【宗中文簿】[명] 종안(宗案).

종중-밭【宗中—】[명] 종전(宗田). 종중전(宗中田).

종중-산【宗中山】[명] 한 문중(門中)의 조상을 모신 산. 또, 한 종중이 소유한 산. [준]종산(宗山).

종:-중씨【從仲氏】[명] 자기나 또는 남의 사촌 둘째 형을 다른 사람에 대하여 일컫는 말.

종중-전【宗中田】[명] 종전(宗田). 종중(宗中) 밭.

종중 전답【宗中田畓】[명] ①종전(宗田). ②종중(宗中) 소유의 논밭.

종중 추고【從重推考】[명]〖역〗벼슬아치의 죄과(罪過)를 그 경중(輕重)에 따라 엄히 추문 고찰(推問考察)함. [준]종추(從推). ——-하다 [타][여불]

종중 회:의【宗中會議】[—/—이][명] 종회(宗會).

종:-증손【從曾孫】[명] 자기 형제의 증손자(曾孫子).

종:-증손녀【從曾孫女】[명] 자기 형제의 증손녀(曾孫女).

종:-증손부【從曾孫婦】[명] 자기 형제의 증손자의 아내.

종:-증손서【從曾孫婿】[명] 종증손녀의 남편.

종:-증조【從曾祖】[명] 증조 할아버지의 형이나 아우.

종:-증조모【從曾祖母】[명] 종증조의 아내.

종:-증조부【從曾祖父】[명] 종증조(從曾祖).

종지¹ [명] 간장·고추장 등을 담아서 상에 놓는 작은 그릇. 종자(鍾子).

종지²【宗支】[명] 종파(宗派)와 지파(支派).

종지³【宗旨】[명] ①종문(宗門)의 취지. 종문의 교의(敎義). ②주장되는 요지(要旨).

종지⁴【終止】[명] ①끝을 냄. 끝이 남. 끝. ②[cadenza]〖악〗악곡(樂曲)의 끝이나 중도에서 종지(終止)의 느낌을 주도록 2-3개의 화음(和音)을 연결한 것. 완전(完全) 종지·불완전 종지·변격(變格) 종지·위(僞)종지·반(半)종지 등이 있음. ——-하다 [자][타][여불]

종:지⁵【種智】[명]〖불교〗일체 제법(諸法)을 아는 부처의 지력(智力)을 일컬음.

종지⁶【踵至】[명] 뒤를 따라 곧 옴. ——-하다 [자][여불]

종지 강:연【宗旨講演】[명]〖대종교〗대종교(大倧敎)의 경전(經典). 교인이 지켜야 할 다섯 가지 계율과 그에 관한 해설 및 실천 지침을 내용으로 함. 1. 공경으로 한얼을 받들 것, 곧 경봉 천신(敬奉天神). 2. 정성으로 성품을 닦을 것,곧 성수 영성(誠修靈性). 3. 사랑으로 겨레를 합할 것, 곧 애합 종족(愛合種族). 4. 고요함으로 행복을 찾을 것, 곧 정구 이복(靜求利福). 5. 부지런히 살림에 힘쓸 것, 곧 근무 산업(勤務產業).

종지기¹ [명]〈방〉종지¹(전남·경상).

종-지기²【鐘—】[명] 때맞추어 종을 치고 관리하는 사람.

종지 기호【終止記號】[명]〖악〗'마침표❷'의 한자 이름. 종지부.

종지깨 [명]〈방〉족집게(강원).

종지리 [명]〈방〉〖조〗종다리.

종지리-새 [명]〈방〉〖조〗종다리.

[종지리새 열씨 까듯] ㉠잔소리가 심한 모양. ㉡낱낱이 일러 바치는 모양.

종지목 [명] ☞ 종주먹. ¶서방 얻은 것 보았느냐고 ~을 들이대고 싶으나…《作者未詳 : 恨月》.

종지-부【終止符】[명] ①〖언〗마침표. ②〖악〗종지 기호. ③일이 끝남. 끝. ¶사건에 ~를 찍다.

종지부(를) 찍다 [구] 어느 일의 결판을 내다.

종지-뼈 [명]〖생〗슬개골(膝蓋骨).

종지-사【終止詞】[명]〖언〗설명어의 어미(語尾) 활용의 하나. 뜻이 완전히 끝남을 나타낼 때 씀. 끝씨. 맺씨.

종지-선【終止線】[명]〖악〗'마침줄'의 한자 이름.

종지-조【從地鳥】[명]〖조〗종다리.

종지-점【終止點】[—쩜][명]〖언〗마침표.

종지-형¹【終止形】[명]〖언〗종결 어미(終結語尾)로 끝나는 활용형(活用形). 마침꼴.

종-지형²【終地形】[명]〖지〗침식(浸蝕) 과정의 최종 지형. ↔원지형·차지형(次地形).

종직【宗職】[명] 세직(世職).

종진¹【縱陣】[명] 함대의 각 함(各艦)의 수미선(首尾線)이 한 종선 상(縱線上)에 있는 진형(陣形).

종진²【縱震】[명]〖지〗산맥과 평행된 지반(地盤)이 생긴 단층(斷層)에서 일어나는 지진(地震). ↔횡진(橫震).

종-진동【縱振動】[명]〖물〗봉상(棒狀) 또는 선상(線狀)의 물체가 그 길이의 방향으로 진동하는 탄성(彈性) 진동. 금속봉을 세로의 방향으로 세게 문지르거나 관(管) 속의 공기에 정상 음파(定常音波)를 발생시켰을 때 일어남. 세로 진동.

종:-질¹ [명] 남에게 종노릇을 하는 일. ——-하다 [자][여불]

종:질²【從姪】[명] 사촌 형제의 아들. 당질(堂姪).

종:-질녀【從姪女】[—려][명] 사촌 형제의 딸. 당질녀(堂姪女).

종:-질부【從姪婦】[명] 종질의 아내. 당질부(堂姪婦).

종:-질서【從姪壻】[—써][명] 종질녀의 남편.

종:짐【腫—】[명]〈방〉종기(腫氣).

종짓-굽¹ [명]〖농〗쟁기의 한마루 아래 끝에 턱이 져서 내민 부분.

종짓-굽² [명]〖생〗종지뼈가 있는 그 언저리.

종짓굽(이) 떨어지다 [구] 젖먹이가 종짓굽이 돌아 처음 걷게 되다.

종짓굽아 날 살려라 [구] 어서 빨리 도망가야 하겠다는 뜻. 걸음아 날 살려라. 오금아 날 살려라.

종짱【終—】[명]〈방〉끝장.

종차¹【終車】[명] 그 날의 마지막 차. 막차.

종차²【種差】[명]〖논〗등급 개념(等級槪念), 곧 동일의 유개념(類槪念)에 속하는 두 개 이상의 종개념(種槪念) 중 어느 하나에 특유한 성질로서, 그것을 다른 것으로부터 구별하는 표준(標準)이 되는 징표(徵表). 사람과 개·고양이 등을 비교하는 경우, 사람은 이성적(理性的)이라는 따위임.

종차³【從此】[부] 이로부터. 이 뒤.

종차⁴【從次】[부] 이 다음에. 이 뒤. ¶자세한 이야기는 ~ 또 다시 말할 터이다.

종차 이:왕【從此以往】[명][부] 종금 이후(從今以後).

종차 이:후【從此以後】[명][부] 종금 이후(從今以後).

종착【終着】[명] 최종으로 도착함. ——-하다 [자][여불]

종착-역【終着驛】[—녁][명] 기차·전차 등의 최종 도착역. 종점. ↔시발역(始發驛). *터미널

종착-지【終着地】[명] 최종 도착지. 종점. ↔출발지.

종-참가【從參加】[명]〖법〗보조(補助) 참가.

종:창【腫脹】[명]〖의〗염증(炎症)이나 종양(腫瘍) 등으로 인하여 부어 오름. ——-하다 [자][여불]

종:처【腫處】[명] 부스럼이 난 자리.

종척【宗戚】[명] 종친(宗親)과 왕실(王室)의 외척(外戚).

종척 대:신【宗戚大臣】[명]〖역〗조선 시대 때, 종척(宗戚)으로서 높은 벼슬에 있는 사람.

종척 집사【宗戚執事】[명]〖역〗조선 시대에, 국상(國喪) 때에 종척(宗戚)에게 시키는 임시 벼슬.

종천¹【從賤】[명] 예전에, 양인(良人)과 천인 사이에 난 자식은 천인이 되던 일. ↔종량(從良). ——-하다 [자][여불]

종천²【終天】[명] ①이 세상의 끝. 곧, 영원·영구(永久)를 일컫는 말. ②비통(悲痛)이 무한히 오래 간다는 말로, 친상(親喪)을 일컫는 말.

종천-법【從賤法】[—뻡][명]〖역〗예전에, 양인(良人)과 천인 사이에 난 자식은 천인의 신분을 좇아 천인이 되던 법. ↔종량법(從良法).

종천지-통【終天之痛】[명] 이 세상에서 다시없는 극도의 슬픔.

종철【縱綴】[명] 글자나 낱자를 세로 맞추어 쓰는 맞춤. 옛날의 한문(漢文) 등. ↔횡철(橫綴).

종:-첩【—妾】[명] 종을 올려 앉혀서 된 첩.

종-청동【鐘靑銅】[명]〖광〗종을 주조(鑄造)하는 데 쓰는 청동의 한 가지. 구리 75-80 %, 주석 25-20 %로 된 합금. 때로는 소량의 납을 섞기도 함. 종동(鐘銅).

종체【宗體】[명]〖불교〗한 경전(經典)의 골자가 되는 근본 정신. 종의(宗義)의 본체(本體).

종추【從推】[명]〖역〗↗종중 추고(從重推考).

종축¹【種畜】[명] 번식용 가축. 곧, 씨 받을 가축. 씨짐승.

종축²【縱軸】[명]〖수〗'세로축'의 구용어.

종축 목장【種畜牧場】[명] 종축을 사육하여 가축을 개량해 가는 목장. 종축장(種畜場).

종축-장【種畜場】[명] 종축 목장.

종충【種蟲】[명] [sporozoit]〖동〗말라리아 병원충의 원형체(原形體) 등 포자충류(胞子蟲類)의 포자각(胞子殼) 내에서 분열의 결과로 형성된 세포가 포자각 밖으로 비어져 나온 것. 낫 모양·곤봉형(棍棒形)·방추형(紡錘形) 등이 있음. 이 종충에 의하여 새로운 감염(感染)이 일어남. 소아체(小芽體).

종친【宗親】[명] ①임금의 친족(親族). 종실(宗室). ②동모(同母)의 형제. ③친속(親屬). 친족(親族).

종친-계【宗親階】[명]〖역〗조선 시대, 종친(宗親)들에게 주어진 관계(官階).

종친-과【宗親科】[명]〖역〗조선 시대 때 종친(宗親)의 유생에게만 보이던 과거.

종친-부【宗親府】[명]〖역〗조선 시대 때 종실 제군(宗室諸君)의 부(府). 세종(世宗) 15년(1433)에 제군부(諸君府)를 고쳐서 일컫다가, 고종(高宗) 원년(1864)에 종부시(宗簿寺)를 합하여 그 사무를 아울러 맡고, 동 31년에 종정부(宗正府)로 개편되었음.

종친-회【宗親會】[명] 일가붙이끼리 모여서 하는 모꼬지.

종-칠품【從七品】[명]〖역〗①고려 벼슬 품계의 하나. 문산계(文散階)에 문종(文宗)이 둔, 상(上) 선의랑(宣議郞), 하(下) 조산랑(朝散郞), 충렬왕(忠烈王)이 고친 종사랑(從事郞), 공민왕(恭愍王)이 고친 수직랑(修直郞), 무산계(武散階)의 상(上) 익위 교위(翊威校尉), 하(下) 익휘 부위(翊麾副尉). ②조선 시대 벼슬 품계의 하나. 문관의 계공랑(啓功郞), 무관의 진용 부위(進勇副尉)와 뒤에 고친 분순(奮順) 부위, 토관(土官)의 주공랑(注功郞)·수의 도위(守義徒尉), 잡직(雜職)의 승무랑(承務郞)·선용 부위(宣勇副尉).

종-콩 [명]〖식〗빛이 희고 알이 잘며 메주를 쑤는 데 쓰는 콩의 일종.

종탄【縱誕】[명] 큰소리를 함. 호언 장담함. ——-하다 [자][여불]

종탄성 계:수【縱彈性係數】[명]〖물〗영률(Young 率).

종탈【縱脫】[명] 예의 범절(禮儀凡節)을 무시하고 방종(放縱)한 행위를

함. ——하다 자여불

종:탐【縱探】명 마음대로 찾음. 마음대로 탐승(探勝)함. ——하다 자여불

종탑【鐘塔】명 꼭대기에 종을 매달아서 치도록 만든 탑(塔).

종토[1]【宗土】명 한 종문(宗門)의 소유로 된 토지. 위토(位土) 등.

종토[2]【種兎】명 씨를 받을 토끼.

종토-세【綜土稅】[-쎄] 명 ↗종합 토지세.

종통[1]【宗統】명 종파(宗派)의 계통. ¶ ~을 이어오다.

종통[2]【宗通】명〖불교〗교리(敎理)나 종지(宗旨)를 잘 알아서 통함.

종-퇴석【終堆石】명〖지〗빙하(氷河)의 말단 부분에 생기는 모래·진흙·자갈의 퇴적(堆積).

종파[1]【宗派】명 ①지파(支派)에 대한 종가(宗家)의 계통. ②〖불교〗불교에 속하는 교의(敎義)의 선포(宣布) 및 의식(儀式)의 집행을 목적으로 하고, 사원(寺院)·교회소(敎會所) 그 밖의 소속 단체·종교 교사(敎師)·승려(僧侶)를 포함하는 종교 단체. ③〖불교〗불교를, 각기 주장하는 교리를 따라서 세운 갈래. 화엄종(華嚴宗)·법화종(法華宗)·교종(敎宗)·선종(禪宗) 등. 종문(宗門). ④〖종〗교파(敎派).

종-파[2]【種—】명 씨를 받을 파.

종파[3]【種播】명 파종(播種). ——하다 자여불

종파[4]【縱波】명 ①배가 가는 방향으로 평행하여 나아가는 파도. ②[longitudinal wave]〖물〗매질(媒質)의 진동(振動)의 방향이 파동(波動)의 방향에 일치하는 파동. 음파(音波) 따위. ↔횡파(橫波). *소밀파(疎密波).

종파-적【宗派的】명관 종파의 성격을 띤 모양.

종-판[1]【終—】명〈방〉끝판.

종판[2]【終板】명〖생〗운동 종판. 단판(端板).

종판[3]【種板】명 사진의 원판(原板). 건판(乾板).

종판[4]【鐘板】명〖불교〗선가(禪家)에서, 어떤 일을 알리는 신호로 치는 기구.

종-팔품【從八品】명〖역〗①고려 때 벼슬 품계의 하나. 문산계(文散階)에 문종(文宗)이 둔, 상(上) 승봉랑(承奉郞), 하(下) 승무랑(承務郞), 충렬왕(忠烈王)이 고친 징사랑(徵事郞), 공민왕(恭愍王)이 고친 승사랑(承事郞), 무산계(武散階)의 상(上) 어모 교위(禦侮校尉), 하(下) 어모 부위(禦侮副尉). ②조선 시대의 벼슬 품계의 하나. 문관의 승사랑(承仕郞), 무관의 수의 부위(修義副尉), 토관(土官)의 직무랑(直務郞)·효용 도위(効勇徒尉), 잡직의 부공랑(赴功郞)·장건 부위(壯健副尉).

종패【種貝】명 씨조개.

종편[1]【從便】명 일을 편한 대로 좇음. ——하다 타여불

종편[2]【終篇】명 ①졸편(卒篇). ②여러 편(篇)으로 된 서책의 마지막 편. ——하다 타여불

종편[3]【鐘便】명 자명종(自鳴鐘)에 있어서 종이 울리도록 마련된 기계의 부분(部分). ↔시편(時便).

종편 거처【從便居處】명〖역〗조선 시대 때 죄를 사(赦)해 주고 서울 밖의 편리한 곳에 가서 살게 하던 일.

종편 구처【從便區處】명 편리한 방법을 강구하여 처분하는 일.

종편지-위【從便之爲】명 일을 편하거나 쉬울 대로 좇아 함. ——하다 타여불

종품【宗品】명 한 겨레붙이 중에서 먼 겨레. 곧, 동종(同宗)의 사람.

종풍[1]【宗風】명 ①〖불교〗그 종파(宗派)의 풍습. ②한 교파의 종문(宗門)의 풍습.

종풍[2]【終風】명 ①종일 부는 바람. ②서풍(西風).

종풍[3]【從風】명 바람에 따라 나부끼는 풀처럼 복종(服從)함. ——하다 자여불

종풍-이미【從風而靡】명 쏠리는 힘에 저절로 좇음.

종피【種皮】명〖식〗씨의 껍데기. 외(外)종피·내(內)종피가 있음. 배주(胚珠)의 주피(珠皮)가 변화한 것이나, 때로는 배주심(胚珠心)의 조직의 일부도 부착하여 종피를 형성하는 일이 있음. 외종피는 거개가 굳고 혁질(革質)이며 표면에 각종 무늬가 있음. 씨껍질.

종필【終畢】명 [closing, closing session]〖경〗증권 시장에서, 하루의 입회(立會)의 마지막 거래. 또, 그 가격(價格).

종하【宗下】명 동족(同族)으로서 나이가 젊고 관직의 품계(品階)가 낮은 사람.

종하-생【宗下生】인대 동종(同宗)으로서, 나이가 젊고 벼슬이 낮은 사람이 나이 많고 벼슬 높은 사람에게 자기를 이르는 말.

종학[1]【宗學】명〖역〗조선 시대 때 왕족의 교육을 맡던 학교. 세종(世宗) 10년(1428)에 베풀어서 연산군(燕山君) 때에 폐하였고, 중종(中宗) 때에 또 베풀어서, 그 뒤에 다시 폐하였음.

종학[2]【從學】명 남을 좇아서 배움. ——하다 타여불

종-한【宗翰】명〖사람〗중국 금(金)나라의 무장(武將). 금태조(金太祖)가 요(遼)나라를 칠 때 이를 따라 내몽고 깊숙이 진격하여 전공을 세우고, 태종(太宗)이 송(宋)나라를 칠 때에는 그 서울인 변경(汴京)을 점령하고 이제(二帝)를 사로잡아 북송(北宋)을 멸망시키고 서하(西夏)의 침입을 누르기 위해 산시(陝西)에도 진출하는 등 활약이 컸음. 한편 희종(熙宗)의 제위(帝位)를 넘보는 여러 종실 세력을 꺾어 종간(宗幹)과 함께 제권(帝權) 확립에도 힘씀. [1079-1136]

종합【綜合】명 ①개개 별별(個個別別)의 것을 한데 모아 합함. 총괄(總括). ↔분석(分析). ②〖철〗변증법(辨證法)에서 상호 모순되는 정립(定立)과 반정립(反定立)을 지양(止揚)함. 합(合). ③〖논〗개개(個個)의 개념이나 또는 관념(觀念)·판단 단위(判斷單位)를 결합시켜, 새 개념이나 새 관념을 구성함. ——하다 타여불

종합 개:념【綜合槪念】명〖논〗여러 개체(個體)를 종합하여 생각하는 개념. 전체 개념(全體槪念). ↔개별 개념(個別槪念).

종합 개발【綜合開發】명 토지나 자원(資源)의 개발에 대한 부문별(部門別) 개발 계획을 국가적 견지에서 하나의 계획으로 통합하여, 유기적(有機的)인 연락 하에 종합적으로 행하는 개발 방식.

종합 경제【綜合經濟】명〖경〗다수의 경제 단위가 분업(分業)·교환(交換) 등의 관계를 통하여 서로 관계됨으로써 생기는 경제 조직.

종합 고등 학교【綜合高等學校】명 보통 과정과 직업 과정을 병치(倂置)한 고등 학교.

종합 과세【綜合課稅】명〖법〗법인 또는 개인의 납세 의무자(納稅義務者)에 대하여 각종 소득을 종합하여 과세하는 방법. *분리 과세(分離課稅).

종합 과학 기술 심:의회【綜合科學技術審議會】[—/—이—] 명〖법〗국무 총리 소속 하에 둔 심의회. 정부의 과학 기술 진흥을 위한 종합 계획과 이에 따른 중요 정책 및 관계 각 부처의 과학 기술에 관한 중요 업무의 효율적인 종합 조정 방안을 심의함.

종합 교:수【綜合敎授】명〖교〗합과(合科) 교수.

종합 균형 가격【綜合均衡價格】[—까—] 명〖농〗기본 미가(米價)를 산정(算定)하는 방식의 하나. ①필요량 이상의 쌀이 생산되지 않도록 하는 '수급(需給) 균형 가격'. ②가격이 저하되어 필요량 이하로 생산이 떨어지지 않도록 농업 소득을 보상하는 '생산미 보조 가격'. ③저(低) 코스트의 쌀 생산이 확대하는 방향을 취하는 '구조 개선 유도 가격'의 세 가지를 종합적으로 하는 산정(算定) 방식.

종합 금융 회:사【綜合金融會社】[—늉—/—] 명 재정 경제부 장관의 인가를 받아, 채무 증서의 발행·할인·매매·중개·인수 및 보증, 설비 또는 운전 자금의 투융자, 외자 도입·차입 및 전대(轉貸), 채권의 발행, 기업의 경영 상담과 인수·합병 등에 관한 용역 등의 업무를 종합적으로 하는 주식 회사. 준종금사.

종합 기술 교:육【綜合技術敎育】명 인간의 전체적·종합적인 발달을 목적하여 교육과 생산 노동을 결합하는 교육. 마르크스·엥겔스에 의해 그 이론적 기초가 확립되었음. 구소련이 교육의 기본 원리로 삼았었음.

종합 기하학【綜合幾何學】명〖수〗기하학의 한 분과. 해석 기하학처럼 대수적·해석적 수단을 쓰지 않고 도형적 조작만을 수단으로 하여 연구하는 것.

종합 내:용 연수【綜合耐用年數】[—년쑤] 명〖경〗철도 시설·발전 시설 등과 같이 많은 기계가 모여서 하나의 종합적 기능을 갖는 설비 전체에 대하여 정하는 내용 연수. 철도 설비에서 궤도(軌道)는 46년, 철교는 50년, 정류장은 30년인데 이들 전체는 40년으로 정함. 감가 상각의 기준이 됨. ↔개별 내용 연수.

종합 뉴:타운【綜合—】[new town] 명 새로운 도시 형태의 하나. 도시가 단독으로 그 기능을 다할 수 있도록 행정·금융·주택·교육·후생 및 문화 등 모든 기능이 종합적으로 계획된 새 도시.

종합 단:정【綜合斷定】명〖논〗종합적 판단(綜合的判斷).

종합 대학【綜合大學】명〖교〗세 개 이상의 단과 대학(單科大學)과 한 개의 대학원 기타 연구·교육 조직 등으로 구성된 종합적 기구를 가진 대학. ↔단과 대학.

종합 링크제【綜合—制】[link] 명〖경〗링크제의 하나. 상품을 제삼국에 수출하여 대외 채권(對外債權)을 얻은 자에 한하여, 수출용 원자재(原資材)를 비롯하여 어느 범위 내의 물자의 수입을 인정하는 제도. ↔개별 링크제(個別 link 制).

종합 마:술【綜合馬術】명 마술(馬術) 경기의 한 가지. 마장(馬場) 마술·내구(耐久) 경기·장애물(障礙物) 뛰어넘기의 3 종목을 3일간에 걸쳐 행하여, 그 감점 총계(減點總計)에 의하여 승패를 정함. 3 종목 다같이 동일한 말을 타지 않으면 안 됨.

종합 명사【綜合名詞】명〖언〗두 개 이상의 낱말로 이루어져 하나의 개념을 나타내는 명사. '국립 박물관' 등.

종합 명:제【綜合命題】명〖철〗칸트 철학에서, 종합 판단을 명제로서 표현한 것.

종합 목록【綜合目錄】[—녹] 명 도서 목록의 하나. 특정한 책이 어느 도서관 또는 개인의 소장(所藏)으로 있는가를 명시하고 있음. 저자의 이름에서 찾을 수 있는 카드식 목록으로 편성되어있는 것이 보통이며, 카드의 밑에 소장자의 이름이 기입되어 있음.

종합 박물관【綜合博物館】명 자연 과학 및 인문 과학의 두 과학에 걸치는 분야에 관한 여러 자료를 계통적으로 수집·보관·전시하는 박물관. 대규모의 것으로 미국의 워싱턴에 있는 미국 국립 박물관(The United States National Museum)이 유명함.

종합 병:원【綜合病院】명〖의〗모든 진료 과목이 설치된 병원.

종합 비디오 터:미널【綜合—】명 [integrated video terminal] 비디오 테이프 리코더에 전화기·텔레비전·컴퓨터 등 각종 정보 기기가 연결된 종합적인 단말기(端末機).

종합 비타민제【綜合—劑】[vitamin] 명〖약〗수용성(水溶性) 비타민과 지용성(脂溶性) 비타민 양쪽의 각종 비타민을 조합(調合)한 약. *복합(複合) 비타민제.

종합 비:평【綜合批評】명〖문〗문예 작품(文藝作品)에 있어서 모든 요소를 비평 대상으로 하지 아니하고, 종합적으로 그 가치를 논의하는 비평. ↔분석 비평(分析批評).

종합 상각【綜合償却】명 [composite depreciation]〖경〗감가 상각(減價償却)의 계산 및 기장(記帳) 절차의 하나. 내구 연한(耐久年限)이 다른 여러 가지 고정 자산에 관해 그 평균 내구 연한을 산출해 내고, 일괄해서 이를 적용하여 상각 계산을 하는 방법.

종합 상사【綜合商社】명 다루는 상품의 수효가 많고, 수출입·국내 매

매 등의 유통면뿐 아니라, 자원 개발 등에도 손을 대는 규모가 큰 상사.

종합 성표【綜合星表】명 〖천〗 몇 군데의 천문대(天文臺)에서 여러 기간에 걸친 관측 결과를 종합하여 작성한 성표. '기초(基礎) 성표'라고도 함. ↔관측(觀測) 성표.

종합 소:득【綜合所得】명 〖법〗 당해 연도에 발생하는 이자 소득·배당 소득·부동산 소득·사업 소득·근로 소득과 기타 소득을 합산한 것.

종합 소:득세【綜合所得稅】명 〖법〗 ①납세자(納稅者)의 각종 소득에 대하여 일정한 세를 부과하고, 또 그 위에 그 소득을 합계한 총소득에 대하여 부과시키는 소득세. ↔분류 소득세(分類所得稅). ②납세자의 총소득액만을 과세(課稅)의 표준으로 하고, 분류 소득세를 부과하지 않는 소득세. ③납세자의 총소득액만은 과세의 표준으로 하나, 근로 소득(勤勞所得)과 같이 우선 원천 과세(源泉課稅)를 부과한 위에, 소득 총액이 일정액 이상에 달하는 경우에 확정 신고(確定申告)에 의하여 부족한 액수를 조정하는 경우의 소득세.

종합 소비자 물가 지수【綜合消費者物價指數】[—까—] 명 〖경〗 비목별(費目別) 소비자 물가 지수를 통합한 지수. 소비자의 생활비에 영향을 주는 물가 수준의 변동을 측정함.

종합-안【綜合案】명 종합적으로 논의된 안건.

종합 에너지 정책【綜合—政策】〔energy〕명 〖경〗 석유·전력·석탄·원자력 등 각종 에너지원(源)의 장기적인 수급(需給) 예상에 기초를 둔 정부의 종합 정책.

종합 예:산【綜合豫算】[—네—] 명 〖경〗 ①정부의 일반 회계 예산·특별 회계 예산·정부 관계 기관 예산의 총칭. ②기업에서 판매 예산·제조 예산·재무(財務) 예산을 통일적·종합적으로 조정(調整)하고, 경영 계획을 숫자적으로 나타낸 예산을 말함.

종합 예:산주의【綜合豫算主義】[—네— / —네—이] 명 〖재정〗 그 연도의 모든 시책을 종합적으로 비교 검토하여 그 우선 순위를 판단, 자금(資金)을 가장 효율적으로 배분(配分)하려고 하는 방침.

종합 예:술【綜合藝術】[—네—] 명 〖예〗 건축·음악·문학·회화(繪畫)·조각 등의 분야를 달리한 모든 예술의 요소를, 협조·조화된 형식으로 나타내는 예술. 음악·시문·연극 등을 종합한 악극 같은 것.

종합 원가 계:산【綜合原價計算】[—까—] 명 한 원가 계산 기간의 제조 원가를 당해 기간의 생산량으로 나누어서, 제품의 단위 원가를 계산하는 방법. 제지·방적·제철·양조 등 표준화된 제품을 연속 반복하여 생산하는 산업에서 이용됨. ↔개별 원가 계산.

종합 유:선 방:송【綜合有線放送】명 하나의 전선을 통하여 여러 방송국의 프로그램을 공동으로 시청하게 구성한 방송.

종합 잡지【綜合雜誌】명 특별히 부문을 가리지 아니하고, 경제·사회·문예·철학 등의 평론이나 수필·창작(創作) 등을 종합적으로 수록(收錄)한 잡지.

종합-적【綜合的】관명 따로따로의 것을 한데 모아 합한 모양. 또 그 성질.

종합적 교:수【綜合的敎授】명 〖교〗 ①아동(兒童)의 미경험(未經驗)의 지식을 기왕의 경험에 결합시키는 일. 지리(地理)·역사의 교수에 씀. ↔분석적 교수. ②분석(分析)이 된 요소에서 유의적(有意的)으로 하나의 전체를 조직하는 교수.

종합적 구상【綜合的構想】명 논리적 구상.

종합적 보:편【綜合的普遍】명 〖철〗 직관 오성(直觀悟性), 곧 내용을 일거(一擧)에 직관하는 보편성. ↔분석적(分析的) 보편.

종합적 판단【綜合的判斷】명 〖논〗 종합 판단.

종합적 품질 관리【綜合的品質管理】[—괄—] 명 〔total quality control〕 〖경〗 제조 현장의 품질 관리에만 그치지 않고, 영업·기획·개발·총무(總務)·경리 등 모든 비제조 부문(非製造部門)의 업무 수행의 질(質)도 높임으로써 생산 공정(生産工程) 전반에 걸쳐 품질 향상을 기하려는 방법. 티 큐 시(TQC).

종합 정보 통신망【綜合情報通信網】명 아이 에스 디 엔(ISDN).

종합 주가 지수【綜合株價指數】[—까—] 명 〔composite stock price index〕 〖경〗 증권 거래소에 상장(上場)된 주식의 시장 가격을 토대로 작성되는 증권 시장 지표 중에서 주식의 전반적인 동향을 가장 잘 나타내는 대표적인 지수. 현재 우리 나라는 1983년 1월 4일의 주가 지수를 100으로 하여 이에 대비(對比)한 지수를 매일 발표하고 있는데, 이 때부터 종전의 다우 존스식 주가 지수에서 시가(時價) 총액식 주가 지수로 전환하여 산출하고 있음. *시가 총액.

종합-주의【綜合主義】[— / —이] 명 〖미술〗 '생테티슴(synthétisme)'의 역어(譯語).

종합 지수【綜合指數】명 ①〖경〗 물가 지수·무역 지수·생산 지수 등과 같이 많은 품목에 관한 가격·수량 등의 종합 변동을 나타내는 지수. ↔개별 지수. ②〖수〗 몇 개의 지수를 적당히 종합하여 작성한 지수. 생계비(生計費) 지수는 음식물비(費)·주거(住居)비·광열(光熱)비·피복비·잡비 등의 지수의 종합 지수임.

종합 철학【綜合哲學】명 〔synthetic philosophy〕 〖철〗 스펜서가 자기의 철학을 지칭한 술어(術語). 철학은 완전히 통일된 지식의 체계이기 때문에, 그는 모든 현상을 진화(進化)의 원리에 의해서 통일하고, 이것을 종합 철학 체계(綜合哲學體系)라고 이름함.

종합 청사【綜合廳舍】명 정부의 여러 부처(部處)가 한 곳에서 함께 집무할 수 있도록 큰 규모로 지은 청사. ¶정부 ~.

종합 카:드【綜合—】명 〔general card〕 체크 카드와 크레디트 카드 및 현금 인출 카드를 합해서 하나로 만든 카드. 가계(家計) 종합 예금에 가입한 희망자에게 은행(銀行)에서 발급(發給)해 줌.

종합 토지세【綜合土地稅】[—쎄] 명 지방세의 하나. 지적법(地籍法)에 의한 모든 토지를 과세 대상으로 하고, 그 사실상의 소유주 별로 합산하여 부과하는 세.

종합 판단【綜合判斷】명 〖철〗 칸트의 용어(用語)로서, 주어 개념(主語概念) 속에 포함되어 있지 않은 술어(述語)가 주어(主語)와 결합하여 이루어진 판단. '물체는 중량을 갖는다'에서 '중량을 갖는다'는 술어는 '물체'라는 주어에 본질적으로 포함되어 있지 않는데 주어에 결합되어 있는 것 따위. 종합 단정. 확장 판단. ↔분석 판단.

종합 편집【綜合編輯】명 신문지 편집법의 하나. 각 부(各部)에서 작성한 기사 재료를 선택·종합해서 편집하는 일.

종합 학교【綜合學校】명 서로 다른 학교가 통합 운영하는 학교.

종합 학습【綜合學習】명 〖교〗 교과(教科)를 나누지 아니하고 모든 학습을 하나로 모아 종합적으로 행하는 학습. 특정의 생활 제재(題材)를 중심으로 하여 여러 가지 학습을 연관시켜서 행함.

종항[1]【終航】명 배·항공기가 정해진 항해(航海)·항공(航空)을 끝냄. ——-하다 자여불

종항[2]【終項】명 〖수〗 말항(末項)❶.

종:항-간【從行間】명 사촌 형제의 사이.

종-해안【縱海岸】명 〖지〗 산맥의 주축(主軸)과 평행하는 해안. ↔횡해안(橫海岸).

종핵[1]【種核】명 〖식〗 씨앗의 알맹이. 다음 대(代)의 식물이 될 작은 배(胚)가 있음.

종핵[2]【綜核·綜覈】명 자세하게 속속까지 밝힘. ——-하다 타여불

종행【縱行】명 세로 된 줄. ↔횡행(橫行).

종향【從享】명 배향(配享)❶❷.

종허【鐘虛】명 〖악〗 조선 세종(世宗) 때, 길례 서례(吉禮序例)에 쓰인 악기의 하나. 오늘날의 특종(特鐘)과 비슷함.

종헌[1]【宗憲】명 종회(宗會)의 헌장(憲章).

종헌[2]【終獻】명 제사(祭祀) 때에 셋째 번으로 잔을 올림. *초헌·아헌. ——-하다 타여불

종헌-관【終獻官】명 제향(祭享) 때에 종헌을 행하는 사람의 직함 이름. *아헌관·초헌관.

종헌-례【終獻禮】[—네] 명 종묘 제향 때 종헌관이 신위(神位) 앞에 마지막 술잔을 올리는 일. *초헌례·아헌례.

종헌-악【終獻樂】명 종묘 제향 때에 종헌을 올리면서 하는 음악. *초헌악·아헌악.

종:형[1]【從兄】명 사촌 형. ↔종제(從弟).

종형[2]【鐘形】명 종과 같이 생긴 형상. 종상(鐘狀).

종:-형제【從兄弟】명 사촌인 형과 아우. 당형제.

종형 화관【鐘形花冠】명 〖식〗 종상(鐘狀) 꽃부리.

종화【縱火】명 방화(放火)❶. ——-하다 자여불

종-화도【種禾稻】명 볍모.

종환[1]【從宦】명 벼슬 길에 나아감. ——-하다 자여불

종:환[2]【腫患】명 종기로 인한 병환.

종회[1]【宗會】명 한 겨레붙이끼리의 모임. 종중 회의.

종회[2]【終會】명 종례(終禮).

종-회[3]【鍾會】명 〖사람〗 중국 삼국(三國) 시대 위(魏)나라의 무신. 자는 사계(士季). 허난 성(河南省) 잉촨(穎川) 출신. 사마소(司馬昭)를 섬겨 그의 심복이 되어 제갈탄(諸葛誕)의 난을 평정함. 262년에는 진서(鎭西) 장군에 임명되어 등애(鄧艾)와 함께 촉한(蜀漢)을 멸한 공으로 사도(司徒)가 되었으나 모함으로 등애를 잡아 가두고 촉지(蜀地)에서 반란을 일으켰다가 부하의 손에 죽음. [225-264]

종:회 여류【從懷如流】명 거리낌없이 제멋대로 함.

종횡【縱橫】명 세로와 가로.

종횡-가【縱橫家】명 ①〖역〗 중국 전국 시대에 시세(時勢)를 관찰하여 각 임금에게 유세(遊說)를 하며 다닌 사람. 여러 국가를 종횡으로 합쳐서 경륜(經綸)하려던 모사(謀士). 즉, 소진(蘇秦)·장의(張儀) 같은 사람. ②양자(兩者)의 가운데 있으면서 술책을 쓰는 사람.

종횡 무애【縱橫無礙】명 자유 자재(自由自在)하여 사면 팔방에 걸릴 것이 없는 상태.

종횡 무우【縱橫無隅】명 이곳저곳 구석구석까지 미치지 않는 곳이 없음. 또, 그 상태.

종횡 무진【縱橫無盡】명 자유 자재하여 끝이 없는 상태.

종횡-비【縱橫比】명 〖수〗 세로와 가로와의 비례(比例).

종횡 자재【縱橫自在】명 자기 마음대로 행함. 자유 자재.

종횡-학【縱橫學】명 〖역〗 전국(戰國)의 합종(合縱)·연횡(連衡)에 의거해서 술책을 강구하고 변설(辯舌)을 농(弄)하며, 유세(遊說)를 시도하는 학문.

종효【終孝】명 부모의 임종(臨終) 때에 곁에 모셔 정성을 다함. ——-하다 자여불

종후【從厚】명 어떤 일을 박(薄)하지 않게 후(厚)한 편으로 좇아 함. ——-하다 타여불

종흉 정맥【縱胸靜脈】명 〖생〗 흉복벽(胸腹壁)의 심층(深層)의 혈액을 모으는 정맥. 늑간 동맥(肋間動脈)과 요동맥(腰動脈)의 분포 범위에 상당함.

종요[1] 명 〈옛〉 종요로움. 요점. ¶ᄆᆞᄋᆞᆷ을 다ᄒᆞ며 몸을 行홀 종요ㅣ(盡心行己之要) ≪內訓 Ⅰ:13≫.

좆 명 성숙(成熟)한 자지. 신(腎). ↔씹❶.

좆-같다 형 〈비〉 ①일이 몹시 마음에 안 들어 싫다. ②생긴 모양이 몹시 못생기고 보기에 싫다.

좆-같이 [—가치] 부 〈비〉 좆같게.

좆-심 명 〈비〉 남자의 성교(性交)하는 힘.

좇다[1] 타 ①뒤를 따르다. ②복종하다. ③대세(大勢)에 거역하지 않다. ¶여론을 ~.

좇다² 타 〈옛〉 ①좇다. ¶三賊이 좇줍거늘 길버서 쏘사(三賊逐之避道而射)≪龍歌 36章≫/조출 툭(逐), 내조출 툴(黜)≪字會 下 30≫. ②따르다. =존다. ¶뉘 아니 좇줍고져 ᄒᆞ리(孰不願隨)≪龍歌 78章≫/左右에 좇ᄌᆞᄫᆞ니(左右昵侍)≪龍歌 55章≫.
좇아 가다 타 거라불 ①뒤를 따라 가다. ②남이 하는 대로 따르다.
좇아 오다 타 너라불 ①뒤를 따라 오다. ②남이 하는 대로 따라 오다.
좋:다¹ [조타] 형 ①즐겁다. 유쾌하다. ¶기분이 ~. ②아름답다. ¶경치가 ~. ③훌륭하다. ¶집안이 ~/솜씨가 ~. ④슬기롭다. ¶머리가 ~. ⑤효험이 있다. ¶건강에 ~. ⑥낫다. 유익하다. ¶이 책이 더 ~/가는 게 ~. ⑦바르다. 또, 착하다. ¶좋은 일/좋은 사람. ⑧괜찮다. ¶얼마라도 좋으니/좋은 장사. ⑨상관없다. ¶가도 ~. ⑩적당하다. 알맞다. ¶좋은 예/좋은 맞수. ⑪경사스럽다. 기쁘다. ¶좋은 날. ⑫화목하다. 친하다. ¶사이가 ~. ⑬싫지 않다. ¶그이가 ~/좋은 사람. ⑭비위·염치 등에 무감각하다. ¶염치가 ~. ⑮나쁜 것을 반대로 하는 말. ¶꼴 ~. ⑯(동사에 붙어) 쉽다. 어렵지 않다. ¶입기~/먹기 ~. ↔궂다. [좋은 노래도 세 번 들으면 귀가 싫어한다] '듣기 좋은 이야기도 늘 들으면 싫다'와 같은 뜻. [좋은 노래도 장 들으면 싫다] 아무리 좋은 것이라도 지루하게 끌고 되풀이되면 싫어진다는 말. [좋은 일에는 남이요 궂은 일에는 일가라] 좋은 일이 있을 때에는 생각지 않고 모르는 체 하다가 좋지 않은 일을 당하게 되면 남보다 낫다 하여 친척을 찾아 다닌다는 말. [좋은 일에 마가 든다] 좋은 일에는 흔히 마장(魔障)이 들기 쉽다.
좋다² 형 〈옛〉 조촐하다. 깨끗하다. ¶淨은 조ᄒᆞᆯ씨라≪月序 4≫/ᄒᆞᆫ 우흜 조ᄒᆞᆫ 흘ᄀᆞᆯ 셸리 가져다가≪佛頂 中 7≫/조ᄒᆞᆯ 정(淨)≪類合 下 48≫/조ᄒᆞᆯ 결(潔)≪石千 35≫.
좋:다³ [조타] 감 ①마음에 흡족한 느낌이 날 때에 내는 소리. ②청탁(請託)에 선선히 응할 때 내는 소리. ¶~ 그럼 네 소원을 들어주마.
좋아 [조—] 감 좋다³.
좋:아-지다 [조—] 자 ①좋게 되다. ¶품질이 한결 ~/병세가 ~. ②좋아하게 되다.
좋:아-하다 [조—] 타여불 ①좋은 느낌을 가지다. ②즐기어서 하고 싶거나 먹고 싶어하다. ③남에게 애정을 느끼다.
좋:이 [조—] 부 ①좋게. ¶그를 ~ 보지 않다. ↔나삐. ②무던하게. 꽤. 충분히. ¶~ 재산을 모았다/~ 2만은 넘는 관객 / 아마 이렇게 삼사십 분은 ~ 보냈을 것이다≪姜龍俊 : 사랑하는 그대≫. ③편안히. 안녕히.
좌:¹【左】명 '왼쪽'·'왼편'의 뜻. ¶~로 돌아 가다/~익(翼). ↔우(右).
좌:²【左】명 성(姓)의 하나. 현재 우리 나라에는 본관이 제주(濟州) 하나뿐임.
좌³【佐】명 〖역〗 신라 때 사정부(司正府)·좌리방부(左理方府)·우리방부(右理方府)의 한 벼슬. 경(卿)의 다음임. 효성왕(孝成王)이 승(丞)으로, 경덕왕(景德王)이 평사(評事)라 고쳤다가, 혜공왕(惠恭王)이 다시 본이름으로 고쳤음. 위계(位階)는 대나마(大奈麻)에서 나마(奈麻)까지임.
좌⁴【佐】명 성(姓)의 하나. 우리 나라에는 현존하지 않음.
좌:⁵【坐】명 〖민〗 묏자리·집터 등의 등진 방위(方位). ¶간(艮)~/자(子)~. ↔향(向).
좌⁶【坐】명 성(姓)의 하나. 우리 나라에는 현존하지 않음.
좌:⁷【座】一명 앉을 자리. 二의명 불상(佛像)을 세는 말.
-좌【座】미 〖천〗 별자리를 이르는 말. ¶대웅(大熊)~.
좌:각【坐脚】명 오금이 붙거나 힘이 없거나 뻐드러져서 마음대로 쓰지 못하는 다리.
좌:간의 대:부【左諫議大夫】[—/—이—] 명 〖역〗 ①고려 때 중서 문하성(中書門下省)의 낭사(郎舍) 벼슬. 정사품임. 예종(睿宗) 뒤에 좌사의 대부(左司議大夫)로 여러 번 고쳤음. ②조선 국초에 문하부(門下部)의 낭사 벼슬. 종삼품(從三品)임. 태종(太宗) 원년(1401)에 낭사(郎舍)가 사간원(司諫院)으로 독립하면서 좌사간 대부(左司諫大夫)로 고치고 정삼품(正三品) 당상관(堂上官)으로 올림. 1)·2):↔우간의 대부(右諫議大夫).
좌:강【左降】명 관등(官等)을 낮춤. ——-하다 타여불
좌:개【左開】명 좌기(左記).
좌:객¹【坐客】명 앉은뱅이¹.
좌:객²【座客】명 좌석에 앉은 손님.
좌:거【左拒】명 왼쪽에 두는 군대.
좌:견¹【左肩】명 왼쪽 어깨.
좌:견²【左牽】명 〖역〗 긴경마.
좌:견 천리【坐見千里】[—철—] 명 앉아서 천리를 봄. 멀리 앞을 내어다봄.
좌:경¹【左傾】명 ①왼쪽으로 기울어짐. ②사회주의·공산주의 등 좌익(左翼)으로 기울어짐. ¶~ 정권. ↔우경(右傾). ——-하다 자여불
좌:경²【坐更】명 〖역〗 궁중의 보루각(報漏閣)에서 밤에 징과 북을 쳐서 경점(更點)을 알리는 일. 이경(二更)·삼경(三更)·사경(四更)을 오점(五點)으로, 초경(初更)·오경(五更)을 삼점(三點)으로 나누어, 경에는 북, 점에는 징을 쳤음. 초경(初更) 삼점에서 시작하여 오경(五更) 삼점으로 마치며, 서울 각처의 경점 군사(更點軍士)가 보루각의 징과 북소리를 받아 다시 쳐서 차례로 알림.
좌:계【左契】명 〖역〗 [노자(老子)에 나오는 말] 둘로 나눈 부신(符信)의 왼쪽 것. 하나를 자기 손에 두어 좌계로 하고, 남은 것을 상대방에 주어 우계(右契)로 함. 좌권(左券). ↔우계(右契).
좌:고¹【左顧】명 왼쪽을 돌아다봄. ——-하다 자여불
좌:고²【坐高】명 앉은키. ¶신장(身長)과 ~.
좌:고³【坐賈】명 ①앉은 장사. ②〖역〗 조선 시대 때에 서울의 종로에 밀집하여 있던 육의전(六矣廛)같이 관유 건물(官有建物)을 빌려 앉아서 하던 장사.
좌:고⁴【座鼓】명 〖악〗 국악(國樂) 타악기의 하나. 틀 속에 옆으로 놓은 둥글납작한 북. 춤의 반주나, 관현 합주(管絃合奏)에 쓰이는데, 장구에 북편을 칠 때 한 번씩 울림.

〈좌고⁴〉

좌:고-계【坐高計】명 좌고를 측정하는 기계(器械). 의자를 갖추었음.

〈좌고계〉

좌:고 우:면【左顧右眄】명 좌우 고면(左右顧眄). ——-하다 자여불
좌:고 우:시【左顧右視】명 좌우 고면(左右顧眄). ——-하다 자여불
좌:곡-구【左曲球】명 골프에서, 훅(hook).
좌:골¹【坐骨】명 〖생〗 볼기의 아래쪽에 붙어 앉으면 바닥에 닿는 골반(骨盤)을 이루는 좌우(左右) 한 쌍의 뼈. 치골(恥骨)·장골(腸骨)과 유합(癒合)하고 있어 무명골(無名骨)이라고도 함.

장골
치골
좌골
치골결합면
〈좌골¹〉

좌:골²【挫骨】명 뼈가 부러짐. 또, 부러진 뼈. ——-하다 자여불
좌:골 신경【坐骨神經】명 [sciatic nerve] 〖생〗 하지(下肢)의 운동과 지각(知覺)을 맡은 가장 큰 신경. 골반 속의 좌골 신경총에서 시작하여 넓적다리 뒤쪽을 지나 무릎의 약간 위쪽에서 총비골(總腓骨) 신경과 경골(脛骨) 신경으로 갈라짐. 외상(外傷)·압박·한랭(寒冷) 등으로 다치기 쉬움. *좌골 신경총.

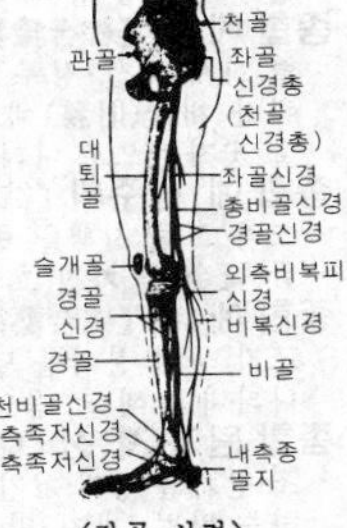

〈좌골 신경〉

좌:골 신경총【坐骨神經叢】명 〖생〗 천골(薦骨) 신경총의 윗 부분을 차지하는 강대한 신경총. 상둔(上臀) 신경·하둔(下臀) 신경·좌골 신경·후대퇴 피신경(後大腿皮神經) 등으로 갈라짐. *천골 신경총.
좌:골 신경통【坐骨神經痛】명 〖의〗 좌골 신경의 경락(經絡)에 연하여 일어나는 신경통. 신경염·중독·골반내 장애(障礙)·요추(腰椎) 카리에스·추간판(椎間板) 헤르니아 등으로 발생함. 허리·둔부(臀部)·대퇴근(大腿筋) 후면·무릎 후면·장딴지·발에 걸쳐 통증이 일어남.
좌:관【坐觀】명 꼼짝 않고 바라봄. ——-하다 타여불
좌:구【坐具】명 ①앉을 때에 밑에 까는 방석. ②〔범 nisidana〕〖불교〗 앉아서 예배할 때 까는 방석의 한 가지. 육물(六物)의 하나.
좌:-구명【左丘明】명 〖사람〗 기원전 5세기경의 중국 노(魯)나라의 역사가. 벼슬은 태사(太史). 공자의 제자. ≪춘추 좌씨전(春秋左氏傳)≫·≪국어(國語)≫의 저자로 전하여짐.
좌:국【坐局】명 어디를 향하고 어디를 등져서 앉은 자리. 위치.
좌:-국-사-한【左國史漢】명 〖책〗 ≪춘추 좌씨전(春秋左氏傳)≫·≪국어(國語)≫·≪사기(史記)≫·≪한서(漢書)≫의 약칭(略稱). 중국의 대표적 사서(史書).
좌:군¹【左軍】명 ①↗좌익군(左翼軍). ↔우군(右軍). ②〖역〗 고려 오군(五軍)의 하나. ③〖역〗 고려 공양왕(恭讓王) 때 삼군(三軍)의 하나.
좌:군²【佐軍】명 〖역〗 백제 십육품 관등의 열넷째 등급.
좌:굴¹【坐屈】명 스스로 찾아보지 않고 와서 찾게 함. ——-하다 타여불
좌:굴²【挫屈】명 [buckling] 〖물〗 압축 하중(壓縮荷重)을 받고 있는 판(板)·기둥 따위가 처음에는 구부러지다가 변형된 후, 어떤 한계를 넘으면 파괴되는 현상.
좌:굴 습곡【挫屈褶曲】명 [buckle fold] 〖지〗 습곡이 된 층(層)의 면에 작용하고 있는 압축에 의해 형성된 이중 습곡.
좌:굴 응:력【挫屈應力】[—녁] 명 [buckling stress] 〖물〗 좌굴 하중(挫屈荷重)을 그 하중을 받은 물체(物體)의 단면적(斷面的)으로 나눈 응력의 값. *좌굴 하중.
좌:굴 하:중【挫屈荷重】명 [buckling load] 〖물〗 좌굴을 일으키기 시작한 한계(限界)의 압력. *좌굴(挫屈).
좌:궁【左弓】명 왼손으로 시위를 잡아당기어 쏘는 활. ↔우궁(右弓).
좌:궁-깃【左弓—】명 새의 오른편 날개 깃으로 꾸민 화살의 깃. ↔우궁(右弓)깃.
좌:권【左券】명 〖역〗 좌계(左契). ↔우권(右券).
좌:-권독【左勸讀】명 〖역〗 조선 시대 세손 강서원(世孫講書院)의 종오품 벼슬. ↔우권독(右勸讀).
좌:귀-음【左歸飮】명 〖한의〗 보음(補陰)하는 데 먹는 탕약(湯藥). 성질이 순함.
좌:규【左揆】명 〖역〗 '좌의정(左議政)'의 별칭. ↔우규(右揆).
좌:금¹【左琴】명 왼쪽에 놓인 거문고. 옛날 중국에서는, 군자(君子)는 오른쪽에 서적(書籍)을, 왼쪽에 거문고를 놓도록 유의하였다 함.
좌:금²【座金】명 [washer] 〖공〗 똬리쇠.
좌:기¹【左記】명 문서의 왼쪽 곧 다음에 기록된 문구를 가리키는 말. 좌개(左開). ¶~와 여(如)히. ↔우기(右記).
좌:기²【坐起】명 〖역〗 관청의 우두머리가 사진(仕進)하여 일을 봄. ——-하다 자여불
좌:기를 벌:이다 구 〖역〗 관청의 우두머리가 일을 보기 위하여 채비를 차리다.
좌:기³【挫氣】명 기세가 꺾임. 또, 기를 꺾음. 좌기(挫氣). ¶인제 ~가 나서 낯을 들고 나아갈 염의조차 없어졌다≪金裕貞 : 金 따는 콩밭≫. ——-하다 자여불
좌:꽃 명 〈방〉 〖식〗 접시꽃.
좌:단【左袒】명 [단(袒)은 한쪽 어깨를 벗어 붙인다는 뜻. 사기(史記)여

후 본기(呂后本記)에서 나온 말. 전한(前漢)의 공신 주발(周勃)이 여씨(呂氏)의 반란을 진압하려 하였을 때, 여씨의 편을 드는 자는 우단(右袒)하고 유씨(劉氏) 곧 한실(漢室)의 편을 드는 자는 좌단(左袒)하라고 군령을 내리니, 모두 좌단하였다는 고사에서〕 남에게 편들어 동의함. ——-하다 자여불

좌:담【座談】명 앉은채로 형식에 구애됨이 없이 이야기하는 일. 또, 그 담화(談話). ——-하다 자여불

좌:담-회【座談會】명 몇 사람이 모여 앉아서, 어떤 문제를 중심으로 하여 각자의 의견을 이야기하는 회합.

좌:당【左黨】명〖정〗〔프랑스 혁명 때 자코뱅당(黨)이 의회(議會)에서 의장석의 왼편에 앉았던 데서〕 정부(政府)의 반대당(反對黨). 좌익의 정당. ↔우당(右黨).

좌:당 수하【坐堂受賀】명〖역〗왕세자(王世子)에 새로 책봉되어 자리에 나아가 백관(百官)의 하사(賀辭)를 받음. ——-하다 자여불

좌:대【座臺】명 기물을 받쳐 얹어 놓는 대(臺).

좌:-대신【左大臣】명〖역〗'좌의정(左議政)'의 별칭(別稱). ↔우대신(右大臣).

좌:-대언【左代言】명〖역〗①고려 밀직사(密直司)의 한 벼슬. 정삼품. 충선왕(忠宣王) 2년(1310)에 좌승선(左承宣)의 뒷 이름인 좌승지(左承旨)의 고친 이름. ②조선 시대 때 승정원(承政院)의 정삼품 벼슬. 태종(太宗) 원년(1401)에 좌승지(左承旨)를 고쳐서 일컫다가, 뒤에 다시 좌승지로 고침. 1)·2):↔우대언(右代言).

좌:-대:패 명〈방〉〖건〗곧날 대패.

좌:도【左道】명〖역〗①옛날 유교(儒教)의 종지(宗旨)에 어긋나는 모든 사교(邪教). ②조선 시대 때 경기(京畿)·충청(忠清)·전라(全羅)·경상(慶尙)·황해(黃海)의 각 도(道)를 둘로 나누었던 한쪽의 일컬음. 곧, 경기도의 동쪽, 충청도의 북쪽, 전라도·경상도·황해도의 동쪽의 부분. ↔우도(右道).

좌:도-굿【左道一】명〖악〗전라도(全羅道)의 동쪽 산간 지방(山間地方)의 농악(農樂). 개인의 장기(長技)에 치중(置重)하는 것이 특색임. *우도(右道)굿.

좌:독-기【坐纛旗】명〖역〗사명기(司命旗)·인기(認旗) 등의 중요한 군기(軍旗)의 하나. 행진할 때는 주장의 뒤에 서고, 멈출 때는 장대(將臺)의 앞 왼편에 섬. 검은 비단 바탕에 화염(火焰)은 흰 비단으로 함. 한복판에 흰 빛으로 양의(兩儀)와 사상(四象)을 나타내는 태극(太極)을 둘러서 낙서(洛書)의 수(數)와 후천 팔괘(後天八卦)를 그림. 동·서·남·북·중의 5방(方)을 응하며, 오색의 드림이 있는데, 누른 것은 소대(素帶)라 하여 그림이 없이 중앙을 대표하고, 그 나머지는 이십 팔수(二十八宿)를 인용(引用)하여, 푸른 것은 동방의 각(角)·항(亢)·저(氐)·방(房)·심(心)·미(尾)·기(箕)의 진형(眞形)인 도롱뇽·용(龍)·담비·토끼·여우·호랑이·표범을, 붉은 것은 남방의 정(井)·귀(鬼)·유(柳)·성(星)·장(張)·익(翼)·진(軫)의 진형인 들개·양(羊)·노루·말·사슴·뱀·지렁이를, 검은 것은 북방의 두(斗)·우(牛)·여(女)·허(虛)·위(危)·실(室)·벽(壁)의 진형인 해태(獬豸)·소·박쥐·쥐·제비·돼지·유(貐)(이리 종류)를, 흰 것은 서방(西方)의 규(奎)·누(婁)·위(胃)·묘(昴)·필(畢)·자(觜)·삼(參)의 진형인 개·이리·꿩·닭·까마귀·원숭이를 그림. 기면(旗面)은 열 자 정방형(正方形), 깃대 길이 열 여섯 자, 영두(纓頭)와 주락(珠絡)으로 화려하게 꾸밈. 좌둑기.

좌:돈[1]【坐墩】명 모양이 작은 중두리 비슷한, 자기(瓷器)로 만들어 걸터 앉게 된 물건.

좌:돈[2]【挫頓】명 좌절(挫折). ——-하다 자여불

좌:두【莝豆】명 마소의 먹이로 쓰는 짚과 콩. 좌두(莝豆).

좌:둑-기【坐一旗】명〖역〗좌독기(坐纛旗).

좌:등【座燈】명 등촉(燈燭) 기구의 하나. 사면 기둥과 천판(天板)으로 되었으며, 사(紗)나 백지를 발라 불빛이 은은히 비치도록 만들어 썼음. 세로 70-100cm, 가로 30-40cm 정도임.

좌:-뜨다 자 생각이 남보다 월등히 뛰어나다.

좌:란【左蘭】명〖미술〗오른쪽에서 시작하여 왼쪽으로 치는 사군자(四君子)의 난. ↔우란(右蘭).

좌:랑【佐郎】명〖역〗①고려 육부(六部)를 충렬왕(忠烈王) 원년(1275)에 고친 사사(四司), 곧 전리사(典理司)·군부사(軍簿司)·판도사(判圖司)·전법사(典法司)와, 공민왕(恭愍王) 11년(1362)과 21년에 고친 육사(六司), 곧 전리사·군부사·판도사·전법사·예의사(禮儀司)·전공사(典工司) 및 공양왕 원년(1389)에 고친 육조(六曹)의 각 정오품 벼슬. ②조선 시대, 육조의 정육품(正六品) 벼슬.

좌:론【座論】명 ①좌상(座上)의 의론 또는 탁상 공론(卓上空論). ②매화(梅花)의 일종.

좌르르 부 ①큰 물줄기가 잇따라 세차게 쏟아지는 소리. ②작은 물건 여러 개가 한꺼번에 쏟아지는 소리. 1)·2):ㅆ좌르르.

좌르륵 부 물건이 넓게 흩어져 나간 모양이나 흩어져 나가는 소리. ㅅ좌르륵. ——-하다 자여불

좌르륵-거리다 자 물건이 연해 넓게 흩어져 나가는 소리가 나다. ㅆ좌르륵거리다. 좌르륵-좌르륵 부. ——-하다 자여불

좌르륵-대다 자 좌르륵거리다.

좌:리【佐理】명 군주(君主)를 도와 나라를 다스림. 좌치(佐治). ——-하다 자여불

좌:리 공신【佐理功臣】명〖역〗조선 성종(成宗) 2년(1471)에 성종 즉위(卽位) 보좌(補佐)의 공신 신숙주(申叔舟)·한명회(韓明澮) 등 75명에게 준 훈명(勳名).

좌:-립【坐立】명 앉음과 섬.

좌:마【坐馬】명〖역〗①벼슬아치가 타는 관마(官馬). ②군대의 행군(行軍) 때 거느리고 가는 대장의 부마(副馬).

좌:막【佐幕】명〖역〗비장(裨將).

좌:망【坐忘】명〖불교〗고요히 앉아서 잡념(雜念)을 버리고 현실 세계를 잊어, 절대 무차별(絕對無差別)의 경지에 들어가는 일.

좌:-맹분위【左猛賁衛】명〖역사〗발해 시대의 중앙 군대의 하나.

좌:면【左面】명 왼쪽. ↔우면(右面).

좌:면 우:고【左眄右顧】명 좌우 고면(左右顧眄). ——-하다 자여불

좌:면-지【座面紙】명 제사 지낼 때 제상(祭床) 위에 까는 유지(油紙).→재면지.

좌:명【佐命】명 ①천자(天子)를 도움. ②〖역〗천명(天命)을 받고 천자(天子)가 될 사람을 도움.

좌:명 공신【佐命功臣】명〖역〗조선 정종(定宗) 2년(1400) 제2차 왕자(王子)의 난(亂) 때, 박포(朴苞) 등의 무리를 평정(平定)한 공으로 이저(李佇) 등 45명에게 내린 훈명(勳名).

좌:목【座目】명 석차(席次)를 적은 목록.

좌:무【左舞】명 왼쪽에서 춤추는 사람. ↔우무(右舞).

좌:문 우:무【左文右武】명 문무(文武)를 한 가지로 쓰는 일.

좌:-반분【左半分】명 왼쪽 절반. ↔우반분(右半分).

좌:반 전:직【左班殿直】명〖역〗고려 때, 액정국(掖庭局)의 남반(南班)의 종팔품 벼슬.

좌:방[1]【左方】명 왼쪽. 왼쪽 방위(方位). ↔우방(右方).

좌:방[2]【左坊】명〖악〗고려 시대에는 당악(唐樂)을 의미했고, 향악(鄉樂)을 뜻하는 우방(右坊)의 대칭어로 사용됨. 조선 시대에는 아악(雅樂)을 뜻했고, 당악과 향악을 뜻하는 우방의 대칭어로 쓰이게 됨.

좌:방-악【左坊樂】명〖악〗고려 시대에는 중국계 속악인 당악(唐樂)을 의미했고, 우리 나라 음악인 향악(鄉樂)을 가리키는 우방악(右坊樂)이라는 말의 대칭어로 사용됨. 조선 시대에는 여러 제례 의식(祭禮儀式)에 쓰인 제례악을 말함.

좌:배【挫北】명 꺾이어 달아남. ——-하다 자여불

좌:번【左番】명 좌우 두 쪽으로 나눈 왼쪽 번. ↔우번(右番).

좌:법【坐法】명〖불교〗결가부좌(結跏趺坐) 등과 같이 제불(諸佛) 또는 불도(佛徒)들이 앉는 법식.

좌:변【左邊】명 ①왼편짝. ②왼편 가장자리. ③〖역〗조선 시대 좌포도청(左捕盜廳)의 별칭. 1)-3):↔우변(右邊).

좌:변-청【左邊廳】명〖역〗'좌포도청(左捕盜廳)'의 별칭(別稱). ↔우변청(右邊廳).

좌:-별초【左別抄】명〖역〗고려 시대 삼별초(三別抄)의 하나. *삼별초.

좌:-병영【左兵營】명〖역〗조선 성종(成宗) 시대 때부터 경상도 울산(蔚山)에 두었던 경상(慶尙) 좌병영의 통칭. ↔우병영(右兵營).

좌:보【左輔】명〖역〗①고구려의 대신(大臣). 우보(右輔)와 한가지로 군국(軍國)의 일을 다스렸음. 신대왕(新大王) 2년(166)에 국상(國相)으로 고침. ②백제의 대신. 고이왕(古爾王) 27년(260) 관제(官制)를 개정(改定)할 때까지 있었음. 1)·2):↔우보(右輔).

좌:-보간【左補諫】명〖역〗고려 중서 문하성(中書門下省)의 정육품 낭사(郎舍) 벼슬. 좌보궐(左補闕)의 뒷 이름으로 예종(睿宗) 때에 좌사간(左司諫)의 고친 이름. ↔우보간(右補諫).

좌:-보궐【左補闕】명〖역〗①고려 중서 문하성(中書門下省)의 낭사(郎舍) 벼슬. 정육품(正六品). 예종(睿宗) 때 좌사간(左司諫)으로, 뒤에 다시 좌보간(左補諫)으로, 충렬왕(忠烈王) 24년(1298)에 좌사간으로, 동 34년에 좌헌납(左獻納)으로 고쳐 정오품으로 올리고, 공민왕(恭愍王) 5년(1356)에 다시 좌사간으로 고쳐 종오품으로 내리고, 동 11년에 또 좌헌납으로, 동 18년에 다시 좌사간으로, 동 21년에 또 좌헌납으로 여러 번 이름이 바뀌었음. ②조선 국초(國初) 때 문하부(門下府)의 낭사 벼슬. 정오품. 태종(太宗) 원년(1401)에 낭사가 사간원(司諫院)으로 독립하면서 좌헌납으로 고침. 1)·2):↔우보궐(右補闕).

좌:보-성【左補星】명〖민〗파군성(破軍星) 다음, 우필성(右弼星) 위에 있는 구성(九星) 중의 여덟째 별.

좌:보 우:필【左輔右弼】명 군주의 좌우에 있어 정치를 돕는 신하. 보필하는 신하.

좌:-복야【左僕射】명〖역〗①↗상서 좌복야(尙書左僕射). ②조선 국초 때 삼사(三司)의 정이품(正二品) 벼슬. 정종(定宗) 2년(1400)에 좌사(左使)로 고침. 태종 원년(1401)에 삼사가 사평부(司平府)로 이름이 바뀌고, 동 4년에 참판부사(參判府事) 또는 참판사평부사(參判司平府事)라 고쳤다가, 동 5년에 사평부와 더불어 혁파(革罷)됨. 1)·2):↔우복야(右僕射).

좌:부【左部】명〖역〗고구려 순노부(順奴部)의 별칭.

좌:-부대언【左副代言】명〖역〗①고려 밀직사(密直司)의 한 벼슬. 정삼품. 좌부승선(左副承宣)의 후신(後身)으로 충선왕(忠宣王) 2년(1310)에 좌부승지(左副承旨)의 고친 이름. *좌부승선(左副承宣). ②조선 시대 때 승정원(承政院)의 정삼품 벼슬. 태종(太宗) 원년(1401)에 좌부승지(左副承旨)를 이 이름으로 고쳤다가 뒤에 다시 좌부승지로 고치었음. 1)·2):↔우부대언(右副代言).

좌:부-방【左阜傍】명 한자 부수(部首)의 하나. '陰'이나 '陽' 등의 '阝'의 이름. '阝'는 언덕 부(阜)의 변형임. 언덕부변. ↔우부방(右阜傍).

좌:-부빈객【左副賓客】명〖역〗조선 시대 세자 시강원(世子侍講院)의 종이품 벼슬. ↔우부빈객(右副賓客).

좌:-부수【左副率】명〖역〗조선 시대 세자 익위사(世子翊衛司)의 정칠품 무관(武官) 벼슬. ↔우부수(右副率).

좌:-부승록【左副僧錄】[一녹] 명〖역〗고려 시대의 불교 통제 기구인 좌가 승록사(左街僧錄司)에 소속된 승직(僧職).

좌:-부승선【左副承宣】명〖역〗①고려 중추원(中樞院)의 정삼품 벼

슬. 왕명(王命)의 출납(出納)을 맡음. 충렬왕(忠烈王) 2년(1276)에 좌부승지(左副承旨)로 고치고, 동 24년에 종육품으로 내렸다가, 곧 다시 정삼품으로 올리고, 충선왕(忠宣王) 2년(1310)에 좌부대언(左副代言)이라 고쳤는데, 그 뒤 수차(數次) 이름이 바뀜. ②조선 고종(高宗) 31년(1894)에 승정원(承政院)을 고친 승선원(承宣院)의 한 벼슬. 1)·2):↔우부승선(右副承宣).

좌:-부승지【左副承旨】명『역』①고려 때 밀직사(密直司)의 정삼품 벼슬. 왕명(王命)의 출납(出納)을 맡음. 충렬왕(忠烈王) 2년(1276)에 좌부승선(左副承宣)의 고친 이름. 동 24년에 잠시 종육품으로 내렸다가 곧 다시 회복함. *좌부승선(左副承宣). ②조선 국초(國初)때 중추원(中樞院)의 정삼품 벼슬. ③조선 시대 때 승정원(承政院)의 정삼품 벼슬. 태종(太宗) 원년(1401)에 좌부대언(左副代言)으로 고쳤다가 뒤에 다시 본이름으로 함. 1)·2):↔우부승지(右副承旨).

좌:-부승직【左副承直】명『역』고려 때 내시부(內侍府)의 정육품 벼슬. 공민왕(恭愍王) 때에 둠. ↔우부승직(右副承直).

좌:-불안석【坐不安席】명 마음에 불안·초조·근심 등이 있어 한 자리에 오래 앉아 있지 못함. ——-하다 자여불

좌:-비위【左羆衛】명『역』발해 시대의 중앙 군대의 하나.

좌:-빈객【左賓客】명『역』조선 시대 때의 관직. 세자 시강원(世子侍講院)에서 왕세자(王世子)에게 경서(經書)·사적(史籍)·도의(道義) 등을 강의하던 정이품 벼슬로, 2명이 있었음. 이사(貳師)의 아래. ↔우빈객(右賓客).

좌:사[1]【左史】명『역』옛날 중국에서 우사(右史)와 더불어 임금 옆에 있으면서 임금의 언행(言行)을 기록하던 사관(史官).

좌:사[2]【左使】명『역』①고려 때 삼사(三司)의 벼슬. 충렬왕 때 처음으로 두고, 공민왕(恭愍王) 11년(1362)에 정이품으로 정함. ②조선 시대 때 삼사의 정이품 벼슬. 정종(定宗) 2년(1400)에 좌복야(左僕射)의 고친 이름. 태종 원년(1401)에 삼사가 사평부(司平府)로 이름이 바뀌고, 동 4년에 참판 부사(參判府事) 또는 참판 사평 부사(參判司平府事)로 고쳤다가, 동 5년에 사평부와 더불어 혁파(革罷)되었음. ↔우사(右使).

좌:-사[3]【左思】명『사람』3세기 후반 경의 중국 진(晉)나라의 시인. 자(字)는 태충(太沖). 산둥 성(山東省) 출신. 시(詩)에 뛰어나 장려(壯麗)한 글을 썼으나, 워낙 글쓰는 것이 더디어서 '제도부(齊都賦)'를 일 년 걸려 지었으며 또 '삼도부(三都賦)'는 십 년이나 그 구상을 짰다고 함. 사람들이 서로 다투어 그의 작품을 구하였기 때문에 '낙양(洛陽)의 지가(紙價)를 올리다'라는 고사(故事)는 바로 그에서 유래하였음. 생몰년 미상(生歿年未詳).

좌:-사간【左司諫】명『역』고려 중서 문하성(中書門下省)의 정육품 낭사(郎舍)벼슬. 예종(睿宗) 때 좌보궐(左補闕)의 고친 이름. ↔우사간(右司諫).

좌:사간 대:부【左司諫大夫】명『역』조선 태종(太宗) 원년(1401)에 사간원에 둔 당상 정삼품 벼슬. 그 전의 좌간의 대부(左諫議大夫)를 고친 이름. ↔우(右)사간 대부.

좌:-사경【左司經】명『역』고려 때 동궁(東宮)의 육품 벼슬. 공양왕 3년(1391)에 정함. ↔우사경(右司經).

좌:사 낭부【左司郎部】명『역』고려 상서 도성(尙書都省)의 정이품 벼슬. 문종 때 두었으며 1인이 있었음.

좌:사 낭중【左司郎中】명『역』고려 상서 도성(尙書都省)의 정오품 벼슬. ↔우사 낭중(右司郎中).

좌:-사록관【左司祿館】명『역』신라의 관아. 문무왕(文武王) 17년(677)에 둠.

좌:사리-도【佐沙里島】명『지』경상 남도의 남해상(南海上), 통영군(統營郡) 욕지면(欲知面) 동항리(東港里) 욕지도(欲知島) 남동쪽에 위치한 섬. [0.2km²]

좌:-사어【左司禦】명『역』조선 시대 세자 익위사(世子翊衛司)의 종오품 무관(武官) 벼슬. ↔우사어(右司禦).

좌:사 우:고【左思右考】명 좌사 우량(左思右量). ——-하다 타여불

좌:사 우:량【左思右量】명 이리 생각하고 저리 생각하여 곰곰 헤아려 봄. 좌사 우고(左思右考). 좌우 사량(左右思量). 좌사 우상(左思右想). ——-하다 타여불

좌:사 우:상【左思右想】명 좌사 우량(左思右量). ——-하다 타여불

좌:사 원외랑【左司員外郎】명『역』고려 상서 도성(尙書都省)의 정육품(正六品) 벼슬. ↔우사 원외랑(右司員外郎).

좌:-사윤【左司尹】명『역』고려 왕비부(王妃府)의 정삼품(正三品) 벼슬. 공민왕(恭愍王) 때 처음으로 둠. ↔우사윤(右司尹).

좌:사의 대:부【左司議大夫】[—/—이—] 명『역』고려 중서 문하성(中書門下省)의 정삼품(正三品) 낭사(郎舍) 벼슬. 예종(睿宗) 때 좌간의 대부(左諫議大夫)의 고친 이름. ↔우사의 대부(右司議大夫).

좌:-사정【左司政】명『역』발해 시대의 중앙 관직.

좌:산【坐産】명 줄 같은 것을 붙잡고 앉아서 해산(解産)함. ——-하다 [타여불]

좌:산기 상시【左散騎常侍】명『역』①고려 중서 문하성(中書門下省)의 정삼품(正三品) 낭사(郎舍) 벼슬. 문종(文宗) 15년(1061)에 좌상시(左常侍)로 고치고 충렬왕(忠烈王) 24년(1298)에 본이름으로 고쳤다가, 곧 다시 좌상시로, 공민왕(恭愍王) 5년(1356)에 또 본이름으로, 동 11년에 다시 좌상시로, 동 18년에 또 본이름으로, 동 21년에 다시 좌상시로 여러 번 이름이 바뀜. ②조선 시대 초에 문하부(門下府)의 낭사 벼슬. 정삼품(正三品). 태종(太宗) 원년(1401)에 낭사가 사간원(司諫院)으로 독립(獨立)할 때 혁파(革罷)됨. 준좌상시(左常侍). ↔우산기 상시(右散騎常侍).

좌:산-전【坐山典】명『역』신라 시대의 관청 이름. 내성(內省) 관하의 행궁(行宮)·이궁(離宮)을 관리한 것으로 추측됨.

좌:상[1]【左相】명『역』'좌의정(左議政)'의 별칭. ↔우상(右相).

좌:상[2]【坐床】명 고구려 시대에 사람이 걸터앉도록 만든 기구. 평상(平床)도 사용했으나 좌상은 오로지 앉기 위한 것이고, 평상은 앉거나 누울 수 있게 만든 것임. 앉을 때는 반드시 올방자를 틀고 앉음.

좌:상[3]【坐商】명 앉은 장사. 좌고(坐賈).

좌:상[4]【坐像】명 ①앉아 있는 모양을 묘사한 그림이나 조각(彫刻). ②앉아 있는 형상.

좌:상[5]【座上】명 ①여러 사람이 모인 자리. 좌중(座中). 석상(席上). ②그 좌석에서 가장 으뜸되는 사람. ¶~ 노릇을 하다.

좌:상[6]【剉桑】명『농』누에에게 먹이로 줄 뽕잎을 썲. 또, 그렇게 썬 뽕잎. ——-하다 자여불

좌:상[7]【挫傷】명 ①기운이 꺾이고 마음이 상함. ②타박·충돌·추락 등 둔성(鈍性)의 신체적인 자극에 의하여 피부 표면에는 손상이 나타나지 않고 피하 조직(皮下組織) 또는 근육부를 손상하는 일. 좌창(挫創). 좌상(挫傷). ——-하다 자여불

좌:상-격【座上格】[—껵] 명 좌상에 해당하는 격식 또는 지위.

좌:상-불【坐像佛】명 앉아 있는 모습의 불상(佛像).

좌:-상시【左常侍】명『역』↗좌산기상시(左散騎常侍). ↔우상시(右常侍).

좌:상-육【剉桑育】[—뉵] 명『농』누에의 발육에 따라 뽕잎을 적당한 크기로 썰어서 주는 사육법(飼育法).

좌:서【左書】명 ①글자, 특히 한자(漢字)에서 오른쪽과 왼쪽이 바뀌어서 된 글자. ②왼손으로 글씨를 씀. 또, 그 글씨. ——-하다 자여불

좌:-서자【左庶子】명『역』고려 때 동궁(東宮)의 정사품(正四品) 벼슬. 빈객(賓客)의 다음. 문종(文宗) 22년(1068)에 정함.

좌:석【坐席·座席】명 ①앉은 자리. 자리. ②깔고 앉는 자리 종류의 총칭. 시트(seat).

좌:석-권【座席券】명 판매자가 입장·승차하는 사람에게 지정해 준 좌석 번호가 기재된, 입장권이나 승차권에 덧붙은 표.

좌:석 미:난【座席未煖】명 좌석이 따뜻해질 겨를이 없음. 곧, 한군데에 오래 살지 못하고 이사를 자주함을 가리키는 말.

좌:석 번호【座席番號】명 ①입장권이나 승차권 등에, 지정(指定)한 좌석을 표기한 번호. ②좌석권을 가진 사람이 앉는 의자에 붙어 있는 좌석의 번호.

좌:석 예:약 장치【座席豫約裝置】[—네—] 명 철도나 정기 항공의 지정석을 예약·조회하는 전자 장치. 각지로부터의 문의를 전자 계산기로 된 중앙(中央) 장치가 처리하여 회답함.

좌:선[1]【左旋】명 왼쪽으로 돌림. 왼쪽으로 돎. ↔우선(右旋). ——-하다 자타여불

좌:선[2]【坐禪】명『불교』정좌(靜坐)하여 심사 묵념(深思默念)하고 무심(無心)의 경지에 들어가 심성(心性)을 구명(究明)하는 참선술(參禪術). 안선(安禪). 연좌(宴坐). 준선(禪). ——-하다 자여불

좌:선-경【左旋莖】명『식』회선 식물(回旋植物)의 줄기가 왼쪽으로 돌아 지주(支柱)를 감고 올라가는 성질. 나팔꽃·참마·멀꿀·새삼 따위에서 볼 수 있음. ↔우선경(右旋莖).

좌:선-당【左旋糖】명 [levulose]『화』좌선의 선광성(旋光性)을 가진 이당류(二糖類)의 일종. 가용성(可溶性)의 감미(甘味)를 가진 당. 과실 중에 포도당과 같이 존재함. 과당(果糖).

좌:선-룡【左旋龍】[—뇽] 명『민』풍수 지리설에서, 산줄기가 오른편에서 시작하여 왼편으로 내려간 용. ↔우선룡(右旋龍).

좌:선 분할【左旋分割】명 [levotropic cleavage]『동』동물극(動物極)에서 보아 반시계식(反時計式) 방향으로 할구(割球)가 어긋놓이는 나선 난할(螺旋卵割)의 하나.

좌:선-성【左旋性】[—썽] 명『물』좌회전성(左回轉性)

좌:선 식물【左旋植物】명『식』회선(回旋) 식물 가운데 줄기가 좌선하여 위쪽으로 뻗는 식물. *좌선경(左旋莖).

좌:선-체【左旋體】명 [levoform]『물』편편광(面偏光)한 빔(beam) 중에 좌선성(性)을 나타내는 광학 이성체(光學異性體)의 한 쪽.

좌:섬【挫閃】명『한의』뼈마디가 타격에 의하여 물러앉아, 그 주위의 막이 상하여 국부가 붓고 아픈 병. 염좌(捻挫). 좌섬(挫閃).

좌:섬 요통【挫閃腰痛】[—뇨—] 명『한의』접질리어 일어나는 요통. 좌섬 요통(挫閃腰痛).

좌:-세마【左洗馬】명『역』조선 시대에 세자 익위사(世子翊衛司)의 정구품(正九品) 무관(武官) 벼슬. ↔우세마(右洗馬).

좌:수[1]【左手】명 왼손. ↔우수(右手).

좌:수[2]【坐收】명 까딱도 않고 앉아서 이익을 얻음. ——-하다 타여불

좌:수[3]【坐睡】명 앉아서 졺. ——-하다 자여불

좌:수[4]【座首】명『역』조선 시대 때, 지방의 주(州)·부(府)·군(郡)·현(縣)에 두었던 향청(鄕廳)의 우두머리. 고종(高宗) 32년(1895)에 향장(鄕長)으로 고쳤음. 아관(亞官). 수향(首鄕). *향소(鄕所)·향직(鄕職).

좌:수 볼:기 치기 구 심심풀이로 공연히 좀 건드려 본다는 뜻.

좌:-수사【左水使】명『역』조선 시대 때, 좌수영(左水營)의 수사(水使). ↔우수사(右水使).

좌:수 어인지공【坐收漁人之功】명 남들이 싸움하는 틈을 타서 힘들이지 않고 슬쩍 공을 거두는 일. 어부지리(漁父之利).

좌:-수영【左水營】명『역』조선 효종(孝宗) 이후 경상도(道) 동래(東萊)에 두었던 경상 좌수영(慶尙左水營)과 성종(成宗) 10년(1479) 이후 전라도 여수(麗水)에 두었던 전라 좌수영(全羅左水營)의 통칭. 고종(高宗) 31년(1894)에 폐함. ↔우수영(右水營).

좌:수영 어방놀이【左水營漁坊—】명『민』부산 직할시 동래(東萊)에 전승되어 온 민속 놀이. 바닷가에서 어부들이 후릿그물로 고기를 잡으

며 여러 가지 노래를 부르는 내용이 중요한 부분을 이룸. 내왕소리·사리소리·칭칭소리의 세 마당으로 구성됨. 중요 무형 문화재 제62호.

좌:수 우:봉【左授右捧】명 즉석(卽席)에서 당장 교역(交易)함. ——-하다 타여불

좌:수 우:응【左酬右應】명 이리저리 여러 군데 바쁘게 수응(酬應)함. ——-하다 자여불

좌:수참-창【左水站倉】명 〖역〗 가흥창(可興倉)의 딴 이름. ↔우수참창(右水站倉).

좌:-습유【左拾遺】명 〖역〗 ①고려 때 중서 문하성(中書門下省)의 종육품(從六品) 낭사(郎舍) 벼슬. 예종(睿宗) 11년(1116)에 좌정언(左正言)으로 고침. ②조선 국초(國初)에 문하부(門下府)의 낭사(郎舍) 벼슬. 정육품(正六品). 태종(太宗) 원년(1401)에 문하부를 없애고 낭사가 사간원(司諫院)으로 독립하면서 좌정언으로 고침.

좌:승[1]【左丞】명 〖역〗 ①↗상서 좌승(尙書左丞). ②조선 초기에 삼사(三司)의 종삼품(從三品) 벼슬. 1)·2):↔우승(右丞).

좌:승[2]【佐丞】명 〖역〗 ①고려 초에 태봉(泰封)의 관제를 본떠서 정한 문무(文武)의 관호(官號). ②고려 때 향직(鄕職)의 삼품(三品).

좌:-승선【左承宣】명 〖역〗 ①고려 때 중추원(中樞院)의 정삼품(正三品) 벼슬. 왕명(王命)의 출납을 맡음. 충렬왕(忠烈王) 2년(1276)에 좌승지(左承旨)로 고치고, 동 24년에 종육품(從六品)으로 내렸다가, 곧 다시 정삼품(正三品)으로 올리고, 충선왕(忠宣王) 2년(1310)에 좌대언(左代言)이라 고쳤는데, 그 뒤에도 여러 번 이름이 바뀌었음. ②조선 고종(高宗) 31년(1894)에 승정원(承政院)을 고친 승선원(承宣院)의 한 벼슬. 1)·2):↔우승선(右承宣).

좌:-승유【左僧維】명 〖역〗 고려 시대의 불교 통제 기구인 좌가 승록사(左街僧錄司)에 소속된 최말단 승직(僧職).

좌:-승정【左僧正】명 〖역〗 고려 시대 불교 통제 기구인 좌가 승록사(左街僧錄司)에 소속된 승직(僧職).

좌:-승지【左承旨】명 〖역〗 ①고려 때 밀직사(密直司)의 정삼품(正三品) 벼슬. 왕명(王命)의 출납(出納)을 맡음. 충렬왕(忠烈王) 2년(1276)에 좌승선(左承宣)의 고친 이름. 동 24년에 잠시 종육품(從六品)으로 내렸다가, 곧 다시 회복함. *좌승선(左承宣). ②조선 초기에 중추원(中樞院)의 정삼품 벼슬. ③조선 시대 때 승정원(承政院)의 정삼품 벼슬. 태종(太宗) 원년(1401)에 좌대언(左代言)으로 고쳤다가, 뒤에 다시 본이름으로 함. 1)-3):↔우승지(右承旨).

좌:-승직【左承直】명 〖역〗 고려 때 내시부(內侍府)의 종오품(從五品) 벼슬. 공민왕 때 처음으로 둠. ↔우승직(右承直).

좌:시[1]【坐市】명 이리저리 옮기지 아니하고 한군데에 앉아서 가게를 내어 물건을 파는 곳. 좌전(坐廛).

좌:시[2]【坐視】명 ①앉은 채 봄. ②곁에서 보고 있으면서 참견하지 않음. 가만히 보고만 있음. 방관(傍觀)하고 있음. ¶～할 수 없는 일. ——-하다 타여불

좌:-시금【左侍禁】명 〖역〗 고려 액정국(掖庭局)의 남반(南班)의 정팔품 벼슬. ↔우시금(右侍禁).

좌시다(옛) 타 〈옛〉 잡수시다. ¶果實와 믈와 좌시고 ≪月釋 1:5≫.

좌:-시중【左侍中】명 〖역〗 ↗문하 좌시중(門下左侍中). ↔우시중(右侍中).

좌:-시직【左侍直】명 〖역〗 조선 시대 세자 익위사(世子翊衛司)의 정팔품(正八品) 무관(武官) 벼슬. ↔우시직(右侍直).

좌:시-터【坐市―】명 좌시를 낸 자리. 또, 좌시를 낼 만한 자리.

좌:식【坐食】명 와식(臥食). ——-하다 자여불

좌:식 산공【坐食山空】명 아무리 재산이 많아도 벌지 않고 놀고 먹으면 종국에는 없어지고 만다는 뜻.

좌:-신모전【左新謀典】명 〖역〗 신라 시대에 내성(內省)에 소속되었던 관청.

좌:-신책군【左神策軍】명 〖역〗 고려 시대에 절도사(節度使)에 소속된 12군(軍)의 하나.

좌:-심방【左心房】명 〖생〗 심장 안의 왼쪽 윗 부분. 폐정맥(肺靜脈)에서 오는 피를 받아 좌심실(左心室)로 보내는 구실을 함. 왼쪽 염통방. ↔우심방(右心房).

좌:-심실【左心室】명 〖생〗 심장 안의 왼쪽 아랫 부분. 좌심방(左心房)에서 오는 피를 깨끗하게 하여 대동맥으로 보내는 구실을 함. 왼쪽 염통집. ↔우심실(右心室).

좌:심-증【左心症】[―쯩] 명 〖의〗 심장은 정규의 위치에 있으나 위·장·간장 따위의 내장의 위치가 반대로 되어 있는 질환(疾患). 심장의 이상(異常)에 기인함.

좌:씨-전【左氏傳】명 〖책〗 [↗춘추 좌씨전(春秋左氏傳)] 춘추의 해석서로서 모두 30권. 좌구명(左丘明)의 작품이라고 전하여짐. 전국 시대에 성립된 것임. 좌씨 춘추전(左氏春秋傳). ㊞좌전(左傳).

좌:씨전-체【左氏傳體】명 〖역〗 ≪좌씨전≫의 형식을 모방한 역사 편찬의 한 체(體). 연월(年月)의 순서를 따라 사실(事實)을 적은 것. *편년체(編年體).

좌:씨 춘추전【左氏春秋傳】명 〖책〗 좌씨전. 춘추 좌씨전.

좌:아【坐衙】명 〖역〗 벼슬아치가 관아(官衙)에 출근(出勤)하여 있음. ——-하다 자여불

좌:안[1]【左岸】명 하천(河川)의 하류를 향하여 왼쪽 물가. 왼쪽 연안.

좌:안[2]【左眼】명 왼쪽 눈. ↔우안(右眼).

좌:약【坐藥】명 〖의〗 요도(尿道)·항문(肛門)·음문(陰門) 등에 삽입하여 체온에 의한 용해(溶解)로 약효를 나타내게 만든 약. 좌제(坐劑).

좌:어【坐魚】명 〖동〗 참개구리.

좌:업【坐業】명 ①앉은 채 손으로 하는 일. ②앉아서 일하는 직업.

좌:연-사【左撚絲】명 왼쪽으로 꼰 실.

좌:열【左列】명 왼쪽의 대열(隊列). ↔우열(右列).

좌:열-장【左列將】[―짱] 명 〖역〗 행진(行陣) 때, 좌열의 군사를 맡아 거느리는 장수. ↔우열장(右列將).

좌:영[1]【坐泳】명 앉은헤엄. ↔입영(立泳). ——-하다 자여불

좌:영[2]【左營】명 〖역〗 조선 시대 때 친군영(親軍營)의 하나. 고종(高宗) 20년(1883)에 설치하고, 동 25년에 전영(前營)과 합하여 장위영(壯衛營)이 됨. ↔우영(右營).

좌:-와【坐臥】명 앉음과 누움. ¶행주(行住) ～.

좌:와 기거【坐臥起居】명 좌와와 기거. 곧, 움직여 활동하는 일.

좌:완【左腕】명 ①왼팔. ②왼손잡이. ¶～ 투수(投手). ↔우완(右腕).

좌:왕 우:왕【左往右往】명 우왕 좌왕(右往左往). ——-하다 자여불

좌:욕[1]【坐浴】명 병자(病者) 등이 전신 입욕(全身入浴)을 할 수 없을 때 하반신(下半身)만을 목욕하는 일. 또, 항문(肛門)의 통증을 완화하기 위해서도 행함.

좌:욕[2]【坐褥】명 방석.

좌:욕[3]【挫辱】명 굴욕(屈辱).

좌:우[1]【左右】명 ①왼쪽과 오른쪽. ②측근자(側近者). 근신(近臣). ¶～를 물리치다. ③↗좌지 우지(左之右之). ¶생사를 ～하다/돈에 ～되는 사람. ④존장(尊丈)에 대한 경칭. '어르신네'의 뜻으로 편지에 씀. ⑤좌익과 우익. 좌파(左派)와 우파(右派). ¶～ 합작(合作). ——-하다 타여불

좌:우[2]【座右】명 ①좌석의 오른쪽. ②옆. 곁. ¶～명(銘).

좌:우-간【左右間】부 ①이렇든 저렇든 간에. 어찌 되었든 간에. ¶～ 가보자. ②양단간(兩端間). 좌우지간. ¶～ 대답이나 해라.

좌:우 고면【左右顧眄】명 이쪽저쪽 돌아봄. 주위의 사람을 염려하여 결단(決斷)을 주저(躊躇)함. 좌고 우면(左顧右眄). 좌면 우고(左眄右顧). ——-하다 자여불

좌:우 고시【左右顧視】명 좌우 고면(左右顧眄). ——-하다 자여불

좌:우 구의【左右具宜】[―/―이] 명 재덕(才德)이 겸비하여 못하는 것이 없음.

좌:우 규정소【左右糾正所】명 〖역〗 조선 숙종 29년(1703)에 전라도 지방의 승려를 감독·규찰(糾察)하기 위해 설치한 기관. 금산사(金山寺)에 우규정소·옥룡사(玉龍寺)에 좌규정소를 설치함.

좌:우 균제【左右均齊】명 좌우가 균형이 잡혀 어울림. 상칭(相稱). ——-하다 자여불

좌:우 기거【左右起居】명 일체의 기거하는 동작.

좌:우 대:칭【左右對稱】명 [bilateral symmetry] 〖생〗 생물체를 두 조각으로 나누었을 때 그 나누어진 조각이 균등(均等)한 모양. 좌우 동형(左右同形). 좌우 상칭.

좌:우 대:칭 동:물【左右對稱動物】명 좌우 상칭의 체형(體形)을 하고 있는 동물. 동물계(界)의 대부분이 이에 속함.

좌:우 동형【左右同形】명 좌우 대칭(左右對稱).

좌:우 두:동【左右―】명 윷놀이할 때, 말 두 개가 각각 두 동씩으로 된 것.

좌:우-명【座右銘】명 늘 자리 옆에 갖추어 놓고 조석(朝夕)으로 반성하는 재료로 삼는 격언(格言).

좌:우 보:처【左右補處】명 〖불교〗 부처를 모시는 좌우의 두 보처(補處).

좌:우 부:빈객【左右副賓客】명 〖역〗 좌부빈객(左副賓客)과 우부빈객(右副賓客).

좌:우 분열【左右分裂】명 한 사물이 좌우로 분열함.

좌:우 빈객【左右賓客】명 〖역〗 좌빈객(左賓客)과 우빈객(右賓客).

좌:우 사량【左右思量】명 좌사 우량(左思右量). ——-하다 타여불

좌:우-상【左右像】명 [enantio morph] 〖물〗 결정(結晶)의 반면상(半面像) 및 사(四)반면상의 하나로, 좌우 대칭상(左右對稱像)을 이루는 것을 가리킴.

좌:우 상칭【左右相稱】명 ①시메트리(symmetry). ②좌우 대칭. ③중군(中軍)의 좌우에 비치하는 군대.

좌:우 승지【左右承旨】명 〖역〗 좌승지(左承旨)와 우승지(右承旨).

좌:우-위【左右衛】명 〖역〗 ①고려 때 육위(六衛)의 하나. 상장군(上將軍)과 대장군(大將軍)의 통솔 아래, 열 세 영(領)의 군대가 있었음. ②조선 시대 초 의흥 친군(義興親軍)의 십위(十衛)의 하나. 상장군·대장군의 통솔 아래 다섯 영의 군대가 있었는데, 태조(太祖) 원년(1392)에 설치하여 동 4년에 용양 순위사(龍驤巡衛司)라 고치고, 문종(文宗) 원년(1451)에 오위(五衛)를 두면서 폐하였음.

좌:우 의:정【左右議政】명 〖역〗 좌의정과 우의정.

좌:우-익【左右翼】명 ①군진(軍陣)의 좌우에 벌이어 있는 군대. ②좌익(左翼)과 우익(右翼).

좌:우 장애【左右障礙】명 [도 Linksrechtsstörung] 〖의〗 좌우를 잘못 인식(認識)하여 좌우에 관한 행위를 그르치는 증상(症狀). 자기 신체부위 실인(自己身體部位失認) 중 가장 현저한 증상임. *실인(失認).

좌:우-정【左右晶】명 같은 대칭(對稱) 요소를 갖는 두 개의 결정의 형(形)이 서로 대칭의 관계에 있는 것. 결정면의 위치에 따라 각각 좌정(左晶)·우정(右晶)이라 함.

좌:우-지【左右之】명 ↗좌지 우지(左之右之). ——-하다 타여불

좌:우지-간【左右之間】부 좌우간(左右間).

좌:우 찬:성【左右贊成】명 〖역〗 좌찬성(左贊成)과 우찬성(右贊成).

좌:우 참찬【左右參贊】명 〖역〗 좌참찬(左參贊)과 우참찬(右參贊).

좌:우 청촉【左右請囑】명 갖은 수단을 다 써서 이리저리 여러 곳에 청함. 좌청 우촉(左請右囑). ——-하다 타여불

좌:우 충돌【左右衝突】명 ①좌익과 우익의 충돌. ②좌충 우돌(左衝右突). ——-하다 자여불

좌:우-편【左右便】명 왼쪽과 오른쪽의 두 편.

좌:우-협【左右挾】명 좌협(左挾)과 우협(右挾).

좌:우 협공【左右挾攻】명 양쪽에서 죄들어가며 공격(攻擊)함. ——-하다 타여불

좌:원 우:응【左援右應】명 이쪽저쪽 다 응원함. ——-하다 자여불

좌:월【左越】명 야구에서, 타구가 왼쪽 담장을 넘는 일. ↔우월(右越). ¶～ 솔로 홈런.

좌:위【左衛】명〖역〗조선 시대 초의 의흥 친군위(義興親軍衛)의 하나. 상장군(上將軍)과 대장군(大將軍)의 통솔 아래 다섯 영(領)의 군대가 있었는데 태조(太祖) 원년(1392)에 설치하여 동 4년에 의흥 시위사(義興侍衛司)라 고치고, 문종(文宗) 원년(1451)에 오위(五衛)를 두면서 폐하였음. ↔우위(右衛).

좌:-위수【左衛率】명〖역〗①고려 때 춘방원(春坊院)의 정오품(正五品) 벼슬. 공양왕(恭讓王) 3년(1391)에 두었는데, 무관직(武官職)이었음. ②조선 시대 때 세자 익위사(世子翊衛司)의 종육품(從六品) 벼슬. ↔우위수(右衛率).

좌:위 호흡【座位呼吸】명〔orthopnea〕〖의〗호흡 곤란이 심해서, 앉은 자세를 취하지 않으면 충분히 호흡을 할 수 없는 상태. 심장성 천식(心臟性喘息), 고도(高度)의 심부전(心不全), 삼출성 심막염(滲出性心膜炎) 등에서 일어남.

좌:-유덕【左諭德】명〖역〗고려 때 동궁(東宮)의 정사품 벼슬. 서자(庶子)의 다음. 문종(文宗) 22년(1068)에 정함. ↔우유덕(右諭德).

좌:-유선【左諭善】명〖역〗조선 시대 세손 강서원(世孫講書院)의 당하 삼품(堂下三品), 또 종이품 벼슬. ↔우유선(右諭善).

좌:윤[1]【左尹】명〖역〗①고려 때 삼사(三司)의 종삼품 벼슬. 공민왕(恭愍王) 11년(1362)에 베풂. ②조선 시대 한성부(漢城府)의 종이품 벼슬. ↔우윤(右尹).

좌:윤[2]【左允】명〖역〗발해 시대에 최고의 행정 서무 기구인 정당성(政堂省)에 소속되었던 관직.

좌:윤[3]【佐尹】명〖역〗①태봉(泰封)의 벼슬 이름. ②고려 국초(國初)에 태봉의 관제를 본떠서 베푼 문무(文武)의 관호(官號). ③고려 때 향직(鄕職)의 육품(六品).

좌:은【坐隱】명〔앉아서 은둔한다는 뜻〕'바둑'의 이칭.

좌:의 우:유【左宜右有】[—/—이—] 명 군자(君子)가 재덕(才德)을 아울러 갖춘 것을 이르는 말.

좌:-의자【坐椅子】명 철퍼덕 앉아서 기대는 다리 없는 의자.

좌:-의정【左議政】명〖역〗조선 시대 의정부(議政府)의 정일품 벼슬. 우의정의 위, 영의정의 아래임. 좌규(左揆)·좌상(左相)·좌정승(左政丞)·좌합(左閤) 등의 별칭으로 불림. ↔우의정(右議政).

좌:이【佐貳】명〖역〗조선 시대 때 육조(六曹)의 참판(參判)·참의(參議)의 통칭.

좌:-이대:사【坐而待死】명 궁박함이 막다른 골에 다다라, 어찌 하는 수 없어 운명에 맡김. ——-하다 자여불

좌:-이방부【左理方府】명〖역〗신라 때 형률(刑律)을 맡은 관아. 진덕 여왕 5년(651)에 베풀어서 효소왕(孝昭王) 원년(692)에 의방부(議方府)라고 고침. ↔우이방부(右理方府).

좌:-이부동【坐而不動】명 한곳에 꼼짝 않고 그대로 앉아 있음.

좌:익【左翼】명 ①왼쪽 날개. ②중군(中軍)의 왼쪽에 있는 군대. 좌익군. ③〖사〗〔프랑스 대혁명 이후 의회에서 급진 과격파인 자코뱅 당(Jacobin 黨)이 왼쪽의 의석을 차지한 데서〕급진적·과격적인 당파. ④〖사〗과격하고 파괴적인 공산당을 가리키는 말. ⑤축구에서, 공격진(攻擊陣) 다섯 사람의 맨 왼쪽 선수(選手). 레프트 윙(left wing). ⑥야구에서, 외야(外野)의 왼쪽. 레프트 필드(left field). ⑦↗좌익수(左翼手). 1)-7): ↔우익(右翼).

좌:익 공신【佐翼功臣】명〖역〗조선 세조(世祖) 원년(1455)에 세조의 즉위(卽位)에 공을 세운 계양군(桂陽君) 이하 45인에게 내린 훈호(勳號).

좌:익-군【左翼軍】명 포진(布陣)하였을 때 중군(中軍)의 좌익(左翼)에 있는 군사. 좌익(左翼). 준 좌군(左軍). ↔우익군(右翼軍).

좌:익 분자【左翼分子】명 사회 운동에 있어서 급진적·과격적 당파에 속한 사람. 흔히, 공산당에 속한 사람을 말함.

좌:-익선【左翊善】명〖역〗조선 시대에, 세손 강서원(世孫講書院)의 종사품 벼슬. ↔우익선(右翊善).

좌:익 소:아병【左翼小兒病】[—뼝] 명〔left infantile disease〕〖사〗공산주의 운동에서 현실적인 조건을 충분히 이해하지 않고, 극단으로 공식론적(公式論的)인 급진 사상을 표방하는 극렬적인 경향. 1920년 레닌(Lenin)이 ≪공산주의에 있어서의 좌익 소아병≫에서 지적함. 그 후 이 용어는 공산주의 운동 내에서 주류파(主流派)가 어떤 반대파(反對派)를 공격하는 데 이용되었음.

좌:익-수【左翼手】명〖체〗야구에서, 좌익을 맡아 지키는 선수. 레프트 필더(left fielder). 준 좌익(左翼). ↔우익수(右翼手).

좌:-익위【左翊衛】명〖역〗조선 시대에, 세자 익위사(世子翊衛司)의 으뜸 벼슬. 정오품의 무관직(武官職)임. ↔우익위(右翊衛).

좌:익-장【左翼將】명 좌익군(左翼軍)을 지휘·통솔하는 장수. ↔우익장(右翼將).

좌:익-적【左翼的】명관 좌익(左翼)의 성질을 띠는 모양. ↔우익적(右翼的).

좌:익 정당【左翼政黨】명 공산주의 정당이나 사회주의 정당의 속칭. ↔우익 정당(右翼政黨).

좌:-익찬【左翊贊】명〖역〗조선 시대에, 세자 익위사(世子翊衛司)의 정육품 무관 벼슬. ↔우익찬(右翊贊).

좌:익-화【左翼化】명 적화(赤化). ——-하다 자타여불

좌:인【左人】명 왼쪽에 있는 사람. ↔우인(右人).

좌:-임【左衽】명〔북쪽 미개한 인종의 옷 제도가 오른쪽 섶을 왼쪽 섶 위로 여민다는 데서 유래함〕미개함을 이르는 말.

좌:-자의【左諮議】[—/—이] 명〖역〗조선 초기에 삼사(三司)의 정사품 벼슬. ↔우자의(右諮議).

좌:작【坐作】명 앉음과 일어남. 기거 동작(起居動作).

좌:작 진:퇴【坐作進退】명 ①기거 동작(起居動作). ②군대의 교련에서 지휘관은 가만히 앉아서 지휘만 하여도 군대는 제대로의 진퇴가 됨을 이름. ——-하다 자여불

좌:장[1]【左將】명〖역〗백제 시대에 병마권(兵馬權)을 관장했던 관직.

좌:장[2]【坐杖】명 늙은이가 겨드랑이를 괴어 몸을 의지하는 정자형(丁字形)의 짧은 지팡이. *협장(脇杖).

〈좌장[1]〉

좌:장[3]【坐贓】명 벼슬아치가 아무 까닭없이 백성에게서 재물을 거두어 받음.

좌:장[4]【座長】명 여럿이 모인 자리에서 으뜸이 되는 사람. 석장(席長).

좌:-장례【左掌禮】[—녜] 명〖역〗대한 제국 때 장례원(掌禮院)의 주임(奏任) 벼슬. 고종(高宗) 광무(光武) 원년(1897)에 장례(掌禮) 한 사람을 두 사람으로 늘린 가운데 그 하나. ↔우장례(右掌禮).

좌:-장사【左長史】명〖역〗조선 시대에, 세손 위종사(世孫衛從司)의 종육품 무관(武官) 벼슬. ↔우장사(右長史).

좌:장지【坐藏之】명 '자지'의 이칭(異稱).

좌:재【坐齋】명 제사 전날부터 정화수(井華水)에 목욕하고 재계(齋戒)하는 일. ——-하다 자여불

좌:전[1]【左前】명 야구에서, 좌익수의 앞. ¶～ 안타. ↔우전(右前).

좌:전[2]【左傳】명〖책〗↗좌씨전(左氏傳).

좌:전[3]【坐廛】명 좌시(坐市).

좌:전[4]【座前】명 좌하(座下).

좌:전-등【左纏藤】명〖식〗겨우살이덩굴. 인동덩굴.

좌:절【挫折】명 ①마음과 기운이 꺾임. ②어떤 계획이 수포(水泡)로 돌아감. 좌돈(挫頓). 좌돈(挫頓). 좌절(挫折). 최절(摧折). 최좌(摧挫). ——-하다 자여불

좌:절-감【挫折感】명 일이나 계획이 잘 되지 않아 전도의 희망을 잃은 심정. ¶～에 사로잡히다.

좌:정【坐定】명 '앉음'의 공대말. ——-하다 자여불

좌:정 관천【坐井觀天】명 우물에 앉아 하늘을 봄. 곧, 견문(見聞)이 썩 좁음을 이르는 말. 정중 관천(井中觀天). *정저와(井底蛙).

좌:-정승【左政丞】명〖역〗'좌의정(左議政)'의 별칭. ↔우정승.

좌:-정언【左正言】명〖역〗①고려 때 중서 문하성(中書門下省)의 종육품(從六品) 벼슬. 예종(睿宗) 11년(1116)에 좌습유(左拾遺)의 고친 이름. ②조선 시대에, 사간원(司諫院)의 정육품(正六品) 벼슬. 1)·2): ↔우정언(右正言).

좌:제【坐劑】명〖의〗좌약(坐藥).

좌:제 우:설【左提右挈】명 좌제 우휴(右攜).

좌:제 우:휴【左提右攜】명 손을 맞잡고 서로 도움. 좌제 우설.

좌:조[1]【左調】명〖악〗낙시조(樂時調).

좌:조[2]【坐照】명 바둑에서, 기력(棋力)의 단계를 나타내는 말의 하나. 조용히 앉아서 조감(照鑑)할 줄 알게 되었다는 뜻에서 8단(段)을 이르는 말. *입신(入神).

좌:족[1]【左足】명 왼발. ↔우족(右足).

좌:족[2]【左族】명 서족(庶族).

좌:종【坐鐘】명 책상 따위에 앉히어 놓게 만든 자명종(自鳴鐘). *괘종(掛鐘).

좌:-종당【左宗棠】명〖사람〗중국 청말(淸末)의 군인·정치가. 후난 성(湖南省) 사람. 1852년 이후 증국번(曾國藩)의 상군(湘軍)을 지휘하여 태평 천국(太平天國)의 난을 진압. 1866년 중국 최초의 관영 조선소(造船所)를 만들어 양무 운동(洋務運動)의 선구자가 됨. 1876년에는 흠차 대신(欽差大臣)으로서 신장(新疆)의 위구르족(Uigur 族)의 난을 진압하고, 1884년의 청프 전쟁 발발 당시에는 평화 외교를 벌임. [1812-85]

좌:-종사【左從史】명〖역〗조선 시대에, 세손 위종사(世孫衛從司)의 종육품 무관 벼슬. ↔우종사(右從史).

좌:죄【坐罪】명 죄를 받음. ——-하다 자여불

좌:주[1]【左注】명 본문의 좌측에 단 주석(注釋).

좌:주[2]【坐奏】명〖악〗앉아서 하는 연주. ——-하다 자여불

좌:주[3]【座主】명 ①〖역〗은문(恩門). ②〖불교〗대중의 좌장(座長).

좌:중【座中】명 여러 사람이 모인 자리. 좌상(座上).

좌:-중간【左中間】명 야구에서, 좌익수와 중견수 사이. ¶～으로 빠지는 2루타.

좌쥬 명〈옛〉객주(客主). 위탁업자(委託業者). ¶牙行牙ㅈ름 行音杭 猶本國좌쥬 ≪吏文輯覽 Ⅳ:29≫.

좌:증【左證】명 증참(證參).

좌:지【坐地·座地】명 ①어느 계급으로 보아 높은 자리. ¶설마 모발이 희끗희끗한 ～로 나 같은 어린 사람을 속일 리가 없을 듯도 하고…≪李海朝: 花의 血≫. ②나라를 다스리는 지위. ③자리 잡아 사는 땅의 위치.

좌:지 불천【坐之不遷】명 어떤 자리에 눌러 앉아서 옮기지 아니함. ——-하다 자여불

좌:지 우:오【左支右吾】명 이리저리 버티어서 겨우 지탱(支撐)해 나감. ——-하다 자타여불

좌:지 우:지【左之右之】명 ①제 마음대로 자유롭게 처리함. ②남을 마음대로 지휘함. 준 좌우(左右)·좌우지(左右之). ——-하다 타여불

좌:직【坐職】명 좌업(坐業).

좌:진-사【佐眞使】명〖역〗고려 국초에 태봉(泰封)의 제도를 따서 베푼 관등(官等)의 아홉째 관계(官階). 봉진위(奉進位)의 다음.

좌:차【座次】명 좌석의 차례.

좌:차 우:란【左遮右攔】명 전력(全力)을 다하여서 이리저리 막아 냄. ——-하다 타여불

좌:-찬독【左贊讀】명〖역〗조선 시대에, 세손 강서원(世孫講書院)의 종육품 벼슬. ↔우찬독(右贊讀).

좌:찬선 대:부【左贊善大夫】명〖역〗고려 때 동궁(東宮)의 정오품(正五品) 벼슬. 문종(文宗) 22년(1068)에 처음으로 베풀었음. ↔우찬선 대부(右贊善大夫).

좌:-찬성【左贊成】명〖역〗조선 시대, 의정부(議政府)의 종일품 벼슬. ↔우찬성(右贊成).

좌:참【坐參】명〖불교〗선종(禪宗)에서, 저녁때에 행하는 좌선(坐禪). 주지(住持) 앞에 참선(參禪)하여 소견(所見)을 말하기 전에 먼저 승당(僧堂)에 좌선하여 마음을 가라앉힘. ——-하다 자여불

좌:-참찬【左參贊】명〖역〗조선 시대, 의정부(議政府)의 정이품 벼슬. ↔우참찬(右參贊).

좌:창[1]【左倉】명〖역〗고려 때에 백관(百官)의 녹봉(祿俸)을 맡은 관아(官衙). 충렬왕(忠烈王) 34년(1308)에 광흥창(廣興倉)이라 고쳐 일컬음. ↔우창(右倉).

좌:창[2]【坐唱】명〖악〗앉은 소리. ↔입창(立唱).

좌:창[3]【挫創】명〖의〗좌상(挫傷). 좌창(挫創).

좌:창[4]【痤瘡】명〖의〗털구멍 부위(部位)가 염증을 일으켜서 생기는 농포(膿疱) 및 원뿔꼴의 구진(丘疹). 특히, 사춘기 남녀의 얼굴·가슴·등에 나타나는 것은 여드름이라 이름.

좌:처【坐處】명 ①앉은 자리. ②집이 차지하고 있는 그 곳.

좌:척【左戚】명 천자(天子)의 외척(外戚).

좌:천【左遷】명〔중국에서 오른쪽을 숭상하고 왼쪽을 하시(下視)했던 습관에서 온 말〕벼슬자리를 아래로 떨어뜨리거나 좋은 자리에서 나쁜 자리로 또는 내관(內官)에서 외관(外官)으로 전근시키는 일. ↔영전(榮轉). ——-하다 타여불

좌:철【座鐵】명〖공〗따리쇠.

좌:-첨사【左詹事】명〖역〗①고려 때 동궁(東宮)의 정삼품 벼슬. 인종(仁宗) 9년(1131)에 첨사부(詹事府)에 둠. ②고려 왕비부(王妃府)의 한 벼슬. 문종(文宗) 때에 베풂.

좌:-청룡【左靑龍】[—뇽] 명〖민〗'청룡(靑龍)❸'을 분명히 일컫는 말. ↔우백호(右白虎).

좌:청 우:촉【左請右囑】명 좌우 청촉(左右請囑). ——-하다 타여불

좌:초【坐礁】명 함선(艦船)이 암초(暗礁)에 얹힘. ——-하다 자여불

좌:-초롱【坐—籠】명 네모 반듯하고 사면엔 종이나 유리가 끼워져있고 그 속에 조그마한 촛대를 넣어 방 안에 놓게 된, 운두가 썩 높은 등(燈). 위에 들쇠가 있어 걸기도 함.

좌:촌【左寸】명〖역〗수촌(手寸).

좌:충 우:돌【左衝右突】명 ①이리저리 닥치는 대로 마구 찌르고 치고 받고 함. 좌우 충돌(左右衝突). ②아무 사람이나 구분하지 않고 함부로 맞닥뜨림. ——-하다 자여불

좌:측【左側】명 왼쪽. 왼쪽 옆. ↔우측(右側).

좌:측-면【左側面】명 좌측의 방면. ↔우측면(右側面).

좌:측 통행【左側通行】명 교통 질서를 유지하기 위하여 사람은 길의 좌측을 통행하는 일. ↔우측 통행(右側通行). ——-하다 자여불

좌:치【佐治】명 좌리(佐理). ——-하다 자여불

좌:탑【坐榻】명〖역〗고려 때 관청에서 사용하던 좌상(坐床)의 일종. 아무 장식도 없고 모양은 넓적함.

좌터시다 타〈옛〉잡수시더라. '좌시다'의 활용형. ¶몬져 좌터시다(先飯)《內訓 I:8》.

좌:-통례【左通禮】[—네] 명〖역〗조선 시대의 통례원(通禮院)의 으뜸 벼슬. 정삼품임. ↔우통례(右通禮).

좌:파【左派】명 ①좌익(左翼)의 파. ②한 당(黨)이나 파(派) 중에서 보다 급진적(急進的)인 파. ¶당내 ~. 1)·2):↔우파(右派).

좌:판【坐板】명 땅에 늘어놓고 죽 앉게 된 널.

좌:패【坐牌】명 시골의 불량한 무리가 못된 짓을 할 때에 현장에 앉아서 그 계책을 꾸미는 사람. ↔출패(出牌).

좌:편【左便】명 왼쪽. 왼편짝. ↔우편(右便).

좌:평【佐平】명〖역〗백제 때 십육품 관등(十六品官等)의 첫째 등급. 내신 좌평(內臣佐平)·내두 좌평(內頭佐平)·내법 좌평(內法佐平)·위사 좌평(衛士佐平)·조정 좌평(朝廷佐平)·병관 좌평(兵官佐平)의 여섯 좌평이 있었음.

좌:-평장사【左平章事】명〖역〗발해 시대에 왕명(王命)의 출납을 관장하던 선조성(宣詔省)의 차관직.

좌:포도 대:장【左捕盜大將】명〖역〗조선 시대 때 좌포도청(左捕盜廳)의 으뜸 벼슬로, 종이품의 무관직. ㊂좌포장(左捕將). ↔우포도 대장(右捕盜大將).

좌:-포도청【左捕盜廳】명〖역〗조선 시대, 포도청(捕盜廳)의 좌청(左廳). 좌변(左邊). 좌변청(左邊廳). ㊂좌포청(左捕廳). ↔우포도청(右捕盜廳).

좌:포 우:혜【左脯右醯】명 제사의 제물(祭物)을 진설(陳設)할 때, 육포(肉脯)는 왼쪽에, 식혜(食醯)는 오른쪽에 차리는 격식. *조과동 천실서(造果東天實西).

좌:-포장【左捕將】명〖역〗↗좌포도 대장(左捕盜大將). ↔우포장(右捕將).

좌:-포청【左捕廳】명〖역〗↗좌포도청. ↔우포청(右捕廳).

좌:표【座標】명〔coordinates〕①〖수〗어떤 위치(位置)나 점의 자리를 나타내는 데에 표준이 되는 표. 곧, 한 평면 위에 서로 직각으로 교차하는 두 직선을 정해 놓으면, 이 평면 상의 임의의 점의 위치는 이 두 직선에 이르는 거리에 의해서 완전히 단 한 가지로만 표시됨. 일반적으로, 기하학의 원소(점·선 따위)에 대하여 다른 정해진 기준 원소(基準元素)(전례(前例)의 두 직선)에 이르는 거리를 나타낸 수치의 조(組)를 그 원소의 좌표라 함. 자리표(標). ②〖지〗어떤 점(點)이 소정(所定)의 지점 지시 방식(地點指示方式) 중에서 차지하는 위치를 지시하는 선분(線分) 또는 각도(角度). ③〖지〗평면 직각 좌표(平面直角座標), 구면(球面) 좌표와 같이, 특수한 지점 지시 방식을 가리키는 일반적 용어(一般的用語).

좌:표-계【座標系】명〖수〗좌표의 종류·원점(原點)·좌표축(軸) 따위의 총칭(總稱).

좌:표 기하학【座標幾何學】명〖수〗해석 기하학.

좌:표-대【座標—】명〖수〗좌표축(座標軸).

좌:표 변:환【座標變換】명 ①〔transformation〕〖수〗공간(空間)의 위치 등을 하나의 좌표로 나타낸 것을 새로이 다른 좌표계(座標系)로 나타내는 일. ②〔coordinate conversion〕〖지〗지도(地圖)의 좌표치(座標値)를 어떤 시스템으로부터 다른 시스템의 수치(數値)로 변환하는 일.

좌:표-축【座標軸】명〖수〗좌표의 기준(基準)이 되는 가로·세로의 선(線). 좌표대.

좌:표축 원점【座標軸原點】[—쩜] 명〖수〗좌표에 있어서 좌표축이 교차하는 점(點).

좌:표-판【座標板】명 좌표를 그려 놓은 판.

좌:표 평면【座標平面】명〖수〗①좌표계의 정해진 평면. 이 평면의 각 점에는 그 좌표로 일컬어지는 두 수(數)의 쌍이 하나씩 대응하고 있으며, 이것을 이용하여 도형(圖形)의 성질을 대수 계산(代數計算)에 의해 연구할 수가 있음. ②직교 좌표계(直交座標系)나 사교(斜交) 좌표계의 정해진 공간에 있어서의 두 좌표축을 포함한 평면.

좌:품 천신【座品天神】명〖천주교〗구품 천신 중 상급에 속하는 천신. 천주의 판결을 전달하는 천신.

좌:-풍익【左馮翊】명〖역〗중국 한(漢)나라 때에 서울을 지키어 다스리던 삼보(三輔)의 한 벼슬. *경조윤(京兆尹)·우부풍(右扶風)·삼보(三輔).

좌:하[1]【坐夏】명〖불교〗여름 석 달 동안을 참선(參禪)하고 앉았음. 또, 「그 일.

좌:하[2]【座下】명 주로 편지글에서 편지를 받아 보는 사람의 이름 아래에 공대하여 쓰는 말. 좌전(座前). 연북(硯北·研北).

좌:합【左閤】명〖역〗조선 시대 '좌의정(左議政)'의 별칭. ↔우합(右閤).

좌:해【左海】명〔바다를 동쪽에 두었다는 뜻. 천지(天地)는 남쪽을 앞, 북쪽을 뒤로 치므로, 동쪽은 좌(左)에 해당함〕우리 나라의 별칭.

좌:해 쌍절【左海雙絶】명〖책〗조선 시대 중종(中宗)에서 선조(宣祖)에 이르는 사이의 명가(名家)의 시찰(詩札)을 수집한 것. 이행(李荇)·신광한(申光漢)·심수경(沈守慶)·기대승(奇大升)·심희수(沈喜壽) 등 5인의 글이 실려 있음. 시격(詩格)과 서법(書法)이 함께 아름답다고 하여 쌍절이라고 함. 1 첩(帖).

좌:향【坐向】명〖민〗묏자리나 집터 따위의 등진 방위에서 정면으로 바라보이는 방향.

좌:향 앞으로 가【左向—】감 정지 상태 또는 행진(行進) 간에, 왼쪽으로의 방향 전환과 행진을 지시하는 구령. 왼쪽으로 90도 꺾어서 앞으로 나아감.

좌:향 좌【左向左】감 선 자세에서 왼쪽으로 90도 방향을 바꾸라는 구령.

좌:-헌납【左獻納】명〖역〗고려 때 도첨의사사(都僉議使司)의 낭사(郎舍) 벼슬. 좌보궐(左補闕)의 뒷 이름으로 충렬왕(忠烈王) 34년(1308)에 좌사간(左司諫)의 고친 이름. ↔우헌납(右獻納). *좌보궐(左補闕).

좌:험【左驗】명 사건 당시에 그 곁에서 그 일을 직접 본 증인(證人).

좌:현【左舷】명 선미(船尾)에서 뱃머리를 향하여 왼쪽의 뱃전. ↔우현(右舷).

좌:현-묘【左舷錨】명 왼쪽 뱃전에 마련한 닻. ↔우현묘(右舷錨).

좌:협[1]【左挾】명〖악〗↗좌협무(左挾舞). ↔우협(右挾).

좌:협[2]【左頰】명 왼뺨.

좌:협-무【左挾舞】명〖악〗주연자(主演者)의 왼쪽에서 춤추는 사람. ㊂좌협(左挾). ↔우협무(右挾舞).

좌:화【坐化】명〖불교〗앉은 자리에서 그대로 왕생(往生)하는 일. ——-하다 자여불

좌:-회전【左廻轉·左回轉】명 차 따위가 왼쪽으로 돎. ¶~ 금지. ↔우회전. ——-하다 자여불

좌:-회전성【左回轉性】[—썽] 명〔levorotatory〕〖물〗통과하는 빛의 편광면(偏光面)을 왼쪽으로 선회(旋回)시키는 성질. ↔우회전성(右回轉性). *광학 활성(光學活性).

좌:흥【座興】명 좌중(座中)의 일시적 흥취. ¶~을 돋우다.

좍 부 넓게 퍼지는 모양. ¶장안에 소문이 ~ 퍼지다/ 시내에 군경이 ~ 깔리다. ㅆ쫙. ——-하다 자여불

좍:좍 부 ①굵은 빗방울이나 물 줄기가 힘차게 쏟아지는 모양이나 소리. ¶비가 ~ 오다. ②글을 거침없이 내리읽는 모양. ¶천자문(千字文)을 ~ 읽어 내리다. ③연해 넓게 퍼지는 모양. 1)-3):ㅆ쫙쫙. *죽죽·쭉쭉. ——-하다 자여불

좔:좔 부 액체(液體)가 많이 힘차게 흐르는 모양. 또, 그 소리. ¶수도 물이 오랜 만에 ~ 나온다. ㅆ쫠쫠. ——-하다 자여불

좔:좔-거리다 자 액체가 좔좔하며 흐르다. ㅆ쫠쫠거리다.

좔:좔-대다 자 좔좔거리다.

좔좔좔 부 좔좔거리는 소리. 또 그 모양. ㅆ좔좔좔 ——-하다 자여불

좡:이 명 〈방〉 쟁이.

좨:기[1] 명 데친 나물이나 반죽한 가루를 조그마하고 둥글넓적하게 만든 ㄴ조각.

좨:기[2] 명 〈방〉 제기(함경).

좨:-들다 자 ↗죄어들다.

좨:주【祭酒】명 〖역〗 ①고려 때 국자감(國子監)·성균감(成均監)·성균관(成均館)의 종삼품(從三品) 벼슬. ②조선 시대 초에 성균관의 종삼품 벼슬. 태종(太宗) 원년(1401)에 사성(司成)이라고 고침.

좨집 명 〈방〉 기와집(함경).

좨:-치다 타 ↗죄어치다.

쟁:이 명 그물의 한 가지. 원추형으로 생겼는데, 상부에 몇 발의 벼리가 있고, 하부에는 납 또는 쇠로 된 추가 달렸음. 벼리를 잡고 물 속으로 펴서 던져, 그물이 바닥에 닿은 후 천천히 벼리를 당겨서 그물을 죄어 속에 든 고기를 건져 올림. 투망(投網).

〈쟁이〉

쟁:이 그물 명 쟁이.

쟁이-질 명 쟁이를 던져 물고기를 잡는 짓. ——-하다 자여불

죄[1] 명 〈방〉 조[1](경북).

죄:[2]【罪】명 ①도의에 벗어난 악행(惡行)·악사(惡事). 양심을 속이는 일. ¶~와 벌. ②벌을 받을 만한 일. ¶일찍 간 ~로 오래 기다렸다. ③〖법〗 법률에 위반되어 처벌을 면하지 못하는 불법 행위. 범죄(犯罪). ④〖불교〗 죄업(罪業). ⑤〖기독교〗 하느님의 계명(誡命)을 거역하고 그의 명령을 감수(甘受)하지 않는 인간의 행위. *원죄(原罪).

[죄는 막둥이가 짓고 벼락은 샌님이 맞는다] 나쁜 짓을 한 사람은 따로있고 억울하게 다른 사람이 벌을 받게 될 때를 이름. [죄는 지은 데로 가고 덕은 닦은 데로 간다] 죄지은 사람이 벌을 받고 덕 닦은 사람이 복을 받는다는 말. *인과 응보(因果應報). [죄는 지은 데로가고 물은 곬으로 흐른다] 나쁜 짓을 한 사람은 벌을 받게 마련이라는 뜻. [죄는 천 도깨비가 짓고 벼락은 고목이 맞는다] 남의 죄의 벌을 억울하게 받음을 이르는 말.

죄:(가) 돌:다 구 죄가 돌아오다. 죄를 받다. ¶남에게 해코지하더니, 죄가 돌아서 병이 났다.

죄:[3] 부 ↗죄다[2].

죄:-갚음【罪—】명 속죄(贖罪). ¶~으로 전재산을 사회에 내놓다. ——-하다 자여불

죄:건【罪愆】명 죄와 허물. ¶이스라엘 자손의 거룩하게 드리는 성물의 ~을 담당하게 하라≪구약 출애굽기 XXⅧ : 38≫.

죄:견【罪譴】명 죄. 허물.

죄:고【罪辜】명 죄과(罪過).

죄:과[1]【罪科】[—꽈] 명 ①죄와 허물. ②법률에 비추어 처벌함. ¶살인에 대한 ~는 무겁다. ——-하다 타여불

죄:과[2]【罪過】명 죄와 허물. 법률·도덕에 어그러지는 행위. 죄고(罪辜). 죄구(罪咎).

죄:괴【罪魁】명 범죄의 장본인. 악당의 괴수.

죄:구[1]【罪垢】명 〖불교〗 죄악이 몸을 더럽힘을, 때에 비유한 말.

죄:구[2]【罪咎】명 죄과(罪過).

죄:근【罪根】명 ①범죄의 원인. ②〖불교〗 무명 번뇌(無明煩惱)인 죄장(罪障)의 근원.

죄:기 명 〈방〉 제기[1](강원·전남).

죄:기-조【罪己詔】명 임금이 스스로를 꾸짖는 말.

죄:-기죄【罪其罪】명 그 죄를 죄로서 다스림. ——-하다 타여불

죄끼 명 〈방〉 조끼.

죄:다[1] 타 ①느즈러진 것을 켕겨 되게 하다. ¶고삐를 ~. ②벌어진 사이를 좁히다. ¶죄어 앉아라/볼트를 ~. ③조마조마 하며 몹시 불안해하다. 또, 마음을 졸여 간절히 바라고 기다리다. ¶마음을 ~. ④조아서 깎아 내다. ¶돌을 정으로 ~.

죄:다[2] 부 모조리 다. 조금도 남기지 않고 모두. 무비(無非). 몽땅. ¶~ 주다/~ 먹어 버리다. 준죄.

죄:당 만:사【罪當萬死】명 큰 죄를 지어서 죽어 마땅함. ——-하다 형여불

죄:-돌다 자 죄를 받다.

죄:려【罪戾】명 몹시 사리(事理)에 어그러진 죄.

죄:례【罪例】명 〖역〗 죄의 성립 및 그 경중을 정하는 표준.

죄링이-질 명 〈방〉 찬 입질(함경). ——-하다 자

죄:루【罪累】명 범죄의 연루(連累). 죄를 받을 만한 재해(災害).

죄리 명 〈방〉 조리[3](강원).

죄리우다 타 〈방〉 줄이다(전북).

죄림 명 〈방〉 졸음[1](경기).

죄:만【罪萬】명 ↗죄송 만만(罪悚萬萬). ——-하다 형여불

죄:만-스럽다【罪萬—】형ㅂ불 매우 죄송한 느낌이 있다. 죄:만-스레【罪萬—】부

죄머링 [Sömmering, Samuel Thomas von] 명 〖사람〗 독일의 해부학자. 마인츠(Mainz) 대학의 해부학·생리학 교수. 뼈와 신경의 명칭에 그의 이름이 몇몇 남아 있음. 뒤에, 의학 이외의 연구로 옮겨, 1809년에 전신기(電信機)를 발명하고, 화석 동물(化石動物)의 연구도 행하였음. ㄴ[1755-1830]

죄:면【一面】명 ←조면(阻面).

죄:멸【罪滅】명 선(善)한 일을 하여 과거(過去)의 죄를 갚아서 없애는 일. 죄를 벗어 버리기 위하여 적공(積功)하는 일. 속죄(贖罪). ——-하다 타여불

죄:명【罪名】명 범죄의 명칭. 위증죄·절도죄 따위.

죄:목【罪目】명 저지른 죄의 명목(名目). 범죄의 종류.

죄:민【罪悶】명 죄스럽고 민망함. ——-하다 형여불

죄:민-스럽다【罪悶—】형ㅂ불 죄송하고 민망(憫惘)하다. ¶자기의 이러한 심정이나 기분이 죄민스럽고 부끄럽지 않을 수 없으나…≪廉想涉 : 新婚記≫. 죄:민-스레【罪悶—】부

죄:-밑【罪—】명 ①죄를 저지른 내심의 불안(不安). ¶지각한 것이 ~이 되어 열심히 일하다. ②범죄의 진상.

죄:-받다【罪—】자 나쁜 짓을 하여 괴로운 일을 당하다. ↔죄주다.

죄:벌【罪罰】명 죄와 벌. 형벌.

죄:범【罪犯】명 죄. 범죄(犯罪).

죄:보【罪報】명 〖불교〗 죄업(罪業)에 대한 응보(應報).

죄:복 무주【罪福無主】명 〖불교〗 죄와 복은 마음에 생겨 마음에 붙는 것이나, 마음이 공(空)하면 그 주장이 없어 죄도 복도 생기지도 않고 붙지도 않는다는 말.

죄:-불용어사【罪不容於死】명 죄가 커서 죽어도 오히려 부족함.

죄:-불용주【罪不容誅】명 죄불용어사(罪不容於死).

죄:사【罪死】명 죄를 지어 죽음을 당함. *사죄(死罪). ——-하다 자여불

죄:상【罪狀】명 범죄의 실상(實狀). 범죄의 구체적인 사실.

죄:상 가죄【罪上加罪】명 죄상 첨죄(罪上添罪).

죄:상 첨죄【罪上添罪】명 죄인이 다시 죄를 저지름. 죄상 가죄. ——-하다 자여불

죄:송【罪悚】명 죄스럽고 황송(惶悚)함. ——-하다 형여불. ——-히 부

죄:송 만:만【罪悚萬萬】명 매우 죄스럽고 황송함. 준죄만(罪萬). ——-하다 형여불

죄:송-스럽다【罪悚—】형ㅂ불 마음이 죄스러워 매우 송구(悚懼)하다. 죄:송-스레【罪悚—】부

죄:수【罪囚】명 옥에 갇힌 죄인(罪人). 형벌(刑罰)을 받고 있는 죄인. 수인(囚人).

죄:수-복【罪囚服】명 수의(囚衣). 죄수옷.

죄:수-옷【罪囚—】명 수의(囚衣).

죄:-스럽다【罪—】형ㅂ불 죄를 짓거나 한 것처럼 마음이 송구(悚懼)하다. ¶부모를 속인 것 같아 ~. 죄:-스레【罪—】부

죄:악【罪惡】명 중죄(重罪)가 될 만한 악행(惡行). 도덕·종교 등의 교지(敎旨)나 계율(戒律)을 거역하는 나쁜 행위.

[죄악은 전생 것이 더 무섭다] 전생에 지은 죄의 업보(業報)는 이승에서 몇 배 더 심하게 받는다는 말.

죄:악-감【罪惡感】명 자기가 한 일이나 행위를 죄악이라고 느끼는 기분. 죄장감(罪障感).

죄:악 관:영【罪惡貫盈】명 죄악으로 충만함. 죄악이 가득 참. ——-하다 형여불

죄:악-사【罪惡史】명 ①죄악을 지어 온 역사. ②죄악만을 남긴 악정(惡政)의 역사.

죄:악-상【罪惡相】명 죄악의 진상.

죄:악-성【罪惡性】명 죄악의 성질. 죄악의 경향.

죄:악-시【罪惡視】명 죄악으로 인정(認定)함. 죄악으로 규정(規定)지음. ——-하다 자여불

죄:안【罪案】명 범죄 사실의 조서(調書). 재판의 단안(斷案).

죄암-발이 명 〈방〉 쥐엄발이.

죄암-죄암 ㅡ감 젖먹이에게 죄암질을 시킬 때 부르는 소리. ㅡ부 죄암질을 하는 모양. ¶~ 죄암질을 한다. 준죔죔. 〈쥐엄쥐엄. ——-하다 자여불

죄암-질 명 젖먹이가 두 손을 쥐었다 폈다 하며 재롱을 부리는 일. 〈쥐엄질. ——-하다 자여불

죄어-들다 자 안으로 바싹 죄어서 오그라들다. ¶결박한 밧줄이 몸에 ~. 준좨들다.

죄어-치다 타 ①죄어서 몰아치다. ②재촉하여 몰아대다. 준좨치다.

죄:얼【罪孽】명 죄악에 대한 재앙.

죄:업【罪業】명 〖불교〗 ①몸·입·마음의 삼업(三業)으로 저지른 죄될 만한 소행. 죄(罪). ②죄의 과보(果報).

죄:업 망:상【罪業妄想】명 미소(微小) 망상의 하나. 자기가 죄 많은 사람이라고 생각하는 것. *빈곤(貧困) 망상.

죄여 지내다 자 〈방〉 쥐여 지내다.

죄:역【罪逆】명 상리(常理)를 거슬러 반역하는 큰 죄.

죄:옥【罪獄】명 옥사(獄事).

죄:와 벌【罪—罰】명 [러 Prestuplenie i nakazanie] 〖책〗 도스토예프스키의 장편 소설. 가난한 대학생 라스콜리니코프가, 현실에 대한 불합리의 인식에서 출발하여, 비범인(非凡人)은 범인(凡人)을 위한 법률을 따를 의무가 없다는 신념(信念)으로 고리 대금업자(高利貸金業者)인 노파를 죽이나, 순진한 영혼의 소유자인 창부(娼婦) 소냐의 권고(勸告)로 자수하여, 8년의 형기(刑期)를 갱생(更生)의 기쁨으로 받는다는 내용. 1866년 발표.

죄용-하다 형 〈방〉 조용하다(함경).

죄:원【罪源】명 ①죄의 근원(根源). ②〖천주교〗 모든 죄의 근원인 칠죄종(七罪宗).

죄:유-록【罪惟錄】명 〖책〗 중국 명(明)나라 일대(一代)에 관한 기전체(紀傳體) 사서(史書). 사계좌(査繼佐) 찬(撰). 1644년에 착수하여 1672년에 완성됨. 원본에 탈간 궐문(脫簡闕文)이 많아서 현행의 ≪사부 총간(四部叢刊)≫은 그것을 보정(補正)·정리한 것임. 열전(列傳) 중에는 관찬(官撰)의 명사(明史)에서는 볼 수 없는 독특한 유문 일사(遺文逸事)가 수록되어 있음. 원이름은 명서(明書). 120 권.

죄이다 피동 죔을 당하다. ¶나사가 꼭 ～.

죄:인【罪人】명 ①죄를 지은 사람. 예인(隷人). 과인(科人). ②〖법〗 유죄(有罪)의 확정 판결(確定判決)을 받은 사람. ③부모의 상중(喪中)에 있는 사람이 스스로를 이르는 말. ④〖성〗하느님 뜻을 거역(拒逆)하고 명령을 받아들이지 않으므로 반드시 멸망(滅亡)할 인간. 원죄(原罪)로 인한 모든 인류.

죄임-성【一性】[一썽] 명 속으로 몹시 기다려 바싹 다그치는 마음.

죄:장【罪障】명 〖불교〗 죄업(罪業)에 의한 성불(成佛)의 장애(障礙).

죄:장-감【罪障感】명 도덕·계율(戒律)·습관 등에 위배하고 있다고 느끼어 이에 지배되고 있는 정서(情緒)의 상태. 곧, 자기의 규범에 의해서 생기는 양심적 불안. 죄악감.

죄:적[1]【罪迹】명 범죄의 증거가 되는 흔적.

죄:적[2]【罪籍】명 〖역〗 죄인의 죄상을 기록한 도류안(徒流案)·형명부(刑名簿) 등의 일컬음.

죄:제【罪弟】명 부모의 상중(喪中)에 있는 사람이 평교간(平交間)의 편지에 쓰는 자기의 겸칭.

죄:종【罪宗】명 〖천주교〗 일체의 죄악의 근원. 칠죄종(七罪宗).

죄:죄 감 ↗죄죄반반.

죄:죄-반반 감 개에게 무엇을 남기지 말고 죄다 핥아 먹으라는 뜻으로 하는 말. ㊌죄죄.

죄:-주다【罪一】타 악한 일을 저지른 사람에게 괴로움을 내리다. ↔죄받다.

죄:중 벌경【罪重罰輕】명 죄는 크고 무거운 데 비하여 형벌은 가벼움. ——하다 형여불

죄:중 우:범【罪中又犯】명 형기(刑期)가 끝나기 전에 거듭 죄를 저지름. ——하다 자여불

죄:증【罪證】명 범죄의 증거. 범죄의 유무를 밝히는 증거.

죄:지-경중【罪之輕重】명 범죄 행위의 무거움과 가벼움.

죄:지-유:무【罪之有無】명 범죄 사실의 있고 없음.

죄:질【罪質】명 범죄의 성질.

죄:-짓다【罪一】자ㅅ불 범죄가 될 만한 짓을 하여 법률·규칙·도덕 등에 거역하다.

[죄지은 놈 옆에 있다가 벼락 맞는다] 악인과 사귀면 자기도 악인의 누명을 쓴다는 뜻. 악방 봉뢰(惡傍逢雷). [죄지은 놈 원님 돗자리에다 큰 절을 한다] 죄를 지은 자는 굽신거리게 마련이라는 말. [죄지은 놈이 서 발을 못 간다] 죄를 지으면 반드시 벌을 받고야 만다는 뜻.

죄:책【罪責】명 범죄상(犯罪上)의 책임. ¶～감(感).

죄:책-감【罪責感】명 범죄상(犯罪上)의 책임을 느끼는 감정(感情).

죄:첩【罪妾】명 상중(喪中)에 있거나 근신 중에 있는 여자가 상대방에게 대하여 자기를 이르는 말.

죄:칩【罪蟄】명 부모의 상중(喪中)에 있음. ——하다 자여불

죄:형【罪刑】명 범죄와 형벌.

죄:형 법정주의【罪刑法定主義】[一/一이] 명 [principle of legality] 〖법〗 어떤 행위가 범죄이며, 또 어떤 형벌을 줄 수 있는가를 법률로써 명문화(明文化)시켜 일반인의 권리와 자유를 권력(權力)의 남용(濫用)으로부터 보장하려는 형법상(刑法上)의 원칙. 결과로 성문율(成文律)에 의하지 않고는 형벌을 가할 수 없고, 사건의 발생 후에 그 사건을 범죄라고 규정하는 법률의 제정이 금지되고, 범인에게 해를 끼치는 형법의 확장 해석(擴張解釋)과 소급력(遡及力)을 인정하지 않게 되었음. 1810년 프랑스 형법에서 이 사상이 선언(宣言)되어 국제적으로 거의 보편화(普遍化)된 사상임.

죄:형 전단주의【罪刑專斷主義】[一/一이] 명 〖법〗 죄형 법정주의가 수립되기 전에 전제 정치와 병행하던 사상. 곧, 범죄 행위의 규정과 형벌의 결정을 명문(明文)에 의하지 않고 재판자의 자유 재량(自由裁量)에 일임한다는 주의.

죄:화【罪禍】명 죄를 저지르므로 인하여 받는 앙화(殃禍).

죔:-쇠 명 쇠로 만든 두 끝에 나무오리를 물려 죄게 할 수 있게 만든 연장. 나무오리 같은 것을 죄어붙이는 데에 쓰임.

죔:-죔 감부 ↗죄암죄암.

죔:-틀 명 어떤 물건을 사이에 끼워 넣어 죄는 기구(器具)의 총칭. 나무나 쇠붙이로 만들며 모양이 여러 가지임.

죗:-값【罪一】[죄깝] 명 죄를 짓고 받는 벌. ¶～을 톡톡히 치르다.

죙일 명 〈방〉 종일(終日)(평안).

-죠 어미 ↗-지요. ¶가보시～/예쁘～?

죠개 명 〈옛〉 조개. ¶죠개 합(蛤), 죠개 리(蜊), 죠개 슌(蜃) ≪字會 上 20≫.

죠고맛, 죠고맛간 관 〈옛〉 작은. 조그마한. ¶門 알핑 죠고맛 여흐리 다 平코져 ᄒᆞ놋다(門前小灘渾欲平) ≪杜諺 X:4≫.

죠고매 부 〈옛〉 조그마치. 조그마하게. ¶죠고매도 니르디 몯ᄒᆞ리니(不可說其小分) ≪牧訣 44≫.

죠곰마치 부 〈옛〉 조그마치. 조그마하게. ¶佛法이ᅀᅡ 내 이어긔도 죠곰마치 잇다 ᄒᆞ야시늘 ≪南明 上 14≫.

죠긔 명 〈옛〉 조기[1]. =조긔. ¶죠긔(石魚) ≪方藥 49≫.

죠롱 명 〈옛〉 조롱박. ¶죠롱 호(瓠), 죠롱 로(瓐) ≪字會 上 8≫.

죠릐 명 〈옛〉 조리(笊籬). ¶죠릐 조(笊) ≪字會 中 13≫.

죠비 명 〈옛〉 종이. =죠희. ¶紙着必 ≪朝鮮館 譯語≫.

죠아리 명 〈옛〉 종아리. ¶안ㅅ쟝 죠아리(羅圈腿), 밧쟝 죠아리(撇脚) ≪漢淸 Ⅷ:16≫.

죠쳐 부조 〈옛〉 아울러. 조차. 마저. 까지. ¶履謙이 죠쳐 믜야두고 쓰드니(並履謙縛而副之) ≪三綱. 顔袁≫.

죠타 형 〈옛〉 좋다. =죻다·됴타. ¶죠흔 일홈을 주리라 ᄒᆞ니라 ≪八歲兒 2≫.

죠피 명 〈옛〉 조피. ¶놀죠핏닙(生椒葉) ≪救簡 Ⅲ:38≫.

죠희 명 〈옛〉 종이. =죠비·죠히·죵히. ¶半張 죠희예 썻ᄂᆞ니(半張紙上寫着裏) ≪朴解 下 56≫.

죠히 명 〈옛〉 종이. =죠비·죵히. ¶죠히爲紙 ≪訓例≫/죠히어나 기비어나(紙素) ≪楞嚴 Ⅶ:46≫.

죡박 명 〈옛〉 쪽박. =죡박귀. ¶蠡는 죡바기오 ≪心經 67≫.

죡박귀 명 〈옛〉 쪽박. =죡박. ¶솟벼다 ᄲᆞ리고 죡박귀 다 업괴야 ≪永言≫.

죡쇄 명 〈옛〉 족쇄(足鎖). ¶죡쇄 착(錠), 죡쇄 태(鈦) ≪字會 中 15≫.

죡술 명 〈옛〉 작은 숟가락. ¶수박에 죡술이로다 ≪古時調≫.

죡졉개 명 〈옛〉 족집게. =죡집게. ¶죡졉개 녑(鑷) ≪字會 中 14≫.

죡졉이 명 〈옛〉 족제비. ¶죡졉이(鼬鼠) ≪才物譜 7≫.

죡지 명 〈옛〉 산달래. ¶죡지(野蒜) ≪譯語 下 12≫.

죡집게 명 〈옛〉 족집게. =죡졉개. ¶죡집게 일빅낫(鑷兒一百把) ≪老乞 下 61≫.

죵쉬 명 〈옛〉 종. ¶죵쉬 밧쉬ᄂᆞᆫ 엇기예 쉽거니와 ≪古時調≫.

죵히 명 〈옛〉 종이[1]. =죠비·죠희. ¶이 창ᄭᅮᆷ게 죵히를 다가 다 믜티고(把這窓孔的紙都扯了) ≪朴解 中 58≫.

죵[1] 명 〈옛〉 종지. ¶술와 믈와 각 ᄒᆞᆫ 죵애 달혀 ᄒᆞᆫ죵만커든 머그라(酒水各一種煎至一鍾服) ≪救簡 Ⅲ:26≫.

죵[2] 명 〈옛〉 종. ¶죵爲奴 ≪訓例≫/가시며 子息이며 죠인ᄃᆞᆯ 주며 ≪月釋 Ⅸ:29≫.

죵긔 명 〈옛〉 종기(腫氣). ¶머리와 ᄂᆞᆺ과 손바래 난 모딘 죵긔(丁瘡) ≪救簡 Ⅲ:11≫.

죵다리 명 〈옛〉 종다리. ¶죵다리(造化鳥) ≪朴集 中 1≫.

죵아리 명 〈옛〉 종아리. ¶죵아리(小腿) ≪譯語 上 35≫.

죵외 명 〈옛〉 욧점이. '죵요'의 주격형(主格形). ¶자바 두미 죵외 잇ᄂᆞ니(操之有要) ≪飜小 Ⅷ:9≫.

죻다 형 〈옛〉 좋다. =됴타·죠타. ¶죠흔 일홈을 주리라 ᄒᆞ니라 ≪八歲兒 2≫.

주:[1] 명 〈방〉 지위[1]. 목수(木手)(평안).

주:[2] 명 〈방〉 바지[1](경남).

주[3]【主】명 ①↗주인(主人). ②임금. ③임자. ④주장. 근본. ⑤〖천주교〗 ↗천주(天主). ⑥〖기독교〗 ↗구세주(救世主). ⑦〖기독교〗 만백성의 주인이라는 뜻으로 여호와 또는 예수를 일컫는 말.

주[4]【朱】명 ①누른 빛이 섞인 붉은 빛. 주홍. ②〖화〗 수은(水銀)과 황(黃)을 수산화 칼륨(kalium) 및 수산화 나트륨(Natrium)과 함께 가열(加熱)하여 만든 붉은 빛의 고급 안료(顔料). 천연적으로는 진사(辰砂)로서 생산(生産)됨. 물·알코올에 녹지 않고 산(酸)·알칼리(alkali)에도 견딤.

주[5]【朱】명 〖사람〗 성(姓)의 하나. 현재 우리 나라에는 주요 본관으로 신안(新安)·나주(羅州)·능성(綾城) 등이 있음.

주[6]【州】명 ①〖역〗 예전의 지방 행정 구획(行政區劃)의 하나. ②[State] 미국·오스트레일리아 등 연방 국가의 행정 구획(行政區劃). ¶～지사(知事)/～의회.

주[7]【走】명 달음질 취재(取才)의 한 가지. 깊이 여덟 치 칠 푼, 지름 네 치 칠 푼의 구리로 만든 여덟 되들이 병의 아래에 물이 빠지는 직경 두 푼 되는 구멍의 귀가 있는데, 윗구멍은 병의 아래로부터 여섯 치 칠 푼 되는 곳에 있고, 아랫 구멍은 그 아래 한 치 서 푼 거리에 있음. 담은 물이 다 빠지는 동안에 270보(步)를 닫는 것을 일주(一走), 260보를 이주(二走), 250보를 삼주(三走)라 함.

주[8]【宙】명 성(姓)의 하나. 우리 나라에는 현존하지 않음.

주[9]【周】㊀ 명 〖수〗 평면 상의 막힌 다각형의 둘레를 결정짓는 변(邊)의 전체 또는 막힌 곡선형(曲線形)의 둘레를 결정짓는 곡선이나 그 둘레의 길이. ㊁ 의명 어떤 것의 둘레를 돈 수를 세는 말. ¶세계 일～.

주[10]【周】명 〖역〗 ①은(殷)나라 다음에 일어난 중국의 고대 왕조. 처음 웨이수이 분지(渭水盆地)에서 건국하여 기원전 1121년 무왕(武王)이 은나라 주왕(紂王)을 쳐 없애고 주 왕조를 세움. 호경(鎬京)에 도읍하였으나 기원전 770년 13대 평왕(平王) 때 동쪽 뤄양(洛陽)에 천도한 뒤 세력이 떨치지 못하더니 38왕 867년 만에 진(秦)나라에게 망하였음. [1050-256 B.C.] ②중국 남북조 시대의 한 나라. 우문각(宇文覺)이 세워 화베이(華北)를 통일하였으나 외척인 수(隋) 문제(文帝)에게 망하였음. 북주(北周). [556-581] ③중국 당(唐)나라 고종(高宗)의 황후 무씨(武氏), 곧 측천 무후(則天武后)가 중종(中宗)과 예종(睿宗)을 폐위(廢位)시키고 즉위(卽位)한 때의 국호. [690-705] ④중국 오대(五代)의 한 나라. 곽위(郭威)가 카이펑(開封)에서 세운 나라로 그 양자(養子) 세종(世宗)이 영명(英明)하였으나 요절(夭折)하고 그 아들 공제(恭帝)가 어려, 3대 9년 만에 송(宋)나라 태조(太祖)에게 멸망(滅亡)당하였음. 후주(後周). [951-960]

주[11]【周】명 성(姓)의 하나. 현재 우리 나라에는 상주(尙州)·초계(草溪)·함안(咸安)·장흥(長興)·삼계(森溪)·풍기(豐基) 등의 본관(本貫)이 있음.

주[12]【呪】명 ①↗주문(呪文). ②〖불교〗 '다라니(陀羅尼)'의 이칭(異稱).

주[13]【注】명 ①어려운 말의 뜻이나 음(音) 따위를 설명하기 위하여 써넣은 글. 주(註). ②↗주석(注釋)·주해.

주[14]【柱】명 〖건〗 기둥.

주[15]【胄】명 정재(呈才) 때에 오색 단갑(五色緞甲)을 입고, 여기에 맞추어 쓰는 고운 비단으로 꾸민 투구. *갑옷.

주[16]【紂】명 〖사람〗 주왕(紂王).

주[17]【邾】명 〖역〗 중국 고대 주(周)나라 때에 무왕(武王)이 조 협(曹挾)을 봉(封)하여 준 나라. 전국 시대(戰國時代)에 추(鄒)로 고침.

주[18]【洲】명 〖지〗 ①흙이나 모래가 수중에 퇴적(堆積)하여 수면(水面)에 나타난 땅. ¶사(砂)～. *삼각주(三角洲). ②지구 상의 대륙을 나눈

명칭. ¶대양(大洋)～.
주[19]【珠】명 성(姓)의 하나.
주[20]【株】㊀ 명 〖경〗 ①↗주식(株式)❶. ②↗주권(株券). ㊁ 의명 ①주권(株券)의 수를 세는 말. ②나무의 수를 세는 말. 그루.
주[21]【紬】명 견직물(絹織物)의 하나. 평직주(平織紬)와 문주(紋紬)로 대별되며, 그 색과 문양은 각양 각색임.
주[22]【註】명 ①본말의 뜻을 설명(說明)하기 위하여 써 넣은 글. ②↗주석(註釋)·주해(註解).
주[23]【週】명 〔week〕 일·월·화·수·목·금·토의 7요일을 일기(一期)로 한 이름. ＊주간(週間).
주[24]【籌】명 산가지로 셈을 치는 것.
주[25]【籒】명 ①서체(書體)의 일종. 글자의 획이 아주 번잡하여 수식을 위주로 세로 가로를 통하여 가지런히 아름답게 쓰는 것을 특색으로 함. 대전(大篆). 사주(史籒). 주문(籒文). ②중국 주(周)나라 선왕(宣王) 때의 태사(太史). 주문(籒文)을 만들었다 함.
주:[26]〔Jew〕명 '유태인'의 영어명.
주:[27]〔zoo〕명 동물원(動物園).
주[28]〔중 九〕수 구(九). 아홉.
주-[1]【主】두 주되는 것·근본적인 것의 뜻. ¶～성분/～목적.
주:-[2]【駐】두 주둔(駐屯)·주재(駐在)의 뜻을 나타내는 말. ¶～미 대사(駐美大使).
-주【主】미 주인의 뜻. ¶사업～/세대～.
주가[1]【主家】명 주인 집.
주:가[2]【住家】명 사는 집. 주택(住宅).
주:가[3]【奏可】명 상주(上奏)의 문안을 검토하여 허가함. 또, 상주가 받아들여짐.
주가[4]【酒家】명 술집.
주가[5]【酒價】[—까] 명 술값❶.
주가[6]【株價】[—까] 명 〖경〗 주식(株式)이나 주권(株券)의 값. ¶～앙등(仰騰)/～폭락(暴落).
주:가[7]【駐駕】명 귀인(貴人)이 탈것을 멈춤. 전하여 귀인이 체재(滯在)함. 주련(駐輦).
주가 규제【株價規制】[—까—] 명 주가 등락(騰落)이 현저(顯著)할 때 투자자 보호를 위하여 거래소가 취하는 주가(株價) 억제 조처(抑制措處).
주가 수익률【株價收益率】[—까—뉼] 명 〔price earning ratio; PER〕 〖경〗 주식의 시가(時價)를 일주당(一株當) 연간 순익금으로 나눈 수치(數値). 이 수치가 작은 것은 회사 이익(利益)에 비해 주가가 상대적(相對的)으로 저수준에 있음을 나타냄. 주가 수익 비율. 피 이 아르.
주가 순자산 배:율【株價純資產倍率】[—까—] 명 〔price book value ratio〕〖경〗 주가가 일주(一株)당 순자산의 몇 배까지 매입(買入)되고 있는가를 보기 위한 척도(尺度)의 하나. 주가를 부가(簿價)에 의한 일주당(一株當) 순자산으로 나누어 산출함. 피 비 아르(PBR).
주가 조작【株價操作】[—까—] 명 〔manipulation〕〖경〗 주가를 인위적(人爲的)으로 끌어 올리거나, 내리거나 또는 고정(固定)시키는 일.
주가 즉시 전달 시스템【株價卽時傳達—】〔system〕[—까—] 명 〖경〗 증권 거래소와 증권 회사를 온라인(online)으로 연결하여 주가나 중요 뉴스를 즉시로 전달하는 시스템.
주가 지수【株價指數】[—까—] 명 〔stock price index〕〖경〗 일정한 시기의 주가를 100으로 하여 산출(算出)한 주가의 지수. 주식 시세(時勢)의 변동(變動)을 나타내기 위한 통계적 수단으로 경제계(經濟界) 전반의 동향(動向)도 반영(反映)함.
주가 지수 선물 거:래【株價指數先物去來】[—까—] 명 〖경〗 금융 선물 거래 중 주식 시장의 주가 지수만을 거래 대상으로 하여 행해지는 선물 거래 방식.
주가 탕:반【酒家湯飯】명 술국밥.
주가 평균【株價平均】[—까—] 명 〔stock price average〕〖경〗 상장(上場) 주식 중에서 일정한 수의 종목(채용 종목)의 매일매일의 주가를 합계하여 평균한 값. 주식 시황(市況) 전체의 움직임이나 가격 수준을 알기 위해 이용되는 대표적인 주가 지표의 하나. 경기의 척도로도 쓰임.
주각[1]【周角】명 〖수〗 다각형(多角形)의 둘레의 각.
주:각[2]【奏角】명 〖역〗 조선 시대 때 궁중(宮中)의 정구품 궁인직(宮人職)의 하나.
주각[3]【柱脚】명 〖건〗 기둥 뿌리.
주:각[4]【註脚】명 주(註)에 단 풀이. 주해(註解). 각주(脚註).
주:각 제금【住刻啼禽】명 '주걱새'를 의성적(擬聲的)으로 일컫던 말.
주각-포【酒—脯】명 〈속〉 주과포혜(酒果脯醯).
주간[1]【主幹】명 어떤 일을 주장하여 맡아서 처리함. 또, 그 사람. 특히, 신문·잡지의 편집(編輯) 등에서 일컫는 말. ——-하다 타여불
주간[2]【晝間】명 낮. 낮 동안. ↔야간(夜間).
주간[3]【週刊】명 한 주일에 한 번씩 내는 정기 간행. 또, 그 간행물(刊行物). ——-하다 타여불
주간[4]【週間】명 ①한 주일 동안. 곧, 7일간. ②특별한 행사를 위하여 정한 7일간. ¶교통 안전 강조 ～.
주간[5]【廚間】명 ①〖역〗 소주방(燒廚房). ②부엌.
주간-대【晝間帶】명 낮 동안의 시간대.
주간사 회:사【主幹事會社】명 〖경〗 유가 증권(有價證券) 발행 시장에서 그 인수(引受) 기구의 일원으로서 발행 회사와 협의를 거쳐 해당 유가 증권의 모집·주선 및 인수 업무에 따른 여러 사무를 주관하는 회사. 주간사 회사는 유가 증권 분석, 청약(請約) 사무의 총괄, 발행 회사의 재무(財務) 내용 및 경영 실태 등에 대한 공시(公示) 독려 등 인수 업무에 관하여 총괄적인 책임을 짐.
주간 신문【週刊新聞】명 일 주간에 한 번씩 발행하는 신문. ＊일간 신문(日刊新聞).
주간 예:보【週間豫報】[—네—] 명 일 주일 가량의 일기(日氣)를 미리 예보하는 일.
주간 이동 인구【晝間移動人口】명 통근·통학으로 인하여 주간에 한하여 특정 지역, 특히 대도시 등에 유입(流入)하고 야간은 다시 각각 거주지에 환류(還流)하는 인구.
주간 잡지【週刊雜誌】명 일 주일(一週日)에 한 번씩 내는 잡지. 준주간지(週刊誌).
주간 제:어기【主幹制御機】명 ①전차(電車)나 전기 기관차(電氣機關車)의 주전동기(主電動機)의 기동(起動), 속도의 조정(調整), 정지(停止), 운전 방향의 전환(轉換)을 제어하는 장치. ②디젤 자동차나 디젤 기관차의 엔진의 기동, 속도의 조정, 정지, 운전 방향의 전환을 제어하는 장치.
주간-지[1]【週刊紙】명 주간 신문. ＊일간지(日刊紙).
주간-지[2]【週刊誌】명 ↗주간 잡지.
주간 표지【晝間標識】명 〔day beacon〕〖항공〗 주간의 비행(飛行)을 돕기 위한 무등(無燈) 구조의 항로 표지(航路標識). 형태(形態)와 빛깔로써 나타냄.
주갈【酒渴】명 〖한의〗 술의 중독으로 생기는, 언제나 갈증(渴症)을 심하게 느끼는 병.
주-감이 명 〖악〗 해금(奚琴)의 줄 끝을 감아 매는 부분. 주아(周兒).
주갑【周甲】명 환갑(還甲).
주-갑판【主甲板】명 〖해〗 삼층 또는 사층의 배에서, 위에서 두 번째의 갑판.
주-강[1]【珠江】명 〖지〗 '주장'을 우리 음으로 읽은 이름.
주강[2]【晝講】명 〖역〗 조선 시대 때, 법강(法講)의 한 가지. 경연 특진관(經筵特進官) 이하가 임금을 모시고 오시(午時)에 행하였음.
주:강[3]【鑄鋼】명 〖공〗 평로(平爐) 등으로 정련(精鍊)하여 특정한 모양의 거푸집에 넣어서 주조(鑄造)한 후에, 열처리(熱處理)를 베풀어 재질(材質)을 개량(改良)한 강철. 기계의 주체(主體)나 부분품의 재료가 됨. ＊단강(鍛鋼).
주:강-품【鑄鋼品】명 강주물(鋼鑄物).
주개[1] 명 〈방〉 밥주걱(경상).
주개[2]【廚芥】명 주개물(廚芥物).
주-개념【主槪念】명 〖논〗 명제(命題)의 주사(主辭). 또, 주사에 대한 개념(槪念). ↔빈개념(賓槪念).
주개-물【廚芥物】명 부엌에서 나오는 여러 가지 음식물의 찌끼. 주개「(廚芥).
주-객[1]【主客】명 ①주인과 손. 주빈(主賓). ②주되는 사물과 그 밖의 사물. ③〖언〗 주격(主格)과 빈격(賓格).
주객[2]【酒客】명 ①술을 좋아하는 사람. 술꾼. 음객(飮客). ②술을 먹은 사람.
[주객이 청탁(淸濁)을 가리랴] ㉠술 잘 마시는 사람은 무슨 술이나 가리지 않고 즐긴다는 말. ㉡늘 즐기는 것이라면 종류를 가리지 않고도 좋다는 뜻.
주객-간【主客間】명 주인과 손 사이. 주객지간.
주객 일체【主客一體】명 나와 나 밖의 대상이 하나가 됨.
주객 일치【主客一致】명 주체(主體)와 객체(客體)가 하나가 됨. 주관(主觀)과 객관(客觀)이 하나가 됨. ——-하다 자여불
주객 전:도【主客顚倒】명 사물의 경중(輕重)·완급(緩急)·선후(先後) 또는 주인과 손의 위치가 서로 바뀜. 객반 위주(客反爲主). ＊적반하장(賊反荷杖). ——-하다 자여불
주객지-간【主客之間】명 주인과 나그네의 사이. 주객간.
주객지-세【主客之勢】명 중요하지 못한 지위에 있는 사람은 중요한 지위에 있는 사람을 당해 내지 못하는 형세.
주객지-의【主客之誼】[—/—이] 명 주인과 손 사이의 정의(情誼).
주거[1]【舟車】명 배와 수레.
주:거[2]【住居】명 어떤 곳에 자리잡고 삶. ¶～부정(不定). ——-하다 자여불
주:거[3]【做去】명 실행해 나감. ——-하다 타여불
주거니 받거니 부 물건을 서로 주고받거나 말을 서로 건네는 모양. ——-하다 타여불
주거래 은행【主去來銀行】명 〖경〗 금융 기관으로부터 거액을 대출받은 기업체로서 여신(與信) 관리 대상으로 정한 계열 기업군(群) 또는 기업체의 거래 은행 중 주된 거래 은행. 종합적인 여신 관리 업무를 담당하고 있는 은행을 말함. 주거래 은행은 해당 기업의 경영 분석·재무 구조 개선 지도 등의 업무도 수행함.
주거리 명 〈방〉 저고리[1](경북).
주:거-면【住居面】명 〖고고학〗 살림바닥.
주거-봉【周拒峰】명 〖지〗 황해도 벽성군에 있는 산. [899 m]
주:거-비[1]【住居費】명 가계부(家計簿)에서, 의(衣)·식(食)·주(住) 가운데 주거에 소요되는 비용. 생활 필수품비 중의 하나. 곧, 땅세·집세·집수리·수도료·화재 보험료·청소 용구(淸掃用具)·부엌 용품·가구 따위에 쓰이는 비용.
주-거(:)비[2]【周去非】명 〖사람〗 12세기의 중국 남송(南宋)의 학자. 자는 직부(直夫). 광시(廣西)의 구이린(桂林)에서 통판(通判)에 취임하여 재임 중, 임지(任地)에서 견문한 것을 기초로 하여 ≪영외 대답(嶺外代答)≫을 저술함. 이 저작은 남해사(南海史) 연구 사료로서 중요함. 생몰년(生沒年) 미상.
주:거 수색죄【住居搜索罪】명 〖법〗 불법으로 사람의 신체·주거·관리

하는 주택·건조물(建造物)이나 선박(船舶) 또는 점유(占有)하는 방실(房室)을 수색함으로써 성립하는 죄.

주:거의 불가침【住居—不可侵】[—/—에—] 명 〖법〗 주거자의 승인이 없이 또는 법률에 의한 권한(權限)을 가진 관헌(官憲)이 발행한 영장(令狀) 없이는 그 주거에 침입(侵入)하거나 수색(搜索)해서는 안 되는 일.

주:거-인【住居人】명 주거하는 사람. 거주인(居住人).

주:거 자유【住居自由】명 〖법〗 법률에 의하지 아니하고는 어떠한 사람이라도 그 주거에 대하여 침입·수색 및 압수를 당하지 아니하는 권리. 주거 안전의 자유라고도 함.

주:거 전용 면적【住居專用面積】명 〖건〗 아파트 등 공동 주택에서, 엘리베이터 홀·계단·통로·기계실 등의 공용(共用) 면적을 제외한 나머지 바닥 면적.

주:거 전용 지역【住居專用地域】명 좋은 주거 환경을 보호하기 위하여 도시 계획 구역내에 지정되는 용도(用途) 지역의 하나. 거주용(居住用)의 건축으로 지정되는 지역.

주:거 제:한 처:분【住居制限處分】명 〖법〗 보안 처분의 한 가지. 보안 처분 대상자 중 보호 관찰 처분에 위반한 자(者)에 대하여 하는 처분. 법무부 장관이 결정한 주거(住居) 지역 이외의 지역에 거주할 수 없으며 주거지(住居地) 관할 경찰 서장의 지시에 따라 보호 관찰도 받아야 함. *보안 처분.

주:거-지[1]【住居地】명 살고 있는 토지. 거주지(居住地).

주:거-지[2]【住居址】명 ①주거의 유지(遺址). ②〖역〗 고대에 인류가 집단 생활을 영위한 주거의 자취. 석기 시대의 유적 중의 동굴(洞窟)·패총(貝塚) 등.

주:거 지역【住居地域】명 주거 전용 지역(住居專用地域).

주:거 침입죄【住居侵入罪】명 〖법〗 이유없이 남의 주거 또는 남이 관리하는 가택(家宅)·영조물(營造物)·선박(船舶) 등에 침입(侵入)하거나 주인 또는 관리자의 요구(要求)가 있음에도 퇴거(退去)하지 않음으로써 성립하는 죄.

주걱 명 〔중세 : 죽. 근대 : 쥬걱〕 ①↗밥주걱. ②↗구둣 주걱.

주걱꼴-잎 [—립] 명 피침형(披針形)의 잎. 과꽃·해국 따위에서 볼 수 있음.

주걱-노루발 명 〖식〗 [*Pyrola minor*] 노루발과에 속하는 상록 다년초. 화경(花莖)은 높이 20cm 가량, 주걱처럼 생긴 잎은 근생(根生)하고 장병(長柄)이며 둥근 달걀꼴을 이룸. 6-8월에 백색에 홍색을 띤 꽃이 총상(總狀) 화서로 정생하고, 삭과(蒴果)를 맺음. 깊은 산 숲 밑에 나는데 제주·전남·경상·강원·평북·함남북에 분포함.

주걱-맨드라미 명 〖식〗 맨드라미의 한 종류. 화두(花頭)가 갈라지지 않고, 크고 넓으며 주걱 모양으로 생김.

주걱벌레붙이-목【—目】[—부치—] 명 〖동〗 [Tanaidacea] 연갑류(軟甲類)에 속하는 절지(節肢) 동물의 한 목(目). 복안(複眼)은 무병(無柄)이고, 가슴의 제1절과 제2절까지는 대가리가 합치어 한 살을 이룸. 흉부는 6 절로 되었으며, 옆구리에는 작은 새방(鰓房)이 있고, 복부는 6 절을 이룸. 다리 일곱 쌍 가운데 첫 째 한 쌍은 큰 집게발로 변하였음. 부등각류(不等脚類).

주걱-뼈 명 마소의 어깻죽지의 뼈.

주걱-상【—相】명 넓적하고 우묵하게 생긴 얼굴.

주걱-상어 명 〈방〉 〖어〗 가래상어.

주걱-새 명 〈방〉 〖조〗 두견이.

주걱-턱 명 주걱 모양으로 길고 끝이 밖으로 휘어 나온 턱.

주검 명 〔중세 : 주검←죽-+-엄〕 ①죽은 상태. ②송장. 시체(屍體). ——-하다 자여불 죽은 상태로 돌아가다.

주검-받침 명 〖고고학〗 주검을 관에 넣지 않고 안치해 두는 밑받침. 주검 전체를 받치도록 몸 전체 형태로 만든 것, 머리와 발만을 받치게 머리고임과 발받침만을 만든 것 등이 있음. 시상(屍床). 시대(屍臺). *어울무덤.

주검시-밑【—尸—】명 한자 부수(部首)의 하나. '尿'나 '層' 등의 '尸'의 이름.

주검-치 명 〈방〉 주근깨(전남).

주:겁【住劫】명 〖불교〗 사겁(四劫)의 하나. 성겁(成劫)이 끝나고 괴겁(壞劫)에 이를 때까지의 동안으로 인류가 세계에 안주(安住)하는 기간임. 마지막 중겁(中劫) 때가 되면 서로 죽이고 나쁜 병이 유행하며, 또 흉년이 드는 소삼재(小三災)를 만난다고 함. *겁(劫).

주겅-씨 명 〈방〉 주근깨(전남).

주게 명 〈방〉 주걱(경남).

주겟다 자 〈옛〉 죽어 있다. 죽었다. '죽다'의 활용형. ¶書案ㅅ 그테 글 닐던 반되 몰라 주겟도다(案頭乾死讀書螢)≪初杜諺 XXI:41≫.

주격【主格】[—껵] 명 [subject] 〖언〗 문법 상으로 문장이나 마디의 명사·대명사·수사(數詞) 등이 주로 주격 조사(主格助詞)의 뒷받침으로 술어(述語)의 주제(主題)가 되어 있을 때의 격(格). 임자자리. ↔서술격(敍述格).

주격 보:어【主格補語】[—껵—] 명 〖언〗 서양 문법에서 불완전 자동사를 보충하는 말. 명사·형용사는 주격 보어가 됨.

주격 조:사【主格助詞】[—껵—] 명 〖언〗 체언(體言) 아래에서 그 체언을 그 문장의 주어가 되게 하는 조사. 곧, 우리 말의 '바람이 분다', '개가 짖는다'에 있어서 '이'·'가' 등임. 임자자리토씨.

주견【主見】명 주되는 의견.

주:결【奏決】명 천자에 상주(上奏)하여 결정함.

주경[1]【朱耕】명 〖사람〗 안견(安堅)의 호(號).

주경[2]【州境】명 ①주(州)의 경계. 주계(州界). ②국경(國境).

주경[3]【遒勁】명 그림이나 글씨의 붓의 힘이 굳셈. ——-하다 형여불

주:경[4]【駐京】명 시골 공무원 등이 공무를 띠고 서울에 와서 머물러 있음. ——-하다 자여불

주경 야:독【晝耕夜讀】[—냐—] 명 ①낮에는 농사 짓고 밤에는 공부하는 한가하고 운치 있는 생활. ②바쁜 틈을 타서 어렵게 공부함. ——-하다 자여불

주계[1]【主計】명 중국 한대(漢代)의 벼슬. 재정(財政)의 출납(出納)을 맡음.

주계[2]【州界】명 주경(州境)❶.

주계[3]【酒戒】명 음주의 계(戒).

주계-국【主計局】명 〖역〗 조선 말엽 탁지 아문(度支衙門)의 한 국.

주-계열【主系列】명 [main-sequence] 〖천〗 별의 스펙트럼형(spectrum 型)과 절대 광도(絶對光度) 사이의 관계를 나타내는 헤르츠슈프룽 러셀도(Hertzsprung-Russell圖)에서, 왼쪽 위로부터 오른쪽 아래에 걸쳐 있는 조기형(早期型)의 밝은 별로부터 만기형(晩期型)의 어두운 별까지를 연결하는 사선상(斜線上)에 있는 별. 태양·직녀성(織女星) 등이 이에 속함. 왜성(矮星). *준(準)왜성.

주계열-성【主系列星】[—썽] 명 주계열.

주고[1]【主顧】명 단골 손님. 고객(顧客).

주고[2]【酒庫】명 술을 넣어 두는 광.

주-고도【走高跳】명 높이뛰기.

주고-받기 명 서로 주고 받는 일. ——-하다 타여불

주고-받다 타 서로 주기도 하고 받기도 하다.

주고-성【走固性】[—썽] 명 [stereotaxis] 〖생〗 주촉성(走觸性).

주고 야:비【晝高夜卑】명 화투 놀이나 골패 등에서 선(先)을 결정할 때 각각 패를 떼어서 낮에는 끗수가 높은 사람, 밤에는 끗수가 낮은 사람이 선을 하는 일.

주곡【主穀】명 쌀·보리·밀 등 주식(主食)의 재료가 되는 곡물(穀物). *잡곡(雜穀).

주곡 농업【主穀農業】명 〖농〗 주곡식(主穀式)에 의거(依據)하여 경영되는 농업. 곡식 농사.

주곡-식【主穀式】명 〖농〗 주곡(主穀)의 생산을 목적으로 경영되는 농작(農作)의 방식.

주곤【酒困】명 〔논어(論語)에 나오는 말〕 술을 마셔서 마음이 산란(散亂)해지는 일.

주공[1]【主公】명 ①주군(主君). ②'주인'의 공대말. ③↗주인공.

주공[2]【主攻】명 ↗주공격(主攻擊). ↔조공(助攻).

주:공[3]【住公】명 ↗대한 주택 공사.

주-공[4]【周公】명 〖사람〗 중국 주(周)나라의 정치가. 문왕(文王)의 아들이며 무왕(武王)의 동생. 이름은 단(旦). 무왕을 도와 은(殷)을 멸망(滅亡)시킴. 무왕이 죽자 성왕(成王)을 도와 주 왕실(王室)의 기초(基礎)를 튼튼히 하였음. 주(周)나라의 예악 제도(禮樂制度)의 대부분은 그의 경륜(經綸)에 의해서 이루어진 것이며, ≪주례(周禮)≫의 제작자(制作者)로 전해지고 있음. 생몰년 미상.

주-공[5]【周孔】명 중국의 주공(周公)과 공자(孔子). 전(轉)하여, 성인(聖人).

주공[6]【柱孔】명 〖고고학〗 기둥 구멍.

주:공[7]【奏功】명 공들인 보람이 드러남. 일이 성취됨. ——-하다 자여불

주공[8]【珠孔】명 [micropyle] 〖식〗 종자 식물(種子植物)의 배주(胚珠)의 선단(先端)에 있는 소공(小孔). 주심(珠心)과 외계(外界)와의 연락을 하는 구멍의 구실을 하며, 흔히 수정(受精) 때 화분관(花粉管)은 이것을 통하여 배낭(胚囊)에 도달함. 난문(卵門).

주:공[9]【做工】명 공부나 일을 힘써 함. ——-하다 자여불

주:공[10]【做恭】명 공손한 태도를 가짐. ——-하다 자여불

주:공[11]【鑄工】명 쇠붙이의 주조(鑄造)에 종사하는 사람.

주-공격【主攻擊】명 〖군〗 주력 부대(主力部隊)를 투입하여 적의 주력을 격파하는 공격. 준주공(主攻).

주-공격수【主攻擊手】명 단체 운동 경기 등에서, 주로 공격을 담당하는 선수.

주:공-랑【注功郞】[—낭] 명 〖역〗 조선 시대 때 토관직(土官職)의 종칠품(從七品) 동반(東班)의 품계. 공무랑(供務郞)의 위, 희공랑(熙功郞)의 아래.

주공 수정【珠孔受精】명 [porogamy] 〖식〗 피자 식물(被子植物)에서 볼 수 있는 수정의 양식. 화분관(花粉管)이 주공을 통해서 배낭(胚囊)에 이름으로써 행해지는 수정. 정단(頂端) 수정. *합점(合點) 수정·중점(中點) 수정.

주-공(:)창【朱孔彰】명 〖사람〗 중국 청말(淸末)의 학자. 자는 중아(仲我), 호는 성화 노인(聖和老人). 원이름은 공양(孔陽). 장쑤 성(江蘇省) 우현(吳縣) 출신. 광시(廣西)에 있어 태평 천국의 난을 겪고, 그 체험에 의거하여 ≪중흥 장수 별전(中興將帥別傳)≫ 32권을 저술함. 이 밖에 ≪설문 통훈 정성 속보유(說文通訓定聲續補遺)≫·≪삼조 견문록(三朝見聞錄)≫ 등이 있음. [1842-1919]

주과【酒果】명 ↗주과포혜(酒果脯醯).

주과-포【酒果脯】명 ↗주과포혜(酒果脯醯).

주-과-포-혜【酒果脯醯】명 술·과실·포(脯)·식혜(食醯). 곧, 간략하게 차린 제물(祭物). 준주과포(酒果脯)·주과(酒果).

주관[1]【主管】명 어떤 일을 주장하여 관할·관리함. 주장(主掌). ¶～사항/～ 업무. ——-하다 타여불

주관[2]【主觀】명 ①[subject] 〖철〗 대상을 인식하고 체험하며 그것에 작용을 가하는 의지적 존재. 즉, 감각·인식·행위의 주체로서 의식을 가진 자아(自我). ②자기 나름의 생각이나 관점. ¶～이 확립되다. 1)·

2)：↔객관(客觀).

주관[3]【州官】명 ①한 주(州)의 장관(長官). ②한 주(州)의 벼슬아치.

주관 가치설【主觀價値說】명〔subjective value theory〕〖경〗재화(財貨)의 효용이나 욕망 충족(慾望充足) 등의 주관적인 요소에 의하여 가치나 가격을 설명하려는 가치 학설(價値學說). 1870년 대에 멩거(Menger, K), 제번스(Jevons, W.S.) 등에 의하여 제창(提唱)되었음. ↔객관 가치설. *오스트리아 학파.

주관 무인【主管無人】명 어떤 큰 일에 주관하는 사람이 없는 일. ——하다 형여불

주관 비:평【主觀批評】명〖예〗주관적 비평(主觀的批評). ↔객관(客觀) 비평.

주관-색【主觀色】명 흑백으로 분할된 여러 가지 회전 원판(圓板) 또는 빛의 점멸(點滅) 등을 볼 때처럼 객관적으로는 무채색(無彩色)으로 자극되어야 할 것이 패턴이나 시간, 빛의 세기의 차에 따라 유채색(有彩色)으로 감각될 때 이것을 주관색이라고 함.

주관-성【主觀性】[—썽] 명〔subjectivity〕〖철〗주관에 의속(依屬)하고 있는 일. 주관의 소산임. 따라서 객관적 타당성(妥當性)을 지니지 않고 있는 일. ↔객관성(客觀性).

주관-시【主觀詩】명〖문〗서정시(抒情詩).

주관-자【主管者】명 주관하는 사람.

주관 쟁의【主管爭議】[—/—이] 명〔도 Kompetenzstreit〕〖법〗동종(同種)의 업무를 수행하는 두 기관(機關) 사이에 어떤 사항(事項)에 관해 그 관할권(管轄權) 유무(有無)를 주장(主張)하는 일. 직권(職權) 쟁의. 적극적 쟁의.

주관-적【主觀的】명관 주관을 기초로 한 상태. 주관에만 타당한 모양. 주체적(主體的). ¶～ 판단. ↔객관적(客觀的).

주관적 가치【主觀的價値】명〖경〗주관적인 판단에 의한 재화(財貨)의 효용(效用)에 관한 평가(評價). ↔객관적 가치.

주관적 관념론【主觀的觀念論】[—논] 명〔subjective idealism〕〖철〗객관적인 사물 일체를 의식(意識) 내용에 귀착시켜, 인식 작용을 떠나서는 어떠한 존재도 있을 수 없다는 이론. '존재하는 것은 감지(感知)되고 있는 것(esse est percipi)'이라고 한 영국의 철학자 버클리(Berkeley)의 학설이나 독일의 철학자 피히테(Fichte)의 학설이 대표적임. ↔객관적 관념론.

주관적 도:덕【主觀的道德】명〖윤〗①기성(既成) 도덕에 대하여 개인의 주관적인 자각(自覺)을 중요시하는 도덕적 신념(信念). ②행위(行爲)의 동기(動機)나 의지(意志) 등의 내적(內的)·주관적인 방면(方面)에 도덕적인 가치(價値)를 두는 이론 및 그 체계(體系). 1)·2):↔객관적 도덕(客觀的道德).

주관적 비:평【主觀的批評】명〔subjective criticism〕〖예〗인상 비평(印象批評)이나 감상 비평(鑑賞批評) 등과 같이 예술 작품의 비평의 기준을 주관에 두는 비평. 우수한 주관적 비평은 그 자체가 하나의 우수한 예술이 될 수 있으나, 도그마에 빠지기 쉬움. 주관 비평. ↔객관적 비평.

주관적 상행위【主觀的商行爲】명〖법〗상대적 상행위(相對的商行爲). ↔객관적(客觀的) 상행위.

주관적 정신【主觀的精神】명〖철〗자기 자신의 주관과의 관계나 교섭에 의하여 성립하는 개별적인 정신. ↔객관적 정신❶.

주관적 환경【主觀的環境】명 마음 속에서 주관을 형성하는 관념·이상(理想)·신앙 등의 요소.

주-관절【肘關節】명〖생〗팔꿈치의 관절.

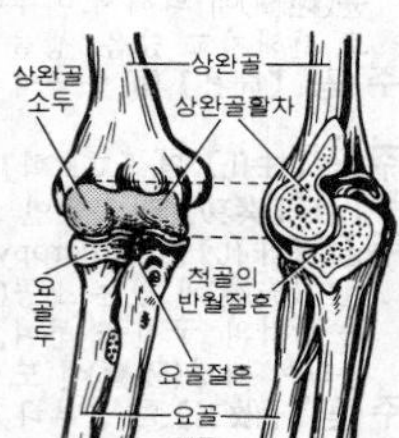

〈주관절〉

주관-주의【主觀主義】[—/—이] 명〔subjectivism〕①〖철〗인식이나 실천 상의 문제의 근거를 주관에 두어 지적·도덕적·미적 가치의 주관성을 주장하는 주의. 그리스의 철학자 프로타고라스(Protagoras)에 의한 개인적 주관주의, 독일의 철학자 칸트(Kant)에 의한 초개인적 주관주의의 두 가지가 있음. 소피스트(sophist)들의 상대론(相對論), 영국의 철학자 버클리(Berkeley)의 관념론(觀念論) 등은 그 극단적인 예(例)이며, 현대의 생(生)의 철학·실존 철학(實存哲學) 등은 객관주의(客觀主義)에의 반항에 있어서 본격적인 주관주의임. ②〖법〗형벌(刑罰)은 응보(應報)가 아니고 개선(改善) 또는 교육을 위한 목적형(目的刑)이므로 범인(犯人)의 악성(惡性)을 개선하여 사회를 그 위험(危險)으로부터 방위(防衛)하는 데 그쳐야 한다는 형법적 가치 판단의 대상(對象)에 관한 형법 이론 상의 한 주의. 독일의 철학자 리스트(List), 이탈리아의 롬브로소(Lombroso) 등에 의하여 주장됨. ③〖사〗객관적인 정세를 조사하지 않고 자기의 주관적인 생각에 의하여 행동하는 태도. 마르크스주의자(Marx主義者)의 용어임. 1)-3):↔객관주의(客觀主義).

주광[1]【酒狂】명 ①심하게 주정을 부림. 또, 그 사람. 주란(酒亂). 주망(酒妄). ②술을 광적으로 즐기는 사람.

주광[2]【晝光】명 태양 광선에 의한 주간의 빛. 또, 그 밝음.

주:광[3]【黈纊】명 면류관(冕旒冠)의 양쪽으로 귀에 닿을 만큼 늘이어 달아 맨 누른 솜 방울.

주-광경【朱光卿】명〖사람〗중국 원말(元末)의 군웅(群雄)의 한 사람. 광동 성(廣東省) 증성 현(增城縣) 사람. 1336년 광동 지방은 극심한 홍수·한발 등으로 피해가 많던 중, 석곤산(石昆山)·종대명(鍾大明) 등과 도당을 짜고 반란을 일으켜 여러 곳에서 이에 호응하는 세력도 많았으나 1338년 잡혀 죽음. [?-1338]

주-광도【走廣跳】명 멀리뛰기.

주광-등【晝光燈】명 자연적인 태양광에 가까운 광색(光色)을 가진 전등(電燈).

주광-률【晝光率】[—뉼] 명 실내에서의 주광 조명도(照明度)와 옥외에서의 천공광(天空光) 조명도의 비. 실내의 태양 광선에 의한 채광(採光)의 정도를 가리키는 것으로 그 채광 계획은 주광률의 계산에 의하여 검토(檢討)됨.

주광-색【晝光色】명 햇볕이 쨍쨍한 밝은 대낮의 빛. 조명(照明)에서 쓰는 말. *천연 백색·온백색(溫白色)·천연 주광색.

주-광선【主光線】명〔principal ray〕〖물〗넓게 퍼지는 광선속(束)의 중심을 이루는 광선.

주광-성【走光性】[—썽] 명〖생〗빛이 자극이 되는 주성(走性). 밝은 빛을 향하는 것을 양(陽), 그 반대를 음(陰)의 주광성이라고 함. 추광성(趨光性). *주지성(走地性).

주광 전:구【晝光電球】명 주광색(晝光色)을 방사(放射)하는 전등. 푸른 빛을 띤 유리를 사용한 텅스텐(tungsten) 전구.

주-광정【朱光庭】명〖사람〗중국 북송(北宋)의 정치가. 자는 공염(公掞). 허난(河南) 옌스(偃師) 사람. 지방관을 역임하다가 사마광(司馬光)의 추천으로 중앙 무대에 올라와, 신법(新法) 폐지 운동에 활약함. 사마광이 죽자 구법당(舊法黨) 내에 대립이 생겨 낙당(洛黨)의 중심 인물 정이(程頤)의 문인이었던 그는 촉당(蜀黨)의 소식(蘇軾)을 맹박(猛駁)하여, 신법당(新法黨)에 정권을 빼앗기는 일인(一因)을 만들었음. 생몰년 미상.

주광 조:명【晝光照明】명 ①자연광(自然光)에 의하는 조명. ②채광(採光). 1)·2):↔인공 조명(人工照明).

주:괴【鑄塊】명 거푸집에 부어 여러 가지 형상으로 주조한 금속이나 합금의 덩이.

주교[1]【主教】명 ①주장으로 삼는 교. ②〔bishop〕〖천주교〗그 교구(教區)를 관할하는 성직자(聖職者). 대주교(大主教)의 다음이며 사제(司祭)의 위임. 감목(監牧).

주교[2]【舟橋】명 많은 배를 띄워 놓고 그 위에 널을 깔아서 임시로 만든 다리. 배다리.

주교-관[1]【主教冠】명〖천주교〗주교(主教)가 쓰는 관.

주교-관[2]【主教館】명〖천주교〗주교가 거처하는 집.

주교-구【主教區】명〖천주교〗주교(主教)가 관할하는 교구(教區). 우리 나라에는 부산·대전·대구·수원·청주·춘천·원주·마산·안동·전주·인천·제주 등지에 있음.

주교-단【主教團】명〖천주교〗교황을 단장으로 하고 주교들을 단원으로 하는 단체.

주교 당상【舟橋堂上】명〖역〗주교사(舟橋司)의 당상관.

주교 도시【主教都市】명〖역〗중세(中世) 유럽 도시의 한 유형(類型). 교회·수도원(修道院)을 중심으로 하여 발달한 도시.

주교 미사【主教彌撒】명〖천주교〗주교와 일정한 고위(高位) 성직자가 드리는 미사.

주교-사【舟橋司】명〖역〗임금이 거둥할 때에 한강(漢江)에 부교(浮橋) 놓는 일을 맡은 관아. 조선 정조(正祖) 13년(1789)에 베풀어서 고종(高宗) 19년(1882)에 폐하였음. *준천사(濬川司).

주교 서:품식【主教敍品式】명〖천주교〗사제(司祭)를 주교로 승급시키는 신품(神品) 성사 의식. 보통 주일(主日)이나 사도(使徒) 축일(祝日)에 거행하여 주교가 사도들의 후계자임을 나타냄.

주교-선【舟橋船】명〖역〗조선 시대 때, 주교사(舟橋司)에 딸린 배.

주교-좌【主教座】명〖천주교〗교회 의식 때 주교가 앉는 자리.

주교좌 대:성당【主教座大聖堂】명〔cathédral〕〖천주교〗교구장(教區長) 주교가 상주하며, 해당 교구의 중심이 되는 성당. 주교좌 성당. 카테드랄. *대성당.

주교좌 성:당【主教座聖堂】명〖천주교〗주교좌 대성당.

주교 지남【舟橋指南】명〖책〗조선 정조(正祖) 때, 노량진·광나루에 임시 가설한 주교(舟橋)에 대하여 쓴 사목(事目). 정조 14년(1790)에 엮음. 내용은 정조가 매해 춘추(春秋)에 수원(水原) 현륭원(顯隆園)에 전알(展謁)할 때 아산(牙山)·훈국(訓局) 및 운염(運塩) 등의 배를 소집, 연결하여 임시로 강을 건너는 데 편리하도록 방법을 강구한 것임. 1책. 사본(寫本).

주구[1]명〈방〉밥주걱(경남).

주구[2]【主構】명 ①주장되는 귀틀. ②〖토〗교체(橋體) 중에서 가장 요긴한 귀틀.

주구[3]【走狗】명 ①사냥할 때 부리는 개. ②남의 앞잡이 노릇을 하는 사람. 앞잡이. 개. 응견(鷹犬). ¶침략자의 ～.

주구[4]【周口】명〖지〗'저우커우'를 우리 음으로 읽은 이름.

주:구[5]【呪具】명 미개한 사람들이 사람을 불행으로부터 건지고, 행운을 가져오게 하는 주력(呪力)을 가졌다고 믿는 물건. 주부(呪符)·주문(呪文)·부적(符籍) 등.

주:구[6]【注口】명 부리[1]❹.

주구[7]【酒具】명 주기(酒器).

주:구[8]【誅求】명 관청에서 백성의 재물을 강제로 자꾸 빼앗아 감. ¶가렴(苛斂)～. ——하다 타여불

주구리명〈방〉저고리[1](경남).

주구점【周口店】명〖지〗'저우커우뎬'을 우리 음으로 읽은 이름.

주:구 토기【注口土器】명〖고고학〗①'귀때 토기'의 구용어. ②'부리 토기'의 구용어.

주국[1]【柱國】명〖역〗고려 때 훈위(勳位)의 둘째 등급. 문종(文宗) 때에 종이품으로 정하여 충렬왕(忠烈王) 이후에 폐하였음.

주국[2]【酒國】명 ①술을 많이 산출하는 나라. ②취중(醉中)에 느끼는 딴 세상 같은 황홀경(恍惚境).

주국-장【周國章】 명 〖악〗 악장(樂章)의 이름. 용비어천가(龍飛御天歌)의 셋째 장(章).

주군[1]【主君】 명 임금.

주군[2]【舟軍】 명 배 군사. 수군(水軍). 해군.

주-군[3]【州郡】 명 ①주(州)와 군(郡). ②지방(地方).

주:군[4]【駐軍】 명 〖군〗 주병(駐兵). ——-하다 자 여불

주굴위다 자 〈옛〉 쭈그러지다. ¶充實은 주굴위디 아니홀 씨라≪月釋 Ⅱ:41≫.

주궁[1]【朱宮】 명 붉게 칠한 궁전.

주:궁[2]【奏宮】 명 〖역〗 조선 시대 때, 궁중의 정구품 궁인직(宮人職).

주궁 패:궐【珠宮貝闕】 명 금은 보석으로 호화 찬란(豪華燦爛)하게 꾸민 궁궐(宮闕).

주궁 휼빈【賙窮恤貧】 명 매우 빈궁한 사람을 구하여 도와 줌. ㊌주휼(賙恤). ——-하다 자 여불

주권[1]【主權】[—꿘] 명 ①가장 중요한 권리. ②〔sovereignty〕 〖정〗 국가 구성의 요소. 최고·독립·절대의 권력. 주권은 주권자의 의사에 의하지 아니하고는 다른 의사에 지배되지 않는 국가 통치(國家統治)의 절대적(絶對的)인 권력임. 통치권. ¶～ 재민(在民).

주권[2]【株券】[—꿘] 명 〖경〗 주주(株主)의 출자(出資)에 대하여 교부(交付)하는 유가 증권(有價證券). ㊌주(株).

주권 교부 청구권【株券交付請求權】[—꿘—꿘] 명 주주(株主)가 회사에 대하여 주권의 교부를 청구할 수 있는 권리. 회사는 설립후 지체없이 주권을 발행해야 하며 정관(定款)에 의해서도 이 권리를 박탈(剝奪)하지 못함.

주권-국【主權國】[—꿘—] 명 〔sovereign state〕 〖정〗 ①주권을 완전히 행사할 수 있는 독립국. ②어떤 사건에 대해 주권을 가지는 국가. 예컨대 한국의 영역(領域)에서 외국인의 범죄가 발생하였을 때, 그 사건(事件)에 대한 주권국은 한국임.

주권-당【州權黨】[—꿘—] 명 〔States Rights Party〕 〖정〗 1948년 대통령 선거에 임하여 민주당으로부터 분열한 미국의 정당. 그 정신은 주권론(州權論)의 사조(思潮)에 그 계보(系譜)를 두고 있으나, 직접적인 의도는 트루먼을 중심으로 하여 형성된 민주당 선거 강령(綱領)의 반대에 있었음. 남부 민주당원을 중심으로 하여 1948년 7월 17일 결당(結黨)하였음.

주권 독재【主權獨裁】[—꿘—] 명 주권적(主權的) 독재.

주권-론【州權論】[—꿘논] 명 〖정〗 미국의 헌법사상(憲法史上) 연방정부의 권한을 좁게 해석하고 주의 권한을 넓게 해석하는 이론의 일반적 호칭(呼稱).

주권 배:당【株券配當】[—꿘—] 명 〖경〗 배당금의 일부 또는 전부를 현금(現金) 배당 대신으로 신주(新株)를 발행(發行) 교부(交付)하는 배당 방식. 곧, 주식 배당.

주권 분할【株券分割】 명 [—꿘—] 주식 분할.

주권-자【主權者】[—꿘—] 명 〖정〗 국가의 최고 절대권(絶對權)을 가진 사람. 곧, 국가의 최고 기관(機關)의 지위에 있는 사람. 군주국(君主國)에서는 군주, 공화국(共和國)에서는 국민 또는 그 대표 기관인 의회(議會)를 말함.

주권 재:민【主權在民】[—꿘—] 명 〖정〗 국가의 주권이 국민에게 있음.

주권적 독재【主權的獨裁】[—꿘—] 명 〖정〗 장래의 이상적(理想的) 헌법을 실현하기 위해, 주권자의 이름 아래 그 실현될 헌법에 의하여 행사되는 독재. 프랑스 혁명 때의 로베스피에르나 독일의 히틀러의 독재 같은 것. 주권 독재. ↔위임적(委任的) 독재.

주권-주의【州權主義】[—꿘—/—꿘—이] 명 〔anti-federalism〕 〖정〗 주권론(州權論).

주궤【主饋】 명 안살림의 음식에 관한 일을 주장으로 맡아 하는 여자. 중궤(中饋).

주규려커늘 자 〈옛〉 죽이려 하거늘. '죽다'의 활용형. ¶ㄴ믄 주규려커늘(人欲誅矣) ≪龍歌 77章≫.

주굠 명 〈옛〉 죽임. ¶하늘히 주규믈 ㄴ리오시니(降天誅) ≪杜諺 Ⅴ:21≫/사룸 주규미 또 그지 이시며(殺人亦有限) ≪杜諺 Ⅴ:28≫.

주그되 자 〈옛〉 죽되. ¶ᄯ론 주그되 도라보디 아니ᄒᆞᄂᆞ니라(女死不顧) ≪東國新續三綱 Ⅳ:77≫.

주극-성【周極星】 명 〖천〗 천(天)의 극(極)의 둘레를 도는 별. 곧, 지구(地球) 위의 어떤 지점에서 관측할 때 지평선 아래로 떨어지지 않는 별을 그 지점의 주극성이라 함. ↔출몰성(出沒星).

〈주극성〉

주극-풍【周極風】 명 〖기상〗 극풍(極風). 편동풍(偏東風).

주근[1]【主根】 명 〖식〗 원뿌리. 으뜸뿌리. 정근(定根). 명근(命根).

주근[2]【主筋】 명 〖건〗 철근 콘크리트 건축의 기둥이나 대들보 또는 재(材)의 길이의 방향으로 삽입하는 철근.

주근[3]【周勤】 명 〖사람〗 마한(馬韓)의 무장. 백제 온조왕(溫祚王) 26년(8) 멸망한 마한을 부흥하려고 우곡성(牛谷城)에서 거병(擧兵)하여 백제에 대항했으나 온조왕의 5천 군사에 패하고 자결함. [?-16]

주근[4]【柱根】 명 〖식〗 지주근(支柱根).

주근-깨 명 〔근대 : 죽은ㅅ개〕 〖생〗 얼굴 등에 발생하는 다갈색 또는 암갈색의 작은 색소반(色素斑). 특히, 사춘기에 분명해지고 보통 봄·여름에 진해지며 가을·겨울에 흐려짐. 작란반(雀卵斑). 하일반(夏日斑).

주근-깨 명 〈방〉 주근깨(충남·전남).

주근-끼 명 〈방〉 주근깨(전남).

주근-주근 부 성질이나 태도가 은근(慇懃)하고 끈덕진 모양. ——-하다 형 여불

주글 명 〈옛〉 쭉정이. ¶주글 피(秕) ≪字會 下 6≫.

주금[1]【走禽】 명 〖조〗 타조(駝鳥) 등과 같은 주금류(走禽類)에 딸린 새의 총칭.

주금[2]【株金】 명 〖경〗 주식(株式)에 대한 출자금(出資金).

주금[3]【酒禁】 명 술을 빚거나 팔지 못하게 법령(法令)으로 금함. ——-하다 자 여불

[주금에 누룩 장사] 눈치 없고 소견 없이 엉뚱한 짓을 함.

주금[4]【晝錦】 명 〔비단 옷을 입고 낮에 다닌다는 뜻〕 출세하여 고향에 돌아감.

주:금[5]【鑄金】 명 주조(鑄造)·금공(金工)의 한 기법(技法). 거푸집을 만들어 그 속에 금속(金屬)을 용해(熔解)하여 넣고 기물(器物)을 만드는 방법.

주:금-공【呪噤工】 명 〖역〗 고려의 태의감(太醫監)의 이속(吏屬).

주금 균일의 원칙【株金均一—原則】[—/—에—] 명 〖법〗 주식(株式)의 금액은 균일하여야 한다는 원칙. 액면(額面) 주식인 한(限), 신주(新株) 발행에 있어서도 구주(舊株)와 신주와는 동일 금액이어야 함.

주금-당【晝錦堂】 명 〖사람〗 배극렴(裵克廉)의 호(號).

주금-류【走禽類】[—뉴] 명 〖조〗 〔Cursores〕 조류의 생태(生態)·습성상으로 분류한 한 무리. 꽁지와 날개는 퇴화하거나 불완전하여 날지 못하는 대신에 다리가 강대(強大)하게 발달하여 질주(疾走)할 수 있음. 흉골(胸骨)은 용골 돌기(龍骨突起)를 형성하지 않았고, 발가락은 2-4개 있음. 타조·화식조(火食鳥) 등이 이에 속하는데, 흔히 동물원 등에서 기름. 아프리카·아라비아·오스트레일리아·남미에 분포함. *섭금류(涉禽類).

주:금 박사【呪噤博士】 명 〖역〗 고려 때 태의감(太醫監)의 종구품(從九品) 벼슬.

주:금-사【呪噤師】 명 〖역〗 고려 때 태의감(太醫監)의 이속(吏屬).

주:금-업【呪噤業】 명 〖역〗 고려 때의 잡과(雜科)의 한 과목으로 맥경(脈經)·유연자방(劉涓子方)·창저론(瘡疽論)·명당경(明堂經)·침경(鍼經)·본초경(本草經)을 가지고 시험 보이던 일. *지리업(地理業).

주급[1]【周急】 명 아주 급박한 상태에 놓인 사람을 구하여 줌. ——-하다 자 여불

주급[2]【週給】 명 한 주일마다 지급되는 급료(給料).

주기[1] 부 〈옛〉 죽도록. ¶진실로 나를 애돌와 주기 셟게 ᄒᆞᄂᆞ다(眞箇氣殺) ≪初朴解 上 35≫.

주기[2]【主氣】 명 주되는 정기(精氣).

주기[3]【主器】 명 ①사당(祠堂)·종묘(宗廟)의 제기(祭器)를 맡아 간수하는 일. ②맏아들.

주기[4]【朱記】 명 중요한 곳이나 특별한 부분을 붉은 글씨로 드러나게 기록하거나 표시하는 일. ——-하다 자 여불

주기[5]【朱旗】 명 붉은 기.

주기[6]【州旗】 명 미국 등에서 주를 대표하는 기.

주기[7]【走技】 명 달리기·이어달리기·장애물달리기 등과 같이 일정한 거리를 뛰는 속도의 기록으로 다투는 경기의 총칭.

주:기[8]【注記·註記】 명 ①사물을 기록하는 일. ②주(註)를 닮. 또, 그 주(註). ③〖불교〗 절에서 논의(論議)할 때 논제(論題)를 읽는 중. 또, 그 논의를 필기(筆記)하는 직(職). ④〖불교〗 불전(佛典)을 주석(註釋)한 책을 일컫는 말.

주기[9]【酒氣】 명 술을 마셔 취한 기운. 술기. ¶～를 띤 얼굴.

주기[10]【酒旗】 명 술집 앞에 광고삼아 세우는 기.

주기[11]【酒器】 명 술 마시는 데 쓰이는 여러 가지의 그릇. 착락(錯落). 주구(酒具).

주기[12]【周忌·週忌】 명 사람의 사후(死後) 해마다 돌아오는 그 죽은 날. ¶삼(三) ～/60 ～.

주기[13]【週期·周期】 명 ①한 바퀴 도는 시기(時期). ¶이 현상은 ～적인 것이다. *돌. ②〔period〕 〖물〗 어떠한 현상이 일정한 시간마다 동일한 변화를 되풀이할 때 그 일정한 시간을 이름. 파동(波動)의 경우에는, 그 전파 방향(傳播方向)으로 한 파장(波長)만큼 진행하는 데 요하는 시간과 같음. ③〖화〗 원소(元素)의 주기표(週期表)에서 횡렬(橫列)을 이름.

주기 결산【週期決算】[—싼] 명 수입(收入)·지출(支出)의 주말(週末)의 계산(計算).

주기 곡선【週期曲線】 명 〖수〗 일정한 거리, 곧 주기마다 같은 모양을 반복하고 있는 곡선.

주기관-선【週氣管腺】 명 〔peritracheal gland〕 〖충〗 나비목(目) 곤충의 기관 가까이에 망상(網狀)을 이루고 있는 선상 조직(腺狀組織). 황록색을 띠고 있으므로 지방(脂肪) 조직과 구별됨. 세포질(細胞質)은 과립(顆粒)을 함유하고, 분비상(分泌像)도 관찰할 수 있는데 기능은 확실하지 않음. 핵(核)은 부정형(不整形)이며 큼.

주기다 타 〈옛〉 죽이다. ¶忠臣을 외오 주겨늘(擅殺忠臣) ≪龍歌 106章≫.

주-기도【主祈禱】 명 〖기독교〗 ↗주기도문.

주-기도문【主祈禱文】 명 〔Lord's Prayer〕 〖기독교〗 예수가 모범(模範) 기도로서 제자들에게 가르친 기도문. 신약(新約) 성서 마태 복음(福音) 6장 9-13절과 누가 복음 11장 2-4절에 수록되었음. 하느님의 나라와 그 의(義)를 구하는 것과, 신자(信者) 자신의 일용(日用)할 양식, 죄(罪)의 용서, 악(惡)에서의 구원 등을 내용으로 하고 있는데, '나라와 권세(權勢)와 영광(榮光)이 아버지께 영원히 있사옵나이다'를 덧붙였음. ㊌주도문(主禱文)·주기도.

주:기-성[1]【走氣性】[―썽] 명 《생》 산소(酸素)에 대한 주화성(走化性). 세균(細菌)에서 볼 수 있음. 추기성(趨氣性). ＊주광성(走光性).

주기-성[2]【週期性】[―썽] 명 《수》 주기 함수의 성질.

주기성 구토증【週期性嘔吐症】[―썽―쯩] 명 《의》 2-10 살 가량의 어린이가 일 년 동안에 여러 차례 체질·감기·흥분 등이 유인(誘因)이 되어 구토를 하고, 축 늘어져서 기운이 없어지는 병증. 열이 별로 높지 않고 설사도 하지 않음. 자가 중독증(自家中毒症).

주기성 단위 생식【週期性單爲生殖】[―썽―] 명 《생》 딴 때는 정상적인 유성(有性) 생식을 하지만 계절에 따라 환경 조건이 변화할 때만 주기적으로 하는 단위 생식. 예를 들면, 진드기는 봄·여름에 단위 생식을 하여 암컷만 증식(增殖)되다가 가을에 수컷이 나서 자웅 교미(交尾)에 의한 수정란(受精卵)이 생기고 그것이 이듬해에 암컷으로 깸. ＊정상성(定常性) 단위 생식.

주기 안테나【週期―】 명 〔periodic antenna〕 《물》 주파수의 변화에 따라 입력(入力) 임피던스가 변하는 안테나.

주기억 장치【主記憶裝置】 명 〔main storage unit〕 컴퓨터의 중앙 처리 장치 중에서, 프로그램이나 데이터를 기억하는 부분. 모든 정보는 일단 여기로 들어왔다가 여기서 나감. ＊보조 기억 장치.

주기 운:동【週期運動】 명 《물》 주기(週期)라고 불리는 어떤 일정한 시간마다 동일한 상태가 되풀이되는 것과 같은 운동. 추(錘)의 주기 운동 따위. 주기적 운동.

주기-율【週期律】 명 〔periodic law〕 《화》 원소(元素)를 원자 번호의 차례로 배열하였을 때 그 성질이 주기적으로 바뀐다고 하는 성질. 원소 주기율(元素週期律).

주기율-표【週期律表】 명 〔periodic table〕 《화》 주기율에 따라서 원소(元素)를 배열한 표. 1869년 러시아의 멘델레예프(Mendeleev)가 처음 발표함. 원소(元素)를 원자 번호의 차례대로 왼편에서 오른편으로 배열하고, 비슷한 성질의 원소가 나타날 때마다 그것을 위아래로 중복하도록 배열하고 있음. 장주기형(長週期型) 주기율표와 단(短)주기형 주기율표가 있는데, 세로줄을 족(族), 가로줄을 주기라 함. 1998년 현재 모두 18 개의 족, 7주기, 109 개의 원소가 실림. 원소 주기율표.

주:기-장【駐機場】 명 비행기, 중기 따위를 세워 두는 곳.

주기-적【週期的】 명 관 거의 일정한 간격을 두고 같은 일이 되풀이 되는 모양.

주기 적산 회전계【主機積算回轉計】 명 조선(造船)에서 프로펠러 축(軸)의 회전수 적산 기록 장치. 이 기록에 의거하여 배의 대수 속력(對水速力)의 추산(推算)을 함.

주기적 운:동【週期的運動】 명 《물》 주기 운동(週期運動).

주기적 파동【週期的波動】 명 〔periodic wave〕 《물》 변위(變位)가 시간이나 공간에 대해 주기적 변화를 나타내는 파동.

주-기철【朱基徹】 명 《사람》 장로교 목사·순교자. 경상 남도 웅천(熊川) 출생. 오산 학교(五山學校)와 연희 전문을 거쳐, 1926년 평양의 장로회 신학교 졸업. 평양 중앙 교회(中央敎會)·부산 초량(草梁)교회에서 목사로 시무하며 신앙 운동과 애국 운동을 일으킴. 중일 전쟁(中日戰爭) 때 평양 산정현(山亭峴) 교회의 목사로 있으면서 신사 참배(神社參拜)를 끝까지 거부, 일본 경찰에 체포되어 감옥에서 5년간 고생하다 병사하였음. [1897-1944]

주기-파【主氣派】 명 《역》 기호 학파(畿湖學派).

주기-표【週期表】 명 〔periodic table〕 《화》 주기율표(週期律表).

주기 함:수【週期函數】 [―쑤] 명 《수》 주기적으로 변동하는 함수. 함수 $f(x)$가 0이 아닌 어떤 상수(常數) p에 대하여 항상 $f(x+p)=f(x)$라는 관계를 충족할 때, $f(x)$는 p를 주기로 하는 주기 함수라고 함. 즉, 사인(sine) 함수는 2π를 주기로 하는 주기 함수, 탄젠트(tangent) 함수는 π를 주기로 하는 주기 함수임.

주기 해:류【週期海流】 명 《해》 달이나 태양의 영향으로 또는 주기적으로 변동하는 강제력으로 생기는 해류.

주기 혜:성【週期彗星】 명 《천》 타원형(楕圓型)의 궤도(軌道)를 그리며 운행하여 일정한 주기를 가지고 태양에 접근하는 혜성. 약 76년마다 출현하는 핼리 혜성(Halley 彗星)은 그 일례임.

주꾸미 명 〈방〉 꼴뚜기.

주-나라【周―】 명 《역》 중국의 '주(周)'를 나라로서 똑똑히 일컫는 말. 주의 예전에는, '줏나라'로 발음했음.

주낙 명 〔←줄+낚(낚시)〕 물고기를 잡는 제구의 한 가지. 낚싯줄에 여러 개의 낚시를 띄엄띄엄 달아 물속에 드리워 두었다가 걷어서 고기를 잡음.

주낙-배 명 주낙을 갖춘 고기잡이 배.

주낙 어업【―漁業】 명 《수산》 연승 어업.

주낙-줄 명 주낙에 맨 줄.

주낙-질 명 배를 타고 주낙으로 낚시질함. ――-하다 자 여불

주-낚시 명 주낙.

주낭【疇曩】 명 접때. 지난 번. 낭일(曩日). 향자(向者). 향일(向日).

주낭 반대【酒囊飯袋】 명 주대 반낭(酒袋飯囊).

주내【州內】 명 《지》 파주읍(坡州邑)의 구칭.

주:-내다【註―】 자 문장에 주석(註釋)을 달다.

주네 〔Genêt, Jean〕 명 《사람》 프랑스의 작가. 유복자로 태어나, 소년 시절부터 거지·도둑·남창(男娼) 등을 하여 형무소를 전전함. 시(詩) ≪사형수≫, 소설 ≪꽃의 노트르담≫을 발표하여 인정을 받고, 1948년에는 사르트르 등의 청원으로 특사를 받음. 악의 세계를 전위적(前衛的)으로 그린 것이 특색임. ≪도둑 일기≫·≪병풍≫ 등이 있음. [1910-86]

주네브 〔Genève〕 명 《지》 '제네바(Geneva)'의 프랑스어 이름.

주네브 의정서【―議定書】 〔Genève〕 명 평화 의정서(平和議定書).

주녀리-콩 명 〈방〉 쥐눈이콩.

주년[1]【周年】 명 《천주교》 천주 교회에서 매년 대림 제1 주일(待臨第一主日)에서 시작하여 성령 강림(聖靈降臨) 후 마지막 주일까지의 일 년 동안.

주년[2]【周年·週年】 명 돌이 돌아온 해. 주세(周歲). ¶ 광복(光復) 38 ~ 기념식.

주년-거리다 타 주전거리다. **주년-주년** 부. ――-하다 타 여불

주년-부리 명 주전부리.

주년-작【週年作】 명 《농》 같은 농작물(農作物)을 같은 땅에 한 해에 몇 번이고 심어서 수확하는 농작 방식.

주년 주일【周年主日】 명 《천주교》 예수 공현(公現) 주일부터 칠순(七旬) 주일까지와 성령 강림(聖靈降臨) 후 주일부터 대림(待臨) 제일 주일까지의 모든 주일의 총칭.

주념-거리다 타 주전거리다. **주념-주념** 부. ――-하다 타 여불

주념-부리 명 〈방〉 주전부리.

주:노[1] 〔Juneau〕 명 《지》 미국 알래스카 주(州)의 주도(州都). 주(州)의 남동부, 개스티노(Gastineau) 수로(水路)의 본토 쪽에 위치한 항구 도시. 좁은 수로를 사이에 두고 더글러스(Douglas) 섬과 다리로 연결됨. 어업·상업의 중심지이며, 북부의 캐나다령 화이트호스(Whitehorse)로 철도가 통함. [26,751 명(1990)]

주:노[2] 〔Juno〕 명 ①《신》 그리스의 여신(女神) '헤라(Hera)'의 로마 명. ②《천》 소행성(小行星)의 하나. 화성과 목성 사이에 산재하는 소행성 중 세번째로서 1804년 발견됨.

주농-성【走濃性】 [―썽] 명 〔osmotaxis〕 《생》 생물에 있어서 외계(外界)와 세포 체내(細胞體內)의 삼투압(滲透壓)의 변화(變化)가 자극이 되어 일어나는 주성(走性). 수중(水中) 생활을 영위(營爲)하는 생물에서 흔히 볼 수 있음. ＊주화성(走化性).

주:-놓다【籌―】 [―노타] 자 산대를 놓아 셈을 하다.

주뇌【主腦】 명 수뇌(首腦).

주:눅 명 ①기운을 마음대로 펴지 못하고 우므러드는 일. ②부끄러운 줄 모르고 언죽번죽하는 짓.

주:눅(이) 들다 구 기운을 펴지 못하고 우므러져 들다.

주:눅(이) 좋다 구 주눅들지 않고 언죽번죽하다.

주뉴【朱紐】 명 옥(玉)으로 만든 붉은 단추.

주:늑 명 〈방〉 주눅.

주니[1] 명 몹시 지루함을 느끼는 싫증.

주니(가) 나다 구 몹시 지루하여 싫증이 생기다.

주니(를) 내:다 구 몹시 지루함을 느껴 싫증을 내다.

주니[2]【朱泥】 명 《공》 중국 장쑤 성(江蘇省) 쉬안싱(宜興)에서 나는 석질(石質)의 잿물로 안을 발라 만든 적갈색의 자기(瓷器). 토질(土質)이 몹시 치밀하여 석질(石質)이 될 때까지 구움.

주니어 〔junior〕 명 ①청소년(靑少年). 연소자(年少者). 후진자(後進者). ②하급생(下級生). 1)·2):↔시니어.

주니어-급【―級】 〔junior〕 [―끕] 명 권투·레슬링 따위에서 국제 시합의 체중량으로 나눌 수 없는 아이들에 대하여 따로 나눈 등급.

주니어라이트-급【―級】 [―끕] 명 〔junior-light-weight〕 프로 권투의 체급(體級)의 하나. 126 파운드(57.15 kg) 이상 130 파운드(58.97 kg)까지의 몸무게의 등급으로, 페더급의 위, 라이트급의 아래임.

주니어미들-급【―級】 [―끕] 명 〔junior-middle-weight〕 프로 권투의 체급(體級)의 하나. 147 파운드(66.68 kg) 이상 154 파운드(69.85 kg)까지의 몸무게의 등급으로, 웰터급의 위, 미들급의 아래임.

주니어밴텀-급【―級】 [―끕] 명 〔junior-bantam-weight〕 프로 권투의 체급(體級)의 하나. 50.8 kg 이상 51.16 kg까지의 몸무게의 등급으로, 플라이급의 위, 밴텀급의 아래임. ＊슈퍼 플라이급.

주니어웰터-급【―級】 [―끕] 명 〔junior-welter-weight〕 프로 권투의 체급(體級)의 하나. 135 파운드(61.23 kg) 이상 140 파운드(63.5 kg)까지의 몸무게의 등급으로, 라이트급의 위, 웰터급의 아래임.

주니어 칼리지 〔미 junior college〕 명 미국에 있어서의 2 년제 대학.

주니어페더-급【―級】 [―끕] 명 〔junior-feather-weight〕 프로 권투의 체급의 하나. 118 파운드(53.52 kg) 이상 122 파운드(55.34 kg)까지의 몸무게의 등급으로, 밴텀급의 위, 페더급의 아래임. ＊슈퍼 밴텀급.

주니어플라이-급【―級】 [―끕] 명 〔junior-fly-weight〕 프로 권투의 최경량(最輕量)의 체급(體級). 48 kg 이하의 몸무게의 등급(等級)으로 플라이급(級)의 아래.

주니어 하이스쿨 〔미 junior high school〕 명 미국의 중등 학교의 6·3·3 제의 과정에서, 7-9 학년급의 일컬음. 한국의 중학교에 해당함.

주니어 허:들 〔junior hurdle〕 명 육상 경기에서, 고교생(高校生)이 사용하는 허들.

주-님【主―】 명 '주(主)'를 높여 이르는 말.

주다[1]【酒多】 명 《역》 술간(述干).

주:다[2] 자 〈방〉 여위다(제주).

주다[3] 타 ①어떤 것을 남에게 건네어 그의 것이 되게 하다. ¶ 용돈을 ~/선물을 ~/먹이를 ~/ 꽃에 물을 ~/농약을 ~. ＊드리다[4]. ②상대에게 어떤 결과를 입히다. ¶ 이익을 ~/충격을 ~/창피를 ~. ③시간·조건 등을 상대가 이용할 수 있는 상태로 하다. ¶ 변명할 기회를 ~/부하에게 권한을 ~. ④상대에게 부과하다. ¶ 학생들에게 과제를 ~. ⑤눈길·마음·정 따위를 보내다. ¶ 정을 ~/눈길을 ~/전화를 ~. ⑥남에게 어떤 영향을 미치다. ¶ 힘을 ~/농작물에 피해를 ~/청중에게 감명을 ~. ⑦실이나 줄을 풀어서 가게 하다. ¶ 닻을 ~/연줄을 ~. ⑧주사나 침 따위를 놓다. ¶ 침 주는 할아버지. ⑨못 따위를 박다. ¶ 못을 주어 고정시키다.

[주는 떡도 못 받아 먹는다] 제가 받을 수 있는 복도 멍청하게 못 받는다는 말. [주러 와도 미운 놈 있고 받으러 와도 고운 사람 있다] 사람을 좋아하고 미워하는 감정은 이치로 따질 수 없다는 말.
줄수록 양양 [—냥] 구 주면 줄수록 부족(不足)하게 여기고 더 요구(要求)하게 된다는 말.
주:다[4] 타 〈방〉 깁다(전남).
주다[5] 조동 동사의 전성(轉成) 어미 '-아'나 '-어'에 붙어서 남을 위하여 동작(動作)하는 뜻을 보이는 동사. ¶책을 읽어 ~/편지를 써 ~. *드리다[8].
주다노프[1] [Zhdanov] 명 〖지〗 우크라이나 공화국의 동남부, 아조프 해(Azov海)에 임한 항구 도시. 야금·기계·제강 등의 공업이 행해짐. 19세기 후반(後半) 돈바스(Donbass)의 개발과 더불어 발전. 마리우폴(Mariupol)로 환원됨. 1948년 주다노프(Zhdanov, A.A.)를 기념하여 개칭(改稱)한 것임. [525,000명(1986)]
주다노프[2] [Zhdanov, Andrei Aleksandrovich] 명 〖사람〗 소련의 정치가. 공산당의 이론가. 1939년 이래 공산당 중앙 위원회 서기로서 문화·이데올로기 부문(部門)을 담당하여 스탈린의 문예 정책의 일익(一翼)을 맡았음. [1896-1948]
주-다례【晝茶禮】명 〖역〗 인산(因山) 뒤 삼년상(三年喪) 안에 아무 때든지 혼전(魂殿)이나 산릉(山陵)에서 낮에 지내는 제식(祭式).
주단[1]【朱丹】명 곱고 붉은 색 또는 칠.
주단[2]【柱單】명 〖민〗 ↗사주 단자(四柱單子).
주단[3]【紬緞】명 명주와 비단 등의 총칭. ¶~ 포목.
주:단[4]【綢緞】명 품질이 썩 좋은 비단.
주:단-강【鑄鍛鋼】명 〖공〗 주강(鑄鋼)과 단강(鍛鋼).
주단면 상세도【主斷面詳細圖】명 건축 도면(建築圖面)의 하나. 건물의 가장 중요한 부분을 지붕 끝에서 기초 밑까지 수직(垂直)으로 절단(切斷)하여 층의 높이, 쓰이는 재료(材料) 등을 나타냄. 시공(施工)할 때 기준이 되는 도면임.
주단 야:장【晝短夜長】[—냐—] 명 동지 무렵, 곧 겨울에 낮은 짧고 밤은 긺. ↔주장 야단(晝長夜短). ——-하다 형여불
주단 포목【紬緞布木】명 명주와 비단과 베와 무명의 총칭. 곧, 온갖 직물류(織物類). ¶~점(店).
주:달[1]【奏達】명 임금에게 아뢰는 일. 주문(奏聞). 주어(奏御). 주품(奏稟). ——-하다 타여불
주달[2]【酒疸】명 〖한의〗 술의 중독으로 소변 불통·발열(發熱) 등의 증세가 일어나는 황달(黃疸).
주-달관【周達觀】명 〖사람〗 중국 원(元)나라 사람. 자(字)는 초정(草庭). 1295년 지금의 캄보디아인 진랍(眞臘)으로 가는 사자(使者)를 수행(隨行)하여 그 곳에서 견문(見聞)한 것을 기초로 ≪진랍 풍토기(風土記)≫를 저술하였음. 이 책은 진랍의 사료(史料)로서 중요함. 생몰년 미상.
주-달다【注—, 註—】 자 본문(本文)의 뜻을 보충하거나 자세히 설명하는 글을 적어 넣다.
주담[1]【酒痰】명 〖한의〗 술을 마신 다음 날 입맛이 없고 담이 끓고 구토가 나는 병. ¶~이 들다.
주담[2]【酒談】명 술김에 지껄이는 종작없는 말. ——-하다 자여불
주당[1] 명 〖민〗 뒷간을 지키는 귀신.
주당[2]【主堂】명 〖천주교〗 성당(聖堂).
주당[3]【周堂】명 〖민〗 혼인 때에 꺼리는 신. 큰 달 작은 달에 따라 그 위치가 달라짐.
주당(을) 맞다 구 주당으로 말미암아 빌미를 입다.
주당[4]【酒黨】명 주도(酒徒). 술꾼. 술패.
주:당[5]【籌堂】명 〖역〗 비당(備堂).
주-대[1] 명 줄과 대. 곧, 낚싯줄과 낚싯대.
주대[2]【主隊】명 〖군〗 주력 부대(主力部隊) 또는 주력 함대(艦隊).
주:대[3]【奏對】명 임금에게 대답하여 아뢺. ——-하다 자여불
주-대각선【主對角線】명 〖수〗 정방 행렬(正方行列) 또는 행렬식(式)의 좌상(左上)에서 우하(右下)에 도달하는 대각선.
주대 반낭【酒帒飯囊】명 [술과 밥주머니라는 뜻으로] 술과 음식은 곧잘 먹으면서 일은 하지 않는 사람을 나무래어 하는 말. 주낭 반대(酒囊飯帒). 의가 반낭(衣架飯囊).
주대이 명 〈방〉 주둥아리(전북).
주댕이 명 〈방〉 주둥아리(전남).
주 더 [朱德] 명 〖사람〗 중국의 군인·정치가. 1922년 베를린에 유학(留學), 그 곳에서 저우 언라이(周恩來)를 만나 공산당에 입당. 1928년 징강 산(井岡山)에서 마오 쩌둥(毛澤東)과 함께 중공군인 중국 공농 홍군(工農紅軍) 제4군을 창설, 군장(軍長)이 되고, 항일(抗日) 전쟁 중에는 팔로군 총사령(八路軍總司令)이 됨. 1949년 중공 정권이 수립되자 군 총사령, 1954년에 국가 부주석(副主席)겸 국방 위원회 부주석, 1959년 국가 원수(元首)격인 전국 인민 대표 대회 상무 위원회 위원장이 됨. 주덕. [1886-1976]
주더만 [Sudermann, Hermann] 명 〖사람〗 독일의 극작가. 자연주의의 입장에서 사회를 비판, 교묘한 무대 효과로 인기를 얻었으며, 작품으로 ≪명예≫·≪우수 부인(憂愁夫人)≫·≪나의 청년 시절≫ 등이 저명함. [1857-1928]
주덕[1]【主德】명 〖윤〗 원덕(元德).
주-덕[2]【朱德】명 〖사람〗 '주 더'를 우리 음으로 읽은 이름.
주덕[3]【酒德】명 ①술의 공덕(功德). ②술에 취한 뒤에도 주정을 하지 않고 심신을 바르게 가지는 버릇. 주도(酒道).
주-덕기【朱德基】명 〖사람〗 조선 말기의 광대. 전남 창평(昌平) 출신. 오랫동안 송흥록(宋興祿)·모흥갑(毛興甲)의 고수(鼓手)로 있었으며, 후에 산중에 들어가 수련하여 명창(名唱)이 됨. 적벽가(赤壁歌)가 뛰어났으며, 그 중 활 쏘는 대목이 후세에 전함. 별호로 벌목 정정(伐木丁丁)이라 불렸음. 생몰년 미상.
주덕-산【朱德山】명 〖지〗 평안 북도 초산군(楚山郡) 송면(松面)에 있는 산. [1,087 m]
주데 명 〈방〉 주둥아리(함경).
주데이 명 〈방〉 주둥아리(황해).
주뎅 명 〈방〉 주둥아리(강원).
주뎅이 명 〈방〉 주둥아리(경기·강원·충청·전라·경상).
주도[1]【主都】명 ①주요한 도시. ②위성 도시(衛星都市)의 중심이 되는 도시. ③수도(首都).
주도[2]【主導】명 주장(主張)이 되어 이끎. ¶~권(權)/그 단체는 누가 ~하고 있는가. ——-하다 타여불
주도[3]【州都】명 미국 등에서 주(州)의 정청(政廳)이 있는 도시.
주도[4]【周到】명 주의(注意)가 빈틈없이 두루 미침. ¶용의(用意) ~하다. ——-하다 형여불. ——-히 부
주도[5]【洲島】명 ①섬. ②〖지〗 하구(河口)에 삼각주(三角洲) 모양으로 토사(土砂)가 퇴적(堆積)하여 이루어진 섬. 주서(洲嶼).
주도[6]【酒徒】명 술을 즐기고 잘 마시는 무리. 술꾼. 술패. 주당(酒黨). 주배(酒輩).
주도[7]【酒道】명 ①주덕(酒德)❷. ②술 마시거나 술자리에 있을 때의 도리(道理). ¶~가 훌륭하다.
주:도[8]【倣度】명 〖역〗 새로 벼슬을 한 사람이 규정에 의하여 한 차례에 열흘 동안씩 연거푸 번(番)을 드는 일.
주도-권【主導權】[—꿘] 명 주장이 되어 사물을 행하는 권력. 헤게모니. ¶~을 장악하다.
주도-력【主導力】명 주도하는 힘. 남을 이끄는 능력.
주-도로【主道路】명 어떤 지역·지점에 이르는 주된 도로.
주도 면밀【周到綿密】명 주의(注意)가 두루 미쳐 자세하고 빈틈이 없음. ——-하다 형여불. ——-히 부
주도-문【主禱文】명 〖기독교〗 ↗주기도문(主祈禱文).
주도 산:업【主導產業】명 일반적으로 경제 성장을 촉진(促進)시키는 중심적인 산업 부문으로, 철강·전기 기계·자동차 산업이 그 전형(典型)임. 한 나라의 경제·산업의 발전 단계(發展段階)에 따라 다르나 공업화의 초기에는 경공업(輕工業), 이어서 중화학(重化學) 공업이 되는 것이 통례(通例)이며, 산업 구조(產業構造) 내지 공업 구조의 고도화(高度化)를 이룩하게 하는 산업임.
주도-성【珠淘省】명 〖역〗 태봉(泰封)의 중앙 최고 기관인 광평성(廣評省)에 딸린 관부.
주도-자【主導者】명 주도적(的) 역할(役割)을 하는 사람. 페이스메이커. ¶그 모임의 ~.
주도-적【主導的】명관 주도권(主導權)을 가진 모양. ¶~ 역할.
주독[1]【主櫝】명 신주(神主)를 모시는 나무 그릇. 준독(櫝).
주독[2]【走讀】명 책을 잘 정독(精讀)하지 않고 빨리 건성으로 읽음. ——-하다 타여불
주독[3]【酒毒】명 〖한의〗 술의 중독으로 인하여 얼굴에 붉은 반점(斑點)이 생기는 증세. 술독.
주독(이) 오르다 구 술의 중독으로 얼굴에 붉은 반점이 생기다.
주독-코【酒毒—】명 〖한의〗 주독으로 코가 붉어진 비사증(鼻皶症). 또는 그 병에 걸린 코.
주-돈이【周敦頤】명 〖사람〗 중국 북송(北宋)의 유학자(儒學者). 후난(湖南) 사람. 자(字)는 무숙(茂叔), 호는 염계(濂溪). 당(唐)나라 때의 경전주석(經典注釋)에 갈음하여, 불교(佛教)와 도교(道教)의 철리(哲理)를 응용한 유교 철학을 창시하여 송학(宋學)의 시조(始祖)로 일컬어짐. ≪태극 도설(太極圖說)≫과 ≪통서(通書)≫를 저술, 종래의 인생관에 우주관을 통합하고, 거기에 일관한 원리를 수립함. 시호(諡號)는 원공(元公). [1017-73]
주동[1]【主動】명 ①어떤 일에 주장(主長)이 되어 행동(行動)함. 또는, 그 사람. 주동자(主動者). ¶어떤 모임에 ~이 되다. ②〖언〗 ↗주동사(主動詞). ——-하다 자여불
주동[2]【柱棟】명 ①기둥과 들보. ②기둥과 들보가 한 가옥(家屋)을 지탱(支撐)해 나가는 것처럼 한 나라나 한 집안을 받드는 사람.
주동-력【主動力】[—녁] 명 주장이 되어 움직이는 힘.
주-동사【主動詞】명 〖언〗 행동하는 주체(主體)가 자발적으로 행하는 동작을 나타내는 동사. 곧, 먹다·앉다·웃다 등. 준주동(主動). ↔사동사(使動詞).
주동아리 명 〈방〉 주둥아리(경기).
주동-자【主動者】명 어떤 일에 주동이 되는 사람. 주동(主動). ¶~가 되다.
주동-적【主動的】명관 주동에 관계됨. 주동의 역할을 하는 모양. ¶~ 입장에 서다.
주동-축【主動軸】명 동력을 전하는 축.
주-되다【主—】자 주장이 되다. 중심이 되다. ¶주된 원인.
주두[1]【朱—】명 〈방〉 석간주(石間硃).
주두[2]【柱枓·柱頭】명 〖건〗 대접 받침.
주두[3]【柱頭】명 [stigma] 〖식〗 끈적끈적한 진물이 있어 꽃가루를 받는 암꽃술의 대가리. 꽃 종류에 따라 모양이 여러 가지임. 암술머리.
주두라지 명 ①〈속〉 말씨. ② ☞ 주둥아리.
주두리 명 〈방〉 주둥아리(함경).
주:둔【駐屯】명 군대가 어떤 지역에 머무름. ¶유럽 ~ 유엔군. ——-하다 자여불

주:둔-군【駐屯軍】명 어떤 지역에 일시적(一時的)으로 주둔하고 있는 군대. ¶~의 철수.

주:둔-지【駐屯地】명 군대(軍隊)가 주둔하고 있는 장소(場所). ¶X사단의 ~.

주둥머리 명 〈방〉 주둥아리.

주둥무늬-풍뎅이 [—니—] 명 〖충〗 [*Adoretus tenuimaculatus*] 풍뎅잇과의 곤충. 몸길이 8.5-10.5mm이고, 몸은 긴 타원형에 농갈색·황갈색의 인모(鱗毛)가 밀생하여 다색(茶色)으로 보이고, 촉각(觸角)은 황갈색임. 성충(成蟲)은 오리나무·포도나무 등의 잎을 갉아 먹는데, 한국에도 분포함.

주둥아리 명 [←주둥이+-아리] 〈속〉 ①입. ¶함부로 ~를 놀리지 마라. ②부리. ¶새~. 준주둥이. >조동아리.

주둥아리(를) 놀리다 구 〈속〉 말을 함부로 하다.

주둥아리만 까다 구 〈속〉 입만 까다.

주둥이 명 〈속〉 ↗주둥아리.

주둥이(가) 싸다 구 〈속〉 걸핏하면 말대답(對答)을 잘 하거나, 하지 아니할 말을 하다. 툭하면 말참견(參見)을 잘 하다. 입(이) 싸다. >조동이(가) 싸다.

주둥이-박쥐 명 〖동〗 뿔박쥐.

주둥치 명 〖어〗 [*Leiognathus nuchalis*] 주둥칫과(科)에 속하는 바닷물고기. 몸길이 14cm 가량, 측편(側扁)하며 머리에 비늘이 없음. 몸빛은 청색을 띤 은백색인데, 후두부(後頭部)에 검은 반점이 있음. 위턱의 뼈와 이마의 뼈를 마찰시켜 소리를 내는 습성이 있음. 내만(內灣)에 서식하며 때때로 하천(河川)으로 거슬러 올라오기도 하는데, 한국 남부·제주도·일본 중남부에 분포함.

〈주둥치〉

주둥칫-과【—科】명 〖어〗 [Leiognathidae] 농어목(目)에 속하는 어류(魚類)의 한 과. 주둥치·게레치·왜(倭)주둥치·줄주둥치 따위가 있음.

주뒹이 명 〈방〉 주둥아리(경기·황해).

주등【酒燈】명 선술집 문간에 다는 지등롱(紙燈籠).

주-등기【主登記】명 〖법〗 독립(獨立)하여 순위(順位)를 갖는 등기. 등기의 형식상의 분류로 부기 등기(附記登記)에 대하여 보통의 등기를 말함. 소유권(所有權) 취득의 등기나 저당권(抵當權) 설정의 등기 등은 이에 해당함.

주딩이 명 〈방〉 주둥아리(강원·함남).

주디: 명 〈방〉 주둥아리(경상).

주디이 명 〈방〉 주둥아리(경상).

주딩이 명 〈방〉 주둥아리(경기·충청·경상).

주딩치 명 〈방〉 주둥아리(경남).

주라【朱喇·朱螺】명 〖악〗 붉은 칠을 한 소라 껍질로 만든 대각(大角). *소라.

주라다 타 〈방〉 줄이다(경남).

주라-통【朱螺筒】명 소의 목구멍에서 밥통에 이르는 통로.

주락【珠絡】명 〖역〗 ↗주락 상모(珠絡象毛).

주락 상모【珠絡象毛】명 〖역〗 타는 말 머리의 꾸밈새. 갈기를 모숨모숨 땋고 붉은 줄을 드리고, 그 끝에 붉은 털로 넓적하게 술과 비슷이 만들어 대었음. 어승마(御乘馬)와 사복시(司僕寺)·규장각(奎章閣)의 벼슬아치가 타는 말에 이와 같이 꾸밈. 준주락(珠絡).

주란[1]【朱蘭】명 〖식〗 대왕풀.

주란[2]【朱欄】명 붉은 칠을 한 난간(欄干).

주란[3]【酒亂】명 습관적(習慣的)으로 술에 취(醉)해서 미쳐 날뛰는 일. 주광(酒狂).

주란-사【—紗】명 주란사실로 짠 피륙의 한 가지. 가스직(織). 와사직(瓦斯織).

주란사-실【—紗—】명 무명실의 거죽에 난 솜털 같은 섬유를 가스불에 태워서 반드르르하게 윤을 낸 실. 가스(gas)실.

주란-포【—布】명 〈방〉 주란사(紗).

주란 화:각【朱欄畫閣】명 단청칠을 곱게 하여 화려하게 꾸민 누각(樓閣). 주루 화각(朱樓畫閣).

주람[1]【周覽】명 곳곳으로 두루 돌아다니며 자세(仔細)히 봄. ——-하다 타여불

주:람[2]【奏覽】명 천자에게 바치어 보시게 함. ——-하다 타여불

주랍【朱蠟】명 편지(便紙)의 겉봉 같은 것을 봉(封)하는 데 쓰는 붉은 빛깔의 밀.

주랑[1]【朱廊】명 붉은 칠을 한 복도.

주랑[2]【柱廊】명 [colonnade] 〖건〗 지붕을 받치는 기둥이 나란히 있을 뿐 벽·문 등이 없는 복도.

주:략【籌略】명 계책(計策)과 모략(謀略). 주모(籌謀).

주량[1]【舟梁】명 ①배다리. ②배와 다리.

주량[2]【柱梁】명 ①기둥과 대들보. ②기둥과 대들보처럼 한 집안이나 나라의 중요한 인재(人材).

주량[3]【酒量】명 술을 마시는 분량. 주호(酒戶). ¶~이 대단하다.

주량 회갑【舟梁回甲】명 혼인(婚姻)한 지 예순한 해 만의 그 날. 회혼(回婚).

주럽 명 ①피로하여 고단한 증세. ② ☞ 주접[1].

주럽(이) 들다 구 〈방〉 주접(이) 들다.

주럽(을) 떨:다 구 피로하여 고단한 몸을 쉬다.

주:렁 명 〈방〉 지팡이(전라).

주렁박 명 〈방〉 조롱박(경북).

주렁-주렁 부 ①열매가 많이 매달려 있는 모양. ¶호박이 ~ 열리다. ② 한 사람에 여러 사람이 딸린 모양. ¶아이가 ~ 딸린 과부. 1)·2): >조랑조랑.

주례-동 명 〖광〗 갱도(坑道)가 비스듬히 땅 속으로 향하여 들어간 데에 세우는 동발.

주레-장 명 〖광〗 높고도 위험(危險)한 갱도(坑道)의 천장에 안전(安全)을 위하여 따로 방발과 살장으로 천장을 만들고, 그 위에 버력을 채워 만든 천장.

주레-주레 부 ☞ 주렁주렁. ¶처마에 ~ 매달은 명석 조각이며 밀감 조각들 사이에…《廉想涉: 標本室의 청개구리》.

주려【周廬】명 〖역〗 궁궐(宮闕)을 수위(守衛)하는 군사(軍士)가 번(番) 들어서 자던 곳.

주력[1]【主力】명 ①주장되는 힘. 중심이 되는 세력. ¶~을 이루다. ②병력을 둘 이상으로 나누어 산용(散用)할 때의 우세(優勢)한 대부대(大部隊). 주력 부대(主力部隊). ¶~이 투입되다.

주력[2]【走力】명 달리는 힘. 속력(速力)·지구력(持久力) 등, 주행(走行)에 필요한 힘. ¶~이 뛰어나다.

주:력[3]【注力】명 힘을 들임. 힘을 쏟아 기울임. ——-하다 자여불

주:력[4]【呪力】명 미개인 사이에서 주술(呪術) 및 종교의 기초를 이루는 초자연적·비인격적인 힘의 관념.

주력[5]【周歷】명 두루 돌아다님. ——-하다 자여불

주력[6]【酒力】명 ①술의 힘을 빌려 나는 기운. ②술이 사람을 취하게 하는 힘.

주력[7]【酒歷】명 술을 마신 이력이나 경력.

주력 부대【主力部隊】명 〖군〗 주력을 이루는 부대. 주력. ¶~가 도착하다.

주:력-설【呪力說】명 종교 기원론(宗教起源論)의 하나. 신비적인 주력(呪力)을 사람에게나 물건에서 인정함으로 말미암아 종교 관념(觀念)이 생긴다는 설.

주력-주【主力株】명 〖경〗 증권 거래소에서 항상 많은 거래가 이루어지고, 그 주가(株價)의 등락(騰落)이 주식 시장(市場)을 주도(主導)하는 유력한 주(株). *인기주.

주력 주각【主力主角】명 〖물〗 연을 공중에 띄울 때에 바람이 불어오는 방향과 종이 면이 만드는 각.

주력-함【主力艦】명 〖군〗 ①군함 중에서 가장 공격력 및 방어력이 우수한 전함(戰艦). ②넓은 뜻으로는 항공 모함(航空母艦)·순양함(巡洋艦)·전함(戰艦) 등 해군의 주력이 되는 군함.

주력 함:대【主力艦隊】명 〖군〗 한 나라의 해군 또는 연합 함대(聯合艦隊) 중에서 주력함(主力艦)을 기간(基幹)으로 이룬 함대.

주:련[1]【注連】명 〖민〗 물을 뿌려 깨끗이 하여 집의 입구(入口)에 쳐 놓는 새끼. 출관(出棺) 후에 망귀(亡鬼)가 다시 집으로 돌아오지 못하게 하는 것임.

주련[2]【柱聯】명 기둥이나 바람벽 등에 장식으로 그림이나 글씨를 써 붙어 걸치는 물건. 또, 그 연구(聯句). 영련(楹聯).

주련[3]【株連】명 죄인과 어떤 관련이 있음. ——-하다 자여불

주:련[4]【駐輦】명 길 가운데에서 잠시 연(輦)을 머무르게 함. 주가(駐駕). ——-하다 자여불

주련-경【柱聯鏡】명 기둥에 걸게 된 좁고 긴 거울.

주련-판【柱聯板】명 주련(柱聯)에 쓰이는 나무 판.

주렴【珠簾】명 ①구슬을 꿰어 만든 발. 주박(珠箔). 주장(珠帳). 옥렴(玉簾). 구슬발. ②〖건〗 주렴 모양으로 된 무늬.

주렵[1] 명 〈방〉 주접(충청).

주렵(이) 들다 구 〈방〉 주접(이) 들다(충청).

주렵(을) 떨:다 구 〈방〉 주접(을) 떨다(충청).

주렵[2]【酒獵】명 엽주(獵酒).

주:령[1] 명 〈방〉 지팡이.

주령[2]【主令】명 주인 영감이란 뜻. 손이 정삼품(正三品) 이상의 주인을 높여 일컫는 말.

주령[3]【主嶺】명 잇달아 있는 고개 중에서 가장 높은 고개.

주령[4]【朱苓】명 〖한의〗 저령(豬苓).

주-령[5]【朱玲】명 〖사람〗 신라 진흥왕 때의 무장. 일명 진(珍). 진흥왕 5년(544)에 고구려군이 예(濊)의 군사 6천과 같이 백제의 독산성(獨山城)을 치자 백제의 요청으로 정예 3천을 이끌고 주야로 행군하여 독산성 밑에서 고구려군과 싸워 이를 크게 무찌름. 생몰 연대 미상.

주령[6]【酒令】명 여럿이 술을 마시는 데 있어서의 약조(約條).

주령[7]【酒齡】명 술의 나이. 그 술을 만들어 저장(貯藏)해 둔 햇수. ¶~ 50년 짜리.

주령-배【酒令杯】명 예전에 쓰던 술잔의 한 가지. 속에 오뚝이 같은 인형(人形)이 들어 있고, 그 위에 구멍이 뚫린 잔 뚜껑을 씌워 술이 차면 인형이 떠올라 구멍 밖으로 머리를 내미는데, 그 쪽에 있는 사람이 술을 마시게 됨.

주례[1]【主禮】명 예식을 맡아 주장하는 일. 또, 그 사람. 흔히, 결혼식(結婚式) 등에서 결혼 성립의 선포·순서 등을 맡아 보는 사람을 일컬음. ¶~ 목사/~를 보다. ——-하다 타여불

주례(를) 서다 구 주례일을 맡아서 보다.

주례[2]【周禮】명 〖책〗 삼례(三禮)의 하나. 주공 단(周公旦)의 작(作)이라 하나, 후대의 사람이 증보(增補)한 것으로 여겨짐. 옛날에는 주관(周官)으로 일컬어지다가 당대(唐代) 이후에 주례라 칭하였음. 주(周)의 관제인 천(天)·지(地)·춘(春)·하(夏)·추(秋)·동(冬)의 육관(六官)을 분류·설명한 것으로서 중국의 국가 제도를 기록한 최고(最古)의 책. 십삼경(十三經)의 하나. 6편(編).

주례[3]【酒禮】명 주연(酒宴)에서의 예의(禮儀). 주석(酒席)에서의 예의 범

절(禮儀凡節).
주례⁴【酒醴】명〔'례(醴)'는 단술을 뜻함〕술과 단술.
주례-사【主禮辭】명 주례가 하는 축사.
주례-자【主禮者】명 주례(主禮)를 맡아 보는 사람.
주롄청〔九連城〕명〖지〗중국 랴오닝 성(遼寧省) 단둥(丹東) 북쪽에 있는 옛 성으로 취락지. 압록강을 사이에 두고 우리 나라 의주(義州)와 마주 보고 있으며, 한(漢)나라 때에는 안평구(安平口), 당(唐)나라 때에는 박작성(泊汋城)이라 했고, 금(金)나라 때에는 9성(城)을 쌓아 고려에 대항했음. 청일(淸日) 전쟁 때는 일본군이 우리 나라에서 중국 둥베이(東北) 지방에 이르는 진입구로 이용했음. 구련성.
주로¹【主路】명〖물〗회로(回路) 가운데의 두 점을 별도의 도선(導線)으로 연결할 때의 처음의 회로. 연결된 부분을 분로(分路)라 하며, 주로와 분로와의 저항(抵抗)의 차이에 의해 각 회선을 흐르는 전류(電流)의 강도(強度)가 상이하며, 저항값에 반비례하여 전류가 분배(分配)됨. ↔분로(分路).
주로²【舟路】명 배로 통하는 길. 선로(船路).
주로³【朱鷺】명〖조〗따오기.
주로⁴【走路】명 ①도망쳐 달아나는 길. 도로(逃路). ②경주(競走)할 때 달리는 일정한 길. 특별히 흙과 모래 들로 평평(平平)하게 만들어 씀. 코스(course).
주로⁵【酒壚】명 목로(木壚).
주-로⁶【主一】부 주장(主張)삼아. 주되게. ¶식료품이 ~ 많이 팔린다.
주로-하다【主一】타여불 주장으로 삼다. ¶어린이를 주로하는 모임/세력(勢力)을 주로 하는 기풍(棋風).
주록¹【朱綠】명 붉은 색과 녹색.
주록²【週錄】명 ①한 주일의 기록. ②〖교〗교수 세목(敎授細目)에 의해서, 소정된 일 주일 내의 교수 사항을 기재한 기록.
주론【主論】명 으뜸 가는 논의(論議). 주장되는 논설. ¶~을 전개하다. ——-하다 자여불
주롬 명〈옛〉주름. ¶므쇠로 텰릭을 몰아나는 鐵絲로 주롬 바고이다《樂詞 鄭石歌》.
주뢰【周牢】명〖역〗→주리.
주룡【主龍】명〖민〗주산(主山)의 줄기.
주루¹【朱樓】명 붉게 칠한 누각(樓閣).
주루²【走壘】명 야구에서, 주자(走者)가 어느 누(壘)에서 다음 누로 달림. ——-하다 자여불
주루³【珠淚】명 구슬과 같은 눈물. 구슬처럼 떨어지는 눈물.
주루⁴【酒樓】명 설비가 좋은 술집. 주사(酒肆).
주루다 타〈방〉줄이다(경남).
주루목 명〈심마니〉산삼을 넣는 망태기.
주루 화:각【朱樓畫閣】명 주란 화각(朱欄畫閣).
주룩 부 물줄기 따위가 짧은 동안 좁은 구멍이나 면을 빨리 흐르다가 그치는 소리. 또, 방울방울 떨어지는 소리. ㅆ쭈룩. >조록.
주:룩-들다 자〈방〉주눅 들다.
주룩-주룩 부 잇달아 나는 주룩 소리. ¶비가 ~ 내리다. ㅆ쭈룩쭈룩. >조록조록. ——-하다 자여불
주룸 명〈방·옛〉주름(경기·충북·경북·제주). ¶주룸 간(襇), 주룸 벽(襞), 주룸 젹(襀)《字會 中 23》.
주룸-살 명〈방〉주름살(전남·경남).
주룸-싸리 명〈방〉주름살(강원).
주룸-쌀 명〈방〉주름살(경기·강원·충북·전남).
주룽〔九龍〕명〖지〗①주룽 반도(九龍半島). ②주룽 반도의 남단, 홍콩 섬 맞은쪽의 도시. 1860년에 영국이 할양받은 식민지의 일부. 홍콩에서 중국 본토로 들어가는 해륙(海陸) 교통의 요지로 국제 공항이 있으며, 상업·무역의 중심지이기도 함. 산지(山地)의 서사면(西斜面)에 있고 여름에는 남서 계절풍을 받기 때문에 지내기가 쉬움. 병영(兵營)·방적(紡績)·시멘트·담배 공장 등이 있음. 구룡.
주룽 반:도【一半島】〔九龍〕명〖지〗중국 광둥 성(廣東省) 바오안 현(寶安縣) 남동, 홍콩(Honkong) 대안(對岸)에 있는 반도. 1860년 일부가 영국에 할양(割讓)되었고, 1898년 그 나머지가 영국의 조차지(租借地)로 되었음. 나무가 거의 없는 산지(山地)로, 평지에서는 농업이 영위됨. 주룽 시(市)가 있음. 구룡 반도. 주룽(九龍). [1,036 km²]
주룽-주룽 부〈방〉주렁주렁(평북).
주 룽지〔朱鎔基〕명〖사람〗중국의 정치가. 후난 성(湖南省) 출생. 칭화(靑華) 대학 졸업. 1949년 입당하고 1988년-91년 상하이(上海) 시장을 거쳐 1991년 부총리, 이듬해에 당정치국 상무위원이 되고 1993년 제1 부총리에 중임, 1998년 국무원 총리가 됨. 주용기. [1928-]
주류¹【主流】명 ①강의 주되는 큰 흐름. 간류(幹流). ¶한강의 ~. ↔여류(餘流). ②사상·학술(學術) 등의 주된 경향이나 유파(流派). ¶~파(派)/반(反)~. ③어떤 조직(組織)이나 단체 안의 다수파(多數派). ¶비(非)~. 「자여불
주류²【周流】명 ①둘러 흐름. ②두루 돌아다님. 주유(周遊). ——-하다
주류³【酒類】명 술의 종류. 우리 나라 주세법(酒稅法)에서는 주류를 탁주·약주·맥주·청주(淸酒)·과실주(果實酒)의 양조주(釀造酒)와 증류식(蒸溜式) 소주·희석식(稀釋式) 소주·고량주(高粱酒)·주정(酒精)·위스키·브랜디 등의 증류주(蒸溜酒)와, 합성 정주(合成精酒)·합성 맥주·인삼주(人蔘酒) 등의 재제주(再製酒)의 세 종류로 나눔. 주정 음료(酒精飮料). 와인(wine).
주:류⁴【駐留】명 군대가 한때 어떤 곳에 머무름. ——-하다 자여불
주:류-군【駐留軍】명 어떤 곳에 한때 주둔하는 군대.
주류-상【酒類商】명 주로 주류를 취급하는 상업. 또, 그 상인.
주류-성¹【走流性】[一썽] 명〖생〗물의 흐름이 자극이 되는 주성(走性). 상류(上流)로 향하는 것을 양(陽), 그 반대를 음(陰)으로 함. 추류성(趨流性). *주촉성(走觸性).
주류-성²【周留城】명〖역〗백제가 망한 뒤, 663년에 복신(福信)·도침(道琛) 등 백제의 유신(遺臣)이 근거지로 삼아 나당(羅唐) 연합군에 항전한 마지막 전쟁터. 지금의 충청 남도 서천군(舒川郡) 한산면(韓山面)이라는 설이 통설로 받아들여지고 있음. 지라성(支羅城). *임존성(任存城).
주류-업【酒類業】명 주류를 양조(釀造)하거나 거래하는 영업.
주류-품【酒類品】명 주류에 딸리는 물품의 총칭.
주:륙【誅戮】명 죄(罪)를 물어 죽임. 법으로 다스려 죽임. ——-하다 「타여불
주륜¹【主輪】명 수레 같은 것의 주장이 되는 바퀴.
주륜²【朱輪】명 붉은 칠을 한 바퀴가 달린 수레. 신분이 높은 사람이 탐.
주:륜-천【住輪天】명〖불교〗육욕천(六欲天)의 제이(第二). 삼십삼천(三十三天)에 속하고, 수미산(須彌山) 정상(頂上)의 제석천(帝釋天)을 둘러싼 천(天)의 하나. 「迫)《杜諺 1:33》.
주륨 명〈옛〉굶주림. ¶흔갓 치우며 주류매 逼迫 혼디 아니라(不獨凍餒
주르르 부 ①잽싼 발걸음으로 앞만 향하여 줄곧 나아가는 모양. ¶~ 달려가다. ②물줄기가 구멍이나 면을 끊이지 않고 잇달아 흐르는 모양. ¶~ 흘러내리다. ③경사(傾斜)진 곳에서 물건(物件)이 미끄러지듯이 흘러내리는 모양. ¶비탈길에서 ~ 미끄러지다. 1)-3): ㅆ쭈르르. >조르르. 「쭈르륵. >조르륵. ——-하다 자타여불
주르륵 부 굵은 물줄기가 넓은 구멍이나 면을 흐르다가 그치는 소리. ㅆ
주르륵-거리다 자타 잇달아 주르륵 소리가 나다. 또, 잇달아 주르륵 소리를 나게 하다. ㅆ쭈르륵거리다. >조르륵거리다. **주르륵-주르륵** 부. >조르륵조르륵. ——-하다 자타여불
주르륵-대다 자타 주르륵거리다.
주름¹ 명〔중세: 주름〕①피부의 살이 빠져서 줄진 잔금. ¶눈가의 잔~. ②종이·옷감 따위가 쭈그러져서 우글쭈글하게 된 구김살. ¶~을 펴다/~이 잡히다. ③옷의 폭 같은 것을 줄여 접은 금. 벽적(襞積). ¶~ 치마/치맛~. ④〖식〗버섯의 갓 뒤에 방사상(放射狀)으로 줄지어 있어 그 면에 포자(胞子)를 붙이는 벽.
　주름(을) 잡다 구 ㉠옷 폭 등에 주름지게 하다. ㉡모든 일을 널리 총괄(總括)하여 잡다. ¶명동 일대를 주름 잡던 깡패.
　주름(이) 잡히다 구 ↗주름살(이) 잡히다. 「音 주름《吏文輯覽》.
주름² 명〈옛〉주릅. 거간. 중개인. ¶凡賣買居間興成而食成語者 謂之儈
주름-개미 명〖충〗[*Crematogaster sordidula osakensis*] 개밋과에 속하는 곤충. 일개미의 몸길이는 2.5-3mm이고, 농황색·황갈색 또는 갈색의 털이 있으며, 흉부(胸部)에 거친 주름이 있음. 음습(陰濕)한 땅 속이나 이끼 밑에 서식하는데, 한국·일본 등지에 분포함.
주름-관【一管】명 알루미늄이나 플라스틱으로 만든 주름진 원통 모양의 관. 자유로이 구부렸다 폈다 할 수 있으므로, 토목·건축 공사 등에 많 「이 쓰임.
주름 돌기【一突起】명〖생〗융모(絨毛)❶.
주름-돌조개 명〖조개〗사마귀말조개.
주름-살 [一쌀] 명 주름이 잡힌 금. ¶이마에 ~을 짓다. *추문(皺紋).
　주름살(을) 잡다 구 치마의 폭 같은 것을 접어서 주름살을 내다.
　주름살(이) 잡히다 구 주름의 금이 생기다. 주름살이 나게 되다. 준주름(이) 잡히다. 「다. 준주름지다.
주름살-지다 [一쌀一] 자 살갗·종이 및 옷 폭 등에 주름살이 만들어지
주름 상자【一箱子】명 ①사진기의 어둠 상자를 둘러싼 측벽(側壁). 자유 자재로 신축(伸縮)할 수 있도록 가죽이나 천으로 만들어, 렌즈와 건판(乾板)과의 거리를 임의로 조절함. ②손풍금의 몸통을 이루는 신축이 자유롭게 된 벽.
주름-위【一胃】명〖동〗추위(皺胃).
주름잎 [一닙] 명〖식〗[*Mazus japonicus*] 현삼과(玄蔘科)에 속하는 월년(越年) 또는 일년초(一年草). 줄기 높이 20 cm 가량이고, 잎은 대생(對生)하며 거꿀달걀꼴 또는 설상(楔狀)의 긴 타원형임. 5-8월에 담황색 꽃이 총상 화서(總狀花序)로 정생(頂生)하여 피고, 삭과(蒴果)는 달걀꼴임. 논밭이나 둑에 나는데, 한국 각지 및 일본에 분포함. 주름잎풀. 고추풀.

〈주름잎〉

주름-조개풀 명〖식〗[*Oplismenus undulatifolius* var. *japonicus*] 볏과(科)에 속하는 다년초. 조개풀과 비슷하나 잎은 호생하고 피침형이며, 좀 거칠고 쭈글쭈글함. 꽃은 8-9월에 수상(穗狀) 화서로 정생(頂生)하고, 화축(花軸) 주위에 작은 이삭이 나와 까라기가 매우 길게 핌. 산과 들의 나무 그늘에 나는데, 한국 중부 이남 및 일본 등지에 분포함.
주름-지다 자 ↗주름살지다.
주릅 명〔중세: 즈름〕구전(口錢)을 받고 흥정을 붙여 주는 일을 업(業)으로 삼는 사람.
　주릅(을) 들다 구 가운데서 매매(賣買) 등을 거간(居間)하여 주다.

〈주름조개풀〉

주리¹【周一】명〖역〗〔←주뢰(周牢)〕죄인을 심문(審問)할 때, 그 두 발목을 한데 묶고 다리 사이에 주릿대를 끼워서 엇비슷이 비트는 형벌(刑罰). ¶오장이 상할 대로 상하는 것을 ~ 참듯 억지로 참고…《作者未詳: 恨月》.
[주리 참듯 한다] 모진 고통을 억지로 참음의 비유.

〈주리1〉

주리(를) 틀다 구 〖역〗 주리로 벌을 주다.
주리[2]【走利】명 이익을 좇음. 득(得)이 되는 방향으로 움직임.
주리[3]【侏離】명 ①뜻이 통하지 아니하는 만이(蠻夷)의 소리. ②서이(西夷)의 음악.
주리[4]【珠履】명 구슬로 장식한 신발.
주리[5]【廚吏】명 〖역〗 관주(官廚)에 소용(所用)되는 물품을 맡아 보는 아전(衙前).
주:리[6]【腠理】명 〖생〗 살가죽 겉에 생긴 자디잔 결.
주리-꽃 명 〈방〉 일본할미꽃.
주리끼 명 〈방〉 꺼병이.
주:리다 자타 〔중세 : 주으리다〕 ①먹을 것을 양(量)껏 먹지 못하여 배를 곯다. 굶다. ¶주린 배를 안고. ②욕망(欲望)이 채워지지 않아서 마음에 허기(虛飢)가 있다. ¶애정에 주린 아이.
[주린 고양이가 쥐를 만났다] 좋은 운수를 만났다는 말. [주린 범의 가재다] 여간 먹어서는 양이 차지 않는다는 말.
주:린 귀신 듣는 데 떡 이야기 하기 구 '귀신 듣는 데 떡 소리 한다'와 같은 뜻.
주리-론【主理論】명 〖철〗 오성론(悟性論).
주리-압슬【周一壓膝】명 무릎을 꿇리고 주리를 틂. ¶~에 단근질로 모진 닦달을 겪으며 섭산적이 되도록 맞아야 할 판국이었다≪金周榮 : 客主≫.
주리켜다 타 〈옛〉 오그리다. ¶다리를 주리켜고 듣니는 이는(蹩脚行)≪馬經 上 76≫.
주리-파【主理派】명 〖역〗 영남 학파(嶺南學派).
주리혀 타 〈옛〉 줄이어. '주리히다'의 활용형. ¶婦人이 삼노흐로뻐 샹토를 주리혀 민여 ≪家禮 Ⅵ:10≫.
주리히다 타 〈옛〉 줄이다. ¶지게 우희 거적 더퍼 주리혀 민여가나 ≪松江 將進酒辭≫.
주립[1]【州立】명 미국 등에서, 주(州)에서 설립(設立)함. ¶~ 대학.
주립[2]【朱笠】명 〖역〗 문무 당상관(文武堂上官)이 융복(戎服)을 입을 때 쓰는 붉은 칠을 한 갓. 호수(虎鬚)와 패영(貝纓)을 갖추어 꾸밈. 자립(紫笠). 주사립(朱絲笠).

〈주립[2]〉

주릿-대 명 ①〖역〗 주리를 트는 데 쓰는 두 개의 붉은 막대. 주릿방망이. ¶~를 안길라. ②몹시 불량(不良)한 사람의 비유(比喩).
주릿대(를) 안기다 구 〖역〗 모진 벌을 주다.
주릿-방망이 명 〖역〗 주릿대❶.
주릿방망이 맛을 보다 구 되게 혼나다. 혹독하게 경을 치다. ¶내가 물으면 대답을 할 것이지 반색이 무엇이냐. 주릿방망이 맛을 보고 싶어서 ≪裵裨將傳≫.
주마[1]【走馬】명 ①잽싸게 내닫는 말. ②말을 빨리 달림. ¶~ 간산격(看山格). ――-하다 자여불
주마(를) 놓다 구 말을 몰아 빨리 가다.
주마[2]〔아랍 Jum'ah〕명 〖이슬람〗 금요일. 정오가 지나서 모여 예배(禮拜)를 봄.
주마 가편【走馬加鞭】명 ①닫는 말에 채찍질을 하여 더 빨리 달리게 함. ②정진(精進)하는 사람을 더 한층 권장(勸奬)함. ――-하다 타여불
주마 간산【走馬看山】명 ①달리는 말 위에서 산천을 구경함. ②바쁘고 어수선하여 천천히 살펴 볼 여가가 없이 홱홱 지나쳐 봄을 이르는 말. ――-하다 타여불
주마-감【走馬疳】명 〖한의〗 천연두(天然痘)를 치른 뒤에 나는 병. 입과 잇몸이 헐고 악취가 풍기며, 심하면 이가 꺼멓게 변하여 빠지기까지 함.
주마-과【主馬課】명 〖역〗 대한 제국 순종(純宗) 융희(隆熙) 원년(1907)에 태복시(太僕寺)를 폐하고 베풀었던 한 과(課).
주마니 명 〈방〉 주머니(전남).
주마-담【走馬痰】명 〖한의〗 유주담(流注痰).
주마-등【走馬燈】명 ①등(燈)의 한 가지. 틀을 안팎 두 겹으로 만들어 바깥쪽에는 종이나 얇은 천을 붙이고 안쪽에는 가지가지 그림을 오려 붙이어, 중앙에 축(軸)을 세우고 그 위의 풍차(風車)가 회전함에 따라 그 그림이 속의 등화(燈火)로 말미암아 바깥 틀에 비치어 돌게 되어 있음. 영등(影燈). ②사물이 덧없이 빨리 변하여 돌아감을 가리키는 말. ¶~ 같은 인생.
주마등 같다 구 어떤 사물이 빨리 변하여 돌아감의 비유. ¶청춘은 주마등 같이 지나가 버렸다.
주마이 명 〈방〉 ①주머니(경북). ②호주머니(경북).
주마-창【走馬瘡】명 〖한의〗 몸의 구석구석으로 돌아가며 생기는 못된 종기(腫氣).
주막【酒幕】명 시골의 길가에서 술과 밥을 팔고, 또 나그네를 치는 집. 탄막(炭幕). 점(店).
[주막 년네 오줌 종작] 무엇에 빗대어서 시간(時間) 종작을 잡음을 이르는 말.
주막-거리【酒幕一】명 주막이 있는 길거리.
주막-방【酒幕房】명 봉놋방.
주막의【周莫衣】[一/一이] 명 '두루마기'의 군두목.
주막-쟁이【酒幕一】명 주막을 경영하는 사람.
주막-집【酒幕一】명 주막의 영업을 하는 집.
주만치 명 〈방〉 주머니(전라).
주말[1]【朱抹】명 붉은 먹을 묻힌 붓으로 글자를 지움. ――-하다 타여불
주말[2]【週末】명 한 주일(週日)의 끝. 토요일 또는 토요일의 오후부터 일요일에 걸친 동안. 위크엔드(weekend). ¶~을 집에서 보내다. ↔주초(週初).
주말 여행【週末旅行】[一려一] 명 휴양(休養)을 위하여 주말에 하는 여행. ¶~을 떠나다.
주망[1]【酒妄】명 주광(酒狂).
주망[2]【蛛網】명 거미집. 거미줄.
주-망나니【酒一】명 〈방〉 술망나니.
주매[1]【酒媒】명 누룩.
주매[2]【酒賣】명 매주(賣酒)❷. ――-하다 자여불
주-매(:)신【朱買臣】명 〖사람〗 중국 전한(前漢) 무제(武帝) 때 문신(文臣). 자(字)는 옹자(翁子). 집이 가난하여 살림이 어려울 때 그의 아내는 참지 못하여 그를 버리고 달아났는데, 그가 뒤에 회계(會稽)의 태수(太守)가 되어 그 고을을 지날 때 그 아내는 스스로 부끄러이 여겨 목매어 죽었다 함. [?-115 B.C.]
주매이 명 〈방〉 호주머니(경북).
주맥【主脈】명 ①으뜸되는 줄기. ②〖식〗 잎의 중앙부에 있는 가장 큰 잎맥. 중륵맥(中肋脈). 1)·2):↔지맥(支脈). *세맥(細脈).
주맹【晝盲】명 〖의〗 밝은 장소에서의 시력(視力)이 좀 어두운 곳에서보다 오히려 불량한 눈. 선천적 색맹(色盲)·축성 시신경염(軸性視神經炎) 또는 수정체·각막(角膜)에 혼탁(溷濁)이 있을 경우에 볼 수 있음. 또, 그런 사람. ↔야맹(夜盲).
주맹이 명 〈방〉 주머니(경상).
주맹-증【晝盲症】[一쯩] 명 주맹의 원인이 되는 증세. 또, 주맹 그 자체의 증세.
주머괴 명 〈옛〉 주먹. =주머귀. ¶某의 ᄂᆞᆾ출 주머괴로 텨 하야ᄇᆞ리되(於某面上用拳打破)≪朴解 下 54≫.
주머구 명 〈방〉 주먹(평안).
주머귀 명 〈옛〉 주먹. =주머괴. ¶주머귀를 펴니(開拳)≪金三 Ⅱ:34≫/주머귀 권(拳)≪字會 上 25≫.
주머니 명 〔중세 : 주머니〕 ①돈 같은 것을 넣기 위해 헝겊으로 만들어 끈을 꿰어 허리에 차거나 들게 된 자루. ¶돈~/두 ~를 차다/~가 두둑하다/~ 사정이 여의찮다. ②염낭·호주머니·조끼 주머니 등의 총칭. ¶바지 ~/안~. ③명사 밑에 붙어 그런 경향이 많은 사람을 홀하게 이르는 말. ¶고생 ~/밥~/병~/이야깃~.
[주머닛돈이 쌈짓돈] 그 돈이 그 돈, 곧 결국 마찬가지라는 말. [주머니에 들어간 송곳이라] 선(善)하고 악(惡)한 일이 숨겨지지 않고 자연히 드러남을 이르는 말.
주머니가 가볍다 구 가진 돈이 적다.
주머니 끈을 조르다 구 돈을 절약하다.
주머니를 털:다 구 ㉠주머니 안에 들어 있는 돈을 있는 대로 다 내놓다. ㉡강도질하다.
주머니 노래 명 〖악〗 주머니를 소재로 하여 생활 감정을 읊은 민요(民謠). 여요(女謠)의 일종임.
주머니 떨이 명 ①주머니에 들어 있는 대로 돈을 모두 떨어서 술이나 과실을 사 먹는 짓. ②주머니에 들어 있는 물건을 훔쳐 내는 사람. 또, 그 일. ――-하다 자여불
주머니 밑천 명 주머니 속에 넣어 두고 쓰지 아니하는 약간의 돈.
주머니-쥐 명 〖동〗 [*Didelphis virginiana*] 주머니쥣과(科)에 속하는 유대류(有袋類)의 짐승. 몸길이 45 cm, 꼬리 37 cm 가량이고 꼬리는 나출(裸出)했으며 비늘이 있고, 다른 물건을 감고 매달림. 솜털은 흰데, 위 털은 흑백이 혼생(混生)함. 육아낭(育兒囊)이 발달했고, 봄에 6-22 마리의 새끼를 낳으며, 젖은 13개 있음. 야간 활동성(夜間活動性)이고 도회지(都會地)에도 살며 열매·뿌리·새알·도마뱀·닭 등을 포식(捕食)함. 모피(毛皮)를 이용하는 북미(北美)의 특산종임. 어포섬(opossum).

〈주머니쥐〉

주머니쥣-과【一科】명 〖동〗 [Didelphidae] 유대류(有袋類)에 속하는 한 과. 그 형태가 집쥐와 비슷하나, 식육성(食肉性)으로 50개의 이를 가지고 있음. 사지(四肢)는 5개의 발가락을 가지고 있어 물건을 붙잡거나 나무타기에 편리하며, 꼬리도 쥐와 같이 길어서 물건을 감아 쥐는 힘이 있음. 남북 미주(南北美洲)에만 분포함. 주머니쥐는 이 과(科)의 대표종임.
주머니-칼 명 접어서 주머니 속에 넣고 다니는 작은 칼. 낭도(囊刀). 나이프(knife).
주머이 명 〈방〉 ①주머니(경상). ②호주머니(경북).
주먹 명 〔중세 : 주머귀, 주먹〕 다섯 손가락을 오그리어 쥔 손. ¶~을 부르쥐다/맨~으로 시작한 사업. (준)줌[1].
[주먹 맞은 감투] 아주 쭈그러져서 형편없는 모양. 곧, 젠 체하다가 핀잔을 맞고 주눅이 들어 맥을 못 쓰는 모양. [주먹으로 물찧기] 일이 매우 쉽다는 말. 호박에 침 주기. 누워 떡 먹기. [주먹은 가깝고 법은 멀다] 나중에야 어떻게 되든 당장에는 완력으로 해 치운다는 말. [주먹 쥐자 눈 빠진다] 이 편에서 덤비려는데 날쌘 상대방의 공격을 이미 당했다는 말. [주먹 큰 놈이 어른이다] 힘센 자(者)가 윗자리를 차지한다는 말.
주먹을 불끈 쥐:다 구 갑자기 주먹을 결기 있게 꽉 쥐다.
주먹이 오고가다 구 싸움이 벌어져서 주먹다짐이 교환되다.
주먹이 울:다 구 치거나 때리고 싶은 울화를 참으며 하는 소리. ¶어이쿠, 주먹이 운다.
주먹-게 명 〖동〗 [*Leucosia obtusifrons*] 밤겟과(科)에 속하는 게의 하나. 배갑(背甲)의 길이 30 mm, 폭 27 mm 내외이고, 몸빛은 대체로 적

색임. 갑각(甲殼)에는 황색의 작은 점이 한 쌍 있는 외에 세 쌍의 둥근 반문(斑紋)이 있음. 집게발은 보각(步脚)보다 굵고 편평(扁平)한데 황적색을 띠며, 다른 보각은 가늘고 회백색에 적색 무늬가 있음. 50-300 m 깊이의 바다 밑 모래 진흙에 서식하는데, 일본·스리랑카·인도양 부근에 분포함.

〈주먹게〉

주먹 곤죽 명 주먹으로 흠씬 맞아 운신도 못 하는 상태.

주먹 괭:이 명 〖고고학〗 긴 안팎날 석기로, 뾰족한 부분의 자른 면이 네모 또는 세모꼴을 이루는 돌괭이. 손에 쥐고 썼음. 산봉형기(山峰形器).

주먹 구구【一九九】명 ①손가락을 일일이 꼽아서 하는 셈. ②정밀하지 못하고 짐작으로 하는 셈.

주먹 구구에 박 터진다 구 어림 짐작으로 일을 대충대충 해 나가다가는 크게 낭패를 당하게 된다.

주먹 구구식【一九九式】명 어림 짐작으로 일을 대강대강 얼버무려 가는 방식. ¶～으로 일을 처리한다.

주먹 다짐 명 ①주먹으로 때리는 짓. ②완력으로 윽박지르는 짓. ――하다 타여불

주먹 대:패 명 〖고고학〗 주먹에 쥐고 대패같이 쓰던 큰 석기. 가로날이 대부분임. 나무를 다듬거나 가죽을 벗기는 데 썼음.

주먹 도:끼 명 〖고고학〗 구석기(舊石器) 시대의 돌 연모의 하나. 크기가 주먹만하며, 한 쪽은 손아귀로 잡아 쥘 수 있고, 또 한쪽은 날카롭게 되었음. 나무를 자르기도 하고, 땅을 파기도 하며, 짐승의 가죽을 벗기는 데 쓰기도 함. 유럽·아프리카·인도 및 우리 나라 경기도 연천군 전곡리(全谷里)에서 출토됨. 악부(握斧). 권석(拳石).

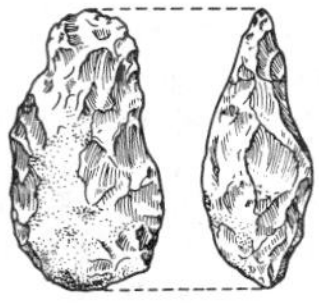

〈주먹 도끼〉

주먹 도:끼 문화 전통【一文化傳統】명 〖고고학〗 주먹 도끼를 기본으로 하는 문화의 성격이 그대로 계속된 전통. 특히 유럽에서 두드러지게 나타남.

주먹-돌 명 주먹만한 돌멩이.

주먹 동발 명 〖광〗 가장 작은 동발.

주먹-떼 명 떼를 입힐 때, 여기저기 드문드문 심는 뗏장.

주먹-맛 명 주먹으로 맞는 맛. ¶너 ～을 봐야 알겠니?

주먹 묶음 명 길쌈할 때 실을 뭉치어 매는 법의 한 가지.

주먹-밥 명 ①주먹처럼 둥글게 뭉친 밥 덩이. ¶끼니를 ～으로 때우다. ②손으로 집어 먹는 밥.

주먹 방:매【一放賣】명 〈방〉 중목 방매(中目放賣).

주먹-빰 명 주먹으로 호되게 때리는 뺨. ¶～을 맞았다.

주먹 상투 명 머리를 솎지 않고 쪼아서 주먹같이 크고 모양이 없는 상투.

주먹-심 명 ①주먹으로 때리거나 쥐는 힘. ②남을 억누르는 완력(腕力). ③주먹 구구에 의하는 자신(自信).

주먹-장 명 〖건〗 봇목에 들어가는 도리 끝을 물러나지 않게, 도리 대강이를 안쪽은 좁고 끝은 조금 넓게 에어 깎은 부분.

주먹 장:부촉【一鏃】명 〖건〗 다른 나무에 꽂는 장부촉의 하나. 장부촉에 쐐기를 반쯤 박고, 그것을 장부 구멍에 끼우면 쐐기가 장부촉으로 깊이 들어가 장부촉 끝이 벌어짐.

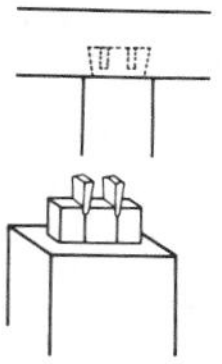

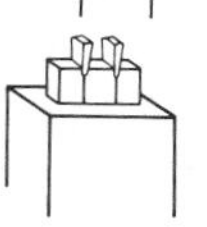
〈주먹 장부촉〉

주먹-쥐:기 명 〈방〉 먹국.

주먹-질 명 ①주먹을 휘두르며 으르거나 때리는 짓. ②미운 사람 뒤에서 주먹을 내어 밀며 욕하는 짓. ¶하늘에 대고 ～하기. ――하다 자여불

주먹-총【一銃】명 내지르는 주먹의 강세어(強勢語).

주먹총-질【一銃一】명 상대편을 향하여 주먹으로 내지르는 짓. ――하다 자여불

주먹-치기 명 ①상대편이 내민 주먹을 때리는, 아이들 장난의 한 가지. 헛 때리면 맞는 편이 되어 서로 돌려 가며 하는 내기. ②〈속〉 수음(手淫). ――하다 자여불

주먹-코 명 뭉뚝하고 크게 생긴 코. 또, 그러한 코를 가진 사람을 놓으로 이르는 말. ¶～에 메기 입.

주먼지 명 〈방〉 ①주머니(전라·제주). ②호주머니(경기).

주먼치 명 〈방〉 주머니(평안).

주멍기 명 〈방〉 주머니(충남·전북).

주멍이 명 〈방〉 ①주머니(경기·강원·충북·경상). ②호주머니(충북·강원·경북).

주메 〈옛〉 줌에. '줌'의 처격형(處格形). ¶잣남골 採取ᄒᆞᆫ다마다 주메 ᄀᆞᄃᆞ기 ᄒᆞᄂᆞ다(採栢動盈掬) ≪初杜諺 Ⅷ:66≫.

주멩기 명 〈방〉 주머니(제주).

주멩이 명 〈방〉 주머니(전라·경북).

주면[1]【柱面】명 〖수〗 '기둥면(面)'의 구용어. 도면(壔面).

주:면[2]【奏免】명 임금에게 상주(上奏)하여 벼슬을 뗌. ――하다 타여불

주:멸【誅滅】명 죄 있는 자를 쳐서 멸(滅)함. 또, 죽여 없앰. ――하다 타여불

주명[1]【主命】명 ①임금의 명령. 군명(君命). ②주인의 명령. ③〖천주교〗 천주의 명령.

주명[2]【朱明】명 ① '여름'의 아칭(雅稱). ②해. 태양. ③명나라 임금의 성(姓)이 주(朱)씨였으므로 명조(明朝)를 달리 이르는 말.

주:명[3]【註明】명 〖문〗 주를 붙여서 본문의 뜻을 밝힘. ――하다 타여불

주:명-곡【奏鳴曲】명 〖악〗 '소나타(sonata)'의 역어.

주-명(:)신【周命新】명 〖사람〗 조선 경종(景宗) 때의 의학자(醫學者). 호는 기하(岐下). 경북 상주(尙州) 출신. 경종 4년(1724) ≪동의 보감(東醫寶鑑)≫을 참조하여 임상 치료학(臨床治療學)의 명저(名著)인 ≪의문(醫門) 보감≫을 저술함. 생몰년 미상.

주모[1]【主母】명 ①집안 살림을 주장하여 다스리는 부인. 주부(主婦). 가모(家母). ②〖천주교〗 천주와 마리아 또는 예수와 마리아.

주모[2]【主謀】명 ①주장이 되어 일을 꾸미거나 계교를 부림. ②↗주모자(主謀者). ――하다 타여불

주모[3]【酒母】명 ①술밑. ②술청에서 술을 파는 여자. 주부(酒婦).

주모[4]【珠母】명 〖조개〗 [*Pteria penguin*] 진주조갯과에 속하는 조개의 하나. 높이와 길이 25cm 가량이고, 표면은 흑색, 내면은 담홍색의 광택이 강함. 각정(殼頂)은 전단(前端)으로 치우치고 앞쪽에 이개(耳介) 모양의 짧은 돌기가 있으며, 그 옆의 복면(腹面)의 잘록한 곳에서 족사(足絲)가 나와 단단히 부착하게 됨. 8-10월에 산란함. 50 m 가량의 바다 밑에 서식하는데, 아열대(亞熱帶)·열대 태평양에 널리 분포함. 패각의 내면에 아름다운 진주가 있어서 양식(養殖)에 가장 좋음.

〈주모[4]〉

주:모[5]【籌謀】명 계책. 책략. 주략(籌略).

주모-경【主母經】명 〖천주교〗 '주의 기도'와 '성모송(聖母頌)'의 총칭.

주모-균[1]【周毛菌】명 〖식〗 균체(菌體)의 주위에 편모(鞭毛)가 있는 균. 티푸스균(菌)·파라티푸스균(菌)·대장균(大腸菌)·고초균(枯草菌) 등이 대표적임.

주모-균[2]【酒母菌】명 〖화〗 효모균(酵母菌).

주-모:멘트【主一】명 [principal moments] 〖물〗 주축(主軸)에 관한 강체(剛體) 분자의 세 개의 관성(慣性) 모멘트.

주모-자【主謀者】명 우두머리가 되어 나쁜 짓·음모 등을 꾸미는 사람. 발두인(發頭人). ㊟ 주모(主謀).

주목[1]【朱木】명 〖식〗 [*Taxus cuspidata*] 주목과에 속하는 상록 침엽 교목. 높이 10-15 m 이고, 수피(樹皮)는 적갈색임. 잎은 호생하고 침형(針形)이며 표면은 녹색, 뒷 면은 청백색임. 자웅 이가(雌雄異家)로 4월에 꽃이 피는데, 웅화(雄花)는 잔 화수(花穗), 자화(雌花)는 한 개가 엽액에 달리고, 과실은 핵과(核果)이며 9월에 붉게 익음. 높이 700-2,500 m의 높은 산에 나는데, 한국·일본·사할린·대만·중국·만주 등지에 분포함. 정원수(庭園樹)·기구·조각·건축재 및 붉은 빛의 염료로 쓰이고, 가종피(假種皮)는 맛이 달아 아이들이 식용, 가지와 잎은 약용하며, 종자는 항암제(抗癌劑)의 원료로 쓰임.

〈주목[1]〉

주목[2]【州牧】명 〖역〗 ①주(州) 이름 있는 고을의 목사(牧使). ②중국 한당 시대(漢唐時代)의 주(州)의 장관.

주:목[3]【注目】명 ①눈을 한 곳에 쏟음. ②의심하고 경계하는 눈으로 봄. ――하다 타여불

주목-과【朱木科】명 〖식〗 [Taxaceae] 나자 식물에 속하는 한 과. 눈주목·주목·회솔나무 등이 이에 속함.

주목-망【柱木網】명 긴 원뿔 모양의 낭망(囊網) 또는 대망(袋網)을 지주(支柱)와 닻으로 고정시켜 놓고, 조류(潮流)를 따라 오가는 고기가 어망 속에 들어오기를 기다려 잡는 재래식 어망의 하나.

주:목-성【注目性】명 색의 자극성이 강하여 눈에 잘 띄는 정도.

주-목적【主目的】명 주되는 목적.

주:목-처【注目處】명 주목을 하는 곳. 주목할 만한 곳.

주-목표【主目標】명 ①주되는 목표. ②〖군〗 사격이나 공격 등에서 가장 중요하다고 평가된 작전상의 목표.

주몽[1]【朱蒙】명 〖사람〗 '동명 성왕(東明聖王)'의 휘(諱).

주몽[2]【晝夢】명 주간에 눈을 감고 공상에 잠기어 꿈을 꾸는 것처럼 되는 상태.

주-몽(:)룡【朱夢龍】[-농] 명 〖사람〗 조선 선조 때의 무신(武臣). 자(字)는 운중(雲仲), 호는 용암(龍巖). 능성(綾城) 사람. 임진 왜란 때 부장(副將)으로 곽재우(郭再祐)와 더불어 영산성(靈山城) 싸움에서 공을 세우고 조령(鳥嶺)에서 강덕룡(姜德龍)·정기룡(鄭起龍)과 함께 용맹을 떨치니 세상에서 이들을 3룡(龍)이라 불렀음. 시호는 무열(武烈). 생몰 연대 미상.

주무[1]【主務】명 ①사무를 주장하여 맡음. ②↗주무자(主務者). ――하다 타여불

주:무[2]【綢繆】명 미리 주도하게 준비함. ――하다 타여불

주무-관【主務官】명 어떠한 관청에서 어떠한 사무를 주장(主掌)으로 맡아 처결(處決)하는 관리. 주무 담당관.

주무 관청【主務官廳】명 〖법〗 어떤 사무를 주관하여 그 권한과 직무를 관장(管掌)하는 관청. 예를 들면 국방에 관한 일을 주관하는 주무 관청은 국방부임.

주무니 명 〈방〉 주머니(경남).

주무 담당관【主務擔當官】명 주무관(主務官).

주무 대:신【主務大臣】명 어떠한 행정 사무를 주관하는 대신.

주무럭-거리다 타 ☞ 주물럭거리다. 주무럭-주무럭 부. ――하다 타여불

주무르다 타 르불 [중세 : 주므르다] ①손으로 어떤 물건을 연해 쥐었다 폈다 하다. ¶시계를 ～. ②사람을 마음대로 농락(籠絡)하다. ③손으로 신체의 한 부분을 안마(按摩)하다. ¶허리를 ～. ㊟ 주물다.

주무-부【主務部】명 어떠한 사무를 주관하는 행정 각부의 부(部). *주무 관청.

주무시다 자 '자다'의 공대말.
주무이 명 〈방〉 ①주머니(경상). ②호주머니(경북).
주무-자【主務者】명 어떠한 사무를 주장하여 맡은 사람. ㊀주무(主務).
주무 장:관【主務長官】명 어떠한 사무를 주관하는 행정 각부의 장관. 예를 들면 외교에 관한 주무 장관은 외무부 장관임.
주무치 명 〈방〉 주머니(경남).
주묵【朱墨】명 주서(朱書)에 소용되는 붉은 빛깔의 먹.
주문¹ 명 〈방〉 주머니(경북).
주문²【主文】명 ①한 문장 중에서 주되는 부분. 으뜸월. ↔종속문(從屬文). ②〖법〗 ↗ 판결 주문(判決主文).
주문³【主文】명〖역〗 ①조선 시대 때의 '대제학(大提學)'의 별칭. ②과거(科擧) 시관(試官)의 우두머리의 별칭.
주문⁴【朱門】명 ①붉은 칠을 한 문. ②지위가 높은 벼슬아치의 집.
주:문⁵【注文】명 ①품종(品種)·수량(數量)·모양·크기 등을 알려 주고 제작 또는 송부(送付)를 의뢰하는 일. ¶~자. ②부탁하여 이렇게 저렇게 해 달라고 마추는 일. 또, 그 조건. ¶고까짓 일에 웬 ~이 그리 많은가. ——-하다 타여불
주:문⁶【呪文】명 ①〖민〗 음양가(陰陽家)나 술가(術家)가 술법을 행할 때 외는 글귀. ②〖천도교〗 심령(心靈)을 닦아 한울님께 빌 때에 외는 글. ③〔spell〕 일정한 절차(節次)에 따라 외면 자연력 또는 신이나 인간의 행동을 적극적으로 통어(統御)할 수 있다고 생각되는 주술(呪術)의 가장 중요한 부분의 글귀나 무의미한 철자(綴字)의 연속 등. 진언(眞言). ㊀주(呪).
주:문⁷【奏文】명 상주(上奏)하는 글. 임금에게 의견이나 사정을 아뢰는 문장(文章).
주:문⁸【奏聞】명 주달(奏達). ——-하다 타여불
주:문⁹【註文】명 어떤 문장을 주해(註解)한 글.
주문¹⁰【籀文】명 종정문(鐘鼎文).
주문-가【朱門家】명 권세 높은 벼슬아치의 집.
주:문-도¹【注文島】명〖지〗 인천 광역시의 앞바다, 강화군(江華郡) 서도면(西島面) 주문도리(注文島里)를 이루는 섬. 강화도(江華島)의 서남쪽 20 km 지점에 있음. [4.10 km²]
주:문-도²【注文圖】명 주문하는 사람이 주문서에 붙여서 자기 요구의 대강을 주문 맡는 이에게 보이기 위한 도면의 하나. *승인도(承認圖).
주-문모【周文謨】명〖사람〗 중국 청(淸)나라의 신부(神父). 베이징(北京) 신학교 제 1 기생. 1794 년에 베이징 주교(北京主教) 구베아(Gouvéa)의 명령을 받고 압록강을 건너 서울로 들어와 선교하다가 순조(純祖) 1년(1801) 신유 박해(辛酉迫害) 때 의금부(義禁府)에 자수, 사형당함. [1752-1801]
주:문 배:수【注文拜受】명 '주문을 받음'의 높임말.
주:문-사【奏聞使】명〖역〗 조선 시대에 중국에 대해 외교적으로 알려야 할 일이 있는 경우, 임시로 파견했던 비정기적인 사신(使臣). *주청사(奏請使).
주:문 생산【注文生産】명〖경〗 고객(顧客)·거래처(去來處)의 주문에 응하여 생산하는 일. 공업 생산의 발전 과정(發展過程)에 있어서 시장 생산으로 나아가는 한 단계임.
주:문-서【注文書】명 주문에 관한 여러 가지 조건을 쓴 서면(書面). 품종(品種)·수량(數量)·가격 등 마추는 사람의 희망이나 조건을 기재한 서장(書狀). 주문장(注文狀).
주:문-자【注文者】명 ①주문한 사람. ②〖법〗 도급인(都給人)에 대하여 일의 완성을 청구할 권리를 가지고 도급인에게는 보수(報酬) 지불의 의무를 가진 도급 계약의 당사자.
주:문-장¹【注文狀】〔-짱〕명 주문서(注文書).
주:문-장²【注文帳】〔-짱〕명 주문자의 성명·주소, 주문품의 명칭·수량·날짜·값 기타 필요한 사항을 기록한 장부.
주:문-진【注文津】명〖지〗 강원도 강릉시(江陵市)에 있는 한 읍. 동해안 굴지(屈指)의 어항(漁港). 동해의 중요한 외항(外港)으로서 동해안의 각 항구와 연안 항로가 열리고 근해 일대는 한류(寒流)와 난류(暖流)의 교류 또는 교차가 있어 명태·연어·오징어·청어·고등어·전복 등의 어획이 많음. 1940년에 읍(邑)으로 승격되었음. [28,482 명(1996)]
주:문-처【注文處】명 장사나 거래 따위에서, 주문을 받은 상대. 또, 주문한 상대.
주:문-품【注文品】명 주문하여 마춘 물품. 또, 주문을 받은 물품. ↔기성품(既成品).
주:문 할당 카르텔【注文割當—】〔도 Kartel〕〔-땅-〕명〖경〗 할당 카르텔의 한 가지. 카르텔의 중앙 기관이 맡은 주문을 가맹 기업(加盟企業)에 할당하는 방식. *생산(生産) 할당 카르텔.
주물¹【主物】명〖법〗 종물(從物)이 부속되어 있어 직접적인 효용을 가지는 주되는 물건. 시계줄에 대한 시계 등임. ↔종물(從物).
주:물²【呪物】명〔fetish, fetich〕 미개인 사이에서 주력(呪力)이나 영검이 있다 해서, 이를 갖거나 가지고 다니는 사람은 비호(庇護)를 받는다고 생각하여 신성시하는 물건. 서물(庶物).
주:물³【鑄物】명〖공〗 쇠붙이를 녹여서 주조(鑄造)한 물건.
주:물-공【鑄物工】명 주물 생산직(生産職)에 종사하는 공원(工員).
주:물 공장【鑄物工場】명 주물 생산을 전문으로 하는 공장.
주물다 타 ↗주무르다.
주물럭 명 적당한 크기로 저며 썬 쇠고기에 기름·다진 마늘·후춧가루 등의 양념을 치고 주물러서 골고루 배게 한 후 불에 구워 먹는 음식.
주물럭-거리다 타 물건을 손으로 계속해서 주무르다. >조몰락거리다.
주물럭-주물럭 부. ——-하다 타여불
주물럭-대다 타 주물럭거리다.
주물-리다 ㊀ 자 주무름을 당하다. ㊁ 타 주무르게 하다. ¶ 딸에게 허리를 ~.
주:물-모래【鑄物—】명〔foundry sand〕 주물 공장에서 주조용(鑄造用)의 거푸집을 만드는 데 쓰는 모래. 강도(強度)가 크고, 내화성(耐火性)·통기성(通氣性)·신축성(伸縮性) 등이 좋은 것을 사용함. 석영질(石英質)로 소량의 점토를 함유하고 있음. 주형사(鑄型砂). 주물사(鑄物砂).
주:물-사¹【鑄物砂】명 주물모래.
주:물-사²【鑄物師】명 주물을 주조(鑄造)하는 사람.
주물-상【晝物床】〔-쌍〕명 귀한 손님을 대접하기 위하여 간략하게 차려서 먼저 내오는 다담상(茶啖床).
주:물 숭배【呪物崇拜】명〔fetishism〕〖종〗 미개 종교의 하나. 주물의 숭배와 그 의식(儀式). 아프리카의 미개인을 위시하여 각지에서 볼 수 있으며, 종교의 가장 유력한 원시 형태로 생각됨. 서물 숭배(庶物崇拜). 물신 숭배(物神崇拜).
주:물 용접【鑄物鎔接】명〔cast-weld〕 거푸집 속에 있는 금속 부품에 쇠물을 부어서 접합하는 방법.
주:물-자【鑄物—】명〖공〗 주물용의 목형(木型)을 제작하는 데 쓰는 자. 용해한 금속이 냉각 응고(凝固)할 때 일어나는 수축(收縮) 또는 팽창 작용(膨脹作用)을 미리 고려하여 주형(鑄型)을 만드는 나무를 제품의 소요(所要) 치수보다 약간 넉넉하게 만들도록 눈금을 크게 잡음.
주:물-품【鑄物品】명 주물로 되어 있는 물품.
주뭉이 명 〈방〉 ①호주머니(경남). ②주머니(경남).
주믈츠게 ᄒᆞ다 구 〈옛〉 주기를 셈에 차도록 하다. 갚을 것을 완전히 다 주다. ¶ 홈의 주믈 츠게 ᄒᆞ고(一井交足)≪老乞 下 15≫.
주미:¹ 명 〈방〉 주머니(경남).
주미²【酒味】명 술맛. 「(大使). ——-하다 자여불
주:미³【駐美】명 미국에 주재(駐在)함. 미국에 주차(駐箚)함. ¶~ 대사
주:미⁴【麈尾】명 총채¹.
주미이 명 〈방〉 주머니(경북).
주:민【住民】명 ①그 땅에 사는 백성. 거민(居民). ②〖법〗 30일 이상 거주할 목적으로 일정한 주소(住所) 또는 거소(居所)를 가진 사람.
주:민 등록【住民登錄】〔-녹〕명〖법〗 시·읍·면의 주민을 시·읍·면의 주민 등록표에 등록하는 일. 이로써 주민의 거주 관계(居住關係) 및 인구 동태(人口動態) 등을 밝히려는 제도. 「등사한 증명 문서.
주:민 등록 등본【住民登錄謄本】〔-녹-〕명 주민 등록 원본의 전부를
주:민 등록법【住民登錄法】〔-녹-〕명〖법〗 주민 등록에 관한 사항을 정한 법률. 구청장 또는 시·읍·면장이 이에 관한 사무를 관장함.
주:민 등록증【住民登錄證】〔-녹-〕명〖법〗 일정한 거주지(居住地)에 거주하는 주민임을 증명하는 증명서. 당해 지역에 주민 등록이 된 자 중 17 세 이상의 자에게 당해 시장·군수가 발행함.
주:민 등록 초본【住民登錄抄本】〔-녹-〕명 주민 등록에 기재된 사항 중, 청구자(請求者)가 지정한 부분만을 초사(抄寫)한 증명 문서.
주:민 등록 카:드【住民登錄—】〔card〕〔-녹-〕명〖법〗 가구주(家口主)를 중심으로 하여 거주하는 자의 인적 사항(人的事項)을 기록한 카드. 시·읍·면장이 기록 보관함.
주:민 등록표【住民登錄票】〔-녹-〕명〖법〗 가구주(家口主)를 중심으로 주민 등록 사항을 적어 놓은 문서로서 각 지방 행정 기관에 보관되어 있음.
주:민-세【住民稅】〔-쎄〕명 지방세(地方稅)의 하나. 그 고장에 살며 독립된 생계(生計)를 영위(營爲)하는 사람과 그 고장에 사무소·사업소(事業所) 등을 둔 법인(法人)에 대하여 소득할(所得割) 및 균등할(均等割)을 기초로 하여 부과됨.
주:민 자치【住民自治】명 지방 행정(地方行政)을 지방 주민 스스로의 의사(意思)와 책임으로 처리하는 일. 영국에서 발달한 제도인데, 우리나라의 지방 자치(地方自治)도 주민 자치를 지향하고 있음. 인민 자치. *단체 자치. 「한 성격. ——-하다 형여불. ——-히 부
주밀¹【周密】명 무슨 일에든지 허술한 구석이 없고 아주 자세함. ¶~
주-밀²【周密】명〖사람〗 중국 송말(宋末)의 학자. 자(字)는 공근(公謹), 호(號)는 사수 잠부(泗水潛夫). 관(官)은 의조령(義烏令)을 지냈는데, 송(宋)의 멸망 후에는 원조(元朝)를 섬기지 아니하고, 만년(晩年)을 고향에서 작시(作詩)·저작으로 보냄. 저서에 ≪계신 잡지(癸辛雜識)≫·≪제동 야어(齊東野語)≫·≪무림 구사(武林舊事)≫·≪절묘 호사(絶妙好詞)≫ 등이 있음. [1232-98]
주밀-성【周密性】〔-썽〕명 주밀한 성질. 또, 그러한 특성. 「급등.
주:밍〔zooming〕명 ①비행기가 급각도로 상승(上昇)하는 일. ②물가의
주밍이 명 〈방〉 ①주머니(경남). ②호주머니(경남).
주바리 명 〈방〉 종지(강원).
주박¹【酒粕】명 지게미❶.
주박²【珠箔】명 주렴(珠簾)❶.
주반¹【柱半】명〖건〗 기둥 한가운데에 내리 그은 먹줄.
주반²【酒飯】명 ①주식(酒食). ②술밥❷.
주반³【酒盤】명 술과 안주를 차려 올려 놓는 예반.
주-발¹【周勃】명〖사람〗 중국 전한(前漢)의 명신(名臣). 장쑤 성(江蘇省) 페이센(沛縣) 사람. 고조(高祖)를 섬겨 천하 평정의 공을 세우고, 혜제(惠帝)와 문제(文帝)를 섬기어 승상(丞相)에 올라 강후(絳侯)에 봉해졌음. 여후(呂后)의 사후(死後)에 여씨 일족(呂氏一族)의 난을 평정하여 한실(漢室)의 안녕(安寧)을 도모함. 시호(諡號)는 무후(武侯). [?-169 B.C.]
주발²【周鉢】명 위가 약간 벌어지고 뚜껑이 있는 놋쇠로 만든 밥그릇. 식기(食器).

〈주발²〉

주발 대:접【周鉢一】명 주발과 대접. 식기(食器).
주발 뚜껑【周鉢一】명 주발을 덮는 뚜껑.
주발-매:미 명〈방〉〖충〗 쓰르라미.
주발-충【蛀髮蟲】명〖충〗 머릿니.
주방[1]【柱房】명〖광〗 방발[1].
주방[2]【酒房】명〖역〗 조선 시대에 술을 맡은 내시부(內侍府)의 한 분장(分掌).
주방[3]【酒榜】명 술집 앞에 내어다 거는 방.
주방[4]【遒放】명 주경(遒勁)하고 방일(放逸)함. 힘이 굳세어 마음대로 행동함. ——-하다 자여불
주방[5]【廚房】명 ①음식을 차리는 방. 음식을 만들거나 차리는 곳. 부엌. ¶ ~장(長). ②〖역〗 ↗소주방(燒廚房).
주방-도【廚房圖】명〖고고학〗 부엌 그림.
주방-문【廚房門】명 주방에 달려 있는 문.
주방-법【柱房法】[一뻡] 명〖광〗 방발법.
주방-사【紬紡絲】명 견사(絹絲)를 방적(紡績) 제조할 때 나오는 찌꺼기를 모아 주사(紬絲) 같이 만든 굵은 실.
주-방언【周邦彦】명〖사람〗 중국 북송(北宋)의 문장가(文章家). 저장성(浙江省) 전당(錢塘) 사람. 자(字)는 미성(美成), 호는 청진 거사(清眞居士). 사(詞)를 잘하여, 당대(唐代)의 시구(詩句)·미사(美辭)·염어(艷語)·음률(音律)을 교묘히 삽입, 전아(典雅)한 사풍(詞風)을 만들어 냄. 소동파(蘇東坡)의 호방파(豪放派)에 대하여 남송 완약파(南宋婉約派)의 시조(始祖)가 됨. 사집(詞集)으로 ≪편옥사(片玉詞)≫·≪청진집(清眞集)≫이 있음. [1056-1121]
주방-장【廚房長】명 음식점·다방 등에서, 조리(調理)를 맡은 사람의 우두머리.
주배[1]【酒杯】명 술잔❶.
주배[2]【酒輩】명 술꾼. 주도(酒徒).
주:배[3]【做坏】명〖공〗 도자기의 몸체를 만드는 일. 성배(成坏).
주배[4]【疇輩】명 동무. 동배(同輩). 제배(儕輩).
주버기 명 많이 모인 더껑이. ¶ 옥으로 끌려 가는 그의 꽉 움켜쥔 오른손이 경련을 일으키고 펴지자 피 ~가 된 그의 귀때기가 검은 땅 위로 떨어졌다≪劉賢鍾 : 들꽃≫.
주벅 명〈방〉 밥주걱(전라·강원).
주벅치 명〖어〗[*Pempheris umbrus*] 주벅칫과에 속하는 바닷물고기. 길이 18 cm 가량이고 타원형이며 꼬리 쪽이 급히 가늘어져 있음. 몸빛은 흑갈색인데 등·꼬리지느러미 끝은 흑색임. 눈이 크고 옆줄이 등지느러미 앞 쪽에서 휘어져 있음. 온대·연안성의 물고기로 우리 나라 남부 연안, 일본 중부 이남에 분포함.
주벅칫-과【一科】명〖어〗[Pempheridae] 농어목(目)에 속하는 바닷물고기의 한 과. 주벅치·날개주벅치·황안어 등이 이에 속함.
주번[1]【主番】명 공무를 띠고 관할하는 곳을 순시하는 일. 또, 그 사람. ——-하다 자여불
주번[2]【週番】명 ①한 주일마다 바꾸어서 하는 근무. ②군대나 학교 같은 곳에서 한 주일씩 바꾸어 가며 영내(營內)·교내(校內)에서의 생활 지도(生活指導)·풍기 단속(風紀團束)·규율의 시행 등을 감시 감독하는 번(番). 또, 그 사람. ¶ ~ 근무.
주번-병【週番兵】명〖군〗 주번 근무를 하는 사병(士兵).
주번 사:관【週番士官】명〖군〗 주번 사령을 도와 주번 하사관 이하를 감독하여 주번 임무를 수행하는 장교.
주번 사령【週番司令】명〖군〗 주번 사관 이하를 지휘 감독하여 주번 임무를 수행하는 책임 장교.
주번-생【週番生】명 학교에서 주번 일을 맡아 보는 학생. 보통 상급반 학생이 맡음. 주번 생도.
주번 생도【週番生徒】명 주번생.
주번 하:사관【週番下士官】명〖군〗 주번 사관의 지휘 밑에서 주번병을 감독하며, 주번 임무를 수행하는 하사관.
주벌[1]【主伐】명 다 자라서 쓸 수 있게 된 나무를 벰. ——-하다 타여불
주-벌[2]【舟筏】명 배와 뗏목. 배 또는 뗏목.
주:벌[3]【誅伐】명 죄 지은 사람을 나무래어 침. 죄인(罪人)을 베어 죽임. ——-하다 타여불
주:벌[4]【誅罰】명 죄 지은 사람에게 꾸지람을 하며 벌을 줌. 죄를 물어 벌함. ——-하다 타여불
주범[1]【主犯】명〖법〗 정범(正犯).
주범[2]【主帆】명〖해〗 메인 마스트에 다는 큰 돛. 메인슬(mainsail).
주법[1]【主法】명〖법〗 실체법(實體法). ↔조법[1](助法).
주법[2]【走法】[一뻡] 명 육상 경기에서 경주·도약(跳躍) 등의 달리는 방법.
주:법[3]【呪法】[一뻡] 명 ①주문(呪文)을 읽는 법식. ②주술(呪術).
주:법[4]【奏法】[一뻡] 명 ↗연주법(演奏法).
주-법선【主法線】명〔principal normal〕〖수〗 공간 곡선(空間曲線) 위의 한 점에서, 이 곡선의 접촉 평면과 법평면(法平面)과의 교선(交線). ↔배법선(陪法線).
주베〔Jouvet, Louis〕명〖사람〗 프랑스의 배우·연출가. 프랑스 극단의 대표자의 하나로, 연극의 감수성(感受性)과 지성(知性)의 부활을 주장. 연출과 더불어 스스로 주역(主役)을 맡아 명성을 얻었으며 영화에도 출연함. 주연 작품은 연극(演劇)에 ≪동 쥐앙(Don Juan)≫·≪크노크(Knock)≫, 영화(映畫)에 ≪북(北)호텔≫·≪무도회(舞蹈會)의 수첩≫ 등이 있음. [1887-1951]
주베날리스〔Juvenalis, Decimus Junius〕명〖사람〗 고대(古代) 로마의 시인. 당시의 부패한 사회에의 분노의 서(書) ≪풍자 시집≫ 5권을 냈는데 그 중의 '건전한 정신은 건전한 육체에 깃든다'라는 말은 유명함. 생몰 연대 미상.
주벽[1]【主壁】명 ①방문에서 정면으로 바라뵈는 벽. ②좌우로 벌여 앉은 자리의 한가운데의 주되는 자리나, 거기에 앉은 사람. ③사원(祠院)에 모신 여러 위패(位牌) 가운데서 으뜸되는 위패.
주벽[2]【周壁】명 둘레의 벽.
주벽[3]【酒癖】명 ①술을 몹시 즐기는 버릇. ②주성(酒性).
주-벽원【柱壁楦】명〖건〗 기둥에 붙어 있는 설주.
주:변[1] 명〔중세 : 쥬변〕 일을 주선하거나 변통하는 재간. 수완(手腕). ¶ 말~ / ~이 없어 아무 것도 못 한다. ——-하다 타여불
주변[2]【周邊】명 ①주위의 가장 자리. ¶ 도시 ~. ②전두리. ③언저리. ¶ 생활 ~.
주변 감:광【周邊減光】명 ①사진에서, 화면의 주변이 광량(光量)의 부족으로 어둡게 찍히는 현상. ②〖천〗 태양의 광구(光球) 주변이 중심부보다 어두워 보이는 현상. 이 현상을 관측하여 광구 속의 온도를 구함.
주변 계:산기【周邊計算機】명 주(主)계산기의 관리 하에, 특정한 작용을 하는 보조 계산기.
주변-광【周邊光】명〔ambient light〕 실내의 광원(光源)으로부터 텔레비전 브라운관의 표면 등에 도달하는 빛. 환경광(環境光).
주:-변궁【奏變宮】 명〖역〗 조선 시대 때, 궁중의 종구품(從九品) 궁인직(宮人職)의 하나.
주변 기기【周邊機器】명 주변 장치(周邊裝置).
주:변-머리 명〈속〉 주변. ¶ ~ 없는 사람.
주:변머리 없:다 구〈속〉 주변이 없다.
주변 버퍼【周邊一】명〔peripheral buffer〕 일시적인 기억 장치로 작용하는 장치. 전송(傳送) 속도가 서로 다르게 작동하고 있는 두 개의 장치 사이에서, 데이터를 전송할 때 쓰임.
주변 분지【周邊分枝】명〔marginal branching〕〖식〗 분지법의 하나. 양치류(羊齒類)의 잎자루에서 우편(羽片)이 발생할 때, 우편의 관다발이 잎자루 안의 유자(U字) 모양의 관다발의 말단으로부터 분리하는 형식.
주:변-성【一性】[一썽] 명 주변하는 수단. 주변하는 성질. 두름성. ¶ ~이 없다.
주변 성장【周邊成長】명〔marginal growth〕〖식〗 성장이 거의 평면적으로 넓게 퍼지기만 하는 성장 양식(成長樣式). 주변부에 있는 주변 분렬 조직의 작용으로 행하여짐. 잎 가장자리나 양치류(羊齒類) 전엽체(前葉體)의 형성에서 볼 수 있음.
주변 세:포【周邊細胞】명〔marginal cell〕〖생〗 기공(氣孔)의 주변에 있는 콩팥 모양의 세포. 보호 공변 세포(孔邊細胞). 공변 세포(孔邊細胞).
주변-시【周邊視】명〔peripheral vision〕〖의〗 시야(視野)의 중심에서 떨어진 주변부에 있는 것을 보는 기능(機能). 중심부에 대한 것보다 모양이나 빛깔을 분간하는 힘은 약하나, 약한 빛이나 운동을 감시하는 힘이 강함. 이것은 망막(網膜)의 주변에 간상체(杆狀體)가 많고 원추체(圓錐體)가 적기 때문임.
주변-인【周邊人】명〖심〗 신체적 성질·언어·의복·습관(習慣) 등의 차이로 하나의 사회 집단(社會集團)에도 완전히 소속(所屬)되지 못하고 다른 것으로도 되지 못하는 사람. 곧, 이민(移民)과 같이 새로운 사회의 완전한 일원(一員)도 되지 못하고 출신국(出身國)의 습관 등 옛날의 가치 기준(價值基準)에 따라 생활할 수도 없는 사람을 말함. 한계인(限界人). 마지널 맨.
주변 장치【周邊裝置】명 컴퓨터의 중앙 처리 장치에 들지 않는 둘레 부분의 총칭. 입출력(入出力) 장치·보조 기억 장치 등이 있음. 주변 기기(周邊機器).
주변 지역【周邊地域】명 한 지점을 중심으로 하는 그 둘레의 일정한 지역.
주:-변치【奏變徵】명〖역〗 조선 시대 때 궁중의 종구품(從九品) 궁인직(宮人職)의 하나.
주변 태좌【周邊胎座】명〖식〗 연변 태좌(緣邊胎座).
주변-화【周邊花】명〔ray flower〕〖식〗 두상 화서(頭狀花序)의 머릿가로부터 방사상(放射狀)으로 펼쳐진 작은 설편형(舌片形)의 화관(花冠)이 달린 작은 꽃의 하나.
주병[1]【珠柄】명〖식〗 식물의 밑씨가 심피(心皮)에 부착(附着)하는 자루의 부분. 성숙하면 종자병(種子柄)이라고 불림.
주병[2]【酒甁】명 술병.
주-병[3]【酒餠】명 술과 떡.
주:병[4]【駐兵】명 일정한 지역에 군대를 머무르게 함. 또, 그 군대. 주군(駐軍). ——-하다 자여불
주:병-권【駐兵權】[一꿘] 명 외국 영토 안에 주병(駐兵)하여 자국민의 생명·재산·권익 기타를 보호 경비할 수 있는 권리.
주보[1]【主保】명〖천주교〗 ↗주보 성인.
주보[2]【州輔】명〖역〗 주조(州助).
주:보[3]【注寶】명〖역〗 고려 때 중서 문하성(中書門下省)의 이속(吏屬).
주보[4]【酒甫】명 술에 곁은 사람. 술 안 마시고는 못 사는 사람.
주보[5]【酒保】명 ①술을 파는 점방. ②〖군〗 군대의 영내에서 음식물, 기타 일용품을 팔던 영내 판매점의 구칭.
주보[6]【週報】명 ①한 주일마다 발행하는 신문이나 잡지. ②한 주일에 한 번씩 작성하여 올리는 보고.
주:보[7]【駐步】명 멈춰 섬. ——-하다 자여불
주-보급로【主補給路】[一노] 명〔main supply road; M.S.R.〕〖군〗 국도나 간선 도로(幹線道路) 등과 같이 전시(戰時)에 군수 물자(軍需物資)를 수송 보급함에 가장 중요한 역할을 하는 도로. 주요 보급로.
주보 성:인【主保聖人】명〖천주교〗 '수호 성인'의 구용어. 준주보.

주복[1]【主服】명 ①주가 되는 의복. ②〖불교〗 가사(袈裟)의 한가운데의 폭(幅).
주복[2]【主僕】명 주인과 종. 상전과 하인. 노주(奴主).
주복[3]【珠服】명 주옥으로 아름답게 장식한 옷.
주복[4]【誅服】명 죄를 책하여 복종시킴. ——-하다 타여불
주복 야:행【晝伏夜行】[—냐—] 명 낮에는 숨었다가 밤에 길을 감. ——-하다 자여불
주:본【奏本】명 임금에게 올리는 문서.
주봉[1]【主峰】명 ①산맥 가운데서 주된 봉우리. 또, 가장 높은 봉우리. 최고봉. ②↗주인봉(主人峰).
주봉[2]【主峰】명〖지〗평안 남도 영원군(寧遠郡)에 있는 산. [1,261 m]
주-봉[3]【周峰】명〖지〗강원도 정선군(旌善郡)에 있는 산. [1,225 m]
주-봉[4]【青峰】명〖지〗경상 북도 안동군(安東郡)에 있는 산. 태백 산맥 중에 솟아 있음. [623 m]
주:봉-천【住峰天】명〖불교〗욕계 육천(慾界六天)의 제이천(第二天)인 삼십 삼천(三十三天)의 하나. 수미산(須彌山)의 정상에 위치한 제석천(帝釋天)을 둘러싼 천(天)의 하나를 일컬음.
주부[1]【主父】명 ①한 집안의 어른. 가장(家長). ②첩(妾)이 남편을 이르는 말.
주부[2]【主部】명 ①중요한 부분(部分). ②〖언〗 주어부(主語部). ↔술부(述部).
주부[3]【主婦】명 한 집안의 주인의 아내. 또, 한 집안의 주인인 여성. 안주인. 주모(主母).
주부[4]【主簿】명 ①주부(注簿) ❶❷❹. ②약국(藥局)을 내고 있는 사람의 일컬음.
주:부[5]【注賦】명 부어 넣어 줌. ——-하다 타여불
주:부[6]【注簿】명〖역〗①고구려 때 이품(二品)쯤 되던 벼슬. 울절(鬱折)·오졸(烏拙)이라고도 일컫는데, 국가의 기밀(機密)과 개법(改法)·징발(徵發)·관작 수여(官爵授與) 등을 맡음. 주부(主簿). ②신라의 벼슬 이름. 경덕왕(景德王) 때에 조부(調府)·경성 주작전(京城周作典)·예부(禮部)·승부(乘府)·예작부(例作府)·선부(船府)·영객부(領客府)·위화부(位和府)·영창궁 성전(永昌宮成典)·국학(國學)·음성서(音聲署) 들의 대사(大舍)를 고친 이름. 혜공왕(惠恭王)이 다시 대사로 고치었음. 위계(位階)는 나마(奈麻)에서 사지(舍知)까지. 주부(主簿). ③고려 때 사헌부(司憲府)·예문 춘추관(藝文春秋館)·예문관(藝文館)·국자감(國子監)·전교시(典校寺)·전의시(典儀寺)와 기타 여러 관아에 속한 벼슬. 품질(品秩)은 육품(六品)에서 팔품까지. ④조선 시대 때 돈령부(敦寧府)·한성부(漢城府)·봉상시(奉常寺)·종부시(宗簿寺)·사옹원(司饔院)·내의원(內醫院)과 기타 여러 관아에 속한 종육품(從六品)의 벼슬. 주부(主簿).
주부[7]【酒婦】명 술을 파는 여자. 주모(酒母).
주:부[8]【綢部】명〖역〗백제 때 옷감 짜는 일을 맡은 관아.
주부[9]【廚夫】명 주인(廚人).
주-부-군-현【州府郡縣】명〖역〗옛 지방의 행정을 구역별로 나눈 단위. 곧, 주(州)와 부(府)와 군(郡)과 현(縣)의 합칭.
주부-권【主婦權】[—꿘] 명〖사〗주부에 대하여 사회적 통념(通念)에 의해서 지지되고 있는 가정 관리(家政管理)를 중심으로 하는 권한.
주:부 삼덕【注賦三德】명〖기독교〗성령의 힘에 의해 믿는 사람에게 부여된 믿음·소망·사랑의 세 가지 은덕.
주부 습진【主婦濕疹】명〖의〗주로 물을 많이 다루는 주부의 손끝에서 손바닥에 걸쳐 살갗이 벌겋게 되고 피부가 까지는 진행성 지장 각피증(進行性指掌角皮症)의 속칭. 심하면 트고 지문(指紋)이 지워지며 딱딱해짐. 중성 세제(中性洗劑)의 남용(濫用)에서 오는 피부의 알칼리 중화 능력(中和能力)의 부족에 기인함.
주부-실【主婦室】명 주부가 거처하는 방. 안방.
주부-코 명〖한의〗비사증(鼻齄症)으로 붉은 점이 생긴 코.
주북 명〈방〉밥주걱(경북).
주불[1]【主佛】명〖불교〗①↗주세불(主世佛). ②염주(念珠)의 위와 아래에 꿴 다른 염주 알보다 갑절이나 큰 구슬. 위에 꿰는 상주불(上主佛)과 아래에 꿰는 하주불이 있음.
주:불[2]【駐佛】명 프랑스에 주재(駐在)함. 프랑스에 주차(駐箚)함. ¶~대사. ——-하다 자여불
주-불쌍배【酒不雙杯】명 술 마실 때 마시는 잔의 수효가 짝 맞음을 피하는 일.
주-불해【周佛海】명〖사람〗'저우 포하이'를 우리 음으로 읽은 이름.
주붕[1] 명〈방〉양복 바지(경남).
주붕[2]【酒朋】명 술로 사귄 벗. 주우(酒友). 술친구.
주븐ᄒᆞ다 형〈옛〉쭈뼛하다. =주븟ᄒᆞ다. ¶서늘히 센 머리터리 凜然히 주븐ᄒᆞ야 섯는 곳가로 다딜오몰 아로라(飄蕭覺素髮凜慾衝儒冠)≪初杜諺 XVII:8≫.
주븟ᄒᆞ다 형〈옛〉쭈뼛하다. =주븐ᄒᆞ다. ¶서늘히 하여흔 센머리터리 주븟ᄒᆞ야(飄蕭覺…素髮凜)≪重杜諺 XVII:8≫.
주비[1] 명〖식〗기장의 한 종류. 열매는 누르고 껍질은 잿빛, 줄기는 검숭하며 삼월에 심음.
주비[2] 명〈옛〉페. 무리. 꽉지. 부분. ¶八部는 여듧 주비니 ≪月釋 I:14≫.
주비[3]【周備】명 두루 갖춤. 또, 두루 갖추어 있음. ——-하다 타여불
주비[4]【周痺】명〖한의〗정기적은 아니나 때때로 사지 곳곳에 마비가 일어나는 병.
주비[5]【周髀】명〖책〗고대 중국에서 만들어진 천문 산술서(天文算術書)≪주비 산경(周髀算經)≫의 약칭(略稱).
주:비[6]【籌備】명 계획하여 준비함. ——-하다 타여불
주:비 위원회【籌備委員會】명〖정〗정당의 창당 준비 위원회 결성을 준비하는 기구.
주비-전【注比廛】명〖역〗조선 시대 초부터 서울에 있던 백각전(百各廛) 중의 으뜸이 되는 시전(市廛). 보통, 여섯 혹은 여덟씩이었으므로 육주비전(六注比廛)·팔주비전(八注比廛) 등으로 불리었음.
주빈【主賓】명 ①손님들 중에서 주되는 손님. 정객(正客). ②주인과 빈객(賓客). 주객(主客).
주빙하 지형【周氷河地形】명〖지〗빙하(氷河) 주변에서 일년 동안 계속 빙설(氷雪)에 덮이지 아니한 지역에서 볼 수 있는 특징적(特徵的)인 지형의 총칭. 식생(植生)이 드문드문 있으며 암석 표면에서는 갈라진 틈으로 침입한 물의 빙결 융해(氷結融解) 작용의 반복으로 인해 대량의 암설(岩屑)이 생산되어 암괴류(岩塊流)를 이룸.
주뼛-주뼛 부 거침없이 내닫지 못하고 머뭇거리는 모양. ㅆ쭈뼛쭈뼛. >조뼛조뼛. ——-하다 형여불
주ᄉᆞ리켜다 타〈옛〉쭈그리다. ¶허리놀 주ᄉᆞ리켜고 ᄃᆞᆫ니ᄂᆞᆫ 이ᄂᆞᆫ(蹲腰行)≪馬經 上 76≫.
주사[1]【主司】명〖역〗과거(科擧)의 시관(試官).
주사[2]【主使】명 ①주장되는 사신(使臣). *정사(正使). ②주장하여 사람을 부림. ——-하다 타여불
주사[3]【主祀】명 조상의 제사(祭祀)를 받들어 모심. 봉사(奉祀). ——-하다 자여불
주사[4]【主事】명 ①사무를 주장하는 사람. ②남을 점잖게 높이어 일컫는 말. 남자에게만 씀. ¶김~. ③〖역〗신라 때 대도서(大道署)·공장부(工匠府)·좌사록관(左司祿館)·동시전(東市典)·서시전(西市典)·남시전(南市典)·사범서(司範署)의 버금 벼슬. 위계(位階)는 나마(奈麻)에서 사지(舍知)까지. ④〖역〗고려 때 중서 문하성(中書門下省)·상서 도성(尙書都省)·삼사(三司)·중추원(中樞院)·상서 육부(尙書六部) 들에 딸린 최상위의 행정 서리(行政胥吏). ⑤〖역〗조선 초(初) 육조(六曹)의 정칠품(正七品) 벼슬. 태조 4년(1395)에 파함. ⑥〖역〗조선 시대 때 평안도·함경도의 지방 관청에 딸린 이속(吏屬)의 하나. ⑦〖역〗대한 제국 때 각 관아의 판임(判任) 벼슬. ⑧〖법〗육급(六級)인 국가 공무원. 사무관(事務官)의 아래, 주사보의 위. ⑨↗지방 행정 주사.
주사[5]【主辭】명 〔subject〕〖논〗명제(命題)에 관하여 판단의 주체가 되는 개념(概念). '벼는 식물이다'라는 명제의 판단에서 '벼' 같은 것. 형식 논리학에서는 일반적으로 기호 S로 나타냄. 주개념. 주어(主語). 주체(主體). 서브젝트(subject). ↔빈사(賓辭).
주사[6]【州司】명〖역〗주(州)의 관사(官司). 또, 주(州)의 벼슬아치.
주사[7]【朱砂·硃砂】명〖광〗짙은 홍색 광택이 있는 육방 정계(六方晶系)의 괴상(塊狀)의 광물. 수은과 황과의 화합물(化合物)임. 정제(精製)하여 물감이나 한방(韓方)에서 약으로 쓰는데, 성질은 약간 차며 전광(顚狂)·경간(驚癇) 등의 진경제(鎭痙劑)로 쓰임. 특히 선주(宣州)에서 나는 주사는 품질이 좋아 선사(宣砂)로 널리 알려져 있음. 단사(丹砂). 진사(辰砂).
주사[8]【舟師】명〖역〗'수군(水軍)❶'의 별칭.
주사[9]【走使】명 급사(急使) ❷.
주사[10]【走査】명 〔scanning〕〖물〗사진 전송 또는 텔레비전 등에서, 영상(映像)을 구성하는 화면의 요소적 광에너지(光 energy)를 전기적(電氣的) 에너지로 변환(變換)하거나 반대로 전기적 에너지를 광에너지로 변환하여 영상을 재현(再現)하는 일. 보통, 선상(線狀)으로 행하여짐. ¶~선(線). ——-하다 타여불
주:사[11]【注射】명 ① 공기의 압력을 이용하여 물이나 다른 물건을 격동시키어 내어 쏘는 일. ②〖의〗약액(藥液)을 주사기에 넣어 생물체의 조직이나 혈액 속에 주입하는 일. ——-하다 타여불
주:사[12]【呪辭】명〖민〗주술(呪術)을 행할 때에 외는 말.
주:사[13]【奏事】명 공사(公事)를 임금에게 아뢰. ——-하다 자여불
주사[14]【柱史】명〔노자(老子)가 주하사(柱下史)란 벼슬을 지낸 데서 유래〕'노자(老子)'의 별칭.
주사[15]【酒邪】명 술 마신 뒤의 못된 버릇. ¶~가 심하다.
주사[16]【酒肆】명 술집. 주루(酒樓).
주사[17]【酒皶】명〖한의〗코 주위에 여드름 비슷한 발진(發疹)이 돋고 벌게지는 병. 모세 혈관이 확장되어 실핏줄이 거미줄처럼 드러남. 확실한 원인은 아직 모름. 주사증(酒皶症).
주:사[18]【做事】명 일을 함. 사업을 경영함. ——-하다 자여불
주사[19]【紬絲】명 명주실.
주사[20]【蛛絲】명 거미줄 ❶.
주:사[21]【籌司】명〖역〗조선 시대 비변사(備邊司)의 별칭.
주:사-기【注射器】명〖의〗약액(藥液)을 주사하는 기구. 조직을 꿰뚫고 들어가는 주사침과 이것에 연결시키는 약액 담는 유리관과 압력을 가하는 피스톤으로 되어 있음. 피하(皮下)·근육 주사용의 1 cc·2 cc·3 cc짜리와 정맥용(靜脈用)의 10 cc·20 cc·30 cc·50 cc 짜리 및 가축용(家畜用) 주사기 등이 있음.
주사니【紬—】명 ☞ 명주붙이.
주사니-것【紬—】명 명주로 만든 옷. ¶머리는 서양 제도로 틀어 얹고 전신은 ~으로 죽은 놈 염하듯 함부로 감았는지라≪鮮于日 : 杜鵑聲≫.
주사 대:장【舟師大將】명〖역〗임금이 거둥할 때 한강(漢江)에 부교(浮橋)를 놓는 일을 맡은 임시의 벼슬. 주교사(舟橋司)에 딸려서 일함.
주:사-량【注射量】명 주사하는 약액(藥液)의 양.
주:사-력【注射力】명 주사 기운. 주사 맞은 약효(藥効).
주사-령【朱砂嶺】명〖지〗평안 북도 초산군(楚山郡) 풍면(豐面)에 있는 고개. [462 m]
주사-립【朱絲笠】명〖역〗주립(朱笠).

주사 방식【走査方式】명 〔scanning system〕〖물〗 텔레비전에 있어서 주사(走査)의 방향과 속도를 결정하는 양식.

주사 방적【紬絲紡績】명 견사(絹絲) 방적 공정(工程)에서 나온 찌꺼기 섬유를 원료로 하여 실을 방적하는 일. 일반적으로 굵고 매듭이 있는 주방사(紬紡絲)가 됨. *방적 견사.

주사-보【主事補】명 〖법〗 7급인 국가 공무원. 주사의 아래, 서기(書記)의 위임.

주사-석【朱砂石】명 〖광〗 새빨간 점이 박힌 노란 빛깔의 몸이 곱고 귀한 돌. 중국 원산으로 도장 재료로 유명함. 계혈석(鷄血石).

주사-선【走査線】명 텔레비전에서, 보낼 영상(映像)의 명암 흑백(明暗黑白)을 전기적 강약(強弱)으로 바꾸어서 재생(再生)시키기 위하여 나눈 많은 선(線)의 낱개.

주사 순:서【走査順序】명 〔scanning sequence〕〖공〗 어떤 범위 안에서 화소(畫素)를 주사하는 순서. 예컨대, 텔레비전 화면은 좌측에서 우측으로 수평되게, 위에서 아래로 수직되게 주사됨.

주:사-액【注射液】명 〖약〗 주사기에 넣어 주사하는 액체의 약물. 주사약(注射藥).

주사 야:몽【晝思夜夢】명 ①주사 야탁(晝思夜度). ②낮에 생각한 것이 밤에 꿈으로 나타남. ——-하다 타 여불

주사 야:탁【晝思夜度】명 밤낮으로 생각함. 주사 야몽(晝思夜夢). ¶ ~으로 골몰히 궁리를 하다. ——-하다 타 여불

주:사-약【注射藥】명 〖약〗 주사액(注射液).

주사위 명 옥돌이나 짐승의 뼈 또는 단단한 물건으로 만든 장난감의 하나. 조그만 정육면체(正六面體)로 하나부터 여섯 개까지의 점을 각각 한 면에 하나씩 새겨, 던져서 위쪽으로 나타난 점수로 다투거나 일정한 구간(區間)의 코스를 돌아서 승패를 결정하는 따위의 장난을 함. 두자(骰子). 투자(骰子). ¶ ~를 던지다. 춰음: 주사회(朱士會).

〈주사위〉

주사위는 던져졌다 구 〔카이사르가 루비콘 강을 건널 때 한 말〕 일은 이미 결정되었다, 일이 이 지경에 이르렀으니 단행(斷行)하는 도리밖에 없다는 뜻.

주사위-뼈 명 주사위 하나를 만들 만한 자디잔 뼈. 두자골(骰子骨).

주:사 유:사【籌司有司】명 〖역〗 조선 시대 중기 이후에, 비변사(備邊司) 제조(提調) 가운데 유사 당상(有司堂上)의 일컬음. 명종(明宗) 때 군무(軍務)를 아는 사람으로 3 사람을 계차(啓差)하다가, 숙종(肅宗) 때부터는 4 사람으로 정함.

주사 익원산【朱砂益元散】명 〖한의〗 사상 의학상(四象醫學上) 소양인(少陽人)이 여름철에 더위를 먹었을 때 쓰는 처방의 하나.

주사 장치【走査裝置】명 〔scanner〕〖통신〗 텔레비전·팩시밀리 송신기에서, 원화(原畫)의 화소(畫素)를 대응하는 신호로 조직적으로 변환(變換)시키는 장치.

주사-증【酒皶症】[─쯩] 명 주사(酒皶).

주사 청루【酒肆靑樓】[─누] 명 술집·기생집 또는 매음굴의 총칭. 홍등가(紅燈街). 청루 주사(靑樓酒肆).

주:사-침【注射針】명 주삿바늘.

주사-코【酒皶─】명 주사에 걸려 벌게진 코.

주사-홍【朱砂紅】명 〖공〗 중국 균요(均窯)에서 나는 유려(流麗)한 동홍색(銅紅色)이 도는 도자기의 빛.

주사회【朱士會】명 '주사위'의 춰음.

주산[1]【主山】명 〖민〗 뭣자리나 집터 또는 도읍(都邑) 터의 뒤쪽에 있는 산. 풍수 지리(風水地理)에서 그 터의 운수 기운이 매였다고 하는 산. 주룡(主龍).

주산[2]【朱傘】명 〖불교〗 개(蓋)❹.

주산[3]【珠算】명 '수판셈'의 구용어. ——-하다 자 여불

주:산[4]【籌算】명 주산(珠算).

주산 경:기【珠算競技】명 주판으로 하는 셈을 속도로써 겨루는 일.

주산 군도【舟山群島】명 〖지〗 저우산 군도.

주산 단지【主產團地】명 어떤 산물(產物)이 집단적으로 많이 나는 지역.

주-산맥【主山脈】명 주되는 산맥. 으뜸 가는 산맥.

주-산물【主產物】명 ①주된 생산물. ↔부산물(副產物). ②어떤 고장의 산물 중에서 가장 많이 생산되는 생산물.

주-산업【主產業】명 어떤 고장의 산업 중에서 으뜸 가는 산업.

주-산지【主產地】명 어떠한 물품이 주로 생산되는 지역.

주살[1] 명 〔중세 : 주살←줄+살〕 오늬에 줄을 매어 쏘는 화살. 증작(矰繳).

주:살[2]【誅殺】명 죄를 물어 죽임. 죄인(罪人)을 무찔러 죽임. ——-하다 타 여불

주살-나다 [─라─] 형 〈비〉 뻔찔나다.

주살익-부【─弋部】명 한자 부수(部首)의 하나. '式'이나 '弑' 등의 '弋'의 이름.

주살-질 명 주살로 쏘는 짓. ——-하다 자 여불

주-삼포【柱三包】명 〖건〗 공포(空幅)의 포는 없이 주두(柱枓)와 삼포만으로 지은 포살미 집의 한 가지. 촛가지가 한 개씩만 있음.

주-삼화음【主三和音】명 〖악〗 '으뜸 삼화음'의 구용어.

주:삿-바늘【注射─】명 주사기 끝에 연결시켜, 직접 조직을 뚫고 들어가, 중앙의 가는 구멍을 통해 주사액을 조직 속에 넣는 바늘. 주사침(注射針).

주상[1]【主上】명 임금. 군상(君上). ¶ ~ 전하(殿下).

주상[2]【主喪】명 죽은 이의 제전(祭奠)을 주장하는 사람.

주상[3]【柱狀】명 기둥 모양.

주:상[4]【奏上】명 천자(天子)께 아룀. 상주(上奏). 주신(奏申). 주진(奏陳).

주:상[5]【奏商】명 〖역〗 조선 시대 때 궁중의 정구품(正九品) 궁인직(宮人職)의 하나.

주상[6]【酒商】명 술장사 또는 술장수.

주상[7]【酒傷】명 술로 인하여 생긴 위(胃)의 탈.

주:상[8]【籌商】명 짐작해서 꾀함. 주의(籌議). ——-하다 타 여불

주:상[9]【鑄像】명 금속을 주조하여 만든 상.

주상 도표【柱狀圖表】명 〖수〗 '히스토그램'의 구용어.

주상 변:압기【柱上變壓器】명 〖전〗 시중(市中)의 전주(電柱) 위에 있는 변압기. 이차(二次) 변전소로부터 오는 3,300 볼트의 고전압(高電壓)을 200 볼트로 내려서 작은 공장(工場)으로 보내거나, 또는 100 볼트나 220 볼트로 내려서 일반 가정용(一般家庭用)으로 송전하는 일을 함.

주상 수차【珠狀收差】명 〖물〗 구면 수차(球面收差).

주상 절리【柱狀節理】명 〖지〗 마그마의 냉각 응고(冷却凝固)에 따른 체적(體積)의 수축에 의하여 생기는 다각형(多角形) 기둥 모양의 금.

주상 해:분【舟狀海盆】명 〔trough〕〖지〗 배 모양으로 좁고 길게 팬 도랑 모양의 해저 지형(海底地形). 깊이 6 km 이상의 것을 가리키며, 해구(海溝)보다 폭이 넓고 얕음.

주색[1]【主色】명 ①전체적인 색채(色彩)의 기조(基調)를 이루는 색. ②적(赤)·황(黃)·청(靑)·녹(綠)의 네 가지 빛깔. 다른 빛깔은 이 빛깔들의 종합이므로 부색(副色)이라 함.

주색[2]【朱色】명 누렁이 조금 섞인 붉은 빛깔.

주색[3]【酒色】명 술과 계집. 음주와 여색(女色). 주음(酒淫). ¶ ~에 빠지다.

주색 잡기【酒色雜技】명 주색과 여러 가지 노름. ¶ ~로 패가 망신하다.

주생【疇生】명 같은 종류(種類)의 것이 한 곳에 모여서 생김. ——-하다 자 여불

주생-전【周生傳】명 〖문〗 조선 광해군(光海君) 때의 시인 권필(權韠)이 쓴 고전 한문 소설. 선조 말에서 광해군 초에 지은 작품으로 보이며, 염정류(艷情類) 소설로서는 초기 작품임.

주:-생활【住生活】명 주거(住居)를 근거로 정주하는 기본 생활의 한 가지. *식생활·의생활.

주생활 수단【主生活手段】명 농사를 짓는다든가 월급을 받는다든가 등등 생활을 영위하는 데 가장 기본 되는 수단.

주서[1]【主書】명 〖역〗 신라 때 상사서(賞賜署)·대도서(大道署)·공장부(工匠府)·채전(彩典)·좌사록관(左司祿館)·우사록관(右司祿館)·신궁(新宮)·사범서(司範署)의 버금 벼슬. 위계(位階)는 나마(奈麻)에서 사지(舍知)까지.

주서[2]【朱書】명 주묵(朱墨)으로 글씨를 쓰는 일. 또, 그 쓴 것. 주필(朱筆). ——-하다 타 여불

주:서[3]【注書】명 〖역〗 ①고려 때 내사(內史) 주서·중서(中書) 주서·도첨의(都僉議) 주서·문하(門下) 주서·첨의(僉議) 주서 등으로 일컫은 벼슬. 문종(文宗) 때에 종칠품(從七品)으로 정하고 충렬왕(忠烈王) 24년(1298)에 정칠품(正七品)으로 올렸다가, 공민왕(恭愍王) 5년(1356)에 다시 종칠품으로 내리었음. ②조선 국초(國初) 때 문하부(門下府)의 정칠품 벼슬. ③조선 시대 때 승정원(承政院)의 정칠품 벼슬. *당후관(堂後官).

주서[4]【周書】명 〖책〗 ①상서(尙書), 곧 서경(書經) 중의 태서(泰誓)로부터 진서(秦誓)까지의 32편의 일컬음. ②이십오사(二十五史)의 하나. 북주(北周)의 사서(史書)로서 당(唐) 태종의 명으로 위징(魏徵)의 총괄 아래 영호덕분(令狐德棻)이 찬(撰)한 것. 모두 50권. 북주서(北周書).

주:서[5]【奏書】명 임금께 올리는 문서. 상소(上疏). 주장(奏章).

주서[6]【洲嶼】명 주도(洲島).

주:서[7] 〔juicer〕 명 과일이나 푸성귀 따위를 갈아서 주스를 만드는 전기 기구(電氣器具). 재료(材料)를 분쇄하는 믹서에 비해서 농후(濃厚)한 주스를 얻을 수 있고, 비타민 C의 파괴도 비교적 적음.

주서 담다 [─따] 타 ☞주워 담다.

주:서-령【注書令】명 〖역〗 고려 국초(國初)에 태봉(泰封)의 제도를 따서 베푼 관등(官等)의 둘째 등급. 보좌상(輔佐相)의 다음.

주서 먹다 타 ☞주워 먹다.

주석[1]【主席】명 ①주장되는 자리. 주인의 자리. ②회의나 위원회 또는 연회(宴會) 등을 주재(主宰)하는 사람. 수석(首席). ③정부(政府)에서 제1위의 자리. 또, 나라를 대표하는 사람 중에서 주된 사람. ¶국가 ~.

주석[2]【朱錫】명 〖화〗 ①놋쇠. 동납철. ¶ ~ 장식. ②금속 원소의 하나. 은백색 금속 광택을 지니고, 연성(延性)·전성(展性)이 풍부하며 녹이 안 슬고, 대기 중에서 많은 열을 가하면 산화하나, 상온(常溫)에서는 광택을 잃지 않음. 은종이로 가공하여 담배·과자 등의 포장에 쓰이고, 또 철판의 표면에 도금하여 양철을 제조하고, 과자 그릇·찻주전자 등에 쓰이며, 관(管)을 만듦. 합금(合金)에는 땜납·놋쇠 등이 있음. 석(錫). 백철(白鐵). *상납. [50번:Sn:118.70]

주석[3]【柱石】명 ①기둥과 주추. 주초(柱礎). ②주석 같이 의지하는 것. 특히, 나라를 떠바치는 중심 인물을 이름. ¶ ~지신(之臣)/국가의 ~. ③〖광〗 주로 나트륨·칼슘·알루미늄 등을 함유하는 규산염(硅酸塩) 광물. 회주석(灰柱石)과 소다 주석의 고용체(固溶體)임. 스카폴라이트(scapolite).

주석[4]【珠石】명 진주(眞珠)와 보석(寶石). 썩 귀중한 보석붙이.

주석[5]【酒石】명 〔tartar〕〖화〗 포도주(葡萄酒) 제조 때 발효(醱酵)가 진행되어 알코올이 증가하면 산성의 타르타르산 칼륨이 침전(沈澱)하여 생성되는 침전물. 타르타르산 및 그 화합물의 원료가 됨.

주석[6]【酒席】명 술자리. ¶ ~을 마련하다.

주:석[7]【註釋·注釋】명 본문(本文) 중의 낱말이나 어구(語句)의 뜻을 알기 쉽게 풀이함. 또, 그 글. 주해(註解). 소(疏). ¶ ~을 달다/~자(者).

㊀주(註). ——-하다 타여불

주:석[8]【駐錫】명〖불교〗①선종(禪宗)에서, 승려가 입산 안주(入山安住)하는 일. ②승려가 포교(布敎)를 하기 위하여 어떤 지역에 한때 머무르는 일.

주석[9]【疇昔】명 별로 오래지 않은 지난적.

주석-땜【朱錫—】명 주석을 녹여서 하는 땜. ——-하다 자여불

주석-산[1]【朱錫酸】명〔stannic acid〕〖화〗산화 제이 주석(酸化第二朱錫 ; SnO_2)의 수화물(水化物) $SnO_2 \cdot nH_2O$를 산(酸) 형식으로 부를 때의 이름.

주석-산[2]【酒石酸】명〖화〗타르타르산(酸).

주석산 안티모닐 칼륨【酒石酸—】〔antimonyl kalium〕명〖화〗타르타르산 안티모닐 칼륨.

주석산-염【酒石酸塩】[—념] 명〖화〗타르타르산염.

주석산 칼륨【酒石酸—】〔라 kalium〕명〖화〗타르타르산(酸) 칼륨.

주석산 칼륨 나트륨【酒石酸—】〔kalium natrium〕명〖화〗타르타르산(酸) 칼륨 나트륨.

주석산 칼리 소:다【酒石酸—】〔kali soda〕명〖화〗타르타르산(酸) 칼륨 나트륨(kalium natrium).

주석-석【朱錫石】명〔cassiterite〕〖광〗주석의 주요 원료 광석. 정방 정계(正方晶系)로, 단주상(短柱狀) 또는 추형(錐形)이며 세로 홈줄이 패어 있고, 금강(金剛) 또는 지방(脂肪) 광택이 나며, 무색·황갈색·암갈색을 띰. 화강암(花崗岩)이나 석영맥(石英脈) 속에서 남. 석석(錫石). [SnO_2]

주석-쇠【朱錫—】명〖건〗목조 건물의 나무와 나무를 잇는 곳이나 기타 마감(磨滅)을 덜거나 장식용으로 쓰이는 놋쇠.

주-석영【酒石英】명〖화〗타르타르산(酸) 칼륨(kalium).

주석족 원소【朱錫族元素】명〖화〗탄소족 원소 중, 금속 원소의 주석(朱錫)·납의 두 원소를 이름. 여기에 게르마늄(germanium)을 첨가하는 수도 있음.

주석지-신【柱石之臣】명 나라에 없어서는 아니될 가장 중요한 신하. 사직지신(社稷之臣). *고굉지신(股肱之臣).

주:석 학파【注釋學派】명〖법〗11세기 말부터 13세기 중엽까지 이탈리아의 볼로냐(Bologna)를 중심으로 활발했던, 주로 로마법 연구의 한 학파. 로마 황제(皇帝) 유스티니아누스의 ≪로마법 대전(大全)≫을 연구 대상(硏究對象)으로 하여, 개개(個個)의 법문(法文)의 자구(字句)에 대한 주석에 주력(注力)하였음. 이 파의 개조(開祖)로 에이레나이오스(Eirenaios; 115-200) 및 대성자(大成者)로서 아쿠르시우스(Accursius; 1185-1260) 등이 유명함.

주선[1]【主膳】명 주방에서 반찬을 맡아 만드는 사람.

주선[2]【舟船】명 배. 선박(船舶).

주선[3]【周旋】명 ①일이 잘 되도록 이리 저리 힘을 써서 변통해 주는 일. ¶아저씨의 ~으로 취직하다. ②〖법〗국제 분쟁의 평화적 처리 방법의 하나. 제삼국이 외부에서 분쟁 당사국 간의 교섭을 원조하는 일. *알선(斡旋). ——-하다 타여불

주:선[4]【注膳】명〖역〗고려 시대에 궁중의 식사 준비를 담당했던 상식국(尙食局)의 말단 이속(吏屬).

주선[5]【酒仙】명 ①세속의 일을 초월하고 술을 즐기는 사람. ②대주가(大酒家). 주호(酒豪).

주선[6]【廚膳】명 조리(調理)한 음식. 주방에서 마련한 밥상. 또, 그 식사.

주선-력【周旋力】[—녁] 명 일을 주선하는 힘이나 주선하려는 노력.

주선-료【周旋料】[—뇨] 명 일을 주선해 주는 대가로 받는 요금.

주선-성【周旋性】[—썽] 명 주선하는 성질이나 주변.

주선-업【周旋業】명 주선료를 받고 어떤 일을 주선해 주는 업. 고용인(雇傭人)이나 창기(娼妓)·특수 직공(特殊職工) 등의 취직을 알선하는 영업. *직업 소개소.

주선-인【周旋人】명 어떤 일을 주선하는 사람. 또, 주선업을 하는 사람.

주설[1]【酒泄】명〖한의〗음주(飮酒)로 인하여 위장(胃腸)의 기능이 약화되어 나는 설사병.

주:설[2]【註說】명 주기(註記)하여 설명함. 기록하여 설명을 덧붙임. 또, 그 것. ——-하다 자여불

주설-류【柱舌類】명〖동〗〔Docoglossa〕복족류(腹足類)에 속하는 전새류(前鰓類)의 한 아목(亞目). 패각(貝殼)은 삿갓·담쟁이풀 또는 접시 모양이고, 내장낭(內臟囊)은 빙 돌았고 나선부(螺旋部)는 볼 수 없으며, 아가미는 한 개가 있거나 없기도 함. 염통은 심이(心耳)·심실(心室)이 각각 하나임. 눈에는 렌즈가 없음. 양설류(梁舌類).

주섬-주섬 부 많은 물건을 차례로 주워 거두거나 흩어진 물건을 치우는 모양. ¶준(俊)은 ~ 옷을 주워 입고 아래층으로 내려 갔다≪金容誠 : 잃은 자와 찾은 자≫. ——-하다 타여불

주성[1]【主性】명〖천주교〗↗천주성(天主性).

주성[2]【主星】명〖천〗쌍성(雙星)에서 광도(光度)가 가장 밝은 항성(恒星). ↔반성(伴星). *수성(首星).

주성[3]【走性】[—썽] 명〔taxis〕〖생〗생물이 단순한 자극에 대해 쏠리는 성질. 자극의 원인이 되는 것으로는 화학 물질·빛·열·중력(重力)·전기·접촉(接觸) 및 물의 흐름 따위가 있는데, 그에 따라 각기 주화성(走化性)·주광성(走光性)·주열성(走熱性)·주지성(走地性)·주전성(走電性)·주류성(走流性)·주촉성(走觸性) 등으로 나뉘며, 자극원(源)에 쏠리는 경우를 양성, 그 반대의 경우를 음성이라 함. 트로피즘. 추성(趨性). 주향성(走向性). 쏠림성. *양성 주성(陽性走性)·정위(定位).

주성[4]【周星】명 일기(一紀), 곧 열두 해 동안. 별이 하늘을 한 바퀴 도는 데 소요되는 시간이라는 뜻.

주성[5]【酒性】명 술에 취한 뒤에 나타나는 성정(性情). 주벽(酒癖).

주성[6]【酒星】명 술을 맡았다는 별.

주성[7]【酒聖】명 ①맑은 술. 청주(淸酒). ②주량(酒量)이 큰 사람. 주호(酒豪). 주선(酒仙).

주-성분【主成分】명 ①어떤 물질 중의 주된 성분. ②〖언〗문장의 성분 중에서 뼈대를 이루는 필수적인 부분. 주어·서술어·목적어·보어가 있음. ↔부속 성분.

주세[1]【主稅】명 본세(本稅).

주세[2]【周歲】명 ①주년[2](周年). ②생후 만 1년. 돌.

주세[3]【酒洗】명〖한의〗약재를 술에 씻음. ——-하다 타여불

주세[4]【酒稅】명〖법〗주류에 부과하는 소비세(消費稅). 주류 제조업자·보세 구역으로부터의 인수자(引受者)를 납세 의무자로 하는 간접세로, 출고 인수한 수량 또는 가격에 따라 징수함. 세율은 주류(酒類)·도수(度數)에 따라 다름.

주-세(:)걸【朱世傑】명〖사람〗중국 원대(元代) 초기의 수학자(數學者). 자(字)는 한향(漢卿), 호(號)는 송정(松庭). 산목(算木)을 쓰는 중국 독자의 대수(代數) '천원(天元)'·'사원(四元)'의 대성자(大成者)임. 저서에 ≪산학 계몽(算學啓蒙)≫·≪사원 옥감(四元玉鑑)≫ 등이 있음. 생몰년 미상.

주세-국【主稅局】명〖역〗조선 시대 말 탁지 아문(度支衙門)의 한 국.

주세-법【酒稅法】[—뻡] 명 주세에 관하여 과세 요건(課稅要件)·신고·납부·주류의 제조 면허 등을 정한 법률.

주세-불【主世佛】명〖불교〗법당에 모신 부처 중 가장 으뜸되는 부처. 본존(本尊). ㊀주불(主佛).

주-세(:)붕【周世鵬】명〖사람〗조선 중종·명종 때의 문신·학자. 자는 경유(景游), 호는 신재(愼齋)·남고(南皐)·무릉 도인(武陵道人)·손옹(巽翁). 상주(尙州) 사람. 풍기 군수(豐基郡守)로 부임하여 백운동 서원(白雲洞書院)을 창설함. 뒤에 직제학(直提學)·도승지(都承旨)·대사성(大司成)·호조 참판을 지내고 황해도 관찰사로 있으면서 해주(海州)에 수양 서원(首陽書院)을 창설함. 청백리(淸白吏)에 녹선(錄選)됨. 저서로는 ≪무릉 잡고(武陵雜稿)≫가 있고 ≪동국 명신 언행록(東國名臣言行錄)≫·≪죽계지(竹溪誌)≫·≪심경 심학도(心經心學圖)≫ 등을 엮음. 작품으로는 ≪태평곡(太平曲)≫·≪도동곡(道東曲)≫·≪육현가(六賢歌)≫ 등 단가 8수 외에 시조 14 수가 전함. 시호(諡號)는 문민(文敏). [1495-1554]

주-세포【主細胞】명〔chief cell〕〖생〗①부갑상선(副甲狀腺)의 실질(實質)을 이루는 분비(分泌) 세포. ②위선 관강(胃腺管腔)의 세포.

주셍이 명〈방〉찌꺼기(제주).

주:소[1]【住所】명 ①↗거주소(居住所)❶. ②〖법〗실질적인 생활의 본거(本據)인 장소. 어떤 장소를 본거로 하는 의사를 요한다는 주관설도 있으나, 객관적으로 생활의 중심지이면 된다는 객관설이 더 유력함. 따라서 주소가 한 개라야 한다는 단순설(單純說)보다 복수설이 유력하며 법인(法人)의 주소는 주되는 사무소나 본점의 소재지가 주소로 통용됨. 주지(住址).

주:소[2]【注疏·註疏】명〔'注'는 경(經)을 해석한 것, '疏'는 '注'를 부연하여 더 자세히 설명한 것〕주(注)와 소(疏). 또한 경서(經書) 등의 본문에 자세한 해석과 설명을 씀. 또, 그렇게 한 것. 소주(疏註). ¶십삼경(十三經) ~. ——-하다 타여불

주:소[3]【奏疏】명 상소(上疏). ——-하다 자여불

주소[4]【晝宵】명 밤낮㊁. ¶내가 … 외람히 대위(大位)를 계승하여 ~ 전전 긍긍하게 지낸 지가 16년인데…≪洪命憙 : 林巨正≫.

주:소-록【住所錄】명 지기(知己)나 거래처 등의 주소를 적어 두는 장부.

주:소 부정【住所不定】명 일정한 주소가 없음.

주:소 성:명【住所姓名】명 주소와 성명. 거주 성명.

주:소지-법【住所地法】[—뻡] 명〖법〗당사자의 주소가 존재하는 곳의 법. 국제 사법 상(私法上) 하나의 준거법(準據法)으로서 인정되고 있음. 속인법(屬人法). *속인주의(屬人主義).

주:소지법-주의【住所地法主義】[—뻡—/—뻡—이] 명〔doctrine of domicile〕〖법〗국제 사법 상(私法上) 주소지법(住所地法)을 적용하는 주의. *속인법주의.

주속[1]【州俗】명 주(州)의 풍속. 한 지방의 풍속.

주속[2]【酒贖】명 금주(禁酒)의 규정을 범한 사람이 바치는 속전(贖錢).

주속[3]【紬屬】명 명주붙이. 주사니.

주손【胄孫】명 맏손자. 적장손(嫡長孫).

주:송【呪誦】명 송주(誦呪).

주수[1]【主守·主倅】명 자기가 사는 고을의 수령(守令).

주수[2]【主帥】명 군대를 통솔하는 사람. 주장(主將).

주수[3]【走獸】명 길짐승의 총칭.

주수[4]【宙水】명〔perched water〕〖지〗하천(河川)의 퇴적물(堆積物)로 된 토지 등에 국부적(局部的)으로 끼여 있는 점토층(粘土層)에 괸 지하수(地下水).

주수[5]【株守】명 변통할 줄 모르고 어리석게 지키기만 하는 일. 수주(守株). ——-하다 타여불

주수[6]【株數】[—쑤] 명 ①그루나 포기의 수효. ②주권(株券)의 수효.

주수[7]【酒嗽】명〖한의〗술의 열기(熱氣)가 위속에 남아서 기침과 가래가 심히 나는 병.

주수-론【主水論】명 수성론(水成論).

주수-병【酒水甁】[—뼝] 명 ①술병과 물병. ②〖천주교〗미사 제구의 하나. 보통 유리나 쇠로 만들어 포도주와 물을 담는 병.

〈주수병❷〉

주수 상반【酒水相半】명 약을 달일 때에 술과 물을 똑 같은 분량으로 섞

는 일.

주수-설【主水說】 명 〖지〗 수성론(水成論).

주:수 세:례【注水洗禮】 명 〖기독교〗 머리 위에 물을 떨어뜨려서 하는 세례.

주-수직권【主垂直圈】 명 수평선 상의 남북의 두 점을 포함한 수직권. 천구 상(天球上)의 자오선과 일치함.

주:수형 전:지【注水型電池】 명 〔water-activated battery〕 〖전〗 전해질(電解質)을 가지고는 있으나, 사용 전에 물을 주입하거나 물에 적실 필요가 있는 일차 전지.

주순[1]【朱脣】 명 단순(丹脣). ¶그녀는 ~을 열어 인사말을 한다.

주순[2]【酒巡】 명 술잔을 돌리는 일. 순배(巡杯).

주순 호:치【朱脣皓齒】 명 단순 호치(丹脣皓齒).

주-순환【主循環】 명 〔major cycles〕 〖경〗 프랑스의 경제학자 쥐글라(Juglar, C)가 은행 대출·금리·물가 동향 등 주로 금융적인 측면에서 경기의 파동 운동을 관찰 연구한 끝에 발견한 경기 순환. 그 주기는 보통 9-10 년의 중기(中期) 파동임. 쥐글라 파동이라고도 함.

주:술【呪術】 명 〔magic〕 초자연적인 존재나 신비적인 세력을 빌려 여러 가지 현상을 일으키어 길흉을 점치고 화복(禍福)을 가져오려는 술. 서양 중세기에 있었던 천사(天使)의 힘에 의한 선의(善意)의 백주술(白呪術)과 악마의 힘에 의한 악의의 흑주술(黑呪術)이나, 세계 각국에서 행하여지는 미신적인 행위 등은 다 주술임. 과학 이전의 원시 종교적인 관념에서 흔히 볼 수 있음. 주법(呪法). ¶~을 부리다.

주:술-사【呪術師】 [—싸] 명 신불(神佛)이나 초자연적 위력에 의하여 재앙을 면하게 하고 또는 재앙을 내리는 신묘한 힘을 가진 사람.

주:술 용:어【呪術用語】 [—룡—] 명 〔exorcism〕 〖언〗 주로 주문(呪文)에 쓰이는 용어. 원시적 종교 관념(原始的宗教觀念)이나 미신에서 정신 요법적인 기능으로 쓰이었음.

주:스 〔juice〕 명 과실(果實)을 짜낸 액즙(液汁). ¶레몬 ~.

주:스 블렌더 〔juice blender〕 명 주스 배합기(配合器).

주습【酒濕】 명 〖한의〗 술의 중독으로 안면(顔面) 신경이 마비되거나 반신 불수가 되는 병.

주승[1]【主僧】 명 한 절의 으뜸 가는 중. 주지(住持).

주:승[2]【住僧】 명 절에 있는 중.

주승지-기【走繩之伎】 명 승기(繩伎).

주시[1] 명 〈방〉 찌꺼기(제주).

주시[2]【走時】 명 ①〖물〗 어떤 파동(波動)이 어떤 거리를 전파하는 데 필요한 시간. ②〖지〗 지진파(地震波)가 진원(震源)으로부터 어떤 지점까지 도달하는 데 요하는 시간.

주:시[3]【注視】 명 ①어떤 목표를 눈독 들이어 봄. ②어떤 일에 대하여 온 정신을 모아서 살핌. ¶사태를 ~하다. ——-하다 타여불

주시[4] 〔竹溪〕 명 〖지〗 중국 산둥 성(山東省) 타이안 현(泰安縣) 추라이 산(徂徠山)에 있는 명승지(名勝地). 죽계.

주-시경【周時經】 명 〖사람〗 국어학자. 호는 한힌샘. 황해도 봉산(鳳山) 출신. 배재 학당(培材學堂)을 나와, 독립 신문사 교정원으로 재직시 여러 강습소에 나가서 한글을 가르쳤음. 1907년 국문 연구소(國文研究所) 위원이 되어, 우리 말과 글을 과학적으로 연구하고 체계를 세워 국어학 중흥의 선구가 됨. 저서 《국어 문전 음학(國語文典音學)》·《조선어 문법》·《말의 소리》 등. [1876-1914]

주시 곡선【走時曲線】 명 ①〖물〗 주시를 그에 대응하는 파동의 주파(走破) 거리와의 함수로써 나타낸 곡선. ②〖지〗 관측점에서 진앙(震央)까지의 진앙 거리와 주시와의 관계를 나타내는 곡선.

주:시 망:상【注視妄想】 명 〖심〗 망상의 하나. 자기가 남의 주시를 받고 있다고 생각하는 심리 상태. 주로 분열증(分裂症)의 초기 증상으로 나타남. *관계(關係) 망상.

주:시-야【注視野】 명 〖심〗 시야의 한 가지. 머리를 움직이지 아니하고 눈만을 움직여서 볼 수 있는 외계의 범위.

주:시-점【注視點】 [—쩜] 명 〖심〗 시야(視野) 가운데서 주시하는 점(點). 시점(視點).

주:시 행육【走尸行肉】 명 〔달리는 송장, 걸어가는 고깃덩어리의 뜻〕 살아 있으면서도 아무런 소용이 없는 사람을 욕하여 이르는 말.

주식[1]【主食】 명 ①밥·빵 등과 같이 일상 식생활에서 주로 먹는 식품(食品). ¶쌀을 ~으로 하다. ②↗주식물(主食物). 1·2): ↔부식(副食).

주식[2]【柱式】 명 〖건〗 그리스·로마 건축 등 서양 고전주의 건축에서, 기둥과 그 상부의 수평 부위(水平部位)의 결합 형식. 토스카나식(式)·도리스식·이오니아식·코린트식·콤퍼지트식의 5종이 있음.

주식[3]【株式】 명 〖경〗 ①자본 확정의 원칙을 채택하는 경우의 주식 회사의 자본의 구성 단위. ㊂주(株). ②주식 회사의 구성원(構成員)인 주주(株主)로서의 지위 및 주주권(株主權). ③주주권을 표시하는 유가 증권. 곧 주권(株券) 자체. ④↗주식 거래(株式去來).

주-식[4]【酒食】 명 ①술과 밥. 음찬(飮饌). 주반(酒飯). ¶~을 제공하다. ②〖역〗 고려 때 궁중에서 식찬(食饌)에 관한 일을 담당하던 이속(吏屬).

주식[5]【晝食】 명 점심밥. 오찬(午餐).

주식 가격【株式價格】 명 〖경〗 주가(株價).

주식 가격 표시기【株式價格表示機】 명 〖기〗 티커(ticker).

주식 거:래【株式去來】 명 〖경〗 주식의 시세를 이용하여 주권(株券) 현물(現物)이 없이 매매하는 일종의 투기 행위(投機行爲). ㊂주식(株式). ——-하다 자여불

주식 거:래소【株式去來所】 명 〖경〗 주식을 매매하는 거래소. 지금의 증권(證券) 거래소에 해당함.

주식 공개【株式公開】 명 〖경〗 소수(少數)의 주주에게 점유되고 있는 동족(同族) 회사 등의 주식을 일반에게 개방하는 일.

주식 공개 매:수【株式公開買收】 명 〔take over bid, 미 tender offer〕 주로 경영 지배(經營支配)를 목적으로 하여, 불특정 다수의 주주(株主)에 대해 일정 기간 안에 일정한 주가(株價)로 일정 주수(株數)를 사겠다고 일반에 공개하여 주식을 모으는 일.

주식 금융【株式金融】 [—/—늉] 명 〖경〗 ①기업체의 신설이나 확장에 필요한 자금을 주식의 발행·인수 또는 매입 등의 수단에 의해 공급하는 일. ②↗주식 담보 금융.

주:식-기【鑄植機】 명 〖인〗 필요한 활자를 주조하는 동시에 식자까지를 하는 기계. 라이노타이프(Linotype)·모노타이프(Monotype) 따위.

주식 납입 잉:여금【株式納入剩餘金】 명 〖경〗 주식 회사가 무액면주(無額面株)를 발행하여 그 발행 가격 중의 일부를 자본금에 넣지 아니하는 경우에 생기는 잉여금.

주식 담보【株式擔保】 명 〖법〗 주식을 사채(社債)의 담보로 하는 일.

주식 담보 금융【株式擔保金融】 [—/—늉] 명 〖경〗 주식을 담보로 하는 자금 대부. ㊂주식 금융.

주-식물【主食物】 명 쌀·보리·밀 등과 같이 식생활의 주장이 되는 식물. ㊂주식(主食). ↔부식물(副食物).

주식 발행비【株式發行費】 명 〖경〗 주식 발행에 직접 소요(所要)되는 비용. 주식 모집의 광고비(廣告費), 금융 기관(金融機關)이나 증권(證券) 회사의 취급 수수료(手數料), 주권(株券)의 인쇄비, 변경(變更) 등기의 등록세 같은 것.

주식 발행 차금【株式發行差金】 명 〖경〗 액면주(額面株)에 있어서 액면 가격 이상으로 주주(株主)가 납입(納入)한 경우의 액면 초과금. 주식 발행 할증금(割增金). 주식 프리미엄(株式 premium).

주식 발행 할증금【株式發行割增金】 [—쯩—] 명 주식 발행 차금.

주식 배:당【株式配當】 명 ①주식에 대한 배당. ②〔stock dividend〕 주식 회사가 주주(株主)에 대한 이익 배당을 함에 있어, 현금이 아닌 신주(新株)를 교부하여 행하는 일. 현금을 사내(社內)에 유보(留保)하고 주식의 시가(市價)를 저하(低下)시켜서 그 시장성(市場性)을 증대시키는 등의 효과가 있음.

주식 병:합【株式併合】 명 〔consolidation of shares〕 〖경〗 몇 개의 주식을 합쳐서 보다 소수의 주식으로 만드는 일. ↔주식 분할.

주식 분포【株式分布】 명 〖경〗 산업계(產業界) 전체 혹은 상장(上場) 회사 전체로 보아 구별한 주주(株主)의 기관별(機關別)·소유 주수별(株數別) 상황. *주주 구성(株主構成).

주식 분할【株式分割】 명 〔stock split-up〕 〖경〗 한 주(株)의 주식을 나누어 두 주 이상의 주식으로 만드는 일. 발행필(發行畢) 주식의 수는 증가하나 자본에는 변동이 없음. 액면(額面) 또는 시장 가격(市場價格)이 너무 높아 주식의 유통(流通)·매매(賣買)·분산에 부적당하다고 생각되는 경우에 행함. ↔주식 병합.

주식-비【主食費】 명 식생활에서 주식물을 구입하는 데 소요되는 비용. ↔부식비(副食費).

주식 소각【株式消却】 명 〔retirement of shares〕 〖경〗 특정한 발행필(發行畢) 주식을 소멸(消滅)시키는 회사의 행위. 이에 의하여 특정 주주(特定株主)의 권리가 소멸하거나 또는 그 범위가 감축(減縮)됨.

주식 시가【株式時價】 [—까] 명 〖경〗 증권 거래소에서, 수요 공급 기타의 요인(要因)으로 형성되는 주식의 가격.

주식 시가 발행【株式時價發行】 [—까—] 명 〖경〗 증자 신주(新株)의 발행에 있어서 발행 가격을 액면 금액에는 관계 없이 주식 시가를 기준으로 정하는 일.

주식 시가 총:액【株式時價總額】 [—까—] 명 〖경〗 시가 총액.

주식 시:장【株式市場】 명 〖경〗 주식의 매매가 행하여지는 시장.

주식 양:도【株式讓渡】 명 〖경〗 법률 행위에 의하여 주주권(株主權)을 이양하는 일. 정관(定款)에서 금지되거나 제한되지 아니하는 범위내에서 개성이 없는 재산적인 주주권을 양도하는 자유를 보장하여, 주주의 투자(投資)를 회수할 수 있게 하는 방법이며, 이양받는 사람은 회사에 대하여 가지는 일체의 법률 관계와 주주의 지위를 표시하는 주권(株券)을 교부받음. ——-하다 자여불

주식 위탁 수수료【株式委託手數料】 명 위탁 수수료❷.

주식의 기관화 현:상【株式一機關化現象】 [—/—에—] 명 〖경〗 주식의 매매, 나아가서는 그 보유 상황(保有狀況)이 기관 투자가를 중심으로 한 법인에 편중(偏重)하는 현상. 법인화(法人化) 현상.

주식 인수【株式引受】 명 〖경〗 주식 회사(株式會社)를 설립할 경우 또는 신주(新株)를 발행할 때 출자자(出資者)와 인수하는 주식의 수(數)를 확정하는 일.

주식 자본【株式資本】 명 〖경〗 주식으로 출자(出資)된 자본. 주식 회사나 주식 합자 회사 자본금의 근거가 됨.

주식-전【廚食錢】 명 〖역〗 중국 송대(宋代)에 관리에게 본봉(本俸) 이외에 따로 준 식비.

주식-점【酒食店】 명 술과 밥을 파는 집. 보통 길거리에서 장사를 하며 나그네는 치지 아니함.

주식 지표【株式指標】 명 〖경〗 주식 시장의 동향을 표현하기 위하여 주식의 변동을 수정하여 연속성을 지니게 한 지표의 총칭.

주식 청약【株式請約】 명 〖경〗 주식 회사가 행하는 신주(新株) 발행이나 모집에 응하여 주식을 인수하고 한 주(株) 이상의 주주가 되고자 하는 의사 표시. ——-하다 자여불

주식 취:득권부 사채【株式取得權附社債】 명 〖경〗 기채자(起債者) 또는 그 모회사(母會社)의 주식을 정하여진 가격으로 구입할 수 있는 권리증이 붙은 사채.

주식 투자 수익률【株式投資收益率】 [—뉼] 명 〖경〗 ①연간(年間) 배당액을 주식의 시가로 나눈 수익 비율. 곧, 배당금의 배당이 끝나고 난

후의 주식 시가에 대한 비율. ②주식 배당금의 주식 취득 가격에 대한 수익(收益) 비율.

주식 투자 신:탁【株式投資信託】 명 〔stock investment trust〕〖경〗 투자 신탁의 하나. 증권 회사(證券會社)가 일반 투자가로부터 모은 자금을 전문 기관에 신탁, 주식 등에 투자시켜 그 이익을 투자가에게 돌려주는 제도.

주식 프리미엄【株式ー】〔premium〕 명〖경〗 ①주식 가격이 액면 금액을 초과한 경우의 차액(差額). ②액면 주식이, 액면 금액 이상으로 발행된 경우의 차액. 주식 발행 차금.

주식 합자 회:사【株式合資會社】 명〖경〗 주주와 무한 책임 사원(無限責任社員)으로 조직하는 회사. 즉 주식 조직과 합자 조직(合資組織)과를 절충한 회사.

주식 회:사【株式會社】 명〖법〗 상법상(商法上) 회사의 하나. 주주(株主)로 구성된 유한 책임 회사. 주주의 출자(出資)와 권리 의무의 단위인 주식으로 나누어진 일정한 자본을 가지며, 주주는 소유하는 주식의 인수액(引受額)의 한도에서 책임을 짐. 기관으로 주주 총회·이사회(理事會)·감사(監事)가 있음. ＊물적 회사(物的會社).

주신[1]【主神】 명 제단(祭壇)에 모신 신 가운데서 주체가 되는 신.

주신[2]【柱身】 명〖건〗 기둥의 몸. 기둥 그 자체의 바탕.

주:신[3]【奏申】 명 주상(奏上).

주신[4]【珠申】 명〖역〗 숙신(肅愼).

주신[5]【酒神】 명 ①술의 신. ②〖신〗 그리스 신화의 최고신 제우스(Zeus)와 세멜레(Semele)의 아들 디오니소스(Dionysos)의 일컬음. 포도의 재배와 포도주의 양조법을 가르치어 술의 신이 됨. 로마 신화에서는 바커스(Bacchus).

주실[1]【主室】 명 ①한 집에서 으뜸되는 방. ②주인이 거처하는 방. ↔객실(客室).

주실[2]【周悉】 명 두루 미침. 널리 미침. ——-하다 타여불

주실[3]【酒失】 명 취중(醉中)에 저지른 실수.

주:실[4]【籌室】 명〖불교〗 불법의 수행이 철저하고 교리에 통달하며 선리(禪理)에 밝아 덕망이 높은 사람.

주심[1]【主心】 명 줏대. 일정한 마음. 주장이 되는 마음. ¶한 가지 ～을 잡고 앉으니 두려울 것도 없고 무서울 것도 없다《朴鍾和: 錦衫의 피》.

주심[2]【主審】 명 ①심사원(審査員)의 우두머리. ②↗주심판(主審判). ↔부심(副審).

주심[3]【柱心】 명〖건〗 기둥의 중심.

주심[4]【珠心】 명〖식〗 현화 식물의 배주(胚珠)의 주체를 이루는 부분. 유연(柔軟) 조직으로 이루어지는데, 바깥쪽에 한 장(나자 식물의 경우) 또는 두 장(피자 식물의 경우)의 주피(珠皮)가 싸고 있고, 속에는 배낭(胚囊)이 있음.

주심-간【柱心間】 명〖건〗 기둥과 기둥과의 사이. 주심 사이의 거리.

주심 도리【柱心ー】 명〖건〗 주심 위에 가로 얹히어 장연(長椽)을 받치고 있는 도리.

주심-이음【柱心ー】 명〖건〗 주심 바로 위에서 두 재목을 서로 잇는 방법.

〈주심이음〉

주:심-통【疰心痛】 명〖한의〗 별안간 정신이 아뜩하여져 인사 불성에 빠지는 병.

주-심판【主審判】 명 운동 경기의 주심 담당자. ㊀주심(主審).

주심-포【柱心包】 명〖건〗 기둥머리 바로 위에서 받친 공포(貢包).

주심폿-집【柱心包ー】 명〖건〗 공포(貢包)가 모두 주심(柱心) 위에만 있는 집.

주쓰〔洙泗〕 명〖지〗 중국 산둥 성(山東省)의 주수이(洙水) 강과 쓰수이(泗水) 강의 병칭(並稱). 공자(孔子)의 고향에 가까움. 수사.

주어 타〈옛〉 주워. '줏다'의 활용형. ¶그 穀食을 주서 어싀를 머기거늘《月釋 Ⅱ:12》.

주움[1] 타〈옛〉 주음. '줏다'의 명사형. ¶이삭 주수므란(拾穗)《初杜諺 Ⅶ:18》.

주움[2] 의명〈옛〉 즈음. ¶뎌주숨쁴로 橘頌을 입노니(向來吟橘頌)《初杜諺 Ⅸ:11》.

주숨츠다 타〈옛〉 격(隔)하다. ＝주숨치다. ¶여희는 돗기나리 주숨츠디 아니ㅎ니(離筵不隔日)《初杜諺 ⅩⅫ:52》.

주숨치다 타〈옛〉 격(隔)하다. ＝주숨츠다. ¶기슬 주숨처 누른 새 ᄀ와 안잣고(隔巢黃鳥並)《初杜諺 ⅩⅩⅤ:19》.

주ᅀᆞ오시고 타〈옛〉 주옵시고. '주ᅀᆞᆸ다'의 활용형. ¶進上ᄒᆞᅀᆞᄫᆞ니 보ᄆᆞᆯ 주ᅀᆞ오시고(乃進賜覽)《月序 13》.

주ᅀᆞᆸ다 타〈옛〉 주옵다. ¶進上ᄒᆞᅀᆞᄫᆞ니 보ᄆᆞᆯ주ᅀᆞ오시고(乃進賜覽)《月序 13》.

주아[1]【主我】 명 ①〖윤〗 남의 이해에 구애하지 아니하고 자기의 이해만을 타산하는 욕심. ②〖철〗 자아(自我)를 중심하여 고찰할 때의 주관적인 자기를 이르는 말.

주아[2]【主芽】 명〖식〗 여러 싹 중에 으뜸되는 싹. 곧 자라서 줄기가 되어 꽃을 피우거나 열매를 맺을 싹.

주아[3]【周兒】 명〖악〗 주갑이.

주아[4]【珠芽】〔bulbil〕 명〖식〗 변태적인 겨드랑눈의 하나. 줄기에 상당하는 부분에 양분을 저장하여 다육질(多肉質)의 작은 덩어리가 되어 쉽게 모체(母體)에서 땅으로 떨어져 나와 발아(發芽)하여 무성적(無性的)으로 새 개체가 됨. 참나리·혹쐐기풀·마 같은 것의 엽액(葉腋)에 형성됨. 육아(肉芽).

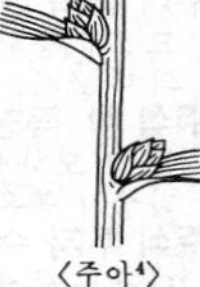

〈주아[4]〉

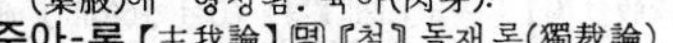

주아-론【主我論】 명〖철〗 독재론(獨裁論).

주-아(:)부【周亞夫】 명〖사람〗 중국 전한(前漢)의 정치가. 발(勃)의 아들. 문제(文帝) 때 흉노(匈奴)의 입구(入寇)를 막기 위하여 세류(細柳)에 군대를 주둔시켜 문제로부터 진장군(眞將軍)이라고 칭찬을 받음. 경제(景帝) 때 오초 칠국(吳楚七國)의 반란군을 격파하고 재상이 되었으나, 참언(讒言)을 당하여 절식(絕食)하여 죽음. [?-143 B.C.]

주아-주의【主我主義】〔ー/ー이〕 명〖철〗 이기주의(利己主義)❶.

주악[1] 명 찹쌀 가루에 대추 따위를 이겨 섞어서 꿀에 반죽하거나 설탕에 버무려 팥소나 깨소를 넣고 송편처럼 만들어 기름에 지진 웃기떡의 한 가지. 각서(角黍). 조각(糙角).

주:악[2]【奏樂】 명 풍류를 아룀. 음악을 연주함. 또, 그 음악. ¶～이 울리다. ——-하다 자여불

주:악-상【奏樂像】 명〖불교〗 공양과 장엄(莊嚴)을 위해 고운 소리를 지닌 가릉빈가(迦陵頻伽)를 비롯한 천인(天人)들이나 팔부 신중(八部神衆)의 하나인 향신(香神) 건달바(乾闥婆) 등 천(天)의 악(樂)을 지어 이를 부르고 연주하는 기악상(器樂像)들.

주안[1]【主眼】 명 주되는 목표. 중요한 점. 요점. 안목(眼目).

주안[2]【朱安】 명〖지〗 인천 직할시 남구(南區)에 있었던 염전 지대(塩田地帶). 한국에서 가장 오래된 천일 제염(天日製塩)지대로, 1907년초에 약 1 정보의 시험 제염에 성공한 후 염전을 확장하여 약 200 정보에 이르렀으나 경인(京仁) 고속 도로 공사로 없어졌음.

주안[3]【朱顏】 명 ①술을 마셔 붉어진 얼굴. ②홍안(紅顏).

주:안[4]【奏案】 명 상주문(上奏文)의 초안(草案).

주안[5]【酒案】 명 술상.

주안[6]【週案】 명 학습 지도를 위하여 한 주(週) 단위로 지도 내용·방법 등을 계획한 것. ＊일안(日案)·월안(月案).

주안-반【酒案盤】 명 주로 술과 안주를 벌여 놓는 데 쓰는, 비교적 작은 소반.

주안-상【酒案床】〔ー쌍〕 명 술과 안주를 차린 상. 술상.

주안-점【主眼點】〔ー쩜〕 명 눈에 띌 만큼 주요한 대목. 곧, 주안으로 삼는 점.

주암-산【舟巖山】 명〖지〗 경상 북도 봉화군(奉化郡)에 있는 산. 소백 산맥 첫머리 부분에 솟아 있음. [968 m]

주암-옹두리 명 주먹처럼 생긴 쇠뼈의 옹두리.

주압-성【走壓性】 명 〔barotaxis〕〖생〗 생물의 지향성 운동(指向性運動)의 하나. 압력의 변화에 반응(反應)해서 일어남.

주:앙【注秧】 명 봄에 볍씨를 모판에 뿌리는 일. ——-하다 자여불

주앙 사:세【一四世】〔João Ⅳ〕 명 포르투갈(Portugal) 왕. 브라간사 왕조(Bragança 王朝)를 엶. 스페인 지배에서 포르투갈을 독립시키고, 또 네덜란드로부터 브라질의 식민지(植民地)를 회복하였음. [1604-56; 재위 1640-50]

주앙 삼세【一三世】〔João Ⅲ〕 명〖사람〗 포르투갈의 왕. 브라질 등의 식민지(植民地) 경영(經營)을 하였으나 국세(國勢)는 쇠퇴(衰退)함. [1502-57; 재위 1521-57]

주앙 오:세【一五世】〔João Ⅴ〕 명〖사람〗 포르투갈의 왕. 1713년 위트레히트 조약으로 프랑스와 강화를 맺음. 신앙심이 강하고 교회의 명예를 위하여 터키와 싸웠음. [1689-1750; 재위 1706-50]

주앙 육세【一六世】〔João Ⅵ〕 명〖사람〗 포르투갈의 왕. 프랑스의 나폴레옹 1세의 대륙 봉쇄(大陸封鎖)에 반항하였으나 대패하여 브라질에 망명함. 본국 귀환 후 정치 개혁을 행하여 1825년 브라질의 독립을 승인하였음. [1769-1826; 재위 1816-26]

주앙 이:세【一二世】〔João Ⅱ〕 명〖사람〗 포르투갈의 왕. 완전왕(完全王) 또는 무결왕(無缺王)으로 불림. 아프리카 탐험 사업(探險事業)을 촉진(促進)하고 스페인과 식민지 분할선(分割線)을 정하였음. [1455-95; 재위 1481-95]

주앙 일세【一一世】〔João Ⅰ〕〔ー쎄〕 명〖사람〗 포르투갈의 왕. 아비스 왕조(Aviz 王朝)를 창시하고 해외 사업을 추진했으며 왕자 헨리 항해왕(航海王)에 명하여 아프리카 탐험(探險)을 도모하였음. [1357-1433; 재위 1385-1433]

주앙페소아〔João Pessoa〕 명〖지〗 브라질 북동부, 파라이바 주(Paraíba 州)의 주도(主都). 면화·설탕 등의 거래지. 시멘트·여송연(呂宋煙) 제조 등의 공장이 있으며 사탕수수의 산지의 중심으로서 발전함. 1585년에 창건됨. [290,424명(1980)]

주액[1]【肘腋】 명 ①팔꿈치와 겨드랑이. ②제몸과 가까움의 비유.

주:액[2]【注液】 명 〔clysis〕〖의〗 피하(皮下) 또는 정맥(靜脈) 안에 액체를 주입하는 일.

주야【晝夜】 명 밤낮❷.

주야간-제【晝夜間制】 명〖교〗 주간(晝間)과 야간(夜間)의 이부제로 수업하는 제도. 이부제.

주야 겸행【晝夜兼行】 명 ①밤낮을 가리지 않고 일을 함. ②밤낮을 가리지 않고 길을 감. ——-하다 자여불

주야 골몰【晝夜汨沒】 명 ①밤낮이 없이 일에 파묻힘. ②어떤 일을 밤낮 없이 생각함. ——-하다 자여불

주야 배:도【晝夜倍道】 명 밤낮으로 보통 걸음보다 갑절로 빨리 걸음. ¶급한 마음대로 하면 ～하여 회양 출도를 하고 최 이방을 잡아 내어 배를 갈라 간을 씹고 싶지마는…《李海朝: 昭陽亭》. ——-하다 자여불

주야 분주【晝夜奔走】 명 밤낮으로 바삐 뛰어다님. ——-하다 자여불

주야 불망【晝夜不忘】 명 밤낮으로 잊지 않음. ——-하다 타여불

주야 불사【晝夜不舍】〔ー싸〕 명 밤낮을 구별(區別) 않고 끊임없이 행함. ——-하다 자여불

주야 불식【晝夜不息】〔ー씩〕 명 밤낮으로 쉬지 아니함. 썩 열심히 함. ——-하다 자여불

주야 은행【晝夜銀行】[명] 바쁜 고객의 편의를 도모하여 주간 외에 야간에도 영업하는 은행.
주야 장단【晝夜長短】[명] 밤과 낮의 길고 짧음.
주야 장천【晝夜長川】[부] 밤낮으로 쉬지 않고 연달아. 언제나. 늘. ¶~놀고 지내다. [준]장천(長川).
주야 평균【晝夜平均】[명] 춘분(春分)과 추분(秋分) 때에 밤낮의 길이가 똑 같음. ——-하다 [형][여불]
주야-풍【晝夜風】[명]〖지〗산골짜기에서의 산바람과 골바람, 해안 지대의 해풍(海風)과 육풍(陸風) 등과 같이 밤과 낮에 그 방향이 반대되는 바람.
주약¹【主藥】[명] 처방약이나 제제(製劑)에서 가장 효력이 있는, 주요 성분이 되는 약물(藥物).
주:약²【呪藥】[명]〔medicine〕아메리카 인디언 등의 미개인들 사이에서, 주의(呪醫)가 사용하는 주력(呪力)이나 자연력을 다스리는 힘을 가졌다고 생각되는 물질.
주:약³【注藥】[명]〖역〗고려 때 태의감(太醫監)의 이속(吏屬).
주약 신강【主弱臣強】[명] 임금이 약하고 신하가 억셈. 곧, 임금은 명목만 있고 실권은 신하가 장악하는 일. ——-하다 [형][여불]
주어¹【主語】[명]〔subject〕①〖언〗문(文 : sentence) 또는 절(節 : clause)을 이루는 주요소의 하나. '사랑은 거룩하다'의 '사랑', '사전은 지식의 바다이다'의 '사전' 등과 같이, 술어가 표현하는 행위·상태의 주체(主體)가 되는 말. 임자말. ②〖논〗주사(主辭). 1)-2) : ↔술어(述語).
주:어²【奏御】[명] 주달(奏達). ——-하다 [타][여불]
주어늘 [타]〈옛〉주거늘. ¶阿難이를 주어늘 阿難이도 아니 받고 ≪月釋Ⅶ:8≫. *-어늘.
주어-대다 [타]〈방〉주워대다.
주어-듣다 [타]〈방〉주워듣다.
주:어 문자【奏御文字】[—짜] [명] 제왕(帝王)에게 올리는 글.
주어-부【主語部】[명]〖언〗문장(文章)의 주어와 주어에 딸린 부속부를 합한 일컬음. 주부(主部). 임자조각. ↔서술부.
주어-절【主語節】[명]〖언〗문장에서 주어(主語)의 구실을 하는 절(節). 임자마디. ↔술어절.
주어-지다 [자] 필요한 요소나 조건 따위가 갖추어지거나 제시되다. ¶「주어진 운명.
주어-하다【齟齬—】[형]〈방〉서어(齟齬)하다.
주억-거리다 [타] 미심쩍은 듯이 천천히 고개를 끄덕거리다. ¶그럴 듯이 고개를 주억거리는 것이 마치 서툰 연기자의 연기를 보는 것 같아…≪鮮于輝 : 追跡의 피날레≫. 주억-주억 [부]. ——-하다 [타][여불]
주억-산【主億山】[명]〖지〗강원도 인제군(麟蹄郡)에 있는 산. [1,444 m]
주엄-주엄 [부] ☞주섬주섬.
주업¹【主業】[명] 본업(本業).
주:업²【做業】[명] 직업에 종사하는 일.
주여미 [명]〈옛〉지게미. ¶糟粕운 술 주여미라 ≪圓覺 序 68≫.
주역¹【主役】[명] ①주요한 역할. 어떤 사건 따위에서 주요한 역할을 하는 사람. ↔조역(助役)❶. ②〖연〗영화나 연극에서 주인공 또는 주인공 역을 맡아 하는 배우. 주연 배우. ↔단역(端役).
주역²【周易】[명]〖책〗삼역(三易)(하(夏)의 연산(連山), 은(殷)의 귀장(歸藏)과 주역)의 하나. 중국 상고 시대의 복희씨(伏羲氏)가 그린 괘(卦)에 대하여, 주(周)의 문왕(文王)이 총설(總說)하여 괘사(卦辭)라 하고, 주공(周公)이 이것의 육효(六爻)에 대하여 세설(細說)하고 효사(爻辭)라 했는데, 공자가 여기에 심오한 원리를 붙여 십익(十翼)을 만들었음. 음양(陰陽) 이원(二元)으로써 천지 간의 만상(萬相)을 설명하고, 이 이원은 태극(太極)에서 생긴다고 하였고, 음양은 노양(老陽)(여름)·소양(少陽)(봄)·소음(少陰)(가을)·노음(老陰)(겨울)의 4상(象)이 되고, 다시 건(乾)·태(兌)·이(離)·진(震)·손(巽)·감(坎)·간(艮)·곤(坤)의 팔괘로 되고, 팔괘를 거듭하여 64괘를 만든다고 하며, 이것을 자연 현상·가족 관계·방위(方位)·덕목(德目) 등에 맞추어서, 철학 윤리·정치상의 설명과 해석을 가한 것. 주대(周代)에 대성(大成)되었기 때문에 주역이라 함. 모두 12편(編). 역(易). 역경(易經).
주역³【紬繹】[명] 실마리를 뽑아 내어 찾음.
주:역⁴【註譯】[명] 주를 달면서 번역함. 또, 그 번역. ——-하다 [타][여불]
주역 선생【周易先生】[명] ①주역에 통달하여 팔괘(八卦)를 풀어서 남의 길흉 화복을 판단하여 주는 사람. ②점쟁이.
주역 언:해【周易諺解】[명]〖책〗조선 선조(宣祖) 때에 주역(周易)을 우리말로 번역한 책. 9권 5책.
주역 질의【周易質疑】[—/—이] [명]〖책〗주역의 해설서. 조선 선조 때의 이덕홍(李德弘)이 지음. 저자가 주역 중에서 의문 나는 곳을 스승 이황(李滉)에게 물어 해답 30여 조(條)를 얻어 이를 수록하고, 외증손 김만휴(金萬烋)가 그 초본에 의하여 이를 편성함. 범수(範數)의 횡도(橫圖)와 방도(方圖)·황극 실수도(皇極實數圖) 및 부부 유별도(夫婦有別圖)를 붙이고, 이황의 역의 진계(易義進啓) 및 저자의 역효 문대(易爻問對)의 1편을 아울러 실음. 1책 사본.
주연¹ [명]〈방〉주인¹(主人)(제주).
주연²【主演】[명]〖연〗①연극이나 영화에서 주인공으로 분장하여 연기를 하는 일. ②↗주연자·주연 배우. ——-하다 [자][여불]
주연³【朱硯】[명] 주묵(朱墨)을 가는 데에 쓰이는 작은 벼루.
주연⁴【周延】[명]〔distribution〕〖논〗형식 논리학에서, 판단의 주장이 그 개념의 외연(外延)의 전부에 미치었을 경우, 그 개념의 상태를 이르는 말. 예를 들면 '모든 등변(等邊) 삼각형은 등각(等角) 삼각형이다' 등에서 '등변 삼각형'과 '등각 삼각형'은 주연되어 있다고 함. 주포(周布). ↔부주연(不周延).
주연⁵【周緣】[명] 둘레. 가.
주연⁶【周燕】[명]〖조〗두견(杜鵑)의 딴 이름.
주연⁷【胄筵】[명]〖역〗서연(書筵).
주연⁸【酒宴】[명] 술잔치. ¶~을 베풀다.
주연⁹【酒筵】[명] 술자리.
주연-곡【酒宴曲】[명]〔프 bacchanale〕〖악〗떠들썩한 주연에서의 술의 노래. 주신(酒神) 바커스를 찬양하는 곡이라는 뜻. 바카날(bacchanale).
주연-국【周緣國】[명] ①대륙의 주연에 있고 육지와 해양에 국경이 있는 나라. ②어느 나라에 인접한 주위의 나라들.
주연 배우【主演俳優】[명]〖연〗연극이나 영화에서 주연하는 배우. 주역(主役). [준]주연(主演).
주연-자【主演者】[명] ①어떤 사건을 주장하여 꾸며 진행시키는 사람. ②연극·영화에 주연하는 사람. 주연 배우. [준]주연(主演).
주연-적【周延的】[명][관]〖논〗전통적 형식 논리학에서, 명제(命題) 중의 명사(名辭)가 가리키는 집합 성원(成員) 전체에 대해서, 명제가 단언(斷言)할 때의 그 명사의 명제에 대한 모양. 예를 들면, '인간'의 집합 성원 전체에 대하여 단언하는 '모든 인간은 가사적(可死的)이다'의 명제에서 '인간'의 명제에 대하는 모양.
주-열【朱悅】[명]〖사람〗고려 원종(元宗)·충렬왕(忠烈王) 때의 문신(文臣). 자(字)는 이화(而和). 능성(綾城) 사람. 충렬왕 6년(1280) 판도 판서(版圖判書)가 되고, 지도첨의부사(知都僉議府事)를 지냄. 문장·글씨에 뛰어났음. 시호(諡號)는 문절(文節). [?-1287]
주열-성【走熱性】[—썽] [명]〖생〗온도차가 자극이 되는 주성(走性). 체온을 조절할 능력이 없는 동물에서 볼 수 있음. 높은 온도를 향하는 것을 양(陽), 그 반대를 음(陰)의 주열성이라고 함. 추열성(趨熱性). *주전성(走電性).
주염-떡 [명] 인절미를 송편 모양으로 만들어 팥소를 넣고 콩가루를 묻힌 떡.
주엽-나무 [명]〈방〉쥐엄나무.
주영¹【珠纓】[명] 구슬을 꿰어서 만든 값진 갓끈.
주:영²【駐英】[명] 영국에 주재(駐在)함. ¶~ 대사.
주-영찬【周英贊】[명]〖사람〗고려 공민왕(恭愍王) 때의 문신(文臣). 함안 주씨(咸安周氏)의 시조. 공민왕 22년(1373) 천추사(千秋使)로 명(明)나라에 다녀와 밀직 부사(密直副使)가 되었으며, 이 해에 정조사(正朝使)로 명나라에 가다가 전라도 영광(靈光)의 자은도(慈恩島)에서 파선(破船)되어 익사함. [?-1373]
주영-편【晝永編】[명]〖책〗조선 정조(正祖) 때의 학자 정동유(鄭東愈)의 저서(著書). 2권에 훈민 정음(訓民正音)에 대한 논급(論及)이 있음. 4권 4책.
주예【胄裔】[명] 후손(後孫). 후예(後裔).
주오〔Jouhaux, Léon〕[명]〖사람〗프랑스의 노동 운동가. 노동 총동맹(總同盟) 서기장. 제1차 세계 대전에서는 정부에 협력하다가 전후(戰後)에는 국제 노동 사무국 창설에 진력하고 노사(勞使) 협조를 제창함. 1951년 노벨 평화상을 받음. [1879-1954]
주옥【珠玉】[명] ①진주와 구슬. ②아름답고 귀한 것. ③아름다운 문장이나 시. ¶~편.
주옥-같다【珠玉—】[형] 주옥처럼 귀하고도 값지다. 썩 잘 되어 보배롭다.
주옥-같이【珠玉—】[—가치] [부] 주옥 같게.
주옥-편【珠玉篇】[명] 주옥같이 아름다운 문예 작품.
주옹¹【周翁】[명]〖사람〗안민영(安玟英)의 호(號).
주옹²【酒翁】[명] ①술 빚는 사내. ②술을 좋아하는 노인.
주왕¹ [명]〈방〉살강(경기·황해).
주왕²【—王】[명]〈방〉조왕(竈王).
주왕³【紂王】[명]〖사람〗중국 은(殷)나라의 마지막 임금. 이름은 제신(帝辛)이며 주(紂)는 시호(諡號)임. 달기(妲己)라는 계집을 총애하여 주색을 일삼고 포학한 정치를 하여 인심을 잃어 주(周)의 무왕(武王)에게 멸망됨. 하(夏)나라의 걸왕(桀王)과 병칭(並稱)되는 폭군(暴君)의 대표자임. 생몰년 미상(未詳). [준]주(紂).
주왕-산【周王山】[명]〖지〗경상 북도 청송군(青松郡) 부동면(府東面)에 있는 산. 산기슭에 대전사(大典寺)·백련암(白蓮庵) 등 고찰이 있음. [721 m]
주왕산 국립 공원【周王山國立公園】[—닙—] [명]〖지〗경북 청송군(青松郡)의 주왕산과 그 주변 및 영덕군(盈德郡) 남동부 일대에 걸쳐 있는 국립 공원. 경관(景觀)이 뛰어난 주방(周房) 계곡·절골·노루 용추 계곡 등이 있음. 1976년 3월 30일에 국립 공원으로 지정됨. [105.58 km²]
주왱빌〔Joinville, Jean〕[명]〖사람〗프랑스의 영주(領主). 연대기(年代記) 작자. 친구인 국왕 루이 9세를 섬겨, 1248년 제6차 십자군의 이집트 원정에 참가하여 왕과 함께 만수라(Mansura)에서 포로가 되었다가 1254년 귀국했음. 주저 ≪성루이전(聖Louis傳)≫은 말기 십자군과 루이 9세의 정확한 사료가 되고 있음. [1224?-1317]
주외-일【週外日】[명] 세계 휴일.
주요【主要】[명] 가장 주되고 중요로움. ——-하다 [형][여불]
주요 계:약【主要契約】[명] 대강의 기초 조건만을 결정하는 계약.
주요 기도문【主要祈禱文】[명]〖천주교〗천주 교회에서 사용하는 기도문 가운데에서 열두 가지 주요 기도문. '성호경(聖號經)'을 비롯하여 '주(主)의 기도'·'성모송(聖母誦)'·'영광송(榮光誦)'·'사도 신경(使徒信經)'·'반성의 기도'·'천주 십계'·'고백의 기도'·'통회(痛悔)의 기도'·'삼덕송(三德誦)'·'봉헌(奉獻)의 기도' 및 부록으로 '삼종 기도(三鐘祈禱)'와 '묵주의 기도'를 이름. 구용어는 십이단(十二端).
주요-동【主要動】[명]〖지〗지진에서, 초기 미동(微動) 다음에 오는 비교적 진폭이 큰 진동(振動).
주요-물【主要物】[명] 주요한 물건.
주요 보:급로【主要補給路】[—노] [명]〖군〗후방에서 전방에 이르는

주보급 축선(軸線). 주보급로.

주요-부【主要簿】[명]『경』↗주요 장부(主要帳簿).

주요 비:용【主要費用】[명]『경』직접비(直接費). ↔공통(共通) 비용.

주요 사:실【主要事實】[명]『법』요증 사실(要證事實).

주요 삼화음【主要三和音】[명]〔main triads〕『악』특히 중요한 으뜸음·딸림음·버금딸림음을 밑음으로 하는 삼화음의 총칭. 정(正)삼화음.

주요-색【主要色】[명] 주요한 색. 대개, 적색·황색·녹색·청색의 네 가지.

주-요섭【朱耀燮】[명]『사람』소설가·영문학자. 호(號)는 여심(餘心). 평양 태생. 경희 대학교 교수. 1921년 단편 ≪깨어진 항아리≫로 문단에 대뷔 이후 ≪사랑방 손님과 어머니≫·≪구름을 잡으려고≫·≪아네모네의 마담≫·≪대학 교수와 모리배≫·≪잡초≫ 등 수많은 장·단편을 발표, 휴머니즘을 바탕으로 한 리얼리즘으로 일관함. [1902-72]

주요-성【主要性】[―썽] [명] 주요한 성질이나 특성.

주요-시【主要視】[명] 주요하게 여김. ――-하다 [타][여불]

주요 악절【主要樂節】[명]『악』악곡 구조(樂曲構造)의 기초가 되는 악절 중, 주요 주제가 제시되는 악절. ↔부차 악절(副次樂節).

주요 장부【主要帳簿】[명] 부기(簿記)의 전 계정(計定)을 포함하는 장부, 곧 경영의 역사적 기록인 분개장(分介帳)과 모든 재산 및 자본의 증감에 관한 총괄적인 기록인 원장(元帳). [준]주요부(主要簿).

주요-점【主要點】[―쩜] [명] ①가장 요긴한 곳. 으뜸되는 점. ②광학(光學)에서 주점(主點)·절점(節點)·초점(焦點)의 총칭.

주요 주제【主要主題】[명]『악』가장 주요한 주제. 어떤 악곡의 최초에 나오기 때문에 '제일 주제'라고도 함. 정주제(正主題).

주요 주주【主要株主】[명] 상장 법인(上場法人)의 주식(株式)의 전부 또는 출자 총액(出資總額)의 10% 이상의 주식이나 출자 증권(出資證券)을 가진 주주나 출자자.

주요 준:비 자산【主要準備資産】[명]『경』일차적 준비 자산.

주요-지【主要地】[명] 요긴하고 주요한 곳.

주-요한【朱耀翰】[명]『사람』시인·언론인·정치인. 평양 출신. 1919년 김동인(金東仁)과 함께 문예지 '창조(創造)'를 창간하여 ≪불놀이≫·≪생(生)과 사(死)≫ 등 많은 시작(詩作)을 남김. 조선 일보·동아 일보 편집국장을 역임하고, 광복 후에는 국회 의원·부흥부 장관·한국 능률협회 회장 등 정계·재계에서 활약함. [1900-79]

주욕 신사【主辱臣死】[명] 신하(臣下)가 임금의 치욕(恥辱)을 씻기 위하여 목숨을 바침.

주-용규【朱庸奎】[명]『사람』조선 시대 말기의 의병장(義兵將). 자(字)는 여중(汝中), 호(號)는 입암(立菴). 함경 남도 단천(端川) 출신. 고종(高宗) 32년(1895) 명성 왕후(明成王后)가 시해되자 제천(堤川)에서 의병을 일으켜 유인석(柳麟錫) 휘하에서 참모(參謀)가 되고, 이듬해 충주(忠州)에서 일본군과 싸우다가 전사함. [?-1896]

주-용기【朱鎔基】[명]『사람』'주 룽지'를 우리 음으로 읽은 이름.

주우[1] [명] 〈방〉 바지[1](경상).

주우[2]【主佑】[명]『천주교』천주(天主)의 성우(聖佑).

주우[3]【朱愚】[명] 치매(癡呆). 바보.

주:우[4]【奏羽】[명]『역』조선 시대 때 궁중의 종구품(從九品) 궁인직(宮人職)의 하나.

주우[5]【酒友】[명] 주붕(酒朋).

주우- [간] '줍다'의 불규칙 어간(不規則語幹).

주운[1]【主運】[명] 중국의 전국(戰國) 시대에 추연(騶衍)이 해설했다고 전하여지는 논설(論說). 오행 상극설(五行相剋說)에 의하여 왕조의 교체 원리를 설명한 것으로 생각됨.

주운[2]【舟運】[명] 배로 화물 등을 나르는 일.

주움 [의명] 〈옛〉 즈음. ¶百餘年 주우에(百餘年間)≪重杜諺 Ⅲ:62≫.

주워-내다 [타] 속의 것을 주워서 밖으로 내다.

주워-담다 [―따] [타] 그릇에 주워서 담다.

주워-대다 [타] 이 말 저 말 끌어다 대다. 여러 가지 이유(理由)를 들어 변명(辨明)하다.

주워-듣다 [타][ㄷ불] 귓결에 한 마디씩 얻어 듣다. 계통적으로 정확하게 배우지 않고 건성으로 들어 알다.

주워-먹다 [타] 흘려 있는 물건을 주워서 먹다.

주워-섬기다 [타] 들은 대로 본 대로 사실들을 죽 들어서 이야기하다.

주:원[1]【呪願】[명]『불교』주문(呪文)을 읽어 시주(施主)의 복록(福祿)을 비는 일.

주원[2]【廚院】[명]『역』조선 시대 사옹원(司饔院)의 별칭.

주-원료【主原料】[―월―] [명] 어떤 물품을 만드는 데에 주가 되는 원료.

주:원-문【呪願文】[명]『불교』주원의 취지를 적은 글.

주:원-사【呪願師】[명]『불교』법회(法會) 때 주원문을 읽는 중.

주-원인【主原因】[명] 어떤 사건이나 결과를 가져오게 한 주되는 원인.

주-원자가【主原子價】[―까] [명]『화』수소의 +1, 질소(窒素)의 −3, +5, 탄소의 ±4 등의 원자가와 같이 원소를 주기계(週期系)에 따라 배열시킬 경우, 주기율에 따라서 각각 그 원소로 돌아가는 원자가. 일차(一次) 화합물을 조성하는 요인이 됨.

주-원장【朱元璋】[명]『사람』중국 명(明)나라의 태조. 처음에 곽자흥(郭子興)의 부하가 되었다가 자립하여 세력을 길러 1356년에 금릉(金陵)을 점령, 1368년 그 곳에서 즉위하여 국호를 명, 연호를 홍무(洪武)라 하였음. 홍무제(洪武帝). [1328-98]

주위[1]【主位】[명] ①중요한 자리. 주장되는 자리. ②수위(首位). ③『논』명제(命題)의 주사(主辭). 판단(判斷)의 주체가 되는 개념(槪念)에 주어진 명칭. 'A는 B이다'라고 할 때의 'A'. 주위 개념(主位槪念). 주개념. 주사(主辭).

주위[2]【周圍】[명] ①어떤 곳의 바깥 둘레. 둘레. 주회(周回). ¶자기의 ~ 사람/지구의 ~를 돌다. ②어떤 사물·인물 따위를 둘러싸고 있는 환경. ¶~가 나쁘다. ③『수』원의 바깥 둘레.

주위 개:념【主位槪念】[명]『논』주사(主辭). 주위(主位).

주-위상:책【走爲上策】[명] 피해를 입지 않으려면 달아나는 것이 상책이라는 말.

주위-선【周圍線】[명] 바깥 둘레의 선. 경계선.

주위-염【周圍炎】[명]『의』어떤 주되는 기관(器官)의 주위에 일어나는 염증. ¶동맥 ~.

주위-작【周圍作】[명] 논·밭 따위 경작지의 두렁에 작물을 재배하는 일. 콩·팥 따위가 잘 이용됨.

주위 환경【周圍環境】[명] 둘러싸고 있는 바깥 둘레의 사정.

주유[1]【舟遊】[명] 뱃놀이. 선유(船遊). ――-하다 [자][여불]

주:유[2]【注油】[명] ①자동차 등에 휘발유 따위를 주입함. ②기계·기구의 마찰 부분에 기름을 침. 루브리케이션(lubrication). ――-하다 [자][여불]

주유[3]【周遊】[명] 두루 다니면서 놂. 주행(周行). ――-하다 [자][여불]

주-유[4]【周瑜】[명]Ⅸ『사람』중국 삼국 시대 오(吳)나라의 명장. 자는 공근(公瑾). 문무에 능하였음. 처음 오나라의 손책(孫策)을 섬기고, 책이 죽은 후에는 그의 아우 권(權)을 도왔음. 유비(劉備)와 협력하여 적벽(赤壁)에서 조조(曹操)의 군을 대파하였음. [175-210]

주유[5]【侏儒】[명] ①난쟁이. ②따라지❶. ③『역』옛날 궁중에 있던 배우.

주유[6]【珠襦】[명] 구슬을 꿰어서 장식한 짧은 의복. 아름다운 단의(短衣).

주유[7]【澍濡】[명] 임금의 은덕의 비유.

주유-가【周遊家】[명] 온갖 곳을 두루 여행하는 사람. 여행가(旅行家).

주유 관광선【周遊觀光船】[명] 크루즈(cruise).

주유-국【侏儒國】[명] 난쟁이의 나라. 약소한 나라.

주:유-기【注油機】[명] 주유소(注油所)에서 자동차에 휘발유 등을 넣어 주는 기계.

주-유별장【酒有別腸】[―짱] [명] 〔술마시는 사람은 장이 따로 있다는 뜻에서〕 주량(酒量)은 체구의 대소에 관계 없음.

주유 사:방【周遊四方】[명] 여러 곳을 주유함. 주유 천하. ――-하다 [자][여불]

주유-선【周遊船】[명] 천하를 주유하는 관광객을 위하여 특별히 마련된 배. 주유하는 배. 세계 각국 왕실(王室) 전용의 요트(yacht)는 그 좋은 예(例)임.

주:유-소【注油所】[명] 시가(市街)의 요소 요소에 특별한 장치를 설비하여 자동차에 휘발유 등을 주유하는 곳. 급유소(給油所). 가솔린 스탠드.

주유-증【侏儒症】[―쯩] [명]『의』뇌하수체(腦下垂體) 전엽(前葉)의 장애로 일어나는 전신 발육 부전(不全)의 증상. 뇌하수체성 주유.

주유 천하【周遊天下】[명] 천하 각지를 두루 돌아다니며 구경함. 주유 사방(周遊四方). ――-하다 [자][여불]

주육[1]【朱肉】[명] 인주(印朱).

주-육[2]【酒肉】[명] 술과 고기. 술과 안주.

주윤【胄胤】[명] 직계(直系)의 자손. 정통(正統)의 자손.

주으룸 [자] 〈옛〉 주림. '주으리다'의 명사형. ¶주으룸과 목 ᄆᆞᆯ로ᄆᆞ로 受苦ᄒᆞ며 ≪月釋 Ⅸ:33≫.

주으리다 [자] 〈옛〉 주리다. ¶사ᄅᆞ미 艱難ᄒᆞ야 주으리며 목ᄆᆞᆯ라 ≪佛頂 中 8≫.

주은[1]【主恩】[명] ①주인(主人)의 은혜. ②군은(君恩). ③천주의 은혜. 주님의 은혜.

주은[2]【朱殷】[명] 검붉은 색.

주-은래【周恩來】[―을―] [명]『사람』'저우 언라이'를 우리 음으로 읽은 이름.

주을【朱乙】[명]『지』함경 북도 경성(鏡城) 남쪽의 읍. 탄전과 방직 공장이 있음. 읍의 서북쪽에는 주을 온천이 있음.

주을 온천【朱乙溫泉】[명]『지』함경 북도 주을읍의 서북 10km 지점에 있는 온천. 천질(泉質)은 알칼리 단순천으로 다량의 라듐을 함유하고 온도는 68°C임.

주을-천【朱乙川】[명]『지』함경 북도 경성군(鏡城郡) 주을(朱乙)에서 발원하여 동해로 들어가는 큰 내. [42km]

주음[1]【主音】[명]『악』'으뜸음'의 한자 이름.

주-음[2]【酒淫·酒婬】[명] 술과 색(色). 주색(酒色).

주:음 부호【注音符號】[명]『언』1918년 중국 정부가 제정한 중국 표음 기호. 발음은 대체로 베이징 관화(官話)로 표준을 삼고 성부(聲符), 곧 자음은 'ㄅ·ㄆ·ㄇ' 등 21개, 운부(韻符) 곧 모음은 'ㄧ·ㄨ·ㄩ' 등 16개로 구성됨. 옛 한자를 본뜬 것. 대만에서 쓰임. 주음 자모.

성부	ㄅㄆㄇㄈㄉㄊㄋㄌㄍㄎㄏㄐㄑㄒㄓㄔㄕㄖㄗㄘㄙ
운부	ㄧㄨㄩㄚㄛㄜㄝㄞㄟㄠㄡㄢㄣㄤㄥㄦ

〈주음 부호〉

주:음 자모【注音字母】[명] 주음 부호(注音符號).

주-음조【主音調】[명]『악』어떤 악곡(樂曲)의 주되는 음조.

주-응【朱應】[명]『사람』3세기 경, 중국 삼국(三國) 시대 오(吳)나라의 관리. 당시 남해(南海)의 대국(大國)인 부남(扶南)에 파견되어 귀국 후, 견문기 ≪부남 이물지(異物志)≫를 써서 남해 방면 소개에 공헌하였음. 생몰년 미상.

주의[1]【主意】[―/―이] [명] ①으뜸가는 요지(要旨). 주된 취의(趣意). 주지(主旨). ②의지(意志)를 주로 하는 일. ③『천주교』천주의 의지.

주의[2]【主義】[―/―이] [명] ①〔principle〕 굳게 지키어 변하지 않는 일정한 주장이나 방침. 주지(主旨) 삼아 주장하는 표준. ¶~ 주장. ②〔ism〕 설(說). 이론(理論). 이즘. ¶민족~.

주의[3]【朱衣】[―/―이] [명] 붉은 빛깔의 옷. 비의(緋衣).

주의[4]【周衣】[―/―이] [명] 두루마기.

주:의[5]【注衣】[―/―이]『역』고려 때 상의국(尙衣局)의 이속(吏屬).

주:의[6]【注意】[―/―이] [명] ①명심하여 조심함. 마음을 씀. 착의(着意). ¶~ 사항/요(要)~. ②곁에서 귀띔하거나 충고하는 일. ¶~를 주다. ③『심』어떠한 심적 내용이 특별히 명확하게 의식에 나타나 그것을 선

택하고 다른 심적 내용을 억제하는 정신 기능의 작용. ④유도(柔道) 용어. '경고(警告)'의 가벼운 것으로, '절반'에 가까운 기술을 빼앗긴 것과 같은 효과가 있음. ——-하다 자타여불

주:의[7]【注擬】[—/—이] 명〖역〗관원(官員)을 임명(任命)할 때 먼저 문관(文官)은 이조(吏曹), 무관(武官)은 병조(兵曹)에서 후보자 세 사람을 임금에게 추천하던 일.

주:의[8]【呪醫】[—/—이] 명 〔medicine man〕 아메리카 인디언이나 기타 미개인 사이에서 주약(呪藥)·주구(呪具)·주물(呪物) 등을 가지고 병의 치료를 맡아 보는 사람. 샤먼(shaman)도 이와 거의 비슷함.

주의[9]【柱衣】[—/—이] 명〖건〗기둥 머리를 장식하기 위하여 그린 단청(丹靑).

주:의[10]【奏議】[—/—이] 명 임금께 의견을 아뢺. 또, 그 의견서. ——-하다 타여불

주의[11]【酒蟻】[—/—이] 명 술구더기.

주의[12]【紬衣】[—/—이] 명 명주옷. 비단옷.

주:의[13]【籌議】[—/—이] 명 꾀함. 회동(會同)하여 서로 상담(相談)함. 주상(籌商). ——-하다 타여불

주:의 가:설【注意假說】[—/—이—] 명 〔attention hypothesis〕〖심〗물건이나 사람에게 집중하는 개인의 주의는, 그 사람이 강한 관심을 가진 부분에 선택적으로 향해진다는 이론.

주의 공현 대:축일【主—公顯大祝日】[—/—에—] 명〖천주교〗동방(東方)의 세 박사에게 처음으로 예수가 구세주로 드러남을 기념하는 축일. 구칭은 삼왕 내조(三王來朝). ㊥공현 축일.

주의 기도【主—祈禱】[—/—에—] 명〖천주교〗주요 기도문의 하나. 예수 친히 가르친 기도문으로 '하늘에 계신…'으로 시작됨. 천주경(天主經).

주의 날【主—】[—/—에—] 명 〔Lord's day〕〖기독교〗①주(主)가 부활(復活)한, 한 주일(週日)의 첫 날인 일요일. 주일(主日). ②'종말(終末)의 날'·'심판(審判)의 날'·'노여움의 날'을 말함. 곧, 예수가 재림(再臨)하여 세상을 심판하는 날.

주:의-력【注意力】[—/—이—] 명 어떤 한 가지 일에 계속 마음을 집중시켜 나가는 힘. 또, 주의하는 능력.

주의 만:찬【主—晩餐】[—/—에—] 명〖기독교〗성찬(聖餐)❶.

주:의-보【注意報】[—/—이—] 명 폭풍·해일·홍수 등 지표에 일어나는 현상에 의해 피해를 입을 염려가 있을 때 주의를 주는 예보. ＊경보(警報).

주의 봉:헌 축일【主—奉獻祝日】[—/—에—] 명〖천주교〗예수 탄생 40일째에 유태법(法)에 따라 드린 성모 마리아의 취결례(取潔禮)와 아기 예수의 성전(聖殿) 봉헌 사건을 기념하는 축일. 2월 2일. 성모 취결례.

주의-설【主意說】[—/—이—] 명〖철〗주의주의(主意主義).

주-의(:)식【朱義植】명〖사람〗조선 숙종(肅宗)·영조(英祖) 때의 가인(歌人). 자는 도원(道源), 호는 남곡(南谷). 나주(羅州) 사람. 시조를 잘 지었고 매화(梅花)를 잘 그렸으며, 벼슬은 칠원 현감(漆原縣監)을 지냈음. 시조 14수가《청구 영언(靑丘永言)》등에 전함. 생몰년 미상.

주:의 신:호【注意信號】[—/—이—] 명 철도 신호의 하나. 다음 신호가 정지 신호임을 예고하며 열차(列車)가 45 km 이하의 시속으로 진행하도록 지시함. ＊감속(減速) 신호.

주:의 의:무【注意義務】[—/—이의—] 명 사람이 어떤 행위를 함에 있어서 일정한 주의를 해야 할 법률상의 의무.

주:의 인물【注意人物】[—/—이—] 명 당국으로부터 그 행동을 주목받고 있는 불량하거나 위험한 인물.

주의-자【主義者】[—/—이—] 명 어떤 주의를 신봉하고 그것을 표방하는 사람. 통속적으로, 사회주의자(社會主義者)·공산주의자(共産主義者)·무정부주의자(無政府主義者)를 가리킴.

주의-적【主義的】[—/—이—] 명관 어떤 주의에 가까운 경향이나 색채를 띤 모양. ¶민족~.

주의 종:【主—】[—/—에—] 명 ①〖기독교〗하느님의 말씀을 믿고 그에게 봉사하는 사람. 주종 관계로 비유하여 목사·전도사 들을 일컫는 말. ②〔라 servo di dio〕〖천주교〗시복(諡福) 과정에 있는 이에게 교황청에서 공인(公認)하는 존칭의 하나. 가경자(可敬者).

주의-주의【主意主義】[—/—이—이] 명 ①〔voluntarism〕〖철〗지성이 아닌 의지를 존재의 근본 원리 또는 실체(實體)라고 보는 생각. 쇼펜하우어·니체 등처럼 이러한 의지를 비이성(非理性)적이라고 보는 경우와 칸트·피히테 등처럼 본질적으로 이성적이라고 보는 경우가 있음. ②〖심〗의지를 심적(心的) 생활의 근본 기능으로 보는 입장. 분트(Wundt)를 근대에 있어서의 대표자로 함. ③〖윤〗인간의 의지가 양심이나 이성(理性)을 초월하여 모든 윤리적 과제의 중심(中心)이라고 하는 설. ④신학에서는 의지를 모든 종교 활동의 근원이라 하고 축복이 의지의 활동이라고 하는 설. 주의설(主意說). ↔주지주의(主知主義)❶.

주:의 지속 시간【注意持續時間】[—/—이—] 명 〔attention span〕〖심〗주어진 일이나 사항에 대하여, 사람이 계속 주의를 집중시킬 수 있는 시간의 길이.

주:의 표지【注意標識】[—/—이—] 명 교통 안전 표지(交通安全標識)의 하나. 교차로, 우회전·좌회전 도로, 건널목, 횡단 도로, 일방 통행, 오르막길 등 위험한 곳이나 주의해야 할 곳임을 표시한 표지판(標識板). ＊규제 표지(規制標識).

〈주의 표지〉

주의 형제【主—兄弟】[—/—에—] 명 〔The Brethren of the Lord〕〖기독교〗동정녀(童貞女) 마리아가 예수를 낳은 뒤에, 요셉과의 사이에 낳은 네 형제. 곧, 야고보·요셉·시몬·유다.

주이[1] 명〈방〉지위[1](함경).

주:이[2]【誅夷】명 ①토벌하여 평정함. ②모조리 죽임. ——-하다 타여불

주-이계:야【晝而繼夜】명 낮이나 밤이나 쉬지 않고 일을 함. 불철주야(不撤晝夜). ——-하다 자여불

주이다 타〈옛〉쥐다. ¶回回아비 내 손모글 주이다《樂詞 雙花店》.

주-이준【朱彝尊】명〖사람〗중국 청(淸)나라의 문인·고증학자. 호는 죽택(竹垞). 저장(浙江) 사람. 1678년 《명사(明史)》 편찬관이 됨. 저서 《폭서정집(曝書亭集)》·《일하 구문(日下舊聞)》·《경의고(經義考)》 등. [1629-1709]

주익【主翼】명 공중에서, 비행기의 온 무게를 지탱하고 그에 상당하는 양력(揚力)을 가지는 날개. 보통은 비행기의 중심(重心) 위치 부근에 있음. 주날개. ↔보조익(補助翼).

주인[1]【主人】명 ①한 집안의 주장이 되는 사람. ②손을 대하는 사람. ③아내가 남편을 가리키어 일컫는 말. ④물건의 임자. ⑤고용 관계에 있어서의 고용주(雇傭主). 마스터. ㊥쥔·주(主).
[주인 기다리는 개가 지리산만 바라본다] 공연히 무엇을 바라보기만 하는 것을 조롱하는 말. [주인 모르는 공사 없다] 무슨 일이든지 주장하는 사람이 알지 못하면 되지 않는다는 말. [주인 보탤 나그네 없다] 손은 언제나 주인을 개결지언정 조금도 주인을 도와 보탬이 없다는 말. [주인 배 아픈데 머슴이 설사한다] 남의 일로 인하여 공연히 벌을 받거나 손해를 입는다는 말.

주인[2]【主人】명〖역〗경주인(京主人)과 영주인(營主人)의 일컬음. 동인(東人).

주인[3]【主因】명 가장 근본이 되는 원인.

주인[4]【酒人】명 ①술을 잘 마시는 사람. ②〖역〗술 빚는 일을 맡았던 벼슬 이름.

주인[5]【廚人】명 부엌에서 일하는 사람. 요리인(料理人). 주부(廚夫).

주인-공【主人公】명 ①주인(主人)에 대한 존칭. 흔히 글월에 씀. ②사건 또는 소설·희곡·영화 등의 중심 인물. ㊥주공(主公).

주인 광:좌【稠人廣座】명 '조인 광좌(稠人廣座)'의 잘못.

주인-님【主人—】명 주인에 대한 경칭. ㊥쥔님.

주인-댁【主人宅】[—땍] 명 ①주인집에 대한 경칭. ②안주인. ㊥쥔댁.

주인 마나님【主人—】명 나이든 여자 주인이나 주인의 나이든 아내를 공경하여 부르는 말. ＊주인 마님.

주인 마:누라【主人—】명 나이가 든 여자 주인 또는 주인의 아내를 좀 홀하게 일컫는 말. ㊥쥔마누라.

주인 마:님【主人—】명 나이든 여자 주인 또는 주인의 아내를 대접하여 이르는 말. ㊥쥔마님.

주인-봉【主人峰】명〖민〗묏자리나 집터 등의 근처에 있는 가장 높은 산봉우리. ㊥주봉(主峰).

주인-선【朱仁線】명〖지〗주안(朱安)에서 남인천(南仁川)을 잇는 철도선. 1959년 5월 31일 개통. [3.8 km]

주인 아:씨【主人—】명 젊은 여자 주인 또는 주인의 아내를 대접하여 이르는 말. ㊥쥔아씨.

주인 아저씨【主人—】명 젊은 주인을 친근하게 일컫는 말. ㊥쥔아저씨.

주인 아주머니【主人—】명 젊은 여자 주인 또는 주인의 아내를 친근하게 일컫는 말. ㊥쥔아주머니.

주인 아줌마【主人—】명 주인 아주머니를 좀 홀하게 일컫는 말. ㊥쥔아줌마.

주인 어:른【主人—】명 주인에 대한 경칭. ㊥쥔어른.

주인-옹【主人翁】명 늙은 주인.

주인-장【主人丈】명 주인을 높이어 일컫는 말. ㊥쥔장.

주인-집【主人—】[—찝] 명 주인이 살고 있는 집. 주가(主家).
[주인집 장 떨어지자 나그네 국 마다 한다] 일이 마침 잘 되어감을 나타내는 말.

주일[1]【主—】명 마음을 한 곳에 모음. 정신을 집중하여 산란(散亂)하지 않게 함. ——-하다 타여불

주일[2]【主日】명〖기독교〗주(主)의 날. 곧, 일요일.

주일[3]【週日】명 ①일요일부터 토요일까지의 이레 동안. 또는 한 주일의 어느 날부터 이레되는 날. ②1주간의 사이에 일요일 외의 날. 평일(平日). 위크데이(weekday).

주:일[4]【駐日】명 일본에 주재함. ¶~ 대사.

주일[5]【疇日】명 접때. 지난 번. 낭일(曩日). 향자(向者).

주일-날【主日—】[—랄] 명 주일(主日).

주:일 대:표부【駐日代表部】명 한일 국교 정상화가 이루어지기 이전에 일본에 두었던 우리 나라의 재외 공관(在外公館).

주일 무적【主一無適】명 중국 송(宋)나라의 정주(程朱)의 수양설(修養說). 정이천(程伊川)이 처음에 주창하고 주자(朱子)가 계창(繼唱)함. 마음에 경(敬)을 두고 정신을 집주하여 외물(外物)에 마음을 두지 않음.

주일-성【走日性】[—썽] 명 생물(生物)의 태양(太陽)에 대한 주성(走性). 추일성(趨日性).

주일 예:배【主日禮拜】명 주일마다 행하는 예배.

주일 학교【主日學校】명〖기독교〗교회에서 주일마다 신도들에게 성경을 가르치고 종교 교육을 베푸는 모임. 장년부(壯年部)·유년부(幼年部)로 나누는데, 흔히 유년 주일 학교를 일컬음. 일요(日曜) 학교. 선데이 스쿨(Sunday school). 교회 학교(敎會學校).

주일 헌:금【主日獻金】명〖기독교〗주일에 예배나 미사 중에 신자들이 봉헌하는 금전. 미사(彌撒) 헌금.

주임[1]【主任】명 ①어떤 임무를 주로 담당함. 또, 그 사람. ②임무 담당의 상급자. ¶교무 ~.

주:임[2]【奏任】명〖역〗①주무 대신(主務大臣)이 왕에게 벼슬아치의 임

명(任命)을 상주(上奏)하여 윤허(允許)를 얻어 씀. ②↗주임관(奏任官). ——-하다 타여불

주:임-관【奏任官】명〖역〗갑오 경장(甲午更張) 이후에 베푼 관계(官階)의 하나. 대신이 임금에게 주천(奏薦)하여 임명하였음.

주임 교:수【主任敎授】명 학과(學科)·연구실을 통괄하는 교수.

주임 대:우[1]【主任待遇】명 주임(主任)과 같은 대우를 함. 또, 그 대우를 받는 사람. ——-하다 타여불

주:임 대:우[2]【奏任待遇】명〖역〗주임관(奏任官)과 같은 대우를 함. 또, 그러한 대우를 받는 사람. ——-하다 타여불

주임 상:사【主任上士】명〖군〗한 부대의 본부나 사령부 내에 두어져서, 그 부대 전체 하사관 및 병사를 대표하는 선임(先任) 상사. 그 부대의 전통과 단결 유지, 군기 및 사병 복지 문제 등에 관하여 부대장 또는 사령관을 보좌함. *특무 상사.

주임 신부【主任神父】명〖천주교〗본당 사목(司牧)을 위하여 교구장에 의해 임명된 신부. 본당 신부.

주임 전도자【主任傳道者】명 전도자들의 상급자로서 전도자를 관리하고 그 사무를 통할(統轄)하는 사람.

주:입[1]【注入】명 ①액체(液體)를 부어 넣음. ②비유적으로, 사람이나 사물을 어느 장소에 마구 쳐넣음. ③아동 교육에서, 기억과 암송(暗誦)을 주로 하여 지식을 넣어 줌. ↔개발(開發)❷. ——-하다 타여불

주:입[2]【鑄入】명 ①녹인 쇳물을 거푸집에 부어 넣음. ②〖미술〗조각에서의 조형법(造形法)의 한 가지. 석고로 된 판에 이장(泥漿)으로 된 소토(素土)를 바음. ——-하다 타여불

주:입 교:육【注入敎育】명〖교〗피교육자의 능력의 계발(啓發)보다는 교사가 지닌 지식 및 기술의 주입과, 학생의 기억과 암송(暗誦)에 중점(重點)을 두는 교육. ↔개발(開發) 교육.

주:입-구【注入口】명 액체 따위를 쏟아 넣는 아가리.

주:입-기【注入器】명 액체를 주입하는 데 쓰는 기구.

주:입-식【注入式】명〖교〗주입주의에 입각하여 베푸는 교육 방식. *문답식(問答式).

주:입-주의【注入主義】[—/—이] 명〖교〗피교육자의 이해(理解)는 뒤로 하고, 주입 교육으로써 학생의 기억과 암송(暗誦)을 위주로 하는 교육상의 주의. ↔개발주의(開發主義).

주자[1]【舟子】명 뱃사공.

주자[2]【朱子】명〖사람〗'주희(朱熹)'를 높인 말.

주자[3]【走者】명 ①달리는 사람. ¶릴레이의 제1~. ②야구(野球)에서, 아웃되지 않고 누(壘)에 나가 있는 공격측의 선수. 러너(runner).

주자[4]【朱紫】명 ①붉은 빛과 자줏빛. ②정(正)과 사(邪). ③붉은 빛과 자주빛의 옷 또는 인끈. 전하여 고위 고관(高位高官).

주:자[5]【注子】명 술을 퍼서 잔에 붓는 기구.

주:자[6]【奏者】명 ↗연주자(演奏者). ¶오르간 ~.

주자[7]【胄子】명 제왕(帝王)의 맏아들.

주자[8]【酒滓】명 술 지게미.

주자[9]【酒資】명 술값. 주가(酒價).

주자[10]【酒榨】명 술주자.

주자[11]【廚子】명〖역〗지방 관아의 소주방(燒廚房)에 딸려 음식을 만들던 사람.

주:자[12]【鑄字】명 쇠붙이로 주조(鑄造)하여 활자를 만듦. 또, 그 주조한 활자. ——-하다 자여불

주자 가례【朱子家禮】명〖책〗가례에 관한 주자의 학설을 명(明)나라 구준(丘濬)이 수집하여 만든 책. ㊀가례(家禮).

주자-감【胄子監】명〖역〗발해 시대의 교육 행정 기관.

주:자-공【鑄字工】명 금속 활자를 만드는 공원.

주:자-기【鑄字機】명 녹인 납을 틀에 부어 활자를 만드는 기계.

주자서 절요【朱子書節要】명〖책〗이황(李滉)이 '주자 대전(朱子大全)'에 있는 주자의 편지를 뽑아 엮은 책. 조선 명종(明宗) 때 간행되었음. 30권 10책.

주자-석【朱子石】명〖광〗석회암 중에 황화 제이 수은(黃化第二水銀)을 함유하여 주홍빛 무늬를 띤 돌. 인재(印材)나 장식에 쓰임. 계혈석(鷄血石).

주:자-소【鑄字所】명〖역〗조선 시대에 활자를 만들던 직소(職所). 태종(太宗) 3년(1403)에 베풀었는데, 처음에 승정원(承政院)에 속해 있다가, 세조(世祖) 6년(1460)에 교서관(校書館)에 옮겨 붙었다가 정조(正祖) 6년(1782)에 교서관이 규장각(奎章閣)에 붙으면서 규장각의 소속이 되었음.

주:자-쇠【鑄字—】명 활자금(活字金).

주자 어:류【朱子語類】명〖책〗중국의 유가서(儒家書). 남송(南宋)의 함순(咸淳) 6년(1269)에 여정덕(黎靖德)이 주자(朱子)와 그 문인들과의 문답을 집성(集成)한 책. 140권.

주자이〔九寨〕명〖지〗중국 랴오닝 성(遼寧省)에 있는 도시. 고고학상(考古學上) 유명한 돌멘(dolmen) 등이 있음. 구채.

주-자재【主資材】명 직접 제품의 원료가 되어 제품화되는 자재. ↔부자재(副資材).

주-자제【周自齊】명〖사람〗'저우 쯔치'를 우리 음으로 읽은 이름.

주자 증손 여씨 향약【朱子增損呂氏鄕約】명〖책〗중국 송(宋)나라 주자(朱子)가 ≪여씨 향약≫을 높이 평가하여, 약간 수정을 가한 것. ≪주자 대전(朱子大全)≫에 실려 있음.

주-자청【朱自淸】명〖사람〗'주 쯔칭'을 우리 음으로 읽은 이름.

주자-틀【酒榨—】명〈방〉술주자.

주자-파【走資派】명〖정〗중국에서 문혁파(文革派)에 의해 실권파(實權派)로 지목되어 실각(失脚)되었다가 1967년부터 복권된 많은 간부들 가운데, 여전히 자본주의의 부활을 지향하는 자로 비판된 덩 샤오핑(鄧小平) 등의 일파. 사인방(四人幇)의 체포로 또다시 복권(復權)됨.

주자-학【朱子學】명 중국 송(宋)나라의 주돈이(周敦頤)·정명도(程明道)·정이천(程伊川) 등에서 비롯되어 주자에 이르러 대성한 유학. 이기설(理氣說)과 심성론(心性論)에 입각하여 격물 치지(格物致知)를 주안(主眼)으로 하는 실천 도덕과 인격·학문의 성취를 역설함. 우리 나라에는 고려 말에 들어와 조선 시대의 사상계를 풍미하여 지배적인 학설로 숭상되었음. 정주학(程朱學).

주자학-파【朱子學派】명 주자학을 신봉하는 일파. 우리 나라에서는 이퇴계·이율곡 등이 대표적임. 정주학파(程朱學派).

주-자행【朱子行】명〖사람〗3세기경 중국 삼국(三國) 시대의 위(魏)나라 중. 허난(河南) 출신. 중국인 최초의 출가자(出家者)라고 일컬어짐. 반야경(般若經)의 원전(原典)을 구하러 지금의 신장 성(新疆省) 허톈(和闐) 땅인 우전(于闐)으로 갔다가 그 곳에서 사망함. 생몰년 미상.

주작[1]【主作】명 어떤 농작물(農作物)을 위주로 가꿈. 또, 그러한 작물. ——-하다 타여불

주작[2]【朱雀】명〖민〗남방(南方)을 지키는 신령(神靈)으로서의 남방 성수(南方星宿)의 이름. 곧 정(井)·귀(鬼)·유(柳)·성(星)·장(張)·익(翼)·진(軫)의 일곱 별. 붉은 봉황을 형상하여 예로부터 무덤과 관(棺)의 앞 쪽에 그렸음. 남주작(南朱雀). ↔현무❶.

〈주작[2]〉

주:작[3]【做作】명 없는 사실을 꾸며 만듦. 주출(做出). ——-하다 타여불

주작-기【朱雀旗】명〖역〗①대오방기(大五方旗)의 하나. 진영의 전문에 세워 전군(前軍)·전영(前營) 혹은 전위(前衛)를 지휘함. 기면(旗面)은 다섯 자 평방. 붉은 바탕에 주작과 운기(雲氣)를 그리고 가장자리와 화염은 남빛, 깃대 길이는 열다섯자이고, 영두(纓頭)·주락(朱絡) 장목이 있음. ②의장기(儀仗旗)의 하나.

주:작 부언【做作浮言】명 터무니없는 말을 지어냄. ——-하다 자여불

주작-살【朱雀—】명 주작에게서 뻗어 나오는 독하고 매서운 기운. 곧 죽을 살.

〈주작기❷〉

주작 안:산【朱雀案山】명〖민〗남쪽에 위치하는 안산(案山). 서울의 남산(南山) 따위.

주-작인【周作人】명〖사람〗'저우 쭤런'을 우리 음으로 읽은 이름.

주잔【酒盞】명 술잔.

주잖다[—잔따] 자 ↗주저앉다.

주잠[1]【酒箴】명 절주(節酒)에 관한 잠언(箴言). 주훈(酒訓).

주잠[2]【珠簪】명 구슬로 장식한 비녀.

주장[1]【主張】명 ①자기의 설(說)·의견을 굳이 내세움. 또, 그 지설(持說). ②주재(主宰). ③〖법〗민사 소송법에서 공격·방어의 방법으로서, 당사자가 자기에게 유리한 법률 효과나 사실의 존부에 관한 지식을 표백(表白)하는 소송 행위. ——-하다 타여불

주장[2]【主將】명 ①한 군대의 으뜸이 되는 장수. 주수(主帥). ②운동 경기에서 팀을 통솔하는 선수. 캡틴(captain).

주장[3]【主掌】명 목대잡아서 맡아 행함. 또, 그 사람. 주관(主管). ——-하다 타여불

주장[4]【朱杖】명〖역〗붉은 칠을 한 몽둥이. 주릿대 등 신장(訊杖)으로나 무기로 쓰임. 주장대. 홍몽둥이.

주장[5]【周章】명 ①당황(唐慌)함. 또, 당황하는 모양. ②두루 다니며 놂. ——-하다 자여불

주장[6]【拄杖】명 몸을 의지하는 지팡이.

주장[7]【拄張】명 실없는 소리로 떠벌임. ——-하다 타여불

주:장[8]【注腸】명〖의〗약물·자양액(滋養液) 등을 항문으로 주입하는 일. ——-하다 타여불

주:장[9]【奏章】명 천자에게 주상(奏上)하는 문서. 주서(奏書). 상서(上書).

주장[10]【珠匠】명〖역〗조선 시대 때 공조(工曹)의 구슬을 만들던 공장(工匠)을 일컬음.

주장[11]【珠帳】명 주렴(珠簾).

주장[12]【酒場】명 ①술도가. ②술 파는 곳. 술집. 바.

주장[13]【幬帳】명 모기장.

주장[14]【譸張】명 터무니없는 말로 남을 속임. ——-하다 타여불

주:장[15]【鑄匠】명 ①놋갓장이. ②〖역〗조선 시대 교서관(校書館)의 주자(鑄字)를 붓는 공장(工匠). 주성장(鑄成匠).

주장[16]〔九江〕명〖지〗중국 장시 성(江西省) 북부의 도시. 양쯔(揚子) 강과 포양 호(鄱陽湖)의 연락 지점이며 주난 철도(九南鐵道)의 기점으로 동성의 문호(門戶)임. 1858년 개항(開港)했고, 쌀·차·자기·종이를 수출함. 남쪽에 있는 루산(廬山)의 구링(牯嶺)은 피서지임. 구강. 고명(古名)은 심양(潯陽)·강주(江州). [378,000명(1984)]

주장[17]〔珠江〕명〖지〗중국 남부 최대의 강. 윈난 성(雲南省) 동부에서 발원(發源)하여 구이저우 성(貴州省)·광시 성(廣西省)·광둥 성(廣東省)을 거쳐 남중국해로 들어감. 시장(西江) 강이 주류(主流)임. 광둥 성에서 베이장(北江) 강·둥장(東江) 강을 합하여 주장 강이 되어 하류에 대삼각주(大三角洲)를 이루어 중요한 농업 지대(農業地帶)로 발달함. 주강. 별칭: 웨장(粵江). [2,210 km]

주장 광:고【主張廣告】명 기업의 입장과 실태를 주장함으로써 그 기업에 대한 지원(支援)을 호소한다는 뜻에서 옹호 광고의 딴이름.

주장 낙토【走獐落兎】명〔노루를 쫓다가 생각지도 않은 토끼가 걸려들었다는 뜻〕뜻밖의 이익을 얻음을 가리키는 말.

주장 당문【朱杖撞問】명〖역〗여러 사람이 홍몽둥이를 들고 일제히 죄인을 때리고 신문(訊問)하는 일.

주장-대【朱杖—】[—때] 명〖역〗주장(朱杖).

주장 무인【主張無人】〔명〕 주장하여 맡는 사람이 없음.
주장-삼다【主張―】[―따] 〔타〕 ①무엇을 위주(爲主)로 하다. ②유일한 근거로 믿고 툭하면 그것만 내세우다.
주장-승【主掌僧】〔명〕〘불교〙 주지(住持).
주장신-보【主藏臣寶】〔명〕〘불교〙 전륜 성왕(轉輪聖王)이 가지고 있는 칠보(七寶)의 하나.
주장 야:단【晝長夜短】[―냐―] 〔명〕 하지(夏至)를 전후하여 낮이 길고 밤이 짧은 일. ↔주단 야장(晝短夜長). ――-하다 〔형〕〔여불〕
주장-자[1]【拄杖子】〔명〕 중이 좌선(坐禪)할 때나 설법(說法)할 때에 갖는 지팡이.
주장-자[2]【―瓷】〔중 九江〕 〔명〕 중국 징더전(景德鎭)에서 나는 자기(瓷器)에 주장(九江)에서 꽃무늬를 넣어 손질한 자기. 구강자.
주:장 조:영법【注腸造影法】[―뻡] 〔명〕〘의〙 항문(肛門)으로부터 조영제(造影劑)를 주입하여 직장(直腸)·결장(結腸)을 투시(透視)하거나 촬영(撮影)하는 검사법. 이에 의하여 협착(狹窄)·종양(腫瘍)·궤양(潰瘍) 등을 진찰함.
주장-중【主掌―】〔명〕 ☞주지(住持).
주장-질【朱杖―】〔명〕 ①〘역〙 주장으로 때리는 짓. ②몹시 때리거나 나무라는 일. ¶그렇다고 아무 쪽에도 붙지 않자니 양쪽에서 다 ～이다《李無影 : 農民》. ――-하다 〔자〕〔여불〕
주장 책임【主張責任】〔명〕〘법〙 민사 소송법상 소송 당사자가 권리 또는 법률 관계의 존부(存否)를 주장하고, 자기에게 유리한 판결을 구하기 위하여 필요한 사실을 주장할 책임.
주재[1]【主材】〔명〕 신주(神主)를 만드는 재목.
주재[2]【主宰】〔명〕 사람들 위에 서서 일체를 통할함. 또, 그 사람. 주장(主張). ¶회의를 ～하다. ――-하다 〔타〕〔여불〕
주재[3]【舟載】〔명〕 배에 실음. 선재(船載). ――-하다 〔타〕〔여불〕
주:재[4]【奏裁】〔명〕 상주(上奏)하여 재가를 청함. ――-하다 〔타〕〔여불〕
주:재[5]【駐在】〔명〕 ①한 곳에 머물러 있음. ②파견되어 직무상 그 곳에 머물러 있음. ¶워싱턴 ～ 특파원. ――-하다 〔자〕〔여불〕
주재[6]【廚宰】〔명〕 ①군함 안에서 취사에 종사하는 병사. ②요리(料理)를 맡아 장만하는 사람.
주:재-관【駐在官】〔명〕 공무(公務)를 수행하기 위하여 어떤 곳에 주재하는 관리.
주:재-국【駐在國】〔명〕 대사(大使)·공사(公使) 등이 명을 받고 주재해 있는 나라.
주-재료【主材料】〔명〕 어떤 것을 이루는 데에 주가 되는 재료.
주:재 무:관【駐在武官】〔명〕〘법〙 ↗재외 공관(在外公館) 주재 무관.
주-재(:)성【周宰成】〔명〕〘사람〙 조선 영조(英祖) 때의 학자. 자(字)는 성재(聖哉), 호는 국담(菊潭). 상주(尙州) 사람. 영조 4년(1728) 이인좌(李麟佐)의 난 때 대구(大丘)에서 관찰사 황선(黃璿)의 군사 3천을 이끌고 분치령(分峙嶺)을 방어함. 난이 평정된 후 고향에서 학문 연구에 전심, 《용학 강의(庸學講義)》·《경의 집록(經義輯錄)》 등을 저술하면서 후진을 가르침. [1681-1743]
주:재-소【駐在所】〔명〕 ①파견되어 머물러 있는 곳. 주재지(駐在地). ②〘일제〙 순사(巡査) 등이 맡은 구역(區域) 안에 주재하여 사무를 취급하던 곳.
주:재-원【駐在員】〔명〕 그 곳에 주재하고 있는 직원.
주재-자【主宰者】〔명〕 사람들 위에 서서 일체를 통할하는 사람.
주:재-지【駐在地】〔명〕 주재소(駐在所)❶.
주저[1]【主著】〔명〕 주가 되는 저서.
주:저[2]【呪詛】〔명〕 저주(詛呪). ――-하다 〔타〕〔여불〕
주-저[3]【周佇】〔명〕〘사람〙 고려 목종(穆宗) 때 귀화한 송(宋)나라 원저우(溫州) 사람. 목종 8년(1005) 예빈성(禮賓省) 주부(主簿)에 초임, 현종(顯宗) 2년(1011) 거란(契丹)의 침입으로 남쪽으로 피난하는 왕을 호종(扈從)하여 예부 시랑(禮部侍郞)·중추원 직학사(中樞院直學士)가 됨. 성질이 겸손하고 문장이 능하여 교빙(交聘)의 사명(辭命)이 거의 그의 손에 이루어졌으며 현종 13년에 예부 상서(尙書)에 이름. [?-1024]
주저[4]【洲渚】〔명〕 파도가 밀려 닿는 곳. 물가. 주정(洲汀).
주저[5]【躊躇·躕躇】〔명〕 결행(決行)하지 못하고 망설임. 머뭇거림. ¶～없이 행하다. ――-하다 〔자〕〔타〕〔여불〕
주-저기압【主低氣壓】〔명〕〘기상〙 부저기압(副低氣壓)이 발생할 때의 원 저기압. ↔부저기압.
주저-롭다 〔형〕〔ㅂ불〕 궁핍하여 아주 아쉽다. 풍족하지 못하여 매우 곤란하다. 주저-로이 〔부〕
주저리 〔명〕 너저분한 물건이 어지럽게 매달리거나 또는 한데 묶인 것의 일컬음. ¶김치 ～/～가 달리다 / 사람이 ～ 쓰고 나 앉는 수 없고, 좋지에 어디로 가는 수 있나《李海朝 : 巢鶴嶺》. >조자리[1].
주저리-주저리 〔부〕 너저분한 물건이 어지럽게 많이 매달린 모양. ¶이 마을 전설이 ～ 열리고.
주저-앉다 [―안따] 〔자〕〔근대 : 주저앉다〕 ①섰던 자리에 힘에 버거워서 그대로 내려앉다. ¶그 자리에 힘없이 ～. ②물건의 밑이 저절로 움푹하게 빠져 들어가거나 뭉그러져 들어가다. ¶지붕이 폭삭 ～. ③일을 도중에 포기하고 물러나다. ¶그냥 주저앉지 말고 힘을 내시오.
주저-앉히다 [―안치―] 〔타〕 주저앉게 하다.
주저우〔株洲〕 〔명〕〘지〙 중국 후난 성(湖南省) 동부의 광공업 도시. 샹장(湘江) 강 동안(東岸)에 위치하며 웨한(粵漢) 철도 개통 후 발전하여 저간(浙贛)·징광(京廣) 두 철도의 접속점임. 차량·화학·유리·비료·식품 등의 공업이 발달함. 부근 핑샹(萍鄕)에서는 석탄, 다예(大冶)·사오양(邵陽)에서는 철의 산출이 많음. 주주. [488,000명(1984)]
주저주저-하다【躊躇躊躇―】〔자〕〔여불〕 일을 결행(決行)하지 못하고 망설망설하다.
주저-탕【―湯】〔명〕 쇠족을 잘게 썰어 넣고 끓인 국물에 밀가루를 풀고, 무를 썰어 넣어 죽처럼 끓인 국. 제사에 씀.
주-저항선【主抵抗線】〔명〕〘군〙 폭격 및 함포 사격을 포함한 모든 지원 부대의 사격을 협조시킬 목적으로 전투 진지의 전방 선단(前方先端)에 지정(指定)된 주력 부대의 방어선. 상호 지원하는 일련(一連)의 방어 지역의 전방 한계선(前方限界線)을 규제하는 것임.
주적[1]【酒積】〔명〕〘한의〙 적병(積病)의 한 가지. 주체(酒滯)로 인하여 가슴이 뭉클하고 얼굴이 황흑색으로 변하는 병.
주적[2]【紬績】〔명〕 실을 뽑아 냄.
주:적[3]【籌摘】〔명〕 어림하여 대강 치는 셈.
주적-거리다 〔자〕 ①지나치게 아는 체하며 마구 떠들다. ②어린애가 걸음발 탈 때 제멋대로 걷다. 느리게 어정어정 걷다. 1)·2): >조작거리다. 주적-주적 〔부〕. ――-하다 〔자〕〔여불〕
주적-대다 〔자〕 주적거리다.
주전[1]【主前】〔명〕 ①[Before Christ; B.C.]〘기독교〙 그리스도 탄생 이전. 곧, 서력 기원전(紀元前). ↔주후(主後). ②주인 앞. 임금 앞.
주전[2]【主戰】〔명〕 ①개전(開戰)을 주장함. ¶～론. ↔주화(主和). ②주력(主力)이 되어 싸움. ¶～ 멤버/～ 투수(投手).
주전[3]【舟戰】〔명〕 배를 타고 하는 싸움. 수전(水戰). 해전(海戰).
주전[4]【周全】〔명〕 주밀(周密)하고 완전함. 빈틈없이 두루 온전(穩全)함. ――-하다 〔형〕〔여불〕
주전[5]【酒錢】〔명〕 술 마실 돈. 술값. 주자(酒資).
주전[6]【酒戰】〔명〕 술을 많이 마시는 내기.
주:전[7]【鑄錢】〔명〕 돈을 주조(鑄造)함. 또, 그 돈. 주화. ――-하다 〔자〕〔여불〕
주전-거리다 〔타〕 때를 가리지 않고 채신없이 군음식을 연상 먹다. >조잔거리다. 주전-주전 〔부〕. ――-하다 〔타〕〔여불〕
주:전-관【鑄錢官】〔명〕〘역〙 돈을 주조하는 일을 맡아보던 관원.
주전-당【主戰黨】〔명〕 주전(主戰)을 내세우는 당파(黨派). 주전파(派).
주전-대다 〔타〕 주전거리다.
주:전 도감【鑄錢都監】〔명〕〘역〙 고려 때, 주전(鑄錢)을 맡은 관아. 숙종(肅宗) 6년(1101)에 설치하여, 그 이듬해 해동 통보(海東通寶) 1만 5천 관(貫)을 만들어, 재상·문무 양반·군인들에게 나누어 줌.
주전-론【主戰論】[―논] 〔명〕 화전 양론(和戰兩論)에서 싸우기를 주장하는 의견. ¶～자(者)/～을 펴다. ↔주화론(主和論).
주-전립【朱氈笠】[―절―] 〔명〕〘역〙 군뢰복다기.
주전-부리 〔명〕 ①때없이 군음식을 마구 먹는 입버릇. 채신없이 자꾸 먹어대는 군것질. >조잔부리. ②〈속〉 오다가다 배우자 몰래 하는 오입. 군것질. ――-하다 〔자〕〔여불〕
주전-사【主殿司】〔명〕〘역〙 대한 제국 때에 전각(殿閣)의 수호(守護)와 수리를 맡은 관아. 궁내부(宮內府) 소속으로 고종(高宗) 31년(1894)에 베푼 전각사(殿閣司)를 이듬해에 고친 이름인데, 동 광무(光武) 9년(1905)에 주전원(主殿院)으로 고치었음.
주전-성【走電性】[―썽] 〔명〕 [electrotaxis]〘생〙 전류(電流)가 통할 때 음극 또는 양극으로 향하는 주성(走性). 유주(遊走) 식물에서 볼 수 있음. 추전성(趨電性). *주류성(走流性).
주:전-소【鑄錢所】〔명〕〘역〙 돈을 주조할 때 임시로 베푸는 직소(職所).
주전-없다 [―업―] 〔형〕 주제넘다.
주전-원【主殿院】〔명〕〘역〙 대한 제국 때에 궁내부(宮內府)에 딸려 전각(殿閣)의 수호(守護)와 수리를 맡아보던 관아. 고종 광무(光武) 9년(1905)에 주전사(主殿司)를 고쳐 일컬음.
주전-자【酒煎子】〔명〕 ①술을 데우는 놋그릇. ②술이나 물 등을 데우거나, 그것을 담아서 잔에 따르게 된 그릇의 총칭(總稱). 쇠붙이나 사기 등으로 만드는데 모양(模樣)이 여러 가지임. *수관(水罐).

〈주전자❶〉

주-전충【朱全忠】〔명〕〘사람〙 중국 후량(後梁) 태조(太祖)의 본명(本名).
주전-파【主戰派】〔명〕 싸우기를 주장하는 파. ↔주화파(主和派).
주절【主節】〔명〕〘언〙 종속절이 있을 때의 주장되는 마디. 으뜸마디. ↔종속절(從屬節).
주절-거리다 〔자〕 ☞중절거리다. 주절-주절[1] 〔부〕. ――-하다 〔자〕〔여불〕
주절-대다 〔자〕 주절거리다. ¶옛날 대동강에 뱃놀이할 때가 좋았다고 쌍팔년도 식 회고담이나 주절대거든요《崔仁浩 : 무서운 複數》.
주절-주절[2] 〔부〕 끄나풀 같은 것이 너절하게 늘어진 모양. >조잘조잘[2]. ――-하다 〔형〕〔여불〕
주점[1]【主點】[―쩜] 〔명〕 주요한 점. 요점(要點).
주점[2]【朱點】〔명〕 주(朱)로 찍은 점. 주색(朱色)의 점.
주점[3]【酒店】〔명〕 술집.
주점-거리다 〔타〕〈방〉 주전거리다. 주점-주점 〔부〕. ――-하다 〔타〕
주점-부리 〔명〕〈방〉 주전부리. ――-하다 〔자〕〔여불〕
주점 사기【朱點沙器】〔명〕 석록(石綠)으로 붉은 점을 찍어 만든 사기.
주점-터【晝―】〔명〕〈속〉〘역〙 주정소(晝停所).
주접[1] 〔명〕〔근대 : 조잡〕 여러 가지 탓으로 생물체가 쇠하여지는 상태.
주접(이) 들다 〔구〕 ㉠잔병이 많아서 생물체가 잘 자라지 못하다. ㉡기를 펴지 못하고 배리배리 시들다. >조잡(이) 들다.
주접(을) 떨:다 〔구〕 주접스러운 태도를 행동이나 말에 나타내어 부리다.
주:접[2]【住接】〔명〕 한때 머물러서 삶. 거접(居接). ――-하다 〔자〕〔여불〕
주접-스럽다 〔형〕〔ㅂ불〕 ①음식에 대하여 염치없이 욕심을 부리는 태도가 있다. ¶주접스럽게 먹으려 들다. ②자질구레한 것에 채신없이 욕기를 부리며 다랍게 굴다. 1)·2): >조잡스럽다. 주접-스레 〔부〕
주정[1]【主情】〔명〕 감정을 주로 하는 일. 이성(理性)이나 의지보다 정서를 주로 하는 태도. ↔주지(主知).

주정[2]【舟艇】명 소형의 배. ¶상륙용 ~.

주정[3]【洲汀】명 주저(洲渚).

주정[4]【酒政】명 술을 먹는 일이나 또는 그 절차. 술의 단속.

주:정[5]【酒酊】명 술에 취하여 정신없이 함부로 하는 말이나 짓. 후주(酗酒). ¶~이 심하다. ——-하다 자여불

주:정(을) 부리다 구 술에 취해 정신없이 함부로 말이나 행동을 하다.

주정[6]【酒精】명〖화〗에탄올(ethanol).

주정-계【酒精計】명 물 백분(百分) 가운데 포함된 알코올의 분량을 측정하는 부칭(浮秤).

주:정-꾼【酒酊—】명 술 먹고 주정하는 사람.

주정-단【舟艇團】명〖군〗상륙 주정의 기본 편성. 일개 주정단은 상륙 주정 또는 수륙 양용 차량의 1회 운행으로 대대(大隊) 상륙단을 상륙시킬 수 있도록 편성됨.

주정-로【舟艇路】[—노] 명〖군〗돌격 상륙 주정을 위한 항로. 상륙 해안으로 부터 해상에 설정하는 공격 개시선까지임.

주정 발효【酒精醱酵】명〖화〗헥소스(hexose), 곧 여섯 개의 산소 원자를 가지는 단당류(單糖類)가 효모(酵母)에 의하여 분해되어 알코올과 탄산 가스를 생성하는 현상. 알코올 발효.

주:정-배기【酒酊—】명〈속〉주정쟁이.

주:정-뱅이【酒酊—】명〈속〉주정쟁이.

주정-분【酒精分】명 알코올의 성분.

주정-설【主情說】명〖철〗주정주의(主情主義). ↔주지설(主知說).

주정-소【晝停所】명〖역〗행행(行幸)하는 도중에 잠깐 머물러서 낮수라(水剌)를 진어(進御)하던 곳. 경기도 구리시(九里市) 봉황동(鳳凰洞)에 옛집이 남아 있음. *주점터.

주정 음료【酒精飮料】[—뇨] 명 주정분(酒精分)을 함유한 음료. 주류(酒類).

주-정자【酒亭子】명 ①자빡계에서 곗돈을 탈 때에 술값으로 도중(都中)에 떼어 놓는 돈. ②〖역〗진연(進宴) 때에 술그릇을 벌여 놓던 식탁.

〈주정자❷〉

주정장주지-학【周程張朱之學】명 송학(宋學)의 네 파(派). 이 학통(學統)의 조(祖)인 주돈이(周敦頤), 정호(程顥)·정이(程頤), 장재(張載) 및 주희(朱熹)의 학파(學派)를 일컬음. 염락관민지학(濂洛關閩之學).

주:정-쟁이【酒酊—】명 술을 마시기만 하면 주정하는 버릇이 있는 사람.

주정-주의【主情主義】[—/—이] 명 〔emotionalism〕〖철〗심리학·윤리학·교육학·철학·예술 등에 있어서 주지주의(主知主義)에 반대하고, 주의설(主意說)에 접근하면서 정신 생활에서의 감정의 우월적 존재를 주장하는 설. 극단적인 경우에는 감정만이 근원적인 것이어서 지성(知性)이나 의지도 이차적으로 감정에서 파생하는 것이라고 주장함. 주정설(主情說). ↔주지주의❶. *센티멘털리즘. 감상주의(感傷主義).

주:정-질【酒酊—】명 술을 마시고 주정하는 짓. ——-하다 자여불

주제[1] 명 ↗주제꼴. ¶제 ~에 무슨 노래를 한답시고/나잇살이나 먹은 ~에.

주제[2]【主祭】명 제사를 주장하여 행함. 또, 그 사람. ——-하다 타여불

주제[3]【主題】명 ①주요한 제목. ↔부제(副題). ②어떤 일에서 중심이 되는 문제. 주된 명제(命題). ¶오늘 강연의 ~. ③작가가 그려 내려고 하는 주요한 제재(題材), 곧 작품의 중심이 되는 사상 내용. 테마. ¶소설의 ~. ④〖악〗악곡의 전부 또는 일부분의 기초가 되어, 그 선율적·화성적(和聲的)·율동적 발전이 악곡을 다양하게 전개시키는 것. 테마.

주제[4]【主劑】명 조제(調劑)에 주가 되는 약. 「강장제로 씀.

주제[5]【酒劑】명〖약〗약품을 포도주(葡萄酒) 등의 술에 녹여 만든 약.

주제-가【主題歌】명 〔theme song〕 ①어떤 작품의 주제(主題)를 골자로 하여 작사한 노래. ②영화·연극 등에서 주제의 내용과 밀접한 관계를 가진 가요(歌謠).

주제-곡【主題曲】명 영화·텔레비전 따위에서 작품 전체를 인상에 남게 하기 위하여 작곡된 음악. 테마 음악.

주제-꼴 명 변변하지 못한 몰골이나 몸치장. ¶~이 사납다. 준주제.

주제-넓다 [—넙—] 형〈방〉주제넘다.

주제-넘다 [—따] 형 제 분수에 넘는 말이나 행동이 있다. 제꼴보다 아니꼽고 건방지다. ¶주제넘은 녀석.

주제-도【主題圖】명 〔thematic map〕〖지〗자연·인구·민족·문화·산업·경제·정치 등의 주제에 관하여 작성되는 지도. 지형도(地形圖)가 토지의 기복(起伏), 도로망 등의 현실의 형상(形狀)을 축소하여 나타낸 데 대하여, 주제도는 국(國)·도(道)·시(市)·군(郡)·동(洞) 등의 통계에 의하여 수량적으로 인구 밀도의 대소·증감, 공장의 분포, 농산물의 종류 등을 나타냄.

주제-문【主題文】명 자신이 나타내고자 하는 중심 생각을 나타낸 문장.

주제-사납다 형ㅂ불 겉모습이 남 보기에 흉하다.

주제 소:설【主題小說】명〖문〗기분·정조(情調)를 주로 하지 아니하고 어떤 일관된 사상·주의를 주로 하여 쓰여진 소설. 테마 소설.

주제-어【主題語】명〖언〗한 문장에서 주제 구실을 하는 말. '토끼는 앞발이 짧다'의 '토끼' 따위.

주제 음악【主題音樂】명〖악〗테마 뮤직(thema music).

주제 재:현부【主題再現部】명 〔recapitulation〕〖악〗앞에 제시한 주제를 다시 재현시키는 부분. 소나타 형식에서 쓰임.

주제 전:개부【主題展開部】명 〔development〕〖악〗주제를 조(調)·성부(聲部) 등 여러 각도에서 자유로이 전개한 부분. 대개 생생한 조바꿈을 수반함. 소나타 형식에서 쓰임. 발전부. 전개부.

주제 제시부【主題提示部】명 〔exposition〕〖악〗최초로 주제군(主題群)을 나타내는 부분. 소나타 형식에서 쓰임.

주제 통:각 검:사【主題統覺檢査】명 〔thematic apperception test〕〖심〗극적인 장면이 표현되어 있는 그림을 보이고 이야기를 만들게 하여, 그 공상적인 활동으로 분석되는 개인의 무의식적·의식적 경향을 검사하는 법. 미국의 머리(Murray, H.A.)와 모건(Morgan, C.D.)에 의해서 창안됨. 약칭: TAT.

주조[1]【主調】명 〔도 Hauptton〕〖악〗악곡의 기초가 되는 주요한 가락. 넓은 뜻으로는 회화에 대해서도 이름. 기조(基調). 주조음.

주조[2]【主潮】명 ①주장이 되는 조류. ②어떤 시대나 사회에서, 주(主)가 되는 사상이나 문화의 경향. ¶사실주의가 ~를 이루다.

주조[3]【州助】명〖역〗신라 때의 외관(外官) 벼슬. 사신(仕臣)의 다음. 위계는 중아찬(重阿飡)에서 나마(奈麻)까지. 주보(州輔).

주조[4]【酒造】명 술을 빚어 만듦. ——-하다 타여불

주조[5]【酒槽】명 술주자.

주조[6]【酒糟】명 재강.

주:조[7]【鑄造】명 쇠붙이를 녹여서 거푸집에 부어 필요한 모양을 만듦. 조주(造鑄). 용조(鎔造). ¶~기(機)/화폐를 ~하다. ——-하다 타여불

주:조[8]【鑄繰】명 주금법(鑄金法)의 한 가지. 전체를 한꺼번에 주조할 수 없는 큰 종(鐘)이나 대형의 불상 등을 만들 경우, 하부에서 상부로 차례로 쇠맴을 이어가는 것. ——-하다 타여불

주:조[9] 〔Suso, Heinrich〕 명〖사람〗독일의 종교가·사상가. 중세의 신비주의파에 속함. 저서 ≪진리의 소책(小册)≫. [1295-1366]

주조-가【酒造家】명 주류(酒類)를 양조하는 사람. 또, 그 업에 종사하는 사람.

주:조-공【鑄造工】명 주조하는 일에 종사하는 사람.

주:조 공학【鑄造工學】명 〔foundry engineering〕〖공〗유리 또는 금속을 융용(融鎔) 등의 수법을 써서 성형(成形)시키는 데 관한 과학과 응용 분야.

주:조-기【鑄造機】명〖인쇄〗활자(活字)를 주조(鑄造)하는 기계. 거푸집 및 모형(母型) 등을 장치하고 지금(地金)을 주입(注入)하여 활자를 만드는 기계.

주:조마-국【走漕馬國】명〖역〗변진(弁辰) 중의 한 나라. 현재의 경북 금릉군(金陵郡) 조마면(助馬面) 부근에 있었다고 추정됨. 졸마(卒麻).

주조-사【酒造士】명 국세청에서 시행하는 시험에 합격하고 소정(所定)의 면허증을 교부받아, 주류(酒類)의 제조 관리와 품질 향상 업무에 종사하는 사람. 1급과 2급으로 나뉘는데, 주정(酒精)·맥주·청주·과실주·증류식 소주·위스키류·브랜디류·인삼주의 제조장에는 1급 주조사를 두어야 함.

주조-세【酒造稅】[—쎄] 명〖일제〗주세의 하나. 주류의 주조장으로부터의 출고량에 따라 부과하는 내국 소비세. *주세.

주:조-소【鑄造所】명 활자나 그 밖의 주물(鑄物) 등을 주조하는 곳.

주조-업【酒造業】명 술을 양조하는 영업. 양조업(釀造業).

주조 연도【酒造年度】명 주조 세법이 주류의 제조에 관해서 정한 연도.

주조-음【主調音】명〖악〗주조(主調)❶.

주:조-자【鑄造者】명 주조하는 사람. 주조를 업으로 삼는 사람.

주조-장[1]【酒造場】명 술 도가(都家). 주장(酒場).

주조-장[2]【酒糟醬】명 재강장.

주-조정실【主調整室】명 방송국의 부서의 하나. 스튜디오의 부(副)조정실에서 보내온 영상(映像)이나 음성을 모아, 시각표(時刻表)에 따라 프로그램이 정상적으로 진행되도록 송신소(送信所)로 송출(送出)하는 업무를 맡음.

주조-죽【酒糟粥】명 재강죽.

주:조 화:폐【鑄造貨幣】명 〔coin〕〖경〗금속 화폐(金屬貨幣)의 한 가지. 금속편(金屬片)을 일정한 형으로 주조한 화폐. 준주화(鑄貨).

주졸【走卒】명 분주하게 돌아다니며 심부름하고 지내는 사람.

주종[1]【主宗】명 여럿 가운데에서 가장 으뜸가는 근본. ¶수출 품목의 ~.

주종[2]【主從】명 ①주군(主君)과 종자(從者). ¶~ 관계. ②주체(主體)와 종속(從屬). 곧, 주장이 되는 사물과 그에 딸린 사물.

주:종[3]【鑄鐘】명 종(鐘)을 주조하여 만듦. ——-하다 타여불

주:종-소【鑄鐘所】명 온갖 종(鐘)을 주조하여 만드는 곳.

주좌【主座】명 으뜸의 자리. 또, 그 자리에 앉음. ——-하다 자여불

주주[1]【州主】명〖역〗신라 시대의 관직. 주(州)의 장관.

주주[2]【株主】명〖경〗주식(株式)의 인수인(引受人)이나 소유인. 회사에 대하여 소유 주식(所有株式)의 수에 따라 권리·의무를 가짐.

주주[3]【株洲】명〖지〗'주저우'를 우리 음으로 읽은 이름.

주주 객반【主酒客飯】명 주인은 손에게 술을 권하고, 객은 주인에게 밥을 권하며 다정히 식음함.

주주 구성【株主構成】명〖경〗특정한 한 회사 혹은 한 업종(業種)에서의 주식 분포 상황.

주주-권【株主權】[—꿘] 명〖경〗주주(株主)가 주식의 소유자로서 회사에 대하여 갖는 권리·의무의 총체(總體). 곧, 이익 배당 청구권·의결권, 주금액(株金額)을 한도로 하는 출자 의무 같은 것.

주주 명부【株主名簿】명〖경〗주주 및 주권(株券)에 관한 일정한 사항을 밝히기 위하여 이사(理事)가 작성하여 본점(本店) 및 명의 개서(名義改書) 대리인의 영업소에 비치하여 두는 장부.

주주 배:정【株主配定】명〖경〗회사가 증자(增資)할 경우, 일정한 비율로서 주주에게 신주 인수권을 주어 신주를 발행하는 일.

주주 상호 금융 회:사【株主相互金融會社】[—/—늉—] 명〖경〗주식 조직으로 금융업을 경영하는 회사. 상호 신용계(相互信用契)에 대금업(貸金業)을 합친 것으로 차금인(借金人)은 주주가 됨.

주주-식【周柱式】명〖건〗그리스·로마 신전(神殿)에서 본전(本殿)의 주

위에 열주(列柱)를 두른 형식.

주주 우대【株主優待】명〖경〗주주에 대하여 배당(配當) 이외의 주식 수에 따라 여러 가지 특전을 주는 일. 영화 회사의 초대권이나, 버스 회사의 무임 승차권 같은 것.

주주 총:회【株主總會】명〖경〗주주(株主)로서 구성되며 주식 회사의 의사를 결정하는 최고 기관. 이 결의(決議)는 곧 회사의 의사가 되는데 주주는 주식(株式) 하나에 각 하나의 의결권을 가짐. 정기 총회와 임시 총회의 두 가지가 있음.

주주 평등의 원칙【株主平等—原則】[—/—에—] 명〖경〗보통주(普通株)의 각 주주는 주주로서의 권리 의무가 지주수(持株數)에 비례하여 평등하게 취급받는다는 원칙. 우선주(優先株)와 후배주(後配株)는 각각 차별을 받음.

주준【酒樽】명 술통.

주-준성【朱駿聲】명〖사람〗중국 청(淸)나라의 학자. 자는 풍기(豐芑), 호는 윤천(允倩). 장쑤 성(江蘇省) 원화(元和) 출생. 주로 이현(黟縣)에 있어 저술에 몰두함. 주저(主著) ≪설문 통훈 정성(說文通訓定聲)≫은 문자를 음(音)과 모양으로 정리하여, 뜻·용례를 자세히 보인 걸작으로 꼽힘. [1788-1858]

주줄-이 부 죽 늘어진 모양. *줄줄이.

주줍다 형〈방〉①어줍다. ②수줍다.

주중【舟中】명 배의 안. 한 배에 탄 사람들.

주중 잡물【廚中雜物】명 부엌이나 찬방에 두고 쓰는 부엌 살림. 찬장·뒤주·솥·화로·번철·주격·국자·석쇠·식기 따위. *방청 용기.

주중 적국【舟中敵國】명 내 편일지라도 마음만 뒤집으면 곧 적이 된다는 말.

주즙【舟楫】명 ①배와 노. 전(轉)하여, 수운(水運). ②천자를 보좌하는 신하.

주증【主症】명 병의 주되는 증세.

주지[1] 명〈방〉사자(獅子).

주지[2]【主旨】명 ①주장되는 뜻. 근본되는 취지(趣旨). 주의(主意). ②〖천주교〗천주(天主)의 성지(聖旨).

주지[3]【主枝】명 나무에서 주가 되는 가지. 원가지.

주지[4]【主知】명 이성(理性)·지성(知性)·합리성(合理性) 따위를 위주로 하는 일. ↔주정(主情).

주:지[5]【住址】명 주소(住所).

주지[6]【住持】명〖불교〗①〔안주(安住)하여 법을 지(持)함의 뜻〕한 절을 주관하는 중. 주장승(主掌僧). 주승(主僧). 주직(住職). 방장(方丈). ②이 세상에 머물러 교(敎)를 유지하는 일. 불법을 지켜 유지하는 일.

주지[7]【周池】명 성(城) 둘레에 판 호(濠). 해자(垓字).

주지[8]【周知】명 여러 사람이 두루 앎. 널리 모두 앎. ¶천하 ~의 사실. ——-하다 타여불

주지[9]【周紙】명 두루마리.

주:지[10]【注紙】명 주서(注書) 또는 승지(承旨)가 임금 앞에서 왕명(王命)을 적는 데 쓰는 종이.

주지-도【主之島】명〖지〗전라 남도의 서남해상(西南海上), 진도군(珍島郡) 조도면(鳥島面) 가사도리(加沙島里)에 위치한 섬. 다도해(多島海) 국립 공원의 일부를 이룸. [0.54 km² : 11 명(1984)]

주지-봉【主之峰】명〖지〗황해도 평산군(平山郡) 인산면(麟山面)·신암면(新岩面)·용산면(龍山面) 사이에 있는 산. 멸악 산맥(滅惡山脈) 중의 산봉우리. [712 m]

주지-설【主知說】명 주지주의(主知主義). ↔주정설(主情說).

주지-성【走地性】[—썽] 명 [geotaxis]〖생〗생물이 중력(重力)에 대하여 보이는 주성(走性). 아래를 향하는 것을 양(陽), 위로 향하는 것을 음(陰)이라 함. 달팽이가 사면상(斜面上)을 항상 위로 이동하는 것은 음의 주지성에 해당하는 것임. 추지성(趨地性). *주열성(走熱性).

주지-시【主知詩】명〖문〗주정파(主情派)의 시(詩)에 대하여, 지성을 보다 존중하는 예술 의식이나 시작(詩作) 태도로 쓰여진 시.

주지 육림【酒池肉林】[—님] 명〔술이 못을 이루고 고기가 숲을 이루었다는 뜻〕호사를 극한 굉장한 술잔치를 두고 이르는 말.

주지적 문학【主知的文學】명〖문〗주지주의(主知主義) 위에 선, 또 그런 경향이나 색채를 띤 문학.

주지-주의【主知主義】[—/—이] 명 ①[intellectualism]〖철〗실천(實踐)·생(生)·의지적 또는 감정적인 것·비합리적인 것에 대하여, 지성적·합리적·이론적인 것을 중시하는 입장. 주지설. ↔주의주의(主意主義). ㉮인식론적으로는 감각론에 대하여 지성·이성의 작용을 유일 또는 최고의 인식의 원천 또는 수단으로 보는 입장. 합리주의. ㉯형이상학적으로는 로고스(理)·이성적인 것·개념적인 것을 일체의 물체의 근본 원리로 보는 입장. 범리론(汎理論). ㉰모든 심적 현상을 표상(表象) 또는 사유(思惟) 작용으로 환원하는 입장(헤르바르트·헤겔 등의 사상). 또 의지(주의주의)에 대해 지성을 제일의적(第一義的)으로 생각하는 입장(스피노자·헤겔 등의 사상). ㉱도덕적인 것을 이성으로부터 도출(導出)하여, 행위를 이성적 통찰(洞察)에 의해 규율하려는 입장(소크라테스·아리스토텔레스·토마스 아퀴나스·스피노자·헤겔 등의 사상). ↔주의주의(主意主義)·주정주의(主情主義). ②〖문〗낭만주의나 세기 말(世紀末) 문학의 관능(官能)·경험을 중시하는 주관적인 경향에 대하여, 지성(知性)을 중시하는 입장. 헉슬리(Huxley, A.L.)·발레리(Valéry, P.A.) 등.

주직[1]【住職】명〖불교〗①주지(住持)의 직(職). ②주지(住持).

주:직[2]【綢直】명 성질이 치밀하고 마음이 곧음. ——-하다 형여불

주직[3]【晝直】명〖역〗낮에 드는 직, 곧 일직(日直).

주진[1]【主震】명〖지〗소규모의 지진이 있기 전 또는 후에 같은 지역에 발생하는 큰 지진.

주진[2]【主鎭】명〖역〗조선 시대 때, 각 도(道)의 절도사(節度使)가 주영(駐營)한 주된 병영(兵營) 또는 수영(水營).

주:진[3]【奏陳】명 임금께 아뢲. 주상(奏上). ——-하다 타여불

주진지-호【朱陳之好】명〔주진촌(朱陳村)에서 주씨와 진씨가 대대로 혼인하였다는 고사(故事)에서〕양가(兩家)에서 대대로 통혼(通婚)하는 사이를 이름.

주-진형【朱震亨】명〖사람〗중국 원대(元代)의 의학자(醫學者). 자(字)는 언수(彥修), 호(號)는 원계(圓溪). 금(金)·원(元) 시대의 의학을 대표하는 사람으로 새로운 치료법을 적극적으로 도입하였음. 주저(主著)에 ≪격치 여론(格致餘論)≫·≪국방 발휘(局方發揮)≫·≪외과 정요(外科精要)≫ 등이 있음. [1281-1358]

주징[1]【主徵】명 ①주된 증상. ②주된 특색. ③주된 표적.

주징[2]【酒癥】명〖한의〗만성화(慢性化)한 알코올 중독증. 술기운이 떨어지면 해쓱해지고 몸의 기운이 빠지며, 심하면 정신 이상을 일으킴.

주:쩨기 명〈방〉쥐대기.

주 쯔칭〔朱自淸〕명〖사람〗중국의 시인·수필가. 저장 성(浙江省) 사오싱(紹興) 사람. 베이징 대학 졸업. 5·4 운동 전후부터 구어시(口語詩)를 시작(試作), 장시(長詩) ≪훼멸(毁滅)≫을 발표하여 초기 시단(詩壇)에 크게 영향을 끼침. 후에 산문(散文)으로 전환하여 고전 문학의 연구·계몽에 힘썼으며, 그 방면의 논술(論述)이 많음. ≪주자청 문집(朱自淸文集)≫이 있음. 주자청. [1898-1948]

주차[1]【舟車】명 배와 수레.

주:차[2]【奏差】명〖역〗고려의 중서 문하성의 이속(吏屬).

주:차[3]【奏箚】명〖문〗차자(箚子).

주:차[4]【駐車】명 자동차(自動車) 등을 한 곳에 세워 둠. *정차(停車). ——-하다 자여불

주:차[5]【駐箚】명 관리가 직무상, 외국 어느 곳에 머무름. 주찰(駐札). 찰주(札駐). ——-하다 자여불

주-차기【朱次琦】명〖사람〗중국 청말(淸末)의 석학(碩學). 자는 아규(雅圭). 광둥 성(廣東省) 포산(佛山) 출신. 일찍이 산시 성(山西省) 샹링(襄陵)의 지현(知縣)으로서 선정(善政)을 베풀어 명망이 높았음. 고향에 은거한 뒤로는 후진 지도에 힘썼으며, 캉 유웨이(康有爲)·젠 차오량(簡朝亮) 등을 배출함. 그 학문은 실천 궁행(實踐躬行)을 존중했음. 저서에 ≪주씨 전방집(朱氏傳芳集)≫ 등이 있음. [1807-81]

주:차 대:사【駐箚大使】명 임지(任地)에 나가 그 나라에 머물러 있는 대사.

주:차 브레이크【駐車—】〔brake〕명 자동차를 정지 상태로 해 두는 브레이크. 사이드 브레이크.

주:차 요금계【駐車料金計】명 파킹 미터.

주차-의【周遮衣】[—/—이] 명 두루마기.

주:차-장【駐車場】명 자동차 등을 세워 두도록 마련한 곳.

주착[1]【主着】명 ☞주책.

주:착[2]【做錯】명 잘못을 알면서 저지른 과실(過失).

주착-망나니【主着—】명 ☞주책망나니.

주착-바가지【主着—】명 ☞주책바가지.

주착-없다【主着—】[—업—] 형 ☞주책없다.

주착-없이【主着—】[—업씨] 부 ☞주책없이.

주찬[1]【走竄】명 달아나 숨음. 분찬(奔竄). ——-하다 자여불

주찬[2]【酒饌】명 주효(酒肴).

주찬[3]【晝餐】명 오찬(午餐).

주:찬[4]【誅竄】명 죽이는 형벌과 귀양 보내는 형벌.

주찰[1]【周察】명 두루 자세히 살핌. ——-하다 타여불

주:찰[2]【駐札】명 주차(駐箚). ——-하다 자여불

주참가 병:합 소송【主參加併合訴訟】명〖법〗독립 참가.

주창[1]【主唱】명 앞장 서서 부르짖음. 주장이 되어 창도(唱導)함. ——-하다 타여불

주창[2]【主鬯】명〖역〗종묘(宗廟)에서 제사지낼 때 울창주(鬱鬯酒)를 올리는, 태자(太子)의 딴이름.

주창-자【主唱者】명 앞장 서서 창도(唱導)하는 사람.

주채【酒債】명 술값으로 진 빚. 술빚.

주책[1] 명 ①일정한 주견(主見)이나 줏대. ②일정한 주장이나 줏대가 없이 이랬다저랬다 하는 짓. ¶~을 작작 떨어라.

주:책[2]【誅責】명 준엄히 책망함. ——-하다 타여불

주:책[3]【籌策】명 이리저리 타산한 끝에 생각해 낸 꾀.

주책-망나니 명 주책없는 부박(浮薄)한 사람을 욕으로 이르는 말.

주책-머리 명 '주책[1]'의 속된 말. ¶~ 없는 여편네가 허튼 소리를 한다.

주책-바가지 명 주책없는 경망한 사람을 비웃어 이르는 말.

주책-없다 [—업—] 형 뚜렷한 주견이 없이 이랬다저랬다 하여 도무지 요량이 없다.

주책-없이 [—업씨] 부 주책없게. ¶~ 굴다.

주척[1]【主尺】명 '어미자'의 구용어.

주척[2]【周尺】명 자의 한 가지. 주례(周禮)에 규정된 양척(量尺). 이 자의 한 자가 곡척(曲尺)의 여섯 치 육 푼과 같음. 0.231 m.

주척-거리다 자 ☞주적거리다. 주척-주척 부. ¶유보화는 감는 줄에 달린 연처럼 서 선생이 손짓해 부르는 방향을 향해 ~ 걸어 갔다≪崔貞熙 : 녹색의 문≫. ——-하다[1] 자여불

주척-대다 자 ☞주적거리다.

주척주척-하다[2] 자여불 머뭇거리다. 망설이다.

주천[1]【朱天】명 구천(九天)의 하나. 서남쪽의 하늘.

주천[2]【周天】명〖천〗일월(日月)·성신(星辰)이 각기의 궤도(軌道)를 일주(一周)하는 일.

주:천[3] 【注薦】 명 『역』 조선 시대 때 승정원(承政院)의 주서(注書) 벼슬에 천거하는 일. ——-하다 타여불

주:천[4] 【奏薦】 명 임금께 상주하여 천거함. ——-하다 타여불

주천[5] 【酒泉】 명 ①술이 솟는 샘. 전하여, 많은 술. ②중국 주(周)나라 때의 고을 이름. 산시 성(陝西省) 청청 현(澄城縣)의 서쪽에 해당되며, 이 고장의 샘물이 술빛기에 알맞은 데서 이 이름이 생겼다 함. ③한(漢)나라 때의 군(郡) 이름. 지금의 간쑤 성(甘肅省) 주취안 현(酒泉縣)의 동북쪽에 해당되는데 군(郡) 이름으로서는 수(隋)나라 때에 폐지됨. 이 고장 샘물은 술 같은 맛이 있었다고 함. ④'주취안'을 우리 음으로 읽은 이름.

주천-설 【周天說】 명 조선 중기의 학자 이경창(李慶昌)이 주장한 설로, 하늘의 중앙이 높고 그 둘레는 낮다는 사상.

주천원-설 【周天圓說】 명 천동설(天動說)의 하나. 모든 행성(行星)은, 지구를 중심으로 하는 원궤도(圓軌道)에 따라 움직이는 중심(中心)을 갖는 소원(小圓), 곧 주천원 위를 운동한다는 설(說). 프톨레마이오스(Ptolemaios)의 것이 잘 알려져 있음.

주:철 【鑄鐵】 명 〔cast iron〕 『광』 무쇠❶.

주:철-관 【鑄鐵管】 명 수도·가스 등의 도관(導管)으로 쓰이는, 주철로 만든 관.

주:철-소 【鑄鐵所】 [—쏘] 명 주철을 만들거나 주철로 주물(鑄物)을 만드는 공장.

주:청[1] 【奏請】 명 임금께 상주하여 청원함. 계청(啓請). ——-하다 타여불

주청[2] 【酒廳】 명 술집.

주:청[3] 【籌廳】 명 『역』 조선 시대 때, 산학청(算學廳)의 별칭.

주:청-사 【奏請使】 명 『역』 조선 시대 때 임시로 보고할 일이 있을 경우, 중국에 보내는 사절(使節). 진주사(陳奏使).

주청이 명 〈심마니〉 도끼.

주체[1] 명 짐스럽고 귀찮은 것을 처리함. ¶ ～를 할 수 없다. ——-하다 타여불

주체(를) 못:하다 구 짐되고 귀찮아 감당을 못하다. ¶일이 밀려 ～/ 주체를 못할 정도의 돈.

주체 어지럽다 구 주체스러워 정신이 어수선하다.

주체[2] 【主體】 명 ①제왕(帝王)의 몸. ②사물의 주장이 되는 부분. 단체나 기계 등의 주요한 부분. ③『법』 남의 물건에 대하여 의사 또는 행위가 미치게 하는 그 물건의 자체. ④〔subject〕 『철』 원래는 근저(根底)에 있는 것, 곧 기체(基體)의 뜻. 성질·상태 및 작용의 주(主). ¶행위의 ～로서의 개인. ⑤『논』 주사(主辭). ⑥『심』 마음 또는 주관. 심적인 온갖 체험(體驗)이 행하여지는 장(場). 지(知)·정(情)·의(意)의 작용으로 나타나는 의식적·능동적 통일. ⑦『철』 객관에 대립하는 주관(主觀). 의식하는 것으로서의 자아(自我). 개개의 주체에 내재하면서 그것들의 개인성과는 독립한 추상적 주체 일반. 곧, 순수 자아(純粹自我). 2)-7):↔객체(客體).

주체[3] 【柱體】 명 『수』 각도(角壔).

주체[4] 【酒滯】 명 『한의』 술로 인한 체증.

주체-궂다 형 매우 주체스럽다. ¶영감께서 서림이를 맡아 가지구 계시기가 주체궂어서 내게다가 전장하실 생각이시오그려《洪命憙 : 林巨正》.

주체 높임법 【主體—法】 [—뻡] 명 『언』 국어 용언에 나타나는 높임법의 하나. 동작·상태의 주체인 인물이 화자(話者)보다 존귀한 경우, 그 동작·상태를 표현하는 용언에 어미 '-(으)시-'를 연결하여 표시함. 이를테면, '큰어머님께서 오십니다.', '선생님께서 가셨다.' 따위. 주체 존대법(主體尊待法)

주체 사:상 【主體思想】 명 북한에서 김일성이 1930 년에 창시하였다고 주장하는 사상으로, 북한의 노동당 및 국가의 기본 이념을 이루는 사상 체계. 1960 년대 중·소 대립이 한창일 때에 북한의 자주성을 지키기 위해 크게 내세워졌음. 정치면에서의 자주, 경제면에서의 자립, 국방면에서의 자위(自衛)를 중심 내용으로 하는데, 이를 통해 김일성의 신격화, 권력의 절대화를 신장·강화하고 있음.

주체-성 【主體性】 [—썽] 명 ①〔subjectivity〕 『철』 현대 철학에서 존재론적으로 의식과 신체를 갖는 존재자(存在者)임과 동시에 윤리적·실천적으로 주위의 상황에 작용해 가는 개체적(個體的) 행위자인 것. 자기의 의사로 행동하면서 참의 자기 자신을 실현해 가는 모양. 실존인 것. 자발적 능동성. ②일반적으로는 행동할 때 자기의 의사나 판단에 바탕을 두고 있고 자각적인 모양. 또 그러한 태도·성격을 일컬음.

주체-세 【主體稅】 [—쎄] 명 인세(人稅). ↔객체세(客體稅).

주체-스럽다 형ㅂ불 짐스럽고 귀찮아서 처치(處置)하기가 어렵다. 주체-스레 부

주체 의:식 【主體意識】 명 일체의 활동에 있어서, 자체의 사명이나 실정에 맞도록 주견있게 하는 인식이나 판단.

주체-적 【主體的】 명관 ①주체(主體)에 관한 모양. 주체가 되어 작용하는 모양. ②주관적(主觀的).

주체 존대법 【主體尊待法】 [—뻡] 명 『언』 주체 높임법

주첫 덩어리 명 주체하기에 매우 어려운 일이나 물건. 또, 그런 사람.

주첫 바가지 명 〈방〉 주첫 덩어리.

주초[1] 【朱草】 명 『역』 고시관(考試官)이 거자(擧子)의 시험 성적을 주서(朱書)로 평가(評價)하는 일.

주:초[2] 【奏草】 명 천자에게 바치는 문장의 초고.

주초[3] 【柱礎】 명 ☞주추.

주초[4] 【酒炒】 명 『한의』 약재를 술에 담갔다가 볶음. ——-하다 타여불

주초[5] 【酒草】 명 술과 담배.

주초[6] 【週初】 명 그 주일의 첫머리. ↔주말(週末).

주초-돌 【柱礎—】 명 『건』 ☞주춧돌.

주초-석 【柱礎石】 명 주춧돌.

주초-세 【酒草稅】 [—쎄] 명 담배와 술에 과하는 세금.

주:촉 【嗾囑】 명 남을 꾀어 부추겨서 부림. ——-하다 타여불

주촉-성 【走觸性】 명 〔thigmotaxis〕 『생』 딴 물체와의 접촉이 자극이 되어 일어나는 주성(走性). 정자(精子)나 원생(原生) 동물이 고형물(固形物)의 표면에 부착·정지하는 것 따위. 추고성(趨固性). ＊주화성(走化性).

주촌 【周村】 명 『지』 '저우춘'을 우리 음으로 읽은 이름.

주최 【主催】 명 주창(主唱)하여 개최함. 어떠한 행사나 회합을 주창하여 엶. ——-하다 타여불

주최-자 【主催者】 명 어떤 회합이나 행사를 주최하는 개인이나 단체. 회주(會主).

주추 【柱—】 명 『건』 기둥 밑에 괴는 돌멩이 따위. 주초(柱礎).

주추-먹 【柱—】 명 『건』 주추 위에 십자형으로 그린 먹줄.

주축 【主軸】 명 ①『수』 몇 개의 축을 가진 도형 및 물체의 축 중에서 가장 주가 되는 축(軸). ②『기』 원동기(原動機)에서 직접 동력을 전하는 전동축(傳動軸). ③『기』 공작 기계(工作機械)의 주축대(主軸臺)에 끼인 축. 스핀들(spindle). 메인 샤프트(main shaft). 정축(正軸). ④『물』 광축(光軸)❶. ⑤〔principal axis〕 『물』 유심 이차 곡선(有心二次曲線) 또는 유심 이차 곡면(曲面)에서, 대칭 중심(對稱中心)을 지나는 서로 수직인 대칭축을 이름. ⑥『생』 축성(軸性)이 있는 생물체의 가장 기본적인 축. 일반적으로 좌우 대칭(左右對稱) 동물은 두부(頭部)로부터 꼬리 방향, 방사 대칭(放射對稱)의 동물과 식물은 체내(體內)의 중앙을 통하는 상하(上下) 방향의 축을 가리킴. ⑦전체 중에서 중심이 되는 사람이나 사항. ¶팀의 ～으로서 활약하다 / 행정 개혁을 정책의 ～으로 삼다.

주축-거리다 자 〈방〉 추썩거리다. 주축-주축 부. ——-하다 자

주축-대 【主軸臺】 명 『기』 선반(旋盤)에 동력을 전달, 공작물을 회전시키고 회전수를 바꾸어 주는 구실을 하는 대(臺). 헤드 스톡.

주:축 일반 【走逐一般】 명 다 같이 옳지 않은 짓을 한 바에는 책망하는 이나 받는 이나 피차 일반이라는 말. ¶그렇게 말을 하면 나 역시 ～되지를 아니하오? 《李海朝 : 琵琶聲》.

주:춘-증 【注春症】 [—쯩] 명 『한의』 봄을 몹시 타는 병증.

주:출[1] 【做出】 명 주작(做作). ¶또 메주한가의 딸 버들아기를 얻었다는 말씀이나 모두 이 몸의 ～이옵고… 《李光洙 : 異次頓의 死》. ——-하다 타여불

주:출[2] 【鑄出】 명 거푸집에 넣어서 만들어 냄. ——-하다 타여불

주출 망량 【晝出魍魎】 [—냥] 명 낮도깨비❶. ¶백이 사량(百爾思量)에 ～ 같아여 어찌 창피한 모양을 가리리오《作者未詳 : 恨月》.

주춤 부 ①걸음을 떼지 못하고 머뭇거리는 모양. ②일을 잘라 하지 못하고 주저하는 모양. ¶～ 물러섰다. ——-하다 자여불

주춤-거리다 자 ①앞으로 나아가지 않고 머뭇거리다. ②일을 결단(決斷)하여 행하지 못하고 망설이다. ¶막판에 와서 ～. 1)·2):＞조춤거리다. 주춤-주춤 부. ——-하다 자여불

주춤-대다 자 주춤거리다.

주춤-병 【—病】 [—뼝] 명 무슨 일이나 결단성 있게 행하지 못하고 주춤거리는 결점. ＞조춤병.

주춤-세 【—勢】 명 『경』 '보합세(保合勢)'의 풀어 쓴 말.

주춧-돌 【柱—】 명 『건』 주추로 쓰인 돌. 초석(礎石). 주초석(柱礎石). 초반(礎盤).

주충 【酒蟲】 명 술에 미치다시피 된 사람을 놀리는 말.

주취 【酒臭】 명 술에 취한 냄새. 술내.

주취안 〔酒泉〕 명 『지』 중국 간쑤 성(甘肅省) 북서부, 치롄 산맥(祁連山脈) 기슭에 있는 도시 이름. 한(漢)나라 때에 군(郡)이 설치되었던 데서 비롯됨. 만리 장성(萬里長城)의 서단(西端)과 가까워 예로부터 서역(西域)으로의 교통 요로(要路)를 차지함. 주천. [267,000 명(1982)]

주측정 소자 【主測定素子】 명 〔primary measuring element〕 『공』 측정 변수(測定變數), 곧 온도·압력·pH·속도 등과 직접 접촉하는, 측정 장치 또는 검출 장치의 일부분.

주치[1] 【主治】 명 주장하여 치료를 담당함. ——-하다 타여불

주치[2] 【主値】 명 『수』 역삼각 함수(逆三角函數)의 특수한 값. 변수 x의 하나의 값에 대한 y의 값은 무수하기 때문에, 일정 구간(區間)을 정하고 그 구간에 있어서의 y의 값을 주치라고 불러, 취급을 간단히 함.

주:치[3] 【奏徵】 명 『역』 조선 시대 때, 궁중의 종구품(從九品) 궁인직(宮人職)의 하나.

주치[4] 【酒卮】 명 술잔.

주치[5] 【酒痔】 명 『한의』 음주로 인하여 생기는 치질. 항문(肛門)이 부어오르고 아프며 피가 나옴.

주치-의 【主治醫】 [—/—이] 명 주로 그 환자의 치료를 맡아 하는 의사. 늘 단골로 보아 주는 의사. ¶～를 부르다.

주치 효:능 【主治效能】 명 약의 여러 효능 가운데서 으뜸으로 잘 듣는 효능.

주친 【周親】 명 지친(至親).

주칠 【朱漆】 명 주색(朱色)의 칠(漆).

주칠-빗 【朱漆—】 명 붉은 칠을 한 머리빗.

주침[1] 【酒浸】 명 『한의』 약재를 술에 담가 둠. ——-하다 타여불

주침[2] 【晝寢】 명 낮잠.

주침 야:소 【晝寢夜梳】 [—냐—] 명 낮잠과 밤에 빗는 머리. 위생에 해롭다 함.

주코프 〔Zhukov, Georgii Konstantinovich〕 명 『사람』 소련의 군인·정치가. 원수(元帥). 2차 대전 중 여러 전선을 전전(轉戰)하였고, 1955년 국방상(國防相)에 취임, 57년 공직에서 추방됨. [1895-1974]

주코프스키[1] 〔Zhukovskii, Nikolai Egorovich〕 명 『사람』 제정 러시아·

소련의 물리학자. 모스크바 대학 졸업 후, 파리에서 수학(修學)하고, 1886년 모스크바 대학 교수. 항공기의 날개의 양력(揚力) 이론 등 항공 역학(航空力學)·유체(流體) 역학에 업적이 큼. 1891년 러시아 최초의 풍동(風胴)을 제작하고, 1918년에는 중앙 항공 역학 연구소를 창설함. [1847-1921]

주코프스키² 〔Zhukovskii, Vasilii Andreevich〕 명 『사람』 러시아의 시인. 러시아 낭만파의 대표자. 발라드·애시(哀詩) 따위를 짓고, 외국 문학을 번역 소개했음. [1783-1852]

주크-박스 〔jukebox〕 명 자동 전축(自動電蓄). 동전을 넣고 단추를 눌러 곡을 지정하면 그 음악이 자동적으로 걸리는 장치.

주키다 타 〈옛〉 죽이다. ¶이틄날 보고 슬피 너겨 남지뇌 주키디 아니ᄒᆞ니라 ≪三綱 烈女 5≫.

주:탄 【奏彈】 명 상주(上奏)하여 관리의 죄를 탄핵(彈劾)함. 주핵(奏劾). ——-하다 타 여불

주탕 【酒湯】 명 술국.

주태¹ 【主台】 명 손이 종이품 이상의 주인을 높이어 일컫는 말.

주태² 【珠胎】 명 진주가 조개 속에 든 것. 전(轉)하여, 회임(懷姙)의 뜻으로 쓰임.

주태³ 【酒―】 명 〈방〉 술부대.

주-태백이 【酒太白―】 ☞술부대.

주:택 【住宅】 명 사람이 들어 사는 집. 거주하는 데 쓰이는 가옥. 주가(住家). 거관(居館). 거택(居宅). 거제(居第).

주:택-가 【住宅街】 명 도회지의 번잡한 상업가나 공업 지대(工業地帶)와 격리되어 주로 주택들로만 이루어진 조용한 거리. 주택지. 주택 지역(住宅地域).

주:택 공사 【住宅公社】 명 ↗대한 주택 공사. 준주공(住公).

주:택 관리사 【住宅管理士】 [―괄―] 명 정부에서 실시하는 시험에 합격하여, 공동 주택의 관리 운영을 담당하는 전문직.

주:택-구 【住宅區】 명 주택이 많이 들어선 지역 또는 구역.

주:택 금융 【住宅金融】 [―/―늉] 명 은행·보험 회사 등의 금융 기관, 건축회사 등이 행하는 주택의 건축·구입이나 택지 구입을 위한 자금 대부(貸付) 제도.

주:택-난 【住宅難】 명 주택이 부족하여 들어 살 집을 얻기가 어려운 일. ¶심해지는 ~/~을 해소하다.

주:택 단지 【住宅團地】 명 주택이 집단을 이루어 계획·건설된 지구(地區). 양호(良好)한 거주 환경과 편리를 확보하기 위하여, 상점·공원·학교 따위의 공동 시설 등이 적절히 배치됨. *단지.

주:택-료 【住宅料】 [―뇨] 명 관청·공공 기관·단체에서 급여되는 주택비. 주택 수당.

주:택 문:제 【住宅問題】 명 『사』 근대의 큰 도회지나 갑자기 발전한 공업 도시 같은 곳에서, 인구의 증가와 병행(並行)하지 않는 주택난으로 인하여 일어나는 사회 문제.

주:택 복권 【住宅福券】 명 한국 주택 은행이 국민 주택 자금을 조달하기 위하여 정기적으로 발행하는 복권.

주:택 부:금 【住宅賦金】 명 『경』 ①주택 자금을 마련하기 위하여 일정 기간 적립하는 부금. 한국 주택 은행·국민 은행 등에서 취급함. ②주택 자금을 융자받고, 그 원리금을 일정 기간 상환하는 부금.

주:택-비 【住宅費】 명 집세 따위와 같은, 주택 때문에 드는 모든 비용.

주:택 산:업 【住宅產業】 명 『경』 주택과 관련되는 산업의 총칭. 주택 용지를 다루는 부동산 산업·택지 조성업, 주택 건축에 관계되는 건축 도급업·건재상(建材商), 주택 기기(機器) 및 설비를 다루는 도기(陶器)·주방 기기·냉온방 기기·가정 전기(電機)의 제조업, 부동산 거래 중개업·주택 금융 등으로 대별됨. 근래에는 이것들을 종합적으로 취급해 가는 경향이 있음.

주:택 상환 사채 【住宅償還社債】 명 건설부에 의해 주택 건설 지정 업자로 지정된 업자가, 일정 기간 후에 아파트 한 가구를 상환하는 조건으로 발행하는 사채. 구체적인 위치를 명시(明示)한 특정(特定) 사채와 개략적 지역 위치만을 표시한 불특정(不特定) 사채의 두 가지가 있음.

주:택 수당 【住宅手當】 명 ①고용자가 직원에게 급여 이외에 주택 비용으로서 특별히 지급하는 수당. 주택료(住宅料). ②〔basic allowance for quarters〕 『군』 숙소(宿所)를 배당받지 못한 군(軍)의 근무자에게 지급되는 수당.

주:택 영단 【住宅營團】 명 대한 주택 공사의 전신(前身).

주:택 위성 도시 【住宅衛星都市】 명 베드 타운(bed town).

주:택 융자 변:동 금리제 【住宅融資變動金利制】 [―늉―니―] 명 주택 융자의 금리를 금융 정세에 따라 변화 연동(聯動)시키는 제도.

주:택 융자 보증 보:험 【住宅融資保證保險】 [―늉―] 명 주택 자금 융자의 대손(貸損)에 의한 은행의 손실을 구제(救濟)하기 위한 보험.

주:택 은행 【住宅銀行】 명 ↗한국 주택 은행.

주:택 임:대차 보:호법 【住宅賃貸借保護法】 [―뻡] 명 『법』 주거용(住居用) 건물의 임대차에 관하여, 민법(民法)에 대한 특례(特例)를 규정한 법. 주택의 임대차 계약 기간을 2년으로 하고, 임차인(賃借人)이 주택의 인도(引渡)를 받아 주민 등록(住民登錄)을 하면, 등기(登記)를 하지 않아도 제삼자에 대하여 효력이 생겨 보호를 받도록 하는 것이 주요 골자임.

주:택 조합 【住宅組合】 명 『법』 주택이 없는 사람이 주택을 마련하기 위하여 설립한 조합. 재개발 구역 안의 주민들이 구성하는 지역 조합(地域組合)과, 일정 규모 이상의 직장 근로자들이 구성하는 직장(職場) 조합이 있음.

주:택-지 【住宅地】 명 ①위치·환경 기타의 여러 조건이 주택을 짓기에 적합한 땅. ②주로 주택만이 늘어서 있는 곳. 주택가.

주:택 지역 【住宅地域】 명 ①도회지에서 주택을 짓기 위하여 마련해 둔 지역. ②주택가(住宅街).

주:택 청약 예:금 【住宅請約預金】 [―네―] 명 『경』 민영 아파트를 분양받고자 하는 사람에게 이자 지급과 함께 분양 우선 순위를 부여하는 저축 제도. 일정 금액을 예치한 후 12개월이 경과하면 2순위, 24개월이 경과하면 1순위가 부여됨. 주택 은행에서 취급함.

주토 【朱土】 명 ①붉은 흙. 적토(赤土). ②『광』 석간주(石間硃). ③『건』 기둥이나 마루에 칠하는 붉은 흙. 황토(黃土).

주토 광:대를 그렸다 관 술을 마셔서 얼굴이 붉은 사람을 조롱하는 말.

주톳-빛 【朱土―】 명 붉은 흙의 빛깔. 주토의 빛깔.

주통 【州統】 명 『역』 신라 때의 승직(僧職). 아홉 주(州)에 한 사람씩 모두 9명을 둠.

주:퇴-기 【駐退機】 명 『군』 총포의 발사시에 반동으로 일어나는 충격을 줄이는 장치. 포신(砲身)을 포가(砲架)에 고착시키지 아니하고 포가의 위를 후퇴하는 순간에 저항력을 가하여 충격을 억제함.

주:퇴 복좌기 【駐退復座機】 명 『군』 구경(口徑)이 작은 총포에 주퇴기와 복좌기를 함께 붙인 장치. 포신(砲身)의 후퇴를 제한하면서 빨리 원위치에 회복시키는 일을 함.

주:트 〔jute〕 명 황마(黃麻)에서 얻어지는 섬유. 표백이 어렵고 항장력(抗張力)이 약함. 포장용 끈·마대(麻袋)·밧줄·캔버스·주트지(jute紙) 따위의 원료로 쓰임.

주트너 〔Suttner, Bertha von〕 명 『사람』 오스트리아의 여류 작가. 귀족 출신. 저작을 통하여 전쟁 반대를 부르짖고, 1891년 '오스트리아 평화의 벗의 모임'을 창립. 1905년 노벨 평화상 수상. [1843-1914]

주:트 라이너 〔jute liner〕 명 폐지(廢紙)를 원료로 한, 골판지의 겉에 쓰이는 평판지(平板紙). 주트라는 이름이 있지만 이름과는 달리 황마 섬유(黃麻纖維)의 주트는 전혀 쓰이지 않음.

주:트-족 【―族】 〔Jutes〕 명 게르만인(人)의 한 부족. 영국에 이주하여 앵글로색슨의 일부를 구성함. 원주지(原住地)는 유틀란트 반도. 일설에는 라인 강 중부 유역(中部流域)이라고도 함. 5세기 중엽 이후 영국으로 건너가 켄트 왕국을 건설했음.

주:트-지 【―紙】 〔jute〕 명 황마(黃麻)에 화학 펄프를 배합하여 만든 종이. 봉투·꼬리표·포장지 따위에 널리 쓰임.

주:트 캔버스 〔jute canvas〕 명 마포(麻布)의 일종. 씨실과 날실에 주트를 써서 짠 직물. 의자의 밑바닥천·마대(麻袋)에 쓰임.

주-특기 【主特技】 명 ①주요한 특기. ②〔master of speciality〕 『군』 기본 교육 과정을 마친 군인이 각자의 전 이력과 그 소질 또는 전문적인 교육을 필함으로써 얻는 특기. 약칭:M.O.S.

주특기 번호 【主特技番號】 명 『군』 군인의 주특기를 표시하는 번호.

주파¹ 【走破】 명 중도에서 꺾이지 않고 다 달림. 곤란을 무릅쓰고 끝까지 달림. ¶100미터를 10초대에 ~하다. ——-하다 타 여불

주파² 【周波】 명 『물』 물체가 진동하거나 파동을 일으키는 주기 운동(週期運動). 파동의 일순환(一循環).

주파³ 【酒婆】 명 술을 파는 늙은 여자.

주파-계 【周波計】 명 『기』 '파장계(波長計)'의 구용어.

주:파-령 【注坡嶺】 명 『지』 강원도 화천군(華川郡) 상서면(上西面)과 김화군(金化郡) 원남면(遠南面) 사이에 있는 재. [480 m]

주파-수 【周波數】 명 〔frequency〕 『물』 진동 전류(振動電流)나 전파·음파 등이 1초 동안에 방향을 바꾸는 횟수(回數). 진동수가 1초 동안에 수백만 이상의 고주파(高周波)와 수십만 이하의 저주파(低周波)의 두 가지가 있음. 단위는 헤르츠(Hertz). 사이클(cycle). 진동수(振動數).

주파수-계 【周波數計】 명 〔frequency meter〕 『전』 교류(交流) 전류의 주파수를 측정하는 계기. 주파수는 보통 헤르츠(Hz)·킬로 헤르츠·메가 헤르츠 등의 눈금으로 새겨져 있음.

주파수 공:용 통신 【周波數共用通信】 명 한정된 주파수를 여러 가입자가 공동으로 이용하는 이동 통신 방식. 통화 품질이 뛰어나고 음성 통신·팩시밀리·데이터 통신 등으로 사용할 수 있으며 개별 통신은 물론 단체 통신도 가능함. 약칭 TRS.

주파수-대 【周波數帶】 명 ①어떤 두 주파수 사이의 주파수. ②무선 주파수를 구분한 것.

주파수 대:역폭 【周波數帶域幅】 명 『물』 여러 가지의 다른 주파수의 성분이 분포되어 있는 주파수 범위의 폭.

주파수 런 【周波數―】 명 〔frequency run〕 『전』 전송 선로(傳送線路)·회로 등의 진폭 주파수(振幅周波數)의 응답 특성(應答特性)을 결정하기 위해서 실시하는 일련(一連)의 테스트.

주파수 레인지 【周波數―】 명 〔frequency range〕 『전』 녹음(錄音) 또는 재생(再生) 가능한 주파수 범위.

주파수 변:조 【周波數變調】 명 〔frequency modulation〕 『물』 전파에 의해서 음성(音聲)·영상(映像)의 신호를 보내는 방식의 하나. 일정한 진폭(振幅)의 연속에서 주파수를 신호에 따라 변화시켜서 통신하는 방법. 진폭 변조(振幅變調)에 비하여 잡음이 적음. 에프 엠(FM). ¶~식 라디오. ↔진폭 변조(振幅變調).

주파수 변:조 동조기 【周波數變調同調器】 명 〔frequency-modulation tuner〕 『전』 무선 주파 증폭기·변환기·중간 주파 증폭기·주파수 변조 신호용 복조기(復調器) 등을 포함한 동조기. 낮은 가청(可聽) 주파수 신호를 분리한 증폭기가 스피커에 급전(給電)할 때에 사용함.

주파수 변:환 【周波數變換】 명 『물』 교류 전류(交流電流)의 주파수를 변경하는 과정. 흔히 쓰이는 경우가 두 가지인데, 전력계(電力系)에서 50사이클의 전력을 60사이클의 전력으로 변환하는 경우와 전기 통신계(電氣通信系)에서 쓰이는 경우로, 고주파(高周波)의 전파를 수신할 때, 이를 주파수 변환을 하여 증폭(增幅)하기 쉬운 일정한 주파수로 고

치고 나서 증폭하는 방법으로 쓰임. 전자의 경우에는 전력(電力)의 전송(傳送)에 주안점이 있고, 후자의 경우에는 파형(波形) 전송에 주안점이 있음.

주파수 변:환관【周波數變換管】명〔converter tube〕《물》 주파수 변환용으로 만든 특별한 진공관. 국부 발진(局部發振)과 혼합의 두 작용을 하나의 진공관으로 행하도록 설계되어 있음.

주파수 변:환기【周波數變換器】명《물》 ①교류 전력(交流電力)의 주파수를 바꾸는 전기 기계. ②전기 통신에 있어서 주파수 변환을 행하는 장치. 어떤 주파수의 사인파 전압(sine波電壓)을 발생하는 국부 발진기(局部發振器)와, 이 국부 발진 전압과 신호 전압을 혼합하여 중간 주파 전압을 만드는 혼합기로 되어 있음.

주파수 보:상【周波數補償】명 대역폭(帶域幅)을 넓히거나 또는 대역폭 전체에 걸쳐서 응답(應答)을 같게 하기 위하여, 증폭기의 진폭 주파수 응답을 수정하는 일.

주파수 분리기【周波數分離器】[—불—] 명 흑백이나 컬러 텔레비전 수상기에서, 수평·수직(垂直) 동기(同期) 펄스를 분리하는 회로.

주파수 분석【周波數分析】명〔frequency analysis〕《전》 파동(波動) 또는 진동(振動)의 진폭(振幅) 주파수 분포를 구하는 일. 기록된 파형(波形)에서 수치를 계산하는 방법, 기계적 필터·전기적(電氣的) 필터를 쓰는 방법, 광학적(光學的) 방법이 있음.

주파수 분할 다중화【周波數分割多重化】명〔frequency-division multiflexing〕《통신》 신호(信號)마다 상이한 주파수대(周波數帶)를 쓰는 데 따라서 둘 이상의 신호를 공통(共通)된 통로(通路)를 써서 전송(傳送)하는 다중 방식.

주파수 분할 데이터 링크【周波數分割—】명〔frequency division data link〕 채널을 분리하는 데 주파수의 분할 기술을 이용한 데이터 링크.

주파수 안정도【周波數安定度】명〔frequency stability〕《전》 소정(所定)의 발진(發振) 주파수를 유지하는 발진기의 성능. 흔히, 그 주파수에서의 백분율 편차(百分率偏差)로 나타냄.

주파수식 원:격 계:기【周波數式遠隔計器】명〔frequency-type telemeter〕《전》 측정된 양을 교류 전류(交流電流) 또는 교류 전압의 주파수로 변환하여 보내는 원격 계기.

주파수 응:답【周波數應答】명《물》 주파수 특성.

주파수 주사 시스템【周波數走査—】명〔frequency scanning system〕 출력(出力) 주파수가 소정(所定)의 주파수대(帶)에 기계적으로 조작할 수 있는 속도로 변화하는 시스템의 하나.

주파수 체강【周波數遞降】명《물》 분주(分周).

주파수 체배【周波數遞倍】명 어떤 주파수의 사인파 전압(sine波電壓) 또는 전류(電流)를 기본으로 하여 그 정수배(整數倍)의 주파수의 전압 전류(電壓電流)를 발생하는 일. 초단파(超短波) 이상의 송신기(送信機)에 많이 사용됨.

주파수 체배기【周波數遞倍器】명〔frequency multiplier〕《전》 출력 신호(出力信號) 주파수가 입력(入力) 주파수의 정수배(整數倍)가 되는 조파 주파수 변조기(調波周波數變調器).

주파수 특성【周波數特性】명〔frequency response〕《물》 어떤 장치 또는 기기(機器)의 여러 가지 입력(入力) 주파수에 대한 출력의 응답(應答) 특성을 이름. 이득(利得) 특성과 위상(位相) 특성이 있음. 주파수 응답.

주파수 판별기【周波數辨別器】명《물》 주파수 변조(變調)를 받고 있는 파동으로부터 복조(復調)의 조작(操作)으로서 진폭(振幅)이 변화하는 파동을 도출(導出)하는 회로(回路). 에프 엠(FM) 수신기 따위에 쓰여지고 있음.

주파수 편차【周波數偏差】명《물》 예정된 주파수로부터 온도·발진 회로(發振回路) 등의 변화에 의하여 주파수가 달라진 수치(數値).

주파수 표준【周波數標準】명 수정 진동자(水晶振動子)나 음차(音叉)로 제어되고 있는 안정된 발진기(發振器). 주로 주파수를 교정(校正)하는 데 쓰임.

주파수 할당【周波數割當】[—땅] 명 무선 통신의 혼신(混信)과 그 밖의 혼란을 피하고 능률적이고 합리적인 운영을 할 수 있도록 사용 주파수를 할당하는 일.

주파수 합성기【周波數合成器】명〔frequency synthesizer〕《전》 많은, 다른 주파수를 필요에 따라서 공급하는 장치. 이것은 독립된 크리스털 분주기(crystal 分周器)나 주파수 체배기(遞倍器) 따위 가운데서 선택된 주파수를 짜맞추는 것으로써 이루어짐.

주파수 허용 편차【周波數許容偏差】명《물》 송신 전파 따위에서 주파수의 변동이 허용되어 있는 범위. 허용 편차는 전파법 설비 규칙 따위에서 무선국의 종류별로 정해져 있음.

주판[1]【珠板】명 주판(籌板).

주:판[2]【籌判】명 수를 셈하여 승부를 판정함. ——하다 타여불

주:판[3]【籌板】명 수판(數板).

주:판 놓다 구 ㉠주판을 다루어 셈을 치다. ㉡어떤 일에 관해 이해 득실을 따지다.

주:판[4]【籌辦】명 헤아려서 적당히 처리함. ——하다 타여불

주:판-산【籌板算】명 수판셈.

주:판-셈【籌板—】명 수판셈.

주:판-알【籌板—】명 수판알.

주:-판임【奏判任】명《역》 주판임관(奏判任官).

주:-판임관【奏判任官】명《역》 주임관(奏任官)과 판임관(判任官).

주:판지-세【走坂之勢】명 ①가파른 산비탈을 내리 달리는 맹렬한 형세. ②인력으로서는 어찌할 도리가 없어, 되어가는 형편대로 맡겨 두는 일. 하산지세(下山之勢).

주:판-질【籌板—】명 수판질.

주판치치〔Zupančič, Oton〕명《사람》 유고슬라비아의 시인·극작가. 슬로베니아 출신. 시집 《평원을 가로질러》·《모놀로그》 등 외에 영·불 문학의 번역도 함. [1878-1949]

주페〔Suppé, Franz von〕명《사람》 오스트리아의 작곡가. 지휘자로서도 활동. 작품은 오페레타가 많고 《보카치오》·《경기병(輕騎兵)》·《시인과 농부》 등이 알려짐. [1819-95]

주편[1]【主便】명 자기에게 편리한 대로 주장함. ——하다 타여불

주편[2]【周偏】명 모든 면에 다 두루 걸침. 또, 극히 넓은 범위. ——하다 타여불 「한 일의 비평.

주평【週評】명 일 주간마다 행하는, 시사(時事)·출판물·예능 등에 관

주폐【周幣】명《역》 중국 주(周)나라에서 은(殷)나라의 패화(貝貨)·어화(魚貨)·환화(環貨) 등을 패폐(貝幣)·어폐(魚幣)·환폐(環幣)등의 화폐로 주조(鑄造)한 것.

주포[1]【主砲】명《군》 군함의 각종 비포(備砲) 중에서 가장 구경이 크고 위력이 센 중포(重砲). 또, 12인치 이상의 구경(口徑)을 가진 해안포(海岸砲). ↔부포(副砲).

주포[2]【周布】명《논》 주연(周延).

주포[3]【酒鋪】명 술집. 주사(酒肆).

주포 개:념【周布槪念】명《논》 외연(外延)의 점에서 본 개별 개념과 거의 같은 뜻의 말.

주-폭도【走幅跳】명 멀리뛰기.

주표[1]【酒瓢】명 술을 담아 넣는 호로병.

주표[2]【晝標】명 주간의 항로의 위험을 표시하는 표지(標識).

주:품【奏稟】명 주달(奏達). ——하다 타여불

주-품종【主品種】명 품종이 같은 여러 가지 중 으뜸되는 품종.

주품 천사【主品天使】명《천주교》 구품 천사의 하급에 속하는 천사. 하급에 속하는 다른 천사 및 국가·영토를 수호함.

주풍【酒風】명《한의》 누풍증(漏風症).

주풍-성【走風性】[—썽] 명〔anemotaxis〕《생》 생물이 공기의 흐름에 대해서 나타내는 주성(走性). 머리를 바람 부는 쪽으로 향하고 나는 벌·나비 따위의 곤충에서 볼 수 있음. 추풍성(趨風性).

주프루아〔Jouffroy, Théodore〕명《사람》 프랑스 계몽기(啓蒙期)의 철학자. 7월 혁명 후, 에콜 노르말(Ecole Normale) 철학 교수, 1832년 콜레주 드 프랑스(Collège de France) 철학 교수를 지냄. 쿠쟁(Cousin)의 문하(門下)에서 깊은 영향을 받고, 그의 학설을 심리학적 견지에서 발전시켰음. [1796-1842]

주피[1]【周皮】명《식》 비대 생장(肥大生長)하는 목본 식물(木本植物)의 줄기나 뿌리의 표피(表皮) 밑에 형성되는 코르크층의 조직. 표피가 벗겨 떨어지면 줄기·뿌리를 보호함.

주피[2]【珠皮】명《식》 배주(胚珠)의 주심(珠心)을 싸고 있는 부분.

주피-장【周皮匠】명 갖바치.

주피추-창【走皮趨瘡】명《한의》 목과 뺨이 헐기 시작하여 차차 두 귀에까지 퍼지는 급성 습진(濕疹)의 한 가지.

주피터〔Jupiter〕명 ①《신》 로마 신화(神話)의 최고신(最高神) 유피테르(Jupiter)의 영어명. 그리스 신화의 제우스에 해당함. ②《군》 1950년대의 미국 육군의 중거리 탄도탄의 하나. 액체 연료식인데, 미니트맨 정비(整備) 후 조달(調達)이 중지되었음. ③목성(木星).

〈주피터❶〉

주피터 교향곡【—交響曲】〔Jupiter〕명 모차르트가 1788년에 작곡한 교향곡 제41번. 다 장조(長調), K 551. 그의 3대 교향곡, 곧 제39·40·41번 중 최후를 장식하는 작품임. 주피터는 그리스 신화에 나오는 으뜸 신인 조물주를 가리킴.

주필[1]【主筆】명 ①신문사나 잡지사 등에서 기자의 수위(首位)에 앉아서 사설(社說)이나 기타 중요한 기사·논설(論說) 등을 담당하여 쓰는 사람. ②《역》 과장(科場)에서 가장 으뜸가는 시관(試官).

주필[2]【朱筆】명 ①주묵(朱墨)을 묻혀서 쓰는 붓. ②주서(朱書).

주필을 가하다 구 붉은 먹·잉크 따위로 가필(加筆)·정정하다.

주필[3]【走筆】명 글씨를 흘려서 빨리 씀. ——하다 타여불

주:필[4]【駐蹕】명 임금이 행행(行幸)하는 도중에 거가(車駕)를 잠시 머무르거나 경숙(經宿)하는 일. ——하다 타여불

주하[1]【朱夏】명 여름.

주:하[2]【奏下】명 상주(上奏)한 일에 대하여 재가를 내림. ——하다 타여불

주:하-증【注夏症·疰夏症】[—쯩] 명《한의》 여름을 타서 식욕이 감퇴하고 기운이 쇠약해지는 병. 하위증(夏痿症).

주학[1]【朱學】명 ↗주자학(朱子學).

주학[2]【晝學】명 낮에 공부함. ↔야학(夜學). ——하다 타여불

주:학[3]【籌學】명《역》 산학(算學).

주한[1]【珠汗】명 구슬땀.

주:한[2]【駐韓】명 임무를 띠고 한국에 주재(駐在)함. ¶ ~ 미대사(美大使)/~ 외교 사절.

주함【舟艦】명 전함(戰艦). 합선(艦船).

주합【酒盒】명 ①뚜껑을 술잔 대신으로 쓸 수 있는, 쇠붙이로 만든 술 담는 그릇. ②술 그릇과 술 안주를 담아서 들고 다니게 된 찬합. ③《공》 위는 술병이 되고 아래는 안주를 담는 그릇. 흔히 청화 백자(靑華白瓷)에 많음.

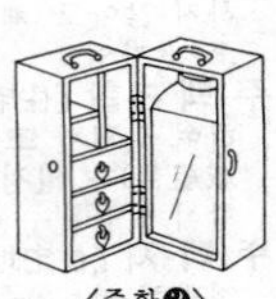

〈주합❷〉

주합-루【宙合樓】[—누] 명 창덕궁(昌德宮) 안에 있는 누각(樓閣)의 이름.

주-합분【主合分】명 〖광〗 암석 중에 포함되어 있는 주요한 광물. 암석의 명명 상(命名上) 포함되어 있지 않으면 안될 광물. 화강암 중의 석영·정장석(正長石)·운모와 같은 것.

주항[1]【舟航】명 배로 물을 건너는 일. 항해(航海). ——-하다 자여불

주항[2]【周航】명 이곳저곳을 두루 거쳐서 항해함. ——-하다 자여불

주항[3]【酒缸】명 술을 담는 항아리.

주-항라【紬亢羅】[—나] 명 명주실로 짠 항라.

주:해【註解·注解】명 본문의 뜻을 알기 쉽게 풀이하는 일. 또, 그 글. 주각(註脚). 주석(註釋). ¶ ~서. ㊀주(註). ——-하다 타여불

주:핵【奏劾】명 죄과를 상주하여 탄핵함. 주탄(奏彈).

주핵-체【周核體】명 [perikaryon] 〖생〗 핵(核)을 싸고 있는 신경 세포의 본체(本體).

주행[1]【舟行】명 배를 타고 감. 배가 물에 떠서 다님. ——-하다 자여불

주행[2]【走行】명 달려 감. 달림. ¶ ~ 속도. ——-하다 자여불

주행[3]【周行】명 주유(周遊). ——-하다 자여불

주행[4]【晝行】명 주간(晝間)에 활동(活動)함. 낮에 다님. ↔야행(夜行). ——-하다 자여불

주행-대【走行帶】명 〖의〗 나선대(螺旋帶).

주행-성【晝行性】[—썽] 명 낮에 활동하는 성질. ↔야행성.

주행성 동:물【晝行性動物】[—썽—] 명 〖동〗 주로 낮에만 섭식(攝食)·생식(生殖) 등의 활동을 하는 동물. 제비·참새·나비·도마뱀 따위. ↔야행성 동물.

주향[1]【走向】명 ①달음질하여 향하는 쪽. ②〖지〗 층향(層向).

주향[2]【炷香】명 향을 피움. ——-하다 타여불

주향[3]【酒香】명 술의 향기. 술에서 나는 좋은 냄새.

주향 단:층【走向斷層】명 〖지〗 지층의 주향이나 암맥(岩脈)·광맥 등의 주향과 평행되는 주향을 가진 단층.

주향-성【走向性】[—썽] 명 〖생〗 주성(走性)과 향성(向性). 또, 주성(走性)을 일컫는 말. 추향성(趨向性).

주현【州縣】명 ①주와 현. ②지방(地方).

주현-국【州縣局】명 〖역〗 조선 시대 말 내무 아문(內務衙門)의 한 국.

주현-군【州縣軍】명 〖역〗 고려 때 이군 육위(二軍六衛)의 부병(府兵) 외에 각 주(州)·현(縣)에 주둔하고 있던 지방군.

주현 인리 위전【州縣人吏位田】[—일—] 명 여말 선초(麗末鮮初)에 과전법(科田法)에 따라, 지방의 말단 행정을 담당하는 향리(鄕吏)를 위해 마련된 유역 잡색 위전(有役雜色位田)의 하나. 한 사람 앞에 전(田) 5결(結)의 수조지(收租地)를 주었음. 조선 세종(世宗) 27년(1445)에 국가에 몰수됨.

주현-절【主顯節】명 〖기독교〗 특히 그리스 정교와 감독 교회(監督敎會)에서 행하는 1월 6일의 축일(祝日). 그리스도가 30회째의 생일에 세례를 받고 하느님의 아들로서 세상에 나타나게 된 일을 기념하는 날임.

주혈【柱穴】명 〖고고학〗 기둥 구멍.

주:혈 사상충【住血絲狀蟲】명 〖동〗 [*Filaria sanguinis hominis*] 사람에 기생하는 선형 동물(線形動物)의 하나. 몸은 가늘고 길이가 암컷은 10cm 쯤, 수컷은 그 반 가량인데 두부(頭部)는 둥글고 꼬리 끝은 뾰족하며 온 몸이 투명한 막(膜)으로 덮였음. 인체의 혈관에 기생하면 림프관(lymph管)이 부르트고 물주머니가 생기어 '상피병(象皮病)' 곧, '필라리아증(filaria症)'이라고 하는 병증을 일으킴. 아시아·아프리카·오스트레일리아 등지에 만연함. 사상충(絲狀蟲). 밴크로프트(Bancroft) 사상충. 인혈 필라리아(人血 filaria).

주:혈 흡충【住血吸蟲】명 〖동〗 ①편충류(扁蟲類)에 속하는 편형 동물(扁形動物)의 총칭. 이집트 주혈 흡충·일본 주혈 흡충 등이 있음. ② [*Schistomun haematobiun*] 편충류에 속하는 흡충(吸蟲)의 하나. 이집트종(種)으로서 수컷은 길이가 15mm이고 몸의 후부(後部)는 납작하여 양쪽 가장자리가 복면(腹面)으로 말려서 암컷을 포옹(抱擁)하는 작용을 함. 암컷은 20mm 가량의 가는 원통상이고 전단(前端)에 흡반이 있음. 사람이나 동물에 기생하여 숙주(宿主)의 정맥(靜脈), 특히 문맥계(門脈系) 안에서 흡혈(吸血) 발육하여 빈혈증(貧血症)을 일으키며 산란기(產卵期)에는 방광(膀胱)·수뇨관(輸尿管) 등에 들어가 혈뇨병(血尿病)을 일으킴. 중간 숙주(中間宿主)는 게 따위이고 유충(幼蟲)은 피부(皮膚)로부터 인체(人體)에 침입(侵入)함. 이집트·아라비아에 많이 분포(分布)함.

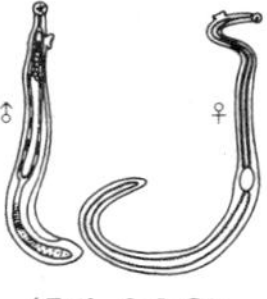

〈주혈 흡충❷〉

주형[1]【主刑】명 ①〖법〗 부가형(附加刑)에 대하여 독립하여 그것만을 과할 수 있는 형벌. 곧, 사형·징역·금고(禁錮)·벌금·구류 및 과료(科料)의 여섯 가지. ②〖역〗 형법 대전(刑法大全)에 규정하였던 사형·유형·역형(役刑)·금옥(禁獄)·태형(笞刑) 등.

주형[2]【舟形】명 배같이 생긴 모양.

주:형[3]【鑄型】명 ①거푸집. ②활자의 몸을 만드는 틀.

주형-류【蛛形類】[—뉴] 명 〖동〗 거미강(綱).

주:형-사【鑄型砂】명 주물 모래.

주호[1]【主戶】명 〖역〗 조선 시대에, 호적(戶籍)에 올라 있는 호주(戶主)의 실제 가족. *솔호(率戶).

주호[2]【酒戶】명 주량(酒量).

주호[3]【酒壺】명 술병.

주호[4]【酒豪】명 술을 잘 마시는 사람. 주량(酒量)이 아주 큰 사람. 음호(飮豪). 주선(酒仙). 주성(酒聖).

주호[5]【遒豪】명 아주 굳세고 뛰어남. ——-하다 형여불

주혼【主婚】명 ①혼인에 관한 일을 주관하고 가정적인 책임을 맡음. ②↗주혼자(主婚者). ——-하다 자여불

주혼-자【主婚者】명 주혼하는 사람. ㊀주혼(主婚).

주홍【朱紅】명 ①↗주홍빛. ②성분이 황화 수은(黃化水銀)인 붉은 빛의 안료(顏料). 주(朱).

주홍 글씨【朱紅—】명 [The Scarlet Letter] 〖문〗 미국의 작가 호손(Hawthorne, N.)의 소설. 1850년에 발표. 17세기 식민 시대의 미국 북부 뉴잉글랜드를 무대로 한 소설. 의사의 아내와 간통한 젊은 목사, 복수를 노리는 의사, 불의의 씨를 사산한 예쁜 의사의 아내의 세 사람을 에워싼 비극인데, 목사는 고민 끝에 자기 죄를 여러 사람 앞에서 고백하고 죽으며, 의사의 아내 헤스터는 간통한 사람이라는 뜻으로 A의 주홍 글씨를 앞가슴에 달고 다니면서도 꿋꿋하게 속죄의 길을 걸어 존경을 받는다는 줄거리임.

주홍배-뾰족벌【朱紅—】명 〖충〗 [*Euaspis basalis*] 가위벌과에 속하는 곤충. 암컷의 몸길이는 10-17mm이고, 두부·흉부·다리 및 복부 제1절(節)의 기부(基部)는 흑색이며 그 밖의 복부는 전부 적갈색임. 온몸에 짧은 털이 났는데, 입 부근의 것은 갈색, 그 외의 곳은 회백색임. 한국·일본·만주·중국·대만 등지에 분포함.

주홍-빛【朱紅—】[—삗] 명 홍색과 주황빛의 중간 빛깔로 불빛과 같으며 진채(眞彩)에 속함. 주홍색(朱紅色). ㊀주홍(朱紅).

주홍-색【朱紅色】명 주홍빛.

주홍-칠【朱紅漆】명 주홍빛의 칠.

주화[1]【主和】명 화평하기를 주장함. ↔주전(主戰). ——-하다 자여불

주화[2]【朱花】명 〖건〗 붉은 칠을 한 꽃무늬의 한 가지.

주화[3]【走火】명 〖역〗 고려 말에 화통 도감(火㷁都監)에서 최무선(崔茂宣)이 제조한 화약 무기의 하나. 우리 나라 최초의 로켓 무기였음.

주:화[4]【鑄貨】명 ①↗주조 화폐(鑄造貨幣). ②금속으로 화폐를 주조하는 일. ——-하다 자여불

주-화기【主火器】명 〖군〗 수류탄·총류탄(銃榴彈) 또는 여러 가지 화학탄(化學彈)과 같은 보조 화기(補助火器)에 대하여 소총 중대의 기본 화기(基本火器)인 소총(小銃)과 같이 어떤 전투 부대의 가장 중요한 화기(火器).

주화-론【主和論】명 화평하기를 주장하는 언론이나 여론. ↔주전론(主戰論).

주화-성【走化性】[—썽] 명 [chemotaxis] 〖생〗 생물체가 존재하고 있는 매질(媒質) 속의 화학 물질의 농도차(差)가 자극이 되어 일어나는 주성(走性). 자극 쪽으로 향하는 경우를 양(陽), 멀어지는 경우를 음(陰)의 주화성이라 함. 단세포 생물이나 정자(精子) 등에서 흔히 볼 수 있음. 추화성(趨化性). 화학적 추성(化學的趨性). *주광성(走光性)·주기성(走氣性).

주-화음【主和音】명 〖악〗 '으뜸 화음'의 구용어. *속화음. 하속화음.

주화-파【主和派】명 주화론(主和論)을 내세워 화평하기를 주장하는 파. ↔주전파(主戰派).

주황[1]【朱黃】명 ↗주황빛.

주황[2]【酒荒】명 술에 빠져 마음이 거칢. ——-하다 자여불

주황-빛【朱黃—】[—삗] 명 주홍빛과 누른 빛 사이의 빛깔. 주황색(朱黃色). 자황색(赭黃色). ㊀주황(朱黃).

주황-색【朱黃色】명 주황빛.

주황-칠【朱黃漆】명 주황빛의 칠.

주회【周回】명 ①지면(地面) 따위의 둘레. 주위(周圍). ②빙 돎. ¶ ~ 비행(飛行). ——-하다 자여불

주:획【籌畫】명 [주(籌)는 꾀하다의 뜻] 방법을 자세히 헤아려 생각하는 계획. 계략(計略).

주:효[1]【奏効】명 효력이 나타남. 일을 성취함. ——-하다 자여불

주-효[2]【酒肴】명 ① 술과 안주. ②술안주. 주찬(酒饌).

주효-료【酒肴料】명 안줏(按酒)감.

주후[1]【主後】명 [라 Anno Domini; A.D.] 〖기독교〗 그리스도 탄생 이후, 곧 서력 기원 후. ↔주전(主前)❶.

주후[2]【酒後】명 취후(醉後).

주후[3]【晝後】명 오후(午後).

주훈[1]【主訓】명 〖천주교〗 천주의 가르침.

주훈[2]【酒訓】명 주잠(酒箴).

주훈[3]【酒暈】명 술을 마시고 얼굴이 볼그스레해지는 일. ——-하다 자여불

주훈[4]【酒醺】명 취기(醉氣)가 돎. 또, 취하여 기분(氣分)이 좋아지는 일. ——-하다 자여불

주훈[5]【週訓】명 학교·공공 단체·관청·군대 등에서 규칙의 시행이나 교양을 위하여 한 주일마다 다른 표제(表題)를 내걸어 가르치는 글귀.

주휴【週休】명 일 주(一週)에 한 번 휴가가 있는 일. 또, 그 휴가.

주휴 이:일제【週休二日制】[—쩨] 명 1주일에 2일의 휴일을 취하는 제도. *사십 시간제.

주휼【賙恤】명 ↗주궁 휼빈(賙窮恤貧). ——-하다 자여불

주흔【酒痕】명 ①술이 묻은 자국. ②술이 취한 흔적.

주흘-관【主屹關】명 〖역〗 경상 북도 문경(聞慶) 새재에 있는 제1 관문(關門)의 이름. 문경읍(聞慶邑) 상초리(上草里) 계곡에 있음. *조곡관(鳥谷關).

주흘-산【主屹山】[—싼] 명 〖지〗 경상 북도 문경시(聞慶市) 문경읍(邑)에 있는, 소백(小白) 산맥 중의 고산의 하나. [1,075m]

주흥【酒興】명 ①술 마신 뒤에 생기는 도연한 흥취. ②술 마시고 싶은 간절한 생각. 감흥(酣興).

주-희【朱熹】[—히] 명 〖사람〗 성리학을 대성한 남송(南宋)의 대유학자.

자(字)는 원회(元晦)·중회(仲晦), 호는 회암(晦庵)·회옹(晦翁)·고정(考亭) 등. 산시(山西) 우위안(婺源) 사람. 그의 학문은 송(宋)나라의 주무숙(周茂叔)·정명도(程明道)·정이천(程伊川)·나 예장(羅豫章)·이연평(李延平) 등의 학(學)과 도(道), 그리고 불학(佛學)을 종합 집대성한 것으로 우주에는 이(理)와 기(氣)의 이원(二元)이 있다고 하고 그 실천 강목으로서 거경(居敬)·궁리(窮理)의 이대강(二大綱)을 들었음. 후세 사람이 주자(朱子)라 존칭하며, 성리학을 주자학이라고 일컫는데 중국은 물론 우리 나라·일본 등의 근대 역사에 큰 영향을 미쳤음. 저서로는 ≪시전(詩傳)≫·≪사서 집주(四書集註)≫·≪자치 통감 강목(資治通鑑綱目)≫·≪근사록(近思錄)≫·≪소학(小學)≫ 등이 있음. [1130-1200]

죽[1] 명 〈방〉 흙손(함남).

죽[2]【竹】명 〖악〗 팔음(八音)의 한 가지. 대로 만든 관악기(管樂器).

죽[3]【竹】명 성(姓)의 하나. 우리 나라에는 현존하지 않음.

죽[4]【粥】명 곡식을 물에 흠씬 끓여 묽게 만든 음식. 전죽(饘粥).

[죽도 밥도 안 된다] 사물이 되다가 말아서 아무짝에도 쓸모가 없다는 말. [죽 떠먹은 자리] 많은 것에서는 조금 떠내도 흔적이 나지 않음을 가리키는 말. [죽 쑤어 개 좋은 일] 애써 한 일이 허사로 돌아가고 엉뚱한 사람만 더보게 된 것을 이르는 말. [죽은 죽어도 못 먹고 밥은 바빠서 못 먹고] 술 생각이 난다는 뜻. [죽이 끓는지 밥이 끓는지 모른다] 무엇이 어떻게 되는지 도무지 모른다는 뜻.

죽과 장:이 맞다 구 둘이 잘 조화되다.

죽 끓듯 하다 구 ㉠변덕이 몹시 심한 모양. ¶변덕이 ~. ㉡화나 분통을 참지 못하여 마음 속이 부글부글 끓는 듯하다.

죽이 되든 밥이 되든 구 결과야 어떻게 되든지.

죽[5] 의명 옷이나 그릇 등의 열 벌 또는 열 개를 일컫는 말. ¶버선 한 ~/접시 두 ~.

죽이 맞다 구 서로 의기 투합하다. ¶"어쩌다가 시생과 죽이 맞아서 장산곶이로 작반케 되었지요."≪金周榮 : 客主≫.

죽:[6] 부 ①무엇이 한 줄로 늘어선 모양. ¶~ 늘어서다. ②동작이 단번에 거침없이 나아가는 모양. ¶여럿이서 ~ 밀고 들어가다. ③종이나 피륙을 단번에 내리 찢는 소리. ④여럿을 한번에 훑어보는 모양. ¶교실 안을 ~ 훑어보다. ⑤줄을 치거나 선(線)을 긋는 모양. ⑥입으로 무엇을 빠는 소리. 1)-6) : 쓰쭉. >족.

죽-가래 명 〈방〉 넉가래.

죽가-령【竹駕嶺】명 〖지〗 추가령(楸哥嶺).

죽각【一角】명 〖건〗 네 모서리에 둥근 부분이 남아 있는 건축용 각재(角材).

죽간[1]【竹竿】명 대나무 장대.

죽간[2]【竹簡】명 중국에서 종이가 발명되기 전인 한(漢)나라 이전에 문자(文字)를 기록하던 대의 조각. 또, 대의 조각을 엮어서 만든 서책.

죽간 목독【竹簡木牘】명 대나무와 나뭇조각에 글씨를 써서 엮어 만든 책. 일찍이 중국 주대(周代)에 사용되어 진대(秦代)와 한대(漢代)에 성행했는데, 대나무로 만든 것을 죽간, 나뭇조각으로 만든 것을 목독이라고 함.

죽간-자【竹竿子】명 〖악〗 ①정재(呈才) 때 여러 가지 춤을 추는 데 쓰이는 제구의 한 가지. ②↗봉죽간자(奉竹竿子).

죽-갓 명 ①한 죽, 곧 열 개의 갓. ②조제(粗製)하여 여러 죽씩 내다 헐값으로 파는 갓.

죽-거미 명 〈방〉 꼴뚜기.

죽겠다 보동 어떤 일로 해서 감정(感情)이 아주 극도에 달함을 표시하는 말. ¶좋아 ~/미워 ~.

〈죽간자❶〉

죽견【竹筧】명 대로 만든 홈통.

죽계[1]【竹契】명 〖역〗 조선 시대 때 관아에 대를 공물로 바치던 계.

죽계[2]【竹笄】명 대로 만든 비녀.

죽계[3]【竹溪】명 〖지〗 '주시'를 우리 음으로 읽은 이름.

죽계 별곡【竹溪別曲】명 〖문〗 고려 말의 문신 안축(安軸)이 지은 경기체가(景幾體歌)의 하나. 작자의 고향인 풍기(豐基) 땅의 죽계(竹溪)·순흥(順興)의 승경(勝景)을 노래함. 5장(章). 그의 문집(文集) ≪근재집(謹齋集)≫에 전함.

죽계 육일【竹溪六逸】명 〖역〗 중국 당(唐)나라 천보 연간(天寶年間)에 산둥 성(山東省) 주시(竹溪)에 모여 은서(隱棲)한 여섯 현인(賢人). 곧, 이백(李白)·공소보(孔巢父)·한준(韓準)·배정(裴政)·장숙명(張叔明)·도면(陶沔). ㊟육일(六逸).

죽계-지【竹溪誌】명 〖책〗 [죽계는 경상 북도 영주시(榮州市) 풍기(豐基)의 땅이름] 조선 중종(中宗) 때의 학자 주세붕(周世鵬)이 편찬한 백운동 서원지(白雲洞書院誌). 백운동 서원에 관한 기록을 수집 편찬한 것으로, 서원기(書院記)와 시부(詩賦) 외에 편찬자가 지은 여러 가사가 실려 있음. 순조(純祖) 3년(1803) 안시중(安時中)이 6권 3책으로 간행한 후 다시 순조 24년(1824) 안병렬(安昞烈)이 3권 1책으로 줄여서 재간(再刊)했음.

죽고[1]【竹膏】명 〖한의〗 죽황(竹黃).

죽고[2]【竹箍】명 대테.

죽고[3]【竹篙】명 대 상앗대.

죽공【竹工】명 ①↗죽세공(竹細工). ②죽세공을 업으로 하는 사람.

죽-공예품【竹工藝品】명 대나무로 만든 공예품.

죽굴-도【竹窟島】명 〖지〗 전라 남도의 남해 상(南海上), 완도군(莞島郡) 노화읍(蘆花邑) 방서리(防西里)에 위치한 섬. [0.12 km²]

죽궤【竹几】명 죽부인(竹夫人).

죽근【竹根】명 대나무의 뿌리.

죽기【竹器】명 대그릇.

죽-나무 명 〖식〗 ↗참죽나무.

죽-놈이 명 →중노미.

죽는-소리 명 고통이나 곤란에 대하여 엄살하며 하는 소리. ¶노상 ~만 하다. ——-하다 자여불

죽는-시늉 명 대단찮은 고통(苦痛)으로 엄살을 피우며 나타내는 몸짓. ——-하다 자여불

죽다[1] 자 〔중세 : 죽다〕 ①숨이 끊어지고 목숨이 없어지다. 몰(歿)하다. 거꾸러지다. 눈감다. 떠나다. ↔나다. ②동식물의 생명 활동이 그치다. ③움직이던 물건이 그 동작을 중지하다. ¶팽이가 ~. ④불이 꺼지다. ¶난롯불이 죽었다. ⑤팔팔한 성질이나 기세가 꺾이다. ¶기가 ~/죽어 지내다/눈빛이 죽어 있다/죽은 글씨. ⑥운동 경기나 술래잡기 등의 선수가 적에게 잡히거나 바둑·장기 등의 말이 먹히다. ¶대마가 ~/주자(走者)가 ~. ⑦빳빳한 기운이 없어지다. ¶풀기가 ~. ⑧놋쇠·은·수은·식초 등이 화학적 변화로 빛이나 맛을 잃다. ⑨칼날 따위가 무디어지다. ↔살다.

[죽기는 정승하기보다 어렵다] 함부로 죽어지는 것이 아니라는 말. [죽어서 상여 뒤에 따라와야 자식이라] 아무리 친자식이라도 부모의 임종을 못 보고 장례를 치르지 않으면 자식이라 할 수 없다는 말. [죽어 석 잔 술이 살아 한 잔 술만 못하다] 죽은 후에 정성을 다하여도 소용없으니 살아서 정성을 다하라는 말. [죽으러 가는 양의 걸음] 가지 않으려고 뻗대면서 억지로 끌려감을 이르는 말. [죽은 나무에 꽃이 핀다] 보잘 것 없던 집안이 부귀 영화를 누림을 이르는 말. [죽은 놈의 콧김만도 못하다] 쌀랑하여 도무지 따뜻한 기운이 없음을 이르는 말. [죽은 덤불에 산 열매 난다] 죽은 나무에 꽃이 핀다. 고목 생화(枯木生花). [죽은 아이 귀 만져 보기] 이미 어쩔 수 없는 일의 비유. [죽은 자식 나이 세기] 이왕 그릇된 일에 애착을 가지고 못잊어 하여도 소용없다는 말. [죽은 자식 눈 열어 보기] 죽은 자식 나이 세기. [죽은 자식 자지 만져 보기] 죽은 자식 나이 세기. [죽은 정승이 산 개만 못하다] 한 번 죽고 나면 생전의 모든 부귀 영화도 쓸데없다는 말. [죽지도 살지도 못한다] 이러지도 못하고 저러지도 못하여 처지가 난처함을 이르는 말. *빼지도 박지도 못한다.

죽으나 사:나 구 어떤 상황(狀況)에서라도 으레·꼭.

죽을 똥을 싸다 구 어떤 일에 몹시 힘을 들이다. 어떤 일을 이루는 데 죽을 지경의 곤경을 겪다.

죽자 사:자 구 죽어도 좋고 살면 더욱 좋다는 생각으로, 있는 힘을 다해서 덤비는 모양.

죽지 못:해서 살:다 구 가난이나 그 밖의 고생에 시달려 살 의욕을 잃고 목숨이 붙어 있으니까 마지못해 살다.

죽다[2] 형 두드러져야 할 자리가 꺼져서 비다. ¶콧날이 ~.

죽-담 명 〖건〗 잡석(雜石)을 흙과 섞어서 쌓은 돌담. 축담.

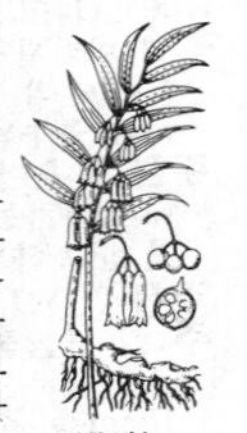

〈죽대〉

죽대 명 〖식〗 [*Polygonatum falcatum*] 은방울꽃과에 속하는 다년초. 근경(根莖)은 비후(肥厚)하고 줄기는 원기둥꼴, 높이 약 1 m이며 잎은 호생함. 5월에 녹백색의 통상화(筒狀花)가 액출한 화경 끝에 피며, 장과(漿果)는 둥글고 검푸르게 익음. 산이나 들에 나는데, 제주도·울릉도 및 일본에 분포함. 근경은 '황정(黃精)'이라 하여 약용하며, 어린 잎과 줄기는 식용함.

죽대-아재비 명 〖식〗 [*Streptopus amplexifolius* var. *papillatus*] 은방울꽃과에 속하는 다년초. 줄기는 곧으며 가지가 갈라지고 높이 1 m 가량임. 잎은 두 줄로 호생하며 달걀꼴 타원형인데 잎 밑은 줄기를 쌈. 7-8월에 녹백색 꽃이 액출(腋出)하여 한 개씩 나는데, 꽃자루는 극히 가늘고 길며 중도에서 한 번 구부러지는 특성이 있음. 장과(漿果)는 달걀꼴 구형(球形)으로 붉게 익음. 깊은 산골짜기에 나는데, 강원·평북·함북에 야생하며 일본·사할린·캄차카·아무르 등지에 분포함.

죽더기 명 ☞죽데기.

죽덕-산【竹德山】명 〖지〗 함경 남도 풍산군(豐山郡)에 위치하는 산. [1,318 m]

죽데기 명 통나무 겉쪽에서 떼어낸 널쪽. 흔히, 땔감으로 쓰임.

죽데기-널 명 〖건〗 죽데기 널판.

죽데기-널판 명 죽데기로 된 널빤지.

죽도[1]【竹刀】명 ①대칼. ②검도(劍道) 연습에 쓰는 제구의 하나. 길고 두꺼운 네 쪽의 대쪽을 모아서 동여 칼 대용으로 쓰게 만들었는데 가죽의 날밑과 자루가 있음.

죽-도[2]【竹島】명 〖지〗 ①경상 남도의 남해상(南海上), 통영시(統營市) 한산면(閑山面) 매죽리(每竹里)에 위치한 섬. [1.9 km²] ②충청 남도의 서해안(西海岸), 태안군(泰安郡) 이원면(梨園面) 포지리(蒲池里)에 위치한 섬. [0.7 km²] ③전라 남도의 서해상(西海上), 신안군(新安郡) 도초면(都草面) 우이도리(牛耳島里)에 위치한 섬. [0.29 km²] ④전라 남도의 남해안(南海岸), 고흥군(高興郡) 도화면(道化面) 지죽리(支竹里)에 위치한 섬. [0.221 km²] ⑤충청 남도 서해(西海) 천수만(淺水灣) 홍성군(洪城郡) 서부면(西部面) 죽도리(竹島里)에 위치한 섬. [0.27 km²] ⑥평안 북도 선천군(宣川郡)의 남쪽 해상에 위치한 섬. [0.154 km²] ⑦전라 남도의 서해상(西海上), 신안군(新安郡) 비금면(飛禽面) 내월리(內月里)에 위치한 섬. [0.05 km²] ⑧전라 남도의 남서해상(南西海上), 진도군(珍島郡) 조도면(鳥島面) 맹골도리(孟骨島里)에 위치한 섬. [0.28 km²] ⑨함경 남도 홍원군(洪原郡)의 동해상에 위치한 섬. [0.123 km²] ⑩전라 북도의 서해상(西海上), 군산시(群山市) 옥도면(沃島面) 개야도리(開也島里)에 위치한 섬. [0.152 km²] ⑪강원도의 동해상, 고성군(高城郡) 죽왕면(竹旺面)에 위치한 섬. [0.051 km²] ⑫충청 남도의 서해안(西海岸), 보령시(保寧市) 남포면(藍浦面) 월전리(月田里)에 위치

한 섬. [0.06 km^2] ⑬전라 남도의 남해안(南海岸), 고흥군(高興郡) 과역면(過驛面) 노일리(老日里)에 위치한 섬. [0.02 km^2] ⑭경상 남도의 남동해상(南東海上), 부산 광역시(釜山廣域市) 기장군(機張郡) 기장읍(機張邑) 연화리(蓮花里)에 위치한 섬. [0.05 km^2]

죽도-화【一花】명 『식』 ①죽도화나무의 꽃. 출장화(黜墻花). 황매화(黃梅花). ②↗죽도화나무.

죽도화-나무【一花一】명 『식』 [*Kerria japonica* for. *plena*] 장미과에 속하는 낙엽 활엽 관목. 잎은 호생하는데 달걀꼴에 끝이 뾰족함. 4-5월에 황금색의 꽃이 하나씩 정생(頂生)하며, 다섯 개의 심피(心皮)가 후에 수과(瘦果)로 익음. 사원 및 촌락 부근에 관상용으로 심는데, 전남·전북·경남·충남·경기 및 일본에 분포함. ＊황매화나무. ㊎죽도화.

〈죽도화나무〉

죽동의 난:【竹同一亂】[一/一에一] 명 전주(全州) 관노(官奴)의 난.

죽두 목설【竹頭木屑】명 대나무 조각과 나무 부스러기. 곧, 소용이 적은 물건의 비유. 진(晉)의 도간(陶侃)이 이 두 물건을 버리지 않고 두었다가, 나무 부스러기는 진 날에 땅에 깔고, 대나무 조각은 못을 만들어 배에 박아 요긴히 썼다 함.

죽-떡【粥一】명 찹쌀 가루에 청둥호박을 썰어 넣어서 찐 시루팥떡의 한 가지. 숟가락으로 떠서 먹을 만큼 몹시 차지고 눅음.

죽-떼다 자 ↗죽지떼다❶.

죽람【竹籃】[一남] 명 대바구니.

죽력【竹瀝】[一녁] 명 『한의』 푸른 대쪽을 불에 구워서 받은 진액(津液). 성질이 차서 열담(熱痰)이나 번갈(煩渴)을 고침.

죽력-고【竹瀝膏】[一녁一] 명 『한의』 죽력을 섞어서 만든 소주. 생지황(生地黃)·꿀·계심(桂心)·석창포(石菖蒲) 등과 함께 조제하여 아이들이 중풍으로 갑자기 말을 못할 때 구급약으로 씀.

죽력-죽【竹瀝粥】[一녁一] 명 죽력을 타서 만든 멥쌀 죽.

죽련【竹聯】[一년] 명 대로 만든 주련(柱聯).

죽렴【竹簾】[一념] 명 대발.

죽렴-산【竹簾山】[一념一] 명 『지』 강원도(江原道) 정선군(旌善郡)에 있는 산. [1,059 m]

죽령[1]【竹苓】[一녕] 명 『식』 뇌환(雷丸).

죽-령[2]【竹嶺】[一녕] 명 『지』 경상 북도 영주시(榮州市) 풍기읍(豐基邑)과 충청 북도 단양군(丹陽郡) 대강면(大崗面)의 경계에 있는 재. 중앙선(中央線)이 소백 산맥(小白山脈)을 넘는 지점임. 신라 아달왕(阿達王) 때 죽죽(竹竹)이라는 신하가 처음 이 재를 통행할 수 있도록 만들었다고 함. 부근에 죽령 봉수(烽燧)·죽죽사(竹竹寺)가 있었음. [689 m]

죽령 터널【竹嶺一】(tunnel) [一녕一] 명 『지』 경북 영주시(榮州市) 희방사역(喜方寺驛)과 충북 단양군(丹陽郡) 대강면(大崗面) 죽령역 사이를 잇는 중앙선의 터널. 우리 나라에서 정암(淨巖) 터널에 이어 두 번째로 긺. [4,500 m]

죽로-차【竹露茶】[一노一] 명 우리 나라에서 나는 명차(銘茶)의 한 가지.

죽롱【竹籠】[一농] 명 대오리를 결어서 만든 농짝.

죽리【竹籬】[一니] 명 대울타리.

죽리-관【竹里館】[一니一] 명 [대나무숲 속에 세워져 있었던 데서] 중국 당대(唐代)의 시인 왕유(王維)의 별장에 딸려 있었던 정자.

죽림【竹林】[一님] 명 대숲.

죽림 고회【竹林高會】[一님一] 명 『문』 해좌 칠현(海左七賢).

죽림-사【竹林寺】[一님一] 명 『불교』 ①중국 산시 성(山西省) 북동부, 우타이 산(五臺山)에 있던 절. 770 년에 창건. ②중국 허난 성(河南省) 북부, 후이 현(輝縣)의 서남에 있는 절. 죽림 칠현(竹林七賢)이 모여 청담을 일삼았던 곳으로 칠현사(七賢祠)가 있음. 구명(舊名)은 칠현관(七賢觀)·상현사(尙賢寺).

죽림 산수【竹林山水】[一님一] 명 『미술』 죽림을 주장으로 삼고 다른 경치를 관여(關與)시켜서 그린 산수화(山水畫).

죽림 정사【竹林精舍】[一님一] 명 『불교』 천축국(天竺國) 다섯 정사(精舍)의 하나로서 인도 승원(僧院)의 시초. 가란타 장자(迦蘭陀長者)가 죽림을 봉납하고 빈파사라왕(頻婆娑羅王)이 건립했다고 전해짐. 왕사성(王舍城)의 남쪽 가란타(迦蘭陀)에 있었기 때문에 가란타 죽원이라고도 함. 석가가 성도(成道)하던 초년에 대밭 속에 세운 정사로 석가는 가끔 이 곳에 와 살면서 설법했음.

죽림 칠현【竹林七賢】[一님一] 명 『역』 중국 진(晉)나라 초기에 노자(老子)·장자(莊子)의 허무의 학을 숭상하여 죽림에 모여 청담(淸談)을 일삼았던 일곱 명의 선비. 곧 산도(山濤)·왕융(王戎)·유령(劉伶)·완적(阮籍)·완함(阮咸)·혜강(嵇康)·상수(向秀). ㊎칠현(七賢).

죽림 칠현도【竹林七賢圖】[一님一] 명 『미술』 죽림 칠현을 그린 그림.

죽림-파【竹林派】[一님一] 명 ①『역』 조선 시대의 청담파(淸談派)가 죽림 칠현(竹林七賢)을 본떠서 청담으로 한일월(閑日月)을 보내던 일로 인하여 청담파를 달리 부르는 이름. ②속세를 멀리 하고 초야에 묻혀서 고고(孤高)한 기풍으로 일생을 자적(自適)하는 사람.

죽마【竹馬】명 ①대말. ②두 개의 대막대기에 각각 알맞은 높이에 발걸이를 붙이고, 발을 올려놓고 대나무의 위쪽을 잡고 걸어다니는 남자 어린이의 놀이 기구. 죽족(竹足).

죽마 고:우【竹馬故友】명 죽마❷를 타고 놀던 벗. 곧, 어릴 때부터 같이 놀며 자란 벗. 죽마 구우. 죽마지우.

죽마 교우【竹馬交友】명 어렸을 때부터 사귄 벗.

죽마 구:우【竹馬舊友】명 죽마 고우(竹馬故友).

죽마 구:의【竹馬舊誼】[一/一이] 명 어릴 때부터 같이 놀며 자란 벗 사이의 정의.

죽마지-우【竹馬之友】명 죽마 고우(竹馬故友).

죽-맞다 자 의기 투합(意氣投合)하다. 마음이 맞다.

죽매화-나무【一梅花一】명 ☞죽도화나무.

죽-머리 명 활을 잡은 쪽의 어깨.

죽목【竹木】명 대와 나무.

죽문【竹文】명 『미술』 그릇 표면 따위에 베풀어진 대나무 그림의 소재(素材) 문양(文樣).

죽물[1]【竹物】명 대그릇이나 대로 만든 온갖 제구. 대그릇.

죽-물[2]【粥一】명 ①멀겋게 쑨 죽. ②건더기를 건져 낸 죽.

죽미【竹楣】명 『사람』 민영익(閔泳翊)의 호(號).

죽미-산【竹嵋山】명 『지』 경상 북도 봉화군(奉化郡) 소천면(小川面)에 있는 산. 소백 산맥 첫 머리에 솟아 있음. [906 m]

죽미-일【竹迷日】명 죽취일(竹醉日).

죽-바디 명 소의 다리 안쪽에 붙은 고기.

죽바이다 자 〈옛〉 죽고 패하다. ＝죽배다. ¶徐와 陳괘 져기 죽바이도다(徐陳略喪亡)≪重杜諺 Ⅷ:14≫.

죽반-승【粥飯僧】명 [죽과 밥만 많이 먹는 중이란 뜻] 무능한 사람을 비유하여 이르는 말. 밥통.

죽밥-간【粥一間】부 죽식간(粥食間)에.

죽-방울 명 ①가는 노끈에 건, 장구 모양의 작은 나무 토막을 이리저리 돌리다가 공중으로 치뜨려 떨어지는 것을 노끈으로 받아 다시 치뜨리고 하는 장난감의 한 가지. ②나무나 흙으로 장구 바퀴처럼 만든 것. 실가닥 끝에 달아서 이리저리 돌려 주머니 끈을 치는 데 씀.

죽방울-받다 ㊀ 자 죽방울을 공중으로 치뜨렸다 받았다 하다. ㊁ 타 ①아이를 추었다 쳤다 하며 정신 못차리게 놀리다. ②사람을 요리조리 놀려 먹다.

죽배다 자 〈옛〉 죽고 패하다. 죽고 망하다. ＝배다·죽바이다. ¶徐와 陳괘 져기 죽배도다(徐陳略喪亡)≪初杜諺 Ⅷ:14≫.

죽백【竹帛】명 [옛날 종이가 발명되기 전에 대쪽이나 포백(布帛)에 글을 써서 기록한 데서] 서적(書籍). 특히, 역사서(歷史書). 죽소(竹素). ¶이름을 ~에 드리우다.

죽백지-공【竹帛之功】명 이름을 청사에 남길 공적.

죽벌【竹筏】명 큰 대를 배처럼 엮은 떼. 타이완에 잔존하고 있음.

죽부[1]【竹部】명 국악기 중 대로 만든 악기. 피리·당적·대금·중금·소금·저통소·단소·태평소 등이 있음.

죽부[2]【竹符】명 『역』 죽사부(竹使符).

죽-부인【竹夫人】명 ①대오리로 길고 둥글게 만든 제구. 여름 밤에 끼고 자면서 서늘한 기운을 취함. 더치 와이프. ②대로 만든 걸상.

〈죽부인❶〉

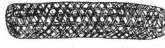

죽부인-전【竹夫人傳】명 『책』 고려 때 이곡(李穀)이 지은 가전체(假傳體) 작품. 대나무를 의인화(擬人化)하여, 굳은 절개를 그리는 동시에 그 무사(無嗣)한 것을 그렸음. 이는 하나의 열녀전(烈女傳)으로 남녀 관계가 문란한 당시의 사회상을 풍자한 것임. ≪동문선(東文選)≫에 실려 전해 옴.

죽비[1]【竹扉】명 대를 엮어서 만든 사립문.

죽비[2]【竹篦】명 ①대빗. ②『불교』 두 개의 대쪽을 맞추어 만든 물건. 불사(佛事) 때에 중이 손바닥 위를 쳐서 소리를 내어 불사의 시종(始終)을 절주(節奏)함.

〈죽비[2]❷〉

죽사【竹絲】명 실처럼 가늘게 쪼갠 대오리. 갓이나 질이 좋은 패랭이·삿자리를 만드는 데 쓰임.

죽사리 명 〈옛〉 죽살이. 생사(生死). ¶죽사리ᄅᆞᆯ 버서날 느지오≪月釋 Ⅰ:17≫.

죽사-립【竹絲笠】명 ①죽사로 엮어 검은 칠을 한 갓. ②진사립(眞絲笠).

죽-사마【竹駟馬】명 →죽산마(竹散馬).

죽-사발【粥沙鉢】명 죽을 담은 사발.

죽사발이 되다 구 '묵사발이 되다'와 같은 뜻.

죽-사부【竹使符】명 『역』 중국 한대(漢代) 때 태수(太守)에 임명할 때 수여했던 대나무의 부절(符節). ㊎죽부(竹符).

죽산【竹山】명 『사람』 조봉암(曺奉岩)의 호(號).

죽-산마【竹散馬】명 『역』 [←죽사마(竹駟馬)] 임금이나 왕비의 장례에 쓰는 제구(祭具). 썩 두꺼운 널로 '井'자와 같이 길게 틀을 만들고, 틀의 네 귀에 구멍을 파서 말굽을 만들어 박고, 그 말굽에 다리를 만들어 맞춘 뒤에, 굵은 채로 말의 몸뚱이를 만들어서 종이로 바른 뒤에, 잿빛칠을 하고 말총으로 갈기와 꼬리를 만들고 눈알은 움직이게 만들어, 두 바퀴가 달린 수레 위에 세워 놓고 여사군(轝士軍)이 끎. ＊죽안마(竹鞍馬).

〈죽산마〉

죽살 명 ☞죽살이.

죽살다 자 〈옛〉 죽고 살다. ¶그듸 이제 죽살 ᄯᅡ해 가ᄂᆞ니(君今死生地)≪初杜諺 Ⅷ:67≫.

죽-살이 명 죽음과 삶. 죽고 사는 일을 다투는 고생.

죽살이-치다 자 어떤 일에 죽을 힘을 모질게 쓰다. ㊎죽살치다.

죽살-치다 자 ↗죽살이치다.

죽상【一相】명 ↗죽을상.

죽-상어 명 〈방〉 〖어〗 가래상어.

죽-상자 【竹箱子】 명 대오리로 만든 상자.

죽서 기년 【竹書紀年】 명 〖책〗 사기(史記)의 결오(缺誤)를 보정한 것이라고 하는 중국 상대(上代)의 사료(史料). 진(晉)의 태강(太康) 2년(281) 허난 성(河南省) 사람이 위(魏)의 양왕(襄王)의 무덤을 발굴하여 얻은 책으로 75 편이 전함. 하(夏) 이후 위(魏)의 안리왕(安釐王) 20년에 이르는 연대기(年代記). 진(秦)의 분서(焚書) 이전의 고서(古書)로 죽간(竹簡)에 고체 문자(古體文字)로 쓰여져 있고 중국 고대사의 중요한 자료임. 2 권. 양(梁)의 심약 주본(沈約注本)은 위서(僞書)임.

죽서-루 【竹書樓】 명 〖지〗 관동 팔경(關東八景)의 하나. 강원도 삼척시(三陟市)에 있는 누각. 고려 충렬왕 때 간관(諫官) 이승휴(李承休)가 창건함. 누각 아래 오십천(五十川)이 맑게 흐르고 누대(樓臺)는 절벽으로 10여 길이 됨.

죽석[1] 【竹石】 명 〖역〗 돌 난간 기둥 사이에 동자석(童子石)을 받쳐서 가로 건너지르는 돌. 「그린 그림.

죽석[2] 【竹石】 명 〖미술〗 남종화(南宗畫)에서, 대나무와 돌을 소재로 하여

죽석[3] 【竹席】 명 얇게 쪼갠 대를 결어 만든 자리. 죽점(竹簟).

죽세 【竹細】 명 ① ↗죽세공(竹細工). ② ↗죽세공품. ¶ ~ 박물관.

죽-세공 【竹細工】 명 대를 재료로 하는 세공. 또, 세공한 물건. ㊂죽세(竹細)·죽공(竹工).

죽-세공품 【竹細工品】 명 대를 재료로 하여 세공한 물건. ㊂죽세(竹細).

죽소[1] 【竹素】 명 ['素' 는 비단의 뜻. 중국에서 종이가 발명되기 이전, 죽간(竹簡) 또는 비단에 책을 썼다는 데서] 서적(書籍). 전(轉)하여, 역사. ㄴ죽백(竹帛).

죽소[2] 【竹梳】 명 대빗.

죽소-장 【竹梳匠】 명 〖역〗 대빗을 만드는 장인(匠人).

죽-소춘 【竹小春】 명 음력 팔월의 이명(異名). 이 때쯤 대나무의 신록(新綠)이 한창인 데에서 지어진 말.

죽속 【竹束】 명 죽패(竹牌).

죽순 【竹筍】 명 대의 지하경(地下莖)에서 돋아 나는 어리고 연한 싹. 비늘 모양의 껍질에 싸여 밖으로 내밂. 식용함. 대순. 죽태(竹胎). ¶우후(雨後) ~.

죽순 솟듯 구 계속해서 많이 발생하는 모양. *우후 죽순(雨後竹筍).

죽순-고둥 【竹筍一】 명 〖동〗 [*Terebra subulata*] 죽순고둥과에 속하는 연체(軟體) 동물의 하나. 패각(貝殼)은 길이 14 cm, 지름 22 mm 가량의 죽순처럼 된 좁은 탑형(塔形)임. 나층(螺層)은 30 층이고 껍질 표면은 담황색에 적갈색의 방형상(方形狀)의 반문이 나상(螺狀) 3점렬(點列)로 각층(各層)에 2열씩 있음. 입은 작고 발톱 모양임. 얕은 바다의 모래 속에 서식하는데, 한국·일본 및 열대 지방에 널리 분포함. 패각이 아름답고 단단하여 예부터 장난감·패세공(貝細工)의 원료로 쓰임.

〈죽순고둥〉

죽순고둥-과 【竹筍一科】 [一꽈] 명 〖동〗 [Terebridae] 연체 동물 복족류(腹足類)에 속하는 한 과.

죽순-대 【竹筍一】 명 〖식〗 [*Phyllostachys edulis*] 댓과에 속하는 상록 아교목(亞喬木). 높이 12 m에 달하며 잎은 피침형인데 초구(鞘口)에 수근(鬚根)이 있음. 꽃은 7-10월에 원추(圓錐) 화서로 피고, 영과(穎果)는 11월에 익음. 인가 부근에 심는데, 일본으로부터의 수입종(輸入種)으로 전라 북도에 풍부함. 죽순은 식용, 줄기는 세공용(細工用)임. 강남죽(江南竹). 맹종죽(孟宗竹).

〈죽순대〉

죽순-밥 【竹筍一】 [一빱] 명 삶은 죽순을 가늘게 썰어 넣은 밥.

죽순 방석 【竹筍方席】 명 죽피 방석(竹皮方席).

죽순 정:과 【竹筍正果】 명 죽순을 푹 삶아서 얄팍하게 썰어 만든 정과.

죽순-채 【竹筍菜】 명 삶은 죽순을 얄팍하게 썰어 쇠고기 또는 돼지 고기를 섞어 양념을 쳐서 볶은 나물. 「장국.

죽순-탕 【竹筍湯】 명 삶은 죽순을 잘게 썰어 달걀에 버무려 끓인 맑은

죽-술[1] 【粥一】 명 고두밥 대신에 죽을 쑤어 누룩과 섞어서 술밑을 만들어 빚은 술. 맛은 좀 덜하나 빨리 익는 장점이 있음.

죽-술[2] 【粥一】 명 몇 숟가락의 죽. ¶~이나마 굶지 않고 먹는다.

죽술 연명 【粥一延命】 명 몇 숟가락 안 되는 죽으로 끼니를 이으며 근근히 목숨을 이어감. ——-하다 자여불

죽-식 【粥食】 명 죽과 밥.

죽식-간 【粥食間】 부 죽식간(粥食間)에.

죽식간-에 【粥食間一】 부 ①죽이든지 밥이든지 먹을 것이면 무엇이나. ¶가서 ~ 먹으면서 좋을 때를 기다려서 다시 올라오려무나! ≪崔曙海: 餞迓辭≫. ②죽이 되든지 밥이 되든지 어떻게 되든지 간에. 죽간(粥間)에. 죽식간(粥食間).

죽-신 명 ①한 죽의 미투리나 짚신. ②아무렇게나 대량으로 만들어 여러 죽씩 내다 파는 가죽신.

죽실 【竹實】 명 〖한의〗 대나무 열매 속에 든 씨. 맛이 달고 강장제(強壯劑)로 쓰임.

죽실-반 【竹實飯】 명 대나무 열매를 까서 멥쌀과 섞어 지은 밥.

죽-안마 【竹鞍馬】 명 〖역〗 임금이나 왕비의 장례에 쓰는 제구. 죽산마(竹散馬)와 만드는 방법(方法)은 같으나, 네 필로 하며, 두 필은 붉은 빛으로, 두 필은 흰빛으로 하여 모두 안장을 함. 행렬(行列)에서 죽산마가 앞서고, 다음에 붉은 빛의 것, 흰 빛의 것의 차례로 섬. *죽산마(竹散馬).

〈죽안마〉

죽-어도 부 죽는 한이 있더라도. 절대로. 결코. 결단코. ¶~ 양보할 수 없다.

죽어-지내다 자 ①남에게 눌리어 기를 못 펴고 지내다. ②너무 가난하여 죽을 욕을 보며 살아 가다.

죽어-지만 【一遲晩】 명 죽기가 늦었다는 뜻으로 흔히 죄를 자복할 때 쓰는 말. ¶소인의 죄 ~이로소이다.

죽여[1] 【竹茹】 명 〖한의〗 담죽(淡竹)의 얇은 속 껍질. 성질이 차며, 열(熱)로 일어나는 해소(咳嗽)·담(痰)·번열(煩熱) 등과 소아(小兒)의 설사나 토사(吐瀉), 임부(姙婦)의 복통 하혈(腹痛下血)에 씀.

죽여[2] 【竹輿】 명 대를 엮어서 만든 가마.

죽-여라 감 ①상대편을 죽이라고 동료들에게 외치는 소리. ②차라리 자기를 죽이라고 상대에게 외치는 소리. ¶~ 죽여, 차라리 날 ~.

죽여-주다 타 ①죽게 하여주다. ②〈속〉 '못 견디게 하다'·'감내할 수 없게 하다' 등의 속된 말. ¶그녀의 덧니가 살짝 드러나는 웃음이 나를 죽여준다.

죽염 【竹塩】 명 굵은 소금을 3 년 넘게 자란 대통 속에 다져 넣고 거름기 없는 진흙으로 봉한 다음 황토 가마에 넣고, 소나무 장작불로 아홉 번을 구워낸 것. 피를 맑게 하는 약제로 알려져 있으나, 과학적으로는 단정을 못내리고 있음.

죽엽 【竹葉】 명 ①대나무의 잎. 성질은 차며, 해열제로 씀. 댓잎. ② '술'의 이칭(異稱).

죽엽-군 【竹葉軍】 명 〖역〗 ≪삼국 유사(三國遺事)≫에 나오는 설화적(說話的)인 군대. 신라 14대 유례왕(儒禮王) 때 이서국(伊西國)이 금성(金城)을 공격했을 때, 귀에 댓잎을 꽂은 군사들이 나타나 신라를 도왔다고 하며, 적을 물리친 다음 이들은 온데 간데 없어지고 13대 미추 왕릉(味鄒王陵) 앞에 댓잎이 쌓여 있었다고 함.

죽엽-산 【竹葉山】 명 〖지〗 강원도 회양군(淮陽郡) 내금강면(內金剛面)에 있는 산. [1, 090 m]

죽엽 세:신 【竹葉細辛】 명 ①〖식〗 산해박. ②〖한의〗 산해박의 뿌리. 향기가 있고 가늘며 매운 맛이 있음. 힘이 없고 심허(心虛)하고 위황증(萎黃症)이 있는 사람에게 씀.

죽엽-주 【竹葉酒】 명 〖한의〗 댓잎 삶은 물에 담근 술. 풍증(風症)이나 열병 치료에 유효함.

죽엽-죽 【竹葉粥】 명 〖한의〗 댓잎과 석고(石膏)를 물에 달여 웃물을 따르고 거기에다 멥쌀을 넣어 끓인 죽. 지갈(止渴)·청심(清心)·해열제 등으로 사용됨.

죽엽-지 【竹葉紙】 명 죽지(竹紙).

죽영 【竹纓】 [一녕] 명 가는 대를 꿰어 만든 갓끈. 대갓끈.

죽외 일지 【竹外一枝】 [一찌] 명 대나무 숲 밖에 나와 있는 매화나무의 한 가지.

죽원[1] 【竹院】 명 대숲 속에 있는 집. 주위에 대를 많이 심은 집.

죽원[2] 【竹園】 명 ①대나무 동산. ②황족(皇族)을 말함. 한(漢)나라의 효문제(孝文帝)의 아들 양(梁)의 효왕(孝王)이 그의 동원(東苑)에 많은 대를 심었다는 데서 유래함.

죽은-깨 명 ☞주근깨.

죽은 농노 【一農奴】 명 [Mertvye Dushi] 〖책〗 제정 러시아 때의 작가 고골리(Gogoli, N.V.)의 장편 소설로 1842년의 작품. 당시의 부패·타락한 지주와 관리를 묘사하였음.

죽은 목숨 명 ①살아 갈 길이 없는 목숨. ¶~이나 다름없다. ②자유를 잃어 살아도 산 보람이 없는 사람. ↔산 목숨. 「의 은어(隱語).

죽은 식구 【一食口】 명 〈속〉 경찰에 검거(檢擧)된 한 패거리. 범죄자들

죽은 옹이 명 둘레가 밀접(密接)하게 붙어 있지 않은 옹이.

죽은-이 명 죽은 사람. 사망자(死亡者). ¶~의 명단.

죽은-이별 【一離別】 [一니一] 명 상대가 죽음으로써 갈라지게 된 이별. 사별(死別). ¶전남편과는 ~을 하고 객지로 떠돌았다. ↔산이별(離別).

죽은 이의 성:사 【一聖事】 [一/一에一] 명 〖천주교〗 죄로 말미암아 영적(靈的)으로 죽은 영혼에게 성성 성총(成聖聖寵)의 초자연적 생명을 이루어 주는 세례(洗禮)와 고백(告白)의 두 성사. ↔산 이의 성사.

죽은-피 명 사혈(死血).

죽은 화:산 【一火山】 명 〖지〗 사화산(死火山). ↔산 화산.

죽을둥-살둥 [一뚱一뚱] 부 죽을지 살지 분간 못하고 마구 덤비는 모양.

죽을-병 【一病】 [一뼝] 명 살아 날 가망이 없을 정도로 위중한 병.

죽을뻔-살뻔 부 심한 고생(苦生)·위험(危險)·고통(苦痛)으로 죽을 고비를 여러 번 겪는 모양.

죽을사-변 【一死邊】 명 한자 부수의 하나. '死'·'殆' 등에서 '歹'의 이름.

죽을-상 【一相】 [一쌍] 명 거의 죽게 된 얼굴의 표정. ㊂죽상(相).

죽을-죄 【一罪】 [一쬐] 명 죽어 마땅한 큰 죄. 사죄(死罪). ¶~를 짓다.

죽을-힘 명 죽기를 한하고 쓰는 힘. 사력(死力). ¶~을 다해서 덤비다.

죽음[1] 명 죽는 일. 생물의 생명이 없어지는 현상. 사세(死世). 사망(死亡). 사(死). 입몰(入沒). 끝장. ↔삶.

죽음[2] 명 〖건〗 재목을 다듬을 때 원 치수보다 좀 작게 하는 일.

죽음[3] 【竹陰】 명 대나무가 무성하여 된 응달.

죽음과 소:녀 【一少女】 명 [도 Der Tod und das Mädchen] 〖악〗 ①슈베르트가 작곡한 가곡. 클라우디우스(Claudius, M.)의 시를 가사로 하여 죽음을 겁내는 소녀와 사신(死神)과의 대화의 형식을 취함. ②슈베르트가 작곡한 현악 사중주곡. 1824년 작. 2 년 후 다시 개작됨. 제2 악장의 변주의 주제에 ❶의 가곡의 선율이 사용되고 있음.

죽음에 이르는 병: 【一病】 [Sygdommen til Döden] 명 〖철〗 [본디 요한 복음 11장 4절의 '이 병은 죽을 병이 아니라…' 에서 나온 말로, 1849년에 나온 키에르케고르(Kierkegaard)의 저서 ≪죽음에 이르는 병(Krankheit zum Tode)≫에 유래함] 영원한 죽음에 이르는 병은 육체

적인 병이 아니고 죄(罪)라는 종교적인 체험을 근저(根柢)로 인간 본래의 자아에 대한 절망이야말로 죽음에 이르는 병이기 때문에 그 절망을 자각하여 절망에서 벗어나지 않으면 안 됨. 곧, 절망은 신(神)을 거부하는 죄이므로 죽음에 이르는 병이라고 하였음.

죽음의 말: [—/—에—] 명 〖민〗 무가(巫歌)의 일종. 죽은 사람의 혼령을 극락으로 인도한다는 의미에서 행하여지는 '지노귀굿·집가심굿·방가심굿·씻김굿' 등으로 불리는 무의(巫儀)에서 구송(口誦)됨. 내용은 저승 사자(使者)가 사람을 잡아 명부(冥府)로 끌고 가서 시왕(十王) 전에 인간 생활의 선(善)·불선을 심판받는 것으로 되어 있음.

죽음의 무:도[1] 【—舞蹈】 [—/—에—] 명 〔도 Totentanz〕 〖악〗 한밤중 무덤에서, 죽은 사람의 해골이 지상에 나타나서 무도회를 연다는 유럽의 전설(傳說)에 의한 묘사적인 무곡(舞曲). 리스트(Liszt, F.)·생상스(Saint-Saëns)·오네게르(Honegger, A.)의 작곡(作曲)에 유명한 것이 있음. 당스 마카브르(danse macabre).

죽음의 무:도[2] 【—舞蹈】 [—/—에—] 명 〔Dödsdansen〕 〖책〗 스웨덴의 극작가 스트린드베리(Strindberg, J. A.)의 대표적 희곡. 2부 7막. 1901년에 출간. 노(老)대위 에드가르와 여배우 출신인 아내 알리스는 은혼식(銀婚式)을 목전에 두고도 상대방이 죽기를 바랄 만큼 서로 증오하는데, 알리스의 사촌 오빠 쿠르트가 부임해 온 후의 어느 날, 에드가르가 실신한 것을, 그가 죽은 줄로 알고 알리스와 쿠르트는 애욕에 빠짐. 에드가르는 갖은 책략을 써서 쿠르트를 파멸시켰으나 딸이 자기를 거부하자 절망으로 죽는데, 알리스는 즐거웠던 그와의 한때를 생각하여 명복(冥福)을 빎. 흡혈귀(吸血鬼)와 같은 에드가르와 마녀적(魔女的)인 알리스의 성격 묘사(描寫)가 특출함.

죽음의 상인 【—商人】 [—/—에—] 명 〔merchant of death〕 〈속〉 전쟁 상인(戰爭商人).

죽음의 승리 【—勝利】 [—니/—에—니] 명 〔이 Il trionfo della morte〕 〖책〗 단눈치오(D'Anunzio, G.)가 지은 장편 소설. 1894년 발표. 감각의 수렁에서 허덕이는 의지 박약한 사나이가 육욕(肉慾)을 사랑으로 극복하려다가 이루지 못하고 실패하는 내용으로, 세기말적(世紀末的)인 묘사에 뛰어난 탐미주의(耽美主義) 문학.

죽음의 재 [—/—에—] 명 〔lethal fallout〕 대기 중에서의 핵분열 또는 핵융합 반응의 결과로 떨어지는 방사능진(放射能塵)을, 생물에 원자병 특히 백혈병(白血病) 등을 일으켜 죽음에 이르게 한다는 뜻으로 일컫는 말. 낙진(落塵). 방사능진.

죽음의 재 바람 [—/—에—] 명 〔fallout winds〕 〖기상〗 방사능 오염입자(放射能汚染粒子)를 나르는 대류권(對流圈)의 바람. 표준 고층(標準高層) 바람의 관측 기술로 관측됨.

죽음처럼 강하다 【—強—】 명 〔프 Fort comme la mort〕 〖책〗 모파상작의 장편 소설. 파리 사교계(社交界)에 대한 비판과 노경(老境)에 들어선 인간의 심리를 훌륭하게 그려 내었음.

죽의 장막 【竹—帳幕】 [—/—에—] 명 〔bamboo curtain〕 1950-60년대에, 중국과 자유주의 국가 사이에 가로놓인 사상·군사·정치 등의 장벽을, 중국 명산(名産)인 대에 비유하여 부르던 말. *철의 장막.

죽이다 타 ①생물의 목숨을 빼앗다. ②움직이던 물건의 동작을 중지시키다. ③불을 끄다. ¶난롯불을 ~. ④기세를 꺾거나 기운을 줄게 하다. ¶기를 ~/감정을 ~. ⑤운동 경기나 술래잡기 등의 선수가 적을 잡거나 바둑·장기 등에서 상대편 말을 잡다. ⑥옷이나 종이의 풀기를 없애거나 식물의 생기를 없애다. ⑦놋쇠·은·수은·식초 등을 화학적 변화로 빛이나 맛을 잃게 하다. ⑧두드러진 자리나 불거진 모서리를 꺼지게 하거나 깎아 내다. ⑨제 치수나 수량에서 조금 모자라게 하다. 1)-9):↔살리다. *죽다.

죽일 놈도 먹이고 죽인다 구 왜 밥을 안 주고 굶기느냐고 항의하는 말.

죽인 【竹印】 명 대 뿌리로 만든 도장.

죽자꾸나-하고 부 목숨을 던질 각오를 하고. ¶~ 해 봐야 모두 남 좋은 일만 시키는 거다/~ 걸어 봤자 하루에 백 리밖에 더 가겠니.

죽자-사자 부 죽든 살든 아무러해도 좋다는 각오로 기를 쓰는 모양. ¶본시 어떤 법과 대학생과 ~ 연애를 하다가 실연을 당하고는…《李文熙: 鮮血의 對岸》.

죽잠 【竹簪】 명 대나무를 깎아 만든 비녀.

죽장[1] 【竹匠】 명 〖역〗 대그릇을 만드는 장인(匠人).

죽장[2] 【竹杖】 명 대로 만든 지팡이. 대지팡이.

죽장[3] 【竹欌】 명 대나무로 만든 장.

죽-장고 【竹杖鼓】 명 〖악〗 죽장구.

죽-장구 【竹杖—】 명 〖악〗 〔←죽장고(竹杖鼓)〕 지름 10cm 이상, 길이 80-90cm의 굵은 대통의 속 마디를 뚫어 만든, 장구처럼 쓰는 악기. 세워 놓고 막대기로 쳐서 소리를 냄.

죽-장기 【—將棊】 명 겨우 면이나 아는 서투른 장기.

죽장 망혜 【竹杖芒鞋】 명 ①대지팡이와 짚신. ②가장 간단한 보행(步行)이나 여행의 차림.

죽장 외:도 【竹杖外道】 명 〖불교〗 불교에 반항한 외도의 행자(行者). 불교를 시기하여 석가의 제자 대목건련(大目犍連)을 죽장으로 타살하였다 함. 집장 범지(執杖梵志).

죽-장창 【竹長槍】 명 ①무예(武藝)를 익히는 데 쓰는, 대로 만든 긴 창. 통대 끝에 쇠로 만든 날을 물리거나, 대쪽을 깎아서 여러 쪽을 부레풀로 한데 붙여, 그 위에 심을 감고 칠을 하여 만듦. 길이는 약 4m, 창날의 길이 8cm와 손 잡는 쪽 1m 이외는 물감칠을 함. ②십팔기(十八技) 또는 무예 이십사반(武藝二十四般)의 한 가지. 보졸(步卒)이 죽장창을 들고 익히는 무예. 여러 가지 세(勢)가 있음. 준죽창(竹槍).

〈죽장창❶〉

죽재 명 〈방〉 겨(전남).

죽저 【竹箸】 명 대로 만든 젓가락.

죽-저깨 【粥—】 명 〈방〉 죽젓광이.

죽저깨-질 【粥—】 명 〈방〉 죽젓개질. ——하다 자

죽-저광이 【粥—】 명 〈방〉 죽젓광이. ¶무에라고 트집을 잡아야 하겠기에 밤을 사자고 시작을 해 가지고 ~질을 해 버렸지《李海朝: 鬢上雪》.

죽전[1] 【竹田】 명 대밭.

죽전[2] 【竹箭】 명 대나무로 만든 화살.

죽전-산 【竹田山】 명 〖지〗 평안 북도(平安北道)의 후창군(厚昌郡)에 있는 산. [1,085m]

죽절 【竹節】 명 대의 마디.

죽절 갓끈 【竹節—】 명 금패(錦貝)·대모(玳瑁) 등으로 가는 대통처럼 만들어 같은 감의 구슬로 격자(格子)를 친 갓끈.

죽절-과 【竹節果】 명 죽절 모양으로 만든 과줄.

죽절-반 【竹節盤】 명 다리에 대마디 모양의 장식을 베푼 소반.

죽절 비녀 【竹節—】 명 대로 만든 값싼 비녀. ¶수마노(水瑪瑙) ~.

죽절-잠 【竹節簪】 명 ①죽절 비녀. ②머리에 대마디 형상을 새긴 비녀.

죽절-초 【竹節草】 명 〖식〗 [*Sarcandra glaber*] 홀아비꽃댓과에 속하는 상록 활엽 관목. 잎은 대생하며 장타원형 또는 광피침형이고 잎밑은 쐐기형임. 잎끝은 날카로워 뚜렷한 톱니가 있으며 표면에 광택이 있음. 꽃은 수상 화서(穗狀花序)로 정생(頂生)하며 꽃잎은 없고 담황록색임. 여름에 꽃이 피고 과실은 핵과로 구형(球形)이며 가을에 붉게 익음. 산기슭의 숲 속에 나는데, 제주도·일본·대만·중국·인도·필리핀에 분포함. 관상용임.

죽절-충 【竹節蟲】 명 〖충〗 대벌레.

죽점 【竹簟】 명 대자리. 죽석(竹席).

죽-젓개 【粥—】 명 죽젓광이.

죽젓개-질 【粥—】 명 ①죽을 쑬 때, 죽젓광이로 죽을 젓는 일. ②남이 하는 일을 휘저어 훼방을 놓는 일. ¶몸이 큰 체하여 집안에 ~을 할 대로 하며, 그 남편까지도 손톱 반 머리만치 두려워하지 아니하고…《李海朝: 驅魔劍》. ——하다 자여불

죽-젓광이 【粥—】 명 죽 쑬 때 고르게 끓게 하기 위하여 죽을 휘젓는 「나무 방망이. 죽젓개.

죽정[1] 【竹亭】 명 ①대로 자그마하게 지은 정자(亭子). ②뜰에 대를 심어 놓은 정자.

죽정[2] 【竹釘】 명 대못.

죽정[3] 【竹蟶】 명 〖조개〗 긴맛.

죽정이 명 ☞쭉정이.

죽제 명 〈방〉 ①겨(전남). ②등겨(강원).

죽-조반 【粥早飯】 명 아침밥을 먹기 전에 일찍 먹는 죽.

죽족 【竹足】 명 죽마(竹馬)❷.

죽주 【竹柱】 명 대나무의 기둥.

죽죽[1] 【竹竹】 명 〖사람〗 신라의 장군. 대야주(大耶州) 출신. 선덕 여왕(善德女王) 11년(642) 사지(舍知) 벼슬로 대야성(大耶城) 도독(都督) 김품석(金品釋)의 부하(部下)로 있을 때, 백제의 장군 윤충(允忠)이 대야성을 공격하자 김품석이 죽은 뒤에도 끝까지 성(城)을 지키다가 전사(戰死)함. [?-642]

죽:-죽[2] 부 ①무엇이 여러 줄로 늘어선 모양. ②동작이 여러 번 거침없이 나아가는 모양. ¶책을 ~ 읽어내려 가다. ③종이나 피륙을 계속해서 찢는 소리. ④여럿을 자꾸 훑어 보는 모양. ⑤계속해서 줄을 치거나 선을 긋는 모양. ¶줄을 ~ 쳐 놓고. ⑥입으로 무엇을 계속해서 빠는 소리. 1)-6):쓰쭉쭉. 1)·2)·3)·5)·6):>족족.

죽지[1] 명 〖생〗 〔근대: 죽지〕 ①팔과 어깨가 서로 이어져 있는 관절의 부분. ¶어깻~. ②새의 날개가 몸에 붙은 부분. ¶날갯~.

죽지 떼:다 구 ㉠활을 쏠 때, 활을 쏘고 나서 어깨를 내리다. 준죽떼다. ㉡하례(下隷)들이 배후(背後)를 믿고 기세를 부리다.

죽지[2] 【竹枝】 명 ①대나무 가지. ②〖문〗 중국 당(唐)나라 시인 유우석(劉禹錫)이 창시한 한시(漢詩)의 한 형식. 대개는 칠언 절구(七言絶句)의 연작(連作)으로 그 지방의 경치·풍속·인정을 읊었음. 죽지사(竹枝詞). ③〖악〗 중국에서 악부(樂府)를 노래하는 중에, 여러 사람이 서로 화답(和答)할 때 지르는 소리.

죽지[3] 【竹紙】 명 ①중국에서 나는 얇은 종이. 주로 대만산 계죽(桂竹)의 섬유(纖維)를 원료로 하여 만듦. 죽엽지(竹葉紙). ②얇은 종이 모양인 대의 속껍질.

죽지-랑 【竹旨郞】 명 〖사람〗 신라 화랑 출신의 명장(名將). 진덕 여왕(眞德女王) 3년(649) 김유신(金庾信)과 함께 도살성(道薩城)에서 백제군을 격파하고, 무열왕(武烈王) 8년(661) 백제의 잔병 소탕전에 참전. 문무왕(文武王) 7년(668)에는 고구려 정벌에 나섰으며 동왕 10년(671)에는 석성(石城)에서 당나라 군사와 결전, 5천 3백을 목베고, 당장(唐將) 6명과 백제 유장(遺將) 2명을 포로로 하는 공을 세움. 일명 죽만(竹曼) 또는 지관(智官). 생몰년 미상.

죽지르다 타르불 욱지르다. ¶유보화는 얼마큼 짜증을 내면서 어머니를 죽질러 놓았다《崔貞熙: 속·녹색의 문》.

죽지-뼈 명 〖생〗 어깻죽지를 이루는 뼈의 총칭.

죽지-사 【竹枝詞】 명 〖문〗 ①죽지(竹枝)❷. ②십이가사(十二歌詞)의 하나. 중국 악부(樂府)의 '죽지사'에 준하여 우리 나라의 경치·인정·풍속 등을 노래함. 건곤가(乾坤歌).

죽지-성대 명 〖어〗 [*Dactyloptena orientalis*] 죽지성댓과에 속하는 바닷물고기. 몸길이 30-40cm의 연장형으로 측편하며 배 쪽은 납작함. 몸빛은 등 쪽이 선려한 주홍색이고 배 쪽이 백색인데, 등과 머리 위에 등황색의 아름다운 반문(斑紋)이 밀포(密布)되어 있음. 배지느러미는 금색이며 심해성(深海性) 어종으로, 한국 동남해 및 일본 중남부와 남양에 분포함. 머리 뒤쪽에 긴 가시가 있으며 장대한 가슴지느러미로써 낙하산식으로 해상(海上)을 비약함. 점매미성대.

〈죽지성대〉

죽지성댓-과【一科】명〖어〗[Dactylopteridae] 죽동개목(目)에 속하는 어류의 한 과. 이 과에 속한 것으로 죽지성대가 있음.

죽질【竹帙】명 가늘게 쪼갠 대로 엮은 질(帙).

죽창[1]【竹窓】명 창살을 대로 만든 창문.

죽창[2]【竹槍】명 ①대로 만든 창. 대창. ②↗죽장창(竹長槍).

죽책[1]【竹冊】명〖역〗조선 시대 때 세자비(世子妃)의 책봉문(冊封文)을 새긴 간책(簡冊). 대쪽을 평평히 깎아 여러 개를 한데 꿰어 매었음.

〈죽책[1]〉

죽책[2]【竹柵】명 대로 말뚝을 박거나, 대를 둘러 막은 울타리.

죽책[3]【竹策】명 대로 만든 채찍.

죽척【竹尺】명 대자.

죽천[1]【竹川】명〖지〗황해도 벽성군(碧城郡) 장곡면(壯谷面)에 있는 시장. 농·축산물의 집산이 많음.

죽천[2]【竹泉】명〖사람〗박정양(朴定陽)의 호(號).

죽첨【竹籤】명 얄따랗게 깎은 댓조각.

죽청【竹一】명〈방〉대청[1].

죽청-지【竹青紙】명 아주 얇으나 질기고 단단한 종이의 한 가지.

죽총【竹叢】명 자그마한 대숲.

죽취-일【竹醉日】명 음력 5월 13일을 일컬음. 중국의 속설(俗說)에 이 날 대나무를 심으면 잘 자란다 함. 죽미일(竹迷日).

죽-치 명 죽신·죽갓 등과 같이 날림으로 여러 죽씩 만들어 내다 파는 물건(物件).

죽-치기 명 물건을 하나씩 하나씩 낱개로 팔지 아니하고 여러 죽씩 한꺼번에 넘기는 일.

죽-치다 자 집 속에만 들어박혀서 밖에 나가 활동을 안하다. ¶직업도 없이 집에서 죽치고 있다.

죽침[1]【竹枕】명 대로 만든 하절용(夏節用) 베개.

죽침[2]【竹針】명 대로 만든 바늘. 주로 뜨개질 등에 쓰임. 대바늘.

죽침[3]【竹鍼】명〖한의〗대로 만든 침. 주로 종기 수술에 사용됨.

죽태【竹胎】명 죽순(竹筍).

죽통[1]【竹筒】명 굵은 대로 만들어 술·간장·기름 등을 담는 긴 통.

죽통[2]【粥筩】명〈방〉구유(충북·경북·경기).

죽파【竹杷】명〖농〗장방형(長方形)의 나무 토막에 댓조각으로 이를 만들어 박고 긴 자루에 달아 논밭의 흙을 고르는 데에 쓰는 농구(農具)의 한 가지.

죽패【竹牌】명 화살을 막기 위한 대나무 다발. 죽속(竹束).

죽편【竹片】명 댓조각.

죽포【竹布】명 대의 섬유로 짠 천. 대를 오랫 동안 물에 담가 썩인 뒤에 잘게 켜서 씀.

죽풍【竹風】명 대나무 숲을 스치는 바람.

죽피【竹皮】명 죽순(竹筍)을 싸고 있는 대나무의 껍질.

죽피-관【竹皮冠】명 중국 한(漢)나라의 고조(高祖)가 썼다는 죽피(竹皮)로 만든 관(冠).

죽피 방석【竹皮方席】명 죽피로 짚을 싸서 결어 만든 방석. 죽순 방석(竹筍方席).

죽합【竹蛤】명〖조개〗긴맛. 맛조개.

죽합 찌개【竹蛤一】명 긴맛을 넣은 고추장 찌개.

죽항-도【竹項島】명〖지〗전라 남도의 서남해상(西南海上), 진도군(珍島郡) 조도면(鳥島面) 죽항도리(竹項島里)에 위치한 섬. [0.37 km²: 140 명(1984)]

죽-현【竹峴】명〖지〗①경상 북도 상주시(尙州市)의 남쪽 연악산(淵嶽山)에 있는 재. 이 재를 넘어 약 10km 지점에 선산(善山)이 있음. ②경상 북도 동해안 영덕(盈德)에서 서쪽 의성(義城) 방면의 팔각산(八角山) 남쪽에 있는 재.

죽황【竹黃】명〖한의〗안남(安南) 지방(地方)에서 나는 댓속에 병으로 생기는 누른 빛깔의 흙 같은 물건. 어린 아이의 경풍(驚風)에 유효(有効)함. 죽고(竹膏). 천축황(天竺黃).

준:[1] 명〈방〉주인[1](主人)(충북).

준:[2]【俊】명 성(姓)의 하나. 우리 나라에는 본관이 청주(清州) 단본임.

준:[3]【準】명〖인쇄〗교정(校正). ――하다 타여불

준[4]【罇】명 ①제향 때 술을 담는 긴 항아리 모양의 구리 그릇. ②질로 된 옛날의 술잔.

〈준[4]❶〉

준:-【準·准】투 어떤 명사(名詞) 위에 붙어서 그 명사에 비길 만한 구실이나 자격을 비슷하게 가짐을 나타내는 말. ¶~결승/~교사.

준:가[1]【准可】명 들어 줌. 허가(許可). ――하다 타여불

준:가[2]【準價】[一까] 명 제 가치에 꽉 찬 값.

준:-가구【準家口】명 기숙사(寄宿舍)·여관(旅館)·병원(病院) 등에서 가계(家計)를 같이하지 아니하는 사람들이 집합(集合)하여 이룬 가구. ↔보통(普通) 가구.

준가얼 분지【一盆地】〔準噶爾〕명〖지〗중국 신장 웨이우얼(新疆維吾爾) 자치구 톈산 산맥(天山山脈)과 알타이(Altai) 산맥의 중간에 있는 분지(盆地). 톈산 북로(天山北路) 일대에 걸침. 고래로 민족 이동(民族移動)의 요지(要地)를 이룸. 우량(雨量)이 많고 목초(牧草)가 무성하므로 목축이 성함. 중심 도시는 우룸치(Urumchi). 중가리아(Dzungaria).

준:각【峻刻】명 각급(刻急).

준:갈이-부【準噶爾部】명〖역〗중국 명초(明初)에 지금의 중국 신장 웨이우얼(新疆維吾爾) 자치구 준가얼 분지(盆地)를 근거로 한 몽고 오이라트(Oirat) 4 부(部)의 하나. 명말(明末)에 딴 부를 통일하여, 동은 외몽고, 남은 티베트 및 칭하이(青海)에까지 판도(版圖)를 넓혔으나, 청(淸)나라 성조(聖祖)에게 망함. 중가르부(Dzungar 部).

준:-강간【準強姦】명〖법〗여성이 심신(心神) 상실 또는 저항 불능(抵抗不能) 상태에 있을 때를 틈타서 간음(姦淫) 따위를 하는 일. 강간에 준해서 처벌됨.

준:-강도【準強盜】명〖법〗강도에 준하는 범죄. 본래는 절도(竊盜)이지만, 사후의 폭행(暴行)이나 협박(脅迫)을 이유로 강도에 준하는 사후 강도와, 협박이나 폭행은 쓰지 않더라도 사람을 혼취(昏醉)케 하고 재물을 훔치는 수단으로 말미암아 강도에 준하는 혼취 강도와의 두 가지가 있음.

준:개【悛改】명 '전개(悛改)'의 잘못된 말.

준:거[1]【峻拒】명 준절(峻截)히 거절함. ――하다 타여불

준:거[2]【準據】명 ①표준(標準)을 삼아 의거(依據)함. ¶본국법에 ~하여. ②표준. ――하다 타여불

준거[3]【遵據】명 전례(前例)나 명령(命令) 등을 좇아 의거(依據)함. ――하다 타여불

준거[4]【蹲踞】명 쭈그리거나 웅크리고 앉음. 무릎을 세우고 앉음. 준좌(蹲坐). ――하다 자여불

준:거-법【準據法】[一뻡] 명〖법〗국제 사법(國際私法)의 규정에 따라 일정한 법률 관계(法律關係)를 결정하는 데에 준거하는 본국(本國) 또는 외국(外國)의 법률. 곧, 본국법(本國法)·거주지법·소재지법 등에 준거하는 법.

준:거 집단【準據集團】명〔reference group〕〖사〗개인이 자기 태도의 준거 본보기로 보고 있는 특정한 집단. 준거 집단은 소속(所屬) 집단, 곧 객관적으로 보아 그 개인이 소속하고 있다고 인정되는 집단과는 반드시 일치(一致)하는 것은 아니고, 또 어떤 개인이 동시에 복수(複數)의 준거 집단에 속하는 수도 있음. 표준(標準) 집단. 조준(照準) 집단. 규준(規準) 집단. 레퍼런스 그룹.

준:거 타:원체【準據楕圓體】명〔reference ellipsoid〕〖지〗표준(標準) 타원체.

준:걸【俊傑】명 재주와 슬기가 뭇 사람보다 뛰어남. 또, 그와 같은 모양이나 사람. 준사(俊士). 준골(俊骨). 준언(俊彥). *호걸(豪傑). ――하다 형여불

준:걸-스럽다【俊傑一】형ㅂ불 보기에 준걸(俊傑)하다. 준:걸-스레【俊傑一】부

준:격【峻激】명 엄하고 강함. 험하고 심함. ――하다 형여불

준:견【駿犬】명 빨리 닫는 개.

준:-결승【準決勝】[一씅] 명 운동 경기 등에서 결승전(決勝戰)에 나아갈 단체나 선수를 결정하는 경기. 준결승전. ¶~에서 탈락되다. ――하다 자여불

준:-결승전【準決勝戰】[一씅一] 명 준결승(準決勝).

준:-경제재【準經濟財】명〖경〗물적(物的)인 것은 아니지만, 특허권·의장권(意匠權)·영업권과 같이 널리 양도·매매·담보의 대상이 되어, 경제재에 준하는 것으로 생각되는 재(財). 관계재.

준:-계약【準契約】명〔quasi-contract〕〖법〗로마법에서, 채권 발생의 원인이 되는 사무 관리·후견(後見)·우연(偶然)한 공유(共有)·유증(遺贈)·부당 이득(不當利得)의 총칭.

준:골[1]【俊骨】명 ①준수(俊秀)하게 생긴 골격. ②준걸(俊傑).

준:골[2]【駿骨】명 준마(駿馬)의 뼈. 전하여, 현재(賢才)를 비유하여 일컫는 말.

준:공【竣工】명 공역(工役)을 완성함. 공사를 낙성(落成)함. 낙성. 준역(竣役). ↔착공(着工). ――하다 타여불

준:공-도【竣工圖】명 건축이나 토목 공사가 완성되었을 때의 형태·구조를 그림으로 나타낸 도면. 일반적으로 공사 중의 설계 변경으로 인하여 설계도와는 틀리므로 별도로 만듦.

준:공-식【竣工式】명 준공을 축하하는 의식(儀式).

준:-공유【準共有】명〖법〗소유권 이외의 재산권의 공유권. 지상권·지역권(地役權)·저당권(抵當權)·채권·특허권·저작권(著作權) 등에 따라서 생김.

준:공인 후보【準公認候補】명 공인을 받지는 않았으나 소속 정당 단체(所屬政黨團體)의 지반(地盤) 할당(割當)을 받고 유형 무형으로 원조를 받고 있는 후보자.

준교【遵教】명 가르침을 좇음. ――하다 자여불

준:-교사【準教師】명〖교〗교육부 장관이 발행하는 준교사 자격증을 가진 고등 학교·중학교·초등 학교의 교사. 대학에서 소정의 교직 과목을 이수한 자 또는 준교사 자격 검정(資格檢定)을 받은 자 등에게 자격증이 수여(授與)됨. 준교원. ↔정교사.

준:-교원【準教員】명〖교〗준교사.

준:국제 사법【準國際私法】[一뻡] 명〖법〗한 나라 안에 있어서의 이법 지역(異法地域) 사이의 사법(私法)의 저촉(抵觸)을 해결하는 법칙. 동일한 국가 내에 사법(私法)을 달리하는 지역이 병존(並存)하고 있어, 하나의 사법적 법률 관계가 두 개 이상의 법률과 관계를 가질 경우의 적용 관계(適用關係)를 정한 법률. 국제 사법의 원칙을 준용(準用)하고 있음.

준:규【準規】명 표준이 되는 규칙. 준칙(準則).

준:극【峻極】명 ①지극히 높음. ②더할 나위 없이 고상(高尙)함. ――하다 형여불

준:-금속【準金屬】명 ①〔metalloid〕금속과 비금속(非金屬)의 중간 성질을 나타내는 물질. 메탈로이드. ②준금속 원소.

준:금속 원소【準金屬元素】명〔metalloid element〕〖화〗원소의 분류

상, 비금속(非金屬) 원소이나 금속 원소의 경향을 나타내는 원소. 주기율표상(週期律表上) 금속 원소와 비금속 원소의 경계 부근의 원소가 이에 해당함. 붕소(硼素)·규소(珪素)·게르마늄(germanium)·비소(砒素)·안티몬·셀렌·텔루륨 등. 준금속. *비금속 원소.

준:-금치산【準禁治産】명〖법〗'한정 치산(限定治産)'의 구(舊)용어.

준:금치산-자【準禁治産者】명〖법〗'한정 치산자'의 구(舊)용어.

준:급[1]【峻急】명 높고 험(險)하여 아주 가파름. ——-하다 형여불. ——-히 부

준:-급[2]【準急】명 ↗준급행 열차.

준:-급행【準急行】명 ↗준급행 열차.

준:급행 열차【準急行列車】[—녈—] 명 속도나 정차역의 점에서 보아 급행 열차에 준하는 여객 열차. 준준급행·준급.

준:기[1]【俊器】명 뛰어난 기량(器量)이 있는 사람.

준기[2]【樽機】명〖악〗↗준화기(樽花機).

준:기[3]【駿驥】명 준마(駿馬).

준:-기소【準起訴】명〖법〗준기소 절차(節次). *준기소 신청.

준:기소 명:령【準起訴命令】[—녕] 명〖법〗고등 법원이 검사의 불기소 처분에 불복(不服)하는 고소나 고발인의 재정 신청(裁定申請)에 의해 그 사건의 심의를 관할 지방 법원에 회부하도록 결정하여 내리는 명령.

준:기소 절차【準起訴節次】명〖법〗고소나 고발이 있었음에도 검사가 불기소(不起訴) 처분을 하였을 때에, 고등 법원이 고소인이나 고발인(告發人)의 재정 신청(裁定申請)에 의하여, 사건을 관할 지방 법원의 심판에 붙이는 결정을 하면, 그 사건에 대하여 공소(公訴)의 제기가 있는 것으로 간주하는 절차. 검찰(檢察)의 독단적 횡포(橫暴)를 방지할 목적으로 인정한 예외적인 규정인데, 이 공소의 유지(維持)는 소할 법원(所轄法院)이 지정한 변호사가 담당함. 준기소. *재정 신청.

준:납【準納】명 일정한 기준대로 바침. ——-하다 타여불

준:농림 지역【準農林地域】[—님—] 명 농업 진흥 지역 외의 농지(農地) 및 농림업의 진흥과 산림 보전을 위하여 이용하되, 개발 용도로도 이용할 수 있는 지역. *용도 지역.

준담【濬潭】명 깊은 못. 심연(深淵).

준답【噂沓】명 여럿이 모여 서로 이야기를 하여 그 소리가 뒤섞여 난잡함. 또, 그 모양. ——-하다 형여불

준답 배:증【噂沓背憎】명 면대(面對)해서는 친한 체하며 수다를 떨고 돌아서서는 욕함.

준-대로【遵大路】명 대로로 좇아 감. 큰 길을 감. ——-하다 자여불

준:덕[1]【俊德】명 대덕(大德). 고덕(高德). 준덕(峻德).

준:덕[2]【峻德】명 대덕(大德)❶❺.

준:도시 지역【準都市地域】명 개발이 필요한 주민의 집단적 생활 근거지, 국민 여가 선용과 관광 휴양을 위한 체육 및 관광 휴양 시설 용지, 농공(農工) 단지, 집단 묘지(墓地) 등으로 이용되고 있거나 이용될 지역. *용도 지역.

준-돈 명 돈치기할 때에 맞히도록 지정한 돈.

준:동[1]【俊童】명 준수(俊秀)한 아이.

준:동[2]【準同】명 어떤 일정한 표준과 같음. ——-하다 형여불

준동[3]【蠢動】명 ①벌레 따위가 꿈실거림. 무엇이 꿈질꿈질함. ②보잘것 없는 사람들이 소동(騷動)을 일으키거나 미미(微微)한 잔적(殘敵)들이 행동함. ¶게릴라가 ~하고 있다. ——-하다 자여불

준:두【準頭】명 코의 끝. ¶~가 솟은 코.

준득-거리다 자 ①음식물이 검질겨서 탄력성 있게 씹히는 느낌이 계속해서 있다. ②약간 말라서 검질기고 잘 끊어지지 아니하는 느낌이 계속해서 있다. 쓰쭌득거리다. >존득거리다. 준득-준득 부. ——-하다 형여불

준득-대다 자 준득거리다.

준딸-나무 [—라—] 명〖식〗[*Dendrodenthamia japonica minor*] 층층나뭇과의 낙엽 교목. 잎은 달걀꼴 또는 긴 달걀꼴인데 잎 뒤의 엽맥 사이에 갈색 털이 났음. 6월에 꽃이 두상화(頭狀花)로 핌. 과실은 핵과(核果)로 장질(漿質)이며 10월에 빨갛게 익음. 산림(山林) 속에 나며, 제주도·전남 해남군·경기도 광릉 등지에 분포하는데, 재목은 가구재로 쓰고 과실은 식용함.

준:량[1]【俊良】[줄—] 명 뛰어나게 어진 사람.

준:량[2]【駿良】[줄—] 명 뛰어나게 좋음. ——-하다 형여불

준:려【峻厲】[줄—] 명 썩 엄격함. 준절(峻切). ——-하다 형여불

준:령【峻嶺】[줄—] 명 높고 험한 고개. ¶태산 ~이라도 가겠다.

준:례【準例】[줄—] 명 ①표준이 될 만한 관례(慣例). ②어떤 예에 비겨 봄. ——-하다 타여불

준:로【峻路】[줄—] 명 험준한 길. 험로(險路).

준:론【峻論】[줄—] 명 엄숙하면서도 날카롭고 바른 언론(言論). *고담 준론(高談峻論).

준뢰【樽罍】[줄—] 명 제향 때 술을 담는 그릇. *준(罇).

준:루【峻樓】[줄—] 명 ①고루(高樓). ②위루(危樓).

준:리【准理】[줄—] 명 ①접수(接受)하여 처리(處理)함. ②접수하여 판결함. ——-하다 타여불

준:마【駿馬】명 잘 닫는 우량한 말. 상마(上馬). 한마(汗馬). 비마(飛馬). 준기(駿驥). 준족(駿足). 쾌제(駃騠). 준제(駿蹄).

준:-말 명〖언〗①둘 이상의 음절(音節)로 된 말을 줄여서 간단하게 한 말. '전기 축음기'를 '전축'이라 하는 것 등. ②어떤 말에서 그 첫 글자만 따서 일종의 부호처럼 간편하게 쓰는 말. 예컨대 'United States of America'를 'U.S.A.'로 하는 것과 같음. 약어(略語).

준:매【俊邁】명 재지(才智)가 극히 뛰어남. 또, 그러한 사람. ——-하다 형여불

준:-맹【準盲】명 약 1m 정도의 거리에서는 손가락의 수를 알 수 있으나 2m에서는 알 수 없을 정도의 시력 장애.

준:명【峻命】명 ①엄한 명령. ②'군명(君命)'의 경칭.

준:모【俊髦】명 준수한 사람. 재덕이 뛰어난 젊은 선비.

준:무【俊茂】명 ①초목이 우거져 무성함. 또, 성장하여 우거짐. ②재학(才學)이 뛰어남. 또, 그 사람. ——-하다 형여불

준:-무기【準武器】명 군용 및 민간용으로 사용할 수 있는 비행정·제트 수송기·헬리콥터 등의 일컬음.

준:-문서【準文書】명〖법〗문서가 아닌 것으로서 사실(事實)을 명확히 할 목적에서 증거(證據)로 남기기 위해 만든 물건(物件). 경계표(境界標)·도면(圖面)·사진·녹음(錄音) 테이프·각종 번호표·증거로 보존된 상품 견본(見本) 등.

준:물【俊物】명 준수한 인물. 뛰어난 사람.

준:-물권【準物權】[—꿘] 명〖법〗민법에 규정되어 있는 물권은 아니나 특별법에 의하여 배타적(排他的)인 이용 한계를 내용으로 하는 까닭에 물권으로 취급되는 권리. 광업권(鑛業權)·어업권(漁業權) 따위가 그 예임.

준:물권 행위【準物權行爲】[—꿘—] 명〖법〗직접으로 물권 이외의 권리의 변동을 일으키는 법률 행위. 채권 양도·채무 면제 등이 그 예임. 권리 변동의 채권·채무를 생기게 하는 채권 행위와 달라서 직접으로 권리의 변동을 일으키는 점에 있어서 물권 행위와 비슷하므로 이와 같이 부름.

준:미【俊味】명 뛰어난 맛. 또, 그러한 것.

준:민[1]【俊敏】명 머리가 좋고 날렵함. 동작이 열쌔고 영민(英敏)함. ——-하다 형여불

준:민[2]【駿敏】명 걸출하고 민첩함. ——-하다 형여불

준:민 고택【浚民膏澤】명 재물을 몹시 착취하여 백성의 힘을 다하게 함. ——-하다 자여불

준:-밀리파【準—波】명 [submillimeter wave] 파장(波長)이 1mm보다 짧은 전자기파(電磁氣波). 주파수로는 300GHz를 넘는 전자파.

준밀이 명 〈심마니〉멧돼지.

준박【踳駁】명 그르쳐서 혼란한 모양. 뒤죽박죽이 된 모양. ——-하다 형여불

준:발[1]【俊拔】명 준수(俊秀)하여 빼어남. ——-하다 형여불

준:발[2]【峻拔】명 산 같은 것이 험하게 우뚝 솟음. ——-하다 자여불

준:방【駿厖】명 ①뛰어나게 큼. ②매우 두터움. ——-하다 형여불

준범【遵範】명 사회의 규범(規範)을 잘 지킴. ——-하다 자여불

준:-범죄【準犯罪】명〖법〗형법 상의 범죄는 안 되나 민사 상의 손해 배상 책임이 생기는 행위.

준:법[1]【峻法】명 엄격한 법률.

준법[2]【皴法】[—뻡] 명 동양의 산수화에서 산형(山形)·암석·토파(土坡) 따위의 일체감을 표현하기 위해 이용되는 수법. 산수화 속에서 자연 발생적으로 생긴 것이며 송대(宋代)부터 차차 형식화되어 화가·유파(流派) 등과 결부되고 여러 명칭이 붙여지게 되었음. 우점준(雨點皴)·부벽준(斧劈皴)·피마준(披麻皴) 등이 그 예이고 각각 점적(點的)·면적(面的)·선적(線的)인 준법의 대표를 이루고 있음. 흔히 굴곡·중첩(重疊)·옷의 주름 따위가 그려짐.

준:법[3]【準法】명 법률이나 규칙에 좇아 따름. ——-하다 자여불

준법[4]【遵法】[—뻡] 명 법령(法令)을 지킴. 법(法)을 따름. ¶~ 정신의 앙양. ——-하다 자여불

준:법률 행위【準法律行爲】[—뉼—] 명〖법〗행위자의 희망 여하에 상관 없이 법률이 일정한 효과를 부여하는 사법상(私法上)의 적법(適法) 행위. 의사(意思) 또는 사실·감정(感情)의 표시에 의해 당연히 법률상의 다른 효과를 발생시키는 경우로서, 의사 통지(意思通知)·사실 통지·감정 표시 등의 세 가지가 있음.

준법-성【遵法性】[—뻡—] 명 법을 바르게 지키는 성질.

준법-자【遵法者】[—뻡—] 명 법을 잘 지키는 사람. 수법자(守法者).

준법 정신【遵法精神】[—뻡—] 명 법률에 위배하지 않고 그 법을 올바로 지켜서 실천하는 정신. 법률의 곡용(曲用)에 대하는 말.

준법 투쟁【遵法鬪爭】[—뻡—] 명 [law-abiding struggle]〖사〗법률이나 규칙을 완전히 지킴으로써 사용자(使用者)에게 손해를 주는 쟁의(爭議) 방식. 쟁의권을 가지지 않은 공무원(公務員)이나 공공(公共) 기업체의 직원들 사이에서 쓰이는 수가 많음.

준:변【俊辯】명 뛰어난 변설. 웅변(雄辯).

준:별【峻別】명 엄격히 구별함. 또, 그 구별. ——-하다 타여불

준:-보다【準—】타〖인쇄〗원고 또는 준지(準紙)·대장(臺狀) 등을 서로 대조해 가며 틀린 곳을 바로잡다. 교정(校正) 보다.

준:-보석【準寶石】명 보석 다음으로 존중되고 장식에 쓰이는 광물. 산출량이 많음. 수정·마노(瑪瑙) 따위. 차보석(次寶石).

준:봉[1]【峻峰】명 높고 험한 산봉우리.

준:봉[2]【準捧】명 정한 표준대로 받아들임. ——-하다 타여불

준봉[3]【遵奉】명 관례(慣例)나 명령(命令)을 좇아서 받듦. 순봉(順奉). ——-하다 타여불

준:분【駿奔】명 빨리 달음질침. ——-하다 자여불

준:비【準備】명 미리 마련하여 갖춤. 차비(差備). ——-하다 타여불

준:비 관제【準備管制】명 등화(燈火) 관제의 하나. 경계(警戒) 관제보다도 이완(弛緩)한 것으로 일반 실외등(室外燈)의 일부, 즉 광고·간판·장식용의 등이나 문등(門燈)·공원등을 끔.

준:비 교:육【準備教育】명〖교〗정도가 높은 전문(專門) 교육을 받기 위한 준비로 실시되는 일반적인 기초 교육.

준:비 교전국【準備交戰國】명 실질적인 교전은 하고 있지 않으나, 정치·외교·군사 기타에서 장래의 교전을 각오하고 냉전(冷戰)을 하고 있는 나라.

준:비-금【準備金】명 ①긴히 쓸 때를 위하여 미리 준비하여 둔 돈. ②〖경〗당좌 예금(當座預金) 청구자의 요구에 따라 언제든지 지급할 수 있도록 은행에서 미리 적립하여 두는 현금. ③[reserve]〖경〗회사가 장래의 필요에 대비(對備)하기 위하여 이익금(利益金)의 일부를 적립

(積立)하여 두는 돈. 준비금에는 상법(商法)의 규정에 따라 적립하는 것과 정관(定款)이나 주주 총회의 결의에 의하여 적립하는 것이 있는데, 전자를 법정(法定) 준비금, 후자를 임의(任意) 준비금이라 함. 적립금(積立金).

준:비-기【準備期】명 준비하는 시기.

준:비 서면【準備書面】명〔preparatory pleadings〕〖법〗당사자가 구두 변론(口頭辯論)에서 진술(陳述)할 내용을 미리 기재하여 법원(法院)에 제출하는 서면. 변론에 소요되는 당사자의 시간·노력(勞力)의 집약화(集約化)를 기하려는 수단으로서 인정된 제도이며 지방 법원 합의부(合議部) 이상의 상급(上級) 법원에서는 반드시 이것으로 변론을 준비하는 것이 필요함.

준:비-성【準備性】[―썽] 명 준비를 제대로 하는 성질.

준:비-실【準備室】명 어떤 일을 준비하는 데에 쓰이는 방.

준:비-액【準備額】명 어떤 목적을 위하여 준비한 금액(金額). 준비금의 액(額).

준:비 운:동【準備運動】명 ①본격적인 운동이나 경기를 하기 전에 신체의 조건이 그 운동에 적응하도록 전신을 움직여서 하는 가벼운 체조. 준비 체조(準備體操). ②선거나 기타 사회 운동에서 본격적인 운동을 전개하기 전에 부분적으로 시행하는 운동. 흔히 표면상으로 나타나지 않는 경우가 많음.

준:비 위원【準備委員】명 어떤 일을 하기 전에 그 일을 효과적으로 하기 위하여 미리 그 일에 대한 준비를 하는 위원.

준:비 절차【準備節次】명〔preparatory procedure〕〖법〗민사 소송법상, 구두 변론(口頭辯論)의 준비로서 쟁점(爭點)의 확정과 증거의 정리를 목적으로 하는, 합의체(合議體)의 일원인 수명 법관(受命法官)이 주재하는 변론의 예행(豫行) 절차. 이 절차는 합의 법원 사건에만 적용되고 단독부(單獨部) 사건에는 적용되지 아니함.

준:비-종【準備鐘】명 학교나 공공 단체에서 수업이나 집무 시간이 되기 조금 전이나 어떤 행사의 조금 전에, 미리 알려서 준비를 하도록 주의를 환기시키기 위하여 치는 종.

준:비 진통【準備陣痛】명〖의〗개구(開口) 진통.

준:비 체조【準備體操】명 준비 운동(準備運動)❶.

준:비 훈:련【準備訓鍊】[―훌―] 명〖군〗어떤 상황을 가상한 훈련에 앞서서 그 훈련의 효과적인 수행을 위하여 여러 가지 항목으로 나누어 숙달시키는 훈련. 예를 들면 분대 공격 훈련에 앞서서 행하는 포복(匍匐) 훈련, 지형(地形) 이용의 훈련 같은 것.

준:사[1]【俊士】명 ①〖역〗중국 주대(周代)의 학제(學制)에서, 서인(庶人)의 자제(子弟) 중 학덕이 뛰어난 사람으로서 대학(大學) 입학을 허가받은 사람. ②준걸(俊傑).

준:사[2]【竣事】명 사업을 마침. ――-하다 자 여불

준:사[3]【準仕】명 벼슬자리의 기한이 다함. ――-하다 타 여불

준:-사관【准士官】명〖군〗하사관의 위이며 사관의 아래인 직위. 참모총장의 제청(提請)으로 국방부 장관이 임명함. *준위.

준:-사기죄【準詐欺罪】[―쬐] 명〖법〗지능이 충분치 않은 미성년자(未成年者)나 어떤 자의 심신 장애(心身障礙)를 이용하여 물품을 빼앗거나 재산상의 이익을 취득함으로써 성립되는 죄. 유혹 취재죄(誘惑取財罪).

준:사무 관리【準事務管理】[―괄―]〖법〗타인의 사무를 처리했을 때에 타인을 위해서 한다는 의사를 갖지 않았거나 명백히 본인의 의사에 반하여, 자기의 이익을 도모하는 의도로써 행하여진 사무 관리. 타인의 물건을 자기 물건으로서 함부로 고가(高價)로 매각하든가, 타인의 가옥을 무단으로 임대하여 비싼 집세를 받든가 타인의 특허권을 무단으로 행사하여 거리(巨利)를 얻은 경우 등에서 권리자와 관리자와의 사이에 인정되는 관계임. 이 경우는 본래는 불법 행위 또는 부당 이득의 규정에 따를 것이나 본인의 청구를 용이하게 하기 위하여 인정되는 것임. 독일 민법에는 명문(明文)이 있음.

준:사법적 기능【準司法的機能】명〔quasi-judicial function〕〖법〗본래의 사법 기관 이외의 기관, 특히 행정 기관(行政機關)이 재판에 준하는 작용을 하는 기능. 행정 기관이 행하는 쟁송(爭訟)의 심사(審査)·재결(裁決) 같은 기능을 의미하는데 그 작용이 사법적 성질을 가지지만 일반(一般) 사법 작용이 아닌데서 불리는 명칭임. *준입법적 기능(準立法的機能).

준:사법 절차【準司法節次】명〖법〗행정 행위의 이해 관계자나 쟁송(爭訟)의 당사자의 권리·이익을 보호하기 위하여 요청되는 일정한 소송과 유사한 절차. 예를 들면 공개 심리·구두 변론·증거 조사 등을 그 내용으로 하는 경우의 행정 절차. *행정 절차.

준:삭【準朔】명 일정한 달수가 차는 일. ――-하다 자 여불

준:산【峻山】명 높고 험한 산.

준:상[1]【俊爽】명 재덕(才德)이 남보다 뛰어남. ――-하다 형 여불

준상[2]【樽床·尊床】[―쌍] 명 제향(祭享) 때에 준뢰(樽罍)를 올려 놓는 상(床).

준:-상행위【準商行爲】명〖법〗상행위는 아니나, 상행위에 관한 상법(商法)의 규정이 준용(準用)되는 행위. 민사(民事) 회사의 행위 따위.

준생 팔전【遵生八牋】[―쩐] 명〖책〗중국 명(明)나라의 고염(高濂)이 1591년에 간행한 저서. 도가(道家)와 석가(釋家)의 설을 취한 심신 수양법, 사계(四季)의 섭생법(攝生法), 생활의 모든 시설, 건강법, 음식물, 고기 서화 문방구(古器書畫文房具) 등의 상완품(賞玩品), 화초(花草), 약제 처방, 역대의 은일자(隱逸者)의 사적(事蹟) 등을 체계적으로 모아서, 인생 독본과 같은 체재로 편찬한 것. 모두 20권.

준석【樽石】명 무덤 앞에 있는, 술 그릇을 올려 놓는 돌.

준:선[1]【雋選】명 사람을 고르는 데 그 재능의 표준을 높여서 뽑는 일. 곧, 재주가 뛰어난 사람을 뽑는다는 뜻. ――-하다 타 여불

준:선[2]【準線】명〖수〗원뿔 곡선(曲線)을 한 정점(定點)으로부터의 거리와 한 정직선(定直線)으로부터의 거리의 비가 일정한 점의 궤적(軌跡)으로 정의할 경우의 그 정직선. *초점(焦點).

준:설【浚渫】명 ①항만(港灣)·하천(河川) 바닥이 멘 것을 파내서 깊게 하는 일. ¶ ~ 작업. ②물 밑의 토사(土砂)나 암석을 파내는 공사(工事). ¶ ~ 공사(工事). ――-하다 타 여불

준:설 공사【浚渫公社】명 ↗대한 준설 공사.

준:설-기【浚渫機】명〔dredger〕〖기〗물 속의 흙이나 돌을 굴착·제거하는 기계. 여러 가지 종류가 있으나 주로 항만(港灣)이나 하천 등의 큰 공사에 쓰임.

준:설 부표【浚渫浮標】명〔dredging buoy〕준설을 행하고 있는 구역의 경계를 나타내는 부표.

준:설-선【浚渫船】[―썬] 명 준설기(浚渫機)를 장치하여 준설 공사(工事)에 종사하는 배.

준:성【準星】명〖천〗준성 전파원(電波源).

준:-성사【準聖事】명〖천주교〗예수 친히 세우신 성사(聖事)에 준(準)하여 교회가 영신적(靈神的)인 은혜를 얻기 위하여 제정한 거룩한 물건이나 행동. 강복식(降福式) 따위.

준:성 전:파원【準星電波源】명〔quasi-stellar radio wave source〕〖천〗대단히 먼 곳에 있으면서 얼핏 보기에 별처럼 보이나 아주 강력한 전파와 에너지를 방출하고 있는 항성상 전파원(恒星狀電波源). 1963 년 경부터 발견되기 시작하여 현재 수천 개가 발견되었음, 광속(光速)의 0.946 배 정도의 속도로 멀어져 가고 있고, 밝기는 세이퍼트 은하(Seypert 銀河)의 10-100 배, 방출되는 에너지는 보통 은하의 100 배, 크기는 성운에 비해 꽤 작음. 퀘이사(quasar). 준항성상 천체(準恒星狀天體). 준성(準星).

준소【樽所·尊所】명 제향(祭享) 때에 준상(樽床)을 차려 놓는 곳.

준:소비 대:차【準消費貸借】명〖법〗금전 그 밖의 대체물(代替物)을 급부할 의무를 지는 자가 그 상대편에 대하여 그 물건을 소비 대차의 목적으로 할 것을 약속하는 계약. 기존(既存)의 채무를 소멸시키고 기존 채무에 관하여 소비 대차와 동일한 효력을 일으키는 것을 목적으로 하는 계약으로, 매매 대금(賣買代金)을 차금(借金)으로 돌리는 계약은 그의 일례임.

준:수[1]【俊秀】명 재지(才智)나 풍채가 아주 빼어남. ¶ ~하게 생긴 젊은이. ――-하다 형 여불

준:수[2]【準數】명 의수(依數).

준수[3]【遵守】명 규칙(規則)이나 명령 등을 그대로 좇아서 지킴. 순수(循守). ¶법을 ~하다. ――-하다 타 여불

준순[1]【逡巡】명 ①뒤로 문칫문칫 물러남. ②어떤 일을 단행하지 못하고 우물쭈물함. 결단하여 단행하지 못함. ――-하다 자 여불

준순[2]【逡巡】수 ①소수(小數)의 단위(單位)의 하나. 모호(模糊)의 억분(億分)의 일. 수유(須臾)의 억 배, 곧 10^{-56}. ②소수의 단위의 하나. 모호의 십분의 일, 수유의 십 배, 곧 10^{-14}.

준:승【準繩】명 ①평면의 경사(傾斜)를 헤아리기 위하여 치는 먹줄 또는 평면을 헤아리는 수준기(水準器)와 직선을 그리는 먹줄. ②꽉 정한 방식. 규구(規矩).

준시[1]【遵施】명 그대로 좇아서 시행함. ――-하다 타 여불

준시[2]【蹲柿】명 꼬챙이에 꿰지 않고 납작하게 말린 감. *풍준(豐蹲).

준:신[1]【準信】명 어떠한 것을 준거(準據)하여 그것을 믿음. ――-하다 타 여불

준신[2]【遵信】명 그대로 좇아서 믿음. ――-하다 타 여불

준:악【峻岳】명 높고 험한 산. 준산(峻山).

준:-안정【準安定】명〖화〗과도한 냉각이나 포화(飽和)와 같이, 어떤 물질이 온도가 변화하여 천이점(遷移點)을 넘어도 이전과 같은 모양을 유지하는 상태.

준:안정 상태【準安定狀態】명〔metastable state〕①양자 역학(量子力學)에서, 충분히 긴 수명을 가진 들뜬 상태. ②열역학(熱力學)에서, 물질이 참된 평형 상태에 도달하지 않고 도중의 불안정한 상태에 머무르고 있는 일. 과냉각(過冷却)·과열·과포화 따위.

준:애【峻隘】명 ①산이 험준하고 좁음. ②마음이 엄격하고 도량이 좁음. ――-하다 형 여불

준양【遵養】명 도(道)를 따라서 뜻을 기름. ――-하다 자 여불

준양 시회【遵養時晦】명 도(道)를 좇아 덕을 기르고 때가 오지 아니할 경우에는 언행을 삼가며 자기를 나타내지 아니하고 숨음.

준:어[1]【俊魚】명〖어〗준치.

준어[2]【鱒魚】명〖어〗송어의 잘못 일컫는 말.

준:언【俊彥】명 재지(才智)가 보통 사람보다 뛰어난 사람. 준걸(俊傑). 준사(俊士).

준:엄【峻嚴】명 매우 엄격(嚴格)함. 지엄(至嚴). 초엄(峭嚴). ¶ ~하게 꾸짖다. ――-하다 형 여불

준:엄-성【峻嚴性】[―썽] 명 준엄한 특성. ¶법의 ~.

준:여【餕餘】명 제퇴선(祭退膳).

준:여-물【餕餘物】명 제사를 물리고 난 후의 음식물.

준:역【竣役】명 준공(竣工).

준연【蠢然】명 굼뜨게 꿈질거리는 모양. ――-하다 형 여불

준:열【峻烈】명 준엄(峻嚴)하고 격렬함. ¶ ~한 비판. ――-하다 형 여불. ――-히 부

준:엽【峻葉】명 아름다운 잎사귀.

준:영【俊英】명 뛰어나고 빼어남. 또, 그런 사람. 영준(英俊). ――-하다 형 여불

준:예【俊乂】명 재주와 슬기가 아주 뛰어난 사람. 준영(俊英). 현재(賢才). 영재(英才).

준:-예산【準豫算】[—녜—] 명 『경』 회계 연도 개시 30일 전까지 국회(國會)에서 예산안이 의결(議決)되지 못할 때에, 정부가 예산안이 의결될 때까지 공무원의 보수(報酬)와 사무 처리에 필요한 기본 경비·시설 유지비·법률비·계속비(繼續費) 등을 전년도에 준하여 지출할 수 있는 잠정(暫定) 예산.

준오【踆烏】명 삼족오(三足烏).

준:-왕【準王】명 『사람』 고조선 왕 부(否)의 아들. 기자(箕子)의 40여 대 손(孫)이라 함. 기원전 2세기경 중국 허베이(河北) 지방에서 망명해 온 위만(衛滿)이 모반(謀反)하여 왕도(王都)로 쳐들어오매, 궁인(宮人)을 거느리고 해로(海路)로 마한(馬韓) 땅에 도착하여 한왕(韓王)이 되었다 함.

준:-왜성【準矮星】명 〔subdwarf〕 『천』 에이치아르도(H-R圖)에서, 주계열(主系列)과 백색 왜성(白色矮星)의 중간에 있는, 넓은 영역(領域)에 산재(散在)하는 항성(恒星). ＊왜성(矮星)·백색 왜성.

준:-요구【準要求】명 〔quasi-need〕 『심』 독일의 심리학자 레빈(Lewin)의 용어. 음식물을 요구하는 일 같은 선천적인 생물학적 요구에 대하여, 어떤 관념을 가지고 행해지는 의지적(意志的) 또는 의도적(意圖的)인 요구.

준:용¹【準用】명 ①표준으로서 적용(適用)함. ②『법』 유사하기는 하나 본질이 다른 어떤 생활 관계에 관한 법규(法規)를 법 스스로가 명문(明文)으로써 그 생활 관계와 유사(類似)한 기타의 생활 관계에 유추(類推)·적용하는 일. ——-하다 타 여불

준용²【遵用】명 좇아 씀. 준수하여 씀. ——-하다 타 여불

준:용 하천【準用河川】명 정부에서 직접 관할하는 직할(直轄) 하천과는 달리 서울 특별시장·직할시장·도지사가 관할 관리하는 하천.

준:우¹【峻宇】명 크고 높다랗게 지은 집.

준우²【蠢愚】명 굼뜨고 어리석음. ——-하다 형 여불

준:-우승【準優勝】명 운동 경기에서 우승 다음 가는 성적. 곧, 차위(次位)를 차지한 시합 성적.

준원【濬源】명 깊은 근원.

준원-전【濬源殿】명 『역』 함경 남도 영흥군(永興郡) 순녕면(順寧面)에 있던 전각. 조선 태조(太祖) 5년(1396)에 건립됨. 태조 이성계(李成桂) 탄생 때 태(胎)를 묻었던 곳에 세운, 조선 왕조 발상(發祥)을 기념하던 전각.

준:위【准尉】명 『군』 군의 준사관(准士官) 계급. 상사(上士)의 위이고 소위(少尉)의 아래임.

준:-위임【準委任】명 『법』 법률 행위 이외의 사무의 처리를 위임하는 계약. 재산 관리, 차임(借賃) 지급의 최고(催告), 대차 대조표의 작성, 축사(祝辭)를 하는 따위.

준:유¹【俊游】명 뛰어난 벗.

준유²【遵由】명 좇아 따름. ——-하다 타 여불

준:율【準率】명 준거(準據)해야 할 비율.

준:의¹【准擬】[—/—이] 명 『역』 육조(六曹)에서 의의(擬議)한 사실을 윤허(允許)해 줌. ——-하다 타 여불

준:의²【準擬】[—/—이] 명 견주어 흉내 냄. ——-하다 타 여불

준의³【噂議】[—/—이] 명 많은 사람이 모여 이러쿵저러쿵 말함. 또는, 그렇게 하는 일. ——-하다 자 여불

준:이¹【俊異】명 재능(才能)이 뚜렷이 뛰어남. 또, 그 사람. 준이(儁異). ——-하다 형 여불

준:이²【儁異】명 준이(俊異).

준이³【蠢爾】명 ①벌레나 무엇이 움찔움찔 움직임. ②무지(無知)하고 하찮은 사람들이 수선거려 움직임. ——-하다 자 여불

준:일¹【俊逸】명 재능이 뛰어남. 또, 그런 사람. ——-하다 형 여불

준:일²【駿逸】명 아주 빠른 말.

준:입법적 기능【準立法的機能】명 〔quasi-legislative function〕 『법』 입법 기관 이외의 기관, 특히 행정 기관(行政機關)이 입법에 준하는 작용을 하는 기능. ＊준사법적 기능.

준:-입자【準粒子】명 『물』 질량(質量)·에너지·운동량과 같이 입자적인 성질은 있으나 실재의 입자가 아닌 것.

준:자유 전:자 이:론【準自由電子理論】명 〔quasi-free-electron theory〕 『물』 전도 전자(傳導電子)에 작용하는 주기적(週期的)인 퍼텐셜을 받아 들여서 금속의 자유 전자 이론을 수정(修正)한 이론. 전자(電子)는 실제의 질량과는 다른 유효 질량(有效質量)을 갖는다고 함.

준:작¹【峻爵】명 높은 작위(爵位). 또, 그 사람.

준:작²【準酌】명 주석(酒席)에서 주인을 도와 손님에게 술을 부어 권하는 사람.

준작³【樽杓】명 술 그릇과 구기.

준:장¹【准將】명 『군』 군의 장관급(將官級) 장교의 한 계급. 소장(少將)의 아래이며 대령(大領)의 위임.

준:장²【準張】[—짱] 명 『인쇄』 준지(準紙).

준:-장석【準長石】명 〔feldspathoid〕 『광』 장석에서 규산(珪酸)을 제거한 것 같은 화학 조성(化學組成)을 갖는 광물 그룹의 총칭. 하석(霞石)·백류석(白榴石) 등.

준:재【俊才】명 뛰어난 재주. 또, 재주가 뛰어난 사람.

준:적【準的】명 표준이나 목표가 될 만함. ——-하다 형 여불

준:-전손【準全損】명 『경』 추정 전손(推定全損).

준:전시 체제【準戰時體制】명 전쟁(戰爭) 때에 준하는 긴장(緊張)된 국내(國內)의 체제.

준:절¹【峻截·峻切】명 ①산이 깎아 세운 듯이 높고 험함. ②매우 위엄이 있고 정중함. 준려(峻厲). ——-하다 형 여불. ——-히 부

준:절²【峻節】명 높고 고상한 절조(節操).

준절³【撙節】명 →존절. ——-하다 타 여불. ——-히 부

준:-절도【準竊盜】[—또] 명 자기 소유물이지만 타인의 점유(占有)에 속하고 있는 물건, 혹은 공무소(公務所)의 명령에 의하여 타인이 관리하고 있는 물건을 훔치는 일. 절도로서 처벌됨.

준:-점유【準占有】명 『법』 자기를 위하여 하는 의사를 가지고 유물체(有物體) 이외의 재산권을 행사하는 일. 재산권의 사실적 지배의 외형(外形)이며 물권·채권·무체(無體) 재산권 등에 관하여 성립되는 것으로, 예컨대 예금 통장과 인장(印章)을 가진 자는 예금 채권(預金債權)의 준점유자임.

준:정¹【浚井】명 우물을 깨끗이 쳐내는 일. ——-하다 자 여불

준:정²【準正】명 〔legitimation〕 『법』 적출자(嫡出子)가 아닌 서자(庶子)나 사생자(私生子)에게 적출자와 동일한 신분을 부여하는 일. 서자나 사생자의 부모가 결혼하고, 인지(認知)함으로써 적출자와 동일한 효과를 가져옴을 말함.

준:정체 전선【準停滯前線】명 『기상』 정체하고 있거나 거의 정체 상태(停滯狀態)에 있는 전선. 보통 5노트 이하의 속도(速度)로 움직이는 전선을 말함.

준:제¹【俊弟】명 뛰어난 동생.

준:제²【駿蹄】명 발이 빠른 말. 준마(駿馬).

준:조¹【峻阻】명 험악함. 험함. 험준(險峻). ——-하다 형 여불

준:조²【浚照】명 물이 깊고 맑음. ——-하다 형 여불

준조³【樽俎·尊俎】명 ①제향(祭享) 때에 술을 담는 준(樽)과 고기를 담는 조(俎). ②온갖 예절을 다 갖춘 공식(公式)의 잔치.

준:-조세【準租稅】명 기업이 내는 각종 공과금(公課金)과 성금(誠金) 형식의 기부금의 총칭. 세금은 아니지만, 안 낼 수 없다는 데서 일컫는 말.

준조 절충【樽俎折衝】명 〔안자 춘추(晏子春秋)에 나오는 말로, 술자리에서 외국 사신과 담소하면서 상대의 요구를 물리쳐 자국(自國)의 주장을 관철시킴의 뜻〕 외국과의 교섭에서 국위(國威)를 빛내는 일.

준:족【駿足】명 ①걸음이 빠른 좋은 말. 준마(駿馬). ②발이 빨라 잘 달림. ③뛰어난 인재(人材).

준좌【蹲坐】명 ①주저앉음. 쭈그리고 앉음. 준거(蹲踞). ②일을 하다가 도중에서 그만둠. ——-하다 자 여불

준주【樽酒·尊酒】명 술준에 담은 술. 통술.

준주 성:범【遵主聖範】명 『천주교』 예수를 본받는 법을 가르친 책.

준:-주임【准奏任】명 『역』 대한 제국 때 벼슬이 주임관(奏任官)은 아니나 그 대우를 받던 사람. ＊주임 대우(奏任待遇)·준판임(准判任).

준준¹【蓴蓴】부 풀이 더부룩이 난 모양. ——-하다 형 여불

준준²【蹲蹲】명 ①덩실덩실 춤추는 모양. ②단정히 걷는 모양. ——-하다 형 여불. ——-히 부

준준³【蠢蠢】부 ①벌레의 움직이는 모양. ②무지(無知)해서 사리를 판별치 못하는 자의 움직임. ¶하늘이 주신 그 본성까지 잃고 육신은 비록 사람 같으나 ～함은 짐승이나 다를 것이 없어《金敎濟 : 地藏菩薩》. ——-하다 형 여불

준:-준결승【準準決勝】[—씅] 명 준결승전에 나아갈 자격을 겨루는 경기.

준준 무식【蠢蠢無識】명 굼뜨고 어리석어 아주 무식함. 준준 무지(蠢蠢無知). ——-하다 형 여불

준준 무지【蠢蠢無知】명 준준 무식(蠢蠢無識).

준중【樽中】명 술독의 안.

준:중거리 탄:도 미사일【準中距離彈道—】〔missile〕 명 『군』 준중거리 탄도 유도탄.

준:중거리 탄:도 유도탄【準中距離彈道誘導彈】명 〔medium range ballistic missile〕 『군』 엠 아르 비 엠(M.R.B.M.). ＊중거리(中距離) 탄도 유도탄. 「1,500 cc에서 1,800 cc까지를 이름.

준:-중형차【準中型車】명 중형차에 준하는 규모의 승용차. 배기량이

준:지¹【準紙】명 『인쇄』 인쇄물에 있어서 교정을 보아 놓은 종이. 교정지(校正紙). 준장(準張).

준지²【濬池】명 깊은 못이란 뜻으로 바다의 일컬음.

준지³【蹲止】명 중도에서 그쳐 그만둠. ——-하다 자타 여불

준:-지대【準地代】명 〔quasi-rent〕 『경』 고정 자본, 곧 내구 설비(耐久設備)에서 생기는 소득(所得). 영국의 경제학자 마셜(Marshall, A.)의 경제 개념에서의 용어로, 노동의 투하(投下) 없이도 주위의 경제적 조건의 변화로 공급이 제한된 경제적 사물이나 용역의 가격이 상승함으로써 발생하는 이익을 이름.

준:직【準職】명 『역』 당하관(堂下官)으로서 가장 높은, 당하(堂下) 정삼품(正三品)의 벼슬.

준:직무 범:죄【準職務犯罪】명 『법』 직무와 관련되어 행하여진 행위에 의하여 구성되는 형법 상(刑法上)의 범죄. 수회죄(收賄罪) 같은 것. ＊직무 범죄.

준:채【俊彩】명 뛰어나게 빛나는 인물.

준:책【峻責】명 준절히 꾸짖음. ——-하다 타 여불

준:척【準尺】명 낚시에서, 낚은 물고기의 길이가 거의 한 자가 됨. 또, 그 물고기. ＊월척(越尺).

준천【濬川】명 개천을 파서 쳐냄. ——-하다 자 여불

준천-사【濬川司】명 『역』 조선 시대 때 서울 안의 개천 치는 일과 사산(四山) 지키는 일을 맡은 관아. 부속 기관으로 주교사(舟橋司)가 있었으며, 본래 문관의 관청이었으나 고종(高宗) 2년(1865) 무관의 관청으로 고치었음. 영조(英祖) 36년(1760)에 베풀어서 고종 19년(1882)에 한성부(漢城府)에 통합됨.

준철【濬哲】명 깊은 슬기. 뛰어나게 명철(明哲)함. 또, 그 사람. ——-하다 형 여불

준:초【峻峭】명 ①산 따위가 높고 험함. ②사물(事物)의 상태·양태가 험하고 날카로움. 엄격하고 냉혹함. 준혹(峻酷). ——-하다 형 여불

준추【皴皺】명 피부의 주름.

준추새끼 명 〈방〉 수수께끼.

준축【蹲縮】명 지면(地面)이 주저앉아서 오므라짐. ——-하다 자 여불

준:치¹ 명 『어』 [*Ilisha elongata*] 청어과에 속하는 바닷물고기. 몸길이 50 cm 남짓한데 모양은 밴댕이와 비슷하여 심히 측편한 대형어로 몸빛

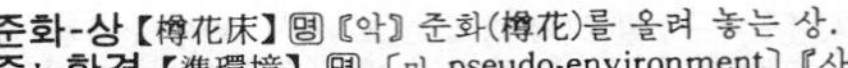

은 등쪽이 창황색이고 배 쪽은 은백색임. 배지느러미가 작고 뒷지느러미는 김. 한국 서남해·남일본에서 많이 나고 동남 중국해·말레이 군도·인도양에도 분포함. 맛이 좋으나 살 사이에 가시가 많음. 시어(鰣魚). 전어(箭魚). 준어(俊魚). 진어(眞魚).

〈준치[1]〉

준:치[2]【峻治】명 엄치(嚴治). ——하다 타여불

준:치 저:냐 명 준치로 만든 저냐.

준:치-젓 명 준치로 담근 젓.

준:치-찜 명 토막 친 준치에 부추·파·죽순(竹筍) 같은 양념을 넣고 술·초 및 기름을 쳐서 간을 맞추어 중탕(重湯)하여 익힌 음식.

준:치-회【—膾】명 준치의 가시를 바르고, 만든 회(膾).

준:칙【準則】명 준거(準據)할 법칙. 준용(準用)할 규칙. 격률(格率). 준규(準規). ¶가정 의례 ~.

준:칙-주의【準則主義】[—/—이] 명〔도 Normativsystem〕〔법〕 법인 설립 상의 한 주의. 법률에 일정한 조건을 설정(設定)하여 그 규정에 맞으면 관청(官廳)의 허가를 필요로 하지 않고 법인(法人)을 설립할 수 있게 하자는 것.

준:칫-국 명 준치로 끓인 맑은 장국.

준:-통화【準通貨】명〔경〕 즉시 현금화할 수 있는 유동성(流動性)이 적은 저축성 예금이나 국내 거주자의 외화(外貨) 예금 같은 것을, 실지로 유통되고 있는 통화(通貨)에 상대하여 일컫는 말.

준:판【峻阪】명 아주 가파른 언덕.

준:-판임【准判任】명〔역〕 대한 제국 때 벼슬이 판임관(判任官)은 아니나 그와 같은 대우를 받던 사람. *준주임(准奏任).

준:-편마암【準片麻岩】명〔광〕 석영(石英) 및 장석(長石)의 함유가 많은 퇴적암(堆積岩)으로부터 변성(變成)된 편마암. *정(正)편마암·변(變)편마암.

준:평【準平】명 평평함. 평탄함. ——하다 형여불

준:-평원【準平原】명〔지〕 장기간 계속된 침식(浸蝕) 때문에 산이 깎이어서 지역 전체가 낮고 평평하게 되어 기복(起伏)이 적은 파상(波狀)으로 된 평지. 침식 윤회(浸蝕輪廻)의 최종 단계에 생김. 예외적으로 침식 초기에 생기는 경우가 있으며 이를 원생(原生) 준평원이라 함. 파상 평원. *융기(隆起) 준평원·개석(開析) 준평원.

준:평원 유물【準平原遺物】[—뉴—] 명〔지〕 융기 준평원이 유·장년기(壯年期)에 접어들어 준평원면이 여러 갈래로 침식(浸蝕)됨으로써 봉우리 정상에 남아 있는 작은 면적의 평면.

준:평원화 작용【準平原化作用】명〔지〕 기준화 작용(基準化作用).

준:-표면파【準表面波】명〔subsurface wave〕 물 속이나 육지 속을 전파하는 전자기파(電磁氣波). 통신에 사용되는 주파수는 고주파의 감쇠(減衰) 때문에 약 35 kHz까지로 제한됨.

준:필【俊弼】명 뛰어나게 보필(輔弼)함. 또, 그 사람.

준:-하다[1]【準—】자여불 ①어떤 본보기에 비추어 그대로 좇다. ¶이하 이에 준함. ②〔인쇄〕 교정하다.

준:-하다[2]【峻—】형여불 맛이 진하거나 독하다.

준:-하제【峻下劑】명〔약〕 적은 양으로도 강한 작용을 일으키는 식물성 하제(下劑).

준:-항고【準抗告】명〔법〕 ①민사 소송법 상, 수명 법관(受命法官)이나 수탁 판사(受託判事)의 재판에 대하여 불복(不服)이 있는 당사자(當事者)가 수소 법원(受訴法院)에 신청하는 이의(異議). ②형사 소송법 상, 법관이 행한 재판이나 검사 및 사법 경찰관(司法警察官)이 행한 처분에 대하여 불복이 있는 경우에 그 법관 소속의 법원 또는 그 직무 집행지(職務執行地)의 관할 법원이나 검사의 소속 검찰청에 대응한 법원에 대하여 그 재판 또는 그 처분의 취소(取消)·변경(變更)을 요구하는 청구.

준:항성상 천체【準恒星狀天體】명〔quasi-stellar object : 약칭 QSO〕〔천〕 준성 전파원(準星電波源).

준:행[1]【準行】명 어떤 사물(事物)을 표준(標準)으로 하여 그대로 행함. ——하다 타여불

준행[2]【遵行】명 관례·명령을 좇아서 행함. 규정(規定)을 지키어 행함. ——하다 타여불

준:허【準許】명 의시(依施). ——하다 타여불

준:험【峻險】명 산 같은 것이 높고 험함. ——하다 형여불

준:-현행범【準現行犯】명〔법〕 일정한 조건을 구비함으로써 현행범은 아니나, 현행범으로 볼 수 있는 것. 예를 들면 흉기(凶器)·장물(贓物) 등을 소지(所持)하고 수하(誰何) 당하자 도주하여, 범인으로 추호(追呼)되거나 또는 신체·피부에 현저한 범죄의 흔적이 있어 범인으로 사료(思料)되는 것 등, 현행범인으로 간주되며 누구나 영장(令狀)없이 체포할 수 있음.

준:-혈족【準血族】[—쪽] 명〔법〕 법정 혈족(法定血族).

준:형[1]【俊兄】명 자기 형을 높여 부르는 말.

준:형[2]【峻刑】명 혹독한 형벌.

준:혜【俊慧】명 남보다 뛰어나고 슬기로움. 또, 그러한 사람. 수혜(秀慧). 영혜(穎慧). ——하다 형여불

준:호【俊豪】명 기국(器局)이 보통 사람보다도 뛰어남. 또, 그런 사람. ——하다 형여불

〈준화〉

준:-호구식【准戶口式】명〔역〕 조선 시대 때, 각 개인에게 관에서 지급(支給)되는 별급 호적(別給戶籍)의 작성 양식. *호구식(戶口式).

준:혹【峻酷】명 아주 혹독하여 인정이 없음. ——하다 형여불. ——히 부

준화【樽花】명〔악〕 정재(呈才) 때 준(樽)에 꽂아 춤에 쓰던 가화(假花).

준화-기【樽花機】명〔악〕 준화(樽花)를 올려 놓는 틀. 준 준기(樽機).

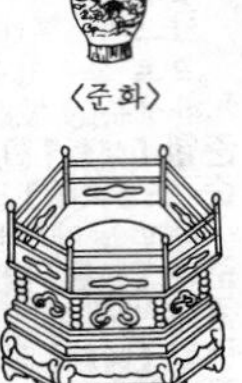

〈준화기〉

준화-상【樽花床】명〔악〕 준화(樽花)를 올려 놓는 상.

준:-환경【準環境】명〔미 pseudo-environment〕〔사〕 환경에 대하여 인간이 갖는 이미지(image), 곧 인간의 뇌중(腦中)에 있는 세계상(世界像). 리프만(Lippmann)에 의하면 인간은 이 준환경에 반응(反應)·적응(適應)하며 준환경만이 인간의 사고(思考)나 감정 및 행동을 결정하는 요소(要素)라 함.

준:-회원【準會員】명 정회원으로 되기 전에 결의권(決議權)없이 회의(會議)에 참가시키는 회원. *정회원(正會員).

〈준화상〉

줄[1] 一 명〔중세 : 줄〕 ①노·새끼·끈 들의 총칭. 무엇을 묶거나 동이는 데 쓰임. ¶빨랫~을 매다/~을 치다. ②가로나 세로질린 선(線). ¶~무늬/~을 긋다. ③벌여 선 행렬(行列) ¶~을 서다/~을 잘못 서다. ④나이의 걸가량을 나타내는 말. ¶오십 ~에 들다. ⑤↗쇳줄. ⑥〔수〕 원둘레 또는 곡선 상(曲線上)의 두 점(點)을 잇는 선분(線分). 현(弦). ⑦연줄이나 연계(連繫). ¶~을 대다/~이 닿다. ⑧글의 행(行). ¶~을 바꾸다. 二 의명 ①사람 또는 물건의 늘어선 열(列)을 세는 말. ¶한 ~로 서시오/달걀 두 ~. ②채소 등의 엮어 묶은 두름을 세는 말. ¶담배 한 ~.

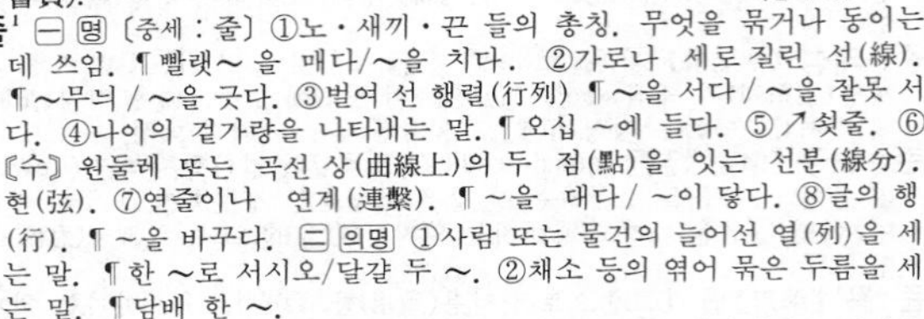

[줄 따르는 거미] 서로 헤어져 있지 못하고 늘 같이 따라다니는 사람을 이르는 말. [줄 없는 거문고] 쓸모 없게 된 처지를 이르는 말.

줄을 놓다 구 무엇을 알아보거나 연결을 가지려고 다른 사람과 관계를 가지다.

줄을 대:다 구 어떤 사람과 관계를 가지기 위해 연줄을 찾아 연결하다.

줄을 잡다 구 힘이 될 만한 사람과 관계를 맺어 연줄로 삼다.

줄을 친(그은) 듯하다 구 ㉠모양이 규격 바르고 곧다. ㉡확연하고 분명하다.

줄을 타다 구 ①줄을 잡고 오르내리거나 줄타는 재주를 부리다. ②힘이 있는 사람과 관계를 맺어 그 힘을 이용하여 일을 하다.

줄이 닿다 구 관계가 이어지다. 연줄이 닿다.

줄:[2] 명〔중세 : 줄〕 쇠붙이를 깎거나 쓰는 데 쓰이는 막대기 모양의 연장. 강철로 만든 것으로 양편에 잔 이가 있음.

줄:[3] 명〔식〕[*Zizania caduciflora*] 볏과(科)에 속하는 다년초. 줄기 높이 1-2 m이고 원기둥꼴로 총생(叢生)하며, 잎은 총생하고 길이 50-100 cm, 폭 2-4 cm의 좁은 피침형임. 꽃은 8월에 원추 화수(圓錐花穗)로 정생(頂生)하는데, 담황색의 암꽃이삭은 상부에, 적자색의 수꽃이삭은 하부에 달리며, 영과(穎果)는 협장(狹長)함. 못이나 물가에 나는데, 제주·전남·전북·강원·경기·황해 등지에 분포함. 구황(救荒) 식물로 영과는 '고미(菰米)'라 하여 어린 싹과 함께 식용하고, 잎은 도롱이·차양(遮陽) 및 자리를 만드는 데에 씀. 줄풀. 진고(眞菰).

〈줄[3]〉

줄[4] 명〈방〉 귤(橘)(경기·강원·충북·전남·경상·제주).

줄:[5]〔Joule, James Prescott〕명〔사람〕 영국의 물리학자(物理學者). 돌턴(Dalton, J.)의 지도로 과학을 연구하여, 열에너지(熱 energy)와 일과의 관계를 실측(實測)하고 전류(電流)의 열작용 연구에서 '줄의 법칙'을 발견하였으며 이 외에 '줄 톰슨(Joule Thomson)의 효과(效果)'도 발표하였음. [1818-89]

줄[6] 의명 용언(用言)의 아래에 붙어서 어떠한 방법이나 셈속의 뜻을 나타내는 말. 어미(語尾) 'ㄴ'이나 'ㄹ' 밑에서만 쓰임. ¶간 ~ 알았다/할 ~을 몰랐다.

줄[7] 의명〈옛〉 것. ¶須達이 버릇 업슨 주를 보고《釋譜 Ⅵ:21》.

줄:[8]〔joule〕의명〔물〕 에너지의 절대 단위(絶對單位). 약 천만 에르그(erg). 기호는 J.

줄:- 부 '적게' 혹은 '줄이어'의 뜻으로 쓰이는 말. ¶~잡아도 닷 섬은 된다.

줄-가리 명〔농〕 벼를 말리는 방법의 하나. 금방 벤 것을 단을 짓고 이삭 쪽을 위로 하여 맞대고, 뿌리 쪽은 띄어서 줄지어 세우는 가리.

줄가리-치다 타 볏단을 줄가리로 가리다.

줄가시-횟대 명〔어〕[*Icelus spiniger*] 둑중갯과에 속하는 바닷물고기. 길이 20 cm 가량으로 몸이 가늘고 작으며, 몸빛은 담갈색임. 한국 동북해·연해주·일본 북부 앞바다에 분포함.

줄-가자미 명〔어〕[*Clidoderma asperrimum*] 붕넙칫과에 속하는 바닷물고기. 몸길이 40 cm 가량으로 몸은 둥근데, 두 눈이 오른쪽에 있고, 왼쪽에는 비늘이 없음. 몸빛은 눈 있는 쪽이 암자색이고 각 지느러미 끝은 암흑색임. 심해성(深海性) 어종으로 한국 동해·일본·사할린 등지에 분포함. 식용함.

줄-갈돔 명〔어〕[*Lethrinus nematacanthus*] 갈돔과에 속하는 바닷물고기. 구갈돔과 비슷하나 등지느러미 제2 가시가 실 모양으로 벋어 있고, 몸길이는 몸 높이의 약 3배인 것이 다름. 우리 나라 동남해·일본 중부 이남·대만·동인도 제도·인도 연해에 분포함.

줄-강충이 명〔충〕[*Nisia atrovenosa*] 줄강충잇과에 속하는 곤충. 몸길이는 날개 끝까지 4 mm 내외이고, 몸빛은 담갈색임. 시초(翅鞘)는 크고 회백색이며, 뒷날개는 유백색에 반투명의 진주(眞珠) 광택이 나고, 몸의 하면과 다리는 황갈색임. 화본과(禾本科)·사초과 식물의 해충으로, 동양 각지와 아프리카 등지에 분포함.

줄강충잇-과【—科】명〔충〕[Meenoplidae] 매미목(目)에 속(屬)하는 한 과(科). 복부(腹部)는 옆으로 납작하고, 제6-8절의 배판(背板)에 납(蠟)의 분비공(分泌孔)이 있으며, 단안(單眼)은 대체로 세 개임. 보통, 장삼벌렛과에 포함(包含)시키기도 하나, 조상부맥(爪狀部脈)이 한 두 개 과립(顆粒) 모양으로 붙고, 아랫 입술의 말단절(末端節)이 긴 것으

로 구별(區別)함.
줄거리¹ 명 ①잎이 다 떨어져 나간 가지. ②사물(事物)의 가장 요긴한 골자. ¶간단히 ~만 말하시오. 1)·2):>졸가리. ③소설(小說)이나 영화(映畫) 등의 대략 골자를 뽑은 내용. 스토리. ④『식』 잎꼭지·잎줄기·엽맥의 총칭.
줄거리² 명 〈방〉 줄기¹(경기·강원·충청·전북·경상·제주·황해·함남).
줄거지 명 〈방〉 줄기¹(경북).
줄걱지 명 〈방〉 줄기¹(황해).
줄-걷다¹ 자 ㄷ불 광대가 줄타기에서 줄 위를 걸어가다.
줄-걷다² 타 ↗줄밑 걷다.
줄-걸리다 사동 광대를 시켜 줄을 타게 하다.
줄검지 명 〈방〉 줄기¹(충남).
줄고지 부 〈방〉 줄곧.
줄곧 부 끊임없이 잇따라. 멈추지 아니하고 내처서. 내쳐. 사뭇. 내내. 내리. ¶아침부터 ~ 책만 읽는다.
줄-광대 명 『민』 줄타기를 전문으로 하는 광대. 줄꾼인 광대.
줄구다 타 〈방〉 줄이다(경기·충북·전라·경상).
줄-글 명 『문』 글 토막이나 글자 수를 맞추지 아니하고 죽 잇달아 지은 글. 산문(散文). 장문(長文). ↔귀글.
줄금 명 〈방〉 줄기¹❹. ¶초저녁에는 한 ~할 것처럼 더웠다.
줄기¹ 명 〔중세 : 줄기〕 ①『식』 고등 식물에서의 기본 기관(器官)의 하나. 배(胚)의 유아(幼芽)가 발달한 것으로 가지를 달고, 뿌리를 가짐. ¶나무 ~. ②물이 줄대어 흐르는 선. ¶물 ~. ③산이 갈라져 나간 갈래. ¶산 ~. ④소나기의 한 차례. ¶한 ~ 내렸으면. ⑤『언』 어간(語幹). ↔씨끝.
줄기² 명 〈방〉 겨울.
줄-기둥 명 줄지어 늘어선 기둥. 열주(列柱).
줄기마름-병【一病】〔一뼝〕 명 『식』 자낭균 및 불완전균의 침입으로 밤나무·뽕나무 등의 과수(果樹)나 임목(林木)의 줄기나 큰 가지의 일부에 오목하고 큰 고사반(枯死斑)이 생기는 식물의 병. 병반(病斑)이 확대하여 나무 전체를 뒤덮어 시들게 하는데, 생활력이 왕성한 나무는 병반 주위에 코르크층이 생겨 암종(癌腫)같이 됨. 동고병(胴枯病).
줄기-세포【一細胞】 명 『생』 간세포¹(幹細胞).
줄기-줄기 부 여러 줄기로. 줄기마다.
줄:-기직 명 줄의 잎으로 거칠게 짠 기직. 염습(殮襲)에 흔히 씀.
줄기-차다 형 억세게 나가서 조금도 쉬지 아니하다. 끊임이 없이 몹시 끈질기다. ¶줄기차게 비가 오다/줄기찬 노력.
줄-기초【一基礎】 명 〔strip footing〕『건』 띠 모양으로 길게 연속된 기초. 재료는 철근 콘크리트·콘크리트·블록 등으로 함.
줄깃-줄깃 부 물체가 차지고도 질긴 모양. 쓰쭐깃쭐깃. >졸깃졸깃. ——-하다 형여불
줄깃-하다 형여불 차지고 질겨 씹을 때 웅숭깊게 튀길 힘이 있는 듯하다. 쓰쭐깃하다. >졸깃하다. *잘깃하다·질깃하다.
줄-꼬리뱀 명 『동』 [*Elaphe taeniura taeniura*] 뱀과에 속하는 파충(爬蟲)의 하나. 몸길이 70cm 내외이고, 몸의 배면(背面)은 회록색에 두부(頭部)는 감람색임. 몸의 측면과 몸의 후반부에서 꼬리 끝까지 흑대(黑帶)의 반문이 있음. 한국에도 분포함.
줄꼬마-팔랑나비 명 『충』 [*Thymelicus leoninus*] 팔랑나빗과에 속하는 곤충. 편 날개의 길이 40mm 내외이고, 수컷의 날개 표면은 대적황색에 작은 줄 모양의 흑색 시맥(翅脈)이 있고, 시연(翅緣)은 흑갈색, 뒷면은 황색임. 암컷은 수컷에 비하여 전체가 암색(暗色)임. 한국·일본·중국·아무르에 분포함.
줄-꽃주머니 명 『식』 덩굴며느리주머니.
줄-꾸정모기 명 『충』 [*Tipula taikum*] 꾸정모깃과에 속하는 곤충. 몸길이 12-16mm, 날개는 13-14mm임. 몸빛은 주로 암갈색 또는 회갈색에 복부는 황갈색이며 그 배면(背面)의 중앙 및 양 측연(側緣)에는 각각 한 개씩의 암색 줄이 있고, 전순판(前楯板)의 중앙에는 세 개의 암색 세로줄이 있음. 한국·일본에 분포함.
줄-꾼 명 ①가래질할 때 줄을 당기는 사람. ↔장부꾼. ②줄모를 심을 때 못줄을 잡는 일꾼. 줄잡이. ③줄타기를 하는 사람.
줄-끌기 명 〈방〉 줄다리기. ——-하다 자여불
줄-나나니 〔一라나一〕 명 『충』 [*Gorytes tricinctus*] 나나니벌과에 속하는 곤충. 암컷의 몸길이 14mm 내외이고, 몸빛은 흑색에 갈색 잔털이 났음. 중흉 소순판(小楯板)의 한 개의 가로줄과 복배(腹背) 제 1-5 절 후연(後緣)의 파상 선반(波狀線斑) 등은 황색, 촉각(觸角) 상면(上面)은 갈색임. 한국·일본에 분포함.
줄:-나다¹ 〔一라一〕 자 어떤 생산물이 그 표준 수량(標準數量)보다 덜 나다.
줄-나다² 형 〈방〉 못나다.
줄-나비 〔一라一〕 명 『충』 ①네발나빗과에 속하는 굵은줄나비·왕줄나비·제삼줄나비·참줄나비·홍줄나비 등의 총칭. ②[*Limenitis camilla*] 네발나빗과에 속하는 곤충. 편 날개 길이 65mm 내외, 날개 표면은 흑갈색에 백색 반문으로 된 한 개의 줄이 있는데, 앞날개 중앙실(中央室)의 것은 선명하지 않거나 또는 없음. 뒷날개의 백색 줄은 폭(幅)이 좁고 직선에 가까움. 한국·아무르·일본·대만·시베리아 등지에 분포함.
〈줄나비❷〉
줄-날도래 〔一랄一〕 명 『충』 [*Macronema radiatum*] 줄날도랫과에 속하는 곤충. 몸길이 17mm, 편 날개 길이 23-27mm, 두부(頭部)·복부(腹部)는 흑갈색임. 전흉(前胸)은 황갈색에 중흉배(中胸背)는 흑색이며, 후흉배는 암갈색, 흉복면(胸腹面)은 회갈색, 앞날개는 담황색 또는 흑갈색의 가로·세로줄이 있고, 뒷날개는 투명함. 한국·일본·만주·시베리아 등지에 분포함.

〈줄날도래〉
줄날도랫-과【一科】〔一날一〕 명 『충』 [Hydropsychidae] 날도래목(目)에 속하는 한 과. 성충(成蟲)은 경절(脛節)의 거극(距棘)이 2-4 개이고, 뒷날개는 둔부(臀部)가 발달했으므로 앞날개보다 넓고, 유충(幼蟲)은 좀 모양임. 흐르는 물·호수·못 등에 서식하고 잡식성(雜食性)인데, 전세계에 분포함.
줄-남생이 〔一람一〕 명 양지 바른 물가에 죽 늘어앉은 남생이.
줄-납자루 〔一랍一〕 명 『어』 [*Acheilognathus yamatsutae*] 잉어과에 속하는 민물고기. 몸길이 6-16 cm 내외의 대형 납자루로, 체고(體高)가 비교적 낮고, 머리에서 뒤로 5-6 번째 비늘 위에 큰 암흑색 무늬가 있으며, 그 위 쪽에 암색 세로띠가 있음. 우리 나라 특산어(特産魚)로서, 압록강에서 낙동강 사이의 서남류(西南流) 하천에 분포함.
줄-넘기 〔一럼끼〕 명 아이들 장난의 한 가지. 쳐 놓은 줄 위를 뛰어 넘거나, 두 손에 줄의 두 끝을 잡고 돌리면서 뛰어 넘거나, 또는 두 사람이 줄 두 끝을 쥐고 휘두르는 속을 딴 사람이 뛰어 넘는 놀이. ——-하다 자타여불
줄-놓다 〔一로타〕 타 무엇을 알아보거나 찾기 위하여 다른 사람과 관계를 가지다.
줄-누비 〔一루一〕 명 줄을 쳐서 누벼 가지고 뒤에서 솔기마다 풀칠을 하여 줄을 세우는 누비질.
줄-눈 〔一룬〕 명 『건』 벽돌쌓기·돌쌓기·블록쌓기 또는 타일붙이기·합판붙이기 등에서 접합부의 틈. 벽돌 벽면을 제물 치장으로 할 때는 모르타르로 이 틈을 발라서 마무리함. ¶~공(工).
줄눈-흙손 〔一룬흑一〕 명 줄눈의 겉면을 다듬는 데 쓰는, 날이 조붓한 흙손.
〈줄눈흙손〉
줄:다 자 수효나 분량이 작아지거나 적어지다. 감하다. ¶인원이 차차 ~. <졸다². ↔늘다.
줄-다리 명 양편 언덕에 줄이나 사슬을 건너 질러 놓고 매단 다리. 적교(吊橋). 현교. 현수교.
줄-다리기 명 『민』 여러 사람이 편을 갈라서, 줄을 마주 잡아당기어 승부를 겨루는 놀이의 한 가지. 견구(牽鉤). 마두희(馬頭戲). 발하(拔河). 삭전(索戰). 조리지희(照里之戲). 타구(拖鉤). 타과(拖過). 혈하희(絜河戲). 갈전(葛戰). ——-하다 자여불
줄다리기-노래 명 『민』 줄다리기를 하며 부르는 민요. 남성 등의 집단 유희요(遊戲謠)임.
줄-달다 ㊀자 끊이지 아니하고 줄을 지어 연하다. ¶손님이 ~. ㊁타 끊이지 아니하게 줄을 지어 잇대다. ¶약을 줄달아 먹다.
줄-달음 명 ↗줄달음질. ——-하다 자여불
줄달음(을) 치다 구 줄달음질로 급히 닫다.
줄달음-질 명 단숨에 내쳐 달리는 달음박질. ㊟줄달음. ——-하다 자여불
줄-담 명 〈방〉 돌담(함남).
줄-담배 명 줄대다시피 피우는 담배.
줄-당기기 명 〈방〉 줄다리기. ——-하다 자
줄-닿다 〔一다타〕 자 관계가 지어지다.
줄-대다 자 끊이지 아니하고 연해 죽 이어 대다.
줄-댕강나무 명 『식』 [*Abelia tyaihyoni*] 인동과에 속하는 낙엽 활엽 관목. 줄기는 길이로 여섯 줄의 홈이 있으며, 잎은 긴 타원형 또는 달걀꼴인데 톱니가 없음. 5월에 꽃은 산방상(繖房狀)으로 가지 끝에 모여 피고, 과실은 9월에 익는데 씨가 하나 있음. 충청 북도 단양군(丹陽郡) 매포면(梅浦面)에 분포하는 특산종임. 관상용으로 심음.
줄-도망【一逃亡】 명 여러 사람이 줄을 지어 연달아 도망함. ——-하다 자여불
줄도망-질【一逃亡一】 명 잇달아서 줄지어 도망하는 짓. ——-하다 자여불
줄-동애등에 명 『충』 [*Stratiomyia japonica*] 동애등엣과에 속하는 곤충. 몸길이 14-16 mm, 몸빛은 흑색에, 흉배(胸背)의 전반 중앙에 회색의 두 개의 종대(縱帶)가 있음. 복부 제2·3절(節)의 측문(側紋), 3절 후연(後緣) 양단의 횡문(橫紋), 미단절(尾端節) 중앙의 종문(縱紋), 암컷의 4절 전연(前緣) 양단의 작은 무늬 등은 모두 등황색임. 한국·일본·중국 등지에 분포함.
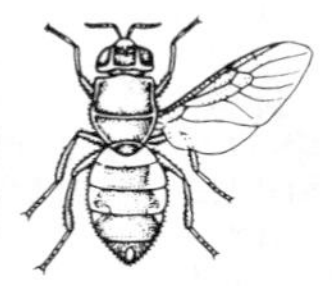
〈줄동애등에〉
줄드레 명 〈옛〉 두레박. ¶그저 줄드레로 믈을 깃ᄂᆞ니라(只着繩子拔水)《老乞 上 28》.
줄-드리다 자 ①줄을 늘어뜨리다. ②가닥을 합하여 줄을 꼬다.
줄딱수 명 〈방〉 바지랑대(경남).
줄-딱정벌레 명 『충』 등줄먼지벌레.
줄-딸기 명 『식』 [*Rubus oldhami*] 장미과에 속하는 낙엽 활엽 관목. 줄기는 가시가 많고 땅 위에 가로 벋으며, 잎은 우상 복생(羽狀複生)하고 톱니가 있음. 여름에 담홍색 꽃이 한두 개씩 액생하며, 7월에 동그스름한 과실군(果實群)이 빨갛게 익음. 산록 및 골짜기에 나는데, 한국 및 일본·중국에 분포함. 과실은 식용함. 덩굴딸기.
줄-때¹ 명 옷에 땀이 절다시피 되고 그 위에 줄줄이 낀 때.
줄-때² 명 〈방〉 바지랑대(전북·경남).
줄떼 명 〈방〉 목줄띠.
줄-띄기 〔一띠一〕 명 『건』 건축용 대지(垈地)에 줄을 띄워, 건물의 배치 등을 알기 쉽게 나타내는 일.
줄-띄우다 〔一띠一〕 자 줄을 늘이어서 수직(垂直)·고저(高低) 및 방향(方向) 등을 살피다.
줄띠 명 『생』 ↗목줄띠.

줄렁-거리다 자 ①그릇에 굵먹하게 찬 물이 흔들리어 자꾸 물결이 일다. ㅆ출렁거리다. ②가볍고 방정맞게 줄레줄레 행동하다. 줄렁-줄렁 부. 『유지로 만든 우장을 하고…, 7, 8명이나 ~ 따라온다《沈熏 : 常綠樹》. ——-하다 형여불

줄렁-대다 타 줄렁거리다.

줄레-줄레 부 미련하고 둔박(鈍朴)한 사람이 몸을 거불거리면서 주책없이 행동하는 모양. 『아이들이 유보화의 뒤를 ~ 따랐다《崔貞熙 : 속·녹색의 문》. ㅆ쭐레쭐레. >졸래졸래. ——-하다 자여불

줄:로지 [zoology] 명 동물학(動物學).

줄룩-줄룩 부 기다란 물건이 드문드문 깊이 패어 들어간 모양. ㅆ쭐룩쭐룩. ——-하다 형여불

줄룰란드 [Zululand] 명 《지》 남아프리카 공화국 나탈 주(Natal 州) 동북부의 해안 지방. 해안에는 세인트루시아 석호(St. Lucia 潟湖)가 있음. 오래 순화(順化)되지 아니하였던 줄루족(Zulu 族)의 거주지이며, 총인구(總人口)의 95%가 아프리카인임. 사탕수수·목축(牧畜)이 주요 산업(主要產業)이며, 금·석탄을 산출(產出)함. 주도(主都)는 에쇼웨(Eshowe). [26,838 km²: 3,422,140명(1981)]

줄리니 [Giulini, Carlo Maria] 명 《사람》 이탈리아의 지휘자. 토스카니니에게도 배움. 밀라노 스칼라 극장·런던 필하모니·빈 교향악단의 수석 지휘자와 로스앤젤레스 필하모니의 음악 감독을 지냄. 독일의 교향 작품 해석을 특기로 함. [1914-]

줄리다 타 〈방〉 줄이다(경기).

줄리아:드 음악 학교 【一音樂學校】 [Juilliard] 명 미국의 뉴욕 시에 있는, 음악 학교의 명문. 실업가(實業家)인 줄리아드(Juilliard, A.D. : 1836-1919)가 기부한 돈으로 1924년에 설립. 미국에서 가장 우수한 인재가 모이는 음악 학교로 외국에서 오는 유학생이 많음. 줄리아드 음악원(音樂院).

줄리아:드 현악 사:중주단 【一絃樂四重奏團】 [Juilliard] 명 《악》 미국의 현악 사중주단. 줄리아드 음악원의 교수를 멤버로 하여 1946년에 결성됨. 특히 현대 음악의 연주에 정평(定評)이 있음.

줄리어스 시:저 [Julius Caesar] 명 《문》 셰익스피어(Shakespear)의 역사 비극(悲劇). 1599년경 초연(初演), 1623년 출판(出版). 플루타르코스(Plutarchos)의 《영웅전》에서 취재(取材). 기원전 44년에, 스페인 정복(征服)에서 돌아와 독재 체제(獨裁體制)를 확립한 시저를 둘러싼 정치 정세를 그린 것으로, 긴밀한 구성(構成)과 암시(暗示)에 넘치는 표현으로 인간의 성격을 잘 그렸음.

줄리엣 [Juliet] 명 셰익스피어(Shakespear)의 비극 《로미오와 줄리엣》의 여주인공. 캐풀렛 가(Capulet 家) 출신으로, 대대(代代)의 원수(怨讎)인 몬타규 가(Montague 家)의 로미오(Romeo)의 애인.

줄-마노 【一瑪瑙】 명 《광》 마노의 일종. 겹겹으로 여러 빛깔의 줄이 졌음. 미술품을 만드는 데 씀. 호마노(縞瑪瑙). 오닉스(onyx).

줄-만새기 명 《어》 [*Coryphaena equisetis*] 만새깃과에 속하는 바닷물고기. 몸길이 1m 가량으로 편평함. 몸빛은 등 쪽이 청색이고 배 쪽은 갈황색임. 성질은 겁이 많아 어두운 그늘을 좋아하는데, 태평양과 대서양의 온대 및 열대 지방에 분포함.

줄-말 명 《식》 [*Ruppia rostellata*] 줄말과에 속하는 다년생의 수초(水草). 전체가 갈록색인데, 군생(群生)하며, 줄기는 실 모양이고 길이 약 60cm에 달함. 잎은 길이 10cm, 폭 0.5mm 내외의 사상(絲狀)이며 기부(基部)에 탁엽상(托葉狀)의 엽초(葉鞘)가 있음. 6-7월에 갈록색 꽃이 양성(兩性)으로 2-6개가 족생(簇生)하여 피고, 과실은 수과(瘦果)임. 바닷가의 고랑 속에 잘 나는데, 제주·경남·경기 등지에 분포함.

〈줄말〉

줄-망둑 명 《어》 [*Rhinogobius pflaumi*] 망둑어과에 속하는 바닷물고기. 몸길이 6.5cm 가량으로 길쭉한데, 머리와 주둥이가 짧으며 그 끝이 뾰쭉함. 몸빛은 담회색으로 몇 줄의 갈색 세로띠가 있으며, 제1 등지느러미 후부에 큼직한 갈색 반문이 있음. 한국·일본·필리핀 사이의 기수(汽水)와 함수(鹹水)에 분포함.

줄-맥 【一脈】 명 ☞맥락(脈絡)❷.

줄-맨드라미 명 《식》 [*Amaranthus caudatus*] 비름과에 속하는 일년초. 줄기 높이 90cm 가량이며 홍색을 띰. 잎은 호생하고, 능상 난형(稜狀卵形) 또는 능상 피침형임. 8-9월에 홍색 또는 백색의 꽃이 수상(穗狀) 화서로 정생(頂生) 또는 액생하고, 과실은 개과(蓋果)임. 열대 지방 원산(原產)으로 관상용임.

줄먹-줄먹 부 여러 개의 크고 작은 물건(物件)이 뒤섞여 그 차이(差異)가 두드러진 모양. >졸막졸막. ——-하다 형여불

〈줄맨드라미〉

줄-먼지벌레 명 《충》 [*Chlaenius costiger*] 딱정벌렛과에 속하는 곤충. 몸길이 22mm 내외이고, 몸빛은 흑색에 두부(頭部)와 전배판(前背板)에는 금속 광택(金屬光澤)이 남. 시초(翅鞘)는 흑남색 또는 흑갈색에 여덟 개의 세로 융기(隆起)가 있고, 다리는 황갈색임. 한국·일본·중국 등지에 분포함.

줄멍-줄멍 부 ①바닥이 고르지 않게 울퉁불퉁 내민 모양. ②자질구레한 물건이 많이 모여서 보기에 귀여운 모양. 1)·2):>졸망졸망. ——-하다 형여불

줄멩이 명 〈심마니〉 비.

줄-모 명 《농》 못줄을 대고, 가로와 세로가 줄이 지게 심는 모. *정조식(正條植). ↔허튼모.

줄-목 명 어떤 일에 관계되어 나가는 요긴한 목.

줄-몰개 명 《어》 [*Gnathopogon strigatus*] 잉어과에 속하는 민물고기. 몸길이 8-9.5cm로 굵고 측편하며, 체측 중앙에 폭이 넓은 암색 세로띠가 있는 외에, 비늘의 각 종렬 위에 불분명한 암색 띠가 점 모양으로 발달되어 있음. 몸빛은 등 쪽이 갈색, 배 쪽이 담색임. 맑은 물에 사는데, 압록강에서 금강 간의 황해에 주입하는 각 하천과 섬진강(蟾津江)에 분포함.

줄-무늬 [—니] 명 줄의 배합으로 이루어진 무늬. 선문(線紋).

줄무늬-드라세나 [dracaena] [—니—] 명 《식》 [*Dracaena fragrans* var. *massangeana*] 용설란과(科)에 속하는 상록 다년초. 잎은 길이 40-80cm, 폭 10cm이며, 녹색 바탕의 중앙에 굵은 엽맥을 중심으로 담황록색의 복륜(覆輪)이 들어 있음. 기니 원산으로, 우리 나라에는 1909-26년에 들어옴. 관엽(觀葉) 식물로서 많이 재배됨.

줄무늬-물방개 [—니—] 명 《충》 [*Hydaticus bowringiclark*] 물방갯과에 속하는 곤충. 몸길이 14mm 내외이고, 배면(背面)은 광택 있는 흑색이며, 시초(翅鞘) 외연(外緣)의 두 세로줄·두순판(頭楯板)·전두(前頭)·전배판(前背板)의 전후 양연(兩緣)에 있는 반문(斑紋)을 제외한 부분은 모두 황색임. 못·늪에 서식하는데, 한국·일본·중국 등지에 분포함.

줄무늬-밤조개 [—니—] 명 《조개》 속갈색조개.

줄-무더기 명 ①빛이 다른 여러 물건이 모여서 된 한 벌. ②여러 가지 실로 토막토막 이은 연줄.

줄무더기 형제 【—兄弟】 명 이복(異腹)의 언니와 아우. 어머니가 각각 다른 형제.

줄-무지 명 기생이나 장난꾼의 행상(行喪). 친구끼리 상여를 메고서 풍악 치고 춤추며 멋거리 있게 놀면서 나감.

줄-미꾸라지 명 《어》 기름종개.

줄밑-걷다 타 일의 단서나 말의 출처를 더듬어 찾다. 준줄걷다.

줄-바곳 명 《식》 [*Lycoctonum albo-violaceum*] 성탄꽃과에 속하는 다년초. 뿌리는 약간 비후(肥厚)하고 흑색이며, 줄기는 만성(蔓性)이고 비스듬히 올라가며, 높이 1m에 달함. 근생엽(根生葉)은 장병(長柄), 경엽(莖葉)은 호생하고 단병(短柄)이며 장상(掌狀)으로 3-5갈래 째짐. 7-9월에 자색 꽃이 총상(總狀) 화서로 줄기 끝의 잎 사이에 두세 개씩 달리어 피고, 과실은 골돌과(蓇葖果)임. 산지에 나는데, 한국 중부 이북에 분포함. 유독(有毒)함.

줄-바둑 명 돌을 한 일자(一字)로 늘어 놓기만 하는 서투른 바둑. *보리바둑.

줄-바지랑이 명 〈방〉 바지랑대(전북).

줄-바지랭이 명 〈방〉 바지랑대(전남).

줄-박각시 명 《충》 [*Theretra japonica*] 박각싯과에 속하는 곤충. 편 날개 길이 68-72mm 가량이고 몸은 녹갈색, 앞날개는 황갈색, 사선(斜線)은 암색(暗色)임. 뒷날개는 흑갈색이며 후각(後角)부근은 회등색임. 유충은 포도나무 등의 잎의 해충임. 한국에도 분포함. 외박각시.

줄-밖 명 줄지어 늘어선 줄이나 그어진 줄의 바깥. 선의 바깥. 열외(列外).

줄-반장 【—班長】 명 국민 학교 교실 안에 늘어선 한 줄의 책상에 앉은 학생들의 통솔자.

줄-밥¹ 명 갓잡은 매를 길들일 때에 줄 한 끝에 매어서 주는 밥. 매의 두 발목을 끈으로 매고 해의 한 끝에 밥을 달아 놓아, 달아나지 못하게 하면서 줄을 따라 밥을 먹게 함.

[줄밥에 매로구나] 재물을 탐하다가 남에게 이용됨의 비유.

줄:-밥² [—빱] 명 줄질할 때 쓸리어 떨어지는 부스러기.

줄-방귀 명 계속해서 뀌는 방귀.

줄:-방석 【—方席】 명 줄로 엮어서 만든 거친 방석.

줄-방울 명 줄을 지어 매단 여러 개의 방울.

줄-버들 명 줄을 지어 죽 심어 놓은 버드나무.

줄-버력 명 《광》 광맥과 평행되어 마치 광맥과 같은 모양으로 뻗은 암석(岩石).

줄-번개 명 잇달아 계속되는 번개.

줄-베짱이 명 《충》 [*Ducetia japonica*] 여칫과에 속하는 곤충. 몸길이는 날개 끝까지 35-37mm이고, 몸빛은 담청색에 앞날개의 후연(後緣)은 직각(直角)이며, 수컷은 담갈색, 암컷은 담황색인데, 정지하였을 때는 한 개의 세로 줄을 이룸. 산란관(產卵管)은 기부(基部)에서 급히 만곡(彎曲)하였음. 한국에도 분포함.

줄-벤자리 명 《어》 [*Therapon oxyrhynchus*] 실벤자릿과에 속하는 물고기. 몸길이 30cm 남짓하여 벤자리와 비슷하나, 긴 타원형으로 측편하며, 주둥이가 길고 그 끝이 뾰족함. 몸빛은 회청색인데 배 쪽은 흼. 체측에 네 줄의 회흑색 세로띠와 세 줄의 가는 세로띠가 번갈아 있음. 부레를 신축시켜 소리를 냄. 한국 중남부, 일본 중부 이남 및 대만·필리핀·인도 근해에 분포하는데 때로 담수에도 올라옴. 식용함.

〈줄벤자리〉

줄-변자 명 남자용 마른 신의 도리에 장식으로 두른 가는 천.

줄-불 명 화약(火藥)·염초(焰硝)·참숯 가루 등을 섞어, 종이로 싸서, 줄에다 죽 달아 놓은 불놀이 제구의 한 가지. 한쪽 끝에 불을 붙이면 옆으로 번져서 불이 연달아 일어나게 됨.

줄불 놀이 [—롤—] 명 《민》 낙화(落花) 놀이.

줄-뿌림 명 《농》 밭에 일정한 거리를 두고 평행하게 고랑을 내어, 한 줄로 죽 씨를 뿌려 흙을 덮는 파종법(播種法)의 한 가지. 조파(條播).

줄-사다리 명 ↗줄사닥다리.

줄-사닥다리 명 두 가닥의 밧줄 같은 것에 세장을 질러 만든 사닥다리. 가닥마다 머리 끝에 쇠갈고리를 달음. 준줄사다리.

줄-사설【一辭說】 명 기다랗게 늘어놓는 사설.

줄-사슴벌레 명〖충〗[*Macrodorcus striatipennis*] 사슴벌렛과에 속하는 곤충. 몸길이 18 mm 내외이고, 몸빛은 흑색임. 수컷의 집게 모양의 턱은 비교적 작고, 두부 전흉배(前胸背)에는 굵은 점각이 흩어져 있으며, 시초(翅鞘)에는 깊은 세로 홈이 있음. 차나무의 진에 많이 모이는데, 한국·일본·대만 등지에 분포함.

줄-사철나무 [一라一] 명〖식〗[*Masakia radicans*] 노박덩굴과에 속하는 상록 활엽 만목(蔓木). 잎은 원형 또는 넓은 타원형인데, 6-7월에 황록색의 꽃이 취산(聚繖)화서로 액생(腋生)하여 피고, 삭과(蒴果)는 거의 구형(球形)이며 10월에 익음. 숲 속에 나는데, 전남·전북·경북 등지와 일본에 분포하고 관상용임. 벽려(薜荔). 담쟁이.

〈줄사철나무〉

줄-삼치 명〖어〗[*Sarda orientalis*] 동갈삼칫과에 속하는 바닷물고기. 겉모양은 가다랭이와 비슷하며 위·아래 턱에 강한 이가 있고, 등 쪽에 많은 검은 줄이 세로로 있음. 몸길이 약 1 m임. 우리 나라 남해, 일본 중남부 해안에 분포함.

줄-상어 명〖어〗①↗줄철갑상어. ②톱상어.

줄시【乼矢】 명 어장(漁帳)에 속하는 재래식 정치망(定置網)의 하나. 조선 시대의 대표적 대규모 어망으로 경상 남도 연안에서 많이 사용되었음.

줄-씹 명 한 사내나 한 계집이, 상대를 연이어 갈아 가며 내리 하는 씹. ——-하다 자여불

줄-악기【一樂器】 명 현악기(絃樂器).

줄-알 명 달걀을 깨어 풀어서 찌개나 국 따위에 가늘게 흘려 부어 넣는 일. ¶ ~을 치다.

줄알-탕【一湯】 명〈궁중〉달걀탕.

줄-애꽃벌 명〖충〗[*Nomia punctata*] 애꽃벌과에 속하는 벌의 하나. 암컷의 몸길이는 11 mm 내외이며, 몸빛은 흑색에 복부 제2-5절의 후연(後緣)에 청람색(青藍色)의 띠가 있고, 온 몸에 회백색의 단모(短毛)가 있음. 날개는 투명하고 외연부(外緣部)는 회색을 띠었음. 한국·일본·중국·대만 등지에 분포함.

줄어-가다 자 크거나 많던 것이 점점(漸漸) 적거나 작게 되어 가다. ↔「늘어가다.

줄어-들다 자 크거나 많던 것이 점점(漸漸) 작거나 적게 되다. 줄어가다. >졸아들다.

줄어-지다 자 점점 줄게 되다. >졸아지다.

줄연두-게거미【一軟豆一】[一련一] 명〖동〗[*Oxytate striatipes*] 게거밋과에 속하는 거미의 하나. 몸길이는 12 mm 내외이고, 배갑(背甲)은 둥글고 머리는 작음. 여덟 개의 눈이 두 줄로 배열하고 온 몸의 빛은 담녹색임. 곤충을 포식함. 흔히 산록(山麓)에 서식하는데 한국·일본에 분포함. 산록게거미.

〈줄연두게거미〉

줄:-열【一熱】[一렬] 명 [Joule's heat]〖물〗전기가 도체(導體) 내에 흐를 때에 전기 저항으로 인해 도체에 생기는 열. ＊줄의 법칙.

줄-우단풍뎅이【一羽緞一】 명〖충〗[*Gastroserica herzi*] 풍뎅잇과에 속하는 곤충. 몸길이 6-8.2 mm이고, 몸은 긴 달걀꼴에 황갈색 내지 흑색임. 후두부(後頭部)·전배판(前背板)·두 개의 세로띠·시초(翅鞘)의 회합선(會合線) 양측과 외측 전중흉부(前中胸部)와 복부는 모두 흑색임. 한국·일본·만주·중국에 분포함.

줄-우묵날도래 명〖충〗[*Nemotaulius brevilinea*] 우묵날도랫과에 속하는 곤충. 몸길이 15-20 mm이고 편 날개 40-50 mm인데, 앞 얼굴은 갈색이고 두정(頭頂)은 암적갈색이며 그 중앙은 회갈색임. 흉부의 양측과 복부 배면(背面)은 흑갈색, 복면(腹面)은 회갈색, 앞날개는 반투명의 담황색이고, 중앙부는 담회갈색이며, 뒷날개는 투명함. 한국·일본 등지에 분포함.

줄:의 법칙【一法則】[一/一에一] 명 [Joule's law]〖물〗'도선 내(導線內)를 흐르는 정상 전류(定常電流)가 일정 시간 안에 내는 줄열의 양은 전류의 세기의 제곱 및 도선의 저항에 비례한다'는 법칙. 영국의 물리학자 줄이 1840년 발견했음. ＊줄열(熱).

줄이다 타 줄게 하다. >졸이다.

줄인 그림 명 축도(縮圖).

줄인 분수【一分數】[一쑤] 명〖수〗기약 분수(旣約分數).

줄인-비【一比】 명 축도(縮圖)에 있어서 축척(縮尺)의 비율.

줄인-자 명 축척(縮尺).

줄임-법【一法】[一뻡] 명〖언〗말의 소리를 줄이어 표시하는 법.

줄임-표【一標】 명 ①〖언〗한 문장에서 말이 있어야 할 자리에 말이 없거나, 할 말을 줄였을 때에 쓰는 부호 '……'의 이름. 종종이. 생략표. ②〖악〗악보를 적을 때, 같은 것을 일일이 적는 것을 줄이고, 간단한 방법으로 적는 여러 가지 표. 생략 기호.

줄-자 명 자의 한 가지. 건축·토목·소목(小木) 일·측량 등에 쓰이는데, 강철·천 등에 눈금을 만들어, 대개 둥근 갑 속에 말아 두었다가 씀. 권척(卷尺).

〈줄자〉

줄-자돔【一紫一】 명〖어〗[*Abudefduf sordidus*] 점자돔과에 속하는 바닷물고기. 몸길이 20 cm이고, 모양은 넓적하며 몸빛은 담청색임. 옆구리에 6개의 좁은 자회갈색의 가로띠가 있고, 꼬리에 눈알만한 크기의 흑색 반점(斑點)이 1개 있음. 우리 나라 남해안, 일본의 중남부 이남, 필리핀 등지에 분포함.

줄:-잡다 타 실제의 표준보다 줄이어 헤아려 보다. ¶줄잡아도 만 원은 남을 걸세. >졸잡다.

줄-잡이 명 줄꾼.

줄장【茁長】[一짱] 명 ①초목(草木)이 눈터서 자람. ②짐승이 커서 살찜. ——-하다 자여불

줄-장지뱀 명〖동〗[*Takydromus wolteri*] 장지뱀과에 속하는 파충류. 장지뱀과 비슷한데, 몸길이 10 cm 내외이고, 몸 배면(背面)은 일률적으로 암청갈색이며, 측면으로 갈수록 연하여져서 담청회색(淡青灰色)으로 됨. 몸의 양측면에는 눈 뒤에서 꼬리까지 뻗친 백색의 선상(線狀) 반문이 있고, 복면(腹面)은 회백색임. 산간의 습지에 서식하는데, 한국·중국 북부에 분포함. 흰줄도마뱀.

줄점-선【一點線】 명 줄과 점이 쇠사슬 모양으로 이어진 선. 곧, '一·一·一·'의 일컬음.

줄점-팔랑나비【一點一】 명〖충〗일자좀나비.

줄-정간【一井間】 명 정간지(井間紙)의 줄만을 맞추어서 내리그은 줄.

줄-주둥치 명〖어〗[*Leiognathus lineolatus*] 주둥칫과에 속하는 바닷물고기. 주둥치와 비슷하나, 몸빛이 검고 불규칙한 암색 점이 산재함. 제주도·일본·인도 등지에 분포함.

줄주래 명〈방〉꺼병이❶(평안).

줄-죽음 명 연이은 죽음. ＊줄초상.

줄줄 부 ①굵은 물줄기가 계속해서 흐르는 소리. ¶깨진 항아리에서 물이 ~ 새다. ②굵은 줄 같은 것이 계속해서 끌리는 모양. ③떨어지지 아니하고 줄곧 따라다니는 모양. ¶강아지가 ~ 따라오다. 1)-3): ㅆ쭐쭐. >졸졸. ④막힘이 없이 무엇을 읽거나 외는 모양. ¶한문 편지를 ~ 읽다. 「리다. >졸졸거리다.

줄줄-거리다 자 굵은 물줄기가 계속해서 줄줄 소리를 내다. ㅆ쭐쭐거

줄줄-대다 자 줄줄거리다.

줄줄-이 부 ①줄마다 모두. ②여러 줄로. ¶~ 늘어서다. ＊주줄이.

줄줄이 우:로 가【一右一】 감 행진(行進) 때에 부르는 구령의 하나. 대열(隊列)의 오른쪽 끝을 축으로 호(弧)를 그리며 90° 방향 전환을 한 후 줄줄이 앞으로 나아가라는 말.

줄줄이 좌:로 가【一左一】 감 행진(行進) 때에 부르는 구령의 하나. 대열(隊列)의 왼쪽 끝을 축으로 호를 그리며 90° 방향 전환을 한 후 줄줄이 앞으로 나아가라는 말.

줄줄줄 부 연달아 줄줄거리는 모양. ㅆ쭐쭐쭐. >졸졸졸.

줄-지다 자 ①물건 위에 금이나 줄이 생기다. ②☞ 오라지다.

줄-지렁이 명〖동〗[*Eisenia foetida*] 지렁잇과에 속하는 환형(環形)동물. 몸길이 85 mm, 폭 4 mm 가량이고, 체절(體節)은 약 100개인데, 각 환절(環節)은 담적색이고, 중앙에 굵은 자갈색의 줄이 있는 것이 특징임. 유기물(有機物)이 풍부한 토양, 특히 목장의 쇠똥이 다소 흙으로 변한 곳에 많이 서식함. 전세계에 분포함. 낚시의 미끼로 쓰임.

줄:-질 명 줄로 쇠붙이를 깎거나 쓰는 짓. ——-하다 자여불

줄-짓다 자ㅅ불 줄을 이루다. ¶줄지어 늘어서다.

줄짝지 명〈방〉바지랑대(전북).

줄짱 부〈방〉줄곧.

줄-짱때 명〈방〉바지랑대(충남).

줄-차【一車】 명 장기(將棊)에서, 한 줄에 둘이 놓인 차(車).

줄-참나무하늘나방 [一라一] 명〖충〗[*Ochrostigma manleyi*] 하늘나방과에 속하는 곤충. 편 날개의 길이 40-49 mm, 복부는 자색을 띤 암갈색에 누르스름한 회갈색의 무늬가 있음. 앞날개는 회백색에 자색을 띤 암갈색의 인편(鱗片)이 있고, 내외 횡선(內外橫線)은 흑갈색이며 물결 모양임. 유충(幼蟲)은 상수리·참나무·북가시나무 등의 잎의 해충인데 한국에도 분포함.

줄-참외 명 참외의 한 종류. 녹색 바탕에 짙은 색의 줄이 있음.

줄창 부〈방〉줄곧.

줄-철갑상어【一鐵甲一】 명〖어〗철갑상어❷. ㊀줄상어.

줄-초상【一初喪】 명 한 집안에 잇달아 초상이 나는 일. ¶~이 나다.

줄-치다 자 ①줄을 긋다. ②줄을 건너 매다.

줄:-칼 명 칼날 모양으로 얇고 조붓한, 쇠붙이를 쓰는 줄.

줄칼-질 명 줄칼로 쓸어 깎는 일. ——-하다 타여불

줄-코 명〖민〗줄다리기에서 양쪽 줄을 엇거는 코. ¶이 줄꾼들의 한복판에 가마솥 둘레만한 두 ~가 육중하게 엇걸려 있고,…≪吳有權 : 방앗골 혁명≫.

줄-큰물결나방 [一껼라一] 명〖충〗[*Callygris compositata*] 자나방과에 속하는 곤충. 편 날개의 길이는 37-44 mm임. 몸빛은 황색에 날개는 백색이고, 앞날개의 아기선(亞基線)과 중외 횡선(中外橫線)은 각각 3줄의 흑색 선으로 되고 내횡선과 아외연선(亞外緣線)은 각각 2줄의 흑색 선으로 되었으며, 뒷날개 기부(基部)에는 2개, 외연(外緣)에는 여러 개의 흑색 무늬가 있음. 한국에도 분포함.

줄-타기 명 공중(空中)에 친 줄의 위를 재주를 피며 건너가는 곡예(曲藝). ＊어름 줄타기·광대 줄타기. ——-하다 자여불

줄-타다 자 줄 위로 걸어 다니다. 줄타기하다.

줄: 톰슨 효:과【一效果】 명 [Joule-Thomson effect]〖물〗외부와 열의 출입을 차단한 상태에서, 기체를 압력이 높은 곳으로부터 낮은 곳으로 유출시키면 기체의 온도가 변하는데, 이 온도차는 쌍방의 압력차에 비례하고 절대 온도의 제곱에 반비례(反比例)하는 현상을 말함. 기체의 액화(液化)에 응용됨. 영국의 물리학자 줄(Joule, J.)과 톰슨(Thomson, W.)이 1847년의 실험에서 발견함.

줄-통 명〖광〗모암(母岩)과 구별되어 있는 광맥 전체의 부분.

줄통-뽑다 자 호기가 나서 객기를 쓸 때, 앞의 옷깃을 헤칠 듯이 속 옷깃을 뽑아 올리다.

줄:-판[1]【一板】 명 철필(鐵筆)로 등사 원지(謄寫原紙)를 긁을 때에 밑에 받치는 판.

줄-판[2] 【一版】 명 〖인쇄〗 이어짜기.

줄-팔매 명 노끈을 둘로 접어 두 끝을 손에 쥐고, 고에 돌맹이를 끼워서 휘두르다가 줄 한 끝을 놓으면서 돌을 날리는 팔매.

줄팔매-질 명 줄팔매를 던지는 것. ——-하다 자여불

줄패-장 【一牌長】 명 〖민〗 고싸움에서, 고 위에 올라 타고 경기를 지휘 통솔하는 사람. 부락에서 덕망 있고, 힘깨나 쓰는 사오십대(四五十代)의 장정이 뽑힘.

줄-팽이 명 줄을 친친 감았다가 홱 풀며 던져서 돌아가게 하는 팽이.

줄-팽팽이 명 언제나 일정하게 켕기어 있는 상태.

줄-포[1] 【一包】 명 장기(將棊)에서, 한 줄에 둘이 있는 포(包).

줄포[2] 【茁蒲】 명 〖지〗 전라 북도 부안군(扶安郡)의 남쪽, 줄포면에 있는 포구. 앞바다에는 조기의 3대 어항의 하나인 위도(蝟島)를 안고 있어, 서해안 주요 어항의 하나였으나 진서면(鎭西面) 곰소항(港)의 개발로 어항의 기능이 약화되었음. 조기를 비롯하여 도미·갈치·민어·새우·조개류 등의 어획이 많음.

줄-폭탄 【一爆彈】 명 연이어 떨어지는 폭탄.

줄-표 【一標】 명 구(句)와 구의 사이에 삽입하는 '—' 모양의 접속 기호.

줄:-풀 명 〖식〗 줄[3].

줄-풀리다 자 〖광〗 광맥이 먼저 파던 데보다 점점 좋아지다.

줄-풍류 【一風流】 [一뉴] 명 거문고·가야금·해금·피리·대금(大笒)·단소·장구 등, 현악기(絃樂器)를 중심으로 구성하여 아뢰는 풍류. *대풍류.

줄-행랑 【一行廊】 [一낭] 명 ①대문 좌우쪽으로 죽 벌여 있는 행랑. 장랑(長廊). 연방(連房). ②〈속〉 도망(逃亡).

줄행랑(을) 놓다 구 ☞줄행랑(을) 치다.

줄행랑(을) 치다 구 ㉠쫓기어 도망하다. ㉡기미를 채고 피하여 달아나다.

줄-향 【一香】 명 염주 모양으로 끈에 꿴 각색 구슬 속에 넣은 사향(麝香). 부인(婦人)의 치마 속에 참.

줄혀다 자 〈옛〉 줄을 짓다. 줄로 나란히 가다. ¶줄혀 ᄃᆞᆫ니ᄂᆞᆫ 개야미ᄂᆞᆫ 이운 비남기 오ᄅᆞᄂᆞ다(行蟻上枯梨) ≪杜諺 XV:56≫/반ᄃᆞ시 줄혀게 ᄒᆞ고(必方列) ≪飜小 IX:96≫.

줄호 【崒乎】 명 험준한 모양. ——-하다 형여불

줄-흠 명 〖광〗 광석과 맥석(脈石)이 섞여서 된 광맥의 변변치 않은 부분.

줄: 효:과 【一効果】 명 〔Joule effect〕 ①줄 톰슨 효과. ②고무를 단열적(斷熱的)으로 신장(伸張)시키면 발열(發熱)하여, 온도가 상승(上昇)하는 현상.

줄-흰나비 [一힌一] 명 〖충〗 [*Pieris napi*] 흰나빗과에 속하는 곤충. 편 날개 길이 50-68 mm 내외이고, 춘형(春形)에는 시맥(翅脈)에 따른 흑색 줄이 하형(夏形)에 비해 발달하고, 하형의 날개 후면 밑에는 한 개의 황색 무늬가 있음. 한국에도 분포함.

줌: ㊀ 명 ①↗주먹. ②↗줌통. ㊁의명 ①주먹으로 쥘 만한 분량. ¶한 ~의 흙. ②〖역〗 조세(租稅)를 계산하기 위한 토지 면적의 단위. 시대에 따라 조금씩 달라, 대한 제국(大韓帝國) 광무(光武) 9년(1905)에는 5주척 평방(周尺平方)으로 정하였음. 10줌을 한 뭇, 10뭇을 한 짐, 10짐을 한 총, 10총을 한 목이라 하였음. 파(把).

줌:-뒤 명 활을 쏠 때에 줌통을 쥔 주먹의 거죽.

줌: 렌즈 〔zoom lens〕 명 피사체에 초점을 맞춘 채 초점 거리나 화상을 연속적으로 변화시킬 수 있는 렌즈. 주로 영화·TV 등의 카메라에 쓰이며, 일반용 카메라에도 쓰임.

줌:-몸피 명 줌통의 부피. 준몸피.

줌:-밖 명 ①손아귀의 밖. ②남의 지배하는 범위의 바깥. 1)·2): ↔줌안.

줌:밖에 나다 구 남의 손아귀에서 벗어나다. 곧, 자유롭게 되다.

줌:-벌다 자 한 줌으로 쥐기에는 너무 부푸다.

줌벙이 명 〈방〉 가랑비(제주).

줌벵이 명 〈방〉 가랑비(제주).

줌:-손 [一쏜] 명 활의 줌통을 잡은 손.

줌:-안 명 ①손아귀의 안. ②남의 세력의 범위 안. 1)·2): ↔줌밖.

줌:안에 들다 구 남의 손아귀에 들어가다. 곧, 자유를 속박당하다.

줌:-앞 명 활을 쏠 때에 줌통을 쥔 주먹의 안쪽.

줌:앞 줌:뒤 명 ①화살이 좌우로 빗나가는 일. ②예측에 어긋나 맞지 아니함을 이르는 말.

줌:-차다 자 〈방〉 줌벌다.

줌치 명 〈방〉 주머니(경남).

줌: 카메라 〔zoom camera〕 명 별도의 줌렌즈를 부착하지 않고 내장된 줌 기능에 의해 자동으로 피사체를 확대할 수 있는 카메라.

줌:-통 명 활의 한가운데의 손으로 쥐는 부분. 활줌통. 준줌.

줌:-팔 명 줌을 쥐는 팔.

줌:-피 명 활의 줌통을 싼 물건.

줍:다[1] 타ㅂ불 떨어진 물건을 집다. 흩어진 물건을 거두다. ¶벼이삭을 ~/지갑을 ~.

줍:다[2] 타 〈방〉 깁다(전라·제주).

줏:-가지 【籌一】 명 ☞산가지.

줏개 명 〈옛〉 대궐 지붕에 세운 짐승 모양의 기와. ¶줏개(獸頭) ≪譯語上 17≫.

줏:-개비 【籌一】 명 ☞산가지.

줏구려셔 타 쭈그려서. '줏그리다'의 활용형. ¶똥무딋 우희 줏구려셔 겨를 구버 먹거늘 보고≪月釋 IX:35 下≫/똥무딋 우희 줏구려셔 겨를 구버 할놋다 ≪月釋 IX:35 下≫.

줏그리 부 〈옛〉 쭈그린 모습으로. '줏그리다'의 부사형. ¶ᄒᆞᆰ 무적에 줏구리 걸안자(蹲踞土埵) ≪妙蓮 Ⅱ:118≫/善宿ㅣ 즉재 무덦서리예가 ᄒᆞ마 다 ᄃᆞ룸 저긔 ᄃᆡ 주거미 무루피며 바리며 다 놀여 믄득 줏그리 앉거늘 ≪月釋 IX:36≫.

줏그리다 타 〈옛〉 쭈그리다. ¶줏그릴 준(蹲), 줏그릴 거(踞) ≪字會 下 27≫.

줏그리혀 타 쭈그리어. '줏그리다'의 활용형(活用形). ¶헌 오ᄉᆞᆯ 닙고 수플 속의 줏그리혀 안잣다가 그 션비ᄅᆞᆯ 보고 바ᄅᆞ 나아오거ᄂᆞᆯ≪太平 Ⅰ:30≫.

줏다 타 〈방·옛〉 줍다. ¶金 바ᄂᆞᆯ 줏도다(拾金針) ≪金三 Ⅳ:18≫/能히 거두워 줏디 몯ᄒᆞ야(不能收拾得) ≪金三 Ⅴ:16≫.

줏대[1] 명 수레바퀴의 휘갑쇠.

줏-대[2] 【主一】 명 ①사물의 가장 중요한 부분. ②먹은 마음의 중심. 주심(主心). ¶~가 있다.

줏:-대[3] 【籌一】 명 ☞산가지.

줏대 신경 【主一神經】 명 〖생〗 신경 중추(神經中樞).

줏대-잡이 【主一】 명 중심이 되는 사람.

줏-듣다 타ㄷ불 ☞ 주워듣다.

줏모호다 타 〈옛〉 주워 모으다. ¶헛되이 줏모화 셩언ᄒᆞᄂᆞᆫ 것(虛揑喝起) ≪無冤錄 Ⅰ:5≫.

줏어-담다 [一따] 타 ☞주워 담다.

줏어-대다 타 ☞주워 대다.

줏어-듣다 타ㄷ불 ☞주워 듣다.

줏어-먹다 타 ☞주워 먹다.

줏다 타 〈옛〉 줍다. ¶이삭 주수므란 ᄆᆞᅀᆞᆳ 아ᄒᆡ롤 許하노라(拾穗許村童) ≪杜諺 Ⅶ:18≫/그 穀食을 주서 어ᅀᅵ롤 머기거늘≪月釋 Ⅱ:12≫.

중:[1] 명 〔중세 : 즁. 범 saṅgha〕 〖불교〗 불(佛)·법(法)·승(僧), 곧 삼보(三寶)의 하나. 불타의 교법에 귀의하여 스스로 성불(成佛)의 경지에 도달하고자 힘쓰면서 모든 대중과 화합하여 불타의 교리를 널리 펴는 단체. 후세에 그 개념이 변해서, 출가(出家)하여 절에 가 불경을 공부하여 불도를 실천하는 승적(僧籍)이 있는 개인에 대하여도 일컫게 됨. 범납(梵納). 승(僧). 승가(僧伽). 승려(僧侶). 화합승(和合僧). 출가(出家). 사문(沙門). 불제자(佛弟子). 득도자(得度者). 도자(度者). 상문(桑門). 부도(浮屠). 법신(法身).

[중놈 장에 가 화내는 격] 아무 반응도 없는 데 가서 기를 올려 호령하고 꾸짖을 때 이르는 말. [중 도망은 절에나 가 찾지] 행방이 묘연하여 찾기 어려운 때 쓰는 말. [중은 절로 가면 설치(雪恥)한다] 제 활동의 본거지로 가야 기운쓰고 활동할 수 있다. [중을 잡아 먹었나] 알아듣지 못할 말을 입 안에서 우물거림을 이르는 말. [중의 관자 구멍이다] 소용이 없게 된 물건을 이르는 말. [중의 망건] '중의 상투'와 같은 뜻. [중의 망건값 안 모인다] 필요 없는 지출(支出)을 아니 한다고 따로 돈이 모이는 것은 아니라는 말. [중의 상투] 사실상 없는 것으로, 매우 구하기 힘드는 물건을 이르는 말. [중의 양식이 절의 양식] 결국은 마찬가지임을 이르는 말. 주머니돈이 쌈지돈. [중이 고기 맛을 알면 법당에를 오른다; 중이 고기 맛을 알면 빈대가 안 남는다; 중이 고기 맛을 알면 절간에 파리 하나 남기지 않는다] 무슨 좋은 일을 한 번 당하면 혹하여 정신을 잃고 덤빈다는 말. [중이 미우면 가사(袈裟)도 밉다] 사람이 미우면 그 사람에 딸린 것마저 미워하게 됨을 이르는 말. [중이 제 머리를 못 깎는다] 아무리 긴한 일이라도 자기 손으로는 할 수 없고 남의 손을 빌어야만 이루어지는 일을 가리킴. [중이 팔양경(八陽經) 읽듯] 뜻을 알지 못하면서 헛되이 소리 내어 읽기만 하는 모양.

중: 염:불하듯 구 참뜻도 해득하지 못하고 외기만 하는 모양.

중:의 빗 구 좀처럼 구하기 힘듦의 비유.

중[2] 【中】 ㊀ 명 ①가치·등급·순위·정도 등이 중간 정도임. 보통임. ¶~ 크기의 돼지/성적이 ~에 든다. ②↗중등(中等). ¶~학교. ③↗중국(中國). ¶주~(駐中) 대사. ④장기판의 끝으로부터 둘째 가로줄. ¶포를 ~으로 옮기다. *중포(中包). ㊁의명 ①(시간적·공간적으로) 그 범위의 안임을 나타내는 말. ¶이 달 ~/공기 ~의 산소. ②현재 진행되고 있음. 그 사태·상황에 있음. ¶회의 ~/작업 ~/고장 ~. ③일의 범주(範疇)에 속함을 나타내는 말. ¶불행 ~ 다행/꽃 ~의 꽃.

중[3] 【中】 명 성(姓)의 하나. 우리 나라에는 현존(現存)하지 아니함.

중-[1] 【重】 두 무엇이 겹쳤거나 둘이 합쳤음을 뜻함. ¶~탄산 소다.

중:-[2] 【重】 두 ①크고 중대함을 나타냄. ¶~근신(謹愼). ②무거움의 뜻. ¶~금속.

중:가 【重價】 [一까] 명 ①두둑한 값. ②비싼 값. 후가(厚價). 중값.

중가르-부 【一部】 〔Dzungar〕 명 〖역〗 준갈이부(準噶爾部).

중가리아 〔Dzungaria〕 명 〖지〗 '준가얼 분지(準噶爾盆地)'의 별칭.

중:-가산금 【重加算金】 명 〖법〗 체납된 세금이 30만원 이상일 때, 납부기한 경과 후 1차로 90일, 2차로 180일 이내에 체납된 세금을 납부하지 아니한 때, 가산금 100분의 10 외에 그 세액의 100분의 5씩을 더 가산하여 징수하는 가산금. *가산금.

중각[1] 【中角】 명 중송아지의 뿔.

중각[2] 【重刻】 명 중간(重刊). ——-하다 타여불

중각 강:당 【重閣講堂】 명 〖지〗 대림 정사(大林精舍).

중각-본 【重刻本】 명 중각한 책.

중간[1] 【中間】 명 ①두 사물의 사이. ②사물이 아직 끝나지 않은 때나 장소. ③한가운데. 중앙(中央). ④정도나 성질 등이 양극단 사이에 있는 것. ¶~파(派). ⑤중매. 중개.

중간[2] 【重刊】 명 한 번 발행한 책을 거듭 간행함. 중각(重刻). ↔개간(開刊). ——-하다 타여불

중간값의 정:리 【中間一定理】 [一깝씌一니/一깝쎄一니] 명 〔theorem of intermediate value〕 〖수〗 해석학(解析學)의 기본적 정리의 하나. 함수 $f(x)$가 구간(區間) $a \leqq x \leqq b$에서 연속하여 $f(a) \neq f(b)$이면 $f(a)$와 $f(b)$ 사이에 있는 모든 값 α에 대해서도, $f(k) = \alpha$가 되는 k가 a와 b

사이에 존재한다는 것. 중간치의 정리.

중간 경기【中間景氣】명〖경〗불경기(不景氣)의 중도에서 정부의 금융 정책이나 기타의 힘의 작용으로 일시적·부분적으로 나타나는 호경기. 중간 시세(中間時勢).

중간 계급【中間階級】명〔middle classes〕〖사〗현존(現存) 사회의 지배 계급과 피지배(被支配) 계급의 중간에 위치하는 사회군(社會群) 또는 사회층. 중세(中世)에서는 영주(領主)와 농노(農奴) 사이의 도시 시민, 자본주의 하에서는 유산자(有産者)와 무산자 사이의 관리·봉급 생활자·자유 직업자 등. 중산 계급.

중간 고사【中間考査】명 학기 말이나 학년 말에 시행하는 정례적인 시험 이외에, 학기 중간에 실시하는 학력 고사. 중간 시험.

중간 관리직【中間管理職】[—괄—] 명〔middle management〕관리직 가운데 상위의 전반(全般) 관리자인 이사(理事)·부장 아래에서 직접 현장을 감독하는 자. 과장·계장 등의 직위를 말함. 중층 관리(中層管理).

중간-국【中間國】명 ①지리적으로 두 나라 이상의 사이에서 완충 지대(緩衝地帶)의 역할을 하는 나라. ②교전국(交戰國)이나 서로 가상 적국시(假想敵國視)하는 두 국가 사이에서 중립(中立)을 지키거나 분쟁을 조정하는 국가. 중개국(仲介國).

중간-권【中間圈】[—꿘] 명〔mesosphere〕①〖기상〗대기층(大氣層)을 분류할 때의 명칭의 하나. 고도(高度) 약 25–70 km 또는 85 km 사이의 대기의 층(層). 그보다 아래인 성층권(成層圈)에서는 고도가 올라갈수록 기온(氣溫)이 상승하지만, 중간권에 들어서면 고도가 올라갈수록 기온은 하강하여 대류권과 비슷한 상하의 대류 혼합(對流混合)을 볼 수 있음. 그 위로는 온도가 상승하는 온도권(溫度圈)이 있고 그 경계면을 중간 지면(中間止面)이라고 함. ②지구의 지각(地殼)과 핵(核) 사이에 있는 맨틀(mantle)의 별명.

중간 기간【中間期間】명〖법〗당사자의 이익 보호를 위하여 한때 유예(猶豫)를 주는 기간. 이를테면, 민사 소송법에서는 압류와 경매와의 중간 기간이 인정되어 있음.

중간 기술【中間技術】명〖사〗작은 자본으로 고도의 지식을 필요로 하지 않고서도 이용할 수 있는 기술로서, 첨단적인 과학 지식과 전통적인 기능(技能) 사이를 매개(媒介)하는 기술. 대형 기술(大型技術)에 상대되는 말.

중간 기주【中間寄主】명〖생〗중간 숙주.

중간 낭:설【中間浪說】명 당사자(當事者)끼리가 아니고 중간에서 생긴 허튼 소문.

중간 노:걸대 언:해【重刊老乞大諺解】[—때—] 명〖책〗조선 정조(正祖) 19년(1795)에 지중추부사(知中樞府事) 이수(李洙) 등 노련한 역관(譯官)이 왕명(王命)을 받들어 교정하여 중간(重刊)한 노걸대를 다시 언해한 책. 2권.

중간 노선【中間路線】명 극단(極端)이 아닌 중간에 위치하는 경우나 견지(見地). 정치나 정당의 정책 등이 보수적(保守的)이거나 급진적(急進的)이 아니고 온건(穩健)한 견지. 중도(中道). ¶~을 표방하다.

중간 대:사【中間代謝】명〖생〗장(腸)에서 흡수하였거나 외부에서 들어온 영양소(營養素) 등이 몸 밖으로 배출될 때까지 몸 안에서 받는 대사(代謝).

중간 도매【中間都賣】명 생산자와 소규모의 도매상 사이에서 상품을 공급 매매하는 일. ——-하다 자타여불

중간 도매상【中間都賣商】명 중간 도매를 업으로 하는 상인.

중간 도미넌트【中間—】〔dominant〕명〖악〗차용 화음.

중간 동:물【中間動物】명〖동〗중생 동물(中生動物).

중간-따기【中間—】명 자기 차례나 몫이 아닌데도 남보다 앞질러 중간에서 차지하는 일. *새치기.

중간 무:역【中間貿易】명〖경〗중계(中繼) 무역.

중간-물【中間物】명〖화〗중간 물질.

중간 물질【中間物質】[—찔] 명〔intermediate〕〖화〗합성 화학 공정(工程)에서, 출발 원료로부터 최종 제품에 이르는 중간에 만들어지는 물질. 초기에는 염료(染料) 합성에 사용되었으나 현재는 의약품·향료·합성 수지·농약 등의 제조에 쓰임. 출발 물질은 주로 벤젠·톨루엔 등의 방향족(芳香族) 유도체이며, 중간 물질은 페놀(phenol)·니트로벤젠·아닐린(aniline)·살리실산(酸) 등 다양함. 중간물(中間物).

중간-밀잠자리【中間—】명〖충〗[*Orthetrum japonicum*] 잠자릿과에 속하는 곤충. 복부의 길이는 27 mm, 뒷날개의 길이는 33 mm 가량임. 몸빛은 회백색에 백색 가루로 덮이고, 흉부 측면에 2개의 검은 줄이 있음. 날개는 투명하고, 시맥(翅脈)은 흑갈색이며, 연문(緣紋)은 황갈색임. 한국에도 분포함.

중간 반:응【中間反應】명〔intermediate reaction〕〖물〗연속(連續) 반응을 구성하는 여러 반응 가운데에서, 최초의 반응과 최종 생성물(最終生成物)을 만드는 최후의 반응 이외의 모든 반응의 총칭.

중간 발표【中間發表】명 오랜 시간을 요(要)하는 계수(計數) 같은 것의, 최종(最終) 결과를 기다리기 전에 그 때 그 때의 실황(實況)을 우선 발표 하는 일.

중간 발행【中間發行】명〖경〗액면 할당 증자(額面割當增資)와 시가(時價) 발행 증자의 중간쯤 되는 증자 방식. 액면과 시가의 대충 중간쯤 되는 가격으로 주식을 발행하는 일.

중간 배:당【中間配當】명〔interim dividend〕〖경〗①주주(株主)의 투자 의욕(意欲)의 냉각을 방지하기 위하여 회사의 영업 연도(年度)의 중간에 하는 임시 배당. ②파산 절차(破産節次)에 있어서, 일반적 채권 조사의 종료 후, 파산 재단(財團) 소속의 재산 전부(財産全部)의 환가(換價) 전(前)에 파산 관재인(管財人)이 배당에 적당한 금전이 있다고 인정할 때마다 행하는 배당.

중간 배:선반【中間配線盤】명〔intermediate distributing frame〕〖전〗가입자선을 가입자선 회로(回路)에 교차 접속하기 위한 중앙 전화국의 배선반.

중간 법인【中間法人】명 공익(公益)도 아니고 영리(營利)도 아닌 중간적 목적을 위해 설립(設立)된 법인. 노동 조합·증권 거래소·각종 협동 조합 따위.

중간 보:고【中間報告】명 연구(研究)나 조사(調査) 등에 있어서, 최후의 성과(成果)를 기다리지 않고 중도에서 발표(發表)하여 보고하는 일. ——-하다 타여불

중간-본【重刊本】명 중간(重刊)한 책.

중간-부【中間部】명 ①〖악〗트리오(trio)❷. ②중간이 되는 부분. 한가운데의 부분.

중간 상인【中間商人】명〖경〗생산자와 소비자의 사이에서, 상품을 공급 매매하는 일을 업으로 하는 상인. ¶~의 농간.

중간 상태【中間狀態】명 ①이것도 아니고 저것도 아닌 상태 또는 두 가지를 절충한 상태. ②이러지도 저러지도 않는 상태. ③〔intermediate state〕〖물〗핵반응 등의 과정에서, 도중에 경과(經過)하는 상태. 대부분이 준안정(準安定) 상태임.

중간-색【中間色】명〖미술〗①순색(純色)에 흑색 또는 백탁색(白濁色)을 섞은 것 같은 색. 무채색(無彩色)에서는 회색. 빛깔이 선명하지 않은 부드러운 색. ②색상환(色相環)에서, 주요한 원색의 중간에 위치하는 색. 황록색·등색(橙色) 등. ③대비(對比)된 두 색의 중간의 빛깔을 가진 색. 또, 화면의 명부(明部)와 암부(暗部)의 연락을 부드럽게 하기 위하여 쓰이는 색.

중간 생략 등기【中間省略登記】[—냑—] 명〖법〗A,B,C로 부동산의 소유권이 이전할 때, 중간자인 B는 빼놓고 A에서 C로 직접 이전 등기를 하는 경우와 같이, 중간을 생략하는 등기. *등기(登記).

중간 생산물【中間生産物】명〖경〗생산 과정에서 다른 재화를 생산하기 위하여 사용되는 생산물. 원료나 재료 등의 생산재를 말함.

중간 생성물【中間生成物】명〖화〗화학 반응의 과정에서 과도적(過渡的)으로 생성되는 물질. 알코올을 산화하여 카르복시산을 만들 때, 도중에서 생성되는 알데히드(aldehyde) 등이 그 예임. *중간 화합물.

중간-선【中間禪】명〖불교〗살핌이 있는 공(空)과 살핌이 없는 공(空)과의 중간의 선정(禪定).

중간 선:거【中間選擧】명〔off-year election〕〖정〗미국에서 대통령 선거가 4년마다 실시됨에 대하여, 2년마다 행해지는 의회(議會) 선거를 이름. 하원 의원(下院議員)은 2년마다, 상원(上院) 의원의 임기(任期)는 6년이나 2년마다 3분의 1이 개선(改選)되므로 이 선거도 동시에 행해짐.

중간-성【中間性】[—썽] 명 중간되는 성질이나 성품 또는 경향(傾向).

중간 세:포【中間細胞】명〔interstitial cells〕〖생〗간세포(間細胞).

중간 소:설【中間小說】명〖문〗순문학(純文學)과 대중 문학의 중간에 위치하는 반통속적(半通俗的) 소설. 제2차 대전 전후(戰後), 일본에서의 조어(造語)임.

중간 소송【中間訴訟】명〖법〗민사 소송 사건의 심리 진행 중 어떤 한 국부적(局部的)인 쟁점(爭點)에 대하여 특별히 조사해야 할 사실이 생긴 경우의 소송.

중간 숙주【中間宿主】명〔intermediate host〕〖동〗기생충이 최후의 숙주(宿主)에 붙기 전에, 일시 다른 동물의 체내에 들어가 발육 변태(發育變態)의 일부를 영위하게 될 때 그 일시적인 동물을 이름. 예를 들면, 간디스토마(肝 distoma)는 최후의 숙주인 사람에 기생하기 전에, 제일 중간 숙주인 쇠우렁이를 거쳐, 제이 중간 숙주인 잉어·붕어·망성어 등 민물고기에 기생함. 촌충류(寸蟲類)나 흡충류(吸蟲類)는 대개 중간 숙주를 거침. 중간 기주(寄主).

중간 습원【中間濕原】명〔intermediate moor〕저층(低層) 습원으로부터 고층(高層) 습원으로 이행(移行)하는 도중에 이루어진 습원.

중간 시세【中間時勢】명〖경〗중간 경기(中間景氣).

중간 시옷【中間—】명〖언〗사이 시옷.

중간 시험【中間試驗】명〖교〗중간 고사(中間考査).

중간-식【中間飾】명〖고고학〗샛장식.

중간 신경【中間神經】명〖생〗혀·턱 부분에 분포하는 지각 신경. 설하선(舌下腺)·악하선(顎下腺)의 분비를 지배하며, 설신경(舌神經)으로 들어가서 미각(味覺)도 맡고 있음.

중간 신고【中間申告】명 사태가 확정되지 않은 중간적인 상황 하에서 하는 신고. ¶법인세(法人稅)의 ~.

중간 예:납【中間豫納】[—네—] 명〖법〗①법인세에 있어서, 사업 연도의 기간이 6개월을 초과하는 법인이, 당해 사업 연도 개시일로부터 6개월 간을 중간 예납 기간으로 하고, 전년도의 납세액에 준하여 납세하는 일. 세액 산출 기준은, 당해 사업 연도 직전(直前) 사업 연도의 법인세로 확정된 세액에서, 각종 공제금을 공제하고 난 금액을 직전 사업 연도의 월수(月數)로 나눈 액수에 6을 곱한 액수임. 중간 예납 기간이 경과한 날로부터 30일 이내에 납부하여야 함. ②소득세에 있어서, 종합 소득이 있는 사람이, 1월 1일부터 6월 30일까지의 기간을 중간 예납 기간으로 하여, 전년도 종합 소득 세액의 2분의 1에 상당하는 금액을 11월 30일까지 납부하여야 함.

중간 위원회【中間委員會】명〔Interim Committee〕국제 연합의 소총회(小總會)의 정식 명칭.

중간 유전【中間遺傳】[—뉴—] 명〔intermediate inheritance〕〖생〗잡종 제일대(第一代)가 양친(兩親)의 중간 형질(形質)을 나타내는 유전 방식. *중간 잡종.

중간 이:득【中間利得】[—니—] 명 두 사람의 사이에 관여하거나, 관련이 있는 사람이 취하는 이득.

중간 임:자몸【中間—】[—님—] 명 '중간 숙주(中間宿主)'의 풀어 쓴 말.

중간-자【中間子】명〔meson〕〖물〗〔질량이 전자(電子)와 양성자(陽性子)의 중간이라는 뜻〕 강한 상호 작용을 하는 중입자(重粒子) 중, 중입자수(數)가 0인 입자. 핵자(核子)보다 가볍고 전자(電子)보다 무거운 소립자라고 한 때도 있었고, μ입자 등을 여기에 포함시키기도 했었으나 지금은 상기 정의(定義)에 따름. 1947년 우주선의 실험 중에 원자핵 건판 위에서 존재가 확인되었는데, η중간자, π중간자, K중간자, ρ·ω·φ 중간자와 그 반(反)중간자 등 많은 중간자가 발견됨. 공통의 특징으로서 모두 불안정한 입자(粒子)이어서, 진공(眞空) 중에서는 10^{-8}초 이하의 짧은 시간 내에 붕괴하여 다른 소립자로 전환함. 메손. *중입자.

중간자 분자【中間子分子】명〔mesic molecule〕〖원자〗전자(電子)의 하나가 음(陰)의 μ입자 또는 중간자로 치환된 분자. 입자의 궤도는 핵(核)에 근접해 있고, 핵의 내부를 지날 때도 있음.

중간자 원자【中間子原子】명〔mesic atom〕〖원자〗전자(電子)의 하나가 음(陰)의 μ입자 또는 중간자로 치환된 원자. 입자의 궤도는 핵(核)에 근접해 있고, 핵의 내부를 지나는 경우도 있음.

중간 작가【中間作家】명〖문〗중간 소설을 쓰는 소설가(小說家).

중간 잡종【中間雜種】명〖생〗양친(兩親)의 형질(形質)의 중간을 나타내는 잡종. 예를 들면, 분꽃의 흰 꽃과 붉은 꽃의 잡종이 분홍색으로 되는 따위. *중간 유전.

중간-적【中間的】[-적] 명관 중간에 위치하고 있는 모양. ¶여야(與野)의 ~인 존재.

중간조 특성【中間調特性】명〔halftone characteristics〕〖통신〗송신된 원화(原畫)에 대한, 수신된 화상의 명암 계조(階調)의 충실도(忠實度). 원화 또는 재생 화상(再生畫像)과 팩시밀리 신호와의 관계를 표현하기 위하여서도 쓰임.

중간 주파수【中間周波數】명〖물〗슈퍼헤테로다인(superheterodyne) 방식에서의 수신(受信) 주파수와 국부 발진(局部發振) 주파수와의 차(差)의 주파수.

중간 주파수관【中間周波數管】명〔medium-frequency tube〕〖전자〗300-3,000 kHz의 주파수로 작동하는 전자관(電子管). 전극간(電極間)의 전자 주행 시간(走行時間)은 전압 진동(電壓振動)의 주기(周期)보다 훨씬 짧음.

중간 주파 증폭기【中間周波增幅器】명〔intermediate-frequency amplifier〕〖전〗슈퍼헤테로다인 수신기(superheterodyne 受信機)의 일부. 이것은 주파수 변환기(變換器)에 의해 고정(固定) 중간 주파수로 변환된 수신 신호(受信信號)를 증폭함.

중간 지괴【中間地塊】명〔median mass〕〖지〗조산대(造山帶)의 중앙에 있는, 변형이 일정하지 않은 구조의 지괴.

중간 착취【中間搾取】명 착취자와 피착취자의 중간에 개재하여, 착취자에 기생(寄生)하면서 그 착취 행위를 돕거나 대행하여 착취한 재물을 얻는 일. 조선 시대의 관노(官奴)들의 행패가 그것임. ——하다 자여불

중간-축【中間軸】명 카운터샤프트.

중간-층【中間層】명 ①〖지〗지구 속의 시마 층(Sima 層)과 중심층 사이에 있는 층. 깊이 1,200-2,900 km, 비중(比重) 4.8-5.0, 주성분은 크롬(chrome)·철·규소(珪素)·마그네슘(magnesium). 성분 금속의 원소명(元素名)을 따서 크로페시마 층(chrofesima 層)이라고도 함. 중간핵. ②〖사〗경제적·사회적 계급으로서의 중간 계급. 노동 계급과 자본가 계급과의 중간에 있는 사람들. 상인·농민·관공리(官公吏)와 샐러리맨 등의 총칭.

중간-치【中間—】명 크고 작거나 또는 좋고 나쁜 것 등의 중간이 되는 물건. 중치. ¶~로 사 오너라.

중간-치기【中間—】명 ①☞중간치. ②☞새치기.

중간치의 정:리【中間値—定理】[—니/—에—니] 명〖수〗'중간값의 정리'의 구용어.

중간-파【中間派】명〖사〗사회 운동에서, 좌익과 우익의 중간에 있는 당파. 곧, 중간 노선을 걷는 파. 회색파(灰色派). 제삼 세력.

중간 판결【中間判決】명〖법〗종국 판결의 준비로서, 심리(審理) 도중에 판결되는 일. 곧, 민사 소송에서 사건의 어떤 쟁점(爭點)에 대하여 서만 내리는 판결.

중간-핵【中間核】명〖지〗중간층(中間層)❶.

중간-형【中間形】명〔intermediate form〕〖생〗분류학적(分類學的)으로 두 유(類)의 중간에 위치하는 형. 현생(現生)하는 어떤 종(種)의 아종(亞種)끼리 접촉 지대(接觸地帶)에서 교잡(交雜)하여 생긴 중간적인 형태 등이 포함되며, 진화(進化)의 관점에서는 이행형(移行形)으로 간주함.

중간 화합물【中間化合物】명〖화〗연속 반응(連續反應) 과정 중에 생성되는 중간 생성물이 명백한 하나의 화합물로 생각할 수 있는 경우의 그 물질. *중간 생성물.

중간 확인의 소【中間確認—訴】[—/—에—] 명〖법〗민사 소송법(民事訴訟法)상, 소송 진행 중에 선결 문제로서 다투게 된 법률 관계의 성립 또는 불성립에 대하여, 당초의 소송 목적을 확장하여 그 법률 관계의 확인을 함께 요구하는 일.

중-갈이【中—】명〖농〗제철이 아니라도 언제든지 씨를 뿌려서 아무 때에나 먹게 되는 푸성귀.

중갈이 김치【中—】명 중갈이 배추나 무로 담근 김치. 중파저(中播菹).

중감【重監】명〖역〗고려 때 삼사(三司)에 딸린 이속(吏屬).

중-감염【重感染】명 어떤 전염성 질환에 걸렸을 때, 두 번 같은 병원체가 침입하여 감염이 중복되는 일.

중-갑판【中甲板】명〔main deck〕함선(艦船)의 갑판 중에서 가장 크고 으뜸가는 갑판.

중:-값【重—】[—깝] 명 비싼 값. 상당한 값. 중가(重價).

중강【中講】명〖불교〗①불경(佛經) 공부하는 사람들이 스승에게 묻기 전에 둘러앉아서 글 뜻을 토론하여 밝힐 때에 그 질문을 받아 주는 사람. ②어산회(魚山會)에서 스승인 어장(魚丈)을 도와, 범패(梵唄)를 지도하는 사람.

중강 개시【中江開市】명〖역〗조선 시대 때, 압록강 의주(義州)의 강(江)섬인 난자도(蘭子島)에서 봄 가을 두 차례 행해진, 중국 명(明)나라·청(淸)나라와의 공무역(公貿易). 선조(宣祖) 26년(1593)에 요동(遼東)의 미곡(米穀)과 마필(馬匹)을 수입하기 위하여 조선에서 명(明)나라에 요구하여 시작되었는데, 난후(亂後)에 중지되었다가, 청(淸)나라의 요청으로 인조(仁祖) 24년(1646)에 재개됨. 의주 부윤(義州府尹)이 구관(句管)하여, 조선에서는 소·종이·해삼·무명·소금·쟁기·사기 등을 수출함. *중강 후시(中江後市).

중강-사【中腔詞】명〖악〗창사(唱詞)의 이름.

중-강아지【中—】[—깡—] 명 크기가 거의 어미만큼 자란 큰 강아지.

중강-진【中江鎭】명〖지〗평안 북도 자성군(慈城郡)에 있는, 우리 나라 최북단(最北端), 압록강(鴨綠江) 상류 300km 지점에 있는 산협 도읍(山峽都邑). 북으로 만주(滿洲)의 모아산(帽兒山)과 마주봄. 목재를 수위(首位)로 옥수수·콩·꿀·산삼(山蔘) 등의 농산물과 벌목(伐木)·제재(製材)·조벌(組筏) 등이 성함. 우리 나라에서 가장 추운 곳으로, 최저 기온은 −43.6°C임.

중강-천【中江川】명〖지〗평안 북도 자성군(慈城郡) 여연면(閭延面)에서 발원하여 압록강(鴨綠江)으로 흘러 들어가는 내. [41 km]

중강 후:시【中江後市】명〖역〗조선 시대 때 중강 개시(中江開市)에 편승(便乘)하여 중강(中江)에서 뒷구멍으로 성행하던 사상(私商)의 밀무역(密貿易). 숙종(肅宗) 26년(1700)에 이를 파(罷)함. *중강 개시(中江開市).

중-개¹【中—】[—깨] 명 크기가 중간쯤 되는 개. 중간쯤 자란 개.

중개²【仲介】명 제삼자의 처지에서, 당사자 쌍방 사이에 서서 어떤 일을 주선하는 일. ——-하다 타여불

중개 공:동 판매【仲介共同販賣】명〖경〗공동 판매 기관이 외부로부터 주문을 받아 이것을 가맹(加盟)한 각 기업(企業)에 할당하고 제품의 인도(引渡), 대금의 결산 등을 일체 각 기업이 하게 하는 공동 판매 방식. *수탁 공동 판매·매수 공동 판매.

중개-국【仲介國】명 국제 분쟁을 중개하는 제삼국. 중간국(中間國).

중-개념【中槪念】명〔middle concept〕〖논〗정언적(定言的) 삼단 논법의 대전제(大前提)와 소(小)전제의 양자에 포함되어 대개념(大槪念)과 소(小)개념과를 매개하여 결론을 성립시키는 개념. 매개념(媒槪念). 매어(媒語).

중개념 부주연의 허위【中槪念不周延—虛僞】[—/—에—] 명〔fallacy of the undistributed middle〕〖논〗정언적(定言的) 삼단 논법에서, 중개념이 적어도 한 번은 주연하여야 한다는 규칙을 어기기 때문에 나타나는 허위. 예를 들면 '모든 돼지는 동물이다. 모든 인간은 동물이다. 따라서 모든 인간은 돼지이다' 따위. 이 경우의 중개념 '동물'은 어느 쪽도 주연하고 있지 않음.

중개-료【仲介料】명 중개한 데 대한 삯.

중개 무:역【仲介貿易】명〖경〗①중계(中繼) 무역을 포함하는, 제삼자가 중개하는 모든 무역 형태의 총칭. ②외국 상호 간의 무역을 단순히 중개만 하는 무역.

중개 상인【仲介商人】명〖경〗①타인의 의뢰에 의하여 상행위(商行爲)의 대리 또는 매개(媒介)를 하여 이에 대한 수수료를 받는 상인. 중매인(仲買人)·판매 대리인(販賣代理人) 등이 대표적임. ②타인의 위탁(委託)으로 상사(商事)를 매개(媒介)하여 수수료를 받는 상인. 브로커(broker). 중개인(仲介人).

중개-업【仲介業】명〔brokerage〕〖경〗타인(他人) 간의 상행위(商行爲)를 중개하여 생기는 수수료의 수득(收得)을 목적으로 하는 영업. 또, 일정한 수수료를 받고 토지·건물 등에 대하여 거래 당사자 간의 매매·교환·임대차 기타 권리의 득실(得失)·변경에 관한 행위의 알선·중개를 하는 영업. ¶부동산 ~.

중개업-자【仲介業者】명 중개인(仲介人).

중개-인【仲介人】명 상거래(商去來)의 중개를 하는 사람. 브로커. 중개 상인. 중개업자. 중개자.

중개-자【仲介者】명 중개인(仲介人).

중:객¹【重客】명 점잖은 손님.

중:객²【衆客】명 많은 손님. 또, 많은 사람들.

중거【中擧】명〖악〗'중허리'의 한자 이름.

중-거루【中—】명 중간 크기의 거룻배. ¶~ 낚거루를 십 리 장강 늘어세고.

중-거리¹【中—】명〈심마니〉점심(點心).

중-거리²【中鉅—】명 길이가 큰 톱과 작은 톱의 중간쯤 되는 톱.

중-거리³【中距離】명 ①짧지도 길지도 않은 중간 정도의 거리. ¶~ 슛. ②↗중거리달리기. ¶~ 선수. ③↗중거리 경주.

중거리 경:주【中距離競走】명 중거리달리기. ㈜중거리.

중거리-달리기【中距離—】명〔middle distance race〕육상 경기의 한 가지. 400 m에서 2,000 m까지의 달리기. 중거리 경주. ㈜중거리. *단거리달리기·장거리달리기.

중거리 탄:도 미사일【中距離彈道—】〔missile〕명〖군〗중거리 탄도 유도탄.

중거리 탄:도 병기【中距離彈道兵器】명〖군〗중거리 탄도 유도탄.

중거리 탄:도 유도탄【中距離彈道誘導彈】명〔intermediate range

ballistic missile〕〖군〗 2,400 km 정도의 사정(射程)을 가지는 탄도탄(彈道彈). 대륙간(大陸間) 탄도 유도탄이나 폴라리스(Polaris) 등의 잠수함 발사 탄도탄이 실용화(實用化)되었기 때문에 그 존재 의의가 희박하여졌음. 중거리 탄도 미사일. 아이 아르 비 엠(I.R.B.M.). *대륙간 탄도 유도탄.

중거리 탄:도탄【中距離彈道彈】명〖군〗중거리 탄도 유도탄.

중거리 핵전력【中距離核戰力】[—절—]명〔Intermediate-range Nuclear Force〕〖군〗1988 년 미소(美蘇) 간에 폐기(廢棄)하기로 합의된 핵(核) 미사일의 총칭. 미국의 퍼싱(Pershing) Ⅱ·지상 발사 순항(巡航) 미사일, 소련의 SS-20 등, 사정 거리(射程距離) 500-5,000 km 정도의 핵무기임. 아이 엔 에프.

중거리 핵전력 폐:기 조약【中距離核戰力廢棄條約】[—절—]명〔INF Treaty〕미소(美蘇)의 지상 발사 방식의 중거리 핵전력을 전폐(全廢)하는 조약. 1987 년 미소 간에 조인(調印)되고 1988 년 발효(發效)함. 미국은 퍼싱 Ⅱ미사일 등 859 기(基), 소련은 SS-20 등 1,836 기가 폐기되었음.

중-거치【重鋸齒】명〖식〗겹톱니.

중건【重建】명 건물(建物) 특히 사찰(寺刹)·왕궁(王宮) 등을 보수 개축하는 일. ——-하다 타여불

중겁【中劫】명〖불교〗①소겁(小劫)이 20 번 되풀이되는 동안. ②한 증겁(增劫)과 한 감겁(減劫)을 합한 동안. *소겁(小劫)·대겁(大劫).

중견[1]【中堅】명 ①〖군〗주장(主將)의 통솔에 직속된 전군(全軍)의 정예(精銳)가 모인 중군(中軍). ②어떤 단체나 사회에서 중심이 되어 활동하는 사람. 또, 지위·규모는 그다지 높거나 크지 않으나 중심적 역할을 하거나 확실한 업적(業績)을 올리고 있는 사람 또는 단체. ¶~ 간부. ③〔center-field〕야구에서, 이루(二壘)의 뒤쪽, 곧 외야(外野)의 중앙부. ④↗중견수(中堅手).

중견[2]【中繭】명 품질이 중간쯤인 보통 누에고치.

중견[3]【重繭】명 ①발이 자꾸 부르틈. 곧, 먼 길을 신고(辛苦)하여 걸음. ②솜옷을 겹쳐 입음.

중견 국민【中堅國民】명 국가 사회에 있어서 중심이 되는 중요한 구실을 하는 국민. ¶자네 정도의 나이면 이미 ~이 아닌가.

중견-수【中堅手】명 야구에서, 외야(外野)의 중앙을 맡아서 지키는 선수. 센터 필더(center-fielder). ㊟중견(中堅).

중견 작가【中堅作家】명〖문〗신진과 대가의 중간적인 위치에 놓여 작품의 발표 연수(發表年數)가 비교적 오래 되어 문단(文壇)의 중견이 되는 작가. 편의 상의 문단 용어임.

중:-견책【重譴責】명 아주 심하고 준절(峻截)하게 견책함. ——-하다 타여불

중경[1]【中京】명〖역〗①고려 때 서울인 개성(開城)을, 서경(西京)·남경(南京)·동경(東京)에 대하여, 사경(四京)의 하나로 일컫던 이름. ②중국 남조(南朝)에서 당대(唐代)까지의 낙양(洛陽)의 일컬음. ③발해(渤海)의 현덕부(顯德府), 요(遼)나라의 대정부(大定府), 금(金)나라의 금창부(金昌府)의 일컬음.

중경[2]【中耕】명〖농〗농작물이 생육(生育)하는 도중에 겉흙을 얕이 가는 일. 태양열·공기의 소통을 좋게 하며 뿌리의 흡수·호흡 작용을 촉진하고 잡초를 없애게 됨. 사이갈이. ——-하다 타여불

중경[3]【中徑】명 지름. 직경(直徑).

중경[4]【中景】명 근경(近景)과 원경(遠景) 사이의 중간 정도에 보이는 경치. *근경·원경.

중경[5]【中經】명 경서(經書)를 그 분량(分量)에 의하여 대(大)·중(中)·소(小)로 나눈 중간의 것. 시경(詩經)·의례(儀禮)·주례(周禮)를 이름. *대경(大經)·소경(小經).

중:-경[6]【重輕】명 무겁고 가벼움. 중요하고 중요치 않음. 경중(輕重).

중경[7]【重慶】명〖지〗'충칭'을 우리 음으로 읽은 이름.

중:-경상【重輕傷】명 중상과 경상.

중경 외:폐【中扃外閉】명〔경(扃)은 폐(閉)〕마음 속의 욕심(欲心)을 밖에 나타내지 않고, 외부의 사악(邪惡)을 마음 속에 들어오지 못하게 하는 일.

중계[1]【中桂】명 중배끼.

중계[2]【中棨】명〖건〗중깃.

중계[3]【中階】명〖건〗가옥(家屋)의 기초가 되도록 한 층을 높게 쌓아 올린 단(壇).

중계[4]【中繼】명 ①중간에서 이어 줌. ¶~ 무역/~인. ②↗중계 방송(中繼放送). ¶~망(網). ——-하다 타여불

중계-과【中桂菓】명 중배끼.

중계-국【中繼局】명 ①발신국(發信局)과 수신국(受信局) 사이에서 전신을 중계하는 전신국. ②방송국의 전파의 수신이 곤란한 지역에 설치되어, 본국(本局)의 방송 전파를 수신하여 증폭(增幅)한 후, 방송하는 방송국.

중계-기【中繼器】명〔repeater〕〖전〗약한 신호를 받아 이에 대응(對應)하는 강한 신호를 그대로 또는 파형(波形)을 재생(再生)하여 내보내는, 증폭기(增幅器) 따위를 갖춘 장치.

중계-망【中繼網】명 네트워크(network).

중계 무:역【中繼貿易】명〔transit trade〕〖경〗외국으로부터 수입한 물자를 그대로 또는 약간 가공(加工)하여 딴 외국으로 재수출하는 형식의 무역. 중계국(中繼國)은 각종 수수료와 가공비(加工費)를 벌 수 있음. 중간(中間) 무역. 통과(通過)무역.

중계 무:역항【中繼貿易港】명〖경〗홍콩·싱가포르 등과 같이 주로 중계 무역을 하는 상항(商港). 보통 상품의 출입에 대하여 관세(關稅)를 붙이지 않는 것이 특색임. ㊟중계항(中繼港).

중계 방:송【中繼放送】명 어떤 방송국의 방송을 다른 방송국이 중계하여 방송하는 일. 또, 극장·경기장 등으로부터 강연·연주·운동 경기 등의 실황을 어떤 방송국이 중계하여 방송하는 일. ㊟중계.

중계 상업【中繼商業】명〖경〗생산품이 각각 다른 생산 지대 사이에서 그 생산품을 서로 바꾸어 공급해 주는 제삼자가 경영하는 상업, 또는 중개 상인에 의하여 경영되는 상업.

중계-소【中繼所】명 어떠한 사물을 중계하는 장소나 영조물(營造物).

중계 신:호기【中繼信號機】명 장내 신호기나 출발 신호기에 종속하여 그 바깥 쪽에서 주체가 되는 신호 현시(現示)를 중계하는 철도 신호기의 하나. *진로(進路) 표시기.

중계-역【中繼驛】명 다른 철도선이나 또는 철도와 다른 운수와를 서로 연결하여 주는 역.

중계 운반【中繼運搬】명〔relay haulage〕광산에서, 어떤 중계점에서 다음 중계점까지의 갱내(坑內) 운반.

중계-자【中繼者】명 중계하는 사람.

중계-차【中繼車】명 뉴스의 현장·무대 등으로부터 방송국에 전파(電波)를 중계하는 장치를 설치한 차. 라디오 중계차·텔레비전 중계차가 있음.

중계 코일【中繼—】명〔repeating coil〕〖전〗직접 접속이 바람직하지 않을 때, 전화선의 두 부분 사이의 유도 결합(誘導結合)을 이루기 위해서 쓰이는 변성기(變成器).

중계-항【中繼港】명〖경〗↗중계 무역항(中繼貿易港).

중고[1]【中古】명 ①〖역〗역사 상의 시대 구분의 하나로, 상고(上古)와 근고(近古)와의 사이. ②중세(中世). 그리 오래지 않은 옛날. ③↗중고품(中古品).

중고[2]【中鼓】명〖악〗국악의 타악기의 하나. 북의 지름 두 자 다섯 치, 통의 길이 두 자 두 치 닷 푼에, 북통 둘레에는 꿈틀거리는 용이 그려져 있음. 교방고(敎坊鼓)와 같이 네 기둥 틀에 북면이 위를 보게 걸고 침. 용고(龍鼓)와 함께 군중(軍中)에서 씀. 조선 정조(正祖) 때, 중국 청(淸)나라에서 들여옴.

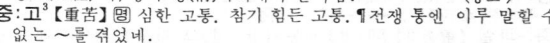

〈중고[2]〉

중:고[3]【重苦】명 심한 고통. 참기 힘든 고통. ¶전쟁 통엔 이루 말할 수 없는 ~를 겪었네.

중:고[4]【衆苦】명 중인(衆人)의 괴로움. 많은 고통.

중:-고기 명〖어〗[*Sarcocheilichthys czerskii*] 잉어과에 속하는 민물고기. 몸길이 10-16 cm 로, 모양은 작은 대구 비슷하며 몸빛은 짙은 녹갈색에 배는 은백색이고 체측(體側) 중앙에 암색 세로띠가 있음. 산골 시냇물 같은 데에 사는데 황해(黃海)로 흐르는 각 하천(河川)에 분포(分布)함. 식용(食用)으로 하는 곳도 있고 하지 않는 곳도 있음.

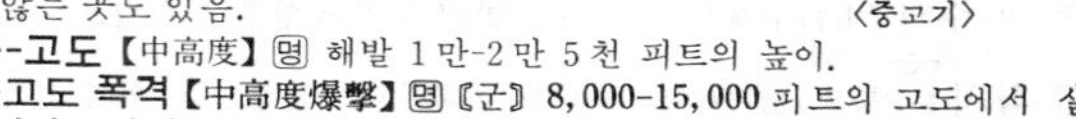

〈중고기〉

중-고도【中高度】명 해발 1 만-2 만 5 천 피트의 높이.

중고도 폭격【中高度爆擊】명〖군〗8,000-15,000 피트의 고도에서 실시하는 수평(水平) 폭격. *저고도(低高度) 폭격.

중고-사【中古史】명〖역〗중고 시대의 역사.

중-고옥【中古屋】명 헐지는 아니하였으나 지은 지 꽤 오랜 집.

중-고음【中高音】명 중음(中音).

중고-제【中高制】명〖악〗판소리에서, 조선 헌종(憲宗) 때의 명창(名唱) 모흥갑(牟興甲)의 법제(法制)를 따라 부르는 창법(唱法)의 유파(流派). 동편제(東便制)·서편제(西便制)의 중간적인 위치로, 첫소리를 평평하게 시작하여 중간을 높이고 끝을 다시 낮추어 끊는 것이 특징임. 주로 경기도·충청도를 중심으로 성하였음. *동편제(東便制)·서편제(西便制).

중고-차【中古車】명 어느 기간 사용하여 다소 낡은 자동차.

중고-품【中古品】명 약간 낡은 물건. ㊟중고(中古).

중곤[1]【中棍】명〖역〗옛날 죄인의 볼기를 치는 곤장(棍杖)의 한 가지. 버드나무로 길이 다섯 자 네 치, 너비 네 치 한 푼, 두께 다섯 푼쯤 되게 만들었음. 대곤(大棍)보다 작고 소곤(小棍)보다 큼. *곤장.

중:곤[2]【重棍】명〖역〗옛날 죄인의 볼기를 치는 곤장(棍杖)의 한 가지. 곤장 중 가장 큰 것으로, 버드나무로 길이 다섯 자 여덟 치, 너비 다섯 치, 두께 여덟 푼쯤 되게 만들었음. *곤장(棍杖).

중공[1]【中共】명 ①↗중국 공산당(中國共產黨). ②중국 공산당 치하(治下)의 중국 본토. 곧, 중화 인민 공화국을 일컫던 말.

중공[2]【中空】명 ①중간 부분의 하늘. 허공(虛空). 중천(中天). ②내부(內部)가 비어 있음. 공허(空虛).

중공-강【中空鋼】명 착암기(鑿岩機)의 정에 쓰이는 봉강(棒鋼)의 하나. 단면(斷面)이 지름 19-51mm인 원형(圓形), 대변 거리(對邊距離)가 19-38 mm인 육각형(六角形) 등이 있으며, 중심부에 물을 통하기 위한 지름 6-13 mm의 구멍이 뚫려 있음.

중공-군【中共軍】명 ↗중국 공산군(中國共產軍).

중공-댐【中空—】〔dam〕명 시멘트와 공비(工費)를 절약하기 위하여 제방체(堤防體)를 중공으로 만든 댐.

중공 레이온【中空—】〔rayon〕명 중공 인견(人絹).

중공-벽【中空壁】명〔cavity wall〕〖건〗벽이 두 겹으로 분리되어, 그 사이에 공기층(空氣層)을 가진 벽. 열(熱)을 절연(絕緣)함.

중공 벽돌【中空甓—】명〔air brick〕〖건〗공동(空洞) 벽돌.

중공-사【中空絲】명 속이 비어 있는 합성 섬유. 가볍고 보온성(保溫性)이 높음.

중:-공업【重工業】명〖공〗제철·기계·조선(造船)·차량·병기의 제조 공업과 같은, 용적(容積)에 비하여 무게가 큰 물건을 만드는 공업. 주로 생산재를 생산하는 기초적인 공업 부문임. ↔경공업(輕工業).

중:공업화-율【重工業化率】명〖경〗한 나라의 산업이 중화학 공업에 의존하는 비율. 통상적으로, 일정 기간의 중화학 공업의 부가 가치(附加價値)를 광공업(鑛工業) 또는 제조업(製造業)의 부가 가치로 나눈 백분비(百分比)로 표시함. 경제의 발전과 더불어 이 율은 상승함. 중화학(重化學) 공업화율.

중공 음극 방:전관【中空陰極放電管】명〔hollow-cathode discharge tube〕〖전〗스펙트럼 연구용 광원(光源)으로 쓰이는 방전관의 하나. 음극은 내경(內徑) 10 mm 안팎의 중공 원통(中空圓筒)으로 양극과 마주 향하고 있음. 초미세(超微細) 구조의 연구, 간섭계(干涉計)의 광원 등에도 쓰임.

중공 인견【中空人絹】명 방사액(紡絲液)에 탄산 소다를 섞어 넣어서 응고(凝固)할 때 황산과 반응케 하여 이산화 탄소를 발생시키고, 그 기포(氣泡)로 섬유의 속이 비게 만든 특수한 인조 견사(人造絹絲). 주로 비스코스(viscose) 인견사에 이용되는데 가볍고 보온성(保溫性)이 크며 광택(光澤)이 부드러운 것이 특징임. 마카로니(macaroni) 인견사. 중공 레이온.

중공 중:력 댐【中空重力—】[—녁—] 명〔hollow gravity dam〕중력댐의 내부에 공동(空洞)을 설치한 댐. 종단면은 대체로 정삼각형이며, 댐의 중량과 댐의 상류 쪽의 사면(斜面)에 얹히는 중량으로 수압을 떠받침. 콘크리트량을 절약하는 이점이 있으나 지진에 약하고 시공이 번잡함.

중공-축【中空軸】명〔hollow shafting〕〖기〗속이 빈 봉(棒)이나 관으로 만들어진 축. 중량이 가볍고, 내부 지지(內部支持)가 가능하며, 안에 다른 축을 설치할 수도 있음.

중공 플런저 펌프【中空—】명〔hollow-plunger pump〕광산의 모래나 진흙이 많은 곳에서, 채광(採鑛)·채석(採石) 등에 쓰이는 펌프.

중:과[1]【重科】명 ①죄에 비하여 무거운 형벌. ②중죄(重罪).

중:과[2]【重過】명 ①〖법〗↗중과실(重過失). ②중대한 과실. 큰 실수.

중:과[3]【重課】명 부담이 많이 가게 과함. ——-하다 타여불

중:과[4]【衆寡】명 수효의 많음과 적음. 다과(多寡).

중:과 부적【衆寡不敵】명 적은 수효는 많은 수효를 대적하지 못함. 과부적중(寡不敵衆). ——-하다 자여불

중:-과실【重過失】명〖법〗보통 사람이면 그 경우에 당연히 해야 될 것으로 요구되는 주의(注意), 곧 선량한 관리자(管理者)의 주의를 현저히 결(缺)한 행위. 준중과(重過).

중:과-인【重科人】명 무거운 죄를 범한 자. 중죄인.

중:과인산 석회【重過燐酸石灰】명〖화〗인광석(燐鑛石)을 묽은황산(黃酸)으로 처리하여, 수용성 인산염(水溶性燐酸塩)으로 변화시켜 만든 수용성 인산분이 40~48 % 함유된 인산 비료. 농후(濃厚) 인산 비료로서 사용함. ＊ 인산질 비료.

중:과-주의【重科主義】[—/—이] 명 작은 죄도 엄중한 형벌로 다스려야 한다는 주의.

중-과피【中果皮】명〔mesocarp〕〖식〗과실의 속껍질. 곧, 외과피(外果皮)와 내과피(內果皮)와의 사이에 있는 두꺼운 육질(肉質). 복숭아·살구 등의 중과피는 껍질을 벗긴 다음에 사람이 먹는 부분임. ＊외과피·내과피.

중곽【中藿】명〖식〗새초미역.

중관[1]【中官】명〖역〗①내시(內侍)❶❷. ②지방관(地方官)에 대하여 조정(朝廷)에서 근무하는 벼슬아치.

중관[2]【中觀】명〖불교〗①천태 삼관(天台三觀)의 하나. 공(空)·가(假)·중(中)의 중제(中諦)의 이치를 직관하여 중도(中道)의 진리를 구명(究明)하는 일. ↔가관(假觀)·공관(空觀). ②중관론(中觀論).

중관-론【中觀論】[—논] 명〖불교〗용수(龍樹)의 대표작 ≪중관론송(中觀論頌)≫ 27품(品) 446 게(偈)를 요진(姚秦)의 구마라집(鳩摩羅什)이 한역(漢譯)한 책. 무소득 중도(無所得中道)·실상(實相)의 정관(正觀)을 투철하게 설파한 대승 불교의 근본 성전(聖典). 전 4권. 중론(中論). 중관(中觀).

중관-파【中觀派】명〖불교〗중관 학파.

중관 학파【中觀學派】명〖불교〗인도 대승(大乘) 불교의 이대(二大) 계통의 하나. 파조(派祖)인 용수(龍樹)의 중관론(中觀論)을 근본으로 하여 공(空)을 그 교의(敎義)의 중심으로 함. 중국 등지에 전해져서 삼론종(三論宗)의 근본이 됨. 중관파. ＊유가파(瑜伽派).

중-괄호【中括弧】명 '{ }' 모양의 괄호. 활짱묶음.

중광【重光】명〖민〗①천간(天干) 신(辛)의 고갑자(古甲子). 곧, 십간(十干) 속의 신(辛). ②구일(九日)❷.

중광-단【重光團】명〖역〗독립 운동 단체. 1911년 만주에서 서일(徐一)이 중심이 되어 망명한 동포들을 규합하여 조직함. 교포의 권익 보호와 교육에 힘쓰다가 정의단(正義團)으로 개칭, 뒤에 무기를 구입하여 군정서(軍政署)로 개칭, 항일 무장 운동을 벌였음.

중광-장【重光章】[—짱] 명〖악〗중광지곡(重光之曲)을 악장(樂章)의 하나로 일컫는 이름.

중광-절【重光節】명 대종교(大倧敎)의 재벽(再闢)을 기념하는 날. 음력 정월 보름날로서 1909년, 곧 기유(己酉)년 정월 보름날에 새로 발포(發布)하였음.

중광지-곡【重光之曲】명〖악〗현악 영산 회상(絃樂靈山會相)의 아명(雅名).

중-괘【中卦】[—꽤] 명〖민〗점괘(占卦)에서 좋지도 나쁘지도 않은 보통의 괘.

중-괴탄【中塊炭】명 덩이가 자질구레한 석탄(石炭).

중교【中敎】명〖교〗↗중등 교원 양성소(中等敎員養成所).

중-교두【重翹頭】명〖건〗중첩(重疊)된 교두.

중-교점【中交點】[—쩜] 명〖천〗강교점(降交點).

중구[1]【中九】명 그 달의 초아흐렛날.

중-구[2]【中區】명〖지〗서울 특별시의 한 구. 북은 종로구, 동은 성동구, 남은 용산구, 서는 서대문구와 접해 있음. 시청·남대문·남산 공원·장충단 공원·장충 체육관 등이 있음. [9.7 km²: 143,201 명(1996)]

중구[3]【中冓】명 ①궁중(宮中)의 깊숙한 곳. 또, 부부가 거처하는 방. 내실(內室). ②전(轉)하여, 음란(淫亂)한 일.

중구[4]【中歐】명〖지〗중부 유럽. 독일·스위스·오스트리아 등 여러 나라를 포함함.

중구[5]【重九】명 음력 9월 9일의 일컬음. 예전 명절의 하나. 구일(九日). 「중양(重陽).

중구[6]【重句】명 같은 말을 겹친 구.

중구[7]【重構】명 겹친 구조.

중:구[8]【衆口】명 뭇 입.

중:구 난방【衆口難防】명 뭇 사람의 말을 이루 다 막기가 어렵다는 말.

중구미 명 활을 잡은 팔의 팔꿈치.

중:구 삭금【衆口鑠金】명 뭇 사람의 말은 쇠같이 굳은 물건도 녹인다는 뜻으로 여러 사람의 말은 무섭다는 말.

중-구역【重九譯】명 구역(九譯).

중국【中國】명〖지〗동부 아시아에 있는 큰 나라. 중국 본부·몽고(蒙古)·신장(新疆)·시캉(西康)·칭하이(青海)·티베트 등 수 개 지방으로 나뉨. 극히 오랜 고대에 황허(黃河) 중류역에 정주한 한(漢) 민족이 개국한 나라로서, 전설에 의하면 삼황(三皇)·오제(五帝) 및 하(夏)·은(殷) 왕조가 존재하였고, 기원전 12세기 초의 은말(殷末)부터 역사 시대로 들어가, 그 뒤 주(周)·춘추(春秋)·전국(戰國)·진(秦)·한(漢)·삼국(三國)·진(晉)·남북조(南北朝)·수(隋)·당(唐)·오대(五代)·송(宋)·요(遼)·금(金)·원(元)·명(明)·청(淸)을 거쳐 1912년 공화 정체(共和政體)의 선포와 함께 중화민국(中華民國)이 수립됨. 1949년 중공(中共)이 대륙을 장악하여 중국 공산당을 주체로 하는 중화 인민 공화국(中華人民共和國)이 성립되고, 국민 정부는 타이완(臺灣)으로 옮김. 지나(支那). 차이나(China). 준중(中). ＊ 중화 인민 공화국.

중국 고:동기【中國古銅器】명 중국 고대에 만든 청동기(靑銅器). 주로 용기(容器)를 말함. 중국에서는 일찍부터 청동 문화가 발달하여 주(周)·은(殷) 때부터 이(彝)·준(尊)·작(爵)·정(鼎) 등의 제사에 쓰는 각종 용기를 주조(鑄造)하였고, 진(秦)·한(漢) 때에는 실용적인 완(鋺)·증(甑)·염(奩) 등을 만들었음.

중국 공:산군【中國共產軍】명 중국 공산당 휘하의 군대. 중국 공농 홍군(工農紅軍)·팔로군(八路軍)·신사군(新四軍) 등이 모체가 되어 급속히 발전한 군대임. 준중공군(中共軍).

중국 공:산당【中國共產黨】명〖정〗중국의 혁명 정당. 규약에 의하면 중국 노동자 계급 조직의 최고 형태로서 중국에 사회주의와 공산주의 제도를 실현함을 그 목적으로 삼음. 1921년 리 다자오(李大釗)·천 두슈(陳獨秀) 등을 중심으로 하여 창립됨. 1927년에 제휴(提携)하던 국민당과 분열한 뒤 1931년 장시 성(江西省) 루이진(瑞金)에 중화 소비에트 공화국을 건설함. 마오 쩌둥(毛澤東)의 지도 밑에서 혁명의 원동력으로서 성장하고, 특히 근거지를 산시 성(陝西省) 옌안(延安)에 옮긴 이후 중일 전쟁을 통하여 정치적·군사적으로 강대하여짐. 제2차 대전 후 국민당과의 내전(內戰)에 승리, 1949년 10월 중화 인민 공화국을 세우는 데 그 중심 세력이 됨. 준중공(中共).

중국 공:산당 중앙 위원회【中國共產黨中央委員會】명 중국의 전국 대표 대회 곧 당대회에서 선출되는, 대회에 비견하는 최고 지도 기관. 중앙 위원과 동(同)후보로 구성됨. 대회 폐회 중에는 대회의 결의를 집행하며 대외적으로 당을 대표함. 연 1, 2 회 전체 회의를 열고 당대회 폐막 직후의 전체 회의에서 정치국원·동(同)상무 위원·총서기·중앙 군사 위원회 위원 등 최고 지도부를 선출함.

중국 과학원【中國科學院】명 중국의 학술 및 과학 연구 기관. 산하 연구 기관의 지도 업무도 담당함. 중국 사회 과학원이 분리된 후로는 자연 과학 분야를 맡고 있음. 1949 년 베이징(北京)에 설립됨.

중국 국민당【中國國民黨】명〖정〗쑨 원(孫文)을 지도자로 하여 1919년 10월 정식으로 성립한 근대 중국의 주요 정당. 쑨 원의 뒤를 이어 장 제스(蔣介石)가 북벌(北伐)에 성공한 후 1928년 국민당 정부를 난징(南京)에 수립하였음. 삼민주의(三民主義)·오권 헌법(五權憲法)의 실현을 표방하는 국민 정부의 지도 기관으로서 그 초기에는 혁명 정신이 넘쳐 있었으나 뒤에 점차로 지도층이 부패하여 1949년 중공과의 내전(內戰)에 패배, 타이완(臺灣)으로 건너감. 국민당.

중국-다래【中國—】명〖식〗키위(kiwi)❷.

중국 문학【中國文學】명〖문〗중국에서 발달한 문학. 운문(韻文)·산문(散文)의 두 방면에 고전적인 작품이 풍부함. 고대(古代)의 시경(詩經)·초사(楚辭)·당시(唐詩)·원곡(元曲) 또는 삼국지(三國誌)·수호전(水滸傳)·서유기(西遊記)·금병매(金甁梅)·홍루몽(紅樓夢) 등의 소설이 유명하며 근대에 이르러서는 문학 혁명 운동을 계기로 신문학이 전개되고 루 쉰(魯迅)의 걸작 ≪아큐 정전(阿Q正傳)≫은 특히 유명함.

중국-배【中國—】명 배나무❷.

중국-복【中國服】명 중국옷.

중국 본부【中國本部】명 현재의 중국 남동 주요 부분을 차지하는 지역의 구칭. 북쪽은 동북 지방과 몽고에 접하며, 동쪽은 황해(黃海)와 동중국해(東中國海)에, 남쪽은 남지나해에 면하며 서쪽은 칭하이(靑海)·티베트에 접함.

중국 사회 과학원【中國社會科學院】명 중국의 철학 및 사회 과학 연구 기관. 산하 연구 기관의 지도 업무도 담당함. 1977 년 중국 과학원에서 분리 설립됨.

중국-술【中國—】명 중국 특유의 술. 양조주는 사오싱주(紹興酒)·황주

(黃酒) 따위, 증류주(蒸溜酒)로는 마오타이주(茅臺酒)·고량주(高粱酒) 등이 대표적임.

중국식 동검【中國式銅劍】명〖고고학〗동검의 한 유형. 요령식(遼寧式) 동검과 구분하여 부르는 이름으로, 도씨검(桃氏劍)이라고도 함.

중국-어【中國語】명〖언〗중국·타이완 및 해외의 화교(華僑) 등이 쓰는 한민족(漢民族)의 언어. 시노티베트 어족(Sino-Tibetan 語族)에 속하며 고립어(孤立語) 중의 단철어(單綴語)로, 베이징어(北京語) 등의 북방(北方), 상하이어(上海語) 등의 오(吳), 샤먼어(廈門語) 등의 민(閩), 광둥어(廣東語) 등의 월(粵), 객가(客家)의 오대(五大) 방언이 있으며, 북방 방언을 기초로 한 공통어(共通語)가 널리 쓰이고 있음. 예로부터 문어(文語)와 구어(口語)의 분리가 심했으나 1917년 문학(文學) 혁명 이후 구어, 곧 백화(白話)에 의한 문학이 전통적인 고문(古文)에 대신하여 정당한 문학의 용어(用語)가 되었음. 한어(漢語). 화어(華語). 차이니스. ㊟중어(中語).

중국 연:극【中國演劇】[—년—] 명〖연〗중국에서 발달한 연극. 노래를 중심으로 한 과(科), 곧 동작과 대사인 백(白)을 수반하는 일종의 가극(歌劇). 송대(宋代)에 잡극(雜劇)으로서 확립되어, 원대(元代)에는 원곡(元曲)으로서 대성(大成)하고, 명말(明末)에 곤곡(崑曲)이 일어나 그 우아하고 부드러운 음악적 성격 때문에 명(明)나라의 대표적 악곡이 되었음. 청대(淸代)에는 곤곡인 아부(雅部)와 곤곡을 제외한 각지의 희극(戲劇)인 화부(花部)가 생겨, 화부로부터 오늘의 경극(京劇)이 발달했음. 그 외에 중국 각지에 민중과 밀착한 독자적인 지방 희극(戲劇)이 있음.

중국-옷【中國—】명 중국 사람의 전통적인 옷. 상의(上衣)·하의(下衣)로 나뉜 것과 발목까지 오는 장의(長衣)의 두 가지가 있음. 중류 계급 이상의 남자는 외출할 때 반드시 장의(長衣)를 입었으며, 여자는 긴 옷이나 의군(衣裙)을 입었음. 상의는 통소매이며, 하의는 양복바지보다 폭이 넓음. 중국복.

중국 요리【中國料理】[—뇨—] 명 중국 고유의 요리. 베이징(北京) 요리와 광둥(廣東) 요리의 두 계통이 있으며, 전자는 농후(濃厚)하여 초채(炒菜)·작채(炸菜)가 특색이고, 후자는 담백(淡白)하여 증채(蒸菜)·소채(燒菜)가 특색임. 이밖에 난징(南京) 요리·쓰촨(四川) 요리·푸젠(福建) 요리 등도 유명함. 청요리(淸料理). 중화 요리.

중국 은행【中國銀行】명 청(淸)나라 광서(光緖) 31년(1901) 중국의 중앙은행으로 설립된 호부 은행(戶部銀行)·대청 은행(大淸銀行)의 후신(後身). 국민당 정부 시대에는 쑹 쯔원(宋子文) 재벌(財閥)의 기초가 됨. 중화 인민 공화국 성립 후, 관료 자본분(官僚資本分)은 국유화하여, 공사공영(公私共營) 은행으로서 주로 국제 결제(決濟) 업무를 행함.

중국 음운학【中國音韻學】명〖언〗주로 중국어의 음운을 연구하는 학문. 한어 음운학.

중국-인【中國人】명 ①넓은 뜻으로는 중국의 주민(住民)으로서 한족(漢族)·몽고족(蒙古族)·위구르·티베트족 및 만주족(滿洲族) 등의 오대족(五大族)의 총칭. 중국 본부(中國本部)를 근거지로 하여 내외 몽고·만주 등에 널리 분포함. ②좁은 뜻으로 특히 한인종(漢人種)을 이름. 체형(體型)은 장두 협비형(長頭狹鼻型)·장두 광비형(長頭廣鼻型)·단두 협비형(短頭狹鼻型)·단두 광비형(短頭廣鼻型)으로 나뉨. 한인(漢人). 차이니즈(Chinese). *한족.

중국 인민 은행【中國人民銀行】명 중국의 중앙 은행. 국무원에 직속, 베이징에 본점을 둠.

중국 장춘 철도【中國長春鐵道】[—또] 명 중국 창춘 철도.

중-국적【重國籍】명〖법〗한 사람이 두 나라 이상의 국적을 겸하여 갖고 있는 일. *이중 국적(二重國籍).

중국-전【中—殿】명 '중궁전(中宮殿)'의 변한 말.

중국 전국 인민 대:표 대:회【中國全國人民代表大會】명 중국의 최고 의결 기관. 각 성(各省)·자치구·직할시와 군부에서 대표가 선발되며, 헌법과 주요 법률의 제정·개정, 국가 주석 및 국무원 총리의 선출, 국가 예산의 승인 등을 하며, 임기는 5년이고 매해 1회씩 엶. ㊟전인대(全人大).

중국 진:출구 공사【中國進出口公司】명 중국의 국영 수출입 무역 공사. 처음 무역 전반을 취급하였으나 무역량의 증가로 1961년 이후, 양유 식품(糧油食品)·방직물·우진 광산(五金鑛山)·기계 등 품종별로 10여 개의 공사로 분할되었음. 주요 항구·상품 집산지 등에 분지 공사(分支公司)를 두고, 각 공사마다 독립 채산제(獨立採算制)를 실시하고 있음.

중국 창춘 철도【中國—鐵道】〔長春〕[—또] 명〖지〗중국의 창다 철도(長大鐵道)와 하얼빈(哈爾濱) 철도의 주요 간선(幹線)을 총괄하는 명칭. 1945년 중소(中蘇) 양국이 공동 관리하다가 1952년 중국에 반환됨. 중국 장춘 철도.

중국 철학【中國哲學】명〖철〗중국에서 발달한 철학. 주요 사상은 춘추 시대로부터 전국 시대에 걸쳐 나타났는데, 유가(儒家)·도가(道家)·음양가(陰陽家)·법가(法家)·명가(名家)·묵가(墨家)·종횡가(縱橫家)·잡가(雜家)·농가(農家)의 9파(派)로 크게 나뉨. 그 중에서도 체계를 갖추고 후세에 계승된 것은 공자(孔子)를 시조로 하는 유가와 노자(老子)에서 비롯된 도가가 있을 뿐임. 유가는 도덕·정치 등의 실천 문제를 대상으로 하는 학문이었으나 송명(宋明) 시대에 이르러 철학적으로 전개되어 송학(宋學)·양명학(陽明學) 등이 이루어졌음. 도가(道家)는 유가보다 유현(幽玄)한 철리(哲理)를 가지고 있었으나 이를 대성함이 없이 염세 사상(厭世思想)이나 민간 신앙과 결부되어 겨우 명맥(命脈)을 보전하고 있음.

중국-학【中國學】명〔sinology〕〖언〗중국의 언어·문학 등을 연구하는 학문. 19세기 영국·프랑스·독일 등에서 발달하였음.

중국 혁명 동맹회【中國革命同盟會】명〖역〗1905년 쑨 원(孫文)이 중심이 되어 일본 동경에서 결성한 혁명적 정치 단체. 흥중회(興中會)·화흥회(華興會)·광복회(光復會)가 합친 것으로, 총리(總理)에 쑨 원, 강령은 삼민주의(三民主義), 기관지로 '민보(民報)'를 발행하여, 청조(淸朝)의 타도(打倒), 민국의 건설을 목표로 하여 혁명 운동을 추진하였음. 신해(辛亥) 혁명 후, 중화 혁명당을 거쳐 중국 국민당으로 발전적 해산을 함.

중군[1]【中軍】명 ①좌우 또는 전후의 부대의 중간에 있어 대개는 장수(將帥) 스스로가 통솔하는 군대. ②〖역〗고려 5군(軍)의 하나. ③〖역〗고려 공민왕 때 3군(軍)의 하나. ④〖역〗조선 시대에, 각 군영(軍營)의 대장이나 사(使)의 버금이 되는 장관(將官).

중군[2]【中裠】명 속옷. 내의.

중군-영【中軍營】명 중군의 영문이나 진영(鎭營). ㊟중영(中營).

중-굴절【重屈折】[—쩔] 명〖물〗복굴절(複屈折).

중궁【中宮】명〖역〗↗중궁전(中宮殿).

중궁-마마【中宮媽媽】명 아랫사람이 왕후를 일컫는 존칭.

중궁-전【中宮殿】명〖역〗왕후(王后)를 높이어 이르는 말. 곤전(坤殿). ㊟중궁(中宮)·중전(中殿).

중궁전 별감【中宮殿別監】명〖역〗왕비전(王妃殿)에 딸린 별감(別監). 왕비전 별감(王妃殿別監).

중권[1]【中卷】명 상·중·하의 세 권으로 된 책의 가운데 권.

중:권[2]【重圈】[—꿘] 명〖지〗암석권(岩石圈)으로 둘러싸여 있는 지구의 내부. 암석권보다 현저히 비중이 큰 데서 이름. 화권(火圈).

중:권[3]【重權】명 중요한 권력.

중궤【中饋】명 주궤(主饋).

중-귀인【中貴人】명 궁중(宮中)에서 굄을 받는 사람. 후세(後世)에는 오로지 환관(宦官)을 이름.

중-귀틀【中—】명〖건〗동(棟)귀틀 사이를 막아 낀 귀틀.

중규【中逵】명 한길의 가운데.

중-규모【中規模】명 크지도 작지도 않은 중간 정도의 규모.

중근【中根】명〖불교〗중등(中等)의 기근(機根). 부처의 교화(敎化)를 받아야 발동(發動)하는, 능력 소질(能力素質)이 중정도의 사람을 이름. 중기(中機). *상근(上根)·하근(下根).

중-근동【中近東】명 중동(中東)과 근동(近東) 지역. 리비아에서 아프가니스탄까지의 북아프리카 및 서아시아를 가리킴.

중금[1]【†中笒】명〖악〗〔←중함(中笒)〕저(笛)의 한 가지. 대금(大笒)보다 조금 작음.

중금[2]【中禁】명〖역〗액정서(掖庭署)의 별감(別監) 아래에 있는 심부름꾼.

중:금[3]【重禁】명 엄한 법. 엄한 금제(禁制).

중:-금고【重禁錮】명〖법〗구형법(舊刑法)의 형명(刑名). 경죄(輕罪)에 과하는 주형(主刑)의 한 가지. 일정한 장소에 유치하여 정역(定役)에 복하게 하는데 형기는 11일 이상 5년 이하임. 현행 형법의 유기 징역에 해당함.

중:금 사:상【重金思想】명〖경〗중금주의.

중:-금속【重金屬】명〔heavy metal〕〖화〗비중(比重) 4-5 이상의 금속의 총칭. 금·은·구리·수은·납·철·코발트·망간·크롬·몰리브덴·텅스텐 등. ↔경금속(輕金屬).

중:-금옥【重禁獄】명〖법〗구형법(舊刑法)의 형명(刑名). 국사범(國事犯)의 중죄에 과하는 주형(主刑)의 한 가지. 형기는 9년 이상 11년 이하임.

중:금-주의【重金主義】[—/—이] 명〔bullionism〕〖경〗화폐 및 금의 증가만이 국부(國富)를 이루는 유일한 방법이라고 하는 주의. 화폐의 국외 유출(流出)을 엄격히 방지함과 아울러 화폐와 금의 유입(流入) 증대를 도모하기 위해 귀금속 거래를 직접 규제함. 16-17세기까지 유력했음. 중금 사상.

중:금 학파【重金學派】명 중금주의를 표방하는 경제학의 한 파.

중급【中級】명 중치의 등급. 가운데의 계급이나 학급. ¶~ 영어. *상급(上級)·하급(下級)·고급(高級)·초급(初級).

중긋-거리다 타 〈방〉쫑긋거리다.

중기[1]【中企】명 ↗중소 기업. ¶~ 운영 자금.

중기[2]【中氣】명 ①사람의 속기운. ②동지(冬至)를 기점으로 하여 다음의 동지까지의 기간을 12등분한 구분점. 곧, 동지·대한·우수·춘분·곡우·소만·하지·대서·처서·추분·상강·소설. ↔절기(節氣). ③〖한의〗기색(氣塞). ④중풍(中風).

중기[3]【中期】명 ①중간의 시기. *초기(初期)·후기(後期). ②단기(短期)와 장기(長期)와의 중간 정도의 길이의 기간(期間). ③〔metaphase〕〖생〗유사 분열(有絲分裂)의 전중기(前中期)에 이어, 방추체 내(紡錘體內)의 적도면(赤道面)에 염색체의 동원체(動原體)가 늘어서고, 그 동원체가 분열극(分裂極)으로 이동을 시작할 때까지의 기간.

중기[4]【中機】명〖불교〗중근(中根).

중기[5]【中饑】명 심한 기근(饑饉)인 대기(大饑)보다는 좀 낫고, 소기(小饑)보다는 약간 심한 기근. *대기·소기.

중기[6]【重記】명 사무를 인계할 때에 전하는 문서.

중:기[7]【重寄】명 중대한 기탁(寄託). 무거운 책임의 위탁(委託).

중:기[8]【重器】명 ①귀중한 기구. 중보(重寶). ②중요한 인물.

중:기[9]【重機】명 ①〖군〗↗중기관총(重機關銃). ②중공업용의 기계. ③건설 공사에 사용되는 일정 중량 이상의 기계.

중:기 관리법【重機管理法】[—괄—뻡] 명〖법〗건설 공사의 기계화를 촉진하기 위하여, 중기에 관한 등록 실시 등 사항을 규정한 법.

중:-기관총【重機關銃】명〖군〗무게가 비교적 무겁고 큰 기관총. 명중률(命中率)이 높고, 발사 속도가 빠르며, 수냉식(水冷式)이어서 장시간

연속 사격할 수 있음. ㊀중기(重機).

중기 국채【中期國債】명 장기 국채 가운데 상환 기간(償還期間)이 비교적 짧은 것.

중-기상학【中氣象學】명 메소(meso) 기상학.

중-기생【重寄生】명 〔hyperparasitism〕〖생〗 기생자에 또 다른 기생자가 존재하는 일.

중-기업【中企業】명 경영 규모에 있어서 중치 정도가 되는 기업.

중기 예:보【中期豫報】명 〔medium-range forecast〕〖기상〗 2-5일 또는 1주일 전의 기간을 대상으로 하는 기상 예보.

중:기 저:당법【重機抵當法】〔一뻡〕명〖법〗 중기의 동산 신용을 증진시킴으로써 건설 사업의 원활한 수행을 기하려는 법.

중기-정【中畿停】명〖역〗 근내정(根乃停).

중기-중기 부 크기가 비슷한 물건들이 여기저기 모인 모양. 웅기웅기.

중기 파동【中期波動】명〖경〗 1860년대에 프랑스의 경제학자 쥐글라(Juglar, J.C.)가 주목한, 9-10년의 주기를 갖는 경기 파동. 생산량·물가·이자율의 변동에 모두 나타남. 쥐글라 사이클.

중-기후【中氣候】명〖기상〗 도시(都市) 기후, 분지(盆地)의 기후 등과 같은 중정도의 범위를 갖는 기후. 수평 범위는 100-200 km, 수직 범위는 1000-6000 m 정도임. 주요한 기후 인자(因子)로는 중규모의 지형(地形)·열원(熱源)·냉원(冷源)과 집중 호우 등의 중규모 기상 현상, 중규모의 산곡풍(山谷風) 등의 국지 순환(局地循環) 등이 있음. *대기후·미기후·소기후.

중-길【中一】〔一낄〕명 같은 종류에서 품질이 중간쯤 되는 물건. 중질(中秩). ¶ ~의 것.

중-깃【中一】명〖건〗 벽 사이에 욋가지를 대고 엮기 위하여 듬성듬성 세우는 가는 기둥. 중계(中桂). 벽중깃. 벽주(壁柱).

〈중나리〉

중-나리 명〖식〗〔*Lilium pseudotiginum*〕 백합과에 속하는 다년초. 인경(鱗莖)은 넓은 달걀꼴이고 줄기는 높이 1.5 m 가량임. 잎은 다수 호생하고 무병(無柄)이며 선상 피침형임. 7-8월에 황적색 꽃이 총상(總狀)화서로 가지 끝과 줄기 끝에 정생(頂生)하며 삭과(蒴果)는 긴 타원상 원주형임. 산지에 나며, 한국 각지에 분포함. 인경(鱗莖)과 어린 잎은 식용함.

중-나마【重奈麻】명〖역〗 신라의 벼슬 이름. 이중 나마(二重奈麻)의 아래. 나마(奈麻) 중에서 가장 아랫 벼슬.

중:난【重難】명 중대(重大)하고도 어려움. 난중(難重). ——하다 형 여불. ——히 부

중난 산【一山】〔終南〕명〖지〗 중국 산시 성(陝西省)의 남쪽, 친링(秦嶺) 산맥의 동쪽에 있는 산으로 고찰(古刹)과 명승지(名勝地)가 많은데, 당(唐)나라의 왕유(王維) 등 많은 시인이 그 산의 모습을 읊었음. 종남산. 〔약 3,000 m〕

중난하이〔中南海〕명〖지〗 중국 베이징(北京) 구내성(舊內城)의 고궁(故宮) 서쪽에 있는 베이하이 공원(北海公園)의 자연호(自然湖)인 중하이(中海)와 인조호(人造湖)인 난하이(南海) 주변 일대. 명(明)·청대(淸代)에는 황궁 정원의 일부였고, 지금은 중국 공산당·정부 요인(要人)의 주택 지구임. 중남해.

중남【中男】①둘째 아들. 차남(次男). ②중국 당대(唐代)에서, 십칠 세 이상 이십 세 이하의 남자.

중남-미【中南美】명〖지〗 중앙 아메리카와 남아메리카의 총칭. 모두 라틴어계(系)의 언어가 사용되며 라틴 문화의 영향을 이어받고 있음. 라틴 아메리카.

중남미 비핵무장 지대 조약【中南美非核武裝地帶條約】명 라틴 아메리카 14 개국이 1962년 2월 멕시코시티에 모여서 체결(締結)한 군축(軍縮) 조약. 핵무기의 보유(保有) 금지와 핵에너지의 평화적 이용 등을 규정함.

중남미 음악【中南美音樂】명 라틴(Latin) 음악.

중남미 텔레비전 방:송 연합【中南美一放送聯合】〔television〕〔一년一〕명 오 티 아이(OTI).

중남-해【中南海】명〖지〗 '중난하이'를 우리 음으로 읽은 이름.

중-낭장【中郎將】명〖역〗 ①고려 때 정오품의 무관(武官) 벼슬. 각 영(領)에 두 명씩 두었음. 장군(將軍)의 아래, 낭장(郎將)의 위임. ②조선 국초(國初) 때 의흥 친위군(義興親衛軍)의 오품(五品)의 무관 벼슬. ③옛 중국의 벼슬 이름. 대궐을 지키는 오관서(五官署)·좌서(左署)·우서(右署)의 세 곳을 통할하였음.

중-낮【中一】명 〈방〉 대낮.

중:녀【衆女】명 많은 여자.

중년[1]【中年】명 청년과 노년(老年) 사이의 나이. 곧, 마흔 살 안팎의 한창 일할 때. 장년(壯年). 중신(中身). ¶ ~ 부인.
[중년 상처는 대들보가 휜다] 중년에 상처를 하면 자식들을 건사하고 살림을 꾸려 가기에 생활이 엉망이 된다.

중년[2]【重年】명 ①연령을 거듭 많이 먹음. ②잉기의 연한을 거듭함. ——하다 자 여불

중년-기【中年期】명 중년(中年)의 시기.

중년 부인【中年婦人】명 중년기에 있는 부녀자.

중년-소리 명〖악〗 근대요(近代謠).

중년 신:사【中年紳士】명 중년기에 있는 신사.

중년 여인【中年女人】〔一녀一〕명 중년기에 있는 여자.

중년-자【中年者】명 중년기에 있는 사람. 사십 세 전후의 사람.

중념【中念】명〖악〗 중여음(中餘音).

중:노【衆怒】명 많은 사람의 노여움.

중:노 난범【衆怒難犯】명 뭇사람들이 노하는 데는 당해내기 어려움.

중:-노동【重勞動】명 ①육체적으로 격심한 노력을 요하는 노동. 중노역(重勞役). ↔경 노동. ②어떠한 집단이나 단체에서 과하는 가벼운 형벌의 일종. 흔히 군대에서 볼 수 있었음.

중:-노릇 명 중의 행세(行勢). 중질. ——하다 자 여불

중-노린재 명〖충〗〔*Gonopsis affinis*〕 노린잿과에 속하는 곤충. 몸길이 17 mm 내외이고, 몸빛은 암황색에 촉각은 붉고 시초(翅鞘)는 암적황색, 막질부(膜質部)는 회백색임. 억새·참억새 같은 볏과에 모이는데, 한국·일본 등지에 분포함. 분홍노린재.

〈중노린재〉

중노미 명 〔←죽놈이〕 음식점·여관 같은 데서 허드렛일을 하는 남자.

중:-노역【重勞役】명 아주 심한 노역. 중노동(重勞動).

중노위【中勞委】명 ↗중앙 노동 위원회.

중-노인【中老人】명 중늙은이. 중로(中老).

중농【中農】명 중(中) 정도의 농토(農土)를 가지고 고용인을 사역(使役)하면서 자기도 함께 농업 노동에 종사하는 농민층. ¶ ~가(家). *대농(大農)·소농(小農).

중:농 정책【重農政策】명 중농주의에 입각하여 농업을 중시하는 정치·경제 정책.

중농-제【中農祭】명〖민〗 농사를 해 나가는 과정에서 농신(農神)에게 비는 의식(儀式). 유둣(流頭)날에 밀전병을 부쳐 논에 바치는 따위. *예축(豫祝) 행사.

중:농-주의【重農主義】〔一/一이〕명 〔physiocracy〕〖경〗 18 세기 중엽에 일어난 케네(Quesnay, F.)·미라보(Mirabeau)·튀르고(Turgot, A. R.) 등 프랑스 고전 경제학자들에 의하여 제창된 주의. 국민의 복리(福利)를 증진하고 산업을 증진시키기 위하여 특히 농업을 중시(重視)하고 자연 질서를 존중하며, 사회 질서는 자연 질서에 의거할 때 비로소 참다운 것이 됨을 주장함. 그 경제 정책은 자유 방임주의(自由放任主義)임. 상농주의(尙農主義). ↔중상(重商)주의.

중-농지【中農地】명〖농〗 큰 농지도 아니고 작은 농지도 아닌 중 정도의 농지. 중농이 경작하는 농지.

중농-층【中農層】명 중농에 속하는 사회적 계층.

중:농-파【重農派】명〖경〗 중농 학파(重農學派). 상농파(尙農派).

중:농 학파【重農學派】명〖경〗 중농주의를 신봉하는 학파. 상농파(尙農派).

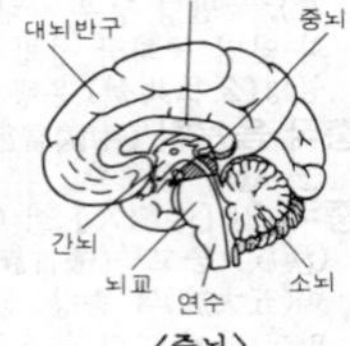

〈중뇌〉

중뇌【中腦】명 〔midbrain〕〖생〗 간뇌(間腦)와 소뇌 사이에 있는 뇌의 한 부분. 뇌의 기부(基部)에 자리잡고 대뇌(大腦)와 다른 부분과를 연락하는 구실을 하는 외에 안구(眼球)의 운동, 동공(瞳孔)의 조절, 기타 자세의 반사 등을 맡은 신경 중추가 있음. 시엽(視葉).

중-누비【中一】명 누빈 줄의 간격이 중간 정도로 듬성듬성한 누비. *세누비.

중-늑도【中勒島】명〖지〗 전라 남도의 남해안(南海岸), 여수시(麗水市) 율촌면(栗村面) 여동리(麗東里)에 위치한 섬. [0.01 km²]

중-늙은이【中一】〔一늘근一〕명 초로(初老)는 넘었으나 아주 늙지 않은 사람. 중노인. 중로(中老).

중:니【仲尼】명 공자(孔子)의 자(字). *공자(孔子).

중:니지-도【仲尼之徒】명 공자의 문인(門人). 공자의 학문을 숭봉(崇奉)하는 사람들.

중:다【衆多】명 수효가 많음. 수다(數多). ——하다 형 여불

중다리 명〖식〗 올벼의 한 종류. 누런 까끄라기가 있고, 한식(寒食) 뒤에 곧 씨를 뿌림.

중:다 명사【衆多名詞】명〖언〗 집합 명사(集合名詞).

중-다버지 명 길게 자라서 더펄더펄한 아이들의 머리. 또, 그런 아이.

중단[1]【中段】명 ①한 편(篇)의 글의 가운데 대문. ②한가운데의 층. ③〖민〗 음력 역(曆)의 가운데 단에 기입되어 있는 건(建)·제(除)·만(滿)·평(平)·정(定)·집(執)·파(破)·위(危)·성(成)·납(納)·개(開)·폐(閉)의 열 두 글자. 음양가(陰陽家)는 이것을 이리저리 맞추어서 길흉을 판단함. ④〔sublevel〕〖광〗 주요 수평 갱도 아래에 좁은 간격을 두고 굴착한 중간 수평 갱도.

중단[2]【中單】명 ①남자의 상복(喪服) 속에 입는 소매 넓은 두루마기. ②〖역〗 중단의(中單衣).

중단[3]【中壇】명〖불교〗 수법(修法)하는 다섯 단(壇)의 가운데 단. 곧, 오대 명왕(五大明王)의 중존(中尊)인 부동 명왕(不動明王)의 단. 신중단(神衆壇).

중단[4]【中斷】명 ①중도에서 끊어짐. 또, 중도에서 끊음. 중절(中絕). ¶ 교섭을 ~하다. ②〖법〗 중도에서 단절(斷絕)하여 이 때까지 경과(經過)한 효력을 잃게 하는 일. ¶ 시효(時效) ~. ——하다 자타 여불

중-단의【中單衣】〔一/一이〕명〖역〗 조복(朝服)이나 제복(祭服)을 입을 때, 그 안에 받쳐 입는 얇은 홑옷. 직령(直領)에 소매가 넓음. 중단(中單)❷.

중-단전【中丹田】명 삼단전(三丹田)의 하나. 심장을 일컬음. 도가(道家)에서 쓰는 말임.

중단 축원【中壇祝願】명〖불교〗 신중단(神衆壇), 곧 부동 명왕(不動明王)에게 소원을 비는 일.

중-단파【中短波】명〖전〗 파장(波長) 50-200 m의 전파. 주로 해상(海上) 업무에 쓰임.

중-닭【中一】[一딱] 명 중간 정도의 크기의 닭. 중간 정도로 자란 닭.
중:담【重擔】명 무거운 짐. 무거운 책임.
중답【中畓】명〖농〗상답(上畓)과 하답(下畓)의 중간쯤 되는 논.
중-답주【中畓主】명 지주의 땅을 빌려서 남에게 빌려 주고 중도조(中賭租)를 받아먹는 사람. 중도주(中賭主).
중당[1]【中唐】명 ①〖역〗시체(詩體)의 변천에 따라 중국 당대(唐代)를 초당(初唐)·성당(盛唐)·중당(中唐)·만당(晩唐)의 네 시기로 구분한 셋째 시기. 곧, 8대 대종(代宗) 때부터 14대 문종(文宗) 때까지의 약 70년간(762-840)을 이름. 이 시기에 한퇴지(韓退之)·유종원(柳宗元) 등의 문장가가 나와 고문(古文)을 부흥시켜 문어체(文語體) 소설을 대성하고, 백거이(白居易) 등의 시인(詩人)이 나와 평명(平明)한 시의 경지(境地)를 개척하였음. *만당(晩唐). ②종묘(宗廟)의 문에서 종묘로 가는 중정(中庭)의 길.
중당[2]【中堂】명 ①옛날 중국에서, 재상(宰相)이 정치를 하던 곳. 전(轉)하여, 재상을 일컬음. ②당상(堂上)의 남북의 중간. ③〖불교〗천태종(天台宗)의 본존(本尊)을 안치하는 본당.
중당[3]【中幢】명〖역〗신라 군대의 이름. 문무왕(文武王) 11년(671)에 베풀었음. 금(衿) 빛이 흼.
중대[1]【中帶】명 소반의 네 다리의 중간쯤에 건너지르는, 가는 나무오리. 가락지.
중대[2]【中隊】명 ①〖군〗육군과 해병대의 부대 편제(編制)의 한 가지. 일반적인 보병 중대는 3개 소총 소대(小銃小隊)와 1개 화기 소대(火器小隊)로 편성된 행정적·기술적인 단위 부대로 대대의 하급 부대임. 단, 특수 부대의 중대나 독립 중대는 이에 국한되지 않음. ②〖역〗행군할 때 다섯 오(伍)로 편제한 25명의 군사.
중대[3]【中臺】명〖불교〗중존(中尊)을 안치하는 대(臺).
중:대[4]【重大】명 ①매우 중요함. ②매우 중난하여 가볍게 여길 수 없음. ¶~시(視)/~ 발표/~ 성명. ——-하다 형여불. ——-히 부
중대[5]【重代】명 대대. 누세(累世).
중:대[6]【重待】명 소중히 대우함. ——-하다 타여불
중:-대가리 명〈속〉중처럼 빡빡 깎은 머리. 또, 그렇게 깎은 사람. 까까머리. 까까중.
중:대가리-풀 명〖식〗[*Centipeda minima*] 국화과에 속하는 일년초. 줄기 높이 10cm 내외이고, 잎은 호생하며 설형(楔形)임. 7-8월에 녹색 또는 자갈색의 관상화(冠狀花)가 모여 구형(球形)의 두상화(頭狀花)로 액출(腋出)하여 피고, 과실은 수과(瘦果)임. 논밭이나 길가에 나며, 제주·경기·함남 및 일본 등지에 분포함.

〈중대가리풀〉

중:-대강이 명〈방〉중대가리(평안).
중-대광【重大匡】명〖역〗①고려 때 종일품 문관의 품계(品階). 충렬왕(忠烈王) 34년(1308)에 베풀었는데, 뒤에 벽상 삼한(壁上三韓)의 호(號)를 위에 덧붙여 벽상 삼한 중대광(壁上三韓重大匡)으로 하였다가, 충선왕(忠宣王) 2년(1310)에 벽상 삼한을 떼어 버렸고, 공민왕(恭愍王) 5년(1356)에 폐하였다가 동 11년에 다시 종일품으로, 동 18년에 종일품의 하(下)로 하였음. ②고려 향직(鄕職)의 일품(一品). *삼중대광(三重大匡).
중-대나마【重大奈麻】명〖역〗신라의 벼슬 이름. 이중 대나마(二重大奈麻)의 아래로, 대나마 중에서 가장 아래 지위임.
중-대님【中一】[一때一] 명 무릎 바로 밑에 매는 대님.
중-대문[1]【中大門】[一때一] 명〈속〉중문(中門).
중-대문[2]【重大門】명〈속〉중문(重門).
중-대방【中帶防】명〖건〗판장벽(板張壁) 한가운데에 낸 띠방.
중-대부【中大夫】명〖역〗고려 때 문관의 품계(品階). 종사품의 하(下). 문종(文宗)이 정하였는데 충렬왕(忠烈王) 원년(1275)에 폐하였다가, 동 24년에 종사품으로 하고, 곧 또 폐하였음. 공민왕(恭愍王) 5년(1356)에 다시 종삼품의 하(下)로 올려서 정하였다가, 동 11년에 또 폐하였음. 대중 대부(大中大夫)의 아래, 중산(中散) 대부의 위임.
중대 부:사【中臺副使】명〖역〗고려 중대성(中臺省)의 벼슬. 중대사(中臺使)의 다음임.
중대-사[1]【中臺使】명〖역〗고려 중대성(中臺省)의 으뜸 벼슬.
중-대사[2]【重大師】명〖역〗고려 때 승려(僧侶)의 법계(法階)의 하나. 교선(敎禪)을 막론(莫論)하고, 대사(大師)의 위, 삼중 대사(三重大師)의 아래.
중:대-사[3]【重大事】명 ①↗중대 사건(重大事件). ②중대한 일. ¶결혼(結婚)은 일생의 ~이다.
중:대 사:건【重大事件】[一껀] 명 아주 큰 사건. 준중대사(重大事).
중대-산【中臺山】명〖지〗경상 북도 청송군(靑松郡)의 태백 산맥 중에 솟아 있는 산. [710m]
중-대석【中臺石】명〖건〗석등(石燈)의 화사석(火舍石)을 받친 대석.
중-대성[1]【中臺省】명〖역〗①고려 때, 현종(顯宗)이 즉위하여 곧 중추원(中樞院)·은대(銀臺)·남북원(南北院)을 합하여 베푼 관아. 동 2년(1095)에 폐하고 다시 중추원을 베풀었음. ②발해(渤海)의 관제인 삼성(三省)의 하나. 정책 교서의 작성을 관장하며, 그 장인 우상(右相)은 당(唐)의 병부(兵部)에 해당하는 지부(智部), 형부(刑部)에 해당하는 예부(禮部), 공부(工部)에 해당하는 신부(信部)를 감독하였음. *정당성(政堂省)·선조성(宣詔省).
중:대-성[2]【重大性】[一썽] 명 사물의 중대한 성질. 중대한 경향(傾向).
중:대-시【重大視】명 중대(重大)하게 봄. 중대하게 여김. 준중시(重視). ——-하다 타여불
중:-대신【重大臣】명 지위가 높은 대신.
중-대엽【中大葉】명〖악〗옛 가곡(歌曲)의 곡조 이름. 초중대엽(初中大葉)·이중대엽(二中大葉)·삼중대엽(三中大葉)의 세 종류로 나뉘어졌으나, 가락이 만(慢)대엽보다는 빠르지만, 느려서 사람들이 부르기를 꺼리어, 조선 영조(英祖) 때에 삭대엽(數大葉)에 밀려 만(慢)대엽에 이어 없어짐.
중대-원【中隊員】명〖군〗중대에 소속한 병원(兵員).
중대-장【中隊長】명〖군〗군(軍)의 중대를 지휘 통솔하는 책임자. 편제상으로는 대위(大尉)로써 임명함.
중:대-화【重大化】명 중대하게 되어 감. ——-하다 자여불
중더버기 명〈방〉중다버지.
중덕[1]【中德】명〖불교〗①조선 시대 때, 승려(僧侶)의 법계(法階). 승과(僧科)에 합격하여 대선(大選)이 된 후 이태 이상 선(禪)이나 교(敎)를 닦은 이에게 주는 계급. 선종(禪宗)에서는 선사(禪師)의 아래, 교종(敎宗)에서는 대덕(大德)의 아래 계급임. ②조계종(曹溪宗)에서, 비구(比丘) 법계(法階)의 4급. 견덕(見德)의 위, 대덕(大德)의 아래임. 나이 29세, 승랍(僧臘) 9년 이상으로서, 4년 이상 견덕(見德)으로 수지(受持)한 자에게 줌. 태고종(太古宗)에서는 대선(大選)의 윗급임.
중:덕[2]【重德】명 중후(重厚)한 덕행.
중덕-산【中德山】명〖지〗함경 남도 신흥군(新興郡) 하원천면(下元川面)과 홍원군(洪原郡) 보현면(普賢面) 사이의 산. [1,370m]
중덜-거리다 자 불평을 품고 계속해서 중얼거리다. ㅆ쭝덜거리다. >종달거리다. 중덜-중덜 부. ——-하다 자여불
중덜-대다 자 중덜거리다.
중도[1] 명 ↗중도위.
중-도[2]【中島】명〖지〗①평안 북도 정주군(定州郡)의 남쪽 해상에 위치한 섬. [0.092km²] ②전라 남도의 서해안(西海岸), 무안군(務安郡) 삼향면(三鄕面) 왕산리(旺山里)에 위치하는 섬. [0.07km²]
중도[3]【中途】명 ①일의 되어 가는 동안. 하던 일의 중간. ¶~에서 그만두다. ②가던 길의 중간. 반도(半道). 중로(中路).
중도[4]【中都】명〖지〗지금의 중국 산둥 성(山東省) 원상 현(汶上縣). 공자(孔子)가 일찍이 이 곳의 재(宰)가 된 일이 있음.
중도[5]【中道】명 ①길의 한복판. ②두 극단을 떠나 한편에 치우치지 않는 공명한 길. ¶~파/~ 좌파(左派). ③가던 길의 중간. 중로(中路). 중도(中途). ④〖불교〗유(有)에나 공(空)에 치우치지 않는 절대한 진실의 도리. ⑤〖불교〗고락(苦樂)의 양편을 떠난 올바른 행법(行法).
중도[6]【中稻】명〖농〗올벼도 늦벼도 아닌 중올벼.
중도[7]【重盜】명 야구에서, 두 러너(runner)가 동시에 도루(盜壘)하는 일. 더블 스틸(double steal). ——-하다 타여불
중:도[8]【衆徒】명 많은 승려.
중도 개:로【中途改路】명 하던 일의 중도에서 방침을 바꿈. ——-하다 타여불
중도-금【中渡金】명 계약금과 잔금 사이에 내입금(內入金)으로 주고받는 돈.
중-도리【中一】명〖건〗동자 기둥에 가로 얹은 중간 도리.
중도 부:처【中途付處】명〖역〗옛 벼슬아치의 형벌의 한 가지. 어느 곳을 지정하여 머물러 있게 함. 준부처(付處). ——-하다 타여불
중도 실상【中道實相】[一쌍] 명〖불교〗우주 만유(宇宙萬有)의 실상은 유(有)도 아니고 무(無)도 아니며, 비유 비공(非有非空)의 절대 진실(絶對眞實)의 도리에 맞는 중도라는 것.
중도위 명 장판으로 돌아다니며 과실이나 나무를 거간하는 사람. 거간꾼. 장쾌(駔儈). 준중도.
중도-이폐【中途而廢】명 일을 하다가 중도에서 그만둠. 반도이폐(半途而廢). ¶~하면 아니 함만 못하니라. ——-하다 타여불
중-도조【中賭租】[一또一] 명 중답주(中畓主)가 소작인에게 원도조(原賭租) 외에 더 받아 차지하는 도조. 하나의 소작 관례(小作慣例)임. 중도지(中賭地).
중도-종【中道宗】명〖불교〗칠종(七宗) 또는 칠종 십이파(七宗十二派)의 하나. 후에 신인종(神印宗)과 합하여 중신종(中神宗)이 되었음.
중-도주【中賭主】[一또一] 명 중답주(中畓主).
중-도지【中賭地】[一또一] 명 ①중도조(中賭租). ②지주에 대하여, 명의 상의 소작인이 맡은 토지를 다른 소작인에게 나누어 주는 일. 또, 그 토지.
중도 퇴:학【中途退學】명 학업을 마치기 전에 중간에서 퇴학하는 일. 준중퇴(中退). ——-하다 자여불
중독【中毒】명 생체(生體)가 약물(藥物)·독물(毒物)·독소(毒素)의 독성(毒性)에 치여서 기능 장애(機能障礙)를 일으키는 일. 그 경과에 따라 급성 중독과 만성 중독의 구별이 있음. 또, 외부에서 주어진 물질에 의한 경우를 외생(外生) 중독이라 하고, 체내에서 생긴 독소, 이를테면 요독증(尿毒症)이나 전염병(傳染病) 등인 경우를 내생(內生) 중독이라 함. ¶식~/알코올 ~/자가(自家) ~.
중독-량【中毒量】[一냥] 명 [toxic dose]〖약〗그 이상을 사용하면 중독을 일으키게 되는 약물의 한계량. 티 디(TD). *무효량(無効量)·유효량(有効量)·치사량(致死量)·내량(耐量).
중독-성【中毒性】명 중독되는 성질. 중독을 일으킬 수 있는 가능성.
중독성 가스【中毒性一】[gas] 명 신경 계통 또는 혈액을 침범하여 죽게 하는 독가스의 하나. 청산(靑酸) 가스·지 가스(G gas) 같은 것.
중독성 간:염【中毒性肝炎】명 [toxic hepatitis]〖의〗화학 약품의 체내 섭취(體內攝取) 또는 흡입(吸入)으로 생기는 간장의 염증(炎症).
중독성 정신병【中毒性精神病】[一뼝] 명 [toxic psychosis]〖의〗알코올·아편·모르핀·코카인·수면제·일산화 탄소 등의 독물이나 약물(藥物)의 중독 때에 일어나는 정신병.

중독성 흑내장【中毒性黑內障】[명]〔toxic amaurosis〕〖의〗독성 물질, 예컨대 에탄올·메틸 알코올·담배·납이나 요독증(尿毒症) 및 당뇨병(糖尿病)의 대사 산물(代謝產物) 따위의 체내 침입으로, 보지 못하게 되는 눈병.

중독 약시【中毒弱視】[—냑—][명]〖의〗어떤 음식물이나 약물(藥物)의 중독으로 시력이 약하여지는 일.

중독-자【中毒者】[명] 독물(毒物) 따위에 의하여 신체에 기능 장애를 일으킨 사람. 중독 환자.

중독-쟁이【中毒—】[명] 중독자(中毒者). ¶술 ~.

중독-진【中毒疹】[명]〖의〗중독으로 인하여 신체의 안팎으로 일어나는 발진(發疹).

중독 환:자【中毒患者】[명] 중독자.

중-동[1]【中—】[명] 사물의 중간이 되는 토막. 가운뎃 부분. ¶비석 한 ~이 해짝하게 금이 가더니 뒤로 나가 넘어졌다《黃順元 : 카인의 후예》.

중동[2]【中東】[명]〔Middle East〕〖지〗극동(極東)과 근동(近東)의 중간 지방. 곧, 아라비아 반도 및 이락·이란·아프가니스탄 등임. *극동(極東)·중근동(中近東).

중동[3]【仲冬】[명] 겨울의 한창 추울 때, 곧 음력 11월.

중동[4]【重瞳】[명] 겹으로 된 눈동자.

중동-끈【中—】[명] 여자의 치마 위에 눌러 띠어 치마가 걸치적거리지 않도록 하는 끈.

중동-무이【中—】[명] 끝마치지 못하고 중간에서 흐지부지 그만둠. ¶말은 ~를 하였으나마, 그 부리부리한 눈방울을 불평스러운 듯이 구을린다《玄鎭健 : 無影塔》. *중도이폐(中途而廢). ——-하다 [타][여불]

중동 바지【中—】[명] 위는 홑으로 아래는 겹으로 만든 여자의 바지.

중동 방위 공:동체【中東防衛共同體】[명] 엠 이 디 시(M.E.D.C.).

중동 방위 기구【中東防衛機構】[명]〖정〗중동 조약 기구. 메도(MEDO).

중동 아프리카 연방【中東—聯邦】〔Africa〕[명] 로디지아 니아살랜드(Rhodesia-Nyasaland) 연방.

중동 전:쟁【中東戰爭】[명]〖역〗제2차 세계 대전 후, 이스라엘과 아랍 제국(諸國) 사이에 벌어진 전쟁. 1948-49년의 제1차 전쟁인 팔레스타인 전쟁을 비롯하여, 제2차인 1956-57년의 수에즈 전쟁, 제3차인 1967년의 6일 전쟁을 거쳐 제4차인 1973-74년의 10월 전쟁에 이르렀는데, 1979년 3월에 미국의 중개로 워싱턴의 백악관(白堊館)에서 이집트와 이스라엘이 평화 조약에 서명(署名)함으로써, 30년 간의 전쟁 상태는 일단 종지부를 찍음.

중동 조약 기구【中東條約機構】[명]〔Middle East Treaty Organization〕〖정〗1955년에 터키·이라크·영국·파키스탄·이란의 5개국이, 이라크의 바그다드에서 맺은 집단 방위 조약 기구. 1958년의 이라크 혁명으로 이라크가 탈퇴하여 '중앙 조약 기구'로 개칭함. 중동 방위 기구(防衛機構). 중동 집단 방위 조약 기구. 바그다드 조약 기구(Baghdad 條約機構). 메토(METO).

중동 집단 방위 조약 기구【中東集團防衛條約機構】[명]〖정〗중동 조약 기구.

중동 치레【中—】[명] 허리띠·주머니·쌈지 등으로 하는, 허리 부분의 치장. ——-하다 [자][여불]

중동-치장【中—治粧】[명] ☞중동 치레. ——-하다 [자][여불]

중동-풀다 [자] 중동 치레를 잘 하다.

중-돝【中—】[—돋][명] 중돼지.

중-돼지【中—】[—돼—][명] 중간 크기의 돼지.

중두【中頭】[명]〖문〗중간에서 논지(論旨)를 한 번 바꾸어 다른 말을 서술하는 방식으로 된 책문(策問)의 문체(文體).

중두리【中—】[명] 독보다 조금 작고 배가 부른 오지 그릇.

〈중두리〉

중둥【中—】[명] ☞중동[1].

중-둥글이【中—】[명]〖건〗그리 크지도 않고 작지도 않은 통나무.

중둥-끈【中—】[명] ☞중동끈.

중둥-밥【重—】[명] ①팥 삶은 물에 입쌀을 안쳐 지은 밥. ②찬밥에 물을 조금 치고 다시 물린 밥.

중드리【中—】[명]〈방〉중두리.

중등【中等】[명] 가운데 등급(等級). 곧, 상등(上等)과 하등(下等), 고등(高等)과 초등(初等)의 사이. [준]중(中).

중등 교:원【中等教員】[명]〖교〗정교사(正教師)나 준교사(準教師)의 자격증을 가지고 중등 교육에 종사하는 교원.

중등 교:원 양:성소【中等教員養成所】[—냥—][명]〖교〗대학에 병설(倂設)하여 중등 학교의 교원을 양성하던 기관. [준]중교(中教).

중등 교:원 연:수원【中等教員研修院】[—년—][명]〖교〗교원 연수원의 하나. 국·공·사립 사범 대학에 부설(附設)하여, 중학교·고등 학교·고등 공민 학교·기술 학교·고등 기술 학교·특수 학교에 근무하는 교원의 연수를 담당함.

중등 교:육【中等教育】[명]〖교〗초등 교육을 끝낸 자에게 베푸는 중등 정도의 교육. 곧, 중학교 및 고등 학교에서 실시하는 교육.

중등-맞다【中等—】[자]〖역〗조선 시대 때 벼슬아치가 도목 정사(都目政事)에 중등의 성적을 맞다. 그리 되면, 곧 사면(辭免)하게 됨. *하등(下等)맞다.

중등-열【中等熱】[—녈][명]〖의〗체온이 38.6°-39.5°C 사이의 열.

중등-인【中等人】[명] 중등이 되는 사람.

중등 학교【中等學校】[명]〖교〗초등 교육을 마친 사람에게 중등 교육을 실시하는 학교. 곧, 중학교 및 고등 학교.

중-뜸【中—】[명] 중간 쪽 마을.

중-띠【中—】[명] 두 층으로 된 나무 그릇의 두 층 사이에 가로 꾸미는 나무 오리.

중띠-문골【中—門—】[—꼴][명]〖건〗문짝의 가운뎃 부분에 가로 낀 울거미.

중-띠방【中—】[명]〖건〗중대방(中帶防).

중란【中亂】[—난][명] 내란(內亂)❶.

중래【重來】[—내][명] ①같은 벼슬을 두 번 거듭하는 일. 중임(重任). ②다시 옴. ——-하다 [자][타][여불]

중략【中略】[—냑][명] 말이나 글의 중간(中間)을 줄임. *전략(前略)·후략(後略). ——-하다 [타][여불]

중량[1]【中涼】[—냥][명] 세량(細涼)보다 좀 굵게 만든 갓양태. ↔세량.

중량[2]【中量】[—냥][명] 무겁지도 가볍지도 않은 중간 정도의 무게.

중:량[3]【重量】[—냥][명] ①무게. ¶~을 달다. ②〖물〗지구상(地球上)의 물체에 작용하는 중력의 크기. ③무거운 무게. ↔경량(輕量).

중:량-감【重量感】[—냥—][명] 물체에서 느껴지는 묵직한 느낌. ¶~이 느껴지는 화강암 기둥.

중:량 그램【重量—】[—냥—][의명]〔gram-force〕중량 킬로그램의 1,000분의 1. 기호는 gw. 그램중(重).

중량-급[1]【中量級】[—냥끕][명] 무게의 급수. 경량급(輕量級)과 중량급(重量級)의 중간(中間)의 급.

중:량-급[2]【重量級】[—냥끕][명] 헤비급(heavy級). ↔경량급.

중량급 선:수[1]【中量級選手】[—냥끕—][명] 권투 등의 투기(鬪技)에서 중량급(中量級)에 끼이는 선수. 우리 나라에서는 보통 라이트급·웰터급·미들급의 선수를 가리킴.

중:량급 선:수[2]【重量級選手】[—냥끕—][명] 권투·레슬링 등에서 중량급에 끼이는 선수. *헤비급(heavy 級).

중:량 몰농도【重量—濃度】〔mol〕[—냥—][명] 용액의 농도의 표시법의 하나. 용매(溶媒) 1,000그램 속에 녹은 용질(溶質)의 몰수(mol 數)로 표시함. 체적(體積) 몰농도에 비하여 온도(溫度)에 의해 변하지 않는 정확한 표시법임.

중:량-물【重量物】[—냥—][명] 부피에 비해 무게가 큰 물건.

중:량물 투하【重量物投下】[—냥—][명]〖군〗트럭이나 화포(火砲) 등의 무거운 물건을 낙하산으로 투하하는 공중 투하.

중:량 밀도【重量密度】[—냥—또][명]〖물〗물체의 무게를 그 체적으로 나눈 것.

중:량 백분율【重量百分率】[—냥—뉼][명]〖화〗용액 농도의 표시법의 하나. 혼합 용액 100그램 속에 함유하는 착목(着目) 성분의 그램수(gram 數)를 구하여, 퍼센티지로 나타냄.

중:량 분석【重量分析】[—냥—][명]〖화〗무게 분석. ↔용량(容量) 분석.

중:량 역학【重量力學】[—냥녁—][명]〔barodynamics〕〖물〗다리나 댐 따위와 같이 자체(自體)의 무게 때문에 무너지기 쉬운 중량 구조물의 작용을 연구하는 역학(力學)의 한 분야.

중:량 온도계【重量溫度計】[—냥—][명]〖물〗한쪽 끝이 모세관(毛細管)을 이룬 유리관에 수은을 채워 온도를 재려는 곳에 장치하고 팽창해서 모세관으로부터 넘치는 수은의 중량으로 온도를 알게 되는 온도계. 중량 한란계(寒暖計).

중:량 적화 톤수【重量積貨—數】〔ton〕[—냥—][명]〖해〗중량톤(重量ton).

중:량 조성【重量組成】[—냥—][명]〖화〗실량(實量)으로 표시된 물질의 조성.

중:량-체【重量體】[—냥—][명] 용적(容積)에 비하여 중량이 큰 물체.

중:량 킬로그램【重量—】[—냥—][의명]〔kilogram-force〕중력 단위계(重力單位系)의 힘의 단위. 1kg의 물체에 작용하여 9.80665 m/sec²의 가속도(加速度)를 주는 힘의 크기. 1중량 킬로그램은 9.80665 뉴턴(newton) 또는 980,665 다인(dyne)임. 킬로그램중(重). 기호 : kgw 또는 kgf.

중:량-톤【重量—】〔ton〕[—냥—][명]〖해〗선박의 최대 흘수선(吃水線). 즉, 화물 만재(滿載)의 흘수에서의 배수(排水) 톤수에서 빈 배일 때의 배수 톤수를 뺀 톤수로서, 그 선박이 부담할 수 있는 최대 중량. 적재 화물의 중량에서 2,240 파운드를 1톤으로 하며, 1만 톤을 적재할 수 있는 배를 1만 톤선(船)이라 함. 중량 적화 톤수. 기호 : D/W.

중:량-품【重量品】[—냥—][명] ①용적(容積)에 비해 중량이 크기 때문에 중량톤수에 의해 운임(運賃)을 계산하는 화물. 광석·돌·철재(鐵材) 따위. ②해운(海運)에서 한 개에 0.3톤(ton) 이상, 육운(陸運)에서 3톤(ton) 이상의 화물.

중:량 한란계【重量寒暖計】[—냥할—][명]〖물〗중량 온도계.

중려[1]【中呂】[—녀][명] 중려(仲呂).

중:려[2]【仲呂】[—녀][명] ①〖악〗음려(陰呂)로서 방위(方位)는 사(巳), 절후(節候)는 음력 사월(四月)에 딸린 십이율(十二律)의 하나. ②'음력 사월'의 이칭(異稱).

중:려[3]【衆慮】[—녀][명] 많은 사람의 염려.

중력[1]【中力】[—녁][명] 중힘.

중력[2]【中曆】[—녁][명] 겉장을 잘 꾸미지 않은 책력.

중력[3]【中壢】[—녁][명]〖지〗'중리'를 우리 음으로 읽은 이름.

중:력[4]【重力】[—녁][명]〔gravity〕〖물〗지구 위의 물체에 작용하는 지구의 만유 인력(萬有引力)과 지구의 자전(自轉)에 의하는 원심력(遠心力)이 합한 인력. 중력의 크기는 지구 위의 위치에 따라 약간의 차이가 있으나 그 물체의 질량(質量)에 비례하고 지구 중심에서의 거리의 제곱에 반비례함. 보통, 1g에 대하여 980 다인(dyne)임.

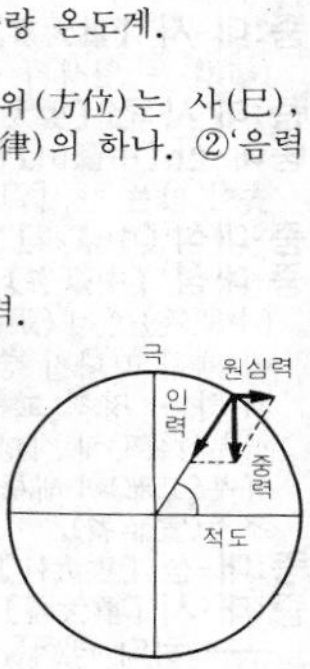

〈중력[4]〉

중:력[5]【衆力】[—녁] 명 여러 사람의 힘. ¶ ～을 믿다.
중:력 가속도【重力加速度】[—녁—] 명 〔gravitational acceleration〕〖물〗 물체가 중력 밑에서 운동할 때 중력의 작용에 의해 생기는 가속도. 물체에 작용하는 중력을 그 물체의 질량으로 나눈 것. 지구 위의 표준값은 980.6 cm/s²로, 극지방은 이보다 크고 적도는 작음. 1 갈(Gal)＝1 cm/s²를 단위로 씀. 기호는 *g*.
중:력 경도법【重力傾度法】[—녁—뻡] 명 〔gravity gradient〕 지구(地球)의 중력을 이용하여 인공 위성(人工衛星)의 자세(姿勢)를 안정(安定)하게 유지하는 방법. 위성의 모양이 길쭉하게 생겼을 경우, 긴지름의 방향이 지구의 중력 중심을 지향(指向)하는 꼴로 안정됨.
중:력 경도 자:세 제:어【重力傾度姿勢制御】[—녁—] 명 〖항〗 항공기에 작용하는 중력의 변화에 대응하여, 항공기나 우주선의 방향이나 자세를 자동적으로 수정하는 장치.
중:력-계【重力計】[—녁—] 명 〖물〗 중력 가속도의 값을 측정하는 장치. 지하 자원의 탐사(探査)에 쓰임.
중:력 단위【重力單位】[—녁—] 명 〔gravitational unit〕〖물〗 중력을 표준으로 한 힘의 단위. 곧, 중력의 크기로 정한 힘의 단위. 질량(質量) 1 g의 물체에 작용하는 중력의 크기를 1 그램중(g重)으로 함.
중:력 단위계【重力單位系】[—녁—] 명 〔gravitational unit system〕〖물〗 기본 단위로서 길이·시간 및 중량을 채택하여 다른 여러 단위를 이로부터 유도하는 단위계. 동일한 물체의 중량이 지구 위의 장소에 따라서 다소 다르므로, 이 단위계는 절대적인 것은 못 되나 실제적이므로 공학(工學)에 쓰임.
중:력 댐【重力—】[—녁—] 명 〔gravity dam〕〖토〗 댐 자체의 무게로 수압(水壓)을 지탱하여 안정을 유지하게 만든 댐. 횡단면(橫斷面)은 거의 직각 삼각형이며 전체가 하나의 콘크리트 덩어리로 됨. 구조(構造)가 간단하고 내구성(耐久性)은 뛰어나나 공사 기간이 길고 건설비(建設費)도 비쌈. 중력식 언제(重力式堰堤).
중:력-류【重力流】[—녁뉴] 명 〖지〗 빙하(氷河) 운동의 한 형태. 사면(斜面) 위의 얼음 덩어리가 중력에 의해 이동하는 일.
중:력 보:정【重力補正】[—녁—] 명 〔gravity correction〕〖기상〗 수은주(水銀柱)의 높이로부터 기압을 측정(測定)할 경우, 관측 지점의 중력(重力)을 표준 중력으로 환산(換算)하는 일. 이와 같이 보정한 값을 관측소 기압이라고 함. ＊해면 경정(海面更正).
중력-분【中力粉】[—녁—] 명 중질 밀에서 얻는 밀가루. 경질(硬質) 밀에서 얻는 강력분(強力粉), 연질(軟質) 밀에서 얻는 박력분(薄力粉)의 중간임. 단백질 함량은 강력분과 박력분의 중간으로 7.5～10.5%. 주로 국수·과자용으로 씀.
중:력 분리【重力分離】[—녁불—] 명 밀도가 큰 상(相)이 중력에 의해 침전하는 것을 이용한 불혼화상(不混和相)의 분리. 선광(選鑛)을 할 때나 화학 공업의 공정(工程)에서 쓰임.
중:력 분화설【重力分化說】[—녁—] 명 〔gravitational clustering〕〖천〗 우주(宇宙)의 계층(階層) 구조는, 정상 등방(正常等方) 우주 내의 밀도의 요동(搖動)에 기인한다고 하는 학설.
중:력 붕괴【重力崩壞】[—녁—] 명 〔gravitational collapse〕〖천〗 항성(恒星)이나 그 밖의 천체가 처음 크기의 수백분의 일, 수천분의 일의 크기로 폭발적으로 수축(收縮)하는 일.
중:력 선:광【重力選鑛】[—녁—] 명 〖광〗 비중 선광(比重選鑛).
중:력-수【重力水】[—녁—] 명 〖지〗 중력에 따라 차차 땅 속 깊이 스며들어가는 지하수의 하나. ＊흡착수(吸着水)·모관수(毛管水).
중:력 수차[1]【重力水車】[—녁—] 명 〖물〗 물의 중력을 이용한 수차. 물을 위에서 떨어뜨려, 그 물의 힘으로 돌리는 수차.
중:력 수차[2]【重力收差】[—녁—] 명 중심부에 핵융합(核融合) 반응에 의한 에너지원(源)을 갖지 않은 단계의 별이 스스로의 무게로 준정적(準靜的)으로 수축해 가는 일. 이때 중력과 압력기울기의 역학적 평형은 유지되므로 힘의 균형이 깨어져서 일어나는 중력 붕괴(重力崩壞)와는 다름.
중:력-식【重力式】[—녁—] 명 중력을 이용하는 방식.
중:력식 안:벽【重力式岸壁】[—녁—] 명 〖물〗 지반(地盤)이 견고(堅固)한 곳에 만드는 안벽으로, 콘크리트(concrete) 블록 따위를 맞추어서 벽체(壁體)로 한 것.
중:력식 언:제【重力式堰堤】[—녁—] 명 〖토〗 중력 댐(dam).
중:력 옹:벽【重力擁壁】[—녁—] 명 자체의 무게에 의해 똑바로 유지되는 옹벽.
중:력 이:상【重力異常】[—녁—] 명 〖물〗 지구를 회전(回轉) 타원체로 보아 이론적으로 계산한 중력의 값과 실측(實測)에 의해 얻은 각지의 중력의 값과의 차.
중:력-자【重力子】[—녁—] 명 〔graviton〕〖물〗 중력장(重力場)의 양자(量子)로서 이론적으로 도입된 입자. 정지 질량(靜止質量) 및 전하(電荷)는 0, 스핀은 2임.
중:력-장【重力場】[—녁—] 명 〔gravitational field〕〖물〗 중력이 미치는 범위. 중력이 작용하는 지구 주위의 공간. 일반적으로, 만유 인력이 작용하는 공간을 가리킴.
중:력 전:지【重力電池】[—녁—] 명 〔gravity cell〕〖물〗 ①중력의 영향으로 기전력(起電力)을 발생하는 전지. ②'다니엘 전지(Daniell 電池)'의 이칭(異稱).
중:력 조석【重力潮汐】[—녁—] 명 〔gravity tide〕 태양·달·지구의 중력 상호 작용에 의해 지구 표면에서 일어나는, 주기적인 조석(潮汐) 운동.
중:력 지도【重力地圖】[—녁—] 명 〖지〗 중력의 변화를 중력의 고저(高低)로 표현한 지도.
중:력 질량【重力質量】[—녁—] 명 〔gravitational mass〕〖물〗 만유인력(萬有引力)의 장(場)의 일점에 있어서의 물체에 작용하는 힘의 비율(比率)로 결정되는 질량.
중:력 천문학【重力天文學】[—녁—] 명 〖천〗 이론 천문학(理論天文學)의 한 부문. 뉴턴의 만유 인력 법칙에 입각하여 행성(行星)의 운동을 설명하려고 하는 천문학.
중:력 침하【重力沈下】[—녁—] 명 〖지질〗 중력 때문에 퇴적물(堆積物) 등이 이동하는 일.
중:력 탐광【重力探鑛】[—녁—] 명 중력 탐사.
중:력 탐사【重力探査】[—녁—] 명 〔gravitational prospecting〕〖광〗 물리(物理) 탐사법의 하나. 지구 상의 중력이 그 지점의 암석의 비중의 차등에 의해 변화됨을 이용하여, 중력 이상(異常)을 측정하여 땅 속의 밀도 분포(密度分布)를 조사하고 석유 광상이나 광맥(鑛脈)의 존재를 탐지하는 방법. 주로 중력 편차계(偏差計)를 사용함. 중력 탐광.
중:력-파【重力波】[—녁—] 명 〔gravitational wave〕〖물〗 ①중력의 작용에 의하여 액체의 표면에 생기는 파동. 이 중력파는 바다에서 파장(波長)이 긴 큰 파도의 운동을 지배하고 있음. ＊표면 장력파(表面張力波). ②아인슈타인의 일반 상대성 원리의 결과로 알려진 만유 인력(萬有引力)의 파동. 만유 인력파.
중:력 편차계【重力偏差計】[—녁—] 명 〔gravimeter〕〖물〗 측정점(測定點) 부근의 중력의 수평 방향의 물매, 중력의 등퍼텐셜면(等 potential面)의 주곡률(主曲率)의 차 및 그 방향을 측정하는 기계. 중력 탐사(重力探査)에 이용됨.

〈중력 편차계〉

중련【中聯】[—년] 명 〖문〗 율시(律詩)의 팔구(八句) 가운데 함련(頷聯), 곧 제 3 구와 제 4 구, 경련(頸聯) 곧 제 5 구와 제 7 구의 병칭(倂稱). 모두 대구(對句)이어야 함.
중령【中領】[—녕] 명 〖군〗 군의 영관급(領官級)의 한 계급. 대령(大領)의 아래, 소령(少領)의 위.
중로[1]【中老】[—노] 명 중노인(中老人). ＊초로(初老).
중로[2]【中路】[—노] 명 ①가던 길의 중간. 중도(中途). 중도(中道). ②해나가거나 되어 가는 일의 중간. ③중인(中人)의 계급.
중로[3]【中櫓】[—노] 명 그다지 크지 않은 망루(望樓).
중로-배【中路輩】[—노—] 명 중인(中人) 계급 사람의 낮춤말.
중로-보기【中路—】[—노—] 명 〖민〗 반(半)보기.
중로 상봉【中路相逢】[—노—] 명 〖민〗 반(半)보기.
중로-전【中爐殿】[—노—] 명 〖불교〗 영산전(靈山殿)과 팔상전(八相殿)을 맡아 모시는 임원(任員)의 숙소(宿所).
중:록【重祿】[—녹] 명 많고도 후한 녹봉(祿俸).
중론[1]【中論】[—논] 명 ①〖불교〗 중관론(中觀論). ②〖책〗 중국 후한(後漢)의 서간(徐幹)이 지은 유학서(儒學書). 2 권.
중:론[2]【衆論】[—논] 명 ①여러 사람의 의론. 중의(衆議). ¶ ～ 일치. ②〖불교〗 종파(宗派)의 우열(優劣) 또는 진위(眞僞)를 결정짓는 논문.
중:론 불일【衆論不一】[—논—] 명 뭇 사람의 의론(議論)이 한결같지 않음. ——-하다 형 여불
중롱【中籠】[—농] 명 크지도 작지도 않은 중간 정도의 장농.
중:뢰【衆籟】[—뇌] 명 만뢰(萬籟).
중류[1]【中流】[—뉴] 명 ①강이나 내의 하류(下流)와 상류(上流)의 중간. 흐름의 한복판. ¶ 한강 ～. ②기류(氣流)의 중간쯤. ③중등(中等)의 정도나 계급. ④ ↗중류 계급·중류 사회. ¶ ～ 가정.
중류[2]【中霤】[—뉴] 명 ①집의 한가운데 있어, 중류제(中霤祭)를 지내는 방. ②당(堂)·실(室)의 거처를 주장(主掌)하는 궁중의 작은 신(神).
중:류[3]【衆流】[—뉴] 명 ①많은 물의 흐름. ②많은 유파(流派).
중:류[4]【衆類】[—뉴] 명 추류❷.
중류 계급【中流階級】[—뉴—] 명 〖사〗 생활이나 문화 수준(文化水準)이 중류쯤 되는 계급. ㊟중류.
중류 사회【中流社會】[—뉴—] 명 〖사〗 중류 계급(中流階級)으로 이루어지는 사회. ㊟중류.
중류-제【中霤祭】[—뉴—] 명 〖역〗 음력 유월 토왕일(土旺日)에 토지신(土地神)에게 지내는 제사.
중류 지주【中流砥柱】[—뉴—] 명 난세(亂世)에 처하여 의연(毅然)하게 수절(守節)함을 비유하는 말. 지주(砥柱).
중류-층【中流層】[—뉴—] 명 〖사〗 중류의 생활을 하고 있는 사회 계층. ＊상류층·하류층.
중륵【中肋】[—늑] 명 〖식〗 중륵맥(中肋脈).
중륵-맥【中肋脈】[—늑—] 명 〖식〗 엽편(葉片)의 중앙을 세로 통하고 있는 굵은 엽맥(葉脈). 주맥(主脈). 중륵(中肋). 중맥(中脈).
중:리[1]【重利】[—니] 명 ①썩 큰 이익. ②〖경〗 복리(複利). 주의 ❷의 뜻일 때는 '중(重)'이 단음(短音)임.
중:리[2]【衆吏】[—니] 명 많은 관리.
중리[3] 〔中壢〕 명 〖지〗 타이완의 북쪽, 타오위안 현(桃園縣) 중부에 있는 도시. 타오위안(桃園)·다시(大溪)·신주(新竹)의 중간에 위치하고 타이완 종관(縱貫) 철도의 한 역으로 교통의 요충지임. 신·구 2 구역으로 되었고 구시가는 상업지이며, 신시가는 공업지로서 농기구·금은 세공·기계 등의 제작이 성하며, 농업이 발달됨. 중력. [150,000 명(1976)]
중리 대:형【中裏大兄】[—니—] 명 〖역〗 고구려의 벼슬 이름.
중리-법【重利法】[—니뻡] 명 복리법(複利法).
중리 소:형【中裏小兄】[—니—] 명 〖역〗 고구려의 벼슬 이름.
중리 위두 대:형【中裏位頭大兄】[—니—] 명 〖역〗 고구려 후기 직제의 대관(大官). 남생 묘지(男生墓誌)에 보이는 벼슬 이름.

중림【中林】[—님] 명 ①숲 속. ②교림(喬林)과 왜림(矮林)이 혼합한 산림. 중수풀. 중숲.

중립[1]【中立】[—닙] 명 ①어느 편에도 치우침이 없이 그 중간에 서는 일. 어떤 특정의 사상·입장·의견 등에 치우침이 없이 중용(中庸)을 취하는 일. ②반대·적대(敵對)하고 있는 사람들에 대해 어느 쪽에도 편들지 않는 일. ¶돈을 써서 ～을 지키는 패들을 자기 편으로 끌어 들이다. ③국가 간의 분쟁 및 전쟁에 관여하지 않은 국가의 국제법 상의 지위. 교전국 쌍방에 대해, 공평(公平)과 불원조(不援助)를 원칙으로 함. 국외 중립(局外中立). ——-하다 자여불

중립[2]【中粒】[—닙] 명 크지도 작지도 않은 중간치의 알갱이.

중립-국【中立國】[—닙—] 명〖법〗중립주의를 외교 방침으로 삼는 국가. 국외 중립국이나 영세 중립국.

중립-권【中立權】[—닙—] 명〖법〗중립국 및 그 국민의 권리. 즉, 교전국의 중립 침해(侵害) 행위를 거부할 수 있는 권리, 중립 위반이 되지 않는 범위 내에서 교전국과 통상 기타의 관계를 지속할 수 있는 권리, 또 적국 국민과 동일한 취급을 받지 않는 권리 따위.

중립 기동형 예:산【中立機動型豫算】[—닙—녜—] 명 중립적 예산(中立的豫算)이면서, 갖가지 기동적(機動的)·탄력적(彈力的)인 운영을 취할 것을 전제로 편성된 예산. *억제형(抑制型) 예산.

중립 돌연 변:이【中立突然變異】[—닙—] 명 〔neutral mutation〕〖생〗자연 도태(淘汰)에 유리(有利)하지도 불리(不利)하지도 않은 돌연변이. 분자(分子) 레벨의 진화에 있어서 중요한 역할을 한다고 생각되는 것.

중립-법【中立法】[—닙—] 명〖법〗①교전국·중립국 간의 관계를 규정한 국제 법규. 즉, 중립국은 교전국의 공격을 받지 않으며, 그 영토는 불가침(不可侵)이나, 그러기 위해서는 교전국에 대해 전쟁 수행 상의 원조를 주지 않을 의무, 중립 영역에서 일방(一方)의 교전국의 이익이 될 전쟁 행위를 허락하지 않을 의무, 중립 영역 외에 있는 중립 국민에 대하여 교전국이 어느 정도의 이익을 주는 것을 용인할 의무 등이 있음. 1907 년 헤이그 평화 회의에서 성문화됨. 중립 법규. ②미국의 국제 분쟁 회피와 중립 유지를 위한 법률. 1794 년의 중립법에서 비롯되었지만 1935 년의 중립법이 유명함. 교전국에 대한 무기 수출과 금융의 금지, 자국(自國) 상선의 무장 금지, 미국 시민의 외국 군대 복무의 금지 등을 규정한 것임. 또한 교전국에 대한 무기·군수품의 수출, 차관(借款)의 공여를 금지하는 권한을 대통령에게 부여했으나 1941 년의 무기 대여법이 성립함에 따라 사실상 무효화됨.

중립 법규【中立法規】[—닙—] 명〖법〗중립법❶.

중립-성【中立性】[—닙—] 명 중립국이 교전국 쌍방에 대해 공평(公平)한 태도를 유지하여야 할 성질.

중립-수【中立水】[—닙—] 명 국제법상 교전(交戰) 또는 교전에 영향을 미칠 행위가 금지된 하천(河川)·호수(湖水)·만(灣) 등.

중립 위반【中立違反】[—닙—] 명〖법〗국제법 상의 중립 의무(中立義務)에 위반함. ——-하다 자여불

중립 의:무【中立義務】[—닙—] 명〖법〗국외 중립(局外中立)에 관해 국제법이 규정한 국외 중립국 및 그 국민의 의무. 교전국이 전쟁법상(戰爭法上)의 권리에 의거하여 하는 행위를 용인(容認)하는 의무, 교전국에 군사적 원조를 하지 않을 의무, 교전국이 중립국의 영역(領域)을 군사적으로 이용하는 것을 방지할 의무 따위.

중립-인【中立人】[—닙—] 명 국외(局外) 중립국의 국민. 중립성(中立性)을 갖고 있는 사람. 중립국의 국민일지라도 교전자(交戰者)에 대한 적대 행위, 교전자의 이익이 되는 행위를 할 때에는 중립성을 상실하고 적(敵)으로 취급됨.

중립-적【中立的】[—닙—] 명관 한 쪽에 치우침이 없이 중립을 지키는 모양.

중립적 이:자율【中立的利子率】[—닙—] 명〖경〗경제의 균형이 성립되어 물가 변동을 볼 수 없는 이자율. 곧, 균형(均衡) 이자율.

중립-좌【中立座】[—닙—] 명〖물〗물체의 위치가 변해도 중심(重心)의 높이가 변하지 않고 변한 위치 그대로 언제나 정지되는 구형(球形)·원뿔체 같은 것.

중립-주의【中立主義】[—닙—/—닙—이] 명 전시(戰時)·평시를 불문하고 중립적 정책을 취해 나가려는 외교 상의 입장. 좁은 뜻으로는 자유주의 진영(自由主義陣營)과 사회주의(社會主義) 진영 사이에서 제 3 의 입장을 취할 경우에도 쓰임.

중립 지대【中立地帶】[—닙—] 명〖법〗평시에 요새(要塞)의 건조(建造)나 군대의 주둔(駐屯)이 금지되어 있는 지대. 또, 전시에 교전국(交戰國) 군대의 중간에 지정하여, 서로 병력을 투입하지 않을 것을 협정한 일정한 지역. *완충 지대(緩衝地帶).

중립-파【中立派】[—닙—] 명 대립하는 두 당파 중 어느 당파에도 속하지 않고 중립을 지키는 일파(一派). 제삼 세력.

중립 평형【中立平衡】[—닙—] 명 〔neutral equilibrium〕〖물〗가역적 과정(可逆的過程)을 거쳐서 변화하는 하나의 계(系)가 그 평형(平衡) 상태에서 무한소(無限小)의 변위(變位)를 받았을 때, 새로운 평형 상태를 이루는 경우를 이름.

중립-항【中立港】[—닙—] 명 중립국에 있는 항구. 국제 조약상, 교전 또는 교전에 영향을 미치는 행위가 금지되어 있음.

중립형 예:산【中立型豫算】[—닙—녜—] 명 경기(景氣)에 대하여 자극적(刺戟的)도 아니고 억제적(抑制的)도 아닌 중립적인 입장에서 편성된 예산. *중립 기동형(中立機動型) 예산.

중립 화:폐【中立貨幣】[—닙—] 명〖경〗경제 과정(過程)의 자연적 운행(運行)에 간섭을 가하지 않고, 교환의 매개적 수단에 그치는 조건을 갖춘, 수량이 일정하게 고정된 화폐. *안정(安定) 통화.

중-마냥【中—】명〖농〗중모보다는 늦고 늦모보다는 이르게 심는 모. 중만앙(中晩秧).

중마-도【中馬島】명〖지〗전라 남도 해남군(海南郡) 화산면(花山面) 삼마리(三馬里) 앞 해상에 위치한 섬. [0.096 km² : 70 명(1984)]

중-마름【中—】명 마름에게서 일부의 땅을 전차(轉借)하여, 마름에게 도조(賭組)를 주고 소작인(小作人)에게서 혹독한 도조를 받아 먹는 얼치기 마름.

중막 광:대【重膜鑛帶】명 〔sheeted zone〕〖지〗중막 광백으로 형성된 광상(鑛床) 지역.

중막 광:맥【重膜鑛脈】명 〔sheeted vein〕〖지〗전단대(剪斷帶)를 채우고 있는 광맥.

중만[1]【重巒】명 첩첩이 쌓인 산.

중:만[2]【衆巒】명 많은 산봉우리.

중-만앙【中晩秧】명〖농〗중마냥.

중말-비【中末比】명〖수〗외중비(外中比).

중:망[1]【重望】명 중대한 명망. 매우 두터운 명망.

중:망[2]【衆望】명 뭇 사람에게서 받는 신망. 여망(輿望). ¶～에 보답하다/～을 저버리다.

중:망 소:귀【衆望所歸】명 뭇 사람의 신망이 한 사람에게로 쏠림.

중매[1]【中媒】명 양가 사이에 들어 혼인을 어울리게 하는 일. 또, 그 사람. 매작(媒妁). 매자(媒子). 중신. ——-하다 타여불

[중매는 잘하면 술이 석 잔이고 못하면 뺨이 세 대라] 혼인은 억지로 권할 일은 못 된다는 말. [중매 보고 기저귀 장만한다] 준비가 너무 빠르거나, 일을 급히 서두름의 비유.

중매(를) 들다 구 중매 노릇을 하여 혼인을 알선하다.

중매(를) 서다 구 중매인으로서 나서다.

중매[2]【仲買】명 도매상과 소매상의 중간 또는 생산자 혹은 하주(荷主)와 도매상의 중간에서, 물품이나 권리의 매매의 매개(媒介)를 하여 영리(營利)를 얻는 일. ——-하다 타여불

중매 결혼【中媒結婚】명 중매로 성립된 결혼. ↔연애 결혼.

중매 구전【仲買口錢】명 중매업자가 중매하여 주고받는 수수료.

중매-상【仲買商】명 중매(仲買)를 업으로 하는 상인. 브로커.

중매업-자【仲買業者】명 중매(仲買)로 영리(營利)를 얻는 사람.

중매-인[1]【中媒人】명 혼인을 중간에서 중매하는 사람. 매자(媒子). 매작(媒妁). *매파(媒婆).

중매-인[2]【仲買人】명〖경〗①중상(中商). ②거간꾼. 브로커.

중매-쟁이【中媒—】명 중매인(中媒人)을 홀하게 일컫는 말.

중맥【中脈】명 중륵맥(中肋脈).

중:맹[1]【重盟】명 중대한 맹약(盟約). 매우 소중(所重)한 맹세. ——-하다 타여불

중:맹[2]【衆盲】명 ①많은 소경. ②많은 어리석은 사람.

중-맹선【中猛船】명〖역〗조선 시대 때, 각 수영(水營)에 딸린 병선(兵船)의 한 가지. 대맹선(大猛船)보다 조금 작은데, 뒤에 방선(防船)으로 고쳐 일컬었음.

중:-머리 명 ①빡빡 깎은 중의 머리. ②중의 머리처럼 빡빡 깎은 머리. 또, 그렇게 머리를 깎은 사람. ¶～ 총각.

중:명【重名】명 ①가륵한 명예(名譽). ②명예를 소중히 여김. ——-하다 자여불

중-명사【中名辭】명〖논〗매명사(媒名辭).

중명사 양:의의 허위【中名辭兩義—虛僞】[—/—이에—] 명〖논〗정언(定言) 삼단 논법의 두 전제 속에 나타나는 중명사가 모호하기 때문에 생기는 허위. 매명사(媒名辭) 애매의 허위. 매개념(媒概念) 애매의 허위. 사개(四個) 명사(名辭)의 허위.

중-모【中—】명〖농〗이르지도 늦지도 않게 중간에 낸 모.

중-모래【中—】명 세사(細砂)보다 약간 굵은 모래.

중-모리 명〖악〗민속 음악에서, 판소리 및 산조(散調) 장단의 한 가지. 진양조(調)보다 좀 빠르고 중중모리보다 좀 느린 속도로, 8 분의 12 박자임. 강강술래·진도 아리랑·농부가 등이 이에 속함.

중-모음[1]【中母音】명〖언〗입이 고모음(高母音)보다 크게 열리고, 혀의 위치가 중간되게 조음(調音)되는 모음. 한국어의 'ㅔ·ㅚ·ㅓ·ㅗ' 따위. *고모음·저모음.

중-모음[2]【重母音】명〖언〗복모음(複母音).

중목[1]【中木】명 품질이 중길쯤 되는 무명.

중:목[2]【衆目】명 많은 사람의 눈. 중인(衆人)의 시선.

중목 방:매【中目放賣】명 남의 물건을 훔쳐다 팖. ——-하다 타여불

중:목 소:시【衆目所視】명 뭇 사람이 다 같이 보고 있는 터. 중인 소시(衆人所視). 중인 환시(衆人環視).

중:목 환시【衆目環視】명 중인(衆人) 환시.

중:묘【衆妙】명 많은 뛰어난 자연의 이치. 천지 만물(天地萬物)의 미묘한 이치.

중무【中舞】명〖악〗정재(呈才) 때 연백 복무(演百福舞)의 주연(主演). 여악(女樂)의 선모(仙母)와 같음.

중:-무기【重武器】명 혼자서 들거나 다룰 수 없는 무겁고 큰 무기.

중-무소:주【中無所主】명 줏대가 없음. ¶김 승지 맹서가 거짓말 맹서가 아니라 중무소주한 마음의 참말로 한 일러라《李人稙:鬼의 聲》.

중:-무장【重武裝】명 중무기(重武器)로 무장함. 또, 중무기로 한 무장. ——-하다 자여불

중무 장군【中武將軍】명〖역〗고려 때 무관(武官)의 품계(品階). 정사품의 상(上). 성종(成宗) 14년(995)에 정하였음. 장무(將武) 장군의 위.

중문[1]【中門】명 대문 안에 거듭 세운 문. 중대문(中大門). 중문(重門).

중문[2]【中門】명〖역〗고려 때 합문(閤門)의 뒷 이름. 충렬왕 34년(1308)

에 통례문(通禮門)의 바뀐 이름. 뒤에 다시 통례문으로 고치고, 그 뒤에도 여러 번 바뀌었음.

중문[3]【重文】명〖언〗둘 이상의 대등절(對等節)로 이루어진 글. '인생은 짧고 예술은 길다'·'비가 오고 바람이 분다' 따위. 거듭월. ＊단문(單文)·복문(複文).

중문[4]【重門】명 중문[1](中門).

중문 관광 단지【中文觀光團地】명〖지〗제주도 서귀포시의 남서쪽, 중문동(中文洞)·색달동(穡達洞)·대포동(大浦洞) 일대에 조성된 세계적 수준의 종합 관광 휴양 단지. 1978-91년 간에 조성됨.

중-문자【中文字】[—짜] 명〖책〗중설(中說).

중문자 중설【中文字中說】[—짜—] 명〖책〗중설(中說).

중-물【中—】명 첫물과 끝물의 중간의 푸성귀나 해산물 등.

중미[1]【中米】명 품질이 중길쯤 되는 쌀. ＊상미(上米)·하미(下米).

중미[2]【中美】명〖지〗중앙 아메리카(中央 America).

중미 공:동 시:장【中美共同市場】명〔Central American Common Market; CACM〕〖경〗중앙 아메리카의 과테말라·엘살바도르·온두라스·니카라과에 의해서, 1961년 말 발족한 지역적 경제 통합. 역내(域內) 무역의 자유화와 관세(關稅)의 통일, 산업의 통합화를 목적으로 함. 1963년 7월에 코스타리카도 참가했음.

중미 기구【中美機構】명〔Organization for Central American States〕〖정〗중미 5개국의 협력 조직. 1951년 발족. 국제 연합과 미주(美洲) 기구의 테두리 안에서, 가맹 각국 간의 협력 강화(協力強化), 분쟁의 평화적 해결(平和的解決) 등을 목적으로 결성됨. 가맹국은 엘살바도르·과테말라·코스타리카·니카라과·온두라스. 중앙 아메리카 기구(中央 America 機構).

중미리 명〈심마니〉〖동〗①멧돼지. ②돼지.

중미리-버슷스리 명〈심마니〉멧돼지고기.

중:민【衆民】명 많은 백성. 민중(民衆).

중밀도 집적 회로【中密度集積回路】[—또—] 명〔medium-scale integration〕〖전자 공학〗1인치 평방당, 곧 6.5 cm^2 당 수백의 소자(素子)를 갖는 고체(固體) 집적 회로.

중-바닥【中—】[—빠—] 명 중촌(中村)의 낮춤말.

중:-바랑 명 중이 짊어지고 다니는 바랑.

중바리 명〈방〉종지(경상).

중:-박격포【重迫擊砲】명 구경 4.2인치의 박격포.

중반[1]【中半】명 반(半). 절반(折半)❶.

중반[2]【中飯】명 점심. 중식(中食).

중반[3]【中盤】명 ①바둑·장기 등의 서반(序盤)이 끝나고 점점 본격적인 대전(對戰)에 들어간 국면(局面). ②사물이 초기의 단계(段階)를 지나 중기의 단계로 접어듦.

중반-전【中盤戰】명 바둑·장기 등이나, 운동 경기(運動競技)·선거전(選擧戰) 등에서 서반(序盤)을 지나 본격적으로 백열화한 싸움. ＊초반전(初盤戰)·종반전(終盤戰).

중발[1] 명〈방〉보시기(경북).

중발[2]【中鉢】명 자그마한 밥주발.

중-발화통【中發火筩】명〖역〗종이를 말아서 만든 원통 모양의 병기. 발화통은 종이를 말아서 만든 둥근 통을 말하는데, 이 통 속에 화약을 넣으면 지금의 폭탄과 같은 구실을 함.

중방[1]【中枋】명 ①〖건〗↗중인방(中引枋). ②톱틀의 톱양과 탕갯줄의 사이에 양쪽 마구리를 버티어 지른 막대기.

중방 밑 귀뚜라미 ㉮ 무엇이고 잘 아는 체하는 자를 이름. ¶아는 법이 모진 바람벽 뚫코 나온 중방 밑 귀또라미오≪春香傳≫.

중방[2]【中房】명〖역〗지방 수령(守令)의 종자(從者).

중:방[3]【重房】명〖역〗고려 때 이군 육위(二軍六衛)의 상장군(上將軍)·대장군(大將軍)이 모여서 군사(軍事)를 의논하던 곳. 목종(穆宗) 이후에 베풀었는데, 무신 집권 시대(武臣執權時代)에는 이곳에서 일반 정사(政事)도 처리한 일이 있었음.

중:방[4]【衆邦】명 많은 나라. 군방(群邦).

중:방[5]【衆芳】명 많은 꽃. 중화(衆花). 백화(百花).

중방 구멍【中枋—】[—꾸—] 명〖건〗중방(中枋)을 끼게 한 구멍.

중방-끼움【中枋—】명〖건〗목재(木材)의 옆면에 중방을 끼우는 일.

중방-목【中枋木】명〖건〗중인방(中引枋)으로 쓰는 재목.

중방-벽【中枋壁】[—뼉] 명〖건〗중방(中枋) 위 쪽에 있는 벽.

중-배【中—】[—빼] 명 ①기다란 물건의 가운데의 불룩하게 나온 부분. 중복(中腹). ②만배 다음에 낳은 짐승의 새끼.

중배(가) 부르다 ㉮ 길쭉하게 생긴 물건의 가운데 부분(部分)이 불룩하다.

중-배끼 명 유밀과(油蜜菓)의 한 가지. 밀가루를 꿀 또는 조청과 기름으로 반죽하여 긴 네모꼴로 베어 기름에 띄워 지져서 만듦. 중계(中桂). 중계과(中桂菓).

중-배엽【中胚葉】명〖생〗난분할(卵分割)에 의하여 내배엽(內胚葉)과 외배엽(外胚葉) 사이에 생기는 세포층(細胞層). 뒤에 이로부터 골격·근육 및 많은 내장(內臟) 기관 등이 형성됨.

중배엽 모:세포【中胚葉母細胞】명〔mesoblast〕〖동〗환형 동물(環形動物)·연체(軟體) 동물·절지(節肢) 동물 유생(幼生)의 단세포(端細胞)의 하나. 이 세포의 분열 증식(增殖)으로 중배엽대(中胚葉帶)가 형성됨.

중배엽-형【中胚葉型】명 인간의 체형(體型)을 배자(胚子) 발생 때의 특징에 따라 유별(類別)하여, 골격과 근육이 강한 형(型)을 이름. ＊외(外)배엽형·내(內)배엽형.

중-백금거미【中白金—】명〖동〗[*Leucauge blanda*] 갈거미과에 속하는 거미의 하나. 몸길이 10 mm 내외이고, 두흉부(頭胸部)는 황갈색, 복부의 상면(上面)과 상측면(上側面)은 은색(銀色), 상면에는 암갈색의 줄이 세 개, 측면에는 한 개, 하면(下面)은 암갈색으로 두 개의 은색 줄이 있음. 산·들·개울가에 서식하는데, 한국·일본 등지에 분포함. 백금거미.

중백-당【中白糖】명 정당(精糖)의 하나. 약간 불순물을 함유하여 누르스름함. 황설탕(黃雪糖).

중-백로【中白鷺】[—노] 명〖조〗[*Egretta intermedia intermedia*] 백로과에 속하는 새. 몸은 백로와 비슷하고 순백색이며 후두부(後頭部)에 긴 털이 없음. 여름에는 도롱이 같은 털이 나며, 부리는 검은데 겨울에는 끝을 제외하고는 노랗게 변함. 논밭 부근에 많이 모이며 한국·일본 등지에 번식하고 겨울에는 인도·스리랑카·미얀마·말레이·중국 남부에 분포함. ＊대백로.

〈중백로〉

중-백의【中白衣】[—/—이] 명〖천주교〗무릎까지 내려오는 짧은 흰옷. 신품(神品) 전의 독서직(讀書職)이나 시종직(侍從職)의 학생들이 미사 이외의 다른 예식 때 입으며, 사제는 이 위에 영대(領帶)를 멤. 코터(cotta).

중백자 총통【中百字銃筒】명〖역〗조선 중기에 사용한 유통식 화기(有筒式火器)의 하나. 총길이 100 cm 정도, 통신(筒身) 길이 67 cm 정도로 휴대용 개인 화기로서는 비교적 큰 편임.

〈중백의〉

중번【中番】명〖불교〗재(齋)를 올릴 때에, 범패(梵唄)의 짓소리를 부르는 중. ＊상번(上番)·말번(末番).

중:벌【重罰】명 중한 형벌. 무거운 징벌.

중:범【重犯】명 ①크고 무거운 범죄. ②거듭 저지른 범죄. 또, 그 사람. 주의 ❷의 뜻일 때는 '중(重)'이 단음(短音)임.

중:벽【重辟】명 무거운 죄. 중죄(重罪).

중:변【重邊】명 비싼 변리.

중-변기호【重變記號】명〖악〗'겹내림표'의 한자 이름.

중병[1]【中病】[—뼝] 명 일의 중도(中途)에서 뜻밖에 생기는 다른 탈. 중탈(中頉).

중병(이) 나다 ㉮ 중병이 생기다.

중:병[2]【重病】명 위중한 병. 중태에 빠진 병. 중환(重患). 중아(重痾). 중질(重疾). 가질(苛疾). 대병(大病).

중-병아리【中—】[—뼝—] 명 크지도 작지도 않은 중치 병아리. 흔히, 약으로 씀.

중:병-인【重病人】명 중병을 앓는 사람.

중:병지-여【重病之餘】명 중병을 앓고 난 뒤.

중보[1]【仲保】명 ①둘 사이에서 일을 주선하는 사람. ②〖기독교〗신과 사람과의 사이를 유화(宥和)·매개(媒介)하는 일. 그리스도는 신과 사람과의 사이에 서서 십자가에 죽음으로써 인류를 속죄(贖罪)하고 구제(救濟)하였음.

중:보[2]【重寶】명 귀중한 보배. 중요한 보물.

중보-자【仲保者】명 중보(仲保)의 역할을 하는 사람. 곧, 그리스도.

중복[1]【中伏】명 삼복(三伏)의 하나. 초복 다음으로, 하지(夏至) 뒤의 넷째 경일(庚日)임. ¶～ 더위. ＊초복(初伏)·말복(末伏).

중복[2]【中腹】명 ①중배❶. ②산봉우리와 기슭과의 사이. 곧, 산의 중턱. 반복(半腹).

중복[3]【重卜】명〖역〗두 번째로 의정(議政) 벼슬에 오름. ——-하다 재타여불

중:복[4]【重服】명 대공(大功) 이상의 상복(喪服). 중제(重制). ↔경복(輕服).

중복[5]【重複】명 같은 일이나 물건을 몇 번이고 거듭함. 겹친 위에 또 겹침. ——-하다 타여불

중복 과세【重複課稅】명 이중 과세(二重課稅).

중복 기생자【重複寄生者】명〔hyperparasite〕〖생〗다른 기생자에 거듭 기생하고 있는 생물.

중복 기형【重複奇形】명〔double monster〕〖동〗주로 동물에서 두 개체가 부분적으로 유착(癒着) 내지 유합(癒合)하고 있는 기형 또는 개체(個體)의 일부나 기관(器官)이 중복하여 형성되는 기형.

중복 보:험【重複保險】명〖경〗같은 피보험 이익(被保險利益)에 관하여, 동일한 위험, 동일한 보험 기간에 대하여 몇 사람의 보험자와 따로따로 보험 계약을 체결한 경우, 그 보험 금액의 합계액이 보험 가액(價額)을 초과하는 경우의 보험.

중:-복사 명〈방〉승도복숭아.

중복 수정【重複受精】명〔double fertilization〕〖식〗피자 식물(被子植物)에 특유한 형식으로, 두 개의 정핵(精核)이 하나는 난핵(卵核)과, 다른 하나는 두 개의 극핵(極核)과 두 군데에서 합체(合體)하는 현상. 난핵과 합체된 것은 배(胚), 극핵과 합체된 것은 배유(胚乳)로 됨.

중복 순:열【重複順列】명〖수〗같은 종류의 물건의 중복을 허락하는 순열. ↔비중복 순열.

중:-복숭아 명〈방〉승도복숭아.

중복 신:문【重複訊問】명〖법〗한 번 신문하여 답변(答辯)을 얻은 사항(事項)에 관하여 거듭 행하는 신문.

중복 유전자【重複遺傳子】명〖생〗두 쌍의 유전자가 관계할 때의 동의(同意) 유전자.

중복-의【重複衣】[—/—이] 명〖불교〗'승가리(僧伽梨)'의 별칭.

중복 인자【重複因子】명〖생〗한 형질(形質)에 많은 유전(遺傳) 인자가 관여하고 있는 인자.

중복-점【重複點】명〖수〗'겹친점'의 구용어.

중복 조합【重複組合】명〖수〗n개 중에서 똑같은 것의 중복 사용을 인정하고 r개 취하는 조합. nHr로 나타냄. 이를테면, a, b라는 두 글자로부터 3개 취하는 중복 조합은 aaa, aab, abb, bbb의 네 가지임.

중복 지각【重複知覺】명 바늘로 찔렀을 때 처음에 촉각(觸覺)을 느끼고 뒤에 통증(痛症)을 느끼는 통각 이상(異常)의 하나. *천연성 통각(遷延性痛覺).

중복 허리【中伏一】명 중복 무렵의 가장 더운 때.

중본【中本】명 대본(大本)과 소본(小本)의 중간이 되는 본새.

중본위 기호【重本位記號】명〖악〗'겹제자리표'의 구용어.

중봉[1]【中峰】명 ①가운데 봉우리. ②봉우리의 중턱.

중-봉[2]【中峰】명〖지〗①경기도 가평군(加平郡)에 있는 산. [1,417 m] ②강원도 정선군(旌善郡)에 있는 산. [1,460 m]

중봉[3]【重峰】명〖사람〗조헌(趙憲)의 호(號).

중:봉[4]【衆峰】명 많은 산봉우리. 군봉(群峰).

중봉 대:부【中奉大夫】명〖역〗고려 때 정삼품 문관의 품계(品階). 충렬왕(忠烈王) 원년(1275)에 은청 광록 대부(銀青光祿大夫)의 고친 이름인데, 동 24년(1298)에 폐하였음.

중봉-산【中峰山】명〖지〗①평안 북도 후창군(厚昌郡) 동흥면(東興面)에 있는 산. [1,587 m] ②강원도 삼척시(三陟市)와 정선군(旌善郡) 사이에 있는 산. [1,258 m]

중봉-집【重峰集】명〖책〗조선 선조 때 문신 중봉(重峰) 조헌(趙憲)의 시문집. 원집(原集)에는 시(詩)·부(賦)·소(疏)·계(啓)·서(書)·일기(日記)·제(題)·발(跋)·표(表)·장(狀)·문(文)·격(檄)·사(辭)·고유문(告諭文)이, 부록에는 세덕(世德)·연보(年譜)·비표(碑表)·유사(遺事) 등이 실려 있음. 원집 13 권, 부록 7 권.

중부[1]【中孚】명〖민〗↗중부괘(中孚卦).

중부[2]【中部】명 ①중앙의 부분. 어떤 지역의 가운데 부분. 복부(腹部). ②〖역〗조선 시대 때 서울 도성(都城) 안을 다섯으로 나눈 구역의 하나. 징청(澄清)·서린(瑞麟)·수진(壽進)·견평(堅坪)·관인(寬仁)·경행(慶幸)·정선(貞善)·장통(長通)의 여덟 방(坊)이 이에 속하였음. ③〖역〗조선 시대 때 병제(兵制)로서 지방의 각 위(衛) 밑에 두었던 오부(五部)의 하나.

중:부[3]【仲父】명 둘째 아버지.

중:부[4]【重副】명〖역〗고려 초에 태봉(泰封)의 제도를 따서 베푼 관등(官等)의 둘째 등급. 대재상(大宰相)의 다음.

중부 고속 도:로【中部高速道路】명〖지〗서울 특별시 강동구(江東區) 상일동(上一洞)에서 경기도 광주(廣州)와 충북 진천(鎭川)·청주(清州) 등지를 거쳐 대전(大田) 광역시 대덕구(大德區) 신대동(新垈洞)을 잇는, 중부 종관(縱貫) 고속 도로. 우리 나라 최초로 연속 철근 콘크리트 공법에 의하여 시공되었음. 1987 년 12 월 준공. [145.3 km]

중부-괘【中孚卦】명〖민〗육십 사괘의 하나. 손괘(巽卦)와 태괘(兌卦)가 거듭된 것인데 못 위에 바람이 있음을 상징함. (준)중부.

중-부등【中不等】명 대부등(大不等)과 소부등(小不等)의 중간 정도의 아름드리.

중부리-도요【中一】명〖조〗[*Numenius phaeopus variegatus*] 도욧과에 속하는 새. 마도요와 비슷하나 작고 날개의 길이는 20-25 cm, 두부(頭部)에는 오백색(汚白色)의 반문(斑紋)이 있으며 부리 끝이 아래쪽으로 굽었음. 시베리아 동부에서 번식하는데 한국·일본·중국·오스트레일리아 등지에 도래(渡來)함.

중부 방언【中部方言】명〖언〗대체로 경기도 전역과 충청도·강원도·황해도에 걸친 대부분의 지역 및 전라 북도 동북부의 일부 지역에서 사용되는 한국어의 표준 방언을 일컬음.

중:부-주【仲父主】명 '중부(仲父)'에 대한 높임말.

중-부중【中不中】명 맞힘과 못 맞힘.

중부 지방【中部地方】명〖지〗어떤 지역의 중앙에 자리잡고 있는 지방. 우리 나라에서는 황해도(黃海道)·경기도(京畿道)·강원도(江原道)·충청 남북도(忠清南北道)를 일컬음.

중북【中北】명〖역〗조선 중기에, 대북(大北)으로부터 갈려 나온 당파의 하나. 영수(領袖)는 유몽인(柳夢寅). *골북(骨北)·육북(肉北).

중분[1]【中分】명 ①반으로 나눔. 둘로 똑 같게 가름. ②중년(中年)의 운수. ——-하다 타 여불 가운데에서 둘로 가르다.

중:분[2]【衆忿】명 많은 사람의 분노(忿怒).

중비[1]【中批】명〖역〗전형(銓衡)을 거치지 않고 특지(特旨)로 벼슬을 시킴.

중비[2]【中飛】명 센터 플라이(center fly).

중비[3]【中費】명 어떤 일을 꾀하는 데에 드는 교제비.

중빈[1]【中貧】명 중간에 가난하게 됨.

중:빈[2]【衆賓】명 많은 빈객(賓客).

중:빙【重聘】명 예(禮)를 융숭히 하여 부름. ——-하다 타 여불

중뿔-나다【中一】[一라一] 자 관계(關係)가 없는 사람이 곁에서 불쑥 참견하며 나서다. ¶중뿔나게 굴지 말게 / 제가 중뿔나게 오지랖 넓은 척하는지는 모르겠소만 행수님도 아이를 한번 보듬어 보고 싶을 터인데…《金周榮 : 客主》.

중사[1]【中士】명〖군〗군의 부사관의 하나. 상사의 아래, 하사의 위.

중사[2]【中事】명〖역〗고려 때 중서 문하성(中書門下省)의 종사품 벼슬. 급사중(給事中)의 고친 이름.

중사[3]【中祀】명〖역〗나라에서 지내는 제향(祭享)의 한 등급. 대사(大祀)의 다음으로 의식(儀式)이 조금 간략함. 춘추 중월(春秋仲月) 상순에 드리는 풍신(風神)·운신(雲神)·우신(雨神)·뇌신(雷神)·해신(海神)·독(瀆) 등에 대한 제사, 경칩(驚蟄) 후 해일(亥日)에 드리는 선농단(先農壇) 제사, 계춘(季春) 사일(巳日)의 선잠(先蠶) 제사, 춘추 중월 상정일(上丁日)의 문선왕(文宣王)에 대한 제사, 춘추 중월에 지내는 역대 시조(歷代始祖)에 대한 제사 등.

중사[4]【中使】명〖역〗궁중에서 왕명(王命)을 전하는 내시(內侍).

중사[5]【中絲】명 스물 네 가닥의 실을 드려서 만든 중간(中間) 정도 굵기의 끈목.

중:사[6]【重事】명 중대한 일. 대사(大事).

중-사리【中一】명 처서(處暑)에서 8 월 말경에 피는 갈꽃. *늦사리[2].

중-사인【中舍人】명〖역〗고려 때 동궁(東宮)의 정오품 벼슬. 문종(文宗) 22년(1068)에 처음으로 두었음.

중-사전【中辭典】명 대사전과 소사전의 중간쯤 되는 내용과 부피를 가진 사전. *소사전·대사전.

중삭[1]【仲朔】명 음력(陰曆) 이월·오월·팔월·십일월 들의 일컬음. 중월(仲月).

중삭[2]【重削】명〖불교〗①되깎이❶. ②처음에 체발(剃髮)시킨 사승(師僧)과 절연하고 다른 스님에게 귀의하는 일.

중-산[1]【中山】명〖지〗함경 남도 갑산군(甲山郡)에 있는 산. [1,171 m]

중산[2]【中產】명 ①중등의 재산. ②중산 계급의 사람.

중산[3]〔中山〕명〖지〗중국 광둥 성(廣東省) 중부 동명(同名)의 현(縣)에 있는 도시. 주장(珠江) 강 하류의 삼각주(三角洲)에 위치함. 고명(古名)은 향산(香山). 현내의 추이헝춘(翠亨村)이 쑨 원(孫文)의 출생지인 까닭에 그의 호(號)를 따서 지금의 이름으로 개칭했음. 쌀·고치·과실을 산출(產出)함. [1,047,200 명(1984)]

중산간 도:로【中山間道路】명 해발 100-300 m 의 고지대(高地帶)에 부설한 도로.

중산 계급【中產階級】명〖사〗유산자와 무산자와의 중간에 놓이는 사회층. 곧, 중소 상공업자(中小商工業者)·소지주·봉급 생활자 등. 중간 계급(中間階級).

중산-국수나무 명〖식〗[*Physocarpus intermedius*] 장미과에 속하는 낙엽 관목. 높이 2m로 잎은 호생하고 달걀꼴임.

중산 대:부【中散大夫】명 ①〖역〗고려 때 문관(文官)의 품계(品階). 정오품의 상(上). 문종(文宗) 때에 베풀어서 충렬왕(忠烈王) 34년(1308)에 폐(廢)하고, 공민왕(恭愍王) 5년(1356)에 다시 정사품으로 베풀었다가 11년(1362)에 또 폐하고, 18년에 또다시 베풀어서 정사품의 상(上)으로 하였음. ②당대(唐代)의 정오품 상(上)의 아칭(雅稱).

중산-릉【一陵】〔中山〕명〖지〗중국 난징(南京)의 북동쪽, 쯔진 산(紫金山) 중턱에 있는 쑨 원(孫文)의 묘소. 쑨 원의 호가 중산(中山)이므로 이 이름이 붙음. 규모가 웅장하며 난징의 명승지임.

중산-모【中山帽】명 ↗중산모자.

중산-모자【中山帽子】명 예장(禮裝) 때 쓰는 꼭대기가 둥글고 높은 서양 모자. 예장용은 검은 색, 승마용·산책용은 회색 또는 밤색이 보통임. (준)중산모.

〈중산모자〉

중:-산보【仲山甫】명〖사람〗기원전 8세기 전반의 중국 주 왕조(周王朝) 중흥(中興)의 신하. 중산보는 자(字). 노(魯)나라 헌공(獻公)의 아들. 번(樊)에 채읍(采邑)을 받았으므로, 번중산보(樊仲山甫) 또는 중산보(仲山父)라고도 함. 주 왕조 11대 선왕(宣王)을 섬겨 정치를 도왔음. 생몰년 미상.

중산성 산지【中山性山地】[一썽一] 명〖지〗저산성(低山性)과 고산성(高山性)의 중간 산지.

중산재-집【重山齋集】명〖책〗조선 순조(純祖) 때 사람 이지수(李趾秀)의 시문집. 권별(卷別)로 각기 시(詩)·소차(疏箚)·연설(筵說)·제문(祭文)·지장(誌狀) 및 부록이 실려 있음. 철종(哲宗) 9년(1858)에 간행. 8권 4책.

중산-층【中產層】명 중산 계급에 속하는 사회적 신분의 층.

중살【重殺】명 병살(倂殺). 더블 플레이(double play). 겟 투(get two). ——-하다 타 여불

중삼【重三】명〔삼(三)을 거듭한다는 뜻〕삼월 삼일, 곧 삼짇날.

중-삼작【中三作】명 ↗중삼작 노리개. *대삼작.

중삼작 노리개【中三作一】명 삼작 노리개의 하나. 길이 30 cm 정도의 크기이며 꾸밈새가 중간 정도인 노리개. 당의(唐衣)를 입을 때에 참. (준)중삼작. *대삼작 노리개.

중삿갓-사초【一莎草】명〖식〗[*Carex tuminensis*] 방동사닛과에 속하는 다년초. 줄기는 삼릉주(三稜柱)로 높이 1 m 내외임. 잎은 호생(互生)하고 선형(線形)인데, 소수(小穗)는 12-15개가 측출(側出)하고, 웅수(雄穗)는 한 개가 정생(頂生)하며 자수(雌穗)는 긴 둥근 기둥꼴로 7월에 핌. 과낭(果囊)은 세모진 넓은 타원형으로 산지의 습지에 나며, 평북·함남 등지에 분포함.

중-상[1]【中上】명 품질의 등급이나 단계의 비교에서, 중 정도의 것 중에서도 좋은 쪽의 것. 중의 위.

중상[2]【中相】명〖언〗문법 용어로서, 능동상(能動相)·수동상(受動相)과 함께 상(相), 곧 태(態)의 하나. 동작이 주어(主語) 자신에게 또는 주어 자신을 위해 작용하는 것을 나타냄. 산스크리트어(語)·그리스어 등에서 볼 수 있음.

중상[3]【中商】명 거간(居間)도 하고 전매(轉賣)도 하는 상인(商人). 중매인(仲買人).

중상[4]【中傷】명 사실 무근의 악명(惡名)을 씌워서 남의 명예를 손상시키는 일. 방독(謗讟). ¶~ 모략. ——-하다 타 여불

중상[5]【中殤】명 12살부터 15살 사이에 죽음. 또, 그 사람. *요사(夭死). ——-하다 타 여불

중상[6]【仲商】명 음력 팔월의 이칭. 중추(仲秋).

중:상[7]【仲常】명〖사람〗백제의 대신. 의자왕(義慈王) 8년(648) 좌평(佐

平)으로 있을 때 신라의 김유신(金庾信)으로부터 포로가 된 백제의 비장(裨將) 8명을 신라의 품석(品釋) 장군 부처의 유골과 교환하자는 제의를 받고 이를 실현시켰음. 백제가 망한 후 신라의 상주 총관(上州摠管)이 되었음.

중상[8]【重喪】명 탈상(脫喪)하기 전에 친상(親喪)을 거듭 당함. ——-하다 자여불

중:상[9]【重傷】명 심한 부상. 몹시 다침. 중창(重創). ¶ ~을 입다. ↔경상(輕傷). ——-하다 자여불

중:상[10]【重賞】명 상을 후하게 줌. 또, 그 상여(賞與). ——-하다 타여불 [중상 아래 반드시 날랜 사람 있다] 상을 준다 하면 힘을 다하여 일을 한다는 뜻.

중상-서【中尙署】명〖역〗고려 때 어용(御用)의 기완(器玩)을 맡은 관아. 충선왕(忠宣王) 2년(1310)에 공조서(供造署)로, 공민왕(恭愍王) 5년(1356)에 다시 본 이름으로, 11년에 또 공조서로, 18년에 다시 본 이름으로, 21년에 또 공조서로 여러 번 이름이 바뀌었음.

중:상-자【重傷者】명 중상을 입은 사람.

중:상-주의【重商主義】[-/-이] 명 〔mercantilism〕〖경〗17세기 초부터 18세기 중엽에 걸쳐 유럽 여러 나라에서 행해진 국가주의적인 일련(一連)의 경제 정책 및 이를 뒷받침한 여러 경제(經濟) 사상의 총칭. 한 나라의 부(富)는 그 나라 안에 있는 화폐·금은의 다소(多少)에 의한다고 하여 대내적으로 상공업을 중요시하고 대외적으로는 국가의 보호·간섭으로 유리한 무역 차액을 얻어 국부(國富)를 증대시키려는 주의. 머컨틸리즘.

중:상-파【重商派】명〖경〗중상주의(重商主義)를 신봉하는 한 파. 상상파(尙商派).

중-상품【中上品】명〖불교〗↗중품 상생(中品上生).

중:상 학파【重商學派】명〖경〗중상주의(重商主義)를 신봉하는 경제상의 한 학파.

중-새끼【中—】[—쌔—] 명 거의 어미만큼 자란 큰 새끼.

중색-담【中塞—】명 신과 사람이 상교(相交)하지 못함은, 사람이 범죄하여 죄의 담으로 막힌 것과 같음을 이르는 말.

중생[1]【中生】명〖불교〗왕생 극락(往生極樂)의 상품(上品)·중품(中品)·하품(下品)의 각각의 중위(中位).

중생[2]【重生】명〖기독교〗영적(靈的)으로 다시 새 사람이 됨. 거듭 남. ——-하다 자여불

중:생[3]【衆生】명 ①많은 생명 있는 것들. 많은 사람들. ②〔범 jantu, sattva〕〖불교〗부처의 구제(救濟)의 대상이 되는 인간, 그 밖의 일체의 생물. 곧, 지(地)·수(水)·화(火)·풍(風) 네 가지로 합성된 육체를 가진 모든 물건의 총칭. 살타(薩埵). 선도(禪兜).

중생-계[1]【中生界】명〖지〗중생대층(中生代層).

중:생-계[2]【衆生界】명〖불교〗중생(衆生)이 사는 세계. 삼계(三界). 미계(迷界). 인간계(人間界).

중생-대【中生代】명〔Mesozoic era〕〖지〗지질 시대(地質時代)의 한 구분. 고생대(古生代)의 다음, 신생대(新生代)의 전 시대로서 트라이아스기(紀)·쥐라기(紀)·백악기(白堊紀)로 나뉨. 식물에서는 활엽수(闊葉樹)가 나고 소철류(蘇鐵類)·송백류(松柏類)·양치류(羊齒類) 등의 나자(裸子) 식물이 번성하였고, 동물로는 거대(巨大)한 공룡(恐龍)·어룡(魚龍) 등이 출현하고 파충류(爬蟲類)를 비롯하여 양서류(兩棲類)·경골어(硬骨魚)·연골어(軟骨魚)·암모나이트(ammonite) 등이 번성하였음. 지구 전체에 큰 변동은 없었으나 이 시대부터 신생대에 걸쳐 알프스 조산 운동(造山運動)이 일어나 알프스·히말라야 등의 대산맥이 형성되었음. 제이기(第二紀).

중생대 조:산대【中生代造山帶】명〖지〗중생대에 조산 운동(造山運動)을 받은 지역. 미주에 있는 로키 산맥·해안(海岸) 산맥 및 일본 열도의 대부분이 이에 속함.

중생대-층【中生代層】명 〖지〗중생대에 생긴 지층. 역암(礫岩)·사암(砂岩)·혈암(頁岩)·석회암(石灰岩)·점판암(粘板岩) 등으로 이루어짐. 중생계(中生界).

중생 동:물【中生動物】명〖동〗[Mesozoa] 원생(原生) 동물과 후생(後生) 동물과의 중간에 속하는 다세포 동물의 한 문(門). 조직이 분화(分化)되지 않은 기생충으로서 낙지나 오징어의 신장(腎臟), 갯지렁이·이매패 등에 기생함. 이배충류(二胚蟲類)와 직유류(直游類)의 2강(綱)으로 분류됨. 분류학 상의 하나의 문이 아닌 소속과 계통이 확정될 때까지의 임시적인 문으로 간주되고 있음. 중간 동물.

중생 부:아【重生副芽】명〖식〗여러 개의 부아가 생길 때 아래위로 겹쳐서 난 부아. ↔병생(並生) 부아.

중:생-상【衆生相】명〖불교〗심신(心身)으로 되는 개체(個體)에 대해서 집착하는 사상(四相)의 하나. 오온(五蘊)의 화합(和合)으로 되는 중생에 대해서 아(我)의 존재를 생각하고, 그 아는 오온에 의해서 생긴다고 집착하는 일.

중:생 세:간【衆生世間】명〖불교〗천(天)·인(人)·삼악취(三惡趣) 따위, 살아 있는 것의 세계.

중생 식물【中生植物】명〔Mesophyte〕〖식〗수생(水生) 식물과 건생(乾生) 식물의 중간적인 식물. 수분의 과부족(過不足)이 없는 산야에 나는 가장 대표적인 식물임.

중:생-은【衆生恩】명〖불교〗사은(四恩)의 하나. 일체 중생으로부터 받는 은혜. 상호 부조(扶助)의 은혜.

중:생 제:도【衆生濟度】명〖불교〗부처·보살이 중생(衆生)을 미혹(迷惑)의 고해(苦海)로부터 구제하여 불과(佛果)를 얻게 하는 일. ——-하다 타여불

중:생-탁【衆生濁】명〔범 sattva-kaṣāya〕〖불교〗오탁(五濁)의 하나. 중생이 죄악이 많아서 의리를 알지 못하는 일.

중:생 화:도【衆生化導】명〖불교〗중생을 가르쳐 인도하여 깨달음의 경지(境地)로 도달하게 함. ——-하다 타여불

중서[1]【中書】명 ①중국 서적(中國書籍). ②〖역〗중국 한대(漢代)의 관명(官名). 궁정(宮廷)의 문서·조칙(詔勅) 등을 맡아 보는 직(職).

중서[2]【中庶】명 중인(中人)과 서얼(庶孽).

중서[3]【中暑】명〖한의〗더위로 인하여 두통·현훈(眩暈)·체온 상승(上昇)·맥박 미약 등의 증세가 나고 심하면 까무라쳐 인사 불성에 빠지는 병. 중열(中熱). *일사병(日射病)·열사병(熱射病).

중서[4]【中署】명〖역〗대한 제국 때 한성부(漢城府)의 오부(五部)의 하나인 중부(中部)를 관할하던 경무 관서(警務官署). 고종(高宗) 31년(1894)에 베풀어서 순종 융희(隆熙) 4년(1910)까지 있었음.

중:서[5]【重書】명 귀중한 서류. 가전(家傳)의 중요 문서.

중:서[6]【衆庶】명 뭇 사람.

중서 계급【中庶階級】명〖역〗조선 시대 때 양반에 다음 가는 계급. 중인(中人) 및 서얼(庶孽)의 계급.

중서 당차【中庶當次】명〖역〗조선 시대 때 중인(中人)이나 서얼(庶孽) 출신으로서 참하(參下)의 벼슬자리에 임용되는 것.

중서-령【中書令】명〖역〗고려 때 중서 문하성(中書門下省)의 종일품(從一品) 벼슬. 문종(文宗) 15년(1061)에 내사령(內史令)의 고친 이름인데, 충렬왕(忠烈王) 원년(1275)에 중서 문하성과 상서 도성(尙書都省)을 합치어 첨의부(僉議府)를 베풀 때 잠시 없어졌다가, 동 21년(1295)에 도첨의령(都僉議令)으로 다시 두었음.

중서 문하성【中書門下省】명〖역〗고려 때 서무(庶務)를 총할(總轄)하고 간쟁(諫諍)을 맡은 관아. 문종(文宗) 15년(1061)에 내사 문하성(內史門下省)의 고친 이름인데, 충렬왕(忠烈王) 원년(1275)에 상서 도성(尙書都省)을 합하여 첨의부(僉議府)라 고치고, 19년(1293)에 도첨의사사(都僉議使司)로, 공민왕(恭愍王) 5년(1356)에 다시 본 이름으로 하여 상서 도성을 따로 두고, 11년(1362)에 또 상서 도성을 합하여 도첨의부(都僉議府)로, 18년(1369)에 문하부(門下府)로 하는 등 여러 번 이름이 바뀌었음.

중서 사인【中書舍人】명〖역〗고려 때 중서 문하성(中書門下省)의 종사품 벼슬. 문종(文宗) 15년(1061)에 내사 사인(內史舍人)의 고친 이름.

중서-성【中書省】명〖역〗①고려 때의 삼성(三省)의 하나. 내사성(內史省)의 고친 이름. ②중국 수(隋)나라·당(唐)나라·송(宋)나라·원(元)나라 등에서 일반 행정을 심의하던 중앙 관청(中央官廳). 삼국(三國)의 위(魏)나라 때에 비롯되어, 원(元)나라 때에는 상서성(尙書省)으로 바뀌고 명(明)나라 초기에 폐함.

중서 시:랑【中書侍郞】명〖역〗중서 시랑 평장사(中書侍郞平章事).

중서 시:랑 동 중서 문하 평장사【中書侍郞同中書門下平章事】명〖역〗중서 시랑 평장사(中書侍郞平章事).

중서 시:랑 평장사【中書侍郞平章事】명〖역〗고려 때 중서 문하성(中書門下省)의 정이품 벼슬. 문종(文宗) 15년(1061)에 내사 시랑 평장사(內史侍郞平章事)의 고친 이름. 충렬왕(忠烈王) 원년(1275)에 첨의 시랑 찬성사(僉議侍郞贊成事)라 고치었음.

중서 주:서【中書注書】명〖역〗고려 때 중서 문하성(中書門下省)의 종칠품(從七品) 벼슬. 문종(文宗) 15년(1061)에 내사 주서(內史主書)의 고친 이름.

중서 평장사【中書平章事】명〖역〗고려 때 중서 문하성(中書門下省)의 정이품 벼슬. 문종(文宗) 때에 정함. 준평장사(平章事).

중석[1]【中夕】명 밤중. 야반(夜半).

중:석[2]【重石】명〖광〗텅스텐(tungsten)의 광석. 곧, 회중석(灰重石)·망간 중석·철(鐵)망간 중석·동중석(銅重石) 등 볼프람산염 광물(Wolfram酸塩鑛物)의 총칭. 텅스텐. *회중석.

중:석-광【重石鑛】명〖광〗중석(重石)을 캐내는 광산.

중-석기【中石器】명〖역〗중석기 시대의 석기. 모두 뗀석기(石器)인데 5-10mm 가량의 극히 정교한 잔석기(石器)와 거칠고 큼직한 거(巨)석기가 특징임. 잔석기에는 살촉·창날·칼날 등이 있는데, 골각제(骨角製)의 자루에 매어 수렵(狩獵) 및 어로(漁撈)에 사용하였으며, 거석기는 독특한 돌도끼가 있어서 땅을 파거나 나무에 가공(加工)할 때 쓰이었음.

중석기 시대【中石器時代】명〖역〗구석기 시대 다음에 신(新)석기 시대에 선행(先行)하였던 석기 시대. 기원 전 12,000-8,000년경인 홍적세(洪積世)의 마지막, 충적세(沖積世)의 시초경부터 약 5천 년 가량 존속(存續)하였던 시기로, 중서부 유럽·북아프리카·근동(近東) 지방에 그 유적(遺跡)이 남아 있음. 이 시대 사람들은 비교적 정착적(定着的)인 생활을 영위(營爲)하였으며, 수렵(狩獵)·어로(漁撈) 및 식물 채집(植物採集)의 획득 경제(獲得經濟)에 의존하였는데, 잔석기의 발달과 사용이 특징임. 가옥은 귀틀집이나 구덩이식이었으며, 개를 가축으로 기르고 마상이·썰매 같은 것을 사용한 형적(形迹)이 있음. 프랑스의 아질 문화(Azilian文化)는 그 대표임. *중석기.

중:석-불【重石弗】명 중석을 외국에 수출하여 획득한 달러(dollar).

중선[1]【中線】명〖수〗삼각형의 각 정점(頂點)에서 대변(對邊)의 중점(中點)에 똑바로 그은 선분(線分). 따라서 삼각형에는 세 개의 중선이 있음. *중심(重心).

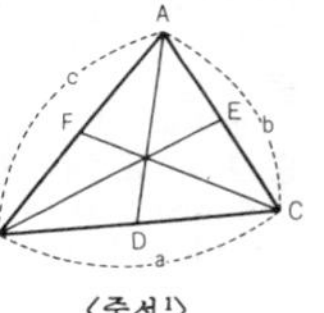

〈중선[1]〉

중:선[2]【重船】명 큰 고기잡이 배.

중선[3]【重選】명 거듭 뽑음. ——-하다 타여불

중:선[4]【衆善】명 많은 선사(善事). 뭇 사람의 선사. 또, 많은 선인(善人).

중-선거구【中選擧區】명 대(大)선거구의 일종으로 선거구가 전국(全國)을 단위로 하지 않고 도(道) 크기 정도의 지역을 단위로 하여 2명 내지 5명 정도의 의원(議員)을 선출(選出)하는 선거구. *소(小)선거구·대선거구.

중선-망【中船網】명 조선 시대에 흔히 쓰인 재래식 어망. 원뿔꼴의 긴 자루같이 생긴 어망 2통(統)을 어선의 양 뱃전에 달고 어장에 가서 어선을 고정시키고 조수를 따라 오가는 고기가 어망으로 들어가기를 기다려 어획함.

중선 조기【中船—】[—조—] 명 중선망에 잡힌 조기.

중:선회【衆仙會】명 『악』 고려 시대에서 조선 전기(前期)까지 당악 정재(唐樂呈才)에 쓰인 반주 음악 곡명의 하나.

중:선회 인자【衆仙會引子】명 『악』 고려 시대 및 조선 초기의 성종(成宗) 때에 연화대(蓮花臺)의 반주 음악으로 쓰인 곡.

중설[1]【中說】명 『책』 중국의 유가서(儒家書). 수(隋)의 왕통(王通)이 찬술(撰述)함. 그의 아들 복교(福郊) 등, 또는 그의 문인(門人)이 찬술했다고도 함. 왕통이 제자의 물음에 대답한 것으로 그가 죽은 후 제자들이 논어(論語)를 본떠서 중도(中道)에 의한 왕도(王道)의 실현, 유불도(儒佛道) 삼교(三敎)의 일치(一致)를 논술한 것임. 10권. 중문자(中文子). 중문자 중설.

중설[2]【重舌】명 『한의』 중혀.

중설[3]【重說】명 거듭하는 말. 중언(重言). ——하다 타여불

중:설[4]【衆說】명 뭇 사람의 설. 여러 사람의 의견.

중설 모:음【中舌母音】명 『언』 혀의 중설면(中舌面)과 구개(口蓋) 중앙부와의 사이에서 조음(調音)되는 모음. 혼합 모음(混合母音).

중설퍼 원유【中—原油】[sulfur] 명 함유 유황분이 중량비(重量比)로 1-2 %인 원유. *저(低)유황 원유·하이 설퍼 원유.

중성[1]【中性】명 [neuter] ①서로 대립하는 두 개 또는 이군(二群)의 성질의 어느 쪽에도 속하지 않는 양자(兩者)의 중간의 성질. ②남성인지 여성인지 알 수 없는 성적 상태(性的狀態). 전하여, 남자 같은 여자. 여자다운 맛이 없는 걸걸한 여자. ③[neutral] 『화』 서로 상반하는 성질 또는 상태의 중간을 가리켜 이르는 말. 흔히, 물질의 성질이 산성(酸性)과 염기성(塩基性)의 어느 쪽에도 속하지 않는 pH 7의 상태에 있음을 이름. 또, 소립자(素粒子)·원자(原子) 등이 음(陰)에도 양(陽)에도 대전(帶電)하지 않은 상태에 대해서도 이름. 중성자(中性子)·중성 원자(中性原子) 등. ④『언』 문법에서 남성(男性)도 여성(女性)도 아닌 명사의 성(性). ⑤『생』 간성(間性).

중성[2]【中星】명 『천』 이십팔수(二十八宿) 중 해가 질 때와 돋을 때 하늘 정남(正南) 쪽에 보이는 별. 혼중성(昏中星)·단중성(旦中星) 같은 것.

중성[3]【中聲】명 『언』 홀소리. 모음(母音).

중성[4]【重星】명 『천』 육안으로 보면 한 개의 항성(恒星)으로 보이나, 망원경으로 보면 두 개 이상으로 분리되어 보이는 별. 2개의 항성으로 이루어지는 이중성(二重星)이 특히 많음. 공간적(空間的)으로는 멀리 떨어져 있으나 방향이 우연히 일치하여 있기 때문에 접근하여 보이는 것을 광학적(光學的) 중성, 실제로 접근하여 역학적(力學的)으로 체계를 이루는 별을 연성(連星)이라고 함. 이중성. 다중성(多重星). *단중성(旦重星).

중:성[5]【衆星】명 뭇 별. 여러 별.

중:성[6]【衆聖】명 많은 성인.

중성-권【中性圈】[—꿘] 명 [neutrosphere] 『기상』 지표(地表) 위의, 대기 조성(大氣組成)이 거의 이온화(ion化)되어 있지 않은, 곧 전기적(電氣的)으로 중립인 대기권. 중성권과 전리권(電離圈)과의 사이의 천이 영역(遷移領域)은 70-90 km 높이에 있으며, 위도(緯度)와 계절에 관련이 있음.

중성 대:명사【中性代名詞】명 『언』 문법에서 남성(男性)도 여성(女性)도 아닌 대명사.

중성-력【中星曆】[—녁] 명 중국의 역법(曆法)의 하나. 이십팔수(二十八宿)를 넷으로 나누어 칠수(七宿)로 하는 경우, 그 칠수의 중앙에 해당하는 수(宿)의 별을 중성(中星)이라 하고, 이 중성의 위치와 태양의 운행과의 관계에 의하여 1년을 정함.

중성 명사【中性名詞】명 『언』 문법에서 남성(男性)도 여성(女性)도 아닌 명사.

중성 모:음【中性母音】명 『언』 우리 말의 중성(中聲)에서 'ㅣ' 모음. 모음 조화(調和)에서 양성(陽性) 모음·음성(陰性) 모음 어느 쪽과도 잘 어울림.

중성 미자【中性微子】명 [neutrino] 『물』 베타(β)가 붕괴할 때에 에너지 항존(恒存)의 법칙으로 보아 그 존재가 가정(假定)되었다가 지금은 그 존재가 확인된 중성의 소립자(素粒子). 경입자(輕粒子)의 일종으로 전하(電荷)는 0, 스핀은 1/2로 약한 상호 작용을 함. 전자(電子)·뮤(μ)·타우(τ)의 세 중성 미자와 그 반입자(反粒子)가 있음. 기호는 ν. *소립자·경입자.

중성 반:응【中性反應】명 『화』 산성(酸性)이나 염기성(塩基性)을 나타내지 않는 반응.

중성 분자【中性分子】명 [neutron molecule] 『물』 핵 주위의 전자수(電子數)가 핵 중의 양자수(陽子數)와 같은 분자.

중성 비:료【中性肥料】명 『농』 ①화학적으로 중성인 비료. 비료를 물에 녹였을 때, 수용액이 중성을 나타내는 비료. 황산 암모니아·황산 칼리·칠레 초석 따위. ②생리적으로 중성인 비료. 시비(施肥)에 의하여 토양을 중성으로 하는 비료. 작물(作物)이 비료 중의 성분을 선택적(選擇的)으로 흡수하기 때문임. 질산 암모니아·과인산 석회·인산 암모니아 따위.

중성-색【中性色】명 빛깔의 성질을 규정할 경우, 중간적인 성질을 나타내는 색. 흥분색(興奮色)과 침정색(沈靜色), 난색(暖色)과 한색(寒色)의 중간에 있는 색. 녹색(綠色)·자색(紫色) 등.

중성 세:제【中性洗劑】명 『화』 합성(合成) 세제의 하나. 주로 고급 알코올 또는 알킬벤젠을 원료로 만듦. 물에 녹아서 중성을 나타내기 때문에 섬유를 손상하지 않고, 또 센물이나 산(酸) 가운데서도 세척력(洗滌力)이 있음.

중성 식물【中性植物】명 [day neutral plants] 일조(日照) 시간의 길이에 관계 없이 꽃눈이 형성되는 식물.

중성-암【中性岩】명 『지』 이산화 규소(二酸化珪素)를 60 % 가량 함유하는 암석의 총칭. 섬록암(閃綠岩)·안산암(安山岩) 같은 것. ↔염기성암(塩基性岩)·산성암(酸性岩).

중성-염[1]【中性炎】[—념] 명 [neutral flame] 『화』 연료와 산소의 혼합물에서 발생하는 기체염(氣體炎). 산화성(酸化性)도 환원성(還元性)도 아닌 것.

중성-염[2]【中性塩】[—념] 명 [neutral salt] 『화』 ①다염기산(多塩基酸)의 수소(水素)를 전부 금속 원자(金屬原子)로 바꾼 형식의 화합물. ②정염(正塩).

중성 원자【中性原子】명 [neutral atom] 『물』 핵을 둘러싼 전자(電子)의 수가 핵 중의 양자(陽子)의 수와 같은 원자.

중성 입자【中性粒子】명 [neutral particle] 전하(電荷)가 영(零)인 입자.

중성-자【中性子】명 [neutron] 『물』 소립자(素粒子)의 하나. 채드윅(Chadwick)이 1932년, 알파 입자(α粒子)를 베릴륨(beryllium)에 부딪쳐서 발견했고, 그 후 갖가지 원자핵 반응에서 자주 방출되어 알려짐. 질량(質量)은 양성자(陽性子)와 거의 같은 939.55 MeV이며 전하(電荷)가 없고 양성자와 함께 원자핵의 중요 구성 요소임. 평균 수명(壽命)은 약 1.0×10^3s이며 전자(電子)와 전자 뉴트리노(電子neutrino)를 방출하여 양성자가 됨. 반입자(反粒子)는 (反)중성자임. 기호는 n. 뉴트론. *소립자(素粒子)·양성자(陽性子)·중간자(中間子).

중성자 결합 에너지【中性子結合—】명 [neutron binding energy] 『물』 핵(核)으로부터 하나의 중성자를 제거(除去)하는 데 필요한 에너지의 양(量).

중성자 과:잉수【中性子過剩數】명 [neutron excess] 『물』 양자(陽子)의 수보다 많은, 핵 내(核內)의 중성자 수.

중성자 단:면적【中性子斷面積】명 [neutron cross section] 『물』 중성자에 의한 핵반응의 단면적. 중성자가 물질을 통과할 때 반응이 일어나는 비율을 나타냄.

중성자 라디오그래피【中性子—】명 [neutron radiography] 원자로(原子爐)에서 발생한 중성자를 이용한 라디오그래피. 중성자는 흔히 X선 필름을 전환(轉換) 스크린 뒤에 놓아 둠으로써 검출됨.

중성자-별【中性子—】명 [neutron star] 『천』 고밀도(高密度)의 중성자 가스로 형성된 축퇴성(縮退星)의 일종으로 간주되던 별. 후에 펄서(pulsar)나 엑스선(X線) 별 등으로 발견됨. 중심 밀도는 약 10^{14}-10^{15} g/cm^3, 반지름은 약 10 km인 것으로 추측됨. 중성자성(中性子星).

중성자 사이클【中性子—】명 [neutron cycle] 『물』 원자로에서, 초기 핵분열 과정에서의 중성자의 생성으로부터 모든 중성자가 흡수되거나 누출(漏出)되어 없어지기까지의 일생.

중성자 산:란【中性子散亂】[—살—] 명 [neutron scattering] 『물』 원자핵과의 충돌에 의해서 생기는 중성자의 방향 변환.

중성자선 회절【中性子線回折】명 [neutron diffraction] 『물』 중성자를 결정(結晶)에 대고 결정 구조를 조사하는 일. 전기적(電氣的)으로 중성이고 자기(磁氣) 모멘트가 있는 중성자의 특성을 이용하여 물질의 자기적(磁氣的) 구조를 조사할 수도 있음. 또한, 음자(音子)와 스핀파(spin波)의 움직임의 특성을 연구함.

중성자-성【中性子星】명 『천』 중성자 별.

중성자-속【中性子束】명 [neutron flux] 『물』 원자로(原子爐) 안의 중성자의 흐름. 곧, 1 cm^2 면적을 매초 통과하는 중성자의 수로 나타냄. 이것이 크면 원자로의 출력(出力)도 큼.

중성자 알베도【中性子—】명 [neutron albedo] 『물』 어떤 조건 하에서 어떤 면을 지나 영역 내(領域內)에 들어간 중성자가, 그 면을 지나서 되돌아 가는 확률(確率).

중성자 요법【中性子療法】[—뻡] 명 [neutron therapy] 『의』 중성자 조사(照射)를 포함한 의학적 치료법.

중성자-탄【中性子彈】명 [neutron bomb] 핵분열(核分裂)이나 핵융합(核融合) 때 원자의 핵(核)에서 방출되는 중성자(中性子)와 γ선을 이용하여 만든 폭탄. 크기는 1킬로톤 미만으로, 폭발 에너지는 티 엔 티(TNT) 1천 톤에 불과하여 투하 지역의 시설물에는 거의 피해를 주지 않으나, 2-3초 동안에 방출되는 방사능이 생체(生體)의 세포를 파괴시킴으로써 인명(人命)을 살상(殺傷)함. 대포 또는 미사일의 탄두(彈頭)로서 사용될 수 있음. 1977년부터 미국에서 생산하기 시작함. 수소 폭탄(水素爆彈)을 '제2의 핵무기(核武器)'라 일컫는 데 대해, '제3의 핵무기'로 불리어짐.

중성자 포:획【中性子捕獲】명 [neutron capture] 『물』 방사선 포획의 하나. 중성자가 원자핵에 흡수되는 순간에 γ선을 방출하는 반응. 중성자를 포획한 원자는 질량 수(質量數) 1이 증가하지만, 원자 번호(原子番號)는 변하지 않음. *중양성자(重陽性子) 포획.

중성-적【中性的】명관 중성에 관한 모양.

중성적 실재【中性的實在】[—째] 명 『철』 추상적인 분석 작용에 의하여 발견되는 궁극적인 유계(有界)의 세계.

중성-점【中性點】[—쩜] 명 [neutral point] 『화』 중화 적정(中和滴定)에서, 수소(水素) 이온 농도와 수산(水酸) 이온 농도가 같아지는 점. 25 ℃에서는 페하(pH)가 7이 됨.

중성-지【中性紙】명 수소(水素) 이온 지수(指數)가 7.0-8.0을 나타내는 중성 및 약한 알칼리성(性)의 조건 하에서 제조된 종이. 퇴색(退色)이 잘 안 되고 종래의 일반 종이(산성지)보다 보존성이 우수함. *산성지(酸性紙).

중성 지방【中性脂肪】명 〔neutral fat〕〖생〗 단순 지질(單純脂質)에 속하는 지방의 하나. 대표적인 것으로 글리세리드(glyceride)와 콜레스테롤 에스테르(cholesterol ester)가 있음. 동물에는 지방 조직으로서 피하(皮下)·장간막(腸間膜)·근육 외에 장기의 표면에, 식물에는 주로 씨앗에 축적됨. 생체 에너지의 저장원(貯藏源)임.

중성 크림:【中性—】〔cream〕명 지방 농도가 진하지도 연하지도 않은 크림. 영양(營養) 크림에 많음. 기초 화장 또는 피부 손질에 쓰임. 하이지닉(hygienic) 크림.

중성 토양【中性土壤】명 토양 반응(反應)이 산성(酸性)도 알칼리성도 아닌 토양. 토양수(土壤水)의 페하(pH)가 7 내외로, 생물(生物)의 생육(生育)에 알맞음.

중성-해【中聲解】명 〖언〗 '해례본(解例本) 훈민 정음'에서 보인 해례의 하나. 중성에 대한 규정을 내림.

중성 해:안【中性海岸】명 육지가 해면에 대하여 상대적인 승강(昇降) 없이 형성된 해안. 화산성 해안·단층 해안·산호초 해안 등이 이에 해당됨. 삼각주·선상지(扇狀地)가 만드는 해안도 대개 중성 해안으로 여겨지나, 삼각주에서는 퇴적물(堆積物)의 부피로 서서히 침강(沈降)하고 있는 침강 해안의 경우가 있음. *침강 해안·이수(離水) 해안·해안 지형(地形).

중성 호:성【中性好性】명 〖생〗 ①중성 색소에 친화성(親和性)을 갖는 성질. ②과잉한 산(酸)이나 염기(塩基)가 없는 조건을 좋아하는 성질. 호중성(好中性).

중성 홀소리【中性—】〔—쏘—〕명 〖언〗 중성 모음.

중성-화[1]【中性化】명 남성 또는 여성(女性)의 특성(特性)을 잃어 버림. 중성적으로 되거나 되게 함. ——-하다 자타여불

중성-화[2]【中性花】명 〖식〗 한 꽃 중에 수술도 암술도 퇴화하여 없는 꽃. 수국(水菊)의 장식화(裝飾花)나 해바라기 둘레의 설상화(舌狀花) 같은 것. 무성화(無性花). *양성화(兩性花)·단성화(單性花).

중세[1] 명 〈방〉 밤참.

중세[2]【中世】명 ①고대와 현대, 또는 상대(上代)와 근세의 사이의 시대. ②〖역〗 역사 상의 편의를 위한 시대의 구분. 우리 나라에서는 고려 건국 초부터 망하기까지의 시대. 동양에서는 당(唐)나라의 멸망으로부터 명말(明末)까지이고, 서양에서는 게르만 민족의 침입에 의하여 로마 제국(帝國)이 붕괴하기 시작한 5세기부터 동로마 제국이 멸망한 15세기 중엽에 이르는 시대를 말함. 중세기(中世紀).

중:세[3]【重稅】명 부담(負擔)이 큰 조세(租稅). ¶~에 허덕이다. ↔경세(輕稅).

중세 국어【中世國語】명 〖언〗 고대 국어와 근대 국어의 중간 시기에 위치하는 국어. 고려 시대와 임진 왜란 이전의 조선 시대, 곧 10세기부터 16세기까지의 국어. 현재의 개성(開城)과 서울의 언어가 중심이 되었음.

중세-기【中世紀】명 〖역〗 중세(中世).

중세기 문학【中世紀文學】명 〖문〗 고대(古代)와 르네상스와의 중간인 5-15세기 사이의 유럽 문학.

중세기-적【中世紀的】명관 〖역〗 중세적(中世的).

중세 도시【中世都市】명 중세 말기에 주교 도시(主教都市)와 성채 도시를 기원으로 해서 성립한 서구의 도시. 특히, 11-13세기에 유럽 북서부와 북이탈리아에서 발달함. 농업 생산력이 상승하여 잉여 농산물의 상품화가 발달하고, 상인·수공업자의 집단이 특정 지역에 정주하여, 왕후(王侯)의 비호 아래 발달했음. 상품 경제(商品經濟)의 중심인 점에서 고대 도시와, 정치적 특권(政治的特權)을 향유하는 점에서 근대 도시와 상이함.

중세 발라드【中世—】〔프 ballade〕명 〖악〗 14-15세기의 프랑스·스페인에서 널리 불리어진 반주(伴奏)가 붙은 예술적인 노래. 작품의 시작과 끝에 합창으로 된 반복 부분이 있음.

중세-사【中世史】명 중세기의 역사.

중세 암:흑기【中世暗黑期】명 〖역〗 암흑 시대❷.

중세 음악【中世音樂】명 〖악〗 중세 유럽의 음악. 6·7세기의 그레고리오(Gregorio) 성가의 확립, 12-13세기의 노트르담(Notre-Dame) 악파의 전성기를 거쳐 15세기 네덜란드 악파의 대두까지의 음악. 각종 전례(典禮) 음악과 찬가(讚歌) 등이 교회(敎會) 음악에서 시작되어 미네징거(Minnesinger) 등의 세속 음악도 각지에 보급되었는데, 일반적으로 다성(多聲) 음악적 경향이 강함. 이 기간에 보표(譜表)가 발명되는 등 기보법(記譜法)도 발달하였음.

중세-적【中世的】명관 중세에 관한 모양. 또, 중세에 연관성이 있는 모양. 중세기적(中世紀的).

중세 철학【中世哲學】명 〖철〗 교부 철학(敎父哲學)과 스콜라(schola) 철학의 일컬음.

중-소[1]【中—】〔—쏘〕명 몸피가 중길인 소.

중소[2]【中小】명 중치 및 그 이하의 것. ¶~ 기업.

중소[3]【中所】명 〖역〗 조선 시대 때, 궁궐에 입직(入直)하는데, 다섯 입직 위소(衛所) 외에 따로 베푼 각 직소(直所)의 본부. 병조 당상관과 도총부(都摠部) 당상관 및 낭관(郎官)들이 숙직함.

중소[4]【中消】명 〖한의〗 소화기(消化器)의 장애로 생긴 당뇨병. 식욕(食慾)이 왕성해지고 구갈(口渴)이 심하며, 오줌이 자주 마려움.

중소[5]【中宵】명 한밤중. 중야(中夜).

중소[6]【中霄】명 중천(中天). 반공중(半空中).

중-소[7]【中蘇】명 중국과 소련. ¶~ 분쟁.

중:소[8]【衆小】명 ①다수(多數)의 소인(小人). 많은 속인(俗人). ②많음과 적음. ③적음.

중소 공:동 선언【中蘇共同宣言】명 1954년 10월, 중국과 소련이 발표한 여덟 항목에 걸치는 공동 성명. 1950년 2월에 체결한 중소 우호 동맹 상호 원조 조약(中蘇友好同盟相互援助條約)을 발전시킨 것으로서, 특히 대일 접근(對日接近)을 꾀하고, 뤼순(旅順) 군항으로부터의 소련군의 철퇴를 약속하였음.

중:-소공지【衆所共知】명 뭇 사람이 모두 아는 바의 일.

중소 국경 분쟁【中蘇國境紛爭】명 중소의 국경선을 둘러싸고 중국과 소련 사이에 일어나고 있는 일련(一連)의 분쟁. 국경 그 자체를 가지고 다투는 문제와 국경 주변에서의 무력 충돌 사건의 두 형태가 있음. 주된 분쟁 지역은 우수리(Ussuri)·아무르(Amur) 양강(兩江)의 합류점(合流點)에 있는 섬, 파미르(Pamir) 지구, 신장(新疆) 웨이우얼 지구 등인데, 중국측은 청(淸)나라와 제정(帝政) 러시아 사이에 맺은 1858년의 아이훈 조약(愛琿條約)·1860년의 베이징(北京) 조약 등 불평등 조약의 부당함을 주장하고 소련측의 경계선 침범을 비난함. 1969년 3월에 있었던 전바오(珍寶) 섬 사건을 비롯하여 충돌 사건이 가끔 일어났었음.

중소 기업【中小企業】명 〖경〗 자본금이나 종업원수 등이 중소 규모의 기업. 중소 기업 기본법에서는, 업종에 따라 다르지만, 상시(常時) 사용하는 종업원수가 최고 1,000명 이하이고, 자본금이 최고 800억원 이하인 기업을 말함. 준중기(中企).

중소 기업 계:열화【中小企業系列化】명 물품의 생산에 필요한 부품·부속품이나 반제품(半製品)의 제조·가공을 중소 기업자에 위탁하는 대기업과 그 위탁을 받아 전문적으로 제조·가공하는 중소 기업자가 상호 분업적 협력 관계를 이루는 형태.

중소 기업 금융 채:권【中小企業金融債券】〔—꿘/—늉—꿘〕명 〖경〗 중소 기업 은행에서 발행하는 금융 채권. 원리금(元利金) 상환(償還)에 대해 정부가 보증함.

중소 기업 기본법【中小企業基本法】〔—뻡〕명 〖법〗 중소 기업의 나아갈 방향과 시책의 기본을 규정함으로써 중소 기업의 성장 발전(成長發展)을 촉구하고, 중소 기업의 구조 개선(構造改善)과 국제 경쟁력(國際競爭力)의 강화를 도모하여 국민 경제의 균형 있는 발전에 기여함을 목적으로 한 법.

중소 기업 은행【中小企業銀行】명 중소 기업자에 대한 효율적인 신용 제도를 확립함으로써 중소 기업자의 자주적(自主的)인 경제 활동(經濟活動)을 원활히 하고, 그 경제적 지위를 향상시키기 위해 설립된 특수 은행. 1961년에 설립.

중소 기업자【中小企業者】명 중소 기업을 영위(營爲)하는 개인(個人) 또는 기업.

중소 기업 진:흥 공단【中小企業振興公團】명 〖법〗 중소 기업 진흥을 위한 사업을 추진하기 위하여 설립된 공법 상(公法上)의 법인. 중소 기업 진흥 기금을 관리·운용함.

중소 기업 진:흥 기금【中小企業振興基金】명 〖법〗 정부의 출연금(出捐金)으로 조성되어 중소 기업 진흥 사업을 위하여 쓰이는 기금. 중소 기업 진흥 공단이 운용·관리함.

중소 기업청【中小企業廳】명 산업 자원부의 외청(外廳)의 하나. 중소 기업에 관한 사무를 관장함.

중소 기업 특별 위원회【中小企業特別委員會】명 중소 기업 육성 업무를 위하여, 대통령 소속하에 둔 특별 위원회.

중소 기업 협동 조합【中小企業協同組合】명 중소 기업 협동 조합법에 의거하여, 중소 기업자가 조직하는 협동 조합. 상호 부조의 정신에 따라, 경제적인 기회 균등과 자주적인 경제 활동을 조장하여 그 경제적 지위의 향상을 도모할 것을 목적으로 함. 협동 조합·사업 협동 조합·협동 조합 연합회·협동 조합 중앙회 등 4종류가 있음.

중소 논쟁【中蘇論爭】명 스탈린 비판을 계기로 하여, 1960년경부터 중국 공산당과 소련 공산당 간에 있었던 이론적 대립. 소련이 미국과의 평화 공존을 주장하는 데 대하여, 중공은 미국에 대한 반(反)제국주의 투쟁과 아시아·아프리카의 해방을 주장하면서 소련의 태도를 수정주의라고 비난하였음. 중소 이념 분쟁(理念紛爭).

중소 불가침 조약【中蘇不可侵條約】명 〖역〗 1937년 7월의 루거우차오(蘆溝橋) 사건으로 중일(中日) 간에 전면 전쟁이 발발하자 그 해 8월에 소련과 중국 국민 정부 사이에 체결된 조약으로, 소련이 일본의 침략에 반대하고 중국 정부와 인민을 지지하는 내용으로 되어 있으며, 이후 소련이 중국의 항일전을 지원하게 되었음.

중소 우호 동맹 상호 원:조 조약【中蘇友好同盟相互援助條約】명 중국(中國)과 소련이 1950년 2월 모스크바에서 체결한 조약. 창춘(長春) 철도와 뤼순(旅順)·다롄(大連)의 중국으로의 반환, 중국에 대한 차관(借款)을 약속한 것. 1954년 중소 공동 선언(共同宣言)으로 발전하였음. 준중소 우호 동맹 조약.

중소 우호 동맹 조약【中蘇友好同盟條約】명 ①1945년 8월, 중화 민국 국민 정부와 소련 사이에 체결된 조약. 얄타 회담에서 미국·영국이 소련에 대해 행한 양해에 의거한 것으로 대일전(對日戰)의 상호 원조, 대일 단독 불강화, 창춘(長春) 철도·뤼순(旅順)의 공동 경영 및 사용, 다롄(大連)의 국제 자유항화, 만주·신장(新疆)의 중국 종주권의 승인, 일본 항복 후의 소련군의 중국 철퇴를 약속하였음. 1950년에 소련과 중국 간에 중소 우호 동맹 상호 원조 조약이 체결됨과 동시에 폐기됨. ②↗중소 우호 동맹 상호 원조(相互援助) 조약.

중소 이:념 분쟁【中蘇理念紛爭】명 중소 논쟁(中蘇論爭).

중:-소특기 명 〈방〉 중속환이.

중속 중성자로【中速中性子爐】[명]〖물〗중성자의 에너지를 이용하는 원자로(原子爐)의 일종. 고속(高速) 중성자로와 열(熱)중성자로의 장점만을 취하여 만드는 것이나, 실제로는 설계가 곤란하여 현재까지 만들어진 것은 미국의 제2호 원자력 잠수함 시 울프 호(Sea Wolf 號)의 엔진용뿐임. *고속 중성자로·열중성자로.

중:-속환이【一俗還一】[명] 중으로서 다시 속인이 된 사람. [준]속환이.

중:손【衆孫】[명] 맏손자 외의 여러 손자.

중-송아지【中一】[一쏭一][명] 거의 다 큰 송아지.

중-솥【中一】[명] 크기가 중치인 솥.

중쇄【重刷】[명]〖인쇄〗증쇄(增刷). ——-하다 [타][여불]

중-쇠¹【中一】[一쐬][명] 결립패(乞粒牌)에서, 상쇠 다음으로 놀이를 지도하는 사람.

중-쇠²【中一】[명] ↗맷돌 중쇠.

중쇠³【中衰】[명] 흥하던 나라나 집안이 중간에서 쇠퇴하는 일.

중쇠-받이【中一】[一바지][명] 맷돌 수쇠를 받는 맷돌 암쇠.

중수¹【中數】[명]〖수〗①평균수(平均數). ②비례 중항(比例中項).

중수²【中壽】[명] ①장수(長壽)의 단계를 상·중·하로 나눈 중위(中位)의 연령. 80세 또는 100세라고도 함. ②보통 수명의 중간 정도. 중년(中年). *상수(上壽)·하수(下壽).

중:수³【重水】[명]〔heavy water〕〖화〗보통의 물의 수소(水素) 대신 중수소(重水素)로 이루어졌거나 또는 원자량 16의 산소(酸素) 대신 그보다 원자량이 큰 산소로 이루어진 물. 곧, 보통의 물보다 분자량이 큰 물, 특히 중수소(重水素)와 산소로 이루어진 산화 듀테륨(deuterium)의 일컬음. 원자로(原子爐)의 감속재(減速材) 및 수소 폭탄이나 핵융합로(核融合爐)의 연료(燃料)로 쓰임.

중:수⁴【重囚】[명] 중죄(重罪)를 지은 죄수.

중수⁵【重修】[명] 낡고 헌 것을 다시 손대어 고침. 개수(改修). ¶경복궁~. ——-하다 [타][여불]

중:수⁶【重數】[명] 무게의 수효. 무게의 단위로 헤아려 숫자로 나타낸 무게.

중:수⁷【衆水】[명] 많은 수류(水流).

중-수도【中水道】[명] 중수(中水)란 상수(上水)와 하수(下水)에 대한 중간적인 의미를 가지는 것으로, 하수 처리한 물을 수세(水洗)용의 물 또는 목욕물 같은 상수 다음 가는 물로 재처리(再處理)하여 사용하는 수도. *상수도·하수도.

중:수-로【重水爐】[명]〖물〗노심(爐心)의 냉각과 중성자의 감속을 위해 중수소를 사용하는 원자로. 천연 우라늄을 연료로 사용함.

중수-부【中搜部】[명]〖법〗↗중앙 수사부.

중:-수소【重水素】[명]〔heavy hydrogen〕〖화〗①수소의 동위 원소(同位元素)로서 질량수가 2 및 3인 것의 총칭. ②특히, 질량수가 2인 동위체 ^2H의 일컬음. 천연(天然)의 수소 화합물 속에 0.014-0.015% 함유되어 있으며, 산화(酸化) 듀테륨의 전해(電解)로 얻어짐. 중수를 만들고 트레이서(tracer)로 쓰이며, 또 그 화합물은 원자로(原子爐)의 감속재(減速材)로 이용됨. 듀테륨(deuterium). [D·^2_1H·$_1H^2$: 2.014740] *삼중 수소(三重水素).

중:수소-화【重水素化】[명]〔deuteration〕〖화〗화합물 중의 수소를 중수소로 치환(置換)하는 일.

중-수파련【中水波蓮】[명] ↗이층(二層) 중수파련.

중-수풀【中一】[명] 중림(中林).

중:-수필【重隨筆】[명]〖문〗주로 공적(公的)인 문제를 논리적·객관적으로 서술하는 논설에 가까운 수필.

중숙【中宿】[명] 이틀 밤의 숙박. 이박(二泊). 신박(信泊).

중순【中旬】[명] ①한 달의 11일부터 20일까지의 열흘 동안. 중완(中浣). 중한(中澣). *상순·하순. ②〖역〗무과(武科)의 하나.

중:-순양함【重巡洋艦】[명]〔heavy cruiser〕〖군〗공중 및 해상의 위협에 대항하여 강습(強襲), 대잠전(對潛戰) 또는 상륙 작전 부대와 함께 작전할 수 있도록 설계된 주포(主砲)가 8인치 이상인 군함. 만재 배수(滿載排水) 톤수는 약 21,000 톤임.

중-숨기【中一】[명]〈방〉중모.

중-숲【中一】[명] 중림(中林). 중수풀.

중습【中濕】[명]〖한의〗습기(濕氣)로 인하여 생기는 병(病). 각기(脚氣) 같은 것.

중승¹【中丞】[명]〖역〗①고려 때 어사대(御史臺)의 종사품 또는 사헌부(司憲府)의 종삼품 벼슬. 어사(御史) 중승. ②조선 시대 초에 사헌부의 종삼품 벼슬. 태종(太宗) 원년(1401)에 집의(執義)로 고침. ③중국의 벼슬 이름. 정무를 감찰하는 어사(御史)의 하나. 한(漢)나라 때부터 명(明)나라초까지 있었음.

중:승²【重繩】[명] 엄하게 죄를 다스림.

중:승³【衆僧】[명] 많은 승려(僧侶).

중승-식【重勝式】[명] 경마에서, 미리 정해진 서로 다른 두 개의 경주에서 동시에 1착을 적중시키는 방식. *승마 투표권.

중시¹【中侍】[명]〖역〗신라 집사부(執事部)의 으뜸 벼슬. 진덕왕(眞德王) 5년(651)에 베풀었다가 경덕왕(景德王) 6년(747)에 시중(侍中)으로 고쳤음. 위계(位階)는 이찬(伊飡)에서 대아찬(大阿飡)까지임.

중시²【中試】[명] ①시험을 대·중·소로 나눈 것 중의 중간 시험. ②시험에 합격함. 급제함.

중:시³【重視】[명] ①↗중대시. ②↗중요시. ¶학력보다 인물을 ~하다. ↔경시(輕視). ——-하다 [타][여불]

중시⁴【重試】[명]〖역〗이미 과거에 급제한 사람에게 다시 보이는 시험. 이 시험에 급제한 사람을 당상 정삼품의 품계(品階)로 올려 주었음. 세종(世宗) 9년(1427)에 처음 시행하여, 병년(丙年)마다 보임. 증광 전시(增廣殿試)와 거의 같은 방법으로 과시(科試)함.

중-시조¹【中始祖】[명] 쇠퇴(衰退)한 가문을 중흥시킨 조상(祖上). 중흥조(中興祖).

중-시조²【中時調】[명]〖문〗엇시조(旕時調).

중-시하【重侍下】[명] 부모(父母)와 조(祖)부모가 다 살아 있어서 모시는 처지(處地).

중식【中食】[명] 점심. 주식(晝食). 중반(中飯). ¶~ 지참.

중식-기【中食期】[명] 누에가 보통 정도로 뽕을 먹는 시기. 대개 누에의 거죽에 푸른 기가 돌 때부터 윤이 날 때까지의 동안을 이름.

중-식당【中食堂】[명] 중국 음식을 전문으로 만들어 파는 식당.

중신¹【中一】[명] 중매(中媒). ——-하다 [타][여불]

중신(을) 서다 [구] 중매(를) 서다.

중신²【中身】[명] ①중년(中年). ②몸의 중간 부분.

중신³【中腎】[명]〖생〗볼프체(Wolf 體).

중:신⁴【重臣】[명] ①중직(重職)에 있는 신하(臣下). 고록(高祿)을 받는 신하. 노신(老臣). ②〖역〗정이품(正二品) 이상의 벼슬아치. ↔미신(微臣)❶.

중신⁵【重新】[명] 거듭 새로이 함. ——-하다 [타][여불]

중:신⁶【衆臣】[명] 뭇 신하. 여러 신하.

중신-세【中新世】[명]〖지〗'마이오세(世)'의 구칭.

중신-아비【中一】[명] ☞ 남자 중매인(中媒人).

중신-애비【中一】[명] ☞ 남자 중매인.

중신-어미【中一】[명] ☞ 여자 중매인(中媒人).

중신-에미【中一】[명] ☞ 여자 중매인.

중신-종【中神宗】[명]〖불교〗칠종 십이파(七宗十二派)의 하나. 중도종(中道宗)과 신인종(神印宗)의 합한 것으로, 뒤에 시흥종(始興宗)·화엄종(華嚴宗)·자은종(慈恩宗)과 합하여 교종(敎宗)이 되었음.

중신 회선【重信回線】[명] 전화의 실회선(實回線) 두 벌을 써서 새로 구성한 전신·전화의 회선.

중-실¹【中一】[명] 그리 굵지도 가늘지도 않은 실. 중간 굵기의 실. 중사(中絲).

중실²【中室】[명]〖동〗나비 따위의 날개 밑동 부분 가운데 굵은 맥(脈)으로 둘러 막힌 부분.

중심¹【中心】[명] ①한가운데가 되는 곳. 복판. ¶~점(點)/원(圓)의 ~. ②매우 중요한 지위. ③사물(事物)이 모여 드는 곳. ④줏대. ¶~이 있는 사람. ⑤속마음. 심곡(心曲). 본심(本心). ⑥〖수〗원주상(圓周上) 또는 구면 상(球面上)의 모든 점으로부터 같은 거리에 있는 점 또는 점대칭 도형(點對稱圖形)의 대칭의 중심. 이를테면 정다각형의 중심, 타원의 중심 따위. ⑦중심(重心).

중:심²【重心】[명] ①무게 중심. ¶~을 잡다/~을 잃고 쓰러지다. ②〖수〗'무게 중심❷'의 구용어.

중:심³【衆心】[명] 뭇 사람의 마음.

중심-각【中心角】[명]〖수〗원(圓)의 두 개의 반경이 만드는 각.

중심 각인기【中心刻印器】[명] 구멍을 뚫기 전에, 그 중심이 오목하게 패어지게 하기 위한 공구. 끝이 뾰족한 강철봉인데, 두부(頭部)를 망치로 쳐서 씀. 센터 펀치(center punch).

중심 거:리【中心距離】[명]〖수〗평면 상에 있는 주어진 두 원의 중심 사이의 거리.

중심-관【中心管】[명]〔central canal〕〖생〗척수(脊髓)의 중앙을 통하는 작은 관강(管腔).

중심-구【中心球】[명]〔centrosphere〕〖생〗중심체(中心體)의 중심 소체 주위에, 구상(球狀)으로 분화(分化)한 세포질(細胞質).

중심 극한 정:리【中心極限定理】[명]〔一니〕〔central-limit theorem〕〖통계〗모집단(母集團)에서 취한 표본 평균값의 분포는, 표본수(數)가 커질수록 정규 곡선(正規曲線)에 가까워진다는 정리.

중심-기【中心器】[명] 동심원(同心圓)을 많이 그릴 때 컴퍼스의 바늘 구멍이 커져서 부정확한 원이 되지 아니하도록 하는 데 쓰는 제도 기구(製圖器具).

중심 기관【中心機關】[명] 중추(中樞) 기관.

중심 기압【中心氣壓】[명]〔central pressure〕〖기상〗고기압이나 저기압의 중심부의 기압의 값. 단위는 헥토파스칼로 표시하며 기압이 낮음을 '깊다'고 하고, 높음을 '얕다'고 함. 또, 저기압의 중심 기압이 깊어지는 것을 '발달한다'고 하고, 그 반대를 '쇠약해진다'고 함. 중심 시도(示度). ¶~ 980 헥토파스칼.

중심 대:칭【中心對稱】[명]〖수〗점대칭(點對稱).

중심 도법【中心圖法】[一뻡][명]〖지〗지도 투영법(地圖投影法)의 한 가지. 시점(視點)을 지구(地球)의 중심에 둘 때의 투시(透視) 도법. 심사(心射) 도법.

중심-력【中心力】[一녁][명]〔central force〕〖물〗질점(質點)에 작용하는 힘의 방향이 늘 한 정점(定點)을 지날 경우의 힘. 만유 인력이나 전기력(電氣力) 따위.

중심력-장【中心力場】[一녁一][명]〔central force field〕〖물〗힘의 작용선이 모두 한 정점(定點)을 지날 때의 힘의 범위. 힘의 크기가 한 정점에서의 거리에 관계될 뿐이고 방향에는 관계가 없다는 조건이 붙는 경우가 많음.

중심-립【中心粒】[一닙][명]〔centriole〕〖생〗대부분의 세포(細胞)에서 중심체의 중심(中心)을 형성하는 세포 소기관(小器官). 중간기(中間期)의 핵(核) 주변이나 유사 분열기(有絲分裂期)의 방추체극(紡錘體極)에서 볼 수 있음. 중심 소체(小體).

중심-부【中心部】[명] 사물의 중심이 되는 부분.

중심 분:화【中心噴火】[명]〖지〗분화구에서 분화를 일으켜, 그 주위에 분출물을 퇴적하는 분화. ↔열선(裂線) 분화.

중:심 사정 시험【重心査定試驗】[명] 경사(傾斜) 시험.

중앙 집사【中央集査】명 통계 조사의 결과 조사표(票)를 전부 중앙 기관에 모아서 집계하는 일. ↔지방 분사(地方分査).

중앙 집유 기지【中央集油基地】명 시 티 에스(C.T.S.).

중앙 집행 위원회【中央執行委員會】명 〖정〗 중앙 위원회(中央委員會). ㊟중집위(中執委).

중앙 징계 위원회【中央懲戒委員會】명 〖법〗 주로 5급 이상의 국가 공무원의 징계 사건을 심의·의결하기 위한 국무 총리 소속 하의 기관. 제1 중앙 징계 위원회와 제2 중앙 징계 위원회가 있음. 제1 중앙 징계 위원회는 1급 공무원의 징계 사건을 심의·의결하며, 총무처 장관이 위원장이 되고, 차관급 공무원인 6명의 위원으로 구성함. 제2 중앙 징계 위원회는 2-5급 공무원과 국무 총리가 징계 의결을 요구한 6급 이하의 공무원의 징계 사건을 심의·의결하며, 총무처 차관이 위원장이 되고, 1급 공무원 또는 이에 상당하는 특정직·별정직 공무원인 6명의 위원으로 구성함. ＊보통 징계 위원회.

중앙 처:리 장치【中央處理裝置】명 〔central processing unit〕 컴퓨터의 본체(本體) 부분으로서, 두뇌에 해당하는 작용을 하는 부분. 주(主) 기억 장치·제어(制御) 장치·연산(演算) 장치 등으로 이루어짐. 여기에 입력(入力) 장치·보조 기억 장치 등 주변(周邊) 장치를 추가하면 이 디 피 에스(E.D.P.S)의 기계 부분이 구성됨. 약칭 : 시 피 유(C.P.U.). ㊟중앙 장치.

중앙-청【中央廳】명 〖역〗 서울 특별시 종로구 세종로 1번지에 소재한 현(現) 국립 중앙 박물관(國立中央博物館) 건물의 옛이름. 원래, 일제 강점기에 조선 총독부(朝鮮總督府)의 건물로, 8·15 광복 후 미 군정청(美軍政廳) 청사와 대한 민국 정부 청사로 사용되었던 기간에 불리었던 명칭. 1986년 8월에 국립 중앙 박물관으로 개조(改造) 개칭(改稱)됨.

중앙-체【中央體】명 중심체(中心體).

중앙 태좌【中央胎座】명 〖식〗 태좌의 한 가지. 단실 자방(單室子房)의 중앙부에 쏙 나온 축(軸)에 자리잡음. 독립(獨立) 중앙 태좌.

중앙 토룡단【中央土龍壇】명 〖역〗 조선 시대 오방 토룡단(五方土龍壇)의 하나. 서울 종로의 종각(鐘閣)을 이 제단(祭壇)으로 하였음. ㊟중앙단(中央壇).

중앙 토룡제【中央土龍祭】명 〖역〗 ①황룡 기우제(黃龍祈雨祭). ②오방 토룡제(五方土龍祭)의 하나. 중앙 토룡단에서 동방·서방·남방·북방과 동시에 지내던 제사임.

중앙 표준시【中央標準時】명 한 나라 또는 한 지방에서 표준으로 하는 시간. 한국에서는 동경(東經) 127°30′의 경선(經線)을 표준 경도(標準經度)로 하였다가 1961년에 동경 135°로 바꿈. 그리니치 표준시보다 9시간 빠름. ＊광복 시간(光復時間).

중앙 해:령【中央海嶺】명 〔mid-oceanic ridge〕 〖지〗 보통 대양저(大洋底)에 연속해서 존재하는, 지진 활동(地震活動)이 있는 중앙 산맥. 기복(起伏)이 많은 지형(地形)을 가지며, 높이 1-3km, 폭 1,500km, 길이는 48,000km를 넘음. 대서양(大西洋) 중앙 해령 등. 대양(大洋) 중앙 해령.

중앙 행정【中央行政】명 〖정〗 중앙 관청에서 시행하는 행정.

중앙 행정 관부【中央行政官府】명 '중앙 행정 관청'의 구칭.

중앙 행정 관청【中央行政官廳】명 중앙 관청(中央官廳).

중앙 행정 기관【中央行政機關】명 국가의 행정 사무를 담당하고 그 권한이 전국에 미치는 행정 기관. 행정부의 원(院)·부(部)·처(處)·청(廳)·외국(外局) 따위. ㊟중앙 기관.

중앙 행정부【中央行政府】명 〖정〗 중앙 관청(中央官廳).

중앙 화:구구【中央火口丘】명 〖지〗 화산의 분화구 안에 작은 분화(噴火)가 일어나 생긴 작은 산.

중:애【重愛】명 중히 여겨 사랑함. ——-하다 타여불

중:액[1]【重厄】명 ①큰 액난(厄難). ②몹시 심한 액년(厄年).

중:액[2]【重液】명 〔heavy solution〕 〖화〗 고체 물질, 특히 결정분(結晶粉) 등의 비중을 재고 여러 가지 혼합물을 분리하는 데 쓰이는 비중이 큰 액체. 사염화 탄소(四塩化炭素)·브로모포름(bromoform)·요오드화(化) 에틸 등.

중:액 거품 상자【重液—箱子】명 〔heavy-liquid bubble chamber〕 거품 상자의 하나. 중수소(重水素)나 프로판 또는 프레온 등의 유기 액체(有機液體)를 함유하고 있음.

중:액 분리【重液分離】[—불—] 명 〖광〗 광물 입자를 선별(選別)하는 실험실적(實驗室的)인 기술. 중간 비중을 갖는 액체에 의해서, 광물 입자를 가라앉히는 것과 떠오르게 하는 것으로 나눔.

중:액 선:광【重液選鑛】명 이종 광물(異種鑛物)이 갖는 비중(比重)의 차를 이용하여 광물을 공업적으로 분리 선별(選別)하는 비중 선광법의 하나. 두 광물의 중간의 비중을 갖는 액체, 곧 중액을 사용하여 여기에 비중이 가벼운 것을 띄우고 비중이 큰 것을 가라앉히어 분리하는 방법. 부세(浮洗) 선광.

중야[1]【中冶】명 〖역〗 조선 시대 때, 15명 이상 20명 미만의 장인(匠人)을 거느리는 대장간. ＊대야(大冶)·소야(小冶).

중야[2]【中夜】명 〖불교〗 해시(亥時)부터 축시(丑時)까지. 곧, 밤 9시부터 그 다음 날 새벽 3시까지. 중소(中宵). 한밤중.

중약[1]【中藥】명 〖약〗 한방 생약(漢方生藥)을 중국에서 일컫는 말.

중:약[2]【重藥】명 〖식〗 약모밀.

중양[1]【中洋】명 문화적·사회적으로 독자성이 강한, 서아시아·북아프리카를 가리키는 이름. ＊동양(東洋)·서양(西洋).

중:양[2]【仲陽】명 음력 2월. 중춘(仲春).

중양[3]【重陽】명 〔양(陽)의 수(數)인 9를 거듭하였다는 뜻〕 구일(九日)❷. 「중양절(重陽節).

중양-놀이【重陽—】명 〖민〗 음력 9월 9일에 행하던 놀이. 주로 궁중에서나, 선비들과 같은 유한(有閑)계급층이 교외로 나가서 풍국(楓菊)놀이를 하는데, 시인·묵객(墨客)은 시를 짓고 읊으며 그림을 그리면서 하루를 즐김. 한토 취미(漢土趣味)를 아는 이는 맛보다도 운치로 국화전(菊花煎)을 먹음. 중양 풍국유(重陽楓菊遊).

중-양성자【重陽性子】명 〔deuteron〕 〖물〗 중수소(重水素)의 원자핵(原子核). 한 개의 양성자(陽性子)와 한 개의 중성자(中性子)로 이루어지며 구조가 간단하여, 원자핵의 성질이나 중성자·양성자 사이의 상호 작용의 연구에 중요함. 듀테론.

중양성자 포:획【重陽性子捕獲】명 〔deuteron capture〕 〖물〗 핵(核)에 의한 중양성자의 흡수. 복합핵(複合核)을 만들고 곧 붕괴함. 중양자 포획. ＊중성자 포획.

중-양자【重陽子】명 〖물〗 중양성자.

중양-절【重陽節】명 〖민〗 옛 명절의 하나. 음력 9월 9일. 중양(重陽).

중양 풍국유【重陽楓菊遊】명 〖민〗 중양놀이.

중양-화【重陽花】명 〖식〗 '국화(菊花)❶'의 이칭(異稱).

중어【中語】명 ↗중국어(中國語).

중어리【中—】명 〈방〉 〖악〗 중허리.

중어 중문학과【中語中文學科】명 〖교〗 대학에서, 중국어와 중국 문학을 전공하는 학과.

중언[1]【重言】명 중설(重說). ——-하다 타여불

중:언[2]【衆言】명 많은 사람의 말.

중언 부:언【重言復言】명 한 말을 자꾸 되풀이함. ——-하다 타여불

중얼-거리다 자 남이 알아 듣지 못할 정도로 계속해서 혼잣말을 하다. ¶무어라고 혼자서 ~. ㅆ쭝얼거리다. >종알거리다. **중얼-중얼** 부. ——-하다 자여불

중얼-대다 자 중얼거리다.

중-여음【中餘音】명 〖악〗 국악에 있어서 가곡(歌曲)의 3장과 4장 사이의 악기만의 간주(間奏)를 이름. 기악 반주로 노래를 부르다가 노래는 쉬고 음악만 연주하는 대목. 중념(中念).

중:역[1]【重役】명 ①은행·회사 등의 이사(理事)나 감사(監事) 등의 중요한 임원이나 기타 민법 상의 영리 법인(營利法人)의 출자자(出資者)의 통칭. ②책임이 무거운 역할. ¶~을 맡다.

중:역[2]【重疫】명 무거운 병. 중병(重病). 중아(重痾).

중역[3]【重譯】명 ①↗이중 번역(二重飜譯). ¶~한 책. ②중역본(重譯本). ——-하다 타여불

중역-본【重譯本】명 이중 번역한 책. 중역(重譯).

중:역-실【重役室】명 중역이 사무를 보는 방.

중:역-진【重役陣】명 영리 법인(營利法人)에서의 중역들이 이루고 있는 층(層).

중:-역학【重力學】[—녀—] 명 〔barodynamics〕 〖물〗 자중(自重)에 의해서 붕괴(崩壞)될 가능성이 있는 무거운 구조물(構造物)의 역할을 연구하는 학문. baro는 무게·압력을 뜻하는 그리스어(語)로, 조어(造語) 요소임.

중:역 회:의【重役會議】[—/—이] 명 영리 법인(營利法人)에서 중역들만으로 행하여지는 일종의 간부 회의.

중연[1]【中椽】명 〖건〗 그리 굵지 않은 서까래.

중:연[2]【重淵】명 깊은 못. 심연(深淵).

중연[3]【重緣】명 한 번 혼인 관계(婚姻關係)가 있던 집안 사이에 다시 혼인이 성립하는 일.

중-연륜【重年輪】[—년—] 명 〖식〗 겹나이테.

중열【中熱】명 〖한의〗 중서(中暑).

중엽【中葉】명 어느 시대의 그 중간쯤 되는 시대. ¶20세기(世紀) ~. ＊초엽(初葉)·말엽(末葉).

중영【中營】명 〖역〗 ↗중군영(中軍營).

중-영기호【重嬰記號】명 〖악〗 '겹올림표'의 한자 이름.

중-영산【中靈山】[—녕—] 명 〖악〗 영산 회상(靈山會相)의 둘째 곡조. 다섯 장(章)으로 되어, 곡조(曲調)가 상영산(上靈山)보다 빠르고 잔영산보다 느림.

중:예【衆銳】명 많은 사람의 뛰어난 재치. 또, 그것을 모은 것.

중오【重五·重午】명 음력 5월 5일. 곧, 중오절(重五節).

중-오방기【中五方旗】명 〖역〗 군기의 한 가지. 홍신기(紅神旗)·남신기(藍神旗)·황신기(黃神旗)·백신기(白神旗)·흑신기(黑神旗)의 다섯으로 됨. 기면(旗面)에 각기 말 탄 신장(神將)의 화상을 그리었음. ＊홍신기(紅神旗)·흑신기(黑神旗)·신기(神旗).

중오-절【重五節·重午節】명 단오(端午).

중옥【重屋】명 ①이층집. ②지붕을 겹으로 하여 지은 집.

중온【中溫】명 너무 높지도 낮지도 않은 중간 온도. ＊고온(高溫)·저온(低溫).

중-올피【中—】명 〖식〗 피의 한 종류. 수염이 길고 미백색(微白色)을 띰.

중완[1]【中浣】명 〔'완(浣)'은 씻는다는 뜻. 중국 한(漢)·당(唐) 시대의 제도에서 조신(朝臣)이 10일마다 귀휴(歸休)하여 목욕하였다는 데서〕 한 달의 중간 10일간. 11일부터 20일 사이. 중순(中旬). 중한(中澣).

중완[2]【中脘】명 〖한의〗 침구(鍼灸)를 놓는 혈(穴)의 하나. 위(胃)가 있는 자리. ＊상완·하완(下脘).

중-완구【中碗口】명 〖역〗 조선 시대에 쓰였던 중형 화포의 하나. 완에 큰 돌이나 쇠공을 올려 놓고 발사하는데, 함경도 지방의 고원(高原)에서 북방 민족을 퇴치하고자 만든 중포(中砲).

중왕-산【中旺山】명 〖지〗 강원도 정선군(旌善郡)과 평창군(平昌郡) 사이에 있는 산. [1,377 m]

중-외【中外】명 ①안과 밖. ②국내와 국외. ¶이름이 ~에 떨치다. ③조정(朝廷)과 민간(民間). ④서울과 시골.

중외-비 【中外比】 명 《수》 외중비(外中比).

중외비 분할 【中外比分割】 명 《수》 황금 분할.

중외 일보 【中外日報】 명 1926년 11월 15일에 창간된 일간지. 이상협(李相協)이 주재한 신문으로, 창간 후 1928년 12월까지 63회의 압수를 당했고 1928년 12월 6일에서 1929년 2월 18일까지 1차 정간 등 탄압을 받으면서도 언론 창달(暢達)을 위해 일제(日帝)와 맞섬. 이후 휴간(休刊)과 속간(續刊)을 거듭하다가 1931년 9월 2일 재정난으로 해산함. *중앙 일보(中央日報).

중요[1] 【中夭】 명 ①중년(中年)에 죽음. 젊어서 죽음. ②뜻밖의 재난(災難). ——-하다 자여불

중:요[2] 【重要】 명 귀중하고 종요로움. ——-하다 형여불. ——-히 부

중:요 기념물 【重要記念物】 명 역사상·예술상·학술상 또는 관상상(觀賞上)으로 가치가 있어, 문화 체육부 장관이 지정한 보호 대상이 되는 사적지(史蹟地)·경승지·동물·식물·광물 등의 기념물. *사적(史蹟)·명승·천연 기념물.

중:요 무형 문화재 보:유자 【重要無形文化財保有者】 명 역사상·학술상·예술상의 가치가 큰 예능·공예 기술·무술 등 무형의 문화 소산(所產)에 대한 예능·기능을 원형대로 정확히 체득·보존하고 있다고 문화 체육부 장관이 인정한 사람. 속칭:인간 문화재.

중:요 사:항 지정 방식 【重要事項指定方式】 명 중요 사항 결의안에 의한 유엔에서의 중국 대표권 문제의 취급 방식. 1961년 제16회 유엔 총회에서 미국·이탈리아·일본·오스트레일리아·콜롬비아의 다섯 나라에 의하여 공동 제안(共同提案)되어 가결(可決), 그 후 1971년 총회에서 중국(中國)의 유엔 가입(加入), 중화 민국의 추방이 결정되어 그 의의(意義)를 상실했음.

중:요-성 【重要性】 [—썽] 명 사물의 중요한 성질.

중:요-시 【重要視】 명 중요하게 봄. 종요롭게 여김. ㈜중시(重視). ——-하다 타여불

중:요 유:형 문화재 【重要有形文化財】 명 문화 관광부 장관이 문화재 위원회의 자문을 거쳐서 역사상·예술상 중요한 가치가 있는 것으로 지정하여 보호하는 건조물(建造物)·그림 따위의 미술품과 고고 자료(考古資料) 등의 유형 문화재. 국보(國寶)·보물(寶物)의 지정 대상이 됨. *중요 무형 문화재.

중:요-지 【重要地】 명 중요한 땅이나 곳. 중요한 지역.

중:욕 【衆辱】 명 여러 사람이 모여 있는 데에서 모욕을 줌. ——-하다 타여불

중용[1] 【中庸】 명 ①어느 쪽으로든지 치우침이 없이 중정(中正)함. 중정(中正). ¶~을 지키다. ②재능이 보통임. 또, 그 사람. ③[그 mesotēs] 《철》 이성(理性)에 의하여 욕망을 통제하고 지견(知見)에 의하여 과대(過大)와 과소(過小)의 양극(兩極)의 올바른 중간을 정하는 아리스토텔레스의 덕론(德論)의 중심 개념. ④《철》 동양 철학의 기본으로 사서(四書)의 하나인 《중용(中庸)》에서 말하는 도덕론(道德論). 곧, 극단에 치우치지 말고 과불급(過不及)이 없는 평범(平凡)한 곳에 진실이 있다고 강조(強調)함.

중용[2] 【中庸】 명 《책》 사서(四書)의 하나. 공자의 손자인 자사(子思)가 지음. 천인 합일(天人合一)을 설하고 과불급(過不及)이 없고 불편 부당(不偏不黨)한 중용의 덕(德)과 덕의 도(道)를 강조한 유교(儒教)의 종합적인 해명서(解明書). 원래 예기(禮記) 가운데의 한 편이었으나, 송(宋)나라의 정이천(程伊川)이 따로 뽑아내어 별책으로 만들었고 주자(朱子)가 장구(章句)를 만들어 사서(四書)에 편입하면서 성행하게 되었음. 1권.

중:용[3] 【重用】 명 중요(重要)한 지위(地位)에다 임용(任用)함. ¶요직에 ~하다. ——-하다 타여불

중용 구경 연:의 【中庸九經衍義】 [—/—이] 명 《책》 조선 중종(中宗) 때의 학자 이언적(李彥迪)의 저작으로, 《중용(中庸)》의 구경(九經)을 해설한 책. 선조 14년(1581) 간행. 전 29권 9책.

중용-권 【中用權】 [—꿘] 명 특허권 또는 실용 신안권(實用新案權)에 속하는 발명에 관하여, 무효의 심판 청구·재심의 청구가 있는 특수한 경우에, 선의로 그 발명의 실시를 하고 또 사업 설비를 가진 자에 대하여 인정되는 실시권.

중용 사:상 【中庸思想】 명 과불급(過不及)이 없는 중용의 길을 주장한 사상. 중국·인도에서 창도(唱導)되었으나 그리스에서는 아리스토텔레스의 덕론(德論)의 중심 개념임.

중용 언:해 【中庸諺解】 명 《책》 조선 시대 때 선조(宣祖)의 명으로, 중용(中庸)을 우리 말로 번역하여 만든 책. 1책.

중용 자잠 【中庸自箴】 명 《책》 조선 시대 때의 실학자(實學者) 정약용(丁若鏞)이 《중용(中庸)》 본문의 각절(各節)에 대하여 해석을 붙여 잠(箴)으로 삼은 책. 《정다산 전서(丁茶山全書)》에 들어 있음. 모두 3권 1책.

중용-재 【中庸齋】 명 《역》 조선 시대 초부터 있던 성균관(成均館) 구재(九齋)의 하나. 중용(中庸)을 공부하던 한 분과(分科)임.

중용 정:음 【中庸正音】 명 《책》 조선 영조 10년(1734)에 간행(刊行)된 《경서(經書) 정음》 중의 하나. 《중용(中庸)》의 본문(本文)의 각 글자 밑에 한글로써 중국음을 붙였는데 왼쪽에는 정음, 오른쪽에는 속음(俗音)을 달았음. 전 1책.

중용지-도 【中庸之道】 명 중용의 도리. 극단에 치우치지 않고 평범한 속에서의 진실한 도리.

중우[1] 명 〈방〉 바지[1](경상).

중:우[2] 【衆愚】 명 많은 어리석은 사람들.

중:우 정치 【衆愚政治】 명 [ochlocracy] 《정》 민주 정치를 멸시하여 일컫는 말. 조직은 민주적일지라도, 반드시 선정(善政)이 베풀어지는 것이 아님을 비꼬아 하는 말. 원래, 고대 그리스·아테네의 민주 정치의 타락 형태를 가리킨 말이었음.

중원[1] 【中元】 명 ①음력 7월 보름날. 곧, 백중(百中)날. *상원(上元)·하원(下元). ②↗중원 갑자(中元甲子).

중원[2] 【中原】 명 ①넓은 들판의 중앙. ②《지》 '중위안'을 우리 음으로 읽은 이름. ③천하의 중앙의 땅. 변방의 만국(蠻國)에 대하여 이름.

중:원[3] 【衆怨】 명 뭇 사람의 원망.

중:원[4] 【衆園】 명 《불교》 뭇 승려(僧侶)가 기숙하고 있는 승원(僧園).

중원 갑자 【中元甲子】 명 《민》 음양설(陰陽說)에서, 세 번의 육십 갑자인 180년마다 시대가 크게 변하는 것으로 간주하여 한 시대가 왕성하게 지속하는 단계로 잡는 둘째 육십 갑자의 60년. ㈜중원[1] ❷.

중원-경 【中原京】 명 《역》 지금의 충청 북도 중원군(中原郡)에 있던 신라(新羅)의 다섯 소경(小京)의 하나. 24대 진흥왕(眞興王) 18년(557)에 국원(國原)에 소경을 두고, 35대 경덕왕(景德王)이 이 이름으로 고쳤음. 국원 소경(國原小京).

중원 고구려비 【中原高句麗碑】 명 《역》 충청 북도 중원군(中原郡) 가금면(可金面) 용전리(龍田里) 선돌 마을에서, 1979년에 발견된 고구려 문자왕(文咨王)의 남진 순수비(南進巡狩碑). 높이 135cm, 폭 56cm, 두께 33cm의 경질(硬質) 화강암의 자연석의 사면(四面)에 예서체(隷書體)의 글씨가 1행 23자꼴로 528자가 새겨져 있음. 문자왕 4년(495)에 세워진 것으로 추정됨.

중원-군 【中原郡】 명 《지》 전에, 충청 북도의 한 군. 13면(面). 도의 중앙에서 약간 동쪽에 위치하며 동쪽은 제천시(堤川市), 남쪽은 괴산군(槐山郡), 북쪽은 강원도 원주시(原州市), 북서쪽은 경기도 여주군(驪州郡)에 접함. 주요 산물로는 쌀·잎담배·사과·고추 등의 농산물과, 활석·중석 등의 광산물이 있음. 명승 고적으로는 국보 6호인 탑평리(塔坪里) 칠층 석탑, 국보 제197호인 청룡사 보각 국사 정혜 원융탑(青龍寺普覺國師定慧圓融塔), 보물 제16호인 억정사 대지 국사비(億政寺大智國師碑) 등의 사적과 수안보(水安堡) 온천 등이 있음. 1995년 1월 충주시에 통합됨. [886.12 km²]

중원-도 【中原道】 명 《역》 고려 때 충청도 지방의 이름. 성종(成宗) 14년(995)에 국내를 10도로 나눌 때 충주(忠州)·청주(清州) 등의 주현(州縣)을 합한 지방명임.

중원 축록 【中原逐鹿】 [—녹] 명 ①제왕의 지위를 얻으려고 다투는 일. ②서로 경쟁하여 어떤 지위를 얻으려고 하는 일.

중원 탑평리 칠층 석탑 【中原塔坪里七層石塔】 [—니—] 명 신라 후기의 석탑. 높이 14.5m, 2층의 기단(基壇) 위에 서 있음. 신라 때의 전형적인 석탑이지만 세부가 좀 조잡함. 충청 북도 충주시 가금면(可金面) 탑평리 소재로 국보 제6호.

중월 【仲月】 명 중삭(仲朔).

중월 전:쟁 【中越戰爭】 명 1979년 중국(中國)이 베트남 영내(領內)로 침공한 전쟁. 1978년 연말경부터 중국 윈난성(雲南省)·광시성(廣西省)과 베트남의 국경 부근에서 양국의 분쟁(紛爭)이 일더니, 1979년 2월 17일 중국의 국경 수비대가 국경을 넘어 국경 부근의 베트남 군사 시설을 파괴하고 지방 도시를 제압한 후, 3월 5-16일 자위 반격(自衛反擊)의 목적을 달성했다고 하며 철퇴함으로써 전쟁은 끝남.

중웨이 [中衛] 명 《지》 중국 닝샤후이족(寧夏回族) 자치구 서부의 도시. 황허 강 수운(水運)의 요지(要地)이며 피혁·약재(藥材)의 집산지(集散地)임. 중위(中衛).

중위[1] 【中位】 명 ①중등(中等)의 지위. ¶~의 성적. ②가운데 위치(位置). *상위(上位)·하위(下位).

중위[2] 【中尉】 명 《군》 위관급의 한 계급. 대위의 아래, 소위의 위.

중위[3] 【中衛】 명 ①《역》 조선 시대 때 의흥위(義興衛)의 별칭. ②9인제 배구(排球)·축구·하키의 하프백(halfback). 중간에 위치하며 전위(前衛)와 후위(後衛)의 연락을 취하는 경기자.

중위[4] 【中衛】 명 《지》 '중웨이'를 우리 음으로 읽은 이름.

중:위[5] 【重位】 명 중요한 직위. 책임이 중한 자리.

중위[6] 【重圍】 명 여러 겹으로 에워 쌈. ——-하다 타여불

중위[7] 【重闈】 명 여러 겹으로 세운 궁문(宮門). 전(轉)하여, 깊숙한 궁전. 심궁(深宮).

중-위도 【中緯度】 명 《지》 저(低)위도와 고(高)위도의 중간 지대.

중위도 고압대 【中緯度高壓帶】 명 [middle latitude high-pressure belt] 《기상》 남북 양반구(兩半球)에서 평균 위도 35℃ 부근에 있는 고기압을 말하며, 아열대 고기압과 같은 것을 가리킬 때에 사용하기도 함. *아열대 무풍대.

중위-수 【中位數】 [—쑤] 명 《수》 대량의 각 항(項)의 값을 차례로 배열할 때의 가운데 항. 곧, 전체항(全體項)을 2등분한 위치에 있는 항의 값. *대표값.

중위 씨방 【中位—房】 명 《식》 꽃턱 위에 있는 수술이나 꽃덮이의 부착점(附着點)이 씨방의 중간쯤의 높이에 있는 것. 씨방의 하반부가 꽃턱으로 싸이어 있음. 벽꽃나무 따위. 자방 중위(子房中位). 중위 자방. 가운데씨방.

중위안 [中原] 명 《지》 중국 문화의 발원지인 황허(黃河) 강 중류의 남북 지역. 곧, 허난(河南)·산둥(山東)·산시(山西)의 대부분과 허베이(河北)·산시(陝西)의 일부를 포함하는 지역. 중원.

중위 자방 【中位子房】 명 《식》 중위 씨방.

중위-제 【重位制】 명 《역》 신라 시대의 관등 상의 특진 제도(特進制度). 6두품 이하의 신분에 딸린 사람들을 위해 설정했음.

중유[1] 【中有】 명 《불교》 사람이 죽어 다음의 생(生)을 받을 때까지의 동안. 곧, 차생(次生)의 생연(生緣)이 미숙(未熟)하기 때문에 이를 곳에 이르지 못한 49일 동안. 생유(生有)·본유(本有)·사유(死有)와 함께 사

유(四有)의 하나. 중음(中陰). 칠칠일(七七日). ¶～를 헤매다.

중유[2]【中油】[명]〖공〗콜 타르(coal tar)를 분류(分溜)하여 170°-230°C에서 얻어지는 기름. 주요 성분은 나프탈렌·페놀·크레졸 등인데, 나프탈렌 제조의 원료가 됨. 석탄산유(石炭酸油).

중:유[3]【重油】[명] 석유의 원유에서 휘발유·등유·경유를 분류(分溜)한 후 300°C 이상에서 얻은 흑갈색의 점성유(粘性油). 비중이 큼. 파라핀(paraffin)의 원료나 중유 기관의 연료(燃料) 또는 정제(精製)하여 윤활유(潤滑油)로 씀.

중:유 기관【重油機關】[명]〖기〗중유를 연료로 쓰는 내연 기관(內燃機關). 디젤(diesel) 기관이 그 대표임. 디젤 기관.

중:유 연료【重油燃料】[―열―] [명] 연료로 쓰는 중유. 석탄에 비하여 발열량(發熱量)이 커서 공장·선박 등의 연료로 많이 씀.

중:유 연소기【重油燃燒器】[명]〔oil burner〕〖기〗중유를 미리 가열(加熱)하여 유동성이 좋도록 한 후, 작은 구멍으로 분무(噴霧)하여 연소시키는 장치. 압력(壓力)·증기(蒸氣)·압축 공기(壓縮空氣) 등 세 분사(噴射) 방법이 있음. 오일 버너.

중:유 연소 장치【重油燃燒裝置】[명] 보일러의 연소실에 중유를 분무화(噴霧化)시켜서 공기와 함께 보내는 장치.

중:-유탄포【重榴彈砲】[명]〔heavy howitzer〕〖군〗구경(口徑) 200 mm 이상으로, 중 정도(中程度)의 초속(初速) 및 만곡 탄도(彎曲彈道)를 갖는 화포(火砲).

중:유 탈황 장치【重油脫黃裝置】[명]〖화〗중유 속에 함유되어 있는 황분(黃分)을 제거하는 장치. 중유의 황분(黃分)을 수소(水素)와 반응시켜, 황(黃)을 황화 수소(黃化水素)로 바꾸어 제거함.

중윤[1]【中尹】[명]〖역〗①태봉(泰封)의 벼슬 이름. ②고려 초기에 태봉의 관제를 본떠서 정한 문무(文武)의 관호(官號). ③고려 때 향직(鄕職)의 구품(九品) 벼슬.

중윤[2]【中允】[명]〖역〗고려 때 동궁(東宮)의 정오품 벼슬. 문종(文宗) 22년(1068)에 정함.

중:은【重恩】[명] 크고 두터운 은혜.

중음[1]【中音】[명] ①여자나 어린아이의 목소리. 높지도 낮지도 않은 목소리. ②〖언〗중성(中聲). ③〖언〗간음(間音). ④〖악〗'가온음'의 한자 이름.

중음[2]【中陰】[명]〖불교〗중유(中有). 칠칠일(七七日).

중음[3]【重音】[명]〖언〗겹으로 된 소리. 겹소리.

중:음[4]【重陰】[명] ①짙은 음기(陰氣). ②땅 속.

중음부 기호【中音部記號】[명]〖악〗'가온음자리표'의 한자 이름.

중음 탈락【重音脫落】[명]〔haplology〕〖언〗한 단어 속에 같은 두 음소(音素)나 음소 연속(連續)이 반복되어 나타날 때에, 그 중 한쪽이 탈락하는 현상.

중의[1]【中衣】[―/―이] [명] 고의(袴衣). ¶～ 적삼.

중의[2]【中意】[―/―이] [명] 적의(適意). ――하다 [자][여불]

중:의[3]【衆意】[―/―이] [명] 뭇 사람의 의견. 군의(群議). ¶～에 따르다.

중:의[4]【衆疑】[―/―이] [명] 여러 사람이 갖는 의심.

중:의[5]【衆議】[―/―이] [명] 중론(衆論).

중의 대:부[1]【中義大夫】[―/―이―] [명]〖역〗조선 시대의 종이품 종친(宗親)의 품계. 고종(高宗) 2년(1865)에 폐하고 문관(文官)의 품계인 가의 대부(嘉義大夫)를 병용(並用)함.

중의 대:부[2]【中議大夫】[―/―이―] [명]〖역〗고려 때의 문관(文官)의 품계. 정사품의 하(下). 공민왕(恭愍王) 18년(1369)에 정했음.

중:의-원【衆議院】[―/―이―] [명] 일본 국회 양원(兩院) 중의 하나. 미국의 하원(下院)에 상당함. ↔참의원.

중이[1] [명]〈방〉〖동〗쥐(제주).

중이[2]【中耳】[명]〖생〗귀청의 속. 고실(鼓室)과 이관(耳管)으로 된 청기(聽器)의 일부. 가운데귀.

중이-염【中耳炎】[명]〔tympanitis〕〖의〗화농성(化膿性)의 연쇄상 구균(連鎖狀球菌)과 포도상(葡萄狀) 구균 등의 병원균에 의해 발생하는 중이의 염증. 급성과 만성이 있어, 고열·극통(劇痛)·이명(耳鳴)·이내 충만감(耳內充滿感)을 일으킴. 급성 전염병·감기·폐렴 또는 코나 목병·고막 외상(鼓膜外傷) 등으로 발생함.

중:-이온【重―】[명]〔heavy ion〕네온이나 탄소의 원자에서 전자(電子)가 떨어져 나간 것으로, 양전기(陽電氣)를 띤 무거운 입자(粒子). 입자 가속기(粒子加速器)에 의하여 발생할 때 높은 에너지를 가지는 특징이 있는데, 이를 이용하여 암(癌)치료 등에 씀.

중:이온 요법【重―療法】〔ion〕[―뇨뻡] [명]〖의〗중이온을 암(癌)부위에 집중 조사(照射)하여 암(癌) 치료를 행하는 요법. *중이온.

중-이층【中二層】[명] 보통의 이층보다 낮고, 단층(單層)보다는 좀 높게 드린 이층의 일컬음.

중인[1]【中人】[명]〖역〗①양반(兩班)과 상인(常人)과의 중간 신분의 계급층(階級層). 각종 기술관(技術官)을 비롯하여, 서리(胥吏)·향리(鄕吏)·군교(軍校)·서얼(庶孼) 등이 이에 속함. ②좁은 뜻으로, 주로 서울의 중심부(中心部)에 살며, 의관(醫官)·역관(譯官)·음양관(陰陽官)·산관(算官)·율관(律官)·화원(畫員) 등의 기술직(技術職)에 종사(從事)한 사람들의 일컬음.

중인[2]【中印】[명] 중천축(中天竺).

중:인[3]【重因】[명] 중요한 원인.

중:인[4]【衆人】[명] ①여러 사람. 뭇 사람. 조인(稠人). ②보통 사람. 일반(一般) 사람.

중:인 광:좌【衆人廣座】[명] 조인 광좌(稠人廣座).

중인 국경 문:제【中印國境問題】[명] 인도 동부의 아삼(Assam) 지구, 서부의 라다크(Ladakh) 지구의 국경선을 둘러싸고 중국과 인도 사이에 일어난 분쟁(紛爭). 1959년 티베트 반란을 계기로 무력 충돌이 시작되고, 1962년, 1967년에 대규모적인 전투가 일어나 인도는 대패함. 이후 현재까지 미해결임.

중인 문학【中人文學】[명]〖문〗위항 문학(委巷文學).

중-인방【中引枋】[명]〖건〗벽 한가운데에 가로 지르는 인방(引枋). [준]중방(中枋). *상(上)인방·하(下)인방.

중인-변【重人邊】[명] 두인변(人邊).

중인 서:리 문학【中人胥吏文學】[명]〖문〗위항 문학(委巷文學).

중:인 소:시【衆人所視】[명] 중목 소시(衆目所視).

중인-촌【中人村】[명] 조선 시대의 중인들의 집단 거주지. 중촌(中村)이라고도 함. 그들의 생활 터전이 서울 중심의 거리였으므로 붙여진 이름임.

중:인 환시【衆人環視】[명] 뭇 사람이 둘러싸고 봄. 중목 환시(衆目環視). ¶～리(裡). ――하다 [타][여불]

중:인 환좌【衆人環座】[명] 뭇 사람이 둘러앉음. ――하다 [자][여불]

중일[1]【中日】[명] ①날을 육십갑자로 헤아릴 때 한 달을 셋으로 나누어 십이지(十二支)의 자(子)·묘(卯)·오(午)·유(酉)가 드는 날. ②〖역〗조선 시대에 다달이 중일에 보던 무예 시험.

중-일[2]【中日】[명] 중국과 일본. ¶～ 전쟁.

중일-성【中日性】[―썽] [명]〖식〗일조(日照) 시간에 관계 없이 화아(花芽)를 형성하는 식물의 성질.

중일 식물【中日植物】[명]〖식〗중일성(中日性)을 지닌 식물. 토마토·옥수수·민들레·해바라기 등이 이에 속함.

중일-연【中日宴】[명]〖역〗조선 시대에, 과거(科擧)에 새로 급제(及第)한 사람이 허참례(許參禮)와 면신례(免新禮) 중간에 선진(先進)을 대접하는 잔치.

중일 전:쟁【中日戰爭】[명]〖역〗1937년 7월 7일 소위 루거우차오(蘆溝橋) 사건을 꾸며서 도발시킨 중국에 대한 일본의 침략 전쟁. 일본은 우세한 군사력으로 각 철도 연변·중요 도시 등을 침략해 일거에 중국 전토를 석권하려 하였으나, 충칭(重慶)으로 천도(遷都)한 중국의 집요한 항전(抗戰)으로 장기화하여 1941년 12월 8일의 태평양 전쟁(太平洋戰爭)으로 발전함.

중임[1]【重任】[명] 먼저 근무하던 지위에 거듭 임용(任用)됨. ¶계속해서 ～되다. ――하다 [타][여불]

중:임[2]【重任】[명] 중대한 임무. 대임(大任). ¶～을 맡다.

중:-입자【重粒子】[명]〔baryon〕〖물〗소립자(素粒子) 가운데에서 핵자(核子) 및 핵자보다 질량이 무거운 스핀 반기수(spin 半奇數)의 소립자인 하이퍼론(hyperon)의 총칭. 양성자(陽性子)·중성자·시그마(Σ) 입자·람다(Λ) 입자·크사이(Ξ) 입자·오메가(Ω) 입자 따위가 이에 속함. 바리온(baryon).

중:입자-수【重粒子數】[명]〔baryon number〕〖물〗소립자(素粒子)의 종류에 따라 정해지는 양(量)의 하나. 광자(光子)·경입자(輕粒子)·중간자(中間子)에서는 0, 중입자에서는 1, 그 반입자(反粒子)에서는 −1로 함. 바리온수(baryon數).

중자[1]【中子】[명] 아들 셋 중의 둘째.

중:자[2]【仲子】[명] 둘째 아들. 차남(次男).

중:자[3]【衆子】[명] 맏아들 이외의 모든 아들. 서자(庶子)라고도 함.

중-자음【重子音】[명]〖언〗복자음(複子音).

중작【中斫】[명] 굵지도 잘지도 않고 중질 되는 장작.

중장[1]【中章】[명] ①초(初)·중(中)·종(終)으로 나누었을 때의 문장이나 시구(詩句)의 가운데 장(章). ②〖문〗시조(時調)의 가운데 장(章). 평(平)시조에서의 중장의 기본율(律)은 보통 3, 4, 3, 4의 14어(語)임. *시조(時調). ③〖악〗풍류나 가곡의 둘째장. 초장(初章)을 받아서 종장(終章)을 일으킴. *초장·종장.

중장[2]【中將】[명]〖군〗군의 장관급(將官級)의 한 계급. 대장의 아래, 소장의 위임. 삼성 장군(三星將軍).

중장[3]【中場】[명]〖역〗사흘에 나누어 보는 과거(科擧)의 둘째날의 시험장(試驗場).

중장[4]【中腸】[명]〖생〗무척추(無脊椎) 동물, 특히 절지(節肢) 동물 따위의 장관(腸管)의 두 끝 곧, 전장(前腸)과 후장(後腸)을 제외한 가운데 부분. 위(胃)라고도 하며, 주로 식물(食物)을 흡수하는 작용을 함. 전장과 후장이 외배엽(外胚葉)에 유래한 반면, 이 부분은 내배엽(內胚葉)에서 분화한 것임. 척추 동물에서는 주로 소장(小腸) 부분을 일컫는 경우가 있음. 가운데창자. *전장(前腸)·후장(後腸).

중:장[5]【重杖】[명]〖역〗몹시 치는 장형(杖刑).

중장[6]【重葬】[명] 합장(合葬) 형태의 하나. 이미 매장(埋葬)되어 있는 묘에 또 유해를 겹쳐 매장하는 일. ――하다 [타][여불]

중:장[7]【重障】[명]〖불교〗불과(佛果)를 얻는 데에 중대한 장애가 되는 죄업(罪業). 십악(十惡)·오역(五逆) 등.

중장기 연불 수출 보:험【中長期延拂輸出保險】[명]〖경〗수출 보험(輸出保險)의 하나. 자본재(資本財)의 중장기 연불 수출에서 외국의 환거래의 제한·금지, 수입국의 전쟁·내란·정변(政變) 등으로 수출자가 수출 화물의 대금이나 임대료를 회수할 수 없을 때의 손실을 보상(補償)하기 위한 보험.

중:-장비【重裝備】[명] 토목 건축에 쓰이는, 중량이 큰 기계의 총칭.

중장-선【中腸腺】[명]〖동〗고등 무척추(無脊椎) 동물의 중장에 부속하는 선상(腺狀)의 구조. 간단한 주머니 모양의 것도 있으나 연체(軟體) 동물이나 갑각류(甲殼類)에는 현저하게 발달되어 있으며 곤충에는 이것이 없음. 트립신(trypsin)·아밀라아제(amylase)·리파아제(lipase) 등의 소화액(消化液)을 분비하여, 소화·흡수(吸收)·저장(貯藏) 등의 기능도 가지고 있음.

중:-장(:)통【仲長統】[명]〖사람〗중국 후한(後漢) 말의 유학자(儒學者). 자는 공리(公理). 산양(山陽)의 가오핑(高平) 사람. 고금(古今)의 치란(治亂)을 비판하고 시세(時世)의 퇴폐를 논하여 ≪창언(昌言)≫을 저술하였음. [179-220]

중재[1]【中才】[명] 중간 정도의 재능(才能). 또, 중 정도의 기량(器量)을 지닌 인재(人材).

중재[2]【仲裁】[명] ①다툼질의 사이에 들어 화해(和解)를 붙임. 조정(調停). ②〖법〗제삼자 또는 제삼국이 쟁의(爭議)를 야기시킨 당사자 또는 당사국 사이에서 조정하는 일. ③〖사〗노동 쟁의의 조정법에 의하여 노동 위원회가 노동 쟁의에 관하여 중재 재정(仲裁裁定)을 내리는 일. ——-하다 [타][여불]

중:재[3]【重宰】[명] 중신(重臣)과 재상(宰相).

중:재[4]【衆才】[명] 재능 있는 많은 사람들.

중재 계:약【仲裁契約】[명]〖법〗①1명 또는 수명의 중재인을 선정하여 사법 상의 법률 관계에 대하여 현재 또는 장래의 쟁의(爭議)의 중재를 시켜 중재인의 조정(調停)에 복종할 것을 목적으로 하는 당사자 간의 계약. ②국제 분쟁(國際紛爭)을 국제 재판에 부칠 것을 약속하는 국가 간의 합의(合意).

중재-국【仲裁國】[명]〖법〗국제법상, 국제 간의 쟁의를 종식(終熄)시키기 위하여 당사국 간의 합의를 보아 쟁의를 중재하도록 선정한 중립적(中立的)인 제삼국.

중재-법【仲裁法】[—뻡] [명]〖법〗당사자 간의 합의로 사법 상(私法上)의 분쟁을 법원의 판결에 의하지 아니하고 중재인의 판정에 의해 신속하게 해결하기 위하여, 중재 계약·중재 절차·중재 판정·중재인 선정 등에 관한 사항을 규정한 법.

중재 약관【仲裁約款】[명]〖법〗국제 간의 쟁의를 일으킨 당사국 양편이 중재 재판에 의하여 쟁의를 해결(解決)하려 할 때에 그 조건을 약정(約定)하기 위하여 체결하는 조약.

중재 위원회【仲裁委員會】[명]〖법〗노동 쟁의의 중재를 담당하는 노동 위원회의 특별 위원회. 노동 위원회가 노동 쟁의의 중재를 행할 때에 설치함.

중재-인【仲裁人】[명] ①분쟁을 중재하는 사람. 중재자. ②〖법〗중재 절차에서, 분쟁을 중재 판정(判定)할 사람으로 선정된 제삼자. 분쟁 당사자들의 합의로 선정하며, 합의가 없을 때는 각 당사자가 1인씩 정함. 재인(裁人).

중재-자【仲裁者】[명] 중재인(仲裁人)❶.

중재 재정【仲裁裁定】[명]〖법〗노동 쟁의 조정법에 의하여 노동 위원회가 노동 쟁의에 관해서 그 해결을 위한 재단(裁斷)을 내리는 일. 재정은 서면으로 작성하며 서면에는 효력 발생 기일을 명시하여야 함. 이 중재 재정은 재정서(裁定書)를 송달받은 날로부터 10일 이내의 재심 청구나 15일 이내의 행정 소송 제기가 없는 한 확정되며, 그 효력은 단체 협약(團體協約)과 동일한 효력을 가짐.

중재 재판【仲裁裁判】[명]〖법〗국제법상 분쟁 당사국이 선정 또는 조직한 재판관에 의하여 그 분쟁을 해결하기 위해 국제법의 존엄성에 비추어서 행하는 재판. 재판관인 제삼자의 판단이 구속력을 갖는 점에서 국제 조정(國際調停)과 다름. ＊국제 재판.

중재 재판관【仲裁裁判官】[명]〖법〗국제 간의 분쟁을 해결하기 위하여 분쟁 당사국의 합의에 의해 선임된 재판관. 그의 판단은 분쟁 당사국에 대하여 구속력을 가짐.

중재 재판소【仲裁裁判所】[명]〖법〗중재 재판관에 의하여 구성(構成)되는 재판소.

중재 재판 조약【仲裁裁判條約】[명]〖법〗국제 분쟁의 당사국이 중재 재판을 통해 그 분쟁의 해결을 찾기 위하여 체결하는 조약.

중재 절차【仲裁節次】[명]〖법〗중재 계약(仲裁契約)에 의거, 민법 상의 분쟁(紛爭)을 중재 판단(判斷)에 의하여 해결(解決)시키는 민사 소송법 상의 한 절차.

중재 판결【仲裁判決】[명]〖법〗중재 판단(仲裁判斷).

중재 판단【仲裁判斷】[명]〖법〗중재 판정❶.

중재 판정【仲裁判定】[명]〖법〗①중재 계약(仲裁契約)에 의하여 중재인이 중재 절차에서 당사자 간의 사법 상(私法上)의 분쟁(紛爭)에 관하여 내리는 판정. 중재 계약에 따로 약정이 된 경우를 제외하고 중재인이 수인인 경우에는 그 과반수의 찬성으로 판정하나, 판정에 관한 의견이 가부 동수(可否同數)인 경우에는 당해 중재 계약은 그 효력을 상실함. 중재 판단. 중재 판결. ②'중재 재정(裁定)'의 구칭.

중:적[1]【重積】[명] 겹겹이 쌓음. 또, 겹겹이 쌓임. ¶ ~된 화물(貨物). ——-하다 [자][타][여불]

중:적[2]【衆敵】[명] 많은 적.

중-적분【重積分】[명]〖수〗다변수(多變數) 함수(函數)의 다변수 범위에 걸친 적분. 정적분(定積分)의 개념을 변수에 확장한 것임. 다중 적분(多重積分).

중전[1]【中殿】[명]〖역〗↗중궁전(中宮殿). ¶ ~ 마마.

중:전[2]【重典】[명] ①장중(莊重)한 의식(儀式). 대전(大典). ②엄격한 제도(制度)나 법률.

중:전[3]【重電】[명] 중전기(重電機).

중:전[4]【重箭】[명] 무거운 화살.

중:-전기【重電機】[명] 중량이 큰 전기 기구의 통칭. 또, 생산재(生產財)로서 쓰이는 전기 기계나 기구. 발전기·전동기·변압기 등을 총칭하며, 넓게는 발전용 보일러·터빈까지도 포함함. 중전(重電). ↔경전기(輕電機).

중전 마:마【中殿媽媽】[명]〖역〗중궁전(中宮殿)을 높여 마마(媽媽)의 경칭을 덧붙인 말.

중전-사【中典事】[명]〖역〗신라 대일임전(大日任典)의 한 벼슬. 경덕왕(景德王) 때 도사 사지(都事舍知)의 고친 이름. 위계(位階)는 대사(大舍)에서 사지(舍知)까지 있었음.

중-전차[1]【中戰車】[명]〖군〗전중량(全重量) 25톤 이상 55톤 이하의 전차. ＊경(輕)전차.

중:-전차[2]【重戰車】[명]〖군〗장갑(裝甲)이 두껍고 전중량 55톤 이상의 대형 전차. ＊중(中)전차.

중절【中絶】[명] ①중도(中途)에서 끊음. 중간에서 없어짐. ②중도에서 그만둠. 또, 일시(一時) 중단함. 중단(中斷). ③임신 중절(姙娠中絕). ¶ ~ 수술. ——-하다 [타][여불]

중절-거리다 [자] 수다스럽게 중얼거리다. ㅆ쭝절거리다. ＞종잘거리다. 중절-중절 [부]. ——-하다 [자][여불]

중절-대다 [자] 중절거리다.

중절-모【中折帽】[명] ↗중절 모자.

중절 모자【中折帽子】[명] 꼭대기의 가운데가 접히고 챙이 둥글게 달린 신사용의 모자. 해트(hat). [준]중절모.

중점[1]【中點】[—쩜] [명] ①〖언〗가운뎃점. ②〖수〗선분(線分) 위에 있으면서 선분의 양단으로부터 등거리에 있는 점을 그 선분에 대하여 이르는 말.

중점[2]【中點】[명]〖역〗조선 시대 말기에, 보부상 조직(褓負商組織)의 임원(任員)의 일컬음. 영위(領位)·반수(班首)·접장(接長) 등이 있음. 공사(公事).

중:점[3]【重點】[—쩜] [명] ①중요한 점. 중시(重視)해야 할 점. ②〖물〗지렛대로 움직이려는 물체의 무게가 직접 작용하는 점. 곧, 지렛대가 물체를 떠받치는 점.

중:점 산:업【重點產業】[—쩜—] [명] 계획 경제·전쟁 기타의 필요에 따라서 중점을 두는 산업.

중점 수정【中點受精】[—쩜—] [명] [mesogamy]〖식〗식물의 수정의 한 양식(樣式). 화분관(花粉管)이 배낭(胚囊)의 측면(側面)을 통하여 배낭에 들어감으로써 이루어지는 수정. ＊주공 수정(珠孔受精)·합점 수정(合點受精).

중점 연결 정:리【中點連結定理】[—쩜—니] [명]〖수〗기하학 정리의 하나. 삼각형의 두 변의 중점을 연결하는 선분은 남은 제3변에 평행(平行)하며, 길이는 그 절반이라는 정리.

중:점-적【重點的】[—쩜—] [명][관] 힘을 분산시키지 않고 중요한 일점에 집중시키는 모양.

중:점-주의【重點主義】[—쩜— /—쩜—이] [명] 특히 중요한 방면에 노력이나 자재(資材)를 중점적으로 집중시키는 주의 또는 경향.

중:-점토【重粘土】[명] 점토의 함량(含量)이 높기 때문에 농구(農具)에 차지게 달라붙어 농경(農耕)하기가 어려운 토양의 통칭. 흔히, 암거 배수(暗渠排水)·심토 파쇄(心土破碎)·모래 객토(客土) 등의 방법으로 개량(改良)함.

중-접시【中—】[—씨] [명] 중간 크기의 접시.

중정[1]【中丁】[명] 음력 중순에 드는 정일(丁日). 연제(練祭)나 담제(禫祭) 등의 제사를 대개 이 날을 가리어 지냄.

중정[2]【中正】[명] ①어느 쪽에도 치우침이 없이 올바른 일. 또, 그 모양. ②알맞은 정도임. 과불급(過不及)이 없는 정도. 또 그 모양. 중용(中庸). ③〖역〗동학(東學)의 교직(敎職)인 육임(六任)의 제육위(第六位). ④〖역〗중국의 관명(官名). 진 말(秦末)에 시작되어 육조 시대(六朝時代)에 인재 등용의 일을 보았음. ——-하다 [형][여불]

중정[3]【中庭】[명] 건물과 건물 사이에 있는 마당.

중정[4]【中頂】[명] 여럿 중의 한가운데의 꼭대기. ¶연산(連山)의 ~에 올라.

중정[5]【中情】[명] ①가슴 속에 맺힌 정상(情狀). 심중(心中). ¶ 달래기도 하였다가 갖은 소리를 다 해 가며 ~을 떠서 본다≪作者未詳：雪中梅花≫. ②↗중앙 정보부(中央情報部).
중정을 뜨다 [구] 지기(志氣)를 뜨다. ＊지기(志氣).

중정[6]【重訂】[명] 서적 등의 두 번째 정정(訂正). ——-하다 [타][여불]

중:정[7]【衆情】[명] 여러 사람의 감정. 대중의 의견.

중정-대【中正臺】[명]〖역〗발해(渤海) 시대에, 기강(紀綱)과 규탄(糾彈)의 일을 맡은 관아.

중정 대:부【中正大夫】[명]〖역〗고려 때 문관(文官)의 품계의 하나. 종삼품의 상(上). 충렬왕(忠烈王) 34년(1308)에 정하였다가, 공민왕(恭愍王) 5년(1356)에 폐하고, 동 11년(1362)에 다시 베풀어서 동 18년(1369)에 종삼품의 하(下)로 고침. ＊대중(大中) 대부.

중:-정석【重晶石】[명] [barite]〖광〗중금속의 광상(鑛床)에서 맥석(脈石)으로 산출되는 황산 바륨의 광석. 판상(板狀)·구상(球狀)·주상(柱狀)·섬유상(纖維狀) 또는 엽상(葉狀)의 사방 정계(斜方晶系)의 결정(結晶). 보통, 회(灰)·청·적·황·갈색임. 가루로 정제하여, 백색 안료(顏料), 식염(食塩)의 정제, 제지·방적·흰 고무·인조 상아(人造象牙)의 첨가제(添加劑)로 쓰임.

중:정 울불【衆情鬱怫】[명] 대중(大衆)의 감정이 터져서 뒤끓음. ——-하다 [자][여불]

중제[1]【中際】[명]〖불교〗전(前)·중(中)·후(後)의 삼제(三際)의 하나. 과거와 미래의 중간에 있다 하여 현세(現世)를 이름.

중제[2]【中諦】[명]〖불교〗삼제(三諦)의 하나. 일체의 제법(諸法)이 불공(不空)·불유(不有)의 중정 절대(中正絕對)라는 진리.

중:제[3]【重制】[명] 중복(重服).

중:제[4]【重劑】[명]〖한의〗심신(心身)을 진정시키는 성질을 가진, 질량이 무거운 약제나 약재. 보통, 금석지제(金石之劑)임. 주석(朱錫)·주사(朱

砂)·주사 안신환(朱砂安神丸) 따위.

중:-제자【衆弟子】명 ①많은 제자. ②〖불교〗 세상 사람의 대부분이 부처의 제자라는 뜻에서, 세상 사람을 가리키는 말.

중조[1]【重祚】명 재조(再祚). ——-하다 자여불

중조[2]【重曹】명〖화〗↗중탄산 조달(重炭酸曹達).

중조-산【中條山】명〖지〗중탸오 산.

중조 소화기【重曹消火器】명 중탄산 소다(重炭酸soda)와 황산을 섞어서 만든 소화기.

중조-수【重曹水】명 소다수(soda水). 중탄산(重炭酸) 소다수.

중조-천【重曹泉】명 알칼리천(泉).

중졸【中卒】명 ↗중학교 졸업.

중종[1]【中宗】명〖사람〗중국 당(唐)나라의 4대 황제. 성명은 이현(李顯). 고종(高宗)의 뒤를 이어 즉위했는데, 고종의 황후 측천무후(則天武后)에게 쫓겨난 후에 무후의 측근(側近)을 제거하고 복위(復位)했으나, 황후인 위씨(韋氏)에게 정권을 빼앗기고 위씨의 딸에 의해 독살당함. [656-710; 재위 683-684, 705-710]

중종[2]【中宗】명〖사람〗조선 11 대 왕. 휘(諱)는 역(懌). 자는 낙천(樂天). 성종(成宗)의 제 2 왕자이며 연산군의 이복 아우. 반정(反正)으로 왕이 되어 혁신 정치(革新政治)를 기도했으나, 수구파(守舊派)의 원한으로 실패하고 1519 년에 기묘 사화를 초래함. [1488-1544 ; 재위 1506-1544]

중종[3]【重腫】명〖한의〗중혀.

중종 반:정【中宗反正】명〖역〗조선 연산군(燕山君) 12 년(1506)에 성희안(成希顔)·박원종(朴元宗) 등이 주동이 되어 연산군을 폐위하고 진성 대군(晋城大君), 곧 중종을 왕으로 추대한 사건.

중-종보【重宗一】[一뽀] 명〖건〗대들보 위에 이중으로 놓은 보.

중종 실록【中宗實錄】명〖책〗조선 11 대 왕인 중종(中宗) 재위(在位) 39 년 간의 실록. 이기(李芑)의 주재(主宰)로 실록청에서 명종(明宗) 5 년(1550)에 간행됨. 모두 105 권.

중좌[1]【中佐】명〖일제〗일본 군대 좌관(佐官)의 둘째 계급. 대좌(大佐)의 아래, 소좌(少佐)의 위. 한국군 중령(中領)에 해당함. *대좌(大佐)·소좌(少佐).

중:좌[2]【衆座】명 ①많은 사람의 좌석. ②많이 모이는 자리. ③한 곳에 모인 많은 사람.

중:죄【重罪】명 ①무거운 죄. 중벽(重辟). ↔경죄. ②〖불교〗 무겁게 지은 죄악. 여기에 해당한 계명을 십중대계(十重大戒)라 함. ③프랑스·독일의 형법에서 경죄(輕罪)·위경죄(違警罪)와 구별하여 정한 가장 무거운 부류에 속하는 죄종(罪種). 우리 나라 형법에는 이런 구별이 없음.

중:죄-범【重罪犯】명 중죄의 형을 받을 범인.

중:죄-인【重罪人】명 중죄를 지은 사람.

중주[1]【中主】명 현우(賢愚)의 중간쯤 되는 평범한 임금.

중주[2]【中酒】명 ①잔치를 하는 중. 잔치가 한창 때. ②술에 곤드레만드레가 됨. 숙취(宿醉)함. ③식사 뒤에 술을 마심.

중주[3]【重奏】명〖악〗둘 이상의 성부(聲部)를 한 사람이 하나씩의 성부를 맡아, 동시에 악기로 연주하는 일. ¶피아노 삼~. ↔독주(獨奏). ——-하다 타여불

중주-집【中州集】명〖책〗중국 금대(金代)의 약 200 명의 시인의 시(詩)를 작자별(作者別)로 모은 시집. 1249년 시인·사가(史家)였던 원 호문(元好問;1190-1257)이 편저함. 작자마다 간략한 전기(傳記)가 붙어 있음. 전 10 권.

중준【中蹲】명 장준(長蹲)보다 작고 고추감보다 큰 뾰주리감.

중중[1]【重重】명 ↗중중첩첩(重重疊疊). ¶밤이 되매··· 정원의 나무 그림자는 ~한데, 적적히 앉았으매···≪崔瓚植 : 海岸≫. ——-하다 형여불

중:중[2]【衆中】명 많은 사람 가운데.

중중-거리다 자 원망하는 태도를 드러내고 중얼거리다. ㅆ쭝쭝거리다. >종종거리다❶. 중중-중중 부. ——-하다 자여불

중중-대다 자 중중거리다.

중중-모리 명〖악〗산조(散調)나 판소리의 장단 또는 이에 맞추어 타는 기악 곡조. 중모리보다 좀 빠르고 잦은모리보다 좀 느린 속도로, 8 분의 12 박자임. 중모리 장단을 좀 빠르게 치는 것임.

중-중사【中中絲】명 열여섯 가닥의 실을 드려서 만든 중간 정도 굵기의 가는 끈목. *중사(中絲).

중-중성자【重中性子】명 [dineutron]〖물〗①두 개의 중성자의 가상적인 결합 상태. 존재하지 않을 것이라고 생각되고 있음. ②어떤 핵반응에서 일시적으로 존재하는 두 개의 중성자의 결합.

중중-첩첩【重重疊疊】부 겹겹으로 포개져 있는 모양. ㊀첩첩(疊疊). ——-하다 형여불. ——-히 부

중-중품【中中品】명〖불교〗↗중품 중생(中品中生).

중:증[1]【重症】[一쯩] 명 매우 위중(危重)한 병의 증세. ↔경증(輕症).

중:증[2]【衆證】명 ①증인(衆人)의 증거. 많은 증인. ②특히, 세 사람 이상의 증인.

중:증 근무력증【重症筋無力症】[一쯩一] 명 [myasthenia gravis]〖의〗정도가 심한 근무력증(筋無力症). 골격근(骨格筋)의 비정상적인 피로와 근력 저하(筋力低下)가 일어나지만 근위축(筋萎縮)이나 지각(知覺)의 저하는 없음. 흔히, 초발(初發) 증상으로 안검 하수(眼瞼下垂)를 볼 수 있음. 합병증으로 흉선종(胸腺腫)이 나타날 때도 있음.

중:증 심신 장애아【重症心身障礙兒】[一쯩一] 명〖의〗정도가 심한 신체 장애 또는 정신 박약을 지니고 있는 장애아. 특히, 뇌의 장애에 의해 정신 발달이 극히 늦어 지적 능력(知的能力)이 매우 떨어지거나 운동 장애로 인하여, 자기 신변의 일 처리 및 사회 생활에의 적응이 두드러지게 곤란한 자를 이름.

중지[1]【中止】명 중도에서 그만둠. ——-하다 타여불

중지[2]【中肢】명〖충〗곤충의 중흉(中胸)에서 생기는 부속지(附屬肢). 앉을 때는 뒤쪽을 향하나, 하루살이·강도래의 경우는 앞쪽을 향함.

중지[3]【中指】명 가운뎃손가락.

중지[4]【中智】명 상지(上智)와 하지(下智) 사이의 지능. 곧, 평범한 슬기.

중:지[5]【重地】명 중난(重難)하고도 중요로운 땅.

중:지[6]【衆志】명 많은 사람의 생각이나 의지.

중:지[7]【衆智】명 중인(衆人)의 지혜. ¶~를 모으다.

중지-도【中之島】명 [なかのしま(中之島)를 우리 음으로 읽은 말] 강섭(江).

중지 미:수【中止未遂】명〖법〗중지범(中止犯).

중지-범【中止犯】명〖법〗범인이 자의(自意)로 실행에 착수한 행위를 중지하거나(중지에 의한 착수 미수), 그 행위로 인한 결과의 발생을 방지하여(방지에 의한 실행 미수) 범죄의 완성(完成)에 이르지 못한 미수범의 하나. 형(刑)의 감면(減免)을 받음. 중지 미수(中止未遂). 임의(任意) 미수. *착수(着手) 미수.

중지-봉[1]【中之峰】명〖지〗평안 북도 희천군(熙川郡) 대덕면(大德面)과 강계군(江界郡) 곡하면(曲河面)·공북면(公北面) 사이에 솟아 있는 산. [1,365 m]

중지-봉[2]【中支峰】명〖지〗평안 북도의 자성군(慈城郡) 중강면(中江面)에 있는 산. [1,051 m]

중지-봉[3]【中枝峰】명〖지〗평안 북도 위원군(渭源郡) 대덕면(大德面)과 강계군(江界郡) 곡하면(曲河面)·공북면(公北面) 사이에 솟아 있는 산. [1,242 m]

중지-부【中止符】명 쌍점(雙點)❷.

중지-상【中之上】명 중(中)길 중에서의 상등(上等).

중지-중【中之中】명 중(中)길 중에서의 중등(中等).

중지-하【中之下】명 중(中)길 중에서의 하등(下等).

중:직【重職】명 중대한 책임이 있는 직무. 추할(樞轄).

중직 대:부【中直大夫】명〖역〗조선 시대의 종삼품 문관(文官)의 품계. 고종(高宗) 2년(1865)부터 문관·종친(宗親)·의빈(儀賓)의 품계로 병용(倂用)하였음. 통훈(通訓) 대부의 아래. *중훈(中訓) 대부.

중진[1]【中震】명〖지〗지진의 진도(震度)의 하나. 가옥의 진동이 심하고 불완전하게 놓인 기물은 넘어지며 그릇 안의 물이 넘칠 정도. 진도는 4 도. *진도(震度).

중:진[2]【重鎭】명 ①무거운 문진(文鎭). ②어떤 분야에서 중요로운 자리에 있거나, 어떤 자리에 없어서는 안 될 중요한 인재. ¶재계(財界)의 ~. ③병권(兵權)을 쥐고 요해지(要害地)를 지키는 책임자.

중진 공업국【中進工業國】명 급속(急速)한 공업화(工業化)를 바탕으로 하여 현저(顯著)한 경제 발전(經濟發展)을 이룩해 가고 있는 중진국(中進國).

중진-국【中進國】명 [semi-developed country] 일인당 국민 소득이나 제조업(製造業)의 발전도(發展度), 혹은 사회 보장 제도의 면에서 보아, 경제 발전에 있어서 선진국과 후진국의 중간에 상당하는 나라.

중:-질[1] 명 중노릇. ——-하다 자여불

중-질[2]【中秩】[一찔] 명 중길. 중질(中質).

중질[3]【中質】명 질이 중 정도임. ¶~지(紙).

중:질[4]【重疾】명 중병(重病).

중:질 원유【重質原油】명 [heavy crude] ①타르 오일(tar oil). ②비중(比重)이 0.904-0.966 미만인 원유.

중질-유[1]【中質油】[一류] 명 비중 측정 단위(比重測定單位) 31-34 도의 원유. *중질유(重質油).

중:질-유[2]【重質油】[一류] 명 비중 측정 단위(比重測定單位) 30 도 이하의 비중이 무거운 원유(原油). *경질유(輕質油).

중:질유 분해 장치【重質油分解裝置】[一류一] 명〖공〗원유를 증류하고 남은, 가장 중질(重質)의 부분을 그냥 가열(加熱)하든가 또는 수소(水素)를 첨가(添加)해 가면서 가열 분해하여 경질(輕質)의 석유 제품으로 분해하는 장치.

중질-지【中質紙】명 인쇄 용지(印刷用紙)의 하나. 화학 펄프를 70 % 이상 함유하는 종이.

중집위【中執委】명 ↗중앙 집행 위원회(中央執行委員會).

중:징【重徵】명 과중한 조세를 징수함. ——-하다 자여불

중:-징계【重懲戒】명〖법〗징계 처분 종류의 하나. 파면(罷免)·해임(解任) 또는 정직(停職) 처분을 말함. *경징계(輕懲戒). ——-하다 타여불

중:차-대【重且大】명 무겁고도 큼. ¶~한 임무(任務)를 맡다. ——-하다 형여불

중찬【中贊】명〖역〗첨의(僉議) 중찬.

중:찬-가【衆讚歌】명 [도 Choral]〖악〗루터가 신교(新敎)를 수립하였을 때에 제정한 예배용의 찬송가(讚頌歌). 그 후 많은 작곡가들이 작곡했음. 일반적으로 화성적(和聲的)임. 코랄(Choral).

중참【中站】명 일을 하다가 중간(中間)에 쉬는 참. 보통, 간단한 식사나 술이 낌.

중-창[1]【中一】명 가죽신이나 양화(洋靴)의 창을 튼튼하게 하기 위하여 겉창 속에 한 겹을 더 붙여 댄 창.

중창[2]【重刱】명 낡은 건물을 헐기도 하고 고쳐서 새롭게 이룩함. *중수(重修). ——-하다 타여불

중창[3]【重唱】명 합창의 한 가지. 둘 이상의 성부(聲部)를, 한 사람이 한 성부씩 맡아 동시에 노래함. ¶이~/~곡. ——-하다 자여불

중창[4]【重創】명 상처가 난 데에 또 상처가 남. ——-하다 자여불

중:창[5]【重創】명 중상(重傷).

중-채【中一】명〖건〗안채와 사랑채 사이에 있는 가운데 집채.

중책[1]【中策】명 중간 정도(中間程度)의 책략(策略). 보통의 꾀. *상책(上策)·하책(下策).

중책[2]【重柵】명 겹으로 된 목책(木柵).

중:책[3]【重責】명 ①중대한 책임. ¶～을 맡고 있다. ②엄중하게 책망함. ——-하다 타여불

중:책[4]【重策】명 중요한 계책. 어려운 술책.

중천[1]【中天】명 ① 하늘의 한복판. 반공중(半空中). 중공(中空). 반소(半霄). 반천(半天). 중소(中霄). ¶해가 ～에 떴다. ② 중천축(中天竺).

중:천[2]【重泉】명 ①땅속 깊은 데서 솟는 샘. ②먼 곳. ③황천(黃泉).

중:-천금【重千金】명 무게가 천금 같다는 뜻으로, 가치가 극히 귀함을 이름. ¶장부 일언(丈夫一言)이 ～.

중-천세계【中千世界】명〖불교〗수미산(須彌山)을 중심으로 하여 일(日)·월(月)·사대주(四大洲)·육욕천(六欲天)·범천(梵天)을 부속시킨 것을 세계(世界)라 하고, 이것을 천 배한 것을 소천세계(小千世界)라고 하는데, 이것을 다시 천 배한 것의 일컬음. 또, 중천세계를 천 배한 것은 대천세계(大千世界)라 함. *삼천 대천세계(三千大千世界).

중-천축【中天竺】명〖역〗오천축(五天竺) 중에 중앙에 위치하는 부분. 중천(中天). 중인(中印).

중첨【中籤】명〖민〗신묘(神廟) 등에서 산가지로 길흉을 점칠 때, 길하지도 않고 흉하지도 않은 산가지. *상첨(上籤).

중첩【重疊】명 거듭 겹쳐지거나 겹침. 천첩(荐疊). ¶파란(波瀾)～. ——-하다 자타여불

중첩 산수【重疊山水】명〖미술〗동양화(東洋畫)의 용어. 산악 중첩(山岳重疊)의 경치를 묘사한 것.

중-청[1]【中一】명 노래할 때에 높지도 낮지도 않은 보통 정도의 목청.

중:청[2]【重聽】명〖한의〗귀가 어두워 소리를 잘 듣지 못하는 증세.

중:체【重體】명 소중한 몸. 귀한 몸.

중체 서용론【中體西用論】[-논] 명〖역〗중국에서 태평 천국(太平天國)의 난 이후로 일어난 양무(洋務) 운동에 반대하는 기운(機運)을 완화하기 위하여 제창된 이론. 중국 본래의 영원한 학문인 유학(儒學)을 중심으로 하되 부국 강병(富國強兵)을 위하여 근대 서양 문명을 크게 섭취 이용해야 한다고 주장한 논의.

중:-체조【重體操】명 기계(器械)를 써서 하는 체조.

중-초[1]【中一】명 크기가 중(中)길이인 초.

중초[2]【中草】명 품질이 중(中)길인 담배.

중초[3]【中焦】명〖한의〗삼초(三焦)의 하나. 위(胃)의 속에 있어서, 소화 작용을 맡음. *상초(上焦)·하초(下焦).

중초-열【中焦熱】명〖한의〗중초에 열이 나서 변비(便秘)가 생기며 식욕이 감퇴되는 병.

중:초인 휴지【衆楚人咻之】명 한 사람의 말로 뭇 사람의 주장을 이기지 못함을 가리키는 말.

중촌【中村】명 옛날에 중인(中人)들이 살던 서울 성(城) 안의 중앙에 있던 구역(區域). 지금의 을지로(乙支路) 2·3·4가와 종로(鐘路) 2·3·4가의 사이를 이름.

중추[1]【中秋】명 ①음력 팔월의 이칭. ②음력 팔월 보름. 추석(秋夕). 가배절(嘉俳節). 가위.

중추[2]【中樞】명 [‘추(樞)’는 문지도리의 뜻으로, 문(門)을 여닫게 하는 중요(重要)한 곳] ①사물(事物)의 중심이 되는 중요한 부분(部分)이나 자리. ¶～ 신경/뇌～. ②한가운데. 중심(中心). ③〖생〗↗신경 중추(神經中樞).

중추[3]【仲秋】명 가을의 한창 때. 곧, 음력 팔월. 중상(仲商).

중:추[4]【重推】명〖역〗↗종중 추고(從重推考). ——-하다 타여불

중추[5]【重膇】명〖한의〗수중다리.

중추 기관【中樞機關】명 중추가 되는 기관. 중심(中心) 기관.

중추막 명〈방〉중치막.

중추-부[1]【中樞府】명〖역〗조선 세조 12년(1466)에 중추원(中樞院)의 고친 이름. 처음에는 왕명의 출납(出納)·숙위(宿衛)·군기(軍機)를 맡았다가 세조 때에 일정한 사무는 없이 현직(現職) 없는 당상관(堂上官)의 벼슬자리로 되고, 고종(高宗) 31년(1894)에 중추원이라 고치어 의정부(議政府)에 붙이었음. 서추(西樞). *홍로(鴻臚).

중추-부[2]【中樞部】명 중추가 되는 부분.

중추 부:사【中樞副使】명〖역〗↗중추원 부사(中樞院副使).

중추-사【中樞使】명〖역〗↗중추원사(中樞院使).

중추 성묘【中秋省墓】명 추석에 하는 성묘.

중추 신경【中樞神經】명〖생〗신경 중추(神經中樞).

중추 신경계【中樞神經系】명〖생〗동물의 신경계가 집중화하여 분명한 중심부를 형성하고 있는 부분. 강장 동물(腔腸動物)인 해파리 이상의 동물에서 볼 수 있음. 무척추(無脊椎) 동물에서는 신경절(神經節)의 연쇄(連鎖)로 구성되어 있으며 전형적인 것은 제형(梯形) 신경계임. 척추(脊椎) 동물에서는 뇌·척수로 구성되어 있고 관상(管狀) 신경계이며, 신경관의 전방일수록 분화(分化)하고 뇌신경·척수 신경을 내어 통어(統御)·조절(調節)의 중추화를 이루고 있음.

중추-원【中樞院】명 ①〖역〗고려 때 왕명의 출납(出納)·숙위(宿衛)·군기(軍機) 등의 일을 맡은 관아. 성종(成宗) 10년(991)에 베풀어서 목종(穆宗) 12년(1009)에 은대(銀臺)와 남북원(南北院)을 합하여 중대성(中臺省)으로 고쳤다가, 현종(顯宗) 2년(1011)에 다시 중추원을 베풀었고, 헌종(獻宗) 원년(1095)에는 추밀원(樞密院)으로, 충렬왕(忠烈王) 원년(1275)에 밀직사(密直司)로, 동 24년에 광정원(光政院)으로, 곧 다시 밀직사로, 공민왕(恭愍王) 5년(1356)에 다시 추밀원으로, 동 11년에 다시 밀직사로 고쳤음. ②〖역〗조선 시대 초기에 숙위·군기 등의 일을 맡은 관아. 정종(定宗) 2년(1400)에 삼군부(三軍府)로 고쳤다가, 태종(太宗) 9년(1409)에 다시 중추원으로 일컬었고, 세조(世祖) 12년(1466)에 중추부(中樞府)로 고쳐 실권 없는 이름만의 기관이 되었음. ③〖역〗조선 말기 의정부(議政府)에 딸린 관아. 고종(高宗) 31년(1894)에 중추부를 고쳐서 중추원(中樞院)이라 일컫고, 이듬해에 사무 장정(事務章程)을 만들어 내각(內閣)의 자문 기관으로 정했음. ④〖일제〗조선 말기 중추원의 후신으로 조선 총독부(朝鮮總督府)의 어용(御用) 자문 기관. 조선 말기의 유력자를 매수한 참의(參議)로써 구성했으며, 1915년 이후에는 주로 옛 관습과 제도의 조사에 임하였고, 각종 역사 자료, 특히 법제(法制) 자료의 조사 출판을 하였음.

중추원 부:사【中樞院副使】명〖역〗①고려 때 중추원의 정삼품 벼슬. 중추원사(中樞院使)의 다음. ②조선 시대 초의 중추원의 종이품 벼슬. 중추원사의 다음. ㊀중추부사.

중추원-사【中樞院使】명〖역〗①고려 때 중추원의 종이품 벼슬. ②조선 시대 초의 중추원의 정이품 벼슬. ㊀중추사.

중추원 직학사【中樞院直學士】명〖역〗고려 때, 중추원의 정삼품 벼슬. 헌종(獻宗) 원년(1095)에 추밀원 직학사로 고쳤음.

중추-월【仲秋月】명 중추의 맑고 밝은 달.

중추 월병【仲秋月餠】명 중추절(仲秋節)에 없어서는 안 된다는 뜻에서 월병(月餠)을 일컫는 말.

중추 인물【中樞人物】명 중추가 되는 사람. 중심 인물.

중추-적【中樞的】명관 중추가 되는 모양. ¶～인 인물.

중추-절【仲秋節】명 팔월 보름을 명절로서 일컫는 말. 추석.

중축[1]【中軸】명 ①물건의 중앙을 가로지르는 축(軸). 물건의 한가운데. ¶～을 꿰뚫다. ②사물(事物)의 중심이 되는 중요한 일. 또, 그와 같은 인물(人物).

중축[2]【重築】명 건물·시설 등이 허물어진 자리에 같은 형식의 건축물을 다시 지음. ——-하다 타여불

중축-골【中軸骨】명〖생〗몸의 가운데에서 축의 구실을 하는 뼈로 ‘척추’를 이르는 말.

중축 태좌【中軸胎座】명〖식〗몇 장의 심피(心皮)의 가장자리가 각기 유합(癒合)하여 중앙에 모이어 자방(子房)의 중축을 형성(形成)하는 동시에 격벽(隔壁)을 이루고 그 축 위에 생긴 태좌. *측막(側膜) 태좌·독립(獨立) 중앙 태좌.

중-축합【重縮合】명〔polycondensation〕〖화〗축합 중합(縮合重合).

중춘【仲春】명 봄의 한창 때. 곧, 음력 이월. 중양(仲陽).

중출【重出】명 첩출(疊出). ——-하다 자여불

중:-춤 명 승무(僧舞).

중층【中層】명 ①여러 층(層) 속의 중간(中間) 정도에 있는 층. ②건물에서 4·5 층 가량의 높이. ¶～ 아파트.

중층 구조【重層構造】명〖경〗한 나라의 경제 속에서, 이중(二重) 구조 외에, 고생산성(高生產性) 부문과 저(低)생산성 부문이 병존(並存)하여 있는 복잡한 구조.

중층 대:기【中層大氣】명 성층권에서 전리층(電離層) 하부 약 100 km 까지의 대기.

중층-수【中層水】명〔intermediate water〕〖지〗해양에서 상층수와 심층수(深層水) 사이를 차지하는 수괴(水塊). 남반구의 남극 중층수는 남극 수렴선(南極收斂線) 지역이 근원이며, 염분이 적은 해수가 약 900 m 깊이에서 북쪽을 향해 확대되고 있음.

중층-어【中層魚】명 주로 바다의 중층에서 사는 물고기.

중층-운【中層雲】명〖기상〗상층운(上層雲)과 하층운(下層雲)과의 중간, 곧 2-7 km 높이에 있는 구름. 고적운(高積雲)이나 고층운(高層雲) 등이 이에 속함. 중턱 구름. *상층운·하층운.

중층 트롤:【中層一】〔trawl〕명 중층이나 표층(表層)에서 고등어 따위의 부유어(浮遊魚)를 잡는 데 쓰이는 트롤망(網).

중층 편평 상:피【重層扁平上皮】명〖생〗상피 조직의 하나. 상피 세포가 겹치어 여러 층을 이루고 있으며, 그 표층(表層)의 세포는 편평한 모양을 하고 있음. 외부로부터의 물리적·화학적 작용에 대한 저항력이 강함.

중-치[1]【中一】명 물건의 크기나 품질이 상(上)치와 하(下)치와의 중간쯤 되는 물건. 중간(中間)치.

중:치[2]【重治】명 엄치(嚴治). ——-하다 타여불

중치막 명 소매가 넓고 길이가 길며 앞은 두 자락, 뒤는 한 자락으로 된, 무가 없이 옆이 터진 네 폭으로 된 웃옷. 옛날에 백두(白頭)가 입었음.

중치막-짜리 명 중치막을 입은 사람을 조롱하는 말.

중치-법【重置法】[-뻡] 명〖수〗기하학에서, 두 개의 도형을 겹치어 그들 도형의 상호 관계를 조사하는 방법. 합동 증명에 쓰임.

중침[1]【中針】명 그리 굵지도 가늘지도 아니한 중(中)치의 바늘.

중침[2]【中鍼】명 중간 크기의 침.

중칭[1]【中秤】명 일곱 근(斤)부터 서른 근까지를 다는 중간치의 저울.

중칭[2]【中稱】명〖언〗↗중칭 대명사(中稱代名詞).

중칭 대:명사【中稱代名詞】명〖언〗그이·그것·거기 등과 같이 그리 멀지 아니한 곳이나 그런 데에 있는 사물을 가리키는 대명사. ㊀중칭(中稱).

중크롬산 나트륨【重一酸一】〔chrome; natrium〕명〔sodium dichromate〕〖화〗크롬과 나트륨과의 화합물로, 적황색·흡습성(吸濕性)의 결정(結晶). 제법(製法)·성질·용도는 중크롬산 칼륨과 거의 같으며 물에 잘 녹음. 중크롬산 소다.

중크롬산 소:다【重一酸一】〔chrome; soda〕명〔bichromate of soda〕〖화〗중크롬산 나트륨.

중크롬산 전:지【重一酸電池】〔chrome〕명〖물〗묽은 황산(黃酸) 중에 소극제(消極劑)로서 중크롬산 칼륨 또는 중크롬산 나트륨을 섞고 이 액

중에 양극으로 탄소판(炭素板), 음극으로 아연판(亞鉛板)을 사용하여 만든 전지. 기전력(起電力)은 2볼트이며 내저항(內抵抗)도 작으므로 큰 전류를 얻는 데 적당하며, 측정용으로 쓰여짐.

중크롬산 칼륨【重―酸―】〔chrome; kalium〕명〔potassium dichromate〕〖화〗크롬과 칼륨의 화합물로, 주황색 판상(板狀)의 결정체(結晶體). 유독함. 비중(比重) 2.676, 녹는점 398°C. 분석·산화제·전지·사진·염료·폭발물·안전 성냥 등 용도(用途)가 매우 큼. [$K_2Cr_2O_7$]

중-키【中―】명 크지도 작지도 아니한 보통 정도의 알맞은 키. ¶ ~에 이마가 벗어진 중년의 사나이.

중:-타:르【重―】〔tar〕명〖화〗목재를 건류(乾溜)할 때 유출(溜出)되는 액체. 생산 중인 목초산액(木醋酸液) 밑에 침전하는 걸쭉한 타르. 침전 타르(沈澱 tar).

중:탁【重濁】명 ①탕약이나 국물 있는 물질이 걸쭉하고 뻑뻑함. ②무겁고 탁함. ¶ 부두에서 선잠을 깬 듯한 ~한 기적 소리가 가끔가끔 뚜우뚜우하며…《廉想涉 : 新婚記》. ――-하다 형여불

중탄산 나트륨【重炭酸―】〔natrium〕명〖화〗탄산 수소 나트륨.

중탄산 마그네슘【重炭酸―】〔magnesium〕명〖화〗탄산 수소 마그네슘.

중탄산 소:다【重炭酸―】〔soda〕명〖화〗탄산 수소 나트륨.

중탄산-염【重炭酸塩】〔―념〕명〖화〗탄산 수소염(炭酸水素塩).

중탄산염-천【重炭酸塩泉】〔―념―〕명〖지〗탄산 수소염천(水素塩泉).

중탄산 조달【重炭酸曹達】명〖화〗탄산 수소 나트륨. 준중조(重曹).

중탄산 칼륨【重炭酸―】〔kalium〕명〖화〗탄산 수소 칼륨.

중탄산 칼리【重炭酸―】〔라 kali〕명 탄산 수소 칼륨.

중탄산 칼슘【重炭酸―】〔calcium〕명〖화〗탄산 수소 칼슘.

중탄산 토류천【重炭酸土類泉】명〖지〗탄산천(炭酸泉)의 하나. 물 1kg 중 탄산 수소 칼슘·탄산 수소 마그네슘 등의 고형(固形) 성분 1g 이상을 함유하고, 음이온(陰ion)으로서 탄산 수소 이온, 양(陽)이온으로서 칼슘 이온 및 마그네슘 이온을 주요 성분으로 한 광천. 욕요법(浴療法)으로는 각종 피부병에 유효하고, 음용(飮用)으로는 칼슘 작용으로 소염(消炎)·이뇨(利尿)의 효능이 있으므로 신장(腎臟)·요도 질환·위장병 등에 유효함.

중-탄소강【中炭素鋼】명〖화〗탄소량 0.2-0.5%의 탄소강.

중탄화 수소【重炭化水素】명〖화〗불포화(不飽和) 탄화 수소(에틸렌·아세틸렌 따위), 프로판 이외의 지방족(脂肪族) 포화 탄화 수소, 방향족(芳香族) 탄화 수소 따위의 총칭. 기체 연료는 이의 함유량에 따라 발열량(發熱量)이나 발광량(發光量)에 큰 영향을 받음.

중탕[1]【中湯】명 수온(水溫)이 상(上)탕과 하(下)탕의 중간쯤 되는 온천. *상탕·하탕.

중탕[2]【重湯】명 음식을 담은 그릇째 솥이나 냄비에 넣고 끓여서 음식을 익히거나 데우는 일. ――-하다 타여불

중탕 냄비【重湯―】명 중탕하는 데에 쓰이는 냄비.

중:태[1] 명〖어〗〈방〉중고기.

중:태[2] 명〈방〉망태기.

중:태[3]【重態】명 병의 용태(容態)가 무거움. 무거운 증상(症狀). 또, 그 모양. ¶ 소생하기 어려울 만큼 ~이다.

중태기 명〈방〉〖어〗중고기(충청).

중태-도【中苔島】명〖지〗전라 남도 서해상, 신안군(新安郡) 흑산면(黑山面) 중태도리(中苔島里)에 있는 섬. [1.04km² : 131명(1984)]

중태-성【中台星】명〖천〗삼태성(三台星) 중에서 상태성(上台星) 다음 가는, 종실(宗室)을 맡았다는 두 별.

중탸오 산【―山】〔中條〕명〖지〗중국 산시 성(山西省) 남서단(南西端) 융지 현(永濟縣)의 동남에 있는 산. 이 산으로부터 동북으로 중탸오 산맥이 뻗어 있으며, 이 산 남쪽에 서우양 산(首陽山)이 있음. 중조산. 고칭(古稱)은 뇌수산(雷首山)·수산(首山).

중-턱【中―】명 입체를 이룬 물건이나 산·고개 등의 허리쯤 되는 곳. 중(中)허리. ¶ 산 ~.

중턱 구름【中―】명 중층운(中層雲).

중턱 대:문【中―大門】명〖건〗솟을대문의 문짝을 지붕의 마룻보와 나란히 단 대문.

중테기 명〈방〉〖어〗중고기.

중토[1]【中土】명〖농〗농사 짓기에 썩 좋지도 나쁘지도 아니한 땅. *상토(上土)·하토(下土).

중토[2]【中土】명 중국(中國)의 국토. 중국(中國).

중:토[3]【重土】명 ①〖화〗산화 바륨(酸化 barium). ②〖농〗너무 차져서 농사 짓기에 마땅치 않은 땅. *중점토.

중:토-수【重土水】명〔baryta water〕〖화〗수산화 바륨(水酸化 barium)의 수용액(水溶液). 즉, 산화 바륨(酸化 barium)을 물에 녹인 액체. 알칼리(alkali)의 표준 용액(標準溶液)으로 또는 탄산 가스의 흡수제(吸收劑)로 쓰임. 바리타수(baryta 水).

중-톱【中―】명 크기가 대톱과 소톱의 중간쯤 되는 톱. *소톱·대톱.

중통[1]【中桶】명 ①소금을 어중간 되게 담은 섬. ②크지도 작지도 않은 크기가 중간쯤 되는 통.

중통[2]【中筒】명 크지도 작지도 않은 중간쯤 되는 대통.

중:통[3]【重痛】명 ①몹시 앓음. 병이 중함. ¶ 산후에 ~을 하고 난 그의 아내는 발치 목에서 어린애 젖을 빨리고 있다가…《桂鎔默 : 최서방》. ②몹시 아픔.

중통 보:초【中統寶鈔】명〖역〗고려 말에 쓰이던 원(元)나라 지폐(紙幣)의 이름. 지원 보초(至元寶鈔)의 오분의 일의 비율로 사용되었음.

중퇴【中退】명 ↗중도 퇴학. ¶ 대학 ~의 학력. ――-하다 자여불

중-퇴석【中堆石】명〖지〗중앙(中央) 빙퇴석.

중투[1]【中投】명 더운 물을 반쯤 붓고, 다음에 차를 넣는, 전차(煎茶)의 방법. *하투(下投).

중:투[2]【衆妬】명 많은 사람의 질투.

중툭 명〈방〉중턱.

중특-끈 명〈방〉중공끈.

중파[1]【中波】명〔medium-frequency wave〕〖물〗주파수 100-1,500킬로헤르츠, 파장(波長) 200-3,000m의 전파(電波). 근거리는 지표파(地表波)에 의하여, 원거리는 전리층의 반사에 의하여 전하는데, 후자는 주간에는 거의 이용할 수 없음. 헥토미터파(hectometer 波). 약칭 : 엠에프(MF). *장파(長波)·단파(短波).

중파[2]【中破】명 수리를 하면 다시 사용할 수 있을, 중간 정도의 파손. *대파(大破)·소파(小破). ――-하다 타여불

중파-대【中波帶】명〖전〗285-535킬로헤르츠의 주파수대(周波數帶).

중파 레인지【中波―】〔range〕명〖항공〗중파를 사용하여 무선 항행(無線航行)을 원조하는 시설. 지향성(指向性) 전파 신호A(·―), N(―·)을 보내어 A·N이 겹쳐져서 연속음으로 들리는 중심선에 비행기의 항로를 표시하는 것인데 송수신 장치가 간단하나, 공전(空電)의 영향이 크고, 항공기의 위치 결정이 불확정적이므로 초단파 가시 가청식(超短波可視可聽式) 레인지로 바뀌고 있음.

중파 방:송【中波放送】명 100-1,500 킬로헤르츠의 전파를 사용하여 행하는 방송. 국내 라디오 방송에 쓰임. 약호:MW.

중파 스테레오【中波―】〔stereo〕명 중파 라디오에 의한 입체 방송(立體放送). ISB 변조 방식(變調方式), AM-FM 방식, 직각 변조 방식 등 세 가지 방식이 있음.

중파-저【中播菹】명 중갈이 김치.

중판[1]【中判】명 종이 판(判)의 중간되는 것. 곧, 대판(大判)과 소판(小判)의 중간판(中間判).

중판[2]【重版】명 ①한번 출판한 서적(書籍)을 같은 판(版)을 사용하여 증쇄(增刷)하는 일. 판수(版數)를 거듭하여 간행하는 일. 재판(再版). ②↗중판본(重版本). *중간(重刊). ――-하다 타여불

중판[3]【重瓣】명〖식〗수술이 꽃잎으로 변화하여 꽃잎의 수가 늘어서 몇 겹으로 겹쳐진 꽃잎. 복판(複瓣). 겹꽃잎. ↔단판(單瓣).

중판-본【重版本】명 중판한 간행물(刊行物). 준중판(重版).

중판-위【重瓣胃】명〖동〗반추위(反芻胃)의 제3실(室). 몸을 안정하고 있을 때 봉소위(蜂巢胃)에서 입으로 되넘긴 것을 씹어서 넣는 위이며, 여기서 충분히 섞이고 소화(消化)가 된 뒤에 최후로 추위(皺胃)로 감. 겹주름 위.

중판-화【重瓣花】명〖식〗중판의 꽃. 겹꽃. ↔단판화(單瓣花).

중편【中篇】명 ①상·중·하의 세 편으로 나뉜 책의 가운데 편. *상편(上篇)·하편(下篇). ②〖문〗↗중편물(中篇物).

중편-물【中篇物】명 소설·희곡 등의 분량이 장편물(長篇物)과 단편물(短篇物)의 중간쯤 되는 것. 준중편(中篇).

중편 소:설【中篇小說】명〖문〗장편 소설과 단편 소설의 중간쯤 되는 분량의 소설. 준중편·중편물(物).

중폄【中窆】명〖역〗권폄(權窆).

중평[1]【中評】명 ↗중간 평가(中間評價).

중:평[2]【衆評】명 뭇 사람의 비평. ¶ ~이 일치하다.

중포[1]【中布】명 보통보다 좀 큰 과녁. *솔[4].

중포[2]【中包】명 장기에서, 중에다 앉힌, 곧 끝에서부터 둘째줄에 앉힌 포(包).

중포[3]【中砲】명 구경이 155mm인 곡사포.

중포[4]【中脯】명 나라 제사 때에 쓰던 어육(魚肉)의 포.

중:포[5]【重砲】명〖군〗구경(口徑)이 8인치 이상의 대포. 강대(強大)한 포탄의 위력(威力)과 긴 사정 거리(射程距離)를 가짐. ↔경포(輕砲). *주포(主砲).

중:포-병【重砲兵】명〖군〗중포를 다루어 야전(野戰)을 하거나 요새(要塞)를 지키는 병사. *포병(砲兵).

중:-포화【重砲火】명 ①중포의 화력(火力). ②격심한 포화, 곧 아주 심한 포격(砲擊).

중폭[1]【中幅】명 ①중간쯤 되는 나비. ②크도 작도 않은 옷의 폭.

중폭[2]【中爆】명〖군〗↗중폭격기(中爆擊機).

중:폭[3]【重爆】명〖군〗①↗중폭격기(重爆擊機). ②격심한 폭격.

중-폭격기[1]【中爆擊機】명〖군〗경폭격기에 비하여 기체(機體)가 비교적 크고 폭탄의 적재량이 많으며 행동 반경(行動半徑)이 1,000-2,500마일의 폭격기. 주로 전략 폭격(戰略爆擊)에 사용됨. B-29가 대표적임. 준중폭(中爆). ↔경폭격기.

중:-폭격기[2]【重爆擊機】명〖군〗기체(機體)가 매우 크고 폭탄의 적재량이 아주 많으며 행동 반경(行動半徑)이 2,500마일 이상되는 폭격기. 주로 전략 폭격(戰略爆擊)에 사용됨. B-47A, B-52, B-56 따위. 준중폭(重爆).

중표 형제【中表兄弟】명 내외종(內外從).

중품【中品】명 ①중등의 품위(品位). ②품질이 중(中)길인 물건. *상품(上品)·하품(下品). ③〖불교〗구품 정토(九品淨土)의 중간 자리에 있는 삼품(三品). 곧, 상(上)의 중품, 중(中)의 중품, 하(下)의 중품.

중품 상:생【中品上生】명〖불교〗극락 정토에 왕생하는 구품(九品) 가운데 하나. 오계(五戒)·팔계(八戒) 등을 지키는 소승 상선(小乘上善)의 범부가 죽을 때에 불·보살의 내영(來迎)을 받고 정토에 왕생하여 사제법(四諦法)을 듣고 아라한도(阿羅漢道)를 얻는 일. 준중상품(中上品).

중품 염:주【中品念珠】명〖불교〗알이 54개인 염주.

중품 중생【中品中生】명〖불교〗극락 정토에 왕생하는 구품(九品) 가운데 하나. 일주야(一晝夜) 동안 계(戒)를 지킨 소승 하선(小乘下善)의

범부가 죽을 때에 불·보살의 내영(來迎)을 받고 정토에 왕생하여 반겁(半劫)을 지내고 아라한과(阿羅漢果)를 얻는 일. ㈜중중품(中中品).

중품 하:생【中品下生】명〖불교〗극락 정토에 왕생하는 구품(九品) 가운데 하나. 효행(孝行)·인자(仁慈) 등 세간의 보통 도덕을 행하는 범부가 죽을 때에 아미타불의 48원(願)과 그 정토의 훌륭한 일들을 듣고, 정토에 왕생하여 1소겁(小劫)을 지내고 아라한과(阿羅漢果)를 얻는 일. ㈜중하품(中下品).

중풍【中風】명〖한의〗반신(半身)·전신(全身)의 불수(不隨), 팔 또는 다리가 마비되는 병. 출혈·연화(軟化)·염충(炎衝) 등의 뇌 또는 척수의 기질적(器質的) 변화가 원인이나 일반적으로는 뇌일혈(腦溢血) 뒤에 남는 마비 상태임. 중풍병. 중풍증. 중기(中氣).

중풍-병【中風病】[—뼝] 명〖한의〗중풍(中風).

중풍-증【中風症】[—쯩] 명〖한의〗①중풍(中風). ②수족(手足) 마비·반신 불수·수전증(手顫症)·무력증(無力症)·도한(盜汗)·유뇨(遺尿) 등과 같은 중풍으로 인하여 일어나는 여러 가지 증세.

중풍-질【中風質】명〖한의〗중풍에 걸리기 쉬운 체질. 곧, 비대(肥大)하여 지방질이 많고, 조금만 움직여도 호흡(呼吸)이 급하고 가슴이 뛰는 체질. 또, 혈압(血壓)이 아주 높은 사람.

중하¹【中夏】명 ①여름의 중간 무렵. ②중화(中華). 중국 사람이 자기 나라를 높여 이르는 말.

중하²【中蝦】명 그리 크도 작도 않은 새우의 한 가지. ↔대하(大蝦).

중하³【仲夏】명 여름의 한창 때. 곧, 음력 오월.

중:하⁴【重荷】명 ①무거운 짐. ②무거운 부담. 무거운 임무(任務).

중:-하다【重—】형여불 ①병이 위중하다. ②소중하다. ③책임·임무 등이 무겁다. 1)-3):↔경(輕)하다. 중:-히【重—】부

중하 무침【中蝦—】명 중하를 말려 껍질을 벗기고 약간 두드려서 기름·간장·깨소금·후춧가루·설탕 등을 쳐서 무친 반찬.

중-하순【中下旬】명 중순과 하순. 또, 하순의 중간 무렵, 곧 23일부터 27일경.

중하-젓【中蝦—】명 중하로 담근 젓. 중하해(中蝦醢).

중-하품【中下品】명〖불교〗↗중품 하생(中品下生).

중하-해【中蝦醢】명 중하젓.

중학¹【中學】명 ①〖교〗↗중학교(中學校). ②〖역〗사학(四學)의 하나. 서울 중부 지금의 종로구 중학동(中學洞)에 있었음.

중:학²【衆學】명〖불교〗〔범 Siksa-karani〕비구(比丘)나 비구니(比丘尼)가 지키는 계율(戒律) 중 복장·식사·의위(儀威) 등에 관한 자세한 규칙(規則)을 제정한 것.

중학-과【中學科】명〖교〗수직으로 된 종합 학교(綜合學校), 곧 대학·고등·중학 등이 함께 있는 학교에서 중학 과정을 교수하는 과(科). 중학부(中學部).

중학-관【中學館】명〖교〗중등 교육을 실시하는 학관. *학관(學館).

중-학교【中學校】명〖교〗①초등 학교의 교육을 기초로 하여 중등 보통 교육을 실시하는 학교. 수업 연한은 3년. ②구제(舊制)로, 고등 보통 교육과 전문 교육(專門敎育)을 실시하던, 수업 연한 5년의 남자 중등 학교, 또는 6년의 남녀 중등 학교. ㈜중학(中學).

중-학년【中學年】명 고학년과 저학년의 중간인 학년. 곧, 초등 학교의 3·4학년.

중학-당【中學堂】명〖교〗중등 정도의 교육을 실시하는 학당(學堂).

중학-도【中學徒】명 중학생(中學生).

중학-부【中學部】명〖교〗중학과(中學科).

중학-생【中學生】명 중학교에 재학 중인 학생. 또, 중학 정도의 교육을 받고 있는 학생. 중학도(中學徒).

중한¹【中限】명〖경〗주식(株式) 매매를 계약한 다음 달 말에 인수·인도하는 일. *당한(當限)·선한(先限).

중한²【中寒】명〖한의〗추위로 팔다리가 뻣뻣해지거나, 심장에 동통(疼痛)을 느끼거나 인사 불성에 빠지는 병. 중한증(中寒症).

중한³【中澣】명 중순(中旬)❶.

중한-증【中寒症】[—쯩] 명〖한의〗중한(中寒).

중-할구【中割球】명〔mesomere〕〖동〗후생 동물(後生動物)의 난할기(卵割期)의 배(胚)에서, 할구 크기에 현저한 차가 있을 때 중형(中形)의 할구를 이름.

중함【中笒】명〖악〗→중금(中笒).

중합¹【重合】명 ①포개어 합침. ②〔polymerization〕〖화〗같은 화합물의 분자(分子) 두 개 이상이 결합하여 분자량(分子量)이 큰 다른 화합물이 되는 일. 두 가지 이상인 경우에는 공중합(共重合)이라고 하며, 부가 반응(附加反應)에 의한 부가 중합, 축합(縮合) 반응에 의한 축합 중합이 있음. ——-하다 자타여불

중:합²【衆合】명〖불교〗↗중합 지옥(衆合地獄).

중합 가솔린【重合—】명〔polymer gasoline〕〖화〗기체상(氣體狀)의 에틸렌계(系) 탄화 수소를 중합하여 만드는 합성 석유의 하나.

중:-합금【重合金】명〔heavy alloy〕〖야금〗금속 분말을 압축(壓縮)·소결(燒結)하여 만든 텅스텐 니켈 합금. X선관(線管)이나 방사선 기기(放射線機器)의 차폐판(遮蔽板), 전기 회로의 브레이커(breaker)의 접촉면 등에 쓰임. 헤비 합금.

중합-도【重合度】명〔degree of polymerization〕〖화〗중합체를 구성하고 있는 단위체의 수(數).

중합-유【重合油】명〖화〗지방유(脂肪油)를 200°-300°C 또는 그 이상 가열하여 끈끈하게 된 것을 계속 가열하여 점착성(粘着性)을 없앤 기름. 인쇄용 잉크 등의 제조 원료임.

중:합 지옥【衆合地獄】명〖불교〗팔대(八大) 지옥의 셋째. 곧, 살생·투도(偸盜)·사음(邪淫)을 범한 자가 떨어진다는 지옥. 석할(石割) 지옥. ㈜중합(衆合).

중합-체【重合體】명〔polymer〕〖화〗중합 반응으로 만들어진 화합물. 단위체(單位體)의 수에 따라 각각 이합체(二合體)·삼합체라고 부름. 합성 수지(合成樹脂)·나일론 등은 모두 중합체임. 폴리머.

중항【中項】명〖수〗내항(內項).

중:-항공기【重航空機】명 총중량이 같은 체적의 공기보다 무겁고 날개에 작용하는 양력(揚力)으로 비행하는 항공기. 글라이더·비행기·헬리콥터 따위. 비행선·기구(氣球) 따위의 경항공기(輕航空機)에 대해서 이름.

중해【中海】명〖지〗내해(內海)❶.

중핵【中核】명 사물의 중심. 중요한 부분. 핵심(核心).

중:-핵자【重核子】명〖물〗하이퍼론(hyperon).

중행【中行】명 중용(中庸)을 지키는 행위. 올바른 행실.

중:향-성【衆香城】명〖지〗내금강(內金剛)의 영랑봉(永郞峰) 동남을 병풍처럼 둘러 싸고 있는 하얀 바위 성.

중-허리【中—】명 ①〖악〗막내기로 시작해 중간에서 곡조를 잠깐 변조(變調)시켜 높은 소리로 부르는 가곡(歌曲)이나 시조의 곡조의 한 가지. 중거(中擧). ②중턱. ¶비로봉 ~에 서다.

중허리 시조【中—時調】명〖악〗시조 창법(唱法)의 하나. 초장(初章) 셋째 장단 제1-4박을 높은 소리로 부름.

중-혀【重—】명〖한의〗청백색(靑白色)의 수포(水疱)가 혓줄기 옆으로 일어, 처음에는 작으나 차차 불어서 나중에는 달걀만하게 되어 아프지는 않으나 말소리를 내기가 거북하게 되는 종기. 설종(舌腫). 중설(重舌). 중종(重腫).

중현¹【中絃】명〖악〗①향비파(鄕琵琶)의 넷째 줄의 이름. *유현(遊絃). ②당비파(唐琵琶)의 셋째 줄의 이름. *자현(子絃).

중:현²【衆賢】명 많은 어진 사람. 다수의 현인(賢人).

중현 대:부【中顯大夫】명〖역〗고려 때 문관(文官)의 품계. 종삼품의 하(下). 충렬왕(忠烈王) 34년(1308)에 정하였다가, 공민왕(恭愍王) 5년(1356)에 폐하고, 11년에 다시 베풀어서 18년에 또 폐하였음.

중형¹【中型】명 중치의 형(型). 대형과 소형의 중간쯤 되는 크기.

중:형²【仲兄】명 자기의 둘째 형. 중씨(仲氏).

중:형³【重刑】명 무거운 형벌. ↔경형(輕刑).

중형-기【中型機】명 대형기와 소형기의 중간쯤 되는 크기의 비행기. 쌍발기(雙發機)·경폭격기(輕爆擊機) 등이 이에 속함.

중형 시조【中型時調】명〖문〗엇시조.

중형 자동차【中型自動車】명 자동차 관리법 시행 규칙에서 분류한 자동차의 한 종류. 배기량 1,500 cc 이상 2,000 cc 미만의 승용(乘用) 자동차, 승차 정원 16인승 이상 35인승 이하의 승합(乘合) 자동차, 최대 적재량 1톤 이상 5톤 미만의 화물 자동차, 견인 능력 5톤 초과 10톤 미만의 특수 자동차, 배기량 100 cc 초과 260 cc 이하이거나 정격 출력 1킬로와트 이상 1.5킬로와트 미만의 이륜(二輪) 자동차 등이 있음. ㈜중형차. *소형 자동차·대형 자동차·특수 자동차.

중형-주【中型株】명〖경〗대형주와 소형주의 중간. 곧, 자본금과 주가(株價)가 비교적 중간인 주.

중형-차【中型車】명 ↗중형 자동차.

중형 플랑크톤【中型—】명〔mesoplankton〕〖생〗0.5-1.0 mm 정도의 플랑크톤. 주로 동물 플랑크톤인데, 보리새우류(類)나 물벼룩 따위가 이에 속함.

중호¹【中戶】명〖역〗연호법(煙戶法)의 등급의 하나. 서울에는 호주가 현임(現任) 삼품(三品)이나 사품(四品)이 되는 집, 시골에는 식구가 열 이상이 되는 집.

중호²【中護】명〖역〗고려 도첨의사사(都僉議使司)의 벼슬. 충렬왕(忠烈王) 34년(1308)에 첨의 시랑 찬성사(僉議侍郞贊成事)·첨의 찬성사(僉議贊成事)를 고쳐 일컫다가 뒤에 복구되었음.

중호-문【重弧文】명〖고고학〗무지개 무늬.

중혼【重婚】명〖법〗배우자(配偶者) 있는 사람이 다시 혼인(婚姻)하는 일. 우리 나라 민법은 일부 일처혼 제도(一夫一妻婚制度)를 기본으로 하기 때문에 중혼을 금하고 있음. 구형법(舊刑法)에서는 중혼에 대한 처벌 규정(處罰規定)이 있었으나 현행 형법에는 없음. 이중(二重) 결혼. ——-하다 자여불

중혼-자【重婚者】명 중혼한 사람. 중혼 당사자.

중혼-죄【重婚罪】[—쬐] 명 구형법에서, 배우자(配偶者)가 있는 사람이 이중으로 혼인함으로써 성립되던 죄.

중화¹【中火】명 길 가다가 먹는 점심. ¶일행은 꼭두바위 근처에서 ~를 지어 먹고 노닥거리다가…《金周榮 : 客主》. ——-하다 자여불 길 가다가 점심을 먹다.

중화²【中和】명 ①성격이나 감정이 치우침이 없고 올바른 상태. ②덕성(德性)이 중용(中庸)을 잃지 않은 상태. ③독(毒) 또는 독소(毒素)를 적당한 항독소(抗毒素)를 써서 없애는 일. ④〔neutralization〕〖화〗이성(異性)의 물질이 서로 융합하여 서로의 특징이나 작용을 잃는 일. 이질(異質)의 물질을 가하여 어떤 물질의 효력을 약화시키는 일. ⑤〖화〗산(酸)과 염기(塩基)의 용액(溶液)을 당량(當量)만큼씩 섞을 때, 서로 합하여 각기의 특성(特性)을 잃고 중성(中性)이 되는 현상. ⑥〖물〗같은 분량의 음전기(陰電氣)와 양전기(陽電氣)가 만나서 전기 현상(電氣現象)을 나타내지 않는 일. ⑦〖물〗고주파 증폭 회로(高周波增幅回路)에서 귀환(歸還)에 의하여 회로가 자기 발진(自己發振)하는 것을 막는 일. ⑧〖언〗음운론적(音韻論的)인 대립을 이루는 두 음소(音素)가 특수한 환경에서 그 변별 기능을 상실하게 되는 일. ——-하다 자여불

중화³【中和】명〖지〗평안 남도 중화군(中和郡)의 군청 소재지. 경의선(京義線)에 연하고 도로망(道路網)의 초점에 있으며 부근 일대는 낙랑

준평원(樂浪準平原)의 일부로서 카르스트(Karst) 지형을 이룸. 농축산물의 대집산 시장임. 황주(黃州)와 같이 페디스토마균이 있어 토질병(土疾病)이 많음.

중화[4] 【中華】 명 〔'중(中)'은 '중앙'이나 '중심', '화(華)'는 '문화가 앞섰다'는 뜻〕 한민족(漢民族)이 주위의 여러 민족을 동이(東夷)·서융(西戎)·남만(南蠻)·북적(北狄)이라 불러 야만시하고 자기네 나라가 세계의 중앙에 위치한 가장 문명한 나라라는 뜻으로 일컫는 말.

중화-가 【中和價】 [—까] 명 〔neutralization number〕 《화》 석유 제품의 시험치(試驗値). 1g의 기름 가운데에 함유된 산(酸)을 중화하는 데 필요한 수산화 칼륨의 밀리그램수(數).

중화-군 【中和郡】 명 《지》 평안 남도의 한 군. 관내 11면. 도의 최남부(最南部)에 위치하고 동쪽은 황해도의 수안군(遂安郡), 북쪽은 강동군(江東郡)과 대동군(大同郡), 서쪽은 강서군(江西郡)과 용강군(龍岡郡), 남쪽은 황해도 황주군(黃州郡)에 인접함. 주요 산물은 농산·임산·광산·수산·축산·공산 등인데, 특히 이웃 황주군과 더불어 사과의 산지(產地)로 유명함. 명승 고적(名勝古蹟)으로는 동명왕릉(東明王陵)·냉천(冷泉)·해압산(海鴨山)·관음산(觀音山) 등이 있음. 군청 소재지는 중화(中和). [909 km²]

중:-화기 【重火器】 명 《군》 중기관총(重機關銃)·박격포(迫擊砲)·무반동총(無反動銃)·일반 보병포(步兵砲) 등, 보병이 휴대하는 화기 중에서 비교적 화력(火力)이 강한 화기. ↔경화기(輕火器).

중:화기 중대 【重火器中隊】 명 《군》 보병 대대(大隊)에 소속하여 중화기를 장비한 중대. 보병 중대의 전투를 지원함.

중:-화물 【重貨物】 명 한 개의 중량이 1톤 이상인 화물.

중화 민국 【中華民國】 명 《지》 1911년의 신해 혁명(辛亥革命)으로 청조(清朝)가 무너지고 다음 해 1월 중국 최초의 공화국이 성립된 후부터의 중국의 국호. 초대 대통령은 위안 스카이(袁世凱). 뒤에 중국 국민당(國民黨)이 국민 정부(國民政府)를 수립하여 전국을 통일, 난징(南京)에 수도를 둠. 제2차 대전 중 수도를 충칭(重慶)으로 옮겼으며, 전후에 공산당과의 내전(內戰)에 패하여 1949년 본토를 떠나 타이완(臺灣)으로 옮겨 타이베이(臺北)를 수도로 삼음. ㉥민국(民國). *중국·대만.

중화-사 【重華寺】 명 《불교》 충청 북도 영동군(永同郡) 영동읍(永同邑) 화신리(花新里) 천마산(天摩山) 중턱에 있는 절. 법주사(法住寺)의 말사(末寺)임. 신라 진흥왕(眞興王) 때 의상(義湘)이 세웠다 함.

중화 사:상 【中華思想】 명 중국 사람이 스스로 '중화'라 불러 민족의 우월성(優越性)을 자랑하는 사상. 중국에서 대체로 통일적인 민족 문화가 형성된 춘추 전국(春秋戰國) 시대에 일어나, 오랫동안 한(漢)민족의 사상의 저류(底流)가 되어 왔음. *화이 사상(華夷思想).

중:-화상 【重火傷】 명 정도가 심한 화상.

중화 소악 【中和韶樂】 명 《악》 중국 아악(雅樂)의 일종. 명(明)나라 홍무(洪武) 26년(1393)에 제정된 중소악(中韶樂)에서 비롯되어 황제의 탄신·정초·동지(冬至) 등의 연회와 교사묘(郊祀廟) 제사 뒤의 연회에서 연주되었음.

중화 시험 【中和試驗】 명 《생》 일정한 시간과 온도에서 작용(作用)시킨 바이러스(virus)와 혈청(血清)을, 그 바이러스에 대한 감수성(感受性)이 있는 생체(生體)에 접종(接種)하여, 항체(抗體)의 유무를 알아보기 위한 시험.

중화-열 【中和熱】 명 《화》 산(酸)과 염기(塩基)가 각각 1g 당량(當量)씩 중화할 때에 발생하는 열량(熱量). 18°C에서 13.7칼로리임.

중화 요리 【中華料理】 명 중국 요리(中國料理).

중화용 축전기 【中和用蓄電器】 명 〔neutralizing capacitor〕 《전》 무선 수신(無線受信) 또는 송신 회로(送信回路)에서, 어떤 단(段)의 양극(陽極) 회로로부터 격자(格子) 회로에, 신호 전압(信號電壓)의 일부를 귀환(歸還)시키기 위해 쓰이는 가변(可變) 콘덴서.

중화 인민 공:화국 【中華人民共和國】 명 《지》 1949년 중화 민국 국민당 정권(中華民國國民黨政權)을 혁명으로 쓰러뜨리고 10월 1일에 중국 본토에 수립한 사회주의 공화국. 마오 쩌둥(毛澤東)을 주석(主席)으로 하는 중국 공산당의 지도 하에 전국 인민 대표 대회를 국가 권력의 최고 기관으로 함. 이후, 1966년에 시작된 문화 대혁명의 종료 후, '4개의 근대화'를 슬로건으로 사회주의 건설을 진행시키고 있으나 최근 들어 경제 발전을 위해 부분적으로 자본주의 시장제(市場制)를 도입하고 있음. 수도는 베이징(北京). [9,596,961 km² : 1,221,500,000명(1995)] *중국.

중화 적정 【中和滴定】 명 〔neutralization titration〕 《화》 산(酸)과 염기(塩基)가, 같은 그램 당량수(gram 當量數)로 중화하는 것을 이용하여 산 또는 염기의 부피 분석(分析)을 행하는 일. 산의 표준액(標準液)을 사용하여 염기를, 그리고 염기의 표준액을 써서 산을 적정(滴定)함. 일반적으로 전기(電氣) 적정보다 신뢰도가 낮음. *전기 적정.

중화-전 【中和殿】 명 덕수궁(德壽宮) 안에 있는 전각으로 조회를 받던 정전(正殿).

중화 전국 총:공회 【中華全國總工會】 명 중국의 모든 노동 조합의 전국적 연합 단체. 제2차 대전 후에 세계 노동 조합 연맹에 가입함.

중화-절 【中和節】 명 《역》 조선 시대 후기의 명절. 음력 2월 초하루. 중국의 옛 제도를 본떠, 정조(正祖) 때 시작됨. 이날 어전(御殿)에서 임금이 재상(宰相)과 시종(侍從)하는 신하들에게 중화척(中和尺)을 내려 줌.

중화-점 【中和點】 [—쩜] 명 《화》 중화 적정(滴定)에서 산(酸)과 염기(塩基)를 당량(當量)만큼 가한 점. 강한 산(酸)과 강한 염기의 중화점은 중성점(中性點)과 일치하는데, 다른 조합에서는 일치하지 않는 일이 많음. 페하 미터(pH meter) 등을 써서 검지(檢知)함.

중화지-기 【中和之氣】 명 덕성이 발라 과불급(過不及)이 없는 화평한 기상(氣象).

중화 지시약 【中和指示藥】 명 《화》 중화 반응이 완료된 것을 나타내는 약. 빛깔의 변화로 알려 줌. 페놀프탈레인과 메틸 오렌지를 흔히 사용함. 염-산기(塩-酸基) 지시약.

중화-참 【中火站】 명 길 가다가 중화하는 곳.

중화-척 【中和尺】 명 《역》 조선 정조(正祖) 때, 중화절(節)에 신하에게 내린 자. 얼룩이 진 무늬 있는 반죽(斑竹) 혹은 이깔 나무로 만들었음.

중:화학 공업 【重化學工業】 명 금속 공업(金屬工業)·기계 공업(機械工業) 따위의 중공업과 화학 공업의 총칭. 특히, 화학 제품(化學製品)의 원료가 되는 화학 제품을 대량(大量)으로 제조하는 황산 공업·소다 공업·석유 화학 공업 따위의 화학 공업을 일컬을 때도 있음.

중:화학 공업화율 【重化學工業化率】 명 《경》 중공업화율.

중화 항:체 【中和抗體】 명 〔neutralizing antibody〕 《의》 중화 반응에 관여하는 면역 항체(免疫抗體). 바이러스가 결합하면 활성(活性)을 잃음.

중화 혁명당 【中華革命黨】 명 《역》 1914년 쑨 원(孫文)이 일본 도쿄에서 결성한 혁명적 비밀 결사(祕密結社). 중국 혁명 동맹회(革命同盟會)의 노선을 이어받아 전제 정치(專制政治)의 배제(排除)와 민국(民國)의 건설을 목적으로 하였음. 1919년 중국 국민당으로 개칭(改稱)하고 공개 정당이 됨.

중화 회로 【中和回路】 명 〔neutralizing circuit〕 《전》 재생 작용(再生作用)을 방지하기 위해, 양극(陽極)에서 격자(格子)로의 귀환로(歸還路)를 부여(賦與)하는 증폭(增幅) 회로의 일부.

중환[1] 【中丸】 명 탄환이 명중함. ——-하다 자여불

중:환[2] 【重患】 명 ①무거운 병. 대병(大病). 중병(重病). ↔경환(輕患). ②↗중환자.

중환식 화합물 【重環式化合物】 명 《화》 여러 고리 화합물.

중:-환자 【重患者】 명 중병을 앓는 환자. ㉥중환(重患). ↔경(輕)환자.

중:환자-실 【重患者室】 명 집중 가료실(集中加療室).

중환 치:사 【中丸致死】 명 탄환이 명중되어 죽음. ——-하다 자여불

중황-란 【中黃卵】 [—난] 명 〔mesolecithal egg〕 《동》 동물란(卵)의 한 형(型). 난황이 알의 중심에 있는 것. 원형질의 주요부는 알의 표면에 박층(薄層)으로서 분포함. 난할(卵割)은 표면 난할. 절지(節肢) 동물의 알에서 볼 수 있음.

중회[1] 【中悔】 명 《불교》 한 번 얻은 신앙(信仰)이 동요(動搖)되어 중도에서 그 소신(所信)을 후회하고 파기(破棄)하는 일.

중회[2] 【中會】 명 《기독교》 노회(老會).

중:회[3] 【衆會】 명 중인(衆人)의 모임.

중:후 【重厚】 명 ①태도가 정중하고 독실함. ¶ ~한 인품. ②물건이 무겁고 두툼함. ——-하다 형여불

중훈 대:부 【中訓大夫】 명 《역》 조선 시대에, 종삼품 문관(文官)의 품계. 고종(高宗) 2년(1865)부터 문관·종친(宗親)·의빈(儀賓)의 품계로 병용(併用)하였음.

중휘발성 역청탄 【中揮發性瀝青炭】 [—썽—] 명 〔medium-volatile bituminous coal〕 휘발 성분을 23-31% 함유하고 있는 역청탄.

중휴 【中休】 명 일의 도중에 잠시 쉬는 일. ——-하다 자여불

중흉 【中胸】 명 《충》 곤충의 제2 흉절(胸節). 한 쌍의 중지(中肢)가 있음. 유시류(有翅類)에서는 한 쌍의 전시(前翅)가 있음. 가운뎃가슴.

중흥 【中興】 명 쇠퇴하던 나라나 집 등이 중간에서 다시 일어남. ¶민족의 ~. ——-하다 자여불

중흥산성 쌍사자 석등 【中興山城雙獅子石燈】 명 《불교》 전라 남도 광양시(光陽市) 옥룡면(玉龍面) 운평리(雲坪里)에 있었던 통일 신라 시대의 화강암(花崗岩)으로 된 석등. 두 마리의 사자가 석등을 떠받치고 있는 형상으로, 장식이 간명(簡明)하고 사실적이며 경쾌(輕快)한 조형(造型)이 아름다움. 1918년 원위치를 떠나 현재 국립 중앙 박물관 소장. 총높이 2.5 m. 국보 제103호.

중흥지-주 【中興之主】 명 쇠퇴하던 나라를 중흥시킨 임금.

중히 【重亦】 부 〈이두〉 중(重)히.

중:히 여기다 【重—】 구 ①소중(所重)히 생각하다. ②받들어 높이다. ③공경하다.

중-힐: 【中—】 〔heel〕 명 굽의 높이가 약 3-6cm의 구두. 또, 그 굽. 하이 힐(high heel)과 로 힐(low heel)의 중간이라는 데서 이름.

중힘 【中—】 명 실중힘보다 조금 약한 활. 중력(中力).

좨기 명 〈방〉 제기[1](함남).

줘수이 강 【—江】 〔濁水溪〕 명 《지》 타이완(臺灣) 서부를 흐르는 강. 타이완 산맥의 허환 산(合歡山)에서 발원(發源), 완다 강(萬大溪)·단다 강(丹大溪) 등과 합류하여 타이완 해협으로 들어감. 탁수계. [186 km]

줴기 명 〈방〉 제기[1](전북).

줴:-뜯다 타 ↗쥐어뜯다.

줴:-박다 타 ↗쥐어박다.

줴수이 【決水】 명 《지》 중국 허난 성(河南省) 상청 현(商城縣)의 뉴산(牛山)에서 시작하여 화이허(淮河) 강으로 흐름. 결수.

줴:-지내다 자 ↗쥐여 지내다.

줴:-지르다 타르불 ↗쥐어지르다. ¶미리부터 닭을 잡아 가지고 있다가 너 보란 듯이 내 앞에 줴지르고 있음이 확실하다《金裕貞 : 동백꽃》.

줴:-흔들다 타 ↗쥐어흔들다.

쥔: 명 〈방〉 주인[1](主人)(강원·경북).

쥣다-벙거지 명 〈방〉 중절 모자(中折帽子).

쥥이 명 〈방〉 《동》 쥐(제주).

쥐[1] 명 《한의》 신체의 어느 국부(局部)에 경련(痙攣)이 일어나, 부분적으로 근육(筋肉)이 수축(收縮)되어 기능(機能)을 일시적으로 잃는 형상. ¶다리에 ~가 나다.

쥐[2] 〔rat, mouse〕 《동》 ①널리 쥐목(目)의 쥣과(科), 식충목(食蟲目)의

땃쥐과(科)를 포함하는 소형 포유류(哺乳類) 동물의 총칭. 200 이상의 속(屬), 포유류의 약 1/3에 이르는 종(種)이 있음. 번식력이 강하여 한 해에 여러번 새끼를 낳으며, 빠른 것은 50일 정도면 새끼를 낳을 수 있음. 또한 주된 먹이가 사람의 주식(主食)인 쌀·보리 등 곡물이어서 하루 한 마리가 평균 10g의 쌀의 양을 먹음. 쥐의 수는 도시에서 대개 인구의 수와 같으며 시골에서는 그 2-3배에 달한다고 함. 밭에서 곡물·야채류 등을 먹고 심지어 닭까지도 잡아먹는 등 그 해가 심함. 어떤 종류의 쥐는 전염병을 매개하기도 함. *집쥐·첫과. ②곰쥐.
[쥐가 고양이를 만난 격] 꼼짝 없이 잡혀서 당하게 된 형편. ¶재수 없이 금부도사의 손에 걸렸으니 쥐가 고양이를 만난 격인 이기백은 기왕 잡힌 바엔 비굴한 태도를 보이고 싶지가 않았다 ≪崔仁旭: 逆道라는 이름의 死刑囚≫. [쥐가 쥐꼬리를 물고] 여러 사람이 연달아 나오는 것을 놓으로 하는 말. [쥐밑도 모르고 은서피(銀鼠皮) 값을 친다] 사리에 어두운 사람이 굳이 아는 체하고 출반주(出班奏)함을 비웃어 하는 말. [쥐 밑살 같다] 매우 작은 사물이나 대수롭잖은 것을 이르는 말. [쥐 본 고양이] 쥐를 꼭 잡아먹고야 마는 고양이처럼, 무엇이고 보기만 하면 결딴을 내고야 마는 사람을 이르는 말. [쥐 소금 나르듯] 조금씩 조금씩 시나브로 없어짐을 이르는 말. [쥐 소금 먹듯 한다] 조금씩 먹는 것을 비유하는 말. [쥐 안 잡는 괭이라] 무용(無用)한 듯하던 것도 없어지고 보니 실상은 소용되었다는 것을 깨닫고 하는 말. [쥐 코 조림 같다] 몹시 보잘 것 없고 불미한 사물을 비유하는 말. [쥐 포수(捕手)] 사소한 사물을 얻으려고 애쓰는 사람을 일컫는 말.
쥐도 새도 모르게 [구] 아무도 모르게 감쪽같이.
쥐도 새도 모르다 [구] 없어지거나 없앤 방법이 감쪽같아, 아무도 그 경위나 행방을 모르다.

쥐-가스리 [명] 〈방〉〖어〗 쥐가오리.

쥐-가오리 [명]〖어〗[*Mobula japonica*] 쥐가오릿과에 속하는 바닷물고기. 몸길이 2.5m 내외, 체중 500kg 이상의 큰 가오리로 외형은 매가오리에 가까우나 머리 끝에 가슴지느러미가 변화한 머리지느러미를 갖추어 귀처럼 보임. 꼬리는 채찍 모양이고, 몸빛은 청회색임. 태생어(胎生魚)로서 한 배에 8마리 가량 낳음. 난해성 어종으로 한국·일본·대만 연해에 분포함. 맛은 없으나 간유(肝油) 채유용으로 쓰임.

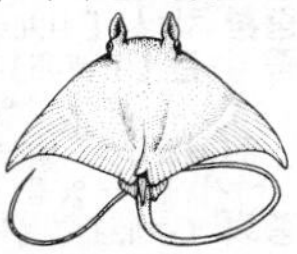
〈쥐가오리〉

쥐가오릿-과【―科】 [명]〖어〗[Mobulidae] 가오리목(目)에 속하는 어류의 한 과. 쥐가오리 하나뿐임.

쥐-걸음 [명] 몹시 두려워서 살금살금 걷는 걸음. ¶고양이 앞의 ～.

쥐-고기 [명]〈방〉〖어〗 쥐치.

쥐-구멍 [명] ①쥐가 드나드는 작은 구멍. ②몸을 숨길 만한 최소한(最小限)의 장소(場所)의 속칭(俗稱). ③〈방〉 쥐독.
[쥐구멍에도 볕들 날이 있다] 몹시 고생을 하는 사람도 좋은 운수가 터질 날이 있다는 말. [쥐구멍에 홍살문 세우겠다] 합당하지 않은 일을 주책 없이 경영한다는 말. [쥐구멍으로 소 몰라고 한다] 불가능한 일을 하라고 한다는 말. [쥐구멍이 소구멍 된다] 작은 화를 막지 않고 그대로 두면 큰 화가 된다는 말.
쥐구멍(을) 찾다 [구] 몹시 부끄럽거나 떳떳하지 못하여 몸을 숨기려고 애쓰다.

쥐글라 사이클 〔Juglar cycle〕 [명]〖경〗 주순환(主循環).

쥐글라 파동【―波動】〔Juglar〕 [명]〖경〗 쥐글라 사이클. *주순환(主循環).

쥐-깨 [명]〖식〗[*Orthodon grosseserratum*] 꿀풀과에 속하는 일년초. 줄기는 방형(方形)인데, 높이 약 60cm이며, 잎은 대생하고 다소 장병(長柄)에 달걀꼴임. 7-9월에 백색 또는 담홍자색의 꽃이 총상(總狀) 화서로 가지 끝에 정생(頂生)하고, 수과(瘦果)는 구형(球形)임. 들에 나는데 제주·경기·평남·평북·함북 등지에 분포함. 어린 잎은 식용함.

〈쥐깨〉

쥐깨-풀 [명]〖식〗 쥐깨.

쥐-꼬리 [명] 쥐의 꼬리.

쥐꼬리-만하다 [형][여불] 분량이 매우 적다. ¶쥐꼬리만한 월급.

쥐꼬리-망초 [명]〖식〗[*Justicia procumbens*] 쥐꼬리망촛과에 속하는 일년초. 줄기는 방형(方形)인데, 높이 30-40cm이고, 잎은 대생하며 유병(有柄)이고 달걀꼴 또는 긴 타원상 피침형임. 7-9월에 담홍색 또는 백색의 순형화(脣形花)가 가지 끝에 수상(穗狀) 화서로 달려 피고 삭과(蒴果)는 선상(線狀)의 긴 타원형임. 들이나 산록에 나는데 한국 각지 및 일본·중국·대만 등지에 분포함. 뿌리는 '진범(蓁芃)'이라 하여 약용함. [준]망초.

〈쥐꼬리망초〉

쥐꼬리망촛-과【―科】 [명]〖식〗[Acanthaceae] 쌍자엽(雙子葉) 식물에 속하는 한 과. 열대 및 온대에 181속(屬), 2,050여 종이 있는데, 한국에는 재배품(栽培品)을 합하여 쥐꼬리망초 등 두어 종이 분포함.

쥐꼬리-톱 [명] 나무를 굽게 써는 데에 사용하는 쥐꼬리 모양으로 가늘고 길게 생긴 톱.

쥐-나다 [자] ①팔·다리 같은 곳에 쥐가 일어나다. ②몹시 부끄러운 일을 당했을 때에 얼굴이 화끈 달아서 경련(痙攣)이 일어날 지경에 이르다.

쥐-날 [명]〖민〗'자일(子日)'의 속칭.

쥐-노래미 [명]〖어〗[*Hexagrammos otakii*] 쥐노래밋과에 속하는 바닷물고기. 몸길이 30-40cm로 길고 측편(側扁)하며 몸 양쪽에 다섯 쌍의 옆줄이 있음. 몸빛은 개체 변화(個體變化)가 심하여 황색·적갈색·흑갈색·자갈색·흑자갈색 등이 있으며, 보통은 흑갈색임. 해조(海藻)·암초 사이에 사는데, 한국 연안 및 일본에 분포함. 산란기(產卵期)는 11-12월경이며 여름철에 맛이 좋음. 석반어(石斑魚).

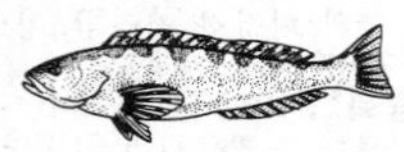
〈쥐노래미〉

쥐노래밋-과【―科】 [명]〖어〗[Hexagrammidae] 독중개목(目)에 속하는 어류의 한 과. 이 과에 속한 것으로 노래미·임연수어·줄노래미·쥐노래미 등이 있음.

쥐눈이-콩 [명]〖식〗[*Rhynchosia volubilis*] 콩과에 속하는 다년생 만초(蔓草). 줄기와 잎은 갈색(褐色)인데 잎은 호생하고 삼출(三出)하며 소엽(小葉)은 거꿀달걀꼴, 탁엽(托葉)은 피침형(披針形)임. 8-9월에 황색 꽃이 총상(總狀) 화서로 액출(腋出)하고, 협과(莢果)는 타원형인데 빨갛게 익으며 광택 있는 검은 씨가 있음. 산야에 나는데, 한국 각지 및 일본에 분포함. 콩나물용으로 재배함. 녹곽(鹿藿). 여우콩. 서목태(鼠目太). 여두(穭豆).

〈쥐눈이콩〉

쥐:다[1] [타] ①손가락을 구부리어 주먹을 짓거나 주먹 안에 움켜 잡다. ¶주먹을 ～. ②권리(權利) 등을 손아귀에 넣다. ¶당권(黨權)을 ～. ③남을 휘어 잡아 자기 마음대로 하다. ④재물을 얻거나 가지다. ¶큰돈을 ～. ⑤어떤 자료 따위를 간직하다. ¶해결의 열쇠를 쥔 사람. *잡다².
[쥐고 펼 줄을 모른다] ㉠돈을 모으기만 하고 쓸 줄을 모른다. ㉡풀쳐서 생각할 줄을 모른다. [쥐면 꺼질까 불면 날까] 매우 소중하게 여긴다는 말. [쥐었다 놓은 개떡 같다] 얼굴이 무척 못생겼다는 말.
쥐었다 폈다 하다 [구] ㉠무슨 일을 자기 마음대로 조종하다. ㉡어떤 사람을 자기 마음대로 부리다.

쥐:다[2] [타]〈방〉 깁다(전북).

쥐다디다 [타]〈옛〉 치다. ¶뎡시 도적으로 더브러 서르 쥐다디며 구짖기를 이베 그치디 아니 ᄒᆞ니(鄭氏與賊相搏罵不絕口) ≪東國新續三綱 烈女圖 Ⅵ:39 鄭氏寸斬≫.

쥐-다래 [명] ①쥐다래나무의 열매. ②〖식〗↗쥐다래나무.

쥐-다래나무 [명]〖식〗[*Actinidia kolomikta*] 다래과에 속하는 낙엽 활엽 만목(蔓木). 잎은 난형(卵形) 또는 타원형임. 초여름에 백색 꽃이 1-3개씩 액생(腋生)하며, 장과(漿果)는 9-10월에 적황색으로 익음. 깊은 산의 숲 밑에 나는데, 한국 각지 및 일본·사할린·만주·중국 등지에 분포함. 과실은 식용함. [준]쥐다래.

〈쥐다래나무〉

쥐:대기 [명] 전문가(專門家)가 아니어서 재주가 없고 서투른 장색(匠色).

쥐-덫 [명] 쥐를 잡는 데에 쓰는 덫. 고두(槹斗). ¶～을 놓다.

〈쥐덫〉

쥐독 [명] 머리의 숫구멍 자리. *정수리.

쥐-돔 [명]〖어〗[*Prionurus microlepidotus*] 양쥐돔과에 속하는 바닷물고기. 몸길이 30cm 내외인데, 모양은 타원형으로 주둥이가 길고, 그 끝이 뾰족하며 입이 작음. 몸빛은 흑갈색이고 꼬리자루의 방패 모양의 돌기는 흑색임. 암초성의 천해(淺海)에 군서(群棲)하는데, 한국 남해 및 제주도 연해, 일본 중부 이남 및 류큐(琉球)에까지 분포함. 맛이 좋지 않음.

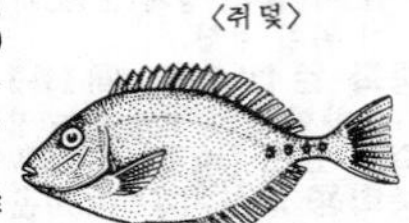

〈쥐돔〉

쥐둥이 [명]〈방〉 주둥아리(강원).

쥐똥-같다 [형] ☞쥐뿔 같다.

쥐똥-나무 [명]〖식〗[*Ligustrum ibota* var. *angustifolium*] 물푸레나뭇과의 낙엽 활엽 관목. 높이 2m 가량이고 잎은 대생(對生)하며 타원형 또는 도피침형인데, 톱니가 없음. 5월에 백색의 꽃이 복총상(複總狀) 화서로 정생(頂生)하여 핌. 핵과(核果)는 10월에 쥐똥처럼 까맣게 익으며 산·들·골짜기 등에 남. 한국 각지와 일본·대만 등지에 분포함. 산울타리로 심으며, 수피(樹皮)에 생기는 백색 분상물(粉狀物)에서 충백랍(蟲白蠟)을 채취하여, 약용과 공업용(工業用)으로 씀. 백랍(白蠟). 수랍목(水蠟木). 유목(楰木).

〈쥐똥나무〉

쥐똥나무-밤나방 [명]〖충〗[*Craniophora ligustri*] 밤나방과에 속하는 곤충. 편 날개의 길이 38-40mm이고 몸빛은 백색에 흑갈색의 인편(鱗片)이 있음. 복부(腹部)와 뒷날개는 담암갈색이고 앞날개는 암갈색, 중앙실(中央室)의 외측은 회백색, 아기선(亞基線)과 내횡선(內橫線)은 흑색임. 유충(幼蟲)은 쥐똥나무 등의 잎을 갉아 먹는 해충(害蟲)으로 한국에도 분포함.

쥐-띠 [명]〖민〗 자생(子生)을, 쥐의 속성(屬性)으로 상징하여 일컫는 말.
[쥐띠는 밤에 나면 잘 산다] 쥐는 밤에 먹이를 찾으므로 자생(子生)으로서 밤에 태어난 사람은 잘 산다는 말.

쥐라-계【―系】〔Jura〕 [명]〖지〗 쥐라기(紀)의 지층(地層). 맨 윗부분은 흰 쥐라 암석(岩石), 가운데는 갈색의 쥐라 암석, 아래는 검은 쥐라 암석으로 이루어짐.

쥐라-기【―紀】 [명]〔Jurassic Period〕〖지〗〔이 기(期)의 지층이 쥐라 산맥의 노출에 따라 연구되었기 때문에 이렇게 명명됨〕 중생대(中生代)

의 중간에 속하는 지질 시대. 약 2억 1천만 년 전부터 약 1억 4천만 년 전까지의 시대. 식물로는 은행류(銀杏類)·소철류(蘇鐵類)·양치류(羊齒類) 등이 번성했고, 동물로는 파충류(爬蟲類)가 거대해지고 시조(始祖)새가 출현했음. *트라이아스기(紀)·백악기(白堊紀).

쥐라 산맥 【—山脈】〔Jura〕 명 『지』 스위스와 프랑스의 경계에 있는 습곡(褶曲) 산맥. 주로 석회석(石灰石)으로 되고 사암(砂岩)을 포함하며, 쥐라기층(層)의 좋은 연구지임. 협곡(峽谷), 동혈(洞穴), 폭포, 광대한 송림(松林) 등이 많음. [약 300 km]

쥐:락-펴락 부 쥐었다 폈다 하는 모양. 당당한 권세로 남을 마음대로 부리는 모양. 펴락쥐락. ¶ 일국의 권세를 한 손에 ∼하던 자. ——-하다 타 여불

쥐:링 〔Süring, Reinhard〕 명 『사람』 독일의 기상학자. 포츠담 기상 지자기(氣象地磁氣) 관측소장을 역임. 1901년 베르손(Berson, Arthur)과 함께 고층(高層) 기상 관측을 위해 탑승한 자유 기구(自由氣球)는 10,800 m의 고도(高度)에 이르러 세계 기록을 수립했음. 구름 사진(寫眞)의 촬영과 복사(輻射)의 연구에도 이바지함. [1866-1950]

쥐-머리 명 편육을 만드는 데에 쓰이는, 결량에 붙은 쇠고기의 한 가지.

쥐-며느리 명 『동』 [*Porcellio scaber*] 쥐며느릿과의 절지 동물(節肢動物). 몸길이는 10 mm 내외이고 너비 6 mm 가량, 머리 폭이 넓은 타원형임. 7개의 흉절(胸節)과 6개의 복절(腹節)로 되었으며 몸의 배면(背面)은 오흑색(汚黑色) 또는 암갈색에 담황색의 반문(斑紋)과 과립상(顆粒狀) 돌기의 횡렬(橫列)이 있는데 눈은 작고 제1 촉각은 마디로 갈라졌고, 제2 촉각의 자루는 다섯 마디임. 가랑잎·쓰레기·마루 밑 등에 서식하며 무엇에 놀라면 둥글게 움츠림. 전세계에 분포되어 있음. 서고(鼠姑). 서부(鼠負). 서부(鼠婦). 이위(蛜蝛). 지계(地鷄). 초혜충(草鞋蟲).

〈쥐며느리〉

쥐며느릿-과 【—科】 명 『동』 절지(節肢) 동물의 갑각류(甲殼類)에 속하는 한 과.

쥐-명아주 명 『식』 [*Chenopodium glaucum*] 명아줏과에 속하는 일년초. 줄기 높이 30 cm 이상임. 잎은 호생(互生)하고 달걀꼴 타원형 또는 넓은 피침형(披針形)이며 잎 뒤가 분처럼 흼. 7-8월에 황록색의 꽃이 수상(穗狀) 화서로 액출(腋出)하여 핌. 과실은 포과(胞果)이고, 들에 남. 거의 한국 전역에 분포하며 어린 잎은 식용함.

쥐-목 【—目】 명 『동』 [Rodentia] 포유류(哺乳類) 진수 아강(眞獸亞綱)의 한 목(目). 포유류 중에서 가장 종류가 많음. 몸은 작고 송곳니가 없으며, 앞니는 한 쌍으로 바깥쪽만 사기질(砂器質)로 싸여 있는데, 끊임없이 자라므로 단단한 것을 쏠아 닳게 함. 대개가 태반(胎盤)을 가지고 있으며, 맹장(盲腸)이 잘 발달되고, 부드러운 털이 온 몸에 나는데 간혹 가시 돋은 것도 있음. 곡물(穀物)을 먹어 치우고, 질병을 옮기어 사람에게 해를 줌. 쥐·다람쥐 등이 이에 속함. *토끼목(目).

쥐무로다 타 〈옛〉 주무르다. ¶ 쥐무로다(拿弄) ≪同文解 上 29≫.

쥐발귀 명 『조』 노랑눈썹솔개.

쥐-방울 명 『식』 [*Aristolochia contorta*] 쥐방울과에 속하는 다년생의 만초(蔓草). 줄기는 가늘고 다른 것에 얽혀 올라가며 길이 1.5 m에 달함. 잎은 호생(互生)하고 장병(長柄)이며, 삼각상 달걀꼴이고, 잎 뒤가 다소 분처럼 흼. 7-8월에 녹자색의 꽃이 액출(腋出)하여 통상(筒狀)의 부정제화(不整齊花)로 피며, 과실은 삭과(蒴果)임. 산이나 들에 나는데, 거의 한국 각지에 분포함. 유독 식물이며 지하부(地下部)를 말린 것과 과실은 약용함. 마두령(馬兜鈴).

〈쥐방울〉

쥐방울-과 【—科】〔—꽈〕 명 『식』 [Aristolochiaceae] 이판화류(離瓣花類)에 속하는 한 과. 전세계에 250종이 있으나, 한국에는 등칡·쥐방울 등 5-6종이 분포함.

쥐방울-만하다 형 여불 〈속〉 몸피가 작고 앙증스럽다. 흔히, 사람에 대하여 씀.

쥐-벼룩 명 『충』 [*Monopsyllus anisus*] 가시벼룩과에 속하는 벼룩의 하나. 몸길이 2-2.5 mm 내외이고, 두순류(頭楯瘤)는 현저하며 눈의 앞쪽에 세 개의 강모(剛毛)가 있고 촉각와(觸角窩) 뒤 쪽에도 두 개의 강모가 있으며, 후두부(後頭部)에는 1열로 네 개의 강모가 있음. 쥐·고양이·사람 등에 기생하며 페스트(pest)를 매개함. 한국·일본·만주·중국·미국 등지에 분포함. 서조(鼠蚤).

쥐-볶이 명 『민』 음력 정월 첫 자일(子日)에 농가에서 쥐를 볶아 죽인다는 뜻으로 콩을 볶는 일.

쥐-부스럼 명 『한의』 머리 위에 툭툭 불거지는 부스럼의 한 가지. 우달(疣疸).

쥐-불 명 『민』 ①농가에서 음력 정월 첫 자일(子日)에 쥐를 쫓는 뜻으로 논밭 둑에 놓는 불. ②음력 정월 보름에 청년들이 동리별로 편을 나누어 동리 경계(境界)의 둑이나 논밭 둑의 마른 풀에 불을 놓아 먼저 끄기를 다투는 경기. 이긴 동리의 쥐가 진 동리로 모조리 몰려 간다는 뜻에서 행함. 주로 황해도에서 성행됨.

쥐불-놀이 〔—롤—〕 명 『민』 쥐불놓이.

쥐불-놓이 〔—로—〕 명 『민』 농가에서 쥐불을 놓는 일. ——-하다 자 여불

쥐불알-같다 형 〈방〉 쥐뿔같다.

쥐비 명 〈방〉 조¹(경상).

쥐-빚다 타 ①술 같은 것을 손으로 주물러서 담그다. ②〈옛〉 쥐어 빚다. 주물러 빚다. ¶ 엇그제 쥐비즌 술을 ≪古時調≫.

쥐-뼘 명 엄지손가락과 새끼손가락을 편 길이. '짧은 뼘'을 뜻함. *장뼘.

쥐-뿔 명 아무 보잘 것이 없음을 가리키는 말.
쥐뿔(이) 나다 구 보잘 것 없는 사람이 엉뚱한 짓을 하다.
쥐뿔도 모르다 구 아무 것도 알지 못하다.
쥐뿔도 없:다 구 가진 것이 아무 것도 없다.
쥐뿔만도 못:하다 구 보잘 것 없이 적다.

쥐뿔-같다 형 아무 보잘 것이 없다. 아주 변변치 못하다. 쥐좆같다.

쥐뿔-같이 〔—가치〕 부 쥐뿔같게.

쥐-살¹ 명 소의 앞다리에 붙은 고기. 흔히, 찌개에 넣음.

쥐:살² 명 〈방〉 장딴지(제주).

쥐-새 명 〈방〉 『조』 굴뚝새.

쥐-새끼 명 ①쥐의 새끼. ②몹시 교활하고 잔 일에 약게 구는 사람을 욕되게 일컫는 말.

쥐-색 【—色】 명 푸르스름한 담흑색(淡黑色). 회색(灰色). 쥣빛.

쥐서-부 【—鼠部】 명 한자 부수(部首)의 하나. '鼫'이나 '鼴' 등의 '鼠'의 이름.

쥐손이-풀 명 『식』 ①[*Geranium sibiricum*] 쥐손이풀과에 속하는 다년초. 줄기 높이 1 m 이상이고 잎은 대생하며 유병(有柄)인데, 장상(掌狀)에 3-5 갈래로 째지고 열편(裂片)은 피침상 달걀꼴임. 6-8월에 분홍색 또는 엷은 자색의 꽃이 잎 사이에서 나온 긴 화경(花莖) 위에 두 개씩 달리며 과실은 삭과(蒴果)임. 산이나 들에 나는데, 거의 한국 각지에 분포함. 약재로 씀. ②이질풀.

〈쥐손이풀❶〉

쥐손이풀-과 【—科】〔—꽈〕 명 『식』 [Geraniaceae] 이판화류(離瓣花類)에 속하는 한 과. 전세계에 60여 종이 있으며 한국에는 꽃쥐손이·분홍쥐손이풀·쥐손이풀·이질풀 등 20여 종이 분포함.

쥐수이 〔菊水〕 명 『지』 중국 허난 성(河南省) 네이샹 현(內鄕縣)에 있는 바이허(白河) 강의 지류. 이 강 언덕에 있는 국화의 이슬이 이 강으로 흘러 들어가는데, 이것을 마시면 장수한다고 하며, 또 그 물로 빚은 술을 일컫기도 함. 국수(菊水).

쥐-숨듯 〔—듣〕 부 ↗쥐숨듯이. ——-하다 자 여불

쥐-숨듯이 〔—뜻—〕 부 교묘하게 살짝 자취를 감추는 모양. 준 쥐숨듯.

쥐스 〔Suess, Eduard〕 명 『사람』 오스트리아의 지질(地質)학자. 빈 대학 교수·오스트리아 과학 아카데미 회장 등을 역임. 지각 구조학(地殼構造學)의 건설자로 지구 수축설(收縮說)을 제창함. 저서 ≪지구의 모습≫은 19세기 지질학의 집대성(集大成)이라고 함. [1831-1914]

쥐시외 〔Jussieu, Antoine Laurent de〕 명 『사람』 프랑스의 식물학자. 파리에서 의학과 식물학을 수학(修學)한 후 왕립(王立) 식물원 교수를 역임함. 식물의 자연 분류 체계(體系)의 기초를 확립하였음. 주저(主著)에 ≪식물의 속(屬)≫이 있음. [1748-1836]

쥐아미 명 〈심마니〉 손¹.

쥐악-상추 명 잎이 덜 자란 상추.

쥐안 명 〈방〉 주인¹(主人)(충북).

쥐알-봉수 명 잔졸하기는 하되 매우 약은 사람을 조롱하는 말.

쥐암매 명 〈방〉 『동』 다람쥐(함경).

쥐-약 【—藥】 명 살서제(殺鼠劑).

쥐양 부 〈방〉 줄곧.

쥐어-뜯다 타 ①단단히 쥐고 뜯어 내다. ②속이 답답하여 가슴 등을 뜯다시피 갈기다. 준 줴뜯다.

쥐어-박다 타 주먹으로 내지르다. ¶ 볼때기를 한 대 ∼. 준 줴박다.

쥐어-지르다 타 르불 주먹으로 냅다 내지르다. 준 줴지르다.

쥐어-짜다 타 ①쥐고서 비틀거나 압착하여 속의 액체 따위를 짜내다. ¶ 빨래를 ∼. ②억지로 짜내다. ¶ 눈물을 ∼/ 생 억지로 목소리를 쥐어짜서 노래하다. ③닦달하거나 몹시 보채서 이문을 빼내다. ¶ 아무리 쥐어짜 보아야 국물도 없다. ④머리를 몹시 굴리어 생각해 내다. ¶ 여럿이서 머리를 쥐어짠 결과.

쥐어-틀다 타 단단히 쥐고 틀다. ¶ 쥐어틀어 짜내다.

쥐어-흔들다 타 ①손으로 휘어잡고 흔들다. ②손에 넣어 마음대로 휘두르다. ¶ 남편을 ∼. 준 줴흔들다.

쥐-엄나무 명 『식』 [*Gleditschia japonica* var. *koraiensis*] 콩과에 속하는 낙엽 활엽 교목(喬木). 높이 15-18 m이고 수피는 적흑색이며 가시가 있음. 잎은 재우상 복생(再羽狀複生)하고 소엽(小葉)은 달걀꼴 타원형인데 톱니가 없음. 자웅 잡가(雌雄雜家)이며, 6월에 황록색의 꽃이 총상(總狀) 화서로 피고, 협과(莢果)는 칼 모양이며, 10월에 익음. 산록(山麓)의 골짜기나 개울가에 나는데, 함북을 제외한 한국 및 일본 등지에 분포함. 열매의 껍데기는 '조협(皁莢)', 그 씨는 '조협자(皁莢子)'라 하여 가시와 함께 약용(藥用)하고, 산울타리로 심음.

〈쥐엄나무〉

쥐엄-떡 명 인절미를 송편처럼 빚어 팥소를 넣고 콩가루를 묻힌 떡.

쥐엄-발이 명 발 끝이 오그라져 디디어도 잘 펴지지 않는 발. 또, 그러한 사람.

쥐엄-쥐엄 감 젖먹이에게 쥐엄질을 시킬 때 하는 소리. > 죄암죄암.

쥐엄-질 명 ①젖먹이가 재롱으로 두 손을 쥐었다 폈다하는 짓. > 죄암질. ②'훔치개질'의 변말. ——-하다 자 여불

쥐여미 명 〈옛〉 지게미. ¶ 쥐여미 조(糟), 쥐여미 박(粕) ≪字會 中 22≫.

쥐여-살다 자 쥐여지내다.

쥐여-지내다 자 남에게 눌리어 꼼짝 못 하고 지내다. 쥐여살다. ¶ 아내에게 ∼. 준 줴지내다.

쥐-엽나무 명 ☞ 『식』 쥐엄나무.

쥐엽쇠 명 〈옛〉 작은 징. ¶ 鐃는 쥐엽쇠라 ≪釋譜 XIII:53≫.

쥐옌 〔居延〕 명 『지』 ①중국 간쑤 성(甘肅省) 북서부에 있는 함호(鹹湖). 전에는 하나의 호수였으나 현재는 동서 두 호수로 나뉘어 있음. 고명(古名)은 쥐옌쩌(居延澤)·쥐옌하이(居延海). ②『역』 중국 한(漢)나라 때, 지금의 간쑤 성(甘肅省) 주취안 현(酒泉縣)의 변두리, 내몽고(內蒙古) 자치구(自治區) 어지나(額濟納)에 둔 현(縣). ③『역』 중국 한(漢)나라

무제(武帝) 때, 흉노(匈奴)에 대한 최전선으로서, 지금의 간쑤 성 주취안에서 장예(張掖)에 걸쳐 쌓은 성(城). 거연(居延).

쥐옌 한:간【—漢簡】〔중 居延〕 [명]〖역〗 1930-31 년에 중국의 쥐옌(居延) 부근에서 발굴(發掘)된, 목간(木簡)에 한례체(漢隷體)로 쓰인 많은 문서(文書). 그 지역을 수비하던 기관(機關)의 공문서·장부 따위로서, 한(漢)나라 시대의 귀중한 사료(史料)임. 거연 한간.

쥐-오르다 [자][르불] 쥐나다.

쥐-오리 [명]〖조〗 오릿과에 속하는 새. 모양은 오리와 비슷하나 몸이 작고 날개와 꽁지가 짧으며 배면(背面)은 흑갈색이고 복면(腹面)은 회백색인데 얼굴과 머리에 긴 털이 있음.

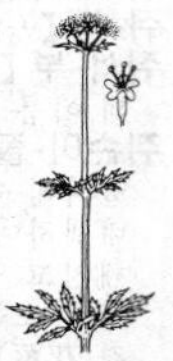
〈쥐오줌풀〉

쥐오줌-풀 [명]〖식〗[*Valeriana fauriei*] 마타릿과에 속하는 다년초. 근경(根莖)은 비후(肥厚)하고, 특이한 냄새가 있으며, 줄기는 높이 1m 이상임. 잎은 대생하고 우상 전열(羽狀全裂)하며, 열편(裂片)은 달걀꼴 또는 선상 피침형임. 5-8 월에 담홍색 꽃이 줄기 끝에 다수 찬족(攢簇)하여 산방상 화수(繖房狀花穗)로 피고, 과실에는 관모(冠毛)가 있음. 산지의 습지에 나는데, 한국 각지·일본·중국 동북부·대만 등지에 분포함. 뿌리는 약재로 쓰임.

쥐융관〔居庸關〕 [명]〖지〗 중국의 허베이 성(河北省) 옌칭 현(延慶縣)의 동남쪽 약 30km에 있는 만리 장성의 팔대(八大) 관문(關門)의 하나. 베이징(北京)에서 몽고로 들어가는 요로(要路)임. 거용관.

쥐-이[1] [명] 쥐에 생기는 아주 작은 진드기.

쥐이[2] [명]〈방〉〖동〗 쥐²(경기).

쥐이다[1] [피동] '쥐다'의 피동형.

쥐이다[2] [사동] '쥐다'의 사역형.

쥐이-송:곳 [명]〈방〉 중심 송곳.

쥐인 [명]〈방〉 주인¹(主人)(전북·경상).

쥐여 잇다 [형]〈옛〉 쥐이어 있다. ¶ ᄂᆞ미 소내 쥐여 이시며 ≪月釋 Ⅱ:11≫.

쥐-잡기 [명] 구서(驅鼠).

쥐잡다 [타]〈옛〉 쥐어 잡다. ¶ 만일 이 몬져 被傷人의 샹토ᄅᆞᆯ 쥐잡은 然後에(若是先驅捽被傷人頭髻然後)≪無寃錄 Ⅲ:19≫.

쥐-잡듯 [부] ↗쥐잡듯이.

쥐-잡듯이 [부] 꼼짝달싹 못 하게 하고 모조리 뒤져 잡는 모양. [준]쥐잡듯.

쥐정 [명]〈방〉 주정(酒酊). ⌊——하다 [타][여불]

쥐-정신【—精神】[명] 금방 잊어버리기를 잘하는 정신.

쥐-젖 [명] 사람의 살가죽에 젖꼭지 모양으로 갸름하게 생기는 작은 사마귀.

쥐좆-같다 [형] 쥐뿔같다.

쥐좆-같이〔—가치〕[부] 쥐좆같게.

쥐좆-만하다 [형][여불] 몸피가 몹시 작다. 흔히, 사람에게 씀.

쥐주다 [타]〈옛〉 쥐어 주다. ¶ 布施ᄒᆞ기를 즐겨 艱難ᄒᆞ며 어엿븐 사ᄅᆞᆷ 쥐주어 거리칠씨≪釋譜 Ⅵ:13≫.

쥐죽은 듯 [부] ↗쥐죽은 듯이.

쥐죽은 듯이 [부] 쥐죽은 듯하게. ¶ ~ 조용하다. [준]쥐죽은 듯.

쥐죽은 듯하다 [형][여불] ①시끄럽던 것이 조용하여지다. ¶ 장내가 ~. ②무서워서 꼼짝도 못 하다.

쥐집다 [타]〈옛〉 쥐어 집다. 쥐주무르다. 반죽하다. ¶ 糟ᄅᆞᆯ 섯거 ᄆᆞ라 무르녹게 ᄒᆞ야 쥐집어 떡을 ᄆᆡᆫᄃᆞ라 (和糟硏爛 捻作餠子)≪無寃錄 Ⅰ:48≫.

쥐쯔제〔局子街〕 [명]〖지〗〔중국 청말(淸末)에 이 곳에 간무국(墾務局)을 둔 후로 발달한 도시임에 유래〕 옌지(延吉). 국자가(局子街).

쥐-참외 [명]〖식〗[*Trichosanthes cucumeroides*] 박과에 속하는 다년초. 봄에 숙근(宿根)에서 싹이 나와 덩굴이 되어, 길이 3-4m 로 벋으며, 잎은 호생하고 둥근 심장형인데, 겉에 잔 털이 나며, 엽액(葉腋)마다 권수(卷鬚)가 있음. 여름에 흰 꽃이 잎 사이에서 나와 밑동이 통상(筒狀)으로 피는데, 끝이 오열(五裂)하고 실 모양으로 엉기어 있음. 달걀만한 주홍색 열매가 열림. 수림(樹林) 속에 나는데, 한국·일본·대만·류큐(琉球)·중국 등지에 분포(分布)함. 과육(果肉)은 화장품(化粧品) 원료(原料)로 쓰임. 왕과(王瓜). 토과(土瓜).

〈쥐참외〉

쥐창 [명]〈방〉 쥐덫(경기).

쥐-치 [명]〖어〗[*Stephanolepis cirrhifer*] 쥐치복과에 속하는 바닷물고기. 몸길이 25cm 내외로 모양은 체고(體高)가 높아 능형(菱形)에 가깝고 측편(側扁)함. 주둥이 끝은 뾰족하고 꼬리자루는 짧음. 몸빛은 청갈색인데 적홍색을 띠기도 하며 앞뒤에 긴 부정형(不定形)의 암갈색 무늬가 산재함. 등지느러미 제2 연조가 실 모양으로 긴 것도 있음. 동작이 느림. 한국 서남부해(西南部海), 일본 중부 이남, 동중국해(東中國海) 등에 분포함. 여름철의 것이 맛이 좋고, 특히 간장(肝臟)이 귀하게 쓰임.

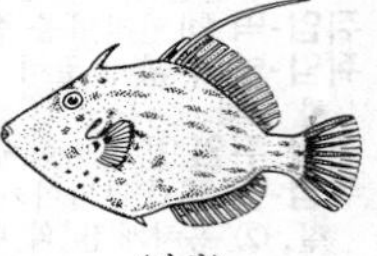

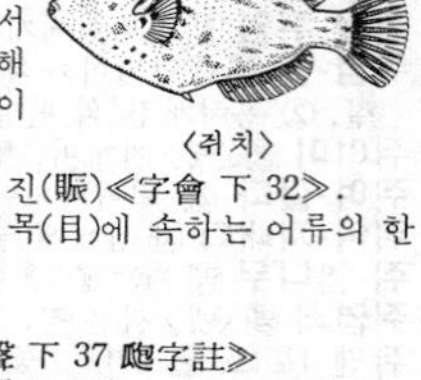
〈쥐치〉

쥐치다 [자]〈옛〉 기민(飢民)을 먹이다. ¶ 쥐칠 진(賑)≪字會 下 32≫.

쥐치복-과【—科】[명]〖어〗[Balistidae] 복어목(目)에 속하는 어류의 한 과. 이 과에는 갈쥐치·무늬쥐치 등이 있음.

쥐칫-과【—科】[명]〖어〗 쥐치복과.

쥐ᄎᆞᆷ외 [명]〈옛〉 쥐참외. ¶ 쥐ᄎᆞᆷ외(小瓜)≪四聲 下 37 䕫字註≫

쥐ᄎᆞᆷ외 [명]〈옛〉 쥐참외. ¶ 쥐ᄎᆞᆷ외(土瓜)≪譯語 下 11≫.

쥐코 밥상【—床】[명] 밥 한 그릇과 반찬 두어 가지로 아주 간단하게 차린 밥상.

쥐코-조리 [명] 도량(度量)이 좁은 사람을 조롱하는 말.

쥐-콩 [명]〈방〉〖식〗 쥐눈이콩(함경).

쥐털-방【—房】[명]〈속〉 살인범·강도범 등 흉악범을 가둔 방. 교도소 안의 은어(隱語)의 하나. ＊범털방.

〈쥐털이슬〉

쥐털-이슬〔—리—〕[명]〖식〗[*Circaea alpina*] 바늘꽃과에 속하는 다년초. 가는 백색의 지하경(地下莖)이 뻗고 줄기 높이 6-15cm 인데, 잎은 대생(對生)하고 장병(長柄)이며 심장 모양의 넓은 달걀꼴임. 7-8 월에 홍백색을 띤 꽃이 총상(總狀) 화서로 가지 끝에 정생(頂生)하여 피고 과실은 삭과(蒴果)이며, 구모(鉤毛)가 밀포(密布)함. 깊은 산의 응달에 나는데 거의 한국 각지에 분포함.

쥐-토끼 [명]〖동〗 새앙토끼.

쥐통 [명]〈속〉〖의〗 콜레라. ¶ 그 해 ~에 남편이 경각 내로 세상을 버린 후…≪李海朝 : 九疑山≫.

쥐-포【—脯】[명] 말린 생선 쥐치를 기계로 눌러 납작하게 만든 어포(魚脯). 술안주나 군것질 감으로 이용됨.

쥐포육 장수【—脯肉—】[명] 염치없이 아주 다랍게 좀팽이짓을 하는 사람을 가리키는 말.

쥐프 팡탈롱〔프 jupe pantalon〕[명]〖복식〗 스커트처럼 되어 있는 팡탈롱.

쥐-해 [명]〖민〗 '자년(子年)'의 속칭.

쥔: [명] ↗주인(主人).

쥔:-님 [명] ↗주인님.

쥔:-댁【—宅】〔—땍〕[명] ↗주인댁.

쥔:-들다 [자]〈방〉 중매 들다.

쥔:-마누라 [명] ↗주인 마누라.

쥔:-마님 [명] ↗주인 마님.

쥔:-아씨 [명] ↗주인 아씨.

쥔:-아저씨 [명] ↗주인 아저씨.

쥔:-아주머니 [명] ↗주인 아주머니.

쥔:-아줌마 [명] ↗주인 아줌마.

쥔:-애비 [명]〈방〉 중매인(中媒人).

쥔:-어른 [명] ↗주인 어른.

쥔:-장【—丈】[명] ↗주인장(主人丈).

쥔:쥐새끼-놀이 [명]〖민〗 강강술래의 한 대목으로서, 들쥐들이 한 줄로 어머쥐를 뒤따르는 것을 흉내낸 놀이.

쥘:-대〔—때〕[명] 누비질할 때 쓰는, 짤막하며 가늘고 둥근 막대. 누비질할 자리에 대고 헝겊 밑으로 왼손을 넣어 감쳐잡고 오른 손으로 바느질을 하게 됨.

쥘리앵〔Julien, Noël〕[명]〖사람〗 프랑스의 중국학자(中國學者). 현장(玄奘)의 ≪대당 서역기(大唐西域記)≫의 번역을 비롯하여 중국 문헌(中國文獻)의 소개에 공적이 있음. 콜레주 드 프랑스(Collège de France)의 학장을 역임하였음. [1799-1873]

쥘리앵-력【—曆】〔Julien〕〔—녁〕[명] '율리우스력(曆)'의 프랑스어 이름.

쥘리앵 소렐〔Julien Sorel〕[명] 스탕달(Stendhal)의 작품 ≪적(赤)과 흑(黑)≫의 주인공. 사랑과 야심에 가득찬 강렬한 남성의 전형임. 지성(知性)과 의지 그리고 감수성이 풍부하였으나 빈곤하기 때문에 출세의 유일한 길인 성직(聖職)에 뜻을 두고 신학교에 입학, 거기서 배운 라틴어 실력을 이용하여 공리(功利)와 연애를 쫓다가 좌절, 처형당함. 봉건사회와 과잉된 자의식(自意識) 사이에서의 희생자로 묘사되어 있음.

쥘:-부채〔—뿌—〕[명] 접었다 폈다 하게 된 부채. 접선(摺扇).

쥘:-선【—扇】〔—썬〕[명]〈방〉 쥘부채.

쥘:-손〔—쏜〕[명] 물건을 들 때 손으로 쥐게 된 부분.

쥘:-쌈지 [명] 옷 소매나 호주머니에 넣게 된 담배 쌈지. ＊담배 쌈지.

쥘:-힘 [명] 악력(握力).

쥡다 [타]〈방〉 깁다(전라).

쥣-과【—科】[명]〖동〗[Muridae] 쥐목(目)에 속하는 한 과. 쥐목 중에서 가장 많은 종류를 가진 과(科)의 하나로 전세계적으로 분포되어 있는데 뉴질랜드와 남극(南極)에만은 살지 않음. 1년에 여러 번 번식하고 한배에 5-9 마리씩의 새끼를 낳으며 종류에 따라 산악 지대·삼림 지대·평지 등에 서식하는데, 집쥐·들쥐·시궁쥐·생쥐·갈색쥐·흰쥐 등이 있음.

쥣-빛 [명] 쥐색(色). 회색(灰色).

쥥이 [명]〈방〉 쥐²(제주).

쥬게 [명]〈옛〉 주걱. ¶ 놋쥬게(銅杓)≪譯語 下 13, 朴解 中 12≫.

쥬련 [명]〈옛〉 여자의 수건. ¶ 쥬련 爲帨≪訓例 用字例≫.

쥬리올 [명]〈옛〉 후릿고삐. 말고삐. ¶ 쥬리올(繮繩)≪四聲 下 40≫.

쥬리울 [명]〈옛〉 후릿고삐. 말고삐. ¶ 쥬리울 뎍(韁), 쥬리울 강(韁)≪字會 中 27≫/ᄆᆞ론 쥬리울 드리워 갑던 거리 잇ᄂᆞ니라(馬有垂繮之報)≪朴解 上 43≫.

쥬변 [명]〈옛〉 주변. ¶ ᄒᆞ오삿 모ᄆᆞᆯ 쥬변 몯ᄒᆞ여(獨身不能自持)≪三綱 烈女, 彌妻啖草≫.

쥬변ᄃᆞ외다 [형]〈옛〉 주변성 있다. 자유롭다. ¶ 神用이 쥬변ᄃᆞ외며(神用自由)≪金三 Ⅱ:7≫/이에 니르러 어듸던 쥬변ᄃᆞ외요ᄆᆞᆯ 得ᄒᆞ리오(到此何嘗得自由)≪南明 上 62≫.

쥬변ᄃᆞᆸ다 [형]〈옛〉 자유롭다. ¶ 쥬변ᄃᆞᆸ고 또 쥬변ᄃᆞ외니(自由更自由)≪金三 Ⅴ:34≫.

쥬변ᄒᆞ다 [형]〈옛〉 자유로 하다. 마음대로 하다. ¶ 제 주변ᄒᆞᆯ ᄯᆞᄅᆞ미니라(自由耳)≪金三 Ⅱ:6≫/ᄒᆞᆫ 사ᄅᆞ미 그 가온ᄃᆡ 이ᄅᆞᆯ ᄒᆞ오ᅀᅡ 쥬변ᄒᆞᄂᆞ니라(一人獨擅其中事)≪金三 Ⅲ:59≫.

쥬복 [명]〈옛〉 여드름. ¶ 쥬복 포(皰)≪字會 上 30≫.

쥬복고 [명]〈옛〉 주부코. ¶ 쥬복고 차(皻)≪字會 上 30≫.

쥬복코 [명]〈옛〉 주부코. ¶ 쥬복코(糟鼻子)≪譯語 上 29≫.

쥬신 [명]〈옛〉 주인. ¶ ᄆᆞᆯ란 옛 사ᄅᆞ미 지븨 쥬신브텨 두고(馬只寄在這人

家裏) ≪朴解 上 11≫.

쥬의그에셔 〈옛〉 중에게서. '즁 의 탈격형(奪格形). ¶衆生ᄋᆡ 福이 쥬의그에셔 남과 나디 바티셔 남과 ᄀᆞᄐᆞᆯ씨 ≪釋譜 Ⅵ:19≫.

쥬젼ᄌᆞ 명 〈옛〉 주전자. ¶쥬젼ᄌᆞ 됴(銚) ≪字會 中 12≫.

쥬졍ᄒᆞ다 자 〈옛〉 주정하다. ¶수를 즐기며 쥬졍ᄒᆞ더니(好酒而酗) ≪內訓 Ⅲ:48≫.

쥬츄 명 〈옛〉 주추. ¶쥬츄 초(礎), 쥬츄 상(磉), 쥬츄 셕(磶) ≪字會 中 6≫.

쥬홍 명 〈옛〉 주사(硃砂). ¶硃砂又今俗呼쥬홍曰銀硃 ≪四聲 上 32 硃字註≫.

쥭[1] 명 〈옛〉 죽. ¶쥭 미(糜), 쥭 쥭(粥), 쥭 젼(饘) ≪字會 中 20≫/쥭 조반 朝夕 뫼 네와 ᄀᆞᆮ티 셰시ᄂᆞᆫ가 ≪松江 續美人曲≫.

쥭[2] 명 〈옛〉 밥주걱. ¶쥭爲飯熏 ≪訓例≫/밥쥭 쵸(橾), 나모쥭 쟉(杓) ≪字會 中 19≫.

쥰육 명 〈옛〉 주눅. ¶쥰육업다(沖達) ≪漢淸 Ⅵ:25≫.

쥰쥬봉 명 〈옛〉 개제비쑥. 암려(菴藺). ¶쥰쥬봉(菴蘗草) ≪四聲 上 35 藺字註≫.

쥰티 명 〈옛〉 준치. ¶쥰티 륵(鰳) ≪字會 上 20≫.

즁화ᄒᆞ다 타 〈옛〉 점심 먹다. ¶즁화ᄒᆞ다(打中火) ≪漢淸 Ⅻ:48≫.

즁 명 〈옛〉 중. ¶僧은 쥬이니 梵僧은 조ᄒᆞᆫ 힝뎍 ᄒᆞᄂᆞᆫ 쥬이라 ≪月釋 Ⅱ:66≫/즁을 헐어나 부텻 모매 피 내어나 ≪月釋 Ⅸ:6≫/즁 승(僧) ≪字會 中 2≫.

즁싱 명 〈옛〉 ① 짐승. ¶뒤헤는 모딘 즁싱(後有猛獸) ≪龍歌 30 章≫/禽은 ᄂᆞᄂᆞᆫ 즁싱이라 ≪月釋 ⅩⅪ:113≫. ②중생(衆生). 모든 생물. ¶즁싱은 一切世間앳 사ᄅᆞ미며 하ᄂᆞᆯ히며 긔는 거시며 ᄂᆞᄂᆞᆫ 거시며 므렛거시며 무틧 거시며 숨튼 거슬 다 衆生이라 ᄒᆞᄂᆞ니라 ≪月釋 Ⅰ:11≫.

즈 명 〈옛〉 짓. 모양. =즛. ¶노피 현 燈ㅅ블 다호라 萬人 비취실 즈이샷다 아으 動動다리 어와 아븨 즈이여 處容아븨 즈이여 ≪樂範 動動≫.

즈가리야-서 【一書】〔Zechariah〕 명 『성』 스가랴서(Zechariah書).

즈그 명 〈방〉 자기(自己)(전라).

즈나니에츠키 〔Znaniecki, Florian Witold〕 명 『사람』 미국의 사회학자. 폴란드 태생. 구체적·경험적인 조사 자료를 첨가하면서 인간의 사회 행위에 관한 연구를 함. 저서로 W.I. 토머스와의 공저(共著) ≪구미(歐美)에 있어서의 폴란드 농민≫ 등이 있음. [1882-1958]

즈노고새남 명 〈옛〉 지노귀새남. ¶金 두꺼비 花郎이 즈노고새남 갈제 ≪永言≫.

즈느쓰다 형 〈옛〉 느리고 더디다. ¶다믄 져기 거르메 즈느쓰고(只是少行上遲) ≪朴解 上 63≫.

즈늑즈늑 부 〈옛〉 느릿느릿. ¶즈늑즈늑 것다(花塔步) ≪語錄 32≫/이 ᄆᆞᆯ이 쇠거름 ᄀᆞᆮ티 즈늑즈늑 것는다(這馬牛行花塔步) ≪老乞 下 8≫.

즈늑즈늑ᄒᆞ다 형 〈옛〉 느릿느릿하다. ¶그리어니 여러 거름이 즈늑즈늑호ᄃᆡ 재니라(可知有幾步慢竄) ≪老乞 上 11≫.

즈다 형 〈옛〉 질다. =즐다. ¶즈다(泥濘) ≪同文 上 6≫.

즈러죽다 자 〈옛〉 지레 죽다. ¶도로혀 긋 목숨을 즈러죽게 ᄒᆞᆯ쌰름이니라 ≪普勸 海印板 39≫.

즈런-즈런 부 살림살이가 넉넉한 상태. ——-하다 형여불

즈레 부 〈방〉 지레[4]. 「밟고 가시옵소서.

즈려-밟:다 〔—밥—〕 타 〈방〉 제겨 디디어 사뿐히 밟다. ¶사뿐히 즈려

즈려 죽다 자 〈옛〉 지레 죽다. ¶善財童子 불의 들가 즈려 죽는 酒色의 는 ≪普勸 海印板附 18 淸虛尊者 回心歌≫.

즈로멕-질 명 〈방〉 지름길(함경).

즈로:즈 명 ←드로어즈(drawers).

즈룸 형 〈옛〉 진창. '즐다'의 명사형. ¶ᄒᆞᆯᄀᆡ 즈루미 ᄒᆞᆫ 時節ㅣ 아니니(泥濘非一時) ≪重杜諺 Ⅰ:24≫.

즈르다 타 〈옛〉 지르다. ¶즐어 佛地ᄅᆞᆯ ᄐᆞ며(徑登佛地) ≪牧訣 15≫/圓頓敎法은 키 甚히 즈르고 빠혀나 人情에 갓갑디 아니ᄒᆞᆯ시 ≪南明 下 38≫.

즈르들다 자 〈옛〉 지르들다. 졸라들다. ¶버미 아비ᄅᆞᆯ 므러늘 ᄃᆞ라드러 버믜모ᄀᆞᆯ 즈르든대 아비 사라나니라 ≪三綱 孝子 3≫.

즈르잡다 타 〈옛〉 지르잡다. 졸라쥐다. ¶윤시 왼손으로 범의 목을 즈르잡고 올ᄒᆞᆫ 손으로 범의 니마ᄅᆞᆯ 텨 뜰와 쓰이기ᄅᆞᆯ 빅여뵈나 ᄒᆞ여(尹氏左手扼虎項右手擊虎額追曳百步許) ≪東國新續三綱 烈女圖 Ⅲ:95 尹氏擊虎≫.

즈름 명 〈옛〉 주릅. 거간(居間). ¶즈름 회(儈) ≪字會 中 3≫/ᄒᆞᄂᆞᆫ 즈름이라(一個是牙子) ≪老乞 下 7≫/즈름이 닐오ᄃᆡ(牙子說) ≪老乞 下 9≫/나는 즈름이니(我是箇牙家) ≪老乞 下 10≫.

즈름갑 명 〈옛〉 구문(口文). ¶즈름갑 글월갑시 ᄒᆞ오니 석냥ᄒᆞᆫ돈 오픈이로소니(牙稅錢該三兩一錢五分) ≪老乞 下 16≫.

즈름값 명 〈옛〉 구문(口文). ¶풀님재 즈름 갑슬 ᄆᆞ옴아ᄂᆞ니(賣主管牙錢) ≪老乞 下 16≫.

즈름길 명 〈옛〉 지름길. ¶즈름길(抄路) ≪四聲 下 47 徑字註≫.

즈름쌉 명 〈옛〉 구문(口文). ¶히오니 즈름쌉 글월 벗기는 갑시 얼마나 ᄒᆞ뇨(該多少牙稅錢) ≪老乞 下 16≫/우리 즈름쌉 글월 빗길쌉 혜아리쟈(咱們算了牙稅錢着) ≪老乞 下 16≫.

즈름셜 명 〈옛〉 지름길. =즈름길. ¶즈름셜 경(抄路) ≪字會 上 6 徑字註≫.

즈름아비 명 〈옛〉 거간(居間). ¶즈름아비 도의엿ᄂᆞ니(做牙子) ≪朴解 上 33≫.

즈릆길 명 〈옛〉 지름길. =즈름셜·즐음셜. ¶이 戒는 諸佛菩薩이 修行ᄒᆞ시논 즈릆길히라 ≪釋譜 Ⅸ:6≫/밦듕에 즈릆길ᄒᆞ로 도라오니(中夜間道歸) ≪杜諺 Ⅴ:33≫.

즈리 성 【—省】〔直隸〕 명 『지』 중국 청대(淸代)의 본부 18 성(省)의 하나. 대략 현재의 허베이 성(河北省)에 해당함. 성도(省都)는 처음에 바오딩(保定), 후에 톈진(天津). 중화 민국 17년(1928) 허베이 성으로 개칭. 직례성.

즈리 파 【—派】〔중 直隸〕 명 『역』 중국 군벌(軍閥)의 한 파. 허베이 성(河北省) 출신의 펑 궈장(馮國璋)·차오 쿤(曹錕), 산둥(山東)사람 우페이푸(吳佩孚)·쑨 촨팡(孫傳芳) 등이 중심이며, 남북 화평 통일·세계 대전 참가 반대 등을 내걸고 영미(英美) 세력을 대표하여, 친일계(親日系)인 안푸 파(安福派)·펑톈 파(奉天派)와 다투어 1920년의 안즈(安直) 전쟁, 1924년의 펑즈(奉直) 전쟁에 이겨 권세를 떨쳤으나 1926년에 펑톈파와 합체(合體)한 후 국민 혁명군에게 쫓겨났음. 직례파.

즈믄 수 〈옛〉 천(千). ¶즈믄 ᄀᆞᄅᆞᆷ애 ᄆᆞ리 이시면 즈믄 ᄀᆞᄅᆞᆷ앳 ᄃᆞ리오(千江有水千江月) ≪金三 Ⅱ:25≫/즈믄 뫼곳 ᄒᆞᆫ갓 제 하도다(千山空自多) ≪杜諺 Ⅴ:12≫.

즈보리킨 〔Zworykin, Vladimir Kosma〕 명 『사람』 러시아 태생의 전자 기술자. 레닌그라드 공과 대학에서 공부하고, 1919년 도미하여 1924년 귀화함. 1933년 RCA 전자 공업 연구소에서 아이코노스코프를 발명, 종래의 기계적 주사 방식(走査方式)을 대신하는 전자식(電子式) 주사 방식의 텔레비전을 개발하여 텔레비전 기술의 일대 혁신을 가져왔음. [1889-1982]

즈봉 〔프 jupon〕 명 〔원뜻은 페티코트, 언더스커트의 뜻〕 양복 바지.

즈불-거리다 타 〈방〉 지부럭거리다.

즈스로 부 〈옛〉 스스로. ¶朝廷의 勢 즈스로 尊ᄒᆞᆯ디니라 ≪家禮 Ⅰ:15≫.

즈싀 명 〈옛〉 찌끼. =즈의·즈의·즛의. ¶즈싀 업게 ᄒᆞ고(去滓) ≪瘟疫 23≫/或地獄 즈싀ㅣ라ᄒᆞ며(或地獄滓) ≪龜鑑 下 52≫.

즈시 〔逗子:ずし〕 명 『지』 일본 가나가와 현(神奈川縣) 동남부의 관광·주택 도시. 가마쿠라(鎌倉)에 인접한 사가미 만(相模灣) 연안의 휴양지(休養地)로, 해수욕장·별장이 있음. [57,664 명(1992)]

즈슴 의명 〈옛〉 즈음. 사이. ¶孟季ㅅ 즈스메 겨실쎠(在孟季之間) ≪永嘉 下 46≫/외로왼 넉슨 오란 나그내 ᄃᆞ외야는 즈스미로다(孤魂久客閒) ≪初杜諺 ⅩⅩⅣ:44≫.

즈슴춤 자 〈옛〉 격(隔)함. '즈슴ᄎᆞ다'의 명사형. ¶悟와 迷왜 즈슴추미 잇ᄂᆞ니라(悟迷有隔) ≪永嘉 下 70≫.

즈슴ᄎᆞ다 자 〈옛〉 막히다. 격(隔)하다. =즈음ᄎᆞ다. ¶겨집과 子息괘 軍壘에 즈슴첫ᄂᆞ니(妻孥隔軍壘) ≪初杜諺 ⅩⅫ:4≫. /하ᄂᆞᆯ히 즈슴츤돌 眞實로 알리로다(信知天隔) ≪永嘉 下 70≫.

즈슴ᄒᆞ다 타 〈옛〉 사이에 두다. 격(隔)하다. ¶이플 즈슴ᄒᆞ얏는 버드리 보ᄃᆞ라와 노ᄒᆞᆫ노ᄒᆞᆫᄒᆞ니(隔戶楊柳弱嫋嫋) ≪初杜諺 Ⅹ:9≫/河水를 즈슴ᄒᆞ야 되ᄆᆞᆯ ᄐᆞᆫ닐 보니(隔河見胡騎) ≪初杜諺 Ⅴ:27≫

즈싀 명 〈옛〉 찌꺼기. =즈싀·즈의·즛의. ¶쥐여미ᄅᆞᆯ 빠 汁과 즈싀와ᄅᆞᆯ ᄂᆞᆫ호도소니(籍糟分汁滓) ≪初杜諺 ⅩⅫ:20≫.

즈싀 〈옛〉 짓이. 모양이. '즛'의 주격형(主格形). ¶種種 다른 즈싀 즈믄 머리 므의여보며 ≪月釋 Ⅹ:97≫.

즈슬 〈옛〉 짓을. 모양을. '즛'의 목적격형. ¶ᄂᆞ미 브름 즈슬 디녀 나샷다 ≪樂範 動動≫.

즈음[1] 명 〈옛〉 사이. =즈슴. ¶德重ᄒᆞ신 江山 즈으매 萬歲를 누리쇼셔 ≪樂詞 新都歌≫/이 天地 져 天地 즈음에 늙근 뉘를 모로리라 ≪古時調 李彦迪 天覆地載≫.

즈음[2] 의명 일이 어찌 될 어름. ¶요~은 한가하다. 준즘.

즈음씨다 타 〈옛〉 사이에 끼다. 격(隔)하다. ¶프른 뫼히 故園에 즈음쪄도다(靑山隔故園) ≪重杜諺 Ⅷ:25≫.

즈음ᄎᆞ다 타 〈옛〉 막히다. 거르다. 격(隔)하다. =즈슴ᄎᆞ다. ¶驪子 보미 오히려 즈음첫ᄂᆞ니(驪子春猶隔) ≪重杜諺 Ⅷ:46≫.

즈음-하다 자여불 어떠한 때나 날을 당하거나 맞다. 제(際)하다. ¶출발에 즈음하여.

즈음ᄒᆞ다 타 〈옛〉 사이에 두다. 격(隔)하다. =즈슴ᄒᆞ다. ¶河水를 즈음ᄒᆞ야 되ᄆᆞᆯ ᄐᆞᆫ닐 보니(隔河見胡騎) ≪重杜諺 Ⅴ:25≫/발을 즈음ᄒᆞ여 笑語를 듯고(隔簾聽笑語) ≪朴解 中 18≫.

즈의 명 〈옛〉 찌꺼기. =즈싀·즈싀. ¶물 ᄒᆞᆫ되 다ᄉᆞᆺ 브어 칠홉되게 달혀 즈의란 ᄇᆞ리고(水一升半煎至七分去滓) ≪辟瘟新方 2≫.

즈이샷다 구 〈옛〉 짓이셨다. 모양이셨다. ¶一月ㅅ 보로매 아으노피 현燈ㅅ블 다호라 萬人 비취실 즈이샷다 아으 動動다리 ≪樂範 動動≫.

즈이여 명 〈옛〉 짓이여. 모양이여. ¶어와 아븨 즈이여 處容아븨 즈이여 ≪樂範 處容歌≫.

즈즐페 명 〈방〉 『동』 개.

즈즐하다 형 〈방〉 지질하다[1].

즈즐ᄒᆞ다 형 〈옛〉 지긋지긋하다. ¶즈즐ᄒᆞ다(厭煩) ≪漢淸 Ⅶ:49≫.

즈츼기 자 〈옛〉 지치기. 설사하기. '즈츼다'의 명사형. ¶ᄆᆞ이 달혀 머그뎌 즈츼기로 ᄒᆞᆫ을 삼으라(濃煎服之以利度) ≪辟瘟新方 5≫.

즈츼다 자 〈옛〉 지치다. 설사(泄瀉)하다. ¶아비 똥을 즈츼여늘 ≪飜小 Ⅸ:31≫/대변이 즈츼거든(大便滑泄) ≪辟瘟新方 10≫.

즈츼욤 명 〈옛〉 설사(泄瀉). 이질(痢疾). ¶나히 아홉서레 아비 즈츼욤 어더늘(年九歲父得泄痢) ≪續三綱 孝子圖 漢老嘗痢≫.

즈치다 자 〈옛〉 지치다. 쏟아지다. =지치다. ¶疾風大雨에 霹靂이 즈치는 ᄃᆞᆺ 淸正 小豎頭도 掌中에 잇것마는 ≪蘆溪 太平詞≫.

즈크 〔네 doek〕 명 베실 또는 무명실로 두껍게 짠 직물. 보통, 평직(平織)으로 딱딱하며 튼튼함. 두꺼운 것은 범포(帆布)·천막·신 등에 쓰고, 얇은 것은 캔버스·수예(手藝)·자수(刺繡) 재료로 쓰임.

즈크-화 【—靴】〔네 doek〕 명 즈크로 만든 고무창의 신. 흔히, 운동화로 쓰임.

즈푸 조약 【—條約】〔중 芝罘〕 명 『역』 1876년 9월 중국 산둥 성(山東省) 즈푸에서 영국과 청(淸)나라 사이에 체결된 조약. 옌타이(煙臺) 조약이라고도 함. 윈난(雲南)과 버마(현재의 미얀마) 사이의 국경 통상, 배상

금 지불, 이창(宜昌) 등 네 항구의 개항(開港) 등을 인정함. 지부 조약.
즉:[1] 명 〈방〉 겨울(충청).
즉[2] 【則】 명 성(姓)의 하나. 우리 나라에는 현존하지 아니함.
즉[3] 【卽】 부 ①'다른 것이 아니라 곧'의 뜻의 접속 부사. ¶절망이 ～ 죽음에 이르는 병이다. ②바로 그것이. 더 말할 나위 없이. ¶한 번 실수가 ～ 일생의 실수다. ③그러할 때는. 그렇게 될 때는.
즉각【卽刻】명부 즉시. 당각(當刻).
즉각-적【卽刻的】명관 즉각에 하는 모양. ¶～인 반응/～으로 조치하다.
즉견【卽見】명 손아랫사람에게 편지할 때 그 이름 밑에 써서 '즉시 보라'는 뜻을 나타내는 말.
즉결【卽決】명 그 자리에서 즉시 결정함. 즉석에서 결정하거나 해결함. 직결(直決). ——-하다 타여불
즉결 심:판【卽決審判】명〖법〗지방 법원, 지원(支院) 또는 시(市)·군(郡) 법원의 판사가 간단한 절차로 하는 심판. 20만 원 이하의 벌금 또는 구류나 과료에 처할 범죄 사건에 대하여 이를 인정하고 있음. 이 심판은 관할 경찰서장이 관할 법원에 청구함. 심판 결과에 대하여 피고인은 고지(告知)를 받은 날부터 7일 이내에 관할 경찰서장에게 정식 재판을 청구할 수 있음. 즉결 재판. 준즉심(卽審).
즉결 재판【卽決裁判】명〖법〗①재판관이 변론(辯論) 종결 후 즉시 판결을 언도하는 일. ②즉결 심판.
즉결 처:분【卽決處分】명 ①〖법〗경찰범(警察犯)을 경찰 서장의 권한으로 즉결하여 내리는 처분. 준즉처(卽處). ②〈속〉범인을 체포 현장에서 총살하는 일. ——-하다 타여불
즉경【卽景】명 그 자리의 경치. 목전(目前)의 경치. 눈앞에 보이는 풍경.
즉금[1]【卽今】명부 곧 이제. 지금 당장.
즉금[2]【卽金】명 즉전(卽錢).
즉급【卽急】명 매우 급함.
즉긔 명 〈옛〉 찌끼. =즈싀. ¶즉긔(査滓)《語錄》.
즉-기시【卽其時】명부 즉시(卽時).
즉-기지【卽其地】명 즉석(卽席)❶.
즉낙【卽諾】명 즉석에서 곧 승낙함. 즉석에서 승낙하여 떠 맡음. ——-하다 타여불
즉납【卽納】명 돈이나 물건을 그 자리에서 즉시 바침. ——-하다 타여불
즉단【卽斷】명 즉시에 단정함. 즉석에서 결정함. 또, 그 판단. ——-하다 타여불
즉답【卽答】명 즉석(卽席)에서 대답함. 직답(直答). ¶～을 피하다. ——-하다 타여불
즉매【卽賣】명 ①예매(豫賣)나 예약(豫約)을 아니하고 상품이 놓인 현장에서 팖. ②전시회(展示會) 등에서 물건을 즉석에서 파는 일. ¶～장(場). ——-하다 타여불
즉멸【卽滅】명 당장에 멸망함. ——-하다 자여불
즉묵【卽墨】명〖지〗'지모'를 우리 음으로 읽은 이름.
즉묵-후【卽墨侯】명 '벼루'의 이칭(異稱).
즉물-적【卽物的】[-쩍] 명관 ①머리 속으로 생각하는 것이 아니고 실제 사물(事物)에 비추어 생각하거나 행동하는 모양. ②물질적인 것을 중심으로 생각함. 이해(利害) 관계를 먼저 생각하는 모양.
즉발【卽發】명 ①곧 출발함. ②즉석에서 폭발함. ¶일촉(一觸) ～의 사태. ——-하다 자여불
즉발 복사【卽發輻射】명〔prompt radiation〕〖핵물리〗측정이 곤란할 정도로 단시간에 방출되는 복사. γ선·특성(特性) X선·전환(轉換) 및 오제(Auger) 전자·즉발 중성자 및 소멸 복사를 포함함.
즉발 중성자【卽發中性子】명〔prompt neutron〕〖핵물리〗핵분열이 일어났을 때 즉시 튀어나오는 중성자. 핵분열에 의해 방출되는 중성자의 99% 이상이 이에 해당하며, 10^{-14}sec 정도의 지극히 짧은 시간에 방출됨.
즉변【卽便】부 곧[2]❶.
즉빅 명 〈옛〉 측백(側栢). ¶즉빅 빅(栢)《字會 上 10》.
즉사[1]【卽死】명 즉시 죽음. 사고 등으로 그 자리에서 곧 죽음. 직사(直死). ——-하다 자여불
즉사[2]【卽事】명 ①즉석(卽席)에서의 일. 목전(目前)의 일. ②가서 그 일에 관계함.
즉사-자【卽死者】명 즉사한 사람.
즉사적 태:도【卽事的態度】명〖심〗적색을 보고 장미꽃의 빨강이라고 인식하는 것과 같이, 어떠한 사물을 구체적인 대상에 관련시켜 인지(認知)하는 태도. 독일의 정신병 학자 골트슈타인(Goldstein, Kurt; 1878-1965)이 실어증(失語症)의 연구에서 얻은 개념. ↔범주적(範疇的) 태도.
즉살【卽殺】명 즉석에서 죽임. ——-하다 타여불
즉상 즉심【卽相卽心】명〖불교〗만유의 사상 차별(事相差別)은 마음에 있는 것으로서, 자기를 떠나서는 따로 정토(淨土)도 아미타불도 없다는 말.
즉석【卽席】명 ①그 자리. 즉기지(卽其地). 즉좌(卽座). 즉지(卽地). 직석(直席). 앉은 자리. ¶～에서 승낙하다. ②그 자리에서 곧 만듦. ¶～ 요리/～ 연주.
즉석 식품【卽席食品】명 인스턴트 식품.
즉석 연:설【卽席演說】[-년-] 명 미리 준비하지 않고 즉석에서 하는 연설. ——-하다 자여불
즉석 요리【卽席料理】[-뇨-] 명 그 자리에서 만들어 먹는 요리. 마침 그 자리에 있는 재료로 즉시 만든 요리. ——-하다 타자여불
즉석 조리【卽席調理】명 그 자리에서 곧 요리를 만드는 일. ——-하다 자타여불
즉석 카메라【卽席—】〔camera〕명 촬영한 후 수분(數分) 만에 사진이 나오는 카메라. 폴라로이드 카메라 따위.
즉성【卽成】명 그 자리에서 곧 이루어지거나 이룸. ——-하다 자타여불
즉성-범【卽成犯】명 즉시범(卽時犯).
즉세【卽世】명 사람이 죽어서 세상을 떠남. ——-하다 자여불
즉속【卽速】부 즉시로. 빨리.
즉송【卽送】명 즉시 보냄. ——-하다 타여불
즉시【卽時】명부 곧. 바로 그 때. 즉각(卽刻). 즉기시(卽其時). ¶～ 오너라.
즉시 강:제【卽時強制】명〖법〗행정권에 의한 강제 수단의 하나. 목전에 닥친 급박(急迫)한 행정 상의 장해를 제거하기 위하여, 국민에 대하여 의무(義務)를 명령할 틈이 없는 경우 또는 그 성질상 의무를 명령함으로써 목적을 이루기 어려울 경우에 행정권의 주체가 직접 국민의 신체 또는 재산에 실력(實力)을 가하여 행정 상의 장해를 제거하고 필요한 상태를 실현하는 작용. 경찰관에 의한 질문(質問)·보호 조치(措置)·범죄 예방 및 제지·무기 사용 등 외에 강제 격리(隔離)·임검(臨檢)·수색(搜索) 등이 이에 속함.
즉시 과:민증【卽時過敏症】[-쯩] 명〔immediate hypersensitivity〕〖생〗과민증 형태의 하나. 감작(感作)된 개체(個體)를 그 항원(抗原)에 노출시키면 급속히 반응이 일어남.
즉시 매매【卽時賣買】명〖법〗현장에서 물건을 사고 파는 일. 곧, 매매 계약이 끝남과 동시에 현금을 치르고 즉시 물건을 내 주는 일. 현실(現實) 매매. ——-하다 타여불
즉시-범【卽時犯】명〖법〗형사상(刑事上) 범죄가, 구성 요건의 내용인 위법 사실의 실현과 동시에 완성되며 종료(終了)하는 범죄. 절도죄·살인죄·방화죄(放火罪) 등 형법 상의 많은 범죄는 이에 속함. 즉성범(卽成犯). ↔계속범.
즉시-불【卽時拂】명 지급 청구가 있을 때 곧 현금을 지급하는 일. 즉출급(卽出給). ——-하다 타여불
즉시 설립【卽時設立】명〖경〗발기인이, 설립을 앞두고 발행하는 모든 주식을 인수함으로써 완성되는 주식 회사 설립의 한 방식.
즉시 시효【卽時時效】명〖법〗선의 취득(善意取得).
즉시 연금【卽時年金】명 지급이, 계약하는 해부터 개시되는 연금.
즉시 인도【卽時引渡】명 매매 계약(賣買契約) 성립과 동시에 상품을 인도하는 일.
즉시-즉시【卽時卽時】부 그 때 그 때마다 곧. ¶～ 처리하다.
즉시 처:리【卽時處理】명〔real time processing〕컴퓨터에 의한 데이터 처리에 있어서, 처리할 사유(事由)가 발생할 때마다 즉각 처리하여 완결(完結)해 버리는 방식. ↔일괄 처리(一括處理).
즉시 취:득【卽時取得】명〖법〗선의 취득(善意取得).
즉시 침산법【卽時浸酸法】[-뻡] 명 잠란(蠶卵)의 염산(塩酸) 부화법(孵化法)으로, 낳은 지 얼마 안 되는 알을 염산에 담그는 경우를 이름. 산란 후 단 기간 내에 부화시키고 싶을 때에 씀.
즉시 통화【卽時通話】명 다이얼에 의해 즉시 상대 가입자를 호출할 수 있도록 한 전화 방식.
즉시 항:고【卽時抗告】명〖법〗민사·형사의 소송에 있어서, 결정에 대하여 일정 기간, 즉 민사 소송에서는 7일, 형사 소송에서는 3일 안에 제기함을 요하는 불복 신청(不服申請). 재판의 성질상 신속(迅速)히 확정시킬 필요가 있는 결정에 대하여 인정하며, 보통 항고와 달라 원칙적으로 재판의 집행을 정지하는 효력이 있음. *보통(普通) 항고·준항고(準抗告).
즉신 보리【卽身菩提】명〖불교〗즉신 성불(卽身成佛).
즉신 성불【卽身成佛】명〖불교〗부처의 삼밀(三密)과 중생의 삼밀이 상응하면 생불(生佛) 평등의 이치에 따라 육신(肉身)인 채로 부처가 되는 일. 직언 밀교(直言密敎)의 독특한 교리. 자신불(自身佛). 즉신 보리.
즉심【卽審】명〖법〗↗즉결 심판.
즉심 시:불【卽心是佛】명〖불교〗시심 시불(是心是佛).
즉심 염:불【卽心念佛】[-념-] 명〖불교〗내 몸이 곧 정토(淨土)이며, 내 마음이 곧 아미타불이라 관(觀)하여 자기 마음 속의 부처를 염하는 일.
즉심 즉불【卽心卽佛】명〖불〗시심 시불(是心是佛).
즉야【卽夜】명 그날 밤. 당야(當夜).
즉어【卽魚·鯽魚】명〖어〗붕어.
즉영【卽詠】명 즉석에서 시가(詩歌)를 짓거나 음영(吟詠)함. 또, 그 시가. 즉음(卽吟). ——-하다 타여불
즉위【卽位】명 임금될 이가 예식을 행한 뒤에 왕위에 오르는 일. 등극(登極). 어극(御極). 즉조(卽祚). ——-하다 자여불
즉위-식【卽位式】명 천조(踐祚)한 왕이 왕위에 오름을 천하 만백성과 조상에 고하는 의식.
즉음【卽吟】명 즉영(卽詠). ——-하다 타여불
즉응【卽應】명 곧 응함. 곧잘 적응함. ——-하다 자여불
즉일【卽日】명 바로 그날. 어떤 일이 있었던 날. 당일.
즉일 방:방【卽日放榜】명〖역〗과거(科擧)를 보이고, 바로 그 날로 방(榜)을 내어 발표하며 증서인 홍백패(紅白牌)를 내려 줌. 즉일 창방(卽日唱榜). ——-하다 자여불
즉일 시:행【卽日施行】명〖법〗법령을 공포(公布)한 날부터 시행함. ——-하다 타여불
즉일 창:방【卽日唱榜】명〖역〗즉일 방방(卽日放榜). ——-하다 자여불
즉자【卽自】명〖철〗안지히(an sich). ↔대자(對自).
즉자히 부 〈옛〉 곧. 즉시(卽時). ¶누의님내 더브러 즉자히 나가니《月釋 Ⅱ:6》/그 나라히 즉자히 便安ᄒᆞ야《月釋 Ⅸ:54》/즉자히 神通力으로 樓우희 누라올아《釋譜 Ⅵ:3》.
즉재 부 〈옛〉 곧. 즉시. =즉제·즉지·즉자히. ¶혼念ᄉᆞ싀예 즉재 西方

極樂世界예 가나 ≪佛頂 上 4≫/비골프며 치부믈 알면 즉재 말ᄒᆞ리라 ≪月釋 XXI:55≫.

즉저【蝍蛆】명〖동〗 지네.

즉전[1]【卽前】명 직전(直前). ↔즉후(卽後).

즉전[2]【卽傳】명 곧 전하여 보냄. ──-하다 타여불

즉전[3]【卽戰】명 훈련을 받지 않고도 즉시 전투할 수 있음.

즉전[4]【卽錢】명 물건을 살 경우 등에, 즉시 금전을 지불하는 일. 또, 그 금전. 맞돈. 즉금(卽金).

즉제[1]【卽製】명 그 자리에서 곧 지음. 즉석의 제작. 임시 변통으로 만듦. ¶~품.

즉제[2]【卽題】명 ①즉석에서 내놓아 짓게 하는 과제. ↔ 숙제(宿題). ②〔improvisation〕스스로 작곡하면서 피아노 또는 오르간을 즉석에서 연주함. ③제목을 내 놓고 그 자리에서 곧 시가(詩歌)·문장을 지음. 또, 그 제목. ──-하다 타여불

즉제[3] 부〈옛〉즉시. ¶즉제 게셔 ᄒᆞᆫ덩이 큰 돌흘 가져다가(就那裏拿起一塊大石頭) ≪老乞 上 25≫/즉제 벼슬 ᄉᆞ양ᄒᆞ고(卽辭職)≪東國新續三綱 孝子圖 Ⅰ:80≫/니러 즉제 가쟈(起來便行)≪老乞 上 22≫.

즉제-곡【卽題曲】명 즉흥곡의 하나. 그 자리에서 주제가 주어져서 작곡 연주하는 곡.

즉조【卽祚】명 즉위(卽位). ──-하다 자여불

즉조-당【卽祚堂】명 덕수궁(德壽宮) 안에 있는 한 당(堂).

즉좌【卽座】명 즉석(卽席).

즉즉【喞喞】명부 ①벌레가 요란하게 우는 소리. ¶~한 버러지 소리는 늦은 가을을 불평히 여기는 듯 사람의 회포를 돋우는지라… ≪崔瓚植 : 海岸≫. ②참새가 지저귀는 소리. ③쥐가 찍찍 우는 소리. ──-하다 자여불

즉지[1]【卽地】명 즉석(卽席).

즉지[2]【卽知·卽智】명 날랜 지혜. 돈지(頓知). 기지(機知).

즉지 부〈옛〉즉시. 곧. =즉제·즉재. ¶즉지 문슈아ᄒᆞ샤 세존ᄭᅴ 오나시늘≪地藏 上 3≫/즉지 즉(卽) ≪倭解 上 27≫/손샹ᄒᆞᆫ 거시 이셔 즉지 뵈ᄂᆞ니라(有損卽見)≪無寃錄 Ⅰ:50≫.

즉차【卽瘥】명 병이 곧 나음. ──-하다 자여불

즉참【卽斬】명 즉석에서 목베어 죽임. ──-하다 타여불

즉처【卽處】명〖법〗↗즉결 처분(卽決處分). ──-하다 타여불

즉청【卽請】명 즉석에서 바로 청함. ──-하다 타여불

즉-출급【卽出給】명 즉시불. ──-하다 타여불

즉-치다【卽一】타 대번에 치다. 지체 없이 냅다 치다.

즉통【喞筒】명 펌프.

즉행【卽行】명 ①곧 감. ②곧 행함. 즉시 실행함. ──-하다 자타여불

즉향【卽向】명 곧 향하여 감. ──-하다 자여불

즉효【卽効】명 ①약 같은 것의 즉시에 나타나는 효험. ¶~약. ②어떤 일의 즉시에 나타나는 좋은 반응.

즉효-성【卽効性】[ㅡ썽] 명 즉시 효력을 나타내는 성질.

즉효-지【卽効紙】명〖약〗청량제·진통약 등을 바른 종이. 외상(外傷)·두통(頭痛) 등의 환부(患部)에 붙임.

즉후【卽後】명 직후(直後). ↔즉전(卽前).

즉흥【卽興】명 ①그 자리에서 일어나는 흥취. 좌흥(座興). ②흥에 겨워 그 자리에서 시가(詩歌)를 읊거나 음악을 창작·연주하는 일.

즉흥-곡【卽興曲】명〔프 impromptu〕〖악〗서양 음악에서, 즉흥적인 악상(樂想)을 소품(小品) 형식으로 쓴 악곡. 쇼팽이나 슈베르트의 작품이 유명함. 또, 수상(隨想)·수감(隨感)에 의해 자유로운 형식으로 만드는 악곡을 말함. 앵프롱프튀.

즉흥-극【卽興劇】명〖연〗별다른 준비 없이 그 자리의 흥에 따라 연출하는 극. 극의 내용보다 배우 또는 출연자의 연기(演技)를 보이는 데 중점을 둠. 희극에 알맞으나 정연(整然)하고 훌륭한 극이 되기 어려움. 16세기에 이탈리아에서 발생하였음.

즉흥 문학【卽興文學】명〖문〗즉흥적인 사상 표현으로 형성된 문학.

즉흥-시【卽興詩】명〔improvisation〕〖문〗그 자리의 흥에 따라 감상을 표현한 시(詩).

즉흥 시인【卽興詩人】명 ①그때 그때에 마음에 떠오르는 시흥(詩興)을 마음껏 노래하는 시인. ②〔덴마크 Improvisatoren〕〖책〗안데르센의 장편 소설. 이탈리아를 무대로, 가난하고 다정 다한(多情多恨)한 즉흥 시인 안토니오를 주인공으로 하여 편력(遍歷)의 여행(旅行)과 아름다운 우정(友情)·연애 그리고 기구한 운명을 그렸음.

즉흥 연:주【卽興演奏】[ㅡ년ㅡ] 명〖악〗연주가 자신의 감흥에 따라 악곡의 전부 또는 일부를 그 자리에서 만들면서 연주하는 일.

즉흥-적【卽興的】명관 ①당장에 흥취가 일어나는 모양. ②그 때 그 장소의 감흥을 즉시 어떤 형태로 표현하는 모양.

즉ᄒᆞ다 보형〈옛〉직하다. ¶ᄯᅩᄒᆞᆫ 可히 宗ᄒᆞ얌즉ᄒᆞ니라(亦可宗也) ≪論語 學而≫.

즌구레 명〈옛〉진구리. 허구리. ¶肋 아래 뼈 업ᄂᆞᆫ듸 俗稱 즌구레 ≪無寃錄 Ⅰ:63≫.

즌ᄃᆡ 명〈옛〉진 데. 진 곳. ¶어긔야 즌ᄃᆡ를 드ᄃᆡ욜셰라≪樂範 井邑詞≫/천방 지방 지방 천방 즌듸 ᄆᆞ른듸 ᄀᆞᆯ히지말고≪古時調≫.

즌무르다 타〈옛〉진무르다. ¶눈 즌무른이(爛眼邊)≪漢淸 Ⅵ:3≫.

즌믈다 타〈옛〉진무르다. ¶빗 소개 온가지 프리 ᄀᆞ올히 즌믈어 죽거늘(雨中百草秋爛死) ≪重杜諺 Ⅻ:14≫.

즌 서리 명〈옛〉된 서리. ¶오뉴월 낫계즉만 살얼음 지픤 우희 즌서리 섯거티고≪古時調 심의산≫/비올디 눈이 올디 ᄇᆞ람 부러 즌서리 틸디 ≪古時調 뒷뫼희≫.

즌솔 명〈방〉〖식〗쇠뜨기.

즌저리 명〈옛〉진저리. ¶즌저리티다(打寒噤)≪譯語 上 37≫.

즌져리 명〈옛〉진저리. ¶즌져리 치다(打寒噤)≪華音 23≫.

즌터리 명〈방〉진펄.

즌퍼리 명〈옛〉진펄. 진창으로 된 넓은 들. ¶즌퍼리 져(沮), 즌퍼리 셔(洳), 즌퍼리 와(窪) ≪字會 上 5≫.

즌흙 명〈옛〉진흙. =즌ᄒᆞᆰ. ¶사병의 담고 즌흙으로 마고 불라(盛砂甁內固濟) ≪痘要 上 9≫.

즌ᄒᆞᆰ 명〈옛〉진흙. =즌흙. ¶도ᄐᆞ랏 막대 디퍼 봆 즌ᄒᆞᆯᄀᆞ 드로니(杖藜入春泥)≪杜諺 XXII:3≫.

즏볼오다 타〈옛〉짓밟다. =즏ᄇᆞᆲ다.

즏ᄇᆞᆲ다 타〈옛〉짓밟다. =즏볼오다. ¶즏볼올 채(跐)≪字會 下 27≫.

즏즛ᄒᆞ다 자〈옛〉진무르다. 종기 터지다. ¶즏즛ᄒᆞ다(爛也脆也今俗作酥)≪四聲 上 40≫.

즐: 명〈방〉겨울(충청).

즐거버 형〈옛〉즐거워. '즐겁다'의 활용형. ¶ᄉᆞᆯ보ᄃᆡ 情慾앳 이른 ᄆᆞᅀᆞ미 즐거버사 ᄒᆞᄂᆞ니≪月釋 Ⅱ:5≫.

즐거봄 형〈옛〉즐거움. '즐겁다'의 명사형. ¶즐거보ᄆᆞᆯ 제 ᄆᆡᇰᄀᆞ라 제 즐기ᄂᆞ니 ≪月釋 Ⅰ:31≫.

즐거봄 형〈옛〉즐거움. '즐겁다'의 명사형. ¶져그나 기튼 즐거부미 이시려니와 ≪月釋 Ⅱ:6≫/婬欲앳 이른 즐거부믄 젹고 受苦ㅣ 하ᄂᆞ니 ≪月釋 Ⅶ:18≫.

즐거ᄫᅳ며 형〈옛〉즐거우며. '즐겁다'의 활용형. ¶受苦ᄅᆞᄫᅵ며 즐거ᄫᅳ며 ≪月釋 Ⅰ:35≫.

즐거ᄫᅳᆫ 형〈옛〉즐거운. '즐겁다'의 활용형. ¶人生 즐거ᄫᅳᆫ ᄠᅳ디 업고 ≪釋譜 Ⅵ:5≫.

즐거ᄫᅳᆫ 형〈옛〉즐거운. '즐겁다'의 활용형. ¶부톄 ᄀᆞ장 貴ᄒᆞᆫ 因緣으로 至極 즐거ᄫᅳᆫ 果報를 타나샤 ≪月釋 Ⅱ:53≫.

즐거우- 간 '즐겁다'의 불규칙 어간. ¶~니/~ㄴ/~면.

즐거운 생활【一生活】명 국민 학교 1학년과 2학년이 쓰는 교과서의 하나. 종전의 체육·음악·미술을 한데 묶어 엮은 것.

즐거움 명 즐거운 느낌이나 마음. 또, 즐겁게 느껴지는 사물. 취미·오락 따위. 낙(樂). 재미. ¶독서의 ~.

즐거워-하다 타여불 즐겁게 여기다.

즐거이 부 즐겁게.

즐겁다 형ㅂ불〔중세 : 즐겁다〕마음이나 관능(官能)이 만족스럽고 유쾌하다. 마음이 흐뭇하고 기쁘다.

즐겁-하다 자〈방〉질겁하다.

즐겁다 형〈옛〉즐겁다. ¶오직 衆生의게 一切 즐거ᄫᅳᆫ 것만 주어도 ≪月釋 XVII:48≫/極樂은 ᄀᆞ장 즐거ᄫᅳᆫ 씨라≪阿彌 5≫/人生 즐거ᄫᅳᆫ ᄠᅳ디 업고≪釋譜 Ⅵ:5≫.

즐굽드리우다 자〈옛〉전착(纏着)하다. ¶耶輸는 겨지비라 法을 모ᄅᆞᆯᄊᆡ 즐굽드리워 듯온 ᄠᅳ들 몯 ᄡᅳ러 ᄇᆞ리ᄂᆞ니 그ᄃᆡ 가아 아라 듣게 니르라 ≪釋譜 Ⅵ:6≫.

즐굽둡다 형〈옛〉전착(纏着)되다. ¶耶輸ㅣ 이 말 드르시고 ᄆᆞᅀᆞ미 훤ᄒᆞ샤 前生앳 이리 어제 본ᄃᆞᆺᄒᆞ야 즐굽ᄃᆞᄫᅵᆫ ᄆᆞᅀᆞ미 다 스러디거늘 ≪釋譜 Ⅵ:9≫.

즐그다 자〈옛〉지르다. 질러가다. ¶輪廻를 즐거 벗ᄂᆞ니(徑脫輪廻)≪龜鑑 下 44≫.

즐:기 명〈방〉겨울(충청).

즐기다[1]〔중세 : 즐기다〕⊟자 마음을 즐겁게 가지다. 유별하게 좋아하다. ⊟타 즐거움을 누리다. 유별하게 탐탁히 여겨 좋아하다. 어떤 것에 취미를 붙여 사랑하다. ¶생활을 ~.

즐기다[2] 형〈방〉질기다.

즐다 형〈옛〉질다. ¶부텨 가시논 ᄯᅡ히 즐어늘 ≪月釋 Ⅰ:16≫/어긔야 즌ᄃᆡ를 드ᄃᆡ욜셰라≪樂範 井邑詞≫.

즐라토우스트〔Zlatoust〕명〖지〗러시아 연방(聯邦)의 도시. 우랄 산맥 남부, 아이 강(Ai 江)에 임함. 야금(冶金)·기계 등의 공업이 행해짐. 1754년 제철소의 건설에 따라 창건, 19세기에 도검(刀劍)·무구(武具)의 산지로 유명했음. 철도와 고속 도로가 시내를 통함. [198,000 명 (1989 추계)]

즐러-가다 타〈방〉질러가다.

즐러-먹다 타〈방〉질러먹다.

즐린【櫛鱗】명〖어〗한쪽 가장자리가 빗살같이 된 물고기의 비늘. 빗비늘.

즐목【櫛沐】명 머리를 빗고 목욕을 함. 소목(梳沐). ──-하다 자여불

즐목문 토기【櫛目文土器】명〖고고학〗빗살무늬 토기.

즐문 토기【櫛文土器】명〖고고학〗빗살무늬 토기.

즐번【櫛繁】명 많은 것이 가지런히 늘어놓여 있음. ──-하다 형여불

즐비【櫛比】명 많은 것이 빗살과 같이 정연하고 빽빽이 늘어섬. ¶가게가 ~한 상가(商街). ──-하다 형여불

즐새-류【櫛鰓類】[ㅡ쌔ㅡ] 명〔pectinobranchia〕〖조개〗연체 동물 복족류(腹足類)에 속하는 한 아목(亞目). 이족류(異足類) 등이 이에 속함.

즐어 부〈옛〉①지레. 일찍. ¶몯아ᄃᆞ리 즐어 업스니(長嗣夭亡) ≪月序 14≫. ②질러. ¶즐어 佛地를 ᄐᆞ며(徑登佛地) ≪牧訣 15≫.

즐어디다 자〈옛〉지레 죽다. 일찍 죽다. ¶잢간도 즐어듀미 업서 곳 ᄃᆞ외리도 ᄑᆞ며(曾無夭閼 使爲花者敷) ≪妙蓮 Ⅲ:12≫/夭는 즐어딜씨라 ≪月序 14≫.

즐어죽다 자〈옛〉지레 죽다. ¶顔淵이 ᄆᆞᄎᆞ매 즐어죽고(顔淵竟短折) ≪杜諺 XXIV:22≫/즐어죽는 쥬쉭에는 귀천업시 다 즐기고≪普勸 海印板 44≫.

즐엽-땅지네【櫛葉ㅡ】명〖동〗〔*Stigmatogaster japonica*〕즐엽땅지넷과에 속하는 절지 동물(節肢動物)의 하나. 몸길이 55 mm 내외이고, 몸

빛은 황색에, 다리는 67-87 쌍이며, 머리는 작고 눈은 없음. 이마 앞의 가장자리에 15개 가량의 자모(刺毛)가 한 개의 횡렬(橫列)을 이룸. 서울에서 채집된 일이 있음.

즐욕【叱辱】명 ☞질욕(叱辱).

즐우러ᄒᆞ다 형〈옛〉질벅거리다. 질척거리다. ¶ᄀᆞᄂᆞᆫ 셈이 가ᄇᆡ아온 어름과 兼ᄒᆞ얏ᄂᆞ니 즐우러ᄒᆞ야 棧道ㅣ 저젓도다(細泉兼輕氷 沮洳棧道濕)≪重杜諺 Ⅰ:22≫.

즐음 명〈옛〉주릅. 거간(居間). ¶우리 그저 즐음의 말대로 ᄆᆞᆺ초미 므던ᄒᆞ다(咱們只依牙家的言語成了罷)≪老乞 上 12≫/이 즐음 닙으는 갑시(這牙家說的價錢)≪老乞 下 12≫.

즐음실 명〈옛〉지름길. =즈름셜·즈름길. ¶ᄃᆞᆫ님애 즐음셜로 말미암디 아니ᄒᆞ며(行不由徑)≪小諺 Ⅳ:46≫.

즐책【叱責】명 ☞질책(叱責). ──-하다 타여불

즐치【櫛齒】명 빗살.

즐치-상【櫛齒狀】명 빗살과 같은 형상.

즐타【叱咤】명 ☞질타(叱咤). ──-하다 타여불

즐판【櫛板】명 [comb plate]〖동〗강장 동물(腔腸動物) 빗살해파리강(綱)만이 가진 기관(器官). 몸에 난 아주 가는 털이 빗살처럼 모여서 된 것으로 이것을 움직여 옮겨 다님.

즐퍽-거리다 자 ☞질퍽거리다. 즐퍽-즐퍽 부. ──-하다 형여불

즐펀-하다 형여불 ☞ 질펀하다.

즐풍 목우【櫛風沐雨】명 [머리는 바람에 빗질이 되고, 몸은 비에 젖어 씻겨, 온 몸이 비바람에 시달림의 뜻] 긴 세월을 객지에서 떠돌며 갖은 고생을 다 함. ──-하다 자여불

즐히다 타〈옛〉지리다. ¶새 므상이 젓 머근 똥 즐히는 쟈는(新駒妳瀉者)≪馬經 下 3≫.

즘 의명 ↗즈음.

즘게[1] 명〈옛〉큰 나무. 수목(樹木). ¶ᄇᆞ야미 가칠 므러 즘겟 가재 연ᄌᆞ니(大蛇銜鵲 寘樹之楊)≪龍歌 7章≫/즘게 남ᄀᆞᆯ 樹王이라 ᄒᆞᄂᆞ니라≪月釋 Ⅰ:24≫/寶樹는 보ᄇᆡ 옛 즘게 남기라≪月釋 Ⅷ:9≫.

즘게[2] 명〈옛〉끝. 한계(限界). ¶몃 즘게 길히 잇ᄂᆞ뇨(有幾程地)≪老乞 上 9≫/두 즘겟 길마다 뎡亭 샹舍ᄅᆞᆯ 세콤 지ᅀᅳ니≪月印 上 56≫.

즘게나모 명〈옛〉수목(樹木). 신단나무(神樹). ¶즘게나모와 우믌ᄀᆞᅀᅢ셔≪月釋 ⅩⅢ:42≫.

즘: 명〈방〉겨울¹(충남·전북).

즘게낡 명〈옛〉수목. 신단나무·신수(神樹). ¶즘게 남ᄀᆞᆯ 樹王이라 ᄒᆞᄂᆞ니라≪月釋 Ⅰ:24≫.

즘-매다 타〈방〉동이다(충남).

즘생 명〈방〉짐승.

즘숭 명〈옛〉짐승. ¶이 즘숭들히 먹디 아니 ᄒᆞ리만 ᄒᆞ니라(這頭口們多有不喫的)≪老乞 上 16≫/브르는 소리 듣고 즘숭 向ᄒᆞ욤 셜리호ᄆᆞᆯ(聞呼向禽急)≪杜諺 ⅩⅫ:51≫.

즘심 명〈방〉점심(點心)(충남·전북).

즘싱 명〈옛〉짐승. ¶남진겨집 얼이노라 즘싱을 그르주겨≪佛頂 上 3≫/三更에 새와 즘싱패 놀라 우놋다(三更鳥獸呼)≪杜諺 Ⅱ:23≫.

즙【汁】명 물체에서 배어 나오거나 짜낸 액체. 액즙(液汁). ¶과일～.

즙고 산:경【緝古算經】명 중국의 옛 산술책(算術册) 이름. 산경 십서(算經十書)의 하나로서, 당대(唐代)의 왕효통(王孝通)이 찬(撰)한 것임. *산경 십서.

즙-나다【汁一】자 ①즙이 나오다. ②일이 아주 익숙하여지다.

즙-내기【汁一】명 착즙(搾汁).

즙-내다【汁一】타 물기가 있는 물체를 짜서 즙이 나오게 하다.

즙녕-장【輯寧章】[一짱] 명〖악〗☞ 집녕장(輯寧章).

즙록【輯錄】[一녹] 명 ☞집록(輯錄).

즙목【輯睦】명 ☞집목(輯睦).

즙-물【汁一】명〖공〗도자기(陶瓷器)를 만들 때 겉에 바르는 잿물. 즙유(汁釉).

즙석【葺石】명〖고고학〗임돌.

즙액【汁液】명 즙을 짜내서 된 액.

즙유【汁釉】명〖공〗즙물.

즙장【汁醬】명 집장.

즙재【汁滓】명 즙을 짜낸 찌끼.

즙즙-하다 형〈방〉찝질하다.

즙즙【㠯㠯】부 찍찍.

즙채【蕺菜】명〖식〗약모밀.

즙철【緝綴】명 ☞ 집철(緝綴). ──-하다 타여불

즙청【汁淸】명 과줄·주악 같은 것에 꿀을 바르고 계피 가루를 뿌리어 재어 둠. ──-하다 타여불

즙포【緝捕】명 죄인을 잡는 일. ──-하다 타여불

즙합【緝合】명 →집합(緝合). ──-하다 타여불

즙-화향적【汁花香炙】명 화양누르미.

즙희-장【緝熙章】[一히짱] 명〖악〗악장(樂章)의 이름.

즛 명〈옛〉짓. 모양. =즘 ¶娟孁ᄂᆞᆫ 靑ㅣ 菴阿ㅣ니 疑心가져 明決티 몯ᄒᆞᄂᆞᆫ즈시라≪龜鑑 上 22≫/즛 모(貌), 즛 용(容)≪字會 上 24≫.

즛가락 명〈방〉아양(함경).

즛긔티다 타〈옛〉부수다. 짓이기다. ¶곳 잡아 ᄂᆞ리와 즛긔텨 죽이고(便拿下來磕死了)≪朴解 下 20≫.

즛닉이다 타〈옛〉짓이기다. ¶몬져 葱白을 떠허 즛닉여 ᄇᆞ른 後에(先將葱白 搗爛塗後)≪無寃錄 Ⅲ:18≫.

즛다 자〈옛〉짖다. =즞다. ¶나라해 즛는 가히 하도다(听听國多狗)≪杜諺 Ⅸ:22≫.

즛다리 명〈방〉끄락서니(함경).

즛두드리다 타〈옛〉짓두드리다. ¶숫무수 즛두드린 즙(蕪菁汁)≪瘟疫 4≫/부치 즛두드려 뽄 즙을 곳굼긔 브스라(薤搗汁灌鼻中)≪救簡 Ⅰ:44≫.

즛딯다 타〈옛〉짓찧다. ¶싱양 즛디허 뽄 즙 ᄒᆞᆫ 머곰만ᄒᆞ야 프러머그라(生薑自然汁一呷調下)≪救簡 Ⅰ:8≫/싱양 즛디허 뽄 즙(生薑自然汁)≪救簡 Ⅰ:10≫.

즛무르다 명〈옛〉진무르다. ¶갓치 즛무르고 흴ᄃᆡ 희여디니(皮爛浮白)≪無寃錄 Ⅰ:36≫/皮肉이 상ᄒᆞ야 즛물으티(皮肉損爛)≪無寃錄 Ⅲ:24≫.

즛므르다 자〈옛〉짓무르다. ¶온 몸이 벋거ᄒᆞ고 즛물러(渾體赤爛)≪痘方 44≫.

즛믈롬 자〈옛〉짓물룸. '즛므르다'의 명사형. ¶힝역이 즛믈롬(痘瘡爛)≪救簡 9≫.

즛바리기암【貌如使內只爲】〈이두〉그렇게 하도록.

즛바리다이산【貌如使內良如敎】〈이두〉그대로 하라고 하시는.

즛바옛다이산【貌如使內良如敎】그대로 하라고 하시는.

즛싀 명〈옛〉찌끼. ¶쇠 불릴제 즛싀(査礦)≪語錄 19≫.

즛서흘다 타〈옛〉마구 썰다. ¶오히려 즏디 아니ᄒᆞᆫ대 도적이 즛서흐니 주그매 다ᄃᆞ라되(猶不從賊亂斫之比死)≪東國新續三綱 烈女圖 Ⅲ:44≫.

즛의 명〈옛〉찌끼. =즈의·즘의. ¶여러 듣글 즛의를 니ᄅᆞ와 돋씨(起諸塵滓)≪妙蓮 Ⅰ:189≫/汁과 즛의왜 宛然히 서르 ᄀᆞ잿도다(汁滓宛相俱)≪初杜諺 ⅩⅥ:64≫.

즛치다 타〈옛〉마구 치다. ¶西面을 號令ᄒᆞ고 南面을 즛치는 듯≪古時調 金壽長≫.

즛ᄒᆞ다 자〈옛〉짓하다. 손짓이나. 몸짓하다. ¶손을 즛ᄒᆞ디 말며(手無容)≪小諺 Ⅱ:70≫.

즜 명〈옛〉짓. 모양. =즛. ¶種種 다른 즈싀 즈믄 머리 므의여 보며≪月釋 Ⅹ:97≫/구룸 자최와 鶴의 즈세 가 줄벼도 ᄀᆞ호미 어렵도다(雲蹤鶴態喩難齊)≪金三 Ⅲ:35≫.

즜의 명〈옛〉찌꺼기. =즛의·즈싀·즈의·즈의. ¶오히려 能히 가비야이 드ᄂᆞ니 즜의 흐린 거시 ᄒᆞ마 다ᄋᆞ면(猶能輕擧 則滓濁 旣盡)≪妙蓮 Ⅳ:19≫.

증[1] 명〖공〗도자기 굽 밑에 붙은 모래알과 진흙 덩이. 그릇을 구울 때 잿물이 바닥에 녹아 붙지 아니하도록 초기(礎基) 위에 괴었던 것이 그릇에 남아서 된 것.

증[2]【症】명 ①↗증세(症勢). ¶헛헛～. ②↗화증(火症). ③↗싫증.

증[3]【曾】명 성(姓)의 하나. 우리 나라에는 현존하지 아니함.

증[4]【甑】명 시루.

증[5]【繒】명 얇고 보드랍게 짠 무늬 없는 비단.

증[6]【證】명 ①↗증거. ②↗증명서.

증[7]【贈】명 기증(寄贈)의 뜻으로, 선물(膳物)을 보내는 이가 물건에 쓰는 글자.

-증[1]【症】[一쯩] 미 어떤 어근에 붙어 '증세'·'생각'·'느낌' 등의 뜻을 나타내는 말. ¶우울～/답답～/헛헛～.

-증[2]【證】[一쯩] 미 어떤 명사들에 붙어 '증명서'의 뜻을 나타내는 말. ¶등록～/면허～/제대～.

증가[1]【增加】명 ①수량이 더 늘어 많아짐. 수량을 늘림. 증다(增多). 증첨(增添). ¶인구 ～. ↔감소(減少). ②〖수〗함수(函數)가 증가 함수인 것. 또, 수열(數列)이 증가 수열인 것. ──-하다 자타여불

증가[2]【增價】[一까] 명 ①값을 올림. 값이 오름. ②〖경〗토지 등의 재산을 시가(時價)의 등귀(騰貴)에 따라 그 가격을 올림. 또, 가격이 오름. ──-하다 자타여불

증가-량【增加量】명 증가된 분량. ↔감소량(減少量).

증가-세【增加稅】[一쎄] 명〖법〗↗재산(財産) 증가세.

증가 수:열【增加數列】명〖수〗항(項)이 커짐에 따라 항의 값이 증가하는 수열. 또, 항의 값이 증가하지 아니하는 수열도 말할 때가 있음. 양자를 구별하기 위하여, 전자(前者)를 협의(狹義)의 증가 수열, 후자(後者)를 광의(廣義)의 증가 수열이라 함. ↔감소(減少) 수열. *단조(單調) 증가 수열.

증가-율【增加率】명 증가하는 비율. ¶인구(人口) ～. ↔감소율.

증가 함:수【增加函數】[一쑤] 명〖수〗값이 증가하는 함수. 즉, 정의역(定義域)안에서 $a<b$라면 반드시 $f(a)<f(b)$인 함수 $f(x)$ 또는 $a<b$이면 반드시 $f(a)\leq f(b)$인 함수 $f(x)$를 가리킬 때도 있음. 전자(前者)를 협의의 증가 함수, 후자(後者)를 광의의 증가 함수라고 함. ↔감소 함수. *단조(單調) 증가 함수.

증간【增刊】명 정기 간행물을 정기 이외에 임시로 발행하는 일. 또, 그 간행물. ──-하다 타여불

증간-호【增刊號】명 증간하여 나온 간행물.

증-감[1]【增減】명 늘림과 줄임. 늚과 줆. 증손(增損). 등강(登降). 손익(損益). ──-하다 자타여불

증감[2]【增感】명 사진 감광(感光) 재료의 감광도를 증가시킴. 또는 증가됨. 색(色) 증감과 유제(乳劑) 증감의 두 가지 방법이 있음. ──-하다 자타여불

증감-법【增感法】[一뻡] 명 사진 감광재(感光材)의 감도를 물리적 또는 화학적인 외부 조작으로 증대시키는 방법. 분광(分光) 증감법·증감 현상법(現像法) 등이 있음. ↔감감법(減感法).

증감 색소【增感色素】명 필름 등의 분광(分光) 감도를 높이기 위하여 첨가하는 색소. 그 색소가 흡수(吸收)하는 색광(푸른 색소면 적색광(赤色光))까지 감광할 수 있게 됨. 주로 시아닌계(cyanine系) 색소가 쓰임. 증감제.

증감-제【增感劑】명〖화〗①증감 색소. ②현상(現像) 등의 노출 광량

후의 처리를 할 때, 감광재(感光材)의 감광도(感光度)를 높이기 위하여 쓰는 약품.

증감 현:상【增感現像】명 사진에서, 밝지는 않으나 빠른 셔터를 필요로 할 경우, 필름을 공칭 감광도(感光度)의 수 배로 노출하였다가 증감성이 있는 현상액으로 현상하는 일. 정도에 따라 2배 증감, 3배 증감으로 나타냄. 「——-하다 타여불」

증강【增強】명 인원·설비 등을 더하여 굳세게 함. ¶군비(軍備) ~.

증개【增改】명 더 늘리고 고침. 증보(增補)하고 개정(改正)함. ——-하다 타여불

증개미 명〈방〉새우(전북).

증-개축【增改築】명 건축물의 증축과 개축. ——-하다 타여불

증거【證據】명 ①증명할 수 있는 근거. 증험(證驗). ¶확실한 ~/불충분한 ~. ②〖법〗법원이 재판의 기초가 될 사실을 인정하기 위하여 필요로 하는 자료. 증인·감정인 등의 인적(人的) 증거, 문서(文書)·증거물 따위의 물적(物的) 증거, 또한 이것에 의하지 아니하고 상황(狀況)으로 추정한 상황 증거가 있음. 준증(證).

증거 가치【證據價值】명 증거력(證據力).

증거 결정【證據決定】[—쩡] 명〖법〗재판, 특히 형사 소송에서, 법원이 특정한 증거 방법에 관한 증거 조사를 할 것을 정하는 결정. 형사 소송법에서의 증거 조사 청구의 각하나 결정도 포함함.

증거 결합주의【證據結合主義】[—/—이] 명〖법〗사실상의 주장과 증거 조사를 구별치 않고 함께 변론하도록 하는 주의. ↔증거 분리주의.

증거 계:약【證據契約】명〖법〗민사 소송에서, 당사자 쌍방 사이의 특정한 소송물에 대하여, 그 사실 관계나 이를 정하는 방법에 대하여 행하는 합의(合意).

증거 공:통의 원칙【證據共通—原則】[—/—에—] 명〖법〗민사 소송법상 증거 조사의 결과는 어떤 당사자의 이익을 위하여서도 사실 인정의 자료로 삼을 수 있다는 원칙.

증거-금【證據金】명 ①〖법〗계약의 이행을 확실히 하기 위하여, 당사자의 일방이 상대방에게 제공하는 담보금. 흔히, 위약금(違約金)의 성질을 띰. ②〖경〗거래소(去來所)에서, 거래를 보증하기 위하여 거래원으로부터 걷는 매매 증거금과, 계약 이행의 안전을 기하기 위하여 거래원이 주문주(注文主)로부터 걷는 위탁 증거금(委託證據金) 또는 주식 청약 증거금 등의 총칭.

증거금-률【證據金率】[—뉼] 명 [margin requirement]〖경〗위탁 증거금률(委託證據金率)의 통칭.

증거 금:지【證據禁止】명〖법〗관련성도 있고 실체적 진실 발견이라는 입증(立證) 정책적 견지에서도 제한할 필요가 없는데도 불구하고, 진실 발견이라는 소송법적 이익보다 우월하는 다른 이익을 위하여, 증거로 하는 것이 금지된 것. 이를테면 공무 및 업무 상(業務上)의 비밀에 속하는 사실이나 물건·장소에 대한 증언 또는 압수(押收)·수색(搜索)을 금하는 따위.

증거 능력【證據能力】[—녁] 명〖법〗소송 절차상, 증거가 증명의 자료로서 쓰이기 위한 자격. 증거의 실질적 내용(內容)으로서의 증명력(證明力)과는 별개의 것임. 형사 소송법상 특히 중요하며 현행법도 자백(自白)·전문 증거(傳聞證據)·진술 기록(陳述記錄)·조서(調書) 등의 서증(書證)에 관해 그 제한을 규정하고 있는데, 민사 소송법에서는 원칙적으로 제한이 없음.

증거-력【證據力】명〖법〗증거가 갖는 신빙성(信憑性)의 정도. 증거 방법으로서의 가치. 증명력(證明力). 증거 가치.

증거-물【證據物】명 ①증거가 될 만한 물건. ②〖법〗그 물건의 존재와 상태가 증거가 되는 것. 물적(物的) 증거. 증거 물건. 물증(物證). 증거품.

증거 물건【證據物件】명 증거물❷.

증거 방법【證據方法】명〖법〗재판관이 사실의 존부(存否)를 판단하기 위하여 신문(訊問) 조사할 수 있는 사람 또는 물건. 곧, 재판의 기초가 될 사실의 인정의 자료로서 소용이 되는 것. 증인·감정인·당사자 본인 등의 인적(人的) 증거와 문서·검증물(檢證物) 따위의 물적(物的) 증거가 있음.

증거 배제【證據排除】명〖법〗조사할 증거가 증거로 할 수 없는 것일 때, 즉 증거 능력이 없다든가 관련성이 없다든가 한 경우, 그 증거의 일부 또는 전부를 당해 사건의 증거로 하지 않는 일. 증거 배제는 이의 신청 또는 직권에 의하여 결정함.

증거-법【證據法】[—뻡] 명〖법〗증거의 증거 능력 또는 증명력을 규정한 소송법의 한 부분.

증거 보:전【證據保全】명〖법〗민사 소송에서, 정규의 증거 조사 때까지 유예하여 두어서는 그 증거 방법을 사용하기가 불가능하거나 곤란할 경우에, 본안(本案)의 절차와는 별개로 미리 증거 조사를 하는 절차. 형사 소송에도 같은 절차가 있음.

증거 분리주의【證據分離主義】[—불—/—불—이] 명〖법〗사실 상의 주장과 증거 조사를 분리하여, 증거 조사를 하게 된 뒤에는 당사자의 사실 상의 진술을 금지하는 주의. ↔증거 결합주의.

증거 서류【證據書類】명〖법〗증거 방법인 증거 중에서 당해(當該) 사건을 위하여 형사 소송법의 규정에 따라 작성한 보고 내용의 서류. 즉, 형사 소송법상 증거 조사의 방식으로서 피고인의 청구가 있을 때 재판장이 서기로 하여금 낭독(朗讀)하는 것으로 끝나는 서증(書證). 공판 조서가 이에 속함. 증빙 서류.

증거 신청【證據申請】명〖법〗법원에 대하여 당사자가 증거 방법의 조사를 구하는 신청. 형사 소송법에서는 검사·피고인·변호인이 서류·물건을 증거로 제출하거나, 증인·감정인·통역인·번역인의 신문(訊問)을 신청하는 것이며, 민사 소송법에서는 당사자가 증명할 사실을 표시하여 신청함.

증거 원인【證據原因】명〖법〗법관의 심증(心證)을 확신으로 이끄는 원인. 이를테면 신용할 수 있는 증인의 증언, 진정한 문서(文書)의 내용 따위.

증거-인【證據人】명 어떤 사실을 증명하는 사람. 증인(證人).

증거 인멸【證據湮滅】명 증거가 되는 것을 모조리 숨기거나 없애는 일.

증거 인멸죄【證據湮滅罪】[—쬐] 명〖법〗타인의 형사 사건 또는 징계 사건에 관한 증거를 인멸·은닉·위조·변조하거나, 위조 또는 변조한 증거를 사용함으로써 성립되는 죄. 증빙 인멸죄.

증거 자료【證據資料】명〖법〗법원이 증거 조사를 한 결과 얻은 자료. 증언·감정 의견·기재 내용·검증의 결과, 관청·학교·상공 회의소 기타 단체의 조사 보고 등. 증거 자료로부터 사실 상의 주장의 당부(當否)에 관해 법관이 확신을 얻었을 때는 증거 원인이 됨.

증거 재판【證據裁判】명〖법〗증거를 사실 인정의 기초로 하는 재판.

증거 재판주의【證據裁判主義】[—/—이] 명〖법〗재판에서 사실의 인정은 증거에 의해서 하여야 한다는 주의. 특히 증거 조사의 절차를 거친, 증거 능력이 있는 증거에 의해 재판하여야 한다는 주의.

증거 절차【證據節次】명〖법〗증거 조사에 관한 모든 절차의 총칭.

증거 조사【證據調査】명〖법〗증거를 조사하는 일로서 ①민사 소송법상, 법원이 쟁의(爭議) 있는 사실의 존부(存否)에 대하여 심증을 얻기 위하여 증거 방법을 조사하는 행위. ②형사 소송법상, 사실의 진위(眞僞)를 판단하는 자료를 얻기 위하여, 증인·감정인을 심문하고, 검증물(檢證物)을 실험하는 등 증거 방법을 조사하는 행위.

증거 증권【證據證券】[—꿘] 명 재산법 상의 권리 의무가 기재되어 일정한 법률 관계의 증명에 쓰이는 증서. 차용 증서·수령서·통상의 계약서·운송장 등이 이에 속함. 재산권을 표시하는 것은 아님. 단, 유가 증권도 증거 증권성을 가짐. 증명 증권.

증거-품【證據品】명 증거물(證據物).

증거 항:변【證據抗辯】명〖법〗민사 소송에서, 당사자의 일방이 상대방의 증거 능력이나 증명력(證明力)의 결여(缺如), 증거 조사 절차의 위법 등에 대해서 하는 이의(異議)의 진술.

증건-열【拯乾劣】[—널] 명 패선(敗船)으로 물에 가라앉은 것을 건져내어 말린 쌀. *증렬미.

증검-다리 명〈방〉징검다리.

증검-증검 부〈방〉징검징검.

증겁【增劫】명〖불교〗사람의 나이 10세부터 100년마다 한 살씩 더해서 8만 4천세에 이르기까지의 동안. ↔감겁(減劫). *소겁(小劫).

증견【增遣】명 증파(增派). ——-하다 타여불

증결【增結】명 정해진 편성의 객차나 화차의 열차에 임시로 더 차량을 연결함. ——-하다 타여불

증경이 명〈방〉징경이.

증경 회:장【曾經會長】명 일찍이 회장직을 지낸 사람.

증고【增估】명〖역〗환곡(還穀)을 돈으로 대신 받을 경우, 군·현(郡縣)의 수령(守令)들이 시가(時價)로 백성에게서 받고 상정가(詳定價)대로 나라에 바쳐서 그 나머지를 사사로이 쓰는 일. 조선 시대 말 정약용(丁若鏞)이 이 폐단을 지적하였음.

증-공【曾鞏】명〖사람〗중국 북송(北宋)의 문인(文人)·정치가(政治家). 자는 자고(子固), 호는 남풍(南豐). 구양수(歐陽修)에게 문장으로 인정되어 중서 사인(中書舍人)이 됨. 고문 작가(古文作家)이며, 당송 팔대가(唐宋八大家)의 한 사람. 시문집에 ≪원풍 유고(元豐類藁)≫가 있음. [1019-83]

증공 대:사【證空大師】명〖사람〗고려 광종(光宗)이 긍양(兢讓)에게 내린 존호(尊號).

증과【證果】명〖불교〗수행(修行)의 결과로 얻는 깨달음의 과보. 무명(無明)·번뇌를 떠나 깨달음의 결과를 얻는 일. 소증(所證).

증관【贈官】명 생전에 공훈이 있던 사람에게 사후에 벼슬을 추증(追贈)함. 또, 그 벼슬. ——-하다 타여불

증광【增廣】명 ①〖역〗↗증광시(增廣試). ②늘리고 넓힘. ——-하다 타여불

증광-시【增廣試】명〖역〗조선 시대 때 나라에 큰 경사(慶事)가 있을 경우에 기념으로 보이던 과거. 태종(太宗) 원년(1401)에 처음 실시됨. 식년시(式年試)와 같이 그 절차가 생진과(生進科) 초시(初試)·복시(覆試), 문과(文科) 초시·복시·전시(殿試)의 5단계로 나뉘어지며, 시험 과목도 같았음. 동당(東堂). 준증광(增廣).

증구[1]【曾邱】명〖지〗층성산(層城山).

증구[2]【增口】명 인구의 증가.

증-국번【曾國藩】명〖사람〗중국 청말(清末)의 정치가·학자. 호는 백함(伯涵). 태평 천국(太平天國)의 난(亂) 때 의용대(義勇隊)를 편성하고 청조를 구하였으며, 양무 운동(洋務運動)에 노력한 동치 중흥(同治中興)의 공신임. 동성파(桐城派)의 고문(古文)과 송학(宋學)을 수학(修學)하여 당대의 일류 문인·학자였음. 저서에 ≪증문정공 전집(曾文正公全集)≫ 174권이 있음. [1811-72]

증군【增軍】명 군대를 늘림. ↔감군(減軍). ——-하다 자여불

증권[1]【證券】[—꿘] 명 ①증거로 되는 문권(文券). ②〖법〗재산 상의 권리 의무에 관한 기재를 하여 만들어진 지편(紙片). 법률 상의 효력에 따라 유가 증권(有價證券) 및 증거 증권으로 나뉨. 증서(證書).

증권[2]【證權】[—꿘] 명 많은 사람들을 복종 또는 신뢰하게 하는 권위 또는 전거(典據).

증권 감독원【證券監督院】[—꿘—] 명〖법〗증권 관리 위원회의 지시·감독을 받아, 유가(有價) 증권의 발행을 촉진하고, 그 관리와 공정(公正)한 거래의 철저를 기하며, 증권 관계 기관의 감독과 검사를 통하여, 건전한 자본 시장(資本市場)을 육성(育成)하기 위하여 설립된, 무자본

(無資本)의 특수 법인. 감독원장은 증권 관리 위원회의 위원장이 됨.

증권 거:래법【證券去來法】[―꿘―뻡] 명 〖법〗 유가 증권의 발행·매매 기타 거래의 공정(公正)과 유통(流通)의 원활, 투자자의 보호 등을 목적으로 해서 제정된 법률. 유가 증권의 모집·매매·증권 회사·증권 거래소 따위에 관하여 규정함.

증권 거:래세【證券去來稅】[―꿘―쎄] 명 〖법〗 유통세(流通稅)의 한 가지. 유가 증권을 증권 거래소에서 거래원을 통해 양도(讓渡)한 사람과 자기의 계산으로 양도한 거래원이 납부하는 조세.

증권 거:래소【證券去來所】[―꿘―] 명 ①〖법〗 유가 증권의 매매 거래를 위하여 개설(開設)되는 상설 시장. ②↗한국 증권 거래소.

증권 경기【證券景氣】[―꿘―] 명 〖경〗 주가(株價)의 구성 요인인 배당(配當)·금리(金利)의 변동으로 생기는 증권 거래 상의 경기.

증권-계【證券界】[―꿘―] 명 〖경〗 주식·공채·사채(社債) 등이 거래되고 있는 사회.

증권 공채【證券公債】[―꿘―] 명 〖경〗 채권액(債權額)을 표시한 증권을 발행하였을 때의 공채. 기명식(記名式)·무기명식이 있음.

증권 관리 위원회【證券管理委員會】[―꿘괄―] 명 〖법〗 유가 증권의 발행·관리 및 공정한 거래와 증권 관계 기관의 감독에 관한 사항을 심의 의결(審議議決)하기 위해 증권 감독원에 둔 위원회. 한국 은행 총재·한국 증권 거래소 이사장·재무부 차관 및 대통령이 임명하는 6명의 상임 위원(常任委員) 등 9명의 위원으로 구성되며, 위원장은 위원 중에서 대통령이 임명함.

증권 금융【證券金融】[―꿘―/―꿘―늉] 명 〖경〗 유가 증권을 담보로 한 자금의 조달. 광의로는 주식(株式)·사채(社債) 등의 발행에 의한 장기(長期) 자금 조달 또는 증권 담보 금융 같은 것.

증권 금융 회:사【證券金融會社】[―꿘―/―꿘―늉―] 명 〖경〗 증권 금융을 위한 전문 금융 기관. 유가 증권 시장 조성 자금 및 증권 인수 자금의 대출 업무, 유가 증권 시장에서의 매매 거래에 필요한 자금 또는 유가 증권을 증권 거래소의 결제 기구를 통해 대부하는 업무, 유가 증권을 담보로 하는 대출 및 유가 증권 대여 업무 등을 함.

증권 담보 금융【證券擔保金融】[―꿘―/―꿘―늉] 명 〖경〗 유가 증권을 담보로 하여 단기 자금을 차입(借入)하는 일.

증권 대:위【證券代位】[―꿘―] 명 〖경〗 자기 회사의 수익(受益) 증권·주식·사채(社債)를 발행하고 일반 투자가(投資家)로부터 직접 자금을 조달하여, 다른 회사의 주식이나 공사채(公社債)를 취득하는 일. 증권 치환(置換).

증권 대:행【證券代行】[―꿘―] 명 〔transfer agent〕〖경〗 회사의 주식 관계 사무를 일체 대행하는 일. 회사로부터 주주 명부(株主名簿)를 맡아, 주주의 명의(名義) 변경은 물론, 주권(株券)의 분할·병합(倂合)이나 배당금의 계산·지급·신주(新株) 발행·총회 통지(總會通知) 따위를 행함.

증권 분석【證券分析】[―꿘―] 명 증권의 종류·성질·발행 회사의 재무 제표(財務諸表) 등과 관련하여 증권의 가치와 증권 가격과의 관련성을 분석하는 일.

증권 분석가【證券分析家】[―꿘―] 명 〖경〗 증권 애널리스트

증권 선물 위원회【證券先物委員會】[―꿘―] 명 〖경〗 증권·선물 시장(先物市場)의 불공정 거래 조사, 기업 회계의 기준 및 회계 감리, 금융 감독 위원회가 심의·의결하는 증권·선물 시장의 관리·감독 및 감시 등의 업무를 수행하는 금융 감독 위원회의 한 기관. 위원장 1명을 포함한 5명의 위원으로 구성함.

증권 시세표【證券時勢表】[―꿘―] 명 〖경〗 증권 시장에서 매일 거래되는 증권의 최고·최저·최종(最終) 가격을 공표하는 표.

증권 시:장【證券市場】[―꿘―] 명 〖경〗 증권업자·은행·투자가(投資家) 등으로 구성되어 증권의 발행·매매·유통 등이 행하여지는 시장. 좁은 의미로는 증권 거래소를 말함. ㊜증시(證市).

증권 시:장 공:황【證券市場恐慌】[―꿘―] 명 〖경〗 투기(投機) 공황의 하나. 증권 거래소에서의 투기 활동으로 말미암아 대혼란이 야기되는 공황. 거래소 공황(去來所恐慌).

증권 시:장 안정 기금【證券市場安定基金】[―꿘―] 명 〖경〗 증권 시장의 수급(需給) 불균형 조정을 위해 조성된 기금. 대체로 증시(證市)의 장기 하락 국면에서는 일정 기관의 출연(出捐)으로 펀드(fund)를 조성하여 초과 매도 물량을 흡수, 수급을 조절하며, 과열 국면에서는 보유 주식 매각으로 장세(場勢)를 안정시킴. 우리 나라에서도 1990 년 금융 기관·상장(上場) 회사 등이 이 기금을 조성하여 장세 안정에 기여하고 있음. ㊜증안 기금.

증권 애널리스트【證券―】〔analyst〕[―꿘―] 명 〔security analyst〕〖경〗 각 기업의 재무(財務)·업적(業績) 등의 내용을 자세히 조사하고, 그 주식의 투자 가치를 판단하고 투자가에게 알리는 전문가(專門家). 증권 분석가. 파이낸셜 애널리스트(financial analyst).

증권-업【證券業】[―꿘―] 명 〖경〗 유가 증권(有價證券)의 매매, 위탁 매매, 매매의 중개 또는 대리, 인수(引受), 모집 또는 매출(賣出)의 주선(周旋), 유가 증권 시장에서의 매매에 관한 위탁의 중개·주선 또는 대리 등을 하는 영업.

증권업-자【證券業者】[―꿘―] 명 〖경〗 증권업을 영위(營爲)하는 주식 회사. 우리 나라에서는 증권 회사가 이에 해당함.

증권 은행【證券銀行】[―꿘―] 명 〖경〗 주식(株式)·공채(公債) 및 사채(社債)의 발행과 인수(引受), 사업 자금(事業資金)의 대출(貸出), 특히 유가 증권 재단(有價證券財團)을 담보로 하는 대출 또는 유가 증권의 매매를 주요 업무로 하는 은행.

증권 저:축【證券貯蓄】[―꿘―] 명 〖경〗 증권 투자 저축의 하나. 증권 투자 저축 기관에 저축한 자금으로 증권 거래소에 상장(上場)된 주식을 매입하는 저축. *근로자 재산 형성 저축.

증권 준:비 제:도【證券準備制度】[―꿘―] 명 〖경〗 은행권 발행 제도의 하나. 국채(國債)가 주가 된, 특정한 증권만을 준비하여 은행권을 발행하는 것. 미국에서 비롯되었음.

증권 중개인【證券仲介人】[―꿘―] 명 〖경〗 고객의 주문에 의해 수수료를 받고 주식·채권을 매매 거래하는 사람. 일정액 이상의 자본금을 보유하는 증권 회사나, 자격증을 소지한 증권 투자 상담사(相談士)가 이런 중개 업무를 할 수 있음. 중개인.

증권 치:환【證券置換】[―꿘―] 명 〖경〗 증권 대위(證券代位).

증권 투자【證券投資】[―꿘―] 명 일정한 이익 배당을 예상하고 국채·사채(社債)·주식 등의 유가 증권을 사들이는 일. 직접 투자와 간접 투자로 나뉨. 방자(放資).

증권 투자 신:탁【證券投資信託】[―꿘―] 명 〖경〗 불특정 다수의 일반 투자가로부터 모은 자금을 투자 대행 기관이 투자가를 대신하여 유가 증권에 분산·투자하여 여기에서 생긴 수익을 투자가에 분배하여 주는 신탁.

증권 투자 저:축【證券投資貯蓄】[―꿘―] 명 〖경〗 근로자 재산 형성 저축(勤勞者財產形成貯蓄)의 하나. 근로자가 일정 기간 저축을 한 후 저축 원본(貯蓄元本)과 그 수익은 현금·주식 또는 주식형 증권 투자 신탁 수익 증권(株式型證券投資信託受益證券)으로 지급받고, 저축 장려금(貯蓄奬勵金)은 현금으로 지급받는 저축.

증권 투자 회:사【證券投資會社】[―꿘―] 명 〖경〗 주로 증권에 의한 투자 및 그 관리를 목적하는 회사. 다른 기업의 지배를 목적으로 하지 않는 지주(持株) 회사에 속함. 1860년대에 영국에서 발생하였으며 현재 미국에 보급되어 있음.

증권 회:사【證券會社】[―꿘―] 명 증권업을 경영하는 주식 회사. 유가 증권의 인수·매매 따위를 업무로 삼는 회사. *증권업자.

증그라미 명 〈방〉〖어〗 미꾸라지.

증그리 명 〈방〉〖어〗 미꾸라지. 「――-하다 자타여불

증급【增給】 명 월급·일급·급여액(給與額) 등을 올려 줌. 증봉(增俸).

증기[1]【蒸氣】 명 ①〖물〗 액체나 고체가 증발 또는 승화(昇華)하여 생긴 기체. ②↗수증기(水蒸氣).

증기[2]【憎忌】 명 미워하고 꺼림. ――-하다 타여불

증기[3]【贈寄】 명 기증(寄贈). ――-하다 타여불

증기 가열기【蒸氣加熱器】 명 증기를 튜브나 파이프를 통해서 목적물을 가열하는 히터(heater).

증기 건조기【蒸氣乾燥器】 명 증기 공급계(系)에서 증기로부터 액체를 분리하는 장치. 「구멍.

증기-공【蒸氣孔】 명 〖지〗 화산(火山) 지역에서 주로 수증기를 내뿜는

증기 과:열기【蒸氣過熱器】 명 〔steam superheater〕〖기〗 액상(液相)으로부터 증발된 후의 증기에 현열(顯熱)을 가하는 보일러의 한 부분.

증기 과:열 저:감기【蒸氣過熱低減器】 명 〔steam attemperation〕〖기〗 물의 분사(噴射)나 수중 냉각(水中冷却)에 의하여 과열 증기의 최고 온도를 조절하는 장치.

증기-관[1]【蒸氣管】 명 증기가 통하는 긴 관(管).

증기-관[2]【蒸氣罐】 명 〖공〗 기관(汽罐).

증기 구동 장치【蒸氣驅動裝置】 명 증기 압력으로 생기는 동력을 사용해서 기계나 기계 부분을 움직이는 장치. 「이루어진 기계.

증기 기계【蒸氣機械】 명 〖공〗 증기 기관 및 그 외의 장치의 결합으로

증기 기관【蒸氣機關】 명 〔steam engine〕〖물〗 열(熱)기관의 하나. 증기관(蒸氣罐)으로부터 보내진 수증기의 팽창 및 응축(凝縮)을 이용하여 피스톤에 왕복 운동을 일으켜 동력(動力)을 얻음. 기차·기선·기중기 등에 이용됨. 열기관 중 가장 역사가 오래된 것으로, 구조가 간단하고 취급이 용이한데, 회전수가 적고 출력(出力)이 큰 것이 없음. 스팀 엔진.

증기 기관차【蒸氣機關車】 명 〖공〗 증기 기관을 장치하고 이것을 동력으로 하여 달리는 기관차.

증기 난:로【蒸氣煖爐】[―날―] 명 증기관(蒸氣管)으로 더운 수증기를 통하여 방안을 덥게 하는 난방 장치. 수난로(水煖爐). 스팀(steam).

증기 난:방【蒸氣煖房】 명 난방 방법의 하나. 고온(高溫)의 수증기가 갖는 열 에너지(熱 energy)를 이용함. 한 곳에서 보일러로 고온의 수증기를 발생시켜, 파이프에 의하여 필요한 장소에 분배하게 된 것이 많음. 스팀 난방. *온수 난방.

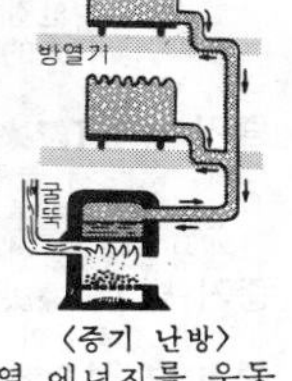

〈증기 난방〉

증기 노즐【蒸氣―】 명 〔steam nozzle〕〖기〗 증기의 열 에너지를 운동 에너지로 바꾸는 증기관(蒸氣管)의 유출(流出) 구조.

증기 다리미【蒸氣―】 명 증기가 밑바닥에서 뿜어 나오게 만든 다리미. 스팀 아이론.

증기-력【蒸氣力】 명 기력(汽力).

증기-무【蒸氣霧】 명 〖기상〗 증발 안개.

증기 밀도 측정법【蒸氣密度測定法】[―또―뻡] 명 〖물〗 증기 밀도를 측정하고 그로부터 보일샤를(Boyle-Charle)의 법칙 및 게이뤼삭(Gay-Lussac)의 법칙에 의하여 기체의 분자량을 결정하는 방법.

증기 살균기【蒸氣殺菌器】 명 증기 소독에 쓰는 기구.

〈증기 살균기〉

증기-선【蒸氣船】 명 기선(汽船).

증기 소독【蒸氣消毒】 명 증기를 써서 균을 죽임. ――-하다 타여불

증기 소독법【蒸氣消毒法】 명 소독법의 하나. 대부분의 균은 100°C에서 멸균되므로, 소독하려는 물건에 적당한 방법으로 고온(高溫)의 증기를 통하여 소독하는 방법.

증기-압【蒸氣壓】 명 〖물〗 증기 압력.

증기 압력【蒸氣壓力】[—녁] 명 〔vapor pressure〕〖물〗 어떤 일정한 온도에서 고체 또는 액체와 평형(平衡) 상태에 있는 증기의 압력. 밀리미터(mm) 또는 밀리바(mb)로 표시함. 증기압(蒸氣壓).

증기 압력계【蒸氣壓力計】[—녁—] 명 〔vaporimeter〕〖공〗 물질의 증기 압력을 측정하는 기기(機器). 특히 알코올성 액체 중의 알코올 함량(含量)을 결정하기 위해서 쓰임.

증기 압력 내림【蒸氣壓力—】[—녁—] 명 〖화〗 액체에 불휘발성(不揮發性) 물질을 용해할 때에 그 증기 압력이 감소하는 일. 증기압 강하.

증기 압력식 온도계【蒸氣壓力式溫度計】[—녁—] 명 액체의 포화(飽和) 증기 압력이 액체의 종류와 온도만으로 정해지는 것을 이용한 온도계.

증기 온도 조절【蒸氣溫度調節】 명 〔attemperation of steam〕 보일러에서, 최종(最終) 증기 온도를 조절(調節)하기 위하여, 과열기(過熱器)의 출구(出口) 또는 1단(段)과 2단 사이의 증기의 냉각을 제어(制御)하는 일.

증기-욕【蒸氣浴】 명 ①수증기로 목욕함. ②〔steam bath〕〖물〗 가열(加熱)의 매체(媒體)로서 기체(氣體)를 사용하는 가열욕(加熱浴)의 총칭. 주로 수증기를 사용하는데, 수은 증기 등도 쓰임. 어떤 일정 온도를 넘지 않고 균일하게 가열할 수 있음. 가열·증류·건조 등에 응용됨. ——하다 자 여불

증기 원동소【蒸氣原動所】 명 증기를 작업 유체(作業流體)로 하여 이것에 순환적인 상태 변화를 행하게 하여 연료의 연소(燃燒)에 의한 열에너지(熱 energy)를 기계적 일로 변환하여 동력을 발생하는 일련(一連)의 설비.

증기 유화액 시험【蒸氣乳化液試驗】 명 물과 기름의 분리 시험. 특히, 증기와 터빈유(turbine油)를 유화(乳化)시킨 후, 유제(乳劑)가 3 ml로 줄어드는 시간으로 나타냄. 시간은 5분 단위로 기록함.

증기 자동차【蒸氣自動車】 명 증기 기관을 원동력(原動力)으로 하는 자동차. 1769년 프랑스의 퀴뇨(Cugnot, N. J.)가 처음으로 삼륜의 증기 자동차를 만들었음. 이후 개량을 거듭하여, 19세기에는 버스 등으로 구미에서 실용되었으나 기관의 용적·중량이 큰 것 등의 결점 때문에 가솔린 자동차가 출현하자 자취를 감추었음.

증기 재:열기【蒸氣再熱器】 명 〔steam reheater〕〖기〗 중압(中壓) 증기에 열을 공급하는 보일러의 부품(部品). 이 증기는 고압 터빈(高壓 turbine)을 통과할 때 팽창으로 그 에너지의 일부를 잃게 됨.

증기 정제 원료유【蒸氣精製原料油】[—월—] 명 수증기로 가열해서 증류(蒸溜)한, 여과하지 않은 석유 제품. 윤활유·실린더 오일·기어 오일 따위.

증기 즉통【蒸氣喞筒】 명 〖물〗 증기 펌프(蒸氣 pump).

증기-차【蒸氣車】 명 기차(汽車)❶.

증기 철도【蒸氣鐵道】[—또] 명 증기 기관차가 객차나 화차를 끌고 달리는 철도.

증기 축압기【蒸氣縮壓器】 명 〔steam accumulator〕〖기〗 압력 용기(壓力容器)의 하나. 최고 수요시(需要時) 이외에는 증기로 그 안의 물을 가열하고, 필요할 때에는 증기를 재생(再生)함.

증기 캐터펄트【蒸氣—】〔catapult〕 명 스팀 캐터펄트.

증-기택【曾紀澤】 명 〖사람〗 중국 청(淸)나라 때의 외교가(外交家). 증국번(曾國藩)의 장자. 후난 샹샹(湖南湘鄕) 사람. 1879년 대리시 소경(大理寺少卿)이 되고, 이 해 체결된 리바디아 조약(Livadia 條約)의 수정을 위해 사아 대신(使俄大臣)을 겸하여 러시아로 가서 1881년 페테르부르크 조약을 성립시킴. 1884년 병부 우시랑(兵部右侍郞)으로 승진, 영국 정부와 양약세리 병징 조약(洋藥稅釐併徵條約)을 의정(議定)하고, 1887년 호부 우시랑(戶部右侍郞), 1888년 서형부(署刑部) 우시랑을 겸함. 시호는 혜민(惠敏). [1839-90]

증기 터:빈【蒸氣—】 명 〔steam turbine〕〖물〗 증기 원동기의 한 가지. 고온 고압의 증기를 노즐(nozzle)로 분출·팽창시켜 그 팽창 속도로 직접 바퀴의 회전 운동을 일으키는 원동기. 충격 터빈과 반동 터빈으로 대별하는 외에, 증기의 흐르는 방향에 따라 축류식(軸流式)·폭류식(輻流式), 이에 다시 배압식(背壓式)·추기식(抽汽式)·폐기식(廢汽式)·혼압식(混壓式)·재열식(再熱式)·재생식(再生式) 등으로 나눔. 화력 발전(火力發電)·공장·선박 등의 대출력 원동기(大出力原動機)로 많이 이용됨. *커티스 터빈.

증기 트랩【蒸氣—】〔trap〕 명 〖공〗 기수 분리기(汽水分離器)로 분리된 증기의 수분을 없애는 데 쓰이는 기구. 부조형(浮槽型)과 팽창형(膨脹型)으로 대별(大別)됨. 스팀 트랩(steam trap).

증기 펌프【蒸氣—】〔pump〕 명 〖물〗 증기의 작용으로 물을 자아 올리는 펌프. 증기 주사기(蒸氣注射器)·소방(消防) 펌프 같은 것. 증기 즉통(蒸氣喞筒).

증기 해머【蒸氣—】〔hammer〕 명 〖공〗 증기의 힘으로 들었다 놓았다 하여 쇠를 단련하는 데 쓰는 망치. 공기 해머보다 타격력이 강하여 강괴(鋼塊) 등의 단련에 쓰임. 스팀 해머(steam hammer).

증기 흡입기【蒸氣吸入器】 명 증기 흡입법에 쓰는 수증기 장치. 내뿜게 되었음. 거의 직각으로 위치하는 두 개의 가는 관(管)의 한쪽 끝이 서로 접촉하도록 해 놓고 한쪽에서 수증기를 세차게 뿜어 딴쪽 관에서 약물을 빨아 올려 안개로 하여 분출시킴. 가열(加熱)함에는 알코올 램프·소형(小型) 분젠등·전열기(電熱器) 따위가 쓰임.

〈증기 흡입기:전열식〉

증기 흡입법【蒸氣吸入法】 명 〖의〗 열이 있거나 마른 기침과 담이 있을 때 또는 공기가 건조할 때, 증기 흡입기로 호흡기에 수증기를 넣어 주는 법.

증기 히:터【蒸氣—】〔heater〕 명 스팀(steam)❷.

증-나다【症—】 자 화증(火症) 또는 싫증으로 불쾌한 생각이 나다.

증-내다【症—】 자 화증 또는 싫증으로 불쾌한 생각을 내다.

증년【增年】 명 나이를 더해 감. ——하다 자 여불

증다【增多】 명 증가(增加)❶. ——하다 자 여불

증답【贈答】 명 선사로 물건을 서로 주고받고 함. 또, 시가(詩歌)·편지 등을 보내거나 받거나 함. ——하다 타 여불

증답-비【贈答費】 명 물건을 증답하는 데에 쓰이는 비용.

증답-품【贈答品】 명 선사로 서로 주고받는 물건.

증대【增大】 명 더하여 커짐. 늘려서 많게 함. ¶소득 ~. ↔감소(減少). ——하다 자 타 여불

증-대부【曾大父】 명 촌수(寸數)가 먼 유복(有服) 이외의 증조항(曾祖行)의 남자.

증대-욕【增大慾】 명 증대하고자 하는 욕망.

증대-호【增大號】 명 보통 호보다 지면(紙面)을 늘려서 간행한 잡지 따위의 인쇄물.

증-도[1]【曾島】 명 〖지〗 전라 남도의 서해상(西海上), 신안군(新安郡) 증도면(曾島面)에 위치한 섬. [37.18 km²]

증도[2]【證道】 명 〖불교〗 깨달음의 진리(眞理) 그 자체 또는 그것에 대하여 굳게 약속을 한 실천(實踐) 행위.

증도가 남명 계:송 언:해【證道歌南明繼頌諺解】 명 〖책〗 남명집 언해(南明集諺解).

증동【烝多】 명 맹동(孟多).

증두리 명 〈방〉 징두리.

증득【證得】 명 〖불교〗 수행(修行)에 의해서 진리를 깨닫고, 지혜와 공덕(功德)을 체득함. 깨달아 앎. ——하다 타 여불

증량【增量】[—냥] 명 수량이 늚. 또는 수량을 늘림. ——하다 자 타 여불

증력【增力】[—녁] 명 힘이 늚. 또는 힘을 늘림. ——하다 자 타 여불

증렬-미【拯劣米】[—널—] 명 한 번 물에 잠기어서 젖었던 쌀. *증건열(拯乾劣).

증례【證例】[—녜] 명 어떤 사실의 존부(存否)나 진위(眞僞)를 증명하는 보기. ¶~를 들어서 설명하다.

증로-관【蒸露罐】[—노—] 명 증류기(蒸溜器)❶.

증뢰【贈賂】[—뇌] 명 뇌물을 보냄. 또, 그 뇌물. 증회(贈賄). ↔수뢰(收賂). ——하다 자 여불

증뢰물 전달죄【贈賂物傳達罪】[—뇌—쬐] 명 〖법〗 증뢰죄(贈賂罪).

증뢰-죄【贈賂罪】[—뇌쬐] 명 〖법〗 공무원 또는 중재인(仲裁人)에게 그 직무에 관하여 청탁을 하고 뇌물을 약속·공여(供與) 또는 공여의 뜻을 나타내거나, 이러한 행위에 공여(供與)할 목적으로 제삼자에게 금품을 교부하거나 그 정(情)을 알면서 교부를 받음으로써 성립되는 죄. 증뢰물 전달죄. ↔수뢰죄(收賂罪). *뇌물죄.

증류【蒸溜】[—뉴] 명 ①〔distillation〕〖물〗 용액을 증발시켜 그 증기를 다시 응축(凝縮)하여 모음으로써 용액의 성분을 분리함. 위스키·소주 등은 이 방법으로 만듦. ↔건류(乾溜). ②사물(事物)의 정수(精髓)만을 꺼냄. 사물의 불순(不純)한 부분이나 부속물(附屬物)을 제거(除去)함. ——하다 타 여불

증류-기【蒸溜器】[—뉴—] 명 〖물〗 ①액체를 가열함으로써 끓는점의 차이에 의하여 특정 물질만을 기화(氣化)·냉각시켜 성분이 비교적 일정한 액체를 채취하는 장치. 증로관(蒸露罐). 증류 장치. ②보일러의 급수(給水)를 증류하는 데 쓰는 장치. 보통, 선박용 보일러에 쓰임.

증류 범:위【蒸溜範圍】[—뉴—] 명 〖화〗 증류 시험에서, 초유점(初溜點)과 종유점(終溜點) 사이의 범위.

증류-수【蒸溜水】[—뉴—] 명 〔distilled water〕〖물〗 보통의 물을 증류하여 정제(精製)한 거의 순수한 물. 무색 투명하고 무미 무취(無味無臭)한 액체임. 고압 증기(高壓蒸氣)로 멸균(滅菌)한 것을 멸균 증류수라 하며, 의약품의 제제(製劑), 규정액(規定液)·표준액의 조정(調整)·분석 시험 등에 쓰임.

증류 시험【蒸溜試驗】[—뉴—] 명 〖화〗 석유 제품의 끓는점 범위 안에서, 초유점(初溜點)과 중간 및 최종 끓는점을 발견하기 위한 표준적인 수법.

증류 장치【蒸溜裝置】[—뉴—] 명 용액을 증류하기 위한 장치. 증류기.

증류-주【蒸溜酒】[—뉴—] 명 곡물(穀物)·과실 등으로 일단 술을 만들고, 다시 이를 증류하여 고도의 알코올분을 함유하게 한 주정 음료(酒精飮料). 위스키·브랜디·소주 등.

증류-탑【蒸溜塔】[—뉴—] 명 〖화〗 분류탑(分溜塔). 정류탑(精溜塔).

증류 플라스크【蒸溜—】〔flask〕[—뉴—] 명 화학 실험 상 증류에 쓰이는 플라스크. 보통 목에 관이 붙어 있음.

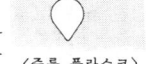

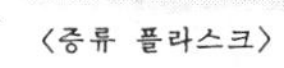
〈증류 플라스크〉

증릉[1]【嶒崚】[—능] 명 산이 높고 몹시 험함. ——하다 형 여불

증릉[2]【嶒稜】[—능] 명 높이 솟은 산의 돌출한 모서리.

증릉[3]【繒綾】[—능] 명 들쭉날쭉하여 가지런하지 않은 모양. ——하다 형 여불

증립【證立】[—닙] 명 〖논〗 논거·이유(理由)를 증명하여 세움.

증면【增面】 명 신문·잡지 등의 발행 면수를 늘림. ——하다 타 여불

증명【證明】 명 ①어떤 사항(事項)·판단·이유 등의 진위(眞僞)를 증거를 들어 밝힘. ¶결백을 ~하다. ②〖논·수〗 어떤 사물의 판단 또는 진위

(眞僞)를 정하는 근거를 표시함. 공리(公理)로부터 바른 추론(推論)에 의하여 다른 명제(命題)가 참인 것을 나타냄. 논증(論證). ③〖불교〗 법회(法會)의 선악을 관찰하는 법사(法師). ④〖법〗 소송상 쟁의 있는 사실의 진부(眞否)에 관하여 재판관에게 확신을 주기 위하여 행하는 소송 당사자의 입증 행위. 재판하는 데에 기초가 되는 사실을 확인함. ⑤ ↗증명서. ——-하다 타여불

증명 사진【證明寫眞】명 증명서 따위에 붙이는 가로 2.5 cm, 세로 3 cm 쯤의 얼굴 사진.

증명-서【證明書】명 어떠한 사실을 증명하는 문서. ¶과세(課稅) ~. ㊀증(證)·증명(證明). *증서(證書).

증명 증권【證明證券】[—꿘] 명 증거(證據) 증권.

증모【增募】명 정원보다 더 모집함. ——-하다 타여불

증문【證文】명 ①증서(證書)❶. ②채권(債權)을 증명하는 문서.

증물【贈物】명 증정하는 물건.

증미【拯米】명 물에서 건지어 낸 젖은 쌀.

증민【蒸民·烝民】명 모든 백성. 만민(萬民). 서민(庶民). 증서(烝庶).

증민-장【蒸民章】[—짱] 명〖악〗 용비 어천가 제113장의 이름.

증-박【曾樸】명〖사람〗 '쩡 푸'를 우리 음으로 읽은 이름.

증발¹【蒸發】명 ①〔vaporization〕〖물〗 액체나 고체가 그 표면에서 기화(氣化)함. 또, 그 현상. 고체의 경우에는 특히 승화(昇華)라 하고, 액체 내부에서도 기화하는 경우는 비등(沸騰)이라 함. 화학 공업에서는 용액(溶液)을 가열함으로써 농축(濃縮)하거나, 한 걸음 더 나아가서 정질(晶質)을 정출(晶出)시키는 조작을 증발이라 일컬음. ②〈속〉 사람이나 물건이 아무도 모르게 갑자기 없어져 소재 불명이 되는 일. 또, 가출(家出)하는 일. ¶배우가 ~하다. ——-하다 자여불

증발²【增發】명 정한 수효보다 더 내 보냄. 열차·전차·버스·비행기 등의 운행 횟수를 늘림. 또, 지폐 등의 발행을 늘림. ¶통화 ~/열차를 ~하다. ——-하다 타여불

증발-계【蒸發計】명〔evaporimeter〕〖물〗 수면(水面)으로부터 대기(大氣) 중으로 물이 증발하는 것을 재는 장치. 보통 대야 모양의 그릇에 넣은 일정량의 물이 일정 시간에 줄어드는 정도로 측정하는 것이 많음.

증발계 계:수【蒸發計係數】명〔pan coefficient〕〖기상〗 증발계로 잰 증발량에 대한, 대용량(大容量)의 수면으로부터의 증발량의 비(比).

증발 곡선【蒸發曲線】명〔evaporation curve〕〖물〗 휘발성의 두 성분(成分) A, B로 된 용액이 증기와 평형(平衡)을 유지한 경우에, 그 증기의 압력이 일정치(一定値)로 되는 온도를 액상(液相)의 각 조성(組成)에 대하여 나타낸 곡선.

증발-관【蒸發罐】명 증발에 의하여 용액을 농축(濃縮)시키는 장치. 여러 가지 형식이 있음.

증발-기【蒸發器】명 ①여러 가지 물건의 수용액(水溶液)에 열을 가하여 물을 수증기로 하여 분리 제거하는 장치. ②증기관(蒸氣罐)에 급수(給水)하거나, 함선(艦船)에서 음료수를 얻기 위하여 증류수(蒸溜水)를 만드는 장치.

증발 냉:각【蒸發冷却】[—랭—] 명 ①액체의 증발 잠열(潛熱)을 이용하여 다량의 액체의 온도를 내리는 일. ②증발하고 있는 물을 넣어서 공기를 냉각시키는 일.

증발-량【蒸發量】명〖기상〗 단위 시간에 증발하여 가는 분량. 일정한 용기에 일정한 물을 넣어 이것을 단위 시간에 감소하는 비율을 깊이의 감소로 하여 단위 밀리미터로 잼.

증발-력【蒸發力】명〖물〗 액체의 증발하는 힘.

증발-무【蒸發霧】명〖기상〗 증발 안개.

증-발산【蒸發散】[—싼] 명〔evapotranspiration〕 수면·지면으로부터의 물의 증발과, 식물체를 통하여 물이 수증기가 되는 증산(蒸散)의 양자(兩者)를 말함.

증발 속도【蒸發速度】명〔vapor rate〕 증류 조작(蒸溜操作)으로 증류탑(塔)을 올라가는 증기의 속도.

증발 안:개【蒸發—】명〖기상〗 이류(移流) 안개의 하나. 찬 공기가 따뜻한 수면 위로 이동했을 때, 수면에서 증발한 수증기가 식어서 생기는 안개. 호수나 강, 극지(極地) 근처의 해상에 생기는 안개 등. 증발무. 증기무.

증발-암【蒸發岩】명〔evaporite〕〖지〗 해수 또는 염분이 많은 호수가 증발하여 마른 뒤에 이루어진 염류(塩類)의 퇴적암(堆積岩)의 총칭. 대륙의 건조(乾燥) 지방에 생기는데 주요 염류는 암염(岩塩)·석고(石膏)·경석고(硬石膏)의 세 가지임. 증발 잔류암(蒸發殘留岩).

증발 연소【蒸發燃燒】[—련—] 명〖물〗 알코올·석유·양초 같은 액체 또는 고체가 증발하여 생긴 가연성(可燃性) 증기가 타는 연소의 한 형태. 이 때 불길이 일어남. *표면(表面) 연소·분해(分解) 연소.

증발-열【蒸發熱】[—렬] 명〔heat of vaporization〕〖물〗 기화열(氣化熱).

증발 응축기【蒸發凝縮器】명 관(管) 밖을 흐르고 있는 물을 증발시킴으로써, 관내의 증기를 냉각하고 응축시키는 장치.

증발 잔류암【蒸發殘留岩】[—잘—] 명〖지〗 증발암(蒸發岩).

증발 접시【蒸發—】명〔evaporating dish〕〖화〗 액체를 증발시키기 위한 용기(容器). 시험체(試驗體)가 물 등에 녹아 있을 때에 물을 증발시키고 용액을 농축(濃縮)하거나 고체의 시험체를 얻는 데에 쓰이는 얕은 접시. 스테인레스 스틸·유리·백금·석영(石英)·사기 등으로 만들며 시료(試料)에 따라 구별하여 씀. 화학 실험용·공업용으로 쓰임.

〈증발 접시〉

증배【增配】명 ①주식(株式) 등의 배당을 증가시킴. 주식의 투자 가치를 높이고 주가(株價)를 올리는 재료가 되며, 기념(記念) 증배와 특별 증배가 있음. ②배급량을 증가시킴. ¶식량을 ~하다. ↔감배(減配). ——-하다 타여불

증별【贈別】명 친한 사이의 정표로 시(詩) 등을 지어 주고 떠나 보냄. ——-하다 타여불

증병¹【蒸餠】명 증편.

증병²【增兵】명〖군〗 군사의 수효를 더 늘림. 병력(兵力)을 증강함. ——-하다 자여불

증병³【甑餠】명 시루떡.

증보【增補】명 서적 등의 내용을 더 보태고 기워서 채움. 또, 그와 같이 한 것. ——-하다 타여불

증보 문헌 비:고【增補文獻備考】명〖책〗 조선 고종(高宗) 때, ≪동국(東國) 문헌 비고≫를 수정하여 만든 책. 박용대(朴容大)·조승구(趙昇九) 등 30여 명이 왕명으로 찬(撰)함. 융희(隆熙) 2년(1908)에 간행함. 우리 나라 고금(古今)의 문물 제도 전장(文物制度典章)을 분류·집록(集錄)하였음. 250권 50책.

증보산림 경제【增補山林經濟】[—살—] 명〖책〗 홍만선(洪萬選)이 저술한 산림 경제를 뒤에 서유거(徐有渠; 1764-1845)가 증보한 농가 일상의 필수서. 복거(卜居)·치농(治農)·종수(種樹)·양화(養花)·양잠·목양(牧養)·치포(治圃)·섭생(攝生)·종덕(種德)·치선(治膳)·구황(救荒)·벽온(辟瘟)·벽충(辟蟲)·가정(家政)·구사(求嗣)·양아(養兒)·구급(救急)·사시찬요(四時纂要)·전가 점후(田家占候)·선택(選擇)·잡방(雜方)·격물(格物)·청재 위치(淸齋位置)·기경(棋經)·필역(筆譯)·산야락(山野樂)·동국산수(東國山水) 등의 항목으로 됨. 16권 8책.

증보-판【增補版】명 증보하여 출판하는 책.

증본【證本】명 증거가 될 서적.

증봉¹【增俸】명 봉록(俸祿)을 더하여 늘림. 봉급(俸給)·급료(給料)를 늘림. 증급(增給). ↔감봉(減俸)❶. ——-하다 자여불

증봉²【增捧】명 액수를 늘리어 징수(徵收)함. ——-하다 타여불

증-봉³【甑峰】명〖지〗 ①평안 북도 삭주군(朔州郡) 남서면(南西面)과 삭주면 사이에 있는 산. [737 m] ②충청 북도 보은군(報恩郡) 마로면(馬老面)에 있는 산. [506 m] ③강원도 회양군(淮陽郡) 안풍면(安豐面)·내금강면(內金剛面)·사동면(泗東面) 사이에 있는 산. [1,267 m] ④황해도 곡산군(谷山郡) 상도면(上圖面)과 봉명면(鳳鳴面)의 경계에 있는 산. [1,179 m] ⑤전라 남도 여수시(麗水市) 남면(南面) 연도(鳶島)에 위치한 산. ⑥평안 북도 벽동군(碧潼郡) 가별면(加別面)에 있는 산. [1,093 m] ⑦평안 북도 영변군(寧邊郡) 고성면(古城面)에 있는 산. [279 m] ⑧함경 남도 혜산군(惠山郡) 보천면(普天面)에 있는 산. [1,253 m] ⑨함경 남도 갑산군(甲山郡) 갑산면(甲山面)과 풍산군(豐山郡) 풍산면(豐山面) 사이에 있는 산. [1,140 m] ⑩함경 북도 명천군(明川郡) 서면(西面)과 하우면(下雩面) 사이에 있는 산. [750 m] ⑪함경 남도 갑산군에 있는 산. [1,058 m]

증봉-산【甑峰山】명〖지〗 평안 북도 초산군(楚山郡) 도원면(桃源面)에 있는 산(山). [1,183 m]

증분【增分】명〖수〗 변수(變數)의 증가분 x가 a에서 b까지 변화하였을 때, $b-a$를 이름. x의 증분을 보통 Δx로 표시함.

증비【增備】명 설비를 증가함. ——-하다 타여불

증빙【證憑】명 증거로 빙거(憑據)할 만함. 또는 사실을 증명할 근거. ——-하다 자여불

증빙 물건【證憑物件】명 증거로 되는 물건. 증거 물건.

증빙 서류【證憑書類】명 ①증거 서류. ②〖경〗 기업(企業) 사이에 수수(授受)되어 거래의 성립을 입증하는 각종 서류.

증빙 인멸죄【證憑湮滅罪】[—쬐] 명〖법〗 증거 인멸죄.

증사¹【曾思】명 깊이 거듭 생각함. ——-하다 자타여불

증사²【證師】명〖불교〗 증명의 임무를 가진 법사(法師).

증사³【贈賜】명 보내고 받음. ——-하다 타여불

증삭【增削】명 증산(增刪). ——-하다 타여불

증산¹【蒸散】명 ①증산 작용. ②증발하여 흩어져 없어짐. ——-하다 자여불

증산²【增刪】명 시문(詩文) 같은 것을 다듬기 위하여 더 보태거나 깎아냄. 증삭(增削). 첨삭(添削). ——-하다 타여불

증산³【增産】명 생산을 증가함. 또, 생산이 늚. ↔감산(減産)❶. ——-하다 자타여불

증-산⁴【甑山】명〖지〗 ①함경 남도 갑산군(甲山郡)에 있는 산(山). [1,329 m] ②함경 북도 무산군(茂山郡) 삼장면(三長面)에 있는 산. [1,511 m] ③함경 북도 무산군(茂山郡)에 있는 산. [1,465 m] ④함경 북도 온성군(穩城郡) 영와면(永瓦面)에 있는 산. [1,041 m]

증산⁵【甑山】명〖사람〗 강일순(姜一淳)의 호(號).

증산-계【蒸散計】명 습윤(濕潤)한 증발면(蒸發面)에서의 증발을 측정하는 기계.

a

a: 증발면
〈증산계〉

증산-교【甑山敎】명〖종〗 증산 대도교.

증산 대:도교【甑山大道敎】명〖종〗 증산(甑山) 강일순(姜一淳)을 교조(敎祖)로 하는 교. 흠치교(吽哆敎) 계통의 하나임.

증산 작용【蒸散作用】명〔transpiration〕〖식〗 식물체 내의 수분이 수증기가 되어 공기 중에 배출되는 현상. 기공(氣孔)을 통하여 행하는 기공 증산과 쿠티쿨라(Kutikula)를 통하여 행하는 쿠티쿨라 증산이 있음. 발산량은 빛·습도(濕度)·온도 따위에 의하여 크게 좌우됨. 증산(蒸散). 김내기. 발산 작용(發散作用).

증산-제【蒸散劑】명 상온에서 살충제의 증기를 휘산(揮散)시키어, 그것에 의하여 해충을 죽이는 제제(製劑). DDVP를 합성 수지 속에 5-20 % 함유한 제제가 일반적임. 이것을 창고·주방·정화조 등 밀폐도가 높은 방에 매달고, 파리나 모기의 구제에 씀. 장기간 유효한 것이 특징임. 훈증제(燻蒸劑).

증-삼【曾參】명〖사람〗 중국 춘추 시대 노(魯)나라의 사상가·유학자(儒

學者). 높이어 증자(曾子)라 함. 자는 자여(子輿)로 공자의 제자임. 효도(孝道)를 역설하였으며, 공자의 사상을 조술(祖述)하여 이를 공자의 손자 자사(子思)에게 전함. 주자(朱子)의 설에 의하면 ≪대학(大學)≫은 증자가 공자의 가르침을 논한 것이라 하나 분명하지 않음. 저서 ≪증자≫·≪효경(孝經)≫. [505-436 ? B.C.]

증-삼화음【增三和音】명 [augmented triad]〖악〗삼화음(三和音)의 하나. 장삼도(長三度)와 증오도(增五度)로써 됨.

증상【症狀】명 병·상처의 상태. 병 때문에 나타나는 현상·상태. 병상(病狀). 증후(症候). ¶~이 악화하다.

증상-만【增上慢】명〖불교〗사만(四慢)과 칠만(七慢)의 하나. 아직 최상의 법 및 깨달음을 얻지 못하고서 얻었다고 여기며 오만을 부리는 일.

증상-맞다【憎狀—】형 증상스럽다.

증상-스럽다【憎狀—】형ㅂ불 보기에 밉살맞다. 증상맞다. **증상-스레**【憎狀—】부

증상-연【增上緣】명〖불교〗①사연(四緣)의 하나. 법(法)이 일어나는 것을 막지 아니하는 연(緣). 딴 일을 조장(助長) 발전시키는 연. ②굳센 연. 정토교(淨土敎)에서 삼연(三緣)의 하나로 미타(彌陀)의 본원력(本願力)임.

증색【蒸色】명〖역〗대궐 각전(各殿)에서 찐 음식을 맡은 사역(使役).

증서[1]【烝庶·蒸庶】명 뭇 백성. 증민(烝民).

증서[2]【蒸暑】명 찌는 듯한 더위. 무더움. 증열(蒸熱).

증서[3]【證書】명 어떠한 사실을 증명하는 문서(文書). 증거가 되는 문서. 권리 의무 관계를 증명한 문서. 공정 증서(公正證書)·사서 증서(私署證書)·공문서(公文書)·사문서(私文書) 등이 있음. 증문(證文). 증장(證狀). 증권(證券). 명문(明文). ¶졸업 ~.

증서 대:부【證書貸付】명〖경〗상업 자본주의가 나타난 근세 이래 가장 널리 행하는 금전 대부 방법으로, 은행 등의 대주(貸主)가 차주(借主)에게 차용(借用) 증서를 내게 하여 하는 대부. 증서 대출.

증서 대:출【證書貸出】명 [loans on deeds]〖경〗증서 대부.

증서 소송【證書訴訟】명〖법〗구민사 소송법상 인증(人證)을 쓰지 아니하고 증서만을 증거로 하여 심판하는 소송 절차.

증서 채:권【證書債權】[—꿘] 명〖경〗그 존재 및 범위가 증서만으로 정하여지는 채권. 무기명 채권·지시(指示) 채권 따위.

증서 채:권자【證書債權者】[—꿘—] 명〖경〗채무자가 발행한 차용 증서의 소지자.

증-선지【曾先之】명〖사람〗중국 송말(宋末)에서 원초(元初)의 학자·정치가. 진사 급제 후 지방관(地方官)을 역임함. ≪십팔사략(十八史略)≫을 편찬함. 생몰 연대 미상.

증설【增設】명 더 베풂. 설비(設備)를 늘림. ¶학급을 ~하다. ——-하다 타여불

증성【增成】명 ①수량·정도가 전보다 느는 일. 또, 정도를 증가하는 일. ②〖화〗유기 화합물의 분자 속의 탄소수(炭素數)를 늘리는 일.

증성-산【曾城山】명〖지〗층성산(層城山).

증세[1]【症勢】명 병으로 앓는 여러 가지 모양. 증정(症情). 증형(症形). 증후(症候). ¶~가 악화하다. 준증(症).

증세[2]【增稅】명 조세액을 더 늘림. 세율을 높이어 세 부담액을 무겁게 함. ↔감세(減稅). ——-하다 자타여불

증세[3]【增勢】명 늘어나는 세력. 계속 늘어날 듯한 형세. ↔감세(減勢).

증-소불의【曾所不意】[—/—이] 명 뜻밖의 일.

증-소불이【曾所不已】명 뜻밖에 됨. 또, 뜻밖에 된 것.

증속【增速】명 ①속도를 늘림. ②속도가 빨라짐. 1)·2):↔감속(減速). ——-하다 자타여불

증손[1]【曾孫】명 아들의 손자. 손자의 아들. 증손자(曾孫子).

증손[2]【增損】명 증감(增減). ——-하다 자타여불

증손-녀【曾孫女】명 손자의 딸. 아들의 손녀. *외손녀·친손녀.

증손-부【曾孫婦】명 증손의 아내.

증손-서【曾孫婿】명 증손녀의 남편.

증손-자【曾孫子】명 증손(曾孫).

증송【增送】명 일정한 수량에 더하여 보냄. ——-하다 타여불

증쇄【增刷】명 서적의 발행 부수가 부족할 때, 더 늘려서 인쇄함. 또, 그 인쇄물. 중쇄(重刷). ——-하다 타여불

증수[1]【增水】명 물이 불어서 늚. 또, 그 물. ↔감수(減水). ——-하다 자여불

증수[2]【增收】명 수입이나 수확(收穫)이 늚, 또 늘림. 또, 그 수입이나 수확. ↔감수(減收). ——-하다 자타여불

증수[3]【增修】명 ①건물 등을 수축(修築)하여 늘림. 증축(增築). ②서적을 증보(增補)하여 편집(編輯)함. ——-하다 타여불

증수 무원록【增修無冤錄】[—녹] 명〖책〗중국 명(明)나라 영종(英宗) 때에 중국에서 만든 ≪무원록≫을 우리 나라에서 다시 주를 달아, 정조(正祖) 20년(1796)에 간행한 책. 2권 1책.

증수 무원록 언:해【增修無冤錄諺解】[—녹—] 명〖책〗조선 정조(正祖) 14년(1790)에 ≪증수 무원록≫을 서유린(徐有隣)이 왕의 명으로 번역한 책. 동 16년에 간행함. 3권 2책.

증-수회【贈收賄】명 뇌물을 주고받음. ——-하다 자여불

증숭【增崇】명 분량·금액 따위가 증가함. 많아짐. ——-하다 자여불

증습【蒸濕】명 찌는 듯이 무덥고 습함. ——-하다 형여불

증시[1]【贈諡】명〖역〗왕이 신하에게 시호(諡號)를 내려 줌. 우리 나라에서는 고려 인종(仁宗) 4년(1126) 이자겸(李資謙)의 난 때 죽은 김진(金縝)에게 열직(烈直)이란 시호를 내린 것이 시초라고 함. ——-하다 자여불

증시[2]【贈詩】명 시(詩)를 지어 줌. 또, 그 시. ——-하다 자여불

증시[3]【證市】명 ↗증권 시장(證券市場). ¶~ 안정책.

증시[4]【證示】명 증명해 보임. ——-하다 타여불

증식【增殖】명 ①더욱 늚. 더하며 늘림. ②〖생〗세포·조직·개체(個體) 등 모든 단계에서 생기는 양적(量的) 증가의 총칭. 번식(繁殖)과 같은 뜻으로 쓰이기도 함. ③[breeding]〖물〗원자로(原子爐)에서 중성자(中性子)의 흡수에 의해, 핵연료(核燃料)가 소비되는 비율(比率)보다 큰 비율로 핵연료를 발생하는 일. ——-하다 자타여불

증식-로【增殖爐】[—노] 명〖물〗↗증식 원자로(增殖原子爐).

증식-률【增殖率】[—뉼] 명〖화〗증식비(增殖比).

증식-비【增殖比】명 [breeding ratio]〖원자〗증식로(增殖爐)에서 소비되는 핵분열성 원자수(原子數)에 대한, 원자로에서 산출된 핵분열성 원자수의 비(比). 1 이상일 때만 증식비라고 함. 증식률(增殖率).

증식성 결핵【增殖性結核】명〖의〗증식성염을 주체로 하는 결핵. 일반적으로 X선 검사에서 경계가 명확한 음영(陰影)이 나타남. ↔삼출성 결핵.

증식성-염【增殖性炎】[—념] 명〖의〗염증의 한 형(型). 조직 중에 결합직 섬유(結合織纖維)가 증식하는 것을 주징(主徵)으로 함. 골막염(骨膜炎)에 수반하여 골신생(骨新生)이 발생하거나 간염(肝炎) 후의 간경변(肝硬變) 등이 그 대표임. *번식성염.

증식 속도【增殖速度】명 [multiplication]〖생〗생물 개체 또는 세포의 수가 증가하는 속도. 미생물의 경우는 성장 속도와 거의 비슷한 같은 내용으로 쓰임.

증식 원자로【增殖原子爐】명〖화〗원자로(爐)의 하나. 핵분열성(核分裂性) 물질이 노(爐) 안에서 소비됨과 동시에 연쇄 반응(連鎖反應)에 의하여 소비된 것 이상으로 새로운 핵분열성 물질이 증가하는 원자로. 브리더 리액터(breeder reactor). 준증식로.

증식 이:득【增殖利得】[—니—] 명 [breeding gain]〖원자〗원자로(原子爐)에서 소비된 핵분열성 원자(核分裂性原子)보다 많은, 핵분열성 원자의 증가수.

증싱 명〈옛〉짐승. =즁싱. ¶즁싱도 오히려 虞人의 그므를 젼ᄂᆞ니라(獸猶畏虞羅)≪重杜諺 XXII:47≫.

증안 기금【證安基金】명〖경〗↗증권 시장 안정 기금.

증암-산【增巖山】명〖지〗함경 북도(咸鏡北道) 무산군(茂山郡)에 위치하는 산. [2,140 m]

증-애【憎愛】명 미움과 사랑. 애증(愛憎).

증액【增額】명 비용·금전의 액수를 늘림. 또, 그 액수. ↔감액(減額). ——-하다 타여불

증언【證言】명 ①언어(言語)로 어떤 사실을 증명(證明)함. ¶역사의 ~. ②〖법〗증인으로서 사실을 진술함. 또, 그 진술. ¶~ 청취. ——-하다 타여불

증언 거:부【證言拒否】명〖법〗증인이 근친자(近親者)의 형사 책임 또는 업무상 비밀 등 법률상 일정한 사유에 의거하여 증언을 거부하는 일. 정당한 이유없이 증언을 거부하면 과태료(過怠料)의 제재(制裁)를 받음. *증언 거부권.

증언 거:부권【證言拒否權】[—꿘] 명〖법〗증인이 의사·변호사·성직자·언론 등 어떤 직업 상의 비밀이나, 자기 또는 친족·가족·후견인에게 형사 책임을 과하게 되는 염려가 있는 사항에 관해서 그 진술(陳述)을 거부할 수 있는 권리.

증언-대【證言臺】명 말로 어떤 사실을 증명하는 자리. ¶~에 서다.

증여【贈與】명 ①물건을 선사로 줌. 또, 그 선물. 남에게 금품을 줌. 증이(贈貽). 기증(寄贈). 증유(贈遺). ②〖법〗당사자의 일방이 자기의 재산을 무상(無償)으로 상대방에게 줄 의사를 표시하고 상대방이 이를 승낙함으로써 성립하는 계약. ——-하다 타여불

증여-세【贈與稅】[—쎄] 명 타인의 증여에 의하여 재산을 취득한 자에 대하여 과하는 세.

증여 잉:여금【贈與剩餘金】명〖경〗회사가 주주 또는 주주 이외의 사람으로부터 받은 증여. 회계상(會計上) 이익 잉여금이나 자본 잉여금으로 처리함.

증열【蒸熱】[—녈] 명 ①찌는 듯한 더위. 증서(蒸暑). ②쪄서 가열함. ③염색한 실이나 직물의 마무리 공정(工程)의 하나. 물감과 안료(顏料)를 섬유에 충분히 침투시키고 다시 약품의 작용을 촉진시켜 발색(發色) 또는 고착(固着)을 완전히 이루기 위한 것임. ——-하다 타여불

증열 수성 가스【增熱水性—】[—녈—] 명 [carburetted water gas] 발열량(發熱量)을 높이기 위해서 고연료가(高燃料價)의 탄화 수소계 가스를 첨가한 수성 가스.

증염【蒸炎】[—념] 명 증열(蒸熱)❶.

증영【嶒嶸】명 산이 험하고 높음. ——-하다 형여불

증오[1]【憎惡】명 몹시 미워함. ——-하다 타여불

증오[2]【證悟】명〖불교〗불도(佛道)를 수행(修行)하여 대도(大道)를 깨달음. ——-하다 자여불

증-오도【增五度】명〖악〗완전 오도(完全五度)보다 반음이 더 넓은 음정. 불협화음(不協和音)에 속함.

증오-심【憎惡心】명 몹시 미워하는 마음.

증오의 화음【增五—和音】[—/—에—] 명〖악〗제오음(第五音)이 증오도(增五度)로 된 화음.

증왕【曾往】명 일찌기 지나간 적. 증전(曾前). 재전(在前).

증운【增韻】명 운서(韻書)의 운통(韻統)에 더 보태어 넣은 운자.

증울【蒸鬱】명 찌는 듯한 더위로 가슴이 답답함. ——-하다 형여불

증원[1]【增員】명 사람을 늘림. ↔감원(減員). ——-하다 타여불

증원[2]【增援】명 사람의 수효를 늘리어 도움. 사람을 늘려 가세(加勢)함. ——-하다 타여불

증원[3]【憎怨】명 미워하고 원망함. ——-하다 타여불

증원 부대【增援部隊】명〖군〗증원하기 위하여 보내는 부대.

증위【贈位】 명 〖역〗 죽은 후에 관위(官位)를 내려 줌. 또, 그 관위. *추증(追贈). ——-하다 자 여불

증유[1]【曾遊】 명 지난 날 논 일이 있음.

증유[2]【贈遺】 명 증여(贈與).

증-음정【增音程】 명 〔augmented interial〕 〖악〗 완전 음정(完全音程) 또는 장음정(長音程)을 반음(半音) 높인 것. 증일도(增一度)·증이도(增二度)·증오도(增五度) 및 증육도(增六度)가 있음.

증이【贈貽】 명 물건을 보냄. 증여(贈與). ——-하다 타 여불

증-이파의【甑已破矣】 [—/—이] 명 이미 그릇된 일을 뉘우쳐도 소용이 없음을 이르는 말. ¶ 인제야 아무리 후회하면 ~지 소용이 있나! ≪作者未詳 : 홍도화≫.

증익【增益】 명 ①더하여 늘게 함, 또 늚. 증가(增加). ②이윤(利潤)이 늚. 이익이 늚. ③〖불교〗 ↗ 증익법(增益法). ④〖불교〗 기원(祈願)의 효과로 얻는 번영과 성장(成長). ——-하다 자 타 여불

증익-법【增益法】 명 〔범 pustika〕 〖불교〗 밀교(密敎)의 사종 수법(四種修法)과 오종(五種) 수법의 하나. 수명(壽命)·복영(福榮)·영관(榮官) 등 공덕 원만(功德圓滿)을 비는 비법(祕法). ㊟증익.

증인[1]【證人】 명 ①증거(證據)로 서는 사람. 증거인. ②보증으로 나서는 사람. 보증인. ③〖법〗 소송법상 법원 또는 재판관의 신문(訊問)에 답변하여 과거에 경험한 사실에 대하여 진술(陳述)하도록 명령받은 소송 당사자(訴訟當事者) 아닌 제삼자. 출석·선서(宣誓) 및 증언의 의무를 지며, 허위의 증언을 하면 위증죄(僞證罪)로 처벌됨. ④〖기독교〗 그리스도의 신자(信者)로서 예수의 무죄·죽음·부활(復活) 및 승천(昇天)을 입증(立證)하는 사람.

증인[2]【證引】 명 ①증거를 듦. ②증거를 들어 남을 끌어 넣음. ——-하다 타 여불

증인[3]【證印】 명 증명으로 찍은 도장.

증인-대【證人臺】 명 증인이 법정(法廷) 기타에서 증언하기 위하여 마련된 자리. ¶ ~에 오르다.

증인 신:문【證人訊問】 명 〖법〗 법원 또는 재판관이 증인을 신문하여 증거 방법으로 조사하는 일. 또, 그 신문. 「다 자 여불

증입【證入】 명 〖불교〗 진리(眞理)에 오입(悟入)함. 오입(悟入). ——-하

증자[1]【曾子】 명 〖사람〗 '증삼(曾參)'을 높이어 일컫는 말.

증자[2]【增資】 명 ①자본(資本)을 더 늘림. ②〖경〗 주식 회사나 유한 회사(有限會社)가 사업 확장과 운전 자금(運轉資金)의 보충을 위하여 자본금을 늘림. 유상(有償) 증자와 무상(無償) 증자가 있음. ↔감자(減資). ——-하다 자 여불

증자[3]【鐙子】 명 〖역〗 전립(戰笠) 또는 그런 것 위에 꼭지처럼 만든 꾸밈새. 품계(品階)를 따라 금·은·옥·석(石)의 구별이 있음. 정자(頂子). 징자(鐙子).

증자 감:배【增資減配】 명 〖경〗 주식 회사가, 결산(決算)에서 증자에 의한 발행필(發行畢) 주식수(株式數)의 증가를 이유로 배당률(配當率)을 내리는 것. 증자 감배로 주당 배당을 내렸어도 소유주수가 증가하므로 배당 금액이 증가(增加)할 수도 있기 때문에 곧 주주(株主)의 불리라고는 할 수 없음.

증자 신주【增資新株】 명 〖경〗 증자(增資)로 인하여 새로이 발행되는 주식. 신주(新株).

증자 프리미엄【增資—】 〔premium〕 명 〖경〗 증자 납입(增資納入)과 시가(時價)와의 차액(差額).

증:작[1] 명 부 〈방〉 정작(충청).

증작[2]【增繳·矰繳】 명 주살.

증작[3]【贈芍】 명 ①작약(芍藥)을 선사하는 일. ②남녀가 서로 사랑을 표시함을 일컬음.

증작[4]【贈爵】 명 사후(死後)에 작위(爵位)를 내림. ——-하다 자 여불

증작지-설【增繳之說】 명 주살로 새를 쏘아 맞으면 횡재를 하듯이 만일의 요행을 바라고 하는 무책임한 언론을 이름.

증장[1]【增長】 명 ①늘어서 더 자람. ②사물(事物)의 정도가 차차 더 심하여짐. ③점점 오만(傲慢)하게 됨. ④〖불교〗↗증장천(增長天)❷. ——-하다 자 여불

증장[2]【證狀】 [—짱] 명 어떤 사실을 증명하는 데 쓰는 문서. 증서(證書).

증장력성 수축【增張力性收縮】 [—녀—] 〔auxotonic contraction〕 〖생〗 근육이 점차 증가하는 장력(張力)에 저항하여 행해지는 근육의 수축(收縮). 예를 들면, 근육의 한쪽 끝을 고정시키고 다른 쪽에 적당한 탄성(彈性) 스프링을 연결시키면 증장력성 수축을 함.

증장-천【增長天】 명 〖불교〗 ①남쪽의 천국(天國). 불교에서 말하는 사천(四天)의 하나. ②증장천왕. ㊟증장.

증장천-왕【增長天王】 〔범 Virūḍhaka〕 명 〖불교〗 〔자타(自他)의 위덕(威德)을 증장(增長)시키므로 이름〕 사천왕(四天王)·십이천(十二天)·십육 선신(十六善神)의 하나. 수미산(須彌山)의 제4층(層)에 삶. 붉은 몸에 성난 얼굴을 하고 있으며 남방을 수호함. 갑주(甲冑) 위에 천의(天衣)를 입고 오른손에 검(劍) 또는 미늘창을 잡고 있음.

〈증장천왕〉

증장 현:상【增張現象】 명 〔anatonosis〕 〖생〗 세포가 외계(外界)의 조건의 변화에 따라서, 세포내에 침투적(浸透的)으로 작용하는 물질을 발생시키고 그 침투가(價)를 높이는 현상.

증적[1]【增積】 명 늚. 불어서 쌓임. ——-하다 자 여불

증적[2]【證迹】 명 증거가 될 자취.

증전【曾前】 명 증왕(曾往).

증절 현:상【增節現象】 명 〔anamorphosis〕 〖생〗 변태 형식(變態形式)의 하나. 허물을 벗은 뒤에, 큰 형태의 변화는 없이 체절수(體節數)가 증가하는 현상.

증정[1]【症情】 명 증세(症勢).

증정[2]【贈呈】 명 남에게 물건을 드림. 기증(寄贈). ¶ ~본(本). ——-하다 타 여불

증정[3]【增訂】 명 책 등의 내용에 있어서 모자라는 것을 보태고 잘못된 것을 고침. 증보(增補)하고 정정(訂正)함. ——-하다 타 여불

증정 교린지【增正交隣志】 명 〖책〗 조선 시대 때의 대일(對日) 국교에 관한 사항을 기록한 책. 정조 때의 김건서(金健瑞)가 엮음. 순조 2년(1802)에 간행. 고종 초에 증간함. 1권은 접대 일본인 구정 사례(接待日本人舊定事例) 외 7조(條), 2권은 차왜(差倭), 3권은 관중(館中) 이하 16조, 4권은 약조(約條) 외 9조, 5권은 통신사행(通信使行) 외 23조, 6권은 문위행(問慰行) 외 8조로 세종 25년(1443)부터 정조 20년(1796)까지 약 350년간의 기사를 실음. 6권 2책. 인본.

증정-본【贈呈本】 명 저자 또는 발행자가 선배 또는 친지(親知)에게 증정하는 책.

증제【拯濟】 명 건져 구함. ——-하다 타 여불

증조【曾祖】 명 ↗증조부(曾祖父).

증-조고【曾祖考】 명 죽은 증조부.

증-조모【曾祖母】 명 아버지의 할머니.

증-조부【曾祖父】 명 아버지의 할아버지. 황고(皇考). ㊟증조(曾祖).

증-조비【曾祖妣】 명 죽은 증조모.

증조 할머니【曾祖—】 명 ☞ 증조모.

증조 할아버지【曾祖—】 명 ☞ 증조부.

증좌【證左】 명 ①증참(證參). ②증인.

증주[1]【增株】 명 주식 회사가 증자(增資)를 위하여 모집하는 주식(株式).

증주[2]【增註】 명 있는 주석 위에 더 주석을 보탬. 또, 그 주석. ——-하다 자 여불

증-중(:)명【曾仲鳴】 명 〖사람〗 '쩡 중밍'을 우리 음으로 읽은 이름.

증중 생진【甑中生塵】 명 밥을 짓는 시루를 오래 쓰지 않아 먼지가 앉았다는 뜻으로, 매우 가난함을 이름.

증증【蒸蒸】 부 ①무럭무럭 피어 오르는 모양. ②뭉게뭉게 나아가는 모양. ③뜻을 얻지 못한 모양. 우물쭈물하는 모양. ——-하다 형 여불

증지【證紙】 명 돈을 지불하였거나 품질을 증명하기 위하여 서류나 물품에 붙이는 지편(紙片). ¶ 수입 ~.

증직【贈職】 명 〖역〗 종이품(從二品) 이상의 벼슬아치의 부친(父親)·조부(祖父)·증조부(曾祖父)나 또는 충신(忠臣)·효자(孝子) 및 학행(學行)이 높은 사람에게 죽은 뒤에 관직(官職)과 품계(品階)를 추증(追贈)함. ——-하다 타 여불

증진【增進】 명 활동력이나 능력을 더하여 나아가게 함. 더하여 나아감. 증가 진보함. ¶ 식욕 ~. ↔감퇴(減退). ——-하다 자 타 여불

증질[1]【憎嫉】 명 미워하고 질투함.

증질[2]【增秩】 명 증봉(增俸). ——-하다 자 여불

증질[3]【證質】 명 증인으로 질문함. ——-하다 타 여불

증집【增執】 명 〖불교〗 마음 밖의 사상(事象)을 진실로 있는 것으로 알고 유(有)에 치우치는 망집(妄執). ↔감집(減執).

증징【增徵】 명 세금(稅金) 등을 이제까지보다 더 증가하여 징수(徵收)함. ——-하다 타 여불

증차【增車】 명 차량수를 더하여 늘림. ——-하다 자 타 여불

증착【蒸着】 명 〔vacuum evaporation〕 〖화〗 금속 또는 비금속(非金屬)의 조각을 높은 진공(眞空) 속에서 가열 증발시켜서, 유리·수정판(水晶板) 등의 표면에 얇은 막(膜)으로써 응착(凝着)시키는 일. 또, 그렇게 응착되는 일. ——-하다 자 타 여불

증착 자기성 테이프【蒸着磁氣性—】 〔tape〕 [—썽—] 명 코발트와 니켈을 진공 속에서 플라스틱 테이프에 증착 시킨 테이프. 자기력선속 밀도(磁氣力線束密度)가 종래의 자기성(磁氣性) 테이프에 비해 10배 이상 되고, 기록 용량(記錄容量)이 크므로, 녹화 시간(錄畫時間)이 훨씬 길어짐.

증참【證參】 명 참고될 만한 증거. 증좌(證左). 좌증(左證).

증척【憎斥】 명 미워하여 배척함. ——-하다 타 여불

증첨【增添】 명 증가(增加)❶. ——-하다 자 타 여불

증축【增築】 명 집 같은 것을 더 늘리어 지음. 증수(增修). ¶ ~ 공사. ——-하다 타 여불

증출【拯出】 명 물에 잠긴 물건을 건져냄. ——-하다 타 여불

증치【增置】 명 시설 따위를 늘려서 설치함. ——-하다 타 여불

증타【憎唾】 명 미워하여 침을 뱉음. ——-하다 타 여불

증탄【增炭】 명 ①석탄(石炭)의 산출량(產出量)을 증가시킴. 또, 증가한 석탄의 양. ↔감탄(減炭). ②광휘(光輝)가 약한 불꽃에 광휘를 증가시키기 위하여 탄소를 많이 함유하는 화합물에 증기(蒸氣)를 가하는 일. ——-하다 타 여불

증탕 명 〈방〉 진창(평안).

증투-막【增透膜】 명 투명한 물질 표면에 붙여서 반사광(反射光)을 감소하고 광선의 투과력을 증대시키는 얇은 막. 보통 사진 렌즈에 이것을 붙임.

증파【增派】 명 인원을 늘려서 파견함. 증견(增遣). 가파(加派). ¶ 지원군(支援軍)의 ~. ——-하다 타 여불

증판 명 〈방〉 게으름쟁이(평안).

증편[1]【蒸—】 명 여름에 먹는 떡의 한 가지. 막걸리를 조금 탄 더운 물에 멥쌀 가루를 지직하게 반죽하여 더운 방에 밤새 두었다가, 부풀게 하여 틀에 담아 붓고 고명을 뿌려서 찐 떡. 증병(蒸餠). 농병(籠餠).

증편[2]【增便】 명 배·항공기·자동차 등의 정기편(定期便)의 횟수를 늘림. ↔감편(減便). *증차(增車). ——-하다 자 여불

증편-틀【蒸一】명 증편을 찔 때에 쓰는 기구. 운두가 낮은 쳇바퀴에 대오리로 너스레를 놓아서 만든 것.

증평【曾坪】명〖지〗충청 북도 괴산군(槐山郡)의 읍. 충북선(忠北線)의 요역으로 1949년에 읍으로 승격되었음. 부근 일대는 군내 제일의 평야 지대로 농산물·고치 등의 집산이 성하고 부근 명소로는 좌구산(坐龜山)이 있음. [37,498 명(1991)]

증포-소【蒸包所】명〖역〗조선 시대 때, 인삼을 쪄서 홍삼을 만들던 곳. 처음에 서울에 두었다가 개성(開城)으로 옮김.

증폭【增幅】명 빛·음향·전기 신호 등의 진폭을 증대시키는 일. 특히, 전기 신호의 미소(微小)한 변화를 그 변화에 따라 큰 전류나 전압 등의 변화로 바꾸는 일. ——-하다 타여불

증폭-기【增幅器】명〔amplifier〕〖물〗증폭 작용을 행하게 하는 기기(機器). ①무선 통신·라디오 등에서, 전자기파(電磁氣波)의 진폭을 증대하여 감도(感度)를 강하게 하는 장치. 일반적으로 진공관·트랜지스터를 이용함. 전력(電力) 증폭기. ②자동 제어(制御)에 사용되는 유압 서보모터(油壓 servomotor) 등, 기계적으로 에너지를 증대하는 장치. 앰플리파이어.

증폭-률【增幅率】[一뉼] 명〔amplification factor〕〖물〗진공관의 성능을 나타내는 상수(常數)의 하나. 플레이트 전류(電流)를 일정한 값만큼 변화시키는데 필요한 플레이트 전압과 그리드 전압과의 변화의 비. 출력 전력(出力電力)의 입력(入力) 전력에 대한 비(比)와 같음. 기호는 μ.

증폭 발전기【增幅發電機】[一쩐一] 명〖전〗증폭도(度)를 특히 크게 하고 즉응성(卽應性)도 좋게 한 직류 발전기. 제어용(制御用)으로 널리 이용됨.

증폭 작용【增幅作用】명〔amplifying action〕〖물〗①진동(振動)의 진폭을 증가하는 작용. 자동 기록 장치(自動記錄裝置) 등에 흔히 쓰이며 기계적인 장치에도 쓰임. ②진동 전파(電波)의 전류 또는 전압의 진폭을 증가하는 작용.

증폭-제【增爆劑】명〔barrier material〕〖군〗폭발파(爆發波)를 형성하기 위해서 폭약 속에 첨가되는 불활성(不活性) 물질.

증폭 회로【增幅回路】명〔amplifying circuit〕〖물〗증폭 작용을 갖는 진공관이나 트랜지스터 따위의 회로.

증표【證票】명 증거가 될 만한 표. 증명하는 표.

증필【證筆】명 문권(文券)에 있어서 증인과 집필한 사람.

증-하다【憎一】형여불 모양이 너무 크거나 괴상하여 보기에 흉(凶)하고 징그럽다.

증험【證驗】명 ①증거가 되는 표시. 증거(證據). ②실지로 사실을 경험함. 증거를 시험함. ¶아가씨가 앓고 계신 방 아궁이에서 서편으로 세 걸음을 가서 그곳을 파 보시오. 그리고 나서 무슨 ～한 일이 있거든 다시 중전 마마께서 계신 방의 굴뚝 밑을 헤쳐 보시오≪朴鍾和 : 錦衫의 피≫. ——-하다 타여불

증혈【增血】명 ①몸의 혈액이 늚. ②혈액을 늘게 함. ——-하다 자여불

증혐【憎嫌】명 미워하고 싫어함. ——-하다 타여불

증형【症形】명 증세(症勢).

증호【增戶】명 더 늘어난 호수(戶數).

증회【贈賄】명 뇌물을 줌. 증뢰(贈賂). ↔수회(收賄). ——-하다 자여불

증회-죄【贈賄罪】[一쬐] 명〖법〗증뢰죄.

증후[1]【症候】명 증세(症勢). 증상(症狀). ¶폐결핵의 ～.

증후[2]【證候】명 증표가 될 징후.

증후-군【症候群】명〖의〗몇몇의 증후가 늘 함께 인정이 되나 그 원인이 불명할 때 또는 단일(單一)이 아닐 때에 병명(病名)에 준(準)하는 명칭. 하나의 증후군에 속하는 여러 증후는 동일한 근본적 원인에서 발생하는 것으로 보임. 신드롬(syndrome). ¶메니에르 ～.

증후성 간질【症候性癎疾】[一씽一] 명〖의〗증후성 전간(症候性癲癎).

증후성 자:반병【症候性紫斑病】[一씽一뼝] 명〖의〗빈혈·백혈병(白血病)·전염성 질환·패혈증(敗血症) 등에 의한 출혈성 소질이 발생하여 자반병의 증세를 나타내는 병.

증후성 전간【症候性癲癎】[一씽一] 명〖의〗뇌종양(腦腫瘍)·뇌의 손상 따위가 원인이 되어 일어나는 전간. 갑자기 의식이 없어져서 쓰러지고 전신에 경련을 일으키나 수분 후에 회복함. 증후성 간질.

증후성 정신병【症候性精神病】[一씽一뼝] 명〖의〗어떤 질병을 앓는 동안에 나타나는 정신병 비슷한 증세. 급성 전염병·비장 질환·중독·순환 장애 증세 등에서 볼 수 있음.

증휼【拯恤】명 구휼(救恤)함. ——-하다 타여불

즞다 자〈옛〉짖다. 즛다. ¶즈즐 폐(吠)≪字會 下 8≫.

즹경이 명〈옛〉징경이. ¶즹경이(雎鳩)≪四聲 上 31≫.

즹경이 명〈옛〉징경이. ¶즹경이 져(鴡)≪字會 上 16≫.

지[1] 명〈궁중〉①오줌. ②오줌 누는 요강.

지(를) 보다 구 소변을 누다.

지[2] 명〈방〉김치(전라·경북).

지[3] 명〈방〉〖동〗쥐(경기·전남·경상).

지[4] 명〈방〉저(箸)(경남).

지[5]【地】명〖불교〗사대(四大)의 하나. 견고를 성(性)으로 하고, 능지(能持)를 용(用)으로 함.

지[6]【池】명 성(姓)의 하나. 우리 나라에는 본관(本貫)이 충주(忠州)·청송(青松) 등 10여 본이 있음.

지[7]【芝】명〖식〗지초(芝草). 백지(白芷). 영지(靈芝).

지[8]【芷】명〖식〗백지(白芷).

지[9]【志】명 기전체(紀傳體)의 역사에서 본기(本紀)·열전(列傳) 외에 천문·지리·예악(禮樂)·정형(政刑) 등을 기술한 것.

지[10]【知】명 ①사물(事物)을 인식하고 시비(是非)·선악을 판단하는 능력. 지(智). ↔행(行). ②아는 사이. 친지(親知). ③그 사람됨을 인정받아 후대(厚待)받는 일. 지우(知遇).

지[11]【知】명 성(姓)의 하나. 우리 나라에는 현존(現存)하지 아니함.

지[12]【指】의명 ①'손가락'의 뜻으로, 손가락 굵기만큼의 길이를 재는 말. ¶4～ 짜리 붕어. ②한 손바닥으로 싸잡고 다른 손의 손가락을 세워서 그 벌어진 틈에 몇 손가락이 들어갈 수 있는가로 그 크기를 나타내는 말. ¶4～짜리 감. ③〖광〗줄통의 길이를 재는 단위. 1지는 2 cm.

지[13]【智】명 ①지혜(知惠). 지혜(智慧). 지력(知力). 지(知). ②계책(計策)을 세우는 일. ③〔범 jñāna〕〖불교〗일체(一切)의 사상(事象)이나 도리(道理)에 대하여 적확한 판단을 내리고 마음 속의 미망(迷妄)을 끊는 작용. 혜(慧:prajña)와 합하여 지혜(智慧)라고도 함.

지[14]【智】명 성(姓)의 하나. 본관(本貫)은 봉주(鳳州) 하나뿐임.

지[15]【篪·箎】명〖악〗아악기(雅樂器)에 속하는 저의 하나. 오래 묵은 대통에 다섯 구멍을 뚫어서 만들되, 첫 구멍은 옆에 두고, 아래 끝에는 십자공(十字孔)으로 하며, 취구(吹口)에 대로 만든 부리를 덧대고 그 부리로 소리를 냄. 고음(高音)을 내는데, 음색(音色)이 부드럽고 고움.

지[16]【遲】명 성(姓)의 하나.

지[17]【識】명 '적음'의 뜻을 나타내는 한자 말. ¶저자(著者) ～.

지:[18]【G, g】명 ①영어 자모의 일곱째. ②〖악〗서양 음이름의 하나. 우리나라 음이름 '사'와 같음. ③질량의 단위. 그레인(grain)의 기호. ④질량의 단위. 그램(gram)의 기호. ⑤ 지구 중력 가속도(重力加速度)의 단위 그래버티(Gravity)의 기호. 지구 표면의 중력 가속도 980 cm/sec^2가 1G임. 달의 표면에서는 1/6G.

지[19] 의명 어떤 동작(動作)이 있었던 때로부터 지금까지의 동안을 뜻하는 말. 반드시 'ㄴ' 아래에 쓰임. ¶작별한 ～ 일 년이다.

지[20] 인대〈방〉제[10]. ¶～가 뭘 알아.

-지[1] 준 일부 안울림소리 받침의 용언 어간에 붙어 '하지'의 뜻으로 쓰이는 말. ¶생각～ 않다/ 섭섭～ 않다/ 답답～ 않다/깨끗～ 않다/익숙～ 못하다. ＊-치.

지-【至】부 '까지'의 뜻을 나타내는 한자(漢字) 말. ¶자(自) 5월 1일 ～ 5월 31일. ↔자-(自).

-지- 미 명사 및 형용사 어근(語根)에 붙어서 그리 되어 있는 상태를 나타내는 어간 형성 접미사. ¶기름～다/값～다/척(隻)～다/네모～다/경사(傾斜)～다.

-지[2] 미 '김치'라는 뜻의 말. ¶오이～/짠～.

-지[3]【池】미 '못'의 뜻을 나타내는 말. ¶안압(雁鴨)～/정수(淨水)～.

-지[4]【地】미 ①어떤 명사(名詞)의 아래에 붙어 그 땅의 뜻을 나타내는 말. ¶출생～/소재～/격전～. ②옷의 감을 나타냄. ¶양복～/오버～.

-지[5]【紙】미 ①어떤 명사의 아래에 붙어 '종이'의 뜻을 나타냄. ¶포장～/기안～. ②'신문'의 뜻을 나타냄. ¶조간～/주간～.

-지[6] 어미 ①동사·형용사의 뜻을 부정하려 할 때, 그 어간에 붙이는 연결 어미. 뒤에 '못하다'·'아니하다'·'말다' 따위가 이어짐. ¶놀～ 못하다/좋～ 아니하다/더 묻～ 마오/너는 어제 그 곳에 가～ 않았니. ②어간에 붙어 그 말의 뜻을 강하게 하는 종결 어미. ¶하면 되겠～/나도 대강 들었～/그러면 안 되～. ③어간에 붙어 바라는 뜻을 나타내는 종결 어미. ¶그만들 하～/일이 잘 되었으면 하고 있～. ④어간에 붙어 의문의 뜻을 나타내는 종결 어미. ¶누가 오～/이제 할 수 있～/그 이는 누구～/오늘이 며칠이～. ⑤어간에 붙어 서로 상반되는 사실이나 움직임·상태 등을 나타내는 연결 어미. ¶자네가 바보～ 내가 바본가/음식을 많이 먹으면 배만 나오～ 힘이 더 세어진다더냐/책임질 사람은 윗사람이～ 아랫사람이 아니다.

-지[7] 어미〈옛〉-기. =-디. ¶가지 노푸니 듣지 ᄆᆞ장 새롭도다(枝高聽轉新)≪杜諺 XVII:18≫.

지【喩】어미〈이두〉-지[5]❹.

지가[1]【地價】[一까] 명 ①땅값. ¶～ 변동(變動). ②과세 표준(課稅標準)이 되는 토지의 가격.

지가[2]【知家·止街】명〖역〗높은 벼슬아치의 지나가는 길을 침범한 사람을 붙잡아서 한때 길가의 집에 맡겨 두는 일.

지가[3]【紙價】[一까] 명 종잇값. ¶낙양(洛陽)의 ～를 올리다.

지가 공시제【地價公示制】[一까一] 명〖법〗전국의 도시와 그 주변 지역에서 표준지를 선정하여 그 정상의 가격을 공시하는 제도. 기준 지가(地價) 고시제(告示制)를 1989년 4월부터 지가 공시제로 바꾸었음. ＊기준 지가 고시제.

지-가락 명〈방〉집게손가락(평안).

지가-서【地家書】명〖민〗지술(地術)에 관한 책.

지:-가스〔G-gas〕명〖화〗무색·무미·무취한 액상(液狀) 독가스. 특히 신경(神經)을 마비·저해시키므로, 몸에 한 방울만 떨어뜨려도 30초 만에 인마(人馬)가 죽게 됨. 신경성(神經性) 가스.

지가 증권【地價證券】[一까一꿘] 명 농지 개혁 때, 정부가 매수한 농지의 보상으로 지주에게 발행한 유가 증권.

지각[1]【地角】명 ①땅의 어느 한 모퉁이. 멀리 떨어진 땅 끝. 멀고 외진 땅. ②육지가 바다로 뾰족하게 내민 곳. 갑(岬). 지취(地嘴).

지각[2]【地殼】명〖지〗지구의 표층부(表層部)를 형성하는 암석층. 지각의 상층부인 대륙을 구성하는 화강암질(花崗岩質) 부분을 시알(Sial), 해양저(海洋底)·대륙저(大陸底)를 구성하는 현무암질(玄武岩質)의 부분을 시마(Sima)라고 함. 두께는 10-60 km인데, 60 km라는 것이 통설임. 지피(地皮). 지반(地盤).

지각[3]【池閣】명 연못 가에 있는 누각.

지각[4]【知覺】명 ①알아서 깨달음. 사려(思慮)·분별(分別)을 갖고 앎. 또, 그 능력. ②〖심〗감각 기관을 통하여 외부의 사물을 분별하고 의

식하는 작용. ③철[2]. ──-하다 타여불

[지각하고는 담쌌다] 지각이 도무지 나지 않음을 이르는 말.

지각(이) 나다 구 사물을 알아 깨달을 만한 힘이 생기다. [지각 나자 망령] 일이 되자마자 곧 찌부러지는 것을 이르는 말.

지각(이) 들다 구 사물(事物)에 대하여 분별(分別)할 만한 의식(意識)이 생기다. 철들다.

지:각[5]【枳殼】명〖한의〗'기각(枳殼)'의 잘못.

지각[6]【遲刻】명 ①정한 시각보다 늦음. ¶~생. ②지참(遲參). ──-하다 자여불

지각-계【知覺計】명 감각계.

지각 과:민【知覺過敏】명〖의〗감각 과민.

지각 구조론【地殼構造論】명〖지〗지각(地殼)에 대한 암석의 배치를 연구하는 지질학의 한 부문.

지각 균형설【地殼均衡說】명〖지〗지각 평형설(地殼平衡說).

지각 기관【知覺器官】명〖생〗감각기(感覺器).

지각-력【知覺力】[-녁] 명 사물을 지각할 수 있는 힘.

지각-령【知覺領】[-녕] 명 감각령.

지각-류【枝角類】[-뉴] 명〖충〗[Cladocera] 절지(節肢) 동물 갑각류 엽각목(葉脚目)의 한 아목(亞目). 몸은 좌우 두 잎의 껍질로 싸이고 마디와 발은 많지 않으며 둘째 촉각은 몹시 크고 자모(刺毛)를 갖추어서 헤엄치는 데에 사용함. 흉부(胸部)의 발은 4-5 쌍임. *진정(眞正) 엽각류.

지각 마비【知覺痲痺】명〖생〗감각 마비.

지각-망나니【知覺—】명 지각날 때가 지나도 지각이 덜 난 사람. 철이 덜 나서 분개(分槪)가 흐린 사람을 놓으로 일컫는 말.

지각-머리【知覺—】명 지각 또는 철의 낮은말.

지각머리-없다【知覺—】[-업—] 형 '지각없다'의 낮은말.

지각머리-없이【知覺—】[-업씨] 부 '지각없이'의 낮은말.

지각 물리학【地殼物理學】명 [tectonophysics] 지질 구조(地質構造)의 형식에 관한 물리적인 과정(過程)을 다루는 지구 물리학의 한 분야.

지각 변:동【地殼變動】명〖지〗지구 내부의 원인 때문에 지각에 생기는 동요(動搖) 또는 변형. 조산(造山) 운동·조륙(造陸) 운동·단층(斷層) 지반(地盤)의 융기(隆起)·침강(沈降) 등. 지각 운동.

지각사니-없:다 형〈방〉지각머리없다.

지각-설【知覺說】명〖철〗인간 정신은 지각에 의하여 외적실재(外的實在)를 직접적으로 틀림없이 포착할 수 있다고 하는 학설. 쇼펜하워·스펜서·베르그송 등의 주장.

지각성 언어 불능【知覺性言語不能】[-릉] 명〖의〗감각 실어증.

지각성 언어 중추【知覺性言語中樞】명〖생〗대뇌 피질(皮質)의 위쪽 후부에 있는 언어 중추. 귀를 통해 대뇌 반구(半球)의 청각령(聽覺領)에 도달한 언어는 이 중추에 이르러 어음(語音)으로 딴 소리와 식별되며 다시 보다 고위(高位)의 종합 중추로 보내져서 그 뜻을 이해하게 됨. ↔운동성(運動性) 언어 중추.

지각 세:포【知覺細胞】명〖생〗감각 세포.

지각 수축설【地殼收縮說】명〖지〗지구 수축설.

지각 시간【知覺時間】명 감각 시간.

지각 신경【知覺神經】명〖생〗감각 신경.

지각-없다【知覺—】[-업—] 형 사물에 대한 분별력이 없다.

지각-없이【知覺—】[-업씨] 부 지각없게.

지각 열류량【地殼熱流量】[-널—] 명〖지〗온도가 높은 지구 내부로부터 단위 시간에 단위(單位) 면적을 지나서 지표(地表)를 향하여 유출(流出)되는 열량(熱量). 지면(地面)에 구멍을 뚫어 깊이가 1 m 정도 차이가 있는 상하 두 곳의 온도차를 측정하고 그 사이의 암석의 열전도도(熱傳導度)를 조사하여 양자를 곱함으로써 산출됨. 특수한 지역을 제외하면 비교적 균일(均一)한 값을 나타내며 매초(每秒) 1 cm^2 당 1.2 $\times10^{-6}$ 칼로리 정도임.

지각 운:동【地殼運動】명〖지〗지각 변동.

지각 이:상【知覺異常】명〖의〗신경 계통 또는 정신 작용에 장애가 일어나, 시각·청각·미각·후각·촉각 등이 정상 상태를 잃는 일. 감각의 과민(過敏)·감퇴(減退), 촉각(觸覺)·통각(痛覺) 등의 감각 이상(感覺異常) 등을 이르기도 함.

지각 자기학【地殼磁氣學】명 [tectonomagnetism]〖지구물리〗지각 변형(變形)에 의한 자기 이상성(異常性)에 관한 학문 분야.

지각 장애【知覺障礙】명〖의〗지각에 장애가 있는 일. 지각이 해를 받는 일. 지각이 전연 없는 지각 상실, 둔해지는 지각 감퇴(減退), 뒤늦게 감지되는 지각 전도 완서(傳導緩徐), 유달리 높아진 감각 과민, 옳지 않은 감각을 일으키는 지각 이상(異常) 등의 구별이 있음.

지각 정신【知覺精神】명〖심〗사물(事物)을 틀림없이 분별(分別)하는 의식 작용(意識作用).

지각 중추【知覺中樞】명〖생〗감각 중추.

지각 천애【地角天涯】명 땅의 끝과 하늘의 끝. 전하여, 서로 멀리 떨어져 있음.

지각 판단【知覺判斷】명〖논〗개인의 지각이 단주관적(單主觀的) 결합을 표시하는 객관성이 없는 판단. ↔경험 판단.

지각 평형설【地殼平衡說】명〖지〗지구 표면의 요철(凹凸)도 지하(地下) 60-120 km의 면에서는 모두 같은 압력을 미치고 있다는 학설. 고산(高山)의 밀도는 작고 심해저(深海底)의 밀도는 크며 이것들의 무게가 평형하여 있기 때문이라고 함. 지각 균형설(地殼均衡說). 아이소스타시설(isostacy說).

지각 표상【知覺表象】명〖심〗지각에 의해 직접 발생된 표상. 감각 기관을 통해 포착된 심적(心的) 내용. 감각(感覺) 표상.

지간[1] 명〈방〉사이(함경).

지간[2]【支干】명 간지(干支).

지간[3]【枝幹】명 ①가지와 줄기. ②지간(肢幹).

지간[4]【肢幹】명 사지(四肢)와 몸. 지간(枝幹).

지간[5]【脂肝】명 지방간(脂肪肝).

지간[6]【趾間】명 굽의 사이.

지갈【止渴】명 목마름이 그침. 또, 그치게 함. ──-하다 자타여불

지-감[1] 명〈방〉고욤(전남).

지감[2]【旨甘】명 맛있음. 또, 맛있는 음식.

지감[3]【知鑑】명 ↗지인지감(知人之鑑).

지갑[1]【指甲】명 조갑(爪甲).

지갑[2]【紙甲】명〖역〗종이를 배접하여, 대략 두 치 평방이 되게 만든 미늘을 사슴 가죽으로 얽어서, 검은 칠을 한 갑옷.

지갑[3]【紙匣】명 ①종이로 만든 갑(匣). ②가죽이나 헝겊 등으로 쌈지같이 만든 물건. 돈이나 작은 물건을 넣게 되어 있음.

지갑-화【指甲花】명〖식〗봉선화.

지강【至剛】명 지극히 강직하여 사악(邪惡)에 굽하지 않음. ──-하다 형여불

지강 급미【舐糠及米】명 [겨를 핥다가 마침내 쌀까지 먹어 치운다는 뜻] ①외부의 침범이 내부에까지 미침을 비유한 말. ②욕심이 점점 커짐의 비유.

지개[1] 명〈방〉기지개(경남).

지개[2] 명〈방〉제기[1](전북).

지개[3] 명 ☞지게[1].

지개[4]【志槪】명 지기(志氣).

지개다 타〈방〉기대다(함경).

지개미 명〈방〉비듬[1](전남).

지-개성부사【知開城府事】명〖역〗고려 문종(文宗) 16년(1062)에 둔 개성부의 한 벼슬. 준지부사(知府事). *지사(知事).

지객【知客】명〖불교〗절에서 왕래하는 손님을 인도하는 일. 또, 그 일을 맡은 사람. 지빈(知賓).

지거럽다 형〈방〉가렵다(경상).

-지거리 미 어떤 명사의 뒤에 붙어 점잖지 않거나 시답지 않게 여기는 뜻을 나타냄. ¶욕~/농~.

지거미[1] 명〈방〉비듬[1](경북).

지거미[2] 명〈방〉지게미.

지건【至健】명 지극히 강건(剛健)함. ──-하다 형여불

지걸 명〈방〉〖민〗지벌[1].

지걸(을) 입다 구〈방〉〖민〗지벌(을) 입다.

지검[1]【地檢】명〖법〗↗지방 검찰청(地方檢察廳).

지검[2]【智劍】명〖불교〗지혜검(智慧劍).

지겁 명〈방〉낭떠러지.

지게[1] 명 [근대 : 지게] 짐을 얹어 사람이 등에 지는 기구. 두 개의 가지 돋친 장나무를 위는 좁고 아래는 벌어지게 나란히 세우고 그 사이를 사개로 가로 질러 맞추고 아래 위로 질빵을 걸었음.

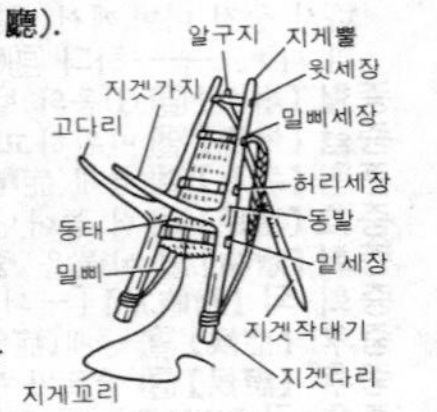

[지게를 지고 제사를 지내도 제 멋이다] 무슨 일을 하든지 남이 상관할 바 아니라는 말.

지게(를) 지다 구 지게를 등에 메다.

〈지게[1]〉

지게[2] 명 ↗지게문.

지게[3] 명〈방〉제기(황해).

지게 꼬리 명 지게에 짐을 얹고 매는 줄.

지게-꾼 명 지게질을 업으로 삼는 사람.

지게 다리 명 한자(漢字) 중 무(戊)·성(成) 등의 오른쪽에 있는 '㇂'의 일컬음.

지게-문【—門】명 마루에서 방으로 드나드는 곳에 안팎을 두꺼운 종이로 바른 외짝문. 준지게.

지게미 명 [중세 : 쥐여미. 근대 : 지거미] ①재강에서 모주(母酒)를 짜낸 찌꺼기. 주박(酒粕). ②술의 과음이나 열기(熱氣)로 눈 가에 끼는 흰 곱. ③〖생〗비듬.

지게-뿔 명 지겟다리의 윗세장을 끼운 위의 부분.

지게-질 명 지게로 짐을 나르는 일. ──-하다 자여불

지게-차【—車】명 포크리프트(forklift).

지게-코 명 짐승이 자주 다니는 두 나무 사이에 지게의 세장(가로대)처럼 걸쳐 놓은 올무.

지게-판【—板】명 지겟등태.

지게호-변【—戶邊】명 한자 부수(漢字部首)의 하나. '房'·'所' 등의 '戶'의 이름.

지겟-가지 명 지게 몸에서 뒤로 벋어 나간 가지. 그 위에 짐을 얹음.

지겟-다리 명 지게 동발의 양쪽 다리.

지겟-등태 명 지게에 붙인 등태.

지겟-작대기 명 지게를 버티어 세우는 작대기.

지겟-작지 명〈방〉지겟작대기.

지겨움 명 지겨워하는 기분. ¶~을 느끼다.

지겨워-하다 타여불 지겹게 여기다. ¶가난을 ~.

지격[1]【地格】[-껵] 명 [locative case]〖언〗인도유럽어(語)에서, 위치·장소를 나타내는 격의 하나. 인도 이란어·발트 슬라브어 이외에서는 소실되었거나 다른 격에 흡수되었음.

지격[2]【至隔】명 기일이 바싹 닥침. ──-하다 형여불

지격[3]【志格】명 고상한 지개(志槪)와 인격.

지견[1]【知見】명 식견(識見).

지견[2]【智見】명 슬기와 식견(識見).

지견[3]【贊見】명 '지현(贊見)'의 잘못.

지결[1]【支結】명〖한의〗가슴이 답답하게 막히는 열병.

지결[2]【至潔】명 지극히 깨끗함. ——-하다 형여불

지겹다 형ㅂ불 몸서리가 쳐지도록 싫다. 정나미가 떨어지고 지긋지긋하다. ¶생각만 해도~.

지경[1]【地莖】명〖식〗↗지하경(地下莖).

지경[2]【地境】명 ①땅의 경계. 지계(地界). 경(境). ②경우. 형편. 처지. 경지. ¶파산할 ~에 이르다.

지경[3]【地頸】명 지협(地峽).

지경[4]【地鏡】명 지면(地面)이 비정상적으로 뜨거워졌을 때 일어나는 경상(鏡像) 현상. 지상의 물체가 마치 수면(水面)에 반사한 것처럼 도립(倒立)되어 보이는 현상.

지경[5]【枝莖】명 가지와 줄기.

지경[6]【持經】명〖불교〗경(經)을 항상 몸에 지니고 다니면서 송독(誦讀)함. ——-하다 자여불

지경[7]【祗敬】명 매우 공경함. ——-하다 타여불

지경[8] 명 ☞지정(地釘).

지경-다지다 자 ☞지정다지다.

지경-령【地境嶺】[—녕] 명〖지〗평안 북도 창성군(昌城郡) 청산면(靑山面)과 운산군(雲山郡) 성면(城面) 사이에 있는 고개. [165 m]

지-경연【知經筵】명〖역〗↗지경연사(知經筵事).

지-경연사【知經筵事】명〖역〗①고려 공양왕(恭讓王) 2년(1390)에 베푼 경연청(經筵廳)의 한 벼슬. ②조선 시대 때 경연청의 정이품 벼슬. 동지경연사(同知經筵事)의 위, 영경연사(領經筵事)의 아래. ㊂지경연(知經筵). *지사(知事).

지경-풍【至輕風】명〖기상〗'실바람'의 구용어.

지계[1]【地界】명 ①지경(地境)❶. ②〖불교〗삼계(三界)의 하나.

지계[2]【地契】명〖역〗조선 시대 말기에, 토지 소유권을 증명하는 문서. *가계(家契).

지계[3]【地鷄】명〖동〗쥐며느리.

지계[4]【持戒】명 [범 śīla]〖불교〗계행(戒行)을 지킴. ↔파계(破戒). ——-하다 자여불

지계[5]【誌界】명 잡지를 만드는 사회.

지계-바라밀【持戒波羅蜜】명 [범 Śīlapāramitā]〖불교〗교단(敎團)의 계율(戒律)을 완전히 지키는 일. ㊂계바라밀.

지계 아:문【地契衙門】명〖역〗대한 제국 때 토지 문권(文券)을 정리하는 일을 맡은 관아. 고종 광무(光武) 5년(1901)에 베풀었다가, 동 7년에 폐지하여 탁지부(度支部)에 합쳐었음.

지-계(:)최【池繼漼】명〖사람〗조선 인조(仁祖) 때의 충신. 자(字)는 언숙(彥叔). 충주(忠州) 사람. 인조 원년(1623) 관서 행영(關西行營)의 도원수 장만(張晩)의 휘하 서로 소모 별장(西路召募別將)이 되어, 이괄(李适)의 난 진압에 큰 공을 세워 충성군(忠城君)에 봉군되었으며 인조 14년(1636)에 김자점(金自點) 원수 휘하 소모장(召募將)이 되었는데, 때마침 병자 호란(丙子胡亂)으로 청(淸)나라 군사가 쳐들어오매 이를 맞아 용전 분투하다 역부족하여 적에게 포위되자 자결(自決)하였음. 뒤에 한성 판윤(漢城判尹)에 추증됨. [?-1636]

지고[1]【地庫·地窖】명〖불교〗허드렛것을 넣어 두는 땅광.

지고[2]【地高】명 땅의 높이.

지고[3]【至高】명 지극히 높음. ——-하다 형여불

지고[4]【知庫】명〖불교〗선종(禪宗)의 승직(僧職). 육지사(六知事)의 하나로, 한 절의 출납(出納)을 총관(總管)함. 고두(庫頭).

지고[5]【脂膏】명 지방(脂肪).

지고[6] 보형 용언(用言)의 말끝 '-고'의 아래에 쓰이어 하고자 하는 욕망(欲望)의 뜻을 나타내는 말. 지라. ¶양친(兩親) 부모 모셔다가 천년 만년 살고 ~/어히 내스랑 삼고지고 ≪古時調≫.

지고마 [Zigoma] 명 프랑스의 르 마탱지(紙)에 연재(連載)된 레오 사디의 탐정 소설의 주인공. 출몰 자재(出沒自在)의 악한으로 1911년 영화화되어 유명해짐.

지고-선【至高善】명〖윤〗최고선(最高善).

지고-지상【至高至上】명 더없이 높고 높음. ¶~의 과제. ——-하다 형여불

지고-지순【至高至純】명 더없이 높고 순수함. ¶~한 사랑. ——-하다 형여불

지곡【止哭】명 울던 울음을 그침. ——-하다 자여불

지골[1] 명〈방〉지벌[1](罰).

지골[2]【肢骨】명〖생〗팔다리의 뼈.

지골[3]【指骨】명〖생〗손가락을 이루는 열 네 개의 뼈. 각 마디는 원주상(圓柱狀)이며, 관절(關節)로 서로 이어졌고 위끝의 것은 장골(掌骨)에 연접(連接)되어 있음. 손가락뼈. *완골(腕骨).

〈지골[3]〉

지골[4]【趾骨】명〖생〗발가락을 이루는 열 네 개의 뼈. 관절로 서로 연결되었고, 위끝의 것은 척골(蹠骨)에 연접됨. 발가락뼈.

지골레트 [프 gigolette] 명 매춘부. ↔지골로(gigolo).

지골로 [프 gigolo] 명 여자에 기대어 사는 남자. 남첩(男妾). ↔지골레트(gigolette).

지골-피【地骨皮】명〖한의〗구기자나무 뿌리의 껍질. 골증(骨蒸)·소갈(消渴)·노채열(癆瘵熱)·도한(盜汗) 등의 해열제로 씀.

지공[1]【支供】명 ①음식을 이바지함. ②소용되는 물품을 지급하여 줌. ——-하다 타여불

지공[2]【至公】명 ①↗지공 무사(至公無私). ②〖천주교〗천주의 적극적 품성(稟性)의 한 가지.

지공[3]【至恭】명 지극히 공손함. ——-하다 형여불

지공[4]【指孔】명 당적(唐笛)이나 퉁소 등에 뚫린 구멍.

지공[5]【指空】명〖사람〗인도의 마갈타국(摩竭陀國) 승려. 인도 이름은 제납박타(提納薄陀), 지공은 호(號)임. 중국(中國)을 거쳐서 고려 충숙왕(忠肅王) 15년(1328)에 고려에 와서, 법화(法化)를 펴고 왕사(王師)가 되었음. 뒤에 원(元)나라 법원사(法源寺)에 머무르면서 고려의 혜근(惠勤)에게 선종(禪宗)을 전수(傳授)하고, 연경(燕京)에서 입적(入寂)함. [?-1363]

지공[6]【遲攻】명 시간을 드티면서 느릿느릿 공격함. 주로 축구·농구 같은 운동 경기에서 쓰는 말. ↔속공(速攻). ——-하다 타여불

지-공거【知貢擧】명〖역〗고려 때 과거의 고시관(考試官). 동지공거(同知貢擧)의 위.

지공 무사【至公無私】명 지극히 공평하여 사사로움이 없음. ㊂지공(至公). ——-하다 형여불

지공-법【遲攻法】[—뻡] 명 세트 오펜스(set offence).

지-공예【紙工藝】명 종이를 써서 기물(器物)을 만들거나 장식을 하는 재간 및 그 제품의 일컬음. ¶~품(品).

지공 지평【至公至平】명 지극히 공평함. ——-하다 형여불

지과[1]【止戈】명 전쟁을 그만둠. ——-하다 자여불

지과[2]【支過】명 겨우 지탱하여 살아감. 애과(捱過). ——-하다 자여불

지과[3]【指窠】명〖역〗벼슬하려는 사람이 빈 벼슬 자리 중에서 희망하는 자리를 고르는 일. ——-하다 타여불

지곽【地廓】명 눈의 위아래 시울.

지관[1]【支管】명 본관에서 갈라져 나온 관(管). ↔본관(本管).

지관[2]【止觀】명〖불교〗①천태종(天台宗)에서, 산란한 망념(妄念)을 그치고 정적(靜寂)한 명지(明智)로써 만법(萬法)을 관조하는 일. ②↗마하 지관(摩訶止觀). ③'천태종(天台宗)'의 이칭(異稱).

지관[3]【地官】명 ①〖민〗지술(地術)을 연구하여 집터 또는 묏자리 등을 잘 잡는 사람. 지사(地師). 풍수(風水). ②〖역〗'호조(戶曹)'의 별칭. ③〖역〗중국 주대(周代)의 육관(六官)의 하나. 나라의 교육과 조세 및 지방 행정을 관장했던 벼슬. *천관(天官).

지-관사【知館事】명〖역〗↗지춘추관사(知春秋館事).

지관 상:승【止觀上乘】명〖불교〗지관을 무상의 법(法)으로서 기리어 일컫는 말.

지관 십승【止觀十乘】명〖불교〗천태종(天台宗)에서, 삼제(三諦)의 묘리를 오득(悟得)하는 열 가지 관법(觀法). 곧, 관불사의경(觀不思議境)·발진정 보리심(發眞正菩提心)·선교 안심 지관(善巧安心止觀)·파법편(破法遍)·식통색(識通塞)·도품 조적(道品調適)·대치 조개(對治助開)·지차위(知次位)·능안인(能安忍)·무법애(無法愛)의 총칭.

지관-종【止觀宗】명〖불교〗천태종(天台宗).

지관 창전【止觀窓前】명〖불교〗지관(止觀)을 수행하는 도량(道場)의 아칭(雅稱).

지관 행자【止觀行者】명〖불교〗천태종(天台宗)의 행자(行者).

지관 현문【止觀玄文】명〖불교〗마하 지관(摩訶止觀).

지광【地廣】명 땅이 넓음. ——-하다 형여불

지광 국사【智光國師】명〖사람〗고려 문종(文宗) 때의 국사. 자는 거룡(巨龍). 지광은 호. 원주(原州) 사람. 속성은 원씨(元氏). 21세 때 대덕(大德)이 되고, 현종(顯宗) 때 중대사(重大師), 덕종(德宗) 때 삼중 대사(三重大師), 정종(靖宗) 때 승통(僧統)이 되었으며, 문종 10년(1056) 왕사(王師), 동 21년 강진 홍도(講眞弘道)의 법호(法號)를 받고 국사가 됨. [984-1067]

지광 인희【地廣人稀】[—히] 명 땅은 넓고 사람은 드묾. 인희 지광(人稀地廣). 토광 인희(土廣人稀). ——-하다 형여불

지괴[1]【地塊】명 ①땅 덩어리. 흙 덩어리. ②〖지〗사방(四方)이 단층면(斷層面)으로 한정된 육지의 덩어리.

지괴[2]【地槐】명〖한의〗고삼(苦蔘)❷.

지괴 산맥【地塊山脈】명〖지〗단층(斷層) 산맥.

지괴 산지【地塊山地】명〖지〗단층(斷層) 산지.

지괴 소:설【志怪小說】명〖문〗괴상한 내용(內容)의 이야기로 이루어진 소설. *전기 소설[1].

지괴 운:동【地塊運動】명〖지〗지괴가 단층면(斷層面)을 따라 미끄러져 움직이는, 지각(地殼) 운동의 하나.

지교[1]【至巧】명 더없이 정교(精巧)함. ——-하다 형여불

지교[2]【至交】명 깊은 교의(交誼).

지교[3]【知敎】명〖대종교〗대종교(大倧敎)의 도본사(道本司)에서 시험하여 뽑는 교직.

지교[4]【指敎】명 가리키어 가르침. ——-하다 타여불

지교[5]【脂膠】명 기름과 아교.

지교[6]【智巧】명 슬기롭고 교묘함. ——-하다 형여불

지구[1]【地久】명 땅이 오래도록 변하지 아니함. ——-하다 형여불

지구[2]【地球】명 [earth]〖지〗우리 인류가 살고 있는 천체. 태양계(太陽系)의 여덟 행성(行星) 중의 하나. 거의 회전 타원체상(楕圓體狀)을 이루고 있으며 적도(赤道) 반지름은 약 6,378 km, 극(極)반지름은 6,357 km임. 태양으로부터의 거리는 149,597,870 km이며 365.256일(日)에 태양을 일주함. 공전(公轉)에 의해 사계(四季)가 생기고 자전(自轉)에 의하여 밤낮의 구별이 생김. 표면적(表面積)은 약 5억 2천만 km^2이며, 표면(表面)은 물·암석·토양(土壤)으로 구성되며 그 중 바다

는 약 70 %에 달함. 혼원구(渾圓球).

지구[3] 【地區】 명 ①땅의 한 구획. ②법령의 시행(施行) 지역을 한정(限定)하기 위하여 또는 특정의 행정 목적 등을 위하여 특히 지정(指定)된 지역. ¶풍치 ～.

지구[4] 【地溝】 명 〔trough〕 『지』 지반(地盤)이 꺼져서 생기는 거의 평행하는 두 단층(斷層) 사이의 요지(凹地).

지구[5] 【知舊】 명 오랜 친구.

지구[6] 【持久】 명 같은 상태에서 오랫동안 견딤. 오래 끌어 감. ¶～력. ——-하다 자타여불

지구[7] 【遲久】 명 ①더디고 오램. ②오래도록 기다림. ——-하다 타여불

지구-간 【知舊間】 명 오랜 친구 사이.

지구 개:조 계:획 【地球改造計劃】 명 자연 개조 계획.

지구 과학 【地球科學】 명 지구를 대상으로 하는 자연 과학. 광물학·지질학·해양학·기상학(氣象學)·지구 물리학·지구 화학(地球化學) 등. 이러한 학문은 다소 독립된 학문으로 발전하였으나 상호(相互) 관계가 깊어짐에 따라 종합적(綜合的)인 방법이 필요하여 종합 과학이라는 뜻으로 쓰이게 됨.

지구-관 【知彀官】 명 『역』 조선 시대에, 훈련 도감(訓鍊都監)·총리영(摠理營)에 딸린 장교.

지구 관측 위성 【地球觀測衛星】 명 카메라, 화상(畫像) 레이더, 레이더 고도계 등 각종 관측 기구를 설치하고 우주 공간에서 지구 표면을 향하여 지상 상태를 관측하는 인공 위성. 지구 자원 위성 따위.

지구-광 【地球光】 명 『천』 지구 회조광(地球回照光).

지구-국 【地球局】 명 〔earth station〕 통신 위성이나 방송 위성에 탑재된 무선국 곧, 우주국(宇宙局)과 통신하기 위하여 선박 및 항공기를 포함한 지구 표면에 개설(開設)된 무선국.

지구 궤:도 【地球軌道】 명 〔earth orbit〕 『천』 지구의 태양 둘레의 타원 운동 궤도. 이심율(離心率) 0.01672, 평균 반경 1.496×10⁸ km임.

지구 기상 중추 【地區氣象中樞】 명 〔Regional Meteorological Center〕 세계 기상 감시 계획에 관계되는 지역적 기관. 세계를 약 10개의 지역으로 나누어 그 지역내의 관측 자료를 수집·해석하여 결과를 각국 기상 기관에 공급함. 이 위에는 세계 기상 중추가 있음. 약칭:아르 엠 시(R.M.C.).

지구 기억 장치 【持久記憶裝置】 명 〔nonvolatile storage〕 비(非) 휘발성 기억 장치.

지구 기준 비행 【地球基準飛行】 명 〔terrestrial-reference flight〕 『항공』 자기장(磁氣場)이나 중력장(重力場)과 같은 지구 현상에 의해 유도(誘導)되는 비행.

지구 기준 유도 【地球基準誘導】 명 〔terrestrial-reference guidance〕 『항공』 제어 시스템이 지자기(地磁氣)·중력(重力) 또는 다른 지구 특성에 감응(感應)하는 장거리 미사일 유도.

지구-당 【地區黨】 명 정당(政黨)의 지역(地域) 조직. ¶～ 위원장. ↔중앙당❶.

지구-대 【地溝帶】 명 『지』 지구(地溝)로 된 띠 모양의 저지(低地).

〈지구대〉

지구 대:기 연:구 계:획 【地球大氣硏究計劃】 명 〔Global Atmospheric Research Program〕 『기상』 지상에서 고도 30 km 까지의 대기를 국제 협력에 의한 전지구적 규모로 종합 관측하려는 연구 계획. 특별 관측년은 1972년과 1976년. 연구 항목은 열대(熱帶) 기상, 특히 적운 대류(積雲對流)와 대규모 운동의 상호 작용, 전지구의 대기 복사의 분포(分布), 대기 대순환(大循環)의 역학적(力學的) 모델, 관측 기술의 개발 등임. 약칭: 가프(GARP).

지구 대:기 흡수선 【地球大氣吸收線】 명 〔telluric line〕 지구의 대기(大氣)에 의한 흡수로써 일어나는 태양이나 별의 스펙트럼(spectrum)에 나타나는 흡수선(吸收線).

지구라트 〔ziggurat〕 명 『고고학』 고대 수메르 문명(Sumer文明) 이래 바빌로니아·아시리아의 중요 도시에 세운 신전(神殿)의 성탑(聖塔). 피라미드 모양으로 쌓고, 그 위에 신단(神壇)을 만들었으며, 소위 '바벨탑(Babel 塔)'도 이에서 유래한 것임.

지구-력 【持久力】 명 오래 견디어 내는 힘. ¶～ 테스트.

지구-면 【地球面】 명 『지』 지구의 표면.

지구무-빼기 명 〈방〉 『농』 제구멍박이.

지구 물리 공학 【地球物理工學】 명 〔geophysical engineering〕 『공』 과학적 수법으로써 광상(鑛床)을 탐상(探床)하는 공학.

지구 물리 관측선 【地球物理觀測船】 명 해양(海洋)의 과학적·지구 물리적(地球物理的) 여러 요소를 관측·조사하며, 심해 해저(深海海底) 광물 자원을 조사하고 탐사하는 기능을 갖춘 배.

지구 물리 관측 위성 【地球物理觀測衛星】 명 오고(OGO).

지구 물리학 【地球物理學】 명 〔geophysics〕 『물』 지구 전체(全體) 및 그 각 부분(各部分)의 물리적 성질을 논하며, 이에 관련되어 일어나는 모든 물리적 현상(物理的現象)을 연구하는 학문. 곧, 지진(地震)·해양·기상(氣象) 등의 학문.

지구 반:사광 【地球反射光】 명 〔earthshine〕 『천』 월면(月面)의 암부(暗部)의 조도(照度). 지구의 표면이나 대기(大氣)에서 일광(日光)이 달에 반사되어 생김.

지구 방:사 【地球放射】 명 지구 복사(輻射).

지구 복사 【地球輻射】 명 대기 또는 지표면(地表面)에서 내는 복사. 대부분 4 μ보다 짧은 파장의 적외(赤外) 복사. 지면이나 대기는 일사(日射)에 의해 가열되나 한편 적외 복사에 의하여 냉각되기 때문에 열수지(熱收支)를 유지하고 있음. 지구 방사(放射).

지구-본 【地球—】 명 지구의(地球儀).

지구 분지 【地溝盆地】 명 『지』 두 개의 평행(平行)한 단층애(斷層崖)로 둘러싸인 단층(斷層) 분지의 하나. 열곡(裂谷). *단층각 분지.

지구-색 【地球色】 명 〔earthy color〕 초록색(草綠色)·올리브색(olive色)에서부터 다갈색(茶褐色)까지의 색상(色相).

지구 서밋 【地球—】 명 〔Earth Summit〕 1992 년 6 월 세계 120 여 개국의 정상급 관료와 학자들이 브라질의 리우데자네이루에서 개최한 유엔 환경 개발 회의. '환경과 개발에 관한 리우(Rio)선언', 지구 재생(再生)을 위한 '어젠더(agenda) 21', '삼림 보존의 원칙' 등이 성명(聲明)되고, '온난화(溫暖化) 방지 조약', '생물 다양성 조약' 등이 서명되었음. 유엔 환경 개발 회의.

지구 수축설 【地球收縮說】 명 『지』 지구는 태초에 가스 모양이었던 것이 장기간의 냉각(冷却)으로 뜨거운 액체구(液體球)가 되고, 다시 더 식어서 고체의 거죽을 이루었고, 지구의 내부(內部)가 식어 감에 따라 수축하여 표면의 지층(地層)에 습곡(褶曲)이 생기게 되었다고 하는 학설. 지각(地殼) 수축설.

지구 식물학 【地球植物學】 명 〔geobotany〕 식물계(植物界)와 지구와의 관계를 다루는 과학.

지구 식물학적 탐사 【地球植物學的探査】 명 〔geobotanical prospecting〕 『지질』 광상(鑛床)의 발견에 있어서 식물의 분포·외관(外觀)·성장의 이상(異常) 따위를 매개로 하는 탐사.

지구외 방:사선 【地球外放射線】 명 〔extraterrestrial radiation〕 『우주 물리』 지구 또는 지구 대기(大氣)의 외부에 기원(起源)을 둔 전자기파(電磁氣波). 각종 별이나 태양으로부터의 전자기파 등을 이름. 외기 복사.

지구외 잡음 【地球外雜音】 명 〔extraterrestrial noise〕 『전자』 우주 잡음이나 태양 잡음. 지구 이외의 잡음원(源)에서의 전파 교란.

지구 운:동 【地球運動】 명 〔earth movements〕 『지구물리』 지구의 운동. 공전(公轉)·자전(自轉)·분점(分點)의 세차 운동(歲差運動), 지구의 중심(中心)이나 맨틀에 대한 지표 운동(地表運動) 따위를 이름.

지구 위성 【地球衛星】 명 『천』 지구 둘레를 도는 위성.

지구-의 【地球儀】 [—/—이] 명 〔terrestrial globe〕 지구를 본떠 만든 작은 모형. 연직선(鉛直線)에서 23.5° 기울인 축을 중심으로 회전하는 원구(圓球)인데, 표면에 바다·뭍·경위선·지명(地名) 등이 새겨져 있음. 지구본. *천구의(天球儀).

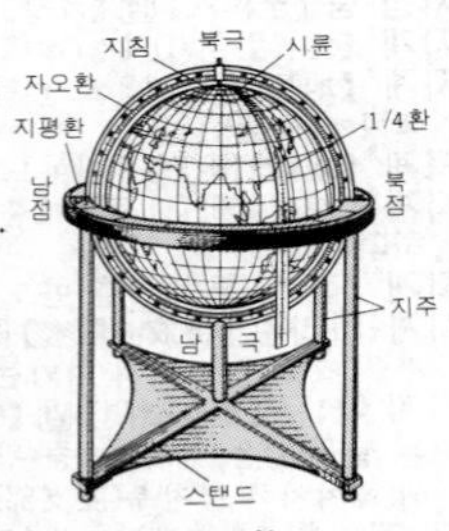

〈지구의〉

지구의 날 【地球—】 [—/—에—] 명 〔Earth Day〕 환경 오염으로부터 지구를 지키기 위해 설정한 날. 매년 4 월 22 일. 1969 년 미국 캘리포니아 주(州)에서 발생한 기름 유출(流出) 사고를 계기로 미국 스탠퍼드 대학생 등 학생 단체가 중심이 되어 1970 년에 첫 행사를 개최했는데, 그 뒤 중단되었다가 1990 년에 부활됨.

지구-인 【地球人】 명 〔Terran〕 공상 과학 소설에서, 지구에 사는 사람. 곧 인류.

지구 인력 【地球引力】 [—일—] 명 만유 인력으로 말미암아 지구가 다른 물체나 천체를 끌어당기는 힘.

지구 자기 【地球磁氣】 명 〔terrestrial magnetism〕 『물』 지구가 가지는 자기. 지구 위의 임의의 점에 자침(磁針)을 놓으면 거의 남북(南北)을 가리킴. 지자기(地磁氣).

지구 자기 경도 【地球磁氣經度】 명 〔geomagnetic longitude〕 『지』 지구의 회전축(回轉軸) 대신에 지구 자기축(地球磁氣軸)을 중심으로 하여 정한 경도(經度).

지구 자기극 【地球磁氣極】 명 〔geomagnetic pole〕 『지』 지구의 중심에 있고, 실제의 지구와 같은 자기장(磁氣場)을 가졌다고 가정한 강력한 막대 자석의 축(軸)을 연장했을 경우에 지구 표면(表面)을 가르는 두 개의 점.

지구 자기 맥동 【地球磁氣脈動】 명 〔geomagnetic pulsation〕 『지』 저주파 자연 전자기파(低周波自然電磁氣波)의 하나. 주기(週期)는 1-500 초로 지구 자기 또는 지전류(地電流)의 변동으로 관측됨. 수시간에 걸쳐 규칙적인 변동을 나타내는 것과 불규칙적인 파형(波形)으로 단시간 출현(出現)하는 것이 있음.

지구 자기 변:동 【地球磁氣變動】 명 〔geomagnetic variation〕 『물』 지구 자기장(磁氣場)의 장기 및 단기적인 시간적 변동. 자기 요란(擾亂). *자기 폭풍(暴風).

지구 자기 쌍극자 【地球磁氣雙極子】 명 〔geomagnetic dipole〕 『지』 지구의 자기장(磁氣場)에 의해서 생기는 자기 쌍극자.

지구 자기 역전 【地球磁氣逆轉】 명 〔geomagnetic reversal〕 『지』 지구(地球)의 자기 쌍극자(磁氣雙極子)와 역방향(逆方向)의 자기화(磁氣化).

지구 자기 영:년 변:화 【地球磁氣永年變化】 명 〔geomagnetic secular variation〕 『지』 수십, 수백년의 주기(週期)로 변화하고 있는, 지구 내부의 원인으로 생기는 지구 자기장(地球磁氣場)의 변화. 각 지역마다 변화량이 다름.

지구 자기 위도 【地球磁氣緯度】 명 〔geomagnetic latitude〕 『지』 지구의 자기장(磁氣場)을 그것과 닮은 쌍극자장(雙極子場)으로 치환(置換)했을 때의 자기적(磁氣的)인 위도.

지구 자기의 삼요소 【地球磁氣—三要素】 [—/—에—] 명 〔three elements of terrestrial magnetism]〖물〗지구 자기(地球磁氣)에 의한 자기장(磁氣場)의 상태를 나타내기에 필요한 세 가지의 요소. 곧, 자기장의 방향을 포함하는 연직면(鉛直面)과 지구 자오면(地球子午面)이 짓는 각의 '편각(偏角)', 자계의 방향과 수평으로 이루는 각인 '복각(伏角)' 및 자계(磁界)의 강도(強度)의 수평면 내의 크기를 표시하는 '수평 분력'을 일컬음.

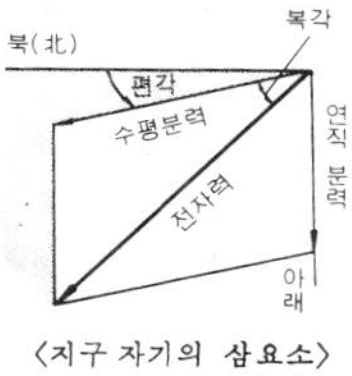

〈지구 자기의 삼요소〉

지구 자기의 편각【地球磁氣—偏角】[—/—에—] [명] [declination]〖지〗자침(磁針)과 지리학상 자오선 사이의 각(角).

지구 자기 자오선【地球磁氣子午線】 [명] [geomagnetic meridian]〖지〗양쪽 지구 자기극(地球磁氣極)을 지나는 대원(大圓).

지구 자기 잡음【地球磁氣雜音】[명] [geomagnetic noise]〖지〗지구 자기에 의하여 생기는, 무선 통신에 대한 방해.

지구 자기장【地球磁氣場】[명] [terrestrial magnetic field]〖물〗지구의 내부 또는 둘레에 있는 자기장.

지구 자기 적도【地球磁氣赤道】 [명]〖지〗지구 자기극(地球磁氣極)에서 90도 되는 곳에 있는 지구 상의 대원(大圓).

지구 자기 좌:표【地球磁氣座標】[명] [geomagnetic coordinates]〖지〗중심의 쌍극자(雙極子)를 지구의 자기장(磁氣場)과, 가능한 한 일치하도록 놓은 구좌표계(球座標系).

지구 자기학【地球磁氣學】[명] [terrestrial magnetism]〖지〗지구의 자기성(磁氣性)을 연구하는 과학의 한 분야.

지구 자기 한:계【地球磁氣限界】[명] [geomagnetic cutoff]〖지〗어느 특정한 자기 위도(磁氣緯度)에 있어서, 대기의 바깥 쪽에까지 도달할 수 있는 우주선의 최소 에너지.

지구 자원 위성【地球資源衛星】[명] [earth resources satellite]〖항공〗농업·삼림 자원(森林資源)·광물 및 육상·해상 자원 또는 육지 이용에 관한 정보 수집용 인공 위성.

지구-장【地區長】[명]〖천주교〗지구(地區)의 수석 사제(司祭). 주교가 임명하는데, 소속 본당 사제들의 생활과 직무 집행 및 교회 재산을 감독하는 일을 맡음.

지구-적【持久的】[명][관] 오래 견디는 모양. 오래 견디어 가는 모양.

지구-전【持久戰】[명] 결전(決戰)을 피하여 오랫 동안 끌어 가며 싸우는 싸움. 적의 쇠퇴 또는 아군의 구원병이 도착하기를 기다리거나 정치적 흥정의 수단으로 이용됨. 장기전(長期戰).

지구 전:기【地球電氣】[명] [terrestrial electricity]〖지구 물리〗지구의 전기 현상을 포함한 전기적 성질. 넓은 의미로는 공간 전기(空間電氣)까지 이름.

지구-조【地球照】[명]〖천〗지구 회조광(地球回照光).

지구 조석【地球潮汐】[명]〖지〗달이나 태양의 인력, 곧 조석력(潮汐力)에 의해 고체인 지구가 변형하는 현상.

지구 중심계【地球中心系】[명] 지구를 중심으로 한 우주계.

지구 중심설【地球中心說】[명]〖지〗지구가 정지하여 있고 모든 천체가 지구의 주위를 회전(回轉)하고 있다고 믿은 고대인 및 고대 천문학자의 설. 특히, 톨레미(Ptolemy)의 저서 ≪알마게스트(Almagest)≫에 설명된 이 천동설(天動說)이 16세기의 코페르니쿠스 시대까지 천 년 이상이나 사람들에게 믿어졌었음. ↔태양 중심설.

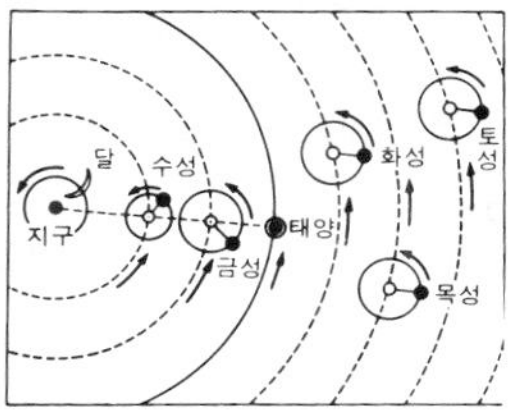

〈지구 중심설〉

지구지-계【持久之計】[명] 오래 끌고 갈 계교.

지구 진:동【地球振動】[명] [earth oscillation]〖물〗탄성체(彈性體)로서의 지구의 주기적인 변형(變形).

지구-촌【地球村】[명] [global village] 통신·교통 수단의 발달로 좁아져서 한 마을처럼 된 세계.

지구 타:원체【地球楕圓體】[명] 지구 물리학에서 사용하는 지구의 근사형의 하나로 지오이드(geoid)에 가장 가까운 회전 타원체.

지구-학【地球學】[명] [geognosy]〖지〗지구의 고체 부분을 전체로서 다루는 학문. 광물이나 암석의 산출 상태·기원, 그리고 이들에 관한 관계를 연구함.

지구 헌:장【地球憲章】[명] [Earth Charter] '리우(Rio) 선언(宣言)'의 딴이름.

지구형 행성【地球型行星】[명]〖천〗여덟 개의 행성(行星) 중, 화성(火星)보다 안쪽의 행성의 일컬음. 곧, 수성(水星)·금성(金星)·지구·화성(火星) 등 네 행성의 총칭. 모두 지구보다 반경·질량이 비슷하거나 작으며, 평균 밀도가 물의 4배 이상되게 큼. ↔목성형(木星型) 행성.

지구-호【地溝湖】[명]〖지〗단층호(斷層湖).

지구 화학【地球化學】 [명]〖화〗지구의 조성(組成) 및 각 원소의 분포 또는 이동에 관하여 연구하는 화학의 한 부문.

지구 화학적 윤회【地球化學的輪廻】 [명] [geochemical cycle]〖화〗지질학적 변화가 진행될 때, 암석권(岩石圈)·수권(水圈)·대기권(大氣圈)의 원(圓)을 원소가 차례차례 이동해 가는 일.

지구 화학적 이:상【地球化學的異常】[명] [geochemical anomaly]〖화〗암석(岩石)·토양(土壤)·식물(植物)·하천(河川) 및 침전물(沈澱物) 가운데의 화학 원소의 농도가 평균치를 넘는 일. 근처에 광상(鑛床)이 존재함을 나타냄.

지구 화학적 조사【地球化學的調査】 [명] [geochemical prospecting]〖공〗지구 화학적·생물 지구 화학적 이론과 데이터를 사용하여, 광물·원유·천연 가스의 경제적 매장량을 탐사하는 일.

지구 화학적 진:화【地球化學的進化】[명] [geochemical evolution]〖화〗①원래의 암석(岩石)에 존재했던 조성(組成)으로부터의 암석 조성의 변화. ②지질학적(地質學的)인 시간 규모로 지구의 주요 구성물(構成物)의 화학 조성(化學組成)이 변화하는 일. 해양 조성(海洋組成)의 변화는 한 예(例)임.

지구 환경【地球環境】[명] [terrestrial environment]〖물〗인공적·자연적인 지구 표면이나 지하의 현상. 또, 기권(氣圈)과 수권(水圈)과의 상호 작용.

지구 환경 자:금 제:도【地球環境資金制度】[명] [Global Environmental Facilities ; GEP] 지구 환경을 보호하기 위해 개발 도상국에 대한 자금 지원을 목적으로 1991년에 설립한 제도. 유엔 환경 계획(UNEP)과 유엔 개발 계획(UNDP)이 공동으로 관리하며, 융자 대상으로는, 이산화탄소의 억제, 국제 수역(水域) 오염의 방지, 생물 다양성의 보존, 오존층(ozone層) 보호의 4 분야임.

지구 회조광【地球回照光】[명]〖천〗음력 초하루 전후에 달이 지평선 가까이 보일 때 달의 암흑면이 희미하게 보이는 현상. 지구가 태양 광선을 반사하여 그 빛이 달을 비추기 때문에 일어남. 지구광(地球光). 지구조(地球照).

지국【支局】[명] 본사(本社)·본국(本局) 등의 관리하에 지방에 분재(分在)하여 업무를 취급하는 곳.

지-국사【知局事】[명]〖역〗↗지태사국사(知太史局事).

지국-장【支局長】[명] 지국(支局)의 업무를 주장(主掌)하는 사람.

지국-천【持國天】[명]〖불교〗①사천(四天)의 하나. 동방의 천국. ②↗지국천왕(持國天王).

지국천-왕【持國天王】[명] [범 Dhṛtarāṣtra]〖불교〗불법의 수호신. 사천왕(四天王)의 하나로 동방을 수호(守護)한다는 신. 붉은 몸에 천의(天衣)로 몸을 장식하고, 왼손에는 검(劍)을 들고 바른손에는 흔히 보주(寶珠)를 가지고 있음. [준]지국천.

〈지국천왕〉

지국총 [부]〈옛〉노 젓고 닻 감는 소리. ¶밤중만 지국총 소래에 이긋는 듯ᄒ여라 ≪古時調≫.

지국총 지국총 [감] 흥을 돋구기 위하여 내는, 어부가(漁夫歌)의 후렴의 한 종류.

지군【持軍】[명]〖역〗붉은 옷을 입고 탈과 화립(畫笠)을 쓴 나자(儺者)의 하나.

지군-사【知郡事】[명]〖역〗고려 시대에 지방의 행정 구역인 군의 으뜸 벼슬. 현종(顯宗) 9년(1018)에 두었음.

지궁【至窮】[명] 몹시 곤궁함. ——-하다 [형][여불]

지궁-스럽다 [형][ㅂ불] 치근거리는 느낌이 있다. ¶남은 화중이 나서 죽겠는데 그것은 왜 지궁스럽게 물어? ≪金敎濟 : 牧丹花≫. 지궁-스레 [부]

지궁 차:궁【至窮且窮】[명] 더할 수 없이 곤궁함. ——-하다 [형][여불]

지궁품 당상【知弓品堂上】[명]〖역〗조선 시대 때 군기시(軍器寺)에 바치는 활과 살을 받아들이는 일을 맡은 임시 벼슬.

지권[1]【地券】[명] 땅문서. 전권(田券).

지권[2]【地圈】[—꿘] [명] [geosphere]〖지〗기권(氣圈)·수권(水圈)을 제외한 지구의 고체 부분(固體部分).

지-권연【紙卷煙】[명] →지궐련.

지권-인【智拳印】[명]〖불교〗금강계(金剛界) 대일 여래(大日如來)의 인계(印契)로서, 왼손 둘째 가락을 뻗치어 세우고 오른손으로 그 첫째 마디를 쥠. 무지(無智)를 떨고 불지(佛智)에 들어갈 수 있다고 하여 이렇게 부름.

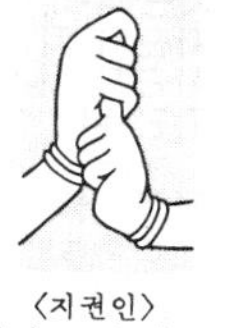
〈지권인〉

지-궐련【紙—】[명] [←지권연(紙卷煙)] 썬 담배를 얇은 종이로 만 것. 시거렛. ↔엽궐련.

【지궐련 마는 당지(唐紙)로 인경을 싸려 한다】㉠되지 않을 무리한 짓을 한다는 뜻. ㉡애써서 굳이 흠집을 감추려 하나 아무리 하여도 가리지 못한다는 뜻.

지궐련-갑【紙—匣】[—깝] [명] 지궐련을 넣어 봉한 종이 갑.

지귀【至貴】[명] 지극히 귀함. ——-하다 [형][여불]

지그[1] [프 gigue] [명]〖악〗8분의 3 또는 8분의 6 박자(拍子)의 빠른 무용곡(舞踊曲).

지그[2] [jig] [명] ①공작물(工作物)을 고정시키고 절삭 공구(切削工具)를 정확하게 대는 데 쓰이는 도구. ②비중 선광기(比重選鑛機)의 일종. 수중(水中)에서 광석을 상하로 흔들어 비중이 큰 입자(粒子)를 가라앉히고, 가벼운 것을 뜨게 하여 분리시키는 기계.

지그기 [부]〈옛〉지극히. ¶지그기 다ᄉ료믈(至理) ≪重杜諺 Ⅱ:35≫.

지그럭-거리다 [자] ①작은 일로 듣기 싫도록 승강하다. ②남이 듣기 싫도록 자꾸 불평을 말하다. 1)·2):쯔찌그럭거리다. >자그락거리다.

지그럭-지그럭 [부]. ¶언제는 의성 사는 김가라는 늙은 자가 와서 ~ 성가시게 묻더니…≪李海朝 : 花世界≫. ——-하다 [자][여불]

지그럭-대다 [자] 지그럭거리다. ¶이시찰이 지재지삼 ~가 골이 버럭 나서 술상을 드륵 밀어 놓으며…≪李海朝 : 花의 血≫.

지그럽다 [형]〈방〉가렵다(경상).

지그르르 [부] 거의 잦아진 물기나 기름기 등이 세게 끓으며 말라드는 소리. 쓰찌그르르. >자그르르. ——-하다 [자][여불]

지그리다 [타] 문을 지그시 닫다. 지치다.

지그몬디 [Zsigmondy, Richard] [명]〖사람〗오스트리아의 화학자·대학 교수. 금콜로이드(金 colloid)를 위시하여 각종 콜로이드 용액의 제법 및 그 성질을 연구하여 콜로이드 화학에 공헌하고, 또 한외(限外)·

현미경을 발명함. 1925년 노벨 화학상을 받았음. 주저(主著)에 ≪콜로이드 화학≫이 있음. [1865-1929]

지그미 명 〈방〉 비듬[1](경북).

지그-소 〔jigsaw〕 명 판자 등의 재료를 곡선형으로 도림질할 수 있는 전동 공구. 실톱.

지그시 부 ①슬그머니 누르거나 당기거나 밀거나 닫는 모양. ¶여자의 손을 ～ 당기다. ②눈을 슬그머니 감는 모양. 1)·2):＞ 자그시. ③어려운 것을 참고 견디는 모양. ¶아픔을 ～ 참다.

지그재그 〔zigzag〕 명 ①번개형. 제트 자형(Z字形). 갈짓자형. ¶～ 행진/～ 데모. ②스키·등산(登山)에서, Z자형 등반(登攀). Z자형 등로(登路). ③〖군〗Z자 호(壕). ④Z자형의 댄스 스텝.

지그재그 미싱 명 〔zigzag+machine〕 지그재그형으로 박을 수 있는 자동형 미싱. 자수나 사뜨기에도 응용됨.

지그재그 프리:즈 〔zigzag frieze〕 명 〖건〗 로마네스크 양식의 창·아치·문짝의 위 등에 흔히 사용되는 브이자형(V字形)을 연속시킨 것 같은 조각을 베푼 장식.

지그재그 항:행 【一航行】〔zigzag〕 명 함선이 뇌격(雷擊)이나 폭격을 피하기 위하여 진로(進路)를 제트자형(Z字形)으로 잡는 항법.

지극[1] 【至極】 명 구극(究極)에 이름. 더 없이 극진함. ¶효성이 ～하다. ——-하다 형여불. ——-히 부

지극[2] 【指極】 명 〔total span〕 양쪽 상지(上肢)를 좌우 수평으로 뻗은 상태로 잰, 좌우의 중지(中指) 끝 사이의 직선 거리.

지극[3] 【地極】 명 지축(地軸)의 양 끝인 남극과 북극.

지극[4] 부 〈옛〉 지극히. ¶지극 신긔혼 효험이 잇ᄂᆞ니라(極有神效也) ≪救簡 Ⅲ:33≫.

지극-성 【指極星】 명 〖천〗 북극이나 남극을 지향하는 별의 한 쌍(雙)을 일컬음. 예를 들면, 큰곰자리의 알파성(α星)과 베타성(β星). 이 두 별을 연결하여 그 거리의 다섯 배 정도를 알파의 방향으로 연장하면, 북극 또는 북극성에 도달함.

지근[1] 【支根】 명 〖식〗 원뿌리에서 갈라져 나간 뿌리. 받침뿌리.

지근[2] 【至近】 명 아주 가까움. ——-하다 형여불

지근[3] 【知根】 명 〖불교〗 각각 감각(感覺)을 가졌다 하여, 눈·코·귀·혀·몸의 오근(五根)을 이르는 말.

지근 거:리 【至近距離】 명 지극히 가까운 거리. 총포 등을 발사했을 때, 표적에 꼭 명중할 정도의 거리.

지근-거리다 ㊀ 자타 ①남이 싫어하도록 귀찮게 굴다. ②남이 귀찮아하도록 조르다. 1)·2):쓰찌근거리다. 쓰치근거리다. *집적거리다. ③어떤 물건을 약한 힘으로 연해 눌러 깨뜨리다. ④가볍게 여러 번 씹다. 1)-4):＞자근거리다. ㊁ 자 머리가 쑤시고 아프다. **지근-지근** 부. ¶… 붓을 잡아 난초를 그려서 그것을 팔아 달라고 각 대관의 집을 ～ 찾아 다니는 것이었다≪金東仁 : 雲峴宮의 봄≫. ——-하다 자타여불

지근-대다 자타 지근거리다.

지근덕-거리다 자타 몹시 끈덕지게 지근거리다. 쓰찌근덕거리다. 쓰치근덕거리다. ＞자근덕거리다. **지근덕-지근덕** 부. ——-하다 자타여불

지근덕-대다 자타 지근덕거리다.

지근지-지 【至近之地】 명 지근지처(至近之處).

지근지-처 【至近之處】 명 아주 가까운 곳. 지근지지(至近之地).

지근-탄 【至近彈】 명 〖군〗 ①지근 거리(至近距離)에 떨어지는 탄환. ②지근 거리에서 발사된 탄환.

지글-거리다 자 ①적은 물이나 기름기가 타는 듯이 계속하여 소리를 내면서 끓다. ②무슨 일에 걱정이 되어 마음을 몹시 졸이다. 1)·2): 쓰찌글거리다. ＞자글거리다. **지글-지글** 부. ¶찌개가 ～ 끓다. ——-하다 자여불

지글-대다 자 지글거리다.

지금[1] 명 〈방〉 비듬[1](경북).

지금[2] 【只今】 ㊀ 명 이제. 시방(時方). 금시(今時). 현시(現時). 현하(現下). 당금(當今). ㊁ 부 이제. 바로 이제. 이제 곧. 금시(今時). 당금(當今). ¶～ 당장.

지금[3] 【地金】 명 ①제품하거나 세공하지 않은 황금. ②화폐·그릇 등의 바탕의 금속. ③도금(鍍金)한 바탕의 금속.

지금[4] 【地錦】 명 〖식〗 ①땅빈대. ②담쟁이덩굴.

지금[5] 【至今】 명 ↗지우금(至于今).

지금-거리다 자 음식에 섞인 잔 모래가 자꾸 씹히다. ¶밥이 ～. 쓰지끔거리다. ＞자금거리다. **지금-지금** 부. ——-하다 자여불

지금-까지 【只今一】 부 바로 이 시각에 이르기까지. 여태까지. ¶～ 어디에 있었나.

지금-껏 【只今一】 부 여태까지. ¶～ 한 번도 본 적이 없다.

지금-대다 자 지금거리다.

지금-현:재 【只今現在】 명부 바로 지금. 시방(時方). 바로 이제.

지급[1] 【支給】 명 ①지출(支出)하여 급여(給與)함. 몫지어 내어 줌. ¶여비 ～. ②〖법〗 채무의 변제(辨濟)로서 금전·어음 등을 급부(給付)함. ——-하다 타여불

지급[2] 【至急】 명 ①매우 급함. 심급(甚急). 절급(切急). ②↗지급 전보. ③↗지급 전화. ——-하다 형여불. ——-히 부

지급 거:절 【支給拒絕】 명 〖법〗 지급 제시(支給提示) 기간 안에 어음 또는 수표의 소지인(所持人)이 인수인(引受人)·지급인 또는 지급 담당자에 대하여 지급 제시를 하고 지급을 청구(請求)했는데도, 어음 금액 또는 수표(手票) 금액의 전부 또는 일부의 지급이 거절된 경우. 배서인(背書人)·발행인 기타의 어음·수표의 채무자에 대한 만기(滿期) 후의 소급 원인(遡及原因)이 됨.

지급 거:절 증서 【支給拒絕證書】 명 〖법〗 어음 또는 수표 금액(手票金額)의 지급이 거절된 것을 증명(證明)하기 위해 작성(作成)하는 거절 증서의 하나.

지급 계:획 【支給計劃】 명 예산에 의거하여 현금의 지급이나 국고 안에서의 이환(移換)을 사분기(四分期)마다 설정하는 계획.

지급-금 【支給金】 명 지급된 금액.

지급-기 【支給期】 명 지급을 해야 할 시기.

지급 기일 【支給期日】 명 ①지급을 해야 할 기일. ②〖법〗 어음면에 기재된 금액 지급의 만기.

지급 기한 【支給期限】 명 지급을 해야 할 기한.

지급 명:령 【支給命令】 〔一녕〕 명 〔도 Zahlungsbefehl〕 〖법〗 금전 기타의 대체물 또는 유가 증권의 일정 수량의 급부를 목적으로 하는 청구에 관하여, 채권자의 일방적 신청이 있으면 채무자를 심문(審問)하지 아니하고 채무자에게 그 지급을 명령하는 재판(裁判). 이에 대하여 채무자로부터 2주일 이내에 이의(異議)가 제출되지 아니하면 채권자의 신청에 의하여 가집행(假執行) 선언을 할 수 있으며, 이의가 있을 때는 이 명령은 효력(効力)을 잃게 됨.

지급 보증 【支給保證】 명 〖법〗 ①제시 기간(提示期間) 안에 수표가 제시될 것을 조건으로 하여 그 지급 의무를 부담하는 것을 목적으로 하는 지급인의 행위. ②수출을 촉진하기 위하여 금융 기관이 수출 업자의 장래에 발생될 채무 중 재무부 장관이 정하는 채무에 대하여 그 지급을 보증하는 것. ㊟지보(支保).

지급 보증 수표 【支給保證手票】 명 〖경〗 보증 수표❷.

지급 불능 【支給不能】 〔一릉〕 명 〔insolvency〕 〖법〗 채무자가 금전을 갖지 아니하고 또 가까운 장래에 그것을 조달할 가망이 없으며, 이로 인하여 이미 이행기(履行期)에 있고, 또한 청구(請求)를 받고 있는 채무의 전부 또는 그 중요한 부분을 지급할 수 없는 상태. 전형적인 파산 원인(破産原因)임.

지급 비:금 【支給備金】 명 보험 회사가 결산일에, 보험금·환급금(還給金)·보험 계약 배당금으로서 미지급(未支給)된 것과, 금액이 미확정된 것에 대한 지급에 충당키 위해 유보(留保)하는 준비금.

지급 승낙 【支給承諾】 명 〖경〗 은행이 어음의 인수, 신용장의 발행, 사채(社債)의 보증 등에 의하여, 타인을 위하여 지급을 승낙한 경우의 채무 정리의 계정 과목(計定科目).

지급-액 【支給額】 명 지급하는 금전의 액수.

지급 어음 【支給一】 명 〔bills payable〕 〖경〗 부기 상(簿記上)에서, 당방에 직접적으로 지급 채무가 있는 어음. ↔받을 어음.

지급 위탁 【支給委託】 명 어떤 사람이 금전의 지급을 남에게 위탁하는 일. 환어음·수표는 이 형식에 의한 증권임.

지급 유예 【支給猶豫】 〔一뉴一〕 명 〔moratorium〕 〖법〗 전쟁·지진·대화재 등으로 경제 사정이 비상 긴급하여 채무자의 파탄이 경제계에 큰 타격을 줄 것으로 예상될 때, 법령으로 특히 일정 기간 금전의 대차 수수(貸借授受)를 연기하는 조처. 전반적인 채무 지급을 유예하는 일반 지급 유예(一般支給猶豫)와 어떤 특정의 채무 지급에 한하여 유예하는 특별 지급 유예가 있음.

지급 유예령 【支給猶豫令】 〔一뉴一〕 명 〖법〗 지급 유예의 행정 명령(行政命令).

지급-인 【支給人】 명 ①금전의 지급을 하는 사람. ②〔drawee〕 〖법〗 어음 금액 또는 수표 금액을 지급하여야 할 사람으로서 발행인에 의하여 지정(指定)된 사람.

지급 인도 【支給引渡】 명 〖경〗 디 피(D.P.).

지급 장소 【支給場所】 명 〖법〗 어음 또는 수표의 지급을 하여야 할 곳으로서 증권면(證券面)에 지정된 장소. 보통은 은행임.

지급-전 【至急電】 명 ↗지급 전보(至急電報).

지급 전:보 【至急電報】 명 특별 취급 전보의 한 가지. 통상(通常) 전보보다 우선적으로 송신(送信)이 되며 통상 요금보다 비쌈. ㊟지급(至急)·지급전.

지급 전:화 【至急電話】 명 장거리(長距離) 전화 등에서 통상(通常) 전화 요금보다 고액(高額)의 요금을 지불하고, 우선적으로 통화를 하는 전화. ㊟지급(至急).

지급 정지 【支給停止】 명 〖법〗 채무자가 지급 불능(支給不能)이 되었음을 스스로 표시하는 행위. 이는 지급 불능으로 추정(推定)되며 파산 원인(破産原因)의 하나임.

지급 제시 【支給提示】 명 〔presentation for payment〕 〖법〗 어음·환어음 또는 수표의 소지인(所持人)이 어음·수표를 지급인·인수인 또는 지급 담당자에게 제시하여 지급을 청구하는 행위.

지급 준:비금 【支給準備金】 명 〖경〗 ①예금(預金) 지급의 준비에 충당(充當)하는 자금. 은행 준비금. ②중앙 은행(中央銀行)의 화폐 발행(貨幣發行)에 대한 정화(正貨) 준비금.

지급 준:비율 【支給準備率】 명 예금액(預金額)에 대한 지급 준비금의 일정(一定)한 비율.

지급 준:비율 법정 제:도 【支給準備率法定制度】 명 〖경〗 지급 준비금의 예금 총액에 대한 비율을 법률에 의해서 강제적으로 규제(規制)하는 제도. 이 제도에 의하면 지급 준비금을 중앙 은행에 강제적으로 예탁(預託)시킴.

지급 준:비율 정책 【支給準備率政策】 명 〖경〗 일반 은행은 자기의 예금에 대한 일정한 비율의 지급 준비금을 중앙 은행에 예치하도록 규정하고 있는데, 중앙 은행은 이 지급 준비율을 올리거나 낮춤으로써 일반 은행의 통화량을 조절하는 정책.

지급 준:비 적립금 제:도 【支給準備積立金制度】 〔一닙一〕 명 〖경〗 시중 은행이 예금자에 대한 불시 지출을 위하여 총예금액에 대한 일정

금액을 지급 준비금으로서 적립해 두는 제도.

지급 증권【支給證券】[—뀐] [명]〖법〗금전 채무의 변제(辨濟)에 있어서 금전에 갈음하여 지급할 수 있는 유가 증권. 금전의 인도와 법률상 동일한 효력을 발생시킴. 일람 출급(一覽出給) 어음·수표 같은 것.

지급 증서【支給證書】[명]〖법〗증서의 분실 또는 훼손으로 그 증서의 효력이 상실된 경우에 그 증서에 갈음하여 발행된 것.

지급-지【支給地】[명]〔place of payment〕〖법〗어음 또는 수표의 금액을 지급해야 할 곳.

지급 초과【支給超過】[명]〖경〗국고(國庫)와 민간과의 돈의 수급 관계(需給關係)에 있어서, 정부가 민간으로부터 받아들이는 돈보다 민간에 지급하는 돈이 많은 경우를 말함.

지급-품【支給品】[명] 지급하는 물품.

지급필 통지【支給畢通知】[명]〖법〗송금인(送金人)의 신청에 따라 지급 우체국에서 수취인(受取人)의 환금액을 수령한 증명을 송금인에게 통지하는 일.

지긋 [부] 가볍게 지그시.

지긋-이 [부] 지긋하게.

지긋-지긋[1] [부] ①오래 참고 견디는 모양. ②자꾸 지그시 밀거나 당기거나 누르거나 닫는 모양. >자긋자긋.

지긋-지긋[2] [부] 지긋지긋한 모양. 지긋지긋하게. ¶~ 따라다니는 가난.

지긋지긋-이 [부] 지긋지긋하게.

지긋지긋-하다 [형][여불] ①보기에 몹시 잔인(殘忍)하거나 야속하여 몸서리가 쳐질 만하다. ②몹시 싫거나 괴롭거나 귀찮아 넌더리가 날 만하다. ¶비도 지긋지긋하게 온다. 1)·2):<자긋자긋하다.

지긋-하다 [형][여불] 나이가 비교적 많다. ¶나이가 지긋한 신사.

지기[1] [명] 사지(四肢). 활개. 기운.

지기(를) 펴다 [구] 기(를) 펴다. ¶마음껏 지기를 펴지 못하고 살아간다.

지기[2] [명]〈방〉제기(전라·황해).

지기[3]【支機】[명] '지게'의 취음(取音).

지기[4]【地祇】[명] ①땅의 신령(神靈). ②〖역〗사전(祀典)에서 사직(社稷)을 가리키는 말. 중춘(仲春) 및 중추(仲秋)의 첫째 무일(戊日)과 납향(臘享)에 제향(祭享)을 올림.

지기[5]【地氣】[명] ①토양(土壤) 중의 공기. 산소가 적고 탄산(炭酸)이 많음. ②땅의 눅눅한 기운. ③대지의 정기(精氣).

지기[6]【至氣】[명]〖천도교〗우주의 근본적 실재(根本的實在)인 '한울님'의 원기(元氣). 이것이 안으로 만물의 영(靈)이 되고, 밖으로 만물의 형상이 되어 어느 일에든지 간섭하지 않음이 없고, 어느 일에든지 명령하지 않음이 없어서 천도교의 물심 일체(物心一體)라는 교리(敎理)의 근본이 됨.

지기[7]【志氣】[명] 의지와 기개. 어떤 일을 이룩하려는 의기. 지개(志槪). ¶애국의 ~.

지기를 뜨다 [구] 수단을 써서 남의 속마음을 넌지시 알아보다.

지기[8]【知己】[명] ①↗지기지우(知己之友). ②서로 아는 사람. 지인(知人). ③자기 스스로를 앎. ¶지피(知彼) ~.

지기[9]【知機】[명] 기미(機微)를 알아차림. ——-하다 [자][여불]

지기[10]【紙器】[명] 종이로 만든 그릇. 종이컵·마분지 상자 따위. ¶~ 인쇄(印刷).

-지기[1] [미] ①곡식의 씨를 뿌리는 분량(分量)에 따라 땅의 넓이를 나타내는 말. ¶두 섬~. ②몇몇 명사(名詞)의 어간에 붙어 '논'의 뜻을 나타냄. ¶봉천(奉天)~/천둥~.

-지기[2] [미] 어떤 명사 아래에 붙어 그 사물을 지키는 사람을 뜻하는 말. ¶문~/창고~.

지기 도타【知機逃躱】[명] 범죄자가 기미(機微)를 미리 알고 달아남. ——-하다 [자][여불]

지기-럽다 [형]〈방〉지긋지긋하다.

지기-류【紙器類】[명] 종이·판지(板紙) 등으로 만든 그릇붙이.

지기미 [명]〈방〉비듬[1](전라·경상).

지기 상합【志氣相合】[명] 두 사람이 지기가 서로 맞음. 지기 투합(志氣投合). ——-하다 [자][여불]

지기-석【支機石】[명] 직녀(織女)가 베틀이 움직이지 않도록 받쳤다고 전해지는 돌.

지기스문트〔Sigismund〕[명]〖사람〗신성 로마 제국 황제. 1414-18년의 콘스탄스 종교 회의(宗敎會議)를 소집(召集)하여 교회 대분열(敎會大分裂)을 종식(終熄)시킴. 천재적(天才的) 외교가로 일컬어짐. [1366-1437; 재위 1411-37]

지기스문트 일세【——世】〔Sigismund I〕[—쎄] [명]〖사람〗폴란드왕(王). 오랫 동안 러시아와 싸움. 또, 종교 혁명의 보급에 관대하고, 학예의 융성에 진력함. [1467-1548; 재위 1506-48]

지기-없:다 [형]〈방〉지긋지긋하다.

지기일 미:지기이【知其一未知其二】[명] 하나만 알고 둘을 모른다는 뜻으로, 이면(裡面)의 사리(事理)나 내면(內面)의 이치(理致)를 모름을 이르는 말.

지기 일원론【至氣一元論】[—논] [명]〖천도교〗천도교의 우주관. 천지의 근본은 물질도 영(靈)도 아니고, 지기(至氣)의 전능력으로 발생·진화하여 현상계(現象界)에 와서는 두 방면으로 진화되어 안으로는 영적 방면이 되고, 밖으로는 물질적 방면이 되었다는 교론(敎論).

지기 지심【知己知心】[명] 서로 마음이 통하여 지극하고 참되게 알아줌. 또, 알아주는 마음.

지기지-우【知己之友】[명] 서로 마음이 통하는 벗. [준]지기(知己).

지기 투합【志氣投合】[명] 지기 상합(志氣相合).

지긴 지요【至緊至要】[명] 매우 긴요함. ——-하다 [형][여불]

지김 [명]〈방〉비듬[1](경북).

지깅이 [명]〈방〉겨(경남).

지까락 [명]〈방〉젓가락(경남).

지까치 [명]〈방〉젓가락(경상).

지깨-게: [명]〈방〉〖동〗집게게.

지꺼부레기 [명]〈방〉쓰레기.

지꺼분-하다 [형][여불] ①눈이 깨끗하지 못하고 흐릿하다. ②물건이 어수선하여 난잡하다.

지껄 [명]〈방〉부스럼(전북).

지껄-거리다 [자] 자꾸 지껄이다. >재깔거리다. **지껄-지껄** [부]. ——-하다 [자][여불]

지껄-대다 [자] 지껄거리다.

지껄-이다 [자] 약간 언성을 높여 이야기하다. >재깔이다.

지껄-하다 [형][여불] 지껄이는 소리로 시끄럽다. ¶왁자~. >재깔하다.

지껌불 [명]〈방〉검불(전북).

지께 [명]〈방〉집게.

지께-벌레 [명]〈방〉〖충〗①집게벌레. ②사슴벌레.

지꼬리 [명]〈방〉지게꼬리.

지꾸 [명]〔←cosmetic〕코즈메틱(cosmetic)❸.

지꾸락 [명]〈방〉젓가락(전남).

지꼬락 [명]〈방〉젓가락(전남).

지끈 [부] 단단한 물건이 단박에 깨지거나 부러지는 소리. >자끈. ——-하다 [자][여불]

지끈-거리다 [자] ①여러 개가 모두 지끈 소리를 내며 깨지거나 부러지다. ②머리·몸 등이 쑤시고 아프다. ¶온몸이 지끈거리고 아프다. >자끈거리다. **지끈-지끈** [부]. ——-하다 [자][여불]

지끈-대다 [자] 지끈거리다.

지끈둥 [부] '지끈'을 힘 있게 이르는 말. >자끈둥.

지끔 [명]〈방〉지킴.

지끔-거리다 [자] 음식에 섞인 잔 모래가 자꾸 씹히다. ㅅ지금거리다. **지끔-지끔** [부]. ——-하다 [자][여불]

지끔-대다 [자] 지끔거리다.

지나【支那·至那·脂那】[명]〖지〗〔진(秦)의 와전(訛轉)〕'중국(中國)'의 딴이름. 차이나.

지나-가다 [자][거라불] ①한 곳에서 다른 곳으로 옮겨 가다. ②어떤 길을 통과하다. ¶동대문 옆을 지나가는 길. ③들르지 아니하고 내쳐 가다. ¶문앞을 ~. ④세월이 가다. ¶지나간 세월. ⑤어떤 사물(事物)이 수량·정도의 수준을 넘어가다. ¶기한이 ~. ⑥어떤 현상이 생겼다가 사라지다. ¶불길한 예감이 번갯불처럼 휙 지나갔다.

【지나가는 달팽이도 밟아야 꿈틀거린다】가만히 있는 사람도 건드리면 대든다는 뜻. 【지나가는 불에 밥 먹히기】우연한 기회를 잡아 아주 잘 이용한다는 뜻.

지나가는 말:로 [구] 다른 말을 하는 김에 예사로운 기분으로. 지나는 말로.

지나-교【耆那敎】[명]〖종〗자이나교(敎).

지나다 [자][타]〔중세: 디나다〕①다른 어떤 곳으로 옮겨 가다. ¶지나는 길에 들렀다. ②어떤 곳을 통과하다. ¶학교 앞을 ~. ③시간이 흐르다. 과거가 되다. ¶10년이 지나서/지난 봄/청년기를 ~. ④어떤 사물의 수량·정도·한도를 넘다. ¶기한이 ~.

지나는 말:로 [구] 지나가는 말로.

지나지 아니하다 [구] 불과하다. ¶그건 핑계에 지나지 않는다.

지나-다니다 [타] 지나서 오고 가고 하다.

지나라미 [명]〈방〉지느러미.

지나 사:변【支那事變】[명] '중일 전쟁(中日戰爭)'을 일본(日本)에서 일컫던 말.

지나-새나 [부] 밤낮의 구별 없이. 항상. *자나 깨나.

지나-어【支那語】[명] 중국어.

지나-오다 [타][너라불] ①어떤 곳을 들르지 않고 바로 오다. ②무슨 일을 겪어 오다. ¶지나온 일을 생각하다.

지나-인【支那人】[명] 중국인.

지나치다 [자][타] ①표준이 될 만한 정도를 넘다. ¶지나친 욕심. ②말이나 행동이 거칠고 과격하다. ¶언동이 ~. ③지나가거나 지나오다. ¶극장 앞을 ~.

지나 티베트 어:족【支那—語族】〔Tibet〕[명] 시노티베트 어족.

지나-학【支那學】[명]〔sinology〕〖문〗'중국학(中國學)'의 구칭.

지낙 [명]〈방〉저녁(황해·함경).

지난[1]【至難】[명] 지극히 어려움. 심난(甚難). ¶~한 과제(課題). ——-하다 [형][여불]

지난[2]【持難】[명] 일을 과단성(果斷性) 있게 처리하지 못하고 미루기만 함. ——-하다 [자][타][여불]

지난[3]〔濟南〕[명]〖지〗중국 산둥 성(山東省)의 성도(省都). 진푸(津浦)·자오지(膠濟) 두 철도의 교점(交點)이며, 황허(黃河) 강의 삼각주(三角洲)와 둥산(東山)과의 경계선 가까이에 위치함. 1904년에 개부(開埠)했음. 고래로 정치·군사·교통·상업 상의 요지이며, 방적·제분·성냥·시멘트 등의 공업이 성함. 다밍 호(大明湖) 등의 명승(名勝)이 있음. 제남. [3,246,000(1982)]

지난 가을 [명] 지난해의 가을. 객추(客秋). 거추(去秋). 작추(昨秋).

지난 겨울 [명] 지난해의 겨울. 객동(客冬). 거동(去冬). 작동(昨冬).

지난-날 [명] ①이미 지나 버린 오늘 이전의 날. ②그리 멀지 않은 과거의 어느 무렵. ③과거. ¶~의 추억.

지난-달 명 이 달의 바로 전 달. 전달. 객월(客月). 거월(去月). 작월(昨月). 전삭(前朔). 전월(前月). ＊간달.

지난-밤 명 어젯밤. 간밤. 작야(昨夜).

지난-번【一番】명 요전의 그 때. 먼젓번. 거번(去番). 거반(去般). 왕자(往者). 전번(前番). 전자(前者).

지난-봄 명 지난해의 봄. 객춘(客春). 거춘(去春). 작춘(昨春). ＊간봄.

지난 사:건【一事件】〔중 濟南〕〔一껀〕명『역』1928 년 5 월 중국 국민혁명군(國民革命軍)이 산둥 성(山東省)으로 북상(北上)했을 때, 재류 일본인 보호를 핑계로 출병(出兵)하고 있던 일본군이 지난을 점령하여 중국군과 무력 충돌한 사건. 제남 사건.

지난 여름 〔一녀一〕명 지난해의 여름. 객하(客夏). 거하(去夏). 작하「(昨夏).

지난-적 명〈방〉지난번.

지난-주【一週】명 이 주(週)의 바로 앞의 주(週). 작주(昨週). 전주(前週).

지난-해 명 이 해의 바로 전 해. 거년(去年). 전해. 상년(上年). 석년(昔年). 작년(昨年). ＊전년·간해.

지날-결 〔一껼〕명 지나가는 길이나 편. 과차(過次). ¶ ~에 잠깐 들렀습니다.

지남【指南】명 ①남쪽을 가리킴. ②가리켜 지시함. 교수함. ——하다「타여불

지-남극【指南極】명 자석(磁石)의 음극(陰極)을 이름.

지-남다 〔一따〕자 먼동이 튼 뒤에 달이나 별이 서쪽 하늘에 지면서 남아 있다. ¶지남은 반달이 서녘 하늘에 하얗게 걸려 있다.

지남-석【指南石】명『물』지남철(指南鐵)❶.

지남석의 날바늘 구 틀림없이 한 곳으로만 돌아가서 멎는 것을 이르는 말.

지남셕 명〈옛〉지남석. ¶지남셕(磁石)≪救簡 Ⅲ:30, 四聲 上 13≫.

지남-음【一音】명〔passing note〕『악』음악의 가락 중에서 화성적(和聲的)으로 중요하지 않은 음이나 또는 장식음. 곧, 화성을 구성하는 음과 음 사이를 지나는 음. 경과음(經過音).「여불

지남-지북【之南之北】명 남쪽으로 가고 북쪽으로도 감. ——하다 자

지남-차【指南車】명 ①중국 고대의 일종의 수레. 수레 위에 신선의 목상(木像)을 얹고, 그 손의 손가락이 늘 남쪽을 가리키게 만든 수레. 자침(磁針)을 응용한 것이라고도 함. 황제(黃帝)가 치우(蚩尤)와 탁록(涿鹿)의 벌판에서 싸우면서 짙은 안개를 만나 이것을 만들어서 병사에게 방향을 가리켰다고 하며, 또 주(周)나라 초기에 월상씨(越裳氏)의 사자가 내공(來貢)하였다가 귀로를 잃었으므로 주공(周公)이 이것을 주어 돌려보냈다고도 함. ②진행(進行)해 나가는 데 모범이 되는 사물.

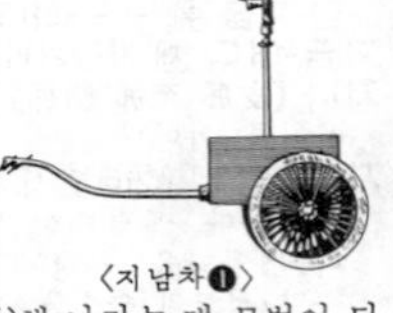

〈지남차❶〉

지남-철【指南鐵】명『물』①자석(磁石)❷. ②지남침(指南針).

지남-침【指南針】명 자침(磁針).

지낭【智囊】명 지혜가 풍부한 사람.

지내【地內】명 한 구역의 토지 안.

지:내다[1] 一자 ①살아 가다. ¶별고 없이 ~. ②서로 사귀어 가다. ¶그와 정답게 ~. 二타 ①어떤 직위에 있어 그 일을 겪다. ¶공무원을 지낸 사람. ②혼인(婚姻)·제사(祭祀) 등 관혼 상제(冠婚喪祭)를 치르다. ¶시제를 장사 ~.

지내다[2] 타〈옛〉져 내다. 운반해 내다. ¶창 안해셔 지녈 삭 주뎌(與他小脚兒錢)≪朴解 上 12≫.

지:내 듣다 타ㄷ불 무슨 말이나 소리를 주의하지 않고 대수롭지 않게 듣다. ¶귓결에 ~.

지-내력【地耐力】명 ①어떤 목적으로 쓰이는 토지가 그 용도에 견디는 능력. ②구조물(構造物)을 지탱하는 지반(地盤)의 세기 또는 그 한도. t/m²로 나타냄.

지:내-보다 타 ①서로 사귀어 겪어 보다. ②어떤 일을 겪어 보다. ③어떤 사물을 주의하지 않고 건성으로 보다.

지-내시부사【知內侍府事】명『역』①고려 때 내시부(內侍府)의 정삼품 벼슬. 동판내시부사(同判內侍府事)의 다음으로 공민왕(恭愍王) 때에 정함. ②조선 시대 초의 내시부의 한 벼슬. 동판내시부사의 다음. ＊지사(知事)❸.

지냉-비 명〈방〉이슬비(함남).

지냉이 명〈방〉『동』지네(제주).

지냑 명〈방〉저녁(강원).

지너미 명〈방〉지느러미.

지넉 명〈방〉저녁(경상).

지네[1] 명『동』지넷과에 속하는 절지 동물의 총칭. 몸은 긴 통형이고, 12 cm 가량으로 가늘고 길며 두부(頭部)에 계속된 흉복부(胸腹部)는 다수의 동규적(同規的)인 환절(環節)을 이루고 각 동절(胴節)에는 좌우로 한 쌍의 보각(步脚)이 있음. 제일절만은 턱의 일부로 변했으며 독구(毒鉤)로 변하여 심한 독(毒)을 가진 것도 있음. 보각수는 15-23 쌍인데, 31-173 쌍도 있음. 촉각은 한 쌍으로, 여러 마디로서 털이 없고 단단하고 길. 눈은 없음. 몸빛은 두부와 복면(腹面)이 황록색이고 배면(背面)은 대록암색임. 인가(人家) 근처, 썩은 나무 밑, 음지(陰地) 등에 숨어서 작은 곤충을 잡아먹고 사는데 한의(韓醫)에서 자상(刺傷)이나 화상(火傷)의 묘약(妙藥)으로 사용하며 기름에 담그어 보존(保存)하기도 함. 전세계에 2천여 종이 분포(分布)함. 천룡(天龍). 오공(蜈蚣). 토충(土蟲). ＊개지네·그리마.

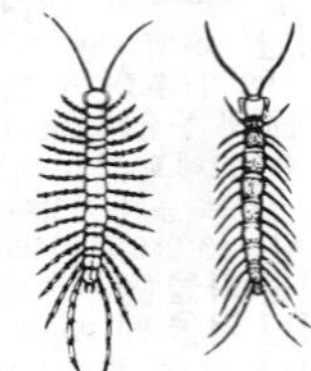

〈지네[1]〉

〔지네 발에 신 신긴다〕그 많은 지네의 발에 신을 다 신기려면 힘이 들 듯이, 자식이 많은 사람이 힘이 듦을 이르는 말.

지네[2] 명〈옛〉지느러미. 갈기. ¶지네 기(鬐)≪字會 下 9≫.

지네-강【一綱】명『동』〔Chilopoda〕절지 동물(節肢動物)에 속하는 한 강(綱). 몸은 머리와 몸통으로 구분되며, 몸통은 많은 체절(體節)로 되어 있음. 각 체절마다 한 쌍의 다리가 있고 머리에 한 쌍의 촉각이 있음. 육식성(肉食性)임. 순각류(脣脚類). ＊다지류(多肢類).

지네-고사리 명『식』〔*Lastrea japonica*〕고리고사릿과에 속하는 다년생 양치류(羊齒類). 잎은 근경(根莖)에서 총생하고, 잎자루는 침선상(針線狀)으로 길이 15-40 cm 정도이며, 적갈색 또는 담갈색임. 엽면(葉面)은 막질(膜質)로 긴 난상(卵狀) 타원형 또는 삼각형이며, 단우상 복생(單羽狀複生)하는데 우편(羽片)은 피침형임. 작은 우편(羽片)의 기각(基脚) 두 쪽에 자낭군(子囊群)이 붙어서, 두 끝이 서로 붙은 구월형(鉤月形)의 피막(被膜)이 있고 회록색임. 산지의 나무 그늘에 나는데, 한국 중부 이남에 분포함.

〈지네고사리〉

지네-발 명 연이나 깃발·농기(農旗) 따위의 가장자리에 너슬너슬하게 오려 붙인 것.

지네발-연【一鳶】〔一련〕명 길다란 지네발을 가장자리에 두른 연.

지네-철【一鐵】명『건』박공의 두 쪽을 마주 대는 이의 짬에 걸쳐박는 지네 모양으로 생긴 쇳조각. 오공철(蜈蚣鐵).

지넹이 명〈방〉『동』지네(제주).

지녁[1] 명〈방〉징역(懲役)(경기·충청·경상).

지녁[2] 명〈방〉저녁(경상·강원).

지념-종【持念宗】명『불교』총지종(總持宗).

지-노【紙一】명 종이로 꼰 노끈. 지승(紙繩). 연지(撚紙).

지노귀【一鬼】명『민』↗지노귀새남. 취음:지로귀(指路鬼)·진호귀(陳胡鬼).

지노귀-굿【一鬼一】명『민』죽은 사람의 넋을 극락이나 저승으로 천도(薦度)하는 굿. 서울을 비롯한 한강 이북의 경기 지방과 황해도 등지에서 강신무(降神巫)에 의해 전승됨. 본래, 죽은 지 13 일 만에 하는데, 사흘에 걸쳐서 하는 큰 규모의 것은 '지노귀새남'이라고 함.

지노귀-새남【一鬼一】명『민』죽은 사람의 혼령을 천도(薦度)시키는 굿. 죽은 지 사십구 일 안에 하는데, 흔히 칠칠재(七七齋)와 같이 하기도 함. 시왕 가름. 준새남·지노귀. 취음:지로귀산음(指路歸散陰).

지노비예프〔Zinoviev, Grigori Evseevich〕명『사람』소련의 정치가. 레닌(Lenin)을 도와 볼셰비키(Volsheviki)의 확립에 노력, 제3 인터내셔널(第三 International)의 의장을 지냈음. 1936년 모반(謀叛) 혐의로 처형됨. 〔1883-1936〕

지-농【紙籠】명 나무로 만든 몸체에 종이를 발라 꾸민 농장(籠欌). ＊지장(紙欌)·오동롱.

지눌【知訥】명『사람』'보조 국사(普照國師)'의 법호(法號).

지느러미 명〔중세 : 지네. 근대 : 지ᄂ롬이〕『동』어류(魚類)나 물에 사는 포유류(哺乳類)의 유영 기관(游泳器官). 연골(軟骨) 또는 경골(硬骨)의 지느러미 가시로 이루어진 납작한 막상(膜狀)의 기관(器官)으로, 보통 몸의 정중선(正中線) 위에 하나씩 있는 등지느러미·뒷지느러미·꼬리지느러미의 수직(垂直) 지느러미와 체측(體側)에 있어 쌍(雙)을 이루는 가슴지느러미·배지느러미의 수평 지느러미의 두 가지가 있음. 이 밖에 기름지느러미·머리지느러미 등이 있음. 분수(奔水).

지느러미-뼈 명『동』지느러미를 이루고 그 줄기가 되는 뼈.

지느러미-엉겅퀴 명『식』엉거시.

지느러미-오징어 명『동』〔*Thysanoteuthis rhombus*〕지느러미오징어과에 속하는 연체 동물의 하나. 몸통의 길이는 75 cm이고 폭은 몸통의 3분의 1이며 지느러미는 넓고 마름모꼴임. 긴 발의 배면(背面)에 용골무(龍骨畝)가 발달되었으며 맛이 없으므로 산업상 중요치 않음. 외양성(外洋性)이며 일본 및 지중해에 분포함.

지늑 명〈방〉저녁(경북).

-지-는 어미 어미 '-지'에 조사 '는'이 합쳐 '-지'의 뜻을 강조하는 말. ¶눈이 멀어 보이~ 않지만 귀는 밝다/잘 읽~ 못하지만. 준-진. ＊-지를.

지능【知能·智能】명 ①〔intelligence〕두뇌의 작용. ㉠생물체가 미지의 상태 또는 환경에 적응하는 능력 또는 이런 새로운 적응 반응의 형식을 창조하는 능력. ㉡계산이나 문장 작성 등 일반적으로 지적인 작업이라고 일컫는 일에서, 어느 정도로 성공하는가에 의해 정해지는 적응 능력. 이것은 측정할 수가 있는 것이어서 지능률(知能率) 등의 수치로 표기함. ②지혜와 재능.

지능 검:사【知能檢査】명〔intelligence test〕1905년 프랑스의 비네(Binet)가 고안한 정신 검사의 한 가지. 특수 지능 검사·일반 지능 검사로 구분하는데, 전자는 연상(聯想)·주의(注意)·상상·기억·추리(推理) 등의 특수 능력을 단독으로 측정하는 검사법이고, 후자는 특수 지능 검사를 적당히 선택(選擇)·종합하여 지능의 평균 수준을 결정하는 검사법임. 멘탈 테스트.

지능-권【知能權】〔一꿘〕명『법』저작권(著作權)·특허권(特許權) 등과 같이 사람의 지능적인 산출물(產出物)에 주어지는 권리. 무체 재산권(無體財產權).

지능 로봇【知能一】〔robot〕명 두뇌 작용을 하는 마이크로 컴퓨터를 장치하여 시각(視覺)과 촉각(觸覺)을 가지며, 생산 품종이나 공정(工程)의 변화에 대응한 동작을 하는 로봇. 부품의 조립을 하는 조립 로봇, 공장 안을 마음대로 돌아다니는 이동(移動) 로봇 등이 있음.

지능-률【知能率】〔一뉼〕명『교』지능 지수.

행정·지방 재정(地方財政)·지방 개발(地方開發)에 관하여 장관과 차관을 보좌하는 정무직 국가 공무원.

지방-형【地方型】명 〖생〗 동일 생물의 종(種)에 있어서의 형태 변이(變異)로 그 산지(産地)에 따라 일정한 특징을 갖추고 있는 것.

지방 회피【地方回避】명 〖역〗 중국의 구법제(舊法制)인 회피제의 한 가지. 관료(官僚)가 본적지나 기류지(寄留地) 같은 곳에 지방관(地方官)으로서 부임하는 일을 회피시키는 일. *친족 회피.

지배[1]【支配】명 ①아랫사람을 감독하고 사무를 정리함. ②다른 사람·집단·사물 등을 자기 의사대로 복종시켜 부림. ¶~ 계급/~자. ③외부 요인이 다른 사람의 생각이나 행위를 규제·속박함. ¶감정에 ~되다/조선 사회를 ~했던 유교 사상. ——-하다 타 여불

지배[2]【地排】명 〖불교〗 절의 도량(道場)을 청소하는 사람.

지배[3]【紙背】명 ①종이 뒤쪽. ②문장의 이면에 포함된 의의(意義).

지배[4]【遲配】명 규정된 기일보다 배급·배달·지급 등이 늦음. ¶우편물의 ~. ——-하다 타 여불

지배 개:입【支配介入】명 〖사〗 사용자측이 노동 조합의 결성·운영 등에 개입하거나 운영 경비 등을 지원하는 행위.

지배 계급【支配階級】명 〖사〗 정치·경제·사회적으로 지배적 세력을 가진 계급. ↔피지배 계급.

지배-권【支配權】[—꿘] 명 〖법〗 그 작용이 객체인 사물을 직접적으로 지배할 수 있는 권리. 청구권과 같이 권리의 목적인 이익을 향수(享受)하기 위하여 타인의 행위의 개입을 필요로 하지 않는 것이 특색임. 물권(物權)·무체 재산권(無體財産權) 등이 이에 속함.

지배 노동량【支配勞動量】[—냥] 명 〖경〗 노동 가치설에 있어서, 어느 상품(商品)이 지배하는 노동량, 즉 그 상품을 구입(購入)하는 데 필요한 노동량.

지배-력【支配力】명 지배하는 힘.

지-배사【地背斜】명 〖지〗 지구 표면에서 대규모의 지반(地盤) 융기(隆起)가 일어나서 조산(造山) 작용이 행하여지고 있는 지역. 흔히, 지향사(地向斜)의 부분이 이것으로 변함.

지배-인【支配人】명 〖법〗 ①상업 사용인(商業使用人)의 하나. 주인을 대신하여 주인의 영업에 관한 일체의 지시나 감독을 하는, 재판상(裁判上) 및 재판 외의 행위를 할 수 있는 권한을 가진 최고 책임자. ②본인의 위임을 받고 그 일을 지배하는 사람.

지배-자【支配者】명 지배하는 사람.

지배-적【支配的】명관 지배하는 상태. 지배되는 것. 우세한 모양. ¶~ 세력/승리할 것이라는 견해가 ~이다.

지배 주주【支配株主】명 (controlling shareholder) 〖경〗 주주 총회에서 의결권 행사를 통하여 회사의 주요 의사(意思) 결정 사항, 즉 경영권을 지배할 수 있는 대주주.

지배-층【支配層】명 지배 계급에 속하는 계층.

지배 회:사【支配會社】명 〖경〗 콘체른(Konzern)을 조직하고 있는 기업에 있어서, 다른 기업에 출자(出資)하여 그것을 지배하고 있는 회사. 순수한 지배 회사와 지배 회사 겸 사업(事業) 회사가 있음.

지뱅이 명 〈방〉 〖건〗 지방.

지벅-거리다 자 어둡거나 길이 험해서 발이 뜻대로 잘 놓여지질 않아 휘청거리며 걷다. ㅆ지뻑거리다·찌뻑거리다. 지벅-지벅 부. ——-하다 자 여불

지벅-대다 자 지벅거리다.

지번[1]【支煩】명 지리하고 번거로움. ——-하다 형 여불

지번[2]【地番】명 지적 공부(地籍公簿)에 등록하기 위해 토지의 한 필지(筆地)마다 붙인 번호.

지번-도【地番圖】명 어떤 지역 안에 있는 토지의 지번을 밝혀서 그린 도면.

지벌[1]【一罰】명 〖민〗 신불(神佛)을 잘못 건드려서 당하는 벌.
지벌(을) 입다 구 〖민〗 신불(神佛)에게 지벌을 당하다.

지-벌[2]【地閥】명 지위와 문벌.

지범-거리다 타 음식물 등을 치신없이 이것 저것 자꾸 집어 거두거나 먹다. 지범-지범 부. ——-하다 타 여불

지범-대다 타 지범거리다.

지법【地法】명 〖법〗 ↗지방 법원(地方法院).

지병 명 〈방〉 지붕(충남·전라).

지벙뗑 명 〈방〉 지붕(평안).

지베렐린 (gibberellin) 명 〖식〗 식물 호르몬(植物 hormone)의 한 가지. 1926년 일본의 구로사와 에이이치(黒沢英一)가 벼의 병균으로부터 발견한 것인데, 지베렐린 $A_1 \cdot A_2 \cdot A_3$ 외에 여러 가지가 알려짐. 고등 식물의 생장과 발아(發芽) 등을 촉진함.

지:벨 (Sybel, Heinrich von) 명 〖사람〗 독일의 역사가이자 정치가. 본(Bonn)·마르부르크(Marburg)·뮌헨(München) 대학 교수. 정치와 역사학의 결부(結付)를 강조하고 프로이센(Preussen) 중심의 독일 통일을 주장함. 프로이센 학파를 형성하였으며, 3월 혁명에 참가하여, 비스마르크(Bismarck)의 정책을 지지하고, 만년까지 정치적 활동을 계속하였음. 1859년 '사학 잡지(史學雜誌)'를 창간함. 주저(主著)에 ≪독일 제국의 건설≫이 있음. [1817-95]

지벽[1]【地僻】명 고장이 아주 궁벽함. ——-하다 형 여불

지벽[2]【紙壁】명 종이 벽.

지변[1]【支辨】명 채무를 변제(辨濟)하기 위하여 금전이나 물건을 지급함. ——-하다 타 여불

지변[2]【池邊】명 연못 가. 지반(池畔).

지변[3]【地變】명 〖지〗 ①땅의 변동. ②지각의 운동. 곧, 바다가 육지 깊이 침입하거나 또는 멀리 밖으로 물러나는 운동 및 화산의 분화(噴火)나 지진 등과 같은 것. ③지이(地異).

지변[4]【知辨·智辨】명 지혜(知慧)가 있어서 사물을 분별(分別)하는 능력(能力)이 있음.

지변사 재:상【知邊司宰相】명 〖역〗 조선 성종(成宗) 이후, 북방(北方) 야인(野人)에 대한 대책을 강구하게 하기 위하여 임명한 변방 사정에 밝은 종이품 이상의 문무관. *비변사(備邊司).

지병【持病】명 ①늘 앓으면서 고통을 당하는 병. 완치(完治)하기가 어려우며 때때로 더치는 병. 숙아(宿痾). 고질(痼疾). ②몸에 지니고 있으면서 쉬이 버리지 못하는 나쁜 버릇.

지-병마사【知兵馬使】명 〖역〗 고려 때 병마사(兵馬使)의 다음 가는 벼슬. 품질(品秩)은 삼품.

지보[1] 명 〈방〉 옥잠화(玉簪花).

지보[2]【支保】명 ①지탱하여 보존함. 지존(支存). ②↗지급 보증. ——-하다 타 여불

지보[3]【地步】명 자기가 있는 지위(地位)·입장(立場)·위치(位置). ¶확고한 ~를 차지하다.

지보[4]【至寶】명 지극히 진귀한 보배. 대보(大寶). ¶~적(的)인 존재.

지보-공【支保工】명 〖토〗 굴을 파고 그 둘레를 쌓기 전에, 토석(土石)의 무너짐을 방지하기 위하여 임시로 나무를 짜서 버티는 공사.

지복[1]【至福】명 그 위에 더없는 행복.

지복[2]【指腹】명 뱃속의 태아를 가리킴. *지복 위혼(爲婚). ——-하다 자 여불

지복[3]【祉福】명 행복. 복지(福祉).

지복 연인【指腹連姻】[—년—] 명 지복 위혼(指腹爲婚).

지복 위혼【指腹爲婚】명 아직 낳지도 않은 배 안에 들어 있는 아이를 미리 약혼(約婚)함. 지복 재금(指腹裁襟). *지복혼(指腹婚). ——-하다 타 여불

지복 재금【指腹裁襟】명 지복 위혼(指腹爲婚). *지복혼(指腹婚).

지복-재첩 명 〈방〉 〖조개〗 바지라기.

지복-조개 명 〈방〉 〖조개〗 바지라기.

지복지-맹【指腹之盟】명 지복지약.

지복지-약【指腹之約】명 [중국 후한(後漢)의 광무제(光武帝)가 가복(賈復)의 부인이 임신했음을 듣고 자기 아들과 결혼(結婚)시키자고 말한 고사(故事)에서] 뱃속 태아(胎兒)를 가리켜 결혼의 약속을 함. 지복지맹(指腹之盟).

지복 천년설【至福千年說】명 〖기독교〗 천년설.

지복 천번【地覆天飜】명 땅이 뒤집히고 하늘이 번드침. 나라가 망함.

지복-혼【指腹婚】명 [배를 손가락으로 가리키어 혼인을 약속한다는 뜻에서 유래] 잉태(孕胎)한 여자가 있는 두 집에서, 그 출생 전의 자식에 대하여 행하는 약혼. 그 기원은 1세기-3세기의 문헌에도 나타나 있음. 약혼한 증표로 적삼의 깃을 나누어 가졌다고 하여 할삼혼(割衫婚)이라고도 함.

지본【紙本】명 ①종이로 만든 바탕. ②종이에 쓴 글씨나 그린 그림.

지:볼트 (Siebold, Karl Theodor Ernst von) 명 〖사람〗 독일의 동물학자. 에를랑겐(Erlangen) 대학 교수 등을 거쳐 뮌헨 대학 교수. 주로 무척추 동물(無脊椎動物)의 비교 해부학(比較解剖學)을 연구함. 퀴비에(Cuvier)의 동물 분류법을 개혁하고, 절지 동물(節肢動物) 등의 새로운 문(門)을 창설함. 또, 기생충(寄生蟲)의 생활사(生活史) 등의 연구도 있음. [1804-85]

지봉[1] 명 〈방〉 지붕(전남·경상).

지봉[2]【支峰】명 주봉(主峰)에서 갈려 나간 봉우리.

지-봉[3]【池峰】명 〖지〗 경상 남도 거창군(居昌郡)과 전라 북도 무주군(茂朱郡) 사이에 있는 산. 소백 산맥에 속함. [1,302 m]

지봉[4]【芝峰】명 〖사람〗 이수광(李睟光)의 호(號).

지봉 유:설【芝峰類說】[—뉴—] 명 〖책〗 조선 선조 때의 학자 이수광(李睟光)이 지은 책. 천문(天文)·지리(地理) 등 25 부문 3,435 항목을 고서(古書)에서 인용하고 설명하였음. 모두 20 권 10책.

지봉-집【芝峰集】명 〖책〗 조선 선조(宣祖) 때의 학자 지봉 이수광(李睟光)의 시문집. 인조(仁祖) 11년(1633)에 아들 이성구(李聖求)·이민구(李敏求) 등이 편집 간행하였음. 34 권 10책.

지부[1]【支部】명 본부(本部)의 관리에 속하면서, 본부에서 분리하여 그 지역의 사무를 취급하는 곳. ↔본부(本部).

지부[2]【地府】명 〖불교〗 저승.

지부[3]【地部】명 〖역〗 ↗지부 아문(地部衙門).

지부[4]【地膚】명 〖식〗 대싸리.

지부[5]【芝罘】명 〖지〗 '옌타이(煙臺)'의 구명.

지부[6]【指付】명 사람을 지정(指定)하고 일을 부탁함. ——-하다 타 여불

지부럭-거리다 자타 장난 삼아 남을 자꾸 건드려 괴롭히다. >자부락거리다. 지부럭-지부럭 부. ——-하다 자타 여불

지부럭-대다 자타 지부럭거리다.

지부 배:추【芝罘—】명 〖식〗 배추의 한 종류. 결구(結球) 배추로서, 가꾸기 쉽고 수확량이 많으며 가뭄에도 잘 견디나 늦됨.

지부 복궐【持斧伏闕】명 〖역〗 왕께 상소(上疏)할 때에 죽을 각오로 도끼를 가지고 대궐문 밖에 나아가 엎드리는 일. 중난한 일을 간(諫)할 때, 만일 그 뜻이 이루어지지 않으면 이 도끼로 죽여 줍소서 하는 결의를 짐짓 보이던 것. ——-하다 자 여불

지-부사[1]【知府事】명 〖역〗 ↗지개성부사(知開城府事)·지첨사부사(知詹事府事)·지문하부사(知門下府事).

지-부사[2]【知部事】명 〖역〗 ↗지상서이부사(知尙書吏部事)·지상서병부사(知尙書兵部事)·지상서호부사(知尙書戶部事)·지상서형부사(知尙書刑部事)·지상서예부사(知尙書禮部事)·지상서공부사(知尙書工部事).

지부새 명 〖건〗 솟을각의 뒷면에 보강(補強)한 널빤지.

지부 아문【地部衙門】명 〖역〗 조선 시대 때 호조(戶曹)를 육조(六曹)의

둘째라는 뜻으로 옛 인습대로 일컫던 말. ㊀지부(地部).

지부-자【地膚子】명〖한의〗대싸리의 씨. 오줌을 순하게 하고 피부를 깨끗하게 하는 약효가 있음. 천두자(千頭子). 낙추자(落箒子).

지부-장【支部長】명 지부의 사무를 주장하는 사람.

지부-제【止腐劑】명〖약〗방부제(防腐劑).

지부 조약【芝罘條約】명〖역〗즈푸 조약(條約).

지-부족【知不足】명 지식(知識)이 모자람. ——-하다 자여불

지부족재 총서【知不足齋叢書】명〖책〗[지부족재는 포정박(鮑廷博)의 서재의 이름] 중국 청대(淸代)의 장서가(藏書家) 포정박이 자기 개인의 서고(書庫) '지부족재' 소장(所藏)의 진서(珍書)를 출판한 총서. 모두 30 집(集) 196 종(種).

지부-지기 명〖식〗[*Orostachys erubescens*] 돌나물과에 속하는 다년초. 바위솔과 비슷하나 잎이 가늘고 잎 끝이 바늘처럼 뾰족함. 기와 지붕 등에 남. 한국·일본 등 아시아 대륙에 널리 분포함. 경천(景天). 와송(瓦松). 와화(瓦花). 작엽하화(昨葉荷花).

〈지부지기〉

지부치다 피동〈옛〉바람에 불리다. ¶狂風에 지부친 沙工 マ티 기픠를 몰라 ᄒᆞ노라≪古時調≫.

지부티 [Djibouti] 명〖지〗①아프리카 북동부, 아덴 만(Aden 灣)에 면한 공화국. 해안 평야와 서부의 고원 지대로 이루어짐. 주민의 약 50%는 이사 족(Issas 族)의 소말리계(系)로 목축을 주로 함. 처음 에티오피아의 일부였는데, 1896 년 프랑스령 소말릴란드, 또 1967 년에는 자치령 아파르 이사(Afars & Issas)로 있다가 1977 년 6 월 27 일 독립함. 수도는 지부티(Djibouti). 정식 명칭 '지부티 공화국(Republic of Djibouti)'. [22,000 km²: 400,000 명(1991 추계)] ②❶의 수도. 항구 도시로 홍해(紅海) 입구의 요지(要地)이며 아디스아바바로 통하는 철도(鐵道)의 기점(起點)임. 커피 가공·제염(製塩) 등이 행해짐. [200,000 명(1982 추계)]

지-북극【指北極】명 자석의 정극(正極)을 이르는 말.

지북너【茂火】불타〈이두〉더불어.

지분[1]【支分】명 잘게 나눔. ——-하다 타여불

지분[2]【知分】명 자기의 분수(分數)를 앎. 자기의 본분(本分)을 앎. ——-하다 자여불

지분[3]【持分】명〖법〗①어떤 재산에 대해 공유 관계(共有關係)가 있는 경우에, 각 공유자가 공유물에 대하여 일정한 비율로 가지고 있는 부분적인 소유권. 또, 그 소유권의 비율. ②합명(合名) 회사·합자(合資) 회사·유한(有限) 회사의 사원이 회사의 재산에 대하여 가지고 있는 권리의 비율. 또 그 지위(地位).

지-분[4]【脂粉】명 연지(臙脂)와 분(粉).
지분을 다스리다 구 여자가 얼굴에 화장을 하다.

지분-거리다 ㊀자 가루붙이 음식 따위가 부드럽게 연해 씹히다. >자분거리다. ㊁타 말이나 행동으로 남을 자꾸 건드리어 귀찮게 하다. >자분거리다. 지분-지분 부. ——-하다 자타여불

지분-대다 자타 지분거리다.

지분-권【持分權】[—꿘] 명 재산의 공유 관계(共有關係)에 있어서 각 공유자가 공유물에 대하여 일정한 비율로 가지고 있는 부분적인 소유권(所有權).

지분덕-거리다 타 짓궂은 말이나 행동으로 남을 자꾸 성가시게 하다. >자분덕거리다. 지분덕-지분덕 부. ——-하다 타여불

지분덕-대다 타 지분덕거리다.

지분-자【地芬子】명〖식〗들쭉.

지분 절해【支分節解】명 글의 내용을 세밀히 나누어서 자세히 상고(詳考)함.

지분 혜:탄【芝焚蕙嘆】명 [지(芝)와 혜(蕙)는 동류(同類)] 동류가 입은 재앙은 자기에게도 근심이 된다는 말.

지불[1]【支拂】명 ①값을 내어 줌. 돈을 치러 줌. 지발(支撥). ②〖법〗'지급(支給)'의 구용어. ——-하다 타여불

지불[2]【持佛】명〖불〗자기가 거처하는 방에 안치하거나 또는 몸에 지니고 다니며 신앙하는 불상(佛像).

지불[3]【遲拂】명 늦게 지불함. ——-하다 타여불

지불 거:절【支拂拒絕】명〖법〗'지급 거절(支給拒絕)'의 구용어.

지불 거:절 증서【支拂拒絕證書】명〖법〗'지급 거절 증서(支給拒絕證書)'의 구용어.

지불 계:획【支拂計劃】명 '지급 계획(支給計劃)'의 구용어.

지불-금【支拂金】명 지불된 또는 지불될 금전.

지불-기【支拂期】명 지불을 할 시기.

지불 기일【支拂期日】명 ①지불을 할 기일. ②〖법〗'지급 기일(支給期日)'의 구용어.

지불 기한【支拂期限】명 지불을 할 기한.

지불 능력론【支拂能力論】[—녁논] 명〖사〗임금은 기업의 지불 능력 한도 내에서 인상돼야 한다는 주장. ↔정책 임금론.

지불 명:령【支拂命令】[—녕] 명〖법〗'지급 명령(支給命令)'의 구용어. ——-하다 자여불

지불 보증【支拂保證】명〖법〗'지급 보증(支給保證)'의 구용어.

지불 불능【支拂不能】[—룽] 명〖법〗'지급 불능(支給不能)'의 구용어.

지불 비:금【支拂備金】명 '지급 비금(支給備金)'의 구용어.

지-불생무명지초【地不生無名之草】[—쌩—] 명 [땅은 이름 없는 풀을 내지 않는다는 말] 땅 위 것은 모두 이름을 가지고 있다는 뜻. 「음.

지-불승굴【指不勝屈】[—씅—] 명 수효가 많아서 이루 손꼽아 셀 수 없

지불 승낙【支拂承諾】명〖경〗'지급 승낙(支給承諾)'의 구용어.

지불-액【支拂額】명 지불하는 금전의 액수.

지불 어음【支拂—】명〖경〗'지급 어음'의 구용어.

지불 위탁【支拂委託】명 '지급 위탁(支給委託)'의 구용어.

지불 유예【支拂猶豫】[—류—] 명〖법〗'지급 유예(支給猶豫)'의 구용어.

지불 유예령【支拂猶豫令】[—류—] 명〖법〗'지급 유예령(支給猶豫令)'의 구용어.

지불-인【支拂人】명 금전(金錢)의 지불을 하는 사람. '지급인(支給人)'의 구용어.

지불 인도【支拂引渡】명〖경〗'지급 인도(支給引渡)'의 구용어.

지불 장소【支拂場所】명〖법〗'지급 장소(支給場所)'의 구용어.

지불 전표【支拂傳票】명 '출금 전표(出金傳票)'의 구용어.

지불 정시【支拂呈示】명〖법〗'지급 제시(支給提示)'의 구용어.

지불 정지【支拂停止】명〖법〗'지급 정지(支給停止)'의 구용어.

지불 준:비금【支拂準備金】명〖경〗'지급 준비금(支給準備金)'의 구용어.

지불 준:비율【支拂準備率】명 '지급 준비율'의 구용어.

지불 준:비율 법정 제:도【支拂準備率法定制度】명〖경〗'지급 준비율 법정 제도'의 구용어.

지불 준:비 적립금 제:도【支拂準備積立金制度】[—닙—] 명〖경〗'지급 준비 적립금 제도'의 구용어.

지불 증권【支拂證券】[—꿘] 명〖법〗'지급 증권'의 구용어.

지불-지【支拂地】[—찌] 명〖법〗'지급지'의 구용어.

지불 초과【支拂超過】명〖경〗'지급 초과'의 구용어.

지불 협정【支拂協定】명 경화(硬貨)가 부족한 연화(軟貨) 국가들이 서로의 수출입 결제(輸出入決濟)에 관하여 경화 사용을 절약할 목적으로 체결(締結)하는 결제 상의 협정. 보통, 수출입 기타 수지(收支)의 일정 비율을 정해 두고 그 범위 안에서 결제하는데, 대개 두 나라 사이에 맺어지며 수출입의 결제는 협정국의 일방 또는 쌍방의 통화를 사용하도록 됨. 금융 협정.

지붕 명 ①비·이슬·햇빛 등을 막기 위해 가옥의 꼭대기 부분에 씌우는 덮개. 기와·띠·짚·널빤지·슬레이트·양철·구리·콘크리트 등으로 이음. 옥개(屋蓋). ②모든 물건의 위를 덮는 물건.
[지붕의 호박도 못 따면서 하늘의 천도(天桃) 따겠단다] 쉬운 일도 못 하는 주제에 당치 않은 어려운 일을 하려 한다는 뜻.

지붕 기슭 [—슥] 명 ☞처맛 기슭.

지붕-꾸 명〈방〉지붕(전남).

지붕-날망 명〈방〉용마루(충북).

지붕-날맹이 명〈방〉용마루(충북).

지붕-돌 [—똘] 명 ①비석이나 석등(石燈) 위에 지붕처럼 덮는 돌. 개석(蓋石). ②돌지붕을 이는데 쓰는 납작납작한 돌.

지붕돌-받침 [—똘—] 명 옥개석 받침.

지붕 마루 명〈방〉용마루(제주).

지붕-마름 명〈방〉용마루(제주).

지붕-말랭이 명〈방〉용마루(전북).

지붕 물매 명〖건〗지붕의 경사진 면(面). 또, 그 경사의 물매.

지붕-밑 명〈방〉처마(경남).

지붕-보 [—뽀] 명〖건〗지붕 부분에 실리는 무게를 받는, 부재(部材).

지붕-이기 명〖건〗볏짚이나 기와·양철 따위로 지붕을 이는 일. ——-하다 자여불

지붕-지기 명〖식〗☞지부지기.

지붕-쫄기 명〈방〉처마(경남).

지붕-차 [—車] 명 덮개가 있는 차.

지붕-창 [—窓] 명〖건〗채광(採光)이나 환기 등을 위하여 지붕에 낸 창. 천창(天窓).

지붕-치마 명〈방〉처마(충북).

지붕-캐 명〈방〉지붕(경남).

지붕-컴 명〈방〉지붕(경북).

지붕-틀 명〖건〗지붕을 꾸미는 뼈대.

지브 [jib] 명 ①기중기의 앞으로 내뻗친 팔뚝 모양의 긴 장치. 끝에 고팻줄에 갈고리나 버킷이 달리어, 물건을 달아 올리거나 옮김. ②요트에서, 돛대 앞에 뻗친 삼각형의 돛.

지브 기중기 [—起重機] [jib] 명〖기〗기관실에서 지브(jib)가 나와, 그 끝의 갈고리 또는 버킷으로 짐을 올리고 내리거나 토사(土砂)의 준설(浚渫) 등을 하는 기중기. 주행식(走行式)과 정치식(定置式)이 있음. 기중기.

〈지브 기중기〉

지브랄타르 [Gibraltar] 명〖지〗'지브롤터'의 로마자식 읽기.

지브롤터 [Gibraltar] 명〖지〗①서남 유럽 이베리아 반도 남단(南端)의 작은 반도. 스페인 본토와는 모래톱으로 연결된 석회암의 바위산으로 이루어져 있으며, 1704년 이래 영국의 직할 식민지(直轄植民地)임. [6.5 km²: 28,843 명(1986)] ②지브롤터 반도 서안(西岸), 알헤시라스 만(Algeciras 灣)에 임(臨)한 항시(港市). 지중해의 문호를 이루는 지브롤터 해협의 요지(要地)로서, 영국의 지중해 함대의 근거지임.

지브롤터 해:협【—海峽】[Gibraltar] 명〖지〗스페인 남서단(南西端)과 아프리카 북서단(北西端) 사이의 해협. 동서 약 60 km, 너비 13-40 km. 예로부터 지중해(地中海)와 대서양(大西洋)을 연결하는, 군사상의 요충임.

지브 스테이 [jib stay] 명 요트의 지브를 뻗치기 위한 와이어.

지브 시:트 [jib sheet] 명 요트의 지브 뒤쪽 밑에 단 로프.

지비[1] 명 〈방〉〖식〗조(경남).

지:비[2] 명 〈방〉〖조〗제비(경기·강원·충청·전라·경상).

지빈[1]【至貧】명 지극히 가난함. ——-하다 형여불

지빈[2]【知賓】명〖불교〗지객(知客).

지빈 무의【至貧無依】[—/—이] 명 지극히 가난하고 의탁할 곳조차 없음. ——-하다 형여불

지빈 명 〈옛〉말갈기. ¶지빈 기(鬐)≪字會 下 9≫.

지빠귀 명〖조〗①지빠귓과에 속하는 개똥지빠귀·검은지빠귀·노랑지빠귀·붉은배지빠귀·호랑지빠귀·흰눈썹지빠귀·흰배지빠귀 등의 총칭. 백설조(百舌鳥). 티티새. ②↗개똥지빠귀.

지빠귓-과【一科】명〖조〗[Turdidae] 참새목(目)에 속하는 한 과. 소형 또는 중형의 조류(鳥類)로서, 몸빛은 종류에 따라 다르고, 자웅(雌雄)이 동색(同色) 또는 이색(異色)인 것이 있음. 숲 속에 서식하지만 지상 생활을 하는 것도 많으며, 한 배에 4-5개의 알을 낳는데 알은 청색에 자색 또는 적갈색의 반문이 있음. 잡식성이고 아름답게 울며, 다른 새의 흉내를 내는 것도 있음. 전세계에 분포함.

지빵-나무 명〖식〗[*Thuja koraiensis*] 편백과에 속하는 상록 침엽 교목. 잎은 대생하고 비늘 모양이며 잎 뒤에 백색의 기공부(氣孔部)가 있으며 향기가 강함. 자웅 일가로 5월에 꽃이 피는데 수꽃이삭은 황색, 암꽃이삭은 달걀꼴로 정생하고, 구과(毬果)는 짙은 갈색이며 9월에 익음. 산중턱 및 골짜기의 숲 속에 나는데, 경북·강원·평남북·함남 및 만주에 분포함. 관상용·향료용임. 누운측백.

〈지빵나무〉

지뻑-거리다 자 어둡거나 길이 험해서 발이 뜻대로 놓여지지 않아 휘청거리며 걷다. 스지벅거리다. **지뻑-지뻑** 부. ——-하다 자여불

지뻑-대다 자 지뻑거리다.

지사[1]【支社】명 회사 또는 단체 등에서, 본사에서 분리하여, 지방·외국 등지에 설치한 사업소. ↔본사(本社).

지사[2]【地史】명〖지〗①지구의 발달 변천에 관한 역사. ②↗지사학(地史學).

지사[3]【地師】명〖민〗지관(地官)❶.

지사[4]【志士】명 고매한 뜻을 품은 사람. 국가·사회를 위해 일신을 바쳐 봉사하려는 뜻을 가진 사람. ¶애국 ～.

지사[5]【知事】명 ①〖법〗↗도지사(道知事). ②〖역〗고려 때 각 도(道)도통사(都統使)에 딸린 한 벼슬. 품질(品秩)은 오품에서 육품. ③〖역〗한 관아의 으뜸 벼슬아치와 함께 일을 주장하던 벼슬. 곧, 고려 때의 지문하성사(知門下省事)·지첨의부사(知僉議府事)·지도첨의사(知都僉議事)·지문하부사(知門下府事)·지상서도성사(知尙書都省事)·지삼사사(知三司事)·지중추원사(知中樞院事)·지추밀원사(知樞密院事)·지밀직사사(知密直司事), 상서 육부(尙書六部)의 지부사(知部事), 지어사대사(知御史臺事)·지사헌부사(知司憲府事)·지개성부사(知開城府事)·지춘추관사(知春秋館事)·지경연사(知經筵事)·지어서원사(知御書院事)·지합문사(知閤門事)·지대부시사(知大府寺事)·지제용사사(知濟用司事)·지첨사부사(知詹事府事)·지춘방원사(知春坊院事)·지내시부사(知內侍府事) 등. 품질(品秩)은 이품(二品)에서 오품까지임. ④〖역〗조선 시대 때에 지중추원사(知中樞院事)로 일컬은 종이품 벼슬과 지합문사(知閤門事)·지사간원사(知司諫院事) 들로 일컬은 종삼품 및 지문하부사(知門下府事)·지돈녕부사(知敦寧府事)·지경연사(知經筵事)·지의금부사(知義禁府事)·지성균관사(知成均館事)·지춘추관사(知春秋館事)·지중추부사(知中樞府事)·지훈련원사(知訓鍊院事) 등으로 일컬은 정이품 벼슬. ⑤〖역〗지돈녕원사(知敦寧院事)·지평리원사(知平理院事)로 일컬은 칙임(勅任) 벼슬. ⑥〖역〗지사서(知事署)의 주임(奏任) 벼슬.

지사[6]【指使】명 지시하여 부림. ——-하다 타여불

지사[7]【指事】명 ①사물을 가리켜 보임. ②한자의 육서(六書)의 하나. 글자의 모양이 직접 어떤 사물의 위치 또는 수량을 가리키는 것. '上'·'下'·'一'·'二'·'三'·'凹'·'凸' 등. ——-하다 자여불

지-사간원사【知司諫院事】명〖역〗조선 태종(太宗) 원년(1401)에 문하부(門下府)의 낭사(郞舍)가 사간원(司諫院)으로 독립할 때 직문하(直門下)를 고친 이름. 종삼품임. 세조(世祖) 12년(1466)에 다시 사간(司諫)으로 고치었음. *지사(知事).

지사귀 명 〈방〉기저귀(함경).

지-사기【知死期】명 음양가(陰陽家)에서 사람의 생년월일에 의하여 그의 사기(死期)를 미리 안다는 일.

지사 부지【知事不知】명 지이부지(知而不知).

지사 불굴【至死不屈】명 죽을 때까지 항거(抗拒)하여 굽히지 아니함. ——-하다 자타여불

지사비 명 〈옛〉지아비. =짓아비. ¶지사비 부(夫)≪類合≫.

지-사사【知司事】명〖역〗↗지삼사사(知三司事)·지밀직사사(知密直司事).

지사-서【知事署】명〖역〗조선 고종(高宗) 32년(1895)에 각(各) 개항장(開港場)의 감리서(監理署)를 고친 이름. 이듬해에 다시 감리서로 회복함. *감리서(監理署).

지사-약【止瀉藥】명 지사제(止瀉劑).

지사 위한【至死爲限】명 죽을 때까지 자기의 의견을 주장하여 나아감. ——-하다 자타여불

지사-장【支社長】명 지사의 사무를 주장하는 사람.

지사-제【止瀉劑】명〖약〗설사(泄瀉)를 멎게 하는 약(藥). 지사약. 정장제(整腸劑).

지사 충성【至死忠誠】명 죽기까지 하는 충성. ——-하다 자여불

지사-학【地史學】명〖지〗지구의 생성·발달·변천의 역사를 연구하는 지질학의 한 분과. ㊄지사(地史).

지-사헌부사【知司憲府事】명〖역〗고려 때 사헌부(司憲府)의 종삼품 벼슬. 대사헌(大司憲)의 다음. 공민왕(恭愍王) 18년(1369)에 두었다가 동 21년에 집의(執義)로 고침. *지사(知事).

지산[1]【智山】명〖불교〗지혜가 산과 같이 높음.

지산[2]〔箕山〕명〖지〗중국 허난 성(河南省) 덩펑 현(登封縣) 남동쪽에 있는 산. 또 허베이 성(河北省) 싱탕 현(行唐縣) 북서쪽에 있는 산. 모두 요(堯) 때에 은자(隱者)인 소보(巢父)와 허유(許由)가 숨었던 곳임. 기산(箕山).

지산-집【芝山集】명〖책〗조선 선조(宣祖) 때의 사람 지산(芝山) 조호익(曺好益)의 시문집. 절구(絕句)·율시(律詩)·고시(古詩)·부(賦)·제문(祭文)·잡저(雜著) 등을 수록했는데, 잡저에는 '유묘향산록(遊妙香山錄)'·'유풍산록(遊楓山錄)' 등이 들어 있음. 9권 5책. 인본.

지살【地煞】명〖민〗풍수(風水)상 지덕(地德)을 입지 못한 그 터에서 생긴 언짢은 일.

지-삼사사【知三司事】명〖역〗고려 때 삼사(三司)의 종사품 벼슬. 삼사사(三司事)의 다음. ㊄지사사(知司事). *지사(知事).

지-삿갓【紙一】명〖역〗전모(氈帽)❶.

지상[1]【池上】명 ①못의 수면(水面). ②못가. 지두(池頭).

지상[2]【至上】명 더할 수 없이 가장 높은 위. 최상(最上). ¶～ 명령.

지상[3]【地上】명 ①땅의 위. 지면(地面). 지표(地表). ¶～ 건조물. ②이 세상(世上). 현세(現世).

지상[4]【地床】명〖농〗지면보다 얕은 묘상(苗床). 보온(保溫)에 편리함.

지상[5]【地相】명 ①주택 같은 것을 세울 때 토지의 형세를 관찰하여 길흉(吉凶)을 감정하는 일. ②토지의 모양. 지형(地形).

지상[6]【地象】명〔terrestrial phenomena〕〖기상〗지진·산사태 등 지각상(地殼上)에 일어나는 여러 현상. *수상(水象)·기상(氣象).

지상[7]【至想】명 지극히 뛰어난 생각.

지상[8]【志尙】명 고상한 마음과 뜻.

지상[9]【紙上】명 ①종이의 위. 종이의 표면. ②신문·잡지의 기사면(面). 지면(紙面). ¶～ 토론(討論).

지상[10]【誌上】명 잡지(雜誌)의 지상(紙上). 지면(誌面). ¶～ 좌담회.

지상[11]【智相】명〖불교〗'지혜가 겉으로 드러난 모습'이란 뜻으로, 부처의 광명을 일컫는 말.

지상 감시 레이더【地上監視一】명〔ground surveillance radar〕〖공〗지상의 고정점(固定點)에서 작동하고 있는 감시 레이더.

지상 강:의【紙上講義】[—/—이] 명 일정한 회수에 걸쳐 신문의 지면을 통해서 글로 하는 강의.

지상-경【地上莖】명〖식〗땅위줄기. ↔지하경(地下莖).

지상 공문【紙上空文】명 실행하지 아니하거나 또는 할 수 없는 헛된 조문(條文). 공문(空文).

지상 관제【地上管制】명〔ground control〕공항(空港) 안에서 지상의 제반 교통을 감독·지시·통제하는 일. 단, 항공기의 이착륙(離着陸)은 소관 사항이 아님.

지상 관제 진:입 장치【地上管制進入裝置】명〔Ground Control Approach; GCA〕구름·안개로 시계(視界)가 불량할 때 레이더로 항공기의 착륙을 유도하는 장치. 관제탑에서 공항 감시 레이더 또는 정밀 진입 레이더를 보면서 무선 전화로 조종사에게 지시하여 활주로의 연장선 위의 강하 진입로에 항공기를 유도 착륙시킴. 민간 항공용으로서는 계기(計器) 착륙 방식의 보조 장치로 사용하는 것이 국제적 표준으로 되어 있음.

지상 관측【地上觀測】명〖군〗한 지점에서 적군 또는 우군(友軍)의 진지 행동(陣地行動)·사격 등을 관측하고, 또 방어 지역(防禦地域) 상공을 지나가는 항공기 이동의 첩보(諜報)를 획득하는 일.

지상 관측 기구【地上觀測機構】명〖군〗항공기의 이동에 대하여 시각(視覺) 및 청각 첩보(聽覺諜報)를 제공하기 위하여 설치(設置)한 지상 관측 부대.

지상-군【地上軍】명〖군〗지상에서 전투하는 군대. 주로, 육군임.

지상-권【地上權】[一꿘] 명〖법〗타인의 토지에서 공작물(工作物) 또는 수목(樹木)을 소유하기 위하여 그 토지를 사용하는 권리. 물권(物權)의 하나임.

지상-근【地上根】명〖식〗땅위뿌리. ↔지하근(地下根).

지상 기상 관측【地上氣象觀測】명〔surface weather observation〕〖기상〗지표(地表)의 한 점에서 관측된 대기의 상태를 평가하는 작업. 상층 관측(上層觀測)과 대조를 이룸.

지상 기압【地上氣壓】명〔surface pressure〕〖기상〗지표면 상의 대기압(大氣壓).

지상 기지【地上基地】명 지상에 시설한 군사 기지나 연구 기지 따위.

지상 낙원[1]【地上樂園】명 지상 천국.

지상 낙원[2]【地上樂園】명〔The Earthly Paradise〕〖책〗윌리암 모리스의 대표적 장편 서사시. 1868-70년 간행. 14세기 중엽 악역(惡疫)이 유행하는 스칸디나비아의 고향을 떠난 사람들이 전설(傳說)에서 들은 지상 낙원을 찾아 항해하다가, 고대 그리스 문화와 같은 생활을 하고 있는 어떤 작은 섬에 다다라 고대 그리스와 중세 북유럽의 이야기 24편을 번갈아 가며 하는 것이 줄거리인데, 작자는 중세기 문명을 찬양하고 있음.

지상 대:기【地上待機】명〖군〗지상에 있는 항공기가 완전히 정비되고 무장되어 임무 명령을 받으면 즉각 이륙·출동할 수 있도록 전투 승무원이 준비 태세를 갖추고 있는 상태.

지상 데이터 장치【地上一裝置】명〔ground data equipment〕〖공〗공간 위치의 확인(確認) 또는 추적(追跡) 데이터를 얻기 위해서 지상에

설치한 장치.

지상 마:력【地上馬力】명 항공 발동기(航空發動機)가 지상에서 낼 수 있는 마력.

지상 망:원경【地上望遠鏡】명〔terrestrial telescope〕『물』지상에서 물체의 정립상(正立像)을 보기 위하여 만든 망원경. 정립(正立) 렌즈 또는 정립 프리즘을 천체(天體) 망원경의 대물(對物) 렌즈와 접안(接眼) 렌즈와의 사이에 넣어서 만듦.

지상 명:령【至上命令】[ㅡ녕] 명 ①절대로 복종하여야 할 명령. 절대 명령. ②『논』정언적 명법(定言的命法).

지상-미【至上美】명 더할 나위 없는 아름다움.

지상 배:당세【紙上配當稅】[ㅡ쎄] 명『법』비공개 법인(法人)이 주주(株主)에게 배당을 하지 않고, 회사 내에 유보(留保)해 두고 있는 소득에 대해서, 배당을 한 것으로 간주하여, 주주에게 종합 소득세로 부과하는 세금.

지상 봉쇄【紙上封鎖】명 실력을 쓰지 아니하고 다만 선언(宣言)만으로써 행하는 전시의 해상 봉쇄. 1689년 영국과 네덜란드가 동맹을 맺고 프랑스에 대하여 행한 것과 같은 것인데, 국제법상 효력을 발생하지 못함. 의제(擬制) 봉쇄.

지상 부대【地上部隊】명『군』육·해·공군 가운데 지상에서 작전하는 부대. 좁은 뜻으로는, 공군 부대 중 지상에서의 임무를 수행하는 부대.

지-상서공부사【知尙書工部事】명『역』고려 때 상서 공부(尙書工部)의 한 벼슬. 공부 상서(工部尙書)의 다음. 타관(他官)이 겸하였음. ㊎지부사(知部事). *지사(知事).

지-상서도성사【知尙書都省事】명『역』고려 때 상서 도성(尙書都省)의 종이품 벼슬. 좌우 복야(左右僕射)의 다음. ㊎지성사(知省事). *지사(知事).

지-상서병부사【知尙書兵部事】명『역』고려 때 상서 병부(尙書兵部)의 한 벼슬. 병부 상서(兵部尙書)의 다음. 타관(他官)이 겸하였음. ㊎지부사(知部事). *지사(知事).

지-상서예부사【知尙書禮部事】명『역』고려 때 상서 예부(尙書禮部)의 한 벼슬. 예부 상서(禮部尙書)의 다음. 타관(他官)이 겸하였음. ㊎지부사(知部事). *지사(知事).

지-상서이:부사【知尙書吏部事】명『역』고려 때 상서 이부(尙書吏部)의 한 벼슬. 이부 상서(吏部尙書)의 다음. 타관(他官)이 겸하였음. ㊎지부사(知部事). *지사(知事).

지-상서형부사【知尙書刑部事】명『역』고려 때 상서 형부(尙書刑部)의 한 벼슬. 형부 상서(刑部尙書)의 다음. 타관(他官)이 겸하였음. ㊎지부사(知部事). *지사(知事).

지-상서호:부사【知尙書戶部事】명『역』고려 때 상서호부(尙書戶部)의 한 벼슬. 호부 상서(戶部尙書)의 다음. 타관(他官)이 겸하였음. ㊎지부사(知部事). *지사(知事).

지상-선[1]【地上仙】명 ↗지상 신선(地上神仙).

지상-선[2]【地上線】명 지상에 부설한 전선이나 철도 선로. ↔지하선·고가선(高架線).

지상-수【地上水】명 땅 위에 드러나 보이는 물. ↔지하수(地下水).

지상 시:정【地上視程】명〔ground visibility〕항공 용어로, 지상에서 측정되는 수평 시정(水平視程).

지상 식물【地上植物】명『식』식물체의 눈이 지표(地表)에서 30 cm 이상 높이에 존재하는 식물. ↔지하 식물. *지표(地表) 식물·반지하(半地下) 식물.

지상-신【至上神】명〔supreme god〕영원·무한의 신령(神靈), 곧 여러 신들 중에서 최고의 존재. 곧, 그리스의 제우스, 인도의 범(梵), 기독교의 여호와 등. 최고신(最高神).

지상 신선【地上神仙】명 ①사람이 사는 세상에 존재한다고 상상되고 있는 신선. ②팔자가 아주 좋은 사람을 부러워하여 이르는 말. ③『천도교』천도(天道)를 믿어 법열(法悅)을 얻게 되면 정신적으로 차생 극락(此生極樂)을 얻고, 영적(靈的)으로 장생을 얻게 되므로, 곧 땅 위의 신선이라 일컬음. ㊎지상선(地上仙).

지상 열반【地上涅槃】명『불교』도(道)를 완전히 이루어 일체의 중고(衆苦)와 번뇌(煩惱)를 끊고 불생 불멸(不生不滅)의 법성(法性)을 증험한 해탈(解脫)의 경지.

지상의 평화【地上一平和】[ㅡ/ㅡ에ㅡ] 명〔라 Pacem in Terris〕로마 교황 요한(Johannes) 23세가 1963년 4월 11일 발포한 회칙의 통칭. 현대의 군비 확장 경쟁(軍備擴張競爭)에 경고를 하고 인류의 정의(正義)와 이성(理性)으로 핵장비(核裝備)를 포함한 군비를 축소 내지 전폐(全廢)할 것을 역설함.

지상-자[1]【至上者】명〔supreme being〕『종』일부 미개 민족 사이에서 신앙되고 전승(傳承)되어 온, 만물의 창조주인 영적(靈的) 존재. 종교의 기원을 이 관념에 두는 학자도 있음.

지-상자[2]【紙箱子】명 종이로 만든 상자. 종이 상자.

지상-전【地上戰】명『군』지상(地上)에서 하는 전투. ↔공중전(空中戰)·해전(海戰).

지상 천국【地上天國】명『종』천도교 등에서, 극락 세계를 천상에서 구하지 아니하고 사람이 사는 이 땅 위에 세워야 한다는 영육 쌍전(靈肉雙全)의 이상적 세계. 지상 낙원.

지상 천기도【地上天氣圖】명 지표(地表)의 상태를 나타내는 천기도. ↔고층(高層) 천기도.

지상 최대【地上最大】명 지구 상에서 가장 큰 일. 또, 그것.

지상 토:론【紙上討論】명 신문 지면을 통하여 글로 하는 토론.

지상 트레이스【地上一】명〔ground trace〕『공』비행(飛行) 물체·미사일(missile)·인공 위성(人工衛星)이 통과할 때 지상에 그려지는 이론적인 궤적(軌跡).

지상-파【地上波】명〔ground wave〕『물』지표(地表)를 따라 전파(傳播)하는 전파(電波). 대지(大地) 및 대류권(對流圈)의 영향을 받을 때가 많음.

지상-포【地上砲】명 땅 위에 설치해 놓은 포(砲). ↔함포.

지상 표지【地上標識】명『항공』항공기의 비행 지점을 쉽게 알아볼 수 있도록, 그 항공로의 지상에 설치한 여러 가지 안표.

지상-풍【地上風】명〔surface wind〕『기상』지상 관측점에서 측정한 바람. 국소적인 장애를 피하기 위하여, 대개는 평원(平原)이나 어느 정도의 높이를 가진 곳에서 측정함.

지상 화:력【地上火力】명『군』항공기를 겨냥한 지대공(地對空) 소화기(小火器) 사격.

지새 명〈방〉기와(제주).

지새-그릇 명〈방〉질그릇(제주).

지새는-달 명 먼동이 튼 뒤에 서쪽 하늘에 지고 있는 달. 음력(陰曆) 보름 무렵의 달.

지-새다 자 달이 지며 밤이 새다.

지-새우다 타 밤을 고스란히 새우다. ¶하룻밤을 한숨으로 ~.

지새-집 명〈방〉기와집(제주).

지색【知色】명『불교』색(色)의 길을 잘 앎.

지-서[1]【支庶】명 지자(支子)와 서자(庶子).

지서[2]【支署】명 ①본서에서 갈려 나간 관서(官署). ¶전매 ~. ②↗경찰 지서. ↔본서(本署).

지서[3]【知書】명『역』고려 때 어서원(御書院)에 딸린 이속(吏屬).

지서리 명 ☞짓거리.

지-서연【知書筵】명『역』고려 때 동궁(東宮)의 한 벼슬. 공양왕(恭讓王) 2년(1390)에 베풀어서, 곧 세자 좌우사(世子左右師)로 고침.

지서우〔吉首〕명『지』중국 후난 성(湖南省) 서부의 현(縣). 루시(瀘溪)의 서쪽 약 50 km, 위안장(沅江) 강의 지류인 우수이(武水) 강 우안(右岸)에 위치함. 임산 자원이 풍부하고, 용재(用材)·차(茶)·동유(桐油) 등을 산출함. 길수. [189,000 명(1984)]

지서-원【支署員】명 지서의 직원.

지서-장【支署長】명 지서의 직무를 주장하는 사람.

지석[1]【支石】명『고고학』굄돌❷. *입석(立石).

지석[2]【砥石】명 숫돌.

지석[3]【誌石】명 죽은 사람의 성명·생몰(生沒) 연월일(年月日)·행적(行蹟)·무덤의 좌향(坐向) 등을 기록하여 무덤 앞에 묻는 판석(板石) 또는 도판(陶板).

지석-묘【支石墓】명『고고학』고인돌.

지석-봉【砥石峰】명『지』①강원도 인제군(麟蹄郡)에 위치하는 산. [1,327 m] ②함경 남도 북청군(北靑郡) 거산면(居山面)과 신창읍(新昌邑) 사이에 있는 산. [319 m]

지-석영【池錫永】명『사람』조선 시대 말기의 학자. 자는 공윤(公胤), 호는 송촌(松村). 충주(忠州) 사람. 김홍집(金弘集)을 따라 일본에 가서 종두(種痘) 제조법을 배워 왔으며, 광무 3년(1899)에 경성 의학교(醫學校)를 세워 교장으로 10년간 근무하였음. 우리 나라 종두 시행의 선구자로 ≪우두 신설(牛痘新說)≫을 저술했으며, 또 국문에 대한 연구도 깊었음. 광무 9년(1905)에는 ≪신정 국문(新訂國文)≫ 6개조를 상소하여 학부(學部) 안에 국문 연구소(國文研究所)를 두게 하여 연구 위원이 됨. 1909년 ≪자전 석요(字典釋要)≫를 편찬함. [1855-1935]

지-석판【紙石板】명 마분지에 금강사(金剛砂) 또는 부석분(浮石粉)·수탄(獸炭) 등을 반죽한 것을 발라서 만든 석판의 대용품.

지선[1]【支線】명 ①본선에서 갈려 나간 노선(路線). ↔본선(本線)·간선(幹線). ②전주(電柱)가 전선의 장력(張力) 또는 전선에 닿는 풍압(風壓)을 견디도록 전주의 상부에서 비딱하게 지상으로 친 줄.

지선[2]【止善】명『불교』오직 소극적으로 악한 일을 하지만 않는 선(善).

지선[3]【地仙】명 ①『악』수보록무(受寶籙舞)에서 주연으로 춤을 추는 사람. ②『식』괴좆나무. ③지상(地上)에 있는 신선(神仙). 또, 안일하게 세월을 보내는 사람을 비유해서 하는 말.

지선[4]【地線】명 ①지상의 어느 지점 사이를 맺는 선(線). ②전주(電柱)의 꼭대기에서 밑동까지 댄 아연 도금(亞鉛鍍金)한 피뢰용(避雷用) 쇠줄.

지선[5]【地蟺】명『동』지렁이❶.

지선[6]【至善】명 ①지극히 착함. 지고선(至高善). 최고선(最高善). ¶지고 ~하신 하느님. ②↗지어지선(止於至善). ――하다 형여불

지선[7]【脂腺】명『생』지방선(脂肪腺). 피지선(皮脂腺).

지선[8]【智詵】명『사람』신라 헌강왕(憲康王) 때의 중. 호는 도헌(道憲) 속성은 김씨(金氏). 경주 사람. 17세에 구족계(具足戒)를 받고 혜은(慧隱)에게서 불법의 현리(玄理)를 배움. 안락사(安樂寺)의 주지로 있다가 희양산(曦陽山)에 봉암사(鳳巖寺)를 창건함. 헌강왕이 맞아들여 왕사(王師)를 삼았으나 사양했음. 시호는 지증(智證). [825-883]

지:-선[9]【G線】명『악』바이올린의 넷째 현(絃).

지선-가【至善歌】명『문』주세붕(周世鵬)이 지은 시조. 인간 본연(本然)의 선한 자세(姿勢)를 지켜야 한다는 내용. 1수. ≪죽계 구지(竹溪舊誌)≫에 전함.

지선-거【枝線渠】명『토』좁은 배수 구역(排水區域)의 하수구(下水溝)를 간선거(幹線渠)로 흘려 보내는 하수거(下水渠).

지선-무【地仙舞】명『악』수보록무(受寶籙舞)의 한 장면.

지:선 상의 아리아【G線上一】〔aria〕[ㅡ/ㅡ에ㅡ] 명『악』바흐(Bach, J.S.)가 작곡한 것을 빌헬미(Wilhelmj, A.D.F.V. ; 1845-1909)가 편곡한 바이올린 독주곡. 지선(G 線)은 바이올린의 최저현(最低絃)으로서, 독특한 음색(音色)과 표정을 가지는 곡임.

로서의 의원(議員). *국민 대표·이익 대표·신분 대표.

지역 대:표제【地域代表制】 명 〖정〗 지역적 구성을 표준으로 하여 선거구를 설정하고, 그 안에서 대표자를 선출하여 의원(議員)을 의회에 보내는 제도. ↔직능(職能) 대표제.

지역 목표【地域目標】 명 〔area target〕〖군〗 단일 건물 따위의 목표가 아닌, 넓은 지역 전체를 지정한 목표. 군수 공장(軍需工場) 지역 등이 이에 속함.

지역 민방위대【地域民防衛隊】 명 대원의 주소지를 단위로 편성한 민방위대. *직장 민방위대.

지역 방어【地域防禦】 명 존 디펜스(zone defence)❶.

지역 방위【地域防衛】 명 〔area defence〕 전지구적(全地球的)인 전략 핵무기를 운용하여 하는 방위에 대하여, 아시아·태평양 지역, 중근동(中近東)·인도양 지역, 유럽·대서양 지역, 남부 아메리카 지역, 아프리카 지역에서, 주로 재래식 군사력을 운용하며 하는 방위. *지역적 집단 안전 보장(地域的集團安全保障).

지역 번:식【地域繁殖】 명 〔community breeding〕〖생〗 어떤 한정된 지역 안에서 가축의 번식이 행해져 새로운 품종이 생기는 일. 영국의 저지(Jersey) 섬에서 젖소의 저지종(種)이 생긴 일 따위.

지역 범:위선【地域範圍線】 명 지도에서, 어떤 지역의 경계(境界)를 정하는 선.

지역 변:화【地域變化】 명 〔local change〕〖해양〗 어떤 지역의 스칼라, 곧 온도·염분(塩分)·압력·함유(含有) 산소량 따위의 시간 변화율.

지역별 노동 조합【地域別勞動組合】〔―로―〕 명 〖사〗 동일 지역의 노동자들이 그 직업이나 산업을 구별하지 않고 하나로 조직한 노동 조합. ㊟지역별 조합.

지역별 조합【地域別組合】 명 〖사〗 ↗지역별 노동 조합.

지역 사회【地域社會】 명 〔community social〕〖사〗 한 지역의 일정한 범위 안에서 성립하여 있는 인류의 공동 생활체. 국가 사회.

지역 사회 개발【地域社會開發】 명 〔community development〕 일정한 지역(地域)에 거주하는 주민들이 그들의 생활을 향상시키기 위하여 자주적·협동적으로 활동할 수 있는 사회적 집단(集團)을 형성하여 해결하려는 운동.

지역 사회 교:육【地域社會敎育】 명 〖교〗 지역 사회의 생활·문화·필요·활동에 그 기초를 두고 이에 적응하는 교육. 교육의 목적을 지역 사회 생활의 발전과 그 필요에서 찾으며 교육 과정은 지역 사회 생활의 중요한 문제나 과정을 중핵(中核)으로 하여 이를 계획 운영하고, 학습 활동에 있어서는 지역 사회의 인적·물적 자원을 최대 한도로 이용함. 경험의 소재를 교과서에서 구하는 것이 아니고 구체적이며 생명 있고 흥미 있는 지역 사회에서 구하며 교실의 사방의 벽을 헐고 지역 사회를 하나의 학습의 장(場)으로 생각함. *향토 교육.

지역 사회 발전 방식【地域社會發電方式】〔―쩐―〕 명 소비지마다 작은 발전소를 두어, 발전 과정에서 생기는 배열(排熱)로 주변 지역 사회의 쓰레기 처리·냉난방·온수 공급 등에 이용하여 열(熱)이용률을 높이는 방식.

지역 사회 학교【地域社會學校】 명 〔community school〕〖교〗 지역 사회 전체를 아동 또는 학생의 학습장(學習場)으로 보고, 학교를 그와 같은 학습의 중심 기관으로 보는 입장에 선 학교. 지역 사회의 여러 가지 문제에 의거하여 모든 학습이 계획됨.

지역-상【地域相】 명 어떤 지역의 자연 지리적인 모든 요소를 통틀어 본 모양.

지역-성【地域性】 명 〖지〗 한 지역의 특정한 요소에 관한 것. 지방성(地方性).

지역 수당【地域手當】 명 지역에 따라 생활비에 큰 차이가 있는 경우에 지급되는 수당. 지역급(地域給). 근무지 수당.

지역-어【地域語】 명 임의의 어떤 한 지역의 언어 체계. 주로 일정한 방언 구획과는 직접적인 관계없이 부분적인 어떤 지역의 언어를 조사할 때에 그 지역의 언어를 이름.

지역 언어학【地域言語學】 명 〖언〗 지리적 분포를 기초로 하여 두 개의 대등한 언어 형식이나 음성 또는 단어 사이의 연대적 관계를 연구하는 언어학.

지역 에너지【地域―】〔energy〕 명 지역에서 개발·이용 가능한 새로운 에너지. 곧, 태양열(太陽熱)·풍력(風力)·수력(水力)·지열(地熱) 등 외에 쓰레기나 축산 폐기물(畜産廢棄物) 등.

지역 연:구【地域硏究】〔―년―〕 명 〔area studies〕〖지〗 ①자연(自然) 및 인문(人文)에 관계되는 지역의 구조(構造)·기능(機能)·발생(發生) 등을 연구하는 일. ②주로 국가를 단위로 하여 그 나라의 지리·역사·민족·사회·경제·정치 등 전반에 걸쳐 벌이는 학술적 연구. 세계 제2차 대전중 미국에서 발달됨.

지역 예:비군【地域豫備軍】〔―네―〕 명 대원의 거주지를 단위로 하여 편성한 향토 예비군. *직장 예비군.

지역 위성 발사권【地域衛星發射權】〔―싸꿘〕 명 〔rights of regional satellites launching〕 국제 전기 통신 위성 기구(國際電氣通信衛星機構)에 가맹(加盟)한 나라가 극히 한정된 지역에서만 쓰이는 통신·방송 위성을 쏘아 올릴 수 있는 권리. 통신 위성에 의한 국제 상업 통신망을 건설·운영하는 국제 전기 통신 위성 기구는 가맹국에서 별도의 통신 위성을 발사하는 것을 금해 왔으나 유럽의 각국과 일본 등이, 동남 아시아나 유럽 수개국 등 극히 한정된 지역에서만 쓰이는 통신·방송 위성의 발사 권리를 주장했기 때문에 1971년 7월에 조인한 협정에서 그 권리를 인정하였음.

지역-적【地域的】 명관 지역의 것. 지역과 관계 있는 모양이나 성질. 지연적(地緣的).

지역적 경제 통:합【地域的經濟統合】 명 어느 지역 내의 각국이 경제 발전을 촉진하기 위해 국경을 초월한 하나의 경제권(圈)을 형성하는 일. 이 이 시(EEC)나 에프타(EFTA)·라프타(LAFTA) 등이 그 예임.

지역적 분업【地域的分業】 명 각 지역이 그 지역에서 가장 유리한 생산 활동을 하며, 상호 간에 보완함으로써 특정 생산 활동을 전문화하는 일. 지역이 국제적으로 광범해지는 경우에는 국제 분업이라 함.

지역적 안전 보:장【地域的安全保障】 명 〖정〗 ①일부의 나라들, 특히 지역적으로 접근한 나라들이 상호 간의 분쟁(紛爭)을 평화적으로 처리하고 그들 사이에 생기는 충돌(衝突)을 집단적인 실력을 배경으로 방지·진압하는 제도. ②공동하여 외부의 제삼국 또는 그 무리에 대항할 목적의 지역적인 공동 방위 체제. 북대서양 조약 같은 것. 지역적 집단 안전 보장. *지역 방위.

지역적 집단 안전 보:장【地域的集團安全保障】 명 〖정〗 지역적 안전 보장❷.

지역 정보화 시스템【地域情報化―】〔system〕 명 〔Community Information System〕 유선(有線) 텔레비전 도시(都市)를 위한 정보 시스템으로서 일정 지역을 단위로, 가정(家庭)과 정보 제공 기관이나 관청(官廳)을 연결하고 각종의 지역 정보를 컴퓨터와 텔레비전을 통하여 제공하는 시스템.

지역 제:어【地域制御】 명 〔zone control〕〖공〗 각 지역별의 독립 난방 내지 온도 조절.

지역-주의【地域主義】〔―/―이〕 명 지역의 특수성을 살리고 지역내 자치성의 추진을 도모하는 입장.

지역 지구제【地域地區制】 명 도시의 환경·이편(利便)·안전 등을 유지하기 위하여 개개로 지정되는 구역에 있어서 토지의 이용 방법을 제한하는 제도. 건축물의 용도·형태·규모·구조 등을 한정하는 것으로 도시 계획의 중요한 내용이 됨.

지-역청【地瀝靑】 명 '아스팔트(asphalt)'의 한자 이름.

지역 통신 위성【地域通信衛星】 명 통신 위성 가운데서, 국내 중계용과 대륙간 내지 국제간 중계용의 중간적인 규모의 것으로, 아시아 지역·아프리카 지역·유럽 지역 등 한정된 범위를 중계 구역으로 하는 통신 위성. 정지형(靜止型) 위성을 사용함.

지역 투쟁【地域鬪爭】 명 노동 운동 전술의 하나. 노동자가 직장 투쟁을 더욱 발전시켜서, 그 지역 주민의 요구와 결부시켜 지방 권력과 투쟁하는 일. ――-하다 자여불

지역 포격【地域砲擊】 명 〖군〗 특정한 목표물에 대한 것이 아니고 전 지역에 걸쳐서 하는 포격. ――-하다 타여불

지역 폭격【地域爆擊】 명 〖군〗 특정한 목표물을 두지 않고 전지역에 걸쳐서 하는 폭격. ――-하다 타여불

지역-학【地域學】 명 일정한 지역의 지리·역사·문화 같은 것을 종합적으로 연구하는 학문.

지연[1]【地緣】 명 살고 있는 토지에 따른 연고 관계(緣故關係) 또는 토지를 매개로 하는 관계. ¶ ~과 학연에 따른 정실 인사.

지연[2]【紙鳶】 명 연(鳶).

지연[3]【遲延】 명 ①끌어서 더디게 함. 또, 더디어짐. 더디게 끌거나 끌리어 나감. 지인(遲引). ¶회의를 ~시키다/시간이 ~되다. ②〔delay〕〖전〗 신호가 장치 또는 도전 매질(導電媒質)을 통과하는 데 요하는 시간 또는 전송파형(傳送波形)의 정해진 부분이, 전송 회로(傳送回路)의 정해진 두 점을 통과하는 데 요하는 시간. ――-하다 자타여불

지연 단체【地緣團體】 명 〖사〗 집단 구성의 주된 유대(紐帶)가 공동 지역에 생활한다는 사실에 있는 집단. 이를테면 국가·도시 같은 것. 사회 발달사 상으로는, 최초에 볼 수 있는 혈연 단체(血緣團體)에 이어서 나타나는 것이라고 일반적으로 생각되고 있으나, 이것을 부정하는 설도 있음. 지역 단체. 지연 집단. ↔혈연 단체.

지연 돌연 변:이【遲延突然變異】 명 〔delayed mutation〕〖생〗 돌연 변이원(變異原)에서 처리 후, 일정한 기간 뒤에 나타나는 돌연 변이. 변이원에 의해 DNA에 손상(損傷)이 생겨도 대개의 경우 그것이 즉시 돌연 변이로 되는 일은 없으며, 복잡한 생물학적 과정(過程)을 거쳐서야 발생함.

지연 리피:터 위성【遲延―衛星】 명 〔delayed repeater satellite〕〖항공〗 어떤 기간 동안 지상 기지(地上基地)로부터의 정보를 비축(備蓄)했다가 다른 기간에 다른 기지로부터의 질문에 응해서 비축한 정보를 전달하는 위성.

지연 반:응【遲延反應】 명 〔delayed reaction〕〖심〗 욕구를 환기시킬 만한 자극을 준 뒤에, 어떤 방법으로든지 반응을 일정 기간 억제시켰다가 반응시키는 일. 연기(延期) 반응. 연체(延滯) 반응.

지연 배상【遲延賠償】 명 〖법〗 채무 불이행의 일종인 이행 지체(遲滯)를 이유로 하는 손해 배상.

지연-성【支燃性】〔―썽〕 명 물질을 잘 연소시키는 성질.

지연성 과:민증【遲延性過敏症】〔―썽―쯩〕 명 〔delayed hypersensitivity〕〖의〗 알레르기성 물질에 접촉된 후 수시간이 경과하여 시작되는, 감작(感作)된 사람의 이상 반응성(異常反應性).

지연 송:신기【遲延送信機】 명 〔retard transmitter〕〖전〗 동작 시간(動作時間)과 송신 시간 사이에 일정한 지연 주기(遲延周期)를 설치하고 있는 송신기.

지연 시간【遲延時間】 명 〔delay time〕〖전〗 차단 상태에서 접속 상태로 된 후, 컬렉터(collector) 전류가 트랜지스터(transistor) 안을 흐르기 시작하기까지 요하는 시간.

지연 이:자【遲延利子】〔―니―〕 명 〖경〗 연체 이자(延滯利子). ↔보전 이자(補塡利子).

지연 작전【遲延作戰】 명 ①일을 지연시켜 자기에게 이롭게 하려는 작전. ②〖군〗 결천(決戰)을 피하면서 적의 전진을 지연시켜 시간을 얻기

지의[8] 【紙衣】[―/―이] 명 ①《역》 솜 대신 종이를 두어서 만든 겨울옷. 서북쪽 국경에서 수자리 사는 군사가 입었음. ②《불교》 영혼을 천도(薦度)할 때에 관욕(灌浴)하려고 종이로 만든 영가(靈駕)의 옷.

지의[9] 【智顗】[―/―이] 명 《사람》 중국 천태종의 개조(開祖). 속성은 진씨(陳氏), 자는 덕안(德安). 존호는 지자 대사(智者大師), 통칭 천태대사(天台大師). 후난 성(湖南省) 화용(華容) 출신. 18세에 출가, 혜문(慧文)과 혜사(慧思)로부터, 일심 삼관(一心三觀)을 이어 받아 법화경(法華經)에 준하여 불교를 오시 팔교(五時八敎)로 조직하였음. [538-597]

지의[10] 【遲疑】[―/―이] 명 의심하고 주저함. ――하다 자여불

지의-계[1] 【地衣契】[―계/―이계] 명 《역》 돗자리 따위를 관아에 공물(貢物)로 바치던 계.

지의-계[2] 【紙衣契】[―계/―이계] 명 《역》 지의(紙衣)를 관아에 공물(貢物)로 바치던 계.

지-의금 【知義禁】 명 《역》 ↗지의금부사(知義禁府事).

지-의금부사 【知義禁府事】 명 《역》 조선 시대 의금부(義禁府)의 정이품 벼슬. ㊀지의금(知義禁). *지사(知事).

지의-대 【地衣帶】[―/―이―] 명 《식》 식물의 수직 분포의 한 지대. 초본대(草本帶)의 위, 설대(雪帶)의 아래에 위치함. 암괴 위에 약간의 지의와 선태(蘚苔)·소초본(小草本)·고산성 화본(高山性禾本) 등이 섞여서 남.

지의-류 【地衣類】[―/―이―] 명 《식》 [Lichenes] 은화(隱花) 식물의 한 종류로, 자낭균(子囊菌)·담자균 등의 균류와 단세포(單細胞)·녹조(綠藻)·남조(藍藻) 등의 조류(藻類)와의 공생체(共生體). 외표(外表)는 균사(菌絲)로 되는 피층(皮層)으로, 조류를 싸서 보호하며 수분을 공급하고, 내부는 녹과층(綠顆層)과 수계층(髓系層)으로 되어, 동화 작용을 하여 양분을 균류에서 공급하여 공생(共生)하는데, 종종 가근(假根)이 있는 것도 있음. 자기(子器) 및 분아(紛芽)·침아(針芽) 등으로 번식하고, 웅기(雄器)를 가진 것도 있음. 모양과 생태에 따라, 엽상(葉狀) 지의·목상(木狀) 지의·사상(絲狀) 지의·교질(膠質) 지의·고착(固着) 지의·과두상(蝌蚪狀) 지의 등으로 구분하며, 나무 껍질이나 바위에 붙어서 생활함. 지의 식물.

지의류-학 【地衣類學】[―/―이―] 명 [lichenology] 《식》 지의류에 관한 학문.

지의 식물 【地衣植物】[―/―이―] 명 《식》 지의류(地衣類).

지-의-용-절 【智義勇節】 명 《천주교》 지혜와 의리와 용기와 절개.

지의-초 【地衣草】[―/―이―] 명 《식》 지의[2](地衣).

지이[1] 명 〈옛〉 깃기. =지시. ¶므스일 일우리라 십년 지이 너롤 조차 ≪古時調 鄭澈≫.

지이[2] 【地異】 명 땅 위에 일어나는 지진·홍수·해일(海溢)·분화(噴火) 등의 이변(異變). 지변(地變). ¶천변(天變) ~. ↔천변(天變).

지이다[1] 타 〈옛〉 기대다. 의지(依持)하다. =지여다·지ᅇᅵ다. ¶막대 지여셔 외로왼 돌홀 보고(倚杖看孤石)≪杜諺 X:3≫/님굼 金華省애 지이니라(倚君金華省)≪杜諺 XXIV:41≫.

지이다[2] 보형 동사 또는 형용사의 어미(語尾) '-아'나 '-어'의 아래에 쓰이어 무엇이 뜻대로 되기를 바라는 뜻을 나타내는 말. ¶병이 나아~/소망이 이루어~.

지-이부지 【知而不知】 명 알고도 모르는 체함. ――하다 타여불

지이-산 【智異山】 명 《지》 지리산(智異山).

지:이:케이 [GEK] 명 《해》 전자 해류계(電磁海流計).

지인[1] 명 〈방〉 주인[1](主人)(경상).

지인[2] 【至人】 명 노장학(老莊學)에서 도덕이 극치에 이른 사람.

지인[3] 【至仁】 명 더없이 인자함. ――하다 형여불

지인[4] 【知人】 명 ①잘 아는 사람. ②사람의 됨됨이를 알아봄. ――하다 자여불

지인[5] 【知印】 명 《역》 ①고려 때, 중서 문하성(中書門下省)과 도평의사사(都評議使司)에 딸린 상급의 이속(吏屬). ②통인(通引)❷.

지인[6] 【指印】 명 지장(指章).

지인[7] 【智仁】 명 《사람》 통일 신라 시대의 중. 중국 당(唐)나라에 가서 현장 삼장(玄奘三藏)의 불경 번역 사업에 종사하였음. 저서에 ≪불지론소(佛地論疏)≫·≪잡집론소(雜集論疏)≫ 등이 있음. 생몰년 미상.

지인[8] 【智印】 명 《불교》 보살의 지혜의 표지(標識)인 인계(印契)의 총칭.

지인[9] 【遲引】 명 지연(遲延). ――하다 자타여불

지인 달사 【至人達士】[―싸] 명 덕이 높고 이치에 밝아서 사물에 얽매여 지내지 않는 사람.

지인망 어업 【地引網漁業】 명 가후리 어업(漁業).

지인-방 【知印房】 명 《역》 조선 시대 때 '상서원(尙瑞院)'의 별칭. 정방(政房).

지-인-용 【智仁勇】 명 지혜와 인자(仁慈)와 용기. ¶~을 겸비하다.

지인지-감 【知人之鑑】 명 사람을 잘 알아 보는 감식(鑑識). ㊀지감(知鑑).

지인 지자 【至仁至慈】 명 지극히 인자함. ――하다 형여불

지일[1] 명 〈방〉 호미씻이(강원).

지일[2] 【至日】 명 동지(冬至) 또는 하짓(夏至)날.

지일[3] 【地日】 명 《천도교》 제2세 교조 최해월(崔海月)이 제1세 교조로부터 심법(心法)을 승통(承統)하였음을 기념하는 날. 곧, 조선 철종(哲宗) 13년(1863) 8월 14일.

지일[4] 【遲日】 명 [낮이 길어 해가 늦게 진다는 뜻] 봄 날. 낮이 긴 날.

지일 가:기 【指日可期】 명 다른 날 일이 성공하기를 꼭 믿음. ――하다 타여불

지이다 보형 〈옛〉 '지라'의 경어형(敬語形). ¶내 니거지이다 가사(請而自往)≪龍歌 58章≫.

지ᅇᅵ다 타 〈옛〉 기대게 하다. 의지하게 하다. ¶机는 안자 지ᅇᅵ는 거시라≪釋譜 XI:34≫.

지자[1] 명 〈방〉 치자(梔子).

지자[2] 명 〈방〉 저자[1](경남).

지자[3] 【支子】 명 맏아들 이외의 아들.

지자[4] 【至慈】 명 더없이 자비로움. ――하다 형여불

지자[5] 【知者】 명 지식이 많고 사리에 밝은 사람.

지자[6] 【持字】 명 《역》 ↗지자군(持字軍).

지자[7] 【智者】 명 슬기로운 사람. 지혜가 많은 사람.

지자-견:미맹 【智者見未萌】 명 슬기 있는 사람은 일이 일어나기 전에 미리 앎.

지자-군 【持字軍】 명 《역》 지방 관아(地方官衙)에서 공문(公文)이나 물건 짐을 지고 다니는 사람. ㊀지자(持字).

지자귀 명 〈방〉 기저귀(함경).

지-자기 【地磁氣】 명 [terresterial magnetism] 《지》 지구 자기(地球磁氣).

지자 대:사 【智者大師】 명 《사람》 '지의(智顗)'의 법명.

지자 막약부 【知子莫若父】 명 아비만큼 그 아들의 됨됨이를 아는 사람은 없다는 말.

지자 불박 【知者不博】 명 지자는 자기의 전문을 깊이 파느라고 딴 잡다한 일에는 통하지 아니함.

지자 불언 【知者不言】 명 지자는 깊이 재능을 감추고 함부로 말을 하지 아니함.

지자 불혹 【智者不惑】 명 슬기로운 사람은 도리를 잘 알므로 어떤 일에 도미혹(迷惑)되지 않음.

지자 요수 【智者樂水】 명 지자는 사리에 밝아 막힘이 없는 것이 흐르는 물과 비슷하여서 늘 물과 친하여 물을 즐김.

지자 요수 인자 요산(智者樂水仁者樂山) 구 지자(智者)는 사리(事理)에 통달하여 막힘이 없음이 물과 같아서 물을 좋아하고, 인자(仁者)는 의리에 밝고 중후(重厚)하여 변치 않음이 산과 같아서 산을 좋아함.

지자 일실 【智者一失】[―씰] 명 슬기로운 사람도 많은 생각 중에는 간혹 실수가 있음.

지자 총통 【地字銃筒】[―짜―] 명 《역》 임진 왜란 때 사용했던 대포의 이름. 화약을 사용하여 장군전(將軍箭)을 발사하는 데 썼음.

지작-관 【鳷鵲觀】 명 《역》 중국 한 무제(漢武帝)의 궁전 이름.

지잠 【地蠶】 명 《충》 굼벵이.

지장[1] 명 〈방〉 《식》 기장[1](경기·강원·충청·전라·경상·제주).

지장[2] 명 〈방〉 길이(강원·충북·함경).

지장[3] 【支裝】 명 《역》 신임 수령(守令)을 맞을 때에, 그 곳 군아(郡衙)에서 주는 그 곳의 산물.

지장[4] 【支障】 명 계제(階梯)나 형편에 나쁜 사정. 일의 진행에 방해되는 장애(障礙).

지장[5] 【地漿】 명 《한의》 황토(黃土)로 된 땅을 석 자 가량 파고 그 속에서 나오는 물을 휘저었다가 가라앉힌 뒤에 그 위에 뜨는 맑은 물. 해독제로 씀. 토장(土漿). 황토수(黃土水).

지장[6] 【地藏】 명 《불교》 ↗지장 보살(地藏菩薩).

지장[7] 【地藏】 명 《사람》 신라 말기의 중. 속성은 김씨(金氏). 중국 당(唐)나라에 가서 안후이 성(安徽省)의 주화 산(九華山)의 화성사(化城寺)의 주지가 되고, 뒤에 남릉(南陵)으로 가서 어느 신사(信士)가 써 준 ≪사대부경(四大部經)≫으로 관법(觀法)을 닦았음. 평소 백토(白土)만을 먹고 연명했다고 하며, 당시 그의 법명(法名)은 당나라뿐 아니라 신라에까지 알려졌었다 함. [705-803]

지장[8] 【指章】 명 도장 대신으로 손가락의 지문(指紋)을 찍는 인(印). 손도장. 지인(指印). 무인(拇印).

지장[9] 【指掌】 명 ①[손바닥을 손가락으로 가리킨다는 뜻] 아주 용이함. 극히 명백함. ②손바닥.

지장[10] 【紙匠】 명 《역》 ①조선 시대 교서관(校書館)에서 종이를 다루는 공장(工匠). ②조선 시대 조지서(造紙署)에서 종이를 만드는 공장(工匠).

지장[11] 【紙帳】 명 종이로 만든 방장(房帳).

지장[12] 【紙欌】 명 종이로 발라서 만든 장(欌).

지장[13] 【智將】 명 지혜가 있는 장군. 꾀가 교묘한 장수.

지장[14] 【智障】 명 《불교》 모든 유혹(誘惑)이 보리(菩提)의 묘지(妙智)를 어지럽게 하는 일.

지장 각피증 【指掌角皮症】[―쯩] 명 《의》 손가락이나 손바닥의 피부가 건조하여 거슬거슬해지고 나중에 각화(角化)하여 벗겨지는 피부 질환. 흔히, 젊은 여성에게서 볼 수 있음. 성호르몬의 이상이 원인이라고 하나, 물을 사용하는 빨래나 부엌일과 관련이 있는 경우도 있음.

지장경 언:해 【地藏經諺解】 명 《책》 ≪지장경(地藏經)≫을 언해한 책. 조선 세조(世祖) 때의 학조 대사(學祖大師)가 국문으로 번역한 책. 원명은 ≪지장 보살 본원경 언해(地藏菩薩本願經諺解)≫. 음역(音譯) 지장경.

〈지장 보살〉

지장 보살 【地藏菩薩】 명 [범 Ksitigarbha] 《불교》 석가불(釋迦佛)의 부탁을 받고, 그 입멸(入滅) 후 미륵불(彌勒佛)의 출세(出世)까지, 부처 없는 세계에 머물러 있으면서 육도(六道)의 중생을 화도(化導)한다는 보살. ㊀지장(地藏).

지장-봉 【地藏峰】 명 《지》 ①강원도 회양군(淮陽郡)에 있는 산봉우리. 내금강(內金剛) 안에 솟아 있는 기봉(奇峰)의 하나. [1,381 m] ②경기도 연천군(漣川郡) 관인면(官仁面)과 강원도 철원군(鐵原郡) 신서면(新西面) 사이에 있는 산. [877 m]

지장 산림 【地藏山林】[―살―] 명 《불교》 망인(亡人)의 명복을 빌기 위

하여 49일 간 지장 보살의 이름을 외며 경전(經典)을 강설하는 일.
지장-전【地藏殿】명〖불교〗'명부전(冥府殿)'의 딴이름.
지재[1]【至材】명 더할 나위 없는 재능. 또, 그 사람.
지재[2]【持齋】명〖불교〗①오후에는 식사하지 않는다는 계법(戒法)을 지킴. ②정진(精進)·결재(潔齋)하여 심신(心身)을 깨끗이 하는 일. ——-하다 자여불
지재-권【知財權】[—꿘] 명 ↗지적 재산권(知的財産權).
지재 지삼【至再至三】명부 두 번 세 번. 곧, 여러 차례. ¶~ 부탁하다.
지재-차산중【只在此山中】명 오직 이 산 속에 있음. 곧, 사물이 일정한 범위 밖에 나가지 않음.
지쟁이 명〈방〉〖식〗기장[1](경남).
지저【地底】명 땅의 밑바닥.
지저-거리다 자 자꾸 지저귀다. >재자거리다. **지저-지저** 부. ——-하다 자여불
지저구 명〈방〉기저귀(경기·강원·충청·전라·경상).
지저구니 명〈속〉하는 짓.
지저귀[1] 명 ①남의 일을 방해하는 행동. ¶제 어미 아비부터 야속히 여겨 무슨 ~를 할는지도 혹 알 수 없사와…《作者未詳 : 산천초목》. ②짓거리❶. ——-하다 자여불
지저귀[2] 명〈방〉기저귀(경기·충남).
지저귀[3] 명〈방〉지저깨비.
지저귀다 자〔중세 : 지저리다('지지다'와 '짓괴다'의 혼효형)〕①새가 계속하여 소리 내어 우짖다. ②신통찮은 말이나 조리없는 얘기를 지절거리다.
지저기 명〈방〉기저귀(충남·경남).
지저-깨비 명 나무를 깎거나 다듬을 때에 생기는 잔 조각. 목찰(木札).
지저-대다 자 지저거리다.
지저분-하다 형여불 ①거칠고 깨끗하지 못하다. ②어수선하고 더럽다. [지저분하기는 오간수 다리 밑이라]〔오간수(五間水) 다리는 지금의 동대문에서 을지로 오가(五街)로 가는 성벽 밑 청계천(淸溪川)에 있던, 홍예문(虹霓門) 다섯 간으로 된 다리〕사람의 하는 짓이 비루하고 난잡하다는 말.
지저-수【地底水】명〖지〗지하수(地下水).
지저우 요【—窯】〔중 吉州〕명 중국 장시 성(江西省) 지안 부(吉安府) 루링 현(廬陵縣) 잉허전(永和鎭)에서 산출하는 도기(陶器)의 이름. 길주요.
지적[1]【地積】명 땅의 면적. 땅의 평수. ¶~ 측량.
지적[2]【地籍】명 ①토지에 관한 여러 가지 사항을 기재한 기록. ②토지의 소속.
지적[3]【知的】[—쩍] 명관 지력(知力)에 관한 모양. 지력을 필요(必要)로 함. ¶~ 유희/~ 수준.
지적[4]【指摘】명 ①손가락질하여 가리킴. 중요한 데나 주의해야 할 일을 특히 집어 내어 구체적으로 가리켜 보임. ②지목하여 폭로함. ——-하다 타여불
지적-가비 명〈방〉지저깨비.
지적-거리다 자〈방〉지저거리다.
지적 공부【地籍公簿】명 토지 대장(土地臺帳)·임야 대장(林野臺帳)·지적도(地籍圖)·임야도(林野圖) 및 수치 지적부(數値地籍簿)의 총칭. 구청장·시장·군수는 이를 지적 서고(書庫)에 비치 보관(備置保管)하여, 영구히 보존(保存)하여야 함.
지적 기능자【地籍技能者】명〖법〗국가 기술 자격법에 의한 지적 측량 자격자의 하나. 지적 측량을 보조하고 지적도(地籍圖)·임야도(林野圖)의 정리·등사 등의 가벼운 업무에 종사함.
지적 기술자【地籍技術者】[—짜] 명〖법〗국가 기술 자격법에 의한 지적 측량(測量) 자격자의 하나. 지적 기술사 및 지적 기사 1급과 2급의 총칭.
지적 대장【地籍臺帳】명 토지 대장(土地臺帳).
지적-도【地籍圖】명〔cadastral map〕토지의 소재(所在)·지번(地番)·지목(地目)·경계(境界) 등을 나타내기 위하여 국가에서 만든 평면 지도(地圖).
지적 무지【知的無知】[—쩍—] 명〖철〗독타 이그노란티아(docta ignorantia).
지적-법【地籍法】명〖법〗효율적인 토지 관리와 소유권의 보호를 위해, 토지를 지적 공부(地籍公簿)에 등록하는 절차와 지적 측량(地籍測量) 및 그 정리에 관한 사항을 규정한 법률.
지적 사:무관【地籍事務官】명 시설직(施設職) 국가 공무원 직급 명칭의 하나. 지적 직렬(職列)에 속하며 지적 주사(主事)의 위, 시설 서기관(書記官)의 아래로 5급 공무원임.
지적 서기【地籍書記】명 시설직(施設職) 국가 공무원 직급 명칭의 하나. 지적 직렬(職列)에 속하며, 지적 서기보의 위, 지적 주사보(主事補)의 아래로 8급 공무원임.
지적 서기보【地籍書記補】명 시설직(施設職) 국가 공무원 직급 명칭의 하나. 지적 직렬(職列)에 속하며, 지적 서기(書記)의 아래로 9급 공무원임.
지적 소:유권【知的所有權】[—쩍—꿘] 명 '지적 재산권'의 구칭.
지적의 날【地籍—】[—/—에—] 명 1976년에 지적법 시행령(地籍法施行令)이 공포된 날을 기념하기 위하여 1978년부터 설정한 날. 해마다 5월 7일.
지적 재산권【知的財産權】[—쩍—꿘] 명 산업 재산권이나 저작권 등 인간의 지적 생산물에 대한 재산권. 무체 재산권(無體財産權). 구칭 : 지적 소유권.
지적 주사【地籍主事】명 시설직(施設職) 국가 공무원 직급 명칭의 하나. 지적 직렬(職列)에 속하며, 지적 주사보의 위, 지적 사무관(事務官)의 아래로 6급 공무원임.
지적 주사보【地籍主事補】명 시설직(施設職) 국가 공무원 직급 명칭의 하나. 지적 직렬(職列)에 속하며, 지적 서기(書記)의 위, 지적 주사의 아래로 7급 공무원임.
지적지 명〈방〉기저귀(충북).
지적 지아【知敵知我】명 적을 알고 자신을 앎. 지피 지기(知彼知己). ——-하다 자여불
지적-지적 부 물이 밑바닥에 잦아 붙은 모양. >자작자작. ——-하다 형여불
지적 직관【知的直觀】[—쩍—] 명〖철〗초감성적(超感性的)·초오성적(超悟性的)인 것의 직관. 곧, 현상(現象)을 초월한 근본 실재의 직접적·정신적 파악.
지적 측량[1]【地積測量】[—냥] 명 어떤 구역 안의 면적을 구하기 위한 측량. 이 경우의 면적이란 보통 수평 투사 면적(水平投射面積)임.
지적 측량[2]【地籍測量】[—냥] 명〖법〗토지를 토지 공부(公簿)에 등록하거나 지적 공부에 등록된 경계를 지표 상(地表上)에 복원(復元)할 목적으로 소관청(廳)이 직권 또는 이해 관계인(利害關係人)의 신청에 의하여 각 필지(筆地)의 경계 또는 좌표의 면적을 정하는 측량.
지적 측량사【地籍測量師】[—냥—] 명 지적 기술자(地籍技術者)·지적 기능자(地籍技能者)의 구칭
지적 판단【知的判斷】[—쩍—] 명〖철〗논리적으로 진위(眞僞)를 가리어서 내리는 판단.
지전[1]【知殿】명〖불교〗선종(禪宗)에서, 불전(佛殿)을 청소하고, 향(香)·등(燈) 따위의 일을 맡은 소임. *노전(爐殿).
지전[2]【持殿】명〖불교〗'지전(知殿)'의 잘못.
지전[3]【紙田】명〖역〗고려 때 각 관아에 종이·먹·붓 등의 잡비를 충당하기 위한 급전(給田)으로 사급(賜給)한 공해전(公廨田).
지전[4]【紙錢】명 ①〖민〗종이를 돈 모양으로 오리어 만든 물건. 죽은 사람이 저승으로 가는 길에 쓰라는 뜻으로 관 속에 넣어 줌. ②〖민〗무당이 비손할 때에 쓰는, 긴 종이 오리를 둥글둥글하게 잇대어 돈 모양으로 만든 물건. ③지폐(紙幣).
지전[5]【紙廛】명 ①지물포(紙物鋪). ②〖역〗조선 시대 초부터 서울에 있던 종이 파는 가게. 육주비전(六注比廛)의 하나로, 여러 가지 종이 및 그 가공품을 전문으로 팔았으며, 유분전(有分廛)으로 국역(國役) 칠분(七分)을 부담하였음. *육주비전(六注比廛)·팔주비전(八注比廛).
지-전류【地電流】[—절—] 명〔earth current〕〖물〗①지구 표면에 가까운 부분을 흐르는 자연 전류. ②지구를 회로(回路)의 일부로 하는 전신기 등에 있어서 전선 속을 흘러 통신에 장애를 끼치는 전류.
지전-설【地轉說】명 홍대용(洪大容)의 지구 회전설. 박지원(朴趾源)의 《열하 일기》 중의 곡정 필담(鵠汀筆談)에 실려 전하는 것으로, 김석문(金錫文)은 삼환설(三丸說)을 말하고 홍대용은 지전설을 말했음. 지전설이란 삼환설에서 더 나아가 둥근 것은 반드시 돈다는 원리에서 지구는 돈다고 주장하였다 함. *삼환설.
지:-전지【G電池】명〖물〗삼극(三極) 진공관의 격자(格子)에 전압을 주는 전지.
지전-춤【紙錢—】명〖민〗호남 지방의 무당이 길이 80 cm 쯤으로 만든 종이돈 곧, 지전 여러 장을 가지고 추는 춤. 호남 지방의 씻김굿에서만 보임.
지절[1]【至切】명 ①지극히 간절함. ②지극히 필요함. ——-하다 형여불
지-절[2]【志節】명 지조와 절개.
지절[3]【枝節】명 ①가지와 마디. ②곡절이 많은 사단(事端)의 비유. 지절(이) 나다 구 곡절이 많은 사단(事端)이 벌어지다.
지절[4]【肢節·支節】명 ①〖생〗팔다리의 마디뼈. ②〖충〗절지 동물(節肢動物)의 관절지(關節肢)를 구성하는 각 마디 사이를 이름. 기본형은 일곱 개로 됨.
지절[5]【指切】명 손가락으로 가리키며 친절하게 설명(說明)함. ——-하다 타여불
지절[6]【指節】명〔dactylopodite〕〖충〗절지 동물(節肢動物)의 관절지(關節肢)의 가장 끝 지절(肢節). 갈고리 꼴을 한 것이 많으며, 이와 이어지는 앞마디에서 나오는 거근(擧筋)과 굴근(屈筋)에 의하여 굴신(屈伸)함. 새우·게 따위의 집게인 경우는 앞마디의 장부(掌部)에 대하여 개폐(開閉)함.
지절-거리다 자 수다스럽게 지껄이다. >재잘거리다. **지절-지절** 부. ——-하다 자여불
지절-대다 자 지절거리다.
[지절대기는 똥 본 오리라] 수다스럽게 떠들며 말이 많은 사람을 놀리는 말.
지절로 부〈방〉저절로(경상).
지절-통【肢節痛】명〖한의〗감기나 몸살로 말미암아 팔다리가 쑤시고 아픈 증세(症勢).
지점[1]【支店】명 ①본점에서 갈리어 나온 가게. ②본점(本店)에 종속되어 그 지휘·명령에 따르는 영업소. *본점(本店)·분점(分店).
지점[2]【支點】명 ①〖물〗받침점. ②〖토〗구조물(構造物)을 받치고 있는 부분.
지점[3]【至點】명〔solstice〕〖지〗황도(黃道) 위에서 분점(分點)으로부터 90° 떨어진 부분. 곧, 하지점(夏至點)과 동지점(冬至點)의 병칭(並稱).
지점[4]【地點】명 땅 위의 일정한 점.
지점[5]【指點】명 손가락으로 가리켜 보임. ——-하다 타여불
지점[6]【持點】명 당구에서, 제각기 열마씩 치기로 정한 점수(點數).
지점[7]【趾點】명 수선(垂線) 또는 사선(斜線)의 밑의 점.

지점-거리다 자 〈방〉 지짐거리다. 지점-지점 부. ――-하다 자

지점 우:량【地點雨量】명〔point rainfall〕〖기상〗어떤 지점에서 우량계로 측정한 그 시간의 강우량.

지점-장【支店長】명 지점의 업무를 주장하는 우두머리.

지-점토【紙粘土】명 펄프나 신문지 따위를 잘게 찢어서 물에 불려 곤죽같이 만든 것에 점착제(粘着劑)를 섞은 찰흙 모양의 것. 공작 재료 등으로 쓰임.

지접[1]【止接】명 한때 거접(居接)함. ――-하다 자여불

지접[2]【枝接·枝接】명〖농〗가지접.

지접-거리다 자 〈방〉 지짐거리다. 지접-지접 부. ――-하다 자

지정[1] 명 〈방〉〖식〗기장[1](경상).

지정[2]【支定】명 정도(定賭).

지정[3]【地丁】명〖식〗민들레.

지정[4]【至正】명 더없이 바름. 조금도 비뚤지 않음. ――-하다 형여불

지정[5]【池亭】명 못가에 있는 정자.

지정[6]【地釘】명〖건〗지반(地盤)을 단단하게 하기 위하여 주초(柱礎) 대신 땅 속으로 박는 통나무 토막이나 콘크리트 기둥. 파일(pile).
 지정(을) 다지다 구 건축물 등의 지반을 단단하게 하려고 지정(地釘)을 박아 다지다. 터다지다. ㊂지정 닻다.
 지정(을) 닻다 구 ↗지정 다지다.

지정[7]【地精】명〖식〗인삼(人蔘).

지정[8]【至情】명 ①아주 가까운 정분. ②더할 수 없이 지극한 충정(衷情). ③아주 가까운 친척.

지정[9]【至精】명 조금도 지저분하거나 섞이지 아니하고 지극히 깨끗함. ――-하다 형여불

지정[10]【知情】명 남의 정상(情狀)을 앎. ――-하다 자여불

지정[11]【指定】명 ①이것이라고 가리키어 정함. ②행정 관청이 법령의 정하는 바에 의하여 사실을 조사한 다음 특정한 자격을 주는 일. 또, 관공서·학교·회사·사사 개인 등이 어떤 것을 특별히 인정하여 권리를 취득시키는 일. ――-하다 타여불

지정[12]【持正】명 바른 도리(道理)를 취하고 지킴. 바르고 기울지 아니함. ――-하다 자여불

지정-가【指定價】[―까] 명〖경〗의뢰자가 지정하는 매매가.

지정가 매매【指定價賣買】[―까―] 명〖경〗지정가에 의하여 매매하는 일. ――-하다 타여불

지정가 주:문【指定價注文】[―까―] 명〖경〗유가 증권(有價證券)의 매매를 증권업자에게 위탁할 때의 주문 방법의 하나. 위탁할 때에 최고 판매 가격과 최저(最低) 매입 가격을 지정하는 주문 방법. ↔성립가(成立價) 주문.

지정-거리다 자 곧장 내달아 가지 아니하고 조금 지체하다. 지정-지정 부. ――-하다 자여불

지정-곡【指定曲】명 노래 자랑이나 음악 경연(競演) 등에서, 참가자가 으레 부르거나 연주하도록 주최(主催) 측으로부터 지정받은 곡목을 자유곡(自由曲)에 상대하여 이르는 말.

지정 금릉 신지【至正金陵新志】[―능―] 명〖책〗중국 금릉(金陵), 곧 지금의 난징(南京)의 지지(地誌). 1344 년 원(元)나라 장현(張鉉)의 찬(撰). 송(宋)나라 때 나온 ≪경정 건강지(景定建康志)≫에다 척광(戚光)이 송대(宋代) 이후를 보찬(補撰)했는데 임의(任意)로 고친 부분이 많아서 재찬(再撰)한 것임. 원대 지지(元代地誌)의 하나로서 귀중(貴重)한 사료(史料)임. 15 권.

지정-다지기【地釘―】명〖건〗집을 지을 집터를 다지는 일. 집터를 고른 다음 큰 돌을 새끼로 맨 달구를 올렸다 떨어뜨렸다 하여 뜬흙〔浮土〕을 다져 지반을 튼튼히 하는 작업임. ――-하다 자여불

지정-대다 자 지정거리다.

지정-머리 명 좋지 못한 궂은 짓거리.

지정 명:제【指定命題】명〖논〗'어떤' 또는 '모든'이라는 양기호(量記號)에 의하여 명제의 주어(主語)의 외연(外延)이 지정되고 확정되어 있는 명제. '모든 사람은 죽는다'와 같은 전칭 긍정(全稱肯定), '모든 사람은 눈이 셋 아니다'와 같은 전칭 부정(全稱否定)과, '어떤 개는 희다'와 같은 특칭 긍정(特稱肯定), '어떤 개는 희지 않다'와 같은 특칭 부정(特稱否定)이 있음.

지정 문화재【指定文化財】명 문화재 보호법에 의하여 우리 나라의 역사상, 예술상, 학술상 가치가 큰 것으로서 지정된 문화재. 유형(有形) 문화재·무형 문화재·민속 자료·기념물 등이 있음.

지정 보:세 구역【指定保稅區域】명〖법〗통관 절차(通關節次)를 밟고자 하는 물품을 장치(藏置) 또는 검사하기 위한 장소로, 세관장이 지정한 구역. 통관역(通關驛)·통관 공항·통관 우체국·통관장·세관 구내(稅關構內) 등이 있음.

지정-복【指定服】명 천이나 모양새 따위가 지정되어 있는 옷. 흔히, 학교나 단체 따위에서 볼 수 있음.

지정 불고【知情不告】명 남의 죄상(罪狀)을 알고 있으면서 고발하지 아니함. ――-하다 자타여불

지정-사【指定詞】명〖언〗'이다'·'아니다'를 하나의 품사(品詞)로 보는 경우의 품사의 하나. 사물(事物)이 무엇이라고 지정하는 용언(用言)임. 잡음씨. 참고 학교 문법 통일안에서는 이것을 서술격 조사(敍述格助詞)로 봄.

지정 사:명 속지【至正四明續志】명〖책〗중국 명주(明州)(저장 성)의 지지(地誌). 원(元)나라 지정(至正) 2년(1342) 왕원공(王元恭)이 찬(撰)함. 원통(袁桶)이 만든 ≪연우 사명지(延祐四明志)≫와 그 후의 변화를 그 체재에 따라 정정 증보(增補)한 속편(續編)임. 연혁(沿革)·풍속·직관(職官)·인물·성읍(城邑)·산천(山川)·토산(土産) 등의 조목으로 이루어짐. 원대(元代) 지방지(誌)로서 귀중한 사료(史料)임. 12 권.

지정 상속분【指定相續分】명〖법〗공동 상속에서, 피상속인의 유언(遺言) 또는 그 위탁을 받은 제삼자에 의하여 지정된 상속분. ↔법정(法定) 상속분.

지정-석【指定席】명 어느 사람을 위하여 정해진 좌석. 경기장·열차·항공기·극장 따위에서 볼 수 있음.

지정 예:금【指定預金】[―녜―] 명 정부 예금 가운데서 그 용도·조건 등을 중앙 은행에 대하여 특히 지정한 예금.

지정외 통화【指定外通貨】명〖경〗지정 통화(指定通貨)에 들지 않은 외국의 통화.

지정 유언 집행자【指定遺言執行者】명〖법〗유언자가 직접 지정하거나 또는 지정의 위탁(委託)을 받은 제삼자가 지정한 유언 집행자.

지정-은【地丁銀】명〖역〗중국 청(淸)나라가 1810년대에 시작하여 1870년대까지 전국적으로 보급한 세제(稅制). 고대의 인정세(人丁稅)와 토지세를 합쳐서 토지에만 과하여 은(銀)으로 징수하였음.

지-정-의【知情意】명〖심〗지성(知性)·감정(感情)·의지(意志). 인간의 세 가지 심적 요소를 이름.

지정 전염병【指定傳染病】[―뼝] 명 법정 전염병 이외에 보건 사회부 장관이 필요에 따라 따로 지정하는 전염병.

지정 조격【至正條格】명〖역〗중국 원(元)나라 순종(順宗) 지정 연간(至正年間)에 만든 법규. 고려말에 우리 나라에 들어와 적용되었음.

지정 주파수대【指定周波數帶】명〖전〗전파 관리상의 주파수대의 하나. 주파수대의 중앙 주파수가 할당 주파수와 일치하고 그 주파수대의 폭이 점유 주파수대 폭의 허용치와 주파수의 허용 편차의 절대치의 두 배의 합계와 같은 주파수대를 이름.

지정-지【指定地】명 특정한 목적을 위해 그 장소라고 지정된 곳.

지정지-간【至情之間】명 지극히 가까운 정분 있는 사이.

지정 지미【至精至微】명 지극히 정미(精微)함. ――-하다 형여불

지정 지밀【至精至密】명 지극히 정밀함. ――-하다 형여불

지정지 인도【指定地引渡】명〖경〗물건 매매에 있어서, 현품의 인도를 사는 이가 지정한 장소에서 하는 일. 이런 경우 운반 비용은 파는 이의 부담이 됨.

지정 직기【至正直記】명〖책〗중국, 주로 원(元)나라의 여러 제도를 적은 책. 원말(元末) 공재(孔齋)가 펴냄. '정재(靜齋) 직기' 또는 '정재 유고(類稿)'라고도 함. 당시의 제도·풍습 등을 연구 하는 데 귀중한 사료(史料)임. 4 권.

지정 통:계【指定統計】명〖경〗정부 또는 지방 자치 단체가 작성하는 통계. 경제 기획원 장관이 지정하여 고시함.

지정 통화【指定通貨】명〖경〗외환(外換) 거래의 결제(決濟)에 사용하는 통화로서 지정된 외화(外貨). 우리 나라는 미국의 달러, 영국의 파운드, 독일의 마르크 등 안정성과 교환성이 높은 통화를 지정 통화로 채택하고 있음. ↔지정외 통화.

지정-학【地政學】명〔도 Geopolitik〕정치 현상과 지리 조건과의 관계를 연구하는 학문. ¶~적인 위치.

지제[1]【地祭】명 지신(地神)에게 지내는 제사.

지제[2]【地堤】명〖지〗양쪽이 저지(低地)로 된 사이에 끼어 제방 모양으로 된 지층(地層).

지제[3]【紙製】명 종이로 만듦. 또, 그 물건.

지-제고【知制誥】명〖역〗고려 때, 조서(詔書)·교서(教書) 등의 글을 지어 바치던 벼슬. 내지제고(內知制誥)·외지제고(外知制誥)의 구분이 있었는데, 뒤에 지제교(知製教)로 고치었음.

지-제교【知製教】명〖역〗①고려 '지제고(知制誥)'의 고친 이름. ②조선 시대 때 교서(教書) 등의 글을 지어 바치던 벼슬. 내지제교(內知製教)·외지제교(外知製教)의 구분이 있었음.

지제기 명 〈방〉 기저귀(전북).

지제-류【枝蹄類】명〖동〗소목(目).

지-제용사사【知濟用司事】명〖역〗고려 때 제용사(濟用司)의 으뜸 벼슬. 정오품. 충렬왕(忠烈王) 34년(1308)에 베풀어서 충선왕(忠宣王) 2년(1310)에 폐함. *지사(知事).

지젤〔프 Giselle〕명〖악〗아당(Adam, A. C.)이 작곡한 2 막의 발레 음악. 1841년 파리에서 초연(初演)되었음. 조곡풍(組曲風)의 낭만적 발레곡의 대표작임.

지조[1]【地租】명〖법〗토지 수익(收益)에 대하여 부과하는 조세.

지조[2]【地條】명〔도 Streifen〕〖역〗중세 유럽의 개방 경지 제도(開放耕地制度)에서 볼 수 있는, 농민의 보유 토지를 다시 세분(細分)한 경작지. 이는 혼재 경지(混在耕地)의 기초를 이루는데, 이들 지조의 몇 개가 모여서 경구(耕區)를 이루며, 농민의 보유 지조(保有地條) 또는 직영지 지조도 동일 구획에 집중치 않고 경구마다 분산적으로 보유되는 관행(慣行)을 따랐음. 이러한 지조의 존재 형태가 필연적으로 촌락 공동체의 공동 경작제·경작 강제를 강요하는 요소가 됨.

지조[3]【志操】명 지켜 바꾸지 않는 지향(志向). 굳은 지기(志氣). ¶학자로서의 ~/~를 지키다.

지조[4]【知照】명 통지하기 위하여 조회(照會)함. ――-하다 타여불

지조[5]【指爪】명 손톱.

지조[6]【鷙鳥】명〔지(鷙)는 육식(肉食)하는 새의 총칭〕맹금(猛禽).

지:-조개 명 〈방〉 가막조개.

지조로다 타 〈옛〉 지지르다. ¶잘 더 막대를 지조로지 몯 흘거시니(不能壓他棒)≪武藝諸譜 1≫.

지조 부곡【紙造部曲】명〖역〗종이를 만들어 나라에 공물(貢物)로 바치던 부곡. 신라와 고려 때에 많이 있었음.

지족[1]【支族·枝族】명 갈라져 나온 혈족(血族). 분가(分家).

지족[2] 【知足】 명 분수를 지키어 만족할 줄을 앎. ——-하다 자여불

지족[3] 【脂足】 명 《생》 많은 지방분을 분비하는 발.

지족 불욕 【知足不辱】 명 분수를 지키는 이는 욕되지 아니함.

지족 안분 【知足安分】 명 족한 줄을 알아 자기 분수에 만족함.

지족자-부 【知足者富】 명 족한 것을 알아 현재에 만족(滿足)하는 사람은 부함.

지존[1] 【支存】 명 지보(支保)❶. ——-하다 타여불

지존[2] 【至尊】 명 ①더없이 존귀함. ②임금을 공경하여 일컫는 말. ——-하다 형여불

지종[1] 【至終】 명 마지막에 이름. 끝에 이름. ——-하다 자여불

지종[2] 【地種】 명 화초를 화분에 심지 않고 땅에 심음. ——-하다 타여불

지종[3] 【地種】 명 《법》 주로 그 소유자에 따라 구별한 토지의 종목. 관유지(官有地)·민유지(民有地) 등.

지종[4] 【智宗】 명 《사람》 고려 현종(顯宗) 때의 중. 자는 신칙(神則). 속성은 이(李). 전주(全州) 사람. 광종 6년(955) 중국의 오(吳)·월(越)에 유학하여 동 12년 국청사(國淸寺)의 정광 대사(淨光大師)에게서 천태교(天台敎)를 배워 돌아옴. 현종 4년(1013)에 왕사(王師)가 되고, 사후에 국사(國師)로 추증됨. 시호는 원공(圓空). [930-1018]

지종-정경 【知宗正卿】 명 《역》 종친부(宗親府)의 종이품에서 정이품의 한 벼슬. 조선 고종(高宗) 6년(1869)에 베풀고, 종성 조신(宗姓朝臣)으로 시켰음.

지죄 【知罪】 명 자기의 죄를 앎. ——-하다 자여불

지죄 지죄 【知罪知罪】 명 자기의 지은 죄를 잘 안다는 뜻으로, 연속하여 사죄할 때에 쓰는 말.

지주[1] 【止住】 명 머물러 삶. 거주(居住). ——-하다 자여불

지주[2] 【支柱】 명 ①무엇을 버티는 기둥. 무엇을 버티어 괴는 기둥. 탱주(撐柱). 공주(控柱). 받침대. ②사물의 받침대가 되는 중요한 것. ¶ 일가(一家)의 ~.

지주[3] 【地主】 명 ①토지의 소유자. 영주(領主). ②《법》 소유 토지를 타인에게 빌리어 주고 그로부터 지대(地代)를 수득하는 사람. ↔소작인. ③그 토지에서 사는 사람.

지주[4] 【地酒】 명 항아리에 빚어 담근 술을 땅속 깊이 묻어서 익힌 술. 중국의 노주(老酒)처럼 여러 해를 묵히기도 함.

지주[5] 【旨酒】 명 맛 있는 좋은 술.

지주[6] 【知州】 명 《역》 중국의 관명(官名)으로 주(州)의 장관. 송대(宋代)에 시작하여 청대(淸代)까지 있었음.

지주[7] 【指奏】 명 지시하는 취지(趣旨).

지주[8] 【指嗾】 명 지시하고 부추김. ——-하다 타여불

지주[9] 【砥柱】 명 ①《지》 중국 허난 성(河南省)의 산 현(陝縣)과 산시 성(山西省)의 핑루 현(平陸縣)의 경계인 황허(黃河) 강 중류에 있는 주상(柱狀)의 돌. 위가 편편하여 숫돌 같으며 격류(激流) 속에 우뚝 솟아 있음. ②중류 지주(中流砥柱).

지주[10] 【蜘蛛】 명 《동》 거미.

지주[11] 【踟躕】 명 자저(趑趄).

지주겁지 명 〈방〉 지저깨비.

지주 겸 자작농 【地主兼自作農】 명 지주이면서 자작하고 있는 농가 또는 농민. 경작(耕作) 지주. 자작 지주.

지주 계급 【地主階級】 명 《사》 지주들로 이루어지는 사회적 계층.

지주-공 【支柱工】 명 탄광이나 광산 등지에서 갱내(坑內)의 동바리 괴는 일을 맡아 하는 이.

지주-근 【支柱根】 명 《식》 지상경(地上莖)으로부터 나온 부정근(不定根)의 일종. 수직으로 자라나 땅 속으로 들어가며, 본줄기의 지주(支柱)가 됨. 주근(柱根).

〈지주근〉

지주-댁 【地主宅】 [—땍] 명 ①지주의 집. ②지주의 부인.

지주-도 【蜘蛛島】 명 《지》 전라 남도의 남해안(南海岸), 보성군(寶城郡) 벌교읍(筏橋邑) 장도리(獐島里)에 위치한 섬. [0.5 km²: 51 명(1984)]

지주-류 【蜘蛛類】 명 《동》 거미강(綱).

지주-막 【蜘蛛膜】 명 《의》 거미막.

지주막하 출혈 【蜘蛛膜下出血】 명 《의》 거미막하 출혈.

지주-망 【蜘蛛網】 명 거미줄❶.

지주-목 【支柱木】 명 동바리.

지-주사[1] 【知奏事】 명 《역》 고려 때 중추원(中樞院)의 정삼품 벼슬. 왕명(王命)의 출납(出納)을 맡은 승선(承宣)의 으뜸 벼슬인데, 충렬왕(忠烈王) 2년(1276)에 지신사(知申事)로 고치고, 동 24년에 도승지(都承旨)로 고쳐서 종오품으로 내렸다가, 곧 지신사 정삼품으로 회복하고, 공민왕(恭愍王) 5년(1356)에 다시 본이름으로, 동 11년에 또 지신사로 동 18년에 또 다시 본이름으로, 동 21년에 또 지신사로 여러 번 바뀌었음.

지주-사[2] 【蜘蛛絲】 명 거미줄.

지주 제:한 【持株制限】 명 《경》 국내 산업의 보호를 위하여 외국 투자가에게 주식 취득의 비율을 제한하는 일.

지주지-증 【蜘蛛指症】 [—쯩] 명 《의》 마르판 증후군(Marfan 症候群).

지주 회:사 【持株會社】 명 《경》 타회사의 주식을 보유함으로써 그 회사를 독점적으로 지배하는 회사. 지배하는 회사를 모(母)회사, 지배를 받는 회사를 자(子)회사라 함.

지죽-도 【支竹島】 명 《지》 전라 남도의 남해안(南海岸), 고흥군(高興郡) 도화면(道化面) 지죽리(支竹里)에 위치한 섬. [0.99 km² : 714 명(1984)]

지준 【支準】 명 《경》 지급 준비금(支給準備金).

지준-율 【支準率】 [—뉼] 명 ↗지급 준비율.

지준 적수 【支準積數】 명 《경》 은행의 지불 준비금의 매일 매일의 과부족액(過不足額)을 일정 기간 동안 합친 액수. 적수(積數) 부족 잔액(殘額)에 대해서 1%에 해당하는 과태료를 물게 됨.

지준-하다 형 〈방〉 어질다(함경).

지중[1] 【地中】 명 ①땅 속. 흙의 속. ②광중(壙中).

지중[2] 【池中】 명 못 가운데.

지중[3] 【至重】 명 지극히 중함. ——-하다 형여불. ——-히 부

지중[4] 【持重】 명 몸가짐을 진중히 함. ——-하다 자여불

지중[5] 【紙重】 명 종이의 무게.

지중-근 【地中根】 명 《식》 땅속뿌리. ↔기근(氣根).

지중 동:물 【地中動物】 명 토양(土壤) 동물.

지중 생물상 【地中生物相】 [—쌍] 명 토양 생물상.

지중-선 【地中線】 명 지중에 매몰한 배전선(配電線)·송전선(送電線) 등.

지중-수 【地中水】 명 땅 속 깊이 있는 물.

지중 수류 【地中水流】 명 [subterranean stream] 《지》 하나의 공동(空洞) 또는 연결되어 있는 일군(一群)의 공동을 통하여 유동(流動)하는 지하의 수류.

지중 식물 【地中植物】 명 [cryptophytes; geophytes] 《식》 지하경(地下莖)·괴근(塊根) 등, 월년(越年)하는 지하부에 월동아(越冬芽)를 가지는 식물. 토란·고구마 및 백합과의 식물 등.

지중 온도 【地中溫度】 명 땅 속의 온도. 보통 지표(地表) 부근에서는 기온의 영향이 크지만, 지하 약 20 m 되는 깊은 곳에서부터는 그 깊이에 따라 온도가 상승함. 지온(地溫).

지중 온도계 【地中溫度計】 명 지중의 온도를 측정하는 데 쓰는 온도계. 하부를 직각으로 굽혀서 땅 속에 묻고, 상부의 눈금이 있는 부분을 수평으로 땅 위에 내놓은 곡관(曲管) 지중 온도계와 소요 깊이에 수직으로 철관(鐵管)을 묻고 온도계를 넣게 된 철관 지중 온도계가 있음. 곡관 지중 온도계는 50 cm 정도의 깊이, 철관 지중 온도계는 50 cm 보다 깊은 곳의 온도를 재는 데 씀. 지중 한란계.

T. 온도계 C. 지상 노출부 〈지중 온도계〉

지중-전 【地中戰】 명 《군》 적군 요새(要塞)의 밑으로 굴을 파고, 폭약을 매설(埋設)하여 그 요새를 폭파시키는 전법.

지중 청:음계 【地中聽音計】 명 [geophone] 《전자 공학》 지진 연구에 쓰이는 변환기(變換器)의 하나. 지구 표면 또는 땅 속의 어느 점에서의 대지(大地)의 흔들림에 응답함.

지-중추 【知中樞】 명 《역》 ↗지중추원사(知中樞院事)·지중추부사(知中樞府事).

지-중추부사 【知中樞府事】 명 《역》 조선 시대 때 중추부의 정이품 무관(武官) 벼슬. ㊂지중추(知中樞)·지중추사(知中樞事). *지사(知事).

지-중추사 【知中樞事】 명 《역》 ↗지중추원사(知中樞院事)·지중추부사(知中樞府事).

지-중추원사 【知中樞院事】 명 《역》 ①고려 때 중추원의 종이품 벼슬. 헌종(獻宗) 원년(1095)에 지추밀원사(知樞密院事)로, 충렬왕(忠烈王) 원년(1275)에 지밀직사사(知密直司事)로, 공민왕(恭愍王) 5년(1356)에 다시 지추밀원사로, 동 11년에 또 다시 지밀직사사로 고쳤음. ②조선 국초(國初) 때 중추원의 종이품 벼슬. ㊂지원사(知院事)·지중추(知中樞)·지중추사(知中樞事). *지사(知事).

지중 한란계 【地中寒暖計】 [—할—] 명 《물》 지중 온도계.

지중-해[1] 【地中海】 명 [intercontinental sea] 《지》 대륙과 대륙 사이에 끼인 바다. 지중해·북극해·멕시코 만·홍해(紅海) 등.

지중-해[2] 【地中海】 명 [Mediterranean Sea] 《지》 유럽·아시아·아프리카의 3 대륙에 둘러싸여 서쪽은 지브롤터 해협으로 대서양에 통하는 해역(海域). 세계 최대의 내해(內海)로 보스포러스 해협 이북은 흑해(黑海)라고 함. 동쪽은 수에즈 운하에 의하여 홍해(紅海)·인도양에 통함. 옛날에는 이집트·페니키아·그리스·로마인(人)이 활약하여 지중해 문화권을 형성함. 1869년 수에즈 운하의 개통으로 경제·군사 상의 중요성을 더함. 평균 수심 1,429 m. [2,966,000 km²]

지중해 갈색토 【地中海褐色土】 [—쌕—] 명 《지》 아주 더운 건계(乾季)의 온난 아습윤(溫暖亞濕潤)한 지중해성 기후 하에서 생성되는 토양형. 비교적 발달된, 부식(腐植)이 잘 안 되는 표층(表層)과 적갈색의 하층토(下層土)로 이루어져 있으며 점토(粘土)는 표층보다는 하층으로 이동하여 집적됨. 건계에 표층은 경화(硬化)되고 우계(雨季)에 잘 부스러짐. 미국에서는 비석회질(非石灰質) 갈색토라고도 함.

지중해 동:물 지리구 【地中海動物地理區】 명 북프랑스에서 적도(赤道)까지의, 대서양(大西洋) 지역을 포함하는 해양 연안(海洋沿岸) 동물 지리구.

지중해 빈혈 【地中海貧血】 명 《의》 지중해 주변 지역에서 흔히 볼 수 있는 열성(劣性) 유전적 질환. 구상(球狀) 적혈구가 있는 것이 특징이며, 이것은 기계적 저항력이 약하고 용혈(溶血)을 일으키기 쉬움. 이 유전자를 양친에게서 이어 받은 사람은 생후 1년 이내에 사망한다고 하며, 증상이 심한 경우 뼈의 변형(變形)·비종(脾腫)이 발생함.

지중해성 기후 【地中海性氣候】 [—쌩—] 명 [Mediterranean climate] 《기상》 지중해 지방으로 대표되는 안정된 온대(溫帶) 기후. 겨울에는 편서풍(偏西風)의 영향을 받아 온난(溫暖)·다습(多濕)하며, 여름에는 아열대(亞熱帶) 고기압이 지배하여 고온(高溫)·건조(乾燥)하기 때문에 비교적 지내기가 좋음. 지중해 지방 외에 미국 캘리포니아·칠레 중부·남아프리카·오스트레일리아 남부 등에 분포함.

지중해식 농업 【地中海式農業】 명 《지》 지중해성 기후 지역에서 행해지는 독특한 농업 양식. 지중해 연안이 대표적이며, 여름철의 고온 건조에 견디는 포도·올리브·오렌지 등의 과수를 주로 구릉지 사면(斜面)

에서 재배하고, 동우(冬雨)를 이용한 평지의 밀 재배와 양·염소 등의 가축 사육을 겸한 농업. 미국의 캘리포니아 주, 남미의 칠레 중부, 남아프리카 공화국의 케이프(Cape) 주, 오스트레일리아 서해안에서도 볼 수 있음.

지중해 식물구【地中海植物區】명〖식〗식물구계(植物區系)의 하나. 북대 식물구계계(北帶植物區系界)에 속하며 이베리아·이탈리아·발칸 반도·터키·서(西)아시아·북(北)아프리카의 지중해 연안 지대를 포함함. 지중해성 기후를 반영하여 코르크나무·올리브 등 잎이 딱딱한 상록후엽수(厚葉樹)를 주로 한 식물상(植物相)을 갖고 있음. 많은 재배·원예 식물의 원산지이기도 함. 지중해 연안 식물구계.

지중해 연안 식물구계【地中海沿岸植物區系】명〖식〗지중해 식물구(植物區).

지중해 인종【地中海人種】명〔Mediterranean〕스페인·포르투갈·이탈리아 남부 및 북아프리카 일부 등 지중해 주변 지대에 널리 분포(分布)하는 인종(人種). 키가 작고 피부·머리·홍채(虹彩)의 빛이 유럽인으로서는 짙음.

지중해 협상【地中海協商】명〖역〗①1887년 2월 비스마르크의 중개로 영국과 이탈리아 사이에 성립된 협정. 곧이어 오스트리아·스페인이 참가하여, 흑해(黑海)·에게 해(Aegae海)·아드리아 해(海)를 포함한 지중해의 현상 유지를 결정, 러시아·프랑스의 진출을 예방함. ②1887년 12월 영국·이탈리아·오스트리아 간(間)에 성립된 협정. 근동(近東)의 현상 유지(現狀維持) 원칙, 터키 독립(獨立) 유지의 중요성 등을 확인하였음. 근동(近東) 협정.

지중해 화:산대【地中海火山帶】명〖지〗지중해 연안의 섬들에서 페르시아·히말라야·중국의 윈난(雲南) 및 미얀마에 걸쳐 있는 화산대. *환(環)태평양 화산대.

지즈 부〈옛〉인(因)하여. ¶蒲團에 낫잠들어 夕陽에 지즈 깨니 ≪古時調≫.

지즈느다 자타〈옛〉잇달다. 겹치다. ¶簿書는 엇데 뿔리 오뫁 서르지즈느뇨(簿書何急來相仍)≪杜諺 Ⅹ:28≫/여희요맷 슬후미 조차 서르 지즈느다(離恨兼相仍)≪杜諺 ⅩⅫ:26≫.

지즈로[1] 부〈옛〉인하여. 드디어. =지즈루. ¶지즈로 文公이 지블 어두라(遂得文公廬)≪杜諺 Ⅸ:18≫.

지즈로[2]【仍于·因于·因乎】〈이두〉까닭에. 때문에. 의하여. 인하여. 말미암아.

지즈루 부〈옛〉인(因)하여. 드디어. =지즈로[1]. ¶廉頗ㅣ 지즈루 彼敵을 또 툐ㄷ호며(廉頗仍走敵)≪杜諺 Ⅴ:41≫.

지즈룸 타〈옛〉지지름. '지즐다'의 명사형. ¶돌히 플지즈룸 フ티 ᄒ야(如石壓草)≪牧訣 25≫.

지즈리【惠伊·惠是】〈이두〉①널리. ②고루.

지즈야〔jizyah〕명 이슬람이 정복(征服) 민족에 부과한 인두세(人頭稅). 이 세금을 납부(納付)함으로써 이교도(異敎徒)는 종래의 신앙을 유지할 수 있었음.

지즐다 타〈옛〉지지르다. ¶들어디는 빙애는 平床을 지즐도ᄒ도다(崩崖欲壓床)≪初杜諺 ⅩⅥ:44≫.

지즐로 부〈방〉저절로.

지즐먹다 타〈옛〉지질러 먹다. 눌러 먹다. ¶머근 後에 生薑 두세 片으로 지즐머그라(服後以薑數片壓之)≪救方 下 2≫.

지즐앉다 자〈옛〉지질러 앉다. 깔고 앉다. ¶거츤 뜰헷 봄플 비츨 지즐안조물 肯許ᄒ시면(肯藉荒庭春草色)≪初杜諺 ⅩⅪ:4≫.

지즐우다 타〈옛〉지지르다. ¶세흔 有情을 지즐우며 배디여(三壓溺有情)≪圓覺 上 一之二 86≫/지즐울 압(壓), 지즐울 착(笮)≪字會 下 11≫.

지즐트다 자〈옛〉눌러 타다. 털썩 타다. ¶누은 쇼 발로 박차 언치 노하 지즐트고≪永言≫.

지즘 명〈옛〉기직. ¶아므란 딥지즘 잇거든(有甚麼藁薦)≪老乞 上 23≫/지즘 인(茵), 지즘 천(薦)≪字會 中 11≫.

지증-왕【智證王】명〖사람〗신라 제22대 왕. 신라의 국호를 정하고, 울릉도를 점령하여 국토를 개척하였음. 중국식을 따라 임금에게 시법(諡法)을 쓰기 시작하였음. [437-514; 재위 500-514]

지지[1] 명 어린 아이에게 더러운 것이라고 일러 주는 말.

지지[2] 명〈옛〉치자(梔子). ¶지짓 치(梔)≪字會 上 7≫.

지지[3]【支持】명 ①붙들어서 버팀. 부지하여 지님. 부지(扶持). ②어떤 사람이나 단체의 주의·정책·의견 등에 찬동하여 원조함. 또, 그 원조. ——-하다 타여불

지지[4]【地支】명〖민〗육십 갑자의 아랫 단위를 이루는 요소. 자(子)·축(丑)·인(寅)·묘(卯)·진(辰)·사(巳)·오(午)·미(未)·신(申)·유(酉)·술(戌)·해(亥)를 말함.

지지[5]【至知】명 더없이 뛰어난 지혜.

지지[6]【地誌】명 ①어떤 지역의 자연·사회·문화 등의 지리적 현상을 기술(記述)하여 그 지역의 특색을 나타낸 것. ②↗지지학(地誌學).

지지[7]【知止】명 과분(過分)을 두려워하여 그칠 줄을 앎. ——-하다 자여불

지지[8]【枝指】명 육손이의 덧붙은 손가락.

지지[9]【紙地】명 지질(紙質).

지지[10]【紙誌】명 신문(新聞)과 잡지(雜誌) 등의 총칭.

지지[11]【遲遲】명 더디고 더딤. ¶~ 부진하다. ——-하다 형여불

지지 가격【支持價格】[—까—] 명 공급 과잉에 의한 가격 하락을 막기 위하여, 일정 수준 이하로 값이 떨어졌을 때 정부 기관이 사 들여서 가격을 유지하는 제도.

지지개[1] 명〈방〉기저귀(전북).

지지개[2] 명〈방〉기지개(강원·충북·전라·경상).

지지-거리다 자 수다스럽게 지절거리다. >재재거리다.

지지겁지 명〈방〉지저깨비.

지지게 명〈방〉기지개(경남).

지지고 볶다 타 ①지지기도 하고 볶기도 하여 요리를 많이 장만하다. ②〈속〉사람을 들볶아서 몹시 부대끼게 하다. ③〈속〉여자들이 머리털을 퍼머하다.

지지괴다 자〈옛〉지저귀다. ¶弓王大闕 터희 烏鵲이 지지괴니 ≪松江 關東別曲≫.

지지기[1] 명〈방〉기지개(전라·경남).

지지기[2] 명〈방〉기저귀(전북).

지지깨비 명〈방〉지저깨비.

지-지난 관 지난 때의 바로 그 전. 저지난. ¶~ 급료날.

지지난-달 명 지난달의 바로 전달. 거거월(去去月). 전전월(前前月). 전전(前前)달.

지지난-밤 명 그저께 밤.

지지난-번【一番】명 지난번의 바로 전번(前番). 거거번(去去番). 전전번(前前番).

지지난-해 명 그러께. 전전년(前前年).

지지-누르다 타르불 지지르듯이 내리누르다. 지르누르다. ¶어두운 예감이 머리를 ~.

지지-눌리다 피동 '지지누르다'의 피동형. ¶만원(滿員) 버스 안에서 사람들에게 ~.

지지다[1] 자〈옛〉지저귀다. ¶새 지지며 가마괴 우루미(雀噪鴉鳴)≪妙蓮 Ⅵ:149≫.

지지다[2] 타〔중세 : 지지다〕①국물을 조금 붓고 끓여 익히다. ②지짐질로 익히다. ③불이나 뜨거운 물건을 무엇에 대어 눋거나 타게 하다.

지지-대다 자 지지거리다.

지지락 명〈방〉기스락.

지지랑-물 명 비가 온 뒤에 초가집 처마에서 떨어지는 쇠지랑물 같은 빛깔의 낙수물.

지지러-뜨리다 타 ①몹시 놀라 몸을 움츠러지게 하다. ②생물이 중간에 병이 나서 기운을 펴지 못하다. 1)·2):>자지러뜨리다.

지지러-지다 자 ①놀라 몸이 주춤하면서 움츠러지다. ②생물이 중간에 병이 생겨 잘 자라지 못하다. 1)·2):>자지러지다[1].

지지러-트리다 타 지지러뜨리다.

지지-력【支持力】명 지지하는 힘.

지지르다 타르불 ①기운을 꺾어 누르다. ②무거운 물건으로 내리누르다.

지지름-돌 [—똘] 명 물건을 지지르는 돌.

지지리[1] 명〈방〉기지개(경남).

지지리[2] 부 매우 심하게. 지긋지긋할이 만큼. 아주 몹시. ¶~ 못 살다/~ 고생하다/~ 못나다. >자지리.

지지-막【支持膜】명〖생〗지지층(支持層).

지지미〔일 ちぢみ〕명 신축성이 많은, 주란사실로 쪼글쪼글하게 짠 면직물의 한 가지. 여름살이 속옷 감으로 흔히 쓰는 일본산 베.

지:지바 명〈방〉계집아이(강원·충청·경북).

지:지바이 명〈방〉계집아이(제주).

지:지: 방식【GG方式】명〔government to government oil dealing〕원유(原油) 거래를, 산유국(産油國) 정부와 소비국(消費國) 정부 사이에 협정에 의해서 직접 행하는 방식.

지:지배 명〈방〉계집아이(경기·강원·충청·전라·경북).

지지-배배 부 종달새의 우는 소리.

지지-버리다 자〈방〉지절거리다.

지지-벌개다 자 단정하지 못하게 아무 데나 떡 벌리고 앉다.

지지부레-하다 형여불 지저분하게 너더분하다. ¶거리의 살림은 전과 다름 없이 어수선하고 지지부레하였다≪李孝石 : 山≫.

지지 부진【遲遲不進】명 더디고 더뎌서 잘 진척(進捗)하지 않음. ——-하다 자여불

지지 세:포【支持細胞】명〔supporting cell〕〖생〗①진정 홍조류(眞正紅藻類)의 조과지(造果枝)의 가장 밑부분의 세포. ②강장 동물(腔腸動物)의 내외 양배엽(兩胚葉)에서, 자(刺)세포·선(腺)세포·감각 세포·신경 세포 등 특수화한 세포 사이를 메우는, 보통의 원주 상피(圓柱上皮) 세포. ③주로 척추 동물에서, 후상피(嗅上皮)의 후(嗅)세포 사이, 혀의 미뢰(味蕾)의 미(味)세포 사이, 내이(內耳) 코르티 기관(Corti器官)의 유모(有毛) 세포 등 그 부위(部位)의 주요 기관에 관여하는 특수화한 세포 사이에 있어, 그것을 지지하는 원주 상피 세포.

지지 요법【支持療法】[—뻡] 명〔supportive therapy〕〖심〗적응(適應)의 방법을 근본적으로 변혁하지 않고, 피치료자를 자연적으로 재적응(再適應)으로 인도하는 심리 요법. 자신을 갖도록 도우면서 불안을 가라앉히고, 동시에 환경적인 중압(重壓)을 제거시켜 주어 끈기 있게 상대방의 자발적인 적응 능력의 회복을 기다리는 방법.

지지 유착증【指趾癒着症】명〖생〗합지증(合指症).

지지-자【支持者】명 지지하는 사람.

지지-장【止之章】[—짱] 명 용비 어천가 제58장의 이름.

지지 장치【支持裝置】명〖생〗이를 악골(顎骨)에 고정시키는, 공통의 작용을 가지는 장치. 곧, 치주(齒周) 조직.

지지 조직【支持組織】명〔supporting tissue〕〖생〗동물체나 식물체의 내부에서 기계적으로 몸을 지탱하며 보호하는 조직. 곧, 동물체에서는 척삭(脊索) 조직·연골(軟骨) 조직·골조직 등을 말하며, 식물체에서는 통도(通導) 조직·동화(同化) 조직·저장(貯藏) 조직 등을 말함.

지지-층【支持層】명〔supporting lamella〕〖생〗해파리에서 내배엽(內胚葉)과 외(外)배엽과의 두 세포층 사이에 있는 두꺼운 한천질(寒天質). 폴립(polyp)에서는 일반적으로 얇은 막상(膜狀) 구조임.

지지-콜콜이 부 ☞시시콜콜히.

지지-하다 형여불 ①무슨 일이 오래 끌기만 하고 보잘 것이 없다. ②시

지표 액체【指標液體】[명] 굴절률(屈折率)을 이미 알고 있는 액체. 현미경으로 입상(粒狀) 물체의 굴절율을 조사하는 데 쓰임.
지표-종【指標種】[명]〖식〗특정한 환경 조건을 나타내는 생물을 말함. 생물에는 매우 제한된 환경 조건하에서만 생존하는 것이 있어, 그 생존에 의해서 생존 장소의 환경 조건을 추측할 수 있음. 예를 들면, 갈대의 생육(生育)은 지하수가 얕은 것을 나타내는 따위.
지-표지【紙表紙】[명] 종이로 만든 표지.
지표 지질학【地表地質學】[명]〔surface geology〕〖지〗지표(地表)의 특징에 관해서, 과학적으로 연구하는 학문 분야.
지표-파【地表波】[명]〔surface wave〕〖전〗땅의 표면을 따라 퍼지는 전파(電波).
지푸다 [형]〈방〉깊다(강원·충청·전라·경상·제주·함남).
지푸라기 [명] 짚의 낱개. 초개.
지푸래기 [명]〈방〉지푸라기.
지푸랭이 [명]〈방〉검불(경남).
지푸러기 [명]〈방〉지푸라기.
지품 천사【智品天使】[명]〖천주교〗구품 천사 중 상급에 속하는 천사. 숭고한 지혜를 가짐. 케루빔(Cherubim).
지풍-초【知風草】[명]〖식〗그령.
지:프〔jeep〕[명]〔general purpose car의 두문자. G.P. 또는 포파이(Popeye) 만화에 나오는 괴상한 새의 이름에서 유래한다고도 함〕보통 4분의 1톤의 삼인승(三人乘) 소형 만능 자동차의 상품명. 지프차.

〈지프〉

지프다 [형]〈방〉깊다(강원·충청·전라·경상·제주·함남).
지:프-차【一車】〔jeep〕[명] '지프(jeep)'를 분명히 일컫는 말.
지픠다 [피동]〈옛〉잡히다. 집히다. =집피다. ¶비혼 것둘히 十方ᄋᆞ로셔 오니 구룸 지픠듯ᄒᆞ야 變ᄒᆞ야 寶帳이 ᄃᆞ외야 ≪月釋 XⅧ:9≫/늙어 살지픠다(有了皺紋) ≪漢淸 Ⅴ:43≫.
지피[1]【地皮】[명]〖지〗지각(地殼). 토피(土皮).
지피[2]【地被】[명] 지면을 덮는 잡초·선태류(蘚苔類) 등.
지피[3]【持彼】[명] 도돔방울.
지피다[1] [자] 사람에게 신(神)의 영(靈)이 통하여 모든 것을 알게 되다.
지피다[2] [타] 아궁이나 화덕 같은 데에 땔나무를 넣어 불타도록 하다.
지피-물【地被物】[명] 땅을 덮고 있는 온갖 물건.
지피 식물【地被植物】[명]〔ground cover〕숲에 있는 입목(立木) 이외의 모든 식물.
지: 피: 에스〔GPS〕[명]〔global positioning system의 약칭〕정확한 위치를 알고 있는 복수의 인공 위성에서 발사되는 전파를 동시에 받음으로써 수신 지점이나 수신 항공기, 차의 정확한 위치를 아는 시스템.
지피-온【地皮溫】[명] 지표면의 온도.
지피 작물【地被作物】[명] 맨 땅의 표면(表面)을 덮어 비료(肥料)가 유출(流出)되는 것을 막거나 토양(土壤)이 침식(浸蝕)되는 것을 막기 위하여 재배되는 작물. 목초(牧草) 따위 콩과 식물이 많음.
지피 지기【知彼知己】[명] 적의 내정(內情)과 나의 내정을 소상히 앎. 지적 지아(知敵知我). ——하다 [자][여불]
지필【紙筆】[명] 종이와 붓.
지-필-묵【紙筆墨】[명] 종이와 붓과 먹.
지필 연:묵【紙筆硯墨】[一련一] [명] 종이·붓·벼루·먹의 네 가지를 함께 부르는 말. 문방 사우.
지하【地下】[명] ①대지(大地)의 밑. 땅 속. ②저승. 황천(黃泉). ③표면에 드러나지 않는 곳. 또, 사회 운동·정치 운동에 있어서의 비합법적인 면을 일컬음. ¶~ 운동.
지하-가【地下街】[명] 지하 상가.
지하 가스화【地下一化】[명]〔underground gasification〕〖광〗석탄을 지하에서 가스화하는 일. 송풍구(送風口)를 통해 공기를 탄층 내에 보내서 석탄을 가스화하여 기체 연료로 이용함.
지하 결실【地下結實】[一씰] [명]〔geocarpy〕〖식〗지상에서 핀 꽃이 수정(受精) 후에 땅 속에 들어가 열매를 맺는 일. 땅콩이 그 대표적인 예임. ——하다 [자][여불]
지하-경【地下莖】[명]〖식〗땅속줄기.
지하 경제【地下經濟】[명]〖경〗사채놀이·마약 거래·도박·매춘 등 불법적인 경제 활동 및 합법적이지만 정부의 공식 통계에는 나타나지 않는 각종 경제 활동의 총칭.
지하 공작【地下工作】[명] 어떤 목적을 위하여 비합법적으로 지하에서 하는 공작.
지하 관:개【地下灌漑】[명]〔subirrigation〕〖농〗지하로 통수(通水)되는 천연 또는 인공의 관개.
지하-권【地下權】[一꿘] [명] 남의 땅의 지하만을 상하(上下)의 범위를 정해서 공작물을 소유하기 위해 사용하는 물권(物權). 지하철·지하 주차장 등의 건설에 이용됨. 지하 지상권(地上權).
지하-근【地下根】[명]〖식〗땅속뿌리. ↔지상근(地上根).
지하-댐【地下一】〔dam〕[명] 지하수를 퍼 올려서 공동(空洞)이 된 지하 사력층(砂礫層)에 지수벽(止水壁)을 쌓고, 하천의 풍수기(豐水期)에 물을 주입하여 물의 비축과 지반 침하(地盤沈下) 방지를 함께 꾀하는 댐. 갈수기(渴水期)에 양수기로 물을 퍼 올려서 씀.
지하-도【地下道】[명]〖토〗지하로 낸 도로. [준]지도(地道).
지하:드〔아랍 jihād〕[명]〔성전(聖戰)이라 번역되는 말〕이슬람 교도의 이교도(異教徒)에 대한 투쟁의 뜻. 성년 남자(成年男子)의 이슬람 교도는 이슬람법에 정해진 바에 따라 의무적으로 지하드에 참가하게 되어 있음.
지하 등:온면【地下等溫面】[명]〖지〗그보다 더 깊은 데서는 일년 중 온도가 변하지 않는 지하의 부분. 토질(土質)에 따라 다르나 대개 지하 10-20 m정도임. *지하 항온층(恒溫層).
지하 문학【地下文學】[명]〖문〗정부의 탄압으로 공공연히 발표하지 못하고 숨어서 쓰고 숨어서 읽는 문학.
지하 상가【地下商街】[명] 대도시의 지하도·지하철역 등에서 볼 수 있는 상점가(商店街). 지하가(地下街).
지하-선【地下線】[명] ①지하에 부설한 전선 등의 피복선(被覆線). 지하 케이블(地下 cable). ②지하 철도. 1)·2):↔지상선(地上線).
지하-수【地下水】[명] 땅 속에 있는 토사(土砂)·암석(岩石) 등의 사이의 빈틈을 채우고 있는 물. 지표수(地表水) 보다 무기 성분(無機成分)이 많고 산소의 함량이 적으며, 음료·관개(灌漑)·공업 용수(工業用水) 등에 이용됨. 지수(地水). 지저수(地底水). ↔지상수.
지하수 개발 공사【地下水開發公社】[명] 지하수의 개발과 그 조사 사업을 위한 공사. 1969년에 설립되어, 이듬해 농업 진흥 공사에 병합(併合)되었음.
지하수 동:물【地下水動物】[명]〔animals of subterranean water〕〖동〗지하수에 사는 동물. 갑각류(甲殼類), 특히 단각류(端脚類)·빈모류(貧毛類)가 주임. 동혈(洞穴) 동물과 같이 몸빛의 백화(白化), 눈의 퇴화(退化) 등이 특징적임.
지하 수류【地下水流】[명]〔underground stream〕〖지〗일정한 흐름을 형성하여, 명백한 유로(流路)를 유동하는 지하수체(地下水體).
지하수-면【地下水面】[명] 물로서 완전히 포화된 암석의 갈라진 틈의 상부 표면을 일컫는 말. 이 속의 물은 지표수와 같이 중력의 영향을 받아 매우 느리게나마 흐르고 있음. 지하수면도(地下水面圖)는 지하수 조사의 기본이 됨.
지하수-위【地下水位】〔groundwater level〕[명]〖지〗지표면에서 지하수면까지의 깊이.
지하수 유출【地下水流出】[명]〔groundwater runoff〕〖지〗①하천 유출 중, 지하수에 의해서 함양되는 부분. 하천의 기저 유량(基底流量)을 유지함. ②포수대(飽水帶)에서 지상 또는 지표수체(地表水體)에의 지하수의 직접 유출.
지하수 토양형【地下水土壤型】[명]〖지〗지하수의 영향이 주요한 요인(要因)이 되어 형성된 토양형. 논의 토양은 대개 이에 속함.
지하수-학【地下水學】[명]〔geohydrology〕〖지〗지하수에 관한 과학. 수리 지질학(水理地質學)과는 별개 분야임.
지하 식물【地下植物】[명]〖식〗식물체의 눈이 지하에 나오는 식물. *지상 식물·지표(地表) 식물·반지하(半地下) 식물.
지하식 원자력 발전소【地下式原子力發電所】[一쩐一] [명] 원자력 발전소를 지하 암반 속에 건설하는 방식. 안전성이 높고 방사성 배기(放射性排氣)의 처리가 용이할 뿐만 아니라, 경관(景觀)을 해치지 않으며 용지(用地)를 넓게 잡지 않는 점 등의 이점이 있음.
지하 신문【地下新聞】[명] 비합법적으로 숨어서 발행하는 신문.
지하-실【地下室】[명]〖건〗①지면보다 낮게 들인 방. *지층(地層). ②땅광. 셀러(cellar).
지하 엄:폐부【地下掩蔽部】[명]〔dugout〕적의 총포 사격(銃砲射擊)으로부터, 군대·탄약 및 자재(資材) 등을 엄호(掩護)하기 위하여 땅 속에 만든 설비(設備).
지하 운:동【地下運動】[명]〖사〗비합법적으로 숨어서 하는 사회 운동이나 정치 운동. 지하 활동.
지하 원:혼【地下冤魂】[명] 원통하게 죽은 사람의 혼령(魂靈).
지하 자원【地下資源】[명] 지하에 있는 광산물 자원. 곧, 석탄·석유·광석 등.
지하 정부【地下政府】[명]〖정〗합법적인 정부를 부인하고 전복시킬 목적으로 비합법적인 활동을 하는 비밀 정부.
지하 조직【地下組織】[명]〖사〗지하 활동을 하기 위한 조직.
지하 증온율【地下增溫率】[一뉼] [명]〖지〗10 m 이하의 지하의 온도가 그 깊이에 따라 높아지는 율. 1°C 증가하는 m수로 표시하는데, 평균 30 m임.
지하 지상권【地下地上權】[一꿘] [명] 지하권(地下權).
지하 지질학【地下地質學】[명]〔subsurface geology〕〖지〗지하 또는 해저면(海底面) 아래의 지질학적 특징을 연구하는 학문 분야.
지하-철【地下鐵】[명] ↗지하 철도.
지하 철도【地下鐵道】[一또] [명]〖토〗대도시에 있어서 교통의 혼잡을 완화하고, 빠른 속도로 운행하기 위하여 땅 속에 터널을 파고 부설(敷設)한 철도. 지하선. [준]지하철.
지하철-역【地下鐵驛】[一력] [명] 지하 철도(地下鐵道)의 역.
지하 출판【地下出版】[명]〔underground press〕비합법 또는 비밀의 반체제적 출판. 원래는 정치 체제로부터의 추적을 피해 '지하'에서 출판되는 잡지·도서류에 대한 호칭이었음.
지하 측량【地下測量】[一냥] [명] 갱내(坑內)에서의 측량. 터널의 굴착(掘鑿) 진행상 필요한 사항 등을 측정함. 갱내 측량(坑內測量).
지하-층【地下層】[명] 땅 밑에 지은 아래층. [준]지층(地層).
지하 카르텔【地下一】〔도 Kartell〕[명]〖경〗독점 금지법(獨占禁止法)을 피하여 지하에서 비합법적으로 결성하는 카르텔.
지하 케이블【地下一】〔cable〕[명] 지하선(地下線)❶. ↔가공(架空) 케이블. *해저 케이블.
지하 투쟁【地下鬪爭】[명] 적대하는 정권 하에서 비합법적으로 비밀리에 결사(結社) 따위를 조직하여 진행하는 계급 투쟁.
지하 폭발【地下爆發】[명] 원자·수소 폭탄 따위의 폭발 실험을 땅 속 깊은 곳에서 실시하는 일.

지하 항온층【地下恒溫層】 명 『지』 지온(地溫)의 연변화(年變化)가 없어지는 깊이의 층. 지표 부근의 지온은 기온·일사(日射) 등의 영향을 받아 일(日)변화 또는 연변화를 일으키나, 땅 속 깊이 들어감에 따라 점차 변화가 줄어들어 항온층에 도달함. 이 깊이의 지온은 그 지점의 연평균 기온보다 1-2° C 높음. 항온층의 지중 온도 Te와 그 지점의 연평균 온도 θa와의 사이에는 $Te=0.83\theta a+3.7$(°C)의 관계가 있음. 불역층(不易層). *지하 등온면.

지하 핵폭발【地下核爆發】 명 〔atomic underground burst〕 폭발 중심점이 지표면하(地表面下)에 위치하는 핵무기의 폭발. 방사성·빛·음파가 없는 것이 특징임. 땅 속에 축적된 열 에너지를 서서히 방출시키거나, 토목 공사에 이용해 보려는 평화 목적의 연구도 있음.

지하 활동【地下活動】〔—똥〕 명 지하 운동.

지학[1]【地學】 명 『지』 ①주로 고체 부분의 지구 및 이와 관련된 현상을 다루는 학문. 지형학·해양학·고생물학(古生物學)·지질학·광물학·암석학·지구 물리학·지구 화학·지진학 등 지구에 관한 자연 과학의 총칭. 넓은 뜻으로는 기상학·천문학 등도 포함하여 우주 지구 과학과 같은 뜻으로 씀. ②↗지리학.

지학[2]【志學】 명 ①학문(學問)에 뜻을 둠. ②〔논어(論語) 위정편(爲政篇)의 '吾十有五而志于學'에서〕 '열다섯 살 된 나이'의 일컬음. ——-하다 자여불

지한[1]【至恨】 명 지극한 원한.

지한[2]【脂汗】 명 지방분이 많이 섞인 땀. 끈끈한 땀. 진땀.

지한-제【止汗劑】 명 『약』 발한(發汗)을 억제·방지하는 약제. 아트로핀(atropine)·장뇌산(樟腦酸) 등이 있음. 제한제(制汗劑).

지함[1]【地陷】 명 『지』 지면이 움푹 주저앉음. ——-하다 자여불

지함[2]【紙函】 명 두꺼운 종이로 만든 상자. 상품 등을 담는 데 쓰임.

지-합문사【知閤門事】 명 『역』 ①고려 때 합문(閤門)의 한 벼슬. 판사의 다음. 타관(他官)이 겸하였음. ②조선 시대 초의 합문의 종삼품 벼슬. *지사(知事).

지해[1]【支解·肢解】 명 옛날 중국에 있던 악형(惡刑)의 한 가지. 팔다리를 떼내는 형벌이었음.

지해[2] 부 〈방〉 겨우(함경).

지핵【地核】 명 『지』 ①중심핵(中心核)❶. ②지심(地心).

지핵-부【地核部】 명 지구의 중심부.

지행[1]【至行】 명 더 없는 선행(善行).

지행[2]【至幸】 명 지극히 다행함. ——-하다 형여불

지행[3]【志行】 명 지조(志操)와 행실.

지행[4]【知行】 명 지식과 행위.

지행-성【趾行性】〔—썽〕 명 포유류(哺乳類)의 보행(步行)의 한 형식. 고양이·개처럼 끝의 이지절(二趾節)만을 땅에 대고 걷는 일. *제행성(蹄行性)·척행성(蹠行性).

지행 일치【知行一致】 명 지식과 행동이 한결같이 서로 맞음. 지식과 행동이 일치함.

지행 합일설【知行合一說】〔—썰〕 명 『철』 주자(朱子)의 선지 후행설(先知後行說)에 대하여, 왕양명(王陽明)이 '치지(致知)'의 '지(知)'는 '양지(良知)'라고 하여, 지식을 사물의 위에 두지 않고 내 마음에 구하고 지와 행(行)과는 병진(並進)하여야 하는 것으로서, 알고 행하지 않음은 진실로 아는 것이 아니며, 진실한 지식은 반드시 실행을 예상하고, 지식과 행위는 항상 서로 표리(表裏)한다는 설. ↔선지 후행설(先知後行說). *양명학(陽明學).

지향[1]【地響】 명 ①무거운 것이 떨어지거나 통과할 때, 지면이 울리어 소리가 나는 일. ②지진·분화(噴火) 등이 일어날 때 지반(地盤)이 흔들리는 일.

지향[2]【志向】 명 ①뜻이 향하는 방향. 의향. ②뜻이 쏠림. ③〔intention〕 『철』 목적함. 어떠한 대상에 대한 이 지향성은 브렌타노에 의하여 심적 현상의 본질적 성격이라고 규정되었음. ④『윤』 동기인 목적의 관념에 대하여, 그것을 실현하는 데에 필요한 수단 및 예상되는 결과의 관념을 이르는 말. ——-하다 자타여불

지향[3]【指向】 명 ①뜻하여 향함. ②지정(指定)하여 그쪽으로 향하게 함. ——-하다 자타여불

지향 계:수【指向係數】 명 〔directivity factor〕 『물』 파원(波源)의 지향성을 나타내는 수치(數值). 음원(音源)의 경우, 자유 음장(自由音場) 안에서 음원의 주축(主軸) 방향으로 멀리 떨어진 점에서의 음의 세기를, 그 점을 통과하는 원주상(圓周上)의 각 점의 음의 세기의 평균으로 나눈 값임. 기호 : Q.

지-향사【地向斜】 명 〔geosyncline〕 『지』 다른 지역에 비해 유달리 두터운 지층(地層)이 퇴적(堆積)해 있는, 폭 100 km 이상, 길이 1,000 km 이상의 좁고 긴 지대. 지층은 보통 얕은 바다임. 지각(地殼) 전체가 향사의 꼴을 나타내기 때문에 붙인 이름. 대륙붕(大陸棚)이나 대륙 사면(斜面)이 몇 천 년 동안 계속 퇴적 지대로 있으면 지각 평형을 유지하기 위하여 서서히 침강(沈降)하기 때문에 생성된 것이라고 생각됨. 플레이트의 침강이나 충돌이 일어나면 그 지대는 조산대(造山帶)가 됨.

지향-설【指向說】 명 『심』 작용 심리학❶.

지향-성[1]【志向性】〔—썽〕 명 〔도 Intentionalität〕 『철』 철학에 있어서 심적 작용이 심적 현상에 관계하는 작용 일반을 말함.

지향-성[2]【指向性】〔—썽〕 명 ①지향하는 성질·경향. ②〔directivity〕 『물』 한 파원(波源)에서 방사된 음파나 전자기파(電磁氣波)의 세기가 방향에 따라 다른 성질. 파장이 짧을수록 현저하게 나타남. ¶∼ 안테나(antenna).

지향성 마이크로폰【指向性—】〔microphone〕〔—썽—〕 명 전방향(前方向)으로부터의 음에 대하여서만 감도(感度)가 좋은 마이크로폰.

지향성 안테나【指向性—】〔antenna〕〔—썽—〕 명 텔레비전에서, 어느 특정한 방향으로 세게 전파를 방사하거나, 어느 특정한 방향에서 오는 전파를 특히 잘 받아들일 수 있도록 조정(調整)된 안테나.

지향성 운:동【指向性運動】〔—썽—〕 명 〔orientation movement〕 『생』 자극(刺戟) 운동에서, 일정한 방향에서 오는 자극에 대하여 생물이 일정한 방향성을 가지고 반응하는 일.

지향성 이:득【指向性利得】〔—썽—〕 명 〔directivity gain〕 『물』 지향 지수(指向指數).

지향-없다【指向—】〔—업—〕 형 일정하게 지정한 방향이 없다. ¶지향 없는 길을 떠나다.

지향-없이【指向—】〔—업씨〕 부 지향없게.

지향 작용【志向作用】 명 작용(作用)❸.

지향 전:파 유도탄【指向電波誘導彈】 명 전파 탐지기 또는 방향 지시 전파에 의하여 유도되는 미사일.

지향 주:성【指向走性】 명 〔topotaxis〕 『생』 외력(外力)이 자극이 되어 외력과 일정한 관계를 가지는 방향으로 일어나는 주성(走性). ↔경동성(驚動性).

지향 지수【指向指數】 명 〔directivity index〕 『물』 지향 계수(係數)의 상용 로그(常用 log)의 10 배. 단위는 데시벨(dB). 지향성 이득(利得).

지향ᄒᆞ다 타 〈옛〉 지향(志向)하다. ¶后ㅣ 請ᄒᆞ야 救ᄒᆞ다가 得디 몯ᄒᆞ시니 帝ㅣ 곧 ᄠᅳ들 지향ᄒᆞ신대 后ㅣ 더욱 病되요라ᄒᆞ샤(后請救不能得帝便 意焉后愈稱疾篤) ≪內訓 Ⅱ 下 15≫.

지허 〔도 Sicher〕 명 등산에서, 자일로 서로 묶은 등산자가 미끄러져 떨어지는 것을 방지하기 위하여 행하는 기술. 확보(確保)라고도 함.

지헌[1]【止軒】 명 『사람』 이규보(李奎報)의 호(號).

지헌[2]【持憲】 명 법(法)을 행할 권리를 가짐. ——-하다 자여불

지헐【至歇】 명 물건 값이 지극히 쌈. ——-하다 형여불

지험【至險】 명 매우 험준함. 또, 그런 곳. ——-하다 형여불

지헤룽 〔도 Sicherung〕 명 등산에서, 로프나 피켈로 미끄러져 떨어지는 것을 예방하는 일.

지혀다 타 〈옛〉 의지하다. =지히다·지혀다. ¶지혀는 거시라 ≪小諺 Ⅱ:6≫.

지현[1]【之玄】 명 『민』 풍수 지리(風水地理)에서, 내룡(來龍)이 입수(入首)하려는 데서 꾸불거리는 형상.

지현[2]【至賢】 명 지극히 어질고 착함. ——-하다 형여불

지현[3]【知縣】 명 『역』 중국의 관명(官名)의 하나로, 현(縣)의 장관. 송대(宋代)에 시작되어 청대(淸代)까지 시행되었음.

지현[4]【贄見】 명 예폐(禮幣)를 가지고 가서 뵘. ——-하다 타여불

지-현판【紙懸板】 명 횡폭(橫幅)의 종이로 붙인 서화(書畫).

지혈【止血】 명 출혈(出血)을 멈춤. 방혈(防血). ——-하다 자여불

지혈-면【止血綿】 명 『약』 출혈을 멈추는 데에 쓰는 솜. 탈지면(脫脂綿)에 약품을 바르고 눌러서 말림.

지혈-법【止血法】〔—뻡〕 명 창상(創傷)에서의 출혈을 멈추게 하는 방법. 지압법·압박법 등의 응급적인 일시적 지혈법과, 의사가 수술시에 행하는 영구적 지혈법이 있음.

지혈-약【止血藥】〔—략〕 명 지혈제(止血劑).

지혈-전【止血栓】〔—쩐〕 명 『의』 탐폰(tampon).

지혈-제【止血劑】〔—쩨〕 명 『약』 출혈을 멎게 하는 약. 젤라틴·칼슘염(塩)·식염(食塩)·아드레날린·비타민 K·트롬빈(thrombin) 따위. 지혈약(止血藥).

지협【地峽】 명 『지』 두 개의 육지를 연결하는, 잘록하고 가늘게 된 육지부. 파나마 지협·수에즈 지협 등. 지경(地頸).

지혓ᄂᆞᆫ ᄃᆞᆺ 구 〈옛〉 의지한 듯. ¶두녁 山崖ᄂᆞᆫ 노ᄑᆞᆫ 다미 지혓ᄂᆞᆫ ᄃᆞᆺ ᄒᆞ도소니(兩崖崇牖倚) ≪杜諺 Ⅰ:35≫. *지히다.

지형[1]【地形】 명 ①『지』 땅의 생김새. 지표(地表)의 형태. 지세(地勢). ②『군』 전투 행동을 취하는 데 있어서 이용되는 은폐·엄폐, 시계(視界)·사계(射界) 장애 등의 요소. ¶∼ 지물(地物)의 이용.

지형[2]【紙型】 명 『인쇄』 활판(活版) 인쇄에서, 안피지(雁皮紙)·선화지·사철나무 종이의 합지(合紙)에 운모 가루를 바르고 눅인 것을 식자(植字) 조판에 대고 눌러 요판형(凹版型)을 떠서 건조기(乾燥器)에 걸어 빳빳하게 만든 것. 여기에 인쇄용 납을 녹여서 부어내면 인쇄용 연판(鉛版)이 됨.

지형 계:측【地形計測】 명 『지』 지형학 연구법의 하나. 지형의 길이·높이·넓이·경사·부피·개석(開析)의 정도, 하천(河川) 밀도(密度), 기복량(起伏量) 등의 수량적 측면을 연구하는 일.

지형-구【地形區】 명 〔physiographic province〕 지형학·지질학에서, 지표(地表)를 서로 닮은 지형을 가지는 지역으로 나눈 각 지역. 경계는 보통 분명치 않음. *지역(地域).

지형-도【地形圖】 명 〔topographic map〕 『지』 토지의 기복(起伏)·형태·수계(水系), 지표(地表)에 분포하는 사물의 배치 등을 그린 지도. 등고선(等高線)으로 토지의 높이를 나타내는 것이 보통임. 육도(陸圖).

지형-류【地衡流】〔—뉴〕 명 〔geostrophic current〕 『지』 수평 방향의 압력 경도(壓力傾度)와 지구 자전에 의한 전향력(轉向力)이 균형을 이루고 있는 흐름. 해류(海流)나 대기의 대순환(大循環) 또는 해양 중의 중(中)규모 소용돌이, 대기 중의 고·저기압에 수반하는 흐름은 거의 지형류를 이루고 있음.

지형 모형【地形模型】 명 『지』 어떤 지역내의 지형을 축소하여 나타낸 모형. 보통 정확한 지형도에 나타나 있는 등고선(等高線)에 따라 마분지를 쌓아 올려 만듦. 지리(地理) 모형. 입체 지도.

지형 방정식【地衡方程式】 명 〔geostrophic equation〕 『지』 지형류(地衡流)의 속도를 계산하는 데 쓰이는 방정식. 수평 방향의 압력 기울기를

가진 힘과 '코리올리(Coriolis)의 힘'의 평형으로 나타냄.

지형 분류도【地形分類圖】[—불—] 명 〖지〗 지형도의 하나. 지형의 종류에 따라 토지를 분류한 지형도 위에 색채·기호 등으로 알기 쉽게 구분 표시한 지도. 공중 촬영한 사진을 이용하여 제작 보급됨.

지형-성[1]【地形性】[—썽] 명 지형에 관계되는 성질.

지:형-성[2]【G 型星】 명 〖천〗 항성(恒星)의 스펙트럼형의 한 가지. 이에 속하는 별은 황색성(黃色星)으로, 표면 온도는 6,000도 내외임. 태양 및 마차부자리의 α성이 이 형에 속함.

지형성 강:우【地形性降雨】[—썽—] 명 〔orographic rainfall〕 〖기상〗 축축한 기류(氣流)가 산맥의 사면(斜面)을 따라 상승할 때, 수증기가 응결(凝結)되어서 내리는 비.

지형성 상:승【地形性上昇】[—썽—] 명 〔orographic lifting〕 〖기상〗 지표가 높기 때문에 그 위의 기류가 상승되는 일.

지형성 소:기후【地形性小氣候】[—썽—] 명 〔contour microclimate〕 〖기상〗 소기후 중에서도, 지면(地面)의 소기복(小起伏)에 의해 직접 영향을 받는 기후.

지형성 저:기압【地形性低氣壓】[—썽—] 명 〔orographic cyclone〕 〖기상〗 높은 산맥에 바람이 부딪쳐서 발생하는 규모가 작은 저기압. 일기는 그다지 나빠지지 않음.

지형 유동【地衡流動】[—뉴—] 명 〔geostrophic flux〕 〖기상〗 지형풍(地衡風)에 의한 대기 가운데의 물리량의 수송.

지형 윤회【地形輪廻】[—뉸—] 명 모든 지형이 침식 작용 때문에 일정한 법칙에 따라 변화해 가는 일. 곧, 법칙에 따라 행해지는 지형의 계차적(繼次的) 변화의 한 계열로서 유년기·장년기·노년기·준평원의 차례로 되풀이해서 변하는 과정을 말함.

〈지형 윤회〉

지형적 부정합【地形的不整合】 명 〔topographic unconformity〕 〖지〗 두 개의 경관(景觀)이나 지형이 조화를 상실하고 있는 상태.

지형 측량【地形測量】[—냥] 명 〔topographic survey〕 삼각 측량·수준 측량 등의 기초 측량 다음에 행하는 측량. 산·강·취락(聚落)·도로 등을 세밀하게 실지 측량함.

지형 평형【地衡平衡】 명 〔geostrophic equilibrium〕 〖지〗 비점성 유체(非粘性流體)의 운동 상태. 이 상태에서는 수평(水平) 방향의 코리올리의 힘과 수평 방향 압력이 여러 가지 점에서 엄밀히 평형(平衡)을 이룸.

지형-풍【地衡風】〔geostrophic wind〕 명 〖기상〗 기상 역학의 용어. 기압 경도(傾度)에 의한 힘과 지구의 자전(自轉)에 의한 전향력(轉向力)이 균형을 이룰 때 부는 바람. 풍향은 등압선(等壓線)에 평행이고, 북반구에서는 저기압을 왼쪽으로 보는 향(向)으로 불며, 남반구에서는 그 반대, 풍속은 기압 경도에 비례함.

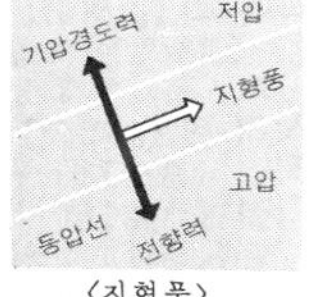

〈지형풍〉

지형풍 고도【地衡風高度】 명 〔geostrophic-wind level〕 〖기상〗 에크만(Ekman)의 나선 이론(螺線理論)에 의한, 풍속이 지형풍과 같아지는 최저의 고도.

지형풍 근:사【地衡風近似】 명 〔geostrophic approximation〕 〖기상〗 지형풍에서, 수평 풍속을 나타낼 수 있다는 가정(假定).

지형풍 편각【地衡風偏角】 명 〔inclination of wind〕 〖기상〗 풍향(風向)과 등압선(等壓線)이 이루는 각.

지형풍 편차【地衡風偏差】 명 〔geostrophic departure〕 〖기상〗 실제의 바람과 지형풍과의 차를 나타내는 벡터(vector).

지형-학【地形學】 명 〔geomorphology〕 〖지〗 지표(地表)의 형태 및 그 성인(成因)·변천을 연구하는 지리학의 한 부문.

지혜[1]【知慧】 명 슬기❶.

지혜[2]【智慧】 명 ①슬기. ②〔범 prajñā〕 〖불교〗 미혹(迷惑)을 절멸하고 보리(菩提)를 성취하는 힘.

지혜-검【智慧劍】 명 〖불교〗 지혜가 번뇌(煩惱)를 끊는 것을 잘드는 칼에 비유한 말. 지검(智劍).

지혜-경【智慧鏡】 명 〖불교〗 지혜의 맑고 밝음을 만물을 비추는 거울에 「비유한 말.

지혜-광【智慧光】 명 〖불교〗 아미타불(阿彌陀佛)의 12광명(光明)의 하나. 중생의 무명(無明)의 어둠을 비추는 아미타불의 지심(智心)으로부터 나오는 광명.

지혜-롭다【智慧—】 형 ㅂ불 슬기롭다. **지혜-로이**【智慧—】 부

지혜 문학【智慧文學】 명 〖기독교〗 구약 성서 중의 '잠언'·'전도서'·'욥기' 및 '시편(詩篇)' 일부의 통칭. 신약 성서의 야고보서 등도 포함시키는데, 내용은 율법·역사·시 등으로 구분되고 주로 이스라엘 사람의 경험·관찰·진리로서의 생활 문제, 교훈 등임.

지혜-산【智惠山】 명 〖지〗 강원도 양구군(楊口郡) 수입면(水入面)과 회양군(淮陽郡) 내금강면(內金剛面) 사이에 있는 산. [1,232 m]

지혜-서【智慧書】 명 〖성〗 구약 성서 외전(外典)의 하나. 기원전 50년경 알렉산드리아에서 유태 철학자에 의해 성립되었다고 함. 신의 예지(叡智)·영혼의 선재(先在)·이스라엘 사상(史上)의 갖가지 기적(奇蹟), 선인(善人)과 악인(惡人)의 운명, 우상 예배(偶像禮拜)의 부정(否定) 등을 적음. 카톨릭에서는 정전(正典)에 포함됨.

지혜-안【智慧眼】 명 〖불교〗 지혜의 밝은 감각. 지혜가 만 가지를 비추어 보는 것이 눈으로 사물을 바로 보는 것과 같다는 뜻.

지혜-열【智慧熱】 명 〖의〗 생후 반 년쯤 지난 유아(乳兒)에게 일어나는 원인 불명의 발열(發熱). 마침 지혜가 생기기 시작할 무렵인 데서 이렇게 불림.

지혜 염:불【智慧念佛】 명 〖불교〗 진종(眞宗)에서, 아미타불(阿彌陀佛)의 본원(本願)인 타력(他力) 염불, 신심(信心)에서 우러나는 염불.

지혜의 고리【智慧—】[—/—에—] 명 퍼즐(puzzle) 장난감의 한 가지. 갖가지 모양의 고리를 이었다 떼었다 하는 놀이로 대개는 푸는 방법이 한 가지밖에 없어 그것을 생각하는 것이 재미임. 기원(起源)은 분명치 않으나 영국에서는 차이니스 링(Chinese ring)이라고도 함.

지혜의 서【智慧—書】[—/—에—] 명 솔로몬의 지혜.

지혜-일【智慧日】 명 〖불교〗 널리 중생들을 비추어 주는 불타의 지혜를 태양에 비유한 말.

지혜-화【智慧火】 명 〖불교〗 지혜가 번뇌(煩惱)를 절멸시키는 것이 불과 같다는 뜻.

지-호[1]【池湖】 명 못과 호수.

지호[2]【指呼】 명 손짓하여 부름. ——-하다 타 여불

지호-간【指呼間】 명 ↗지호지간(指呼之間).

지호지-간【指呼之間】 명 손짓하여 부를 만한 가까운 거리. 준 지호간.

지혼-식【紙婚式】 명 결혼 기념식의 하나. 결혼 1주년을 축하하여, 부부가 서로 그림·책 등 종이로 된 선물을 주고받아 기념함. *목혼식(木婚式).

지화[1]【地火】 명 산화(山火)의 하나. 타기 쉬운 땅 표면의 토양이 연소함으로써 발생하는 화재.

지화[2]【指話】 명 수화(手話).

지화[3]【指畫】 명 손끝에 먹을 묻히어 그림을 그리는 일. 중국 당(唐)나라 장조(張操)가 시작함. 지두화(指頭畫).

지화[4]【紙花】 명 종이로 만든 조화(造花).

지화[5]【紙貨】 명 지폐(紙幣).

지화리 명 〈방〉 기울. 주의 '只花里'로 씀은 취음(取音).

지화-법【指話法】[—뻡] 명 수화법(手話法).

지화자 감 가무(歌舞)의 곡조를 맞추어 흥을 돋우기 위하여 부르는 소리.

지환【指環】 명 가락지.

지황[1]【地皇】 명 천지인(天地人) 삼재(三才) 사상에 바탕을 둔 중국 고대의 전설상의 제왕(帝王). 삼황(三皇)의 하나로 천황씨(天皇氏)를 계승하였다고 함.

지황[2]【地黃】 명 ①〖식〗 [*Rehmannia glutinosa*] 현삼과에 속하는 다년초. 줄기 높이 30cm가량, 근생엽(根生葉)은 총생하며, 경엽(莖葉)은 호생하고 유병(有柄)에 긴 타원형임. 6-7월에 담홍자색 꽃이 줄기 위에 4-13개 총상(總狀) 화서로 피고, 삭과(蒴果)는 타원형임. 중국 원산으로 각지의 원포(園圃)에 재배하는데, 뿌리는 약용함. 지수(地髓). ②〖한의〗 지황의 뿌리. 성질은 온(溫)한데 보혈 익기제(補血益氣劑)로 쓰며, 날것을 '생지황(生地黃)', 말린 것을 '건지황(乾地黃)', 찐 것을 '숙지황(熟地黃)'이라 함.

〈지황[2]❶〉

지황 극공【至惶極恐】 명 지극히 황공함. ——-하다 형 여불

지황-주【地黃酒】 명 〖한의〗 지황을 찹쌀에 섞어서 빚은 술. 한방(韓方)에서 통경제(通經劑)·보제(補劑)·지혈제(止血劑)로 씀.

지황-죽【地黃粥】 명 썬 생지황 두 홉에 찹쌀 두 홉을 섞어 삶은 뒤에, 타락(駝酪) 두 홉과 꿀 한 홉을 함께 끓여 넣고 다시 더 끓인 죽.

지황-탕【地黃湯】 명 〖한의〗 육미탕(六味湯).

지회[1]【支會】 명 본회(本會)의 관리 아래에 있으면서, 어떤 지역 안의 일을 맡아 보는 조직.

지회[2]【知會】 명 통지하여 알림. ——-하다 타 여불

지회[3]【遲徊】 명 ①배회(徘徊). ②결행(決行)하지 못하고 주저(躊躇)함. ——-하다 자 여불

지효[1]【至孝】 명 지극한 효도.

지효[2]【知曉】 명 알아 깨달음. ——-하다 타 여불

지효[3]【遲効】 명 늦게 보는 효험(効驗). 오랜 후에 보는 보람. ¶오래 복용한 약의 ~를 보다. ↔속효(速效).

지효-성【遲効性】[—썽—] 명 효력이나 효능이 늦게 나타나는 성질.

지효성 비:료【遲効性肥料】[—썽—] 명 퇴비(堆肥)·두엄·깻묵 등과 같이 효험이 더디 나타나는 비료. ↔속효성 비료.

지효-장【至孝章】[—짱] 명 용비 어천가 제92장의 이름.

지후[1]【至厚】 명 ①지극히 두터움. 더없이 후함. ②매우 두꺼움. ——-하다 형 여불

지후[2]【祇候】 명 〖역〗 ①어른을 옆에 모시어 시중 듦. ②고려 때 합문(閤門)의 한 벼슬. 문종(文宗)이 정칠품(正七品)으로 정하였다가, 신종(神宗)이 참상(參上)으로 올림. ——-하다 타 여불

지훈[3]【芝薰】 명 〖사람〗 조동탁(趙東卓)의 호(號).

지-훈련【知訓鍊】[—훌—] 명 〖역〗 ↗지훈련원사(知訓鍊院事).

지-훈련원사【知訓鍊院事】[—훌—] 명 〖역〗 조선 시대 훈련원(訓鍊院)의 정이품 무관(武官) 벼슬. 준 지훈련(知訓鍊). *지사(知事).

지휘【指揮·指麾】 명 ①지시하여 일을 하도록 시킴. ②〖악〗 합창·합주(合奏) 따위에서 많은 사람의 연주를 지휘자의 손이나 몸의 동작으로 통일시키는 일. ③〈속〉 손님이 요리집에 예약(豫約)하면서 기생(妓生)을 불러 오도록 지시하는 일. ——-하다 타 여불

지휘(를) 받다 구 〈속〉 기생이 손님에게서 요리집에 나오도록 부름을 받다.

지휘(를) 주다 구 〈속〉 손님이 기생을 불러 오도록 요리집에 미리 지시하다.

지휘-관【指揮官】 명 〖군〗 지휘권을 가지고 군대를 지휘 통솔하는 관직. 또, 그 사람. 참모 총장·사령관 및 각 단위 부대장 등.

지휘-권【指揮權】[—꿘] 명 상부 기관이 하부 기관을 지휘할 수 있는

권리. 법무 장관이 검사(檢事)의 공소(公訴)나 수사(搜査)에 대하여 지휘 감독하는 권능(權能)도 이 예임.

지휘-기【指揮旗】명 지휘하는 기(旗). 휘기(麾旗).

지휘-대【指揮臺】명 지휘자가 올라서서 지휘를 하도록 마련한 대.

지휘-도【指揮刀】명〖군〗군대에서 지휘하기 위하여 군도(軍刀) 대신에 쓰는 칼.

지휘 명:령【指揮命令】[-녕] 명 상급 관청이 하급 관청에 그 소관 사무에 관해서 내리는 명령. 지령(指令).

지휘-법【指揮法】[-뻡] 명〖악〗합창·합주(合奏) 등을 할 때 그 연주의 통일을 기하기 위하여 손·몸·얼굴의 표정 등으로 지휘하는 방법. 음악의 발달과 더불어 시대적으로 변천하여 왔는데, 현재는 주로 지휘자가 바른손에 지휘봉(棒)을 잡고 그것을 움직임에 따라 박자·악센트(accent) 또는 악기나 성부(聲部)의 개입(介入)을 나타내며, 왼손으로는 상세한 음력(音力)이나 뉘앙스(nuance)를 표시함.

지휘-봉【指揮棒】명 ①〖악〗합창(合唱)·합주(合奏) 등을 지휘하는 사람이 손에 가지는 막대기. 바통(baton). ②지휘관(指揮官)들이 손에 가지는 가는 막대.

지휘-소【指揮所】명 〔command post〕〖군〗지휘관 및 그의 참모가 임무를 수행하는 부대. 또, 그 예하 부대를 지휘하기 위하여 마련한 장소. 시피(C.P.).

지휘소 연:습【指揮所練習】명 〔command post exercise〕〖군〗각급 부대의 지휘소 요원(要員)에 대해 실시하는 일종의 작전 연습. 참가 규모는 전군적(全軍的)인 것에서부터 사단급에 이르는 여러 가지가 있음. 시 피 엑스(CPX).

지휘-자【指揮者】명 ①지휘하는 사람. 지시하는 사람. ②〖악〗컨덕터(conductor).

지휘-탑【指揮塔】명 지휘 구역이 넓거나 혹은 지휘에 부적당하여 지휘용으로 따로이 베푼 탑. 그 탑 안에 지휘관이 있으면서 휘하(麾下)에 확성기·신호(信號)·전령(傳令) 등을 써서 지휘를 함.

지흉【至凶】명 극흉(極凶). ——-하다 형여불

지-흉기【持凶器】명 흉기를 소지함.

지히 조〈옛〉까지. ¶아히브터 얼운지히 머그라(從小至大)≪瘟疫10≫.

지히다 타〈옛〉의지하다. =지혀다. ¶두녁 山崖는 노폰 다미 지혓는 ᄃᆞᆺᄒᆞ도소니(兩崖崇墻倚)≪杜諺 Ⅰ:35≫/ 혼디위 欄干을 지혀조으더니(一會兒倚着欄干頓睡)≪朴解 下 9≫.

지혀다 타〈옛〉의지하다. =지히다·지혀다. ¶그 밉도ᄋᆞ란 ᄆᆞ에 지혀 미오≪月釋 Ⅷ:99≫.

직[1] 명〖한의〗학질(瘧疾) 등의 병이 발작하는 차례. ¶학질을 다섯 ~째 앓는다.

직[2]【直】명 공자·맹자·주자(朱子)로 이어지는 유학(儒學) 사상의 계보에서, 학문의 요체가 되는 개념. 보통 '곧음'으로 옮기며, 사욕(私慾) 없는 깨끗한 마음과 행위를 뜻함.

직[3]【直】명 ↗이직(理直).

직[4]【直】명 성(姓)의 하나. 우리 나라에는 현존하지 않음.

직[5]【職】명 ↗관직(官職)·직업(職業)·직책(職責).

직:[6] 부 글씨 등의 획을 한 번 긋거나, 종이 등을 한 번 찢는 소리. ㅆ찍[2]. >작[7]. ——-하다 자여불

직:[7] 부 사람이나 새 같은 것이 물똥이나 오줌을 한 번 내깔기는 모양. ¶오줌을 ~ 깔기다. ㅆ찍[1].

직각[1]【直角】명〖수〗수평선과 수직선이 이루는 각. 곧, 90°.

직각[2]【直閣】명〖역〗①고려 때 보문각(寶文閣)의 한 벼슬. 처음에 종육품 대우(待遇)로 하였다가, 공민왕 11년(1362)에 정사품으로 정하고, 18년에 폐함. ②조선 시대 때 규장각(奎章閣)의 정삼품에서 종육품까지의 한 벼슬. ③대한 제국 때 규장각의 판임(判任) 벼슬.

직각[3]【直覺】명 ①보거나 듣는 즉시로 바로 깨달음. ②〖철〗직관(直觀). ——-하다 타여불

직각-기【直角器】명 현재의 육분의(六分儀)가 출현하기 이전에 사용된 천체(天體)의 앙각(仰角)을 측정하던 기구(器具). 기본적으로 눈금이 그어져 있는 나무 막대와 여기에 직교(直交)하는 하나 또는 여러 개의 수직(垂直) 횡목(橫木)으로 되었으며, 횡목은 나무 막대에 자유롭게 움직일 수 있었음.

직-각기둥【直角—】명〖수〗옆모서리가 밑면에 수직된 각기둥. 구용어: 직각주·직각도. ↔빗각기둥.

직-각도【直角壔】명〖수〗'직각기둥'의 구용어.

직각 도법【直角圖法】[-뻡] 명 지도에서, 원통(圓筒) 도법의 하나. 위선(緯線)이 균일한 간격으로 나타내어짐.

직각-력【直覺力】[-녁] 명 보거나 듣는 즉시로 바로 깨닫는 능력.

직각-변【直角邊】명〖수〗직각 삼각형에서 직각을 이루고 있는 두 변.

직각 변:조【直角變調】명 〔quadrature modulation〕〖전〗90°의 위상차(位相差)를 가진 두 반송파 성분(搬送波成分)을 상이(相異)한 신호로 변조하는 일.

직-각뿔【直角—】명〖수〗각뿔 가운데 밑면이 정다각형이고 꼭지점에서 밑면에 내린 수선(垂線)이 밑면의 중심을 통과하는 각뿔. 구용어: 직각추(直角錐).

직각 삼각형【直角三角形】명〖수〗한 각이 직각인 삼각형. 직각 세모꼴. 구고(勾股). 준직삼각형(直三角形).

직각-석【直角石】명 연체 동물(軟體動物) 앵무조갯과(科)에 속하는 생물 껍데기의 화석(化石). 캄브리아기(Cambria 紀) 내지 오르도비스 기(Ordovice 紀)의 지층(地層) 중에서 나옴.

직각-선【直角線】명〖수〗한 직선과 직각을 이루는 직선. 서로 직각을 이루는 두 직선.

직각-설【直覺說】명 〔intuitionism〕①〖윤〗도덕적 가치의 판단이 논증(論證)에 의하지 않고 직접 지적(知的) 또는 감정적 직관력(直觀力)에 의하여 판별된다고 하며, 또한 이것에 도덕의 근원을 시인하는 설. 지적 직관설은 프라이스·리드·스튜어트 등이, 정서적 직관설은 헤르바르트 등이 대표함. ②〖철〗실재(實在)는 반성 또는 개념에 의하지 않고 직관 내지 체험에 의해서만 포착된다는 설. 베르크송 등의 설임. 직관설. *직관주의(直觀主義). 직각주의.

직각 세모꼴【直角—】명〖수〗직각 삼각형.

직각 쌍곡선【直角雙曲線】명 〔rectangular hyperbola〕〖수〗두 개의 점근선(漸近線)이 서로 수직(垂直)인 쌍곡선. 상교(相交) 쌍곡선.

직각 요판【直刻凹版】명 금속 판재(版材)에 조각도(彫刻刀)로 직접 그림이나 선을 새긴 조각 요판의 하나. ↔식각(蝕刻) 요판.

직각 이:등변 삼각형【直角二等邊三角形】명〖수〗직각을 사이에 두는 두 변의 길이가 같은 직각 삼각형.

직각-자【直角—】명 직각으로 만든 자. 목재의 면(面)이 서로 직각인지를 검사할 때에 쓰며 나무로 만든 것과 금속으로 만든 것이 있음.

직각-적【直覺的】명관 사물에 대하여 직접으로 깨닫는 모양.

직각 좌:표【直角座標】명〖수〗직교좌표(直交座標).

직-각주【直角柱】명〖수〗'직각기둥'의 구용어. ↔사각주(斜角柱).

직각-주의【直覺主義】[-/-이] 명 직각설.

직-각추【直角錐】명〖수〗'직각뿔'의 구용어.

직각 프리즘【直角—】명 〔rectangular prism〕〖물〗정각(頂角)을 직각으로 하는 이등변 삼각형의 주형(柱形) 프리즘.

직간【直諫】명 맞대하여 간함. 직대하여 잘못을 간함. ——-하다 타여불

직간 비:율【直間比率】명 세수(稅收)에서 차지하는 직접세(直接稅)와 간접세(間接稅)의 비율.

직감【直感】명 설명이나 증명을 거치지 않고, 곧 사물의 진상을 마음으로 느껴 앎. ——-하다 타여불

직감-적【直感的】명관 즉시 사물의 진상을 느껴 알아차리는 모양.

직강【直講】명〖역〗①고려 성균관(成均館)의 종오품 벼슬. 승(丞)의 고친 이름. ②고려 세자부(世子府)의 정육품과 왕자부(王子府)의 종육품 벼슬. ③조선 시대 성균관의 정오품 벼슬.

직-거래【直去來】명 중개인을 거치지 않고, 살 사람과 팔 사람이 직접 거래함. ——-하다 자타여불

직격【直格】명〖문〗인도 유럽어에서, 사격(斜格)에 상대하여 명사·대명사의 주격(主格)을 일컫는 말. ↔사격(斜格).

직격-뢰【直擊雷】[-뇌] 명 어떤 물건과 뇌운(雷雲) 사이에 직접 뇌방전(雷放電)이 발생하였을 때의 낙뢰(落雷). 화재(火災)·폭렬(爆裂)·인축(人畜) 피해 등의 해가 큼. ↔유도뢰(誘導雷).

직격-탄【直擊彈】명 직접 명중한 폭탄.

직결[1]【直決】명 즉결(卽決). ——-하다 타여불

직결[2]【直結】명 직접적인 연결. 사이에 다른 사물을 두지 않는 직접의 결부(結付). ¶생사(生死)에 ~되는 문제. ——-하다 타여불

직결 구동【直結驅動】명 〔direct drive〕〖기〗구동부(驅動部)와 피구동부(被驅動部)가 직결되어서 구동하는 일.

직경【直徑】명〖수〗'지름'의 구용어.

직계[1]【直系】명 ①직접으로 계통을 이어받는 일. 또, 그 사람. ¶~ 제자. ②사람과 사람의 혈통이 직상(直上)·직하(直下)의 형식으로 연락되는 계통. 친자(親子)의 관계. ¶~ 존속/~ 비속. ↔방계(傍系).

직계[2]【直啓】명 ①〖역〗조선 시대 때 육조(六曹)로 하여금 군국(軍國) 중대사(重大事)를 제외하고는 임금에게 직접 아뢰게 하던 일. 태종 14년(1414)에 비롯되었음. ②즉시 엶. ——-하다 자여불

직계[3]【職階】명 직급(職級).

직계 가족【直系家族】명 직계에 속하는 가족. 곧, 부모·자녀 등.

직계-급【職階給】명〖법〗직무 담당자의 능률이나 기능과는 관계없이 직무의 종류·내용 복잡도(複雜度)·책임도(責任度) 등을 기초로 지급되는 급여. 미국의 공무원에 이 제도를 사용하고 있음.

직계 비:속【直系卑屬】명〖법〗자기로부터 직선적으로 내려가서 후예(後裔)에 이르는 사이의 혈족. 곧, 직계 혈족에 속하는 비속. 아들·딸·손자·증손·현손(玄孫) 등. ↔직계 존속(直系尊屬).

직계 인척【直系姻戚】명〖법〗자기 배우자의 직계 혈족 또는 자기 직계 혈족의 배우자.

직계-제【職階制】명〖법〗공무원 제도에서 봉건적인 신분상의 구별을 없애고, 과학적인 인사 행정의 기초를 확립하기 위하여, 우선 직무의 종류에 따라 직종(職種)을 나누고, 다시 복잡도 및 책임도에 따라 직급(職級)을 정하여, 모든 관직을 직종과 직급으로 분류·정리하는 제도. 이에 따라서 똑같은 직종·직급의 관직에는 동일한 임용 자격과 봉급이 주어지며, 합리적인 채용·승임(昇任)을 위한 시험과 합리적인 급여가 가능해짐. 미국·영국에서 발달하였으며 우리 나라의 국가 공무원에도 이 제도가 채용되었음.

직계 존속【直系尊屬】명〖법〗조상으로부터 직선적으로 계속하여 자기에게 이르는 사이의 혈족. 곧, 직계 혈족이 되는 존속. 부모·조부모·증조부모·고조부모 등. ↔직계 비속(直系卑屬).

직계-친【直系親】명〖법〗어떤 사람과 그 사람의 직계 혈족 및 직계 인척과의 관계. 예컨대, 자기의 부모·조부모·자식·손자 또는 배우자의 부모·조부모 등.

직계 친족【直系親族】명〖법〗직계의 친족. 특히 팔촌 이내의 직계 혈족과 사촌 이내의 직계 인척의 이름.

직계 혈족【直系血族】[-쪽] 명〖법〗직계의 관계가 있는 혈족. 곧, 직계 존속과 직계 비속의 총칭. 부모·조부모 또는 자손 등.

직고[1]【直告】명 바른 대로 고해 바침. ——-하다 타여불

직수 아:문【直囚衙門】 명 『역』 조선 시대 때, 곧바로 범죄자를 가둘 수 있는 권한이 부여된 아문. 곧, 병조(兵曹)·형조(刑曹)·한성부(漢城府)·사헌부(司憲府)·승정원(承政院)·장례원(掌禮院)·종부시(宗簿寺)·관찰사(觀察使)·수령(守令), 중기 이후의 비변사(備邊司)·포도청(捕盜廳) 따위.

직-수입【直輸入】 명 외국의 생산품이나 상품을 중개 상인의 손을 거치지 아니하고 직접 수입함. ——-하다 타여불

직-수출【直輸出】 명 자국(自國)의 생산품이나 상품을 중개 상인의 손을 거치지 않고 직접 수출함. ——-하다 타여불

직숙【直宿】 명 숙직(宿直). ——-하다 자여불

직숙 비:국【直宿備局】 명 『역』 비변사(備邊司)에 숙직(宿直)하는 관원(官員).

-직-스럽다 미(ㅂ불) 동사의 명사형 어미 '-ㅁ'·'-음'의 뒤에 붙어 '-직하여 보이다'의 뜻의 형용사를 이루는 말. ¶ 믿음~/바람~. *-직하다[1].

직시【直視】 명 ①눈을 돌리지 않고 대상(對象)을 똑바로 내쏘아 봄. 시선(視線)을 한 곳으로 모음. ②사물(事物)의 진실(眞實)을 바로 봄. 얼버무리거나 가감(加減)하거나 하지 않고 똑바로 봄. ¶ 현실을 ~하다. ——-하다 타여불

직시-류【直翅類】 명 『충』 메뚜기목(目).

직시 분광기【直視分光器】 명 〔direct-vision spectroscope〕『물』 직시 프리즘을 사용한 소형의 분광기. 입사광(入射光) 가운데 어떤 특정한 파장(波長)의 빛에 대하여 편각(偏角)이 없으며, 이 빛의 양쪽에 딴 파장의 빛이 분산(分散)하는 스펙트럼으로 나뉘어 보임. 망원경 부속의 분광기로 쓰임.

직시 운경【直視雲鏡】 명 〔direct-vision nephoscope〕『광』 직접 기계에 눈을 대고 구름의 움직임을 관측하는 운경(雲鏡)의 하나.

직신[1]【直臣】 명 육정(六正)의 하나. 강직한 신하.

직신[2]【稷神】 명 곡식을 맡은 신령.

직신[3]【稷愼】 명 『역』 숙신(肅愼).

직신-거리다 ㊀ 자 슬슬 건드리며 자꾸 귀찮게 하다. ¶ 아무리 상투를 잡아 끌고 몽둥이로 직신거리고 해도, 으응 소리만 치지 꿈쩍 않고 그대로 버팁니다《蔡萬植 : 太平天下》. >작신거리다. ㊁ 타 ①검질기게 말이나 행동으로 연해 남을 귀찮게 하다. ②지그시 힘을 주어 자꾸 누르다. 1)·2) : >작신거리다. 직신-직신 부. ——-하다 자타여불

직신-대다 자타 직신거리다.

직실【直實】 명 정직하고 독실(篤實)함. 고지식함. ¶ ~한 성격. ——-하다 형여불

직심【直心】 명 ①정직한 마음. ②한결같이 지키는 마음. ③『불교』 바로 진여(眞如)를 생각하는 마음.

직심-스럽다【直心—】 형(ㅂ불) 마음씨가 한결같다. 직심-스레【直心—】 부

직언【直言】 명 ①기탄 없이 제가 믿는 바를 말함. 곧이곧대로 말함. 당언(讜言). ②절대 무조건의 말. 정언(定言). ——-하다 타여불

직언적 명:령【直言的命令】 [—녕] 명 『철』 정언적(定言的) 명령.

직언적 판단【直言的判斷】 명 『논』 정언적(定言的) 판단.

직업【職業】 명 ①관직상의 일. ②일상 종사하는 업무. 생계를 세우기 위한 일. 생업(生業). ③자기 능력에 따라, 어떤 목적을 위하여 전문적으로 종사하는 일. ㊂업(業)·직(職).

직업 과정【職業課程】 명 『교』 보통 교육을 주로 하는 과정에 대하여 농업·공업·상업·가정(家政)·간호·미술·음악 등 전문 교육을 주로 하는 교과(教科) 과정. *실과(實科).

직업 교:육【職業教育】 명 직업 종사에 필요한 지식과 기능을 가르치는 교육. 보통 교육에 대응(對應)하는 것으로 생각되는 경우도 있으나, 협의(狹義)로는 기능(技能) 교육을 가리키는 경우도 있음. 실업(實業) 교육. ↔보통 교육.

직업 군인【職業軍人】 명 군 관계의 학교를 졸업했거나 또는 현역 지원을 해서, 직업으로서 군무(軍務)에 복무하고 있는 군인.

직업 단체【職業團體】 명 의사회(醫師會)·변호사회(辯護士會) 등과 같이 직업의 종별에 따라서 조직된 단체.

직업 범:인【職業犯人】 명 범죄(犯罪)를 직업으로 삼는 사람. 소매치기·사기꾼 등.

직업-별【職業別】 명 직업을 종류에 따라서 나눈 구별.

직업별 노동 조합【職業別勞動組合】 명 〔craft union〕『사』 산업 또는 기업의 구별없이, 동일한 직능(職能)의 기술을 가진 근로자에 의하여 조직되는 노동 조합. 배타적(排他的)·독선적(獨善的)인 경향이 강함. 영국을 비롯하여 조합 운동의 초기 단계에 많았음. ㊂직업별 조합. *산업별 노동 조합(產業別勞動組合).

직업별 인구【職業別人口】 명 개인(個人)이 종사하는 직업의 종류에 따라 분류(分類)한 인구.

직업별 조합【職業別組合】 명 『사』 ↗직업별 노동 조합. *산업별 조합(產業別組合).

직업-병【職業病】 명 어떤 직업에 특유한, 위생상 좋지 않은 노동 조건이 주인(主因)이 되어 일어나는 병. 탄광(炭鑛) 근로자의 규폐병(珪肺病), 유리 공업 근로자의 만성 기관지염, 직물(織物) 공업 근로자의 하지맥 노장(下肢脈怒張), 각종 화학 공업에서의 중독(中毒) 등.

직업 보:건【職業保健】 명 각 직업 분야의 근로자의 건강 문제를 연구하며 그 대책을 강구하는 보건 활동의 총칭.

직업 보:도【職業輔導】 명 ①취직(就職) 또는 전직(轉職)하려는 사람에게 그 직업에 필요한 지식·기능을 가르치는 일. *직업 훈련. ②취직한 사람이 그 직업 생활에 적응(適應)하여 성공하도록 직업상·생활상의 보호 지도를 하는 일. 직업 지도.

직업-복【職業服】 명 각종 직업을 표시하고 그에 종사하기 위하여 입는 특히 한정된 복장. 경찰복·군복·소방복·법관복·승복(僧服) 같은 제복(制服). *활동복·휴양복·사회복·제식복(祭式服).

직업 분석【職業分析】 명 직업에 관한 일체의 사실을 과학적으로 조사 연구하여 직업의 내용과, 이것을 완전히 수행하기 위하여 필요한 지능·성격, 특수한 성능·체력 기타의 조건을 명백하게 하는 일. 분석 방법은 대별하여 관찰법·질문법·실험법의 셋이 있음.

직업 사회학【職業社會學】 명 『사』 공동 생활을 성립시키는 계기로서의 직업을 실증적으로 연구하려는 사회학의 한 분과. 직업 분화(職業分化)와 사회 구조, 직업적 단체·직장 집단의 성격, 직업과 신분·계급·계층과의 관계, 직업 의식·직업 도덕의 분석 등이 주요 대상이 됨. *산업(產業) 사회학.

직업 선:수【職業選手】 명 운동 경기에 뛰어난 재능(才能)이 있어서, 그것을 상품화(商品化)하여 팖으로써 생계(生計)를 유지해 가는 운동 선수. 프로 선수.

직업 선:택의 자유【職業選擇—自由】 [—/—에—] 명 기본 인권의 하나. 사회의 구성원(構成員)이 독립된 인격으로서, 각자 개성에 따라 그 개성을 충분히 발휘(發揮)할 수 있는 직업을 스스로 택할 수 있는 권리(權利).

직업 섬망【職業譫妄】 명 『심』 의식 장애의 환자가, 자기 직업에 관한 거동이나 작업을 무의식적으로 행하는 일. 목수(木手)인 환자가 나무를 깎는 시늉을 하는 것 등.

직업성 난청【職業性難聽】 명 〔occupational deafness〕『의』 심한 소음(騷音)이 나는 작업장에서 일하고 있는 사람에게 일어나는 음향성(音響性) 청신경염(聽神經炎). 점점 들리지 않는 범위가 넓어지고 드디어는 귀머거리가 됨.

직업성 신경증【職業性神經症】 [—쯩] 명 〔도 Beschäftigungsneurose〕『의』 직업과 밀접한 관련을 가지고 일어나는 신경증. 주로 무전 기사·피아니스트 또는 글씨를 쓰는 직업에 종사(從事)하는 사람 가운데서 신경질적인 사람에게 많은데 개개의 근육 지배(筋肉支配)에는 아무 지장이 없으나 전체 동작(全體動作)에 필요한 공동 운동(共同運動)이 침해(侵害)되는 것임.

직업 소개【職業紹介】 명 취직 희망자에게 적당한 일자리를 소개하며, 노력(勞力)을 필요로 하는 고용주에게는 필요한 노력을 공급하여 그 수요(需要)를 충족시켜 주는 일.

직업 소개소【職業紹介所】 명 직업 희망자를 위해 알맞은 지위를 소개하여 취직시켜 주고, 고용주(雇用主)를 위해 소요(所要)의 노무(勞務)를 공급하여 그 수요(需要)를 충족(充足)시켜 줌을 목적으로 설립한 기관. ㊂소개소.

직업-신【職業神】 명 기능신(機能神)의 하나. 직업의 수호신(守護神)으로서 동직자(同職者)가 공통으로 신앙하는 신. 예를 들면, 로마에서 마르스(Mars)는 농경(農耕)의 신, 메르쿠리우스(Mercurius)는 무역의 신, 미네르바(Minerva)는 기예자(技藝者)의 신이었으며, 중국에서는 신농(神農)은 약방의 신, 이태백(李太白)은 술집의 신, 채륜(蔡倫)은 지전(紙廛)의 신, 몽염(蒙恬)은 붓장수의 신, 당(唐)나라 현종(玄宗)은 배우의 신이었음.

직업 심리학【職業心理學】 [—니—] 명 『심』 산업 심리학.

직업 안:내【職業案內】 명 구직자를 위하여, 구인 광고(求人廣告)를 모아 게시(揭示)한 안내.

직업 안정【職業安定】 명 구직자에게 적당한 직업에 취업(就業)할 기회를 줌으로써 실업(失業)의 발생을 방지하는 일.

직업 안정법【職業安定法】 [—뻡] 명 『법』 공공의 직업 안정 기관이, 근로자의 능력에 적응한 직업에 취업할 기회를 줌으로써 산업에 필요한 노동력(勞動力)을 충족시키고, 실업(失業)의 발생을 방지하는 것을 목적으로 하는 법률.

직업 안정소【職業安定所】 명 노동부(勞動部)에 속하여, 구직자(求職者)에 대한 직업 소개·지도·보도(輔導), 근로자의 모집, 직업 적성검사 등에 관한 일을 맡아 보는 기관. 구(區)·시(市)·군(郡)에 둠.

직업-암【職業癌】 명 〔occupational cancer〕『의』 파라핀·콜타르·아스팔트 공장의 근로자, 굴뚝 청소부, 아닐린·나프톨 제조공(製造工), 광원 등 특정한 직업에, 어떤 기간 이상을 종사(從事)함으로 말미암아 발생하는 암.

직업 야:구【職業野球】 [—냐—] 명 프로 야구.

직업-어【職業語】 명 『언』 같은 직업에 종사하는 사람들 사이에서 사용되는 특수한 말. 군대어(軍隊語)·상인어(商人語)·학생어(學生語)·승려어(僧侶語)·심마니말 및 넓은 의미로는 걸인어(乞人語)·도박어(賭博語) 따위.

직업 여성【職業女性】 [—녀—] 명 직업에 종사하고 있는 여성. 여의사·여사무원·조산원·간호사·여교사 등. *가정(家庭) 부인.

직업으로서의 정치【職業—政治】 [—/—에—] 명 〔도 Politik als Beruf〕『책』 막스 베버가 1919 년에 뮌헨 자유 학생 동맹이 개최한 자리에서 한 공개 강연의 내용을 적은 고전적인 저서. 1919 년 간행. 국가를 합법적·물리적 강제력(強制力)의 독점으로서 특징짓고, 정치란 이 국가 권력의 분배·유지·이전(移轉)에 참가하는 노력이라고 설파(說破)함. 이어 봉건제로부터 근대적 중앙 집권제로 이행(移行)하는 과정에서 각종 직업 정치가의 역할을 분석 비판하고, 직업 정치가가 되려면 정열(情熱)과 책임감과 관찰력이 필요하며, 정치에 있어서는 책임 윤리(責任倫理)가 특히 중요하다고 논설했음.

직업으로서의 학문【職業—學問】 [—/—에—] 명 〔도 Wissenschaft als Beruf〕『책』 논문. 베버(Weber, M.)의 저서, 1919 년 간행. 대학의 교수는 오로지 사실의 지식을 교수(教授)해야 하며 정치적 신조(政治的

信條)를 말해서는 안 된다는 입장을 주장하고 있음.

직업 의:식【職業意識】[명] 직업의 종사자에게, 그 직업과 관련되는 특유한 의식이나 감각.

직업 의학【職業醫學】[명]〖의〗인간과 직업과의 상호 관계를 취급하는 의학의 한 분야. 병이나 상해(傷害)의 예방, 최적(最適) 건강법과 생산성 및 사회 적응성의 증진을 목적으로 함.

직업-인【職業人】[명] 직업을 가진 사람. 어떤 직업에 종사하는 사람.

직업-적【職業的】[명][관] 직업화한 그 자체. 직업으로서 행하는 모양. 직업에 관련되는 모양.

직업적 분업【職業的分業】[명] 각 사람이 그 직업에 의해 시행하는 사회적 분업.

직업 적성【職業適性】[명] 어떤 직업에 적응하여 그것을 담당하는 데 필요한 인간의 자질과 능력.

직업 적성 검:사【職業適性檢査】[명] 개인의 직업 적성을 검사하기 위한 일체의 절차. 신체 검사·일반 지능 검사·특수 성능 검사·인물 판정의 4개 부문을 포함함.

직업전 교:육【職業前敎育】[명]〖교〗보통 교육 속의 직업 생활과 관련이 깊은 기술적 교과(敎科)의 교육. 직업적 흥미(興味)의 발견(發見), 직업적 활동의 시행(試行), 직업에 관한 정보 제공(情報提供) 등을 목적으로 함.

직업 전:선【職業戰線】[명] 근로자의 과잉과 직장의 과소(寡少)에서 오는 직업 경쟁. 취직인은 직장의 고수에 힘쓰고 실업자는 직장 획득에 분주하는 사회 현상.

직업 정치가【職業政治家】[명] 직업으로서 정치에 종사하는 사람.

직업 조사【職業調査】[명] 직업의 내용을 조사하는 사회 조사의 하나. *직무 분석(職務分析).

직업 지도【職業指導】[명] 좁은 뜻으로는, 직접 직업으로 들어가려 하는 경우의 지도를 말하며, 넓은 뜻으로는, 단지 특정(特定)한 직업만을 문제로 하지 않고 올바른 직업 생활에의 지도를 위한 모든 활동(活動)을 의미(意味)함.

직업 집단【職業集團】[명] 직업을 근거로 하여 사람들이 구성하는 집단. 유럽에서 12-16세기경에 존재한 길드(guild)나 근대 사회의 동업 조합(同業組合)같은 것이 이에 속함.

직업 학교【職業學校】[명]〖교〗직업인의 양성(養成)을 목적으로, 어떤 직업에 관한 특수한 지식(知識)이나 기술(技術) 등에 치중(置重)하여 교육하는 학교.

직업 행정【職業行政】[명] 직업 소개·직업 지도·직업 보도(輔導)·감독자의 훈련·실업 구제 등에 관한 행정.

직업-화【職業化】[명] 직업적인 것으로 됨. ——-하다 [자][타][여불]

직업 훈:련【職業訓練】[—훌—] [명] 근로자 또는 근로자가 되려고 하는 사람에게 직업상 필요한 기능을 몸에 지니게 하는 일.

직업 훈:련 관리 공단【職業訓練管理公團】[—훌—괄—] [명]〖법〗'한국 산업 인력 관리 공단'의 전신.

직업 훈:련 교:사【職業訓練敎師】[—훌—] [명] 각종 직업 훈련 기관에서 노동부 장관의 면허를 받아 직업 훈련을 담당하는 사람. 집체(集體) 훈련 교사와 현장(現場) 훈련 교사로 구분됨.

직업 훈:련 기본법【職業訓練基本法】[—훌—뻡] [명]〖법〗근로자에게 직업 훈련을 실시하여 그 능력을 개발·향상하게 함으로써 근로자의 지위 향상을 도모(圖謀)하고 국민 경제 발전에 기여(寄與)하게 하기 위하여 제정(制定)된 법률.

직업 훈:련소【職業訓練所】[—훌—] [명] 근로자 또는 근로자가 되려는 사람에게 직업상 필요한 기능(技能)을 가르치고 훈련하기 위하여 마련한 장소. 또, 그 기관.

직역[1]【直譯】[명] 외국어를 주로 그 자구(字句)·어법(語法)에만 충실하게 번역하는 일. 축어역(逐語譯). ↔의역(意譯). ——-하다 [타][여불]

직역[2]【職域】[명] ①직업의 구역. 각 직업의 범위. ②직업에 종사하고 있는 장소. 직장(職場).

직역-체【直譯體】[명]〖문〗직역의 문체.

직염-국【織染局】[명]〖역〗고려 충렬왕(忠烈王) 34년(1308)에 도염서(都染署)와 잡직서(雜織署)가 합하여 된 관아. 충선왕(忠宣王) 2년(1310)에 다시 나눔.

직영【直營】[명] 본인·본사 등의 직접적인 경영. 직접으로 영업함. ¶~ 사업/~ 백화점. ——-하다 [타][여불]

직영-갱【直營坑】[명]〖광〗광주(鑛主)가 직접 채광(採鑛)하는 구덩이. 산금(產金) 성적이 좋은 것은 직영갱을 만드는 것이 일반적인 현상임.

직영 소:매점【直營小賣店】[명] 제조업체 등이 직접 자기 회사의 사원(社員) 등을 배치하여 소비자에게 판매하는 가게.

직오【織烏】[명] 태양(太陽)❶.

직왕【直往】[명] 서슴지 않고 곧장 감. ——-하다 [자][여불]

직왕 매:진【直往邁進】[명] 주저(躊躇)하거나 겁내지 않고 곧장 나아감. ——-하다 [자][여불]

직운-산【織雲山】[명]〖지〗강원도 정선군(旌善郡)과 영월군(寧越郡) 사이에 있는 산. [1,172 m]

직원[1]【直員】[명]〖일제〗향교(鄕校)나 경학원(經學院)의 한 직임.

직원[2]【直院】[명]〖역〗고려 때 한림원(翰林院)의 한 벼슬. 처음에 팔품(八品)이었다가 공민왕(恭愍王) 5년(1356)에 정구품으로 정함. *검열(檢閱).

직원[3]【職員】[명] 관공서·회사·학교 등에서 각각의 직무를 담당하는 사람.

직-원기둥【直圓—】[명]〖수〗축과 밑면이 직각으로 교차하는 원기둥. 구용어 : 직원주(直圓柱). 직원도(直圓壔).

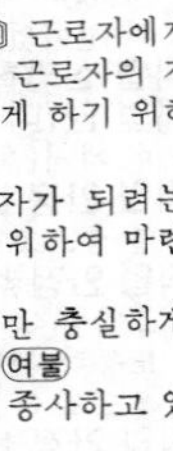

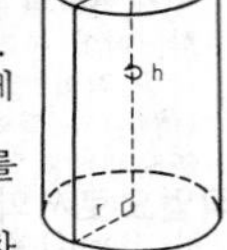

〈직원기둥〉

직-원도【直圓壔】[명]〖수〗'직원기둥'의 구용어.

직원-록【職員錄】[—녹] [명] 직원의 직명·관등(官等)·성명 등을 적은 책.

직-원뿔【直圓—】[명] [right circular cone]〖수〗축이 밑면에 수직이 되는 원뿔. 또, 직각 삼각형이 그 직각의 변(邊)을 중심으로 하여 한 바퀴 돌 때에 생기는 입체(立體). 구용어 : 직원추(直圓錐).

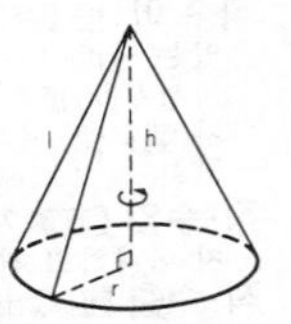

〈직원뿔〉

직원뿔-대【直圓—臺】[명] [frustum of right cone]〖수〗직원뿔을 밑면에 평행인 평면(平面)으로 잘라, 꼭지점을 포함하는 쪽의 부분을 떼어낸 입체(立體). 원래의 직원뿔의 밑면과 이것을 평면으로 자른 면을 각각 직원뿔대의 밑면이라 하고, 그 두 밑면 사이의 거리를 높이라 함.

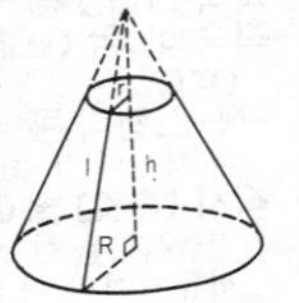

〈직원뿔대〉

직원-실【職員室】[명] 직원들이 사무를 보는 방.

직원 조합【職員組合】[명] 관공서·학교 등의 직원에 의해 만들어진 조합.

직-원주【直圓柱】[명]〖수〗'직원기둥'의 구용어.

직-원추【直圓錐】[명]〖수〗'직원뿔'의 구용어.

직원-회【職員會】[명] ↗직원 회의.

직원 회:의【職員會議】[—/—이] [명] 직원들의 회의. [준]직원회.

직월【直月】[명]〖역〗조선 시대 때 향약(鄕約)의 일을 맡아 보던 직책의 하나. 오늘날의 간사(幹事)와 같음.

직위【職位】[명] ①관직(官職)과 관위(官位). 직업에서 정해져 있는 개인의 위치나 분담. ¶~ 해제(解除). ②〖법〗1인(人)의 공무원에게 부여할 수 있는 직무(職務)와 책임.

직위 분류제【職位分類制】[—불—] [명] 모든 직위를 직무의 종류·곤란성·책임도(責任度)에 따라 계급과 직급별(職級別)로 분류하되, 동일 직급에 속하는 직위에 대해서는 동일한 자격 요건(資格要件)을 필요로 함과 동시에 동일한 보수(報酬)가 지급되도록 하는 제도.

직유[1]【直喩】[명] ↗직유법.

직유[2]【職由】[명] 일이 일어나는 유일한 까닭.

직유-법【直喩法】[—뻡] [명] 수사법(修辭法)의 하나. 직접 두 개의 사물을 비교하는 방법으로서, 비유하는 것과 비유되는 것과를 따로따로 드는 사태(詞態)이며, 비유법(比喩法) 중 형식(形式)이 가장 간단하여 이해하기가 쉬움. '이를테면…'·'마치…'·'…같다'·'…비슷하다' 등의 말을 쓰는 것이 보통임. '차기가 얼음 같다' 등. [준]직유. ↔은유법(隱喩法).

직-육면체【直六面體】[—늉—] [명] 각 면이 모두 직사각형이고, 상대되는 세 쌍의 면이 각각 평행한 육면체. 직방체(直方體).

직의【職蟻】[—/—이] [명]〖충〗일개미.

직인[1]【職人】[명] ①자기의 손재주로써 물건을 만드는 것을 직업으로 하는 사람. 직공(職工). ②[journeyman] 중세 이래의 수공업(手工業) 조직인 길드(guild)에서, 주인 밑에서 생산과 도제(徒弟)의 교도(敎導)에 종사한 기술자.

직인[2]【職印】[명] 관직(官職)을 나타내는 도장. 인영(印影)은 직위의 명칭에 '인(印)'자를 붙임. ¶학교장의 ~. ↔사인(私印). *관인(官印).

직일【直日】[명] 숙직(宿直)이나 당직(當直)의 날.

직임[1]【職任】[명] 직무상 맡은 임무.

직임[2]【織紝】[명] 길쌈하는 일. ——-하다 [자][여불]

직입【直入】[명]〖불교〗방편문(方便門)을 의지하지 않고 바로 진실도(眞實道)에 들어가는 일.

직장[1]【直長】[명]〖역〗①고려 때 전의시(典儀寺)·사복시(司僕寺)·군기감(軍器監)·사온서(司醞署)·상식국(尙食局)·전악서(典樂署)·대악서(大樂署)·내알사(內謁司)와 기타 여러 관아에 딸린 벼슬. 질(秩)은 육품(六品)에서 구품까지. *주부(注簿). ②조선 시대 때, 봉상시(奉常寺)·종부시(宗簿寺)·사옹원(司饔院)과 기타 여러 관아에 딸린 종칠품 벼슬. *주부(主簿)·봉사(奉事).

직장[2]【直腸】[명] ①[rectum]〖생〗대장(大腸)의 말단부로서, 위는 에스상(S狀) 결장(結腸)에 이어지고, 하단은 항문을 통하여 체외(體外)로 열리는 곧은 부분. 길이 20 cm이고, 포도당 등을 흡수하는 능력이 있고, 대변(大便)의 저장·배설 운동을 맡음. 곧은창자. ②사실대로 바르게 말하는 사람을 가리키는 말.

직장[3]【織匠】[명] 피륙을 짜는 공장(工匠).

직장[4]【職長】[명]〖사〗경영 조직에 있어서, 관리자측의 최하부에 위치하여 작업 현장에서 노동자를 지휘 감독하는 사람.

직장[5]【職掌】[명] 직무의 분장(分掌). 담당하는 직무.

직장[6]【職場】[명] 공장·회사·관청 등에 있어 각자가 맡은 일을 하는 일터. 일자리. 일터.

직장 결혼【職場結婚】[명] 같은 직장에 있는 남녀의 결혼.

직장-경【直腸鏡】[명]〖의〗직장의 환부를 검사하기 위한 기계. 금속관(金屬管)의 선단(先端)에 작은 전등이 달려 있음. *내시경(內視鏡).

직장 교:육【職場敎育】[명]〖교〗직무 능력(職務能力)을 향상시키기 위하여 이미 취업하고 있는 사람에 대하여 직장 안에서 행하는 교육. 특히 기능의 훈련을 가리킴.

직장-루【直腸瘻】[—누] [명] [도 Mastdarmfistel]〖의〗치루(痔瘻)의 하나. 급성 직장 주위염(周圍炎) 또는 결핵성 농양(膿瘍)이 터져서 그 배농공(排膿孔)이 직장에서 개구(開口)한 것.

직장 마취【直腸痲醉】[명]〖의〗마취제를 직장에 주입하여 직장 점막(粘膜)으로부터 흡수시켜서 전신 마취를 일으키게 하는 방법. *흡입(吸入) 마취·정맥(靜脈) 마취.

직장 민방위대【職場民防衛隊】[명] 직장을 단위로 편성하는 민방위대.

*지역 민방위대.

직장-선【直腸腺】명 〖생〗 항문선(肛門腺).

직장-암【直腸癌】명 〔도 Rektumkrebs〕 〖의〗 직장에 발생하는 암종(癌腫). 똥을 눌 때의 팽만감(膨滿感)·동통(疼痛)·점액(粘液) 배출·출혈(出血)·설사(泄瀉)·협착(狹窄)을 일으킴. 남자에 많고, 40-60세에 흔히 발생(發生)함.

직장 연:극【職場演劇】[-년-] 명 〖연〗 회사·공장 등에서 근로자가 자주적으로 각본을 선택하거나 창작하여 근로자 자신의 손으로 상연하는 아마추어 연극의 한 가지.

직장-염【直腸炎】[-념] 명 〔proctitis〕 〖의〗 직장벽(壁)의 염증. 만성과 급성의 두 가지가 있는데, 점액(粘液)·고름 등의 배출이 특유함. 결핵성·임균성·매독성 등의 것도 있고, 자극성 음식물이나 외상(外傷)에 의한 원발성(原發性) 염증도 있음.

직장 예:비군【職場豫備軍】[-네-] 명 직장을 단위로 하여 편성한 향토 예비군. *지역 예비군.

직장 위원【職場委員】명 〔shop steward〕 같은 직장의 조합원 또는 노동자 가운데서 선출되거나 또는 조합에 의하여 지명되어 직장 노동 조합원 또는 노동자를 대표하여 직장 문제를 경영자(經營者)와 교섭(交涉)하는 기관의 위원.

직장 자궁와【直腸子宮窩】명 〖의〗 더글러스와(Douglas 窩).

직장 점거【職場占據】명 〖사〗 노동 쟁의(勞動爭議) 전술(戰術)의 하나. 노동자가 집단으로 사무실이나 공장 안에 연좌(連坐)하여 일시 머무르는 일.

직장 주위염【直腸周圍炎】명 〔periproctitis〕 〖의〗 직장의 주위에 있어서 결체(結締) 조직에 발생하는 염증. 흔히 곪아서 농양(膿瘍)을 일으킴. 항문(肛門) 주위염.

직장-탈【直腸脫】명 〔prolapse of the rectum〕 〖의〗 직장을 고정하고 있는 결합 조직이나 항문 괄약근(肛門括約筋)의 긴장 부족(緊張不足)으로 발생하는 직장벽(直腸壁)의 탈출. 노인에 많음. 배변시(排便時) 복압(腹壓)에 의하여 빠지는데, 중증(重症)의 경우 그 길이가 20-30cm 이상이 되기도 하며, 정복(整復)이 곤란하고, 탈출 점막이 진물러서 환부의 고통이 큼. 항문을 축소하는 수술이나 골반저(骨盤底) 성형술, 직장 고정술 등의 수술로 치료함. *탈항(脫肛).

직장 투쟁【職場鬪爭】명 조합원(組合員)의 한 사람 한 사람이 노동 조건의 개선(改善) 등 일상(日常)의 구체적인 요구(要求)에 관해서 직장에서 투쟁을 전개하고, 이것을 조합(組合) 전체의 투쟁으로까지 끌어 올리거나 또는 조합 전체의 투쟁을 각 직장, 각 조합원에게 침투(浸透)시키는 활동.

직장 폐:쇄【職場閉鎖】명 노동 쟁의가 발생했을 때, 사용자가 공장이나 사업장의 문을 닫는 일. 직장 폐쇄는 노동 조합의 쟁의(爭議) 행위에 대한 사용자의 대항 수단으로, 쟁의가 시작된 후에만 가능함.

직장 포:기【職場抛棄】명 쟁의 전술(爭議戰術)의 하나. 노동자가 집단적으로 직장을 이탈(離脫)하거나 업무의 수행을 일시적으로 불가능하게 하는 일.

직장 폴립【直腸-】〔polyp〕 명 〖의〗 직장에 발생하는 종류(腫瘤). 무증상(無症狀)일 때도 있지만 보통 출혈과 점혈변(粘血便) 등을 볼 수 있음. 암화(癌化)의 위험이 있는 것도 있음.

직재【直裁】명 ①곧 재결(裁決)함. ②몸소 재결함. ——-하다 타여불

직재 서록 해:제【直齋書錄解題】명 〖책〗 〔직재(直齋)는 이 책의 찬자(撰者)의 호(號)〕 중국 남송(南宋)의 진진손(陳振孫)이 여러 장서가(藏書家)의 역대(歷代)의 5만여 권의 책을 베껴서 분류하고 저자·권수에 고증(考證)을 가하고 그 내용을 비평한 책. 모두 22권.

직적 집합【直積集合】명 〖수〗 두 개의 집합 X, Y에 대하여, X의 원소(元素) x와 Y의 원소 y와의 짝 전체인 (x, y)가 만드는 집합. $\{(x, y)\}$를 X×Y로 쓰고 X와 Y의 직적 집합이라 함.

직전[1]【直田】명 기름하고 네모가 번듯하게 생긴 밭.

직전[2]【直前】명 바로 앞. 일이 생기기 바로 전. 즉전(卽前). ¶ 출발 ~. ↔직후(直後).

직전[3]【直錢】명 맞돈.

직전[4]【職田】명 〖역〗 조선 시대 때 사전(私田)의 하나. 벼슬아치들에게 반급(頒給)하였으며, 원칙적으로 세습(世襲)하지 못함.

직전-법【職田法】[-뻡] 명 〖역〗 조선 세조(世祖) 12년(1466)에 과전법(科田法)을 고쳐서 제정한 전법(田法). 개국(開國) 후 공신전(功臣田)이 양적(量的)으로 늘고, 또한 과전(科田)의 세습화(世襲化)와 관원(官員)의 수가 많아져 경기(京畿)의 과전이 부족하게 되어, 이를 타개하기 위하여 과전을 현직자(現職者)에 한하여 지급하되, 대폭 삭감(削減)하여 지급한 것인데, 성종(成宗) 원년(1470)에 직전세(職田稅)라 하여 관(官)에서 수조(收租)하여 미곡을 지급하는 제도로 바뀌고, 명종(明宗) 연간(年間)에 소멸됨.

직절[1]【直切】명 바르고 정성스러움. 절직(切直).

직절[2]【直節】명 곧은 절개.

직절[3]【直截】명 ①직각적(直覺的)으로 재단(裁斷)함. ②바로 재단을 내림. ——-하다 자타여불

직절-구【直截口】명 〖수〗 수직 단면(垂直斷面).

직절-면【直截面】명 〖수〗 수직 단면(垂直斷面).

직접【直接】㊀명 중간에 매개나 거리·간격이 없이 바로 접함. 무매개(無媒介). ¶ ~ 원인. ↔간접(間接). ㊁부 중간에 매개나 간격이 없이 바로. ¶ ~ 왔다.

직접 가속도【直接加速度】명 일정한 방향으로 향할 때의 가속도.

직접 강:제【直接强制】명 〖법〗 ①행정 처분(行政處分)을 강제하는 수단의 하나. 국가의 공력(公力)에 의해 직접 개인을 강제하여 그 의무를 이행시키는 일. 경찰관이 교통에 방해되는 군중을 직접 강제로 해산시키는 일 등. ②민법상 강제 이행의 하나. 집행 기관이 하는 집행 행위에 의하여 직접적으로 (채무자 또는 제삼자의 행위에 의하지 않고) 채권의 만족을 얻게 하는 일. 금전 채무나 물건의 인도(引渡) 채무 등에 대한 방법. ↔간접 강제.

직접 거:래【直接去來】명 중개인의 손을 거치지 않고 당사자(當事者) 쌍방이 거래하는 일.

직접 경비【直接經費】명 〖경〗 직접비(費).

직접 경험【直接經驗】명 〖철〗 사물이나 일에 직접 접촉하거나 참가함으로써 얻는 경험. ↔간접 경험.

직접 교:사【直接教唆】명 범죄(犯罪)의 실행자를 직접 부추기는 일. ↔간접 교사.

직접 교:수법【直接教授法】[-뻡] 명 〔direct method〕 외국어 교수법의 하나. 번역법에 대한 것으로, 유아가 모국어(母國語)를 자연스럽게 습득(習得)하는 과정을 본떠서 실물(實物)의 제시(提示)와 그 외국어에 의한 설명만을 하고 학습자의 국어(國語)에 의한 설명은 일체 피하는 방식. 직접법.

직접 국세【直接國稅】명 〖법〗 국가가 징수하는 직접세인 국세. 소득세(所得稅)·법인세(法人稅)·상속세 등. ↔간접 국세.

직접 군주제【直接君主制】명 〖정〗 군주의 권능(權能) 행사 방법에 의하여 분류한 군주제의 하나. 군주가 권능을 직접 행사하는 정치 체제(政治體制). ↔간접 군주제.

직접 금융【直接金融】[-/-늉] 명 자금의 공급자와 수요자 사이에 자금을 직접 융통하는 방식. *간접 금융.

직접 기관【直接機關】명 〖법〗 헌법에 의하여 지위·권한이 부여된 국가 기관. 국회·내각 같은 것. ↔간접 기관.

직접 날염【直接捺染】명 염색법의 하나. 물감과 함께 매염제(媒染劑) 기타 필요한 약제(藥劑)를 섞은 풀을 직접 섬유면(纖維面)에 바르고, 증기 가열(蒸氣加熱)·산화(酸化)·환원 등의 방법으로 풀에 섞인 물감을 섬유면에 옮김. *직접 염료(染料).

직접 노동【直接勞動】명 〔direct labor〕 〖경〗 실제로 상품을 만들거나 서비스를 제공하는 데 필요한 노동.

직접 노무비【直接勞務費】명 〖경〗 제품 생산에 직접 종사하는 공장 작업자에 대한 노무비. 직접 임금. ↔간접 노무비.

직접 높임말【直接-】명 〖언〗 높임의 대상을 높이는 말. '아버님', '잡수시다' 등.

직접 담판【直接談判】명 중재(仲裁)를 거치지 않고 상대와 직접 벌이는 담판. ——-하다 자타여불

직접 대:리【直接代理】명 대리인이 본인의 이름으로 본인을 위하여 행한 의사 표시(意思表示)의 효력이 직접 본인에게 생기는 일.

직접-떼기【直接-】명 〖고고학〗 석기 제작 방법의 하나. 석기 제작에 가장 많이 쓰이는 수법으로, 만들려는 재료를 직접 때려서 떼기를 베풂. 구용어 : 직접 타격법. ↔간접떼기.

직접 매매【直接賣買】명 대리업자를 거치지 않고 당사자 쌍방이 직접 하는 매매. ↔간접 매매.

직접 모집【直接募集】명 발행 회사(發行會社)가 증권 발행에 따르는 일체의 위험과 사무를 스스로 부담하며 일반 대중으로부터 청약자(請約者)를 모집하는 일. 자기 모집.

직접 민주제【直接民主制】명 〖정〗 국민이 대의원(代議員)을 매개로 하지 않고 국가 의사의 결정과 집행에 직접 참가하는 제도. 국민 표결·국민 투표·소환(召還)·국민 발안(發案) 등의 형태로 나타남. 순수(純粹) 민주제. ↔간접 민주제·대표 민주제.

직접 민주주의【直接民主主義】[-/-이] 명 〖정〗 국민이 직접 정치에 참여하는 민주주의. 국민이 직접적인 방법으로 정치적 의사를 표현하고 행동(行動)함.

직접 반:응【直接反應】명 〔direct reaction〕 〖물〗 핵(核)반응 과정의 하나. 입사 입자(入射粒子)가 원자핵 안의 핵자(核子)와 단지 몇 번만 상호 작용하고 곧 핵 밖으로 나오는 간단한 반응 과정.

직접 반:응 광:고【直接反應廣告】명 〔response advertising〕 광고 수용자(受容者)로부터 반응을 직접 얻고자 함을 목적으로 하는 광고. 우편 광고·통신 판매용의 광고가 그 예임.

직접 발생【直接發生】[-쌩] 명 〖생〗 알로부터 부화된 유체(幼體)가 대체로 어미와 같은 모양을 하고 있으며, 성체(成體)가 될 때까지 뚜렷한 변태가 없는 발생의 형(型)을 말함. 조류나 어류에서 볼 수 있음. ↔간접(間接) 발생.

직접 발전【直接發電】[-쩐] 명 발전 방식의 하나. 열(熱)·광(光) 그 밖의 에너지를 직접 전기 에너지로 변환(變換)하는 것으로, 효율(効率)이 높은 이상적 방식임. 보통은 열(熱)에너지를 변환하는 방식을 일컬으며, 열전(熱電) 발전·열전자(熱電子) 발전·엠 에이치 디 발전(MHD 發電) 등이 있으며, 어느 경우에나 직류 전력을 발생하나 실용화(實用化)한 것은 적으며 효율도 낮음.

직접 발행【直接發行】명 〖경〗 유가 증권을 발행할 때 발행자 자신이 모집 절차를 취하는 방식. ↔간접 발행.

직접 방:사 스피:커【直接放射-】명 〔direct radiator speaker〕 음(音)의 방사부(放射部)가 혼의 중개(仲介) 없이 직접 공기에 접하여 작용하는 확성기.

직접 방적【直接紡績】명 화학 섬유를 방적하는 방법의 하나. 연속된 장(長)섬유의 집속(集束)인 토(tow)를 하나의 공정(工程)으로 하여 방적사(紡績絲)로 만드는 일. 직방(直紡).

직접-법【直接法】명 ①긍정(肯定)·부정(否定)·의문의 구별 없이 사실을 있는 그대로 쉽고 분명하게 서술하는 수사법(修辭法). 직설법(直說

法). ②직접 교수법.

직접 보:상【直接補償】명 손해에 대한 직접적인 보상. ↔간접(間接) 보상.

직접 분열【直接分裂】명〔direct division〕〖생〗 무사(無絲) 분열. ↔간접(間接) 분열.

직접-비【直接費】명〖경〗제품의 일정 단위에 대하여 직접적으로 파악할 수 있는 원가(原價). 직접 재료비·직접 노무비(勞務費) 등의 제조(製造) 직접비와 판매(販賣) 직접비가 있음. 주요 비용. 직접 경비. ↔간접비(間接費).

직접 비:료【直接肥料】명〖농〗 직접으로 농작물에 양분(養分)이 되는 비료. 보통 비료라고 부르는 것. 인분(人糞)·황산 암모늄·질산 암모늄 등. ↔간접 비료.

직접 사격【直接射擊】명〖군〗마주 바라볼 수 있는 목표물에 직접 대고 사격하는 일. ↔간접 사격. ——-하다 타여불

직접 사:인【直接死因】명 생명의 유지를 직접적으로 불가능하게 하는 원인. 뇌(腦)·심장의 손상이나 기능 정지(機能停止), 질식(窒息) 따위. ↔간접 사인.

직접 생산비【直接生産費】명〖경〗 생산물의 일정 단위(單位)를 위하여 소비되었다고 계상(計上) 되는 비용. 원료비와 직접 일정 단위의 생산에 소요된 임금 등을 포함함. ↔간접 생산비.

직접 선:거【直接選擧】명〖법〗선거 방법의 한 가지. 선거인이 직접으로 피선거인을 선거하는 일. 준직선(直選). ↔간접(間接) 선거. ——-하다 타여불

직접-세【直接稅】명〖법〗 국가가 세금의 사실상의 부담자에게서 직접 징수하는 조세. 납세 의무자가 흔히 다른 데에 전가(轉嫁)할 수 없고, 스스로 부담자가 되는 성질의 조세. 소득세·토지 초과 이득세·법인세·부당(不當) 이득세·상속세·자산 재평가세(資産再評價稅) 등. 준직세(直稅). ↔간접세(間接稅).

직접세 담당관【直接稅擔當官】명〖법〗재무부 세제(稅制) 국장의 보조 기관. 소득세·법인세·상속세 및 자산 재평가 법령의 입안(立案)·해석(解釋), 기타 직접세에 관련된 사항에 관하여 국장을 보좌함. 서기관으로 보함.

직접 소권【直接訴權】[—꿘] 명〖법〗 폐파 소권(廢罷訴權). ↔간접(間接) 소권.

직접 소비세【直接消費稅】[—쎄] 명〖법〗소비세 중 소비의 최종 단계에서 소비자에게 직접 과세되는 것. 유흥 음식세(遊興飮食稅)·자동차세 등의 소비세 따위.

직접 손:해【直接損害】명 어떤 사건(事件)으로 말미암아 손해가 생겼을 경우, 직접 그 사건과 인과 관계(因果關係)를 갖는 손해. ↔간접(間接) 손해.

직접 수:치 제:어【直接數値制御】명〔direct numerical control〕〖컴퓨터〗주로 공작 기계(工作機械)에 행하는, 디지털(digital) 기술과 디지털 계산기를 이용한 자동(自動) 제어.

직접-시【直接視】명〖생〗망막(網膜)의 중앙 소와(小窩) 주변의 시세포(視細胞)에 비친 시각.

직접 심:리주의【直接審理主義】[—니— / —니—이] 명〖법〗 민사 소송법상 소송 심리의 방법에 관한 주의로서, 변론의 청취 및 증거 조사를 수소 법원(受訴法院)이 직접 행하는 것. ↔간접 심리주의(間接審理主義).

직접 압연【直接壓延】명 용해(鎔解) 금속을 압연기(機)에 주입하여 직접 압연재(材)를 얻는 방법. 연속 주조(連續鑄造)에 압연 공정(工程)을 결합하면 용해 금속에서 연속적으로 압연재가 얻어짐.

직접 염:료【直接染料】[—뇨] 명〔direct dye〕무명·삼·인조 견사 등의 섬유에 매염(媒染)을 하지 않고도 물이 잘 드는 염료. 벤진에서 유도되는 아조(azo) 화합물이 주로 쓰임. ↔간접 염료. ＊직접 날염(捺染).

직접 원가【直接原價】[—까] 명〖경〗 직접 원가 계산상의 원가 개념(槪念)으로, 소위 변동비(變動費)를 집계(集計)하여 산출(算出)한 원가. 변동 제조(製造) 원가에 변동 판매비 및 관리비(管理費)를 합한 것임. 변동 원가.

직접 원가 계:산【直接原價計算】[—까—] 명〖경〗 조업도(操業度)의 변화에 따라서 증감하는 변동 제조 원가에 의하여 제품 원가를 계산하는 방법. 고정비(固定費)는 기간(期間) 원가로서 처리됨. 단기 이익 계획의 책정에 유효한 한계 이익 자료를 제공하며, 고정비 부담이 큰 화학 공업 등에 채용됨. 변동(變動) 원가 계산.

직접 유전【直接遺傳】[—뉴—] 명〖생〗 형질(形質)이 어버이로부터 직접 그 자식에게 유전하는 일. 현재(現在) 유전. ↔격세 유전(隔世遺傳).

직접 임:금【直接賃金】명 직접 노무비.

직접 재료【直接材料】명〔direct material〕〖경〗최종적으로 제품 가운데에 잔존(殘存)하는 원료나 반제품(半製品)의 총칭.

직접-적【直接的】명관 ①중간에 매개를 통하지 않고 바로 연결되는 모양. ②〖철〗헤겔 철학의 용어. 매개적(媒介的)·반성적(反省的)에 대한 말로, 아직 반성을 포함하지 않은 전연 매개가 없는 대로의 자기 자신을 긍정하고 있는 상황을 가리킴. ↔간접적.

직접적 논증【直接的論證】명〖논〗논증의 한 형식(形式). 적극적 근거(根據)로써 문제를 직접 검토(檢討)하는 것으로 연구를 함에 있어서 보통 쓰여지며, 연역(演繹)과 귀납(歸納)의 두 방법을 씀. ↔간접적(間接的) 논증.

직접적 생산자【直接的生産者】명 자기가 가진 생산 수단으로 생산하며, 그 생산의 결과가 모두 자기 자신에게 돌아가게 되는 생산자. 독립(獨立) 생산자.

직접 점유【直接占有】명〖법〗 점유자가 본인 스스로 물건을 소지하는 점유. 구용어 : 자기(自己) 점유. ↔간접(間接) 점유.

직접 점:화【直接點火】명〔direct-fire〕〖공〗공기나 가스를 예열(豫熱)하지 않고 노(爐)에 점화하는 일.

직접 정:범【直接正犯】명〖법〗본인 스스로가 실행(實行)하는 범죄(犯罪). ↔간접 정범.

직접 제:철법【直接製鐵法】[—뻡] 명 철광석으로 선철(銑鐵)을 만들고 이 선철로 강철을 만드는 보통의 용광로식 제철 방식이 아니고 선철을 만드는 과정을 거치지 않고 직접 강철을 만드는 방법. 많은 방식이 있는데, 용광로식 만큼 대량 생산은 할 수 없고 그 보조적 역할을 담당함. 특히 고급 품질의 철을 얻기 위해서도 중요함.

직접 조:명【直接照明】명 조명 방식의 하나. 빛의 전부를 직접 내려 비추는 수법임. 경제적이고 설비가 쉬움. ↔간접 조명(間接照明).

〈직접 조명〉

직접 조:준【直接照準】명 목표를 직접 인지(認知)할 수 있는 경우에 쓰이는 조준. 아주 근거리에 있는 적을 사격할 때 쓰임. ¶～ 사격. ↔간접 조준.

직접 증거【直接證據】명〖법〗요증 사실(要證事實)을 직접적으로 증명하는 증거. 살인죄에 있어서 현장을 직접 목격(目擊)한 증인, 문서 위조(僞造)에 있어서 위조 문서 등. ↔간접 증거.

직접 증명법【直接證明法】[—뻡] 명〖논〗 증명법의 하나. 가정(假定)으로부터 출발하여 배리법(背理法) 등의 간접적 수단을 쓰지 않고 유효한 추론 형식(推論形式)을 직접 차례차례로 적합시켜 결론으로 이끄는 방식. ↔간접 증명법.

직접 지휘 유도【直接指揮誘導】명〔direct command guidance〕〖군〗미사일이나 무인기(無人機)를 발사 위치로부터 무선 또는 유선 신호에 의해 유도하는 일.

직접 청구【直接請求】명 의원(議員) 등 대표자를 통해서가 아니라 단체원(團體員)인 주민의 발의(發意)에 의하여 단체의 기관으로 하여금 일정한 행동을 직접 하게 하는 성질의 참정권(參政權). 국민 발안(國民發案)과 아울러 직접 민주 정치 제도의 하나.

직접 촬영【直接撮影】명 엑스선(X線) 사진 촬영법의 하나. 피사체(被寫體)를 통과한 엑스선을 직접 피사체와 같은 크기로 필름에 촬영함. 직촬(直撮). ↔간접 촬영.

직접 추리【直接推理】명〖논〗전제(前提)가 한 개인 경우의 추리(推理). 대개 하나의 판단(判斷)을 다른 형식으로 나타낸 것으로, 판단의 변형(變形)에 의하는 것과 대당 관계(對當關係)에 의하는 것이 있음. ↔간접(間接) 추리.

직접 측량【直接測量】[—냥] 명 도량형기(度量衡器)나 줄자 따위로 직접 측량하는 방법. ↔간접 측량.

직접 침략【直接侵略】[—냑] 명 무력으로 다른 나라의 영역(領域)에 침입·공격하는 일. ↔간접(間接) 침략.

직접 타:격법【直接打擊法】명〖고고학〗'직접떼기'의 구용어.

직접 탄:도 거:리【直接彈道距離】명〔point-blank range〕〖물〗탄환(彈丸)이나 발사체(發射體)의 궤도(軌道)가 곡선이 아니고, 실용상 직선이라고 할 수 있을 정도로 표적(標的)까지의 거리가 짧은 경우의 사정 거리(射程距離).

직접 투자【直接投資】명〔direct investment〕〖경〗외국(外國)에서의 기업 경영(企業經營) 혹은 기존(旣存) 외국 기업에 대한 경영 참가(經營參加)의 형태를 취하는 직접적인 장기 해외 투자. ↔간접 투자.

직접-파【直接波】명 송신(送信) 안테나에서 발사된 전파(電波) 가운데 전리층(電離層)에서 반사되지 않고 직접 수신(受信) 안테나에 도달(到達)하는 전파.

직접 팽창 코일【直接膨脹—】명〔direct-expansion coil〕〖기〗내부에 차가운 유체(流體)나 증발 냉매(蒸發冷媒)를 순환시키는 핀(fin)이 달린 코일. 공기 냉각에 쓰임.

직접 프리: 킥【直接—】〔free kick〕명 축구에서, 비교적 심한 반칙을 범한 팀의 골에, 상대방의 선수가 다른 선수를 거치지 않고 직접 차는 프리 킥. ↔간접 프리 킥.

직접 행동【直接行動】명 규범(規範)·제도를 무시하고 자기 의사를 곧 달성하는 행동을 하는 일. 폭력 행위. ——-하다 자여불

직접 화법[1]【直接話法】[—뻡] 명 언어 표현(言語表現)에 있어 남의 말을 재현(再現)할 경우에 직접적으로 그 사람의 말을 그대로 되풀이하는 화법. ↔간접 화법.

직접 화:법[2]【直接畫法】[—뻡] 명〖미술〗 유화(油畫)의 수법의 하나. 템페라(tempera) 등으로 예비 그림을 그리는 단계를 생략하고 직접 유화구로 그리는 방식.

직접-환【直接換】명〖경〗환취결(換就結)의 하나. 보통의 환에서, 제삼국을 경유하지 않고 자금의 지급국(支給國)과 수취국(受取國)이 직접 환취결을 하는 것. ↔간접환.

직접 환원법【直接還元法】[—뻡] 명〖논〗환원법의 한 가지. 정언적 삼단 논법(定言的三段論法)에서, 제이·제삼·제사격을 제일격으로 고치는 특수 방법. ↔간접 환원법.

직접 효:과설【直接效果說】명〖법〗 계약 해제의 효과에 관한 학설(學說)의 하나. 해제는 계약상(契約上) 채권 관계를 소멸(消滅)하는 것이라고 생각하는 설.

직접 효:용【直接效用】명〖경〗사람의 욕망을 직접 충족시키는 재화(財貨)의 효용. ↔간접 효용.

직정【直情】명 생각한 대로 발표하고 꾸밈이 없음.

직정 경행【直情徑行】명 생각한 것을 꾸밈 없이 행동에 드러내는 일. 생각한 대로 곧 행하며, 예의 범절(禮儀凡節)을 돌아보지 않음. ——-하다 자여불

직제【職制】명 ①관제(官制). ②직무(職務)의 분담(分擔)에 관한 제도(制度). ¶~ 개편.

직-제자【直弟子】명 직접의 문인(門人). 직문(直門).

직-제학【直提學】명 《역》 ①고려 때 예문관(藝文館)·보문각(寶文閣)·우문관(右文館)·진현관(進賢館) 등의 정사품 벼슬. 제학(提學)의 다음. ②조선 시대 때 집현전(集賢殿)의 종삼품과 예문관(藝文館)·홍문관(弘文館)의 정삼품 벼슬. ③조선 정조(正祖) 때 설치된 규장각(奎章閣)의 한 벼슬. 종이품에서 당상(堂上) 정삼품의 관원으로 명하였음.

직조【織造·織組】명 틀로 피륙 같은 것을 짜는 일. ——-하다 타여불

직조-물【織造物】명 틀로 짜낸 피륙의 총칭.

직조-소【織造所】명 소규모로 피륙 같은 것을 짜는 곳.

직종【職種】명 직업이나 직무의 종류.

직종별 임:금【職種別賃金】명 곧 직종의 차이에 따라 지급되는 임금.

직주[1]【直走】명 곧장 달려 감. ——-하다 자여불

직주[2]【直奏】명 직접 상주(上奏)함. ——-하다 타여불

직-주로【直走路】명 육상 경기에서 주로가 곧은 부분. 또, 그 주로. 스트레이트 코스. ↔코너.

직주-체【直柱體】명 《수》 '직각 기둥'의 구용어.

직-중대【直中臺】명 《역》 고려 때 중대성(中臺省)의 한 벼슬. 중대 부사(中臺副使)의 다음.

직증【直證】명 〔evidence〕 추리(推理)에 의하지 않고 직접적으로 확실히 한 인식의 상태. 명증(明證).

직지기 부 〈옛〉 칙칙히. 빽빽히. ¶공듕에 직지기 년화좌애 안자 묘법을 너펴닐어(塡塞空中坐蓮花座演說妙法) ≪觀經 Ⅱ:9≫. *직직ᄒᆞ다.

직지-사[1]【直指寺】명 《불교》 경상 북도 김천시(金泉市) 대항면(代項面) 운수리(雲水里)에 있는 25 교구 본사(敎區本寺)의 하나. 신라 눌지왕(訥祇王) 2년(418) 고구려의 중 묵호자(墨胡子)가 지었다고도 하고 눌지왕 52년(468)에 아도 화상(阿道和尙)이 지었다고도 함. 그 뒤 고려 태조(太祖) 19년(936)에 능여 대사(能如大師)가 절을 중건(重建)할 때 자를 쓰지 않고 직접 손으로 측량하여 지었기 때문에 이 이름이 있다고 함. 임진 왜란 때 불타 버린 것을 중수(重修)한 것임.

직지-사[2]【直指使】명 《역》 '암행 어사(暗行御史)'의 별칭.

직지 심경【直指心經】명 《책》 직지 심체 요절.

직지 심체 요절【直指心體要節】명 《책》 고려(高麗) 우왕(禑王) 때 인쇄된, 세계에서 가장 오랜 금속 활자 인쇄본. 독일의 구텐베르크보다 80년 앞섬. ≪전등록(傳燈錄)≫에서 법화(法話)를 뽑아 요약한 내용으로, 우왕 3년(1377) 7월에 청주(淸州) 교외에 있던 흥덕사(興德寺) 주자시(鑄字施)에서 인쇄된 것인데, 그 하권이 프랑스 국립 도서관에 소장되어 있음. 국립 중앙 도서관의 것은 고려 우왕 4년(1378) 인쇄된 목각본임. 직지 심경(直指心經).

직지 인심【直指人心】명 《불교》 교리(敎理)를 생각하거나 모든 계행(戒行)을 닦지 아니하고, 바로 그 사람의 마음을 지도하여 불과(佛果)를 이루게 하는 일.

직:직[1] 부 ①걸을 때 신을 끄는 소리. ②글씨의 획(畫)을 마구 긋거나 종이 등을 마구 찢는 소리. 1)·2): ㅆ찍찍[1]. >작작[5]. ——-하다 타여불

직:직[2] 부 물기 있는 똥을 연방 내깔리는 모양. ㅆ찍찍[3].

직:직-거리다 타 ①신을 자꾸 직직 끌다. ②글씨의 획(畫)이나 종이 등을 마구 긋거나 찢다. 1)·2): ㅆ찍찍거리다. >작작거리다.

직:직-대다 타 직직거리다.

직직ᄒᆞ다 형 〈옛〉 칙칙하다. ¶길헤 니펫ᄂᆞᆫ 고존 직직ᄒᆞ고(側塞被徑死) ≪杜諺 Ⅸ:21≫.

직진[1]【直陣】명 《악》 정대업지무(定大業之舞)의 내무(內舞)가 곡진(曲陣)으로부터 변하는 장면. 홍(紅)은 남쪽에 한 줄로, 흑(黑)은 북쪽에 한 줄로 각각 나란히 서고, 청(靑)과 백(白)은 남북의 두 끝을 막아, 청은 동쪽, 백은 서쪽으로 각각 한 줄로 서서 직방형이 되고, 황(黃)은 곡진에서의 위치대로 서 있음.

직진[2]【直進】명 곧게 나아감. 곧 나아감. 머뭇거리지 아니하고 나아감. ——-하다 자여불

직진-기【直進機】명 어뢰(魚雷)가 달릴 때, 좌우의 방향을 바로잡아 직진시키는 종타기(縱舵機)의 이름.

직진-설【直進說】명 《생》 정향 진화설(定向進化說).

직차【職次】명 직책(職責)의 차례.

직책【職責】명 직무상(職務上)의 책임. ¶~ 수당/~상 묵인할 수가 없다. ㊟직(職).

직책-급【職責給】명 직무(職務)의 책임성과 곤란성 등을 고려(考慮)하여 지급하는 급여.

직척[1]【直斥】명 면대(面對)한 자리에서 꾸짖어 배척(排斥)함. ——-하다 타여불

직척[2]【直戚】명 내종(內從)의 자손과 외종(外從)의 자손 사이의 척분(戚分)을 일컬음.

직철【直裰】명 ①수(繡)를 놓지 아니한 옷. ②《불교》 중이 입는 옷의 한 가지.

직첩【職牒·職帖】명 《역》 조정으로부터의 벼슬아치의 임명 사령서(辭令書). 고신(告身).

직첩 환수【職牒還授】명 《역》 벼슬아치가 범죄하여 빼앗기었던 직첩을 도로 내어줌. ——-하다 타여불

직초【直招】명 곧은불림.

직촬【直撮】명 ↗직접 촬영.

직추【直推】명 《역》 사법 기관에서 죄인을 불러 내어 직접 신문함. ——-하다 타여불

직-추체【直錐體】명 《수》 '직뿔체'의 구용어.

직출【直出】명 곧 나감. ——-하다 자여불

직-출륙【直出六】명 《역》 문과(文科)의 갑과(甲科)에 급제한 사람이 곧 육품의 벼슬에 오름. ——-하다 자여불

직토【直吐】명 실정(實情)을 바로 토설(吐說)함. ——-하다 자타여불

직통【直通】명 ①두 지점(地點) 사이에 장애가 없이 바로 통함. ¶~ 전화. ②열차(列車)나 전차(電車)가 중도(中途)에서 갈아탈 필요 없이 통함. ——-하다 자여불

직통 버스【直通—】〔bus〕명 완행 버스·직행 버스와는 달리, 도중의 어떤 정류장에도 정차하지 않고 또, 갈아탐이 없이 목적지까지 곧장 가는 버스. *직행 버스.

직통 열차【直通列車】〔—녈—〕명 직행 열차.

직통 전:화【直通電話】명 중간에 중계가 없이 직통하는 전화.

직파[1]【直派】명 곧은 계통으로 내려온 겨레의 갈래.

직파[2]【直播】명 《농》 이앙(移秧)을 하지 아니하고 직접 논밭에 씨를 뿌림. 곧뿌림. ¶볍씨를 ~하다. ——-하다 타여불

직판【直販】명 《경》 중간 유통 기구를 거치지 아니하고 생산자가 소비자에게 직접 판매함. ——-하다 타여불

직품【職品】명 《역》 관직의 품계(品階). 작품(爵品). ㊟품(品).

직필【直筆】명 ①무엇에 구애함이 없이 사실 그대로 적은 사필(史筆). ②붓을 꼿꼿이 잡고 글씨를 쓰는 필법. ③자신이 직접 씀. 또, 그 문서. ——-하다 타여불

직핍【直逼】명 바싹 다가듦. ——-하다 자여불

직하【直下】명 ①바로 아래. 곧장 밑. ②곧바로 내려감. ¶급전 ~. ③《한의》 이질의 중증(重症). ——-하다 자여불

직-하다【直—】형여불 ①도리(道理)가 바르다. ②사곡(邪曲)한 데가 없이 대단히 고지식하다.

-직하다 미여불 형용사 어간에 붙어, 표준(標準)에 가까움을 뜻하는 말. ¶되~/묵~. *-직스럽다.

직하 지진【直下地震】명 《지》 ①한 지역에 있어서의 지진 가운데 진원지(震源地)가 그 지역의 바로 밑에 있는 지진. ②도시의 직하에서 발생하는 피해 지진.

직하-체【稷下體】명 〔김상숙(金相肅)이 사직동(社稷洞)에서 살았으므로 생긴 말〕 글씨의 한 체. 김상숙의 서법(書法). 중국 위(魏)나라의 명필 종요(鍾繇)의 서체(書體)와 비슷함.

직학【直學】명 《역》 ①고려 때 국자감(國子監)·국학(國學)·성균관(成均館)의 종구품 벼슬. ②조선 시대 초 성균관의 정구품 벼슬. 세조(世祖) 12년(1466)에 폐함.

직-학사【直學士】명 《역》 ①고려 중추원(中樞院)·추밀원(樞密院)의 정삼품 벼슬. ②고려 보문각(寶文閣)의 한 벼슬. 처음에 종사품의 대우를 하였다가, 공민왕(恭愍王) 5년(1356)에 정사품으로 정함. ③고려 홍문관(弘文館)·수문관(修文館)·집현전(集賢殿)의 정사품 벼슬. ④조선 시대 말 규장각(奎章閣)과 규장원의 주임(奏任) 벼슬.

직할【直轄】명 ①직접의 관할. 직접의 지배. ②주무(主務) 관청이 직접 관할함. ¶~ 파출소. ——-하다 타여불

직할 공사【直轄工事】명 주무 관청(主務官廳)이 직할하는 토목·건축 등의 공사.

직할 부대【直轄部隊】명 《군》 사령부나 고위 부대에 직접 예속되어 그 지휘를 받는 독립 부대. 직속(直屬) 부대.

직할-시【直轄市】명 전에, 지방 자치 단체(地方自治團體)의 하나. 도(道)와 동격(同格)으로, 보통의 시(市)가 도의 감독(監督)을 받는 데 대하여 직접 중앙(中央)의 감독을 받았음. 부산(釜山)·대구(大邱)·인천(仁川)·광주(光州)·대전(大田)의 다섯이 있었음.

직할시-세【直轄市稅】명 전에, 지방세의 하나로, 직할시가 부과 징수하던 세금. 세금의 종류는 '특별시'와 같았음. *특별시세.

직할 식민지【直轄植民地】명 입법권의 전부 또는 대부분을 인정하지 아니하며, 정치·경제·문화 등 일체를 식민국(植民國)이 장악하는 영토로서의 식민지.

직할-지【直轄地】〔—찌〕명 직접 관할하고 있는 땅.

직할 파출소【直轄派出所】〔—쏘〕명 어떤 경찰서의 직할하에 있는 경찰관 파출소. 경찰서의 주변 일대를 관할 구역으로 함.

직할 학교【直轄學校】명 《교》 주무 관청이 직접 관할하는 학교.

직함【職銜】명 ①벼슬의 이름. 관함(官銜). ②직위(職位)의 이름.

직항【直航】명 도중에 기항(寄港)하지 아니하고 바로 목적지로 항행함. ——-하다 자여불

직해【直解】명 문구(文句)대로 해석함. ——-하다 타여불

직행【直行】명 ①중도에서 지체하지 않고 목적지로 바로 감. 도중에서 갈아타거나, 정류(停留)하지 아니하고 곧장 나아감. ¶~ 열차/퇴근하여 집으로 ~하다. ②마음대로 꾸밈없이 해냄. ③올바른 짓. 정당한 행위. ——-하다 자여불

직행 버스【直行—】〔bus〕명 완행 버스와는 달리, 목적지까지 가는 도중 중요 정류장에만 정류하면서 달리는 버스. ㊟직행차. *직통 버스.

직행 열차【直行列車】〔—녈—〕명 중도에서 갈아 타지 않고 바로 통하는 철도 열차. 직통 열차(直通列車). ㊟직행차.

직행-차【直行車】명 ①↗직행 열차. ②↗직행 버스.

직화식 증발기【直火式蒸發器】명 〔direct-fired evaporator〕 《공》 화염이나 연소 가스가 금속벽(金屬壁) 또는 가열면(加熱面)에 의해 비등액(沸騰液)과 분리되어 있는 증발기.

직-활강【直滑降】명 스키에서, 양쪽 스키를 평행으로 가지런히 하고 사면(斜面) 밑으로 똑바로 미끄러져 내려오는 일. 또, 그 방식. ——-하다

자여불

직후【直後】명 바로 뒤. 그 후 곧. 즉후(卽後). ¶조반 ～. ↔직전(直前).

직희다 타 〈옛〉 지키다. ¶쇽ᄉᆞ를ᄒᆞ엿시니 안식일을직희세≪찬양가 : 12≫.

진[1] 명 〈방〉 주인[1](충남·경상).

진[2]【辰】명 〖민〗 ①십이지(十二支)의 다섯째. ②↗진방(辰方). ③↗진시(辰時).

진[3]【珍】명 성(姓)의 하나. 우리 나라에는 현존(現存)하지 아니함.

진[4]【津】명 〖역〗 고려·조선 시대에 주요한 강(江)의 강변 요충지에 설치했던 나루터. 관진(關津). 진관(津關). ¶노량(鷺梁)～/흑석(黑石)～. *도(渡).

진:[5]【津】명 ①초피(草皮)·수피(樹皮) 등에서 분비되는 점액(粘液). *수지(樹脂). ②담배에서 나와 담뱃대에 끼는 점액. ③수증기·연기 또는 누누한 기운이 서리어서 생기는 끈끈한 물.

진[6]【疹】명 〖의〗 피부에 생기는 이상물. 색택(色澤)·융기(隆起)의 상태에 따라 반진(斑疹)·구진(丘疹)·수포진(水疱疹) 등이 있음.

진[7]【秦】명 〖역〗 ①춘추 전국 시대의 중국의 한 나라. 시조 비자(非子) 때에 주(周)나라의 효왕(孝王)으로부터 진(秦), 곧 지금의 간쑤(甘肅) 지방을 받았고, 양공(襄公) 때(771 B.C.) 비로소 제후(諸侯)가 되었으며 진왕(秦王) 정(政), 곧 시황제에 이르러 주(周)나라 및 육국(六國)을 멸하여 천하를 통일함. 3세(世) 16년 만에 한(漢) 고조(高祖)에게 멸망당함. [221-207 B.C.] ②서진(西秦). ③전진(前秦). ④후진(後秦).

진[8]【秦】명 성(姓)의 하나. 주요 본관(本貫)으로 풍기(豐基)·삼척(三陟)·용인(龍仁)·영춘(永春)·평강(平康)·남원(南原) 등이 있음.

진[9]【陣】명 ①〖군〗 병사의 대열. ②〖군〗 군세(軍勢)가 머물러 둔(屯)치는 곳. 진영(陣營). 진루(陣壘). ③무리. 집단(集團). 사람들. ¶보도～/참모～/교수～.

진[10]【眞】명 ①참. 거짓이 아님. ②진리(眞理). ③일시적이 아님. 변하지 아니함. ④섞임이 없음. 순수(純粹)함. ⑤자연. 천연. ⑥해서(楷書). 진서(眞書).

진[11]【眞】명 성(姓)의 하나. 본관(本貫)은 서산(西山) 단본(單本)임.

진:[12]【晉】명 〖민〗 ↗진괘(晉卦).

진:[13]【晉】명 〖역〗 중국의 국호(國號). ①춘추 시대의 12열국(列國)의 하나. 성은 희씨(姬氏). 주(周)나라의 성왕(成王)의 아우 숙우(叔虞)의 후예라고 함. 문공(文公) 때에 초(楚)나라를 쳐부수고 주나라를 도와 국력이 크게 떨쳐, 영토가 허베이(河北)의 남부, 허난(河南)의 북부까지 이르렀음. 39세(世) 약 700년 만에 권신(權臣)에게 망함. [1106-376 B.C.] ②삼국의 위(魏)나라를 이어서 그 신하 사마염(司馬炎)이 세운 왕조. 서울은 뤄양(洛陽). 280년 오(吳)나라를 쳐부수어 천하를 통일하였으나, 오호(五胡)의 난으로 316년 4세(世)로 멸망함. 이 때까지를 서진(西晉)이라고 하며, 이듬해 종족(宗族)인 사마예(司馬睿)가 건업(建業), 곧 지금 난징(南京)에 재흥(再興)하였으나 5호 16국의 난(亂)으로 떨치지 못하고, 15세(世)로 권신(權臣)에게 멸망함. 이를 동진(東晉)이라고 함. [265-419 : 서진 265-316, 동진 317-419] ③후진(後晉).

진:[14]【晉】명 성(姓)의 하나. 본관(本貫)은 남원(南原) 단본(單本)임.

진[15]【陳】명 〖역〗 ①중국 춘추 시대의 나라. 초대(初代)인 호공(胡公) 규만(嬀滿)은 순(舜)의 후손이라 함. 주(周)나라의 무왕(武王)이 진(陳), 곧 지금의 허난 성 화이양 현(河南省淮陽縣)에 봉(封)함. 내란이 그치지 아니하고 또한 강국 사이에 끼어 세력을 떨치지 못하다가 기원전 478년경 24대 만에 초(楚)나라에게 망함. [1027?-478 B.C.] ②중국 남북조(南北朝) 시대의 남조(南朝)의 마지막 나라. 시조 진패선(陳覇先)이 양(梁)나라의 후경(侯景)의 난을 평정한 뒤, 양(梁)나라의 정권을 장악하고 557년에 양(梁)나라의 경제(敬帝) 때 선위(禪位)를 받아 제위(帝位)에 올랐으며 그의 조카 선제(宣帝)는 북벌(北伐)하여 북제군(北齊軍)을 깨뜨리고 화이베이(淮北)로 진출했으나 북주(北周)의 무왕(武王)에게 패해 화이난(淮南) 땅을 모두 잃음. 그 뒤 북주를 대신한 수(隋)나라의 문제(文帝)에 의하여 5대 32년 만에 망함. [557-589]

진[16]【陳】명 성(姓)의 하나. 주요 본관(本貫)으로 여양(驪陽)·삼척(三陟)·나주(羅州)·강릉(江陵) 등이 있음.

진:[17]【軫】명 ①〖천〗 ↗진성(軫星). ②〖악〗 거문고 또는 가야금의 뒷 머리에 달린 줄의 끝을 감아 매고 손으로 틀어서 줄을 조절하게 된 작은 말뚝. 돌괘(棵). *주감이.

진[18]【甄】명 견(甄).

진[19]【瑱】명 ①귀막이. ②〖고고학〗 귀마개.

진[20]【震】명 〖민〗 ①↗진괘(震卦). ②↗진방(震方).

진[21]【震】명 성(姓)의 하나. 우리 나라에는 현존(現存)하지 아니함.

진[22]【瞋】명 〖불교〗 ↗진에(瞋恚)❷.

진:[23]【鎭】명 ①중국에서, 큰 도시(都市)나 명산(名山). ②한 지역을 진안(鎭安)하는 군대나 또는 그 우두머리. ③〖불교〗 중고(中古)의 여러 큰 절의 승관(僧官). 삼강(三綱)의 밑에서 서무(庶務)를 맡아 봄. ④〖역〗 ↗진영(鎭營).

진:[24]〔gene〕명 〖생〗 유전자(遺傳子).

진[25]〔gin〕명 증류주(蒸溜酒)의 하나. 옥수수·보리·호밀을 원료로 하고 노간주나무 열매로 향미(香味)를 돋운 양주(洋酒).

진[26]〔gin〕명 실면(實綿)에서 솜과 씨를 갈라내는 기계.

진:[27]〔jean〕명 올이 가늘고 질긴 능직(綾織) 무명. 또, 그것으로 만든 바지나 옷. 보통, 작업복이나 레저용(leisure 用) 옷으로 쓰이며, 흔히 청색으로 염색함. 블루 데님(blue denim). 진스(jeans). *청바지.

진[28]〔Jinn〕명 아라비아 신화의 악마. 사람이나 동물의 형체를 취하는데 신출 귀몰하다고 함.

진[29]【塵】수 ①소수(小數)의 단위(單位)의 하나. 사(沙)의 억분(億分)의 일, 애(埃)의 억 배, 곧 10^{-16}. ②소수의 단위의 하나. 사의 십분의 일, 애의 십 배, 곧 10^{-9}.

진-[1] 두 '물기 있는'·'마르지 않은'의 뜻. ¶～반찬.

진-[2]【津】두 엷거나 묽지 않고 썩 진함을 나타내는 말. ¶～보라/～간장.

진-[3]【眞】두 명사 앞에 붙이어 '참된'·'거짓이 아닌'의 뜻을 나타내는 말. ¶～범인.

-진 준 ↗-지는. ¶자～ 않고 울기만 한다 / 가 보～ 못하고 애만 탄다 / 때리～ 마세요. *-질.

진가[1]【眞假】명 ①진짜와 가짜. 진위(眞僞). ②〖불교〗 진실과 방편.

진가[2]【眞價】[―까] 명 ①참된 값어치. 진실의 가치. ②〖수〗 '참값'의 구용어.

진-가경【陳嘉庚】명 〖사람〗 '천 자겅'을 우리 음으로 읽은 이름.

진-가루【眞―】명 밀가루. 진말(眞末).

진각[1]【辰角】명 진(辰)의 방위(方位). 동남동의 방위. 진방(辰方).

진각[2]【辰刻】명 시간. 시각.

진각[3]【陣角】명 〖군〗 진영(陣營)의 모퉁이.

진각 국사【眞覺國師】명 〖사람〗 고려 고종(高宗) 때의 조계산(曹溪山) 제2세 국사. 보조 국사(普照國師)의 제자. 법명은 혜심(慧諶). 속성은 최(崔), 자(字)는 영을(永乙), 호는 무의자(無衣子), 탑호(塔號)는 원조(圓照). 승과(僧科)를 거치지 않고 국사가 됨. 저서에 ≪선문염송(禪門拈頌)≫ 30권과 ≪선문 강요(禪門綱要)≫ 1권 등이 있음. [1178-1234]

진-간장【―醬】명 ①오래 묵어서 진하게 된 간장. 진감장(陳甘醬). 농장(濃醬). ②기름을 뺀 콩을 쪄서 볶은 밀가루와 섞고, 곰팡이씨를 뿌려 메주를 띄운 후, 소금물을 부어 6개월 가량 발효시켜 짜낸 간장. 재래의 간장에 비해 진하고 맛이 좋음. 왜간장. 개량(改良) 간장. ㊟진장. 주의 '진간장(陳艮醬)'으로 씀은 취음(取音).

진-갈비 명 〈방〉 진눈깨비(경상).

진-갈이 명 〖농〗 비가 온 뒤에, 그 물이 괴어 있는 동안에 논밭을 가는 일. ↔마른 갈이. *물갈이. ――-하다 타여불

진갈피 명 〈방〉 진눈깨비(강원).

진:감【震撼】명 울리어서 흔들림. 울리어 흔듦. ――-하다 자타여불

진감 국사【眞鑑國師】명 〖사람〗 신라 문성왕(文聖王) 때의 고승. 속성은 최(崔), 법명은 혜소(慧昭). 중국 당(唐)나라에 가서 어산 범패(魚山梵唄)를 배우고 귀국, 지리산(智異山)에서 수도하였음. 저서에 ≪어산구감(魚山九鑑)≫이 있음. [774-851]

진감-병【眞甘餠】명 차수수로 만든 떡의 한 종류. 반죽한 수숫 가루를 종지 뚜껑만하게 만들어 끓는 물에 잠갔다가 꺼내어 밀가루를 발라가며 다시 주물러서 납작하게 만들어 더운 방에 하룻밤을 두었다가 기름에 지짐.

진-감자 명 〈방〉 고구마(전남).

진-감장【陳甘醬】명 진간장❶.

진:갑【進甲】명 환갑(還甲)의 다음 해 생일.

진:강[1]【進講】명 〖역〗 임금 앞에 나아가 글을 강론(講論)함. ――-하다 타여불

진:강[2]【鎭江】명 〖지〗 '전장'을 우리 음으로 읽은 이름.

진:강-위【鎭江衛】명 〖역〗 조선 시대 때 평안도 의주(義州)에 둔 토관(土官)의 서반 직소(西班職所).

진:강-현【鎭江縣】명 〖역〗 인천 광역시 강화군(江華郡)의 옛 지명. 본래 고구려의 수지현(首知縣)으로 신라 경덕왕(景德王) 때 수진현(首鎭縣)으로 고쳐 해구군(海口郡)(지금의 강화군)의 영현(領縣)으로 삼았었는데 고려 때에 진강현으로 고침.

진:강-후【晉康侯】명 〖역〗 고려 때, 최충헌(崔忠獻) 부자(父子)가 받은 봉작(封爵). 식읍(食邑)으로 받은 진강군(晉康郡)에서 유래됨.

진-개[1]【秦開】명 〖사람〗 중국 연(燕)나라의 장수. 동호(東胡)가 자주 압박하므로, 진개는 소왕(昭王) 때 이를 쳐서 영토(領土)를 넓히고, 조양(造陽)에서 양평(襄平)까지 장성(長城)을 쌓고, 그 지방을 방어(防禦)하였음.

진개[2]【秦蓋】명 〔진시황(秦始皇)이 태산(泰山)에 올라갔다가 비를 만나 소나무 밑에서 비를 피했다는 고사에서〕 소나무를 이르는 말.

진개[3]【塵芥】명 먼지와 쓰레기. ¶～장(場).

진개[4]【眞箇】부 참으로. 정말로. 과연. ¶천향이라 하여도 가하니 그 사람 중에 ～ 재상 재목과 도학 군자 자격이 없는 것이 아니라…≪李海朝 : 自由鍾≫.

진개 소각로【塵芥燒却爐】[―노] 명 쓰레기 소각로.

진개-장【塵芥場】명 쓰레기를 버리는 곳. 쓰레기장.

진개 처:리【塵芥處理】명 쓰레기 처리.

진개-통【塵芥桶】명 쓰레기통.

진객【珍客】명 귀한 손. 진귀한 손님. 가빈(佳賓).

진:거【進去】명 앞으로 나아감. ――-하다 자여불

진-걸레 명 물걸레. ↔마른 걸레.

진검정-풍뎅이【津―】명 〖충〗 참검정풍뎅이.

진겁【塵劫】명 과거 또는 미래의 티끌처럼 많은 시간. 진점겁(塵點劫).

진:격【進擊】명 나아가서 적을 공격함. 진공(進攻). ¶～ 명령. ↔퇴수(退守). ――-하다 자여불

진:격 나팔【進擊喇叭】명 진격 개시의 신호로 부는 나팔.

진:견【進見】명 '진현(進見)'의 잘못 쓰는 말.

진결【陳結】명 〖역〗 진전(陳田)의 결세(結稅).

진경[1]【珍景】명 진귀한 경치나 구경거리.

진경[2]【眞景】명 ①실제의 경치. 실경(實景). ②실제의 경치 그대로 그린 그림. ¶～ 산수(山水).

진경[3]【眞境】명 ①실제의 경지(境地). ②실지 그대로의 경계(境界). ③

더러움이 없는 깨끗한 경지.

진경[4]【秦鏡】명 〔중국 진(秦)나라의 시황제(始皇帝)가 사람의 선악·사정(邪正)을 비추어 보았다는 거울〕 사람의 선악(善惡)을 꿰뚫어 보는 안식(眼識).

진경[5]【塵境】명 ①티끌 세상. 진세(塵世). 속세. ②『불교』 육근(六根)의 대상인 색(色)·성(聲)·향(香)·미(味)·촉(觸)·법(法)의 육진(六塵)의 총칭.

진:경[6]【震驚】명 두려워 놀람. 또, 두려워 놀라게 함. ——-하다 자타 여불

진:경[7]【鎭痙】명 경련을 진정시킴. ——-하다 자 여불

진경 국사【眞鏡國師】명 『사람』 신라말, 고려초의 중. 속성은 김(金), 이름은 심희(審希). 19세 때 구족계(具足戒)를 받고 포교에 전심하다가 진례성(進禮城)에 봉림사(鳳林寺)를 창건함. 경명왕(景明王)의 스승으로 70세에 입적하였는데, 제자가 오백여 명이었다 함. [854-923]

진경 산수【眞景山水】명 『미술』 남종화(南宗畫)의 산수에 대하여, 실재의 산수를 사생(寫生)한 그림.

진경이 명 〈방〉 물수리.

진:경-제【鎭痙劑】명 『약』 경련을 진정시키는 약제.

진:계[1]【陳啓】명 『역』 임금에게 사리(事理)를 베풀어서 아룀. ——-하다 타 여불

진계[2]【塵界】명 티끌 세상. 이 세상.

진-계(:)유【陳繼儒】명 『사람』 중국 명대(明代)의 학자. 자는 중순(仲醇), 호는 미공(眉公). 송강(松江) 사람. 어려서부터 문명(文名)이 높았고 커서는 동기창(董其昌)과 명성을 같이 함. 29세 때부터 은둔 생활을 하며 저술에만 전념함. 다재 다능하고 박식하여 시·문·서·화에 모두 뛰어남. 저서는 ≪미공 전집(眉公全集)≫ 등. [1558-1639]

진고[1]【眞菰】명 『식』 줄³.

진:고[2]【晉鼓】명 『악』 아악기(雅樂器)에 속하는 타악기의 하나. 지름이 약 석 자 다섯 치, 통의 길이가 약 다섯 자 되는 북 가운데 가장 큰 종류로 말가죽으로 메우고 통 둘레에 붉은 칠을 함. 틀에 받쳐 놓고 나무 망치로 치는데 헌가악(軒架樂)에 시작과 그칠 때에 쓰며, 음악 중간에 치기도 함. 고려 예종(睿宗) 때 절고(節鼓)와 함께 중국 송(宋)나라에서 들어옴.

〈진고²〉

진:고[3]【陳告】명 죽 이야기하여 알림. ——-하다 타 여불

진고대 명 〈방〉 상고대.

진고동-개미【津古銅—】명 『충』 [*Lasius niger*] 개밋과에 속하는 곤충. 알개미의 몸길이 3-4mm, 암컷은 9-10mm, 수컷은 4mm 내외임. 몸빛은 진고동색 또는 회갈색에 갈색 미모(微毛)가 밀생하고 두부는 달걀꼴임. 썩은 재목이나 땅 속에 집을 짓는데, 유라시아 대륙에 널리 분포함.

진-고동색【津古銅色】명 진한 고동색.

진:고 면:천【陳告免賤】명 『역』 도망친 노비(奴婢) 30명을 고발(告發)함으로써 노비의 신분을 벗어나는 일.

진-고사리 명 『식』 [*Diplazium japonicum*] 꼬리고사릿과에 속하는 다년생 양치류(羊齒類). 근경(根莖)은 가늘고 길며 담갈색의 박질 인편(薄質鱗片)으로 덮이고, 수근(鬚根)이 남. 잎은 드물고 혁질(革質)이며, 달걀꼴 피침형(披針形)인데 길이 40cm 가량임. 단우상 복엽(單羽狀複葉)으로 우편(羽片)은 긴 타원상 피침형이며, 심렬(深裂)하여 열편(裂片)은 타원형에 톱니가 있음. 기부(基部)에 자낭군(子囊群)이 생겨, 처음에는 담황색이나 익으면 짙은 갈색이 됨. 산지의 음습지에 나는데, 제주·전남·경남 및 황해도 장산곶과 일본 등지에 분포함.

〈진고사리〉

진곡[1]【陳穀】명 묵은 곡식.

진:곡[2]【賑穀】명 진휼(賑恤)용의 곡식.

진골【眞骨】명 『역』 신라 때 골품(骨品)의 하나. 왕족으로 부모 양계(兩系) 중 어느 편이 한 번이라도 왕종(王種) 아닌 혈통(血統)이 섞인 자손(子孫)으로, 29대 태종 무열왕(太宗武烈王) 이하의 임금이 이에 속함. *성골(聖骨).

진공[1]【眞空】명 ① 〔vacuum〕 『물』 공허한 공간. 곧, 관습상으로는 물질이 전혀 없는 공간을 뜻하나, 실험 기술상 또는 공학상으로는 그 정도가 높은 감압 상태(減壓狀態)(보통 수은주 수 mm 이하)를 의미함. 물질 분자가 전연 없는 상태를 완전(完全) 진공·절대(絶對) 진공 또는 이상(理想) 진공이라 함. ②『불교』 일체의 색상(色相)을 초월한 참으로 공허한 현상.

진:공[2]【陳供】명 범죄인이 그의 죄상(罪狀)을 사실대로 말함. ——-하다 타 여불

진:공[3]【進攻】명 진격(進擊). ——-하다 자 여불

진:공[4]【進供】명 『역』 토산물(土産物)을 진상하는 일. 공상(供上). ——-하다 타 여불

진:공[5]【進貢】명 공물(貢物)을 갖다 바침. ——-하다 타 여불

진:공[6]【震恐】명 떨면서 무서워함. 진포(震怖). ——-하다 자 여불

진공 건조【眞空乾燥】명 『물』 진공 용기(容器) 안에서 행하는 건조. 진공 속에서는 공기의 대류나 전도(傳導)에 의한 열의 이동이 방해되고 건조물이 증발열(蒸發熱)을 빼앗기므로 온도가 내려 물체 표면이 동결(凍結)함. 열에 극히 약한 것이나 페니실린·야채 같은 생물체의 건조에 이용됨. 동결 건조(凍結乾燥).

진공 건조기【眞空乾燥器】명 〔vacuum desiccator〕 『물』 감압(減壓)한 용기(容器)에 건조제(乾燥劑)를 넣거나, 가열(加熱)하거나 하여, 상압(常壓)에서보다 빨리 건조하도록 한 건조기의 총칭.

진공-계【眞空計】명 〔vacuum gauge〕 『물』 진공도(眞空度)를 측정하는 계기(計器)의 총칭. 수은(水銀) 진공계·마클라우드 진공계·전리(電離) 진공계·점성(粘性) 진공계 등이 있음.

진공-관【眞空管】명 〔vacuum tube〕 『물』 고도(高度)의 진공으로 된 전자관(電子管). 유리 또는 금속의 폐관(閉管) 속을 1/1000 mmHg 이하의 진공 상태로 하고 그 속에 둘 이상의 전극(電極)을 설치한 것. 그 극(極)의 수에 따라 3극·4극·5극·7극 등의 진공관이 있으며, 보통 무선 통신·방송·전기적 계측(電氣的計測)에 쓰임.

진공관 검:파기【眞空管檢波器】명 〔vacuum-tube detector〕 『물』 이극 진공관(二極眞空管)·삼극 진공관 등의 정류(整流) 작용을 이용하여 고주파(高周波)의 검파(檢波)를 하는 장치.

진공관 발진기【眞空管發振器】[—찐—] 명 〔vacuum-tube oscillator〕 『물』 진공관을 써서 고주파 전류를 일으키는 장치.

진공관 변:조기【眞空管變調器】명 『물』 진공관을 써서 고주파(高周波) 전류를 변조시키는 장치.

진공관 송:전기【眞空管送電機】명 『물』 진공관을 써서 무선으로 송신(送信)하는 장치.

진공관 시험기【眞空管試驗器】명 각종 수신용(受信用) 진공관의 양부(良否)나 특질을 쉽게 시험하는 장치.

진공관 전:기계【眞空管電氣計】명 〔vacuum-tube electrometer〕 『물』 진공관의 증폭(增幅) 작용을 이용하여 직류(直流) 전류의 전압을 측정하는 계기. 진공관 전위계.

진공관 전:압계【眞空管電壓計】명 〔vacuum-tube voltmeter〕 『물』 교류(交流) 전압을 진공관으로 검파(檢波)하여, 직접 또는 다시 진공관으로 증폭(增幅)한 후에 직류 전류계로 끌어 입력(入力) 교류 전압을 지시하도록 만든 전압계. 고주파 전압을 측정하는 데 씀.

진공관 전:위계【眞空管電位計】명 〔valve electrometer〕 『물』 진공관 전기계.

진공관 정:류기【眞空管整流器】[—뉴—] 명 『물』 진공관을 써서 전류를 정류(整流)하는 장치.

진공관 증폭기【眞空管增幅器】명 〔vacuum-tube amplifier〕 『물』 진공관을 써서 전압·전력 또는 전류의 증폭을 하는 장치.

진공 냉:각법【眞空冷却法】명 〔vacuum cooling〕 과일이나 야채를 실어내기 전에 냉각시키는 시스템. 진공 속에서, 식품의 표면으로부터 수분을 증발시켜서 냉각함.

진공-도【眞空度】명 〔degree of vacuum〕 『물』 진공의 정도(程度). 보통 잔류 기체(殘留氣體)가 나타내는 압력으로 표시하며 그 단위로서는 mmHg, μHg 등이 쓰임.

진공-로【眞空爐】[—노] 명 『물』 진공 용해로(眞空鎔解爐).

진공 방:전【眞空放電】명 〔vacuum discharge〕 『물』 희박(稀薄)한 기체를 통하여 일어나는 방전. 곧, 진공인 유리관 속의 전극(電極)에 높은 전압(電壓)을 가할 때 엷은 광망(光芒)을 발하며 전류가 흐르게 되는 방전 현상.

진공 분광기【眞空分光器】명 〔vacuum spectroscope〕 『물』 원자외선(遠紫外線)의 연구에 사용되는 분광기. 빛의 통로를 진공으로 만든 것으로, 파장이 짧은 자외선이 공기에 흡수되는 것을 방지함.

진:공-사【進貢使】명 진공하기 위하여 파견한 사신(使臣).

진공 상태【眞空狀態】명 ①아무 것도 없이 공허한 상태. 있어야 할 사물이 없거나 비어 있는 모양. ②『물』 진공인 상태. *진공¹.

진공 성형【眞空成形】명 플라스틱 성형법의 하나. 열가소성(熱可塑性)의 플라스틱 시트를 틀 위에 대고 가열 연화(加熱軟化)시킨 후 틀과 시트 사이의 공기를 빼면 시트는 틀에 꼭 끼이게 되므로 이를 냉각시켜 형상을 유지케 함.

진공 소:제기【眞空掃除器】명 진공 청소기.

진공 야:금【眞空冶金】[—냐—] 명 진공 또는 감압(減壓) 하에서의 금속·합금 따위의 제련·가공 및 이에 관한 기술을 이름. 산화하기 쉬운 금속의 처리, 용해(鎔解) 금속의 가스 제거, 고순도(高純度)의 정제(精製), 진공 증착(蒸着) 등 응용 범위가 넓음.

진공 여:과【眞空濾過】[—녀—] 명 고체와 액체의 혼합물을 진공 여과기를 통하여 분리시키는 일.

진공 여:과기【眞空濾過機】[—녀—] 명 『기』 여재(濾材)가 배출되는 곳을 감압(減壓)하여 압력차(壓力差)를 주어 여액(濾液)을 빨아 내도록 만든 여과기.

진공-염【眞空塩】[—념] 명 〔vacuum pan salt〕 삼중 효용(三重効用) 증발기를 사용하여 염수(塩水)를 감압(減壓) 하에서 끓여 만든 소금.

진공 용해로【眞空鎔解爐】명 속을 진공 상태로 만든, 금속의 용해로. 환경에 의한 금속의 오염을 막고 가스와 유해 성분의 제거를 겸함. 미량(微量)의 가스나 혼입(混入)한 비금속 따위의 영향을 받기 쉽고 공기 속에서 산화물이나 질소물로 되기 쉬운 합금 성분의 특수강·내열(耐熱) 합금·자성(磁性) 재료 따위의 용해에 이용됨. 유전 가열식(誘電加熱式)과 전호식(電弧式)이 있음. 진공로(眞空爐).

진공 융해【眞空融解】명 『물』 대기압 이하의 감압(減壓) 속에서 금속의 융해를 행하는 방법.

진공전:구【眞空電球】명 속이 진공인 전구.

진공 제:동기【眞空制動機】명 『물』 철도 차량이나 자동차에 사용되는 제동기의 하나. 피스톤 속에 진공 부분을 만들어 그곳에 공기를 보냄으로써 바퀴를 제동(制動)하는 장치.

진공 주:조【眞空鑄造】명 진공 속에서 용융(熔融) 금속을 주입(鑄入)하는 주조법. 금속의 산화(酸化)가 방지(防止)되며 금속 속의 가스의 방산(放散)이 촉진되므로 순도(純度) 높은 주물·잉곳(ingot)을 얻을 수 있음. 넓은 뜻으로는 진공 속에서 가스를 제거한 용융 금속을 주입하는

방법도 포함됨.

진공 증류【眞空蒸溜】[一뉴] 명 〔vacuum distillation〕〖물〗 장치 내부의 압력을 1기압 이하의 상태로 유지하면서 하는 증류법. 석유 정제(精製) 등의 경우, 끓는점이 높은 탄화 수소(炭化水素)는 상압(常壓)에서 기화(氣化)하기 전에 열분해를 일으키므로 이를 방지하기 위한 방법임. 감압(減壓) 증류. ＊상압 증류·분자(分子) 증류.

진공 증발【眞空蒸發】 명 〖물〗 감압(減壓) 상태 또는 진공 상태에서의 증발. 진공 도금(眞空鍍金) 및 과즙(果汁)·약품 제조(藥品製造) 등에 이용됨.

진공 증발기【眞空蒸發機】 명 〔vacuum evaporator〕〖물〗 저압(低壓)에서 용액을 증발시키는 장치. 펌프로 용기(容器) 속을 감압(減壓)하고 그 기내(器內)에 장치한 관의 내부 또는 외부를 수증기로 가열하여서 함.

진공 증착【眞空蒸着】 명 〖물〗 진공 속에서 가열 증발시켜 물체 표면에 금속 또는 비금속 물질을 응착(凝着)시켜서 피막(被膜)을 형성시키는 방법. 거울·반사경·플라스틱 제품 등의 피막 형성에 이용됨.

진공 천칭【眞空天秤】 명 진공 속에서 질량을 잴 수 있도록 만든 천칭. 분동(分銅)의 가제(加除)·교환은 외부에서 기계적으로 함.

진공 청소기【眞空淸掃機】 명 배기기(排氣機) 등으로 저압부(低壓部)가 생기게 하고 거기에 먼지 등을 흡수시키는 장치를 한 청소 기구. 배큐엄 클리너. 진공 소제기.

진공 칼럼【眞空一】 명 〔vacuum column〕〖전자〗 자기(磁氣) 테이프 장치에서 테이프의 이동 및 정지시의 장력(張力) 변화를 흡수함과 동시에 테이프에 항상 적당한 장력을 부여하기 위하여 설치한 가늘고 길다란 상자 모양의 부분.

진공 콘덴서【眞空一】〔condenser〕 명 콘덴서의 원통(圓筒) 금속 전극(電極)을 진공 유리구(球) 속에 봉한 콘덴서. 소형(小型)으로 비교적 용량이 크며, 유전 손실(誘電損失)이 거의 없고 코로나 손실도 없으므로 고주파 대(大)전력용의 무선 송신기의 동조(同調) 콘덴서로 쓰며, 방전 전압의 변화가 없으므로 항공기용 콘덴서로 쓰임.

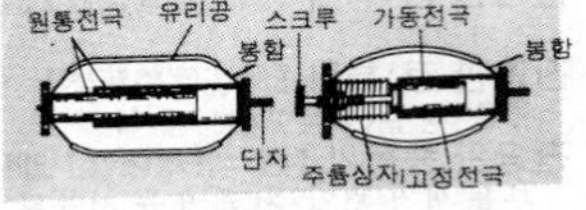

〈진공 콘덴서〉

진공 탈기법【眞空脫氣法】[一뻡] 명 〖야금〗 고체(固體) 금속을 진공 중에서 용융(熔融)·가열시킴으로써 가스를 제거하는 방법.

진공 펌프【眞空一】 명 〔vacuum pump〕〖물〗 진공을 만들기 위한 펌프. 날개 있는 원통의 회전과 밸브의 작용에 의한 기계적인 것, 곧 회전 펌프와 기름 혹은 수은 증기의 분류(噴流)에 의한 확산 펌프가 있음. 공기(空氣) 펌프.

진공 포장【眞空包裝】 명 폴리에틸렌(polyethylene) 따위 플라스틱 필름의 부대에 식품 따위를 넣고 진공 펌프로 공기를 뽑아 밀봉한 포장. 내용물의 색·맛·영양(營養) 등에 미치는 영향이 적고 어느 정도 보존도 가능하므로 널리 이용되고 있음.

진과[1]【珍果】 명 진귀한 과실.

진과[2]【珍菓】 명 진귀한 과자.

진과[3]【眞瓜】 명 참외.

진과[4]【眞果】 명 〖식〗 참열매.

진과[5]【秦瓜】 명 〖식〗 붓순나무.

진-과(:)부【陳果夫】 명 〖사람〗 '천 귀푸'를 우리 음으로 읽은 이름.

진-과자【一菓子】 명 물기가 있어 무르게 된 과자. 생과자(生菓子). ↔마른 과자.

진과-전【眞瓜膞】 명 참외 지짐이.

진관[1]【津關】 명 〖역〗 진[4](津).

진-관[2]【秦觀】 명 〖사람〗 중국 북송(北宋)의 문인. 자(字)는 자유(子游). 어려서부터 문재(文才)가 있어, 고문(古文)과 시에 뛰어나서 소식(蘇軾)에게 사사(師事)하여 소문 사학사(蘇門四學士)의 한 사람이 됨. 시집《회해집(淮海集)》, 사집(詞集)《회해 장단구(淮海長短句)》가 전해짐. 생몰년 미상.

진:관[3]【鎭管】 명 〖역〗 조선 시대 때의 지방 방위 조직. 초기에는 각 지방에 주진(主鎭)을 두고 해안·국경 지대 등에 진(鎭)을 두었으나 세조 1년(1455)에 전국을 여러 개의 진관으로 개편하고 주진(主鎭) 밑의 거진(巨鎭)을 단위로 하여 설정, 수령이 겸임하는 첨절제사(僉節制使)의 통할을 받게 함. 진관은 평상시에는 주진의 관할하에 있었으나 유사시에는 독자적인 군사 행동을 취할 수 있게 하였음.

진관-사【津寬寺】 명 〖불교〗 서울 특별시 은평구(恩平區) 진관외동(津寬外洞), 삼각산(三角山) 북쪽 기슭에 있는 절. 조계종 총무원 직할의 말사로서 고려 현종(顯宗) 때에 창건되었음. 조선 시대에는 수륙재(水陸齋)를 매년 1월 또는 2월 15일에 열었음.

진광-왕【秦廣王】 명 〖불교〗 시왕(十王)의 하나. 명계(冥界)에 있어 망자(亡者)의 초칠일(初七日)에 그 죄업(罪業)을 재결(裁決)하는 일을 맡은 왕. 일명 부동 명왕(不動明王)이라고도 함.

진:-괘[1]【晉卦】 명 〖민〗 지상에 광명이 나옴을 상징하는 육십사괘(六十四卦) 중의 하나. 이괘(離卦)와 곤괘(坤卦)가 거듭된 것. ㊟진(晉).

진:괘[2]【軫棵】 명 〖악〗 거문고의 진과 괘.

진:-괘[3]【震卦】 명 〖민〗 ①팔괘(八卦)의 하나로 우뢰를 상징하는 것. 그 상형(象形)은 '☳'임. ②우뢰가 거듭됨을 상징하는, 육십사괘(六十四卦) 중의 하나. 1)·2): ㊟진(震).

진괴【珍怪】 명 진귀하고 괴이함. ——하다 형 여불

진교[1]【眞教】 명 ①〖천주교〗 천주교가 스스로를 참 종교라고 하여 일컫는 말. ＊성교(聖敎). ②참된 가르침.

진교[2]【秦艽】 명 〖한의〗 진범(秦艽)❶.

진교 사:패【眞教四牌】 명 〖천주교〗 천주교가 진교임을 표증하는 4종의 패호(牌號). 곧, 오직 하나인 교회, 온 세상 사람을 위한 공적인 교회, 거룩한 교회, 사도(使徒)로부터 이어 오는 교회.

진구[1]【津口】 명 나루터.

진구[2]【珍句】 명 ①진귀한 문구(文句). 드물게 보는 문구. ②기이한 구(句). 진묘한 문구.

진:구[3]【振救】 명 진시(振施). ——하다 타 여불

진구[4]【陳久】 명 묵어서 오래 됨. ——하다 형 여불

진:구[5]【進口】 명 배가 항구로 들어옴. ——하다 자 여불

진구[6]【塵垢】 명 먼지와 때.

진구[7]【塵衢】 명 ①먼지와 티끌로 더럽혀진 거리. ②속세(俗世).

진:구[8]【賑救】 명 진휼(賑恤). ——하다 타 여불

진:구[9]【震懼】 명 떨면서 두려워함. ——하다 타 여불

진-구덥 명 자질구레하고 지저분한 뒷바라지 일. ¶양자를… 데려 온대도 내 집이 전(前) 세월 같지 않아, 한없는 ~을 치루고 배겨 있을 자식이 없을 것이니…《李海朝：驅魔劍》.

진-구렁 명 ①질척거리는 진흙 구렁. ②못되거나 몹시 어려운 입장(立場). ¶~에서 허덕이는 친구를 구해내다.

진-구레 명 〈방〉 진구리.

진구-류【眞口類】 명 〖어〗〔Teleostomi〕 척추 동물에 속하는 한 강(綱). 판새류(板鰓類)와 먹장어강(綱)·다묵장어강(綱) 등을 제외한 대부분의 어류(魚類)가 이에 속함. 종류가 많으며, 몸 모양·생태(生態)에도 많은 변화가 보이며, 지구상의 거의 모든 수역(水域)에 삶. 철갑상어목·청어목·꼬리치목·잉어목·뱀장어목·대구목 등 많음. 경골어류(硬骨魚類).

진-구리 명 허구리의 잘록하게 들어간 부분.

진-구소【秦九韶】 명 〖사람〗 중국 남송(南宋)의 수학자. 자(字)는 도고(道古). 쓰촨 성(四川省) 태생. 1247년에 지은 수학서 ≪수서 구장(數書九章)≫은 구체적·실용적으로 수학 문제를 다룬 것으로, 제로의 기호로 소원(小圓)을 쓰고 일차 부정 방정식을 취급하여, 1819년 영국 사람인 호너(Horner, W.G.)가 고안한 고차(高次) 방정식의 근사 해법보다 도 500여 년이나 앞섰음. 생몰년 미상.

진-구주【陳九疇】 명 〖사람〗 조선 인조(仁祖) 때의 효자. 자는 윤서(倫敍). 여주(驪州) 사람. 병자 호란(丙子胡亂) 때 난을 피해 금성(金城) 산골짜기로 갔다가, 적병이 아버지를 해하려 하자 몸으로 이를 막아 아버지를 구하고, 처자에게 부모를 지성으로 모시라는 말을 남기고 절명함. 조정에서 마을에 정문(旌門)을 세워 그 효행을 기리었음. [1590-1636]

진국[1]【辰國】 명 〖역〗 옛날 한강 이남의 여러 부족 국가의 총칭. 곧, 목지국(目支國) 등의 부족이 연맹한 것으로, 마한(馬韓)의 전신(前身)임.

진-국[2]【眞一】 명 ①참되어 거짓이 없는 사람. ②전(全)국.

진국[3]【陳麴】 명 장기간 발효(醱酵)시킨 누룩.

진:국[4]【震國】 명 〖역〗 발해(渤海).

진:국[5]【鎭國】 명 정국(靖國). ——하다 자 여불

진:국 대:장군【鎭國大將軍】 명 〖역〗 고려 때 종이품 무관(武官)의 품계. 성종(成宗) 14년(995)에 정하였음. 보국(輔國) 대장군의 아래, 관군(冠軍) 대장군의 위임.

진:국 명산【鎭國名山】 명 〖악〗 판소리를 부르기 전에 목을 가다듬기 위해 부르는 단가(短歌)의 하나.

진국-술【眞一】 명 전국술.

진군[1]【眞君】 명 ①만물의 주재자(主宰者). 진재(眞宰). ②'신선(神仙)'의 존칭.

진:군[2]【進軍】 명 군대를 내어 보냄. 진병(進兵). ——하다 자 여불

진:군 나팔【進軍喇叭】 명 〖군〗 진군하라는 신호로 부는 나팔.

진군-죽【眞君粥】 명 씨를 뺀 살구를 넣고 끓인 흰죽.

진:궁【振窮】 명 가난한 사람을 구제함. ——하다 타 여불

진:권【進勸】 명 소개하여 천거함. ——하다 타 여불

진귀[1]【珍貴】 명 보배롭고 귀중함. ——하다 형 여불

진귀[2]【秦龜】 명 〖동〗 남생이.

진균-류【眞菌類】[一뉴] 명 〖식〗 진균 식물.

진균 식물【眞菌植物】 명 〖식〗〔Eumycophyta〕 하등 식물의 한 문(門). 몸은 대부분 다세포(多細胞)의 균사(菌絲)로 되어 있고 균사에는 격벽(隔壁)이 있음. 엽록소(葉綠素)가 없어 종속 영양을 함. 무성 생식(無性生殖)으로 분생 포자(分生胞子)를, 유성(有性) 생식으로 자낭(子囊) 포자·담자(擔子) 포자를 만들어 번식함. 자낭균류(子囊菌類)·담자균류(擔子菌類)의 두 강(綱)으로 분류하는데 조균류(藻菌類)·불완전균류(不完全菌類)를 포함하기도 함. 진균류(類). ＊조균 식물(藻菌植物).

진:균 작용【進均作用】 명 〔progradation〕〖지〗 강물에 실려온 퇴적물(堆積物)이 해안(海岸)에 쌓이고, 파도에 밀려온 물질 등이 집적(集積)되어 해변이나 삼각주(三角洲)가 바다 쪽으로 나가는 일.

진균-증【眞菌症】[一쯩] 명 〖의〗 사상균증(絲狀菌症).

진:균 해:안선【進均海岸線】 명 〔prograding shoreline〕〖지〗 집적(集積) 작용·퇴적 작용에 의하여 해안선이 바다 쪽으로 나가 있는 일.

진근 부초【陳根腐草】 명 묵어서 효력이 없어진 한약재(韓藥材).

진근점 이각【眞近點離角】[一쩜一] 명 〖천〗 행성(行星) 및 소행성·혜성(彗星) 등의 어떤 순간의 위치와 그 궤도(軌道)의 근일점(近日點)이 태양을 마주보는 각도. 근점(近點) 이각.

진금[1]【珍禽】 명 진귀한 새.

진금[2]【眞金】 명 진짜 금. 순금(純金).

진금[3]【塵襟】 명 속된 마음. 범용한 생각.

진:급【進級】 명 등급·계급 또는 학년(學年)이 오름. 등급·계급 또는 학년을 올림. ＊승급(昇級). ——하다 자 타 여불

진기[1]【珍技】 명 진귀한 기예·기능.
진기[2]【珍奇】 명 보배롭고 기이함. ¶~한 물건. ——-하다 형여불
진:기[3]【津氣】[—끼] 명 ①진액의 끈끈한 기운. ②우러나오는 속 기운.
진기[4]【珍器】 명 진귀한 기물·기구.
진기[5]【眞氣】 명 인간이 구비한 가장 근원적(根源的)인 힘. 정기(精氣). 또, 사물의 순수한 본질.
진:기[6]【振氣】 명 기운을 떨쳐 냄. 진쇄(振刷). 진작(振作). ——-하다 자여불
진:기[7]【振起】 명 떨쳐 일으킴. 떨치고 일어남. 창성(昌盛)하게 함. 창성하게 됨. ——-하다 자타여불
진:기[8]【晉紀】 명 〖책〗 중국 진(晉)나라의 역사를 기록한 책. 오늘날 정사(正史)의 하나인 ≪진서(晉書)≫는 당초(唐初)에 편찬되었으나, ≪진기(晉紀)≫는 일찍이 진대(晉代)의 사람 육기(陸機)·간보(干寶) 등이 찬(撰)한 것과 남조 송대(南朝宋代) 사람 유겸지(劉謙之)·배송지(裵松之) 등이 찬한 것도 있음.
진기[9]【秦記】 명 〖책〗 중국 진(秦)나라의 연대기(年代記). 사마천(司馬遷)이 찬(撰)한 ≪사기(史記)≫의 육국 연표(六國年表)는, 이 책을 전거로 삼은 것이며, 또한 그 ≪사기(史記)≫의 '진본기(秦本紀)' 및 '시황본기(始皇本紀)'도 이 책을 골자로 한 것이라고 함.
진:기[10]【趁期】 명 기한이 참. 진한(趁限). ——-하다 자여불
진:기[11]【賑旗】 명 〖역〗 조선 시대에 진휼(賑恤)할 때 각 진패(賑牌)마다 내거는 깃발.
진:-기력【盡其力】 명 있는 힘을 다하여 노력함. 진력(盡力). ——-하다 자여불
진기-물【珍奇物】 명 진기한 물건.
진:-기성【盡其誠】 명 있는 정성을 모두 기울임. 진성(盡誠). ——-하다 자여불
진-기속【眞氣速】 명 〖항공〗 교정 기속(較正氣速)의 고도(高度)와 온도에 의한 오차(誤差)를 수정한 대기 속도(對氣速度).
진길료【秦吉了】 명 〖조〗 구관조(九官鳥).
진-꽃등에 명 〖충〗 [*Rhingia laevigata*] 꽃등엣과에 속하는 곤충. 몸길이 8-10mm, 몸빛은 흑색에 광택이 남. 흉배(胸背)에는 흰 가루로 된 두 개의 종대(縱帶)가 있고 어깨는 대황색, 복부의 기부(基部)는 황적색인데 제2·3마디의 후연(後緣) 및 중앙선과, 그 이하는 검음. 한국·일본 등지에 분포함.
진나[1]【陳那】 명 〖사람〗 [Dignāga의 음역명] 인도의 불교 논리학자. 서북 인도의 승려 세친(世親)의 계통을 잇는 유식파(唯識派)의 입장에 서서 직접 지각(直接知覺)과 추론(推論)만을 지식의 근거로 인정하는 설(說)을 세움. 종래의 오단 논법(五段論法)을 세 단계의 논법으로 고쳐, 인도 논리학을 개혁함. [400?-480?]
진나[2] [Jinnah, Mohammed Ali] 명 〖사람〗 파키스탄(Pakistan)의 정치가. 초대 대통령. 인도 회교도 연맹(印度回敎徒聯盟)의 지도자로 힌두교도(Hindu 敎徒)와 대립하여 파키스탄의 분리 독립(獨立)에 전력(專力)하였음. 1947년 파키스탄이 자치령(自治領)이 되었을 때, 초대 총독에 취임하고 후에 초대 대통령이 됨. [1876-1948]
진:-나다【津—】 형 남에게 졸리고 시달려, 기운이 탈진(脫盡)하여 버리다. ¶진나게 조르는 아이.
진:-나라[1]【晉—】 명 〖역〗 중국의 '진(晉)'을 나라로서 똑똑히 일컫는 말.
진-나라[2]【秦—】 명 〖역〗 중국의 '진(秦)'을 나라로서 똑똑히 일컫는 말.
진-나라[3]【陳—】 명 〖역〗 중국의 '진(陳)'을 나라로서 똑똑히 일컫는 말.
진-날 명 땅이 질척거리게 비나 눈이 오는 날. 또는 비나 눈이 와서 땅이 진 날. ↔마른날.
[진날 개 사귄 이 같다] ㉠귀찮고 더러운 일을 당함을 이르는 말. ㉡달갑지 않은 사람이 자꾸 따라다님을 이름. [진날 개 싸대듯] 까닭없이 더러운 주제로 비를 맞고 다니는 사람을 일컬음. [진날 나막신 찾듯] 평소에 돌아보지도 않다가 일이 생기자 갑자기 찾음을 비유한 말.
진:남【振男】 명 동남(童男).
진:남-영【鎭南營】 명 〖역〗 조선 시대 친군영(親軍營)의 하나. 고종(高宗) 31년(1894)에 청주(淸州)에 두었다가 이듬해에 폐함. *해방영(海防營).
진:남-포【鎭南浦】 명 〖지〗 평안 남도 '남포(南浦)'의 일정(日政) 때 이름.
진:납【進納】 명 나아가 바침. 받들어 모심. ——-하다 타여불
진내【陣內】 명 진지의 안.
진:녀【振女】 명 동녀(童女).
진년【辰年】 명 〖민〗 태세(太歲)의 지지(地支)가 진(辰)인 해. 갑진(甲辰)·병진(丙辰)·무진(戊辰)·경진(庚辰)·임진(壬辰) 등.
진:념[1]【軫念】 명 ①임금이 마음을 써서 근심함. ¶위로 아바마마의 ~도 진념이시려니와. ②웃사람이 아랫사람의 사정을 걱정하여 생각함. ——-하다 타여불
진념[2]【塵念】 명 속계(俗界)의 명리(名利)를 생각하는 마음.
진:노[1]【震怒】 명 ①존엄한 사람의 분노. ¶상감의 ~. ②〖기독교〗 하느님이 죄를 지은 인간에 대하여 노여워하고 심판함. ——-하다 자여불
진노[2]【瞋怒·嗔怒】 명 성내어 노여워함. ——-하다 자여불
진-노랑【津—】 명 진한 노랑.
진-노랑나비【津—】 명 〖충〗 남방노랑나비.
진노랑-잠자리【津—】 명 〖충〗 [*Sympetrum uniforme*] 잠자릿과의 곤충. 몸길이 76mm, 복부의 길이 35mm, 뒷날개는 37mm 내외임. 몸빛은 고르게 등황색을 띠며 반문은 없으나 시맥(翅脈)은 등갈색, 연문(緣紋)은 등색인데 앞뒤 가장자리에는 흑색 깃동이 달려 있으며 날개는 반투명함. 한국·일본 등지에 분포함. 큰노랑잠자리.
진노래기-벌 명 〖충〗 노래기벌.
진-논 명 ☞ 무논.
진-놀이【陣—】 명 〖민〗 두 편으로 갈린 아이들이 큰 나무나 바위를 진터로 삼고, 상대편 인원을 잡아오거나 진을 빼는 것으로써 이기기를 겨루는 놀이. 고장에 따라 '진빼기'라고도 함.
진누-깨비 명 〈방〉 진눈깨비.
진-눈[1] 명 눈병이 나거나 하여 눈가가 진무른 눈.
[진눈 가지면 파리 못 사귈까] 재주가 있으면 초빙해 가지 않을 리 없고 돈이 있으면 쓸 사람이 오지 않을 리 없다는 말.
진-눈[2] 명 물기가 섞인 눈. 진눈깨비 같은 것. ↔마른눈.
진눈-깨비 명 눈이 녹아들어 비와 섞여서 내리는 눈.
진-늑골【眞肋骨】 명 〖생〗 좌우 각 열두 개의 늑골(肋骨) 중 위쪽의 명치뼈에 붙어 있는 일곱 쌍의 늑골의 일컬음. ↔가늑골(假肋骨).
진-니【塵泥】 명 티끌과 진흙. 쓸모없는 것.
진단[1]【眞檀】 명 〖식〗 단향목(檀香木).
진단[2]【診斷】 명 〖의〗 의사가 환자를 진찰하여 병상(病狀)을 판단함. ¶건강 ~. ——-하다 타여불
진:단[3]【震旦·振旦·眞丹】 명 '중국'의 이칭. 인도 사람이 중국을 치나스타나(Chinasthâna) 또는 치니스탄(Chinistan)이라고 불렀기 때문임.
진:단[4]【震檀·震壇】 명 우리 나라의 이칭(異稱).
진:단-계【震旦系】 명 〖지〗 중국의 화북(華北)이나 남만주(南滿洲) 및 한국 등을 중심으로 하여 화중(華中)·화남(華南)·내몽고(內蒙古) 등에 퍼져 있는 선(先)캄브리아기(紀) 후기(後期)의 비변성층(非變成層). 생물의 흔적(痕跡)은 거의 없음.
진단 루:틴【診斷—】 명 [diagnostic routine] 〖컴퓨터〗 중앙 처리 장치나 주변 장치의 기능 상의 오류(誤謬)나 프로그램 내의 오류를 발견하도록 설계된 루틴. *루틴[1].
진단-서【診斷書】 명 〖의〗 의사가 진단의 결과를 적은 증명서. ¶상해(傷害) ~.
진:단 학회【震檀學會】 명 1934년에, 일본 학자들에 의해 연구되던 한국의 역사·언어·문학 등을, 한국인 학자의 손으로 연구하자는 뜻으로 조직 출발한 역사 연구회. 기관지로 '진단 학보(震檀學報)'를 출간함.
진:달【進達】 명 ①말이나 편지를 받아서 올림. ②관하(管下)의 상신(上申) 서류 등을 상급 관청으로 올려 보냄. ——-하다 타여불
진달래 명 ①〖식〗 [*Rhododendron mucronulatum*] 철쭉과에 속하는 낙엽 활엽 관목. 잎은 타원형 또는 도(倒)피침형인데, 톱니가 없고, 양면에 혹 모양의 비늘 조각이 산포(散布)함. 잎에 앞서, 4월에 분홍색 꽃이 3-5개씩, 다섯 갈래로 깊이 째진 깔때기 모양으로 정생(頂生)하여 피고, 삭과(蒴果)는 10월에 익음. 산간 양지에 나는데, 한국 각지 및 일본·중국 등지에 분포함. 정원수·관상용이며, 꽃은 '참꽃'·'진달래꽃'이라 하여 아이들이 따 먹음. 두견(杜鵑). 산척촉. 진달래나무. ②〈속〉 '숙성한 처녀'의 은어(隱語). *연달래.

〈진달래〉

진달래-꽃 명 〖식〗 진달래의 꽃. 두견화(杜鵑花). 참꽃.
진달래-나무 명 〖식〗 진달래. *철쭉나무.
진달래 화채【—花菜】 명 녹말 가루를 묻혀서 데친 진달래 꽃잎을 오미자물에 띄운 궁중 음료.
진달레 명 〈방〉 진달래(경기·황해·함남·평안).
진달리 명 〈방〉 진달래(전북·함남).
진담[1]【珍談】 명 진귀한 이야기.
진담[2]【眞談】 명 진실된 이야기. 참된 말. 농담이 아닌 말. *농담.
진:담 누:설【陳談屢說】 명 자꾸 되풀이하여 길게 늘어놓는 말.
진답[1]【珍答】 명 진귀한 대답. ¶진문(珍問) ~.
진답[2]【陳畓】 명 묵은 논.
진대[1] 명 ①남에게 기대어 억지를 쓰다시피하여 괴롭히는 것. ②☞〖동〗 뱀.
진대(를) 붙이다 [—부치—] 구 남에게 기대어 억지를 쓰듯 괴롭히다. ¶한 작자가 행랑채에 달려 들어서 진대를 붙이기에 몽둥이로 다스리고 회술레를 돌리겠다고 으름장을 놓았는데도…≪金周榮 : 客主≫.
진:대[2]【賑貸】 명 〖역〗 고구려 고국천왕(故國川王) 16년(194)부터 빈민 구제책으로 음력 3-7월의 춘궁기(春窮期)에 관곡(官穀)을 꾸어주고 추수 후에 거두어 들이던 제도. 이후 고려 성종(成宗) 때에 의창(義倉)의 곡식을 새 곡식으로 바꿔 들이고 빈민을 구제할 목적으로 이 법이 쓰이었고 조선 시대에 와서 환곡법(還穀法)으로 다시 부활됨. 진대법. ——-하다 타여불
진대다 자 〈방〉 진대 붙이다.
진-대도교【眞大道敎】 명 〖종〗 중국 금대(金代)에 성립한 도교의 한 종파. 개조(開祖)는 산동(山東) 출신의 유덕인(劉德仁)인데, 금(金)나라 세종(世宗)의 보호로 한때 교세가 떨쳤으나 교단 내부의 분열로 원말(元末)에 없어짐. 유불도(儒佛道) 삼교(三敎)의 조화를 특징으로 하는데, 실천적 경향이 강하여 신도에게 자력으로 경작(耕作)하여 의식(衣食)의 비용을 마련하라고 가르쳤음.
진:대-마니 명 〈심마니〉 〖동〗 뱀.
진대방-전【陳大房傳】 명 〖책〗 작자·연대 미상의 구소설(舊小說)의 하나. 불효(不孝)·방탕(放蕩)한 진대방이 태수(太守) 김장백의 훈계를 듣고 나서, 부모에게 효도하고 착실한 사람이 되어 출세하였다는 윤리(倫理) 소설.
진:대-법【賑貸法】 [—뻡] 명 〖역〗 진대(賑貸).

진덕-거리다 [자] 〈방〉 진득거리다. 진덕-진덕 [부]. ——-하다 [형]

진:덕 박사【進德博士】[명]〖역〗①고려 때 성균관(成均館)의 한 벼슬. 충렬왕(忠烈王) 34년(1308)에 종팔품으로 정하였다가, 뒤에 정팔품으로 함. ②조선 시대 초기(初期)의 성균관의 정팔품 벼슬. 세조(世祖) 12년(1466)에 폐함.

진-덕수【眞德秀】[명]〖사람〗중국 남송(南宋)의 유학자. 자(字)는 경원(景元) 또는 경희(景希). 푸젠 성(福建省) 푸청(浦城) 출신. 정주(程朱)의 이학(理學)을 계승하여 소주자(小朱子)라고 일컬어짐. 저서에 ≪대학 연의(大學衍義)≫·≪문장 정종(文章正宗)≫·≪서산 문집(西山文集)≫ 등이 있음. [1178-1235]

진덕 여왕【眞德女王】[—녀—] [명]〖사람〗신라 제28대 왕. 성은 김(金), 이름은 승만(勝曼). 선덕 여왕(善德女王)의 뒤를 이어 즉위, 연호를 태화(太和)로 고치고 648년 김춘추(金春秋)를 당나라에 파견, 군사 원조를 받았음. 동왕 4년(650) 법민(法敏)을 다시 당나라에 보내어 친히 지은 ≪태평송(太平頌)≫을 바치고 당나라 연호 영휘(永徽)를 사용하는 등 외교에 힘쓰는 한편, 김 유신(金庾信) 등 명장(名將)을 기용, 고구려·백제를 견제하였음. [?-654; 재위 647-654]

진덕여왕-릉【眞德女王陵】[—녀—능] [명]경상 북도 경주시(慶州市) 견곡면(見谷面) 오류리(五柳里)에 있는 진덕 여왕의 능. 십이지상(十二支像)으로 조각한 호석(護石)으로 꾸민 원형 토분(圓形土墳)임. 주위 약 43 m, 호석의 높이 약 0.72 m, 갑석(甲石)의 높이 약 0.2 m 임.

진데 [명] 〈방〉〖동〗진드기(경북).

진데기 [명] 〈방〉〖동〗진드기(경기·강원·충북).

진-도[1]【辰島】[명]〖지〗경상 남도의 남해상(南海上), 사천시(泗川市) 서포면(西浦面) 비토리(飛兎里)에 위치한 섬. [0.15 km²]

진-도[2]【珍島】[명]〖지〗①전라 남도 서남쪽 해상에 위치하는 진도군(郡)의 주도(主島). 반암(斑岩)으로 구성된 구릉성 산지이나, 땅은 기름져 농사에 적당함. 순종(純種)인 진돗개가 유명하며 고령토도 대량 산출됨. [319 km²] ②전라 남도 진도군(郡)의 군청 소재지로 읍(邑). 진도섬의 중심부에 위치함. [11,961 명(1996)]

진-도[3]【津島】[명]〖지〗평안 남도 용강군(龍岡郡) 서해상(西海上)에 위치한 섬. [0.4 km²]

진도[4]【津渡】[명] 나루.

진도[5]【陣刀】[명] 군도(軍刀).

진도[6]【陣圖】[명] 진터의 도형.

진도[7]【眞道】[명] 참된 도리.

진:도[8]【進度】[명] 일의 진행 속도. 또, 그 정도.

진:도[9]【軫悼】[명] 임금이 슬퍼하여 애도함. ——-하다 [자](여불)

진:도[10]【震度】[명] [seismic intensity]〖지〗지진이 일어났을 때 사람 몸이 느끼는 감각, 건물이 받는 영향 등의 정도에 따라, 지진동(地震動)의 세기의 정도를 등급으로 나눈 것. 곧, 0도(무감(無感) 지진), 1도(미진(微震)), 2도(경진(輕震)), 3도(약진(弱震)), 4도(중진(中震)), 5도(강진(強震)), 6도(열진(烈震)), 7도(격진(激震))로 나눔. 매그니튜드.

진도 개해 현:상【珍島開海現象】[명]〖지〗전라 남도 진도군(珍島郡) 고군면(古郡面) 회동(回洞) 마을과 의신면(義新面) 모도(茅島) 사이 2.8 km의 바다가 해마다 4월 6일과 5월 5일 두 차례 갈라지는 현상. 현지에서는 '영등(靈登) 사리'라 이름.

진:도 관리【進度管理】[—괄—] [명] [progress control]〖경〗공정(工程) 관리의 하나. 제조 공정을 계획 일정에 맞추어 진행시키기 위한 것으로, 제조 공정이 계획 일정보다 빨라도 안 되나 늦어지는 것은 더욱 안 되기 때문에, 작업의 진척 정도가 일정에 늦어지지 않도록 유의하고 그 원인을 미연에 방지 또는 최소 한도로 그치게 하는 관리법.

진도-군【珍島郡】[명]〖지〗전라 남도 군의 하나. 관내 1읍 6면. 도의 서남단에 있고 동쪽은 명량 해협(鳴梁海峽)을 끼고 본토 해남군(海南郡)과 이에 부속된 우수영(右水營) 반도, 북쪽은 바다를 건너 신안군(新安郡)의 여러 섬에 대하고 서쪽과 남쪽은 대해에 면하여 있음. 가장 큰 진도(珍島)와 그 부근 도서로 구성됨. 군내 도서수는 226개이며, 이 중 유인도(有人島)가 42개, 무인도가 184개임. 농업 목우(牧牛)가 성하고 진돗개로 유명함. 김·굴·조개류 등의 수산업·양식업이 성하며 천일 염전도 개발됨. 명승 고적으로는 용장산성(龍藏山城)·금골 기암(金骨奇巖)·첨찰산 봉수대(尖察山烽燧臺)·쌍계사(雙溪寺) 등이 있음. 군청 소재지는 진도. [426.97 km²: 47,245 명(1996)]

진도 다시래기【珍島—】[명]〖민〗진도 지방에서 출상(出喪) 전날 밤에 초상집에서 재비꾼·상두꾼이 벌이는 민속 놀이.

진도 들:노래【珍島—】[—로—] [명]〖악〗전라 남도 진도 지방 농요(農謠)의 하나. 논일과 밭일 때에 선소리꾼이 독창으로 메기면 여러 사람이 합창으로 받음.

진도 씻김굿【珍島—】[명]〖민〗전라 남도 진도 지방에서 전승되는 씻김굿. 불경(佛經)을 많이 수용(收容)한 점과, 산 사람의 길복(吉福)을 위한 제석(帝釋)굿이 포함되어 있는 것이 특색. 중요 무형 문화재 제 72 호.

진도 아리랑【珍島—】[명]〖악〗전라 남도 진도 지방의 민요. 짧은 장절(章節) 형식인데, 후렴의 전반은 밀양(密陽) 아리랑과 같지만 후반은 이 지방 특유의 정조(情調)를 담음. 현지에서는 '아리랑 타령'이라고 부름.

진:도-표【進度表】[명] 진도를 그려서 나타낸 도표. 진행표.

진독[1]【眞讀】[명] 경전(經典)의 문구(文句)를 생략하지 않고 전부 그대로 읽는 일. ↔전독(轉讀). ——-하다 [타](여불)

진:독[2]【進讀】[명] 귀인(貴人) 앞에 나아가 글을 읽음. ——-하다 [자][타](여불)

진-독수【陳獨秀】[명]〖사람〗'천 두슈'를 우리 음으로 읽은 이름.

진-돌쩌귀풀 [명]〖식〗[*Aconitum seoulense*] 성탄꽃과에 속하는 다년초. 줄기 높이 1.2 m가량, 잎은 호생하며, 엽병(葉柄)이 있고 다섯 갈래로 갈라졌으며, 톱니가 있음. 9월에 자색 꽃이 총상(總狀) 화서로 줄기 끝에 정생(頂生)하며, 골돌과(蓇葖果)를 맺음. 산지에 나는데, 경기·황해·함남 등지에 분포함. 독이 있으며, 뿌리는 약용함.

진돗-개【珍島—】[명]〖동〗갯과(科)에 속하는 우리 나라 재래(在來)종 개의 하나. 어깨 높이 60-80 cm, 두동(頭胴)의 길이 75-95 cm임. 몸빛은 황갈색 또는 백색이고, 귀는 뾰족하게 세우며 꼬리는 짧고 왼편으로 원을 이루며 발의 중간 부분에 발톱이 한 개 있음. 민첩하고 슬기롭고 사납고 용맹하여 도둑을 잘 지킴. 한국 특산으로, 전라 남도 진도군 진도 본도(本島)에 원종(原種)이 있으며, 천연 기념물 제53호로서 지정·보호하고 있음.

진동[1] [명] [근대 : 진동] 한복 저고리의, 겨드랑이에서 어깨까지의 넓이.

진:동[2]【振動】[명] ①흔들리어 움직임. ②[oscillation, vibration]〖물〗하나의 물리적인 양(量), 곧 물체의 위치·전류(電流)의 세기·전기장·자기장·기체의 밀도 등이 어떤 일정치(値)의 부근에서 주기적으로 변동하는 일. ③〖수〗무한 급수(無限級數)가 수렴(收斂)도 하지 않고 양(陽) 또는 음(陰)의 무한대로도 발산하지 않을 때에 '진동한다'고 함. ——-하다 [자](여불)

진:동[3]【震動】[명] 흔들려 움직임. 또, 흔들어 움직이게 함. ¶천지를 ~하는 만세 소리. ——-하다 [자][타](여불)

진:동-각【振動覺】[명] [sense of vibration]〖생〗진동 자극(刺戟)을 감수(感受)하는 감각. 압각(壓覺)의 한 변형(變形).

진:동-계【振動計】[명] [vibration meter] 진동체의 변위(變位)·속도·가속도를 측정하는 장치. 보통 기계적 진동을 재는 것을 가리킴.

진:동 공해【振動公害】[명] [vibration hazard] 교통(交通) 기관에 의한 교통 진동, 컴프레서·압연(壓延) 기계 등에 의한 공장 진동, 기초 말뚝 박기 등의 건설(建設) 진동 등이 주변 주민에게 주는 생리 장애와 심리적 불쾌감.

진:동 방정식【振動方程式】[명] [equation of oscillation]〖물〗x를 진동량(量)으로 할 때 $d^2x/dt^2=-a^2x$ 모양의 미분(微分) 방정식.

진:동 성형【振動成形】[명] [jolt molding] 내화성(耐火性) 블록 제조법의 하나. 원료를 조합(調合)해서 틀에 부은 후, 틀을 기계적으로 흔들어서 재료를 굳힘.

진:동성 회로【振動性回路】[—썽—] [명]〖물〗전압 임펄스(impulse)가 가해지면 진동 전류(電流)를 발생하는 회로.

진:동-수【振動數】[—쑤] [명] [frequency]〖물〗단위(單位) 시간 내의 진동의 회수. 단위는 헤르츠(Hertz). 주파수(周波數).

진:동수-설【振動數說】[—쑤—] [명] [frequency theory]〖생〗사람의 청각(聽覺) 이론의 하나. 기초막(基礎膜) 자체가 진동한다는 설.

진:동 스펙트럼【振動—】[명] [vibration spectrum]〖물〗분자(分子) 스펙트럼 중에서, 다(多)원자 분자의 내부 진동에 기인(起因)하는 스펙트럼. 양자 역학적(量子力學的)으로 말하면, 진동의 에너지 준위간(準位間)의 천이(遷移)에 기인하는 스펙트럼을 말함.

진:동 양자수【振動量子數】[—쑤] [명] [vibrational quantum number]〖물〗진동을 양자화(量子化)했을 때에 에너지의 고유치(固有値)를 나타내는 양자수.

진:동 원:심기【振動遠心機】[명] [vibratory centrifuge]〖기〗분탄(粉炭)이나 다른 고체로부터 수분을 제거하기 위해서 고속 회전(高速回轉)하는 장치.

진:동-음[1]【振動音】[명]〖언〗유음(流音)의 하나. 혀끝을 윗잇몸에 접근시키고 그 안에 강하게 공기를 통할 때 혀끝이 진동되어 나는 소리. 'ㄹ'이 종성(終聲)이나 자음(子音) 위에서 발음될 경우임. 설전음(舌顫音). 탄설음(彈舌音). 설권음(舌卷音).

진:동-음[2]【震動音】[명]〖악〗비브라토(vibrato).

진:동의 주기【振動—周期】[—/—에—] [명]〖물〗진동의 완전한 순환(循環)에 요(要)하는 시간.

진:동-자【振動子】[명] [oscillator]〖물〗기계적으로 규칙적인 진동을 하는 물체. 아주 미소한 진동체(體).

진:동자 세:기【振動子—】[명] [oscillator strength]〖물〗원자 분자 등의 전자계(電子系)와 빛, 곧 진동 전자기장(電磁氣場)과의 상호 작용의 크기를, 전자계와 같은 고유 진동수 및 전자와 같은 질량과 전하(電荷)를 가진 고전적(古典的)인 조화 진동자(調和振動子)의 몇 개와 맞먹는가로 나타내는 수.

진:동자 전:원【振動子電源】[명]〖전〗변압기(變壓器)를 작동시키는 데에 필요한 교류(交流) 전류를 발생시키려고, 진동자를 사용하는 전원(電源).

진:동 전:류【振動電流】[—절—] [명] [oscillating electric current]〖물〗진동 회로(回路)에 의하여 발생하는, 주파수가 큰 교류(交流) 전류.

진:동 준:위【振動準位】[명] [vibrational level]〖물〗진동을 양자화(量子化)했을 때의 에너지의 고유 상태. 분자 안의 핵진동이나 원자핵의 표면 진동 등에 의한 것을 가리킬 때가 많음.

진:동 중심【振動中心】[명] [center of oscillation]〖물〗물리 진자(物理振子)가 움직일 때, 진자의 전질량(全質量)이 그 일점(一點)에 집중한 것처럼 움직이는 점. 현수점(懸垂點)과 질량의 중심점을 통과하는 직선 위에 존재함.

진동-찰 [명] 〈방〉〖식〗진득찰.

진:동-체【振動體】[명]〖물〗진동하는 물체.

진:동 충전법【振動充塡法】[—뻡] [명] [vibration packing process]〖물〗분말(粉末)을 관(管) 등에 충전할 때, 관을 진동시켜 분말의 충전 밀도(密度)를 크게 하는 방법.

진:동 컨베이어【振動—】[conveyer] [명] 물건을 실은 반원통(半圓筒)에 일정한 진동을 계속적으로 주어 물건을 조금씩 전진(前進)시켜 운반(運搬)하는 컨베이어.

진:동-탄【震動彈】[명]〖군〗폭탄의 일종. 폭풍(爆風)에 의한 파괴력이

강대함.

진:동-판【振動板】명 〖물〗 전신(電信) 장치에서 송화기(送話器)에 딸린, 음파를 진동시키는 부분. 또, 수화기(受話器)에서, 보내 온 전파를 음파로 재생하는 얇은 철판. 떨판. 떨림판.

진동-한동 부 매우 바빠서 겨를없이 지내는 모양. <진둥한둥. ——-하다 타여불

진동-항아리 명 〖민〗 ①무당이 자기 집에 모시어 놓는 신위(神位). ②한 집안의 평안을 기원하여 정한 곳에 모셔 두고, 돈과 쌀을 담는 항아리. 해마다 한 번씩 갈아 넣되 돈은 굿이나 고사에 쓰고 쌀은 밥을 지어 소찬(素饌)으로 먹음.

진:동 회로【振動回路】명 〔oscillating circuit〕〖물〗 자기 감응 계수(自己感應係數)와 용량(容量)을 가진 회로. 이 회로의 전기 저항(抵抗)이 어떤 일정치(値)보다 강하면 회로의 고유(固有) 진동수로 진동할 수 있게 됨.

진:동 회전 스펙트럼【振動回轉—】명 〔rotation-vibration spectrum〕〖물〗 분자(分子) 스펙트럼 중에서, 분자를 구성하고 있는 원자의 진동 상태 천이(遷移)에 회전 상태의 천이가 수반되어 나타나는 스펙트럼. 적외선(赤外線) 영역에 나타남. 회전 진동 스펙트럼.

진두[1] 명 〈방〉〖충〗 진디(평안).

진두[2] 명 〈방〉〖동〗 진드기(강원).

진두[3]【津頭】명 나루[1]❶.

진두[4]【眞痘】명 〖의〗 두창(痘瘡)의 임상(臨床)상의 한 병형(病型). 고열(高熱)과 함께 피부에 발진(發疹)이 많이 생기고, 후에 이것이 농포(膿疱)로 변함. ↔가두(假痘).

진두[5]【陣頭】명 진열(陣列)의 선두. 일의 선두.

진:두[6]【賑斗】명 〖역〗 조선 시대에, 진휼할 때 쓰던 되와 말.

진두개 명 〈방〉〖동〗 진드기(전라).

진두기 명 〈방〉〖동〗 진드기(전남).

진두리 명 〈방〉 징두리.

진두 지휘【陣頭指揮】명 진두에 나서서 지휘함. 앞장서서 총지휘함. ——-하다 타여불

진둑 명 〈방〉〖동〗 진드기(제주).

진둥개 명 〈방〉〖동〗 진드기(전라).

진둥-걸음 명 진둥한둥 몹시 바쁘게 걷는 걸음.

진둥-한둥 부 매우 바빠서 겨를없이 지내는 모양. ¶요사이는 ~ 세월 가는 줄을 모르겠다. >진동한동. ——-하다 타여불

진뒤 명 〈옛·방〉 진드기(경북). ¶진뒤 비(蜱)《字會 上 23》.

진드개 명 〈방〉〖동〗 진드기(전남).

진드근-하다 형여불 매우 진득하다. ¶사람이 무척 진드근한 데가 있더라. >잔드근하다. **진드근-히** 부

진드기 명 〖동〗 ①진드깃과에 속하는 동물의 총칭. ②[*Haemaphysalis flavao*] 진드깃과에 속하는 동물의 하나. 몸은 주머니 모양으로 암컷은 7mm, 수컷은 2.5mm 가량인데, 두부(頭部)·흉부·복부의 구별이 분명하지 않으며 촉지(觸肢)와 큰 아가미가 합쳐서 한 부분이 되기도 함. 촉수(觸鬚)는 짧으며, 개·말·소 등에 기생함. 벽슬(壁蝨). 벽이. 우슬(牛蝨). 준진디.

진드기-목【—目】명 〖동〗 [Acarina] 거미강(綱)에 속하는 한 목. 벽슬목(壁蝨目).

진드기-열【—熱】명 〖의〗 텍사스열.

진드깃-과【—科】명 〖동〗 [Ixodidae] 진드기목(目)에 속하는 한 과. 배나무진드기·진드기 등이 있음.

진드물 명 〈방〉 진딧물(경북).

진드미 명 〈방〉〖동〗 진드기(경북).

진득 부 〈옛〉 잔뜩. ¶싱금훈 목을 에후루여 진득 안고 《海謠》.

진득-거리다 자 ①자꾸 차지게 들러붙다. ②검질겨 연해 끊으려 해도 끊어지지 아니하다. 1)·2): 쓰찐득거리다. >잔득거리다. **진득-진득** 부. ——-하다 형여불

진득-대다 자 진득거리다.

진득-이 부 진득하게. ¶~ 기다리다. >잔득이.

진득-찰 명 〖식〗 [*Siegesbeckia glabrescens*] 엉거싯과에 속하는 일년초. 높이 60cm 내외. 유병(有柄)의 잎은 다소 작고, 대생(對生)하며 난원형을 이룸. 8-9월에 황색 두화(頭花)가 가지 끝에 취산상(聚繖狀) 원추형으로 달리어 피고, 수과(瘦果)를 맺음. 들이나 길가에 나는데, 풀 전체에 끈적끈적한 선모(腺毛)가 있어 옷에 잘 달라 붙으므로 이 이름이 붙음. 전남·경남·충북·강원·경기·평북 등지에 분포함. 한방(韓方)에서는 약용(藥用)으로 희첨(豨薟)이라 이름. 점호채(粘糊菜). 화험초(火杴草). 희선(希仙).

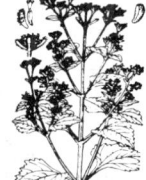

〈진득찰〉

진득-하다 형여불 몸가짐이 의젓하고 참을성이 있다. >잔득하다.

진들루 명 〈방〉〖식〗 진달래(함남).

진등개[1] 명 〈방〉〖동〗 진드기(전북).

진등개[2] 명 〈방〉 진딧물(전북).

진디 명 ①〖충〗 진딧물. ②〖동〗 ↗진드기.

진디기 명 〈방〉〖동〗 진드기(충남·전남·경상).

진디-등에 명 〖충〗 눈에놀이.

진디-찰 명 〈방〉〖식〗 진득찰.

진딧 부 〈옛〉 짐짓. 참. 진짜. ¶眞金은 진딧 金이라《月釋 Ⅶ:26》/乃終내 진딧 업수미 아니니《月釋 Ⅰ:36》.

진딧-물 명 ①〖충〗 진딧물과에 속하는 곤충의 총칭. ②〖충〗 [*Aphis mali*] 진딧물과에 속하는 곤충의 하나. 몸은 작고 연약한 달걀꼴인데 촉각은 가늘고 길며 긴 부리가 있음. 복단(腹端)의 밀선(蜜腺)에서 액체를 분비하므로 각종 곤충이 모여드는데, 특히 개미와는 공생 생활(共生生活)을 함. 가에는 날개가 생기고, 암컷만이 단위 생식(單位生殖)을 하는데 복잡한 세대 교번(世代交番)은 태생충(胎生蟲)·난생충(卵生蟲)·유시충(有翅蟲)·무시충(無翅蟲)을 계절에 따라 반복함. 오이·배추·과수(果樹) 따위의 잎 뒤에 많이 눌어붙어서 수액(樹液)을 빨아먹으므로 원예(園藝)·농작(農作)에는 큰 해충임. 진디.

〈진딧물❷〉

진딧물(이) 내리다 구 화초나 채소 등에 진딧물이 생기다.

진딧물-과【—科】[—꽈] 명 〖충〗 [Aphididae] 매미목(目)에 속하는 한 과. 몸은 미소(微小)·연약하며, 촉각은 대체로 강모상(剛毛狀), 3-6 절(節)인데, 유시형(有翅型)의 것은 흉부가 뚜렷하나 무시형(無翅型)에서는 복부에 유착(癒着)함. 유성(有性) 또는 단성 생식(單性生殖)을 하며 숙주(宿主)의 교대(交代)와 기상(氣象) 조건에 따라 생활의 양식이 달라지며 초식성임. 전세계에 200여 종이 분포함.

진돌외 명 〈옛〉 진달래. ¶又謂 진돌외 曰山躑躅《字會 上 7 躑字註》.

진:-땀【津—】명 ①몹시 힘들 때 흐르는 끈끈한 땀. ②죽게 되어 몹시 괴로워할 때에 흐르는 땀. 유한(油汗·柔汗). *식은땀.

진:땀(이) 나다 구 몹시 애쓰거나 무서워 진땀이 흐르다.

진:땀(을) 빼:다 구 몹시 애를 쓰거나 정신이 극도로 긴장해서, 진땀을 흘리다.

진땅-고추풀 명 〖식〗 [*Cratiola violacea*] 현삼과에 속하는 일년초. 줄기 높이 10-20cm. 잎은 다생하고 무병이며 선상(線狀) 피침형임. 8-9월에 자색 꽃이 줄기의 엽액(葉腋)에 달리어 피고, 삭과(蒴果)는 넓은 타원형임. 습지에 나는데, 제주·경남·강원 등지에 분포함.

진-똥 명 물기가 많은 묽은 똥. ↔마른똥·된똥.

진뜨물 명 〈방〉 진딧물(충남).

진랍【眞臘】[질—] 명 〖역〗 캄보디아의 옛 이름. 6 세기 말부터 메콩 강(Mekong 江) 유역 지방을 지배한 크메르인(Khmer人)의 나라로서, 9 세기 초 당말(唐末)부터 번성하기 시작, 안남(安南) 남부 및 태국의 동부까지 영유하고 해상 무역(海上貿易)을 장악하여 약 4 세기 동안 번영하였음. 9 세기 초부터 육(陸)진랍과 수(水)진랍으로 분열되어 공존했다고 함.

진:래【進來】[질—] 명 〖역〗 어느 관아의 예속(隸屬)을 체포할 때에 미리 그 까닭을 그 관아에 알리는 일. ——-하다 타여불

진:략【進略】[질—] 명 쳐들어가서 토지를 약탈함. ——-하다 타여불

진량【津梁】[질—] 명 ①나루와 다리. 전하여, 물을 건너는 시설. ②〖불교〗 부처가 중생을 제도하는 일. ③동분 서주. ④일을 하기 위한 방편. 계제.

진:려[1]【振旅】[질—] 명 〔진(振)은 수(收), 여(旅)는 군대의 뜻〕 ①군대를 거두어 개선(凱旋)함. ②사람들을 모아 정돈함. ——-하다 자여불

진려[2]【塵慮】[질—] 명 속계(俗界)의 명리(名利)에 대한 심려(心慮).

진:력【盡力】[질—] 명 있는 힘을 다함. 수고함. 사력(肆力). 갈력(竭力). 진기력(盡其力). 위력(爲力). ——-하다 자여불

진:력-나다【盡力—】[질력—] 자 오랫동안 또는 여러 번 하여 싫증이 나다. ¶반복되는 작업에 ~.

진:력-내다【盡力—】[질력—] 자 오랫동안 또는 여러 번 하여 싫증을 내다.

진렬[1]【陣列】[질—] 명 → 진열(陣列).

진:렬[2]【陳列】[질—] 명 → 진열(陳列).

진:렬[3]【震裂】[질—] 명 → 진열(震裂).

진:령[1]【振鈴】[질—] 명 〖불교〗 밀교(密敎)의 수법(修法)에서, 제존(諸尊)을 권청(勸請)하고 공양(供養)하기 위하여 금강령(金剛鈴)을 흔드는 일. 또, 그 종. ——-하다 자여불

진-령[2]【秦嶺】명 〖지〗 '친링'을 우리 음으로 읽은 이름.

진:로[1]【進路】[질—] 명 앞으로 나아가는 길. ↔퇴로.

진로[2]【塵勞】[질—] 명 〖불교〗 ①번뇌(煩惱). ②세속적인 노고(勞苦).

진:로-기【振鷺旗】[질—] 명 〖역〗 의장기(儀仗旗)의 한 가지.

진:로 예:고기【進路豫告機】[질—] 명 철도 신호기의 하나. 장내 신호기·출발 신호기에 딸려 이들 신호기가 다음에 지시할 열차의 진로를 예고함.

〈진로기〉

진:로 지도【進路指導】[질—] 명 〖교〗 학생들이 졸업 후 나아갈 방향에 대해 학교에서 하는 지도. 직업 지도나 진학 지도를 말함.

진:로 측심【進路測深】[질—] 명 〖공〗 진로를 따라서 일련의 수심 측정을 하는 일.

진:로 표시기【進路表示器】[질—] 명 철도 신호기의 하나. 장내 신호기·출발 신호기 등을 둘 이상의 선로에 공용(共用)할 때, 그 신호기에 부속하여 열차나 차량의 진로를 표시함. *진로 예고기(豫告機).

진료【診療】[질—] 명 진찰과 치료. ——-하다 타여불

진료-부【診療簿】[질—] 명 의사가 진료할 때 환자의 성명(姓名)·연령(年齡)·병명(病名)·증상(症狀)·치료 경과 등을 적어, 일정 기간 보존해야 하는 장부. *카르테.

진료-소【診療所】[질—] 명 의사나 치과 의사가 공중(公衆) 또는 특정 다수인을 위해 개설한, 진찰하고 치료하는 설비를 갖춘 곳.

진루[1]【陣壘】[질—] 명 진(陣)을 친 곳. 진(陣).

진:루[2]【進壘】[질—] 명 야구에서, 다음 베이스로 나아감. ——-하다 자여불

진루[3]【塵累】[질—] 명 속루(俗累).

진:률【震慄】명 →진율(震慄).

진-릉【秦陵】[질—] 명 중국 진시황(秦始皇)의 능. 산시 성(陝西省) 센양 현(咸陽縣) 리산(驪山) 산에 있음.

진리【眞理】[질—] 명 ①참. 진실(眞實). ②참된 이치. 참된 도리. 실체(實體). ③[truth]〖철〗실재적 관계·사태를 올바르게 표현하고 있는 판단 내용이 가지는 객관적 타당성. 따라서 엄밀한 의미에서는 단적인 개념은 그것만으로서는 참도 거짓도 아니며, 그것이 긍정 또는 부정의 판단으로 나타날 때에만 진리·허위가 운위됨. 곧, 진리란 실재하는 것의 긍정이며, 실재하지 않는 것의 부정임. 따라서 일반적으로 우리들의 판단과 실재의 일치임. ④〖철〗형식적 의미에 있어서는, 사유(思惟)의 법칙에 맞았다는 의미에서의 사고(思考). 정당함. ⑤〖기독교〗하느님, 곧 그리스도의 뜻. 또, 그 가르침. 진실(眞實).

진리-성【眞理性】[질—썽] 명 진리로서의 성질. 「지.

진리 의:지【眞理意志】[질—] 명〖철〗진리를 위한 진리를 추구하는 의

진리 자체【眞理自體】[질—] 명〖철〗명제(命題) 가운데에서 대상을 있는 그대로 표시한 명제.

진리-적【眞理的】[질—] 명관 성질상 진리와 같은 모양.

진리 집합【眞理集合】[질—] 명 [truth set]〖수〗하나의 전체 집합 u의 임의의 원소 x를 포함하는 명제 함수 $p(x)$가 주어졌을 때, $p(x)$를 참으로 하는 x가 만드는 집합.

진리-치【眞理値】[질—] 명〖논〗진릿값.

진-린【陳璘】[질—] 명〖사람〗중국 명(明)나라 신종(神宗) 때의 무장(武將). 임진 왜란이 일어나자, 조선 선조 26년(1593) 통령 보정 산동 등처 방해 어왜(統領保定山東等處防海禦倭)로 원병(援兵)을 이끌고 조선에 왔으며, 정유 재란(丁酉再亂) 때에는 도독 어왜 총병관(都督禦倭總兵官)으로서 전함 5백 척을 이끌고 당진(唐津)에 입항, 이순신(李舜臣)과 합세함. 노량 해전(露梁海戰)에서 적선에 포위되었을 때 이순신에 의해 구출됨. 생몰 연대 미상.

진릿-값【眞理—】[질리깝] 명〖논〗명제의 진위를 나타내는 값. 일반적으로 '참'과 '거짓'의 값을 이름.

진막번 조선【眞莫番朝鮮】명〖역〗[사마천(司馬遷)의 사기(史記)에 나온 말] 고조선(古朝鮮)이 중국에 알려져 일컫던 이름.

진말[1]【辰末】명〖민〗진시(辰時)의 마지막 시각. 곧, 오전 9시 바로 전.

진말[2]【眞末】명 밀가루. 「——-하다 자여불

진망【陣亡】명 전진(戰陣)에서 죽음. 싸움터에서 죽음. 전사(戰死).

진:망-궂다 형 경망하고 무람없다.

진맥[1]【眞麥】명〖식〗참밀.

진:맥[2]【診脈】명〖한의〗맥박을 진찰함. 병의 진찰. 검맥(檢脈). 절맥(切脈). ——-하다 타여불

진먼 섬 [金門] 명〖지〗중국 푸젠 성(福建省) 샤먼(廈門)섬 동쪽 약 18 km에 있는 섬. 원래 해적·밀무역의 근거지였음. 청나라 초기에 샤먼과 함께 정성공(鄭成功)이 의거(義擧)한 본거지이며, 지금은 타이완(臺灣)의 군사 기지임. 금문도. [131.7 km² : 36,000 명(1971)]

진-면목【眞面目】명 본래의 모습. 본체(本體) 그대로의 상태.

진:멸[1]【殄滅】명 무찔러 모조리 없애 버림. ——-하다 타여불

진:멸[2]【盡滅】명 멸하여 다 없애 버림. 죄다 멸망시킴. ——-하다 타여불

진:명【盡命】명 목숨을 바침. 목숨을 다함. ——-하다 자여불

진명지-주【眞命之主】명 하늘의 뜻을 받아 난세를 평정하고 통일하는 어진 임금. 준진주(眞主).

진목[1]【珍木】명 진귀한 나무.

진목[2]【眞木】명〈속〉참나무.

진목[3]【瞋目】명 두 눈을 부릅뜸. ——-하다 자여불

진:목-도【進木島】명〖지〗전라 남도의 서남해상(西南海上), 진도군(珍島郡) 조도면(鳥島面) 진목도리(進木島里)에 위치한 섬. [0.59 km²]

진몰【陣沒】명 싸움터에서 죽음. 출정(出征) 중에 전사(戰死) 또는 병사(病死)함. ——-하다 자여불

진묘【珍妙】명 ①진귀하고도 절묘함. ②유별나게 기묘함. ——-하다 형여불

진:무[1]【振武】명 ①무력(武力)을 떨치어 드러냄. ②〖역〗백제 십육품 관등(十六品官等)의 열다섯째 등급(等級). ——-하다 자여불

진무[2]【塵務】명 속계(俗界)의 번잡한 사무. 진사(塵事).

진무[3]【榛蕪】명 ①잡목·잡초가 성함. 또, 그 땅. ②정도(正道)를 해치는 물건. ——-하다 형여불

진무[4]【塵霧】명 [dust haze] 짙은 연무(煙霧).

진:무[5]【鎭撫】명 ①난리를 평정하고 백성을 평안하게 함. 진정시켜 어루만짐. ②〖역〗고려 때 순군 만호부(巡軍萬戶府)에 딸린 한 벼슬. ③〖역〗고려 때 각 도(道)의 도통사(都統使)에 딸린 벼슬. 두 사람 가운데에 하나는 종이품, 하나는 정삼품이었음. ④〖역〗조선 시대 초기의 의흥 친군위(義興親軍衛)·삼군 진무소(三軍鎭撫所)·오위 진무소(五衛鎭撫所)·의금부(義禁府) 등에 딸린 벼슬. ——-하다 타여불

진:무 공신【振武功臣】명〖역〗조선 인조(仁祖) 2년(1624)에 일어난 이괄(李适)의 난을 평정한 공으로 장만(張晩) 등에게 내린 훈호(勳號). 장만 등 3명에게는 1등, 이수일(李守一) 등 9명에게는 2등, 신경원(申景瑗) 등 30명에게는 3등이 주어짐.

진-무르다 자 르불 ☞ 짓무르다.

진:무 부:위【振武副尉】명〖역〗고려 때 무관(武官)의 품계. 종육품의 하(下). 성종(成宗) 14년(995)에 정하였음. 치과 교위(致果校尉)의 위, 진위 교위(振威校尉)의 아래임.

진:무-사【鎭撫使】명〖역〗조선 시대 때 진무영(鎭撫營)의 으뜸 벼슬. 강화 유수(江華留守)의 겸직(兼職)임.

진:무-영【鎭撫營】명〖역〗조선 시대 때 강화도(江華島)의 해방(海防)을 맡은 군영(軍營). 숙종(肅宗) 26년(1700)에 베풀어서 고종(高宗) 24년(1887)에 심영(沁營)으로 고침. *진어영(鎭禦營).

진:무 천호【鎭撫千戶】명〖역〗진무와 천호의 벼슬.

진-무한【眞無限】명 [도 wahrhafte Unendlichkeit]〖철〗헤겔 철학의 용어. 악무한(惡無限), 곧 무한(無限)으로의 끝없는 근접 과정을 지양(止揚)하여 유한으로 규정하고, 그 유한을 자기(自己)의 모든 한정으로 함과 같은 무한을 말함. 유한은 무한이 아니라고 하여 배척하지 아니하고, 그 유한을 무한의 현현(顯現)으로서 포섭함과 같은 무한.

진묵【眞墨】명 참먹.

진:묵【震默】명〖사람〗조선 인조(仁祖) 때의 이름난 고승. 법명은 일옥(一玉). 진묵은 호(號). 평소 술을 좋아하였으나 세상이 말하기를 석가의 소화신(小化身)이라 할 정도로 신통(神通)이 자재(自在)하여 물 위로 걸어다니고 땅 속으로 들어가기를 마음대로 하였다는 등의 일화가 많음. [1562-1633]

진문[1]【珍問】명 진귀한 질문. 엉뚱하고 별스러운 질문.

진문[2]【珍聞】명 진귀한 소문. 이상한 이야기.

진문[3]【眞文】명〖불교〗부처나 보살(菩薩)이 설교한 문구.

진문[4]【陣門】명 진(陣)의 출입구. 군문(軍門).

진-문장【眞文章】명 참다운 문장.

진문 진답【珍問珍答】명 기이한 물음에 기이한 대답. ——-하다 자여불

진:물[1] 명 부스럼에서 흐르는 물.

진물[2]【珍物】명 진귀한 물건.

진물[3]【眞物】명 가짜가 아닌 물건. 진짜. 「다 형여불

진물-진물 부 눈가나 또는 살가죽이 짓무른 모양. > 잔물잔물. ——-하

진미[1]【珍味】명 음식의 썩 좋은 맛. 또, 그런 음식물. 가미(佳味).

진미[2]【眞味】명 ①참된 맛. ②진정한 취미.

진미[3]【眞美】명 참된 아름다움.

진미[4]【陳米】명 묵은 쌀.

진:미래-제【盡未來際】명부 미래제(未來際).

진-반찬 명 바싹 마르지도 않고 말국이 있지도 않은 저냐·지짐 등과 같이 약간 진 듯한 반찬. ↔마른 반찬.

진-발[1] 명 진창을 디뎌 더러워진 발. 물에 젖은 발.

진:발[2]【振拔】명 가난한 사람을 도와 줌. ——-하다 타여불

진:발[3]【進發】명 군대 등이 출발하여 앞으로 나아감. ——-하다 자여불

진발[4]【鬒髮】명 검고 아름다운 머리털.

진-밥 명 질게 지은 밥. ↔된밥.

진방[1]【辰方】명〖민〗24 방위의 하나로 진(辰)의 방위(方位). 을방(乙方)의 다음 방위이며 동남동(東南東). 진각(辰角). 준진(辰).

진:방[2]【震方】명〖민〗팔괘(八卦)로 일컫는 팔방(八方)의 하나. 정동(正東)을 중심으로 하여 45°의 각거리(角距離)를 차지하는 방위. 준진(震).

진:방-국【鎭防局】명〖역〗조선 시대 말 군무 아문(軍務衙門)에 딸린 한 국(局). 지방 군대의 일을 맡았는데, 고종(高宗) 31년(1894)에 베풀어 이듬해에 폐함.

진-방위【眞方位】명 [true bearing]〖항행〗진자오선(眞子午線)과 각을 이루는 방위. 진북(眞北)에 대한 방위.

진-방향【眞方向】명 진북(眞北)으로부터의 각거(角距)로 나타내는 수평면내(水平面內)의 방향.

진:배[1]【進拜】명 어른에게 나아가 절하고 뵈옴. *진알(進謁). ——-하다 자여불

진:배[2]【進排】명 물건을 진상(進上)함. ——-하다 타여불

진배-없다 [—업—] 형 못할 것이 없다. 다를 바 없다. 열등(劣等)할 것이 없다. ¶앉아서 들었지만 가본 거나 ~ / 송운은 인제 없어진 목숨이나 진배없는 존재다《李無影 : 사랑의 화첩》.

진배-없이 [—업씨] 부 진배없게. ¶요릿집에서나 ~ 잘 먹었네.

진-백달【陳伯達】명〖사람〗'천 보다'를 우리 음으로 읽은 이름.

진-버짐 명〖한의〗피부병의 한 가지. 흔히 얼굴에 생기며, 벌레가 기어간 자국 같고 그 자리를 긁어서 터뜨리면 진물이 흐르는 버짐. 습선(濕癬). ↔ 마른 버짐.

진번【眞番·眞蕃】명〖역〗↗진번군.

진번-군【眞番郡·眞蕃郡】명〖역〗중국 한(漢)나라 무제(武帝)가 기원전 108년에 위만 조선(衛滿朝鮮)을 멸한 뒤, 그 옛 땅에 둔 한사군(漢四郡)의 하나. 지금 황해도 서흥군(瑞興郡)의 자비령(慈悲嶺)이남 한강(漢江) 이북의 땅임. 기원전 82년에 파하여 낙랑군(樂浪郡)에 합치었음. 준진번.

진벌 명〈방〉진펄.

진범[1]【眞犯】명↗진범인(眞犯人).

진범[2]【秦芃】명 ①〖한의〗쥐꼬리망초의 뿌리. 습증(濕症)·골증(骨蒸)·황달·지절통(肢節痛)·소변 불리(不利) 등에 약제로 쓰임. 진교[2](秦艽). ②〖식〗오독도기❶.

진-범인【眞犯人】명 어떤 범죄의 실제 범인. 준진범(眞犯).

진법[1]【陣法】[—뻡] 명 싸움에서 진을 치는 법.

진법[2]【眞法】명〖불교〗진여(眞如)의 정법(正法).

진:법[3]【進法】[—뻡] 명〖수〗자리수를 정하기 위한 기수법(記數法)의 하나. ¶십~/이~.

진:변[1]【陳辯】명 사정을 말하여 변명함. ——-하다 타여불

진:변[2]【鎭邊】명 변경을 진압하여 다스림.

진:변-위【鎭邊衛】명〖역〗조선 시대 때 평안도 영변(寧邊)에 둔 토관(土官)의 서반 직소(西班職所). *진봉위(鎭封衛).

진:병[1]【進兵】명 병사를 내어보냄. 진군(進軍). ——-하다 자여불

진:병[2]【鎭兵】명 난리를 진압하는 병사(兵士).

진보[1]【珍寶】명 진귀한 보배.

진:보[2]【進步】명 사물이 점차 발달하는 일. 사물이 차차 나아지는 일.

향상(向上). ↔퇴보(退步). ——-하다 자여불

진:보[3]【鎭堡】명〖역〗조선 시대 때 함경도·평안도의 북방 변경에 있던 각 진(鎭).

진:보-당【進步黨】명 ①〔Progressive Party〕미국의 정당. 1912년 루스벨트(Roosevelt, T.)가 공화당을 탈당하여 결성한 정당. 신국민주의에 의한 직접 민주제의 확대, 광범위한 사회 개혁을 주장함. 1916년의 대통령 선거후 거의 공화당에 복귀했음. ②〔Progressive Party〕미국의 정당. 1948년 월리스(Wallace, H.)가 조직한 공화·민주 양대 정당에 대한 제3당. 국내적으로는 진보적 수정 자본주의, 국외적으로는 대소(對蘇) 화평을 정책으로 표방, 1948년 대통령 선거에서 당수 월리스가 패배하고 이어 그가 탈당한 후로는 세력이 미미함. ③1956년 조봉암(曺奉岩)을 중심으로 하는 진보주의자들이 조직한 혁신 정당. 1959년 조봉암이 간첩 혐의로 사형당한 후 사실상 붕괴됨.

진-보라【津一】명 진한 보랏빛. 농자색(濃紫色).

진:보-적【進步的】명관 ①진보하고 있는 모양. ②진보한 사상을 가지고 있는 모양. 진보주의적 견지에 서는 모양. ¶ ~ 사상. ↔보수적.

진:보-주의【進步主義】[—/—이] 명 사회의 모순(矛盾)을 변혁하려는 전진적(前進的) 사상. 프로그레시비즘(progressivism). ↔보수주의(保守主義)·급진주의(急進主義).

진:보주의 교:육【進步主義教育】[—/—이—] 명〔progressive education〕〖교〗미국에서 '신교육(新教育)'의 의미로 쓰이는 말. 1919년 '진보적 교육 협회'가 설립되어 교육 개혁 운동(教育改革運動)이 시작되었을 때부터 쓰이게 됨.

진:보주의-자【進步主義者】[—/—이—] 명 진보주의를 신봉(信奉)하는 사람. ↔보수주의자.

진복[1]【眞福】명〖천주교〗진실한 행복.

진:복[2]【進伏】명 편전(便殿)에서 임금을 모실 때 탑전(榻前)에 엎드림. ——-하다 자여불

진복[3]【診腹】명 복부의 병상(病狀)에 대한 진찰.

진:복[4]【震服】명 무서워 떨면서 복종함. ——-하다 자여불

진-복창【陳復昌】명〖사람〗조선 명종(明宗) 때의 간신(奸臣). 자(字)는 수초(遂初). 여양(驪陽) 사람. 구수담(具壽聃)의 문인. 소윤(小尹)의 윤원형(尹元衡)의 심복으로 을사 사화(乙巳士禍) 때 활약했고, 마음에 들지 않는 자는 모두 죽여 사관(史官)들이 독사(毒蛇)라 기록하였으며, 충언하는 스승 구수담을 죽여 극적(極賊)이라는 혹평을 들었음. 뒤에 상전인 윤원형에게도 미움을 받아 유배되어 죽었으나 문장과 글씨에 뛰어났음. 작품 ≪역대가(歷代歌)≫·≪만고가(萬古歌)≫. [?-1563]

진복 팔단【眞福八端】[—딴] 명〖천주교〗'마태오 복음' 5장 3절 이하에 있는 예수의 산상 설교(山上說教) 속의 말. 신빈(神貧)·양선(良善)·통곡(痛哭)·의갈(義渴)·애긍(哀矜)·청심(清心)·화목(和睦)·의해(義害)의 여덟 가지를 이름. '여덟 가지 참 행복'의 구용어.

진본[1]【珍本】명 진서(珍書).

진본[2]【眞本】명 옛 책·글씨·그림 등의 거짓이 아닌 진짜 책. 또, 그 필적(筆跡). ↔가본(假本)·안본(贋本)·위본(僞本).

진:봉【進封】명 ①물건을 싸서 진상(進上)함. ②〖역〗왕세자(王世子)·세손(世孫)·후(后)·비(妃)·빈(嬪)의 봉작(封爵)을 더함. ——-하다 타여불

진:봉-위【鎭封衛】명〖역〗조선 시대 때 함경도 경성(鏡城)에 둔 토관(土官)의 서반 직소(西班職所). *진북위(鎭北衛).

진부[1]【津夫】명〖역〗고려·조선 시대 때, 관설(官設)한 나룻배의 사공.

진부[2]【眞否】명 참됨과 그렇지 못함. 진위(眞僞). ¶ ~를 가리다.

진부[3]【陳腐】명 묵어서 썩음. 낡고 헒. ¶ ~한 사고(思考) 방식. ——-하다 형여불

진부-령【陳富嶺】명〖지〗강원도 인제군(麟蹄郡) 북면(北面)과 고성군(高城郡) 간성읍(杆城邑) 사이의 태백 산맥을 넘는 고개. 향로봉(香爐峰)·마산(馬山) 사이의 안부(鞍部)를 넘으며 관동(關東)·영동(嶺東)·영서(嶺西) 교통에 있어서 남쪽 대관령(大關嶺), 북쪽 추지령(楸地嶺)과 함께 3대 영(嶺)으로 일컬음. 고개의 길이는 약 60km에 달하고 연로(沿路)의 경치는 청류 벽담(清流碧潭)·기암 괴석(奇岩怪石)·취란(翠巒) 등 절경(絕景)을 이룸. [520m]

진부분 집합【眞部分集合】명〔proper subset〕〖수〗두 집합의 원(元)이 일치하지 않을 때의 부분 집합. *부분 집합.

진부-전【津夫田】명〖역〗고려 말·조선 시대 초에 과전법(科田法)에 따라 진부(津夫)에게 반급(頒給)한 급전(給田)의 하나.

진-부정【一不淨】명 부정을 꺼릴 때 초상(初喪)이 드는 일.

진부정(을) 치다 구〖민〗초상이 난 집에서 무당굿의 첫거리로 부정을 쫓아 버리다.

진부정-가심【一不淨一】명〖민〗초상난 집에서 무당을 들여 굿을 하여, 그 부정을 가시는 일.

진부화 자산【陳腐化資產】명 회사·공장 등에서 기술의 진보, 유행의 변화, 사업의 폐지 따위, 경제적(經濟的)·사회적(社會的) 변화에 따라 가치(價值)가 감소(減少)한 자산.

진북【眞北】명〔true north〕①지리학적 북극의 방향. ②진방위(眞方位)를 측정하는 기준 방향. *자북(磁北).

진:북-위【鎭北衛】명〖역〗조선 시대 때 함경도 영흥(永興)에 둔 토관(土官)의 서반 직소(西班職所). 뒤에 함흥(咸興)으로 옮김. *진서위(鎭西衛).

진분[1]【眞粉】명 순백색의 건축 도료(塗料).

진분[2]【塵氛】명 티끌.

진-분수【眞分數】[—쑤] 명〔proper fraction〕〖수〗분자(分子)가 분모보다 작은 분수. ↔가분수(假分數).

진-분홍【津粉紅】명 썩 짙은 분홍 빛깔.

진불【眞佛】명〖불교〗①보신불(報身佛) 또는 법신불. ②진실한 부처. 곧, 진여(眞如). ↔화불(化佛).

진-비중【眞比重】명〔absolute specific gravity〕〖물〗주어진 온도(溫度)에서의 물질의 중량과 같은 온도에서 진공중(眞空中)에 있어서의 동일한 체적을 차지하는 물의 중량과의 비(比).

진사[1]명 '애꾸눈이'를 조롱하는 말.

진사[2]【辰砂】명 ①〔cinnabar〕〖광〗진홍색(眞紅色) 육방 정계(六方晶系) 광석의 한 가지. 수은(Hg)과 유황(S)과의 화합물. 보통 괴상(塊狀)으로 점판암(粘板岩)·혈암(頁岩)·석회암 속에서 산출되며, 빛은 진홍색으로 투명 또는 불투명, 경도(硬度) 2-2.5, 비중(比重) 8-8.2의 광석. 수은 제조·적색 채료(彩料)·약용으로 쓰임. 주사(朱砂). 단사(丹砂). ②〖한의〗중국 진주(辰州)에서 산출되는 주사(朱砂). 보통의 주사와 약효는 같음. ③중국 송(宋)·명(明) 시대에 만들어 낸 자기(瓷器). 구리로 착색한 진홍색의 잿물을 칠하였음.

진사[3]【珍事】명 ↗진사건(珍事件).

진사[4]【眞絲】명 명주실.

진:사[5]【陳謝】명 까닭을 말하며 사과함. 사과의 말을 함. ——-하다 자타여불

진:사[6]【進士】명〖역〗①조선 시대 때, 소과(小科)·진사과(進士科)에 급제(及第)한 사람의 일컬음. 상사(上舍). ②고려 때, 제술과(製述科)에 합격한 사람의 칭호. ③중국에서의 과거의 과목. 후에는 그 합격자를 말했음. 당(唐)나라에서 향시(鄕試)·회시(會試)·성시(省試)·전시(殿試)를 거친 사람을 말했으며 벼슬아치의 등용문으로, 백의 공경(白衣公卿) 또는 백삼(白衫)이라 이르고 최고의 명예였음.

[진사 노새 보듯 한다] 무엇을 유심히 들여다봄을 이르는 말.

진:사[7]【進仕】명 출사(出仕). ——-하다 자여불

진사[8]【診査】명 생명 보험(生命保險)을 계약할 때, 피보험인(被保險人)의 건강(健康) 상태·병력(病歷) 등을 진찰(診察) 조사하는 일. ↔무진사(無診査).

진:사[9]【進賜】명〈이두〉나리[3].

진:사[10]【賑事】명〖역〗진휼에 관한 일.

진사[11]【塵沙】명〖불교〗먼지나 모래. 또, 수가 무수히 많음의 비유.

진사[12]【塵事】명 속세의 어지러운 일. 세상의 속사(俗事). 진무(塵務).

진:사[13]【震死】명 벼락 맞아 죽음. ——-하다 자여불

진사 강【一江】〔金沙〕명〖지〗중국 중남부 양쯔 강(揚子江) 상류부의 일컬음. 칭하이 성(青海省) 쿤룬(崑崙) 산맥에서 발원, 티베트 자치구(自治區)와 쓰촨 성(四川省)의 경계를 남류(南流)하다가 윈난 성(雲南省)으로 흘러들어 동류(東流)로 바뀌어 쓰촨 성의 이빈(宜賓)에서 민장(岷江) 강과 합류하여 양쯔 강이 됨. 금이 산출된다고 해서 유래한 이름임. 금사강. [2,760km]

진-사건【珍事件】[—껀] 명 진기한 사건. ㉠진사(珍事).

진-사고【珍事故】명 진기한 사고.

진:사-과【進士科】명〖역〗①고려 때, 합격자에게 진사(進士)의 칭호를 주므로 일컫는 제술과(製述科)의 딴이름. ②조선 시대 사마시(司馬試)의 하나. 유생(儒生)에게 제술(製述)을 과하여 진사(進士)를 뽑으며, 초시(初試)와 복시(覆試)가 있었음. *생원과(生員科).

진:사-덕【進士德】명〖지〗함경 북도 무산군(茂山郡) 연사면(延社面)에 있는 산. [1,646m]

진사-립【眞絲笠】명 명주실로 등사(縢絲)를 놓아서 만든 갓. 최상품의 갓으로 쳐서, 귀인(貴人)이 썼음. 죽사립(竹絲笠).

진:사-봉【進士峰】명〖지〗강원도 회양군(淮陽郡) 안풍면(安豐面)에 있는 산. 태백 산맥 중에 솟아 있는 고봉의 하나. [1,074m]

진:사-시【進士試】명〖역〗고려 국자감시(國子監試)의 별칭.

진사 시:정【眞絲市井】명 진사전(眞絲廛)의 장사치.

[진사 시정 연줄 감듯] 긴 끈 따위를 잘 감아 나아가는 것을 이르는 말.

진사 신파【辰仕申罷】명〖역〗조선 시대 때, 해가 짧은 계절에는, 관원이 진시(辰時) 곧 아침 7시부터 9시 사이에 출근하였다가, 신시(申時) 곧 저녁 3시부터 5시 사이에 파하여 돌아감. ㉠진신사(辰申仕).

진사-왕【辰斯王】명〖사람〗백제 제16대 왕. 여러 차례 고구려와 싸웠으며, 광개토왕의 내침으로 한수(漢水) 이북을 점령당하자, 이를 탈환하고자 구원(狗原)에 출전하였다가 병사하였음. [재위 385-392]

진사-전【眞絲廛】명〖역〗조선 시대 때 서울 백각전(百各廛)의 하나로 명주실·끈목 등만을 팔던 가게.

진사 절채【診査切採】명〖의〗시험 절제(試驗切除).

진사-치【辰巳一】명〖민〗일진(日辰)이 '진(辰)'이나 '사(巳)'로 된 날은 흔히 궂음을 이르는 말. ——-하다 자여불

진:산[1]【晉山】명〖불교〗중이 새로 한 절의 주지가 되는 일.

진:산[2]【鎭山】명〖역〗옛날 온 나라 및 국도(國都)와 각 고을 뒤에 있는 큰 산을 그 곳을 진호(鎭護)하는 주산(主山)으로 정하여 제사하던 산. 조선 시대 때에는 오악(五嶽)이라 하여 동방의 금강산(金剛山), 남방의 지리산(智異山), 서방의 묘향산(妙香山), 북방의 백두산(白頭山) 및 중심의 삼각산(三角山)을 나라의 진산으로 삼았음.

진산 사:건【珍山事件】[—껀] 명〖역〗신해 박해(辛亥迫害).

진:산-식【晉山式】명〖불교〗진산(晉山)에 이어 거행하는 의식.

진:삼-선【晉三線】명〖지〗경전선(慶全線)의 개양(開陽)에서 사천(泗川)을 거쳐 삼천포(三千浦)에 이르는 철도. 1965년 12월 7일 개통(開通)함. [29.1km]

진상[1]【珍賞】명 진귀하게 여겨 찬상(讚賞)함. ——-하다 타여불

진상[2]【陣上】명 진중(陣中).

진상[3]【眞相】명 사물의 참된 모습. 실제의 형편.

진상4【眞想】명 참된 생각.
진:상5【陳狀】명 상황을 진술함.
진:상6【進上】명 ①지방에서 나는 물건을 임금이나 고관에게 바침. 조선 시대 때, 감사(監司)·병수사(兵水使)가 매달 한 번씩(경기(京畿)는 매일) 임금에게 바침. *공물(貢物). ②〈속〉허름하고 나쁨. 또, 그런 물건. ↔ 왜배기. ——-하다 타여불
[진상 가는 꿀병 동이듯] 물건을 소중하게 동여맴을 가리키는 말. [진상 가는 송아지 배때기를 찼다] 공연한 짓을 하여 봉변하였다는 말. [진상은 꼬챙이에 꿰고 인정(人情)은 바리로 싣는다] 진상은 꼬챙이에 꿸 만큼 작으나, 그 밑엣사람에게 보내는 뇌물은 마소에 실어 보낸다는 뜻으로, 이속(吏屬)들의 권세 좋음의 비유. [진상 퇴물림 없다] 갖다 바치는데 싫다고 할 사람은 없다는 말.
진상7【塵想】명 속된 생각. 세속의 잡념. 속념(俗念).
진:상-물【進上物】명 진상하는 물품. 진상품(進上品).
진:상-짐【進上—】[—찜] 명 진상물을 싼 짐.
진:상-치【進上—】명〈속〉진상인 물건. 허름한 물건.
진:상-품【進上品】명 진상물(進上物).
진색【眞色】명 자색(自色).
진생【辰生】명『민』진년(辰年)에 난 사람.
진서1【珍書】명 진귀한 책. 진본(珍本). 진적(珍籍). 이본(異本). 비적(祕籍). 벽서(僻書).
진:서2【晉書】명『책』중국 25사(史) 중의 하나. 당(唐)나라 태종(太宗)이 방현령(房玄齡)·이연수(李延壽) 등에게 명하여 편찬하게 한 진대(晉代)의 정사(正史). 130권.
진서3【眞書】명 ①한문을 숭상할 때 한문을 높이어 일컫던 말. ②해서(楷書)의 속된 말. 진(眞).
진:서4【振舒】명 떨쳐서 폄. ——-하다 타여불
진서5【陳書】명『책』중국 25사(史)의 하나. 당 태종(唐太宗)의 명으로 요사렴(姚思廉)이 편찬하였고, 북송(北宋)의 인종(仁宗)이 증공(曾鞏)에게 교정(校正)시키어 판행(版行)한 진(陳)나라의 사서(史書). 본기(本紀) 6권, 열전(列傳) 30권.
진서-술 명『민』전라 남도 무안(務安) 등지의 풍습에서, 남의 집 머슴들이 스무 살이 되는 해의 음력 이월 초하룻날 탁주 한 동이 정도로 성인례(成人禮)를 올릴 때의 그 술.
진:서-위【鎭西衛】명『역』조선 시대 때 평안도 평양에 둔 토관(土官)의 서반 직소(西班職所). *진변위(鎭邊衛).
진-석련【陳錫聯】[—년] 명『사람』'천 시롄'를 우리 음으로 읽은 이름.
진선1【津船】명 나룻배.
진선2【珍膳】명 진수(珍羞).
진선3【眞仙】명 도를 성취한 신선.
진-선4【眞善】명 진과 선.
진:선5【進善】명 ①선(善)을 권함. ②『역』조선 시대 때 세자시강원(世子侍講院)에 소속한 정사품(正四品)의 벼슬. 학식(學識)과 행실(行實)이 뛰어난 사람으로서 천망(薦望)하여 임명(任命)하였음. *필선(弼善).
진:선 납언정【進善納言旌】명『역』의장기(儀仗旗)의 한 가지.

〈진선 납언정〉

진-선-미【眞善美】명 진(眞)과 선(善)과 미(美). 이상(理想)에 합치(合致)된 상태.
진:선 진:미【盡善盡美】명 착함과 아름다움을 다함. 더할 수 없이 잘됨. ——-하다 형여불
진설1【珍說】명 진기한 이야기.
진설2【陣說】명『책』조선 시대 때 한효순(韓孝純)이 편찬한 병법에 관한 책. 고금의 진법(陣法) 및 행군(行軍)에 관한 부분을 발췌하고 여기에 논병(論兵)에 대한 기록을 더한 것임. 1책.
진설3【眞說】명 ①올바른 학설이나 의견. ②『불교』진실한 설법. 참된 가르침.
진:설4【陳設】명 ①제사나 잔치 때에 상 위에 음식을 벌여 차림. ②배설(排設). ——-하다 타여불
진:섬【殄殲】명 무찔러서 모두 없애 버림. ——-하다 타여불
진:섭【震懾】명 ①위협함. ②두려워서 기절함. 몹시 두려워함. ——-하다 타여불
진성1【辰星】명『천』수성(水星).
진성2【珍姓】명 진기할 정도로 아주 드문 성(姓). 우리 나라에서는 미(米)·매(梅)·사(謝) 등이 이에 속함. *대성(大姓).
진성3【眞性】명 ①인위적(人爲的)이 아닌, 있는 그대로의 성질. 천부적인 성질. ②순진한 성질. ③『불교』만물의 본체. 진여(眞如). ④『의』의사성(擬似性)·유사성이 아닌, 참된 증세의 병. ¶～ 콜레라.
진:성4【晉省】명『지』산시 성(山西省).
진:성5【晉城】명『지』'진청'을 우리 음으로 읽은 이름.
진성6【眞誠】명 거짓 없는 참된 정성.
진:성7【陳省】명『역』↗진성장(陳省狀).
진-성8【陳誠】명『사람』'천청'을 우리 음으로 읽은 이름.
진:성9【軫星】명『천』이십팔수(二十八宿)의 스물여덟째 별. 준진(軫).
진:성10【盡誠】명 정성을 다함. 진기성(盡其誠). ——-하다 자여불
진:성11【鎭星·塡星】명『천』토성(土星).
진:성-기【軫星旗】명『역』의장기(儀仗旗)의 한 가지.

〈진성기〉

진성 다혈구 혈증【眞性多血球血症】[—쯩] 명〔polycythemia vera〕『의』각종 혈구 성분(血球成分), 특히 적혈구가 골수의 조혈 작용(造血作用) 촉진에 의하여 증가하는 일. 진성 적혈구 증가증(眞性赤血球增加症).
진성 당뇨병【眞性糖尿病】[—뼝] 명〔라 diabetes mellitus〕『의』몸의 탄수화물의 대사 이상(代謝異常). 췌장(膵臟)의 인슐린 생성(生成)에 장애가 있고 혈당(血糖) 증가와 당뇨가 특징임.
진-성대【眞聲帶】명『생』목청을 '가성대(假聲帶)'에 상대하여 이르는 말.
진성 반:도체【眞性半導體】명〔intrinsic semiconductor〕극히 순도가 높아서, 전기적(電氣的) 특성에 영향을 미치지 않는 정도의 불순물 밖에 포함하지 않은 반도체. 고유(固有) 반도체.
진성 여왕【眞聖女王】[—녀—] 명『사람』신라 제51대 여왕. 성은 김(金). 휘(諱)는 만(曼). 각간(角干) 위홍(魏弘)과 대구 화상(大矩和尙)에게 명하여 ≪삼대목(三大目)≫을 편찬하게 하였음. 음행(淫行)을 일삼고 병제(兵制)가 퇴폐하여 각지에서 군웅(群雄)이 할거하였고, 나라를 혼란에 빠뜨렸음. [재위 887-896]
진:성-장【陳省狀】[—짱] 명『역』지방 관아에서 중앙 관아에 올리는 각종 보고서.
진성 적혈구 증가증【眞性赤血球增加症】[—쯩] 명『의』진성 다혈구 혈증(眞性多血球血症).
진성 폐:렴【眞性肺炎】명『의』크루프성 폐렴(croup 性肺炎).
진세1【陣勢】명 ①군진(軍陣)의 세력. ②진영(陣營)의 형세.
진세2【塵世】명 티끌 세상. 귀찮은 세상. 이 세상. 속세. 진경(塵境).
진셍이 명〈방〉천치(天癡)(강원).
진소1【眞梳】명 참빗.
진:소2【陳訴】명 사정을 말하여 하소연함. ——-하다 자여불
진:소3【陳疏】명 상소(上疏). ——-하다 타여불
진:소4【鎭所】명 병사가 주둔하며, 그 땅을 진압하고 지키는 곳.
진-소위【眞所謂】부 그야말로. 참말로. ¶～ 조약돌을 피하다가 수만석을 만난 격으로 적은 화를 피하려다가 죽을 일을 당하는도다≪作者未詳 : 恨月≫.
진-속1【眞俗】명『불교』①출세간(出世間)과 세간(世間). ②진실 평등의 이치와 세속 차별의 이치. ③불법(佛法)과 세법(世法). ④승려(僧侶)와 속인(俗人).
진속2【塵俗】명 티끌 많은 속세. 이 속세간(俗世間). 진중(塵中).
진:속3【鎭屬】명『역』각 진영(鎭營)에 딸린 이졸(吏卒).
진속 이:제【眞俗二諦】명『불교』진제(眞諦), 곧 출세간(出世間)의 불법(佛法)과 속제(俗諦), 곧 세간의 법(法)의 둘. 이 뜻으로부터 진종(眞宗)에서는 이제(二諦)의 명목을 써서 타력(他力)의 안심(安心)은 진제문(眞諦門), 세간의 행의(行儀)는 속제문(俗諦門)이라 함.
진-손 명 물에 적신 손. 젖은 손. ↔마른손.
진:솔1 명 ①한 번도 빨지 아니한 새 옷. ②↗진솔옷.
진솔2【眞率】명 진실하고 솔직함. ——-하다 형여불
진솔-성【眞率性】[—썽] 명 진실하고 솔직한 성질.
진:솔-옷 명 봄·가을에 다듬어 지어서 입는 모시 옷. 준진솔.
진:솔-집 [—찝] 명 진솔을 단번에 찢거나 떨어뜨리는 사람을 조롱(嘲弄)하는 말.
진솔-회【眞率會】명 검박(儉朴)하고 예절을 벗어나지 아니한 술잔치의 모꼬지.
진송【津送】명『불교』망자(亡者)를 보냄. 장송(葬送). ——-하다 타여불
진:쇄【振刷】명 진기(振起). ——-하다 자타여불
진쇠-춤 명『민』경기도 도당(都堂)굿의 진쇠 장단에 맞추어 추는 남자춤.
진수1【辰宿】명『천』성수(星宿).
진수2【珍秀】명 진귀하고 뛰어남. ——-하다 형여불
진수3【珍羞】명 진귀한 음식. 가장 맛좋은 음식. 진선(珍膳). 진찬(珍饌). 화찬(華饌).
진수4【眞水】명 잡것이 섞이지 않은 순수한 물.
진수5【眞修】명『불교』천태종(天台宗)의 용어. 관법(觀法)의 수행(修行)에 있어서, 수행하려는 특별한 생각 없이 스스로 이치를 깨달아 행하는 수행. 초지(初地) 이상의 보살의 수행을 말함. ↔연수(緣修).
진수6【眞數】명 ①어떤 물건들의 진정한 개수. ②〔anti-logarithm〕『수』양수(陽數) x의 상용(常用) 로그를 y로 할 때의 x를 로그 y의 진수라 일컬음. 역(逆)로그. ↔가수(假數).
진수7【眞髓】명 사물의 중심 부분에서도 가장 중요한 부분. 신수(神髓). ¶불교의 ～.
진-수8【陳壽】명『사람』중국 진(晉)나라 때의 사학자. 쓰촨(四川) 출신. 자는 승조(承祚). 삼국 시대에는 촉(蜀)에 봉사하였으나 망국 후 진나라에 봉사하여, 중국의 정사(正史)의 하나인 ≪삼국지(三國志)≫를 찬(撰)하였음. [233-297]
진:수9【進水】명 새로 건조한 함선(艦船)을 조선대(造船臺)에서 미끄러 내려뜨려 물 위에 띄우는 일. ¶～식. ——-하다 타여불
진:수10【進修】명 ①덕과 학문을 닦음. ②진보. 개선.
진:수11【軫宿】명『천』이십팔수(二十八宿)의 하나.
진:수12【盡數】명 몰수(沒數).
진수13【塵數】명『불교』수(數)의 많음을 먼지에 비유한 말.
진수14【螓首】명 미인의 이마의 비유. 전(轉)하여, 아름다운 용모. 흔히, '진수 아미(螓首蛾眉)'의 형태로 쓰임.
진:수15【鎭戍】명 변경을 지킴. ——-하다 타여불
진:수16【鎭守】명 군대를 주재시켜 요처를 든든히 지킴. ——-하다 타여불
진:수 고:사【進水告祀】명『민』배를 완공하고 나서 배가 장차 무사하

기를 비는 고사.
진:수-대【進水臺】[명] 새로 만든 함선을 조선대(造船臺)로부터 미끄러뜨려 물 속으로 들여 보내는 장치.
진-수렁 [명] ☞진창.
진수 성:찬【珍羞盛饌】[명] 맛이 좋고 많이 잘 차린 음식.
진:수-식【進水式】[명] 새로 만든 배를 진수시킬 때에 하는 의식.
진:숙【振肅】[명] ①두려워서 떨며 삼감. ②쇠한 것을 진작(振作)시키고, 해이된 것을 긴축시킴. ——-하다 [타][여불]
진-순【陳淳】[명]〖사람〗중국 명대(明代), 오파(吳派)의 문인화가. 호는 백양산인(白陽山人). 창저우(長州) 출신. 문징명(文徵明)에게 배웠고, 화훼화(花卉畫)가 장기(長技)인데, 청(淸)나라 초기의 팔대 산인(八大山人)의 한 사람임. [1483-1533]
진술[1]【眞術】[명] 참된 술법.
진:술[2]【陳述】[명] ①자세하게 말함. 신술(申述). ②〖법〗민사 소송에서 소송 당사자 또는 소송 관계인이 그 계쟁(係爭) 사실에 대하여 사실상 또는 법률상의 사항을 구술(口述) 또는 서면으로 말하는 일. ③〖법〗형사 소송 상, 당사자·증인·감정인(鑑定人) 등이 타인으로부터 강요됨이 없이 관계 사항을 구술 또는 서면으로 말하는 일. 공술(供述). ¶ ~서. ——-하다 [타][여불]
진:술 거:부권【陳述拒否權】[-꿘] [명]〖법〗피고인·피의자·증인·감정인(鑑定人)이 자기나 근친자(近親者)가 형사 소추(刑事訴追)를 받거나 또는 유죄 판결을 받을 우려가 있는 사실에 대하여 신문권자(訊問權者)의 신문에 무조건 또는 법정(法定) 조건하에 진술을 거부할 수 있는 권리. *묵비권(默秘權).
진:술-문【陳述文】[명] 진술을 기록한 문장.
진:술-서【陳述書】[-써] [명] 진술을 기재한 서류. 공술서(供述書).
진쉬 [명]〈방〉진딧물(제주).
진:스[1] [jeans] [명] 진(jean).
진:스[2] [Jeans, James Hopwood] [명]〖사람〗영국의 천문학자·물리학자. 나선 성운(螺旋星雲) 및 태양계의 기원에 관한 조석설(潮汐說)을 발표. 그 외에도 열복사(熱輻射)에 관한 '레일리 진스(Rayleigh-Jeans)의 법칙'도 내었음. 우주 진화론에 관한 여러 가지 독자적인 학설을 발표함. 저서에 ≪역학적 가스론(力學的 gas論)≫·≪전기 및 자기의 수학적 이론≫ 등이 있음. [1877-1946]
진습【珍襲】[명] 진귀(珍貴)하게 여기어 소중히 간직해 둠. 진장(珍藏).
진승[1]【眞僧】[명] 속으로는 마음을 닦고 겉으로는 계행(戒行)을 잘 지키는 참된 중.
진-승[2]【陳勝】[명]〖사람〗중국 진말 한초(秦末漢初)의 군웅(群雄)의 한 사람. 양성(陽城), 곧 지금의 허난 성 사람. 진의 2세 황제 원년(209 B.C.)에 오광(吳廣)과 함께 군사를 일으키어, 초(楚)나라 왕(王)이 되었으나 진의 장수 장감(章邯)의 군대에 패하여 끝내 부하인 장가(莊賈)에게 살해(殺害)됨. 그러나 이들의 거사(擧事)가 도화선이 되어 유방(劉邦)·항우(項羽) 등의 거병(擧兵)이 있어 결국 진(秦)을 멸망시킴. 재위 6개월. [?-208. B.C.]
진승 오광【陳勝吳廣】[명] [둘 다 중국 초(楚)나라 사람으로 거병(擧兵)하여 진(秦)에 대한 반란에 선수를 썼다는 데서 유래] 어떤 일에 선수를 써서 앞지르는 일. 또, 그런 사람. [준]진오(陳吳).
진시[1]【辰時】[명]〖민〗①하루를 12 시간으로 나눈 다섯째 시간, 곧 오전 7-9시 동안. ②하루를 24 시간으로 나눈 아홉째 시간, 곧 오전 8-9시 동안. [준]진(辰).
진:시[2]【振施】[명] 구차(苟且)한 사람을 구제(救濟)함. 진구(振救). ——-하다 [타][여불]
진:시[3]【陳試】[명]〖역〗문무과(文武科)의 초시(初試)에 급제한 사람이 사정으로 서울의 복시(覆試)에 회시(會試)하기가 어려울 때에 그 사정을 예조(禮曹)에 고하고 다른 해에 보는 일.
진:시[4]【鎭市】[명]〖역〗중국에서 송대(宋代) 이후 현(縣) 밑의 한 행정 구획으로 된 지방의 작은 도시.
진시[5]【眞是】[부] 진실로. 참으로. 진정으로.
진:시[6]【趁時】[부] 진작. ¶ 여기가 자네 집이던가? 그런 줄 알았더면 ~ 찾았을 걸≪李海朝 : 牧丹屛≫.
진:-시방【†盡十方】[명]〖불교〗전세계. 진시방계(盡十方界).
진:시방-계【†盡十方界】[명]〖불교〗진시방.
진:시-장【陳試狀】[-짱] [명]〖역〗진시를 신청할 때에 내는 진정서. 복시(覆試)를 한 번 쉬는 것이 진시인데, 본읍(本邑)을 거쳐 예조(禮曹)에 냄. 진시가 허락되는 사유로는 상중(喪中)에 있거나, 기복(朞服)을 당하여 아직 장례를 치르지 못했거나, 부자(父子)가 함께 복시에 응하게 된 경우 등임.
진시-화【一花】[명]〈방〉〖식〗채송화.
진-시황【秦始皇】[명]〖사람〗시황제(始皇帝).
진식[1]【眞食】[명]〖역〗실봉(實封).
진:식[2]【進食】[명] 병을 치른 뒤에 식욕이 더하여짐. ——-하다 [자][여불]
진-식읍【眞食邑】[명]〖역〗실봉(實封).
진-신[1] [명] 들기름에 결어서 만든 진땅에 신는 가죽신. 유혜(油鞋). 이혜(泥鞋). ↔마른신.
진신[2]【眞身】[명]〖불교〗①부처의 보신(報身) 또는 법신(法身). 또, 그 총칭. ↔화신(化身)·응신(應身)·삼신(三身). ②보살.
진:신[3]【搢紳·縉紳】[명] ①벼슬아치의 총칭. ②지위가 높고 행동이 점잖은 사람.
진-신발 [명] ①진창에서 젖은 신. ②☞진발.
진:신-소【搢紳疏】[명] 모든 진신이 연명하여 올리는 상소(上疏).
진:신 장보【搢紳章甫】[명] 모든 벼슬아치와 유생(儒生)들.
진실[1]【秦室】[명] 고대 중국의 진(秦)나라 왕실.
진실[2]【眞實】[명] ①거짓이 없고 참됨. ②〖불교〗헛되지 아니함. 절대의 진리. 진여(眞如). ③〖기독교〗진리(眞理)❺. ——-하다 [형][여불]. ——-히 [부]
진실-감【眞實感】[명] 참된 맛을 안겨주는 느낌.
진실고지구 [부]〈방〉진실로(함경).
진실고지루 [부]〈방〉진실로(함경).
진실-로【眞實一】[부] 참으로. 거짓 없이. 정말로.
진실 무위【眞實無僞】[명] 참되어 거짓이 없음. ——-하다 [형][여불]
진실-미【眞實美】[명] 진실이 지니는 미.
진-실상【眞實相】[-쌍] [명]〖불교〗제법 실상(諸法實相).
진실-성【眞實性】[-썽] [명] 진실로서의 성질. 참된 성질. 참된 품성. 신빙성(信憑性).
진실-승【眞實僧】[명]〖불교〗계율을 엄수하는 참된 중.
진심[1]【眞心】[명] 거짓이 없는 참된 마음. 실심(實心). 심성(心性).
진심[2]【塵心】[명] 속계(俗界)의 일에 더럽혀진 마음. 속계의 명리(名利)를 탐내는 마음.
진:심[3]【盡心】[명] ①마음에 고유한 본연의 덕성을 다하여 이것을 천명(闡明)함. ②마음을 다 기울여 씀. ——-하다 [자][여불]
진심[4]【瞋心·嗔心】[명] 왈칵 성내는 마음.
진:심 갈력【盡心竭力】[명] 마음과 힘을 있는 대로 다함. [준]진심력(盡心力). ——-하다 [자][여불]
진:-심력【盡心力】[-녁] [명] ↗진심 갈력(盡心竭力). ——-하다 [자][여불]
진-아교【眞阿膠】[명]〖한의〗중국에서 나는 질이 좋은 아교. 약제로 씀.
진안[1]【津岸】[명] 진역(津驛).
진-안[2]【眞贋】[명] 진짜와 가짜. 진위(眞僞).
진:안[3]【鎭安】[명]〖지〗전라 북도 진안군의 군청 소재지로 읍(邑). 군의 중앙부에 위치함. 마이산(馬耳山)의 암마이봉(馬耳峰)에는 약 100년 전에 이갑룡(李甲龍) 처사(處士)가 쌓아 올린 마이산 석탑(石塔)이 있음. [12,576명(1990)]
진:안 고원【鎭安高原】[명]〖지〗소백 산맥과 노령 산맥 사이의 낮은 고원. 전라 북도에 위치하나 충남·전남 일부에도 걸쳐 있음. 남한의 최다우지(最多雨地)이나, 산업 개발이 뒤져 저지대에서 담배의 재배·제지·목공 등 가내 공업이 행해짐. 남원 부채·운봉 목기 등의 공예품과 감·배·무명 등이 이름 있고, 금산(錦山)은 인삼·농산물의 집산지로 알려짐. 고도(高度)는 500 m 임.
진:안-군【鎭安郡】[명]〖지〗전라 북도의 한 군. 관내 1읍 10면. 도의 동북부에 위치하여, 동은 무주군(茂朱郡)·장수군(長水郡), 서는 완주군(完州郡), 남은 임실군(任實郡), 북은 충청 남도 금산군(錦山郡)에 접함. 남으로 섬진강(蟾津江)이 발원(發源)하여 흐르고, 북으로 금강(錦江)이 종단(縱斷)하여 흐름. 주산업은 농업으로 인삼·표고·고추·담배의 산출(産出)이 많은데, 특히 담배는 품질(品質) 좋기로 유명함. 명승 고적(名勝古蹟)으로는 금당사(金塘寺)·천황사(天皇寺)·고림사(古林寺)·옥천암(玉泉庵)·진안 향교(鄕校)·마이산탑(馬耳山塔)·수선루(睡仙樓)·운일암(雲日岩)·반일암(半日岩) 등이 있음. 군청 소재지는 진안읍(鎭安邑). [788.92 km²: 40,084 명(1996)]
진안 막변【眞贋莫辨】[명] 진짜와 가짜를 분별할 수 없음.
진-안주【一按酒】[명] 마른 안주 이외의 안주. 물기가 있거나 또는 물을 넣어 만든 안주. ↔마른 안주.
진:알【進謁】[명] 높은 사람께 나아가 뵘. ——-하다 [자][타][여불]
진:압【鎭壓】[명] 진정시키어 억누름. ¶ 데모 ~. ——-하다 [타][여불]
진:압 경:찰【鎭壓警察】[명] 범죄의 수사 및 피의자의 체포를 위한 경찰. ↔예방 경찰.
진:압-책【鎭壓策】[명] 진압하는 방책.
진:앙【震央】[명] [epicenter]〖지〗지진의 진원(震源)의 바로 위의 지점. 곧, 진원과 지심(地心)을 맺는 직선(直線)이 지구의 표면(表面)과 교차(交叉)하는 점.
진애【塵埃】[명] 티끌. 먼지. 애진(埃塵).
진애 감:염【塵埃感染】[명]〖의〗공기 속에 떠 있는 먼지에 묻은 병원체를 흡입(吸入)하거나, 그것이 피부에 앉아서 야기된 감염. 두창(痘瘡)·결핵·탄저(炭疽)·성홍열·단독(丹毒) 등이 이 방법으로 전염됨. 비진 감염(飛塵感染).
진애-계【塵埃計】[명] 공기 속에 떠 있는 먼지 입자(粒子)의 측정에 쓰이는 장치.
진:액【津液】[명] 생물체내에서 생겨 나는 액체. ¶ 이성에 대한 ~ 같은 애정이 체내로부터 스며 나온다≪孫章純 : 한국인≫.
진약[1] [명]〈방〉저녁(경북·제주·강원).
진약[2]【珍藥】[명] 희귀한 약.
진양[1]【疹恙】[명] 홍역(紅疫).
진:양[2]【振揚】[명] 떨쳐 날림. ——-하다 [타][여불]
진:양[3] [晉陽] [명]〖지〗'타이위안(太原)'의 별명.
진:양-군【晉陽郡】[명]〖지〗전에, 경상 남도의 한 군. 16면(面). 도의 서부 중앙에 위치하고 동쪽은 함안군(咸安郡), 서쪽은 하동군(河東郡)과 산청군(山淸郡), 남쪽은 사천시(泗川市)와 고성군(固城郡), 북쪽은 의령군(宜寧郡)에 접하며 군의 남부 중앙에 진주시(晉州市)가 있었음. 주요 산물은 농산·임산·공산·축산 등이며 특히 소는 품종이 좋음. 명승 고적으로는 청곡사(靑谷寺)·응석사(凝石寺)·금호지(琴湖池) 등이 있음. 1995년 1월 진주시에 통합됨.
진양 악서【陳暘樂書】[명] 중국의 음악 책. 북송(北宋)의 진양이 1101년에 저술함. 주로 당대(唐代)의 음악을 그림을 넣어 설명하였음. 원(元)나라 마단림(馬端臨)의 ≪문헌 통고(文獻通考)≫에 많이 인용됨.

진양-조【一調】[一쪼] 명『악』민속 음악에서 판소리 및 산조(散調) 장단의 한 가지. 24박 1장단의 가장 느린 속도로, 6박자 넷으로 나눌 수도 있고 12박자 둘로 나눌 수도 있음.

진어[1]【眞魚】명『어』준치.

진:어[2]【進御】명 ①임금의 입고 먹는 일의 존칭어(尊稱語). ②임금의 거둥. ——-하다 타여불

진:어-기【進御器】명 중국 원(元)나라 추부(樞府)에서 일정한 양식에 의하여 민요(民窯)로 하여금 어용 기물(御用器物)을 만들게 하여 쓰던 도자기(陶瓷器).

진:어-사【鎭禦使】명『역』조선 시대 때, 춘천부(春川府)의 진어영(鎭禦營)의 으뜸 벼슬. 춘천 유수(春川留守)의 겸직(兼職)임.

진:어-영【鎭禦營】명『역』조선 시대 친군영(親軍營)의 하나. 고종(高宗) 31년(1894)에 춘천(春川)에 두었다가 이듬해에 폐함. *진남영(鎭南營).

진언[1]【眞言】명 ①참된 말. 거짓이 아닌 말. ②『불교』불타의 말. 법신(法身)의 말. 명(明). ③주문(呪文). ④↗진언종(眞言宗).

진-언[2]【眞諺】명 진서(眞書)와 언문(諺文).

진언[3]【陳言】명 ①낡아빠진 말. 케케묵은 말. ②말을 함. ——-하다 자여불

진:언[4]【進言】명 웃사람께 의견을 들어 말함. ¶개혁안을 ～하다. ——-하다 자타여불

진:언[5]【盡言】명 생각하였던 바를 다 쏟아 놓은 말.

진언[6]【瞋言·嗔言】명 성내어 꾸짖는 말.

진언-교【眞言教】명『불교』진언 다라니교(眞言陀羅尼教).

진언 다라니【眞言陀羅尼】명『불교』진언 밀교(眞言密教)의 진언(眞言; 단구(短句)일 경우)과 다라니(陀羅尼; 장구(長句)일 경우)를 아울러 일컫는 말.

진언 다라니교【眞言陀羅尼教】명『불교』대일 여래(大日如來)의 자기 내심(自己內心)의 득도(得道)를 이룬 진언 비밀의 가르침. 그 가르침에 따른 종문(宗門)이 진언종(眞言宗)임. 진언교(眞言教).

진언 다라니종【眞言陀羅尼宗】명『불교』진언종(眞言宗).

진언 밀교【眞言密教】명『불교』밀교(密教)❷. 금강승(金剛乘).

진언 번등【眞諺翻謄】명 진서(眞書)를 언문(諺文)으로 또는 언문을 진서로 번등(翻謄)함. ——-하다 자타여불

진언 부지【眞諺不知】명 진서(眞書)나 언문(諺文)을 다 알지 못함. 곧, 무식함. ——-하다 자여불

진언 비:밀【眞言秘密】명『불교』진언종의 비밀의 법문(法門). 다라니(陀羅尼)의 비밀.

진언-사【眞言師】명『불교』진언의 기도를 하는 중.

진언 삼부경【眞言三部經】명『불교』진언종에서 특히 중히 여기는 경전(經典). 대일 삼부(大日三部), 곧 대일경(大日經)·금강정경(金剛頂經) 및 소실지경(蘇悉地經).

진언 양:부【眞言兩部】명『불교』태장계(胎藏界)와 금강계(金剛界).

진언-종【眞言宗】명『불교』불교 종파의 하나. 밀교(密教)라고도 함. 대일경(大日經)·금강정경(金剛頂經)·소실지경(蘇悉地經) 등에 의거하여 태장(胎藏)·금강(金剛)의 두 부를 세워, 다라니(陀羅尼)의 가지(加持)의 힘으로 즉신 성불(卽身成佛)시킴을 그 본지(本旨)로 함. 법신 대일 여래(法身大日如來)가 금강 살타(金剛薩埵)에게 금강·태장 양부(兩部)의 전법 관정(傳法灌頂)을 행하고, 불멸(佛滅) 800년이 지나 용수(龍樹)가 남천축(南天竺)의 철탑(鐵塔) 속에서 금강 살타로부터 양부(兩部)의 관정을 받고, 대일경(大日經)과 금강 정경(金剛頂經)을 전수(傳授) 받은 데서 기원함. 용수는 이를 용지(龍智)에게 전수하고 용지는 또 선무외(善無畏) 및 금강지(金剛智)에게 전하였으며 이들 둘은 전후하여 당(唐)의 개원(開元) 연대(年代)에 중국에 와서 선전, 금강지의 제자 불공 삼장(不空三藏)에 이르러 대성함. 진언 다라니종(眞言陀羅尼宗). 진언 밀교(眞言密教). 비종(秘宗). ㊈진언(眞言).

진언 지관【眞言止觀】명『불교』진언 밀교(眞言密教)와 천태 현교(天台顯教)를 아울러 일컫는 말.

진언-집【眞言集】명『책』진언을 범어(梵語)·한문(漢文) 및 한글로 대훈(對訓)한 책. 선조(宣祖) 때부터 여러 번 간행되었음.

진언 칠조【眞言七祖】[一쪼] 명『불교』진언 밀교(眞言密教)의 조사(祖師)인 용맹(龍猛)·용지(龍智)·금강지(金剛智)·선무외(善無畏)·불공(不空)·혜과(惠果)·일행(一行)의 일곱 사람.

진에【瞋恚】명 ①노여움. 분노. ②『불교』삼독(三毒)의 하나. 자기 의사에 어그러짐에 대하여 성을 내는 일. ㊈진(瞋).

진여[1]【眞如】명『불교』[범 Bhūtatathātā; 진실 여상(眞實如常)의 뜻] 우주 만유(萬有)의 실체로서 현실적이며 평등 무차별한 절대의 진리. 끊임 없이 변화하는 현상의 가상(假相)에 대하여 말함. 진제(眞諦). 실상(實相). 여실(如實). 일실(一實). 진실(眞實). 진성(眞性). ↔가상(假相). *무위법(無爲法).

진여[2]【眞亦】부〈이두〉참으로. 정말로.

진여 법계【眞如法界】명『불교』['법계'는 '진여' 또는 '일체 제법(一切諸法)'의 뜻] 만유(萬有)의 본체(本體)인 진여.

진여 실상【眞如實相】[一쌍] 명『불교』['진여'와 '실상'은 동체(同體)인 것에 상이한 입장에서 명명한 것] 만유(萬有)의 본체(本體)로서, 영구 불변, 평등 무차별인 것. 열반(涅槃). 법신(法身). 불성(佛性).

진여 연기【眞如緣起】명『불교』일체의 만유(萬有)는 인연(因緣)에 따라 진여(眞如)로부터 현현(顯現)하는 일.

진여-월【眞如月】명『불교』진여의 이치가 중생의 미망(迷妄)을 깨우침을, 밝은 달이 어두운 밤을 비춤에 비유하는 말.

진여 일색【眞如一色】[一쌕] 명『불교』만물(萬物)의 본체(本體)는 한결같으며 무차별임.

진여 일실【眞如一實】[一씰] 명『불교』진여는 영구 불변의 유일 진실(唯一眞實)로서, 일체 만법(一切萬法)의 본체임.

진여 평등【眞如平等】명『불교』모든 존재의 본성(本性)인 진여는 차별상(差別相)을 초월한 절대의 일(一)임.

진역[1] 명〈방〉저녁(강원·충북·전북·경상·함북).

진역[2]【津驛】명 나루터. 진안(津岸). 진두(津頭).

진역[3]【畛域】명 ①밭두둑. ②경계(境界).

진:역[4]【震域】명 우리 나라의 이칭(異稱). 동쪽 나라라는 뜻.

진:역[5]【震域】명 지진 때에, 일정한 진도(震度)를 가지는 지역. 유감(有感) 지역·강진(強震) 지역 등.

진:연[1]【進宴】명『역』나라에 경사가 있을 때 궁중에서 베푸는 잔치. 진찬(進饌)보다 규모가 크고 의식이 정중함. ¶대궐 안에는 작은 잔치와 ～이 자주자주 벌어졌다《朴鍾和 : 錦衫의 피》.

진연[2]【塵煙】명 연기처럼 일어나는 티끌.

진연[3]【塵緣】명 진세(塵世)의 번거로운 인연.

진:연 도감【進宴都監】명『역』진연에 관한 일을 임시 맡은 관아. 진연청(進宴廳).

진:연-청【進宴廳】명『역』진연 도감(進宴都監).

진열[1]【陣列】명 [←진렬] 진(陣)의 배열(排列). 군세(軍勢)를 배치(配置)한 열(列).

진:열[2]【陳列】명 [←진렬] 물건을 죽 벌이어 놓음. 여열(臚列). ¶～장(欌). ——-하다 타여불

진:열[3]【震裂】명 [←진렬] 땅이 흔들리고 갈라짐. 지진이 일어나 땅이 갈라짐. ——-하다 자여불

진:열-관【陳列館】명 물건을 진열하여 두고 사람들에게 관람시키기 위하여 지은 집.

진:열-대【陳列臺】[一때] 명 사람이 볼 수 있도록 물품이나 상품을 진열하는 대.

진:열-실【陳列室】명 물건을 진열하여 두는 방.

진:열-장[1]【陳列場】[一짱] 명 물품(物品)을 진열하여 둔 장소(場所).

진:열-장[2]【陳列欌】[一짱] 명 상점 등에서 상품을 진열하는 데에 쓰는 장. 쇼케이스(showcase).

진:열-창【陳列窓】명 행인의 눈에 잘 띄도록 가게 앞에 설치하여 놓고 상품을 진열하여 두는 유리창. 쇼 윈도(show window).

진:열-품【陳列品】명 진열하여 놓은 물품.

진영[1]【眞影】명 주로 얼굴을 그린 화상(畫像) 또는 사진.

진영[2]【陣營】명 ①군사가 둔(屯)치는 가옥(假屋). 진(陣). 군영(軍營). ②계급(階級)·당파(黨派)·이념(理念) 등을 달리하여 대립하는 세력의 어느 한쪽. ¶자유 ～.

진:영[3]【進永】명『지』경상 남도(慶尙南道) 김해군(金海郡)의 한 읍(邑). [22,612명(1990)]

진영[4]【塵纓】명 먼지가 묻은 관(冠)의 끈. 전하여, 속세의 관직(官職).

진:영[5]【鎭營】명『역』조선 시대 초부터 지방대(地方隊)의 주둔영(駐屯營)으로 각 병영(兵營)·수영(水營) 밑에 두었던 직소. 임진 왜란 이후 도성(都城) 및 근교에는 오군영(五軍營)의 개편에 따라 이에 직속케 하였고, 그 외의 지방은 각 감영(監營)·병영·수영 밑에 딸리게 하였음. 이를 지키는 진영장(鎭營將)으로 우후(虞侯)·첨사(僉使)·동첨절제사(同僉節制使)·만호(萬戶) 등의 계급이 이에 소속되었음. 고종(高宗) 32년(1895)에 철폐됨. 토포영(討捕營). ㊈진(鎭).

진영-각【眞影閣】명『불교』고승(高僧)의 영정(影幀)을 모시어 두는 전각(殿閣).

진:영-장【鎭營將】명『역』각 진영의 으뜸 장관(將官). 정삼품(正三品) 벼슬임. ㊈영장(營將)·진장(鎭將).

진:영 취:락【鎭營聚落】명『역』변경에 설치된 진(鎭)을 중심으로 이루어진 취락.

진:예[1]【進詣】명 궁중에 들어가서 뵈옴. ——-하다 자여불

진예[2]【榛穢】명 ①잡초(雜草)·잡목(雜木)이 우거진 데. ②나쁜 풍습(風習) 또는 나쁜 정사(政事).

진예[3]【塵穢】명 먼지와 더러움. 진오(塵汚).

진오[1]【陣伍】명 군대의 대오(隊伍)·대열(隊列).

진오[2]【眞吾】명 참된 자기. 자기의 진상.

진-오[3]【陳吳】명 ↗진승 오광(陳勝吳廣).

진오[4]【塵汚】명 먼지와 더러움. 진예(塵穢).

진오리 명〈심마니〉허리띠. 대님.

진옥【眞玉】명 참옥(玉). 진짜 옥.

진-옥성【陳玉成】명『사람』중국, 청말(淸末) 태평 천국(太平天國)의 무장(武將). 광시 성(廣西省) 등현(藤縣) 출신. 1858년 이수성(李秀成)과 함께 강북 대영(江北大營)을 치고, 이어 안휘 노주(安徽廬州) 삼하진(三河鎭)에서 이속빈(李續賓)의 상군(湘軍)을 궤멸시키는 등 크게 기세를 올려 청군(淸軍)을 괴롭혔으나 1862년 노주(廬州)에서 수주(壽州)로 패퇴, 청군에 잡혀 죽음. [1837-62]

진-옴 명『한의』옴에 급성 습진(濕疹)이 병발(並發)하는 피부병. 습개(濕疥). ↔마른옴.

진완【珍玩】명 ①진귀한 노리개. ②진기(珍奇)하게 여겨서 가지고 놂. ——-하다 타여불

진-왕【辰王】명『역』옛 진국(辰國)의 수장(首長). 본시 그 맹주(盟主)격인 목지국(目支國)의 수장이 두루 그 부족(部族) 연맹인 진국의 대표자가 되었음.

진-왕조【陳王朝】명『역』진경(陳煚)에 의하여 창시된 베트남의 왕조. 몽고군이 세 번이나 침입하였으나 역대의 왕이 격퇴하여 국세가 성했음. 15대로 명(明)나라에게 망함. [1225-1413]

진외【塵外】명 속세(俗世)의 번거로움에서 벗어난 곳. 진계(塵界)의 바깥. ¶~의 산중(山中) 생활.

진-외가【陳外家】명 아버지의 외가.

진-외숙【陳外叔】명 아버지의 외삼촌.

진-외조모【陳外祖母】명 아버지의 외조모.

진-외조부【陳外祖父】명 아버지의 외조부.

진요 청기【秦窯青器】명〖공〗중국 당(唐)시대에 진주(秦州)에서 생산되던 동청유(銅青釉)의 청자기(青瓷器).

진욕【瞋慾】명〖불교〗삼구(三垢)의 하나.

진용[1]【眞勇】명 참된 용기.

진용[2]【眞容】명 ①참 모습. ②참 모습을 모사(模寫)한 그림이나 상(像).

진용[3]【陣容】명 ①진세(陣勢)의 형편이나 상태. ②한 단체의 구성원들의 짜임새. 라인업(line-up). ¶편집 ~/~을 가다듬다.

진-용[4]【陳容】명〖사람〗중국, 남송(南宋) 말의 화가. 푸젠 성(福建省) 사람. 자(字)는 공저(公儲), 호(號)는 소옹(所翁). 강한 필력(筆力)으로 분방(奔放)하게 용(龍)을 그려, 용의 특징을 잘 나타냄. 생몰 연대 미상.

진:용 교:위【進勇校尉】명〖역〗조선 시대 때 정육품 무관(武官)의 품계. 여절 교위(勵節校尉)의 위, 돈용 교위(敦勇校尉)의 아래임.

진-용액【眞溶液】명 콜로이드 입자(粒子)가 분산 부유(分散浮遊)하는 콜로이드 용액에 대하여, 서로 용해하여 균일한 액상(液相)을 이룬 통상(通常)의 용액을 말함. 참용액.

진:우【軫憂】명 걱정. 근심.

진-우량【陳友諒】명〖사람〗중국 원말(元末)의 군웅(群雄)의 한 사람. 후베이 성(湖北省) 몐양(沔陽) 출신. 미천한 어부의 아들로 몸을 일으켜, 서수휘(徐壽輝)가 군사를 일으키자 그 부장(部將) 휘하에 가담, 차츰 세력을 얻었으며, 1360년에는 수휘를 죽이고, 이를 대신하여 강서(江西)·호광(湖廣) 일대에 위세를 떨침. 뒤에 주원장(朱元璋)과 자주 싸워 일진 일퇴(一進一退)를 거듭하다가 1363년 파양호(鄱陽湖)에서 패하여 죽음. [1316-63]

진운[1]【陣雲】명 싸움터의 하늘을 뒤덮는 구름.

진-운[2]【陳雲】명〖사람〗'천 윈'을 우리 음으로 읽은 이름.

진:운[3]【進運】명 향상할 운수. 진보의 기운(機運).

진:운[4]【盡運】명 운이 다함. ——-하다 자여불

진원[1]【眞元】명 사람의 한 몸의 원기.

진원[2]【眞猿】명〖동〗유인원(類人猿).

진-원[3]【陳苑】명〖사람〗중국 원(元)나라 때의 학자. 자는 입대(立大). 장시 성(江西省) 상라오(上饒) 출신. 어려서부터 유학(儒學)연구에 힘써, 특히 육구연(陸九淵)의 연구로 유명함. 주자학(朱子學)만 존중, 훈고(訓詁)의 학은 경시하던 당시의 시류에서, 의연(毅然)히 고도(古道)를 밝히는 일에 진력했음. [1256-1330]

진원[4]【陳遠】명〖지〗'천 위안'을 우리 음으로 읽은 이름.

진원[5]【嗔怨】명 성내며 원망함. 진한(嗔恨).

진:원[6]【盡源】명 사물의 근원을 궁구(窮究)하여 앎. ——-하다 타여불

진:원[7]【震源】명〔hypocenter〕〖지〗지하에서 일어나는 지진의 기점(起點). 진원지(震源地).

진:원-지【震源地】명〖지〗진원(震源).

진월【辰月】명〖민〗월건(月建)이 진(辰)으로 되는 달. 곧, 음력 삼월.

진-위[1]【眞僞】명 참과 거짓. 진짜와 가짜. 정위(正僞). 진가(眞假). 진부(眞否). 진안(眞贋). ¶~를 가리다.

진:위[2]【鎭慰】명 진정(鎭定)하여 위무함. ——-하다 타여불

진:위 교:위【振威校尉】명〖역〗고려 때 무관(武官)의 품계. 종육품(從六品)의 상(上). 성종(成宗) 14년(995)에 정하였음. 진무 부위(振武副尉)의 위, 요무(耀武) 부위의 아래.

진:위-대【鎭衛隊】명〖역〗대한 제국(大韓帝國) 때의 군대의 이름. 고종(高宗) 32년(1895)에 지방대(地方隊)를 고쳐서 일컫다가 순종(純宗) 융희(隆熙) 원년(1907)에 폐하였음. *진위 연대(聯隊).

진위-법【眞僞法】[—뻡] 명 두 가지의 선택(選擇)할 갈래를 주어, 진위를 판단케 하고, 지식(知識)의 정부(正否)나 유무(有無)를 객관적으로 확인하는 방법.

진:위-사【陳慰使】명〖역〗조선 시대 때, 중국 황실에 상고(喪故)가 있을 경우, 조위(弔慰)하기 위해 중국에 보내는 임시 사절(使節). 진향사(進香使)와 함께 보냄. *주청사(奏請使).

진:위 연대【鎭衛聯隊】명〖역〗조선 시대 말에 전국을 6개 지역으로 나누어 베푼 진위대(鎭衛隊)의 조직. 고종(高宗) 32년(1895)부터 광무(光武) 4년(1900)까지의 사이에 두었으며, 융희(隆熙) 1년(1907) 군대 해산 때 폐지되었음. 연대 본부 밑에 3개 대대(大隊)(평양의 제6연대만은 2개 대대)를 거느림.

진:위 장군【振威將軍】명〖역〗조선 시대 때 정사품 무관(武官)의 품계. 소위 장군(昭威將軍)의 위, 보공 장군(保功將軍)의 아래임.

진위-전【津位田】명〖역〗진(津)·도(渡)의 운영 비용에 충당토록 분급(分給)한 토지.

진유[1]【眞油】명 참기름.

진유[2]【眞儒】명 조예가 깊고 참되게 유도(儒道)를 체득한 유학자.

진유[3]【眞鍮】명 놋쇠.

진-유숭【陳維崧】명〖사람〗중국, 청초(清初)의 문인. 자는 기년(其年), 호는 가릉(迦陵). 장쑤 성(江蘇省) 이싱(宜興) 출생. 왕사정(王士禎)·송완(宋琬) 등 대가(大家)들과 어울려 이들과 동등한 명성을 얻음. 변체문(駢體文)과 사(詞)에 뛰어나 당시 이 방면에 선구가 되었는데, 특히 사(詞)에 있어서는 양선 사파(陽羨詞派)의 거두(巨頭)로서 후세 사단(詞壇)에 끼친 영향이 컸음. [1625-82]

진유-판【眞鍮板】명 판상(板狀)의 놋쇠.

진:육[1]【殄肉】명 죽은 짐승의 고기. 궂은 고기.

진:육[2]【殄戮】명〔←진륙〕무찔러 죽임. 모두 멸(滅)하여 버림. ——-하다 타여불

진:율【震慄】명〔←진률〕두려워서 몸이 떨림. 두려워서 몸을 떪. ——-하다 자여불

진음【震音】명 ①〔이 tremolo〕〖악〗한 음이나 몇 개의 음을 되도록 빨리 반복 연주하여 소리가 떨리어 울리도록 하는 일. 또, 그 음. 주로 기악(器樂)에 쓰임. 트레몰로(tremolo). ②〔warbling tone, trill〕〖물〗어떤 주파수의 음을 중심으로 하고, 일정한 주파수 범위를 연속적·주기적으로 변화하는 음.

진:응-사【進鷹使】명〖역〗조선 시대 후기에, 중국 청나라에 매를 바치기 위해 보내는 사절(使節). 현종(顯宗) 원년(1660)에 폐지됨.

진의[1]【眞意】[—/—이] 명 참뜻. 참된 의사(意思). 참마음. 진실한 의의(意義). ¶~를 알 수가 없다.

진의[2]【眞義】[—/—이] 명 참된 의의(意義).

진-의[3]【陳毅】[—/—이] 명〖사람〗'천 이'를 우리 음으로 읽은 이름.

진의 각석【秦一刻石】[—/—에—] 명 시황제(始皇帝) 각석.

진:의 탄:관【振衣彈冠】[—/—이—] 명〔의복과 관의 먼지를 턺〕속세를 초탈(超脫)하고자 함의 비유.

진이【珍異】명 유별나서 진기(珍奇)함. ——-하다 형여불

진-익채【秦益埰】명〖사람〗조선 시대 때의 문인(文人). 자(字)는 겸지(謙之), 호는 치와(耻窩). 남원(南原) 사람. 시서문(詩書文)에 뛰어나, 시는 두보(杜甫)를, 글씨는 안진경(顏眞卿)·유공권(柳公權)을, 문장은 사마천(司馬遷)·한유(韓愈)를 사숙(私淑)했음. 평생 벼슬에 뜻을 두지 않았으며, 부모의 상(喪)을 당하자 6년간을 시묘(侍墓)하다 병사함. 효행으로 군자감 주부(軍資監主簿)에 추증(追贈)됨. [1724-86]

진인[1]【津人】명 나루의 뱃사공.

진인[2]【眞人】명 ①참된 도(道)를 체득(體得)한 사람. 진리를 깨달은 사람. 또, 도사(道士)의 최고의 칭호. ②세속(世俗)을 초월한 사람. *원군(元君).

진인[3]【眞因】명 ①〖불교〗불과 보리(佛果菩提)의 경지에 도달하는 진실의 정인(正因). 자력교(自力敎)에서는 육도 만행(六度萬行) 등이며, 타력교(他力敎)에서는 아미타불(阿彌陀佛)의 본원(本願). ②참된 원인. ¶~을 밝히다.

진:인[4]【賑印】명〖역〗조선 시대 때, 진휼(賑恤)하는 일에 관계되는 서류에 찍는 인장(印章).

진-인석【陳仁錫】명〖사람〗중국 명말(明末)의 유학자. 자는 명경(明卿), 호는 지대(芝臺). 천계(天啓) 2년(1622)에 진사, 이어 한림 편수(翰林編修)가 되었으나 곧 낙향, 뒤에 다시 부름을 받고 누진하여, 난징 국자감 좨주(國子監祭酒)에 이름. 일찍이 경세 제민(經世濟民)의 뜻이 있어 평생 학문에 힘썼음. 저서에 ≪희경 이간록(羲經易簡錄)≫·≪황명 세법록(皇明世法錄)≫ 등이 있음. [1579-1630]

진-일[1]【—닐】명 ①음식을 만들거나 빨래를 하는 등, 물을 써서 하는 일. ↔마른일. ②궂은 일. ③마음이 내키지 않아 꺼리는 일. ——-하다 자여불

진일[2]【辰日】명〖민〗일진이 진(辰)으로 된 날. 갑진(甲辰)·병진(丙辰) 무진(戊辰)·경진(庚辰)·임진(壬辰).

진:일[3]【盡日】명부 ↗진종일(盡終日).

진:일[4]【鎭日】명 평상시. 평일(平日).

진:일 공부【盡日工夫】명 진종일 힘써 하는 공부.

진:일-력【盡日力】명 ↗진일지력(盡日之力).

진:-일보【進一步】명 한 걸음 더 나아감. ——-하다 자여불

진:일지-력【盡日之力】[—찌—] 명 진종일 맡은 업무에 부지런히 힘쓰는 힘. ㊌진일력(盡日力).

진:일-토록【盡日—】부 온종일.

진임【眞荏】명〖식〗참깨.

진:입【進入】명 내쳐 들어감. 향하여 들어감. ¶고속(高速) 도로 ~로. ——-하다 자여불

진:입-등【進入燈】명 비행장 등화(燈火)의 하나. 야간에 비행장에 착륙하려는 항공기에 대하여, 활주로로 바르게 진입하도록 유도하는 백색 부동광(不動光)의 등렬(燈列).

진-입부【陳立夫】명〖사람〗'천 리푸'를 우리 음으로 읽은 이름.

진-잎【—닢】명 푸성귀 잎의 날것이나 절인 것.

진잎-밥【—닙—】명 진잎을 넣고 지은 밥.

진잎-죽【—粥】[—닙—] 명 진잎을 넣고 쑨 죽.
[진잎죽 먹고 잣죽 트림한다] 실상은 보잘것 없으면서 겉으로는 아주 훌륭한 체함의 비유.

진자[1]【侲子】명〖역〗아이 초라니.

진:자[2]【振子】명〔pendulum〕〖물〗일정점(一定點) 또는 일정축(一定軸)의 둘레를 일정한 주기로 진동하는 물체. 단진자(單振子)·실체(實體) 진자·원추(圓錐) 진자 등이 있음. 흔들이.

진:자[3]【進瓷】명 중국 당(唐)나라 때 하남도(河南道)에서 세공(歲貢)으로 바치던 자기(瓷器).

진자[4]【榛子】명 개암.

진자[5]【榛刺】명 진형(榛荊)❷.

진-자기【眞磁氣】명〔true magnetic charge〕〖물〗물질에서 추출(抽出)하거나, 다른 물질에 이동시킬 수 있는 자기. 전기에서 진전하(眞電荷)에 대응하여 생각할 수 있는 것으로 실제는 존재하지 않음.

진자-당【榛子糖】명 개암 사탕.

진-자룡【陳子龍】명〖사람〗중국 명말(明末)의 충신. 자는 인중(人中)·와자(臥子), 호는 대준(大樽). 장쑤(江蘇) 출신. 1636년 사오싱 추관(紹興推官)이 되어 저장(浙江)의 난을 평정, 병과 급사중(兵科給事

中)에 승진되었으나 나라가 망한 후 잠시 복왕(福王)을 섬기다가 낙향했음. 타이 후(太湖)에서 의군(義軍)을 일으키려다 실패, 잡혀 물에 투신 자살함. 문장을 잘하여 특히 변체(騈體)에 능했음. 저서에 ≪백운 초려거(白雲草廬居)≫ 등이 있음. [1608-47]

진-자리[1] 명 ①아이를 금세 난 그 자리. ¶혹 아이를 무사히 낳더라도 ~에 다리 밑에나 개 구멍에 내어다 버리는 광경을 생각하면…≪作者未詳 : 홍도화≫. ②아이들이 오줌이나 똥을 싸서 축축하게 된 자리. ↔마른 자리. ③사람이 갓 죽은 바로 그 자리. ④바로 그 자리. 당장.

진자리[2] 부 〈방〉 진작.

진:자 시계【振子時計】명 조정 장치로 진자를 쓴 시계. 추시계.

진-자앙【陳子昻】명 『사람』 중국, 초당(初唐)의 시인. 자(字)는 백옥(伯玉). 쓰촨 성(四川省) 서홍(射洪) 출신. 남조 시대(南朝時代) 이래의 연약한 귀족 시풍(詩風)을 지양하고, 한위대(漢魏代)의 기골 있는 시로 돌아갈 것을 제창, 성당(盛唐) 문학에의 선구자가 됨. ≪감우(感遇)≫ 38 수를 지음. [661-702]

진자-장【榛子醬】명 개암장.

진:자-전【賑子錢】명 조선 시대 때 진휼청(賑恤廳)에서 발행한 상평 통보(常平通寶). 중앙에 네모난 구멍이 뚫린 둥근 모양의 철전(鐵錢)으로 앞면에는 '常平通寶'의 네 자(字)가 새겨져 있고, 뒷면의 윗부분에는 진휼청의 '賑'자가 씌어 있음.

진:자 전:차【振子電車】명 노선(路線)의 곡선 구간(區間)을 고속(高速)으로 통과할 때 작용하는 원심력(遠心力)으로 차체(車體)를 진자식(振子式)으로 기울게 하여 차내(車內)의 승객을 항상 안정(安定)된 상태로 유지하도록 한 전차.

진-자주【津紫朱】명 진한 자줏빛.

진자-죽【榛子粥】명 개암죽.

진작[1]【眞勺】명 『악』 ≪정과정(鄭瓜亭)≫의 음악적 명칭. 느린 데서 빠른 차례로 일(一)진작·이(二)진작·삼진작·사진작이 있으며, 만조(慢調)·평조(平調)·삭조(數調)로도 구분했음. 고려 충혜왕(忠惠王) 이후 ≪후전(後殿) 진작≫으로 되어 조선 시대 초까지 그 음곡만으로 궁중에서 쓰이었음.

진:작[2]【振作】명 떨치어 일으킴. 떨치어 일어남. 성(盛)하게 함. 진기(振起). ¶사기(士氣) ~. ——-하다 자타여불

진작[3]【眞斫】명 참나무 장작.

진:작[4]【進爵】명 ①『역』 진연(進宴) 때 임금께 술잔을 올림. ②헌작(獻爵). ③『민』 무당이 굿할 때, 술잔을 올리는 의식의 한 가지. 소리는 부르지 않음. ——-하다 자여불

진:작[5] 부 좀더 일찍이. 진시(趁時). 진조(趁早). 진즉(趁卽). ¶~ 갔어야 했다/~ 그렇게 할 것을.

진:작-에 부 ☞진작.

진:작 재:신【進爵宰臣】명 『역』 나라의 진연(進宴) 때 왕께 술잔을 올리는 재신(宰臣).

진:작-탁【進爵卓】명 『역』 나라의 진연(進宴) 때, 임금에게 올리는 술잔을 놓는 탁자.

진잔트로푸스 보이세이 〔라 Zinjanthropus boisei〕 명 가장 오래된 화석 인류(化石人類)인 원인(猿人)의 하나. 동(東)아프리카의 올두바이 계곡(Olduvai 溪谷)에서 발견되었으며, 약 160만 년 전의 것으로 추정됨. 뇌(腦)의 용량은 530cc 정도로 원인류(猿人類)에 가까운 뇌용량치(値)를 나타내나 인류(人類)의 특징을 많이 볼 수 있음. 간단한 석기(石器)를 만들어 쓴 것으로 추정됨.

진장[1]【珍藏】명 진귀하게 여기어 비장(祕藏)함. ——-하다 타여불

진:장[2]【振張】명 ①떨쳐서 일을 폄. 확장함. ②일을 번성하게 함. ——-하다 타여불

진장[3]【眞藏】명 『사람』 신라 때의 중. 의상 대사(義湘大師)의 10제자(弟子) 중의 한 사람. 화엄종(華嚴宗) 발전에 공헌함.

진장[4]【眞贓】명 범장(犯贓)한 실적(實迹).

진장[5]【陳醬】명 ①절메주로 담가 빛이 까맣게 된 간장. ②↗진간장.

진장[6]【陳藏】명 김장. ——-하다 자여불

진:장[7]【賑場】명 『역』 진휼(賑恤) 사업을 벌이는 장소.

진:장[8]【鎭將】명 『역』 ↗진영장(鎭營將).

진재[1]【眞材】명 『한의』 잡것이 섞이지 아니한 진짜 약재.

진재[2]【眞宰】명 ①노장학(老莊學)에 있어서의 도(道)의 본체. 곧, 하늘을 일컫는 말. ②우주의 주재자(主宰者). 조화의 신(神).

진재[3]【陳材】명 『한의』 묵어서 오래 된 약재.

진재[4]【塵滓】명 ①티끌과 찌꺼기. 더러움. ②세상의 더러움.

진:재[5]【震災】명 지진의 재해. ¶~를 당하다.

진-재(:)해【秦再奚】명 『사람』 조선 시대 때의 화가. 자(字)는 정백(井伯), 호는 벽은(僻隱). 풍기(豐基) 사람. 도화서 화원(圖畫署畫員)으로서 인물의 사생(寫生)에 뛰어났음. 숙종 39년(1713) 어용 모화 도감(御容模畫都監)의 화공(畫工)이 되어 숙종의 전신(全身)을 그려 상을 받음. 작품에 ≪월하 취적도(月下吹笛圖)≫가 있음. [1691-1769]

진잿-간【一間】명 〈심마니〉 뒷간.

진저 〔ginger〕 명 ①『식』 [*Hedychium coronarium*] 생강과에 속하는 다년초. 잎은 생강과 비슷하여 피침형이며, 9월경에 잎 사이에서 꽃줄기가 나와 희고 향기 있는 큰 부정제화(不整齊花)가 핌. 인도·말레이시아의 원산인데 관상용으로 가꿈. ②생강. 또, 말린 생강의 가루. ¶~ 비스켓.

〈진저❶〉

진저리 명 〔근대 : 즌저리〕 ① 차가운 것이 살에 닿거나 오줌을 눈 뒤에 저절로 떨쳐지는 몸짓. ②몹시 귀찮거나 지긋지긋하여 떨쳐지는 몸짓. *진절머리.

진저리(가) 나다 구 ㉠진저리가 일어나다. ㉡못 견딜 만큼 귀찮고 징그럽고 지긋지긋한 느낌이 들다.

진저리(를) 치다 구 진저리가 나서 몸을 떨치다.

진저리-고사리 명 『식』 [*Dryopteris maximowiczii*] 끄리고사릿과에 속하는 다년생(多年生) 양치류(羊齒類). 근경(根莖)은 짧고 황갈색의 막질 인편(膜質鱗片)이 밀포(密布)하며, 엽병(葉柄)은 길이 20-35cm로 기부(基部)가 흑갈색임. 잎은 넓은 난상 능형(卵狀稜形)이며 삼회 우상복엽(三回羽狀複葉)으로 털이 없고 우편(羽片)은 삼각형 또는 달걀꼴임. 소우편(小羽片)의 끝은 불규칙적인 결각연(缺刻緣) 또는 거치연(鋸齒緣)이며, 그 가에 자낭군(子囊群)이 붙어서 피막(皮膜)을 이룸. 깊은 산의 나무 밑에 나는데, 제주·전남·강원·전북·함북 등지에 분포함. 한라고사리.

진저 비어 〔ginger beer〕 명 진저 에일(ginger ale).

진저 에일 〔ginger ale〕 명 청량 음료의 한 가지. 진저에 타르타르산 칼륨·수크로오스·효모·레몬 향료 등을 섞어 만들고 캐러멜로 착색함. 탄산 음료로서 알코올분은 없지만 맥주 비슷한 색과 맛이 있어 진저 비어라고도 함. 영국인이 애용하며 그대로 마시거나 위스키·브랜디 등에 타서 칵테일로 함. 진저 비어(ginger beer).

진저우 〔錦州〕 명 『지』 중국 랴오닝 성(遼寧省) 중남부에 위치한 도시. 부근에서 콩·보리·수수를 생산하며 선산(瀋山)·진구(錦古) 철도에 의해 랴오시(遼西)·러허(熱河)·내몽고의 산물이 집산됨. 콩기름·금포(錦布)·물감·붓 등의 제조 공업과 서북방의 탄전 지대(炭田地帶)의 발전에 따라 근대 공업이 성함. 금주. [749,000 명(1984)]

진저우 만【一灣】〔金州〕 명 『지』 중국 랴오둥(遼東) 반도의 끝 부분, 진셴(金縣) 서안(西岸)에 있는, 보하이 만(渤海灣)의 지만(支灣). 금주만.

진저우 성【一省】〔錦州〕 명 『지』 전에 만주(滿洲) 남부에 있던 성. 동은 펑톈 성(奉天省), 서는 러허 성(熱河省), 북은 싱안남성(興安南省), 남은 보하이(渤海)에 접했었음. 지금은 랴오닝 성(遼寧省) 등의 각 일부로 되어 있음. 금주성.

진저-유【一油】명 〔ginger oil〕 황색의 정유(精油). 모든 유기 용제(有機溶劑)에 녹으며 물에는 녹지 않음. 마른 생강을 증류하여 만드는데, 주성분은 시트랄(citral)·보르네올(borneol) 등임. 리큐어(liqueur)나 청량음료의 향미료로 쓰임.

진저 케이크 〔ginger cake〕 명 진저·버터·밀가루·설탕·크림 등을 섞어서 반죽하여 구운 과자.

진적[1]【珍籍】명 진서(珍書).

진적[2]【眞的】명 참되고 틀림없음. ¶꺽정이가 ~한 조정 소식을 알려고 잔치 끝난 뒤 곧 황천왕동이를 서울로 올려 보냈다≪洪命憙 : 林巨正≫. ——-하다 형여불. ——-히 부

진적[3]【眞寂】명 『불교』 고승(高僧)의 죽음.

진적[4]【眞跡·眞迹】명 진필(眞筆).

진적[5]【眞蹟】명 ①실제의 유적. ②진필(眞筆).

진적[6]【陳迹】명 지나간 묵은 자취.

진전[1]【陣前】명 진지(陣地)의 앞.

진전[2]【秦甸】명 중국 진(秦)나라의 왕도(王都) 부근의 넓은 땅.

진전[3]【秦篆】명 중국 진(秦)나라 이사(李斯)가 창시했다는 뜻으로, 소전(小篆)을 일컫는 말.

진전[4]【眞詮】명 ①참된 깨달음. ②진리를 나타낸 문구. ③참뜻.

진전[5]【眞殿】명 『역』 창덕궁에 안에 있는 선원전(璿源殿)의 별칭.

진전[6]【陳田】명 ①묵정밭. ②『역』 조선 시대 때 전안(田案)에는 경지(耕地)로 되어 있으나 장기간 경작하지 않아 황폐된 토지. 면세전(免稅田)이었음.

진:전[7]【進展】명 진보하고 발전함. ¶~이 조금도 없다/눈부신 ~을 보이다. ——-하다 자여불

진:-전[8]【震電】명 천둥과 번개.

진:전[9]【震顫·振顫】명 무의식적으로, 머리·손·몸에 일어나는 근육의 불규칙한 운동. 파킨슨 증후군(症候群)·알코올 중독·니코틴 중독·바세도병·히스테리·신경 쇠약·소뇌(小腦)의 질환 등으로 일어남.

진:전 마비【振顫痲痺】명 『의』 파킨슨병(病).

진:전-법【振顫法】〔一뻡〕 명 『의』 물리 요법(物理療法)의 하나. 미세한 일정한 진동을 피술자(被術者)의 몸에 줌으로 해서 근육내의 혈행(血行)을 좋게 하는 건강법.

진전-사【陳田寺】명 『불교』 강원도 양양군(襄陽郡) 강현면(降峴面) 둔전리(屯田里)에 있던 통일 신라 시대의 절. 절터에는 삼층 석탑(국보 122호)과 석조 부도(浮屠)(보물 439호)가 있음.

진전사지 삼층 석탑【陳田寺址三層石塔】명 『불교』 진전사 터에 있는 통일 신라 시대의 3층 석탑. 탑의 형태가 아름답고, 각부의 조각이 정교함. 높이 5 m. 국보 제122호.

진-전하【眞電荷】명 〔true electric charge〕 『전』 물질 전하의 한 형태. 물질의 분자(分子) 또는 원자(原子)에, 밖에서 전자(電子)가 들어와 음(陰)의 전하를 갖게 되거나, 또는 전자를 잃어서 양(陽)의 전하를 갖게 됨으로써 나타나는 물질 전하의 한 형태. 참전하. ↔분극(分極) 전하. *자유(自由) 전하.

진전 한:례【秦篆漢隸】〔一할一〕 명 중국 진(秦)나라 때에 특히 성(盛)하고 발달되었던 전서체(篆書體)와 한(漢)나라 때에 특히 아름다웠던 예서체(隷書體).

진절-머리 명 심한 진저리. 몹시 지긋지긋함을 이르는 말.

진절머리(가) 나다 구 진절머리가 일어나다.

진:점【鎭占】명 일정한 지역을 진압하여 차지함. ——-하다 타여불

진점-겁【塵點劫】명『불교』진겁(塵劫).

진정[1]【辰正】명『민』진시(辰時)의 한 가운데, 곧 오전 8시.

진정[2]【眞正】명 참되고 바름. 거짓이 없음. 진성(眞成). ¶~한 민주주의. ——-하다 형여불

진정[3]【眞情】명 ①진실하여 애틋한 마음. ¶~을 쏟다. ②진실한 사정. 실정(實情). ¶~을 피력하다.

진정[4]【眞淨】명『불교』여래 소증(如來所證)의 법이 진실로 청정(淸淨)함을 이름.

진정[5]【眞蟶】명『조개』가리맛.

진:정[6]【陳情】명 실정(實情)을 진술함. 심정(心情)을 펴서 말함. ¶~서(書). ——-하다 자타여불

진:정[7]【進呈】명 물건을 자진하여 드림. 정진(呈進). ¶무료 ~. ——-하다 타여불

진:정[8]【進程】명 진행하는 도정(道程). 진보의 정도.

진정[9]【塵情】명 깨끗하지 못한 마음. 속정(俗情).

진:정[10]【震霆】명 천둥의 굉음(轟音).

진:정[11]【鎭定】명 진압하여 평정함. ——-하다 타여불

진:정[12]【鎭靜】명 ①가라앉아 조용해짐. ②가라앉혀 고요하게 함. ¶설레는 마음을 ~시키다. ——-하다 자타여불

진정-곡【秦庭哭】명 진정지곡(秦庭之哭).

진정 국사【眞靜國師】명『사람』고려 충선왕(忠宣王) 때의 중. 공민왕(恭愍王)의 스승. 속성(俗姓)은 신(申). 이름은 천책(天頙). 진정은 법명(法名)임. 문장(文章)에 뛰어남. 저서에 ≪선문 보장록(禪門寶藏錄)≫ 등이 있음. 생몰 연대 미상.

진정 만각류【眞正蔓脚類】[—뉴] 명『동』[Eucirripedia] 절지 동물 갑각류(甲殼類) 만각목(蔓脚目)에 속하는 한 아목(亞目). 대개 해산(海產) 동물로서 다른 물건에 부착하여 고착(固着) 생활을 하며 석회질(石灰質)을 분비하여 만상(蔓狀)의 각부(脚部)를 이루었음. 혹은 만각(蔓脚)이 없이 구더기처럼 생기고 다른 만각류(蔓脚類)에 기생(寄生)도 함. 조개삿갓 등이 이에 속함.

진정 망:상【眞正妄想】명『의』그 발생에 관하여 심리적인 원인 없이 순전히 뇌(腦)의 병적 과정에 기인하는 망상. 정신 분열병자(精神分裂病者)에게서 볼 수 있음. ↔망상적 관념.

진정 부작위범【眞正不作爲犯】명『법』일정한 부작위(不作爲)가 구성 요건의 내용으로 되어 있는 범죄. 불해산죄(不解散罪)·불퇴거죄(不退去罪) 따위.

진정 사회주의【眞正社會主義】[—/—이] 명 그륀(Grün, Karl ; 1813-1884) 등을 대표자로 하는 1840년대 독일의 프티 부르주아적 사회주의. 뒤떨어진 사회적 조건의 차이를 무시하고 프랑스 사회주의를 그대로 받아들여 추상적인 인간애(人間愛)와 순수 의지(純粹意志) 등의 공허한 말로 사변화(思辨化)하고 계급(階級) 투쟁에 불편 부당(不偏不黨)의 입장에 서서 이것이야말로 진실한 사회주의라고 주장한 것인데, 1848년 이후 급속히 몰락했음.

진:정-서【陳情書】명 관청이나 웃어른에게 내기 위하여 사정을 기록한 서면(書面).

진정 세:균류【眞正細菌類】[—뉴] 명『생』[Eubacteriomycetes] 분열 균류 중 광합성(光合成)을 하지 않는 세균류. 대부분 종속 영양 생활을 하므로 다른 생물에 기생(寄生)하여 병원체(病原體)가 되기도 함. 크기는 보통 1-5μm로 단세포(單細胞)이며 이분법(二分法)으로 증식(增殖)하나 내생 포자(內生胞子)를 만들기도 함. 구균(球菌)·간균(桿菌)·나선균(螺旋菌)·방선균(放線菌)·스피로헤타·리케차 등이 있음. *광합성 세균류·분열 균류.

진정 소:발【眞情所發】명 참된 속마음에서 바라는 바.

진정 소:원【眞情所願】명 진정에서 우러나온 소원.

진:정-식【進呈式】명 무엇을 진정할 때 차리는 의식.

진정 식육류【眞正食肉類】[—뉴] 명『동』[Carnivora] 척추(脊椎) 동물 포유류(哺乳類) 식육목(食肉目)에 속하는 한 아목(亞目). 앞다리와 뒷다리에 각기 5개의 발가락이 있고 대개 발가락의 끝으로 보행을 하며 발가락 끝에는 갈퀴 발톱이 있음. 위턱과 아래턱에는 앞니 세 쌍과 긴 원뿔꼴의 송곳니 한 쌍이 있으나 앞뒤 어금니의 수와 형상은 종류에 따라 차이가 많음. 위(胃)는 일실(一室)로 창자는 짧고 작은 맹장부(盲腸部)가 있는데 모두 수중(水中) 생활에 적당한 체제(體制)를 갖춤. 전세계, 특히 열대 지방에 많이 분포함. 열각목(裂脚目).

진정 염:색체【眞正染色體】명『생』이형(異形) 염색체에 대하여 상염(常染) 염색체를 말함.

진정 엽각류【眞正葉脚類】[—뉴] 명『동』[Euphylopoda] 절지 동물 갑각류(甲殼類) 엽각목(葉脚目)에 속하는 한 아목(亞目). 몸은 길게 늘어지고 여러 개의 지절(肢節)과 작은 두 쌍의 촉각을 갖추었으나 헤엄에는 소용이 없음. 새각류(鰓角類). *지각류(枝角類).

진정 요각류【眞正橈脚類】[—뇨—뉴] 명『동』[Eucopepoda] 절지(節肢) 동물 절갑류(切甲類) 중의 요각목(橈脚目)에 속하는 한 아목(亞目). 입은 설쇄 작용(齧碎作用)을 하며 개체(個體)가 혼자 자생(自生)하나 기생(寄生)하기도 함. 담수(淡水)·함수(鹹水)에 서식(棲息)함. 악구류(顎口類).

진정 전간【眞正癲癇】명『의』유전 소질(遺傳素質)을 주요 원인으로 하여 일어나는 전간. 점착성(粘着性)·폭발성 등의 소위 전간 성격이 현저한 것이 특징임. ↔증후성(症候性) 전간.

진:정-제【鎭靜劑】명『약』신경 작용을 진정시키는 데 쓰이는 약제. 브롬제(劑)·아편·알칼로이드 등이 있음.

진정 중심주【眞正中心柱】명 [eustele]『식』겉씨 식물·쌍떡잎 식물의 줄기에서 볼 수 있는 횡단면(橫斷面)에 관다발이 규칙적으로 배열되어 있는 구조. ↔부제(不齊) 중심주. *중심주.

진정지-곡【秦庭之哭】명 [춘추(春秋) 때에 초(楚)나라의 신포서(申包胥)가 진(秦)나라로 가서 원군(援軍)을 청할 때, 담에 의지하여 곡(哭)하기 이레 만에 원군을 얻었다는 고사에서] 남에게 원조를 청함의 비유. 진정곡(秦庭哭).

진정 지주류【眞正蜘蛛類】명『동』거미목.

진정 촌:충류【眞正寸蟲類】[—뉴] 명『동』[Cestoda polyzoa] 편형 동물 촌충강에 속하는 한 아강(亞綱). 일반적으로 촌충(寸蟲)이 이에 속함. 자웅 동체(雌雄同體)로서 각 편절(片節) 속에는 생식기가 발달되었음. 사람의 몸 속에 기생함. 다절류(多節類).

진정 판새류【眞正瓣鰓類】명『동』[Eulamellibranchia] 연체(軟體) 동물 부족류(斧足類)에 속하는 한 목(目). 연체(軟體) 동물로서 특히 몸의 앞뒤에 똑같은 두 개의 폐각근(閉殼筋)이 있음. 가막조개·마합과(科)·바지라깃과·거거과(車渠科) 등이 이에 속함. *사새류(絲鰓類).

진:정-표【陳情表】명『문』중국 남북조(南北朝) 때, 무제(武帝)로부터 태자(太子) 진(晉)의 세마(洗馬)로 임명된 이밀(李密)이 자기가 아니면 나이 구십의 조모 유(劉)씨를 봉양할 사람이 없어 세마의 직을 배사(拜辭)한 문장의 이름. 공명(孔明)의 '출사표(出師表)'와 병칭되는 명편(名篇)으로, 읽는 사람으로 하여금 감읍(感泣)케 함.

진정 후:생 동:물【眞正後生動物】명『동』[Eumetazoa] 후생 동물 가운데 중생(中生) 동물과 해면(海綿) 동물을 제외한 나머지 동물의 총칭. 강장(腔腸) 동물에서 척추 동물까지 포함됨.

진제[1]【眞諦】명『불교』[←진체] 진실하여 잘못이 없음. 평등 무차별(平等無差別)의 이치. 출세간(出世間)의 법. 제일의제(第一義諦). 실상(實相). ↔속제(俗諦).

진-제[2]【陳第】명『사람』중국, 명대(明代)의 학자·무장. 자는 계립(季立), 호는 일재(一齋). 푸젠(福建) 롄장(連江) 출신. 병법(兵法)을 익혀 경영(京營)의 부장(部將)이 되었으나 그만두고, 향리에서 학자를 찾고 널리 불전(佛典)을 연구하는 등 명유(名儒)로서 일가(一家)를 이루었으며, 오경(五經)에 정통하고 시(詩)를 잘했음. 저서에 ≪모시 고음고(毛詩古音考)≫·≪복희 선천도찬(伏羲先天圖贊)≫ 등이 있음. [1541-1617]

진:제[3]【賑濟】명 진휼(賑恤).

진:제 도감【賑濟都監】명『역』고려 충목왕(忠穆王) 4년(1348)에 베푼 구호 기관. 굶주린 백성에 죽을 먹임.

진:조[1]【趁早】부 진작.

진:조[2]【賑糶】명『역』구호 양곡(糧穀)을 싼 값으로 방출하여 진휼(賑恤)하는 일. ——-하다 타여불

진:졸【鎭卒】명『역』각 진영(鎭營)의 병졸.

진종[1]【珍種】명 진귀한 품종.

진종[2]【眞宗】명『불교』참된 가르침의 마음. 본지(本旨).

진종[3]【眞宗】명『사람』중국 송(宋)나라의 제3대 천자. 태종(太宗)의 셋째 아들. 지도(至道) 1년(995)에 태자가 되고, 997년 30세에 즉위함. 경덕(景德) 원년 (1004)에 요(遼)나라의 성종(聖宗)이 대거 남침하여 전주(澶州)를 포위하였을 때 친정(親征)하였으나 굴욕적인 전연(澶淵)의 맹약(盟約)을 맺고 화의(和議)했음. [968-1022; 재위 997-1022]

진:-종일【盡終日】명부 하루 종일. 온종일. 준진일(盡日).

진좌[1]【辰坐】명『민』집터나 묏자리 등의 진방(辰方)을 등진 좌(坐).

진:좌[2]【鎭座】명 ①신령이 그 자리에 임함. ¶사당에 ~하시는 신. ②자리잡아 앉음. ——-하다 자여불

진좌 술향【辰坐戌向】명『민』진방(辰方)을 등지고 술방(戌方)을 향하는 좌향(坐向).

진:-종일【盡一日】명부 〈방〉진종일(평안).

진주[1] 명 투전·화투 등의 노름에서, 다섯 끗을 이르는 말. *서시.

진주[2]【眞主】명 ↗진명지주(眞命之主).

진주[3]【秦州】명『지』'천수(天水)'의 별명.

진:주[4]【晋州】명『지』경상 남도의 한 시(市). 1읍(邑) 15면(面) 26동(洞). 도의 서부 중앙에 있음. 동쪽은 함안군(咸安郡), 서쪽은 하동군(河東郡)과 산청군(山淸郡), 남쪽은 사천시(泗川市)와 고성군(固城郡), 북쪽은 의령군(宜寧郡)에 접함. 주요 산물은 농산·임산·공산·축산 등이며 특히 소는 품종이 좋음. 명승 고적으로는 촉석루(矗石樓)·촉석성(矗石城)의 의랑암(義娘岩)·창렬사(彰烈祠)·호국사(護國寺)·서장대(西將臺)·북장대(北將臺)·공자묘(孔子廟)·의곡사(義谷寺)·청곡사(靑谷寺)·응석사(凝石寺)·금호지(琴湖池) 등이 있음. [713.08 km²: 334,068명(1996)]

진주[5]【眞珠·珍珠】명 조개류 특히 사새류(絲鰓類) 조개의 체내에서 형성되는 구슬 모양의 분비물의 덩어리. 주로 탄산 칼슘으로 이루어지는데, 약간의 유기물을 함유하며 은빛의 우아하고 아름다운 광택이 있어서 예로부터 보배로서 장식에 쓰였음. 조가비를 만드는 외투막(外套膜)이 이물(異物)에 의해 자극되어 그 주위에 진주질(質)을 분비함으로써 만들어지는데 각피(殼皮)·핵(核)·능주층(稜柱層)·진주층(眞珠層)의 구분이 있음. 진주조개가 가장 좋은 진주를 산출하며, 근래에 와서는 인위적(人爲的)으로 양식(養殖)함. 방주(蚌珠). 빈주(蠙珠). 구슬. ¶인조 ~.

[진주가 열 그릇이나 꿰어야 구슬] '구슬이 서 말이라도 꿰어야 보배라'와 같은 뜻.

〈진주[5]〉

진:주[6]【陳奏】명 사정(事情)을 진술(陳述)하여 윗사람에게 아뢰. ——-하다 타여불

진:주[7]【進走】명 앞으로 뛰어 나아감. ——-하다 자여불

진:주[8]【進奏】명 임금 앞에 나아가 아룀. ——-하다 타여불

진:주[9]【進駐】명『군』진군하여 주둔함. ¶~군. ——-하다 자타여불

진:주 검:무【晋州劍舞】명『민』진주 지방에 전해 내려오는 칼춤. 궁중 정재(宮中呈才)의 하나로 조선 중기 이후부터 연행(演行)되었음. 중요 무형 문화재 제12호.

진주-관【眞珠館】명〖역〗삼척부(三陟府)에 있던 객관(客館). '진주'는 '삼척'의 옛 이름.

진주 광택【眞珠光澤】명〔iridescence〕활석(滑石)·수활석(水滑石)·휘비석(輝沸石) 등이 발하는 광택.

진:주-군【進駐軍】명 진주한 군대.

진주 낭자【眞珠囊子】명 빨간 공단에 진주를 금실로 꿰어 붙이고, 그 안에 향을 넣은 주머니.

진주 노리개【眞珠—】명 굵은 진주 한 알 또는 몇 알을 단 노리개.

진:주 농악【晋州農樂】명〖악〗경상 남도 진주 지방에 전승되어 온 농악. 경상 북도 농악과 호남 농악의 중간 형태로, 개인(個人) 놀이가 비교적 발달되어 있음. 중요 무형 문화재 제 11호.

진주-담치【眞珠淡—】명〖조개〗[*Mytilus edulis*] 홍합과에 속하는 바닷조개. 홍합과 비슷한데 패각(貝殼)의 길이 10 cm 가량이고 얇으며, 발에서 단단한 실처럼 된 것을 내어 다른 물건에 부착하며, 아무 때건 이것을 떼어버리고 다시 새것을 내어 다른 장소로 옮기는 습성이 있음. 내만(內灣)·외양(外洋)·강구(江口) 등에 서식하는데, 열대(熱帶) 이외의 전세계에 분포함. 살은 부드럽고, 맛이 좋아 식용으로 양식(養殖)함. 진주가 나는 것도 있음. 담채(淡菜). 담치. 섭조개. ＊홍합(紅蛤).

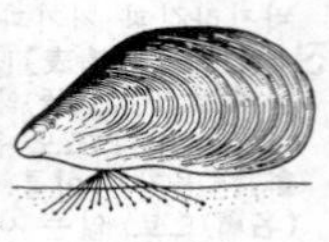
〈진주 담치〉

진주-만【眞珠灣】명〖지〗펄하버(Pearl Harbor).

진주만 공:격【眞珠灣攻擊】명 1941년 12월 8일 미명(未明)에, 미국 하와이 진주만의 태평양 함대에 대하여 일본 해군의 항공대 및 특수 잠항정(潛航艇)이 행한 기습 공격. 이로부터 태평양 전쟁이 발발하였음.

진주-면【眞珠麵】명 닭이나 꿩·오리의 살만을 콩알만한 크기로 썰어서 백면(白麪)이나 녹말을 묻히어 삶고 깻국에 넣어 여러 가지 고명을 하여 만드는 음식.

진주모-운【眞珠母雲】명〔mother-of-pearl clouds〕〖기상〗자개구름.

진:주 민란【晋州民亂】[—밀—] 명〖역〗①고려 신종(神宗) 3년(1200) 진주에서, 평소 탐학한 주리배(州吏輩)에 대하여 불만을 품은 공사 노비(公私奴婢)가 일으킨 반란. 다른 지방의 민란에 자극되어 주리(州吏)의 주택 50여 동(棟)을 불태웠는데, 이때 창정(倉正) 정방의(鄭方義)라는 자가 난을 확대시켜 살상을 거듭하므로 조정에서는 여러 차례 관군(官軍)을 파견 토벌하였으나 실패하고 진주 백성들의 의거(義擧)로 1년 만에 평정되었음. ②조선 철종(哲宗) 13년(1862) 2월에 경상도 진주에서 일어난 농민의 반란. 삼정(三政)의 문란(紊亂)을 원인으로 하고, 병사(兵使) 백낙신(白樂莘)의 가혹한 탐학과 수탈이 동기가 되어 나무꾼·목동(牧童) 들이 관가(官家)를 습격하고 환곡(還穀)을 불사르고, 이속(吏屬)을 화형(火刑)하였음. 정부는 관찰사를 비롯한 현지(現地) 관리를 문책·처벌하여 사태를 수습했으나, 주모자들은 체포되어 이서(吏胥)들에 의해 처형 보복되었음.

진:주 박물관【晋州博物館】명 국립 박물관의 하나. 경상 남도 진주(晋州)의 옛 진주성(城) 안에 건립되어, 가야(伽倻) 시대의 유물과 임진 왜란(壬辰倭亂)의 전사 자료(戰史資料)를 중점적으로 전시(展示)함. 1980년 기공, 1982년 준공(竣工)됨.

진주-병【眞珠病】[—뼝] 명 소 결핵.

진:주 분지【晋州盆地】명〖지〗낙동강의 지류 남강(南江) 유역에 전개된 유역 평야의 중앙에 위치하는 분지. 북부 일대가 산으로 둘러 싸여 있고 남강에 면하여 있어 자연적 요새지를 이룸.

진:주 비빔밥【晋州—】[—빱] 명 경상 남도 진주의 전통적인 비빔밥. 거섶으로 머리 없는 숙주 나물, 부드러운 시금치 속잎, 어린 고사리 나물과 가늘게 찢은 도라지 나물을 쓰고, 거섶 위에 창포묵과 육회를 올려 놓음. 선짓국을 곁들이는 것이 특징임. ＊전주(全州) 비빔밥.

진주-뽕 명〈방〉〖식〗개제비쑥.

진:주-사【陳奏使】명〖역〗주청사(奏請使).

진:주-선[1]【晋州線】명〖지〗경부선의 삼랑진역(三浪津驛)에서 마산(馬山)을 지나 진주에 달하던 철도선. 1923년 12월 1일 개통되었으나, 1968년 2월 7일 진주(晋州)·순천(順天)간이 개통됨으로써 지금은 경전선(慶全線)으로 통합 운행되고 있음. [109.7 km]

진주-선[2]【眞珠扇】명 혼인 때에 신부의 얼굴을 가리는 데 쓰는 진주로 장식한 둥근 부채.

〈진주선[2]〉

진:주-성【晋州城】명〖지〗지금 진주의 진주 공원 일대와 내성동(內城洞)에 걸쳐 있는 조선 시대의 읍성(邑城). 고려 말기에 왜구(倭寇)를 막기 위하여 축성(築城)한 것이라 하며 임진 왜란 때 장렬한 항전(抗戰)이 있었음. 성내에 촉석루(矗石樓)가 있음.

진:주성 대:첩【晋州城大捷】명〖역〗임진 왜란(壬辰倭亂) 삼대첩(三大捷)의 하나. 조선 선조(宣祖) 25년(1592) 10월 5일부터 10일에 걸쳐, 김시민(金時敏)이 지휘하는 3,800명의 진주 수성군(守城軍)이 왜장(倭將) 나가오카 다다오키(長岡忠興)가 거느린 2만의 왜군을 물리친 대승전(大勝戰).

진주-알【眞珠—】명 낱개의 진주.

진주-암【眞珠岩】명〔perlite〕〖광〗화산암(火山岩)의 한 가지. 석영 조면암(石英粗面岩)이 유리 모양으로 된 것으로, 빛깔은 적갈색·암녹색(暗綠色)·담(淡)회색 또는 흑(黑)회색임. 진주 비슷한 광택과 불규칙한 균열(龜裂)이 있음.

진:주 오:광대【晋州五廣大】명〖민〗경상 남도 진주시에 전승되어 온 탈놀이. 다섯 마당으로 구성되며, 다른 지방의 오광대보다 춤과 가락이 다양함.

진주-운【眞珠雲】명〖기상〗자개구름.

진주-잠【眞珠簪】명 머리에 진주를 물린 비녀.

진주-정【眞珠精】명〔pearl essence〕반투명(半透明)의 광택이 있는 물질. 물고기의 비늘에서 채취함. 진주 빛깔의 래커(lacquer)와 인조 진주의 제조에 쓰임.

진주-조개【眞珠—】명〖조개〗[*Pinctada martensii*] 진주조갯과에 속하는 조개의 하나. 패각(貝殼)의 길이와 높이가 75-100 mm 내외이고 패각의 표면은 암자록색(暗紫綠色)에 운모 모양의 인편(鱗片)이 겹쳐서 쌓였으며 내면(內面)은 아름다운 진주 광택이 강하게 나고, 주변에는 희미한 방사상(放射狀)의 흑대(黑帶)가 있음. 패각의 앞뒤 양끝에는 귀 모양의 돌출부(突出部)가 있는데 앞의 이상부(耳狀部)의 틈에서 족사(足絲)를 내어 물건에 붙음. 난해(暖海)의 깨끗하고 물결이 잔잔한 내만(內灣)의 깊이 5-20 m되는 곳에 사는데, 한국·일본 등지에 분포함. 모두 진주가 있으므로 양식(養殖) 진주의 모패(母貝)로 사용하며, 패각은 세공(細工)에 쓰임.

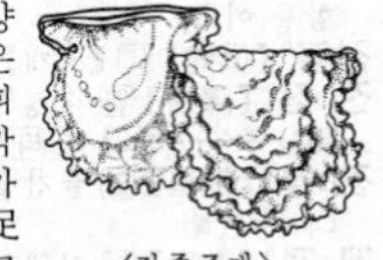
〈진주조개〉

진주조갯-과【眞珠—科】명〖조개〗[Pteridae] 사새류(絲鰓類)에 속하는 한 과. 모두 진주를 지니고 있음.

진주-종【眞珠腫】명〔choresteatoma, pearly tumor〕〖의〗뇌저부(腦底部)의 연뇌막(軟腦膜) 내에 발생하는 진주(眞珠) 모양의 종양(腫瘍). 피부의 표피(表皮)와 같은 조성(組成)을 나타내며 비늘 모양으로 편평 상피(偏平上皮)가 겹쳐서 된 것인데, 태생기(胎生期)의 극히 초기(初期)에 표피가 잘못 들어가서 그 바탕을 이룬 것임.

진주질-층【眞珠質層】명〔nacreous layer〕〖생〗진주층.

진:주 촉석루【晋州矗石樓】[—누] 명〖지〗경상 남도 진주시 본성동(本城洞)에 있는 누(樓). 남강(南江)에 임한 벼랑 위에 있는 웅장한 건물로, 진주성의 주장대(主將臺)임. 고려 말의 축성 당시에 부사(府使) 김충광(金忠光) 등의 손으로 창건되었다 하며, 그 후 임진 왜란으로 괴멸한 것을 광해군(光海君) 10년(1618)에 병사(兵使) 남이흥(南以興)이 재건, 6·25동란에 소실되어 다시 재건하였음. 촉석루.

진주-층【眞珠層】명〔mother-of-pearl layer〕〖생〗패각(貝殼) 내면(內面)의 미려한 광택을 띤 얇은 층(層). 진주와 같은 물질로 이루어짐. 진주질층.

진주혼-식【眞珠婚式】명 결혼 기념식(結婚記念式)의 하나. 부부(夫婦)가 결혼 30주년을 축하하여 진주 제품을 주고 받아 기념함. ＊산호혼식(珊瑚婚式).

진-주홍【眞朱紅】명 진한 주홍빛. 새빨간 빛.

진주-회【眞珠灰】〔pearl ash〕명 목회(木灰)를 부분적으로 정제(精製)해서 얻어지는 불순(不純)한 칼륨(kalium) 화합물.

진죽-버력【—粥—】명〖광〗모암(母岩)이 풍화(風化)되어 생긴 사토(砂土)가 물과 혼합되어 곤죽처럼 된 버력.

진중[1]【珍重】명 ①귀중(貴重). ¶～한 물건. ②잘 보중(保重)함. ——-하다 타여불. ——-히 부

진중[2]【陣中】명〖군〗진(陣)의 가운데. 진상(陣上). ¶～ 일지(日誌).

진중[3]【塵中】명 먼지 속. 또, 티끌 많은 속세(俗世). 진속(塵俗).

진:중[4]【鎭重】명 점잖아서 드레가 있음. ¶～한 언동/～을 떨다. ——-하다 형여불. ——-히 부

진중 근무【陣中勤務】명〖군〗진중(陣中)에 있어서의 장병의 근무.

진쥬 명〈옛〉진주. ¶진쥬 빈(玭)《字會 中 31》.

진:즉【趁卽】부 진작.

진즛 부관〈옛〉짐짓. 참. 참된. =진짓. ¶四皓ㅣ 진즛 것가《古時調 申欽》.

진증[1]【眞症】[—쯩] 명 검사에 의하여 의심할 여지가 없는 병증(病症). ↔의사증(擬似症).

진증[2]【眞證】명〖불교〗의심할 여지가 없는 증거.

진:지[1] 명 ①밥의 높임말. ¶～ 잡수세요. ②〈옛〉진짓상. ¶王季 진지를 도로혀신 후에ᅀᅡ 또 처엄대로 도로 ᄒᆞ더시다 진지 오를제…진지 믈으오와든…진지 ᄆᆞ옴안 사롬ᄃᆞ려(王季復膳然後亦復初 食上…食下…膳宰《明宗版 小諺 Ⅳ:12》. 주의 '進支'로 씀은 취음(取音).

진지[2] 명〈방〉진드기(경북).

진지[3]【陣地】명〖군〗적과 교전할 목적으로, 전투 부대가 의지하여 공격·방어를 할 준비·배치가 되어 있는 지역. 방어 진지·엄호대(掩護隊) 진지 또는 포병 진지·기관총 진지·박격포 진지·고사포 진지 등 여러 종류가 있음. 진터. ¶～ 구축.

진지[4]【眞知】명 참된 지식.

진지[5]【眞智】명〖불교〗진리를 깨달은 지혜. 개오(開悟)한 지혜.

진지[6]【眞摯】명 진실하게 일에 당하며 흔들리지 아니함. ¶～한 이야기. ——-하다 형여불

진:지[7]【進止】명 ①전진과 정지. 움직임과 움직이지 아니함. ②몸가짐. 거동(擧動). 기거 동작. 행동.

진지구 무이【秦之求無已】명 진시황(秦始皇)의 폭렴(暴斂)과 같다는 뜻에서, 탐내는 욕심이 한이 없음을 가리키는 말.

진지 구축【陣地構築】명 적과 교전할 목적이나 훈련 등을 위하여 진지를 만드는 일.

진지-도【陣地島】명〖지〗전라 남도의 남해상(南海上), 고흥군(高興郡) 과역면(過驛面) 백일리(白日里)에 위치(位置)한 섬. [0.55 km^2 : 58 명 (1984)]

진지러-뜨리다 타 몹시 지지러지게 하다. ＞잔지러뜨리다.

진지러-지다 자 몹시 지지러지다. ＞잔지러지다.

진지러-트리다 타 진지러뜨리다.

진지-왕【眞智王】명 〖사람〗 신라 제25대 왕. 성은 김(金). 휘(諱)는 사륜(舍輪). 백제와 불화(不和)하여 자주 침공을 당했는데 내리서성(內利西城)을 쌓아 방비(防備)를 굳게 하고, 중국 진(陳)나라와는 수교(修交)를 하였음. [재위 576-579]

진지 적견【眞知的見】명 확실한 견문(見聞).

진지-전【陣地戰】명 〖군〗 견고한 진지를 구축하여 놓고 행하는 공방전(攻防戰).

진:지 제조【進支提調】명 〖역〗 진연(進宴) 때에 시키는 사옹원(司饔院)의 임시 벼슬.

진진 구:채【陳陳舊債】명 아주 오래된 묵은 빚.

진진 상인【陳陳相因】명 진진 상잉(陳陳相仍). ——-하다 자여불

진진 상잉【陳陳相仍】명 오래 된 곡식이 곳집 속에서 묵어 쌓임. 진진 상인. ——-하다 자여불

진:진-장【振振章】[—짱] 명 〖악〗 악장의 이름.

진진지-의【秦晉之誼】[—/—이] 명 혼인을 맺은 두 집 사이의 가까운 정의를 가리키는 말. 진진지호(秦晉之好).

진진지-호【秦晉之好】명 진진지의(秦晉之誼). ¶ 우리 ~를 맺어 봅시다.

진진-하다【津津—】형여불 ①입에 착 달라붙게 맛이 좋다. ②풍임없이 솟아나듯 많다. ③아주 재미스럽다. ¶ 흥미 ~. **진진-히** 부 ¶ 다달이 식량이며 의차를 ~ 대어주어 아무 근심 걱정 없이 몸 편히 잘 지내더니…《作者未詳 : 산천초목》.

진:질[1]【晉秩】명 품계가 오름. ——-하다 자여불

진질[2]【疹疾】명 뾰루지 따위가 나오는 병(病)에 걸림. 또, 그러한 병에 걸린 사람.

진:집[1] 명 물건의 가느다랗게 벌어진 틈. ¶ 나무에 ~을 내다.

진집[2]【珍什】명 진귀한 집물(什物). 진귀한 기구(器具).

진짓[1] 부 〈방〉 짐짓.

진짓[2] 관 〈옛〉 참된. =진즛. ¶ 진짓 도적은 잡디 몯ᄒᆞ고(正賊捉主住)《老乞 上 25》/갑ᄂᆞᆫ이야 진짓 거시라(還的是實)《老乞 下 20》/진짓 義예 션비라 내 삼가 避ᄒᆞᆯ ᄯᆞᄅᆞᆷ이나(眞義士也吾謹避之耳)《小諺 Ⅳ : 35》.

진:짓-상【—床】명 웃어른의 밥상. ¶ ~을 차리다.

진:짓상(을) 보다 구 진짓상을 차리다.

진짜【眞—】명 ①거짓이나 위조(僞造)가 아닌 참된 물건. 진품(眞品). 진물(眞物). ↔가짜. ②〈속〉 거짓이 아닌 사실(事實). 실지의 일. ¶ 누구 말이 ~요.

진짜-로【眞—】부 진실로. 정말로. ¶ ~ 하는 말인가.

진짜-배기【眞—】명 〈속〉 진짜❶. ↔가짜배기.

진짬【眞—】명 잡것이 섞이지 아니한 순수한 물건.

진쪼다 타 '잡수시다'의 궁중어. ¶ 태조 대왕이 수라를 진쪼시려고 저녁종을 일찍일찍이 쳤었다는 이야기도 들었고…《洪命憙 : 林巨正》.

진찬[1]【珍饌】명 진수(珍羞).

진:찬[2]【進饌】명 ①〖역〗 진연(進宴)에 비해 의식이 간단한 궁중 안 잔치의 한 가지. ②〖민〗 제사 지낼 때, 강신(降神)한 뒤에, 어(魚)·육(肉)·갱(羹)·떡·저냐·메 등 주식(主食)을 제상에 진설(陳設)하는 일.

진:찬-도【進饌圖】명 진찬의 의식을 그린 도면.

진:찬-악【進饌樂】명 〖악〗 종묘와 영녕전(永寧殿)·경모궁(景慕宮) 등의 제향 때 아뢰는 곡조의 하나.

진-찬합【—饌盒】명 진반찬과 술안주를 담도록 만든 찬합. ↔마른 찬합(饌盒).

진:찰[1]【晋察】명 〖역〗 조선 시대 때 경상 남도 관찰사(觀察使)의 별칭.

진찰[2]【診察】명 〖의〗 의사가 의학의 원리·경험 등을 바탕으로 하여 병의 유무 또는 질병·병원(病原) 등을 살핌. 진후(診候). ¶ ~권/~비. ——-하다 타여불

진찰[3]【塵刹】명 〖불교〗 세계(世界)의 수가 많음을 티끌에 비유한 말.

진찰-권【診察券】[—꿘] 명 〖의〗 병원에서 환자가 그 병원 의사의 진찰을 받을 수 있음을 표시하여 발행하는 표.

진찰-료【診察料】명 〖의〗 진찰비(診察費).

진찰-비【診察費】명 〖의〗 진찰을 받은 환자가 의사나 병원에 치르어 주는 요금. 진찰료.

진찰-소【診察所】[—쏘] 명 〖의〗 의사의 진찰을 받도록 마련한 곳.

진찰-실【診察室】[—씰] 명 〖의〗 의사가 환자를 진찰하는 방.

진:참【進參】명 제사나 잔치에 참여함. ——-하다 자여불

진창[1] 명 땅이 곤죽같이 진 곳. 이녕(泥濘). ¶ ~에 빠지다.

진창[2] 부 ☞진탕[2].

진창-길 [—낄] 명 땅이 곤죽처럼 질퍽질퍽한 길. *감탕밭.

진창-만창 명 ☞진탕만탕.

진창-미【陳倉米】명 곳 속에 쌓인 묵은 쌀. 한방에서 오줌을 순하게 하며 번갈(煩渴)과 설사를 다스리는 데에 약으로 씀.

진채[1]【珍菜】명 진귀하고 맛좋은 채소.

진채[2]【眞彩】명 〖미술〗 진하게 쓰는 불투명한 원색적(原色的)인 채색. 단청(丹靑)에 씀.

진채-식【陳菜食】명 음력 정월 대보름날에 먹는 나물. 고사리·버섯·호박고지·오이고지·가지고지·무시래기 등 햇볕에 말린 갖은 나물을 물에 잘 우려서 삶아 무쳐 먹으면 여름에 더위를 먹지 않는다고 함.

진채-화【眞彩畫】명 〖건〗 진채로 채색한 그림. 농채화(濃彩畫).

진책【嗔責】명 성을 내어 꾸짖음. ——-하다 타여불

진척[1]【津尺】명 〖역〗 고려 때부터 조선 시대 초기에 걸쳐 진(津)에 배속되어 나룻배를 부리던 사공. 신량 역천(身良役賤)에 속함.

진:척[2]【進陟】명 ①일이 진행되어 감. ¶ 작업의 ~도(度). ②벼슬이 올라감. ——-하다 자여불

진:천[1]【振天】명 ①음향(音響)이 하늘에 울림. ②무명(武名)을 천하에 떨침. ——-하다 자여불

진천[2]【秦川】명 중국 산시 성(陝西省) 또는 산시(陝西)·간쑤(甘肅) 양성(兩省)의 호칭(呼稱).

진:천[3]【震天】명 하늘을 뒤흔듦. 기세가 놀라워 크게 떨침. ——-하다 자여불

진:천[4]【鎭川】명 〖지〗 충청 북도 진천군(鎭川郡)의 군청 소재지로 읍(邑). 군의 중앙부에서 서남부에 위치하며 백곡(栢谷) 저수지의 수리(水利)에 힘입어 미곡의 산출이 많음. 명소로는 길상사(吉祥祠)·숭렬사(崇烈祠)·백곡 저수지 등이 있음. [22,741 명(1996)]

진:천-군【鎭川郡】명 〖지〗 충청 북도의 한 군. 관내 1읍 6면. 도의 서북부에 위치하고 동은 음성군(陰城郡)과 괴산군(槐山郡), 서는 충청 남도의 천안시(天安市), 남은 청원군(淸原郡), 북은 경기도 안성시(安城市)에 인접함. 만노산성(萬弩山城)·김유신 전장(金庾信戰場)·세금천(洗錦川) 등의 명승 고적이 있음. 군청 소재지는 진천. [406.19 km² : 56,785 명(1996)]

진:천 동:지【震天動地】명 천지를 진동함. 위력이나 음향이 천하에 떨침. *경천 동지(驚天動地). ——-하다 자여불

진:천-뢰【震天雷】[—철—] 명 비격(飛擊)진천뢰.

진-천화【陳天華】명 〖사람〗 중국, 청말(淸末)의 혁명가·사상가. 자는 성대(星臺), 호는 사황(思黃). 후난 성(湖南省) 신화 현(新化縣) 출신. 화흥회(華興會)에 들어가, '맹회두(猛回頭)'·'경세종(警世鐘)' 등 반제배만(反帝排滿)의 혁명적 민족주의를 고취하는 열렬한 문장으로 큰 영향을 끼침. [1875-1905]

진:첩【震疊】명 존귀한 사람이 몹시 성을 내어 그치지 아니함. ——-하다 자여불

진청[1]【眞靑】명 군청색(群靑色)의 채료(彩料).

진:청[2]【陳請】명 사정을 진술하여 간청함. ——-하다 타여불

진:청[3]【賑廳】명 〖역〗 진휼(賑恤)을 맡아 보던 관청.

진청[4]〔晉城〕명 〖지〗 중국 산시 성(山西省) 동남부의 도시. 타이항(太行) 산맥 중에 위치하며 허난 성(河南省)에 대한 한 문호로서 석탄·철을 산출하고, 고래로 철기·견직물을 특산함. 바이진(白晉)·다오쩌(道澤)의 두 철도가 개통되었음. 진성.

진:체[1]【振替】명 〖경〗 '대체(對替)'의 구칭.

진체[2]【眞諦】명 〖불교〗 →진제(眞諦).

진:체[3]【晉體】명 중국 진(晉)나라의 명필 왕희지(王羲之)의 필체.

진-체강【眞體腔】명 [deuterocoel] 〖생〗 발생적으로 중배엽(中胚葉) 중의 빈 곳으로 생겨 그 벽이 상피성(上皮性)인 체강. 곧, 중배엽으로 둘러싸인 체강. 장체강(腸體腔). 이차(二次) 체강. ↔원(原)체강.

진체강-류【眞體腔類】[—뉴] 명 〖동〗 [Coelomaria] 진체강을 가진 동물군(群). 환형(環形) 동물·절지(節肢) 동물·연체(軟體) 동물·모악(毛顎) 동물·극피(棘皮) 동물·원색(原索) 동물·척추(脊椎) 동물 등이 이에 속함. 이차(二次) 체강류. ↔원(原)체강류.

진초[1]【辰初】명 〖민〗 진시(辰時)의 처음. 곧, 오전 일곱 시경.

진초[2]【眞草】명 진서(眞書). 곧, 해서(楷書)와 초서(草書).

진초[3]【秦椒】명 〖식〗 분디.

진초[4]【陳草】명 해를 지난 묵은 담배. ↔신초(新草).

진-초록【津草綠】명 진한 초록빛.

진-초-행【眞草行】명 진행초(眞行草).

진:촌 퇴척【進寸退尺】명 얻은 것은 적고 손실(損失)이 큼을 비유하여 이르는 말.

진춘〔金村〕명 〖지〗 중국 허난 성(河南省) 뤄양(洛陽) 부근의 고을. 전국(戰國) 시대 후기의 유물인 덧널무덤이 있음. 금촌.

진춘 고:묘【—古墓】〔金村〕명 〖지〗 중국, 허난 성(河南省) 뤄양(洛陽) 진춘에 있는 전국(戰國) 시대 후반기의 고묘군(古墓群). 한군묘(韓君墓)로 전해지고 있음. 1928 년에 8 기(基)의 묘가 도굴(盜掘)되었음. 팔각형의 덧널로 옻칠을 한 관(棺)과 부장품(副葬品)으로 수많은 전국식(戰國式) 구리 그릇·거울·옥기류(玉器類)·칠기(漆器) 등이 출토됨. 금촌 고묘.

진:출[1]【振出】명 어음이나 수표 등의 '발행(發行)'의 구칭. ——-하다 타여불

진:출[2]【進出】명 ①앞으로 나아감. 전진(前進)함. ②세력 확장·신분야 개척을 위하여 나섬. ¶ 정계에 ~하다/해외로 ~하다. ③토너먼트 형식으로 행하는 경기에서, 이기고 다음 경기의 출장권(出場權)을 얻음. ¶ 결승에 ~하다. ——-하다 자여불

진:출-로【進出路】명 진출하여 나아가는 길.

진:출-색【進出色】명 그것이 놓여 있는 실제의 거리보다도 훨씬 가깝게 돋보이는 색. 파장이 긴 적(赤)·등(橙)·황(黃) 등의 난색계(暖色系)가 이에 해당함. 팽창색(膨脹色). ↔후퇴색(後退色).

진:충【盡忠】명 충성을 다함. ——-하다 자여불

진:충 보:국【盡忠報國】명 충성을 다하여서 나라의 은혜를 갚음. 갈충(竭忠) 보국. ¶ ~의 정신. ——-하다 자여불

진:충지-신【盡忠之臣】명 충성을 다하는 신하.

진:췌[1]【殄瘁】명 병들어 초췌(憔悴)함. 병들고 시달리어 마침내 망함. ——-하다 자여불

진:췌[2]【盡悴】명 몸이 여위도록 힘을 다하여 수고함. ¶ 직무에 ~하다. ——-하다 자여불

진취[1]【眞趣】명 참된 멋.

진:취[2]【進取】명 ①나아가서 잡음. ②적극적으로 일을 이룩함. 고난을 무릅쓰고 힘껏 앞으로 나아감. ↔퇴영(退嬰). ——-하다 타여불

진:취[3]【進就】명 차차 성취되어 감. ——-하다 자여불

진:취[4]【盡醉】명 술이 몹시 취함. ——-하다 자여불

진:취-성[1]【進取性】[—썽] 명 진취적인 성질.

진:취-성[2]【進就性】[—썽] 명 일을 차차 이루어 나아갈 만한 성질.

진:취-적【進取的】명관 진취의 기상(氣像)이 있는 모양.

진:취지-계【進取之計】명 진취(進取)하는 계책.

진-치【陳熾】명〖사람〗중국 청말(清末)의 개혁 운동가. 자는 차량(次亮). 장시 성(江西省) 출생. 벼슬은 호부 낭중(戶部郎中). 일찍이 경세(經世)의 뜻이 있어, 견문을 넓히기 위해, 개항장(開港場)인 홍콩·마카오 등지를 유력(遊歷)하고 ≪용서 내외편(庸書內外篇)≫을 저술하여 개혁을 주창했음. 청일(清日) 전쟁 후에는 캉 유웨이(康有爲)가 베이징(北京)에 연 강학회(強學會)에 참가함. 생몰년 미상.

진-치다【陣—】자 ①진을 구축하고 거기에 의지하다. ¶국경에 ~. ②자리를 차지하다. 어떤 장소를 점령하다.

진:-치사【進致詞】명〖역〗진하(進賀) 때에 송축(頌祝)을 올림.

진:칠【進漆】명 재궁(梓宮)에 옻을 칠함. ——-하다 자타여불

진-침로【眞針路】[—노] 명〔true course〕지구의 자오선(子午線)을 기준(基準)으로 하여 정해진 방위(方位)에 의한 침로. 참코스.

진 칵테일〔gin cocktail〕명 진을 주제(主劑)로 해서 만드는 칵테일. 진피즈(gin fizz)·드라이 마티니(dry martini) 따위.

진-콜로이드【眞—】명〔eucolloid〕〖화〗사슬 모양 중합체(重合體) 중에서 평균 중합도(平均重合度)가 500 이상인 것. 길다란 분자로 되어 있으며, 최대의 것은 2.5μ에 달하는 것도 있음. 고체(固體)에서의 성질은 강인(強靭)하고 셀룰로오스나 명주는 섬유상, 폴리스티렌은 유리상을 나타내는 데 대해, 고무는 고탄성(高彈性)을 보임.

진-타작【—打作】명〖농〗물타작. ↔마른타작. ——-하다 자여불

진탁【眞—】명 친(親)탁. ——-하다 자여불

진탄〔金壇〕명〖지〗중국 장쑤 성(江蘇省)의 남동부 진탄 현(金壇縣)의 현청 소재지. 전장 시(鎭江市)의 남방 약 50 km에 있음. 부근에서 쌀·보리·면화·석탄 등을 산출하며, 특히 쌀은 사오싱 주(紹興酒)의 양조용으로 공급됨. 서쪽 30 km에 있는 모산(茅山), 곧 후이지 산(會稽山)은 도교(道教)의 성지(聖地)로서 유명함.

진-탈태【眞脫胎】명〖공〗자기(瓷器)의 탈태의 한 종류. 그 질(質)이 아주 얇아, 잿물만으로 만든 그릇처럼 썩 투명하게 되었음.

진탕[1] 명〈방〉진창[1].

진탕[2]【—宕】부 한껏 흐무러지게. 싫증이 날 만큼 풍부하게. ¶술을 ~ 먹이다/~ 놀다.

진:탕[3]【震盪·振盪】명 몹시 흔들리어 울림. ¶뇌~. ——-하다 자여불

진:탕-기【震盪器】명 셰이커(shaker).

진탕-만탕【—宕—宕】부 지극히 흐뭇하게. 양에 다 차도록 흠씬. 만족하고 풍부하게.

진:탕 배:양【震盪培養】명〖생〗미생물을 접종(接種)한 액체 배지(培地)를 뒤흔들면서 미생물을 배양하는 방법. 공기 중의 산소가 쉽게 배지 속으로 스며들어 호기성균(好氣性菌)을 능률적으로 배양할 수 있음. ↔정치(靜置) 배양.

진탕-으로【—宕—】부 ☞진탕.

진:탕-증【震盪症】[—쯩] 명〖의〗척수와 그보다 더 고위(高位)의 뇌 부분과의 연락이 끊어져, 일시적으로 반사가 소실된 상태. 무력성(無力性) 진탕증은 피부 창백·맥박 미약·호흡 부정(不整)·정신 황홀의 증세를 나타내며, 자극성 진탕증은 정신 항분(亢奮)·신음 규호(呻吟叫號)의 증세를 나타냄.

진:탕 합제【震盪合劑】명〖약〗①물에 잘 녹지 않는 약물을 섞어 넣은 탁한 물약. 잘 흔들어서 가라앉은 것이 없도록 하여 마심. ②〔lotion〕액체에 가루를 섞은 도포약(塗布藥). 흔들어서 잘 섞은 다음에 피부에 바르면 액체는 증발(蒸發)하고 가루만 얇은 막(膜)을 이루어 피부를 냉각(冷却) 또는 보호하는 역할을 함. 조홍면(潮紅面)·수포면(水疱面) 등에 이용됨.

진태 명〈방〉진눈깨비.

진-태양【眞太陽】명〔apparent sun〕〖천〗천구(天球) 상에 나타낸 태양 중심의 위치. 가상(假想)의 평균 태양(平均太陽)에 대하여 일컬음. ↔평균 태양.

진태양-시【眞太陽時】명〔apparent solar time〕〖천〗진태양의 시각(時角)에 의하여 정한 시각(時刻) 또는 시법(時法). 시태양시(視太陽時). *평균(平均) 태양시.

진태양-일【眞太陽日】명〔apparent solar day〕〖천〗진태양이 남중(南中)하고서 다시 남중할 때까지의 시간. 시태양일(視太陽日). 참햇날.

진:택【震澤】명〖지〗태호(太湖)의 옛 이름.

진-터【陣—】명 진지(陣地).

진테:제〔도 Synthese〕명 ①〖철〗사상의 각 요소를 논리적(論理的)으로 결합하여 통일하는 것. 또, 그 결과. ②〖논〗단일(單一)에서 복합(複合)으로, 일반(一般)에서 개별로, 원리(原理)에서 적용(適用)으로, 원인에서 결과로 이끄는 것과 같은 연역적(演繹的)인 추리법.

진토【塵土】명 ①티끌과 흙. ②가치가 없는 것의 비유.

진:토-제【鎭吐劑】명〖약〗제토제(制吐劑).

진통[1]【陣痛】명〖의〗①분만시(分娩時)에 주기적(周期的)·파상적(波狀的)으로 반복하여 일어나는 자궁의 수축. 불수의적(不隨意的)으로 일어나며 동통(疼痛)을 수반(隨伴)함. 산통(産痛). ②일이 성숙(成熟)되어 갈 무렵의 경난(經難). ¶~을 겪다/혁신의 ~기에 있다. ——-하다 자여불

진:통[2]【鎭痛】명〖의〗아픔을 진정시킴. ——-하다 타여불

진:통-제【鎭痛劑】명〖약〗중추 신경에 작용하여 환부(患部)의 아픔을 마취·진통시키는 약물(藥物). 모르핀·판토폰·안티피린 등.

진통 촉진제【陣痛促進劑】명〖약〗진통이 약해서 분만이 진행되지 않을 경우, 자궁을 긴축(緊縮)시켜서 분만을 돕는 약품.

진:퇴【進退】명 ①나아감과 물러섬. ②행동 거지. ③직무 상의 거취(去就). ¶~를 같이하다. ——-하다 자여불

진:퇴 양:난【進退兩難】명 진퇴 유곡. 딜레마.

진:퇴 유곡【進退維谷】명 앞으로 나아갈 수도 뒤로 물러 날 수도 없이 꼼짝 할 수 없는 궁지에 빠짐. 진퇴 양난.

진투【陳套】명 시대에 뒤진 낡은 투.

진:티 명 사단(事端)의 원인(原因). 일이 잘못될 빌미. ¶~는 과식(過食)한 데 있다.

진:파【殄破】명 패하여 망함. ——-하다 자여불

진:패【賑牌】명〖역〗①조선 시대에 진휼(賑恤)을 받는 대상자임을 표시한 나무패. ②조선 시대에, 진휼을 할 때, 부락 단위로 진휼 대상자를 편성한 조직.

진퍼리 명〈방〉진펄.

진퍼리-까치수염【—鬚髥】명〖식〗[*Lysimachia fortunei*] 앵초과에 속하는 다년초. 줄기 높이 60 cm 내외. 무병(無柄)의 잎은 호생하며 긴 타원상 피침형 또는 선형(線形)임. 7-8월에 흰 꽃이 총상(總狀) 화서로 정생하며, 삭과(蒴果)를 맺음. 습지에 나는데, 제주·전남 등지에 분포함. 성수채(星宿菜).

〈진퍼리까치수염〉

진퍼리-꽃나무 명〖식〗[*Chamaedaphne calyculata*] 석남과에 속하는 상록 활엽 관목. 높이 1m 가량이며 잎은 긴 타원형인데, 비늘 모양의 털이 밀생함. 여름에 흰 꽃이 총상(總狀) 화서로 피고, 삭과(蒴果)는 가을에 익음. 고원의 습지에 군락(群落)을 이루어 나는데, 함북 길주군(吉州郡)의 대택(大澤)과 무산군(茂山郡)의 장지(醬池) 및 일본·사할린 등지에 분포함. 관상용임.

진퍼리-노루오줌 명〖식〗[*Astilbe divaricata*] 범의귓과에 속하는 다년초. 줄기 높이 1m 이상이고 잎은 호생하며 장병(長柄)인데 2-3회 삼출(三出) 또는 우상 복생(羽狀複生)하고, 소엽(小葉)은 달걀꼴 또는 긴 달걀꼴을 이룸. 7-8월에 엷은 홍자색의 꽃이 원추(圓錐) 화서로 줄기 끝에 정생(頂生)하며, 삭과(蒴果)를 맺음. 산이나 들에 나는데, 충북의 속리산(俗離山)에 분포함.

진퍼리-사초【—莎草】명〖식〗[*Carex arenicola*] 방동사닛과에 속하는 다년초. 높이 50 cm 정도. 근경(根莖)은 인상엽(鱗狀葉)으로 덮이고 줄기는 능주(稜柱)로 여러 줄기가 총생하며, 잎은 족생(簇生)하고 선형(線形)임. 4-7월에 달걀꼴 타원형의 다갈색 꽃이삭이 나오는데, 수꽃은 정생(頂生)함. 과낭(果囊)은 피침상의 달걀꼴. 들에 나는데, 경기·평북·함남·함북 등지에 분포함.

진퍼리-잔대 명〖식〗[*Adenophora palustris*] 초롱꽃과에 속하는 다년초. 뿌리는 다소 단대(短大)하고 줄기는 높이 70 cm 내외임. 잎은 호생하고 넓은 타원형이며 무병(無柄)임. 8월에 자황색(紫黃色) 종 모양의 꽃이 줄기 끝의 엽액(葉腋)에 거의 총상 화수(總狀花穗)로 달리어 핌. 깊은 산의 습지에 나는데, 강원도 등지에 분포함.

진펄 명 진창으로 된 벌. 광척(廣斥).

진펄-성【—性】[—썽] 진펄에 맞는 성질. 소택성(沼澤性).

진펄 식물【—植物】명〖식〗소택(沼澤) 식물.

진편【陳編·陳篇】명 옛날의 서적. 고서(古書).

진-편포【—片脯】명 쇠고기를 난도질하여 기름과 간장 혹은 소금을 쳐서 간을 맞춘 다음, 그것을 말리지 아니하고 날것으로나 구워 먹는 편포. 습편포(濕片脯). ↔마른 편포.

진-평【陳平】명〖사람〗중국 한(漢)나라 초기의 공신. 후난 성(湖南省) 사람. 항우(項羽)의 신하였다가 고조(高祖) 유방(劉邦)에게로 옮긴 후 누차 지모(知謀)로써 고조의 통일 사업에 이바지함. 혜제(惠帝) 때 좌승상(左丞相)이 되고 여씨(呂氏)의 난(亂)에는 주발(周勃)과 힘을 합쳐 평정했음. [?-178 B.C.]

진평-왕【眞平王】명〖사람〗신라 제26대 왕. 휘(諱)는 백정(白淨). 원광(圓光)·담육(曇育) 등을 수(隋)나라에 유학시켜 불교 진흥(佛教振興)에 힘쓰고, 거듭되는 고구려의 침공(侵攻)에 대항하여 609년에 수의 원조를 얻어 고구려를 원정하였고, 당(唐)나라가 섰을 때에도 계속 친교를 맺고 고구려를 견제함. [?-632; 재위 579-632]

진폐【塵肺】명〖의〗진폐증.

진폐-증【塵肺症】[—쯩] 명〖의〗직업병(職業病)의 하나. 직장에서 발생한 먼지가 폐에 끼여 있어서 폐섬유증(肺纖維症)이 생기어 호흡 기능에 장애를 일으키는 병. 숨이 차고 심장 기능 장애·체력 소모·식욕 부진·부기(浮氣) 등이 나타남. 먼지의 종류에 따라 규폐증(珪肺症)·탄폐증(炭肺症)·석면폐증(石綿肺症)으로 나뉨. 진폐.

진:포【震怖】명 두려워서 떪. 진공(震恐). ——-하다 자여불

진:포-위【鎭浦衛】명〖역〗조선 시대 때 평안도 강계(江界)에 둔 토관(土官)의 서반 직소(西班職所). *진변위(鎭邊衛).

진:포의 대:첩【鎭浦—大捷】[—/—에—] 명〖역〗〔진포는 지금의 충남 서천(舒川)〕고려 말 우왕(禑王) 6년(1380)에 진포에 침입한 왜구(倭寇)의 배 500여 척을 맞아 나세(羅世)·최무선(崔茂宣) 등이 전함을 이끌고 화통(火㷁)·화포로 이를 격파·전소(全燒)시킨 싸움. 이는 최무선이 고심하여 제조한 화통·화포를 처음으로 사용하여 큰 전과를 거둔 싸움임.

진포 철도【津浦鐵道】[—또] 명〖지〗진푸 철도.

진:폭[1]【振幅】명〔amplitude〕〖물〗진동하는 물체에 있어서, 그 정지(靜止)의 위치로부터 진동의 좌우의 극점(極點)에 이르기까지의 변위(變位). 곧, 진자(振子)로 말하면 진동의 중심에서 진동의 끝까지의 거리를 일컬음. 길이 또는 각도로써 나타냄.

진:폭²【震幅】명〖지〗지반(地盤)의 진동이 지진계(地震計)에 감축·기록되는 그 너비.

진:폭 공:명【振幅共鳴】명〔amplitude resonance〕〖물〗사인파(sine 波)의 여기(勵起)가 공명계(系)에 최대의 진폭을 발생시키는 진동.

진:폭 변:조【振幅變調】명〔amplitude modulation〕〖물〗전파에 의하여 음성이나 영상(映像)의 신호를 보내는 방식의 하나. 신호파(信號波)의 크기에 따라 반송파(搬送波)의 진폭을 변화시켜 통신함. 오래 전부터 가장 널리 쓰이는 변조 방식으로, 중파·단파의 라디오 방송, 텔레비전의 영상 통신, 장거리 전화 회선 따위에 이용됨. 에이 엠(A.M.). ↔주파수 변조(變調).

진:폭 변:조기【振幅變調器】명〔amplitude modulator〕〖물〗반송파(搬送波)에 원하는 진폭 변조를 발생시키는 장치.

진:폭 변:조 라디오【振幅變調―】〔radio〕명 무선 주파수의 반송파를 진폭 변조시켜서 정보를 전송(傳送)하는 무선 통신의 방식. 또, 그것에 사용되는 수신기(受信機). 「放送).

진:폭 변:조 무선 방:송【振幅變調無線放送】명 에이 엠 방송(A.M.

진:폭 변:조 방식【振幅變調方式】명 에이 엠 방식(A.M.方式).

진표【眞表】명〖사람〗신라 중기의 고승(高僧)으로 신라 5교의 하나인 법상종(法相宗)의 창시자. 속성은 정(井). 완산주(完山州) 만경현(萬頃縣) 사람. 12세에 금산사(金山寺) 숭제(崇濟) 법사 밑에서 중이 되었으며, 효성왕 4년(740) 불사의암(不思議庵)에 들어가 고행한 끝에 지장보살(地藏菩薩)의 현신 수계(現身授戒)함을 받았고, 이어 영산사(靈山寺)에 가 더욱더 근고(勤苦)한 끝에 경덕왕 11년(752) 미륵 보살에게서 ≪점찰법(占察法)≫ 2권과 간자(簡子) 189개를 받음. 혜공왕 2년(766) 금산사를 중창하고 이후 불교 융흥에 힘씀. 생몰 연대 미상.

진:-표리【進表裏】명〖역〗동지(冬至)·원조(元朝) 또는 왕의 탄신 축하날에 옷의 거죽감과 안감을 바치는 일. ――-하다 자여불

진푸 철도【―鐵道】〔津浦〕[―또] 명〖지〗중국의 남북 종관(南北縱貫) 철도의 하나. 톈진(天津)에서 장쑤 성(江蘇省) 푸커우(浦口)에 이르며 전장(全長) 1,017 km. 독일·영국 두 나라와의 차관 계약(借款契約) 아래 1908년에 착공하여 1912년에 개통되었음. 제 1 차 대전의 결과 독일의 이권은 소멸되고 영국이 그 이권을 독점한 적도 있었음. 1950년 이후 후닝(滬寧) 철도와 연결되어 진후(津滬) 철도의 일부가 됨. 진포 철도.

진-풀¹명 홑옷을 세탁하여 마르기 전에 곧 먹이는 풀.

진풀²명 시들어 마르지 아니한 푸른 풀.

진품¹【珍品】명 진귀한 물품. 이품(異品).

진품²【眞品】명 가짜가 아닌 물품. 진짜.

진풍¹【陣風】명 갑자기 불다가 잠시 후에 그치는 센 바람. 흔히, 눈이나 비가 오기 전에 붊.

진풍²【秦風】명 ①중국 주(周)나라 때의 진(秦), 곧 지금의 간쑤 성(甘肅省) 진주(秦州) 땅의 풍속을 읊은 시. 시경(詩經)에 수록되었음. ②서풍(西風).

진풍³【塵風】명 먼지를 몰아 오는 바람. 먼지 섞인 바람.

진-풍경【珍風景】명 희귀한 경치. 구경거리. ¶거리의 ～.

진:-풍정【進豐呈】명〖역〗진연(進宴)보다 의식이 정중한 대궐 안 잔치의 한 가지.

진:피¹명 검질긴 성미로 끈끈하게 구는 짓거리.

진피²【秦皮】명〖한의〗물푸레나무의 껍질. 성질은 차며, 주로 해열에 약효가 있음. 안질에는 달여 먹거나 씻으며, 이질에도 씀.

진피³【眞皮】명〖생〗척추 동물(脊椎動物)의 피부(皮膚)를 형성하는 내외 두 겹의 살가죽 가운데 내층(內層). 가장 심부(深部)에 지방 조직이 있고 사람의 것은 탄력(彈力) 섬유가 풍부한 결체(結締) 조직으로 이루어져 있음. 외층(外層)은 표피(表皮)라고 함. 참가죽. *피부.

진피⁴【陳皮】명〖한의〗오래 묵은 귤 껍질. 맛은 쓰고 매운데 건위(健胃)·발한(發汗)의 약효가 있음.

진:피-아들 명 지지리 못난 사람.

진 피즈〔gin fizz〕명 진 칵테일의 하나. 진(gin)에 설탕·얼음·레몬을 넣고, 탄산수를 부은 음료수.

진필【眞筆】명 당자의 진짜 필적. 친필(親筆). 진적(眞跡). ¶한석봉의 ～ 천자문.

진하¹【津河】명 나루터. 도선장(渡船場).

진:하²【進賀】명〖역〗나라에 경사가 있을 때 백관(百官)이 왕에게 나아가 조하(朝賀)함. ――-하다 자여불

진:-하다¹【盡―】자여불 ①다하여 없어지다. ¶기력이 ～/운이 ～. ②극한에 이르다.

진-하다²【津―】형여불 ①액체의 농도(濃度)가 높다. 수분이 적어 되직하다. ②빛깔이나 화장한 것이 짙다. ¶빛깔이 ～.

진:-하련【震下連】명〖민〗팔괘(八卦)의 하나. 진괘(震卦)의 상형(象形) '☳'의 일컬음.

진:하-사【陳賀使·進賀使】명〖역〗조선 시대에, 중국 황실(皇室)에 경사(慶事)가 있을 때, 중국에 보내는 임시 사절(使節). *진위사(陳慰使).

진:하지-례【進賀之禮】명 진하(進賀)하는 예(禮).

진:학【進學】명 ①학문에 나아가 닦음. ②상급 학교로 나아감. ¶대학에 ～하다. ――-하다 자여불

진:학-률【進學率】[―뉼] 명 졸업생 가운데서 상급 학교에 진학하는 비율.

진:학 적성 검:사【進學適性檢査】명 진학 또는 고등 교육을 받을 만한 자질(資質)의 유무를 알아보는 검사.

진:학 지도【進學指導】명 아동(兒童)·학생으로 하여금 자기 성능(性能)에 적합한 교육을 받게 하고 그 개성(個性)을 발휘시키기 위하여 상급 학교(上級學校)로의 진학 및 학교의 선택(選擇), 학과(學科)의 선택 등을 지도하는 일.

진-학질모기【眞瘧疾―】명〔*Anopheles koreicus*〕〖충〗모깃과에 속하는 학질모기의 하나. 몸길이 5.5 mm이고 암컷의 날개 길이는 4.8 mm 가량임. 몸과 촉각은 암갈색이고, 날개의 전연맥(前緣脈) 기부(基部)와 상박(上膊) 횡맥부(橫脈部)에 각각 1개씩의 백색 반문(斑紋)이 있고 그 말단부(末端部)에는 2개의 긴 백색 반문이 있으며 둔맥(臀脈)에는 3개의 흑색 반문이 있음. 유충은 '장구벌레'로 호흡관이 없고, 수면에 평행하여 떠다니며 정지하면 뒷다리를 높게 굽히어 꽁무니를 올리고 머리를 숙임. 시궁창·연못·습지에서 생겨나며, 야간에 활동하여 사람의 피를 빨아 먹으며 특히 학질을 매개함. 한국·일본·중국에 분포함. 조선학질모기.

진한¹【辰韓】명〖역〗삼한(三韓)의 하나. 1-3세기말경까지 우리 나라 남부에 살고 있던 한족(韓族) 78 부락 국가 중의 동북부 12국의 총칭. 지리적으로 경상 북도의 영해(寧海)·안동·상주 지역을 북계(北界)로 하고, 경상 남도의 언양(彦陽)·창녕·가야산 지역을 남계(南界)로 하며, 서쪽은 추풍령(秋風嶺)을 넘어 황간(黃澗)·옥천(沃川)의 돌출부를 경계로 했음. 4세기 중엽 진한 12국 중의 하나인 사로(斯盧)에 패망하여 신라에 통일되었음.

진:한²【趁限】명 진기(趁期).

진한³【嗔恨】명 성내며 원망함. 진원(嗔怨).

진한 시대【秦漢時代】명〖역〗중국 진시황제(秦始皇帝)가 전국(戰國) 시대의 혼란(混亂)을 수습(收拾)하고, 처음으로 중국을 중앙 집권하에 통일한 때부터 후한(後漢)이 멸망하기까지의 B.C. 3세기에서 A.D. 2세기까지의 시대. 이후의 중국 왕조의 형태는 이 시대에 정해짐.

진합【眞蛤】명〖조개〗가리맛.

진합 태산【塵合泰山】명 티끌 모아 태산. 토적 성산(土積成山).

진항¹【津航】명 나룻배. 진선(津船).

진:항²【進航】명 선박이 물 위를 진행함. 항진(航進). ――-하다 자여불

진-항:로【眞航路】[―노] 명〖항공〗진자오선(眞子午線)과 이루는 각으로써 나타낸 항로.

진:항 정지【進航停止】명 ①선박이 진항을 멈추고 정지하는 일. ②〖해〗군함이 해상에서 평시(平時)에 해적선이라고 인정하거나 또는 전시(戰時)에 임검(臨檢)의 필요가 있다고 인정한 선박에 정선(停船)을 명하는 일. 이런 경우에는 관례상 만국 신호(萬國信號)를 쓰거나 또는 스스로 국기를 게양하고 공포(空砲) 2발을 발사하여 정지를 명하는데, 불응(不應)하는 경우에는 뱃머리 전방에 실탄(實彈)을 발사함.

진:해¹【震駭·振駭】명 몸을 떨며 놀람. ――-하다 자여불

진:해²【鎭咳】명 기침이 그침. 기침을 그치게 함. ¶～ 작용. ――-하다 자타여불

진:해³【鎭海】명〖지〗경상 남도의 한 시(市). 진해만(鎭海灣)에 자리잡은 천연의 양항(良港)으로 군항(軍港)임. 임해 공업 도시의 기반을 구축하여 비료·플라스틱 제품·식용유(食用油) 등의 산출도 많음. 해군 통제부, 해군의 각종 교육 기관 등이 있으며, 벚꽃과 군항제(軍港祭)·충무공 동상(忠武公銅像)·성주사(聖住寺)·마진 터널(馬鎭 tunnel) 등이 유명함. [120,207 명(1990)]

진:해⁴【鎭海】명〖지〗'전하이'를 우리 음으로 읽은 이름.

진-해돈【眞海豚】명〖동〗돌고래.

진:해-만【鎭海灣】명〖지〗경상 남도 남쪽 끝과 거제도(巨濟島) 사이에 있는 만. 진해항(港)이 있음. 동남해(東南海)의 관문임.

진:해-선【鎭海線】명〖지〗경전선(慶全線) 창원역(昌原驛)에서 갈라져 진해에 이르는 철도. 1926년 11월 11일 개통. [22.7 km]

진:해-제【鎭咳劑】명〖약〗기침을 진정시키는 약제. 모르핀·인산(燐酸) 코데인 등을 사용함.

진:해 회:담【鎭海會談】명〖역〗1949년 8월 6일부터 3일간 진해에서 이 승만(李承晩) 대통령과 자유 중국의 장 제스(蔣介石) 총통 사이에 개최된 회담. 아시아에서의 공산군의 위협이 점증함에 따라 그 대비책으로 한·중간의 반공 공동 방위에 관한 의견이 협의되었는데, 6·25 사변으로 그 결실을 못보다가 1954년 6월 15일 진해에서 아시아 반공 연맹(APACL)의 결성을 보기에 이르렀음.

진핵 생물【眞核生物】명〔eucaryote〕〖생〗원핵(原核) 생물에 대립되는 호칭. 핵막(核膜)으로 둘러싸인 핵을 가지며, 유사 분열(有絲分裂)을 하는 세포로 형성된 생물. 세균 및 남조(藍藻) 식물을 제외한 모든 원생(原生) 생물이 이에 포함되며, 복잡한 고차 구조(高次構造)를 형성하고 있음. 또, 세포질 내에도 미토콘드리아·엽록체(葉綠體) 등 여러 가지 구조체가 분화(分化)하여 있음. ↔원핵(原核) 생물. *원생 생물.

진핵 세:포【眞核細胞】명〔eucaryotic cell〕〖생〗핵막(核膜)으로 싸인 핵을 가진 세포. 염색체수(染色體數)는 하나 이상이며 유사 분열(有絲分裂)을 행함. 세균과 남조(藍藻) 식물 이외의 모든 동물 및 식물 세포가 이에 속하며, 진핵 세포로 된 생물을 진핵 생물이라고 함. 진핵 세포의 핵에서는 DNA가 히스톤 따위의 단백질과 함께 염색체의 구조를 만들며, 핵 속에는 인(仁)이 보임. 세포질내에는 막계(膜系)가 잘 발달되고 소포체(小胞體)·골지체(Golgi 體)·미토콘드리아 따위의 세포 소기관이 있어 각기 특이(特異)한 기능을 다하고 있음. *진핵 생물.

진:행【進行】명 ①앞으로 나아감. ②일을 처리(處理)하여 나감. ¶회의를 ～하다. ③〖악〗가기¹. ――-하다 자타여불

진:행-계【進行係】명 집회 또는 의사(議事)에서, 행사의 진척을 계획하는 임무를 담당한 사무 분담의 계. 또, 그 사람.

진:행 마:비【進行痲痺】명〖의〗매독(梅毒)의 병원체(病原體) 자체에 의해서 일어나는 진성(眞性)의 뇌매독성 질환의 하나. 매독 감염 후 수

년 내지 수십 년의 잠복기(潛伏期)를 거쳐 일어남. 불면증·피로감·기억력 감퇴·주의 집중의 곤란 등 초기 증상(初期症狀)에 이어 실신(失神)·경련 발작이 일어나며, 병의 진행에 따라 치매(癡呆), 감정·의지 장애 등이 수반(隨伴)되고, 신체 증상으로서는 동공(瞳孔)의 형태가 타원형이 되며 그 밖에 언어(言語) 장애, 슬개건(膝蓋腱) 반사 이상 등을 볼 수 있음. 마비성 치매. 「임이 잇따라 진행됨을 나타내는 법.

진:행-법【進行法】[―뻡] 명 『언』 동사의 시제(時制)의 한 가지. 움직

진:행-상【進行相】명 『언』 동사의 동작상(動作相)의 하나. 움직임이 진행 중임을 나타냄. 현재 진행상·과거 진행상·미래 진행상이 있음.

진:행-성【進行性】[―썽] 명 『의』 병이 정지 상태에 있지 아니하고 악화해 가는 성질. ¶~ 결핵.

진:행성 근디스트로피【進行性筋―】[dystrophy] [―썽―] 명 『의』 유전성이 있는 근질환(筋疾患). 유년기(幼年期)에서 청년기에 발병하는 일이 많으며, 구간(軀幹)에 가까운 사지근(四肢筋)의 위축을 특징으로 함. 만성으로 경과가 길.

진:행성 근:시【進行性近視】[―썽―] 명 『의』 고령(高齡)에 이르러서도 안축(眼軸)의 연장이 그치지 아니하는 축성(軸性) 근시. 대개는 유전성인데 안저(眼底)에 망맥락 위축(網脈絡萎縮)이나 망막 박리(網膜剝離) 등을 일으키는 악성의 것임.

진:행성 근위축증【進行性筋萎縮症】[―썽―] 명 『의』 근위축이 거의 좌우 대칭성(左右對稱性)으로 서서히 진행하는 병. 사지(四肢)·구간(軀幹)의 위축, 경성(痙性) 마비가 일어남. 척추성 진행성 근위축증과 신경성 근위축증 외에 근위축성 측색 경화증(筋萎縮性側索硬化症)을 포함하는 일도 있음. 「의 하나. *유도(誘導) 신호·감속(減速) 신호.

진:행 신:호【進行信號】명 그대로 진행할 수 있음을 알리는 철도 신호

진-행주 명 물을 묻히어서 쓰는 행주. ↔마른 행주.

진-행-초【眞行草】명 한자 서체(書體)의 해서(楷書)·행서(行書)·초서(草書)의 총칭. 진초행(眞草行).

진:행-파【進行波】명 [progressive wave] 『물』 정상파(定常波)에 대하여 공간내를 어떤 방향으로 진행하는 보통의 파(波). 전진파(前進波).

진:행파-관【進行波管】명 [traveling-wave tube] 『물』 마이크로파(波) 진공관의 하나. 전자류(電子流)와 전자기적(電磁氣的) 진행파와의 상호 작용을 이용하여 마이크로파의 증폭을 행함. 상당히 넓은 주파수 범위에 걸쳐 마이크로파의 증폭과 발진(發振)이 가능함.

진:행파 광전관【進行波光電管】명 [traveling-wave phototube] 『전』 고속 변조 레이저 빔(高速變調 laser beam)의 검파용(檢波用)으로 설계된, 빛이 통과하는 창(窓)과 광전 음극(光電陰極)을 가진 진행파관(管) 레이저 빔은 전류(電流)로 변조된 광전자(光電子) 빔을 방사함.

진:행 파동【進行波動】명 『기상』 지구 표면에 대하여 상대적으로 움직이는 파동 또는 파동 모양의 요란(擾亂).

진:행파 안테나【進行波―】명 [traveling-wave antenna] 『전』 도체(導體) 속을 한 방향으로만 전파(傳播)하는 전하(電荷)의 파(波)가 전류 분포(電流分布)를 만드는 안테나.

진:행파 자전관【進行波磁電管】명 [traveling-wave magnetron] 『전』 파(波)의 전파(傳播) 방향에 수직인 교차 정전 자기장(交叉靜電磁氣場) 속을 전자(電子)가 이동하게끔 한 진행파관(管). 현재의 자전관은 모두 이 형(型)임.

진:행파 증폭기【進行波增幅器】명 [traveling-wave amplifier] 『물』 수천 메가헤르츠(MHz) 정도의 주파수 신호를 증폭하기 위하여, 하나 또는 여러 개의 진행파관(管)을 쓰는 증폭기.

진:행-표【進行表】명 진도표(進度表).

진:행-형【進行形】명 『언』 동사의 시제(時制)의 하나. 움직임이 잇따라 진행됨을 나타냄. 먹는다·먹는 중이다·먹고 있다 등. 나아감꼴.

진:향[1]【進向】명 일정한 방향을 향하여 나아감. ――하다 자 여불

진:향[2]【進香】명 『역』 조선 시대 때 상왕(上王)·왕대비(王大妃)·대왕 대비(大王大妃)·왕(王)·왕비(王妃)·왕세자(王世子)·왕세자빈(王世子嬪)·왕세손(王世孫)·왕세손빈(王世孫嬪)의 국휼(國恤) 때 빈전(殯殿) 또는 빈궁(殯宮)에 종척(宗戚)이 제전(祭奠)을 올리는 일. ――하다 자 여불

진:향[3]【震響】명 흔들려 울림. ――하다 자 여불

진:향-사【進香使】명 『역』 조선 시대 때 황실에 상고(喪故)가 난 경우, 중국에 보내는 임시 사절(使節). 진위사(陳慰使)와 함께 보냄. *진하사(陳賀使).

진향-원【趁香院】명 『역』 조선 시대 연산군(燕山君) 12년(1506)에 설치한, 가흥청(假興淸)이 있던 곳. 가흥청은 시골에서 올라와 아직 정식 흥

진-허구리 명 ☞진허리. ㄴ청이 되지 못한 사람임.

진-허리 명 잔허리의 우묵하게 들어간, 곱꺾이는 부분.

진:헌【進獻】명 ①드림. 바침. ②『역』 조선 시대 때 중국에 조공(朝貢)하기 위하여 각 도에서 받아들이는 공물(貢物). ――하다 타 여불

진:헌-색【進獻色】명 『역』 조선 시대 때 중국 황제에게 특별한 선물을 할 경우 그것을 마련하기 위하여 임시로 베푸는 관아(官衙). 흔히 처녀나 말을 바칠 때 베풀었음.

진현[1]【眞玄】명 참먹. 「리키는 말.

진현[2]【陳玄】명 중국의 한유(韓愈)가 의인화(擬人化)한 말로, 먹을 가

진:현[3]【進見·進現】명 임금께 뵈옴. ――하다 자 여불

진:현[4]【震眩】명 놀라 눈이 아찔함. ――하다 자 여불

진:현-관[1]【進賢冠】명 ①『역』 문관이나 유자(儒者)가 쓰던 관의 하나. 지위의 높고 낮음에 따라 관량(冠梁)의 수가 다름. ②의식(儀式) 무용을 할 때 쓰는 관의 하나. 석전제향(釋典祭享) 일무(佾舞)에 문무(文舞)를 추는 무생(舞生)이 이 관을 쓰고 홍수의(紅紬衣)에 약(籥)·적(翟)을 듦. 검고 양귀가 뚫렸으며 금빛 꽃무늬가 있음.

〈진현관[1]❶〉

진:현-관[2]【進賢館】명 『역』 고려 충렬왕(忠烈王) 때에 베푼 관아. 재능 있는 문신(文臣)을 뽑아 임금을 시종(侍從)케 한 관전(館殿)의 하나로 34년(1308)에 문한서(文翰署)에 합하였다가 다시 베풀었고, 공민왕(恭愍王) 5년(1356)에 폐하고, 동 11년에 다시 베풀어서 동 18년에 폐하고, 동 21년에 또다시 베풀었음.

진:현-시【進賢試】명 『역』 조선 성종(成宗) 13년(1482)에, 인재 등용(人材登用)을 위하여 보인 과거.

진형[1]【陣形】명 진지의 형태. 전투의 대형.

진형[2]【眞形】명 참 모습. 실체(實體).

진형[3]【榛荊】명 ①나뭇가시. ②가시나무. 진자(榛刺).

진호[1]【眞虎】명 『사람』 후백제 견훤(甄萱)의 조카. 925년 견훤이 조물성(曹物城)으로 침공하였으나 승패를 결하지 못하여 고려와 화약을 맺게 되자 볼모로 고려에 들어갔다가 이듬해 병사하였음. 견훤은 고려측이 살해한 것이라 하여 고려측 볼모인 태조의 동생 왕신(王信)을 살해함으로써 양측의 화약은 깨어짐. [?-926]

진:호[2]【鎭護】명 난리를 평정하여 나라를 지킴. 진압하여 지킴. ¶국가를 ~하다. ――하다 타 여불

진:호 국가【鎭護國家】명 『불교』 교법에 의하여 국가를 진정(鎭定) 보호하는 일. 이것을 위하여 법화경(法華經)·금광명경(金光明經)·인왕반야경(仁王般若經) 등을 강독하며, 또 여러 수법을 행함.

진:호 국가 삼부【鎭護國家三部】명 『불교』 삼부경(三部經)의 하나.

진호-귀【陳鎬鬼】명 『민』 '지노귀'의 취음(取音).

진호 철도【津滬鐵道】[―또] 명 『지』 진후 철도.

진:혼【鎭魂】명 망혼(亡魂)을 가라앉힘. ――하다 타 여불

진:혼-곡【鎭魂曲】명 '위령곡'의 구칭.

진:혼 귀신【鎭魂歸神】명 정신을 가라앉히어, 무념 무상(無念無想)의 경지에 이르러 일체를 바쳐 신명(神明)에 귀의함. ――하다 자 여불

진:혼-제【鎭魂祭】명 위령제(慰靈祭).

진:홀【搢笏】명 손에 들었던 홀(笏)을 띠에 꽂음. ――하다 자 여불

진홍【眞紅】명 ↗진홍색(眞紅色). 농홍(濃紅).

진홍-가슴【眞紅―】명 『조』 [*Luscinia calliope calliope*] 지빠귓과에 속하는 새. 몸길이 16 cm 가량에 참새만하고 등·가슴·옆구리는 감람(橄欖) 갈색이며, 목은 심홍색(深紅色)임. 눈 위와 볼에는 흰 줄이 있고 그 사이는 검으며 배는 흼. 농조(籠鳥)로 기름. 대안작(大眼雀).

진홍 대:단【眞紅大緞】명 중국에서 생산되는 비단의 일종.

진-홍두깨 명 다듬이에 축축한 물기운이 많게 하여 홍두깨에 올리는 일. ↔마른 홍두깨.

진홍-빛【眞紅―】[―삗] 명 진홍색.

진홍-색【眞紅色】명 짙게 붉은 빛. 진홍빛. 스칼렛(scarlet). ㊟진홍(眞紅).

진-홍수【陳洪綬】명 『사람』 중국 명대(明代)의 화가. 저장 성(浙江省) 주지(諸曁) 사람. 자(字)는 장후(章侯), 호는 노련(老蓮). 인물화에서 동시대의 화가 최자충(崔子忠)과 함께 '남진 북최(南陳北崔)'로 일컬어지며, 비수(肥瘦)가 없는 묘선(描線)을 사용하여 고전의 부흥을 시도하였음. [1599-1652]

진화[1]【珍貨】명 진귀한 물품.

진화[2]【秦火】명 중국의 진시황(秦始皇)이 나라 안의 유서(儒書) 및 제자백가(諸子百家)의 서적을 불태운 일. *분서 갱유(焚書坑儒).

진-화[3]【陳澕】명 『사람』 고려의 문인. 호는 매호(梅湖). 시에 능했는데, 그 사어(詞語)가 청려 웅장(淸麗雄壯)하고 변태 백출(變態百出)하여 당시 이규보(李奎報)와 함께 이름을 떨치었음. 그의 시 약간 편이 그의 문집 ≪매호 유고(梅湖遺稿)≫에 전함. 생몰 연대 미상.

진:화[4]【進化】명 [evolution] ①『생』 생물이 외계(外界)의 영향과 내부의 발전에 의하여, 간단한 것으로부터 복잡한 것으로, 하등(下等)에서 고등(高等)으로, 동종(同種)에서 이종(異種)으로 그 체제를 향상하여 감. ②『사』 생물에 있어서의 진화의 관념을 사회의 발전에 적용하여 설명하는 관념. 곧, 사회도 생물에 있어서와 마찬가지로 미분화(未分化)에서 분화(分化)로, 동질(同質)에서 이질(異質)로 변화하여 감. 돋되기. ¶~ 과정. 1)·2):↔퇴화(退化). ――하다 자 여불

진:화[5]【鎭火】명 불이 난 것을 끔. ――하다 타 여불

진화[6] [金華] 명 『지』 중국 저장 성(浙江省) 중부의 도시. 둥양(東陽)·융캉(永康) 두 강의 합류점에 있음. 저장 철도(浙江鐵道)에 연한 수륙 교통의 요지임. 종이·남조(南棗)·햄(ham)을 산출하며, 부근은 형석(螢石)의 대산지(大產地)임. 북쪽에 있는 진화 산은 명승지로서 유명함. 금화. [796,000 명(1984)]

진:화-론【進化論】명 『생』 다윈(Darwin, C.)이 1859년 발표(發表)한 ≪종(種)의 기원(起源)≫에 의해 체계화(體系化)된 이론. 생물은 환경에 적응하면서, 저급(低級)의 것으로부터 고급(高級)의 것으로 진화하여, 생존 경쟁(生存競爭)에 적합한 것만이 존속하며, 사람도 원숭이와 같은 기원이라는 설. '에너지 불멸의 법칙'과 함께 19세기 과학의 이론으로서, 과학의 진보, 세계관(世界觀)의 형성에 크게 영향을 주었음.

진:화론-자【進化論者】명 다윈주의자.

진:화론적 윤리설【進化論的倫理說】[―율―] 명 『윤』 영국의 철학자 허버트 스펜서(Herbert Spencer; 1820-1903)가 제창한 윤리학설. 우주(宇宙) 전체의 진화는 필연적으로 인간의 행복을 실현(實現)하는 것이며 선행(善行)이란 더욱 진화한 행위라고 주장함.

진:화 방해죄【鎭火妨害罪】[―쬐] 명 『법』 화재시에 진화용 물품의 은닉(隱匿)·파괴(破壞) 기타의 방법으로 진화를 방해함으로써 성립하는 죄.

진:화 비가역의 법칙【進化非可逆―法則】[―/―에―] 명 [law of irreversibility] 『생』 진화 과정에서 퇴화·소실된 기관은 그 후의 진

화에서 복구(復舊)되는 일이 없으며, 만일 환경의 변화에 따라 다시 필요하게 된다면 새로운 다른 기관이 생긴다는 법칙. 1893년 벨기에의 고척추(古脊椎) 동물학자 돌로(Dollo, Louis; 1857-1931)에 의해 제창됨.

진:화 상관【進化相關】명〖동〗동물의 진화 과정에 나타나는 기관(器官) 상관의 현상.

진:화-설【進化說】명 진화주의(進化主義).

진:화 우:주【進化宇宙】명〖천〗개벽(開闢) 이후 진화를 계속하여 현재에 이르고 있다는 뜻에서 일컫는 팽창 우주의 딴이름.

진:화의 정체【進化-停滯】[-/-에-] 명 [evolutionary retardation]〖생〗장기간 진화가 이루어지지 않거나, 매우 더디게 진화하는 상태. 은행(銀杏)나무·참게·폐어류(肺魚類) 등 현재 '산 화석(化石)'이라 불리는 생물 등이 이러한 상태임.

진-화장【津化粧】명 짙은 화장.

진:화-적【進化的】관명 진화하는 모양.

진:화-주의【進化主義】[-/-이] 명 일반적으로 진화라는 사고 방식으로 사물을 설명하려는 입장. 생물 진화론은 그 대표적인 예이지만, 자연이나 사회 생활, 정신 생활에 대해서도 이러한 방식으로 설명하려고 시도하는 경향이 많음. 진화설(進化說).

진환【塵寰】명 티끌의 세계. 속세(俗世). 속환(俗寰).

진황[1]【眞況】명 참된 상황.

진황[2]【秦皇】명〖사람〗진(秦)의 시황제(始皇帝)의 약칭.

진황-도【秦皇島】명〖지〗'친황다오'를 우리 음으로 읽은 이름.

진황-지【陳荒地】명 손을 안 대서 묵고 거칠어진 땅. 진황처.

진황-처【陳荒處】명 진황지(陳荒地).

진회[1]【津灰】명 ↗진회색.

진회[2]【秦淮】명〖지〗'친화이'를 우리 음으로 읽은 이름.

진-회[3]【秦檜】명〖사람〗중국 남송(南宋)의 재상. 자는 회지(會之). 고종(高宗)의 신임을 받아 19년간 국정을 전단(專斷)하였으며, 악비(岳飛)를 죽이고 주전파(主戰派)를 탄압하여 금(金)과 굴욕적인 화약(和約)을 체결하였으므로 뒤에 간신으로 몰렸음. [1090-1155]

진회[4]【塵灰】명 먼지와 재. 특히 화재(火災) 후의 재.

진-회색【津灰色】명 짙은 잿빛. 준진회.

진효[1]【珍肴】명 진귀하고 맛있는 안주.

진효[2]【塵囂】명 속세의 소란하고 번거로움. 속세의 귀찮음.

진:후【診候】명〖의〗진찰(診察). ——-하다 타여불

진후 철도【-鐵道】[津滬] [-또] 명〖지〗중국의 진푸(津浦) 철도와 후닝(滬寧) 철도의 병칭(併稱). 진호 철도. 징후(京滬) 철도.

진훤【甄萱】명〖사람〗견훤(甄萱).

진:휼[1]【軫恤】명 불쌍히 여기는 일.

진:휼[2]【賑恤】명 흉년에 곤궁한 백성을 구원하여 도와 줌. 진구(賑救). 진제(賑濟). ¶~금. ——-하다 타여불

진:휼-곡【賑恤穀】명〖역〗구황(救荒) 등, 백성을 구제하기 위하여 춘궁기에 종곡(種穀)을 진휼하고 추수기에 환수하는 곡식 및 그 제도. *영진곡(營賑穀).

진:휼-금【賑恤金】명 진휼(賑恤)을 위해 내리는 돈.

진:휼-미【賑恤米】명 진휼(賑恤)을 위해 내리는 쌀.

진:휼-청【賑恤廳】명〖역〗조선 시대 때 진휼을 맡은 관청. 중종(中宗) 6년(1511)에 두어 비변사(備邊司)의 소관으로 베풀고, 인조(仁祖) 17년(1639)에 선혜청(宣惠廳)에 속하게 하고, 동 26년에 상평청(常平廳)으로 개명함. *구황청(救荒廳).

진-흙[-흑] 명 ①빛깔이 붉고 차진 흙. ②질척질척하게 짓이겨진 흙. 이토(泥土). 질흙. 도토(塗土). ③〖고고학〗가장 작은 알갱이로 이루어진 흙. 웬트워스(Wentworth) 등급 구분법에 의하면 지름 0.04mm 보다 작은 것을 말함. 점토.

진흙-구이[-흑-] 명 고기 따위를 진흙 속에 넣고 구운 중국 요리.

진흙-땅[-흑-] 명 진흙으로 된 땅.

진흙-바위[-흑-] 명〖광〗이암(泥岩).

진흙-탕[-흑-] 명 질척질척하게 죽같이 된 흙.

진:흥【振興】명 떨치어 일으킴. 정신을 가다듬어서 일어남. ¶과학 기술의 ~. ——-하다 자타여불

진흥-왕【眞興王】명〖사람〗신라 제24대 왕. 성은 김(金). 휘는 삼맥종(三麥宗). 백제와 더불어 남·북한산성(南北漢山城)을 공취(攻取)하고, 백제가 점령하였던 한강 하류 지역을 빼앗아 삼국 통일(三國統一)의 기반을 마련하였으며, 신라 불교의 총본산인 황룡사(皇龍寺)를 지어 불교 진흥에도 힘을 기울임. 화랑 제도를 두어 화랑 정신을 장려하였고 이사부(異斯夫)로 하여금 《국사(國史)》를 수찬(修撰)케 하고 우륵(于勒)으로 하여금 가야금을 만들어 연주하게 하는 등 문화 창달에도 이바지함. [534-576; 재위 540-576]

진흥왕 순:수비【眞興王巡狩碑】명〖역〗신라의 진흥왕(眞興王)이 지금의 한강(漢江) 유역에서 동북 해안에 이르는 지대와 가야(伽倻)를 쳐서 영토(領土)를 확장한 다음, 신하들과 변경(邊境)을 순수(巡狩)하며 세운 기념비(紀念碑). 서울 북쪽 북한산 비봉(碑峰)의 북한산비(경복궁으로 이전), 함흥 황초령(黃草嶺)의 황초령비, 함경 남도 이원(利原) 마운령(摩雲嶺)의 마운령비 및 경상 남도 창녕읍(昌寧邑)의 창녕비의 넷이 현존함.

진:흥-책【振興策】명 진흥시키는 방책.

진:흥-회【振興會】명 어떤 사업이나 사회 운동 같은 것을 진흥시키기 위한 모임.

진희[1]【珍稀】명 진기하고 드묾. ——-하다 형여불

진:희[2]【賑餼】명〖역〗먹을 것이나 양식(糧食)을 주어 진휼(賑恤)하는 일. ——-하다 타여불

짇다 타〈방〉긷다(경상·전라).

질[1] 명〖공〗질그릇을 만드는 흙.

질[2] 명〈옛〉길. 짐승이 부리기 좋게 된 성질. ¶또 忍辱ᄒᆞ야 질든 부드러운 ᄯᅡ해 住ᄒᆞ야(若復行忍辱 住於調柔地)《妙蓮 V:190》.

질[3] 명〈심마니〉간장(醬).

질[4] 명〈방〉길[1](경기·강원·충청·전라·경상·제주).

질[5]【帙】명 ①여러 권으로 된 책의 한 벌. ¶~의 짝을 맞추다. ②책의 권수의 차례. 아래위가 터진 책갑.

질[6]【秩】명 관직(官職)·녹봉(祿俸)의 등급.

질[7]【質】명 ①물건이 성립하는 근본 바탕. 사물의 본체(本體). 본질(本質). 근본(根本). ¶양(量)보다 ~. ↔양(量). ②타고난 성질.

질[8]【膣】명 [라 vagina]〖생〗자성(雌性) 외부 생식기의 일부. 사람의 경우, 자궁으로 연결되는 길이 약 7cm의 관상(管狀)의 확장성이 풍부한, 점막성(粘膜性) 및 근육성(筋肉性)의 기관으로 아래쪽은 외음부(外陰部)로 벌어져 있고 질구에 처녀막(處女膜)이 있으나 결혼한 후에는 흔적만 남음. 교접(交接) 및 분만(分娩)의 산도 기관(産道器官)을 겸함. 유대류(有袋類)에서는 자궁의 일부와 중복(重複)함. 음도(陰道). 바기나(vagina).

질[9] [gill] 의명 ①미국에서 쓰는 액체 부피의 단위. 4분의 1 미국 파인트. 약 1.183×10^{-4} m³. ②영국에서 쓰는 액체 부피의 단위. 4분의 1 영국 파인트. 약 1.421×10^{-4} m³. 「-진.

-질[1] 준 -지를. ¶먹~ 않는다/가 보~ 못했다/남을 욕하~ 마라. *

-질[2] 미 '노릇' 또는 '짓'의 뜻. ¶손가락~/선생~. ——-하다 미여불

질-가마 명 질흙으로 구워서 만든 가마솥.

질감-스럽다 형ㅂ불 진저리가 날 정도로 지겹다. ¶만일 질감스럽게 오래 그네를 놓지 않으면 굿당 식구가 가서 말한다더라《洪命憙: 林巨正》.

질-강풍【疾強風】명〖기상〗'큰바람'의 구용어.

질겁다 형〈방〉즐겁다.

질겁-하다 자여불 숨이 막히듯 깜짝 놀라다. ¶질겁하고 달아나다. >잘겁하다.

질-것[1] 명 진흙으로 구워 만든 물건의 총칭.

질-것[2] [-껏] 명 짐을 메는 데 쓰이는 간단한 도구들의 총칭.

질겅-거리다 타 질긴 물건을 계속하여 잘게 씹다. >잘강거리다. 질겅-질겅 부. ¶껌을 ~ 씹다. ——-하다 타여불

질겅-대다 타 질겅거리다.

질게 명〈방〉반찬(함경).

질경【膣鏡】명〖의〗자궁경(子宮鏡).

질-경련【膣痙攣】[-년] 명 성교(性交) 때에 질구(膣口) 또는 그 주위의 근육이 경련(痙攣)을 일으키며 수축(收縮)하는 일.

질경이 명〖식〗[*Plantago asiatica* var. *densiuscula*] 질경잇과에 속하는 다년초. 잎은 뿌리에서 총생(叢生)하고 장병(長柄)이며, 길이 35cm, 폭 8cm 가량의 달걀꼴 또는 타원형이고, 화경(花莖)은 높이 90cm 가량임. 6-8월에 화관(花冠)이 깔때기 모양인 흰 꽃이 길이 6cm 가량의 수상(穗狀) 화서로 피며, 삭과(蒴果)는 방추형(紡錘形)이고, 종자는 5-6개가 들어 있음. 들이나 특히 길가에 나는데, 한국 각지·일본·류큐·대만·중국·동부 시베리아 등에 분포함. 종자는 '차전자(車前子)'라 하여 이뇨제(利尿劑), 어린 잎은 식용·사료용임. 부이(芣苡). 차과로초(車過路草). 차전초(車前草).

〈질경이〉

질경이-택사【-澤瀉】명〖식〗[*Alisma orientale*] 택사과에 속하는 다년초. 화경(花莖)은 높이 50-90cm. 잎은 뿌리에서 총생(叢生)하며 장병(長柄)이고, 길이 10-20cm, 폭 6-13cm의 타원형임. 7-8월에 백색에 담홍자색을 띤 꽃이 윤생(輪生)하여 복총상(複總狀) 화서로 피고, 과실은 수과(瘦果)임. 연못이나 얕은 물 속에 나는데, 거의 한국 각지 및 동부 시베리아에 분포함. 괴근(塊根)은 약용함. 물택사.

〈질경이택사〉

질경잇-과【-科】명〖식〗[Plantaginaceae] 현화식물(顯花植物) 쌍자엽문(雙子葉門)에 속하는 한 과. 전세계에 3속(屬) 200여 종, 한국에는 갯질경이·긴잎질경이·왕질경이·털질경이 등의 1속 10여 종이 분포함.

질경잎-쌈[-닙-] 명 데친 질경이 잎의 쌈. 밥을 싸 먹음. 차전초엽포(車前草葉包).

질-계약【質契約】명 질권(質權)을 설정하는 계약.

질고[1]【疾苦】명 병고(病苦).

질고[2]【疾故】명 병고(病故).

질고[3]【秩高】명 관직·녹봉(祿俸)이 높음. ——-하다 형여불

질고[4]【質古】명 질박하고 순고(淳古)함. ——-하다 형여불

질곡【桎梏】명 ①차꼬와 수갑. ②몹시 속박(束縛)하여 자유를 가질 수 없게 하는 일. ¶~에서 벗어나다.

질괭이 명〈방〉아가위.

질구[1]【疾驅】명 빨리 달림. ——-하다 자여불

질구[2]【膣球】명 좌약(坐藥)의 한 가지. 외용약(外用藥)을 유지(油脂)와 부형제(賦形劑)에 섞어서 구형(球形)으로 만들어 부인과 질환시에 질 속에 삽입(挿入)하여 사용하는 것. 체온(體溫)으로 유지가 용해하여 유효 성분이 서서히 작용함.

질구다 타〈방〉기르다(강원).

질구배 명〈방〉아가위.

질굼 명〈방〉콩나물(함경).

질권【質權】[—꿘] 명 〔pledge〕『법』 담보 물권(擔保物權)의 하나. 채권자(債權者)가 그 채권의 담보로 채무자(債務者) 또는 제삼자로부터 취득(取得)한 물건을 채무 변제(債務辨濟)가 있을 때까지 유치(留置)할 수 있고 변제가 없을 때에는 그 담보의 목적물에 의하여 우선 변제(優先辨濟)를 받는 권리. 질권자와 질권 설정자와의 계약에 의하여 발생하며 유질 계약(流質契約)은 민법상 금지되어 있음. 동산질(動產質)·권리질(權利質)의 구별이 있으며, 양도(讓渡)할 수 없는 물건을 질권의 목적으로 할 수 없음.

질권 설정【質權設定】[—꿘—쩡] 명 『법』 자기 또는 제삼자의 채무를 담보(擔保)하기 위하여, 담보의 목적물을 채권자에게 제공하여 질권을 설정하는 일.

질권 설정자【質權設定者】[—꿘—쩡—] 명 『법』 담보의 목적물을 채권자에게 제공하여 질권을 설정하는 사람.

질권-자【質權者】[—꿘—] 명 『법』 자기의 채권을 담보하기 위한 질권을 가지는 사람.

질-그릇 명 〈방〉 질그릇(경북).

질-그릇 명 진흙만으로 구워서 만들고 잿물을 덮지 아니한 그릇. 겉면이 테석테석하여 윤이 없음. *오지 그릇·옹기(甕器).

질근-질근 부 ①새끼·노 따위를 느릿느릿 꼬는 모양. >잘근잘근. ② 질겅질겅.

질금[1] 명 〈방〉 줄기(충청). ¶소나기가 한 ~ 하려나.

질금[2] 부 ①액체가 조금 쏟아지다 그치는 모양. ②눈물을 조금 흘리는 모양. ③비가 조금내리다 멎는 모양. ㅆ찔끔. >졸금·잘금. ——-하다 자타여불

질금-거리다 자타 연해 질금하다. 또, 연해 질금하게 하다. ¶어머니는 전과 같이 노상 질금거리구 아버지는이따금 한숨을 쉬는데…《洪命憙：林巨正》. ㅆ찔끔거리다. >졸금거리다·잘금거리다. *질름거리다. 질금-질금 부. ——-하다 자타여불

질금-대다 자타 질금거리다.

질급【窒急】 명 별안간 몹시 놀라거나 겁이 나서 숨이 막힘. ——-하다 자여불

질긋-이 부 〈방〉 지그시.

질긋-질긋 부 ①끈덕지게 참고 견디는 모양. ②계속해서 누르거나 당기는 모양.

질긔굳다 형 〈옛〉 의연(毅然)하다. ¶싁싁ᄒᆞ며 질긔구드며 方正홀서(嚴毅方正)《內訓 Ⅲ:17》.

질긔욷다 형 〈옛〉 의연(毅然)하다. ¶강강ᄒᆞ고 질긔우더 올코 고다(強毅正直)《飜小 Ⅷ:28》.

질기[1] 명 〈방〉 자루.

질기[2]【疾忌】 명 미워함. ——-하다 타여불

질기[3]【窒氣】 명 숨이 통하지 못하여 기운이 막힘. 질색(窒塞). ——-하다 자여불

질기다[1] 타 〈방〉 즐기다.

질기다[2] 형 ①섬유질(纖維質)이 많거나 탄력성(彈力性)이 있어서, 쉽게 끊어지거나 부스러지지 아니하다. ②물건이나 성질이 단단하여 오래 견디는 힘이 있다

질기둥-이 명 ①바탕이 연하지 아니하고 질깃질깃한 물건. ②성질이 몹시 검질긴 사람.

질-기와 명 잿물을 덮어서 만든 기와. 도와(陶瓦).

질깃-질깃 부 ①약하거나 연하지 아니하고 질긴 모양. ②성질이 여낙낙하지 아니하고 검질긴 모양. >잘깃잘깃. ③씹으면 끊어 지지 아니할 정도로 질기고 튀기는 힘이 있는 모양. 1)-3): ㅆ찔깃찔깃. >잘깃잘깃·좀깃좀깃. ——-하다 형여불

질깃-하다 형여불 조금 질긴 듯하다. ㅆ찔깃하다. >잘깃하다. *쫄깃하다·줄깃하다.

질-꾼 명 〈방〉 길군.

질끈 부 단단히 졸라 매거나 바싹 동이는 모양. ¶허리띠를 ~ 매다. >잘끈.

질끈-질끈 부 여럿이 다 질끈 동이거나 졸라매는 모양. >잘끈잘끈.

질-나발【—喇叭】[—라—] 명 질로 구워 만든 나발.

질-냄비 [—램—] 명 질로 구워서 만든 냄비.

질녀【姪女】[—려] 명 조카딸.

질다[1] 형 ①반죽한 것이 되지 아니하고 물기가 많다. ¶밥이 좀 ~. ↔되다[4]❶. ②땅이 질척질척하다. ¶진 땅.
【진 밭과 장가처는 써 먹을 때가 있다】 장가처는 마음에 맞지 않더라도 소박하거나 천대해서는 안된다는 뜻.

질:다[2] 형 〈방〉 길다(경기·경상·전라·제주·충청·강원·함남).

질대【迭代】 명 체대(遞代). ——-하다 타여불

질도【躓倒】[—또] 명 차질(蹉跌)❶. ——-하다 자여불

질-돌 명 『광』 장석(長石).

질-동이 명 『공』 질로 만든 동이.
【질동이 깨뜨리고 놋동이 얻었다】 ㉠대단찮은 것을 잃고 그보다 더 나은 것을 얻었다는 뜻. ㉡상처 후에 후처를 잘 얻었다는 말. ¶죽는 나나 슬프지, 변서방은 질동이 깨뜨리고 놋동이 얻는 모양이지《朴頤陽:明月亭》.

질둔【質鈍】 명 ①투미하고 둔탁함. ②몸이 퉁퉁하여 행동(行動)이 굼뜸. ¶빽따는 모색(毛色)만 깨끗할 뿐이지 몸이 질둔하게 생긴데다가…《洪命憙：林巨正》. ——-하다 형여불

질드리다 타 〈옛〉 길들이다. ¶調御는 질드릴 씨오《月釋 Ⅸ:11》.

질떼기 명 〈방〉 길이(함남).

질뚝-거리다 자타 걸을 때 거북스럽게 다리를 연해 뒤뚝뒤뚝 절다. ㅆ 찔뚝거리다. 질뚝대다. 질뚝질뚝하다. 질뚝-질뚝[1] 부. ——-하다 자타

질뚝-대다 자타 질뚝거리다.

질-뚝배기 명 『공』 질로 만든 뚝배기.

질뚝-이 부 질뚝하게. ㅆ찔뚝이. >잘뚝이.

질뚝-이다 자타 거북스럽게 뒤뚝뒤뚝 걷다. ㅆ찔뚝이다.

질뚝-하다 형여불 긴 물건의 한 부분이 깊이 패어 우묵하다. ㅆ찔뚝하다. >잘뚝하다. *질룩하다. 질뚝-질뚝[2] 부. ——-하다 형여불

질:란드 섬 〔Zealand〕 명 『지』 '셸란(Sjælland) 섬'의 영어명.

질래 부 〈방〉 길래(충청).

질량【質量】 명 〔mass〕『물』 물체가 갖는 고유한 양(量). 물체의 관성(慣性)은 이것이 크면 클수록 크며, 그런 의미(意味)에서 물체에 작용하는 힘과 그로 인해서 생기는 가속도(加速度)와의 비(比)를 관성 질량이라고 함. 또, 이것이 클수록 거기 작용하는 중력(重力)은 크고, 그런 의미에서 지상(地上)의 임의의 점에서 물체에 작용하는 중력과 그로 인해서 생기는 가속도와의 비를 중력 질량이라고 함. 상대성 이론에 의하여 양자(兩者)는 동일한 것임이 증명됨. 상대성 이론에 의하면 질량은 에너지의 한 형태로 물체의 속도가 광속도(光速度)에 가까와짐과 더불어 증가함.

질량 결손【質量缺損】[—쏜] 명 〔mass defect〕『물』 실제의 원자핵의 질량수와, 원자핵을 구성하고 있는 양성자와 중성자(中性子)의 질량의 총합(總合)과의 차. 원자핵의 질량수가 1% 정도 적음. 질량의 일부가 원자핵의 결합 에너지로 전화(轉化)되어 있는 것이 원인임.

질량 공식【質量公式】 명 〔mass formula〕『물』 원자 번호나 질량수의 함수로서 핵종(核種)의 원자 질량을 부여(附與)하는 공식.

질량 광도 관계【質量光度關係】 명 〔mass-luminosity relation〕『물』 항성(恒星)의 질량과, 그 절대 등급(絕對等級)과의 사이에 있는 일정한 수량적 관계. 1924년 영국의 천문학자 에딩턴(Eddington)이 이론적으로 도출(導出)해 내었음.

질량 단위【質量單位】 명 〔mass unit〕『물』 에너지의 단위의 하나. 원자핵 물리학에 있어서는 질량수 16인 산소의 질량의 1/16에 상당하는 에너지의 양을 1질량 단위로 함. 약호(略號)는 mu 또는 MU. 원자(原子) 질량 단위.

질량 보:존의 법칙【質量保存—法則】 명 〔law of conservation of mass〕『화』 화학 변화의 전후(前後)에서 물질의 전질량(全質量)은 변화하지 않는다는 법칙. 물질이 완전히 소멸(消滅)되어 버리든가 새로운 물질이 '전무(全無)'의 상태에서 생성(生成)하는 법이 없음을 나타낸 말. 1774년 프랑스의 라부아지에(Lavoisier)가 발견하였음. 단, 아인슈타인의 상대성 이론(相對性理論)을 필요로 하는 원자핵(原子核) 반응에서는 성립되지 않음. 물질 보존(保存)의 원칙. 질량 불변의 법칙. 물질 불생 불멸법(不生不滅法).

질량 복사【質量輻射】 명 〔mass radiation〕『물』 항성(恒星)내의 고온부(高溫部)에서, 물질이 소진(燒盡)되어 복사(輻射) 에너지로 전환한다는 과거의 가설(假說). 질량이 에너지의 한 형태라고 하는 상대성 이론(相對性理論)을 기초로 생각되어 천문학상 커다란 역할을 하였음. 항성의 에너지원(源)이 명백하지 않았던 시대의 가설로서 원자핵 반응에 의한 에너지의 발생이 발견된 뒤로는 부정되기에 이르렀음.

질량 분광기【質量分光器】 명 『물』 질량 분석기.

질량 분석【質量分析】 명 질량 분석 장치를 측정기(測定器) 또는 분석 장치로서 사용하는 측정 또는 분석법의 총칭. 원자 질량의 측정, 동위원소(同位元素)의 존재 비율 측정, 원자 또는 분자의 이온화(ion化)의 에너지 측정, 그밖에 물리학·화학·생물학·지질학을 비롯하여 공업면 등에 널리 응용됨.

질량 분석계【質量分析計】 명 〔mass spectrometer〕『물』 질량 스펙트럼 측정 장치 중 이온(ion)을 전기적(電氣的)으로 검출하는 방식의 것. 검출에는 슬릿과 짜맞춘 고정(固定) 이온 컬렉터 전극(電極)을 사용함. 이온양을 정밀하게 측정함에 적합한 장치로서, 원자의 동위체 존재량, 이온의 출현 전압(出現電壓) 등의 측정, 혹은 화학 분석 따위에 쓰임. *질량 분석기·동적(動的) 질량 분석계.

질량 분석기【質量分析器】 명 〔mass spectrograph〕『물』 이온화(ion化)된 원자의 질량을 측정(測定)하는 장치. 이온화된 원자를 전장(電場)과 자장(磁場) 속을 달리게 함으로써 속도(速度)와 방향(方向)이 다르더라도 질량이 같은 것은 동일한 점(點)에 모이도록 만들었음. 원자 질량의 정밀 측정, 화학 분석 혹은 유기 화합물 이온의 원자 조성(組成) 측정 따위에 쓰임. 질량 분광기.

질량 분석 장치【質量分析裝置】 명 〔mass spectroscope〕 질량 분석법에 사용되는 장치. 질량 분석기(器)와 질량 분석계(計)의 두 가지로 크게 구별됨.

질량 불변의 법칙【質量不變—法則】[—/—에—] 명 『화』 질량 보존의 법칙.

질량-비【質量比】 명 〔mass ratio〕 로켓(rocket)의 연료 사용 전의 중량(重量)과 연료 사용 후의 중량의 비. 기체(機體) 설계 및 성능상(性能上)의 중요한 계수(係數)의 하나로 질량비가 클수록 로켓의 속도는 큼. 보통의 로켓에서는 질량비가 2 정도이지만 고성능(高性能) 로켓에서는 5-10이 되며, 기체(機體) 적하(積荷)의 경량화(輕量化)가 특히 중요시됨.

질량 속도【質量速度】 명 화학 공학상의 용어로, 단위 단면적(單位斷面積)에 대하여 단위 시간에 흐르는 질량. 곧, 유로(流路)의 단면에 대한 평균의 유속(流速)과 밀도(密度)의 곱에 동등하게 됨.

질량-수【質量數】[—쑤] 명 〔mass number〕『물』 원자핵을 구성하는 양성자수(陽性子數)와 중성자수(中性子數)와의 합(合).

질량 스펙트럼【質量—】 명 〔mass spectrum〕『물』 물질을 그 구성 입자

(構成粒子)로 분해하고 이들을 질량의 순서로 병렬(並列)한 것. 곧, 질량 분석기·질량 분석계로 얻어지는 분석 스펙트럼의 총칭.

질량 에너지 보:존칙【質量―保存則】명〔mass-energy conservation〕〖화〗질량 보존의 법칙.

질량 에너지의 등가【質量―等價】[―까/―에―까] 명〔mass-energy equivalence〕〖화〗물체에 내포하는 에너지가, 그 관성 질량에 광속(光速)의 제곱을 곱한 것과 같다는 이론.

질량 유량계【質量流量計】명〔mass flowmeter〕단위 시간에 흐르는 유체의 질량을 측정하는 유량계. 분류식(分流式)·각운동량(角運動量) 방식·자이로(gyro) 방식과 부피를 측정하는 오리피스(orifice) 유량계·전자기(電磁氣) 유량계 등과 같은 유량계와 밀도계(密度計)를 합한 간접식 등이 있음. ↔부피 유량계.

질량 작용의 법칙【質量作用―法則】[―/―에―] 명〔law of mass action〕〖화〗화학 반응의 속도와 반응 물질의 농도(濃度)와의 관계를 나타내는 법칙. 일정 온도 하에서 반응 속도는 원료 물질의 농도에 비례한다는 설. 화학 평형(化學平衡)에 있어서는 반응 물질 농도의 곱한 수와 생성 물질 농도의 곱한 수의 비(比)는 일정 온도에서 일정한 값, 곧 평형 상수(平衡常數)를 갖는다고 표현됨.

질량-적【質量的】명관 ①질량의 범주에 들어가는 모양. ②'질적'과 '양적'의 병칭(倂稱).

질량 중심【質量中心】명〔center of mass〕〖물〗질점계(質點系) 질량의 분포를 평균하여 얻어지는 한 점. 전질량이 집중하여 이 점에 작용한다고 볼 수 있음. 중심(重心).

질량-하다 형〈방〉알량하다.

질량 흡수 계:수【質量吸收係數】명〔mass absorption coefficient〕〖물〗흡수 계수를 매질(媒質)의 밀도(密度)로 나눈 것.

질러-가다 자거라불 지름길로 가다. ↔질러오다.

【질러가는 길이 먼 길이다】빨리 하려고 서두르다 간 도리어 그 반대의 결과를 초래하기 쉽다는 말.

질러-먹다 타 덜 익은 음식을 미리 먹다.

질러-오다 자너라불 지름길로 오다. ↔질러가다.

질레〔프 gilet〕명 저고리 속에 입는 여성의 장식용(裝飾用) 조끼.

〈질레〉

질려[1]【疾癘】명 질역(疾疫).

질려[2]【蒺藜】명〖식〗남가새.

질려-자【蒺藜子】명〖한의〗남가새의 열매. 두창(頭瘡)·피부병에 달여 먹기도 하고 씻기도 함. 질여자(蒺茹子).

질려-철【蒺藜鐵】명 마름쇠.

질력-나다 자 ☞진력나다.

질력-내다 자 ☞진력내다.

질록【秩祿】명 녹봉(祿俸).

질뢰【疾雷】명 몹시 심한 번개.

질료【質料】명〔그 hyle, matter〕〖철〗형식을 갖춤으로써 비로소 일정한 것으로 되는 재료적(材料的)인 것. 곧, 물질의 생성 변화(生成變化)의 근저(根柢)에 있어서 여러 가지의 형상(形相)을 받아들이는 본바탕. 예를 들면 물이 수증기로 바뀐 경우에, 만물의 바탕에 있는 질료가 '물'이라는 다른 형상으로 바뀌었다고 설명함과 같음. 아리스토텔레스는 이것을 형상과 함께 존재의 근본 원리(根本原理)라고 하고 현실성·능동성으로서의 형상과 합하여 현현(顯現)되는 잠재적 가능성·수동성이라고 이해하였음. ↔형상(形相)❷·형식(形式)❸.

질료-인【質料因】명〔라 causa materialis〕〖철〗아리스토텔레스가 설명한 네 원인 중의 하나. 생성(生成)·변화(變化)의 소재(素材)·원료(原料)가 되는 것. 이를 가옥의 건축에 비기면 건축에 필요한 목재(木材)와 석재(石材). 그 밖에 형상인(形相因)은 세울 집의 계획, 목적인(目的因)은 건축 목적, 동력인(動力因)은 건축에 필요한 기술(技術)이나 노력(努力)에 해당함.

질료-죄【質料罪】명〖천주교〗악인 줄을 자각하지 아니하고 범한 죄. ↔형성죄(形成罪).

질룩-질룩 부 긴 물건이 군데군데가 얕고도 잦게 패어 들어간 모양. ㅆ찔룩찔룩. >잘록잘록. *질뚝질뚝. ――-하다 형여불

질룩-하다 형여불 긴 물건의 한 부분이 얕게 패어 들어가서 우묵하다. ㅆ찔룩하다. >잘록하다. *질뚝하다.

질류【蛭類】명〖동〗거머리 강(綱).

질륭【郅隆】명 태평한 시대. 아주 성(盛)한 시대.

질륭지-치【郅隆之治】명 왕화(王化)가 고루 미치고 태평한 세상.

질르다 타〈방〉기르다(강원·충청·전라·제주).

질름-거리다[1] 자 가득 찬 액체가 흔들리어 질금질금 넘치다. ㅆ찔름거리다[1]. >잘름거리다[1]. *질금거리다. **질름-질름**[1] 부. ¶계봉이는 해뜩 돌아서서 아랫방께로 달아나느라고 ~ 숭늉을 반이나 흘린다≪蔡萬植 濁流≫. ――-하다 자여불

질름-거리다[2] 타 동안이 느리게 여러 차례에 나누어서 조금씩 계속하여 주다. ㅆ찔름거리다[2]. >잘름거리다[3]. **질름-질름**[2] 부. ――-하다 타여불

질름-대다 자타 질름거리다[1·2].

질:리〔Gigli, Beniamino〕명〖사람〗이탈리아의 테너 가수. 1914년 파르마(Parma)의 콩쿠르에서 우승하고 토스카니니의 초청(招請)을 받아 스칼라 극장에 출연(出演), 1920년 메트로폴리탄 가극장에 첫 등장, 카루소(Caruso, E.) 이후의 명테너로 알려졌음. [1890-1957]

질리다 一자 ①진력나서 귀찮은 느낌이 들다. ¶이 일에는 질렸다. ②어이없거나 엄청난 일을 당하여 기가 막히다. 또, 그래서 핏기가 가시거나 핏발이 서다. ¶새파랗게 ~. ③짙은 빛깔이 한데 몰려 고루 퍼지지 못하다. ¶옷감에 물이 ~. ④값이 얼마 먹히다. 二피동 내지르거나 걷어참을 당하다.

질림-조【―調】[―쪼] 명 무엇에 질린 태도·모양.

질마 명〈방〉길마.

질만【秩滿】명 관직의 임기가 만료됨. 봉만(俸滿). ――-하다 자여불

질매[1] 명〈방〉①멍에(경상). ②길마(경상).

질매[2] 명〈방〉그네(전라).

질매[3]【叱罵】명 몹시 질책하여 꾸짖음. ――-하다 타여불

질명【質明】명 어둑 새벽. 날이 밝으려 할 때.

질목【桎木】명 지레로 쓰는 나무.

질문[1]【質問】명 ①의문(疑問)·이유(理由)를 캐어 물음. 또, 얼마만큼 어떻게 알고 있나를 알아 보려고 물어 봄. ②〖법〗국회법에 의하여 국회의원이 정부에 대하여 일정한 사항(事項)에 관한 답변을 청구하는 일. 질문 요지서(要旨書)를 작성하여 의장에게 제출하면 의장은 이를 정부에 이송(移送)하고, 정부는 이 질문 요지서를 받은 날로부터 10일 이내에 답변하는 것임. 이 질문에는 20인 이상의 찬성(贊成)이 필요하며 긴급(緊急)을 요하는 사항에 대하여는 국회의 의결(議決)로써 구두로 질문할 수도 있음. ――-하다 타여불

질문[2]【作文】명〈이두〉관청(官廳)의 양안(量案)이나 호적(戶籍) 등의 서류. 지문(作文).

질문-서【質問書】명 질문할 사항을 적은 서면.

질문 요지서【質問要旨書】명 국회가 의원 20인 이상의 찬성(贊成)으로 정부에 대하여 질문할 때 질문 사항의 요지와 질문 소요 시간(所要時間)을 기록한 서류.

질문지-법【質問紙法】[―뻡] 명 연구하려고 하는 사항에 대하여 미리 준비한 질문 용지로 많은 대답을 얻어, 대체의 경향을 발견하려는 방법. 사실이나 의견(意見) 등을 모으는 데 많이 쓰이며, 수많은 재료(材料)를 일시에 모으는 데는 편리하나 응답(應答)의 신뢰성이 의문시될 경우가 있음.

질물【質物】명 질권(質權)의 목적으로 되어 있는 물품. 채무의 담보로 제공된 물품.

질미【秩米】명 녹봉으로 주는 쌀. 녹미(祿米).

질박【質樸·質朴】명 꾸민 데가 없이 수수함. 박질(朴質). ¶~한 시골 사람. ――-하다 형여불

질-밟다 [―밥―] 타 흙에 물을 붓고 밟아 이기다.

질-방구리 명〖공〗질로 만든 방구리.

질배 명〈방〉아그배(경북).

질벅-거리다 자 흙에 물기가 많고 끈기가 있어서 잘 이겨지다. **질벅-질벅** 부. ――-하다 형여불

질벅-대다 자 질벅거리다.

질벅-이다 자 물기를 많이 머금은 흙이 죽같이 잘 이겨지다. ㅆ질퍽이다.

질벅-지다 형 썩 많이 질벅하다. ㅆ질퍽지다.

질벅-하다 형여불 좀 질퍽한 데가 있다.

질번질번-하다 형여불 보기에 살림살이가 넉넉하다. ¶그보다 더 좋기는 생기는 것이 많은 것이요, 음식이 질번질번하고 새 옷을 갈아 입게 되니… 싱글벙글 한 시절을 만난 셈이다≪玄鎭健 : 無影塔≫.

질변【質辨】명 무릎맞춤을 하여 발뺌을 함. ――-하다 타여불

질-병[1]【―瓶】명〖공〗질로 만든 병.

【질병에도 감홍로(甘紅露)】오지로 된 병에도 감홍로와 같이 좋은 것이 담겼다는 말로 겉모양은 하찮으면서도 속은 훌륭한 것도 있다는 말.

질병[2]【疾病】명〖의〗신체의 온갖 기능의 장애. 건강하지 않은 이상 상태. 병(病). 질환(疾患).

질병 공:포【疾病恐怖】명〖의〗꼭 병에 걸릴 것만 같거나 또는 걸린 것 같이 공포에 사로잡히는 공포증의 하나. *고소(高所) 공포·첨단 공포.

질병 보:험【疾病保險】명〖경〗질병의 경우에 그것을 보험 사고(事故)로 하여 일정 금액의 급부(給付)를 약속하는 보험. 사회 보험으로서는 업무상의 사유에 의하지 않은 상병(傷病)에 대한 보험임.

질병 유전자【疾病遺傳子】명〔morbific gene〕〖생〗특정 질병 또는 그 질병에 걸리기 쉬운 소질(素質)을 지배하는 유전자. 대부분 열성(劣性) 유전자이기 때문에 호모(homo)가 되었을 때만 표현형(表現形)에 나타나므로 잠재(潛在) 유전자로서는 나타나는 빈도가 높지만 발현도(發現度)가 낮음.

질병 통:계【疾病統計】명 어떤 시점(時點)이나 어떤 기간 내에 발생한 국민의 상병량(傷病量) 등을 파악하기 위한 통계.

질보【疾步】명 몹시 빠른 걸음.

질부【姪婦】명 조카 며느리.

질-부등가리 명 ☞ 부등가리. ¶~ 같은 얼굴을 해 가지고 왜 그 모양이야?≪趙重桓 : 菊의 香≫.

질비【秩卑】명 관직·녹봉(祿俸)이 낮음. ――-하다 형여불

질빵 명 짐을 지는 데에 쓰는 줄. *멜빵.

질사【窒死】[―싸] 명 질식하여 죽음. ――-하다 자여불

질산【窒酸】[―싼] 명〔nitric acid〕〖화〗습기를 포함하는 공기 중에서 발연(發煙)하는 무색 격취(激臭)의 액체. 실험적으로는 초석(硝石)에 황산(黃酸)을 섞어 가열하여 만들며, 공업적으로는 백금(白金) 등을 촉매(觸媒)로 암모니아를 산화하여 만듦. 녹는점(點) −42°C, 끓는점(點) 83°C, 비중(比重) 1.502. 물과 임의로 혼합하는 강한 산화제(酸化劑)임. 그 수용액(水溶液)은 일염기산(一塩基酸)·구리·수은·은과 화합하여 산화 질소를 발생하여 질산염(塩)이 됨. 유기물(有機物)을 산화 또는 니트로화(nitro化)하는 산화제(酸化劑), 각종의 질산염(塩)·질산에스테르(ester)·니트로 화합물 및 각종의 폭약(爆藥) 제조에 많이 쓰

임. 맹독성(猛毒性)임. 구칭: 초산(硝酸). [HNO_3]

질산 가리【窒酸加里】[—싼—] 명 〖화〗 '질산 칼륨(窒酸 Kalium)'의 구칭.

질산 구리【窒酸—】[—싼—] 명 〔copper nitrate〕〖화〗 질산구리(Ⅱ). 산화(酸化) 구리 또는 탄산(炭酸) 구리를 묽은 질산에 녹여서 생긴 질산 구리액(液)을 증발시킨 결정. 3·6·9 수화물이 있는데 모두 청색임. 산화제(酸化劑)·분석 시약(分析試藥)으로 쓰임. 질산동(窒酸銅). [$Cu(NO_3)_2$]

질산-균【窒酸菌】[—싼—] 명 〔nitrate bacteria〕〖생〗 질화(窒化) 세균의 일종. 아질산균(亞窒酸菌)이 암모니아를 산화시킨 뒤를 이어 이 아질산을 질산으로 바꾸는 세균의 총칭. 토양 속에 자라며, 아질산으로 산화시키는 질화(窒化) 작용을 할 때 생기는 화학 에너지로 화학 합성을 하는 세균. 질산 박테리아.

질산 글리세린【窒酸—】〔glycerin〕[—싼—] 명 글리세린의 질산 에스테르의 총칭. 1질산·2질산·3질산 글리세린이 있는데 보통 3질산 글리세린, 즉 니트로글리세린을 말함.

질산 나트륨【窒酸—】〔도 Natrium〕[—싼—] 명 〔sodium nitrate〕〖화〗 칠레 초석(Chile 硝石)으로서 천연으로도 산출되는 무색의 삼방 정계 결정(三方晶系結晶). 특징 있는 질산 나트륨형 구조로 이루어졌으며 380℃ 정도에서 분해하여 아질산 나트륨이 됨. 흡습성(吸濕性)으로 물에 잘 녹으며, 유리 원료·비료로 쓰임. [$NaNO_3$]

질산 나트륨형 구조【窒酸—型構造】〔도 Natrium〕[—싼—] 명 〔sodium nitrate structure〕〖화〗 화학식 RMX_3으로 표시되는 화합물에서 볼 수 있는 결정 구조(結晶構造)의 한 형식. 삼방 정계(三方晶系)에 속하며 단위 격자(單位格子) 안에 화학 단위(RMX_3)가 두 개 포함됨.

질산-납【窒酸—】[—싼—] 명 〔lead nitrate〕〖화〗 금속납·산화납(Ⅱ)(PbO)·연백(鉛白; $2PbCO_3 \cdot Pb(OH)_2$) 등을 질산에 녹여 만든 무색의 결정. 470℃ 이상으로 가열하면 이산화 질소와 산소로 분해함. 산화제(酸化劑)·페인트·안료(顔料)·의약 등에 사용함. 인체에 들어가면 유독(有毒)함. [$Pb(NO_3)_2$]

질산 니켈【窒酸—】[—싼—] 명 〔nickel nitrate〕〖화〗 산화 니켈 또는 탄산 니켈을 질산으로 녹이고 농축하여 석출(析出)되는 담황색(淡黃色)의 조해성(潮解性) 고체. 2·4·6·9 수화물이 있음. 도자기 등에 갈색의 빛을 내는 데 쓰임. [$Ni(NO_3)_2$]

질산-동【窒酸銅】[—싼—] 명 〖화〗 질산 구리.

질산 동화【窒酸同化】[—싼—] 명 〔nitrate assimilation〕〖생〗 질소 동화의 일종. 질산염을 유기(有機) 질소 화합물로 바꾸는 생물적 과정으로, 식물과 대부분의 미생물이 행함.

질산 란탄【窒酸—】[—싼—] 명 〔lanthanum nitrate〕〖화〗 보통 6 수화물을 말하며, 이것은 흡습성(吸濕性)의 무색의 결정(結晶)임. 녹는점 40°C. 알코올·물에 녹음. 방부제(防腐劑) 및 가스등(燈)의 맨틀에 쓰임. [$La(NO_3)_3 \cdot 6H_2O$]

질산 리튬【窒酸—】[—싼—] 명 〔lithium nitrate〕〖화〗 무색 분말. 물·알코올에 녹음. 녹는점 261°C. 열교환(熱交換) 매체·도자기·폭죽(爆竹)·염욕(塩浴) 및 냉동(冷凍) 시스템에 쓰임. [$LiNO_3$]

질산 마그네슘【窒酸—】[—싼—] 명 〔magnesium nitrate〕〖화〗 흡습 용해성(吸濕溶解性)의 무색의 결정(結晶). 2·6 수화물도 있음. 알코올·물에 녹으며 발화(發火)의 위험성이 많음. 불꽃용 산화제(酸化劑)로 쓰임. [$Mg(NO_3)_2 \cdot 6H_2O$]

질산 망간【窒酸—】[—싼—] 명 〔manganese nitrate〕〖화〗 탄산 망간을 묽은 질산에 녹여 25.8°C 이하에서 증발 결정시켜 만드는 단사 정계(單斜晶系)의 결정. 1·2·3·4 및 6 수화물이 있음. 녹는점 25.8°C. [$Mn(NO_3)_2$] *질산 에틸.

질산 메틸【窒酸—】[—싼—] 명 〔metyl nitrate〕〖화〗 질산 에스테르의 하나. 폭발성 액체. 끓는점 64.7°C. 에테르·알코올에 녹으며 물에는 약간 녹음. 로켓 추진제(推進劑)로 쓰임. [CH_3ONO_2]

질산 무수물【窒酸無水物】[—싼—] 명 〖화〗 오산화 이질소(五酸化二窒素)의 통칭.

질산 바륨【窒酸—】[—싼—] 명 〔barium nitrate〕〖화〗 바륨의 질산염(塩). 무색의 입방 정계(立方晶系) 결정으로 불길 속에서 녹색(綠色)을 내므로 꽃불·발화(發火) 신호로 사용됨. 과산화(過酸化) 바륨의 제조, 의약·분석 시약(分析試藥)에도 쓰임. [$Ba(NO_3)_2$]

질산 박테리아【窒酸—】〔bacteria〕[—싼—] 명 〖생〗 질산균.

질산-법【窒酸法】[—싼뻡] 명 〖화〗 질산식 황산 제조법.

질산 베릴륨【窒酸—】[—싼—] 명 〔beryllium nitrate〕〖화〗 무색의 흡습 용해성(吸濕溶解性) 결정(結晶). 1·2·3·4 수화물(水化物)이 있는데 3 수화물은 250℃ 이상에서 분해하여 산화 베릴륨이 되고, 4 수화물은 독성(毒性)이 있으며 발광(發光)하기 쉬움. [$Be(NO_3)_2$]

질산 비스무트【窒酸—】[—싼—] 명 〔bismuth nitrate〕〖화〗 질산의 비스무트염(塩). 통상의 것은 5 수화물(水化物)로 삼사 정계(三斜晶系)의 결정(結晶). 5 수화물을 물에 녹이면 백색 침전물(沈澱物)이 생기는데 이것은 수렴제(收斂劑)·흡착제(吸着劑)로서 궤양약(潰瘍藥)으로 쓰임. [$Bi(NO_3)_3$]

질산 섬유소【窒酸纖維素】[—싼—] 명 〖화〗 니트로셀룰로오스.

질산 셀룰로오스【窒酸—】〔cellulose〕[—싼—] 명 〖화〗 니트로셀룰로오스(nitrocellulose).

질산 소:다【窒酸—】〔soda〕[—싼—] 명 〖화〗 '칠레 초석(Chile 硝石)·질산 나트륨'의 속칭.

질산 수은【窒酸水銀】[—싼—] 명 〔mercury nitrate〕〖화〗 ①질산 수은(Ⅰ). 질산 제일 수은. 많은 양의 수은에 차고 묽은 질산을 작용시켜 만든 무색 결정(無色結晶). 2 수화물(水化物)은 풍해성(風解性)으로 강열(強熱)하면 폭발함. 물에 녹으며 많은 물에서는 가수 분해(加水分解)하여 수산화물염(水酸化物塩)을 침전시킴. 단백 분석(蛋白分析)에 쓰임. ②질산 수은(Ⅱ). 질산 제이 수은. 수은을 과량(過量)의 진한 질산에 녹여 만든, 0.5 수화물인 무색의 침상(針狀) 결정 또는 분말. 물에 녹이면 가수 분해하여 수산화물염이 침전함. 촉매제(觸媒劑)·산화제로 쓰임.

질산 스트론튬【窒酸—】[—싼—] 명 〔strontium nitrate〕〖화〗 스트론튬광(鑛)을 질산에 작용시켜 만든 흡습 용해성(吸濕溶解性)의 입방 정계 결정(立方晶系結晶). 탄소나 다른 가연성 물질에 섞어서 열을 가하면 붉은 빛을 내므로 불꽃·성냥·야간 신호 등에서 붉은색광을 내는 데 쓰임. [$Sr(NO_3)_2$]

질산 스트리키닌【窒酸—】〔strychinine〕[—싼—] 명 스트리키닌의 질산염. 호흡·혈관 중추(中樞)의 흥분제. 극약(劇藥)임.

질산 식물【窒酸植物】[—싼—] 명 뿌리에서 흡수한 질산염(塩)을 대사(代謝)하지 않고 그대로 다량으로 축적하는 식물. 달리아·해바라기 따위. 이들 식물의 추출액을 농축하면 초석(硝石), 곧 질산 칼륨을 얻을 수 있어서 초석 식물(硝石植物)이라고도 함.

질산식 황산 제:조법【窒酸式黃酸製造法】[—싼—뻡] 명 〔nitration process〕 이산화황(二酸化黃)을 산화하는 단계에서 질산을 촉매(觸媒)로 하여 쓰는 질산 제조법. 질산법.

질산 알루미늄【窒酸—】[—싼—] 명 〔aluminium nitrate〕〖화〗 무수염(無水塩)은 무색(無色)의 결정. 흡습 용해성(吸濕溶解性)으로 습기가 있으면 단사 정계 결정(單斜晶系結晶)인 9 수화물(水化物)이 됨. 가죽의 무두질·발한 방지제(發汗防止劑)·부식(腐蝕) 방지제·우라늄 추출용제 등으로 쓰임. [$Al(NO_3)_3 \cdot 9H_2O$]

질산 암모늄【窒酸—】[—싼—] 명 〔ammonium nitrate〕〖화〗 질산을 암모니아로 중화(中和)하여 만드는 무색의 사방정계(斜方晶系) 결정. 비료·기한제(起寒劑)·폭약 등의 원료로서 용도가 넓음. 구칭은 초산(硝酸) 암모늄. [NH_4NO_3]

질산 암모늄 폭약【窒酸—爆藥】〔ammonium〕[—싼—] 명 〖화〗 질산 암모늄을 주제(主劑)로 하여, 니트로벤젠·니트로나프탈렌 등의 질화 방향족(窒化芳香族) 화합물을 섞어서 만든 폭약. 탄광에서 흔히 씀.

질산 에스테르【窒酸—】[—싼—] 명 〔nitric ester〕〖화〗 알코올에 진한 질산(窒酸)을 작용시켜 만드는 향기가 좋은 휘발성(揮發性) 액체. 물에는 녹기 어렵고, 유기 용매(有機溶媒)에 잘 녹으며 과열 또는 충격으로 폭발(爆發)하기 쉬워 화약·폭약·로켓 추진제 등으로 쓰이는 것이 많음. 질산 에틸·질산 메틸·니트로셀룰로오스 등이 있음. [$RONO_2$]

질산 에틸【窒酸—】[—싼—] 명 〔ethyl nitrate〕〖화〗 질산 에스테르의 하나. 휘발성이 크며, 폭발하기 쉬운 액체. 끓는점 87.2℃. 폭약(爆藥)이나 로켓 연료로 쓰임. [$C_2H_5ONO_2$] *질산 메틸.

질산-염【窒酸塩】[—싼념] 명 〔nitrate〕〖화〗 금속 또는 그 산화물이나 탄산염(炭酸塩)을 질산에 용해하여 만든 화합물의 총칭. 대부분이 수용성(水溶性)과 흡습성(吸濕性)이 있음. 가열하면 산소와 아질산염(亞窒酸塩)으로 됨. 산화제·화약·비료로 쓰임. [M^INO_3]

질산염 광:물【窒酸塩鑛物】[—싼념—] 명 〔nitrate mineral〕〖광〗 기본 이온 구조가 NO_3^-으로 특징지워진 광물의 총칭. 칠레 초석(硝石)·초석 등이 있음.

질산염 환원【窒酸塩還元】[—싼—] 명 〔nitrate reduction〕〖생〗 질산염이 질산 환원 효소(酵素)에 의하여 아(亞)질산으로 환원되는 생체 산화(生體酸化) 환원 반응.

질산 우라닐【窒酸—】[—싼—] 명 〔uranyl nitrate〕〖화〗 산화 우라늄을 질산에 녹이면 생기는 유독성·폭발성의 황갈색 주상(柱狀) 결정. 녹색 형광(螢光)을 발하며 물·알코올 및 에테르에 잘 녹음. 녹는점 60.2℃, 끓는점 118℃. 사진·의료(醫療)·요업(窯業)·유리 공업·우라늄의 형광 분석 등에 쓰임. [$UO_2(NO_3)_2 \cdot 6H_2O$]

질산-은【窒酸銀】[—싼—] 명 〔silver nitrate〕〖화〗 은을 질산에 용해하여 얻는 무색의 사방 정계 결정(斜方晶系結晶). 다른 은염(銀塩)의 원료로나 부식제(腐蝕劑)로서의 의약 및 분석 시약(分析試藥), 은도금, 전기 통신기의 접점(接點), 사진 감광제(感光劑) 등에 쓰임. 유독(有毒)함. [$AgNO_3$]

질산은 막대【窒酸銀—】[—싼—] 명 〖약〗 질산은이 그 농도에 따라, 방부(防腐)·소독·살균·수렴(收斂) 작용을 하는 것을 이용하여 봉상(棒狀)으로 만들어 환부를 소작(燒灼)하는 데 쓰는 약.

질산 제:이 수은【窒酸第二水銀】[—싼—] 명 〖화〗 질산 수은❷.

질산 제:이철【窒酸第二鐵】[—싼—] 명 〖화〗 질산철(窒酸鐵)❷.

질산 제:일 수은【窒酸第一水銀】[—싼—] 명 〖화〗 질산 수은❶.

질산 제:일철【窒酸第一鐵】[—싼—] 명 〖화〗 질산철(窒酸鐵)❶.

질산-철【窒酸鐵】[—싼—] 명 〔ferric nitrate〕〖광〗 ①질산철(Ⅱ). 질산 제일철. 황화철(黃化鐵) 또는 철을 차가운 질산에 녹인 용액에서 석출(析出)하는 무색(無色) 또는 담록색(淡綠色)의 사방 정계 결정(斜方晶系結晶). 가열하면 질산을 발생함. [$Fe(NO_3)_2$] ②질산철(Ⅲ). 질산 제이철. 철분(鐵粉)을 20-30%의 황산에 녹여 얻는, 9 수화물(水化物)인 담자색(淡紫色)의 단사 정계 결정(單斜晶系結晶). 6 수화물도 있는데 이것은 무색의 입방 정계 결정(立方晶系結晶). 둘 다 가열하면 산화철(Ⅲ)이 됨. 매염제(媒染劑)·안료(顔料) 제조의 원료(原料)로 쓰임. 질산 제이철. [$F_e(NO_3)_3$]

질산 카드뮴【窒酸—】[—싼—] 명 〔cadmium nitrate〕〖화〗 무색의 흡습성(吸濕性) 사방 정계 결정(斜方晶系結晶). 2·4·9 수화물(水化物)이 있음. 물·알코올 및 액체 암모니아에 녹음. 유리나 도자기에 적황색(赤黃色) 광택을 내는 데 쓰임. [$Cd(NO_3)_2$]

질산 칼륨【窒酸—】〔도 Kalium〕[—싼—] 명 〔potassium nitrate〕〖화〗

무색(無色)의 유리 광택이 있는 투명 내지 반투명의 사방 정계 결정(斜方晶系結晶). 초석(硝石)으로서 천연으로 산출함. 흑색(黑色) 화약·유리·법랑(琺瑯)의 원료(原料)·융제(融劑)·산화제(酸化劑)·식육(食肉)의 보존제·의약품 등으로 널리 쓰임. 질산 가리(窒酸加里). [KNO_3]

질산 칼슘【窒酸—】[—싼—] 명 〔calcium nitrate〕〖화〗칼슘의 질산염(窒酸塩). 무색(無色)의 흡습 용해성(吸濕溶解性) 입방 정계(立方晶系) 결정. 4수화물(水和物)도 있음. 질산염의 제조 등에 사용됨. [$Ca(NO_3)_2 \cdot 4H_2O$] ＊노르웨이 초석.

질산 코발트【窒酸—】[—싼—] 명 〔cobalt nitrate〕〖화〗질산의 코발트염(塩). 연한 장밋빛 분말로, 6수화물(水化物)이 있으며 코발트 안료(顔料)·은현(隱顯) 잉크·코발트 촉매(觸媒)의 제조 원료 등에 쓰임. [$Co(NO_3)_2$]

질산태 질소 비:료【窒酸態窒素肥料】[—싼—쏘—] 명 〔nitrate nitrogenous fertilizer〕〖화〗질소가 질산 나트륨 따위 질산염 형태로 존재하는 비료. 속효성(速効性)이지만 물과 함께 유실되기 쉽고, 토양 속의 미생물에 의해 환원되어 질소 가스가 되어 공중으로 날아가므로 효험이 적음. 주로 밭에 사용하는데 초석(硝石)이 대표적임. ＊질소질 비료.

질산 토륨【窒酸—】[—싼—] 명 〔thorium nitrate〕〖화〗수산화(水酸化) 토륨을 묽은 질산에 녹인 다음 냉온(冷溫)으로 증발시키면 석출(析出)되는, 무색·흡습 용해성(吸濕溶解性)의 판상(板狀) 결정. 물·알코올에 녹음. 의료(醫療)·분석 시약 등에 쓰임. [$Th(NO_3)_4 \cdot 12H_2O$]

질산 호흡【窒酸呼吸】[—싼—] 명 〔nitrate respiration〕〖생〗미생물에 의한 질산 환원의 일종으로, 무산소(無酸素) 호흡의 한 형식. 호흡에서 산소 분자(分子) 대신에 질산염(塩)이 최종 수소 수용체(水素受容體)가 되며, 생물의 종(種)에 따라 아(亞)질산염·질소 분자·암모니아로까지 환원(還元)함.

질산 환원 효소【窒酸還元酵素】[—싼—] 명 〔nitrate reductase〕〖생〗미생물에서 고등 동물에까지 널리 분포되고 있는, 질산염(塩)을 아(亞)질산염으로 환원하는 효소. 「業)≪小諺 Ⅵ:57≫.

질삼 명 〈옛〉길쌈. ¶질삼호며 뵈 따 뻐 家業을 ᄒᆞ고(紡績織紝以爲家

질-샷반【—盤】명 지게에 얹어 놓고 물건을 담아서 지는 샷반.

질상피 도말법【膣上皮塗抹法】[—뻡] 명 질세포 검사.

질색【窒塞】[—쌕] 명 ①질기(窒氣). ②몹시 싫거나 놀라서 기막힐 지경에 이름. ¶우는 것은 딱 ~이다. ——-하다 자여불

질서[1]【姪婿】[—써] 명 조카 사위. 「식/~ 정연하다.

질서[2]【秩序】[—써] 명 사물의 조리. 또, 그 순서. 질차(秩次). ¶~ 의

질-서[3]【疾徐】[—써] 명 빠름과 느림.

질서 독재【秩序獨裁】[—써—] 명〖정〗현존 사회 체제(社會體制)를 사수하기 위하여 혁명 운동(革命運動)을 탄압할 목적으로 행사하는 독재. ↔혁명(革命) 독재.

질서 무질서 전:이【秩序無秩序轉移】[—써—써—] 명 〔order-disorder transition〕〖화〗원자 또는 분자의 배열의 규칙적인 상(相)과 불규칙적인 상과의 상전이(相轉移). 「↔질서 정연. ——-하다 형여불

질서 문:란【秩序紊亂】[—써물—] 명 질서가 바르지 못하고 어지러움.

질서 반:사【秩序反射】[—써—] 명 〔coordinated reflex〕〖생〗목적에 맞는 복잡한 운동이 일어나는 척수 반사(脊髓反射)의 하나. 가려운 곳을 긁는 것, 뜨거운 것이 닿았을 때 손발이 움츠러드는 것 같은 반사.

질서-벌【秩序罰】[—써—] 명〖법〗행정상의 의무 위반자(義務違反者)에 대하여 제재(制裁)로서 과하는 과태료(過怠料)의 총칭(總稱). 형벌이 아니며, 행정 법규(行政法規) 또는 지방 자치 단체의 조례·규칙 등에 의하여 과하여짐. 행정벌(行政罰). 「서를 침해한 사람.

질서-범【秩序犯】[—써—] 명〖법〗국가 또는 공공 단체의 행정상의 질

질서 정:연【秩序整然】[—써—] 명 사물의 순서가 한결같이 바르고 가지런함. ↔질서 문란. ——-하다 형여불

질석[1]【蛭石】[—썩] 명 〔vermiculite〕〖광〗흑운모(黑雲母)가 가수(加水) 변질하여 된 광물. 열을 가하면 거머리처럼 팽창함. 소성(燒成)한 것은 가볍고 내화성(耐火性)이 있으며, 흡음(吸音)·단열용(斷熱用)의 충전재(充塡材), 시멘트 모르타르의 골재(骨材) 등에 이용됨. 버미큘라이트.

질석[2]【膣石】[—썩] 명 〔vaginal concrement〕〖의〗질(膣)의 석회 침착물(沈着物)·질내 이물(膣內異物)·회사(壞死) 물질·탈락 상피(脫落上皮)·농괴(膿塊) 또는 분비물 등이 엉겨서 단단하게 된 것.

질세포 검:사【膣細胞檢査】명 〔vaginal smear method〕〖동〗질상피(膣上皮)의 박락 세포(剝落細胞)나 분비물(分泌物)로 된 질내 저류 물질(膣內貯留物質)을 긁어서 검경(檢鏡)을 하고, 그 상(像)에 의해서 동물의 발정(發情) 상태를 알아내는 법. 질상피 도말법(膣上皮塗抹法).

질소[1]【窒素】[—쏘] 명 〔nitrogen〕〖화〗2원자 분자로서 공기 중의 약 78%를 차지하는 기체 원소. 공업적으로는 액체 공기의 분류(分溜)에 의하여, 화학적으로는 염화(塩化) 암모늄과 아질산(亞窒酸) 나트륨의 혼합액을 70°C로 가열하여 만듦. 무색·무미(無味)·무취(無臭)하고 녹는점(點)은 −209.9°C, 끓는점(點)은 −195.8°C. 일반적으로 화학 반응을 일으키기 어려우나 높은 온도에서는 다른 원소와 화합하여 질소화물을 만듦. 다른 원소와 화합하여 동식물체 및 초석(硝石)·질산(窒酸) 등을 조성하며, 특히 생물계에 있어서 동식물체를 구성하는 단백질에 없어서는 안 될 성분임. 암모니아·석회(石灰) 질소·질산 등 질소 화합물(化合物)의 원료임. [7번:N: 14.0067] 「소하고 질박함. ——-하다 형여불

질소[2]【質素】[—쏘] 명 사치하고 꾸미고 하지 않아 수수함. 검

질소-계【窒素計】[—쏘—] 명 〔nitrometer〕〖화〗원소를 분석하는 장치의 하나. 유기 화합물을 이산화 탄소(二酸化炭素)의 기류(氣流) 속에서 산화(酸化) 구리와 함께 가열 분해하여 그 성분의 질소를 가스로서 정량(定量)함.

〈질소계〉

질소 고정【窒素固定】[—쏘—] 명 〔nitrogen fixation〕〖화〗공기 속의 유리(遊離)질소를 원료로 하여 화합물을 만드는 일. 천연으로는 대사 반응(代謝反應)으로서 콩과(科) 식물의 뿌리혹 또는 어떤 종류의 미생물이 행하며, 공업적으로는 질소와 수소에서 암모니아 합성, 질소와 칼슘에서 석회(石灰) 질소 제조 등이 있음. ＊공중(空中) 질소 고정.

질소 고정균【窒素固定菌】[—쏘—] 명〖식〗유리(遊離)질소를 고정하는 능력이 있는 미생물. 뿌리혹 박테리아 등. 질소 박테리아.

질소 공업【窒素工業】[—쏘—] 명 공기 중의 질소를 분리·고정하여 질소 화합물을 만드는 화학 공업. 탄화 칼슘과 질소를 화합시켜 석회(石灰) 질소를 만드는 석회 질소 공업, 질소와 수소에서 암모니아를 합성하는 암모니아 합성 공업, 암모니아를 산화시켜 질산(窒酸)을 제조하는 질산 공업 등을 이름.

질소 교대【窒素交代】[—쏘—] 명 질소 대사(代謝).

질소 대:사【窒素代謝】[—쏘—] 명 〔nitrogen metabolism〕질소 및 질소를 함유하는 생체(生體) 물질의 동화(同化)·이화(異化)·배출(排出)의 총칭. 식물(植物)의 경우, 암모늄염(塩)·질산염(窒酸塩) 등을 흡수, 환원(還元)한 다음 아미노산·단백질 등을 합성하며, 동물의 경우, 사료(飼料)에 포함된 아미노산 등의 질소 화합물이나 조직 단백질이 동물의 체내에서 분해되어 암모니아 등 오줌 속의 질소로서 배설되기까지의 과정을 이름. 질소 교대. ＊질소 순환.

질소 동화【窒素同化】[—쏘—] 명 〔nitrogen assimilation〕〖생〗생물이 외계로부터 흡수한 질소 분자나 질소 화합물을 자체 내에서 이를 변화시켜 질소를 포함하는 질소 화합물을 합성하는 대사(代謝) 과정. 식물이나 미생물은 무기(無機) 질소를 이용하나, 동물은 복잡한 유기(有機) 질소 화합물을 이용함. 무기 질소는 질소 고정(固定)·질산 동화(窒酸同化) 등으로 암모니아로 바뀌어 유기물이 됨. 질소 동화 작용(作用). ＊질산 동화.

질소 램프【窒素—】〔lamp〕[—쏘—] 명 촉광(燭光)을 증가(增加)시키고 니크롬선(線)의 증산(蒸散)을 감소(減少)시키기 위하여 질소를 봉입(封入)한 전구(電球).

질소 박테리아【窒素—】〔bacteria〕[—쏘—] 명〖식〗질소 고정균.

질소-분【窒素分】[—쏘—] 명 질소로 된 성분.

질소 비:료【窒素肥料】[—쏘—] 명〖화〗질소질 비료.

질소 산화물【窒素酸化物】[—쏘—] 명〖화〗질소의 산화물. N_2O·NO·N_2O_3·NO_2·N_2O_4·N_2O_5·NO_3·N_2O_6 등 산화 질소들이 있는데 이것들을 총칭하여 NO_x로 나타냄. 가솔린 엔진의 배기 속에 여러 가지로 포함되어 있어 대기 오염의 큰 원인의 하나로 되어 있음. 대기 환경 보전법(大氣環境保全法)에 오염 물질(汚染物質)로 규정됨.

질소 순환【窒素循環】[—쏘—] 명 〔nitrogen cycle〕〖화〗자연계(自然界)의 질소가 생물계(生物界)와 무생물계 사이를 일정한 경로를 통하여 옮겨지고 변화하여 결과적으로 질소 자체가 순환하고 있는 것같이 보이는 현상. 대기 중(大氣中)의 분자상(分子狀) 질소·질산염·암모늄염으로부터 질소가 생체에 흡수되고 환원되어 생체 구성 물질이 되고, 일부는 배설물(排泄物)이 되거나 또는 사후(死後) 다시 암모니아 등의 무기(無機) 질소 화합물(化合物)이 되어 무생물계로 옮겨짐. ＊질소 대사(代謝).

질소 용액【窒素溶液】[—쏘—] 명 〔nitrogen solution〕비료 제조에서, 과인산(過燐酸)의 중화(中和)에 쓰이는 혼합물(混合物). 질산 암모늄 60% 와 50% 암모니아액(液)으로 이루어짐.

질소-원【窒素源】[—쏘—] 명 〔nitrogen source〕〖생〗생물이 그 몸체를 구성하는 단백질·핵산(核酸) 기타 질소 화합물의 재료로서, 외계(外界)에서 받아들이는 질소 화합물 또는 질소 가스 등. 이 질소원으로 식물은 생육(生育)하게 됨.

질소 이페리트【窒素—】〔yperite〕[—쏘—] 명〖화〗나이트로젠 머스터드(nitrogen mustard).

질소족 원소【窒素族元素】[—쏘—] 명〖화〗질소(窒素)·인(燐)·비소(砒素)·안티몬(antimon)·비스무트의 다섯 원소의 총칭. 주기계(週期系) 중의 제Ⅴ족(族) a아족(亞族)을 형성함.

질소 중독【窒素中毒】[—쏘—] 명 〔nitrogen narcosis〕〖의〗고압(高壓)하에서, 혈액 속의 가스상 질소에 의하여 생기는 중독. 30 m가 넘는 깊은 물 속에서 잠수부가 공기를 흡입(吸入)할 때 일어남.

질소질 비:료【窒素質肥料】[—쏘—] 명〖농〗질소를 많이 함유하는 비료의 총칭. 질산 암모늄·석회 질소·요소(尿素)·염화(塩化) 암모늄을 함유하는 무기질(無機質) 비료와 콩깻묵·면실유 유박(棉實油油粕)·골분(骨粉) 등의 유기질(有機質) 비료가 있음. 식물체 안에서 단백질·핵산(核酸) 및 엽록소(葉綠素)를 구성하고 있으며, 광합성(光合成) 및 생장·발육을 촉진함. ＊인산질(燐酸質) 비료·칼륨질 비료.

질소 평형【窒素平衡】[—쏘—] 명 〔nitrogen balance〕〖생〗체내에 섭취한 단백질로서의 질소와 그 배출량과의 차.

질소 폭탄【窒素爆彈】[—쏘—] 명〖군〗질소 화합물을 이용한 핵병기(核兵器)의 하나. 폭발할 때 발생하는 중성자에 의하여 반감기(半減期) 약 5,568년의 방사성 탄소 ^{14}C를 발생시켜 방사능해(放射能害)를 주려는 것인데, ^{14}C는 탄산 가스가 되어 전세계에 확산되므로 실제로 사용될 가능성은 없음.

질소 혈증【窒素血症】[—쏘—쯩] 명 〔azotemia〕〖의〗질소 함유 화합물이 혈액 속에 너무 많이 존재하는 상태. 건강체에서는 혈액 100 cc 당 20-40 mg 인데, 50 mg 이상으로 증가된 경우 이것을 병적으로 봄.

질소-화【窒素化】[—쏘—] 명 〔nitrification〕〖생〗암모니아를 산소에 의해 아질산염(亞窒酸塩) 또는 질산염으로 산화하는 생물 반응. 질화 세균(窒化細菌)에 의해 토양 속에서 행해지는데 니트로소모나스(Nitrosomonas)는 암모니아에서 아질산염, 니트로박터(Nitrobacter)는 아질

산염에서 질산염 생성(生成)에 관여함. 둘 다 화학 합성을 하는 생물로 이 반응에서 생긴 에너지를 이용, 탄산 고정(炭酸固定)을 하고 생활함.

질소화-물【窒素化物】[—쏘—] 명 〔nitride〕〖화〗 질소(窒素)와 다른 원소(元素)의 화합물. 비활성 기체·백금족(白金族) 원소 및 금을 제외한 모든 원소의 화합물이 있음. 질화물(窒化物).

질소화 붕소【窒素化硼素】[—쏘—] 명〖化〗 질화 붕소.

질소화 알루미늄【窒素化—】〔aluminium〕[—쏘—] 명〖化〗 질화 알루미늄.

질소화-유【窒素化油】[—쏘—] 명 〔nitrogenated oil〕〖화〗 정유(精油)의 일종. 탄소·수소·산소·질소를 함유함. 고편도유(苦扁桃油) 같은 것.

질소화-인【窒素化燐】[—쏘—] 명〖化〗 질화인.

질소화 지르코늄【窒素化—】〔zirconium〕[—쏘—] 명〖化〗 질화 지르코늄.

질소 화:합물 핵연료【窒素化合物核燃料】[—쏘—녈—] 명 〔nitride nuclear fuel〕〖물〗 질화(窒化) 우라늄과 같은, 질소 화합물의 핵분열성(核分裂性) 핵연료.

질속【疾速】[—쏙] 명 몹시 빠름. ——하다 형여불

질손【姪孫】[—쏜] 명 형제(兄弟)의 손자. 곧, 종손(從孫)의 일컬음.

질송〔Gilson, Étienne〕 명〖사람〗 프랑스의 철학자·신학자. 현대의 중세 철학사가의 제1인자. 중세 철학의 가치와, 근대 철학에 대한 그 영향을 적극적으로 평가하고, 중세 암흑사관(暗黑史觀)을 정정했음. 신학자로서는 신(新)토마스주의를 대표함. 저서 《토마스주의》·《중세 철학사》·《중세 철학의 정신》 등. [1884-1978]

질-솥 명 질로 만든 솥. 토정(土鼎).

질수【疾首】[—쑤] 명 골치를 앓음. 걱정함. ——하다 자타여불

질수 축알【疾首蹙頞】[—쑤—] 명 몹시 싫어서 이마를 찡그림. ——하다 타여불

질시[1]【疾視】[—씨] 명 밉게 봄. ——하다 타여불

질시[2]【嫉視】[—씨] 명 흘겨 봄. 시기하여 봄. 투시(妬視). ¶～를 받다. ——하다 타여불

질식【窒息】[—씩] 명〖의〗 ①숨이 막힘. ②생체(生體) 또는 그 조직에 있어서, 갖가지 이유로 인하여 생긴 산소의 결핍이나 탄산 가스의 과잉으로 일어나는 상태. 호흡 작용이 멎으며, 생물은 경련(痙攣) 후에 죽음에 이름. ——하다 자여불

질식 가스【窒息—】〔gas〕[—씩—] 명 질식성 가스.

질식-감【窒息感】[—씩—] 명 숨이 꽉 막히는 듯한 느낌.

질식-사【窒息死】[—씩—] 명 숨이 막히거나 산소가 없어지거나 하여 죽음. ——하다 자여불

질식성 가스【窒息性—】〔gas〕[—씩—] 명 호흡을 곤란하게 하는 독가스의 총칭. 염소 가스·포스겐(phosgen)·디포스겐 등. 질식 가스.

질식 소화【窒息消火】[—씩—] 명 산소의 공급을 단절(斷絶)하여 불을 끄는 방법. *냉각(冷却) 소화·파괴(破壞) 소화.

질실【質實】[—씰] 명 질박하고 순진함. ——하다 형여불

질쌈 명〈방〉 길쌈(전역).

질씨 명〈방〉 길이(함남).

질쑥-이 부 질쑥하게. >잘쏙이.

질쑥-질쑥 부 여러 곳이 질쑥한 모양. ㅆ찔쑥찔쑥. >잘쏙잘쏙[2]. ——하다 형여불

질쑥-하다 형여불 질뚝하거나 질룩한 듯하다. ㅆ찔쑥하다. >잘쏙하다.

질씨 명〈방〉 길이(함남).

질아【姪兒】 명 조카.

질액-궁【疾厄宮】 명〖민〗 질병(疾病)과 궂은 일을 맡는 십이궁(十二宮)의 하나.

질야【質野】 명 질박하고 꾸밈이 없음. 박야(樸野). ——하다 형여불

질약ᄒᆞ다 형〈옛〉 허약(虛弱)하다. ¶世俗애 닐오ᄃᆡ 아ᄃᆞᆯ 일히 ᄀᆞᆮᄒᆞ니를 나하도 오히려 질약ᄒᆞᆯ가 저코(鄙諺有云 生男如狼 猶恐其尪) 《內訓 Ⅱ 上 8》.

질언[1]【疾言】 명 급한 말투. 덩벙대는 말투.

질언[2]【質言】 명 참된 사실을 들어 딱 잘라 말함. 또, 그 말. ——하다 자타여불

질언 거색【疾言遽色】 명 조급한 말과 급히 서두르는 얼굴빛.

질여-자【蒺茹子】 명〖한의〗 질려자(蒺藜子).

질역【疾疫】 명〖의〗 유행하는 병. 질려(疾癘).

질-열상【膣裂傷】[—렬쌍] 명 〔Rupture of the vagina〕〖의〗 질(膣)에 생기는 파열상(破裂傷). 전(全) 곧 천통성(穿通性)과, 부전(不全) 곧 비천통성(非穿通性)으로 나뉘는데, 전자는 흔히 경관 열상(頸管裂傷)에 합병되어 일어나지만, 드물게 질원개(膣圓蓋)에 단독 발생하기도 해서 이것을 원개 열상이라 하며 심하면 질관(膣管)과 완전 분리되는 때도 있는데 이를 질단열(膣斷裂)이라 함.

질염【膣炎】[—렴] 명 〔Vaginitis〕〖의〗 질(膣)에 일어나는 염증. 임균(淋菌)·양농균(釀膿菌) 등의 병원균의 자극에 의하여 질의 점막(粘膜)이 미란(糜爛)하고 종창(腫脹)·작열(灼熱)을 일으키어 백대하(白帶下)의 증가와 질루(膣漏)를 생기게 함.

질오【嫉惡】 명 시새어 몹시 미워함. ——하다 타여불

질-오가리 명〈방〉 질솥.

질욕【叱辱】 명 꾸짖으며 욕함. ——하다 타여불

질우【疾雨】 명 몹시 내리는 비.

질원【疾怨】 명 미워하고 원망함. ——하다 타여불

질의[1]【質疑】[—/—이] 명 ①의심 나는 점(點)을 물어서 밝힘. ②〖법〗 국회의 회의에서 의원이, 의제(議題)로 되어 있는 의안·동의에 대해 국무 위원·정부 위원(委員)·발의자(發議者) 등에 대하여, 의문의 해명(解明)을 구하는 일. 질의 다음에 토론(討論)을 하게 됨. ¶～응답. *질문(質問). ——하다 타여불

질의[2]【質議】[—/—이] 명 사리의 당부(當否)를 물어서 의논함. ——하다 타여불

질의 응:답【質疑應答】[—/—이—] 명 회합 장소 등에서의 질문과 그것에 대한 대답. 또, 그러한 것을 주고 받는 일.

질이 명〈방〉 길이(경상·함경).

질인【蛭蚓】 명 〔거머리와 지렁이라는 뜻〕 하치않은 소인(小人)을 가리키는 말.

질입【質入】 명 입질(入質). ——하다 타여불

질자[1]【姪子】[—짜] 명 조카.

질자[2]【質子】[—짜] 명 볼모. 인질로 보낸 아들.

질자-군【質子軍】 명〖역〗 몽골 제국 및 원조(元朝)의 진수군(鎭戍軍)의 일종. 제후(諸侯)나 장교의 반역을 막기 위하여 그 자제를 볼모로 삼고 징집·편성한 군대임.

질-자박 명 ☞ 질자배기.

질-자배기 명 질로 만든 자배기.

질-장구 명〖악〗 '부(缶)'의 속칭.

질재【軼材】[—째] 명 훌륭한 바탕. 뛰어난 재주.

질-적【質的】[—쩍] 명관 본바탕의 상태. 실질(實質)에 관계되는 모양. ¶～으로 향상되다. ↔양적(量的).

질적 변:증법【質的辨證法】[—쩍—뻡] 명〖철〗 실존 변증법(實存辨證法).

질-전정【膣前庭】 명〖생〗 포유류(哺乳類) 암컷의 외부 생식기의 일부. 중앙에서 질의 전방에 외요도(外尿道)가 개구(開口)하고 있고, 그 곳이 소음순(小陰脣)에 둘러싸인 부분. 위쪽에 음핵(陰核)이 있음.

질점【質點】[—쩜] 명 〔material point〕〖물〗 물체의 크기를 도외시(度外視)하고 질량(質量)의 중심에 그 물체의 모든 질량이 집중한 것으로 보아 그 점의 위치·운동에 의하여 물체의 위치·운동을 대표시킬 때의 그 점. 역학의 원리(原理) 및 모든 법칙의 기초가 됨.

질점-계【質點系】[—쩜—] 명 〔system of material point〕〖물〗 몇 개의 질점으로 이루어지는 역학적 체계.

질점 동:역학【質點動力學】[—쩜—녁—] 명 〔particle dynamics〕〖물〗 단일 질점의 운동이, 외력(外力) 특히 전자기력(電磁氣力)이나 중력(重力)에 어떻게 영향을 미치는가를 연구하는 학문.

질점 에너지【質點—】[—쩜—] 명 〔particle energy〕〖물〗 어떤 위치에 있는 질점에 대한, 질점의 운동 에너지와 위치 에너지의 합(合).

질점 역학【質點力學】[—쩜녁—] 명 〔dynamics of particles〕〖물〗 질점의 운동을 고찰하는 역학.

질점 진:자【質點振子】[—쩜—] 명 〔pendulum of material point〕〖물〗 한 끝을 고정한 가벼운 실 또는 막대기의 끝에 그 크기를 무시할 수 있는 작은 물체, 곧 질점을 붙인 진자.

질정[1]【叱正】[—쩡] 명 꾸짖어 바로잡음. ¶많은 ～ 있으시기 바랍니다. ——하다 타여불

질정[2]【質正】[—쩡] 명 생각하여 바로잡음. ——하다 타여불

질정[3]【質定】[—쩡] 명 갈피를 잡고 헤아려 작정함. ¶지금 나가면 어데로 갈지 ～할 수 없삽거니와…《作者未詳 : 天然亭》. ——하다 타여불

질정-관【質正官】[—쩡—] 명〖역〗 옛날 글의 음운(音韻)이나 기타 사물의 의심점을 중국에 질문하여 알아 오는 임시 벼슬. 중국에 사신이 갈 때 함께 갔었음.

질제[1]【姪娣】[—쩨] 명 〔본뜻은 조카딸과 누이동생〕 옛날에 제후(諸侯)의 부인이, 친정에서 함께 데리고 오는 일가붙이 되는 여자.

질-제[2]【質帝】[—쩨] 명〖사람〗 중국 후한(後漢)의 제9대 황제. 성명은 유찬(劉纘). 발해 효왕(渤海孝王) 유홍(劉鴻)의 아들. 충제(冲帝)가 죽자 외척(外戚)인 권신(權臣) 양기(梁冀) 등에게 옹립되어 8세에 즉위함. 어리지만 영명해서 방자한 양 기를 가리켜 '발호(跋扈) 장군'이라고 불렀는데 이로 인해 독살당함. [138-146; 재위 145-146]

질제[3]【質劑】[—쩨] 명〖역〗 중국 고대의 융통(融通) 어음으로, 관(官)에서 발행하며 교역(交易)할 때 사는 사람이 판 사람에게 주는 거래(去來)의 증좌(證左).

질제 귀:신【質諸鬼神】[—쩨—] 명 의심 나는 것을 귀신에게 물어서 밝힘. 곧, 점을 쳐 봄. ——하다 타여불

질정ᄒᆞ다 타〈옛〉 질문하다. ¶의심도왼 어려온 ᄃᆡ를 질정ᄒᆞ야 무러(疑難便質問) 《飜小 Ⅷ:35》.

질족【疾足】[—쪽] 명 빨리 걷는 걸음. 빠른 걸음.

질족자 선득【疾足者先得】[—쪽—] 명 날랜 사람이 먼저 얻음을 이르는 말.

질주【疾走】[—쭈] 명 빨리 달림. 사주(駛走). 신주(迅走). 질추(疾趨). ¶차가 ～해 오다. ——하다 자여불

질증【疾憎】[—쯩] 명 몹시 미워함. ——하다 타여불

질지-여수【疾之如讎】[—찌—] 명 원수(怨讎)같이 미워함. ——하다 타여불

질지-이심【疾之已甚】[—찌—] 명 몹시 미워함. ¶저 자가 나와 무슨 은원이 깊기로 ～하게 독한 계교를 행코자 하노? 《李海朝 : 昭陽亭》. ——하다 타여불

질직【質直】[—찍] 명 질박하고 정직함. ——하다 형여불

질-직장루【膣直腸瘻】[—누] 명 〔Vaginorectal fistula〕〖의〗 화농성(化膿性) 직장 주위염(直腸周圍炎)의 하나. 직장의 화농성 염증이 주위 조직에 파급됨으로써 농양(膿瘍)이 직장 및 질(膣)에서 터져 누공(瘻孔)을 형성한 것.

질:질[1] 부 땅에 축 늘어지어 끌리는 모양. ¶옷자락을 ～ 끌다. ㅆ찔찔[1].

＞잘잘[5].

질:질[2] (부) 기름기나 윤기가 겉에 흐르는 모양. ¶개기름이 얼굴에 ～ 흐르다. ㅆ찔찔[2]. ＞잘잘[6].

질:질[3] (부) ①주착없이 무엇을 잘 빠뜨리거나 흘리는 모양. ¶칠칠찮아서 물건을 ～ 흘리고 다니다. ＞절절[6]. ②콧물·눈물을 연달아 흘리는 모양. ¶콧물을 ～ 흘리다. 1)·2):ㅆ찔찔[3]. ＞잴잴.

질:질[4] (부) ①정한 기한이나 시간을 자꾸 끌어 가는 모양. ¶회의를 ～ 끌다. ②조금의 저항도 없이 이끄는 대로 끌려가는 모양. ¶～ 끌려가다. ③경기 따위에서, 상대에게 우위(優位)를 빼앗긴 채 점수를 뒤집지 못하다. ¶상대 팀에게 ～ 끌려가다. 1)-3):ㅆ찔찔.

질질-거리다 (자) ①치신없이 쏘대다. ＞절절거리다. ②질질 울다. 1)·2): ㅆ찔찔거리다.

질질-대다 (자) 질질거리다.

질질로【秩秩以】(부)〈이두〉 여러 가지로.

질질펀펀-하다 (형)〈방〉 지질펀펀하다.

질차[1]【叱嗟】(명) 꾸짖음. ——-하다 (타)(여불)

질차[2]【秩次】(명) 차례. 질서(秩序).

질-차관【—茶罐】(명) 질로 만든 차관.

질책[1]【叱責】(명) 꾸짖어 나무람. ¶～을 받다/너무 ～하지 마라. ——-하다 (타)(여불)

질책[2]【帙冊】(명) 여러 권으로 한 벌이 된 책.

질책[3]【質責】(명) 꾸짖어서 바로잡음. ——-하다 (타)(여불)

질척-거리다 (자) 진흙 같은 것이 물기가 많아서 질게 이겨지다. ¶질척거리는 길. ＞잘착거리다. **질척-질척** (부). ——-하다 (자)(형)(여불)

질척-대다 (자) 질척거리다.

질척-이다 (자) 묽은 진흙 따위가 연해 차지고도 진 느낌을 내다. ＞잘착이다.

질척-하다 (형)(여불) 묽은 진흙 같은 것이 차지게 질다. ¶길이 ～. ＞잘착하다.

질추【疾趨】(명) 질주(疾走). ——-하다 (자)(여불)

질축【嫉逐】(명) 샘내어 내쫓음. ——-하다 (타)(여불)

질-캔디다증【膣—症】〔candida〕〔—쯩〕(명)〖의〗사상균(絲狀菌)의 하나인 캔디다의 감염에 의해 일어나는 질의 질환. 외음부에 심한 가려움을 느낌. 질구(膣口)와 그 주위, 대·소음순(大小陰脣) 등에 백색의 막상(膜狀)·입자상(粒子狀)의 것이 부착함.

질커덕-거리다 (자) 요란스럽게 질컥거리다.＞잘카닥거리다[2]. **질커덕-질커덕** (부). ——-하다 (자)(형)(여불)

질커덕-대다 (자) 질커덕거리다.

질커덕-하다 (형)(여불) 진흙 같은 것이 매우 질컥하다. ＞잘카닥하다.

질컥-거리다 (자) 질벅질벅한 것이 연해 진 촉감을 주다. ¶길이 몹시 ～. ＞잘칵거리다[2]. **질컥-질컥** (부). ——-하다 (자)(형)(여불)

질컥-대다 (자) 질컥거리다.

질컥-하다 (형)(여불) 묽은 진흙 같은 것이 매우 질다. ＞잘칵하다.

질쿠 (명)〈방〉 길쌈(평북).

질쿠-나이 (명)〈방〉 길쌈(강원).

질쿠-냉이 (명)〈방〉 길쌈(평북).

질쿼 (명)〈방〉 길쌈(함경).

질쿼-내 (명)〈방〉 길쌈(함경).

질크러-지다 (자) 질쑥하게 들어가다. ＞잘크라지다.

질키 (명)〈방〉 길쌈(함경).

질타【叱咤】(명) 노기를 띠고 큰 소리로 꾸짖음. ¶천군 만마(千軍萬馬)를 ～하다. ——-하다 (타)(여불)

질탈【膣脫】(명)〔vaginal prolapse〕〖의〗질병(膣病)의 하나. 전후(前後)의 질벽(膣壁)이 하단(下端)으로부터 질구(膣口) 외로 탈출하는 병. 전질탈(前膣脫)과 후질탈(後膣脫)이 있음.

질탕【佚宕·佚蕩】(명) 놀음놀이 같은 것이 지나쳐서 방탕(放蕩)에 가까움. ¶～하게 놀다. ——-하다 (형)(여불). ——-히 (부)

질탕-거리다【佚宕—·佚蕩—】(자) 질탕스럽게 행동하다.

질-탕관【—湯罐】(명) 질로 만든 탕관. 자루가 없음.

【질탕관에 두부장 끓듯】 걱정 때문에 속 마음이 어지러이 끓는다는 뜻.

질탕-대다【佚宕—·佚蕩—】(자) 질탕거리다.

질탕-스럽다【佚宕—·佚蕩—】(형)(ㅂ불) 보기에 질탕하다. **질탕-스레**【佚宕—·佚蕩—】(부)

질탕-치다【佚宕—·佚蕩—】(자) 몹시 질탕스럽게 행동하다.

질-통[1]【—桶】(명) ①물통❷. ②〖광〗광석(鑛石)·버력 같은 것을 갱(坑) 안에서 갱 밖으로 져 낼 때에 쓰는 멜빵 삼태기 또는 나무통.

질통[2]【疾痛】(명) 병으로 말미암은 아픔.

질통-꾼【—桶—】(명)〖광〗질통으로 광석(鑛石)·버력 등을 져서 나르는 사람.

질투【嫉妬·嫉妒】(명) ①강샘. 모질(媢嫉). ¶～에 불타는 마음. ②우월한 사람을 시기하고, 증오하는 감정. 샘. ③〖천주교〗칠죄종(七罪宗)의 하나. ——-하다 (타)(여불)

질투 망:상【嫉妬妄想】(명) 망상의 하나. 배우자(配偶者)의 정결(貞潔)을 의심하는 것. 주로 음위(陰痿)에 기인하는 수가 많음.

질투-심【嫉妬心】(명) 질투하는 마음. ¶～을 품다.

질-트리코모나스증【膣—症】〔라 trichomonas〕〔—쯩〕(명)〖의〗질트리코모나스라고 하는 원충(原蟲)의 감염에 의해 일어나는 질환. 대하(帶下)가 증가하고 흔히 질구(膣口) 부근에 아린 느낌과 외음(外陰)에 가려운 느낌이 있음.

질퍼덕-거리다 (자) 매우 질퍽거리다. ＞잘파닥거리다. **질퍼덕-질퍼덕** (부). ——-하다 (자)(형)(여불)

질퍼덕-대다 (자) 질퍼덕거리다.

질퍼덕-하다 (형)(여불) 매우 질퍽하다. ＞잘파닥하다.

질퍽-거리다 (자) 곤죽이 된 진흙 같은 것이 연해 밟으면 부드럽게 진 촉감을 주다. ¶질퍽거리는 길. ＞잘팍거리다. **질퍽-질퍽** (부). ——-하다 (자)(형)(여불)

질퍽-대다 (자) 질퍽거리다.

질퍽-하다 (형)(여불) 매우 부드럽게 질다. ＞잘팍하다. **질퍽-히** (부)

질펀-하다 (형)(여불) ①땅이 넓고 펑펑하게 퍼져 있다. ¶질펀한 들. ②퍼더버리고 주저앉아서 게으름을 부리고 있다. ¶모랫바람이 일으키는 혼돈 속에 질펀하게 앉아 있었다. **질펀-히** (부)

질품【質稟】(명) 상관에게 할 일에 대하여 질문함. ——-하다 (타)(여불)

질품-서【質稟書】(명)〖역〗상관에게 질품(質稟)하는 문서.

질풍【疾風】(명) ①몹시 빠르게 부는 바람. 신풍(迅風). ¶～ 노도. ②〖기상〗'흔들바람'의 구용어. 맹풍(盲風).

질풍 경초【疾風勁草】(명) 아무리 어려운 일을 당하여도 뜻이 흔들리지 아니하는 사람의 비유.

질풍 노:도【疾風怒濤】(명) 몹시 빠르게 부는 바람과 무섭게 소용돌이치는 큰 물결. ¶～의 시대. ＊슈투름 운트 드랑.

질풍 대:우【疾風大雨】(명) 센 바람과 큰 비. 몹시 험한 날씨.

질-풍류【—風流】〔—뉴〕(명)〖악〗진흙으로 구워 만든 악기의 총칭.

질풍 신뢰【疾風迅雷】〔—실—〕(명) 심한 바람과 번개. 또, 그것처럼 빠르고 모짊. ¶～의 진격(進擊).

질-하다【佚—】(형)(여불) 질탕하게 놀고 있다.

-질-하다 (미)(여불) '노릇·짓을 하다'의 뜻. ¶도둑～.

질항【姪行】(명) 조카뻘.

질-항아리 (명) 질로 만든 항아리.

질행【疾行】(명) 빨리 감. ——-하다 (자)(여불)

질허〔Silcher, Friedrich〕(명)〖사람〗독일의 가곡 작가(歌曲作家)·지휘자. 간결한 가곡과 합창곡(合唱曲)을 지었는데, 특히 '로렐라이'는 우리 나라에서도 널리 애창(愛唱)됨. [1789-1860]

질헤 (명)〈방〉〖생〗지라.

질혀 (명)〈방〉〖생〗지라.

질형-류【蛭形類】〔—뉴〕(명)〖동〗〔Bdelloidea〕 윤형(輪形)동물의 윤충류(輪蟲類)에 속하는 한 목(目). 몸의 전후부(前後部)의 두 끝을 다른 물건에 한번씩 섞바꾸어 붙여서 거머리처럼 기어 다님.

질호【疾呼】(명) 소리 질러 부름. 급히 부름. ——-하다 (타)(여불)

질화[1]【疾禍】(명) 질병으로 말미암은 화난(禍難).

질화[2]【窒化】(명)〔nitriding〕〖화〗①질소를 산화시켜 질산(窒酸)·아질산(亞窒酸) 또는 이들의 염(塩)으로 바꾸는 일. 카바이드를 질소와 반응시켜 석회 질소를 만드는 일, 강(鋼)의 표면을 질소와 반응시켜 질화물로 만들어 경화(硬化)시키는 일 따위. ②화합물 중의 수산기(水酸基)를 질산기(窒酸基)로 치환(置換)해서 질산 에스테르를 만드는 일. ——-하다 (자)(타)(여불)

질화-강【窒化鋼】(명)〔nitriding steel〕〖화〗특수강(鋼)의 일종. 표면에 질화물의 단단한 층을 만들어 경도(硬度)를 증가한 강철. 내연 기관의 부분품·고압관(高壓罐) 등에 쓰임.

질화 규소【窒化硅素】(명)〔silicon nitride〕〖광〗물에 녹지 않는 백색 분말. 내열 충격성(耐熱衝擊性)·내화학 약품성이 있음. 촉매(觸媒)의 담체(擔體)·고온 가스 터빈의 고정(固定) 날개 등에 쓰임.

질화-균【窒化菌】(명) 토양(土壤) 중에서 암모니아를 산화(酸化)해서 탄산 환원(炭酸還元)에 쓰이는 세균. 질화 세균.

질-화로[1]【—火爐】(명) 질로 구워 만든 화로.

질화-로[2]【窒化爐】(명)〖공〗질화(窒化)가 이루어지는 노.

질화 마그네슘【窒化—】(명)〔magnesium nitride〕〖화〗마그네슘을 800°-850°C의 고온으로 4-5시간 순질소(純窒素) 속에서 가열하면 얻어지는 무색의 입방 정계(立方晶系) 결정. 공기 중에서 가열하면 산화물이 되고, 쉽게 가수 분해(加水分解)하여 암모니아와 수산화(水酸化) 마그네슘이 됨. [Mg_3N_2]

질화-물【窒化物】(명)〖화〗질소화물(窒素化物).

질화 박테리아【窒化—】〔bacteria〕(명)〖식〗아(亞)질산 박테리아·질산 박테리아의 총칭. 농업상 중요함. 질화 세균.

질화-법【窒化法】〔—뻡〕(명)〖화〗합금강(合金鋼)의 표면 경화법의 하나. 알루미늄·크롬·몰리브덴 등을 함유하는 강(鋼)을 암모니아 가스 속에서 가열하여 표면에 단단한 질화물을 만드는 일. 치수의 변화가 적고 담금질의 필요가 없어짐.

질화 붕소【窒化硼素】(명)〔boron nitride〕〖화〗질소와 붕소를 고온으로 직접 작용시키든가, 붕소를 염화 암모늄과 가열해서 얻어지는 무색 지방상(脂肪狀) 난용성(難溶性)의 분말. 안정된 내열재(耐熱材)이며, 3,000°C의 고열에도 견디므로 우주 로켓의 분사구에 쓰이고, 또 절연 재료서 집적 회로에도 쓰임. [BN]

질화 붕소 섬유【窒化硼素纖維】(명)〔boron nitride fiber〕〖화〗질화 붕소로 만들어지는, 내화학 약품성(耐化學藥品性)·내전성(耐電性)의 무기(無機) 고강도 섬유. 흔히, 복합 재료에 쓰이는데, 870°C 이상에서는 산화(酸化)하기 쉬움.

질화 섬유소【窒化纖維素】(명)〖화〗질산 섬유소.

질화 세:균【窒化細菌】(명)〔nitrifying bacteria〕〖생〗호기적(好氣的)으로 암모니아를 산화하여 아질산(亞窒酸)으로 만드는 아질산균 또는 아질산을 산화하여 질산으로 만드는 질산균 등, 일군(一群)의 토양(土壤) 세균. 이들은 생태학적으로 서로 동반하여 서식하고 있으며 아질산균에는 니트로소모나스 속(Nitrosomonas屬), 질산균에는 니트로박터 속(Nitrobacter屬) 등이 있음. 질화균. 질화 박테리아. ＊질소화(窒素化).

질화 알루미늄【窒化一】 명 〔aluminium nitride〕 분말 알루미늄을 질소 속에서 820°-1,000°C로 가열하거나, 전기로(電氣爐)에서 산화(酸化) 알루미늄과 탄소와의 혼합물을 가열하여 얻는, 회색의 무정형(無定形) 물질. 약 1,900°C에서 일부 분해하면서 승화(昇華)하고, 고화(固化)하면 무색의 육방 정계(六方晶系) 모양의 결정이 됨. [AlN]

질화-인【窒化燐】 명 〔phosphorus nitride〕〖화〗 무정형(無定形)의 무미·무취의 백색 고체. 100°C 이상에서 가수 분해하여 인산 암모늄이 됨. 고온(高溫)에서는 강한 환원제(還元劑)임. [P_3N_5]

질화 지르코늄【窒化一】 명 〔zirconium nitride〕 고경도(高硬度)의 황동(黃銅) 모양의 분말. 진한산(酸)에 녹음. 녹는점(點) 2,930°C. 내화물(耐火物)·실험용 도가니 등에 쓰임. [ZrN]

질화 처:리【窒化處理】 명 〔nitriding〕〖물·화〗 강(鋼)의 표면층(表面層)을 고(高)질소 상태로 만들어 경화(硬化)시키는 방법. 암모니아를 고온(高溫)에서 분해시켰을 때 발생하는 질소를 이용하며, 질화층(窒化層)의 경도를 높이기 위해 알루미늄을, 질화층을 두텁게 하기 위해서는 크롬을 첨가함.

질환【疾患】 명 질병(疾病). ¶흉부 ~으로 고생하다.

질-흙 [—흑] 명 ①진흙. ②질그릇을 만드는 차진 흙. 배토(坯土).

짊다 [짐따] 타 짐을 뭉뚱그려서 지게 같은 데에 얹다.

짊어-지다 [질머—] 타 ①짐 같은 것을 등에 메다. ¶보따리를 ~. ②빚을 쓰다. ¶빚을 많이 ~. ③책임을 지다. ¶내일의 조국을 짊어질 청소년.

짊어-지우다 [질머—] 타 짊어지게 하다. ¶짐을 ~/책임을 ~.

짐[1] 명 ①들거나 지거나 또는 운송(運送)하도록 만든 물품. 하물(荷物). ¶~차. ②포장(包裝)한 물품. ¶~을 풀다. ③부담(負擔). 담당. 책임. 임무. ¶무거운 ~에서 벗어난 기분이다. ④수고가 되는 것. 귀찮은 물건. ¶등산에 이런 것들은 ~이 된다.

짐이 기울다 구 일의 형세가 글러지다.

[짐 벗고 요기할 날 없다] 너무 바빠서 짐을 내려놓고 식사를 할 겨를도 없다는 말.

짐:[2] 명 〈방〉〖식〗 김(전라·경상·충청·강원·제주·함남).

짐:[3] 명 〈방〉 기음[1](전라·경상·충청·함경).

짐:[4] 명 〈방〉 김[3](충청·강원·함경).

짐:[5]【鴆】 명 〖조〗 ↗짐(鴆)새.

짐[6]【朕】 인대 〔중국 고대에는 일반적으로 '나'의 뜻으로 썼으나, 진(秦) 시황제(始皇帝)에 이르러 천자(天子)에 한정하여 쓰게 됨〕 천자(天子)의 자칭. ¶~은 국가다. ＊과인(寡人).

짐[7] 의명 〖역〗 조세를 계산하기 위한 토지 면적의 단위. 열 뭇, 곧 백 줌. 부(負).

짐-꾼 명 짐을 져서 나르는 사람. 담부(擔扶). 복군(卜軍). 짐쟁이.

짐-끈 명 짐을 동이거나 싸는 끈.

짐-나무 명 지게에 한 짐이 되게 묶어 얹은 땔나무. ¶~한 짐.

짐-대 [—때] 명 ①☞돛대. ②〖불교〗 당(幢)을 달아 세우는 대. 돌이나 쇠로 만듦. 후세(後世)에 풍수설(風水說)을 인용(引用)하여, 어느 곳은 행주형(行舟形)이니 돛대를 해 세워야 한다든가, 어느 곳은 노인형(老人形)이니 지팡이를 해 꽂아야 한다는 등으로 전용(轉用)되었음. 당간(幢竿).

짐:독【鴆毒】 명 짐새의 깃에 있다는 맹렬한 독.

짐-마루 명 〈방〉 용마루(경기·강원·충남·전남·경상).

짐-마차【一馬車】 명 짐을 실어 나르는 마차.

짐-말랭이 명 〈방〉 용마루(경기).

짐-말루 명 〈방〉 용마루(경기).

짐:-매다 자 〈방〉 김매다(경기·강원·충청·경상·함남).

짐-밀이 명 짐수레 따위를 뒤에서 미는 일. ——-하다 자타여불

짐밀이-꾼 명 짐수레 따위를 밀어 주는 사람.

짐-바 [—빠] 명 짐을 묶거나 동이는 밧줄.

짐-바리 [—빠—] 명 마소로 실어 나르는 짐.

짐바브웨 〔Zimbabwe〕 명 〖지〗 아프리카 중남부의 공화국. 보츠와나·남아프리카 공화국·잠비아·모잠비크에 둘러싸임. 국토의 대부분이 표고 500-1,000 m의 고원으로, 기후는 열대성. 금·석면(石綿)·석탄·크롬·구리 등의 광물이 풍부하고, 담배·목화·옥수수 등의 농산 가공 공업이 발달함. 주민의 약 95%가 반투계(Bantu 系)의 여러 부족임. 1924년 이래 영국 보호령이었는데, 1965년 백인 소수 지배에 의한 남로디지아로 일방적 독립을 선언했으나, 흑인들의 반대로 1980년 4월 흑인 다수 지배에 의한 완전 독립을 쟁취함. 수도는 하라레(Harare). 정식 명칭은 짐바브웨 공화국(Republic of Zimbabwe). [390,580 km²: 11,030,000 명(1992)]

짐-받이 [—바지] 명 자전거 등의 뒤에 짐을 싣는 시렁 같은 물건.

짐발리스트 〔Zimbalist, Efrem〕 명 〖사람〗 러시아 출생의 미국 바이올린 연주가·작곡가. 12세에 페테르부르크 음악원(音樂院)에 들어가 아워(Auer, L.)에 사사(師事), 1907년 베를린에서 데뷔함. 1911년 도미 후 1941년 커티스(Curtis) 음악원장으로 활약함. 작품에는 가극(歌劇) 1편, 바이올린과 오케스트라의 《슬라브 무곡(舞曲)》 외에 바이올린 소곡(小曲) 및 가곡(歌曲) 등이 있음. [1889-1985]

짐-방 [—빵] 명 곡식을 도매로 파는 큰 싸전 같은 데서 곡식 짐의 운반을 업(業)으로 삼는 사람.

짐-배 [—빼] 명 짐을 실어 나르는 배. 화물선(貨物船).

짐벙지다 형 신명지고 푸지다.

짐-삯 [—싹] 명 짐을 나른 삯으로 치르는 돈. 운임(運賃).

짐:살【鴆殺】 명 짐주(鴆酒)를 먹여서 사람을 죽임. 짐시(鴆弑). ——-하다 타여불

짐:-새【鴆—】 명 〖조〗 중국 남방에서 나는 독조(毒鳥). 올빼미와 비슷한데, 부리 길이는 21-25 cm이고 몸빛은 자흑색에 부리는 검붉고 눈은 검으며 뱀을 잡아먹기 때문에 온몸에 몹시 강한 독기(毒氣)가 있어서 그 둥우리 근처에는 풀이 나지 못하며, 분뇨(糞尿)나 깃이 음식에 잠긴 것을 먹으면 즉사하기 때문에 차일(遮日)이 생겨났다고 함. ⓒ짐(鴆).

짐-수레 명 짐을 싣는 수레.

짐수레-꾼 명 직업적으로 짐수레를 끄는 사람.

짐-스럽다 형ⓑ불 부담이 되는, 귀찮은 느낌이 있다. ¶과분한 칭찬이 오히려 ~. 짐-스레 부

짐승 명 〔중세 : 즘승〕 ①몸에 털이 나고 네 발을 가진 동물. 네 발 짐승이라고도 함. 수류(獸類). ＊벌레. ②날짐승·길짐승의 총칭. ③해서(海棲) 동물로서 고래나 물개와 같이 어류가 아닌 포유 동물. ④잔인하거나 야만적인 사람의 비유. ¶그런 짓은 ~이나 할 수 있다.

짐승-강【—綱】 명 〖동〗 〔Mammalia〕 척추 동물문(脊椎動物門)에 속하는 한 강(綱). 몸의 피부에 반드시 털이나 그 변형물이 있고, 조직이 복잡하고 온혈(溫血)이며 태생(胎生)임. 폐장으로 호흡하는 고등 동물로서 암컷은 젖을 먹이어 새끼를 기름. 영장류(靈長類)·단공류(單孔類)·유대류(有袋類)·익수류(翼手類)·빈치류(貧齒類)·설치류(齧齒類)·우제류(偶蹄類)·기제류(奇蹄類)·식육류(食肉類) 등 18목(目) 118과(科) 3,552종으로 분류하고, 멸종(滅種)까지를 합하면 34목 275과 7,250여 종이 됨. 사람의 의식(衣食) 생활 등에 많은 연관성(聯關性)을 가짐. 포유류(哺乳類).

짐승 노래 명 〖악〗 우리 나라 구전(口傳) 민요의 하나. 사슴·노루·토끼·개 등의 짐승을 의인화(擬人化)하여 부른 타령임.

짐승-니 명 〖충〗 짐승닛과에 속하는 이의 총칭.

짐승닛-과 【—科】 명 〖충〗 〔Haematopinidae〕 이목(目)에 속(屬)하는 한 과. 개·돼지·말·소·양·쥐 등에 기생하고 대개 가축의 해충으로 알려져 있음. 개이·돼지이·말니·소이·염소이·쥐이 등이 이에 속하는데, 전세계에 130여 종이 분포함.

짐승-띠 명 〖천〗 수대(獸帶).

짐승발자취유-부【—内部】 명 한자 부수(部首)의 하나. '禹'·'禽' 등에서 '内'의 이름.

짐승털-니 [—리] 명 〖충〗 짐승털닛과에 속하는 이의 총칭. 개털니·괭이털니 등이 있음.

짐승털닛-과【—科】 [—린—] 명 〖충〗 〔Trichodectidae〕 이목(目)에 속하는 한 과. 개털니·괭이털니·쇠털니 등이 이에 속함.

짐승 토기【—土器】 명 〖고고학〗 흙을 빚어 여러 가지 짐승 모양을 만들어 구운 토기. 삼국 시대의 신라와 가야 지역에서 만들어진 것으로 말·오리·사슴 등이 많이 출토됨. 동물형 토기.

짐:시【鴆弑】 명 짐살(鴆殺). ——-하다 타여불

짐-실이 명 짐을 싣는 일. ——-하다 자타여불

짐싱 명 〈옛〉 짐승. =즁싱. ¶짐싱을 다가 메우고 밧비 가쟈(把牲口套上快些兒走罷) 《華音 上 18》.

짐-자동차【—自動車】 명 화물 자동차. 짐차(車).

짐작【斟酌】 명 〔중세 : 짐작〕 어림쳐서 헤아림. 겉가량으로 생각함. 짐량(斟量). ¶내 ~에는/손~/눈~/겉~/어림~/지레~/걸음~. ——-하다 타여불

짐작이 가다 구 어림쳐서 헤아릴 수 있다.

짐장 명 〈방〉 김장(경상·함경).

짐-장사 명 '봇짐 장사'나 '등짐 장사'를 두루 이르는 말.

짐-장수 명 '봇짐 장수'나 '등짐 장수'를 두루 이르는 말.

짐-쟁이 명 ☞짐꾼.

짐쟉ᄒᆞ다 타 〈옛〉 짐작하다. ¶남진 므던히 너교ᄆᆞᆯ 짐쟉 아니ᄒᆞ면(侮夫不節) 《內訓 Ⅱ 上 9》.

짐:주【鴆酒】 명 짐독(鴆毒)을 섞은 술. 독주(毒酒)임.

짐즉 부 〈옛〉 짐짓. 부러. =짐즛. ¶夕陽의 거윈 젹의 江風이 짐즉 부러 歸帆을 보내ᄂᆞᆫ 도 《蘆溪. 莎堤曲》.

짐즛[1] 부 〈옛〉 짐짓. 일부러. =짐즉·짐줏. ¶이기싫 算ᄋᆞᆯ 짐즛 업게 ᄒᆞ시니(勝酒之籌 酒故齊之) 《龍歌 64章》.

짐즛[2]【故只】 부 〈이두〉 짐짓.

짐-질 명 짐을 져 나르는 일. ——-하다 자여불

짐짐-하다 형여불 ①음식이 찝찔하기만 하고 아무 맛이 없다. ②마음이 「조금 꺼림하다.

짐짓 부 〔중세 : 짐즛〕 마음은 그렇지 않으나 일부러 그렇게. 고의로. ¶마음은 간절했으나 ~ 뿌리쳤다/~ 모른 체하다.

짐줏 부 〈옛〉 짐짓. 일부러. =짐즛[1]·짐즉. ¶짐줏 이 글월을 셰워 쓰게 ᄒᆞ엿ᄂᆞ니 《朴解 上 54》.

짐-짝 명 묶어 놓은 짐의 덩이.

짐-차【—車】 명 짐자동차.

짐채 명 〈방〉 김치(전남).

짐치 명 〈방〉 김치(제주·경상·전라·충청·강원·경기·함남).

짐치 명 〈옛〉 김치. ¶외짐치(苽菹) 《痘方 13》.

짐-칸 명 짐을 싣는 칸. 화물칸.

짐-표【—票】 명 화물 운송업자가 운송할 짐을 맡고 화주(貨主)에게 교부하는 물표(物票). 송장(送狀).

짐-품 명 짐을 져 나르고 파는 품.

짐한-하다 형여불 ☞ 짐짐하다. ¶영감은 짐한한 음식으로 생색을 내는 것이 자랑이기도 했다《吳永壽 : 奧地에서 온 편지》.

짒대 명 〈옛〉 돛대. ¶사ᄉᆞ미 짒대예 올아셔 奚琴을 혀거를 드로라 《樂詞 青山別曲》.

집[1] ㊀ 명 〔중세 : 집〕 ①풍우·한서(寒暑)를 막고 사람이 그 속에 들어 살기 위해 지은 건물. 사(舍). 옥우(屋宇). ¶우리 ~. ②모든 동물이 보금자리 치는 곳. ¶토끼~. ③칼집·벼룻집과 같이 작은 물건을 끼거나, 담아 두는 것. ④바둑에서, 완전히 자기 차지가 된 곳. 두 집 이상이어야 삶. ⑤가족. 가정. ¶~ 없는 천사. ⑥ ↗ 집사람. ㊁ 의명 ①㊀❶의 수를 세는 단위. ¶두 ~ 살림/한 ~ 건너. ②㊀④를 세는 단위. ¶

두 ～ 반 이겼다.

[집과 계집은 가꾸기 탓] 집은 간수하기에 달렸고 아내는 가르치기에 달렸다는 뜻. [집도 절도 없다] 가진 집이나 재산도 없이 여기저기 떠돌아다닌다는 말. [집에 금송아지를 매었다고 내 알 게 무어냐] 아무리 값진 물건이 있어도 당장 쓰지 못하면 아무 소용이 없다는 말. [집에서 새는 바가지 들에 가도 샌다] 천성이 나쁜 사람은 어디를 가나 그 성품을 고치기 어렵다는 말. [집을 사면 이웃을 본다] 집을 살 때는 그 이웃의 인심과 환경을 보고 사야 한다는 말. [집이 망하면 지관 탓만 한다] 자기의 실수로 잘못 되어도 오히려 남을 탓한다는 말. [집 태우고 바늘 줍는다 ; 집 태우고 못 줍기] 큰 손해를 본 다음에 작은 이익이나마 얻으려고 애쓴다는 말.

집[2] 【汁】 명 ←즙(汁).

집(이) 나다 구 즙(이) 나다. ¶ 거짓말 듣는 데 집이 난 포도 대장 귀에도 그럴싸하게 들릴 만하였다《洪命憙 : 林巨正》.

집[3] 【集】 의명 시가(詩歌)·문장 등을 모은 서책. ¶ 단편～.

집[4] 【輯】 의명 시가·문장 등을 엮은 책이나 음악 앨범 등을 낸 차례. ¶ 2～ 앨범에 수록된 노래.

-집[1] 미 ①자기 가내에서 출가한 손아래 여자를 시집의 성(姓) 밑에 붙여 그 집 사람임을 나타내어 부르는 말. ¶ 김(金)～/신(申)～. ②남의 적은 집이나 기생첩에 대하여, 전에 머물러 있던 지명의 아래에 붙여 쓰는 말. ¶ 평양～/남원～. ③물건을 파는 가게임을 나타내는 말. ¶ 빵～/꽃～/술～. ④주점·음식점의 이름을 이루는 말. ¶ 함흥～/단양～.

-집[2] 미 ①몸 따위의 '부피'의 뜻. ¶ 몸～/살～. ②어떤 신체 기관의 이름에 쓰임. ¶ 똥～/아기～/알～. ③탈이 난 자리나 원인. ¶ 물～/불～/흠～/병～.

집가게-거미 명 〖동〗 [*Tegenaria domestica*] 가게거밋과에 속하는 거미. 몸길이는 수컷 10 mm, 암컷 13 mm 내외이고, 배갑(背甲)·흉판(胸板)·복부(腹部)·입·부속지(附屬肢)는 회백색이며, 배갑에는 회백색 바탕에 청흑색의 줄무늬가 있고 복부 배면(背面)에도 연한 청흑색의 반점(斑點)이 흩어져 있음. 거미줄을 친 한 구석에 깔때기 모양으로 된 집을 치고, 그 속에 숨어 있다가 줄에 걸린 곤충을 잡아 감. 주로 집 구석에 집을 짓고 삶. 한국·일본·홋카이도에 분포함.

〈집가게거미〉

집-가시다 타 〖민〗 발인(發靷)한 뒤에 집안을 정갈하게 한다는 뜻으로, 무당을 시키어 악기(惡氣)를 물리치다.

집-가심 명 〖민〗 사람이 죽은 집을 무당을 시켜, 그 악기(惡氣)를 정갈하게 가시어 물리치는 일. ──-하다 타 여불

집가재 명 〈방〉 처마(제주).

집-가축 명 집을 매만져서 잘 거두는 일. ──-하다 자 여불

집-값 [─깝] 명 집을 팔고 사는 가격. ¶ ～이 오르다.

집강 【執綱】 명 〖역〗 ①면장(面長)·이장(里長) 들의 일컬음. ②동학(東學)의 교직(敎職)인 육임(六任)의 제4위.

집강-소 【執綱所】 명 〖역〗 조선 시대 말기, 고종(高宗) 31년(1894)의 동학란(東學亂) 때 그 해 5월에서 8월까지, 전라도·경상도·충청도 일대에서 동학군에 의하여 실시된 지방 자치 기관.

집개 명 〈방〉 집게.

집-개미 명 〖충〗 [*Leptothorax congruus*] 개밋과에 속하는 개미. 몸길이는 2-3 mm쯤 되며 아주 작은 새까만 개미로 인가(人家) 근처에 많이 삶.

집-갯지네 명 〖동〗 집갯지렁이.

집-갯지렁이 명 〖동〗 [*Diopatra neapolitana*] 다모류(多毛類)에 속하는 지렁이의 하나. 몸길이 40 cm 가량이고 환절수(環節數) 300여 개이며 몸빛은 주로 갈색인데 앞쪽의 배면(背面)은 암청색을 띠고 복면(腹面)은 담홍색임. 머리는 작고 2개의 짧은 촉수(觸鬚)와 5개의 긴 촉수가 있음. 해면의 모래 땅에서 해조·사립·조개껍질·나뭇잎 등으로 집을 짓고 그 속에 서식하는데, 한국·일본 연안에 분포함. 낚시의 미끼로 사용함. 집갯지네.

〈집갯지렁이〉

집거 【集居】 명 일정한 지역에 모여 삶. ──-하다 자 여불

집게 명 [중세 : 집게] ①물건을 집는 데에 쓰는 끝이 두 가닥으로 갈라진 연장. 방울 집게·부집게 같은 것. ②〖충〗 ↗집게벌레❷. ③〈방〉 족집게(경남).

집게-게 명 〖동〗 무딘 이빨게.

집게-노린재 명 〖충〗 [*Acanthosoma forficula*] 노린잿과에 속하는 곤충. 몸길이 14-16 mm이고, 몸빛은 선녹색(鮮綠色)에 작은 흑색 점각(點刻)이 있으며 촉각은 담갈색임. 몸의 하면과 다리는 황록색이고 수컷의 생식절(節)은 길고 집게 모양임. 한국·일본·아무르 등지에 분포함.

집게-발 명 〖동〗 게·가재 등의 끝이 집게 모양으로 된 발. *겸각(鉗脚).

집게-발톱 명 집게발의 끝 부분의 발톱.

집게-벌레 명 〖충〗 ①집게벌렛과에 속하는 곤충의 총칭. ②[*Anisolabis maritima*] 동근가슴집게벌렛과에 속하는 집게벌레의 하나. 몸길이 22-24 mm 내외이고, 몸빛은 밤색에 담황색이고, 3쌍의 발만이 황색임. 복단(腹端)에 있는 각질(角質)의 집게 모양의 돌기(突起)는 짧고 굵은데 수컷의 좌우 집게는 안으로 구부러졌고, 암컷은 곧음. 앞날개는 혁상(革狀)으로 짧고 뒷날개는 막상(膜狀)으로 앞날개 밑에 겹침. 불완전 변태임. 부엌 바닥·돌밑, 그 외 썩은 식물질의 밑에 서식함. 암컷은 낳은 알을 부화(孵化)할 때까지 보호하는데 곤충의 모성애(母性愛)의 한 예(例)로 침. 벌레를 잡아먹는 익충(益蟲)인데 집에서는 어린 누에를 잡아먹는 해충임. 전세계에 분포함. 구수(蠷螋). 수협자(搜挟子). 가위벌레. 준집게. ③〈방〉 사슴벌레.

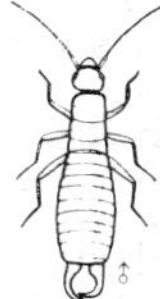
〈집게벌레〉

집게벌레-목 【─目】 명 〖충〗 [Dermaptera] 유시 아강(有翅亞綱)에 속하는 곤충의 한 목(目). 직시류(直翅類)와 비슷한데, 앞날개는 혁질(革質)로 몹시 짧고 단단하며 시맥(翅脈)이 없고, 뒷날개는 막질(膜質)로 좀 크고 방사성의 시맥이 있음. 날지 않을 때에는 접어서 앞날개에 덮고, 복부(腹部)의 끝에 집게 모양의 돌기(突起)가 있음. 불완전 변태(變態)이고, 대개 먼지 속에나 땅 속, 돌 밑, 습지, 죽은 수피(樹皮) 밑, 나뭇잎의 위 등에 서식하는데, 전세계에 1,000여 종, 6과(科)가 분포하며, 집게벌레 등이 이에 속함. 혁시류(革翅類).

집게벌렛-과 【─科】 명 〖충〗 [Forficulidae] 집게벌레목(目)에 속(屬)하는 한 과(科). 몸은 철형(凸形)의 원통형(圓筒形) 또는 편평형(扁平形)임. 긴 촉각은 12-15절이며 유시형(有翅形) 또는 무시형(無翅形)이 있으나 일반적으로 날개는 있고 흉부(胸部)의 세 쌍의 발은 짧음. 애흰수염집게벌레·집게벌레·흰수염집게벌레 등이 있는데, 전세계에 1,000여 종이 분포함.

집게-뼘 명 엄지손가락과 집게손가락을 벌린 길이. 준집뼘.

집게-손가락 [─까─] 명 엄지손가락과 가운데손가락 사이의 둘째 손가락. 둘째손가락. 식지(食指). 염지(塩指). 인지(人指).

집결 【集結】 명 한군데로 모임. 또, 한군데에 모음. ──-하다 자타 여불

집결-소 【集結所】 명 집결하는 곳.

집결-지 【集結地】 명 집결하는 곳. 집결하는 지점(地點).

집계 【集計】 명 원표(原表)의 계수(計數)를 집합 합계함. ¶ ～를 내다/투표의 ～. ──-하다 타 여불

집-계산 【─計算】 명 바둑에서, '계가(計家)'를 풀어쓴 말.

집고[1] 【執告】 명 잡아서 고발함. ──-하다 타 여불

집고[2] 부 무엇을 미루어 생각할 때에 꼭 그러할 것이라는 뜻을 나타내는 말. ¶ 내일은 ～ 비가 올 것이다.

집광 【集光】 명 빛을 모음. ──-하다 자 여불

집광-경 【集光鏡】 명 〖물〗 광선을 소요의 방향으로 모으는 렌즈계(系) 또는 거울. ①현미경 등으로 물체나 프레파라트를 하부로부터 비추기 위하여 빛을 모으는 오목 거울 또는 렌즈계(系). ②환등(幻燈)이나 영사기(映寫機)로 광원(光源)의 빛을 필름이나, 건판(乾板)에 모으기 위한 렌즈계(系). 집광기(集光器). ③등대(燈臺) 같은 데서 광원(光源)의 빛을 모아서 평행(平行)한 광망(光芒)을 만들기 위한 둥그런 렌즈.

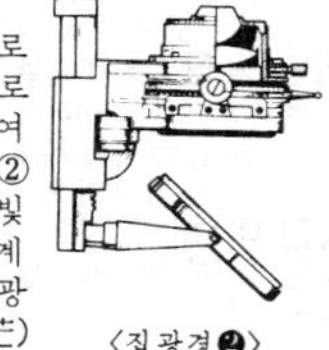
〈집광경❷〉

집광-기 【集光器】 명 〖물〗 집광경(集光鏡)❷.

집광 렌즈 【集光─】 [lens] 명 [condenser] 〖물〗 상(像)을 맺을 목적이 아니라 광선(光線)의 방향을 굴절(屈折)시켜 소요(所要)의 곳에 모으기 위한 렌즈.

집-괭이 명 집에서 기르는 고양이.

집괴 【集塊】 명 덩어리. 뭉치.

집괴-암 【集塊岩】 명 〖광〗 여러 크기의 화산 쇄설물(碎屑物)이 뭉치어 된 암석. 화산회(火山灰)가 교결(膠結)한 것을 '집괴 응회암(凝灰岩)', 용암(熔岩)이 교결한 것을 '집괴 용암'이라고 함.

집교 【集交】 명 〖수〗 공점(共點).

집구[1] 【什具】 명 도구. 집기(什器).

집구[2] 【集句】 명 옛 사람들이 지은 글귀를 모아서 한 구의 새 시(詩)를 만듦. 또, 그런 시. ──-하다 자 여불

집-구석 명 〈속〉 ①집 속. ②집[1]❶.

집궁 【執弓】 명 화살을 쏘기 위해 활을 잡음. ──-하다 자 여불

집권[1] 【執權】 명 정권을 잡음. ──-하다 자 여불

집권[2] 【集權】 명 권력을 한군데로 집중시킴. ¶ 중앙 ～ 제도. ↔분권(分權). ──-하다 타 여불

집권-당 【執權黨】 명 정권을 장악한 정당이나 무리. *여당(與黨).

집권-자 【執權者】 명 정권을 장악한 사람.

집권적 관리 【集權的管理】 [─괄─] 명 권한과 책임을 한 사람이 집중적으로 보유하는 사업의 경영 관리. ↔분권적(分權的) 관리.

집귀 【集句】 명 집구(集句).

집금 【集金】 명 금전을 거두어 모음. 수금(收金). ──-하다 자 여불

집-금강 【執金剛】 명 〖불교〗 '금강 역사(金剛力士)'의 별명.

집-금오 【執金吾】 명 〖역〗 중국 한대(漢代)에 대궐 문을 지켜 비상사(非常事)를 막는 것을 맡은 벼슬. 준금오(金吾).

집금-원 【集金員】 명 돌아다니며 집금하는 사람. 수금원(收金員).

집기[1] 【什器】 명 집물(什物). 자구(資具). ¶ 사무용 ～.

집기[2] 【執記】 명 〖역〗 논밭의 자호(字號)·결수(結數)·두락(斗落)·작인(作人) 등의 이름을 기록한 장부. *양안(量案)·전적(田籍).

집기-받기자기 명 〈방〉 공기[1]❶. ──-하다 자 〈방〉 공기놀다.

집기-병 【集氣甁】 명 유리로 만든, 기체를 모으는 병. 화학 실험(化學實驗) 기구의 하나.

집기슭 명 〈옛〉 처마. ¶ 불근 팀흔 집 기슬기 半만 빈나니(朱甍半光炯)「≪杜諺 Ⅰ:20≫.

집-나다 자 ①팔 집이 나다. ②바둑에서, 집이 되다.

집-낳이 [─나─] 명 자기 집에서 낳이한 피륙. ¶ ～ 명주.

집-내 【─內】 명 〈방〉 집안.

집-내다 자 ①살던 집을 비우다. ②바둑에서, 집을 만들다.

집념 【執念】 명 ①마음에 새겨서 움직이지 않는 일념(一念). 집착하여 떨어지지 않는 생각. ¶ 강한 ～. ②마음에 새긴 생각을 고집함. ¶ ～에 사로잡히다. ──-하다 타 여불

집녕 【集寧】 명 〖지〗 '지닝'을 우리 음으로 읽은 이름.

집녕-장 【輯寧章】 [─짱] 명 〖악〗 악장(樂章)의 이름.

집-누르미 명 〈방〉 화양누르미.

집-누에 명 가잠(家蠶).

집니르다 자 〈옛〉 집을 살잡다. ¶ 牮屋 집니르다 ≪字會 下 17 牮字註≫.

집다[1] 타 ①손으로 물건을 잡다. ②떨어진 것을 줍다. ③사이에 물건을 끼워서 들다.

집다[2] 타 〈방〉 깁다(강원·충청·전라·경상·함남).

집단【集團】 명 ①모임. 떼. 단체. ②〔group〕〖사〗 상호간에 결합되어 생활을 함께 영위하는 생활체의 집합.

집단 감:염【集團感染】 명 〔도 Masseninfektion〕〖의〗 전염병이나 기생충성 질환이 집단적으로 감염할 조건이 갖추어짐으로써 일시에 많은 이환자(罹患者)가 속출(續出)하는 현상. 예컨대 장티푸스나 이질이 상수도를 통해서 폭발적으로 많은 이환자를 낸다든지, 그와 같은 병원체(病原體)에 의해 오염된 음식물의 섭취로 어떤 시기에 다수의 이환자를 내는 일 따위.

집단 강:도【集團强盜】 명 여럿이 모여서 행하는 강도.

집단 검:진【集團檢診】 명 학교(學校)·회사(會社)·공장(工場) 등에서 많은 인원에게 일시에 행하는 건강 진단(健康診斷). 주로 결핵의 조기 발견을 목표로 함.

집단 곡선【集團曲線】 명 〖생〗 집단 증가 곡선.

집단 과:정【集團過程】 명 사회 집단에 있어서 사람들의 심적 상호 작용 또는 거기에서 전개되는 일련(一連)의 지속적(持續的) 동적(動的) 인간 관계의 총칭. 집단 구조의 동적인 측면을 가리킴.

집단 급식【集團給食】 명 집단을 대상으로 하는 급양(給養). 군대 급식·공장 급식·학교 급식·병원 급식 같은 것.

집단내 독어【集團內獨語】 명 〖심〗 얼른 보기에는 다른 사람에게 이야기하고 있는 것 같으나 사실은 아무런 대답도 요구하지 않으며 단지 타인의 존재를 기연(機緣)으로 하여 나온 혼잣말. 피아제(Piaget, J.)의 연구에 의하면 유아(幼兒) 회화의 약 3분의 1을 차지하며 자기 중심성에 의하는 것으로 해석됨.

집단 농장【集團農場】 명 여럿이 협동하여 조직적으로 경영하는 농장. ＊콜호즈(kolkhoz).

집단 능률급【集團能率給】 [―뉼―] 명 두 사람 이상의 노동자를 단위로 하여, 집단적으로 적용하는 능률급. ↔개인 능률급.

집단 대:책 위원회【集團對策委員會】 명 집단적 조치(措置) 위원회.

집단 돌연 변:이【集團突然變異】 명 〖생〗 개체군(個體群) 돌연 변이.

집단 면:접【集團面接】 명 집단으로 하는 면접 시험의 한 방법. 개성을 용이하게 발견할 수 있는 장점이 있음.

집단 발달【集團發達】 [―딸] 명 새로 형성된 집단만이 몇 개의 단계와 위상(位相)을 경과하여 집단으로서의 유기적인 활동을 행할 수 있는 상태로 발달하여 가는 일.

집단 방위【集團防衛】 명 여러 국가(國家)가 협력하여 방위 기구(機構)를 만들어 그 안전(安全)을 보장하는 일. 나토(NATO)·바르샤바 조약 기구 등은 그 한 예임.

집단-범【集團犯】 명 집합적 범죄.

집단 범:죄【集團犯罪】 명 여러 사람이 집단을 이루어 범하는 범죄. 내란죄·소요죄 등과 같이 집단 행위 자체가 특별한 범죄 유형으로서 인정되는 것.

집단 보:장【集團保障】 명 ↗집단 안전 보장(集團安全保障).

집단 보:험【集團保險】 명 〖경〗 보험자가 피(被)보험자 또는 피보험물을 집단적으로 일괄(一括)하여 선택하는 보험. ↔개별(個別) 보험.

집단 본능【集團本能】 명 〖심〗 고립을 꺼리어 집단 생활을 하려고 하는 본능. 군거 본능(群居本能).

집단 부락【集團部落】 명 두 개 이상의 부락이 모여서 이루어진 부락.

집단 살육【集團殺戮】 명 집단 살해. ――-하다 타 여불

집단 살해【集團殺害】 명 어떤 민족·인종·종교 등의 집단을 파괴할 목적으로 그 집단의 구성원(構成員)을 말살(抹殺)하는 행위. 집단 살육(集團殺戮). 제노사이드(genocide). ――-하다 타 여불

집단 생활【集團生活】 명 공통의 의식이나 목표 등을 가지고 집단을 이루어 일정 기간 함께 지내는 생활.

집단 소:송【集團訴訟】 명 〔class action〕〖법〗 어떤 행위나 사건으로부터 비슷한 피해를 입은 사람이 다수 있을 때, 일부의 피해자가 전체를 대표하여 제기하는 소송. 집합 대표(集合代表) 소송.

집단 소:유제【集團所有制】 명 토지·농구·목축(牧畜) 등 주요한 기본적 생산 수단의 소유 단위(所有單位)가 집단에 있는 제도. 공산 국가에서 흔히 씀. ↔개체 사유제(個體私有制).

집단-심【集團心】 명 〖사〗 집단 정신. 집단 의식.

집단 심리학【集團心理學】 [―니―] 명 집단 심리를 연구하는 학문. 집단이 갖는 정신, 즉 사회 의식(意識)이 어떻게 인간의 행동을 변화(變化)시키는가를 연구함.

집단 안전 보:장【集團安全保障】 명 〔collective security〕 국가의 안전 보장을 한 나라의 군비 증강(軍備增强)이나, 타국과의 동맹(同盟)에 구하지 아니하고 다수의 국가가 협력하여 특정 국가의 무력 행사(武力行使)를 방지하는 체제(體制)를 확립함으로써 이루려는 일. 준집단 보장.

집단-어【集團語】 명 ①국가가 없는 민족 또는 국가를 잃은 민족의 언어. ②국가를 배경으로 하는 국어에 대하여, 어떤 지방·어떤 사회에서 쓰이는 언어.

집단 역학【集團力學】 [―녁―] 명 〔group dynamics〕〖심〗 집단내(內)의 집단 또는 그 구성원(構成員)의 행동을 규정하고 있는 요인(要因)을 연구하는 사회 과학의 한 분야.

집단 요법【集團療法】 [―뇨뻡] 명 〔group therapy〕〖의〗 심리적 부적응(不適應) 상태에 있는 사람들을 집단 안에 넣어, 일정 기간 동안 집단 활동을 시킴으로써 치료하는 방법. 리크리에이션 요법·작업 요법 등을 이용함. 집단 치료.

집단 운:동【集團運動】 명 〔collective motion〕〖물〗 많은 입자(粒子)로 이루어진 역학계(力學系)에 특유한 조직적 운동. 중심(重心) 운동·회전 운동 등은 그 가장 간단한 예임.

집단 유전학【集團遺傳學】 명 개체의 모임인 집단 중에서 혹은 집단 상호의 사이에서 일어나는 유전적인 변화, 주로 유전자(遺傳子)의 소장(消長)을 해석하는 학문 분야.

집단 응:집력【集團凝集力】 [―녁] 명 〖심〗 집단 성원(成員)을 그 집단 안에 머무르도록 작용하는 자발적인 힘의 총체(總體).

집단 의:식【集團意識】 명 〔collective consciousness〕 집단의 각 구성원(構成員)에 공통하는 정신적 내용으로서 각 개인의 의식을 초월해서 존재하여 이것을 규제(規制)하는 힘을 가지는 것. 사회(社會) 의식. 집단심(集團心).

집단 이민【集團移民】 명 일정(一定)한 수의 이민이 집단으로 이주(移住)하여, 특정(特定)한 지역(地域)에 집단을 이루고 사는 일. 집단 이주(集團移住).

집단 자위권【集團自衛權】 [―꿘] 명 집단적 자위권.

집단-적【集團的】 명관 집단을 이룬 모양. 집단에 관계되는 모양.

집단적 무의식【集團的無意識】 명 〔도 kollektive Unbewußte〕 개인의 의식 속 깊은 곳에 조상이나 민족이 경험한 것이 잠기어 있다고 생각했을 경우의 마음의 심층(深層). 스위스의 정신과 의사 융(Jung, C. G.)의 심리학의 기본이 된 개념.

집단적 자위권【集團的自衛權】 [―꿘] 명 어떤 나라가 공격 받았을 경우, 그와 밀접한 관계에 있는 국가가 공동하여 방위에 나서는 권리. 국제 연합 헌장 제51조에 의거, 자위권의 하나로 인정되어 있음. 집단 자위권.

집단적 조치 위원회【集團的措置委員會】 명 국제 연합 총회 소속의 한 위원회. 헌장(憲章)의 목적과 원칙에 따라 국제 평화(國際平和)와 안전(安全)을 유지·강화하기 위한 방법을 검토·보고하는 것이 그 임무임. 6·25 동란 후 안전 보장 이사회가 상임 이사국(常任理事國)의 거부권(拒否權)으로, 그 책임을 수행할 수 없게 되어 구성되었음. 집단 대책 위원회(集團對策委員會).

집단 정신【集團精神】 명 사회(社會) 집단의 성원(成員)이 갖는 정신. 「집단 의식(意識).

집단-주의【集團主義】 [―/―이] 명 ①개인보다도 집단의 이익을 존중하는 경제 정책의 원리. 사회주의라는 용어(用語)를 피하여 이르는 말. ②인간의 발달은 집단 안에서 그 집단을 위하여 개인을 훈련하는 방법에 의존한다는 생각에 근거(根據)한 교육 방법의 원리. 소련의 마카렌코(Makarenko, A.S.; 1888-1939)의 실천이 범례(範例)로 되어 있음.

집단 주:택【集團住宅】 명 한 곳에 집합적으로 세워진 다수의 같은 규격의 소주택(小住宅).

집단 중독【集團中毒】 명 많은 사람이 같은 시각에, 같은 중독원(中毒源)인 화학 물질에 의하여 중독을 일으키는 일. 연탄 가스에 의한 전가족 질식, 부패 음식에 의한 전인원의 식중독, 복어알에 의한 전가족의 몰살(沒殺) 등.

집단 증가 곡선【集團增加曲線】 명 〖생〗 생물의 집단이 증가하는 모양을 나타낸 S자형을 이룬 곡선. 처음에는 증가율이 적으나 다음 단계에서는 개체수(個體數)가 급증하여 거의 수직으로 상승하며, 나중에는 사망률의 제한 요인으로 더 증가하지 않고 일정한 개체수를 유지하여 곡선은 다시 수평을 이룸. 집단 곡선.

집단 지도【集團指導】 명 ①〖사〗 목표를 향하여 한 성원(成員)이 협동하여 학습·행동하는 상태에서 행해지는 지도. 참가 성원의 기본적 요구의 충족, 사회성 및 정서의 발달, 태도·흥미·지식·기능의 발달, 사회적 기준의 습득과 그 가치의 실현을 원조하여 촉진시키는 것이 주된 내용임. ②〖정〗 공산주의 정치 지도 원칙의 하나. 민주 집중제(民主集中制)의 일환으로 레닌이 강조, 스탈린 독재 하에서 유린되었으나 그의 사후, 다시 강조되기에 이름.

집단 지도제【集團指導制】 명 집단 지도에 의하는 제도.

집단 천:이【集團遷移】 명 〔collective transition〕〖물〗 집단 운동의 상태로부터 다른 상태로의 입자의 천이.

집단 체조【集團體操】 명 매스 게임(mass game)❶.

집단 최면【集團催眠】 명 집단을 대상으로 하는 최면.

집단 취:사【集團炊事】 명 집단 급식(給食)을 목적으로 대량의 음식물을 조리(調理)하는 취사.

집단 취:직【集團就職】 명 집단으로 취직하는 일. 특히, 지방의 학교 졸업생이 집단으로 도시 공장 등에 취직하는 일.

집단 치료【集團治療】 명 ①많은 환자를 한꺼번에 치료함. ②〖의〗 집단 요법.

집단 토:론【集團討論】 명 〖사〗 채용 시험(採用試驗)의 새로운 형식의 하나. 7-8명의 수험자를 한 그룹으로 하여 원탁 회의(圓卓會議)를 열고, 과제를 택하여 자유 토론을 시키어 시험관(試驗官)이 그것을 방청(傍聽)하고 채점하는 형식.

집단 표상【集團表象】 명 집합 표상(集合表象).

집단 학습【集團學習】 명 〖교〗 개별적(個別的) 학습에 대하여 학습자 상호의 협동으로 추진되는 학습. 협조의 정신, 사회에 있어서의 개인의 역할 등이 체득(體得)됨.

집단 행동【集團行動】 명 집단이 전체로서 행하는 행동 및 그 때에 성원(成員) 간에 생기는 사회적 상호 작용의 총체.

집단 호출 부호【集團呼出符號】 명 〔collective call sign〕〖군〗 2개 또는 그 이상의 시설·사령부(司令部)·권한 당국 또는 부대를 표시하는 호출 부호.

집단-혼【集團婚】 명 두 사람 이상으로 되어 있는 한 무리의 남자와 다른 한 무리의 여자가 동시에 혼인 관계에 있는 혼인 형태. 한 집안의 형제 자매와 딴 집안의 형제 자매 사이 또는 한 집안의 형제와 딴 집안

의 자매 사이의 혼인 관계가 이에 속함. 군혼(群婚).

집단-화【集團化】명 많은 수의 무리나 떼를 집단으로 조직(組織)함. ──-하다 타여불

집단 효:과【集團效果】명〖사〗사람이 집단의 속에 있는 경우에, 그 심리 과정에 대하여 집단이 미치는 영향 및 효과.

집단 히스테리【集團─】〔도 Hysterie〕명 어떤 집단(集團) 속의 많은 사람이 일시에 히스테리를 일으키는 일. 또는, 어떤 집단에 특히 유행하는 히스테리. 자극적인 뉴스가 퍼지거나 피암시성(被暗示性)에 약한 여러 개인 사이에 이 증상이 전염되어 생김.

집달【執達】명 상의(上意)를 받아서 일을 집행함. ──-하다 타여불

집달-관【執達官】명〖법〗집행관(執行官)의 구칭.

집달-리【執達吏】명 '집행관'의 구칭.

집-대성【集大成】명 여러 가지를 많이 모아 크게 이룸. 고래(古來)의 많은 것을 모아 하나로 완성함. ──-하다 타여불

집-더미 명 〈방〉 집채.

집도[1]【執刀】명 ①칼·도장칼 같은 것을 잡음. ②수술·해부를 위해 메스를 잡음. 수술을 베풂. ¶~의(醫). ──-하다 자여불

집도[2]【執睹】명〖사〗잡을 도조(睹租).

집-돼지 명 멧돼지에 대하여 집에서 기르는 돼지를 이르는 말. 가저(家豬).

집-뒤짐 명 잃어버리거나 숨긴 물건 또는 사람을 찾기 위하여, 남의 집을 뒤지는 일. *가택 수색(家宅搜索). ──-하다 자여불

집-들이 명 새 집에 든 사람이 자축(自祝)과 집구경을 겸해서 친지를 초대하는 일. *집알이. ──-하다 자여불

집래【集來】[─내] 명 모여 듦. ──-하다 자여불

집령-대【集靈臺】[─녕─] 명〖지〗중국 당(唐)나라 때의 장안(長安)의 화청궁 장생전(華淸宮長生殿)을 이름. 현종(玄宗)이 불로 장생(不老長生)을 원하여 신령을 모신 곳. ②중국 한(漢)나라 때에 무제(武帝)가 세운 궁전. '집령궁(集靈宮)'이라고도 이르며 현재의 산시 성(山西省) 화인현(華陰縣)에 있었음.

집례【執禮】[─녜] 명 ①지켜 행하여야 할 예(禮). ②〖역〗제향(祭享) 때에 두는 임시 직위. 홀기(笏記)를 읽음. 사례(司禮).

집로【執櫓】[─노] 명〖악〗선유락(船遊樂)에 노를 잡는 여기(女妓).

집록【輯錄·集錄】[─녹] 명 여러 가지 서적(書籍)에서 모아 기록함. 또, 그 기록. ──-하다 타여불

집류【執留】[─뉴] 명 공금(公金)을 사사로이 쓴 사람의 재산을 압류(押留)함. ──-하다 타여불

집리【執吏】[─니] 명〖역〗조선 시대에 육조(六曹)·의정부(議政府)·선혜청(宣惠廳) 따위에서 사무를 나누어 맡았던 주임(主任)의 서리(書吏).

집-메주 명 공장에서 만든 메주에 대하여, 집에서 만든 메주.

집-모기 명〖충〗①모깃과에 속하는 쿨렉스속(Culex屬)의 곤충의 총칭. 집안에 많이 모여 드는 여느 모기로, 세점박이모기·족홍모기·홍모기 등이 있음. 모두가 야간 흡혈성이고 주혈 사상충(住血絲狀蟲)의 중간 숙주(宿主)이며 뇌염의 매개 곤충임. ②홍모기.

집목【輯睦】명 화목(和睦). ──-하다 형여불

집무【執務】명 사무를 잡아서 함. ──-하다 자여불

집무 시간【執務時間】명 사무를 보는 시간.

집무 편람【執務便覽】[─펼─] 명 사무 담당자에게 사무 분장(分掌)의 규정(規定), 분과(分課) 분장의 규정 등, 일반적 또는 특수적 규정을 지시(指示)한 책자.

집-문서【─文書】명 집을 매매하는 증서. 곧, 가옥(家屋)의 매도 증서. 가계(家契). 가권(家券).

집물【什物】명 [←즙물(什物)] 살림살이에 쓰는 온갖 기구. 집기(什器). 가구(家具).

집ᄆᆞᄅᆞ 명 〈옛〉 집마루. 대들보. 마룻대. ¶ᄀᆞᄅᆞ미 어위니 노픈 집ᄆᆞ리 뻿고(江闊浮高棟)≪杜諺 Ⅱ:27≫/집ᄆᆞᄅᆞ와 보과로 히여곰 것게 ᄒᆞ디 말오라(莫使棟樑摧)≪杜諺 Ⅲ:10≫.

집ᄆᆞ리 〈옛〉 대들보가. '집ᄆᆞᄅᆞ'의 주격형(主格形). ¶ᄀᆞᄅᆞ미 어위니 노픈 집ᄆᆞ리 뻿고(江闊浮高棟)≪杜諺 Ⅱ:27≫.

집ᄆᆞ릐 〈옛〉 집마루에. '집ᄆᆞᄅᆞ'의 처격형(處格形). ¶집ᄆᆞ릐 별셔 히 돋도다(梁棟已出日)≪杜諺 Ⅱ:59≫.

집박【執拍】명〖악〗국악을 연주할 때, 전악(典樂)이 박(拍)을 잡아 침. ──-하다 자여불

집박 전:악【執拍典樂】명〖악〗국가의 제사나 잔치 때, 음악의 시작하고 끝내고를 박을 쳐서 지휘하던 악관(樂官). 등가와 헌가(軒架)에 한 사람씩 있었음.

집-박쥐 명〖동〗[*Pipistrellus abramus abramus*] 애기박쥣과에 속하는 짐승의 하나. 인가(人家) 부근에 흔한 보통 박쥐로 앞발이 변해서 된 날개 길이는 31-34 mm, 몸빛은 산지의 기후·습도에 따라 다르나 대체로 윗면(面)은 암갈색에 털 끝은 담황갈색이며 아랫면은 회갈색임. 지붕의 기왓장 속 등에 살면서, 나비·쌍시류(雙翅類) 등을 잡아먹고, 6-7월에 1-3마리의 새끼를 낳음. 한국·일본·중국·인도·오스트레일리아 등지에 분포함. 박쥐.

〈집박쥐〉

집-밖 명 집의 밖. 옥외(屋外). ¶~에서 놀다.

집-배[1] 명 지붕 모양의 덮개를 설비한 배. 대개, 강(江)배로 쓰임.

집배[2]【執杯】명 술잔을 잡음. 술을 마심. ──-하다 자여불

집배[3]【集配】명 한군데로 모아서 배달(配達)함. 우편물이나 철도 화물 등을 모으고 또 그것을 주소지로 배달함. ──-하다 타여불

집-배기관【集排氣管】명 다기통(多氣筒) 내연(內燃) 기관 등에서 각 기통의 배기관(排氣管)을 모아서 한 개로 한 것.

집배송 단지【集配送團地】명 상품을 제조업자나 산지(産地)로부터 집하(集荷)하여 보관·가공 또는 포장하고 이를 수요자에게 배송(配送)하며, 관련 유통 정보를 종합·분석 및 처리하기 위해 체계적으로 구획하고 개발한 일단의 유통 업무 설비의 단지.

집배-원【集配員】명 ①여러 가지를 모아서 배달하는 사람. 집배인(集配人) ②↗우편 집배원.

집배-인【集配人】명 집배원(集配員).

집백【執白】명 바둑에서, 백(白)을 잡고 둠. ↔집흑(執黑). ──-하다 자여불

집-벌 명 집에서 치는 꿀벌을 이르는 말.

집법【執法】명 법령(法令)을 굳게 지킴. ──-하다 자여불

집병【執柄】명 ①기구의 자루를 잡음. ②전(轉)하여, 정치상의 권력을 잡음. ──-하다 자여불

집복[1]【執卜】명〖역〗벼슬아치가 농사의 흉풍(凶豐)을 답사(踏査)하여 구실을 매기는 일. ──-하다 타여불

집복[2]【集福】명 복덕(福德)을 불러 모음. ──-하다 자여불

집부【集部】명 중국 서적의 사부(四部)의 하나. 모든 문집(文集)·시집(詩集) 등이 이에 딸림. 정부(丁部). *경부(經部)·사부(史部)·자부(子部).

집비두리 명 〈옛〉 집비둘기. ¶집비두리 불(鵓)/집비두리 합(鴿)≪字會上 16≫.

집-비둘기 명 산비둘기의 변종(變種). 집·학교·절·교회 등에서 사육함. 백합(白鴿)·발합(鵓鴿). ↔들비둘기.

집-뼘 명 ↗집게뼘.

집사【執事】㊀명 ①주인 옆에 있으면서 그 집 일을 맡아 보는 사람. ②높은 이에게 보내는 편지 겉봉의 택호(宅號) 밑에 '시하인(侍下人)'의 뜻으로 쓰는 말. ③〖역〗고려 국초 때 주·부·군·현(州府郡縣)의 이직(吏職)의 하나. 사창(司倉)에 딸린 끝 벼슬인데 성종(成宗) 2년(983)에 사(史)로 고쳤음. ④〖역〗조선 시대에, 국왕과 왕실을 중심으로 한 각종 의식에서 주관자(主管者)를 도와 의식을 진행하던 벼슬아치. 배향(配享) 집사·책봉(册封) 집사·행사(行祀) 집사 등이 있었음. ⑤〖역〗↗집사관(執事官). ⑥장교(將校)❸. ⑦[deacon]〖기독교〗교회의 일을 분담하는 사람. 세례 교인으로 임명함. ⑧성공회(聖公會)의 안수례(按手禮)를 받은 사람. 유사(有司). ㊁인대 노형(老兄)은 지나고 존장(尊長)은 채 못된 사람에 대한 존칭.

집사-관【執事官】명〖역〗나라의 모든 의식 때에 그 정한 절차를 따라서 식을 진행시키는 관원들.

집-사람 명 자기 아내를 겸손하게 일컫는 말. ㊟집.

집사 무:기【執事舞妓】명〖악〗선유락(船遊樂) 춤의 좌우 쪽 앞뒤에서 채선(彩船)을 끄는 여기(女妓)와 두 쪽 중간에 선 두 사람.

집사-부【執事部】명〖역〗신라 때 정무(政務)를 총할하던 관아. 진덕왕(眞德王) 5년(651)에 품주(稟主)의 고친 이름인데 흥덕왕(興德王) 4년(829)에 다시 집사성(執事省)으로 고치었음.

집사-성【執事省】명〖역〗신라 품주(稟主)의 뒷이름. 흥덕왕(興德王) 4년(829)에 집사부(執事部)를 고쳐서 일컬었음.

집사 악사【執事樂師】명〖악〗나라의 제사와 큰 잔치에, 예(禮)를 진행하는 집사 곁에 홀(笏)을 들고 서서, 절차에 따라 음악을 시작하고 끝내는 것을 지휘하던 악관(樂官). *집박 전악.

집사-위【執事位】명〖악〗제사 지낼 때 집사관이 서는 자리. 헌관(獻官)의 조금 남쪽에 서향(西向)하여 마련함.

집사-자【執事者】명 일의 머리를 잡아 실제로 다루는 사람.

집산【集散】명 모음과 흩음. 모임과 흩임. 취산(聚散). ¶이합(離合) ~. ──-하다 자타여불

집산-주의【集産主義】[─/─이] 명 [collectivism] 토지·공장·철도·광산 등의 중요한 생산 수단을 국유화하여 정부의 관리 아래 집중·통제함을 이상으로 하는 주의.

집산-지【集散地】명 생산지로부터 산물(産物)을 모아 다른 지방으로 내어 보내는 곳. ¶쌀의 ~.

집산-품【集散品】명 집산되는 품물(品物).

집상【執喪】명 어버이 상사(喪事)에 있어 예절을 지킴. ──-하다 자여불

집-새기 명 〈방〉 짚신(경기·강원·충북). 「과 같음.

집서【執徐】명〖민〗고갑자(古甲子)의 십이지(十二支)의 다섯째. 진(辰)

집선-봉【集仙峰】명〖지〗강원도 고성군(高城郡) 서면(西面)과 외금강면(外金剛面) 사이에 있는 기봉(奇峰). 외금강(外金剛)의 한 산봉우리임. [1,351 m]

집설【執說】명 그 사람이 가지고 있는 의견과 주장. 지론(持論).

집성【集成】명 모아서 체계 있는 것으로 이룸. ──-하다 타여불

집성 사진【集成寫眞】명 [photomosaic] 합성 사진의 하나. 항공 사진에서 흔히 볼 수 있는데, 여러 장의 사진을 순서대로 맞추어서 한 장의 큰 사진으로 만듦.

집성-재【集成材】명〖건〗단면(斷面)이 작은 나뭇조각을 많이 모아 접착(接着)하여 큰 재목으로 쓸 수 있게 만든 목재.

집-성제【集聖諦】명〖불교〗사성제(四聖諦)의 하나인 집제(集諦). *멸성제(滅聖諦).

집성-체【集成體】명 집성하여서 된 물건.

집성 항:법【集成航法】[─뻡] 명 [composite sailing]〖해〗최대 위도(緯度)를 한정(限定)할 때 쓰이는 대권 항법(大圈航法)의 한 변형.

집-세【─貰】명 남의 집을 빌어 들고 그 값으로 내는 돈.

집-세기 명 〈방〉 짚신(강원·충남·전라·경북). 「자여불

집소 성대【集小成大】명 작은 것들을 모아서 큰 것을 이룸. ──-하다

집-속[1] 명 집의 대문 안. 집안.

집속[2]【執束】명〖농〗타작하기 전에 곡식의 묶음 수를 세어서 적음. ──하다 자 여불

집속[3]【集束】명 ①모아서 묶음. ②〖물〗빛의 다발이 한군데로 모이는 일. ──하다 자 여불

집속 결찰【集束結紮】명〔도 Massenligatur〕〖의〗혈관 결찰법(血管結紮法)의 하나. 혈관만을 따로 따로 결찰(結紮)하기가 번잡한 경우에 주위 조직까지 함께 동여 매는 일. 장간막(腸間膜)·대망막(大網膜) 따위를 절제(切除)할 필요가 많은 복부(腹部) 수술시에 흔히 이용됨. 보통은 이중 결찰(二重結紮)로서 양결찰사(兩結紮絲)의 중간을 자름. 집합결찰(集合結紮).

집속 자석【集束磁石】명 전자빔(電子 beam) 집속용의 자기장(磁氣場)을 만드는 영구(永久) 자석.

집속 코일【集束─】명〔focusing coil〕〖전〗전자빔(電子 beam)을 집속하기 위하여, 빔에 평행이 되도록 자기장(磁氣場)을 발생시키는 코일.

집수[1]【執手】명 남의 손을 잡음. ──하다 타 여불

집수[2]【執囚】명 잡아 가둠. ──하다 타 여불

집수[3]【執穗】명〖역〗잡을 도조(賭租).

집-수리【─修理】명 집의 낡은 데나 미비(未備)한 데를 고치고 매만지는 일.

집수 매거【集水埋渠】명〖토〗집수 암거(集水暗渠).

집수 세:포【集受細胞】명〔athrocyte〕〖생〗요세관(尿細管)에서 원뇨(原尿) 중의 특정한 물질을 식세포(食細胞)와 같은 방법으로 흡수(吸收)하는 세포.

집수 암:거【集水暗渠】명〖토〗지하수(地下水)가 비교적 지표(地表)에 가까운 경우, 복류수(伏流水)를 채수(採水)하기 위하여 암거에 의하여 물을 모으는 시설. 공업용수·음료수 등의 채수에 쓰임. 집수 매거(集水埋渠).

집순-랑【執順郞】[─술─] 명〖역〗조선 시대 때 정육품 종친(宗親)의 품계. 종순랑(從順郞)의 상(上)임. *신절랑(愼節郞).

집시〔Gipsy, Gypsy〕명 ①〖인류〗코카서스(Caucasus) 인종에 속하는 민족. 인도 북서부가 발상지(發祥地)라고 하며 6-7 세기부터 이동하기 시작하여 현재는 유럽 여러 나라·서(西)아시아·북아프리카·미국 등지에 널리 분포함. 힌두(Hindu)의 와어(訛語)를 쓰며 입술은 두껍고 검은 고수머리에 피부가 검은 사람과, 갈색 머리에 올리브색 피부를 가진 사람이 있음. 미신적이고 쾌활하며 음악에 뛰어난 재능을 지니고 있음. 본디 유랑민(流浪民)인데, 정착하지 않은 집시는 자동차·포장 마차 등으로 이동 생활을 계속하면서 동물의 곡예, 수공예품 제작, 음악, 특히 여자는 점술(占術) 등의 전통을 유지하고 있음. ②〔g-〕정처없이 방랑 생활을 하는 사람.

집-시기 명〈방〉짚신(충남·전북·경상).

집시-법【集示法】[─뻡] 명 '집회 및 시위에 관한 법률'의 준말.

집시-어【─語】〔Gipsy, Gypsy〕명〖언〗집시족(族)이 사용하는 언어. 인도유럽 어족(Indo-Europe 語族) 인도이란 어파(Indo-Iran 語派) 인도아리아(Indo-Arya) 여러 언어의 하나.

집시 음악【─音樂】〔Gipsy, Gypsy〕명〖악〗헝가리·루마니아·러시아·오스트리아·남(南)스페인 등에 정착한 집시가 발달 보급시킨 독특한 민족적 음악. 격한 템포와 강약법(強弱法), 이국적·정열적인 표정 따위가 특색이며 각지의 음악에 영향을 주었음.

집신【執新】명〖역〗관아에서 묵은 환곡(還穀)을 백성에게 대여하고 가을에 햇곡식으로 거두어 들이는 일. ──하다 타 여불

집신-기【集信機】명〖기〗전화의 교환 등에서 많은 회선(回線)을 빼 내고 소수의 통신 좌석을 두어, 삽입 접속기(挿入接續器)에 의하여 임의의 회선과 임의의 좌석과를 저절로 접속할 수 있도록 한 장치.

집심【執心】명 ①열중함. 또, 그 마음. ②함부로 헤지지 아니하게 꽉 잡은 마음.

집-씨개 명〈방〉짚신(경북).

집-씹다 타〈방〉짓씹다(평안·황해).

집아비 명〈옛〉지아비. ¶혼갓 집아븨게 수랑히 오져호여(苟利主翁一時之愛)≪正俗 5≫.

집-안[1] 명 ①가까운 살붙이. ②가내(家內). 가정(家庭). ③집속[1].
[집안 귀신이 사람 잡아 간다] 가까운 사람으로부터 해를 입었을 때 하는 말. [집안에 연기 차면 비 올 징조] 기상 속담(氣象俗談)의 하나. 궂은 날에는 아궁이에 역류(逆流) 현상이 일어난다는 말. [집안이 망하려면 맏며느리가 수염이 난다] 집안의 운수가 나쁘면 별의별 괴변이 다 생긴다는 말. [집안이 망하면 집터 잡은 사람만 탓한다] 무슨 일이 잘못되면 남의 탓만 한다는 말.

집안[2]【集安】명〖지〗'지안(集安)'을 우리 음으로 읽은 이름.

집안[3]【集眼】명〖동〗다수(多數)의 단안(單眼)이 모여 하나의 눈을 형성한 것. 복안(複眼)과는 달리 각개(各個)의 눈은 독립된 기능을 갖고 있으며 각막면(角膜面)은 서로 접착(接着)하지 않음. 전갈(全蠍)·노래기·그리마 또는 원시적 곤충에서 볼 수 있음.

집안[4]【輯安】명〖지〗'집안[2](集安)'의 구표기(舊表記).

집안-간【─間】명 가까운 살붙이의 겨레 사이.

집안 닦달 명 집속을 깨끗이 치워 내는 일. ──하다 자 여불

집안 사:람 [─싸─] 명 남에게 대하여 가까운 살붙이를 이르는 말.

집안 살림 명 집안을 꾸려 살아가는 일. 또, 그 형편. ¶~이 형편 아니다.

집안-살이 명 가정을 이루어 살아가는 일. 가정 생활.

집안 심:부름 명 집속에서 하는 잔심부름. ──하다 자 여불

집안 싸움 명 ①가족끼리의 싸움. ②한 조직이나 구성원끼리의 싸움.

집안-일 [─닐] 명 ①집안에서 하는 일. ②집안의 사사로운 일. ¶~을 돕다.

집-알이 명 남이 이사했을 때에 집 구경 겸 인사로 찾아 보는 일. *집들이. ──하다 자 여불

집약【集約】명 한데 모아서 요약함. ──하다 타 여불

집약 경영【集約經營】명〖경〗많은 자본과 노동력을 써서 효율적으로 행하는 경영.

집약 경작【集約耕作】명〖농〗많은 자본과 노력(勞力)을 들여 일정한 경지(耕地)에서 많은 수확을 올리는 경작 방법. ↔조방(粗放) 경작.

집약 농업【集約農業】명〖농〗농업 경영 방법의 하나. 많은 자본과 노동력을 써서 토지를 고도(高度)로 이용하는 일. ↔조방(粗放) 농업.

집약 웅예【集葯雄蕊】명〖식〗하나의 꽃에 있는 모든 수술의 약(葯)이 합착(合着)하여 관상(管狀)이 된 것. 국화과(科) 식물에서 볼 수 있음.

집약-적【集約的】명관 집중적으로 한 곳에 모아서 뭉뚱그리는 모양·성질.

집약 채:탄【集約採炭】명 채굴 장소를 될 수 있는 한 집약하여 채탄을 행하는 일. 무계획적 채굴에 의한 작업장의 산재(散在)와 운반과 통신 경비의 증가 및 낙반(落盤)·화재·폭발 등의 변재(變災)를 방지하기 위하여 행하여짐.

집어-내다 타 ①집어서 밖으로 내놓다. ②지적하여 밝혀 내다.

집어-넣다 [─너타] 타 ①집어서 넣다. ②〈속〉학교·회사 등에 입학(入學)·입사(入社)시키거나 유치장(留置場) 등에 잡아 넣다.

집어-던지다 타 ①집어서 던지다. ②'집어치우다'의 낮은말.

집어-등【集魚燈】명 불빛을 따라 군집(群集)하는 어류(魚類)를 유치(誘致)하여 잡을 목적으로 사용하는 등불. 옛날에는 관솔 불을 썼으나, 후에 분무(噴霧) 장치의 석유등 또는 아세틸렌 가스 화기(火器)를 썼고 최근에는 형광등을 씀. 고등어·오징어·정어리·전갱이 잡이에 유효함.

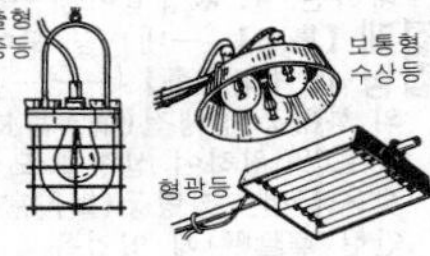

〈집어등〉

집어-뜯다 타〈방〉꼬집다.

집어-먹다 타 ①손이나 젓가락 등으로 집어서 먹다. ②남의 물건을 후무려서 가지거나 가로채다.

집어-삼키다 타 ①입에 집어넣고 삼키다. ②남의 것을 삼키다시피 후무려 가지다. ¶맡았던 남의 돈을 ~.
[집어삼킬 듯이 본다] 몹시 미워서 노려 본다는 말.

집어-세다 타 ①체면없이 마구 먹다. ②말과 행동으로 마구 닦달하다. ③남의 물건을 마음대로 가지다.

집어-쓰다 타 돈 따위를 손에 잡히는 대로 마구 쓰다. ¶공금을 ~.

집어-치다 타 ↗집어치우다.

집어-치우다 타 하던 일을 중도에서 그만 두다. 걷어치우다.

집어-타다 타 '잡아타다'의 낮은말.

집없는 아이 [─업─] 명〖책〗프랑스의 소설가 말로(Malot, Hector)의 소년 소설. 기구한 운명으로 기아(棄兒) 아닌 기아가 된 소년 레미가 떠돌이 연예인이 되어 온갖 어려움을 겪으며 여러 지방을 돌아다니다가 마침내 어머니를 찾는다는 이야기. 원제목은 'Sans famille (가족이 없어서)'이며, 자매편으로 ≪집없는 소녀≫가 있음. 1878년 간행.

집엣-나이 명 호적(戶籍)에 올린 연령(年齡)이나 만(滿) 나이에 대하여, 집에서 세는 나이. 난 해를 한 살로 쳐서 따짐. ¶~로 스물이다.

집역【執役】명 백성이 공역(公役)을 잡아서 치름. ──하다 자 여불

집-연화【執蓮花】[─년─] 명〖악〗사선무(四仙舞)에서, 연꽃을 잡는 사람.

집영【集英】명 인재(人材)를 모으는 일. 또, 그 모여진 인재. ──하다 자 여불

집-오래 명〈방〉집 근처(평안).

집-오리 명〖조〗[*Anas platyrhynchos domesticus*] 오릿과에 속하는 가금(家禽). 야생의 물오리로부터 개량한 오리의 하나로 그 기원은 중국에서 일찍이 길들이어 사육하였다 함. 몸은 물오리보다 좀 비대(肥大)하고 편평한 달걀꼴에, 온몸에 솜같은 깃털이 밀생했는데 수컷은 아름답고 목에 백색 띠를 두르고 큰 소리로 욺. 광지 기부(基部)의 지선(脂腺)에서 기름을 깃에 바르며, 발가락 사이에 물갈퀴가 발달해서, 물속에 잘 들어감. 곡물·어패(魚貝)·수초 등을 먹으며, 취소성(就巢性)·복혼성(複婚性)이 있음. 대체로 육용종·난용종(卵用種)으로 나눔. 가부(家鳧). 가압(家鴨). 서부(舒鳧). ㈜오리.

집옥-재【集玉齋】명〖지〗경복궁(景福宮) 신무문(神武門) 안에 있는 건물. 고종(高宗)의 서재였음.

집-왕거미【─王─】명〖동〗왕거미❷.

집요[1]【執拗】명 ①고집스럽게 끈질김. ¶~하게 물고 늘어지다. ②성가시게 따라붙어 떨어지지 않음. ¶~하게 따라다니다. ──하다 형 여불

집요[2]【輯要】명 요점(要點)만을 모음. 또, 그 책. ──하다 자 여불

집우【執友】명 ①[두 보(杜甫)의 시(詩)에서 나온 말] 뜻을 같이하는 벗. 친한 친구. ②[예기 곡례(禮記曲禮)에서 나온 말] 아버지의 친구.

집운【集韻】명〖책〗중국의 음운서(音韻書). 송(宋)나라 정도(丁度) 등의 봉명찬(奉命撰). 모두 53,525자(字)임. 십권(十卷).

집유 시스템【集油─】명〔gathering system〕여러 개의 갱정(坑井)에서 천연 가스나 석유의 생산을 집중시키는 데 쓰이는 파이프라인 시스템. 이 집합 생산물(集合生產物)을 중앙 저장소·파이프라인·처리용 터미널로 보냄.

집유 지역【集油地域】명〔gathering area〕탄화 수소 트랩(炭化水素 trap)의 지층 배사(地層背斜)의 아래 쪽에 있으며, 그 곳에서 석유·가스

가 트랩으로 이동해 가는 지역.

집음-기【集音機】명 『기』 약한 음을 녹음하거나 방송하고자 할 때 소리를 모아 크게 하기 위한 장치. 음파(音波)를 포물면(拋物面)에서 반사시켜 그 초점(焦點)에 놓은 마이크로폰으로 잡아, 이를 전기적으로 증폭(增幅)함.

집의[1]【執意】[—/—이] 명 의견을 굳게 잡음. ——-하다 자여불

집의[2]【執義】[—/—이] 명 ①정도(正道)·정의(正義)를 꽉 잡아 지킴. ②『역』 ↗감찰(監察) 집의. ③『역』 ↗사헌(司憲) 집의. ④『역』 조선 시대에 사헌부(司憲府)의 종삼품 벼슬. 태종(太宗) 원년(1401)에 중승(中丞)을 고쳐서 일컬었음. ＊장령(掌令). ——-하다 자여불

집의[3]【集義】[—/—이] 명 ①마음 속에 쌓아 둔 정의(正義). ②행사가 모두 도의에 맞음.

집의[4]【集議】[—/—이] 명 함께 모여 상의함. ——-하다 타여불

집-일[1] [—닐] 명 자기의 집안에서 하는 일. ↔들일.

집일[2]【執一】명 한 가지 일만을 고수(固守)하고 거기에 집착(執着)함. ——-하다 자여불

집-임자 [—님—] 명 그 집의 소유자. 집 주인.

집자【集字】명 선인(先人)의 필적 가운데서 글자를 그 서체 그대로 모음. 또, 시문(詩文)을 짓기 위해 선인의 시문 중의 어구를 모음. ——-하다 자여불

집-자리 명 〈방〉 집터.

집자-비【集字碑】명 선인(先人)의 필적 가운데서 필요한 글자를 모아 비문(碑文)을 새긴 비.

집작【執爵】명 제향(祭享) 때 헌관(獻官)이 잔을 받아 전함. ——-하다 자여불

집-장[1]【—醬】명 하절에 먹는 고추장 비슷한 음식. 여름에 메주를 주먹만큼씩 빚어 온돌방에서 2-3일 띄운 다음, 볕을 대강 쐬어 다시 온돌방에서 함빡 띄우고 볕에서 말려 곱게 빻고 고운 고춧가루와 함께 찰밥에 버무리되 무·가지·풋고추 혹은 쇠고기 등을 절이어 장아찌로 박고 작은 항아리에 담아 간장을 조금 쳐서 봉해 가지고 뜨거운 두엄 속에 8-9일 묻어 둠. 즙장(汁醬).

집장[2]【執杖】명 장형(杖刑)을 집행하는 일.

【집장 십 년이면 호랑이도 안 먹는다】너무 모질다 하여 욕하는 말.

집장-가【執杖歌】명 십이 잡가(十二雜歌)의 하나. 판소리 '춘향가(春香歌)' 속에서 춘향이 사또 앞에 끌려 나와 매를 맞을 때의 집장 사령(執杖使令)의 거동을 딴 것.

집장 사:령【執杖使令】명 『역』 장형(杖刑)을 집행하는 사령.

집재【輯載】명 편집하여 기재함. ——-하다 타여불

집-재산【—財產】명 가산(家產).

집적【集積】명 모여 쌓임. 모아서 쌓음. ——-하다 자타여불

집적-거리다 자타 ①경솔하게 이 일 저 일에 손을 대거나 남의 일에 참견하다. ②말이나 행동으로 공연(空然)히 남을 건드리다. ¶여자를 ～. 집적-집적 부. ——-하다 자타여불

집적-대【集積帶】명 〔accumulation zone〕 『지』 눈의 태반(殆半)이 최초로 퇴적한 지역. 눈사태의 원인의 하나가 됨.

집적-대다 자타 집적거리다.

집적-도【集積度】명 『물』 한 개의 집적 회로에 들어 있는 소자(素子)의 수.

집적-소【集積所】명 모아 쌓아 두는 곳.

집적 위험【集積危險】명 경제가 진보함에 따라서 발생이 예상되는, 금전적으로 거액(巨額)에 달하는 위험.

집적 작용【集積作用】명 『지』 콜로이드·가용성(可溶性)의 소금, 작은 광물(鑛物)의 조각 등이 토양(土壤)의 하위층(下位層)에 침착(沈着)하는 일.

집적-점【集積點】명 『수』 하나의 점 A의 어떤 가까운 곳에도, 주어진 점집합(點集合)의 점이 무수히 존재할 때, A를 그 점집합의 집적점이라고 함. 극한점(極限點). ＊점집합(點集合).

집적 회로【集積回路】명 〔integrated circuit; IC〕 『물』 트랜지스터·저항(抵抗)·다이오드(diode) 등, 능동 소자(能動素子)나 수동 소자(受動素子)를 하나의 기판상(基板上) 또는 기판내(基板內)에, 분리할 수 없는 상태로 결합하여 놓은 초소형(超小型) 회로. 아이 시(I.C.).

집전【執典】명 ①전례(典禮)를 다잡아 집행(執行)함. ②↗집전자(執典者). ——-하다 자여불

집전-자[1]【執典者】명 전례(典禮)를 다잡아 집행(執行)하는 사람. 준집전(執典).

집전-자[2]【集電子】명 『물』 교류 발전기(交流發電機)·유도 전동기(誘導電動機) 등에서 외부로부터 회전 코일로(또는 회전 코일로부터 외부로) 전류를 끌기 위하여, 회전축(回轉軸)에 장치한 절연(絕緣)한 놋쇠 또는 쇠의 금속 고리.

집전 장치【集電裝置】명 『물』 부동(不動) 부분과 운동(運動) 부분의 사이에 있어, 전력(電力)을 전달하는 장치.

집정【執政】명 ①정무(政務)를 잡음. 또, 그 관직(官職)·사람. ②〔프 consul〕 『역』 프랑스 제일 공화정(第一共和政) 시대의 최고의 정무관(政務官). ——-하다 자여불

집정-관【執政官】명 ①국정(國政)을 잡은 관원(官員). ②『역』 로마 공화정(共和政)의 최고 정무관(最高政務官). 정원(定員) 3명, 임기(任期) 1년이었음.

집정-자【執政者】명 집정하고 있는 사람.

집정 정부【執政政府】명 〔프 consulat〕 『역』 프랑스 혁명기에, 브뤼메르(brumaire) 18일, 곧 1799년 11월 9일의 쿠데타로 성립한 정부. 처음 3명의 임시 집정관(執政官), 다음에 임기 10년의 3 집정관을 두었으나, 그 중의 제일 집정 나폴레옹이 1802년 종신(終身) 집정이 되고, 이어 황제가 되었기 때문에 1804년에 폐지됨. 통령 정부(統領政府). ＊총재 정부(總裁政府).

집제【集諦】명 〔← 집체〕 〔범 samudaya-satya〕 『불교』 사제(四諦)의 하나. 고(苦)의 원인은 끝없는 애집(愛執)이라는 진리(眞理). ＊멸제(滅諦).

집조[1]【執租】명 『사』 잡을 도조(賭租).

집조[2]【執照】명 『역』 외국인에게 행려(行旅)의 편을 위하여 내어 주던 문빙(文憑).

집-종 명 옛날에 집안에서 부리던 종. ＊가내 노비(家內奴婢).

집주[1]【執奏】명 『역』 고려 때 추밀원(樞密院)의 한 벼슬.

집주[2]【集注】명 ①한군데로 모아 쏟음. 한군데로 쏠림. 집중(集中). ②집주(集註). ——-하다 자타여불

집주[3]【集註·集注】명 여러 사람이나 서책의 주석을 한데 모음. 또, 그 책. 주자(朱子)의 사서 집주(四書集注) 같은 것.

집-주릅 명 집 흥정 붙이는 일로 업(業)을 삼는 사람. 가쾌(家儈).

집-주인【—主人】명 ①그 집안의 주장이 되는 사람. ②집임자. ¶～에게 집세를 내다.

집준【執樽】명 제향(祭享) 때에 준뢰(樽罍)의 일을 맡아 보던 제관(祭官).

집-줄 명 제주도에서, 강풍에 지붕이 날아가지 않도록 지붕을 얽어매는 줄.

집줄 놓는 노래 [—논—] 명 『민』 제주도에서 재래 초가 지붕을 띠로 이고 나서 바둑판의 줄처럼 '집줄'을 놓기 위해 각단(짧은 띠)으로 새끼를 꼬며 부르는 노래.

집중[1]【執中】명 과부족(過不足)이나 치우침이 없이 마땅하고 떳떳한 도리를 잡음. ——-하다 자여불

집중[2]【集中】명 한 곳으로 모임. 또는 모이게 함. ¶～ 공격. ——-하다 자타여불

집중 가료실【集中加療室】명 〔intensive care unit〕 『의』 손이 많이 가는 중증 환자(重症患者)나 수술(手術) 직후의 환자만을 모아 밀도 높은 치료를 행하는 치료실. 심전계(心電計) 등 각종 계기로 환자 상태를 상시(常時) 점검하고, 인공 호흡기 등 의료 기구를 구사하여 이변(異變)에 대하여 즉각적인 치료를 하며, 전임 의사(專任醫師)·간호사가 24시간 대기(待機)하여 종합적(綜合的)인 구급 의료(救急醫療)를 실시함. 중환자실. 아이 시 유(ICU).

집중 공:격【集中攻擊】하나의 대상물에 여러 방향에서 집중적으로 공격하는 일. ——-하다 자여불

집중 난:방【集中煖房】명 중앙 난방. 센트럴 히팅(central heating).

집중-날【集中—】명 『고고학』 모듬날.

집중 등산【集中登山】명 하나의 산꼭대기를 목표로 하여, 일정한 시간을 약속하고 산정(山頂) 또는 그 근처에서 만나도록, 각각 다른 루트를 잡아 등산하는 방법.

집중-력【集中力】[—녁] 명 마음이나 주의를 어느 사물(事物)에 집중(集中)할 수 있는 힘.

집중 사격【集中射擊】명 한 목표물이나 특정 지역에 모든 화력(火力)을 집중하여 사격하는 일. ——-하다 자여불

집중 상수【集中常數】[—쑤] 명 〔lumped constant〕 『전』 코일 또는 회로에 존재하는 분포 상수(分布常數)의 총합과 값이 같은 단일(單一)한 상수.

집중 생산【集中生產】명 생산 능률을 올리고 제품의 원가를 인하하기 위하여 능률이 좋은 설비나 생산자에게 생산을 집중시키는 일. ＊경사(傾斜) 생산.

집중 시간【集中時間】명 어떤 하천 유역의 가장 먼 지점에서 그 유역의 유출 지점까지 물이 이동하는 데 드는 시간.

집중 신경계【集中神經系】명 신경 세포가 체내의 일정한 곳에 집중하여 신경절(神經節)이나 뇌척수를 형성하기에 이른 신경계. 강장(腔腸) 동물 이외의 동물의 신경계 등. ↔산만(散慢) 신경계.

집중 심리 방식【集中審理方式】[—니—] 명 형사 재판에서, 연일(連日) 또는 되도록 짧은 일정 기간(期間)에 집중하여 소송(訴訟)을 심리(審理)하는 방법.

집중-적【集中的】명관 한 곳을 중심으로 모이거나 모인 모양·성질. ¶～으로 질문하다/～ 지원 태세.

집중 전:극【集中電極】명 두 개 이상의 전자 빔(電子 beam)을 집중할 수 있는 전기장(電氣場)을 주는 전극(電極).

집중 투자【集中投資】명 일정 종목에 한정하여 투자하는 일.

집중 포화【集中砲火】명 한 목표에 포화를 집중하는 일.

집중 호설【集中豪雪】명 『기상』 한정(限定)된 지역(地域)에 집중적으로 퍼붓는 눈. 대류성(對流性) 구름에서 오기 때문에 천둥을 동반하는 경우도 있음.

집중 호우【集中豪雨】명 『기상』 장마가 끝날 때나 태풍기(颱風期) 등에 많은 국지성(局地性)의 호우. 습설(濕舌)의 침입이나 전선(前線) 활동의 활발화, 급속한 뇌운(雷雲)의 발달, 태풍의 영향 등에 의해 한 시간의 우량이 수십 밀리에 이르는 세찬 비가 비교적 좁은 지역에 내리고 뇌우(雷雨)를 동반하는 경우가 많음.

집-쥐 명 『동』 주로 집에 서식하는 쥐의 통칭. 곧, 곰쥐·시궁쥐·생쥐 등의 일컬음. ↔들쥐.

집증【執症·執證】명 『한의』 병의 증세(症勢)를 살피어 알아 냄. ¶아픈 곳도 어딘지 통 ～을 못하는 모양이었다. ——-하다 자여불

집지【執贄·執質】명 제자가 스승을 처음으로 뵐 때에 예폐(禮幣)를 가지고 가서 경의(敬意)를 표함. ——-하다 자여불

집지ᄉᆡ 명 〈옛〉 집을 짓기. ¶집지ᅀᅵ를 처엄ᄒᆞ니 그제사 아기나히를 始作ᄒᆞ니라 ≪月釋 Ⅰ:44≫.

집진【集塵】명 쓰레기·먼지를 한 곳에 모음.
집진-기【集塵機】명 기체 중에 부유(浮遊)하는 고체나 액체의 미립자(微粒子)를 모아서 제거하는 장치. 화학 공업 따위에서 가스의 청정(淸淨)이나 가스 속의 유효 성분의 포집(捕集), 굴뚝에서 나오는 매연(煤煙) 속의 유해한 성분의 제거 따위에 쓰임. 수세식(水洗式)·여과식(濾過式)·전기식(電氣式) 따위의 방법이 있음. 집진 장치.
집진 장치【集塵裝置】명 집진기(集塵機).
집-짐승 명 가축(家畜).
집-집 명 각 집. 모든 집.
집집-마다 부 어느 집이나 다. 매(每)집.
집집-이 부 집집마다.
집-짓기 명 ①집을 짓는 일. ②바둑을 종국(終局)한 후에, 대국자(對局者)가 각기 상대방의 집을 계산하기 쉽게 정리해서 배열하는 일. ——하다 자여불
집착[1]【執捉】명 죄인을 붙잡음. ——하다 타여불
집착[2]【執着】명 마음에 새겨 두고 잊지 아니함. 깊이 마음먹음. 유애(有愛). ¶관직에 ~하다. ——하다 자여불
집착-력【執着力】[—녁] 명 집착하는 힘.
집착-심【執着心】명 집착하는 마음.
집찬-장【執爨章】[—짱] 명 〖악〗 악장(樂章)의 이름.
집찰【集札】명 집표(集票). *개찰(改札). ——하다 자여불
집-채 명 집의 한 채.
집채-같다 형 부피가 집채처럼 크다. ¶집채 같은 파도. 집채-같이 [—가치] 부
집철【輯綴】명 모아서 엮음. ——하다 타여불
집체【集體】명 〔↗집합체(集合體)〕 여럿이 모여 한 덩어리를 이룬 집단(集團). ¶~ 훈련.
집체 창:작【集體創作】명 〖문〗 복수(複數)의 작가가 공동으로 자료를 찾아 모아서 토론과 연구를 하여 내용이나 방법을 결정하고 각기 집필(執筆)한 뒤에 결집(結集)하거나, 한 사람이 집필하여 다른 작가의 수정(修正)과 동의(同意)를 얻어서 하나의 작품을 만들어 내는 것과 같은 창작 방법.
집촌【集村】명 인가(人家)가 한군데에 밀집(密集)하여 부락을 이룬 마을. ↔산촌(散村)·소촌(疏村).
집총【執銃】명 총을 쥠. ¶~ 훈련(訓鍊). ——하다 자여불
집총 경:례【執銃敬禮】[—네] 명 〔rifle salute〕〖군〗 군인의 경례의 한 가지. 총을 우로 어깨총 또는 세워총 위치에 유지하고 왼편 손을 보기 좋게 총의 몸통 위치로 올려 앞팔은 수평을 유지하고 손바닥은 아래로 향하며 손가락을 바로 편 자세. *받들어총.
집춘-영【集春營】명 〖역〗 창덕궁(昌德宮) 동쪽에 있는 어영청(御營廳)의 분영(分營).
집-치레 명 집을 거두고 꾸미는 일. ——하다 자여불
집-치장【—治粧】명 집을 손질하여 잘 꾸미는 일. 집을 깨끗하게 단장하는 일. ——하다 자여불
집-칸 명 사람이 사는 공간으로서의 집의 칸살. 자기 집을 겸손하게 이를 때 씀. ¶~이나 마련했다 / ~이나 지니고 있다.
집탈【執頉】명 남의 잘못을 집어 내어 트집함. ——하다 타여불
집-터 명 ①집이 앉은 자리. 또, 집이 있던 빈 터. 양택(陽宅). 택지(宅地). 가기(家基). ②〖고고학〗 고대 인류가 살던 움집터·동굴 유적·바위밑 살림터 등 모든 형태의 살림 유적. 주거지(住居址).
집-터서리 명 집의 주위의 언저리.
집토기【—土器】명 〖고고학〗 집·창고 형태로 흙을 빚어 구운 토기. 삼국 시대나 통일 신라 시대의 토기에서 볼 수 있음. 가형 토기(家形土器).
집-토끼 명 〖동〗 [*Oryctolagus cuniculus* var. *domesticus*] 토낏과에 속하는 짐승의 하나. 야생(野生) 토끼를 집에서 길들여 기른 변종(變種)으로서 일반적으로 순백색이며, 귀가 길. 새끼는 임신 후 30-31일 만에 7-9마리를 낳음. 콩잎·풀·메뚜기·밥·겨 등을 사료로 하여 집에서 많이 사육함. 여러 품종이 있음. 고기는 식용(食用), 모피는 방한용(防寒用)임. ↔산토끼.
집-파리 명 〖충〗 ①집파릿과에 속하는 파리의 총칭(總稱). ②[*Musca domestica*] 집파릿과에 속하는 파리의 하나. 몸길이 6-8 mm 내외이고 몸빛은 대흑색(帶黑色)에 촉각은 흑색이며 흉배(胸背)에는 황(黃)회색 또는 회색 가루로 이루어진 다섯 개의 종대(縱帶)가 있고, 흑갈색의 복부(腹部)는 그 기부(基部)에 황색의 큰 측문(側紋)이 한 개 있으나 수컷은 제2절(節)에만 있음. 날개는 투명하고 발은 흑색임. 여름철에 번성하며 집안의 음식물에 모여 드는데, 각종 전염병을 매개(媒介)함. 전세계에 분포함. 가승(家蠅). 파리.

〈집파리〉

집파릿-과【—科】명 〖충〗 [Muscidae] 파리목(目)에 속하는 한 과. 구문(口吻)은 육질(肉質), 촉각(觸角)·극모(棘毛)는 기배(基背)에서 나오고 깃 모양을 이룸. 날개는 크고 강하며 복부의 숨구멍은 제2 내지 제5 배판(背板) 측상(側上)에 있음. 50여 종의 병원체(病原體)를 전파(傳播)하는 해충(害蟲)이며 전세계에 100여 종이 분포함.
집편【執鞭】명 채찍을 듦. ——하다 자여불
집편지-사【執鞭之士】명 중국에서 귀인(貴人)이 나다닐 때에 채찍을 들고 길을 터서 치우던 사람.
집표【集票】명 철도역(鐵道驛) 등에서 내린 승객(乘客)으로부터 표를 받아 모으는 일. 출구(出口)에서 행함. 집찰(集札). ——하다 자여불
집피다 피동 〈옛〉 잡히다. 집히다. =지피다. ¶祥雲이 집피는동 六龍이 바퇴는동 바다히 써날 제는 萬國이 일위더니 ≪松江 關東別曲≫.
집필【執筆】명 ①붓을 잡고 시가(詩歌)·작품 등의 글을 씀. ¶소설을 ~하다. ②땅·집 등의 문권(文券)에 붓을 잡고 쓴 사람. ——하다 타여불
집필-자【執筆者】[—짜] 명 시가(詩歌)·문장 등을 집필한 사람.
집필-진【執筆陣】[—찐] 명 신문·잡지·전집 등의, 집필하는 진용.
집하【集荷】명 집화(集貨).
집합[1]【集合】명 ①한군데로 모임. ②한군데로 모아 합침. ③〔set〕〖수〗 어떤 조건에 알맞은 대상이 명확하게 구별되는 모임. 모인 사물들에서, 임의의 사물이 이것에 속하는가 어떤가 및 이것에 속하는 두 개의 사물이 같은가 같지 않은가를 판단할 수 있는 것을 말함. ——하다 자타여불
집합[2]【緝合】명 주워 모아서 합함. ——하다 타여불
집합 개:념【集合槪念】명 〖논〗 내포(內包)하는 개체를 총괄하여 전체로서의 의미를 갖는 개념. 연대(聯隊)·청중(聽衆) 등. ↔개별 개념.
집합 결찰【集合結紮】명 〖의〗 집속 결찰(集束結紮).
집합 결핵 결절【集合結核結節】[—쩔] 명 〔conglomerate tubercle〕〖의〗 결핵의 결절이 몇 개 모여서 이루어진 것. 일반적으로 결핵 결절은 좁쌀알 크기 이하인데 육안(肉眼)으로 삼씨 크기 이상으로 보이는 것은 이들이 집합하여 이루어진 것임. 때로는 동시(同時) 또는 서로 전후해서 생긴 결핵 결절이 증대되어 서로 엉겨 붙음으로써 생기기도 함. 뇌(腦)에서는 달걀 크기 이상의 것이 고립해서 존재하는 일도 있음.
집합-계【集合系】명 〖수〗 집합족(集合族).
집합-과【集合果】명 많은 과실들이 밀집(密集)하여 한 과실처럼 보이는 것. 오디·무화과(無花果) 등. 모임 열매.
집합 규산염【集合硅酸塩】[—념] 명 〔sorosilicate〕〖광〗 규산염의 구조형(構造型)의 하나. 결정 격자(結晶格子)는, 2개의 SiO_4 사면체(四面體)가 한 개의 산소 원자를 공유(共有)하고 있는 형임.
집합 노동요【集合勞動謠】[—/—뇨] 명 〖문〗 노동요의 하나. 여러 사람이 같이 모여서 하되, 행동의 통일은 필요로 하지 않는 노동에서 부르는 민요. 모내기·논매기 노래나, 길쌈·두레 노래 등.
집합 대:표 소:송【集合代表訴訟】명 〖법〗 집단 소송.
집합-론【集合論】[—논] 명 〔도 Mengenlehre〕〖수〗 집합의 성질을 연구하는 수학의 한 분과. 19세기 말(末), 독일의 수학자 게오르크 칸토르(Georg Cantor ; 1845-1918)가 창시함. 고래(古來)로 명료하지 않던 무한 및 연속의 개념을 명확하게 하여 해석학의 기초를 확립했음.
집합 명사[1]【集合名詞】명 〔collective noun〕〖언〗 같은 종류의 것이 전체의 뜻을 나타내는 명사. 국민·가족 등. 중다 명사(衆多名詞). 여럿 이름씨. 모임 이름씨.
집합 명사[2]【集合名辭】명 〔collective term〕〖논〗 집합 개념을 나타내는 명사(名辭).
집합-물【集合物】명 〖법〗 개개(個個)의 물건이 집합하여 경제적으로 단일(單一)의 가치를 가지며 거래상(去來上)으로도 하나의 물체로 취급되는 물건. 가축의 떼, 공장과 그 안의 기계, 장서(藏書), 창고 안의 동일(同一) 상품 따위.
집합-범【集合犯】명 〖법〗 범죄 구성 요건의 성질상, 동(同)종류의 행위가 반복될 것이 예상되는 범죄. 상습범·직업범 등이 이에 속함. 따라서 도박의 상습자가 여러번 도박 행위를 하여도 상습 도박죄 일죄(一罪)가 성립할 뿐임. 필요적 공범(共犯)의 한 형식으로서의 집합적 범죄를 집합범이라 하는 경우도 있음.
집합-부【集合符】명 〖언〗 ①여러 개의 낱말이나 글월을 하나로 묶음을 나타내는 부호. ②접합부(接合符).
집합-소【集合所】명 집합하는 장소.
집합-어【輯合語】명 〖언〗 언어의 형태적 분류의 하나. 에스키모어(語)나 아이누어(語)처럼 문장을 구성하는 여러 요소가 밀접하게 결합하여 한 말을 이루며 문장이 곧 단어처럼 되어 있는 언어.
집합 의:지【集合意志】명 개인 의지가 다수 집합하여 생긴 일반적 의지. 또는 개인 의지에 대립하여, 그것을 규제(規制)하는 힘을 갖는 집합체(集合體)의 의지. 집단적 행위의 원동력이 됨.
집합 재산【集合財産】명 많은 주체(主體)에 속하는 재산이 특정한 목적을 위하여 집합하여 하나의 독립 재산을 이룬 것. 조합 재산 등.
집합적 범:죄【集合的犯罪】명 〖법〗 범죄의 성립에, 다수의 행위자가 동일 방향(목적)을 향하여 공동할 것을 필요로 하는 범죄. 형법상의 내란죄·소요죄 등. 따라서 그 자체가 독립된 범죄 유형임. *집합범.
집합 조직【集合組織】명 〖광〗 다결정체(多結晶體)의 금속 속에 있는 각 결정립(結晶粒)의 방위(方位)가 일정한 방향으로 가지런한 상태.
집합-족【集合族】명 〔family of sets〕〖수〗 그 요소(要素)가 모두 집합으로 된 집합. '집합의 집합'이라고도 함. 집합계(系).
집합-죄【集合罪】명 〖법〗 집합적 범죄.
집합-지【集合地】명 집합하는 곳.
집합-체【集合體】명 많은 것들이 모여서 이룬 덩어리.
집합 표상【集合表象】명 〔프 représentation collective〕〖철〗 개인적 표상(表象)에 대하여 그 집합으로부터 화합(化合)하여 이루어진 사회적 표상의 일컬음. 개인 의식에 대하여 강제력을 가지는 사회 의식으로서 사조(思潮)·신앙(信仰) 같은 것. 집단 표상. ↔개인 표상.
집해【集解】명 여러 가지 해석을 모은 책.
집행【執行】명 ①일을 잡아 행함. 실제로 시행함. ②법률(法律)·명령(命令)·재판(裁判)·처분(處分) 등의 내용을 현실로 구체화하는 일. ③↗강제 집행. ——하다 타여불
집행-관【執行官】명 〖법〗 지방 법원에 소속되어, 주로 재판의 집행, 법원이 발하는 문서(文書)의 송달(送達) 사무를 보는 직원. 규정된 수수료를 받음. 구칭 : 집달리·집행리(執行吏)·집달관.
집행-권【執行權】[—꿘] 명 〔executive power〕〖법〗 형식 상으로는 입법부 또는 사법부의 권한에 속하지 않는 국가 작용이며, 실질 상으로는 법을 집행하는 작용. 행정권과 거의 같음.

집행 기관【執行機關】명 〖법〗 ①법인의 의결(議決) 또는 의사 결정을 집행하는 기관. ↔의사(意思) 기관·의결 기관. ②민사 소송법상 채권자의 신청에 의하여 강제 집행을 실시하는 직무를 가지는 국가 기관. 집달관(執達官)·집행 법원·수소(受訴) 법원이 있음. ③행정법상, 관청의 명을 받아 실력으로써 그 의사를 집행함을 임무로 하는 기관. 직접 국민에 대하여 사실 상의 강제를 행하는 권능을 가짐. 경찰관·징세리(徵稅吏) 등. ④단체의 결의를 집행하는 기관.

집행-력【執行力】[—녁] 명 ①일을 집행해 나가는 권능이나 능력. ②〖법〗 판결(判決)에 의하여 강제 집행을 할 수 있는 효력.

집행-리【執行吏】[—니] 명 〖법〗 '집행관(執行官)'의 구칭.

집행 명:령【執行命令】[—녕] 명 〖법〗 법률을 집행하기 위하여 세칙(細則)을 정한 명령. 대통령령·총리령·부령(部令) 등.

집행 명의【執行名義】[— / —이] 명 〖법〗 채무(債務) 명의.

집행-문【執行文】명 〖법〗 법원의 서기관(書記官) 또는 공증인(公證人)이 작성하는 서면으로, 채무 명의(債務名義)에 집행력(執行力)이 있음을 증명하는 것.

집행 방해죄【執行妨害罪】[—쬐] 명 〖법〗 직무(職務)를 집행(執行)하는 공무원에게 폭행(暴行)·협박(脅迫) 등을 하여 집행을 방해함으로써 이루어지는 죄.

집행-벌【執行罰】명 〖법〗 행정 상의 강제 집행의 한 방법. 부작위 의무(不作爲義務) 또는 타인(他人)이 대신할 수 없는 작위 의무(作爲義務)의 이행(履行)을 강제하기 위하여 과하는 벌. 강제벌(強制罰).

집행 법원【執行法院】명 〖법〗 집행 행위를 하거나 그것을 돕는 법원.

집행 보:전 절차【執行保全節次】명 〖법〗 장래에 있어서의 강제 집행에 의한 청구의 실현의 불능화(不能化) 또는 곤란화를 예방하기 위하여 국가 권력에 의하여 현상의 유지·보전을 목적으로 하는 소송(訴訟) 절차. 보전(保全) 소송.

집행-부【執行部】명 정당(政黨)이나 노동 조합(勞動組合) 등의 단체에서 의결 기관의 결정을 집행하는 책임을 맡은 부문. 집행 위원회 따위.

집행 위원【執行委員】명 정당이나 노동 조합 등에서 집행부를 구성하고, 의결 기관의 결정을 집행하는 임원의 통칭.

집행 위원회【執行委員會】명 정당·노동 조합 등의 결의(決議) 기관인 중앙 위원회 또는 대회(大會)의 결의 사항을 집행하는 기관. ¶~를 소집하다.

집행 위임【執行委任】명 〖법〗 집달관에 대한 강제 집행의 신청.

집행 유:예【執行猶豫】[—뉴—] 명 〖법〗 3년 이하의 징역 또는 금고형(禁錮刑)의 선고의 판결을 받았으나, 기왕에 금고 이상의 형에 처해진 일이 없는 자 또는 금고 이상의 형의 선고를 받아 집행을 종료한 후나 집행이 면제된 후로부터 5년 이내에 금고 이상의 형에 처해진 일이 없는 자에 대하여 정상을 참작할 만한 사유가 있을 때 일정 기간(1년 이상 5년 이하) 형의 집행을 유예하며, 그 유예 기간중 사고 없이 경과한 때에는 형의 선고의 효력을 잃게 하는 제도. ㊟유예(猶豫).

집행-인【執行人】명 집행하는 사람. 집행자.

집행-자【執行者】명 집행하는 사람. 집행인.

집행 장애【執行障礙】명 〖법〗 일반적 집행 개시 요건이 구비되어 있음에도 불구하고 강제 집행 절차 전체의 개시(開始) 또는 속행(續行)을 방해하는 사유.

집행 정지【執行停止】명 〖법〗 ①강제 집행에 대하여 집행 기관이 그 진행을 정지하는 일. 주로 채무자(債務者) 또는 제삼자로부터 집행 기관에 대하여 집행의 정지를 명하는 재판의 정본(正本)을 제출한 경우에 행하여짐. ②행정 관청이 행정 처분의 집행을 정지하는 일. 행정 처분을 받는 자에게 부당한 손해를 주지 않기 위해 특정의 경우에 예외로서 인정됨.

집행 정지 명:령【執行停止命令】[—녕] 명 〖법〗 강제 집행 절차 또는 개개의 집행 행위의 일시적 정지, 또는 이미 행한 집행 행위의 취소를 명하는 재판.

집행 처:분【執行處分】명 〖법〗 강제(強制) 집행 중에 행하여지는 개개의 집행 행위.

집행 판결【執行判決】명 〖법〗 외국 판결(外國判決) 또는 중재 판단(仲裁判斷)에 대하여, 이것에 의거하여 강제 집행을 행할 수 있는 취지를 선언하는 판결.

집행 행위【執行行爲】명 〖법〗 강제 집행(強制執行)의 목적을 달성하기 위하여 집행 기관이 채무자(債務者)나 기타 제삼자에게 강제력을 행사하여 일정한 법률 상의 효과를 발생시키기 위해 행하는 행위. 압류(押留) 같은 것.

집현-전【集賢殿】명 〖역〗 ①고려 때 제관전(諸館殿)의 하나. 인종(仁宗) 14년(1136)에 연영전(延英殿)을 고쳐 일컫다가 충렬왕(忠烈王) 때 폐하고, 공민왕(恭愍王) 5년(1356)에 다시 베풀어 11년(1362)에 폐하고, 18년(1369)에 또 다시 베풀어 21년(1372)에 또 폐함. ②조선 시대 초기에 경적(經籍)·전고(典故)·진강(進講) 등에 관한 일을 맡은 관아. 정종(定宗) 원년(1399)에 처음 설치, 동 2년에 보문관(寶文館)으로 고쳤다가 없어지고, 세종(世宗) 2년(1420)에 설치, 기구를 확장하여 많은 학사(學士)를 두어, 왕(王)에게 경(經)·사(史)를 강론(講論)케 하는 시강(侍講)과, 왕실(王室) 교육·국사 기록(國事記錄)·실록(實錄) 편찬·과거(科擧)의 주관 및 고제(古制)의 연구와 편찬 사업을 담당케 함. 이곳에서 훈민 정음의 창제 등 많은 문화 사업을 행한 것은 유명한데, 세조(世祖) 2년(1456)에 사육신(死六臣)의 사건에 관련되어 폐하였다가, 성종 즉위년(成宗 卽位年)(1469)에 홍문관(弘文館)으로 기구를 바꾸어 두었음.

집형【執刑】명 〖법〗 형(刑)을 집행함. ——-하다 자여불

집홀【執笏】명 홀(笏)을 손으로 잡아서 가슴에 댐. ——-하다 자여불

집화【集貨】명 화물이나 상품이 모여 듦. 또는 화물이나 상품을 모음. 또, 그 화물이나 상품. ——-하다 자타여불

집회【集會】명 ①모임. 회합. ②특정한 공동 목적(共同目的)을 위하여 하는 다수인의 일시적(一時的)인 회합. ¶~를 열다. ↔산회(散會). ——-하다 자여불

집회-란【集會欄】명 집회에 관한 기사를 내는 신문의 한 난(欄).

집회-소【集會所】명 집회하는 곳.

집회의 자유【集會—自由】[—/—에—] 명 언론·출판·결사의 자유와 함께 민주주의 국가의 기본 자유의 하나. 계엄법·형법·보안법 등의 규정에 의한 특정 경우의 제한은 있으나, 우리 나라는 헌법 제 20 조에 의해 보장(保障)되어 있음.

집회-장【集會場】명 집회하는 장소.

집회 조례【集會條例】명 집회에 관한 규정.

집흑【執黑】명 바둑에서, 흑(黑)을 쥐고 둠. ↔집백(執白). ——-하다 자여불

집히다 피동 집음을 당하다.

짓[1] 명 〈방〉 깃[4](남한 전역·함남).

짓[2] 명 〈옛〉 깃[2]. ¶ᄯᅩ 이 두롬의 짓ᄎᆞᆯ ᄃᆞᆯ앗고(又是箇鵝鶫翎兒) ≪朴解 上 26≫/ᄇᆞᄅᆞ미 거스러 부니 짓과 터리왜 ᄒᆞ야디놋다(風逆羽毛傷) ≪杜諺 Ⅶ:15≫/짓 한(翰), 짓 격(翮)≪字會 下 6≫.

짓[3] 명 〈옛〉 집. ¶어즈러온 짓 아ᄃᆞᄅᆞᆯ 取티 말며(逆家子不取) ≪內訓 Ⅰ:77≫/술 ᄑᆞ는 짓 壚ᄅᆞᆯ 爲ᄒᆞ야 얻노라(爲覓酒家壚)≪杜諺 Ⅱ:18≫.

짓:[4] 명 ①몸을 놀려 움직이는 일. 일을 행하는 노릇. 행동. ¶못된 ~. ②흥에 겨워 멋부리는 짓거리. ¶~나다/~내다.

짓- 투 ①동사의 위에 얹어 '함부로' 또는 '흠씬'의 뜻을 나타내는 말. ¶~먹다/~주무르다/~누르다. ②어떤 명사 위에 붙어 '심한'의 뜻을 나타냄. ¶~고생 / 때와 흙 물이 군데군데 묻고 ~수세미가 다 된 옷으로≪玄鎭健 : 無影塔≫.

-짓 미 어떤 명사 뒤에 붙어 동작의 뜻을 나타내는 말. ¶몸~/눈~.

짓-개다 타 짓이기다시피 마구 개다.

짓:-거리 명 ①흥겨워하는 짓. ②〈속〉 짓[4]. ——-하다 자여불

짓-것 명 새로 지어 한번도 빨지 아니한 첫물의 옷이나 버선 같은 것.

짓고 부 〈방〉 집고.

짓:고-땡 명 〈속〉 ①제 뜻에 맞게 일이 잘 됨을 이르는 말. ②투전(鬪牋)·골패(骨牌)·화투 노름의 한 가지. 다섯 장씩 나누어 가지고, 석 장으로 무대를 짓고 남은 두 장으로 땡잡기를 겨룬 다음 그것이 없으면 끗수로 견주어 많은 끗수가 이기게 됨.

짓:고-땡이 명 ☞짓고땡.

짓-고추 명 동치미의 맛을 칼칼하게 유지하기 위해서 넣는 삭힌 풋고추.

짓괴다 자 〈옛〉 지껄이다. 떠들다. =짓궤다·짓글히다. ¶雀噪ᄂᆞᆫ 새 짓괼 씨라 ≪月釋 XⅧ:35≫/사ᄅᆞᆷ이 짓괴기를 크게 ᄒᆞ더니(人叫喚大了) ≪老乞 下 33≫.

짓-구기다 타 마구 구기다.

짓-국 명 ☞김칫국(전라).

짓-궂기다 자 불행한 일을 거듭 여러 번 당하다.

짓:-궂다 형 굳이 남을 괴롭고 귀찮게 하여 곰살갑지 않다. 성미가 심술궂은 데가 있다. ¶짓궂은 아이.

짓:-궂이 부 짓궂게.

짓궤다 자 〈옛〉 지껄이다. 떠들다. =짓괴다·짓글히다. ¶너희 둘히 슬리야 짓궤디 말고(你兩家休只管叫喚) ≪老乞 下 12≫/娘子ㅣ 보고 짓궤니 듯기 어렵더라(娘子見了時聒譟難聽)≪朴解 中 48≫.

짓글히다 자 〈옛〉 지껄이다. =짓괴다·짓궤다. ¶짓글힐 홍(鬨), 짓글힐 뇨(閙)≪字會 下 15≫ / 해 아히돌히 도ᄅᆞ혀 짓글혀(咳小厮們倒聒噪) ≪朴解 上 18≫.

짓기 명 〈방〉 제기[1](전라).

짓:-나다 자 흥겨워 멋을 부리다. 한창 신명이 나서 까불다.

짓:-내다 자 흥에 겨워서 마음껏 기분을 내다.

짓-널다 타 짓이기다시피 널다.

짓-누르다 타르불 마구 누르다. 함부로 누르다.

짓-눌리다 피동 마구 누름을 당하다. ¶압제자에게 짓눌려 지내다.

짓:다[1] 타ㅅ불 ①재료를 들여 만들어 이루다. ¶밥지슬 찬(爨) ≪類合 下 14≫/밥을 ~/옷을 ~/한약국에서 약 두 첩을 지어 오다. ②모양이 나타나도록 만들다. ¶골을 ~/묘한 표정을 ~. ③글을 만들다. ¶시를 ~. ④딱 정해서 확정된 상태로 만들다. ¶결말을 ~/타협을 ~. ⑤건물 등을 세우다. ¶이층집을 ~/새로 지은 학교. ⑥논밭을 다루어 농사(農事)를 하다. ¶보리 농사를 ~. ⑦꾸며 내어 그렇게 만들다. ¶지어 낸 이야기. ⑧벌받을 짓을 하다. ¶죄 짓고는 살 수 없다.

짓:다[2] 타ㅅ불 '지우다'의 예스러운 말.

-짓다 미ㅅ불 어떤 명사에 붙어, 그러한 상태가 되게 만들다. ¶웃음~/결론~/매듭~.

짓-다듬다 타 마구 다듬다.

짓-두드리다 타 마구 두드리다.

짓-두들기다 타 마구 두들기다.

짓:-둥이 명 몸을 놀리는 그 꼴.

짓-떠들다 자 마구, 또는 몹시 떠들다.

짓-뚜드리다 타 마구 뚜드리다.

짓-마다 타 ①짓이기다시피 잘게 부스러뜨리다. ②흠씬 두들기다.

짓-망신【—亡身】명 심한 망신. ——-하다 자여불

짓-먹다 타 흠씬 먹다.

짓-모다 타 〈방〉 짓마다.

짓-무르다 자르불 ①거죽이 상하여 문드러지다. ②살이 문드러질 듯이 날씨가 몹시 물쿠다. ¶뒤에 송림도 보여서 서늘할 상싶으나 워낙 짓무르는 날이라 바람 한 점 들어오지 아니하였다≪李光洙 : 사랑≫.

짓-무찌르다 타르불 짓이기다시피 무찌르다.

짓-문지르다 타르불 마구 문지르다.

짓-물다 자 ☞짓무르다.
짓-뭉개다 타 마구 뭉개다. ¶담배를 발로 ~.
짓-바수다 타 함부로 마구 바수다.
짓-밟다 [-밥-] 타 ①짓이기다시피 마구 밟다. ¶보리밭을 ~. ②남의 입장을 무시하거나 기분을 상하게 하다. ¶순정(純情)을 ~/남의 체면을 ~.
짓-밟히다 [-발피-] 피동 짓밟음을 당하다. ¶적군에게 국토를 ~/짓밟힌 자존심.
짓-볶이다 자 몹시, 또는 마구 볶이다.
짓-부수다 타 마구 부수다.
짓-북새 명 심한 북새.
짓-빠대다 자 마구 빠대다. ¶집안을 ~.
짓-소리 명 『불교』 부처에게 재(齋)를 올릴 때, 불법(佛法) 게송(偈頌)을 썩 길게 읊는, 작위(作爲)가 복잡한 소리. 합창(合唱)으로 불리어지며, 사설(辭說)은 대개 산문(散文)이나 범어(梵語)로 되어 있음. *홑소리.
짓:-시늉 명 움직이는 짓이나 모양을 시늉 내는 일. 의태(擬態). ↔소리 시늉.
짓:시늉-말 명 『언』 의태어(擬態語). ↔소리 시늉말.
짓:-시키다 타 몹시 몰아대어 시키다.
짓-싸대다 자 마구 싸대다. ¶거리를 짓싸대고 다니다.
짓-쑤시다 타 함부로 마구 쑤시다.
짓-씹다 타 짓이기다시피 아주 잘게 씹다.
짓아비 명 〈옛〉 지아비. 남편. =지사비. ¶짓아비 부(夫)《類合 上 19》.
짓-옷 [진-] 명 새로 지어서 한번도 빨지 아니한 진솔 옷.
짓-이기다 [-니-] 타 썩 잘게 이기다. 마구 이기다.
짓:짓-이 부 하는 짓마다. 하는 행동마다 모두.
짓:-적다 형 부끄러워 면목이 없다. 열없다.
짓-찌르다 타르불 ①함부로 마구 찌르다. ②☞짓누르다.
짓-찔리다 자 ①함부로 마구 찔리다. ②☞짓눌리다.
짓-찢다 타 마구 심하게 찢다.
짓-찧다 [-찌타] 타 아주 세게 찧다.
짓-쳐나가다 자 세게 마구 쳐 나가다. ¶적을 무찌르기 위해 ~.
짓-쳐들다 자 세게 몰아쳐 들다. ¶어느 때는 밤중에라도 짓쳐들어오실 듯이 자는 사람을 깨워 일으키시고 야단 법석을 하시더니《玄鎭健: 無影塔》.
짓-치다[1] 타 함부로 들이치다.
짓치다[2] 타 〈옛〉 쫓아 치다. 습격하다. ¶大蟲이 사람 잡ᄂᆞᆫ 법이 첫재ᄂᆞᆫ 압흘 짓치고 둘째ᄂᆞᆫ 서며 짓치고 셋재ᄂᆞᆫ 기여 짓치더니《水滸》.
짓퀴 명 〈방〉 길쌈(함북).
짓-패다 타 함부로 마구 패다.
짓-하다 타여불 몹시 심하게 하다. ¶고생을 짓해댄 탓이리라.
짓다 타 〈옛〉 짓다[1]. ¶御製ᄂᆞᆫ 님금 지ᅀᆞ샨 그리라《訓諺》/지ᅀᅮᆷ 업거시니(無作)《楞嚴 1:8》/先考 지ᅀᆞ샨 거시니(先考所製)《月序 16》/뉘 지ᅀᅳ며 뉘 받ᄂᆞᆫ고 호리라(誰作誰受)《楞嚴Ⅳ:91》.
징[1] 명 [근대: 딩, 중세: 정(釘)] 신의 가죽 창이나 말굽·쇠굽 등에 박는 대가리가 크고 넓으며 길이가 짧은 못.
징[2] 명 [중세: 징, ←(鉦)] 『악』 국악기의 하나. 놋쇠로 전이 없는 대야같이 만든 악기의 한 가지. 울의 한 쪽에 구멍을 둘 내어 끈을 꿰고, 끝에 헝겊을 많이 감은 채로 쳐서 소리를 냄. 음색(音色)이 부드럽고 웅장함. 취타(吹打)에 편성되고, 불사(佛事)나 무악(巫樂)·농악(農樂) 등에 쓰임. 요(鐃).

〈징²〉

징[3] 명 〈방〉 정[1].
징[4] 명 ☞증[2]. ¶소저는 더욱 부끄러움을 이기지 못하여 슬며시 일어나 피신코자 하거늘 정공이 징을 내어 꾸짖어 가로되…《李海朝: 昭陽亭》.
징가【癥瘕】명 『한의』 여자의 뱃 속에 덩어리가 생기는 병. 뭉쳐서 일정한 자리에 있는 것과 자리를 옮기는 두 종류가 있음. 비괴증(痞塊症).
징강 산【-山】[井岡] 명 『지』 중국 장시 성(江西省)의 서쪽 경계, 닝강 현(寧岡縣) 남쪽에 있는 구릉 지대. 표고 1,500-1,700 m 되는 일군(一群)의 고령(高嶺)을 중심으로 한 산지(山地)로, 이 지대 안에는 많은 마을이 있으며, 쌀·콩·차(茶)·대나무 등을 산출함. 지하 자원이 풍부함. 1927년, 마오쩌둥(毛澤東)이 중국 최초의 혁명 근거지로 삼았던 곳임.
징개【懲改】명 잘못된 행위를 스스로 뉘우쳐 고침. ——-하다 자여불
징거-두다 타 ①옷이 해지지 않게 듬성듬성 꿰매어 두다. ②할 일을 미리 마련하여 두다.
징거-매다 타 옷이 해지지 않게 대강 꿰매다.
징거미 명 『동』 [*Macrobrachium nipponensis*] 갑각류에 속하는 담수산 새우. 몸길이는 10cm 가량에 온몸이 흑록색이거나 흑회색임. 수컷은 제2 흉각(胸脚)이 특히 길어 몸길이의 1.5배, 두흉갑(頭胸甲)의 5배가 되며 끝에 집게 발이 있음. 암컷의 흉각은 수컷의 반 정도의 길이에 불과함. 냇물의 돌 사이나 못의 수조(水藻)가 자란 곳에 서식하는데 한국·일본 각지에 분포함. 맛이 좋음.

〈징거미〉

징건-하다 형여불 먹은 것이 잘 삭지 않고 그득한 느낌이 있다. ¶아침에 가리를 많이 먹었더니 속이 징건해서 점심을 먹구 싶은 생각이 없소《洪命憙: 林巨正》. *푸만하다.
징-걸이 명 신창에 징이나 못을 박을 때에 신을 엎어서 씌워 놓는, 쇠로 만든 제구. 바닥이 신창 비슷하게 생기고 긴 줏대가 있으며 나무 토막에 박혀 있음.

〈징걸이〉

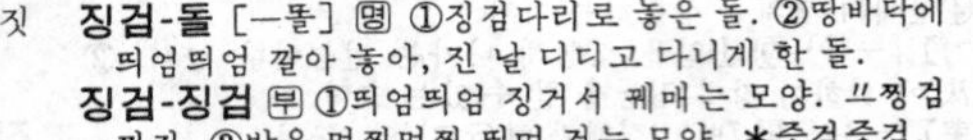

징검-다리 명 개천 같은 데에 돌덩이나 흙더미를 드문드문 띄어 놓아 그것을 디디고 건너 다니게 된 다리.
징검다리 연휴【-連休】명 평일을 사이에 끼고 휴일이 이어지는 일.
징검-돌 [-똘] 명 ①징검다리로 놓은 돌. ②땅바닥에 띄엄띄엄 깔아 놓아, 진 날 디디고 다니게 한 돌.
징검-징검 부 ①띄엄띄엄 징거서 꿰매는 모양. ≒찡검찡검. ②발을 멀찍멀찍 띄며 걷는 모양. *증검증검.

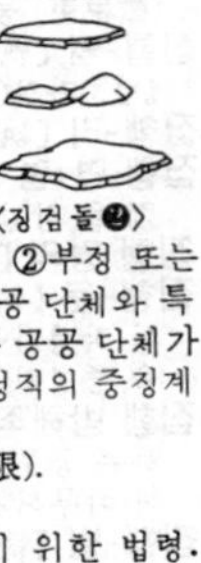
〈징검돌②〉

징게미 명 〈방〉 새우(충북).
징경이 명 『조』 물수리.
징계【懲戒】명 ①허물을 뉘우치도록 경계함. 징려(懲勵). ②부정 또는 부당한 행위에 대하여 제재를 가함. ③『법』 국가 또는 공공 단체와 특별 신분 관계에 있는 자의 의무 위반에 대하여 국가 또는 공공 단체가 관기(官紀) 유지의 목적으로 과하는 제재. 파면·해임·정직의 중징계와 감봉·견책의 경징계가 있음. ——-하다 타여불
징계-권【懲戒權】[-꿘] 명 징계를 행할 수 있는 권한(權限).
징계권-자【懲戒權者】[-꿘-] 명 징계권을 가진 상급자.
징계-령【懲戒令】명 『법』 공무원의 의무 위반을 징계하기 위한 법령. 우리 나라에는 '공무원 징계령'이 있음.
징계 면:관【懲戒免官】명 징계 면직.
징계 면:직【懲戒免職】명 공무원에게 부정이나 부당 행위가 있을 경우 징계하여 면직시키는 일. 징계 면관.
징계-벌【懲戒罰】명 『법』 징계로서 과하는 벌.
징계-법【懲戒法】[-뻡] 명 『법』 징계 사범(懲戒事犯)이 있을 때 이를 징계하기 위한 법. 공무원 징계령·법관 징계법 등.
징계 사:범【懲戒事犯】명 징계를 받아야 할 범행. 또, 그러한 범인.
징계 사:유【懲戒事由】명 징계 처분을 행할 원인이 되는 사유.
징계 위원【懲戒委員】명 징계 위원회의 구성 위원.
징계 위원회【懲戒委員會】명 징계 사범(懲戒事犯)이 있을 때 이를 징계하기 위하여 두는 위원회. *보통징계 위원회·중앙 징계 위원회.
징계-주의【懲戒主義】[-/-이] 명 파산 선고를 받고 채무를 완제하지 못한 자에게는 일정한 신분 상의 불리한 효과를 주어서 그것을 징계하며, 이에 의해 간접적으로 채무의 완제를 강제하려 하는 주의. 우리 나라의 현행 파산법은 원칙적으로 이 주의를 채택하지 않고 있음.
징계 처:분【懲戒處分】명 『법』 국가 및 지방 공무원의 의무 위반에 대하여 징계로서 과(科)하는 행정 처분. 파면(罷免)·해임(解任)·정직(停職)·감봉(減俸)·견책(譴責)으로 구분함.
징계 해:고【懲戒解雇】명 사칙(社則)이나 규율 등을 어겨 그 제재로서 행하여지는 해고.
징고【澄高】명 ①높고 맑음. ②기품(氣品)이 깨끗하고 고상(高尙)함. ——-하다 형여불
징고이즘 [jingoism] 명 호전적(好戰的)인 애국주의(愛國主義).
징과【懲過】명 잘못을 꾸짖고 징계함. ——-하다 타여불
징관【澄觀】명 『사람』 중국 당(唐)나라 때의 중. 화엄종(華嚴宗)의 제사조(第四祖). 존칭은 청량 대사(淸涼大師)·화엄 보살. 저장 성(浙江省) 회계(會稽) 출신. 천태(天台)와 선(禪)을 비롯한 여러 사상을 흡수하여 현수(賢首)의 화엄 교학(華嚴教學)을 부흥시켰음. 저서에 《화엄경 주소(華嚴經註疏)》 60권, 《수소 연의초(隨疏演義鈔)》 90권 등이 있음. [738-839]
징광 철도【-鐵道】[京廣] [-또] 명 『지』 중국의 베이징(北京)과 광저우(廣州)를 잇는 남북 종관(縱貫) 철도. 중국의 대동맥으로서 매우 중요한 철도임. 경광 철도. [2,324 km]
징구【徵求】명 금품·양곡 등을 요구함. ——-하다 타여불
징구레기 명 〈방〉 미꾸라지(평안).
징구막지 명 〈방〉 미꾸라지(평안).
징구말티 명 〈방〉 미꾸라지(평안).
징구매 명 〈방〉 미꾸라지(함북).
징권【懲勸】명 나쁜 일을 징계하고 착한 일을 권장함. 권선 징악(勸善懲惡). ——-하다 자여불
징그다 타 ①옷이 해지지 않도록 듬성듬성 꿰매다. ②큰 옷을 다 뜯어서 고치지 아니하고 일부분을 접어서 호다. ¶치맛자락을 ~.
징그럽다 형ㅂ불 ①보기에 불쾌하도록 흉하고 더럽거나 섬뜩하다. ¶징그러운 벌레. ②작고 약한 것을 잔인하게 다루어 소름이 끼치도록 흉하다. 1)·2): >장그랍다·쟁그랍다. **징그러-이** 부
징그미 명 〈방〉 새우(충북).
징글-맞다 형 몹시 징글징글하다.
징글 벨 [미 Jingle Bell] 명 크리스마스 무렵에 널리 애창되는 미국의 민요(民謠).
징글징글-하다 형여불 ①몹시 징그럽다. >쟁글쟁글하다·장글장글하다. ②몸서리가 쳐지도록 싫다.
징금당우 명 〈방〉 미꾸라지(평안).
징긋이 부 ☞지그시. ¶그의 얼굴을 ~ 노린다.
징기미 명 〈방〉 새우(충남·경북).
징끼 명 〈방〉 정기(丁幾).
징납【徵納】명 『역』 고을 원이 세금(稅金)을 거두어서 나라에 바침. ——-하다 타여불
징니-연【澄泥硯】명 『공』 수비(水飛)하여 곱게 된 흙으로 구워서 만든 벼루.
징담【澄潭】명 물이 맑은 소(沼).
징더전 [景德鎭] 명 『지』 중국 장시 성(江西省) 북동부에 있는 도시. 중

국 제일의 도자기 생산지로, 그 기원(起源)은 육조(六朝) 시대부터라고 함. 경덕진. [약 300,000명]

징더전 요【一窯】〔景德鎭〕[一뇨] [명] 〖지〗 중국 장시 성(江西省) 징더전 일대에 있는, 중국 최대의 요(窯). 그 기원(起源)은 육조(六朝) 또는 당(唐)나라 때부터라고 하며, 북송(北宋)의 경덕 연간(景德年間; 1004-1007)에 관요(官窯)를 둔 데서 생긴 이름임. 경덕진요.

징두리 [명] 〖건〗 집채의 안팎의 둘레의 밑동.

징드리 [명] 〈방〉 징두리.

징려【懲勵】[一녀] [명] 징계(懲戒)❶. ——-하다 [타][여불]

징마【徵馬】[명] 조마(調馬)❷. ——-하다 [자][여불]

징명【澄明】[명] 물·공기 등이 맑고 밝음. 명징(明澄). ——-하다 [형][여불]

징모【徵募】[명] 불러서 모집함. 징집(徵集). ——-하다 [타][여불]

징모-구【徵募區】[명] 〖법〗 구병역법에서, 시(市)·구(區)·군(郡)을 관할 구역으로 하는 징병구(徵兵區).

징-모루 [명] ☞징걸이.

징미【一米】[명] 증미(拯米)의 잘못.

징밀 [명] 〈방〉 징두리.

징발【徵發】[명] ①남으로부터 물품을 강제적으로 거둠. 조발(調發). ②당국이 긴급히 요하는 일을 위하여 노력(勞力)을 동원할 목적으로 사람을 불러다 씀. ③전시 또는 사변(事變)의 경우 군대를 동원함에 있어서 또는 평시에 연습·행군의 경우에 소요의 군수 물자·시설 등을 지방민에게 부과하여 징수하는 일. ——-하다 [타][여불]

징발-관【徵發官】[명] 비상 사태에 있어서 군 작전상 필요한 군수 물자·시설 또는 인적 자원을 징발 또는 징용하는 권한을 가지는 관직자. 곧, 징발 영장(徵發令狀)을 발부하여 이를 집행하게 할 수 있는 자를 말하며, 국방부 장관 및 비상 계엄령(非常戒嚴令)이 선포된 지역의 계엄 사령관이 이에 해당함.

징발-령【徵發令】[명] 비상 사태 하에서 군의 작전상 필요한 군수 물자·시설 등을 징발하기 위한 명령.

징발-법【徵發法】[一뻡] [명] 〖법〗 전시·사변 또는 이에 준하는 비상 사태 하에서 군(軍) 작전 수행을 위하여 필요로 하는 토지·물자와 시설 또는 권리의 징발과 그 보상에 관한 사항을 규정함을 목적으로 제정한 법률.

징발 보:상 심:의회【徵發補償審議會】[一/一이一] [명] 〖법〗 징발물에 대한 징발 요율(料率)의 사정(査定)과 그 조정을 하기 위하여 국방부에 둔 심의회. 보상 심의회.

징발 영장【徵發令狀】[一령짱] [명] 징발 목적물의 징발을 집행하기 위하여 징발관이 발행하는 영장.

징발 집행관【徵發執行官】[명] 징발관이 발행하는 징발 영장(徵發令狀)에 의하여 징발을 집행하는 자.

징벌【懲罰】[명] ①장래를 경계하기 위하여 벌을 과함. ②공무원 등의 부정 또는 부당한 행위에 대하여 제재를 가(加)함. ——-하다 [타][여불]

징벌-방【懲罰房】[명] 〖일제〗 형무소에서 법칙(犯則)한 죄수를 징벌하던 어두운 독거 감방(獨居監房). [준]벌방(罰房).

징벽[1]【徵辟】[명] 초야(草野)에 있는 사람을 예(禮)를 갖추어 불러서 벼슬을 시킴. 징초(徵招). ——-하다 [타][여불]

징벽[2]【澄碧】[명] 맑고 푸름. 또, 그 빛.

징변【懲辨】[명] 죄를 응징하고 잘못을 따져 밝힘. ——-하다 [타][여불]

징병【徵兵】[명] 국가가 국민 중의 장정(壯丁)에게 병역 의무를 과하여 강제적으로 징집하여 소요 인원을 일정 기간 병역에 복무시키는 일. 징소(徵召). ——-하다 [타][여불]

징병 검:사【徵兵檢査】[명] 〖군〗 병역 의무자가 19세 되는 해에 본적지 지방 병무청 또는 구(區)·시·읍·면의 장(長)이 지정하는 장소에서 그 일시(日時)에 병역을 감당할 수 있는지의 여부를 판정받기 위해 검사를 받는 일. 신체 검사 외에, 경우에 따라 적성 검사 및 인성(人性) 검사도 받음. ——-하다 [타][여불]

징병-관【徵兵官】[명] 〖법〗 징병 사무를 집행하는 관리. 지방 병무청장의 임명을 받아 징병서(徵兵署)에 위치하며, 징병 사무에 관하여 지방 병무청장을 보좌하고 징병 검사 사무에 종사하는 자를 지휘 감독함.

징병 기피자【徵兵忌避者】[명] 징병 기피죄를 범한 자.

징병 기피죄【徵兵忌避罪】[一쬐] [명] 병역 의무를 기피하거나 감면(減免) 받을 목적으로 도망·잠닉(潛匿)·신체 훼손, 그 밖에 사위(詐僞) 행위를 함으로써 성립되는 죄.

징병 적령【徵兵適齡】[一녕] [명] 병역법에 의하여 징병 검사를 받아야 할 연령. 19세임.

징병-제【徵兵制】[명] 〖법〗 국민에게 강제적으로 병역에 복무할 의무를 부담시키는 국민 개병 제도. 곧, 전시 편제(編制)의 근간이 될 군대를 평시에 상설하여 여기에 필요한 병원(兵員)을 매년 징집하여 일정한 기간 훈련하여 신진 교대(新陳交代)시켜, 전시 또는 사변의 경우에 이들을 징집하여 전시 편제를 완성함. 징병 제도. ↔의용병제(義勇兵制).

징병 제:도【徵兵制度】[명] 〖법〗 징병제.

징보 호【一湖】〔鏡泊〕[명] 〖지〗 중국 만주 헤이룽장 성(黑龍江省) 북쪽, 무단 강(牧丹江) 상류의 천연 저수호. 경치가 아름다우며, 호구(湖口)에 낙차(落差)가 20m 되는 폭포 댜오수이러우(吊水樓)가 있음. 이 낙차를 이용한 징보호 발전소는 만주 지방 삼대 수력 발전소의 하나임. 부영양호(富營養湖)로 잉어·붕어·메기·가물치 등 어류가 풍부하며, 송어·연어도 볼 수 있음. 경박호. 구명: 홀한해(忽汗海). [130 km²]

징봉【徵捧】[명] 징수(徵收). ——-하다 [타][여불]

징분 질욕【懲忿窒慾】[명] 분(忿)한 생각을 경계하고 욕심을 막음. ——-하다 [자][여불]

징비【懲毖】[명] 애써 삼감. ——-하다 [자][타][여불]

징비-록【懲毖錄】[명] 〖책〗 조선 시대 임진 왜란(壬辰倭亂) 때 영의정(領議政)으로서 도체찰사(都體察使)를 겸하고 임진 지휘(臨陣指揮)하였던 유성룡(柳成龍)이 난후(亂後)에 파직·낙향하여 정리한 저술 중의 하나. 임란의 수난상(受難相)을 수기(手記)하였으며, 임진란사를 연구함에 있어서 가장 대표적인 기본 사료(史料)임. 16권 7책. 국보 제132호.

징빙[1]【徵聘】[명] 예(禮)를 갖추어 초대함. 초빙(招聘). ——-하다 [타][여불]

징빙[2]【徵憑】[명] ①표시. 증명(證明). 징증(徵證). ②증명을 요하는 사실을 증명하는 재료가 되는 간접의 사실. 범행(犯行)의 유무라는 요증(要證)의 사실에 대하여는 현장 부재(現場不在) 따위. 이것을 증명하는 증거가 간접 증거임. 간접 사실. ¶~ 서류.

징사-랑【徵事郞·徵仕郞】[명] 〖역〗 고려 때 문관(文官)의 품계. 문종(文宗) 때에 정팔품의 하(下)로 정하였다가 충렬왕(忠烈王) 원년(1275)에 폐하고, 동 24년(1298)에 다시 베풀어서 곧 또 폐하고, 동 34년(1308)에 다시 팔품으로 정하였다가 공민왕(恭愍王) 5년(1356)에 또 폐하고 11년(1362)에 또 다시 팔품으로 회복하였다가 18년(1369)에 또 폐하였음. *승사랑(承事郞).

징산[1]〔荊山〕[명] 〖지〗 ①중국 허난 성(河南省)의 북서쪽에 있는 산. 함곡관(函谷關)의 고(古) 함곡관 남서에 위치. 황제(黃帝)가 서우양 산(首陽山)의 구리로 이 산 밑에서 정(鼎)을 주조(鑄造)했다는 전설이 있음. 별칭: 복부산(覆釜山). [1,120 m] ②중국 허베이 성(河北省) 난장 현(南漳縣) 남서쪽에 있는 산. 장수이(漳水) 강의 수원(水源)임. 형산.

징산[2]〔逕山〕[명] 〖지〗 중국 저장 성(浙江省) 북부 항저우(杭州)에 있는 톈무 산(天目山)의 북동쪽 봉우리. 징산사(逕山寺)가 있어 유명함. 경산.

징산[3]〔景山〕[명] 〖지〗 중국 베이징(北京), 쯔진청(紫禁城) 북쪽에 있는 언덕. 지금은 공원으로 되어 있음. 성 안을 한눈에 바라볼 수 있는 곳이며, 서쪽에 라마탑이 솟아 있음. 경산[50 m]

징산 철도【一鐵道】〔京山〕[一또] [명] 〖지〗 중국 베이징(北京)과 산하이관(山海關) 사이의 철도. 만주 지방으로 직통하는 중요 간선으로 예전의 징펑(京奉) 철도·베이닝(北寧) 철도의 산하이관 이남의 부분. 베이징(北京)-산하이관의 개통은 1901년, 1881년에 개통한 탕산(唐山)-수거장(胥各莊) 약 9km는 이 철도의 전신(前身)이며, 중국 철도의 효시(嚆矢)임. 경산 철도. [423 km]

징상[1]【澄爽】[명] 마음이 맑고 상쾌함. ——-하다 [형][여불]

징상[2]【徵狀】[명] 징후(徵候)와 상태.

징상-대【徵上隊】[명] 〖역〗 시골 군대로서 서울에 올라와 있던 군대.

징색【徵色】[명] 안색에 나타남. ——-하다 [타][여불]

징서【徵瑞】[명] 상서로운 징조.

징세【徵稅】[명] 조세(租稅)를 징수함. ——-하다 [자][여불]

징세-비【徵稅費】[명] 조세를 징수하는 데에 소요되는 비용.

징세-서【徵稅署】[명] 〖역〗 조선 시대 말(末)에 조세와 그 밖의 세입에 관한 일을 맡은 관아. 고종 32년(1895) 탁지부(度支部)의 소할로 베풀었다가 곧 폐함.

징세 청부제【徵稅請負制】[명] 조세 징수의 한 방법. 국가가 조세의 징수를 일정 금액으로 사인(私人)의 조세 청부인에게 도급(都給) 주어 그 사람의 계산에 의하여 조세를 징수시키는 제도. 고대 로마 제국 및 근세(近世)의 절대주의 국가에서 행하였음.

징세 편의의 법칙【徵稅便宜一法則】[一/一이에一] [명] 영국의 A. 스미스의 과세 사원칙(課稅四原則) 및 독일의 바그너의 조세 원칙의 하나. 조세 징수에 있어서 절차(節次)가 편리하여야 한다는 원칙을 말함.

징소【徵召】[명] 징병(徵兵). ——-하다 [타][여불]

징-소집【徵召集】[명] 징집(徵集)과 소집.

징속【徵贖】[명] 〖역〗 속전(贖錢)을 징수함. ——-하다 [타][여불]

징수[1]【一手】[명] 〖역〗 군중(軍中)에서 징을 치던 취타수(吹打手)의 하나.

징수[2]【澄水】[명] 맑은 물.

징수[3]【徵收】[명] ①〖법〗 국가나 공공 단체가 행정 목적 달성을 위하여 국민들로부터 조세(租稅)·수수료·과료(科料)·벌금 또는 현품 등을 강제적으로 거두어 들임. ②금전 따위를 거둠. 징봉(徵捧). ¶~금. ——-하다 [타][여불]

징수-금【徵收金】[명] 법규에 의거하여 국가나 공공 단체 등이 징수하는 돈.

징수-비【徵收費】[명] 징수에 소요되는 경비.

징수 의:무자【徵收義務者】[명] 납세 의무자(納稅義務者)로부터 세금을 징수하여 납부하는 사람. 원천 징수(源泉徵收)의 경우의 원천 소득의 지급자 등.

징슈필: 〔도 Singspiel〕[명] 〖악〗 독일에 있었던 민속적 음악극. 창극(唱劇)의 뜻. 민요풍의 노래와 춤을 삽입한 대화체의 통속적인 소박한 가극. 16세기경부터 민간에 보급되어 18세기 중기 독일에서 대단히 유행하였음. 이것은 영국에서 '발라드 오페라'가 성공한 영향이라고 할 수 있으며, 모차르트는 그의 오페라 ≪마적(魔笛)≫(1791)의 표지에 '징슈필'이라고 적었음. 오페레타. 창가극(唱歌劇). *경가극(輕歌劇).

징습【懲習】[명] 못된 버릇을 징계함. ——-하다 [타][여불]

징심당-지【澄心堂紙】[명] 중국 5대의 남당(南唐) 궁정에서 만들어진 최고급 종이. 뽕나무 껍질을 원료로 하여 두꺼운 대형전(大型牋)과 얇은 장경지(藏經紙) 크기의 대판(大版) 2종이 있었음.

징싱〔井陘〕[명] 〖지〗 중국 허베이 성(河北省) 서부에 있는 현(縣). 스자창(石家莊)에서 서쪽 30km에 위치함. 스타이(石太) 철도 연변(沿邊)으로, 허베이에서 산시(山西)에 이르는 교통의 요지(要地)임. 정경. [289,000명(1982)]

징싱커우〔井陘口〕[명] 〖지〗 중국 허베이 성(河北省) 징싱 현(井陘縣) 북동부의 징싱 산(井陘山)에 있는 협로(狹路). 정경구.

징아카데미〔도 Singakademie〕[명] 〖악〗 혼성 합창의 교수(敎授)·연주(演奏)를 목적으로 하는 단체. 베를린·빈 등지에 유명한 단체가 있음.

징악【懲惡】[명] 못된 사람을 징계함. ¶권선(勸善)~. ——-하다 [타][여불]

징어【懲禦】명 도적을 무찌르고 막음. ――-하다 타여불

징어리 명 〈방〉 정어리.

징얼-거리다 자 마음에 못마땅하여 나쁜 태도로 자꾸 중얼거리다. 또는 어린 아이가 짜증을 내며 연해 보채다. 쓰찡얼거리다. 쓰칭얼거리다. 징얼-징얼 부. ――-하다 자여불

징얼-대다 자 징얼거리다.

징역【懲役】명 ①『법』기결(旣決) 죄인을 교도소 안에 구치하여 일정 기간 노역(勞役)에 복무시키는 자유형의 한 가지. 무기(無期)와 유기(有期)가 있음. ②『역』조선 광무(光武) 9년의 형법 대전(刑法大全)에 정한 형(刑)의 한 가지. 감옥에 가두어 노역에 복무시키는데 10등으로 나눔. 가장 경한 것이 한 달, 가장 중한 것이 종신(終身)이었음.
징역(을) 살:다 구 징역살이를 하다.

징역-꾼【懲役―】명 징정(懲丁). 복역수(服役囚). 속칭:전중이.

징역-살이【懲役―】명 징역의 형을 받고 교도소에서 복역(服役)함. ――-하다 자여불

징역-수【懲役囚】명 징역형을 받은 죄수. 징역꾼. 징정(懲丁).

징역-장【懲役場】명 죄인을 구금(拘禁)하여 두고 일정한 노역(勞役)에 종사시키는 장소.

징역-형【懲役刑】명 징역의 형벌.

징용【徵用】명『법』①징수하여 사용함. ②징발하여 씀. ③『법』국가의 권력으로 국민을 강제적으로 일정한 업무에 종사시킴. ――-하다 타여불

징용-권【徵用權】[―꿘] 명『법』교전국(交戰國)이 군대·병기·식량 따위를 운송할 목적으로 자기 나라의 항만 안에 있는 중립 선박을 압수하여 운임을 미리 치르고 선박과 선원을 강제로 사용하는 권리.

징용-장【徵用狀】[―짱] 명『일제』일제 강점기(日帝强占期) 말에 일본의 광산이나 공장으로 우리 나라 사람을 강제(强制)로 끌어 갈 때 징용임을 알리던 문서(文書).

징원-당【澄源堂】명『역』고려 때 세자(世子)가 학문을 닦던 곳. 공양왕(恭讓王) 3년(1391)에 베풂.

징응【懲膺】명 응징(膺懲). ――-하다 타여불

징인【懲人】명 나쁜 사람을 징계(懲戒)함. ――-하다 타여불

징일 여:백【懲一勵百】[―려―] 명 한 사람을 징계하여 여러 사람을 격려함. ――-하다 자여불

징입【徵入】명 사람을 불러들임. ――-하다 타여불

징자【錚子·鐵子】명『역』증자(錚子).

징-잡이 명 두레패 같은 데서 징을 치는 사람.

징장[1] 명『역』☞ 증자(錚子).

징장[2]〔荊江〕명『지』중국 후베이 성(湖北省) 남쪽 즈장 현(枝江縣)과 후난 성(湖南省)의 둥팅 호(洞庭湖) 입구의 청랑지(城陵磯) 사이의 양쯔 강 본류(本流)의 이름. 굴곡(屈曲)이 심하여 여름·가을에는 반드시 수해를 일으켰음. 1952년 치수(治水) 공사를 완료, 1만 헥타르(ha)를 간척했음. 형강.

징-장구 명『악』징과 장구.

징정【懲丁】명 징역형을 선고 받고 복역하는 사람. 징역꾼. 징역수.

징조【徵兆】명 미리 보이는 조짐. ¶좋은 ～가 보이다.

징족【徵族】명『역』백성이 관(官)에 바칠 것을 바치지 아니할 때, 그 사람의 일가붙이에게서 이를 대신 징수하던 일.

징주【澄酒】명 맑은 술. ↔탁주(濁酒).

징즙【懲戢】명 징계(懲戒). ――-하다 타여불

징증【徵證】명 표시. 증명(證明). 증거(證據). ¶내부 ～.

징지【懲止】명 징계하여 그치게 함. ――-하다 타여불

징질【懲窒】명 사정(私情)을 억제함. ――-하다 자여불

징집【徵集】명 ①물건을 거두어 모음. ②병역법에 의거하여 국가가 병역 의무자에 대하여 현역에 복무할 의무를 부과함. 징모(徵募). ――-하다 타여불

징집 면:제【徵集免除】명 징병 검사의 결과, 실역(實役)에 적합하지 아니하거나 기타의 사정으로 징집이 면제되는 일.

징집 연기【徵集延期】명 부양 가족이 있거나, 원양(遠洋)·국외를 왕래하는 선박의 선원, 범죄·가사 사정·재학·유학·신체 검사의 결과 등의 이유로 징병 제도 하에서의 그 해의 징집을 연기하는 일.

징집 연도【徵集年度】[―년―] 명 징병 적령(徵兵適齡)에 달한 연도.

징집 영장【徵集令狀】[―녕짱] 명 입영 명령서의 속칭(俗稱).

징징[1]【澄澄】명 매우 맑은 모양. ――-하다 형여불

징징[2] 부 ①징을 계속해서 치는 소리. ②징징거리는 모양. ¶～ 울다. 쓰찡찡. ――-하다 자여불

징징-거리다 자타 ①징을 계속해서 두드려 울리다. ②남이 똑똑하게 알아들을 수 없는 목소리로 연해 우는 소리를 늘어놓다. ¶징징거려도 아무 소용 없다. 쓰찡찡거리다.

징징-대다 자타 징징거리다.

징-채 명『악』징을 치는 데 쓰는 채.

징천【澄泉】명 물이 맑은 샘.

징철【澄澈】명 속이 들여다보이도록 맑음. ――-하다 형여불

징청【澄淸】명 물 같은 것이 아주 맑고 깨끗함. 청징(淸澄). ――-하다 형여불

징초【徵招】명 초야(草野)에 묻힌 사람을 벼슬 자리에 불러서 씀. 징벽(徵辟). ――-하다 타여불

징축【徵逐】명 사람을 초대하거나 또는 방문함. ――-하다 타여불

징춘 유적【―遺蹟】〔荊村〕[―뉴―] 명『지』중국 산시 성(山西省) 완취안 현(萬泉縣)에 있는 신석기 시대의 유적. 1931년 이래 몇 차례 발굴함. 움집터가 3층으로 되어 있고, 2개의 도자기 가마터에서 채색(彩色)·흑색·회색의 도질(陶質) 토기를 출토함. 찰수수·메수수를 재배하고, 개·양을 기른 자취가 있음. 형촌 유적(荊村遺蹟).

징출【徵出】명 금전 상의 의무를 이행하지 아니하는 때에, 그 겨레붙이나 관계자에게 물어 내게 함. ――-하다 타여불

징치【懲治】명 징계하여 다스림. ¶유생들을 잡아다 ～하다. ――-하다 타여불

징커니 부 ☞ 진득이. ¶웬만한 병쯤에는 ～ 집에 누워 계시지도 않으시는 성미가 아니셨더냐?《李無影:사랑의 화첩》.

징케나이트〔zinkenite〕명『광』강회색(鋼灰色)의 사방 정계(斜方晶系)의 광물. 납과 안티몬의 황화물(黃化物)로 되어 있으며, 결정 또는 덩어리로 존재함. 모스(Mohs)의 경도로는 3-3.5, 비중은 5.3-5.35임. $[Pb_6Sb_{14}S_{27}]$

징크스〔jinks, jinx〕명 ①재수없는 일. 불길(不吉)한 일. *마스코트(mascot). ②으레 그렇게 되리라고 일반적으로 생각되고 있는 일. ¶～를 깨다.

징크 볼록판【―版】〔zinc〕명『인쇄』아연(亞鉛) 볼록판.

징크-판【―版】〔zinc〕명『인쇄』아연판(亞鉛版).

징크 평판【―平版】〔zinc〕명『인쇄』아연 평판(亞鉛平版).

징폄【懲貶】명『역』징계하여 좌천(左遷)시킴. ――-하다 타여불

징포【徵布】명『역』장정(壯丁) 신역(身役)의 대신으로 군포(軍布)를 징수함. ――-하다 자여불

징표[1]【徵表】명〔note, mark, 도 Merkmal〕『논』일정한 사물이 공통으로 가지는 필연적인 성질로서 하나의 사물을 다른 사물로부터 구별하는 표가 되는 것. 일정한 사물의 징표의 총체가 그 사물의 개념의 내용이 됨. 속성(屬性)·양식(樣式)·성격·빈사(賓辭)·기호 등과 같은 뜻으로 쓰이기도 함. 속성(屬性).

징표[2]【徵標】명 표징(標徵).

징하게 부 〈방〉 매우(전남).

징-하다 형 〈방〉 징그럽다(전남).

징한 철도【―鐵道】〔京漢〕[―또] 명『지』중국 베이징(北京)에서 한커우(漢口)까지의 철도. 1898-1906년에 완성. 중국의 남북 종관(縱貫) 철도의 북반부(北半部)를 이루고, 허베이·허난·후베이의 각 성을 관통하는데, 아시아에서 가장 긴 3,030m의 황허 철교(黃河鐵橋)가 정저우(鄭州)의 바로 북쪽에 걸려 있음. 경한 철도. [1,220km]

징허〔涇河〕명『지』중국 산시 성(陝西省)의 웨이수이(渭水) 강의 지류. 간쑤 성(甘肅省) 룽산(隴山)산에서 발원하여 웨이수이 강으로 들어감. 역사상 유명한 진(秦)나라의 정국거(鄭國渠), 한(漢)나라의 백거(白渠)는 이 징허 강을 이용하여 구축한 관개 시설(灌漑施設)임. 경하. [320km]

징험【徵驗】명 징조를 경험함. 앞에서 보인 징조가 들어맞음. 조상(兆祥). ――-하다 타여불

징회【徵會】명 불러서 모음. ――-하다 타여불

징후【徵候】명 좋거나 언짢은 조짐. 조짐의 모양.

짖다 자〔중세:지지다, 즞다〕①개가 큰 소리로 울다. ¶개 짖는 소리. ②까막까치가 시끄럽게 지저귀다. ¶까마귀가 ～. ③'지껄이다'를 농으로 이르는 말.
[짖는 개는 물지 않는다] 겉으로 떠들어대는 사람은 도리어 실속이 없다. [짖는 개는 여위고 먹는 개는 살찐다] 사람도 불평이 많아서 늘 앙앙거리면 살이 빠지고 이로울 것이 없다는 말.

짗 명 〈옛〉 깃². ¶금으로 밍ᄀᆞ론 節와 지츠로 밍ᄀᆞ론 오시 娜婀히 부치놋다(金節羽衣飄娜婀)《杜諺 Ⅸ:5》.

짗다 타 〈방〉 씻다(충남).

짙다[1] 자 재물 같은 것이 넉넉하게 남아 있다.

짙다[2] 형〔중세:딭다〕①빛깔·화장 같은 것이 진하다. ¶짙은 화장. ↔옅다. ②안개·연기·냄새 등이 깊거나 농후(濃厚)하다. ¶안개가 ～. ③풀이나 나무, 또는 털이 빽빽하게 나 있다. ¶짙은 숲/눈썹이 ～. ④액체의 농도(濃度)가 높다. ¶짙은 황산. ↔묽다.

짙디-짙다 형 더할 수 없이 매우 짙다.

짙은-세간 명 〈방〉 짙은 천량.

짙은 천:량 [―철―] 명 전하여 내려오는 많은 재물.

짙-푸르다 형러불 빛깔이 짙게 푸르다. ¶짙푸른 하늘.

짚 명〔중세:딮〕①벼·밀·조·메밀 등의 이삭을 떨어 낸 줄기. ②산욕(産褥)에 까는 벼의 짚. ③↗볏짚.

짚-가리 명 짚뭇을 가리어 쌓은 더미.

짚-공예【―工藝】명 볏짚이나 보릿짚, 특히 볏짚으로 공예품을 만드는 공예. 고공예(藁工藝).

짚-공예품【―工藝品】명 짚으로 만든 공예품.

짚-그물 명 짚으로 만든 그물.
[짚그물로 고기를 잡을까] 짚으로 만든 그물로 고기를 잡을 수는 없는 것인즉 든든한 것으로 준비를 갖추지 않으면 일을 이룰 수 없다는 말.

짚-나라미 명 새끼 등에서 떨어지는 너더분한 부스러기.

짚다[1] 타 ①지팡이 같은 것을 받치어 땅에 대다. ¶일장검(一長劍)을 짚고 서다. ②맥(脈) 위에 손가락을 대다. ¶맥을 ～. ③바닥에 손을 받치다. ¶땅을 ～. ④알아맞히기 등에서 어떤 부분에 지목을 하다. ¶나는 석자(字)를 짚었다. ⑤요량해서 짐작하다. ¶잘못 ～/신서방이 한 짓으로 짚고 있었다.
짚고 넘어가다 구 무슨 일을 따질 것은 따지고 넘어가다.

짚다[2] 형 〈방〉 깊다(경상·전라·충청·경기·강원).

짚-단 명 짚뭇.

짚-대 명 짚의 줄기.

짚-동 명 짚단을 모아 한 덩이로 만든 묶음. ¶그녀의 어깨를 툭 치기에

얼굴을 들어 보았더니, 아아, 몸이 ~만한 시꺼먼 곰이 아닌가《金東里 : 애정의 윤리》.

짚-둥우리 명 ①볏짚으로 만든 둥우리. ②〖역〗 탐학(貪虐)한 고을 원을 백성이 지경 밖으로 몰아 낼 때 태우는 짚의 둥우리.
짚둥우리 타다 구 탐학(貪虐)한 고을 원이 백성에게 짚둥우리에 실리어 지경 밖으로 쫓기어 나다.
짚둥우리 태우다 구 탐학(貪虐)한 고을 원을 백성들이 짚둥우리를 태워 지경 밖으로 쫓아 내다.

짚-뭇 명 볏짚의 묶음. 짚단.

짚-바리 명 짚을 실은 바리.

짚-방석【一方席】 명 짚으로 엮어 만든 방석.

짚-보교【一步轎】 명 〖역〗 죄지은 사람을 태워 가려고 거적을 둘러친 보교.

짚-북더기 명 ☞짚북데기.

짚-북데기 명 얼크러진 볏짚의 북데기.

짚-북세기 명 ☞짚북데기.

짚-북세미 명 ☞짚북데기.

짚-불 명 짚을 태운 불.
[짚불 꺼지듯 하다; 짚불 사그라지듯 한다] ㉠운명(殞命)을 아주 곱게 함을 형용하는 말. ㉡잡았던 권세나 호강이 갑자기 몰락함을 이르는 말. [짚불도 쬐다 나면 서운하다] 하찮아 쓸모가 적은 것도 없고 보면 아쉽다는 말. [짚불에 무쇠가 녹는다] 약한 것이라도 큰일을 해 낼 수 있다는 말.

짚-석 명 〈방〉 짚신(전라).

짚-세기 명 〈방〉 짚신(함경).

짚-수세미 명 지푸라기로 만든 수세미.

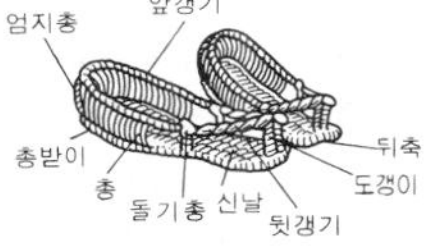

〈짚신〉

짚-신 명 볏짚으로 삼은 신. 가는 새끼를 꼬아 날을 삼고, 총과 돌기총으로 울을 삼아서 만듦. 초혜(草鞋). 비구(扉屨). 망리(芒履).
[짚신도 제 날이 좋다; 짚신엔 제 날이 격이다] 자기 분수에 맞추어 함이 어울린다는 뜻. [짚신도 제짝이 있다] '헌 짚신도 짝이 있다'와 같은 뜻. [짚신에 국화 그린다] 격에 안 맞아 어울리지 아니함을 이르는 말. [짚신을 뒤집어 신는다] 짚신을 오래 신기 위하여 골고루 해뜨리고자 뒤집어서 신는다는 뜻으로, 몹시 인색한 사람을 가리키는 말.
짚신을 거꾸로 끌:다 구 반가운 사람을 맞으려고 허둥지둥 정신없이 뛰어 나가다.

짚신 감:발 명 짚신을 신고 감발을 함. ¶~에 행색이 초라하기 이를 데 없는 나그네. ——-하다 자여불
[짚신 감발에 사립짝 쓰고 간다] 도무지 격에 안 맞는다는 말.

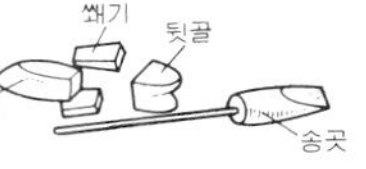

〈짚신골〉

짚신-골 [-꼴] 명 짚신을 삼은 후에 모양을 다듬기 위하여 사용하는 여러 개의 나무 골. *신골.

짚신-나물 명 〖식〗 [*Agrimonia pilosa* var. *japonica*] 짚신나물과에 속하는 다년초. 높이 90-150 cm 가량이고 잎은 호생하며, 기수 우상 복생(奇數羽狀複生)하는데 소엽(小葉)은 대소가 고르지 아니하며 큰 것은 긴 타원형 또는 피침형임. 6-8월에 노란 오판화(五瓣花)가 길이 15-20 cm의 수상(穗狀) 화서로 줄기 끝과 가지 끝에 정생(頂生)함. 수과(瘦果)는 5열(裂)하며 많은 가시 모양의 털이 있어서 의복(衣服) 등에 붙음. 들에 나는데 한국 각지·일본 등지에 분포함. 어린 잎은 식용(食用)하고 뿌리는 '아자(牙子)'라 하여 약용(藥用)함. 낭아채(狼牙菜). 낭아초(狼牙草). 용아초(龍牙草).
〈짚신나물〉

짚신나물-과【一科】[-꽈] 명 〖식〗 (Agrimoniaceae) 쌍떡잎식물에 속하는 한 과. 짚신나물·오이풀·수박풀 등이 이에 속함.

짚신-벌레 명 〖동〗 ①짚신벌렛과(科) 파라메키움속(Paramecium屬)에 속하는 단세포 동물의 총칭. ②[*Paramecium caudatum*] 짚신벌렛과에 속하는 원생(原生) 동물의 하나. 몸길이 200-300 μ의 긴 타원형이고 무색 또는 다소 갈색을 띠었음. 몸의 가장자리에 많은 섬모(纖毛)가 있고, 생리적으로 중요한 대핵(大核)은 한 개, 유전자(遺傳子)를 전달하는 소핵(小核)은 두 개이고 소핵은 보통 핵분열(核分裂)을 행하며 수축포(收縮胞)는 앞뒤로 두 개임. 몸의 앞 좌측에서 중앙의 고랑처럼 된 구연부(溝緣部)의 후단(後端)은 식도(食道)라고 하는데 식물(食物)을 체내에 섭취함. 못·늪·도랑 등의 진흙 속에 서식하는데 때로는 꽃병 물 속에도 발생하며 몸이 마르면 낭충(囊蟲)이 되어 비산(飛散)함. 생리학상 영구 변이(永久變異) 등의 실험에 쓰임.
수축포 섬모 구부 소핵 대핵 식포
〈짚신벌레〉

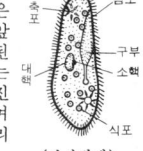

짚신벌렛-과【一科】 명 〖동〗 [Farmecidae] 섬모충류(纖毛蟲類)에 속하는 원생 동물의 한 과.

짚신-장이【一匠一】 명 짚신 삼는 일을 업으로 삼는 사람.
[짚신장이 헌 신 신는다] 마땅히 갖추고 있어야 할 사람이 그 물건을 갖지 못한 것을 이르는 말.

짚신-풀 명 〈방〉 딱지꽃.

짚신 할아범 명 짚신을 삼는 남자 늙은이.

짚신 할아비 명 〈속〉 견우성(牽牛星).

짚-여물 [-녀-] 명 ①볏짚으로 된 마소의 여물. ②초벽(初壁)을 할 진흙을 개는 데에 넣는 짚의 여물. 흙이 질기게 붙어 있게 하는 힘이 있음.

짚이다 자 ①짚음을 당하다. ②마음에 요량(料量)되어 짐작이 가다. ¶짚이는 데가 있다.

짚-자리 명 ①보릿짚·볏짚으로 만든 자리. ②볏짚을 깔아 놓아서 앉도록 만든 자리.

짚-재 명 볏짚이 타서 남은 재. 잿물을 받거나 비료로 씀.

짚-주저리 명 ①볏짚으로 우산처럼 만들어서 그릇을 덮어 싸는 물건. ②〖민〗 터주·업의항(缸) 등을 가리워 덮는 볏짚으로 만든 물건.

짚털 명 짚을 부드럽게 하여 털같이 만든 것. 흙을 이기는 데에 씀.

짚토막 명 〈방〉 짚뭇.

짛다 타 〈옛〉 짓다[1]. 붙이다. =지타. ¶아바님 지ᄒᆞ신 일훔 엇더ᄒᆞ시니(厥考所名果如何焉)《龍歌 90章》.

ᄌᆞ가미 명 〈옛〉 자개미. ¶ᄌᆞ가미(兜頦)《老乞 下 27》.

ᄌᆞ개 명 〈옛〉 자개. ¶ᄌᆞ개 紫盖者東俗以貝子爲紫盖《五洲 卷二五》.

ᄌᆞ갸 명 〈옛〉 자기(自己). ¶ᄌᆞ걋긔 黃袍 니피ᅀᆞᄫᆞ니(迺於厥躬黃袍用被)《龍歌 25章》. 「고《月釋 Ⅶ:8》.

ᄌᆞ걔 〈옛〉 자기(自己)가. 'ᄌᆞ갸'의 주격형(主格形). ¶ᄌᆞ걔 阿難이 ᄃᆞ리시

ᄌᆞ긔 명 〈옛〉 사기(沙器). ¶ᄌᆞ긔 ᄌᆞ(瓷)《字會 中 18》.

ᄌᆞ기뎝시 명 〈옛〉 사기 접시. ¶ᄌᆞ기뎝시(瓷楪子)《老乞 下 29》.

ᄌᆞ녹ᄌᆞᄂᆞ기 부 〈옛〉 조용히. 살근살근. 천천히. ¶님금 뫼ᅀᆞ와 ᄌᆞ녹ᄌᆞᄂᆞ기 幽側ᄒᆞᆫ 사ᄅᆞᄆᆞᆯ 묻거시던(朝觀從容問幽側)《杜諺 ⅩⅪ:13》.

ᄌᆞ녹ᄌᆞ녹ᄒᆞ다 형 〈옛〉 자늑자늑하다. 조용하다. ¶君子의 얼굴은 ᄌᆞ녹ᄌᆞ녹ᄒᆞ니(君子之容舒遲)《小諺 Ⅲ:12》.

ᄌᆞ녹ᄒᆞ다 형 〈옛〉 조용하다. ¶조흐며 ᄌᆞ녹ᄒᆞ며 고ᄃᆞ며 안졍ᄒᆞ야(清閑貞靜)《內訓 Ⅰ:11》.

ᄌᆞ디 명 〈옛〉 자주(紫朱). ¶거믄 닉와 ᄌᆞ디 브리 ᄃᆞ외ᄂᆞ니라(爲黑烟紫焰)《楞嚴 Ⅴ:57》/ᄌᆞ딘 ᄌᆞ(紫)《字會 中 30》.

ᄌᆞ라다[1] 자 성장(成長)하다. ¶ᄌᆞ라거늘 忽然 ᄂᆞᄎᆞᆯ 맛보니(長成忽會面)《杜諺 Ⅷ:6》.

ᄌᆞ라다[2] 형 〈옛〉 족(足)하다. ¶은도 ᄌᆞ라디 못ᄒᆞ야(銀子也不勾)《朴解 上 56》.

ᄌᆞ래 부 〈옛〉 자라게. 충분히. ¶無量衆을 ᄌᆞ래 겻그니《月釋 Ⅶ:26》.

ᄌᆞ로[1] 명 〈옛〉 자루[2]. =자르·자ᄅᆞ. ¶열ᄌᆞ로(十把)《譯語補 36》.

ᄌᆞ로[2] 부 〈옛〉 자주. ¶法 드로ᄆᆞᆯ 슬히 너겨ᄒᆞ거든 부톄 ᄌᆞ로 니ᄅᆞ샤도《釋譜 Ⅵ:10》.

ᄌᆞ류마 명 자류마. ¶ᄌᆞ류마(棗騮馬)《譯語 下 28》.

ᄌᆞ르 명 〈옛〉 자루[2]. =ᄌᆞ로[1]. ¶銀粧刀ㅣ라 金貝ᄌᆞ르 金粧刀ㅣ라 蜜花ᄌᆞ르《海謠》.

ᄌᆞ르다 타 〈옛〉 자르다. =ᄌᆞᄅᆞ다. ¶만일 목 ᄌᆞ른 흔젹이 뵈디 아니ᄒᆞ거든(若絞痕不見)《無冤錄 Ⅱ:16》.

ᄌᆞᄅᆞ 명 〈옛〉 자루[2]. =ᄌᆞ로[1]. ¶쇠마치 ᄌᆞᄅᆞ 들 굼기 업스면 ᄡᅳᆯ듸 업스니《金三 Ⅱ:12》/ᄌᆞᄅᆞ 병(柄)《字會 中 12》.

ᄌᆞᄅᆞ다 타 〈옛〉 자르다. =ᄌᆞ르다. ¶비 ᄌᆞᄅᆞᄂᆞᆫᄃᆞᆺ 알폰병(絞腸沙)《救簡 目錄 2》.

ᄌᆞ맛도다 자 〈옛〉 잠기었도다. 'ᄌᆞᆷ다'의 활용형. ¶十里예 믌ᄀᆞᆺ 남ᄀᆞᆯ ᄌᆞ맛도다(十里浸江樹)《杜諺 Ⅱ:56》.

ᄌᆞ모 부 〈옛〉 자못. =ᄌᆞᄆᆞᆺ·ᄌᆞ믓·ᄌᆞᄆᆞ. ¶薰然ᄒᆞ야 귀와 눈쾌 연ᄃᆞᆺᄒᆞ니 ᄌᆞ모 聽明히 드로ᄆᆞᆯ 아노라(薰然耳目開頗覺聽明入)《杜諺 ⅩⅫ:50》.

ᄌᆞ못 부 〈옛〉 자못. =ᄌᆞᄆᆞᆺ·ᄌᆞ믓. ¶代公이 通泉ㅅ尉ㅅ저긔 ᄠᅳ들 노하 ᄌᆞ못 自若ᄒᆞ더니라(代公尉通泉放意何自若)《杜諺 Ⅲ:65》.

ᄌᆞ무다 타 〈옛〉 잠그다. =ᄌᆞᄆᆞ다·ᄌᆞᆷ다. ¶京 四門을 ᄌᆞ무지 아니ᄒᆞ더라《八歲兒 12》.

ᄌᆞᄆᆞᆳ쇠 명 〈옛〉 자물쇠. ¶ᄌᆞᄆᆞᆳ쇠(鎖子)《譯語 上 14》.

ᄌᆞ믓 부 〈옛〉 자못. =ᄌᆞ못·ᄌᆞᄆᆞᆺ·ᄌᆞᄆᆞᆮ. ¶ᄌᆞ믓 맛당티 아니ᄒᆞ니라(殊非所宜也)《內訓 Ⅲ:3》.

ᄌᆞᄆᆞ 부 〈옛〉 자못. =ᄌᆞ모. ¶賈餗의 죵이 ᄀᆞᆯ외여 사ᄅᆞᄆᆞᆯ 주기며 사ᄅᆞ며 ᄒᆞᄂᆞᆫ 유셔ᄅᆞᆯ ᄌᆞᄆᆞ 쓰거늘 馮球ㅣ블러 경계ᄒᆞ더니 (賈有蒼頭 頗張威福 馮召而勗之)《飜小 Ⅹ:17》.

ᄌᆞᄆᆞ다 ㊀ 자 〈옛〉 잠기다. =ᄌᆞᆷ다·ᄌᆞ무다. ¶뷔어ᅀᅡ ᄌᆞᄆᆞ니이다(迨其空矣島嶼迺沒)《龍歌 67章》. ㊁ 타 〈옛〉 잠그다. =ᄌᆞᆷ다. ¶믈 잇ᄂᆞᆫ 논가로맨 몬져 프를 ᄌᆞᄆᆞ거늘(水耕先浸草)《杜諺 Ⅱ:22》.

ᄌᆞᄆᆞ디르다 타 〈옛〉 담그다. ¶ᄌᆞᄆᆞ디를 잠(蘸)《字會 下 23》.

ᄌᆞᄆᆞ락 ᄠᅳ락 부 〈옛〉 잠기락 뜨락. ¶ᄌᆞᄆᆞ락 ᄠᅳ락ᄒᆞᄂᆞ다(沉浮)《杜諺 Ⅶ:2》.

ᄌᆞᄆᆞᆮ 부 〈옛〉 자못. =ᄌᆞ못·ᄌᆞᄆᆞᆺ·ᄌᆞ믓. ¶盜賊ㅣ ᄌᆞᄆᆞᆮ 滅티 아니ᄒᆞ얏도다(盜賊殊未滅)《杜諺 Ⅰ:17》.

ᄌᆞᄆᆞᆺ 부 〈옛〉 자못. =ᄌᆞ모·ᄌᆞ못·ᄌᆞ믓. ¶諸賢이 ᄌᆞᄆᆞᆺ 左氏의 몬져 配ᄒᆞ고《家禮 Ⅳ:13》/이제 ᄌᆞᄆᆞᆺ 어더 모도와(今頗蒐輯)《小諺 書題 3》.

ᄌᆞ비 명 〈옛〉 차비. 준비. ¶샹녜 블 무듧 ᄌᆞ비ᄅᆞᆯ 시기ᅀᆞ뱃더니《釋譜 Ⅺ:26》.

ᄌᆞ비로의다 형 〈옛〉 자비(慈悲)롭다. ¶ᄌᆞ비로윌 ᄌᆞ(慈)《字會 下 25》.

-ᄌᆞ바ᄂᆞᆯ 어미 〈옛〉 -잡거늘. ¶나조ᄒᆡ 忽然히 놀이 제 지븨 드러오나ᄂᆞᆯ 자바 어미를 머기니 病이 됴ᄒᆞ니라 엳ᄌᆞ바ᄂᆞᆯ《續三綱 孝子圖》.

-ᄌᆞ뱃ᄂᆞᆫ다 어미 〈옛〉 -자와 있는가. ¶大德아 如來 니르시논 아홉 橫死ᄅᆞᆯ 몯 듣ᄌᆞ뱃ᄂᆞᆫ다《釋譜 Ⅸ:35》.

-ᄌᆞ보- 보간 〈옛〉 -자오-. ¶法이 精微ᄒᆞ야 져믄 아히 어느 듣ᄌᆞ보리잇고《釋譜 Ⅵ:11》.

-ᄌᆞ보니 어미 〈옛〉 -자오니. ¶내 듣ᄌᆞ보니 (我聞ᄒᆞᅀᆞ보니)《阿彌 2》.

-ᄌᆞᄫᆞ- 보간 〈옛〉 -자오-. ¶일ᄏᆞᆮᄌᆞᄫᆞ니(美之)《龍歌 29章》.

-ᄌᆞᄫᆞ시니 어미 〈옛〉 -자오시니. ¶夫妻願으로 고ᄌᆞᆯ 받ᄌᆞᄫᆞ시니《月釋 Ⅰ:3》. *-ᄌᆞᄫᆞ-.

-ᄌᆞᄫᆞᆫ 어미 〈옛〉 -자온. ¶諸佛ㅅ 일훔 듣ᄌᆞᄫᆞᆫ 사ᄅᆞᄆᆞᆫ(聞諸佛名者)《阿彌 25》.

ᄌᆞ셔히 副〈옛〉자세히. ¶天地間 壯ᄒᆞᆫ 긔별 ᄌᆞ셔히도 ᄒᆞᆯ셔이고《松江 關東別曲》.

ᄌᆞ셔ᄒᆞ다 형〈옛〉자세하다. ¶ᄆᆞ장 ᄌᆞ셔ᄒᆞ고 ᄉᆞᆯ찰ᄒᆞᄂᆞᆫ 사ᄅᆞ미니《朴解 上 17》.

ᄌᆞ셕 명〈옛〉자식(子息). =ᄌᆞ식. ¶ᄌᆞ셕 업고 손ᄌᆞ 업스면 다 ᄂᆞᄆᆡ 거시 도의리니(無子無孫盡是他人之物)《朴解 上 7》.

ᄌᆞ셰히 副〈옛〉자세히. ¶ᄌᆞ셰히 드르며 ᄌᆞ셰히 드르라(諦聽諦聽)《金三 V:28》.

ᄌᆞ시 副〈옛〉자세히. ¶ᄆᆞ장 맛당히 ᄌᆞ시 슬펄띠니라(最宜詳審)《煮硝 12》.

ᄌᆞ식 명〈옛〉자식. =ᄌᆞ셕. ¶ᄌᆞ식息 업스실쌔《月印 上 2》/ ᄌᆞ식息올 두ᅀᆞ샤《月印 上 45》.

ᄌᆞ연히 副〈옛〉자연히. ¶ᄌᆞ연히 호웍ᄒᆞ리라(自然浹洽)《飜小Ⅷ:36》.

ᄌᆞᅀᆞ 명〈옛〉자위. 씨. 알맹이. ¶여스슨 菴羅ㅅ 솝ᄌᆞᅀᅵ오(六菴羅內實)《圓覺 上 一之二 180》/ 눈ᄌᆞᅀᆞ 청(睛)《字會 上 25》.

ᄌᆞ아내다 타〈옛〉자아내다. ¶ᄌᆞ아내며 힘쁘게 ᄒᆞ며(激勵)《小諺 Ⅵ:12》.

ᄌᆞ애 명〈옛〉무자위. 도르래를 단 두레박. ¶믈기를 ᄌᆞ애 잇ᄂᆞ냐 업스냐(有轆轤那沒)《老乞 上 28》.

ᄌᆞ역 명〈옛〉자갈. ¶種種앳 雜 더러운 디샛 ᄌᆞ역을 나토고(現種種雜穢瓦礫)《圓覺 上 二之二 124》.

ᄌᆞ연히 副〈옛〉자연히. ¶ᄌᆞ연히 ᄆᆞᅀᆞ미 ᄀᆞᆯᄀᆞᆯᄒᆞ리니(自然心涼)《救簡 Ⅲ:27》.

-ᄌᆞ오- 보간〈옛〉-자오-. ¶法會예 처엄 듣ᄌᆞ오ᄆᆞᆫ(法會初聞)《妙蓮 Ⅵ:5》.

ᄌᆞ오기 副〈옛〉꼭. ¶맛당히 방문을 ᄌᆞ오기 닫고(宜密閉房戶)《胎產集要 26》. *ᄌᆞ옥ᄒᆞ다.

ᄌᆞ오다 자〈옛〉졸다. =ᄌᆞ올다. ¶더욱 시드러 ᄌᆞ오다가 울어 셜버《月釋 XXI:91》.

-ᄌᆞ오ᄃᆡ 어미〈옛〉-자오되. ¶아ᄎᆞᆷ의 일 니러나 몬져 安康을 묻ᄌᆞ오ᄃᆡ《女四解 Ⅱ:14》.

ᄌᆞ오롬 명〈옛〉졸음. ¶ᄌᆞ오로미 오나든(睡魔來)《蒙法 2》.

ᄌᆞ옥히 副〈옛〉자욱이. ¶안개 ᄌᆞ옥히 지다(下濃霧)《漢淸 1:10》.

ᄌᆞ옥ᄒᆞ다 명〈옛〉자욱하다. ¶안개 ᄌᆞ옥ᄒᆞ다(霧濃)《同文 上 1》.

ᄌᆞ올다 자〈옛〉졸다. ¶ᄌᆞ욿 저기라도 이 부텻 일후므로 들여 ᄭᆡ도ᄀᆡ 호리이다《月釋 IX:39》.

ᄌᆞ올아ᄫᅵ 副〈옛〉친(親)하게. ¶나라해 도라오샤도 ᄌᆞ올아ᄫᅵ 아니ᄒᆞ샤《釋譜 Ⅵ:4》.

ᄌᆞ올아이 副 친하게. ¶늘거가매 ᄌᆞ올아이 아논 사ᄅᆞᄆᆡ ᄂᆞᄎᆞᆯ 보미 드므도다(老去親知見面稀)《杜諺 X:46》. *ᄌᆞ올아ᄫᅵ.

ᄌᆞ올아이ᄒᆞ다 타〈옛〉친(親)히 사랑하다. ¶ᄌᆞ올아이호ᄃᆡ 恭敬ᄒᆞ며(狎而敬之)《內訓 Ⅰ:7》.

ᄌᆞ올압다 형〈옛〉친하다. ¶親ᄋᆞᆫ ᄌᆞ올아ᄫᆞᆯ씨오《釋譜 XIII :15》.

-ᄌᆞ와- 보간〈옛〉-자와-. ¶듣ᄌᆞ와 기피 恭敬ᄒᆞᅀᆞᆸᄂᆞ니《妙蓮序 5》. *-잡-.

ᄌᆞ의 명〈옛〉복판. 중심. ¶장슈의 인긔ᄂᆞᆫ ᄌᆞ의로 본방의 안치고(將官認旗以心坐本方)《兵學指南 明旗制 Ⅰ:11》.

ᄌᆞ이 명〈옛〉자새. ¶닷줄 감ᄂᆞᆫ ᄌᆞ이(滑車)《漢淸 XII:21》.

ᄌᆞ자디다 자〈옛〉잦아지다. 녹아서 없어지다. ¶白雪이 ᄌᆞ자딘 골의 구름이 머흐레라《古時調 李穡》.

ᄌᆞ작나모 명〈옛〉자작나무. ¶ᄌᆞ작나모(桼)《四聲 下 30》.

ᄌᆞ조 副〈옛〉자주. ¶星辰이 ᄌᆞ조 모다 ᄲᅳ리ᄂᆞᆺ다(星辰屢合圍)《杜諺 X:10》.

ᄌᆞ쳐ᄒᆞ다 자〈옛〉자살하다. ¶ᄌᆞ쳐ᄒᆞ다(自裁)《同文 下 9》.

ᄌᆞ최 명〈옛〉자취[1]. ¶뭇길이 ᄌᆞ최 업스ᄆᆡ 그를 슬허 ᄒᆞ노라《古時調》.

ᄌᆞ최옴 명〈옛〉재채기. =ᄌᆞ치옴·ᄌᆞ최옴·ᄌᆞ최음. ¶기츰과 ᄌᆞ최옴을 ᄒᆞᄂᆞ니라(咳喇噴嚏)《辟瘟新方》.

ᄌᆞ최옴 명〈옛〉재채기. =ᄌᆞ치옴·ᄌᆞ최옴·ᄌᆞ최음. ¶ᄌᆞ최옴ᄒᆞ다(打嚏噴)《譯語 上 37》.

ᄌᆞ최음 명〈옛〉재채기. =ᄌᆞ최옴·ᄌᆞ치옴. ¶ᄌᆞ최음ᄒᆞ다(打嚏噴)《華類 23》.

ᄌᆞ치욤 명〈옛〉재채기. ¶ᄌᆞ치욤 분(噴), ᄌᆞ치욤 톄(嚏)《字會 上 29》/ 선우음 춤노라 ᄒᆞ니 ᄌᆞ치욤의 코히 셔예《永言》.

ᄌᆞ치옴 명〈옛〉재채기. =ᄌᆞ최옴·ᄌᆞ최음·ᄌᆞ최옴. ¶또 ᄌᆞ치옴 ᄒᆞ더니(又有嚏噴來)《老乞 下 4》.

ᄌᆞᆫ 副〈옛〉잔. ¶ᄌᆞᆫ 연장과 瀝靑을 가져다가(碎家事和將瀝靑來)《朴解 下 29》.

ᄌᆞᆫ등 명〈옛〉잔등이. ¶혹 민믈에 양의 ᄌᆞᆫ등과 가ᄉᆞᆷ을 ᄉᆞᆯ마 먹고(或白煮着羊腰節胷子喫了時)《老乞 下 48》.

ᄌᆞᆫ아기 명〈옛〉영아(嬰兒). ¶ᄌᆞᆫ아기(嬰兒)《小諺 Ⅵ:73》.

ᄌᆞᆫ자리 명〈옛〉잠자리. ¶ᄌᆞᆫ자리 령(蛉), ᄌᆞᆫ자리 쳥(蜻)《字會 上 21》.

ᄌᆞᆫ다 형〈옛〉잦다. ¶여희여 오매 날ᄃᆞ리 ᄌᆞᆫ더니(別來頻甲子)《重杜諺 X:3》.

ᄌᆞᆯ 명〈옛〉자루. =ᄌᆞᄅᆞ·잘[3]. ¶악비ᄅᆞᆯ 트ᅀᆞ와 병마 ᄌᆞᆯ을 아ᅀᆞ이게ᄒᆞ고(劾飛罷兵柄)《三綱 岳飛》.

ᄌᆞᆯ다 형〈옛〉잘다. ¶뭇 즘ᄉᆡᆼ ᄡᅩᄂᆞᆫ ᄌᆞᆫ 쳘환(鐵沙子)《漢淸 V:12》.

ᄌᆞᆯ피 명〈옛〉창포(菖蒲). ¶믌ᄀᆞᆺ ᄌᆞᆯ피ᄂᆞᆫ 싸ᄒᆞᆯ 조차 잇고(渚蒲隨地有)《杜諺 X:4》.

ᄌᆞᆷ 명〈옛〉잠[1]. ¶여러 아히 ᄌᆞᆷ 니기 드럿거늘(衆雛爛慢睡)《杜諺 Ⅰ:13》.

ᄌᆞᆷ가두다 타〈옛〉잠가 두다. ¶그 衣服은 篋笥의 ᄌᆞᆷ가두어《家禮 Ⅳ:10》.

ᄌᆞᆷ갯다 자〈옛〉잠겨 있다. 'ᄌᆞᆷᄀᆞ다'의 활용형. ¶柴門을 속졀업시 다다 솔와 댓서리예 ᄌᆞᆷ갯ᄂᆞᆫ고(柴門空閉鎖松筠)《杜諺 Ⅶ:33》.

ᄌᆞᆷ기다 자〈옛〉잠기다. ¶비오리 가ᄉᆞᆷ이 半도 아니 ᄌᆞᆷ겨셰라《古時調》.

ᄌᆞᆷᄀᆞ다 타〈옛〉잠그다. ¶ᄌᆞᆷᄀᆞᆯ ᄌᆞᆷ(潛)《字會 下 3》.

ᄌᆞᆷᄀᆞ랏다 자〈옛〉잠기었다. 'ᄌᆞᆷ기다'의 활용형. ¶ᄌᆞᆷᄀᆞ랏ᄂᆞᆫ 고기ᄂᆞᆫ ᄆᆞ릐 健壯호ᄆᆞᆯ 슬코(潛鱗恨水壯)《初杜諺 XXV:4》.

ᄌᆞᆷ골다 자〈옛〉잠기다. ¶ᄆᆞᅀᆞᄆᆞᆯ ᄌᆞᆷ골여 그ᅀᆞ기 어드우니(潛心陰昧)《楞嚴 Ⅸ:116》.

ᄌᆞᆷ다 자〈옛〉잠기다. ¶뷔어ᅀᅡ ᄌᆞᄆᆞ니이다(迨其空矣 島嶼迺沒)《龍歌 67章》/須彌山이 ᄌᆞᆷ겨 ᄌᆞᆷᄋᆞ며 소ᅀᆞ며《月釋 XXI:190》/ᄌᆞᄆᆞᆯ 닉(溺), ᄌᆞᄆᆞᆯ 엄(淹)《字會 下 35》.

ᄌᆞᆷ보기 副〈옛〉담뿍. ¶야쳥비단으로 ᄌᆞᆷ보기 치질 고이ᄒᆞᆫ 후시 미엿고(經着一副鴉靑段子滿刺嬌護膝)《朴解 上 26》.

ᄌᆞᆷᄋᆞ며 자〈옛〉잠기며. 'ᄌᆞᆷ다'의 활용형. ¶須彌山이 ᄌᆞᆷ겨 ᄌᆞᆷᄋᆞ며 소ᅀᆞ며 十方衆生이 大會예 오ᅀᆞᄫᆞ니《月釋 XXI:190》.

ᄌᆞᆷ족코 副〈옛〉잠자코. ¶維摩ㅣ ᄌᆞᆷ족코 마리 업거늘《月釋 Ⅷ:67》.

ᄌᆞᆷᄌᆞᆷ코 副〈옛〉잠자코. ¶부텨옷 許ᄒᆞ시면 묻ᄌᆞᄫᆞ리이다 ᄒᆞ고 ᄌᆞᆷᄌᆞᆷ코 잇거늘《月釋 X:68》. *ᄌᆞᆷᄌᆞᆷᄒᆞ다.

ᄌᆞᆷᄌᆞᆷ히 副〈옛〉잠잠히. 묵묵히. ¶밧 업슨 體예 ᄌᆞᆷᄌᆞᆷ히 得게 ᄒᆞ시며(而默得乎無外之體)《楞嚴 Ⅰ:8》.

ᄌᆞᆷᄌᆞᆷᄒᆞ다 형〈옛〉잠잠하다. ¶菩薩이 便安히 ᄌᆞᆷᄌᆞᆷᄒᆞ야 잇거든《釋譜 XIII:21》.

ᄌᆞᆷ탁ᄒᆞ다 자〈옛〉잠착(潛着)하다. ¶衆生이 諸根이 鈍ᄒᆞ야 미혹호매 ᄌᆞᆷ탁ᄒᆞ야 잇ᄂᆞ니《釋譜 XIII:57》.

-ᄌᆞᆸ- 보간〈옛〉-잡-. 경어법의 보조 어간. 어간 끝 음(音)이「ㄴ·ㅌ·ㅈ·ㅊ」이고 어미 첫음이 자음일 때 쓰임. ¶一聲白螺ᄅᆞᆯ 듣ᄌᆞᆸ고 놀라니(一聲白螺 聽而警悚)《龍歌 59章》.

-ᄌᆞᇦ- 보간〈옛〉-자오-. 경어법의 보조 어간. 어미 첫음이 모음일 때 쓰임. =-ᄌᆞᆸ-. ¶慶爵을 받ᄌᆞᄫᆞ니이다(共獻慶爵)《龍歌 63章》.

ᄌᆞᆺ다[1] 타〈옛〉잣다. 실을 잣다. ¶실 ᄌᆞᆺ다(紡絲)《漢淸 X:67》.

ᄌᆞᆺ다[2] 형〈옛〉잦다[3]. =ᄌᆞᆽ다. ¶여희여 오매 날ᄃᆞ리 ᄌᆞᆺ더니(別來頻甲子)《初杜諺 X:3》.

ᄌᆞᇫ다 타〈옛〉잣다. 물레로 실을 잣다. =ᄌᆞᆺ다[1]. ¶ᄌᆞᅀᆞᆯ 방(紡)《字會 下 19》.

ᄌᆞᆽ다 형〈옛〉잦다[3]. ¶病이 ᄌᆞᄌᆞ며(數病)《楞嚴 Ⅶ:4》.

ᄌᆡ 명〈옛〉재[1]. ¶道士ᄋᆡ 經은 다 ᄉᆞ라 ᄌᆡ ᄃᆞ외오《月釋 Ⅱ:75》/ᄌᆡ 회(灰)《字會 下 35》.

-ᄌᆡ 미〈옛〉-째. ¶나의 둘ᄌᆡ 아ᅌᆞᄂᆞᆫ(我那二兄弟是)《華音 上 3》. *-자히·-재.

ᄌᆡ간ᄒᆞ다 자〈옛〉재주부리다. ¶아므려나 看品坐의셔 ᄃᆞ토ᄃᆡ 아니케 ᄌᆡ간ᄒᆞ옵소《新語 Ⅲ:29》.

ᄌᆡ강 명〈옛〉재강. ¶ᄌᆡ강이라(糟)《無寃錄 Ⅰ:19》.

ᄌᆡ곡ᄌᆡ고기 副〈옛〉차곡차곡. 꼬박꼬박. =자곡자고기. ¶ᄌᆡ곡ᄌᆡ고기 맛ᄀᆞᆷ다가 머리 니거아 니ᄅᆞᆫ대 즉자히 주겨 ᄇᆞ리니라(應對不失 度道已遠 乃以實告 吏應時見殺)《三綱 烈女 媛姜解梏》.

ᄌᆡ믈 명〈옛〉재물(財物). ¶인군이 겸공ᄒᆞ고 경신ᄒᆞ며 ᄌᆡ믈을 졀용ᄒᆞ고《五倫 Ⅱ:2》.

ᄌᆡ벽 명〈옛〉조약돌. ¶ᄒᆞᆫ 디샛 ᄌᆡ벽을 가져(取一瓦礫)《楞嚴 V:72》.

ᄌᆡ샹 명〈옛〉재상(宰相). ¶ᄌᆡ샹 ᄌᆡ(宰)《字會 中 1》.

ᄌᆡ역 명〈옛〉조약돌. =ᄌᆡ벽. ¶디샛ᄌᆡ역(瓦礫)《永嘉 下 73》.

ᄌᆡ조 〈옛〉재주[1]. ¶사회ᄅᆞᆯ ᄀᆞᆯᄒᆡ야 ᄌᆡ조ᄅᆞᆯ 몬뎌다 님금말을 거스ᅀᆞᄫᆞ니《月印 上 14》.

ᄌᆞᆫ나비 명〈옛〉원숭이. =납[2]·ᄌᆞᆺ납·ᄌᆞᆫ납. ¶ᄒᆞᆫ믈며 무덤우희 ᄌᆞᆫ나비ᄑᆞ람 불제 뉘우ᄎᆞᆫ들 엇더리《松江 將進酒辭》.

ᄌᆞᆫ나ᄫᅵ 〈옛〉원숭이의. 'ᄌᆞᆫ납'의 소유격. ¶ᄌᆞᆫ나ᄫᅵ ᄌᆞ식 ᄉᆞ랑홈 ᄀᆞᄐᆞ야(如猿泣愛子)《恩重諺 10》.

ᄌᆞᆫ납 명〈옛〉원숭이. =납[2]·ᄌᆞᆺ납. ¶孫行者ᄂᆞᆫ 이 ᄌᆞᆫ납이라(孫行者是箇胡孫)《朴解 下 20》.

ᄌᆞᆺ나ᄫᅴ〈옛〉원숭이의. 'ᄌᆞᆺ납'의 소유격. =ᄌᆞᆫ나ᄫᅵ. ¶믌ᄎᆞᆯ히 ᄆᆞᆯᄀᆞ니 ᄌᆞᆺ나ᄫᅴ 소리 섯겟고(泉源冷冷雜猿狖)《杜諺 V:36》. *ᄌᆞᆺ납.

ᄌᆞᆺ납 명〈옛〉원숭이. =납[2]·ᄌᆞᆫ나비·ᄌᆞᆫ납. ¶믌ᄎᆞᆯ히 ᄆᆞᆯᄀᆞ니 ᄌᆞᆺ나ᄫᅴ 소리 섯겟고(泉源冷冷雜猿狖)《杜諺 V:36》.

ᄌᆡᆺ믈 명〈옛〉잿물. ¶ᄌᆡᆺ믈 골아 ᄲᅡ로ᄆᆞᆯ 請ᄒᆞ며(和灰請澣)《內訓 Ⅰ:50》.

ᄌᆡᆼ 명〈옛〉꽹과리. 징. ¶ᄌᆡᆼ 졍(鉦), ᄌᆡᆼ 라(鑼)《字會 中 29》.

ㅉ (쌍지읒 [―읒―])【언】ㅈ의 된소리. 숨길을 닫고 혓 몸을 입천장에 단단히 붙였다가 입김을 밀면서 터뜨릴 때 나는 맑은 소리.

짜갈 명〈방〉자갈[1](전남).

짜갑다 형〈방〉짜다(함경).

짜개[1] 명 콩이나 팥 같은 것의 둘로 쪼갠 한 쪽. ¶콩 ~/팥 ~.

짜개[2] 명〈방〉찌개.

짜개 김치 명 오이 김치의 한 가지. 오이를 알맞게 썰고 소를 박지 아니함.

짜개다 타 나무 같은 단단한 물건을 연장으로 베거나 찍어서 갈라지게 하다. <쩌개다. *쪼개다.

짜개-돌 명〈방〉자갈[1](함남).

짜개-반【-半】명 둘로 짜갠 그 반.

짜개-발 명〈속〉일본 사람. *쪽발이.

짜개지 명〈방〉짜개(평안).

짜개-지다 자 나무같이 단단한 물건이 저절로 또는 연장에 베어지거나 찍혀서 갈라지다.
짜개-질 명 〈방〉 길쌈(평북). ——-하다 자
짜개 청국장【一淸麴醬】명 청국장을 콩짜개로 띄운 장이라 하여 똑똑히 일컫는 말.
짜개-칼 명 〈방〉 접칼.
짜개 황밤【一黃一】명 말라서 쪽쪽이 짜개진 밤.
짜갭다 형 〈방〉 짜다(강원).
짜걸 명 〈방〉 찌걸.
짜구¹ 명 〈방〉 덫(경남).
짜구² 명 〈방〉 ①자귀³❶(경남). ②자귀².
짜구리 명 〈방〉 딱따구리(경상).
짜굽다 형 〈방〉 짜다(강원·충북·경북·함경).
짜귀다 타 〈방〉 짜개다.
짜그라-뜨리다 타 짓눌러서 몹시 짜그리다. 〈찌그러뜨리다.
짜그라-지다 자 ①짓눌려서 오그라지다. ②여위어 살가죽에 주름이 잡히다. 1)·2): 〈찌그러지다.
짜그라-트리다 타 짜그라뜨리다.
짜그락-거리다 자 ①하찮은 일로 옥신각신 다투다. ②남이 듣기 싫도록 자꾸 불평을 뇌다. 1)·2): 〈자그락거리다. 〈찌그럭거리다. **짜그락-짜그락** 부. ——-하다 자여불
짜그락-대다 자 짜그락거리다.
짜그르르 부 거의 잦아진 물기나 기름기가 갑자기 끓어오르는 소리. 〈자그르르. 〈찌그르르. ——-하다 자여불
짜그리다 타 ①짓눌러서 짜그라지게 하다. ②위아래 눈꺼풀을 감듯이 맞붙이다. 1)·2): 〈찌그리다.
짜근-거리다 자타 ①남이 싫어하도록 괴롭게 굴다. ②남이 귀찮아하도록 조르다. 1)·2): 〈자근거리다. 〈차근거리다. 〈찌근거리다. **짜근-짜근** 부. ——-하다 자타여불
짜근-대다 자타 짜근거리다.
짜근덕-거리다 자타 몹시 짜근거리다. 〈자근덕거리다. 〈찌근덕거리다. **짜근덕-짜근덕** 부. ——-하다 자타여불
짜근덕-대다 자타 짜근덕거리다.
짜글-거리다 자 ①거의 잦아진 액체가 센 불에 짜글짜글 소리 내며 끓다. ②불만으로 마음을 몹시 졸이다. 1)·2): 〈자글거리다. 〈찌글거리다. **짜글-짜글** 부. ——-하다 자여불
짜글-대다 자 짜글거리다.
짜금-거리다 타 맛있게 먹느라고 연해 짜금 소리를 내다. 〈쩌금거리다. **짜금-짜금** 부. ——-하다 타여불
짜금-대다 타 짜금거리다.
짜급다 형 〈방〉 짜다(경북).
짜긋 부 ①남에게 눈짓을 하느라 눈을 짜그리는 모양. 남을 주의시키느라고 옷을 약간 잡아당기는 모양. 1)·2): 〈찌긋.
짜긋-거리다 자타 ①남이 눈치채게 하느라고 눈을 연해 짜그리다. ②남을 주의시키느라고 옷을 연해 조금씩 당기다. 1)·2) 〈찌긋거리다. **짜긋-짜긋** 부. ——-하다 자타여불
짜긋-대다 자타 짜긋거리다.
짜긋-이 부 눈을 약간 짜그리는 듯하게. 〈찌긋이.
짜긋-하다 형여불 한쪽 눈이 약간 짜그라진 듯하다. 〈찌긋하다.
짜기다 타 〈방〉 짜개다.
짜-깁기 명 짜깁는 일. ——-하다 타여불
짜-깁다 타ㅂ불 모직물의 찢어진 데를 그 감의 올로 감쪽같이 본디의 모양으로 짜서 깁다. ¶새 양복을 찢어뜨려서 짜기웠다.
짜다¹ ㊀ 타 〔중세 : ᄧᆞ다〕 ①사개를 맞추어 그릇을 만들다. ¶선반을 ~. ②부분을 맞추어 통일된 전체를 꾸며 만들다. ¶활자(活字)를 ~/판(版)을 ~. ③조직을 만들다. 편성(編成)하다. ¶편을 ~. ④비틀거나 눌러 물기나 기름을 내다. ¶빨래를 ~/기름을 ~. ⑤ 떠오르지 않는 생각 등을 억지로 내다. ¶머리를 ~/묘안을 ~. ⑥참혹하게 착취하거나 징수하다. ¶백성의 고혈(膏血)을 ~. ⑦머리털을 풀어 상투를 만들다. ⑧실이나 가는 끈을 세로 가로 결어 피륙·털내의 등을 만들다. ¶베짜는 여인. ⑨〈속〉울다. 눈물을 흘리다. ¶억지로 눈물을~. ㊁ 자 몇몇이 내통하여 한통이 되다. ¶짜고 해먹다/짜고 속이다.
[짜도 흩어진다] 한없이 없어지기만 한다는 뜻.
짜다² 형 〔중세 : ᄧᆞ다〕 ①소금 맛이 있다. 소금 맛이 지나치다. ¶짠 음식. ②마음에 달게 여겨지지 않다. ③〈속〉 인색하다. 후하지 않고 박하다. ¶용돈이 적으니 친구들에게도 짜게 굴 수밖에/점수가 ~.
[짜지 않은 놈 짜게 먹고 맵지 않은 놈 맵게 먹는다] 야무지지 못한 이가 짜게 먹고 싱거운 이가 맵게 먹는다 하여 아이들이 너무 짜고 맵게 먹는 것을 말리는 말.
짜도 명 〈방〉 찌도.
짜드라기 명 몹시 짜들어 버린 물건. 〈찌드러기.
짜드라 오다 자 많은 수량이 한목에 쏟아져 오다.
짜드라 웃다 자 여럿이 한목에 야단스럽게 웃다.
짜드락-거리다 자타 남이 성가실 정도로 끈끈하게 건드리다. 〈자드락거리다. 〈찌드럭거리다. **짜드락-짜드락** 부. ——-하다 자타여불
짜드락-나다 자 남에게 감추던 일이 터져 드러나다. 〈자드락나다.
짜드락-나무 명 〈방〉 뽕나무.
짜드락-대다 자타 짜드락거리다.
짜득짜득-하다 형여불 검질긴 물건이 잘 베어지거나 쪼개지지 아니하다. 〈찌득찌득하다.
짜들다 자 ①물건이 오래 되어, 때나 기름기에 절어 매우 볼꼴 없이 되다. ¶짜들어 빠진 옷. ②세상의 여러 가지 고난을 겪어 위축(萎縮)되다. ¶고생에 짜든 얼굴. 1)·2): 〈찌들다.
짜디-짜다 형 몹시 짜다. 짜고 짜다.
짜뜰름-거리다 자타 줄 것을 한목에 주지 않고 여러 차례에 걸쳐 조금씩 주다 말다 하다. 〈찌뜰름거리다. **짜뜰름-짜뜰름** 부. ——-하다 자타여불
짜뜰름-대다 자타 짜뜰름거리다.
짜랑 부 쇠붙이나 방울이 부딪쳐서 나는 소리. 〈자랑². 〈차랑. 〈쩌렁. ——-하다 자타여불
짜랑-거리다 자타 쇠붙이나 방울이 부딪쳐서 짜랑 소리가 연해 나다. 또, 연해 짜랑 소리를 나게 하다. 〈자랑거리다. 〈차랑거리다. 〈쩌렁거리다. **짜랑-짜랑** 부 ——-하다¹ 자타여불
짜랑-대다 자타 짜랑거리다.
짜랑짜랑-하다² 형여불 목소리가 세고 야무져 울림이 크다. 〈쩌렁쩌렁하다².
짜룹다 형 〈방〉 짧다(전북).
짜르다¹ 타르불 〈방〉 자르다(경기·강원·충북·전남·경상).
짜르다² 형르불 〈방〉 짧다❶❸(강원·충북·전북·경상·제주).
짜르랑 부 얇은 쇠붙이 같은 것이 떨쳐 울리는 소리. 〈자르랑. 〈차르랑. 〈쩌르렁. ——-하다 자타여불
짜르랑-거리다 자타 짜르랑 소리가 연하여 나다. 또, 연하여 짜르랑 소리를 나게 하다. 〈자르랑거리다. 〈차르랑거리다. 〈쩌르렁거리다. **짜르랑-짜르랑** 부. ——-하다 자타여불
짜르랑-대다 자타 짜르랑거리다.
짜르르 부 ①물기·기름기·윤기 등이 골고루 빛나게 흐르는 모양. ¶머리에 기름을 ~하게 발랐구나/기름이 ~한 햅쌀밥. ②살이나 뼈마디에 저린 느낌이 일어나는 모양. 1)·2): 〈자르르. 〈찌르르. ——-하다 형여불
짜르륵 부 대통 같은 것으로 액체를 빨 때에 간신히 빨리어 오르며 나는 소리. 〈찌르륵. ——-하다 자타여불
짜르륵-거리다 자타 짜르륵 소리가 연하여 나다. 또, 연하여 짜르륵 소리를 나게 하다. 〈찌르륵거리다. **짜르륵-짜르륵** 부. ——-하다 자타여불
짜르륵-대다 자타 짜르륵거리다.
짜르막-하다 형 〈방〉 짤막하다.
짜른-대 명 곰방대. 단죽(短竹).
짜른-작 명 ☞짧은작.
짜름-하다 형여불 약간 짧은 듯하다. ¶짜름한 바지. **짜름-히** 부
짜릅다 형 〈방〉 짧다(충북·전남).
-짜리 미 ①무슨 옷을 입은 것으로써 그 사람을 낮추어 이르는 말. ¶양복~/장옷~. ②얼마만한 값이 되는 물건 또는 화폐를 가리키는 말. ¶백원~ 동전. ③얼마만한 수나 양으로 된 물건을 가리키는 말. ¶열 개~/한 말~.
짜리다 타 〈방〉 자르다(경상).
짜리몽탕-하다 형여불 길이가 짧고 끝이 뭉툭하다. ¶다리가 ~.
짜릿-짜릿 부 몹시 짜릿한 모양. 〈찌릿찌릿. ——-하다 형여불
짜릿-하다 형여불 살이나 뼈마디에 갑자기 저린 느낌이 일어나다. ¶전신에 느끼는 짜릿한 행복감. 〈찌릿하다.
짜마리 명 〈방〉〖충〗잠자리²(전북).
짜발량이 명 짜그라져서 못 쓰게 된 물건.
짜-배기 명 〈속〉 ↗공짜배기.
짜부 명 〔jab〕 '경찰관'의 변말.
짜부-깐 명 〔jab間〕 '경찰서'의 변말.
짜부라-뜨리다 타 짜부라지게 하다. 〈찌부러뜨리다.
짜부라-지다 자 ①망하거나 허물어지다시피 되다. ②기운이 아주 줄어 더 버틸 수 없게 되다. ③높거나 솟았던 것이 찌그러져 내려 앉다. ¶짜부라진 모자. 1)-3): 〈찌부러지다.
짜부라-트리다 타 짜부라뜨리다.
짜브 명 〈비〉 '형사(刑事)'의 변말.
짜우 명 ☞편짝. ᒥ무슨 이야기고 어머니와 동택이는 ~가 잘 된다 《李無影 : 三年》.
짜울다 형 〈방〉 꺄울다(경상).
짜울어-지다 자 〈방〉 꺄울어지다(경상).
짜울-이다 타 〈방〉 꺄울이다(경상).
짜웃-거리다 타 〈방〉 꺄웃거리다(경상). **짜웃-짜웃** 부. ——-하다 자타
짜웃-이 부 〈방〉 꺄웃이(경상).
짜웃-하다 타형 〈방〉 꺄웃하다(경상).
짜윷 명 〈방〉 찌윷.
짜이다¹ 자 ①짬을 당하다. ¶예산이 ~. ②규모가 어울리다. 구격(具格)이 맞다. ㊟째다.
짜-이다² 자 기름이나 액체 따위가 짬을 당하다. ¶기름이 잘 짜인다.
짜임 명 조직이나 구성(構成).
짜임-새 명 짜인 모양새. ¶글의 ~. ㊟쨈새.
짜장 부 참. 정말. 과연. 정말로. ¶~ 훌륭하구료/올에는 노상 침만 삼키던 그놈 코다리(명태)를 ~ 먹어 보겠구나만 하여도 속이 메질 듯이 짜릿하다《金裕貞 : 金 따는 콩밭》.
짜장면〔중 炸醬麵〕명 자장면.
짜정 부 〈방〉 짜장.
짜증【一症】명 북받치는 역정이나 싫증. 〈찌증.
짜증(이) 나다 구 짜증이 일어나다. 〈찌증 나다.
짜증(을) 내:다 구 짜증을 겉으로 드러내다. ¶짜증을 내어서 무엇하나. 〈찌증 내다.
짜증-스럽다 형ㅂ불 짜증이 날 만하다. 또, 날 법하다.

짜징 명 〈방〉 짜증(경상).

짜푸리다 타 얼굴이나 눈살을 찡그리다. ¶장마 하늘에 서풍이 불어 비구름이 경각에 걷듯, 그 짜푸렸던 눈살이 살짝 풀리며…≪李海朝 : 鬢上雪≫.

짜:-하다 형여불 퍼진 소문이 왁자하다. ¶소문이 온 장안에 짜하게 퍼졌더라.

짝[1] 명 〔중세 : 짝〕 ①두 개 이상이 모여서 한 벌이 되는 물건의 낱개. ②한 쌍 가운데 하나를 나머지 하나에 대하여 부르는 말. ¶양말 한 ~. ③국민 학교 교실 등에서 한 책상에 같이 앉아 공부하는 두 동무 가운데 하나를 부르는 말. 전(轉)하여, 한 패가 되어 무엇을 함께 하는 동아리의 하나. 반려(伴侶)·반려자. ¶~짓기/~을 찾다. ④〖문〗 귀글 한 구(句) 안의 단어를 부르는 말. 다섯 자 내지 일곱자 정도임. ⑤ ☞ 쪽[5].

짝 잃은 기러기 같다 구 몹시 외로운 사람을 형용하는 말.

짝 잃은 원앙 구 '짝 잃은 기러기 같다'와 같은 뜻.

짝[2] 의명 ①관형사 '아무'의 밑에서 '곳'의 뜻으로 쓰이는 말. ¶아무 ~에도 못 쓰겠다. ②관형사 '무슨' 밑에서 '꼴'의 뜻으로 쓰이는 말. ¶그게 무슨 ~이냐.

짝[3] 의명 ①소나 말의 한 바리 짐의 한 편쪽 짐을 이르는 말. 보통은 한 가마를 말함. ¶소금 두 ~/쌀 한 ~. ②돼지나 소의 갈비의 여러 대가 합쳐서 한 개가 된 것을 세는 말. ¶갈비 한 ~. ③북어나 명태의 600 마리를 단위로 일컫는 말.

짝[4] 부 ①종이나 피륙 등을 찢는 소리. ¶비단을 ~ 찢다. ㅅ작[7]. <찍[2]. ②활짝 바라진 모양. ¶입을 ~ 벌려라. ③입맛을 다시는 소리. 2)·3): <쩍[3]. ——-하다 자여불 종이나 피륙이 짝 소리를 내며 찢어지다. ¶짝 하고 찢어져 나가다.

짝-갈이 명 〖농〗 처음 갈이와 나중 갈이가 서로 다른 갈이. 처음에 마른 갈이를 하면 나중엔 물갈이 또는 그 반대로 하는 일 같은 것. ——-하다 타여불

짝-귀 명 짝짝이로 생긴 귀. 또, 그러한 사람.

짝-꿍 명 〔←짝+짝자꿍〕 〈속〉 단짝인 짝을 재미스럽게 이르는 말.

짝-눈 명 한쪽이 크거나 작아서 짝짝이인 눈. 자웅(雌雄)눈.

짝다 형 〈방〉 짜다(함남).

짝달막-하다 형 ☞ 작달막하다.

짝달-비 명 〈방〉 작달비.

짝대기 명 〈방〉 작대기(강원·전남·경상).

짝-도요 명 〈방〉 꺅도요.

짝-돈 명 백 냥쯤의 돈.

짝두 명 〈방〉 작두(전라).

짝두바리 명 〈방〉 바지랑대(경남).

짝때기 명 〈방〉 작대기(강원·전남·경상).

짝-떨어지다 자 맞았던 짝이 따로 떨어지다.

짝-맞다 자 제 짝에 맞다.

짝-맞추다 타 제 짝에 맞도록 하다.

짝-버선 명 제 짝이 아닌 버선.

짝-사랑 명 자기를 마음에 두지 않는 이성(異性)에 대한 사랑. 척애(隻愛). ¶~으로 고민하다. ——-하다 자타여불

짝사랑에 외기러기 구 짝사랑의 보람없음을 이르는 말.

짝-사위 명 윷놀이에서 걸을 칠 데에 도를 치고, 개를 칠 데에 걸을 치는 일.

짝살 명 〈방〉 작살❶.

짝-수 【—數】 명 둘로 나누어 남지 않는 수. 둘 또는 둘의 배수(倍數). 곧, 2·4·6·8·10 등. 우수(偶數). ↔홀수.

짝수-깃꼴겹잎 【—數—】 〔—닙〕 명 〖식〗 우수 우상 복엽(偶數羽狀複葉). ↔홀수깃꼴겹잎.

짝-순열 【—順列】 〔—녈〕 명 〖수〗 기준 순열로부터 짝수회의 상호 교환에 의하여 얻어지는 순열. 예를 들면 기준 순열(1, 2, 3)에 대하여 짝순열은(1, 2, 3), (3, 1, 2), (2, 3, 1)임. 우순열. ↔홀순열.

짝숫-날 【—數—】 명 〖민〗 척일(隻日).

짝-신 명 제 짝이 아닌 신. ¶왜 ~을 신고 다니느냐.

짝-없다 〔—업—〕 형 ①아무 대중이 없다. 도무지 주착이 없다. ②비할 수 없을 만큼 대단하다. ¶미안하기 ~.

짝-없이 〔—업씨〕 부 짝없게. ¶~ 까불다.

짝 이:중 결합 【—二重結合】 명 〔conjugate double bond〕 〖화〗 유기 화합물에 있어서 단결합(單結合) 한 개를 사이에 두고 양 쪽으로 있는 이중 결합. 공액(共軛) 이중 결합.

짝자구 명 〈방〉 딱따구리(경남).

짝자구리 명 〈방〉 딱따구리(경남·함북).

짝자그르-하다 형여불 소문이 널리 퍼져서 떠들썩하다.

짝자래-나무 명 〖식〗 〔*Rhamnus schneideri*〕 갈매나뭇과에 속하는 낙엽 활엽 관목. 가시가 있고 잎은 넓은 도피침형(倒披針形) 또는 거꿀달걀꼴임. 5-6월에 황록색 꽃이 자웅 이가(雌雄二家)로 액생(腋生)하여 피고, 과실은 핵과(核果)임. 산지의 바위틈이나 개울가에 나는데, 거의 한국 각지에 분포함. 수피(樹皮)는 물감으로 쓰임.

짝장귀 명 〈방〉 짝자꿍이. ——-하다 자

짝장귀-일다 구 짝자꿍이하다.

짝-젖 명 한쪽 젖통이 다른 쪽보다 큰 여자의 젖통.

짝지 명 〈방〉 작대기.

짝-지느러미 명 〖어〗 짝수로 된 지느러미. 우기(偶鰭). ↔홑지느러미.

짝진-각 【—角】 명 〖수〗 '대응각(對應角)'의 풀어 쓴 이름.

짝진-변 【—邊】 명 〖수〗 '대응변(對應邊)'의 풀어 쓴 이름.

짝진-점 【—點】 명 〖수〗 '대응점(對應點)'의 풀어 쓴 이름.

짝짓기 명 ①짝을 짓는 일. ②동물의 암컷과 수컷이 짝을 이루어 흘레하는 일. ——-하다 자여불

짝-짓다 타ㅅ불 짝이 이루어지게 하다. ¶짝지어 주다.

짝짜게 명 〖식〗 〔*Syringa robusta*〕 물푸레나뭇과에 속하는 낙엽 활엽 관목. 높이 3-5 m 이고 잎은 타원형 또는 달걀꼴임. 7월에 자색 꽃이 원추(圓錐) 화서로 새 가지 끝에 핌. 과실은 타원형 삭과(蒴果)이고 10월에 익음. 산록(山麓)이나 산복(山腹)에 나는데, 강원·함남북·평북 등지에 분포함. 관상용임.

짝짜구리 명 〈방〉 딱따구리(경상·함경).

짝짜그르르-하다 형여불 ☞ 짝자그르하다.

짝짜꿍 명 젖먹이가 손뼉을 치는 재롱. ——-하다 자여불

짝짜꿍이 명 ①남 몰래 세우는 계획이나 일. ②서로 다투는 일. ——-하다 자여불

짝짜꿍이(를) 놓다 구 남몰래 계획을 짜 놓다.

짝짜꿍이(가) 벌:어지다 구 여러 사람이 왁자하게 떠들다.

짝짜꿍-질 명 짝자꿍을 하는 짓. ——-하다 자여불

짝짜꿍-짝짜꿍 감 젖먹이에게 짝자꿍을 시키는 소리.

짝짝[1] 부 끈끈하여 몹시 달라붙는 모양. ㅆ착착[1]. <쩍쩍[1].

짝짝[2] 부 입맛을 몹시 다시는 소리. ¶껌을 ~ 씹다. <쩍쩍[2]. ——-하다 타여불

짝짝[3] 부 ①걸을 때에 신을 끄는 소리. ②글씨의 획을 되는 대로 긋거나 종이를 함부로 찢는 소리. 1)·2): ㅅ작작[5]. <찍찍[1]. ——-하다 타여불

짝짝[4] 부 ①장작 따위 단단한 물건이 연해 잘 짜개져 나가는 소리. 또, 그 형용. ②논바닥이나 얼음판 같은 굳은 것이 여기 저기에서 또는 연해 금이 가거나 사이가 벌어지는 소리. 또, 그 모양. ¶손등이 터서 ~ 갈라졌다. 1)·2): <쩍쩍[3].

짝짝-거리다[1] 타 입맛을 연해 짝짝 다시다. <쩍쩍거리다.

짝짝-거리다[2] 타 ① 신을 연해 짝짝 끌다. ② 글씨의 획을 함부로 긋거나 종이 등을 함부로 찢다. ㅅ작작거리다. <찍찍거리다.

짝짝-대다 타 짝짝거리다[1·2].

짝짝-이 명 다른 짝끼리 합하여 이루어진 한 벌. ¶~ 양말/~ 장갑.

짝-채우다 타 모자라는 한 짝을 얻어서 넣다. 한 쌍 또는 한 벌이 되게 만들다.

짝-패 【—牌】 명 짝을 이룬 패. ¶~끼리 싸운다.

짝-하다 자타여불 무슨 일에 있어서 어떤 누구와 함께 동무가 되다. 자기와 짝이 되게 하다.

짝-함수 【—函數】 〔—쑤〕 명 〖수〗 우함수(偶函數).

짝-홀수 【—數】 〔—쑤〕 명 짝수와 홀수.

짝-힘 명 〔couple〕 〖물〗 한 물체에 작용하는 크기가 같고 방향(方向)이 반대인 평행(平行)한 두 힘. 강체(剛體)에 짝힘만이 작용할 경우, 회전(回轉) 운동에 영향을 끼침. 우력(偶力).

짠 부 〈속〉 무엇이 느닷없이 기세좋게 나타나는 모양을 표현하는 말.

짠대: 명 〈방〉 〖식〗 잔대.

짠득-거리다 자 ①검질기게 연해 달라붙다. ②검질기어 연해 자르려 하여도 잘 끊어지지 않다. 1)·2): ㅅ잔득거리다. <찐득거리다. **짠득-짠득** 부. ——-하다 형여불

짠득-대다 자 짠득거리다.

짠-맛 명 소금 맛과 같은 맛. 함미(鹹味).

짠-물 명 ①바닷물. ↔민물. ②짠맛이 있는 우물물이나 샘물. ③짠맛이 있는 물건에서 우러나오는 물. 1)-3): ↔단물.

짠물-고기 〔—꼬—〕 명 바닷물고기를 그 생리적 조건으로 특징지어 이르는 말. 곧, 짠물에서 사는 물고기. 함수어(鹹水魚). ↔ 단물고기. *바닷물고기.

짠물-우렁이 명 〖조개〗 명주우렁이.

짠물 호수 【—湖水】 명 함수호(鹹水湖). ↔민물 호수.

짠-바닥 명 짠 기운이 많은 논바닥.

짠-바람 명 바다에서 불어오는 소금기를 머금은 바람.

짠자리 명 〈방〉 잠자리[2](강원·경상).

짠지 명 ①무를 통으로 소금에 짜게 절이어 묵혀 두고 먹는 김치. 보통 김장 때 담갔다가 그 이듬해 봄부터 여름까지 먹음. ②〈방〉 김치(경기·강원·충북·경상·전북·황해·함남).

짠지-무침 명 묵은 짠지를 물에 우려 빨아서 잘게 채를 치고, 간장·기름·고춧가루 등 양념을 쳐서 무친 나물.

짠지-패 【—牌】 명 〖민〗 대여섯 혹은 예닐곱 사람이 떼를 지어서 소구를 두드리며 속된 노래를 부르고 질탕(佚宕)하게 뛰노는 패. *날탕패.

짠짓-국 명 짠지의 국물.

짠:-하다 형여불 안타깝게 뉘우쳐서 속이 아프고 언짢다. ¶우는 아이를 떼 놓고 돌아오니 진종일 마음이 ~. <찐하다. **짠-히** 부 ¶오선달네 딸은 진정 ~ 여기면서 얼굴을 찌푸렸다≪吳有權 : 방앗골 혁명≫.

짤그락 부 얇은 쇠붙이끼리 서로 맞닿아서 약간 가볍게 나는 소리. 또, 그 모양. ㅅ잘그락. <쩔그럭. ——-하다 자타여불

짤그락-거리다 자타 연해 짤그락 소리가 나다. 또, 연해 짤그락 소리를 나게 하다. ㅅ잘그락거리다. <쩔그럭거리다. **짤그락-짤그락** 부. ——-하다 자타여불

짤그락-대다 자타 짤그락거리다.

짤그랑 부 얇은 쇠붙이끼리 맞닿아 울리는 소리. ㅅ잘그랑. ㅆ찰그랑. <쩔그렁. ——-하다 자타여불

짤그랑-거리다 자타 연해 짤그랑 소리가 나다. 또, 연해 짤그랑 소리를 나게 하다. ㅅ잘그랑거리다. ㅆ찰그랑거리다. <쩔그렁거리다. **짤그랑-짤그랑** 부. ——-하다 자타여불

짤그랑-대다 자타 짤그랑거리다.
짤깃-짤깃 부 ①아주 질긴 모양. ②성질이 아주 검질긴 모양. 또, 일부러 검질기게 구는 모양. ㅅ잘깃잘깃. <찔깃찔깃. ——-하다 형 여불
짤깃-하다 형 여불 아주 질긴 듯하다. ㅅ잘깃하다. <찔깃하다.
짤까닥 부 ①끈기 있는 물건이 세차게 들러붙었다가 떨어지는 소리나 모양. ②서로 닿으면 걸려 붙게 된 딴딴한 물건끼리 부딪쳐 마치게 나는 소리. ③납작한 물건끼리 맞부딪쳐 나는 소리. ④자물쇠나 스위치 같은 것이 잠기거나 열리며 나는 마친 쇠소리. (준)짤깍. 1)-4): ㅅ잘가닥 ㅆ잘까닥. ㅆ찰카닥. <찔꺼덕. ——-하다 자타 여불
짤까닥-거리다 자타 연해 짤까닥 소리가 나다. 또, 연해 짤까닥 소리를 나게 하다. (준)짤깍거리다. ㅅ잘가닥거리다. ㅆ잘까닥거리다. ㅆ찰카닥거리다. <찔꺼덕거리다. **짤까닥-짤까닥** 부. ——-하다 자타 여불
짤까닥-대다 자타 짤까닥거리다.
짤까당 부 자물쇠가 잠기거나 열릴 때 혹은 단단한 물건끼리 맞부딪쳐 울리는 소리. ㅅ잘가당. ㅆ잘까당. ㅆ찰카당. <쩔꺼덩. ——-하다 자타 여불
짤까당-거리다 자타 연해 짤까당 소리가 나다. 또, 연해 짤까당 소리를 나게 하다. ㅅ잘가당거리다. ㅆ잘까당거리다. ㅆ찰카당거리다. <쩔꺼덩거리다. **짤까당-짤까당** 부. ——-하다 자타 여불
짤까당-대다 자타 짤까당거리다.
짤깍 부 ①↗짤까닥. ②사진기(寫眞機)의 셔터 따위를 누를 때 나는 소리. 1)·2):ㅅ잘각. ㅆ잘깍. ㅆ찰칵. ——-하다 자타 여불
짤깍-거리다 자타 ①↗짤까닥거리다. ②사진기(寫眞機)의 셔터 따위를 연해 누르다. 연해 짤깍 소리를 나게 하다. 1)·2):ㅅ잘각거리다. ㅆ잘깍거리다. ㅆ찰칵거리다. **짤깍-짤깍** 부. ——-하다 자타 여불
짤깍-눈 명 늘 잔물잔물한 눈. >찔꺽눈.
짤깍-눈이 명 눈이 짓무른 사람.
짤깍-대다 자타 짤깍거리다.
짤끔 부 ①액체가 그릇에서 조금 넘치거나 흐르는 모양. ②눈물을 조금 짜내는 모양. ¶왜 또 ~ 눈물을 짰는고. ③비가 아주 짧은 동안 내리는 모양. 1)-3):ㅅ잘금. <쫄끔·찔끔. ——-하다 자타 여불
짤끔-거리다 자타 ①연하여 짤끔하다. ㅅ잘금거리다. <쫄끔거리다·찔끔거리다[1]. *짤름거리다. ②짜뜰름거리다. **짤끔-짤끔**[1] 부. ——-하다 자타 여불
짤끔-대다 자타 짤끔거리다.
짤끔-짤끔[2] 부 적은 분량의 것을 한목에 주지 않고 여러 번에 나누어 조금씩 주는 모양. ¶ 몇 천 원밖에 안 되는 돈을 ~ 갚다니 너무한다. <찔끔찔끔[2].
짤따 형 〈방〉 짧다(경기·강원·충청·경상).
짤-따랗다 [—라타] 형 ㅎ불 생각보다 썩 짧다. 깡똥하게 짧다.
짤따래-지다 자 짤따랗게 되다.
짤똑-거리다 자타 몸피가 작은 것이 재게 절뚝거리다. ㅅ잘똑거리다. <쩔뚝거리다·찔뚝거리다. *짤름거리다[2]. **짤똑-짤똑**[1] 부. ——-하다[1] 자타 여불
짤똑-대다 자타 짤똑거리다.
짤똑-이 부 짤똑하게. ㅅ잘똑이. <찔뚝이.
짤똑-짤똑[2] 부 긴 물건이 군데군데 옴쏙한 모양. ㅅ잘똑잘똑[2]. <찔뚝찔뚝. ——-하다[2] 형 여불
짤똑-하다 형 여불 긴 물건의 한 군데가 옴쏙하다. ¶걸음걸이도 좀 경쾌하게 하고 치마도 짤똑하게 하여 입었다≪羅稻香 : 幻戱≫. ㅅ잘똑하다. <찔뚝하다. *짤록하다.
짤라-뱅이 명 짧게 된 물건.
짤랑 부 얇은 쇠붙이나 작은 방울 여러 개가 흔들리어 나는 소리. 또, 그 모양. ㅅ잘랑. ㅆ찰랑. <쩔렁. ——-하다 자타 여불
짤랑-거리다 자타 연하여 짤랑하다. 또, 연하여 짤랑 소리를 나게 하다. ㅅ잘랑거리다. ㅆ찰랑거리다. <쩔렁거리다. **짤랑-짤랑** 부. ——-하다 자타 여불
짤랑-대다 자타 짤랑거리다.
짤래비[1] 명 〈방〉 원숭이(경남).
짤래비[2] 명 〈방〉 잠자리(경남).
짤래-짤래 부 고개를 가로 조금 세게 자꾸 흔드는 모양. (준)짤짤. ㅅ잘래잘래. <쩔레쩔레.
짤록-거리다 자타 약간 짤똑거리다. ㅅ잘록거리다. <쩔룩거리다. **짤록-짤록**[1] 부. ——-하다[1] 자타 여불
짤록-대다 자타 짤록거리다.
짤록-이 부 짤록하게. <찔룩이.
짤록-짤록[2] 부 긴 물건이 군데군데 패어 들어 오목한 모양. ㅅ잘록잘록[2]. <찔룩찔룩. *짤똑짤똑[2]. ——-하다[2] 형 여불
짤록짤록-이 부 짤록짤록하게.
짤록-하다 형 여불 긴 물건의 한 군데가 패어 들어가 오목하다. ㅅ잘록하다. <찔룩하다. *짤똑하다.
짤롭다 형 〈방〉 짧다(전북).
짤룩-거리다 자 타 ☞ 짤록거리다.
짤룩-대다 자 타 ☞ 짤록대다.
짤룹다 형 〈방〉 짧다(전라).
짤르다[1] 타 〈방〉 자르다(경기·강원·충북·전라·경북).
짤르다[2] 형 〈방〉 짧다(강원·제주).
짤름-거리다[1] 자 그릇에 가득 찬 액체가 짤끔짤끔 넘치다. ㅅ잘름거리다[1]. <찔름거리다[1]. *짤끔거리다. **짤름-짤름**[1] 부. ——-하다[1] 자 여불
짤름-거리다[2] 자타 한쪽 다리가 짧거나 탈이 나서 조금 짤록거리다. ㅅ잘름거리다[2]. <쩔름거리다. *짤뚝거리다. **짤름-짤름**[2] 부. ——-하다[2] 자타 여불
짤름-거리다[3] 타 한목에 주지 않고 여러 차례에 나누어 조금씩 자주 주다. ㅅ잘름거리다[3]. <찔름거리다[2]. **짤름-짤름**[3] 부. ——-하다[3] 타 여불
짤름-대다 자타 짤름거리다[1·2·3].
짤름-발이 명 다리를 짤름짤름 저는 사람. ㅅ잘름발이. <쩔름발이.
짤름-뱅이 명 ☞ 짤름발이.
짤릅다 형 〈방〉 짧다(충남·전북).
짤리다 피동 〈방〉 잘리다.
짤막-이 부 짤막하게.
짤막-짤막 부 여러 개가 다 짤막한 모양. ¶~한 막대기들. ——-하다 형 여불
짤막짤막-이 부 짤막짤막하게.
짤막-하다 형 여불 길이가 조금 짧은 듯하다.
짤부다 형 〈방〉 짧다(경기·강원·충북·전남)
짤브다 형 〈방〉 짧다(경기·강원·충북·전남).
짤븝다 형 〈방〉 짧다(전남).
짤쏙-거리다 자타 몸피가 작은 것이 재게 절쑥거리다. ㅅ잘쏙거리다. <쩔쑥거리다. **짤쏙-짤쏙**[1] 부. ——-하다[1] 자타 여불
짤쏙-대다 자타 짤쏙거리다.
짤쏙-이 부 짤쏙하게. ㅅ잘쏙이. <찔쑥이.
짤쏙-짤쏙[2] 부 여러 군데가 다 짤쏙한 모양. ㅅ잘쏙잘쏙[2]. <찔쑥찔쑥. ——-하다[2] 형 여불
짤쏙짤쏙-이 부 짤쏙짤쏙하게.
짤쏙-하다 형 여불 긴 물건의 한 부분이 가로 가늘게 패어 옴쏙하다. ㅅ잘쏙하다. <찔쑥하다.
짤짤[1] 부↗짤래짤래. ㅅ잘잘[1]. <쩔쩔[1].
짤짤[2] 부 열이나 온도가 매우 높아 끓듯이 더운 모양. ㅅ잘잘[2]. <쩔쩔[2].
짤짤[3] 부 물건을 손에 쥐고서 가볍게 빨리 흔드는 모양. ㅅ잘잘[3]. < 쩔쩔[3].
짤짤[4] 부 이리저리 채신없이 바삐 쏘대는 모양. ㅅ잘잘[4]. <쩔쩔[4].
짤:짤[5] 부 땅에 축 늘어져서 끌리는 모양. ㅅ잘잘[5]. <찔찔[1].
짤:짤[6] 부 기름기나 윤기가 겉에 드러나게 반드르르 흐르는 모양. ¶손등도 부어 오른 듯이 토실토실하고 윤이 ~ 돌던 때도 있었다≪李光洙 : 사랑≫. ㅅ잘잘[6]. <찔찔[2].
짤:짤[7] 부 물이 매우 적게 또는 얕이 흐르는 모양. 또, 그 소리. ¶수도물이 밤에만 ~ 나오니 걱정이다. ㅅ잘잘[7]. <쩔쩔[5].
짤짤-거리다 자 이리저리 채신없이 바삐 쏘대다. ㅅ잘잘거리다. <쩔쩔거리다.
짤짤-대다 자 짤짤거리다.
짤짤-매다 자 다급한 일이 다닥쳐서 어쩔 바를 모르고 황급하게 헤매다. <쩔쩔매다.
짤짤-이 명 ①이리저리 채신없이 쏘대는 사람. ②발 끝만 꿰어 신게 된 실내용의 간단한 신.
짧다 [짤따] 형 〔중세 : 뎌르다. 근대 : 쟓다〕 ①길이가 작다. 사이가 가깝다. ②높이가 작다. 얕다. ③시간의 경과가 길지 않다. 오래지 않다. ¶짧은 생애. ④범위·정도에 미치지 못하여 모자라다. ¶지식이 ~. ⑤자본·밑천 등이 많지 못하다. ¶밑천이 ~. ⑥식성이 까다로워 가리는 음식이 많다. ¶입이 ~.
짧-다랗다 [짤따라타] 형 〈방〉 짤따랗다.
짧아-지다 [짤바—] 자 짧게 되다.
짧은-뜨기 [짤븐—] 명 코바늘뜨기에서, 바늘로 실을 감지 않고 코를 한꺼번에 빼어서 뜨는 일.
짧은-바지 [짤븐—] 명 무릎조금 위나 아래까지의 길이의 짧은 바지. 반바지.
짧은-반지름 【—半—】 [짤븐—] 명 〖수〗 짧은지름의 반지름. 단반경(短半徑). ↔긴반지름.
짧은-소리 [짤븐—] 명 〖언〗 짧게 나는 소리. 단음(短音). ↔긴소리.
짧은-앞꾸밈음 【—音】 [짤븐—] 명 〔acciaccatura〕 〖악〗 앞꾸밈음의 하나. 선율을 만드는 음 앞에 붙는 매우 짧은 꾸밈음으로, 작은 음표에 사선(斜線)을 그어 나타내고, 이 작은음표와 본음표와를 슬러(slur)로 맺음. 단전타음(短前打音). *앞꾸밈음.
짧은-작 [짤븐—] 명 길이가 짧은 화살. 단전(短箭). 왜전(矮箭). ↔긴작.
짧은-중우 [짤븐—] 명 〈방〉 잠방이(경북).
짧은-지름 명 [짤븐—] 명 〖수〗 타원의 중심을 지른 긴 지름에 수직된 가장 짧은 금. 단경(短徑). ↔긴지름.
짧은-치마 [짤븐—] 명 짧게 지은 치마. ↔긴치마·큰치마.
짬[1] 명 ↗짬질. ——-하다 타 여불
짬:[2] 명 ①물건끼리 서로 맞붙은 틈. ¶들어갈 ~이 없다. ②한 일은 마치고 다른 일에 손대려는 겨를. ¶담배 한 대 태울 ~이 없다. ③종이 따위를 도련(刀鍊) 칠 때 칼이나 붓끝으로 조금 찍은 표적.
짬:-나다 자 ①물건 사이에 틈이 생기다. ②바쁜 중에 겨를이 생기다. ¶짬나는 대로 쉬이 방문하겠네.
짬-매다 타 〈방〉 동이다(전북).
짬뽕 〔일 ちゃんぽん〕 명 ①종류가 다른 술을 섞어 마시는 일. 혼음(混飮). ②서로 다른 것을 뒤섞는 일. ③중국 음식의 하나. 국수에 각종 해물과 야채를 섞어서 볶아, 돼지뼈나 쇠뼈·닭뼈를 우린 국물을 부은 것. 초마면(炸碼麵). ——-하다 자타 여불
짬자리 명 〈방〉 잠자리(경기·충북·전북·경상·강원).
짬잘래 명 〈방〉 잠자리.
짬-질 명 물기를 빼려고 꼭 짜는 짓. (준)짬. ——-하다 타 여불

짬짜미 [명] 남 몰래 둘이서만 짜고 하는 약속(約束). 밀약(密約). ¶부여 석수장이와 무슨 짬짜미속이 적실이 있는 듯하다고 고두쇠가 여러 번 장담을 하였지만…≪玄鎭健 : 無影塔≫. ――-하다 [타][여불]
짬짜위 [명] 〈방〉 짬짜미. ――-하다 [타]
짬짬-이 [부] 짬날 때마다. 틈틈이. 간간이. ¶～ 책을 읽었다.
짬짬-하다 [형][여불] ☞ 잠잠(潛潛)하다. 짬짬-히 [부]
짭다[1] [형] 〈방〉 짧다(전남·경상).
짭다[2] [형] 〈방〉 짜다(전라·경상·함경).
짭댕이 [명] 〈방〉 대님(경상).
짭조름-하다 [형][여불] 조금 짠 듯하다. 짭조름-히 [부]
짭조지 [명] 〈속〉 앉은뱅이.
짭짤-찮다 [-찬타] [형] ①점잖지 못하고 추하다. ②짭짤하지 않다.
짭짤-하다 [형][여불] ①조금 짠 듯하다. <찝찔하다. ②일이나 행동이 규모가 있고 야무지다. ¶짭짤한 살림 솜씨. ③물건이 값지고 귀하다. ¶살림이 ～. 짭짤-히 [부]
짭짭 [부] 일이 마음대로 되지 않을 때나, 감칠 맛이 있어서 입을 다시는 소리. <쩝쩝. ――-하다[1] [타][여불]
짭짭-거리다 [타] 감칠 맛이 있거나 못마땅하여 연해 짭짭 소리를 내다. <쩝쩝거리다.
짭짭-대다 [타] 짭짭거리다.
짭짭-하다[2] [형][여불] 입이 구뻐서 무엇이 먹고 싶다.
짯짯-이 [부] 짯짯하게. <쩟쩟이.
짯짯-하다 [형][여불] ①성질이 깔깔하고 딱딱하다. ②나뭇결이나 피륙 바탕이 깔깔하고 연하다. ③빛깔이 맑고 깨끗하다. ¶소나무 가지 사이로 오월 하순의 짯짯한 햇살이 새어들어오고 있었다≪黃順元 : 인간접목≫. <쩟쩟하다.
짱 [부] 얼음장이나 굳은 물건 따위가 갑자기 갈라질 때 나는 소리. <쩡.
짱갈래 [명] 〈방〉 제기[1](경북).
짱구 [명] ①[←장구] ↗짱구 머리·짱구 대가리. ②탁구공·정구공 등에서, 조금 실그러진 공.
짱구 대가리 [명] 〈속〉 짱구 머리.
짱구 머리 [명] 이마와 뒤통수가 유달리 쑥 내민 머리.
짱끌라 [명] 〈방〉 제기[1](경북).
짱꼴래[1] [명] 〈방〉 제기[1](경상).
짱꼴래[2] [일 ちゃんころ] [명] 〈속〉 일제 강점기(日帝強占期)에, 중국 사람을 경멸하여 일컫던 이름.
짱당-그리다 [타] 못마땅하여 얼굴을 몹시 찡그리다. ¶여삼은… 어찌해야 좋을지 몰라 얼굴을 잔뜩 짱당그리고 어정쩡했다≪劉賢鍾 : 들꽃≫. <찡등그리다.
짱도리 [명] 〈방〉 장도리(전남·경북).
짱돌 [명] 〈방〉 장도리(경북).
짱뚱-어 [명] 〖어〗 [*Boleophthalmus chinensis*] 망둥어과에 속하는 물고기. 몸길이 15-18 cm에 달하는데 말뚝망둥어 비슷하여 가늘고 길며, 꼬리 자루 부분은 높고 측편되어 있음. 머리 폭이 넓고 주둥이는 짧으며 작은 눈이 머리 위 끝에 툭 비어져 나왔음. 몸빛은 청람색이며 백색의 작은 점이 산재(散在)함. 가슴지느러미로 간석지(干潟地)를 기어 다님. 한국 서남 해안(西南海岸)·일본·대만 등의 내만(內灣)·간석지에 많이 분포함. 고기는 연(軟)하고 지방(脂肪)이 많아 맛이 좋음.

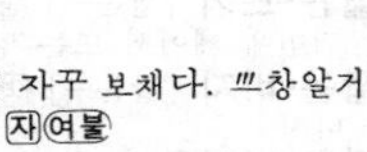

〈짱뚱어〉

짱뚱-이 [명] 〈방〉 〖어〗 짱뚱어.
짱아 [명] 〈소아〉 잠자리.
짱알-거리다 [자] 어린애가 몸이 아프거나 시뻐서 자꾸 보채다. ㅆ창알거리다. <찡얼거리다. 짱알-짱알 [부]. ――-하다 [자][여불]
짱알-대다 [자] 짱알거리다.
짱애[1] [명] 〈방〉 〖어〗 뱀장어(전남·경남).
짱애[2] [명] 〈방〉 짱아.
짱어 [명] 〈방〉 〖어〗 뱀장어(전남·경남).
짱장구리 [명] 〈방〉 〖조〗 딱따구리(경남).
짱짱-하다 [형][여불] 생김새가 옹골차고 동작이 매우 굳센 듯하다.
짴다 [타] 〈방〉 짜다[1].
-째 [미] ①명사 뒤에 쓰이어 '있는 그대로'·'통째로'의 뜻을 나타내는 말. ¶뿌리～ 뽑다 / 송두리～ 삼키다. ＊채[13]. ②수관형사(數冠形詞)나 기본수(基本數) 또는 단위 뒤에 붙어, 서수사(序數詞)를 이루거나 차례·등급을 나타내는 말. ¶첫～ / 넷～ / 세 개～ 먹는다. ③시간을 나타내는 말 뒤에 붙어 '계속되는 동안'의 뜻을 나타내는 말. ¶이틀～ 굶다.
째각 [부] 〈방〉 재깍[1]. ――-하다 [자]
째:고-따기 [명] 〈속〉 소매치기가 주머니를 면도날로 째고 털어가는 수법(手法).
째그락-거리다 [타] ☞ 짜그락거리다. 째그락-째그락 [부]. ――-하다 [자][여불]
째금-거리다 [타] ☞ 짜금거리다. 째금-째금 [부]. ――-하다 [자][여불]
째긋-이 [부] 눈살이나 얼굴 근육 따위를 짜그려 좁히는 모양. ¶설희에게 한쪽 눈을 ～ 감아 보인다≪朴花城 : 고개를 넘으면≫.
째깍 [부] ①단단한 물건이 부러지거나 맞부딪쳐 마치게 나는 소리. ②시계 같은 것의 톱니바퀴가 한 번 움직이는 소리. 1)·2): ㅅ재깍[1]. <쩨꺽. ――-하다 [자][타][여불]
째깍-거리다 [자][타] 연해 째깍 소리가 나다. 또, 연해 째깍 소리를 나게 하다. ㅅ재깍거리다. <쩨꺽거리다. 째깍-째깍 [부]. ――-하다 [자][타][여불]
째깍-대다 [자][타] 째깍거리다.
째:다[1] [자] 옷·신 등이 몸이나 발에 너무 작다. ¶신이 ～.
째:다[2] [자] 일손이나 물질이 부족하여 일에 몰리다. ¶살림이 ～/손이 ～.
째:다[3] [자] ↗짜이다.
째:다[4] [타] [중세 : 떠다] 종이·가죽·피륙 등을 칼이나 손으로 갈라지게 찢다.
째:다[5] [타] 윷놀이에서, 말을 쨀밭에 놓다.
째:리다 [자] 〈속〉 사람을 뚫어지게 노려보다.
째:마리 [명] 사람이나 물건 가운데에서 가장 못된 찌꺼기.
째-못 [명] 박힌 나무못을 빠지지 않도록 촉끝을 째고 박는 쐐기.
째바리 [명] 〈방〉 째마리.
째:-보 [명] ①'언청이'를 놓으로 이르는 말. ②썩 잔망스러운 사람을 이르는 말.
째비 [명] 〈방〉 제비(경상).
째빗 [부] 〈방〉 뾰족(경남).
째어-지다 [자] 터져서 갈라지다. 터져서 벌어지다. [준]째지다.
째이다 [자] 〈방〉 ①짜이다. ②째다[1·3]. ¶토역을 할 때에도 손이 째이면 맨발로 들어서서 흙을 이기고,…≪沈熏 : 常綠樹≫.
째:-지다[1] [자] ↗째어지다. ¶똥구멍이 째지게 가난하다.
째지다[2] [타] 〈방〉 훔치다(함경).
째푸리다 [자][타] ①날씨가 음산하게 흐리다. ②얼굴이나 눈살 등을 얄밉게 찡그리다. <찌푸리다.
짹-소리 [명] 아주 작게 나마 남에게 들릴 만한 소리. ¶～ 못 하다/～ 말아라. <찍소리. ＊짹소리. [주의] 반드시 부정 또는 금지하는 뜻의 말이 따름.
짹재구리 [명] 〈방〉 딱따구리(전남·경상).
짹-짹 [부] 참새가 자꾸 우는 소리. <찍찍. ――-하다 [자][여불]
짹짹-거리다 [자] 참새·쥐 등이 우는 소리를 연해 내다. <찍찍거리다.
짹짹-대다 [자] 짹짹거리다.
쨀-밭 [-빧] [명] 윷판의 앞밭으로부터 꺾이어 여섯째의 밭.
쨀쨀 [부] ①몸에 지닌 것을 주착없이 자꾸 빠뜨리거나 흘리는 모양. ②눈물을 짤끔거리며 우는 모양. ¶왜 또 ～ 울고 있니. ③액체 같은 것이 폭좁게 조금씩 흐르는 모양. ¶코를 ～ 흘리는 녀석. ㅅ잴잴. <찔찔[3].
쨈-매다 [타] 〈방〉 동이다(전남·경상).
쨈미다 [타] 〈방〉 동이다(전남·경남).
쨈:-빛 [-빋] [명] 〖미술〗 ①진채화(眞彩畫)에 있어서, 희박한 빛깔 위에 칠하는 더 짙은 빛깔. ②두 빛깔을 조화시키느라고 더 칠하는 빛깔.
쨈:-새 [명] ↗짜임새.
쨈자리 [명] 〈방〉 〖충〗 잠자리[2](강원·충북).
쨋쨋-하다 [형] 〈방〉 짯짯하다.
쨍 [부] ①금속이 서로 맞부딪치어 새되게 울리는 소리. ②귀가 울 때 귓속에서 나는 소리. ――-하다 [자][여불]
쨍강 [부] 무게가 있고 얇은 금속이 세게 맞부딪쳐서 나는 소리. ㅅ쟁강. <쩽겅. ――-하다 [자][타][여불]
쨍강-거리다 [자][타] 자꾸만 쨍강하다. 또, 자꾸만 쨍강 소리를 나게 하다. ㅅ쟁강거리다. <쩽겅거리다. 쨍강-쨍강 [부]. ――-하다 [자][타][여불]
쨍강-대다 [자][타] 쨍강거리다.
쨍그랑 [부] 얇은 금속이 떨어져서 울리는 소리. ㅅ쟁그랑. <쩽그렁. ――-하다 [자][타][여불]
쨍그랑-거리다 [자][타] 연해 쨍그랑 소리가 나다. 또, 연해 쨍그랑 소리를 나게 하다. ㅅ쟁그랑거리다. <쩽그렁거리다. 쨍그랑-쨍그랑 [부]. ――-하다 [자][타][여불]
쨍그랑-대다 [자][타] 쨍그랑거리다.
쨍그리다 [타] 이마·얼굴의 가죽을 암상스럽게 모아 주름지게 하다. <찡그리다.
쨍기리 [명] 〈방〉 애꾸눈이.
쨍끼 [명] 〈방〉 장끼(경기).
쨍알-거리다 [자] ☞ 짱알거리다. 쨍알-쨍알 [부]. ――-하다 [자][여불]
쨍쨍[1] [부] 쨍쨍거리는 모양. <찡찡.
쨍쨍[2] [부] ①볕이 되게 내리쬐는 모양. ¶～ 내리쬐는 뙤약볕 아래. ②얼음 따위의 굳은 물건이 연해 갑자기 터져 울리는 소리. ――-하다[1] [형][여불]
쨍쨍-거리다 [자] 불평으로 암상피우며 자꾸 군소리를 하다. ¶재촉을 했더니 오히려 쨍쨍거리며 돌아서더라. <찡찡거리다.
쨍쨍-대다 [자] 쨍쨍거리다.
쨍쨍-하다[2] [형][여불] ☞ 짱짱하다.
쩌 [명] 〈방〉 겨(전북).
쩌개다 [타] 연장으로 나무 따위의 단단한 물건을 찍어서 갈라지게 하다. >짜개다. ＊쪼개다.
쩌구리 [명] 〈방〉 딱따구리.
쩌귀다 [타] 〈방〉 짜개다(경상).
쩌근-거리다 [자] 연해 붙임성 있고 활발하게 거동(擧動)하다. 찌근대다. 쩌근-쩌근 [부]. ――-하다 [자][여불]
쩌근-대다 [자] 쩌근거리다.
쩌금-거리다 [타] 맛있게 먹느라고 자꾸 쩍쩍 소리를 내다. <짜금거리다. 쩌금-쩌금 [부]. ――-하다 [타][여불]
쩌금-대다 [타] 쩌금거리다.
쩌기 [명] 〈방〉 사립문(함경).
쩌깔 [명] 〈방〉 젓가락(충청).
쩌렁 [부] 얇은 금속 등이 서로 맞부딪치면서 은은히 울리어 내는 소리. ㅅ저렁. ㅆ처렁. >짜랑. ――-하다 [자][타][여불]
쩌렁-거리다 [자][타] 얇은 금속 등이 서로 맞부딪치면서 은은히 소리가 울리어 나다. 또, 연해 쩌렁 소리를 나게 하다. ㅅ저렁거리다. >짜랑거리다. 쩌렁-쩌렁 [부]. ――-하다[1] [자][타][여불]

쩌렁-대다 [자타] 쩌렁거리다.
쩌렁쩌렁-하다[2] [형](여불) 목소리가 높고 커서 울림이 크다. ¶쩌렁쩌렁한 음성. >짜랑짜랑하다[2].
쩌르다 [형] 〈방〉 짧다(경상).
쩌르렁 [부] ①얇은 금속이 세게 맞부딪쳐 울리는 소리. ②목소리가 여무지게 울리는 소리. 1)·2):ㅅ저르렁. ㅆ처르렁. <짜르랑. ——-하다 [자타](여불)
쩌르렁-거리다 [자타] 쩌르렁 소리가 계속하여 나다. 또, 계속해서 쩌르렁 소리를 나게 하다. ㅅ저르렁거리다. ㅆ처르렁거리다. >짜르랑거리다. **쩌르렁-쩌르렁** [부]. ——-하다 [자타](여불)
쩌르렁-대다 [자타] 쩌르렁거리다.
쩌릿-쩌릿 [부] 자꾸 쩌릿한 느낌이 드는 모양. ——-하다 [형](여불)
쩌릿하다 [형](여불) 매우 저린 느낌이 들다.
쩌-입다 [타] 〈방〉 껴입다(경기·강원·충청·전라·경상·제주).
쩌 자화 〔鄒家華〕 [명] 『사람』 중국의 정치가. 상하이(上海) 출생. 1948 년 모스크바에 유학하고, 1985 년 병기 공업 부장, 1989 년 국가 기획 위원회 주임(主任), 1991 년 국무원 부총리(副總理)가 됨. 추가화. [1926-]
쩌쩌 [감] ①연해 혀를 차는 소리. ¶어른 앞에서 ~ 혀를 차다니. ②소를 왼쪽으로 몰 때 내는 소리.
쩍[1] [명] ①투전 노름의 한 가지. 여섯 장 중에 같은 자 셋이 두 벌 되는 것으로 다툼. ②쩍노름에서 여섯 장 중에 같은 자 셋이 두 벌 되는 것.
쩍[2] [명] 『광』 〈속〉 광재(鑛滓).
쩍[3] [부] ①물건이 둘로 훨쩍 갈라져 벌어진 모양. ②입맛을 다시는 소리. > 짝[4].
쩍낭-간 [一깐] [명] 〈방〉 뒷간.
-쩍다 [미] 느낌을 나타내는 추상 명사(抽象名詞) 밑에 붙어 그러한 느낌이 있다는 뜻으로 형용사를 이루는 말. ¶의심~/미안~/겸연~.
쩍말-없다 [一업一] [형] 썩 잘 되어 더 말할 나위 없다. ¶네가 도둑놈 두령 아내 째목으루 ~《洪命憙 : 林巨正》.
쩍말-없이 [一업씨] [부] 쩍말없게. ¶사람은 ~ 잘 되었다《作者未詳 : 天然亭》.
쩍쩌기 [명] 골패 또는 투전 등의 노름의 한 가지.
쩍쩍[1] [부] 끈끈하여 잘 들러붙는 모양. ㅆ척척[1]. >짝짝[1]. ——-하다 [형](여불)
쩍쩍[2] [부] 입맛을 연해 다시는 소리. ¶껌을 ~ 씹다. >짝짝[2]. ——-하다 [타](여불)
쩍쩍[3] [부] 장작·논바닥 따위가 잘 쪼개지거나 벌어지는 소리 또는 그 모양. ¶손등이 터서 ~ 갈라졌다. <짝짝[4].
쩍쩍-거리다 [타] 입맛을 자꾸 쩍쩍 다시다. >짝짝거리다[1].
쩍쩍-대다 [타] 쩍쩍거리다.
쩍-하면 [부] ↗뻔쩍하면. ¶~ 알아듣는다.
쩔구 [명] 〈방〉 절구[1](경북).
쩔그럭 [부] 얇은 쇠붙이끼리 서로 맞닿아서 약간 가볍게 나는 소리. 또, 그 모양. ㅅ절그럭. >짤그락. ——-하다 [자타](여불)
쩔그럭-거리다 [자타] 연해 쩔그럭 소리가 나다. 또, 연해 쩔그럭 소리를 나게 하다. ㅅ절그럭거리다. >짤그락거리다. **쩔그럭-쩔그럭** [부]. ——-하다 [자타](여불)
쩔그럭-대다 [자타] 쩔그럭거리다.
쩔그렁 [부] 얇은 쇠붙이 따위가 맞닿아서 울리어 나는 소리. ㅅ절그렁. ㅆ철그렁. >짤그랑. ——-하다 [자타](여불)
쩔그렁-거리다 [자타] 연해 쩔그렁 소리가 나다. 또, 연해 쩔그렁 소리를 나게 하다. ㅅ절그렁거리다. ㅆ철그렁거리다. >짤그랑거리다. **쩔그렁-쩔그렁** [부]. ——-하다 [자타](여불)
쩔그렁-대다 [자타] 쩔그렁거리다.
쩔꺼덕 [부] ①끈기 있는 물건이 세차게 들러붙었다가 떨어지는 소리나 모양. ②서로 닿으면 걸리어 붙게 된 물건끼리 맞부딪치어 마치게 나는 소리. ③넓적한 물건끼리 맞부딪치어 끈기 있게 나는 소리. 1)-3): (준)쩔꺽. ㅅ절거덕. ㅆ철커덕. >짤까닥. ——-하다 [자타](여불)
쩔꺼덕-거리다 [자타] 연해 쩔꺼덕 소리가 나다. 또, 연해 쩔꺼덕 소리를 나게 하다. ㅅ절거덕거리다·절꺼덕거리다. ㅆ철커덕거리다. >짤까닥거리다. (준)쩔꺽거리다. **쩔꺼덕-쩔꺼덕** [부]. ——-하다 [자타](여불)
쩔꺼덕-대다 [자타] 쩔거덕거리다.
쩔꺼덩 [부] 서로 닿으면 걸리어 붙게 된 단단한 물건끼리 맞부딪쳐 울리는 소리. ㅅ절거덩. ㅆ철커덩. >짤까당. ——-하다 [자타](여불)
쩔꺼덩-거리다 [자타] 연해 쩔꺼덩 소리가 나다. 또, 연해 쩔꺼덩 소리를 나게 하다. ㅅ절거덩거리다. ㅆ철커덩거리다. >짤까당거리다. **쩔꺼덩-쩔꺼덩** [부]. ——-하다 [자타](여불)
쩔꺼덩-대다 [자타] 쩔꺼덩거리다.
쩔꺽 [부] ↗쩔꺼덕. ㅅ절걱. ——-하다 [자타](여불)
쩔꺽-거리다 [자타] ↗쩔꺼덕거리다. ㅅ절걱거리다. ㅆ철컥거리다. **쩔꺽-쩔꺽** [부]. ——-하다 [자타](여불)
쩔꺽-대다 [자타] 쩔꺽거리다.
쩔다 [자] 〈방〉 절다[1].
쩔뚝-거리다 [자타] 몹시 절뚝거리다. ㅅ절뚝거리다. <찔뚝거리다. >짤뚝거리다. *쩔름거리다. **쩔뚝-쩔뚝** [부]. ——-하다 [자타](여불)
쩔뚝-대다 [자타] 쩔뚝거리다.
쩔뚝발-이 [명] 쩔뚝거리는 사람. (준)쩔뚝이. ㅅ절뚝발이. *쩔름발이.
쩔뚝-뱅이 [명] 〈방〉 쩔뚝발이(경상).
쩔뚝-이 [명] ↗쩔뚝발이.
쩔렁 [부] 얇은 쇠붙이나 큰 방울 여러 개가 흔들리어 나는 소리. ㅅ절렁. ㅆ철렁. >짤랑. ——-하다 [자타](여불)
쩔렁-거리다 [자타] 자꾸 쩔렁하다. 또, 자꾸 쩔렁 소리를 나게 하다. ㅅ절렁거리다. ㅆ철렁거리다. >짤랑거리다. **쩔렁-쩔렁** [부]. ——-하다 [자타](여불)
쩔렁-대다 [자타] 쩔렁거리다.
쩔레-쩔레 [부] 머리를 가로 세게 흔드는 모양. ¶머리를 ~ 흔들며 부인(否認)하다. (준)쩔쩔. ㅅ절레절레. >짤래짤래.
쩔렝이 [명] 〈심마니〉 돈.
쩔루발 [명] 〈방〉 쩔뚝발이(함경).
쩔룩-거리다 [자타] 약간 쩔름거리다. ㅅ절룩거리다. >짤록거리다. **쩔룩-쩔룩** [부]. ——-하다 [자타](여불)
쩔룩-대다 [자타] 쩔룩거리다.
쩔름-거리다 [자타] 몹시 절름거리다. ㅅ절름거리다. >짤름거리다. *쩔뚝거리다. **쩔름-쩔름** [부]. ——-하다 [자타](여불)
쩔름-대다 [자타] 쩔름거리다.
쩔름발-이 [명] 쩔름거리는 사람. ㅅ절름발이. >짤름발이. *쩔뚝발이.
쩔름-뱅이 [명] 〈방〉 쩔름발이(경상).
쩔쑥-거리다 [자타] 몹시 절쑥거리다. ㅅ절쑥거리다. >짤쏙거리다. **쩔쑥-쩔쑥** [부]. ——-하다 [자타](여불)
쩔쑥-대다 [자타] 쩔쑥거리다.
쩔쩔[1] [부] ↗쩔레쩔레. ㅅ절절[3]. >짤짤[1].
쩔쩔[2] [부] 열이 높아서 끓듯이 더운 모양. ¶방이 ~ 끓는다. ㅅ절절[4]. >짤짤[2].
쩔쩔[3] [부] 무엇을 손에 쥐고서 크게 천천히 흔드는 모양. ㅅ절절[5]. >짤짤[3].
쩔쩔[4] [부] 이리저리 치신없이 바삐 쏘대는 모양. ㅅ절절[6]. >짤짤[4].
쩔쩔[5] [부] 물이 많이 흐르는 모양. 또, 그 소리. ㅅ절절[7]. >짤짤[7].
쩔쩔-거리다 [자] 이리저리 몹시 바쁘게 쏘다니다. ㅅ절절거리다. >짤짤거리다.
쩔쩔-대다 [자] 쩔쩔거리다.
쩔쩔-매다 [자] 다급한 일이 다닥쳐 어찌할 바를 모르고 황급히 헤매다. ¶바빠서 ~. >짤짤매다.
쩗다 [쩔따] [형] 〈방〉 짧다.
쩜-매다 [타] 〈방〉 동이다(충북·전북).
쩜미다 [타] 〈방〉 동이다(전남).
쩝쩔-거리다 [자] 〈방〉 껍적거리다(충청).
쩝쩝 [부] 일이 뜻대로 되지 않거나, 감칠맛이 있어 입을 다시는 소리. >짭짭. ——-하다 [타](여불)
쩝쩝-거리다 [타] 연해 쩝쩝 소리를 내다. >짭짭거리다.
쩝쩝-대다 [타] 쩝쩝거리다.
쩝쩝-하다 [형](여불) 개운치 못하고 찝찔하다.
쩟 [감] 못마땅하여 혀를 차는 소리. ——-하다 [자](여불)
쩟쩟 [감] 몹시 못마땅하여 거듭 혀를 차는 소리.
쩟쩟-이 [부] 쩟쩟하게. >짯짯이.
쩟쩟-하다 [형](여불) ①성질이 깔깔하고 딱딱하다. ②바탕이나 결이 깔깔하고도 거세다. ③빛깔이 맑고도 깨끗하다. >짯짯하다.
쩡-문 [명] 〈방〉 사립문(함북).
쩡양-간 [명] 〈방〉 뒷간(함남).
쩡 중밍 〔曾仲鳴〕 [명] 『사람』 중국의 문학자·정치가. 푸젠(福建) 사람. 파리 및 리옹 대학을 나옴. 1925 년 국민 정부에 들어가 왕 자오밍(汪兆銘)과 뜻이 맞았으며, 31 년 광둥(廣東) 국민 정부에 이어 장(蔣)·왕(汪) 합작 정부의 철도부 상무 차장(鐵道部商務次長)을 지냄. 한편 프랑스 문학자로서 《법국 문학 총담(法國文學叢談)》·《중국 시사(中國詩史)》(불문)·《중국 문학사》(불문) 등 많은 저서를 씀. 38 년 왕(汪)과 충칭(重慶)을 탈출하였으나 하노이에서 자객의 손에 쓰러짐. [1901-39]
쩡쩡 [부] ①용수철이나 빵빵한 줄을 세게 퉁길 때 나는 소리. ②얼음 등의 굳은 물건이 터져 울리는 소리. ③권세를 휘두르는 모양. ——-하다 [자](여불) ①쩡쩡 소리가 나다. ②얼음이 갈라져 터지는 소리가 나다.
쩡쩡-거리다 [자] 굉장한 세력을 부려 으리으리하게 지내다.
쩡쩡-대다 [자] 쩡쩡거리다.
쩨기 [명] 〈방〉 사립문(함경).
쩨꺽 [부] ①단단한 물건이 부러질 때 나는 소리. ②시계의 톱니바퀴가 한 번 움직이는 소리. 1)·2):ㅅ제꺽. >째깍. ——-하다 [자타](여불)
쩨꺽-거리다 [자타] 연해 쩨꺽 소리가 나다. 또, 연해 쩨꺽 소리를 나게 하다. ㅅ제꺽거리다. >째깍거리다. **쩨꺽-쩨꺽** [부]. ——-하다 [자타](여불)
쩨꺽-대다 [자타] 쩨꺽거리다.
쩨:다 [타] 〈방〉 깁다(강원).
쩨:보 [명] 〈방〉 언청이(전남).
쩨비 [명] 〈방〉 『조』 제비[3](강원·경북).
쩨쩨-하다 [형](여불) ①시시하고 신통찮다. ②잘고 인색하다. 치사스럽고 다랍다.
쩻쩻-하다 [형] 〈방〉 쩟쩟하다.
쩽겅 [부] 얇고 조금 무거운 쇠붙이가 세게 맞부딪쳐서 나는 소리. ㅅ쟁겅. > 쨍강. ——-하다 [자타](여불)
쩽겅-거리다 [자타] 자꾸 쩽겅하다. 또, 자꾸 쩽겅 소리를 나게 하다. ㅅ쟁겅거리다. >쨍강거리다. **쩽겅-쩽겅** [부]. ——-하다 [자타](여불)
쩽겅-대다 [자타] 쩽겅거리다.
쩽그렁 [부] 얇은 쇠붙이가 울리어 나는 소리. ㅅ젱그렁. >쨍그랑. ——-하다 [자타](여불)
쩽그렁-거리다 [자타] 연해 쩽그렁 소리가 나다. 또, 연해 쩽그렁 소리를 나게 하다. ㅅ젱그렁거리다. >쨍그랑거리다. **쩽그렁-쩽그렁** [부]. ——-하다 [자타](여불)
쩽그렁-대다 [자타] 쩽그렁거리다.
쪄-내다[1] [타] 솥이나 냄비에 넣고 뜨거운 김으로 익히어 내다.

쩌내다[2] ㉻ 배게 자란 나뭇가지나 풀숲을 솎아서 쳐내다.

쪼가리 ㉴ 쪼개진 조각. 작은 조각. ¶헝겊 ~/항아리의 깨진 ~.

쪼가리-김치 ㉴〈방〉깍두기(경남).

쪼가지 ㉴〈방〉깍두기(전라).

쪼각 ㉴〈방〉조각[1]❶❷(함경·경상).

쪼갑지 ㉴〈방〉조개(전남·경북).

쪼개 ㉴〈방〉짜개.

쪼개다 ㊀〔근대 : 쪼긔다〕㉻ ①둘 이상으로 나누다. 분할하다. ¶토지 천 평을 세 필지로 ~. ②조각이 나게 부수거나 가르다. ¶사과를 둘로 ~. ＊짜개다·쩌개다. ㊁ ㉶〈속〉소리 없이 입을 벌리고 웃다.

쪼개-접【一接】㉴〖농〗접목(接木)에서 대목(臺木)을 가르고 접수(接穗)를 삽입하는 방법. 할접(割接).

쪼개-지다 ㉶ ①둘 이상으로 나누이다. ②조각으로 부서지거나 갈리다.

쪼갠-면【一面】㉴ 절단면(切斷面).

쪼갭지 ㉴〈방〉조개(경북).

쪼구락-사리 ㉴〈방〉주름살(경상).

쪼구락-살 ㉴〈방〉주름살(경북).

쪼구랭이 ㉴〈방〉〖식〗조롱박(경남).

쪼구레이 ㉴〈방〉〖식〗조롱박(경남).

쪼구미 ㉴〖건〗동자(童子) 기둥.

쪼굴-사리 ㉴〈방〉주름살(경북).

쪼귀다 ㉻〈방〉쪼개다.

쪼그라-들다 ㉶ 쪼그라져 작게 되어 가다. ㅆ쪼크라들다. <쭈그러들다.

쪼그라-뜨리다 ㉻ 힘주어 쪼그리다. ㅆ쪼크라뜨리다. <쭈그러뜨리다.

쪼그라-지다 ㉶ ① 눌리거나 옆으로부터 욱이거나 하여 부피가 몹시 작아지다. ② 살기가 빠져서 쪼글쪼글해지다. ㅆ쪼크라지다. <쭈그러지다.

쪼그라-트리다 ㉻ 쪼그라뜨리다.

쪼그락-짠지 ㉴〈방〉깍두기(경북).

쪼그랑-박 ㉴ 덜 쇠어 쪼그라진 박.

쪼그랑-할멈 ㉴ 얼굴이 쪼글쪼글한 늙은 여자의 낮춤말.

쪼그랭이 ㉴〈방〉〖식〗조롱박(경남).

쪼그려-묻기 ㉴〖고고학〗굽혀묻기.

쪼그리다 ㉻ ①누르거나 또는 옥여서 부피를 작게 만들다. ②팔다리를 오그리어 앉거나 눕거나 하다. 1)·2): ㅆ쪼크리다. >쭈그리다.

쪼글씨다 ㉻〈방〉쪼그리다(경상).

쪼글-쪼글 ㉮ 쪼그라져서 불규칙하게 많은 줄이나 주름이 간 모양. <쭈글쭈글. ——-하다 ㉯㉰

쪼기다 ㉻〈방〉쪼개다.

쪼끄마-하다 ㉯㉰ 쪼끔 작거나 적다. ㉱쪼끄맣다. ㅅ조그마하다.

쪼끄만 ㉲ 쪼끄마한. ㅅ조그만.

쪼끄맣다 [-마타] ㉯㉳ ↗쪼끄마하다. ㅅ조그맣다.

쪼끄미 ㉴〈방〉동자 기둥. 쪼구미.

쪼끔 ㉴㉮ 아주 조금. ¶~만 다오/뒤에 다시 만나자. ㅅ조금·조끔.

쪼끔-쪼끔 ㉮ 여럿이 다 쪼끔. 또, 연하여 쪼끔. ㅅ조금조금.

쪼끼 ㉴〈방〉조끼.

쪼끼-틀 ㉴〈방〉재봉틀(함경).

쪼:다[1] ㉴〈속〉제 구실을 못 하는 덜 떨어진 등신의 뜻의 변말.

쪼:다[2] ㉻〔중세 : 좃다〕①뾰족한 끝으로 찍다. ¶돌을 ~/병아리가 모이를 ~. ②〈방〉조아리다.

쪼달리다 ㉶〈방〉쪼들리다(경상).

쪼들리다 ㉶ ①무슨 일에 내처 부대끼어 지내다. ¶돈에 쪼들리어 못살겠다/살림이 ~. ②남에게 몹시 시달림을 받다. ¶빚장이에게 ~.

쪼로로 ㉮〈방〉쪼르르.

쪼로록 ㉮ ☞ 쪼르륵.

쪼록 ㉮ 가는 물줄기 등이 짧은 동안 좁은 구멍이나 면을 빨리 또는 세게 흐르다가 그치는 소리. ㅅ조록. <쭈룩.

쪼록-쪼록 ㉮ ①비가 그치려 하면서 띄엄띄엄 내리는 소리. ②가는 물줄기가 구멍이나 면을 흐르다가 그치어 방울방울 떨어지는 소리. 1)-2): ㅅ조록조록. <쭈룩쭈룩. ——-하다 ㉶㉰

쪼루 ㉴ 배낚시에서, 낚아챈 물고기를 받는 그물.

쪼루다 ㉻〈방〉줄이다(경남).

쪼르르 ㉮ ①짧은 다리를 재게 움직이며 앞만 보고 나가는 모양. ②가는 물줄기 등이 좁은 구멍이나 바닥을 미끄럽게 흐르는 소리나 모양. ③비나 물에 함빡 젖은 모양. ④비탈에서 몸피가 작은 것이 세차게 미끄러지는 모양. ⑤몸피가 작은 사람이나 짐승이 뒤를 날래게 따르는 모양. ¶그새 ~ 따라왔구나. 1)-5): ㅅ조르르. <쭈르르.

쪼르륵 ㉮ ①액체가 좁은 구멍이나 면을 빨리 흐르다가 그치는 소리. ㅅ조르륵. <쭈르륵. ②허기진 때 뱃 속에서 나는 소리. ¶뱃 속에서 ~ 소리가 나야 정신이 들 모양이다. ——-하다 ㉶㉻㉰

쪼르륵-거리다 ㉶㉻ 연해 쪼르륵 소리가 나다. 또, 연해 쪼르륵 소리를 나게 하다. ㅅ조르륵거리다. <쭈르륵거리다. **쪼르륵-쪼르륵** ㉮. ——-하다 ㉶㉻㉰

쪼르륵-대다 ㉶㉻ 쪼르륵거리다.

쪼리 ㉴〈방〉조리(경북).

쪼빗 ㉮〈방〉뾰족(경남).

쪼뼛-쪼뼛 ㉮ 썩 내닫지 못하고 머뭇거리고 수삽(羞澁)한 태도를 가지는 모양. ㅅ조뼛조뼛. <쭈뼛쭈뼛. ——-하다 ㉯㉰

쪼아-떼기 ㉴〖고고학〗돌에서 껍질을 벗기듯이 나무와 뼈 따위로 얇고 긴 격지를 떼어내는 수법. 껍질떼기.

쪼아-먹다 ㉻ 부리로 콕콕 찍듯이 집어 먹다.

쪼으-개 ㉴〖고고학〗쪼는 데 사용하던, 손에 잡기 좋게 끝이 무디고 짧은 연장.

쪼이 ㉴ 끌로 쪼거나 찍어서 무늬를 내는 금속 세공 기술의 하나.

쪼이다[1] ㉶ 쬐다[1].

쪼이다[2] ㉻ 쬐다[2].

쪼이다[3] ㉵ 남에게 쪼음을 당하다. ㉱쬐다.

쪼잘-거리다 ㉶ ☞쫑잘거리다. **쪼잘-쪼잘** ㉮. ——-하다 ㉶㉰

쪼지다 ㉻ 상투를 틀어 올리다. ¶상투를 쪼진 돌이의 모양도 떠꺼머리 때와 달라서 의젓하게 보이었다≪洪命憙 : 林巨正≫.

쪼치다 ㉻〈방〉쫓다.

쪼크라-들다 ㉶ 위로부터 눌리거나 옆으로 욱이어져 몹시 쪼그라지게 되어가다. ㅅ쪼그라들다. <쭈크러들다.

쪼크라-뜨리다 ㉻ 위에서 누르거나 옆으로 욱이어서 몹시 쪼그라지게 하다. ㅅ쪼그라뜨리다. <쭈크러뜨리다.

쪼크라-지다 ㉶ ①눌리거나 옆으로부터 욱이거나 하여 몹시 쪼그라지다. ②살기가 빠져서 쪼글쪼글 주름이 잡히다. 1)·2): ㅅ쪼그라지다. <쭈크러지다.

쪼크라-트리다 ㉻ 쪼크라뜨리다.

쪼크리다 ㉻ ①위에서 누르거나 옆으로 옥여서 부피를 작게 만들다. ②팔다리를 오그리어 앉거나 눕거나 하다. 1)·2): ㅅ쪼그리다. <쭈크리다.

쪼푸리다 ㉻〈방〉쪼크리다. ¶황 동지 양주가 서울 재상가에 들어와 보기는 처음이라, 십분 조심하여 쪼푸리고 앉아 전후 일을 일일이 고하니…≪金敎濟 : 牧丹花≫.

〈쪽[1]〉

쪽[1] ㉴〔근대 : 쪽〕부인네의 아래 뒤통수에 땋아서 틀어 올려 비녀를 꽂은 머리털. 낭자. 북계(北髻). ¶~을 찌다.

쪽[2] ㊀ ㉴ 책의 면(面). 페이지. ¶21 ~ 참조. ㊁㉷ 책의 면을 세는 단위. ¶500 ~의 책.

쪽[3] ㊀ ㉴ 물건의 쪼개진 부분. ¶마늘~. ㊁㉷ 물건의 쪼개진 부분을 세는 단위. ¶배 두 ~.

쪽[4] ㉴〖식〗[*Polygonum tinctorium*] 마디풀과에 속하는 일년초. 줄기 높이 60-70 cm이고, 홍자색을 띰. 잎은 호생하고 단병(短柄)에 긴 타원형 또는 달걀꼴이며, 초상 탁엽(鞘狀托葉)은 원통상이고 막질(膜質)임. 7-8월에 다섯 개의 화피편(花被片)으로 싸인 붉은 꽃이 수상(穗狀)화서로 줄기 끝과 가지 끝에 피고 과실은 수과(瘦果)임. 중국 또는 인도차이나 원산으로 각지에 재배함. 잎은 남빛 색소인 인디고(indigo)가 함유되어 있어 물감으로 씀. 남(藍). 목람(木藍).

〈쪽[3]〉

쪽[5] ㉴ '아편'의 변말.

쪽[6] ㉴ '얼굴'의 변말.

쪽을 못 쓰다 ㄱ남에게 압도되어 꼼짝도 못하다. ㄴ무엇에 마음을 빼기어 맥을 못 추다.

쪽[7] ㉷ ①방향을 가리키는 말. 녘. 편. ¶길 건너 ~/바람 부는 ~/해가 지는 ~을 바라보다. ②사물을 몇 개로 나누었을 때, 그 사람이나 사물에 속하는 편. 부문(部門). 방면(方面). ¶네 ~이 옳다/찬성하는 ~에 손을 들다.

쪽:[8] ㉮ ①한 줄이나 한 가닥으로 이어지는 모양. ¶~ 뻗은 신작로. ②고르게 늘어서 있거나 벌이어 있는 모양. ¶~ 늘어선 가로수/방석을 ~ 깔아 좌석을 마련하다. ③곧게 펴거나 번은 모양. ¶팔을 ~ 펴고 기지개를 켰다/미끈하게 ~ 뻗은 다리. ④줄이나 금을 곧게 내긋는 모양. ¶색연필로 밑줄을 ~ 치다. ⑤크고 작음이나 높낮이가 없이 한결같은 모양. ¶~ 고른 성적/~ 고른 크기의 사과. ⑥적은 물 따위를 단숨에 들이마시는 모양. ¶자, 어서 ~ 마셔라. ⑦좁은 공간을 한눈에 훑어보는 모양. ¶늘어앉은 면면(面面)을 한 번 ~ 훑어보고. ⑧거침없이 내리 읽거나 외거나 말하거나 하는 모양. ¶사건의 자초지종을 ~ 다 말하다. ⑨한꺼번에 모조리 벗겨지거나 훑거나 갈라지거나 하는 모양. ¶바나나 껍질을 ~ 벗기고 먹었다/벼를 ~ 훑다. ⑩땀이나 살 따위가 빠지는 모양. ¶땀을 ~ 빼다/살이 ~ 빠지다. ⑪종이나 천 따위를 찢는 모양. ¶성이 나서 편지를 ~ 찢는다/손수건을 ~ 찢어서 붕대로 삼았다. 1)-11) : ㅅ족. <쭉.

쪽-가위 ㉴ 손바닥 안에 쥐고 쓰는, 손가락을 넣는 고리가 없이 U자형으로 된 가위. 자수(刺繡)할 때 등, 세밀한 것을 끊을 때 씀.

쪽-걸상【一床】[-쌍] ㉴ 널쪽으로 만든 작은 걸상.

쪽-고르다 ㉯㉸ 여럿이 죄다 고르다.

쪽기 ㉴〈방〉조끼.

쪽-김치 ㉴ 조각조각 썰어서 담근 김치.

쪽-꼭지 ㉴ 반씩반씩 빛깔이 다른 꼭지를 모아서 붙인 연.

쪽-나무 ㉴〖식〗[*Rhaphiolepis ovata*] 능금나뭇과에 속하는 상록 활엽 관목. 잎은 달걀꼴 또는 타원형인데 톱니가 없음. 봄에 백색의 꽃이 원추 화서(圓錐花序)로 정생(頂生)하여 피며 과실은 이과(梨果)이고 가을에 까맣게 익음. 바닷가의 산록(山麓)에 나는데, 전남·경남 및 일본에 분포함. 관상용임.

〈쪽나무〉

쪽-다리 ㉴ 긴 널조각 하나로 걸치어 놓은 다리. ＊외나무 다리.

쪽달 기계【一機械】㉴〈속〉재래식의 베틀을 쪽딱쪽딱 자동(作動)한다는 뜻으로 자동 직기(自動織機)에 상대하여 일컫는 말.

쪽-담 ㉴ 조그맣게 쌓은 작은 담.

쪽대기 ㉴〈방〉애꾸눈이(경상).

쪽-대문【一大門】㉴ 바깥채나 사랑채에서 안채로 통하는 작은 대문.

쪽-댕기 ㉴ 부인네가 쪽을 찔 때 드리는 댕기. 보통, 붉은 색이며, 나이 많은 이는 자주빛, 과부는 검정, 상중의 여자는 흰 댕기를 맴.

쪽-동백【一冬栢】명〖식〗[*Styrax obassia*] 때죽나뭇과에 속하는 낙엽 활엽 교목. 수피(樹皮)는 청자갈색을 띠며 잎은 거의 원형(圓形) 또는 넓은 타원형인데, 잎뒤에 백색의 성상모(星狀毛)가 밀포(密布)함. 6월에 백색 꽃이 총상(總狀) 화서로 늘어져 피고, 핵과(核果)는 9월에 익음. 산지의 숲 속에 나는데, 한국 각지 및 일본·중국·만주 등지에 분포함. 나무는 기구재, 과실은 제유용(製油用)임. 옥령화(玉鈴花). 정나무.

〈쪽동백〉

쪽-되 명〈방〉되¹(경북).
쪽-마늘 명 쪽을 분리한 마늘의 총칭.
쪽-마루 명〖건〗한 조각이나 두 조각의 통널을 가로 대어 만든 툇마루.
쪽매 명 얇은 나무쪽을 모아서 여러 모양으로 만든 물건. 목기(木器) 등을 꾸미는 데에 씀.
쪽매-널 명〖건〗마룻바닥 따위에 붙여 대는 조그마씩한 널조각.
쪽매-붙임 [―부침] 명 바탕이 되는 널에 여러 조각으로 된 쪽매를 붙이는 일. ――-하다 타여불
쪽매-질 명 ①쪽매를 만드는 일. ②잔 조각의 나무를 모아서 목기(木器)를 만드는 일. ――-하다 타여불
쪽-머리 명 쪽을 찐 머리. 낭자(娘子) 머리.
쪽-모이 명 여러 조각을 모아서 한 조각을 만드는 일. 또, 그렇게 만든 물건. ――-하다 타여불
쪽 못 쓰다 구 ①어떤 일이나 사람에게 기가 눌리어 옴쭉 못 하다. ¶부인 앞에선 쪽못쓰는 양반. ②무엇에 혹하거나 반하여 꼼짝 못 하다. ¶돈이라면 쪽못쓰는 인간들.
쪽-문【一門】명 대문짝의 가운데나 한편에 사람이 빠져 드나들도록 만든 작은 문.
쪽-물 명 ☞ 쪽빛.
쪽물 염색【一染色】[―념―] 명 쪽을 베어 우려낸 물감에 굴껍데기 가루를 섞어 달여낸 검붉은 염료로 옷감을 남색(藍色)으로 염색하는 일. 우리 고유의 전통적 염색법의 하나임.
쪽-바가지 명〈방〉쪽박(함북).
쪽-박 명 작은 바가지.
[쪽박 쓰고 벼락을 피해; 쪽박 쓰고 비 피하기] 변을 당했을 때, 당황하여 저도 모르게 어리석은 방법으로 벗어나려 함의 비유. [쪽박이 제 재주를 모르고 한강을 건너려 한다] 제 분수도 모르고 힘에 겨운 일을 하려 한다는 말.
쪽박(을) 차다 구 동냥질을 하고 다니다. 거지가 되다.
쪽박-귀 명 쪽박 모양으로 오목하게 오그라든 귀.
쪽박-새 명〈방〉딱따구리(함북).
쪽박 세:간 명 값어치 없는 하찮은 세간.
쪽박치 명〈방〉쪽박(경북).
쪽-반달【一半一】명 두 가지 빛깔의 종이로 반달 모양의 꼭지를 붙인 연.
쪽-발이 명 ①한 발만 달린 물건. ②발통이 두 조각으로 된 물건. ③일본 사람을 욕으로 이르는 말. *딸깍발이.
쪽-밤 명 ☞ 쌍동밤.
쪽-배 명 통나무를 쪼개어 속을 파서 만든 배. *마상이.
쪽배기¹ 명〈방〉뚝배기(경북).
쪽배기² 명〈방〉쪽박(강원·경북).
쪽-배지 명〈방〉쪽박(함경).
쪽-버들 명〖식〗[*Salix maximowiczii*] 버들과에 속하는 낙엽 활엽 교목. 잎은 긴 타원형 또는 넓은 피침형임. 꽃은 4월에 자웅 이가(雌雄異家)가 유제(葇荑) 화서로, 수꽃이삭은 비스듬히 기울고 암꽃이삭은 밑으로 늘어져서 피며, 삭과(蒴果)는 5월에 익음. 골짜기의 습한 곳에 나는데, 강원·평남·평북·함남·함북 등지에 분포함. 땔감으로 쓰거나 세공용(細工用)임. 고리버들.
쪽-보 명 조각보.
쪽-봉투【一封套】명 외겹으로 된 봉투.
쪽-빛 명 쪽의 빛깔. 곧, 남빛. ¶~ 하늘.
쪽-상【一床】명 아주 작은 밥상.
쪽-소로【一小櫨】명〖건〗장여의 바깥쪽에만 붙이는 접시 받침.
쪽-소매 명 ↗쪽소매 책상.
쪽소매 책상【一冊床】명 한쪽만 밑까지 서랍이 달린 책상. ㊈쪽소매.
쪽술¹ 명 쪽박같이 생긴 숟가락.
쪽술² 명 쟁기의 술이 비스듬히 내려가다가 곧게 벋은 부분.
쪽-자【一字】명〖인쇄〗둘 이상의 활자에서 일부분씩을 따서 한 글자로 만들어 쓰는 활자. ↔통자.
쪽자배기 명〈방〉옹자배기(강원).
쪽잘-거리다 타 음식을 깨지럭깨지럭 먹다. **쪽잘-쪽잘** 부. ――-하다 타여불
쪽잘-대다 타 쪽잘거리다.
쪽-잠 명 짧은 틈을 타서 자는 잠.
쪽재비 명〈방〉〖동〗족제비(경기·전남·경남).
쪽-정과【一正果】명 아가위를 쪼개서 씨를 빼고 만든 정과. 부정과(剖正果).
쪽제비 명〈방〉〖동〗족제비(경기·강원·충청·전라·경상).
쪽제피 명〈방〉족제비(강원).
쪽주개 명〈방〉족집게(충남).
쪽줍개 명〈방〉족집게(충남).
쪽-지【一紙】명 작은 종이 조각. 또, 그런 데에 쓴 편지. ¶마침 자네가 없기에 ~를 남기고 가네.
쪽-지게 명 젓장수나 등짐 장수의 작은 지게.
쪽지비 명〈방〉족제비(강원·충청·전라·경상).
쪽집개 명〈방〉족집게(충청·경남).
쪽집게 명〈방〉족집게(경기·전라·경상).
쪽집구 명〈방〉족집게(경북).
쪽-쪽 부 ①무엇이 여러 줄로 늘어선 모양. ②동작이 여러 번 거침없이 나아가는 모양. ③종이나 피륙을 연해 찢는 소리. ④연해 줄을 치거나 선을 긋는 모양. 1)-4):ㅅ족족. ⑤입으로 연해 빠는 소리. 1)-5):<쭉쭉.
쪽쪽-거리다 자〈방〉쪽잘거리다.
쪽쪽-이 부 여러 쪽이 되게. 여러 쪽으로 따로따로.
쪽찌개 명〈방〉족집게(경기·충북·전남·경상).
쪽찌게 명〈방〉족집게(경기·충북·전남).
쪽찌까 명〈방〉족집게(경기).
쪽찌깨 명〈방〉족집게(경기·강원·충북·전북·경상).
쪽찌께 명〈방〉족집게(경기·충북·경상).
쪽-찌다 타 여자가 머리를 땋아 뒤통수에 틀어 올리고 비녀를 꽂다.
쪽-창【一窓】명〖건〗좁고 긴 듯하게 만든 외짝 창. 척창(隻窓).
쪽판-붙임【一板一】[―부침] 명 폭을 넓히려고 낱낱의 널쪽을 옆으로 맞붙이는 일. ――-하다 자여불
쪽-팔리다 자〈속〉[쪽은 면(面)의 뜻] '낯이 깎이다'의 뜻의 변말.
쫀득-거리다 자 몹시 존득거리다. ㅅ존득거리다. <쭌득거리다. **쫀득-쫀득** 부. ――-하다 형여불
쫀득-대다 자 쫀득거리다.
쫀종 명〈방〉주사위.
쫀쫀-하다 형여불 톡톡한 피륙의 짜임새가 곱고도 고르다. ㅅ존존하다.
쫀쫑이 명〈방〉주사위.
쫃빗 부〈방〉뾰족(전남·경남).
쫄구다 타〈방〉졸이다.
쫄기 명〈방〉줄기.
쫄깃-쫄깃 부 매우 졸깃졸깃한 모양. <쭐깃쭐깃. *찔깃찔깃. ――-하다 형여불
쫄깃-하다 형여불 아주 졸깃하다. ㅅ졸깃하다. <쭐깃하다. *찔깃하다.
쫄끔 부 ①액체가 조금 쏟아지다 그치다 하는 모양. ②눈물을 조금 흘리는 모양. ③비가 조금 내리다 멎는 모양. 1)-3):ㅅ졸금. >짤끔. <찔끔. ――-하다 자타여불
쫄끔-거리다 자타 연해 쫄끔하다. 또, 연해 쫄끔하게 하다. ㅅ졸금거리다. >짤끔거리다. <찔끔거리다. **쫄끔-쫄끔** 부. ――-하다 자타여불
쫄대 [―때] 명〖건〗☞ 졸대.
쫄딱 부 더할 나위 없이 죄다. 남김없이 통틀어. ¶~ 망하다.
쫄딱-쫄딱 부 ①규모가 작고 옹졸한 모양. ②한꺼번에 해 치우지 못하고 조금씩 여러 차례 하는 모양. ㅅ졸딱졸딱. ――-하다 형여불
쫄-때기 명 ☞ 졸때기.
쫄라-둥이 명〈방〉쫄래둥이.
쫄래-둥이 명 경망스럽고 잔약한 어린 아이.
쫄래-쫄래 부 몸을 흔들며 경망스럽게 행동하는 모양. ㅅ졸래졸래. <쭐레쭐레. ――-하다 형여불
쫄리다 자 ①남에게 몹시 졸리다. ②단단하게 매어지다. 1)·2): ㅅ졸리다².
쫄-면【一麵】명 밀가루와 감자 녹말을 섞어서 만든 국수. 쫄깃한 맛이 남.
쫄:빼기 명〈방〉얼금뱅이(평안).
쫄-짜 명 '졸자(卒者)'의 힘줌말.
쫄쫄¹ 부 ①작은 물줄기가 세게 흐르는 소리. ②끈이나 줄 따위가 연해 끌리는 모양. ③떨어지지 아니하고 뒤를 사뭇 따라다니는 모양. ㅅ졸졸. <쭐쭐.
쫄쫄² 부 끼니를 굶어 아무 것도 먹지 못한 모양. ¶~ 굶다.
쫄쫄-거리다 자 작은 물줄기가 연해 쫄쫄 소리를 내며 흐르다. ㅅ졸졸거리다. <쭐쭐거리다.
쫄쫄-대다 자 쫄쫄거리다.
쫄쫄-이 명 ①채신없이 까불기만 하고 몹시 소견이 좁은 사람. 키가 작고 옹졸한 사람. ②입으면 늘어나서 꼭 맞고, 벗으면 쪼글쪼글 오그라드는 가벼운 내의·신 따위. ③〈은어〉술.
쫄쫄쫄 부 작은 물줄기가, 세게 연해 흐르는 소리. ㅅ졸졸졸. <쭐쭐쭐.
쫌:-맞다 형 움직임이 계제(階梯)에 마침 들어맞다.
쫍다¹ 타〈방〉쪼다. (충남·전라·경상·함경).
쫍다² 형〈방〉좁다.
쫍빡 명〈방〉쪽박〈전남〉.
쫍치다 타 ①활달하지 못하고 옹졸하게 만들다. ②깨뜨리어 부수다.
쫑 명〈학속〉'종(終)'의 힘줌말. 끝. 특히, 종강(終講). ¶~치다/~파티.
쫑고랭이 명〈방〉조롱박(경남).
쫑곱-질 명〈방〉소꿉질(강원). ――-하다 자
쫑구래기 명〈방〉조롱박(충북·경상).
쫑구레미 명〈방〉조롱박(전남).
쫑구렝이 명〈방〉조롱박(경남).
쫑구리 명〈방〉조롱박(경기).
쫑굴박 명〈방〉조롱박(경북).
쫑그래기 명〈방〉조롱박(전북).
쫑그래기-박 명〈방〉조롱박(전북).
쫑그리다 타 짐승 등이 귀를 꼿꼿이 치켜 세우다. <쫑그리다.
쫑긋 부 ①짐승이 귀를 쫑그리는 모양. ②말을 하려고 입을 달싹하는 모양. 1)·2):<쫑긋.
쫑긋-거리다 타 ①말을 하려고 입술을 달싹거리다. ②짐승이 귀를 연해 쫑그리다. ¶귀를 ~. <쫑긋거리다. **쫑긋-쫑긋** 부. ――-하다 타여불
쫑긋-대다 타 쫑긋거리다.
쫑긋-이 부 쫑긋하게. <쫑긋이.
쫑긋-하다 ㊀형여불 짐승의 귀가 빳빳하게 서 있다. ¶바둑이의 쫑긋한 귀. <쫑긋하다. ㊁타여불 ①짐승이 귀를 한 번 쫑그리다. ②말을 하려고 입술을 달싹이다. 1)·2):<쫑긋하다.
쫑다리 명〈방〉〖조〗종다리.
쫑달-거리다 자 불평이 많아 연해 몹시 종알거리다. ㅅ종달거리다. <쫑덜거리다. **쫑달-쫑달** 부. ――-하다 자여불
쫑달-대다 자 쫑달거리다.

쫑발 명 〈방〉 종지¹(강원).
쫑빗 부 〈방〉 뾰죽(경남).
쫑아 명 〈방〉 제기¹(함남). 「쫑알 부. ——-하다 자여불
쫑알-거리다 자 몹시 종알거리다. ㅅ종알거리다. <쭝얼거리다. 쫑알-
쫑알-대다 자 쫑알거리다.
쫑잘-거리다 자 몹시 수다스럽게 쫑알거리다. ㅅ종잘거리다. < 쭝절거리다. 쫑잘-쫑잘 부. ——-하다 자여불
쫑잘-대다 자 쫑잘거리다. 「총거리다.
쫑쫑-거리다 자 바쁜 몸짓으로 발을 구르듯이 걷다. ㅅ종종거리다. ㅆ총
쫑쫑-대다 자 쫑쫑거리다. ¶애가 말라서 들락날락하는 수모도 쫑쫑댈 뿐이요…≪廉想涉 : 萬歲前≫.
쫓다 타 상투나 낭자 등을 틀어서 죄어 매다. *조지다.
쫓겨-나다 자 〔↗쫓기어 나다〕 쫓김을 당하다. 내쫓음을 당하다. ¶집에서 ~.
쫓기다 자 ①남에게 쫓음을 당하다. ¶경찰에 ~. ②일에 몹시 몰려 지내다. ¶잡무에 ~.
[쫓겨 가다가 경치 보라] 절박한 상황에 처해서 딴 생각을 할 겨를이 있겠느냐는 말.
쫓다 타 〔중세 : 좇다〕 ①못 오게 몰다. 있는 데서 떠나도록 몰다. ¶파리를 ~. ②급한 걸음으로 뒤를 따르다.
쫓아-가다 자타 ①앞선 것을 뒤에서 따르려고 급히 가다. ②뒤에 바싹 붙어 따라가다. ¶어미를 ~.
쫓아-내다 타 쫓아서 밖으로 몰아 내다. ¶마을에서 ~.
쫓아-다니다 자타 ①뒤에서 바싹 붙어 따라다니다. ¶동생이 언니를 ~. ②급히 달음박질하며 다니다. ¶잃은 아이를 찾으려 온종일 ~.
쫓아-오다 자타 ①뒤에서 바싹 따라오다. ¶뒤차가 쫓아온다. ②급히 달음박질하여 오다.
쫗다 타 〈방〉 쪼다.
쫘르르 부 ①큰 물줄기가 잇따라 세차게 쏟아지는 소리. 또, 그 모양. ②작은 물건 여러 개가 한꺼번에 떨어지거나 쏟아지는 소리. 또, 그 모양. 1)·2): ㅅ좌르르.
쫘르륵 부 물건이 넓게 흩어져 나간 모양이나 흩어져 나가는 소리. ㅅ좌르륵. ——-하다 자여불
쫘르륵-거리다 자 물건이 연해 넓게 흩어져 나가는 소리가 나다. 쫘르륵거리다. 쫘르륵-쫘르륵 부. ——-하다 자여불
쫘르륵-대다 자 쫘르륵거리다.
쫙 부 넓게 퍼지는 모양. ¶소문이 ~ 퍼지다/시내에 순경이 ~ 깔렸다. ㅅ좍. ——-하다 자여불
쫙-쫙 부 ①굵은 빗방울이나 물줄기가 줄기차게 쏟아지는 소리나 모양. ②글을 거침없이 내리읽는 모양. 1)·2): ㅅ좍좍. ——-하다 자여불
쫠-쫠 부 액체가 많이 힘차게 흐르는 모양. 또, 그 소리. ㅅ촬촬. ——-하다 자여불
쫠쫠-거리다 자 액체가 연해 쫠쫠 소리를 내며 흐르다. ㅅ촬촬거리다.
쫠쫠-대다 자 쫠쫠거리다.
쫠쫠쫠 부 쫠쫠거리는 모양이나 소리. ㅅ촬촬촬. ——-하다 자여불
쬐기다 타 〈방〉 쪼개다(함경).
쬐:깨 부 〈방〉 조끔(전라).
쬐께 명 〈방〉 조끼(함경).
쬐:꼼 부 〈방〉 조금(황해·평안).
쬐끼 명 〈방〉 조끼(전라·충청).
쬐끼-주머니 명 〈방〉 호주머니(경기).
쬐:다¹ 자 볕이 들어 비치다.
쬐:다² 타 볕이나 불에 쐬거나 말리다.
쬐:다³ 피동 ↗쪼이다³.
쭈구럭-살 명 〈방〉 주름살(경상).
쭈구레기 명 〈방〉 쭈그렁이(함경).
쭈구름-쌀 명 〈방〉 주름살(충북·강원).
쭈구리다 타 ☞ 쭈그리다.
쭈굴-쌀 명 〈방〉 주름살(경상).
쭈굼-쌀 명 〈방〉 주름살(강원·전남).
쭈그러-들다 자 쭈그러져서 작게 되어 가다. >쪼그라들다.
쭈그러-뜨리다 타 힘을 주어 몹시 쭈그러지게 하다. ㅆ쭈크러뜨리다. >쪼그라뜨리다.
쭈그러-지다 자 ①눌리거나 옆에서 욱이어서 부피가 몹시 작아지다. ②물건이나 사람 또는 동물의 살기가 빠져서 쪼글쪼글하여지다. 1)·2): >쪼그라지다.
쭈그러-트리다 타 쭈그러뜨리다.
쭈그럭-살 명 〈방〉 주름살(함경).
쭈그렁-바가지 명 '쭈그렁이❷'의 속된 말.
쭈그렁-밤 명 알이 제대로 들지 않아서 껍질이 쭈글쭈글한 밤.
쭈그렁 밤송이 명 밤톨이 제대로 들지 않아 쭈그러진 밤송이.
[쭈그렁 밤송이 삼 년 간다] 약질이 얼마 못 살 듯 싶어도 오래 부지(扶持)하여 냄을 이르는 말.
쭈그렁-이 명 ①쭈그러진 물건. ②살이 빠져서 쭈글쭈글한 늙은이. ③제대로 여물지 않은 낟알.
쭈그리다 타 〔중세 : 줏그리다〕 ①누르거나 욱여서 부피를 작게 하다. ②팔다리를 우그리어 앉거나 눕다. ㅆ쭈크리다. >쪼그리다.
[쭈그리고 앉은 손님 사흘 만에 간다] 얼마 가지 않을 것 같아 뵈는 것이 오래 견디어 낸다는 뜻.
쭈글씨다 타 〈방〉 쭈그리다.
쭈글-쭈글 부 물체가 쭈그러져서 고르지 않게 많은 주름이 잡힌 모양. >쪼글쪼글. ——-하다 형여불
쭈기럼-쌀 명 〈방〉 주름살(강원·경북).
쭈끼 명 〈방〉 〖어〗 조기(함경).
쭈:다 타 〈방〉 집다(전남).
쭈럼-쌀 명 〈방〉 주름쌀(강원·경북).
쭈루니 부 많은 것들이 가지런히 줄지어 늘어서 있는 모양. ¶화분이 ~ 늘어놓여 있다.
쭈루루 부 ☞쭈르르.
쭈루룩 부 ☞쭈르륵.
쭈룩 부 굵은 물줄기가 구멍이나 면을 빨리 흐르다가 그치는 소리. ㅅ주룩. >쪼록.
쭈룩-쭈룩 부 ①비가 그치려 하면서 띄엄띄엄 내리는 소리. ②굵은 물줄기가 구멍이나 면을 흐르다가 그치어 방울방울 떨어지는 소리. 1)·2): ㅅ주룩주룩. >쪼록쪼록.
쭈룸-쌀 명 〈방〉 주름살(경북).
쭈르르 부 ①날랜 발걸음으로 앞만 향하여 내처 나아가는 모양. ②물줄기가 구멍이나 면을 연해 세게 흐르는 모양. ③비탈진 곳에서 물건이 미끄러지듯 열쌔게 흘러내리는 모양. ④빨리 뒤따르는 모양. 1)-4): ㅅ주르르. >쪼르르.
쭈르륵 부 굵은 물줄기가 넓은 구멍이나 면을 세게 흐르다가 멎는 소리. ㅅ주르륵. >쪼르륵. ——-하다 자타여불
쭈르륵-거리다 자타 연하여 쭈르륵 소리가 나다. 또, 연하여 쭈르륵 소리를 나게 하다. ㅅ주르륵거리다. >쪼르륵거리다. 쭈르륵-쭈르륵 부. ——-하다 자타여불
쭈르륵-대다 자타 쭈르륵거리다.
쭈리다 타 〈방〉 줄이다(전라·경남).
쭈물-거리다 자 〈방〉 머무적거리다(평안). 쭈물-쭈물 부. ——-하다 자
쭈뼛-이 부 쭈뼛하게.
쭈뼛-쭈뼛 부 거침새 없이 내닫지 못하고 부끄러운 태도로 머뭇거리는 모양. ㅅ주뼛주뼛. >쪼뼛쪼뼛. ——-하다 형여불
쭈뼛-하다 형여불 ①높이 솟아 있다. ②매우 놀라거나 무서워서 머리끝이 서는 듯한 느낌이 있다.
쭈시 명 〈방〉 〖식〗 수수¹(전남).
쭈절-거리다 자 〈방〉 쭝절거리다. 쭈절-쭈절 부. ——-하다 자
쭈쭈 명감 갓난 아이의 사타구니를 손으로 쓸어 주면서 하는 소리. 또는 이렇게 하여 아이가 기지개를 켜듯 다리를 곧추 뻗으며 좋아하는 것.
쭈크러-들다 자 위에서 눌리거나 옆으로 욱여져 몹시 쭈크러지게 되어 가다. ㅆ쭈그러들다. >쪼크라들다.
쭈크러-뜨리다 타 누르거나 욱여서 물체가 쭈그러지게 하다. ㅅ쭈그러뜨리다. >쪼크라뜨리다.
쭈크러-지다 타 ①위로 눌리거나 옆으로 욱이거나 하여 몹시 쭈그러지다. ②살기가 빠져서 쭈글쭈글 주름이 잡히다. ㅅ쭈그러지다. >쪼크라지다.
쭈크러-트리다 타 쭈크러뜨리다.
쭈크리다 타 ①누르거나 욱여서 부피를 작게 하다. ②팔다리를 우그리어 앉거나 눕거나 하다. 1)·2): ㅅ쭈그리다. >쪼크리다.
쭈푸리다 타 〈방〉 쭈크리다.
쭉¹ 명 〈방〉 쪽⁴(경상).
쭉:² 부 ①한 줄기로 고르게 이어지는 모양. ¶시원하게 ~ 뻗은 고속 도로. ②여럿이 고르게 늘어서거나 벌이어 있는 모양. ¶운동장에 ~ 늘어선 학생들. ③크게 펴거나 벌어진 모양. ¶허리를 ~ 펴고/~ 째진 눈. ④ 줄이나 금을 힘있게 긋는 모양. ¶글자의 획(劃)을 힘차게 ~ 내리긋다. ⑤종이나 천 따위를 한 가닥으로 찢거나 훑는 모양. ¶김치를 ~ 찢어서 먹다. ⑥물 따위를 단숨에 들이마시는 모양. ¶막걸리 한 사발을 ~ 다 마셨다. ⑦한눈에 모조리 훑어보는 모양. ¶좌중(座中)을 ~ 둘러보고 나서, ⑧거침없이 내리 읽거나 외거나 말하거나 하는 모양. ¶조용히 ~ 다 얘기해 보게. ⑨한꺼번에 벗겨지거나 갈라지는 모양. ¶귤껍질을 ~ 벗기다. ⑩땀이나 물기나 살이 한꺼번에 빠지는 모양. ¶사우나탕에 가서 땀을 ~ 빼다. 1)-10) : ㅅ죽. >쪽. ⑪한 가지 상태로 있는 모양. ¶~ 병석에 누워 있다.
쭉더기 명 〈방〉 쭉정이.
쭉뎅이 명 〈방〉 쭉정이(평안).
쭉두막 명 〈방〉 뜰.
쭉-신 명 해지고 쭈그러진 헌 신.
쭉정-밤 명 속에 알이 들지 않은 쭉정이로 된 밤.
쭉정-이 명 〔근대 : 쭉졍이〕 껍질만 생겨 속에 알이 들지 않은 곡식 등의 열매.
[쭉정이는 불 놓고 알맹이는 거둬들인다] 버릴 것은 버리고 쓸 것은 들여놓는다는 말.
쭉지 명 ☞ 죽지¹.
쭉-쭉 부 ①무엇이 여러 줄로 늘어선 모양. ②동작이 여러 번 거침없이 나아가는 모양. ③종이나 피륙을 연해 찢는 소리. ④여럿을 자꾸 훑어 보는 모양. ⑤계속해서 줄을 치거나 선을 긋는 모양. ⑥입으로 무엇을 빠는 소리. 1)-6): ㅅ죽죽. 1)·2)·3)·5)·6): >쪽쪽.
쭉쭉-거리다 자 연해 쭉쭉 소리를 내다. 쭉쭉대다. ¶빰에다 입을 대고 ~.
쭉쭉-대다 자 쭉쭉거리다.
쭉찌깨 명 〈방〉 족집게(전남).
쭌득-거리다 자 몹시 준득거리다. ㅅ준득거리다. >쫀득거리다. 쭌득-쭌득 부. ——-하다 형여불
쭌득-대다 자 쭌득거리다.
쭐갱이 명 〈방〉 줄기¹(경상).
쭐거리 명 〈방〉 줄기¹(강원·충청·전라·경상).
쭐거지 명 〈방〉 줄기¹(경남).
쭐겡이 명 〈방〉 줄기¹(경남).
쭐구다 타 〈방〉 줄이다(전북).
쭐구리 명 〈방〉 줄기¹(경상).
쭐구지 명 〈방〉 줄기¹(경남).
쭐그리 명 〈방〉 줄기¹(경남).
쭐기 명 〈방〉 줄기¹(전라·경북).
쭐기다 타 〈방〉 줄이다(강원).
쭐깃-쭐깃 부 물체가 차지고도 질긴 모양. ㅅ줄깃줄깃. >쫄깃쫄깃.

——-하다 형여불

쭐깃-하다 형여불 매우 줄깃하다. ㄴ줄깃하다. >쫄깃하다. *짤깃하다·찔깃하다.

쭐레-쭐레 부 둔박한 사람이 몸을 거불거리면서 주착없이 행동하는 모양. ㄴ줄레줄레. >쫄래쫄래. ——-하다 형여불

쭐룩-쭐룩 부 긴 물건이 드문드문 깊이 패어 들어간 모양. ㄴ줄룩줄룩. ——-하다 형여불

쭐쭐 부 ①굵은 물줄기가 계속해서 흐르는 소리. ②굵은 줄 같은 것이 계속해서 끌리는 모양. ③떨어지지 않고 줄곧 따라다니는 모양. 1)-3): ㄴ줄줄. >쫄쫄.

쭐쭐-거리다 자 굵은 물줄기가 계속해서 쭐쭐 소리를 내다. ㄴ줄줄거리다. >쫄쫄거리다.

쭐쭐-대다 자 쭐쭐거리다.

쭐쭐쭐 부 굵은 물줄기가 세게 연해 흐르는 소리. ㄴ줄줄줄. >쫄쫄쫄.

-쭝 미 의존 명사 냥·돈·푼 등의 아래에 붙어 무게를 일컫는 말. ¶닷 냥~/ 은 두 푼~.

쭝그리다 타 짐승 등이 귀를 꼿꼿이 세우다. >쫑그리다.

쭝긋 부 ①짐승 등이 귀를 쭝그리는 모양. ②말을 하려고 입을 달싹하는 모양. 1)·2):>쫑긋.

쭝긋-거리다 타 ①말을 하려고 입술을 달싹거리다. ②짐승들이 귀를 연해 쭝그리다. ¶곽 사장은 무슨 냄새라도 맡는 사람 모양으로 코를 쭝긋거렸다《張德祚 : 누가 罪人이냐》. 1)·2):>쫑긋거리다. **쭝긋-쭝긋** 부. ——-하다 타여불

쭝긋-대다 타 쭝긋거리다.

쭝긋-이 부 쭝긋하게. >쫑긋이.

쭝긋-하다 ㊀형여불 짐승의 귀가 빳빳하게 서 있다. >쫑긋하다. ㊁타여불 ①짐승이 귀를 한 번 쭝그리다. ②말을 하려고 입술을 들썩이다. 1)·2):>쫑긋하다.

쭝덜-거리다 자 불평을 품고 계속해서 중얼거리다. ㄴ중덜거리다. >쫑달거리다. **쭝덜-쭝덜** 부. ——하다 자여불

쭝덜-대다 자 쭝덜거리다.

쭝얼-거리다 자 남이 알아 듣지 못할 정도로 계속해서 혼잣말을 하다. ㄴ중얼거리다. >쫑알거리다. **쭝얼-쭝얼** 부. ——-하다 자여불

쭝얼-대다 자 쭝얼거리다.

쭝절-거리다 자 수다스럽고 야무지게 중얼거리다. ㄴ중절거리다. >쫑잘거리다. **쭝절-쭝절** 부. ——-하다 자여불

쭝절-대다 자 쭝절거리다.

쭝쭝-거리다 자 원망하는 빛을 띠고 쭝얼거리다. ㄴ중중거리다. **쭝쭝-쭝쭝** 부. ——-하다 자여불

쭝쭝-대다 자 쭝쭝거리다.

쮀게 명〈방〉제기(제주).

쯔궁〔自貢〕명〔지〕중국 쓰찬 성(四川省) 중남부 쯔류징(自流井)과 궁징(貢井)을 합병한 공업 도시. 주민의 반수가 염업(塩業)에 종사하여 쓰찬 산(產) 소금의 50%를 산출(產出)하며 염도(塩都)로 일컬어짐. 천연가스·철강·화학 등의 근대적 공업도 성함. 자공. [368,406명(1987)]

쯔보〔淄博〕명〔지〕중국 산둥 성(山東省) 중부의 광공업(鑛工業) 도시. 쯔찬(淄川)·보산(博山)·저우춘(周村)·장뎬(張店)·린쯔(臨淄)의 5 지구(地區)로 됨. 연산(年產) 약 900만 톤으로 알려진 산둥 성 최대의 탄전이 있으며, 이외에 시멘트·금속·전기 기계·도자기·유리 공장 등이 있음. 치박. [약 750,000명(1987)]

쯔음 의명〈방〉즈음.

쯔진 산[—山]〔紫金〕명〔지〕중국의 장쑤 성(江蘇省) 난징(南京) 북동쪽에 있는 산. 서쪽의 쉬안우 호(玄武湖), 남쪽의 중산 릉(中山陵), 남서쪽의 밍샤오 릉(明孝陵)과 더불어 난징 교외의 유원지임. 자금산. [466 m]

쯔진청〔紫禁城〕명〔지〕중국 베이징(北京) 내성(內城)에 있는 명(明)·청(淸) 시대의 궁성. 1407년 영락제(永樂帝)가 베이징 천도(遷都)와 동시에 착공한 것. 동서 약 760m, 남북 약 1,000m의 광대한 지역으로, 높은 성벽으로 둘러싸인 가운데 많은 건물이 정연하게 배치되어 있음. 현재 이들 건물은 문화재로서 보존되어, 고궁 박물원(故宮博物院)으로 되어 있음. 자금성. 별칭 : 고궁(故宮).

-쯤 미 명사·대명사 밑에 붙어, 정도를 나타내는 접미어. ¶다섯시~/그~ 해 둬라.

쯧 감 마음에 맞갖지 않아 가볍게 혀를 차는 소리.

쯧-쯧 감 가엾거나, 마음에 덜 차거나 또는 주의를 환기시킬 때에 혀를 차는 소리.

쯩 명〈속〉[←증(證)] 신분증·주민 등록증·면허증(免許證)·휴가증·외출증 등 증명서(證明書)를 이르는 말.

찌¹ 명 ①특히 기억할 것을 표하기 위하여 그대로 글을 써서 붙이는 좁고 기름한 종이쪽. ②↗낚시찌. ③〔역〕전강(殿講)이나 강경(講經) 때에 강생(講生)이 뽑는 대쪽. 길이 17.5cm, 너비 5mm, 두께 5mm인데, 그 위에 강장(講章)의 글귀를 썼음. 이와 같은 무수한 쪽에 사서(四書)와 삼경(三經)의 각 편(編), 각 장(章)의 글귀를 하나하나씩 따로 써서 직경 11cm, 길이 18cm 되는 통에 넣었음. 생(柱). *전강(殿講).

찌² 명〈소아〉똥.

찌³ 명〈방〉쥐(경상).

찌개¹ 명 고기나 채소에 간장이나 된장 또는 고추장·젓국 등을 쳐서 바특하게 끓인 반찬.

찌-개² 명 윷판의 첫밭으로부터 앞밭이나 뒷밭에서 꺾이지 아니하고 열두째 밭. *윷판.

찌개-백반[—白飯] 명 음식점의 식단(食單)의 한 가지. 흰 밥에 찌개와 몇 가지 반찬을 곁들임.

찌개 주걱 명 찌개를 뜨는 데에 쓰는 작은 주걱.

찌갯-거리 명 찌개의 건지로 쓸 재료(材料).

찌갯 그릇 명 찌개를 담는 그릇.

찌거래기 명〈방〉찌꺼기(경북).

찌거리¹ 명〈방〉찌꺼기(강원·전라·경남).

찌거리² 명〈방〉찌그렁이.

찌걱 부 나무 등이 서로 접촉하거나 마찰할 때에 또렷하게 나는 소리. ㅆ찌꺽.

찌걱-거리다 자타 연해 찌걱 소리가 나다. 또, 연해 찌걱 소리를 나게 하다. ㅆ찌꺽거리다. **찌걱-찌걱** 부. ——-하다 자타여불

찌걱-대다 자타 찌걱거리다.

찌-걸 명 윷판의 첫밭으로부터 앞밭이나 뒷밭에서 꺾이지 아니하고 열셋째 밭. *윷판.

찌검 명〈방〉비듬¹(경북).

찌게 명 ☞ 찌개¹.

찌-고무〔프 gomme〕명 낚시찌를 달기 위해 낚싯줄에 꿴 고무 대롱.

찌그둥 부 조금 찌그러진 듯한 모양. ——-하다 형여불

찌그러기 명〈방〉찌꺼기(경상).

찌그러-뜨리다 타 눌러서 몹시 찌그러지게 하다. >짜그라뜨리다.

찌그러지 명〈방〉찌꺼기(경남).

찌그러-지다 자 ①눌리어 우그러지다. ②몹시 말라서 쭈글쭈글 작아지다. 1)·2):>짜그라지다.

찌그러-트리다 타 찌그러뜨리다.

찌그럭-거리다 자 ①하찮은 일로 자꾸 티격태격 다투다. ②남이 듣기 싫도록 자꾸 불평을 말하다. 1)·2): ㄴ지그럭거리다. >짜그락거리다. **찌그럭 찌그럭** 부. ——-하다 자여불

찌그럭-대다 자 찌그럭거리다.

찌그럭-짜그락 부 찌그럭거리고 짜그락거리는 모양. ——-하다 자여불

찌그렁이 명 남에게 무리하게 떼를 쓰는 것.

  찌그렁이(를) 부리다 구 남에게 무리하게 떼를 쓰다.

  찌그렁이 붙다 구 ☞찌그렁이 부리다.

찌그르르 부 물기나 기름기 같은 것이 거의 잦아져 세게 끓으면서 마르는 소리. ㄴ지그르르. >짜그르르. ——-하다 자여불

찌그리다 타 ①눌러서 찌그러지게 하다. ②눈의 아래위 눈두덩을 갈은 듯이 맞대다. 1)·2): >짜그리다.

찌근-거리다 자타 ①남이 몹시 성가셔하도록 귀찮게 굴다. ②남이 귀찮아하도록 조르다. 1)·2): ㄴ지근거리다. ㅆ치근거리다. >짜근거리다. **찌근-찌근** 부. ——-하다 자타여불

찌근-대다 자타 찌근거리다.

찌근덕-거리다 자타 끈덕지게 찌근거리다. ㄴ지근덕거리다. ㅆ치근덕거리다. >짜근덕거리다. **찌근덕-찌근덕** 부. ——-하다 자타여불

찌근덕-대다 자타 찌근덕거리다.

찌글-거리다 자 ①많은 양의 액체가 걸쭉하게 잦아들며 자꾸 찌그르르 끓다. ②불만으로 몹시 마음을 졸이다. 1)·2): ㄴ지글거리다. >짜글거리다. **찌글-찌글** 부. ——-하다 자여불

찌글-대다 자 찌글거리다.

찌긋 부 ①남에게 눈짓으로 눈을 찡그리는 모양. ¶눈을 ~하고 새색시 얼굴을 들여다 보다. ②남을 주의시키느라고 옷을 약간 잡아당기는 모양. 1)·2):> 짜긋. ——-하다 타여불

찌긋-거리다 타 ①남에게 눈짓으로 연해 눈을 찡그리다. ②남을 주의시키느라고 연해 옷을 약간 잡아 당기다. 1)·2):>짜긋거리다. **찌긋-찌긋** 부. ——-하다 타여불

찌긋-대다 타 찌긋거리다.

찌긋-이 부 눈을 조금 찡그리는 듯하게. >짜긋이.

찌긋-하다 형여불 한쪽 눈이 조금 찌그러진 듯하다. >짜긋하다.

찌:기 명〈심마니〉바위.

찌기미 명〈방〉비듬¹(전북·경상).

찌깨 명〈방〉찌꺼기(전남).

찌깨기 명〈방〉찌꺼기(전남).

찌깽이 명〈방〉찌꺼기(전남·경상).

찌꺼기 명〔←찌끼+-어리〕①액체의 밑에 가라앉은 물건 또는 앙금. ②좋은 것을 골라 내거나 떼어 낸 나머지. 불용물(不用物). 사재(渣滓). 준찌끼.

찌꺼러기 명〈방〉찌꺼기(경상).

찌꺼리기 명〈방〉찌꺼기(경북).

찌꺼지 명〈방〉찌꺼기(강원).

찌꺽 부 나무 등이 서로 접촉하거나 마찰할 때에 또렷하게 나는 소리. ㄴ찌걱.

찌꺽-거리다 자타 연해 찌꺽 소리가 나다. 또, 연해 찌꺽 소리를 나게 하다. ㄴ찌걱거리다. **찌꺽-찌꺽** 부. ——-하다 자타여불

찌꺽-대다 자타 찌꺽거리다.

찌꺽지 명 ☞찌꺼기.

찌껑이 명〈방〉찌꺼기(제주).

찌께 명〈방〉집게(평안).

찌께기 명〈방〉찌꺼기(경기·강원·충청·경북).

찌-꼬리 명 낚시찌의 몸통 밑에 달린 뾰족한 끝 부분.

찌끄뎅이 명〈방〉찌꺼기(경남).

찌끄래기 명〈방〉찌꺼기(강원·경상).

찌끄레기 명〈방〉찌꺼기(강원·충청·전라·경북).

찌끄레이 명〈방〉찌꺼기(경북).

찌끼 명〔중세 : 즛의, 근대 : 즛긔〕↗찌꺼기.

찌끼기 명〈방〉찌꺼기(경남).

찌끼-술 명 술독에 지른 용수 안의 맑은 술을 뜰 때 맨 밑에 처진 술.

찌낑이 명〈방〉찌꺼기(경상).

찌-낚 명 찌낚시.

찌-낚시 명 낚시찌를 달아 찌에 오는 입질을 보고 물고기를 낚는 방법. ↔ 맥(脈)낚시.

찌-날라리 명 낚시찌를 찌고무에 꽂기 위해 찌 끝에 날라리줄로 연결해 놓은 메뚜기. 준날라리.

찌다¹ 자〔중세 : 지다〕살이 올라서 뚱뚱하여지다.

찌다² 자 뜨거운 김에 닿듯 더워지다. ¶푹푹 찌는 무더운 날씨 탐스러운

알몸이 물기에 찌어 싱싱하게 반들거리던 그 기억이 자꾸 되살아나 괴롭기만 한 것이었다≪河瑾燦 : 월례소전≫.

찌:다[3] 자 흙탕물 등이 논밭에 넘칠 만큼 많이 괴다.

찌다[4] ㊀자 〈방〉 끼다[1]. ㊁타 〈방〉 끼다[2](경기·강원·충청·경상·전라).

찌다[5] ㊀타 〔중세 : 삐다〕 뜨거운 김을 올려 익히거나, 식은 것을 덥게 하다. ㊁자 기세가 꺾이어 형편없이 되다. ¶이렇게 되면 우리가 찐다.

찐 붕어가 되었다 구 기세가 꺾이어 풀이 죽어서 형편없이 됨을 이르는 말.

찌다[6] 타 ①우거진 나뭇 가지나 갈밭·대밭·삼밭 같은 데에 배게 난 것을 성기게 베어 내다. ②〖농〗 모판에서 모를 모숨모숨 뽑아 내다. ¶모를 ~.

찌다[7] 타 쪽을 틀어 올리고 비녀를 꽂다.

찌-도 명 윷판의 첫밭으로부터 앞밭이나 뒷밭에서 꺾이지 않고 열 한째 밭. *윷판.

찌드러기 명 몹시 찌들어버린 물건. >짜드라기.

찌드럭-거리다 자타 남을 귀찮도록 끈끈하게 건드리다. ㅡ지드럭거리다. >짜드락거리다. 찌드럭-찌드럭 부. ——-하다 자타여불

찌드럭-대다 자타 찌드럭거리다.

찌득찌득-하다 형여불 물기가 걷히고 검질긴 물건이 잘 베어지지 않거나 쪼개지지 아니하다. > 짜득짜득하다.

찌들다 자 〔근대 : 씌들다〕 ①물건이 오래 되어 때가 끼고 더럽게 되다. ¶철로 연변의 작고 찌들어진 농가들도 아름다워 보였고, …≪金承鈺 : 내가 훔친 여름≫. ②세상의 여러 고초를 겪고 부대껴 여위다. ¶찌든 얼굴. 1)·2): >짜들다.

찌들름-거리다 자타 한번에 다 주지 않고 조금씩조금씩 여러 차례에 걸쳐 나누어 주거나, 또는 주다 말다 하다. ㅆ찌뜰름거리다. 찌들름-찌들름 부. ——-하다 자타

찌들름-대다 자타 찌들름거리다.

찌뜰럼-거리다 자타 〈방〉 찌뜰름거리다. 찌뜰럼-찌뜰럼 부. ——-하다

찌뜰름-거리다 자타 줄 것을 한목에 주지 아니하고 여러 차례에 나누어 주다 말다 하다. >짜뜰름거리다. *찔름거리다[2]. 찌뜰름-찌뜰름 부. ——-하다 자타여불

찌뜰름-대다 자타 찌뜰름거리다.

찌래기 명 〈방〉 길이(경북).

찌러기 명 황소를 그 성질의 사나움을 특징지어 이르는 말. ¶몰고온 소가 30 필에 ~ 농우소가 20 필이요…≪金周榮 : 客主≫.

찌렁찌렁-하다 형여불 쩌렁쩌렁하다.

찌레기 명 〈방〉 길이(경북).

찌로 감 〖역〗 조선 시대 때 병조 판서(兵曹判書)가 대궐문 안에 들어서면 정문에서부터 각 문을 파수(把守)하는 근장 군사(近仗軍士)가 그의 들어옴을 알리고, 또 길을 인도하라는 '지로(指路)'의 뜻으로 차례로 전하여 길게 빼어 외치는 소리.

찌르-개 명 〖고고학〗 짐승을 찔러 죽이거나 가죽에 구멍을 뚫는 연장. 주먹찌르개·창(槍)·살촉 등이 이에 속함. 첨두기(尖頭器).

찌르다 타르불 〔중세 : 삐르다〕 ①칼·바늘 등 끝이 뾰족한 물건을 속으로 들이밀다. 또, 손을 주머니나 고의춤 같은 데에 꽂다. ¶호주머니에 손을 찌르고. ②남의 비밀을 다른 사람에게 고하다. 밀고(密告)하다. ¶경찰에 ~. ③어떤 일에 밑천을 들이다. ¶밑천을 찔러 넣다. ④감정 등을 날카롭게 건드리다. ¶그 말이 가슴을 ~. ⑤냄새가 심히 후각을 자극하다. ¶생선 썩는 냄새가 코를 ~. ㅡ지르다[1].

찔러도 피 한 방울 안 나겠다 구 ㉠도무지 빈 틈이 없고 야무지다. ㉡냉혹하기 짝이 없어 인정이라곤 없다.

찔러 피를 내:다 구 공연히 덧들여 새삼스런 일을 저지르다.

찌르럭-거리다 자타 〈방〉 찌르륵거리다. 찌르럭-찌르럭 부. ——-하다 자타여불

찌르레기 명 ①〖조〗 [*Sturnus cineracea*] 찌르레깃과에 속하는 새. 날개 길이 130 mm 가량. 배면(背面)은 회갈색이고, 머리는 흑색, 이마와 얼굴은 대부분 백색인데, 반문(斑紋)이 있고 부리는 황색임. 가슴과 옆구리는 석판색(石板色), 상하 미통(上下尾筒)과 복부(腹部) 이하는 백색임. 인가(人家) 근처의 큰 나무 위에 집을 짓고 찌르륵찌르륵 욺. 시끄럽게 다른 새의 흉내를 잘 내므로 기르기도 함. 한국·만주 등 동북 아시아에서 번식(繁殖)하고 남부 중국에서 월동(越冬)함. 양조(椋鳥). ②〈방〉〖충〗 씨르래기.

〈찌르레기〉

찌르레깃-과【—科】 명 〖조〗 [Sturnidae] 참새목(目)에 속하는 한 과. 대체로, 소형·중형의 새로, 열대산(熱帶產)의 것은 몸빛이 아름다운 종류가 많으며, 자웅 동색(雌雄同色)임. 주로 들에서 군서(群棲)생활을 하며 곤충이나 나무 열매 등을 먹음. 번식기에는 수목의 구멍이나 건축물의 빈 틈에 둥지를 짓고 담청색의 알을 3-7개 낳음. 전세계에 200여 종이 있고 특히 열대 지방에 많이 분포함.

찌르르 부 ①물기나 기름기가 몹시 번드렙게 흐르는 모양. ¶개기름이 ~하다. ②뼈마디나 살에 저린 느낌이 세게 일어나는 모양. ¶비보를 들으니 가슴이 ~하다. 1)·2): ㅡ지르르. >짜르르. ——-하다 형여불

찌르륵 부 ①좁은 냇구멍으로 액체를 빨 때에 순하지 못하게 빨려 오르는 소리. >짜르륵. ②찌르레기가 우는 소리. ——-하다 자타여불

찌르륵-거리다 자타 연해 찌르륵 소리가 나다. 또, 연해 찌르륵 소리를 나게 하다. >짜르륵거리다. 찌르륵-찌르륵 부. ——-하다 자타여불

찌르륵-대다 자타 찌르륵거리다.

찌르릉 부 벨이 울리는 소리. ——-하다 자타여불

찌르릉-거리다 자타 초인종 따위가 울리는 소리가 연해 나다. 또, 그 소리를 내다. 찌르릉대다. 찌르릉-찌르릉 부. ——-하다 자타

찌리 명 〈방〉 길이(경북).

찌릿-찌릿 부 몹시 찌릿한 모양. >짜릿짜릿. ——-하다 형여불

찌릿-하다 형여불 살이나 뼈마디에 저린 느낌이 갑자기 세게 일어나다. >짜릿하다.

찌-맞춤 명 봉돌과 찌의 균형을 맞추는 일.

찌-머리 명 찌의 맨 끝부분.

찌-모 명 쨀밭.

찌-목 명 찌톱과 찌몸통의 이음 부분.

찌무룩-하다 형여불 마음이 시무룩하여 유쾌하지 않다. ¶찌무룩한 얼굴을 하다.

찌-물쿠다 자 날씨가 찌고 물쿠다.

찌버러-지다 자 〈방〉 기울어지다.

찌부러-뜨리다 타 찌부러지게 하다. >짜부라뜨리다.

찌부러-지다 자 ①망하거나 허물어지다시피 되다. ②짓눌려서 내려앉거나 부서지다. ¶찌부러진 모자. ③기운이 아주 줄어 지탱 못하게 되다. 망하거나 허물어지다. ④〈방〉 기울어지다(강원·경상). 1)-3): >짜부라지다.

찌부러-트리다 타 찌부러뜨리다.

찌부리다 타 〈방〉 기울이다.

찌불다 형 〈방〉 기울다(함경).

찌빗-찌빗 부 〈방〉 끼웃끼웃. ——-하다 자타

찌뻑-거리다 자 어둡거나 길이 험하여 발이 제대로 놓이질 않아 휘청거리며 걷다. ㅡ지뻐거리다·지뻑거리다. 찌뻑-찌뻑 부. ——-하다 자여불

찌뻑-대다 자 찌뻑거리다.

찌뿌드드-하다 형여불 ①몸살이나 감기로 몸이 나른하고 오한이 들며 거북하다. ②비나 눈이 올 것 같이 날씨가 흐리다. 준뿌드드하다.

찌뿌듯-하다 형여불 조금 찌뿌드드하다.

찌시 명 〈방〉 수수[1](전남).

찌억 명 〈방〉 찜부럭.

찌억 부리다 구 〈방〉 찜부럭 부리다.

찌연-하다 형 〈방〉 찐하다.

찌우다 사동 살이 찌게 하다.

찌울다 형 〈방〉 끼울다(경상).

찌울이다 타 〈방〉 끼울이다(경상).

찌웃-거리다 자타 〈방〉 끼웃거리다(경상·전라). 찌웃-찌웃 부. ——-하다 자타

찌웃-하다 타 〈방〉 끼웃하다(경상).

찌-윷 명 윷판의 앞밭이나 뒷밭에서 꺾이지 아니하고 첫밭으로부터 열네째 밭. *윷판.

찌적 부리다 자 〈방〉 찜부럭 부리다.

찌증【—症】 명 역정이 벌컥 일어나는 짓. >짜증.

찌증(이) 나다 구 찌증이 일어나다. >짜증 나다.

찌증(을) 내다 구 찌증을 겉으로 드러내다. >짜증 내다.

찌-지【—紙】 명 표하거나 적어서 붙이는 작은 종이 쪽지. 부표(附票).

찌지직-거리다 자 액체 따위가 몹시 졸아 붙어 끓거나 눋는 소리가 나다. 찌지직 대다. 찌지직-찌지직 부. ——-하다 자타여불

찌지직-대다 명 찌지직거리다.

찌짐 명 〈방〉 튀김[1](경상).

찌찌 명 〈방〉 지지[1].

찌-톱 명 찌목에서 찌머리까지의 부분.

찌-통【—筒】 명 낚시찌를 넣는 통.

찌푸라기 명 〈방〉 검불(제주).

찌푸리다 ㊀자 날이 음산하게 흐리다. ¶찌푸린 날씨. ㊁타 얼굴이나 눈살을 몹시 찡그리다. ¶눈살을 ~. >째푸리다. 「ㅡ직[6].

찍[1] 부 사람이나 새 같은 것이 물찌똥이나 오줌을 한 번 내깔기는 모양.

찍[2] 부 글씨의 획을 한 번 긋거나, 종이 등을 한 번 찢는 소리. ㅡ직[5]. >짝[4]. ——-하다 자여불

찍개 명 ①〖고고학〗 돌연모의 하나. 자갈돌의 한쪽 면을 떼내어 날을 만든 연장. 물건을 찍는 데 쓰는데 거의가 몸돌 연장임. 인류 최초의 돌 연장임. 초퍼. ②〈방〉 벼훑이(강원).

찍개 문화 전통【—文化傳統】 명 〖고고학〗 찍개를 중심으로 하는 문화가 이어진 전통. 특히, 동남 아시아에서 두드러지게 나타남.

찍다[1] 타 〔중세 : 딕다〕 ①날이 있는 연장을 내리쳐서 무엇을 베다. ¶도끼로 나무를 찍어 넘기다. ②무슨 표 같은 데에 구멍을 뚫다.

[찍자 찍자 하여도 차마 못 찍는다] 무슨 일을 할 듯이 벼르면서도 막상 닥뜨리면 하지 못함을 이르는 말.

찍다[2] 타 〔중세 : 딕다〕 ①물건의 끝에 액체 등을 묻히다. 또, 얼굴에 바르다. ¶조청을 찍어 먹다 / 연지 곤지를~ / 분을 찍어 바르다. ②뾰족한 것으로 무엇을 찔러서 꿰다. ¶작살로 고래를 ~. ③인(印)을 눌러 인발이 나타나게 하다. 또는 인쇄하다. ¶도장을 ~ / 소인(消印)을 ~ / 신문을 ~. ④무엇에 점을 칠하거나, 지목하여 표하거나 또는 눈여겨 두다. ¶신부(新婦)감으로 찍어둔 처녀. ⑤사진을 박다.

찍바귀 명 〈방〉 〖조〗 딱따구리(황해).

찍부드드-하다 형여불 ☞ 찌뿌드드하다.

찍-소리 명 아주 작게나마 남에게 들리게 내는 소리. 가부간에 대꾸하는 소리. ¶~ 못 하다/~도 없다. >짹소리. *끽소리. 주의 반드시 부정 또는 금지하는 뜻의 말이 따름.

찍-쇠 명 〈속〉 구두닦기에서, 구두를 거둬다가 '딱쇠'에게 넘겨 주는 일을 하는 사람의 변말. ↔딱쇠.

찍어-내다 타 ①끄챙이 같은 것으로 꿰어서 내다. ②인쇄하여서 내다. ¶50만 부를 ~.

찍어-누르다 타르불 도장을 찍 듯이 꾹 박아 누르다.

찍어-당기다 타 ①끄챙이 같은 것으로 찍어서 앞으로 당기다. ②근육질의 부피가 죄어들어서 켕기는 힘이 생기다.

찍어-매다 ㊀타 실이나 노끈 같은 것으로 대강 꿰매다. ㊁형 살이 몹시 흠집이 져서 꿰맨 것 같다.

찍-자【—字】 명 ☞ 찌그렁이.

찍자-부리다 구 ☞ 찌그렁이부리다.

찍자-붙다 구 ☞ 찌그렁이부리다.

찍-찍[1] 부 ①걸을 때에 신을 심히 끄는 소리. ¶슬리퍼를 ~ 끌다. ②글

씨 등의 획을 연해 긋거나 종이 같은 것을 연해 찢는 소리. 1)·2):ㅅ지직¹. >짝짝³. ——-하다 타여불

찍-찍² 부 참새·쥐 등이 우는 소리. >째째. ——-하다 자여불

찍-찍³ 부 새 같은 것이 똥을 연방 내깔기는 모양. ㅅ지직².

찍찍-거리다 ㊀자 참새·쥐 등이 연해 소리를 내어 울다. >째째거리다. ㊁타 ①신을 연해 찍찍 끌다. ②글씨 등의 획이나 종이 같은 것을 연해 긋거나 찢다. 1)·2): ㅅ지직거리다. >짝짝거리다².

찍찍-대다 자타 찍찍거리다.

찍히다 자 찍음을 당하다. 박히다.

찐구다 타 〈방〉 끼다(전남·경남).

찐대기 명 〈방〉 진드기(충남).

찐더우- 간 '찐덥다'의 불규칙 어간. ¶~니/~ㄴ.

찐덕-거리다 자 〈방〉 찐득거리다. **찐덕-찐덕** 부. ——-하다 형

찐덕-이 명 〈방〉 끈끈이.

찐덥다 형ㅂ불 마음에 흐뭇하고 떳떳하여 남을 대하기가 수삽(羞澁)할 게 없다. ¶"한 남자와 두 여자! 찐덥잖은 일인걸"≪玄鎭健 : 無影塔≫. ㄴ*떳떳하다.

찐드기 명 〈방〉 진드기(충북·전남).

찐득-거리다 자 ①연해 검질기게 들러붙다. ②검질겨서 연방 자르려고 해도 끊어지지 아니하다. 1)·2): ㅅ진득거리다. >짠득거리다. **찐득-찐득** 부. ——-하다 형여불

찐득-대다 자 찐득거리다.

찐디기 명 〈방〉 진드기(충남).

찐-만두【—饅頭】 명 쪄서 익힌 만두. ↔군만두.

찐-보리 명 애벌 쪄서 그냥 안칠 수 있게 가공(加工)한 보리.

찐-쌀 명 덜 여문 벼를 쪄서 말려 찧은 쌀.

찐-조 명 덜 여문 조를 쪄서 말려 찧은 좁쌀.

찐지레기 명 〈방〉 지저깨비.

찐:-하다 형여불 안타깝게 뉘우쳐져 오래도록 속이 언짢고 아프다. >짠하다.

찔개 명 〈방〉 반찬(평안·황해).

찔깃-찔깃 부 ①약하거나 연하지 아니하고 매우 질긴 모양. ②성질이 사근사근하지 아니하고 매우 검질긴 모양. ③씹으면 끊어지지 아니할 정도로 매우 질긴 모양. 1)-3): ㅅ질깃질깃. 2)·3):> 짤깃짤깃. *쫄깃쫄깃·쫄깃쫄깃. ——-하다 형여불

찔깃-하다 형여불 매우 질긴 듯하다. ㅅ질깃하다. >짤깃하다.

찔깨 명 〈방〉 찌개².

찔꺽-거리다 자 흙이나 풀 같은 것을 짓이길 때에 연해 찔꺽 소리가 나다. **찔꺽-찔꺽** 부. ——-하다 형여불

찔꺽-눈 명 짓물러서 늘 진물진물한 눈. >짤깍눈.

찔꺽눈-이 명 찔꺽눈을 가진 사람. >짤깍눈이.

찔꺽-대다 자 찔꺽거리다.

찔꺽-이다 자 몹시 검질기게 질꺽거리다.

찔꺽-하다 형여불 매우 검질기게 질꺽하다.

찔꿩이 명 〈방〉 지렁이(강원).

찔끔¹ 부 ①액체를 조금 흘리다 그치다 하는 모양. ②눈물을 조금 흘리는 모양. ③비가 조금 내리다 멎는 모양. ㅅ질금. >쫄끔. ——-하다 자타여불

찔끔² 부 몹시 놀라거나 겁을 먹고 별안간 목이나 몸을 움츠리는 모양. ¶순경을 보자 ~ 놀라서 숨었다 / 회초리를 드니까 ~하고 뒤로 물러서다. ——-하다 자여불

찔끔-거리다 자타 ①연해 찔끔하다. 또, 연해 찔끔하게 하다. ㅅ질금거리다. >쫄끔거리다·짤끔거리다. *찔름거리다 ②찌뚤름거리다. **찔끔-찔끔¹** 부. ——-하다 자타여불

찔끔-대다 자타 찔끔거리다.

찔끔-찔끔² 부 적은 분량의 것을 여러 번에 나누어 조금씩 내주는 모양. ¶많지 않은 돈을 ~ 갚고 있다. >짤끔짤끔²

찔또 명 〈방〉 찌도.

찔뚝-거리다 자타 다리를 거북스럽게 몹시 뒤뚝뒤뚝 절며 걷다. >짤똑거리다·찔뚝거리다. **찔뚝-찔뚝¹** 부. ——-하다¹ 자타여불

찔뚝-대다 자타 찔뚝거리다.

찔뚝-이 부 찔뚝하게. >짤똑이.

찔뚝-이다 자타 걸음을 걸을 때 다리를 몹시 절뚝거리다. ㅅ질뚝이다.

찔뚝-찔뚝² 부 긴 물건이 군데군데 깊이 패어 우묵한 모양. ㅅ질뚝질뚝. >짤똑짤똑². *찔룩찔룩. ——-하다² 형여불

찔뚝-하다 형여불 긴 물건의 한 부분이 깊이 패어 들어가 우묵하다. ㅅ질뚝하다. >짤똑하다. *찔룩하다.

찔러-팔기 명 증권 거래에서, 시세가 대폭 하락되어 주가(株價)가 싼 가격에 있는데도 불구하고, 계속해서 나서서 파는 일.

찔럼-거리다 자 〈방〉 찔름거리다. **찔럼-찔럼** 부. ——-하다 자

찔레 명 ①↗찔레나무. ②찔레나무의 순(筍). 처음 돋는 새 순을 아이들이 즐겨 껍질을 벗겨 먹음.

찔레-꽃 명 찔레나무의 꽃.

찔레꽃 가뭄 명 음력 5월 경 찔레꽃이 한창 피는 모내기 철에 드는 가뭄.

찔레-나무 명 『식』 [*Rosa polyantha* var. *genuina*] 장미과에 속하는 낙엽 활엽 관목. 가시가 있고 잎은 우상 복생(羽狀複生)하며, 소엽(小葉)은 긴 타원형 또는 달걀꼴임. 5월에 백색의 꽃이 산방(繖房) 화서로 정생(頂生)하여 핌. 과실은 장과(漿果)로서 10월에 빨갛게 익음. 산록(山麓)의 양지 및 개울가에 나는데, 함북을 제외한 한국 각지 및 일본에 분포함. 관상용·산울타리용·신탄재(薪炭材)로 쓰고, 연한 싹은 아이들이 식용하며 과실은 약용함. 야장미(野薔薇). 준찔레.

〈찔레나무〉

찔레 덤불 명 찔레나무의 덤불.

찔룩-이 부 찔룩하게.

찔룩-찔룩 부 긴 물건이 군데군데 몹시 잦게 얕이 패어진 모양. ㅅ질룩질룩. >짤룩짤룩². *찔뚝찔뚝². ——-하다 형여불

찔룩-하다 형여불 긴 물건의 한 부분이 얕게 패어 우묵하다. ㅅ질룩하다. >짤룩하다. *찔뚝하다.

찔름-거리다¹ 자 가득 찬 물이 흔들리어 찔끔찔끔 넘치다. ㅅ질름거리다¹. >짤름거리다¹. *찔끔거리다. **찔름-찔름¹** 부. ——-하다¹ 자여불

찔름-거리다² 자타 여러 차례에 나누어 조금씩 잇대어 주다. ¶찔름거리지 말고 한 목에 주게. ㅅ질름거리다². >짤름거리다². **찔름-찔름²** 부. ——-하다² 자타여불

찔름-대다 자타 찔름거리다¹·².

찔리다 피동 날카로운 것에 찌름을 당하다.

찔벅-거리다 자타 ☞집적거리다. **찔벅-찔벅** 부. ——-하다 자타

찔쑥-이 부 찔쑥하게. ㅅ질쑥이. >짤쏙이.

찔쑥-찔쑥 부 여러 군데가 모두 찔쑥한 모양. ㅅ질쑥질쑥. >짤쏙짤쏙². ——-하다 형여불

찔쑥-하다 형여불 찔뚝하거나 찔룩한 듯하다. ㅅ질쑥하다. >짤쏙하다.

찔찔¹ 부 땅에 축 늘어져 끌리는 모양. ㅅ질질¹. >짤짤⁵.

찔찔² 부 기름기나 윤기가 겉으로 흐르는 모양. ㅅ질질². >짤짤⁶.

찔찔³ 부 ①주착없이 무엇을 잘 빠뜨리거나 흘리는 모양. ②눈물을 연달아 흘리며 소리없이 우는 모양. ③액체 따위가 지저분하게 조금씩 흐르는 모양. ¶코를 ~ 흘리며 다닌다. 1)-3): ㅅ질질³. >쨀쨀.

찔찔⁴ 부 ①정한 기한을 자꾸 끌어가는 모양. ②조금의 저항도 없이 순종하거나 굴복하는 모양. 1)·2):ㅅ질질⁴.

찔찔-거리다 자 ①치신없이 나돌아 다니다. ㅅ질질거리다. >쨀쨀거리다. ②찔찔 울다.

찔찔-대다 자 찔찔거리다.

찜¹ 명 ①새·물고기·짐승 또는 오이·호박 같은 것을 원료로 하고 갖은 양념을 하여 국물이 바특하게 흠씬 삶아 만든 음식. ②↗찜질. ——-하다 자여불

찜² 명 〈방〉 짬❶.

찜-나다 자 틈이 좀 생기다.

찜-매다 타 〈방〉 동이다(충남·전북).

찜부럭 명 몸이나 마음이 괴로울 때에 걸핏하면 짜증을 내는 짓. ¶유복이는 길 늦은 데 ~이 났다.

찜부럭(을) 내:다 구 몸이나 마음이 괴로워서 걸핏하면 짜증을 내다.

찜부럭(을) 부리다 구 짓궂게 찜부럭을 내다.

찜부적 명 〈방〉 찜부럭.

찜부적 부리다 구 〈방〉 찜부럭 부리다.

찜뿌 명 고무공을 가지고 야구의 형식으로 노는 아이들의 장난. 투수(投手)·포수(捕手)가 없고 배트를 쓰지 않으며, 타자(打者)가 한 손으로 공을 공중에 띄워 그것을 다른 손으로 침.

찜-없다 [—업—] 형 ①맞붙은 틈에 흔적이 전연 없다. ②일이 잘 어울려서 아무 틈이 생기지 아니하다.

찜-없이 [—업씨] 부 찜없게.

찜-질 명 ①약물이나 또는 더운 물에 적신 헝겊이나 혹은 얼음 덩이를 환부(患部)에 대어 병을 고치는 법. ②온천 또는 뜨거운 물에 몸을 담그거나 더운 날의 뜨거운 모래밭에 몸을 묻어서 땀을 흘리어 병을 고치는 법. 준찜. *한증(汗蒸). ——-하다 자타여불

찜쪄-먹다 자 ①남을 해치거나 꼼짝 못 하게 해치우다. ¶네가 나를 찜쪄먹으려고 들지만 그렇게는 안 될거다. ②재간·수단·용모·언변 등이 훨씬 탁월하여 상대를 능가하고도 남다. ¶개그맨 찜쪄먹게 웃긴다.

찜찜-하다 형여불 겸연(慊然)한 생각이 있어서 말하기가 어렵다. ¶무언가 찜찜한 생각이 들다 /그저 마음 속 어딘가 찜찜하게 미심한 구석이 있었던 듯이 여겨졌었는데…≪李浩哲 : 深淺圖≫.

찜-통【—桶】 명 찬밥·만두·고구마 등, 음식을 찌는 데 쓰이는 들통.

찜통-더위【—桶—】 명 찜통 속에 들어 앉은 듯한 찌는 듯한 무더위.

찝게 명 〈방〉 집게.

찝다¹ 타 〈방〉 집다.

찝다² 타 〈방〉 깁다 (강원).

찝찌레-하다 형여불 조금 찝찔하다. 찝찌름하다.

찝찌름-하다 형여불 찝찌레하다.

찝찔-하다 형여불 ①감칠맛이 없이 조금 짠 듯하다. >짭짤하다. ②무슨 일의 되어 가는 모양이 마음에 들지 아니하다.

찝찝-하다 형 〈방〉 꺼림하다(경상).

찡 부 얼음장 등 굳은 물질이 터지며 울리는 소리. >짱.

찡검-찡검 부 띄엄띄엄 징거서 꿰매는 모양. ㅅ징검징검.

찡구다 타 〈방〉 끼우다(경상).

찡그럽다 형 〈방〉 징그럽다.

찡그리다 타 [중세 : 찡긔다, 찡의다, 근대 : 찡긔다] 얼굴·이마의 거죽을 주름지게 하다. >쨍그리다.

찡긋 부 남을 주의시키려고 얼굴을 찡그리는 모양. ——-하다 타여불

찡긋-거리다 타 남을 주의시키려고 얼굴을 연해 찡그리다. **찡긋-찡긋** 부. ——-하다 타여불

찡긋-대다 타 찡긋거리다.

찡기다¹ 자 팽팽하게 켕기지 못하고 구겨져서 쭈글쭈글하게 되다.

찡기다² 타 〈방〉 찡그리다. ¶비쳐지는 햇살에 눈을 ~.

찡기다³ 피동 〈방〉 끼이다(경상).

찡등-그리다 타 못마땅하여 얼굴을 몹시 찡그리다. >짱당그리다.

찡얼-거리다 자 어린 아이가 마음에 못마땅하거나 몸이 불편하여 짜증을 내며 자꾸 보채다. ㅅ징얼거리다. ㅆ칭얼거리다. >짱알거리다. **찡얼-찡얼** 부. ——-하다 자여불

찡얼-대다 자 찡얼거리다.

찡찡 부 찡찡거리는 모양. ㅅ징징¹. >쨍쨍¹. ——-하다 자여불

찡찡-거리다 자 불평을 품고 군소리를 자꾸 하다. ㅅ징징거리다. >쨍쨍거리다.

찡찡-대다 자 찡찡거리다.

찡찡-이 명 ↗코찡찡이.

찡찡-하다 형여불 ①겸연(慊然)한 일이 있어 매우 미안하다. ②코가 막히어 숨이 잘 통하지 아니하여 갑갑하다. ③〈방〉꺼림하다(경북).

찡-하다 자여불 ①가슴이 뭉클하도록 울리다. ¶그의 부고를 듣고 가슴이 찡하였다. ②얼음장이나 유리 따위가 갈라지며 울리는 소리가 나다.

찢기다 피동 찢어지게 되다. 찢음을 당하다.

찢다 타 〔중세 : 쯪다〕 ①잡아당기어 둘 이상으로 째다. ②어떤 사물을 세차게 가르다. ¶가슴을 찢는 듯한 아픔.

찢-떠리다 타 〈방〉찢뜨리다.

찢-뜨리다 타 종이·헝겊 등을 무심결에 찢어지게 하다.

찢어 발기다 타 갈가리 찢다.

찢어-지다 자 찢겨서 갈라지다. 미다.

[찢어졌으니 언청이] 결점이 있어서 그런 대접을 받는 것이니 어찌할 수 없다는 뜻.

찢-트리다 타 찢뜨리다.

찢-히다 타 찢게 하다. ¶그로 하여금 거북의 배를 찢히었더라.

찧다 [찌타] 타 〔중세 : 딯다〕 ①곡식 등을 쓿거나 빻기 위하여 절구에 담고 공이로 내리치다. ②땅 같은 것을 다지기 위하여 무거운 물건을 들었다가 내리치다. ③아주 세차게 부딪다. ¶엉덩방아를 ~ / 전봇대에 이마를 ~.

찧고 까불다 구 되지 않은 소리로 사람을 치켜 올렸다 깎아 내렸다 하여 조롱하며 경망스럽게 굴다.

[찧는 방아도 손이 나들어야 한다] 무슨 일이건 힘을 들여야 일이 잘 된다는 말.

찧-이 명 ①찧는 일. 용정(舂精). ②찧는 사람.

ㅊ (치읓) ①한글 자모(子母)의 열째 글자. ②〖언〗 자음(子音)의 하나. 목젖으로 콧길을 막고, 혀의 가운뎃 바닥을 입천장에 붙였다가 숨을 불어 내면서 뗄 때에 나는 맑은 소리. 받침으로 그칠 때는 윗잇몸에서 혀끝을 떼지 아니하여 'ㄷ'에 가까운 소리가 됨. ¶ㅊ는 니쏘리니 侵침ㅂ字쫑 처섬 펴아나는 소리 ᄀᆞᄐᆞ니라《訓諺》. 주의 '치읓'의 받침 소리가 연음(連音)될 때 [치으시, 치으슬, 치으세] 등으로 발음함.

차[1]【車】 명 ①온갖 수레. 열차·자동차·전차 등. ②장기 짝의 하나. '車' 자를 새겼는데, 세로나 가로나 일직선으로 다님. ¶양(兩)~를 떼고 두다.

차 치고 포(包) 치다 구 빈틈없이 계획적으로 치밀(緻密)하게 일을 처리하다.

차[2]【車】 명 성(姓)의 하나. 현재 우리 나라에는 본관(本貫)이 연안(延安) 하나뿐임.

차[3]【茶】 명〖식〗①↗차나무. ②차나무 등의 어린 잎을 따서 만든 음료(飮料)의 재료. 또, 이를 달인 음료. 홍차 같은 것.

차[4]【差】 명 ①질(質)이나 양(量) 등의 서로 틀리는 정도. ¶실력~. ②어떤 수량에서 다른 수량을 감한 나머지의 수량.

차[5]【次】 의명 어떤 기회에 겸해서 다른 일까지 보게 됨을 나타내는 말. ¶서울 갔던 ~에 동물원까지 구경하고 왔다.

차[6]【次】 의명〖악〗농악(農樂)의 채의 한자 표기(表記).

차[7]【次】 의명 수삼(水蔘) 750 그램을 단위로 일컫는 말. ¶이것은 1~에 2만 원입니다.

차[8]【此】 지대 이. 이것. ¶~로써 일단락을 지었다.

차[9] 부〈옛〉차게. 가득하게. 두루. ¶七寶ㅣ이러ᄧᅡ 우희 차 두피고《月釋 Ⅷ:18》.

차- 두 명사 위에 붙어 찰기가 있음을 뜻하는 말. ¶~조/~수수.

-차[1] 미 '-치[1]'의 예스러운 말. ¶입춘~.

-차[2] 미〈옛〉-째. ¶다ᄉᆞᆺ차힌 누니 넙고 기ᄅᆞ시며 여슷차힌 곳ᄆᆞᆯ리 놉고 두렵고 고ᄃᆞ시고《月釋 Ⅱ:56》.

-차[3]【次】 미 ①어떤 명사 아래에 붙어 '-하려고'의 뜻을 나타내는 말. ¶연구~ 영국에 갔다. ②숫자(數字) 아래에 붙어 횟수(回數)·도수(度數)의 뜻을 나타내는 말. ¶제일~ 대전. ③한자(漢字)로 된 명사 아래에 붙어, '감'·'거리'의 뜻으로 쓰이는 말. ¶하의(下衣)~. ④〖수〗차수(次數)를 가리키는 말. ¶일~ 방정식.

차가[1]【車駕】 명 '거가(車駕)'의 잘못 읽는 말.

차:가[2]【借家】 명 집을 빌려 듦. 또, 빌려 든 그 집. ¶~료(料)/~인(人). ——-하다 자여불

차-가다 타 무엇을 별안간에 빼앗다시피 움키어 가다. ¶매가 병아리를 ~.

차:가-료【借家料】 명 빌려 들어서 사는 집의 세.

차가우- 간 '차갑다'의 불규칙 어간. ¶~ㄴ/~니.

차:가-인【借家人】 명 집을 빌려 든 사람.

차가지 명〈방〉아양(함남).

차가타이 〔Chaghatai〕 명〖사람〗차가타이 한국(汗國)의 시조. 칭기즈 칸의 둘째 아들. 한(汗)의 칭호(稱號)와 아하(akha), 곧 황형(皇兄)이라는 경칭(敬稱)을 지님. 아버지를 따라 금(金)나라를 정벌(征伐)하고 서역 제국(西域諸國)을 침략, 동생 오고타이를 대한(大汗)으로 추대하고 그를 도와 몽고 제국(蒙古帝國)의 장로(長老)로서 엄격한 정치를 하였음. 서요(西遼)의 옛 땅과 아무르(Amur) 지방을 영유(領有)함. 찰합태(察合台). [?-1242; 재위 1227-42]

차가타이튀르크-어 【一語】〔Chaghataitürk〕 명〖언〗15세기의 티무르(Timur) 왕조에서 발달한 튀르크계(系)의 문자 언어. '차가타이 문어(文語)'로서 수세기 동안 널리 튀르크 여러 민족 사이의 공통 문자 언어로 쓰였음.

차가타이 한국【一汗國】〔Chaghatai〕 명〖역〗몽고 제국(帝國)의 사대(四大) 한국의 하나. 차가타이가 일리(Ili) 계곡의 알말리크(Almalik)를 근거로 하여 1227년에 건국함. 중앙 아시아를 영유(領有)하고, 14세기 초에 오고타이 한국을 병합, 강대화하였으나 한위(汗位) 계승을 둘러싸고 동서(東西)로 분열, 1369년 티무르(Timur)에게 망함. 찰합태 한국(察合台汗國).

차간[1]【此間】 명 요 동안. 이 사이.

차간[2]【車間】[一깐] 명 ☞찻간.

차간 거:리【車間距離】 명 자동차와 자동차 사이의 거리. 특히, 주행중(走行中)인 자동차가 앞의 자동차와 지키는 간격(間隔). ¶고속 도로에서는 ~ 100m를 유지해야 한다.

차감[1]【次監】 명〖군〗감(監)의 다음 가는 직위. ¶법무 ~.

차감[2]【差減】 명 견주어서 덜어 냄. ¶~ 잔액(殘額). ——-하다 타여불

차감 건:옥【差減建玉】 명 거래소에서, 동일 종목의 매도(賣渡) 건옥과 매수(買受) 건옥을 차감한 건옥.

차갑다 형ㅂ불 〔←차-+-갑-+-다〕 ①온도가 내려 썩 싸늘한 느낌이 나다. ¶차가운 냉(冷)커피. ②냉정하다. 매정하다. ¶차가운 눈초리.

차강-인의【差強人意】[一/一이] 명 '약간 마음 든든하게 하다'의 뜻.

차개【車蓋】 명 차의 지붕을 이루는 덮개.

차:거[1]【借去】 명 빌려서 감. ——-하다 타여불

차:거[2]【借居】 명 남의 집을 빌려서 삶. ——-하다 타여불

차건[1]【此件】[一껀] 명 이 물건. 이 사건. 이 안건(案件).

차:건[2]【借件】[一껀] 명 ①남에게 빌려 주는 물건. ②남에게서 빌려 온 물건.

차겁다 형ㅂ불 ☞차갑다.

차:견[1]【借見】 명 남의 서화(書畫)를 빌려서 봄. 차람(借覽). ——-하다 타여불

차견[2]【差遣】 명 사람을 시켜서 보냄. 차송(差送). ——-하다 타여불

차겸-차겸 부〈방〉차곡차곡.

차경[1]【次經】 명〖성〗경외 성서(經外聖書). 아포크리파(Apocrypha).

차:경[2]【借耕】 명 남의 땅을 빌려 경작(耕作)함.

차경[3]【差境】 명 병의 차도가 있는 형편. ¶2주일이 되는 날부터 재경은 열이 내리고 ~에 들었다《韓戊淑 : 역사는 흐른다》.

차경 전서【次經全書】 명〖성〗경외 성서(經外聖書).

차:경 차:희【且驚且喜】[一히] 명 한편 놀라면서 한편으로 기뻐함. ——-하다 자여불

차-계[1] 【車契】[一께] 명〖역〗관아(官衙)에 소가 메는 달구지를 공물(貢物)로 바치는 계.

차:계[2]【遮戒】 명〖불교〗불문(佛門)에 있는 사람이나 지계자(持戒者)에 한해서만 금지하고, 속인(俗人)이나 수계(受戒)하지 않은 사람은 이를 범해도 죄가 되지 않는 계율(戒律). 불음주계(不飮酒戒)와 같은 것. 신계(新戒). ↔성계(性戒).

차계-부 【車計簿】 명 자동차의 운행에 관한 사항과 그 소모품 따위를 가계부(家計簿)처럼 기입하는 장부.

차고[1]【車庫】 명 차를 넣어 두는 곳간.

차고[2]【撦餻】 명 차좁쌀이나 찹쌀가루에 밤·대추·팥을 섞어 버무려서 찐 떡.

차고스 제도【一諸島】〔Chagos〕 명〖지〗인도양 중앙부의 여러 섬들. 산호초로 이루어졌음. 1810년 이래 영국령으로, 오스트레일리아 항로의 중계지 및 해군 기지로 되어 있음. 주도(主島)는 디에고 가르시아섬.

차고-앉다 [一안따] 타 무슨 일을 맡아서 자리를 잡다.

차-고음【次高音】 명〖악〗고음 다음 가는 높이의 성역(聲域). '메조소프라노'의 역어(譯語).

차곡【車轂】 명 수레 바퀴통.

차곡-차곡 부 물건을 가지런히 잘 쌓거나 포개는 모양. ¶빈 상자를 ~ 쌓아 올리다.

차골【次骨】 명 원한이 뼈에 사무침. ——-하다 자여불

차골-광 【車骨鑛】 명 〔bournonite〕〖광〗수레 바퀴의 뼈대와 같은 모양을 한 사방 정계(斜方晶系)에 속하는 광물. 금속 광택(金屬光澤)이 나고, 강회색(鋼灰色) 또는 흑색을 띰. 영국·오스트리아 등지에서 많이 산출되는데, 구리·납·아연 광맥에 들어 있으며, 구리·납·안티몬(Antimon)의 광석으로서 쓰임.

차과【茶課】 명〖역〗중국의 송(宋)·원(元) 때에 실시(實施)하던 차(茶)의 판매세(販賣稅).

차과로-초【車過路草】 명〖식〗질경이.

차관[1]【次官】 명 ①〖역〗대한 제국 때 궁내부(宮內府) 및 각 부(部)의 버금 벼슬. 각 대신 밑에 가는 칙임관(勅任官)임. ②〖법〗장관(長官)을 보좌하고 그를 대리(代理)할 수 있는 보조 기관. 또, 그 직위에 있는 정무직

공무원.

차:관²【借款】 명 국제간(國際間) 자금(資金)의 대차(貸借). 정부(政府) 차관과 민간(民間) 차관이 있음. 크레디트(credit). ¶ ～ 협정/～을 도입하다. ——하다 타여불

차관³【茶罐】 명 찻물을 달이는 그릇. 모양이 주전자 비슷함. 다관(茶罐).

차:관-단【借款團】 명 차관 채권국의 채권자 대표단.

차관-보【次官補】 명 장관(長官)이 특히 지시하는 사항에 관하여, 정책의 입안(立案)·기획·조사·연구 등을 통하여 장관과 차관을 직접 보좌하는 정무직(政務職) 공무원.

차관 회:의【次官會議】[—/—이—] 명〖법〗 행정 각 원(院)·부처(部處)의 차관 및 차장(次長)으로 구성되는 회의. 각 원(院)·부(部)·처(處)·청(廳)간의 협조를 긴밀(緊密)히 하며, 국무 회의에 제출된 의안과 국무 회의로부터 지시받은 사항을 심의(審議)함. 의장은 경제 기획원 차관이 됨.

차광【遮光】 명 광선을 막아서 가림. 등불이 밖에 새지 않도록 가림. ¶ ～막. ——하다 자여불

차광-기【遮光器】 명〖군〗 야간(夜間)에 화기(火器)를 발사할 때 나타나는 화광(火光)을 가리기 위해 포구(砲口)에 장치(裝置)하는 기구(器具). 셰이드(shade).

차광 안:경【遮光眼鏡】 명 광선이 유달리 강하거나 또는 눈이 보통의 광선의 강도(強度)에 견딜 수 없을 정도로 과민해 있을 때, 눈이 부신 것을 방지하기 위하여 쓰는 안경. 유리에 여러 가지 물질을 용융(熔融)하여서 렌즈를 만들며, 그 밖에 편광(偏光)을 이용한 것, 유리에 금·은·백금을 도금(鍍金)한 것 등이 있음.

차광 재배【遮光栽培】 명〖농〗 단일성(短日性) 작물의 개화기(開花期)를 앞당기려고, 자연의 일조(日照) 시간을 제한하여 작물을 재배하는 일. 국화·콩·벼 같은 것에 이용됨. 차폐(遮蔽) 재배.

차광-판【遮光板】 명 셔터(shutter)❶.

차구¹ 명〈방〉 덫(충북).

차구²【茶具】 명 ↗차제구(茶諸具). 차기(茶器).

차군【此君】 명 〔중국 진(晉)나라의 왕휘지(王徽之)가 대나무를 가리켜 '어찌 하루라도 자네 없이 살 수 있겠는가' 한 데서 유래〕 대나무를 예스럽게 이르는 말.

차군-주【此君酒】 명 찐 멥쌀과 찌지 않은 멥쌀에 누룩 가루를 버무려서 담근 술.

차권¹【車券】[—꿘] 명 경륜(競輪) 등에서 우승자에게 걸기 위하여 사는 권(券). ＊마권(馬券).

차:권²【借券】[—꿘] 명 동산 또는 부동산을 차용(借用)한다는 증서. 「차서(借書). 차장(借狀).

차궤【車軌】 명 차의 궤도(軌道). ¶ 단선(單線) ～.

차귀 명〈방〉 덫(충남).

차:귀-도【遮歸島】 명〖지〗 제주도의 서해상, 북제주군(北濟州郡) 한경면(翰京面) 고산(高山) 1리(里)에 위치한 섬. 김·굴·전복·미역·해삼 등을 산출함. [0.16 km²]

차근-거리다 자타 ①남이 몹시 싫어하도록 귀찮게 굴다. ②남이 귀찮아 하도록 조르다. 쓰짜근거리다. ＜치근거리다. **차근-차근¹** 부. ——하다 자타여불

차근-대다 자타 차근거리다.

차근덕-거리다 자타 끈덕지게 차근거리다. ＜치근덕거리다. **차근덕-차근덕** 부. ——하다 자타여불

차근덕-대다 자타 차근덕거리다.

차근-차근² 부 자세하고도 차례가 있게 하는 모양. ¶ ～ 이야기하다. ＊초군초군. ——하다 형여불. ——히 부

차근-하다 형여불 의젓하고 안정성(安定性) 있게 앉아 있거나 서 있다. 차근-히 부

차금¹【差金】 명 어떤 액수에서 감(減)한 나머지 금액. 차액(差額). 마진.

차:금²【借金】 명 돈을 꾸어 옴. 또, 그 돈. 차재(借財). 채금(債金). ——하다 자여불

차금 거:래【差金去來】 명〖경〗 차금 매매(差金賣買).

차금 결제【差金決濟】[—쩨] 명〖경〗 현물(現物)의 수도(受渡)를 하지 않고 반대 매매(反對賣買)에 의한 차액의 수수(授受)로 결제하는 일.

차금 매매【差金賣買】 명 〔margin(al) transaction〕〖경〗 매매할 물건의 시가(時價)의 변동을 짐작하고, 그 차액(差額)을 이득으로 하기 위한 매매 거래. 차금의 수수(授受)는 있으나, 실물(實物)의 수수는 하지 않음. 차금 거래(差金去來). 공거래(空去來).

차금-전【差金戰】 명〖경〗 차금 결제(差金決濟)를 할 수 있는 거래에서, 시세 차익을 얻을 목적으로 매매 쌍방이 자기편에 유리하도록 시세를 조작(操作)하는 일을 싸움에 비긴 말.

차:급【借給】 명 물건을 빌려 줌. 차여(借與). ——하다 타여불

차기¹【次期】 명 다음의 시기. 다음 계제. ¶ ～ 대통령 선거.

차기²【此期】 명 이 시기. 이 계제. ¶ ～의 이익 배당금은 없음.

차기³【茶器】 명 ①차제구(茶諸具). ②가루로 된 차를 담는 사기 그릇·칠기(漆器)·금속 기구 등.

차기⁴【箚記】 명 독서(讀書)하여 얻은 바를 수시로 수록하여 놓은 책.

차:길【借吉】 명 상제의 몸으로 길례(吉禮) 때에 특별히 길복(吉服)을 입음. ——하다 자여불

차깔-하다 타여불 문을 굳게 잠가 두다. ＜처깔하다.

차꼬 명〖역〗 옛 형구(刑具)의 한 가지. 기다란 두 개의 나무 틀에 가로 구멍을 파서, 죄인의 발목을 넣고 자물쇠로 채우게 됨. 족가(足枷). 고랑틀. 취음: 착고(着錮). ＊칼².

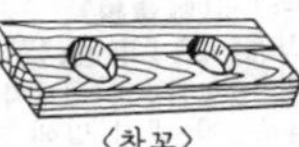
〈차꼬〉

차꼬-등마루 명〖건〗〈방〉 차꼬막이.

차꼬-막이 명〖건〗 ①기와집 용마루의 양쪽으로 끼우는 수키왓장. 취음: 착고(着高). ②박공머리에 물리는 네모진 서까래와 기와. 박공널을 차꼬 모양으로 구멍을 파고, 그 구멍마다 네모진 서까래를 물려서 위의 기와를 받게 된 그 부분.

차끈차끈-하다 형여불 차끈한 느낌이 연해 느껴지다.

차끈-하다 형여불 매우 차가운 느낌이 있다.

차-나락 명〈방〉 찰벼(경상·전라).

차-나무【茶—】 명〖식〗[*Thea sinensis*] 후피향나뭇과에 속하는 상록 활엽 관목. 보통 높이는 60-90 cm이나 10 m이상의 것도 있으며, 잎은 긴 타원형 또는 거꿀달걀꼴의 피침형에 혁질(革質)이고 광택이 남. 가을에 흰 꽃이 1-2 개씩 액생(腋生)하여 피는데 화관(花瓣)은 6-7 개이고, 과실은 무딘 삼각형에 3개의 종자가 다음 해 가을에 익음. 동부 아시아 원산(原産)으로 전남·전북·경남 및 일본·중국·인도에 분포함. 인가 및 사원(寺院) 부근에 기호(嗜好) 식물로 심고, 어린 잎은 홍차(紅茶)의 원료, 과실은 제유(製油), 재목은 단추감으로 씀. ㊀차(茶).

〈차나무〉

차남【次男】 명 둘째 아들. 중자(仲子).

차내【車內】 명 열차·전동차·자동차 등의 안. 차중(車中).

차내 경:보기【車內警報器】 명 차내 경보 장치.

차내 경:보 장치【車內警報裝置】 명 열차가 정지 신호를 나타내는 신호기에 접근하면, 운전실에서 벨이 울리며 적색등(赤色燈)이 켜져 경보하는 장치. 농무시(濃霧時)나 신호 오인(誤認) 등에 의한 사고를 방지하기 위한 것임. 차내 경보기. 「는 전등.

차내-등【車內燈】 명 열차·전동차·자동차 따위의 차내에 설치되어 있

차내 신:호 장치【車內信號裝置】 명 레일(rail)에 흐르는 신호 전류를 수신하여 차내에 신호를 나타내는 장치. 자동 열차 제어 장치(自動列車制御裝置)의 하나임.

차녀【次女】 명 둘째 딸.

차년【此年】 명 올해.

차년-법【差年法】[—뻡] 명〖역〗 고려·조선 시대에, 벼슬아치의 전임(轉任)·승진의 기준이 되는 근무 기간을 산출하는 데 1년 단위로 계산하는 방법. ＊개월법(箇月法).

차다¹ 자 〔중세: ᄎᆞ다〕 ①더 들어갈 수 없이 가득하게 되다. ¶ 뒤주가 ～. ②이지러진 데가 없이 아주 온전하여지다. ¶ 달도 차면 기우나니. ③감정·기운 등이 가득하게 되다. ¶ 희망에 찬 나날. ④어떤 정도에 이르다. ¶ 무릎까지 차는 냇물. ⑤정한 수효가 되다. ¶ 정원(定員)에 ～. ⑥정한 기한에 이르다. ¶ 복무 연한이 차면 만기 제대한다.
 차면 넘친다 구 ㉠너무 정도에 지나면 도리어 불완전하게 된다는 뜻. ㉡흥성(興盛)한 상태는 오래 가지 못하고 반드시 쇠망(衰亡)으로 기운다는 뜻.

차다² 타 〔중세: ᄎᆞ다〕 ①발로 내어 지르다. ¶ 공을 ～. ②혀끝을 입천장에 붙였다가 떼어 소리를 내다. ¶ 모두가 혀를 ～. ③거절하여 따 버리다. ¶ 애인을 ～. ④날렵하게 채뜨리다. ¶ 매가 병아리를 차고 가듯.

차다³ 타 〔중세: ᄎᆞ다〕 ①끈을 달아 몸의 한 부분에 걸어 늘어뜨리다. ¶ 허리에 칼을 ～. ②수갑 따위를 팔목에 끼우거나 차꼬 구멍에 발목을 끼우고 잠그다. ¶ 시계를 ～. ③몸에 지니다. 몸 가까이 거느리어 데리다. ¶ 올 때마다 술병을 차고 온다/올 때면 꼭 누굴 차고 오더라.

차다⁴ 형 〔중세: ᄎᆞ다〕 ①물체의 온도가 낮다. ¶ 샘물이 ～. ↔ 뜨겁다. ②기온이 낮다. ¶ 날씨가 ～. ↔덥다. ③인정이 없다. 냉담하다. ¶ 인상(印象)이 ～.

차다⁵ 형〈방〉 짜다²❶(제주).

-차다 미 일부 명사 뒤에 붙어, 그것을 강조하는 뜻의 형용사를 만듦. ¶ 보람～/우렁～/줄기～.

차:다:예프 〔Chaadaev, Pyotr Yakovlevich〕 명〖사람〗 러시아의 철학자. 나폴레옹 전쟁에 종군, 귀국 후 푸슈킨(Pushkin)과 친교를 맺음. 1836년 저서 ≪철학 서간(哲學書簡)≫을 발표하여, 러시아가 낙후(落後)된 원인이 그리스 정교와 농노제(農奴制)에 있음을 지적, 계몽주의적인 휴머니스트로서 19세기 전반의 러시아 사회 사상에 큰 영향을 끼침. [1794-1856]

차닥-거리다 타 ①빨래 방망이로 빨래를 가볍게 두드려서 소리를 내다. ②종이 같은 것을 자꾸 함부로 바르거나 덧붙이다. ＜처덕거리다. **차닥-차닥** 부. ——하다 타여불

차닥-대다 타 차닥거리다.

차:단【遮斷】 명 막아서 멈추게 함. 가로막아 사이를 끊음. ¶ 교통 ～. ——하다 타여불

차:단-기¹【遮斷器】 명 개폐기(開閉器)의 하나. 송전선·배전선 등 전기 회로(回路)의 개폐를 맡음. 서킷 브레이커(circuit breaker).

차:단-기²【遮斷機】 명 철도 선로의 건널목을 봉쇄하여 내왕(來往)을 차단하는 장치.

차:단-법【遮斷法】[—뻡] 명 문장(文章) 표현의 기교로서, 감정이 고양(高揚)한 것을 나타내기 위하여 문장을 중단(中斷)하는 수법.

차:단 사격【遮斷射擊】 명〖군〗 적의 일정한 지역 또는 지점의 사용을 저지하기 위하여 가하는 사격.

차:단-액【遮斷液】 명 〔confining liquid〕〖화〗 가스 분석(分析)을 할 때 가스 시료관(試料管) 따위에 넣어, 가스 시료를 대기(大氣)와 차단하는 상태에서 포집(捕集)하는 데 쓰는 액체. 수은(水銀) 또는 황산 나트륨 수용액(水溶液) 따위.

차:단-점【遮斷點】[—쩜] 명〖전〗 가솔린 엔진의 점화(點火) 계통의 일차 회로 전류를 차단하는 데 쓰이는 저(低)전압의 접점(接點).

차담【茶啖】 명〖불교〗 다담(茶啖).

차담-상【茶啖床】[—쌍] 명〖불교〗 다담상(茶啖床).

차당1【次堂】명 〖역〗각 관아의 당상(堂上) 다음 자리의 벼슬아치.

차당2【遮當】명 가리어 막음.

차대1【次代】명 다음 대(代).

차대2【次對】명 〖역〗매달 여섯 차례씩 의정(議政)·대간(臺諫)·옥당(玉堂) 들이 입시(入侍)하여, 중요한 정무(政務)를 상주(上奏)하던 일. 빈대(賓對).

차대3【車臺】명 차량의 차체(車體)를 받치며 바퀴에 연결되어 있는 철제(鐵製)의 테. 프레임(frame).

차대4【車對】명 장기(將棋)에서, 상대의 차(車)와 자기 차를 대항시킴. ——-하다 자여불

차대5【差代】명 갈려간 자리에 후임자(後任者)를 뽑아서 채움. ——-하다 타여불

차:대6【借貸】명 ①대차(貸借). ②용서함. 가차(假借). ——-하다 타여불

차대 거:조【次對擧條】[—꺼—] 명 〖역〗차대(次對) 때에 왕의 재가(裁可)를 물은 사항(事項).

차대기 명 〈방〉 자루1(전라).

차대-왕【次大王】명 〖사람〗고구려 제7대 왕. 휘(諱)는 수성(遂成). 제6대 태조왕(太祖王)의 동생. 태조왕으로부터의 왕위(王位) 계승을 반대한 우보(右輔) 고복장(高福章)을 살해하여 왕권을 확립하였으나, 횡포(橫暴)와 학정(虐政)으로 명림답부(明臨答夫)에 의해 시해(弑害)됨. [71-165; 재위 146-165]

차-대전【次大箭】명 조선 시대의 현자 총통(玄字銃筒)에 쓰던 화살. 길이 6척 3촌 7푼.

차도1【車道】명 인도(人道)·보도(步道)에 대하여, 주로 차가 통행하도록 규정한 도로 구획(區劃).

차도2【差度·瘥度】명 병이 조금씩 돌려서 나아가는 정도. ¶ ~가 있어 곧 퇴원한다.

차:도3【遮道】명 차로(遮路). ——-하다 자여불

차도르 [인도 chadaor] 명 북부 인도·이란 등지의 여성(女性)들이 숄로 사용하는, 네모진 천. ¶ ~를 쓴 이란 여성.

차:도 살인【借刀殺人】명 [남의 칼을 빌려 사람을 죽인다는 뜻으로] 음험(陰險)한 수단의 비유.

차:독【借讀】명 남에게서 책 따위를 빌려서 읽음. 차열(借閱). ——-하다 타여불

차-돌 명 ①〖광〗석영(石英). ②야무진 사람의 비유. ¶ ~ 같은 녀석. [차돌에 바람 들면 석돌보다 못하다] 야무진 사람일수록 한번 타락하면 걷잡을 수 없게 된다.

차-돌리기 명 씨름에서, 상대의 윗몸을 일으켜 세우는 동시에 오른쪽으로 회전하면서 발바닥으로 상대의 발목을 옆으로 후려차며 돌려 던지는 혼합 기술의 하나.

차돌 모래 명 규사(硅砂).

차돌-박이 명 양지머리뼈의 한복판에 붙은 기름진 고기의 부분. 빛이 희고 단단한데 편육을 만들면 맛이 좋음.

차돌-조리개 명 차돌박이를 고아서 경단처럼 뭉쳐 조린 반찬.

차동 도르래【差動—】명 [differential pulley] 〖기〗고정(固定) 도르래에 축바퀴를 사용하여 움직 도르래에 하중(荷重)을 매달게 만든 장치. 도르래용의 쇠사슬 또는 밧줄의 한쪽 끝은 고정 도르래의 축바퀴의 반경이 큰 쪽의 외주(外周)에 고정(固定)하여 움직 도르래에 걸고, 다음에 반경이 작은 쪽의 외주에 걸어서 끝은 움직 도르래의 테두리에 고정함. 차동 활차. 디퍼렌셜 풀리.

차동 변:압기【差動變壓器】명 〖물〗가동 철심(可動鐵心)의 주위에 일차 코일(一次 coil)과 이차 코일을 감은 변압기. 미소 변위(微小變位)의 검출·측정에 쓰임.

차동 복권 전:동기【差動複捲電動機】명 [differential compound motor] 〖전〗직류 전동기의 일종. 분류(分流) 코일과 직류 코일이 같은 자극 철심(磁極鐵心)에 감겨 있으며, 양자(兩者)의 기자력(起磁力)이 서로 상반(相反)됨. 속도가 거의 일정하거나 부하(負荷)가 증가하면 속도도 증가하는 특성이 있음.

차동 장치【差動裝置】명 [differential] 〖기〗두 가지 이상의 기계 부품에서 각각의 운동의 차(差) 또는 합(合)을 이용하여 하나의 부분을 가동시키는 장치. 차동 톱니바퀴 장치·차동 나사(螺絲) 장치 등이 있음. 자동차의 뒷 차축(車軸) 중앙에 장치하여, 추진축(推進軸)으로부터의 구동력(驅動力)을 두 차륜(車輪)에 전달하는 것은 차동(差動) 톱니바퀴 장치의 대표적인 예임.

차동 전:압계【差動電壓計】명 [differential voltmeter] 〖전〗기지(旣知) 전압과 미지 전압(未知電壓)의 차전압(差電壓)만을 측정(測定)하는 전압계.

차동 증폭기【差動增幅器】명 출력(出力)이 두 개의 입력(入力)에 가해진 전압의 차에 비례(比例)하는 증폭기.

차동 콘덴서【差動—】[condenser] 명 [differential capacitor] 회전자(回轉子) 한 개와 고정자(固定子) 두 개가 있으며, 두 부분으로 이루어진 가변(可變) 콘덴서. 한쪽 부분에서 정전 용량(靜電容量)이 감소하면, 다른 부분에서는 정전 용량이 증가하게 되어 있음.

차동 톱니바퀴【差動—】명 [differential gear] 〖기〗톱니바퀴 축(軸)의 중심이 다른 축의 둘레를 회전하도록 한 톱니바퀴. 자동차 등의 차륜(車輪)을 움직이는 데 쓰임. 디퍼렌셜 기어.

차동 활차【差動滑車】명 〖기〗차동(差動) 도르래

차동 효:과【差動效果】명 〖물〗표준 상태에서 변화함으로써, 궤도 요소(軌道要素)에 주는 효과.

차두 명 〈방〉 자루1(전라).

차드 [Chad] 명 〖지〗아프리카 중서부, 차드 호(湖) 동쪽의 공화국. 정식 명칭은 Republic of Chad. 동은 수단, 북은 리비아, 서는 니제르, 남은 중앙 아프리카 공화국과 접함. 주민은 주로 이슬람교도인 유목민임. 공용어(公用語)는 프랑스어(語). 면화(綿花)·낙화생 등이 주산물이고, 소·양·염소의 목축도 행함. 전에 프랑스령 적도 아프리카 식민지의 일부였으나 1960년에 독립하였음. 수도는 은자메나(N'Djamena). [1,284,000 km²: 5,820,000 명 (1991)]

차드 호【—湖】[Chad] 명 〖지〗아프리카의 사하라(Sahara) 사막 남쪽 끝, 차드·니제르·나이지리아의 국경(國境) 지대에 있는 호수. 평균 수심(平均水深) 1.5m라고 하나 계절(季節)에 따라 수위(水位)의 변화가 심하고, 면적도 9,840~25,640 km²로 일정치 않음. 어업이 이루어지며, 예로부터 사하라 대상로(隊商路)의 중요한 기지로 이용됨. 어류(魚類)가 풍부함.

차:득【借得】명 남의 것을 빌려 가짐. ——-하다 타여불

차등1【此等】명 이것들. 이들.

차등2【次等】명 버금되는 등급.

차등3【差等】명 차이가 나는 등급. ¶ ~을 두다. ┌자여불

차등4【遮燈】명 등불 빛이 밖으로 비치지 아니하도록 가림. ——-하다

차등-관【次等官】명 예전에 한 관청의 차석(次席).

차등 배:당【差等配當】명 〖경〗배당률에 차별을 두는 주식(株式) 배당 제도. 대주주(大株主)에게는 배당을 주지 않고, 소주주(小株主)에게만 배당을 주는 따위.

차등-사【此等事】명 이 여러 가지 일.

차등 선:거【差等選擧】명 〖정〗신분·재산·교육·납세 등에 의하여 선거권의 가치(價値)가 평등하게 취급되지 않는 선거. 복수(複數) 선거와 등급(等級) 선거가 있음. ↔평등(平等) 선거.

차디-차다 형 매우 차다. ¶차디찬 인상/차디찬 샘물.

차-떼기【車—】명 그 상품을 받아다가 소매(小賣)하기 위하여, 화물 자동차 한 차에 얼마로 값을 쳐서 모개로 떼어 사는 흥정.

차:라 [Tzara, Tristan] 명 〖사람〗프랑스의 시인. 루마니아 태생의 유태인. 취리히에서 다다이즘 운동을 시작, 1918-20년에 7회에 걸쳐 '마니페스트'를 발표하고 파리로 옮김. 일정한 사상(思想)으로 옮길 수 없는 기묘(奇妙)한 말을 써서 시작(詩作)을 함. 작품에 ≪안티피린씨(氏)의 최초의 모험≫·≪이십오의 시편(詩編)≫·≪혼자 말한다≫ 등이 있음. [1896-1963]

차라다이 [車羅大] 명 〖사람〗몽고의 장군. 고려 고종 41년(1254)에 충주(忠州)·상주(尙州)까지 쳐 내려와 개성에 주둔하였다가 그 해 12월에 돌아갈 때 남녀 206,800명 가량을 사로잡아 갔음.

차라리 부 [중세 : 출하리, 출히] 저리 하는 것보다 이리 하는 것이 오히려 나음을 나타내는 말. 도리어. ¶구차히 살기보단 ~ 죽는 게 낫다.

차라투스트라 [Zarathustra] 명 〖사람〗'자라투스트라'의 독일어 이름.

차라투스트라는 이렇게 말했다 구 [도 Also sprach Zarathustra] ①〖책〗니체의 주저(主著). 1883년 기고(起稿), 1891년 완성. 페르시아의 조로아스터교(Zoroaster敎) 교조(敎祖)가 산을 내려와 예언자로서 대중에게 설파(說破)한다는 체제(體裁)로 된 일종의 산문 서정시(散文敍情詩). '영겁 회귀(永劫回歸)'·'초인(超人)'·'권력에의 의지(意志)' 등, 저자의 저서(著書)의 중심(中心) 사상을 전개(展開)하였음. ②슈트라우스(Strauss, R.) 작곡(作曲)의 교향시곡(交響詩曲). ❶을 표제로 한 것. └1895-96년 작.

차란 명 〈방〉 처란.

차란-차란 부 ①액체가 가장자리의 전 위에서 넘칠락말락하는 모양. ②물건의 한 끝이 다른 물건의 바닥에 스칠락말락하는 모양. ㅅ자란자란. <치런치런. ——-하다 형여불

차:람【借覽】명 차견(借見). ——-하다 타여불

차랑 부 쇠붙이가 부딪치어 은은히 울리는 소리. ㅅ자랑. ㅆ짜랑. <처렁. ——-하다1 자타여불

차랑-거리다1 자 길게 드리운 물건이 부드럽게 움직이다. <치렁거리다. 차랑-차랑1 부. ——-하다 자형여불

차랑-거리다2 자타 자꾸 차랑 소리가 나다. 또, 자꾸 차랑 소리를 나게 하다. ㅅ자랑거리다. ㅆ짜랑거리다. <처렁거리다. **차랑-차랑2** 부. ——-하다 자타여불

차랑고 [스 charango] 명 남미(南美) 안데스 지방의 인디오들이 애용(愛用)하는 기타 계통의 소형 현악기. 몸통 뒷면에 아르마딜로 가죽을 대고, 복현(複絃) 다섯 쌍을 가짐.

차랑-대다 자타 차랑거리다1·2.

차랑-하다2 형여불 드리운 물건이 땅에 닿을 만큼 부드럽게 늘어져 있다. <치렁하다.

차래1【次—】명 〈방〉 차례(次例).

차:래2【借來】명 빌려 옴. 꾸어 옴. ——-하다 타여불

차래지-식【嗟來之食】명 푸대접으로 주는 음식.

차랭이 명 〈방〉 잠자리(강원).

차량【車輛】명 ①기차의 한 칸. ②여러 가지 수레의 총칭.

차량 공업【車輛工業】명 철도 차량 공업의 일반적인 호칭. 주문 생산(注文生産)이고, 또 자동차 공업과 같이 조립 공업임.

차량 번호【車輛番號】명 각 차량마다 매겨진 고유(固有) 번호.

차량 한:계【車輛限界】명 〖토〗궤도(軌道)의 바른 위치에서 차량의 각 부분이 바깥 공간을 침범하지 않도록 규정한 한계.

차려 감 구령(口令)의 하나. 몸과 정신을 바로 차리어 '부동 자세(不動姿勢)를 취하라'는 뜻.

차:력【借力】명 약의 힘이나 신령의 힘을 빌려 몸과 기운을 굳세게 함. ¶ ~술(術). ——-하다 자여불

차:력-꾼【借力—】명 자기의 원힘이 아니고, 약이나 신령의 힘을 빌려 굳세어진 사람.

차:력-약【借力藥】[—냑] 명 〖약〗 차력을 하기 위하여 쓰는 약.

차련 명 〈방〉 채련.

차렵 명 옷 따위에 솜을 얇게 두는 방식.

차렵-것 명 차렵으로 지은 옷.

차렵-두루마기 명 차렵으로 된 두루마기.

차렵 바지 명 차렵으로 된 바지.

차렵 이불 [—니—] 명 차렵으로 된 이불.

차렵 저고리 명 차렵으로 된 저고리.

차령【車嶺】명 〖지〗 ①충남 공주(公州)와 천안(天安) 사이에 있는 고개. 차령 산맥 중에 있음. [190 m] ②차령 산맥이 서남으로 뻗치어 광천(廣川)과 예산(禮山)을 맺는 도로와 교차되는 곳에 있는 고개. 현지에서는 '차동 고개'라 부름. [240 m]

차령 산맥【車嶺山脈】명 〖지〗 태백 산맥 중의 오대산(五臺山)에서 시작하여 충청 북도 북부를 지나 충청 남도의 중앙을 달려 태안 반도(泰安半島)에 이르는 산맥. 차령·백운산·만뢰산·계룡산 등이 솟아 있고 금·은·중석이 남. 길이 200 km 가량임.

차례[1]【次例】 ㊀명 순서 있게 벌여 나가는 관계나 또는 그 관계에서 본 하나. 질차(秩次). 서차(序次). 제차(第次). 차제(次第). ¶ ~를 기다리다. *단계. ㊁의명 일이 일어나는 횟수를 세는 단위. ¶ 소나기가 한 ~ 쏟아졌다.

차례[2]【茶禮】명 음력 매달 초하룻날과 보름날·명절날·조상 생일 등의 낮에 지내는 제사. 다례(茶禮). 차사(茶祀).

차례(를) 지내다 구 차례(茶禮)의 의식을 올리다.

차례-가기【次例—】명 〖악〗 음계의 차례로 도·레·미·파 또는 솔·파·미·레와 같이 2도씩 나아가는 가기. 부드럽고 자연스러우며 가장 안정되게 나아가는 방법임. 순차 진행(順次進行).

차례-건【次例件】[—껀] 명 차례대로 으레 되어 가는 일.

차례-걸음【次例—】[—껄—] 명 차례를 따라 일을 진행하는 일.

차례 법문【次例法門】명 〖불교〗 선원(禪院)·강원(講院)에서 차례로 법문을 설하는 일.

차례 셈:씨【次例—】명 〖언〗 '서수사(序數詞)'의 풀어 쓴 말.

차례-차례【次例次例】부 차례를 따라서. ¶ ~ 해라.

차례-탑【茶禮塔】명 차례 때, 탑처럼 높이 괴어 올린 제물(祭物).

차로[1]【叉路】명 두 갈래로 나누인 길.

차로[2]【車路】명 찻길.

차:로[3]【遮路】명 길을 막음. 차도(遮道). ——-하다 자여불

차:료【借料】명 빌려 온 것에 대한 값.

차륜【車輪】명 수레 바퀴.

차륜 동:요병【車輪動搖病】[—뼝] 명 〔carsickness〕〖의〗 자동차·전동차 등의 가속도(加速度) 운동이 원인이 되어 일어나는 동요병.

차륜-석【車輪石】명 고대 석기(石器)의 하나. 타원형 또는 원형의 납작한 벽옥(碧玉)으로, 중앙에 구멍이 있으며, 겉에 방사상(放射狀)의 조각이 있는데 대개 장경(長徑)이 40 cm, 단경(短徑)이 30 cm 가량임. 구멍이 작기 때문에 팔찌로는 실용되지 않고 다만 보기(寶器)로서 비장된 듯함.

차륜 선반【車輪旋盤】명 〖기〗 차륜·축(軸)바퀴·속도 조절 바퀴 등의 가공에 쓰이는 특수 선반.

차:르〔러 tsar〕명 제정(帝政) 러시아 시대의 황제(皇帝) 칭호.

차르다시〔czardas, tzardas〕명 헝가리의 무용곡. 4/4 또는 2/4 박자. 발레 등에서도 춤.

차르랑 부 얇은 쇠붙이가 맞부딪치거나 떨어서 맑게 울려 나는 소리. ㅅ자르랑. ㅆ짜르랑. <처르렁. ——-하다 자타여불

차르랑-거리다 자타 자꾸만 차르랑 소리가 나다. 또, 자꾸만 차르랑 소리를 나게 하다. ㅅ자르랑거리다. ㅆ짜르랑거리다. <처르렁거리다.

차르랑-차르랑 부. ——-하다 자타여불

차르랑-대다 자타 차르랑거리다.

차르멜라〔일 チャルメラ; 포 charamela〕명 〖악〗 '날라리·새납'을 일본서 일컫는 말.

차리[1] 명 〈방〉〖어〗 자리돔.

차리[2]【次—】명 〈방〉 차례(次例)(경상).

차리다 타 〔중세: ᄎᆞ리다. 근세: 출히다〕 ①장만하여 갖추다. ¶ 음식을 ~/밥상을 ~. ②실수가 없도록 체면이나 정신을 가다듬다. ¶ 정신을 ~. ③가르침을 받지 않고 스스로 납득하다. ¶ 셈을 ~. ④해야 할 일에 준비를 갖추다. ¶ 채비를 ~. ⑤몸치장을 하다. ¶ 화려하게 ~. ⑥살림·가게 등을 벌이다. ¶ 신접 살림을 ~. ⑦격식이나 태도 등을 겉으로 드러내다. ¶ 예절을 ~. ⑧어떤 일에서 제 욕심 따위를 채우려 하다. ¶ 제 실속만 ~.

차:리즘〔러 tsarizm〕명 제정(帝政) 러시아의 정치 체제. 또, 그러한 전제(專制)주의.

차리친〔Tsaritsyn〕명 〖지〗 제정 러시아 때의 볼고그라드(Volgograd)의 이름.

차림 명 옷이나 몸치장을 차리어 갖추는 일. ¶ 등산복 ~/신부 ~.

차림-새 명 차린 그 모양. ¶ 검소한 ~.

차림-차림 명 이모 저모의 차림새. ¶ ~이 쌍스럽다.

차림-표【—表】명 식단(食單).

차마[1] 명 〈방〉 채마밭(강원).

차마[2]【車馬】명 차량(車輛)과 말. 거마(車馬).

차:마[3] 부 애틋하고 안타까워서 감히 어찌. 뒤에는 반드시 동사(動詞)의 부정(否定)이나 의문(疑問)으로 맺음. ¶ 어린애라 ~ 못 때리겠다/~

차마라【遮魔羅】명 〔범 cāmara〕〖불교〗 수미산(須彌山) 주위의 남섬부주(南贍浮洲)에 속하는 이중주(二中洲)의 하나.

차매[1] 명 〈방〉 치마[1](함북).

차매[2] 명 〈방〉〖식〗 참외[1](전남).

차-멀미【車—】명 차를 탐으로써 일어나는 어지러운 증세. *뱃멀미. ——-하다 자여불

차메 명 〈방〉〖식〗 참외[1](전남·경남·황해).

차면【遮面】명 ①얼굴을 가리어 감춤. ②얼굴을 서로 가리느라고 판장(板墻)이나 휘장(揮帳) 등으로 막음. ——-하다 자여불

차면-담【遮面—】명 얼굴을 가리기 위하여 앞으로 쌓은 담.

차:명【借名】명 남의 이름을 빌려서 씀. ——-하다 자여불

차:명 계:좌【借名計座】명 〖경〗 다른 사람의 이름으로 개설한 계좌. 주로 기업의 비자금(祕資金), 폭력배들의 검은돈, 사채업자의 돈 따위 떳떳하지 못한 돈이 이런 계좌를 이용함.

차모[1] 명 〈방〉〖식〗 참외[1](강원).

차모[2]【茶母】명 〖역〗 조선 시대 때 경각사(京各司)에 속한 관비(官婢)의 하나. 차(茶)를 끓여 대었음.

차모로-족【—族】〔Chamorros〕명 〖인류〗 마리아나 제도(Mariana 諸島)의 원주민. 폴리네시아계(系). 피부 빛깔은 담갈색, 두발(頭髮)은 파상모(波狀毛), 문화는 낮지 않음. 1668년 스페인 점령 이후 스페인 사람과의 혼혈이 많아져 옛 상태는 거의 볼 수 없음. 언어는 인도네시아어와 스페인어의 혼합어임. [약 40,000명 (1967 추계)]

차몰식자산 창연【次沒食子酸蒼鉛】명 〖약〗 누른 빛깔의 냄새 없는 가루약. 수렴제(收斂劑)·방부제(防腐劑)로 쓰이며, 위병(胃病)·피부과·안과(眼科)에도 쓰임.

차무 명 〈방〉〖식〗 참외[1](경기·충청·전북).

차:문[1]【借文】명 남을 시켜서 시문(詩文)을 대신 짓게 함. 또, 그러한 글. ——-하다 자여불

차:문[2]【借問】명 ①남에게 대하여 물음. ②허청대고 가설(假說)로 물음. ——-하다 자여불

차문[3]【箚文】명 〖역〗 차자(箚子).

차:문 차:답【且問且答】명 한편으로 물으면서 한편으로 대답(對答)함. ——-하다 자여불

차:물【借物】명 빌려 쓰는 물건.

차미[1] 명 〈방〉〖식〗 참외[1](경기·강원·충청·경상·황해).

차:미[2]【借米】명 쌀을 꿈. 또, 그 쌀. ——-하다 자여불

차:밍〔charming〕명 매력적. 매혹적. 샤르망(charmant). ¶ ~ 스쿨(school). ——-하다 형여불

차:밍 스쿨〔charming school〕명 참 스쿨.

차-바퀴【車—】명 수레바퀴.

차반[1] 명 ①맛있게 잘 차린 음식. ②예물로 가져가거나 들어오는 좋은 음식.

차반[2] 명 〈옛〉 음식. 반찬. ¶ 廚ᄂᆞᆫ 차반 밍ᄀᆞᄂᆞᆫ 딕러라《內訓 I:60》.

차반[3]【茶盤】명 찻그릇을 담는 조그마한 예반. 다반(茶盤).

차:방[1]【借方】명 차변(借邊). ↔대방(貸方).

차방[2]【茶房】명 ☞찻방(茶房).

차배【差配】명 각각 구별하여 다룸. ——-하다 타여불

차베스〔Chavez, Carlos〕명 〖사람〗 멕시코의 작곡가·지휘자. 멕시코시티 관현악단 창립에 참가하고, 국립 음악 학교장을 역임함. 특히 인디언 음악을 연구, 작곡(作曲)에 인디언 악기를 사용함. 작품에 ≪신포니아 인디아(Sinfonía India)≫ 등이 있음. [1899-1978]

차벽【遮壁】명 외부 자기장(磁氣場)이나 전기장(電氣場)으로부터 장치(裝置)를 고립시키기 위한 금속 격벽(隔壁)이나 차폐.

차변[1]【此邊】명 이 편.

차:변[2]【借邊】명 〖경〗 부기상의 용어. 계정 계좌(計定計座)의 왼쪽. 자산(資産)의 증가, 부채 또는 자본의 감소, 손실의 발생 등을 기입하는 부분. 차방(借方). ↔대변(貸邊).

차별【差別】명 차등(差等)이 있게 구별함. ¶ 남녀의 ~/~을 두다. ——-하다 타여불

차별-계【差別界】명 차별이 있는 이 세상. ↔평등계(平等界).

차별-관【差別觀】명 〖불교〗 선악·고하(高下) 등의 차별을 두어 사물을 보는 관념. ↔평등관(平等觀).

차별 관세【差別關稅】명 〔discriminating duties〕〖법〗 수입 화물의 산출국(産出國)이나 상품의 종류에 따라 일반 세율(稅率)보다 높은 세율을 부과하는 관세. ↔특혜(特惠) 관세.

차별 대:우【差別待遇】명 정당한 이유 없이 남보다 나쁜 대우를 함. 또, 그 차별을 두고 하는 대우. ——-하다 타여불

차별 선:택【差別選擇】명 〔differential selection〕〖통계〗 조건(條件)이 붙은 표본(標本)을 불공평한 방법으로 골라 내는 일.

차별 침식【差別浸蝕】명 〔differential erosion〕〖지〗 지구 표면의 한 지역이, 다른 지역에 비해서 급속(急速)하게 침식되는 일.

차-보석【次寶石】명 〖광〗 준보석(準寶石).

차-복【車服】명 수레와 의복.

차부[1] 명 〈방〉 채비. 준비(평북).

차부[2]【車夫】명 마차·우차(牛車) 같은 것을 부리는 사람.

차부[3]【車部】명 자동차의 시발(始發)·종착(終着) 지점에 마련된 차의 집합소(集合所).

차부새 명 〈방〉 ①차림새. ②채비.

차-부제【次副祭】명 〖천주교〗 천주 교회의 대품(大品) 가운데 첫째번 품. 부제(副祭)의 아래. 현재는 개편되어 없어졌음.

차북-이 부 〈방〉 자욱이.

차북-하다 형 〈방〉 자욱하다.

차분【差分】명 ①등급을 두어 나눔. ②정차(定差). ——-하다[1] 타여불

차분 방정식【差分方程式】명 〖수〗 정차(定差) 방정식.

차분-법【差分法】[—뻡] 명 〖수〗 x의 함수 $f(x)$에서 h를 일정한 유한치(有限値)로 할 때, $\Delta f(x)=f(x+h)-f(x)$를 $f(x)$의 차분, 혹은 정차(定差)라 함. 차분(差分)의 $h\to 0$의 극한은 미분(微分)이라 생각되기 때

문에 미적분(微積分)과 동법(同法)의 이론을 차분에 대해서도 전개시킬 수가 있어, 이를 차분법이라고 함. 정차법(定差法).
차분-하다[2] 형여불 마음이 가라앉아 참참하다. ¶차분한 성격. 차분-히 부. ¶~ 앉아 있거라.
차붓-소【車夫―】명 달구지를 끄는 큰 소.
차비[1]【車費】명 차를 타는 비용. 찻삯. 차임(車賃).
차비[2]【差備】명 ①준비(準備). 채비. ②〖역〗특별한 사무를 맡기려고 임시로 하는 임명. →자비. ――-하다 자여불
차비-관【差備官】명〖역〗특별한 사무를 분장시키기 위하여 임시로 임명하는 벼슬. →자비관.
차비-군【差備軍】명〖역〗각 진영(鎭營)에 딸린 외아전(外衙前)의 하나.
차비-노【差備奴】명〖역〗각 관아의 노복(奴僕)의 하나. →자비노.
차비-문【差備門】명〖역〗궁궐 편전(便殿)의 앞문. →자비문.
차빈 데 완타르〔Chavín de Huántar〕명〖역〗남미 안데스 산맥에 있는 고대 문명의 유적(遺蹟). 페루의 마라뇬 강(Marañón江) 상류에 있으며 강렬하고 독특한 개성적 조각을 새긴 석조(石造) 대신전(大神殿)이 있음.
차빈 문화【―文化】〔Chavín〕명〖역〗페루(Peru) 북부(北部)에 번영했던 안데스 문명 형성기(Andes文明形成期)의 문화. 각지에 신전이 있고 안팎에 고양이나 괴상한 짐승을 새긴 원기둥·석상(石像)이 있음. 마라뇬 강(Marañón江) 상류에 있는 신전(神殿) 자리가 대표적 유적(遺跡)임.
차사[1]【此事】명 이 일.
차사[2]【車師】명 중국의 한(漢)에서 북위(北魏) 시대에 걸쳐 톈산(天山) 산맥 동부에 있던 나라. 한(漢)나라 선제(宣帝) 때 여섯 나라로 갈라지고 현재의 투르판 분지(盆地)는 차사 전국(前國), 톈산 북측(北側)은 후국(後國)이 지배(支配)하였음. 후국은 3세기경, 전국은 5세기 중엽(中葉)에 멸망(滅亡)함.
차사[3]【茶祀】명 차례(茶禮).
차사[4]【差使】명〖역〗①중요한 임무를 띠워 파견하는 임시직(臨時職). ¶함흥(咸興)~. ②고을의 원(員)이 죄인(罪人)을 잡으려고 보내던 하인. *관차(官差).
차사니-없:다 형〈방〉채신없다(평안).
차사령-맞이【差使令―】명〖민〗제주도에서, 죽은 사람을 극락으로 데려가기 위해 염라 대왕이 보낸 사자(使者)를 위해 베풀던 굿.
차-사시【茶沙匙】명 찻숟가락.
차사 예:채【差使例債】명〖역〗차사(差使)로 파견된 사람에게 죄인이 뇌물로 주는 돈. 족채(足債).
차:사오〔중 叉燒〕명 중국 요리의 하나. 돼지 고기를 술·향신료(香辛料)를 탄 간장 국물에 담가 요리한 찜구이.
차:사오-면【―麵】〔중 叉燒〕명 중국 요리의 하나. 국수 가락을 삶아 국수물을 붓고, 차사오의 얇은 조각을 얹은 음식.
차사-원【差使員】명〖역〗중요한 사무를 띠고 임시로 중앙에서 파견되는 직원.
차사원 지공가【差使員支供價】〔―까〕명〖역〗조선 시대에, 세곡을 상납(上納)하는 조선(漕船)에 동승(同乘)하는 운송 담당 관원의 식량으로 쓰기 위하여 징수하던 부가세(附加稅).
차산머리 없:다 형〈방〉채신머리 없다(평안).
차-산병【―散餠】명 찹쌀 가루로 만든 산병. 찹쌀 가루로 자그마하게 전병(煎餠)을 부치고, 팥소를 넣어서 반으로 접어 반달 모양으로 만들어 개피떡처럼 만듦. 나산병(糯散餠).
차상[1]【次上】명〖역〗시문(詩文)을 꼲는 등급의 한 가지. 넷째등(等) 중의 첫째급(級). *차중(次中)·차하(次下)·상지상(上之上).
차상[2]【車上】명 차의 위.
차상[3]【嗟傷】명 한탄하며 슬퍼함. ――-하다 타여불
차상[4]【嗟賞】명 차칭(嗟稱). ――-하다 타여불
차상 차하【差上差下】명 좀 윗길 되기도 하고 아랫길 되기도 함. 막상막하. ――-하다 자여불
차-상찬【車相瓚】명〖사람〗사학자. 호는 청오(青吾). 강원도 출생. 개벽사(開闢社) 주간(主幹)으로 잡지 '개벽'·'별건곤(別乾坤)'·'신여성(新女性)'·'농민' 등을 내놓았음. 저서는 ≪조선사 천년 비사(千年祕史)≫ 등이 있음. [1887-1946]
차상 통사【次上通事】명〖역〗조선 시대 때 내의원(內醫院)의 약재(藥材)의 무역 등에 관한 사무를 맡은 사역원(司譯院)의 한 벼슬.
차생【此生】명 이승.
차서[1]【次序】명 차례의 순서.
차:서[2]【借書】명 ①서적(書籍)을 빎. ②차용 증서(借用證書).
차-서숙 명〈방〉차좁쌀(전라).
차서숙-쌀 명〈방〉차좁쌀(경북).
차석[1]【此席】명 이 자리.
차석[2]【次席】명 관직(官職) 등에서 수석(首席)의 다음 자리. 또, 그 자리의 사람. 차위(次位).
차석[3]【嗟惜】명 애닯아 하며 아깝게 여김. ――-하다 타여불
차선[1]【次善】명 최선(最善)의 다음 정도.
차선[2]【車線】㊀명 찻길과 찻길을 구분하기 위하여, 한 대의 차량이 지나가는 데 필요한 너비로 그어 놓은 선. ¶~을 바꾸다. ㊁의명 병행하여 통행할 수 있는 자동차의 수를 나타내는 데 쓰는 말. ¶사(四) ~ 도로.
차:선[3]【遮扇】명〖역〗사선(紗扇).
차선 차후【差先差後】명 앞서기도 하고 뒤서기도 함. ――-하다 자여불
차선-책【次善策】명 차선의 방책(方策).
차선-폭【車線幅】명 도로에 표시된 차량 통행로(通行路)의 나비.
차:설【且說】명 화제(話題)를 돌려 말할 때, 그 첫머리에 쓰는 말. 각설(却說).
차성 광:물【次成鑛物】명〖광〗이차 광물(二次鑛物).
차세[1]【此世】명 이승.
차세[2]【此歲】명 올해.
차세대 컴퓨:터【次世代―】〔computer〕명 인간의 두뇌(頭腦)에 가까운 정보 처리를 지향(指向)하는 미래(未來)의 컴퓨터. 초대규모 집적 회로(超大規模集積回路)를 이용한 현재의 제 4 세대 컴퓨터에 대하여 제 5 세대 컴퓨터로도 일컬음.
차-세장전【次細長箭】명〖역〗조선 세종 때 사전 장총통(四箭長銃筒)과 이총통(二銃筒)에 쓰던 화살. 세장전(細長箭)보다 굵기가 가늚.
차-세전【次細箭】명〖역〗조선 세종 때 사전 총통(四箭銃筒)·팔전 총통(八箭銃筒)·세총통(細銃筒)에 쓰던 화살. 세전(細箭)보다 조금 가늚.
차-소위【此所謂】부 이야말로.
차-소전【次小箭】명〖역〗조선 세종 때 사전 장총통(四箭長銃筒)에 쓰던 화살. 소전(小箭)보다 조금 가늚.
차손【差損】명 차손금(差損金).
차손-금【差損金】명 매매(賣買) 결산(決算)을 할 때의 차액(差額) 손실금. 차손(差損).
차:송[1]【借送】명 꾸어 보냄. ――-하다 타여불
차송[2]【差送】명 차견(差遣). ――-하다 타여불
차수[1]【叉手】명 두 손을 어긋매껴 마주 잡음. ――-하다 자여불
차수[2]【次數】명〖수〗①단항식(單項式)에서 거듭 제곱의 지수(指數). x^2y^3에서, x에 대해서는 2, y에 대해서는 3, x 및 y에 대해서는 5임. ②다항식(多項式)에서는 그 포함하는 단항식의 최고 차수를 그 식의 차수로 함.
차:수[3]【借手】명 남의 손을 빌려서 일을 함. ――-하다 자여불
차수[4]【茶水】명 차를 끓인 물. 찻물.
차수[5]【差數】명 차가 생긴 수.
차수-과【叉手果】명 운밀과의 일종인 타래과(果)의 한자(漢字) 이름.
차:수-벽【遮水壁】명 댐(dam)의 물을 차단하는 벽.
차:술 차:작【借述借作】명〖역〗조선 시대 때, 과거(科擧) 제도의 팔폐(八弊)의 하나. 남이 지은 글을 빌려 답안을 쓰는 일.
차슈 명〈옛〉산자(糤子). ¶차슈 산(糤)≪字會 中 21≫.
차-스숙 명〈방〉차좁쌀(충남·전북).
차-스슥 명〈방〉차좁쌀(충남·전북).
차승[1]【叉乘】명〖수〗산가지를 써서 하는 승법(乘法).
차승[2]【此乘】명〖불교〗이승.
차승[3]【車乘】명〔승(乘)도 수레의 뜻〕수레. 또, 수레에 탐.
차승[4]【差勝】명 치승(差勝)의 잘못.
차승자 총통【次勝字銃筒】〔―짜―〕명〖역〗조선 초기에 제작된 승자총통의 하나. 승자 총통보다 규모가 작아, 한 번에 5전(錢)의 화약(火藥)을 사용하여 철환(鐵丸) 5개를 발사하였다고 함.
차시【此時】명 이 때. 지금.
차-시루떡 명 ☞찰시루떡.
차신【此身】명 이 몸.
차:신 차:의【且信且疑】〔―/―이〕명 믿음직하기도 하고 의심(疑心)스럽기도 함. ――-하다 형여불
차실[1]【次室】명 큰 방에 딸린 다음 방.
차실[2]【茶室】명 다방(茶房).
차심【此心】명 이 마음. 곧 어떠한 때에 어떻게 쓰는 그 마음.
차아[1]【次兒】명 부모가 둘째 아들을 이르는 말.
차아[2]【杈枒】명 줄기에서 벋어나간 곁가지.
차아[3]【嵯峨】명 산이 높고 험함. 차차(嵯嵯). ――-하다 형여불
차아-【次亞】早〖화〗'하이포아-'의 구칭.
차악[1]【嗟愕】명 탄식하며 몹시 놀람. ――-하다 형여불
차:악[2]【遮惡】명〖불교〗악을 차단(遮斷)하는 일. 악을 행하지 않도록 노력하는 일.
차안【此岸】명〖불교〗생사(生死)를 해탈하지 못한 세계. 곧 이승. ↔피안(彼岸).
차:알【遮遏】명 막아 못 하게 함. 차지(遮止).
차압【差押】명〖법〗'압류(押留)'의 구민법상(舊民法上)의 이름. ――-하다 타여불
차압-계【差壓計】명 압력계(壓力計) 중 압력차(差)를 측정하는 계기(計器). 여러 가지가 있는데, 가장 간단한 것은 유자관(U字管) 압력계이며, 특히 미소(微小)한 압력차를 측정하기 위하여서는 침종식(沈鐘式) 압력계나 미압계(微壓計) 등이 사용됨. 그 밖에 천칭형(天秤型) 압력계도 이 차압계의 한 가지임. 압력차계.
차액[1]【差額】명 어떤 액수에서 다른 어떤 액수를 감(減)한 나머지 액수. 차금(差金).
차:액[2]【借額】명 남에게서 꾸어온 돈의 액수.
차액[3]【遮額】명〖역〗가리마[2].
차액 지대【差額地代】명〔differential rent〕〖경〗같은 양의 자본(資本)이 같은 면적의 토지(土地)에서 같지 않은 농업 생산성(農業生産性)의 결과로 충용(充用)되어, 그 차액(差額)이 지대(地代)로 전화(轉化)된 경우의 일컬음. 영국의 경제학자 리카도의 설(說)임. 토지의 비옥도(肥沃度)나 유리한 위치로 말미암은 차액 지대와, 자본의 추가 투하에 의한 것의 두 가지 형태가 있음.
차양[1]【次養】명 ↗차양자(次養子). ――-하다 타여불
차양[2]【遮陽】명 ①〖건〗볕을 가리기 위하여, 또는 비를 피하기 위하여 처마 끝에 덧붙이는, 함석·슬레이트 등으로 만든 넓은 조각. ②학생모(學生帽)나 군모(軍帽) 등의 앞에 대서 이마를 가리는 조각. ¶~이 넓

은 모자. 1)·2):준챙.

차양-선【遮陽船】명 차양이 있는 배. 흔히 유선(遊船)으로 많이 씀.

차-양자【次養子】명 조선 시대 때, 죽은 맏아들의 양자가 될 만한 사람이 없을 경우에, 그 뒤를 잇기 위하여 맏아들과 같은 항렬되는 사람을 그의 아들을 낳을 때까지 양자로 삼는 일. 또, 그런 양자. 준차양(次養). ——-하다 타여불

차어【車御】명 차타기와 말타기.

차엄【遮掩】명 가로막으며 덮음. ——-하다 타여불

차:여【借與】명 차급(借給). ——-하다 타여불

차여의【此良中】〈이두〉이것에.

차역[1]【差役】명 ①노역(勞役)을 시킴. ②『역』중국 송(宋)나라 때의 과역법(課役法). 백성을 빈부(貧富)의 차에 따라 9등급으로 나누어 4등 이상에서만 공용의 인부를 징발(徵發)하고 5등 이하에서는 면제하였음. ——-하다 타여불

차역[2]【此亦】부 이것도 또.

차-역시【此亦是】부 이것도 역시. 이것도 또한.

차:열[1]【借閱】명 차독(借讀).

차열[2]【搘裂】명 손으로 찢음. ——-하다 타여불

차열[3]【車裂】명『역』거열(車裂).

차오[1]【車螯】명『조개』[*Hippopus hippopus*] 거거과(車渠科)의 이매패(二枚貝). 난열대(暖熱帶)의 산호초(珊瑚礁)에서 삶. 패각(貝殼)은 능형(菱形)을 이루고, 길이 22cm, 높이 14cm, 직경 12cm에 이름. 표면(表面)은 회백색 바탕에 자홍색(紫紅色)의 반점(斑點)이 있고 8-10개의 방사늑(放射肋)이 있으며 내면(內面)은 백색임. 패각은 관상용(觀賞用)이고 살은 식용(食用)임.

차오[2]【差誤】명 틀림. 잘못됨.

차오 관화〔喬冠華〕명『사람』중국의 외교관. 칭화(淸華) 대학 졸업. 독일 유학을 마치고, 2차 대전중에는 충칭(重慶)에서 외교 평론 기자로 활약함. 1949년에 중국 외무부 정책 위원회 부주임, 59년 외무부 차관보(補), 64년 외무 차관, 73년 당 중앙 위원, 75년 외상이 되었다가 76년 실각했으나 83년 복권되었음. 교관화. [1903-83]

차-오르기 명 기계 체조에서, 양발을 가지런히 합쳐서 공중을 차고 상반신(上半身)을 철봉 위에 올리는 일.

차오 스〔喬石〕명『사람』중국의 정치가. 저장(浙江) 성 출신. 화둥(華東) 연합 대학 졸업. 1940년 공산당에 입당. 1982년 당 대회 연락부장을 거쳐 1984년 당 중앙 조직부장, 이듬해 당정치국 위원 겸 서기가 됨. 1986년 이후 부총리·정치국 상임 위원 겸 서기·당정치국 상무 위원을 거쳐 1993년 상무 위원장에 오름. 교석.

차오안〔潮安〕명『지』중국 광둥 성 동부 한장(韓江) 강 하류 우안(右岸)에 있는 현(縣). 산터우(汕頭)의 42km 상류에 위치하며 한장 강 하류 평야의 물자 집산지로, 삼베·자수·금은 세공·죽세공·조각(彫刻) 등 전통적 세공이 성하며, 사탕수수와 각종 과수(果樹), 특히 감귤(柑橘)의 재배가 성함. 동쪽의 한산(韓山) 산에는 한유(韓愈)의 묘(廟)가 있음. 차오저우(潮州). 조안. [104,000명(1982)]

차오양〔朝陽〕명『지』중국 랴오닝 성(遼寧省) 서부의 구디(谷底) 평야에 있는 현(縣). 다링허(大凌河) 북안에 위치하여 진구(錦古) 철도에 연한 범선(帆船) 왕래의 종점임. 고량(高粱)·조·담배·삼·목화 양털·양가죽 등의 집산지(集散地)를 이룸. 요금(遼金) 시대의 탑(塔)이 있음. 구명(舊名)은 타쯔거우(塔子溝). 토명(土名)은 산쭤타(三座塔). 조양. [308,000명(1984)]

차오저우〔潮州〕명『지』차오안(潮安)의 별칭.

차오즈〔중 餃子〕명 중국식 만두(饅頭). 밀가루를 반죽하여 얇게 편 것에다가 고기와 야채(野菜)를 다진 소를 넣고 싸서 굽거나 쪄서 간장에 찍어 먹음.

차오 쿤〔曹錕〕명『사람』중국의 군인·정치가. 위안 스카이(袁世凱) 밑에서 일하였으며, 1918년 펑 궈장(馮國璋)이 하야(下野)한 후 즈리 파(直隸派)의 수령이 되어 화북(華北) 정계를 지배하고 1923-24년 대총통이 되었으나 펑 위샹(馮玉祥)의 쿠데타로 실각함. 조곤. [1862-1938]

차오판〔중 炒飯〕명 중국 요리의 하나. 밥에다가 잘게 썬 야채나 고기·달걀 등을 가하고 소금이나 간장으로 조미(調味)하여 기름에 볶은 것. 볶음밥.

차오프라야 강【一江】〔Chao Phraya〕명『지』타이 중부의 큰 강. 라오스 근방의 북부 국경 지대에서 발원하여 남쪽으로 흘러 방콕을 지나서 타이 만(灣)으로 들어감. 편리한 수운(水運), 넓은 미작지(米作地) 등으로 타이의 경제 및 문화의 대동맥(大動脈)을 이루고 있음. 메남 강(Menam江). [1,200km]

차오후〔巢湖〕명『지』중국 안후이 성(安徽省) 중부에 있는 큰 호수. 페이수이(淝水) 강 등 많은 하천이 유입(流入)되며 동남부는 윈차오허(運漕河)로 유출하여 양쯔 강에 흘러듦. 둘레는 200km 가량임. 초호(焦湖). 소호. [782km²]

차-올리다 타 발로 차서 위로 올리다. ¶공을 ~

차완[1]【茶碗】명 차종(茶鍾)의 한 가지. 조금 크고 뚜껑이 있음.

차완[2]【差緩】명 조금 느즈러짐. ——-하다 형여불

차외[1]【此外】명 이 밖. 이 이외(以外).

차외[2]【車外】명 자동차·열차·전동차 따위의 바깥.

차:용【借用】명 물건을 빌리거나, 돈을 꾸어서 씀. 채용(債用). ¶~ 증서. ——-하다 타여불

차:용-금【借用金】명 남에게서 꾸어서 쓴 돈.

차:용-물【借用物】명 ①빌린 물건. 차용품(借用品). ②『법』사용 대차(使用貸借) 계약의 목적물(目的物)로서 차주(借主)가 사용 수익(收益)하는 물건.

차:용-어【借用語】명 ①외래어(外來語). ②특히 국어로 완전히 동화(同化)된 다른 나라 말.

차:용-인【借用人】명 돈이나 물건을 꾸어서 쓴 사람.

차:용-증【借用證】[—쯩] 명 차용 증서.

차:용 증서【借用證書】명 돈이나 물건의 차용을 증명하는 증거 문서. 차용증(借用證).

차:용-품【借用品】명 차용한 물품. 차용물.

차:용 화음【借用和音】명『악』양악(洋樂)에서, 전조(轉調)할 때 악곡에 변화를 가져오기 위하여 딴 조(調)에서 일시적으로 꾸어 쓰는 화음. 중간 도미넌트(中間 dominant).

차우 명〈방〉①덫(경기·충북). ②올가미(충북).

차우더〔chowder〕명 미국의 대표적인 가정 요리의 하나. 생선의 흰살과 조개 등을 주로 하여 양파·감자·베이컨 등을 넣고 끓인 건더기가 많은 크림 수프. 대합(大蛤)을 재료로 한 클램(clam) 차우더는 잘 알려져 있음.

차우셰스쿠〔Ceauşescu, Nicolae〕명『사람』루마니아의 정치가. 1936년 공산당에 입당, 국방 차관·당 제1서기 등을 거쳐 1974년에 초대 대통령이 됨. 장기 집권 끝에 1989년 동구권(東歐圈)의 자유화에 밀려 권좌에서 쫓겨나 처형당함. [1918-89]

차우-차우〔chow-chow〕명 중국 원산(原產)인 개의 품종(品種)의 하나. 귀는 작고 곧게 서며, 혀·입천장·잇몸이 검음. 꼬리는 말려 올라가며, 털이 두껍고 갈기가 있으며, 붉은 색·검은 색·황갈색·흰 색 등이 있음. 병·추위에 대한 저항력이 강하나 더위에 약함. 애완용·사역견(使役犬)·경비견·늑대 사냥개 등으로 쓰임.

차운【次韻】명『문』화운(和韻)의 일종. 남이 지은 시(詩)의 운자(韻字)를 그대로 달되 선후의 순서도 원작(原作)대로 따르는 법. 또, 그렇게 시를 짓는 일. ——-하다 자여불

차-운로【車雲輅】[—울—] 명『사람』조선 선조(宣祖) 때 시인. 자는 만리(萬理), 호는 창주(滄洲). 연안 사람. 선조(宣祖) 16년(1583) 등제(登第), 벼슬은 전의 현감(全義縣監)을 거쳐 교리(校理)에 이름. 그 형인 천로(天輅)와 같이 문장·시·글씨에 뛰어났음. 문집 ≪창주집(滄洲集)≫이 전함. [1559-?]

차운-시【次韻詩】명 남이 지은 시운(詩韻)을 따서 지은 시(詩).

차웁다 형〈방〉차다(전북).

차원[1]【次元】명 [dimension] ①『수』일반적인 공간(空間)의 넓이의 정도를 나타내는 수. 직선은 1차원, 평면(平面)은 2차원, 통상의 공간은 3차원이지만, n차원이나 무한 차원(無限次元)의 공간도 생각할 수 있음. ②『물』물리량(物理量)의 기본 단위와 유도(誘導) 단위와의 관계. 이를테면 길이의 차원을 L, 질량(質量)의 차원을 M이라 하면, 면적의 차원은 L^2, 밀도(密度)의 차원은 M/L^3임. 디멘션. ③어떤 사물을 생각하거나 행할 때의 입장. 또, 그 정도. 사고 방식이나 행위 등의 수준. 레벨(level). ¶~ 높은 논조(論調)/~이 다른 생활(生活).

차원[2]【茶園】명 차나무를 심은 밭.

차원-론【次元論】[—논] 명『수』공간(空間)의 차원에 관한 이론. 차원의 정의(定義)나 연속 사상(連續寫像)과 차원의 관계 등을 논함.

차-원부【車原頫】명『사람』고려말의 학자. 자(字)는 은명(恩平), 호는 운암(雲巖). 연안 사람. 공민왕(恭愍王) 때 문과에 급제, 벼슬이 간의 대부(諫議大夫)에 이르렀으나 혼탁한 정치에 뜻을 잃고 은퇴함. 이태조(李太祖) 건국 후, 정도전(鄭道傳)·하륜(河崙) 등이 차씨(車氏) 외손의 서속(庶屬)이었음을 사실대로 족보에 기입, 그들의 원한(怨恨)을 사서 하륜이 보낸 자객(刺客)에게 그 가족과 함께 몰살당함. 시호(諡號)는 문절(文節). 생몰년 미상.

차:월[1]【且月】명 '음력 유월'의 별칭.

차월[2]【此月】명 이 달.

차:월[3]【借越】명『경』대월(貸越)을 예금자측에서 일컫는 말. 곧, 예금액 이상으로 대부받는 일. ——-하다 자여불

차:월 계:약고【借越契約高】명『경』대차(貸借) 관계에 있어서 어느 한도의 금액을 초과하지 않기로 계약한 금액. 이것을 초과하여 수표(手票)를 발행하면 부도(不渡)가 됨.

차월 피:월【此月彼月】명 이달저달로 미룸. ＊차일 피일(此日彼日). ——-하다 자여불

차위[1] 명〈방〉①창애[1]. ②덫(경기·강원).

차위[2]【次位】명 다음가는 지위나 등위. 또, 그 자리.

차:위[3]【借威】명 남의 위력(威力)을 빎. ——-하다 타여불

차유[1]【一油】명 밀을 섞어 끓인 들기름. 창짝에 바른 종이에 칠하여 투명하게 하는 데에 씀.

차유[2]【茶油】명 차나무의 종자로 짜는 기름. 중국·인도차이나 등지에서 나며, 동백 기름 대신에 머릿기름으로 씀.

차유-령【車踰嶺】명『지』①평안 북도 의주와 구성군(龜城郡) 사이, 소장백(小長白) 산맥 남쪽에 있는 재. 예로부터 중요한 교통로임. [914m] ②평안 북도 구성군 구성면과 삭주군(朔州郡) 외남면(外南面) 사이에 있는 재. [441m]

차-윤【車胤】명『사람』중국 동진(東晉)의 정치가. 자는 무자(武子). 후난성(湖南省) 남평(南平) 태생. 가난하여 기름을 얻을 수 없어 여름밤에 개똥벌레를 모아 그 빛으로 글을 읽었다 하여 손강(孫康)이 겨울밤에 눈을 모아 독서하였다는 고사와 합쳐 '형설(螢雪)의 공(功)'이라는 말이 생겼음. 이부 상서(吏部尙書)를 지냄. [?-401]

차윤 취:형【車胤聚螢】명 중국 동진(東晉)의 차윤이 개똥벌레를 모아, 그 반딧불 빛으로 글을 읽었다는 고사(故事). ＊형설지공(螢雪之功).

차음【遮音】명『물』물체의 존재로 음(音)의 전달이 방해되는 일. 일반적으로 단위 면적당 질량(質量)이 클수록, 또는 음의 주파수(周波數)

가 높을수록, 음이 차단되는 정도가 큼. ——-하다 자여불

차이【差異】명 서로 차가 있게 다름.

차이나 [China] 명 '중국'의 영어 이름. *지나(支那).

차이나 로비 [China lobby] 명 미국에서의 중국 및 극동 지역에 대한 이익 옹호를 위하여 의회(議會)에 대한 진정(陳情)·청원(請願)을 중개하는 원외 단체(院外團體).

차이나-타운 [Chinatown] 명 화교(華僑)들이 외국 도시의 일부분을 점하고 이룩한 중국식의 거리. 특히, 미국 샌프란시스코에 있는 것이 유명함.

차이니:스 [Chinese] 명 중국인. 중국어(中國語).

차이니:스 칼라 [Chinese collar] 명 중국 옷에서 볼 수 있는 옷깃. 스탠드 칼라(stand collor)의 일종으로 되접어 꺾는 옷깃에 대하여 곧 바로 세우는 옷깃을 말함. 만다린 칼라(mandarin collar).

차이다무 분지【一盆地】[柴達木] 명 〖지〗 중국 칭하이 성(青海省) 서북부의 내륙 분지. 염성 습지(塩性濕地)로 원래는 내륙호(內陸湖)였음. 암염(岩塩)을 산출하며, 일대에서 석유·석탄 등의 풍부한 지하 자원이 발견되었음. [220,000 km²]

차이-법【差異法】[一뻡] 명 [method of difference] 〖논〗 영국의 밀(Mill, J. S.)이 실험적 연구법으로 든 귀납법(歸納法)의 하나. 어떤 현상이 일어날 때와 일어나지 않을 경우와의 차이를 조사하여 인과(因果)를 미루어 아는 방법.

차-이(:)석【車利錫】명 〖사람〗 독립 운동가. 호는 동암(東岩). 평북 선천(宣川) 출생. 청년 시절부터 광복(光復) 운동에 헌신, 1911년 데라우치(寺內) 총독 암살 모의에 관련되어 3년간 옥고(獄苦)를 겪음. 3·1 운동 후 상해(上海)로 건너가 독립당 간부로 활약하고 1922년 임시 정부의 국무 위원에 선임되었음. [1881-1945]

차이-성【差異性】명 [一썽] 〖철〗 사물의 차이를 만드는 원리. 한 물건과 다른 물건과의 관계를 성립시켜 그 개체(個體)만이 가질 수 있는 특성을 형성하는 원리.

차이스[1] [Zeiss, Carl] 명 〖사람〗 독일의 광학 기계(光學器械) 제조의 개척자. 1846년 예나(Jena)에 정밀 기계 공장을 설립, 기하 광학(幾何光學)에 입각한 현미경을 제작하여, 1889년 광학 기계 제조업 칼 차이스 재단을 창설함. [1816-88]

차이스[2] [도 Zeiss] 명 차이스(Zeiss, C.)가 설립한 광학 기기(光學器機) 제작 회사. 또, 거기서 만드는 현미경·렌즈 등 제품을 이를 때도 있음.

차이 심리학【差異心理學】[一니一] 명 [differential psychology] 〖심〗 개인·성(性)·민족·직업·집단·세대(世代) 등의 인간간의 차이로써 개성이나 집단의 구조를 규명하려는 심리학.

차이-역【差異閾】명 〖심〗 변별역(辨別閾).

차이 위안페이 [蔡元培] 명 〖사람〗 중국의 사상가·저술가. 저장 성(浙江省) 사람. 신해(辛亥) 혁명 이후 자유 사상가로 활약. '문화 대혁명' 당시에는 베이징 대학 학장으로서 학문의 독립과 언론의 자유를 위하여 투쟁하였음. 저서에 ≪중국 윤리학사(中國倫理學史)≫ 등이 있음. 채원배. [1867-1940]

차이-점【差異點】[一쩜] 명 차이가 나는 점. ↔공통점(共通點).

차이콥스키 [Tchaikovsky, Pyotr Il'yich] 명 〖사람〗 러시아의 작곡가. 독일 낭만파 음악에 슬라브적(Slav的)인 정열·감상·우울(憂鬱)을 가미하여 화려한 리듬(rythm)과 동양적인 선율을 살려 ≪비창(悲愴) 교향곡≫, 발레곡(曲) ≪백조의 호수≫·≪호두까기 인형≫·≪잠자는 숲 속의 미녀(美女)≫ 외에 ≪피아노 협주곡(協奏曲)≫ · ≪바이올린 협주곡≫, 가극(歌劇) ≪오네긴(Onegin)≫ 등의 걸작을 남겼음. [1840-93]

차이타냐 [Chaitanya] 명 〖사람〗 인도의 종교 사상가. 힌두교 비슈누파(Vishnu波)의 분파인 차이타냐파의 개조(開祖). 벵골 지방에서 새로운 종교 운동을 개시, 봉사(奉仕)의 실천(實踐)을 중히 여겨 사랑의 정신을 강조함. [1485-1533]

차이트-가이스트 [도 Zeitgeist] 명 어떤 시대를 통하여 그 시대를 특징 짓는 정신. 시대 정신. 시대 사조(思潮).

차이티아 굴【一窟】[chaitya] 명 [차이티아는 절·불탑(佛塔)의 뜻] 인도의 석굴 사원(石窟寺院) 양식의 하나. 동굴 안을 원형·방형(方形)으로 파내어 중앙에 솔도파(窣堵婆)를 안치하고 좌우에 열주(列柱)를 배치함. 기원전 2-1세기에 시작되어 1세기에 성행하였음.

차익[1]【車匿】명 〖불교〗 석가가 성문을 떠날 때에 말을 몰고 가던 사람.

차익[2]【差益】명 ①뺄 것을 빼고 난 나머지의 이익. ②가격의 개정 등으로 생기는 이익.

차익-금【差益金】명 차익으로 생긴 돈.

차인[1]【此人】명 이 사람.

차인[2]【差人】명 남의 가게에서 장사하는 일에 시중 드는 사람. 차인꾼.

차인-꾼【差人一】명 차인(差人).

차일[1]【此日】명 이 날.

차일[2]【遮日】명 햇볕을 가리려고 치는 포장. 천포(天布).

차일드 [Childe, Vere Gordon] 명 〖사람〗 영국의 고고(考古)학자. 각지의 발굴 자료를 종합하여 원시 농경 문화(原始農耕文化)의 문명으로의 발전을 이론화함. 저서에 ≪유럽 문명의 여명(黎明)≫·≪인간의 역사≫ 등이 있음. [1892-1957]

차일-봉【遮日峰】명 〖지〗 ①함경 남도 풍산군(豐山郡) 웅이면(熊耳面)과 신흥군(新興郡) 동상면(東上面) 사이에 있는 산. [2,508 m] ②강원도 고성군(高城郡)과 회양군(淮陽郡) 사이에 위치하는 산봉우리. 내금강(內金剛) 안에 솟아 있는 기봉(奇峰)의 하나. [1,529 m] ③함경 남도 북청군(北青郡) 상차서면(上車書面)에 있는 산. [1,663 m]

차일-산【遮日傘】[一싼] 명 댓살로 성기고 둥글게 만들어 펴고 그 위에 유지(油紙)를 바른 일산(日傘). 통대로 자루를 달아 땅에 꽂게 되었는데, 직경 한 장(丈), 자루 기장도 한 장쯤 됨. 주로 백일장(百日場) 등에 차일(遮日)하느라고 썼으나 이 외에 야외(野外)의 시연(詩筵)·향연(饗宴) 때에도 썼음.

차일-석【遮日石】[一썩] 명 차일을 칠 때에 그 줄을 매는 돌.

차일시 피:일시【此一時彼一時】[一씨一씨] 명 이 때 한 일과 저 때 한 일이 서로 사정이 다름. 이것도 저것도 한 때임. 피일시 차일시(彼一時此一時).

차일-장【遮日帳】명 볕을 가리기 위하여 치는 포장(布帳)이나 장막(帳幕).

차일 피:일【此日彼日】부 이 날 저 날. 이날 저날 하고 자꾸 기일(期日)을 미루어가는 경우에 씀. ¶~ 미루다. *차월 피월(此月彼月). ——-하다 자여불

차임[1]【車賃】명 차를 타고 치르는 삯. 차비(車費). 찻삯.

차임[2]【差任】명 〖역〗 하리(下吏)를 임명하던 일. ——-하다 타여불

차:임[3]【借賃】명 물건을 빌려 쓴 값. ↔대임(貸賃).

차임[4] [chime] 명 〖악〗 ①회사·학교·일반 가정 등에 설치하여 시각을 알리거나 호출용으로 쓰이는 벨(bell)의 일종. 또, 그 소리. ②화성(和聲). ③〖악〗 타악기(打樂器)의 하나. 반음계(半音階)로 조율된 18 개의 금속관(管)을 매단 것을 해머(hammer)로 쳐서 연주함. 또, 그 소리. 근래 교회의 종소리를 이것으로 대체한 것이 있음.

차임 벨 [chime + bell] 명 '차임'을 똑똑히 일컫는 말.

차:임 증감 청구권【借賃增減請求權】[一꿘] 명 〖법〗 지주·가주(家主) 또는 차지인(借地人)·차가인(借家人)이 약정(約定)한 임료(賃料)의 증액 또는 감액을 청구하는 권리. 임료 증감 청구권.

차입[1]【差入】명 유치 또는 구류된 사람에게 음식이나 물품 따위를 들여보냄. ——-하다 타여불

차:입[2]【借入】명 돈이나 물건을 꾸어 들임. ——-하다 타여불

차입-금[1]【差入金】명 차입(差入)하는 돈.

차:입-금[2]【借入金】명 꾸어 들인 돈.

차입-물【差入物】명 차입(差入)하는 물건. 차입품(差入品).

차:입-처【借入處】명 돈이나 물건을 빌려 온 곳.

차입-품【差入品】명 차입물(差入物).

차자[1]【次子】명 둘째아들. 차남(次男).

차:자[2]【借字】명 ①자기 나라의 글자가 아니고 빌려다 쓴 남의 나라의 글자. ②자의(字義)에 의하지 아니하고, 음(音)이나 훈(訓)만을 빌려다 쓴 글자. 향찰(鄕札)·이두(吏頭)·구결(口訣) 등에 쓰였음.

차자[3]【嗟咨】명 차탄(嗟歎). ——-하다 자여불

차자[4]【箚子】명 〖역〗 간단한 서식(書式)으로 하는 상소문(上疏文). 주차(奏箚). 차문(箚文). 방자(牓子).

차자[5]【箚刺】명 차청(箚靑).

차자-방【箚子房】명 〖역〗 '상서원(尙瑞院)'의 별칭.

차:작【借作】명 ①남의 손을 빌려 물건을 만듦. 또, 그 물건. ②〖문〗 글을 대신 지음. 또, 그 글. ——-하다 타여불

차잔【茶盞】명 ☞ 찻잔(茶盞).

차-잔수 명 〈방〉 차조(경남).

차장[1]【次長】명 ①관공서나 회사 등에서 장(長)의 차위(次位)에 있어, 이를 보좌하는 사람의 직명. 또, 그 사람. ②〖역〗 대한 제국 때 수학원(修學院) 원장(院長)의 다음 자리 벼슬.

차장[2]【車匠】명 수레를 만드는 직공.

차장[3]【車掌】명 열차·전동차·버스 등의 안에서 요금(料金)을 받거나 승객(乘客)의 승하차(乘下車)를 돌보는 일 등 차 안의 일을 맡아 보는 사람. 안내원(案內員).

차-장[4]【茶欌】명 ☞ 찻장(茶欌).

차:장[5]【借狀】명 차권(借券).

차장 검:사【次長檢事】명 〖법〗 검사(檢事)의 직명(職名)의 하나. 대검찰청(大檢察廳)·고등 검찰청(高等檢察廳)·지방(地方) 검찰청에 있어, 검찰 총장이나 각 검사장을 보좌하며, 그 소속장의 유고시(有故時)에는 그 직무를 대행하는 검사.

차-장내하오【此將奈何一】감 어려운 일을 당하여 그 앞일이 막연할 때, '이를 어찌하나'의 뜻으로 쓰는 말.

차장-석【車掌席】명 차내(車內)에서, 차장이 앉도록 마련된 자리.

차장-실【車掌室】명 열차의 차장이 차내(車內)에서 사무를 보는 칸.

차재[1]【車載】명 차에 실음.

차:재[2]【借財】명 차금(借金). ——-하다 자여불

차재 두량【車載斗量】명 거재 두량(車載斗量).

차-저음【次低音】명 〖악〗 '바리톤(baritone)❶'의 역어(譯語).

차적【車籍】명 차량 등록 원부(原簿)의 일반적인 일컬음. ¶사고 차량의 ~을 조회하다.

차전[1]【車戰】명 〖민〗 음력 정월 보름날의 민속 놀이의 하나. 경상 북도 안동(安東) 지방에서는, 동서(東西) 두 패로 나누어, 동채에 탄 장수의 지휘 아래, 수백 명의 장정이 어깨에 멘 동채를 밀었다 당겼다 하여 상대방을 공격, 상대방 동채를 먼저 땅에 닿게 한 편이 이김. 강원도 춘천, 경기도 가평(加平) 등지에서는, 외바퀴 수레를 밀어, 빨리 가는 편이 이김. 진 동네가 흉(凶)하다 함. 차전놀이. 동채싸움.

차:전[2]【借錢】명 차금(借金). ——-하다 자여불

차전-놀이【車戰一】명 〖민〗 '차전(車戰)'을 놀이로서 똑똑히 일컫는 이름.

차-전병【一煎餅】명 ①찹쌀 가루로 만든 전병. 나전병(糯煎餅). ②찰부꾸미.

차전-자【車前子】명 〖한의〗 질경이의 씨. 성질이 찬데, 이뇨제(利尿劑) 또는 눈병과 설사에 쓰임.

차:전 차:주【且戰且走】명 한편으로 싸우면서 또 한편으로는 달아남. ——-하다 자여불

차전-초【車前草】명『식』질경이.

차전초엽-포【車前草葉包】명 질경잎 쌈.

차점1【次點】[—쩜] 명 최고점 다음가는 점수. ¶～으로 낙선하다.

차:점2【借點】명『역』부족한 것을 남에게서 빌려 와 수를 채워서 점검(點檢)을 받음. ——-하다 자여불

차점-자【次點者】[—쩜—] 명 차점을 얻은 사람.

차접【差帖】명『역』하리(下吏) 임명의 사령서(辭令書). 차첩(差帖). ¶저것이 벙어리 ～을 맡았나, 말도 아니하고 속만 태우게?≪李海朝:鬢上雪≫.

차정【差定】명 사무를 담당시킴. ——-하다 타여불

차제1【次第】명 차례(次例).

차제2【此際】명 이 때. 이 기회. ¶～에 분명히 해 두자.

차제3【差除】명『역』벼슬에 임명함. ——-하다 타여불

차제4【差祭】명『역』제관(祭官)에 임명됨.

차제5【茶劑】명 여러 가지 식물성 약물(藥物)을 혼합하여 말려서 만든 약제. 이것을 끓는 물에 넣어 복용함.

차제 건사【次第件事】명 차례대로 되어 가는 일.

차-제구【茶諸具】명 차에 관한 제구. 곧, 차관(茶罐)·찻종·찻숟가락 등. 다구(茶具).

차조 명 ①『식』조의 한 가지. 다른 조보다 차진데, 열매가 메조보다 잘고 빛깔이 훨씬 누르고 약간 파르스름함. 나속(糯粟). ¶～ 밥. ↔메조. ②↗차좁쌀.

차조기 명『식』[*Perilla frutescens* var. *crispa*] 꿀풀과에 속하는 일년초. 들깨와 비슷한데, 자색에 방향(芳香)이 있으며 모난 줄기는 성긴 털이 나고, 높이는 30-100cm임. 잎은 대생하며 장병(長柄)에 넓은 달걀꼴이고 잔 톱니가 있음. 8-9월에 담자색 순형화(脣形花)가 총상(總狀) 화서로 정생(頂生) 또는 액생(腋生)하여 피고 둥근 수과(瘦果)를 맺음. 중국·미얀마 지방 원산(原産)으로, 밭에나 정원에 재배함. 잎은 소엽(蘇葉)이라 하며, 씨는 소자(蘇子)라 하여 약용하며 어린 잎과 종자는 식용·향미료(香味料)로 씀. 계임(桂荏). 자소(紫蘇).

〈차조기〉

차조기 보숭이 명 차조기의 여물지 아니한 열매의 송이를 찹쌀 풀을 묻혀 말려서 기름에 튀겨 만든 반찬. 소수자(蘇穗炙).

차조기-죽【—粥】명 차조기씨를 물에 담근 후에 가라앉는 것만 말려서 볶고, 참깨를 등분(等分)하여 찧어서 멥쌀 가루를 넣어 쑨 죽. 간장과 꿀을 타서 먹음. 소임죽(蘇荏粥). 소자죽(蘇子粥).

차-조례【茶條例】명『역』1773년에 제정된 영국의 식민지 무역 규제법(植民地貿易規制法). 아메리카 식민지와의 차(茶) 무역 독점권을 동(東)인도 회사에 준 것. 아메리카 식민지 무역업자의 강한 반대를 초래, '보스턴 티 파티(Boston Tea Party)' 사건을 일으키고 미국 독립 전쟁의 도화선(導火線)이 되었음.

차조-밥 명 차좁쌀로 지은 밥. 나속반(糯粟飯).

차-조비 명〈방〉『식』차조(경북).

차-조이 명〈방〉『식』차조(강원).

차-좁살 명〈방〉차좁쌀(경상).

차-좁쌀 명 차조의 열매를 쓿은 쌀. 출미(秫米). 황나(黃糯). 준차조. ↔「메좁쌀.

차종1【次宗】명 대종(大宗)에서 갈려 나온 종파(宗派).

차종2【此種】명 이 종류.

차종3【車種】명 철도 차량·자동차 따위의 종류.

차종4【茶鍾】명 ☞ 찻종(茶鍾).

차-종가【次宗家】명 대종(大宗)에서 갈려 나온 종가(宗家).

차-종손【次宗孫】명 대종(大宗)에서 갈려 나온 종손.

차좌【次座】명 버금이 되는 좌석.

차-좌(:)일【車佐一】명『사람』조선(朝鮮) 순조(純祖) 때의 문장가. 자는 숙장(叔章), 호는 사명자(四名子). 연안 사람. 어려서부터 총명하여, 경사(經史)에 통하고, 서화(書畫)와 시문에 능했으며, 음률과 사예(射藝)에도 특출했음. 무과에 급제, 지세포(知世浦)·겸이포(兼二浦) 만호(萬戶)를 역임했으나 곧 사퇴하고 명사들과 더불어 시사(詩社)를 결성하고 여생을 문묵(文墨)으로 즐김. [1753-1809]

차주1【次週】명 다음 주(週). 내주(來週).

차주2【車主】명 차(車)의 주인. 또, 영업용 자동차를 가진 주인.

차:주3【借主】명 돈이나 물건을 빌려 쓴 사람. ↔대주(貸主).

차-주전자【茶酒煎子】명 ☞ 찻주전자.

차중1【次中】명『문』시문(詩文)을 평하는 등급의 한 가지. 넷째등의 둘째급.

차중2【車中】명 ①차의 속. 차내(車內). ②차를 타고 있을 동안.

차중-담【車中談】명 차중에서 주고받고 하는 말.

차-중음【次中音】명 '테너(tenor)❶'의 역어(譯語).

차-중전【次中箭】명『역』조선 세종 때 삼총통(三銃筒)에 쓰던 화살.

차-쥐비 명〈방〉『식』차조(경북).

차즈기 명〈방〉『식』차조기.

차즘-차즘 부 급작스럽지 아니하게 차차 앞으로 나아가는 모양. 쁘차츰차츰.

차즙【茶汁】명 차나무의 잎을 끓여 낸 즙.

차지1 명 [차지(次知)에서 뜻이 변한 말] 무엇을 점유하여 가짐. 또, 그 소유(所有). ¶그것은 내 ～요/이권(利權)을 ～하다/과반수를 ～하다. 주의 '次知'로 씀은 취음(取音). ——-하다 타여불

차지2【此地】명 이 땅.

차지3【次知】명『역』①각 궁방(宮房)의 일을 맡은 사람. ②주인을 대신하여 형벌을 받는 하인. 또, 다른 사람을 대신하여 대가(代價)를 받고 형벌을 받는 사람.

차:지4【借地】명 남의 땅을 빌려 가짐. 또, 그 땅. ¶～ 계약. ——-하다 자여불

차:지5【遮止】명 막아 못하게 함. 차알(遮遏). ——-하다 타여불

차:지6 [charge] 명 ①차징(charging). ②『전』충전(充電). ③비행기·자동차 등에 기름을 채우는 일. ④『군』탄약을 장전(裝塡)하는 일. ⑤호텔·카바레 등에서의 요금. ¶테이블 ～. ——-하다 타여불

차:지-권【借地權】[—꿘] 명『법』건물의 소유를 목적으로 하는 지상권(地上權) 및 임차권(賃借權)의 총칭.

차지다 형 ①밥·떡 따위가 끈기가 많다. 또, 떡을 만들거나 반죽할 때, 끈기가 많은 성질을 지니고 있다. ¶반죽이 ～/진흙이 ～. ②안차고 빈틈없이 알뜰하다. ¶그는 조용하고 차진 사람이다.

차:지-료【借地料】명 땅을 빌려 쓰고 내는 값.

차지 수금【次知囚禁】명『역』조선 시대 때, 상전(上典)을 대신하여 노비가, 가족을 대신하여 부형(父兄) 등이, 형벌을 받기 위하여 수금(囚禁)되는 일.

차지 영위【次知領位】명『역』조선 시대 때, 육의전(六矣廛)의 도중(都中)의 임원의 하나. 부영위(副領位)의 아래이고, 별임 영위(別任領位)의 위임. 도원(都員)의 선거에 의해서 선출됨. *별임 영위(別任領位)·부영위(副領位).

차:지-인【借地人】명 남의 땅을 빌려 부치는 사람.

차:지 임업【借地林業】명 토지 소유자와 임업 경영자가 분화(分化)하여, 차지(借地) 계약을 전제로 하여서 경영하게 되는 임업.

차지 중관【次知中官】명『역』조선 시대 때, 각 궁방(宮房)의 사무를 맡은 환관(宦官).

차:지 증서【借地證書】명『법』차지(借地)할 때에 작성하는 일정한 격식의 문서.

차:지 타임 [charged time] 명 농구에서, 한 팀이 전후반(前後半)에 각각 2번씩, 연장 시간마다 1번씩 요구할 수 있는, 각 1분 동안의 작전 타임.

차-지형【次地形】명『지』침식 과정에 있는 지형. ↔원지형·종지형.

차직【次職】명 차석의 벼슬. 버금의 직위.

차진【車塵】명 차가 지나간 뒤에 일어나는 먼지.

차질【蹉躓·蹉跌·差跌】명 ①미끄러져서 넘어짐. 질도(躓倒). ②일이 실패로 돌아감. ¶계획에 ～이 생기다. ——-하다 자여불

차-질다 형 차지게 질다.

차:집 명『역』부유한 집에서 음식 장만 등의 잡일을 맡아 보는 여자. 보통의 계집 하인보다 높음.

차:징 [charging] 명 축구·농구에서, 공을 몰고 있는 상대방을 몸으로 부딪치는 일. 차지(charge). ——-하다 자여불

차차1【嵯嵯】명 산이 높고 험함. 차아(嵯峨). ——-하다 형여불

차차2【次次】부 어떠한 상태가 조금씩 진행하는 모양. 천천히 차례대로. 차츰. ¶～ 좋아지다. *점점(漸漸).

차차3【科科】부〈이두〉일일이. 세세(細細)히.

차차-로【次次—】부 '차차'의 힘줌말.

차차로-이【次次—】부 ☞ 차차로. ¶남편의 바위 밑에서 이 여인은 ～ 제 웃음을 잃고…≪黃順元:카인의 후예≫.

차차웅【次次雄】명『역』신라 때 임금의 칭호의 하나. 2대 남해왕(南解王) 때에 일컬었음. 자충(慈充).

차차-장【嗟嗟章】[—짱] 명 악장의 이름.

차-차-차 [cha-cha-cha] 명『악』멕시코 민요의 리듬에서 힌트를 얻은 재즈 음악. 맘보와 같은 라틴 아메리칸 리듬이지만, 맘보의 자극적인 리듬에 비하여 점잖으며, 2소절(小節)마다 '차차차'하는 후렴이 삽입됨. 1955년경 세계 각국에서 유행됨.

차차 차차【次次次次】부 '차차'를 강조하여 이르는 말. ¶～ 줄어들다. *차츰차츰.

차:착1【借着】명 남의 옷이나 갓 같은 것을 빌어서 입거나 씀. ——-하다 타여불

차착2【差錯】명 어그러져서 순서가 틀리고 앞뒤가 서로 맞지 아니함.

차창【車窓】명 차의 창문. ¶～ 밖의 경치를 바라보다.

차:채【借債】명 차금(借金). 부채(負債).

차처【此處】명 이 곳.

차천-금【釵釧金】명『민』육십 화갑자(六十花甲子)에서, 경술(庚戌) 신해(辛亥)에 붙이는 납음(納音). 술(戌)은 화로요, 해(亥)는 천문(天門)인데 연약한 경신금(庚辛金)을 화로불에 녹히니, 비녀와 팔찌 등 값진 물건이 된다는 말.

차-천로【車天輅】[—철—] 명『사람』조선 선조(宣祖) 때 문장가. 호는 오산(五山). 연안(延安) 사람. 제술관(製述官)으로 이름이 높아 동방 문사(東方文士)라고 하여 중국에서도 널리 알리어졌음. 저서에 ≪오산집(五山集)≫, 가사 ≪강촌 별곡(江村別曲)≫ 등이 있음. [1556-1615]

차철【車轍】명 수레가 지나간 자국. 바퀴 자국.

차철 마:적【車轍馬跡】명 수레나 말이 지나간 자국. 두루 돌아다닌 뒤.

차첩【差帖】명『역』차접(差帖).

차청1【次淸】명『언』훈민 정음 초성(初聲) 체계 가운데 '快ㅋ·呑ㅌ·漂ㅍ·侵ㅊ·虛ㅎ' 등에 공통되는 음적 특질(音的特質)을 일컬음.

차청2【箚靑】명 바늘로 몸을 찔러 입묵(入墨)을 함. 차자(箚刺).

차:청 입실【借廳入室】[—닙—] 명 [대청을 빌어 안방까지 든다는 뜻] 남에게 의지하였다가 차차 그 권리를 침범함의 비유. 차청 차규(借廳借閨). ——-하다 타여불

차:청 차:규【借廳借閨】명 차청 입실(借廳入室).

차체【車體】명 차량의, 승객이나 화물을 싣는 부분. 보디(body).

차촌【此村】명 이 마을.

차총【叉銃】명 걸어총. ——-하다 자여불

차축【車軸】명 ①바퀴의 굴대. ②차바퀴를 그 중심에서 수직(垂直)으로 버티고 차바퀴 회전의 중심축이 되는 쇠막대기. 축(軸).

차축-두【車軸頭】명 〖고고학〗 굴대투겁.

차축-유【車軸油】명 차축의 윤활(潤滑)에 쓰이는 기름.

차축조-류【車軸藻類】명 〖식〗 차축조 식물.

차축조 식물【車軸藻植物】명 〖식〗 〔Charophyta〕 민물에 사는 조류(藻類)의 한 무리. 몸은 다세포(多細胞)이고 색소(色素) 구성은 녹조(綠藻) 식물과 같으나 난세포(卵細胞)와 정자(精子)를 만들어 유성 생식(有性生殖)을 하는 것이 다름. 뿌리·줄기·잎의 구별은 있으나 확실하지 않으며 줄기는 양치(羊齒) 식물의 쇠뜨기처럼 마디로 이어졌고, 마디에서 수레바퀴 모양으로 가지가 뻗음. 차축조류. 윤조류(輪藻類). *선태(蘚苔) 식물.

차출【差出】명 ①빼어서 냄. 제출(提出). 제공(提供). ¶인원을 ∼하다. ②관원을 임명함. ——-하다 타여불

차-충량【車忠亮】〔-냥〕명 〖사람〗 조선 인조(仁祖) 때 의사(義士). 자는 여서(如恕). 연안 사람. 선천(宣川) 땅에서 학문과 덕행으로 알려졌는데, 병자 호란이 나자 의병을 이끌고 적을 무찌름. 청군(淸軍)과 화의가 성립되자 분개하여, 명(明)나라를 부흥시켜 청나라를 치고자 획책하다 붙들려 화를 당함. 병조 참의(兵曹參議)에 추증(追贈), 의주(義州) 현충사(顯忠祠)에 모심. 생몰년 미상.

차츰 부 차차(次次).

차츰-차츰 부 갑작스럽지 아니하게 조금씩 조금씩 진행하는 모양. ㅅ차츰차츰.

차:치【且置】명 ↗차치 물론(且置勿論). ¶그 얘기는 ∼하고. ——-하다 타여불

차-치기【車—】명 자동차를 행인(行人)의 옆으로 스쳐 몰아, 차 안에 탄 채 핸드백 따위를 채 가는 치기배(輩).

차:치 물론【且置勿論】명 내버려 두고 초들지 아니함. ㊊차치(且置). ——-하다 타여불

차칙【茶則】명 차를 달일 때 차를 뜨는 대나무 숟가락.

차침[1]【車枕】명 구르는 차바퀴를 받치어 멈추게 하는 받침.

차침[2] 부 〈방〉 차차(次次).

차칭【嗟稱】명 마음에 느끼는 바가 있어 칭상(稱賞)함. 감탄하여 칭찬함. 차상(嗟賞). ——-하다 타여불

차케〔도 Zacke〕명 물건의 날카로운 첨단(尖端). 주로, 포크(fork)·피켈(pickel) 따위의 뾰족한 끝 부분의 이름.

차코〔Chaco〕명 〖지〗 남미 중남부의 대평원. 볼리비아·파라과이·아르헨티나의 3개국에 걸치어 있으며 파라과이 강(江)과 안데스 산맥 사이에 끼었음. 사바나 기후에 관목림(灌木林)과 초지(草地)로 덮혀 있어 방목(放牧) 등이 행하여짐. 그란차코.

차코 전:쟁【—戰爭】명 〔Chaco War〕〖역〗 1932년 남미의 파라과이 공화국과 볼리비아 공화국 사이에 일어난 국경 분쟁. 영국 석유 자본의 원조를 받는 파라과이와 미국 자본의 지지를 받는 볼리비아가 차코 지방에서 싸워, 파라과이가 그 4분의 3을 차지하는 승리를 얻고 1935년 끝났음.

차:-콜:〔charcoal〕명 목탄(木炭). 숯.

차:콜: 그레이〔charcoal grey〕명 검정 빛을 띤 회색(灰色). 진회색.

차:콜: 필터〔charcoal filter〕명 원자력 발전소에서 나오는 방사성 유독(有毒) 가스를 여과하여 깨끗한 가스로 방출하기 위한 필터의 하나.

차크리 왕조【—王朝】〔Chakri〕명 방콕 왕조(王朝).

차타【蹉跎】명 ①미끄러져 넘어짐. ②시기를 잃음. 기회를 잃음. ③일을 이루지 못하고 나이가 많아 감. 불우(不遇)하여 뜻을 이루지 못함. ——-하다 자여불

차탁[1]【次濁】명 〖언〗 중국의 음운학(音韻學)에서, 중고 중국어(中古中國語)의 자음을 구분하는 용어. 탁음 가운데 'n'·'m'·'ŋ'·'l' 등의 비음·변음 및 반모음을 가리킴.

차탁[2]【茶托】명 찻잔을 받쳐 드는 반(盤). 중국 명대(明代)의 주석 차탁이 최고라 함.

차탁[3]【茶卓】명 차를 마실 때, 찻그릇을 벌여 놓는 탁자.

차탄【嗟歎】명 한숨지어 탄식함. 차자(嗟咨). ——-하다 타여불

차탄-벽【遮彈壁】명 탄알을 막기 위하여 쌓아 올린 벽. 방탄벽.

차탈 피:탈【此頉彼頉】명 이 핑계 저 핑계 댐. ¶적적하고 울적할 때에 난향이를 감언이설로 꾀어도 ∼하고 말을 듣지 아니하는 고로…≪作者未詳:雪中梅花≫. ——-하다 타여불

차-태【差汰】명 〖역〗 임명과 파출(罷黜).

차:택【借宅】명 빌어 사는 주택. 세든 집.

차:터〔charter〕명 ①인권(人權)을 확인하는 선언. 헌장(憲章). ②배·비행기·버스 등을 일정한 계약으로 전세(專貰)내는 일.

차:터드 은행【—銀行】〔Chartered〕명 영국의 은행. 1853년 설립함. 동남 아시아·오스트레일리아 지역에서 무역 금융을 영업으로 하는 유력한 식민지 은행이었음. 인도에서 지반을 확립했으며 본점은 런던, 서울에도 그 지점이 있음.

차:터 베이스〔charter base〕명 용선(傭船) 계약에서 용선료의 기초가 되는 선박의 중량 1톤당 표준 채산(採算).

차터지〔Chatterjee, Bankim Chandra〕명 〖사람〗 인도의 소설가·수필가. 처음 영어로 소설을 썼으나 후일 벵골어(Bengal語)를 사용함. '벵골 문학의 아버지'라 불림. 애국적인 역사 소설(歷史小說)을 많이 발표하였음. [1838-94]

차:터 플라이트〔charter flight〕명 항공기 따위를 전세(專貰)내어 화물과 여객을 수송하는 일.

차토【此土】명 〖불교〗 이 세상.

차토 입증【此土入證】명 〖불교〗 이 세상에서 깨달음을 얻어 부처가 되는 일.

차:트〔chart〕명 ①지도·해도(海圖) 따위의 도면. ②각종 자료를 알기 쉽게 정리한 표. 일람표(一覽表). ¶∼식(式).

차-틀【車—】명 차대(車臺)의 풀어 쓴 말.

차:티스트〔chartist〕명 1830-40년대의 영국에서 노동자의 정치적 권리, 특히 보통 선거권의 획득을 목표로 싸운 사람들.

차:티스트 운:동【—運動】〔Chartist〕명 〖역〗 차티즘(Chartism).

차:티즘〔Chartism〕명 〖역〗 1837-48년에 걸쳐 영국에서 행하여진 노동자의 정치 운동. 그 강령을 선언한 '인민 헌장(People's Charter)'에서 이런 이름이 나왔는데, 이 운동의 참가자를 차티스트(chartist)라고 함. 이 운동이 일어나기까지의 노동 운동은 경제적 요구(經濟的要求)를 중심으로 하여 노동 조건(勞動條件)의 개선을 도모한 것이었으나 노동자의 대표를 의회에 보낼 필요를 자각하면서부터 노동 운동의 목표는 정치적인 것으로 되었으며, 차티즘도 노동자의 보통 선거권(普通選擧權) 획득을 주안(主眼)으로 하였음. 1837년 2월에 성년 남자의 보통 선거권, 매년의 선거, 비밀 투표, 선거구의 평등, 의원(議員)에 대한 세비 지급(歲費支給), 의원의 재산 자격의 폐지 등을 내용으로 하는 인민 헌장의 의회 통과를 주장하며 대규모의 운동을 전개하였으나 정부의 탄압(彈壓), 지도자의 분열, 영국의 경제적 번영 등에 의하여 실패로 돌아감. 로벳(Lovett, W.; 1800-77)·오코너(O'Connor, F.E.; 1794-1855)·오브라이언(O'Brien, J.; 1805-64) 등이 지도자였음. 차티즘 운동. 차티스트 운동.

차:티즘 운:동【—運動】〔Chartism〕명 〖역〗 차티즘.

차페크〔Čapek, Karel〕명 〖사람〗 체코슬로바키아의 극작가·소설가·연출가. 현대 사회에 대한 비판을 공상 과학 소설적(空想科學小說的) 수법(手法)으로 표사하였으며 로봇(robot)이라는 말을 고안하였음. 공상적인 풍자극 ≪인조 인간≫·≪도롱뇽 전쟁≫ 외에 편지 형식의 여행기로 명성을 얻음. [1890-1938]

차편[1]【此便】명 이 편.

차편[2]【次便】명 다음 편.

차편[3]【車便】명 차가 내왕하는 편. ¶∼으로 부치다.

차:폐【遮蔽】명 ①가리거나 덮음. ②〖군〗 구릉·능선 혹은 제방 같은 장애물로 적의 지상 관측 및 사격을 피하거나 막는 일. *엄폐(掩蔽). ③〖물〗 일정한 공간을 다른 전기장(電氣場)·자기장(磁氣場)과 차단(遮斷)하는 일. 금속판(金屬板) 등의 도체(導體)로 공간을 둘러 쌀 경우, 외부에 전하(電荷)가 나타나도 도체 내부의 전기장은 0임. 이것을 이용하여 금속 재료로 진공관·도선 등 회로(回路)의 일부나 장치 전체를 덮고, 외부의 전파 방해 등을 방지함. 또, 강자성체(強磁性體)로 전기 기기(電氣機器) 등을 싸서 자기적(磁氣的)인 외부 영향을 차단하는 일을 말하는 경우도 있음. *전기 차폐·자기 차폐. ④〔interception〕 언덕이나 나무 또는 높은 건물 등이 햇빛을 차단하는 일. ⑤〔screening〕 원자핵 둘레에 있는 전자의 공간 전하(電荷) 때문에 주위의 전기장이 약화되는 일. ——-하다 타여불

차:폐-각【遮蔽角】명 〖군〗 포(砲)와 표적간의 장애물을 피하기 위하여 포신(砲身)을 향하게 할 각도.

차:폐 각면보【遮蔽角面堡】명 마스크[1]❹.

차:폐 격자【遮蔽格子】명 〖물〗 차폐 그리드(grid).

차:폐 그리드【遮蔽—】〔grid〕명 〖물〗 '가리기 그리드'의 구용어.

차:폐-물【遮蔽物】명 ①막고 가리는 물건. ②〖군〗 적의 사격 및 관측으로부터 아군을 방호하는 구릉(丘陵)·제방 같은 장애물.

차:폐-선【遮蔽線】명 〖전〗 금속(金屬)의 차폐물로 피복(被覆)된 절연선(絕緣線).

차:폐-율【遮蔽率】명 〖통신〗 전화 회선에서 차폐물이 없을 때에 대한, 차폐물이 있을 때의 잡음(雜音)의 비(比).

차:폐-재【遮蔽材】명 〔shield〕 원자로(原子爐)나 방사선원(放射線源)의 주위에 배치되며, 방사선 및 입자(粒子)를 흡수시키는 데 쓰이는 물질. 선량(線量)을 허용 수준(許容水準)까지 줄이는 데 사용됨.

차:폐 재배【遮蔽栽培】명 차광(遮光) 재배.

차:폐-층【遮蔽層】명 〔shielding layer〕〖기상〗 지표(地表)에 가장 가까운 대기층으로, 자유 대기(自由大氣)의 영향으로부터 지구를 차폐 또는 그 반대의 차폐를 하는 역할이 있음.

차-포【車包】명 장기의 차(車)와 포(包). ¶∼대(對).

차포 오:졸 구 꼼짝 못하게 파상적으로 들이덤비는 공세(功勢)의 비유. ¶평양집이라는 것은 화순집보다 차포 오졸이나 더 간악한 위인이다. ≪李海朝:鬢上雪≫.

차폭【車幅】명 자동차 따위 차량의 폭.

차폭-등【車幅燈】명 야간 통행시, 정면에서 오는 차 따위에 차폭을 알리기 위하여 자동차의 전면과 후면의 좌우에 각각 달려있는 램프.

차표【車票】명 차를 타기 위하여 일정한 찻삯을 주고 사는 표. 승차권(乘車券).

차-풀【茶—】명 〖식〗 〔*Cassia nomame*〕 차풀과에 속하는 일년초. 잔 털이 났으며 줄기는 곧음. 높이 30-60cm, 잎은 호생하며 엽병(葉柄)이 짧고, 우상 복엽(羽狀複葉)인데 소엽(小葉)은 여러 개가 잇따라 붙어서 엽병의 양쪽에 배열됨. 7-8월에 누른 오판화(五瓣花)가 잎 사이에 1-2개씩 달리어 피고, 과실은 협과(莢果)임. 산지에 나는데, 한국 전역에 분포함. 줄기와 잎은 차(茶) 대용임.

〈차풀〉

차풀:테펙 선언【—宣言】〔Chapultepec〕명 1945년 멕시코의 보양지 차풀테펙에서 열린 미주 회의(美洲會議)에서 채택(採擇)된 협정. 관계국의 독립이 침해(侵害)될 우

려가 있을경우, 서로 지원(支援)하기로 정하고, 1947년 전미주(全美洲) 상호 원조 조약에서 재확인함. 지역적(地域的)인 안전 보장 결의의 원형(原形)으로 침.

차:필【借筆】명 남에게 글씨를 대신 쓰임. 또, 그 글씨. ——-하다 자 여불

차하[1]【次下】명 시문을 꼲는 등급의 한 가지. 세 등급 중의 셋째급.

차하[2]【差下】명 벼슬을 시킴. ——-하다 타 여불

차하[3]【上下】명 〈이두〉 치러 줌. 뒤를 대어 줌. 주로, 생활비·식량 같은 것을 일정한 액수(額數)로 일정한 시기마다 대어 주는 일을 말함. ——-하다 타 여불 준 차(上)하다.

차-하다[1]【上—】타 여불 〈이두〉 ↗차하(上下)하다. ¶조금씩 차해 주다.

차:-하다[2] 형 여불 표준에 비하여 좀 모자라다.

차하르〔Chakhar〕명 〖지〗 중국 허베이 성(河北省) 쥐융관(居庸關) 밖, 만리 장성 북방의 지역. 명대(明代) 이래 몽고족 차하르부(Chakhar 部)가 주목(駐牧)하였으며, 청대(清代)에는 차하르 팔기(八旗)를 두었고, 1945년 차하르 성(省)이 설치되었다가 1952년 남부는 허베이 성, 그 외는 내몽고 자치구에 편입됨. 주도는 장자커우(張家口). 찰합이(察哈爾).

차하-리【車下梨】명 〖식〗 산앵도❷.

차하-지다【差下—】자 견주어 보아 한쪽이 다른 쪽보다 떨어지다.

차한【此限】명 이 한계. 이 한정. ¶~에 부재(不在)함.

차:함【借銜·借啣】명 〖역〗 실제로 근무하지 아니하고 이름만을 빌던 벼슬. 영직(影職). ↔실함(實銜)·실직(實職)❷.

차합【茶盒】명 차를 담는 합.

차형【次兄】명 위에서 두 번째의 형.

차형-두【車衡頭】명 〖고고학〗 고삐고리.

차형 손설【車螢孫雪】명 차윤 취형(車胤聚螢)과 손강 영설(孫康映雪)을 아울러 이르는 말. 형설(螢雪).

차호[1]【次號】명 ①다음의 번호. ②잡지 같은 것의 다음 호.

차호[2]【遮湖】명 〖지〗 함경 남도(咸鏡南道) 이원군(利原郡)의 어항. 이원 철산(利原鐵山)의 광석 선적항(船積港)이고 명태·청어·대구 등의 어획(漁獲)이 많음.

차호[3]〔Zachow, Friedrich Wilhelm〕명 〖사람〗 독일의 작곡가. 뛰어난 오르간 주자(奏者)이며, 헨델도 그 제자의 한 사람임. 작품은 오르간곡·칸타타·실내악 등이 있음. [1663-1712]

차호[4]【嗟乎】감 '슬프다'의 뜻.

차호-선【遮湖線】명 〖지〗 함경선(咸鏡線) 증산역(曾山驛)에서 차호항(港)에 이르는 철도. 이원 철산(利原鐵山)의 철광석을 차호항에서 반출함. 1929년 9월 20일 개통. [4.9km]

차-홉다【嗟—】감 '아 슬프다'의 뜻. ¶차홉도다, 이해묵은 이제 이르러 한 낙척(落拓)한 사람이 되어버렸도다《作者未詳：金菊花》.

차환[1]【叉鬟】명 〖역〗 가까이 모시는 젊은 여자 종. ←아환(丫鬟).

차:환[2]【借換】명 ①새로 꾸어서 먼저 꾼 것을 반환하는 일. ②〖경〗 새로 증권을 발행하여 그 돈으로 이미 발행되어 있는 증권을 상환하는 일. ——-하다 타 여불

차환[3]【差換】명 체환(替換). ——-하다 타 여불

차회[1]【此回】명 이 번.

차회[2]【次回】명 다음 번. 하회(下回).

차회[3]【次會】명 다음 회합.

차후【此後】㊀명 이 뒤. ㊁부 ↗차후에.

차후-에【此後—】부 이 뒤에. 준 차후.

착[1] 명 〈방〉 쪽[4](제주).

착[2]【着】의명 의복(衣服) 등을 세는 단위. 벌. ¶양복 5 ~.

착[3] 부 ①물건이 잘 달라붙는 모양. ¶~ 달라붙은 바지. ②몹시 휘어지거나 굽거나 또는 늘어진 모양. 1)·2): <척[9].

착:[4] 부 ①몸가짐이 점잖고 태연한 모양. ¶의자에 ~ 버티고 앉다. ②마음이나 목소리 따위가 가라앉은 모양. ¶~ 가라앉은 음성 / 들떴던 마음이 ~ 가라앉다. <척[11].

-착【着】미 ①명사 밑에 붙어, 도착의 뜻을 나타내는 말. ¶김포~/12시~. ↔-발(發). ②수사 밑에 붙어 도착순(到着順)을 나타내는 말. ¶1~/2~.

착가【着枷】명 〖역〗 죄인의 목에 칼을 씌움. ——-하다 자 타 여불

착가 엄수【着枷嚴囚】명 〖역〗 죄인(罪人)에게 칼을 씌워 단단히 가둠. ——-하다 타 여불

착각[1]【錯角】명 〖수〗 '엇각'의 구용어.

착각[2]【錯覺】명 ①〔illusion〕〖심〗 외계의 사물에 대한 지각(知覺)의 착오. 대개는 시각(視覺)·청각에 나타나는 망각(妄覺)의 한 가지임. *착시 도형(錯視圖形). ②잘못 깨닫거나 잘못 생각함. ¶~을 일으키다. ——-하다 자 여불

착각 방위【錯覺防衛】명 〖법〗 오상 방위(誤想防衛).

착각-범【錯覺犯】명 〖법〗 환각범(幻覺犯).

착각 피:난【錯覺避難】명 〖법〗 오상 피난(誤想避難).

착-각화증【錯角化症】〔—쯩〕명 표피 세포(表皮細胞)의 불완전 각화(不完全角化). 피부 각질층(角質層)의 세포가 핵(核)을 보유한 것이 특징임.

착간【錯簡】명 책장(冊張) 또는 편(篇)·장(章)의 순서가 잘못됨. 또, 그 책장이나 편장.

착-감각증【錯感覺症】〔—쯩〕명 〖의〗 신경염·척수로(脊髓痨)를 앓을 때의 작열감(灼熱感)이나 또는 개미가 살갗 위를 기어가는 듯한 느낌 등의 이상(異常) 감각. 지각 신경(知覺神經)이 병적(病的) 자극을 받아 발생함.

착개【鑿開】명 파서 넓힘. ——-하다 타 여불

착거【捉去】명 잡아 감. ——-하다 타 여불

착건 속대【着巾束帶】명 건을 쓰고 띠를 띰. ——-하다 자 여불

착검【着劍】명 ①검을 몸에 참. ②총 끝에 총검(銃劍)을 꽂음. ——-하다 자 여불

착고[1]【着高】명 〖건〗 '차꼬막이❶'의 취음.

착고[2]【着錮】명 〖역〗 '차꼬'의 취음(取音).

착고막이【着高—】명 ☞ 차꼬막이.

착공[1]【着工】명 공사를 시작함. 기공(起工). ¶~이 늦어지다. ↔준공(竣工). ——-하다 자 여불

착공[2]【鑿孔·鑿空】명 ①구멍을 뚫음. ②새로 길을 뚫어 냄. ③쓸데없이 빈 공론(空論)만을 함. ——-하다 자 타 여불

착공-법【鑿孔法】〔—뻡〕명 〖광〗 착암기(鑿岩機)로 바위에 구멍을 뚫고 화약을 장전(裝塡)하는 방법. 바위를 잘게 발파(發破)하는 데 쓰임.

착과【着果】명 과일 나무에 열매가 엶. ——-하다 자 타 여불

착과-율【着果率】명 과일 나무에 열매가 달리는 비율.

착관【着冠】명 관을 씀. ——-하다 자 여불

착굴【鑿掘】명 구멍이나 굴을 파 들어감. ——-하다 타 여불

착근[1]【着近】명 친근하게 착 달라붙음. ——-하다 자 여불

착근[2]【着根】명 ①옮겨 심은 식물의 뿌리가 잘 내림. ②딴 곳으로 옮아가 살아서 잘 부지하게 됨. ——-하다 자 여불

착금【着金】명 돈이 도착함. ——-하다 자 여불

착금-감【着衿監】명 〖역〗 신라 때 무관(武官) 벼슬. 위계는 내마(奈麻)에서 당(幢)까지임.

착금기당-주【着衿騎幢主】명 신라 때 무관(武官) 벼슬. 위계는 사찬(沙飡)에서 사지(舍知)까지임.

착급【着急】명 매우 급함. ¶놀란 가슴이라 ~히 문을 열고 들여다보니, 허허 이거 또 웬일인고?《作者未詳：貨水盆》. ——-하다 형 여불. ——-히 부

착념【着念】명 착실하게 마음에 둠. ——-하다 타 여불

착다 형 〈방〉 차다[4](함남).

착도【錯刀】명 〖역〗 중국 한(漢)나라 때의 화폐(貨幣)의 하나. 칼 비슷하고 황금색을 칠했음.

〈착도〉

착락【錯落】〔—낙〕명 ①뒤섞임. ②술 그릇. 주기(酒器).

착란【錯亂】〔—난〕명 ①뒤섞여서 어수선함. ②머리가 혼란함. ¶정신 ~. ——-하다 형 여불

착란 상태【錯亂狀態】〔—난—〕명 〖의〗 정신 의학에서, 말이나 행동에 통일성이 없는 행동 상의 혼란 상태. 의식 혼탁(混濁)도 일어나며 일반적으로 급성 뇌질환·알코올 중독·전간(癲癇)·정신 분열증에서 나타남.

착래【捉來】〔—내〕명 잡아 옴. ——-하다 타 여불

착력【着力】〔—녁〕명 힘을 들여서 씀. ——-하다 자 여불

착력-점【着力點】〔—녁—〕명 〖물〗 작용점(作用點). 힘점.

착렬【錯列】〔—녈〕명 뒤섞여 늘어섬. 또, 뒤섞어 늘어놓음. 착진(錯陣). ——-하다 자 타 여불

착류【錯謬】〔—뉴〕명 착오(錯誤). ——-하다 타 여불

착륙【着陸】〔—뉵〕명 비행기가 육지에 내림. ¶동체(胴體) ~. ↔이륙(離陸). ——-하다 자 여불

착륙-대【着陸帶】〔—뉵—〕명 〔landing strip〕〖항공〗 항공기를 특정한 방향으로 이착륙(離着陸)시키기 위해 만들어진 착륙 구역 내의 일부분으로, 하나 또는 그 이상의 활주로(滑走路)를 포함하는 장소.

착륙-등【着陸燈】〔—뉵—〕명 〖항공〗 야간(夜間)에, 항공기가 지상 조명(地上照明) 설비가 없는 비행장에 착륙할 때, 지상을 비추기 위하여 기체(機體)에 장비한 조명등(照明燈).

착륙-료【着陸料】〔—뉵뇨〕명 〖항공〗 민간 항공기가 공항에 착륙할 때마다 그 항공기의 중량(重量)에 따라 공항 관리자에게 납부하는 요금.

착륙 방향 지시기【着陸方向指示器】〔—뉵—〕명 〔landing direction indicator〕〖항공〗 이착륙(離着陸) 때에, 지정된 이착륙 방향을 명시하는 장치.

착륙 원:조 시:설【着陸援助施設】〔—뉵—〕명 〔landing aid〕〖항공〗 항공기의 착륙 진입(進入)과 착륙을 원조하는 장치. 등화(燈火)·탐조등(探照燈)·무선 위치 표지(無線位置標識)·레이더 장치 등.

착륙-장【着陸場】〔—뉵—〕명 비행기가 착륙하도록 설비된 곳. 소규모의 비행장. 정비원·야간 조명·기름 등이 준비되어 있음.

착륙 지대【着陸地帶】〔—뉵—〕명 비행기의 착륙이나 이륙(離陸)에 적당한 지대.

착륙 하중【着陸荷重】〔—뉵—〕명 〔landing load〕〖항공〗 착륙시에 항공기의 날개에 가해지는 하중(荷重).

착륙 활주【着陸滑走】〔—뉵—쭈〕명 비행기가 땅에 내려앉으려 할 때, 바퀴가 땅 위를 미끄러지듯이 굴러 가는 동작. ——-하다 자 여불

착면【着綿】명 솜옷을 입음. 옷에 솜을 두어 입음. ——-하다 자 여불

착명【着名】명 문안(文案) 등에 이름을 적음. ——-하다 자 여불

착모【着帽】명 ①모자를 씀. ②위험에서 머리를 보호하기 위하여 안전용의 헬멧을 씀. ↔탈모(脫帽). ——-하다 자 여불

착목【着目】명 착안(着眼). ——-하다 자 여불

착물【錯物】명 〔complex〕〖화〗 하나의 원자(原子) 또는 이온(ion)을 중심 원자로 하여, 그 둘레의 공간에 입체적으로 배위자(配位子)가 배위(配位)된 하나의 원자 집단(原子集團). 이때의 이온은 금속 또는 그와 유사한 원소(元素)인 경우가 많음.

착미【着味】명 맛을 붙임. 취미를 붙임. ——-하다 자 여불

착박[1]【窄迫】명 답답할 정도로 몹시 좁음. ¶한집 대문을 흔들어도 네댓집에서 들창문을 열어 보지 않으면 안 되게끔 ~하게 붙어 사는 사람들《李無影：三年》. ——-하다 형 여불

착박[2]【搾粕】명 기름을 짜 내고 남은 찌꺼기.

착발【着發】명 ①도착과 출발. ¶～ 신호. ②착탄(着彈)하여 폭발함. ——-하다 자여불

착발 사격【着發射擊】명〖군〗착발탄으로 하는 사격. 적의 건조물·보루(堡壘) 같은 것을 파괴하기 위하여 행함. ——-하다 자여불

착발 신:관【着發信管】명〖군〗포탄이 목표물에 맞는 그 충동으로 인하여, 탄환이 작렬(炸裂)되게 한 장치.

착발-탄【着發彈】명〖군〗착발 신관(着發信管)이 장치된 탄환.

착방-조【捉放曹】명〖문〗중국 경극(京劇)의 희곡. 작자는 불명. 공당(公堂)·행로(行路)·숙점(宿店)의 세 단(段)으로 나누어지는데, 소설 삼국지 연의(三國志演義)에서 딴 것임. 재상(宰相) 동탁(董卓)을 권좌(權座)에서 제거하려다 실패하여 허난(河南)으로 도망간 조조(曹操)를 도우려던 현령(縣令) 진궁(陳宮)의 청고(淸高)한 마음씨를 대조시켜서 조조의 간악성(奸惡性)을 섞어 재미있게 엮은 연극임.

착벽【鑿壁】명 ①벽을 뚫음. ②↗착벽 투광(鑿壁偸光).

착벽 투광【鑿壁偸光】명 중국 전한(前漢) 때에 광형(匡衡)이 집이 가난하여 벽을 뚫고 이웃집의 등불로 글을 읽었다는 고사. '고학(苦學)'을 비유하여 이르는 말.

착복【着服】명 ①착의(着衣). ②남의 금품을 부당하게 자기 것으로 함. ¶공금(公金) ～. ——-하다 타여불

착복-식【着服式】명 ①〖천주교〗수도회에서 수도복을 공식적으로 수여하는 식. 수도 청원자는 착복식과 함께 수도회의 일원이 됨. ②〈속〉새로 옷을 해 입은 사람이 주위 사람에게 한턱 내는 일.

착빙【着氷】명 지상 또는 공중·수면상의 물체에 얼음이 얼어 붙는 현상. 항공기의 날개나 프로펠러, 혹은 선박의 선체(船體) 따위에 찬 눈이나 물보라가 얼어 붙어 실속(失速) 또는 전복(顚覆)의 원인이 되기도 함. ——-하다 자여불

착빙 고도【着氷高度】명〔icing level〕〖기상〗비행 중인 비행기의 기체(機體)에 착빙하거나 착빙이 예측되는 특정 지역(特定地域)에서의 최저(最低) 고도.

착빙 속도계【着氷速度計】명〔icing-rate meter〕〖공〗물체에 얼음이 부착하는 속도를 측정하는 기기(器機).

착산 통도【鑿山通道】명 산을 뚫고 길을 냄. ——-하다 자여불

착살-맞다 형 얄밉게 착살스럽다. ¶한번 계집을 붙들면 착살맞게 달라붙어서 뼈가 다 흐들거리게 되어야만 떨어진다《李無影 : 農民》. <칙살맞다.

착살-부리다 자 착살한 짓을 하다. <칙살부리다.

착살-스럽다 형ㅂ불 착살한 태도(態度)가 있다. <칙살스럽다. **착살-스레** 부

착살-하다 형여불 하는 행동이 잔망스럽고 다랍다. <칙살하다.

착상[1]【着床】명〔nidation〕〖생〗포유류의 수정란(受精卵)이 자궁벽에 접착하여 포배(胞胚)와 자궁 상피(上皮) 사이에 세포 연락이 생기는 현상. 착상 방식에 따라 중심(中心) 착상·편심(偏心) 착상·벽내(壁內) 착상이 있음. 유제류(有蹄類)·식육류(食肉類)·원후류(猿猴類) 등은 중심 착상, 설치류(齧齒類) 등은 편심 착상을 함.

착상[2]【着想】명 ①일·계획 등의 실마리가 될 만한 생각. ¶～이 훌륭하다. ②예술품을 창작할 때 그 내용을 머리 속에서 구성하는 일. 구상(構想). ——-하다 타여불

착색【着色】명 회화(繪畫)나 그 밖의 물건에 채색(彩色)을 함. 또, 그 빛깔. ——-하다 타여불

착색 사진【着色寫眞】명 컬러 프린트 보급 이전에 있었던 빛깔 넣은 사진.

착색 유리【着色琉璃】[—뉴—] 명 용해 상태의 혼합물에 어떤 금속의 산화물을 가해서 만든 유리. 산화 코발트로는 청색, 이산화(二酸化) 망간으로는 자색, 산화철(酸化鐵)로는 청록색, 산화(酸化)구리로는 적색이 착색됨. 색유리.

착색-제【着色劑】명 ①〔coloring agent〕〖식품〗제조 과정에서의 변색(變色)을 보충하고, 또 식욕을 돋구기 위해서 식품(食品)에 첨가(添加)되는 식용 색소(食用色素). 캐러멜(caramel)·카로틴(carotin) 등과 같은 천연산(天然產)의 색소와 합성 색소 따위가 있음. ②〔stain〕염색용(染色用) 유기 화합물의 총칭. 현미경으로 조사하기 위해, 조직(組織)·세포·세포 성분·세포의 내용물 또는 다른 생물학적 기질(基質)을 염색하는 데 쓰임.

착색 편광【着色偏光】명〖물〗백색 편광이 복굴절(複屈折)에 의해서 두 편광(偏光)으로 나뉘어, 이들이 서로 간섭하여서 생기는 노랑·빨강·파랑 등의 아름다운 색무늬.

착색-화【着色畫】명 착색한 그림. 색칠한 그림.

착생【着生】명 생물이 다른 생물 또는 물체의 표면에, 고착 기관(固着器官)으로 부착하여 생활함. ——-하다 자여불

착생 동:물【着生動物】명〖동〗동물을 분류(分類)한 한 형태(形態). 다른 물체에 붙어서 이리저리 옮겨 다니지 아니하는 동물. 어린 때에는 자유 생활을 하다가 성충(成蟲)이 되면서부터 어느 기간만을 다른 물체에 붙어서 삶.

착생 식물【着生植物】명〖식〗기생(氣生) 식물.

착서【着署】명 이름을 적음. ——-하다 자여불

착석【着席】명 자리에 앉음. 착좌(着座). ——-하다 자여불

착석-순【着席順】명 자리에 앉는 차례. 또, 앉아 있는 자리의 차례. ¶～으로.

착선【着船】명 배가 닿음. 착항(着港). ↔발선(發船). ——-하다 자여불

착설【着雪】명 수분(水分)·습기가 많은 눈이 전선(電線) 따위에 붙음. ——-하다 자여불

착소【窄小】명 협소(狹小). ——-하다 형여불

착송【捉送】명 잡아서 보냄. ——-하다 타여불

착수[1]【捉囚】명 죄인을 잡아 가둠. ——-하다 타여불

착수[2]【窄袖】명 좁은 소매.

착수[3]【着水】명 ①수면(水面)에 닿음. ②비행기 등이 수면에 내림. ③우주선 캡슐이 수면에 내리는 일. ——-하다 자여불

착수[4]【着手】명 ①어떤 일에 손을 대어 시작함. 하수(下手). ②〖법〗형법상(刑法上) 범죄 실행의 개시. 이것에 의하여 범죄의 법률적 구성 요건(法律的構成要件)이 일부분 실현됨. 살인범이 사람을 죽이려고 칼을 드는 일 등. ——-하다 타여불

착수-금【着手金】명 어떠한 권리를 얻고자 할 때에 그 권리를 가진 사람에게 먼저 내는 돈. 일을 착수할 때에 먼저 내는 돈.

착수 미:수【着手未遂】명〖법〗범인이 범죄(犯罪)의 실행에 착수는 하였으나 실행을 종료(終了)함에 이르지 못한 경우. ↔결효(缺效) 미수. ＊실행(實行) 미수.

착수 미:수범【着手未遂犯】명〖법〗착수 미수에 그친 범죄. 또, 그 범인. ↔결효 미수범(缺效未遂犯). ＊실행 미수범.

착수-장【着水匠】명 도자기의 몸에 잿물을 올리는 사람.

착수 활주【着水滑走】[—쭈] 명 수상 비행기가 물위로 내려앉기 시작할 때에 밑바닥의 한 부분을 수면에 대고 미끄러져 달리는 동작. ↔이수(離水) 활주.

착-순【着順】명 목적 지점·목표 등에 도착한 순서.

착시【錯視】명 착각으로 무엇을 잘못 봄. ＊착각(錯覺). ——-하다 타여불

착시 도형【錯視圖形】명 어떠한 정상적인 그림에다 다른 것을 덧그려 비정상적인 것으로 보이게 그린 그림. 포겐도르프(Poggendorf)의 직선 등 여러 가지가 있음. ＊기하 광학적 착시(幾何光學的錯視).

a. 크기의 동화(同化)와 대비(對比)의 착시 b. 분할의 착시
c. 각의 착시 (췰너의 착시) d. 각의 착시 (포겐도르프의 착시) e. 수직 수평의 착시

〈착시 도형〉

착신【着信】명 편지나 전보 등의 통신이 도착함. 또, 그 통신. ↔발신(發信). ——-하다 자여불

착신 전용 전:화【着信專用電話】명 수신(受信)만을 하는 전화. 다이얼이 없고, 걸려 오는 것만을 받는 전화기.

착신 전:환【着信轉換】명 외출중에 걸려 오는 전화(電話)를 행선지(行先地)의 전화로 자동 연결시켜 주는 특수 전화 서비스의 하나.

착신 통화 전:환【着信通話轉換】명〖통신〗걸려 오는 전화를 자동으로 전환시켜 원하는 곳에서 받을 수 있게 한 통신 방법. 전자식 전화기 번호판의 ＊표와 88을 누르고 희망하는 전화 번호를 입력시킨 다음 다시 ＊표를 누르면 됨.

착실【着實】명 들뜨지 아니하고, 거짓이 없이 진실함. ¶～한 인간. ——-하다 형여불. ——-히 부

착심【着心】명 어떠한 일에 마음을 붙임. 「기워 이렇게 되고 보니 좀처럼 ～이 될 것 같지도 않고 해서…《廉想涉 : 萬歲前》. ——-하다 자

착악【錯愕】명 놀라서 당황함. 당황하여 놀람. ——-하다 자여불

착안[1]【着岸】명 배가 안벽에 닿음. ——-하다 자여불

착안[2]【着眼】명 어떠한 일을 눈여겨 보아 그 일을 성취할 기틀을 잡음. 착목(着目). ——-하다 자여불

착안-점【着眼點】[—쩜] 명 착안하는 점. ¶～이 좋다.

착암【鑿岩】명 바위를 뚫음. ——-하다 자여불

착암-기【鑿岩機】명〖기〗광산·토목 공사 등에서 암석에 구멍을 뚫는 기계. 끌을 비틀어 박는 회전식, 내리쳐 박는 해머식 등이 있으며, 전기나 압축 공기로 움직임.

착압【着押】명 수결(手決)을 둠. ——-하다 타여불

착압 경인【着押經印】명 수결(手決)을 둔 다음 관인(官印)을 찍음.

착어[1]【着御】명 임금이 어느 곳에 도착함. ——-하다 자여불

착어[2]【錯語】명 착오(錯誤)가 있는 언어. 틀리는 말.

착어-증【錯語症】[—쯩] 명 단독 혹은 실어증(失語症)의 수반 현상으로 일어나는 증상. 음운(音韻)을 틀리거나 어의(語義)에 어긋나는 말을 함.

착역【着驛】명 열차 등이 도착하는 역. 도착하는 목적역.

착염【錯塩】명〔complex salt〕〖화〗착이온(錯 ion)을 함유하고 있는 염(塩). 페로시안화(ferrocyan 化) 칼륨 따위. 전에는 착화합물(錯化合物) 일반을 착염이라 불렀음. ＊복염(複塩).

착예【鑿枘】명 '조예(鑿枘)'의 잘못.

착오[1]【錯午】명 섞임. 뒤섞임.

착오[2]【錯誤】명 ①착각에 의한 잘못. ¶시대 ～. ②실재와 표상(表象)이 일치하지 아니함. 오착(誤錯). 착류(錯謬). ¶～가 생기다. ③〖법〗사람의 인식(認識)과 사실이 일치하지 않고 어긋나는 일. ¶등기상의 ～. ——-하다 타여불

착오-점【錯誤點】[—쩜] 명 착오가 생긴 점.

착오-처【錯誤處】명 착오가 생긴 곳.

착용【着用】명 의복(衣服) 등을 몸에 걸쳐 입거나 참. ¶군복(軍服) ～. ——-하다 타여불

착유[1]【搾油】명 기름을 짬. 식물의 씨앗이나 열매 등을 압착(壓搾)하여 기름을 짜는 일. ——-하다 자여불

착유[2]【搾乳】명 소나 염소의 젖을 짬. ——-하다 자여불

착유-기[1]【搾油機】명 곡물의 씨나 과일의 열매에 압력을 주어 기름을 짜내는 기계.

착유-기²【搾乳器】명 소나 염소 등의 젖을 짜는 데 쓰이는 기구. 유두관(乳頭管)을 젖꼭지에 장치하고, 이를 진공(眞空) 펌프에 연결하여 빨아 냄. 밀커(milker).

착유업-자【搾乳業者】명 흔히 도시 근교에서, 주로 구입 사료(購入飼料)에 의해 젖소를 기르는 업자.

착음-증【錯音症】[—쯩] 명 〖의〗 회화 능력 장애(會話能力障礙)의 하나. 발음(發音)이 분명하지 않거나 또는 하나의 음이 항상 다른 음과 치환(置換)되는 것이 특징임.

착응 별감【捉鷹別監】명 〖역〗 고려 때, 응방(鷹房)에 속하여 각 지방에 파견되어 매잡는 일과 그 검시(檢視)를 맡아보던 직원.

착의¹【着衣】[—/—이] 명 옷을 입음. 또, 그 입은 옷. 착복(着服). ¶인상(人相) ~. ↔탈의(脫衣). ——-하다 자여불

착의²【着意】[—/—이] 명 ①무슨 일에 뜻을 둠. 조심함. 주의(注意). ②궁리를 함. 착상(着想). ③마음을 정함. 마음을 분명히 함. ——-하다 타여불

착-이온【錯—】[—니—] 명 〔complex ion〕〖화〗 착염(錯塩)의 성분인 이온을 말함. 양(陽)이온·음(陰)이온의 경우가 있음. *착화합물(錯化合物).

착인【錯認】명 오인(誤認).

착임【着任】명 임소(任所)에 도착함. 임명된 직무(職務)에 취임함. ¶새 임지에 ~하다. ——-하다 자여불

착자-목【鑿子木】명 떡갈나무.

착잡【錯雜】명 뒤섞이어 복잡함. 잡착(雜錯). ¶~한 심정(心情). ——-하다 형여불. ——-히 부

착장【着裝】명 장착(裝着).

착전【着電】명 전신(電信)이나 전보가 도착함. 또, 그 전신이나 전보. ——-하다 자여불

착절【錯節】명 ①엉클어진 마디. ②엉클어져서 처리하기 어려운 사건.

착점【着點】명 ①도착하는 지점. ②바둑이나 장기에서 돌이나 말을 놓는 곳.

착정【鑿井】명 우물을 팜. ——-하다 자여불

착정-기【鑿井機】명 〖기〗 보링 머신(boring machine).

착제-어【着題語】명 화제(話題)에 알맞은 말.

착족【着足】명 ①발을 붙이고 섬. ②어떤 곳에 자리잡고 섬. ——-하다 자여불

착족 무처【着足無處】명 발을 붙이고 설 자리가 없다는 데서, 기반으로 삼고 입신(立身)할 만한 의지할 곳이 없음.

착종【錯綜】명 ①여러 가지가 섞이어 모임. ②여러 가지를 이리저리 섞어 모음. ——-하다 자타여불

착좌【着座】명 자리에 앉음. 착석(着席). ——-하다 자여불

착좌-식【着座式】명 〖천주교〗 주교(主教)가 교구장(教區長)에 취임하는 의식.

착즙【搾汁】명 즙을 짬. 또, 그 즙. 즙내기. ——-하다 자여불

착즙-기【搾汁機】명 감자나 고구마 등을 압착(壓搾)하여 즙액(汁液)을 짜내는 기계.

착지¹【着地】명 ①착륙하는 장소. ②도착(到着)한 곳. ③체조(體操) 따위에서, 연기 중(演技中)이나 연기를 마치고 땅바닥에 내려 섬. ¶~에서 점수를 깎이다.

착지²【錯紙】명 ①책 등을 맬 때에 그릇되어 차례가 바뀐 종이. ②종이 묶음 속에 섞인 파지.

착지 최:대 농:도【着地最大濃度】명 대기 중의 오염(汚染) 물질이 지상(地上)에 도달했을 때의 최대 농도.

착진¹【着陣】명 진소(陣所)에 도착함. ——-하다 자여불

착진²【錯陣】명 착렬(錯列). ——-하다 자타여불

착착¹ 부 끈끈하여 몹시 달라붙는 모양. ㅆ짝짝¹. <척척¹.
착착 부닐다 구 남에게 가까이 달라붙어서 고분고분 굴다.

착착² 부 일을 차례(次例)대로 익숙하게 하는 모양. ¶일을 ~ 해치우다. <척척².

착착³【着着】부 사물이 순서대로 되어 가는 모양. ¶~ 이루어지다/계획이 ~ 진행되고 있다.

착착⁴【鑿鑿】부 말이나 일이 조리에 맞는 모양. ——-하다 형여불

착처【着處】명 도착하는 곳.

착천【鑿泉】명 샘을 팜. ——-하다 자여불

착취【搾取】명 ①젖 따위를 꽉 누르거나 비틀어서 짜 냄. ②자본가(資本家)나 지주(地主)가 노동자나 농민에 대하여, 그 가치만큼의 보수(報酬)를 지불하지 아니하고, 잉여 가치(剩餘價値)를 독점(獨占)하는 일. ——-하다 타여불

착취 계급【搾取階級】명 〖사〗 착취하는 계급. 수탈 계급(收奪階級).

착취 식민지【搾取植民地】명 원주민을 착취하는 대상으로서의 식민지. 곧, 투자(投資) 식민지.

착취-자【搾取者】명 착취하는 사람.

착칠【着漆】명 옻칠을 함. ——-하다 자여불

착탄【着彈】명 발사(發射)한 탄환(彈丸)이 저 쪽에 가서 맞음. 또, 그 탄환. ¶~ 지점(地點).

착탄 거:리【着彈距離】명 발사한 탄환이 도달하는 거리.

착탄 거:리설【着彈距離說】명 〖법〗 이탈리아의 학자 아주니(Azuni, Domencio Alberto; 1749-1827)가 1794-95년경에 주장한 영해 삼해리설(領海三海里說). *삼해리설(三海里說).

착탄-점【着彈點】[—쩜] 명 〖군〗 탄착점(彈着點).

착탈【着脫】명 붙이거나 뗌. 입거나 벗음. ¶~식/구명대의 ~.

착통【鑿通】명 뚫어서 통하게 됨.

착통-증【錯痛症】[—쯩] 명 〔paralgesia〕〖의〗 ①동통(疼痛)의 지각 이상(知覺異常). ②의주감(蟻走感)·한랭감(寒冷感)·작열감(灼熱感) 등과 같은 각종의 불쾌(不快)한 피부 감각.

착하【着荷】명 화물이 도착함. 또, 그 화물. ——-하다 자여불

착-하다 형여불 〔근대 : 착ᄒᆞ다〕 마음이 곱고 어질다. 선(善)하다. ¶우리 아기 착하기도 하지. 착-히 부
[착한 며느리도 악처만 못하다] 차라리 악처(惡妻)가 남보다는 낫다는 말.

착하 박리【錯何剝離】[—니] 명 〖고고학〗 '돌려 떼기'의 구용어.

착한【着韓】명 한국에 도착함. ¶~ 성명(聲明). ↔이한(離韓). ——-하다 자여불

착함¹【着銜】명 무슨 글발 끝에 함자(銜字)를 씀. ——-하다 자여불

착함²【着艦】명 ①군함에 도착함. ②비행기가 군함의 갑판(甲板)에 내려 앉음. ——-하다 자여불

착항【着港】명 배가 항구에 닿음. 착선(着船). ↔발항(發港). ——-하다 자여불

착해 방:수【捉蟹放水】명 〔게를 잡아서 물에 놓아 준다는 뜻에서〕 애만 쓰고 소득이 없음의 비유.

착행【錯行】명 〔aberration〕〖물〗 광원(光源)에 대하여 움직이면서 빛이 오는 방향을 관측(觀測)하면, 정지해서 관측할 때와는 다른 방향을 언게 되는 일.

착호 성:명【着呼姓名】명 별명을 지어 부름. ——-하다 자여불

착화【着火】명 점화(點火). ——-하다 자여불

착화-전【着火栓】명 점화전(點火栓).

착화-점【着火點】[—쩜] 명 발화점(發火點).

착화-탄【着火炭】명 연탄(煉炭)에 불을 붙이는 데 쓰이는 일종의 불쏘시개. 톱밥·왕겨 등을 태워 숯처럼 굳혀, 얇은 연탄 모양으로 만든 것으로, 가정용 연탄과 같이 22개의 구멍이 뚫려 있어, 연탄 밑에 구멍을 맞추어 놓고 불을 붙이면, 연탄에 불이 옮아 붙음. 속칭, 번개탄.

착-화합물【錯化合物】명 〔complex compound〕〖화〗 착물(錯物)을 함유하는 화합물. 착물이 분자이면 착분자(錯分子), 이온(ion)이나 기(基)이면 착(錯)이온, 혹은 착기(錯基)라 부르며, 다시 그 염을 착염(錯塩)이라 함. 고차 화합물(高次化合物) 중 분자(分子) 화합물과 구별하기 위하여 씀. 배위(配位) 화합물.

착후【錯嗅】명 〖의〗 후각 이상(嗅覺異常)의 하나. 좋은 냄새를 악취(惡臭)로 느끼는 병.

찬¹ 명 〈방〉 배².

찬:²【撰】명 ①책을 저술(著述)함. 글을 지음. 문장 등을 술작(述作)함. ②많은 시가(詩歌)나 문장 중에서 잘된 것을 골라냄. 또, 골라내어 편집함. ——-하다 타여불

찬:³【贊·讚】명 ①사물의 미(美)를 칭찬하는 문체(文體)의 한 가지. ②서화(書畫) 등에 글제로 쓰는 시·가(歌)·문(文) 등. ③〖민〗 관례 때 빈(賓)을 보좌하는 손의 한 사람. 빈의 자제(子弟) 중 주인의 친척되는 사람 가운데서 뽑음.

찬:⁴【饌】명 ↗반찬(飯饌).

찬:가¹【饌價】[—까] 명 반찬값.

찬:가²【讚歌】명 ①찬미의 뜻을 표(表)한 노래. ¶조국(祖國) ~. ②찬미가(讚美歌).

찬:-가게【饌—】[—까—] 명 반찬을 파는 가게.

찬:-가위【饌—】[—까—] 명 반찬을 만들 때에 쓰는 가위.

찬:간¹【撰干】명 〖역〗 선간(選干).

찬:간²【饌間】[—깐] 명 반빗간.

찬-간자 명 〖동〗 온몸의 털빛이 푸르고 얼굴과 이마만 흰 말. *간자말.

찬:-값【饌—】[—깝] 명 반찬을 장만하는 데 드는 돈. 찬가(饌價).

찬:-거리【饌—】[—꺼—] 명 반찬거리.

찬:결【贊決】명 일을 도와서 결정함. ——-하다 타여불

찬:고【饌庫】[—꼬] 명 찬광.

찬:광【饌—】[—광] 명 반찬거리를 넣어 두는 광. 찬고(饌庫).

찬:구【饌具】명 ①찬을 담는 그릇. ②식사를 차림. ——-하다 자여불

찬-국 명 맑은 장국을 끓이어 차게 식히거나 또는 찬물에 간장과 초를 쳐서 만든 국물. 여름에 먹음. 냉국.

찬:궁【欑宮】명 〖역〗 빈전(殯殿) 안의 임금의 관(棺)을 두는 곳. *찬실(欑室).

〈찬궁〉

찬:-그릇【饌—】[—끄—] 명 반찬을 담는 데 쓰이는 그릇.

찬-기【—氣】명 찬 기운. 냉기(冷氣). ¶~가 돌다.

찬:기파랑-가【讚耆婆郞歌】명 〖문〗 향가의 하나. 신라 경덕왕(景德王) 때 충담사(忠談師)가 지은 10구체의 사뇌가(詞腦歌). 작가의 고결한 마음을 냇물에 비친 달의 모습이나, 서리에 굽히지 아니하는 잣나무에 비유하여 나타냄. 삼국 유사(三國遺事)에 전함.

찬-김 명 식어서 찬 김.

찬:닉【竄匿】명 도망쳐서 숨어 버림. 찬복(竄伏). ——-하다 자여불

찬:대-봉【撰大峰】명 〖지〗 평남 영원군(寧遠郡)과 평북 희천군(熙川郡) 사이에 있는 산. [1,667 m]

찬데르나고르 〔Chandernagore〕 명 〖지〗 인도 동부, 캘커타의 북서, 후글리 강(Hooghly江)에 임(臨)한 도시. 1673년 이래 프랑스령이었다가, 1950년 파리 협정으로 인도에 반환됨. 힌두교 사원(寺院)의 폐허(廢墟)가 있음. [421,000명(1981)]

찬:도【竄逃】명 숨어서 도망함. ——-하다 자여불

찬:독【贊讀】명 〖역〗 조선 시대 세손 강서원(世孫講書院)의 종육품(從六品) 벼슬.

찬:동【贊同】명 찬성하여 동의(同意)함. ¶그 의견에 ~하다/~을 얻다. ──-하다 ㉹(여불)

찬:동-자【贊同者】명 찬동하는 사람.

찬드라굽타〔Chandragupta〕명〖사람〗인도 마우리아(Maurya) 왕조의 창시자. 난다(Nanda) 왕조의 지배하에 있던 마가다국(Magadha國)에서 일어나 난다 왕조의 다나난다왕(Dhanananda王)을 살해하여 난다 왕조를 멸(滅)하고 스스로 마가다 왕이 되어 북인도를 통일하고 남인도에까지 손을 뻗치었음. 강대한 군비(軍備)와 완비(完備)된 행정 기구를 갖춰 인도 최초의 통일 군주(統一君主)가 되었는데, 아쇼카왕(Aśoka王)은 그의 손자임. 생몰년 미상이나 286? B.C.에 자살했다고도 함. [재위 328-?293 B.C.]

찬드라굽타 이:세【一二世】〔Chandragupta Ⅱ〕명〖사람〗인도의 굽타 왕조 제3대 왕. 사무드라굽타의 아들로, 그의 치세(治世)는 굽타 왕조의 최성기를 이루었음. 중국에서는 초일왕(超日王)이라고 함. [?-414; 재위 383?-413]

찬드라굽타 일세【一 一世】〔Chandragupta Ⅰ〕[一쎄] 명〖사람〗인도 굽타(Gupta) 왕조의 창시자. 쿠샨(Kushan) 왕조의 세력 쇠퇴 후, 비하르 주(Bihar州)에서 대두하여 갠지스 강(Ganges江) 중부 유역(中部流域)의 패권을 장악함. 생몰년 미상. [재위 320?-330]

찬드라세카르〔Chandrasekhar, Subrahman-yan〕명〖사람〗인도 태생의 미국 천문 학자. 시카고 대학 교수. 항성(恒星)의 대기(大氣)·내부 구조·항성계의 역학 등을 이론적으로 연구, 태양 질량(質量)의 1.44배보다 작은 항성은 진화(進化)의 마지막에 백색 왜성(白色矮星)이 되나, 그보다 큰 항성은 그 전에 대폭발을 일으켜서 여분(餘分)의 질량을 뿜어 날려 버린다는 학설을 세웠음. 1983 년 W.A. 파울러와 공동으로 노벨 물리학상을 받음. [1910-]

찬-땀 명 ☞ 식은땀.

찬:란【燦爛·粲爛】[찰-] 명 영롱(玲瓏)하고 현란(絢爛)함. 광채가 번쩍번쩍하고 환함. ¶~한 금관/~한 문화/~하게 빛나다. ──-하다 (형)(여불). ──-히 (부)

찬:란 육리【燦爛陸離】[찰—뉵니] 명 빛이 영롱(玲瓏)하고 황홀(恍惚)함. ──-하다 (형)(여불)

찬:례【贊禮】[찰—] 명〖역〗제향(祭享) 때 임금을 전도(前導)하여 행례(行禮)하게 하는 일. 또, 그 관원(官員). 예조 판서(禮曹判書)가 맡음. ──-하다 ㉶(여불)

찬:록[1]【撰錄】[찰—] 명 찬술(撰述)하고 기록함. ──-하다 ㉹(여불)

찬:록[2]【纂錄】[찰—] 명 모아 기록함. ──-하다 ㉹(여불)

찬:류【竄流】[찰—] 명〖천주교〗〔귀양살이란 뜻〕천당 본향(本鄕)으로 들어가기 전의 이 현세의 삶을 일컫는 말.

찬:립[1]【簒立】[찰—] 명 신하(臣下)가 임금의 자리를 빼앗아서 자기(自己)가 섬. ──-하다 ㉶(여불)

찬:립[2]【攢立】[찰—] 명 모여 일어섬. ──-하다 ㉶(여불)

찬:-마루【饌—】명 부엌에 있는 밥상을 차리는 마루.

찬:모【饌母】명 남의 집에서 반찬을 맡아 만드는 여자. 반(飯)빗.

찬 무대 명〖지〗한류(寒流). ↔더운 무대.

찬:문【撰文】명 글을 갖추어서 지음. ──-하다 ㉶(여불)

찬-물[1] 명 데우거나 끓이지 않은 맹물. 냉수(冷水). ¶~을 바가지로 들이켜다. ↔더운물.

[찬물도 위아래가 있다] 무엇에나 순서가 있으니 그 순서를 따라 해야 한다는 말. [찬물 먹고 냉돌 방에서 땀 낸다] 도무지 이치에 닿지 않는 말이니 하지도 말라는 뜻으로 이르는 말.

찬물에 돌: 구 지조가 맑고 굳셈을 이르는 말. ¶사람이 어찌 그리 찬물에 돌 같소. 어찌 그리 무정해≪金宇鎭: 榴花雨≫.

찬물을 끼얹다 구 모처럼 잘 되어 가는 일에 공연히 트집을 잡아 헤살을 놓다. 일부러 옆에서 입을 놀려 관계가 틀어지게 만들다.

찬:물[2]【饌物】명 찬수(饌需).

찬물-때 명 바다의 밀물이 가장 높은 때. ↔간물때.

찬물-받이[—바지] 명 늘 찬물이 흘러 들어오거나 솟아서 괴도록 되어 있는 논배미.

찬물-샘 명〈방〉샘[2](경북).

찬:미【讚美】명 아름다운 덕을 기림. 기리어 칭송함. 찬송(讚頌). ¶사(死)의 ~/인생을 ~하다. ──-하다 ㉹(여불)

찬:미-가【讚美歌】명〖기독교〗①찬송가(讚頌歌). ②한국 최초의 찬송가. 1892 년 감리교 선교사 존스(Jones, G. H.)와 로스웨일러(Rothweiler, L. C.)가 공편(共編)한 소형본. 악보(樂譜) 없이 30 곡이 수록되어 있었으나, 점차 증곡(增曲)하여 1900 년 5 판에는 176 곡이 수록됨.

찬-바람 명 ①추운 바람. 한풍(寒風). ¶옷깃에 스며드는 ~. ②가을에 부는 싸늘한 바람.

찬바람(이) 일:다 구 싸늘한 기운이 돌다. 살벌한 분위기가 되다.

찬바람 머리 명 가을철에 싸늘한 바람이 불기 시작할 무렵.

찬:반【贊反】명 찬성과 반대. 찬부. ¶지역 주민의 ~을 묻다.

찬:반 양:론【贊反兩論】[—냥논] 명 찬성과 반대의 두 가지 주장(主張). ¶~으로 갈리다.

찬-밥 명 지은 지 오래 되어 식은 밥. 냉반(冷飯). ↔더운 밥.

[찬밥 두고 잠 아니 온다] 자기가 좋아하는 일은 좀처럼 잊어버리지 못한다는 말.

찬밥 더운 밥 가리다 구 어려운 형세(形勢)에 있으면서 배부른 수작(酬酌)을 하다. ¶자네가 지금 찬밥 더운 밥 가리게 되었나.

찬-방[1]【—房】명 차디찬 방. 냉방(冷房).

찬:방[2]【饌房】[—빵] 명 반찬을 만들거나 반찬거리를 두는 방.

찬:배【竄配】명〖역〗정배(定配). ──-하다 ㉹(여불)

찬:복【竄伏】명 도망해 숨음. 찬닉(竄匿). ──-하다 ㉶(여불)

찬:부【贊否】명 찬성과 불찬성. 찬반. ¶~ 양론이 분분(紛紛)하다.

찬:분【竄奔】명 달아남. 도망침. ──-하다 ㉶(여불)

찬:불【讚佛】명〖불교〗부처의 공덕(功德)을 찬미(讚美)함. ──-하다 ㉶(여불)

찬:불-가【讚佛歌】명〖불교〗부처의 공덕을 기리는 노래.

찬-비[1] 명 추위를 느끼는 비. 냉우(冷雨). ¶~ 찬바람.

찬:비[2]【饌婢】명 반빗아치.

찬:비[3]【爨婢】명 동자아치.

찬:사【讚辭】명 찬미(讚美)하는 글이나 말. 칭찬하는 말. 상사(賞詞). ¶아낌없는 ~를 보내다.

찬:상【讚賞】명 칭찬하여 아름답게 생각함. 상찬(賞讚). ¶~해 마지않다. ──-하다 ㉹(여불)

찬:새【饌—】명〈방〉반찬(함북).

찬-색【—色】명 한색(寒色).

찬:석【鑽石】명〖광〗금강석(金剛石).

찬:선[1]【贊善】명〖역〗조선 시대 때 세자 시강원(世子侍講院)의 정삼품 관직. 덕망과 학행이 높은 사람이 임명되었는데, 현직 관리가 아니더라도 천거되어 직책을 맡게 되어 있었음.

찬:선[2]【饌膳】명 음식물.

찬:선 대:부【贊善大夫】명〖역〗고려 문종(文宗) 22년(1068)에 설치한 동궁관(東宮官)으로 정오품의 관직. 정원은 좌찬선 대부·우찬선 대부 각 한 명이었음.

찬:섬【燦閃】명 빛나서 번쩍번쩍함. ──-하다 ㉶(여불)

찬:성[1]【贊成】명 ①도와서 성취시킴. ②동의(同意)함. ¶~ 투표/계획에 ~하다/네 의견에 ~이다. ↔반대(反對)·불찬성(不贊成). ──-하다 ㉶㉹(여불)

찬:성[2]【贊成】명〖역〗조선 시대 의정부(議政府)의 종일품 벼슬. 좌(左)찬성·우(右)찬성이 있음.

찬:성-사【贊成事】명〖역〗고려 때 첨의부(僉議府)·도첨의사사(都僉議使司)·도첨의부(都僉議府)·문하부(門下府)의 정이품 벼슬. 시중(侍中) 또는 정승(政丞)의 다음임. 충렬왕(忠烈王) 원년(1275)에 중서 문하성(中書門下省)과 상서성(尙書省)을 합하여 첨의부를 두고, 그 전의 평장사(平章事)를 고치어 첨의 시랑 찬성사(僉議侍郞贊成事)·첨의 찬성사(僉議贊成事)를 두었는데, 동 24년에 폐(廢)하였다가 곧 회복하고, 동 34년에 중호(中護)로 고치어 세 사람을 두었고, 뒤에 다시 찬성사로 고치고, 공민왕(恭愍王) 5년(1356)에 구제(舊制)의 평장사로 돌아갔다가, 동 9년에 평장 정사(平章政事)로, 동 11년에 다시 첨의 찬성사로, 동 18년에 문하 찬성사(門下贊成事)로 고쳤음.

찬:성-시【讚聖詩】명〖기독교〗1895 년 북장로회 선교사 리(Lee G.)와 기퍼드(Gifford, M.h.)가 편찬한 54 곡의 악보 없는 찬송가집. 1902 년 ≪찬양가≫ 대신 장로교회 공식 찬송가로 채택됨. 1905 년 마펫(Moffett, S. A.)이 137 곡의 ≪곡보(曲譜) 찬셩시≫를 간행하였음.

찬:성-원【贊成員】명 어떤 일에 찬성한 사람. 찬성자(贊成者).

찬:성-자【贊成者】명 찬성하는 사람. 찬성원.

찬:성 투표【贊成投票】명 어떤 의안이나 발의(發議)에 대하여 찬성을 표하는 투표.

찬:성-표【贊成票】명 찬성하는 뜻으로 던지는 표나 표지. 찬표(贊票).

찬:송[1]【贊頌】명 찬성하여 칭찬함. ──-하다 ㉹(여불)

찬:송[2]【讚頌】명 미덕을 칭찬함. 감사하여 칭찬함. 찬미(讚美). ¶주님을 ~하다. ──-하다 ㉹(여불)

찬:송-가【讚頌歌】명 ①신성(神聖)한 대상을 찬미하는 기도의 노래. ②〖기독교〗성경 중의 시편(詩篇)을 비롯한 찬미에 대한 노래. ③〖기독교〗하느님께 감사하고 찬송하는 노래. 예배의 의식에서 주로 부르며 엄숙하고 장엄한 곡조와 성서의 내용이 가사로 되었음. 찬미가. 성가(聖歌). 힘(hymn). ¶~책.

찬송 명〈옛〉찬송[2](讚頌). ¶노래로찬숑ᄒᆞ기가 ᄃᆞ고ᄃᆞᆫ일이거실세≪찬양가: 3≫.

찬:수[1]【撰修】명 책·문서(文書) 따위를 저술(著述)함. 또, 그것을 편집함. ──-하다 ㉹(여불)

찬:수[2]【纂修】명 재료를 모아서 책을 짬. 글을 모아서 닦아 정리하는 일. ──-하다 ㉹(여불)

찬:수[3]【饌需】명 반찬거리. 반찬의 종류. 찬물(饌物). 찬품(饌品).

찬수이〔瀍水〕명〖지〗중국 허난 성(河南省) 멍쿵진 현(孟孔津縣)의 서북쪽 옌자링(任家嶺)에서 발원(發源)하여 뤄양(洛陽) 근처를 흐르는, 뤄수이(洛水) 강 지류(支流)의 하나. 찬허(瀍河). 전수(瀍水).

찬-술[1] 명 데우지 아니한 술.

찬:술[2]【撰述】명 글을 지음. ──-하다 ㉹(여불)

찬:술[3]【纂述】명 재료를 모아 저술함. ──-하다 ㉹(여불)

찬:스〔chance〕명 기회. 호기(好機). 운(運). ¶절호의 ~/지금이 ~다.

찬:시【簒弑】명 임금을 죽이고 그 자리를 빼앗음. 찬학(簒虐). ──-하다 ㉹(여불)

찬:시지-변【簒弑之變】명 임금을 죽이고 그 자리를 빼앗는 괴변(怪變).

〈찬실〉

찬:신 무:가【讚神巫歌】명 신의 공덕(功德)을 찬양하고 신의 외모(外貌)를 찬미하는 내용의 무가.

찬:실【欑室】명〖역〗빈궁(殯宮) 안의 왕세자(王世子)의 관(棺)을 두는 곳. *찬궁(欑宮).

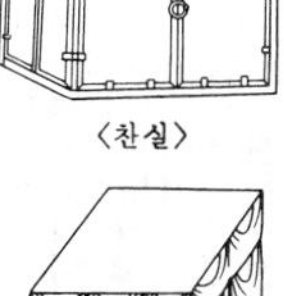

찬:안【饌案】명〖역〗진연(進宴) 때에 왕께 드리는 음식상.

찬:앙【鑽仰·讚仰】명 덕을 우러러 숭상함. 칭송하면서 우러러 봄. ──-하다 ㉹(여불)

〈찬안〉

찬-약【—藥】[—냑] [명] ①식은 약. ②〖한의〗 냉재(冷材). ↔더운 약.
찬:양【讚揚】[명] 아름다움을 기리고, 착함을 표창함. ¶공(功)을 ~하여/용맹을 ~하다. ——-하다 [타][여불]. [준]찬하다.
찬:양-가【讚揚歌】[명]〖기독교〗4성 악보를 갖춘 우리 나라 최초의 찬송가. 언더우드(Underwood, H. G.)가 편하여 발행. 영·미국 찬송가들을 주축으로 한국인의 창작 7편을 합한 117곡이 수록됨. 1900년 182곡으로 3판이 간행됨.
찬:양-대【讚揚隊】[명]〖기독교〗남녀 기독교 신도로 조직된 합창대. 성가대(聖歌隊).
찬양-열매 [명]〈방〉도토리(제주).
찬:엄【纂嚴】[명] 경계함. 계엄(戒嚴)함. ——-하다 [타][여불]
찬:역【簒逆】[명] 왕위를 빼앗으려 하는 반역. ——-하다 [자][여불]
찬:연¹【燦然】[명] 번쩍거리어 빛남. ¶~한 광휘. ——-하다 [형][여불]
찬:연²【鑽硏】[명] 깊이 연구함. ——-하다 [타][여불]
찬:연³【粲然】[부] ①빛나는 모양. ②이를 드러내고 웃는 모양. ——-하다 [형][여불]
찬:연-스럽다【燦然—】[형][ㅂ불] 보기에 찬연한 느낌이 있다. 찬:연-스레【燦然—】[부]
찬-요리【—料理】[—뇨—] [명] 차게 하거나 차게 만들어서 먹는 음식. 냉채·생회 따위.
찬:용【饌用】[명] 반찬거리를 사는 데 드는 비용.
찬-웃음 [명] 냉소(冷笑).
찬:위¹【簒位】[명] 임금의 자리를 빼앗음. ——-하다 [자][여불]
찬:위²【贊尉】[명]〖역〗대한 제국 때 궁내부(宮內府) 친왕부(親王府)의 주임(奏任) 벼슬.
찬:유【贊釉】[명]〖공〗도자기를 잿물 그릇에 담가서 잿물을 올리는 일. 잠유(蘸釉). ——-하다 [타][여불]
찬:육【饌肉】[명] 반찬 거리에 쓰이는 쇠고기.
찬:의¹【贊意】[—/—이] [명] 찬성하는 뜻. 찬성하는 마음. ¶~를 표하다.
찬:의²【贊儀】[—/—이] [명]〖역〗①조선 시대 통례원(通禮院)의 정오품 벼슬. ②대한 제국 때 장례원(掌禮院)·예식원(禮式院)의 주임(奏任) 벼슬.
찬:의³【贊議】[—/—이] [명]〖역〗①대한 제국 때 박문원(博文院)의 한 벼슬. 칙임 대우(勅任待遇)임. ②중추원(中樞院)의 한 벼슬.
찬-이슬 [—니—] [명] 밤늦게 내리는 찬 기운이 도는 이슬.
[찬이슬 맞는 놈] 도둑놈을 이르는 말.
찬:익【贊翼】[명] 찬성하여 도와 줌. ——-하다 [타][여불]
찬:인【撰人】[명] 찬자(撰者).
찬:입【竄入】[명] ①도망쳐 들어감. ②잘못되어 뒤섞여 들어감. ——-하다 [자][여불]
찬:자¹【撰者】[명] 시가(詩歌)·문장(文章)·책 등의 작자. 찬인(撰人).
찬:자²【贊者】[명] ①찬성하는 사람. 찬성자. ②〖역〗제향 때에 홀기(笏記)를 맡아 보던 임시직(職).
찬:자³【鑽刺】[명] 어떤 일을 주선할 때, 가장 중요하고 빠른 방법을 써 소개하는 일. ——-하다 [자][여불]
찬:장【饌欌】[—짱] [명] 찬그릇이나 음식 등을 넣어 두는 장.

〈찬장〉

찬:적【竄謫】[명] 파면하고 귀양보냄. ——-하다 [타][여불]
찬:정¹【撰定】[명] 시문(詩文)을 지어서 정함. ——-하다 [타][여불]
찬:정²【贊政】[명]〖역〗대한 제국 때 의정부의 칙임(勅任) 벼슬.
찬:정³【鑽井】[명] ①우물을 팜. 또, 그 우물. ②〖지〗불투수층(不透水層)으로 덮인 체수층(滯水層)의 지하수(地下水)가 압력(壓力)으로 인하여 불투수층에 뚫린 구멍을 통해 저절로 지표(地表)에 솟아 나온 샘. 건조한 초원(草原) 지방에서 관개(灌漑)·목축(牧畜)에 중요한 구실을 함. ——-하다 [타][여불]
찬:정 분지【鑽井盆地】[명]〖지〗중생대(中生代) 이후의 지층이 당시의 내해(內海) 혹은 대호(大湖)에 퇴적(堆積)하여 지하수의 체수층(滯水層)과 기저층(基底層)으로 구성되어 상층인 불투수층(不透水層)을 뚫으면 체수층의 지하수가 저절로 뿜어 나오는 유압수(有壓水)의 근원으로 이루어져 있는 분지. 오스트레일리아 동부의 대찬정 분지는 그 좋은 예임.
찬:조【贊助】[명] 찬성하여 도와 줌. 찬좌(贊佐). ¶~출연(出演)/~연설. ——-하다 [타][여불]
찬:조-금【贊助金】[명] 찬조하는 뜻으로 내는 돈. ¶~으로 낸 돈.
찬:조 연:설【贊助演說】[명] 어떤 일이나 사람을 도와 덧붙여 하는 연설.
찬:조-원【贊助員】[명] 찬조하는 사람.
찬:좌【贊佐】[명] 찬조(贊助). ——-하다 [타][여불]
찬:주【竄走】[명] 도망하여 사라져 버림. ——-하다 [자][여불]
찬-중성자【—中性子】[명]〔cold neutron〕〖물〗반응로(反應爐)에서 아주 낮은 에너지밖에 갖지 못한 중성자. 결정 격자(結晶格子)의 간격(間隔) 정도의 파장(波長)을 지니며, 결정에 의해서 회절(回折)되므로 고체 물리(固體物理) 연구에 이용됨.
찬:즙【纂輯】[명] →찬집(纂輯). ——-하다 [타][여불]
찬:진【撰進】[명] 임금께 글을 지어 올림. ——-하다 [타][여불]
찬:집¹【撰集】[명] 시가·문장 등을 모아 편수함. ——-하다 [타][여불]
찬:집²【纂集】[명] 많은 글을 모아 책을 편찬함. ——-하다 [타][여불]
찬:집³【纂輯】[명]〔←찬즙(纂輯)〕재료를 모아서 책을 편찬(編纂)함. ——-하다 [타][여불]
찬:집-소【纂輯所】[명] 글을 모아 책을 편찬하는 곳.
찬:집-청【撰集廳】[명]〖역〗조선 중종(中宗) 8년(1513)경에 설치한 문헌 찬집(文獻撰集)에 관한 일을 관장하던 기관. 곧 폐지됨.
찬-찜질 [명] 냉엄법(冷罨法). 냉(冷)찜질. ↔더운 찜질·온엄법(溫罨法). ——-하다 [자][여불]
찬:차【纂次】[명] 편집 자료를 모아 순서를 매김. ——-하다 [타][여불]
찬:찬¹【撰纂】[명] 서책을 편집하여 꾸며 냄. 수찬(修撰)하고 편찬(編纂)함. ——-하다 [타][여불]
찬찬² [부] 꼭꼭 감거나 동여 매는 모양. <친친.
찬:찬³【燦燦】[부] 아름답게 빛나는 모양. 번쩍번쩍 빛이 나는 모양. ——-하다 [형][여불]
찬:찬 옥식【粲粲玉食】[명] 잘 쓿어서 지은 이밥.
찬:찬 의복【燦燦衣服】[명] 아름답고 번쩍번쩍하는 비단 옷.
찬찬-하다¹ [형][여불]〔중세 : 츤츤하다〕성질이 거칠거나 경솔하지 아니하고, 꼼꼼하며 침착하다. 찬찬-히¹ [부]
찬:찬-하다² [형][여불] 일이나 행동이 급하지 아니하고, 편안하며 느리다. <천천하다. 찬:찬-히² [부] ¶~ 뜯어보다.
찬:척【竄斥】[명] 내쫓음. 물리침. ——-하다 [타][여불]
찬:철【鑽鐵】[명]〖광〗금강사(金剛砂).
찬:축【竄逐】[명] 죄인을 먼 곳으로 귀양 보내 쫓음. ——-하다 [타][여불]
찬:출【竄黜】[명] 죄인(罪人)을 멀리 귀양 보내거나 벼슬에서 내 쫓음. ——-하다 [타][여불]
찬:칭【讚稱】[명] 칭찬(稱讚). ——-하다 [타][여불]
찬:-칼【饌—】[명] 반찬을 만드는 데 쓰는 작은 칼.
찬:탁¹【贊託】[명] 신탁 통치(信託統治)를 찬성함. ↔반탁(反託). ——-하다 [자][여불]
찬:탁²【饌卓】[명] ↗찬탁자(饌卓子).
찬:-탁자【饌卓子】[명] 반찬거리를 얹어 두는 장탁자(長卓子)의 하나. 보통, 소나무나 잣나무로 두세 층을 들이고, 기둥이 굵고, 층널이 두꺼운 것이 특색임. 찬방이나 대청 구석 등에 놓임.
찬:탄【讚歎·贊歎·讚嘆】[명] ①칭찬하고 감탄(感歎)함. ¶~하여 마지않다. ②마음에 아름답게 여김. ——-하다 [타][여불]
찬:탈【簒奪】[명] 신하가 임금의 자리를 빼앗음. ¶왕위(王位)를 ~하다. ——-하다 [타][여불]
찬트〔chant〕[명] 그레고리오 성가(聖歌) 등 교회의 성가. 또한, 시편(詩篇)의 낭송 등 전례(典禮) 음악의 총칭.
찬:폄【竄貶】[명] 벼슬을 빼앗고 귀양을 보냄. ——-하다 [타][여불]
찬:평【讚評·贊評】[명] 칭찬하여 비평함. ——-하다 [타][여불]
찬:포【饌庖】[명] ①푸주. ②옛날에 지방(地方)의 세력가(勢力家)에 쇠고기를 대던 푸주.
찬:표【贊票】[명] 찬성표. ¶~를 던지다.
찬:품【饌品】[명] 찬수(饌需).
찬-피 [명] 냉혈(冷血). ↔더운 피.
찬피 동:물【—動物】[명] 냉혈 동물❶. ↔더운피 동물.
찬:하【攢賀】[명] 합장(合掌)하고 경하(慶賀)함. ——-하다 [타][여불]
찬:-하다¹【撰—】[타][여불] ①책을 저술(著述)하다. 글을 짓다. 문장 등을 술작(述作)하다. ②많은 시가(詩歌)나 문장 중에서 잘 된 것을 고르다. 또, 골라내어 편집하다.
찬:-하다²【讚—】[타][여불] ↗찬양(讚揚)하다.
찬:학【簒虐】[명] 임금을 죽이고 그 자리를 빼앗음. 찬시(簒弑). ——-하다 [타][여불]
찬:합【饌盒·饌榼】[명] ①밥·반찬이나 술안주 등을 담는 그릇. 사기·나무·알루미늄 따위로 둥글거나 네모나게 여러 층으로 만듦. ②여러 층으로 된 합에 담은 반찬과 술안주. 마른 찬합과 진 찬합이 있음.
찬:합-집【饌盒—】[명]〖건〗규모가 넓거나 크지는 아니하여도 구조는 탐탁하여서 쓸모가 있게 지은 집.
찬:화-시【讚花詩】[명]〖악〗조선 초기의 당악 정재(唐樂呈才) 육화대(六花隊)의 일념시(一念詩)에서 삼념시(三念詩)까지의 꽃을 노래한 여섯 수의 시(詩).
찬-흐름 [명]〖지〗한류(寒流)❷.
찬-흙 [명]〈방〉찰흙.
찰¹【札】[명]〖역〗갑옷 미늘.
찰²【察】[명] 성(姓)의 하나. 우리 나라에는 현존하지 아니함.
찰- [두] ①명사 앞에 붙어, '끈기가 있고 차진'의 뜻을 나타내는 말. ¶~떡/~벼. ↔메-. ②'몹시 심한'·'더할 수 없는'의 뜻을 나타내는 말. ¶~깍쟁이/~가난. ＊차-.
찰-가난 [명] 여간하여서는 면하기 어려운 가난.
찰가닥 [부] 작고 단단한 물건이 가볍게 맞부딪칠 때 나는 소리. 또, 그 모양. <철거덕. ——-하다 [자][타][여불]
찰가닥-거리다 [자] 작고 단단한 물건이 가볍게 맞부딪치는 소리가 잇따라 나다.
찰가닥-대다 [자][타] 찰가닥거리다.
찰가당 [부] 작고 단단한 쇠붙이 같은 것이 가볍게 부딪치면서 울릴 때 나는 소리. 또, 그 모양. <철거덩. ——-하다 [자][타][여불]
찰가당-거리다 [자][타] 잇따라 찰가당 소리가 나다. 또, 잇따라 찰가당 소리를 내다. <철거덩거리다. 찰가당-찰가당 [부]. ——-하다 [자][타][여불]
찰가당-대다 [자][타] 찰가당거리다.
찰-가자미 [명]〖어〗[*Microstomus achne*] 붕넙칫과에 속하는 바닷물고기. 전장 30cm 가량으로, 몸이 타원형이고 머리는 짧으며 입은 작음. 눈이 몸의 오른쪽에 있는데, 암갈색 바탕에 흑갈색 구름 무늬가 있고 그 반대쪽은 흼. 한국 전연해(全沿海)·동중국해(東中國海)·일본·사할린 등에 분포함. 맛이 좋음.

〈찰가자미〉

찰각 [부] 작고 단단한 물건이 가볍게 달라붙을 때 나는 소리. 또, 그 모양. <철걱. **——-하다** [자타][여불]

찰각-거리다 [자타] 잇따라 찰각 소리가 나다. 또, 잇따라 찰각 소리를 내다. <철걱거리다. **찰각-찰각** [부]. **——-하다** [자타][여불]

찰각-대다 [자타] 찰각거리다.

찰간【刹竿】[명]〖불교〗큰 절 앞에 세우는 깃대와 비슷한 물건. 예전에 도덕(道德)이 높은 중을 시방(十方) 사람에게 알리기 위하여 세웠는데, 나무나 쇠로 만들었음. 충청 남도 계룡산(鷄龍山)의 갑사(甲寺) 등지에 있음.

찰간-주【刹竿柱】[명]〖건〗절 앞에 세우는 당번(幢幡)을 달기 위한 간주.

찰갑【札甲】[명]〖고고학〗미늘갑옷. 비늘갑옷.

찰강 [부] 작고 단단한 쇠붙이 같은 것이 가볍게 달라붙으면서 울릴 때 나는 소리. 또, 그 모양. <철겅. **——-하다** [자타][여불]

찰강-거리다 [자타] 잇따라 찰강 소리가 나다. 또, 잇따라 찰강 소리를 내다. <철겅거리다. **찰강-찰강** [부]. **——-하다** [자타][여불]

찰강-대다 [자타] 찰강거리다.

찰-거머리 [명] ①잘 들러붙고 떨어지지 아니하는 거머리. ②남에게 안타깝게 들러붙어서 귀찮게 구는 사람의 비유. *거머리[1].

찰거머리와 안타깨비 [구] 달라붙어 떨어지지 아니하는 사람의 비유.

찰-것 [명] 차진 곡식으로 만든 음식.

찰견【察見】[명] 살펴서 앎. 밝게 앎. **——-하다** [타][여불]

찰고【察考】[명] ①자세히 생각함. ②〖천주교〗신자들의 신앙을 굳게 하기 위하여 교리(敎理)를 복습하게 하거나 새로 세례(洗禮)를 받고자 하는 사람을 상대로 시험을 보는 일. 흔히, 부활절(復活節)이나 성탄절(聖誕節)에 앞서 행함.

찰-곡식【—穀—】[명] 찰벼·차조 따위와 같이, 찰기가 있는 곡식.

찰골【擦骨】[명] 시체를 불에 태웠을 때 뼈가 부서지는 일. 또, 그 뼈.

찰과-법【擦過法】[—뻡] [명]〖고고학〗귀얄질.

찰과-상【擦過傷】[명] 찰상(擦傷).

찰과-흔【擦過痕】[명]〖고고학〗귀얄자국.

찰관【察觀】[명] 사물(事物)을 자세히 살펴 봄. 통찰(洞察)함. 관찰(觀察). **——-하다** [타][여불]

찰-교인【—敎人】[명] 종교를 착실히 믿는 사람.

찰그랑 [부] 얇은 쇠붙이가 서로 맞닿아 울리어서 나는 소리. ㅅ잘그랑. ㅆ짤그랑. <철그렁. **——-하다** [자타][여불]

찰그랑-거리다 [자타] 연달아 찰그랑 소리가 나다. ㅅ잘그랑거리다. ㅆ짤그랑거리다. <철그렁거리다. **찰그랑-찰그랑** [부]. **——-하다** [자타][여불]

찰그랑-대다 [자타] 찰그랑거리다.

찰-기[1]【—氣】[명] 차진 기운.

찰기[2]【札記】[명] 조목으로 나누어 기술하는 일. 또, 그 기술.

찰-기장 [명] 차진 기운이 있는 기장. ↔메기장.

찰까닥 [부] 작고 단단한 물건이 좀 세게 맞부딪칠 때 나는 소리. 또, 그 모양. **——-하다** [자타][여불]

찰까닥-거리다 [자타] 잇따라 찰까닥 소리가 나다. 또, 잇따라 찰까닥 소리를 내다. <철꺼덕거리다. **찰까닥-찰까닥** [부]. **——-하다** [자타][여불]

찰까닥-대다 [자타] 찰까닥거리다.

찰까당 [부] 작고 단단한 쇠붙이 같은 것이 좀 세게 부딪치면서 울릴 때 나는 소리 또, 그 모양. <철꺼덩. **——-하다** [자타][여불]

찰까당-거리다 [자타] 잇따라 찰까당 소리가 나다. 또, 잇따라 찰까당 소리를 내다 <철꺼덩거리다. **찰까당-찰까당** [부]. **——-하다** [자타][여불]

찰까당-대다 [자타] 찰까당거리다.

찰깍 [부] ①단단히 붙어서 떨어지지 아니하는 모양. ②누진누진한 물건을 세게 때리는 소리 또는 모양. 1)·2): <철꺽. **——-하다** [자타][여불]

찰깍-거리다 [자타] 잇따라 찰깍 소리가 나다. 또, 잇따라 찰깍 소리를 내다. <철꺽거리다. **찰깍-찰깍** [부]. **——-하다** [자타][여불]

찰깍-대다 [자타] 찰깍거리다.

찰-깍쟁이 [명] 성질이 매우 고약하여 못된 깍쟁이와 같은 사람을 욕하는 말.

찰-깍정이 [명] ☞ 찰깍쟁이.

찰깡 [부] 작고 단단한 쇠붙이 같은 것이 좀 세게 달라붙으면서 울릴 때 나는 소리. <철껑. **——-하다** [자타][여불]

찰깡-거리다 [자타] 잇따라 찰깡 소리가 나다. 또, 잇따라 찰깡 소리를 내다. <철껑거리다. **찰깡-찰깡** [부]. **——-하다** [자타][여불]

찰깡-대다 [자타] 찰깡거리다.

찰나【刹那】[—라] [一] [명] [범 ksana]〖불교〗지극히 짧은 시간. 한 탄지(彈指) 사이에 65 찰나가 있고, 한 찰나 사이에 구백 생멸(生滅)이 있다고 함. ↔겁(劫). [二] [수] ①소수(少數)의 단위(單位)의 하나. 탄지(彈指)의 억분(億分)의 일, 육덕(六德)의 억 배, 곧 10^{-88}. ②소수의 단위의 하나. 탄지의 십분의 일, 육덕의 십 배, 곧 10^{-18}.

찰나-적【刹那的】[—라—] [명][관] 찰나와 같은 것. 순간적.

찰나-주의【刹那主義】[—라—/—라—이] [명] [momentalism] 과거나 미래는 생각하지 아니하고 다만 현재의 순간을 충실히, 쾌락을 추구하며 살고자 하는 사고 방식. 모멘탈리즘. ¶ ~적 환락에 빠지다.

찰납【察納】[—랍] [명] 자세히 살펴서 받아들임. **——-하다** [타][여불]

찰-담장이 [명] 아주 고칠 수 없는 매독(梅毒)에 걸린 사람.

찰딱 [부] 차지거나 젖은 물건이 세차게 달라붙는 모양이나 소리. <철떡.

찰딱-거리다 [자] 차지거나 젖은 물건이 연달아 달라붙었다 떨어졌다 하다. <철떡거리다. **찰딱-찰딱** [부]. **——-하다** [자][여불]

찰딱-대다 [자] 찰딱거리다.

찰-떡 [명] 찹쌀로 만든 떡. 나병(糯餠). 점병(黏餠). ↔메떡.

찰떡 궁합(宮合) [구] ㉠신혼의 정이 좋음을 이르는 말. ㉡짝이 꼭 들어맞음을 이르는 말.

찰떡-같다 [형] 정이 깊이 들어서 떨어지지 아니할 만큼 되어 있다. ¶ 부부의 정이 ~.

찰떡-같이 [—가치] [부] 정이 깊이 들어서 떨어지지 아니할 만큼.

찰떡 근원【—根源】[명] 아주 화합하여 떨어질 줄 모르는 금실. ¶ 영감께서 돌아가신 두 마님과 금슬이 아주 ~이시더랍니다≪李海朝 : 驅魔劍≫.

찰락-거리다 [자] 가는 물줄기가 쉬엄쉬엄 떨어지며 소리가 나다. <철럭거리다. **찰락-찰락** [부]. **——-하다** [자][여불]

찰락-대다 [자] 찰락거리다.

찰람【察覽】[명] 살펴 봄. **——-하다** [타][여불]

찰람-거리다 [자] 적은 물이 움직이는 대로 조금씩 넘쳐 흐르다. <칠럼거리다. **찰람-찰람** [부]. **——-하다** [자][여불]

찰람-대다 [자] 찰람거리다.

찰람-하다 [형][여불] 물이 가득히 괴어 있다. <칠럼하다.

찰랑 [부] ①넓고 얕은 곳에 괸 물이 한번 움직이는 소리. 또, 그 모양. ②방울이나 쇠붙이 따위가 서로 부딪쳐서 나는 소리. 1)·2): ㅅ잘랑. ㅆ짤랑. <철렁. **——-하다**[1] [자타][여불]

찰랑-거리다 [자타] 자꾸 찰랑하다. 또, 자꾸 찰랑 소리를 나게 하다. ㅅ잘랑거리다. ㅆ짤랑거리다. <철렁거리다. **찰랑-찰랑**[1] [부]. **——-하다** [자타][여불]

찰랑-대다 [자타] 찰랑거리다.

찰랑-찰랑[2] [부] 작은 그릇들의 물이 모두 가득가득 괴어 있는 모양. ¶ 잔(盞)에 술을 ~ 따르다/독에 물이 ~하다. <칠렁칠렁. **——-하다** [형][여불]

찰랑-하다[2] [형][여불] 작은 그릇에 물이 가장자리까지 가득히 괴어 있다. <칠렁하다.

찰:루키아 왕조【—王朝】[Chālukya] [명]〖역〗중부 인도, 데칸 고원을 지배했던 왕조. 6세기 중엽에 흥하고 후에 서(西)찰루키아 왕조와 동(東)찰루키아 왕조로 갈라졌는데 12-13세기경까지 존속했음.

찰리[1] [명] 〈방〉 자루[1](제주).

찰리[2]【刹利】[명]〖불교〗↗찰제리(刹帝利).

찰리 변:위 도감【拶理辨違都監】[명]〖역〗고려 때 나라 안의 큰 폐단(弊端)을 바로잡기 위하여 베풀었던 임시의 관아(官衙). 충숙왕(忠肅王) 5년(1318)에 제폐 사목소(除弊事目所)를 베풀고, 이 이름으로 고치었다가 권세가(權勢家)의 반대로 곧 폐하고, 8년에 다시 두었다가 곧 또 폐하였음.

찰리-사【察理使】[명]〖역〗군무(軍務)로 지방(地方)에 파견(派遣)하던 임시(臨時) 벼슬.

찰리-종【刹利種】[명] 찰리(刹利)의 종족(種族).

찰바닥 [부] 얕은 물 위를 거칠고 어지럽게 밟는 것과 같은 소리. ㅅ잘바닥. <철버덕. **——-하다** [자타][여불]

찰바닥-거리다 [자타] 잇따라 찰바닥 소리가 나다. 또, 잇따라 찰바닥 소리를 내다. ¶ 얕은 물에서 ~. ㅅ잘바닥거리다. <철버덕거리다. **찰바닥-찰바닥** [부]. **——-하다** [자타][여불]

찰바닥-대다 [자타] 찰바닥거리다.

찰바당 [부] 깊은 물에 큼직한 돌멩이가 떨어져서 요란스럽게 울리어 나는 소리. ㅅ잘바당. <철버덩. **——-하다** [자타][여불]

찰바당-거리다 [자타] 잇따라 찰바당 소리가 나다. 또, 잇따라 찰바당 소리를 내다. ㅅ잘바당거리다. <철버덩거리다. **찰바당-찰바당** [부]. **——-하다** [자타][여불]

찰바당-대다 [자타] 찰바당거리다.

찰박 [부] 얕은 물 위를 밟는 것과 같은 소리. ㅅ잘박. <철벅. **——-하다** [자타][여불]

찰박-거리다 [자타] 잇따라 찰박 소리가 나다. 또, 잇따라 찰박 소리를 내다. ¶ 찰박거리며 내를 건너다. ㅅ잘박거리다. <철벅거리다. **찰박-찰박** [부]. **——-하다** [자타][여불]

찰박-대다 [자타] 찰박거리다.

찰-밥 [명] ①찹쌀로 지은 밥. ↔메밥. ②찹쌀에 붉은 팥을 섞어서 지은 밥. 밤·대추·검은 콩 등을 두기도 함.

찰방[1]【察訪】[명]〖역〗조선 시대 때 각 역(驛)의 역참(驛站) 일을 맡아 보던 외직(外職)의 종육품(從六品) 문관(文官) 벼슬. 마관(馬官). *역승(驛丞).

찰방[2] [부] 깊숙한 물에 묵직한 돌멩이 따위가 떨어져서 웅숭깊게 울리어 나는 소리. ㅅ잘방. <철벙. **——-하다** [자타][여불]

찰방-거리다 [자타] 잇따라 찰방 소리가 나다. 또, 잇따라 찰방 소리를 내다. ㅅ잘방거리다. <철벙거리다. **찰방-찰방** [부]. **——-하다** [자타][여불]

찰방-대다 [자타] 찰방거리다.

찰방-사【察訪使】[명]〖역〗고려 때 외직(外職)의 하나.

찰방-역【察訪驛】[—녁] [명]〖역〗조선 시대 때에, 수원(水原)·양주(楊州)·장단(長湍)·인천(仁川) 등지와 같이, 찰방이 주재(駐在)하던 역.

찰-벼 [명] 찹쌀이 나는 벼. 나도(糯稻). 출도(秫稻). ↔메벼.

찰-복숭아 [명] 복숭아의 한 가지. 살이 씨에 꼭 붙고 겉에 털이 없음.

찰-복신 [명] 〈방〉 찰복숭아.

찰-부꾸미 [명] 찹쌀 가루로 만든 부꾸미. 차전병(煎餠).

찰-산병【—散餠】[명] ☞ 차산병.

찰상【擦傷】[—쌍] [명] 스치거나 문질려서 살갗이 벗어진 상처. 찰과상(擦過傷). ¶ ~을 입다.

찰색【察色】[—쌕] [명] ①얼굴빛을 살펴 봄. ②〖한의〗혈색을 보아서 병을 진찰함. **——-하다** [자][여불]

찰-서숙 [명] 〈방〉 차좁쌀(전라·경남).

찰-쇠 [—쐬] [명] 문장부 옆에 박아서 대접쇠와 맞비비게 된 쇳조각. 패검(佩劍). 패철(佩鐵). 패금철(佩金鐵).

찰-수수 명 찰기가 있는 수수.

찰:스 [Charles] 명 영어의 남자 이름. 독일어의 카를(Karl), 프랑스어의 샤를(Charles), 스페인어의 카를로스(Carlos), 이탈리아어의 카를로(Carlo)에 해당함.

찰:스 대:제 【一大帝】 [Charles] 명 〖사람〗 샤를마뉴(Charlemagne).

찰-스슥 명 〈방〉 차좁쌀(충남).

찰:스 이:세 【一二世】 [Charles Ⅱ] 명 〖사람〗 영국 왕. 찰스 일세의 아들. 청교도 혁명(淸教徒革命) 중에 프랑스·네덜란드에 망명(亡命)하였다가 1660년의 왕정 복고(王政復古)로 즉위하여 스튜어트 왕조(王朝)를 부활(復活)시켰음. 의회(議會)를 누르려고 했지만 의회에서는 심사율(審査律)·인신(人身) 보호법 등을 제정하여 왕권(王權)을 제한했음. 왕의 만년(晩年)에 토리(Tory)와 휘그(Whig)의 양당제(兩黨制)가 성립됨. [1630-85; 재위 1660-85]

찰:스 일세 【一一世】 [Charles Ⅰ] [一쎄] 명 〖사람〗 영국 왕. 제임스 일세의 둘째 아들. 즉위 후 스페인·프랑스 양국과 전쟁을 벌여 실패한 데다 왕권 신수설(王權神授說)의 주장, 청교도에 대한 억압 등으로 의회와 자주 충돌하여, 1628년 권리 청원(權利請願)을 야기시켰음. 그 후, 의회(議會) 폐지·증세(增稅)·종교 정책의 실패 등으로 청교도 혁명(淸教徒革命)을 불러 일으켜, 의회로부터 반역죄(反逆罪)로 몰리어 처형됨. [1600-49; 재위 1625-49]

찰:스턴[1] [Charleston] 명 〖지〗 ①미국 웨스트버지니아 주(州)의 주도. 합성 섬유·합성 수지·공업 약품·시멘트·유리 공업이 성하며, 석탄·석유 등의 산업 중심지임. [64,000명(1981)] ②미국 동남부 사우스캐롤라이나 주(州)의 도시. 쿠바 강(江) 하구에 위치하는 천연의 양항(良港). 조선(造船)·비료·석유 정제 공업 등이 행하여짐. 1670년경 창건되었으며, 1861년 남북 전쟁 발발지(勃發地)인 섬터(Sumter) 요새가 있음. [70,000명(1981)]

찰:스턴[2] [Charleston] 명 1920년대, 찰스턴의 흑인(黑人)들 사이에서 일어난 폭스 트로트의 일종. 4박자의 경쾌한 리듬에 맞추어 발끝을 안쪽으로 향하고 무릎으로부터 아래를 옆으로 차면서 춤.

찰시 【察視】 명 일의 상황 따위를 자세히 살핌. ──-하다 타 여불

찰-시루떡 명 찹쌀가루로 찐 시루떡.

찰싸닥 부 물의 면을 손바닥 같은 것으로 때리어 거칠고 요란스럽게 내는 소리. <잘싸닥. <철써덕. ──-하다 자타 여불

찰싸닥-거리다 자타 잇따라 찰싸닥 소리가 나다. 또, 잇따라 찰싸닥 소리를 내다. <잘싸닥거리다. >철써덕거리다. **찰싸닥-찰싸닥** 부. ──-하다 자타 여불

찰싸닥-대다 자타 찰싸닥거리다.

찰싹 부 ①물의 면을 납작한 물건으로 가볍게 때리어 나는 소리. ¶볼기를 ~ 때리다. ②물결이 부딪치는 소리. 1)·2): <잘싹. <철썩. ──-하다 자타 여불

찰싹-거리다 자타 잇따라 찰싹 소리가 나다. 또, 그러한 소리를 내다. <잘싹거리다. <철썩거리다. **찰싹-찰싹** 부. ──-하다 자타 여불

찰싹-대다 자타 찰싹거리다.

찰-쌈지 명 허리띠에 차게 된 주머니 모양의 담배 쌈지. *담배 쌈지.

찰-원수 【一怨讐】 명 여간하여서는 풀리지 아니할 큰 원수.

찰자 【察字】 [一짜] 명 〖역〗 왕세손(王世孫)이 쓰는 '察'자를 새긴 나무 도장.

찰-전병 【一煎餠】 명 〈방〉 차전병.

찰제 【擦劑】 [一쩨] 명 〖약〗 도찰제(塗擦劑).

찰제리 【刹帝利】 [一쩨一] 명 [범 ksatriya] 〖불교〗 인도 사성(四姓) 가운데서 둘째 계급. 왕·왕족(王族). 크사트리아. ㊀찰리(刹利). *바라문(婆羅門)·수다라(首陀羅)·폐사(吠舍).

찰-조[1] 명 〈방〉 〖식〗 차조.

찰조[2] 【察照】 [一쪼] 명 살펴서 봄. 문서(文書)나 편지 같은 데에 쓰는 말. ──-하다 타 여불

찰주[1] 【札駐】 [一쭈] 명 주차(駐箚). ──-하다 자 여불

찰주[2] 【擦柱】 명 〖건〗 상륜(相輪)의 심주(心柱).

찰주 악기 【擦奏樂器】 [一쭈一] 명 〖악〗 찰현(擦絃) 악기.

찰중 【察衆】 [一쭝] 명 〖불교〗 대중을 규찰(糾察)함.

찰지 【察知】 [一찌] 명 살펴서 앎. 양지(諒知). ──-하다 타 여불

찰-지다 형 〈방〉 차지다(경상).

찰진-서숙 명 〈방〉 차좁쌀(전남).

찰-질 명 〈방〉 찰흙(평북).

찰짜 명 수더분한 맛이 없고 몹시 깐깐한 사람.

찰차 【搓次】 명 움직임이 조금씩 서로 어긋짐. ──-하다 형 여불

찰찰[1] 부 액체가 조금씩 넘치는 모양. ¶잔에 술이 ~ 넘친다. <철철.

찰찰[2] 【察察】 부 너무 자세한 모양. ¶봉산 군수는…사람이 찬찬하고 또 ~하였다《洪命憙 : 林巨正》. ──-하다 형 여불

[찰찰이 불찰(不察)이다] 살핌이 지나쳐 오히려 살피지 않은 것만 못하다는 말.

찰카닥 부 ①끈기있는 물건이 세차게 들러붙었다가 떨어지는 소리. ②서로 닿으면 걸리어 붙게 된 단단한 물건끼리 맞부딪치어 마치게 나는 소리. ¶~ 하고 수갑(手匣)을 채우다. ③납작한 물건끼리 맞부딪치어 끈기있게 나는 소리. ㊀찰칵. 1)-3): <잘가닥. <잘까닥·짤까닥. <철커덕. ──-하다 자타 여불

찰카닥-거리다 자타 잇따라 찰카닥 소리가 나다. 또, 잇따라 찰카닥 소리를 나게 하다. ㊀찰칵거리다. <잘가닥거리다. <잘까닥거리다·짤까닥거리다. <철커덕거리다. **찰카닥-찰카닥** 부. ──-하다 자타 여불

찰카닥-대다 자타 찰카닥거리다.

찰카당 부 서로 닿으면 걸리어 붙게 된 쇠붙이 등의 단단한 물건끼리 맞부딪치어 울리는 소리. ㊀찰캉. <잘가당. <잘까당·짤까당. <철커덩. ──-하다 자타 여불

찰카당-거리다 자타 잇따라 찰카당 소리가 나다. 또, 잇따라 찰카당 소리를 나게 하다. ㊀찰캉거리다. <잘가당거리다. <잘까당거리다·짤까당거리다. <철커덩거리다. **찰카당-찰카당** 부. ──-하다 자타 여불

찰카당-대다 자타 찰카당거리다.

찰칵 부 ①↗찰카닥. ②사진기의 셔터 따위를 누를 때 나는 소리. ¶~ 하고 사진을 찍다. 1)·2): <잘각. <잘깍·짤깍. ──-하다 자타 여불

찰칵-거리다 자타 ↗찰카닥거리다. <잘각거리다. <잘깍거리다·짤깍거리다. **찰칵-찰칵** 부. ──-하다 자타 여불

찰칵-대다 자타 찰칵거리다.

찰캉 명 ↗찰카당. ──-하다 자타 여불

찰캉-거리다 자타 ↗찰카당거리다. **찰캉-찰캉** 부. ──-하다 자타 여불

찰캉-대다 자타 찰캉거리다.

찰코 부 〈방〉 차라리.

찰코사니 감 〈방〉 잘코사니.

찰토 【刹土】 명 〖불교〗 국토(國土)를 이르는 말.

찰-통 명 아주 고치기 어려운 매독(梅毒).

찰편 명 〈방〉 찰떡.

찰-피 명 피의 한 가지. 차진 기가 있음.

찰-피나무 명 〖식〗 [*Tilia mandshurica*] 피나뭇과에 속하는 낙엽 활엽 교목. 잎은 넓은 달걀꼴이고 뒷면에는 백색의 성상(星狀) 털이 밀포(密布)함. 6월에 노란 꽃이 액생(腋生)하여 산방상(繖房狀) 화서로 피며, 둥근 과실이 10월에 익음. 산지(山地)에 나는데, 전북을 제외한 한국 각지 및 만주·중국에 분포함. 정원수로 심으며 나무 껍질은 새끼의 대용(代用)이 됨.

찰필 【擦筆】 명 ①압지(押紙)나 얇은 가죽으로 말아서 붓과 같이 만든 물건. 콩테(conté)나 목탄화(木炭畫)를 그릴 때, 문질러서 빛을 차차 흐리게 하는 데 쓰임. ②〖미술〗 동양의 산수화(山水畫)에서, 바위나 언덕을 준법(皴法)으로 처리한 뒤, 마른 붓으로 문질러 그 부분에 짙고 어두운 느낌을 갖게 하는 수법.

〈찰필❶〉

찰필-화 【擦筆畫】 명 〖미술〗 찰필로 문질러서 빛이 차차 흐려지는 효과를 내어 그린 그림.

찰핍 【拶逼】 명 바싹 가까이 다가 붙음. ──-하다 자 여불

찰하로 부 〈옛〉 차라리. =촐하로. ¶찰하로 다 떨치고 일업시 늙으리라《古時調 金裕器》.

찰한 【札翰】 명 편지(片紙).

찰합이 【察哈爾】 명 〖지〗 '차하르'의 한자 이름.

찰합태 【察合台】 명 〖사람〗 '차가타이'의 한자 이름.

찰합태 한국 【察合台汗國】 명 〖역〗 '차가타이 한국'의 한자 이름.

찰험 【察驗】 명 잘 살펴보고 생각함. ──-하다 자 여불

찰현 악기 【擦絃樂器】 명 [bowed instrument] 〖악〗 활로써 현(絃)을 마찰하여 소리를 내게 된 악기. 바이올린·첼로 등. 찰주(擦奏) 악기. 궁현(弓絃) 악기.

찰혜 【察慧】 명 밝고 지혜로움. ──-하다 형 여불

찰흑 명 〈방〉 진흙(경남).

찰-흙 [一흑] 명 차진 흙.

참[1] 명 [중세 : 춤] ①길과 속이 맞아 거짓이 없음. ¶~사랑. ②옳고 바른 일. 진리(眞理). ③〖수·컴퓨터〗 어떤 조건 하에서 그 명제(命題)가 옳은 것. 1)·3): ↔거짓.

참:[2] 명 〈방〉 끼니때(경북).

참:[3] 【站】 ㊀명 〖역〗 ①역로(驛路)에서 거쳐 가다 쉬던 곳. 쉴 만한 곳이 마련되어 있었음. *역참(驛站). ②일을 하다가 쉬는 정해진 시간에 먹는 식사. ¶~을 먹다. ③길을 가다가 쉬는 곳. ¶충계 ~. ④일을 하다가 쉬는 시간. ¶저녁 ~. ㊁의명 어떠한 '경우'나 무엇을 할 '예정(豫定)'을 나타내는 말. ¶시장하던 ~이라 많이 먹힌다/월급을 타면 이사를 할 ~이다.

참:[4] 【斬】 명 ①↗참수(斬首). ②〖역〗 참형(斬刑). ──-하다 타 여불

참:[5] 【懺】 명 ↗참회(懺悔).

참:[6] [charm] 명 ①사람을 호리어 끎. 또, 그 힘. 매력(魅力). ¶~ 스쿨. ②마력(魔力).

참[7] 부 〈방〉 퍽[4](충남·전북).

참[8] ㊀부 '정말·과연·참말로' 등의 뜻을 나타내는 말. 짜장. ¶~ 좋소/~ 기쁘다. ㊁감 까맣게 잊었던 일이 문득 생각이 나거나, 감정이 극진할 때 감탄을 품은 '참말로'와 같은 뜻으로 쓰이는 말. ¶~, 잊었네/~, 이제 생각이 나는군/~, 예쁘기도 해라.

참- 접 ①거짓이 아니고 정(正)짜의 뜻을 나타내는 말. ¶~말/~벌. ②허름하지 않고 썩 좋은 뜻을 나타내는 말. ¶~먹/~숯.

참가 【參加】 명 ①어떠한 모임이나 단체에 참여함. ¶~의 의의(意義). ②정한 인원 밖에 더 들어감. ③어떤 법률 관계에 당사자 이외의 제삼자가 관여하는 일. ──-하다 자 여불

참가-국 【參加國】 명 어떠한 국제적 회합(會合)이나 조약(條約) 같은 것에 참여한 나라.

참가-권 【參加權】 [一꿘] 명 참가할 수 있는 권리.

참가 금융 【參加金融】 [一/一늉] 명 〖경〗 출자(出資)를 통하여 자본 공급자(供給者)가 기업에 참가하는 금융. 자체(自體) 금융의 하나임. 자본 공급자는 그 자본 출자에 대하여 일정한 이자(利子) 대신 이익 분배(利益分配)를 받으며, 기업의 청산 대금(淸算代金)에 대해서도 참가하는 점 등이 특징임.

참-가사리 명 〖식〗 [*Gloiopeltis tenax*] 홍조류(紅藻類)에 속하는 해초(海草). 불가사리와 비슷한데, 높이 5-15cm의 엽상(葉狀)의 원주상이

고 규칙적으로 가지를 벋으며 암자색임. 체강(體腔)은 훨씬 작고 가는 실 모양 세포로 가득 차 있음. 불가사리와 함께 풀·직물·공예품 등의 원료로 쓰임. 식용도 함. 한국의 동남 해안·일본 등에 많이 남. 세모(細毛).

참가 사채【參加社債】명 [participating bond]〖경〗어떤 일정률(率)의 이자(利子) 지급을 받고, 또 기업 이윤의 분배에도 참가할 수 있도록 약속되는 사채.

참가 승계【參加承繼】명〖법〗민사 소송에 있어서 소송의 목적물이 어느 특정인에 의하여 인수 승계(引受承繼)되었을 때, 이 승계인이 소송에 참가하고 전임자인 당사자(當事者)의 소송을 계승하는 일. *인수 승계(引受承繼). ——-하다 자 여불

참-가시나무 명〖식〗[*Cyclobalanopsis stenophylla*] 참나뭇과에 속하는 상록 활엽 교목. 가시나무와 비슷한데 잎은 피침상의 긴 타원형으로, 잎 뒤가 분처럼 희고 5월에 자웅 동가(雌雄同家)의 꽃이 피는데, 수꽃이삭은 길고, 암꽃이삭은 3-4개이며, 견과(堅果)는 11월에 익음. 해변의 산록(山麓)에 나는데, 전남 및 일본에 분포함. 줄기는 기구재·신탄재(薪炭材), 과실은 식용함.

참가-인【參加人】명 ①참가한 사람. ¶～ 연명부(連名簿). ②〖법〗민사 소송법상 타인간에 계속(繫屬)된 소송에 참가하는 제삼자. ③어음법상 참가 인수·참가 지급을 하는 사람.

참가 인:수【參加引受】명〖법〗환어음에서 인수 거절 등 만기 전에 소구(遡求) 원인이 발생하였을 때, 그 소구권의 행사를 저지(沮止)하기 위하여 지급인 이외의 사람이 소구 의무자 중의 어떤 사람을 위해서 그 사람과 동일한 의무를 부담하는 일.

참가-자【參加者】명 참가한 사람. 참가인(參加人).

참-가자미 명〖어〗[*Limanda herzensteini*] 붕넙칫과에 속하는 바닷물고기. 몸길이 40cm 내외로, 입이 작고 옆줄은 가슴지느러미 위쪽에서 반월형으로 만곡(彎曲)되어 있음. 몸 오른쪽에 두 눈이 있는데, 그 부분의 몸빛은 회갈색이며 반대 쪽은 백색임. 한국 연해(沿海)·중국해·일본에 분포함. 맛이 좋음.

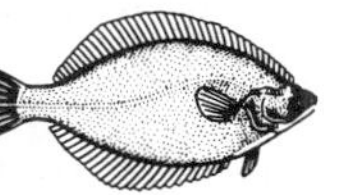

〈참가자미〉

참가적 우선주【參加的優先株】명 [participating preferred stock]〖경〗우선적 배당률을 초과하여 이윤 분배(利潤分配)에 참가할 수 있는 우선주. ↔비(非)참가적 우선주.

참-가죽 명〖생〗진피(眞皮).

참가-증【參加證】[—쯩] 명 참가할 권리를 나타내는 증서나 증표.

참가 지급【參加支給】명〖법〗환어음 및 약속 어음에 있어서 인수(引受)·지급의 거절 등 만기(滿期)의 전후(前後)를 불문하고 소구(遡求) 원인이 발생하였을 때 소구를 저지할 목적으로 본래 지급할 사람 이외의 제삼자가 소구 의무자 중의 어떤 자를 위하여 하는 지급. 영예 지급(榮譽支給).

참:간[1]【斬奸】명 간악한 놈을 자름. 나쁜 놈을 죽임. ——-하다 타 여불

참간[2]【參看】명 참관(參觀). ——-하다 타 여불

참:간-장【斬奸狀】[—짱] 명〖역〗간악한 사람을 죽일 때에 그 이유를 적은 글.

참-갈매나무 명〖식〗[*Rhamnus davurica* var. *nipponica makino*] 갈매나뭇과에 속하는 낙엽 활엽 소교목. 가시가 있으며, 잎은 도피침형(倒披針形) 또는 피침형으로 밑은 둥글거나 날카롭고 끝에 파도 모양의 작은 톱니가 있음. 꽃은 자웅 이가(雌雄異家)로 1-2개이고 액생(腋生)하며, 과실은 핵과(核果)로서 9월에 까맣게 익음. 산이나 개울 둑에 나는데, 강원도를 제외한 한국 각지 및 일본·만주에 분포함. 약용 또는 물감으로 쓰임.

참-갈퀴덩굴 명〖식〗[*Galium koreanum*] 꼭두서닛과에 속하는 다년초. 줄기는 높이 30cm 가량, 연하고 총생(叢生)하며, 잎은 거꿀달걀꼴 피침형(披針形)으로 줄기의 각 마디에서 두 잎의 정엽(正葉)과 엽상 탁엽(葉狀托葉)과 함께 4-6개씩 윤생(輪生)함. 6-8월에 백녹색의 꽃이 가지 끝에 취산(聚繖)꽃차례로 피고, 과실은 쌍두상 구형(雙頭狀球形)으로 갈고리 같은 털이 있음. 산야(山野)에 나는데, 제주·전남·경상도에 분포함.

참-감자 명〈속〉고구마.

참-값 [—갑] 명〖수〗일정한 측정에 의하여 알려고 하는 양의 크기의 정확한 값. 진가(眞價).

참개【慙慨】명 몹시 부끄러워서 탄식함. ——-하다 자 여불

참-개구리 명〖동〗[*Rana nigromaculata*] 개구릿과에 속하는 양서류(兩棲類). 몸길이 5-9cm이고, 머리가 약간 삼각형이며, 몸빛은 보통 녹갈색에 암갈색이나 흑색의 반문(斑紋)이 있으며, 배면(背面)은 백·청·갈색 바탕에 청·흑·갈색의 반문이 약간 있고, 피부에 주름과 혹 모양의 돌기(突起)가 많으며, 복부(腹部)는 백색 또는 담황색(淡黃色)임. 5-7월에 한천질(寒天質)에 싸인 알을 물에 낳음. 무논에서 사는 가장 흔한 개구리로, 한국·만주·몽골·중국·우수리·아무르·일본을 비롯하여 타이까지 분포함. 누괵(螻蟈). 장고(長股). 전계(田鷄). 좌어(坐魚). 준개구리.

〈참개구리〉

참-개별꽃 명〖식〗[*Pseudostellaria coreana*] 너도개미자릿과에 속하는 다년초. 괴근(塊根)은 굵고 곧은 줄기는 높이 25cm 가량임. 잎은 대생(對生)하며 잎자루가 없고 각엽(脚葉)은 긴 피침형, 윗잎은 달걀꼴임. 5월에 흰 오판화(五瓣花)가 줄기 끝의 잎 사이에 달려 화경(花梗)에 피고, 달걀꼴의 삭과(蒴果)는 익으면 네 조각으로 째어짐. 산지에 나는데, 전남·경남에 분포함.

참-개싱아 명〖식〗[*Pleuropteropyrum microcarpum*] 마디풀과에 속하는 다년초. 개싱아와 비슷한데, 근경(根莖)은 굵고 줄기 높이 50cm 이상이며, 잎은 호생(互生)하고 달걀꼴 타원형 또는 달걀꼴 피침형(披針形)에 잎자루가 있는 것과 없는 것이 있음. 7-8월에 녹백색의 꽃이 총상(總狀)꽃차례로 줄기 끝이나 가지 끝에 정생(頂生)하여 피고, 수과(瘦果)는 삼릉형(三菱形)임. 산지(山地)에 나는데, 경기·함남·함북 등지에 분포함.

참-개암나무 명〖식〗[*Corylus sieboldiana*] 개암나뭇과에 속하는 낙엽 활엽 관목(落葉闊葉灌木). 높이 2-3m이고, 잎은 호생(互生)하며 타원형 또는 거꿀달걀꼴, 가에는 큰 톱니가 있고, 잎자루에는 백색의 긴 털이 났음. 봄에 자웅 동가(雌雄同家)의 단성화(單性花)가 피는데, 수꽃이삭은 길게 드리우며 암꽃이삭은 달걀꼴이고, 각두(殼斗)가 있는 견과(堅果)는 구형(球形)이며, 10월에 익음. 산복(山腹) 이하의 땅에 나는데, 경북·충남북을 제외한 한국 각지 및 일본에도 분포함. 과실은 식용(食用) 및 약용(藥用), 재목은 신탄재(薪炭材)로 씀.

〈참개암나무〉

참-개연꽃【—蓮—】명〖식〗[*Nuphar coreanum*] 개연꽃과에 속하는 다년생의 수초(水草). 줄기는 두껍고 길며, 가로 누워 뻗으며 해면질(海綿質)이고, 잎은 달걀꼴로 근생(根生)하는데, 잎자루가 길어 물 위에 나왔음. 8-9월에 황색 꽃이 뿌리에서 나온 긴 화경(花梗) 끝에 하나씩 피며, 과실은 삭과(蒴果)임. 연못·물웅덩이 등에 나는데, 황해도의 장연(長淵)에 분포함.

〈참개연꽃〉

참-검정풍뎅이 명〖충〗[*Holotrichia diomphalia*] 풍뎅잇과에 속하는 곤충. 몸길이 16-21mm, 몸빛은 흑갈색 내지 진한 검정빛이며 광택이 남. 촉각은 황갈색 또는 적갈색이고 시초(翅鞘)의 회합선(會合線)은 높게 융기함. 농작·원예 상의 해충으로, 한국에도 분포함.

참-게 명〖동〗[*Eriocheir sinensis*] 바위겟과에 속하는 동물. 동남참게와 비슷한데, 갑(甲)의 길이 50mm, 폭 61mm 내외로 갑각(甲殼)의 표면은 몹시 융기하였고, 위역(胃域) 전면의 네 개의 능선(菱線)은 과립(顆粒)으로 되며, 이마에는 네 개의 이(齒)가 있음. 하구(河口) 및 바닷가에 서식하는데, 황해에 면한 중국 및 한국의 충남 이북에 분포하고, 근년(近年)에 독일·프랑스에서도 채집되었음. 폐(肺)디스토마의 중간 숙주(宿主)로 알려진 후로는 생식(生食)을 피함.

〈참검정풍뎅이〉

참견【參見】명 ①참여하여 관계함. ¶남의 일에 ～하다. ②참관(參觀). ——-하다 타 여불

참경【慘景】명 끔찍하고 참혹한 광경. ¶～을 목격하다.

참고[1]【參考】명 ①살펴서 생각함. ②참조하여 고증(考證)함. ¶～ 서적/의견을 ～하다. ——-하다 타 여불

참고[2]【慘苦】명 참혹한 고통.

참고 과차【參考科次】명〖역〗과시(科試)의 차례를 참고하던 일. 곧, 그 성적의 등급(等級)을 구등(九等)으로 나누고 삼하(三下) 이상을 급제(及第)로 함.

참고-관【參考官】명〖역〗조선 시대 때, 과시(科試)의 시험관의 하나. 삼품(三品) 이하의 관헌으로 보(補)함. *참시관(參試官).

참-고둥 명〖조개〗① 피뿔고둥. ②〈방〉소라고둥.

참-고래 명〖동〗[*Eubalaena sieboldi*] 참고랫과에 속하는 고래의 하나. 몸은 길이 14-20m이고 비대하며 몸빛은 흑색에 때로 복면(腹面)에 불규칙한 백색 반문(斑紋)이 있음. 머리가 크며 선단에 각질(角質)의 혹 모양의 돌기(突起)가 있고 위에는 두 개의 콧구멍이 열려 있음. 상악(上顎)이 몹시 좁고 아래쪽으로 굽었으며, 등지느러미는 없음. 수염은 길이 3m, 폭 30cm가량으로 각측(各側)에 200-260개가 있음. 주로 부유성(浮遊性)의 갑각류(甲殼類)를 포식(捕食)함. 태평양 특산인데 마구잡이로 거의 멸종(滅種)이 되어 가므로 국제적(國際的)으로 그 포획(捕獲)이 금지되고 있음.

〈참고래〉

참고랫-과【—科】명〖동〗[Balaenidae] 수경류(鬚鯨類)의 한 과(科).

참고 문헌【參考文獻】명 조사·연구 등의 참고 자료로 하는 문서.

참고-서【參考書】명 ①어떤 일을 조사하고 다루는 데 참고가 되는 서적. ②수험(受驗)이나 교수(敎授)에 참고하기 위하여 보는 책. 지도서(指導書). *자습서(自習書).

참고-인【參考人】명 ①어떤 사람의 성격이나 능력에 관하여 또는 어떤 사물에 관하여 참고가 될 만한 의견을 진술(陳述)하는 사람. ②〖법〗범죄 수사(犯罪搜査)를 위하여 수사 기관에서 조사를 받는 사람 중 피의자(被疑者) 이외의 사람.

참고-적【參考的】명 관 참고가 되는 것.

참고-품【參考品】명 참고가 될 만한 물건.

참-골무꽃 명〖식〗[*Scutellaria strigillosa*] 꿀풀과에 속하는 다년초. 골무꽃과 비슷한데, 희고 잔털이 있으며, 줄기 높이 30cm 내외이고 지하경(地下莖)으로 번식하며, 잎은 대생(對生)하고 단병(短柄)이며 피침형 또는 긴 타원형임. 7-8월에 자색 꽃이 줄기 끝에 액생(腋生)하여 핌. 해변의 모래땅에 나는데, 경남의 거제도, 함남의 신포(新浦), 일본의 홋카이도 및 동부 아시아에 분포함.

참-골풀 명〖식〗[*Juncus brachyspathus*] 골풀과에 속하는 다년초. 근경(根莖)은 가로 뻗으며, 마디 사이가 짧음. 줄기는 높이 30cm 내외의 원주형이고 총생(叢生)하며, 잎은 보통 없고 줄기의 아래쪽에 인편상

(鱗片狀)의 암갈색 엽초(葉鞘)가 있을 뿐임. 꽃은 7월에 오목한 취산(聚繖)꽃차례로 피고, 삭과(蒴果)는 삼릉상(三稜狀) 타원형임. 고원의 습지에 나는데, 평북·함남·함북에 분포함.

참관【參觀】명 어떤 곳에 나아가서 봄. 참간(參看). 참견(參見). ——-하다 타여불

참관-기【參觀記】명 참관한 내용을 쓴 기록.

참관-단【參觀團】명 참관인의 일단(一團). 참관을 목적하여 조직(組織)한 단체(團體).

참-관박쥐【—冠—】명〖동〗관박쥐.

참관 수업【參觀授業】명 학교에서, 부형(父兄) 또는 교육 관계자에게 교사의 지도 방법이나 학생의 학습 활동(學習活動)을 보여 주기 위하여 행하는 수업.

참관-인【參觀人】명 ①참관하는 사람. 참관자. ②〖법〗선거 때에 투표와 개표 상황을 참관하는 사람. 투표 참관인과 개표 참관인 등.

참관-일【參觀日】명 직접 그 자리에 가서 보는 날.

참관-자【參觀者】명 참관인(參觀人)❶.

참괴【慙愧】명 부끄럽게 여김. 참뉵(慙恧). 참수(慙羞). ——-하다 자여불

참:괵【斬馘】명 참수(斬首).

참교[1]【參校】명〖역〗①조선 시대 승문원(承文院)의 종삼품 벼슬. ②대한 제국 때 무관(武官) 계급의 하나. 하사(下士)의 최하급으로 부교(副校)의 다음임.

참교[2]【參敎】명〖대종교〗도본사(道本司)에서 전형(銓衡)을 맡은 교직의 하나.

참구[1]【參究】명 ①참고하여 연구함. ②〖불교〗참선(參禪)하여 진리를 연구함. ——-하다 타여불

참구[2]【讒口】명 남을 헐뜯어 없는 죄를 있는 것처럼 꾸며서 말하는 간사하고 못된 입.

참구[3]【讒構】명 참소하는 말로 남을 못된 곳에 얽어 넣음. ——-하다 타여불

참구-장【讒口章】[—짱] 명〖악〗용비어천가 제123장의 이름.

참군【參軍】명〖역〗①고려 때 개성부(開城府) 정칠품 벼슬. 공민왕 5년(1356)에 기실 참군(記實參軍)을 고친 이름임. ②조선 국초(國初) 때 개성부(府)의 정칠품, 훈련관(訓鍊觀)의 종칠품 벼슬. ③조선 시대 때 한성부(漢城府)와 훈련원(訓鍊院)의 정칠품 벼슬. ④↗사산 참군(四山參軍). ⑤중국 후한(後漢)말의 군무를 참모(參謀)하는 참군사(參軍事). ⑥중국 명대(明代)에 중서성(中書省)에 두어진 속관(屬官)의 이름. ⑦중국 당대(唐代)에 배우가 관원(官員)으로 분장하던 사람.

참군-희【參軍戲】명 중국 당(唐)·오대(五代) 시대의 극(劇)의 한 형식. 참군(參軍)이 창(蒼)·골(鶻) 두 사람과 함께 출연(出演)하는 해학 문답(諧謔問答).

참극【慘劇】명 ①슬프고 참혹한 사실을 재료로 한 연극. ②참혹하고 불쌍하게 벌어진 일.

참:급【斬級】명 ①적의 목을 벰. ②옛날 전쟁에서 사람의 머리를 베어서 엮던 두름.

참-기름 명 참깨로 짠 기름. 반건성유(半乾性油)로, 올레산(酸) 75 %와 스테아르산(酸)·팔미트산(酸) 등을 함유함. 식용유(食用油)로 쓰이는 외에 연고 기제(軟膏基劑)·머릿기름 등으로도 씀. 지마유(脂麻油). 진유(眞油). 향유(香油). 호마유(胡麻油). 준기름. *들기름.

참까마귀-부전나비 명〖충〗[*Strymon eximia*] 부전나빗과에 속하는 곤충. 편 날개의 길이는 32-42 mm이고 날개의 표면은 흑갈색, 뒷면은 회흑색이며, 수컷의 앞날개에는 흑색의 원문(圓紋) 또는 타원형의 무늬가 있음. 뒷날개 뒷면의 백색 무늬는 'W'자 모양이며, 뒷날개 표면에 등홍색(橙紅色) 무늬가 있음. 한국·일본 등지에 분포함.

참-깨 명〖식〗[*Sesamum indicum*] 참깻과에 속하는 일년생 재배 초본. 줄기는 곧게 서며 높이 60-120 cm이고 잔털이 났으며, 잎은 대생하고 위쪽의 잎은 호생하며 피침형 또는 긴 타원형이고, 작은 탁엽(托葉)이 있음. 5-6월에 백색 또는 담홍색에 짙은자색의 반점이 있는 통상화(筒狀花)가 액출(腋出)하여 한 개씩 피고, 삭과(蒴果)는 길이 2-3 cm의 긴 타원형이 여러 방(房)으로 갈라지며, 백색·황색·흑색 등의 많은 씨가 있음. 인도 또는 아프리카 원산(原產)이라고 하는데, 아열대의 중국·북미·터키·한국·일본 등지에서 재배함. 씨는 '참깨'라 하여 볶아서 먹거나 또는 기름을 짜서 요리에 쓰고 깻묵은 비료 또는 사료로 하며 어린 잎도 먹음. 특히, 씨가 흑색인 것을 '흑임자(黑荏子)'라 함. 백유마(白油麻). 백지마(白芝麻·白脂麻). 백호마(白胡麻). 진임(眞荏). *들깨.

〈참깨〉

[참깨가 기니 짧으니 한다] 거의 같은 것들 중에서 굳이 크고 작음을 가리려 함을 비유하는 말. [참깨 들깨 노는데 아주까리 못 놀까] 남들도 다 하는데 나도 한몫 끼자고 나설 때 이르는 말.

참깨-죽【—粥】명 깨죽.

참깻-과【—科】명〖식〗[Pedaliaceae] 합판화류(合瓣花類)에 속하는 한 과. 씨에 기름기가 많으며, 대개는 초본(草本)으로 44 속(屬) 47 종(種)이 있는데 열대 지방에 많이 나며, 한국에는 들깨·수염마름·참깨 등의 2 속 3 종이 분포함.

참-깻묵 명 참기름을 짜낸 찌끼. *들깻묵.

참-꽃 명 먹는 꽃이라는 뜻으로 '진달래'를 일컫는 말. ↔개꽃.

참꽃나무-겨우살이 명〖식〗[*Rhododendron micranthum*] 철쭉과에 속하는 낙엽 활엽 관목. 잎은 타원형 또는 거꿀달걀꼴 타원형으로 뒷면에 쇠녹 빛의 인편(鱗片)이 밀포함. 봄에 흰 꽃이 총상(總狀) 화서로 정생(頂生)하여 피고, 삭과(蒴果)는 짧은 원주형으로 10월에 익음. 산기슭 양지(陽地)에 나는데, 경북·평북 및 중국·만주에 분포함. 관상용(觀賞用)임.

참-꽃마리 명〖식〗[*Trigonotis radicans*] 지칫과에 속하는 다년초. 가늘고 긴 줄기는 덩굴 모양으로 가로 누워 뻗으며 높이 1 m가량임. 근엽(根葉)은 총생하고, 엽병(葉柄)이 길며 심장상(心臟狀) 달걀꼴인데, 경엽(莖葉)은 엽병이 짧고, 달걀꼴 타원형임. 4-7월에 담남색(淡藍色) 꽃이 총상(總狀)꽃차례로 줄기 끝에 정생(頂生)하여 피고, 견과(堅果)는 9월에 익음. 산과 들의 습지에 나는데, 한국 각지에 분포함.

참-꽃바지 명〖식〗[*Bothriospermum secundum*] 지칫과에 속하는 1년 또는 2년초. 온몸에 잔털이 산포하며, 줄기 높이 25 cm 가량이고, 잎은 호생하며 근엽(根葉)은 유병(有柄), 경엽(莖葉)은 무병임. 7-8월에 엷은 남색의 꽃이 총상(總狀)꽃차례로 줄기 끝에 정생(頂生)하여 피고, 분과(分果)는 타원형임. 산지에 나는데, 제주·평북·함남·함북 등지에 분포함.

참-꿩의다리 [—/—에—] 명〖식〗[*Thalictrum actaefolium* var. *brevistylum*] 미나리아재빗과의 다년초. 높이 60 cm 내외. 잎은 호생하며, 엽병(葉柄)이 있는데 2-3회 삼출(三出)하며, 소엽(小葉)은 넓은 거꿀달걀꼴이고 가에는 거친 톱니가 있으며, 잎 뒤는 분처럼 흼. 8월에 홍백색의 꽃이 정생(頂生)하여 원추(圓錐)꽃차례로 피고 과실은 수과(瘦果)임. 산지(山地)에 나는데 충청 북도의 속리산(俗離山)에 분포함. 어린잎과 줄기는 식용함.

참-나래박쥐 명〖식〗[*Cacalia koraiensis*] 국화과에 속하는 다년초(多年草). 나래박쥐와 비슷한데, 줄기는 곧고 높이 1-2 m이며 잎은 거의 삼각형임. 8월에 흰 두상화(頭狀花)가 줄기 끝이나 가지 끝에 관상 원추(圓錐)꽃차례로 피고 수과(瘦果)에는 흰 관모(冠毛)가 있음. 깊은 산에 나는데, 함남의 부전 고원(赴戰高原) 등지에 분포함. 어린잎은 식용(食用)함.

참-나리 명〖식〗[*Lilium lancifolium*] 백합과에 속하는 다년초. 인경(鱗莖)은 둥글고, 줄기는 원추형이며, 높이 1-2 m이고 자갈색인데, 어린 가지에는 백색의 잔털이 있음. 잎은 호생하고 무병(無柄)에 넓은 선형 또는 피침형이며 엽맥(葉脈)에서 자흑색의 주아(珠芽)가 나옴. 7-8월에 황적색에 암자색의 작은 반점이 있는 꽃이 피고, 꽃잎이 바깥으로 말리며 협과(莢果)는 긴 거꿀달걀꼴임. 산야(山野)에 나는데, 중국 원산(原產)으로, 한국의 중부 이남 및 일본에 분포함. 꽃향내가 좋아 관상용으로 심음. 인경은 약용 또는 식용함. 준나리.

〈참나리〉

참나리-꽃 명〈방〉개나리꽃(경남).

참-나무 명〖식〗①참나뭇과에 속하는 갈참나무·굴참나무·물참나무·졸참나무 등의 총칭. ②상수리나무.

참나무-겨우살이 명〖식〗[*Loranthus yadoriki*] 참나무겨우살잇과에 속하는 기생(寄生) 상록 관목. 잎은 혁질(革質)인데 넓은 타원형이고 잎 뒤에 갈색의 털이 밀생함. 6-7월에 양성(兩性)의 꽃이 액출(腋出)하여 2-3개가 피며, 과실은 넓은 타원형으로 털이 있고 황색이며 11월에 익음. 생달나무·참나무류에 기생하는데, 제주도·일본·대만 등지에 분포함.

〈참나무겨우살이〉

참나무겨우살잇-과【—科】명〖식〗[Loranthaceae] 쌍자엽 식물 이판화류(離瓣花類)에 속하는 한 과. 전세계에 900여 종. 한국에는 꼬리겨우살이·참나무겨우살이 등이 분포함. *겨우살잇과.

참나무-명충나방【—螟蟲—】명〖충〗상수리들명나방.

참나무-산누에나방【—山—】명〖충〗[*Antheraea yamamai*] 산누에나방과에 속하는 곤충. 성충의 몸길이 35 mm 가량이고 편 날개의 길이는 115-140 mm이며, 몸빛은 회황색 내지 암자색이나, 날개의 내외 횡선(內外橫線)은 적갈색 내지 암갈색이고, 중앙실(中央室) 끝의 안상(眼狀)의 원문(圓紋)은 중심이 투명함. 수컷의 촉각은 우모상(羽毛狀)이고 암컷은 사상(絲狀)이며, 백색의 알을 120-130 개 낳고 3-4 일 만에 죽음. 유충은 '멧누에'라고 하는데 몸길이 10 cm가량이며, 몸빛은 처음에 황록색이나 녹색으로 변하고, 몸에는 털이 많은 돌기(突起)가 있으며, 6-7월에 고치를 만들고 한 달 만에 번데기에서 우화(羽化)함. 유충은 상수리나무·밤나무·사과나무·졸참나무 등의 잎을 갉아먹는 해충(害蟲)으로, 한국·일본·중국 등지에 분포함. 멧누에나비. 천잠나비. 산견아(山繭蛾). 천잠아(天蠶蛾).

〈참나무산누에나방〉

참나무-하늘소 [—쏘] 명〖충〗[*Mallambyx raddei*] 하늘솟과에 속하는 곤충. 몸길이 40-53 mm이고, 몸빛은 칠흑색 내지 흑갈색이고, 온몸에 황토색의 털이 있음. 전흉 배면(前胸背面)에는 옆으로 많은 주름과 두개의 결절(結節)이 있으며, 주둥이는 삐죽하고 촉각(觸角)이 긺. 유충(幼蟲)은 '밤나무벌레'라고 하는데, 밤나무·굴밤나무 등의 해충(害蟲)으로, 한국·일본 등지(等地)에 분포함. 왕하늘소. 미끈이하늘소.

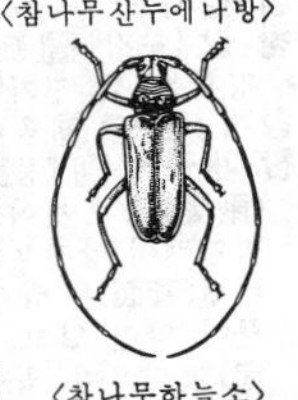

〈참나무하늘소〉

참-나물 명〖식〗[*Pimpinella calycina*] 미나릿과에 속하는 다년초(多年草). 파드득나물과 비슷한데, 높이 40-50 cm이고, 잎은 호생(互生)하며 근생엽

〈참나물〉

(根生葉)은 장병(長柄), 경엽(莖葉)은 단병(短柄)이며, 이회 삼출 복엽(二回三出複葉)이고 소엽(小葉)은 달걀꼴 또는 긴 타원형에 톱니가 있음. 6-8월에 흰 오판화가 복산형(複繖形)꽃차례로 가지 끝에 모여 피고, 과실(果實)은 길이 5mm 내외의 좁은 달걀꼴임. 산지(山地)의 나무 그늘에 나는데, 한국 및 일본·중국 등지(等地)에 분포(分布)함. 어린 잎은 무쳐서 먹고 흉년(凶年)에는 구황용(救荒用)임. 향기(香氣)가 있음.

참나뭇-과【一科】[명]〖식〗[Fogaceae] 쌍자엽 식물 이판화류(離瓣花類)에 속하는 한 과. 교목 또는 관목으로, 전 세계에 400여 종이 있는데, 한국에는 굴참나무·떡갈나무·너도밤나무·졸참나무·신갈나무·상수리나무·밤나무·약밤나무 등의 30여 종이 분포함.

참내【參內】[명] 예궐(詣闕). ——-하다 [자][여불]

참녕【讒佞】[명] 아첨하여 남을 참소하는 재주가 있음. ——-하다 [형][여불]

참녜【參一】[명] ←참여(參與). ——-하다 [자][여불]

참-놀래기 [명]〖어〗[*Halichoeres tremebundus*] 양놀래깃과에 속하는 바닷물고기. 길이 20cm 가량이며 놀래기와 비슷함. 등지느러미는 9극(棘) 12조(條), 꼬리지느러미는 3극 12조이고, 종렬(縱列) 비늘은 25개임. 등지느러미에 3종점렬(縱點列)이 있고 배지느러미 근처에 가장자리와 병행하는 선(線)이 둘려 있음. 바닷가의 조수 웅덩이에 많은데 우리 나라 남부 바다, 제주도 연해, 일본 남부 연해에 분포함.

참늑【慙恧】[명] 참괴(慙愧). ——-하다 [자][여불]

참-느릅나무 [명]〖식〗[*Ulmus coreana*] 느릅나뭇과에 속하는 낙엽 활엽 교목. 잎은 긴 타원형 또는 달걀꼴이고, 꽃은 9월에 액생(腋生)하여 모여 피며, 시과(翅果)는 넓은 타원형으로 10월에 익음. 산기슭이나 개울가에 나는데, 전남북·경북·충남 등지에 분포함. 재목은 신탄재(薪炭材), 어린잎은 식용함.

참:다 [一따] [타] 〔중세 : 춤다〕 ①굳은 마음으로 어려운 고비를 잘 견디어 가다. ¶참는 자에게는 복이 있다/화를 ~. ②때를 기다리다.

【참을 인(忍)자 셋이면 살인(殺人)도 피한다.】 매사에 참고 또 참는 마음가짐으로 대처해 나가면 무슨 일이건 해내지 못할 것이 없다는 말.

참-다람쥐 [명]〖동〗청설모.

참-다랑어【一魚】[명]〖어〗다랑어.

참-다래 [명]〖식〗우리나라에서 재배(栽培)한 '키위(kiwi)❷'의 일컬음. ＊양(洋)다래.

참:다-못해 [一따一] [부] 무슨 일을 참을 수 있는 데까지 참다가 더 참을 수가 없어서. ¶~ 한 마디 했다.

참다우- [감] '참답다'의 불규칙 어간. ¶~ㄴ 사랑.

참-닥 [명] 밭에 심어 키운 닥나무. ↔산(山)닥.

참-단풍나무【一丹楓一】[명]〖식〗[*Acer japonicum*] 단풍나뭇과에 속하는 낙엽 활엽 교목. 잎은 원형 또는 장상(掌狀)인데 9-11갈래로 째지며, 열편(裂片)은 난상 피침형이고 가에는 톱니가 있음. 꽃은 5월에 방상(房狀)꽃차례로 정생(頂生)하여 피고, 자웅 동가(雌雄同家)이며, 시과(翅果)는 털이 있고 10월에 익음. 산지에 나는데, 전남·전북·강원 및 일본 등지에 분포함. 재목은 도구재로 쓰고, 관상용으로 심음. ＊단풍나무.

〈참단풍나무〉

참담【慘憺】[명] ①딱하고 슬픈 모양. ②비참하고 가슴 아픈 모양. ¶~한 수용소 생활. ③얼굴에 독기가 있음. ——-하다 [형][여불]

참-답다 [형][ㅂ불] 거짓이 없고 참되다.

참당【參堂】[명] ①절에 기도(祈禱)하러 감. ②남의 집을 방문함. ——-하다 [자][여불]

참-당귀【一當歸】[명]〖식〗[*Angelica gigas*] 미나릿과에 속하는 2-3년초. 뿌리는 비후(肥厚)하고 유즙(乳汁)이 많으며 향기가 강함. 줄기는 높이 1-2m이고, 잎은 1-2회 삼출(三出)하는데, 소엽(小葉)은 3-5갈래로 째지며 열편(裂片)은 긴 타원형, 엽초(葉鞘)는 넓고 자색을 띰. 8-9월에 자색의 오판화(五瓣花)가 복산형(覆繖形)꽃차례로 피고, 과실은 타원형임. 산지(山地)나 골짜기에 나는데, 경남·경북·강원·경기·평북·함남 등지에 분포함. 뿌리는 당귀와 함께 약용, 어린 잎은 식용함.

참:-당나귀【站一】[一땅一] [명] 길 가다가 참참이 꾀를 부려, 가지를 않고 성가시게 구는 당나귀.

참-대 [명]〖식〗[*Phyllostachys reticulata*] 볏과에 속하는 대의 한 가지. 왕대와 비슷한데 훨씬 작음. 높이 1.5-2m, 직경 4cm 가량이고, 초여름에 죽순(竹筍)이 나오며, 잎은 피침형 또는 긴 선형(線形)임. 6-7월에 잔 화수(花穗)가 원추(圓錐)꽃차례로 피고, 영과(穎果)는 가을에 익음. 촌락 부근에 심는데, 전라·충청·강원 및 일본·중국 등지에 분포함. 목질(木質)이 단단하여 담뱃대 등의 기구재·건축재로 쓰고, 죽순(竹筍)은 식용함. 고죽(苦竹). 근죽(簟竹).

〈참대〉

참대-가치 [명]〈방〉참댓개비.

참대-못 [명] 참대로 깎아 만든 못.

참대-침【一鍼】[명] 참대로 만든 침.

참댓-개비 [명] 참대를 잘게 쪼갠 개비.

참덕【慙德】[명] ①덕화(德化)가 널리 미치지 못함을 부끄러워함. ②부덕(不德)을 부끄러워함. ——-하다 [자][여불]

참독【慘毒】[명] 몹시 참혹함. 참학(慘虐). ——-하다 [형][여불]

참:-돈【站一】[一똔] [명] 행상(行喪)하다가 참참이 쉴 때마다 상여꾼에게 술값으로 주는 돈.

참-돌고래 [명]〖동〗[*Delphinus delphis*] 돌고랫과에 속하는 포유 동물의 하나. 고래와 비슷한데, 소형으로 몸길이 1.7-1.8m이고, 주둥이의 부리는 13-15cm임. 몸의 상면(上面)은 흑색 또는 암갈색에 하면은 백색, 측면은 회색·황갈색·백색의 종반(縱斑)이 있음. 가슴지느러미는 흑색이고, 등지느러미는 큼. 20-50마리가 떼지어 서식함. 전세계 온대(溫帶)의 해안에 분포함. 일본 해안 등에서 많이 잡힘. 고기는 맛이 좋고, 가죽은 피혁(皮革)으로 쓰임. 지방(脂肪)은 기계유(機械油)로 쓰임. 지능이 높아 여러 가지 재주를 가르침. 돌고래. 해돈(海豚). 물돼지. 해저(海豬). 돌핀.

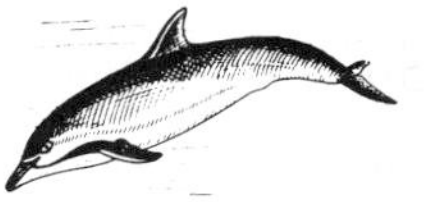
〈참돌고래〉

참-돔 [명]〖어〗[*Chrysophrys major*] 감성돔과에 속하는 바닷물고기. 감성돔과 비슷하여, 체장(體長) 90cm 가량이고, 몸빛은 일반적으로 적색에 녹색 광택을 띠며 청록색의 작은 반점이 산재함. 유어(幼魚)는 선홍색에 청록색의 반점이 선명하고 다섯 줄의 농적색의 가로띠가 있음. 한국 연해·일본·동남중국해·대만·하와이 등지의 연해에 분포함. 맛이 좋음.

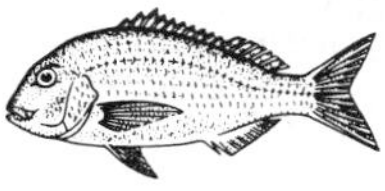
〈참돔〉

참-동이나물 [명]〖식〗[*Caltha palustris* var. *typica*] 성탄꽃과에 속하는 다년초. 줄기는 연하고 약간 두툼하며 높이 30cm 가량임. 근생엽(根生葉)은 4-5개가 총생(叢生)하며 엽병(葉柄)이 길고 경엽(莖葉)은 엽병이 없거나 또는 짧음. 4-5월에 줄기 끝이나 잎 사이에 여러 개의 화경(花梗)이 나와 누런 꽃이 한 송이씩 피고, 과실은 골돌과임. 산지의 습지나 골짜기에 나는데, 강원·평남·함남북에 분포함. 유독함.

참-되다 [一뙤一] [형] 거짓이 없고 진실되다.

참-되이 [一뙤一] [부] 참되게.

참:두【斬頭】[명] 참수(斬首). ——-하다 [타][여불]

참-두릅나물 [명] 두릅나무 순을 삶아 썰어 소금·기름·깨소금에 무친 나물.

참-등【一藤】[명]〖식〗[*Wistaria floribunda*] 콩과에 속하는 낙엽 활엽 만목(蔓木). 잎은 우상 복생(羽狀複生)하고, 소엽(小葉)은 달걀꼴 또는 긴 타원형이며 가에 톱니가 없음. 4-5월에 자색꽃이 총상(總狀)꽃차례로 피고, 잔 털이 있는 긴 타원형의 협과(莢果)는 가을에 익음. 흔히, 사원(寺院) 부근에 심는데, 충북의 속리산(俗離山)에 분포함. 꽃은 식용함.

〈참등〉

참-따랗게 [一라케] [부] 딴 생각을 아니 가지고 아주 참되게. [준]참땋게.

참-땋게 [一따케] [부] ↗참따랗게.

참떼 [명]〈방〉잔디(경북).

참-뚝사초【一莎草】[명]〖식〗[*Carex schmidtii*] 방동사닛과에 속하는 다년초(多年草). 근경(根莖)은 족생(簇生)하고, 줄기는 가늘며 높이 70cm 가량, 잎은 줄기보다 짧으며 폭 3mm 가량임. 6월에 원추형(圓錐形)의 꽃이 피고, 과낭(果囊)은 난원형(卵圓形)임. 들에 나는데, 강원·평남·함남북에 분포함.

참-뜻 [명] 거짓이 없는 참된 뜻. 진의(眞意).

참락【慘落】[一낙] [명] 물건 값이 파는 사람에게 손해되도록 엄청나게 뚝 떨어짐. ——-하다 [자][여불]

참:란【僭亂】[一난] [명] 참람.

참:람【僭濫】[一남] [명] 분수에 넘쳐 외람함. 참란(僭亂). 참월(僭越). ——-하다 [형][여불]. ——-히 [부] ¶이 말을 들으시면 마음을 상하실까 하여 이때까지 ~히 작은 아씨를 기망하였습니다《金宇鎭 : 花上雪》.

참량【參量】[一냥] [명] 참작(參酌). ——-하다 [타][여불]

참렬[1]【參列】[一녈] [명] 반열(班列)에 참여함. ——-하다 [자][여불]

참렬[2]【慘烈】[一녈] [명] 아주 참혹함. 끔찍함. 가혹(苛酷)함. 혹렬(酷烈). ——-하다 [형][여불]

참령【參領】[一녕] [명]〖역〗대한 제국 때 무관(武官) 장교 계급의 하나. 부령(副領)의 다음, 영관(領官)의 맨 아래로, 대대장(大隊長)급임.

참례【參禮】[一녜] [명] 예식에 참여함. ——-하다 [자][여불]

참:로【站路】[一노] [명] 역참(驛站)이 있는 길.

참: 롤:러 〔charm roller〕 [명] 자기(磁氣)를 응용한 기구(器具)로, 파운데이션 크림을 묽게 할 때나 마사지할 때 사용함.

참:륙【斬戮】[一뉵] [명] 칼로 베어 죽임. ——-하다 [타][여불]

참률【慘慄】[一뉼] [명] 아주 끔찍함. ——-하다 [형][여불]

참리【參理】[一니] [명]〖역〗고려 때 첨의부(僉議府)·도첨의사사(都僉議使司)의 종이품 벼슬. 충렬왕(忠烈王) 원년(1275)에 중서 문하성(中書門下省)과 상서성(尙書省)을 합하여 첨의부를 두고, 그 전의 참지정사(參知政事)를 고친 이름임.

참리-관【參理官】[一니一] [명]〖역〗대한 제국 때 궁내부(宮內府)의 한 벼슬. 외국어의 통역과 번역을 맡았음.

참-마 [명]〖식〗[*Dioscorea japonica*] 맛과에 속하는 다년생 만초(蔓草). 괴근(塊根)은 긴 원주형으로 길이 2m에 달하고, 줄기는 가늘고 길며, 잎은 대생(對生)하는데, 긴 엽병(葉柄)이 있고, 긴 달걀꼴 또는 난상 피침형임. 6-7월에 자웅 이가(雌雄異家)의 흰 꽃이 액생(腋生)하여 수상(穗狀) 화서로 피고, 과실은 협과(莢果)임. 산지(山地)에 나는데, 함남과 중부 이남에 분포함. 재배하기도 하며, 괴경은 '마'와 함께 약용 또는 식용함.

〈참마〉

참:마-검【斬馬劍】[명] 〔중국 전한(前漢) 시대의 명검의 이름〕 한칼에 말을 베어 쓰러뜨릴 정도로 예리한 칼.

참-마음 명 진의(眞意). 준참맘.

참-마자 명 〖어〗 [*Hemibarbus longirostris*] 잉어과에 속하는 민물고기. 몸길이 10-20cm. 누치와 비슷하나 주둥이가 크고 지느러미는 정삼각형에 가까운데 꼬리지느러미는 두 가닥으로 되어 있음. 몸빛은 은색 바탕에 등 쪽은 암갈색이며, 몸 중앙을 따라서 7-9개의 눈구멍만한 암색 무늬가 간격을 두고 세로 배열됨. 새끼 고기의 눈알이 까만 것이 특징임. 한국 낙동강에서 압록강 사이의 각 하천, 일본 중부 이서 및 만주에 분포함. 황고어(黃鯝魚).

참-말 명 사실에 조금도 틀림이 없는 말. ↔거짓말. *정말.

참-맘 명 ↗참마음.

참-맛 명 〈방〉 〖조개〗 가리맛.

참:망 【僭妄】 명 분수에 넘치고 망령됨. ——-하다 형여불

참-매 명 〖조〗 ①보라매·송골매를 '새매'에 상대하여 일컫는 말. ②[*Accipiter gentilis*] 맷과에 속하는 새. 매와 비슷한데 날개 길이는 수컷이 28-30cm, 암컷 30-35cm 이고, 몸빛은 자웅 동색(雌雄同色)으로 배면(背面)은 암회색, 복면(腹面)은 백색에 암색의 가는 횡대(橫帶)가 있음. 유조(幼鳥)는 배면이 갈색에 하면은 암갈색 종반(縱斑)이 있는데 3년 만에 성조(成鳥)의 몸빛으로 됨. 산림에 단독 또는 암수 한 쌍이 서식(棲息)하며 나무 위에 둥지를 짓고, 5-6월에 2-4개의 담청색 알을 낳음. 토끼·꿩 같은 작은 동물을 포식함. 한국·일본·유럽·북미 등지에 분포함. 준매.

〈참매❷〉

참-매미 명 〖충〗 [*Oncotympana coreana*] 매밋과에 속하는 곤충. 몸길이 3.5cm 가량으로, 몸빛은 녹색인데 두흉부(頭胸部)에 검은 반문이 있으며, 복부(腹部)는 암흑색에 은색의 미모(微毛)가 있음. 날개는 투명하고 기반부(基半部)는 녹갈색, 외반부(外半部)는 암색이며, 몸의 하면(下面)은 담녹색임. 머리에 한 쌍의 촉각과 복안(複眼)과 세 개의 단안(單眼)이 있으며, 가늘고 긴 관상(管狀)의 입을 가져 수액(樹液)을 빨아 먹음. 수컷의 복부에는 발성기(發聲器)와 공명기(共鳴器)가 있어서 '맴맴'하고 곱게 욺. 썩은 나무 그루 같은 데에 알을 낳으며 유충은 '굼벵이'라고 하는데, 땅속에서 살다가 수개년 또는 7년 후에 성충이 되고, 성충의 수명은 1-3 주일간임. 한국·만주·중국·일본 등지에 분포함. 검은참매미.

〈참매미〉

참-먹 명 품질이 좋은 먹. 진묵(眞墨). 진현(眞玄). ↔개먹·숯먹.

참-메늘치 명 〖식〗 지리산(智異山)에서 나는 멧나물의 한 가지.

참모 【參謀】 명 ①모의(謀議)에 참여함. 또, 그 사람. ②〖군〗 고급 지휘관의 막료(幕僚)로서 인사(人事)·정보(情報)·작전(作戰)·군수(軍需) 등의 계획과 지도를 맡은 장교. 사단(師團)급 이상의 참모는 일반 참모와 특별 참모로 나누어져 있음. ——-하다 자여불

참모-관 【參謀官】 명 〖역〗 대한 제국 때 교육부(敎育部)의 한 벼슬. 부참령(副參領) 또는 정위(正尉)로 시키었음. 「를 장악한 곳.

참모 본부 【參謀本部】 명 〖일제〗 육군의 국방(國防)·용병(用兵)의 사무

참모-부 【參謀部】 명 ①〖역〗 대한 제국 때 국방·용병의 사무를 맡은 관아. 고종 광무(光武) 8년(1904)에 베풀었다가, 이듬해에 참모국(參謀局)으로 고쳐서 군부(軍部)에 붙이었음. ②〖군〗 참모에 관한 직무를 맡

참모 부:장 【參謀副長】 명 〖역〗 참모부의 버금 벼슬. ㄴ아 보는 군부.

참-모습 명 거짓없는 참된 모습. * 진면목(眞面目)·진상(眞相).

참모-장 【參謀長】 명 ①〖역〗 대한 제국 때 교육부(敎育部)의 한 벼슬. 참장(參將) 또는 정부령(正副領)으로 시켰음. ②〖군〗 사단급(師團級) 이상의 부대 편제상(編制上)의 직위. 참모 운영에 관한 방침(方針)을 수립하고, 일반 참모 및 특별 참모의 업무를 지시·감독·조정하여 지휘관

참모 장:교 【參謀將校】 명 〖군〗 참모의 직에 있는 장교. ㄴ을 보좌함.

참모 차장 【參謀次長】 명 〖군〗 참모 총장 다음 가는 군직(軍職). 참모 총장을 보좌하며 그의 유고시(有故時)에는 그 직무를 대행함.

참모 총:장 【參謀總長】 명 ①〖역〗 대한 제국 때 참모부(參謀部)의 으뜸 벼슬. 대장(大將) 또는 부장(副將)으로 시켰음. ②〖군〗 국방부 장관의 명을 받아 소속 군(軍)을 지휘·감독하는 육해공 각 군의 우두머리. 국방부 장관의 추천에 의하여 국무 회의의 심의를 거쳐 대통령이 임명함. 임기는 2년이고, 전시·사변 때에 한해 1차 연임할 수 있음.

참묘 【參墓】 명 성묘(省墓). ——-하다 자여불

참무 【讒誣】 명 참소(讒訴)와 무고(誣告).

참문[1] 【慘聞】 명 참혹한 소문. 처참한 풍문.

참:문[2] 【讖文】 명 미래를 예언한 문서. 미래기(未來記).

참문-학사 【參文學事】 명 〖역〗 고려 때 첨의부(僉議府)의 종이품 벼슬. 충렬왕(忠烈王) 원년(1275)에 중서 문하성(中書門下省)과 상서성(尙書省)을 합하여 첨의부를 두고 그 전의 정당 문학(政堂文學)을 고친 이름.

참:-물 명 만조(滿潮) 때의 물.

참-밀 명 〖식〗 [*Triticum aestivum*] 볏과(科)에 속하는 2년생의 재배 초본. 줄기는 곧고, 높이는 1m 가량이며 원통형에 속이 비었음. 잎은 마디에 호생하는데 가늘고 길며 끝이 뾰족하고, 잎꼭지는 칼집 모양으로 되어서 줄기를 싸고 있음. 꽃은 5월에 수상(穗狀)꽃차례로 정생(頂生)하여 피고, 영과(穎果)는 수염이 있는 것과 없는 것이 있는데, 그 성분은 대부분이 녹말(綠末)과 단백질이 많이 함유되어 중요한 곡식임. 짚은 여름 모자·세공재(細工材)로 씀. 페르시아 원산(原産)으로 많은 품종(品種)이 러시아·북미·중국·캐나다·인도를 비롯한 전세계(全世界)에서 '벼' 다음 가는 중요 농산물로 재배함. 소맥(小麥). 진맥(眞麥). 준밀.

〈참밀〉

참-바 명 볏짚이나 삼으로 세 가닥을 지어 굵다랗게 드린 줄. 준바.

참-바늘골 명 〖식〗 [*Eleocharis laeviseta*] 방동사닛과에 속하는 다년초. 줄기는 원추형으로 가늘고 길며 곧은데, 높이는 28cm 가량임. 아래쪽의 초(鞘)는 적색이고, 잎은 없음. 6-7월에 다갈색 화수(花穗)가 줄기 끝에 단립(單立)하여 넓은 달걀꼴이거나 또는 다소 구형(球形)으로 피며, 과실은 수과(瘦果)임. 밭이나 들의 습지에 나는데, 제주·경기 및 전남의 완도(莞島)에 분포함. *바늘골.

참-바위취 명 〖식〗 [*Saxifraga oblongifolia*] 범의귓과에 속하는 다년초. 줄기는 가늘고 높이 30cm 가량이며 근생엽(根生葉)과 각엽(脚葉)은 엽병(葉柄)이 길며, 경엽(莖葉)은 엽병이 짧으며 원상 타원형을 이룸. 8-9월에 흰 오판화(五瓣花)가 정생(頂生)하여 원추(圓錐)꽃차례로 피고, 달걀꼴의 삭과(蒴果)는 끝이 두 갈래로 째짐. 산지(山地)의 바위에 나는데, 경남북·강원·평북·함남 등지에 분포함. *바위떡풀.

참-박쥐나물 명 〖식〗 [*Cacalia farfaraefalia*] 국화과(科)에 속하는 다년초(多年草). 줄기 높이 60-90 cm, 잎은 엽병(葉柄)이 길고 삼각상 가시 모양을 이룸. 7-9월에 자색의 두상화(頭狀花)가 원추(圓錐)꽃차례로 많이 피고, 수과(瘦果)에는 백색 관모(白色冠毛)가 있음. 깊은 산의 나무 그늘에 나는데, 제주·전남·경남·강원·평북·함북 등지(等地)에 분포함. 어린 잎은 식용(食用)함.

참반[1] 【參半】 명 반씩 섞음. ——-하다 타여불

참반[2] 【參班】 명 반열(班列)에 참여함. ——-하다 자여불

참-반디 명 〖식〗 [*Sanicula chinensis*] 미나릿과에 속하는 다년초. 줄기 높이 30-50 cm이고, 근엽(根葉)은 엽병(葉柄)이 길고, 경엽(莖葉)은 엽병이 짧은데 세 갈래로 째지고 뒤쪽의 엽맥(葉脈)은 융기함. 7월에 백색 오판화(五瓣花)가 복산형(複繖形)꽃차례로 정생하고, 과실은 원형이고, 거친 털이 있음. 산지의 나무 그늘에 나는데, 제주·전남·경남·경북·강원·경기·평북에 분포함.

〈참반디〉

참:발 【斬髮】 명 머리를 깎음. ——-하다 자여불

참:-밥 【站—】 [—빱] 명 일을 하다가 쉴 참에 먹는 밥.

참방[1] 【參榜】 명 〖역〗 과거(科擧)의 방목(榜目)에 자기 성명(姓名)이 끼어 실림. ——-하다 자여불

참방[2] 【讒謗】 명 비방(誹謗). ——-하다 타여불

참-방동사니 명 〖식〗 [*Cyperus iria*] 방동사닛과에 속하는 일년초. 향기가 나고 뿌리는 자색이며 수근(鬚根)이 총생(叢生)함. 줄기는 높이 40cm 가량인데 둔한 삼릉주(三稜柱)로 4-5개가 총생하고, 잎은 호생하며 길이는 줄기와 같고 폭은 3-4mm의 좁은 선형(線形)임. 6-8월에 황색 또는 갈색의 잔 꽃이 산형(繖形)꽃차례로 보통 복생(複生)하여 화병(花柄)의 양쪽에 2열로 배열하여 핌. 과실은 수과(瘦果)로 흑색임. 밭 또는 들의 습지에 나는데, 제주·전남·경남·경북·강원·경기도에 분포함.

참-배[1] 명 보통의 배를 '똘배·문배'에 대하여 일컫는 말.

참배[2] 【參拜】 명 신이나 부처에게 배례(拜禮)함. ——-하다 자여불

참배-고둥 명 〖조개〗 [*Crepidula aculeata*] 빈대고둥과에 속하는 연체(軟體) 동물. 패각(貝殼)은 길이 23mm, 폭 18mm 가량의 타원형이고 나탑(螺塔)은 퇴화했는데 나층(螺層)은 1층임. 농갈색의 각표(殼表)에는 나상(螺狀)의 가는 가시가 있음. 간조시(干潮時) 흔히 2m 내외의 암초 부분에서 사는 것을 볼 수 있는데, 전세계에 널리 분포함. 성전환(性轉換)의 실험 재료로 사용함.

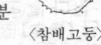

〈참배고둥〉

참배-자 【參拜者】 명 참배하는 사람.

참뱀-차조기 명 〖식〗 [*Salvia chanroenica*] 꿀풀과에 속하는 다년초. 갈색의 잔털이 있으며, 줄기는 모가 지고 곧게 서는데 높이 40-50cm 가량이고, 잎은 대생하며 엽병(葉柄)은 길고 달걀꼴의 넓은 타원형을 이루는데 가에는 무딘 톱니가 있음. 7월에 자색 순형화(脣形花)가 줄기 위에 화수(花穗)를 이루어 핌. 산지에 나는데, 경북의 가야산(伽倻山)·조령(鳥嶺) 등지에 분포함.

참-벌[1] 명 〖충〗 꿀벌. 황봉(黃蜂).

참:벌[2] 【斬伐】 명 작벌(斫伐). ——-하다 타여불

참-범꼬리 명 〖식〗 [*Bistorta pacifica*] 마디풀과에 속하는 다년초. 줄기 높이 70cm 가량으로, 각엽(脚葉)은 작으나 엽초(葉鞘)는 길고 경엽(莖葉)은 엽병(葉柄)이 없으며 잎 뒤가 다소 백색을 띰. 7-8월에 연분홍의 잔 꽃이 정생(頂生)하여 수상(穗狀)꽃차례로 피고 과실은 수과(瘦果)임. 깊은 산의 초원(草原)에 나는데, 함남의 부전 고원(赴戰高原) 등지에 분포함. 「②↗법화 참법(法華懺法).

참법 【懺法】 [—뻡] 명 ①〖불교〗 죄과(罪過)를 참회하기 위하여 닦는 법.

참변 【慘變】 명 참혹한 변.

참복[1] 【慙伏】 명 부끄러워 머리를 숙임. ——-하다 자여불 「자여불

참복[2] 【慙服】 명 자기가 미치지 못함을 부끄러워하여 복종함. ——-하다

참복-과 【—科】 명 〖어〗 [Tetraodontidae] 복어목(目)에 속하는 어류의 한 과. 검복·까치복·꺼끌복·밀복·별복·복섬·자지복·졸복·청복·황복·

참본 【槧本】 명 각판본(刻版本). ㄴ흰점복 등이 이에 속함.

참봉 【參奉】 명 ①〖역〗 조선 시대 때 각 능(陵)·각 원(園)·종친부(宗親府)·돈령부(敦寧府)·봉상시(奉常寺)·사옹원(司饔院)·내의원(內醫院)·군기시(軍器寺)와 기타 여러 관아에 속하던 종구품 벼슬. ②〈방〉 소경[1](경상).

참부 【讒夫】 명 남을 헐뜯는 사람. 참소한 사람.

참분 【慙憤·慙忿】 명 부끄러워하며 분하게 여김.

참-불가언【慘不可言】명 너무나 참혹하여 차마 말할 수가 없음.

참-불인견【慘不忍見】명 너무나 참혹하여 차마 눈으로 못 봄. *목불인견(目不忍見).

참-붕어 명 〖어〗[*Pseudorasbora parva*] 잉어과에 속하는 민물고기. 몸길이 6-8 cm가량으로, 몰개와 비슷하나 입이 위로 열렸고 입가에 수염이 없으며, 비늘의 뒤쪽 언저리가 검음. 몸빛은 은빛인데 초생달 모양의 작은 반점이 산재하고 체측(體側) 중앙에 불분명한 암색 세로띠가 있음. 하천(河川)의 여울이나 논도랑 등에서 흔히 볼 수 있는 물고기로, 수컷이 깨끗한 물이 흐르는 곳을 택하여 말끔히 치워 놓은 다음 암컷을 끌어 들이어 교접하여 산란하게 함. 한국·일본·만주·중국에 널리 분포함. 맛이 없으며, 구워서 새의 모이로 함.

〈참붕어〉

참-비녀골풀 명 〖식〗[*Juncus leschenaultii*] 골풀과에 속하는 다년초. 줄기 높이 30 cm 가량이고, 잎은 편평하며 길이 15-20 cm, 폭 3-4 mm 내외임. 5-6월에 녹색의 오목한 꽃이 정생(頂生)하여 취산(聚繖)꽃차례로 피고, 과실은 삭과(蒴果)임. 논이나 습지에 나는데, 한국 중부 이남에 분포함.

〈참비녀골풀〉

참-비단달팽이【一緋緞一】명 〖동〗[*Bradybaena fragilis*] 명주달팽잇과에 속하는 연체(軟體) 동물의 하나. 패각(貝殼)의 높이 16 mm, 지름 20 mm 내외임. 껍질이 반투명이며, 백색 또는 갈색으로 아름다움. 여러 가지로 변이(變異)가 심하며, 얕은 산이나 평야의 높은 잡초·관목(灌木)의 잎에 붙어 서식하는데, 한국 북서부에 분포함. 비너스명주달팽이.

참-비둘기 명 〖조〗[*Columba livia* var. *domestica*] 비둘깃과에 속하는 새. 집비둘기의 원종(原種)으로 볼 수 있는데, 수컷의 날개 길이 23 cm 가량이고, 암컷은 약간 작으며, 모가지는 녹자색으로 금속 광택이 나고 윗가슴은 포도색임. 날개에 두 줄의 검은 띠와 꽁지 중간에 흰 띠가 있는 것이 특징임. 흔히, 반야생(半野生)으로 한국·만주·중국에 분포함. 통신용(通信用) 등으로 개량종이 많음.

참-비름 명 〖식〗 비름을 '쇠비름'에 대하여 일컫는 말.

참-빗 명 빗살이 아주 가늘고 촘촘한 대빗. 세소(細梳). 진소(眞梳). ↔얼레빗.

[참빗으로 훑듯] 무엇이거나 남김이 없이 샅샅이 뒤져 냄을 가리키는 말.

〈참빗〉

참빗-나무 명 〈방〉〖식〗 화살나무.

참-빗살나무 명 〖식〗[*Euonymus sieboldiana*] 노박덩굴과에 속하는 낙엽 활엽 관목. 높이 3-5 m이고, 잎은 대생하며 타원형 또는 난상 피침형인데 끝이 뾰족하고 가에는 무딘 톱니가 있음. 5-6월에 녹백색 사판화(四瓣花)가 취산(聚繖)꽃차례로 액생(腋生)하여 피고, 삭과(蒴果)는 10월에 홍색으로 익으며, 네모가 지고 황적색의 씨가 있음. 산기슭이나 개울가에 나는데, 거의 한국 각지 및 일본·사할린·만주·중국·인도 등지에 분포함. 도장·지팡이 또는 바구니 재료로 쓰임.

〈참빗살나무〉

참-뿔풍뎅이 명 〖충〗[*Liatongus phanaeoides*] 풍뎅잇과에 속하는 곤충. 몸길이 8-11 mm이고, 몸빛은 흑색에 수컷의 두정(頭頂)에는 한 개의 구부러진 긴 뿔이 있으며 그 끝의 양쪽에는 한 개씩의 이가 있음. 전흉배(前胸背)는 들어가고, 시초(翅鞘)에는 여덟 개의 종구(縱溝)가 있으며, 다리는 흑갈색임. 짐승의 똥에 모이는데, 한국에도 분포함.

참:사[1]【斬死】명 칼로 베어 죽임. ——-하다 타여불

참사[2]【參祀】명 제사에 참여함. ——-하다 자여불

참사[3]【參事】명 ①어떠한 일에 참여함. 또, 그 사람. ②은행·기업체 등에서의 직위의 하나. ③↗지방 참사. ——-하다 자여불

참사[4]【慘死】명 아주 참혹하게 죽음. ——-하다 자여불

참사[5]【慘事】명 비참한 일. 참혹한 사건. ¶ ~를 빚다.

참:사[6]【僭奢】명 분수에 넘치게 사치함. ——-하다 형여불

참사[7]【慙死】명 부끄러워서 죽을 지경임. 괴사(愧死). ——-하다 자여불

참사-관【參事官】명 〖법〗 공무원의 대외 직명(對外職名)의 하나. 공사(公使)의 아래, 1등 서기관(書記官)의 위임. 대사관과 공사관에 둠.

참-사람 명 진실한 사람. 참된 사람.

참-사랑 명 진실하고 순수한 사랑.

참사-회【參事會】명 〖천주교〗 교구나 수도원에서, 주교나 수도원장의 행정에 관한 자문 기구. 교구의 경우, 사제 평의회 회원 중 주교로부터 임명된 6-12명의 사제로 구성됨.

참-산당화【一山堂花】명 〖식〗[*Chaenomeles cathayensis*] 능금나뭇과에 속하는 낙엽 활엽 관목. 가시가 있고 잎은 긴 타원형으로 족생(簇生)하며 두꺼움. 4월에 자웅 잡가(雌雄雜家)의 꽃이 하나씩 잎보다 앞서 피고, 이과(梨果)는 9월에 타원형으로 익음. 전남의 보성(寶城) 등지에 분포함. 관상용으로 정원에 심음.

참-산뱀눈나비【一山一】명 〖충〗[*Oeneis asamana*] 뱀눈나빗과에 속하는 곤충. 편 날개의 길이 30-55 mm이고, 몸빛은 변화가 많은데, 날개에는 황회색에 무늬가 짙은 갈색인 것과 담황회색에 무늬가 회갈색인 것 등이 있음. 앞날개에는 한 개, 뒷날개에는 두 개의 원문(圓紋)이 있음. 한국에도 분포함.

〈참산뱀눈나비〉

참-살[1] 명 건강하게 포동포동 찐 살.

참:살[2]【斬殺】명 목을 베어 죽임. ——-하다 타여불

참살[3]【慘殺】명 참혹하게 죽임. ——-하다 타여불

참-삿갓사초【一莎草】명 〖식〗[*Carex jaluensis*] 방동사닛과에 속하는 다년초. 줄기는 삼릉주(三稜柱)로 총생(叢生)하고 높이 1 m 가량임. 잎은 호생하고 좁은 선형(線形)이며, 줄기와 거의 같은 길이인데 폭은 3-6 mm임. 5-6월에 소수(小穗)는 5-6개, 담갈녹색의 웅화수(雄花穗)는 한 개가 정생(頂生)하고 녹색의 자화수는 4-5개가 측생(側生)하여 피고, 과낭(果囊)은 삼릉상의 넓은 달걀꼴임. 연못이나 물가에 나는데, 한국 각지에 분포함.

참상[1]【參上】명 〖역〗 조선 시대 때, 벼슬아치의 육품(六品) 이상 종삼품(從三品) 이하의 계급의 일컬음. 조회(朝會)에 참석할 수 있으며, 목민관으로서 지방민을 통치할 수 있음. 참상관(參上官). *참하(參下).

참상[2]【參商】명 ①참성(參星)과 상성(商星). ②[참성은 서쪽에, 상성은 동쪽에 있어, 서로 멀리 떨어져 있다는 데서] 서로 멀리 떨어져 만날 수 없음의 비유.

참상[3]【慘狀】명 참혹(慘酷)한 양상(樣相).

참상[4]【慘喪】명 젊어서 죽은 상사(喪事).

참상-관[1]【參上官】명 〖역〗 참상[1](參上).

참상-관[2]【參詳官】명 〖역〗 고려 때 사평 순위부(司平巡衛府)의 한 벼슬.

참상어-과【一科】[一꽈] 명 〖어〗[Triakidae] 악상어목(目)에 속하는 어류의 한 과. 개상어·까치상어·별상어 등이 이에 속함.

참-새 명 〖조〗[*Passer montanus dybowskii*] 참샛과에 속하는 새. 날개 길이 7 cm, 꽁지 5.5 cm 내외로, 부리는 거무스름하고 머리는 포도색을 띤 적갈색, 등은 흑갈색, 복부(腹部)는 회백색임. 시가(市街)나 촌락의 인가(人家) 근처에서 번식하므로 사람과 가장 밀접한 관계가 있으며, 가을에는 벼·조·수수 등 농작물을 해치나 여름에는 해충(害蟲)을 구제(驅除)함. 한국·일본·중국·대만 등지에 분포함. 빈작(賓雀). 와작(瓦雀). 의인작(依人雀). 황작(黃雀). 가빈(嘉賓). 준새.

〈참새〉

[참새가 기니 짧으니 한다] ㉠비슷비슷한 데서 굳이 잘잘못이나 크고 작음을 가리려 든다는 뜻. ㉡조그만 것으로 시비를 건다는 뜻. [참새가 방앗간을 거저 지나랴] ㉠욕심 많은 사람이 이끗을 보고 가만 있지 못한다는 말. ㉡자기가 즐기는 것을 그대로 보고만 지나칠 까닭이 없다는 뜻. [참새가 작아도 알만 잘 깐다] 몸은 비록 작아도 능히 큰일을 감당함을 비유하는 말. [참새가 죽어도 짹한다] 아무리 약한 것이라도 너무 괴롭히면 대항한다는 뜻. [참새가 짜르냐 기냐 한다] '참깨가 기니 짧으니 한다'와 같은 뜻. [참새 굴레 씌울 만하다] 꾀를 써서 참새에게 굴레를 씌울 정도로 몹시 약다. ¶정임이가 약기는 참새 굴레 씌울 만하지마는 세상 구경은 처음같은 터이라≪崔瓚植:秋月色≫. [참새 굴레 씌우겠다] 지나치게 약빠르고 꾀가 많은 사람을 두고 하는 말. ¶의복 깨끗하고 인물 쑥 빠지고 참새 굴레 씌울 듯한 계집이 앉았는데≪李人稙:鬼의聲≫. [참새 그물에 기러기 걸린다] ㉠정작 하려고 노력하는 일은 되지 아니하고 다른 일이 된다는 뜻. ㉡뜻밖의 행운이나 의외의 수확을 얻다. [참새 떼 덤비듯 한다] 한꺼번에 우루루 덤벼들다. ¶짐짝을 산더미같이 쌓아 놓은 곳마다 모밀섬에 참새 떼 덤비듯 하였으니≪李海朝:鬢上雪≫. [참새를 까먹었다] 몹시 지껄이는 사람을 두고 하는 말. [참새 섭하듯 하다] 잠깐 사이에 끝난다는 말. [참새 앞 정강이를 긁어 먹는다] '벼룩의 간을 내어 먹는다'와 같은 뜻.

참새 물 먹듯 구 음식을 조금씩 여러 번 먹는 모양.

참새 고기 명 식용(食用)으로서의 참새의 고기.

참새-구이 명 참새를 털을 뜯고 내장·발목은 버리고 소금을 쳐서 구운 음식. 황작구(黃雀灸). 군참새.

참새-귀리 명 〖식〗[*Bromus japonicus*] 볏과(科)에 속하는 일년초. 줄기는 대개 총생(叢生)하는데, 높이 70 cm 가량이고, 잎은 선형으로 끝이 뾰족하며 백색의 부드러운 털이 있는데 길이는 20 cm 가량임. 꽃은 6-7월에 원추(圓錐)꽃차례로 피는데, 화수(花穗)는 담녹색의 소수(小穗)가 다수 착생하고 방추상(紡錘狀)이며 아래로 늘어지고 긴 까끄라기가 있으며 영과(穎果)는 선상의 긴 타원형임. 들의 양지바른 곳에 나는데, 한국 각지에 분포함. 목초(牧草)로 씀.

〈참새귀리〉

참새 만두【一饅頭】명 참새의 털을 뽑고 내장을 뺀 다음, 대가리·날개·발목을 잘라서 뱃속에 양념을 넣고 밀가루 반죽을 씌워서 만든 만두. 황작 만두(黃雀饅頭).

참새-목【一目】명 〖조〗[Passeres] 조류에 속하는 한 목(目). 대개 몸이 작고 날기를 잘 하며 집을 잘 짓는 특징이 있음. 부리는 곡물(穀物)을 먹는 것은 두툼하고 짧으며, 곤충을 잡아먹는 것은 가늘고 긺. 전세계에 5,500여 종이 분포하는데, 까마귓과·꾀꼬릿과·참샛과·할미샛과·박샛과·제빗과·지빠귓과 등의 20여 과가 있음. 명금류(鳴禽類). 연작류(燕雀類).

참-새우 명 〖동〗[*Penaeus japonicus*] 참새웃과에 속하는 새우의 하나. 몸길이 27 cm 가량으로, 몸빛은 두흉부(頭胸部)에서 복부까지는 흑갈색 횡문(橫紋)이 있고, 갑각(甲殼)은 매끈매끈하며 광택이 나고 농갈색의 횡문(橫紋)이 열 개 가량 있음. 액각(額角)의 상면에는 10-11개, 하면에는 한 개의 톱니가 있음. 제2 촉각은 몸길이보다 길. 꼬리는 아름다운 청색에 양측에 수염이 세 개 있음. 해안(海岸) 100 m 거리의 바다 속에 서식하는데 낮에는 모래 속에 숨어 있다가 해질 무렵부터 나와 작은 곤충·동물·갑각류를 먹으며, 공식(共食)할 때도 있음. 한국·일본 및 태평양 연안에 분포함. 소금에 절이어 식용함.

〈참새우〉

참새 저냐 명 참새의 털을 뜯어 내장(內臟)을 빼고 대가리와 날개와 발목을 잘라 버리고 만든 저냐. 참새 전유화(煎油花). 황작 전유화(黃雀煎油花).

참새 전유화【一煎油花】명 참새 저냐.

참새-젓 명 참새의 내장을 빼고 파를 썰어서 섞은 뒤에 소금과 후춧가루를 쳐서 버무려 그릇에 담고 눌러서 국물을 따라 버리고 술을 치면 하게 쳐서 봉하여, 오랫 동안 삭힌 반찬. 황작해(黃雀醢).

참-새투리 명 〈방〉〚식〛 씀바귀.

참새-피 명〚식〛[*Paspalum thunbergii*] 볏과에 속(屬)하는 다년초. 줄기는 총생(叢生)하며, 높이 50cm 가량이고, 잎은 가늘며 긴데 끝이 빨고 줄기와 같이 긴 털이 있으며 총생함. 엷은 황록색의 꽃이 7-8월에 수상(穗狀)꽃차례로 서너 개로 갈라진 작은 화경(花莖) 위에 핌. 과실은 영과(穎果)로, 둥글납작하며 두 줄로 배열됨. 산과 들의 양지바른 풀밭에 나는데, 제주·전남·경남·강원·경기에 분포함.

〈참새피〉

참색【慙色】명 얼굴에 드러나는 부끄러운 빛.

참샛과【一科】명〚조〛[Fringillidae] 참새목(目)에 속하는 한 과(科). 소형의 조류(鳥類)로서 대체로 부리가 굵고 짧으며 원추형임. 수림(樹林)·들·인가 부근에 서식하며, 주로 식물질을 먹으나 번식기에는 곤충 같은 동물질도 먹으며, 번식기 이외에는 대체로 군서(群棲) 생활을 함. 오스트레일리아를 제외한 전세계에 1,000여 종이 있는데 한국에는 참새·섬참새·콩새·쇠밀화부리·방울새·장박새·되새·멧새·촉새·무당새·쑥새 등이 분포함.

참서[1]【參恕】명 참작하여 용서함. ——-하다 타여불

참:서[2]【讖書】명 참언(讖言)을 적은 책. 참위서(讖緯書).

참서-관【參書官】명〚역〛대한 제국 때 내각의 궁내부(宮內府)·의정부(議政府)·중추원(中樞院)·표훈원(表勳院)·내부(內部)·외부(外部)·탁지부(度支部)·법부(法部)·학부(學部)·농상공부(農商工部)에 두었던 주임(奏任) 벼슬.

참-서대 명〚어〛[*Areliscus joyneri*] 참서댓과에 속하는 바닷물고기. 몸은 길이 30cm 남짓한데 혀 모양이며 눈이 몹시 작고 몸의 왼쪽에 있음. 가슴지느러미는 없고 등지느러미·뒷지느러미는 각각 꼬리지느러미와 유합(癒合)되어 있으며, 옆줄은 왼쪽 석 줄, 오른쪽에 한 줄이 있고 비늘은 둥근 비늘인데 왼쪽의 후부에는 약간의 빗비늘이 있음. 몸빛은 오른쪽은 적갈색, 반대쪽은 백색임. 한국 서남부 연해 및 일본 중부 이남 연해(沿海)에 분포함. 서대 중 가장 맛이 좋은데 특히 여름철에 좋음.

참서댓-과【一科】명〚어〛[Cynoglossidae] 도다리목(目)에 속하는 어류(魚類)의 한 과(科). 개서대·물서대·서대·참서대·흙대기 등이 이에 속하는데, 두 눈이 몸의 왼쪽에 있는 것이 특징임.

참석【參席】명 자리에 참여함. ¶회의에 ~하다. ——-하다 자여불

참석-자【參席者】명 참석한 사람.

참:선[1]【站船】명〚역〛수참(水站)에 딸린 배, 곧 수참선(水站船).

참선[2]【參禪】명〚불교〛좌선(坐禪)하여 선도(禪道)를 수행함. 곧, 선도를 참구(參究)함. 문선(問禪). ——-하다 자여불

참선-방【參禪房】명〚불교〛염불방(念佛房).

참설[1]【讒舌】명 참소의 말을 놀리는 혀.

참설[2]【讒說】명 참언(讒言).

참섭【參涉】명 남의 일에 참견하여 아는 체함. ¶그 일에는 ~하지 말게 / 그것을 과인이라 하여 어찌 일일이 ~을 한다는 것인가《金周榮: 客主》. ——-하다 타여불

참성-단【塹城壇】명〚지〛강화도(江華島)의 마니산 산정에 있는 단. 단군(檀君)이 366가지 치화(治化)의 공을 세우면서 제천(祭天)의 예를 올렸다는 사적(史蹟). 사적 제136호.

참세【懺洗】명 죄악(罪惡)을 깨달아 고쳐서 마음을 깨끗이 함. ——-하다 타여불

참소【讒訴·譖訴】명 하리노는 짓. 남을 헐뜯어 없는 죄를 있는 것처럼 꾸며서 고해 바침. ——-하다 타여불

참-소리쟁이 명〚식〛[*Rumex japonicus*] 마디풀과에 속하는 다년초. 뿌리는 다소 비대(肥大)하고 황색이며, 줄기는 녹색이고 높이 1m에 달함. 근엽(根葉)은 총생(叢生)하고 엽병(葉柄)이 길며 원형 또는 긴 타원형이고, 경엽(莖葉)은 호생하며 긴 타원상 피침형임. 5-7월에 담녹색 꽃이 총상(總狀)꽃차례로 줄기 끝이나 가지 끝에 윤생(輪生)하고, 과실은 수과(瘦果)임. 들의 습지나 물가에 나는데, 전남북·경북·평북·함북 및 일본·사할린·캄차카에 분포함. 어린잎은 식용함.

〈참소리쟁이〉

참소-질【讒訴一】명 하리질.

참-속 명 속에 있는 참마음.

참:-수[1]【站數】[一쑤] 명 쉬는 번수.

참:수[2]【斬首】명 목을 벰. 참두(斬頭). 준참(斬). ——-하다 타여불

참수[3]【慙羞】명 참괴(慙愧). ——-하다 자여불

참:수 치:명【斬首致命】명〚천주교〛참수형을 받아 순교하는 일.

참-숯 명 참나무 등으로 구워서 만든 숯. 백탄(白炭)·검탄(黔炭)의 다름이 있음.

참숯-불 명 참숯을 피운 불.

참: 스쿨[charm school] 명 미용(美容)은 물론, 복장(服裝)·말씨·걸음걸이 등의 일상 생활(日常生活) 전반에 걸쳐, 여성이 지닌 매력(魅力)을 충분히 발산(發散)시키고, 미적(美的) 센스를 기르도록 지도(指導)하는 여성 학원. 차밍 스쿨.

참승【驂乘】명〚역〛임금을 모시고 수레에 탐. 배승(陪乘). ——-하다 타여불

참:시[1]【斬屍】명 부관 참시(剖棺斬屍).

참시[2]【參試】명〚역〛↗참시관(參試官).

참시-관【參試官】명〚역〛과거(科擧)의 소과(小科)·대과(大科)·초시(初試)의 시관(試官)의 하나. 문신 수령(守令) 2명을 명함. 준참시(參試).

참:시-장【斬豕章】[一짱] 명〚악〛용비어천가(龍飛御天歌) 제65장의 이름.

참-시호【一柴胡】명〚식〛[*Bupleurum scorzoneraefolium*] 미나릿과에 속하는 다년초. 줄기 높이 50cm가량으로, 잎은 호생하고 근엽(根葉)은 피침형, 경엽(莖葉)은 선형임. 8-9월에 누런 오판화(五瓣花)가 줄기 끝이나 가지 끝에 정생(頂生)하여 복산형(複繖形)꽃차례로 피고 과실은 타원형임. 산지(山地)에 나는데, 제주·황해·함북에 분포함. 뿌리는 약재로 쓰임.

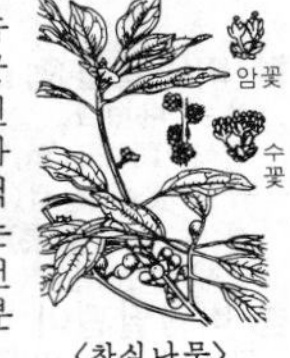

참-식나무 명〚식〛[*Neolitsea sericea*] 녹나뭇과에 속하는 상록 활엽 교목. 잎은 난상(卵狀) 피침형으로 끝이 뾰족하고 가에 톱니가 없으며, 잎 뒤가 분처럼 흰데, 처음에는 황갈색의 털이 나다가 후에 없어짐. 자웅 이가(雌雄異家)인데 10-11월에 황백색의 꽃이 액생(腋生)하여 취산꽃차례로 피고, 둥근 장과(漿果)는 다음해 가을에 붉게 익음. 산기슭에 나는데, 제주·전남·경북·충남에 야생하며 일본·대만·중국 등지에 분포함. 과실은 향수의 재료로 쓰임. 식나무.

〈참식나무〉

참-신[1] 명 〈방〉 미투리(평북·강원).

참신[2]【參神】명 신주에 절하여 뵘. ——-하다 자여불

참:신[3]【斬新】명 처음 이루어져 가장 새로움. ¶~한 디자인. 주의 '嶄新'으로 씀은 속용(俗用). ——-하다 형여불

참신[4]【讒臣】명 육사(六邪)의 하나. 참소를 잘 하는 신하(臣下).

참-실잠자리 명〚충〛[*Agrion convalescens*] 실잠자릿과에 속하는 곤충. 수컷의 복부 제2절 배면(背面)은 청색이고, 후연과 양측의 흑반(黑斑)은 'U'자형이며, 제8절의 전부와 제9절의 대부분은 청색이고, 제10절은 전부 흑색임. 한국 특산종임.

참심-원【參審員】명 참심제에 있어서 상직(常職)의 법관과 함께 재판의 합의를 하는 사람. *배심원.

참심-제【參審制】명〚법〛선거 또는 추첨에 의하여 국민 중에서 선출된 참심원이 직업적 법관과 같이 합의체(合議體)를 구성하여 재판하는 제도. 배심제(陪審制)는 배심원이 법관으로부터 독립하여 판정하는 점이 참심제와 다름. 독일·프랑스에서 채택하고 있음.

참-싸리 명〚식〛[*Lespedeza cyrtobotrya*] 콩과에 속하는 낙엽 활엽 관목. 싸리와 비슷한데, 잎은 한 엽병(葉柄)에 세 개의 소엽(小葉)이 달리며, 소엽은 거의 원형 또는 둥근 거꿀달걀꼴로 가에 톱니가 없음. 7월에 자적색의 꽃이 액생(腋生)하여 총상(總狀)꽃차례로 피고, 타원형의 협과(莢果)는 10월에 익음. 산지에 나는데, 한국 각지 및 일본·중국·만주에 분포함. 줄기는 세공재(細工材), 나무 껍질은 섬유(纖維) 원료로 쓰임. 관상용으로 심기도 함.

〈참싸리〉

참악[1]【慘惡】명 참혹하고 흉악함. ——-하다 형여불

참악[2]【慘愕】명 참혹한 형상에 대하여 놀람. ——-하다 자여불

참알【參謁】명〚역〛①조선 시대 때 매년 유월과 섣달에 벼슬아치의 성적을 고사(考査)·포폄(褒貶)할 때에 각사(各司)의 벼슬아치가 그의 으뜸 벼슬아치를 뵙는 일. ②새로 임명된 당하관(堂下官)이나 출사자(出仕者)가 그 관직에 제수(除授)된 지 10일 이내에, 의정부·전조(銓曹)와 소속 육조(六曹) 등 감독 관청을 돌아다니며 인사하는 일. *역사(歷辭). ——-하다 자여불

참암【巉岩】명 높고 위태한 바위.

참:어[1]【讖語】명 참언(讖言).

참-어[2]【一語】[Cham] 명 말레이폴리네시아 어족(語族)의 인도네시아 어파(語派)에 속하는 언어. 인도차이나 반도 동남단(東南端)의 일부에서 쓰임.

참-억새 명〚식〛[*Miscanthus sinensis*] 볏과(科)에 속하는 다년초. 억새의 원종(原種)으로 줄기는 크고 원주형으로 높이 1.5-2m이고, 잎은 호생(互生)하며 선형이고 해마다 묵은 뿌리에서 줄기와 잎이 나옴. 9월에 황갈색 또는 자갈색의 꽃이 원추(圓錐)꽃차례로 핌. 산과 들에 나는데, 한국 각지 및 중국·일본에 분포함. 관상용(觀賞用). 줄기와 잎은 지붕을 이는 데 씀.

〈참억새〉

참언[1]【讒言】명 거짓 꾸며서 남을 참소하는 말. 참설(讒說).

참:언[2]【讖言】명 앞일에 대하여 그 길하고 언짢음을 미리 들어서 하는 말. 참어(讖語).

참여【參與】명 ①참가하여 관계함. 참예(參預). 간예(干預). →참네. ¶모의에 ~하다. ②〚법〛현장에 나가 지켜봄. 입회(立會). ¶증인으로 ~하다. ——-하다 자여불

참여 증인【參與證人】명〚법〛뒷날의 입증(立證)을 목적으로 참여시키는 증인. 입회 증인.

참:역[1]【站役】명〚공〛흙으로만 된 도자기(陶瓷器)를 고루 잡아서 매만지는 사람.

참:역[2]【僭逆】명 분수를 모르고 윗사람을 가벼이 여기고 거역함. ——-하다 자여불

참연[1]【慘然】명 슬프고 참혹한 모양. ——-하다 형여불

참:연[2]【嶄然】명 한층 높이 뛰어난 모양. ——-하다 형여불. ——-히 부

참-열매 [一널一] 명〚식〛수정(受精) 후, 종자의 발육에 따라서, 씨방

부분만이 발달하여 생긴 과실. 복숭아의 열매 등 그 예가 많음. 진과(眞果). ↔헛열매.

참:염지-애【斬刻之哀】명〔가슴을 에는 듯한 슬픔이란 뜻으로〕상중(喪中)의 슬픔을 이름.

참예[1]【參預】명 참여(參與). ——-하다 자 여불

참예[2]【參詣】명 신이나 부처에게 나아가 뵘. ——-하다 자 여불

참예-인【參詣人】명 참예하는 사람.

참오글-잎버들[—립—] 명〘식〙[*Salix siuzevii*] 버들과에 속하는 낙엽 활엽의 작은 교목. 잎은 좁은 피침형으로, 밖으로 말리며, 잎 뒤가 흼. 자웅 이가(雌雄異家)의 꽃은 4월에 유제(葇荑)꽃차례로 피고 화수(花穗)는 원주형임. 삭과(蒴果)는 달걀꼴인데 잔털이 있고 5월에 익음. 개울 가에 나는데, 경북·강원·황해·평남북 및 만주·남부 시베리아에 분포함. 정원수로 심음.

참-오동【—梧桐】명〘식〙'벽오동'에 대하여 오동과(科)의 나무를 일컫는 말.

참-오동나무【—梧桐—】명〘식〙[*Paulownia tomentosa*] 오동과에 속하는 낙엽 활엽 교목. 오동나무와 비슷한데 줄기 높이 10 m 가량임. 잎은 넓은 달걀꼴인데 가에 톱니가 없고, 잎 뒤에 희고 잔털이 밀생함. 5월에 백색 또는 자색의 꽃이 정생(頂生)하여 원추(圓錐)꽃차례로 피고, 둥근 삭과(蒴果)가 10월에 익음. 촌락 부근의 비옥한 땅에 심는데, 황해도 이남과 울릉도 및 일본·중국·대만 등에 분포함. 정원수로 심고, 의장(衣欌)·나막신·상자(箱子)·악기(樂器) 등의 재료가 됨. *오동나무.

〈참오동나무〉

참-왜 명〈방〉참외[1](강원).

참-외[1] 명〘식〙[*Cucumis melo*] 박과에 속하는 일년생 만성(蔓性)의 재배 식물. 인도 지방의 원산(原産)으로, 고대 이집트 및 유럽에 들어가 '멜론(melon)'이 되고, 동양(東洋)에서는 여름에 재배함. 줄기는 털이 있고, 권수(卷鬚)로 벋으며, 잎은 각 마디에 호생하고, 털이 있는 긴 엽병(葉柄)이 있는데, 거의 심장형에 장상(掌狀)으로 얕게 째지고 가에는 톱니가 있음. 여름에 황색의 양성(兩性) 또는 단성(單性)의 합판화(合瓣花)가 자웅 동주(同株)로 액생(腋生)하고, 액과(液果)는 원주상 타원형인데 표면은 반질반질하며 황록색·백색·녹색으로 익고 속에는 황백색의 편평한 씨가 보통 500개 가량 있음. 열매는 단맛이 있고 독특한 방향이 있어 널리 식용함. 감과(甘瓜). 진과(眞瓜). 첨과. [참외를 버리고 호박을 먹는다] ㉠알뜰한 아내를 버리고 둔하고 못생긴 첩을 취함을 이르는 말. ㉡좋은 것을 버리고 나쁜 것을 취한다는 말.

〈참외[1]〉

참외[2]【參外】명〘역〙참하(參下).

참외 장아찌 명 참외를 썰어서 간장을 치고 고명을 한 장아찌.

참외 지짐이 명 덜 익은 참외를 굵게 저며서 쇠고기와 파를 넣고 기름과 깨소금을 치고 고추장을 섞어 주물러서 만든 지짐이. 진과전(眞瓜腆).

참:요【讖謠】명〘문〙시대의 변천상이나 어떤 정치적 징후(徵候)를 암시하는 민요. 후삼국 시대 이후의 문헌에 기록되어 있음. 신라의 멸망과 고려의 건국을 예언했다는 《계림요(鷄林謠)》, 후백제의 내분(內紛)을 예언했다는 《완산요(完山謠)》, 이성계(李成桂)의 혁명을 암시했다는 《목자요(木子謠)》 등과 홍경래(洪景來)나 전봉준(全琫準)과 관련된 것도 있음.

참:용【僭用】명 ①분수에 넘치게 씀. ②일정한 사람이 쓰는 물건을 딴 사람이 함부로 씀. ——-하다 타 여불

참-용액【—溶液】명〔true solution〕〘화〙진용액.

참-우렁이 명〘조개〙논우렁이.

참:운【站運】명〘역〙조선 시대 때 조세(租稅)로 징수한 미곡(米穀)·포백(布帛) 등을 강수(江水)를 이용(利用)하여 운송(運送)하던 일. *조운(漕運).

참:월【僭越】명 참람(僭濫). ——-하다 형 여불

참:월 습음【僭越襲蔭】명〘역〙정해진 차례를 무시하고 옆에서 불쑥 끼어들어 음직(蔭職)에 오름.

참-웨 명〈방〉참외[1](제주).

참-위[1] 명〈방〉참외[1](경기·경상).

참위[2]【參尉】명〘역〙대한 제국 때 무관(武官) 장교 계급의 하나. 부위(副尉)의 아래로 위관(尉官)의 최하 계급임.

참:위[3]【僭位】명 스스로 신분에 넘치는 군주(君主)의 자리에 앉는 일. 또, 그 자리. ——-하다 자 여불

참:위[4]【讖緯】명 미래의 길흉 화복의 조짐이나 또는 그에 대한 예언.

참:위-서【讖緯書】명 참서(讖書).

참:위-설【讖緯說】명 중국 진대(秦代)에 비롯된 일종의 예언학(豫言學). 음양 오행설(五行說)에 바탕을 두어, 일식·월식·지진 등의 천이 지변(天異地變)이나 은어(隱語)에 의하여 인간 사회의 길흉·화복을 예언하던 학설로, 한대(漢代) 특히 후한(後漢) 시대에 유행하였는데, 뒤에 그 폐해가 극심하여 금하였음. 참위학.

참:위-학【讖緯學】명 참위설.

참-으로 부 ①정말로. ②실로. 진실로.

참-으아리 명〘식〙[*Clematis paniculata*] 미나리아재빗과에 속하는 다년생 만초(蔓草). 잎은 기수 우상 복엽(奇數羽狀複葉)으로 3-7개의 소엽(小葉)으로 되며, 소엽은 난형 또는 피침형인데, 긴 엽병(葉柄)으로 다른 것에 감겨 뻗음. 가을에 흰 꽃이 취산꽃차례로 여러 개가 피고 수과(瘦果)에는 흰 털이 있음. 담이나 산야에 나는데, 한국 각지에 분포함. 열매는 유독하며 약재로 씀.

〈참으아리〉

참을-성【—性】[—썽] 명 참고 능히 견디어 가는 성질. ¶매사에 ~이 적다.

참의[1]【參議】[—/—이] 명 ①〘역〙조선 시대 때 육조(六曹)의 정삼품 벼슬. ②〘역〙갑오 경장(甲午更張) 이후 의정부(議政府) 각 아문의 한 벼슬. ③〘일제〙중추원(中樞院)의 한 벼슬.

참:의[2]【僭衣】[—/—이] 명〘역〙신분에 맞지 않는 옷을 입는 일. 또, 그 옷.

참:의[3]【僭擬】[—/—이] 명 분수에 넘치게 웃사람과 견줌.

참의-부【參議府】[—/—이—] 명 독립 혁명 단체의 하나. 통의부(統議府)와 의군부(義軍府) 사이의 알력에 불안을 느낀 각지의 유지들이 1924년에 조직한 단체. 항일 투쟁에 공적이 컸음.

참의-원[1]【參議員】[—/—이—] 명 ↗참의원 의원(參議院議員).

참의-원[2]【參議院】[—/—이—] 명〘법〙1961년 5월 16일 이전의 구헌법에서 규정한 양원제(兩院制) 국회 중의 한 원(院). 영미(英美)의 상원(上院)에 해당하는데, 특별시와 도(道)를 선거구로 하여 민선(民選)된 참의원 의원으로 구성됨. 민의원(民議院)에서 이송되어 오는 의안 등을 심의하고, 대법관·검찰 총장·심계원장(審計院長)·대사(大使)·공사(公使), 기타 법률에 의하여 지정된 공무원의 임명에 대하여 인준권(認准權)을 가졌음. ↔민의원·중의원(衆議院).

참의원 의원【參議院議員】[—/—이원—] 명 참의원을 구성하는 의원. ㊟ 참의원(參議員).

참-이질풀【—痢疾—】명〘식〙[*Geranium koraiense*] 쥐손이풀과에 속하는 다년초. 줄기에 거친 털이 있으며, 높이 60 cm 가량이고, 잎은 대생하는데 근엽(根葉)은 엽병(葉柄)이 길고 경엽(莖葉)은 엽병이 짧거나 또는 거의 없음. 8월에 연분홍의 오판화(五瓣花)가 정생하여 취산(聚繖)꽃차례로 피고, 과실은 삭과(蒴果)임. 산야에 나는데, 경기·평남에 분포함. 약재로 쓰임.

참인【讒人】명 참자(讒者).

참:자[1]【僭恣】명 분수에 넘치어 방자함. ——-하다 형 여불

참자[2]【讒者】명 참언하는 사람. 참인(讒人).

참자기【—磁氣】명〘물〙진자기.

참작[1]【參酌】명 이리저리 비교해 보아서 알맞게 헤아림. 참량(參量). ——-하다 타 여불

참작[2]【慙怍】명 부끄러워함. ——-하다 타 여불

참-작약【芍藥】명〘식〙[*Paeonia albiflora*] 미나리아재빗과에 속하는 다년초. 뿌리는 두툼하고 방추상인데 길이 30 cm 가량임. 줄기는 높이 60-90 cm, 잎은 호생하며 이회 삼출 복엽(二回三出複葉), 소엽(小葉)은 달걀꼴 또는 피침형이며 잎 뒤에는 잔털이 있음. 6월에 백색 팔판화(八瓣花)가 가지 끝이나 줄기 끝에 한 송이씩 정생하는데 '함박꽃'이라 하며, 골돌과(蓇葖果)에는 갈색의 거친 털이 밀포함. 산지에 나는데, 중국 북부·몽골·시베리아 원산(原産)으로, 한국 중부 이북 및 경기도(京畿道)의 광릉(光陵)·아차산(峨嵯山)에 분포(分布)함. ㊟작약.

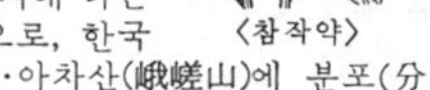
〈참작약〉

참-잠 명 진짜 잠.

참장【參將】명〘역〙대한 제국 때 무관 장교 계급의 하나. 부장(副將)의 다음으로, 장관(將官)의 최하 계급임.

참-장대나물【—長—】[—때—] 명〘식〙[*Arabis columnalis*] 겨잣과에 속하는 월년초(越年草). 줄기는 높이 30 cm 내외이고 근엽(根葉)은 총생(叢生)하고 털이 났으나, 경엽(莖葉)은 호생하고 털이 없으며, 피침형 또는 달걀꼴의 긴 타원형임. 7월에 흰 사판화(四瓣花)가 정생(頂生)하여 총상(總狀)꽃차례로 피고, 장각과(長角果)는 선형(線形)을 이룸. 산야에 나는데, 전남의 지리산 등지에 분포함.

참-장어【—長魚】명〈방〉〘어〙갯장어(경남).

참장어-과【—長魚科】[—꽈] 명〘어〙[Anguillidae] 뱀장어목(目)에 속하는 어류의 한 과. 뱀장어·무태장어 등이 이에 속함.

참-재첩 명〘조개〙[*Corbicular leana*] 재첩과에 속하는 조개의 하나. 재첩과 비슷한데, 한강재첩과 함께 한국의 특산종(特産種)임.

〈참재첩〉

참적【慘迹】명 참혹한 흔적(痕迹).

참전【參戰】명 전쟁에 참가함. ——-하다 자 여불

참전-국【參戰國】명 전쟁에 참가한 나라.

참-전하【—電荷】명〘물〙진전하.

참:절[1]【斬截】명 목을 베고 수족을 끊음. ——-하다 타 여불

참절[2]【嶄絶】명 ①산이 높고 험준함. ②문체(文體)가 높고 뛰어남. ——-하다 형 여불

참절[3]【慘絶】명 참혹하기 짝이 없음. ——-하다 형 여불

참:절[4]【僭竊】명 분수에 넘치는 높은 지위에 있음. ——-하다 자 여불

참절 비절【慘絶悲絶】명 참혹하기 짝이 없고, 슬프기 그지없음. ——-하다 형 여불

참정【參政】명 ①정치에 참여함. ②〘역〙↗참지정사(參知政事). ③대한 제국 때 의정부(議政府)의 한 벼슬. 내부 대신(內部大臣)이 겸하였음. ——-하다 자 여불

참정-권【參政權】[—꿘] 명〘법〙국민이 국정(國政)에 직접 또는 간접으로 참여하는 권리. 선거권·피선거권(被選擧權) 및 공무원이 될 수 있는 권리 같은 것. *선거권(選擧權)·공민권(公民權).

참정 대:신【參政大臣】명〘역〙대한 제국 때 의정부(議政府)의 칙임(勅任) 벼슬. 의정(議政) 대신의 다음임. 한 명 있었음.

참:정 절철【斬釘截鐵】명 의심 없이 딱 결단(決斷)하여 처리함을 가리

키는 말.

참:-젖【站—】[—젇] 명 ①시간을 정해 두고 먹이는 젖. ②전담(專擔)한 젖어미가 아니고 하루 몇 번 참참이 먹여 주는 젖.

참-제비고깔 명 〖식〗[*Delphinium ornatum*] 성탄꽃과에 속하는 월년초. 줄기 높이는 90 cm 가량임. 잎은 호생하고 엽병(葉柄)이 조금 길며, 초엽(梢葉)은 대개 엽병이 없는데 장상(掌狀)에 세 갈래로 째지고, 열편(裂片)은 선형(線形)을 이룸. 7월에 벽자색의 꽃이 정생(頂生)하여 총상(總狀)꽃차례로 피며, 골돌과(蓇葖果)가 열림. 유럽 원산으로 경남·김해(金海)에 분포함. 관상용임.

참조¹【參朝】명 조정(朝廷)에 들어감. 참내(參內). ——-하다 자여불

참조²【參照】명 참고로 맞대어 봄. ——-하다 타여불

참조갯-과【—科】명 〖조개〗[Tridacnidae] 진정 판새류에 속하는 한 과. 가무라기·거거·대합 등이 이에 속함.

참-조기 명 〖어〗[*Pseudosciaena manchurica*] 민어과에 속하는 바닷물고기. 몸길이 30 cm 가량으로, 꼬리자루는 가늘고 길며, 몸빛은 회색을 띤 황금색으로, 특히 입술은 불그스름함. 한국 서남해 일대 특히 전남 위도(蝟島), 황해도 연평도, 평북 대화도(大和島) 근해의 간석지(干潟地)에 많이 살며, 발해만·대만 근해에도 분포함. 황석수어(黃石首魚). 황석어(黃石魚). *조기.

〈참조기〉

참-조팝나무 명 〖식〗[*Spiraea koreana*] 조팝나뭇과에 속하는 낙엽 활엽(落葉闊葉)의 관목. 잎은 타원형 또는 난상 타원형으로 끝이 뾰고 가에 톱니가 있음. 5-6월에 흰 꽃이 기산(岐繖)꽃차례로 피고, 골돌과(蓇葖果)는 9월에 익음. 산복(山腹) 이상 및 골짜기에 나는데, 강원·평북·함경 남북도에 분포함. 관상용으로 심음.

〈참조팝나무〉

참-족【—族】[Cham] 명 인도차이나 반도의 베트남과 캄보디아에 산재하는 종족. 베트남 남부에 참파(Champa) 왕국을 세우고 번영을 누린 적도 있었음. 항상 가옥(杭上家屋)을 짓고 살며 수도(水稻)·옥수수·콩 등의 재배, 물소·염소 등을 사육함. 캄보디아에서는 말레이인과 혼혈(混血)이 되고, 상업·어업에 종사함.

참-졸방제비꽃 명 〖식〗[*Viola koraiensis*] 제비꽃과에 속하는 다년초. 줄기는 높이 15 cm 가량임. 근엽(根葉)은 총생(叢生)하는데 엽병(葉柄)이 길며, 경엽(莖葉)은 호생하고 엽병이 짧으며 난상 심장형이고 탁엽(托葉)은 피침형임. 5-6월에 담자색 오판화(五瓣花)가 줄기 위에 나온 가는 화경(花莖)에 액생(腋生)하여 피고 삭과(蒴果)는 긴 달걀꼴을 이루는데, 세 갈래로 째짐. 높은 산의 산허리에 나는데, 평북·함남·함북에 분포함.

참-좁쌀풀 명 〖식〗[*Lysimachia coreana*] 앵초과(櫻草科)에 속하는 다년초. 줄기 높이 30-60 cm, 잎은 넓은 타원형으로 대생(對生)하거나 세 잎이 윤생(輪生)하고 엽병(葉柄)이 있으며, 7-9월에 노란 꽃이 줄기 끝이나 가지 끝에 정생(頂生) 또는 액출하고, 삭과(蒴果)는 작고 둥금. 산야에 나는데, 강원·경기·경북에 분포함.

참좌【參座】명 그 자리에 참렬(參列)함. ——-하다 자여불

참:-죄【斬罪】[—쬐] 명 참형(斬刑)을 당할 죄.

참:주¹【僭主】명 참칭하는 임금.

참주²【讒奏】명 임금에게 참소함. ——-하다 타여불

참죽 명 참죽나무와 참죽순의 통칭.

참죽-나무 명 〖식〗[*Cedrela sinensis*] 멀구슬나뭇과에 속하는 낙엽 활엽 교목. 높이 10 m 가량이고, 잎은 우수(偶數) 우상 복생(羽狀複生)하며 소엽(小葉)은 난상 타원형을 이루는데 끝이 뾰족함. 6월에 흰 꽃이 원추(圓錐)꽃차례로 피고 삭과(蒴果)는 다갈색의 타원형인데 10월에 익음. 촌락 부근에 심음. 중국 원산으로 전남북·황해도에 분포함. 정원수로 심고, 어린싹은 식용, 줄기는 기구·농구(農具)의 재료로 씀. 향춘(香椿). 준죽나무.

〈참죽나무〉

참죽나뭇-과【—科】명 〖식〗멀구슬나뭇과.

참죽 나물 명 참죽순을 데쳐 내어 찬물에 흔들어 짠 뒤에 무친 나물. 연엽채(楝葉菜). 춘엽채(椿葉菜).

참죽-순【—筍】명 참죽나무의 어린잎. 물에 우린 뒤 나물·자반·튀김 등을 만들어 먹음.

참죽순-적【—筍炙】명 참죽순을 데쳐서 찬물에 헤어 짜서, 소금·기름·깨소금·후춧가루를 치고 버무리어 꼬챙이에 어긋매껴 꿰어 밀가루와 달걀을 씌워 지진 음식. 연엽적(楝葉炙). 춘순적(椿筍炙).

참죽잎-쌈 [—닙—] 명 참죽나무의 어린잎으로 밥을 싸서 먹는 쌈. 연엽포(楝葉包). 춘엽포(椿葉包).

참죽 자반【—佐飯】명 참죽순으로 만든 자반. 연엽(楝葉) 자반.

참죽 튀각 명 참죽순을 잠깐 데쳐서 길이로 늘어놓아 손바닥만큼씩 하게 만들고, 되게 쑨 찹쌀죽을 앞뒤로 발라 말린 뒤에 기름에 튀워 튀긴 음식.

참-줄 명 〖광〗여러 가닥으로 갈라진 가운데 채산(採算)이 맞을 만한 참된 쇳줄.

참-줄나비 [—라—] 명 〖충〗[*Limenitis moltrechiti*] 네발나빗과의 곤충. 편 날개의 길이 36-72 mm이고, 날개 표면은 흑색, 앞날개 중앙실(中央室)에 '一'자 모양의 백색 무늬가 한 개 있고, 날개 뒷면은 등황색임. 한국·아무르 등지에 분포함.

참-줄뭉툭맵시벌 명 〖충〗[*Metopius coreana*] 맵시벌과에 속하는 곤충. 암컷의 몸길이는 14 mm 가량임. 몸빛은 대체로 흑색이나, 제1 복절(腹節)의 양측문(兩側紋)과 제2 복절 후연의 양측문 및 제3-5 복절 후연은 황색이고, 촉각은 암흑색임. 한국 및 일본에 분포함.

참-줄바꽃 명 〖식〗[*Aconitum neotortuosum*] 성탄꽃과에 속하는 다년초. 뿌리는 굵고 줄기는 곧게 서거나 다른 것에 감겨 올라가는데 높이 2 m 이상에 달함. 잎은 호생하고 엽병(葉柄)이 길며, 초엽(梢葉)의 엽병은 짧음. 8월에 자색의 이판화(離瓣花)가 총상(總狀)꽃차례로 정생(頂生)하며 과실은 골돌과(蓇葖果)임. 산지에 나는데, 강원·평북·함남에 분포함. 유독(有毒)함.

참-줄쥐 명 〖동〗등줄쥐.

참-중고기 명 〖어〗[*Sarcocheilichthys wakiyae*] 잉어과에 속하는 민물고기. 몸길이 10-20 cm 가량으로, 중고기와 비슷하나 비늘의 뒤쪽 언저리가 흑갈색이고, 등지느러미와 꼬리지느러미에 검은 빛의 띠가 둘렸음. 맑은 물의 바닥·수초(水草)·돌 밑에 숨어 삶. 곤충류를 잡아먹으며 놀라기를 잘 함. 한국의 특산으로 남해에 주입(注入)하는 하천 특히 낙동강·섬진강에 많음.

참증【參證】명 참고가 될 만한 증거.

참지【參知】명 〖역〗조선 시대 때 병조(兵曹)의 정삼품 벼슬. *참의(參議).

참-지렁이 명 〖동〗[*Pheretima koreana*] 지렁이목(目)에 속하는 지렁이의 하나. 몸길이는 93-103 mm이고 최대의 폭은 4.5 mm이며, 배면(背面)은 담갈색이고 복면(腹面)은 배면보다 광택이 나고 환절(環節)은 초콜릿색(chocolate 色)인데, 수컷의 생식공(生殖孔)은 제 18 절(節)측면에 삼각형으로 된 부근에 있고, 생식공이 없을 때는 제 17-20 절 복면에 원형으로 여럿 있음. 진흙·시궁창·정원·밭·낙엽 쌓인 곳에서 서식하며 토양(土壤)을 일구어 경작(耕作)에 유익한 점도 있음. 해열(解熱)·이뇨제(利尿劑)의 약용(藥用) 및 낚싯밥으로 씀. 지렁이. 〈참지렁이〉

참지-문하부사【參知門下府事】명 〖역〗고려 때 문하부(門下府)의 종이품 벼슬. 공민왕 18년(1369)에 참지정사를 고친 이름. 준참지부사.

참지-부사【參知府事】명 〖역〗↗참지문하부사.

참지-정사【參知政事】명 〖역〗고려 때 중서 문하성(中書門下省)의 종이품 벼슬. 충렬왕 원년(1275)에 참리(參理)로, 동 34년에 평리(評理)로, 충숙왕 17년(1330)에는 다시 참리로, 공민왕 5년(1356)에 본이름으로, 11년에 다시 평리로, 18년에 참지부사(參知府事)로, 21년에 또 다시 평리로 여러 번 이름이 바뀌었음. 준참정(參政).

참질【讒嫉】명 질투하여 참소함. ——-하다 타여불

참집【參集】명 어떠한 자리에 참여하여 모임. ¶회의에 ～하다. ——-하다 자여불

참차【參差】명 '참치(參差)'의 잘못 일컫는 말.

참착【參錯】명 고르지 못함. ——-하다 형여불

참찬¹【參贊】명 〖역〗좌참찬(左參贊)·우참찬(右參贊)의 총칭.

참찬²【參纂】명 참고하여 편찬함. ——-하다 타여불

참찬-관【參贊官】명 〖역〗조선 때의 경연청(經筵廳)의 정삼품 벼슬. 승정원(承政院)의 승지(承旨), 홍문관(弘文館)의 부제학(副提學)의 겸직(兼職)임. 시강관(侍講官)의 위, 동지경연사(同知經筵事)의 아래임.

참:참【站站】명 ①이따금 쉬는 시간. ②〖역〗각 역참(驛站).

참:참-으로【站站—】부 〈방〉참참이.

참:참-이【站站—】부 이따금. ¶～ 아프다 / 내 집이 저 건너 동리이니 같이 가서 ～ 이야기를 하여보세《李海朝：彈琴臺》.

참채 명 〈방〉큰가시고기(함남).

참척【慘慽】명 아들 딸이나 손자 손녀가 앞서 죽음.

참척(을) 보다 구 웃어른으로서 참척(慘慽)인 변상(變喪)을 당하다. ¶아드님 상감마마의 참척을 보셨건만 대범하시기가 사나이 같으신 걸요《朴鍾和：錦衫의 피》.

참척-하다 자여불 [←잠착(潛着)하다] 한 가지 일에 정신을 골똘하게 쏟아 다른 생각이 없이 되다. ¶그 여자는 울기에 참척하여 사람이 곁에 이르는 줄을 깨닫지 못하더라《作者未詳：恨月》.

참천【參天】명 공중으로 높이 솟음. ——-하다 자여불

참첨【讒諂】명 참소하고 아첨함. ——-하다 자여불

참청【參聽】명 참여하여 들음. ——-하다 타여불

참:초 제근【斬草除根】명 걱정이나 재앙이 될 일은 뿌리째 뽑아야 한다는 말.

참최【斬衰】명 오복(五服)의 하나. 거친 베로 짓되, 아랫도리를 접어서 꿰매지 않은 상복. 외간상(外艱喪)에 입음. *자최(齊衰).

참최-친【斬衰親】명 3년 상기(喪期)인 참최복(斬衰服)을 입는 범위의 친족. 아버지·남편·맏아들·시아버지가 이에 속함.

참-추젓【—秋—】명 추젓보다 1개월 남짓 더 숙성(熟成)시킨 새우젓.

참취 명 〖식〗[*Aster scaber*] 국화과(科)에 속하는 다년초. 줄기는 높이 1.5 m, 잎은 호생하며, 잎 뒤쪽이 백색인데 때로 무성아(無性芽)가 생김. 근엽(根葉)과 각엽(脚葉)은 날개 모양의 것이 있고, 엽병이 길며 심장형 또는 긴 심장형임. 초엽(梢葉)은 엽병이 짧고 긴 달걀꼴 혹은 피침형임. 8-10월에 두화(頭花)가 방상(房狀)꽃차례로 피는데 가장자리의 설상화(舌狀花)는 백색, 중심의 관상화(管狀花)는 황색. 산야에 나는데, 한국 각지에 분포함. 어린 잎은 식용함. 향소(香蔬). 마제채(馬蹄菜). 마제초(馬蹄草).

〈참취〉

참측【慘惻】명 몹시 슬퍼함. 또, 그 모양. ——-하다 자여불

참치¹ 명 〖어〗①↗참치방어. ②〈방〉부시리(경남). ③〈방〉다랑어. ④다랑어의 살을 식용으로 일컫는 말.

참치²【參差】명 참치 부제(參差不齊). ——-하다 형여불

참치-방어【—魴魚】명 〖어〗[*Elagatis bipinnulata*] 전갱잇과에 속하는

바닷물고기. 몸길이 30cm 남짓한데 방추형(紡錘形)이며 주둥이가 둔함. 몸빛은 청갈색으로 여섯 줄의 회흑색 가로띠가 있고, 제1 등지느러미와 배지느러미는 검음. 한국 남해·일본 중부 이남에 분포함.

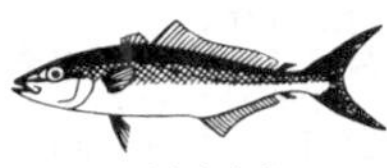
〈참치방어〉

참치 부제【參差不齊】명 길고 짧거나 또는 서로 드나들어서 가지런하지 아니함. 준참치. ——-하다 형여불

참침【鑱鍼】명 침의 한 가지.

참:칭【僭稱】명 자기의 신분에 넘치는 칭호를 자칭(自稱)함. 또, 그 칭호. ¶황제를 ~하다. *참호(僭號). ——-하다 타여불

참:칭 상속인【僭稱相續人】명 〖법〗 법률상 상속인이 될 수 없는 자가 사실상 상속인으로서의 신분상(身分上)·재산상(財産上)의 지위를 보유하는 일.

참:칭-왕【僭稱王】명 외람하게 스스로 참칭하는 왕.

참칼 명 〈방〉 창칼.

참-코:스〔course〕명 〖해·항공〗 진침로(眞針路).

참파〔Champa〕명 〖역〗 안남(安南)의 남쪽에 있던 나라. 2세기 말엽에 일어나 17세기 중엽에 멸망(滅亡)함. 청(淸)에 예속되었다가 1885년 청국(淸國)과 프랑스 조약의 결과 프랑스의 보호령(保護領)이 됨. 점성(占城). 점파(占婆).

참-파토【斬破土】명 무덤을 만들려고 풀을 베고 땅을 팜. 준파토(破土). ——-하다 자여불

참판【參判】명 〖역〗 조선 시대 육조(六曹)의 종이품 벼슬. 판서(判書)의 다음임. 아당(亞堂).

참패【慘敗】명 여지없이 패배함. ——-하다 자여불

참포【黲袍】명 〖역〗 제왕이 입던 천청색(淺靑色)의 제복(祭服).

참: 포인트〔charm+point〕명 특히 여성에 대하여, 그 사람의 가장 매력적인 곳.

참풀-나무 명 〖식〗 떡갈나무.

참-피나무 명 〖식〗 〔*Tilia amurensis* var. *glabra*〕 피나뭇과에 속하는 낙엽 활엽 교목. 잎은 엽병(葉柄)이 길고, 가에 톱니가 있으며, 6월에 꽃이 액생(腋生)하여 방상(房狀)꽃차례로 피고, 둥근 과실은 짧은 털이 밀포하며 10월에 익음. 산허리 또는 골짜기에 나는데, 경남·강원·황해도 및 일본에 분포함.

꽃 열매 〈참피나무〉

참하¹【參下】명 〖역〗 칠품 이하 계급의 일컬음. 조회(朝會)에 참여할 수 없는 하급 관리임. 참외(參外). *참상(參上).

참하²【參賀】명 조정(朝廷)에 나가 하례(賀禮)함. ——-하다 자여불

참:-하다¹【斬—】타여불 칼 따위 날붙이로 목을 쳐서 베다. 참수(斬首)하다.

참:-하다² 형여불 ①나무랄 데 없이 말쑥하다. ②성질이 찬찬하고 얌전하다. ¶참한 색씨.

참학【慘虐】명 참독(慘毒). ——-하다 형여불

참한¹【一限】명 기한까지 참음. ——-하다 타여불

참한²【慙汗】명 몹시 부끄러워서 흘리는 땀.

참한³【慙恨】명 부끄럽고 한스러움. ——-하다 형여불

참함【讒陷】명 참언으로 남을 죄에 빠지게 함. ——-하다 타여불

참해【慘害】명 ①참혹하게 입은 손해. ②남을 참혹하게 해침. ——-하다 타여불

참핵-사【參覈使】명 〖역〗 조선 시대 때 중국과 조선이 공동으로 처리해야 할 특별 사건이 있을 때, 중국에 보내는 사절(使節).

참-햇날 명 진태양일(眞太陽日).

참험【參驗】명 참고로 조사함. ——-하다 타여불

참:형¹【斬刑】명 〖역〗 목을 베어 죽이는 형벌. ¶~에 처하다. 준참(斬).

참형²【慘刑】명 참혹한 형벌. ——-하다 타여불

참호¹【參互】명 서로 비교하여 헤아려 살핌. ——-하다 타여불

참:호²【僭號】명 자기의 신분에 넘치는 자칭 칭호.

참호³【塹壕·塹濠】명 〖군〗 ①성(城) 둘레의 구덩이. ②야전(野戰)에서 적의 공격에 대비하는 방어 시설. 구덩이를 파서 그 흙으로 앞을 막아 가림. 호참(壕塹). 준호(壕).

참호-열【塹壕熱】명 〖의〗 열병의 한 가지. 이의 매개로, 급열(急熱)이 나고, 오한(惡寒)·신경통을 일으키는 질환. 제1차 세계 대전 때에 참호 속에서 생긴 병.

참호-전【塹壕戰】명 〖군〗 교전(交戰)하는 쌍방이 참호에 의지하여 하는 전투(戰鬪).

참혹【慘酷】명 비참하고 끔찍함. 잔인하고 무자비함. ¶너무나도 ~한 처사. ——-하다 형여불. ——-히 부

참-홍날개메뚜기【—紅—】명 〖충〗 〔*Bryodema tuberculatum*〕 메뚜깃과에 속하는 곤충. 날개는 붉은 빛을 띠고, 날아갈 때 소리가 남. 여름철 풀밭에서 흔히 보는데, 한국 북부·만주·시베리아에 분포함.

참화¹【慘火】명 참혹한 화재.

참화²【慘禍】명 참혹한 재화(災禍). ¶~를 입다.

참황【慘況】명 참혹한 상황.

참-황새 명 〖조〗 '황새'를 '먹황새'에 상대하여 일컫는 말.

참-황새풀 명 〖식〗 〔*Eriophorum angustifolium*〕 방동사닛과에 속하는 다년초. 줄기는 원주형으로, 높이 70cm 내외이고, 잎은 선형(線形)에 끝이 삼릉형(三稜形)임. 7월에 소수(小穗)는 줄기 끝에 산형(繖形)으로 달리어 피고, 과실은 수과(瘦果)임. 높은 산의 습한 곳에 나는데, 함북의 경성(鏡城)·백두산에 분포함.

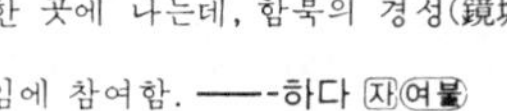
〈참황새풀〉

참회¹【參會】명 모임에 참여함. ——-하다 자여불

참회²【慙悔】명 부끄러워서 뉘우침. ——-하다 자여불

참회³【懺悔】명 ①깊이 뉘우쳐 마음을 고침. ②〖불교〗 과거에 범한 죄를 불전(佛前)에 고백하여 용서를 빎. ③〔penitence〕〖기독교〗 죄악을 자각하여 이것을 하느님 앞에 뉘우쳐 고백하는 일. 준참(懺). ——-하다 타여불

참-회나무 명 〖식〗 〔*Turibana oxyphylla*〕 노박덩굴과에 속하는 낙엽 활엽 관목. 잎은 달걀꼴 또는 거꿀달걀꼴인데, 위쪽은 뾰족하고 아래쪽은 둥긂. 6월에 자색 또는 백색의 꽃이 액생(腋生)하여 취산꽃차례로 피고, 둥근 삭과(蒴果)는 10월에 익음. 산허리 및 골짜기에 나는데, 함남을 제외한 한국 각지 및 일본에 분포함. 정원수로 심고, 줄기는 장기 짝을 만들며 나무 껍질은 새끼의 대용 또는 짚신을 삼음.

〈참회나무〉

참회-록¹【懺悔錄】명 지나간 잘못을 자백하는 기록. 참회의 고백 기록.

참회-록²【懺悔錄】명 〖책〗 ①〔Confessions〕 아우구스티누스(Augustinus)의 참회의 자서전. 34세 때까지의 과오(過誤)와 반성을 모두 13권으로 썼음. '고백(告白)'이라고도 함. ②〔프 Les confessions〕 루소(Rousseau)의 자서전. 1765년까지의 생활을 기록한 것임. 1770년에 완성, 죽은 후에 발간됨.

참회 멸죄【懺悔滅罪】〔—쬐〕명 〖불교〗 참회의 공덕(功德)으로 일체의 죄업(罪業)을 소멸시킴.

참회-문【懺悔文】명 ①참회한 것을 엮은 문장. ②〖불교〗 불(佛)·보살(菩薩)에게 예배(禮拜)하거나 독경(讀經)할 때 또는 참회할 때 축원(祝願)하는 글.

참회-사【懺悔師】명 〖불교〗 참회 스님.

참회 상:좌【懺悔上佐】명 〖불교〗 참회를 받은 상좌(上佐).

참회 소:설【懺悔小說】명 자기의 지나간 잘못을 뉘우쳐서 그 죄를 용서받고자 하는 정신으로 지은 소설.

참회 스님【懺悔—】명 〖불교〗 선법(禪法)을 주는 스님. 참회사.

참회 업장가【懺悔業障歌】명 〖문〗 고려 때 균여 대사(均如大師)가 지은 향가(鄕歌)로 보현 십종 원왕가(普賢十種願往歌) 11수 중의 하나임. 십구체(十句體)의 이두문(吏讀文)으로 되어 있으며, ≪균여전(均如傳)≫에 실려 전함.

참회 오:법【懺悔五法】명 〖불교〗 비구가 죄를 참회할 때에 하는 다섯 가지 법식(法式). 곧, 가사(袈裟)를 입고 오른쪽 어깨에 얽맴, 오른쪽 무릎을 땅에 붙임, 합장(合掌)함, 대비구(大比丘)의 발에 예배함, 저지른 죄명(罪名)을 말함을 이름.

참획¹【參劃】명 계획에 참여함. ——-하다 자여불

참:획²【斬獲】명 짤라 죽이거나 또는 생으로 잡음. ——-하다 타여불

참후【參候】명 가서 동정(動靜)을 살핌. 또, 가서 안부를 물음. ——-하다 자여불

참훼【讒毁】명 참소하는 뜻으로 남을 헐뜯어서 말함. ——-하다 타여불

참흉【慘凶】명 참혹한 흉년. 극흉(極凶).

참-흙〔—흑〕명 모래와 진흙이 알맞게 섞여서 농작물이 잘 자랄 수 있는 흙.

참다 형 〈방〉 차다¹(전라·경상).

찹쌀 명 찰벼에서 나는 쌀. 나미(糯米). 점미(黏米). ↔멥쌀.

찹쌀-가루〔—까—〕명 찹쌀을 빻어 만든 가루.

찹쌀-개 명 〈방〉 삽살개(전남).

찹쌀-고추장【—醬】명 찹쌀이나 찹쌀가루로 반대기 지어 삶은 떡으로 담근 고추장.

찹쌀-떡 명 ①찹쌀로 만든 떡. ②찹쌀로 둥글게 만들어 속에 단팥소를 넣은 떡. 모찌떡.

찹쌀-막걸리 명 찹쌀로 빚은 막걸리.

찹쌀 미수 명 찹쌀로 만든 미수.

찹쌀-밥 명 맨 찹쌀로만 지은 밥. 나미반(糯米飯). 찰밥❶.

찹쌀-엿〔—렫〕명 찹쌀로 고아 만든 엿.

찹쌀-지에바지 명 막걸리를 담그는 데 위를 덮었다가 걷어낸 지에밥의 하나.

찹쌀-지에밥 명 찹쌀로 지은 지에밥.

찹쌀-풀 명 찹쌀로 쑨 풀.

찹찹-하다 형여불 ①많이 쌓인 물건이 잠이 자서 에푸수수하지 아니하다. ¶순태 어머니는 사람이 찹찹한 맛이 없고 항상 지저분하게 헝클고 다닌다 하여, 이웃 아낙네들이 더펄네라는 별칭을 갖다 붙였다≪臾有權 : 방앗골 혁명≫. ②마음이 가라앉아 조용하다.

찻 명 〈방〉 덫(전북).

-찻 미 〈옛〉 째의. 번째의. '차'의 소유격형. ¶둘찻 阿僧祇劫이오≪月釋 Ⅱ:9≫/슬프다 네찻 놀애 불로매(嗚呼四歌兮)≪杜諺 XXV:28≫.

찻-간【車間】명 자동차·열차 따위의 사람이 타게 된 칸.

찻-감【茶—】명 차를 만들 감.

찻-값【茶—】〔—갑〕명 다방에서 마신 음료(飮料)의 대금으로 내는 돈.

찻-길【車—】명 ①전동차·기차 등이 다니는 궤도(軌道). ②자동차가 다니는 길. 차도. 차로.

찻-물【茶—】명 차를 끓인 물.

찻-방【†茶房】명 ①일상 생활에 필요한 식료품을 두는 방. 흔히, 안방 옆에 붙어 있음. ②다방(茶房).

찻-삯【車—】〔—삭〕명 차를 타는 데 내는 돈. 차비(車費).

찻-숟가락【茶—】명 차를 마실 때에 쓰는 작은 숟가락. 다시(茶匙). 준찻숟갈.

찻-숟갈【茶—】명 ↗찻숟가락.

찻-잎【茶—】〔—닙〕명 차나무의 잎.

찻-잔【†茶盞】명 차를 담아 마시는 잔. 찻종보다는 운두가 낮고 아가리가 벌어졌음.

찻-장【茶欌】명 찻그릇이나 과실 등을 넣어 두는 자그마한 장.

찻-종【茶鍾】명 차를 담아 마시는 종지. 다종(茶鍾).

찻-주전자【茶酒煎子】명 차를 끓이는 데 쓰이는 주전자.
찻-집【茶—】명 다방(茶房).
창[1] 명 피륙이나 종이 같은 얇은 조각의 물건이 해져서 뚫어진 구멍. ¶ 구두에 ~이 났다.
창[2] 명 [중세 : 창] 구두·고무신·짚신·미투리 등의 밑바닥 부분. 또, 거기에 덧붙이는 가죽이나 고무의 조각.
창[3]【昌】명 성(姓)의 하나. 본관은 공주(公州)·아산(牙山) 두 개임.
창[4]【倉】명 ①곳집. ②[거리에 서던 장을 옛날 선혜청(宣惠廳)으로 옮겨 서 그 창고를 가겟방으로 쓰게 된 까닭에 생긴 말] 서울 남대문(南大門) 시장의 속칭.
창[5]【倉】명 성(姓)의 하나. 본관은 아산(牙山) 하나뿐임.
창[6]【窓】명 ↗창문(窓門).
창:[7]【唱】명 ①노래를 부름. 가창(歌唱). ②가곡 곡조·잡가조(雜歌調)·판소리조 등으로 노래나 소리를 함. ③〖역〗↗노창(臚唱). ——-하다 자타여불
창[8]【槍】명 ①옛날 무기의 한 가지. 긴 나무 자루 끝에,양쪽에 칼날이 있는 뾰족한 쇠가 달렸음. 일반적으로 슴베를 만들어 자루에 끼워 쓰는 것을 말하며, 자루를 창날 밑동에 이루어진 투겁 속에 끼워 쓰는 투겁창과 구별됨. 과수(戈殳). ②〖체육〗투창(投槍)에 쓰는 기구. 남자용은 길이 2.6-2.7 m, 무게 800 g, 여자용은 길이 2.2-2.3 m, 무게 600 g 이상임.
창[9]【瘡】명〖한의〗↗창병(瘡病).
창[10]【艙】명 ↗선창(船艙).
-창[1] 미 물이 흐르거나 괴어 있는 곳을 나타내는 명사 뒤에 붙어, '질척질척한 곳'을 뜻함. ¶ 도랑~ / 진~ / 시궁~.
-창[2]【瘡】미〖한의〗큰 부스럼의 뜻을 표시하는 말. ¶ 등~/연주~.
창-가[1]【窓—】[—까] 명 ①창의 가. ②창 가까이. 창옆.
창가[2]【娼家】명 창기(娼妓)의 집.
창:가[3]【唱歌】명 곡조에 맞추어 노래를 부름. 또, 그 노래. 가창(歌唱). 영가(詠歌). ——-하다 자타여불
창:가-극【唱歌劇】명 징슈필(Singspiel).
창가-병【瘡痂病】[—뼝] 명〖식〗식물의 어린잎·줄기·과실에, 둘레가 코르크화(cork化)하여 볼록 올라오고 딱지 모양의 병반(病斑)이 생기는 식물의 병. 귤·차나무 등에서 볼 수 있음. 더뎅이병.
창가 책례【娼家責禮】[—녜] 명 [창기(娼妓)의 집에서 예의를 따진다 함은 가당치 않은 데서] 격식을 찾아 우스울 때 이름.
창:가 학회【創價學會】[—까—] 명 일본의 종교 단체. 일련 정종(日蓮正宗)의 교학(教學)에 미(美)·이(利)·선(善)의 가치론을 결합, 신앙에 의한 생활 혁신을 제창하고 있으며, 1964년 일본 최초의 종교 정당인 공명당(公明黨)을 결성했음.
창:간[1]【創刊】명 신문·잡지·교지(校誌) 등 정기 간행물을 처음으로 간행함. ↔종간(終刊). ¶ ~ 기념 현상 퀴즈. ——-하다 타여불
창간[2]【槍杆】명 창의 자루.
창:간-사【創刊辭】명 창간함에 즈음하여 그 목적·의의·계획·인사(人事) 등을 적은 글.
창:간-호【創刊號】명 정기 간행물(定期刊行物)의 맨 첫 번째의 것. ↔폐간호(廢刊號).
창-갈다 타 신창을 다른 것으로 갈아 대다.
창-갈리다 사동 남을 시켜 신창을 갈아 대게 하다.
창-갈이 명 신창을 다른 것으로 갈아 대는 일. ——-하다 타여불
창감【倉監】명〖역〗조선 시대 후기에, 유향소(留鄕所)의 향임(鄕任)의 하나.
창강【滄江】명〖사람〗김택영(金澤榮)의 호(號).
창:개【創開·刱開】명 창시(創始). ——-하다 타여불
창:건[1]【創建·刱建】명 사업이나 집 등을 처음으로 세워 이룩함. ——-하다 타여불
창건[2]【蒼健】명 고아(古雅)하고도 굳셈. 시문(詩文)을 평할 때 쓰는 말. ——-하다 형여불
창:건-주【創建主】명〖불교〗절을 처음 창건한 시주(施主). ㊂창주(創主).
창-검【槍劍】명 창과 검.
창검-군【槍劍軍】명 창과 검을 쓰는 군사.
창검-무【槍劍舞】명〖악〗둑제(纛祭)에 추는 춤의 이름.
창검-선【槍劍船】명〖역〗검선(劍船).
창검 초관【槍劍哨官】명〖역〗조선 시대 때 금위영(禁衛營)에 속했던 초관의 종구품 벼슬.
창:견【創見】명 처음으로 생각해 낸 의견.
창:결【悵缺·悵觖】명 몹시 서운함. 몹시 섭섭함. ¶ 지금 존사를 하직하오면 어느날 다시 뵈올는지 심히 ~하도소이다《李海朝 : 彈琴臺》. ——-하다 형여불
창경[1]【窓鏡】명 ①창문 옆에 놓은 거울. ②창문에 단 유리.
창경[2]【鶬鶊·倉庚】명〖조〗꾀꼬리.
창경-궁【昌慶宮】명〖지〗조선(朝鮮) 성종(成宗) 14년(1483)에 수강궁(壽康宮)을 증건(重建)하고 고친 이름. 현재의 건물은 임진 왜란 때 불탄 것을 광해군(光海君) 8년(1616)에 중수(重修)한 것임. 1909년 이래 창경원(昌慶苑)이라 하여 동물원·식물원이 들어서고 일반 시민에게 개방되었다가, 1984년 이후 동물원·식물원을 서울 대공원(大公園)으로 옮기고 복원 사업이 진행, 옛 모습을 되찾음. 국보(國寶)로 홍화문(弘化門)·명정전(明政殿)·옥천교(玉川橋) 등이 있음. 서울 종로구 와룡동(臥龍洞)에 있음.
창경-원【昌慶苑】명〖지〗창경궁을 한때 부르던 이름. 1907년 조선 순종(純宗)이 창덕궁으로 옮아 간 뒤, 동물원·식물원 등을 꾸미고 1909년 이래 일반 시민(市民)에게 개방(開放)하면서 이 이름으로 바뀌었다가 1984년 다시 창경궁으로 되돌아감.
창계【鶬鷄】명〖조〗①재두루미. ②왜가리.
창고[1]【倉庫】명 곳집.
창고[2]【蒼古】명 ①아주 먼 옛날 시대. ②고색(古色)을 띠고 있어 시세(時勢)에 맞지 않음. ——-하다 형여불
창-고기 명〖동〗활유어(蛞蝓魚).
창고 기탁【倉庫寄託】명〖경〗창고 임치(倉庫任置).
창고 기탁 계:약【倉庫寄託契約】명〖경〗창고 임치 계약.
창-고달【槍—】[—꼬—] 명 창의 물미.
창고-료【倉庫料】명〖경〗창고를 빌려 쓰고 내는 요금.
창고 신:용【倉庫信用】명〖경〗창고에 임치(任置)한 화물을 담보로 하여 은행에서 융자받는 일.
창고 약관【倉庫約款】명〖경〗적하(積荷) 보험에서, 출고인(出庫人)의 창고에서 반출한 때로부터 인수인(引受人)의 창고로 반입될 때까지의 해륙(海陸) 위험을 담보하는 특약(特約).
창고-업【倉庫業】명〖경〗창고 영업.
창고업-자【倉庫業者】명〖경〗↗창고 영업자.
창고 영업【倉庫營業】명 [warehousing]〖경〗보관료를 받고, 자기의 창고에 남의 임치(任置) 화물을 보관하고, 맡긴 사람을 위하여 창고 증권을 발행하고, 창고를 임대(賃貸)하며 보관물의 매매 주선 등을 하는 영업. 창고업.
창고 영업자【倉庫營業者】명〖경〗교통부 장관의 허가를 받고, 창고 영업(倉庫營業)을 하는 사람. ㊂창고업자.
창고 인:도【倉庫引渡】명〖경〗창고에 임치한 물품을 매매할 때에 그 인도를 창고에서 하는 일.
창고 임:치【倉庫任置】명〖경〗물건의 임자가 창고업자에게 그 보관을 의뢰하고 그 물건을 창고에 맡기는 일.
창고 임:치 계:약【倉庫任置契約】명〖경〗창고업자와 물건의 기탁자와의 사이에 맺는 계약. 창고 기탁 계약.
창고-전【倉庫田】명〖역〗여말 선초(麗末鮮初)의 과전법(科田法)에서, 왕실 소유의 토지. *내장전(內莊田·內庄田).
창고 증권【倉庫證券】[—꿘] 명〖경〗창고 영업자가 임치인(任置人)의 청구에 의하여 발행(發行)·교부(交付)하는 유가(有價) 증권. 창하(倉荷) 증권.
창고 하역【倉庫荷役】명 창고에 입고(入庫)할 화물의 정리·반입, 창고 내에서의 적하(積荷) 및 창고 밖으로의 반출 등, 창고에 화물을 보관하는 데 필요한 일체의 화물 정리 작업.
창고 회:사【倉庫會社】명〖경〗창고 영업을 하는 회사.
창곡[1]【倉穀】명 곳집에 쌓아 둔 곡식.
창:곡[2]【唱曲】명〖악〗①노래하기 위한 곡조. ②곡조에 의하여 노래를 부름. ——-하다 자여불
창:공[1]【彰功】명 공훈을 표창함. ——-하다 타여불
창공[2]【蒼空】명 푸른 하늘. 창천(蒼天). 청궁(青穹).
창공에 뜬 백구(白鷗) 구 실속 없고 소용 없는 것이라는 말.
창과-변【槍戈邊】명 한자 부수(部首)의 하나. '成'이나 '我' 등의 '戈'의 이름.
창관[1]【倉官】명〖역〗조선 시대 광흥창(廣興倉)·군자감(軍資監)의 낭관(郎官)의 총칭.
창관[2]【娼館】명 창녀들이 있는 집. 창루(娼樓). 청루(青樓).
창괄【鶬鴰】명〖조〗①재두루미. ②왜가리.
창광【猖狂】명 미친 것같이 날뜀. ——-하다 자여불
창구[1]【窓口】명 ①창을 뚫어 놓은 곳. ②창을 통해 사람과 응대하고 돈의 출납 등 사무를 보는 곳. ¶ ~ 사무/민원 ~.
창구[2]【創口】명 칼날 같은 것에 상한 구멍.
창구[3]【瘡口】명 부스럼이 부리가 잡혀서 터진 구멍.
창구[4]【艙口】명 함선(艦船)의 화물창(貨物艙)에 실은 화물을 내리고 올리기 위하여 상갑판(上甲板)에 설치(設置)한 방형(方形)의 개구(開口). 해치(hatch).
창-구멍[1] [—꾸—] 명 이불·솜옷·대님·버선 따위를 뒤집는 구멍.
창-구멍[2]【窓—】[—꾸—] 명 창에 뚫린 구멍.
창구 봉인【艙口封印】명 세관 관리가 선하(船荷)의 출입을 금지할 필요가 있을 경우에 창구에 봉인을 함.
창구-원【窓口員】명 은행(銀行)이나 회사(會社)·관청(官廳) 등의 창구에서 일하는 사람.
창:군[1]【創軍】명 군대를 창설함. ¶ ~ 기념 열병식(閱兵式). ——-하다 자여불
창군[2]【槍軍】명〖군〗창을 쓰는 군사. 창수(槍手).
창궁【蒼穹】명 창천(蒼天)❶.
창궐【猖獗】명 좋지 못한 병(病)이나 세력(勢力)이 자꾸 퍼져서 걷잡을 수 없이 일어남. ¶ 유행성 감기가 ~하다/도적이 ~하다. ——-하다 자여불
창귀【倀鬼】명 ①〖민〗먹을 것이 있는 곳으로 범의 앞장을 서서 인도하여 준다고 하는 못된 귀신. ②남을 못된 짓을 하도록 인도하는 사람의 비유.
창:극[1]【唱劇】명〖연〗혼자 연창(演唱)하는 판소리를 여럿에게 배역(配役)하여 각각 부르게 하는 연극. 조선 말기 순종(純宗)때 원각사(圓覺社)에서 비롯됨.
창극[2]【蒼極】명 하늘.
창:극-조【唱劇調】명〖악〗①'판소리'의 딴이름. ②판소리의 곡조.
창금【戧金·鎗金】명 칠기(漆器)나 도자기의 칠면(漆面) 또는 유표(釉表)에 바늘로 무늬를 새겨 그 자리에 금박(金箔)을 메우는 장식법.
창금-장【戧金匠】명 창금을 하는 공장(工匠).
창기[1]【娼妓】명 몸을 파는 천(賤)한 기생. 여랑(女郎).
창:기[2]【脹氣】명〖한의〗창증(脹症).

창기[3]【槍旗】명 ①창과 기(旗). ②차(茶)나무의 싹. 차나무의 싹 모양이 창 같고 잎이 기 같으므로 이름.
창기[4]【瘡氣】명〖한의〗매독(梅毒)의 기운.
창-기병【槍騎兵】명 창을 가진 기병.
창:-기악【彰其惡】명 나쁜 일을 밝혀 들춰 냄. ——-하다 타여불
창깨 명〈방〉①참깨(함남·평북). ②덫(경북).
창-꽃 명〈방〉진달래(충남·전남·경상).
창-꾼【槍—】명 창으로 짐승을 잡는 사람.
창-끝【槍—】명 뾰족하고 날카로운 창의 끝 부분.
창-나다 자 얇은 조각의 물건에 구멍이 나다.
창-나무 명 배의 키의 자루.
창-나방【窓—】명〖충〗[*Thyris usitata*] 창나방과에 속하는 곤충. 날개 길이 1.5cm 내외임. 몸과 날개가 검고, 앞날개 중앙에 흰 점, 가장자리에 누른 점, 뒷날개에는 크고 흰 점이 있음. 5-6월에 나타나서 대낮에 풀밭 부근을 낢. 한국·일본 등지에 분포함. 갈고리창나방.
창나방-과【窓—科】[—꽈] 명〖충〗[Thyrididae] 나비목(目)에 속하는 한 과. 촉각이 편상(鞭狀)이고 몸은 작으나 통통하며, 대개 뒷날개에 투명한 무늬를 가짐.
창난-젓 명 명태의 창자에 소금과 고춧가루를 쳐서 만든 젓. 태장해(太腸醢). 태장젓.
창-날【槍—】명 창의 뾰족한 날.
창녀【娼女】명 몸을 파는 여자. 자녀(恣女). 창부(娼婦).
창녕【昌寧】명〖지〗경상 남도 창녕군의 군청 소재지로 읍. 부근 일대(一帶)의 농산물의 집산지임. 교동(校洞)에는 삼국 시대의 고분군(古墳群)이 있음. [21,142 명(1991)]
창녕-군【昌寧郡】명〖지〗경상 남도의 한 군. 관내 2읍 12면. 동쪽은 청도군(清道郡)과 밀양군(密陽郡), 서쪽은 합천군(陜川郡)과 의령군(宜寧郡), 북쪽은 경상 북도 달성군(達城郡), 남쪽은 함안군(咸安郡)에 인접함. 전국 생산량의 반에 이를 만큼 양파의 산출이 많음. 명승 고적으로는 관룡사(觀龍寺)·진흥왕 척경비(拓境碑)·창녕 석빙고(石氷庫)·영산 만년교(靈山萬年橋)·부곡(釜谷) 온천 등이 있음. 군청 소재지는 창녕읍. [531.78 km²: 84,166 명(1990)]
창녕 석빙고【昌寧石氷庫】명〖역〗경상 남도 창녕읍 송현동(松峴洞)에 있는 석실(石室)로 된 옛 빙고. 조선 영조(英祖) 18년(1742)에 건조한 것임. 보물 제 310 호.
창녕 술정리 동삼층 석탑【昌寧述亭里東三層石塔】[—쩡니—] 명〖역〗경상 남도 창녕군 창녕읍(昌寧邑) 술정리에 있는 탑. 8세기 통일 신라(新羅) 시대에 건립함. 높이 5.75 m. 2층의 기단(基壇) 위에 화강석(花崗石)으로 만든 것인데, 기단 중석(中石)은 4개의 판석(板石)을 상자 모양으로 짜서 그 위에 개석(蓋石)을 덮었음. 탑신(塔身)과 옥개(屋蓋)는 하나의 석재로 되었고 옥개석(屋蓋石)에는 5단의 받침을 각출(刻出)하였음. 국보(國寶) 제34호.
창녕 신라 진흥왕 척경비【昌寧新羅眞興王拓境碑】[—실—] 명〖역〗경상 남도 창녕군 창녕읍 교상동(橋上洞)에 있는, 신라 진흥왕의 순수비(巡狩碑). 원래 창녕군 창녕면 화왕산록(火旺山麓)에 있던 것을 1924년에 현위치로 옮긴 것임. 진흥왕 22년(561)에 세운 것으로 짐작되며 높이 1.78 m, 폭이 1.73 m, 두께 0.3 m 가량임. 비문은 해서체(楷書體)로 음각(陰刻)하였음. 국보 제33호.
창녕-절【昌寧節】명〖역〗고려 숙종 때 태자 탄일(誕日)의 기념일.
창노【倉奴】명〖역〗관청의 창고지기.
창-다듬개【槍—】[—깨] 명〖고고학〗돌창 끝, 자루 등을 다듬는 오목날 밀개 형식의 연장.
창다 철도【—鐵道】〔長大〕[—또] 명〖지〗중국 만주의 뤼다(旅大)와 창춘(長春) 사이의 철도. 1901 년에 러시아가 동청(東淸) 철도의 남만주 지선(支線)으로서 건설, 경영권을 얻어 완성한 후, 1908 년에 일본이 할양(割讓)받아 남만주 철도로서 경영하다가, 제 2 차 세계 대전 후 중국 관리(管理)로 돌아감. 장대 철도. [705 km]
창:달【暢達】명 ①뻗어 자람. ②거침없이 발달함. ¶언론의 ~. ——-하다 자여불
창-대【槍—】[—때] 명 창의 자루.
창대기 명〈방〉창자(경남).
창대 수염【槍—鬚髥】[—때—] 명 굵고 빳빳한 수염.
창더〔常德〕명〖지〗중국 후난 성(湖南省) 둥팅 호(洞庭湖) 서안의 도시. 후난(湖南) 평야의 중심지로, 남서쪽 변경(邊境)에 이르는 교통의 요지임. 동유(桐油)·목재를 산출하고 위안장(沅江) 강 유역의 물산(物産)을 집산함. 부근은 농산물이 풍부하고 방직·식품·피혁·전기 등의 공업이 행해짐. 상덕. [214,000 명(1984)]
창:덕[1]【彰德】명 남의 덕행(德行)을 밝혀 드러냄. 또, 그 덕.
창:덕[2]【彰德】명〖지〗안양(安陽).
창덕-궁【昌德宮】명〖지〗서울 원서동(苑西洞)에 있는, 근세 조선 초기에 세워진 대궐. 조선 왕조 역대(歷代)의 왕(王)이 이곳에서 정치(政治)하고 상주(常住)했음. 국보인 돈화문(敦化門) 등이 있음. 동궐(東闕). 속칭:동구안 대궐.
창-던지기【槍—】명 투창(投槍). ——-하다 자여불
창도[1]【昌道】명〖지〗강원도 김화군(金化郡)의 한 읍. 원산 가도(元山街道)에 연하며, 금강산 전기 철도의 종착역임. 중정석(重晶石)의 산지로서 바륨 함유량 90% 이상의 광석이 풍부하여 세계적으로 유명함.
창:도[2]【唱道·倡道】명 솔선하여 부르짖음. ——-하다 타여불
창:도[3]【唱導】명 ①말로 부르짖어 사람을 인도함. ②〖불교〗법리(法理)를 베풀어 불도(佛道)에 인도함. ——-하다 타여불
창:도[4]【漲濤】명 세차게 이는 큰 파도.
창독【瘡毒】명〖한의〗부스럼의 독기(毒氣).
창두【蒼頭】명〖역〗노복(奴僕).
창:락【暢樂】[—낙] 명 마음이 온화(溫和)하고 맑아 즐거움. 창적(暢適). ——-하다 형여불
창랑[1]【滄浪】[—낭] 명 창파(滄波).
창랑[2]【滄浪】[—낭] 명〖사람〗①최명길(崔鳴吉)의 호(號). ②장택상(張澤相)의 호.
창랑-가【滄浪歌】[—낭—] 명〔창랑은 양쯔 강(揚子江)의 지류인 한수이(漢水) 강의 일부분의 별명임〕굴원(屈原)의 '어부사(漁父辭)'를 일컫는 말.
창랑-곡【滄浪曲】[—낭—] 명〖문〗작자·제작 연대 미상의 가사의 하나. 부귀 공명(富貴功名)을 버리고 창랑 가에 노닐면서 한세상을 보내겠다는 은둔 사상(隱遁思想)을 노래함.
창랑-보【滄浪譜】[—낭—] 명〖악〗어은보(漁隱譜).
창랑 시화【滄浪詩話】[—낭—] 명〖책〗〔저자 엄우(嚴羽)의 호(號) 창랑 포객(滄浪逋客)에서 유래〕중국 남송(南宋) 말기의 엄우가 지은 시론서(詩論書). 당시 성행했던 강서파(江西派)와 사령파(四靈派)의 폐풍(弊風)을 고치고 시의 표준을 세우기 위하여 구체적인 사실을 들어 논증(論證)하였음. 1 권.
창랑 자취【滄浪自取】[—낭—] 명 좋은 말을 듣거나 나쁜 말을 들음이 모두 자기의 잘잘못에 달렸다는 뜻.
창랑-정【滄浪亭】[—낭—] 명 중국 장쑤 성(江蘇省) 오현성(吳縣城) 내의 명승(名勝). 전씨(錢氏) 광릉왕(廣陵王)의 별원(別園)에 송(宋)나라의 소순흠(蘇舜欽)이 정자를 지어 창랑(滄浪)으로 이름짓고 나서 유명해졌음.
창량【艙量】[—냥] 명 선박에서 화물(貨物)을 실을 수 있는 화물실의 용량.
창로【蒼老】[—노] 명 무척 오래 된 느낌을 주는 일. 고색(古色)을 띠고 있는 일.
창룡【蒼龍】[—뇽] 명〖민〗①푸른 용. 청룡(青龍). ②늙은 용. ③푸른 말. 청마(青馬). ④늙은 소나무. 노송(老松). ⑤중국 천문학에서, 동방 칠수(東方七宿)의 총칭. 청룡.
창루【娼樓】[—누] 명 기루(妓樓). 청루(青樓). 창관(娼館).
창류[1]【娼流】[—뉴] 명 창기(娼妓)의 무리.
창:류[2]【漲流】[—뉴] 명 넘쳐 흐름. 넘치듯 가득 차 흐름. ——-하다 자여불
창름【倉廩】[—늠] 명 곳집.
창름실-이영어공【倉廩實而囹圄空】[—늠—] 명 쌀광이 차면 감옥이 빈다는 말. 곧, 모든 것이 풍족하면 도둑질도 아니한다는 뜻의 말.
창름실-즉지예절【倉廩實則知禮節】[—늠—] 명 쌀광이 차면 예절을 안다는 뜻. 곧, 사람이 의식(衣食) 걱정이 없어야만 비로소 예의 범절(禮儀凡節)을 안다는 말.
창-릉【昌陵】[—능] 명〖지〗서오릉(西五陵)의 하나. 조선 예종(睿宗)과 예종비(睿宗妃) 안순 왕후(安順王后)의 능(陵). 경기도 고양시(高陽市) 창릉동(昌陵洞), 경릉(敬陵)의 북쪽 언덕에 있음.
창린-도【昌麟島】[—닌—] 명〖지〗황해도 옹진 반도 서쪽에 있는 섬. [7.78 km²]
창:립【創立】[—닙] 명 회사·학교(學校) 등을 처음으로 설립(設立)하는 일. 또, 일을 처음으로 성립(成立)시키는 일. 창설(創設). 창성(創成). ——-하다 타여불
창:립 위원【創立委員】[—닙—] 명 창립하는 사무를 담당한 위원.
창:립-자【創立者】[—닙—] 명 창립한 사람.
창:립 총:회【創立總會】[—닙—] 명 주식 회사(株式會社) 등의 창립에 관한 사무의 보고 및 여러 가지 의결을 하는, 발기인(發起人)과 주식 인수인(引受人)의 총회.
창-막이【艙—】명 거룻배나 돛배 같은 목조선(木造船)의 선창(船艙)에 칸막이로 가로 막은 나무.
창:만[1]【脹滿】명〖의〗복강(腹腔) 안에 액체가 괴어 배가 몹시 팽창하는 일. 난소낭종(卵巢囊腫)의 이상 발육·복막염·간장병(肝臟病) 등으로 말미암아 일어남. ——-하다 자여불
창:만[2]【漲滿】명 창일(漲溢). ——-하다 자여불
창:망[1]【悵惘】명 시름으로 멍한 모양. ——-하다 형여불
창:망[2]【悵望】명 시름없이 바라봄. ——-하다 타여불
창망[3]【滄茫·蒼茫】명 넓고 멀어서 아득함. ¶~한 대해(大海). ——-하다 형여불. ——-히 부
창-맨드라미【槍—】명〖식〗[*Celosia cristata* var. *childsii*] 비름과의 일년생 초본(草本). 높이 15-50cm. 줄기와 잎은 황록 또는 홍록색이고 꽃은 맨드라미와는 달리 닭볏 모양이 아니며 꽃의 색도 변화가 많음. 가지가 많아 피라미드형의 원추형 꽃이삭을 형성하고, 꽃은 황·적·홍·백색 등이 있음. 18-20°C 가량이 생육(生育)에 적당함. 1912-45년 한국에 도입되어 각지에 재배됨.
창맹【蒼氓】명 창생(蒼生).
창-머리【窓—】명 창문 옆. ¶~에 있는 테이블.
창-면【—麪】명 음식의 한 가지. 녹말을 물에 묽게 풀어서 쟁반 같은 그릇에 얇은 조각이 될 만큼 부어 끓는 물에 그릇째 넣어 익힌 뒤에 집어내어 갸쭉갸쭉하게 채를 쳐서 꿀을 탄 오미자 국물에 넣어 먹음.
창:명[1]【唱名】명 호명(呼名). ——-하다 자여불
창명[2]【滄溟】명 큰 바다. 창해(滄海).
창:명[3]【彰明】명 ①드러내서 밝힘. ②빛이 환하게 밝음. ——-하다 타「형여불
창모-변【槍矛邊】명 한자 변(邊)의 하나. '矜'이나 '稍' 등의 '矛'의 이름.

창:무【暢茂】명 풀과 나무가 잘 자라서 무성함. ——-하다 형여불

창:무-극【唱舞劇】명〔민〕한국의 전통적인 소리·춤·재담(才談) 및 몸짓을 가미한 일종의 연극. 1978년에 처음 공연(公演)됨.

창문【窓門】명 공기나 빛이 들어올 수 있도록 벽에 만들어 놓은 작은 문. 창유(窓牖). 준창(窓).

창문-짝【窓門—】명 창문의 한 짝.

창문-홈【窓門—】명〔건〕미세기·미닫이·오르내리창 등이 끼이는 홈.

창미【倉米】명 비축해 둔 쌀. 창고에 저장한 쌀.

창:-미사【唱彌撒】명〔천주교〕사제가 성가대와 함께 노래로 올리는 미사.

창민[1]【蒼民】명 창생(蒼生).

창민[2]【蒼旻】명 푸른 하늘. 봄의 창천(蒼天)과 가을의 민천(旻天). 창천(蒼天).

창:-민요【唱民謠】명〔악〕소리꾼들이 불러서 널리 전파(傳播)된 민요. 육자배기·수심가(愁心歌)·방아 타령 따위. ↔토속 민요(土俗民謠).

창-밑 명 활의 도고지 밑.

창-밖【窓—】명 창문의 밖.

창반[1]〔長坂〕명〔지〕중국 후베이 성(湖北省) 당양 현(當陽縣) 북동에 있는 지명. 후한 말(後漢末) 유비(劉備)가 조조(曹操)에게 패했던 옛 싸움터. 장판.

창반[2]【瘡瘢】명 부스럼 자국.

창-받다 타 ①미투리 바닥에 가죽 조각을 대고 꿰매다. ②버선 바닥에 딴 헝겊을 대고 꿰매다.

창-받이〔—바지〕명 ①창받은 미투리. ②창받는 일. ——-하다 타여불

창:발적 진:화【創發的進化】〔—쩍—〕명〔emergent evolution〕〔논〕진화의 각 단계는 이미 있었던 여러 요인(要因)의 단순한 총합(總合)이 아니라, 이들 여러 요인에 입각한 새로운 성질의 출현이라고 주장하는 설. 모건(Morgan, C.L.)이 만든 용어로, 게슈탈트(Gestalt)의 학설을 진화론에 확장한 것임.

창방[1]【昌枋】명〔건〕대청 위의 장여 밑에 다는 넓적한 도리. 오량(五樑)집에 모양을 내느라고 닮.

창:방[2]【唱榜】명〔역〕방목(榜目)에 적힌 과거 급제자(科擧及第者)의 이름을 부름. *방방(放榜). ——-하다 자여불

창:방-의【唱榜儀】〔—/—이〕명〔역〕문과·무과, 또는 생원과·진사과에 급제한 사람을 방목(榜目)에 적은 뒤 호명하는 의식. 방방의(放榜儀).

창방 조생【倉方早生】명〔식〕복숭아의 조숙종 품종의 하나. 나무가 강함. 과실의 크기는 중간 정도, 모양은 둥근데, 살이 단단하고 달며 품질이 좋음. 7월 상순부터 수확함.

창백【蒼白】명 해쓱함. ——-하다 형여불. ——-히 부

창백-출【蒼白朮】명〔식〕창출과 백출을 아울러 이르는 말.

창-벌【槍—】명〔충〕송곳벌.

창:법[1]【唱法】〔—뻡〕명 노래나 소리를 하는 법식.

창법[2]【槍法】〔—뻡〕명 창을 쓰는 방법.

창변【窓邊】명 창가.

창병[1]【槍兵】명 창을 쓰는 병사.

창병[2]【瘡病】〔—뼝〕명〔한의〕매독(梅毒)의 한의학적 명칭. 창질(瘡疾). 담. 당창(唐瘡). *양매창(楊梅瘡). 준창(瘡).

창:부[1]【倡夫】명 ①남자 광대. ②〔민〕무당의 열 두 거리 굿의 열 한째 거리. 무당이 구군복(具軍服) 차림으로, 일 년 열 두 달의 액(厄)막이를 기원함.

창부[2]【倉部】명〔역〕①신라 때에 전곡(錢穀)을 맡은 관아. 진덕왕(眞德王) 5년(651)에 품주(稟主)를 집사부(執事部)로 고칠 때 한 관아로 독립했음. ②고려초 향리(鄕吏)의 한 직소(職所). 성종(成宗) 2년(983)에 사창(司倉)으로 고쳤음. ③↗상서 창부(尙書倉部).

창부[3]【娼婦】명 창녀(娼女).

창:부-굿【倡夫—】명 창부❷.

창:부-청【倡夫廳】명〔역〕일제 강점기(日帝強占期) 때에, 무부(巫夫)들의 조합(組合) 사무소.

창:부-타:령【倡夫打令】명〔악〕경기 민요의 하나. 본디, 무당이 부르던 소리에서 유래함.

창부-형【娼婦型】명 모성형(母性型)의 하나. 가정적이 아니며, 자녀를 양육하기에 부적당한 성질을 가진 여자.

창사[1] 명〈방〉창자(경기·충청·전라).

창사[2]〔長沙〕명〔지〕중국 후난 성(湖南省)의 주도. 샹장(湘江) 강 수운·웨한(粵漢) 철도·공로(公路)에 의하여 교통·경제의 중심지가 되었는데, 1903년에 축항(築港)하였음. 예로부터 4대 쌀 시장(市場)의 하나로, 쌀·목재·차·삼 등 주변 산물의 집산지임. 기계·화학·식육(食肉)·제지(製紙)·유리 등의 공업이 발달하고, 견직물·자수(刺繡)는 전통적인 공업이며, 그 제품은 '상수(湘繡)'로서 알려짐. 샹장 강 강안에 악록 서원(嶽麓書院)의 유지(遺址)가 있고, 1951년에 교외에서 초묘(楚墓)·전한묘(前漢墓)·후한묘가 발굴되어 출토품(出土品)이 많았으며, 1972년에 발굴된 마왕퇴(馬王堆)의 한묘(漢墓)는 유체(遺體)·유물(遺物) 등 한대(漢代) 연구에 귀중한 자료를 제공하였음. 린샹(臨湘). 장사(長沙). [1,124,000명(1984)]

창사[3]【倉史】명〔역〕고려 때 향리(鄕吏)의 한 구실. 구등 향직(九等鄕職)의 여덟째 등급임.

창:사[4]【倡師】명〔역〕창수(倡率).

창:사[5]【唱詞】명〔악〕정재(呈才) 때에 부르던 가사.

창사[6]【窓紗】명 창문에 치는 엷은 비단. 창을 가리는 천.

창:사[7]【創寺】명 절을 창건함. ——-하다 자여불

창사구 명〈방〉창자(전남·경상).

창사 한:묘【—漢墓】〔長沙〕명 중국 창사 시(市) 동쪽 교외에 있는 마왕퇴(馬王堆)에서 발견된, 2,000년 전의 서한(西漢) 초기의 분묘. 1972년 후난 성 박물관에 의하여 발굴됨. 이 분묘에서는 2,000년 전 당시의 상태 그대로의 부인(婦人)의 유체(遺體)와 그 밖에 1,000여 점에 이르는 부장품 등이 발견되어 큰 반향(反響)을 불러 일으켰음. 장사 한묘.

창산【蒼山】명 새파랗게 보이는 먼 산.

창산 군도【—群島】〔長山〕명〔지〕①중국 만주(滿洲) 남부 랴오닝 성(遼寧省) 남동부의 군도. 랴오닝 반도 동쪽, 황해(黃海) 서부에 위치하며, 다창산(大長山) 섬·샤오창산(小長山) 섬·하이양(海洋) 섬·스청(石城) 섬·광루(廣鹿) 섬 등이 있음. 근해는 조기·갈치·새우 등의 어장(漁場)임. 장산 군도. ②먀오다오(廟島) 열도.

창-살【窓—】〔—쌀〕명 ①창짝이나 미닫이 등의 가로 세로 지른 가는 나무 오리. ¶～ 없는 감옥. ②비각(碑閣)·종각(鐘閣)·사롱(斜籠) 등의 벽 같은 데 세로 죽죽 내리지른 나무 오리. ¶인경전 ～/홍살문 ～.

창상[1]【創傷】명 창·총검·칼날 같은 것에 다친 상처.

창상[2]【滄桑】명〔창해(滄海)와 상전(桑田)〕상전 벽해(桑田碧海). ¶몇번 ～에 옛 친구도 많이 없어졌다.

창상성 위염【創傷性胃炎】〔—썽—〕명〔수의〕거칠고 단단한 물체가 위벽(胃壁)에 상처를 내어 거기에 세균의 침입을 받아서 일어나는 위염. 특히 소에 많음.

창상 세:계【滄桑世界】명 변하고 변하는 세상.

창상지-변【滄桑之變】명 상전 벽해(桑田碧海).

창새 명〈방〉창자(경기·충청).

창새기 명〈방〉창자(충남·전라).

창생【蒼生】명 세상의 모든 사람. 창맹(蒼氓).

창서[1]【倉鼠】명 곳집에 있는 쥐.

창:서[2]【暢敍】명 마음을 화창하게 폄. ——-하다 타여불

창:선【彰善】명 남의 착한 행실(行實)을 드러냄. ↔창악(彰惡). ——-하다 타여불

창:선 감:의록【彰善感義錄】〔—/—이—〕명〔책〕권선 징악(勸善懲惡)을 주제로 한 고대 소설. 2책. 저자와 연대는 모름.

창:선 대:부【彰善大夫】명〔역〕조선 시대 때 종친(宗親)의 정삼품 당하관(堂下官)의 품계.

창:선 징악【彰善懲惡】명 착한 일을 칭찬하여 드러내고 악한 일을 징벌함.

창:설【創設·刱設】명 처음으로 베풂. 새로 설립함. 창립(創立). ¶학교를 ～하다. ——-하다 타여불

창:설-자【創設者】〔—짜〕명 창설한 사람.

창:설 판결【創設判決】명〔법〕형성 판결(形成判決).

창성[1]【昌城】명〔지〕평안 북도 창성군의 군청 소재지. 원래는 압록강 하류 100km 지점에 있는 하항(河港)이었는데, 수풍 댐의 건설로 침수구역이 되어 26km 동쪽으로 이전하였음.

창성[2]【昌盛】명 성하여 잘 되어 감. ——-하다 자여불

창:성[3]【創成】명 처음으로 이루어짐. 또, 처음으로 이룸. 창립(創立). ——-하다 자타여불

창성-군【昌城郡】명〔지〕평안 북도의 한 군. 관내 8면. 도의 서북에 위치하는데, 동쪽은 벽동군(碧潼郡)·초산군(楚山郡), 서쪽은 삭주군(朔州郡), 남쪽은 태천군(泰川郡)에 인접하고, 북쪽은 압록강을 경계로 만주에 대함. 각종 농산물과 축산·임산·광산·공산 등이 있으며, 비래봉·수풍호(水豐湖)·장아산성(長峨山城)·동창면 약수(東倉面藥水) 등의 명승 고적이 있음. 군청 소재지는 창성. [1,300km²]

창세[1]【昌世】명 창성한 세상.

창:세[2]【創世】명 처음으로 세계(世界)를 만드는 일. 또, 세계의 시초. ——-하다 자여불

창세기[1] 명〈방〉창자(충남·전남).

창:세-기[2]【創世記】명 ①창세에 관한 기록. ②〔Genesis〕〔성〕구약 성서의 제1권. '모세 오경(五經)' 또는 '율법서' 다섯 권 중의 첫째 권으로서, 세상과 인류의 창조, 죄의 기원(起原), 에덴 동산에서의 추방, 문명의 기원과 사람의 증가, 노아의 홍수, 여러 민족과 히브리 사람의 기원, 바벨탑의 제1부(部)와 아브라함·이삭·야곱·요셉의 생애의 제2부로 되었음.

창:세 기원【創世紀元】명〔도 Weltära〕유태력(猶太曆)에서 기원전(紀元前) 3761년 10월 7일을 일컫는 말. *유태 기원.

창:세 신화【創世神話】명 인간 세상이 만들어진 이야기이자 인간 세상을 만든 신의 이야기. 천지 개벽(天地開闢) 신화.

창:세-전【創世前】명 창세되기 이전.

창:세-후【創世後】명 창세된 이후.

창속[1]【倉粟】명 곳집 안에 저장되어 있는 곡물(穀物).

창속[2]【倉屬】명〔역〕조선 시대 때 군자감(軍資監)·광흥창(廣興倉) 등에 속하던 이속(吏屬).

창:솔【倡率】명 앞장서서 부르짖음. ——-하다 타여불

창송【蒼松】명 푸른 소나무. ¶～ 녹죽(綠竹).

창송 수고【蒼松壽古】명 동양화에서 장수(長壽)를 축하하는 화제(畫題). 소나무에 남천(南天)을 배치(配置)한 구도(構圖). 남천을 남극 수성(南極壽星)에 비긴 것으로, 장수를 축하하는 뜻을 가짐.

창송 취:백【蒼松翠柏】명 푸른 소나무와 푸른 잣나무.

창송 취:죽【蒼松翠竹】명 푸른 소나무와 푸른 대나무.

창수[1] 명〈방〉창자(경기·경상).

창:수[2]【倡率】명〔역〕구나(驅儺)할 때에 주문을 외는 사람. 붉은 옷을 입고 탈을 쓰는데, 악공(樂工)이 이 일을 함. 창사(倡師).

창:수[3]【唱酬】명 시가(詩歌)나 문장(文章)을 지어 서로 주고받고 함. ——-하다 자타 여불

창:수[4]【唱隨·倡隨】명 ↗부창 부수(夫唱婦隨).

창수[5]【槍手】명 창군(槍軍).

창:수[6]【漲水】명 강하(江河)가 벌창하여 넘치는 물.

창수[7]【蒼樹】명 푸르게 무성한 나무.

창술【槍術】명 창을 쓰는 기술.

창술-가【槍術家】명 창술에 능한 사람.

창승【蒼蠅】명 『충』 쉬파리❷.

창시[1] 명 〈방〉 창자(충북·전라·경상).

창:시[2]【創始·刱始】명 처음 시작함. 창개(創開). ¶ 동학을 ~하다. ——-하다 타 여불

창시기 명 〈방〉 창자(충남·전남).

창:시-자【創始者】명 창시한 사람. *원조(元祖).

창:신 교:위【彰信校尉】명 『역』 조선 시대 때 종오품 무관의 품계. 돈용 교위(敦勇校尉)의 위, 현신 교위(顯信校尉)의 아래임.

창씨[1] 명 〈방〉 창자(전북).

창:씨[2]【創氏】명 『역』 ↗창씨개명(創氏改名).

창:씨-개명【創氏改名】명 『역』 '일본식 성명 강요'의 구용어.

창씨-고씨【倉氏庫氏】명 〔창씨(倉氏)와 고씨(庫氏)가 옛 중국에서 세습적(世襲的)으로 곳집을 맡아 봤다는 데서〕 사물이 오래도록 잘 변천(變遷)하지 아니함을 이르는 말.

창아 명 〈방〉 덫(경기).

창:악[1]【唱樂】명 판소리를 음악으로서 일컫는 이름.

창:악[2]【彰惡】명 남의 악(惡)한 일을 드러냄. ↔창선(彰善). ——-하다 타 여불

창:안[1]【創案】명 처음으로 생각하여 냄. 또, 그 고안(考案). ¶ ~자(者). ——-하다 타 여불

창안[2]【蒼顔】명 노쇠하여 창백해진 얼굴. 노인의 얼굴.

창안 백발【蒼顔白髮】명 늙은이의 쇠한 얼굴 빛과 센 머리털.

창알-거리다 자 어린 아이가 몸이 불편하거나 마음에 못 마땅하여 연달아 보채며 짜증을 내다. ㅆ짱알거리다. <칭얼거리다. **창알-창알** 부. ——-하다 자 여불

창알-대다 자 창알거리다.

창암【蒼暗】명 어슬어슬한 어두움. ——-하다 형 여불

창애[1] 명 짐승을 꿰어서 잡는 틀의 한 가지.
[창애에 친 쥐 눈] 툭 불거져서 보기에 흉측하게 생긴 눈을 이르는 말.

창애[2]【蒼靄】명 푸른 아지랑이.

창약【瘡藥】명 부스럼에 쓰는 약.

창양[1]【搶攘】명 몹시 혼란하고 어수선함. ——-하다 형 여불

창양[2]【瘡瘍】명 창종(瘡腫).

창어【鯧魚】명 『어』 병어.

창언[1]【昌言】명 착하고 아름다운 말. 위덕(威德)이 있는 말. 가언(嘉言).

창:언[2]【唱言】명 ①높은 소리로 말함. ②앞장서서 말함. ——-하다 타 여불

창언 정:론【昌言正論】[—논] 명 매우 적절하고 정대한 언론.

창:업【創業·刱業】명 ①나라를 처음으로 세움. ②사업(事業)을 처음으로 시작함. 기업(起業). ¶ ~자(者)/~은 쉬우나 이를 지키기는 어렵다. ——-하다 타 여불

창:업-비【創業費】명 회사(會社)의 설립(設立) 및 창업에 드는 비용. 개업비(開業費).

창:업 이:득【創業利得】[—니—] 명 『경』 주식 회사 설립 또는 신주(新株) 발행에 있어서 회사 설립자에게 귀속되는 이익.

창:업-자【創業者】명 기업(企業)의 창시자.

창:업지-주【創業之主】명 나라를 창립한 임금.

창역-가【倉役價】명 『역』 세미(稅米)를 강창(江倉)·경창(京倉) 등 창고에 넣는 수수료(手數料)로 원세(元稅)에 덧붙이어 받는 세(稅).

창:연[1]【悵然】명 실의(失意)하여 한탄하는 모양. 슬퍼하는 모양. 창창(悵悵). ¶ 아들 수정의 머리를 어루만지며 ~한 빛을 띠었다《朴鍾和 : 錦衫의 피》. ——-하다 형 여불. ——-히 부

창:연[2]【敞然】명 시원함. ——-하다 형 여불. ——-히 부

창연[3]【愴然】명 몹시 슬픔. 창창(愴愴). ——-하다 형 여불. ——-히 부

창연[4]【蒼然】명 ①빛깔이 푸릇푸릇함. ②저녁녘의 어둑어둑함. ③물건이 오래 되어 예스러운 빛이 드러남. ¶ 고색(古色) ~. ——-하다 형 여불. ——-히 부.

창연[5]【蒼煙】명 푸른 연기.

창연[6]【蒼鉛】명 『화』 비스무트.

창연 요법【蒼鉛療法】[—뻡] 명 『의』 창연제(蒼鉛劑)로 매독(梅毒)을 치료하는 법.

창연-제【蒼鉛劑】명 『의』 상처(傷處)가 생긴 면과 점막(粘膜)에 대하여 국부(局部) 작용으로써 분비(分泌)를 제한(制限)하고, 또한 수렴(收斂)·방부(防腐)를 하는, 비스무트로 만든 약제(藥劑). 장질환(腸疾患)·매독(梅毒) 등에 씀.

창염【蒼髥】명 늙어서 회색이 된 수염.

창오【蒼梧】명 『지』 ①오주(梧州). ②중국 후난 성(湖南省) 영원현(寧遠縣)에 있는 산 이름. 순(舜)임금이 이곳에서 붕어(崩御)하였음. 구의(九疑).

창오시 명 〈방〉 두루마기(함경).

창오지-망【蒼梧之望】명 〔순(舜)임금이 창오에서 붕어한 데서〕 제왕(帝王)의 붕어(崩御).

창옷【氅—】명 『역』 ↗소창옷.

창옷-짜리【氅—】명 소창옷 입은 사람을 홀하게 이르는 말.

창-왕【昌王】명 『사람』 고려의 제33대 왕. 우왕(禑王)의 아들. 이성계(李成桂) 등이 우왕을 내쫓은 후, 원로 이색(李穡) 등이 창왕을 내세웠으나 이성계의 힘이 강하여 재위 1년 만에 강화로 쫓겨나 10세 때 시해(弑害)를 입음. [재위 1388-89]

창:왕 찰래【彰往察來】명 기왕(既往)의 일을 분명(分明)하게 밝혀서 장래의 득실(得失)을 살핌.

창외【窓外】명 창 밖.

창우[1] 명 〈방〉 올가미(강원).

창:우[2]【倡優】명 광대.

창우 백출【瘡疣百出】명 〔창이 많이 생긴다는 뜻〕 언행(言行)에 과실이 많음을 일컬음. ——-하다 형 여불

창운【昌運】명 탁 트인 좋은 운.

창울【蒼鬱】명 울창(鬱蒼). ——-하다 형 여불

창원[1]【昌原】명 경상 남도의 한 시(市). 마산(馬山)과 진해(鎭海)에 이웃하고 창원 기계 공업 단지의 조성(造成)으로 급성장하여 1980년 시(市)가 된 신흥 도시임. 1995년 1월, 창원군(昌原郡)의 북면(北面)·동면(東面)·대산면(大山面)이 편입됨. [291.62 km² : 477,531 명(1996)]

창원[2]【蒼遠】명 아주 아득하게 오램. ——-하다 형 여불

창원-군【昌原郡】명 『지』 경상 남도에 속했던 군. 1980년 의창군(義昌郡)으로 개칭되었다가 91년 1월 다시 창원군으로 되었으나, 95년 1월, 북면·동면·대산면(大山面)은 창원시에, 내서면(內西面)·구산면(龜山面)·진동면(鎭東面)·진북면(鎭北面)·진전면(鎭田面)은 마산시(馬山市) 합포구(合浦區)에 편입되어 없어짐.

창원 대학교【昌原大學校】명 국립 종합 대학교의 하나. 1979년 3월에 설립됨. 소재지는 경상 남도 창원시 사림동.

창:월【暢月】명 음력(陰曆) 동짓달.

창유[1]【窓牖】명 창문(窓門).

창유[2]【瘡痏】명 상처.

창-유리【窓琉璃】[—뉴—] 명 창문에 낀 유리.

창윤【蒼潤】명 푸르고 물기가 촉촉함. 또, 그 모양. ——-하다 형 여불

창:의[1]【倡義】[—/—이] 명 국난(國難)을 당하여 의병(義兵)을 일으킴. 창의(唱義). ——-하다 자 여불

창:의[2]【唱衣】[—/—이] 명 『불교』 죽은 사람 앞에 그의 옷을 갖다 놓고 생전의 집착심(執着心)을 떼는 일.

창:의[3]【唱義】[—/—이] 명 ①앞장서서 정의(正義)를 부르짖음. ②창의(倡義). ——-하다 자 여불

창:의[4]【創意·刱意】[—/—이] 명 새로 의견을 생각하여 냄. 또, 그 의견. ——-하다 자 여불

창:의[5]【氅衣】[—/—이] 명 『역』 벼슬아치가 평시에 입는 웃옷. 소매가 넓고 뒷솔기가 갈라졌음. 속칭 : 뒤트기.

〈창의[5]〉

창:의-궁【彰義宮】[—/—이—] 명 『역』 조선 영조(英祖)의 잠저(潛邸). 정조(正祖) 10년(1786)에 정조의 맏아들 문효 세자(文孝世子)의 사당 문희묘(文禧廟)를 이 궁 안에 세웠다가, 뒤에 폐궁함. 지금의 서울 종로구 통의동(通義洞) 35번지 부근에 있었음.

창:의 대:부【彰義大夫】[—/—이—] 명 『역』 조선 시대 때, 정삼품(正三品) 종친(宗親) 당하관(堂下官)의 품계.

창:의-력【創意力】[—/—이—] 명 새로운 생각을 해 내는 힘.

창:의-록【倡義錄】[—/—이—] 명 『책』 조선 선조(宣祖) 25년(1592) 임진 왜란 때, 남원(南原) 사람 양대박(梁大樸)이 창의 사적을 적은 책. 상편에 그 사적을, 하편에 장전(狀傳)을 기록하였고, 부록으로 책 끝에 여러 사람의 편지를 수록하였음. 2권 1책, 인본(印本).

창:의-문[1]【倡義文】[—/—이—] 명 의병(義兵)으로 일어날 것을 널리 호소(呼訴)하는 글.

창:의-문[2]【彰義門】[—/—이—] 명 『지』 서울 특별시 종로구(鐘路區) 부암동(付岩洞)에 있는 서울의 서북쪽 성문(城門)으로, 사소문(四小門)의 하나. 별칭 자하문(紫霞門).

창:의-사【倡義使】[—/—이—] 명 『역』 나라에 큰 난리가 일어났을 때에 의병(義兵)을 일으킨 사람에게 시키던 임시 벼슬.

창:의-소【倡義所】[—/—이—] 명 『역』 의병(義兵)으로 참가할 것을 백성들에게 호소하며, 그 의병의 지도를 위해 설치한 조직.

창:의-적【創意的】[—/—이—] 명 관 새로운 의견을 생각하여 내는 모양. ¶ ~인 사람.

창:의-짜리【氅衣—】[—/—이—] 명 『역』 창의(氅衣)를 입은 사람을 홀하게 이르는 말.

창이[1]【創痍】명 병기(兵器)에 다친 상처.

창이[2]【蒼耳】명 『식』 도꼬마리.

창:이 미:추【創痍未瘳】명 칼에 베인 상처가 아직 아물지 않았다는 뜻으로, '전란(戰亂)의 여독이 아직 회복되지 않음'을 이르는 말.

창이-병【蒼耳餠】명 도꼬마리떡.

창이-자【蒼耳子】명 『한의』 도꼬마리의 열매. 피부병(皮膚病)·치통(齒痛)·비연(鼻淵) 등에 씀. 도인두(道人頭).

창이자-유【蒼耳子油】명 도꼬마리의 씨로 짠 기름.

창이-채【蒼耳菜】명 도꼬마리의 어린 잎을 데쳐서 소금을 친 기름에 무친 나물.

창이-충【蒼耳蟲】명 『충』 도꼬마리벌레.

창인【槍刃·鎗刃】명 창의 촉. 넓적하고 긴 마름모꼴 쇠에 끝은 날카롭고 양옆은 얇아서 날처럼 되어 있음.

창:일【漲溢】명 물이 범람하여 넘침. 가득하여 넘쳐 남. 창만(漲滿).

──-하다 자여불

창자 명 〔중세 : 챵ᄌᆞ : 중 腸子〕 〘생〙 소장(小腸)·대장(大腸)의 총칭. 장관(腸管). 수곡도(水穀道).
[창자에 기별도 안 갔다] '간에 기별도 안 갔다'와 같은 뜻.
창자가 끊어지다 구 슬픔이나 분노(憤怒) 따위가 참을 수 없을 정도이다. ¶ 바다는 막막하고 소식은 없으니 난간에 의지하여 공연히 창자가 끊어질 뿐이오≪崔瓚植 : 秋月色≫.
창자가 빠지다 구 쓸개가 빠지다. ¶ 창자가 빠진 놈.

창자귀 명 〈방〉 창자(경기).

창자-벽 【一壁】 명 〘생〙 장벽(腸壁).

창자-샘 명 〘생〙 장선(腸腺).

창자-액 【一液】 명 〘생〙 장액(腸液).

창자-찜 명 소·양·돼지 등의 창자 속에 제 살이나 물고기의 살을 다져서 고명을 하여 넣은 뒤에 시루에 쪄 낸 음식. 장증(腸蒸).

창:작 【創作·刱作】 명 ①새로운 것을 처음으로 만드는 일. 또, 그것. 창조(創造). ②예술 작품을 만들어 내는 일. 또, 그 작품. 특히 순수 문학(純粹文學) 등의 소설을 이르는 일이 많음. 예술적 창조. ¶ ~ 단편선(短篇選). ③〈속〉지어낸 일. 거짓말. ──-하다 타여불

창:작-가 【創作家】 명 ①예술적 창조에 종사하는 사람. ②특히 소설을 쓰는 것을 업으로 하는 사람.

창:작-권 【創作權】 명 저작자(著作者)가 저작물에 대하여, 그 저작자인 자격으로서 가지는 인격적 이익을 유지하는 권리.

창:작-극 【創作劇】 명 〘연〙 창작하여 꾸민 연극.

창:작-단 【創作壇】 명 문단(文壇)에 있어서 시단(詩壇)·평단(評壇)에 대하여 특히 소설계(小說界)를 가리키는 말. 준작단(作壇).

창:작-력 【創作力】 [一녁] 명 예술 작품을 창작해 내는 힘.

창:작 무:용 【創作舞踊】 명 〘예〙 자기의 인상(印象)·사상 등을 예술적으로 창작하여 표현하는 무용.

창:작-물 【創作物】 명 ①창작한 것. 특히 창작한 문예 작품(文藝作品). ②〘법〙 사람의 정신적 노력(勞力)에 의한 산물(產物)의 총칭. 곧, 저작물(著作物)·발명품·실용 신안(實用新案) 및 의장(意匠)에 관한 물건·상표(商標) 등.

창:작-열 【創作熱】 [一녈] 명 소설이나 예술 작품을 만들려고 하는 정열. 창작에 대한 열의.

창:작-욕 【創作慾】 [一뇩] 명 소설 따위를 만들려고 하는 의욕.

창:작-자 【創作者】 명 창작한 사람.

창:작-적 【創作的】 명관 사물을 새로이 만들어 내려고 하는 모양. 또, 마치 새로이 만든 것같이 보이는 모양.

창-작지 【倉作紙】 명 〘역〙 조선 시대 때, 세미(稅米)를 군자(軍資)·광흥(廣興)·풍저창(豐儲倉) 등 경창(京倉)에 입고(入庫)할 때, 문안(文案)에 쓰이는 종이 값으로 덧붙여 받는 구실.

창:작-집 【創作集】 명 〘문〙 창작한 문예 작품을 모은 문집(文集).

창:작-품 【創作品】 명 〘문〙 창작한 문예 작품. *창작물.

창-잡이 【槍一】 명 곰 사냥 방법의 하나. 길이 30-50cm의 끝이 뾰족한 창으로 곰의 가슴을 겨누어 찌르면, 곰이 창을 잡아 당겨 제 스스로 제 목을 찌르게 되어 잡히게 됨.

창장 〔長江〕 명 〘지〙 '양쯔 강(揚子江)'의 중국에서의 통칭(通稱). 장강.

창-장아찌 명 〈방〉 장족편.

창재 명 〈방〉 창자(경북).

창재기 명 〈방〉 창자(충남).

창:저 【彰著】 명 밝히어서 드러냄. ──-하다 타여불

창저우 〔常州〕 명 〘지〙 중국 장쑤 성(江蘇省) 남부의 도시. 대운하·후닝(滬寧) 철도 연선에서 생산되는 콩·쌀·잠사(蠶絲)·목재를 집산함. 중공업·방적·죽기(竹器) 등의 공업이 성함. 성 밖에 천녕사(天寧寺)·홍매각(紅梅閣) 등이 있음. 옛 이름은 무진(武進). 상주. [513,000 명(1984)]

창:적 【暢適】 명 유쾌하고 즐거움. 화락(和樂)함. 창락(暢樂). ──-하다 형여불

창전[1] 【昌廛】 명 말리지 아니한 쇠가죽을 파는 가게.

창전[2] 【窓前】 명 창 앞.

창정[1] 【倉正】 명 〘역〙 고려 때 향리(鄕吏)의 한 구실. 성종(成宗) 2년(983)에 창부(倉部)의 경(卿)을 고친 이름인데, 구등 향직(九等鄕職)의 셋째 등급으로, 부호장(副戶長)의 다음임.

창:정[2] 【創定】 명 처음으로 정함. ──-하다 타여불

창:제[1] 【創制】 명 ①처음으로 법률·규칙을 만듦. ②창제(創製). ¶ 훈민정음(訓民正音) ~. ──-하다 타여불

창:제[2] 【創製】 명 처음으로 만듦. ¶ 한글 ~. ──-하다 타여불

창:제 과:정 【創製過程】 명 창안하여 제작하는 경로.

창조[1] 【倉曹】 명 〘역〙 고려 민관(民官)의 속아문(屬衙門). 성종(成宗) 14년(995)에 상서 창부(尙書倉部)로 고쳤음.

창:조[2] 【創造】 명 ①새로운 것을 자기의 생각이나 기술 등으로처음으로 만듦. 조조(肇造). ↔모방(模倣)❶. ②신(神)이 우주 만물을 지음. ──-하다 타여불

창:조[3] 【創造】 명 〘문〙 한국 문학사상(文學史上) 최초의 동인지(同人誌). 1919년 2월 일본 도쿄에서 김동인(金東仁) 등이 발간했음. 순수 문예지(純粹文藝紙)의 효시(嚆矢)로서 현대 문학에의 전환(轉換)을 촉진시킨 바 컸음.

창:조[4] 【漲潮】 명 〘지〙 간조(干潮)에서 만조(滿潮)에 이르는 상태. ↔낙조(落潮).

창:조 가극 【唱調歌劇】 [一쪼一] 명 창(唱)을 중심으로 한 연극. 곧, 창극(唱劇).

창:조 교:육 【創造教育】 명 〘교〙 창조성(創造性)의 함양(涵養)을 중심으로 하는 교육. 곧 자기 활동을 중히 여기는 교육.

창:조-력 【創造力】 명 창조하는 힘.

창조리 【倉助利】 명 〘사람〙 고구려 제14대 봉상왕(烽上王) 때의 국상(國相). 흉년이 들었으나 왕이 사치와 유흥에 빠지자, 은퇴하여 조불(祖弗) 등과 모의(謀議)하여 을불(乙弗)을 왕으로 세웠음.

창:조-물 【創造物】 명 창조된 물건.

창:조-사 【創造社】 명 〘문〙 1921 년에 중국의 궈 모뤄(郭沫若)·위 다푸(郁達夫)·청 팡우(成仿吾) 등 일본 유학생들로 결성되었던 문학 단체. 1929 년에 해산됨.

창:조-성 【創造性】 [一썽] 명 창조하는 성질.

창:조-신 【創造神】 명 인간·세계 또는 그 일부를 창조한 신. 보통 지상신(至上神)인데, 미개 민족(未開民族)에서는 동물(動物)인 수도 있음. 이스라엘의 '여호와', 이슬람교의 '알라 (Allah)', 한국에서의 '하느님' 같은 것.

창:조-자 【創造者】 명 창조한 이.

창:조-적 【創造的】 명관 창조하는 특성이 있는 것.

창:조적 사고 【創造的思考】 명 〘심〙 생산적(生產的) 사고.

창:조적 진:화 【創造的進化】 명 〔프 Évolution créatrice〕 〘철〙 1907년 프랑스의 철학자 베르크송이 발표한 철학의 원리. 생명의 본질로서의 움직임. 곧 모든 고정화(固定化) 내지는 공간화(空間化)를 꺼리는 생명은 자기에게 내재(內在)하는 충동에 눌리어 끊임없는 전개(展開)를 행한다는 말임. *유동 철학(流動哲學).

창:조-주 【創造主】 명 〘천주교〙 세상 만물을 창조한 분이라는 뜻으로, '하느님'을 달리 이르는 말.

창:조-품 【創造品】 명 창조한 물품.

창졸 【倉卒】 명 급작스러움. 돌연함. 또, 그 모양. ¶ 어찌 ~히 강경을 뜨라는 거요?≪金周榮 : 客主≫. ──-하다 형여불. ──-히 부

창졸-간 【倉卒間】 명 급작스러운 동안. 졸창간(卒倉間). ¶ ~에 당한 일이라서.

창종 【瘡腫】 명 온갖 부스럼.

창주[1] 명 〈방〉 창자(경기).

창주[2] 【倉主】 명 창고의 주인.

창:주[3] 【創主】 명 〘불교〙 ↗창건주(創建主).

창주[4] 【滄州】 명 ①성인(聖人)이 사는 곳. ②사람 사는 곳에서 멀리 떨어진 산수(山水)의 땅.

창:준 【唱準】 명 ①소리를 내어 읽어 가면서 보는 교정(校正). ②〘역〙 조선 시대 때 교서관(校書館)의 잡직(雜職)의 하나. 인쇄 원고를 창독(唱讀)하는 일을 맡음. ──-하다 타여불

창즈 〔長治〕 명 〘지〙 중국 산시 성(山西省) 남동부의 도시. 모직·양조(釀造) 등이 성하며 당삼(黨蔘), 곧 상당산(上黨產)의 약용 인삼 등은 예로부터 이곳 특산물임. 루안 탄전(潞安炭田), 상당 매철 공사(上黨煤鐵公司)가 있음. 루안(潞安). 상당(上黨). 장치(長治). [451,000 명(1984)]

창:증 【脹症】 [一쯩] 명 〘한의〙 창만(脹滿)을 일으키는 증세(症勢). 창기(脹氣).

창지 명 〈방〉 창자(강원).

창-질[1] 【槍一】 명 창으로 찌르는 일. ──-하다 자여불

창질[2] 【瘡疾】 명 〘한의〙 창병(瘡病).

창-질경이 명 〘식〙 [*Plantago lanceolata*] 질경잇과에 속하는 다년초. 잎은 길이 30cm 가량이고, 뿌리에서 총생(叢生)하며 잎자루는 길고 긴 타원형 또는 피침형을 이루는데, 엽면(葉面)과 잎자루의 구별이 확실하지 아니함. 화경(花莖)은 높이 70cm 내외, 4-6월에 흰 꽃이 수상(穗狀)꽃차례로 피고, 개과(蓋果)는 긴 타원형임. 유럽 원산(原產)으로, 경기·경남 등지에 분포함.

〈창질경이〉

창-집 【倉一】 [一찝] 명 〘역〙 나라에서 곡식을 쌓아 두는 곳집.

창-짝 【窓一】 명 〘건〙 창호(窓戶)의 한 짝. 창척(窓隻).

창:창[1] 【悵悵】 명 ①창연(悵然). ②원망하고 한탄하는 모양. ──-하다 형여불. ──-히 부

창창[2] 【滄滄】 명 ①차가운 모양. ②물이나 하늘이 푸른 모양. ──-하다 형여불

창창[3] 【愴愴】 명 애도하고 슬퍼하는 모양. 슬퍼하고 상심하는 모양. 창연(愴然). ──-하다 형여불

창창[4] 【蒼蒼】 명 ①빛이 새파람. 총청(葱靑). ②앞길이 멀어서 아득함. ¶ 앞길이 ~한 젊은이. ──-하다 형여불. ──-히 부

창창[5] 【瑲瑲】 명 옥(玉)이나 악기(樂器)가 울리는 소리의 형용(形容). ──-하다 형여불

창창[6] 【蹌蹌】 명 ①움직이는 모양. 또, 춤추는 모양. 뛰는 모양. ②당당한 모양. 동작에 위엄이 있는 모양. ③비틀거리는 모양.

창창[7] 부 〈방〉 찬찬[2].

창창 소:년 【蒼蒼少年】 명 앞길이 먼 젊은이.

창창 울울 【蒼蒼鬱鬱】 명 나무가 무성하고 빽빽하게 우거진 모양. 울울창창. ──-하다 형여불

창창-하다 【倀倀一】 형여불 갈 길이 아득하여 갈팡질팡하다. 마음이 아득하다. 창창-히 【倀倀一】 부

창척 【窓隻】 명 〘건〙 창짝.

창천[1] 【蒼川】 명 물이 맑아서 새파란 하천(河川).

창천[2] 【蒼天】 명 ①맑게 갠 새파란 하늘. 창공(蒼空). 창궁(蒼穹). 피창(彼蒼). ②사천(四天)의 하나로 봄 하늘. ③구천(九天)의 하나로 동북(東北)쪽 하늘.

창:천[3] 【漲天】 명 하늘에 퍼져 가득함. ——-하다 형여불

창초[1] 【鬯草】 명 〖식〗 울금향(鬱金香).

창:초[2] 【創初】 명 ①사물이 비롯된 맨 처음. ②태초(太初).

창:촉 【搶觸】 명 마음에 느낌. 촉감(觸感). ——-하다 타여불

창촌 【倉村】 명 〖역〗 조창(漕倉) 등 각종 창(倉)이 있는 마을.

창춘 〔長春〕 명 〖지〗 중국 지린 성(吉林省)의 성도(省都). 한때 만주국(滿洲國)의 수도로서 신징(新京)이라 불리었음. 수륙(水陸) 교통 상의 요지(要地)로, 중국 최대의 자동차 및 철도용 객차(客車) 공장이 있으며, 또 만주 지방의 교육·문화의 중심 도시로서의 역할을 하고 있음. 장춘(長春). 〔1,809,000 명(1984)〕

창:출[1] 【創出】 명 ①새로 이루어서 생겨 남. ②처음으로 생각하여 지어 냄. ——-하다 자타여불

창출[2] 【蒼朮】 명 〖한의〗 삽주의 결구(結球)되지 아니한 뿌리. 백출(白朮)보다 땀을 내는 힘이 강하여 소화기를 범한 외감을 푸는 데에 많이 씀. 산정(山精). 적출(赤朮). ＊백출(白朮)·삽주.

창취 【蒼翠】 명 수목(樹木) 같은 것이 싱싱하게 푸름. ——-하다 형여불

창-치 【槍—】 명 〖어〗 [*Vellitor centropomus*] 둑중갯과에 속하는 바닷물고기. 몸길이 12cm 남짓한데, 꼬리자루는 가늘며, 머리는 창(槍) 모양으로 주둥이 끝이 뾰족하고 입은 큼. 몸빛은 청색을 띤 갈색인데 체측에 짙은 청흥색 점이 산재함. 내만(內灣)에 사는데 한국 동부·일본 중부 이남의 연해에 분포함.

창-칼 명 ①☞ 찬칼. ②여러 가지 작은 칼의 총칭. 도자(刀子).

창:쾌 【暢快】 명 마음에 무슨 맺힌 것이 없이 썩 시원함. ——-하다 형여불

창:탄 【唱彈】 명 ①노래하는 것과 탄주(彈奏)하는 일. ②노래하면서 가야금 등의 악기를 타는 일. ——-하다 자여불

창탈 【搶奪】 명 약탈(掠奪)❶. ——-하다 타여불

창태 【蒼苔】 명 푸른 이끼. 푸릇푸릇한 이끼.

창-턱 【窓—】 명 〖건〗 창호(窓戶)의 문지방에 있는 턱.

창-틀 【窓—】 명 〖건〗 문얼굴 안쪽에 미닫이 짝이 드나드는 홈을 판 위 아래의 나무와 두껍닫이를 꾸미는 나무 오리의 총칭.

창팅 〔長汀〕 명 〖지〗 중국 푸젠 성(福建省) 서부의 도시. 팅저우(汀州)라고도 함. 팅장(汀江) 강 수운의 최상류점(最上流點)에 위치하며, 또 육로에 의해 장시 성(江西省) 방면으로 통하는 상업 중심지이기도 함. 담배·목재·종이·죽기(竹器) 등을 산출하며, 삼림 지대를 배경으로 하여 목재 가공업이 발달함. 장정(長汀). 〔376,000 명(1982)〕

창파[1] 【滄波】 명 큰 바다의 물결. 창랑(滄浪).

창파[2] 【蒼波】 명 푸른 물결. 창랑(蒼浪). ¶ 만경(萬頃) ～.

창평 【昌平】 명 나라가 창성(昌盛)하고 세상이 태평(泰平)함. ——-하다 형여불

창포 【菖蒲】 명 ①〖식〗 [*Acorus asiaticus*] 창포과에 속하는 다년초. 특이한 향기가 있고, 근경(根莖)은 비후(肥厚)하며 마디가 많은데, 적갈색이고 수근(鬚根)이 많음. 화경(花莖)은 다소 가는 삼각주(三角柱)로 높이 30cm 내외임. 잎은 뿌리에서 족생(簇生)하는데 가는 선형(線形)으로 평행맥(平行脈)이 있고 길이 60-90cm, 너비 5-15mm 내외임. 6-7월에 담황록색의 양성화(兩性花)가 육수(肉穗) 화서로 피고, 과실은 긴 타원형의 빨간 장과(漿果)임. 연못이나 호수 가에 나는데, 제주·경기·황해·평북·함남북에 분포함. 5월 단오절(端午節)에 뿌리를 깎아서 부녀자의 머리에 꽂으며, 잎과 함께 물에 우리어 머리를 감거나 목욕도 하고 술을 빚음. 장포. ②〖한의〗 창포의 뿌리. 건망증(健忘症)·번민증(煩悶症)에 약으로 씀. 창포근(菖蒲根). 장포.

〈창포❶〉

창포 강 【—江】 〔Tsangpo〕 명 〖지〗 야루짱부 강(雅魯藏布江).

창포-근 【菖蒲根】 명 〖한의〗 창포(菖蒲)❷.

창포-도 【菖蒲圖】 명 창포꽃에 바위·나비를 곁들여 그린 민화(民畫)의 하나.

창포-물 【菖蒲—】 명 창포의 잎과 뿌리를 우려 낸 물. 5월 단오(端午)에 몸을 씻는 데에 씀. 창포탕(菖蒲湯).

창포-병 【菖蒲餠】 명 석창포(石菖蒲)·백출(白朮)·산약(山藥) 등을 곱게 가루를 만들어 쌀가루와 섞어 꿀을 쳐 만든 떡. 맛이 좋음.

창포 비녀 【菖蒲—】 명 〖민〗 창포잠(簪).

창포-잠 【菖蒲簪】 명 〖민〗 창포 뿌리를 깎아서 붉게 물들여 만든 비녀. 단오절(端午節)에 부녀(婦女)들이 역병(疫病)을 물리치는 액땜으로 꽂음. 창포 비녀.

창포-주 【菖蒲酒】 명 창포를 섞어 빚은 술.

창포-탕 【菖蒲湯】 명 〖민〗 창포물.

창피[1] 명 〈방〉 창포(함남).

창피[2] 【猖披】 명 체면이 사나워지거나 또는 마음에 아니꼬움에 대한 부끄러움. ¶ ～를 당하다/～ 막심. ——-하다 형여불

창피-스럽다 【猖披—】 형ㅂ불 창피한 느낌이 있다. ¶ 창피스러워 고개를 못들겠다. 창피-스레 【猖披—】 부

창:-하다[1] 【唱—】 자타여불 ①노래를 부르다. ②국악에서, 판소리·잡가(雜歌)·민요(民謠) 등과 같은 노래를 부르다.

창:-하다[2] 【脹—】 형여불 많이 먹어서 배가 빵빵하다.

창하 증권 【倉荷證券】 〔—꿘〕 명 〖경〗 '창고 증권'의 구용어.

창:한 【悵恨】 명 원망하고 한을 품음.

창합 【閶闔】 명 궁전의 대문.

창합-풍 【閶闔風】 명 서쪽에서 불어오는 바람.

창해 【滄海·蒼海】 명 넓고 큰 바다. 창명(滄溟).

창해-군 【滄海郡】 명 〖역〗 지금의 강원도 지방에 있던 옛 군명(郡名). 한(漢)나라 무제(武帝)가 원삭(元朔) 원년(128 B.C.)에 동예(東濊) 지방을 정벌하고 그 곳에 두었는데, 3년 후에 폐지하였음.

창해 상전 【滄海桑田】 명 상전 벽해(桑田碧海).

창해 유주 【滄海遺珠】 명 〔큰 바다 속에 남아 있는 진주라는 뜻〕 세상에 알려지지 않은 진귀한 보배. 전하여, 세상에 알려지지 않은 현인(賢人)의 비유.

창해 일속 【滄海一粟】 〔—쏙〕 명 〔큰 바다에 뜬 한 알의 좁쌀이란 뜻〕 광대한 것 속의 극히 작은 물건. 곧, 우주 안에서의 인간 존재의 하찮음의 비유. 대해 일적(大海一滴).

창:현 【彰顯】 명 널리 알리어서 나타냄. ——-하다 타여불

창호[1] 【窓戶】 명 〖건〗 창과 문의 통칭. ——-하다 자여불 종이로 창호를 바르다.

창호[2] 【蒼昊】 명 넓은 하늘. 창천(蒼天).

창호-지 【窓戶紙·窓糊紙】 명 ①문을 바르는 종이. ②재래식 종이의 한 가지. 대호지(大好紙) 비슷하되 빛이 좀 누르스름하고 춘진 결이 뚝뚝함. 별완지(別浣紙). 문종이. ＊조선 종이.

창호 철물 【窓戶鐵物】 명 〖건〗 창이나 출입구 등의 문짝을 여닫는 데 쓰이는 철물 또는 창호의 장식으로 쓰이는 철물의 총칭. 곧, 돌쩌귀·경첩·자물쇠·누름널판·걸고리 등을 이름.

창:혼 【唱魂】 명 〖민〗 죽은 사람의 혼을 부르는 일. 대개 무당굿을 하여 부름. ——-하다 자여불

창홋-가게 【窓戶—】 명 창호를 만들어서 파는 가게. 건구상(建具商).

창화[1] 【倉貨】 명 창고에 넣은 화물.

창:화[2] 【唱和】 명 한쪽에서 부르고 딴쪽에서 화답(和答)함. ——-하다 자여불

창:화[3] 【彰化】 명 〖지〗 '장화'를 우리 음으로 읽은 이름.

창황 【蒼黃·蒼皇·蒼惶】 명 어찌할 겨를이 없이 매우 급함. ¶ 그는 매우 ～하여 이편에서 올라오라기도 전에 신을 벗고 정훈의 방으로 들어왔다《張德祚 : 누가 죄인이냐》. ——-하다 형여불. ——-히 부. ¶ ～ 히 귀로에 오르다.

창황 망조 【蒼黃罔措】 명 너무 급(急)하여 어찌할 바를 모름. ¶ ～하여 어찌할 줄을 모르다. ——-하다 형여불

창황 분주 【蒼黃奔走】 명 너무 급하여 수선스럽게 왔다갔다 함. ——-하다 형여불

창:황-하다 【惝怳—】 자여불 →당황(惝怳)하다. ¶ 얼굴빛이 변하여진 지밀 상궁이 창황하게 전 밖으로 나아갔다《朴鍾和 : 錦衫의 피》. **창:황-히** 【惝怳—】 부

창:회 【暢懷】 명 마음 속을 헤쳐서 시원하게 함. ——-하다 자여불

창흑 【蒼黑】 명 푸르고 검은 빛.

창-힐 【倉頡·蒼頡】 명 〖사람〗 중국 고대, 황제(黃帝) 때의 좌사(左史). 눈이 넷이며, 새와 짐승의 발자국을 본떠 글자를 만들었다고 함.

창힐-편 【倉頡篇·蒼頡篇】 명 〖책〗 옛 중국 자서(字書)의 이름. ①진(秦)나라 재상(宰相) 이사(李斯)가 소전(小篆)으로 기록(記錄)한 자서. 1편. ②한(漢)나라 때에 이르러, 창힐편·원력편(爰歷篇)·박학편(博學篇)을 아울러, 60자(字)마다 1장(章)으로 하여 55장(章)으로 엮은 자서(字書). 삼창(三蒼).

찾기-날기 명 〈방〉 숨바꼭질(황해). ——-하다 자

찾다 〔중세 : 촟다〕 ①감춘 것이나 잃은 것이 나타나도록 뒤지어 살피다. ¶ 잃었던 물건을 ～. ②맡긴 것이나 빌린 것을 돌리어 오다. ¶ 은행에서 돈을 ～. ③남을 일부러 만나러 가다. ¶ 선배를 찾아 인사드리다. ④탐승(探勝)하다. ¶ 명승 고적을 ～. ⑤요구하다. ¶ 만날 술만 찾는다. ⑥모르는 것을 밝혀 내거나 알아 내다. ¶ 사고 원인을 ～/사전을 ～.

찾아-가다 타거라불 ①맡긴 것이나 빌린 것을 도로 가져가다. ②남을 만나러 가다. 방문(訪問)하다.

찾아-내다 타 찾아서 드러내다.

찾아-보기 명 색인.

찾아-보다 타 ①남을 찾아가서 만나 보다. ②무엇을 찾아서 보다. ¶ 사전을 ～.

찾아-오다 타너라불 ①남이 나를 만나러 오다. ②맡긴 것이나 빌린 것을 도로 가져오다.

찾을-모 명 필요하여 남이 찾아서 쓸 만한 점.

채[1] 명 바구니·광주리 등의 그릇을 결어서 만드는 데에 쓰는, 껍질을 벗긴 싸릿개비나 가는 나무 오리.

채[2] 명 ①수레의 앞 쪽으로 양옆에 댄 긴 나무. ②가마의 앞뒤에 양옆으로 댄 긴 나무.

채[3] 명 〔중세 : 채〕 ①↗채찍. ②벌로 사람을 때리는 데에 쓰는 나뭇 가지. ③〖악〗 북·장구·징 또는 현악기 등을 치거나 타서 소리를 내게 하는 데에 쓰는 제구. ¶ 북～/장구～.

채[4] 명 가늘고 긴 물건의 길이. ¶ 머리의 ～가 길군다.

채[5] 명 고르게 염색이 되지 아니하고 줄이 죽죽 지게 된 빛깔. ¶ ～가 지다.

채[6] 명 〈방〉 체[1](경기·강원·충북·전남·경상·황해·함경·평안).

채:[7] 명 무·오이·호박·당근 같은 것을 가늘고 잘게 써는 일. 또, 그 썬 것. ¶ ～깍두기/～ 썰다.

채[8] 【采】 명 성(姓)의 하나. 현재(現在) 우리 나라에는 여산(礪山) 단본(單本)임.

채:[9] 【菜】 명 채소나 과류(瓜類)를 조미하여 만든 반찬. 온갖 나물의 총칭. ¶ 무 ～/오이 ～.

채:[10] 【蔡】 명 〖역〗 중국 주(周)나라 때 무왕(武王)의 아우 숙도(叔度)를 봉하여 준 나라. 서울은 지금의 허난 성(河南省) 상차이 현(上蔡縣)의 동남 지방. 뒤에 초(楚)나라에 망함. 〔? -445 B.C.〕

채:[11]【蔡】명 성(姓)의 하나. 현재(現在) 우리 나라에는 평강(平康)·인천(仁川)·음성(陰城)·광주(光州)의 4 본이 있음.

채[12] 의명 ①집의 덩이를 세는 단위. ¶오막살이 집 한 ~. ②큰 기구 따위를 세는 단위. ¶달구지로 한 ~. ③이불 따위를 세는 단위. ¶이불 다섯~.

채[13] 의명 '-ㄴ'·'-은' 뒤에 붙어, '어떤 상태가 계속된 대로 그냥'의 뜻을 나타내는 말. ¶신을 신은 ~로.

채[14] 의명 〖악〗 농악(農樂)의 기본이 되는 악장(樂章). 세 가락으로 이루어짐. 현재, 열둘의 채가 전하여짐. 차(次).

채[15] 부 일정한 정도에 아직 이르지 못한 상태를 나타내는 말. ¶날이 ~ 밝기 전/말이 ~ 끝나기도 전에. *아직[2].

채[16] 부 〈옛〉 차게. 가득하게. ¶黃황金금을 채 ᄭ로려 ᄒᆞ니 ≪月印上 56≫.

-채 미 '집의 덩이'를 나타낼 때 쓰는 말. ¶사랑~/행랑~/안~/몸~.

채:각【彩閣】명 아름답게 단청을 한 누각.

채:갱【菜羹】명 나물국. 채소국.

채:결【採決】명 의장이 의안(議案)의 채택 여부를 의원들에게 물어서 결정하는 일. ——-하다 타 여불

채:-고추 명 가늘게 채를 친 고추.

채:-고추나물 명 〖식〗 [*Hypericum attenuatum*] 물레나물과에 속하는 다년초. 전체에 흑색의 점이 있음. 줄기는 원주형으로 흔히 족생(族生)하며 높이 약 30-60cm, 달걀꼴의 긴 타원형 잎은 대생(對生)하는데 잎자루가 없으며 줄기를 조금 둘러싸고 있음. 7-8월에 누런 오판화(五瓣花)가 줄기 끝이나 가지 끝에 정생(頂生)하여 취산꽃차례로 피고, 삭과(蒴果)는 달걀꼴임. 산야에 나는데, 한국 각지(各地)에 분포함. 어린잎은 식용함.

채곡-채곡 부 ☞차곡차곡.

채:공【採工】명 광물 등을 채취(採取)하는 사람. 광부(鑛夫).

채:과【菜果】명 채소와 과실.

채:관【菜館】명 중국에서 음식점을 일컫는 말.

채:광[1]【採光】명 창문 같은 것을 내어 광선을 받아들임. 주광 조명(晝光照明). ¶~이 잘 되게 하다. ——-하다 자 여불

채:광[2]【採鑛】명 광석(鑛石)을 캐어 내는 일. ¶~권(權)/~ 기술. ——-하다 자 여불

채:-광묵【蔡光默】명 〖사람〗 조선 말기의 의병. 자는 명숙(明叔), 호는 구연(龜淵). 충남 홍성(洪城) 출신. 고종 32년(1895) 을미 사변(乙未事變)이 나자 동지들과 의병을 일으키기로 했으나 목사(牧使) 이승우(李勝宇)의 배신으로 실패하고, 상경하여 10여 차례에 걸친 토적(討賊) 상소(上疏)를 올려 조정(朝廷)에서도 감동되어 내부 주사(內部主事)에 임명했으나 사양함. 1905년 을사 조약(乙巳條約)이 체결되자 박안기(朴安璣)·이만식(李萬植) 등과 의병을 일으키고 이듬해 민종식(閔宗植)의 휘하로 들어가 홍성(洪城)에서 일본군과 격전하다가 아들 규대(奎大)와 함께 전사(戰死)함. [1850-1906]

채:광 사:무관【採鑛事務官】명 광무직(鑛務職) 국가 공무원 직급 명칭의 하나. 채광 직렬(職列)에 속하며, 채광 주사의 위, 채광 서기관의 아래로, 5급 공무원임.

채:광 서기【採鑛書記】명 광무직(鑛務職) 국가 공무원 직급 명칭의 하나. 채광 직렬(職列)에 속하며, 채광 서기보의 위, 채광 주사보의 아래로, 8급 공무원임.

채:광 서기관【採鑛書記官】명 광무직(鑛務職) 국가 공무원 직급 명칭의 하나. 채광 직렬(職列)에 속하며, 채광 사무관의 위, 광무 부이사관의 아래로, 4급 공무원임.

채:광 서기보【採鑛書記補】명 광무직(鑛務職) 국가 공무원 직급 명칭의 하나. 채광 직렬(職列)에 속하며, 채광 서기의 아래로, 9급 공무원임.

채:광 야:금학【採鑛冶金學】[—냐—] 명 〖광〗 채광과 야금에 관한 학문(學問).

채-광주리 명 껍질을 벗긴 싸릿개비나 버들 가지로 만든 광주리.

채:광 주사【採鑛主事】명 광무직(鑛務職) 국가 공무원 직급 명칭의 하나. 채광 직렬(職列)에 속하며, 채광 주사보의 위, 채광 사무관의 아래로, 6급 공무원임.

채:광 주사보【採鑛主事補】명 광무직(鑛務職) 국가 공무원 직급 명칭의 하나. 채광 직렬(職列)에 속하며, 채광 서기의 위, 채광 주사의 아래로, 7급 공무원임.

채:광-창【採光窓】명 광선을 받아들이기 위하여 내는 창문.

채:광-탄【彩光彈】명 〖군〗 백색·적색·녹색 등을 내뿜는 채광제(彩光劑)를 넣은 신호탄(信號彈). 통신 연락(通信連絡) 또는 경보용(警報用)으로 쓰임. *예광탄·신호탄.

채:교【彩轎】명 채색을 한 교자. 또, 채단으로 꾸민 교자.

채:구[1]【彩球】명 〖천〗 일식(日蝕) 때에 코로나(corona)의 아래층에 분홍빛으로 보이는 층. 그 군데군데에 크고 작은 여러 가지 붉은 불꽃이 타오르고 있음. *색구(色球)·채층(彩層).

채:구[2]【彩毬】명 ①〖역〗 용의 알. ②구(毬).

채:국【彩菊】명 〖미술〗 동양화에서, 채색(彩色)을 베푼 국화. 또, 그 그림. *묵국(墨菊).

채:굴【採掘】명 땅 속에 든 광물(鑛物)을 캐어내는 일. ¶석탄을 ~하다. ——-하다 타 여불

채:굴 공간【採掘空間】명 〖광〗 ①석탄을 생산하는 갱도(坑道) 밖의 공간. ②평층(平層) 광산에서의 채굴장(採掘場).

채:굴-권【採掘權】[—꿘] 명 〖법〗 일정한 광구내(鑛區內)에서, 어떤 광물을 채굴하여 이를 취득하는 광업권.

채:굴-량【採掘量】명 채굴하는 분량.

채:굴 용적【採掘容積】[—룡—] 명 채굴된 부분의 두께·넓이로 계산된 채굴량. 지표 침하(地表沈下)의 계산에 쓰임.

채:굴-장【採掘場】[—짱] 명 ①탄층(炭層)을 팔 때, 파헤쳐진 전체 지층을 이르는 말. ②석탄이나 광석이 실제로 채굴되는 장소.

채:굴적 충전【採掘跡充塡】[—쩍—] 명 광석(鑛石)·석탄의 채굴 현장을 갱도 굴진(坑道掘進)이나 선광(選鑛) 과정에서 생긴 폐석(廢石)으로 메우는 일. 암석의 붕괴·지표(地表)의 침하(沈下)·석탄의 자연 발화(自然發火) 방지 등을 목적으로 함.

채:굴 한:계【採掘限界】명 〖광〗 노천 채광(露天採鑛)을 할 때, 채산(採算)이 맞는 수직(垂直) 및 수평적인 한계.

채:권[1]【債券】[—꿘] 명 ①채장(債帳). ②〖경〗 공채(公債)·지방채(地方債)·사채(社債)의 채무를 증명하는 유가 증권.

채:권[2]【債權】[—꿘] 명 〖법〗 재산권(財產權)의 하나. 어떤 특정인(特定人)이 다른 특정인에 대하여 급부(給付)를 청구(請求)할 수 있는 권리. ↔채무.

채:권 계:약【債權契約】[—꿘—] 명 〖법〗 채권·채무를 발생시킬 것을 내용으로 하는 계약. 채권 행위의 거의 대부분을 차지하고 있어, 매매·임대차·고용(雇用)·위임(委任)·청부 등은 모두 채권 계약에 속함. ↔물권 계약.

채:권-국【債權國】[—꿘—] 명 대외 자산(對外資產) 총액에서 대외 채무(對外債務) 총액을 뺀 대외 순자산(對外純資產)이 플러스인 나라. ↔채무국(債務國).

채:권국 회:의【債權國會議】[—꿘—/—꿘—이] 명 [consortium] 〖경〗 발전 도상국에 대한 선진국(先進國)의 경제 원조의 경합(競合)과 중복(重複)을 피하고 분담(分擔) 방법을 조정하기 위한 선진국의 회의. 국제 차관단(國際借款團).

채:권 담보【債權擔保】[—꿘—] 명 채권자가 자기의 채권의 변제를 확보하기 위하여 설정하는 담보. 물적(物的) 담보와 인적(人的) 담보가 있음.

채:권 발행 은행【債券發行銀行】[—꿘—] 명 채권의 발행에 의해 자금을 조달하는 은행. 산업 금융(產業金融) 채권을 발행하는 한국 산업 은행, 또는 주택(住宅) 채권을 발행하는 주택 은행 따위. *발권(發券) 은행·예금 은행.

채:권-법【債權法】[—꿘뻡] 명 〖법〗 채권(債權)에 관한 사항을 규정하는 법률.

채:권 시:장【債券市場】[—꿘—] 명 〖경〗 발행·유통(流通)의 두 채권 시장 중 발행시장을 기채(起債) 시장이라 하는 데 대하여, 공사채(公社債)의 유통시장을 이르는 말.

채:권 양:도【債權讓渡】[—꿘냥—] 명 〖법〗 채권을 채권자로부터 제삼자인 양수인(讓受人)에게 그 동일성(同一性)을 유지(維持)하면서 옮겨 주는 계약(契約).

채:권의 내:용【債權—內容】[—꿘—/—꿘에—] 명 〖법〗 채권의 목적.

채:권의 목적【債權—目的】[—꿘—/—꿘에—] 명 〖법〗 채권의 내용인 채무자의 행위, 곧 급부(給付)를 이르는 말. 채권의 목적은 당사자의 의사에 의하여 자유로 정할 수 있고, 물권(物權)과 같이 법률상 일정한 종류에 한정되는 일은 없음. 채권의 내용.

채:권의 소멸【債權—消滅】[—꿘—/—꿘에—] 명 〖법〗 채권의 목적이 이루어지거나 다른 원인으로 채권이 객관적으로 그 존재를 잃는 일.

채:권의 압류【債權—押留】[—꿘—/—꿘에—] 명 〖법〗 채무자가 가진 채권에 대해 강제 집행을 개시하는 집행 법원 또는 집달관이 행하는 집행 행위. 압류된 채권은 추심 명령(推尋命令)·전부(轉付) 명령 등의 환가(換價) 명령에 의하여 환가되어 집행권자의 채권 만족(債權滿足)에 충당됨.

채:권 입찰제【債券入札制】[—꿘—] 명 아파트 분양가(分讓價)에 거액의 프리미엄이 붙는 것을 막는 동시에, 무주택 서민의 임대 주택 건설 자금 마련을 위하여 시세 차익(差益)의 60-70%를 채권 입찰 방식을 통하여 국민 주택 채권으로 회수하는 제도.

채:권-자【債權者】[—꿘—] 명 〖법〗 채권을 가진 사람. 채무자에게 어떤 급부를 청구할 권리가 있는 사람. 빚쟁이. ↔채무자.

채:권자 대:위권【債權者代位權】[—꿘—꿘] 명 〖법〗 채권자가 자기의 채권을 보전(保全)하기 위하여 채무자의 권리를 대신 행사할 수 있는 권리. 간접 소권(間接訴權). 대위 소권(代位訴權).

채:권자-주의【債權者主義】[—꿘—/—꿘—이] 명 〖법〗 매매를 계약한 물품이나 가옥 등이 인도하기전에 불타 버린 경우와 같이 쌍무 계약에 의한 한 쪽의 채무가 채무자의 책임이 될 수 없는 경우에 손실을 어느 쪽이 부담하느냐의 문제에서, 채권자(債權者) 곧 매주(買主)가 부담함을 말함. ↔채무자주의.

채:권자 지체【債權者遲滯】[—꿘—] 명 〖법〗 수령 지체(受領遲滯).

채:권자 집회【債權者集會】[—꿘—] 명 〖법〗 ①상법(商法)상, 특별 청산의 경우에 회사 채권자의 의사를 결정하는, 채권자들로써 조직된 의결 기관. ②화의법(和議法)과 채무자의 제의(提議)를 의결하기 위한 채권자들의 의사 발표 기관. ③파산법(破產法)상, 파산 채권자의 의사를 절차의 실시상 반영하기 위하여 설치한 기관. 파산 채권자 집회(破產債權者集會).

채:권자 취:소권【債權者取消權】[—꿘—꿘] 명 〖법〗 채권자가 자기 채권의 충분한 보전(保全)을 위하여 채무자의 사해(詐害) 행위를 취소할 수 있는 권리. 이 권리는 채무자의 총재산(總財產)이 채권 총액에 이르지 못할 때에만 행사(行使)할 수 있음. 사해 행위 취소권. *사해 행위(詐害行爲).

채:권자 평등의 원칙【債權者平等—原則】[—꿘—/—꿘—에—] 명 〖법〗 하나의 채무자에 대하여 많은 채권자가 있을 때, 그 채권자는 채무자의 재산에서 각각 자기 채권액에 따라서 마땅한 변제를 받을 것이며, 그 지위에 차별을 두지 않는다는 원칙.

채:권 증권【債權證券】[—꿘—꿘] 명 채권의 존재를 표시하는 유가 증권. 물품 증권과 금전 증권으로 나누임. ↔물권 증권.

채:권-질【債權質】[―꿘―] 명 〖법〗 권리질(權利質)의 하나. 채권을 목적물로 하는 질권(質權). 「행위.

채:권 침해【債權侵害】[―꿘―] 명 〖법〗 채권의 실현(實現)을 방해하는

채:권 행위【債權行爲】[―꿘―] 명 〖법〗 행위자(行爲者) 사이에 채권·채무의 관계를 발생시키는 법률 행위. 보통 계약으로 이루어지는 고용·대차(貸借)·매매(賣買)·증여(贈與) 같은 것은 이에 속함. ↔처분 행위·물권(物權) 행위.

채:귀【債鬼】명 몹시 조르는 빚쟁이.

채-그릇 명 껍질을 벗긴 싸릿개비나 버들 가지 또는 다른 가는 나무 오리로 결어서 만든 그릇의 총칭.

채:근[1]【採根】명 ①식물의 뿌리를 캠. ②일의 근원(根源)을 캠. ③ 남에게서 받을 것을 독촉함. ――-하다 자타 여불

채:근[2]【菜根】명 ①채소의 뿌리. ②전하여, 나물 반찬의 밥. 소사(蔬食).

채:근-담【菜根譚】명 〖책〗 중국 명(明)나라 말기에 홍자성(洪自誠)이 유교의 사상을 줄기로 하여 노장(老莊)·선학(禪學)의 설을 받아들여서 지은 책. 2권으로 되었는데, 전집(前集)은 사관(仕官)·보신(保身)의 도(道)를 설명하고, 후집(後集)에는 벼슬을 물러난 후의 산림 한거(山林閑居)의 즐거움을 설명하였음.

채:금[1]【採金】명 〖광〗 석금(石金)·사금(砂金) 같은 것을 캐는 일. ――-하다 자 여불

채:금[2]【債金】명 차금(借金).

채:금-선【採金船】명 〖광〗 주로 물 밑의, 금을 함유하고 있는 사력층(砂礫層)을 채굴하는 데 쓰이는 배. 굴착(掘鑿)·선광(選鑛) 등의 장치와 그 원동기(原動機) 및 부속 장치를 갖추고 있음.

〈채금선〉

채:급【債給】명 빚으로 꾸어 줌. ――-하다 타 여불

채:급-자【債給者】명 빚으로 꾸어 준 사람.

채기[1] 명 〈방〉 제기[1](함남).

채:기[2]【彩旗】명 채색(彩色)한 기(旗).

채:기[3]【彩器】명 그림을 그릴 때, 채색(彩色)을 풀어서 담아 쓰는 그릇.

채:기[4]【綵綺】명 무늬가 있는 고운 빛깔의 비단.

채:-기중【蔡基中】명 〖사람〗 독립 운동가. 경북 영주(榮州) 출신. 1913년 풍기(豐基)에서 유창순(庾昌淳)·유장렬(柳璋烈)·정만교(鄭萬敎)·김상옥(金相玉) 등과 비밀 결사 대한 광복단(大韓光復團)을 조직, 1916년 노백린(盧伯麟)·김좌진(金佐鎭)·기명섭(奇明燮) 등을 규합하여 광복단이라 개칭하고 군자금 모집과 민족에 해독을 끼치는 자들의 응징을 꾀함. 1917년 강순필(姜順弼)·임세규(林世圭)와 함께 군자금 모집에 협조를 거부한 칠곡(漆谷)의 부호(富豪) 장승원(張承遠)을 사살하고 체포되어 서울에서 처형됨. [1873-1921]

채:-김치 명 김치의 한 가지. 무를 채쳐서 담금.

채:-깍두기 명 무를 채쳐서 만든 깍두기.

채-꾼 명 소몰이 아이.

채-끝 명 방아살 아래에 붙은 쇠고기.

채:-나라【蔡―】명 〖역〗 중국의 '채(蔡)'를 나라로서 똑똑히 일컫는 말. 주의 예전에는, '챗:나라'로 발음했음. 「――-하다 자 여불

채:난【採暖】명 따뜻한 기운을 섭취(攝取)함. 온기(溫氣)를 취(取)함.

채:납【採納】명 ①의견(意見)을 받아들임. ②사람을 골라서 들임. ③받아들임. ¶기부(寄附) ~. ――-하다 타 여불

채널〔channel〕명 ①텔레비전 방송 등에서, 각 방송국에 할당된, 주파수대(周波數帶)에 의한 전파(電波)의 전송로(傳送路). ¶~9. ②텔레비전 방송 선택을 위한 수상기(受像機)의 손잡이. ¶~을 돌리다.

채널 리:스〔channel lease〕명 유선(有線) 텔레비전의 특정 채널을 광고 전용(廣告專用) 따위로 대여(貸與)하는 일.

채널 용량【―容量】[―냥] 명〔channel capacity〕특정 통신로(通信路)가 단위 시간에 전송(傳送)할 수 있는 비트(bit) 또는 다른 정보량(情報量)의 단위 최대치(最大値). 「諸島).

채널 제도【―諸島】〔Channel〕명 〖지〗 산타 바바라 제도(Santa Barbara

채:녀【采女】명〔중국 한대(漢代)의 궁녀의 한 계급에서〕궁녀(宮女).

채:농【菜農】명 나물밭을 거두는 농사.

채:니-기【採泥器】명 바다·연못 등의 수저(水底)의 진흙·모래 기타 여러 가지 침전물(沈澱物)을 채취(採取)하는 장치. 지하 자원(地下資源) 조사, 퇴적(堆積)의 역사적 연구, 수저의 지질(地質) 연구 등에 이용함. 여러 가지 종류가 있음.

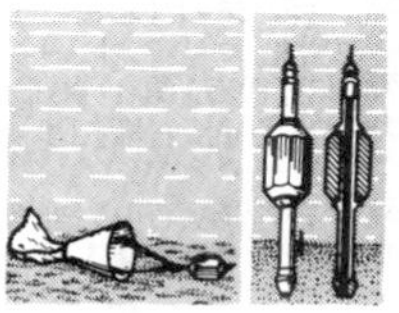
〈채니기〉

채다[1] 자 값이 좀 오르다.

채다[2] 타 갑자기 힘있게 잡아당기다. 또, 그런 동작으로 빼앗거나 훔치다. ¶날치기가 핸드백을 ~.

채다[3] 타 재빨리 짐작하다. ¶눈치를 ~.

채:다[4] 타 ↗채우다[1·2·3].

채:다[5] 피동 ①발로 참을 당하다. ¶허리를 되게 ~. ②중간에서 가로챔을 당하다. ¶보따리를 ~. ③애인한테 딱지를 맞다.
[챈 발에 곱챈다; 챈 발에 되챈다; 챈 발에 짓챈다; 챈 발이 곱챈다] 곤궁에 빠져 있는데 또 곤궁한 일을 당한다는 말.

채:단[1]【采緞】명 혼인 때, 신랑 집에서 신부 집으로 미리 보내는 청색·홍색 등의 치마 저고리 감.

채:단[2]【菜單】명 중국 요리의 메뉴.

채:단[3]【綵緞】명 비단의 총칭.

채:달【菜疸】명 〖한의〗 채독으로 생기는 황달.

채:담【彩毯】명 여러 가지 빛깔의 털로 무늬를 놓은 담요.

채대-하다 타 〈방〉 차지하다.

채:도[1]【菜刀】명 채칼.

채:도[2]【彩度】명 빛깔의 세 속성(屬性)의 하나. 빛깔의 선명도. 빛깔의 순도(純度). *색상(色相)·명도(明度).

채:도[3]【彩陶】명 채문 토기(彩文土器), 특히 중국의 허난 성(河南省) 양사오(仰韶)에서 발견된 토기를 이름. 적색(赤色)·흑색(黑色) 등으로 채색(採色)하고 짐승이나 기하학적(幾何學的) 무늬 등을 새겼으며, 신석기(新石器) 시대부터 금속기(金屬器) 시대에 걸쳐 세계적으로 널리 분포함. *채문 토기.

채:도[4]【彩陶】명 〖고고학〗 '가지무늬 토기'의 구용어.

채-독[1] 명 싸릿개비나 가는 나무 오리로 결어서 독 모양으로 만들어 안팎으로 종이를 바른 그릇. *지독.

채:-독[2]【菜毒】명 ①채소를 먹음으로써 위장을 해하는 독기. ②〖의〗 채독증(菜毒症).

채:독-벌레【菜毒―】명 〖동〗 십이지장충(十二指腸蟲).

채:독-증【菜毒症】명 〖의〗 채소를 날것으로 먹는 데에서 일어나는 각종 병. 천식(喘息) 비슷한 기침을 하며 얼굴이 누렇게 붓고 손발에 피부염을 일으키며, 오심(惡心)·구토·설사 등을 하게 되는데, 채독벌레에 의한 것이 대표적임. 채독.

채:-동건【蔡東健】명 〖사람〗 조선 시대 후기의 무신. 자는 순여(順汝), 평강(平康) 사람. 포도 대장 학승(學承)의 아들. 음보(蔭補)로 무관직에 등용되어 내외 관직을 역임. 철종 13년(1862) 경상 우도 병마 절도사가 되고 고종 3년(1866) 개성부 안무사(開城府按撫使)를 거쳐 수군 통제사(水軍統制使)·형조 판서를 지냄. [1809-80]

채:-동지【蔡同知】명 언행이 허무 맹랑한 사람을 일컫는 말.

채-둥우리 명 껍질을 벗긴 싸릿개비로 둥글고 깊게 만든 채그릇.

채드윅〔Chadwick, James〕명 〖사람〗 영국의 원자 물리학자. 리버풀 대학 교수를 역임. 제2차 세계 대전 중에는 원자 병기의 연구에도 참가함. 1932년 중성자(中性子)를 발견, 1935년 노벨 물리학상(物理學賞)을 받음. [1891-1974]

채:득[1]【採得】명 수탐하여 사실을 찾아냄. ――-하다 타 여불

채:득[2]【債得】명 남에게 빚을 얻음. ――-하다 자 여불

채:-득기【蔡得沂】명 〖사람〗 조선 인조·효종 때의 학자. 자(字)는 영이(詠而), 호는 우담(雩潭)·학정(鶴丁). 경사 백가(經史百家)에 통달하고 역학·천문·지리·의약·복서(卜筮)·음률(音律)·병진(兵陣) 등에도 밝았음. 인조 14년(1636) 천문을 관측하여 병자 호란(丙子胡亂)을 예측, 상주(尙州) 자천대(自天臺)에 들어가 은거함. 병자 호란 후 선양(瀋陽)에 볼모로 간 봉림 대군(鳳林大君)을 호종(扈從)하여 돌아옴. 저서로는 ≪사의 경험방(四醫經驗方)≫·≪삼의 일험방(三意一驗方)≫이 있고, 작품으로 ≪봉산곡(鳳山曲)≫이 전함. [1605-46]

채-뜨리다 타 ①갑자기 앞으로 잡아당기다. ②재빠르게 채어 빼앗다. ¶말을 막는 수단으로 말끝을 ~.

채:란【採卵】명 알을 거두어 가짐. ――-하다 자 여불

채:란 양:계【採卵養鷄】명 상품(商品)으로서의 계란을 생산하기 위해 닭을 치는 일.

채래 명 〈방〉 차례(함남).

채련[1] 명 부드럽게 다루어 만든 당나귀 가죽. 채련피.

채련[2]【―鍊】명 〈방〉 초련(初鍊).

채:련[3]【採鍊】명 〖광〗 광물(鑛物)을 캐내어 정련(精鍊)하는 일. ――-하다 타 여불

채:련-피【采蓮皮】명 '채련[1]'의 취음(取音).

채:록【採錄】명 채택(採擇)하여 기록·수록·녹음(錄音) 등을 함. ――-하다 타 여불

채롱【―籠】명 껍질을 벗긴 싸릿개비로 함(函) 모양으로 만든 채그릇. 안팎을 종이로 바르기도 함.

〈채롱〉

채롱-부채【―籠―】명 껍질을 벗긴 싸릿개비나 버들가지 같은 것으로 결어서 만든 부채. 「(籠佛).

채롱-부처【―籠―】명 싸리·버들 가지 등으로 결어서 만든 부처. 농불

채롱 명 〈옛〉 채롱. ¶채롱(荊籠) ≪四解 下 47 荊字註≫.

채:료【彩料】명 그림을 그리는 데 쓰는 온갖 물감. 회구(繪具).

채:료 그릇【彩料―】명 채료를 풀어 쓰는 그릇.

채:료 상자【彩料箱子】명 채료를 담는 상자.

채:류【菜類】명 푸성귀 종류. 야채류.

채:-륜【蔡倫】명 〖사람〗 중국의 후한(後漢) 중엽의 환관(宦官). 종이를 발명. 명제(明帝) 때에 기술관이 된 후, 수피(樹皮)와 베·무명으로 종이를 만들어 105년에 화제(和帝)에 봉납했다 함. 생몰년 미상.

채:륵【債勒】명 〖역〗 이채(吏債)·저채(邸債)를 환곡(還穀)과 함께 징수하는 일. ――-하다 타 여불

채리다 타 〈방〉 차리다.

채리어트〔chariot〕명 ①〖역〗 고대 이집트·그리스·로마 등에서 쓰인 이륜(二輪) 마차. 전차(戰車)로서, 또한 경주·사냥 등에 쓰였음. 보통 쌍두 마차이며 1인승임. ②경장(輕裝)의 4륜 마차.

채리티〔charity〕명 자애(慈愛). 자선(慈善).

채리티 쇼:〔charity show〕명 이익을 자선 사업에 기부할 목적으로 개최하는 흥행. 자선 흥행(慈善興行). 자선 공연(慈善公演).

채:마【菜麻】명 남새[1].

채:마-밭【菜麻―】명 채마전.

채:마-전【菜麻田】명 남샛밭. 채마밭.

채:마-지기【菜麻―】명 채마 농사(農事)를 주로 하는 사람을 홀(忽)하

게 이르는 말.

채:-만(:)식【蔡萬植】명〖사람〗소설가. 호는 백릉(白菱)·채옹(采翁). 전라 북도 옥구군(沃溝郡) 임피(臨陂) 출생. 당시 지식인 사회의 고민과 약점을 파헤쳐 풍자 작가(諷刺作家)로서의 재능을 보였으며, 사회 부조리(不條理)와 갈등을 사실적(寫實的)으로 묘사하였음. 소설 ≪인형의 집을 나와서≫·≪레디 메이드(ready-made) 인생≫·≪탁류(濁流)≫ 등을 발표했음. [1902-50]

채매 명〈방〉①치마[1](경상). ②처마(강원).

채:무【債務】명 채무자가 채권자에 대하여 일정(一定)한 행위, 곧 급부(給付)를 하여야 할 의무. ↔채권.

채:무-국【債務國】명 외국채·배상금 그 밖의 부채로 타국(他國)에 금전을 지급해야 할 의무를 진 나라.

채:무 면:제【債務免除】명〖법〗채권자가 채무자에 대한 의사 표시에 의하여 채무를 소멸(消滅)시키는 일. 면제(免除).

채:무 명의【債務名義】명〖법〗일정한 급부(給付)를 할 의무가 있음을 증명하고, 또 법률에 의하여 집행력이 부여된 공증(公證) 문서. 집행 명의(執行名義).

채:무 부:담 행위【債務負擔行爲】명 국가나 공공 단체 등이 금전 급부(金錢給付)를 내용으로 하는 채무를 부담하는 행위.

채:무 불이행【債務不履行】[—리—] 명〖법〗채무자가 채무의 내용대로 이행하지 아니하는 일. 이행 지체(遲滯)·이행 불능(不能)·불완전 이행의 세 가지 경우가 있음. 채권자는 채무자에 대하여, 강제 이행 또는 손해 배상의 청구, 계약 해제를 할 수 있음.

채:무 승인【債務承認】명〖법〗채무의 존재를 인정하고 이에 구속(拘束)된다는 뜻의 의사 표시(意思表示)를 이름. 넓은 뜻으로는, 채무자가 채무를 부담(負擔)하고 있다는 것을 인정하는 관념의 통지(通知)까지를 포함함.

채:무 약속【債務約束】명〖법〗채무를 부담(負擔)하는 원인과는 따로 떨어져 독립하여 채무를 부담할 것을 약속하는 무인 채무 계약(無因債務契約).

채:무 이행【債務履行】명〖법〗채무자가 자기의 채무를 이행하는 일.

채:무 인:수【債務引受】명〖법〗채무의 동일성을 잃지 아니하고 그 채무를 인수인에게 이전하는 일.

채:무-자【債務者】명 채권자에 대하여 급부(給付)의 의무를 가지는 자. 부채자(負債者). 부채주. ↔채권자.

채:무자-주의【債務者主義】[—/—이] 명〖법〗쌍무 계약에서, 한쪽의 채무가 채무자의 책임에 속하지 않는 이유로 소멸(消滅)하여 이행 불능(不能)으로 된 때에, 다른 쪽의 채무도 소멸한다는 주의. ↔채권자주의(債權者主義).

채:무 초과【債務超過】명〖법〗어떤 재산(財産)에서 소극(消極) 재산의 총액이 적극(積極) 재산의 총액보다 많은 상태. 곧, 재산보다 빚이 많은 상태.

채:묵【彩墨】명〖미술〗그림을 그릴 때에 먹처럼 갈아서 쓰는, 채색을 뭉친 단단한 물체.

채:문[1]【彩紋·彩文】명 ①채색의 무늬. ②물결 무늬·호선(弧線)·원형 등을 써서 그린 정밀한 기하학적 무늬. 흑채문과 백채문의 두 가지가 있는데, 지폐나 증권 등의 위조를 곤란하게 하기 위하여 도안(圖案) 속에 이용함. *백채문·흑채문.

채:문[2]【採問】명 탐문(探問). ¶사람 죽은 데 대하여 원수 갚을 말씀이나 물으실 것이지, 남의 집 가정지사는 왜 이리 ~하시오≪李海朝: 鳳仙花≫. ——-하다 타여불

채:문 조각기【彩紋彫刻機】명〖기〗지폐·채권 등 고급 유가 증권의 채문을 조각하는 극히 정밀한 기계.

채:문 토기【彩紋土器】명 ①가지무늬 토기. ②칠무늬 토기.

채미 명〈방〉참외[1](경기·황해).

채:미-충【蠆尾蟲】명〖동〗전갈(全蠍)❷.

채:밀【採蜜】명 꿀을 뜸. ——-하다 자여불

채:밀-기【採蜜器】명 꿀을 뜨는 데 쓰는 기구.

채-반【—盤】명 ①껍질을 벗긴 싸릿개비로 울이 없이 결어 만든 채 그릇. ②진미(珍味)의 음식. 흔히, 신부가 근친(覲親)할 때나 근친했다가 시집에 올 때에 가지고 옴.

〈채반❶〉

[채반이 용수가 되게 우긴다] 가당치도 아니한 의견을 끝까지 주장함을 이름.

채반-가름【—盤—】명 누에가 자람에 따라 자리를 넓혀 주기 위하여 채반의 수를 늘려 주는 일.

채반-상【—盤相】명 둥글고 넓적한 얼굴을 농으로 이르는 말.

채-받이 [—바지] 명 ①소의 등심 끝머리에 있어 채를 늘 맞는 곳의 살. ②쇠가죽의 채를 늘 맞는 곳.

채-발 명 볼이 좁고 길쭉하여 맵시 있게 생긴 발. ↔마당발.

채:방[1]【彩舫】명 채선(彩船).

채:방[2]【採訪】명 모르는 곳을 물어 가며 찾는 일. 채탐(採探). ——-하다 타여불

채:방-사【採訪使】명〖역〗예전에 지방의 여러 가지 실정(實情)을 조사하는 일을 맡은 임시 벼슬.

채:벌【採伐】명 벌채(伐採). ——-하다 타여불

채:벽【採壁】명〖광〗①채석장(採石場)에서 돌을 뜰 때의 채석하는 암벽(岩壁)의 단면. ②막장[1]❶.

채:변[1] 명 ①남이 무엇을 줄 때에 사양하는 일. ¶~하지 말고 받아 두게. ②☞ 주변[1]. ——-하다 자여불

채:변[2]【採便】명〖의〗검사용(檢査用)으로 변을 채집(採集)함. ——-하다 자여불

채:변 봉지【採便封紙】명 채변용으로 쓰는 봉지.

채:병【彩屛】명 채색을 하여 그림을 그린 병풍.

채:-병(:)덕【蔡秉德】명〖사람〗군인. 평양(平壤) 출생. 일본 육군 사관학교를 졸업함. 일본군 소좌(少佐)로 해방을 맞아 국방 경비대 창설에 참여, 1949년 소장으로 제2대 육군 참모 총장에 취임함. 6·25 동란 때 육해공군 총사령관으로 전투 지휘중 하동(河東) 전투에서 전사함. 중장으로 특진함. [1916-50]

채보[1]【砦堡】명 작은 성(城). 보루(堡壘).

채:보[2]【採譜】명 악보로 적음. 음표를 사용, 기록하여 악보로 만듦. ——-하다 타여불

채:봉[1]【彩棒】명〖역〗격구를 할 때에 공을 받고 치고 하는 데 쓰던 막대기. 곱게 칠하고 새기었음.

채:봉[2]【彩鳳·綵鳳】명 빛깔이 고운 봉새.

채:봉 감:별곡【彩鳳感別曲】명〖문〗작자·창작 연대 미상의 고전 소설의 하나. 12회의 장회(章回) 소설. 평양(平壤) 김진사(金進士)의 딸 채봉과 강필성(姜弼成)이 파란 곡절(波瀾曲折)을 겪은 끝에 결혼하게 된다는 이야기. 국문본.

채:봉-령【蔡封嶺】[—녕] 명〖지〗평안 북도 위원군(渭原郡)에 있는 고개. [507m]

채:부【採否】명 ①채용과 불채용. ②채택함과 채택하지 아니함.

채:붕【綵棚】명〖역〗①나무를 걸치고 비단을 깔고 덮은 일종의 고대(高臺) 관람석. ②결채(結綵).

채비【—備】명 갖추어 차림. 또, 그 일. 차비(差備). ¶떠날 ~를 하시오. ——-하다 자여불

채:빙【採氷】명 얼음을 떠냄. ——-하다 자여불

채사【—使】명〈방〉차사(差使).

채:산[1]【採山】명 산나물을 뜯음. ——-하다 타여불

채:산[2]【採算】명 ①계산함. 수지가 맞음. ¶독립 ~제/~이 맞지 않는다. ②원가(原價)·비용·이윤 등을 합하여 판매가를 산정(算定)함. ——-하다 타여불

채:산[3]【茶山】명〖사람〗정약용(丁若鏞)의 호(號).

채:산-제【採算制】명〖경〗수입과 지출을 조절하여 가는 경영법(經營法). ¶독립 ~.

채:산-주【採算株】명 다른 투자 물건(投資物件)과 비교해서 이익률이 높은 유리한 주식. 자산주(資産株)와 혼동하기 쉬우나 비교적 부진(不振)한 기업의 주식이라도 높은 이익률을 나타낼 때에는 채산주라고 볼 수 있는 점이 다름.

채:삼【採蔘】명 삼(蔘)을 캠. ——-하다 자여불

채:삼-꾼【採蔘—】명 ①인삼을 캐는 사람. ②심마니.

채상[1] 명〖농〗〈방〉개상.

채:상[2]【採桑】명 뽕을 땀. ——-하다 자여불

채:상[3]【彩箱】명 채협(彩篋).

채:상-단【採桑壇】명〖역〗백성들에게 양잠을 권하기 위해 왕비가 몸소 친잠(親蠶) 의식을 거행하던 곳. 봄에 뽕잎이 필 무렵 왕비와 내외명부(內外命婦)가 이 곳에서 뽕잎을 땀.

채:상-장【彩箱匠】명 대오리를 물들여서 채상을 겯는 장색(匠色).

채색[1]【采色】명 풍채(風采)와 안색(顔色).

채:색[2]【彩色】명 ①그림 같은 데에 색을 칠함. ②여러 가지의 고운 빛깔. ③↗채색감. ——-하다 자여불

채:색[3]【菜色】명 ①푸성귀의 빛깔. ②굶주린 사람의 혈색 없는 누르스름한 얼굴 빛.

채:색-감【彩色—】명 채색에 쓰는 감. 준채색(彩色). *물감.

채:색-계【彩色契】명〖역〗관아에 채색을 공물로 바치던 계.

채:색 구름【彩色—】명 채운(彩雲)❶.

채:색-면【彩色面】명 채색을 한 화면이나 인쇄면.

채:색 사막【彩色沙漠】명 여러 빛으로 아롱진 아름다운 사막.

채:색 토기【彩色土器】명〖고고학〗칠무늬 토기.

채:색-화【彩色畫】명 채화(彩畫). 다색화(多色畫).

채:색화-가【彩色畫家】명 컬러리스트.

채:색회 토기【彩色繪土器】명〖공〗잿물을 바르지 아니하고 채색으로 그림만 그린 토기. 원시 토기에 흔히 있음.

채:석【採石】명 바위에서 석재를 떠냄. 부석(浮石). ——-하다 자여불

채:석-권【採石權】명 남의 땅에서 암석(岩石)을 캐어 낼 수 있는 권리.

채:석-산【採石山】명 석재를 떠내는 산.

채:석-장【採石場】명 석재(石材)를 떠내는 곳. 돌산.

채:선[1]【彩扇】명 채색을 한 부채.

채:선[2]【彩船】명 정재(呈才)의 선유락(船遊樂)에 쓰는 배. 채방(彩舫). 화선(畫船).

〈채선[2]〉

채:설-기【採雪器】명〔snow sampler〕적당한 장소에서 눈의 샘플을 채취하기 위한 속이 비어 있는 관(管).

채:소【菜蔬】명 온갖 푸성귀. 소채(蔬菜). 남새.

채:소-계【菜蔬契】[—께] 명〖역〗관아에 채소를 공물로 바치던 계.

채소고리 명〈방〉소쿠리(경남).

채:소-과【菜蔬果】명 밀가루를 꿀물에 반죽하여 가늘게 늘이어 실타래같이 꼬아서 기름에 띄워 지진 유밀과(油蜜果).

채소구리 명〈방〉소쿠리(전북).

채:소-밭【菜蔬—】명 채소를 심은 밭. 남새밭.

채:소-적【菜蔬炙】명 도라지·고사리·파 등 채소로 만든 적.

채:송-화【菜松花】[명]〖식〗[*Portulaca grandiflora*] 쇠비름과에 속하는 일년초. 높이 20cm 가량. 줄기는 분홍빛이고, 잎은 육질(肉質)인데 원주상 선형(線形)이며, 엽액(葉腋)에 희고 긴 털이 있음. 여름에서 가을에 걸치어 자주·분홍·노랑·백색의 화병(花柄)이 없는 오판화(五瓣花)가 햇빛을 받아 아침에 피었다가 오후에는 시들며, 꽃의 중심에 많은 수술이 있어 자극(刺戟)을 주면 일종의 운동을 일으킴. 둥근 개과(蓋果)는 익으면 위의 절반이 뚜껑처럼 열리어 속의 잔 씨를 산출(散出)함. 브라질 원산(原産)으로, 관상용으로 흔히 정원에 심는데, 최근에는 꽃잎을 겹으로 개량한 품종이 많음.

〈채송화〉

채수[1] [명]〈방〉채소.

채:수[2]【採水】[명] 수질 검사 등을 위하여, 강물·호수·해수 또는 우물물 등을 채취함. ——-하다 [자][여불]

채:수[3]【採收】[명] 유층(油層)으로부터 기름이나 가스(gas)를 땅 위로 뽑아내는 일. ——-하다 [타][여불]

채:-수[4]【蔡壽】[명]〖사람〗조선 초기의 문신(文臣). 자는 기지(耆之), 호는 나재(懶齋). 인천(仁川) 사람. 세조 14년(1468) 생원(生員)이 되고, 예종 원년(1469) 추장 문과(秋場文科)의 초시(初試)·복시·전시에 장원, 이석형(李石亨)과 함께 조선 개국 이래 삼장(三場)에 연이어 장원한 두 사람 중의 한 사람임. 한성부 좌윤(漢城府左尹)·대사성(大司成)·호조 참판 등을 역임함. 산경(山經)·지지(地誌)·시문(詩文)에 능하였으며 음악에도 조예가 깊었음. 저서 ≪나재집(懶齋集)≫. 시호는 양정(襄靖). [1449-1515]

채:수-기【採水器】[명] 해양 관측에 있어서 해수·호수를 채집하기 위한 기구. 절연(絕緣) 채수기와 심해(深海)용의 전도(轉倒) 채수기 및 다층(多層)의 다통(多筒) 채수기가 있음.

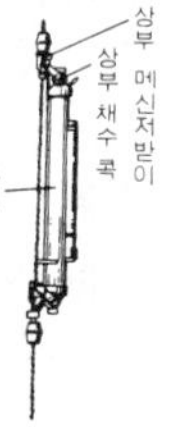
상부 메신저받이
상부 채수 콕
동체
〈채수기〉

채-수염【—鬚髥】[명] 숱은 많지 아니하나 퍽 긴 수염.

채:숭아 [명]〖식〗☞ 채송화.

채숭이 [명]〈방〉〖식〗채송화(함남).

채:승【綵繩】[명] 색실로 꼰 노.

채시【采詩】[명]〖역〗중국 주대(周代)에 천하를 두루 다니며 민간의 시(詩)를 모아 풍속을 고찰하여 정치의 참고로 하였던 일.

채시-관【采詩官】[명]〖역〗중국 주대(周代)에 채시를 위하여 두었던 관직. 또, 그 벼슬아치. 「하다 [자][여불]

채:식【菜食】[명] 푸성귀로만 반찬을 하여 먹음. ↔육식(肉食)❶. ——-

채:식-가【菜食家】[명] 채식만을 하는 사람. ↔육식가(肉食家).

채:식-주의【菜食主義】[—/—이] [명] 식사의 부식으로 특히 야채·과실·해초(海草) 같은 식물성 식품을 취하는 주의. 불교에서는 교시(敎是)로서 살생 금단(殺生禁斷)을 제창하여 이 주의를 취하고 있음.

채:신 [명] '처신(處身)'을 얕잡아 쓰는 말.

채:신머리-사납다 [형][ㅂ불]〈속〉채신사납다.

채:신머리-없다 [—업—] [형]〈속〉채신없다. 「다.

채:신-사납다 [형][ㅂ불] 처신을 잘못하여 꼴이 매우 언짢다. <치신사납

채:신-없다 [형] 언행이 경솔하여 남을 대하여 위신이 없다. <치신없다.

채:신-없이 [—업씨] [부] 채신없게.

채:신지-우【採薪之憂】[명] [≪맹자(孟子) 공손축(公孫丑)≫에 나오는 말. 병이 들어 나무를 할 수 없다는 뜻] 자기의 병(病)을 겸사하여 일컫는 말. 부신지우(負薪之憂).

채심-하다 [자]〈방〉정신을 차리다.

채:약【採藥】[명] 약재(藥材)를 캐서 거두는 일. ——-하다 [자][여불]

채양[1]【—陽】[명]〈방〉차양(遮陽).

채:-양[2]【蔡襄】[명]〖사람〗중국 북송(北宋)의 문인(文人)·서가(書家). 자(字)는 군모(君謨). 안진경(顏眞卿)의 영향을 받은 호방(豪放)한 필치로 송사대가(宋四大家)의 하나로 꼽힘. 시호(諡號)는 충혜(忠惠). [1012-67]

채양-버들 [명]〖식〗새양버들.

채:여【彩轝】[명] 왕실의 의식이 있을 때에 귀중한 물건을 실어 옮기는 데 쓰는, 꽃무늬를 그린 교자(轎子) 비슷한 기구. 채가 달리어서 앞뒤로 메게 되었음.

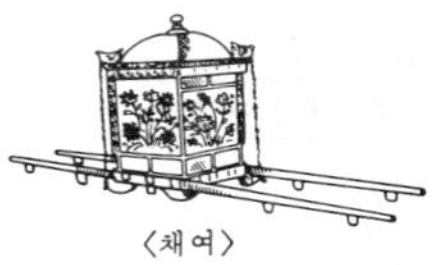
〈채여〉

채오다 [타]〈방〉채우다.

채옹[1]【采翁】[명]〖사람〗채만식(蔡萬植)의 호(號).

채:-옹[2]【蔡邕】[명]〖사람〗중국 후한(後漢)의 문인·서가(書家). 자는 백개(伯喈). 허난(河南) 출신. 박학하고 시문(詩文)에 능하며, 수학·천문·서도·음악 등에도 뛰어났음. 영자 팔법(永字八法)을 고안(考案)하였다고 함. [132-192] 「험. ——-하다 [타][여불]

채:용[1]【採用】[명] ①채택하여 씀. ②인재를 등용함. 사람을 씀. ¶～시

채:용[2]【債用】[명] 차용(借用). ——-하다 [타][여불]

채:용 고시【採用考試】[명] 사람을 뽑아 쓰기 위한 학력 등의 시험. 채용

채:용 시험【採用試驗】[명] 채용 고시. 」시험.

채우다[1] [타] ①몸에 물건을 달아서 차게 하다. ②자물쇠·단추 따위를 잠그다. ¶방문을 ～. ③팔목·발목에 형벌하는 제구를 차게 하다. ¶수갑을 ～. 1)-3): [준]채다.

채우다[2] [타] [중세 : 치오다('ㅊ다'의 사동사)] ①더운 물건을 찬물 속에 담가서 식히다. ②상하기 쉬운 물건을 얼음에 대어 두어서 썩지 못하게 하다. 1)·2): [준]채다.

채우다[3] [타] [중세 : 치오다 ('ㅊ다'의 사동사)] ①모자라는 수량을 보태다. ¶머릿수를 ～. ②일정한 곳까지 가득하게 하다. ¶목욕탕에 물을 ～. ③욕망을 충족시키다. ¶야욕을 ～. ④일정한 기한까지 미치게 하다. ¶날짜를 ～. 1)-4): [준]채다.

채:운【彩雲】[명] ①여러 가지 빛깔로 아롱진 고운 구름. 채색 구름. 꽃구름. ②〖건〗채색한 구름의 무늬.

채워진 껍질 [명]〖물〗폐각(閉殼)의 풀어 쓴 말.

채:원【菜園】[명]〖농〗채소를 심은 밭. 남새밭. 채포(菜圃).

채:-원배【蔡元培】[명]〖사람〗'차이 위안페이'를 우리 음으로 읽은 이름.

채:유[1]【採油】[명] ①땅 속에서 석유를 캐어 내는 일. ②식물의 씨에서 기름을 짜는 일. ——-하다 [자][여불]

채:유[2]【菜油】[명] ①채소의 씨로 짠 기름. 채종유. ②배추씨로 짠 기름. 수유(水油).

채:-유후【蔡裕後】[명]〖사람〗조선 인조·효종 때의 문신. 자(字)는 백창(伯昌), 호는 호주(湖洲). 벼슬이 대제학(大提學)·대사헌(大司憲)·이조 판서(吏曹判書)에 이름. 저서로는 ≪호주집(湖洲集)≫이 있고, ≪청구 영언(靑丘永言)≫에 시조 2수가 전함. 시호는 문혜(文惠). [1599-1660]

채:의【彩衣】[명] 여러 가지 빛깔로 된 울긋불긋한 옷. 무늬가 있는 옷.

채이 [명]〈방〉키²(충남·전라).

채이다 [一] [타]〈방〉채우다¹. [二] [피동]〈방〉채다⁵(경상).

채일봉-지옥나비【—地獄—】[명]〖충〗[*Erebia theano pawlowskii*] 뱀눈나빗과에 속하는 곤충. 편 날개 길이 3.8cm 내외로, 날개 표면은 흑갈색인데 앞날개에 여섯 개, 뒷날개에 다섯 개의 황홍색 무늬가 있으며, 앞날개 뒷면은 대부분이 암홍색임. 무늬는 황홍색인데, 뒷날개 뒷면은 암갈색이고 황백색의 점 무늬가 한 개 있으며, 평행선 무늬는 황색임. 한국 및 시베리아에 분포함.

채:자【採字】[명]〖인쇄〗인쇄소에서 판(版)을 짜기 위하여 원고(原稿)대로 활자(活字)를 골라 뽑는 일. 또, 그런 일을 하는 사람. 문선(文選). ——-하다 [자][여불]

채:자-공【採字工】[명]〖인쇄〗채자를 하는 사람. 문선공(文選工).

채-잡다 [자][타] 어떤 일을 하는 데 주장이 되어 그 일을 다루다.

채:장[1]【菜腸】[명] 채식을 늘 하는 장위(腸胃). 초장(草腸).

채:장[2]【債帳】[명] 남에게 빌어 쓴 돈머리를 적는 장부. 채권(債券).

채:저【菜菹】[명] 여름철의 김치.

채:적【採摘】[명] 잎 따위를 땀. ——-하다 [타][여불]

채:전[1]【彩典】[명]〖역〗신라 때 도화(圖畫)를 맡은 관아. 경덕왕(景德王) 때에 전채서(典彩署)로 고치었다가 뒤에 다시 본이름으로 고치었음.

채:전[2]【彩牋·彩箋·采箋】[명] 채전지.

채:전[3]【菜田】[명] 남새밭.

채:전[4]【債錢】[명] 빚진 돈.

채:전-에 [부] 어떻게 되기 훨씬 전에.

채:전-지【彩牋紙】[명] 시(詩)를 쓰는 데 쓰이는, 무늬가 있는 색종이. 채전(彩牋).

채:점【採點】[—쩜] [명] ①시험 답안을 살피어 점수를 매기는 일. ②얻은 점수에 따라 성적의 낫고 못함을 결정하는 일. ¶～표. ——-하다 [타][여불]

채:점-법【採點法】[—쩜뻡] [명] 채점하는 방법.

채:점 비:평【採點批評】[—쩜—] [명]〖문〗어떤 작품을 점수를 매기어 가며 비평하는 일. 또, 그 비평.

채:점-표【採點表】[—쩜—] [명] 채점 결과를 적은 표.

채:정【採精】[명] 인공 수정(人工受精)을 하기 위하여, 정액(精液)을 채집함. ——-하다 [자][여불]

채:정-기【採精器】[명] 채정하는 기구.

채:-제공【蔡濟恭】[명]〖사람〗조선 영조·정조 때의 명상(名相). 호는 번암(樊巖). 평강(平康) 사람. 정조 5년(1781) 규장각 제학(奎章閣提學)으로 서명응(徐明膺)과 함께 ≪국조 보감(國朝寶鑑)≫을 편찬함. 동 12년(1788) 우의정을 거쳐 이듬해 좌의정에 올랐고. 동 14년(1790) 천주교도에 대한 박해가 시작되자 신서파(信西派)의 영수로서 공서파(攻西派)와 맞서 천주교 신봉의 묵인을 주장하였으며, 동 17년 영의정에 오름. 남인(南人)으로 정조의 신임을 받아 독상(獨相) 수년에 천주교에 대한 온건 정책을 유지하는 등 나라를 위하여 전력하였음. 문집에 ≪번암집(樊巖集)≫ 등이 있음. 시호는 문숙(文肅). [1720-99]

채:조【綵組】[명] 빛깔이 고운 끈.

채:종[1]【採種】[명] 씨앗을 골라서 받음. 취종(取種). 씨받기. ——-하다 [자][여불]

채:종[2]【菜種】[명] 채소의 씨앗.

채:종-답【採種畓】[명] 씨앗을 받기 위하여 특별히 마련한 논.

채:종-림【採種林】[명] 우량한 조림 종자(造林種子)를 채취하기 위하여 마련한 삼림(森林).

채:종-밭【採種—】[명] 씨앗을 받기 위하여 특별히 마련한 밭. 채종전(採種田). 채종포(採種圃). 채종포전(採種圃田). 씨받이밭.

채:종-유【菜種油】[명] 채유(菜油).

채:종 재배【採種栽培】[명]〖농〗증식용(增殖用)의 종자를 목적으로 한 재배. 유전형질(遺傳形質)이 안정되고 병충해(病蟲害)에 강한 종자를 얻기 위함.

채:종-전【採種田】[명] 채종밭.

채:종-포【採種圃】[명] 채종밭.

채:종 포전【採種圃田】[명] 채종밭.

채:주[1]【採珠】[명] 물속에 들어가 진주(眞珠)를 캐 냄. ——-하다 [자][여불]

채:주[2]【債主】[명] 빚을 준 임자.

채:지[1]【菜芝】[명]〖식〗염교¹.

채:지²【菜地】[명] 식읍(食邑).

채-지다 [형] 염색한 빛이 고루 들지 못하다.

채:진-목【菜振木】[명]〖식〗[*Amelanchier asiatica*] 능금나뭇과에 속하는 낙엽 활엽의 작은 교목. 잎은 타원형인데 끝이 뾰고 밑이 둥글며, 4-5월에 흰 오판화가 정생(頂生)하여 총상(總狀)꽃차례로 피고, 자흑색의 타원형 이과(梨果)가 9월에 뻘겋게 익음. 산복(山腹)에 나는데, 제주도·일본·중국에 분포함. 정원수로 심으며, 목재는 세공재(細工材)로, 과실은 식용함. 사수류(四手柳).

〈채진목〉

채-질 [명] 채찍·채 같은 것으로 때리는 짓. ——-하다 [타][여불]

채:집【採集】[명] ①찾아서 모음. ②식물·동물 등의 표본을 채취하여 모으는 일. ——-하다 [타][여불]

채째기 [명]〈방〉 채찍(함남).

채찍 [명] [근대 : 챗딕] 말이나 소를 모는 데에 쓰는 물건. 나뭇 가지나 댓가지 끝에 노끈이나 가죽 오리를 달았음. [준]채.

채찍 바람 [명] 채찍질을 하는 바람. ¶~에 빨리 달리다.

채찍-질 [명] 채찍으로 치는 짓. ——-하다 [타][여불]

채:차【採茶】[명] 차나무의 잎을 땀. ——-하다 [자][여불]

채:척【採摭】[명] 뽑아서 가리어 내는 일. ——-하다 [타][여불]

채:청-사【採靑使】[명]〖역〗 조선 연산군 때, 아름다운 처녀를 선발하기 위하여 전국 팔도에 파견한 신하.

채:초¹【採草】[명] 가축을 먹이기 위하여 풀을 벰. ——-하다 [자][여불]

채:초²【採樵】[명] 땔나무를 베어 거둠. 초채(樵採). ——-하다 [자][여불]

채:초 방:목지【採草放牧地】[명] 채초와 방목을 위한 토지.

채:충【蠆蟲】[명]〖동〗 전갈(全蠍)❷.

채:취【採取】[명] ①땅에서 캐어 냄. ②풀·나무 등을 베거나 캐어 내는 일. ③손에 넣음. 특히, 연구·조사를 위해 필요한 것을 견양(見樣)으로서 받아 두는 일. ¶지문 ~. ——-하다 [타][여불]

채:취-권【採取權】[—꿘] [명]〖법〗 사광(砂鑛)을 캐어 가지며, 암석을 석재(石材)로 쪼개서 소유할 수 있는 권리.

채:취-량【採取量】[명] 채취하는 양.

채:취-인【採取人】[명] 채취하는 사람.

채:층【彩層】[명]〖천〗 일식(日蝕) 때에 코로나(corona)의 아래층에 분홍빛으로 보이는 층. 그 군데군데에 크고 작은 여러 가지 붉은 불꽃이 타오르고 있음. 채구(彩球).

채치다¹ [자] '채다¹'의 힘줌말.

채-치다² [타] ①채찍 같은 것으로 후려 때리다. ②일을 몹시 독촉하다.

채치다³ [타] '채다²'의 힘줌말.

채:-치다⁴ [타] 채소나 다른 과실 같은 것을 잘게 썰어서 채를 만들다.

채:-칼 [명] 무·오이 같은 것을 채치는 제구. 채도(菜刀).

채:탄【採炭】[명] 석탄을 캐어 내는 일. ——-하다 [자][여불]

채:탄-기【採炭機】[명]〖기〗 탄층(炭層) 속을 파고 뚫는 기계. 동력(動力)으로는 압착 공기력이나 전력(電力)을 씀.

채:탄-량【採炭量】[—냥] [명] 석탄을 캐내는 분량.

채:탄 막장【採炭—】[명] [coal face]〖광〗 석탄을 채굴하는 막장.

채:탄-법【採炭法】[—뻡] [명] 탄층에서 석탄을 캐내는 방법. 장벽식(長壁式)·분층식(分層式)·단벽식(短壁式)·탄주식(炭柱式)·주방식(柱房式) 따위의 방법이 있음.

채:탄-부【採炭夫】[명] 석탄을 캐내는 인부. 탄부(炭夫).

채:탄-장【採炭場】[명] 석탄을 캐는 곳.

채:탐【採探】[명] 채방(採訪). ——-하다 [타][여불]

채:택【採擇】[명] 골라서 가려 냄. 가려서 뽑음. ¶내각 사퇴 결의안의 ~. ——-하다 [타][여불]

채터누:가 [Chattanooga] [명]〖지〗 미국 테네시 주에 있는 공업 도시. 테네시 강(江)을 끼고 있으며 티 브이 에이(T.V.A.)의 전력을 이용, 기계·가구 공업이 성함. 남북 전쟁 때의 고전장(古戰場)이 많으며, 전적공원(戰跡公園)이 있음. [170,000명(1981)]

채터바 [chatterbar] [명] 노면 표지(路面標識) 시설의 하나. 자동차의 속도가 자연히 떨어지도록 울퉁불퉁하게 만든 노면(路面). 대개, 주택가의 길이나 톨게이트(tollgate)의 바로 앞에 만듦.

채터턴 [Chatterton, Thomas] [명]〖사람〗 영국의 시인. 15세 때에 15세기 고문서(古文書) 중에서 발견한 시라고 거짓 말한 자작(自作)의 의고시(擬古詩)로 유명해졌는데, 18세기의 선구적 낭만주의 시인으로 천재라는 절찬을 받았으나 일찍 자살하였음. [1752-70]

채털리 부인의 사랑【—夫人—】[—/—에—] [명] [Lady Chatterley's Lover]〖책〗 로렌스(Lawrence, D.H.)의 소설. 1928년 작. 전쟁으로 성적 불구자가 된 남편을 가진 여인이 산지기와 관계하여 완전한 인간성과 진실한 독립을 획득(獲得)한다는 내용임. 현대 기계 문명에 반발(反撥)하여 성(性)의 모럴을 추구(追求)한 작품임.

채텀 제도【—諸島】[명] [Chatham Islands]〖지〗 뉴질랜드령(領)의 화산 섬들. 크라이스트처치에서 동쪽으로 750 km 떨어진 남태평양 상에 위치함. 채텀(Chatham)섬·피트(Pitt)섬 및 몇몇 무인도로 이루어짐. 마오리족(族)과 비슷한 모리오리족(族)이 살며, 목양(牧羊)에 종사함. 근해(近海)에 어족이 풍부함. [963 km² : 530명(1970 추계)]

채티다 [타]〈옛〉 채치다². 채찍을 치다. ¶모롤 채텨 뵈시니(策馬以示)≪龍歌 36章≫/다 聲聞을 채텨 나소샤(以策進聲聞)≪妙蓮 Ⅱ:78≫.

채팅 [chatting] [명]〖컴퓨터〗 컴퓨터 통신이나 인터넷에서 여러 사용자가 모니터 화면을 통하여 짧은 메시지를 주고받는 일.

채:판【彩板】[명]〖건〗 단청(丹靑)할 때에 여러 가지 채색을 조제하여 여러 화공(畫工)에게 공급하는 곳.

채-편【—便】[명]〖악〗 장구의, 채로 치는 쪽. 편면(鞭面). ↔북편¹.

채:포¹【採捕】[명] 채취하고 포획함. ¶동식물의 ~. ——-하다 [타][여불]

채:포²【菜圃】[명]〖농〗 채원(菜園).

채:표【彩票】[명] ①옛날 중국의 복권(福券)의 하나. 색종이에 번호를 적음. ②각자가 꾼 꿈으로 점을 쳐서 내기를 하는 만인계(萬人契) 비슷한 노름의 하나. 옛날부터 해방 직후까지 가을 추수 후 이듬해 봄 농사철 전에 걸쳐 성행하였음.

채프먼 [Chapman, George] [명]〖사람〗 영국의 시인·극작가. 시집 ≪밤의 그늘≫ 등을 발표하였는데, 특히 호머(Homer)의 영역(英譯)으로 이름이 있음. [1559-1634]

채플 [chapel] [명] ①기독교의 예배당. ②기독교계(基督敎系) 학교 따위의 예배. 기도회(祈禱會).

채플린¹ [chaplain] [명] ①채플의 목사. ②종군 목사.

채플린² [Chaplin, Charles Spencer] [명]〖사람〗 영국 출생의 희극 영화 배우 겸 감독. 1910년 도미하여 풍자 영화에 데뷔한 이래, ≪어깨총≫·≪파리(Paris)의 여인≫·≪모던 타임스≫·≪라임 라이트≫·≪황금광 시대(黃金狂時代)≫ 등 수십 편에 출연, 독특한 분장과 뛰어난 인간 관찰, 날카로운 사회 풍자로 명성(名聲)을 얻음. [1889-1977]

채:필【彩筆】[명] 채색하는 데 쓰는 붓.

채:하【彩霞】[명] 빛이 아름다운 놀. 빛이 아름다운 운기(雲氣).

채:하-봉【彩霞峰】[명]〖지〗 금강산(金剛山)에 있는 기봉(奇峰)의 하나. [1,588 m]

채:혈【採血】[명] 질병(疾病)의 진단이나 수혈 등을 위해서 혈액을 채취함. ↔수혈(輸血). ——-하다 [자][여불]

채:협【彩篋】[명] 대나무를 가늘게 쪼개어 채색 무늬를 놓아 만든 상자. 채상(彩箱).

채:협-총【彩篋塚】[명] 평양(平壤) 시에서 발굴된 낙랑군(樂浪郡)의 고분(古墳). 봉분(封墳) 밑에 횡혈식(橫穴式)의 전후(前後) 두 개의 목실(木室)에는 부장품(副葬品) 및 세 개의 칠관(漆棺)이 있으며 부장품 중의 화려하게 옻칠한 채협(彩篋)은 한대(漢代)의 회화(繪畫) 연구에 중요한 자료임.

채:홍【彩虹】[명] 무지개.

채:홍준-사【採紅駿使】[명]〖역〗 조선 연산군 때 미녀(美女)와 좋은 말을 구하기 위하여 지방으로 파견한 신하. 홍(紅)은 여자, 준(駿)은 말을 뜻함.

채:-홍철【蔡洪哲】[명]〖사람〗 고려 중기의 문인. 자는 무민(無悶), 호는 중암(中庵). 평강(平康) 사람. 여러 벼슬을 거치고 은거하면서 불교와 음악을 연구함. 뒤에 삼중대광(三重大匡)으로 순천군(順天君)에 봉해짐. 문장과 기예(技藝)에 뛰어났고, 음악과 불교 경전에 밝았음. 작품으로 ≪고려 악부(高麗樂府)≫에 ≪자하동 신곡(紫霞洞新曲)≫이 전하며, 저서로는 ≪중암집≫이 있음. [1260-1340]

채:화¹【彩畫】[명]〖미술〗 채색을 써서 그린 그림. 채색화(彩色畫).

채:화²【菜花】[명] 채소의 꽃.

채:화³【綵華】[명] 비단 조각으로 만든 조화(造花).

채:화-기【彩畫器】[명]〖공〗 채색 그림을 그려 넣은 질 그릇. 채색화 토기(彩色畫土器).

채:화-석【彩畫席】[명] 채색으로 꽃무늬를 놓아서 짠 돗자리.

채:화 칠협【彩畫漆篋】[명] 낙랑 시대(樂浪時代)의 공예품으로, 옻칠로 충신(忠臣)·열녀(烈女)를 그린 대나무 상자. 1932년 평양 부근 대동강 하류의 남정리 고분에서 출토됨.

채:희【采戲】[명] 주사위. 주사위 놀이.

책¹【册】[명] ①어떤 사상·사항을 글이나 그림으로 표현한 종이를 겹쳐서 꿰맨 물건의 총칭. 재적(載籍). ②종이를 여러 장 겹쳐서 꿰맨 물건.

책²【册】[명] 성(姓)의 하나. 우리 나라에는 현존(現存)하지 아니함.

책³【柵】[명] ①쇠나 나무의 말뚝으로 둘러 막은 우리. 울짱. ②물결이 둑을 침해하는 것을 막기 위하여 둑 앞에 말뚝을 박고 대쪽으로 얽어 놓은 장치.

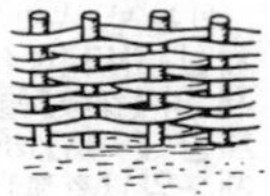
〈책³❷〉

책⁴【責】[명] ①↗책임. ②↗책망(責望). ——-하다 [타][여불]

책⁵【策】[명]〖역〗↗책문(策問).

책⁶【幘】[명] 간단한 두건(頭巾) 모양의 옛 관모(冠帽)의 하나.

책⁷【翟】[명] 성(姓)의 하나. 우리 나라에는 현존(現存)하지 아니함.

-책¹【責】[미] 어떤 명사 밑에 붙어, '책임자(責任者)'의 뜻을 나타내는 말. ¶지방 조직~. ¶해결~/선후(善後)~.

-책²【策】[미] 어떤 명사 밑에 붙어, '방책(方策)'의 뜻을 나타내는 말.

책가【册價】[명] 책의 값.

책-가게【册—】[명] 책을 파는 가게. 곧, 서점(書店).

책가-도【册架圖】[명] 책거리❶.

책-가방【册—】[명] 학생들이 교과서·공책·필통 등을 넣어 메거나 들고 학교에 다니는 가방. 책대(册帒).

책-가우【册—】[명]〈방〉 책가위(평북·함남).

책-가우지【册—】[명]〈방〉 책가위.

책-가울【册—】[명]〈방〉 책가위(함경·경상).

책-가위【册—】[명] 책의(册衣)가 상하지 아니하도록 덧입히는 물건. 종이·헝겊·비닐 같은 것으로 만듦. 가의(加衣). 북 커버. 책가의(册加衣). 책갑(册甲). 책의(册衣). ——-하다 [타][여불] 책에 책가위를 덧입히다.

책-가의【册加衣】[명] 책가위.

책-갈피【册—】[명] 책장과 책장의 사이. ¶~에 끼우다.

책갑¹【册甲】[명] 책가위.

책갑²【册匣】[명] 책을 넣어 두는 갑. 또, 책을 겉으로 싸는 갑.

책-값【册—】[—깝] [명] ①책의 가격. ②책을 사는 데 들어가는 돈. ¶~을 줄이다.

책객【册客】[명]〖역〗 책방(册房)❷.

책-거리【册—】[명] ①〖미술〗 서책 또는 문방 제구(文房諸具)를 그린 그림. 책가도. ②책씻이.

책고【冊庫】[명] 책을 간직하여 두는 창고.
책-과이【冊―】[명]〈방〉책가위(함남).
책궁【責躬】[명] 자기를 책망함. ――-하다 [자][여불]
책권【冊卷】[명] ①서책의 권질(卷帙). ②얼마간의 책.
책-궤【冊櫃】[명] 책을 넣어 두는 궤짝.
책-글씨【冊―】[명] 책장에 쓰는 잘고 정한 글씨. 책서(冊書).
책-껍데기【冊―】[명]〈방〉책의(冊衣)❶.
책-꽂이【冊―】[명] 책을 세워서 꽂아 두는 장치.
책-날개【冊―】[명] 책의 표지 일부를 안으로 접은 부분.
책-대[1]【冊―】[명] 서산대.
책대[2]【冊帒】[명] 책가방. 책을 넣는 주머니.
책-덮개【冊―】[명]〈방〉책의(冊衣)❶.
책동【策動】[명] ①획책하여 행동함. ②남으로 하여금 어떤 행동을 하게 부추김. 움직이도록 선동함. ¶파업을 ~하다. ――-하다 [타][여불]
책동 시세【策動時勢】[명] 투기에 의한 이득을 목적으로 시장에서 대량 매매를 행하여, 시세의 변동을 크게 하여 형성시킨 시세.
책-뚜껑【冊―】[명] 책의(冊衣)의 앞 쪽 거죽장. 표지(表紙).
책략【策略】[―냑] [명] 모책(謀策)과 방략(方略). 책모(策謀). 모략(謀略).
책략-가【策略家】[―냑―] [명] 책략에 남달리 능란한 사람.
책려【策勵】[―녀] [명] 말에 채찍질하듯 독려함. 또, 자신의 마음을 다잡아 힘써 함. ――-하다 [타][여불]
책력【冊曆】[―녁] [명] 지구와 태양·달과의 관계에 있어서, 일 년 동안의 달·해의 뜨고 지는 일, 월식·일식·절기 및 기타 다른 기상학 상의 변동 및 그 밖의 사항을 날을 좇아 기재한 책. 역서(曆書). 정삭(正朔).
[책력 보아 가며 밥 먹는다] 밥을 매일 먹을 수가 없어 길일(吉日)만을 택하여 밥을 먹는다는 뜻으로, 가난하여 끼니를 자주 거른다는 말.
책례[1]【冊禮】[―녜] [명] 책씻이.
책례[2]【冊禮】[―녜] [명] 왕세자·왕세손·왕세제 및 왕비와 세자빈 등을 책봉하는 의식. ¶~ 도감(都監)/저궁(儲宮) ~.
책롱【冊籠】[―농] [명] 책을 넣어 두는 농짝.
책루【柵壘】[―누] [명] 성채(城砦). 작은 성.
책립[1]【冊立】[―닙] [명]〖역〗황태자·황후를 조칙(詔勅)으로 봉하여 세움. ――-하다 [타][여불]
책립[2]【責立】[―닙] [명]〖역〗책임지고 필요한 인원·우마(牛馬) 등을 차출(差出)함. *책출(責出). ――-하다 [타][여불]
책망【責望】[명] 허물을 들어 꾸짖음. [준]책(責). ――-하다 [타][여불]
책-매다【冊―】[자] 책장을 모아 꿰매어 책을 만들다.
책맹[1]【舴艋】[명] 거룻배의 한 가지.
책맹[2]【蚱蜢】[명]〖충〗메뚜기[1]❶.
책면 [명]〈방〉창면.
책명[1]【冊名】[명] 책의 이름.
책명[2]【策命】[명]〖역〗왕이 신하에게 내려 명령하는 글발. 책문(策文).
책명-사【策命使】[명]〖역〗왕의 책명을 전하는 사신.
책모【策謀】[명] 책략(策略).
책무【責務】[명] 직책과 임무. 책임과 임무.
책문【柵門】[명] 울타리의 문.
책문[2]【責問】[명] 꾸짖는 태도로 물음. 힐문(詰問). ――-하다 [타][여불]
책문[3]【策文】[명]〖역〗①책문(策問)에 답하는 글. ②책명(策命).
책문[4]【策問】[명]〖역〗문과(文科) 시문(試問)의 한 가지. 정치에 관한 계책(計策)을 물어 적게 함. 책시(策試). [준]책(策).
책-문갑【冊文匣】[명] 네모가 번듯한 보통의 문갑을 일컫는 말. *난문갑(亂文匣).
책문-권【責問權】[―꿘] [명]〖법〗민사 소송에서, 당사자가 법원 또는 상대방의 소송 절차에 관한 규정에 위반된 소송 행위에 대하여 이의(異議)를 진술하고, 그 위법을 주장하는 권리.
책문 무:역【柵門貿易】[명]〖역〗조선 후기의 청나라와의 밀무역. 현종 1년(1660)부터 청나라와 조선의 사신들이 오가는 기회를 이용하여 압록강 건너 요동(遼東) 땅의 구련성(九連城)과 봉황성(鳳凰城) 사이에 있는 책문에서 사상인(私商人)의 통상이 이루어졌음.
책문 후:시【柵門後市】[명]〖역〗조선 시대 때, 청(淸)나라와의 밀무역(密貿易) 시장. 중강 후시(中江後市)가 혁파(革罷)되고 청과 우리 나라 사신들의 왕래에 편승, 요동(遼東)의 차호(車戶)와 개성(開城) 상인 간의 통상이 시작되면서 성해짐. 조정에서는 엄히 금하다 못하여 징세(徵稅)까지 하였으나 수출량이 막대하여 정조 11년(1787)에 혁파함. 물건은 조선측에서 금·인삼·종이·피모류(皮毛類), 청국측은 비단·광목·약재 기타 보석류였음.
책박-하다 [형]〈방〉착박하다.
책-받침[1] [명] 한자 부수(部首)의 하나. '近'이나 '達' 등의 '辶'의 이름. *갖은 책받침.
책-받침[2]【冊―】[명] 글씨를 쓸 때에 종이 밑에 받치는 물건. 단단한 종이나 셀룰로이드·플라스틱·쇠 따위로 만듦.
책방【冊房】[명] ①〖역〗조선 세종(世宗)이 궁중에 설치한 편찬·인쇄 기관. 단종(端宗) 3년(1455)에 폐지함. ②〖역〗조선 시대에, 고을을 원의 비서(祕書) 사무를 맡아보던 사람. 또, 그 사람이 거처하는 방. 관제(官制)에 있는 것이 아니고 사사로이 임용하였음. 책실(冊室). 책객(冊客). ③〖역〗살림집에 딸린 자녀(子女)의 공부방. 보통, 뜰 아래 딴채나 사랑채에 베풂. 서방(書房). ¶~ 도령(道令). ④책사(冊肆). 서점(書店).
책배[1]【責拜】[명] 칙령(勅令)으로 벼슬을 시킴. ――-하다 [타][여불]
책배[2]【策配】[명] 정치적으로 지배하는 일.
책벌【責罰】[명] 죄과를 꾸짖어 벌함. ――-하다 [타][여불]
책-벌레【冊―】[명] 책 모으기·책 읽기 또는 공부에 지나칠이만큼 열중하는 사람의 별명.
책-보[1]【冊褓】[명] 책을 싸는 보자기. 또, 그것으로 싼 책의 보퉁이.
책보[2]【冊寶】[명] 옥책(玉冊)과 금보(金寶).
책봉【冊封】[명]〖역〗왕세자(王世子)·세손(世孫)·후(后)·비(妃)·빈(嬪) 들을 봉작(封爵)함. ――-하다 [타][여불]
책봉-사【冊封使】[명]〖역〗중국에서 천자의 칙(勅)을 받들어 번국(藩國)에 가서 봉작(封爵)을 주던 사절.
책부【責付】[명]〖법〗피고인(被告人)을 친족 기타의 사람에게 부탁하고 구속(拘束)의 집행(執行)을 정지(停止)하는 구(舊)형사 소송법상의 제도. ――-하다 [타][여불]
책비【責備】[명] 남에게 모든 일을 잘하여 나가도록 요구함. ――-하다 [타][여불]
책사[1]【冊絲】[명] 책실.
책사[2]【冊肆】[명] 서점(書店).
책사[3]【策士】[명] 책략을 잘 쓰는 사람. 모사(謀士). 술사(術士).
책살【磔殺】[명] 기둥에 결박하여 세우고 창으로 찔러 죽임. *책형(磔刑). ――-하다 [타][여불]
책-상【冊床】[명] 책을 읽거나 글씨를 쓰는 데 받치고 쓰는 상. 데스크(desk). 서궤(書几).
책상-다리【冊床―】[명] ①한쪽 다리를 다른 쪽 다리 위에 포개어 놓고 앉는 짓. 또, 그 자세. ②〖불교〗부처나 중 들이 결(結)가부좌·반(半)가부좌를 틀고 앉음. 또, 그 자세. 가부(跏趺). ――-하다 [자][여불]
책상-머리【冊床―】[명] 책상의 한 쪽 변두리. 안두(案頭).
책상 못자리【柵狀―】[명]〖농〗직사각형으로 된 못자리. 책상 앙판(秧板).
책상-물림【冊床―】[명] 글만 읽다가 사회에 처음 나서서 모든 물정(物情)에 어두운 사람. 책상 퇴물(冊床退物).

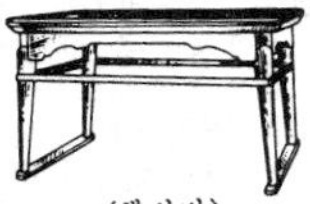
〈책상반〉

책상-반【冊床盤】[명] 책상 모양과 비슷한 소반.
책상-보【冊床褓】[―뽀] [명] 책상을 덮는 보.
책상 앙판【柵狀秧板】[명]〖농〗책상 못자리.
책상 양:반【冊床兩班】[―냥―] [명] 상사람이 학문과 덕행이 있어서 양반이 된 사람.
책상 조직【柵狀組織】[명] [palisade parenchyma]〖식〗식물의 잎 겉 쪽의 표피(表皮) 세포 밑에 있는 조직. 세로 길쭉한 세포가 촘촘히 줄지어 있음. 울타리 조직.
책상 퇴:물【冊床退物】[명] 책상 물림.
책서[1]【冊書】[명] ①책글씨. ②책의 글씨를 베끼어 씀. ――-하다 [타][여불]
책서[2]【策書】[명]〖역〗임관(任官)의 사령서(辭令書). *책명(策命).
책선[1]【責善】[명] 친구 사이에 옳은 일을 하도록 서로 권하는 일. ――-하다 [타][여불]
책선[2]【蚱蟬】[명]〖충〗말매미.
책성【責成】[명] ①남에게 맡긴 일이 잘 되게 다짐하는 일. ②책임을 지고 부담시키는 일. ――-하다 [타][여불]
책-세【冊貰】[명] ①책을 빌려서 보고 주는 셋돈. ②책을 세주는 일.
책-세집【冊貰―】[―찝] [명] 일정한 세를 받고 책을 빌려 주는 집.
책-송곳【冊―】[명] 책을 꿰맬 때에 쓰는, 끝이 가늘고 둥글게 된 송곳.
책수【冊數】[명] 서책(書冊)의 수.
책-술【冊―】[명] ①책의 두꺼운 정도. ② ☞ 책실.
책시【策試】[명] 책문(策問).
책-시렁【冊―】[명] 서가(書架).
책-시세 [명]〈방〉책씻이.
책실[1] [명]〈방〉꾸지람(함북). ――-하다 [타]
책-실[2]【冊―】[명] 책을 매는 데 쓰는 실. 책사(冊絲).
책실[3]【冊室】[명]〖역〗책방(冊房)❷.
책-싸개【冊―】[명] 책을 보호하기 위하여 싸는 종이.
책-씻이 [명] 글방에서 학동(學童)이 책 한 권을 다 읽어서 떼거나 베끼어 쓰는 일이 끝난 때에 선생과 동료들에게 한턱을 내는 일. 책거리. 책례(冊禮). ――-하다 [자][여불]
책언【責言】[명] 나무라는 말. 꾸지람하는 말.
책엽【冊葉】[명] 책장(冊張).
책원【策源】[명]〖군〗책원지❶.
책원-지【策源地】[명] ①〖군〗전선의 작전 부대에 대하여, 보급·정비·회수(回收)·교통·위생·건설 등의 병참 지원을 행하는 후방 기지. 책원(策源). ②책략(策略)의 근원이 되는 곳. ¶음모의 ~.
책유【責諭】[명] 잘못을 문책하는 유지(諭旨).
책응[1]【責應】[명] 책임지고 물품을 내어 주는 일. ――-하다 [타][여불]
책응[2]【策應】[명] 쌍방이 계책을 통하여 서로 돕는 일. ――-하다 [자][여불]
책의【冊衣】[명] ①책의 위아래의 겉장. 대개 두툼하게 만듦. [준]의(衣). ②책가위.
책인-즉명【責人則明】[명] 자기는 어찌 되었든지 덮어놓고 남만 나무란다는 말.
책임【責任】[명] ①도맡아서 하여야 할 임무. 떠맡아서 하지 않으면 안 되는 의무. ②일을 담당하여 그 결과에 대한 손실이나 꾸지람·제재(制裁)를 자기가 떠맡는 일. ¶~지우다. [준]책(責). ③〖법〗불법(不法)한 행위를 한 자에게 법률 상의 불이익(不利益) 내지는 제재(制裁)가 가해지는 일. 대(對)개인적인 것과 대사회적인 것, 즉 민사 책임과 형사 책임으로 나뉨.
책임(을) 지다 [구] 어떠한 책임을 안아 맡다. 장래 무슨 일이 일어날 경우에 그에 대처하겠다는 의무감을 가지다.

책임이 있다 구 ㉠어떤 권한을 가지고 있으며, 무슨 일이 있을 때에는 책임을 져야만 하다. ㉡그렇게 된 원인은 …의 탓이다. ㉢할 의무(義務)가 있다.

책임-감【責任感】명 자기의 책임을 중하게 여기는 마음.

책임 관념【責任觀念】명 자기의 책임을 자각하는 마음.

책임 내:각【責任內閣】명 〖정〗 의회(議會)의 신임 여하에 따라 진퇴(進退)가 결정되는 내각. 국왕이나 대통령에게 정치적 실권을 주지 아니하고 하원(下院)의 다수당(多數黨)의 수령이 내각을 조직하여 정치 상의 전책임을 짐.

책임 내:각제【責任內閣制】명 〖정〗 내각 책임제.

책임 능력【責任能力】[—녁] 명 〖법〗 법률 상의 책임을 부담할 수 있는 능력. 곧, 자기의 모든 행위의 결과를 변별(辨別)할 만한 능력. 민법 상의 미성년자나 형법 상의 14세 미만인 자는 이 능력이 없는 것으로 간주됨. ↔책임 무능력. *의사(意思) 능력.

책임-량【責任量】[—냥] 명 책임을 지고 하여야 할 양.

책임 무능력【責任無能力】[—녁] 명 〖법〗 정신 기능의 미성숙(未成熟) 또는 장애(障礙)로 인하여 형사 책임을 질 능력이 없는 상태. 현행 형법(現行刑法)은 책임 무능력의 경우로서, 형사 미성년(刑事未成年)·심신 상실(心神喪失)을 규정하고 있으며, 이들의 행위는 벌하지 않음. ↔책임 능력(責任能力).

책임 보:험【責任保險】명 〖법〗 피보험자가 제3자에 대하여 일정한 재산적 급여(財産的給與)를 할 책임을 부담함으로써 입을 손해를 보상하여 줄 것을 목적으로 하는 손해 보험.

책임 수출제【責任輸出制】명 수출 진흥책(振興策)의 하나. 수입 원자재의 할당을 받는 가공업자에게 생산액 중의 일정 비율의 수출을 책임지우는 제도.

책임 연령【責任年齡】[—녈—] 명 〖법〗 형사 책임을 부담할 수 있는 연령. 현형법에서 14세임.

책임-자【責任者】명 어떤 일을 관할하고 책임을 지는 사람.

책임 재산【責任財産】명 〖법〗 특정한 청구에 대한 강제 집행에 의해 채권자에게 만족을 줄 수 있는 재산.

책임 전:가【責任轉嫁】명 자기가 져야 할 책임을 고의적(故意的)으로 남에게 미룸. ——-하다 자여불

책임 전:질【責任轉質】명 〖법〗 질권(質權) 설정자의 승낙을 받지 아니하고 질권자의 책임으로 행하는 전질. *승낙 전질(承諾轉質).

책임 정치【責任政治】명 〖법〗 광의(廣義)로는, 국가 기관이 국민에 대하여 책임을 지는 정치를 이르며 협의(狹義)로는, 내각 책임제 아래에서 정부가 의회에 대해 시정(施政)의 책임을 지고, 그 존립(存立)이 의회 특히 하원의 신임에 의존하는 정치 방법.

책임 조건【責任條件】[—껀] 명 〖법〗 형사 책임의 조건이 되는 고의나 과실(過失).

책임 준:비금【責任準備金】명 〖법〗 보험 회사가 앞으로 일어날지도 모르는 위험에 대비하여, 그 지급 책임을 이행하기 위하여 미리 적립(積立)하는 돈.

책임 지출【責任支出】명 〖법〗 구(舊)회계법 상의 용어. 재정상 긴급한 경비가 필요한 때, 정부가 책임을 지고 국고에서 잉여금(剩餘金)을 지출하는 일. 이 일은 국회의 사후 승인을 받지 못하면 정부가 정치 상의 책임을 지게 됨.

책임 프로듀:서【責任—】〔producer〕명 〖방송〗 한 방송 프로그램의 제작 책임자. 몇 사람의 프로듀서를 거느리어, 팀장(長)으로서 프로그램 아이디어 창안에서 포맷의 개발·진행을 통할함. 시피(CP).

책임 해:제【責任解除】명 〖법〗 책무(責務)의 면제(免除).

책자【冊子】명 서책(書冊). 서적(書籍). ¶소(小)~.

책-잡다【責—】타 남의 잘못을 탈잡아 말하다.

책-잡히다【責—】피동 책잡음을 당하다. ¶남에게 책잡힐 일은 않는다.

책장[1]【冊張】명 책의 낱낱의 장. 책엽(冊葉). ¶~을 넘기다.

책-장[2]【冊欌】명 책을 넣어 두는 장. 북 케이스.

책-장사【冊—】명 〈속〉 책장수로서의 직업.

책-장수【冊—】명 〈속〉 ①책을 상품으로 다루는 직업에 종사하는 사람. 출판사나 서점을 경영하는 사람. ②책을 들고 다니며 파는 서적 외판원(外販員)이나 행상인(行商人).

책-재원수【責在元帥】명 책임이 가장 윗자리에 있는 사람에게 있음을 일컫는 말.

책전【冊廛】명 서점(書店).

책점【冊店】명 서점(書店).

책정【策定】명 획책하여 결정함. ¶예산 ~. ——-하다 타여불

책제【冊題】명 ↗책제목.

책-제목【冊題目】명 책의 제목. ㊈책제.

책징【責徵】명 징구(徵求). ——-하다 타여불

책책[1] 부 〈방〉 차례차례.

책책[2]【嘖嘖】부 ①크게 외치는 소리. ②떠드는 소리.

책책 칭선【嘖嘖稱善】명 큰 소리로 떠들며 칭찬함. ——-하다 타여불

책출【責出】명 〖역〗 책임지고 필요한 물품 등을 차출(差出)함. *책립(責立). ——-하다 타여불

책-치레【冊—】명 책을 곱게 단장하는 온갖 치레. ——-하다 자여불

책-탁자【冊卓子】명 책을 올려 놓도록 만든 탁자.

〈책탁자〉

책판【冊版】명 책을 박아 내는 판.

책-하다[1]【責—】타여불 남의 허물을 들어 꾸짖다. 책망하다.

책-하다[2]【策—】타여불 꾀하다. 계획하다.

책형【磔刑】명 〖역〗 기둥에 결박하여 세우고 창으로 찔러 죽이는 형벌(刑罰). *책살(磔殺).

책형-주【磔刑柱】명 〖역〗 책형에 쓰는 나무 기둥.

책훈【策勳】명 국가·군주를 위해 진력(盡力)한 공로자(功勞者)를 문서에 기록함. ——-하다 타여불

챈:녘 명 〈방〉 안 쪽(함남).

챈들러〔Chandler, Seth Carlo〕명 〖사람〗 미국의 천문학자. 부유 천정의(浮遊天頂儀)의 고안, 위도(緯度) 변화의 발견 등의 업적(業績)이 있음. [1846-1913]

챈들러 요동【—搖動】명 〔Chandler wobble; 미국의 천문학자(天文學者) Chandler, S.C.의 이름에서 유래〕〖물〗 약 14개월의 운동 주기(運動週期)를 갖는 지구 회전축의 운동.

챈들러 주기【—週期】명 〔Chandler period〕〖물〗 챈들러 요동의 주기. 지구의 극(極)이, 어떤 평균 위치의 둘레를 극운동(極運動)에 의해서 일주(一週)하는 주기.

챌:녘 명 〈방〉 안 쪽(함남).

챌린저〔challenger〕명 ①도전자(挑戰者). ②권투·테니스 등에서, 선수권자에게 도전할 자격을 얻은 사람.

챌린저 라운드〔challenger round〕명 테니스 등에서, 예선의 우승자가 전년도 선수권자와 대전하는 시합.

챌린저 해:연【—海淵】〔Challenger〕명 〖지〗 남태평양 괌(Guam) 섬 남서쪽 약 450 km, 마리아나 해구(Mariana 海溝)의 남부에 있는 세계 제 2 위의 깊은 해연. 깊이 10,863 m. 1951년 영국의 해양 조사선(海洋調査船) 챌린저 팔세호(八世號)가 발견하였음.

챌린지〔challenge〕명 도전(挑戰). 경기에서 선수권자(選手權者)에게 도전(挑戰)함.

챔피언〔champion〕명 ①전사(戰士). 투사(鬪士). 선수. ②우승자. 선수권자.

챔피언 결정전【—決定戰】〔champion〕[—쩡—] 명 프로 복싱에서, 선수권자가 선수권을 반납하는 등으로 공석(空席)일 때, 일정 랭킹 안의 선수를 대결시켜 선수권자를 결정하는 경기.

챔피언-십〔championship〕명 선수권. 패권.

챔피언 플래그〔champion flag〕명 우승기.

챗:-국 명 무 채로 만든 국 또는 냉국.

챗날 명 ↗기름챗날.

챗-돌 명 개상 위에 얹어 놓고 태질하는 돌.

챗상【—床】명 〈방〉 〖농〗 개상.

챗-열[—녈] 명 채찍 같은 것의 끝에 늘어진 끈. 편수(鞭穗).

챙: 명 ↗차양(遮陽).

챙경 명 〈방〉 유리(경남).

챙견 명 〈방〉 참견.

챙경 명 〈방〉 창경(窓鏡).

챙기다 타 유념(留念)하여 거두다. 빠짐이 없도록 갖추어 간수하다. ¶이삿짐을 ~.

챙알-거리다 자 ☞창알거리다. 챙알-챙알 부. ——-하다 자여불

챙이 명 〈방〉 키[2](전남·경상·충북·강원).

챙:-장이【—匠—】명 생철을 다루어 챙·홈통 등을 만들고, 또 그것을 처마에 달아 주는 일을 업으로 삼는 사람.

챙피 명 ☞창피. ——-하다 형여불

챵 명 〈옛〉 창. 신발창. ¶뎌훠 챵이(那靴底)≪老乞 下 32≫.

챵주 명 〈옛〉 창자. ¶양의 챵주(羊雙腸)≪老乞 下 34≫.

챵쓰르 명 〈옛〉 창밀. ¶챵쓰르 분칠ᄒᆞ얏는더(粉底)≪朴解 上 26≫.

챵포 명 〈옛〉 창포. ¶챵포 챵(菖)≪字會 上 8≫.

처[1]【妻】명 아내.

처:[2]【處】명 ①국무 총리 소속 하의 중앙 행정 기관. 총무처·과학 기술처·환경처·공보처·법제처·국가 보훈처가 있음. ②육군의 사단급 이상 사령부의 참모 부서의 이름. 일반 참모 부서에 쓰였음. ¶군수~. ③행정 사무를 보는 부서 명칭의 하나. ¶노무~. ④〖역〗 고려 때, 내장(內莊)의 하나. 지방 행정상 특수 지역을 이루는데, 장(莊)보다 격(格)이 아래인 듯함. *장[11](莊).

처[3] 부 〈방〉 그다지(함남).

처- 투 어떠한 동사 위에 붙어 '마구·함부로·많이' 등의 뜻을 나타내는 말. ¶분을 ~바르다/~먹다.

-처【處】미 명사 밑에 붙어, '곳'의 뜻을 나타내는 말. ¶구입(購入)~/접수(接受)~.

처가【妻家】명 아내의 본집. 처갓집. 색시집. 부가(婦家). 빙가(聘家). [처가 재물 양가 재물은 쓸 데 없다] 제 손으로 번 것이라야 제 재산이 된다는 말.

처가-살이【妻家—】명 처가에 붙어서 삶. *출췌(出贅). ——-하다 자여불

처가-속【妻家屬】명 처가의 권속.

처:간【處干】명 〖역〗 고려 때 왕실 소유의 장원(莊園)인 처(處)에 딸린 전부(佃夫). *장정(莊丁).

처갓-집【妻家—】명 처가(妻家). [처갓집 말뚝에도 절하겠네] 아내를 사랑하는 사람이 처가를 지나치게 존중함을 빈정대는 말.

처:격【處格】[—껵] 명 〖언〗 체언이 가지는 격(格)의 하나. 부사격 속에 넣어 말하기도 함. 처소(處所)·방향·원인·유래(由來) 등을 나타냄. 위격(位格).

처:결【處決】명 결정하여 조처함. ——-하다 타여불

처-고모【妻姑母】명 아내의 고모.

처:교【處絞】명 죄인을 교형(絞刑)에 처함. ——-하다 타여불
처군 명〈방〉 남편(함남).
처궁【妻宮】명〖민〗↗처첩궁(妻妾宮).
처깍 부〈방〉 첩경.
처깔-하다 타여불 문을 굳게 닫아 잠가 두다. >차깔하다.
처껑 명〈방〉 첩경.
처남【妻男·妻娚】명 아내의 오빠나 남동생.
처남 남매【妻男男妹】명 처남과 매부의 관계로 맺어진 남매.
처남-댁【妻娚宅·妻男宅】[—땍] 명 처남의 아내.
처남의 댁【妻男—宅】[—/—에—] 명 처남의 아내를 부르거나 일컫는 말. ㊥처남댁.
처-내다 자 아궁이로 불길이 쏟아져 나오다.
처-넣다 타 어떠한 곳에 물건을 마구 몰아 넣다. ¶죄인을 감옥에 ~.
처:네 명 ①덧덮는 얇고 작은 이불. 횡답(橫褡). ②어린 아이를 업을 때 두르는 작은 이불. 횡답(橫褡). ③↗머리 처네.
처:녀【處女】명〔집에 있는 여자의 뜻〕①성숙한 미혼(未婚)의 여성. 성교 경험이 없는 여자. 처자(處子). 낭자(娘子). ②다른 명사 위에 붙어서 '수정(受精)을 하지 않음'을 나타내는 말. ¶~ 아포(芽胞)/~ 결실(結實). ③'최초의·처음으로 하는·인적 미답(人跡未踏)의' 등의 뜻을 나타내는 말. ¶~ 항해/~림(林)/~봉(峰).
[처녀가 늙어 가면 산으로 맷돌짝 지고 오른다] ㉠처녀가 혼기를 놓치고 늙으면 여러가지 이상한 행동을 한다는 말. ㉡처녀가 무슨 일을 잘못했을 때 비웃는 말. [처녀가 아이(애)를 낳고도 할 말이 있다] 무슨 일이나 잘못을 변명하고 이유를 붙일 수 있다는 말. [처녀가 아이(애)를 낳았나] ㉠조그만 실수를 하고 크게 책망을 받을 때 뭘 그리 심하게 하느냐고 반발하는 말. ㉡처녀가 아이를 낳은 것만큼은 나쁜 짓을 한 것도 아니고 그다지 크게 새삼스러운 것이 아니라고 하는 말. [처녀가 아이(애)를 배도 할 말이 있다] 무슨 일이나 잘못을 변명하고 이유를 붙일 수 있다는 말. [처녀들은 말방귀만 뀌어도 웃는다] 계집애들은 매우 잘 웃는다는 말. [처녀 불알] 매우 얻기 어려운 것을 일컫는 말. 중의 상투. [처녀 장딴지를 보고 섭 봤다 한다] 지레짐작으로 짚어 허풍이 심하다는 말. [처녀 한창 때는 말똥 굴러가는 것 보고도 웃는다] '처녀들은 말방귀만 뀌어도 웃는다'와 같은 뜻.
처:녀-고사리【處女—】명〖식〗[*Lastrea palustris*] 꼬리고사릿과에 속하는 다년생의 양치(羊齒) 식물. 근경(根莖)은 가늘고 길며 수근(鬚根)이 나고, 높이 70cm 가량. 잎은 혁질(革質)인데 달걀꼴 또는 긴 타원상의 피침형, 짙은 녹색에 나엽(裸葉)과 포자엽(胞子葉)의 구별이 있으며, 엽병(葉柄)이 가늘고 반들반들하며, 낭퇴(囊堆)가 포자엽 뒤쪽에 산포함. 들의 습한 곳에 나는데, 한국 각지에 분포함.
처:녀-궁【處女宮】명〖천〗황도 십이궁(黃道十二宮) 중의 여섯 번째. 사자궁(獅子宮)과 천칭궁(天秤宮)의 중간에 있음. 태양이 8월 24일경부터 9월 24일경까지 이 성좌에 머무름. 실녀궁(室女宮). 쌍녀궁(雙女宮).
처:녀-림【處女林】명 원시림.
처:녀-막【處女膜】명〖생〗처녀의 음문 속에 있는 얇은 막. 원형·반원형으로, 과도한 운동·성교·수술 등으로 파열하며, 분만(分娩)으로 흔적만 남김. 음막(陰膜).
처:녀-바디【處女—】명〖식〗[*Angelica cartilagino-marginata*] 미나릿과에 속하는 다년초. 줄기 높이 1.3m 이상. 잎은 2-3층으로 우상전열(羽狀全裂)하고, 열편(裂片)은 피침형 또는 긴 타원형임. 8-9월에 흰 오판화가 복산형(複繖形)꽃차례로 피는데, 총포(總苞)는 거의 없으며 산경(繖梗)은 20여 개, 소산경(小繖梗)은 30여 개로, 9-10월에 타원형의 과실이 익음. 산야에 나는데, 경북·강원·경기·평북·함북에 분포함.
처:녀-봉【處女峰】명 아직 아무도 등정(登頂)하지 않은 산봉우리.
처:녀 비행【處女飛行】명 새로 만든 비행기나 새로 된 비행사가 처음으로 하는 비행.
처:녀 생식【處女生殖】명〖생〗단성(單性) 생식. 단위(單爲) 생식.
처:녀-성【處女性】[—썽] 명 처녀로서 지니고 있는 성질.
처:녀-수【處女水】명〖지〗지하 깊은 곳의 마그마에서 나와 암석(岩石)의 갈라진 틈을 타고 올라와서 처음으로 지표(地表)에 나타난 물. 온천(溫泉)물의 일부(一部)는 이에 속함. 초생수(初生水). 암장수(岩漿水). ↔순환수(循環水).
처:녀 연:설【處女演說】명 처음으로 하는 연설. ¶그는 국회에서의 ~에 성공하였다.
처:녀-왕【處女王】명 아직 교미를 하지 아니한 장수벌.
처:녀 운전【處女運轉】명 새로 된 운전사가 처음으로 하는 운전.
처:녀-이끼【處女—】명〖식〗[*Hymenophyllum wrightii*] 처녀이낏과에 속하는 상록 다년초. 군생 밀집하는데, 근경(根莖)은 사상(絲狀)으로 가로 벋으며, 수근(鬚根)이 있음. 잎은 긴 타원형 또는 긴 달걀꼴로 수염 모양인데, 3회 우상(羽狀)으로 째지며, 열편(裂片)은 선형(線形), 녹갈색임. 달걀꼴의 낭퇴(囊堆)는 열편(裂片)에 정생(頂生)함. 깊은 산의 나무 위나 바위에 남.

〈처녀이끼〉

처:녀이낏-과【處女—科】명〖식〗[Hymenophyllaceae] 진정 양치(眞正羊齒) 식물에 속하는 한 과(科). 대부분이 작고 다년생인데, 특히 열대 지방에 약 200종, 한국에는 괴불이끼·누운괴불이끼·처녀이끼 등 10여 종이 분포함.
처:녀-자리【處女—】명〔라 Virgo〕〖천〗사자자리·천칭자리에 둘러싸인, 황도(黃道) 상의 제7 별자리. 늦은 봄철 동쪽 하늘에 보이는데, 초여름의 초저녁에 남중(南中)함. 수성(首星)은 스피카(Spica)임. 처녀좌(處女座).
처:녀-작【處女作】명 ①처음으로 지은 작품(作品). ②문단(文壇)에 처음으로 발표된 작품.
처:녀 장:가【處女—】명 처녀를 아내로 맞는 장가. 흔히, 재혼하는 남자에 대하여 쓰임.
처:녀-좌【處女座】명〖천〗처녀자리.
처:녀-지【處女地】명 이제까지 전연 개간한 일이 없는 땅.
처:녀 출연【處女出演】명 연극 등에, 처음 나가서 하는 연기.
처:녀 출전【處女出戰】[—쩐] 명 운동 경기 등에, 처음으로 나가서 싸움.
처:녀 출판【處女出版】명 ①출판사를 차린 후 처음으로 내는 출판. ②책을 지어 처음으로 하는 출판.
처:녀-티【處女—】명 겉으로 드러나 보이는 처녀다운 티.
처:녀-풀【處女—】명〈방〉피뿌리꽃.
처:녀 항:해【處女航海】명 새로 만든 배나 새로 된 항해사(航海士)가 처음으로 하는 항해.
처녑 명〖생〗반추위(反芻胃)의 제3위(胃). 많은 엽상(葉狀)의 판(瓣)이 있음. 맛이 좋아 술안주로 함. 백엽(百葉). 천엽(千葉).
처녑 볶음 명 소의 처녑을 썰어 갖은 양념을 해서 볶은 음식.
처녑 저:냐 명 소의 처녑으로 만든 저냐.
처녑-즙【—汁】명 소의 처녑을 살코기와 함께 짓이겨서 익힌 뒤에 짜낸 즙.
처녑-집 명〖건〗집의 구조가 알뜰하고 쓸모 있게 된 집.
처녑-회【—膾】명 소의 처녑으로 만든 회.
처노【妻孥】명 ①처자(妻子). ②가족(家族).
처늬 명〈방〉처네.
처:니 명〈방〉처녀❶(경남).
처:단【處斷】명 결단하여 처치함. ¶엄중 ~하다. ——-하다 타여불
처:단-례【處斷例】[—녜] 명 범죄를 처단하는 데에 관한 규정.
처:단-형【處斷刑】명〖법〗법정형(法定刑)에 대하여 법률상이나 재판상의 가중(加重)·경감(輕減)을 하여 재정(裁定)된 형(刑). 이 처단형의 범위내에서 구체적으로 정하여지는 것이 선고형임.
처-담다[—따] 타 마구 잔뜩 담다.
처당【妻黨】명 처족(妻族).
처-당숙【妻堂叔】명 아내의 당숙.
처대다[1] 타 불에 넣어서 살라 버리다.
처-대다[2] 타 계속하여 마구 대주다.
처덕【妻德】명 ①아내의 덕행. ②아내의 은덕. ¶~으로 살아 가다.
처덕-거리다 타 ①빨랫 방망이로 빨래를 세게 두드려서 소리를 내다. ②아무렇게나 바르거나 덧붙이다. >차닥거리다. **처덕-처덕** 부. ——-하다 타여불
처덕-대다 타 처덕거리다.
처덕-이다 타 ①물기가 많거나 차진 물건을 가볍게 두드리다. ②종이 따위를 함부로 자꾸 바르거나 붙이다. ¶벽에 신문지를 ~.
처듐 자〈옛〉처진 것. 떨어진 것. '처디다'의 명사형. ¶ᄒᆞᆫ 터럭 ᄒᆞᆫ 처듐 ᄒᆞᆫ 몰애 ᄒᆞᆫ 드트레 니르러도≪月釋 XXI:106≫.
처-든지르다 타르불〈속〉처먹다. ㊥처지르다.
처디다[1] 자〈옛〉처지다. 떨어지다. ¶ᄒᆞᆫ 처딘 비예(一滴之雨)≪楞嚴 V:25≫/竹枝ᄂᆞᆫ 만히 처디ᄂᆞ니(竹枝多爛)≪無寃錄 Ⅰ:20≫.
처디다[2] 사동〈옛〉처지게 하다. 떨어뜨리게 하다. ¶ᄯᅩ 기른 믈로 곳굼긔 처디오(以新汲水滴入鼻孔)≪救方 上 10≫.
처-때다 타 불을 요량없이 마구 때다.
처:-뜨리다 타 처지게 하다. ¶어깨를 ~.
처란 명〔←鐵丸〕①엽총 등에 재어서 쓰는 잔 탄알. 철탄(鐵彈). 탄자(彈子). ②잔 탄알같이 쇠붙이로 만든 물건의 총칭.
처란-알 명 처란의 낱개.
처량【凄涼·悽涼】명 ①거칠고 황폐하여 쓸쓸함. ¶~한 광경/~한 벌판. ②초라하고 구슬픔. ¶~한 신세/~한 노래/~하게 울다. ——-하다 형여불. ——-히 부
처럼 조 체언 아래에 붙어, '…과 같이, …모양으로' 등의 뜻을 나타내는 부사격 조사. ¶소~ 일하다/이~ 만드시오.
처렁 부 쇠붙이가 부딪치어 은은히 울리는 소리. ㅅ저렁. ㅆ쩌렁. >차랑. ——-하다 자타여불
처렁-거리다 자타 처렁 소리가 계속하여 나다. 또, 처렁 소리를 계속해서 나게 하다. ㅅ저렁거리다. ㅆ쩌렁거리다. >차랑거리다. **처렁-처렁** 부. ——-하다 자타여불
처렁-대다 자타 처렁거리다.
처:려-근지【處閭近支】명〖역〗고구려 시대의 지방 관직. 성(城)의 장관으로, 중국의 자사(刺史)에 비정(比定)됨.
처르렁 부 얇은 쇠붙이가 부딪치어 울리는 소리. ㅅ저르렁. ㅆ쩌르렁. >차르랑. ——-하다 자타여불
처르렁-거리다 자타 처르렁 소리가 계속하여 나다. 또, 처르렁 소리를 계속해서 나게 하다. ㅅ저르렁거리다. ㅆ쩌르렁거리다. >차르랑거리다. **처르렁-처르렁** 부. ——-하다 자타여불
처르렁-대다 자타 처르렁거리다.
처:리【處理】명 일을 다스려 치러 감. ¶화학(化學) ~/사무 ~. ——-하다 타여불
처리뱅이 명〈방〉잠자리(경북).
처:리 프로그램【處理—】〔program〕명〖컴퓨터〗제어 프로그램의 지시와 감독을 받아 데이터 처리를 실행하고, 결과를 출력하는 프로그램. 언어 번역 프로그램·서비스 프로그램·적용 업무 프로그램이 있음.
처마[1] 명〈방〉치마[1](경상).
처마[2] 명〔근대: 쳠하〕〖건〗지붕이 도리 밖으로 내민 부분. 첨아(檐牙).
처마-끝 명〖건〗처마의 끝. 첨단(檐端).
처마-널 명〖건〗난간 및 처마 테두리에 돌려 붙인 판자.
처마 높이 명〖건〗지반(地盤)에서 처마 끝까지의 높이.
처마-도리 명〖건〗바깥 벽의 꼭대기에 있어, 서까래 따위를 받는 도리.

처-마시다 타 ①술 따위를 욕심(慾心) 사납게 함부로 마시다. ②〈속〉 마시다.

처마-홈통【—桶】명 처마 끝에 가로 둘러 대어, 지붕 따위에서 흘러 내려오는 빗물을 받는 홈통.

처막[1] 명〈방〉①틀(경북). ②처마(경북).

처막[2] 명부〈방〉처음(함남).

처맛 기슭 명 지붕의 가장자리.

처맛-물 명〈방〉낙숫물.

처매 명〈방〉①처마(충북·전북·경상). ②치마[1](경상).

처-매다 타 다친 곳에 약을 바르고 붕대 같은 것으로 감아 매다.

처-먹다 타 ①음식을 요량없이 마구 먹다. ¶떡을 ~. ②〈속〉 먹다.

처-먹이다 타 ①음식을 요량없이 마구 먹이다. ②〈속〉 먹이다.

처모【妻母】명 아내의 어머니. 장모(丈母).

처:무【處務】명 사무의 처리. 처리해야 할 사무. ¶~ 규정. ——-하다 자여불

처-묵다 타〈방〉처먹다(경북).

처-바르다 타여불 함부로 바르다. ¶얼굴에 분을 ~.

처-박다 타 ①몹시 세게 박다. ¶말뚝을 ~. ②함부로 쑤셔 넣거나 밀어넣다. ¶농 속에 처박아 두다. ③일정한 곳에만 있게 하고 다른 곳에 나가지 못하게 하다. ¶집에만 처박혀 있다.

처-박지르다 타르불〈속〉처박다.

처-박히다 피동 '처박다'의 피동형.

처:방【處方】명 ①〖의〗병의 증세에 따라 약재를 배합하는 방법. ②일 처리의 방법.

처:방-전【處方箋】명〖의〗약재의 처방을 적은 종이. 곧, 약방문(藥方文). 약전(藥箋).

처:벌【處罰】명 ①형벌에 처함. ¶책임자의 ~. ②위법 행위에 대하여 고통을 줌. 벌을 줌. ¶교통 위반으로 ~받다. ——-하다 타여불

처:변[1]【處辨】명 처판(處辦).

처변[2]【妻邊】명 처족(妻族).

처:변[3]【處變】명 ①일의 기틀을 따라 잘 처리하여 감. ②괴변을 당하여 잘 변통함. ——-하다 자여불

처복【妻福】명 아내를 잘 얻은 복.

처-부모【妻父母】명 아내의 부모.

처:분【處分】명 ①처리하여 다룸. ¶관대히 ~하다. ②〖법〗 행정·사법 관청이 특정한 사건에 대하여 법규를 적용하는 행위. 곧, 행정 처분·보호 처분 같은 것. ↔관리(管理)❷. ③〖법〗이미 있는 권리나 권리의 객체(客體)에 대하여 직접 변동을 일으키는 일. 곧, 가옥의 매각, 주권(株券)의 입질(入質) 같은 것. ¶토지를 ~하다/재산을 ~하다. ——-하다 타여불

처:분 가:능 이:익【處分可能利益】명 배당 가능 이익.

처:분-권【處分權】[—꿘] 명〖법〗처분할 수 있는 권리(權利). ↔관리권(管理權).

처:분권-주의【處分權主義】[—꿘—/—꿘—이] 명〖법〗①민사 소송법상 당사자가 스스로 소송을 처분하고, 소송의 해결을 도모하는 주의. 곧, 청구의 포기, 재판 상의 화해, 상소권 및 책문권(責問權)의 포기 같은 것. ㊥처분주의. ②형사 소송법상, 소송 관계가 성립한 뒤에도 당사자로 하여금 임의로 소송 상태를 지배하게 하는 주의. ㊥처분주의. ↔불변경(不變更)주의.

처:분 능력【處分能力】[—녁] 명〖법〗물품 또는 권리의 처분을 할 수 있는 법률 상의 능력.

처:분 명:령【處分命令】[—녕] 명〖법〗국가가 국민이나 공공 기관(公共機關)에 대하여 일정한 행위를 할 것을 명하거나 또는 금지하는 명령. 명령(命令).

처:분-서【處分書】명〖법〗관청이 특정인(特定人)에게 처분을 명(命)하는 뜻을 적은 문서(文書).

처:분-주의【處分主義】[—/—이] 명〖법〗↗처분권주의.

처:분 증권【處分證券】[—꿘] 명〖법〗증권에 기재된 물건에 관한 처분은 그 증권을 가지고 하지 않으면 아니되는 유가(有價) 증권. 창고 증권·선하(船荷) 증권 따위가 있음.

처:분 증서【處分證書】명〖법〗어떠한 증서에 의하여 증명되어야 할 법률 상의 행위가 그 자체로써 행하여진 문서. 곧, 유언서·어음·판결 원본 같은 것. ↔보고(報告) 증서.

처:분 행위【處分行爲】명〖법〗①재산의 유형적 변경·멸실(滅失)·기손(棄損) 등 사실 상의 변동을 가하는 사실적 처분 행위와, 재산권의 이전이나 담보권의 설정 등 재산권에 관하여 변동을 주는 법률적 처분 행위의 총칭. ↔관리(管理) 행위. ②직접 권리의 변동을 생기게 하는 행위. 물권(物權)의 전이(轉移)나 설정, 채권의 양도(讓渡)나 면제(免除) 같은 것. ↔채권(債權) 행위.

처:사[1]【處士】명 ①세파(世波)의 표면에 나서지 않고 조용히 야(野)에 파묻혀 사는 선비. ②거사(居士).

처:사[2]【處事】명 일을 처리함. ¶부당한 ~. ——-하다 자여불

처:사-가【處士歌】명〖문〗십이 가사(十二歌詞)의 하나. 작자·제작 연대 미상. 총 95구. 벼슬길을 버리고 초야에 파묻혀 자연을 벗삼는 은둔자의 심회를 읊음. ≪청구 영언(靑丘永言)≫·≪남훈 태평가(南薰太平歌)≫에 전함.

처-사촌【妻四寸】명 아내의 친정 사촌.

처산【妻山】명 아내의 뫼. 처장(妻葬).

처-삼촌【妻三寸】명 아내의 삼촌.

[처삼촌 뫼에 벌초하듯] 일을 정성을 들이지 않고 마지못하여 겉날리어 함을 이르는 말.

처상【妻喪】명 아내의 상사(喪事).

처:서【處暑】명 24절기의 하나. 태양의 황경(黃經)이 150도에 달하는 시각. 양력 8월 23일경에 듦. 이 뒤부터 가을 기분이 남.

[처서에 비가 오면 독의 곡식도 준다] 처서 날에 비가 오면 흉년이 든다는 말.

처성 자옥【妻城子獄】명 아내와 자식을 거느린 몸은 집안 일에 얽매여 자유로 활동할 수 없음을 가리키는 말.

처:세【處世】명 이 세상에서 살아 감. 처세상. ¶~에 능하다/정직함이 그의 ~ 방법이다. ——-하다 자여불

처:세-관【處世觀】명 처세하는 데 지니는 일정한 견해. ¶확고한 ~을 갖다.

처:-세상【處世上】명 처세(處世). ——-하다 자여불

처:세-술【處世術】명 처세하는 방법과 수단(手段). ¶능수 능란(能手能爛)한 ~.

처:세-훈【處世訓】명 처세하는 데 필요한 교훈.

처:소【處所】명 ①사람이 살거나 임시(臨時)로 머물러 있는 곳. ¶그의 ~를 찾아가다. *거처(居處). ②어떤 일이 벌어진 곳이나 물건이 있는 곳. 장소(場所).

처:소격 조:사【處所格助詞】[—껵—] 명〖언〗부사격(副詞格) 조사의 한 가지. 동사 또는 다른 용언의 내용이 되는 곳을 여러 가지로 한정하는 조사.

처:소 나:인【處所—】명〖역〗조선 시대 때, 지밀(至密) 나인을 제외한, 육처소(六處所) 소속의 나인. *육처소(六處所).

처:소 별감【處所別監】명〖역〗대왕 대비(大王大妃)·왕대비(王大妃)·빈궁(嬪宮) 등 여러 처소(處所)에 속하는 별감.

처숙【妻叔】명 아내의 숙부.

처-숙부【妻叔父】명 아내의 숙부.

처-시하【妻侍下】명 아내에게 눌려 지내는 사람을 조롱(嘲弄)하는 말. 엄처시하.

처:신【處身】명 세상(世上)을 살아 감에 있어 몸을 가지는 일. 행신(行身). ¶점잖게 ~하다. ——-하다 자여불

처:신 사:납다【處身—】형ㅂ불 →치신 사납다.

처:신-술【處身術】명 처신하는 방법과 수단.

처:신-없다【處身—】[—업—] 형 →치신없다.

처:신-없이【處身—】[—업씨] 부 →치신없이.

처-싣다 타ㄷ불 어떠한 것에 짐을 마구 얹다.

처실【妻室】명 아내.

처:심【處心】명 존심[1](存心). ——-하다 타여불

처섬 명부〈옛〉처음. ¶처섬와 傲色 잇더니(初附之時 尙有傲色)≪龍歌 95章≫/初發聲은 처섬 펴아나는 소리라≪訓諺≫/始는 처서미라≪月序 2≫/처서믜 호번 브리니(初一棄)≪杜諺 XV:3≫.

처엄 명부〈옛〉처음. ¶네 처엄 보면 쁠 ᄉ랑호니(憶昔初見時)≪重杜諺 Ⅷ:6≫.

처:역【處役】명 징역에 처함. ——-하다 타여불

처연【悽然】부 쓸쓸하고 구슬픈 모양. ——-하다 형여불

처염【悽艶】명 처절하게 아름다움. ¶깜박거리는 별과 비스듬히 걸린 조각달이 ~한 밤하늘 밑에서. ——-하다 형여불

처:영【處英】명〖사람〗조선 선조(宣祖) 때의 승려·의승장(義僧將). 호는 뇌묵(雷默), 휴정 대사(休靜大師)의 제자. 임진 왜란 때, 휴정의 격문(檄文)을 받고 호남(湖南)에서 의승군(義僧軍)을 일으켜 권율(權慄)의 군사와 함께 금산(錦山) 배고개 전투·행주산성(幸州山城) 등에서 싸워 크게 공을 세움. 휴정·유정(惟政)과 함께 진영(眞影)이 해남(海南) 대흥사(大興寺)의 표충사(表忠祠)에 안치됨. 생몰년 이상.

처-엳다 타〈방〉①처넣다. ②처먹다(함남).

처예 명〈방〉[←청어(靑魚)] 비웃(함북).

처-외가【妻外家】명 장모(丈母)의 친정.

처-외편【妻外便】명 아내의 외족.

처:용【處容】명 신라 제49대 헌강왕(憲康王) 때의 사람으로 전하여지는 사람. 왕의 순행 중에 기형 궤복(詭服)으로 나타나 가무(歌舞)를 하다 궁궐에 따라 들어와서 벼슬을 하였는데 달밤이면 춤과 노래를 하였다 하며, 그 춤이 악부(樂府)에 '처용무'라 전해 옴.

처:용-가【處容歌】명 ①향가(鄕歌)의 하나. 신라 헌강왕(憲康王) 때 처용이 지은 것으로 삼국 유사(三國遺事)에 전해 옴. 사람으로 변신하여 처용의 아내와 동침하던 액신(厄神)이 이 노래를 듣고 탄복했다 함. 그 후 비슷한 설화(說話)가 고려 때와 조선 시대 때 '처용무'의 가사에 실려 있음. ②고려 가요의 하나. 신라 처용가와 같이 처용이 역신(疫神)을 몰아내는 내용임. 처용희(處容戲)의 일부로서 가창(歌唱)되었음.

처:용-무【處容舞】명〖민〗조선 시대 정재(呈才) 때와 구나의(驅儺儀) 뒤에 추는 향악(鄕樂)의 춤. 파랑·노랑·빨강·흰 빛·검은 빛의 옷을 입은 무동(舞童)이 각기 처용의 탈을 쓰고 오방(五方)으로 벌여 서서 주악(奏樂)에 맞추어 여러 장면으로 바꾸어 가며 춤을 추는데, 그 사이사이에 처용가(處容歌)와 봉황음(鳳凰吟)을 부름. 흔히 학춤과 연화대(蓮花臺)를 합설(合設)함. 구나의 때 두 번 추는데, 둘째 번에는 미타찬(彌陀讚)과 관음찬(觀音讚)과 본사찬(本師讚)을 부름. 신라 헌강왕(憲康王) 때의 처용에서 기원(起源)됨. 처용희(處容戲). *정재무(呈才舞).

〈처용무〉

처:용-희【處容戲】명〖민〗처용무.

처우[1]【悽雨】명 처량하게 내리는 비.

처:우[2]【處遇】명 조처하여 대우함. ¶~ 개선(改善).

처음 一명 일의 시초. 차례로 맨 첫번. ¶~부터 강하게 나오다. 二부 첫 번으로. 비로소. ¶난생 ~ 겪은 고생. 준첨.

처음 입사【一入射】[一닙一] 명 처음으로 어떤 사정(射亭)에 입사(入射)하는 일. 부조(父祖)가 입사하였던 사정에 입사하는 것이 원칙이나 부득이한 때에는 다른 사정에 입사하는 수도 있으며, 한번 입사한 뒤에는 다른 사정으로 옮김을 꺼림. ——-하다 자여불

처:의【處義】명 의를 지킴. ——-하다 자여불

처일【凄日】명 써늘한 날. 곧, 가을날.

처자[1]【妻子】명 아내와 자식. 처노(妻孥). ¶~를 부양(扶養)하다.

처:자[2]【處子】명 처녀.

처장[1]【妻葬】명 ①아내의 장사. ②처산(妻山).

처:-장[2]【處長】명 처(處)의 우두머리. ¶사무~/교무~.

처재[1]【妻財】명 ①아내와 재산. ②처가에서 탄 재물. ③〖민〗 육친(六親)의 하나. 아내와 재물에 관한 명수(命數)를 이름.

처:재[2]【處裁】명 처결(處決). ——-하다 타여불

처-쟁이다 타 잔뜩 눌러서 마구 쌓다. ¶창고에 쌀을 ~.

처적-처적 부 ☞ 터덕터덕. ¶아버지가 밤 늦게서야 ~ 집으로 돌아오시었더니라《李無影 : 사랑의 화첩》.

처절[1]【凄切】명 몹시 처량함. ——-하다 형여불

처:절[2]【悽絶】명 참혹(慘酷)할이만큼 구슬픔. ¶~한 광경(光景). ——-하다 형여불

처제【妻弟】명 아내의 여동생.

처-조모【妻祖母】명 아내의 할머니. 장조모(丈祖母).

처-조부【妻祖父】명 아내의 할아버지. 장조(丈祖). 장조부(丈祖父).

처-조카【妻一】명 아내의 친정 조카. 처질(妻姪). 내질(內姪).

처족【妻族】명 아내의 겨레붙이. 처당(妻黨). 처변(妻邊). 처편(妻便).

처:지【處地】명 ①자기가 처해 있는 경우 또는 환경. ¶~가 매우 딱하군. ②서로 사귀어 지내는 관계. ¶서로 농담할 ~요. ③지위 또는 신분(身分).

처:-지다 자 ①바닥으로 잠기어 가라앉다. ②팽팽하던 것이 아래로 늘어지다. ¶빨랫줄이 ~. ③한 동아리에서 뒤떨어져 남다. ¶모두 가고 나만 ~. ④다른 것보다 못하다. 빠지다. ¶그 쪽보다 이 쪽이 처진다. ⑤장기에서, 궁이 면줄로 내려가다.

처-지르다 타르불 ①아궁이 같은 곳에 마구 나무를 많이 몰아 넣어 불을 때다. ¶아궁이에 장작을 ~. ②처대다[1]. ③↗처든지르다.

처질【妻姪】명 처조카.

처:참[1]【處斬】명 목을 베어 죽이는 형벌에 처함. ——-하다 타여불

처:참[2]【悽慘】명 슬프고 참혹함. ¶현장은 몹시 ~했다. ——-하다 형여불. ——-히 부

처창【凄愴】명 몹시 구슬픔. ¶하도 곡조가 ~하고 구슬프기 때문에 이 노래 곡조는 당나라와 송나라에까지도 자자하게 퍼졌던 것이다《朴鍾和 : 多情佛心》. ——-하다 형여불

처:처【處處】명 곳곳. 여러 곳. ¶~에 널려 있다.

처처-하다[1]【凄凄一】형여불 찬 기운이 있고 쓸쓸하다. 처처-히【凄凄一】부

처:처-하다[2]【悽悽一】형여불 마음이 매우 구슬프다. 처처-히【悽悽一】부

처처-하다[3]【萋萋一】형여불 풀이 무성하다. ¶하룻밤 봄비에 방초는 처처하고 솔솔 부는 동풍에 낙화는 분분히 날리는데…《崔瓚植 : 능라도》. 처처-히【萋萋一】부

처첩【妻妾】명 아내와 첩. 적첩(嫡妾).

처첩-궁【妻妾宮】명〖민〗 십이 궁(十二宮)의 하나. 처첩에 대한 운수를 점치는 기본 자리. 준처궁(妻宮).

처초【凄楚】명 상심(傷心)함. 슬퍼함. ——-하다 자여불

처:치[1]【處置】명 ①일을 감당하여 치러감. ¶응급 ~. ②물건을 다루어서 치움. ——-하다 타여불

처:치[2]〔church〕명 교회. 교회당(教會堂).

처:치 불능【處置不能】명 처치할 수가 없음. ——-하다 형여불

처:치 아:미〔Church Army〕명〖기〗 영국 성공회에서의 전도(傳道) 및 사회 봉사 단체. 구세군(救世軍)을 모방한 것으로서, 영국 성공회 칼라일 신부에 의해 1882년에 창시되었음.

처:칠[1]〔Churchill, John〕명〖사람〗 초대(初代) 말버러 공작(公爵)(1st Duke of Marlborough). 영국의 군인. 제임스 2세에 중용(重用)되어 몬머스(Monmouth)의 반란 진압에 공을 세웠는데 명예 혁명 때에는 윌리엄 3세를 지지하였음. 앤(Anne) 여왕의 신임을 얻어 영국과 네덜란드 연합군 총사령관이 되어 스페인 계승 전쟁에 종군함. 1704년 블렌하임(Blenheim)의 승리(勝利)로 루이 14세의 야망(野望)을 꺾고 국민적 영웅(國民的英雄)이 됨. W. 처칠은 그의 자손(子孫)임. 말버러공(公). [1650-1722]

처:칠[2]〔Churchill, Winston Leonard Spencer〕명〖사람〗 영국의 세계적인 정치가. 일찍부터 정계(政界)에 나서서 자유당·보수당의 내각에 참여했는데, 1차 대전 직후 그의 대독(對獨) 강경책이 인정되어 1940년 연립 내각(聯立內閣)의 수상이 되어 전쟁을 승리로 이끌었으며, 1951년에 다시 수상에 취임하였다가 1955년에 하야(下野)함. 한편 그림과 문필에도 능하여 1차·2차 대전의 《회고록》으로 1953년에 노벨 문학상을 받음. [1874-1965]

처:트〔chert〕명〖지〗 대단히 치밀한 미정질(微晶質) 또는 음미정질암(陰微晶質岩). 옥수질(玉髓質) 석영과 미정질 석영으로 되어 있음.

처:판【處辦】명 관아(官衙)의 사무를 처리(處理)함. 처변(處辨). ¶대감의 죄안은…불일간에 ~이 될 터이니 나가서 기다리오《崔瓚植 : 桃花園》. ——-하다 타여불

처편【妻便】명 처족(妻族).

처풍【凄風】명 쓸쓸하게 부는 바람.

처:-하다【處一】자타여불 ①어떠한 처지를 당하다. ¶곤경(困境)에 ~. ②어떠한 형벌에 부치다. ¶사형에 ~.

처형[1]【妻兄】명 아내의 언니.

처:형[2]【處刑】명 형벌에 처함. ——-하다 타여불

처:형-장【處刑場】명 처형하는 장소.

척[1]【拓】명 성(姓)의 하나. 우리 나라에는 현존하지 아니함.

척[2]【隻】명〖역〗 조선 시대 때, 소송(訴訟) 사건의 피고. *척지다.

척[3]【戚】명 인아간(姻婭間)의 자손 사이의 관계. 곧, 고종(姑從)·내종(內從)·외종(外從) 등의 관계.

척[4]【戚】명〖악〗 일무(佾舞)에서 무무인(武舞人)이 오른손에 잡고 간(干)을 치며 춤을 추는 제구. 용두(龍頭)를 새긴 나무에 대로 자루를 맞추었음.

〈척⁴〉

척[5]〔chuck〕명〖공〗 공구(工具)나 가공물을 끼우게 된 일종의 회전 바이스.

척[6] 의명 체. ¶아는 ~/먹는 ~. ——-하다 조동여불

척[7]【尺】의명 자. ¶6 ~ 대어(大魚).

[척수 보아 옷 짓는다] '치수 보아 옷 짓는다'와 같은 뜻.

척[8]【隻】의명 배의 수효를 세는 말. ¶배 5 ~.

척[9] 부 ①빈틈없이 잘 들러붙는 모양. ¶젖은 옷이 몸에 ~ 들러붙다. ②몹시 늘어지거나 휘어진 모양. ¶~ 늘어진 버들 가지. 1)·2):>착[3].

척[10] 부 서슴지 않고 선뜻 행동하는 모양. ¶옷을 ~ 벗다/~ 얘기하다/돈을 ~ 내주다.

[척 그러면 울 너머 호박 떨어지는 줄 알아라] 눈치와 짐작이 빨라야 한다는 말.

척:[11] 부 몸가짐이 점잖고 태연한 모양. ¶~ 버티고 앉아서는/양복을 ~ 걸치고 나서는 품이 뭐나 되는 것 같다. >착[3].

척각[1]【尺角】명 한 자 사방의 재목.

척각[2]【隻脚】명 외다리.

척간[1]【尺簡】명 편지.

척간[2]【擲奸】명 적간(摘奸). ——-하다 타여불

척감【脊疳】명〖한의〗 등골뼈가 톱날 모양으로 두드러져 드러나는 어린 아이의 감병(疳病)의 하나.

척강[1]【陟降】명 오르락 내리락함. ——-하다 자여불

척강[2]【脊強】명〖한의〗 등골뼈가 뻣뻣하여 몸을 뒤로 돌리지 못하는 병.

척강-장【陟降章】[一짱] 명〖악〗 악장의 이름.

척거[1]【斥拒】명 배척(排斥)하여 거절함. ——-하다 타여불

척거[2]【剔去】명 도려 내어 없앰. 제거함. ——-하다 타여불

척거[3]【擲去】명 던져서 내버림. ——-하다 타여불

척결【剔抉】명 살을 긁어 내고 뼈를 발라냄. ¶파라(爬羅) ~. ——-하다 타여불

척골[1]【尺骨】명〖생〗 전박(前膊)에 있는 두 뼈의 안 쪽에 있는 뼈. 상박골(上膊骨)과 요골(橈骨)에 연접됨. 자뼈.

주두(肘頭)
반월절흔
요골절흔
(橈骨切痕)
오탁돌기
(烏啄突起)
요골
척골
척골소두
경상돌기

〈척골¹〉

척골[2]【脊骨】명〖생〗 척추골(脊椎骨).

척골[3]【瘠骨】명 ↗훼척 골립(毁瘠骨立). *피골 상련(皮骨相連).

척골[4]【蹠骨】명〖생〗 부골(跗骨)과 지골(趾骨) 사이에 있는 발의 뼈. 부전골(跗前骨).

척골 동:맥【尺骨動脈】명〖생〗 척골에 연하여 분포하는 상박(上膊) 동맥의 한 갈래.

척골 신경【尺骨神經】명〖생〗 상지(上肢)의 안 쪽을 지나 팔꿈치 관절의 뒤 쪽을 내려 전박(前膊)의 앞 쪽을 거쳐 손바닥과 손등의 안 쪽에 분포하는 신경.

척관-법【尺貫法】[一뻡] 명 길이의 단위를 척(尺), 양의 단위를 승(升), 무게의 단위를 관(貫)으로 하는 도량형법(度量衡法).

척구[1]【隻句】명 짧은 문구.

척구[2]【惕懼】명 경계하며 두려워함. ——-하다 타여불

척구[3]【踢毬】명 제기나 공을 참. ——-하다 자여불

척구[4]【擲球】명〖역〗 개화기(開化期)에 축구(蹴球)·테니스를 일컫던 말. ¶~장(場).

척근-법【尺斤法】[一뻡] 명 척관법(尺貫法).

척기[1]【斥棄】명 버림. 내버림. ——-하다 타여불

척기[2]【隻騎】명 단지 한 사람의 기병. 일기(一騎). 단기(單騎).

척기[3]【脊鰭】명〖어〗 등지느러미.

척념【惕念】명 경계하며 두렵게 여기는 마음.

척당[1]【倜儻】명 뜻이 크고 기개(氣槪)가 있음. ——-하다 형여불

척당[2]【戚黨】명 척속(戚屬).

척당 불기【倜儻不羈】명 뜻이 크고 기개(氣槪)가 있어서 남에게 구속을 받거나 굽히지 아니함. ——-하다 형여불

척도【尺度】명 ①자로 잰 길이. ②계량(計量)의 표준. ¶가치의 ~/우량을 가리는 ~.

척독【尺牘】명 ①〖역〗 길이가 한 자 가량 되는, 글을 적은 널빤지. 척서(尺書). 척소(尺素). 척저(尺楮). ②편지.

척동【尺童】명 열 살 안팎의 어린 아이. 소동(小童).

척락[1]【拓落】[一낙] 명 낙척(落拓). ——-하다 자여불

척락[2]【躋落】[一낙] 명 척이(跅弛).

척량[1]【尺量】[一냥] 명 물건을 자로 잼. ——-하다 타여불

척량[2]【脊梁】[一냥] 명〖생〗 등성마루.

척량-골【脊梁骨】[—냥—] 명 〖생〗 척추골(脊椎骨).

척량 산맥【脊梁山脈】[—냥—] 명 원줄기가 되는 큰 산맥. 그 지방의 주요 분수계(分水界)를 이루는 산맥.

척력【斥力】[—녁] 명 〔repulsive force〕〖물〗 같은 종류의 전기나 자기(磁氣)를 가진 두 물체가 서로 물리치려는 힘.

척련【戚聯】[—년] 명 척속(戚屬)

척령【鶺鴒】[—녕] 명 〖조〗 할미새.

척로【斥鹵】[—노] 명 염분이 많아 곡식이 안 되는 땅.

척릉【脊稜】[—능] 명 산줄기의 등성이.

척리[1]【戚里】[—니] 명 임금의 내척(內戚)과 외척(外戚). 척완(戚畹).

척리[2]【陟釐】[—니] 명 〖한의〗 '해캄[1]'의 한방명. 단 맛이 있고 더운 성질이 있는데, 온중(溫中)·건위(健胃)의 약재로 씀. 면의(綿衣).

척말【戚末】 인대 성이 다른 겨레붙이에 대하여 자기를 낮추어 부르는 말. 척하(戚下).

척매【斥賣】 명 헐값으로 마구 팖. ——-하다 타여불

척맥【尺脈】 명 〖한의〗 한방(漢方)에서 일컫는 맥박의 하나. 요골(橈骨)의 끝 부분에 있는 요골 동맥(橈骨動脈). 집게손가락과 가운뎃손가락과 약손가락을 대고 진찰하는데, 왼손의 척맥으로는 심장과 소장(小腸)의 건강을, 오른손의 척맥으로는 폐(肺)와 대장(大腸)의 건강을 진찰함. *관맥(關脈)·촌맥(寸脈).

척박【瘠薄】 명 흙이 몹시 메마르고 기름지지 못함. 교박(磽薄). ——-하다 형여불

척박-지【瘠薄地】 명 척박토.

척박-토【瘠薄土】 명 메마르고 기름지지 못한 땅. 작물(作物)의 생육(生育)에 적합하지 못한 토양.

척방【陟方】 명 하늘에 오른다는 뜻으로, 천자(天子)의 죽음을 이름. 승하(昇遐). ——-하다 자여불

척벌【陟罰】 명 관위(官位)를 올려 상줌과 관위를 내려 벌줌. ——-하다 타여불

척벽【尺璧】 명 큰 보옥(寶玉).

척변 이:형【隻變二形】 명 〖화〗 동일한 원소 또는 화합물의 두 종류의 개상(箇相)이, 어느 온도 이상 또는 이하에서 한 쪽으로부터 다른 쪽으로는 천이(遷移)하나, 그 역(逆)은 직접으로는 행해질 수 없을 경우의 둘 사이의 관계.

척병【尺兵】 명 척촌(尺寸)의 무기(武器). 짧은 무기. 척촌지병.

척보【隻步】 명 반 걸음.

척분【戚分】 명 척(戚)이 되는 관계. 곧, 이종·고종·내종·외종 등의 관계. *척의(戚誼).

척분 척리【隻分隻厘】[—니] 명 척푼 척리(隻分隻厘).

척빈【斥擯】 명 배빈(排擯). ——-하다 타여불

척사[1]【斥邪】 명 사기(邪氣)를 물리침. ——-하다 자여불

척사[2]【拓士】 명 개척하는 사람.

척사[3]【擲柶】 명 윷놀이.

척사[4]【擲梭】 명 피륙을 짤 때에 북을 이리저리 던지는 일. ——-하다 자여불

척사 윤음【斥邪綸音】 명 〖책〗 사도(邪道)인 서교(西敎)를 배척한 윤음. 조선 시대 때 헌종(憲宗)과 고종(高宗)이 내린 것으로, 전후 모두 한 책으로 되었는데, 끝에 한글로 주석을 붙였음.

척사-회 【擲柶會】 명 윷놀이를 하는 모임.

척삭【脊索】 명 〖생〗[*chorda dorsalis*] 척수(脊髓)의 아래를 종주(縱走)하는, 연골(軟骨)로 된 봉상(棒狀) 물질. 척주(脊柱)의 기초가 되는 것으로, 원삭(原索)동물과 척추동물에만 있는데, 전자에는 종생(終生), 후자에는 어릴 때에만 있음.

척삭-동물 【脊索動物】 명 〖동〗 〔Chordata〕 평생 또는 적어도 발생(發生) 초기에 척삭(脊索)을 가지는 동물 무리. 척추(脊椎)동물과 원삭(原索)동물을 합쳐서 분류한 이름.

척산 척수【尺山尺水】 명 높은 곳에서 멀리 산수(山水)를 내려다볼 때에 그 작게 보임을 가리키는 말. 척오 촌초(尺吳寸楚).

척살[1]【刺殺】 명 ①칼 같은 것으로 찔러 죽임. 자살(刺殺). ②야구에서, 볼을 주자(走者)의 몸에 닿게 하여 아웃시키는 일. 터치 아웃(touch out). ——-하다 타여불

척살[2]【擲殺】 명 내던지어 죽임. ——-하다 타여불

척색 【脊索】 명 〖생〗 ☞ 척삭.

척색-동물 【脊索動物】 명 〖동〗 ☞ 척삭동물.

척서[1]【尺書】 명 척독(尺牘).

척서[2]【滌暑】 명 더위의 기운을 씻어 버림. ——-하다 자여불

척석-군【擲石軍】 명 〖역〗 돌을 던져 싸우는 군사로 조직된 군대.

척석-희【擲石戲】 명 돌팔매질.

척설【尺雪】 명 많이 쌓인 눈. 잣눈.

척소【尺素】 명 척독(尺牘).

척속【戚屬】 명 척(戚) 관계가 되는 겨레붙이. 척당(戚黨). 척련(戚聯).

척수[1]【尺水】 명 얼마 안 되는 물. 얕은 물.

척수[2]【隻手】 명 ①한 쪽 손. ②썩 외로움을 가리키는 말.

척수[3]【脊髓】 명 〖생〗 뇌에 연결되는 긴 관상(管狀)의 신경 중추(神經中樞). 위는 연수(延髓)에, 아래는 척수 원추(圓錐)를 이루어 미골(尾骨)에 이르며, 회백색의 신경 세포와 섬유(纖維)로 되어 있음. 뇌와 말초(末梢) 신경 사이의 지각(知覺) 운동, 자극의 전달, 반사 기능 등의 역할을 함. 등골.

척수 공동증【脊髓空洞症】[—쯩] 명 〔syringomyelia〕〖의〗 주로 척수의 선천적(先天的) 발육 장애로 말미암아 회백질(灰白質) 안에 공동(空洞)을 형성하는 질환. 흔히 20-40세에 발병하며 만성(慢性) 질환으로 남자에게 많음.

척수 동:물【脊髓動物】 명 〔spinal animal〕〖동〗 척수 반사 기능을 연구하기 위해 뇌를 전부 제거하여 척수만 남겨 놓은 생물학적 표본으로서의 동물체(動物體).

척수-로【脊髓癆】 명 〖의〗 매독이 척수에 발생한 것. 수족(手足)의 근육이 마비되어 일어설 수가 없게 됨. 잠복기는 10-15년임.

척수 마비【脊髓痲痺】 명 〖의〗 외력(外力)에 의한 척추(脊椎)의 골절·탈구 등의 손상(損傷)이 척수에 파급되어 일어나는 마비. 이에 속발(續發)하여 감염증이 생김.

척수-막【脊髓膜】 명 〖생〗 척수를 싸고 있는 섬유로 된 막. 등골막.

척수 반:사【脊髓反射】 명 〔spinal reflex〕〖생〗 척수가 중추(中樞)가 되어 일어나는 반사 운동의 총칭. 무릎 반사·아킬레스 힘줄 반사·굴근(屈筋) 반사 등.

척수-병【脊髓病】[—뼝] 명 〖의〗 척추(脊椎)의 일부가 벌어져 종류상(腫瘤狀)의 융기가 생기는 척수탈(脊髓脫)·척수염·척수로(脊髓癆) 등 척수에 일어나는 병의 총칭.

척수 부:교감 신경 【脊髓副交感神經】 명 〔spinal parasympathetic nerve〕〖생〗 척수 전체를 통하여 있는 부교감성(副交感性)의 극히 가느다란 유수(有髓) 신경 섬유. 혈관 확장의 작용을 가짐.

척수 소:뇌 변:성증【脊髓小腦變性症】[—쯩] 명 〖의〗 척수·소뇌에 변성이 일어나서 생기는 병증. 처음에는 손으로 무엇을 쥘 수가 없고, 글씨를 못 쓰게 되고, 보행(步行) 장애를 일으키다가 혀·입술 등에 운동 실조(失調)가 옴.

척수 시:상로【脊髓視床路】 명 〖생〗 척수의 측삭(側索)의 전방부(前方部)를 지나고 있는 신경 섬유의 뭉텅이. 촉각의 일부와 통각(痛覺)이나 온각(溫覺)을 뇌로 전달하는 통로임.

척수 신경【脊髓神經】 명 〔spinal nerves〕〖생〗 척수에서 비롯하여 두부(頭部) 아래의 몸의 각 부분에 퍼져 있는 신경. 사람의 몸에는 31 쌍이 있는데 8쌍의 경(頸)신경, 12쌍의 흉(胸)신경, 5쌍의 요(腰) 신경, 5쌍의 천골(薦骨) 신경, 1쌍의 미골(尾骨) 신경으로 구분하며, 척수의 앞쪽에서 나온 것을 전근(前根), 뒤쪽에서 나온 것을 후근(後根)이라 하는데, 전근은 운동을, 후근은 지각(知覺)을 맡음. 등골 신경.

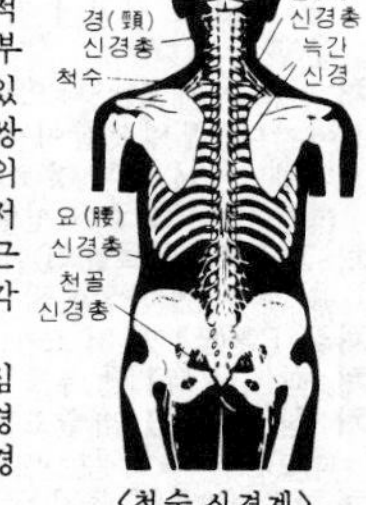

〈척수 신경계〉

척수 신경계【脊髓神經系】 명 〖생〗 척수를 중심으로 갈려져 있는 신경계. 대뇌·뇌신경·경신경총(頸神經叢)·늑간(肋間) 신경·대퇴(大腿) 신경 등이 있음. 등골 신경계.

척수 신경절 【脊髓神經節】 명 〖생〗 각 척수 신경의 후근(後根)에 있는 방추형(紡錘形)의 신경절. 지각(知覺) 신경 단위의 신경 세포체의 집합한 부분임.

척수-염【脊髓炎】 명 〖의〗 척수에서 일어나는 염증. 급성 전염병·매독·결핵·악성 빈혈·백혈병·임신·산욕(產褥) 등으로 일어나며, 몸의 운동과 지각(知覺)의 마비, 대소변의 배설 장애 등의 증상이 나타남.

척수 전도로【脊髓傳導路】 명 〖생〗 척수의 백질(白質)에 존재하는 신경 전도 경로. 뇌(腦)로부터의 운동성 흥분을 전달하는 하행성(下行性) 전도, 지각성 흥분을 뇌에 전달하는 상(上)행성 전도, 척수 안에서 서로 다른 높이의 사이를 연락하는 척수 고유속(固有束)의 세 가지로 크게 나뉨.

척수 전색 절단술【脊髓前索切斷術】[—딴—] 명 〔chordotomy〕〖의〗 척수 신경로(神經路)의 외과적 차단(外科的遮斷). 처치가 곤란한 격통(激痛)을 덜 목적으로 행함.

척수 종:양【脊髓腫瘍】 명 척수에 생긴 종양. 척수 신경을 압박하며 종양의 부위(部位)에 따라 목 부분·허리 부분에 통증이 일어나기도 함. 수족에 마비가 오든가 감각이 없어지기도 하며, 심하면 대소변을 실금(失禁)하기도 함.

척수-회【脊髓膾】 명 등골회.

척숙【戚叔】 명 척분(戚分)이 되는 사람 가운데 아저씨 뻘이 되는 사람.

척식[1]【拓植·拓殖】 명 척지(拓地)와 식민(植民). ——-하다 자타여불

척식[2]【惕息】 명 두려워하여 숨이 참. ——-하다 자여불

척식 회:사【拓殖會社】 명 국내·식민지 및 외국에서 개척과 식민 사업을 영위하는 회사.

척신[1]【隻身】 명 홀몸.

척신[2]【戚臣】 명 임금과 척분이 있는 신하.

척아【尺蛾】 명 〖충〗 자벌레나방.

척안【隻眼】 명 ①한 짝 눈. 외눈. 단안(單眼). 독안(獨眼). ②특별한 식견(識見).

척애【隻愛】 명 짝사랑.

척양【斥洋】 명 서양을 배척함. ——-하다 자여불

척언[1]【斥言】 명 ①남을 물리치는 말. ②손가락질하여 말함.

척언[2]【隻言】 명 한 마디 말. 짤막한 말. 편언(片言).

척연[1]【惕然】 부 근심하고 두려워하는 모양. 두려워하여 삼가는 모양. ——-하다 형여불. ——-히 부

척연[2]【戚然】 부 근심하고 슬퍼하는 모양. ——-하다 형여불. ——-히 부

척영【隻影】 명 외따로 있는 물건의 그림자.

척오 촌초【尺吳寸楚】 명 척산 척수(尺山尺水).

척완【戚畹】 명 척리(戚里).

척의【戚誼】 명 인척간의 정의. 과갈지의(瓜葛之誼).

척이[1]【戚施】 명 곱사등이.

척이[2]【跅弛】 명 구속되지 않고 제멋대로 지내어 찬찬하지 못함. 척락(跅

落). ——-하다 형여불

척일【隻日】명〖민〗①기일(奇日). ②강일(剛日).

척자【隻字】명 한 글자. 짧은 자구(字句). 척언(隻言).

척재-관【隻在官】명〖역〗피고(被告)가 살고 있는 그 고장의 지방관(地方官).

척저【尺楮】명 척독(尺牘).

척전【擲錢】명〖민〗동전 같은 것을 던지어 드러나는 그 표리(表裏)에 따라 길흉(吉凶)을 점치는 일. 돈 점(占). ——-하다 자여불

척정【滌淨】명 씻어서 깨끗하게 함. ——-하다 타여불

척제[1]【戚弟】명 아우 뻘이 되는 척분의 겨레붙이.

척제[2]【滌除】명 ①씻어 없앰. ②〖법〗저당(抵當)이 된 부동산의 소유권·지상권·영소작권(永小作權)을 취득한 제삼자가 저당권 소멸의 대상(代償)으로 저당권자에게 일정 금액을 제공하고, 저당권을 소멸시키는 행위. ——-하다 타여불

척종【戚從】명 나이가 아래거나, 항렬이 낮은 인척(姻戚)의 겨레붙이에게 자기를 부르는 말.

척주【脊柱】명〖생〗척추골로 이루어진 등마루. 척추(脊椎). 등심대.

화살표는 만곡의 방향 〈척주〉

척주 교정【脊柱矯正】명〖의〗비뚤어진 척주를 견인(牽引)·압박 등의 기계적 자극을 가하여 교정하는 일.

척주 전만【脊柱前彎】명〔lordosis〕〖의〗척주가 만곡(彎曲)하여 앞으로 돌출한 병증.

척주 지압 요법【脊柱指壓療法】[—뇨뻡] 명〔chiropractic〕〖의〗 척추 조정 요법(脊椎調整療法).

척주 후:만【脊柱後彎】명〔kyphosis〕〖의〗척주가 만곡(彎曲)하여 뒤로 튀어 나온 병증. 곱사 따위.

척지[1]【尺地】명 ①퍽 좁은 땅. ②아주 가까운 땅.

척지[2]【尺紙】명 ①조금 되는 종이. 작은 종이. ②짧은 편지.

척지[3]【拓地】명 ①땅을 개척함. 척토(拓土). ②땅의 경계선을 넓혀 엶. ——-하다 자여불

척지[4]【瘠地】명 척토(瘠土).

척-지다【隻—】자 서로 원한을 품게 되다. ¶장쇠로 하여금 돌이를 아주 척지게 만든 것이 김승지다《李無影 : 農民》.

척지 촌:토【尺地寸土】명 얼마 안 되는 작은 땅. 척토(尺土).

척질【戚姪】명 조카 뻘이 되는 인척(姻戚)의 겨레붙이.

척-짓다【隻—】자 ㅅ불 척질 일을 만들다.

척찬【斥竄】명 내쳐서 귀양 보냄. ——-하다 타여불

척창【隻窓】명 쪽창(窓).

척척[1] 부 물체가 끈끈하여 자연스럽게 잘 달라붙는 모양. ¶젖은 옷이 몸에 ~ 달라붙다. ㅆ쩍쩍[1]. >착착[1].

척척[2] 부 ①일을 차례대로 능숙하게 하는 모양. ¶~ 해결하다. >착착[2]. ②일을 주저없이 선뜻 하는 모양. ¶~ 나서다. ③☞축축.

척척[3]【戚戚】명 ①친분이 두터운 모양. ②근심하고 두려워하는 모양. ③근심 걱정하는 모양. ——-하다 형여불

척척[4]【慼慼】명 근심하는 모양. ——-하다 형여불

척척-박사【—博士】명 무엇이든지 묻는 대로 척척 대답(對答)해 내는 사람.

척척-하다 형여불 젖은 물건이 살에 닿아서 축축한 느낌이 있다. ¶척척한 옷/진액 같은 땀이 척척하게 흘렀다《羅稻香 : 幻戲》.

척철【尺鐵】명 짤막한 날붙이. 조그만 무기.

척촉【躑躅】명〖식〗철쭉.

척촉-화【躑躅花】명 철쭉꽃.

척촌【尺寸】명 자와 치. 촌척(寸尺).

척촌지-공【尺寸之功】명 얼마 안 되는 공로. 작은 공로.

척촌지-리【尺寸之利】명 약간의 이익. 작은 이익.

척촌지-병【尺寸之兵】명 대수롭지 않은 칼. 대수롭지 않은 병기(兵器). 척병(尺兵).

척촌지-지【尺寸之地】명 얼마 안 되는 땅. 작은 땅.

척촌지-효【尺寸之效】명 조그마한 공적(功績).

척추【脊椎】명〖생〗①척주(脊柱). ②↗척추골(脊椎骨).

척추-골【脊椎骨】명〔vertebra〕〖생〗척추 동물의 척주(脊柱)를 이루는 여러 개의 추골(椎骨). 각 추골간 관절 및 인대(靭帶)에 의하여 연결되고 그 속에 척수가 들었음. 등골. 추골(椎骨). 등골뼈. 등뼈. 척골(脊骨). 척량골(脊梁骨). ㊂척추.

척추 과:민증【脊椎過敏症】[—쯩] 명 척추에는 아무런 기질적(器質的)인 변화가 없음에도 누르든가 두들기든가 하면 척추의 극돌기(棘突起)에 통증을 느끼는 병. 자율 신경 실조(失調)가 원인임.

척추 동:물【脊椎動物】명〖동〗[*Vertebrata*] 동물계의 한 문(門). 척추를 가진 고등 동물의 총칭으로 동물계에서 가장 복잡화한 체제(體制)와 분화(分化)된 기능을 가진 동물. 몸은 좌우 상칭(相稱)으로 머리·몸통·사지(四肢)와 꼬리로 구분되며, 내장은 거의 중간을 통하여 등 쪽에 신경 중추와 배 쪽에 순환계(循環系)를 갖는 폐쇄 혈관계(閉鎖血管系)이고, 혈액은 헤모글로빈을 함유하기 때문에 붉으며, 신경계는 뇌수·척수 및 말초 신경으로 되고, 호흡기는 폐장 또는 아가미로 됨. 자웅 이체(雌雄異體)로 난생(卵生) 또는 태생(胎生)하는데, 발생 도중에 척색(脊索)이 생김. 분류학상 원구류(圓口類)·어류·양서류·파충류·조류 및 포유류 등으로 나눔. 등뼈 동물. 유척 동물. ↔무척추 동물.

척추 동:물학【脊椎動物學】명〔vertebrate zoology〕〖동〗동물학의 한 분야. 척추 동물의 구성 동물(構成動物)들에 관하여 조사 연구함.

척추 마취【脊椎痲醉】명〖의〗국소 마취제를 척추의 경막 하강(硬膜下腔)에 놓아서 척수(脊髓)로부터 나오는 전근(前根)과 후근(後根)을 마비시키는 국소 마취 방법. 전근의 마비로 근육의 이완(弛緩)과 교감(交感) 신경의 마비가 일어나고 후근의 마비로 통각(痛覺)의 소실(消失)이 일어남. *경막외(硬膜外) 마취·냉동(冷凍) 마취.

척추 만곡【脊椎彎曲】명〖의〗척추가 굴곡하는 일. 후만(後彎)·전만(前彎)·측만(側彎)이 있음. 대개 결핵·구루병(佝僂病) 등이 원인이 되는데, 자세가 나쁜 아동에게도 일어남.

척추 분리증【脊椎分離症】[—쯩] 명〖의〗척추가 상관절(上關節) 돌기(突起)와 하관절(下關節) 돌기 사이에서 분리되어 전부와 후부로 나누어진 상태. 요통(腰痛)의 원인이 됨.

척추-염【脊椎炎】명〖의〗척추골의 염증. 주로 결핵성으로, 폐의 결핵 병소(結核病巢)에서 혈액 속으로 균이 들어가 골수(骨髓)에 달하여 골결핵(骨結核)을 일으킴. 특히 요추(腰椎)·흉추(胸椎)에 발병하기 쉽고, 신경통·운동 마비 따위 증상이 나타나고, 또 척주(脊柱) 주위에 농양(膿瘍)이 생김. 결핵성일 때는 척추 카리에스라 함.

척추 조정 요법【脊椎調整療法】[—뇨뻡] 명〔chiropractic〕〖의〗외상(外傷)이나 노동 등에 의한 척추 만곡(彎曲) 때문에 일어나는 통증·두통·구지 지각 장애(口肢知覺障礙)·자율 신경 실조(失調) 등을 치료하고 동시에 변형의 교정(矯正) 등을 행하는 기술.

척추-증【脊椎症】[—쯩] 명〖의〗비염증성(非炎症性)의 척추 질환.

척추 카리에스【脊椎—】〔caries〕 명 〖의〗척추의 골결핵(骨結核). 동통(疼痛)·척추 운동 제한·농양(膿瘍) 등을 나타냄. 치료 후에 곱사등이가 됨. 등골 카리에스.

척축【斥逐】명 물리쳐 쫓음. ——-하다 타여불

척출[1]【斥黜】명 벼슬을 떼어서 내쫓음. ——-하다 타여불

척출[2]【剔出】명 후벼냄. 도려냄. ¶탄환을 ~하다. ——-하다 타여불

척탄【擲彈】명〖군〗①비교적 근거리의 인원 또는 자재(資材)를 공격하기 위해 작약(炸藥) 또는 화학제(化學劑)를 충전(充塡)한 작은 탄약. 수류탄과 소총(小銃) 척탄의 두 종류가 있음. ②적에게 폭탄을 던짐. 또, 그 폭탄. ——-하다 자여불

척탄-병【擲彈兵】명 척탄통(筒)을 휴대하고, 척탄 발사를 임무로 하는 병사(兵士).

척탄-통【擲彈筒】명〖군〗보병용 화기의 하나. 수류탄보다 약간 위력이 큰 소형 폭탄의 사격이나, 신호탄·조명탄 등을 발사하기 위한 사정 거리 100m정도의 소형 휴대용 화기.

척탕【滌蕩·滌盪】명 더러운 것을 씻어 버림. ——-하다 타여불

척토[1]【尺土】명 퍽 좁은 논밭. 촌지(寸地). 촌토(寸土).

척토[2]【拓土】명 척지(拓地). ——-하다 자여불

척토[3]【瘠土】명 몹시 메마른 땅. 척지(瘠地).

척퇴【斥退】명 물리쳐 도로 쫓음. ——-하다 타여불

척푼【隻分】명 ↗척푼 척리(隻分隻厘).

척푼 척리【隻分隻厘】명 극히 적은 액수의 돈. 척분 척리(隻分隻厘). ㊂척푼(隻分).

척하【戚下】인대 척말(戚末).

척-하다[1] ㊀보동여불 체하다[2]. ㊁자여불 자기의 본연의 처지 이상으로 과장하여 꾸미는 태도를 짐짓 겉으로 나타내어 보이다.

척-하다[2] 형 〈방〉 여위다(평북).

척-하면 부 구구한 설명 없이 한 마디만 하면. ¶~ 알아들어야지.

척한【尺翰】명 편지. 서한(書翰).

척행【隻行】명 먼 길을 동행(同行)이 없이 혼자서 떠나는 일. ——-하다 자여불

척행-성【蹠行性】[—썽] 명〖동〗포유(哺乳) 동물의 보행법의 하나. 발가락 전체를 땅에 대고 걷는 일. *제행성(蹄行性)·지행성(趾行性).

척형【戚兄】명 인척(姻戚)의 형.

척호【陟岵】명 고향에 있는 부모를 그리워함. ——-하다 타여불

척호 성:명【斥呼姓名】명 웃어른의 성명을 함부로 부르는 일. ——-하다 타여불

척호지-정【陟岵之情】명 고향에 있는 부모를 그리워하는 마음.

척홍【剔紅】명 주칠(朱漆)을 여러 번 되풀이하여 무늬를 나타낸 것. 또, 그 기법(技法). 퇴주(堆朱). ——-하다 타여불

척화【斥和】명 화의(和議)를 물리침. ——-하다 자여불

척화-비【斥和碑】명〖역〗대원군(大院君)이 쇄국 정책을 쓸 때, 병인 양요(丙寅洋擾)와 신미 양요(辛未洋擾)에서 프랑스 함대(艦隊)와 미국 함대를 물리치고 양이(洋夷)를 굳게 막을 것을 선양하기 위하여 서울 종로와 지방 각처에 세우게 한 비. 비문의 내용은 '洋夷侵犯 非戰則和 主和賣國 戒吾萬年子孫 丙寅作 辛未立'(양이가 침범하는데 싸우지 않으면 화친하자는 것이니, 화친을 주장함은 나라를 파는 것이다. 우리들 만대 자손에게 고하노라. 병인년에 짓고 신미년에 세우다)의 스물 넉 자(字)로 되어 있음. 서울에 세웠던 것은 1915년 6월의 보신각 이전 때 발굴되어 경복궁에 보관돼 있음.

척화-신【斥和臣】명〖역〗병자 호란(丙子胡亂) 때에 청(淸)나라와의 화친을 극력 배척하던 신하. 홍익한(洪翼漢)·윤집(尹集)·오달제(吳達濟)의 삼학사(三學士)가 유명함.

척화-파【斥和派】명 화의(和議)를 반대하는 강경파.

척확【尺蠖】명〖충〗자벌레.

척확-아【尺蠖蛾】명〖충〗자벌레나방.

척후【斥候·斥堠】명 ①적의 형편을 정찰·탐색(探索)하는 일. 또, 그 사람. ②↗척후병(斥候兵). ——-하다 타여불

척후-대【斥候隊】명 척후병으로 조직된 소수의 부대.

척후-병【斥候兵】명 척후를 하는 병사. ㊂척후.

척후-장【斥堠將】명 〖역〗조선 시대 총리영(摠理營)의 한 벼슬.

척후-전【斥候戰】명 ①두 편의 척후병끼리 충돌이 되어 하는 싸움. ②

서로 척후하는 전쟁.

천:[1] 명 ①옷·이불 등의 감이 되는 피륙. ②〈방〉 헝겊(강원).

천[2]【千】명 성(姓)의 하나. 현재 우리 나라에는 본관(本貫)이 영양(潁陽) 하나뿐임.

천[3]【天】명 ①하늘❶. ②〔범 deva〕〖불교〗 오취(五趣) 육도(六道)의 하나. 천왕(天王) 및 천인(天人) 또는 그들이 살고 있다는 승묘(勝妙)한 세계. 삼계(三界)에 모두 27이 있는데, 그 중 욕계(欲界)에 사왕천(四王天) 등 여섯, 색계(色界)에 범천(梵天) 등 17, 무색계(無色界)에 공무변처(空無邊處) 등 넷이 있다 함. 천취(天趣). 천계(天界). 천도(天道).

천[4]【天】명 성(姓)의 하나. 현재 우리 나라에는 연안(延安)·우봉(牛峯) 등 두 개의 본관이 있음.

천[5]【芊】명 성(姓)의 하나. 우리 나라에는 현존(現存)하지 아니함.

천[6]【泉】명 성(姓)의 하나. 우리 나라에는 현존(現存)하지 아니함.

천[7]【釧】명〖역〗고대의 팔찌.

천:[8]【遷】명 벼루[2].

천:[9]【遷】명 성(姓)의 하나. 우리 나라에는 현존(現存)하지 아니함.

천:[10]【薦】명 사람을 어떤 자리에 천거하는 일. ——-하다 타여불

천[11]【千】수관 십진급수(十進級數)의 한 단위. 백의 열 갑절. 일천(一千).

[천 길 물 속은 알아도 계집 마음 속은 모른다] 여자의 마음은 변하기 쉬워서 대중할 수 없다는 말.

-천【川】미 어떠한 말 밑에 붙어 '내'의 이름을 나타내는 말. ¶안양～/중랑～/청계～.

천가[1]【天茄】명〖식〗나팔꽃.

천가[2]【天家】명〔천하를 집으로 삼는 사람이란 뜻〕천자(天子). 제실(帝室). 황족(皇族).

천:가[3]【賤家】명 ①천한 집안. ②천한 사람의 집.

천:가[4]【賤價】〔—까〕명 아주 싼 값. 염가(廉價).

천가-시【千家詩】명 수많은 사람들의 시(詩).

천가지-년【天假之年】명 하늘이 세월을 빌려 줌. 곧, 목숨을 연장함. 수(壽)함.

천각【天角】명 ①하늘의 모퉁이. ②이마의 중앙.

천간【天干】명〖민〗육십 갑자(六十甲子)의 윗 단위를 이루는 요소. 십간(十干).

천갈-궁【天蠍宮】명〖천〗십이궁(十二宮)의 하나. 처녀자리의 동쪽에서 천칭(天秤)자리의 동쪽에 이름. 대략 10월 24일-11월 23일에 태양이 이 별자리에 있음.

천:-갈이 명 낡은 의자나 소파 또는 침대 매트 등의 겉을 싼 천을 새것으로 갈아 대는 일. ——-하다 자타여불 「조람(照覽).

천감【天鑑】명 하늘이 지상(地上)의 선악(善惡)을 감시함. 천제(天帝)의

천:강 산수【淺絳山水】명〖미술〗엷은 적갈색과 남색을 주색(主色)으로 하고, 엷은 먹을 섞어서 그린 산수화. 소쇄(瀟灑)한 멋이 있어 원(元)나라 이후, 문인(文人) 화가가 즐겨 그렸음.

천강-석【天降石】명 운석(隕石).

천강 홍의 장군【天降紅衣將軍】〔—/—이—〕명〖사람〗임진 왜란 때 의병장(義兵將) 곽재우(郭再祐)의 별명. 그는 언제나 붉은 옷을 입고 싸웠음.

천개[1]【天開】명〖역〗고려 인종(仁宗) 때 묘청(妙淸)이 난(亂)을 일으켜 서경(西京)에 대위국(大爲國)을 세우고 호칭(呼稱)한 연호(年號). *대위국(大爲國).

천개[2]【天蓋】명 ①〖불교〗불상(佛像)이나 관(棺) 따위의 위를 가리는 양산(陽傘)처럼 생긴 불구(佛具)의 하나. *닫집. ②하늘. 창공. ③관(棺)의 뚜껑.

천:개[3]【遷改】명 달라짐. 또, 달라지게 함. 변천(變遷)함. 고침. 천역(遷易). ——-하다 자타여불

천:개-술【穿開術】명〔paracentesis〕〖의〗내용물(內容物)을 빼내기 위해, 속이 빈 바늘을 액체가 차 있는 강벽(腔壁)에 천자(穿刺)하는 일.

천객[1]【千客】명 많은 손님.

천:객[2]【遷客】명 귀양살이하는 사람. 천인(遷人). 「하다 자여불

천객 만:래【千客萬來】〔—말—〕명 썩 많은 손이 번갈아 찾아옴. ——-

천거[1]【川渠】명 물의 근원이 가까운 곳에 있는 내.

천:거[2]【遷居】명 주거(住居)를 옮김. 전거(轉居). ——-하다 자여불

천:거[3]【薦擧】명 인재를 어떤 자리에 추천하는 일. 거천(擧薦). ¶후보로 ～하다. ——-하다 타여불

천거 창:일【川渠漲溢】명 비가 많이 와서 개천물이 넘쳐 흐름. ——-하다 자여불

천겁【千劫】명〖불교〗아주 오랜 세월. 영겁(永劫).

천:격【賤格】〔—껵〕명 ①낮고 천한 품격. ② 천골(賤骨).

천:격-스럽다【賤格—】〔—껵—〕형ㅂ불 품격(品格)이 아주 낮고 천해 보이다. 천:격-스레【賤格—】부

천견[1]【天譴】명 하늘의 꾸짖음. 천벌(天罰).

천:견[2]【淺見】명 ①얕은 견문. 천문(淺聞). ②얕은 생각. 천박(淺薄)한 소견. ③자기 소견의 겸칭(謙稱).

천:견 박식【淺見薄識】명 얕은 견문과 지식.

천:결【穿結】명 떨어진 옷을 꿰맴. 해진 곳을 꿰매 맞춤. ——-하다 자여불

천경 지위【天經地緯】명 영원히 변하지 아니할 떳떳한 이치.

천계[1]【天戒】명 하늘이 사람에게 보이는 경계. 신명의 훈계.

천계[2]【天界】명〖불교〗↗천상계(天上界). ㉠천(天).

천계[3]【天癸】명〖한의〗'몸엣것'의 한의학상 이름. 성질은 찬데, 해독·해열에 약재로 씀.

천계[4]【天啓】명 신이 현상계(現象界)를 통해서나 혹은 직접으로 사람의 마음에 자기의 내성(內性)을 시현(示現)하는 일. 신의 계시.

천계-설【天啓說】명 천계를 종교의 기원(起源)이라고 하는 학설.

천고[1]【千古】명 ①썩 먼 옛적. ②영구한 세월. 영원. ¶～의 진리/～ 불멸/～ 불역(不易)/구름 가듯 물 흐르듯 상～ 하～에 남은 것은 허무뿐이다《朴鍾和：錦衫의 피》.

천고[2]【天鼓】명 ①천둥. ②〖불교〗 치지 않아도 묘음(妙音)이 나온다는 천인(天人)의 북. 곧, 부처의 설법을 이르는 말.

천고 마:비【天高馬肥】명 하늘이 높고 말이 살찐다는 뜻으로, 가을이 썩 좋은 절기임을 일컫는 말. 추고 마비(秋高馬肥).

천고 만:난【千苦萬難】명 온갖 고난. 천난 만고(千難萬苦). ¶～을 무릅쓰고.

천고 불후【千古不朽】명 언제까지나 썩지 않음. 영원히 없어지지 아니함. ¶～의 명작. ——-하다 자여불

천고-절【千古節】명 천고에 빛나는 곧은 절개.

천곡[1]【川谷】명 내와 골짜기.

천곡[2]【天穀】명〖대종교〗대종교의 신자들이 끼니마다 먹는 쌀.

천골[1]【天骨】명 ①자연적으로 구비된 풍골. ②타고난 성품. 천성. ③타고난 재능.

천:골[2]【賤骨】명 낮고 천하게 생긴 골격. 천격. ↔부골(富骨).

천:골[3]【薦骨】명〖생〗척주의 하단부, 곧 요부(腰部)에 있는 이등변 삼각형의 뼈. 다섯 개의 천추(薦椎)가 유합(癒合)한 것으로, 미골(尾骨)과 더불어 골반의 후벽(後壁)을 이룸. 엉덩이뼈. 꽁둥뼈.

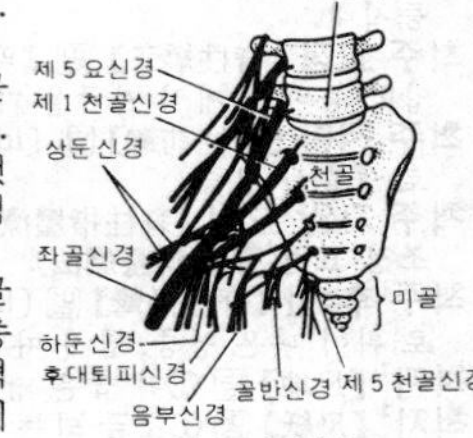

〈천골 신경총〉

천:골 신경총【薦骨神經叢】명〖생〗좌골(坐骨) 신경총과 음부(陰部) 신경총의 총칭. 사람에 있어서는 골반(骨盤)의 후벽(後壁)에 접(接)하여 천골(薦骨)의 양측에 있음.

천공[1]【天工】명 ①하늘의 조화로 이루어진 재주. 화공(化工). ②하늘이 백성을 다스리는 조화.

천공[2]【天公】명 하느님❶.

천공[3]【天功】명 자연의 조화(造化).

천공[4]【天空】명 무한히 열린 하늘. 공중. 허공. 천궁(天穹).

천:공[5]【穿孔】명 ①〖토〗바윗돌 같은 것에 구멍을 뚫는 작업. 보링(boring) ②우표(郵票)와 우표 사이를 떼기 위해 뚫어 놓은 바늘 구멍. 또, 그 구멍을 뚫는 일. *타공(打孔). ③〖의〗막(膜)이나 벽(壁)이 상하여 구멍이 생기는 일. 대개 궤양(潰瘍)·암종(癌腫)·티푸스 같은 병이 있을 때 위나 장(腸)에 생김. ④펀치[1]❹. ——-하다 자타여불

천:공[6]【賤工】명 천한 일을 하는 장인(匠人).

천공 개물【天工開物】명〖책〗중국 명말(明末)의 학자 송응성(宋應星)이 1637년에 지은 중국 재래의 산업 기술에 관한 책. 농업을 비롯한 염색·제염(製塩)·제도(製陶)·제지·양조(釀造)·야금(冶金) 등 18가지의 다채로운 기술 부문에 걸쳐 주로 지식 계급에 대한 계몽을 목적으로 한 것임. 중국 고래의 여러 산업 기술을 집대성한 것으로 삽화(揷畫)가 있는 기술서로 귀중한 것임.

천:공-기【穿孔機】명 ①공작물에 구멍을 뚫는 기계. 보르반(盤). ②〔key punch〕컴퓨터용 펀치 카드·테이프 따위에 구멍을 뚫는 기계.

천:공-뇌【穿孔腦】명〔porencephaly〕〖의〗측뇌실(側腦室)의 공동(空洞)이 대뇌 반구(大腦半球)의 표면으로 확장되는 상태. 뇌조직의 파괴 또는 발육 불량에 의함.

천:공-병【穿孔病】〔—뼝〕명〖식〗구멍병.

천:공성 복막염【穿孔性腹膜炎】〔—썽—념〕명〖의〗위·장 등의 복강(腹腔) 안의 장기(臟器)가 터졌을 때 그 내용물이 흘러 나와 복막을 자극·감염시켜서 일어나는 급성 복막염. 급성 충수염(蟲垂炎)에 의한 것이 가장 많음. 「류(昆蟲類).

천:공-충【穿孔蟲】명 나무나 바위 그 밖의 것에 구멍을 파고 사는 곤충

천:공 카:드【穿孔—】〔card〕명 정보의 검색·분류·집계 등을 위해 일정한 자리에 몇 개의 구멍을 내어 그 짜맞춤으로 숫자·글자·기호를 나타내게 된 카드. 펀치 카드(punch card).

천:공-판【穿孔板】명〔madreporite〕〖동〗극피(棘皮) 동물의 배측(背側)에 있는 석회성(石灰性)의 작은 다공체(多孔體) 기관. 가는 구멍이 있어 이것으로 물을 집어넣었다 내뿜었다 함.

천공 해:활【天空海闊】명 하늘과 바다가 탁 터진 것같이 사람의 도량이 크고 넓음을 가리키는 말.

천과【天瓜】명〖식〗하눌타리.

천곽【天廓】명 눈의 흰자위.

천관[1]【千官】명 많은 관리. 백관(百官).

천관[2]【天官】명〖역〗①육조(六曹) 중 으뜸이라는 뜻으로, 이조(吏曹)의 별칭. 또, 이조 판서(吏曹判書)의 별칭. *지관(地官). ②중국 주대(周代)의 육관(六官)의 하나. 국정(國政)을 총할(總轄)하고 궁중 사무를 맡았던 관의 총칭.

천관[3]【天冠】명 ①〖역〗옛날 중국에서 유제(幼帝)가 즉위(卽位) 때에 썼던 예관(禮冠). ②〖불교〗부처가 쓰는 보관(寶冠). ③관(冠)의 하나. 기사(騎射)·무악(舞樂) 때 썼음.

천관[4]【天關】명 북두 칠성.

천관 아:문【天官衙門】명〖역〗이조(吏曹)의 별칭.

천관 오:상악【天觀五常樂】명〖악〗〔중국 당 태종(唐太宗)의 천관 연대(天觀年代)에 작곡된 데서〕오상악(五常樂)을 일컬음.

천광【天光】명 맑게 갠 하늘의 빛.

천광지-귀【天光之貴】명〔하늘에 빛나는 것 중에서 가장 귀하다는 데서〕태양을 달리 이르는 말.

천교[1]【天巧】명 자연의 기교. 신(神)의 조화(造化).

천:교[2]【遷喬】명 꾀꼬리가 골짜기에서 나와 교목(喬木)으로 옮긴다는 뜻으로, 천한 지위에서 높은 지위로 옮긴다는 말. 천앵(遷鶯).

천구[1]【川口】명 내의 어귀.

천구[2]【天狗】명〖천〗↗천구성(天狗星).

천구[3]【天咎】명 천앙(天殃).

천구[4]【天球】명〖천〗천공(天空)을 편의상, 지구상의 관측자를 중심으로 하는 구형(球形)으로 간주하여 일컫는 말. 천구를 생각할 경우, 모든 천체는 이 구상(球上)에 있다고 가정함.

천:구[5]【賤軀】명 천한 몸뚱이라는 뜻으로, 자기의 몸을 겸손(謙遜)하게 일컫는 말.

천:구[6]【闡究】명 구명(究明)함. ——-하다 타여불

천:구개-류【穿口蓋類】명〖어〗[*Hypertreta*] 원구류(圓口類)에 속하는 한 목(目). 먹장어목(目). 맹만류(盲鰻類). *완구개류(完口蓋類).

천구-본【天球―】명 천구의(天球儀).

천구-성【天狗星】명〖천〗옛날 중국에서 유성(流星)이나 혜성을 일컫던 말. ㊌천구(天狗).

천구-의【天球儀】명〖천〗구면(球面) 위에 천구에 보이는 성좌(星座)·황도(黃道)·시권(時圈) 같은 것을 기록(記錄)한 것. 천구본. *지구의(地球儀).

천구 자오선【天球子午線】명〖천〗천구의 자오선. 천정(天頂)·천저(天底)·남점(南點)·북점(北點)을 지나는 천구상의 대원. 자오선. ↔지구(地球) 자오선.

천구 좌:표【天球座標】명〖천〗천구 위에서의 천체의 위치를 나타내는 좌표. 기준이 되는 대원(大圓)과 그 위의 한 점을 선택하는 방법에 따라, 지평(地平) 좌표·적도(赤道) 좌표·황도(黃道) 좌표·은하(銀河) 좌표 등으로 나뉨. 천체 좌표.

천구 지평【天球地平】명〖천〗천구와 지평면이 만나는 대권(大圈). *지평선(地平線).

천국[1]【天國】명 ①이 세상에서 올바르게 살다가 죽은 후에 갈 수 있는, 영혼이 영원히 축복받는 나라. 곧, 하느님이 지배하는 나라. ②하느님이 있다는 나라. 신불(神佛)이 있다는 이상(理想) 세계. *낙원. ③〖기독교〗하느님이 지배하는 은총(恩寵)과 축복(祝福)의 나라. 천당. 하늘나라. 하늘. ↔지옥.

천국[2]【天菊】명〖식〗패랭이꽃.

천국과 지옥【天國―地獄】명〔프 Orphée aux enfers〕〖악〗오펜바흐(Offenbach, J.)가 지은 희가극(喜歌劇). 그리스 신화(神話) '오르페우스(Orpheus)와 에우리디케(Eurydike)'를 오페레타화한 것으로 모두 4막. 1858년 파리에서 초연(初演)됨.

천군[1]【千軍】명 많은 군사(軍士).

천군[2]【天君】명 ①〖역〗삼한(三韓) 때 각 나라에서 천신(天神)에게 올리던 제사를 맡은 제주(祭主)의 칭호. ②사람의 마음.

천군 만:마【千軍萬馬】명 썩 많은 병마. 다수의 군사와 군마(軍馬).

천군만마지-간【千軍萬馬之間】명 싸움터. 전쟁터. 전(轉)하여, 사회에서의 경쟁의 뜻으로 쓰임.

천군 본기【天君本紀】명〖문〗조선 순조(純祖) 때 사람 정기화(鄭琦和)가 인간의 마음을 의인화(擬人化)하여 지은 한문 소설. 인간의 출생 후부터 30세까지의 심성(心性)의 변화 과정을 제왕의 치란 성쇠(治亂盛衰)의 근원으로 비유하여 표현함. 심사(心史).

천군 연:의【天君演義·天君衍義】[―/―이] 명〖문〗작자·창작 연대 미상의 한문 소설. 조선 인조(仁祖) 때 정태제(鄭泰齊)라는 설도 있으나 확실하지 아니함. 31회의 장회(章回) 소설. 오관(五官)·칠정(七情), 문방 사우(文方四友), 여러 관념(觀念), 인체의 각 기관, 주색(酒色) 등을 의인화(擬人化)함.

천군-전【天君傳】명〖문〗조선 선조(宣祖) 때의 문인 김우옹(金宇顒)이 지은 한문 소설. 마음, 곧 천군을 의인화(擬人化)함. 작자의 문집 ≪동강집(東岡集)≫에 전함.

천굴-채【千屈菜】명〖식〗부처꽃.

천궁[1]【川芎】명 ①〖식〗천궁이. ②〖한의〗천궁이·궁궁이의 뿌리. 성질이 따뜻하고 맛이 신데, 혈액 순환을 돕는 약재로 쓰임.

천궁[2]【天弓】명 무지개. 제궁(帝弓).

천궁[3]【天宮】명 ①〖불교〗천제(天帝)의 궁전. ②천공(天空).

천궁[4]【天穹】명 대공(大空). 허공(虛空).

천궁-이【川芎―】명〖식〗①[*Cnidium officinale*] 미나릿과에 속하는 다년초. 근경(根莖)은 비대(肥大)하고 좋은 향기가 나며, 줄기는 높이 30-60cm, 잎은 호생(互生)하며 엽병(葉柄)이 길고 초상(鞘狀)임. 2회 우상 전열(羽狀全裂)하는데, 열편(裂片)은 달걀꼴 또는 마름모 달걀꼴로 끝이 뾰족함. 8-9월에 흰 오판화(五瓣花)가 줄기 끝이나 가지 끝에 정생(頂生)하여 복산형(複繖形) 꽃차례로 피고, 익지 않은 달걀꼴의 과실이 열림. 중국이 원산으로, 한국 각지의 밭에 재배함. 뿌리는 약용함. 천궁. ②궁궁이.

〈천궁이❶〉

천궁-채【川芎菜】명 궁궁(芎藭)이·천궁이 싹을 데치어 무친 나물.

천 궈푸〔陳果夫〕명〖사람〗중국의 정치가. 이름은 쭈타오(祖燾). 궈푸는 자(字)임. 사대 가족(四大家族)의 한 사람으로 시시단(CC團) 창립자이며, 아우 천 리푸(陳立夫)와 함께 국민당 조직의 실권을 장악, 장 제스(蔣介石)의 중요한 막료의 한 사람이었음. 진과부. [1892-1951]

천권[1]【天眷】명 하느님의 권애(眷愛). 임금의 사랑.

천권[2]【天權】명 ①천부(天賦)의 권리. 천부 인권. ②〖천〗북두 칠성의 네째 별. 권(權).

천:권[3]【擅權】명 권리를 마음대로 부리는 일. ——-하다 자여불

천권-장【天眷章】[―짱] 명〖악〗악장의 이름.

천궐【天闕】명 ①천제(天帝)의 거소(居所). 또, 그 문. ②궁성의 문. 궁문(宮門). 금궐(禁闕).

천귀잠잠-하다 형여불〈방〉만귀잠잠하다.

천균【天均】명 옳은 것·그른 것을 통틀어 한가지로 봄. 자연은 만물에 대하여 평등함. 또, 그와 같은 이치.

천극[1]【川劇】명 중국 쓰촨 성(四川省)의 지방극(地方劇)의 이름. 상연 종목이 풍부한 대표적인 지방극임. *경극(京劇).

천극[2]【天極】명〖천〗①지축(地軸)의 연장선과 천구(天球)와의 교차점. ②북극성.

천:극[3]【栫棘】명 ①가난한 사람이 옷이 없어서 밖에 나가지 못함을 가리키는 말. ②〖역〗가극(加棘). ——-하다 자여불

천:극[4]【踐極】명 천조(踐祚).

천:극 안치【栫棘安置】명〖역〗안치 죄인(安置罪人)이 기거하는 옥첨(屋簷)에 이중으로 가시 울타리를 쳐서 햇빛도 보지 못하게 하는, 안치(安置) 형벌의 보다 무거운 단계. *가극(加棘) 안치·위리 안치(圍籬安置).

천근[1]【千斤】명 ①백 근의 열 갑절. ②썩 무거운 무게.

천근 같다 구 사물의 매우 무거움을 이르는 말. ¶피곤하니 몸뚱이가 천근같이 느껴진다.

천근[2]【天根】명 하늘의 맨 끝을 가상(假想)하여 이르는 말.

천:근[3]【茜根】명〖한의〗꼭두서니의 뿌리. 혈증(血症)에 쓰며, 성질은 참. 천초근(茜草根).

천:근[4]【淺近】명 깊숙한 맛이 없이 얕음. ——-하다 형여불

천근 역사【千斤力士】[―녁―] 명 천 근을 들어 올릴 만한 장사. 곧, 힘이 썩 센 사람.

천금[1]【千金】명 ①엽전 천 냥. ②많은 돈. 또, 비싼 돈. ¶일확(一攫) ~을 꿈꾸다. *백금(百金).

천금 같다 구 사물의 아주 소중하고 긴요함을 이르는 말. ¶천금 같은 아들/고물이지만 내게는 천금 같은 것이오.

천금[2]【天金】명 길트톱(gilt-top).

천금[3]【天衾】명 송장을 관(棺)에 넣고서 덮는 이불. 그 위에다 천개(天蓋)를 덮음.

천금-등【千金藤】명〖식〗산앵두나무❶.

천금-목【千金木】명〖식〗붉나무.

천금-박【天金箔】명 금빛으로 물들인 석박(錫箔)을 종이에 붙인 것.

천금 불사 백금 불형【千金不死百金不刑】[―싸―] 명 천금을 쓰면 사형을 면하고, 백금을 쓰면 도형(徒刑)을 면함. 곧, 황금 만능.

천금-사【天金絲】명 천금박(天金箔)을 가늘게 잘라 면사(綿絲)에 감은 것. 의금사(擬金絲)의 대용이나 금실의 모의품(模擬品)으로 씀.

천금연-낙【千金然諾】명 천금과 같이 중한 허락.

천금-자【千金子】명〖식〗속수자(續隨子).

천금-장【千金章】[―짱] 명〖악〗악장의 이름.

천금-주【千金酒】명 찰벼 이삭을 달인 물에 붉나무 껍질을 넣고 다시 달여 식혀서 누룩을 넣고, 하루쯤 두었다가 쌀죽을 섞어 익힌 술. 종기에 약으로 씀.

천금 준:마【千金駿馬】명 값이 천금이나 되는 준마. 썩 좋은 말.

천금지-구【千金之軀】명 천금같이 소중한 몸.

천금-채【千金菜】명 상치의 별명. 맛이 좋다는 데서 이렇게 부름.

천:급【喘急】명〖한의〗심한 천식(喘息).

천기[1]【天紀】명 ①천체(天體)의 도수(度數). ②일월 성신(日月星辰)·역수(曆數) 등이 운행하는 원칙. 상천(上天)의 강기(綱紀).

천기[2]【天氣】명 ①하늘에 나타난 조짐. ②하늘의 기상(氣象). 날씨.

천기[3]【天基】명 천자(天子)의 일의 근본이 되는 것. 천업(天業)의 기초.

천기[4]【天旗】명 ①〖천〗서쪽에 있는 별의 이름. ②〖대종교〗대종교의 기. 흰 바탕에 붉은 빛깔의 둥근 그림을 그려 그 안에 누른 빛의 사각형을 그리고, 다시 그 안에 붉은 빛의 삼각형을 그려 넣었음. 곧, 한울·땅·사람을 상징함.

천기[5]【天機】명 ①모든 조화를 꾸미는 하늘의 기밀. 천지(天地)의 비밀. 조화(造化)의 기밀. 자연의 신비. *건상(乾象). ②전하여, 중대한 기밀. ③천부(天賦)의 성질 또는 기지(機知).

천기[6]【天璣】명〖천〗기(璣).

천:기[7]【喘氣】명 가벼운 천식(喘息). 천식인 듯한 기미.

천:기[8]【賤技】명 천한 재주.

천:기[9]【賤妓】명 천한 기생.

천기 누:설【天機漏洩】명 중대한 기밀이 누설됨을 일컫는 말.

천기-도【天氣圖】명 일기도(日氣圖).

천기-장【天旣章】[―짱] 명〖악〗용비어천가 제21장의 이름.

천기-점【天氣占】명 오행설(五行說) 등을 응용하여 천체의 운행(運行)·자연 현상을 조사하여 날씨를 예언하는 점.

천:-나이 명〈방〉길쌈. ——-하다 자

천난 만:고【千難萬苦】명 천고 만난.

천-남생【泉男生】명〖사람〗고구려 말기의 재상(宰相). 자는 원덕(元德). 연개소문의 맏아들. 보장왕 24년(665) 아버지가 사망하자 그 대신으로 막리지(莫離支)가 되고 이어 대(大)막리지에 오름. 제부(諸部)를 순시 중, 형제간을 이간시키려는 무고를 믿은 두 아우 남건(男建)과 남산(男産)에 의하여 왕명으로 소환되었으나 돌아오지 않고 당(唐)나라에 구원을 청한 후 여러 성(城)을 들어 당(唐)나라에 항복함. 동 26년(667)

당나라의 이적(李勣)과 함께 당군(唐軍)을 이끌고 고구려에 침입, 이듬해 신라군과 연합(聯合)하여 고구려를 멸망시킴. 사예(射藝)에 능하였음. [?-679]

천남-성【天南星】명 ①〖식〗[*Arisaema amurense*] 천남성과에 속하는 다년초. 구경(球莖)은 상경부(上頸部)에서 많은 수근(鬚根)을 내고, 위경(僞莖)은 거칠고 크며 원기둥꼴로 높이는 30-60 cm, 녹색에 자색 반점(斑點)이 있으며, 잎은 새발 모양을 하고 5-11 갈래로 째지며 열편(裂片)은 타원형 또는 피침형(披針形)임. 5-7월에 자색·녹색 꽃이 자웅 이가(雌雄異家)로 된 육수꽃차례(肉穗)로 정생(頂生)하며, 과실은 장과(漿果)임. 산지(山地)의 나무 그늘에 나는데, 한국 각지 및 일본·중국에 분포함. 유독함. 호장(虎掌)·두여머조자기. ㊟남성(南星). ②〖한의〗 천남성의 뿌리. 치담(治痰)·치풍(治風)의 약재로 씀.

〈천남성❶〉

천남성-과【天南星科】[—꽈] 명〖식〗[*Araceae*] 단자엽(單子葉) 식물에 속하는 한 과. 땅 속에 괴근(塊根)이 벋고, 꽃이 육수(肉穗)꽃차례로 핌. 전세계에 1,800여 종, 한국에는 천남성·자주(紫朱)천남성·두루미천남성·반하(半夏)·앉은부채·창포·석창포 등 10여 종이 분포함.

천내[1]【川內】명〖지〗함경 남도 문천군(文川郡)의 한 읍. 시멘트 공장과 기계 공장이 세워진 후 급속히 발전한 공업 도시임.

천내[2]【天內】명 하늘의 안. 또, 우주·세계의 안.

천내리-선【川內里線】명 함경선 용담역(龍潭驛)에서 천내리에 이르는 철도선. 1927년 11월 1일 개통됨. [4.4 km]

천-냥【千兩】명 한 냥의 천 갑절. 곧, 매우 많은 돈.

[천냥 만냥 판] 놀음판이라는 뜻. [천냥 부담에 갓모 못 칠까] 부담금(負擔金)은 천 냥이나 갚으면서 갓모를 치지 못할리가 없으니 있을 법한 일이요, 과히 사리에 어긋나지는 아니하다는 뜻. [천냥 빚도 말로 갚는다] '말 한 마디에 천냥빚 갚는다'와 같은 뜻으로, 처세하는 데 언변(言辯)이 중요하다는 말. [천냥 시주 말고 애매한 소리 말라] 천냥이나 되는 많은 돈을 내어 놓는 것보다 애매한 소리를 하지 아니하는 편이 낫다는 뜻이니, 쓸데없이 공연한 말로 남을 모함하지 말라는 말. [천냥 잃고 조리 겯기] 이것 저것 하다가는 마지막에 다 잃고 조리 장사밖에 할 수 없게 되는 것이니, 하던 직업을 버리지 말고 끝까지 해 나가라는 말. [천냥 지나 천 한냥 지나 먹고나 보자] 이왕 크게 빚을 진 형세이니, 뒷일이야 어찌 되든 먹고나 보자는 말. [천냥짜리 서푼도 본다] 물건값은 보기에 달렸다는 말.

천녀[1]【天女】명 ①〖천〗직녀성(織女星). ②〖불교〗비천(飛天)❶. ③여신(女神). ④썩 아름답고 상냥한 여자의 비유.

천:녀[2]【賤女】명 신분이 낮은 여자.

천녀-손【天女孫】명〖천〗직녀성(織女星).

천년[1]【千年】명 ①백 년의 열 갑절. ②썩 오랜 세월.

천년[2]【天年】명 천연(天然)의 수명. 천수(天壽).

천년[3]【踐年】명 해를 경과함. ——-하다 자여불

천년 만:년【千年萬年】명 천만년.

천년 만:세【千年萬歲】명〖악〗조선 시대 때 궁중 연례악(宴禮樂)의 악장의 이름. 계면(界面) 가락 도드리·양청(兩淸) 도드리·우조(羽調) 도드리의 세 곡으로 이루어짐. 현악 영산 회상(絃樂靈山會相)에 이어 연주되어, 갖은 회상(會相)을 이룸.

천년-설【千年說】명 [millenarianism]〖기독교〗예수가 재림(再臨)하는 날에 죽은 의인(義人)이 부활하고, 지상에 평화의 왕국이 건설되어 일천 년간 예수가 이 왕국에 군림하고, 그 후 일반 사람의 부활이 있어 최후에 심판(審判)이 있다는 신앙설. 유태교의 종말(終末) 사상의 영향으로 봄. 천복년설(千福年說). 지복(至福) 천년설.

천년 왕국【千年王國】명〖기독교〗예수가 재림(再臨)하여 천 년 동안 다스리리라고 믿어진 이상(理想)의 왕국.

천년 일청【千年一淸】명 황하(黃河) 같은 탁류가 맑아지기를 바란다는 뜻으로, 가능하지 않은 일을 바람을 이름.

천념【千念】명〖불교〗일천 팔백 개의 구슬을 꿴 염주(念珠).

천노[1]【天怒】명 ①하늘의 노여움. 폭풍(暴風)·질뢰(疾雷) 따위를 이름. ②천자(天子)의 노여움. 역린(逆鱗).

천:노[2]【賤奴】명 비천한 종.

천:노[3]【遷怒】명 노여움이 엉뚱한 사람에게 옮아 감. ——-하다 자여불

천:니 명〈방〉처네.

천-님【天—】명〖민〗무당이 '하느님'을 이르는 말.

천단[1]【天壇】명〖역〗중국에서 천자가 제성(帝城)의 남교(南郊)에서 동지(冬至)날에 친히 천제(天祭)를 봉사(奉祀)하던 제단. 흰 대리석으로 둥글게 만든 단에 석계(石階)·석란(石欄)을 갖추었는데, 북경·심양(瀋陽) 등지에 그 유적이 있음.

천:단[2]【淺短】명 식견 등이 얕고 짧음. 단천(短淺). ——-하다 형여불

천:단[3]【擅斷】명 제 마음대로 처단(處斷)함. 천편(擅便). ——-하다 타여불

천단-청【天壇靑】명 북경(北京) 제천단(祭天壇)의 기와 빛과 비슷한 푸른 자주빛 잿물. 양자(洋紫).

천:달【薦達】명 천거하여 올림. 추천(推薦). 추거(推擧). ——-하다 타여불

천:달-치 명〈방〉〖어〗공미리.

천:담-복【淺淡服】명〖역〗엷은 옥색 제복(祭服)의 한 가지. 육자복(六字服).

〈천담복〉

천:답【踐踏】명 짓밟음. ——-하다 타여불

천당【天堂】명 ①천국(天國)의 당사(堂舍). ②〖기독교〗천국(天國)❸. ↔지옥(地獄). ③〖불교〗극락(極樂) 세계인 정토(淨土). ④〖천주교〗'천국'의 구용어.

천대[1]【千代】명 많은 대. 전(轉)하여, 영원(永遠).

천대[2]【泉臺】명〖불교〗구천(九泉).

천:대[3]【遷代】명 대가 바뀜. ——-하다 자여불

천:대[4]【賤待】명 ①업신여기어 푸대접함. ②함부로 다룸. ¶구식 기계라고 너무 ~하지 마시오. ——-하다 타여불

천대 별곡【天臺別曲】명〖문〗봉산곡(鳳山曲).

천:대양-층【淺大洋層】명 [epipelagic zone]〖지〗표면(表面)에서 깊이 200 m 정도까지 이르는 대양(大洋) 부분. 이 범위까지는 빛이 들어가며, 광합성(光合成)이 가능함.

천:대-호【穿帶壺】명 자라병과 같이 차고 다니게 된 병(甁).

천:더기【賤—】명 남에게 천대(賤待)받는 사람. 또, 그런 물건. 천덕구니. 천덕꾸러기.

천덕【天德】명 ①하늘의 덕. 만물을 생육(生育)하는 광대 무변(廣大無邊)한 자연의 작용. ②〖민〗길일(吉日)과 길방(吉方).

천:덕-구니【賤—】명 천더기.

천덕-군【天德軍】명〖역〗고려 성종(成宗) 14년(995), 12군(軍)의 하나로, 관내도(關內道)에 속하는 황주 절도사(黃州節度使)를 장(長)으로 하여 둔 군대.

천:덕-궁이【賤—】명〈방〉천덕구니.

천:덕-꾸러기【賤—】명 천더기.

천덕 사은【天德師恩】명 하느님의 덕과 스승의 은혜.

천덕-송【天德頌】명〖천도교〗한울님의 덕을 찬송(讚頌)하는 노래.

천덕 왕도【天德王道】명 하느님의 덕과 왕자의 도.

천덩-거리다 자 끈기 있는 액체가 뚝뚝 떨어져 내리다. **천덩-천덩** 부. ——-하다 자여불

천덩-대다 자 천덩거리다.

천:-데기【賤—】명 ☞천덕꾸러기.

천도[1]【天度】명 경위(經緯)의 도수(度數). 일주야(一晝夜)에 걸쳐 하늘이 움직이는 단위를 하늘의 1도(度)로 하고 달력의 하루로 함.

천도[2]【天桃】명 선가(仙家)에서, 하늘 위에 있다고 하는 복숭아.

천도[3]【天道】명 ①천지 자연의 도리. ②〖불교〗욕계(慾界)·색계(色界)·무색계(無色界)의 총칭. 천(天). ③천체가 운행하는 길.

천:도[4]【遷都】명 도읍을 옮김. ——-하다 자여불

천:도[5]【薦度】명〖불교〗죽은 혼령을 극락(極樂) 세계로 가게 하는 일. ——-하다 타여불

천도-교【天道敎】명〖종〗수운(水雲) 최제우(崔濟愚)를 교조로 하는 동학(東學)을 제 3대 교주 손병희(孫秉熙)가 개칭한 종교. 인내천(人乃天), 곧 천인 합일(天人合一)의 지경(地境)에 이름을 그 종지(宗旨)로 함. *동학·동학교(東學敎)·성도교(聖道敎).

천도 노리개【天桃—】명 복숭아 모양의 패물(佩物)을 단 노리개.

천도-딸기【天桃—】명〖식〗[*Rubus arcticus*] 장미과에 속하는 낙엽 활엽 관목(落葉闊葉灌木). 뿌리는 땅으로 뻗고, 잎은 세 잎으로 되는데, 소엽(小葉)은 거꿀달걀꼴 또는 마름모이고, 양면에 짧은 털이 남. 7월에 장미색 꽃이 하나씩 정생(頂生)하고 향기로운 둥근 과실군이 가을에 짙은 자색으로 익음. 산지에 나는데, 함남의 부전(赴戰) 고원, 함북의 설령(雪嶺) 및 일본·사할린 등지에 분포함. 과실은 식용함.

〈천도딸기〉

천도 무심【天道無心】명 하늘이 무심함. ——-하다 형여불

천도-신【天道神】명 음양가(陰陽家)의 용어. 방위신(方位神)의 하나. 일설(一說)에는 우두 천왕(牛頭天王)을 이름. 정월은 남쪽, 이월(二月)은 서남(西南) 등과 같이 달마다 위치를 바꾸고, 그 달에 해당하는 방위를 향하여 일을 시작하면 대길(大吉)하다고 함.

천도-충【天道蟲】명〖충〗무당벌레.

천동[1]【天動】명 →천둥. ——-하다 자여불

천동[2]【天童】명〖불교〗호위하는 신. 또, 천인(天人)이 동자(童子)의 형상으로 세상에 나타난 그것.

천:동[3]【遷動】명 움직여서 옮김. 천사(遷徙). ——-하다 타여불

천동 대:신【天動大神】명〖민〗무서운 귀신의 하나.

천동마니 명〈심마니〉풋내기 심마니. 선천마니.

천동-사【天童寺】명〖불교〗중국 저장 성(浙江省) 닝보 시(寧波市) 천동산(天童山)에 있는 절. 서진(西晉) 영강(永康) 원년(300)에 의흥(義興)이 개산(開山)하고, 당대(唐代)에 법선 태백 선사(法璿太白禪師)가 재흥(再興)함. 선종(禪宗)의 도량(道場)으로 많은 명승(名僧)이 모여 수도(修道)하였음.

천동-산【天童山】명〖지〗톈퉁 산.

천동 상위고【天東象緯考】명〖책〗조선 숙종(肅宗) 때 최천벽(崔天璧)이 지은 책. 고려 때의 천지의 이상(異常)을 적었음. 18권 8책.

천동-설【天動說】명〖천〗고대의 우주 구조설. 지구가 우주의 중앙에 정지(靜止)하고, 모든 천체가 지구를 중심으로 하여 돈다고 믿었던 설. 상식과 인간 중심의 사고(思考)에 일치하여 16세기경까지 일반적으로 믿어 왔음. ↔지동설.

천동 정:각【天童正覺】명〖사람〗중국 송대(宋代)의 조동종(曹洞宗)의 중. 굉지 선사(宏智禪師). 묵조선(默照禪)의 제창자. 그의 ≪송고 백칙(頌古百則)≫은 ≪종용록(從容錄)≫의 근간이 됨. [1091-1157]

천:두-술【穿頭術】명 [perforation]〖의〗분만 때에 모체(母體)의 위험을 구하기 위하여 주로 죽은 태아, 때로는 살아 있는 태아의 두개골을 파쇄하여 뇌 내용물을 빼내어 머리를 축소시킴으로써 분만을 쉽게 하

는 산부인과 수술.

천 두슈 〔陳獨秀〕 명 『사람』 중국의 평론가·정치가. 자(字)는 중푸(仲甫). 안후이 성(安徽省) 사람. 일본에 유학, 신해(辛亥) 혁명 후의 군벌 정치에 실망하여, 잡지 '신청년(新靑年)'을 창간하고 전통적 유교 윤리 부정의 사상 혁명을 추진, 후 스(胡適)와 함께 신문학 운동의 지도자가 됨. 1921 년 중국 공산당 최초의 중앙 위원장이 되었으나 트로츠키스트(Trotskist)로 지목되어 1929 년에 제명됨. 진독수. [1880-1942]

천두-자 【千頭子】 명 『한의』 지부자(地膚子).

천:두-잠자리 명 〈방〉 『충』 장수잠자리.

천둥 명 〔←천동(天動)〕 하늘이 요란하게 울림. 곧, 번개가 치며 일어나는 소리. 우레. 천고(天鼓). 뇌거(雷車). ——-하다 자여불

[천둥 번개할 때는 천하 사람이 한 맘 한 뜻] 모든 사람이 같이 겪는 천변이나 위험 속에서는 그 마음이 하나가 된다는 말. [천둥에 개 뛰어들 듯] 놀라서 어쩔 줄을 몰라 허둥거림을 일컫는 말.

천둥인지 지둥인지 모르겠다 구 무엇이 무엇인지 통 분간을 못 하겠다는 말.

천둥-바라기 명 ☞ 천둥지기.

천둥 벌거숭이 명 무서운 줄을 모르고 주착 없이 날뛰는 사람.

천둥-지기 명 『농』 물의 근원이 없고, 물을 댈게 할 시설이 없어서 비가 와야만 모를 심게 된 논. 봉천답(奉天畓). 천수답(天水畓). *건답(乾畓)·높드리.

천둥-채 명 『악』 무악(巫樂) 장단의 하나. 장구의 북편을 연거푸 쳐서 천둥 소리처럼 들리게 연주함.

천등-산 【天登山】 명 『지』 경북 안동군(安東郡)에 있는 산. [575 m]

천디가르 〔Chandigarh〕 명 『지』 인도의 북부 펀자브(Punjab)와 하리아나(Haryana) 양주의 공동 주도(州都). 델리 시(市) 북방 225 km 지점에 위치함. 파키스탄의 독립으로 떨어져 나간 라호르(Lahore) 대신 건설된 새로운 도시임. 펀자브 대학이 있음. [421,000 명(1981)]

천라 【天羅】 [철—] 명 하늘이 악인(惡人)을 잡는 그물. 자연의 제재(制裁). 천도(天道)는 엄정하므로 악에는 반드시 응보가 있음의 비유로 일컬음. 천망(天網).

천라 지망 【天羅地網】 [철—] 명 하늘과 땅에 쳐진 그물의 뜻으로, 악에 대한 피하기 어려운 재액(災厄)을 일컫는 말. ¶ 저희가 아무리 기고 난들 그 ~을 벗어날 수가 있느냐 말이야≪玄鎭健 : 無影塔≫.

천락 【天樂】 [철—] 명 ①하늘의 도리에 화(和)하여 즐김. ②하늘을 좇아 자적(自適)하는 즐거움. ——-하다 타여불

천락-수 【天落水】 [철—] 명 하늘에서 떨어지는 빗물.

천람 【天覽】 [철—] 명 어람(御覽). 성람(聖覽). ——-하다 타여불

천람-석 【天藍石】 [철—] 명 『광』 철·알루미늄의 함수(含水) 인산염(燐酸塩) 광석. 단사 정계(單斜晶系)로, 남청색(藍靑色)을 띤 데서 이름.

천랑 기청 【天朗氣淸】 [철—] 명 하늘이 구름 한 점 없이 개고 날씨가 화창하여 공기가 상쾌함.

천랑-성 【天狼星】 [철—] 명 『천』 큰개자리 별인 시리우스(Sirius)의 중국 칭호. 항성 가운데서 광도(光度)가 가장 셈. 낭성(狼星). 신성(辰星).

천래 【天來】 [철—] 명 하늘로부터 내려옴. 하늘로부터 얻음. 전(轉)하여, 하늘에서 내려온 것이 아닌가 여겨질 정도로 뛰어나고 빼어남을 이르는 말. ¶ ~의 시인.

천:량 [철—] 명 〔←전량(錢糧)〕 살림살이에 필요한 재물(財物). 재물.

천려[1] 【千慮】 [철—] 명 여러 가지의 사려(思慮). 여러 모로 마음을 쓰는 일. ¶ ~ 일실(一失).

천려[2] 【天慮】 [철—] 명 천자(天子)가 하는 염려. 예려(叡慮).

천:려[3] 【淺慮】 [철—] 명 얕은 생각.

천려 일득 【千慮一得】 [철—뜩] 명 어리석은 사람도 많은 생각 가운데는 한 가지쯤 좋은 생각이 미칠 수 있다는 말. ↔천려 일실(一失).

천려 일실 【千慮一失】 [철—씰] 명 지혜로운 사람도 많은 생각 가운데는 혹간 실책(失策)이 있을 수 있다는 말. ↔천려 일득(一得).

천력[1] 【天力】 [철—] 명 ①인력으로 어찌할 수 없는 자연의 작용. ②천자(天子)의 은덕(恩德).

천:력[2] 【踐歷】 [철—] 명 편력(遍歷).

천련-자 【川楝子】 [철—] 명 『한의』 고련실(苦楝實).

천련-지 【川連紙】 [철—] 명 중국산 종이의 한 가지. 흔히 편지 종이로 씀. *공(貢)천련지.

천렵 【川獵】 [철—] 명 시냇물에서 놀이로 하는 고기잡이. ——-하다 타여불

천:령 【薦靈】 [철—] 명 『불교』 재(齋)나 공물을 올려 죽은 사람의 영혼을 구제하는 일. ——-하다 타여불

천령-개 【天靈蓋】 [철—] 명 『생』 두정골(頭頂骨).

천례[1] 【天禮】 [철—] 명 하늘에 제사 지내는 예.

천:례[2] 【賤隷】 [철—] 명 천민(賤民)과 노예(奴隷).

천로[1] 【天路】 [철—] 명 『천주교』 선(善)을 행하고 공(功)을 세워서 닦는 천국(天國)에의 길.

천:로[2] 【淺露】 [철—] 명 얕아서 겉으로 드러남. ——-하다 자여불

천로 역정 【天路歷程】 [철—] 명 〔The Pilgrim's Progress〕 『책』 영국 사람 번연(Bunyan, J.)의 우의 소설(寓意小說). 제 1 부는 1678 년에, 제 2 부는 1684 년에 나왔음. 내용은 신의 노여움을 두려워하는 기독교도를 주인공으로 하여, 그가 갖은 고생 끝에 천도(天都)에 이르러 마침내 번뇌를 정복하게 됨을 상징한 것임.

천록[1] 【天祿】 [철—] 명 ①하늘이 태워 준 복록(福祿). ②↗천록수(天祿獸).

천록[2] 【天籙】 [철—] 명 『대종교』 영계(靈戒)를 받은 사람의 성명을 적는 책의 이름.

천:록[3] 【淺綠】 [철—] 명 ↗천록색(淺綠色).

천록-기 【天鹿旗】 [철—] 명 『역』 의장기(儀仗旗)의 한 가지.

〈천록기〉

천록-사 【天祿司】 [철—] 명 『역』 신라 경덕왕 때, 늠전(廩典)을 일시 고쳐서 부르던 이름.

천:록-색 【淺綠色】 [철—] 명 엷은 녹색. 준천록(淺綠).

천록-수 【天祿獸】 [철—] 명 고대 중국에서의 상상(想像)의 동물. 사슴 또는 소와 비슷하며 꼬리가 길고 외뿔을 가짐. 뿔이 둘인 것은 벽사(辟邪)라고 하나, 천록과 벽사는 다같이 외뿔로서 같은 것이라고도 함. 인장(印章)·기(旗)의 장식용 그림으로 그려지기도 하고, 묘비에 새겨지기도 하며, 묘전(墓前)에 석상(石像)으로서 장식되기도 하여, 사악(邪惡)을 물리쳐 길이 편안함을 얻을 수 있다고 함. 준천록(天祿).

천뢰[1] 【天籟】 [철—] 명 ①나무를 스쳐 가는 바람 소리 따위의 자연의 소리. ②시문(詩文) 따위가 원숙하고 절묘함의 비유. ↔지뢰(地籟).

천:뢰[2] 【淺瀨】 [철—] 명 얕은 여울.

천료 【天蓼】 [철—] 명 『식』 개다래나무.

천룡[1] 【天龍】 [철—] 명 ①성수(星宿)의 이름. 북두(北斗)와 직녀(織女)의 중간에 있음. ②『불교』 천상계(天上界)에 사는 귀신 및 용. ③하늘을 나는 용. ④『동』 지네.

천룡[2] 【泉龍】 [철—] 명 『동』 도마뱀❶.

천룡산 석굴 【天龍山石窟】 [철—] 명 『지』 톈룽 산 석굴.

천룡 팔부 【天龍八部】 [철—] 명 『불교』 팔부중(八部衆).

천:루[1] 【淺陋】 [철—] 명 천박하고 고루(固陋)함. ——-하다 형여불

천:루[2] 【賤陋】 [철—] 명 인품이 낮고 더러움. ——-하다 형여불

천류 【川流】 [철—] 명 내의 흐름.

천륜[1] 【天倫】 [철—] 명 부모 자식·형제 사이의 변치 않는 떳떳한 도리.

천륜[2] 【天綸】 [철—] 명 천자(天子)의 말씀·명령. 천어(天語).

천:릉 【遷陵】 [철—] 명 ↗천산릉(遷山陵). ——-하다 자여불

천:릉 도감 【遷陵都監】 [철—] 명 『역』 산릉(山陵)을 옮겨 모시는 일을 맡아 보던 임시의 관아.

천리[1] 【千里】 [철—] 명 ①십리의 백 갑절. ②썩 먼 거리. ¶ 가시밭 ~/ ~ 타향(他鄕).

[천리 길도 십리] 그리운 사람을 만나러 갈 적에는 먼 거리도 아주 가까이 느껴진다는 말. [천리 길도 한 걸음부터] 무슨 일이나, 그 일의 시작이 중요하다는 말.

천리[2] 【天理】 [철—] 명 천지 자연의 이치. 하늘의 바른 이치. 만물을 지배하고 있는 이치.

천:리[3] 【踐履】 [철—] 명 실천함. 몸소 이행함. ——-하다 타여불

천:리[4] 【擅離】 [철—] 명 명령을 받고 있는 자리를 제 멋대로 떠남. ——-하다 타여불

천리 건곤 【千里乾坤】 [철—] 명 썩 넓은 천지.

천리-경 【千里鏡】 [철—] 명 망원경.

천리-교 【天理敎】 [철—] 명 『종』 ①중국 청나라 건륭 연간(乾隆年間)(1736-95)에 일어난 요교(妖敎)의 하나. 백련교(白蓮敎)의 한 분파. 호생문(皓生文)을 교조로 하며, 천문(天文)을 보고 인사(人事)를 예언함. 청나라 가경(嘉慶) 18 년(1813), 그 도당 이문성(李文成)·임청(林淸) 등이 난리를 일으킨 죄로 탄압을 당하여 쇠하였음. ②일본 신도(神道)의 일파. 죄악의 근원인 욕심을 버리고 천신(天神)을 믿고, 서로 사랑하며, 노력을 신에게 바칠 것을 교지(敎旨)로 하여 진정한 평화의 천지, 곧 감로대(甘露臺)를 현세(現世)에 건설할 것을 교의(敎義)로 함. 1838 년에 창시되어, 본부를 나라 현(奈良縣) 덴리 시(天理市)에 둠.

천리교의 난: 【天理敎—亂】 [철— / 철—에—] 명 『역』 중국 청대(淸代) 1813 년에 천리교도가 일으킨 반란. 허난(河南)의 이문성(李文成)과 산둥(山東)의 임청(林淸)을 우두머리로 산둥·즈리(直隷)에서 봉기하여, 일부는 베이징의 쯔진청(紫禁城)을 점령하려 했으나 실패하고, 3 개월 후에 평정됨.

천리-구[1] 【千里駒】 [철—] 명 ①천리마(千里馬). ②자제(子弟)가 뛰어나게 잘남을 칭찬하는 말.

천리-구[2] 【千里駒】 [철—] 명 『사람』 김동성(金東成)의 호(號).

천리-다 【千里茶】 [철—] 명 『한의』 먼 길을 갈 때 갈증(渴症)을 면하기 위하여 먹는 정제(錠劑). 백복령(白茯苓)·하수오(何首烏)·건갈(乾葛)·오매육(烏梅肉)·박하·감초 등을 가루로 만들어, 꿇인 꿀에 반죽하여 연(蓮)밥만큼씩 만듦.

천리 동풍 【千里同風】 [철—] 명 천리까지 같은 바람이 분다는 뜻으로, 태평한 세상을 일컫는 말.

천리-마 【千里馬】 [철—] 명 하루에 천리를 달릴 만한 썩 좋은 말. 천리구(千里駒).

천리 만:리 【千里萬里】 [철—말—] 명 썩 먼 거리. 준천만리(千萬里).

천리 비:린 【千里比隣】 [철—] 명 천리나 되는 먼 곳도 이웃과 같이 됨.

천리-송 【千里松】 [철—] 명 『식』 눈잣나무.

천리-수 【千里水】 [철—] 명 장류수(長流水).

천리-안 【千里眼】 [철—] 명 〔천리 밖을 볼 수 있는 안력(眼力)이란 뜻〕 먼 데서 일어난 일을 직감적으로 감지하는 능력. 투시(透視).

천리 장성 【千里長城】 [철—] 명 『역』 고려 덕종(德宗) 2 년(1033)에 시작하여 정종(靖宗) 10 년(1044)에 완성된 성. 북방의 거란(契丹)·여진족(女眞族) 등의 침입을 막기 위한 것으로, 압록강변에서 동해에 이르는 천여 리의 긴 성임.

천리-주 【千里酒】 [철—] 명 끓는 물에 풀어서 먹는, 앵두만큼씩 한 정제(錠劑). 소주 닷 되에 찹쌀 한 되를 섞어 죽을 쑤고, 천선자(天仙子)·천오(川烏)·관중(貫衆) 각 한 냥쭝, 진피(陳皮)·감국(甘菊) 각 서 돈쭝, 감초 한 돈쭝을 가루로 만들어 항아리에 담아 봉한 뒤에, 21 일 만에 꺼내어 볶은 누룩 가루에 끓인 꿀을 섞어서 앵두 만큼씩 빚어 타락(駝酪)을 바르고 금박(金箔)을 입힌 것임.

천리-찬 【千里饌】 명 [철—] 쇠고기를 다져 볶다가 마늘·기름·깨소금·잣가루·호둣가루·설탕 등을 치고 짭잘하게 조려낸 반찬. 육장

(肉醬). 천릿길을 가져가도 상하지 않는 반찬이라는 뜻임.
천:리-채【穿籬菜】[철—] 명 〖불교〗 절에서 '닭고기'를 일컫는 말.
천리-포【千里脯】[철—] 명 짐승의 고기를 술·초·소금에 주물러 하루쯤 두었다가 삶아서 말린 반찬.
천 리푸【陳立夫】명 〖사람〗 중국, 국민 정부의 관료·재벌. 저장 성(浙江省) 출신. 사대 가족(四大家族)의 한 사람. 형은 천 궈푸(陳果夫). 국민당 우파(國民黨右派)의 이론가로 시시단(CC團)의 통수(統帥)이며 당 중앙 집행 위원 겸 중앙당 비서장(祕書長)·국민 정부 사회부장·교육부장 등 요직(要職)을 역임함. 내전(內戰) 후, 미국에 망명하였다가 1969년 타이베이(臺北)로 돌아옴. 진립부. [1900-?]
천리 행룡【千里行龍】[철—농] 명 ①〖민〗 산맥이 솟았다 낮았다 하며 힘차게 뻗음. ②어떤 일을 직접 말하지 아니하고, 그 유래를 설명하여 차차 그 일에 미치는 일.
천리 화반【千里花盤】[철—] 명 〖건〗 장화반(長花盤).
천릭 [철—] 명 ☞ 〖역〗 철릭.
천릭-짜리 [철—] 명 ☞ 〖역〗 철릭짜리.
천립-장【天粒章】[철—짱] 명 〖악〗 악장의 이름.
천마[1]【天馬】명 ①상제(上帝)가 타고 하늘을 달린다는 말. ②아라비아산(産)의 좋은 말. ③그리스 신화에서 날개를 달고 하늘을 마음대로 난다는 말. ④더없이 뛰어난 좋은 말.
천마[2]【天麻】명 ①〖식〗 [*Gastrodia elata*] 난초과에 속하는 기생(寄生) 초본. 근경(根莖)은 비대하고 감자 비슷한 타원형인데 꽃이 피면 속이 비고, 줄기는 높이 50-100 cm 가량임. 잎은 막질(膜質)의 인편엽(鱗片葉)이 각 마디에 났고, 엽록소(葉綠素)가 없는 황갈색의 부생(腐生) 식물임. 4-5월에 담황색 꽃이 총상(總狀)꽃차례로 줄기 끝에 정생(頂生)하여 핌. 깊은 산에 나는데, 한국·중국·일본 등지에 분포함. 한방(韓方)에서 근경을 '천마(天麻)', 어린 지하경은 '적전(赤箭)'이라 하여 강장제의 약재로 씀. 수자해좆. 적전(赤箭). 정풍초(定風草). ②〖한의〗 ❶의 뿌리. 맛은 맵고 성질은 따뜻하여, 두통·현훈(眩暈)·풍비(風痺) 등에 씀.

〈천마[2]❶〉

천마[3]【天魔】명 〖불교〗 사마(四魔)의 하나. 욕계(慾界)의 제육천(第六天)에 사는 마왕(魔王)과 그 일속(一屬). 정법(正法)·수행(修行)을 방해하며, 지혜와 선근(善根) 등을 상실하게 한다 함. 천자마(魔). 천마 파순(天魔波旬). 파순(波旬).
천마-기【天馬旗】명 〖역〗 의장기(儀仗旗)의 한 가지.
천마도 장니【天馬圖障泥】명 〖역〗 경주 천마총(天馬塚)에서 출토된, 말다래에 그려진 장식화. 5,6세기 신라 시대 작품으로, 자작나무 껍질에 그려진 하늘을 달리는 흰 말의 채색화임. 국보 제 207호.

〈천마기〉

천마-산【天摩山】명 ①〖지〗 평안 북도 삭주군(朔州郡) 남서면(南西面)과 의주군(義州郡) 고영삭면(古寧朔面) 사이에 있는 산. [1,169 m] ②경기도 남양주시(南楊州市) 화도읍(和道邑)과 진건면(眞乾面) 사이에 있는 산. [812 m] ③경기도 개풍군(開豐郡) 영북면(嶺北面)에 있는 산. 기슭에 박연 폭포가 있음. [762 m]
천마 외:도【天魔外道】명 〖불교〗 욕계(慾界)의 제육천(第六天)의 마왕(魔王)과 불교 이외의 가르침을 신봉하는 일.
천마-장【天魔障】명 〖불교〗 천마가 재앙을 일으키는 일. 또, 천마가 놓는 훼방(毁謗).
천마-총【天馬塚】명 〖역〗 신라 22대 지증왕(智證王)의 능(陵)으로 추정되는 경주(慶州)의 고분(古墳). 직경 47 m, 높이 12.7 m. 1973년에 발굴되어, 금관(金冠) 등 11,297점의 부장품(副葬品)이 출토됨. 유물 중의 하나인 자작나무 껍질로 만들어진 말다래 뒷면에, 순백(純白)의 천마(天馬) 한 마리가 하늘로 날아 올라가는 그림이 발견되고, 그 밖에 서조도(瑞鳥圖)와 기마 인물도(騎馬人物圖)도 나옴.
천마총 금관【天馬塚金冠】명 〖역〗 경주시 황남동(皇南洞)의 천마총에서 출토된 신라 시대의 금제 관. 둥근 대륜(臺輪) 앞면에 세 줄기의 출(出)자형 입식(立飾)이, 뒷면에는 두 줄기의 사슴뿔 모양 장식이 세워져 있음. 국보 제 188호.
천마 파순【天魔波旬】명 〖불교〗 [파순은 범어 pāpiyas의 음역(音譯)으로 악자(惡者)의 뜻] 욕계(慾界) 제육천(第六天)의 마왕(魔王). 천마.
천막【天幕】명 비바람이나 볕을 가리기 위하여 한데에 치게 된 서양식 장막. 텐트(tent).
천막 극장【天幕劇場】명 천막을 쳐서 만든 간이(簡易) 극장.
천막 생활【天幕生活】명 ①산야(山野)에 천막을 치고 그 속에서 생활하는 일. 캠핑. ②한데에 천막을 치고 집 삼아서 그 속에서 사는 생활.
천막-촌【天幕村】명 텐트촌(tent村).
천만[1]【千萬】㊀수 만의 천 배. ㊁명 비길 데 없음, 이를 데 없음을 나타내는 말. ¶위험 ~. ㊂관 ①수·양이 썩 많은. ¶~ 가지 생각. ②만의 천 배인. ¶~ 명. ㊃부 아주. 매우. ¶~ 다행 / ~ 뜻밖.
천:만[2]【喘滿】명 숨이 차서 가슴이 벌떡거리는 일. ¶~에 걸려 헐떡이며 읍내 어느 주막에서 심부름을 해 주고 있다고도 하고…≪金東里:바위≫. ——-하다 자여불
천만-고【千萬古】명 천만 년이나 되는 오랜 옛적. 아주 오랜 옛적.
천만-금【千萬金】명 썩 많은 돈이나 값어치. ¶~을 주고도 못 사는 보물.
천만-년【千萬年】명 썩 멀고 오랜 세월(歲月). 천년 만년(千年萬年). 천만세(千萬歲). 천천만(千千萬)의 외.
천만 다행【千萬多幸】명 매우 다행함. 만만(萬萬) 다행. ——-하다 형여불 ——-히 부
천만-대【千萬代】명 천만세(千萬世).
천만 뜻밖【千萬—】명 아주 생각 밖. 천만 몽외(夢外). 천만 의외(意外).
천만-리【千萬里】[—말—] 명 ↗천리 만리.
천만 몽:외【千萬夢外】명 천만 뜻밖.
천만-번【千萬番】명 썩 많은 번수(番數). 천백번(千百番).
천만 부당【千萬不當】명↗천부당 만부당. 만만 부당. 만부당(萬不當). ——-하다 형여불
천만 부당지설【千萬不當之說】명 아주 부당한 말. 얼토당토 아니한 말.
천만 불가【千萬不可】명 전혀 옳지 아니함. 만만(萬萬) 불가. ——-하다 형여불
천만-사【千萬事】명 썩 많은 일. 온갖 일.
천만-세[1]【千萬世】명 천만년의 세대. 썩 오랜 세대. 천만대(千萬代).
천만-세[2]【千萬歲】명 천만년.
천만-에【千萬—】감 뜻밖의 일이나 말에 대하여 그 부당함을 이르거나 또는 겸사할 때 쓰는 말. ¶ ~, 그렇지 않소/~요.
천만의 말:【千萬—】[—/—에—] 명 아주 생각 밖의 말.
천만의 말:씀【千萬—】[—/—에—] 명 아주 생각 밖의 말씀.
천만 의:외【千萬意外】명 천만 뜻밖.
천만-인【千萬人】명 헤아릴 수 없이 많은 사람.
천-만청【天蔓菁】명 〖식〗 여우오줌풀.
천만-층【千萬層】명 ↗천층 만층.
천만-파【千萬波】명 ↗천파 만파(千波萬波).
천말【天末】명 천제(天際).
천망[1]【天罔】명 천망(天網).
천망[2]【天網】명 하늘이 쳐 놓은 악인(惡人)을 잡는 그물. 천망(天罔). 천라(天羅).
[천망 회회 소이불실(天網恢恢疎而不失)] 하늘의 그물은 굉장히 넓어서 눈이 성기지만 선(善)한 자에게 선을 주고 악(惡)한 자에게 악을 주는 일은 조금도 빠뜨리지 않는다는 말.
천:망[3]【薦望】명 〖역〗 벼슬아치를 윗자리로 천거(薦擧)함. ㊟망(望). ——-하다 타여불
천-망아【天亡我】명 ↗천지 망아(天之亡我).
천망지-루【天網之漏】명 하늘의 제재(制裁)의 유류(遺漏). 천벌(天罰)에서 빠지는 일.
천:매[1]【賤買】명 싸게 삼. ——-하다 타여불
천:매[2]【賤賣】명 싸게 팖. ——-하다 타여불
천매-암【千枚岩】명 〖광〗 변성암(變成岩)의 한 가지. 변성도(變成度)가 가장 낮은 변성암으로, 재결정(再結晶)은 극히 경미하고 변성 작용은 주로 박리성(剝離性)의 형성으로써 나타나며, 녹색이나 회갈색의 견사(絹絲) 광택이 있고, 얇은 잎 모양으로 벗겨짐. 주성분은 석영(石英)·견운모(絹雲母)·흑(黑)운모·녹니석(綠泥石) 등임.
천맥[1]【阡陌】명 ①밭 사이의 길. 남북으로 난 것을 천(阡), 동서로 난 것을 맥(陌)이라 함. ②산기슭·밭두둑 등의 일컬음.
천맥[2]【泉脈】명 땅속에 있는 샘줄기.
천:-메【遷—】명 〈방〉 천묘(遷墓)(평북). ——-하다 자
천명[1]【天命】명 ①타고난 수명. 정명(正命). 천수(天數). 천수(天壽). 건명(乾命). 곤명(坤命). ¶오십이지(五十而知)~. ②하늘의 명령.
천명[2]【天明】명 하늘이 밝을 무렵.
천:명[3]【喘鳴】명 [stridor] 〖의〗 ①가래가 끼어 목에서 나는 소리. ②숨이 차서 할딱이는 소리.
천:명[4]【賤名】명 ①천한 이름이란 뜻으로, 자기 이름을 겸사하여 일컫는 말. ②〖민〗 어린 아이들에게 지어 주는 낮은 이름. '개똥이'·'돼지' 등. 이런 이름을 지어 주면 명이 길고 복을 받는다 함.
천:명[5]【擅名】명 명예를 들날림. ——-하다 자여불
천:명[6]【闡明】명 드러내서 밝힘. ——-하다 타여불
천명-도【天命道】명 〖종〗 최제우(崔濟愚)를 교조로 하는 동학 계통의 교의 하나.
천명 도설【天命圖說】명 〖책〗 천명을 논하여 도설(圖說)한 책. 조선 인조(仁祖) 때의 학자 정지운(鄭之雲)이 김안국(金安國)·김정국(金正國)에게 묻고, 이황(李滉)의 교열을 받아 저술한 것을 인조 18년(1640) 윤한홍(尹韓興)이 간행함. 천명론으로 시작하여 존명론(存命論)으로 끝났는데, 이황의 도설서(圖說序)도 붙여 있음. 1책 인본.
천명 미사【天命—】[라 missa] 명 〖천주교〗 예수 성탄일의 셋째 미사의 일컬음.
천명 사:상【天命思想】명 〖정·윤〗 중국에서의 유교적(儒教的) 정치·윤리 사상의 하나. 하늘은 항상 유덕자(有德者)에게 명령하여 천자(天子)로 삼아 만민을 통치시킨다는 사상. 왕조(王朝)는 역대 천자가 덕(德)이 있는 한 계속하나 일단 천자가 덕을 잃으면, 천명은 새로이 다른 유덕자에게 내려져 새로운 왕조가 시작됨. 결국 천자의 자격은 덕의 유무(有無)에 있다는 것이며, 이것은 중국 특유의 성왕(聖王)의 관념을 낳았음과 동시에 혁명(革命)을 시인하는 사상이 되었음.
천명-장【天命章】[—짱] 명 〖악〗 악장(樂章)의 이름.
천명-정【天名精】명 〖식〗 여우오줌풀.
천:모【淺謀】명 천박한 계략. 경솔하고 얕은 꾀.
천:목【薦目】명 〖역〗 사람을 천거하는 데에 필요한 명목(名目). 이치(吏治)·문학(文學)·재능·효렴(孝廉) 등이 있음.
천목-자【天目瓷】명 〖역〗 고려 시대의 흑색 자기. 원래는 중국 저장 성(浙江省)에서 발달하였는데, 고려에 들어와서 화천목(禾天目)·건잔(建盞)·파피잔(玻皮盞)·유적 천목(油滴天目)·반천목(斑天目) 등 여러 종류로 발달하였음.
천:묘【遷墓】명 이장(移葬). ——-하다 자여불
천묘-화【天妙華】명 〖불교〗 만다라화(曼陀羅華)❶.

천:무【賤務】명 천한 직무.
천-무불복【天無不覆】명 천무사복(私覆).
천-무사복【天無私覆】명 천도(天道)는 공평 무사(公平無私)하다는 말. 천무불복(不覆).
천-무삼일청【天無三日晴】명 〔좋은 날씨는 사흘씩 계속되지 않는다는 뜻〕 세상 일이 풍파가 많고 갈등이 일어나기 쉬워서 오랫동안 무사(無事)하기만 하지는 않는다는 말.
천-무음우【天無淫雨】명 〔하늘에서 궂은 비가 내리지 않는다는 뜻〕 화평한 나라, 태평한 시대를 비유하는 말.
천-무이일【天無二日】명 하늘에는 해가 둘이 없음. 곧, 나라를 다스림에는 한 임금뿐이라는 말.
천-무일실【千無一失】[—씰] 명 〖불교〗 한결같은 마음으로 부처를 섬기는 사람은 모두 극락 정토(淨土)에 오른다는 말.
천문[1]【千聞】명 백문(百聞). ——-하다 타여불
천문[2]【天文】명 〖천〗 ①일월 성신(日月星辰)의 운행, 비·바람·눈·벼락 등 하늘에 일어나는 갖가지 현상. ②일월 성신 따위의 운행이나 위치를 보고 길흉(吉凶)을 점치거나 역법(曆法)을 생각하는 일. 또, 그 술수(術數)와 그것을 하는 사람. ③↗천문학.
천문[3]【天門】명 ①대궐문의 경칭. 전문(殿門). ②천국(天國)으로 들어간다는 문. ③콧구멍의 별칭. ④양미간의 별칭.
천:문[4]【淺聞】명 천견(淺見)❶.
천:문[5]【薦聞】명 인물을 천거하여 임금에게 아룀. ——-하다 자여불
천문-가【天文家】명 천문학을 연구하는 사람. 천문학에 정통한 사람.
천문 거:리【天文距離】명 〔astronomical distance〕 〖천〗 광년(光年)·천문 단위·파섹(parsec) 등의 단위를 써서 나타낸 천체의 거리.
천문 경도【天文經度】명 〔astronomical longitude〕 〖천〗 규준(規準)으로 잡은 자오면(子午面)과 문제로 삼고 있는 장소에 있어서의 자오면이 이루는 각(角).
천문 관측 위성【天文觀測衛星】명 〖천〗 천체 관측 위성.
천문 관측학【天文觀測學】명 〔astrometry〕 〖천〗 천체와 그 실시 운동(實視運動)의 기하학적 관계를 다루는 천문학 분야.
천문 기후【天文氣候】명 〖기상〗 수리(數理) 기후.
천문 단위【天文單位】의명 〔astronomical unit; AU〕 〖천〗 태양과 지구와의 평균 거리. 약 149,600,000 km. 천체 간의 거리를 나타내는 단위로 사용함.
천문-대【天文臺】명 〖천〗 ①천문을 관측하기 위하여 설치한 시설. 천체 관측, 천문 이론 연구, 천체력(曆) 편찬, 시보(時報) 작성 등이 주업무임. ②↗국립(國立) 천문대.
천문 대:기 굴절【天文大氣屈折】[—쩔] 명 〔astronomical refraction〕 〖지〗 천체로부터의 방사광(放射光)이 대기를 통과할 때, 대기의 밀도가 증대함에 따라 편광(偏光)하는 일.
천문 대:화【天文對話】명 〔이 Dialogo dei due massimi sistemi del mondo〕 〖책〗 갈릴레이(Galilei, G.)가 지은 천문학 서적. 프톨레마이오스(Ptolemaios)의 천동설(天動說)과 코페르니쿠스의 지동설(地動說)에 관하여 그 찬부(贊否)를 4 명의 대화 형식을 빌어 논하여 지동설의 우월성을 기술하고, 또 새로운 과학의 방법을 논함. 1632년 간행. 갈릴레이 종교 재판의 원인이 됨.
천문-도【天文圖】명 〖천〗 천문을 표시한 그림.
천문동【天門冬】명 〖한의〗 호라지좆의 뿌리. 성질은 찬데, 해소(咳嗽)·담·객혈(喀血)·번조(煩燥) 등에나 음허(陰虛)한 노채(癆瘵)에 씀. *아스파라가스.
천문동 나물【天門冬—】명 호라지좆의 싹을 무친 나물.
천문동 정:과【天門冬正果】명 천문동으로 만든 정과. 쌀 뜨물에 천문동을 담갔다가 심을 빼고 물에 삶아서 쓴 맛을 우려 낸 뒤에, 꿀을 치고 끓여서 만듦.
천문동-주【天門冬酒】명 천문동의 즙을 섞어서 빚은 술.
천문 만:호【千門萬戶】명 ①대궐의 문호가 많음을 일컫는 말. ②수많은 백성들의 집.
천문 박명【天文薄明】명 〖천〗 박명의 한 가지. 태양이 지평선하(下) 18°에 있을 때로, 일출 전(日出前)·일몰 후(日沒後) 약 90분간임. 천문학적인 관측은 보통 저녁 때의 천문 박명 후로부터 새벽의 천문 박명 전 사이에 행함. *박명(薄明).
천문 박사【天文博士】명 〖역〗 신라 때 천문의 관측을 맡은 벼슬. 뒤에 사천(司天) 박사로 고쳤음.
천문-시【天文時】명 〖천〗 ①태양이 남중(南中)하는 정오(正午)를 영시(零時)로 하여 24시(時)를 통산(通算)하는 시각(時刻). 1925년 이후 쓰이지 않음. ↔상용시(常用時). ②천문학적으로 정한 시간의 시스템. ↔원자시(原子時).
천문 시계【天文時計】명 〖천〗 천문 관측용(觀測用)의 극히 정밀한 진자(振子) 시계.
천문 역법【天文曆法】[—녁—] 명 〖역〗 조선 시대 때, 음양과(陰陽科) 천문학 초시(初試)의 강서 조목(講書條目).
천문 역수【天文曆數】[—녁—] 명 천문과 역수(曆數). 성산(星算).
천문 연:구관【天文研究官】[—년—] 명 물리직(物理職) 국가 공무원 직급명의 하나. 천문 연구사의 위. 2급·3급·4급·5급의 네 급이 있음.
천문 연:구사【天文研究士】[—년—] 명 물리직(物理職) 국가 공무원 직급명의 하나. 천문 연구사보의 위, 5급 천문 연구관의 아래. 6급임.
천문 연:구사보【天文研究士補】[—년—] 명 물리직(物理職) 국가 공무원 직급명의 하나. 천문 연구원의 위, 천문 연구사의 아래. 7급임.
천문 연:구원【天文研究員】[—년—] 명 물리직(物理職) 국가 공무원 직급명의 하나. 천문 연구원보의 위, 천문 연구사보의 아래. 8급임.
천문 연:구원보【天文研究員補】[—년—] 명 물리직(物理職) 국가 공무원 직급명의 하나. 천문 연구원의 아래. 9급임.
천문 우:주 과학 연:구소【天文宇宙科學研究所】명 천문학을 연구하는 정부 출연(出捐) 연구 기관. 대덕 연구 단지에 1986년에 설립됨.
천문 위도【天文緯度】명 〖지〗 천문학적 위도.
천문 위치【天文位置】명 〔astronomical position〕 〖지〗 ①좌표가 천체의 관측에 의해서 결정된 지구상의 점(點). ②천문 위도(緯度)와 천문 경도(經度)로 정의된 지구상의 점.
천문 유:초【天文類抄】[—뉴—] 명 〖책〗 조선 세종 때의 수학자 이순지(李純之)가 지은 서적. 일월 성신(日月星辰)의 운행과 풍운 우동(風雲雨蝀)의 변화 등으로 국가의 치란(治亂)과 민생의 재변(災變)을 해설함. 천문도(圖) 한 장이 붙어 있음. 1책, 인본.
천문-일【天文日】명 〖지〗 정오(正午)에서 시작하여 정오에 끝나는 하루의 일컬음. 율리우스일(日)의 산정(算定)에 지금도 쓰임.
천문 장동【天文章動】명 〔astronomical nutation〕 〖천〗 지구를 포함한 천체의 극(極)이, 타원 궤도(楕圓軌道)의 극에 대하여 행하는 작은 주기 운동(周期運動).
천문-조【天文潮】명 〔astronomical tide〕 〖지〗 달이나 태양 등의 인력(引力)에 의하여 일어나는 조석(潮汐). 천체조(天體潮).
천문 지리【天文地理】명 천문과 지리.
천문 지리학【天文地理學】명 〖지〗 수리(數理) 지리학.
천문 지질【天文地質】명 하늘에는 일월 성신(日月星辰) 같은 문식(文飾)이 있지만, 땅은 소박하여 꾸밈이 없음의 일컬음.
천문 천정【天文天頂】명 천정점(點). ㊄천정(天頂).
천:문 철추【薦門鐵樞】명 〔거적문에 돌쩌귀라는 뜻〕 격에 맞지 않아 어울리지 않음.
천문-학【天文學】명 〔astronomy〕 〖천〗 우주의 구조, 천체의 현상·운행, 다른 천체와의 거리 및 관계 등에 대하여 전문적으로 연구하는 학문. 자연 과학에 있어서의 최고(最古)의 분야로, 현재는 천체 물리학·전파(電波) 천문학·천체 역학(力學)·천체 분광학(分光學)·위치(位置) 천문학 등으로 세분되고 있음. 성학(星學). 천체학. ㊄천문(天文).
천문학 겸교수【天文學兼敎授】명 〖역〗 조선 시대 관상감(觀象監)의 종육품 벼슬.
천문학-과【天文學科】명 〖교〗 대학에서, 천문학을 전공(專攻)하는 학과. *기상학과(氣象學科).
천문학 교:수【天文學敎授】명 〖역〗 조선 왕조 관상감(觀象監)의 종육품 벼슬. *명과학(命課學) 교수.
천문학-자【天文學者】명 천문학을 연구하는 학자. 성학가(星學家).
천문학-적【天文學的】명관 ①천문학에서 취급하는 모양. ②숫자(數字)가 엄청나게 많은 모양.
천문학적 숫:자【天文學的數字】명 천문학에서 취급하는 숫자와 같이 자리수가 매우 많은 숫자. 현실과 동떨어진 큰 숫자.
천문학적 위도【天文學的緯度】명 〖지〗 어떤 지점에 있어서의 실제의 연직선(鉛直線)이 적도면(赤道面)과 이루는 각도. 천문 위도. ↔측지(測地) 위도·지심(地心) 위도.
천문학적 위도권【天文學的緯度圈】[—꿘] 명 〔astronomical parallel〕 〖지〗 동일한 천문 위도를 가지는 점을 연결한 선(線).
천문학적 자오면【天文學的子午面】명 〔astronomical meridian plane〕 〖지〗 관측자를 지나는 연직선(鉛直線)을 포함하며, 아울러 지구의 순간 자전축(瞬間自轉軸)에 평행한 평면.
천문학적 적도【天文學的赤道】명 〔astronomical equator〕 〖지〗 천문 위도(緯度) 0°의 점을 연결한, 지구 표면상의 가상적(假想的)인 선.
천문학 훈:도【天文學訓導】명 〖역〗 조선 시대 관상감(觀象監)의 정구품 벼슬. *명과학(命課學) 훈도.
천문 항:법【天文航法】[—뻡] 명 ①〖해〗 천체를 관측하여 선위(船位)를 구하는 방법. 천체의 수평선상의 고도(高度)를 관측하고 구면(球面) 삼각법에 의해 관측점의 위치를 구하는 방법이며, 육분의(六分儀)·크로노미터(chronometer) 따위를 이용함. 천체 항법. 천측(天測) 항법. ②〖항공〗 천체를 관측하여 위치선(位置線)을 구하는 방법.
천물【天物】명 천산물(天產物).
천미[1]【天味】명 자연의 풍치(風致).
천:미[2]【賤微】명 미천(微賤). ——-하다 형여불
천민[1]【天民】명 ①하느님의 법칙을 준수하는 백성. 천도(天道)를 아는 백성. ②하늘이 낸 백성. 인민.
천:민[2]【賤民】명 ①천역(賤役)에 종사하는 백성. ②천한 백성.
천:민 문학【賤民文學】명 〖문〗 천한 계급의 생활 상태(生活狀態)를 주제로 한 문학.
천:민 자:본주의【賤民資本主義】명 〔도 Pariakapitalismus〕 〖사〗 베버(Weber, M.)의 사회학 용어. 영리 활동(營利活動)의 대표적인 형태가 상인과 고리 대금업자들에 의한 자본의 운영이었던 중세기 이후의 유태인적이고 전(前)근대적인 비합리적 자본주의.
천:박[1]【舛駁】명 뒤섞여서 바르지 아니함. 순수하지 아니함. 천잡(舛雜) ——-하다 형여불
천:박[2]【淺薄】명 학문 또는 생각이 얕음. ¶고루(固陋)하고 ~한 지식. ——-하다 형여불
천:박-성【淺薄性】명 천박한 성질.
천반[1]【天—】명 〈방〉 〖건〗 천장(天障)(함북).
천반[2]【天盤】명 〖광〗 갱도(坑道)나 채굴 현장(採掘現場)의 천장(天障). 천판(天板).
천-반자【天—】명 〈방〉 〖건〗 반자.
천반 포락【川反浦落】명 내가 터져 물이 다른 곳으로 흘러서 논밭이 떨어져 나가는 일. 성천(成川) 포락. ——-하다 자여불

천:발【薦拔】명 인재를 발탁하여 천거함. ——-하다 자여불
천:발 지진【淺發地震】명〔shallow-focus earthquake〕『지』진원(震源)의 깊이가 50-60 km 보다 얕은 지진. ↔심발(深發) 지진.
천방[1]【千方】명 백방(百方).
천방[2]【川防】명〈방〉냇둑(경북).
천방 백계【千方百計】명 온갖 꾀. 여러 모로 궁리한 꾀.
천방 지방【天方地方】명 천방 지축. ¶두 주먹을 불끈 쥐고 ~ 달아나는데 누가 뒤에서 쫓아오며 소리를 질러 왈…≪李海朝 : 昭陽亭≫.
천방 지축【天方地軸】명 ①못난 사람이 종작없이 덤벙이는 일. ②너무 급박(急迫)하여 방향을 잡지 못하고 함부로 날뛰는 일. 천방 지방(地方). ¶~으로 방문을 열고 나서다.
천배【天杯】명 임금이 하사(下賜)한 술잔.
천:배-록【薦拜錄】명『책』조선 시대 때의 관리들의 성명록. 인조로부터 영조 때까지의 동궁(東宮)의 찬선(贊善)·진선(進善)·자의(諮議), 이조(吏曹)의 판서·참의·전랑(銓郞), 병조(兵曹)·호조의 판서 등을 제수(除授)한 사람들의 이름이 기록되었음. 2 책 사본.
천백【千百】명 수천 수백의 많은 수.
천백-번【千百番】명 천만번.
천백억 화:신【千百億化身】명『불교』불타(佛陀)의 헤아릴 수 없이 변화하는 몸.
천번 지복【天飜地覆】명 하늘과 땅이 뒤집힘. 곧, 천지(天地)에 큰 변동이 일어나 질서가 어지러움.
천벌[1]【天伐】명 벼락을 침.
천벌[2]【天罰】명 하늘이 내리는 벌. 천주(天誅). 천형(天刑). 천견(天譴).
천법-교【天法敎】명『종』수운(水雲) 최제우(崔濟愚)를 교조로 하는 동학 계통의 교의 하나.
천변[1]【川邊】명 냇가. 개천가.
천변[2]【千變】명 여러 가지로 변함. ——-하다 자여불
천변[3]【天邊】명 하늘의 가.
천변[4]【天變】명 하늘에서 생기는 변동. 천상(天象)의 괴변. 큰물이 지는 일 같은 것. ↔지이(地異).
천변 만:화【千變萬化】명 한없이 변화함. 변화가 무궁함. 억변(億變). ㊕만화(萬化). ——-하다 자여불
천변 지변【天變地變】명 ①천변과 지변, ②천변 지이(地異).
천변 지이【天變地異】명 천지 자연의 변동과 괴변. 재변(災變).
천변 지이설【天變地異說】명〔catastrophism〕①『생』프랑스의 생물학자 퀴비에(Cuvier)가 내세운, 생물계의 변화에 관한 학설. 지구상에는 몇 차례나 천변 지이가 일어나 그 때마다 생물은 모두 사멸하고, 다음 시대의 생물은 신에 의하여 새로이 창조되었다는 비진화설(非進化說). 이설은 그 후의 과학 발달에 큰 지장을 주었음. ②『지질』지구 특성(地球特性)의 대부분은 갑자기 또는 단시간(短時間)에 세계적인 사변(事變)으로 만들어졌다고 하는 설(說).
천변-집【川邊—】[—찝] 명 개천가에 있는 집.
천병[1]【千兵】명 많은 군사.
천병[2]【天兵】명 천자(天子)의 군사를 제후(諸侯)의 나라에서 일컫는 말.
천병 만:마【千兵萬馬】명 수없이 많은 군사와 말.
천보[1]【天步】명 한 나라의 운명.
천:-보[2]【賤—】[—뽀] 명 비천하고 누추한 본새. 또, 버릇.
천보 간난【天步艱難】명 천운(天運)이 열리지 않아 시세(時勢)가 험난한 일. ——-하다 형여불
천 보다〔陳伯達〕명『사람』중국의 정치가. 1937 년 마오 쩌둥(毛澤東)의 비서가 되었으며, 당 기관지 '홍기(紅旗)'의 편집장을 거쳐 1962 년 국가 계획 위원회 부주임(副主任), 1966 년 문화 대혁명(文化大革命) 소조장(小組長)으로 활동함. 1978 년 실각(失脚), 1980 년 린 뱌오(林彪)의 쿠데타 사건에 연좌(連坐)되어 재판을 받음. 진백달. [1904-89]
천보-대【千步—】명『역』조선 영조(英祖) 5년(1729)에 윤필은(尹弼殷)이 발명한 총. 몸이 작고 가벼우며, 탄알이 천 걸음까지 간다 함. 천보총(銃).
천보-총【千步銃】명『역』천보대.
천보총-계【千步銃契】명『역』관아에 천보총을 공물로 바치던 계.
천복【天福】명 하늘에서 내려준 복.
천복년-설【千福年說】명『기독교』천년설(千年說).
천:복-사【薦福寺】명『불교』중국 장시 성(江西省) 포양 현(鄱陽縣)에 있던 절. 구양순(歐陽詢)이 쓴 천복비(碑)가 있어 유명함.
천봉[1]【千峰】명 많은 산 봉우리.
천:봉[2]【薦奉】명 바쳐 올리고 받듦. ——-하다 타여불
천봉 만:학【千峰萬壑】명 천봉과 만학. 수많은 산봉우리와 산골짜기.
천봉-산[1]【天奉山】명『지』중국 허베이 성(河北省) 북서부에 있는 산. 명(明)나라 영락제(永樂帝)의 장릉(長陵)을 비롯하여 세칭 명나라의 13 능이 있어, 베이핑(北平) 유람객이 이 곳에 쇄도함. 동의자(東椅子).
천봉-산[2]【天鳳山】명『지』함경 남도 갑산군(甲山郡) 갑산면(甲山面)과 진동면(鎭東面) 사이에 있는 산.
천부[1]【天父】명 ①〔Father〕『기독교』하느님이신 아버지. 아버지. ②천자(天子).
천부[2]【天府】명〔부(府)는 고(庫)의 뜻〕. ①↗천부지토(天府之土). ②천연적으로 요새를 이룬 땅. ③『역』중국 주(周)나라 때, 천자의 조상 제사에 쓰는 중보(重寶)를 관리하던 벼슬. ④천자(天子)의 부고(府庫).
천부[3]【天部】명『불교』팔부중(八部衆)의 하나로 천상계(天上界)에 사는 것의 총칭.
천부[4]【天賦】명 하늘이 줌. 선천적(先天的)으로 가지고 있음. ¶~의 권리.
천부[5]【天覆】명 넓은 하늘 밑.
천:부[6]【賤夫】명 신분이 낮은 사내.
천:부[7]【賤俘】명 천한 포로.
천:부[8]【賤婦】명 신분이 낮은 여자.
천부당 만:부당【千不當萬不當】명 조금도 가당하지 아니함. 만부당 천부당. 만만 부당. 만부당. ㊕천만 부당. ——-하다 형여불
천부-설【天賦說】명『철』선천론(先天論).
천부-인【天符印】명 천자의 위(位), 곧 제위(帝位)의 표지로서, 하늘이 내려 전한 세 개의 보인(寶印). 우리 나라 건국 신화에 보임.
천부 인권【天賦人權】[—꿘] 명 하늘이 사람에게 평등하게 부여한 권리. 자연권(自然權).
천부 인권설【天賦人權說】[—꿘—] 명 인간은 태어나면서부터 자유스럽고 평등하며, 행복을 추구하는 것은 천부의 권리라는 사상. 영국의 홉스(Hobbes, T.), 프랑스의 루소 등 18세기 계몽 사상가들이 주장하여 프랑스 혁명, 영국의 명예 혁명의 사상적 배경이 되었음.
천부 자연【天賦自然】명 인력(人力)으로는 어찌할 수 없는 천부의 성질(性質).
천부-적【天賦的】명관 선천적으로 타고난 모양. ¶~ 재질.
천부지-토【天府之土】명 비옥(肥沃)하고 물산(物産)이 많은 좋은 땅. ㊕천부(天府).
천분【天分】명 타고난 재질 또는 분복.
천분-비【千分比】명 천분율(率).
천분-율【千分率】[—뉼] 명 원금(元金)이나 전체량을 1,000 으로 치고, 그 천분의 일을 단위로 하여 나타내는 비율. 천분비(比).
천-불[1]【千—】명〈속〉홍분해서 치밀어 오르는 '열(熱)불'의 '열'을 수(數)에 빗대어서 그보다 백 배나 더하다는 뜻으로 힘주어 이르는 말. ¶속에서 ~이 나서 참을 수가 있어야지.
천불[2]【千佛】명『불교』과거 장엄겁(莊嚴劫)·현재 현겁(賢劫)·미래 성수겁(星宿劫)의 삼겁(三劫)에 각각 1,000의 부처가 나타난다는 신앙. 또, 특히 현재겁(劫)의 1,000 부처. 구류손불(拘留孫佛)에서 시작되어 누지불(樓至佛)에 이르는 것으로, 이 경우에 석가는 그 가운데 네 번째의 부처에 해당함.
천:불[3]【遷佛】명『불교』불당(佛堂)을 수선 또는 신축하였을 때, 가당(假堂)으로 옮겼던 불상(佛像)을 다시 본당(本堂)으로 옮김. 또, 그 의식. ——-하다 자여불
천불-곡【千佛谷】명 경상 북도 경주시 남산동(南山洞) 남산(南山) 동쪽에 있는 불교 유적지. 사람의 키보다 큰 돌기둥에 97 개, 92 개의 감실(龕室)을 판 석주(石柱) 2 기(基)가 남아 있는데, 천불(千佛)을 안치(安置)한 많은 감실이 있었을 것으로 보임.
천불 공:양【千佛供養】명『불교』천불에 공양하는 법회(法會). 천불회(千佛會).
천불-동【千佛洞】명『불교』암벽을 파고 그 안에 여러 불상(佛像)·탑파(塔婆) 등을 조각한 절. 인도 지방에 많고, 특히 중국의 둔황(敦煌) 부근의 것은 세계적으로 유명함.
천불-령【天佛嶺】명『지』평안 북도 위원군(渭原郡) 숭정면(崇正面)에 있는 산. [1,639 m]
천불-산【千佛山】[—싼] 명『지』①금강산의 봉우리의 하나. [654 m] ②함경 남도 신흥군(新興郡) 서고천면(西古川面)과 원평면(元平面) 사이에 있는 산. [1,455 m]
천불생 무록지인【天不生無祿之人】[—쌩—] 명 어떠한 사람이든지 먹고 살 것은 타고 난다는 말. *지불생 무명지초(地不生無名之草).
천:불식【遷佛式】[—씩] 명『불교』천좌식(遷座式).
천불-전【千佛殿】[—쩐] 명『불교』천불(千佛)을 모신 전각(殿閣).
천:불 천:좌【遷佛遷座】명『불교』본당(本堂)에 불상(佛像)을 옮기는 일과 보살이나 조사(祖師)들의 상(像)을 옮기는 일. ——-하다 자여불
천불-회[1]【千佛會】명 천불 공양(千佛供養).
천:불-회[2]【遷佛會】명『불교』천불 때의 법회(法會).
천붕【天崩】명 하늘이 무너짐. ——-하다 자여불
천붕 지괴【天崩地壞】명 하늘이 무너지고 땅이 꺼짐. ——-하다 자여불
천붕 지탑【天崩地塌】명 큰 소리에 천지(天地)가 진동(震動)함. ——-하다 자여불
천붕지-통【天崩之痛】명 제왕이나 아버지의 상사(喪事)를 당하여 하늘이 무너지는 듯한 슬픔. *망극지통(罔極之痛).
천비[1]【天妃】명 천후(天后).
천:비[2]【賤婢】명 천한 신분의 여자 종.
천:빈【賤貧】명 천하고 가난함. 빈천(貧賤). ——-하다 형여불
천사[1]【千祀】명 긴 세월. 많은 세월. 천재(千載).
천사[2]【千駟】명 말 사천 마리. 또, 사두(四頭) 마차 천 대.
천사[3]【天使】명 ①천자(天子)의 사신(使臣)을 제후(諸侯)의 나라에서 일컫는 말. ②〔angel〕천국에서 인간계에 파견되어 신(神)과 인간과의 중간에서 신의 뜻을 인간에게 전하고 인간의 기원(祈願)을 신에게 전한다는 사자(使者).
천사[4]【天師】명 ①천자(天子)의 군대. ②황제(黃帝)의 스승인 양성(襄城)의 동자(童子). ③기백(岐伯). ④훌륭한 도사(道士)의 뜻으로, 후한(後漢)의 장도릉(張道陵)을 말함. ⑤도교(道敎)의 주장(主長). ⑥천문사(天文師). 관상가(觀象家).
천사[5]【天赦】명↗천사일(天赦日).
천사[6]【天嗣】명 임금의 후손. 천윤(天胤).
천사[7]【天賜】명 ①하늘로부터 내려 줌. 또, 그 물건. ②천자가 내려줌. 또, 그 물건. ——-하다 타여불
천:사[8]【賤事】명 ①천한 일. ②자기 일의 겸칭.

천:사[9] 【遷徙】 명 천동(遷動). ――-하다 타여불

천:사 광:상 【淺砂鑛床】 명 〖광〗 충적 평야(沖積平野)나 하안 단구(河岸段丘)에 생긴 표사(漂砂) 광상의 하나. ↔심사(深砂) 광상·해빈사(海濱砂) 광상.

천사-대 【天賜帶】 명 〖역〗 ↗천사 옥대(天賜玉帶).

천사 만:고 【千思萬考】 명 여러 가지로 생각함. ――-하다 타여불

천사 만:량 【千思萬量】 [―말―] 명 여러 가지로 생각하여 헤아림. ――-하다 타여불

천사 만:려 【千思萬慮】 [―말―] 명 갖가지로 사려함. ――-하다 타여불

천사 만:루 【千絲萬縷】 [―말―] 명 피륙을 짜는 데에드는 온갖 실의 올.

천사 문:답 【天師問答】 명 〖천도교〗 천도교의 교조 최제우(崔濟愚)가 한울님과 직접 영감(靈感)으로 문답한 일.

천-사슬 【天―】 명 잔꾀를 부리지 아니하고 자연히 되어가는 대로 내맡겨 두는 일.

천사-애 【天師艾】 명 쑥으로 만든 인형. 옛날 중국 남방의 풍속으로, 단오절에 문위에 매달아 사기(邪氣)를 물리쳤음.

천사-옥대 【天賜玉帶】 명 〖역〗 신라의 세 가지 보물 중의 하나. 길이가 열 뼘 가량되는 띠에 금으로 새기고 옥으로 모지게 만든 띳돈을 62개 박았음. 진평왕(眞平王) 원년(579)에 하늘에서 주었다 하는데, 고려 태조(太祖) 12년(929)에 경순왕(敬順王)이 태조에게 바쳤음. 성대(聖帶). 성제대(聖帝帶). 준천사대(天賜帶).

천사-일 【天赦日】 명 음력에서 일 년 중 가장 좋은 길일(吉日). 봄은 무인(戊寅), 여름은 갑오(甲午), 가을은 무신(戊申), 겨울은 갑자(甲子)의 날이라고 함. 준천사(天赦).

천산[1] 【千山】 명 〖지〗 '첸산'을 우리 음으로 읽은 이름.

천산[2] 【天山】 명 대종교에서 '백두산'을 일컫는 말.

천산[3] 【天產】 명 ①사람이 만든 것이 아니고 자연히 생겨남. 천연적으로 남. ②↗천산물(天產物).

천:산-갑 【穿山甲】 명 ①〖동〗 [*Manis pentadactyla*] 천산갑과에 속하는 동물. 몸길이 63cm, 꼬리 35cm정도, 몸의 윗면은 이마에서 꼬리 끝까지 11-13 줄의 암갈색 비늘로 덮여 있고, 비늘에는 담연피색(淡軟皮色)의 털이 약간 있으며, 얼굴, 몸의 아래쪽, 다리의 안쪽은 비늘이 없고 담연피색의 털만 있음. 주둥이는 뾰족한데, 이가 없으며 혀가 길고 끈끈한 액체가 나와 먹이를 묻혀서 핥아 먹기에 편리함. 주로 밤에 나와 개미를 잡아먹음. 암컷은 새끼를 꼬리 위에 얹어 운반하여 기름. 대만·중국 남부·미얀마·말레이·네팔·인도 등지에 분포함. 능리(鯪鯉). ②〖한의〗 천산갑의 껍질. 두창(痘瘡)이나 홍역 등의 도포제(塗布劑) 또는 통유제(通乳劑)로 쓰임. 타갑(鼉甲).

〈천산갑❶〉

[천산갑이 지은 죄를 구목(丘木) 낡이 벼락 맞는다] 죄 지은 자가 아닌 곁의 딴 사람이 억울하게 벌을 받게 되는 경우를 이름. 죄는 막둥이가 짓고 벼락은 샌님이 맞는다.

천:산갑-과 【穿山甲科】 [*Manidae*] 명 〖동〗 포유류(哺乳類) 유린목(有鱗目)에 속하는 한 과.

천산 남로 【天山南路】 [―노] 명 〖지〗 톈산 남로.

천:-산릉 【遷山陵】 [―살―] 명 산릉(山陵)을 옮겨모심. 준천릉(遷陵). ――-하다 자여불

천산 만:수 【千山萬水】 명 중첩된 산과 수없이 흐르는 물.

천산 만:악 【千山萬嶽】 명 많고 많은 산.

천산-물 【天產物】 명 천연적으로 산출되는 물건. 광산물·임산물·해산물 따위. 천물(天物). 준천산(天產).

천산 북로 【天山北路】 [―노] 명 〖지〗 톈산 북로.

천산 산맥 【天山山脈】 명 〖지〗 톈산 산맥.

천산-지산 부 이 말 저 말 둘러대서 여러가지 핑계를 늘어놓는 모양. ¶~ 헐 것 없이 전일에 헌 일을 회개하겠소?《作者未詳 : 秋天明月》. ――-하다 자여불

천살[1] 【天煞】 명 불길한 별의 이름.

천:살[2] 【擅殺】 명 함부로 죽임. ――-하다 타여불

천살-일 【天煞日】 명 음양도(陰陽道)에서, 이사·혼인·원행(遠行) 등을 하면 나쁘다는 날.

천상[1] 【天上】 명 ①하늘 위. ②〖불교〗 ↗천상계(天上界).

천상[2] 【天常】 명 하늘이 정한 인륜(人倫)의 길. 오상(五常)의 도(道).

천상[3] 【天象】 명 〖천〗 천체(天體)의 현상. 일월 성신(日月星辰)의 변화하는 현상. 현상(懸象).

천상[4] 【天賞】 명 ①하늘이 내린 상. ②선근(善根)에 대한 하늘의 은혜.

천상[5] 【天―】 부 ☞ 천생[1]㊁.

천상-계 【天上界】 명 〖불교〗 하늘 위의 세계. 준상계(上界)·천계(天界)·천상(天上).

천상-대 【天上臺】 명 〖지〗 평안 남도 영원군(寧遠郡)과 평안 북도 희천군(熙川郡) 사이에 있는 산. [1,478 m]

천상 만:태 【千狀萬態】 명 여러 가지 많은 모양. 온갖 상태. 천태 만상(天態萬狀).

천상 모:후 【天上母后】 명 〖천주교〗 '성모 마리아'의 존칭.

천상-바라기 【天上―】 명 늘 얼굴을 쳐들고 있는 사람.

천상 백옥경 【天上白玉京】 명 '천궁(天宮)'을 이르는 말.

천상 성:모 【天上聖母】 명 천후(天后).

천상-수 【天上水】 명 빗물. 준천수(天水).

천상 신비 【天上神祕】 명 천당에 관한 신비.

천상 열차 분야지도 【天象列次分野之圖】 [―녈―] 명 〖역〗 ①조선 태조(太祖) 4년(1396)에 석각(石刻)된 천문도(天文圖). 숙종(肅宗) 때에 높이 211 cm, 폭 108.5 cm의 새 돌에 복각(復刻)되었음. ②〖책〗 조선 숙종 때 복각된 석각 천문도(石刻天文圖)의 탑본(搨本). 그 형식에 있어서 남송(南宋)의 순우 정미(淳祐丁未)(1347년) 천문도와 비슷한 점이 많음.

천상-의 【天象儀】 명 〖천〗 플라네타륨(Planetarium).

천상 적선인 【天上謫仙人】 명 〔천상(天上)에서 지상(地上)으로 귀양 온 선인(仙人)이란 뜻〕 당(唐)나라의 하지장(賀知章)이 이백(李白)을 두고 일컬은 말.

천상 천하 【天上天下】 명 우주의 사이.

천상 천하 유아 독존 【天上天下唯我獨尊】 명 〖불교〗 〔전등록(傳燈錄)에 있는 말〕 우주(宇宙) 가운데 자기보다 존귀(尊貴)한 것이 없다는 뜻으로, 인간의 엄함을 이르는 말. 석가(釋迦)가 났을 때에 한 손으로 하늘을, 또 한 손으로는 땅을 가리키어 일곱 걸음을 걸으며 사방(四方)을 돌아보고 이른 말. 준독존(獨尊)·유아 독존.

천상-춘 【天上春】 명 천상계(天上界)의 봄.

천상-화 【天上火】 명 〖민〗 육십 화갑자(六十花甲子)에서, 무오(戊午)·기미(己未)에 붙이는 납음(納音). 무(戊)는 태산이요, 오(午)는 화(火)의 왕지(旺地)이며, 기(己)는 구름이요, 未(미)는 마른 나무인데, 뜨거운 불길에 기름을 부으니 불길은 하늘 높이 더욱 치솟고 구름은 바람을 일으켜 하늘까지 치닫는다는 말.

천색[1] 【天色】 명 하늘의 빛깔.

천:색[2] 【遷色】 명 〖광〗 광물 속에 균열(龜裂)이 있거나 다른 물질이 들어 있어서 그 곳에서 반사와 간섭(干涉)이 일어나기 때문에 보는 방향에 따라서 노랑·파랑·빨강 등의 갑섭색(干涉色)이 보이는 현상. 인회석(燐灰石)이나 금록옥(金綠玉)에 이 성질이 있음. *변채(變彩).

천:색-단 【淺色團】 명 〔hypsochrome〕 〖화〗 유기 색소(有機色素)의 분자를 끌어들일 때, 흡수 스펙트럼의 최대 흡수부(部)를 단파장(短波長) 쪽으로 옮기어 그 색을 엷게 하는 원자단(原子團). 아세틸기(acetyl 基)·벤조일기(benzoyl 基) 따위.

천생[1] 【天生】 ㊀명 선천적(先天的)으로 타고남. 타고 난 바. 천부(天賦). ¶~의 재질(才質). ㊁부 ① 날 때부터. 당초부터. ¶~ 빌어먹을 팔자군/그는 ~ 월급쟁이다. ②부득불. 어쩔 수 없이. ¶집은 ~ 복덕방에 내맡기는 도리 밖에 없이 되고 말았다《李無影 : 三年》.

[천생 버릇은 임을 봐도 못 고친다] 타고난 버릇은 고치기가 어렵다는 말. [천생 팔자가 눌은밥이라] 고작 좋아하는 것이 눌은밥이니, 가난신세는 면하지 못하겠다고 조소하는 말.

천:생[2] 【賤生】 명 ①천출(賤出). ②주로 남자가, '자신(自身)'을 낮추어 이르는 말.

천생 배:필 【天生配匹】 명 하늘에서 미리 정해 준 배필. 천정 배필.

천생 여질 【天生麗質】 [―녀―] 명 타고난 아리따운 자질.

천생 연분 【天生緣分】 [―년―] 명 하늘에서 정해 준 연분. 천생 인연. 천정 연분.

천생 연분에 보리 개:떡 구 보리 개떡을 먹을 망정 의좋게 산다는 말.

천생 인연 【天生因緣】 명 천생 연분.

천생-장 【天生章】 [―짱] 명 〖악〗 악장(樂章)의 이름.

천생 재주 【天生才―】 명 선천적(先天的)으로 타고난 뛰어난 재주. 천부(天賦)의 재주.

천서[1] 【天序】 명 ①천자의 계통. ②천체(天體)의 차서(次序). 하늘이 정한 질서(秩序). 일월·자연의 변화.

천서[2] 【天瑞】 명 하늘이 내린 상서로운 징조. 하늘이 내린 서조(瑞兆).

천서[3] 【天鼠】 명 〖동〗 박쥐❶.

천서 만:단 【千緖萬端】 명 수없이 많은 일의 갈피.

천석[1] 【天錫】 명 하늘이 내려 줌. 또, 그 것.

천석[2] 【泉石】 명 수석(水石)❷.

천:석[3] 【薦席】 명 멍석. 거적자리.

천석 고황 【泉石膏肓】 명 산수를 사랑하는 것이 너무 정도에 지나쳐 마치 불치(不治)의 고질(痼疾)과 같음.

천석-꾼 【千石―】 명 천석(千石)의 추수를 거두는 부자. 주의 천석군(千石君)으로 씀은 취음(取音).

[천석꾼에 천 가지 걱정, 만석꾼에 만 가지 걱정] 재산이 많으면 그만큼 걱정도 많다는 말.

천석-덕 【千石德】 명 함경 북도 길주군(吉州郡) 장백면(長白面)과 덕산면(德山面) 경계에 있는 산. [1,048 m]

천선[1] 【天仙】 명 하늘 위에 있다는 신선.

천선[2] 【天璇·天璿】 명 북두 칠성의 둘째 별. 선(璇).

천:선[3] 【遷善】 명 나쁜 짓을 고쳐 착하게 됨. ¶개과(改過) ~. ――-하다 자여불

천선과-나무 【天仙果―】 명 〖식〗 [*Ficus erecta*] 뽕나뭇과에 속하는 상록 활엽 관목. 높이 5m 가량인데, 톱니가 없고 거의 반들반들한 거꿀달걀꼴 또는 타원형의 잎이 호생함. 늦봄에 자웅 이가로 꽃이 한 개씩 액생(腋生)하고, 둥근 은화과(隱花果)가 가을에 익음. 해변의 산기슭에 나는데, 전남의 백양산(白羊山) 이남의 여러 섬 및 일본·중국에 분포함. 관상용으로 심으며, 어린잎과 과실은 식용, 나무 껍질은 제지(製紙)의 원료임.

〈천선과나무〉

천선-대 【天仙臺】 명 〖지〗 외금강에 있는 석대(石臺). 그 옆에 유명한 신만물상(新萬物相)이 있음.

천선-도 【天仙圖】 명 미어 화제(謎語畫題)의 하나. 남천촉(南天燭)에 수선화(水仙花)를 배치한 그림. 남송화(南宋畫)에 많음.

천선-자 【天仙子】 명 〖한의〗 낭탕자(莨菪子).

천선 지전【天旋地轉】명 세상 일이 크게 변하는 일.

천섬【天閃】명 번갯불. 전광(電光).

천성[1]【天成】명 ①하늘의 운행이 질서 정연하고 만물이 잘 성장을 이룩한 일. ②자연스럽고 도리에 맞는 일. ③하늘이 이룩한 일. 인력(人力)을 쓰지 않고 자연히 이루어짐. ——-하다 자여불

천성[2]【天性】명 타고난 성품. 마음. 성근(性根). 자성(資性). 자질(資質). ¶ ~이 착한 사람.

천성[3]【天聲】명〔하늘의 소리라는 뜻〕①우레. 또 우레처럼 큰 소리. ②천자의 말씀. ③하늘이 사람에게 타이르는 소리. ④'세평(世評)'을 이르는 말. ¶ ~ 인어(人語).

천성[4]【泉聲】명 샘물이 흐르는 소리.

천:성[5]【淺成】명 얕게 또는 얕은 곳에서 이루어짐. ¶ ~ 광상(鑛床). ——-하다 자여불

천:성 계:약【踐成契約】명〖법〗요물 계약(要物契約).

천:성 광:맥【淺成鑛脈】명〖광〗지표(地表) 근처인 지하 300-1,300 m에서 저온(低溫), 곧 100-250°C에서 생성한 광맥. 일반적으로 제3기(紀)의 화산 작용에 관련되어 이루어진 것인데, 더욱 오래된 지질 시대의 화산 작용에 관련되어 이루어진 것도 드물게 존재함. 수은(水銀) 광맥·망간 광맥·안티몬 광맥·금은 광맥·구리 광맥·납 아연(亞鉛) 광맥·열수성 주석(熱水性朱錫) 광맥 등이 이에 속함.

천성 난개【天性難改】명 천성(天性)은 고치기 어렵다는 말.

천성-산【千聖山】명〖지〗〔원효 대사가 당나라의 중 천 명(千名)에게 화엄경(華嚴經)을 가르쳐 모두 성인이 되게 했다는 데서 나온 말〕경상 남도 양산군(梁山郡) 북쪽에 있는 산. 범어사(梵魚寺)의 말사(末寺)인 내원암(內院庵)과 원효암(元曉庵)이 있음.

천성 지효【天性至孝】명 선천적으로 타고난 지극한 효성.

천세【千歲】명 ①천 년이나 되는 세월. 천재(千載). 천사(千祀). ②↗천추 만세(千秋萬歲)❷.

천-세계【千世界】명〖불교〗수미산(須彌山)을 중심으로 일월(日月)·사천하(四天下) 등에 의해 이루어진 것을 일세계(一世界)라 이르고, 그것을 1천 개 모아서 이루어진 세계를 소(小)천세계라 이름. 소천세계를 1천 개 모은 것이 중(中)천세계, 다시 그것을 천 개 모은 것을 대(大)천세계라 이름.

천세-나다 자 물건이 잘 쓰이어서 매우 귀하여지다. 굉장히 세나다.

천세-란【千歲蘭】명〖식〗산세비에리아❶.

천세-력【千歲曆】명 백중력(百中曆)·만세력(萬歲曆) 등의 총칭.

천세 일시【千歲一時】[—씨] 명 천재 일우(千載一遇).

천세-장【千世章】[—짱] 명〖악〗용비어천가(龍飛御天歌)의 끝장인 125장 첫째 절(節)의 이름.

천세-창【千歲瘡】명〖한의〗유주력(流注癧).

천세-후【千歲後】명 ↗천추 만세후.

천소[1]【天笑】명 여우별.

천:소[2]【淺小】명 얕고 작음. ——-하다 형여불

천:속【賤俗】명 ①비천한 풍속. ②천하고 속됨. 또, 그 모양. ——-하다 형여불

천손【天孫】명〖천〗직녀성(織女星).

천:솔【賤率】명 ①자기 첩(妾)의 일컬음. ②남에게 자기의 가족을 겸손하여 일컫는 말.

천수[1]【千手】명〖불교〗↗천수 관음(千手觀音).

천수[2]【天水】명 ↗천상수(天上水). ↔지수(地水).

천수[3]【天水】명〖지〗'텐수이'를 우리 음으로 읽은 이름.

천수[4]【天授】명 ①하늘에서 내려 줌. ②〖불교〗'제바달다(提婆達多)'의 역어(譯語). ——-하다 타여불

천수[5]【天授】명〖역〗고려 태조의 다년호(大年號). 즉위 원년 무인(戊寅)(918)으로부터 16년 계사(癸巳)(933)까지임.

천수[6]【天壽】명 타고난 수명(壽命). 천명(天命). 천년(天年). ¶ ~를 다 누리다.

천수[7]【天數】명 ①천명(天命)❶. ②천운(天運).

천수[8]【泉水】명 샘에서 나는 물. 샘물.

천:수[9]【淺水】명 ①얕은 물. ②밑바닥의 지형(地形)이 표면파(表面波)에 영향을 줄 정도로 낮은 물.

천:수[10]【踐修】명 닦으며 행함. ——-하다 타여불

천:수[11]【薦羞】명 제물(祭物). 제수(祭需).

천수-경[1]【千手經】명 ①〖불교〗〔↗천수 천안 관세음 보살 광대 원만 무애 대비심 다라니경(千手千眼觀世音菩薩廣大圓滿無礙大悲心陀羅尼經)〕경문(經文)의 하나. 당(唐)나라의 가범 달마(伽梵達磨)가 번역한 것으로, 천수 관음의 유래, 발원(發願)·공덕(功德) 등을 설하였음. 밀교(密敎)·선종(禪宗)에서 읽. 천수 다라니경(千手陀羅尼經). 이본(異本)이 수종(數種) 있음. ②〖책〗'대비심 다라니경(大悲心陀羅尼經)'·'신묘 장구 다라니(神妙章句陀羅尼)' 등을 합하여 한글로 옮긴 책. 조선 효종(孝宗) 9년(1658) 간행.

천-수경[2]【千壽慶】명〖사람〗조선 시대 후기의 시인. 자(字)는 군선(君善), 호는 송석원(松石園)·송석 도인(松石道人). 영양(穎陽) 사람. 가난한 집안 출신으로 시를 잘 지어, 옥류천(玉流泉) 근처의 소나무 바위 아래에 초라한 집을 짓고 동인(同人)을 모아 시를 읊어, 송석원 시사(松石園詩社)로 이름을 떨쳤음. [?-1818]

천수 관세음【千手觀世音】명〖불교〗천수 관음(千手觀音).

천수 관음【千手觀音】명〖불교〗관음 보살이 과거세(過去世)에 있어서 모든 중생을 구제하기 위하여 천의 손과 눈을 얻으려고 빌어서 이루어진 몸. 눈과 손은 그 자비로움과 구제(救濟)의 힘이 무량 무변(無量無邊)함을 나타내고 있음. 형상은 서거나 앉은 두 가지 모양인데, 일면 삼목(一面三目) 또는 11면 42의 큰 손을 갖추고, 각 손의 손바닥에 일안(一眼)을 가졌으며, 각각 물건을 쥐거나 인(印)을 맺음. 이 몸에 빌면 모든 원이 이루어진다 함. 천수 관세음(千手觀世音). 천수 천안 관세음 보살(千手千眼觀世音菩薩). 천수 천안 관자재 보살(千手千眼觀自在菩薩). ㊈천수(千手).

〈천수 관음〉

천수-국【天壽國】명 '극락(極樂)'의 이칭.

천수 농경【天水農耕】명 수리(水利)의 편리가 나빠서 오로지 빗물에만 의존하는 농업 경작.

천수 다라니【千手陀羅尼】명〖불교〗〔↗천수 천안 관자재 보살 광대 원만 무애 대비심 다라니(千手千眼觀自在菩薩廣大圓滿無礙大悲心陀羅尼)〕천수 관음의 공덕을 말한 82구(句)로 된 주문(呪文). '천수경(經)'에 있음. 이 주문을 외면 천수 관음의 공력(功力)으로 모든 악업(惡業)·중죄(重罪)가 소멸된다고 함. 천수 천안 대비심 다라니.

천수 다라니경【千手陀羅尼經】명〖불교〗천수경(千手經)❶.

천수-답【天水畓】명〖농〗천둥지기. ↔안전답(安全畓).

천수 대:비가【千手大悲歌】명〖문〗도천수 관음가(禱千手觀音歌).

천:수-만【淺水灣】명〖지〗충청 남도 서안(西岸)과 안면도(安眠島) 사이에 이루어진 좁고 기다란 만. 어업(漁業)이 성하고, 특히 김의 양식업으로 유명하며, 천일 제염도 행하여짐.

천수 만:한【千愁萬恨】명 이것저것 슬퍼하고 원망(怨望)함. 또, 그 슬픔과 한(恨).

천수-법【千手法】[—뻡] 명〖불교〗천수 관음(千手觀音)을 본존(本尊)으로 하여, 방제(防災)·안산(安產)을 기원하는 수법(修法).

천-수석【泉水石】명〖문〗작자·창작 연대 미상(未詳)의 고전 소설(古典小說)의 하나. 국문본(國文本). 배경은 중국 당(唐)나라 말기. 주인공 보형과 설 소저(薛小姐)·이 소저(李小姐)와의 연애담과 간신(奸臣)들의 음모에 대한 이야기임.

천수 신:앙【泉水信仰】명 샘이나 우물을 신성시하고 거기에 주술적(呪術的)인 힘이 있는 것으로 여기어, 그것에 종교적인 믿음을 바치는 행위.

천수 천안 관세음 보살【千手千眼觀世音菩薩】명〖불교〗천수 관음(千手觀音).

천수 천안 관자재 보살【千手千眼觀自在菩薩】명〖불교〗천수 관음(千手觀音).

천수 천안 대:비심 다라니【千手千眼大悲心陀羅尼】명〖불교〗천수 다라니(千手陀羅尼).

천수-통【千手桶】명〖불교〗절에서 중이 밥을 먹은 뒤에 발우(鉢盂)를 씻은 물을 거두는 동이.

천:수-파【淺水波】명 파장(波長)보다 훨씬 짧은, 곧 낮은 물 속에서 일어나는 진행 중력파(進行重力波).

천승[1]【千乘】명〔승(乘)은 병거(兵車)를 세는 단위. 주(周)나라 때의 군제(軍制)에 천자는 만승(萬乘)을, 큰 나라의 제후(諸侯)는 천승(千乘)을 내도록 되어 있었음〕천(千)의 병거(兵車), 곧 큰 나라의 제후(諸侯). ＊천승지국(千乘之國).

천승[2]【千僧】명 천의 중. 많은 중.

천승-공【千僧供】명〖불교〗↗천승 공양.

천승 공:양【千僧供養】명〖불교〗천승을 불러 재(齋)를 베풀어서 행하는 공양. 무량(無量)의 공덕(功德)이 있다고 함. ㊈천승공(千僧供).

천승 독경【千僧讀經】명〖불교〗천승을 청하여 독경하도록 하는 일. ——-하다 타여불

천승지-국【千乘之國】명 큰 제후(諸侯)의 나라를 일컫는 말. ㊈천승. ＊만승지국(萬乘之國).

천시[1]【天時】명 ①하늘의 도움이 있는 시기. ¶ ~를 기다리다. ②주야(晝夜)·계절(季節)·한서(寒暑) 등과 같이 때를 따라서 돌아가는 자연(自然)의 현상.

천:시[2]【賤視】명 업신여겨 봄. 천하게 여김. ——-하다 타여불

천 시렌〔陳錫聯〕명〖사람〗중국의 군인·정치가. 항일전(抗日戰) 중에는 류 보청(劉伯承) 휘하의 연대장을 지냈으며 이후 선양(瀋陽) 군구(軍區) 사령관·베이징 지구 사령관을 거쳐 1975 년 부수상 겸 당 정치국원이 됨. 1980 년 실각(失脚)되었다가 82 년에는 당 고문 위원회 상무위원이 되었음. [1913-]

천:식[1]【淺識】명 얕은 지식. 좁은 식견(識見).

천:식[2]【喘息】명〖의〗발작적으로 호흡이 곤란한 병. 기관지성·심장성·신경성·요독성(尿毒性) 천식 등의 구별이 있음. 폐창(肺脹). ＊기관지 천식(氣管支喘息).

천:식[3]【賤息】명 남에 대하여 자기 자식을 일컫는 말.

천:식성 양:진【喘息性痒疹】명〖의〗아토피성 피부염.

천:식-증【喘息症】명 천식의 증세.

천신[1]【天神】명 ①하늘의 신령. ②〖역〗하늘의 풍운 뇌우(風雲雷雨)와 산천 성황(山川城隍)을 가리키는 말. 중춘(仲春)과 중추(仲秋)에 날을 받아 제향(祭享)을 지냄. ③'천사(天使)'를 천주교에서 이르던 말.

천:신[2]【薦紳】명 관위(官位)가 있는 사람. 지체가 높은 사람.

천:신[3]【薦新】명 ①새로 나는 물건을 먼저 신위(神位)에 올리는 일. ②〖민〗가을이나 봄에 신에게 하는 굿. ——-하다 타여불

천:신[4]【賤臣】인대 임금에게 신하가 자기를 일컫는 말.

천신동-산【天神洞山】명〖지〗함경 남도 장진군(長津郡) 동면(東面)에 있는 산. [1,466 m]

천신 만:고【千辛萬苦】명 온갖 신고. 또 그것을 겪음. ¶～ 끝에 겨우 얻은 성공. ——-하다 자여불

천신 지기【天神地祇】명 천신과 지기(地祇). 황천 후토(皇天后土). 준신기(神祇).

천심[1]【千尋】명〔심(尋)은 길이의 단위(單位)〕 매우 높거나 깊은 것을 이르는 말.

천심[2]【天心】명 ①하늘의 한가운데. ②천의(天意)❶. ¶민심은 곧 ～. ③〖불교〗하늘 마음.

천:심[3]【淺深】명 얕음과 깊음.

천아【天鵝】명〖조〗백조(白鳥)❶.

천아-성【天鵝聲】명 ①변사(變事)가 있을 때에 군사를 모으는 데 부는 나발(喇叭) 소리. ②임금이 대궐을 나설 때 부는 대평소(大平簫) 소리. ＊나발(喇叭).

천아-아【天鵝兒】명〖조〗백조(白鳥)❶.

천아-융【天鵝絨】명 우단(羽緞).

천아-조【天鵝鳥】명〖조〗백조(白鳥)❶.

천아 주인【天鵝主人】명〖역〗나라의 제향(祭享)에 쓸 고니를 공물(貢物)로 바치던 사람.

천아-포【天鵝浦】명〖지〗강원도 통천군(通川郡) 흡곡면(歙谷面)에 있는 호수(湖水). [3.19km²]

천악【天樂】명 ①〖대종교〗한풍류. ②〖불교〗천인들의 음악.

천안[1]【天安】명〖지〗충청남도의 한 시(市). 2 읍(邑) 10 면(面) 14 동(洞). 충청 남도 북동부에 있음. 동쪽은 충청 북도 진천군(鎭川郡)과 청원군(清原郡), 서쪽은 아산시(牙山市), 남쪽은 공주시(公州市)와 연기군(燕岐郡), 북쪽은 경기도의 안성시(安城市)와 평택시(平澤市)에 접함. 특산물로 직산(稷山)의 사금(砂金)과 성환(成歡)의 참외, 천안(天安)의 호두가 유명하며, 성환 목장이 있어 축산업도 성함. 호두 과자는 천안의 명과임. 명승 고적으로는 왕자산(王字山)·선화루(宣化樓)·회고정(懷古亭)·독립 기념관·유관순 열사 추모각 등이 있음. 1963년 천안읍이 시(市)로 승격하고, 1995년 5월, 천안군을 통합, 개편됨. [636.49 km²: 333,372 명(1996)]

천안[2]【天眼】명〖불교〗오안(五眼)의 하나. 원근(遠近)·전후·내외·주야·상하를 자재로 볼 수 있는 눈.

천안[3]【天顔】명 임금의 얼굴. 성안(聖顔). 옥안(玉顔). 용안(龍顔).

천안-군【天安郡】명〖지〗충청 남도에 속했던 군. 1963년 천원군(天原郡)으로 개칭되었다가 1991년에 다시 천안군으로 되었으나, 1995년 5월 천안시에 통합됨.

천안-문【天安門】명〖지〗톈안먼.

천안 삼거리【天安三—】명〖악〗충청도 민요의 하나. 사설의 끝 구절마다 '흥' 소리를 넣기 때문에 흥타령(打令)이라고도 함.

천안-통【天眼通】명〖불교〗〔↗천안 지증통(天眼智證通)〕 육신통(六神通)의 하나. 천안(天眼)을 얻어 욕계(慾界)·색계(色界)를 자유 자재로 볼 수 있는 신통력(神通力). ＊천이통(天耳通).

천암 만:학【千岩萬壑】명〔많은 바위와 골짜기의 뜻〕 깊은 산 속의 경치.

천앙【天殃】명 하늘에서 내리는 앙화(殃禍). 천구(天咎).

천애【天涯】명 ①하늘 끝. ②아득히 떨어진 타향(他鄕). ¶～의 고아(孤兒)가 되다.

천애 이:역【天涯異域】명 머나먼 타국.

천애 지각【天涯地角】명〔하늘의 끝과 땅의 한 귀퉁이의 뜻〕 아주 먼 곳을 이르거나 또는 아득하게 멀리 떨어져 있음을 이름.

천:앵【遷鶯】명 천교(遷喬).

천야만:야-하다【千耶萬耶—】형여불 썩 높거나 깊어서 천 길이나 만 길이 되는 듯하다. ¶천야만야한 골짜기/천야만야한 절벽에서 떨어지려던 찰나에….

천:약【踐約】명 약속을 이행함. ——-하다 자여불

천양[1]【天壤】명 ①하늘과 땅. 소양(霄壤). 하늘 땅. ¶～지차. ②높은 하늘과 큰 땅덩이의 뜻.

천양[2]【泉壤】명 구천(九泉).

천:양[3]【闡揚】명 드러내 밝혀서 널리 퍼지게 함. ——-하다 타여불

천양 무궁【天壤無窮】명 하늘과 땅처럼 무궁함. 천지와 함께 영구히 끝이 없음. 천지 무궁(天地無窮). ——-하다 형여불

천양지-간【天壤之間】명 ①천지간(天地間). ②차이가 대단히 심한 사이. 소양지간(霄壤之間).

천양지-차【天壤之差】명 하늘과 땅 사이와 같이 엄청난 차이. 소양지차(霄壤之差). 운니지차(雲泥之差).

천양지-판【天壤之判】명 소양지판(霄壤之判). ¶이때까지 냉정하던 태도와는 ～이었다《朴榮濬 : 靑春病室》.

천어[1]【川魚】명 냇물에서 사는 물고기.

천어[2]【天語】명 임금의 말씀. 천륜(天綸).

천:언【踐言】명 말한 대로 이행함. ——-하다 자여불

천언 만:어【千言萬語】명 수없이 많은 말.

천언-사【天彦寺】명〖지〗천은사(泉隱寺).

천업[1]【天業】명 천자(天子)가 천하를 다스리는 일. 제왕의 사업.

천:업[2]【賤業】명 천한 직업 또는 영업.

천여【天與】명 하늘이 줌. ——-하다 타여불

천:역[1]【舛逆】명 서로 뒤집혀 어긋남.

천:역[2]【賤役】명 천한 노동. 비천한 일.

천:역[3]【遷易】명 변천함. 천개(遷改). ——-하다 자여불

천연[1]【天然】㊀명 ①사람의 힘을 가하지 아니한 상태. 천지 자연(天地自然). ¶～의 자원. ②사람의 힘으로 움직이거나 변화시킬 수 없는 상태. 진(眞). ¶～의 힘. ㊁부 아주 흡사히. 꼭. ¶웃는 것까지 ～ 제 아비로군. ——-하다 형여불 ①생긴 대로 조작(操作)이나 거짓이 없이 자연스럽다. ¶～하게 앉아 있다. ②아주 흡사(恰似)하다. 꼭 닮아 있다. ——-히 부 천연하게. ¶석고로 빚어진 듯한 움직이지 않고 ～히 앉은 보비의 싸늘한 자태는 오히려 제왕 연산을 위협하는 듯 찬 기운이 사르르 방안에 도는 듯하다《朴鍾和 : 錦衫의 피》.

천연[2]【天淵】명 ①하늘과 못. 전(轉)하여, 위와 아래. ②대단히 현격(懸隔)함. 현격한 차이가 짐.

천연[3]【天緣】명 하늘이 맺어 준 인연. 자연히 정해져 있는 인연.

천:연[4]【遷延】명 시일을 미루어 감. 시일을 끎. 지체(遲滯)함. 천취(遷就). ——-하다 타여불

천:연[5]【囅然】부 크게 웃는 모양.

천연 가솔린【天然—】명〔natural gasoline〕 유정(油井)에서 나오는 가스에 함유된 고급(高級) 탄화 수소(水素)를 분리·채취한 가솔린. 엔지엘(NGL).

천연 가솔린 플랜트【天然—】명〔natural-gasoline plant〕〖화〗천연 가스에서 천연 가솔린이나 부탄(butane)·중질(重質) 성분을 제거하기 위하여 압축·증류·흡습법을 이용하는 공업 설비.

천연 가스【天然—】명〔natural gas〕 천연으로 지하(地下)에서 나는 가스의 총칭. 일반적으로 탄화 수소를 주성분으로 하는 가연성(可燃性) 가스를 말함. 메탄 가스·에탄 가스 등. 주로 유전(油田) 지대·탄전(炭田) 지대에서 나며, 메틸 알코올·암모니아 등의 화학 공업용 원료나 공장 연료(工場燃料)·도시(都市) 가스로 사용함. 자연(自然) 가스.

천연 견사【天然絹絲】명 '인조(人造) 견사'에 대하여 '명주실'을 일컫는 말.

천연 경:신【天然更新】명 천연 조림(造林).

천연 고무【天然—】〔프 gomme〕명 고무나무에서 산출되는 탄성(彈性)이 풍부한 천연 물질. 생고무. ↔합성(合成) 고무.

천연 고분자 화:합물【天然高分子化合物】명〖화〗인공을 가하지 않고 자연계에 형성된 고분자 물질. 셀룰로오스·녹말·단백질·고무 따위가 이에 속하고 식물·동물 등의 생명(生命) 현상(現象)에 의해 형성됨. ↔합성 고분자 화합물.

천연 과:실【天然果實】명〖법〗원물(元物)로부터 자연적으로 산출되고 수취(收取)되는 수익물(收益物). 벼·우유·광물(鑛物) 같은 것. ↔법정 과실(法定果實).

천연-교【天然橋】명〔natural arch, natural bridge〕〖지〗지하수, 호해(湖海)의 파도, 하류(河流) 따위의 침식(浸蝕) 또는 용암(熔岩) 따위에 의하여 천연적으로 생성된 다리 모양의 암석.

천연 금속【天然金屬】명〔native metal〕〖광〗천연의 금속 원소. 은·금·구리·철·수은·이리듐·백금 따위를 포함함.

천연 기념물【天然記念物】명 학술상·역사상 가치가 큰 동식물·동굴·광물 등의 천연물과 그것이 있는 지역으로, 문화 관광부 장관이 문화재(文化財) 위원회의 자문을 거쳐 법률로 그 보호·보존을 지정한 것. 동물의 진돗개, 새의 고니·크낙새, 곤충의 장수하늘소, 식물의 백송·미선나무, 강원도 삼척시(三陟市) 도계읍(道溪邑) 대이리(大耳里)의 동굴, 전라 북도 무주군(茂朱郡) 무주읍 오산리(吾山里)의 구상 화강 편마암(球狀花崗片麻岩) 따위.

천연덕-스럽다【天然—】형ㅂ불 〈속〉 천연스럽다. **천연덕-스레**【天然—】부

천연-두【天然痘】명〔smallpox, variola〕〖의〗급성 전염병의 하나. 여과성(濾過性) 비루스(Virus)를 병원체로 하여, 접촉 또는 공기로 전염되는데, 갑자기 높은 열을 내며 온몸에 발진이 나서 나은 뒤에도 자리가 남으며, 얼굴이 얽게 되는 병. 종두(種痘)로 완전히 예방할 수 있음. 근래에 와서는 발병(發病)하는 사람이 없어 법정 전염병에서도 제외되었음. 두병(痘病). 두창(痘瘡). 포창(疱瘡). 역신(疫神). 역질(疫疾). 역환(疫患). 천행두(天行痘). 호역(戶疫). 손님 마마(媽媽).

천연-람【天然藍】[—남] 명 쪽 잎으로 만든 남색 물감.

천연-론【天演論】[—논] 명〖책〗중국 청(淸)나라 말기의 역서(譯書). 헉슬리(Huxley, T.)의 《진화와 윤리(1893)》를 1896년 엄복(嚴復)이 번역한 것. 중국의 식민지화(植民地化)와 망국(亡國)의 위기감(危機感)을 날카롭게 반영하고 있음.

천연-림【天然林】[—님] 명 천연(天然)으로 이루어진 삼림(森林). ↔인공림(人工林)·시업림(施業林).

천연-물【天然物】명 사람의 힘을 가하지 아니한 천연 그대로의 물건. 자연물(自然物).

천연 물감【天然—】[—깜] 명 천연의 동식물체·광물에서 얻어지는 물감. 동물성 물감·식물성 물감·광물성 물감으로 나뉨. 천연 염료. ↔인조 물감. ＊광물성 염료·동물성 염료·식물성 염료.

천연물 숭배【天然物崇拜】명 자연 숭배(自然崇拜).

천연물 화:학【天然物化學】명〖화〗천연적으로 나는 물질, 특히 유기물(有機物)에 관한 화학.

천연-미【天然美】명 자연미(自然美).

천연 방:사능【天然放射能】명〖화〗우라늄·라듐·라돈(radon) 등과 같이 천연적으로 존재하는 핵종(核種)이 자연 붕괴(崩壞)에 의하여 방사선을 방출하는 성질.

천연 방:사성 원소【天然放射性元素】[—썽—] 명〖화〗천연 방사성 핵종(核種)을 동위체(同位體)로 함유하는 원소. 칼륨·라듐·우라늄 따위.

천연 방:사성 핵종【天然放射性核種】[—썽—] 명〔natural radionuclide〕〖화〗자연 그대로의 방사능(放射能)이 있는 핵종. 보통 토륨(thorium) 계열, 우라늄 계열, 악티늄(actinium) 계열로 분류됨. ＊방사성

핵종(核種).

천연 백색【天然白色】명 백색에 붉은 기운을 보충한 빛. 조명(照明)에서 쓰는 말. *주광색(晝光色)·온백색(溫白色).

천연 비:료【天然肥料】명〖농〗인공의 화학적 조작(操作)을 거치지 않고 사람이나 가축의 똥·오줌·퇴비 등으로 얻어지는 비료. ↔인조 비료·화학 비료.

천연-빙【天然氷】명 기온이 어는점(點) 이하가 되어 물이 저절로 얼어서 된 얼음. ↔인조빙(人造氷).

천연-색【天然色】명 만물이 자연히 가지고 있는 빛깔.

천연색 사진【天然色寫眞】명〔natural colour photography〕피사체(被寫體)가 갖는 자연의 색채를 천연색에 가까운 색채로 나타내는 사진. 직접으로 양화(陽畫) 필름을 슬라이드(slide)로 투시·확대하는 것과 음화 필름을 내어 인화지에 밀착시켜서 양화를 얻는 두 가지가 있음. 원색(原色) 사진. *천연색 영화. ↔흑백(黑白) 사진.

천연 색소【天然色素】명 ①〖생〗동식물의 생체(生體) 속에 함유되어 있는 색소. 생체 색소(生體色素). ②타르계(系) 따위 합성(合成) 색소에 대해, 동식물에서 제조하는 색소. 합성 색소가 사용 규제나 소비자의 불안감 때문에 사용이 어렵게 되자 근래 식품 메이커들이 많이 사용함. 1)·2):↔인공 색소(人工色素)·합성 색소.

천연색 영화【天然色映畫】[—녕—] 명〔technicolor〕〖연〗천연색에 가까운 색채(色彩)를 영화 화면(畫面)에 나타내는 영화. 색채 영화(色彩映畫). ↔흑백 영화. *천연색 사진.

천연색 텔레비전【天然色—】〔television〕명 컬러 텔레비전.

천연색 필름【天然色—】〔film〕명 컬러 필름.

천연-석【天然石】명 천연으로 된 돌. 자연석. ↔인조석.

천연 섬유【天然纖維】명〔natural fiber〕방직(紡織) 섬유 중에서 솜·삼껍질·명주실·털 같은 천연물의 세포로 되어 있는 섬유. ↔인조(人造) 섬유❶.

천:연성 통:각【遷延性痛覺】[—썽—] 명 바늘로 찔러서 아픔을 느낄 때까지 시간(時間)이 걸리는 통각 이상(痛覺異常)의 하나. *중복 지각(重複知覺).

천:연 세:월【遷延歲月】명 일을 끝내지 아니하고 자꾸 밀어감. ——-하다 자여불

천연 소:다【天然】〔soda〕명 천연적으로 존재하는 탄산(炭酸) 소다. 광상(鑛床) 또는 염수(塩水)로서 존재하는데, 물에 잘 녹기 때문에 이집트·동부 아프리카·중국·인도·북아메리카 서부·멕시코 등지의 사막 지방에만 있음.

천연 수지【天然樹脂】명 식물체에서 생산되는 수지. 비휘발성(非揮發性)이고 무정형(無定形)이며 물에 녹지 않으나, 많은 유기 용제(有機溶劑)에는 녹고 가열하면 연화(軟化)하는 물질임. 도료(塗料)·사이즈제(size劑)·의약품 등에 쓰임. ↔합성(合成) 수지.

천연 숭배【天然崇拜】명 자연 숭배.

천연-스럽다【天然—】형ㅂ불 거짓이 없이 천연한 태도가 있다. ¶천연스럽게 거짓말을 한다. 천연-스레【天然—】부

천연 신화【天然神話】명〖신〗자연 신화(自然神話).

천연 아스팔트【天然—】명〔natural asphalt〕〖지〗천연으로 산출(産出)되는 액체 상태 또는 반(半) 액체 상태의 아스팔트 삼출물(滲出物)이나 누출물(漏出物). *석유 아스팔트.

천연 염:료【天然染料】[—념—] 명 천연 물감.

천연 영양【天然營養】[—녕—] 명〖생〗인공 영양에 대해서 모유(母乳)에서 섭취하는 영양을 일컫는 말.

천연 우라늄【天然—】명〔native uranium〕천연의 우라늄 광석을 정련(精鍊)하여 얻은 금속(金屬) 우라늄. 238을 주로 하여 우라늄 235(0.719 %) 및 234(0.0052 %)를 함유함. ↔농축(濃縮) 우라늄.

천연 유:기 화:합물【天然有機化合物】명〖화〗천연적으로 생성(生成)된 유기 화합물. 주로 동식물체(動植物體)의 성분으로 생성되나 이의 변성(變成) 작용으로 이루어진 것으로 생각되는 석탄·석유도 포함함. 화산 가스(火山 gas) 속의 메탄은 무기적(無機的) 반응으로 생성되었으나 이 부류에 속함.

천연 유리【天然琉璃】[—뉴—] 명〔natural glass〕〖지〗마그마(magma)의 과도(過度)한 급속 고화(急速固化)로 인하여 생성된 유리질(質)의 비(非)결정성 무기(無機) 물질.

천연-육【天然育】[—뉵] 명〖농〗누에를 치는 데, 인공으로 온도·습도 등을 조절하지 않고 자연의 기후에 맡기어 기르는 일.

천연 자석【天然磁石】명〔loadstone〕〖물〗전자석(電磁石)에 대하여 천연으로 자기(磁氣)를 띠고 있는 자성 산화철(磁性酸化鐵) 또는 자철광(磁鐵鑛)의 자석의 일컬음. 극성(極性)을 지니며 철분(鐵分)을 흡수(吸收)함.

천연 자:원【天然資源】명 천연적으로 존재하여 인간 생활이나 생산 활동에 이용할 수 있는 물자나 에너지의 총칭. 토지·물·매장 광물·삼림·수산물·관광(觀光) 자원으로서의 풍경(風景) 따위.

천연-적【天然的】명관 사람의 손이 미치지 않고 그대로 있는 모양. 자연적(自然的). ↔인위적.

천연 조:림【天然造林】명 부근에 있는 나무로부터 천연적으로 떨어진 종자에 의하여 발생한 어린 나무를 보호 양육하여 산림을 만드는 방법. 천연 경신. ↔인공 조림.

천연 주광색【天然晝光色】명 주광색에 약간 붉은 기운을 보충한 빛. 조명(照明)에서 쓰는 말. *주광색(晝光色).

천연 코:크스【天然—】〔cokes〕명 지열(地熱) 등으로 인하여 천연적으로 코크스화(化)한 석탄. 선탄(煽炭).

천연-토【天然土】명 비료 따위를 주지 않은 천연 그대로의 토양.

천연 피혁【天然皮革】명〔natural leather〕보통 동물의 생피(生皮)를 무두질한 가죽을 이름. 생피는 소에서 채취(採取)되는 것이 대부분이나 말·양(羊)·산양(山羊)에서도 채취함. 같은 동물의 가죽이라도 그 부위(部位), 년령(年齡)에 따라 품질에 우열(優劣)이 있음.

천연 합성 고무【天然合成—】〔프 gomme〕명〖화〗천연의 고무와 같은 조성(組成)을 가진, 폴리이소프렌(polyisoprene)의 합성으로 된 고무. 상품명은 아메리폴(Ameripole).

천연 해탄【天然骸炭】명〖광〗선석(煽石).

천연 향료【天然香料】[—뇨] 명 장미·오렌지·장뇌(樟腦)·사향노루·향유고래 등 동식물 정유(精油)로부터 추출·정제한 향료. ↔합성 향료.

천:열[1]【淺裂】명 식물의 잎의 형상(形狀)을 나타내는 용어. 잎 가의 톱니 형이 얕은 것.

천:열[2]【賤劣】명 인품이 낮고 용렬함. ——-하다 형여불

천염【泉塩】명 광천(鑛泉)에서 채집하여 쪄 낸 염류(塩類).

천엽【千葉】명 ①〖식〗여러 겹으로 된 꽃잎. 복엽(複葉). 복판(複瓣). ②〖생〗처녑.

천엽-철쭉【千葉—】명〖식〗겹산철쭉.

천엽-해당화【千葉海棠花】명〖식〗겹해당화.

천엽-화【千葉花】명〖식〗겹꽃[1].

천:예【薦譽】명 인재를 칭찬하여 추천함. ——-하다 타여불

천오[1]【川烏】명〖한의〗↗천오두(川烏頭).

천:오[2]【舛誤】명 어그러져서 그릇됨.

천-오두【川烏頭】명〖한의〗중국 쓰촨 성(四川省)에서 나는 오두의 처음 난 원뿌리. 성질은 부자(附子)와 비슷하나 조금 약한 편임. 오훼(烏喙). 회오(淮烏). 준오두(烏頭)·천오(川烏).

천옥【天獄】명 ①별의 이름. 살벌(殺伐)을 맡는다 함. ②험악한 지형. ③〖불〗안락의 세계인 천상계와 고난의 세계인 지옥.

천:와[1]【舛訛】명 글자나 말의 잘못.

천:와[2]【遷訛】명 변천함. ——-하다 자여불

천왕【天王】명 ①〖불교〗욕계(欲界)·색계(色界) 등 온갖 하늘의 임금. ②〖민〗무당의 굿의 한 가지. ③중국에서 천자(天子)의 일컬음.

천왕-문【天王門】명〖불교〗절의 입구(入口)에 있는, 사천왕(四天王)을 모신 문.

천왕-봉【天王峰】명〖지〗지리산(智異山)의 최고봉. 산정(山頂)에는 거암(巨岩) 사이에 여러 종류의 고산 식물이 무성함. [1,915 m]

천왕-사【天王祠】명〖민〗천왕(天王)을 제사 지내는 사당(祠堂). 본이름은 대자재천왕지사(大自在天王之祠)라고 하여 충북 속리산(俗離山)에 있는데, 이 신(神)은 매년 시월 인일(寅日)에 법주사(法住寺)의 산중에 내려와서 사십 오 일 동안 머물렀다가 다시 하늘로 올라간다는 전설(傳說)이 있음.

천왕-성【天王星】명〖천〗태양계의 제7 행성(行星). 태양에서의 평균거리 28억 8,293만 km, 질량은 지구의 14.6배, 체적은 지구의 59배, 적도 반경은 24,800 km, 비중은 1.7, 자전 주기는 0.451일(日), 표면 온도는 섭씨 영하 180°이하이며, 1982년 현재 5개의 위성을 가진 것으로 알려짐. 주성분은 수소와 헬륨이고 표면은 언 메탄과 암모니아로 덮여 있는데, 약 84년에 태양을 한 바퀴 돎. 1977년 3월, 토성(土星)에서와 마찬가지로 다섯 개의 가느다란 고리와 같은 테로 둘러싸여 있음이 발견됨. 1781년에 처음 발견되었음.

천왕 여래【天王如來】명〖불〗불계(佛界) 육천(六天)의 최하천(最下天)의 왕. 악업(惡業)이 많은 제바달다(提婆達多)가 미래(未來)에 해오(解悟)하여 성불(成佛)한 이름.

천왕-지팡이【天王—】명 키가 퍽 큰 사람의 별명.

천외【天外】명 ①하늘의 바깥. 구애(九閡). ②썩 높거나 먼 곳.

천요 만:악【千妖萬惡】명 온갖 요망하고 악한 짓.

천우[1]【千憂】명 여러 근심. 많은 걱정.

천우[2]【天牛】명〖충〗하늘소.

천우[3]【天宇】명 하늘의 전체.

천우[4]【天佑·天祐】명 하늘의 도움. 신명의 가호.

천우 신조【天佑神助】명 하늘과 신령의 도움.

천우-위【千牛衛】명〖역〗①고려 때 이군 육위(二軍六衛)의 하나. 상장군(上將軍)과 대장군(大將軍)이 위(衛)를 통솔(統率)하고 두 영(領)의 군대가 있었음. 왕(王)의 시종(侍從)을 맡음. ②조선 시대 초기(初期)의 흥 친군(義興親軍)의 십위(十衛)의 하나. 상장군과 대장군이 위를 통솔하고 다섯 영의 군대가 있었는데, 태조(太祖) 4년(1395)에 호익 순위사(虎翼巡衛司)로 고쳤다가 문종(文宗) 원년(1451)에 오사(五司)가 성립되면서 혁파(革罷)되었음.

천운【天運】명 ①하늘이 정한 운수. 자연히 돌아오는 운수. 천수(天數). ¶~이 다하다. ②천체(天體)의 운행.

천-운석【天隕石】명〖천〗운석(隕石).

천웅【天雄】명〖한의〗오두(烏頭)의 홑뿌리. 독성(毒性)과 약의 효력이 부자보다 더함.

천원[1]【天元】명 ①만물이 생육하는 근본인 하늘. 만물 생육의 근본. ②천자(天子). 제왕(帝王). ③바둑판의 한복판에 있는 점. 배꼽점.

천원[2]【泉源】명 샘의 근원.

천원-군【天原郡】명〖지〗천안군(天安郡)의 구칭.

천원-술【天元術】명 13 세기경 중국에서 발달한 대수학(代數學). 미지수(未知數)를 포함하는 대수 방정식을 세워 산가지를 써서 풂으로써 많은 응용 문제를 취급했음. 주판의 보급으로 산가지의 사용이 쇠퇴함에 따라 없어졌음.

천원-자【天圓子】명〖식〗하눌타리.

천원-절【天元節】명〖역〗고려 선종(宣宗) 때 임금의 탄일(誕日)을 기

념한 명일. *천추절(千秋節).
천원-점【天元點】명 배꼽점².
천원 지방【天圓地方】명〔≪여씨 춘추(呂氏春秋)≫에 있는 말〕하늘은 둥글고 땅은 네모짐.
천위¹【天位】명 ①천자의 자리. ②하늘이 준 벼슬. 곧, 그 사람에게 가장 알맞은 벼슬.
천위²【天威】명 제왕(帝王)의 위엄.
천위³【天爲】명 하늘이 하는 바. 하늘의 작용. ↔인위(人爲).
천위안【陳遠】명〖지〗중국 구이저우 성(貴州省) 동부(東部)의 도시. 무수 항운(無水航運)의 종점으로, 물자의 집산(集散)이 성함. 중원동(中元洞)·향로애(香爐崖) 등의 명승이 있음. 진원.
천위-장【天爲章】[—짱] 명〖악〗용비어천가 32장의 이름.
천위 지척【天威咫尺】명 임금과 배우 가까운 곳. 제왕의 앞.
천 윈〔陳雲〕명〖사람〗중국의 정치가. 항일전(抗日戰) 중에는 당 조직 부장(組織部長), 제 2 차 대전 후에 부수상·국가 기본 건설 위원회 주임 등을 역임했으나 문화 혁명(文化革命) 때 실각함. 1975년에 재기(再起)하여 당 부주석이 되고, 이후 당 정치국 상무 위원·당 고문(顧問) 위원회 주임(主任)을 지냄. 진운. [1905-]
천유¹【天維】명 ①하늘이 내려앉지 않도록 네 귀를 지탱한다는 밧줄. ②하늘이 이루어지는 근본(根本).
천유²【天遊·天游】명 사물에 구애되지 않고 마음에 막힌 데 없이 자연 그대로 자유로운 일.
천:유³【擅有】명 마음대로 제 것을 만듦. ——-하다 타 여불
천:유⁴【賤儒】명 천한 유생(儒生). 쓸모없는 선비.
천:유⁵【闡幽】명 알리지 아니한 이치를 밝힘. ——-하다 자 여불
천윤【天胤】명 하느님 또는 천자(天子)의 계승자(繼承者). 천사(天嗣).
천은¹【天恩】명 ①하느님의 은혜. ②임금의 은덕. 성택(聖澤).
천은²【天銀】명 품질이 좋은 은. 순분(純分)이 백 퍼센트 들어 있는 은의 일컬음. 십성은(十成銀).
천은 난:고【天隱亂稿】명〖책〗조선 정조(正祖) 때의 문신, 천은(天隱) 조종현(趙宗鉉)의 자편(自編) 시문집. 발행 연대 미상. 이 중의 북정시(北征詩)는 북관(北關)의 풍속이 잘 묘사되어 있음. 1 책.
천은 망극【天恩罔極】명 임금의 은덕(恩德)이 한없이 두터움. ——-하다 형 여불
천은-사【泉隱寺】명〖불교〗전라 남도 구례군(求禮郡) 광의면(光義面)에 있는 절. 신라 흥덕왕(興德王) 3년(828) 범승(梵僧) 덕운 조사(德雲祖師)가 창건하고 헌강왕(憲康王) 원년(875) 지눌(知訥)이 증축하였는데, 임진 왜란 때에 소실되었다가, 조선 영조(英祖) 51년(1775)에 재건되었음. 터가 광대하고 극락전·주출판 불주자(鑄出版佛廚子) 등이 있음. 감로사(甘露寺).
천은-산【天恩山】명〖지〗함경 남도 풍산군(豐山郡)에 있는 산. 부전령(赴戰嶺) 산맥 중의 고산의 하나. [2,058 m]
천음【天陰】명 하늘이 흐려짐. ——-하다 자 여불
천:-음속【遷音速】명〔transonic speed〕〖물〗기류(氣流)와 물체와의 상대 속도(相對速度)가 음속에 가까우며, 그 물체 주위의 흐름 속에 음속 이상의 부분과 음속 이하의 부분이 공존(共存)하는 속도의 범위를 말함. 학문적으로는 음속의 0.8-1.4 배의 음역(音域)임.
천:음속 비행【遷音速飛行】명〔transonic flight〕음속에 가까운 속도로 비행하는 일. 어떠한 고도(高度)에서도 현저한 항력(抗力) 증대와 양력(揚力) 감소 및 모멘트의 돌연(突然) 변화가 생겨 기체(機體)에 이상 진동이 일어남.
천음 우:습【天陰雨濕】명 하늘이 흐리고 비가 내려서 축축하게 젖음. ——-하다 자 여불
천읍¹【天邑】명 ①하늘이 세운 나라. ②천하의 중앙 도시. 전(轉)하여, 수도(首都). 서울.
천읍²【天泣】명 구름이 없는 하늘에서 비나 눈이 오는 일.
천읍 지애【天泣地哀】명 하늘도 울고 땅도 슬퍼함. 천지(天地)가 다 슬퍼함.
천의¹[—/—이] 명〈방〉두루마기(황해).
천의²【天衣】[—/—이] 명 ①천자(天子)의 옷. ②천인(天人)의 옷. 선녀(仙女)가 입는 옷.
천의³【天意】[—/—이] 명 ①하느님의 뜻. 하늘의 뜻. 천심(天心). ②임금의 마음. 천심(天心). 천지(天旨).
천:의⁴【擅議】[—/—이] 명 제멋대로 의논하여 결정함. ——-하다 타 여불
천:의⁵【擅擬】[—/—이] 명〖역〗조선 시대 때, 이조 판서(吏曹判書)가 단독으로 문반(文班)의 관원을 추천하던 일. ——-하다 타 여불
천의 무봉【天衣無縫】[—/—이—] 명〔하늘의 직녀가 짜 입은 옷은 솔기가 없다는 뜻〕①시문(詩文) 등이 매우 자연스러워 조금도 꾸민 데가 없음을 이름. ②완전 무결하여 흠이 없음을 이름.
천의물-산【天宜勿山】[—싼/—이—싼] 명〖지〗함경 남도 장진군(長津郡) 서한면(西閑面)과 평안 북도 강계군(江界郡) 용림면(龍林面) 사이에 있는 산. [2,032 m]
천의-산【天衣山】[—/—이—] 명〖지〗함경 남도 함주군(咸州郡)에 있는 「산. [1,285 m]
천:의 소감【闡義昭鑑】[—/—이—] 명〖책〗조선 영조 때, 왕명으로 김재로(金在魯)·조명리(趙明履) 등이 왕세자 책봉의 의의를 밝혀 후세에 거울로 삼게 하고자 편찬한 책. 왕 31년(1755) 간행. 경종이 영조를 왕세자로 책봉한 데 대한 노소론(老少論)의 몇 차례의 분쟁 사건 등을 기록하였음. 4 권 3 책.
천의 소감 언:해【闡義昭鑑諺解】[—/—이—] 명〖책〗조선 영조(英祖) 때, ≪천의 소감≫을 국문으로 번역한 책. 왕 31년(1755) 간행. 5 권 5 책.
천:의-일【天宜日】명〖민〗생기법(生氣法)으로 본 길한 날의 하나.
천이¹【天耳】명〖불교〗①하늘의 귀. 하늘은 높은 곳에 있어도 하계(下界)의 일을 듣고 안다고 함. ②색계(色界)의 제천인(諸天人)이 소지하는 이근(耳根). 능히 육도 중생(六道衆生)의 언어와 모든 음향을 듣는다 함.
천 이²〔陳毅〕명〖사람〗중국의 군인·정치가. 1923 년 중국 공산당 입당. 신사군(新四軍) 제 1 지대(支隊) 사령, 제 3 야전군(野戰軍) 사령을 역임함. 또, 중화 인민 공화국 건국 후로는 상하이(上海) 시장·국방 위원회 부주석(副主席)·국무원(國務院) 부총리·외교부 부장 등을 역임함. [1901-72]
천:이³【賤易】명 천하게 보고 업신여김.
천:이⁴【遷移】명 ①옮기어 바뀜. ②〔succession〕〖생〗생태학(生態學) 용어. 생물의 군집(群集)이 시간의 추이(推移)에 따라 변천하여 가는 현상. 예컨대 초원(草原)이 삼림(森林)으로 되는 것과 같은 일. 생태 천이(生態遷移; ecological succession)라고도 함. ③〔transition〕〖물〗양자(量子) 역학에 있어서, 어떤 계(系)가 한 정상(定常) 상태에서 다른 정상 상태로 어떤 확률(確率)을 가지고 옮기는 일. ④〖화〗전이(轉移). ——-하다 자 여불
천:이-궁【遷移宮】명〖민〗십이궁(十二宮)의 하나.
천:이-도【遷移圖】명 수학(數學)에서, 사물의 상태가 변천하는 모양을 숫자로 나타내는 도식(圖式). 입력(入力)에 의해 상태를 바꾸는 기계, 우연에 지배되어 변화되어 가는 사물 따위의 연구에 쓰임.
천이백 대:중【千二百大衆】명〖불교〗석가모니의 제자 일천 이백 오십 인을 백 단위까지 잘라서 일컫는 말.
천-이어【川鯉魚】명〈방〉〖어〗쏘가리(경기).
천:이 원소【遷移元素】명〖화〗전이 원소(轉移元素).
천이-통【天耳通】명〔범 divyaśrotra〕〖불교〗〔↗천이 지증통(天耳智證通)〕오신통(五神通)의 하나. 세상의 모든 소리를 다 알아듣는 신통력(神通力). *타심통(他心通).
천익 명〖역〗철릭. 주의 '天益·天翼'으로 씀은 취음(取音).
천인¹【千仞】명〔천 길의 뜻〕산이나 바다가 몹시 높거나 깊음. ¶~ 절벽(絶壁).
천인²【天人】명 ①하늘과 사람. 우주(宇宙)와 인생. ②도(道)가 있는 사람. ③재질(才質)이나 용모가 비상하게 뛰어난 사람. ④썩 아름다운 여자. ⑤천상(天象)과 인사(人事). ⑥천리(天理)와 인욕(人慾). ⑦〖불교〗비천(飛天).
천:인³【賤人】명 신분이 천한 사람. 천한 일에 종사하는 사람. 특히, 노비(奴婢). ↔귀인(貴人)❷.
천:인⁴【遷人】명 천객(遷客).
천:인⁵【薦引】명 천진(薦進). ——-하다 타 여불
천인 갱참【千仞坑塹】명 천길이나 되게 깊고 긴 구덩이. ¶입에 침이 없이 칭찬하던 평양집을 ~에다 쓸어박아 정길이 정이 대번에 뚝 떨어지게 수작을 한다≪李海朝 : 鬢上雪≫.
천인 공:노【天人共怒】명〔하늘과 사람이 함께 노한다는 뜻에서〕누구나 분노할 만큼 증오스러움. 또, 도저히 용납할 수 없음의 비유. 신인(神人) 공노. 신인 공분(共憤). ¶~할 만행(蠻行).
천인-국【天人菊】명〖식〗[*Gaillardia pulchella*] 국화과에 속하는 일년초. 전체에 가늘고 짧은 털이 있고 줄기는 하부에서 가지가 많이 뻗어 높이 50 cm 가량 자람. 잎은 긴 타원형이며, 줄기 끝에서 지름 5 cm 가량의 황색 꽃이 핌. 북아메리카 원산이며 관상용(觀賞用)으로 널리 재배됨.
천인 단:애【千仞斷崖】명 천 길이나 되는 높은 낭떠러지. 천인 절벽(千仞絶壁).
천인-사【天人師】명〖불교〗여래 십대명호(如來十大名號)의 하나. 하늘과 인간(人間)의 모든 중생(衆生)의 스승이라는 뜻으로, 불타(佛陀)를 일컫는 말. *불세존(佛世尊)·조어 장부(調御丈夫).
천인 상관설【天人相關說】명 하늘과 사람, 곧 자연 현상과 인사(人事) 사이에 인과 관계가 존재한다고 주장하는, 중국 전국 시대(戰國時代)부터 한대(漢代)에까지 이른 사상. 또, 군주의 정치적 잘잘못이 자연계의 길흉(吉凶)을 초래한다는 설.
천인 오:쇠【天人五衰】명〖불교〗천인이 복락(福樂)을 다하여 죽으려 할 때에 나타나는 다섯 가지 쇠퇴의 모양. 곧, 몸에서 나던 광명(光明)이 흐려지고, 양겨드랑이에 땀이 나고, 몸에서 나쁜 냄새가 나며, 화만(華鬘)이 마르고, 제자리가 즐겁지 않게 되는 일.
천인 절벽【千仞絶壁】명 천인 단애(千仞斷崖).
천인 지의【天仁地義】[—/—이] 명 하늘의 인(仁)과 땅의 의(義). 하늘과 같이 인자하고 땅과 같이 올바름을 이르는 말.
천인 천자문【千人千字文】명 천 사람이 한 자씩 써서 이루어진 천자문 책. 흔히, 돌상(床)에 놓임.
천인 합일설【天人合一說】[—썰] 명 유교 철학에서 하늘과 사람을 합일체라고 하는 학설.
천일¹【天一】명 중국에서 일컫는 북극 자미궁(北極紫微宮) 옆에 있는 별 이름. 천제(天帝)를 돕고 전투(戰鬪)를 맡으며 사람의 길흉(吉凶)을 안다고 함.
천일²【天日】명 ①하늘과 해. ②하늘에 떠 있는 해. ③〖천도교〗천도교의 창건을 기념하는 날. 4월 5일로, 교조(敎祖) 최제우(崔濟愚)가 각도(覺道)한 날임.
천일-각【天一閣】명〖역〗중국 명(明)나라 때 사람 범흠(范欽)이 설치한 서고(書庫). 저장 성(浙江省) 인 현(鄞縣)에 있음. 각종의 진서(珍書)들을 모아 들여 장서(藏書)가 많은데, 계상(階上)에 천(天)의 이십 팔수(二十八宿)를 상징하는 28 의 주자(廚子) 속에 넣고 그 밑은 흡습성(吸濕性)의 돌을 깔아 서고(書庫) 보호에 각별히 애써 왔음.

천일-강【千日講】 명 〖불교〗 천 일 동안 법화경(法華經)을 독송(讀誦)·강설(講說)하는 법회.

천일 기도【千日祈禱】 명 천 일 동안 기도(祈禱)하며 수행(修行)하는 일. ——-하다 자여불

천일-담배풀【千日—】 명 〖식〗 [*Carpesium glossophyllum*] 국화과(科)에 속하는 다년초. 줄기의 높이 50cm 내외, 근엽(根葉)은 총생(叢生)하며 거의 도피침형이고, 경엽(莖葉)은 작은 피침형으로 호생함. 8월에 백록색의 두화(頭花)가 가지 끝에 정생하고, 과실은 수과(瘦果)임. 산지에 나는데, 제주·전남·강원·평북에 분포함.

〈천일담배풀〉

천일-사초【千日沙草】 명 〖식〗 [*Carex scabrifolia*] 방동사닛과에 속하는 다년초. 줄기는 삼릉주(三稜柱)로 총생하는데, 높이 30cm 가량, 잎은 가는 선형(線形)으로 길이 70cm 가량임. 소수(小穗)는 3-4 개인데, 위쪽의 1-3 개는 웅수(雄穗), 아래쪽의 2-3개는 자수(雌穗)이며, 달걀꼴의 긴 타원형으로 꽃은 5월에 피고 수과(瘦果)를 맺음. 해변이나 개울가 진흙 속에 나며, 한국 각지에 분포함.

〈천일사초〉

천일 야:화【千一夜話】 명 아라비안나이트.

천일-염【天日塩】[—렴] 명 바닷물을 햇볕에 증발시켜 만든 소금. 해수(海水)를 염전의 저수지(貯水池)·증발지(蒸發池)·결정지(結晶池)로 차례차례 옮겨, 태양열·풍력 따위로 수분을 증발·결정시켜 만듦.

천일 일수【千日日收】[—쑤] 명 천 날 동안에 나누어 받는 일수.

천일 제:염【天日製塩】 명 소금 제조법의 한 가지. 점토질(粘土質)로서 비교적 바닷물이 새지 않는 넓은 염전에 바닷물을 끌어 들여 햇볕과 바람으로 수분을 증발시켜 소금을 결정시키는 방법.

천일 제:염법【天日製塩法】[—뻡] 명 염전법(塩田法).

천일 조:림【天日照臨】 명 하늘과 해가 환히 내려다 본다는 뜻으로, 속일 수가 없음을 이르는 말. ——-하다 자여불

천일-주【千日酒】[—쭈] 명 빚어 넣은 지 1,000일 만에 먹는 술.

천일 증류【天日蒸溜】[—뉴] 명 [solar distillation] 〖화·공〗 태양열로 바닷물을 증류하여, 염화(塩化) 나트륨이나 다른 염(塩) 또는 음료수를 만드는 방법.

천일지-표【天日之表】 명 사해(四海)에 군림(君臨)할 인상(人相). 곧, 임금의 인상.

천일-초【千日草】 명 〖식〗 [*Gomphrena globosa*] 비름과에 속하는 일년초. 줄기 높이 80cm 가량으로, 곧게 서며, 거친 털이 있고 잎은 대생(對生)하는데 긴 타원형 또는 피침형(披針形)을 이룸. 7-10월에 자홍색·농자색·홍색 또는 백색의 화판(花瓣)이 없는 작은 꽃이 두상(頭狀) 화서로 피고, 열매에는 한 개씩 볼록씨가 들어 있음. 꽃이 피는 기간이 긴데서 이름 지었음. 열대 아프리카 원산(原産)으로 흔히 관상용(觀賞用)으로 정원(庭園)에 심으며, 건조화(乾燥花)로 이용됨. 천일홍(千日紅).

〈천일초〉

천일 행자【千日行者】 명 〖불교〗 천 일 동안을 한정하고 수행(修行)하는 사람.

천일-홍【千日紅】 명 〖식〗 천일초(千日草).

천:임【遷任】 명 전임(轉任). ——-하다 자여불

천:입【擅入】 명 난입(闌入). ——-하다 자여불

천:입 사행【穿入蛇行】 명 〖지〗 감입 곡류(嵌入曲流).

천자[1]【千字】 명 ①천 개의 글자. ②↗천자문.

천자[2]【天子】 명 하늘의 뜻을 받아 천하(天下)를 다스리는 자. 나라의 군주. 하느님의 아들이란 뜻. 천부(天父). 신의(宸儀). 황제(皇帝).

천자[3]【天姿】 명 타고 난 용모·맵시.

천자[4]【天資】 명 천품(天稟).

천:자[5]【穿刺】 명 [centesis] 〖의〗 몸의 일부에, 속이 빈 가는 침(針)을 찔러 넣어 체내의 체액 또는 조직을 뽑아 내는 일. 또, 약물의 주입(注入)에도 이용됨. ——-하다 타여불

천:자[6]【淺紫】 명 엷은 보라빛.

천:자[7]【賤子】 명 ①자기의 겸칭. ②미천한 남자.

천:자[8]【擅恣】 명 제 마음대로 하여 기탄없음. ¶명(命)을 거역하고 ~히 산지(山地)로 올라가매《구약 신명기 Ⅰ : 43》. ——-하다 형여불 ——-히 부

천 자경【陳嘉庚】 명 〖사람〗 중국 화교(華僑) 출신의 정치가. 푸젠성(福建省) 사람. 말레이시아에서 고무 재배에 성공한 남양(南洋) 화교의 거두. 쑨 원(孫文)을 지원하였으며, 아모이 대학 창설 등 교육 사업에도 공헌하였음. 내전중에는 장 제스(蔣介石)에게 반대하다가 1949년 귀국함. 후일, 중화 전국 귀국 화교 연합회 주석(中華全國歸國華僑聯合會主席) 등을 역임했음. 진가경. [1873-1961]

천자 뒤:풀이【千字—】 명 천자문에 있는 글자의 뜻을 풀어 운율에 맞추어 해석한 타령(打令).

천자-마【天子魔】 명 〖불교〗 천마(天魔).

천자 만:태【千姿萬態】 명 여러 가지 맵시와 많은 모양. 온갖 자태. ㈜만태(萬態).

천자 만:홍【千紫萬紅】 명 울긋불긋한 여러 가지 꽃의 빛깔. 또, 그 꽃. 만자 천홍(萬紫千紅). ¶~이 다투어 피다.

천자 무희언【天子無戲言】[—히—] 명 천자는 실없는 말이 없음. 곧, 말한 바는 반드시 실행되어야 함.

천자-문【千字文】 명 〖책〗 중국 양(梁)나라의 주흥사(周興嗣)가 지은 책. 사언 고시(四言古詩) 250 구로 되었는데 천지현황(天地玄黃)으로 시작하여 언재호야(焉哉乎也)로 끝남. 자연 현상에서부터 인륜 도덕에 이르는 백반의 기초 용어를 수록했고 동몽(童蒙)의 교양·습자(習字)에 이용됨. 많은 서가(書家)에 의해 필사(筆寫)되고 있으나, 한석봉(韓石峯)의 천자문과 지영(智永)의 진초(眞草) 천자문이 가장 유명함. ㈜천자(千字). ＊유합(類合)·훈몽자회(訓蒙字會).

[천자문도 못 읽고 인(印) 위조한다] 어리석고 무식한 주제에 남을 속이려 든다는 말.

천자 문생【天子門生】 명 임금의 제자라는 뜻으로, 장원 급제한 사람의 비유.

천:자 배:양【穿刺培養】 명 [stab culture] 〖생〗 시험관 속의 배지(培地)에 미생물이나 세균을 배양할 때 곧게 뻗친 백금선(白金線)의 끝에 균을 붙여 배지 속 깊이 꽂아서 배양하는 일. 혐기성(嫌氣性) 또는 조건적 혐기성 세균의 배양에 이용됨.

천자 불거【天子不擧】 명 나라에 큰일이 생긴 경우 천자가 성찬(盛饌)을 폐하는 일.

천:자 수모【賤者隨母】 명 〖역〗 고려·조선 시대 때, 노비(奴婢)는 모계(母系)의 혈연(血緣)을 좇는 원칙.

천자지-의【天子之義】 명 천자가 지켜야 할 길.

천자 총통【天字銃筒】 명 〖역〗 조선 시대의 중화기(重火器)의 하나. 화약을 사용하여 대장군전(大將軍箭)을 쏘면 1,200 보(步)까지 나가고, 무쇠 탄환(彈丸)을 쏘면 10여 리(里)를 간다고 함.

천자-풀이【千字—】 명 천자 뒤풀이.

천작[1]【天作】 명 사람의 힘을 가하지 아니하고 저절로 됨. 또, 그 사물(事物). ↔인작(人作).

천작[2]【天爵】 명 [하늘에서 받은 벼슬이라는 뜻] 남에게서 존경을 받을 만한 선천적인 덕행.

천:작[3]【淺酌】 명 조용히 알맞게 술을 마심. 술을 조금 마심. ——-하다 자여불

천작-쟁이 명 ☞천작쟁이.

천:작 저창【淺酌低唱】 명 알맞게 술을 마시어, 작은 소리로 노래를 부름. 저창 천작(低唱淺酌). ——-하다 자여불

천잠【天蠶】 명 〖충〗 참나무산누에나방의 유충. 몸길이 5cm 가량, 빛은 황록색인데 두툴두툴한 돌기(突起)가 많으며, 7cm정도의 성긴 털이 있음. 상수리나무·떡갈나무의 잎을 먹고 네 잠을 잔 뒤에, 아름다운 광택이 나는 품질이 좋은 황록색 고치를 지음. 풍잠(楓蠶).

천잠-나비【天蠶—】 명 〖충〗 참나무산누에나방.

천잠-사【天蠶絲】 명 야잠사(野蠶絲).

천잠-아【天蠶蛾】 명 〖충〗 참나무산누에나방.

천잠-직【天蠶織】 명 야잠사로 짠 직물.

천:잡【舛雜】 명 천박(舛駁). ——-하다 형여불

천장[1]【天仗】 명 임금의 의장(儀仗).

천장[2]【天障】 명 ①〖건〗 보꾹. ②반자의 겉면. 천정(天井). ③[peak] 〖경〗 주식 거래(株式去來)에서, 일정 기간 중에 시세(時勢)가 가장 오른 정점(頂點). ↔바닥.

천장[3]【天藏】 명 천연으로 묻혀 있는 일. ——-하다 자여불

천:장[4]【穿墻】 명 담에 구멍을 뚫음. ——-하다 자여불

천:장[5]【遷葬】 명 이장(移葬). ——-하다 타여불

천:장[6]【擅場】 명 ①그 자리에서 대적(對敵)할 사람이 없는 제1인자. ②중국 당(唐)나라 때 연회(宴會) 같은 데서 시를 일등으로 지은 사람.

천:장 관절【薦腸關節】 명 〖생〗 천골과 장골(腸骨) 사이에 있는 관절. 몸통과 다리와의 사이를 연결하는 것으로 가동성(可動性)이 적음.

천장 기중기【天障起重機】 명 [overhead-traveling crane] 교량(橋梁)과 비슷한 구조를 가지고 건물의 천장에 고정되어, 궤도(軌道)를 따라 바퀴를 움직여서 물건을 운반하는 기중기. 천정(天井) 크레인.

〈천장 기중기〉

천장-널【天障—】 명 〖건〗 천장에 대는 널빤지.

천장-돌【天障—】[—똘] 명 〖고고학〗 돌무덤에서, 벽의 위 쪽을 덮어 천장을 이루는 돌.

천:-장부【賤丈夫】 명 언행이 비루한 사내.

천장-자【天漿子】 명 ①〖충〗 꽝지벌레❶. ②〖한의〗 작옹(雀甕).

천장 지구【天長地久】 명 하늘과 땅은 영구히 변함이 없음.

천장 지비【天藏地祕】 명 파묻혀서 세상에 드러나지 아니함.

천장-틀【天障—】 명 〖건〗 천장널을 끼우는, '井'자 모양의 틀.

천장-화【天障畫】 명 천장에 그린 그림.

천재[1]【千載】 명 천세(千歲)❶.

천재[2]【天才】 명 선천적으로 타고난 뛰어난 재주. 천부(天賦)의 재능. 또, 그러한 재능을 가진 사람.

천재[3]【天災】 명 자연의 변화로 일어나는 재앙. 큰 바람·홍수·지진 같은 것. 자연 재해(自然災害). ¶~ 지변.

천재[4]【天財】 명 천연(天然)의 재물. 또, 천하(天下)의 재물.

천재[5]【天裁】 명 천자의 재결(裁決). 칙재(勅裁). ——-하다 타여불

천:재[6]【淺才】 명 ①얕은 재주. ②자기의 재능(才能)을 낮추어 이르는 말.

천재 교:육【天才教育】 명 〖교〗 천재아의 재능의 발달·조장(助長)을 목적으로 하는 특수 교육.

천재-말【天才—】 명 훈련을 받지 아니하고도 잘 달리는 말.

천재-아【天才兒】 명 천재적 재능을 가진 아동. ↔저능아(低能兒). ＊문제아(問題兒).

천재 일시【千載一時】[—씨] 명 천재 일우(千載一遇).

천재 일우【千載一遇】 명 좀처럼 만나기 어려운 기회. 천재 일시(千載一時). ¶~의 기회.

천재-적【天才的】명관 천재와 같은 재주를 가지고 있는 모양. ¶ ~ 피아니스트.

천재 지변【天災地變】명 천재와 지변. 천지 재변(天地災變). ¶ ~은 불가항력(不可抗力).

천저【天底】명〖천〗천정(天頂)과 정반대의 점(點). 곧, 관측자(觀測者)가 서 있는 점. 천저점(天底點).

천저-점【天底點】[-쩜] 명〖천〗천저(天底).

천적¹【天敵】명〖생〗먹이 연쇄(連鎖)에서, 어떤 생물이 다른 생물을 잡아먹을 때, 잡히어 먹는 생물에 대해서 잡아먹는 생물을 말함. 주로 해충(害蟲)을 공격하는 생물을 일컫는데, 들쥐에 대한 뱀, 배추흰나비에 대한 나비살이고치벌, 진딧물에 대한 무당벌레 등이 그 예(例)임. 농작물(農作物)·산림(山林) 등의 방충(防蟲)을 위해 천적을 이용하는 수가 있음.

천:적²【遷謫·遷讁】명 죄에 의하여 관위(官位)를 내리고 외진 곳으로 쫓아 보냄. 좌천(左遷). **——-하다** 타여불

천적 농약【天敵農藥】명 생물(生物) 농약.

천전¹【天殿】명〖종〗대종교(大倧敎)의 본사(本司)나 시교당(施敎堂) 안의 단군(檀君)의 상(像)을 모신 곳. 1917년 천진전(天眞殿)을 이 이름으로 고침.

천:전²【遷轉】명 벼슬 자리를 옮김. **——-하다** 타여불

천점【天占】명 하늘에 나타나는 길흉의 조짐.

천정¹【天丁】명〖한의〗①조협자(皂莢子). ②조협자(皂莢刺).

천정²【天井】명〖건〗☞ 천장.

천정³【天廷】명 ①천제(天帝)의 궁정(宮廷). 삼태성(三台星)·삼형성(三衡星)·태미성(太微星)을 말함. 천정(天庭). ②하늘의 법정(法廷). 신(神)의 심판(審判).

천정⁴【天定】명 하늘이 정함. ¶ ~ 배필.

천정⁵【天庭】명 ①양미간 또는 이마의 복판을 상서(相書)에서 이르는 말. ②별의 이름. ③하늘의 뜰. 천제(天帝)의 궁정. 천정(天廷).

천정⁶【天頂】명 ①하늘. 정상(頂上). ②↗천문 천정(天文天頂). ③↗지심 천정(地心天頂).

천정⁷【泉亭】명 샘터에 세운 정자(亭子).

천정 거:리【天頂距離】명〖천〗천정에서 어떤 천체까지의 각거리(角距離).

〈천정 거리〉

천정관【天井關】명〖지〗'톈징관'을 우리 음으로 읽은 이름.

천정 배:필【天定配匹】명 천생 배필(天生配匹).

천정-본【天頂一】명〖천〗천정의(天頂儀).

천정 부지【天井不知】명 물가(物價) 등이 한없이 오르기만 함을 이르는 말.

천정 연분【天定緣分】[—년—] 명 천생 연분(天生緣分).

천정-의【天頂儀】명〖천〗관측지의 위도(緯度)를 정밀하게 구하기 위하여, 천정(天頂)의 남북에 있는 두 천체의 천정 거리차(天頂距離差)를 측정하는 망원경. 사진 관측용은 사진 천정의라 함. 천정본.

〈천정의〉

천정-장【天挺章】[—짱] 명〖악〗용비어천가 70장의 이름.

천정-점【天頂點】[—쩜] 명 [zenith]〖천〗지구 상의 관측점(觀測點)에서 연직선(鉛直線)을 위 쪽으로 연장하여 천구(天球)와 만나는 점. 천문 천정(天文天頂).

천정-천【天井川】명〖지〗하상(河床)이 주위의 평지(平地)보다 높은 하천. 강바닥의 토사(土砂)가 퇴적하여 됨.

천정 크레인【天井一】[crane] 명 천장 기중기(起重機).

천정-화【天井畫】명 보꾹에 그린 그림.

천제¹【天帝】명 하느님❶.

천제²【天祭】명 하느님께 지내는 제사. 천제사(天祭祀).

천제³【天際】명 하늘의 끝. 천말(天末).

천:제⁴【闡提】명〖불교〗살생(殺生)을 많이 하여 조금도 착한 성품(性品)이 없음을 이르는 말. 무성 천제(無性闡提).

천제⁵【天一】부 ↗천지에.

천-제사【天祭祀】명 천제(天祭).

천제 사상【天帝思想】명 하늘과 황제 또는 하늘의 명을 받은 황제를 세상의 유일한 지배자로 삼고 숭배하는 사상.

천-제:석【天帝釋】명〖불교〗제석천(帝釋天).

천제연 폭포【天帝淵瀑布】명〖지〗제주도 서귀포시(西歸浦市) 서쪽에 있는 폭포. 남한 제1의 폭포로, 물이 맑고 여름에 서늘하여 제주도 명승지의 하나로 알려져 있음. 높이 33 m, 폭 6 m임.

천조¹【天助】명 하늘의 도움.

천조²【天阻】명 천연(天然)의 험준한 요해지(要害地). 천험(天險).

천조³【天祖】명 천자의 선조.

천조⁴【天祚】명 ①천자(天子)의 지위. ②하느님이 내린 복조(福祚).

천조⁵【天造】명 하늘의 조화.

천조⁶【天曹】명〖종〗[천상(天上)의 관부(官府)·관리의 뜻] 도교(道敎)에서는 사람의 공죄(功罪)에 따라 수명을 가감(加減)하는 권한이 있는 신(神)을, 불교에서는 염마왕(閻魔王) 신앙과 결부시켜 유명계(幽冥界)의 지배자를 일컫는 말.

천조⁷【天朝】명 천자(天子)의 조정(朝廷)을 제후(諸侯)의 나라에서 일컫는 말.

천:조⁸【踐祚·踐阼】명 임금의 자리를 이음. 천조에는 선왕(先王)의 사망에 의한 경우와 양위(讓位)에 의한 경우가 있음. 천극(踐極). **——-하다** 자여불

천:조⁹【擅朝】명 조정에서 전권(專權)함. **——-하다** 자여불

천조 경풍【天弔驚風】명〖한의〗고개를 잦히고 눈을 멀거니 떠서 하늘을 쳐다보는 어린 아이의 병.

천조-제【天祚帝】명〖사람〗중국 요(遼)나라의 제9대 황제. 즉위 후 유렵(遊獵)을 일삼고 정사를 돌보지 않아 민심이 이반되고 국운이 기울던 중, 마침 만주의 여진(女眞) 완안부(完顔部)의 아쿠타(阿骨打)가 동족들을 통일하여 금(金)나라를 세운 후 대거 침입해 들어오자 황제 친히 이를 맞아 싸웠으나 패배만 거듭하다 마침내 응주(應州) 신성(新城)에서 금군(金軍)에게 잡혀 만주 땅에 쫓겨가서 죽음. 이에 요(遼)나라도 멸망함. [1075-1125]

천조 초매【天造草昧】명 천지의 개벽.

천:족【賤族】명 천한 민족. 또, 신분이 낮은 씨족.

천존【天尊】명〖불교〗'부처'의 이칭(異稱). 부처는 오천(五天)에서 가장 존고(尊高)한 제일의천(第一義天)인 데서 일컫는 말.

천존 지비【天尊地卑】명 하늘을 존중하고 땅을 천시함. 전하여, 윗사람만 받들고 아랫 사람은 천하게 여긴다는 뜻.

천종【天縱】명 하늘에서 허여(許與)함. 하늘에서 준 덕(德)을 갖춤. 또, 그 성격.

천종 만:물【千種萬物】명 온갖 물건.

천종 산삼【天種山蔘】명 자연적으로 깊은 산에 난 산삼. *포삼 장뇌(圃蔘長腦).

천종 수운 대:신사【天宗水雲大神師】명〖천도교〗천도교의 교조(敎祖) 수운(水雲) 최제우(崔濟愚)의 경칭. *대신사(大神師).

천종지-성【天縱之聖】명 ①공자의 도덕을 이르는 말. ②제왕의 성덕을 칭송하는 말.

천:좌【遷座】명 자리를 다른 곳으로 옮기어 모심. 또, 자리를 다른 데로 옮기심. 신불(神佛) 또는 제왕에 대하여 이르는 말. **——-하다** 자타여불

천:좌-식【遷座式】명〖불교〗보살상·천신상(天神像)·조사상(祖師像) 등을 새로 지은 불전(佛殿)으로 옮길 때 행하는 의식. 천불식(遷佛式).

천작【天一】명〈속〉'천주학(天主學)'이 줄어 변하여 된 말.

천작-쟁이【天一】명〈속〉천주교도를 낮추어 부르던 말.

천주¹【天主】명 ①[사기(史記)에 있는 말] 중국에 있는 신(神)의 이름. ②〖불교〗대천 세계를 주재하는 대자재천(大自在天)의 별칭. ③〖불교〗제천(諸天)의 왕. ④〖기독교〗천국의 주인. 곧, 하느님. 준주(主)❺. ⑤〖천주교〗만선(萬善)·만덕(萬德)을 갖춘 신. '하느님'과 병용함. 상주(上主).

천주²【天柱】명 ①하늘이 무너지지 아니하도록 괴고 있다는 상상적(想像的)인 기둥. ②자미궁(紫微宮) 안에 있는 오성(五星). ③'삼태성(三台星)'의 별칭(別稱).

천주³【天酒】명 하늘에서 내린 감로(甘露). 불로 불사(不老不死)의 영약(靈藥)으로 알려짐.

천주⁴【天廚】명 하늘의 주방(廚房). 전(轉)하여, 천신(天神)이 사자(使者)를 시키어 음식물을 보내 주는 일.

천주⁵【天誅】명 ①천벌(天罰). ②하늘을 대신하여 주벌(誅罰)함. 천토(天討). **——-하다** 타여불

천주⁶【泉州】명〖지〗'취안저우'를 우리 음으로 읽은 이름.

천:주⁷【薦主】명 어떤 사람을 추천하여 준 사람.

천주 가사【天主歌辭】명〖문〗천주교의 신앙(信仰)을 가사체(歌辭體)로 읊은 시가(詩歌). 이벽(李蘗)의 ≪천주 공경가(天主恭敬歌)≫, 최양업(崔良業)의 ≪선종가(善終歌)≫ 등 186편이 전해지고 있음.

천주-경【天主經】명〖천주교〗'주의 기도'의 구용어.

천주-교【天主敎】명 가톨릭교. 공교(公敎). *기독교.

천주 교:회【天主敎會】명〖천주교〗천주교를 신봉하는 교회. 성교회(聖敎會). 로마 가톨릭교회. 성회(聖會).

천주교-도【天主敎徒】명 천주교의 신도. 가톨릭교도.

천주-당【天主堂】명〖천주교〗'성당(聖堂)'의 중국식 명칭.

천주-봉【天柱峰】명〖지〗①함경 남도 함주군(咸州郡) 운남면(雲南面)에 있는 산. [562 m] ②함경 남도 신흥군(新興郡)에 있는 산. [1,261 m]

천주 삼위【天主三位】명〖천주교〗성부(聖父)·성자(聖子)·성신(聖神)의 삼위. 천주 성삼(天主聖三). 성삼(聖三). *삼위 일체.

천주-성【天主性】[—썽] 명〖천주교〗천주가 지니고 있는 성질. 준주성(主性).

천주 성:삼【天主聖三】명〖천주교〗천주 삼위(天主三位).

천주 성:자【天主聖子】명〖천주교〗천주 삼위(天主三位) 중의 한 위. 곧 예수 그리스도.

천주 십계【天主十誡】명〖천주교〗천주가 시내 산(山) 위에서 모세를 통하여 인간에게 지키기를 명한 열 가지 계명. *십계명(十誡命).

천주-악【天主惡】명 조선 후기에 '천주학(天主學)'을 악한 종교라는 뜻으로 일컫던 말.

천주의 고양【天主一羔羊】[—/—에—] 명 [Agnus Dei]〖천주교〗'천주의 어린 양'의 구용어.

천주의 어린 양【天主一羊】[—/—에—] 명 [Agnus Dei]〖천주교〗①죄 없이 제물(祭物)로서 수난(受難)을 당한 예수 그리스도. ②'천주의 어린 양…'으로 시작되는 기도문. 또, 그 음악. 아뉴스 데이.

천주의 종:【天主一】[—/—에—] 명〖천주교〗시복(諡福) 조사가 시작된 사람에게 주어지는 칭호. *가경자(可敬者).

천주-학【天主學】명〈속〉천주교.

천주학-문【天主學文】명〖천주교〗천주학에 관한 저술(著述).

천중¹【天中】명 ①관측자를 중심으로 한 하늘의 한가운데. ②상서(相書)에서, 이마의 위쪽을 일컫는 말. 천정(天庭)의 위. ③↗천중절(天中節).

천중²【天衆】명〖불교〗팔부중(八部衆)의 하나. 범천(梵天)·제석천(帝釋

天) 등 천부(天部)에 속하는 신들.

천중 가절【天中佳節】명 천중절(天中節).

천중 무일【千中無一】명〖불교〗염불 이외의 잡수(雜修)를 하는 사람은 극락 정토에 왕생하는 일이 극히 드물어 천 명 중의 한 사람도 없다는 말. 잡수하는 사람을 비난하는 말.

천중 부:적【天中符籍】명〖민〗단오 부적(端午符籍).

천중이 명〈속〉징역꾼. 징정(懲丁).

천중-절【天中節】명 단오(端午). 천중 가절(天中佳節). ㊟천중(天中)❸.

천지[1]【天地】명 ①하늘과 땅. 감여(堪輿). 건곤(乾坤). 대택(大宅). 소양(霄壤). 하늘땅. 부재(覆載). ②우주. 세상. ③대단히 많음. ¶서울엔 장사 ~다.

천지가 개벽을 할 판 구 사물이 싹 딴 판으로 바뀔 형국(形局).

천-지[2]【天池】명 ①〖지〗백두산 꼭대기에 있는 큰 못. 신생대 제삼기 말의 화산 활동으로 이루어진 칼데라 호(caldera湖)로, 가장 깊은 곳은 312.7 m, 호반(湖畔)에서는 더운 물이 나며, 북쪽의 어귀로 물이 흘러 쑹화 강(松花江)의 근원을 이룸. 주위는 약 12 km임. 용왕담(龍王潭). ②〔천연의 못이라는 뜻〕바다. 대해(大海).

천지[3]【天旨】명 ①하늘의 뜻. ②천자의 뜻. 천의(天意).

천지[4]【泉地】명 '오아시스(oasis)'의 역어(譯語).

천:지[5]【淺知·淺智】명 얕은 지혜. 보잘것없는 지혜.

천지-각【天地角】명 하나는 위로, 하나는 아래로 뻗은 짐승의 뿔.

천지-간【天地間】명 하늘과 땅 사이. 천양지간(天壤之間).

천지 개벽【天地開闢】명 천지가 처음으로 열림. ——-하다 자여불

천지-꽃 명〈방〉진달래(함북).

천지-꽃 명〈방〉①철쭉(함북). ②진달래(함북).

천지 만:엽【千枝萬葉】명 ①무성한 식물의 가지와 잎. ②일이 여러 갈피로 나뉘어 어수선함을 비유하는 말.

천지-망아【天之亡我】명 아무런 허물이 없이 저절로 망함. ㊟천망아(天亡我).

천지 무궁【天地無窮】명 천지는 유구하여 다함이 없음. 천양 무궁(天壤無窮). ——-하다 형여불

천지-미록【天之美祿】명〔하늘에서 내려 준 좋은 녹(祿)의 뜻〕'술'의 미칭(美稱).

천지 부:판【天地剖判】명 하늘과 땅이 갈라지는 일. 곧, 세상이 처음 열림. 천지 개벽(天地開闢).

천지 분격【天地分格】[—껵] 명 서로 매우 다름.

천지 불인【天地不仁】명 천지는 만물을 생성 화육(生成化育)함에 있어, 억지로 인심(仁心)을 쓰지 아니하고 자연 그대로 맡김.

천-지사 명〈방〉천제(天祭).

천지 사:시【天地四時】명 천지와 춘하 추동.

천지 상합【天地相合】명 천지의 기(氣)가 화합함. ——-하다 자여불

천지-수【天地壽】명 천지와 같이 오래도록 다하지 아니하는 목숨. 무궁한 수명.

천지 신명【天地神明】명 조화를 맡은 신령. ¶~께 비옵니다.

천지-에【天地—】부 뜻밖의 일을 당할 때에 한탄하는 뜻으로 쓰는 말. ¶원 ~, 살자니 별일이 다 있군. ㊟천제[5].

천지-역수【天之曆數】명 천명(天命)을 받아 제위(帝位)를 잇는 순서.

천-지-인【天地人】명 삼재(三才)를 이루는 하늘과 땅과 사람을 아울러 일컫는 말.

천지인 삼재【天地人三才】명 우주의 주장이 되는 하늘과 땅과 사람.

천지 일색【天地一色】[—쌕] 명 온 천지가 한 빛임.

천지 일실【天地一室】[—씰] 명 천지(天地)를 하나의 방(房)에 비유하여 이르는 말.

천지 일체【天地一體】명 널리 사랑하면 천지간(天地間)의 만물(萬物)은 나와 일체라는 말.

천지 자연【天地自然】명 본래 그대로의 인위(人爲)를 가(加)하지 아니한 상태. 천연(天然).

천지 재변【天地災變】명 천지간의 재앙. 천재 지변(天災地變).

천지 정:위【天地定位】명 천지가 그 위치를 보전(保全)하여 안정(安定)을 얻는 일.

천지지-기【天地之紀】명 천지의 강기(綱紀).

천지지-도【天地之道】명 천지의 상도(常道) 또는 천(天)의 도(道)와 지(地)의 도, 양(陽)의 도(道)와 음(陰)의 도.

천지지-미【天地之美】명 천지의 아름다움. 또, 순미(純美).

천지지-방【天地之方】명 천지의 상도(常道).

천지지-상【天地之常】명 천지간에 행하여지는 운전(運轉) 및 차고 기울고, 어둡고 밝고 하는 상도(常道).

천지지-심【天地之心】명 천지의 공평한 마음.

천지지-중【天地之中】명 천지의 중심.

천지 지지 아:지 자지【天知地知我知子知】명〔중국 후한(後漢)의 양진(楊震)이 뇌물을 거절하며 왕밀(王密)에게 대답했다는 ≪후한서(後漢書)≫에 나오는 고사(故事)에서〕하늘이 알고 땅이 알고 내가 알고 또 네가 안다는 말로, 남모르게 하는 행동도 반드시 아는 사람이 있음을 이르는 말. 즉, 부정(不正)한 일이나 나쁜 일은 반드시 탄로(綻露)남의 비유.

천지지-평【天地之平】명 천지가 공평한 일.

천지 진:동【天地震動】명 하늘과 땅이 울리어서 움직임. 소리가 굉장함을 이르는 말. ——-하다 자여불

천지 창:조【天地創造】명〖종〗천지를 창조한 일. 세계 창시에 대한 해석으로는 신화로서 여러 민족 사이에 볼 수 있음. 구약 성경≪창세기≫ 제1장의 이야기 같은 것.

천지 창:조설【天地創造說】명 창세 신화(創世神話) 중에서 우주의 기원에 관하여 원초(原初) 물질이 진화·생성(生成)하지 아니하고 창조신(創造神)이 세계를 창조하였다는 신화. 구약 성경의 ≪창세기≫와 같이 창조신이 단독으로 창조하는 형식과 부신(副神)의 협력으로 창조하는 형식으로 구별됨.

천지-판【天地板】명 관(棺)의 뚜껑과 밑바닥에 대는 널.

천지 현:격【天地懸隔】명 하늘과 땅의 간격. 사물의 심한 격차가 있음을 이르는 말.

천지 현황【天地玄黃】명 천자문(千字文)의 첫번째 귀절. 하늘의 검은 색과 땅의 누른 색. 하늘과 땅의 빛깔.

천지-회【天地會】명〖정〗중국 청대(淸代)의 대표적인 비밀 결사. 명(明)나라가 멸망한 후 반청 복명(反淸復明)을 슬로건으로 화난(華南) 일대에 세력을 폈으나 신해 혁명(辛亥革命) 후 국내에서는 쇠퇴(衰退)하고 동남 아시아의 화교 사회에 퍼짐. 삼합회(三合會).

천직[1]【天職】명 타고난 직분. ¶교직(敎職)이 그의 ~이다.

천:직[2]【賤職】명 비천한 직업.

천:직[3]【遷職】명 이직(移職). ——-하다 자여불

천진[1]【天津】명〖지〗'톈진'을 우리 음으로 읽은 이름.

천진[2]【天眞】명 ①세파(世波)에 젖지 아니한 자연 그대로의 참됨. ②〖불교〗불생 불멸의 참된 마음. ——-하다 형여불

천진[3]【天眞】명〖종〗대종교(大倧敎)에서 단군(檀君)의 신상(神像). ¶~전(殿).

천:진[4]【薦進】명 사람을 천거하여 쓰이게 함. 천인(薦引). *진권(進勸). ——-하다 타여불

천진 난:만【天眞爛漫】명 아무런 꾸밈이 없이 언행에 그대로 나타남. 순진함. ——-하다 형여불

천진 무구【天眞無垢】명 아무 흠이 없이 천진함. ——-하다 형여불

천진-불【天眞佛】명〖불교〗법신(法身)은 천연의 진리이며, 우주의 본체라 하여 법신불(法身佛)을 달리 이르는 말.

천진-스럽다【天眞—】형ㅂ불 천진한 듯이 보이다. ¶천진스러운 아기의 얼굴. 천진-스레【天眞—】부

천진-암【天眞庵】명〖천주교〗한국 천주교의 성지(聖地)의 하나. 경기도 광주군(廣州郡) 퇴촌면(退村面) 우산리(牛山里) 앵자봉(鶯子峰) 아래에 있는 절터로, 한국 천주교 신앙의 발상지임. 1779 년부터 1784 년에 걸쳐 이벽(李檗)·권철신(權哲身)·정약전(丁若銓)·정약용(丁若鏞) 등이 이 곳에서 강학회(講學會)를 열어 천주학(天主學) 신앙을 논의함.

천진-전【天眞殿】명〖대종교〗단군의 영정(影幀)을 모신 집. 영정은 신라 솔거(率居)가 그린 신상(神像)을 사진으로 복사한 것인데, 대종교의 여러 기관에 있음.

천진 조약【天津條約】명〖역〗톈진 조약.

천진-탑【天眞塔】명〖불교〗인도 아쇼카왕(王)이 세운 불탑(佛塔).

천진 협사【天眞挾詐】명 어리석게 보이는 가운데 더러 거짓이 끼임. ——-하다 자여불

천질[1]【天疾】명 선천적으로 타고난 병.

천질[2]【天秩】명 ①하늘이 만물에 질서를 지어 줌. 또, 그 질서. ②하늘로부터 받는 복록(福祿).

천질[3]【天質】명 타고난 성질. 천성(天性).

천:질[4]【賤質】명 자기의 품성을 낮추어 일컫는 말. 천품(賤品).

천:-집사【賤執事】명 아주 낮고 뇌한 일. 또, 그런 일을 맡아서 하는 짓.

천징-어【—魚】명〖어〗복넘어(伏念魚). 볼락. 도부어(刀斧魚). 선정어(船矴魚).

천:차-대【遷車臺】명 역·공장 등에서 화차·기관차·객차 등의 차량을 한 선로로부터 그에 평행되는 딴 선로로 옮길 때에 사용하는, 바닥에 레일(rail)을 부설한 대차(臺車).

갱
레일
천차대

〈천차대〉

천차 만:별【千差萬別】명 여러 가지 사물이 모두 차이가 있고 구별이 있음. ㊟만별(萬別). ——-하다 형여불

천:착【穿鑿】명 ①구멍을 뚫음. ②학문을 깊이 파고 들어감. ③억지로 이치에 닿지 않는 말을 함. ——-하다 타여불

천:착-스럽다【舛錯—】형ㅂ불 천착한 태도(態度)가 있다. ¶너희들이 천착스럽게 상복을 입고 상장을 짚고 까불까불 걸어갈 생각을 하니… 너무 망측스럽구나≪韓戊淑 : 역사는 흐른다≫. 천:착-스레【舛錯—】부

천:착-증【穿鑿症】명〖의〗강박성(強迫性) 신경증의 하나. 무의미하거나 해결 불가능의 일까지도 의문이 생겨 그것을 해결하지 않으면 안심할 수 없는 병.

천:착-하다【舛錯—】형여불 ①심정이 뒤틀려서 난잡하다. ②생김새나 행동이 상스럽고 더럽다. ¶나무에서 똑 딴 듯한 얼굴을 도련하게 들더니 천착하게 깔깔 웃지도 않고 눈살만 잠깐 펴고 상긋 웃으며…≪李海朝 : 鬢上雪≫.

천참【天塹】명 천연적으로 된 요해지(要害地).

천참 만:륙【千斬萬戮】[—말—] 명 수없이 베어 여러 동강을 내어 참혹하게 죽임. ¶아씨, 쉰네가 ~할 년이올시다. ——-하다 타여불

천창[1]【天窓】명 천장으로 낸 창. 지붕창.

천창[2]【天槍】명〖천〗목동(牧童)자리의 제삼성(第三星). 북두 칠성(北斗七星)의 자루 끝에 해당됨.

천책[1]【天頙】명〖사람〗고려 때의 고승(高僧). 자는 몽차(蒙且), 호는 진정(眞靜). 속성은 신(申). 충선왕(忠宣王) 때 원묘 국사(圓妙國師)에게서 구족계(具足戒)를 받고 수도에 정진, 백련사(白蓮寺)의 제4대 조사

(祖師)가 됨. 만년에는 용혈암(龍穴庵)에 은거, 용혈 대존숙(龍穴大尊宿)이라는 존칭을 받음. 저서에 ≪법화 동해 전홍록(法華東海傳弘錄)≫·≪선문 보장록(禪門寶藏錄)≫ 등이 있음. 생몰년 미상.

천:책[2]【薦冊】[명]〖역〗천망(薦望)에 오른 사람의 이름을 기록하는 책.

천천 만:만【千千萬萬】[명] 수량이 많음. 정도가 더할 수 없이 심함. 또, 그 모양.

천천만 의:외【千千萬意外】[명] 천만 뜻밖.

천:천-하다 [형][여불] 일이나 동작이 급하거나 거칠지 않고 편안하며 느리다. >찬찬하다[2]. 천:천-히 [부]

천:천히걸을쇠-부【一部】[一쐬一] [명] 한자 부수(部首)의 하나. '夏'나 '夔' 등의 '夊'의 이름.

천첩[1]【千疊】[명] 여러 겹으로 겹침. ——-하다 [자][여불]

천:첩[2]【洊疊】[명] 중첩(重疊). ——-하다 [자][여불]

천:첩[3]【賤妾】[一][명] 종이나 노는계집으로서 남의 첩이 된 여자. [二][인대] 부인이 자기를 낮추어 일컫는 말. 노가(奴家).

천:첩 무상피【賤妾無相避】[명] 천첩과 성관계를 맺는 데에는 상피(相避)의 혐의가 거의 없음을 일컫는 말.

천첩 옥산【千疊玉山】[명] 수없이 겹치어 있는 아름다운 산.

천청[1]【天聽】[명] 제왕이 들음.

천 청[2]〔陳誠〕[명]〖사람〗중국의 군인·정치가. 저장 성(浙江省) 출신. 대공(對共)·대일(對日) 전쟁에 장 제스(蔣介石) 직계로 활약. 제6 전구(戰區) 사령 등을 거쳐 1948년 타이완 성 주석, 말년에 행정원장(行政院長)과 부총통을 지냄. [1898~1965]

천청 만:촉【千請萬囑】[명] 갖가지로 하는 청촉(請囑). ——-하다 [타][여불]

천:-청색【淺靑色】[명] 짙은 옥색.

천청-석【天靑石】[명]〖광〗금속 스트론튬(strontium)의 중요한 광석. 중정석족(重晶石族)에 속하며, 흔히 평행한 두꺼운 판상(板狀) 결정 또는 주상(柱狀) 결정으로, 석회암·사암(砂岩) 등의 속에서 산출됨. 무색(無色)·담청색 또는 담홍색(淡紅色)을 띠며 유리 광택을 나타냄.

천체[1]【天體】[명] 우주에 존재하는 물체의 총칭. 항성·행성·혜성·성단(星團)·성운(星雲)·성간 물질(星間物質)·인공 위성 등.

천:체[2]【遷替】[명] 옮겨 바꿈. ——-하다 [타][여불]

천체 관측【天體觀測】[명] 천체의 위치·운동·크기·광도(光度)·스펙트럼형(spectrum型) 등을 관측하는 일. 사진 관측·실시(實視) 관측 및 전파(電波) 관측이 있음.

천체 관측 위성【天體觀測衛星】[명]〔orbiting astronomical observatory; OAO〕대기권(大氣圈) 밖의 궤도(軌道)에서 천체(天體)로부터 나오는 자외선·엑스선·감마선 등을 관측하여, 별·은하수(銀河水)·성운(星雲)·성간 물질(星間物質) 따위의 우주 현상을 조사하는 미국의 인공 위성. 1966년 제1호가 발사(發射)됨. 천문 관측 위성. 약칭: 오 에이 오.

천체 동:역학【天體動力學】[一녁一] [명]〔astrodynamics〕〖천〗천체를 대상으로 하는 동역학.

천체-력【天體曆】[명]〔ephemeris〕〖물〗천체의 정밀한 위치·거리·광도(光度)·출몰(出沒)·일식·월식 등 천체 관측에 필요한 사항을 기재한 역서(曆書). 천문학·항해(航海) 등에 사용됨. 천문력(天文曆). 천체 일표(天體日表). 항해력(航海曆).

천체 망:원경【天體望遠鏡】[명]〔astronomical telescope〕〖물〗천체 관측에 사용하는 망원경. 굴절(屈折) 망원경·반사 망원경·전파 망원경으로 구분됨.

천체 물리학【天體物理學】[명]〔astrophysics〕〖물〗천체의 물리적 성질을 연구하는 천문학의 한 분야. 우주선·전자기파(電磁氣波)를 관측하여, 원자 물리학·유체(流體) 역학 등의 이론을 매개로 대기(大氣)·항성·성간 물질(星間物質) 등의 물리적 상태를 해명함. 우주 물리학.

천체 분광술【天體分光術】[명]〖천〗천체에 응용하는 분광학. 스펙트럼(spectrum)을 이용하여 어떤 별에 따른 대기(大氣)의 성분·구조·물리적인 모든 상태 및 별에의 시선(視線) 속도 같은 것을 연구함.

천체 분광학【天體分光學】[명]〔astronomical spectroscopy〕〖물〗천체 물리학의 한 부문. 천체의 스펙트럼을 관측·해석(解析)하여 천체의 물질 조성 등을 연구함. 또, 그 이론 체계.

천체 사진【天體寫眞】[명]〖천〗천체를 정밀히 찍은 사진. 천체의 관측에 쓰임.

천체 역학【天體力學】[명]〔celestial mechanics〕〖물〗천문학의 한 분야. 역학(力學)의 법칙에 바탕을 두고 천체의 운동(運動)·평형(平衡) 등을 연구함.

천체 유도【天體誘導】[명]〔celestial guidance〕천체를 기준으로 항공기나 우주선의 진행 방향을 관제(管制)하는 방법. 특히, 비행 경로(經路)를 선정(選定)할 때 사용됨.

천체의 회전에 관하여【天體一回轉一關一】[一/一에一] [명]〔De revolutionibus orbium coelestium〕〖책〗코페르니쿠스의 주저(主著). 태양계내 여러 천체의 운동과 궤도에 관하여 상세히 서술하고 있는데, 특히 제1권에서 천동설(天動說)에 대하여 태양 중심의 새로운 우주 체계를 제시한 것은 역사적 의의가 큼. 모두 6권.

천체 일표【天體日表】[명]〖천〗천체력(天體曆).

천체 자기장【天體磁氣場】[명]〖천〗천문학적 규모의 넓이를 가지는 자기장의 총칭. 현재 확인되어 있는 것은 지구 자기장·태양 자기장 및 어떤 종류의 항성(恒星)의 자기장임.

천체-조【天體潮】[명] 천문조(天文潮).

천체 좌:표【天體座標】[명]〖천〗천구(天球) 좌표.

천체 지질학【天體地質學】[명]〔astrogeology〕〖천〗지질학·지구 화학·지구 물리학의 수법을 지구 이외의 달이나 그 밖의 행성(行星)에 응용하는 과학.

천체 측광학【天體測光學】[명] 천체의 빛의 강도를 측정하거나, 또 그 측정 방법을 연구하는 천체 물리학의 한 부문.

천체 측량【天體測量】[一냥] [명]〔astronomical traverse〕〖측지〗천체 관측에 의거하여 측량 지점의 지리적 위치를 결정하는 측량 방법. 거리와 방위는 계산으로 얻어짐.

천체 측지학【天體測地學】[명]〔celestial geodesy〕〖측지〗측지학의 한 분야. 지구(地球)의 크기와 모양을 결정하기 위해서 가까운 거리의 천체나 인공 위성의 관측을 이용함.

천체-학【天體學】[명]〖천〗천문학.

천초[1]【川椒】[명] ①〖식〗조피나무. ②〖한의〗조피나무 열매의 껍질. 성질은 온하여 위한(胃寒)·심복통(心腹痛)·설사 등에 씀. 점초(黏椒). 촉초(蜀椒). 파초(芭椒). 한초(漢椒).

천:초[2]【倩草】[명]〔←청초(倩草)〕남을 시켜 자기를 대신하여 글을 쓰게 함. ——-하다 [타][여불]

천:초[3]【茜草】[명]〖식〗꼭두서니❶.

천:초-계【穿草鷄】[명]〖조〗누른도요.

천:초-근【茜草根】[명]〖한의〗천근(茜根).

천초 만:화탕【千草萬花湯】[명] 천 가지 풀을 먹은 흑(黑)염소와 만 가지 꽃의 정기(精氣)를 모은 꿀을 버무리어 고아 만든 즙액(汁液). 민간에서 보신(補身)용으로 쓰임.

천초-말【川椒末】[명] 조핏가루.

천초-유【川椒油】[명] 조피나무 열매로 짠 기름.

천초 자:반【川椒佐飯】[명] 조피나무 열매로 만든 자반. 벌어지지 아니한 조피나무 열매 위에 묽은 찹쌀 가루 죽을 바르고 다시 찹쌀 가루를 묻혀서 납작하게 눌러 말린 뒤에 기름에 띄어 지짐.

천초 장아찌【川椒一】[명] 조피나무의 풋열매를 간장에 절인 반찬.

천:촉【喘促】[명]〖한의〗숨이 차서 가쁘고 힘없는 기침을 자꾸 하는 병증(病症).

천촌 만:락【千村萬落】[一말一] [명] 수많은 촌락.

천총[1]【千摠】[명]〖역〗조선 시대 때 훈련 도감(訓鍊都監)·금위영(禁衛營)·어영청(御營廳)·총융청(摠戎廳)·진무영(鎭撫營) 등에 속하던 정삼품의 장관직(將官職).

[천총 내고 파총(把摠) 낸다] 한 입으로 이리 말했다 저리 말했다 함을 이르는 말.

천총[2]【天寵】[명] 임금의 총애.

천총-마【千驄馬】[명] 청총마(靑驄馬). 총이말.

천추[1]【千秋】[명] 썩 오랜 세월. 먼 미래. ¶~의 한(恨).

천추[2]【天樞】[명] ①〖천〗북두 칠성의 첫째 별. 추성(樞星). ②하늘의 중추(中樞). 하늘의 중심. ③〖한의〗침(鍼)을 놓는 경혈(經穴)의 하나. 배꼽 중심에서 바깥 쪽으로 손가락 두 개 넓이의 곳인데 위경(胃經)에 속하며 대장(大腸) 질환·설사 등의 치료점(治療點)임.

천:추[3]【遷推】[명] 미적미적 미루어감. ——-하다 [타][여불]

천추 경:절【千秋慶節】[명]〖역〗황태자의 탄일(誕日)을 경축하던 명일. 광무(光武) 원년(1897)에 정하였음.

천추 만:고【千秋萬古】[명] 만고 천추(萬古千秋).

천추 만:대【千秋萬代】[명] 천만년의 긴 세월. 후손 만대에 이르기까지의 긴 시간.

천추 만:세【千秋萬歲】[명] ①천만년. 만세 천추(萬歲千秋). ②오래 살기를 축수하는 말. [준]천세(千歲).

천추 만:세후【千秋萬歲後】[명] 오래오래 명대로 살다가 돌아가신 뒤. 어른이 죽은 뒤를 높이어 일컫는 말. [준]천세후(千歲後).

천추-사【千秋使】[명]〖역〗조선 시대 때, 중국 황태자의 탄신을 축하하기 위하여 중국에 보내던 사신. *성절사(聖節使).

천추-설【千秋雪】[명] 만년설(萬年雪).

천추 유한【千秋遺恨】[명] 길이길이 잊지 못할 원한.

천추-절【千秋節】[명]〖역〗고려 성종(成宗) 2년(983)에 임금의 탄일(誕日)인 천춘절(千春節)의 고친 이름. 천장절(天長節).

천축[1]【天竺】[명]〖지〗중국에서 부르던 '인도(印度)'의 옛 일컬음.

천축[2]【天軸】[명] 천구 위의 북극과 남극을 연결하는 가상적인 직선.

천축-계【天竺桂】[명]〖식〗코카(coca).

천축 모란【天竺牡丹】[명]〖식〗달리아(dahlia).

천축-사【天竺寺】[명]〖불교〗봉은사(奉恩寺)의 말사(末寺). 서울 특별시 도봉구(道峰區) 도봉동에 있음. 처음에는 석천암(石泉庵)이라 하다가 조선 태조(太祖) 때 천축사로 개명하였음.

천축-서【天竺鼠】[명]〖동〗기니피그(guinea pig).

천축-어【天竺語】[명] 고대 인도의 언어. 범어(梵語). 산스크리트.

천축-황【天竺黃】[명]〖한의〗죽황(竹黃).

천:춘【淺春】[명] 이른봄. 조춘(早春).

천춘-절【千春節】[명]〖역〗임금의 탄일(誕日)을 경축하던 명일. 고려 성종(成宗) 원년(982)에 정하였다가 이듬해에 천추절(千秋節)로 고쳤음.

천:출【賤出】[명] 천첩(賤妾)에게서 난 자손.

천취[1]【天趣】[명]〖불교〗오취(五趣)·육도(六道)의 하나. 사람이 죽은 뒤에 돌아갈 하늘. 천(天).

천:취[2]【遷就】[명] 천연(遷延). ——-하다 [타][여불]

천측【天測】[명] ①경위도(經緯度)를 알고자 천체(天體)의 높이 및 방위각(方位角)을 측정(測定)함. ②❶의 관측(觀測)으로 얻어진 자료(資料). ——-하다 [자][여불]

천측 기계【天測機械】[명] 천체의 관측에 쓰는 기계의 총칭. 망원경·육분의(六分儀)·경위의(經緯儀)·자오의(子午儀)·천정의(天頂儀)·적도의(赤道儀) 등.

천측-력【天測曆】[一녁] [명]〖해〗수로 서지(水路書誌)의 하나. 미리 추산한 매일의 천체 위치·일월 출몰시 등의 항해에 이용하는 천체 현상에 관한 여러 표를 실어서 매년 간행(刊行)하는 천체력(天體曆). 대양을 항해하는 대형선의 천문 항법 계산에 필요함. 항해력(航海曆). *천측 약력(天測略曆).

천측-법【天測法】명 육분의(六分儀)로 천체의 고도(高度) 등을 측정하는 방법. 천문 항법(天文航法). 측천법(測天法).

천측 약력【天測略曆】[—녁] 명 『해』 근해를 항해하는 소형선(小型船) 및 항공기용으로 편집한 천측력(天測曆).

천측-창【天測窓】명 [astrodome] 『항공』 항공기나 우주선(宇宙船)의 동체(胴體) 또는 기체에 설치된 투명한 돔(dome). 비행시의 천체 관측에 쓰임.

천측 항:법【天測航法】[—뻡] 명 『해』 천문 항법(天文航法).

천층 만:층【千層萬層】명 ①수없이 많은 사물의 층등(層等). ②수없이 포개어진 켜. 1)·2): 준천만층(千萬層).

천치【天癡·天痴】명 선천적으로 어리석고 못난 사람. 넓은 뜻으로는 정신 발육이 완전치 못함을 이르고, 좁은 뜻으로는 지능이 가장 낮은 단계로서 6-7세의 정상아(正常兒) 이하의 지능을 가진 사람. 흔히 신체적으로도 여러 가지 기형(畸型)·운동 장애·감각 이상(感覺異常) 등을 수반함. 백치(白癡).

천칙【天則】명 천연의 원칙. 자연히 정해진 법칙.

천:침【薦枕】명 첩(妾)이나 시녀(侍女) 등이 침석(枕席)에 모심. ——-하다 타여불

천칭[1]【天秤】명 ↗천평칭(天平秤). →천평(天秤).

천:칭[2]【賤稱】명 천하게 일컬음. 천한 칭호. ——-하다 타여불

천칭-궁【天秤宮】명 『천』 황도(黃道) 십이궁(十二宮)의 일곱째. 처녀자리에 위치하고 있는데, 태양은 9월 24일경부터 10월 24일경까지 이 궁에 있음.

천칭-자리【天秤—】명 〔라 Libra〕 『천』 황도(黃道) 12성좌(星座)의 여덟째 별자리. 처녀자리와 전갈자리 사이에 있음. 맨눈으로 볼 수 있는 별의 수는 60여 개임. 7월 초순(初旬) 저녁 8시경에 남쪽 하늘에 보임.

천쾌-산【天快山】명 『지』 평안 남도(平安南道) 영원군(寧遠郡)에 있는 산. [1,927 m]

천:탄【淺灘】명 여울[1].

천-탈기백【天奪其魄】명 넋을 잃음. 본성을 잃음. ——-하다 자여불

천태-각【天台閣】명 『불교』 독성각(獨聖閣).

천태 대:사【天台大師】명 『사람』 지의(智顗)의 존칭.

천태 만:상【千態萬象】명 천차 만별의 상태. 천상 만태(千狀萬態).

천태 만:염【千態萬艶】명 여러 가지 모양으로 곱고 아름다운 모습.

천태 법사종【天台法師宗】명 『불교』 칠종 십이파(七宗十二派)의 하나. 원묘 국사(圓妙國師)를 따르는 만덕산(萬德山) 백련사(白蓮社)의 한 파.

천태 사:교의【天台四敎儀】[—/—이] 명 『책』 중국 송초(宋初)의 천태종(天台宗) 입문서. 고려의 제관(諦觀)이 지음. 1권.

천태-산【天台山】명 『지』 톈타이 산.
천태산 물 줄기 곤륜산 내림 구 사람이 내림을 닮는다는 말.

천태 소자종【天台疏字宗】명 『불교』 칠종 십이파(七宗十二派)의 하나. 백련사(白蓮社) 일파를 제외한 재래의 천태종(天台宗).

천태-오약【天台烏藥】명 『식』 [*Lindera strychnifolia*] 녹나뭇과에 속하는 상록수. 높이는 3m가량, 잎은 호생(互生)하는데 넓은 타원형이고 잎 뒤쪽은 백색임. 자웅 이주로, 3-4월에 담황색의 육판화(六瓣花)가 액출(腋出)하여 산형 화서(繖形花序)로 피고, 타원형의 검은 과실이 가을에 익음. 중국 원산(原産)으로서, 뿌리는 긴 괴상(塊狀)이고 양쪽이 뾰족하며 향기가 있는데 천식·중풍·임질(淋疾) 등에 약으로 씀.

〈천태오약〉

천태-종【天台宗】명 『불교』 지의(智顗)를 개조(開祖)로 하는 대승(大乘) 불교의 한 파. 법화경(法華經)을 근본 교의(敎義)로 하고 선정(禪定)과 지혜의 조화를 종의(宗義)로 함. 우리 나라에는 고려 숙종(肅宗) 2년(1097)에 대각 대사(大覺大師)가 국청사(國淸寺)에서 처음으로 개강하였음. 지관종(止觀宗). *사명 천태(四明天台).

천태 지관【天台止觀】명 『불교』 마하 지관(摩訶止觀).

천-택[1]【川澤】명 내와 못.

천택[2]【天澤】명 ①천(天)과 택(澤). 상하(上下)를 말함. ②하늘의 은혜. ③천자(天子)의 은택(恩澤).

천토[1]【天討】명 하늘이 악인(惡人)을 침. 전(轉)하여, 유덕(有德)한 사람이 하늘을 대신하여 행하는 정토(征討). 왕사(王師)의 정벌(征伐). 천주(天誅). ——-하다 타여불

천:토[2]【賤土】명 천향(賤鄕).

천통【天統】명 ①천도(天道)의 강기(綱紀). ②천자(天子)의 혈통.

천:퇴【淺堆】명 『지』 해양 중의 해저가 높아진 곳. 주(洲)나 초(礁)보다 깊어 항해의 방해가 되지는 않음. 퇴(堆).

천:-트다【薦—】자 ①남의 추천을 받다. ②아무 경험이 없는 일에 처음으로 손을 대다.

천파 만:파【千波萬波】명 한없이 많은 물결. 준천만파.

천판【天板】명 ①관(棺)의 천개가 되는 널. ②『광』 광 구덩이의 천장. 천반(天盤). ③장(欌)의 개판(蓋板) 등과 같이 가구의 천장을 이루는 널.

천 팔백 삼십년파【1830年派】명 『미술』 바르비종파(Barbizon派).

천 팔백 십이:년 서:곡【1812年序曲】명 『악』 차이코프스키의 관현악곡. 1880년 작. 1812년의 나폴레옹군(軍)과 러시아군의 전투를 그린 것으로 곡(曲) 중에 양국의 국가(國歌)도 사용되고 있음.

천 팔백 십이:년 전:쟁【1812年戰爭】명 『역』 영미 전쟁(英美戰爭).

천패【天牌】명 천자의 보조(寶祚) 및 성수 무궁을 봉도(奉禱)하기 위하여 부처 앞에 안치하는 위패(位牌).

천:편【擅便】명 천단(擅斷). ——-하다 타여불

천편 일률【千篇一律】명 ①여러 시문의 격조(格調)가 변화가 없이 비슷비슷함. ②많은 사물이 색다른 바가 없이 모두 비슷함의 비유. 일률 천편.

천편 일률적【千篇一律的】[—쩍] 관명 천편 일률의 성질을 띤 모양. ¶ ~인 찬사.

천평【↑天秤】명 ←천칭(天秤).

천평-칭【天平秤】명 저울의 하나. 가운데의 곳대에 걸친 가로장 양쪽 끝에 저울판을 달고, 한 쪽에 달 물건을 다른 쪽에 추를 놓아서 평평하게 하여 물건의 질량을 닮. 준천칭(天秤).

〈천평칭〉

천폐[1]【天陛】명 제왕이 있는 궁전의 섬돌.

천폐[2]【泉幣】명 천포(泉布).

천포[1]【天布】명 차일(遮日).

천포[2]【泉布】명 돈을 일컫는 말. 천폐(泉幣).

천포-창【天疱瘡】명 ①『의』 피부에 콩알만한 크기에서 달걀만한 크기의 크고 작은 수포(水疱)가 생겼다가 2·3일 후에 물집이 터져서 문드러지는, 천연두 비슷한 병. 원인 불명으로 갑자기 발병하는데, 만성으로 몸이 쇠약해지며 생명의 위험을 초래하는 수도 있음. 비(非)전염성임. ②『한의』 창병(瘡病). 매독.

천표[1]【天表】명 ①천외(天外). ②천제(天帝)의 의용(儀容).

천표[2]【天飆】명 하늘 높이 부는 강풍(強風). 천풍(天風).

천-품[1]【天品】명 『사람』 신라 때의 장군. 문무왕(文武王) 원년(661)에 귀당 총관(貴幢摠管)이 되어, 고구려를 무찔러 공(功)을 세우고 동왕 8년(668)에, 다시 귀당 총관이 되어 김유신(金庾信)·김인문(金仁問) 등과 함께 고구려 정벌을 함. 생몰년 미상.

천품[2]【天稟】명 타고난 기품. 천자(天資).

천:품[3]【賤品】명 천질(賤質).

천풍【天風】명 하늘 높이 부는 바람. 천표(天飆).

천-필염지【天必厭之】[—렴—] 명 하늘은 반드시 미워하여 벌을 줌. ——-하다 타여불

천하[1]【天下】명 ①하늘 아래 온 세상. 세상(世上). 우내(宇內). 보천(普天). ②한 나라 전체. ③온 세상 또는 한 나라가 그 정권 밑에 속하는 일. ¶ 삼일 ~/백일 ~.

천하[2]【天河】명 『천』 은하(銀河).

천하[3]【泉下】명 황천(黃泉)의 아래. 저승.

천하-가【天下歌】명 『악』 홍문연가(鴻門宴歌)의 딴이름.

천하 군:국 이:병서【天下郡國利病書】명 『책』 명말 청초(明末淸初)의 고염무(顧炎武)가 중국의 사서(史書)·지지(地誌) 중에서 천하 정치의 득실(得失)에 관한 부분을 뽑아서 편찬한 책. 130권. 명대(明代) 사회 경제 연구에 귀중한 자료임.

천하-귀【天下貴】명 세상에서 가장 귀한 것.

천:-하다[1]【薦—】타여불 사람을 어떤 자리에 천거하다.

천:-하다[2]【賤—】형여불 ①생긴 모양이나 언행이 품위가 낮다. ②신분(身分)이 낮다. ③물건이 귀중하지 않고 너무 흔하다. ④사물이 고상한 맛이 없이 다랍다.

천하 대:변【天下大變】명 세상의 큰 사변.

천하 대:세【天下大勢】명 세상이 돌아가는 추세(趨勢).

천하-마【天下馬】명 세상에서 가장 좋은 말.

천하 막적【天下莫敵】명 천하 무적(天下無敵).

천하 만:국【天下萬國】명 세상에 있는 모든 나라.

천하 만:사【天下萬事】명 세상의 모든 일. 준천하사(天下事).

천하 명창【天下名唱】명 세상에 드문 소리꾼.

천하 무쌍【天下無雙】명 천하 제일로, 그에 비길 만한 것이 없음. 천하 제일. ——-하다 형여불

천하 무적【天下無敵】명 세상에 필적(匹敵)할 만한 자가 없음. 천하 막적(莫敵).

천하 문종【天下文宗】명 세상에서 으뜸가는 대문장가(大文章家).

천하-사[1]【天下士】명 세상에 이름난 선비.

천하-사[2]【天下事】명 ①제왕이 되려고 하는 사업. ②↗천하 만사.

천하 삼분【天下三分】명 세상이 셋으로 나누어짐. 삼국(三國) 시대, 곧 위(魏)·촉(蜀)·오(吳)의 삼국 정립(三國鼎立)을 말함.

천하-석【天河石】명 『광』 청록색 또는 녹색의 미사 칼륨 장석(微斜kalium長石). 남미의 아마존, 미국의 콜로라도 주, 러시아의 우랄 등지에서 양석(良石)을 산출함. 예로부터 장식용으로 많이 쓰였음.

천하-선【天下選】명 세상의 많은 사람 중에서 뽑힌 훌륭한 사람.

천하-수【天河水】명 『민』 육십 화갑자(六十花甲子)에서, 병오(丙午) 정미(丁未)에 붙이는 납음(納音). 병정화(丙丁火)는 오미(午未)에서 극성하는데, 양이 극하면 음으로 변하듯이, 화열이 지나치면 하늘에 먹구름이 일고, 큰 비가 내린다는 말.

천하-식【天下式】명 세상의 모범.

천하-없어도【天下—】[—업써—] 부 어떠한 경우에 이를지라도 꼭. ¶ ~ 학교에는 가야 한다.

천하-없이【天下—】[—업씨] 부 이 세상에 그 유례가 없이. ¶ ~ 바빠도.

천하-에【天下—】감 뜻 밖의 일을 당했을 때 한탄하는 뜻으로 쓰는 말. ¶ ~ 그런 일도 있나/~, 죽일 놈 같으니라고.

천하 영재【天下英才】명 보기 드물게 뛰어난 재주를 가진 사람.

천하 용공【天下庸工】 명 가장 용렬한 장색.

천하-웅【天下雄】 명 ①세상에서 으뜸가는 영웅(英雄). ②세상에서 가장 뛰어난 것.

천하-일【天下一】 명 세상에 견줄 만한 것이 없는 것. 세상에서 가장 뛰어난 것.

천하 일가【天下一家】 명 ①세상 모든 사람이 한집안 사람처럼 화목함. ②천하가 통일되어 태평하게 잘 다스려짐.

천하 일색【天下一色】[—쌕] 명 세상에 뛰어난 미인(美人). 무비 일색(無比一色). *경국지색(傾國之色).

천하 일통【天下一統】 명 천하가 하나로 통합됨.

천하 일품【天下一品】 명 ①세상에 단 하나밖에 없는 물건. ②비교할 수 없을 정도로 뛰어남. 또, 그 물건.

천하 잡년【天下雜—】 명 세상에서 가장 못된 잡년.

천하 잡놈【天下雜—】 명 세상에서 가장 못된 잡놈.

천하-장【天下章】[—짱] 명 〖악〗 용비어천가 제64장의 이름.

천하 장:사【天下壯士】 명 ① 세상에 드문 장사. ②프로 씨름의 천하 장사 씨름 대회에서 우승한 선수에게 주어지는 칭호.

천하 장:사 씨름 대:회【天下壯士—大會】 명 천하 장사를 뽑는 프로 씨름 대회. 연간 1-3 회씩 체급별 장사 씨름을 곁들여 열림. 출전 선수의 체급 제한이 없으며, 우승자는 '천하 장사'라는 칭호를 얻음. 1983 년에 시작됨.

천하 제:일【天下第一】 명 세상에서 견줄 만한 것이 없음. 천하 무쌍(天下無雙).

천하-주【天下主】 명 세상의 주인. 천자(天子).

천하지-강기【天下之綱紀】 명 세상을 다스려 나가는 법도(法度).

천하지-구【天下之垢】 명 세상에서 제일 더러운 것. 세상에서 가장 쓸모없는 것.

천하지-록【天下之祿】 명 세상의 부(富).

천하지-망【天下之望】 명 세상 사람들이 우러러 바람. 세상의 인망(人望).

천하지-분【天下之分】 명 세상의 명분(名分).

천하지-비【天下之肥】 명 세상이 번영함.

천하지-지【天下之志】 명 세상 사람들의 생각. 세상 사람들의 공통(共通)된 뜻.

천하 진:지추【天下盡知秋】 명 오동나무의 잎이 하나 떨어져 세상 사람들이 모두 가을철이 되었음을 알게 된다는 뜻.

천하-추【天下樞】 명 천하 추요(樞要)의 지(地).

천하 태평[1]【天下泰平】 명 ①온 세상이 태평(泰平)함. ②걱정·근심 없이 크게 평안함.

천하 태평[2]【天下泰平】 명 〖악〗 노래말 첫머리가 '천하가 태평하면 언무수문(堰武修文) 하려니와'로 시작되므로 일컫는 홍문연가(鴻門宴歌)의 딴 이름. 천하가(天下歌).

천하-패【天下覇】 명 바둑에서, 피차간에 절대로 질 수 없는 큰 패.

천학[1] 명 〈방〉 진흙.

천학[2]【天學】 명 〖역〗 천주교가 우리 나라에 들어오기 시작한 무렵, 학문적인 대상으로서의 천주교에 관한 지식의 일컬음.

천:학[3]【淺學】 명 학식이 얕음. 박학(薄學). ——-하다 형 여불

천:학 단:재【淺學短才】 명 천학 비재.

천:학 비재【淺學菲才】 명 학문이 얕고 재주가 변변치 않음. 자기 학식을 겸사하는 말.

천한[1]【天旱】 명 가물음.

천한[2]【天寒】 명 날씨가 추움. ——-하다 형 여불

천한[3]【天漢】 명 〖천〗 은하(銀河).

천:한[4]【賤寒】 명 신분이 낮고 가난함. ——-하다 형 여불

천:한[5]【賤漢】 명 신분이 낮은 남자를 홀하게 일컫는 말.

천한 백옥【天寒白屋】 명 추운 날에 가난한 집.

천:해【淺海】 명 얕은 바다.

천:해-상【淺海相】 명 얕은 바다에 나타나는 여러 가지 현상.

천:해 생물【淺海生物】 명 천해에서 사는 유용 생물.모시조개·대합·굴·가리비·전복·소라 등의 조개류, 꽃게·참새우·대하 등의 갑각류(甲殼類), 김·다시마·미역·청각채·우뭇가사리 등의 조류(藻類)를 이름.

천:해-성【淺海性】[—썽] 명 얕은 바다에만 있는 특별한 성질.

천:해 양:식【淺海養殖】 명 유용한 천해(淺海) 생물을 그 자원의 보호와 번식을 위하여 여러 가지 방법으로 양식하는 일.

천:해 어업【淺海漁業】 명 육지에 근접한 작은 지역, 곧 20 m 이하의 깊이서부터 육지에 접하는 데까지의 지역에서의 유용 생물에 대한 어업. 대합조개·굴조개·소라 등의 조개, 꽃게·새우 등의 갑각류(甲殼類), 김·파래 등의 조류(藻類)가 대상이 됨. 어획에 의한 생물의 절멸(絶滅)을 방지하기 위하여, 어구(漁具)의 제한, 어기(漁期)의 제한, 체장(體長)의 제한 등이 규제(規制)되어 있음.

천:해 증식【淺海增殖】 명 유용한 천해 생물을 그 자원의 보호와 조장(助長)을 위하여 여러 가지 방법으로 증식시키는 사업.

천:해-층【淺海層】 명 천해에 침적(沈積), 생성된 지층.

천:해 퇴적물【淺海堆積物】 명 〖지〗 깊이 약 200 m까지의 대륙붕상의 퇴적물. 육지·해류·조류 따위의 영향을 받으며 역암(礫岩)·사암·석회암 따위가 뒤섞여 있음.

천행[1]【天行】 명 ①하늘의 운행(運行). ②〖불〗 보살이 닦은 행(行).

천행[2]【天幸】 명 하늘이 준 다행. ¶~으로 살아나다.

천:행[3]【踐行】 명 실지로 행함. ——-하다 타 여불

천행[4]【擅行】 명 전행(專行). ——-하다 타 여불

천:행[5]【遷幸】 명 〖역〗 임금이 궁궐을 떠나 다른 곳으로 거처를 옮김. ——-하다 자 여불

천행-두【天行痘】 명 〖한의〗 천연두(天然痘).

천행 반창【天行斑瘡】 명 〖한의〗 온몸에 발진이 일어나는 유행성 두창의 한 가지.

천행-수【天行嗽】 명 〖한의〗 기침이 심한 유행성 감기의 한 가지.

천행 적목【天行赤目】 명 〖한의〗 급성 결막염의 하나. 눈꺼풀이 붓고 진무르며 심하면 안구 결막 충혈·결막하 충혈(結膜下充血)·정종(淨腫) 등의 증상을 나타냄. 양의학의 각막 궤양(角膜潰瘍)에 상당함.

천행 중풍【天行中風】 명 〖한의〗 인플루엔자를 한의학에서 일컫는 말.

천향[1]【天香】 명 뛰어나게 좋은 향기.

천:향[2]【賤鄕】 명 풍속이 비루한 시골. 천토(賤土).

천향 국색【天香國色】 명 모란꽃을 이르는 말. 나라에서 가장 아름다운 여자의 비유로 씀.

천향 옥토【天香玉兎】 명 동양화의 화제(畫題). 계화(桂花)에 달을 곁들인 그림.

천허[1]【天許】 명 천자(天子)의 허락.

천:허[2]【擅許】 명 제 마음대로 허가함. ——-하다 타 여불

천헌【天憲】 명 조정(朝廷)이 제정(制定)한 법령. 천자(天子)의 명령.

천헐-궁【天蠍宮】 명 〖천〗 →천갈궁(天蠍宮).

천험【天險】 명 땅의 형세(形勢)가 천연적으로 험함. 천조(天阻). ——-하다 형 여불

천험지-지【天險之地】 명 천연적으로 험한 땅.

천현【天玄】 명 하늘의 정기(正氣).

천현지-친【天顯之親】 명 부자·형제 등의 천륜(天倫)의 지친(至親).

천:협【淺狹】 명 ①얕고 좁음. ②도량(度量)이 작고 옹졸함. ——-하다 형 여불

천형【天刑】 명 천벌(天罰). ¶~을 받다.

천:-형광단【淺螢光團】 명 형광단이 존재하는 어떤 분자(分子) 내에 들어가서 그 형광 스펙트럼대(帶)를 단파장(短波長) 쪽으로 옮기는 기(基). 산기(酸基) 같은 것. ↔심형광단(深螢光團).

천형-병【天刑病】[—뼝] 명 〖의〗 문둥병.

천혜【天惠】 명 하늘의 은혜. ¶~의 보고(寶庫).

천호【千戶】 명 〖역〗 조선 시대 때, 조운선(漕運船) 20척 또는 30척의 조졸(漕卒)의 우두머리. 해운 판관(海運判官)의 추천으로 호조(戶曹)에서 임명함. *영선(領船).

천호 만:환【千呼萬喚】 명 수없이 여러 번 부름. ——-하다 타 여불

천호-소【千戶所】 명 〖역〗 중국 명대(明代)의 위소제(衛所制)의 한 단위. 열 개의 백호소(百戶所)로 이루어지는데, 다시 이것이 다섯이 모여 위(衛)를 이루었음.

천혼【天閽】 명 ①하느님이 계신 곳의 문(門). 하늘의 문. ②제왕(帝王)의 궁문(宮門).

천:혼-문【薦魂文】 명 〖불교〗 죽은 사람의 영혼을 극락 정토로 인도하는 데 비는 글.

천:홍【淺紅】 명 ↗천홍색(淺紅色).

천:-홍색【淺紅色】 명 엷게 붉은 빛깔. 분홍색. 담홍색(淡紅色). 준 천홍(淺紅).

천화[1]【天火】 명 ①저절로 난 불. ②뇌화(雷火). ③ 한(韓) 의학·술수(術數)에서 지화(地火)·인화(人火)의 셋으로 나눈 불의 하나. 태양·유성(流星)·화성·뇌화(雷火)의 넷을 이름.

천화[2]【天花】 명 ①하늘에서 내리는 꽃. ②하늘에서 내리는 눈을 일컫는 말. ③〖불교〗 천화(天華).

천화[3]【天華】 명 〖불교〗 천상계(天上界)에 핀다는 영묘(靈妙)한 꽃. 또, 천상계의 꽃에 비길 만한 영묘한 꽃. 천화(天花).

천화[4]【天禍】 명 하늘에서 내리는 재화.

천화[5]【泉華】 명 〖지〗 온천에서 생기는 석회질(石灰質)이나 규산질(珪酸質)의 침전물.

천:화[6]【遷化】 명 ①변하여 바뀜. ②〖불교〗 이 세상의 교화를 마치고 다른 세상의 교화로 옮긴다는 뜻으로, 고승(高僧)의 죽음을 일컫는 말. 귀적(歸寂).

천화-면【天花麪】 명 천화분(天花粉)으로 만든 국수.

천화-분【天花粉】 명 〖한의〗 하눌타리 뿌리의 가루. 외과(外科)·담(痰)·소갈(消渴) 등에 쓰이는데, 성질은 참. *과루근(瓜蔞根).

천화-산【天火山】 명 〖지〗 평안 북도 강계군(江界郡) 종남면(從南面)과 공북면(公北面) 사이에 있는 산. [1,341 m]

천화-일【天火日】 명 〖민〗 천화(天火)가 난다는 날. 1·5·9월은 자일(子日), 2·6·10월은 묘일(卯日), 3·7·11월은 오일(午日), 4·8·12월은 유일(酉日)인데, 이 날에 상량(上樑)을 하거나 지붕을 이면 그 집에 불이 난다고 함.

천화-판【天花板】 명 〖건〗 소란반자.

천환【天宦】 명 날 때부터 자지나 불알이 없는 사람.

천환 지방【天圜地方】 명 하늘은 둥글고 땅은 모가 짐. 천원 지방(天圓地方).

천황[1]【天荒】 명 ①천지가 미개(未開)한 때의 혼돈(混沌)한 모양. ②동떨어지게 먼 땅.

천황[2]【天皇】 명 ①일본에서, 그 임금을 일컫는 말. ②천자(天子). 황제. 황왕(皇王). ③천제(天帝).

천황[3]【天潢】 명 ①은하(銀河). ②천상의 못. ③천황지파(天潢之派).

천:황[4]【淺黃】 명 ↗천황색(淺黃色).

천-황련【川黃連】[—년] 명 〖한의〗 황련(黃連)의 하나. 중국 쓰촨 성(四川省)에서 생산됨.

천황-봉【天皇峰】 명 〖지〗 속리산(俗離山)의 한 봉우리.

천황-산【天皇山】 명 〖지〗 경상 남도 밀양시(密陽市) 산내면(山內面)·단장면(丹場面)과 울산(蔚山) 광역시 울주구(蔚州區) 상북면(上北面) 사이에 있는 산. [1,189 m]

천:-황색【淺黃色】 명 엷게 누른 빛깔. 담황색(淡黃色). 연노랑. ㊥천황(淺黃).

천황-씨【天皇氏】 명 〖역〗 중국 태고 시대의 전설적인 인물. 삼황(三皇)의 으뜸으로, 12형제가 각각 만 팔천 년씩 임금 노릇을 하였다 함.

천황지-파【天潢之派】 명 황실(皇室). 황족(皇族). 천황.

천회[1]【千悔】 명 수없이 후회함. 또, 그 후회. ——**-하다** 자 여불

천회[2]【天灰】 명 광중(壙中)에 관을 내려 놓고 방회(傍灰)로 관의 가를 메운 뒤에 관 위에 다지는 석회.

천:횡【擅橫】 명 제 멋대로 횡포를 부림. 천자(擅恣)하게 전횡(專橫)함. ——**-하다** 타 여불

천효-계【泉効計】 명 온천·광천(鑛泉) 등에 함유되는 라돈량(radon量)을 측정하는 장치. 간단한 검전기(檢電器)와 이온(ion) 상자로 이루어지는 방사능 측정기의 하나임.

천후[1]【天后】 명 중국, 특히 중부·남부의 연해(沿海) 일대 및 대만 지방 등의 민간에서 믿고 있는 여신. 전설에 의하면, 푸젠 성(福建省) 싱화 부(興化府) 푸톈현(莆田縣)에서 나 여덟 살에 시서(詩書)를 배우고 열세 살 때 어떤 늙은 도사(道士)로부터 비법(祕法)을 배워 동네 사람의 병을 고쳐 주고, 987년 어느 날 대낮에 하늘로 올라가 신이 된 후 해상을 날며 해운(海運)을 수호하여 원(元)나라 때 조정으로부터 천비(天妃)로 봉해지고, 다시 청(淸)나라의 강희(康熙) 때 천후(天后)로 가봉(加封)되었다고 함. 천상 성모(天上聖母). 천비(天妃).

천후[2]【天候】 명 기후(氣候).

천:흉-술【穿胸術】 명 〖의〗 흉강(胸腔) 속에 액상(液狀) 물질이 괴었을 때, 천자침(穿刺針)으로 찔러서 이것을 배제하는 방법.

천:흑【淺黑】 명 ↗천흑색(淺黑色).

천:-흑색【淺黑色】 명 엷게 검은 빛깔. 담흑색(淡黑色). ㊥천흑(淺黑).

천희-절【天禧節】[—히—] 명 〖역〗 고려 명종(明宗) 때 태자(太子)의 탄일(誕日)을 경축하던 명일.

철[1] 명 일 년을 봄·여름·가을·겨울의 넷으로 나눈 그 한 동안. 시절(時節). 계절(季節). 시즌(season). ¶여름~/~ 이른 사과/메뚜기도 한~/~ 따라 옷을 갈아 입다.
[철 그른 동남풍(東南風)] 얼토당토 않은 흰소리를 할 때 이르는 말.

철[2] 명 사리를 분별할 줄 아는 힘. ¶~들 나이/~ 없는 짓을 하다/이젠 좀 ~이 날 때도 되었으련만.

철[3]【鐵】 명 ①금속 원소의 하나. 순수한 것은 백색 광택을 가지며, 연성(延性)·전성(展性)이 풍부하고, 강자성(強磁性)이 크며 습기가 있는 곳에서 녹슬기 쉽고, 염소·황·인(燐)과는 적극적으로 작용하나 질소와는 직접 화합하지 아니함. 운석(隕石)을 제외하고는 드물게 유리(遊離)하여 존재하고, 자철광(磁鐵鑛)·적철광(赤鐵鑛)·갈철광(褐鐵鑛)·능철광(菱鐵鑛)·황철광(黃鐵鑛) 등에서 남. 실용의 철은 약간의 탄소가 함유되어 있어, 그 함량(含量)에 따라 주철(鑄鐵)에서 강철에 이르는 여러 가지 특성을 나타내는데, 금속 중 가장 많이 생산되며 값이 싸기 때문에 기계·병기·선박·토목 건축의 재료 등 그 용도가 넓어, 가장 유용한 금속의 하나임. 쇠. [26번: Fe: 55.84] ②↗철사(鐵絲).

철[4]【鐵】 명 ↗번철(燔鐵).

-철【綴】 미 어떤 명사 밑에 붙어, 그것을 철한 물건의 뜻을 나타내는 말. ¶신문~/답안지~.

철가[1]【撤家】 명 온 가족을 거느리고 살림을 몽뚱그려 떠남. ——**-하다** 자 여불

철가[2]【鐵枷】 명 죄인의 목에 씌우는 쇠로 만든 형구(刑具)의 하나.

철가 도주【撤家逃走】 명 가족(家族)을 모조리 데리고 도망감. ——**-하다** 자 여불

철-가야금【鐵伽倻琴】 명 〖악〗 쇠줄로 맨 가야금. 무용 음악용으로, 양(陽)의 소리, 바라진 소리가 특징임.

철각[1]【凸角】 명 〖수〗 이직각(二直角)보다 작은 각. ↔요각(凹角).

철각[2]【鐵脚】 명 ①쇠같이 튼튼하고 굳센 다리. ②〖충〗 여치. ③교량·탑 따위의 하부를 받치는 철제의 다리.

철간[1]【鐵幹】 명 고목이 된 매화나무 따위의 줄기.

철간[2]【鐵簡】 명 옛 무기의 한 가지. 쇠로 만든 네모진 채찍.

철-갈이 명 〖민〗 가신(家神)에게 집안의 한 해 행운을 비는 제주도 무당굿의 하나.

철-감람석【鐵橄欖石】[—남—] 명 〖광〗 철과 규소 산화물을 성분으로 하는 광물. 갈색의 사방 정계(斜方晶系)로 유리 광택(光澤)을 가지며 입상(粒狀) 또는 괴상(塊狀)으로 석영 안산암(石英安山岩)이나 페그머타이트(pegmatite) 속에서 산출됨. [Fe_2SiO_4] *감람석.

철갑【鐵甲】 명 ①쇠로 만든 갑옷. 철의(鐵衣). 철개(鐵鎧). ¶~선(船)/~을 두르다. ②어떤 물건 위에 다른 물질을 흠뻑 칠하여 이룬 겉더께. 칠갑. ¶흙~/먹~.

철갑-둥어【鐵甲—】 명 〖어〗 [*Monocentris japonicus*] 철갑둥엇과에 속하는 바닷물고기. 몸길이 11cm 남짓한데, 몸이 크고 여문 골질 비늘로 덮이어 솔방울 같고, 몸빛은 황색으로 각 비늘의 끝은 흑갈색을 이룸. 아래 턱에 두 군데나 발광(發光) 박테리아가 공서(共棲)하여 빛을 내며, 부레로 소리를 냄. 난해성(暖海性) 어종으로, 한국 남부·일본 중남부·필리핀·남아프리카 연해에 분포함. 해저(海底)에 군서하는 습성이 있고 맛이 좋음.

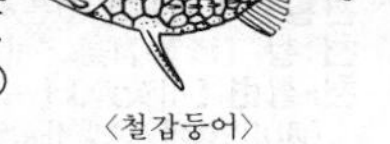
〈철갑둥어〉

철갑둥엇-과【鐵甲—科】[—꽈] 명 〖어〗 [Monocentridae] 금눈돔목(目)에 속하는 어류의 한 과. 이 과에는 철갑둥어가 있음.

철갑-령【鐵甲嶺】[—녕] 명 〖지〗 강원도 강릉시(江陵市) 연곡면(連谷面)과 주문진읍(注文津邑) 사이에 있는 산. [1,013 m]

철갑-상어【鐵甲—】 명 〖어〗 ①철갑상엇과에 속하는 어류의 총칭. 심어(鱘魚). 심황(鱘鰉). ②[*Acipenser sinensis*] 철갑상엇과에 속하는 물고기. 몸길이 1.5 m가량으로 칼상어와 비슷한데 주둥이가 매우 돌출했으며, 몸빛은 등은 회청색이고 배는 흼. 한국 서남 연해(沿海) 및 중국 연해에 분포함. 맛이 좋음. 전어(鱣魚). 황어(黃魚). 줄철갑상어. 황어(鰉魚).

철갑상어-목【鐵甲—目】 명 〖어〗 [Acipenserida] 경골어류(硬骨魚類) 조기아강(條鰭亞綱)에 속하는 한 목(目). 이 목에 속한 것으로 철갑상엇과가 있음.

철갑상엇-과【鐵甲—科】[—꽈] 명 〖어〗 [Acipenseridae] 철갑상어목에 속하는 한 과. 철갑상어·칼상어·용상어 등이 있는데, 주둥이 아래에 네 개의 촉수가 있고 양턱에 이가 없는 것이 특징임.

철갑-선【鐵甲船】 명 쇠로 거죽을 싼 병선(兵船).

철갑-차【鐵甲車】 명 장갑차(裝甲車).

철갑-탄【徹甲彈】 명 파갑탄(破甲彈).

철강【鐵鋼】 명 ①선철(銑鐵)과 강철(鋼鐵)의 총칭. ②강철(鋼鐵).

철강-업【鐵鋼業】 명 〖공〗 철광석으로부터 선철(銑鐵) 및 강철을 생산하고 또는 이것을 가공하여 완성품의 제조를 영위하는 금속(金屬) 공업의 하나.

철강 콤비나:트【鐵鋼—】[러 kombinat] 명 제철소를 중심으로 이루어지는 콤비나트. 고로(高爐)나 코크스로 가스(cokes爐 gas)에 의한 화성품(化成品) 공장과의 결합이나, 전력(電力)과 유류(油類)를 대량으로 사용하는 데서 오는 발전소·정유소 등과 결합된 종합 콤비나트 등이 있음.

철개【鐵鎧】 명 철갑(鐵甲)❶.

철개이 명 〈방〉 잠자리[2](경북).

철갱【鐵坑】 명 철광(鐵鑛)을 파내는 구덩이.

철갱이 명 〈방〉 잠자리[2](경북).

철거【撤去】 명 건물·시설 따위를 거두어 치워 버림. 제거함. 철회(撤回). ¶~ 작업/판자촌을 ~하다. ——**-하다** 타 여불

철거-령【撤去令】 명 철거하라는 명령. ¶~이 내리다.

철거-민【撤去民】 명 행정상·군사상의 필요나 이유에 의해 거처를 철거당한 시민. ¶~ 촌(村).

철검【鐵劍】 명 쇠로 만든 칼.

철겅이 명 〈방〉 잠자리[2](경남).

철-겨우- 간 '철겹다'의 불규칙 어간. ¶~ㄴ/~면/~니.

철-겨웁다 형 〈방〉 철겹다.

철결핍성 빈혈【鐵缺乏性貧血】 명 [iron deficiency] 〖의〗 저색소성(低色素性)·소적혈구성(小赤血球性)의 빈혈. 철의 대량 상실이나 섭취(攝取) 부족 또는 흡수 불량(吸收不良)에 의함.

철결합 단백질【鐵結合蛋白質】 명 [iron binding protein] 〖화〗 철(鐵) 이온의 운반을 맡는 혈청(血淸) 단백. 헤모글로빈 따위.

철-겹다 형 ㅂ불 어느 철에 뒤져 맞지 않다. ¶철겹게 오는 비/철겨운 옷/때묻은 철겨운 모시박이 두루마기 자락은 오른편 손가락에 끼우고 …≪廉想涉 : 標本室의 청개구리≫.

철경[1]【凸鏡】 명 ↗철면경(凸面鏡).

철경[2]【綴經】 명 〖책〗 중국 남제(南齊)의 조호(祖晅)가 천산(天算)에 관해 지은 책. 삼국(三國) 이래 우리 나라에 들어와서 산학(算學)을 익히는 데 많이 이용되었음. *철술(綴術).

철경[3]【輟耕】 명 논밭의 경작을 중도에서 그만 둠. ——**-하다** 자 여불

철경[4]【鐵鏡】 명 쇠로 만든 거울. 고구려 시대의 고분(古墳)에서 출토(出土)됨.

철-경고【鐵硬膏】 명 쇳가루를 섞어서 만든 고약.

철경-록【輟耕錄】[—녹] 명 〖책〗 중국 원말(元末), 도종의(陶宗儀)가 찬(撰)한 수필. 1366년 완성함. 원나라의 법률 제도 및 지정(至正)(1341-68) 말년의 동남(東南) 여러 성(省)들의 반란에 관한 기술(記述) 및 서화 문예(書畫文藝)의 고정(考訂) 등에서 주목할 만한 것이 많아 원대(元代)의 사회·법제·경제·문학·예술 등 연구에 그 사료적(史料的) 가치가 높이 평가되고 있음. 30권.

철고【鐵搞】 명 쇠테.

철고토 첨정석【鐵苦土尖晶石】 명 [ceylonite] 〖광〗 암녹색이나 갈색 또는 흑색의 철을 함유하는 첨정석(尖晶石)의 일종.

철골[1] 명 몸이 야위어 뼈만 앙상한 모양. ¶앓고 나더니 ~이 되었구나.

철골[2]【徹骨】 명 뼈에 사무침. ——**-하다** 자 여불

철골[3]【鐵骨】 명 ①굳세게 생긴 골격. ②〖토〗 형강(形鋼)·강판(鋼板)·평판(平板) 등을 접합하여 세운 건조물의 뼈대.

철골 구조【鐵骨構造】 명 〖건〗 건축물의 축부(軸部)를 철재(鐵材)를 써서 하는 구조.

철골조 건:축【鐵骨造建築】[—쪼—] 명 〖건〗 철재(鐵材)를 짜 맞추어서 만든 것을 주요한 뼈대로 하는 건축.

철골 철근 콘크리:트 건:축【鐵骨鐵筋—建築】[concrete] 명 〖건〗 철골조(鐵骨造)를 철근 콘크리트로 싼 구조를 가지는 대규모 건축. 내진성(耐震性)·내화성(耐火性)·내구성(耐久性)이 강함.

철골-태【鐵骨胎】 명 〖공〗 쇳가루를 섞어서 칠한 도자기의 몸.

철공【鐵工】 명 쇠를 다루는 공업. 또, 그 직공. 철장(鐵匠).

철공-소【鐵工所】 명 쇠로 된 재료로 온갖 기구(器具)를 만드는 철공의 일터.

철-공장【鐵工場】 명 쇠로 온갖 기구를 만드는 곳.

철관[1]【鐵棺】 명 쇠로 만든 관(棺).
철관[2]【鐵管】 명 쇠로 만든 관(管).
철관 풍채【鐵冠風采】 명 [‘철관’은 어사(御史)가 쓰던 갓] 쇠로 만든 관을 쓴 모습. 전(轉)하여, 씩씩하고 위엄 있는 모습.
철광【鐵鑛】 명 〖광〗 ①↗철광석(鐵鑛石). ②↗철광상(鐵鑛床).
철-광상【鐵鑛床】 명 〖광〗 철광석을 산출하는 광상. 또, 철광석을 파는 광. 보통 40 % 이상의 철분을 함유하고 있음. ㊀철광.
철-광석【鐵鑛石】 명 철을 함유한 제철(製鐵)의 원료(原料)가 되는 광석. 자철광(磁鐵鑛)·적철광(赤鐵鑛)·갈철광(褐鐵鑛) 등이 그 주된 것임. ㊀철광.
철광 시멘트【鐵鑛一】 명 [iron ore cement] 시멘트의 일종. 점토(粘土) 또는 셰일(shale) 대신에 철광석을 사용한 시멘트.
철괘【鐵枴】 명 철장(鐵杖).
철교【鐵橋】 명 ①철(鐵)을 주재료(主材料)로 하여 놓은 다리. ②↗철도교(鐵道橋).
철:구[1] 명 〈방〉 잠자리[2](경상).
철구[2]【鐵灸】 명 적쇠. 석쇠.
철구[3]【鐵具】 명 철제(鐵製)의 기구.
철군【撤軍】 명 철병(撤兵). ——-하다 자여불
철굴 지옥【鐵窟地獄】 명 〖불교〗 쇠벌레·쇠칼 등으로 죄인을 고문하는 쇠로 된 큰 굴. 탐욕(貪慾)스럽고 인색(吝嗇)한 사람이 떨어지는 지옥이라 함.
철궁【鐵弓】 명 쇠로 만든 활.
철권[1]【鐵券】 명 〖역〗 훈공을 기록한 서책. 공신에게 나누어 줌. 공신 녹권(功臣錄券).
철권[2]【鐵拳】 명 쇠뭉치같이 굳센 주먹. ¶ ~ 정치(政治)/~을 휘두르다.
철권 제:재【鐵拳制裁】 명 굳센 주먹으로 때려서 혼내 줌.
철궤[1]【鐵軌】 명 철도의 궤조(軌條). 레일.
철궤[2]【鐵櫃】 명 철판으로 만든 궤. 금궤(金櫃).
철-궤연【撤几筵】 명 삼년상(三年喪)을 마치고 신주를 사당에 모시고 영연(靈筵)을 거두어 치움. ——-하다 자여불
철귀【撤歸】 명 권귀(捲歸). ——-하다 자여불
철균【鐵菌】 명 녹슨 빛을 띠고 실 모양으로 되어 집합체를 이루고 있는 철광상(鐵鑛床) 부근의 토양 속에 많이 있는 세균. 상수도 작업에 매우 유해(有害)한 세균으로, 그 종류가 여러 가지임.
철그렁 부 얇은 쇠붙이가 맞부딪쳐 나는 소리. ㅅ절그렁. ㅆ쩔그렁. > 찰그랑. ——-하다 자여불
철그렁-거리다 자 계속하여 철그렁 소리가 나다. ㅅ절그렁거리다. ㅆ쩔그렁거리다. >찰그랑거리다. **철그렁-철그렁** 부. ——-하다 자여불
철그렁-대다 자 철그렁거리다.
철근【鐵筋】 명 〖토〗 콘크리트 속에 박는 가늘고 긴 철봉(鐵棒).
철근 건:축【鐵筋建築】 명 철근 콘크리트 건축. 압축력(壓縮力)에 강한 콘크리트와 장력(張力)에 강한 철근을 배합하여 지은 건물.
철근 글라스【鐵筋一】 [glass] 명 와이어 글라스(wire glass).
철근 콘크리:트【鐵筋一】 [concrete] 명 〖토〗 철근을 뼈대로 한 콘크리트. 철근과 콘크리트를 적당히 결합시켜서, 압축력에 강한 콘크리트와 장력(張力)에 강한 철근과의 특징을 발휘케 하고, 또한 그 결점을 보강한 건축 재료로, 그 구조물은 내구성(耐久性)·내화성(耐火性)·내진성(耐震性)이 풍부함. ↔무근(無筋) 콘크리트.
철금【鐵琴】 명 [도 Glockenspiel] 〖악〗 ①관현악에 쓰이는 악기의 한 가지. 작은 강철의 쇳조각을 음계(音階)순으로 늘어놓고 채로 쳐서 소리를 냄. 철심금(鐵心琴). 글로켄슈필. ②철금 하부(下部)에 공명관(共鳴管)을 단 것. 비브라폰(vibraphone).

〈철금❷〉

철-금기제【鐵禁忌劑】 명 [antisideric] 〖광〗 철의 화학 작용(化學作用)을 중화(中和)하는 약제.
철기[1] 명 〈방〉 ①잠자리[2](경남). ②껑거리.
철기[2]【凸起】 명 중앙(中央)이 볼록하게 솟아 오름. 또, 그 물건. ——-하다 자여불
철기[3]【鐵器】 명 쇠로 만든 그릇.
철기[4]【鐵騎】 명 ①용맹한 기병(騎兵). ②〖역〗 철갑을 입은 기병.
철기[5]【鐵驥】 명 〖사람〗 이범석(李範奭)의 호(號).
철기-대【鐵騎隊】 명 [Ironsides] 〖역〗 1643년 영국의 청교도 혁명(淸敎徒革命) 때 크롬웰(Cromwell, O.)이 편성한 기병대(騎兵隊). 철기는 크롬웰의 별명임.
철기 시대【鐵器時代】 명 [Iron Age] 고고학(考古學)상 시대 구분의 하나. 석기(石器) 시대·청동기(靑銅器) 시대에 뒤이어 철기(鐵器)를 사용한 인류 문화 발전의 제3 단계로서 메소포타미아에서는 기원전 2천년 중반, 유럽에서는 기원전 1천년 초기, 중국에서는 기원전 1천년 후반기. 넓은 뜻으로는 현대까지도 포함됨.
철기-채 명 〈방〉 껑거리 막대.
철-길【鐵一】 [一낄] 명 철도(鐵道). 철로(鐵路).
철꺽 부 ①떨어지지 아니하고 단단히 들러붙는 모양. ②눅진눅진한 물질을 세게 때리는 모양. 또, 그 소리. 1)·2):>찰깍. ——-하다 자타여불
철꺽-거리다 자타 계속하여 철꺽 소리가 나다. 또, 계속해서 철꺽 소리를 내다. >찰깍거리다. **철꺽-철꺽** 부. ——-하다 자타여불
철꺽-대다 자타 철꺽거리다.
철-끈【綴一】 명 문서 등을 철하는 데 쓰는 끈.
철-나다 [一라一] 자 사리를 판단하는 힘이 생기다. 셈나다. 철들다. [철나자 망령이라] ‘철들자 망령이라’와 같은 말.
철농【撤農】 [一롱] 명 농사 일을 걷어치움. ——-하다 자여불
철-다각형【凸多角形】 명 〖수〗 ‘볼록 다각형’의 구(舊)용어. ↔요(凹)다각형.
철-다면체【凸多面體】 명 〖수〗 ‘볼록 다면체’의 구용어.
철단【鐵丹】 [一딴] 명 〖화〗 누른 빛을 띤 안료(顔料). 주성분은 산화 제이철(酸化第二鐵)임.
철대 [一때] 명 ↗갓철대.
철덕-산【鐵德山】 [一떡一] 명 〖지〗 함경 남도 문천군(文川郡) 운림면(雲林面)에 있는 산. [1,111 m]
철도【鐵道】 [一또] 명 ①침목(枕木) 위에 철제(鐵製)의 궤조(軌條)를 시설한 궤도 위를 특수한 바퀴로 된 차량으로, 사람·물건을 운반하는 육상 운수 기관. 철로(鐵路). ②레일을 깐 통로. 레일웨이(railway).
철도 거:리표【鐵道距離標】 [一또一] 명 철도 선로의 기점(起點)으로부터의 거리를 나타내는 표. 국유 철도는 200 m 마다, 도시 지하 철도는 100 m마다 선로가에 세움. ㊀거리표.
철도 건:설창【鐵道建設廠】 [一또一] 명 철도청 소속 기관의 하나. 국유 철도의 건설 및 개량에 관한 업무를 관장함.
철도 경:찰【鐵道警察】 [一또一] 명 철도 교통상 발생하는 위해(危害)를 방지하고 공안 질서(公安秩序)를 유지하던 경찰. 현재는 철도 공안원으로 대치됨.
철도 곡선자【鐵道曲線一】 [一또一] 명 철도 선로나 도로의 설계에 있어 대반경원(大半徑圓)을 그리는 데 쓰이는 원호상(圓弧狀)의 자.
철도 공안감【鐵道公安監】 [一또一] 명 공안직(公安職) 국가 공무원 직급 명칭의 하나. 철도 공안 직렬(職列)에 속하며, 철도 공안관의 위로 4급 공무원임.
철도 공안관【鐵道公安官】 [一또一] 명 공안직(公安職) 국가 공무원 직급 명칭의 하나. 철도 공안 직렬(職列)에 속하며, 철도 공안감의 아래, 철도 공안사의 위로 5급 공무원임.
철도 공안사【鐵道公安士】 [一또一] 명 공안직(公安職) 국가 공무원 직급 명칭의 하나. 철도 공안 직렬(職列)에 속하며, 철도 공안사보의 위, 철도 공안관의 아래로 6급 공무원임.
철도 공안사보【鐵道公安士補】 [一또一] 명 공안직(公安職) 국가 공무원 직급 명칭의 하나. 철도 공안 직렬(職列)에 속하며, 철도 공안원의 위, 철도 공안사의 아래로 7급 공무원임.
철도 공안원【鐵道公安員】 [一또一] 명 공안직(公安職) 국가 공무원 직급 명칭의 하나. 철도 공안 직렬(職列)에 속하며, 철도 공안보의 위, 철도 공안사보의 아래로 8급 공무원임.
철도 공안원보【鐵道公安員補】 [一또一] 명 공안직(公安職) 국가 공무원 직급 명칭의 하나. 철도 공안 직렬(職列)에 속하며, 철도 공안원의 아래로 9급 공무원임.
철도 공채【鐵道公債】 [一또一] 명 철도 사업에 필요한 자금을 조달키 위하여 발행하는 공채(公債).
철도 공학【鐵道工學】 [一또一] 명 [railroad engineering] 〖토목〗 수송공학(輸送工學)의 한 분야. 철도 선로·차량·건축물 등 철도 설비에 관한 기술을 연구하는 공학.
철도-교【鐵道橋】 [一또一] 명 철도를 깔기 위하여 걸쳐 놓은 다리. ㊀철교(鐵橋).
철도-국【鐵道局】 [一또一] 명 ‘지방 철도청’의 구칭.
철도 국유【鐵道國有】 [一또一] 명 철도를 국가 소유로 하는 일. 경영을 국가에서 하는 국유 국영(國營)형태와, 경영을 민간 또는 반관 반민(半官半民) 회사에 기탁하는 국유 사영(私營)형태가 있음.
철도 궤:간【鐵道軌間】 [一또一] 명 [track gauge] 철도 선로(線路)의 레일과 레일 사이의 폭(幅). 미국에서는 표준 궤도를 4 ft 8½ in, 곧 1.4351 m로 규정하고 있음. *광궤(廣軌)·협궤(狹軌).
철도 기상 통보【鐵道氣象通報】 [一또一] 명 〖기상〗 이상 기상(異常氣象)으로 열차·자동차·연락선 등의 안전 운행(運行)에 지장을 초래할 우려가 있을 때, 측후소가 철도청에 행하는 통보.
철도 기술 연:구소【鐵道技術硏究所】 [一또一련一] 명 철도청 소속 기관의 하나. 철도용 선로·차량·연료·전기·통신·신호 보안·운수·운전 기타 철도 용품 및 철도에 관한 기술의 조사·연구 및 시험과 기술 지도에 관한 업무를 관장함.
철도 기:장【鐵道技長】 [一또一] 명 철도 현업직(鐵道現業職) 기능 공무원 직급 명칭의 하나. 철도원(鐵道員)의 위. 1급·2급·3급·4급·5급의 다섯 급이 있음.
철도-대【鐵道隊】 [一또一] 명 철도의 부설·보수·운전 또는 파괴에 종사하는 공병. 특별 부대의 하나.
철도 마:차【鐵道馬車】 [一또一] 명 철도 노선을 달리는 승합(乘合) 마차. 두 필의 말이 25-26인승(人乘)의 객차 1량(輛)을 끌었음. 1836년 미국 뉴욕에서 처음으로 개업함. 마차 철도(馬車鐵道).
철도-망【鐵道網】 [一또一] 명 지상에 많은 철도가 부설되어 이들이 서로 연락되어 있는 상황.
철도 박물관【鐵道博物館】 [一또一] 명 철도에 관련된 자료나 유물 등을 수집하여 전시하는 전문 박물관의 하나. 경기도 의왕시(儀旺市) 월암동(月岩洞)에 1988 년 1 월에 개관함.
철도 방설림【鐵道防雪林】 [一또一] 명 철도 노선(路線)이 눈보라·눈사태 등의 설해(雪害)로 매몰(埋沒)되는 것을 방지하기 위해 철도 연변에 조성(助成)한 삼림(森林).
철도-법【鐵道法】 [一또뻡] 명 〖법〗 철도의 운영·보호에 관한 사항을 규정한 법률.
철도 보:선【鐵道保線】 [一또一] 명 철도 선로의 보수(補修)와 안전을

도모하는 일.

철도 보:조원【鐵道補助員】[—또—] 명 전에, 철도 현업직(鐵道現業職) 기능 공무원 관명의 하나. 철도수(鐵道手)의 아래였음.

철도 선로【鐵道線路】[—또설—] 명 열차·차량의 운행을 위해 레일을 부설한 선로. 레일·침목(枕木)·도상(道床)으로 된 궤도(軌道)와 노반(路盤)·터널·교량 등의 구조물. 광의(廣義)로는 신호·정거장·통신·전기 시설 등도 포함함.

철도 소:운송업【鐵道小運送業】[—또—] 명 철도 궤도(軌道)에 의한 물품 운송에 부대(附帶)하여 행하여지는 운송 취급 영업(運送取扱營業) 및 집화(集貨)·배달(配達)·화차 하역(貨車荷役) 등에 관한 영업. ㊥소운송업(小運送業).

철도 신:호【鐵道信號】[—또—] 명 열차·차량의 안전 및 원활한 운행(運行)을 목적으로 하는 신호.

철도-역【鐵道驛】[—또—] 명 역(驛)❶.

철도 용량【鐵道容量】[—또—냥] 명 〔rail capacity〕 24시간 동안, 어떤 철도의 어떤 지점을 오가는 최대한의 열차 대수.

철도 운송【鐵道運送】[—또—] 명 철도로 여객·화물을 운송하는 일. 철도 운수(運輸).

철도 운수【鐵道運輸】[—또—] 명 철도 운송.

철도 운임【鐵道運賃】[—또—] 명 철도 운수의 대가(對價). 여객 운임과 화물(貨物) 운임이 있음.

철도-원¹【鐵道院】[—또—] 명〖역〗경인(京仁)·경부(京釜) 철도 사무를 맡은 관아. 광무(光武) 4년(1900)에 베풀고 동 9년에 폐함.

철도-원²【鐵道員】[—또—] 명 철도 현업직(鐵道現業職) 기능 공무원 직급 명칭의 하나. 철도 기장(技長)의 아래. 6급·7급·8급·9급·10급의 다섯 급이 있음.

철도의 날【鐵道—】[—또—/—또에—] 명 건설 교통부 주관으로, 기간 교통수단으로서의 철도의 의의를 높이고, 종사원의 노고를 위로하는 행사를 하는 날. 9월 18일. 1899년 우리 나라에서 최초로 경인선(京仁線) 철도가 개통(開通)된 날을 기념하여 설정(設定)한 것임.

철도 자살【鐵道自殺】[—또—] 명 철도에 뛰어들어 열차(列車)에 깔려 죽는 자살.

철도 전:화【鐵道電話】[—또—] 명 철도에서 업무용으로 쓰이는 전용 회선(專用回線) 전화.

철도 차량【鐵道車輛】[—또—] 명 철도 선로 위에서 여객 또는 화물의 운수(運輸)에 사용하는 차량. 동력차·객차·화차로 대별(大別)됨.

철도-청【鐵道廳】[—또—] 명 건설 교통부 장관 소속하의 중앙 행정 기관. 철도의 운영과 그 부대 사업(附帶事業)에 관한 사무를 관장함.

철도청-장【鐵道廳長】[—또—] 명 철도청의 장(長). 정무직(政務職)임.

철도-편【鐵道便】[—또—] 명 철도를 이용하는 편(便). ¶~으로 부친 화물(貨物).

철도 행정【鐵道行政】[—또—] 명 철도 사업, 철도 차량 공업의 계획·감독·육성(育成) 등에 관한 행정.

철도 회:사【鐵道會社】[—또—] 명 철도 영업(鐵道營業)을 목적으로 하는 회사.

철독【鐵毒】[—똑] 명 쇳독.

철두철미【徹頭徹尾】[—뚜—] ㊀명 처음부터 끝까지 투철함. ¶~한 사람. ㊁부 처음부터 끝까지 철저하게. 어디까지나. ¶~ 진상을 밝히다/~ 반대 입장에 서다. ——-하다 형여불

철-둑【鐵—】[—뚝] 명 철롯둑.

철-들다 자 제법 사리를 분별할 만하게 되다. 철나다. 셈들다. ¶철들 나이/철들 때가 되었건만/철들고 나서부터.

[철들자 망령이라] ㉠뒤늦게나마 겨우 성사가 되자 곧 낭패가 닥친다는 말. ㉡인생은 길지 못하여 곧 나이드는 것이니 어물어물하다가는 아무 일도 이루지 못한다는 것을 경계하는 말.

철-따구니 명〈속〉철².

철-따라 부 철이 되면 거기 따라서.

철-딱서니 명〈속〉철². ¶~가 없다.

철-딱지 명〈속〉철². ¶~가 없다.

철-때기 명 ☞ 철².

철떡 부 젖었거나 차진 물건이 세차게 달라붙는 모양이나 소리. ¶젖은 옷이 살에 ~ 붙다. >찰딱.

철떡-거리다 자 젖었거나 차진 물건이 자꾸 들러붙었다 떨어졌다 하다. >찰딱거리다. 철떡-철떡 부. ——-하다 자여불

철떡-대다 자 철떡거리다.

철뚝 명〈방〉철쭉.

철락【鐵落】명 쇠똥¹.

철래이 명〈방〉잠자리²(경북).

철랭이 명〈방〉잠자리²(경북).

철럭-거리다 자 굵은 물줄기가 쉬엄쉬엄 떨어지며 소리가 나다. >찰락거리다. 철럭-철럭 부. ——-하다 자여불

철럭-대다 자 철럭거리다.

철럭-이다 자 많은 액체가 흘러 넘치거나 가볍게 부딪쳐 소리를 내다.

철렁 부 ①넓고 깊은 곳에 괸 물이 한 번 움직이는 모양. 또, 그 소리. >찰랑. ②방울이나 쇠붙이 따위가 서로 부딪쳐서 나는 소리. 1)·2): ㅅ절렁. ㅆ쩔렁. >찰랑. ③갑자기 어떤 일에 놀라거나, 또 비밀·약점 따위를 지적당하여 마음에 깜짝 놀라는 모양. ¶가슴이 ~ 내려앉다. ——-하다 자타여불

철렁-거리다 자타 ①자꾸만 철렁하다. 또, 자꾸만 철렁 소리를 나게 하다. ㅅ절렁거리다. ㅆ쩔렁거리다. >찰랑거리다. ②연달아 가슴이 철렁 내려 앉다. >찰랑거리다. 철렁-철렁 부. ——-하다 자타여불

철렁-대다 자타 철렁거리다.

철렁-이다 자 ①깊은 곳에 괸 물이 움직여 물결이 일다. ②갑자기 어떤 일에 놀라거나 하여 가슴이 덜컥 내려앉다.

철-렌즈【凸—】〔lens〕명〖물〗'볼록 렌즈'의 구용어.

철-련가【鐵連枷】명 철연가(鐵連枷)의 잘못.

철렴【撤簾】명 나이 어린 임금이 어른이 된 뒤에 그 모후(母后)가 수렴청정(垂簾聽政)하던 일을 폐지함. ——-하다 자여불

철-령¹【鐵嶺】명〖지〗강원도 회양군(淮陽郡) 하북면(下北面)과 함경 남도 안변군(安邊郡) 위익면(衛益面) 사이에 있는 큰 재. [685 m]

철-령²【鐵嶺】명〖지〗'톄링'을 우리 음으로 읽은 이름.

철령-위【鐵嶺衛】명〖역〗고려 우왕(禑王) 14년(1388)에 명(明)나라가 철령(鐵嶺)에서 랴오닝(遼陽)에 이르는 곳에 국경 방비를 위해 설치한 70개소의 병참(兵站) 군영(軍營). 그 이북의 땅은 원래 원(元)나라의 영토였으므로 자기들에게 복속(服屬)해야 한다고 주장하였는데, 동년 3월에 고려는 최영(崔瑩)을 도통사(都統使)로 38,800명의 군사로 원정하려다가 이성계(李成桂)의 위화도 회군(威化島回軍)으로 실패하였음.

철로【鐵路】명 철도(鐵道).

철로 바탕【鐵路—】명 철도의 궤조(軌條)를 시설한 자리.

철록-어미 명 담배를 늘 피우고 있는 사람을 조롱하는 말.

철롯-둑【鐵路—】명 철로가 부설돼 있는 높은 둑. ㊥철둑.

철롱【鐵籠】명 쇠로 만든 농·둥우리·바구니 같은 것의 총칭.

철뢰【鐵牢】명 ①쇠로 만든 감옥. ②견고한 담.

철륜【鐵輪】명 ①쇠로 만든 바퀴. ②철도 차량의 바퀴. ③기차.

철륜 단지【鐵輪—】[—딴—] 명〖민〗영남·호남에서, 집 뒤곁의 나무 밑에 묻어, 철륜 대감으로 모시는 단지. 쌀이나 한지(韓紙)를 넣고, 주저리를 덮음.

철륜 대:감【鐵輪大監】명〖민〗대추나무에 있다는 귀신. 퍽 무섭고 영험(靈驗)이 있다 함.

철륜 성:왕【鐵輪聖王】명〖불교〗철륜왕(鐵輪王).

철륜-왕【鐵輪王】명〖불교〗남염부제(南閻浮提)의 주(州)를 다스린다는 성왕(聖王). 철륜 성왕(鐵輪聖王). *전륜왕(轉輪王).

철륭¹ 명〖민〗호남 지방의 가신(家神). 터주의 성격에 삼신과 산신(山神)의 성격도 아울러 지님. 신체(神體)는 오가리 같은 단지의 경우와 무형으로 섬겨지는 건궁 성주의 경우가 있음.

철륭²【凸隆】명 높게 솟아 오름. ¶지세(地勢)가 ~하여. ——-하다 자여불

철륵【鐵勒】명〖역〗정령(丁零).

철리¹【哲理】명 ①철학상의 이치. ②현묘(玄妙)한 이치. ¶~를 구명(究明)하다.

철리²【鐵利】명〖역〗중국 당대(唐代)에 만주(滿洲) 지방에서 활약하였던 퉁구스계(Tungus系) 부족 이름. 당나라 개원(開元)(713-741) 연간(年間)부터 역사상에 나타나 그 후 약 400년간 활동을 보였는데 ≪요사(遼史)≫를 비롯한 몇몇 사서(史書)에는 '鐵驪'로 기록되어 있음.

철릭 명〔중세：텔릭. 몽 Terlig, terelig (솜 든 겉옷)〕〖역〗무관의 공복(公服)의 한 가지. 직령(直領)으로서 허리에 주름이 잡히고 큰 소매가 달렸음. 당상관(堂上官)은 남(藍), 당하관(堂下官)은 홍색임. 첩리(帖裡). 취음：천익(天翼). *남(藍)철릭·홍(紅)철릭.

〈철릭〉

철릭-짜리 명 철릭을 입은 사람을 홀하게 일컫는 말.

철마【鐵馬】명 ①기차(汽車)·열차(列車)를 말에 비유(比喩)하여 일컫는 말. ¶~는 달리고 싶다. ②무장(武裝)한 말. 또, 쇠처럼 강한 군마(軍馬). ③풍경(風磬).

철마-령【鐵馬嶺】명〖지〗강원도 회양군(淮陽郡) 상북면(上北面)과 안풍면(安豐面) 사이에 있는 산. [1,047 m]

철-만나다 자 제철에 들어서 한창 때를 이루다.

철망【鐵網】명 ①철사로 그물처럼 얽어 엮은 물건. ②↗철조망(鐵條網).

철망간 중:석【鐵—重石】〔manganese〕명〖공〗볼프람 철강(Wolfram 鐵鋼).

철매 명 연기에 섞이어 나오는 검은 가루. 또, 그 가루가 엉기어 붙은 그을음. 매연(煤煙). 연매(煙煤). ¶굴뚝이 ~ 투성이다/아가씨는 기름과 ~로 더러워진 얼굴을 감추겠다는 건지…≪金承鈺：내가 훔친 여름≫. *검댕.

철-매염제【鐵媒染劑】명 철염(鐵塩)의 매염제(媒染劑). 양모(羊毛)에는 녹반(綠礬), 비단에는 질산철(窒酸鐵)·목초산철(木醋酸鐵), 면(綿)에는 질산 제일철·염기성(塩基性) 질산철 따위가 사용됨.

철-머구리 명〈방〉참개구리.

철면¹【凸面】명 가장자리에서 가운데로 차차 두꺼워지며 가운데가 볼록한 면. ↔요면(凹面).

철면²【鐵面】명 ①쇠로 만든 탈. 철가면. ②검붉은 얼굴.

철면-경【凸面鏡】명〖물〗'볼록 거울'의 한자말. ㊥철경(凸鏡). ↔요면경(凹面鏡).

철-면피【鐵面皮】명 부끄러운 줄을 모르는 뻔뻔스러운 사람. 면장 우피(面張牛皮). 후안(厚顔). ¶이만저만한 ~가 아니다. *강심장(強心臟).

철면피-한【鐵面皮漢】명 철면피한 사나이. 후안무치의 사나이.

철명【哲命】명 ①밝은 가르침. ②훌륭한 가르침.

철-명반【鐵明礬】명〔iron alum〕〖화〗철을 함유하는 명반. 황산철(黃酸鐵)과 알칼리 금속 또는 암모늄·탈륨 등의 황산염과 복염(複塩)의 총칭. 등축 정계(等軸晶系)에 속하는 황백색의 결정. 매염제(媒染劑)로 씀. 철암모늄 명반. 황산 제이철(第二鐵). [일반식：$M^{I}Fe(SO_4)_2 \cdot 12H_2O$]

철모[1]【鐵帽】명〖군〗전투할 때에 적의 공격으로부터 머리를 보호하기 위하여 쓰는 쇠로 만든 모자. *파이버·헬멧.

철모[2]【鐵鉾】명〖고고학〗동모(銅鉾)를 본떠서 만든 철기 시대의 철제 창으로, 양날식의 몸과 자루에 끼우는 공부(銎部), 곧 슴베 부분으로 나뉨.

철-모르다 자르불 사리를 분간하지 못하다. ¶철모르는 소리.

철모르-장이 명〈방〉철부지.

철목【綴目】명 종목을 벌여 놓음. 또, 그 종목. ——-하다 자여불

철묘【鐵錨】명 쇠로 만든 닻. 쇠닻.

철문[1]【綴文】명 글을 지음. 또, 그 글. ——-하다 자여불

철문[2]【鐵門】명 ①쇠로 만든 문. 또, 견고한 문. 지옥의 문을 가리키는 때도 있음. ②〖지〗중앙 아시아 사마르칸드(Samarkand)와 타바리스탄(Tabaristan) 사이에 있는 험로(險路). 인도에 이르는 요로(要路)임. 당(唐)나라 현장 삼장(玄奘三藏)이 인도로 불교를 연구하러 갈 때, 이 곳을 지났는데, 좌우(左右)의 암석이 철색(鐵色)이고 쇠문이 있었다는 데서 유래함. ③〖지〗유고슬라비아와 루마니아 국경의 도나우 강(江) 중류에 있는 험한 수로(水路). 트란실바니아알프스의 남서단을 도나우 강이 가로지르는 곳에 협곡(峽谷)을 형성함.

철물【鐵物】명 쇠로 만든 물건. 금속제(金屬製)의 기구(器具) 및 기구에 붙이는 금속제 부속품 등속(等屬)의 총칭.

철물이-굿 명〖민〗황해도 지방에서, 가내 번영과 자손 창성을 기원하여 벌이는 경사굿. 농촌에서는 가을 추수 후나 정월에, 어촌에서는 정월과 봄에 3년마다 한 번씩 벌임.

철물-전【鐵物廛】명 철물점.

철물-점【鐵物店】명 철물을 파는 가게. 철물전(鐵物廛).

철-바람 명〖지〗계절풍(季節風).

철-박테리아【鐵一】〔bacteria〕명〖생〗화학 합성을 하는 세균의 하나. 산화제1철(酸化第1鐵)을 수산화철(水酸化鐵)로 변화시키는 박테리아. 이 화학 변화로 생기는 에너지를 이용, 탄소 동화 작용을 하는 무기 영양 세균(無機營養細菌)으로 몸 주위에 적갈색의 수산화철을 부착하고 있음. 철광천(鐵鑛泉), 철분(鐵分)을 함유하는 늪이나 수도의 철관(鐵管) 속에 삶. 철세균(鐵細菌).

철반【鐵盤】명 쇠로 만든 쟁반.

철-반자【鐵一】명〖건〗철사로 반자틀을 한 반자.

철-반토【鐵礬土】명〖광〗보크사이트(bauxite).

철발【鐵鉢】명〖불교〗쇠로 만든 바리때. 중의 밥그릇으로 씀.

철-방향【鐵方響】명〖악〗악기(樂器)의 하나. 쇠로 만든 방향. ↔석(石)방향.

철배【撤排】명 식장(式場)에 배설(排設)하였던 물건들을 거두어 치움. ——-하다 타여불

철배이 명〈방〉잠자리[2](경북).

철-백운석【鐵白雲石】명〔ankerite〕〖광〗백색(白色)·적색(赤色) 또는 회색(灰色)의 철분(鐵分)이 많은 규산염 광물(珪酸塩鑛物). 철광석(鐵鑛石)과 함께 산출됨. 석탄층(石炭層) 속에 얇은 광맥(鑛脈)으로 발견됨. 비중(比重)은 2.95-3.1.

철버덕 부 얕은 물 위를 마구 밟는 모양. 또, 그 소리. 스절버덕. >찰바닥. ——-하다 자타여불

철버덕-거리다 자타 계속하여 철버덕 소리가 나다. 또, 연하여 철버덕 소리를 내다. 스절버덕거리다. >찰바닥거리다. 철버덕-철버덕 부. ——-하다 자타여불

철버덕-대다 자타 철버덕거리다.

철버덩 부 깊은 물에 무거운 물건이 떨어지는 모양. 또, 그런 소리. ¶물에 ~ 떨어지다. 스절버덩. >찰바당. ——-하다 자타여불

철버덩-거리다 자타 계속하여 철버덩 소리가 나다. 또, 연하여 철버덩 소리를 나게 하다. ¶개울에서 아이들이 철버덩거리며 논다. 스절버덩거리다. >찰바당거리다. 철버덩-철버덩 부. ——-하다 자타여불

철버덩-대다 자타 철버덩거리다.

철벅 부 얕은 물 위를 밟는 모양. 또, 그 소리. 스절벅. >찰박. ——-하다 자타여불

철벅-거리다 자타 계속하여 얕은 물 위를 밟는 소리가 나다. 또, 계속하여 그런 소리를 내다. ¶철벅거리며 내를 건너다. 스절벅거리다. >찰박거리다. 철벅-철벅 부. ——-하다 자타여불

철벅-대다 자타 철벅거리다.

철-벌레 명 후충(候蟲).

철법【徹法】〔—뻡〕명〖역〗중국 주대(周代)의 전조법(田租法). 매년의 수확을 조사하여 그 10분의 1을 징수하던 것. 기내(畿內)에는 하(夏)의 공법(貢法), 그 외는 은(殷)의 조법(助法)을 썼음.

철벙 부 깊은 물에 크고 무거운 물건이 떨어지는 모양. 또, 그런 소리. 스절벙. >찰방[2]. ——-하다 자타여불

철벙-거리다 자타 계속하여 철벙 소리가 나다. 또, 계속하여 철벙 소리를 내다. 스절벙거리다. >찰방거리다. 철벙-철벙 부. ——-하다 자타여불

철벙-대다 자타 철벙거리다.

철벵이 명〈방〉잠자리[2](경북).

철벽[1]【哲辟】명 어질고 밝은 임금.

철벽[2]【鐵壁】명 ①쇠로 된 것같이 견고한 벽. ¶금성(金城) ~. ②매우 튼튼한 방비(防備).

철벽-같다【鐵壁一】형 매우 방비가 튼튼하다. ¶철벽같은 방어진/수비가 ~.

철벽-같이【鐵壁一】〔—가치〕부 철벽같게.

철-변두【撤籩豆】명 종묘나 문묘 등의 제례(祭禮)에서, 음복례(飮服禮)가 끝난 뒤 제관(祭官)이 제기(祭器)를 거두는 제사 차례.

철병[1]【撤兵】명 주둔하였던 군대를 철수함. 철군(撤軍). ¶베트남에서 ~하다. ——-하다 자여불

철병[2]【鐵甁】명 ①쇠로 만든 동이. ②쇠로 만든 병.

철-복【一服】명 철에 알맞은 옷.

철봉【鐵棒】명 ①쇠로 길게 막대기 모양으로 만든 물건의 총칭. ②기계 체조 기구의 한 가지. 두 기둥에 쇠막대를 걸친 기구로, 고정식·이동식·적현식(吊懸式)의 세 가지가 있음. ③체조 경기에서 철봉에 매달려 정지(靜止)함이 없이 진동(振動)과 회전(回轉)의 재주를 중심으로 구성(構成)되는 운동.

철부[1]【哲夫】명 어질고 밝은 남자.

철부[2]【哲婦】명 어질고 밝은 부인.

철부[3]【轍鮒】명 ↗학철 부어(涸轍鮒魚).

철부[4]【鐵斧】명〖고고학〗철제의 도끼. 쇠도끼.

철-부지【一不知】명 철이 없는 어리석은 사람. ¶아직 아무 것도 모르는 ~다.

철분[1]【鐵分】명 어떤 물질 속에 섞이어 있는 쇠의 성분.

철분[2]【鐵粉】명 ①쇠의 가루. ②〖한의〗철화분(鐵華粉)을 정제한 약재. 진경(鎭痙)·강장제·수종(水腫)·황달 등에 약으로 씀.

철분 결핍성 빈혈【鐵分缺乏性貧血】명〖의〗철분의 부족이 원인으로 발생하는 빈혈. 피로감·호흡 빈삭(呼吸頻數)·연하(嚥下) 곤란 등의 증상이 나타남. 특히 여자에 많으며 편식(偏食), 섭취 철분의 흡수 장애, 체내의 만성 출혈 때 발생함.

철분 폐:증【鐵粉肺症】〔—쯩〕명 철폐(鐵肺)❶.

철비[1] 명〈방〉잠자리[2](경남).

철비[2]【鐵扉】명 쇠로 만든 문짝.

철비[3]【鐵碑】명 쇠로 만든 비.

철빈【鐵貧】명 더할 수 없는 가난. 찰가난. 적빈(赤貧). ——-하다 형여불

철사[1]【哲士】〔—싸〕명 어질고 밝은 선비.

철사[2]【撤祀】〔—싸〕명 제사를 마침. ——-하다 자여불

철사[3]【鐵砂】〔—싸〕명 ①암석(岩石)에서 떨어져, 냇가나 바다 밑에 모래·자갈과 함께 퇴적(堆積)된 자철광(磁鐵鑛). 사철(砂鐵). ②쇠의 부스러기. 철설(鐵屑). ③철사유(鐵砂釉).

철사[4]【鐵絲】〔—싸〕명 쇠로 가늘고 길게 만든 줄의 총칭. 철선(鐵線). ㊀철(鐵).

철사-계【鐵絲契】〔—싸께〕명〖역〗관아에 철사를 공물(貢物)로 바치던 계.

철사-유【鐵砂釉】〔—싸—〕명〖공〗도자기의 유약(釉藥). 장석(長石)을 주성분으로 한 유약에 산화철(酸化鐵)을 섞어 만든 흑갈색의 잿물. 철사(鐵砂).

철삭【鐵索】〔—싹〕명 철사로 꼬아서 만든 줄.

철산[1]【鐵山】〔—싼〕명 ①철광을 파내는 산. ②〖지〗평안 북도 철산군(鐵山郡)의 군청 소재지. 농산물의 집산지임.

철산[2]【鐵傘】〔—싼〕명〖건〗철골조(鐵骨造) 건축에서, 우산 모양의 원형 지붕.

철산-군【鐵山郡】〔—싼—〕명〖지〗평안 북도의 한 군. 북서쪽은 용천군(龍川郡), 북쪽은 의주군(義州郡), 동쪽은 선천군(宣川郡)에 접하며, 남쪽으로 돌출된 반도부(半島部)와 도서부(島嶼部)로 구성되었음. 명승 고적으로는 운암산성(雲巖山城)·서림산성(西林山城)·옥원동 폭포(玉院洞瀑布)·가도(椵島)·차우도(車牛島) 등이 있음. 군청 소재지는 철산(鐵山). [455.5 km²]

철산 반:도【鐵山半島】〔—싼—〕명〖지〗평안 북도 선천군(宣川郡)과 용천군(龍川郡) 사이에 돌출한 철산군(鐵山郡) 남부의 반도. 철산군의 여한면(餘閑面)·부서면(扶西面)·백량면(栢梁面) 등을 이룸.

철산-선【鐵山線】〔—싼—〕명〖지〗함경 남도 나흥(羅興)과 이원 철산(利原鐵山) 사이의 단선 철도 선로. 나흥에서 함경선(咸鏡線)에 연락됨. 1929년 9월 20일 개통. [3 km]

철상[1]【凸狀】〔—쌍〕명 가운데가 불룩하게 나온 형태.

철상[2]【撤床】〔—쌍〕명 음식상을 거두어 치움. ——-하다 자여불

철상[3]【鐵像】〔—쌍〕명 쇠로 만든 물건이나 사람의 형상.

철상 철하【徹上徹下】〔—쌍—〕명 위에서부터 아래까지 통투(通透)함. ——-하다 형여불

철-새 〔—쌔〕명 철을 따라서 바다를 건너는 등 살 곳을 바꾸는 새. 기후조. 반더포겔. 후조(候鳥). ↔텃새.

철색【鐵色】〔—쌕〕명 검푸르고 약간 흰 빛이 도는 빛깔. ¶그 붉던 얼굴은 새하얗게 질려서 ~이 돈다《玄鎭健 : 無影塔》.

철색-초【鐵色草】〔—쌕—〕명〖식〗제비꿀.

철석【鐵石】〔—썩〕명 ①쇠와 돌. ②굳고 단단함의 비유.

철석 간:장【鐵石肝腸】〔—썩—〕명 굳고 단단한 절개·마음을 일컫는 말. 철심 석장(鐵心石腸). 철장 석심(鐵腸石心). ㊀석장(石腸).

철석-같다【鐵石—】〔—썩—〕형 쇠나 돌같이 단단하다. ¶철석같은 언약(言約).

철석-같이【鐵石—】〔—썩가치〕부 쇠나 돌같이 단단하게.

철석같이 믿다 구 단단히 믿다. 굳게 믿다.

철석-심【鐵石心】〔—썩—〕명 철석처럼 굳은 마음. 철심(鐵心).

철-석영【鐵石英】명〖광〗석영의 한 가지. 많은 산화철(酸化鐵)을 함유하고 적색·황색·흑갈색을 띰. 빛깔이 아름다운 것은 갈아서 장식용의 돌로 사용함.

철선[1]【鐵船】〔—썬〕명 쇠로 만든 배.

철선[2]【鐵線】〔—썬〕명 철사(鐵絲).

철설[1]【鐵屑】[—썰] 명 ①쇠똥[1]. ②쇠붙이의 부스러진 가루. 쇳가루. 철사(鐵砂).
철설[2]【鐵爇】[—썰] 명 〖한의〗 도연(刀煙).
철-섬유증【鐵纖維症】[—쯩] 명 〔siderofibrosis〕〖의〗 철을 함유한 색소의 침착을 수반하는 섬유증(纖維症).
철성[1]【鐵城】[—썽] 명 썩 견고한 성.
철성[2]【鐵聲】[—썽] 명 ①쇠에서 나는 소리. 쇳소리. ②높고 강한 목소리. 쇳소리.
철-세균【鐵細菌】[—쎄—] 명 〖생〗 철(鐵)박테리아.
철소[1]【徹宵】[—쏘] 명 철야(徹夜). ——-하다 자여불
철소[2]【鐵梢】[—쏘] 명 쇠똥[1].
철손【鐵損】[—쏜] 명 〔core loss〕〖전〗 전기 기계의 쇠에 자속(磁束)이 변화할 때 열이 발생하여 생기는 전력(電力)의 손실. ↔동손(銅損).
철쇄【鐵鎖】[—쐐] 명 ①쇠사슬. ②쇠로 만든 자물쇠.
철수[1]【撤收】[—쑤] 명 ①거두어들임. 걷어치움. ¶군장비를 ∼하다. ②〖군〗 진지(陣地) 따위를 걷어치우고, 군대가 물러남. 철퇴(撤退). ¶ ∼ 작전을 쓰다. ——-하다 자타여불
철수[2]【鐵水】[—쑤] 명 〖역〗 고려 때 군대의 이름.
철수[3]【鐵銹·鐵鏽】[—쑤] 명 쇠에 스는 녹. 철의(鐵衣).
철순【鐵楯】[—쑨] 명 쇠로 만든 방패. 쇠방패.
철술【綴術】[—쑬] 명 예전의 천산법(天算法). *철경(綴經).
철습【掇拾】[—씁] 명 거두어 주움. 주워 모음. ——-하다 타여불
철승【鐵繩】[—씅] 명 쇠로 만든 줄.
철시[1]【撤市】[—씨] 명 시장·점포 등을 모조리 거두어 치움. 철전(撤廛). ¶ ∼한 상가. ——-하다 자여불
철시[2]【輟市】[—씨] 명 개시(開市)를 정지하는 일. ——-하다 자여불
철-시멘트【鐵—】 명 〔iron cement〕 철의 작은 조각과 염화(塩化) 암모늄의 혼합물. 철이나 강재(鋼材)의 표면 접합에 쓰임.
철-신포【鐵信砲】 명 〖역〗 쇠로 만든 신호용 포. 날이 흐리거나 비가 올 때에 봉화(烽火) 대신 이용되었으며, 약 8 km 밖까지 소리가 들렸다고 함.
철심【鐵心】[—씸] 명 ①쇠와 같이 굳은 마음. 철석심(鐵石心). 철장(鐵腸). ②쇠로 속을 박은 물건의 심(心). ③〖전〗 변압기·전동기 등 전자 유도(電磁誘導)의 원리를 응용하는 전기 기기의 자기 회로(磁氣回路)를 만들기 위해 코일 속에 넣는 철편(鐵片).
철심-금【鐵心琴】[—씸—] 명 〖악〗 철금(鐵琴)❶.
철심 석장【鐵心石腸】[—씸—] 명 철석 간장.
철십자 훈장【鐵十字勳章】 명 1813년 독일에서 제정된 무공 훈장. 독일 제국(帝國)을 거쳐 나치스 독일까지 이어졌음.
철써기 명 〖충〗 [*Mecopoda elongata*] 여칫과에 속하는 곤충. 여치·베짱이와 비슷한데 훨씬 커서 몸길이가 날개 끝까지 50-70 mm이고, 몸빛은 녹색이나 마른 풀밭에 사는 것은 암갈색임. 두정(頭頂)과 이마 사이에 한 줄의 가는 횡구(橫溝)가 있으며, 암갈색의 것에는 앞날개에 여러 개의 초승달 모양의 흑갈색 내지 흑색의 무늬가 있음. 8-10월에 나와 저녁부터 밤에 아름답게 '철썩철썩' 욺. 한국·일본·대만 및 동양 열대(熱帶) 지방에 분포함.

〈철써기〉

철써덕 부 물이나 눅눅한 물질을 넓적한 것으로 거칠게 때리는 모양. 또, 그 소리. ㄴ절써덕. >찰싸닥. ——-하다 자타여불
철써덕-거리다 자타 계속하여 철써덕 소리가 나다. 또, 계속해서 철써덕 소리를 내다. ㄴ절써덕거리다. >찰싸닥거리다. **철써덕-철써덕** 부. ——-하다 자타여불
철써덕-대다 자타 철써덕거리다.
철썩 부 ①물이나 물기가 있어서 눅눅한 물질 또는 무른 살 등을 넓적한 물건으로 때릴 때 나는 소리. ¶따귀를 ∼ 갈기다/볼기를 ∼ 때리다. ②물결이 부딪치는 소리. ③철써기 등의 곤충이 날개를 놀리어 우는 소리. 1)·2): ㄴ절썩[1]. >찰싹. ——-하다 자타여불
철썩-거리다 자타 계속하여 철썩 소리가 나다. 또, 계속해서 철썩 소리를 내다. ¶철썩거리며 해안에 부딪치는 파도. ㄴ절썩거리다. >찰싹거리다. **철썩-철썩** 부. ——-하다 자타여불
철썩-대다 자타 철썩거리다.
철안[1]【凸眼】 명 보통 사람보다 심하게 눈이 밖으로 나온 눈. 또, 그 사람. 퉁방울이.
철안[2]【鐵案】 명 변하지 않는 단안(斷案). 확고한 의견.
철암【鐵巖】 명 〖지〗 강원도 태백시(太白市) 철암리(鐵巖里)의 탄광촌. 영암선(榮巖線)의 종점이며 철암선(線)의 기점임. 이곳의 20 km 반경 내에 강원 탄광 등 24개의 탄광이 있었음.
철암-선【鐵巖線】 명 〖지〗 강원도 묵호(墨湖)·철암(鐵巖) 사이의 철도. 과거에 영암선(榮巖線)에 접속되었는데, 운탄선(運炭線)으로 매우 중요했음. 지금은 영암선과 함께 영동선(嶺東線)에 흡수됨. [60.5 km] *영동선(嶺東線).
철-압인【鐵壓印】 명 쇠로 만든 압인(壓印).
철애【掣礙】 명 거리낌. 방해함. ——-하다 타여불
철액【鐵液】 명 〖한의〗 쇠똥을 물에 오래 담가 우린 물. 약으로 씀.
철액-수【鐵液水】 명 〖한의〗 철장(鐵漿).
철야【徹夜】 명 잠을 자지 아니하고 밤을 샘. 통소(通宵). 통효(通曉). 철소(徹宵). ¶ ∼ 작업. ——-하다 자여불
철-어렁이【鐵—】 명 〖광〗 광석·버력 같은 것을 담기 위하여 철사로 엮어 만든 삼태기.
철언【哲言】 명 훌륭한 말. ——-하다 자여불
철-없다 [—업—] 형 사리를 분별할 만한 지각이 없다. ¶철없는 짓만 한다.
철-없이 [—업씨] 부 철없게. ¶ ∼ 굴지 말라.
철-여의【鐵如意】[—려— / —려이] 명 〖불교〗 쇠로 만든 여의(如意).
철연【鐵硯】 명 쇠로 부어 만든 벼루.
철-연가【鐵連枷】[—련—] 명 쇠도리깨.
철염【鐵塩】 명 〖화〗 철의 염류(塩類). 제일철염(第一鐵塩)과 제이철염(第二鐵塩)이 있음. 염화(塩化) 제일철·염화 제이철 따위.
철엽【鐵葉】 명 〖건〗 대문짝에 붙여 박는 장식의 하나. 쇠로 물고기 비늘 모양으로 만듦.
철옥【鐵獄】 명 썩 견고한 감옥.
철옹-산【鐵瓮山】 명 〖지〗 평안 남도 맹산군(孟山郡) 지덕면(智德面)과 함경 남도 영흥군(永興郡) 횡천면(橫川面) 사이에 있는 산. 낭림 산맥(狼林山脈)에 속함. [1,085 m]
철옹 산성【鐵瓮山城】 명 썩 튼튼히 둘러 싼 것의 비유. ㊟철옹성·옹성(瓮城).
철옹-성【鐵瓮城·鐵甕城】 명 ↗철옹 산성(鐵瓮山城).
철옹-진【鐵甕鎭】 명 〖역〗 고려 정종(定宗) 때, 거란(契丹)에 대비하여 평안 남도 맹산(孟山)에 베푼 진성(鎭城).
철완【鐵腕】 명 매우 억세고 야무진 팔.
철요【凸凹】 명 요철(凹凸).
철-요법【鐵療法】[—료뻡] 명 〔Iron therapy〕〖의〗 저색소성 빈혈(低色素性貧血)의 일반 치료법의 하나. 철제(鐵劑) 중 무기철(無機鐵)의 효과가 커서 대량으로 투여됨. 가장 많이 쓰이는 것은 환원철(還元鐵)인데 보통 하루에 0.5-1.0 g 복용으로 시작, 격일로 0.1 g을 증가시켜 1일량 3.0 g 또는 그 이상씩을 지속적으로 투여함. 위장 장애가 일어나면 감량하든가 다른 철제(鐵劑)로 바꿈. 황산철·타르타르산(酸) 철(鐵) 소다가 유효함.
철우【鐵牛】 명 ①쇠를 부어 만든 소. 중국의 우(禹)임금이 수환(水患)을 막을 수 있다 하여 황하(黃河)에 넣었다고 함. ②쇠뭉치처럼 사납고 힘센 소. ③무거워서 움직일 수 없는 것 또는 단단해서 틈을 수 없는 것의 비유.
철-운모【鐵雲母】 명 〖광〗 단사 정계(單斜晶系)의 광물. 작은 육각판(六角板) 또는 인편상(鱗片狀)으로 철분(鐵分)을 썩 많이 함유하고 있는 흑색의 운모임.
철원[1]【鐵原】 명 〖지〗 국토 분단 이전에 강원도 철원군의 군청 소재지로 읍(邑). 경원선(京元線)의 요역으로 금강산 전기 철도의 분기점이었으며, 쌀·콩·고치·명주의 집산이 성하고, 특히 우시장(牛市場)이 유명하였음. 오늘날은 휴전선(休戰線) 가까이에 위치하며 쌀을 주로 생산하는데, 부근의 울창한 아카시아 숲은 좋은 밀원(蜜源)으로서 알려짐. 고칭: 동주(東州). [6,548 명(1996)]
철원[2]【鐵圓】 명 〖역〗 지금의 강원도 철원군(鐵原郡) 풍천면(楓川面)에 있던 태봉(泰封)의 왕도.
철원-군【鐵原郡】 명 〖지〗 강원도의 한 군. 관내 4읍 7면. 국토 분단 이전에는 동쪽은 김화군, 북서쪽은 황해도 금천군(金川郡), 남쪽은 경기도 연천군에 접하고, 농산·양잠업과 목우(牧牛)·양봉(養蜂) 등이 성하였으며, 금·아연·남정석(藍晶石)·홍주석(紅柱石)·규선석(珪線石)·명반석(明礬石) 등을 산출했음. 오늘날에는 북은 휴전선, 동쪽은 화천군(華川郡), 남쪽은 화천군과 경기도 포천군(抱川郡), 서는 경기도 연천군(漣川郡)에 접함. 농산·광산·축산 등이 있음. 명승 고적으로는 도피안사(到彼岸寺)·삼부연(三釜淵)·순담(蓴潭)·고석정(孤石亭)·궁예성지(弓裔城址)·심원사(深源寺) 등이 있음. 군청(郡廳) 소재지는 갈말읍(葛末邑) 신철원리(新鐵原里). [광복 전 841 km²; 현재 899.56 km²: 54,259 명(1996)]
철위-산【鐵圍山】 명 〖불교〗 수미산(須彌山)을 둘러싼 구산 팔해(九山八海)의 아홉 산의 하나로서, 맨 바깥 쪽에 있는 쇠로 되었다는 산. 혹은 삼천 세계(三千世界)의 각각을 둘러싸는 산이라고도 함.
철유-전【鐵鍮典】 명 〖역〗 신라 때 복식품(服飾品)·무기(武器)·농기구(農器具)·불상(佛像) 등의 제작에 관한 일을 맡던 관아.
철음【綴音】 명 〖언〗 모음과 자음이 합하여 된 소리.
철의[1]【綴衣】[— / —이] 명 ①휘장. 장막. ②주대(周代)에 천자(天子)의 의복을 맡은 벼슬. 일설(一說)에는 근시(近侍)의 신하·시신(侍臣)이라고도 함.
철의[2]【鐵衣】[— / —이] 명 ①철갑(鐵甲)❶. ②철수(鐵銹).
철의 바람【鐵—】[— / —에—] 명 〔iron winds〕〖기상〗 중앙 아메리카의 북동풍(北東風). 2-3월에 걸쳐 불며, 때로는 수일간씩 내리 붊.
철의 삼각지【鐵—三角地】[— / —에—] 명 〖지〗 북위 38° 북방 중부의 김화(金化)·철원(鐵原)·평강(平康)을 연결하는 산악 지대. 군사적 요지로, 6·25 전쟁 때의 치열한 격전지였음.
철의 장:막【鐵—帳幕】[— / —에—] 명 〔iron curtain〕〖정〗 공산주의 체제인 동유럽 여러 나라와 자본주의 체제인 서유럽과의 사이에 있는 장벽(障壁)이란 뜻. 영국의 처칠이 1946년 3월의 연설에서 처음 썼음. 아이언 커튼. *죽(竹)의 장막.
철인[1]【哲人】 명 ①학식이 높고 사리에 밝은 사람. ②철학가.
철인[2]【鐵人】 명 몸이나 힘이 무쇠처럼 강한 사나이.
철인 레이스【鐵人—】〔race〕 명 〈속〉 체력(體力)이 굉장히 소요된다는 뜻으로 일컫는 '트라이 애슬론(triathlon)'의 딴이름.
철인 왕후【哲仁王后】 명 〖사람〗 조선 시대 철종(哲宗)의 비(妃). 성은 김(金). 안동(安東) 사람. 영은 부원군(永恩府院君) 문근(汶根)의 딸. 동왕 2년(1851)에 왕비에 책봉되었음. [1837-78]
철인 정치【哲人政治】 명 〖정〗 플라톤이 자신의 저서 ≪국가(國家)≫에

기술(記述)한 최고의 정치 형태. 중우(衆愚) 정치 대신에, 견식이 높고 도리에 밝은 소수의 철인이 하는 정치.

철인-주의【哲人主義】[―/―이] 명〖정〗사회나 국가의 통일은 철인의 노력에 의해서만 달성된다는 주의. 플라톤이 ≪국가(國家)≫에서 주장한 이상 국가(理想國家)의 운영 이념(運營理念)은 그 대표임.

철자[1]【綴字】[―짜] 명〖언〗자음(子音)과 모음(母音)을 맞추어 한 글자를 만듦. 또, 그 글자. 'ㅅ'과 'ㅗ'가 모여서 '소'가 되는 것 등. ――-하다 자여불

철-자[2]【鐵―】명 쇠로 만든 자. 철척(鐵尺).

철자-법【綴字法】[―짜뻡] 명〖언〗맞춤법❶.

철장[1]【綴裝】명 선장(線裝).

철장[2]【鐵匠】[―짱] 명 ①철공(鐵工). ②대장장이.

철장[3]【鐵杖】[―짱] 명 쇠로 만든 지팡이나 막대기. 철정(鐵梃). 철괘(鐵枴).

철장[4]【鐵場】[―짱] 명〖광〗철점(鐵店)에서 쇠를 단련하는 곳.

철장[5]【鐵腸】[―짱] 명 철심(鐵心)❶.

철장[6]【鐵漿】[―짱] 명〖한의〗무쇠를 물에 우려낸 물. 수렴제(收斂劑)로 씀. 철액수(鐵液水).

철장-대【鐵杖―】[―짱때] 명〈방〉철장(鐵杖).

철장 석심【鐵腸石心】[―짱―] 명 철석 간장(鐵石肝腸).

철재[1]【鐵材】[―째] 명 철의 재료.

철재[2]【鐵滓】명 고로 슬래그(高爐 slag).

철저【徹底】[―쩌] 명 속 깊이 밑바닥까지 투철함. ¶~한 연구/~한 대책/~한 이기주의자. ――-하다 형여불. ――-히 부

철적[1]【轍迹】[―쩍] 명 수레바퀴의 자국이란 뜻으로, 어떤 사물의 지나간 흔적을 일컫는 말.

철적[2]【鐵笛】[―쩍] 명〖악〗①날라리. ②쇠로 만든 저.

철전[1]【撤廛】[―쩐] 명 철시(撤市). ――-하다 자여불

철전[2]【鐵箭】[―쩐] 명 정량(正兩)대·육량전(六兩箭)·아량전(亞兩箭)·장전(長箭) 등 무쇠 화살의 총칭.

철전[3]【鐵錢】[―쩐] 명 쇠를 녹여 만든 돈.

철점【鐵店】[―쩜] 명〖광〗쇠를 캐서 불리어 만드는 곳.

철점 동무【鐵店―】[―쩜―] 명〈속〉금점(金店)꾼.

철정[1]【鐵釘】[―쩡] 명 쇠못.

철정[2]【鐵梃】[―쩡] 명 철장(鐵杖).

철정[3]【鐵鼎】[―쩡] 명 쇠로 만든 솥.

철제[1]【撤除】[―쩨] 명 거두어 제거함. ――-하다 타여불

철제[2]【鐵製】[―쩨] 명 쇠로 만듦. 또, 그 물건.

철제[3]【鐵蹄】[―쩨] 명 ①마소의 발바닥에 대는 쇠. ②세차고 걸음을 잘 걷는 말.

철제[4]【鐵劑】[―쩨] 명 쇠를 성분으로 하는 약제. 보혈(補血)하는 약으로 씀. 젖산철·황산철 같은 것.

철제-품【鐵製品】[―쩨―] 명 쇠로 만든 물품.

철조[1]【凸彫】[―쪼] 명〖조각〗부조(浮彫). ↔요조(凹彫).

철조[2]【輟朝】[―쪼] 명〖역〗폐조(廢朝)❶. ――-하다 자여불

철조[3]【鐵造】[―쪼] 명 철재(鐵材)로 만듦. 또, 그 물건. ――-하다 타여불

철조[4]【鐵條】[―쪼] 명 굵은 철사.

철조-망【鐵條網】[―쪼―] 명 들어오지 못하도록 가시 철사를 둘러 놓은 울타리. 전류를 통하여 두기도 함. 준철망(鐵網).

철조-법【徹照法】[―쪼뻡] 명〖의〗철조 진단법.

철조 진단법【徹照診斷法】[―쪼―뻡] 명〖의〗눈의 수정체나 유리체 속의 혼탁(混濁)을 검사하는 방법. 암실 속에서 구멍을 뚫은 작은 평면경(平面鏡)으로 빛을 반사시켜 동공(瞳孔)을 비추면서 작은 구멍으로 보면 동공에서 반사되는 광선이 혼탁이 있을 때에는 까만 그림자로 보임. 철조법(徹照法).

철족 원소【鐵族元素】[―쪽―] 명〖화〗주기율표(週期率表) 제Ⅷ족 원소 중 철·코발트·니켈 등 세 원소의 총칭. 회백색 또는 은백색의 금속으로, 강자성(強磁性)이 있고 순금속은 무른 편이나 불순물이 조금만 섞여도 단단하여짐.

철종【哲宗】[―쫑] 명〖사람〗조선 제25대 왕. 휘는 변(昪). 자(字)는 도승(道升). 장조(莊祖)의 증손. 헌종 10년(1844) 형(兄) 회평군(懷平君)의 옥사(獄事)로 가족과 함께 강화로 유배중, 헌종이 후사(後嗣)가 없이 죽자, 동 15년(1849) 순원 왕후(純元王后)의 명으로 궁중에 들어와 즉위함. 왕 2년(1851) 김문근(金汶根)의 딸을 왕비로 맞아들여, 안동(安東) 김씨의 세도 정치가 시작되었음. [1831-63; 재위 1849-63]

철종 실록【哲宗實錄】[―쫑―] 명〖책〗조선 철종의 재위 14년간의 실록. 고종 2년(1865)에 정원용(鄭元容) 등이 찬수함. 15권 9책.

철주[1]【掣肘】[―쭈] 명 남을 간섭(干涉)하여 마음대로 못 하게 막음. ――-하다 타여불

철주[2]【撤酒】명 제사 지낼 때, 잔에 따라 제상(祭床)에 올렸던 술을 물리는 일. ――-하다 자여불

철주[3]【鐵舟】[―쭈] 명 쇠로 만든 작은 배.

철주[4]【鐵朱】[―쭈] 명〖광〗대자석(代赭石).

철주[5]【鐵柱】[―쭈] 명 쇠로 만든 기둥.

철주[6]【鐵酒】[―쭈] 명 시트르산 암몬(ammon)을 백포도주로 용해하여 여과(濾過)시킨 황갈색의 맑은 술. 강장제로 사용함.

철-주자【鐵鑄字】명〖인쇄〗쇠로 부어 만든 주자(鑄字).

철-중석【鐵重石】명〖광〗단사 정계(單斜晶系)의 광석. 파리(玻璃) 광택과 금속 광택을 지니는 흑색의 물질로, 화학 성분은 철의 볼프람산염(Wolfram 酸塩)임. [$FeWO_4$]

철중 쟁쟁【鐵中錚錚】[―쭝―] 명 같은 동아리 가운데 가장 뛰어난 사람의 비유.

철증【鐵症】[―쯩] 명 [siderosis] ①〖의〗철염분(鐵塩分)을 함유한 먼지를, 장기간 흡입함으로써 발생하는 폐진증(肺塵症). ②〖병리〗조직(組織)이나 기관(器官) 중에서 철 또는 철색소(鐵色素)의 이상 침착(異常沈着)이나 존재(存在).

철직【撤直】[―찍] 명 임시로 두었던 숙직을 폐지함. ――-하다 타여불

철-질【鐵―】명 번철에다 부침개를 붙이는 짓. ――-하다 자여불

철-질려【鐵蒺藜】[―찔―] 명 마름쇠.

철질 운:석【鐵質隕石】[―찔―] 명 [iron meteorite] 운석의 하나. 거의 철과 니켈로 되었으며, 보통 바위보다 몇 배 무거움.

철-집합【凸集合】명〖수〗평면 또는 공간의 부분 집합에서, 두 점을 연결하는 어떠한 선분(線分)이라도 포함되는 부분 집합. 볼록 집합.

철쭈 명〈방〉철쭉.

철쭉 명〖식〗철쭉나무. 척촉. 산객(山客).

철쭉-과【―科】명〖식〗[Rhodoraceae] 쌍자엽 식물 합판화류(合瓣花類)에 속하는 한 과. 전세계에 1,400여 종, 한국에는 백산차(白山茶)·가솔송·만병초(萬病草)·진달래나무·참꽃나무·겨우살이·철쭉나무·황산차(黃山茶) 등의 30여 종이 분포함.

철쭉-꽃 명 철쭉나무의 꽃. 척촉화(躑躅花).

철쭉-나무 명〖식〗[*Rhododendron schlippenbachii*] 철쭉과에 속하는 낙엽 활엽 관목. 잎은 가지 끝에 윤생(輪生)하는데, 넓은 거꿀달걀꼴로 위는 둥글고 밑은 가늘며 잔 털이 있음. 5월에 누두상(漏斗狀)의 연분홍 꽃이 산형(繖形) 화서로 피고, 달걀꼴의 삭과는 10월에 익음. 산지의 숲속에 나는데, 한국 각지 및 일본·만주 등지에 분포함. 꽃에는 점액(粘液)이 있어 먹지 못함. 정원수로 심는데, 나무는 조각재로 씀. 양척촉(羊躑躅). 옥지(玉支). 척촉(躑躅). 철쭉. *진달래나무.

〈철쭉나무〉

철찌 명〈방〉철쭉(강원).

철차【轍叉·鐵叉】명 [frog crossing]〖철도〗레일(rail)의 교차(交叉) 부분. 또, 차량의 안전 통행을 위하여 그 부분에 설치한 장치.

철찬【撤饌】명 제사(祭祀) 지낸 음식을 거두어 치움. ↔헌찬(獻饌). ――-하다 자여불

철찰【鐵札】명 ①쇠로 만든 패. ②〖불교〗염마청(閻魔廳)에서 정파리(淨玻璃)의 거울에 비추어 선인과 악인을 감별(鑑別)하고, 그 죄악을 기록한다는 쇠로 만든 장부.

철창[1]【鐵窓】명 ①쇠로 창살을 만든 창문. 철창문(鐵窓門). ②감옥(監獄)을 일컫는 말.

철창[2]【鐵槍】명 자루가 쇠로 된 창.

철창-문【鐵窓門】명 철창(鐵窓)❶.

철창 생활【鐵窓生活】명 감옥살이. ――-하다 자여불

철창 신세【鐵窓身勢】명 감옥에 갇히는 신세.

철-찾다 자 제철에 맞추다.

철책【鐵柵】명 쇠로 만든 울짱.

철척【鐵尺】명 쇠로 만든 자. 철자.

철천[1]【徹天】명 하늘에 사무친다는 뜻으로, 두고두고 잊을 수 없도록 뼈에 사무침을 이르는 말.

철천[2]【鐵泉】명 물 1 kg 중에 제1철 또는 제2철 이온을 0.01 g 이상 함유하는 온천(溫泉). 이온의 결합(結合) 상태에 따라 탄산철천(炭酸鐵泉)·녹반천(綠礬泉) 등으로 구분됨. 욕용(浴用)하며 류머티즘·부인병에 효과가 있음.

철천지-수【徹天之讎】명 철천지 원수.

철천지-원【徹天之冤】명 철천지한.

철천지-원수【徹天之怨讎】명 하늘에 사무치도록 한이 맺히게 한 원수. 철천지수.

철천지-한【徹天之恨】명 하늘에 사무치는 크나큰 원한. 철천지원.

철:철 부 액체가 많이 넘치는 모양. ¶물을 ~ 넘치게 붓다. >찰찰.

철철-이 부 돌아오는 철마다.

철-청총이【―靑驄―】명 몸의 털빛이 푸른 데 흰 털이 조금 섞인 말.

철-체【鐵―】명 철사로 쳇불을 메운 체.

철촉【鐵鏃】명 쇠로 만든 화살촉.

철-총마【―驄馬】명 철총이.

철-총이【―驄―】명 몸에 검푸른 무늬가 박인 말. 철총마.

철추[1]【鐵杻】명 물레의 가락.

철추[2]【鐵椎】명 철퇴(鐵槌).

철추[3]【鐵錘】명〖역〗조선 세종 때에 만든 총이나 포에 격목(激木)을 박는 쇠망치.

철칙【鐵則】명 변경하거나 어길 수 없는 굳은 규칙.

철침[1]【鐵砧】명 모루[1].

철침[2]【鐵針】명 쇠로 만든 봉재용(縫裁用) 또는 침구용(鍼灸用) 바늘.

철커덕 부 ①끈기가 있는 물건(物件)끼리 서로 맞부딪치거나 붙었다가 떨어지는 소리. ②서로 닿으면 걸리어 붙게 된 단단한 물건끼리 맞부딪치어 마치게 나는 소리. ③넓적한 물건끼리 맞부딪치어 끈기있게 나는 소리. 준철컥. 1)-3): ㅅ절거덕. ㅆ쩔꺼덕. >찰카닥. ――-하다 자타여불

철커덕-거리다 자타 계속하여 철커덕 소리가 나다. 또, 계속해서 철커덕 소리를 나게 하다. 준철컥거리다. ㅅ절거덕거리다. ㅆ쩔꺼덕거리다. >찰카닥거리다. 철커덕-철커덕 부. ――-하다 자타여불

철커덕-대다 자타 철커덕거리다.

철커덩 부 넓고 무거운 쇠붙이의 물건끼리 세차게 부딪치는 소리. 준철

켱. ㅅ절거덩. ㅆ절꺼덩·쩔꺼덩. >찰카당. ——-하다 자타여불
철커덩-거리다 자타 계속하여 철커덩 소리가 나다. 또, 계속해서 철커덩 소리를 나게 하다. ㈜철컹거리다. ㅅ절거덩거리다. ㅆ절꺼덩거리다·쩔꺼덩거리다. >찰카당거리다. 철커덩-철커덩 부. ——-하다 자타여불
철커덩-대다 자타 철커덩거리다.
철컥 부 ↗철커덕. ㅅ절걱. ㅆ절꺽·쩔꺽. ——-하다 자타여불
철컥-거리다 자타 ↗철커덕거리다. ㅆ절꺽거리다·쩔꺽거리다. 철컥-철컥 부. ——-하다 자타여불
철컥-대다 자타 철컥거리다.
철컹 부 ↗철커덩. ——-하다 자타여불
철컹-거리다 자타 ↗철커덩거리다. 철컹-철컹 부. ——-하다 자타여불
철컹-대다 자타 철컹거리다.
철크롬-선【鐵—線】〔도 Chrom〕명 철과 크롬의 합금으로 만든 선. 저항률이 크며 내열성이 있어서 전열선으로 사용됨. 니크롬선의 대용임.
철탄【鐵彈】명 처란❶.
철-탄자【鐵彈子】명『역』화포(火砲)에 넣어서 쏘는 쇠로 만든 탄자. 전류(箭類)나 석탄자(石彈子)보다 발달한 것으로 조선 세종(世宗) 때 만든 것임.
철탑¹【鐵塔】명 ①철근을 써서 만든 탑. ②무거운 전선(電線)을 받치기 위하여 세운 탑 모양의 쇠 기둥.
철탑²【鐵搭】명 쇠스랑.
철탑 산:업 훈장【鐵塔産業勳章】명 제4 등급의 산업 훈장. 수(綬)는 소수(小綬)이며, 하늘색 바탕에 황색 줄이 넉 줄 있음. *산업 훈장.

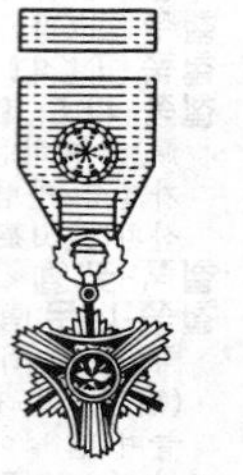

〈철탑 산업 훈장〉

철탕【鐵湯】명 끓어서 녹아 액상(液狀)으로 된 쇠.
철태【鐵胎】명『공』검붉은 도자기의 몸.
철태-궁【鐵胎弓】명 몸을 쇠로 만든, 구조가 각궁(角弓)과 비슷한 활. 전쟁·사냥에 씀.
철-텅스타이트【鐵—】명〔ferritungstite〕『광』황토색(黃土色)의 광물. 함수(含水) 텅스텐산철(酸鐵)로 이루어지며 분체상(粉體狀)으로 존재(存在)함. [$Fe_2(WO_4)(OH)_4 \cdot 4H_2O$]
철통¹【鐵通】명 담뱃대의 마디 구멍을 뚫는 송곳. 통철(通鐵).
철통²【鐵桶】명 쇠로 만든 통. 쇠통(桶).
철통 같다【鐵桶—】형 조금도 헐후한 데가 없이 튼튼히 에워싸고 있다. ¶철통 같은 방위.
철통-같이【鐵桶—】[—가치] 부 철통 같게.
철퇴¹【撤退】명 거두어 가지고 물러남. ¶병력을 진지에서 ~시키다. ——-하다 자여불
철퇴²【鐵槌】명 ①쇠몽둥이. ②옛날 병장기(兵仗器)의 하나. 끝이 둥그렇고 울퉁불퉁한 길이 1.8m 가량 되는 쇠몽둥이. 사람을 쳐 죽이는 데 쓰임. 철추(鐵椎). ③투척(投擲) 경기의 투(投)해머에 쓰이는 운동 용구. 해머.
철퇴를 가하다 구 엄한 벌을 내리거나 큰 타격을 주다. ¶학교 주변의 불량배들에게 ~.
철파【撤罷】명 철폐(撤廢). ——-하다 타여불
철판¹【凸版】명『인쇄』볼록 내민 부분에 잉크가 묻어서 인쇄되는 인쇄판의 총칭. 목판·활판·금속판(金屬版) 같은 것. 볼록판. ↔요판(凹板).
철판²【鐵板】명 쇠로 된 넓은 판.
철판을 깔다 구 체면이나 염치를 돌보지 않다.
철판 구이【鐵板—】명 철판 위에 고기·생선 등을 구워 즉석에서 먹는 일. 또, 그 음식.
철판 사진【鐵板寫眞】명 페로타이프(ferrotype).
철판-상어【鐵板—】명〈방〉『어』톱상어.
철판 인쇄【凸版印刷】명 철판을 사용한 인쇄. 볼록판 인쇄.
철판 인쇄기【凸版印刷機】명 철판 인쇄에 쓰이는 인쇄 기계. 가장 일반적인 인쇄기로서 평압식(平壓式)·원통식(圓筒式)·윤전식(輪轉式)으로 구분됨.
철편¹【鐵片】명 쇠의 조각. 쇳조각.
철편²【鐵鞭】명 ↗고들개 철편.
철폐¹【撤廢】명 어떤 규정이나 제도를 폐지(廢止)함. 철파(撤罷). 폐철(廢撤). ¶계급 차별을 ~하다. ——-하다 타여불
철폐²【鐵肺】명 ①철분(鐵粉)이 들어가 침적(沈積)된 폐. 적갈색을 띠며, 호흡기 질환의 증상을 나타내는데, 철공(鐵工)·대장장이 등에 흔히 볼 수 있음. 철분 폐증(鐵粉肺症). ②『의』진행성 소아 마비·잠수병(潛水病) 따위에서, 늑간근(肋間筋)·횡격막 등 호흡에 필요한 근육이 침범된 환자를 수용하는 인공 호흡 기계. 철제의 원통형 기밀실(氣密室)로서 환자는 밖에 목만 내놓고 그 속에 갇힘.
철포¹【撤庖】명 푸주를 걷어 치워 그만둠. ——-하다 자여불
철포²【撤捕】명 체포의 명령을 철회함. ——-하다 자여불
철포³【鐵砲】명 ①대포·소총의 총칭. ②특히, 소총을 일컫는 말.
철포르피린 단:백질【鐵—蛋白質】명〔iron-porphyrin protein〕『화』철(鐵)과 포르피린을 함유한 단백질의 총칭. 헤모글로빈·시토크롬(cytochrome)·카탈라아제(catalase) 따위.
철포-상【鐵砲傷】명 총알에 맞은 상처.
철포-혈【鐵砲穴】명〔bootleg〕『광』발파(發破)에 의해서 암석(岩石)을 목적한 대로 파괴하지 못했을 때 생기는, 장화(長靴) 모양의 구멍.
철필【鐵筆】명 ①펜(pen)❷. ②끝이 뾰족한 등사판용의 쇠 붓. ③도장을 새기는 새김칼.
철필-가【鐵筆家】명 전각가(篆刻家).
철필-대【鐵筆—】[—때] 명 펜(pen)대.
철필-촉【鐵筆鏃】명 펜촉(pen 鏃).
철필-판【鐵筆板】명 등사 원지에 글씨를 쓸 때 그 밑에 받치는 제구.
철필-화【鐵筆畫】명 펜으로 그린 그림.
철-하다¹【綴—】타여불 문서·신문 등을 여러 장 한데 모아 꿰매다.
철-하다²【撤—】타여불 걷어 치우다.
철학【哲學】명〔philosophy: 그리스어의 philosophia는 지식(知識)을 사랑함, 지혜(知慧)의 탐구(探求)라는 뜻〕①인생·세계의 궁극(窮極)의 근본 원리를 추구하는 학문. 세계 속에 존재하는 물(物)을 탐지하려는 과학에 대하여, 전체로서의 세계, 세계 그 자체의 가치성(性)을 전체적·주체적(主體的)으로 연구하는 학문임. 존재론적(存在論的) 견지에서 형이상학(形而上學)·인식론(認識論)·자연 철학·정신 철학이 취급되며, 가치론적(價値論的) 견지에서는 윤리학·미학(美學), 곧 예술학·종교 철학 등을 포함하는 여러 부문으로 분류되는데, 모두가 철학자의 인격을 반영하면서 인생관·세계관에 대한 학문적 조직을 높이는 데 공통된 사상을 내포함. ②자기 자신의 경험 등에서 만들어 낸 인생관·세계관·이념(理念).
철학-가【哲學家】명 철학에 조예가 깊은 사람. 철인(哲人).
철학-과【哲學科】명『교』학문 전공 교과의 하나. 철학에 관한 연구를 하는 전문 과정. *인도(印度) 철학과.
철학-사【哲學史】명 철학 사상의 변천 추이를 체계적으로 다룬 역사.
철학-자【哲學者】명 철학을 전문적으로 연구하는 사람. *심리학자(心理學者).
철학-적【哲學的】명관 사유(思惟)와 원리 탐구를 바탕으로 하는 모양. 특히, 생각이 현실에서 떠나 사변적(思辨的)임을 꼬집는 말.
철한¹【鐵限】명 매우 굳은 작정. 변함 없는 기한.
철한²【鐵漢】명 뜻이 굳센 남자.
철함【鐵艦】명 철판(鐵板)으로 꾸민 군함. 갑철함(甲鐵艦).
철-함수【凸函數】[—쑤] 명『수』함수의 하나. 그 그래프와 그보다 위 부분과의 합집합(合集合)이 철집합(凸集合)인 함수. 볼록 함수.
철향¹【醊享】명 배향(配享)❷. ——-하다 타여불
철향²【鐵響】명『악』강철판으로 만들어진 '방향(方響)'의 딴이름.
철현【鐵絃】명 쇠시위.
철현-채【鐵莧菜】명『식』깨풀.
철혈【鐵血】명 ①쇠와 피. ②〔비스마르크가 1862년 독일의 국권을 신장시키는 것은 정치가들의 언론이나 다수결이 아니고, 오로지 철과 피뿐이라고 의회에서 선언한 데서 나옴〕무기와 군대. 곧, 병력.
철혈 재:상【鐵血宰相】명『사람』'비스마르크'의 별칭.
철혈 정략【鐵血政略】[—냑] 명 병력으로 나라의 위엄을 떨치려는 정략.
철혈 정책【鐵血政策】명『역』1862년 비스마르크가 제창한 독일의 통일 정책. 독일의 통일은 웅변(雄辯)이나 다수결이 아닌 철과 피, 곧 무기(武器)와 병력에 의해서만 이루어진다고 주장한 데서 유래함. 프로이센 의회(Preussen 議會)의 자유주의자에 대항하여 군비를 확장하고 군부(軍部)와 융커(Junker)를 중심으로 통일을 추진함.
철형¹【凸形】명 가운데가 도도록한 형상.
철형²【嚞兄】인대『대종교』대종교 신자들이 종사(宗師)로 모시는 이를 부르는 경칭.
철형 여장【凸形女墻】명『건』철형으로 된 여장(女墻).
철화【鐵火】명 ①빨갛게 단 쇠. ②칼과 총. ③총화(銃火).
철화-무늬【鐵畫—】[—니] 명『미』철분이 섞인 채색 물감으로 그린 무늬.
철화 백자【鐵華白瓷】명 흰 바탕에 쇳물로 그림이나 무늬를 그린 자기.
철화-분【鐵華粉】명『한의』깨끗이 닦은 강철을 소금 물에 담가서 나게 한 녹. 강장제나 치질약으로 씀.
철화 신판【鐵火神判】명 빨갛게 달군 쇳덩어리를 쥐거나 혀로 핥게 하여 부상(負傷) 여부를 보아 범죄를 판정하는 신판(神判)의 한 방법. 고대 인도나 유럽에서 널리 쓰이던 것임. *수(水)신판·비유(沸油) 심판.
철화 자기【鐵華瓷器】명 흰 바탕에 쇳물로 그림을 그린 자기.
철-확¹【鐵—】명 무쇠로 절구 비슷하게 부어 만든 그릇. 물건을 찧는 데 쓰임. *돌확.
철확²【鐵鑊】명 쇠로 만든 발이 없는 솥.
철환¹【撤還】명 권귀(捲歸). ——-하다 타여불
철환²【轍環】명 수레를 타고 돌아다님. ——-하다 자여불
철환³【鐵丸】명 처란❶.
철환-제【鐵丸劑】명 철제(鐵劑)의 환약.
철환 천하【轍環天下】명 수레를 타고 천하(天下)를 돌아다님. ——-하다 자여불
철회【撤回】명 ①일단 제출했던 것을 도로 돌려 들임. ¶사표(辭表)를 ~하다. ②한 번 말한 것을 취소함. ¶의견(意見)을 ~하다. ③철거(撤去). ——-하다 타여불
철획【鐵畫】명 필력(筆力)이 힘찬 글씨의 획.
철효【徹曉】명 철야(徹夜). ——-하다 자여불
철-흠자【鐵欠子】명『역』조선 세종 때, 세총통(細銃筒)을 쏠 때 손잡이로 쓰던 쇠집게.
첨:¹ 명부 ↗처음.
첨²【尖】명 부인이 머리에 꽂는 10cm 가량의 핀. 주로, 금이나 은으로 만들어, 국화·석류·나비 등을 새김.
첨:³【諂】명 ↗아첨(阿諂). ——-하다 자여불
첨가【添加】명 덧붙임. 더 넣음. 부가(附加). ¶~물(物). ——-하다 타여불
첨가-량【添加量】명 첨가되는 분량.
첨가 반:응【添加反應】명〔addition reaction〕『화』불포화 화합물에 이종(異種)의 분자(分子)가 그대로 또는 분해 상태로 결합하여 다른 분자를 만드는 화학 반응. 불포화 화합물에 한정하지 않고 두 종의 분자가

결합하여 다른 분자를 만드는 반응을 말할 때도 있음. 부가(附加) 반응.

첨가 시:드【添加一】명〔seed charge〕〖화〗 침전(沈澱)을 개시시키기 위해서, 과포화 용액(過飽和溶液)에 첨가하는 소량(少量)의 물질.

첨가-어【添加語】명〖언〗교착어(膠着語). 부착어(附着語). ＊굴절어(屈折語).

첨가-제【添加劑】명〔additive〕다른 물질에 가(加)해서, 물질의 성질을 개선(改善)하거나 강화(強化)하거나 다른 물질로 바꾸는 물질. 이를테면 가솔린에 가해서 엔진의 노킹을 방지하는 4에틸 납 따위.

첨가 중합【添加重合】명〔addition polymerization〕〖화〗 에틸렌·염화 비닐(塩化 vinyl)과 같은 이중 결합(二重結合)을 하고 있는 화합물의 중합. 먼저 반응성이 큰 라디칼(radical) 또는 이온(ion)이 생기고 여기에 단위체(單位體)가 첨가하여 성장하는 시스템에 의해 진행됨. 부가(附加) 중합. ＊라디칼 중합·이온 중합.

첨가 중합체【添加重合體】명〔addition polymer〕〖화〗 올레핀(olefin)과 같은 불포화 단위체(不飽和單位體) 분자의 연쇄 첨가로 만들어지는 중합체. 폴리에틸렌·폴리스티렌·폴리프로필렌 따위.

첨가 화합물【添加化合物】명〔addition compound〕〖화〗 첨가 반응에 의해 생성(生成)되는 화합물, 두 종 또는 두 종 이상의 분자가 직접 결합하여 되는 화합물. 에틸렌(C_2H_4)과 염화 수소(塩化水素: HCl)로 된 염화 에틸(CH_3CH_2Cl), 일산화 탄소(CO)와 염소(Cl_2)로 된 염화 카르보닐($COCl_2$) 및 암모니아(NH_3)와 염화 수소(HCl)로 된 염화 암모늄(NH_4Cl) 따위. 이 중에서 간단히 분해되는 것은 분자(分子) 화합물임. 부가(附加) 화합물.

첨각 열도【尖閣列島】[一녈또] 명〖지〗타이완(臺灣) 북동쪽 200 km, 일본 오키나와(沖繩) 섬의 서쪽 약 400 km되는 곳에 있는 어조도(魚釣島) 등 다섯 무인도(無人島)와 세 개의 암초(暗礁)로 이루어진 열도. 부근 대륙붕에 석유 자원·천연 가스의 매장이 추정되어, 중국·일본 사이에 영유(領有)를 둘러싼 문제가 제기되고 있음.

첨간【添簡】명 첨한(添翰).

첨감[1]【添減】명 첨가와 삭감. ——-하다 타여불

첨감[2]【添感】명 감기가 더침. ——-하다 자여불

첨계【檐階】명〖건〗댓돌❶.

첨계-석【檐階石】명〖건〗첨겟돌.

첨겟-돌【檐階一】명〖건〗댓돌을 이룬 돌. 첨계석(檐階石).

첨:곡【諂曲】명 자기의 지조를 굽히어 아첨함. ——-하다 자여불

첨과【甜瓜】명〖식〗참외.

첨-광정원사【僉光政院事】명〖역〗고려 때 광정원(光政院)의 정삼품 벼슬. 부사(副使)의 다음임. 충렬왕(忠烈王) 24년(1298)에 두었다가 곧 폐하였음.

첨:교【諂巧】명 교묘하게 아첨함. ——-하다 자여불

첨-군자【僉君子】명 여러 점잖은 사람.

첨:녕【諂佞】명 매우 아첨함. ——-하다 자여불

첨단[1]【尖端】명 ①뾰족한 끝. ¶ ~부(部). ②시대 사조(思潮)·유행 같은 것의 맨 앞장. ¶현대 문명의 ~/시대의 ~을 가다.

첨단[2]【檐端】명 처마 끝.

첨단 계:수기【尖端計數器】명〖물〗가이거 계수기❶.

첨단 공:포【尖端恐怖】명〖의〗연필·칼·젓가락 등 끝이 뾰족한 것을 무서워하는 공포의 하나. ＊질병(疾病) 공포·폐소(閉所) 공포.

첨단 기술 산:업【尖端技術產業】명 기술의 집약도(集約度)가 높고 관련 산업에의 파급 효과가 큰 산업. 전자 산업·광전자(光電子) 산업·신소재(新素材) 산업·바이오테크놀로지 산업·컴퓨터 산업·정보 통신 산업 등 첨단적인 기술을 핵심(核心)으로 하는 산업의 총칭. 첨단 산업. 하이테크 산업.

첨단 방:전【尖端放電】명〔point discharge〕〖물〗전장(電場) 속에 있는 전기 도체의 표면에 뾰족한 곳이 있고, 전장이 평형(平衡) 상태일 때, 그 부분에 전기가 집중하여 코로나 방전(corona 放電)을 일으키는 현상. 피뢰침은 이 현상을 이용한 것임. 또 첨단 방전에 수반하여 일어나는 공기의 운동을 전기풍이라 함.

첨단-부【尖端部】명 첨단이 되는 부위.

첨단 산:업【尖端產業】명 첨단 기술 산업.

첨단-인【尖端人】명 첨단에 나서서 활동하는 사람.

첨단-적【尖端的】명관 시대·사조 또는 유행 등에 있어서 맨 앞장을 서거나, 어떤 일에 맨 앞장을 선 모양.

첨-대【籤一】[一때] 명 ①책장이나 포개 놓은 물건 틈에 끼워서 무엇을 표하는 데 쓰는 얇은 댓조각. ② ☞ 점대.

첨-도[1]【尖島】명〖지〗전라 남도의 남해안(南海岸), 고흥군(高興郡) 포두면(浦頭面) 오취리(梧翠里)에 위치한 섬. [0.52 km²: 23 명(1984)]

첨도[2]【忝叨】명 자격(資格) 없는 자가 외람(猥濫)하게 벼슬을 받음. ——-하다 타여불

첨두-기【尖頭器】명 석기(石器)·골각기(骨角器)의 하나. 한쪽 끝이 뾰족한 자돌(刺突) 용구. 흑요석(黑曜石) 석재의 끝을 뾰족하게 만들어 찌르는 데 쓴 것이 구석기 시대 후반에 많으며, 신석기 시대에 이르기까지 많이 쓰였음.

첨두 부:하【尖頭負荷】명〖전〗하루의 전력 사용 상황으로 보아 여러 가지 부하(負荷)가 겹쳐져서 종합 수요가 커지는 시각. 보통 오전 8시부터 오후 8시까지의 부하.

첨두 아:치【尖頭一】〔arch〕명〖건〗두 개의 아치를 짝지워 만드는, 정부(頂部)가 뾰족한 아치. 고딕 건축의 중요한 특징의 하나임.

첨두-치【尖頭值】명〖전〗파고치(波高值).

첨련【瞻戀】[一년] 명 공경하는 마음으로 사모함.

첨령[1]【檐鈴】[一녕] 명 처마 끝에 다는 풍경(風磬).

첨령[2]【瞻聆】[一녕] 명 뭇사람이 보고 듣는 일.

첨례【瞻禮】[一녜] 명 ①예배(禮拜)하는 일. ②〖천주교〗'축일(祝日)'의 구용어. ——-하다 자여불

첨리【尖利】[一니] 명 첨예(尖銳). ——-하다 형여불

첨마[1] 명〈방〉처마(경북).

첨마[2]【檐馬】명 풍경(風磬).

첨-만호【僉萬戶】명〖역〗첨사(僉使)와 만호(萬戶).

첨망[1]【覘望】명 살피면서 바라봄. 사망(伺望). ——-하다 타여불

첨망[2]【瞻望】명 높직한 곳을 멀거니 바라다봄. ——-하다 타여불

첨-매:다 타〈방〉잡아 매다(경상).

첨멸【尖滅】명〔thinning out〕〖지〗지층의 두께나 폭이 점점 줄어서 딴 지층 사이에 소실되어 버림. ——-하다 자여불

첨모-직【添毛織】명 천의 일면(一面) 또는 양면(兩面)에 파일(pile)을 만들어 놓은 직물. 날실을 파일로 짠 것을 경(經)파일, 씨실을 파일로 짠 것을 위(緯)파일이라 함. 코르덴·타월 천·카펫·벨벳 따위.

첨물【添物】명 첨가한 물건.

첨미[1]【尖尾】명 아래로 뾰족한 물건의 맨 끝.

첨:미[2]【諂媚】명 아첨하여 아양을 떪. ——-하다 자여불

첨배[1]【沾背】명 ↗한출 첨배(汗出沾背).

첨배[2]【添杯】명 술잔에 술을 따른 위에 더 따름. 첨잔(添盞). ——-하다 타여불

첨배[3]【瞻拜】명 선조나 선현(先賢)의 묘소(墓所)나 사우(祠宇)에 배례함. ——-하다 자타여불

첨백 종안【甜白梭眼】명〖공〗부드러운 흰 윤이 나는 잿물을 칠한 자기(瓷器)의 한 가지. 짐승의 입가의 수염난 자국 비슷하게 만듦. 중국 명(明)나라 선덕 관요(宣德官窯)에서 내었음.

첨벙 부 텀벙.

첨벙-거리다 자 텀벙거리다.

첨벙-대다 자 첨벙거리다.

첨병[1]【尖兵】명〖군〗부대 행군중 본대(本隊)의 전방을 경계하면서 나아가는 소부대. 적 가까이를 행군할 때, 부대의 앞에 있어 경계나 수색을 그 임무로 함.

첨병[2]【添病】명 어떤 병에 다른 병이 겹침. 첨수(添祟). 첨증(添症). ——-하다 자여불

첨보【添補】명 더하여 보충함. ——-하다 타여불

첨보로-장【轞甫老匠】명〖역〗조선 시대 때, 경공장(京工匠)의 하나. 말다래를 만드는 장인(匠人). 공조(工曹)에 2명이 있었음.

첨복【添卜】명 남이 낼 결세(結稅)가 섞여서 자기에게 덧붙는 일. ——-하다 자여불

첨봉【尖峰】명 매우 뾰족한 산봉우리.

첨부【添附】명 더하여 붙임. 부첨(附添). ——-하다 타여불

첨사[1]【僉使】명〖역〗 ①↗동첨절제사(同僉節制使). ②↗첨절제사(僉節制使).

첨사[2]【僉事】명〖역〗고려 때 내시부(內侍府)의 종삼품 벼슬. 공민왕(恭愍王) 때에 정하였음.

첨사[3]【添辭】명 어떤 뜻을 첨가하기 위하여 붙이는 말.

첨사[4]【詹事】명〖역〗①고려 때 동궁(東宮)의 정삼품 벼슬. 문종(文宗) 때에 정하였음. ②대한 제국 때 왕태자궁·왕태자 시강원(侍講院)·황태자 시강원의 칙임(勅任) 벼슬.

첨:사[5]【諂事】명 아첨하여 섬김. ——-하다 자여불

첨사[6]【籤辭】명 첨자(籤子)에 적힌 길흉의 점사(占辭).

첨사-부【詹事府】명〖역〗고려 때 동궁(東宮)의 사무를 맡은 관아. 문종(文宗) 22년(1068)에 베풀었음.

첨삭【添削】명 시문(詩文)·답안(答案) 같은 것을 더하거나 깎거나 하여 고침. 증산(增刪). ——-하다 타여불

첨산【添算】명 정한 것 외에 더 넣어서 계산함. ——-하다 타여불

첨상【瞻想】명 바라보거나 우러러보며 생각함. ——-하다 타여불

첨새 명〈방〉〖건〗첨차(檐遮).

첨서【添書】명 원본에 글을 더 써 넣음. ——-하다 타여불

첨서 낙점【添書落點】명〖역〗벼슬아치의 임명시에 삼망(三望)에 든 사람이 모두 뜻에 합당하지 않을 때, 그 이외의 사람을 더 써 넣어서 점을 찍어 결정하던 일.

첨서 밀직사사【簽書密直司事】[一찍一] 명〖역〗고려 때 밀직사(密直司)의 종이품 또는 정삼품 벼슬. 충렬왕 원년(1275)에 첨서 추밀원사(簽書樞密院事)의 고친 이름. 공민왕 5년(1356)에 다시 첨서 추밀원사로, 11년에 또 본이름으로 고쳤음. ㊂첨서 사사.

첨서 사사【簽書司事】명〖역〗↗첨서 밀직사사.

첨서 원사【簽書院事】명〖역〗①↗첨서 중추원사. ②↗첨서 추밀원사.

첨서 중추원사【簽書中樞院事】명〖역〗고려 때 중추원(中樞院)의 정삼품 벼슬. 헌종(獻宗) 원년(1095)에 첨서 추밀원사(簽書樞密院事)로, 충렬왕(忠烈王) 원년(1275)에 첨서 밀직사사(簽書密直司事)로, 공민왕(恭愍王) 5년(1356)에 다시 첨서 추밀원사로, 11년에 또 다시 첨서 밀직사로 고쳤음. ㊂첨서 원사(簽書院事).

첨서 추밀원사【簽書樞密院事】명〖역〗고려 때 추밀원(樞密院)의 정삼품 벼슬. 헌종(獻宗) 원년(1095)에 첨서 중추원사(簽書中樞院事)의 고친 이름. ㊂첨서 원사(簽書院事).

첨선【忝先】명 조상이 물려 준 업을 지키지 못함. ——-하다 자여불

첨설【添設】명 이미 설치한 위에 더하여 베풂. ——-하다 타여불

첨설-직【添設職】명〖역〗고려 말기(末期)에, 공로 있는 사람에게 새로 벼슬 자리를 주거나 또는 승직(陞職)을 시키려 하여도 실직(實職)이 없을 때, 차함(借啣)으로 주던 직첩(職牒).

첨성【沗星】[명] 위성(衛星)의 속칭.

첨성-대【瞻星臺】[명]〖역〗신라 선덕 여왕(善德女王) 때에 세운 천문대. 동양에서 가장 오래 된 것으로, 경상 북도 경주시(慶州市) 인왕동리(仁旺洞里)에 있음. 화강석(花崗石)으로 둥글게 쌓아 올렸는데 밑면의 직경 5.5 m, 위의 직경 2.5 m, 높이 9 m 가량임. 국보 제31호.

첨:소【諂笑】[명] 아첨하여 웃음. ——-하다 [자][여불]

첨수[1]【尖袖】[명] 웃옷의 좁은 소매. ↔광수(廣袖).

첨수[2]【沗祟】[명] 첨병(沗病). ——-하다 [자][여불]

첨수-무【尖袖舞】[명]〖역〗조선 영조(英祖) 때 만든 궁중무. 두 사람이 마주 서서 추는 춤으로, 각기 칼을 들고 표정 만방곡(表正萬方曲)에 맞추어 춤.

첨습【沾濕】[명] 물기에 젖음. ——-하다 [자][여불]

첨시【瞻視】[명] 눈을 휘둘러 봄. ——-하다 [타][여불]

첨아【簷牙·檐牙】[명]〖건〗처마.

첨앙【瞻仰】[명] 우러러 사모함. ——-하다 [타][여불]

첨언【沗言】[명] 말을 더 보탬. 덧붙여 말함. ——-하다 [자][여불]

첨예【尖銳】[명] ①날카롭고 뾰족함. ②전하여, 사상이나 행동이 급진적·과격적(過激的)임. 또, 그 모양. 첨리(尖利). ——-하다 [형][여불]

첨예 분자【尖銳分子】[명] 어떤 단체 안에서 급진주의를 주장하는 분자.

첨예-화【尖銳化】[명] 사상이나 행동 따위가 급진적으로 됨. ——-하다 [자][여불]

첨용【沗用】[명]〖언〗곡용(曲用).

첨원[1]【尖圓】[명] 끝이 뾰족하고 둥긂. ——-하다 [형][여불]

첨원[2]【僉員】[명] 여러 분.

첨원-체【尖圓體】[명] 뾰족하고 둥근 형체.

첨위[1]【僉尉】[명]〖역〗조선 시대 의빈부(儀賓府)의 당하(堂下) 정삼품 벼슬. 현주(縣主)에게 장가 든 사람으로 시키었음. 부위(副尉)의 아래.

첨위[2]【僉位】[명] 여러 분. 제위(諸位).

첨:유[1]【諂諛】[명] 알랑거리며 아첨함. ——-하다 [자][여불]

첨유[2]【幨帷】[명] 교여(轎輿) 등에 치는 휘장(揮帳).

첨의[1]【沾衣】[—/—이] [명] 옷을 적심. ——-하다 [자][여불]

첨의[2]【僉意】[—/—이] [명] 여러 사람의 의견.

첨의[3]【僉議】[—/—이] [명] 여러 사람의 의논.

첨의 녹사【僉議錄事】[—/—이—] [명]〖역〗고려 때 첨의부(僉議府)의 정 7 품 벼슬. 25 대 충렬왕(忠烈王) 24 년(1298)에 문하 녹사(門下錄事)를 고쳐, 도첨의녹사(都僉議錄事)라 하였다가 31 대 공민왕(恭愍王) 11 년(1362)에 이 이름으로 고침.

첨의-부【僉議府】[—/—이—] [명]〖역〗고려 충렬왕(忠烈王) 원년(1275)에 중서 문하성(中書門下省)과 상서성(尙書省)을 아울러서 베푼 관아. 동 19 년에 도첨의사사(都僉議使司)로 고쳤음.

첨의 사인【僉議舍人】[—/—이—] [명]〖역〗고려 때 첨의부(僉議府)의 종사품 벼슬. 충렬왕 원년(1275)에 중서 사인(中書舍人)을 고친 이름임.

첨의 순동【僉議詢同】[—/—이—] [명] 여러 사람의 의논이 같음. ——-하다 [형][여불]

첨의 시:랑 찬:성사【僉議侍郎贊成事】[—/—이—] [명]〖역〗고려 때 첨의부(僉議府)·도첨의사사(都僉議使司)의 정이품 벼슬. 충렬왕(忠烈王) 원년(1275)에 중서 시랑 평장사(中書侍郎平章事)를 고친 이름임.

첨의 우:시중【僉議右侍中】[—/—이—] [명]〖역〗고려 때 첨의 좌시중(僉議左侍中)과 함께 도첨의사사(都僉議使司)·도첨의부(都僉議府)의 으뜸 벼슬. 품등은 종일품임.

첨의 우:정승【僉議右政丞】[—/—이—] [명]〖역〗고려 때 첨의 좌정승(左政丞)과 함께 도첨의사사(都僉議使司)·도첨의부(都僉議府)의 으뜸 벼슬. 품등은 종일품임.

첨의 우:중찬【僉議右中贊】[—/—이—] [명]〖역〗고려 때 첨의 좌중찬(左中贊)과 함께 첨의부(僉議府)의 으뜸 벼슬. 품등은 종일품임.

첨의 좌:시중【僉議左侍中】[—/—이—] [명]〖역〗고려 때 첨의 우시중(右侍中)과 함께 도첨의사사(都僉議使司)·도첨의부(都僉議府)의 으뜸 벼슬. 품등은 종일품임.

첨의 좌:정승【僉議左政丞】[—/—이—] [명]〖역〗고려 때 첨의 우정승(右政丞)과 함께 도첨의사사(都僉議使司)·도첨의부(都僉議府)의 으뜸 벼슬. 품등은 종일품임.

첨의 좌:중찬【僉議左中贊】[—/—이—] [명]〖역〗고려 때 첨의 우중찬(右中贊)과 함께 첨의부(僉議府)의 으뜸 벼슬. 품등은 종일품임.

첨의 주:서【僉議注書】[—/—이—] [명]〖역〗고려 때 첨의부(僉議府)의 종칠품 벼슬. 충렬왕 원년(1275)에 중서 주서(中書注書)를 고친 이름임.

첨의 중찬【僉議中贊】[—/—이—] [명]〖역〗고려 때 첨의부(僉議府)·도첨의사사(都僉議使司)의 종일품 벼슬. 충렬왕 원년(1275)에 중서 문하성(中書門下省)과 상서성(尙書省)을 합하여 첨의부를 두고, 그 전의 문하 시중(門下侍中)을 고친 이름. 좌·우 각 한 사람씩 있었음.

첨의 찬:성사【僉議贊成事】[—/—이—] [명]〖역〗고려 때 첨의부(僉議府)·도첨의사사(都僉議使司)의 정이품 벼슬. 충렬왕(忠烈王) 2 년(1276)에 문하 시랑 평장사(門下侍郎平章事)를 고친 이름임.

첨의 참리【僉議參理】[—니/—이—니] [명]〖역〗고려 때 첨의부(僉議府)의 정이품 벼슬. 25 대 충렬왕(忠烈王) 원년(1275)에 종래의 참지정사(參知政事)를 고친 이름인데, 27 대 충숙왕(忠肅王) 때 문하 평리(門下評理)로 개칭함.

첨입【沗入】[명] 더 들어감. 더 넣음. ——-하다 [자][타][여불]

첨자【籤子】[명] ①장도칼의 집에 박힌 젓가락 모양으로 된 두 개의 쇠. 칼이 저절로 빠지지 못하게 함. 또, 젓가락으로도 겸하여 씀. ②점대[1].

첨자-상【簽刺傷】[명] 대오리나 나뭇 가시 같은 것이 박히어 빠지지 않은 상처.

첨작【沗酌】[명] 종헌(終獻) 드린 잔에 다시 술을 가득하게 채우는 일. ——-하다 [자][여불]

첨잔【沗盞】[명] 첨배(沗杯). ——-하다 [타][여불]

첨장【沗狀】[명] 첨한(沗翰).

첨저[1]【尖底】[명]〖고고학〗뾰족바닥.

첨저[2]【甜櫧】[명]〖식〗가시나무.

첨저 토기【尖底土器】[명]〖역〗밑이 뾰족한 토기의 하나. 유럽·아시아 대륙 북부의 중석기 시대의 토기, 중국·이집트의 신석기 시대의 토기 등에서 볼 수 있음.

첨적【沗炙】[명] 초헌(初獻)에 올린 적 위에 아헌(亞獻)과 종헌(終獻)의 적을 차례로 겹쳐 올리는 일. ——-하다 [자][여불]

첨전 고후【瞻前顧後】[명] 전첨 후고(前瞻後顧). ——-하다 [자][여불]

첨-절제사【僉節制使】[—쩨—] [명]〖역〗조선 시대 때 각 진영(鎭營)에 속했던 종삼품 무관 벼슬. 절도사(節度使)의 아래로, 병영(兵營)에 병마 첨절제사(兵馬僉節制使), 수영(水營)에 수군 첨절제사(水軍僉節制使)가 있음. 다만, 목(牧)·부(府)의 소재지에는 수령(守令)이 이를 겸임하며, 각 진영 안의 전임일 경우에는 약하여 첨사(僉使)라고만 일컬음. [준]첨사(僉使).

첨정[1]【沗丁】[명]〖역〗생남(生男). ——-하다 [자][여불]

첨정[2]【僉正】[명]〖역〗조선 시대에 돈령부(敦寧府)·봉상시(奉常寺)·종부시(宗簿寺)·사옹원(司饔院)·내의원(內醫院)·상의원(尙衣院)·사복시(司僕寺)·군기시(軍器寺)·내자시(內資寺)·내섬시(內贍寺)·사도시(司導寺)·예빈시(禮賓寺)·사섬시(司贍寺)·군자감(軍資監)·제용감(濟用監)·선공감(繕工監)·사재감(司宰監)·장악원(掌樂院)·관상감(觀象監)·전의감(典醫監)·사역원(司譯院) 및 훈련원(訓鍊院) 등에 속했던 종사품(從四品) 벼슬.

첨정 보주형뉴【尖頂寶珠形鈕】[명]〖고고학〗양파형 꼭지.

첨-정석【尖晶石】[명]〖광〗스피넬(spinel).

첨족【尖足】[명]〖의〗관절에 고장이 생기어 발 뒤꿈치가 땅에 닿지 않는 발의 변형. 주로 후천성으로 외상성(外傷性)·염증성·습관성·마비성 등의 원인이 있음.

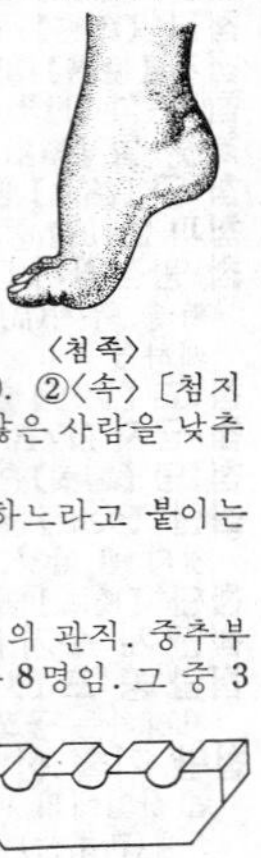
〈첨족〉

첨존【僉尊】[명] '여러 분'의 존칭.

첨좌【僉座】[명] 여러 분.

첨죄【沗罪】[명] 죄가 있는 사람이 또 죄를 저지름. ——-하다 [자][여불]

첨증[1]【沗症】[명] 첨병(沗病). ——-하다 [자][여불]

첨증[2]【沗增】[명] 더하여 늘이거나 늚. ——-하다 [자][타][여불]

첨지[1]【僉知】[명]〖역〗①↗첨지 중추부사(僉知中樞府事). ②〈속〉[첨지 벼슬이 은퇴(隱退) 감인 한직(閑職)이었으므로] 나이 많은 사람을 낮추어 가볍게 부르는 말. ¶김(金)~.

첨지[2]【籤紙】[—찌] [명] 책(冊) 같은 데에 어떤 것을 표하느라고 붙이는 쪽지.

첨-지사【僉知事】[명]〖역〗첨지중추부사.

첨-지중추부사【僉知中樞府事】[명]〖역〗조선 시대의 관직. 중추부(中樞府)에 속하는 정삼품 당상관(堂上官)으로 정원은 8명임. 그 중 3명은 체아직(遞兒職)이라 하여 맡은 바 사무가 없는 한직(閑職)이었음. [준]첨지(僉知).

첨차【檐遮】[명]〖건〗삼포(三包) 이상의 집에 있는 꾸밈새. 초제공·이제공 들의 가운데에 어긋매껴 짬.

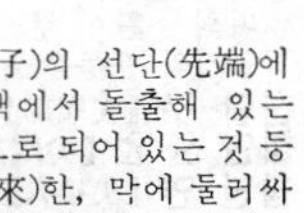
〈첨차〉

첨찬【沗竄】[명] 시문을 자꾸 첨삭하여 고침. ——-하다 [타][여불]

첨채[1]【甜菜】[명]〖식〗사탕무.

첨채[2]【菾菜】[명]〖식〗근대[1].

첨채-당【甜菜糖】[명]〖화〗사탕무로 만들어 낸 당류의 한 가지.

첨:첨[부] 계속하여 더굼더굼하는 모양.

첨체【尖體】[명]〔acrosome〕〖생〗많은 동물 정자(精子)의 선단(先端)에 있는 세포 기관. 핵(核)의 선단을 덮고 있는 것, 핵에서 돌출해 있는 것, 핵에 묻혀 있는 것, 가늘고 긴 핵의 연장(延長)으로 되어 있는 것 등 형태가 다양함. 대체로 골지체(Golgi 體)에 유래(由來)한, 막에 둘러싸인 첨체포(尖體胞)가 있고, 정자(精子)의 체축(體軸) 방향에 연하여 가늘고 긴 첨체간(尖體桿) 또는 그 전구 물질(前驅物質)이 있음.

첨치【沗齒】[명] 나이가 한 살 더함. ——-하다 [자][여불]

첨탑【尖塔】[명] 뾰족한 탑.

첨통【籤筒】[명] 첨사(籤辭)가 적힌 첨자(籤子)를 담는 통. 위아래가 막힌 굵은 대통의 위 쪽 귀퉁이에 작은 구멍을 내고 첨자를 넣거나 흔들어 뽑게 만들었음.

첨하[1] [명]〈방〉처마(경북).

첨하[2]【檐下】[명] 처마의 아래.

첨한【沗翰】[명] 어떤 것을 보낼 때 첨부하는 편지(便紙). 첨장(沗狀). 첨간(沗簡).

첨해-왕【沾解王】[명]〖사람〗신라 제12대 왕. 성은 석(昔). 벌휴왕(伐休王)의 손자임. 왕 3년(249) 사량벌국(沙梁伐國)을 공략·병합하고, 동 9년(255) 달벌성(達伐城)을 축조하여 백제를 견제하였음. [재위 247-261]

첨형【尖形】[명] 끝이 뾰족한 형상.

첩[1]【妾】[一] [명] 본처 이외에 데리고 사는 계집. 조실(簉室). [二] [인대] 예전에 여자가 자기 몸을 낮추어 일컫던 말.

첩[2]【牒】[명] 옛 공문서의 일종. 본래, 글 쓰는 나무 쪽지의 뜻으로, 작은 대쪽은 '첩', 큰 대쪽은 '책(冊)', 또 얇은 것은 '첩', 두꺼운 것은 '독(牘)'이라 구별하였음.

첩[3]【貼】[의명] 약복지(藥袱紙)에 싼 약의 뭉치를 세는 말. ¶약 스무 ~을 한 제라고 한다.

-첩【帖】미 어떤 명사 밑에 붙어, 무엇을 붙이거나 써 넣기 위하여 매어 놓은 책의 뜻을 나타내는 말. ¶사진~/일기~.

첩경[1]【捷勁】명 날래고 강함. ——-하다 형여불

첩경[2]【捷徑】⊟명 ①지름길. 편도(便道). ②어떤 일에 이르기 쉬운 방법. ¶성공에의 ~. ⊟부 일의 귀결(歸結)이 쉽게 그렇게 되리라는 뜻. 쉽손. ¶~ 그러기가 쉽다.

첩경[3]【貼經】명〖역〗경서(經書)의 논문을 1 행만 남기고 앞뒤를 덮거나 또는 1행 중의 몇 자에 종이를 붙여서 보이지 않게 하고, 그 대문을 알아 맞히게 하는 고시(考試) 방법.

첩고【疊鼓】명〖역〗조선 시대에 입직(入直)하는 군사를 모으기 위하여 대궐 안에서 북을 치는 일.

첩금【貼金】명 구리나 쇠 따위에 얇은 금판(金板)을 싸서 입히는 일. ——-하다 자여불

첩급【捷給】명 썩 민첩함. ——-하다 형여불

첩-놓다【疊—】[—노타] 타 포개어 놓다. ¶손과 손이 첩놓여서 그들의 정을 맘껏 통하게 하였다≪朴花城 : 벼랑에 피는 꽃≫.

첩-더기【妾—】명 ☞ 첩[1]■.

첩-데기【妾—】명 ☞ 첩[1]■.

첩련【貼聯】[—년] 명〖역〗관아에 제출하는 서류에 관계되는 서류를 덧붙임. ——-하다 타여불

첩로【捷路】[—노] 명 지름길.

첩리[1]【帖裡】[—니] 명〖역〗철릭.

첩리[2]【捷利】[—니] 명 열쌔고 날램. ——-하다 형여불

첩-며느리【妾—】명 아들의 첩.

첩모【睫毛】명 속눈썹.

첩모 난:생【睫毛亂生】명〖의〗트라코마·외상(外傷) 등의 반흔(瘢痕) 때문에 아래위 속눈썹의 열(列)이 흐트러져서 눈썹 끝이 제멋대로 향하게 되어 각막이나 결막과 접촉하게 된 상태. 이로 말미암아 결막 충혈·표층(表層) 각막염 등의 증상이 일어남.

첩목아【帖木兒】명〖사람〗티무르(Timur)의 중국명(中國名).

첩미【睫眉】명 속눈썹과 눈썹.

첩-박다 타 드나들지 못하도록 대문을 닫고 그 위에 나무를 가로 걸쳐 박다.

첩보[1]【捷步】명 ①빨리 걷는 걸음. 또, 빨리 걸음. ②파발꾼.

첩보[2]【捷報】명 싸움에 이긴 보고. 승보(勝報).

첩보[3]【牒報】명〖역〗조선 시대에, 서면으로 상관에게, 특히 지방 관청에서 중앙 관청에 보고함. 또, 그 보고. 첩정(牒呈). ——-하다 타여불

첩보[4]【諜報】명 상대방의 정보나 형편을 몰래 탐지하여 보고함. 또, 그 보고. ¶~ 기관/~ 활동/~전. ——-하다 타여불

첩보-대【諜報隊】명〖군〗↗육군 첩보 부대.

첩보-망【諜報網】명 첩보 활동을 위한 조직.

첩보-전【諜報戰】명 스파이전.

첩복【帖服】명 순종함. 평온하게 됨. ——-하다 자여불

첩봉【疊峰】명 중첩(重疊)한 산봉우리. 첩장(疊嶂).

첩부[1]【妾婦】명 첩(妾). 첩실(妾室).

첩부[2]【貼付】명 착 달라붙게 함. ——-하다 타여불

첩-산이【妾—】명〈방〉첩[1](경상).

첩-살림【妾—】명 첩을 두고 하는 살림. ——-하다 자여불

첩-살이【妾—】명 남의 첩이 되어 사는 생활(生活). ¶~로 들어가다. ——-하다 자여불

첩서[1]【捷書】명 첩보(捷報)의 글.

첩서[2]【疊書】명 글을 쓸 때에 잘못하여 같은 글귀나 글자를 거듭 씀. ——-하다 타여불

첩선-장【貼扇匠】명〖역〗조선 시대에, 경공장(京工匠)의 하나. 접부채를 만드는 장인(匠人). 공조(工曹)에 딸렸음.

첩설【疊設】명 거듭 설치함. ——-하다 타여불

첩섭【呫囁】명 귀에 입을 대고 속삭임. ——-하다 타여불

첩속【捷速】명 민첩하고 빠름. ——-하다 형여불

첩수 공사【捷水工事】명〖토〗첩수로를 새로 만드는 토목 공사.

첩-수로【捷水路】명〖토〗내나 강의 물줄기를 바로잡기 위해 굽은 곳에 곧게 뚫는 물길.

첩승【疊勝】명〖악〗정재(呈才) 때 추는 춤의 이름. 조선 순조(純祖) 28년(1828)에 예제(睿製)한 남악(男樂). 여섯 명의 무동(舞童)이, 하나는 앞에, 하나는 뒤에, 또 왼편과 오른편에 각각 둘씩이 서로 위치를 변하면서 사(詞)를 부르며 춤을 춤.

〈첩승〉

첩승-무【疊勝舞】명〖악〗첩승(疊勝)의 춤.

첩승 은사【疊承恩賜】명〖역〗조선 시대에 공로 있는 대신 또는 중신(重臣)의 자손을 특히 생·진과(生進科)나 문과(文科)의 초시(初試) 방말(榜末)에 붙여서 초시 급제의 자격을 부여하던 은전.

첩시【帖試】명〖역〗순시(旬試).

첩실【妾室】명 남의 첩이 되어 있는 여자. 작은 집.

첩-아비【妾—】명〈속〉첩장인(妾丈人).

첩-약【貼藥】[—냑] 명 여러 가지 약재를 조합(調合)하여 약복지(藥袱紙)에 싼 약.

첩어【疊語】명〖언〗같은 음이나 비슷한 음을 가진 단어의 반복적 결합으로 이루어진 복합어. '누구누구'·'드문드문'·'울며불며' 따위.

첩-어미【妾—】명 ① ☞ 서모(庶母). ②〈속〉첩장모(妾丈母).

첩-얻다【妾—】자 첩을 맞다.

첩여【婕妤】명〖역〗〔미호(美好)의 뜻〕 중국 한(漢)나라 때, 여관(女官)의 한 계급.

첩역【疊役】명 부역(賦役)을 거듭 부담함. ——-하다 자여불

첩연【帖然】명 마음이 편안(便安)하고 침착한 모양. ——-하다 형여불. ——-히 부

첩용【貼用】명 붙여서 씀. ——-하다 타여불

첩운[1]【疊雲】명 여러 층으로 쌓인 구름.

첩운[2]【疊韻】명〖문〗①한시(漢詩)에서 같은 운자(韻字)가 거듭됨. ②같은 말이 거듭하는 운조(韻調). '선연(嬋娟)'·'면면(綿綿)'·'간난(艱難)' 등과 같은 것.

첩음-법【疊音法】[—뻡] 명〖문〗시(詩)나 노래에서 같은 구절(句節)을 거듭하는 형식.

첩자[1]【妾子】명 첩의 자식. 서자(庶子).

첩자[2]【諜者】명 간첩(間諜) 노릇을 하는 자. 간자(間者). 밀정(密偵). 첩후(諜候).

첩자 봉:사【妾子奉祀】명 적출(嫡出) 자손이 없을 때 첩 소생의 자식이 제주(祭主)로서 종통(宗統)을 이어 조상의 봉사자가 되는 일.

첩장[1]【帖裝】명 서적 장정(書籍裝幀)의 한 가지. 길게 이은 종이를 옆으로 적당한 폭으로 접첩(折疊)하고, 그 앞과 뒤에 따로 표지를 붙인 오늘날의 법첩(法帖)과 같은 형태의 장정. 첩장본(帖裝本). 절첩본(折帖本). 절본(折本). 첩책(帖册). 접책(摺册). 접본(摺本). 접첩본(摺疊本). 엽자(葉子). 엽자본(葉子本). 책엽(册葉).

첩장[2]【牒狀】명 회장(回章).

첩장[3]【疊嶂】명 첩봉(疊峰).

첩-장가【妾—】명 양첩(良妾)을 예(禮)로 맞는 일.

첩장가 들다 구 첩을 예(禮)로 맞아 들이다.

첩-장모【妾丈母】명 첩의 친정 어머니.

첩장-본【帖裝本】명 첩장[1](帖裝).

첩-장이【妾—】명〈속〉첩(妾).

첩-장인【妾丈人】명 첩의 친정 아버지.

첩재[1] 명〈방〉서자[3](庶子)❶(함북).

첩재[2]【疊載】명 한 사실을 거듭 기재(記載)함. 중복(重複)하여 실음. ——-하다 타여불

첩-쟁이【妾—】명〈속〉첩.

첩적【諜賊】명 몰래 형편을 살피는 도둑. 또, 적(賊)의 첩자.

첩정【牒呈】명〖역〗첩보(牒報). ——-하다 타여불

첩종【疊鐘】명〖역〗조선 시대 때, 열무(閱武)할 때에 군대를 모으기 위하여 대궐 안에서 치던 큰 종.

첩지[1] 명 조선 시대 때, 부녀(婦女)가 예장(禮裝)할 때에 머리 위에 꾸미는 장식품. 금이나 은으로 봉황새나 개구리 등의 형상을 만들고, 좌우쪽으로 긴 머리털을 달았는데, 가르마 위에 대고, 머리털을 뒤에 잦혀 쪽에 맴.

첩지[2]【牒紙】명〖역〗구한말 판임관(判任官)의 임명서. 교첩(敎牒).

첩지[3]【諜知】명 간자(間者)를 놓아 적정(敵情)을 염탐함. 은밀히 사정을 살핌. ——-하다 타여불

첩지 가자【帖紙加資】명〖역〗첩지로만 올려진 품계(品階). ＊상가자(賞加資).

첩지-머리 명 ①첩지를 쓴 머리. ②계집 아이의 귓머리를 땋은 아랫 가닥으로 귀를 덮어서 빗은 머리.

〈첩지머리❶〉

첩징【疊徵】명 재징(再徵). ——-하다 타여불

첩책【帖册】명 첩장(帖裝).

첩첩[1]【喋喋】부 말을 거침없이 수다스럽게 하는 모양. ——-하다 형여불

첩첩[2]【疊疊】부 ↗중중 첩첩(重重疊疊). ——-하다 형여불

첩첩 산중【疊疊山中】명 첩첩이 겹친 산속.

첩첩 수심【疊疊愁心】명 겹겹이 쌓인 근심.

첩첩-이【疊疊—】부 여러 겹으로 거듭 포개어져서. ¶계집애란 말에 김승지는 그만 문을 ~ 닫아 걸고 자리에 눕고 말았었다≪李無影 : 農民≫.

첩첩 이:구【喋喋利口】[—니—] 명 거침없이 말을 잘 하는 일.

첩출【疊出】명 같은 사물이 거듭 나옴. 중출(重出). ——-하다 자여불

첩-치가【妾置家】명 첩을 얻어 딴 살림을 벌임. ㊂치가(置家). ——-하다 자여불

첩쾌【捷快】명 민첩하고 약삭빠름. ——-하다 형여불

첩학【帖學】명 중국 서도(書道)의 한 파. 남첩(南帖)을 연구하는 사람들. 진(晉)나라의 왕희지(王羲之)·왕헌지(王獻之) 2대의 전통적 서법을 계승(繼承)하는 것으로, 송(宋)·원(元)·명(明)대는 대개 이 파에 속하였으나, 청(淸)나라 중기 이후에는 비학(碑學)의 대두(擡頭)로 쇠미해졌음. ↔비학(碑學).

첩해 몽어【捷解蒙語】명〖책〗몽고어(蒙古語) 학습서의 일종. 조선 왕조 정조(正祖) 14년(1790) 간행. 목판본. 4권. 신번 첩해 몽어(新飜捷解蒙語).

첩해 신어【捷解新語】명〖책〗조선 시대 때의 역관(譯官) 강우성(康遇聖)이 지은 일본어 학습서. 임진 왜란 때 일본에 잡혀 갔다가 10년 만에 돌아와 엮은 것을 역관 최학령(崔鶴齡)이 교정하여 인조(仁祖) 5년(1627)에 간행, 숙종(肅宗) 2년(1676)에 중간(重刊)함. 고어(古語) 연구에 귀중한 자료로서, 특히 국어 음운사(國語音韻史) 연구에 큰 도움이 됨. 10권 10책.

첩해 신어 문석【捷解新語文釋】명〖책〗일본어 학습서의 하나. 조선 정조(正祖) 19년(1795)에 김건서(金健瑞)가 편찬하였음. 12권 4책.

첩화【貼花】명〖공〗도자기의 몸과 같은 감으로 여러 가지 모양을 만들

어 붙인 무늬.
첩후【諜候】명 몰래 적진이나 인가에 들어가 사정을 정탐함. 또, 그 사람. 첩자.
첫 관 어떤 명사 앞에 써서, '맨 처음'의 뜻을 나타내는 말. ¶～회의/～시도.
첫- 두 어떤 명사 앞에 붙어, '처음'의 뜻을 나타내는 말. ¶～걸음/～겨울/～사랑.
첫-가을 명 막 닥쳐 온 가을. 소추(小秋). *초가을.
[첫가을에는 손톱 발톱도 다 먹는다] 가을에는 모든 것이 무르익어 보약이 된다는 뜻.
첫-개 명 윷놀이에서, 맨 처음으로 나오는 개.
첫-걸 명 윷놀이에서, 맨 처음으로 나오는 걸.
첫-걸음 명 ①맨 처음 내디디는 걸음. ②어떤 일에의 첫출발. 제일보. ¶영어 공부의 ～.
첫-겨울 명 막 닥쳐온 겨울. *초겨울.
첫-고등 명 맨 처음의 기회. ¶이방이 ～에 호령을 내려서 내쫓을 심산이었으나…《金周榮 : 客主》.
첫-국밥 명 해산 후 산모가 처음으로 먹는 미역국과 흰밥.
첫국 첫밥 명〈방〉첫국밥.
첫-기제【—忌祭】명 삼년상(三年喪)을 마친 뒤에 처음으로 지내는 기제(忌祭).
첫-길 명 ①처음으로 가 보는 길. ②시집이나 장가들러 가는 길.
첫-끝 명〈방〉첫머리.
첫-나들이 명 ①갓난 아이가 처음으로 하는 나들이. ②시집 온 신부가 처음으로 하는 나들이. ——-하다 자여불
[첫나들이를 한다] [갓난 아이가 첫나들이를 할 때에 코 끝에 숯칠을 하여 잡귀의 침범을 막는 풍속에서 온 말] 얼굴이 거멍이나 다른 빛깔로 더러워진 사람을 놀리는 말.
첫-날 명 어떤 일의 처음이 되는 날. 초일(初日).
첫날-밤 [—빰] 명 결혼한 뒤에 신랑과 신부가 처음으로 함께 자는 밤. 초야(初夜). 혼야(婚夜).
[첫날밤에 속곳 벗어 메고 신방(新房)에 들어간다] 모든 일에 순서를 밟지 아니하고 염치 없음을 일컫는 말.
첫날 저녁 [—쩌—] 명 결혼한 날의 저녁.
첫-낯 명 처음으로 대하는 얼굴.
첫-눈[1] 명 처음으로 보아서 눈에 뜨이는 느낌. ¶～에 반한다.
첫-눈[2] 명 겨울이 된 뒤에 처음으로 오는 눈. 초설(初雪).
첫-단추 명 ①줄줄이 끼우는 단추의 처음 단추. ②어떤 일의 첫머리. ¶～를 잘못 끼우다.
첫-닭 [—닥] 명 새벽에 맨 처음으로 홰를 치며 우는 닭.
첫대 부 첫째로. ¶덕돌이가 왜포 다섯 자를 바꿔 오거든 ～ 사발 허통된 속곳부터 해 입히고 차차 할 수밖엔 없다《金裕貞 : 산골 나그네》.
첫대-바기 부 맞닥뜨리자 맨 처음으로.
첫-더위 명 그 해 여름에 처음으로 맞는 더위. ↔첫추위.
첫-도 명 윷놀이에서, 맨 처음으로 나오는 도.
첫도-왕【—王】명 윷놀이에서, 첫도를 치면 왕이 되어 이긴다는 말.
첫도 유:복【—有福】명 윷놀이에서, 첫도를 치면 복이 있어 이길 수가 있다는 말.
첫-돌 명 첫 번으로 맞는 돌. 준돌.
첫-딸 명 처음으로 낳은 딸.
[첫딸은 세간 밑천이다] 첫딸은 집안 살림살이에 도움이 된다는 말.
첫-마디 명 맨 처음으로 하는 말의 한 마디.
첫-말 명 첫 마디로 내는 말.
첫-맛 명 ①음식을 먹을 때에 첫입에 느끼는 맛. ②처음으로 일을 시작할 때의 기분.
첫-머리 명 어떤 일이 시작되는 머리. 비두(飛頭). 선두(先頭). 초두(初頭). ↔끝머리.
첫-모 명 윷놀이에서, 맨 처음으로 친 모.
[첫모 방정에 새까 먹는다] 윷놀이에서 맨 처음에 모가 나오면 그 판은 실속이 없다는 말.
첫-무대【—舞臺】명 ①처음으로 무대에 출연(出演)하는 일. ②어느 분야에서 처음으로 활동하게 되는 곳.
첫-물 명 ①옷을 새로 지어 입고 빨 때까지의 동안. ②☞만물.
첫물-가다 자 첫물지다.
첫물-지다 자 그 해에 첫 홍수가 나다.
첫박 명〈방〉첫밗.
첫밗 [—박] 명 맨 처음의 국면(局面). ¶예방 비장이 겨우 정신을 수습하고 ～에 하는 말이…《洪命憙 : 林巨正》.
첫-발 명 첫걸음을 내어 디디는 발.
첫발을 내:딛다 구 새로이 무엇을 시작하다. 또, 처음으로 어떤 범위 안으로 들어서다.
첫-밥 명 누에에 맨 처음으로 뽕잎을 썰어서 주는 먹이.
첫-배 명 ①맏배. ②한 해에 몇 번 새끼 치는 짐승이 그 해에 처음으로 새끼를 치는 일. 또, 그 새끼. ↔종배[1].
첫-번【—番】명 첫째로 닥치는 차례. 초도(初度). 초회(初回).
첫-봄 명 막 닥친 봄. *초봄.
첫-사랑 명 처음으로 맺는 사랑. 초련(初戀).
첫-새벽 명 새벽의 첫머리.
첫-서리 명 그 해의 가을에 처음으로 내리는 서리. *초상(初霜).
첫-소리 명〖언〗한 음절에서 처음으로 나는 소리. '날'에서 'ㄴ' 소리 같은 것. 초발성(初發聲). 초성(初聲).
첫손-꼽다 자 남들이 첫째 손가락으로 꼽다. '여럿 중에 제일 가다, 가장 뛰어나다'의 뜻. ¶우리 마을에서 첫손꼽는 미인.
첫-솜씨 명 그 일에 경험이 없는 사람이 처음으로 손을 대서 하는 솜씨. 초수(初手).
첫-수【—手】명 장기·바둑 따위에서, 맨 처음의 수.
첫-술 명 맨 처음에 떠 먹는 밥술. ↔막술.
[첫술에 배 부르랴] 어떤 일이든지 단번에 만족할 수는 없다는 말.
첫-아기 [처—] 명 초산(初産)으로 낳은 아기.
[첫아기에 단산(斷産)] 처음이면서 마지막이 됨을 일컫는 말.
첫-아들 [처—] 명 초산(初産)으로 낳은 아들.
[첫아들 낳기는 정승하기보다 어렵다] 첫아들 낳기가 어렵다는 말.
첫-얼음 [처—] 명 그 해 겨울에 처음으로 언 얼음. 초빙(初氷).
첫-여름 [—녀—] 명 막 돌아온 여름. *초여름.
첫-영성체【—領聖體】[—녕—] 명〖천주교〗세례를 받은 뒤, 첫번째로 성체(聖體)를 받는 일. 또, 그 의식.
첫-울음 [처—] 명 갓난아이가 나서 처음으로 우는 울음.
첫-윷 [—늇] 명 윷놀이에서, 맨 처음으로 나오는 윷.
첫-이레 [—니—] 명 아이가 난 지 이레가 되는 날. 초칠일(初七日).
첫-인사【—人事】[처—] 명 처음으로 통성명하는 인사. 초인사(初人事). ——-하다 자여불
첫-인상【—印象】[처—] 명 첫눈에 뜨이는 인상. 제일 인상(第一印象).
첫-잠 명 ①누워서 처음으로 곤하게 든 잠. ②누에의 첫번째 잠.
첫-정【—情】명 첫번으로 든 애정.
첫조곰 명〈옛〉음력 팔구일쯤. ¶첫조곰(上弦)《譯語 上 3》.
첫-째 一 수 맨 처음의 차례. 차례로 맨 처음. 二 명 맏. 三 부 첫째로.
첫째-가다 자 여럿 가운데에서 첫째가 되다. 으뜸가다. 제일가다. ¶장안에 첫째가는 부자.
첫째 밥통【—桶】명〖생〗제일위(第一胃).
첫째 자리바꿈 명 [first inversion]〖악〗삼화음 또는 칠(七)의 화음(和音)의 밑음이 자리바꿈하여 제삼음(第三音)이 낮은 음이 되는 꼴. 제일전회(第一轉回).
첫-차【—車】명 그 날의 제일 먼저 떠나는 차. ↔막차.
첫-추위 명 그 해 겨울에 처음으로 닥친 추위. 초한(初寒). ↔첫더위.
첫-출발【—出發】명 첫걸음을 내어디딤. 처음으로 출발함.
첫-출사【—出仕】[—싸] 명 처음으로 벼슬 길에 나서는 일.
첫-치 명〖악〗가곡(歌曲)의 맨 처음에 부르는 곡조라 하여 초삭대엽(初數大葉)을 일컫는 속칭.
첫-캐 명〈방〉첫개.
첫-컬 명〈방〉첫걸.
첫-토 명〈방〉첫도.
첫-판[1] 명 어떤 일이 시작되는 첫머리의 판.
첫-판[2]【—版】명 초판(初版).
첫-풀이 명 새 며느리의 근행을 통하여 사돈 사이에 처음으로 주고받는 선물.
첫-해 명 어떤 일의 맨 처음의 해.
[첫해 권농(勸農)] 어떤 일을 처음으로 하는 데 그 서투름을 가리키는 말.
첫-해산【—解産】명 첫번으로 하는 해산. 초산(初産).
첫-행보【—行步】명 ①처음으로 길을 다녀오는 일. ②행상(行商)으로 첫번에 하는 장사.
첫-혼인【—婚姻】명 처음으로 하는 혼인. 초혼(初婚). ↔재혼(再婚). ——-하다 자여불
쳣 관〈옛〉첫. ¶쳣 명盟 쎼誓 일우리라《月印 上 41》.
쳣날 명〈옛〉첫날. ¶쳣나래 讒訴를 드러(始日聽讒)《龍歌 12章》.
청[1] 명 [중세 : 청] ①무슨 물건의 얇은 막(膜)으로 된 부분. ¶귀～/대～/피리～. ②목청. ¶～이 좋다.
청[2]【靑】명 ↗청색(靑色).
청[3]【淸】명〖역〗중국의 옛 국호. 만주족(族)인 누르하치가 명(明)나라를 멸하여 1616년 흥경(興京)에서 태조라 칭하고 뒤에 후금(後金)을 세웠는데, 1636년 태종이 국호를 '청'이라 고침. 중국 최후의 왕조로, 강희(康熙)·건륭(乾隆) 시대에 전성하여, 중국 사상(史上) 최대의 판도(版圖)를 누리다가 신해(辛亥) 혁명으로 12대로 멸망함. 수도는 처음에는 심양(瀋陽), 나중에는 베이징(北京)임. 청국(淸國). 청나라. [1616-1912]
청[4]【淸】명〖악〗①거문고·가야금·양금의 구음(口音)에 사용되는 줄이름의 하나. 거문고에서는 괘상청(棵上淸)·괘하청(棵下淸)·무현(武絃)의 구음, 가야금 산조에서 제1현의 구음, 양금에서는 오른쪽 괘(棵) 왼쪽 줄의 구음임. ②합주나 시나위에서, 악기의 음높이를 맞추는 기본음. 정악(正樂)에서는 대금(大笒)의 지공(指孔)을 모두 막고 내는 육관(六管)청이 청(淸)이 됨.
청을 맞추다 구 악기의 음높이를 대금(大笒)의 육관청을 기본음으로 하여 맞추다.
청[5]【晴】명 청천(晴天).
청[6]【請】명 ①↗청탁(請託). ②↗청촉(請囑). ——-하다 타여불
청[7]【廳】명 ①정부 조직법에서 규정한 부(部) 산하에 둔 중앙 행정 기관. 기상청·조달청·병무청·경찰청 등이 있음. ②↗대청(大廳). ③〈방〉마루(경상).
[청을 빌어 방에 들어간다] ㉠처음에는 조심하여 삼가던 것이 차차 통이 큰 짓까지 하게 된다는 말. ㉡'봉당을 빌려 주니 안방까지 달란다'와 같은 뜻.
청[8]【淸】수 소수(小數)의 단위(單位)의 하나. 공(空)의 억분(億分)의 일. 정(淨)의 억 배. 곧, 10^{-120}. *청정(淸淨).
-청【廳】미 어떤 명사 밑에 붙어, 관청의 뜻을 나타내는 말. ¶중앙～/지방～.
청가[1]【淸歌】명 맑은 목소리로 부르는 노래.
청가[2]【請暇】명 말미를 청함. 청유(請由). 푸르 프랑드르 콩제. ——-하다 자여불

청-가라말【靑—】명 털빛이 검붉은 말.

청-가뢰【靑—】명〖충〗[*Lytta caraganae*] 가룃과에 속하는 곤충. 몸길이 1.2-2.1cm이고, 몸빛은 금록색에 약간 남빛이 돌며, 정수리에 한 개의 붉은 점이 있음. 겉날개는 금록색에 약간 동색(銅色)을 띠고 촉각과 다리는 암청색임. 유럽 원산으로, 맹독(猛毒)을 가지며, 말린 것은 '칸다리스(cantharis)'라 하여 약제로 쓰임. 원청(芫靑). 청반묘(靑斑猫). ＊먹가뢰.

〈청가뢰〉

청-가시고기【靑—】명〖동〗[*Pungitius pungitius pungitius*] 큰가시고깃과에 속하는 민물고기. 몸길이는 4-6cm 정도이며 몸빛은 누른 풀빛에 금속 광택을 띰. 등 쪽은 좀 검고, 어두운 구름무늬가 있고 배 쪽은 담색임. 산란 때에는 수컷은 온 몸이 푸른 물빛으로 변함. 턱에 날카롭고 좁은 이빨띠가 있고 꼬리자루에만 작은 비늘판이 있음. 한국·일본·사할린 등의 유라시아 대륙과 북아메리카 대륙에 널리 분포함.

청가시-나무【靑—】명〖식〗[*Smilax sieboldii*] 청미래덩굴과의 낙엽 활엽 만목(蔓木). 줄기에 가는 가시가 있으며, 잎은 달걀꼴에 맥망(脈網)이 뚜렷하고 엽액(葉腋)의 탁엽(托葉)은 권수(卷鬚)로 변함. 초여름에 자웅 이가(雌雄異家)로 된 꽃이 산형(繖形) 화서로 피고, 둥근 장과(漿果)는 7월에 붉게 익음. 산기슭 숲 속에 나는데, 함북을 제외한 한국 각지 및 일본·중국에 분포함. 어린 잎은 식용함.

〈청가시나무〉

청각[1]【靑角】명〖식〗↗청각채(靑角菜).

청:각[2]【聽覺】명〖생〗귀청이 울리어서 나는 감각. 소리가 공기나 다른 물질을 매개로 하여 청기(聽器)에 들어옴으로써 일어남. 척추 동물과 곤충의 일부에만 있음. 듣기 감각. 청감(聽感).

청:각 교:육【聽覺敎育】명〖교〗책이나 추상적 이론에 의하지 않고 직접 귀로 들을 수 있는 음악·방송·텔레비전 등을 이용하는 교육. ↔시각 교육(視覺敎育).

청:각-기【聽覺器】명 〔auditory organ〕〖생〗공기·물의 음파 자극을 수용(受容)하는 감각 기관의 하나. 공기·물의 진동(振動)을 수용하는 기관으로 절지(節肢) 동물의 촉모(觸毛)·현음 기관(弦音器官)·존스턴(Johnston) 기관·평형뇌(平衡腦)·고막(鼓膜) 기관·척추 동물의 귀 등임. 청기(聽器). 청관(聽官). 청각 기관. 음수용 기관(音受容器官).

청:각 기관【聽覺器官】명〖생〗청각기.

청각 나물【靑角—】명 청각을 살짝 데쳐서 잘게 썰어 기름과 간장에 무친 나물. 청각채(靑角菜).

청:각-령【聽覺領】[—녕] 명〖생〗측두엽(側頭葉)의 상부를 이루는 횡측 두회(橫側頭回) 상면 중앙에 있는 깊이 3mm 가량의 부분. 청각 신경 섬유가 방사상(放射狀)으로 이 부분에 분포되어 청각을 맡고 있음. 청각 중추(聽覺中樞). ＊시각령(視覺領).

청:각 발작【聽覺發作】[—짝] 명 청각원성 경련.

청:각 영상【聽覺映像】명 〔acoustic image〕〖언〗하나의 음 또는 몇 개의 음에 대한 심상(心像)을 가리킴.

청:각원성 경련【聽覺原性痙攣】[—썽—년] 명 〔audiogenic seizure〕〖의〗음(音)에 의해 유발되는 근육성, 감각성 또는 정신적인 일과성(一過性)의 부전 발작(不全發作). 청각 발작.

청각 자:반【靑角佐飯】명 마른 청각을 잘게 썰어서 물에 불렸다가 꼭 짜서 쇠고기를 달인 물에 간장과 기름을 치고 볶다가 다시 기름을 쳐서 새앙과 파를 넣어 볶은 나물.

청:각 중추【聽覺中樞】명〖생〗청각령(聽覺領).

청각-채【靑角菜】명 ①〖식〗[*Codium fragile*] 청각과에 속하는 해초. 몸높이 20-40cm, 지름은 1.5-5mm. 몸은 심녹색(深綠色)으로 너덧 번 가랑이가 져서 사슴의 뿔과 비슷함. 가지는 직립(直立)하고 어린 것은 전면 특히 상부에 털이 있음. 포낭(胞囊)은 원주상 또는 곤봉상(棍棒狀)이며 길이는 600-1,500μ, 꼭대기는 뾰족함. 저조선(低潮線) 부근의 암석·조개 껍질 등에 붙고 우리 나라 각지를 비롯하여 전세계에 널리 분포함. 김장 때 김치의 고명으로 쓰이고 무쳐 먹기도 하며, 풀의 원료와 구충제로 쓰임. 녹각채(鹿角菜). ㊀청각(靑角). ② 청각 나물.

〈청각채〉

청:각-형【聽覺型】명〖심〗시각형(視覺型)·운동형(運動型)과 함께 사고(思考) 타이프의 하나. 기억이나 상상을 할 경우 주로 청각적인 심상(心象)에 의해 행하는 타이프. ↔시각형.

청각-회【靑角膾】명 청각을 잘게 썰어 데친 뒤에 초장에 찍어 먹는 음식.

청간[1]【淸澗】명 청계(淸溪).

청간[2]【請簡】명 ①청편지(請片紙). ②청첩장.

청간-정【淸澗亭】명〖지〗관동 팔경의 하나. 강원도 고성군(高城郡) 토성면(土城面) 해안에 있는 정자. 건립 연대는 미상이며, 갑신 정변(甲申政變) 때 소실된 것을 1930년경 지방민들이 다시 세움.

청감[1]【淸勘】명 깨끗이 모두 마감함. ——-하다 타여불

청감[2]【淸鑑】명 타인의 감식(鑑識)의 경칭. 자기 작품에 대하여 남의 감식을 청할 경우 등에 쓰는 말.

청:감[3]【聽感】명 청각(聽覺).

청:감-도【聽感度】명 청감의 정도. 곧, 잘 들리는 정도. 가청도(可聽度).

청-감주【淸甘酒】명 찐 찹쌀밥에 누룩을 섞고 물 대신 좋은 술을 부어 빚는 술.

청강[1]【靑江】명〖지〗'칭장'을 우리 음으로 읽은 이름.

청강[2]【淸江】명 맑게 흐르는 강.

청:강[3]【聽講】명 강의를 들음. ——-하다 자여불

청:강-료【聽講料】[—뇨] 명 청강하는 데 내는 돈.

청강 사:자 현부전【淸江使者玄夫傳】명〖문〗고려 고종 때의 문인 이규보(李奎報)가 지은 거북을 의인화(擬人化)한 가전체(假傳體) 소설. 무(巫)·불(佛) 혼합의 저급한 신앙이 그 내면 생활을 규제하고 있던 고려 시대 사상계의 한 단면을 보여주는 작품임.

청:강-생【聽講生】명 대학에서 학생이 아닌 사람에게 특정한 규정에 의하여 강의를 듣도록 한 사람.

청강-석【靑剛石】명〖광〗단단하고 빛깔이 푸른 옥돌. 짙게 푸른 무늬가 나뭇결같이 있음.

청강석 나비【靑剛石—】명 청강석으로 만든 나비 모양의 노리개의 하나.

청강 소:설【淸江小說】명〖문〗조선 명종·선조 때의 문신(文臣) 청강 이제신(李濟臣)이 지은 일화(逸話). 수록된 내용은 국조(國朝)의 일화들이며, ≪청강 시화(淸江詩話)≫와 ≪청강 소총(淸江笑叢)≫이 포함되어 있음.

청강-수【靑剛水】명〈속〉염산(塩酸).

청개[1]【靑蓋】명〖역〗의장(儀仗)의 한 가지. 무과(武科)의 장원에게 풍류와 함께 내리어 유가(遊街)할 때에 앞에 세우고 다니게 하던 특례가 있었음.

〈청개[1]〉

청개[2]【靑芥】명〖식〗겨자의 한자 이름.

청개[3]【淸介】명 마음이 깨끗하여 남과 어울리지 아니함. 청렴(淸廉)하여 고립함. ——-하다 형여불

청-개구리【靑—】명 ①〖동〗[*Hyla arborea japonica*] 청개구릿과에 속하는 동물. 몸길이 4cm 내외로, 등은 담암색(淡暗色) 또는 녹색 바탕에 흑색 반문이 산재하고, 배는 흰빛 또는 담황색이며, 도톨도톨한 돌기(突起)가 많음. 몸빛은 환경에 따라 회갈색·짙은 갈색 등으로 변색하여 보호색을 이룸. 발가락 끝에 흡반(吸盤)이 있어 수상(樹上) 생활에 적당함. 5-6월경 나뭇가지나 논두렁의 흙 속에 흰 거품 모양의 20-30개 가량으로 된 난괴(卵塊)를 낳고, 비가 오려고 할 때에 나무 위에서 몹시 욺. 파리·거미·나비·잡충 등을 포식함. 한국·일본·아시아 중부·유럽·북아프리카 등지에 널리 분포함. 경마(鱉蟇). 우와(雨蛙). 하마(蝦蟇). ㊀개구리. ②〔어머니 생전에 밤낮 엇나가는 짓만 해 오던 청개구리 형제가, 이번에도 으레 엇먹으려니 지레 짐작하여 강변에 묻어 달라고 유언한 어머니의 말을 뉘우쳐서 충실하게 시행한 뒤로는, 비가 오려 할 때면 어머니 산소가 떠 내려가지 않을까 걱정하여 슬피 울어 대었다는 전래 동화(童話)에서〕매사에 엇나가고 엇먹는 짓을 하는 사람의 별명.

〈청개구리〉

청개구리 타:령【靑—打令】명〖악〗경기 민요의 하나. 흔히, 잦은 방아타령 뒤에 이어서 부름.

청개구릿-과【靑—科】명〖동〗[Hylidae] 개구리강(綱) 개구리목(目)에 속하는 한 과.

청객[1]【淸客】명 ①풍아한 객인(客人). 속되지 않은 객인. ②매화나무의 애칭(愛稱).

청객[2]【請客】명 손을 청함. ——-하다 자여불

청거【請去】명 ①손을 청하여 같이 감. ②이연(離緣)을 요구함. ——-하다 타여불

청검【淸儉】명 청렴하고 검소함. ——-하다 형여불

청겅 명〈방〉유리.

청견【請見】명 만나 보기를 청함. 면회를 청함. ——-하다 자타여불

청결[1]【淸潔】명 맑고 깨끗함. ——-하다 형여불. ——-히 부

청:결[2]【聽決】명 청단(聽斷).

청경[1]【靑莖】명 시래기.

청:경[2]【聽經】명〖불교〗경서(經書)의 강의를 들음. ——-하다 자여불

청경 우:독【晴耕雨讀】명〔갠 날에는 논밭을 갈고 비 오는 날에는 책을 읽는다는 뜻〕부지런히 일하며 공부함. ——-하다 자여불

청계[1] 명〖민〗사람에게 씌워서 몹시 앓게 한다는 잡귀의 하나.

청계[2]【淸溪】명 깨끗한 시내. 청간(淸澗).

청계-사【淸溪寺】명〖불교〗①서울 특별시 강남구(江南區) 청담동(淸潭洞)에 있는 절. 총무원(總務院) 직할 사찰임. ②경기도 의왕시(儀旺市) 청계산(淸溪山)에 있는 절. 총무원 직할 사찰임.

청계-수【淸溪水】명 맑은 시냇물.

청계-천【淸溪川】명 서울의 북악·인왕산 사이에서 발원하여 종로구와 중구 사이를 동쪽으로 흘러 중랑천(中浪川)으로 흘러드는 하천(河川). 개천(開川)이라고도 일컬었음. 1979년에 복개 공사가 완공되어, 서울 중앙부를 동서로 연결하는 길이 6km의 청계천로(路)를 이룸.

청고【淸高】명 사람됨이 맑고 고결함. ——-하다 형여불

청고-병【靑枯病】[—뼝] 명 시들병.

청고-주【靑蒿酒】명 제비쑥을 짓이긴 즙으로 담근 술. 허로(虛勞)와 학질에 약이 된다 함.

청-고초【靑苦草】명〖식〗풋고추.

청고초-장【靑苦草醬】명 풋고추 간장.

청고초-조【靑苦草炒】명 풋고추 볶음.

청고초-항적【靑苦草香炙】명 풋고추 누름적.

청곡【淸曲】명 맑고 부드러운 곡조.

청:골【聽骨】명〖생〗중이(中耳) 가운데 있는 작은 뼈. 어류의 새골(鰓骨)에서 진화한 것으로 고막의 진동을 내이(內耳)에 전달함. 인류는 추골(槌骨)·등골(鐙骨)·침골(砧骨)의 셋임. 청소골(聽小骨). 고실 소골(鼓室小骨). ＊등골(鐙骨).

청공[1]【青空·晴空】명 푸른 하늘. 청천(青天).

청공[2]【倩工】명 일시적인 임시 고용인(雇傭人).

청:-공간【聽空間】명〖생〗귀로 지각할 수 있는 영역. 또, 청각의 인상에 의하여 심리적 공간에 포함되는 한정된 범위.

청과[1]【青瓜】명〖식〗청참외.

청과[2]【青果】명 ①신선한 과일·채소. 청과물(青果物). ¶～시장. ②감람(橄欖).

청과-류【青果類】명 신선한 과실과 채소류.

청과-맥【青顆麥】명〖식〗쌀보리.

청과-물【青果物】명 청과²(青果)❶.

청곽【青鞹】명 초서피(貂鼠皮).

청관[1]【清官】명〖역〗조선 시대에, 홍문관(弘文館) 벼슬아치의 일컬음. 문명(文名)과 청망(清望)이 있는 청백리(清白吏)라는 의미에서 이렇게 일컬음. *청환(清宦).

청:관[2]【聽官】명〖생〗청각기(聽覺器).

청광[1]【清光】명 맑은 빛. 선명한 광선.

청광[2]【清狂】명 심성이 썩 깨끗하여 청아한 멋이 있으면서도 그 언행이 상규(常規)에 벗어남. 또, 그 사람.

청광[3]【清曠】명 깨끗하고 탁 틔어 넓음. ——-하다 형여불

청-괴불나무【青—】[—라—] 명〖식〗[*Lonicera subsessilis*] 인동과의 낙엽 활엽 관목. 수(髓)는 백색이고, 잎은 거꿀달걀꼴 또는 타원형이며, 가장자리에 거친 털이 있음. 봄에 꽃이 액생(腋生)하여 피고, 장과(漿果)는 가을에 익음. 삼림 속에 나는데, 한국 각지에 분포함. 관상용임.

청-교도【清敎徒】명〖기독교〗16세기 후반, 영국 국교회에 반항하여 일어난 프로테스탄트의 한 종단(宗團). 오락은 죄악이라 하여 화미(華美)·호사(豪奢)를 물리치고, 성직자의 권위를 배격하며, 청정(清淨)한 생활을 할 것을 주의로 함. 퓨리턴(Puritan).

청교도 혁명【清敎徒革命】명〖역〗1649년 왕정(王政)을 폐하고 공화정(共和政)을 선언한 청교도들의 무력 혁명. 크롬웰(Cromwell)을 주동으로 한 의회파(議會派)가 왕당파(王黨派)를 물리쳐 찰스 1세를 죽이고 공화 정치를 선언하여 혁명에 성공했으나 크롬웰의 독재에 의하여 1660년에 왕정 복고(王政復古)를 보게 됨.

청구[1]【青丘·青邱】명 중국에서 우리 나라를 일컫던 말.

청구[2]【青鳩】명〖조〗멧비둘기❶.

청구[3]【請求】명 달라고 요구함. 구청(求請). ——-하다 타여불

청구 가요【青邱歌謠】명〖책〗조선 시대의 가요집. 김수장(金壽長)이 편찬한 책으로 ≪해동 가요(海東歌謠)≫의 권말에 부록되어 있음. 수록 작품 77 수.

청구-권【請求權】[—꿘] 명〖법〗남의 작위(作爲)·부작위(不作爲)를 청구하는 권리. 채권(債權)·손해 배상권 따위임.

청구권 자:금【請求權資金】[—꿘—] 명 대한 민국과 일본국 간의 재산 및 청구권에 관한 문제의 해결과 경제 협력에 관한 협정에 의해 수입(受入)되는 무상(無償) 자금·차관(借款) 자금 및 그것의 사용으로부터 발생하는 자금의 총칭.

청구 단곡【青丘短曲】명〖문〗조선 정조(正祖) 때 홍양호(洪良浩)가 시조를 한역(漢譯)한 것을 일컬음. ≪이계집(耳溪集)≫ 가요조(歌謠條)에 전함.

청구-도【青邱圖】명〖책〗↗청구 선표도(青邱線表圖).

청-구멍【請—】[—꾸—] 명 청촉(請囑)을 할 만한 자리.

청구 보:석【請求保釋】명〖법〗피고인 또는 변호인의 청구에 따라 허가하는 보석. ↔직권 보석.

청구-서【請求書】명 어떤 것을 청구하는 서면.

청구 선표도【青邱線表圖】명〖책〗조선 순조(純祖) 34년(1834)에 김정호(金正浩)가 만든 조선(朝鮮) 지도. 세로와 가로 줄을 넣어서 만든 신식의 지도임. 2책. ㊍청구도.

청구 악장【青丘樂章】명〖책〗가곡 원류(歌曲源流).

청구 야:담【青邱野談】명〖책〗조선 말기(末期)에 편찬한 한문야담·소설집. 작가·제작 연대 미상. 대개 민담(民譚) 내지 야담을 소설체로 기록함. 몇 종류의 사본(寫本)이 전함.

청구 영:언【青丘永言】명〖책〗조선 영조(英祖) 4년(1728)에 김천택(金天澤)이 역대 시조를 수집해서 편찬한 책. 현존한 가집(歌集) 중 가장 방대한 것의 하나로서, ≪해동 가요(海東歌謠)≫·≪가곡 원류(歌曲源流)≫와 함께 3대 가집으로 일컬어짐. 1책. 시조 1,000여 수와 가사 7편을 곡조에 따라 분류하였음.

청구-인【請求人】명 청구하는 사람. 청구자.

청구-자【請求者】명 청구인.

청국【清國】명〖역〗청(清).

청국-밀【清國—】명〈방〉①기장¹(경북). ②귀리(경상).

청국-장【清麴醬】명 ①된장의 한 가지. 콩을 푹 삶아 더운 데서 발효시켜 만듦. 주로 찌개를 끓여 먹음. ②담북장❷.

[청국장이 장이냐 거적문이 문이냐] 못된 사람은 사람이라 할 수 없고 좋지 않은 물건은 물건이라 할 수 없다는 뜻.

청국장 찌개【清麴醬—】명 청국장을 넣고 채소·쇠고기·두부·북어 같은 것을 넣어 양념해서 만든 찌개.

청군【青軍】명 경기(競技) 등에서 청(青)과 백(白)으로 패를 갈랐을 때, 청(青) 쪽의 편. ↔백군(白軍).

청궁[1]【青穹】명 푸른 하늘. 창공(蒼空).

청궁[2]【清宮】명〖악〗조선 성종(成宗) 때의 소궁(小宮) 가운데 상오(上五)의 음(音)의 이름. *탁궁(濁宮).

청규[1]【清規】명〖불교〗[청(清)은 계율을 지키고 몸가짐이 깨끗한 중승(衆僧)의 뜻] 선종(禪宗) 사원에서 여러 중이 일상 지켜야 할 규칙.

청규[2]【清閨】명 깨끗하고 조촐한 도장방.

청규[3]【廳規】명 관청의 내규(內規).

청규 옥전사【清圭玉殿詞】명〖악〗창사(唱詞)의 이름.

청귤【青橘】명〖식〗익지 아니한 귤.

청귤-피【青橘皮】명〖한의〗청귤의 껍질. 기체(氣滯)·협통(脇痛)·적취(積聚)·울증(鬱症) 등에 씀. ㊍청피(青皮).

청근【青根】명〖식〗무.

청근-반【菁根飯】명 무밥.

청근 생채【菁根生菜】명 무생채.

청근-저【菁根菹】명 무김치.

청근-채【菁根菜】명 무나물.

청근 침채【菁根沈菜】명 무김치.

청근 침채전【菁根沈菜臇】명 무김치 지짐이.

청금[1]【青金】명 푸른 빛이 도는 금붙이의 뜻으로, 납을 일컫는 말.

청금[2]【青衿】명 [≪시경(詩經)≫의 '청청 자금(青青子衿)'에서 온 말] 유생(儒生)을 일컫는 말.

청금[3]【清琴】명 맑은 소리를 내는 거문고. *청슬(清瑟).

청금-록【青衿錄】[—녹] 명〖역〗성균관(成均館)·향교(鄉校)·서원(書院) 등에 있던 유생(儒生)의 명부. 유안(儒案). *향교안(鄉校案).

청금 서:당【青衿誓幢】명〖역〗신라 구서당(九誓幢)의 하나. 신문왕(神文王) 7년(687)에 백제의 유민(遺民)으로 편성된 군대. 금색(衿色)이 청백색임.

청금-석【青金石】명〖광〗나트륨의 알루미노 규산염. 소량의 황·염소를 포함함. 등축 정계(等軸晶系)에 속하는 광물. 유리 광택을 지니는 반투명으로 청색·청자색·녹청색 등의 아름다운 빛깔을 가지며 염산에 녹음. 반드시 석회암 속에 접촉 광물로서 육면체·십이면체의 결정 또는 덩이를 이루어 산출됨. 빛이 고운 것은 장식용으로 화병·모자이크 등에 이용되고, 전에는 '울트라마린(ultramarine)'이라는 안료(顏料)의 원료로 쓰였음.

청기[1]【青氣】명 푸른 기운.

청기[2]【青旗】명 ①푸른 빛깔의 기. ②중국에서, 주막집의 표시로 세운 ㄴ기.

청기[3]【清氣】명 맑은 기운.

청기[4]【晴氣】명 맑게 갠 천기(天氣).

청기[5]【請期】명 육례(六禮)의 하나. 혼인할 때에 신랑 집에서 택일(擇日)을 하여 그 가부를 묻는 편지를 신부 집으로 보냄.

청:기[6]【聽器】명〖생〗청각기(聽覺器).

청-기와【青—】명 청색의 연유(鉛釉)로 된 매우 단단한 기와. 지금은 만드는 법이 전하지 않아 고물(古物)로 약간 남아 있음. 청와(青瓦).

[청기와 장수] 어떤 일을 자기만 알고 남에게는 알리지 아니함을 일컫는 말.

청-꼭지【青—】명 푸른 빛깔의 둥근 종이를 머리에 붙인 지연(紙鳶).

청-꾼【請—】명 남에게서 재물을 받고 권세가의 집을 드나들며 청질을 하는 사람.

청-나라【清—】명〖역〗중국의 '청(清)'을 나라로서 똑똑히 일컫는 말.

청-나일【青—】명 [Blue Nile]〖지〗에티오피아의 타나 호(Tana湖)에서 발원(發源)하여 수단의 카르툼(Khartoum)에서 백나일(白Nile) 본류(本流)와 합류하는 나일 강의 지류(支流)로 강물이 맑은 데서 나온 이름. *백나일.

청난 공신【清難功臣】명〖역〗조선 선조(宣祖) 37년(1604)에 충청도 홍산(洪山)에서 이몽학(李夢鶴)이 일으킨 난(亂)을 평정한 공으로 홍가신(洪可臣) 등 다섯 사람에게 내린 훈호(勳號).

청남【清南】명〖역〗①남인(南人)의 한 갈래. 조선 숙종(肅宗) 초에 복제 시비(服制是非)로 남인이 서인(西人)을 몰아내고 송시열(宋時烈) 등의 서인을 죄 줄 때에 죄를 엄하게 다루고자 한 허목(許穆) 등의 일파. *탁남(濁南). ②옛날에 평안도의 청천강(清川江) 이남의 땅의 일컬음. ↔청북(清北).

청남 정:맥【清南正脈】명〖지〗13 정맥(正脈)의 하나. 백두 대간(白頭大幹)이 함경 남도 함흥(咸興) 서북쪽의 마대산(馬垈山)에서 서남쪽으로 갈라져 평안 남도의 서북쪽으로 뻗어 남포(南浦)의 대동강(大同江) 북쪽 어귀에서 끝나는 산줄기의 조선 시대 이름. 청천강(清川江) 남쪽 유역과 대동강 유역을 갈라 놓아, 남북도의 평안 도계(道界)를 이룸. 낭림산(狼林山)·묘향산(妙香山)·용문산(龍門山) 등이 이에 속함.

청납[1]【青衲】명〖불교〗중들이 입는 푸른 옷.

청납[2]【清納】명 납세를 깨끗이 마침. ——-하다 타여불

청:납[3]【聽納】명 남의 말을 잘 들어서 용납함. ——-하다 타여불

청낭【青囊】명 ①도장을 넣는 주머니. ②〖책〗↗청낭 비결(青囊祕訣). ③〖책〗↗청낭 중서(青囊中書).

청-낭간【青琅玕】명 산호(珊瑚)와 비슷하며 빛깔이 푸른 보석. 청산호 「(青珊瑚).

청낭 비:결【青囊祕訣】명〖책〗화타(華陀)의 의서(醫書). 세상에 전하지 아니함. ㊍청낭.

청-낭자【青娘子】명〖충〗잠자리².

청낭 중서【青囊中書】명〖책〗중국 진(晉)나라 사람 곽공(郭公)이 지었다고 하는 오행(五行)·천문(天文)·복서(卜筮)에 관한 책. 옛적에 곽박(郭璞)이 이 책을 곽공으로부터 받아 천문·복서·의술 등에 정통하였다고 함. ㊍청낭.

청-널【廳—】명〈속〉〖건〗당판(堂板). 청판(廳板).

청녀[1]【青女】명 ①〖민〗서리를 맡은 여신. ②전하여, 서리의 이명(異名).

청-녀[2]【清女】명 청(清)나라 여자.

청년【青年】명 청춘기에 있는 젊은 사람. 특히, 남자를 일컬음.

청년-계【青年界】명 청년의 사회. 젊은 층.

청년 공:산 동맹【青年共產同盟】명〖사〗콤소몰(Komsomol).

청년 교:육【青年教育】명 청년을 대상으로 하는 교육. 특히, 정규의 학교 계통에 취학하지 않은, 주로 근로 청년에 대한 교육.

청년-기【青年期】명 대략 열 네댓 살에서 스물 네댓 살까지의 시기. 생리적·정신적인 모든 면이 현저하게 발달함.

청년-단【青年團】명 어떠한 목적을 위하여 조직된 청년들의 단체.

청년단 연합회【青年團聯合會】[—년—] 명〖역〗3·1 운동 직후에 설립된 독립 운동 단체. 신의주(新義州)에서 안병찬(安秉瓚) 등이 중심이 되어 산만한 청년 운동을 통일, 남만주 안동현(南滿州安東縣)에서 조직하였음. 후에 광복군 사령부(光復軍司令部)에 통합됨.

청년 독일파【青年獨逸派】명〔도 Der junge Deutschland〕〖문〗1833년 프랑스 7월 혁명의 영향 아래 독일에서 힘차게 전개된 급진적인 작가·평론가들에 의한 문학 운동. 독일 고전파·낭만파의 예술 지상주의적 경향에 대립하여 문학을 정치에 종속시켜 봉건 제도를 타도하고자 신흥 시민 계급의 의사를 대표하였음. 주로 하이네(Heine)와 뵈르네(Börne)가 지도적 역할을 하였는데, 뛰어난 작품은 별로 없으며, 1835년 이 파의 모든 작품이 판매 금지됨.

청년 문화【青年文化】명 청년들이 창조·선택·향유하는 문화.

청년 시대【青年時代】명 청년기(青年期). 일반적으로 청년 후기(青年後期)를 말함.

청년 심리학【青年心理學】[—니—] 명〖심〗청년기의 심리를 연구하는 학문. 발달 심리학의 한 영역(領域)임.

청년 외:교단【青年外交團】명〖역〗1919년 기독교 신자인 연병호(延秉昊), 승려인 송세호(宋世浩) 등이 독립 정신의 고무(鼓舞), 임시 정부의 육성, 세계 만방에 대한 동정 외교(同情外交), 일본 정부에 대한 독립 요구 등의 실천을 위해 조직한 단체. 후에 배달 청년당(倍達青年黨)으로 개칭하려다 발각되어 해산됨.

청년 운:동【青年運動】명 청년 세대(世代)가 압박을 받고 있는 상태를 의식하고 성인 세대(成人世代)로부터 자신들을 해방시키려는 운동. 또, 청년이 중심이 된 독립 운동·사회 개혁·농촌 계몽·정치 운동 따위. 이탈리아의 청년 이탈리아당(黨), 기독교 청년회 운동, 체코슬로바키아의 소콜(Sokol) 운동이 그 대표적 예임. *학생 운동.

청년 이탈리아당【青年—黨】명〔이 Giovine Italia〕〖역〗1831년 자유·통일·독립을 목적으로 마르세유에서 마치니(Mazzini)가 조직한 비밀 결사. 1848년의 독립 운동에 실패하였으나 많은 독립 투사를 배출하였으며, 뒤에 청년 유럽당의 일환(一環)이 됨.

청년 자제【青年子弟】명 전도가 유망한 젊은 사내들.

청년 전기【青年前期】명 청년기를 둘로 나누었을 경우 그 전반에 해당하는 시기. 보통 14세부터 15, 6세까지를 말함. 이성에 대한 관심, 자아의식 등의 변화가 일어나기 시작할 시기임. 사춘기(思春期). 춘기(春機) 발동기. ↔청년 후기(後期).

청년-층【青年層】명 사회 구성원 가운데 청년기에 속해 있는 사람을 일괄하여 일컫는 말.

청년 터:키당【青年—黨】〔Turky〕명〖역〗19세기말 터키의 입헌 정치 수립을 위한 터키 청년들의 결사(結社). 1908년 혁명에 성공하여 새 의회(議會)를 주도하였으나 뒤에 친독(親獨)으로 기울어 제1차 세계 대전에서 독일측에 가담, 패전 후에 해체됨.

청년 학우회【青年學友會】명〖역〗1908년 안창호(安昌浩)가 조직한 청년 운동 단체. 청년의 인격 수양과 단체 생활의 연마, 일인 일기 교육으로써 직업인을 양성하는 것을 목적으로 무실(務實)·역행(力行)·충의(忠義)·용감(勇敢)을 4대 정신으로 삼았음. 후에 한일 합방(韓日合邦)으로 해산당함.

청년 헤:겔 학파【青年—學派】명〔도 Junghegelianer〕〖철〗19세기 후반의 헤겔 학파의 좌파. 그리스도교를 전면적으로 부정하고, 헤겔의 보수적 정치 사상을 비판하여, 헤겔의 문제점을 혁명에 의해 극복할 것을 주장한 혁신파. 독일의 철학자 포이어바흐(Feuerbach)·슈트라우스(Strauss, David Friedrich)가 그 대표적 인물임.

청년-회【青年會】명 어떤 목적을 위하여 조직된 청년들의 단체. 또, 그 모임.

청년 회심곡【青年回心曲】명〖문〗작자·창작 연대 미상의 고전 소설의 하나. 국문본. 시대 배경은 조선 인조(仁祖) 때이며, 주인공 진성(眞性)과 송도 명기 월랑(月娘)과 사랑의 이야기임.

청년 후:기【青年後期】명 청년기를 둘로 나누었을 경우의 그 후반. 보통 16, 7세부터 25세까지를 말함. 정신적 동요기를 거쳐 자아 의식이 확립되어 가는 시기. ↔청년 전기(青年前期).

청녕-장【青寧章】[—짱] 명〖악〗악장(樂章)의 이름.

청-노린재【青—】명〖충〗[*Dinorhynchus dybowskyi*] 노린잿과에 속하는 곤충. 몸길이 22 mm 내외. 몸빛은 금속 광택이 나는 녹색이며 촉각은 암갈색, 주둥이는 굵고 회황색이며, 전흉배(前胸背) 양측에 돌기(突起)가 있고, 앞날개의 막질부(膜質部)는 회황색임. 부패 물질, 곤충·고기의 시체에 모이는데, 한국에도 분포함.

청-노새【青—】명 푸른 빛을 띤 노새.

청-녹두【青綠豆】명〖식〗꼬투리는 검고 씨는 푸른 팥의 한 가지. 5월경에 심음.

청니【青泥】명〖지〗해저 침적물의 하나. 해안에서 200-6,000 m의 범위, 곧 대륙 사면(大陸斜面) 위에 널리 분포되어 있는 아름다운 푸른 빛의 흙. 마르면 대록색(帶綠色) 또는 회백색이 됨. 주로, 함수 규산 알루미늄, 석영(石英), 암석의 파쇄 입자(粒子), 유공충(有孔蟲) 등의 석회질 유해(遺骸)로 구성됨. *적니(赤泥).

청다리-도요【青—】명〖조〗[*Tringa nebularia*] 도욧과에 속하는 나그네새. 학도요보다 크고, 등 쪽은 불그스름한 회갈색, 배는 희며, 다리가 회청색(灰青色)임. 부리가 길. 북반구(北半球)의 북쪽에서 번식하고, 남쪽에서 겨울을 보내며, 봄·가을에 한국을 통과함.

청단[1]【青短】명 화투에서, 푸른 띠 석 장을 맞추어서 이루는 단(短).

청단[2]【青壇】명〖불교〗중이 새해를 축하하려고 관아에 가는 일.

청:단[3]【聽斷】명 송사(訟事)를 자세히 듣고 판단(判斷)함. 청결(聽決). ——-하다 타여불

청단-놀음【青丹—】명〖민〗경상 북도 예천(醴泉) 지방의 전승 민속 무용. 초여름에 한량들이 냇가에 휘장을 치고 울긋불긋한 옷차림에 바가지를 쓰고 농악(農樂) 가락에 맞추어 추는 덧보기춤.

청달래-가오리【青—】명〖동〗[*Dasyatis zugei*] 색가오릿과의 바닷물고기. 몸길이 20 cm 정도이며, 몸이 매끈하고 폭이 길이보다 길며, 주둥이가 길게 나와 있음. 꼬리등 쪽에 1-2 개의 큰 가시가 있고, 등지느러미·뒷지느러미·꼬리지느러미가 없음. 태생어로 봄철에 유어를 낳으며 한국·일본·중국·인도양 등에 분포함.

청담[1]【青潭】명 푸른 빛깔의 심연(深淵).

청담[2]【清淡】명 ①맛·빛깔 등이 진하지 아니하고 맑고 엷음. ②마음이 깨끗하고 담박(淡泊)함. ——-하다 형여불

청담[3]【清談】명 ①명리(名利)를 떠난 청아(清雅)한 이야기. ②〖역〗중국 위(魏)·진(晉) 시대에, 고절(高節)·달식(達識)의 선비들이 세사(世事)를 버리고 산림에 은거하여 노장(老莊)의 공리(空理)를 논하던 일. 죽림(竹林)의 칠현(七賢)이 가장 유명함.

청-담[4]【晴曇】명 날씨의 맑음과 흐림.

청담-파【清談派】명 ①〖역〗조선 시대 초엽, 유학계(儒學界)의 4대 학파의 하나. 중국의 죽림 칠현(竹林七賢)을 본떠서, 시정 속사(時政俗事)를 떠나, 흔히 동대문 밖 죽림(竹林)에 모여 고담 준론(高談峻論)으로 소일하던 한 무리의 학자들. 남효온(南孝溫)·홍유손(洪裕孫)·이정은(李貞恩)·이총(李摠)·우선언(禹善言)·조자지(趙自知)·한경기(韓景琦) 등. *소요건(逍遙巾). ②중국 육조 시대(六朝時代)에 유행했던 자연주의적·본능주의적 사상가의 한 파. 노장 사상(老莊思想)을 조술(祖述)하여 유교를 경시하고, 도의(道義)를 유린(蹂躪)하고 감정의 분일(奔逸)에 맡겨 유유 자적(悠悠自適)하였음. 완적(阮籍)·혜강(嵇康)·산도(山濤)·왕융(王戎)·향수(向秀)·유령(劉伶)·완함(阮咸) 등 죽림 칠현(竹林七賢)이 가장 대표적인 사람들이었음.

청답【青踏】명 푸른 초목을 밟는다는 뜻으로, 봄의 야외 산책을 일컫는 말. ——-하다 자여불

청답-파【青踏派】명〖문〗청탑파(青鞜派).

청대[1] 명〖식〗대의 한 가지. 마디가 참대보다 짧고 줄기에 하얀 시설(柿雪)이 있음.

청-대[2]【青—】명 베어 낸 뒤에 마르지 아니하여 아직 푸른 대.

청대[3]【青黛】명 ①쪽으로 만든 검푸른 물감. 대청(黛青). ②〖한의〗어린아이의 경간(驚癇)·감질(疳疾)·외과(外科)에 쓰는 약재. 성질은 차고 열을 내림.

청대 독 같다 구 빛이 몹시 검푸른 물건을 일컫는 말.

청대[4]【請待】명 객을 청하여 대접함. ——-하다 타여불

청대[5]【請對】명〖역〗급한 일로 임금께 뵙기를 청함. ——-하다 타여불

청대[6]【請臺】명〖역〗각 관아에서 섣달 그믐께 사무를 그치고 창고(倉庫)를 봉해 둘 때에 사헌부 감찰(司憲府監察)의 검사를 청하는 일.

청-대두【青大豆】명〖식〗푸르대콩.

청-대치【青—】명〖어〗[*Fistularia serrata*] 대칫과에 속하는 바닷물고기. 몸길이는 60 cm 정도이며 몸빛은 녹색임. 새끼 때에는 체측(體側)에서 등 쪽으로 약 10줄의 불분명한 짙은 회청색(灰青色)의 가로띠가 있음. 주둥이는 몹시 길고 대롱 모양을 하고 있으며 피부는 매끄러움. 우리 나라 남부 연해(沿海)·일본 중부 이남·하와이·동인도 제도에 분포함. 맛이 없음. *홍대치.

청대-콩【青—】명〖식〗덜 익어서 아직 물기가 있는 콩. 청태(青太). *푯콩.

청대콩 자:반【青—佐飯】명 청대콩을 간장에 끓여 조린 반찬. 청태 자반(青太佐飯).

청더〔承德〕명〖지〗중국 허베이 성(河北省) 북부에 있는 도시. 징청(京承)·진청(錦承)의 두 철도에 의하여 베이징(北京)·진저우(錦州)와 연락이 됨. 부근에서는 농목업이 행하여지며, 약재·모피·곡물·차 등의 거래가 성함. 식품·방적(紡績) 등 경공업 외에 구리·석탄·쇠 등 지하 자원의 개발에 따라 근대적 공업이 발달함. 시(市) 서북에 청조(清朝)의 피서 산장(避暑山莊)인 열하 이궁(熱河離宮)이 있고 라마교(敎)의 대사원도 있음. 구명(舊名)은 리허(熱河). 승덕(承德). [326,000 명(1984)]

청덕【清德】명 맑은 덕행.

청도[1]【青島】명〖지〗'칭다오'를 우리 음으로 읽은 이름.

청도[2]【青陶】명〖공〗청자(青瓷).

청도[3]【清道】명〖역〗왕의 거둥 때 어로(御路)의 청소를 감시하는 일. ——-하다 타여불

청도[4]【清道】명〖지〗경상 북도 청도군의 한 읍(邑). 경부선의 한 역으로, 사과·잡곡 등이 많이 집산(集散)됨. 1949년에 읍(邑)으로 승격함. [16,847 명(1996)]

청-도고리 명〈방〉딱따구리(함남).

청도-군【清道郡】명〖지〗경상 북도의 한 군. 2 읍(邑) 7 면(面). 도(道)의 최남단에 위치하여 동쪽은 경주시(慶州市)와 울산(蔚山) 광역시 울주구(蔚州區), 북쪽은 대구(大邱) 광역시 달성군(達城郡)과 경산시(慶山市), 서쪽은 달성군과 경상 남도 창녕군(昌寧郡), 남쪽은 경상 남도의 밀양시(密陽市)에 접함. 주요 산물로는 농산과 고령토·면포·도기·유기 등이 남. 명승 고적으로는 청도 석빙고(石氷庫)·약수 폭포(藥水瀑布)·군자정(君子亭) 등이 있음. 군청 소재지는 화양읍(華陽邑). [696.43 km²: 55,968 명(1996)]

청도-기【淸道旗】명〔역〕군기(軍旗) 또는 대기치(大旗幟)의 한 가지. 행군할 때에 앞에 서서 길을 치우는 데 쓰며, 수효는 둘임. 바탕은 남빛이고 가장자리와 화염(火焰)은 붉은 빛인데, '淸道' 두 자를 썼음. 깃대 길이는 여덟 자로, 영두(纓頭)·주락(珠絡)이 있고, 깃대강이는 창인(鎗刃)으로 되었음.

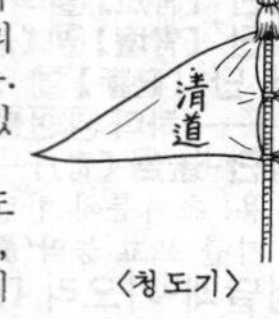

〈청도기〉

청도 석빙고【淸道石氷庫】명〔역〕경상 북도 청도군(淸道郡) 화양읍(華陽邑) 동천동(東川洞)에 있는, 화강암으로 축조한 빙고. 조선 숙종 39년(1713)에 만든 것으로, 보물 323호로 지정되어 있음.

청-도요【靑―】명〔조〕[*Capella solitaria japonica*] 도욧과에 속하는 새. 날개 길이 16cm 정도. 몸의 상면은 흑갈색 또는 적갈색이고 흰 반문이 있으며, 머리의 중앙·과안선(過眼線) 및 목은 백색, 꽁지 끝은 갈색, 하면은 흰데 담갈색의 가로 무늬가 있음. 산지에서 살며 군서(群棲) 생활을 하지 않는데, 동부 시베리아에서 히말라야 지방과 사할린에서 오키나와까지 분포함.

청도 차산 농악【淸道車山農樂】명〔민〕경상 북도 청도군(淸道郡) 풍각면(豐角面) 차산동(車山洞)에 전해 내려오는 고유의 농악. 춤과 민요가 포함되어 있는 것이 특징임.

청-돔【靑―】명〔어〕[*Sparus aries*] 감성돔과에 속하는 바닷물고기. 몸길이 30cm 남짓하여 모양이 감성돔과 비슷하나, 몸빛이 회청색(灰靑色)이고 배 쪽이 담색이며 체측(體側)에 회황색 반점이 있음. 한국 남해에 분포하는데 맛이 좋음.

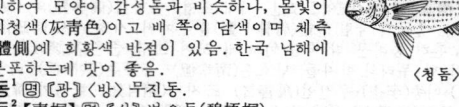

〈청돔〉

청동[1] 명〔광〕〈방〉무진동.

청동[2]【靑桐】명〔식〕벽오동(碧梧桐).

청동[3]【靑童】명 몸에 입거나 댄 모든 것이 온통 푸른 빛깔로 된 어린아이.

청동[4]【靑銅】명〔화〕구리와 주석(朱錫)의 합금. 주조(鑄造)·단련(鍛鍊)·압연(壓延)의 재료로 쓰이며, 아연·납 등을 가하여 고래로 미술품·화폐 등을 만들었음. 인(燐)을 가한 인청동, 금·은을 가한 종(鐘)청동 등 여러 가지를 만듦. 갈동(褐銅).

청동-거울【靑銅―】명〔고고학〕청동으로 만든 거울. 실용적인 용도보다는 의기(儀器)나 무구(巫具)로서 쓰인 듯함. 동경(銅鏡).

청동-기【靑銅器】명 청동으로 주조한 기구.

청동기 시대【靑銅器時代】명 (bronze age)〔역〕고고학상의 구분의 하나. 청동기를 제조·사용한 시대로서, 석기 시대의 다음, 철기 시대의 앞에 해당함. 이 시대를 겪지 아니하고 바로 철기 시대로 들어간 곳도 있음.

청동-꽃하늘소【靑銅―】[―꼳―] 명〔충〕[*Gaurotes doris*] 하늘솟과에 속하는 곤충. 몸길이 11-13mm, 시초(翅鞘)는 청동색에 금속 광택이 나며, 퇴절(腿節) 기관과 경절(脛節)의 중앙은 갈색 또는 동황색, 그 외는 흑색임. 한국·일본에 분포함.

청동-색【靑銅色】명 청동과 같은 빛깔. 거무스름한 구릿빛.

청동 신수경【靑銅神獸鏡】명〔역〕공주(公州)의 무령왕릉(武寧王陵)에서 출토된 3개의 청동 거울. 사신(四神)과 조수(鳥獸)를 가는 선으로 나타내고 있음. 국보 제161호.

청동-실잠자리【靑銅―】명〔충〕[*Nehalennia speciosa*] 실잠자릿과에 속하는 곤충. 복부의 길이 20-21mm, 뒷날개 12-15mm 가량임. 몸의 배면(背面)은 금속 광택이 나는 청록색이고, 복배(腹背) 제1-8절에서 중앙까지는 청동색(靑銅色)이며, 시맥(翅脈)과 연문(緣紋)은 담갈색임. 한국에도 분포함.

청동 은입사 보:상 당초 봉:황문 합【靑銅銀入絲寶相唐草鳳凰文盒】명 12세기 고려 시대의 제작으로, 보상 당초문·봉황문 등을 입사하여 만든 청동합. 높이 9.9cm. 국보 제171호.

청동 은입사 포류 수금문 정:병【靑銅銀入絲蒲柳水禽文淨甁】명 12세기 중엽 고려 시대의 제작으로, 은상감(銀象嵌)으로 수양버들·갈대밭·세 사람의 인물·수면에 뜬 세 쌍의 편주(片舟)·헤엄치는 오리 등을 그려 넣은 청동병. 불기(佛器)의 일종임. 높이 37.5cm. 국립 중앙 박물관 소장. 국보 제92호.

청동-잠【靑銅簪】명 청동으로 만든 비녀.

청동-잠자리【靑銅―】명〔충〕[*Cordulia aenea*] 잠자릿과에 속하는 곤충. 복부(腹部)의 길이 30mm, 뒷날개 29mm 가량임. 몸빛은 금속 녹색에 연한 털이 많음. 수컷의 제3절 전연부(前緣部)에 황색 조문(條紋)이 있고, 제2절은 구상(球狀)이며, 흉부에는 반문이 없고, 연문(緣紋)은 흑갈색임. 한국에도 분포함.

청동-화【靑銅貨】명 청동으로 만든 돈.

청동 화:로【靑銅火爐】명 청동으로 만든 화로. 넓은 전이 있고, 세 발이 달렸음.

〈청동 화로〉

청두[1] (成都) 명〔지〕중국 쓰촨 성(四川省)의 주도. 청두 분지(盆地)의 중앙에 위치하고, 바오청(寶成)·청위(成渝) 등의 철도와 민장(岷江) 강의 수운(水運)에 의해 교통이 편리함. 예로부터 물산이 풍부하고 요해지로서 파촉(巴蜀)의 중심지였음. 유명한 촉강(蜀江) 비단을 비롯하여 칠기 등을 산출하고 철강·기계·방직 등 근대 공업도 발달함. 풍광이 아름다워 명승·고적이 많음. 성도(成都). [3,957,000명(1981)]

청:두[2]【聽頭】명〔역〕고려 때 합문(閤門)에 속했던 이속(吏屬).

청둥-오리 명〔조〕[*Anas platyrhynchos*] 오릿과에 속하는 야생(野生) 오리. 집오리의 원종(原種)으로 좀 작아 날개 길이 24-30cm, 꽁지 7.5-10cm임. 수컷은 머리와 목이 광택(光澤) 있는 녹색인데, 목에 백색 윤대(輪帶)가 둘려 있으며, 복부는 회백색으로 갈색의 잔무늬가 있고, 등은 갈색 바탕에 회색의 가느다란 무늬가 있음. 암컷은 온몸이 황갈색이나 검은 갈색의 무늬가 종종 있고, 발에는 물갈퀴가 있음. 해만·연못 등에서 쉬다가 밤에 나와 풀씨·곤충·새우·게 등을 포식함. 시베리아·캄차카·홋카이도 등지에서 번식하고 9-11월에 남쪽에 날아와서, 겨울을 지내는 철새임. 고기 맛이 매우 좋은 엽조(獵鳥)임. 야목(野鶩). 야부(野鳧). 야압(野鴨). 물오리. 침부(沈鳧).

〈청둥오리〉

청둥-호박 명 늙어서 겉이 단단하고 씨가 잘 여문 호박.

청둥호박 나물 명 껍질을 벗긴 늙은 호박을 넓적하게 썰어서 간장이나 소금에 볶아 기름을 치고 양념을 한 음식. 노남과채(老南瓜菜).

청득【請得】명 청촉(請囑)을 하여 허락을 얻음. ――하다 타여불

청등【靑燈】명 푸른 색을 내는 전등.

청등-도【靑藤島】명〔지〕전라 남도의 서남해상(西南海上), 진도군(珍島郡) 조도면(鳥島面) 청등도리(靑藤島里)에 위치한 섬. [0.48km^2: 80명(1984)]

청-등롱【靑燈籠】[―농] 명 ↗청사 등롱(靑紗燈籠).

청-등에잎벌【靑―】명〔충〕[*Arge jonasi*] 등에잎벌과에 속하는 곤충. 암컷의 몸길이 11mm 내외이고, 몸빛은 흑색에 청람색(靑藍色)의 광택이 나며, 복부는 다소 짙음. 촉각은 흑색, 다리의 경절 말단은 황백색이고, 그 외는 전부 흑색임. 한국·일본·사할린 등지에 분포함.

청등 홍가【靑燈紅街】명 유흥으로 흥성대는 거리. 화류계(花柳界).

청디【靑―】명〈방〉청대.

청-딱따구리【靑―】명〔조〕[*Picus canus jessoensis*] 딱따구릿과에 속하는 새. 날개 길이 15cm, 꽁지 10cm, 부리 4cm 내외로, 몸의 상면(上面)은 황갈색, 허리는 등황색, 머리의 앞 쪽은 선흑색(鮮黑色), 복면(腹面)은 녹색을 띤 회백색인데, 꽁지에 'V'자 모양의 암색 반문이 있음. 밀림 속에 나무 구멍을 파고 사는데, 5-6월에 구멍 속에 6-8개의 알을 낳음. 삼림의 해충을 구제하는 익조임. 한국·홋카이도·중국·대만·몽고·만주·동부 시베리아 등지에 분포함. 메딱따구리. 산탁목(山啄木). 산탁목조(山啄木鳥).

〈청딱따구리〉

청-딱정이【靑―】명〔충〕풀색먼지벌레.

청띠-신선나비【靑―神仙―】명〔충〕[*Kaniska canace*] 네발나빗과에 속하는 곤충. 편 날개의 길이 34-72mm이고, 표면의 청색 띠가 특징인데, 수컷은 암컷보다 일반적으로 앞날개의 외연(外緣)이 더 들어갔고 그 후연은 모두 날카로움. 계절에 따라 변이(變異)가 많음. 한국·만주·일본 등지에 분포함.

〈청띠신선나비〉

청띠-제비나비【靑―】명〔충〕[*Graphium sarpedon*] 호랑나빗과에 속하는 곤충. 편 날개의 길이 80mm 내외이고, 날개 복판에 있는 청록색의 띠는 춘형(春型)은 폭이 넓고 빛깔이 연하며, 하형(夏型)은 폭이 약간 좁고 빛깔이 진함. 청색에서 황백색에 이르기까지 그 무늬의 변이(變異)가 심함. 한국에도 분포함.

〈청띠제비나비〉

청라-도【靑蘿島】[―나―] 명〔지〕인천 직할시의 앞바다, 북구(北區) 경서동(景西洞)에 위치한 섬. [0.66km^2: 96명(1980)]

청란【靑鸞】[―난] 명〔조〕[*Argusianus argus*] 꿩과의 새. 공작(孔雀)을 닮았는데 날개와 꽁지가 길어 수컷은 날개 길이 50cm 가량이고 차열(次列)의 칼깃 끝까지 합치면 90cm에 달하며, 꽁지는 중앙에 있는데, 2개의 밤색 꽁지깃의 길이는 1.2-1.4m나 됨. 수컷은 머리 위가 흑색, 낯과 목은 청색이고 털이 없으며, 기타의 부분은 갈색인데, 날개에는 많은 환문(環紋)이 있어 몹시 아름다우며, 암컷은 훨씬 작음. 번식기에는 숲 속의 평지에서 좌우의 날개를 펴서 구애(求愛)의 춤을 추는 것이 특색임. 말레이 반도·수마트라·보르네오 등지의 밀림에 널리 분포함.

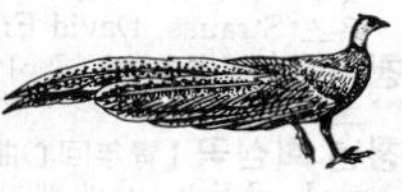
〈청란〉

청람[1]【靑嵐】[―남] 명 푸른 산의 기(氣). 멀리 보이는 산의 푸르스름한 기운.

청람[2]【靑嵐】[―남] 명〔사람〕문세영(文世榮)의 호(號).

청람[3]【靑藍】[―남] 명〔화〕쪽의 잎에 들어 있는 천연적인 색소. 물과 알칼리에 용해되지 않는 푸른 가루로 감색(紺色)의 물감으로 씀.

청람[4]【淸覽】[―남] 명 ①맑고 깨끗한 조망(眺望). ②남이 보는 일의 경칭. 자작(自作)의 서화(書畫) 등을 남에게 보일 때에 씀.

청람[5]【晴嵐】[―남] 명 화창한 날에 아른거리는 아지랑이.

청랑【晴朗】[―낭] 명 날씨가 맑고 화창함. ――하다 형여불

청래【請來】[―내] 명 사람을 청하여 맞아 옴. ――하다 타여불

청랭【淸冷】[―냉] 명 바람·이슬·물 따위가 맑고 시원함. ¶～한 샘물 같은 목소리. ――하다 형여불

청량[1]【靑粱】[―냥] 명〔식〕생동찰.

청량[2]【淸良】[―냥] 명 인품·성격이 깨끗하고 선량함. 또, 그 사람. ――하다 형여불

청량[3]【淸亮】[―냥] 명 소리가 맑고 깨끗함. ――하다 형여불

청량[4]【淸涼】[―냥] 명 맑고 서늘함. ――하다 형여불

청량-궁【淸涼宮】[―냥―] 명 달의 딴이름.

청량-미【靑粱米】[―냥―] 명〔식〕생동쌀.

청량 사육【淸涼飼育】[―냥―] 명 누에 사육법의 하나. 불을 때어서 잠

실(蠶室)을 따습게 하지 아니하고 자연의 온도로 누에를 기르는 일. ↔ 온난(溫暖) 사육. ——-하다 타여불

청량-산【淸涼山】[—냥—] 명 〖지〗 ①경상 북도 봉화군(奉化郡) 명호면(明湖面)에 있는 산. 산세(山勢)가 아름답고, 특히 가을 경치가 좋은데, 신라 김생(金生)이 10년 동안 글씨 공부를 하던 김생굴(金生窟)과 고려 공민왕(恭愍王)이 주필(駐蹕)하던 공민왕당(堂)과 퇴계 이황(李滉)이 학문을 연구하던 오산당(吾山堂)이 있음. [870 m] ②중국의 '칭량산'을 우리 음으로 읽은 이름.

청량 음:료【淸涼飮料】[—냥—뇨] 명 탄산 가스가 들어 있어 마시면 시원한 쾌감을 주는 음료수의 총칭. 사이다·콜라 따위.

청량-제【淸涼劑】[—냥—] 명 복용(服用)하면 기분을 상쾌하게 하는 약. 은단(銀丹) 따위.

청려[1]【靑藜】[—녀] 명 청려장(靑藜杖).

청려[2]【淸麗】[—녀] 명 맑고 고움. ——-하다 형여불

청려-장【靑藜杖】[—녀—] 명 명아주 대로 만든 지팡이. 청려(靑藜). ㊀여장(藜杖).

청:력【聽力】[—녁] 명 귀로 소리를 듣는 힘. 이력(耳力).

청:력 검사【聽力檢査】[—녁—] 명 〖의〗 오디오미터·음차(音叉)·얘깃소리 등을 이용하여 귀가 들리는 정도를 측정하는 검사.

청:력-계【聽力計】[—녁—] 명 〖의〗 사람의 청력을 측정한 장치. 진공관 발진기(發振器)·저항 감쇠기(抵抗減衰器) 및 수화기(受話器)로 구성되었음. 오디오미터(audiometer).

청련【淸漣】[—년] 명 물이 맑고 잔잔함. ——-하다 형여불

청렬[1]【淸冽】[—녈] 명 물이 맑고 참. ——-하다 형여불

청렬[2]【蜻蛚】[—녈] 명 〖충〗 귀뚜라미.

청렴【淸廉】[—념] 명 성품이 고결하고 탐욕이 없음. ¶ ~ 결백(潔白). ——-하다 형여불 ㊀염하다. ——-히 부

청령[1]【蜻蛉】[—녕] 명 〖충〗 잠자리.

청:령[2]【聽令】[—녕] 명 명령을 들음. 청명(聽命). ——-하다 자여불

청령-류【蜻蛉類】[—녕뉴] 명 〖충〗 잠자리목(目).

청령-옥【蜻蛉玉】[—녕—] 명 〖고고학〗 '방울구슬'의 구용어.

청로【請老】[—노] 명 나이 많아 퇴관(退官)을 원함. ——-하다 자여불

청록【靑鹿】[—녹] 명 〖동〗 백두산사슴.

청록 당혜【靑鹿唐鞋】[—녹—] 명 청록피(靑鹿皮)로 만든 당혜.

청록 산수【靑鹿山水】[—녹—] 명 〖미술〗 삼청(三靑)과 석록(石綠)으로만 그린 산수(山水).

청록-색【靑綠色】[—녹—] 명 푸른 빛이 도는 녹색.

청록-파【靑鹿派】[—녹—] 명 1946년에 공동 시집(共同詩集) ≪청록집(靑鹿集)≫을 낸 조지훈(趙芝薰)·박목월(朴木月)·박두진(朴斗鎭)의 세 시인(詩人)의 일컬음.

청록-피【靑鹿皮】[—녹—] 명 백두산사슴의 가죽.

청뢰【淸籟】[—뇌] 명 맑은 바람 소리.

청료【靑蓼】[—뇨] 명 〖식〗 여뀌의 한 가지. 꽃과 씨는 여뀌와 같으나 잎이 조금 얇음. 축축한 땅에 저절로 남.

청룡【靑龍】[—뇽] 명 ①〖천〗 동쪽의 일곱 별인 각(角)·항(亢)·저(氐)·방(房)·심(心)·미(尾)·기(箕)의 총칭. ②〖민〗 동쪽 방위의 목(木) 기운을 맡은 태세신(太歲神)을 상징한 짐승. 용(龍) 모양으로 무덤 속과 관(棺)의 왼쪽에 그렸음. 창룡(蒼龍). ③〖민〗 풍수 지리에서, 주산(主山)에서 갈리어 나간 왼쪽의 산맥. 여럿인 경우에는 내청룡(內靑龍)과 외청룡(外靑龍)으로 나누어 일컬음. 2)·3) : ↔백호(白虎).

〈청룡❷〉

청룡-기【靑龍旗】[—뇽—] 명 〖역〗 ①대오방기(大五方旗)의 하나. 진영에 있어서 원편 문에 세워서 좌군(左軍)·좌영(左營) 혹은 좌위(左衛)를 지휘함. 깃대 길이 15자로, 푸른 바탕에 청룡과 운기(雲氣)를 그렸는데, 가장자리와 화염(火焰)은 검은 빛임. ＊대오방기. ②의장기(儀仗旗)의 한 가지.

〈청룡기❶〉〈청룡기❷〉

청룡-날【靑龍—】[—뇽—] 명 〖민〗 산의 청룡 줄기.

청룡-도【靑龍刀】[—뇽—] 명 〖군〗 ↗청룡 언월도(靑龍偃月刀).

청룡-령【靑龍嶺】[—뇽녕] 명 〖지〗 평안 북도 구성군(龜城郡) 구성면(龜城面)에 있는 재. [465 m]

청룡-사【靑龍寺】[—뇽—] 명 〖불교〗 경상 북도 예천군(醴泉郡) 용문면(龍門面) 선동(仙洞)에 있는 직지사(直指寺)의 말사(末寺). 보물인 석조 여래 좌상(石造如來坐像), 비로나자불 좌상이 유명함.

청룡-산【靑龍山】[—뇽—] 명 〖지〗 대구(大邱) 광역시 달서구(達西區)와 달성군(達城郡) 사이에 있는 산. 태백 산맥 중에 솟아 있음. [793 m]

청룡 언:월도【靑龍偃月刀】[—뇽—또] 명 옛 중국 무기의 하나. 보병·기병들이 가지고 육전·수전에서 썼던 칼로, 날은 반달 모양이고 칼 등의 중간에 딴 갈래가 있어서 이중(二重)의 상모를 달도록 구멍이 있고 밑은 용의 아가리를 물렸음. 콧등과 자루의 장식은 황동(黃銅)으로 하고, 자루에는 붉은 칠을 했으며, 호로(葫蘆) 모양의 물미를 맞추었음. 자루 길이 여섯 자 네 치, 날의 길이 두 자 여덟 치, 무게는 통틀어 서 근 열넉 냥쭝임. ㊀언월도(偃月刀)·청룡도(靑龍刀).

〈청룡 언월도〉

청루【靑樓】[—누] 명 기생집. 기루(妓樓). 기관(妓館). 취루(翠樓).

청루 주사【靑樓酒肆】[—누—] 명 주사 청루(酒肆靑樓).

청류【淸流】[—뉴] 명 ①맑게 흐르는 물. ②명분(名分)·절의(節義)를 지키는 깨끗한 사람들. ③좋은 집안. 명문(名門). 또, 그 출신자(出身者).

청리[1]【靑梨】[—니] 명 〖식〗 청술레.

청리[2]【淸吏】[—니] 명 청렴한 관리. 염리(廉吏). ↔오리(汚吏).

청:리[3]【聽理】[—니] 명 송사를 자세히 듣고 심리함. ——-하다 타여불

청림【靑林】[—님] 명 푸르게 무성한 숲.

청림-교【靑林敎】[—님—] 명 〖종〗 최제우(崔濟愚)를 교조로 하는 동학 계통의 교의 하나. 은청림(隱靑林)·현청림(顯靑林)의 두 파가 있음.

청마[1]【靑馬】명 푸른 빛깔을 칠한 장기나 쌍륙(雙六) 등의 말. ↔홍마(紅馬).

청마[2]【靑馬】명 〖사람〗 유치환(柳致環)의 호(號).

청마산-성【靑馬山城】명 〖지〗 충청 남도 부여(扶餘) 동쪽, 논산 가도(論山街道) 북쪽에 남아 있는 석축(石築)의 성벽. 거의 붕괴되었으나 그 규모는 부소산성(扶蘇山城)의 수 배나 되는 큰 산성지(山城址)로, 성내 서북부에는 경룡사지(驚龍寺址)·석조(石槽)·의열사지(義烈祠址)·의열비(義烈碑) 등이 남아 있음.

청망【淸望】명 맑고 높은 명망.

청매[1]【靑梅】명 〖식〗 푸른 빛깔의 매화나무 열매.

청매[2]【請賣】명 물건을 받아다가 파는 일. ——-하다 타여불

청매-당【靑梅糖】명 중국에서 나는 사탕의 한 가지. 청매를 설탕에 조린 것.

청맹【靑盲】명 ①↗청맹과니. ②〈방〉 소경[1](전북).

청맹-과니【靑盲—】명 보기에는 눈이 멀쩡하나 실지는 조금도 보지 못하는 눈. 또, 그런 사람. 양의학의 녹내장(綠內障)에 상당함. 당달 봉사. ㊀청맹(靑盲).

청-머구리 명 〈방〉 참개구리.

청-머루【靑—】명 푸른 빛깔의 머루.

청머리-동이【靑—】명 머리에 푸른 빛깔의 종이를 이어 만든 지연(紙鳶).

청머리-오리【靑—】명 〖조〗 [*Anas falcata*] 오릿과에 속하는 새. 중형(中型)의 아름다운 오리로, 수컷의 머리는 자흑색임. 등에는 흑백의 세반(細斑)이 있으며, 날개는 대개 회색에 금속 광택이 나는 녹색임. 석 줄의 칼깃은 낫 모양으로 길며, 금록색과 흰 빛의 무늬가 있음. 중동부 시베리아·사할린·쿠릴 열도 이북에서 번식하여 가을에 한국·중국·일본 등지에 날아 오는 후조임.

〈청머리오리〉

청-메뚜기【靑—】명 〖충〗 메뚜기.

청면 금강【靑面金剛】명 〖불교〗 제석천(帝釋天)의 사자(使者). 몸빛이 푸르고 팔이 넷이며 머리털은 꼿꼿한데, 손에는 궁전(弓箭)과 보검(寶劍)을 쥐고, 발로는 귀신을 밟는다 함.

청명[1]【靑冥】명 푸른 하늘. 청천(靑天).

청명[2]【淸名】명 청렴하다는 명망(名望).

청명[3]【淸明】명 ①날씨가 맑고 밝음. ②24 절기의 다섯째. 춘분(春分)과 곡우(穀雨)의 사이에 드는데, 황경(黃經)이 15°인 때로, 천지가 상쾌하게 맑은 공기로 가득 찬다는 양력 4월 5일경임. 청명절. ——-하다 형여불

청:명[4]【聽命】명 청령(聽令). ——-하다 자여불

청-명과니 명 〈방〉 청맹과니(평북).

청명 상:하도【淸明上河圖】명 〖미술〗 동양화의 화제(畫題). 청명날의 도성(都城) 내외의 풍속과 시가(市街)를 그린 그림.

청-명아주【靑—】명 〖식〗 [*Chenopodium viridae*] 명아줏과에 속하는 일년초. 줄기 높이 15cm 내외인데, 잎은 호생하며 삼각상 달걀꼴 또는 달걀꼴 피침형이고 각엽(脚葉)은 엽병(葉柄)이 길. 7-8월에 황록색의 꽃이 액생(腋生)하여 피고, 납작한 포과(胞果)가 열림. 산야에 나는데, 전남·경남북·평북·함남북에 분포함.

청명-절【淸明節】명 청명[3](淸明)❷.

청명-주【淸明酒】명 청명절(淸明節)이 든 때에 담근 술. 춘주(春酒).

청모-죽【靑麰粥】명 쪄서 말린 풋보리를 물에 담갔다가 찧어 멥쌀 가루를 섞어 쑨 죽.

청목[1]【靑木】명 검푸른 물을 들인 무명.

청목[2]【淸穆】명 ①청아(淸雅)하고 화기(和氣)가 있음. ②편지에 쓰는 말로, 상대방이 건강함을 일컫는 말.

청목 당혜【靑目唐鞋】명 기름에 결은 가죽신의 한 가지. 흰 바탕이나 붉은 바탕에 푸른 무늬를 놓았음. 여자나 아이들이 신음.

청-목향【靑木香】명 〖식〗 목향(木香).

청몽-석【靑礞石】명 ①〖광〗 중국 양쯔 강(揚子江) 북쪽에서 나는 돌. 푸른 빛과 흰 빛의 두 가지가 있음. ②〖한의〗 적취(積聚)·경기(驚氣)에 쓰는 거담제(去痰劑).

청묘[1]【靑苗】명 〖식〗 푸른 모. 어린 모종.

청묘[2]【淸妙】명 맑고 절묘함. ——-하다 형여불

청묘[3]【淸妙】명 〖사람〗 차천로(車天輅)의 호(號).

청묘-법【靑苗法】[—뻡] 명 〖역〗 중국 왕안석(王安石) 신법(新法)의 하나. 민간의 고리(高利)를 없애고 정부의 세입을 증가시키기 위하여, 매년 봄과 가을에 관(官)에서 백성에게 이분(二分)의 이식으로 전곡(錢穀)을 대여하던 제도. 봄에 빌려 준 것은 가을에, 가을의 것은 다음 해 봄에 받아들였음.

청묘-저【靑苗菹】명 무순 김치.

청묘-전【靑苗錢】명 〖역〗 중국 당(唐)나라 대종(代宗) 때 국고(國庫) 지출이 급할 경우, 곡식이 익을 때를 기다리지 않고 푸른 전답에 과세하던 제도. 또, 그 세금.

청묘-채【靑苗菜】명 무순 나물.

청무[1]【靑蕪】명 푸르게 무성한 풀. 또, 그 땅.

청무[2]【靑鴟】명 〖조〗 촉새.

청무[3] 【廳務】 명 관청의 사무.

청문[1] 【請文】 명 〖불교〗 불(佛)·보살을 청하거나 죽은 이의 영혼을 부르는 글. 청사(請詞).

청:문[2] 【聽聞】 명 ①퍼져 돌아다니는 소문. ②설교·연설 따위를 들음. ③행정 기관이 규칙을 제정하거나 쟁송(爭訟)을 재결함에 있어, 이해 관계인이나 제3자의 의견을 듣기 위하여 취하는 절차.

청:문-회 【聽聞會】 명 ①행정 기관이, 규칙의 제정·행정 처분 또는 행정상의 재판을 함에 앞서, 행정 절차의 한 가지로서 이해 관계인이나 제삼자의 의견을 듣기 위해 여는 모임. 미국에서 발달한 제도임. ②국회의 상임 위원회가 국정 감사나 조사 때 또는 중요한 안건을 심사할 때, 증인·감정인·참고인으로부터 증언·진술의 청취와 증거의 채택을 위해 여는 모임. ＊공청회(公聽會).

청미[1] 【青米】 명 청치❶.

청미[2] 【清味】 명 맑고 깨끗한 맛. 청초한 맛.

청미[3] 【清美】 명 매우 맑고 아름다움. ——-하다 형여불

청미-강 【清美江】 명 〖지〗 경기도 용인시(龍仁市) 원삼면(遠三面)에서 발원하여 용인·안성(安城)·장호원(長湖院)·여주·음성(陰城) 등지를 지나서 한강으로 들어가는 강. [66.1km]

청미래-덩굴 명 〖식〗 [*Smilax china*] 청미래덩굴과에 속하는 낙엽 활엽 만목(蔓木). 줄기 높이 1-3.5m이고, 가시가 있으며 잎은 달걀꼴이고 탁엽(托葉)이 변한 권수(卷鬚)가 있음. 자웅 이가(雌雄異家)로, 초여름에 꽃이 산형(繖形) 화서로 피고, 둥근 장과(漿果)는 8월에 붉게 익음. 산기슭 양지에 나는데, 황해도 및 일본·대만·만주·중국 등지에 분포함. 어린 순과 잎은 식용, 뿌리는 약용하며, 잔뿌리는 한 줌씩 묶어 솔을 만드는 데 씀.

〈청미래덩굴〉

청미래덩굴-과 【—科】 [—꽈] 명 [Smilacaceae] 단자엽 식물에 속하는 한 과. 목본(木本)에는 청미래덩굴·청가시나무, 초본에는 밀나물·선밀나물 등이 이에 속함.

청미-장 【請米狀】 [—짱] 명 〖역〗 환곡(還穀)의 대여를 청구하던 증서.

청민 【清敏】 명 마음이 맑고 총명함. ——-하다 형여불

청밀 【清蜜】 명 꿀.

청밀-전 【清蜜廛】 명 꿀을 파는 가게.

청-바지 【青—】 명 청색의 바지. 특히, 블루 진 바지의 일컬음.

청반[1] 【青礬】 명 〖화〗 녹반(綠礬).

청:반[2] 【聽斑】 명 〖생〗 내이(內耳)의 전정낭(前庭囊)에 있으며 내벽의 일부가 두꺼워져서 이석(耳石)을 갖고 있는 곳. 머리나 몸의 위치와 운동을 알기 위한 것임.

청-반달 【青半—】 명 머리에 반달 모양의 푸른 종이를 붙인 지연(紙鳶).

청-반묘 【青斑猫】 명 〖충〗 청(青)가뢰.

청방[1] 【青尨】 명 〖동〗 청삽사리.

청방[2] 【青幇】 명 〖역〗 중국 청(清)나라 말기에, 대운하(大運河)에 의해 남쪽에서 베이징(北京) 방면으로 양미(糧米) 수송을 하던 공인(工人)들이 항해(航海)의 위해(危害) 방지를 위하여 조직한 조합적(組合的) 비밀 결사(祕密結社).

청-방산 【青方繖】 명 〖역〗 푸른 방산.

청배 【請陪】 명 〖민〗 무당이 굿을 할 때에, 신령이나 굿하는 집의 조상의 혼령을 청하여 오는 일. ——-하다 타여불

청백 【清白】 명 청렴(清廉)하고 결백함. ¶ ~한 공무원. ——-하다 형여불. ——-히 부

청백-경 【清白鏡】 명 정백경(精白鏡).

청-백당나무 명 〖식〗 까마귀밥나무.

청백-리 【清白吏】 [—니] 명 ①청백한 관리. ②〖역〗 의정부(議政府)·육조(六曹)·경조(京兆)의 정종(正從)이품 이상의 당상관(堂上官)과 사헌부(司憲府)·사간원(司諫院)의 수직(首職)들이 추천하여 선정한 청렴한 벼슬아치. 녹선(錄選)이 되면 만민의 추앙을 받았으며, 자손들에게도 음보(蔭補)의 혜택이 있었음.
[청백리 똥구멍은 송곳 부리 같다] 청렴한 까닭으로 재물을 모으지 못하고 지극히 가난함을 가리키는 말.

청백리-상 【清白吏賞】 [—니—] 명 어려운 직무 여건 아래서 성실하게 봉사한 공무원에 대한 국가의 포상(褒賞). 해마다 10년 이상 근속자 중에서 직종별로 30명 정도를 선발하여 상금과 한 직급(職級) 승진 등의 특전(特典)을 줌. 1981년부터 실시함.

청백-미 【清白米】 명 희고 깨끗한 쌀.

청백-색 【青白色】 명 푸른 빛이 도는 흰 빛깔.

청백운 【青白雲】 명 〖문〗 작자·창작 연대 미상의 고전 소설의 하나. 국문본. 배경은 중국 송대(宋代). 주인공 두쌍성(杜雙星)의 가정을 둘러싸고 본처와 두 기첩(妓妾)들 사이의 다툼을 그림.

청백-자 【青白瓷】 명 〖공〗 청자(青瓷)와 백자(白瓷)의 중간(中間)이 되는 자기(瓷器). 몸은 백자, 잿물은 청자로 되었음. 백청자(白青瓷). 백태청기(白胎青器).

청번 【請番】 명 당번이 된 사람이 다른 사람에게 대신 번 들기를 청하는 일. 또, 그 번. ——-하다 자여불

청-벌 【青—】 명 〖충〗 [*Stilbum cyanurum*] 청벌과에 속하는 벌의 하나. 암컷의 몸길이 15mm 가량이고, 몸빛은 흑색에 자색을 띤 청람 녹색의 광택이 나서 아름다움. 배면(背面)에는 점각(點刻)이 있고, 날개는 투명하고, 꼬리에는 끝에 네 개의 돌기가 있음. 암컷은 다른 벌집에 산란하여 유충은 그 속에서 자람. 성충은 8-9월에 발생하여 꽃에 모이는데 한국·일본·대만·유럽·아프리카 등지에 분포함. 파랑벌. 왕청벌.

〈청벌〉

청-벌 [—뻘] 명 〈방〉 〖충〗 꿀벌.

청벌-과 【青—科】 [—꽈] 명 〖충〗 [Chrysididae] 벌목(目)에 속하는 한 과. 몸길이 15-17mm 가량으로, 몸빛은 금속성 광택이 나는 청색·적색·남색·자색 등이고, 점각(點刻) 또는 조각(條刻)이 있는 종류도 있으며, 촉각은 짧고 극상(棘狀)인데, 발톱에 2-6개의 작은 이가 있음. 산란관은 관상(管狀)이고 신축(伸縮)이 자유로우며 주로 단서성(單棲性)의 벌집에 산란함. 쇠청벌·좀두쌍니청벌·청벌 등이 있는데, 전세계에 1,500여 종이 분포함. 파랑벌과.

청-베도라치 【青—】 명 〖어〗 [*Blennius yatabei*] 청베도라칫과에 속하는 바닷물고기. 몸길이 약 60cm로, 측편하고 주둥이가 짧으며, 눈 위에 하나의 큰 피질 돌기(皮質突起)가 있고, 아가미 구멍이 큼. 몸빛은 황회색인데, 배 쪽은 담색임. 연안어로서 한국 남부 연해 및 제주도 연해와 일본 중부 이남에 분포(分布)함.

〈청베도라치〉

청베도라칫-과 【青—科】 명 〖어〗 [Blennidae] 농어목(目)에 속하는 어류의 한 과. 청베도라치·앞동갈베도라치·두줄베도라치·개강베도라치 등이 이에 속함.

청벽[1] 【—壁】 명 〈방〉 ①절벽. ②벼랑(충북).

청벽[2] 【青甓】 명 푸른 빛깔의 벽돌.

청변 【青變】 명 특정 균류(菌類)의 균사(菌絲)가 소나무·가문비나무·너도밤나무 등의 변재 조직(邊材組織)에 침입하여 목재(木材)의 색조(色調)를 청색이나 흑청색으로 변화시키는 현상. 균사의 짙은 흑청색이 변색(變色)의 원인임.

청변-병 【青變病】 [—뼝] 명 〖식〗 '청변(青變)'을 병으로 보고 일컫는 말.

청병[1] 명 〈방〉 벼랑(충북).

청병[2] 【清兵】 명 청(清)나라의 병사.

청병[3] 【請兵】 명 출병(出兵)하기를 요청함. 원병(援兵)을 요청함. ——-하다 자여불

청병-장 【請兵將】 명 구원군(救援軍)의 장수(將帥).

청보[1] 명 〈방〉 언청이(제주).

청보[2] 【青褓】 명 푸른 빛깔의 보자기.
청보(青褓)에 개:똥 구 겉으로 보기에는 그럴 듯하나 속을 헤쳐 보면 흉하다는 뜻.

청-보리 【青—】 명 푸른 보리.

청-보리멸 【青—】 명 〖어〗 [*Sillago japonica*] 보리멸과에 속하는 바닷물고기. 보리멸과 비슷한데, 몸길이 48cm 가량이고 비늘이 잘고 몸빛이 더 짙음. 한국 중남부 및 일본에 분포함. 냄새가 나고 맛이 없음.

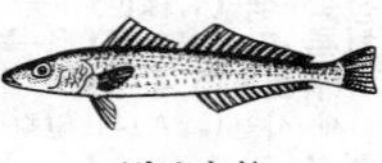

〈청보리멸〉

청-보리치 【青—】 명 〈방〉 〖어〗 청보리멸.

청보 장단 【—長短】 명 〖악〗 경상도·강원도의 동해안 지방에서 쓰인 무악(巫樂) 장단의 하나. 다섯 박자 계통임.

청-복[1] 【青—】 명 〖어〗 [*Canthigaster rivulatus*] 참복과에 속하는 바닷물고기. 몸길이 15cm 가량으로, 뚱뚱하며 주둥이가 길. 피부에 가시가 거의 없으며 몸빛은 암갈색, 배 쪽은 청자색인데 배에 푸른 점이 많음. 한국 중남부 및 일본 중부 이남의 연해에 분포함.

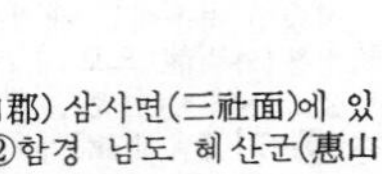

〈청복[1]〉

청복[2] 【清福】 명 청한(清閑)한 복.

청봉[1] 【青峰】 명 푸른 산봉우리. 청산(青山).

청-봉[2] 【青峰】 명 〖지〗 ①함경 북도 무산군(茂山郡) 삼사면(三社面)에 있는 산봉우리. 함경 산맥에 속함. [1,518m] ②함경 남도 혜산군(惠山郡) 보천면(普天面)에 있는 산. [1,447m]

청봉[3] 【青蜂】 명 〖충〗 청벌.

청부[1] 명 〈방〉 언청이(제주).

청부[2] 【青蚨】 명 〖충〗 '하루살이'의 이칭(異稱). 부선(蚨蟬).

청부[3] 【請負】 명 〔본디 일본어 'うけおい(請負)'를 우리 음으로 읽은 말〕 ①어떤 일을 책임을 지고 완성하기로 하고 맡음. ¶ ~ 살인. ②건축·토목 공사 등에서 '도급(都給)'의 구용어. ——-하다 타여불

청부[3] 【廳夫】 명 관청의 인부.

청부 계:약 【請負契約】 명 〖법〗 '도급(都給) 계약'의 구용어.

청부-금 【請負金】 명 '도급금'의 구용어.

청부 농업 【請負農業】 명 계약 농업. 콘트랙트(contract) 농업.

청-부루 【青—】 명 푸른 털과 흰 털이 섞인 말.

청부루-말 【青—】 명 청부루를 말로서 똑똑히 일컫는 말.

청부 모집 【請負募集】 명 〖경〗 인수 모집(引受募集).

청부 보증금 【請負保證金】 명 〖법〗 '도급 보증금(都給保證金)'의 구용어.

청부 살인 【請負殺人】 명 남의 청을 받아 사람을 죽임.

청부-업 【請負業】 명 '도급업'의 구용어.

청부업-자 【請負業者】 명 '도급(都給)업자'의 구용어.

청북 【清北】 명 〖지〗 옛날 평안도(平安道)의 청천강(清川江) 이북(以北)의 땅을 일컬음.

청북-장 【—醬】 명 〈방〉 청국장.

청북 정:맥 【清北正脈】 명 〖지〗 13정맥(正脈)의 하나. 백두 대간(白頭大幹)이 함경 남도 함흥(咸興) 서북쪽의 마대산(馬垈山)에서 서쪽으로 갈라져 평안 북도를 가로질러 신의주(新義州) 남쪽 미라산(彌羅山)까지 이어진 산줄기의 조선 시대의 이름. 청천강(清川江) 북쪽 유역의 산줄기로, 낭림산(狼林山)·동백산(東白山)·적유령(狄踰嶺)·비래봉(飛來

峰)·대암산(大岩山) 등이 이에 속함.

청분홍-메뚜기【靑粉紅—】명〖충〗[*Aiolopus tamulus*] 메뚜깃과에 속하는 곤충. 몸빛은 황록색을 띤 적갈색. 앞날개에는 담갈색에 암갈색 반문이 있고, 담녹색의 종대(縱帶)가 한 개 있으며, 전흉배(前胸背)의 중앙 융기선(隆起線)은 중앙에서 세 횡구(橫溝)에 의하여 절단됨. 한국에도 분포함.

청불 전:쟁【淸佛戰爭】명〖역〗청프 전쟁.

청불주세-가【請佛住世歌】명〖문〗고려 때에 균여 대사(均如大師)가 지은 10구체(句體)의 향가(鄕歌). 그의 보현 십원가(普賢十願歌) 중의 하나로서, ≪균여전(均如傳)≫에 실려 전함. *보현 십원가.

청비【廳費】명 관청의 경비.

청-비녀골풀【靑—】명〖식〗[*Juncus papillosus*] 골풀과에 속하는 다년초. 줄기는 원주형으로 족생(簇生)하는데 높이 50 cm 내외이고, 각엽(脚葉)은 작으며, 경엽(莖葉)은 2-3 닢으로 원주형이고 단관질(單管質)임. 7월에 녹색의 큰 꽃이 정생(頂生)하여 취산(聚繖) 화서로 피고, 삭과(蒴果)는 피침상 타원형임. 들의 습지에 나는데, 제주·경남북·강원·경기·황해·함북 등지에 분포함.

청빈[1]【靑蘋】명 녹빈(綠蘋).

청빈[2]【淸貧】명 청백하여 가난함. 한소(寒素). ——-하다 형여불

청빈[3]【請賓】명 잔치 같은 데에 손님을 청(請)함. 속빈(速賓). ——-하다 자여불

청빈-가【淸貧家】명 청빈하게 사는 사람.

청사[1]【靑史】명〔옛날 종이가 없을 때에 대의 푸른 껍데기를 불에 구워 푸른 빛과 기름을 없애고 사실을 적은 데서 온 말〕역사(歷史). 기록(記錄). ¶~에 길이 이름을 남기다.

청사[2]【靑蛇】명〖동〗업구렁이❷.

청사[3]【靑絲】명 청실.

청사[4]【靑詞】명 도가(道家)에서 초제(醮祭) 때 읽는 축원문. 푸른 종이에 씀.

청사[5]【淸士】명 청렴 결백한 선비.

청사[6]【淸沙】명〖사람〗한호(韓濩)의 호(號).

청사[7]【淸寫】명 깨끗이 베낌. 정서(淨書). ——-하다 타여불

청사[8]【請詞】명〖불교〗청문(請文).

청사[9]【廳使】명〖역〗구한말 경무청(警務廳)에서 부리던 사령.

청사[10]【廳事】명 ①〖건〗마루[1]. ②관아(官衙). 관부(官府). 또, 그 곳에서 하는 일.

청사[11]【廳舍】명 관아의 집. 관청의 건물. ¶정부 종합 ~.

청사-고【淸史稿】명〖책〗기전체(紀傳體)의 중국 청조사(淸朝史). 1914년 중화 민국 정부가 청사관(淸史館)을 설치하여 조이손(趙爾巽) 등 수십 명의 학자를 동원하여 1927년에 완성한 것으로, 아직 정사(正史)로 인정이 되지 않아 고(稿)라고 함. 536권.

청-사기【靑沙器】명〖공〗청자(靑瓷).

청사 등롱【靑紗燈籠】[—농] 명〖역〗①푸른 운문사(雲紋紗)로 몸체를 삼고 붉은 천으로 위아래에 동을 달아서 옷을 한 등롱. 궁중에서 썼음. 청사 초롱. ②조선 시대 품등(品燈)의 하나. 푸른 사로 옷을 한 등롱으로, 정삼품부터 정이품의 벼슬아치가 밤에 다닐 때 썼음. 1)·2):준청등롱(靑燈籠)·청사롱(靑紗籠).

청사-롱【靑紗籠】명〖역〗↗청사 등롱(靑紗燈籠).

청-사조【靑蛇條】명〖식〗[*Berchemia racemosa*] 갈매나뭇과에 속하는 만성(蔓性)의 낙엽 활엽 관목. 줄기는 때로 자색(紫色)도 띠며, 잎은 호생(互生)하고 달걀꼴 또는 타원형에 톱니가 없으며 뒷면이 흼. 7-8월에 녹색 꽃이 정생(頂生)하여 원추(圓錐) 화서로 피고, 다음해 여름에 타원형의 빨간 과실이 거멓게 익음. 골짜기의 숲 속에 나는데, 전북의 군산(群山) 및 일본·대만 등지에 분포함. 과실은 맛이 있어 아이들이 먹음. 관상용임.

〈청사조〉

청-사진【靑寫眞】명 ①↗청색 사진(靑色寫眞). ②설계도(設計圖). 미래도(未來圖). ¶80년대의 ~. ③미래의 계획이나 구상(構想). ¶아직 ~의 단계이다.

청-사초【靑莎草】명〖식〗[*Carex leucochloa*] 방동사닛과에 속하는 다년초. 줄기는 높이 30 cm 가량의 삼릉주(三稜柱)로 총생(叢生)하고 연하며, 잎은 선형(線形)인데 길이 10-15 cm, 폭 2-4 mm로 족생(簇生)함. 4-5월에 3-5개의 꽃이삭이 달린 선형의 담황백색 꽃이 정생(頂生)하여 피고, 수과(瘦果)임. 들에나 길가에 나는데, 한국 각지에 분포(分布)함. 이삼사초.

청사 초롱【靑紗—籠】명〖역〗청사 등롱❶.

청산[1]【靑山】명 ①나무가 무성(茂盛)하여 푸른 산. 청봉(靑峰). 벽산[1](碧山). ¶나비야 ~ 가자/인간 도처 유~(人間到處有靑山). ②〖불교〗절에서 큰방 아랫목 벽에 써 붙여 주인의 자리를 알게 하는 문자.
[청산에 매 띄어 놓기다] 지나치게 요행(僥倖)만 바라는 것을 가리키는 말.

청산[2]【靑酸】명〖화〗①시안화 수소(Cyan 化水素). ②시안화 수소산(Cyan 化水素酸).

청산[3]【淸算】명 ①상호간에 채무·채권 관계를 셈하여 깨끗이 정리함. ¶부채를 ~하다. ②[liquidation]〖경〗회사·조합 등의 법인이 해산할 때에, 뒷 처리로서 재산 일체를 정리하는 일. ¶~ 중인 법인. ③과거의 관계·주의(主義)·사상(思想)·과오(過誤) 등을 깨끗이 씻어 버림. ¶죽음으로써 죄를 ~하다. ——-하다 타여불

청산 가리【靑酸加里】명〖화〗시안화 칼륨.

청산 거:래【淸算去來】명 매매를 계약하고 나서 일정한 기한이 지난 후에 물품과 대금을 주고받는 제도. 기한 전에 전매(轉賣)하거나 하여 대금(代金)의 차액(差額)의 수수도 할 수 있음.

청산 계:정【淸算計定】명〖경〗상거래를 할 적에 수시로 현금을 주고받고 하지 않고, 일정한 기간의 거래를 모아서 그 대차(貸借)를 청산하는 방식. 오픈 어카운트(open account).

청산-도【靑山島】명〖지〗전라 남도의 남해상(南海上), 완도군(莞島郡) 청산면(靑山面) 도청리(道淸里)에 위치(位置)한 섬. [32.26 km²: 5,899명(1984)]

청산-리【靑山裏】[—니] 명 푸른 산 속.

청산리 대첩【靑山里大捷】[—니—] 명〖역〗북로 군정서(北路軍政署) 독립군이 만주 청산리에서 일군(日軍)을 대파한 싸움. 1920년 10월 김좌진(金佐鎭)을 총사령으로 한 독립군 2개 중대 병력은 1만이 훨씬 넘는 일군을 대적(對敵)하여 사상자(死傷者) 3,300여 명을 내게 하였음에 반(反)하여, 독립군의 피해는 100여 명에 불과하였음. 이는 세계 전사상(戰史上) 희유(稀有)한 전과(戰果)로서, 한국 독립군이 해외에서 거둔 최대의 승리임.

청산 배:당【淸算配當】명〖경〗해산한 법인이 청산 절차에서 잔여 재산(殘餘財産)을 사원에게 분배하는 일. 물적 회사(物的會社)인 주식 회사는 인적(人的) 회사인 합명(合名)이나 합자(合資) 회사보다 규정의 엄격한 지배를 받음.

청산 법인【淸算法人】명 해산에 의해 청산 상태에 있는 법인.

청산 별곡【靑山別曲】명〖문〗고려 가요의 하나. 작자·제작 연대 미상. 모두 8연. 이 노래의 성격에 관하여 여러 견해가 있으나 현실 도피 및 현실 부정의 사상으로, 괴로움과 싸우는 인간상을 읊음. ≪악장 가사(樂章歌詞)≫에 전함.

청산 소:다【靑酸—】[soda] 명〖화〗시안화 나트륨.

청산 소:득【淸算所得】명 법인이 해산 또는 합병(合倂)하는 경우에 그 잔여 재산의 가액(價額)이 해산 당시의 납입 주식 금액 또는 출자 금액과 적립금(積立金)의 합계 금액을 초과할 때의 그 초과 금액.

청산 소:득세【淸算所得稅】명〖법〗회사·조합 등의 법인이 해산할 때에 부과하는 소득세.

청산 시:장【淸算市場】명 실물(實物)을 주고받지 아니하고 잔액(殘額)의 수수(授受)로 청산하는 시장. ↔실물(實物) 시장.

청산 신:탁【淸算信託】명〖경〗재산을 청산할 목적으로 하는 신탁. 채권자가 재산 정리를 하는 경우에 채택하는 방법임.

청산-염【靑酸塩】[—념] 명〖화〗시안산염(酸塩).

청산 유수【靑山流水】[—뉴—] 명 막힘없이 썩 잘하는 말의 비유.

청산-인【淸算人】명〖법〗민법·상법의 규정에 의하여, 해산한 법인의 청산 사무를 관장하기 위해 선임된 사람.

청산 중독【靑酸中毒】명〖의〗청산 또는 그 유독성 염류, 특히 청산 칼리에 의한 중독. 급격한 경우에는 복용 후 수초 만에 현기·두통·두부(頭部) 충혈·심계 항진(心悸亢進)·호흡 곤란·전신 경련 등이 일어나고 대량을 먹었을 때는 소리를 지르면서 급사함.

청산 칼리【靑酸—】[kali] 명〖화〗시안화 칼륨(Cyan 化 kalium).

청산-파【淸算派】명 제정(帝政) 러시아 사회 민주 노동당 중에서 좌파 볼셰비키에 대항하던 우경적(右傾的) 일파. 청산파란 비합법적 음모를 청산한다는 의미에서 유래되며, 혁명적(革命的) 행동을 회피할 것을 주장했음.

청-산호【靑珊瑚】명 청낭간(靑琅玕).

청산 회:사【淸算會社】명〖법〗해산(解散)한 뒤 청산 상태(狀態)에 있는 회사. 전(前)의 회사와 같은 인격(人格)을 계속 보유(保有)하나 그 활동 범위(活動範圍)는 청산의 목적(目的) 범위에 한(限)하게 됨.

청삼【靑衫】명 ①나라 제향(祭享) 때에 입는 남빛의 웃옷. ②조복(朝服)의 안에 받쳐 입는 옷. 남빛깔의 바탕에 검은 빛깔로 가를 꾸미고 큰 소매가 달렸음. ③전악(典樂)이 입는 깊은 유록(柳綠)빛의 공복(公服).

〈청삼❷〉

청-삽사리【靑—】명 검고 긴 털이 곱슬곱슬하게 생긴 개의 한 가지. 청방(靑尨).

청상[1]【靑裳】명 ①푸른 치마. ②푸른 치마를 입은 여자. 특히, 기생.

청상[2]【靑葙】명〖식〗개맨드라미.

청상[3]【靑箱】명〖역〗친경(親耕)에 쓰는 대로 만든 상자. 장방형이고 뚜껑이 없는데 푸른 칠을 하며 속에 아홉 간격이 있어서 아홉 가지 곡식을 담게 됨.

청상[4]【靑孀】명 ↗청상 과부.

청상[5]【淸商】명 청(淸)나라 상인.

청상[6]【淸爽】명 맑고 시원함. ¶그 옆 석각 사이에 냉천이 솟아나매 ~한 기운이 사람의 골수에 침노하니…≪具然學 : 雪中梅≫. ——-하다 형여불

청상[7]【廳上】명 대청(大廳)의 위.

청상 과:부【靑孀寡婦】명 나이 젊은 과부. 상부(孀婦). 준청상(靑孀).

청상 과:수【靑孀寡守】명 청상 과부.

청상-배【廳上拜】명 대청 위에 올라가서 하는 절. ↔하정배(下庭拜).

청-상아리【靑—】명〖어〗[*Isurus glaucus*] 악상어과에 속하는 바닷물고기. 몸은 방추형으로 길이 7 m 가량, 주둥이가 길고 뾰족하며, 몸빛은 등이 암색이고 배 쪽은 흼. 난해성(暖海性)·열대성(熱帶性) 어종으로, 성질이 사나움. 태생(胎生)하는데, 한국 중남부 및 일본 중부 이남에 분포함.

〈청상아리〉

청상-요【靑孀謠】명 젊은 과부의 통한스러운 넋두리를 읊은 민요. 부요(婦謠)인 탄요(嘆謠)에 속함.

청상-자【靑葙子】명〖한의〗개맨드라미의 씨. 성질이 약간 찬데, 눈병·외과(外科)에 씀. 강남조.

청새리-상어【靑—】명〖어〗[*Prionace glauca*] 참상어과에 속하는 바닷물고기. 길이 6m 남짓한데 몸이 길쭉하고 주둥이가 길며, 몸빛은 등이 회청색, 배는 흼. 성질이 사납고 민첩하며, 한배에 60마리 내외의 태아를 낳음. 원유성(遠遊性) 어종으로 한국·일본 남부·유럽·북미 캘리포니아 연해(沿海)에 분포함.

〈청새리상어〉

청새-진【淸塞鎭】명 고려 경종(景宗) 때, 거란(契丹)에 대비하여 평안 북도 희천(熙川)에 베푼 진성(鎭城).

청-새치【靑—】명〖어〗[*Makaira mitsukurii*] 돛새칫과에 속하는 바닷물고기. 몸길이 3m에 달하는데 연장형으로 측편하고 작은 비늘로 덮여 있으며, 주둥이는 폭이 좁고 창 모양으로 내밀었음. 몸빛은 흑색이고 가슴지느러미는 암회색인데 연변(緣邊)이 검으며, 살은 복숭아 빛임. 외양성 어종(外洋性魚種)으로 보통 두세 마리씩 나란히 해상층(海上層)을 유영(游泳)하는데 꼬리를 물 위에 내어 수면상(水面上)을 날아 다니기도 함. 한국 남부 원해(遠海) 및 일본·대만 등에 분포함. 유어(諛魚). 기어(旗魚).

〈청새치〉

청-색【靑色】명 푸른 빛깔. 준청(靑).

청색 경:보【靑色警報】명 공습 경보.

청색 공막【靑色鞏膜】명〖의〗두 눈의 공막이 산뜻한 청색을 띠고 있는 유전성의 선천적 이상. 공막이 얇아서 색소나 혈액이 비치므로 파랗게 보인다고 생각됨. 골질 취약(骨質脆弱)이 특징이어서 골절·탈구(脫臼) 등이 일어나기 쉬우며, 난청(難聽)을 수반함.

청색-광【靑色光】명〖야금〗가열했을 때 어떤 금속 산화물에 의하여 나는 냉광(冷光).

청색 리트머스【靑色—】[litmus] 명 리트머스의 약(弱)알칼리성 용액 또는 그것을 침투시킨 시험지. 산성액(酸性液)에 담그면 붉은 빛으로 변함.

청색 모:반【靑色母斑】명 피부에 생기는 원형 또는 달걀꼴의 푸른 반점. 선천적이며 사지(四肢)·안면에 많이 생김.

청색-병【靑色病】명〖의〗선천성 심장 질환 가운데 얼굴이나 그 밖의 곳에 치아노제(Zyanose)를 볼 수 있는 중증(重症)의 병의 총칭. 일반적으로 체온의 저하, 발육 부전, 전신 지둔(遲鈍) 등이 나타나는데, 보통 수명이 짧음. 청색증(靑色症).

청색 사진【靑色寫眞】명 간단한 선도(線圖) 등의 복사에 쓰는 사진의 한 가지. 제이철염(第二鐵塩)이 햇빛에 비치어 제일철염(第一鐵塩)으로 환원되고, 그것이 다시 적혈염(赤血塩)과 반응하여 푸른 빛을 나타내는 성질을 이용한 것으로, 보통 시트르산(酸)이나 옥살산(酸)의 제이철염과 적혈염과의 혼합 수용액을 종이에 발라서 그 감광지(感光紙)에 원화를 부착시켜 햇빛이나 전등에 대어서 밀착(密着)함. 블루 프린트(blue print). 준청사진.

청색-성【靑色星】명〖천〗드레이퍼 성표(Draper 星表)에서, 스펙트럼형(型) O, B, A, F의 항성(恒星).

청색-아【靑色兒】명 [blue baby]〖의〗선천적인 치아노제 유아. 심장 중격(心臟中隔) 결함으로 산소가 결핍된 혈액이 전신의 순환계를 측류(側流)함으로써 생김.

청색 전:화【靑色電話】명〈속〉사용권(使用權)을 양도할 수 없는 가입(加入) 전화.

청색-증【靑色症】명〖의〗청색병(靑色病).

청색-하늘소붙이【靑色—】[—쏘부치] 명〖충〗[*Xanthochroa waerhousei*] 하늘소붙잇과에 속하는 갑충. 몸길이 11-15mm이고, 몸빛은 황색에 날개는 금록색 또는 청록색이나 드물게 등자색을 띠며, 각각 세 종융선(縱隆線)과 점각(點刻)이 있음. 성충은 꽃에 모이며 밤에 등불에도 날아오고 유충은 썩은 나무에 삶. 한국·일본·사할린 등지에 분포함. 긴어리하늘소. *산하늘소붙이.

〈청색하늘소붙이〉

청서[1]【靑書】명〖정〗영국 의회나 추밀원(樞密院)의 보고서. 표지(表紙)가 청색(靑色)임. 블루 북(blue book). *백서(白書).

청서[2]【靑鼠】명〖동〗① 날다람쥐❶. ②청설모❷.

청서[3]【淸西】명〖역〗조선 시대 때 서인(西人)의 한 분파. 인조 반정(仁祖反正)으로 정권을 잡은 서인 가운데 김류(金瑬)의 공서(功西)에 반대되는 김상헌(金尙憲)의 일파.

청서[4]【淸書】명 정서(淨書). ——-하다 타여불

청서[5]【淸暑】명 ①더위를 가시고 시원하게 하는 일. ②시원한 여름. ——-하다 자여불

청서-모【靑鼠毛】명 →청설모.

청서-피【靑鼠皮】명 날다람쥐나 하늘다람쥐의 가죽.

청석[1]【靑石】명〖광〗①푸른 빛을 띤 응회암(凝灰岩). 실내 장식(室內裝飾)이나 건물(建物)의 겉장식에 씀. ②변성암(變成岩) 가운데의 녹니편암(綠泥片岩).

청석[2]【靑舃】명 왕비(王妃)의 정복(正服)에 신는 신. 푸른 비단을 여러 겹 겹쳐서 만듦. *적석(赤舃).

청:석[3]【聽石】명〖생〗평형석(平衡石).

청석-돌【靑石—】명〖광〗진흙이 단단히 굳어서 이루어진 검은 빛의 바위. 수성암(水成岩)으로 몸이 곱고 얇은 조각으로 갈라지기를 잘 하는 성질이 있음.

청석-산【靑石山】명〖지〗평안 북도 자성군(慈城郡)에 위치(位置)한 산(山). [1,029m]

청석-자【靑石子】명〖공〗화소청(畫燒靑).

청석-자리 명〈방〉돗자리(경북).

청선[1]【靑扇】명 푸른 빛깔의 부채.

청선[2]【淸選】명 바르게 고름. 적합한 인물이나 물건을 선출함. 또, 선출한 인재(人材)나 물건.

청설【淸雪】명 깨끗하게 설치(雪恥) 또는 설분(雪憤)함. ——-하다 타여불

청설-모【靑—毛】명 ①(←청서모(靑鼠毛)) 날다람쥐의 털. 붓을 매는 재료로 씀. ②〖동〗[*Sciurus vulgaris coreae*] 다람쥣과에 속하는 동물. 두동(頭胴)의 길이 19-28cm, 꼬리 11-24cm이고, 몸빛은 대체로 갈적색이나 겨울털은 암색을 띠고 이개(耳介)에 긴 털이 나며, 여름털은 꼬리가 다소 흑색을 띠고 몸의 선두리와 네 발은 금적색(金赤色)임. 나무를 잘 타고 도토리·머루·산포도·새알 등을 먹고 사는데, 한국·남만주·일본 등지에 분포함. 모피는 여러 가지로 이용함. 머루다람쥐.

〈청설모❷〉

청세【淸世】명 깨끗한 세상. 태평한 시대. ↔탁세(濁世).

청소[1]【靑素】명〖화〗시안(Cyan).

청소[2]【淸宵】명 청야(淸夜).

청소[3]【淸掃】명 깨끗하게 소제함. 소제(掃除). ——-하다 타여불

청:소[4]【聽訴】명 청송(聽訟). ——-하다 자여불

청:-소골【聽小骨】명〖생〗청골(聽骨).

청소-기【靑素旗】명〖역〗의장기의 한 가지.

〈청소기〉

청-소년【靑少年】명 ①청년과 소년. ②청소년 기본법에서, 9세 이상 24세 이하의 남녀.

청소년 기본법【靑少年基本法】[—뻡] 명〖법〗청소년의 권리 및 책임과 가정·사회·국가 및 지방 자치 단체의 청소년에 대한 책임을 정하고, 청소년 육성 정책에 관한 기본적인 사항을 규정한 법률.

청소년 보:호 위원회【靑少年保護委員會】명 국무 총리 직속 위원회의 하나. 유해 환경·유해 업소·유해 약물 또는 폭력·학대 등으로부터 청소년을 보호하기 위하여 기본 계획을 수립하고 교육·홍보·치료·재활 등에 관한 사항을 맡아 봄.

청소년 적십자【靑少年赤十字】명 [Red Cross Youth : RCY] 청소년을 주체로 하는 적십자 운동 조직체. 성인의 적십자 조직과 별도로, 학교·직장·지역 사회에서 봉사 활동을 중심으로 하는 프로그램을 계획·실천함.

청-소로【—小櫨】명〖건〗초제공(初提栱)과 첨차(檐遮)가 교차되는 곳에 끼우는 소로.

청소-부[1]【淸掃夫】명 청소하는 일을 업으로 하는 남자.

청소-부[2]【淸掃婦】명 청소하는 일을 업으로 하는 부녀.

청-소북【淸小北】명〖역〗조선 시대에 당파의 하나로서, 선조(宣祖) 말에 형성된 소북(小北) 중의 한 파. 남 이공(南以恭)·유 희분(柳希奮)을 중심으로 모인 일당이며 인조 반정(仁祖反正)과 더불어 몰락하였음. ↔탁소북(濁小北).

청소-원【淸掃員】명 청소를 하는 사람.

청-소전【淸小錢】명〖역〗조선 시대 말기에 쓰이던 청나라의 동전.

청소-차【淸掃車】명 쓰레기나 분뇨를 쳐다 버리는 차.

청소-함【淸掃函】명 청소 도구를 넣어 두는 함.

청-솔가지【靑—】[—까—] 명 베어서 아직 마르지 아니한 솔가지.

청송[1]【靑松】명 푸른 솔.

청송[2]【靑松】명〖지〗경상 북도 청송군의 군청 소재지로 읍(邑). 태백 산맥 중에 있으며 교통이 불편하고 발달이 늦음. [6,868명(1996)]

청송[3]【請誦】명〖민〗판수가 경(經)을 읽으러 가는 데 딸리어 가는 판수.

청:송[4]【聽松】명〖사람〗성수침(成守琛)의 호(號).

청:송[5]【聽訟】명 재판하기 위하여 송사를 들음. 청소(聽訴). ——-하다 자여불

청송-군【靑松郡】명〖지〗경상 북도의 한 군. 1읍(邑) 7면(面). 도(道)의 동부에 위치하여 동쪽은 영덕군(盈德郡)과 포항시(浦項市) 북구(北區), 북쪽은 영양군(英陽郡), 서쪽은 안동시(安東市)와 의성군(義城郡), 남쪽은 포항시와 영천시(永川市)에 접함. 산이 많고 농경지가 적은 고장인데, 밭농사에 주력하여 잎담배·고추의 생산이 많고, 축우(畜牛)가 성하며, 임산(林産)이 있음. 명승 고적으로는 대전사(大典寺)·학소대(鶴巢臺)·주왕굴(周王窟)·주왕산(周王山) 등이 있음. 군청 소재지는 청송. [842.48 km^2 : 37,875명(1996)]

청:송 지남【聽訟指南】명〖책〗결송 유취(決訟類聚).

청수[1]【靑水】명〖지〗평안 북도 삭주군(朔州郡) 수풍(水豐) 수력 발전소가 있는 소읍. 평북선의 종점으로 수풍동의 압록강 수력 발전 사업의 완성과 청수동의 석회 질소(石灰窒素)·카바이드 공장의 조업(操業)에 따라 공업 지구가 됨.

청수[2]【淸水】명 ①맑은 물. ↔탁수(濁水). ②〖천도교〗천도교에서 모든 의식(儀式)에 쓰는 맑은 물. 교주(敎主) 최수운(崔水雲)이 청수를 받은 뒤에 참형(斬刑)을 받았기 때문에 청수는 교주의 성스러운 피를 상징한다 함.

청수[3]【淸秀】명 얼굴이 깨끗하고 준수함. ¶~하다는 인상을 주었다. ——-하다 형여불

청-수증【靑水症】[—쯩] 명〖한의〗양쪽 겨드랑이가 붓는 병.

청순[1]【淸純】명 맑고 순박(淳朴)함. ¶~한 처녀. ——-하다 형여불

청:순[2]【聽順】명 이르는 말에 잘 따름. 명령에 복종함.

청-술레【靑—】명〖식〗이른 배의 한 가지. 빛이 푸르고 물기가 많으며 맛이 좋음. 청리(靑梨). *황(黃)술레.

청-쉬땅나무【靑—】명〖식〗[*Sorbaria stellipila var. glabra*] 조팝나뭇과에 속하는 낙엽 활엽 관목. 잎은 우상 복생(羽狀複生)하는데 소엽

(小葉)은 끝이 뾰족한 피침형임. 6월에 흰 꽃이 정생(頂生)하여 원추(圓錐) 화서로 피고, 긴 타원형의 골돌과(蓇葖果)가 9월에 익음. 산기슭의 양지에 나는데, 강원·평북·함남 등지에 분포함. 산울타리로 심고, 어린 잎은 식용함.

청슬【淸瑟】명 맑은 소리가 나는 큰 거문고. *청금(淸琴).

청승[1] 명 궁기(窮氣)가 있고 애틋한 상태. 궁상스럽고 처량한 듯한 태도. 청승(을) 떨:다 구 청승스러운 짓을 하다. 청승맞은 태도를 부리다.

청승[2]【靑蠅】명 〖충〗 금파리.

청승[3]【淸僧】명 품행이 방정(方正)한 중.

청승-궂다 형 청승스럽게 험상궂다.

청승-꾸러기 명 몹시 청승스러운 사람.

청승-맞다 형 ①얄밉게 청승궂다. ②지나치게 애틋하다. ¶청승맞게 울고 있다.

청승-살 [-쌀] 명 팔자 사나운 늙은이가 청승스럽게 찐 살.

청승-스럽다 형ㅂ불 청승맞은 태도가 있다. **청승-스레** 부

청-시[1]【淸市】명 청국 사람의 저자.

청시[2]【淸諡】명 염결(廉潔)·정직에 대한 시호(諡號).

청시[3]【請諡】명 〖역〗 정이품 이상의 벼슬아치가 죽었을 때 정례에 따라 나라에 시호를 주청(奏請)하는 일. ——-하다 자여불

청:시[4]【聽視】명 듣고 봄. 시청(視聽). ——-하다 타여불

청-시닥나무【靑—】명 〖식〗 [*Acer barbinerve*] 단풍과에 속하는 낙엽 활엽(落葉闊葉)의 작은 교목(喬木). 잎은 넓은 달걀꼴 또는 원형으로 3-5 갈래로 째지고 뒷면에 잔 털이 밀생(密生)함. 자웅 이가(雌雄異家)로, 이른 봄에 꽃이 정생(頂生)하여 총상(總狀) 화서로 피고, 시과(翅果)는 가을에 익음. 깊은 산에 나는데, 한국 및 일본·만주 등지에 분포함. 줄기와 가지는 약용함.

청:시-자【聽視者】명 시청자(視聽者).

청신[1]【淸晨】명 맑은 첫새벽.

청신[2]【淸新】명 깨끗하고 산뜻함. ¶~한 이미지(image)/~한 시풍(詩風). ——-하다 형여불

청:-신경【聽神經】명 〖생〗 제8 신경. 귀로부터 대뇌에 통하여 청각(聽覺)을 맡은 지각(知覺) 신경.

청:신경 마비【聽神經痲痺】명 〖의〗 청신경이 마비되어 난청(難聽)·이명(耳鳴)이 일어나고 때때로 현기증도 나타나는 뇌신경 마비의 하나. *설인(舌咽) 신경 마비·안면 신경 마비.

청-신남【淸信男】명 〖불교〗 불교를 믿는 남자.

청-신녀【淸信女】명 〖불교〗 불교를 믿는 여자.

청-신사【淸信士】명 〖불교〗 거사(居士)❶. 신사(信士)❷.

청-신호【靑信號】명 ①교통 신호의 하나. 교차로 같은 데에 푸른 등이나 기를 달아 통행을 표시하는 신호. ↔적신호(赤信號)❶. ②비유적으로 쓰이어, 앞일에 대한 순조로운 빌미를 뜻함. ¶~가 울리다.

청-실【靑—】명 푸른 빛깔의 실. 청사(靑絲). ¶~ 홍실.

청실로 명 〈방〉 청술레.

청-실록【淸實錄】명 〖책〗 중국 청조(淸朝)의 역대 황제의 실록. 모두 4466권. 청대사(淸代史) 연구의 중요한 사료(史料)가 됨.

청-실잠자리【靑—】명 〖충〗 [*Lestes sponsa*] 실잠자릿과에 속하는 곤충. 배 길이 30mm, 뒷날개 길이 22mm 가량으로, 두부와 복부 배면(背面)은 금속 녹색, 흉부는 탁황색(濁黃色), 측면은 황색, 연문(緣紋)은 흑갈색이고 날개는 투명함. 한국에도 분포함.

청실 홍실【靑—紅—】명 〖민〗 남빛과 붉은 빛의 명주 실테. 납채(納采)할 때 청홍(靑紅)의 두 끝을 따로따로 접고 그 허리에 빛깔이 엇바뀌게 낌. 청홍사(靑紅絲).

청심【淸心】명 ①마음을 깨끗이 함. 또, 그 마음. ②〖한의〗 심경(心經)의 열을 풂. ——-하다 자여불

청심 강화【淸心降火】명 〖한의〗 심경의 열을 풀어서 화기(火氣)를 내림. ——-하다 자여불

청심 과:욕【淸心寡慾】명 마음을 깨끗이 하여 욕심을 적게 함. ——-하다 자여불

청심 연자음【淸心蓮子飮】명 〖한의〗 번갈(煩渴)과 소변의 적삽(赤澁)·백탁(白濁) 등에 쓰는 탕약.

청심-제【淸心劑】명 〖한의〗 심경(心經)의 열을 푸는 약제.

청심-촉【靑心燭】명 푸른 빛깔의 솜으로 심지를 만든 쇠기름의 초. 충남 공주(公州)에서 남.

청심 화:담【淸心化痰】명 〖한의〗 심경(心經)의 열을 풀고 담을 삭게 함. ——-하다 자여불

청심-환【淸心丸】명 〖한의〗 심경(心經)의 열을 푸는 환약.

청아[1]【靑蛾】명 [두 보(杜甫)의 시(詩)에 나오는 말] 눈썹먹으로 푸르게 그린 눈썹. 미인(美人)의 이칭.

청아[2]【淸雅】명 맑고 아담하여 속되지 아니함. ¶~한 멋/~한 풍악/~한 자태. ——-하다 형여불

청아[3]【菁莪】명 인재(人材)를 교육함. 영재(英才)를 교육하는 즐거움. 또, 그 영재.

청아-저【靑芽菹】명 무순 김치.

청아-채【靑芽菜】명 무순 나물.

청-악【淸樂】명 ①중국 청대(淸代)의 음악. 호금(胡琴)·삼현(三絃)·비파(琵琶) 따위 현악기, 청적(淸笛)·퉁소(洞簫) 등의 관악기, 목금(木琴)·박판(拍板) 등의 타악기를 사용함. ②중국 남조(南朝)의 구악(舊樂)의 호칭.

청안[1]【淸安】명 맑고 편안함. ——-하다 형여불

청안[2]【靑眼】명 남을 기쁜 마음으로 대하는 뜻이 드러난 눈초리. ↔백안(白眼).

청안-시【靑眼視】명 청안으로 남을 봄. ↔백안시(白眼視). ——-하다 타여불

청알【請謁】명 만나 뵙기를 청함. ——-하다 자여불

청암 광:산【靑巖鑛山】명 〖지〗 함경 북도 부령군(富寧郡) 청암면에 있는 동북 지방 최대의 금산(金山).

청암-사【靑巖寺】명 〖불교〗 경상 북도 김천시(金泉市) 증산면(甑山面) 평촌리(坪村里) 수도산(修道山)의 중허리에 있는 직지사(直指寺)의 말사(末寺). 도선 국사(道詵國師)가 세웠다고 함.

청야[1]【淸夜】명 맑게 갠 밤. 청소(淸宵).

청:야[2]【聽野】명 소리가 귀에 들리는 범위. 가청(可聽) 진동수를 가로축(軸)으로 하고, 고막(鼓膜)에 가해지는 압력을 세로축으로 하는 그래프로 나타냄. ↔시야(視野).

청약【請約】명 유가 증권 등의 공모(公募) 또는 매출에 응모하여 인수(引受) 계약을 신청하는 일. ¶~자. ——-하다 타여불

청약-립【靑篛笠】[-닙] 명 푸른 갈대로 만든 갓.

청:-약불문【聽若不聞】명 듣고도 듣지 못한 체함. 청이불문(聽而不聞). ——-하다 타여불

청약-서【請約書】명 청약을 하는 문서(文書).

청약 증거금【請約證據金】명 〖경〗 청약을 보증하기 위하여 청약자가 내는 증거금. ¶주식 ~.

청양[1]【靑陽】명 〖한의〗 참깨의 잎. 보약으로 씀.

청양[2]【靑陽】명 〖지〗 충청 남도 청양군의 군청 소재지로 읍(邑). 군의 서부에 위치함. 구기자(枸杞子)와 표고버섯의 산출이 많음. 우산성(牛山城)과 보물 석조 삼존불(石造三尊佛) 입상이 있음. [11,363명(1996)]

청양[3]【淸陽】명 날씨가 맑고 따뜻하다는 뜻으로, 봄을 일컫는 말. ¶~가절(佳節).

청양-군【靑陽郡】명 〖지〗 충청 남도의 한 군. 관내 1읍 9면. 도의 중앙에서 약간 서남방에 위치하여 동은 공주시(公州市), 북은 예산군(禮山郡)과 홍성군(洪城郡), 서는 보령시(保寧市), 남은 부여군(扶餘郡)에 인접함. 농산물과 금·텅스텐·은·동·석탄·석회·천연 슬레이트 등을 산출하며, 명승 고적으로 장곡사(長谷寺)·칠갑산(七甲山)·석조 3층 불좌상·정산 서정리 구층탑(定山西亭里九層塔) 등이 있음. 군청 소재지는 청양. [477.45km²: 45,710명(1996)]

〈청양산〉

청-양산【靑陽繖】명 〖역〗 양산의 한 가지. 푸른 빛깔임.

청어[1]【靑魚】명 〖어〗 [*Clupea pallasii*] 청어과에 속하는 바닷물고기. 몸길이 35cm 내외로, 측선은 없으며, 벗겨지기 쉬운 둥근 비늘로 덮이고 아래 턱이 쑥 내밀었음. 몸빛은 등 쪽이 암청색, 배 쪽이 은백색임. 경상 북도 이북의 동해 및 사할린·알래스카·캐나다·미국 북부의 근해(近海)에 분포하는데, 가을부터 봄에 걸쳐 잡히며, 식용으로 매우 중요함. 식료품의 생선은 '비웃', 말린 것은 '관목'이라 함. 비어(鯡魚).

〈청어[1]〉

청-어[2]【淸語】명 청(淸)나라 말.

청어[3]【鯖魚】명 〖어〗 고등어.

청어-과【靑魚科】[-꽈] 명 〖어〗 [Clupeidae] 청어목(目)에 속하는 한 과. 청어·정어리·밴댕이·준치 등이 있음.

청어-구【靑魚灸】명 비웃 구이.

청어 노:걸대【淸語老乞大】[-때] 명 〖책〗 조선 숙종(肅宗) 29년(1703) 한문 학습서의 ≪노걸대≫를 최후택(崔厚澤)이 개수(改修) 편찬한 만주어의 학습서. 목판본. 모두 8권. 신번(新飜) 노걸대. 신석(新釋) 청어 노걸대.

청어-목【靑魚目】명 〖어〗 [Clupeida] 경골 어류(硬骨魚類)의 한 목(目). 청어과·멸칫과·연어과·은어과·뱅어과·바다빙어과·압칫과 등이 이에 속함.

청어 백숙【靑魚白熟】명 비웃 백숙.

청어-전【靑魚腆】명 비웃 지짐이.

청어 전:유화【靑魚煎油花】명 비웃 저냐.

청어-젓【靑魚—】명 비웃젓.

청어-죽【靑魚粥】명 비웃죽.

청어-증【靑魚蒸】명 비웃찜.

청어 총:해【淸語總解】명 〖책〗 삼역 총해(三譯總解).

청어-해【靑魚醢】명 비웃젓.

청연[1]【靑鉛】명 〖광〗 구리와 아연이 섞인 황산염(黃酸塩)의 광물.

청연[2]【靑煙】명 푸른 빛의 연기.

청연[3]【淸烟·淸煙】명 맑은 하늘에 낀 안개.

청연[4]【淸宴】명 풍아한 연회. 청연(淸筵).

청연[5]【淸筵】명 청연(淸宴).

청연-각【淸讌閣】명 〖역〗 고려 예종(睿宗) 때, 궁중에서 도서를 비치하고 학사(學士)들과 조석으로 경서(經書)를 강론하던 곳.

청-연광【靑鉛鑛】명 〖광〗 심청색(深靑色)의 광물. 납·구리의 염기성 황산염(塩基性黃酸塩)으로 되어 있으며, 단사 정계(單斜晶系) 결정으로 존재함.

청열-취【靑熱脆】명 강철이 200°-300°C에서 상온(常溫)에서보다 무르게 되는 성질.

청염[1]【靑塩】[-념] 명 〖화〗 염소와 암모니아의 화합물. 강염(羌塩). 융염(戎塩). 호염(胡塩).

청염[2]【淸塩】[-념] 명 호렴❶.

청염[3]【淸艶】명 맑고 품위 있게 아리따움. ——-하다 형여불

청영【淸影】명 소나무·대나무 등의 그림자를 운치 있게 일컫는 말.

청옥【靑玉】명 〖광〗 강옥석(鋼玉石)의 한 가지. 유리 광택을 지니며 퍼렇고 투명한데, 때로는 녹황색의 것도 있음. 장식에 쓰임. 사파이어

(sapphire).

청옥-산【靑玉山】명〖지〗①경상 북도 봉화군(奉化郡)에 있는 산. 소백 산맥 첫머리 부분에 솟아 있음. [1,277 m] ②강원도 삼척시(三陟市)와 동해시(東海市) 사이에 있는 산. [1,404 m] ③강원도 정선군(旌善郡)과 평창군(平昌郡) 사이에 있는 산. [1,256 m]

청올치 명 걸 껍질을 벗겨 낸 칡덩굴의 속 껍질. 노나 베 등의 자료(資料)로 쓰임.

청와[1]【靑瓦】명 청기와.

청와[2]【靑蛙】명〖동〗①참개구리. ②청개구리.

청와-대【靑瓦臺】명〖지〗서울 경복궁(景福宮) 뒤 북악산(北岳山) 기슭에 있는 대통령 관저(大統領官邸). 전에는 경무대(景武臺)로도 불렀음. 조선 시대 때에는 경복궁의 일부로 연무장(鍊武場)·과거장(科擧場)이었음.

청완【淸婉】명 맑고 예쁨. ——-하다 형 여불

청-완두【靑豌豆】명 그린 피스(green peas).

청요[1]【淸要】명 청환(淸宦)과 요직(要職). ＊청현(淸顯).

청요[2]【請邀】명 남을 청하여 맞음. 연청(延請). ——-하다 타 여불

청-요리【淸料理】명 중국 요리의 일정(日政) 때 일컬음. ¶~집.

청용[1]【淸容】명 깨끗한 모습.

청:용[2]【聽容】명 남의 말을 들어 허락함. ——-하다 타 여불

청:용-법【聽容法】[-뻡] 명〖법〗청허법(聽許法). 임의법(任意法). ↔강행법(强行法).

청우[1]【淸友】명 ①사귐이 깨끗한 벗. ②매화(梅花)의 딴이름.

청우[2]【淸宇】명 정결한 집.

청우[3]【淸雨】명 정결한 비.

청-우[4]【晴雨】명 청천(晴天)과 우천. 우양(雨暘). 우청(雨晴). ¶~에 관계없이.

청우[5]【請雨】명 기우(祈雨). ——-하다 자 여불

청우-계【晴雨計】명〖물〗기상(氣象) 관측에 쓰이는 기압계(氣壓計). 음청계(陰晴計). 청우의(晴雨儀). 바로미터(barometer). 풍우계(風雨計). ＊기압계.

청우-법【請雨法】[-뻡] 명〖불교〗밀교(密敎)에서 가물 때에 비가 오기를 비는 법.

청우-의【晴雨儀】[-/-이] 명〖물〗청우계.

청우-작【靑羽雀】명〖조〗물총새.

청운【靑雲】명 ①푸른 빛깔의 구름. ②높은 벼슬을 가리키는 말. ¶~의 꿈.

청운의 꿈 구 입신 출세하려는 꿈.

청운의 뜻 구 ㉠입신 출세의 대망(大望). ㉡속(俗)된 세상에서 벗어나려는 뜻.

청운-객【靑雲客】명 ①높은 벼슬에 오른 사람. ②청운의 뜻을 품은 사람.

청운-교【靑雲橋】명 불국사 청운교.

청운 만:리【靑雲萬里】[-말-] 명 원대한 포부와 이상. 입신 출세(立身出世)의 큰 꿈.

청운지-사【靑雲之士】명 ①학덕(學德)을 겸한 높은 사람. ¶고결한 ~. ②고위 고관으로 출세한 사람.

청운지-지【靑雲之志】명 능운지지(陵雲之志)❷.

청울치 명 ☞청올치.

청원[1]【請援】명 구원하여 주기를 청함. ——-하다 자 여불

청원[2]【請願】명 ①청하고 원함. ②〖법〗국민이 법률에 정한 절차를 밟아서 손해의 구제, 공무원의 파면, 법률·명령·규칙의 제정·개폐(改廢), 그 밖의 일을 국회, 관공서, 지방 의회(議會) 등에 청구하는 일. ——-하다 타 여불

청원 경:찰【請願警察】명 국가 기관, 공공 단체, 국내 주재 외국 기관 등의 장이나, 중요 시설 또는 사업장의 경영자가 그 비용을 부담하고 경찰의 배치를 청원하는 제도. 또, 그 청원에 의해 배치된 경찰.

청원-군【淸原郡】명〖지〗충청 북도의 한 군. 관내 14 면. 도의 서남부에 위치하여 동쪽은 괴산군(槐山郡)과 보은군(報恩郡), 북쪽은 진천군(鎭川郡)과 충청 남도의 천안시(天安市), 서쪽은 충청 남도의 연기군(燕岐郡), 남쪽은 대전 광역시 대덕구(大德區)에 접하고, 중앙부에 청주시(淸州市)가 위치함. 농업이 주로, 쌀·잎담배·고추·생사 등을 산출함. 명소로는 상당산성(上黨山城)을 비롯하여 초정(椒井)·부강(芙江) 등의 약수터와 대청호(大淸湖)·안심사(安心寺)·문의 향교(文義鄕校) 등이 있음. 군청 소재지는 청주. [814.38 km²: 117,528 명(1996)]

청원-권【請願權】[-꿘] 명〖법〗국민이 국가나 지방 자치 단체(地方自治團體)에 대하여 청원하는 권리. 헌법(憲法)에 정하여짐. ¶~의 행사. ＊청원(請願).

청원-법【請願法】[-뻡] 명〖법〗헌법상의 국민의 청원권 행사에 관한 절차와 처리에 관한 사항을 규정한 법.

청원-서【請願書】명〖법〗청원하는 내용(內容)을 적은 문서(文書). ¶~의 제출.

청원-향【淸遠香】명 취선향(聚仙香).

청월[1]【淸月】명 밝고 맑은 달.

청월[2]【淸越】명 소리가 맑고 가락이 높음. ——-하다 형 여불

청위【靑位】명〖역〗신라 때 사천왕사 성전(四天王寺成典)·봉성사(奉聖寺) 성전·감은사(感恩寺) 성전·봉덕사(奉德寺) 성전·영묘사(靈廟寺) 성전의 벼슬. 적위(赤位)의 다음으로, 위계(位階)는 내마(奈麻)에서 사지(舍知)까지임.

청유[1]【靑釉】명〖공〗청자(靑瓷)의 잿물.

청유[2]【淸遊】명 풍취 있는 놀이. 속진(俗塵)을 떠나 자연을 즐김. ¶설악산은 ~에 적합하다. ——-하다 자 여불

청유[3]【請由】명 청가(請暇). ——-하다 자 여불

청유-법【請誘法】[-뻡] 명〖언〗종결 어미에 나타나는 서법(敍法)의 하나. 무엇을 함께 하자는 문체. '가자'·'가세'·'갑시다' 따위로 됨. 이끎법.

청유-형【請誘形】명〖언〗어미 변화의 하나. 무엇을 하자고 유인하거나 유도하는 꼴. 동사와 있다에만 쓰임. 이끎꼴.

청음[1]【淸音】명 ①맑고 깨끗한 음성. 맑은 소리. ②〖언〗무성음(無聲音). 맑은 소리. 1)·2):↔탁음(濁音).

청음[2]【淸陰】명 소나무·대나무 등의 그늘.

청음[3]【淸陰】명〖사람〗김상헌(金尙憲)의 호(號).

청음[4]【晴陰】명 음청(陰晴).

청:음-기【聽音機】명 비행기·함선 등이 내는 소리를 청취하여 그 방향·위치 등을 탐지하는 기계의 총칭. 공중 청음기와 수중 청음기가 있음. ＊공중 청음기·수중 청음기.

청:음 연:습【聽音練習】[-년-] 명〖음〗음악의 기초적 연습. 가락을 듣고 리듬(rhythm)·박자(拍子)·조(調)를 분간하여 악보에 옮겨 쓰는 가락 청음, 화음(和音) 하나하나의 음 이름을 알아내거나 받아 쓰는 화음 청음이 있음. 듣고적기 연습.

청의[1]【靑衣】[-/-이] 명 ①푸른 빛깔의 옷. ②〔옛적에 천한 사람이 푸른 옷을 입었던 데서〕천한 사람을 일컫는 말.

청의[2]【淸議】[-/-이] 명 높고 깨끗한 언론.

청의[3]【請議】[-/-이] 명 여러 사람의 의견(意見)으로 의결(議決)하기를 요구함. ——-하다 자 여불

청의-서【請議書】[-/-이-] 명 청의(請議)하는 서면.

청:-이불문【聽而不聞】명 청약불문(聽若不聞). ——-하다 타 여불

청:이-주【聽耳酒】명 귀밝이술.

청-인[1]【淸人】명 청(淸)나라 사람. 중국 사람.

청인[2]【廳印】명 관공서를 나타내는 인장. 인영(印影)은 기관의 명칭에 '인(印)'자를 붙임. ＊관인(官印).

청인-전【淸人廛】명 중국 사람의 가게.

청-인절미【靑—】명 쑥 인절미.

청-인절병【靑引絶餠】명 쑥 인절미.

청-일[1]【淸日】명 청나라와 일본. ¶~ 전쟁.

청일[2]【淸逸】명 맑고 속(俗)되지 아니함. ¶~한 인품(人品). ——-하다 형 여불

청일 전:쟁【淸日戰爭】명〖역〗1894-95년에 일어난 청국과 일본의 전쟁. 한국의 동학(東學) 운동에 청국이 출병한 데 대하여, 1885년의 톈진 조약을 핑계삼아 한국의 독립과 동양 평화를 위한다는 구실 아래 일본도 출병하여 양군이 한반도(韓半島) 안에서 대치(對峙)하다가 1894년 6월 풍도(豊島) 앞바다 및 아산(牙山)에서 충돌, 같은 해 8월에 개전했는데, 성환(成歡)·평양 및 랴오둥(遼東) 방면 등에서의 일본군의 연승으로 청국이 굴복하고, 1895년 4월 일본 시모노세키(下關)에서 강화 조약을 맺음. 이 조약으로 청국은 일본에 랴오둥 반도·대만·펑후 도(澎湖島)를 할양(割讓)하고 고평은(庫平銀) 이억 냥(二億兩)을 지급하였음.

청:임-법【聽任法】[-뻡] 명〖법〗청허법(聽許法).

청-잎벌【靑—】[-닙-] 명〖충〗[*Tenthredo mesomelus*] 잎벌과에 속하는 곤충. 몸길이 14 mm 내외이고, 몸의 위쪽은 대체로 검고 하체의 대부분은 검누르며, 각 복배절(腹背節)의 양측과 후연은 황록색을 이룸. 한국·일본·중국·유럽 등에 널리 분포함.

청자[1]【靑瓷·靑磁】명〖공〗철분(鐵分)을 함유한 청록색 또는 담황색의 유약을 입혀 구운 자기. 일찍이 중국 은(殷)나라 때부터 시작되어 당송(唐宋) 시대에 발달하였고, 우리 나라에는 고려 시대에 들어왔는데, 기술·무늬의 독창적이고 미묘함이 세계적임. 일본·태국(泰國) 등지에도 전하여짐. 청도(靑陶). 청사기(靑沙器).

청자[2]【聽者】명 상대편이 하는 말을 듣는 사람. ↔화자.

청자-갈치【靑磁—】명〖어〗[*Allolepis hollandi*] 등가시칫과에 속하는 바닷물고기. 몸길이 35 cm 내외로, 홀쭉하고 꼬리가 가늘고 길며 눈이 큼. 몸빛은 회청색으로 등지느러미·뒷지느러미의 가는 검은 빛임. 입이 배 쪽에 있고 위 턱이 아래 턱을 덮고 있음. 한국 동해 연안 및 일본에 분포함.

청자 귀형 수병【靑瓷龜形水甁】명 12세기 전반기 고려 시대에 제작된 거북 모양의 청자 주전자의 하나. 거북이 머리가 전형적인 고려 시대의 양식으로 되었으며 빛깔은 녹색임. 높이 17.0 cm. 국립 중앙 박물관 소장. 국보 제96호.

청자-기【靑瓷器·靑磁器】명 청자.

청자 기린 유개 향로【靑瓷麒麟鈕蓋香爐】[-노] 명 12세기 전반기 고려 시대에 제작된 청자 향로의 하나. 개부(蓋部)와 노신(爐身)으로 분리 구성된 상형(象形) 청자로, 꿇어앉은 기린의 형상(形象)이며, 향로 바탕을 삼각 수면족(三脚獸面足)으로 떠받쳤음. 높이 20 cm. 간송(澗松) 미술관 소장. 국보 제65호.

청자 분채【靑瓷粉彩】〖공〗청자유(靑瓷釉)의 위에 있는 불투명한 연채(軟彩).

청자 비룡형 주:자【靑瓷飛龍形注子】명 12세기 전반기 고려 시대에 제작된 것으로 추측되는 청자 주전자의 하나. 머리는 용, 몸은 물고기 모양으로 되어 있고 몸에는 연꽃대 모양의 손잡이가 있음. 높이 24.4 cm. 국립 중앙 박물관 소장. 국보 제61호.

청자 사자 유개 향로【靑瓷獅子鈕蓋香爐】[-노] 명 12세기 전반기 고려 시대에 제작된 청자 향로의 하나. 사자를 상형(象形)한 뚜껑과 삼각 수면족(三脚獸面足)으로 떠받친 향로 바탕으로 구성되어 있음. 높이 21.2 cm. 국립 중앙 박물관 소장. 국보 제60호.

청자 상감【靑瓷象嵌】명〖공〗고려 시대에 발달한 자기(瓷器) 양식의 한 가지. 청자에다 흑·백 등 여러 가지 도안과 무늬를 새겨 다른 빛깔

을 냄.

청자 상감 당초문 완【青瓷象嵌唐草文盌】명 12세기 중엽 고려 시대의 제작으로, 당초문이 상감된 회청계(灰青系)의 비색(翡色) 청자 주발. 고려 의종(毅宗) 13년(1159)경 죽은 문공유(文公裕)의 묘지(墓誌)와 함께 경기도 개풍군(開豐郡)에서 출토됨. 높이 6.05cm. 입지름 16.8cm. 국립 중앙 박물관 소장. 국보 제115호.

청자 상감 모란 국화문 과형병【青瓷象嵌牡丹菊花文瓜形甁】명 12세기 고려 시대의 제작으로, 8 모서리로 된 참외 모양의 청자 화병. 높이 25.6cm. 국립 중앙 박물관 소장. 국보 제114호.

청자 상감 모란문 표형병【青瓷象嵌牡丹文瓢形甁】명 12세기 후반기 고려 시대에 제작된 청자 물병의 하나. 조롱박 모양의 주전자 위에는 운학문(雲鶴文)을, 아래는 간지 백상감(間地白象嵌) 기법(技法)으로 꼭지와 손잡이가 완전한 작품임. 높이 34.3cm. 국립 중앙 박물관 소장. 국보 제116호.

청자 상감 모란문 항【青瓷象嵌牡丹文缸】명 12세기 고려 시대에 제작된 청자 항아리의 하나. 앞뒤 양면에 한 송이씩의 모란을 흑·백으로 상감(象嵌)하고 좌우에 사자(獅子) 얼굴의 수평 손잡이가 달렸음. 높이 20.1cm. 국립 중앙 박물관 소장. 국보 제98호.

청자 상감 보:상화문 완【青瓷象嵌寶相花文盌】명 고려 시대에 제작된 것으로 추측되는 대접의 하나. 망상(網狀)의 빙렬문(氷裂文)이 있고 투명하며 청아한 유약(釉藥)이 그릇 전면에 고루 씌였음. 대접 내면은 국화를 상감하고 외면은 뇌문대(雷文帶)를 상감했음.

청자 상감 운학문 매병【青瓷象嵌雲鶴文梅甁】명 12세기 후반기 고려 시대의 제작으로, 운학 무늬가 상감된 회청색(灰青色)의 매병. 작품의 호사스러운 점이나 크기로 보아 고려 상감 청자 매병중 대표작임. 높이 42.1cm, 입지름 6.2cm, 배지름 24.5cm. 간송(澗松) 미술관 소장. 국보 제68호.

청자 상감 유죽 연로 원앙문 정:병【青瓷象嵌柳竹蓮蘆鴛鴦文淨甁】[―녈―] 명 12세기 전반기 고려 시대에 제작된 물병으로서 상감 청자의 대표작의 하나. 비구(比丘)·비구니들이 포살회(布薩會)에 쓰는 불구(佛具). 높이 37cm. 간송(澗松) 미술관 소장. 국보 제66호.

청자 소:문 과형병【青瓷素文瓜形甁】명 12세기 전반기 고려 시대에 제작된 청자 꽃병의 하나. 여덟 모의 참외 모양으로 되었고 입은 팔화(八花) 모양을 하고 있으며, 담록회색임. 경기도 장단군(長湍郡)에 있는 고려 17대 인종(仁宗)의 능에서 시책(諡册)과 같이 출토되었음. 높이 22.8cm. 국립 중앙 박물관 소장. 국보 제94호.

청자 압형 수적【青瓷鴨形水滴】명 12세기 초 고려 시대의 제작으로, 오리 모양을 한 담녹색(淡綠色)의 연적(硯滴). 물 위에 뜬 오리가 연꽃대를 꼬아 입에 물고, 이 연꽃대에 달린 연잎과 봉오리는 오리의 등에 자연스럽게 붙여져 있는 모양을 하고 있음. 높이 8cm. 간송(澗松) 미술관 소장. 국보 제74호.

청자 양각 죽절문 병【青瓷陽刻竹節文甁】명 12세기 고려 시대의 제작으로, 대를 양각(陽刻)한 대담록 벽청색(帶淡綠碧青色)의 청자 병. 높이 33.8cm. 개인 소장. 국보 제169호.

청자 양인각 연당초 상감 모란문 은구 대:접【青瓷陽印刻蓮唐草象嵌牡丹文銀釦大楪】[―넌―] 명 12세기경의 청자 대접. 구연(口緣)에 테를 둘러 장식하고, 그릇 안쪽 바닥에는 국화 꽃잎 무늬가, 안쪽 측면에는 연꽃 당초(唐草) 무늬가 양각(陽刻)으로 새겨져 있음. 높이 7.7cm, 입지름 18.7cm. 국립 중앙 박물관 소장. 국보 제253호.

청자 연:적【青瓷硯滴】명 청자(青瓷)로 된 연적.

청자-와【青瓷瓦】명〖공〗고려 때에 만든 청기와의 한 가지. 청자와 같은 흙으로 만든 것인데, 보통의 청기와와는 다름.

청자-유【青瓷釉】명〖공〗백분의 삼 가량의 철분을 함유하고 있는 자기의 잿물. 요(窯) 속에서 환원하여 청색·담황색으로 됨.

청자 음각 연화 당초문 매병【青瓷陰刻蓮花唐草文梅甁】[―넌―] 명 12세기 고려 시대에 제작된 청자 매병의 하나. 빛깔은 담녹색이며 전면(全面)에 화초를 음각했음. 높이 43.9cm. 국립 중앙 박물관 소장. 국보 제97호.

청자 음각 연화문 매병【青瓷陰刻蓮花文梅甁】[―넌―] 명 12세기 전반경의 청자 매병. 작고 나직한 반구형(盤口形)의 입이 달린 전형의 매병. 몸통 네 곳에 큼직큼직한 연꽃 절지문(折枝文)을 음각선(陰刻線)으로 새겼음. 높이 27.7cm, 입지름 5.3cm, 밑지름 10.6cm. 개인 소장. 국보 제252호.

청자 음각 연화 절지문 매병【青瓷陰刻蓮花折枝文梅甁】[―넌―찌―] 명 12세기의 청자 매병. 뚜껑이 갖추어져 있음. 몸통 중심부에 연화 절지문(蓮花折枝文)이 네 군데 음각(陰刻)되어 있음. 높이 43.0cm, 입지름 6.3cm, 밑지름 15.3cm. 개인 소장, 국보 제254호.

청자 인형 주:자【青瓷人形注子】명 13세기 고려 시대의 제작으로, 운좌형(雲座形) 좌대(座臺) 위에 정좌(正坐)한 도교계(道教系) 인물이 두 손으로 천도(天桃)한 쟁반을 들고 있는 모습의 청자 주전자. 높이 28cm. 국립 중앙 박물관 소장. 국보 제167호.

청자 진사 연화문 표형 주:자【青瓷辰砂蓮華文瓢形注子】명 13세기경 고려 시대의 제작으로, 청회색(青灰色) 바탕에 진사로 대담하게 연꽃 봉오리의 무늬를 넣은 표주박 모양의 주전자. 높이 33.2cm. 호암 미술관 소장. 국보 제133호.

청자 철채 퇴화점문 나한 좌:상【青瓷鐵彩堆花點文羅漢坐像】명 12세기초 고려 시대의 제작으로, 암좌(岩座) 위에 반가부(半跏趺)하여 수의상(手倚床)에 팔짱을 낀 채 약간 숙이고 기대어 있는 나한(羅漢)의 청자 좌상. 높이 22.3cm. 국보 제173호.

청자 칠보 투각 향로【青瓷七寶透刻香爐】명 12세기 고려 시대의 제작으로 추측되는 청자 향로의 하나. 세 마리의 토끼가 받치고 있는 능화반(稜花盤)에 연꽃으로 덮인 향로를 얹었고, 뚜껑은 칠보문(七寶紋)을 투각(透刻)한 둥근 공같이 되었음. 높이 15.5cm. 국립 중앙 박물관 소장. 국보 제95호.

청작[1]【青雀】〖조〗쇠밀화부리.

청작[2]【淸酌】명 ①깨끗한 술. ②제사에 쓰는 술.

청-작지【廳作紙】명〖역〗선혜청(宣惠廳)에서 받아들이는 작지(作紙).

청:잠【聽箴】명 사물잠(四勿箴)의 하나. 예(禮)가 아니거든 듣지 말라는 규계(規戒).

청잣-빛【青瓷―】명 청자의 빛깔과 같은 푸른빛.

청장[1]【淸帳】명 빚 같은 것을 다 갚아서 셈을 밝힘. ¶ 그 여자와 결혼하여 주면 천금으로 보수하여 그 채전을 ~하게 하여 주마 하였더니…《具然學：雪中梅》. ――-하다 타여불

청장[2]【淸醬】명 진하지 아니한 간장.

청장[3]【請狀】[―짱] 명 ①↗청첩장(請牒狀). ②〖불교〗신도에게 오라고 청하는 글.

청장[4]【廳長】명〖법〗중앙 관서 외국(外局)의 하나인 청(廳)의 우두머리. ¶전매~/국세~.

청장-관【青莊館】명〖사람〗이덕무(李德懋)의 호(號).

청장관 전서【青莊館全書】명〖책〗조선 영조(英祖) 때의 이덕무(李德懋)의 전집(全集). 그의 아들이 정조(正祖) 19년(1795)에 간행함. 71권 25책.

청장-급【青壯級】[―끕] 명 아마추어 씨름 체급의 하나. 국민 학교부 43.1kg-46kg, 중학교부 58.1kg-61kg, 고등 학교부 70.1kg-75kg, 대학 및 일반부 75.1kg-80kg인 체급.

청-장년【青壯年】명 청년과 장년.

청장 한국【青帳汗國】명〖역〗몽골의 킵차크 한국(Kipchak 汗國)을 구성한 왕국의 하나. 주로, 우랄 강 동쪽의 땅을 지배했음. 셰이반(Shaybān)이 세움. ＊금장(金帳) 한국.

청재【淸齋】명 몸을 깨끗이 재계(齋戒)함. ――-하다 타여불

청저【青菹】명 풋김치.

청-저거리 명〈방〉〖조〗딱따구리(함남).

청-저구리 명〈방〉〖조〗메딱따구리(경북·함북).

청저-채【菁菹菜】명 무 김치 나물.

청적【淸笛】명 소리가 맑은 피리.

청전[1]【青田】명 벼가 푸릇푸릇한 논.

청전[2]【青田】명〖사람〗이상범(李象範)의 호(號).

청전[3]【青箭】명 투호(投壺)할 때 쓰는 푸른 빛깔의 화살.

청전[4]【青甎】명 동록유(銅綠釉)의 벽돌.

청전[5]【青氈】명 푸른 빛깔의 전(氈).

청전[6]【菁煎】명 무 지짐이.

청전[7]【菁臇】명 무 지짐이.

청-전[8]【淸錢】명〖역〗중국 청(淸)나라의 주화(鑄貨).

청전[9]【請錢】명 어떠한 일을 부탁할 때에 뇌물로 쓰는 돈.

청-전갱이【青―】명〖어〗[*Atropus atropus*] 전갱잇과에 속하는 바닷물고기. 몸길이 25cm 내외로 몸이 둥근 달걀꼴인데 심히 측편(側扁)하고, 위 턱이 아래 턱보다 길. 몸빛은 등 쪽이 푸르고 배 쪽이 은백색, 배지느러미는 새까만 빛임. 열대성 어종으로, 한국 남해·대만·중국 동남 연해·인도양 등에 분포함.

청-전교【請傳教】명 왕명(王命)을 받듦. ――-하다 자여불

청전 구:물【青氈舊物】명 대대(代代)로 전하여 내려오는 물건을 일컫는 말.

청-전우【青轉羽】명〖역〗조선 시대 때 군뢰(軍牢)복다기에 다는 꾸밈새. 직경(直徑) 4cm, 길이 10cm 가량의 몽둥이처럼 된 것에, 남빛의 새털을 입히었음. 한 끝을 증자(鐺子)에 달아 앞으로 쳐뜨려 전동(轉動)하게 함.

청절[1]【淸絶】명 더할 수 없이 깨끗함. ――-하다 형여불

청절[2]【淸節】명 깨끗한 정조. 결백한 절조(節操).

청정[1]【淸正】명 맑고 바름. ――-하다 형여불

청정[2]【淸定】명 나라가 잘 다스려지는 일. 세상이 태평함을 일컫는 말.

청정[3]【淸淨】명 ①맑고 깨끗함. 또, 더럽거나 속되지아니함. ¶ ~한 마음. ②〖불교〗죄가 없이 깨끗함. 계행(戒行)이 조촐함. ――-하다 형여불. ――-히 부

청정[4]【淸靜】명 맑고 조용하여 움직이지 아니함. 욕심이 없고 안정(安靜)함. ――-하다 형여불

청정[5]【蜻蜓】명〖충〗잠자리[2].

청:정[6]【聽政】명 제왕이 정사(政事)에 관하여 신하가 아뢰는 말을 들음. 정사를 청단(聽斷)함. ――-하다 타여불

청정[7]【淸淨】수 소수(小數)의 단위(單位)의 하나. 허공(虛空)의 십분의 일, 곧 10^{-21}.

청정 무구【淸淨無垢】명 맑고 깨끗하여 때가 없음. 더럽거나 속되지 아니함. ――-하다 형여불

청정 무:사【蜻蜓武砂】명〖건〗잠자리무사.

청-정미【青精米】명 생동쌀.

청정미-당【青精米糖】명 청정미엿.

청정미 미음【青精米米飮】명 생동쌀로 끓인 미음. 꿀과 강즙(薑汁)을 타서 먹음.

청정미-엿【青精米―】명 생동쌀로 곤 엿, 검은 깨를 넣고 버무려 먹음. 청정미당(青精米糖).

청정 분산제【淸淨分散劑】명 윤활유(潤滑油)에 첨가하는 물질. 윤활유에 불용성(不溶性) 물질을 현탁(懸濁) 상태로 보존하는 성능을 줌.

청정-수【淸淨水】명〖불교〗다기(茶器)에 담아 불전(佛前)에 올리는 물.

청정 수역【淸淨水域】명〖지〗해양 자원을 보호하고 연안 양식 지역에서 발생하는 해수 오염을 방지하기 위하여 설정한 지역.

청정-심【淸淨心】명〖불교〗망념을 없앤 깨끗한 마음.
청정 야:채【淸淨野菜】[—냐—] 명〖농〗날로 먹을 수 있도록, 퇴비나 농약을 쓰지 않고 화학 비료로 재배한 야채.
청정 에너지【淸淨—】명 〔clean energy〕폐기물에 의한 환경 오염이 생기지 않고, 공해 정도가 적은 자연 에너지. 전력(電力)·액화 천연 가스·태양열·수력·조력(潮力)·수소 에너지 등이 이에 속함.
청정 에너지 지역【淸淨—地域】명 〔Clean Enertopia〕매연 등 환경 오염을 막기 위하여 가스·태양광·풍력(風力) 및 해양 에너지 등 무공해 청정 에너지가 우선 공급되는 지역. 제주도가 이 지역으로 지정됨.
청정-유【淸淨油】[—뉴] 명 슬러지(sludge)를 분산 상태로 보전하는 성질이 있는 윤활유. 내연 기관에 쓰임.
청-정이【靑精—】명〈방〉청정미.
청정 재:배【淸淨栽培】명〖농〗주식용(主食用) 야채의 재배에 있어서 인분뇨나 농약을 사용(使用)하지 않는 일. 화학 비료(化學肥料)를 사용하는 방법과 수경(水耕)·사경(砂耕) 등의 방법이 있음. ——-하다 자타 여불
청제【靑帝】명 봄을 맡은 동쪽의 신. 동군(東君). 동제(東帝). 동황(東皇). 청황(靑皇).
청조[1]【靑鳥】명 ①〖조〗쇠밀화부리. ②〖조〗파랑새[1]❶. ③〔푸른 새가 온 것을 보고 동방삭(東方朔)이가 서왕모(西王母)의 사자라고 한 한무(漢武)의 고사에서〕반가운 사자(使者) 또는 편지.
청조[2]【淸朝】명 ①중국 청(淸)나라의 조정(朝廷). ②↗청조체. ③↗청조 활자(活字).
청조[3]【淸操】명 깨끗한 정조. 결백한 지조(志操).
청조[4]【請助】명 도와 주기를 청함. ——-하다 자타 여불
청:조[5]【聽朝】명 조정(朝廷)의 정사(政事)를 들음. 정치를 함. ——-하다 자여불
청-조고리 명〈방〉〖조〗딱따구리(함남).
청-조구리 명〈방〉〖조〗딱따구리(함남).
청조 근정 훈장【靑條勤政勳章】명 제1 등급의 근정 훈장. 수(綬)는 대수(大綬)이며 짙은 오렌지색임. *근정 훈장.
청조 소:성 훈장【靑條素星勳章】명 제1 등급의 소성 훈장. 수(綬)는 대수(大綬)이며 황색 줄이 두 줄, 홍색 줄이 두 줄, 청색 줄이 두 줄, 중앙에 백색 줄이 한 줄 있음. '청조 근정 훈장'으로 바뀌었음.

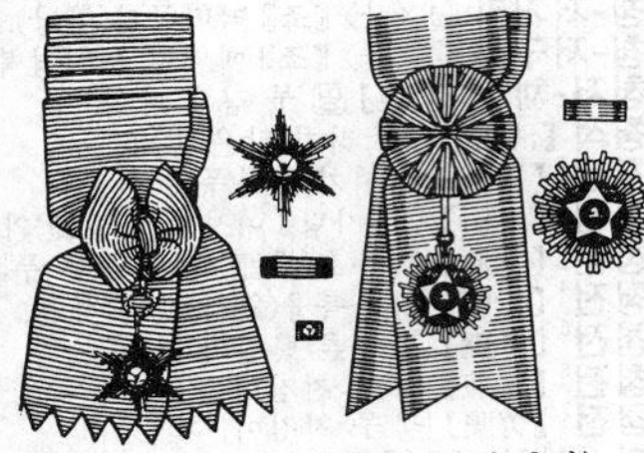
〈청조 근정 훈장〉 〈청조 소성 훈장〉

청조-체【淸朝體】명〖인쇄〗해서체(楷書體)의 하나. 모필(毛筆)로 쓰는데 보편적(普遍的)으로 쓰이는 체로, 명조체(明朝體)보다 쓰기가 쉬움. 준청조(淸朝). ↔명조체(明朝體).

淸朝
〈청조체〉

청조 활자【淸朝活字】[—짜] 명〖인쇄〗청조체의 활자. 명함·초대장 같은 데에 쓰임. 준청조(淸朝).
청족【淸族】명 여러 대로 절의(節義)를 숭상하여 온 집안.
청:종【聽從】명 이르는 대로 잘 들어 좇음. ——-하다 타여불
청좌[1]【請坐】명〖역〗①혼인 때 신부 집에서 신랑에게 사람을 보내어 자리에 나와 행례(行禮)하기를 청하는 일. ②조선 시대 때 이례(吏隷)를 보내어 으뜸 벼슬아치의 출석을 청하던 일. ——-하다 타여불
청좌[2]【廳座】명〖역〗조선 시대 때 승지(承旨)가 아침마다 계판(啓板) 앞에 정렬하여 예(禮)를 행하는 일.
청좌-굿【請座—】명〖민〗동해안 별신굿의 한 굿거리. 보통은 다섯번째 굿거리이지만 지역에 따라 첫번째 굿거리가 되기도 함.
청죄【請罪】명 ①감형(減刑)·면죄(免罪)를 바람. ②죄줄 것을 청함. 죄가 있어 자수(自首)함. ——-하다 자여불
청주[1]【淸州】명〖지〗충청 북도의 한 시. 도청 소재지로 아담하고 고요한 도시임. 교육 도시로 충북 대학교를 비롯한 5개 대학이 있음. 주요 농산물로는 쌀·보리·채소·과실 등이며, 한우·젖소 등의 사육이 성하고, 연초·면직·양조 등의 제공업이 행하여짐. 근년에는 청주 공업 단지가 조성되어 섬유·기계·화학 등의 공장이 들어서 신흥 공업 도시로 발전해 가고 있음. 명승 고적으로 상당산성(上黨山城)·명암제(明巖堤)·용두사지 철당간(龍頭寺址鐵幢竿) 등이 있음. [453,470 명(1990)]
청주[2]【淸酒】명 ①맑은 술. 약주. 주성(酒聖). ②정종[3](正宗).
청주[3]【菁州】명〖역〗신라 때의 큰 고을. 경덕왕(景德王) 16년(757) 이전의 강주(康州)의 옛 이름. 지금의 진주(晋州)임.
청주 대학교【淸州大學校】명 사립 대학교의 하나. 1947년에 청주 대학으로 설립되어 1964년 종합 대학교로 승격됨. 소재지는 충청 북도 청주시(淸州市).
청주-서【菁州誓】명〖역〗신라 오주서(五州誓)의 하나. 신문왕(神文王) 때에 지금의 거창(居昌) 땅에 둔 군대의 이름.
청주-석【靑州石】명 중국 산둥 성(山東省) 칭저우에서 나는 돌.
청죽【靑竹】명 ①취죽(翠竹). ②아직 마르지 아니한 대. ③청죽색.
청죽-색【靑竹色】명 청죽을 닮은 빛. 푸른 빛을 띤 녹색(綠色). 청죽.
청줄박이-하늘소【靑—】[—쏘] 명〖충〗[*Xystocera globosa*] 하늘솟과에 속하는 곤충. 몸길이 13-32 mm로 몸빛은 농갈색인데, 전배판(前背板) 중앙 양측에 곡옥상(曲玉狀)의 적갈색 무늬가 있으며, 시초(翅鞘)는 황갈색, 주연(周緣)과 중앙에 청록색의 두 종조(縱條)가 있음. 유충은 자귀나무의 해충임. 한국에도 분포함.
청:중【聽衆】명 강연·설교 등을 듣는 군중.
청:중 사회【聽衆社會】명 매스미디어를 통하여 일방적으로 듣기만 하는 사회. 대중이 청중 노릇밖에 할 수 없는 상태를 가리키는 말.
청-쥐똥나무【靑—】명〖식〗[*Ligustrum ibota* var. *glabrum*] 물푸레나뭇과의 낙엽 활엽의 작은 관목. 잎은 피침형 또는 도피침형으로 양끝이 뾰족하고 가에 톱니가 없음. 5월에 흰 꽃이 총상 또는 복총상(複總狀) 화서로 피는데, 수술이 화관(花冠) 밖으로 나오지 아니하며, 둥근 장과(漿果)가 10월에 붉게 익음. 산기슭에 나는데, 한국 중부 이남에 분포함. 생울타리용.
청지【淸池】명 물이 맑은 못.
청-지기【廳—】명〖역〗양반집 수청방(守廳房)에 있으면서 여러 잡일을 맡아 보던 하인(下人). 겸인(傔人). 겸종(傔從). 청직(廳直). 수청(守廳). 장반(長班).
청직[1]【淸直】명 성정(性情)이 청렴하고 강직함. ——-하다 형여불
청직[2]【淸職】명〖역〗청관(淸官)의 직(職). *화직(華職)·요직(要職).
청직[3]【廳直】명〖역〗청지기.
청진[1]【淸津】명〖지〗함경 북도의 도청 소재지. 청진만(淸津灣)에 임한 부동(不凍)의 양항으로, 북한 제2의 도시.
청진[2]【淸眞】명 마음이 깨끗하고 거짓이 없음. 청백하고 진실함. ——-하다 형여불
청:진[3]【聽診】명〖의〗환자의 몸 안에서 일어나는 심장·호흡·흉막(胸膜)·동맥(動脈)·정맥(靜脈) 등의 소리를 들어서 진단함. ——-하다 타여불
청:진-기【聽診器】명〖의〗청진하는 데에 사용하는 기구.

〈청진기〉

청진-만【淸津灣】명〖지〗함경 북도 청진시(淸津市) 고말산(高秣山) 끝과 농포동(農圃洞) 사이의 동해쪽으로 터져 있는 작은 만.
청진-선【淸津線】명〖지〗함경 북도 청진과 청진항(港) 사이의 철도선. [2.8 km]
청-질【請—】명 어떤 일을 하는 데 남에게 청촉을 하여 그 힘을 비는 짓. 「——-하다 자타여불
청짓독 같다 구〈방〉청대독 같다.
청징【淸澄】명 맑고 깨끗함. 징청(澄淸). ——-하다 형여불
청쪼우- 간 '청쫍다'의 불규칙 어간.
청-쫍다【請—】타ㅂ불 극히 높은 이에게 청하다. 극히 높은 이를 청하다. ¶소승이 무식하와 어전 지척지지에 방자로우나 감히 청쪼울 말씀이 있습니다《朴鍾和 : 多情佛心》.
청쯔야 유적【—遺蹟】〔城子崖〕명 중국 산둥 성(山東省) 리청 현(歷城縣) 룽산 진(龍山鎭)에 있는 룽산 문화의 표준 유적. 유적은 우위안 강(武原河)에 연한 길이 약 550 m, 폭 약 450 m의 사각형의 대지(臺地)에 위치함. 문화층은 두께 1-3 m인데, 상층은 은(殷)·주(周)의 문화층, 하층은 흑도(黑陶)를 출토하는 룽산 문화층(龍山文化層)임. 청쯔야 유적을 표준으로 하는 산둥의 룽산 문화는 전형적 룽산 문화로 불리고, 중원(中原)의 룽산 문화와는 구별되고 있음. 성자애(城子崖) 유적.
청차-염【淸差塩】명〖역〗중국 청(淸)나라 사신에게 지공(支供)하는 소금.
청-차좁쌀【靑—】명 ☞생동쌀.
청찬【淸饌】명 정갈한 음식.
청찰[1]【請札】명 청첩장(請牒狀).
청:찰[2]【聽察】명 들어서 구별함. 탐문(探聞)함. ——-하다 자여불
청:참[1]【聽讒】명 참언(讒言)을 믿음. ——-하다 자여불
청:참[2]【聽讖】명〖민〗점의 한 가지. 설날 새벽에 발 닿는 대로 걷다가 사람 소리나 짐승 소리나 처음 듣는 소리에 의하여 그 해의 운수를 판단하는 일.
청-참외【靑—】명〖식〗참외의 한 품종. 빛깔이 푸름. 청과(靑瓜).
청-창[1]【靑—】명 크롬 명반을 기본 원료로 한 액으로 무두질하여 만든 퍼런 구두창. 홍창보다 질기나 누기를 덜 막음. ↔홍창.
청창[2]【淸唱】명 맑은 소리로 노래를 부름. ——-하다 자여불
청:창[3]【聽唱】명〖악〗악보를 보지 않고 다른 사람의 노래나 악기의 소리를 듣고 노래를 부르는 방법. 듣고 부르기. ↔시창(視唱).
청채[1]【靑菜】명 ①통배추의 연한 잎을 데쳐 내어서 간장·초장·겨자를 쳐서 무친 나물. 푸른 나물. ②풋나물.
청채[2]【淸債】명 빚을 깨끗이 갚음. ——-하다 자여불
청채-류【靑菜類】명 잎과 줄기를 먹는 채소 종류.
청처짐-하다 형여불 동작이나 어떤 상태가 좀 느슨하다. ¶나무 동네 사람들 틈에 섞여서 구경하다가 그대루 나서서 진 뒤를 청처짐하게 따라왔습니다《洪命憙 : 林巨正》.
청천[1]【靑天】명 푸른 하늘. 청공(靑空·晴空). 청명(靑冥).
청천[2]【淸泉】명 맑은 샘.
청천[3]【淸淺】명 물이 맑고 얕음. ——-하다 형여불
청천[4]【晴天】명 맑게 갠 하늘. 제천(霽天). 청허(晴虛).
청천에 구름 모이듯 구 여기저기서 한 곳으로 많이 모여 오는 모양.
청천 하늘에 날벼락 구 뜻밖에 일어나는 돌발적인 사변(事變). 청천 벽력(靑天霹靂).
청:천[5]【聽川】명〖사람〗김진섭(金晋燮)의 호(號).
청천-강【淸川江】명〖지〗평안 북도 적유령(狄踰嶺)에서 발원하여 희천(熙川)·영변(寧邊)·정주(定州)·박천(博川)·안주(安州) 등지를 흘러 황해로 들어가는 강. [199 km]
청천 난:기류【晴天亂氣流】명〖기상〗청천의 난류.
청천 백일【靑天白日】명 ①맑게 갠 날. ②뒤가 깨끗한 일. ③원죄(冤罪)가 판명되어 무죄가 되는 일. ④푸른 바탕의 복판에 12개의 빛살이 있는 흰 태양을 배치한 무늬.
청천 백일기【靑天白日旗】명 중국 국민당의 기. 청천 백일을 그린 기.
청천 백일 만:지홍기【靑天白日滿地紅旗】명 중화 민국(中華民國)의

국기(國旗). 붉은 바탕에 왼 쪽 위에 청천 백일을 그린 기. *오성 홍기(五星紅旗).

청천 벽력【靑天霹靂】[-녁] 명 맑게 갠 하늘의 벼락이란 뜻. 뜻밖에 일어난 큰 변동. 또, 갑자기 생긴 큰 사건.

청천의 난:류【晴天―亂流】[-날-/-에날-] 명 〔clear air turbulence; CAT〕〖기상〗 맑은 날의 상공에 발생하는 기류의 난조(亂調). 기류의 난조는 일반적으로 상공에 갈수록 감소하는데, 대류권(對流圈)의 상부, 특히 제트 기류 근방에서는 높이에 의한 풍속의 차이가 큰 곳에 심한 난조가 발생하는 일이 많으며, 항공 사고의 원인이 되기도 함.

청철【靑鐵】명 놋쇠와 비슷하며 품질이 조금 낮은 합금(合金).

청철-땜【靑鐵―】명 청철로 붙이는 땜. ――하다 타 여불

청첩【請牒】명 ↗청첩장(請牒狀).

청첩-인【請牒人】명 청첩장을 보내는 사람.

청첩-장【請牒狀】명 경사가 있을 때에 주인 쪽에서 남을 청하는 글발. 청간(請簡). 청찰(請札). 준 청장(請狀)·청첩(請牒). ¶ 결혼 ~.

청청【淸聽】명 ①명료하게 잘 들림. ②남에게 자기 이야기를 들어 달라고 할 때에 쓰는 경칭(敬稱).

청청백백-하다【淸淸白白―】형 여불 썩 청백하다.

청청-하다[1]【靑靑―】형 여불 싱싱하게 푸르다.

청청-하다[2]【淸淸―】형 여불 목소리가 맑고 깨끗하다.

청체【請遞】명 관직을 사직할 것을 신청함. ――하다 타 여불

청초[1]【靑―】명 꽁지만 빼어 놓고 온몸이 푸른 연(鳶). *청치마.

청초[2]【靑草】명 ①푸른 풀. ¶ ~ 우거진 골짜기. ②풋담배❶.

청초[3]【倩草】명 →천초(倩草).

청초[4]【淸楚】명 깨끗하고 고움. 깨끗하고 조촐함. ¶ ~한 옷차림. ――하다 형 여불. ――히 부

청초[5]【請招】명 초청(招請). ――하다 타 여불

청-초상【靑綃裳】명〖역〗조선 시대 때, 백관(百官)의 제복(祭服)에, 청초의(靑綃衣)에 갖춰 입는 아랫도리. 푸른 생초(生綃)로 만듦.

청-초의【靑綃衣】[-/-이] 명〖역〗조선 시대 때, 백관(百官)의 제복(祭服)의 웃도리. 푸른 생초(生綃)로 만듦.

청초-절【靑草節】명 목장(牧場)에서 쓰는 말. 음력 5-9월의 푸른 풀이 있는 시절. *황초절(黃草節).

청초-철【靑草―】명 청초절(靑草節).

청초-체【淸楚體】명〖문〗문체의 하나. 청초 온화하며 겸허한 아취(雅趣)를 가진 문체로, 침착하고 속단(速斷)과 과장(誇張)이 없는 것이 특색임. 굳센 의지적(意志的)인 것을 담기에는 약간의 결점이 있음. 우아체(優雅體).

청초-호【靑草湖】명〖지〗①강원도 속초시(束草市)에 있는 못. [1.8 km²] ②청차오 호.

청촉【請囑】명 청을 넣어 위촉함. 간촉(干囑). 준 청(請). *청탁(請託). ――하다 타 여불

청총[1]【靑葱】명 청파[1].

청총[2]【靑塚】명 ①푸른 이끼가 난 무덤. ②내몽고(內蒙古) 자치구, 곧 이전(以前)의 쑤이위안 성(綏遠省) 구이쑤이 현(歸綏縣)의 남쪽에 있는, 왕소군(王昭君)의 무덤.

청총-마【靑驄馬】명 총이말.

청총-이【靑驄―】명 〈방〉 총이말.

청추[1]【靑騅】명〖조〗멧비둘기❶.

청추[2]【淸秋】명 ①맑게 갠 가을. ②음력 8월의 별칭.

청추[3]【請推】명〖역〗직무에 허물이 있는 관리를 추문 고찰(推問考察)할 것을 품청(稟請)함. ――하다 타 여불

청춘[1]【靑春】명 ①새 싹이 파랗게 돋아나는 봄철. ②젊은 나이. 방세(芳歲). ¶ ~이 아깝다.

청춘[2]【靑春】명 ①〔도 Jugent〕〖문〗독일의 극작가 할베(Halbe, Max; 1865-1944)의 출세작인 3막의 연애극. 1893년 베를린에서 초연(初演). 서부 프로이센의 쓸쓸한 촌락의 신부의 집에 조카 한스(Hans)가 하이델베르크 유학 도중 들렀다가, 사촌 누이동생인 안나(Anna)와 열렬한 사랑에 빠지는데, 저능아(低能兒)인 사촌 동생이 질투한 나머지 그 여자를 죽여 버린다는 줄거리로 되어 있음. ②〖책〗1914년 10월에 창간된 우리 나라 최초의 월간 종합지. 최남선(崔南善)이 청년을 상대로 한 계몽지로서, '소년'지가 폐간된 후 그 후신으로 발간됨. 1918년 8월까지 통권(通卷) 15호를 냄.

청춘-가【靑春歌】명〖악〗경기 민요의 하나. 청춘을 노래한 것.

청춘-기【靑春期】명 젊어 한창인 때. *사춘기(思春期).

청춘 사:업【靑春事業】명 〈은어〉 연애(戀愛).

청춘 소:년【靑春少年】명 스무 살 안팎의 젊은 남자.

청춘-송【靑春頌】명 청춘에 대한 칭송.

청출어-람【靑出於藍】명 쪽에서 나온 푸른 물감이 쪽보다 더 푸르다는 뜻으로, 제자가 스승보다 나음을 일컫는 말. 준 출람(出藍).

청출-패【請出牌】명〖역〗조선 시대 때, 규장각(奎章閣)의 장서(藏書)를 대출(貸出)할 때 제시하는 상아(象牙)로 만든 패(牌). 이 패에 열람자와 대출 서적 이름을 적음.

청취[1]【淸趣】명 맑고 깨끗한 흥취.

청:취[2]【聽取】명 말·음악·라디오 따위를 자세히 들음. ――하다 타 여불

청:취-기【聽取器】명 귀에 대고 듣는 기구.

청:취-료【聽取料】명 라디오를 듣는 요금.

청:취-서【聽取書】명〖법〗'조서(調書)'의 구용어.

청:취-율【聽取率】명 라디오 등의 방송 프로가 청취되고 있는 비율. 그 지역의 수신기 전체의 수에 대하여 어떤 특정 프로를 청취하는 수신기 수의 비율. *시청율(視聽率).

청:취-자【聽取者】명 라디오를 듣는 사람.

청-치【靑―】명 ①현미(玄米)에 섞인 덜 익어 푸른 쌀알. 청미(靑米). ②푸른 털이 얼룩진 소.

청-치마【靑―】명 위로 반은 희고 아래로 반은 푸른 연(鳶). *청초.

청칠【靑漆】명 푸른 빛깔의 칠.

청쾌[1]【淸快】명 산뜻하여 기분이 상쾌함. ――하다 형 여불

청쾌[2]【晴快】명 날씨가 맑고 상쾌함. ――하다 형 여불

청탁[1]【淸濁】명 ①맑음과 흐림. ②선악(善惡). 선인과 악인. 현인(賢人)과 우인(愚人). 또, 우열(優劣). ¶ ~ 병탄(倂呑). ③청음(淸音)과 탁음(濁音). ④청주와 탁주.

청탁[2]【請託】명 청촉(請囑)하고 부탁(付託)함. ¶ ~을 물리치다. 준 청(請). ――하다 타 여불

청탁 병:탄【淸濁倂呑】명 도량이 커서 선인(善人)·악인(惡人)을 가리지 않고 널리 포용함.

청탄【淸灘】명 맑고 깨끗한 여울.

청탑-파【靑鞜派】명〖문〗〔Blue-stocking〕〔1750년경, 영국 런던 사교계의 중심 인물 몬타규(Montagu, E.) 부인의 응접실에 모여든 손님들이 푸른 양말을 신은 데서 나온 말〕본래는 문학에 취미를 가진 여성들을 조롱하여 일컫던 말. 뒤에 와서 여성 참정권을 주장하는 지식 계급의 여성을 가리키게 됨. 청답파(靑踏派). 블루 스타킹.

청태[1]【靑太】명 ①푸르대콩. ②청대콩.

청태[2]【靑苔】명〖식〗①푸른 빛의 이끼. 녹태(綠苔). 벽선(碧蘚). ②김[1]. *파래. ③갈파래. ④〈방〉 이끼[1](강원·경상).

청태 자:반[1]【靑太佐飯】명 청대콩 자반.

청태 자:반[2]【靑苔佐飯】명 청태를 채반에 펴 놓고 간장·고춧가루·깨소금을 뿌려서 볕에 말린 반찬.

청태-장[1]【靑太醬】명 청대콩의 메주로 담근 간장.

청-태장[2]【靑笞杖】명〖역〗생나무로 만든 태장(笞杖).

청태-탕【靑苔湯】명 파랫국.

청태 튀각【靑苔―】명 ①김을 큼직하게 잘라서 기름에 튀긴 음식. ②김의 앞뒤에 찹쌀 죽을 발라서 말린 뒤에 기름에 튀긴 음식.

청팅〔正定〕명〖지〗중국 허베이 성(河北省) 남서부에 있는 현(縣). 징광 철도(京廣鐵道)에 연하여 면화·곡류·가축의 집산 시장이며, 거대한 불상(佛像)을 안치한 흥륭사(興隆寺)가 있음. 정정(正定). [451,000 명(1982)]

청-파[1]【靑―】명 가을에 난 것을 겨울 동안 덮어 두었다가 이른 봄에 캔 파. 청총(靑葱).

청:파[2]【聽罷】명 다 들은 뒤.

청-파리【靑―】명〖충〗☞금파리.

청판【廳板】명〖건〗청널.

청판-돌【廳板―】명 돌다리의 바닥에 깐 넓은 돌.

청패【靑貝】명 안 쪽을 잘 간 전복 껍데기. 자개의 재료로 쓰임.

청-편지【請片紙】명 청질을 하는 편지. 청질을 하여 맡아 내는 편지. 청간(請簡). ――하다 자 여불

청평【淸平】명 ①세상이 잘 다스려져 태평(太平)함. ②청렴(淸廉)하고 공평함. ――하다 형 여불

청평-댐【淸平―】〔dam〕명 경기도 가평군(加平郡)에 있는 발전용의 콘크리트 댐. 높이 31 m, 길이 407 m, 저수량(貯水量) 1억 8,500만 t임. 1943년 준공됨.

청평-사【淸平寺】명〖불교〗강원도 춘성군(春城郡) 북산면(北山面) 청평리(淸平里)에 있는 절. 고려 광종(光宗) 24년(973)에 영현 선사(永玄禪師)가 백암 선원(白岩禪院)으로 창건(創建), 조선 명종(明宗) 11년(1557)에 보우 대사(普雨大師)가 중건(重建)하여 지금의 이름으로 개칭함. 6.25 때 불타 없어진 것을 1978-79년에 복원(復元)함. 조선 세조(世祖) 때 김시습(金時習)이 이 곳의 서향원(瑞香院) 암자(庵子)에서 숨어 살던 곳임.

청평 산당 화:본【淸平山堂話本】명〖책〗중국 명대(明代)의 통속 소설집. 1541년경, 청평 산당의 주인 홍편(洪楩)이 편간(編刊)한 것으로, 송(宋)·원(元) 이래의 화본을 복각(覆刻)한 것임. 사전(史傳)·괴담(怪談)·연애·재판 등 내용은 여러 방면에 걸치고 한결같이 도시 서민의 감정을 반영했음. 6집 60편 중 29편이 현존함.

청평 세:계【淸平世界】명 맑고 평안한 세상.

청평 수력 발전소【淸平水力發電所】[-쩐-] 명 경기도 가평군(加平郡) 외서면(外西面) 청평리에 있는 수력 발전소. 1943년 7월에 건설됨. 최대 출력 7만 9,600 kW

청평-악【淸平樂】명〖악〗정재(呈才) 때에 아뢰는 풍류의 이름.

청:-평형기【聽平衡器】명〖생〗내이(內耳) 속의 평형기.

청포[1]【靑布】명 푸른 빛깔의 베.

청포[2]【靑袍】명〖역〗빛깔이 푸른 도포. 조선 시대 때, 사품·오품·육품(六品)의 관원이 공복(公服)으로 입었음.

청포[3]【淸泡】명 녹말묵.

청-포도【靑葡萄】명 ①설익은 푸른 포도. ②열매가 푸른, 포도의 한 품종. 나이애가라 따위.

청포-전【靑布廛】명〖역〗조선 시대 육주비전(六注比廛)의 하나. 우리 나라·중국 및 외국의 화포(花布)와 청포(靑布)·홍포(紅布) 등과 전(氈)·담요(毯褥)·담모자(毯帽子) 등을 전문으로 팔았음. 내어물(內魚物) 전포와 아울러 한 주비(注比)가 되었고, 유부전(有分廛)으로 국역(國役)·삼분(三分)을 부담하였음. 정조(正祖) 18년(1794)에 주비전의 자격을 잃었음. *육주비전(六注比廛).

청포-탕【淸泡湯】명 반듯반듯하게 썬 녹말묵을, 다져서 달걀을 씌운 쇠고기나 닭고기와 함께 끓인 장국. 묵국.

청풍【淸風】명 부드럽고 맑게 부는 바람. 상뢰(爽籟).

청-풍뎅이【靑—】명〖충〗[*Anomala albopilosa*] 풍뎅잇과에 속하는 곤충. 보통 풍뎅이와 비슷하나 몸빛이 녹색이고 촉각이 흑갈색임. 성충은 농작물의 잎과 도토리나무와 스무나무의 진을 먹음.

청풍 명월【淸風明月】명 ①맑은 바람과 밝은 달. ②맑은 바람과 밝은 달의 뜻으로, 결백하고 온건한 충청도(忠淸道) 사람의 성격(性格)을 평(評)하는 말. *풍전 세류(風前細流). ③〈속〉 풍자와 해학으로 시사(時事)를 비판하는 일. ——-하다 자여불

청-풍이【靑—】명〖충〗[*Rhomborrhina unicolor*] 풍뎅잇과(科) 풍이속(屬)에 속하는 곤충. 풍이와 비슷하나 좀 세장(細長)하여 몸길이 29 mm 내외이고, 몸은 편평하고 직사각형인데, 아름다운 녹색에 전배판(前背板)의 중앙에 종선(縱線)이 있음. 한국·일본에 분포함.

청프 전:쟁【淸—戰爭】명〖역〗1884년에서 1885년에 걸친 청국과 프랑스와의 전쟁. 인도차이나 방면에서의 이해 충돌 때문에 일어났으며, 톈진 조약(天津條約)을 맺어 강화를 체결하였음. 청불 전쟁(淸佛戰爭).

청피[1] 명 〈방〉 청포(淸泡)(함남).

청피[2]【靑皮】명 ↗청귤피(靑橘皮).

청-피목【靑皮木】명〖식〗물푸레나무.

청피-사초【靑—莎草】명〖식〗[*Carex distantiflora*] 방동사닛과에 속하는 다년초. 줄기는 가늘고 길며 높이 20 cm 내외. 잎은 호생하는데 협선형(狹線形)이고 줄기보다 길며 폭 2 mm 내외임. 수꽃이삭은 정생(頂生), 암꽃이삭은 측출(側出)하여 5-6월에 핌. 과낭(果囊)은 달걀꼴의 긴 타원형임. 산야의 음지에 나는데, 제주도에 분포함.

청필【靑筆】명 청설모로 맨 붓. *황필(黃筆).

청하[1]【淸夏】명 맑고 산뜻한 여름.

청하[2]【廳下】명 마루의 아래.

청-하다【請—】타여불 ①원하다. 바라다. 요청하다. ¶면회를 ~. ②남을 초대하다. ¶손님을 ~. ③잠이 들도록 노력하다. 잠을 부르다. ¶잠을 ~. ④요리를 주문하다. 음식을 요구하다. ¶냉면을 ~. ⑤〖불교〗불보살·영혼 들을 부르다.

청학[1]【靑鶴】명 사람의 얼굴에 새의 부리를 하고 날개는 여덟이며 다리는 하나이고, 잘 운다는 상상(想像)의 새. 이 새가 울 때는 천하가 태평(太平)하다 함.

청학[2]【靑鶴】명〖사람〗이행(李荇)의 호(號).

청학[3]【淸學】명 ①중국 청(淸)나라 시대의 학문. ②만주어(滿洲語)에 관한 학문.

청학-동【靑鶴洞】명〖민〗전국의 명산마다 옛날부터 전해 오는, 천석(泉石)이 아름답고 푸른 학(鶴)이 사는 승경(勝景)에 있다는 도인(道人)들의 이상향.

청학동-가【靑鶴洞歌】명〖문〗조선 중기의 승려 침굉(枕肱)이 지은 가사의 하나. 지리산 청학동의 승경(勝景)과 심회를 읊음. 작자의 문집 ≪침굉집≫에 전함.

청학 상:통사【淸學上通事】명〖역〗조선 시대 사역원(司譯院)의 한 벼슬. 상의원(尙衣院)에 관한 사무와 무역의 일을 맡았음.

청학 훈:도【淸學訓導】명〖역〗조선 시대 사역원(司譯院)의 정구품 벼슬. 인조(仁祖) 이후 청(淸)나라 말을 가르쳤음.

청한【淸閑】명 청아하고 한가함. ——-하다 형여불

청한-자【淸寒子】명〖사람〗김시습(金時習)의 호(號).

청-함지【菁醎漬】명 무 짠지.

청해【靑海】명〖지〗'칭하이'를 우리 음으로 읽은 이름.

청해-성【靑海省】명〖지〗칭하이 성.

청해-진【淸海鎭】명〖역〗지금의 전라 남도 완도(莞島)에 설치되었던 진(鎭). 신라 흥덕왕(興德王) 3년(828)에 장보고(張保皐)의 청(請)에 의하여 설치되어 군사 만 명이 있었음. 장보고는 이곳을 중심으로 해상권(海上權)을 장악하고 중국 해적을 소탕하였으며, 청해진을 중국과 일본 무역의 요지로 만들었고, 동방 무역의 패권도 잡아 신라의 해외 발전의 전성기를 열었음.

청향【淸香】명 맑고 깨끗한 향기.

청향-당【淸香堂】명〖사람〗윤희(尹淮)의 호(號).

청허[1]【淸虛】명 마음이 맑고 잡된 생각이 없어 깨끗함. ——-하다 형여불

청허[2]【淸虛】명〖사람〗휴정 대사(休靜大師)의 호(號).

청허[3]【晴虛】명 청천(晴天).

청:허[4]【聽許】명 듣고 허락함. ——-하다 타여불

청:허-법【聽許法】[—뻡] 명〖법〗어떤 법규의 명문에 좇음과 아니 좇음을 개인의 자유에 맡기게 된 법규. 민법·상법 따위. 청용법(聽容法). ↔강행법(強行法).

청허 선사【淸虛禪師】명〖사람〗휴정 대사(休靜大師)를 호(號)로서 일컫는 경칭(敬稱).

청현[1]【淸絃】명〖악〗향비파(鄕琵琶)의 둘째 줄의 이름. *대현(大絃).

청현[2]【淸顯】명 청환(淸宦)과 현직(顯職). *청요(淸要).

청혈【淸血】명 맑은 피. 산 피.

청혈-제【淸血劑】[—쩨] 명〖약〗피를 맑게 하는 약제.

청:형【聽熒】명 세롱(細聾).

청호[1]【靑蒿】명〖한의〗제비쑥. 성질은 찬데, 도한(盜汗)·골증(骨蒸)·외과(外科)의 약으로 씀.

청호[2]【晴好】명 하늘이 개어서 보기에도 좋음. ——-하다 형여불

청-호도【靑胡桃】명 설익은 호두 열매.

청-호반새【靑湖畔—】명〖조〗[*Halcyon pileata*] 물총샛과에 속하는 새. 호반새와 비슷한데, 날개의 길이 130 mm 내외임. 두부(頭部)는 흑색, 배면(背面)은 청자색, 허리는 자색을 띤 코발트색. 어깻죽지는 흑색, 꽁지는 청자색, 턱 아래 목과 가슴의 중앙은 백색, 옆구리·배·하미통(下尾筒)은 등황색임. 연못가에 서식하는데, 한국·일본·유구(琉球)·중국에 분포함. 양어장(養魚場)에는 해조(害鳥)임. 비조(翡鳥). 산비취(山翡翠). 자주호반새.

청호 우:기【晴好雨奇】명 우기 청호(雨奇晴好).

청혼[1]【請婚】명 결혼하기를 청함. ——-하다 자여불

청혼[2]【請魂】명〖불교〗죽은 사람의 넋을 부름. *초혼(招魂). ——-하다 자여불

청혼-자【請婚者】명 결혼하기를 청하는 사람.

청홍【靑紅】명 ↗청홍색(靑紅色).

청홍-기【靑紅旗】명 청기(靑旗)와 홍기(紅旗).

청홍-마【靑紅馬】명 장기·쌍륙 같은 것의 푸른 말과 붉은 말.

청홍-사【靑紅絲】명 청실 홍실.

청홍-상【靑紅裳】명 푸른 치마와 붉은 치마.

청홍-색【靑紅色】명 청색과 홍색. ㊂청홍(靑紅).

청화[1]【靑化】명〖광〗복대기를 삭히는 일.

청화[2]【靑華·靑花】명〖미술〗중국에서 나는 푸른 물감의 한 가지. 나뭇잎·풀 같은 것을 그리는 데 씀. 당청화(唐靑華). 화청고(花靑膏).

청화[3]【淸化】명 맑고 밝은 교화(敎化).

청화[4]【淸化】명〖사람〗이항복(李恒福)의 호(號).

청화[5]【淸話】명 속되지 아니한 이야기. 청아한 이야기.

청화[6]【晴和】명 하늘이 개고 날씨가 화창함. ——-하다 형여불

청화[7]【請花】명〖건〗앙화(仰花).

청:화[8]【聽話】명 이야기를 들음. ——-하다 자여불

청화[9]〔承化〕명〖지〗중국 신장웨이우얼(新疆維吾爾) 자치구 최북부의 현청 소재지. 교역(交易)의 중심지로서 부근에는 금광(金鑛)이 있음. 라마교의 큰 절 청화 사(承化寺)가 있음.

청화 가리【靑化加里】명〖화〗시안화 칼륨.

청화 공장【靑化工場】명〖광〗복대깃간.

청화-금【靑化金】명〖광〗복대기금.

청:화-기【聽話器】명 보청기(補聽器).

청화 대학【淸華大學】명 칭화 대학(大學).

청화-동【靑化銅】명〖화〗시안화구리.

청화 방산【靑華方繖】명 푸른 빛깔로 곱게 물들인 방산(方繖).

청화 백사기【靑華白沙器】명〖공〗청화 자기(靑華瓷器).

청화 백자【靑華白瓷】명〖공〗청화 자기(靑華瓷器).

청화 백자 매조죽문 호【靑華白瓷梅鳥竹文壺】명 15세기 조선 시대의 제작으로, 매화(梅花)·새·대나무·국화(菊花) 등의 그림을 청화(靑華)로 나타낸 백자 항아리. 높이 16.5 cm. 국립 중앙 박물관 소장. 국보 제170호.

〈청화 방산〉

청화 백자 매죽문 호【靑華白瓷梅竹文壺】명 ①조선 시대 초기에 만들어진 청화 백자 항아리. 높이 41 cm, 입지름 15.7 cm, 밑지름 18.2 cm. 호암 미술관 소장. 국보 제 219 호. ②조선 초기에 만들어진 청화 백자 항아리. 높이 29.2 cm, 입지름 10.7 cm, 밑지름 14 cm, 뚜껑을 갖추고 있음. 호림 미술관 소장. 국보 제 222 호.

청화 백자 산수 화조문 대:호【靑華白瓷山水花鳥文大壺】명 조선 시대 후기의 백자 항아리. 높이 54.8 cm, 입지름 19.2 cm, 밑지름 18 cm. 개인 소장. 국보 제 263 호.

청화 백자 죽문 각병【靑華白瓷竹文角甁】명 조선 시대 후기의 백자 각병. 높이 40.6 cm, 입지름 7.6 cm, 밑지름 11.5 cm. 개인 소장. 국보 제 258 호.

청화 백자 홍치명 송죽문 호【靑華白瓷弘治銘松竹文壺】명 조선 성종(成宗) 20년(1489)의 제작(製作)으로, 연당초문(蓮唐草紋)·송죽문(松竹紋) 등이 그려진 담청(淡靑)을 머금은 백자 항아리. 중국 명(明)나라 효종(孝宗)의 연호(年號) '홍치(弘治) 이년(二年)'이라는 명문(銘文)이 구부(口部) 안쪽에 있었는데, 도난(盜難) 사고 때 구연부(口緣部)가 훼손되어 지금은 '홍치' 두 자만 남아 있음. 높이 48.7 cm. 동국 대학교 박물관 소장. 국보 제176호.

청화 백지【靑華白地】명〖공〗청화 자기(靑華瓷器).

청화-법【靑化法】[—뻡] 명〖공〗시안화법(cyan化法). 청화 제련법(靑化製鍊法).

청화-은【靑化銀】명〖화〗시안화은(cyan化銀).

청화 자기【靑華瓷器】명〖공〗흰 바탕에 푸른 빛깔로 그림을 그린 자기. 백자 청화(白瓷靑華). 유리청(釉裏靑). 청화 백사기(靑華白沙器). 청화 백자(白瓷). 청화 백지(白地).

청화 제:련법【靑化製鍊法】[—뻡] 명〖공〗시안화법(cyan化法).

청화 지박【靑華紙薄】명〖공〗몸이 종이같이 얇은 청화 자기(靑華瓷器).

청화-홍【靑化汞】명〖화〗시안화 수은(cyan化水銀).

청환【淸宦】명〖역〗조선 시대에, 학식·문벌이 높은 사람이 하던, 규장각(奎章閣)·홍문관(弘文館)·선전 관청(宣傳官廳) 등의 벼슬. 지위와 봉록(俸祿)이 높지 아니하나 뒷날에 높이 될 자리임.

청황【靑皇】명 청제(靑帝).

청황-돔【靑黃—】명〖어〗[*Plectorhynchus pictus*] 하스돔과에 속하는 바닷물고기. 몸길이 35 cm 내외로 타원형인데 측편(側扁)하고 등이 솟아 있으며, 비늘이 아주 작음. 어릴 때에는 몸빛이 담청색 바탕에 4-6줄의 회흑색 세로띠가 있고, 다 크면 회청색 바탕에 황갈색의 작은 반점이 산재(散在)함. 열대성 어족으로, 제주도·중국·대만·일본 남부·남양(南洋) 제도·인도양·홍해(紅海) 등에 분포함.

청황-문절【靑黃—】명〖어〗[*Vireosa hanae*] 망둥잇과에 속하는 바닷물고기. 몸길이 15 cm 내외로 측편하고 가늘고 김. 비늘이 아주 작은 원형인데, 턱에는 두터운 육질(肉質)의 촉수(觸鬚)가 있음. 몸빛은 담청색이고 눈 언저리에서 가슴지느러미에 이르는 주황색의 세로띠가 있

으며, 등지느러미와 꼬리지느러미는 엷은 분홍색임. 동작이 민첩하며 우리 나라의 남해와 일본 중부에 분포함.

청황 색맹【靑黃色盲】명〖의〗청색과 황색에 대한 감각이 나빠 회색으로 느끼고, 청록(靑綠)에서 자주빛까지를 한 색깔로 보는 후천적인 색맹. 제삼맹(第三盲). ＊적록(赤綠) 색맹.

청훈【請訓】명 외국 주재의 대사·공사·사절 등이 정부에 훈령(訓令)을 청함. ——-하다 자여불

청훤【晴暄】명 하늘은 개고 날은 따뜻함. ——-하다 형여불

청휘【晴暉】명 맑은 날의 햇빛.

청휘-조【靑輝鳥】명〖조〗[*Uraginthus bengalus*] 단풍샛과에 속하는 작은 새. 몸길이 약 12cm, 등은 홍갈색이고 머리·얼굴·가슴·옆구리·꽁지는 하늘색, 배는 담갈색, 부리는 붉은 색임. 나비나 벌처럼 펄럭이면서 잠시 공중에 머물기도 함. 수컷의 귀 언저리에는 분홍색 반달 점이 있음. 아프리카 원산으로 널리 사육함. 속칭:사파이어.

청흥【淸興】명 맑은 흥치(興致).

체[1] 명〔중세:체〕가루를 곱게 쳐 내거나 액체를 받아 내는 데 쓰는 제구. 얇은 나무로 쳇바퀴를 만들고 쳇불을 메었음.

체에 내리다 구 가루나 액체를 곱게 치거나 받기 위해 체를 통과시키다.

쳇불
쳇바퀴
〈체¹〉

체[2] 명〈방〉겨(함남·제주).

체[3]【帖】명〖역〗↗체지(帖紙)❶.

체[4]【滯】명〖한의〗①먹은 것이 잘 삭지 아니하고 위 속에 답답하게 처져 있음. ②↗체증(滯症). ——-하다 자여불

체[5]【體】명 ①문장·글씨·그림 등의 본보기와 방식. ¶추사(秋史)~/고딕~. ②〔field〕〖수〗사칙(四則) 계산이 가능한 집합. 승법(乘法)에 대해서 가환(可換)인 환(環)이고, 0 이외의 요소(要素)가 승법에 관해 군(群)을 이루는 것. 곧 $a(b+c)=ab+ac$, $(a+b)c=ac+bc$ 가 성립되는 집합. 유리수(有理數) 전체·실수(實數) 전체는 체이나 자연수(自然數) 전체·정수(整數) 전체는 체가 아님. ＊군(群)·환(環).

체[6] 의명 그럴 듯하게 꾸미는 거짓 태도. 어미 '-ㄴ'·'-은'·'-는' 아래에 쓰임. 척¹. ¶본 ~ 만 ~하다/있는 ~/죽은 ~. ——-하다 보동여불

체[7] 감 못마땅하여 아니꼬울 때나, 원통하여 탄식할 때 내는 소리.

-체【體】미 ①어떤 명사 밑에 붙어, 입체의 뜻을 나타내는 말. ¶사면~/팔면~. ②어떤 명사 밑에 붙어, 몸·형체 등의 뜻을 나타내는 말. ¶기업~/건강~.

체가【遞加】명 등수를 따라서 차례로 더하여 감. 체증(遞增). ↔체감. ——-하다 타여불

체-가자【帖加資】[—까—] 명〖역〗조보(朝報)에는 내지 아니하고 교지(敎旨)나 체지(帖紙)만을 주는 가자(加資). ——-하다 자여불

체각【替脚】명〖역〗경주인(京主人)의 하인.

체간【體幹】명〖동〗척추 동물의 몸의 중축(中軸)을 이루는 부분. 두부·경부(頸部)·흉부·복부·미부(尾部)의 다섯 부분으로 나뉨. 구간(軀幹). 체부(體部). ↔체지(體肢).

두부
경부
흉부
복부
미부
〈체간〉

체감[1]【遞減】명 등수를 따라서 차례로 덜어 감. ↔체가(遞加). ——-하다 자타여불

체감[2]【體感】명 몸에 느끼는 감각.

체감 물가【體感物價】[—까] 명 가계(家計)에서 실제 피부로 느끼는 물가. 곧 지수 물가가 광업·제조업 등 생필품을 포함한 산업 전분야의 상품 가격 변화를 일정한 기준에 따라 종합한 가중 평균 물가 수준인 반면 체감 물가는 체감 온도의 차이처럼 소비자 각자가 빈번히 지출하는 품목만을 대상으로 물가를 측정하므로 사람마다 다르게 마련임.

체감 온도【體感溫度】명〔sensible temperature〕〖기상〗온도·습도·풍속·복사 따위에 따라 인체가 느끼는 더위·추위를 수량적으로 나타낸 것. 여러 가지 산정 방식(算定方式)이 있는데, 그 중의 하나로 야글론(Yaglon, C.P.)의 실효 온도가 있음. 이것은 어떤 기온에서 습도 100%, 무풍(無風)의 기준 상태와 같은 온도 감각을 주는 기온·습도·풍속(風速)의 값을 실험적으로 구하여, 이 기준 상태에서 측정한 감각 온도임. 불쾌 지수(不快指數)도 그 하나임.

체감-증【體感症】[—쯩] 명〖의〗체감 곧 내장 감각의 이상을 주징후(主徵候)로 하는 정신병. 분열병이나, 정신 쇠약에서 볼 수 있는데, 장이 꼬인다, 발이 비틀린다, 어깨에서 팔이 떨어진다, 심장이 거꾸로 되어 있다 하는 등의 환각과 망상에 사로잡힘.

체강【體腔】명〔body cavity ; coelome〕〖생〗동물의 체벽(體壁)과 소화관 사이에 있는, 중배엽(中胚葉)으로 둘러싸인 빈 곳. 편형(扁形) 동물 이상의 동물에 발달되어 있는데, 여러 가지 기관을 포함하고 있음. 고등 동물에서는 흉강(胸腔)·복강(腹腔) 등으로 갈림. 원(原)체강과 진(眞)체강으로 나뉨.

체강 동:물【體腔動物】명〖동〗[Coelomata] 원(原)체강 또는 진(眞)체강 등 체강을 갖는 동물의 총칭. 해면(海綿) 동물·강장(腔腸) 동물 이외의 모든 후생(後生) 동물이 이에 속함. ＊원체강류·진체강류.

체개【遞改】명 사람을 갈아 들임. 체역(遞易). ——-하다 타여불

체거【遞去】명 벼슬을 내어 놓고 감. ↔체래(遞來). ——-하다 자여불

체격【體格】명 ①몸의 골격. ②근육·골격·영양 상태로 나타나는 몸의 외관적 형상의 전체. 형격(形格).

체격 검:사【體格檢査】명 신체 검사❶.

체견【彘肩】명 돼지의 어깨 고기.

체결【締結】명 ①얽어서 맴. ②계약(契約)이나 조약(條約) 등을 맺음. ——-하다 타여불

체결-국【締結國】명 조약 같은 것을 체결한 나라.

체경[1]【滯京】명 서울에 체류함. ——-하다 자여불

체경[2]【體鏡】명 온 몸이 비치는 큰 거울. ＊거울¹.

체계[1]【逮繫】명 붙잡아서 옥에 가둠. ——-하다 타여불

체계[2]【遞計】명 ↗장체계(場遞計).

체계[3]【體系】명 ①낱낱이 다른 것을 통일한 조직. 또, 그것을 구성하는 각 부분을 계통적으로 통일한 전체. ②〔system〕〖철〗일정한 원리에 의하여 조직된 지식의 통일적 전체.

체-계량【體計量】명 권투·레슬링 등 운동 경기의 선수나 경마(競馬)의 기수(騎手) 따위의 몸무게를 잼. ——-하다 자여불

체계-적【體系的】명관 체계를 이룬 모양.

체계적 법학【體系的法學】명〖법〗법해석학(法解釋學).

체계적 위험【體系的危險】명〔systematic risk〕〖경〗증권 시장 또는 증권 가격 전반에 영향을 주는, 오인에 의해 발생하는 위험.

체계-전【髢髻廛】명 다리전(廛)의 한자말.

체계-집【遞計—】[—찝] 명 돈놀이하는 집.

체계 형태소【體系形態素】명〔system morphoeme〕〖언〗조사·어미 등처럼 체언과 용언의 어간에 자유롭게 붙어서 문법적 관계를 체계적으로 표시하는 형태소.

체계-화【體系化】명 체계적인 것으로 되거나, 체계적인 것으로 되게 함. ——-하다 자타여불

체곗-돈【遞計—】명 체계로 쓰는 돈.

체고[1]【滯固】명 한 군데로 몰려서 융통되지 못함. ——-하다 자여불

체고[2]【體高】명 몸의 높이. 키.

체공【滯空】명 ①공중에 체류(滯留)함. ②내공(耐空). ——-하다 자여불

체공 기록【滯空記錄】명 항공기의 비행 계속 시간의 기록.

체공 비행【滯空飛行】명 항공기가 무착륙·무착수(無着水) 비행 능력을 시험하기 위하여 장시간 비행하는 일. ——-하다 자여불

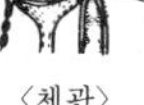

〈체관〉

체-관[1]【—管】명〔sieve tube〕〖식〗식물체(植物體)의 관다발에 있는 관상 세포(管狀細胞)의 한 가지. 세포막(細胞膜)의 군데군데에 가는 구멍이 있어, 체 모양을 이룬 물건. 관(管) 속에는 원형질(原形質)의 얇은 층이 있으며 또한 점막(粘膜)이 있어, 양분(養分)의 통로(通路)가 됨. 사관(篩管).

체관[2]【諦觀】명 ①충분하게 봄. 샅샅이 살핌. 정관(靜觀). ②단념함. 체시(諦視). ——-하다 타여불

체관-부【—管部】명〔phloem〕〖식〗체관(管)·반세포(伴細胞)·체관부 섬유 등으로 이루어져 목질부(木質部)와 함께 통도 조직(通道組織)을 이루는 것. 위쪽에 있는 잎에서 만든 양분이 내려 오는 통로(通路)가 되는 부분. 사부(篩部). 사관부(篩管部).

체관부 섬유【—管部纖維】명〔phloem fiber〕〖식〗관다발의 체관부(管部)를 구성하는 한 요소가 되는 섬유. 가늘고 길며 양끝이 뾰족한 후막(厚膜)의 세포로, 섬유 공업에 이용함. 사부 섬유(篩部纖維). 인피 섬유(靭皮纖維).

체관부 유조직【—管部柔組織】명〖식〗식물의 관다발의 체관부에 산재하는 유조직.

체교【締交】명 서로 사귐을 가짐. 교제를 시작함. ——-하다 자여불

체구[1]【滯歐】명 유럽에 체재함.

체구[2]【締構】명 얽어 만듦. 형성(形成)함. ——-하다 타여불

체구[3]【體究】명〖불교〗도리를 몸으로 체득하는 일.

체구[4]【體軀】명 몸뚱이. 신구(身軀). 형구(形軀).

체국[1]【逮鞫】명 체포하여 문초함. ——-하다 타여불

체국[2]【體局】명〖민〗형국(形局).

체귀【遞歸】명 벼슬을 내어 놓고 돌아옴. 체래(遞來). ——-하다 자여불

체급【體級】명 권투·레슬링·역도 같은 운동에서, 경기자의 몸무게에 의해서 매긴 등급.

체기[1] 명 허리에 차고 활을 쏘는 데에 쓰는 제구.

체기[2] 명〈방〉제기¹(황해·평남).

체기[3]【滯氣】명〖한의〗먹은 것이 잘 삭지 아니하여 생기는 가벼운 체수(滯祟).

체기[4]【遞騎】명 먼 곳에 명령이나 보고 등을 전달하는 기병(騎兵).

체기[5]【體技】명 레슬링·권투·유도·씨름 등과 같이 몸체 전부를 이용하는 운동.

〈체꽃〉

체-꽃 명〖식〗[*Scabiosa japonica*] 산토끼꽃과에 속하는 다년초. 높이 60-90cm로, 잎은 대생하고 우상 복엽(羽狀複葉)이며 열편(裂片)은 피침형 또는 거꿀달걀꼴임. 8-9월에 담자색 합판화(合瓣花)가 줄기 끝에 정생하는데 바깥 둘레의 꽃은 크고 내부의 꽃은 정제(整齊)되어 있고 소형임. 긴 타원형의 수과(瘦果)에 가시가 다섯 개 있음. 산지에 나는데, 강원·함북 및 일본에 분포함.

체:나 명〈방〉처녀.

체납【滯納】명 기한까지 내지 못하고 지체함. 납세를 지체함. 건납(愆納). ——-하다 타여불

체납-금【滯納金】명 체납된 돈.

체납-세【滯納稅】명 체납된 세금.

체납-액【滯納額】명 체납된 금액.

체납-자【滯納者】명 체납한 사람.

체납 처:분【滯納處分】명〖법〗국가 또는 지방 자치 단체가 조세 공과

금(公課金) 등의 체납자에 대하여 재산을 압류(押留)하고, 공매(公賣)에 부치어 그 세금과 가산금(加算金)·체납 처분비를 강제로 징수하는 행정(行政) 처분.

체납 처:분비【滯納處分費】명〖법〗체납 처분에 있어서의 재산의 압류(押留)·보관·운반·공매에 수반하는 비용 및 통신비.

체내【體內】명 몸의 안.

체내 기생【體內寄生】명〖생〗숙주(宿主)의 내부에 기생하는 일. 회충·촌충·십이지장충 따위가 이 부류에 속함.

체-내다【滯一】타〖민〗체증을 없앤다는 미신으로, 앓는 사람의 배를 한 손으로 훑어 올리어 목에 닿을 때, 뼛조각 같은 단단한 물건을 쥔 다른 한 손을 병자의 입 속에 넣어 휘휘 두르다가 뱃속에서 올라온 물건을 집어 내는 것처럼 그 쥐었던 물건을 내놓다.

체내 수정【體內受精】명 모체 안에서 이루어지는 수정. 육서(陸棲)의 동물에 많은 수정법으로, 흔히 교미에 의하여 이루어짐. 몸안 정받이. ↔체외 수정.

체내 시계【體內時計】명〔interior watch〕〖생〗생물의 몸 안에 갖추어졌다고 생각되는 시간 측정 기구(時間測定機構). 생물 세포 내의 물질 교대로 규제되는 일정한 리듬에 의한 것으로, 이 리듬에 의하여 생물 표면에 나타나는 행동이 정해지며, 매일 24시간 중 어떤 시간이 되면 생물의 할 일이 규제됨. 생물 시계.

체녀 명〈방〉처녀(평북).

체념[1]【滯念】명 엉긴 마음. 쌓인 마음.

체념[2]【諦念】명 ①도리(道理)를 깨닫는 마음. ②단념(斷念). ——-하다 타여불

체념[3]【體念】명 깊이 생각함. ——-하다 타여불

체능【體能】명 어느 일을 감당할 만한 몸의 능력. ¶~ 검사.

체니 명〈방〉처녀(황해).

체다 치:즈〔Cheddar cheese〕명 크림색의 조금 산미(酸味)가 있는 치즈. 영국 서머싯 주, 체다 마을 원산의 치즈인데 지금은 각국에서 같은 것이 만들어지고 있음.

체당【替當】명 ①〖법〗뒤에 상환(償還) 받기로 하고 금전(金錢)·재물 등을 대신 지급하는 일. ②남의 일을 대신하여 담당함. ——-하다 타여불

체대[1]【替代】명 서로 바꾸어 가며 대신함. 교질(交迭). 교체(交替). 교대(交代). ——-하다 자타여불

체대[2]【遞代】명 서로 번갈아 대신함. 교체(交遞). 질대(迭代). 교질(交迭). ——-하다 타여불

체대[3]【體大】명 ①몸이 큼. ↔체소. ②〖불교〗삼대(三大)의 하나. 중생심(衆生心)이 진여 평등(眞如平等)하여 생(生)·멸(滅)·증(增)·감(減)이 없음. ③↗체육 대학. ——-하다 형여불

체대-식【遞代式】명〖농〗경종(耕種) 방식의 한 가지. 체대전(遞代田)의 조직에 의하여 경영하는 농업.

체대-전【遞代田】명〖농〗조림(造林)과 전작(田作)을 체대하여 짓는 밭.

체도[1]【剃刀】명 ①머리털을 깎는 데 쓰는 칼. ②면도칼.

체도[2]【剃度】명〖불교〗체발(剃髮)하고 불문(佛門)에 들어가 득도(得度)하는 일. 중이 되는 일. 체발 득도(剃髮得道). ——-하다 자여불

체도[3]【體度】명 체후(體候).

체도[4]【體道】명 도의를 본뜸. ——-하다 자여불

체독【滯獨】명 독일에 체재함. ——-하다 자여불

체동【蝃蝀】명 무지개.

체두【剃頭】명 체발(剃髮)한 머리.

체득【體得】명 ①몸소 체험하여 얻음. ②뜻을 받아서 본뜸. ——-하다 타여불

체등【遞等】명 신구 관리가 체대(替代)함. ——-하다 자타여불

체라푼지〔Cherrapunji〕명〖지〗인도 북동부 아샘 주(Assam 州) 남서부 카시 산지(Kasi山地) 남록(南麓)의 세계 최다우지(最多雨地). 연간(年間) 평균 강우량이 10,871 밀리로, 1861년에는 세계 최고인 26,461.2 밀리를 기록하였음.

체래【遞來】명 체귀(遞歸). ↔체거(遞去). ——-하다 자여불

체량[1]【體量】명 체중(體重)❶.

체량[2]【體諒】명 썩 깊이 헤아림. ——-하다 타여불

체량-기【體量器】명 체중을 다는 기계.

체레미스-어【一語】〔Cheremis〕명〖언〗체레미스족(族)의 언어. 피노우그리아 어족(Finno-Ugria 語族) 핀어파(Finn 語派)에 속함. 평지(平地) 방언과 산악 방언이 있으며 모두가 러시아 문자(文字) 정서법(正書法)에 의한 문장어(文章語)가 행하여지고 있음.

체레미스-족【一族】〔Cheremis〕명〖인류〗자칭 마리족(Mari族). 러시아 연방의 마리 자치 공화국(共和國)과 그 인접 지역 및 바슈키르 자치 공화국에 거주하는 종족(種族). 농업과 가축 사육을 생업으로 함. 총수 약 50만 명.

체레프닌〔Cherepnin, Aleksandr Nikolaevich〕명〖사람〗러시아의 작곡가. 부친인 니콜라이 체레프닌(Cherepnin, Nikolai Nikolaevich;1873-1945)도 작곡가이며, 1921년에 함께 파리로 망명함. 피아노 연주자로도 유명하며, 피아노곡(曲)·오페라·실내악(室內樂) 등의 작품이 있음. [1899-1977]

체렌코프〔Cherenkov, Pavel Alekseevich〕명〖사람〗옛 소련의 물리학자. 방사선을 조사(照射)한 액체로부터 방출되는 독특한 청색광(青色光)을 분석하였음. 1934년에 체렌코프 효과(効果)를 발견하였음. 1958년 프랑크(Frank, I. M.)와 함께 노벨 물리학상을 수상함. [1904-90]

체렌코프 복:사【一輻射】명〔Cherenkov radiation〕〖물〗1934년, 옛 소련의 물리학자 체렌코프가 발견한 방사 물질 속을 하전(荷電) 입자가 통과할 때, 그 입자의 속도가 물질 속의 빛의 속도(速度)보다 빠를 때에 내는 빛. 스위밍 풀형 원자로(swimming pool 型原子爐) 등에서는 직접 볼 수 있음.

체렌코프 효:과【一効果】〔Cherenkov〕명〖물〗체렌코프 복사에 의한 빛을 발생하는 현상. 공기 중의 충격파와 비슷한 현상임.

체렘호:보〔Cheremkhovo〕명〖지〗러시아 동부 시베리아의 도시. 이르쿠츠크(Irkutsk)의 북서(北西)에 있으며 앙게랍 강(Angerapp江)에 면해 있음. 이르쿠츠크 탄전(炭田)의 중심지로 대규모적으로 노천굴(露天掘)이 행하여지고 있고, 기계·건설 자재·식품(食品) 등의 공업도 성함. [77,000명(1979)]

체력【體力】명 몸의 힘. 몸의 작업 능력. 건강 장애에 대한 몸의 저항 능력. ¶강인한 ~.

체력-장【體力章】명 교육 위원회에서 실시하는 중·고교생에 대한 체력 검사의 결과를 적는 기록부. 검사 종목은 남녀 모두 6종목임.

체력 향:상【體力向上】명 몸의 일할 수 있는 힘을 높임.

체련【體鍊】명 신체를 단련함. ——-하다 자여불

체례【體例】명 관리 사이에 지키는 예절.

체로【替勞】명 남을 대신하여 수고를 함. ——-하다 타여불

체로키〔Cherokee〕명〖인류〗북미(北美) 토인(土人)의 일종. 이로쿠오이족(Iroquois族)의 유력한 지족(支族)으로서, 본디 미국의 테네시 주·노스캐롤라이나 주의 애팔래치아 산지(Appalachia 山地)에 살고 있었으나, 지금은 대부분 오클라호마 주(Oklahoma州)의 보호지에 살고 있음.

체료【體療】명 신체 내부의 질병을 치료함. 또, 그 의술.

체루【涕淚】명 슬피 울어서 흐르는 눈물.

체류【滯留】명 ①사물의 진전(進展)이 머뭇거림. 정체(停滯). ②여행지(旅行地) 같은 데서 오래 머물러 있음. 체재(滯在). 계류(稽留). ¶장기 ~. ——-하다 자여불

체르넨코〔Chernenko, Konstantin〕명〖사람〗옛 소련의 정치가. 1931년 공산당 입당(入黨), 1971년 중앙 위원, 1976년 당(黨) 서기, 1978년 정치국원이 됨. [1911-85]

체르노빌〔Chernobyl〕명〖지〗우크라이나 공화국 키예프 주의 작은 도시. 1986년 4월 26일, 이 곳 원자력 발전소에 불이 나면서 원자로가 고장이 나서 대량의 방사능이 누출되어 우크라이나 안에서만도 6,000에서 8,000명 이상이 사망하였다고 1992년 우크라이나 당국자가 발표하였으나, 정확한 숫자는 미지수임.

체르노좀〔chernozyom〕명〖지〗냉온대(冷溫帶)의 스텝(steppe)에 발달하는 토양형(土壤型). 극히 비옥(肥沃)하여, 유럽의 곡창 지대(穀倉地帶)를 형성하고 있음. 흑토(黑土)를 의미하는 러시아의 속어가 어원(語源)임. *흑토·흑토 지대.

체르노프치〔Chernovtsy〕명〖지〗우크라이나 공화국 서남의 도시. 프루트 강(Prut 江)에 면하여 있으며, 직물·식품 등의 공업이 행하여짐. [244,000명(1985)]

체르니[1]〔Czerny〕명〖악〗오스트리아의 피아니스트 체르니가 엮은 피아노의 초보 교본.

체르니[2]〔Czerny, Karl〕명〖사람〗오스트리아의 작곡가·피아니스트. 베토벤에 사사(師事), 15세 때 피아노의 신동(神童) 소리를 들음. 리스트(Liszt) 등의 제자를 양성하였으며, 교습용의 피아노곡 등을 내었는데, 오늘날에도 피아노 연습의 초보 교재로 쓰임. [1791-1857]

체르니고프〔Chernigov〕명〖지〗우크라이나 공화국 북부의 데스나(Desna) 강변에 위치한 도시. 10세기경의 고도(古都)로, 11-13세기 체르니고프 공국(公國)의 중심이었음. 직물·제화(製靴)·가구·악기 등의 공업이 행하여짐. [278,000명(1985)]

체르니솁스키〔Chernyshevskii, Nikolai Gavrilovich〕명〖사람〗러시아의 철학자·사상가. 헤겔(Hegel)·포이어바흐(Feuerbach)를 계승 발전시켜 철학적 유물론의 체계를 세웠음. [1828?-89]

체르마트〔Zermatt〕명〖지〗스위스 남부, 마터호른(Matterhorn) 산기슭에 있는 마을. 해발 1,616 m에 있으며 여름철과 겨울철의 휴양지. 알프스 등산(登山)의 근거지임. 전망이 뛰어난 고르너그라트(Gornergrat; 표고 3,031 m)까지 등산 철도가 통하고 있음. [3500명(1980)]

체르막〔Tschermak, von Seysenegg Erich〕명〖사람〗오스트리아의 유전학자. 세 사람의, 멘델 법칙 재발견자 중의 하나임. [1871-1962]

체르보네츠〔러 chervonets〕㊀의명 10루블에 해당하는 옛 소련의 금화폐 단위. ㊁명 소련 국립 은행 발행의 10루블짜리 지폐.

체리[1]【滯痢】명〖한의〗체증으로 생기는 이질.

체리[2]【體吏】명〖역〗'이방 아전(吏房衙前)'의 별칭.

체리[3]〔cherry〕명〖식〗①벚꽃. ②버찌.

체리 브랜디〔cherry brandy〕명 브랜디에 설탕과 버찌를 넣어 만든 술. 암적색(暗赤色)에 감미(甘味)로우며 특유한 향내가 남. 알코올 성분(成分)은 약 45%.

체리 피커〔cherry picker〕명〖항공〗이상 사태(異常事態)가 일어났을 때, 로켓의 최상부(最上部)에서, 우주 비행사가 타고 있는 캡슐을 꺼내는 크레인.

체맹【締盟】명 맹약(盟約)을 맺음. 결맹(結盟). ——-하다 자여불

체맹-국【締盟國】명 맹약을 맺은 나라.

체-머리 명 병적으로 저절로 흔들려지는 머리. 풍두선(風頭旋).

체머리 흔들다 구 ㉠병적으로 머리가 저절로 흔들려지다. ㉡어떠한 일에 몰려서 머리가 흔들리도록 싫증이 나다.

체메[1] 명 체면(體面)을 모르는 사람.

체메[2] 명〈방〉치마(경상).

체-메다 자 ↗체메우다.

체-메우다 자 쳇바퀴에 쳇불을 대어서 그 구멍을 메우다. ㊟체메다.

체면【體面】명 남을 대하는 체재(體裁)와 면목. 남볼정. 면목(面目). 모양(模樣). 이름. 체모(體貌). ¶~ 유지/~ 손상. ㊟면. *면새.

체면에 몰렸다 ㉮ 체면을 차리느라고 하잘것없는 사람에게 졸림을 당함을 이르는 말.
체면 사:납다 ㉮ 체면이 서지 아니하여 부끄럽고도 분하다.
체면 불고【體面不顧】㊔ 체면을 돌아보지 않음. ——-하다 ㉶㊋
체면-치레【體面—】㊔ 체면이 서도록 꾸미는 일. ¶~에 불과하다.
체명 악기【體鳴樂器】㊔〖악〗악기 분류의 하나. 딱딱하고 탄성(彈性)을 가진 물질 자체가 소리를 내는 악기. 맞부딪치거나, 두드리거나, 튀기거나, 비벼서 소리를 냄. 카스타네트·첼레스타·철금(鐵琴)·종(鐘)·징·마라카스 따위. 북 이외의 타악기를 이름. *막명(膜鳴) 악기·전명(電鳴) 악기.
체모[1]【體毛】㊔ 몸에 난 털. 몸털. ㊟ 보통, 머리털은 포함하지 아니함.
체모[2]【體貌】㊔ 체면.
체목【體木】㊔ ①가지와 뿌리를 잘라 낸 등걸. ②집을 짓는 데 쓰는 기둥·도리 등의 재목.
체문【帖文】㊔〖역〗고을 수령이 향교(鄕校) 유생(儒生)에게 유시(諭示)하는 서면.
체물【滯物】㊔ 소화가 잘 되지 아니하여 위(胃)에 그대로 있는 음식물.
체미【滯美】㊔ 미국에 체재함. ——-하다 ㉶㊋
체바의 정:리【—定理】〔Ceva〕〔—니 /—에—니〕㊔〖수〗〔이탈리아의 수학자 체바(Ceva, Giovanni ; 1647?-1734)가 생각해 냈음〕삼각형 ABC의 어떤 꼭지점과도 일치하지 않는 점 P와 A, B, C를 맺는 직선이 대변(對邊) BC·CA·AB와 만나는 점을 각각, D, E, F라 하면, $\frac{BD}{CD}\cdot\frac{CE}{AE}\cdot\frac{AF}{BF}=1$이 된다는 정의.

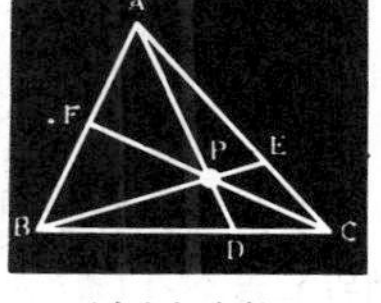

〈체바의 정리〉

체발【剃髮】㊔ 머리를 깎음. 축발(祝髮). 치발(薙髮). ——-하다 ㉶㊋ 중이 되다.
체발 득도【剃髮得道】㊔〖불교〗체도(剃度).
체발 염:의【剃髮染衣】〔—렴—/—렴이〕㊔〖불교〗출가(出家)하여 체발을 하고 물들인 가사(袈裟)를 입는다는 뜻으로 출가(出家)하여 중이 됨을 이름. ——-하다 ㉶㊋
체백【體魄】㊔ 죽은 지 오래 된 송장 또는 땅 속에 묻은 송장.
체번【替番】㊔ 순번의 차례로 갈마 듦. 교번(交番). 체직(替直). ——-하다 ㉶㊋
체벌【體罰】㊔ 몸에 직접 고통을 주는 벌. ——-하다 ㉰㊋
체법【體法】㊔ 글씨의 체와 붓을 놀리는 법.
체벽【體壁】㊔ 체강(體腔)을 이룬 벽.
체병【滯病】〔—뼝〕㊔〖한의〗먹은 음식이 잘 삭지 아니하여 생기는 병. *체증(滯症).
체복【體輻】㊔ 생물체를 상칭면(相稱面)으로 나누었을 때, 서로 대응하는 구조를 가진 부분을 이름.
체부[1]【遞夫】㊔ 체전원(遞傳員).
체부[2]【體府】㊔〖역〗조선 시대의 체찰사(體察使)의 주영(駐營).
체부[3]【體部】㊔〔soma〕〖생〗척추 동물의 사지(四肢)를 제외한 부분. 체간(體幹).
체부[4]【體膚】㊔ 몸과 살갗. 신체와 피부. 육체를 이름.
체-분석【—分析】㊔〖고고학〗채취된 흙을 체에 걸러서 남는 입자(粒子)의 양으로 지층(地層)의 구성 성격을 분석하는 방법.
체불[1]【滯佛】㊔ 프랑스에 체재함. ——-하다 ㉶㊋
체불[2]【滯拂】㊔ ①지급이 연체됨. ②지급을 지체함. ¶~ 노임(勞賃). ——-하다 ㉶㉰㊋
체불-금【滯拂金】㊔ 체불한 돈.
체비쇼프〔Chebyshov, Pafnutii L'vovich〕㊔〖사람〗러시아의 수학자. 상트페테르부르크 대학 교수로서, 러시아의 수학(數學) 발전에 크게 공헌했음. '체비쇼프의 정리(定理)', '체비쇼프의 부등식(不等式)'을 발견함. [1821-94]
체비엇〔Cheviot〕㊔ ①〖지〗영국 중앙부인 잉글랜드와 스코틀랜드 경계에 있는 전장 약 60km의 구릉 지대(丘陵地帶). ②체비엇 구릉 지대 원산인 양(羊)의 품종. 털의 품질이 좋으며 밀생(密生)함. ③체비엇산(產) 양의 털. 또, 그 털로 짠 직물.
체비-지【替費地】㊔ 토지 구획 정리(土地區劃整理) 사업의 시행자가 그 사업에 필요한 경비에 충당(充當)하기 위하여 환지(換地) 계획에서 제외하여 유보(留保)한 땅.
체사[1]【涕泗】㊔ 울어서 흐르는 눈물이나 콧물.
체사[2]【逮事】㊔ ①선왕(先王)이 생존하였을 때에 뵌 일. ②조상이 생존하였을 때에 뵌 일.
체사[3]【諦思】㊔ 곰곰 생각함. ——-하다 ㉰㊋
체상[1]【體狀】㊔ 체양(體樣).
체상[2]【體相】㊔〖역〗도체찰사(都體察使)의 별칭.
체색[1]【滯塞】㊔ 머물러 막힘. ——-하다 ㉶㊋
체색[2]【體色】㊔ 몸의 빛깔. 몸빛.
체색 반:응【體色反應】㊔〖생〗외부 환경의 변화에 의한 자극(刺戟)으로 동물의 체색(體色)에 변화 또는 색소포(色素胞)의 변화가 생기는 현상. 광선·접촉(接觸)·온도·습도 등의 자극에 의하여 촉발적(觸發的)으로 변화가 생김.
체색 변:화【體色變化】㊔〖생〗동물의 체색이 변화하는 현상. 특히, 환경의 변화 따위에 대응해서 색소포(色素胞)의 색소 이동(色素移動)·수축·확장 등으로 단시간 내에 능동적으로 체색을 변화시키는 현상을 말함. 보호색(保護色)·경계색(警戒色)·인식색(認識色)·혼인색(婚姻色) 등이 있음. 변색(變色).
체서피:크 만【—灣】〔Chesapeake〕㊔〖지〗미국의 대서양 연안 중부의 내륙 깊이 들어간 만(灣). 하곡(河谷) 안에 바닷물이 침수하여 생긴 대익곡(大溺谷)으로, 해안선이 들쭉날쭉하여 지만(支灣)이나 섬이 많음. 주요 항구는 메릴랜드 주의 볼티모어, 버지니아 주의 노퍽·포츠머스 등임. 식민지 시대의 사적(史蹟)이 많으며, 세계 최대의 굴 양식지임. 길이 320 km, 최대폭 65 km.
체선【滯船】㊔ 배를 항만(港灣) 등에 정박(碇泊)시키는 일. 또, 그 배. ——-하다 ㉶㊋
체선-료【滯船料】〔—뇨〕㊔〖해〗정박료(碇泊料).
체설【滯泄】㊔ 식체(食滯)로 일어나는 설사.
체성 삼매관【體性三昧觀】㊔〖불교〗자륜관(字輪觀).
체-세포【體細胞】㊔〔somatic cell〕〖생〗생물체를 구성하고 생활 작용을 영위하는 모든 세포. 생식에 직접으로 관계가 없는 세포로, 일반적으로 생식 세포의 두 배의 염색체 수를 가짐.
체세포 분열【體細胞分裂】㊔〖생〗생식 세포가 행하는 감수(減數) 분열에 대하여, 체세포가 행하는 세포 분열을 말함. 유사(有絲) 분열과 무사(無絲) 분열이 있으나, 유사 분열이 많음. 보통 분열.
체세포 접합【體細胞接合】㊔〔somatogamy〕〖생〗유성 생식(有性生殖)의 한 형태. 배우자낭(配偶子囊) 등으로 분화(分化)하지 않는, 보통의 영양(營養) 생활을 하고 체세포가 성(性)을 달리하는 다른 세포와 접합을 하는 경우를 이름. 이것에 의하여 한쪽의 세포 내용(細胞內容)이 다른 세포 안에 옮겨지고, 원형질 융합(原形質融合)과 핵(核) 융합이 일어나 접합자(接合子)가 형성됨.
체소[1]【體小】㊔ 몸이 작음. ↔체대(體大). ——-하다 ㉱㊋
체소[2]【體素】㊔〖법〗어떤 법률 사실의 구성 요소(要素)로서 필요한 외형적(外形的) 요소. 이를테면, 주소에 대한 거주(居住)의 사실, 점유(占有)에 대한 소지(所持) 등임. ↔심소(心素).
체송[1]【替送】㊔ 대송(代送). ——-하다 ㉰㊋
체송[2]【遞送】㊔ 체전(遞傳). ——-하다 ㉰㊋
체송-비【遞送費】㊔ 우편·화물 등의 송료(送料).
체송-인【遞送人】㊔ 화물(貨物) 등의 체송에 종사하는 사람.
체수[1]【替囚】㊔〖역〗대수(代囚).
체수[2]【滯水】㊔ 흐르지 아니하고 괴어 있는 물.
체수[3]【滯囚】㊔ 죄가 결정되지 아니하여 오래 갇혀 있는 죄수.
체수[4]【滯祟】㊔〖한의〗먹은 음식이 잘 삭지 아니하여 생기는 병의 빌미.
체수[5]【體—】㊔ 몸의 크기. ¶~에 맞는 옷.
체-수면【體睡眠】㊔ 잠이 깊은 상태. 의식하지 않는 불수의(不隨意) 운동도 억제됨. ↔뇌수면.
체수-없이〔—업씨〕㊕ 제 분수를 모르고 난체하며. ¶차인(差人)놈 하나가…선돌을 보고 ~ 발딱 일어나며 물었다《金周榮 : 客主》.
체-순환【體循環】㊔〖생〗대순환(大循環).
체스〔chess〕㊔ 서양에서 하는 장기. 체스보드를 중심으로 백과 흑이 각각 왕 1개, 여왕 1개, 비숍 2개, 기사 2개, 성(城) 2개, 졸(卒) 8개 도합 16개씩의 말을 가지고 서로 공방(攻防)을 하여, 적의 왕을 몰아서 꼼짝 못하게 하는 편이 이김. 서양 장기.

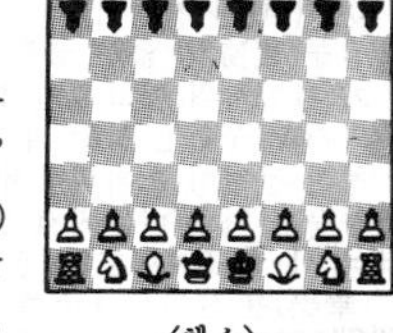
〈체스〉

체스-보:드〔chessboard〕㊔ 체스의 장기판. 검은 칸과 흰 칸이 엇갈려서 종횡으로 8간씩 64간이 있음.
체스케부데요비체〔České Budějovice〕㊔〖지〗체코 공화국 남서부, 이호체스키 주(州)의 주도(主都). 프라하 남쪽 120km에 위치하며, 맥주·연필·법랑 철기(琺瑯鐵器) 등의 공장이 있음. 13세기(世紀)에 건설된 곳으로, 그 당시의 수도원(修道院)·교회 등의 옛 건축물이 남아 있음. [90,000명(1980)]
체스터턴〔Chesterton, Gilbert Keith〕㊔〖사람〗영국의 소설가·평론가. 기발한 착상과 역설적인 논봉(論鋒)으로 알려졌으며, 가톨릭 신부(神父) 브라운(Brown)을 주인공으로 한 백여 편의 탐정 소설이 있음. [1874-1936]
체스터필:드〔chesterfield〕㊔ 폭이 좁은 남성용 코트의 일종. 외줄 단추로 앞섶 속으로 단추를 끼게 되어 있는데, 길이는 무릎 밑까지 오고 품은 허리에서 약간 잘록하게 만든 것이 특징임. 19세기 영국의 체스터필드 4세 백작이 입었던 데서 이 이름이 연유함.
체스트 보이스〔chest voice〕㊔〖악〗흉성(胸聲).
체스트 패스〔chest pass〕㊔ 농구에서, 패스할 때에 공을 가슴으로부터 밀어 내듯이 던지는 일. ——-하다 ㉰㊋
체습【體習】㊔ 남의 행동을 본떠 배움. ——-하다 ㉰㊋
체시【諦視】㊔ 체관(諦觀)❷. ——-하다 ㉰㊋
체식【體式】㊔ 체재(體裁)와 방식.
체신【遞信】㊔ 순차적으로 여러 곳을 거쳐서 음신(音信)을 통하는 일.
체신 공무원 교:육원【遞信公務員敎育院】㊔〖법〗'정보 통신 공무원 교육원'의 전신(前身).
체신 관서【遞信官署】㊔ 정보 통신부 장관의 관장(管掌) 아래 체신 업무에 관한 현업 업무(現業業務)를 맡고 있는 관서. 우체국 및 체신청 따위.
체신 기념관【遞信記念館】㊔ 우리 나라의 우정사(郵政史)를 기리기 위하여, 1972년 12월 4일에 개관한 기념관. 옛 우정 총국(郵政總局) 건물을 새로이 단장한 것으로 이제까지 국내에서 발행된 각종 우표·체신 관계 사료(史料)·유물 등을 전시하고 있음. 소재지는 서울 종로구 견지동(堅志洞).

체신 기장【遞信技長】 명 체신 현업직(遞信現業職) 기능 공무원 직급 명칭의 하나. 체신원(遞信員)의 위임. 1급·2급·3급·4급·5급의 다섯 급이 있음.

체신-부【遞信部】 명 전에, 행정 각부의 하나. 우편·우편환·우편 대체(對替)·전파 관리 및 전기 통신에 관한 사무를 맡아 보았음. 1993년 '정보 통신부(情報通信部)'로 바뀜.

체신부 건:축 사:무소【遞信部建築事務所】 명 전에, 체신부 소속 기관의 하나. 체신 사업용 건축물과 부대 시설(附帶施設)의 건설과 유지 보수에 관한 사항을 담당함. 1981년, 한국 전기 통신 공사로 이관되어 '한국 전기 통신 공사 중앙 건설 사무소'에 흡수됨.

체신부 보:급 정:비창【遞信部補給整備廠】 명 전에, 체신부 소속 기관의 하나. 체신 사업 물자의 조달(調達)·저장·보급·관리와 노후(老朽) 물자의 정비에 관한 사항을 담당함. 1981년, 한국 전기 통신 공사로 이관되어 '한국 전기 통신 공사 중앙 건설 사무소'에 흡수됨.

체신부 전:자 계:산소【遞信部電子計算所】 명 전에, 체신부 소속 기관의 하나. 체신 업무의 전자 계산 조직(組織)의 개발과 전자 계산 처리 업무를 담당함. 1981년, '한국 전기 통신 공사'로 이관됨.

체신부 환:금 관리 사:무소【遞信部換金管理事務所】 [—괄—] 명 체신부의 소속 기관. 우편환·우편 대체(對替)·국고금 수불(受拂)·군경(軍警) 연금 지급에 관한 사무를 관장(管掌)함. 소장은 이사관 또는 부이사관으로 보함.

체:신-사납다 형(ㅂ불) ☞ 치신사납다.

체:신-없다 [—업—] 형 ☞ 치신없다.

체신-원【遞信員】 명 체신 현업직(遞信現業職) 기능 공무원 직급 명칭의 하나. 체신 기장(技長)의 아래임. 6급·7급·8급·9급·10급의 다섯 급이 있음.

체신의 날【遞信—】[—/—에—] 명 '정보 통신(情報通信)의 날'의 전 이름.

체신-청【遞信廳】 명 정보 통신부 장관에 소속하여, 우편·정보 통신·전파 관리·우편환·우편 대체(對替)·체신 예금 및 체신 보험에 관한 사항을 관장하는 기관. 서울·부산·충청·경북·전남·전북·강원·제주에 설치함.

체신 행정【遞信行政】 명 정보 통신부 장관이 관장하는 우편·전기 통신 등 행정의 총칭.

체심 입방 격자【體心立方格子】 명 보통 입방 격자의 단위 입자포(立子胞)의 중심에 또 하나의 격자점(格子點)을 첨가하여서 이루어지는 입방 정계(立方晶系)에 속하는 공간 격자. 알칼리 금속을 비롯한 많은 금속에서 이 형을 볼 수 있음.

체아-직【遞兒職】 명〖역〗현직을 떠난 문무관(文武官)에게 계속해서 녹봉을 주기 위하여 만든 벼슬. 다음의 세 가지 경우가 있었음. ①이름만 있는 벼슬. 곧, 한직(閑職). 문무의 당상관(堂上官) 이상과 춘방(春坊)의 관원이 임기가 끝난 뒤 적당한 벼슬 자리가 없으면 일시적으로 실무(實務)가 없는 중추부(中樞府)의 벼슬 자리에 보내는데, 이런 경우가 체아직의 대표적인 것임. ②한 관청의 일이 바쁠 때, 다른 관청에서 와서 집무하는 정원 외의 관원. ③벼슬을 돌려 가며 하는 경우로, 한 관청의 정원이 초과되어서 교대로 집무할 때 벼슬을 쉬는 사람. ❷❸의 경우는 하급 벼슬에서 많이 볼 수 있음.

체악지-정【棣鄂之情】 명 형제 간의 두터운 우애(友愛). 만발하여 화미(華美)한 산앵도나무 꽃에 견준 말임.

체액【體液】 명〖생〗체내의 맥관(脈管) 또는 조직의 사이를 채우고 있는 액체. 혈액·림프액·뇌척수막액 등.

체액성 면:역【體液性免疫】 명〖의〗항원(抗原)이 침입하면 체액 중에 항체가 생김으로써 일어나는 면역 반응.

체야【逮夜】 명 ①밤이 됨. ②〖불교〗다비(茶毘)의 전날 밤이나 기일(忌日)의 전날 밤.

체약【締約】 명 조약·계약·약속 등을 맺음. ——-하다 자(여불)

체약 강:제【締約強制】 명〖법〗계약의 체결이 법령에 의하여 강제(強制)당하는 일. 전기·가스·통신·운수 등의 공익적·독점적 사업이나, 공증인(公證人)·집달관(執達官)·의사 등의 공공적 직무에 대한 응수(應需) 의무 등 각종 형태가 있음.

체약-국【締約國】 명 서로 조약을 맺은 나라.

체약 대:리상【締約代理商】 명〖경〗상행위의 대리를 하는 대리상의 하나. ↔매개(媒介) 대리상.

체양【體樣】 명 몸의 생긴 모양. 체상(體狀). 체용(體容). 체형(體形).

체어〔chair〕 명 의자(椅子).

체어 리프트〔chair lift〕 명 로프웨이(ropeway)의 하나. 메인 로프(main rope)에 직접 의자(椅子)가 여러 개 매달려 있는 것으로, 스키장(場) 같은 데서 쓰임.

체어-맨〔chairman〕 명 의장. 회장. 위원장. 사회자.

체언【體言】 명〖언〗명사·대명사·수사를 총칭하는 문법상 분류의 하나. 조사의 도움을 받아 문법적인 관계를 나타내며, 활용을 하지 않음. 몸말. 임자씨. ↔용언(用言).

체엄【滯淹】 명 막혀서 머묾. 오래 머묾. 전하여, 현재(賢材)가 오랫동안 야(野)에 묻혀 있음. ——-하다 자(여불)

체여【遞與】 명 보내 줌. 건네 줌. 수교(手交). ——-하다 타(여불)

체역【遞易】 명 체개(遞改). ——-하다 타(여불)

체열【體熱】 명 사람이나 동물의 몸에서 나는 열.

체영【滯英】 명 영국에 체재함. ——-하다 자(여불)

체옥【滯獄】 명 옥에 오랫 동안 갇혀 있음. ——-하다 자(여불)

체온【體溫】 명 생물체가 가지고 있는 온도. 체내에서의 물질 대사(物質代謝)의 산화 과정의 결과 발생하여 몸의 표면으로 방출됨. 정온(定溫) 동물에는 체온 조절(體溫調節)의 작용이 있는데, 사람의 체온은 평균 36-37°C 로 조절되어 있음.

체온-계【體溫計】 명 체온을 재는 데 쓰는 온도계. 수은의 팽창을 이용한 일종의 최고 온도계로, 보통 체온계 외에 기초 체온계·항문(肛門) 체온계 등의 종류가 있음. 검온기(檢溫器).

체온 조절【體溫調節】 명 정온(定溫) 동물, 곧 포유(哺乳) 동물 및 조류 등이 그 체온을 거의 일정하게 유지하는 작용. 외온(外溫)이 낮을 때에는 피부의 혈관이 수축(收縮)하여 체온의 발산을 방지하고 체내의 산화 작용이 촉진되어서 높은 체온을 가지며, 외온이 높으면 발한(發汗)이나 호흡이 왕성해져서 체온을 저하(低下)시킴. 이 작용의 중추는 간뇌(間腦)에 있다고 함.

체온 중추【體溫中樞】 명 정온(定溫) 동물에 있어서 체온 조절을 하는 중추. 간뇌(間腦)의 시상(視床) 하부에 있음.

체온-표【體溫表】 명 정기적으로 잰 체온을 기록한 표. 환자의 병태 등을 진단하는 데 쓰임.

체외【體外】 명 몸의 밖.

체외 기생【體外寄生】 명〖생〗숙주(宿主)의 외부에 기생하는 일.

체외 배:양【體外培養】 명〖생〗생물의 실험에서, 개체(個體)의 일부를 떼어내어 그 체외에서 배양하는 일.

체외 수정【體外受精】 명〖동〗①동물의 암수가 각각 물속에 난자와 정자를 방출하여 체외에서 수정하는 일. 수서(水棲) 동물에 흔히 있음. ②불임증 치료로서 여성의 난소에서 난자를 취하여 남성의 정자로 수정시켜 하루이틀 유리 용기에서 배양한 후 다시 자궁으로 넣는 수정. 몸밖정받이. ↔체내(體內) 수정.

체외 인공 장기【體外人工臟器】 명〔exoprosthesis〕〖의〗체외에서 쓰여지는 인공의 기관.

체요【體要】 명 사물의 요점(要點).

체용[1]【體用】 명 ①사물의 본체(本體)와 작용. 실체(實體)와 응용(應用). ②〖언〗체언(體言)과 용언(用言).

체용[2]【體容】 명 체양(體樣).

체우【滯雨】 명 비로 인하여 체류함. ——-하다 자(여불)

체위【體位】 명 ①어떤 일을 할 때의 몸의 위치. ②체격·건강·운동 능력 등의 총칭. 또, 그것들의 정도. ¶국민 ～ 향상.

체위 반:사【體位反射】 명〖생〗정향(定向) 반사.

체육【體育】 명 ①신체의 발달을 촉진하여 운동 능력을 높임과 동시에 건강한 생활을 영위(營爲)하는 태도를 함양(涵養)할 것을 목적으로 하는 교육. ②학과목의 하나. 운동·경기의 실기와 체육 이론을 가르침. *덕육(德育)·지육(知育).

체육-가【體育家】 명 체육인(體育人).

체육-계【體育界】 명 체육에 관계되는 사회.

체육 공원【體育公園】 명 도시 공원법에 의거하여, 체육 활동을 통하여 건전한 신체와 정신을 배양할 것을 목적으로 설치한 공원.

체육-과【體育科】 명〖교〗체육을 전공하는, 대학의 한 학과.

체육-관【體育館】 명 실내(室內)에서 운동 경기를 하기 위한 건조물.

체육 교:육과【體育教育科】 명〖교〗사범 대학에서, 체육 교육에 관한 학문을 전공하는 학과. *건강 교육과.

체육 대학【體育大學】 명〖교〗체육의 전문 학술에 관한 이론과 실제 방법을 교수·연구하는 대학. 준체대(體大).

체육 대:회【體育大會】 명 대규모의 운동회. 체육 제전(體育祭典). ¶교내 ～/전국 ～.

체육-복【體育服】 명 운동복(運動服).

체육-부【體育部】 명 ①〖교〗중·고등 학교의 특별 활동부의 하나로 체육을 주로 하는 부. 대개 육상 경기·도수 체조·구기(球技)·무용·역도 등을 학습함. ②신문사의 편제의 하나로, 스포츠에 관한 취재와 편집을 주로 하는 부. ③전에, 행정 각부의 하나. 1990년 '체육 청소년부'로 개편되었다가, 1993년 '문화 체육부'로 개편됨.

체육-상【體育賞】 명 체육 지도자 및 우수 선수의 보호와 육성을 위하여 나라에서 주는 상. 연구상·지도상·경기상·공로상 등이 있음.

체육 심리학【體育心理學】 [—니—] 명〖심〗체육학의 한 분야. 체육적 여러 현상을 심리학적으로 연구하고 체육의 지도(指導)·실천(實踐)에 기초(基礎)를 부여하려 함.

체육의 날【體育—】 [—/—에—] 명 문화 관광부 주관으로, 국민 체력 향상을 위한 각종 체전(體典)과 올림픽 이상(理想)을 구현(俱現)하는 행사를 하는 날. 10월 15일.

체육-인【體育人】 명 체육 분야에 종사하는 사람. 체육가(體育家).

체육 제:전【體育祭典】 명 ①체육 대회(體育大會). ②'전국 체육 대회'를 달리 이르는 말. 준체전(體典).

체육 청소년부【體育青少年部】 명 전에, 행정 각부의 하나. 국민 체육과 청소년에 관한 사무를 관장함. 1993년 3월 '문화부'와 합쳐 '문화 체육부'로 되었다가, 1998년 문화 관광부(文化觀光部)로 개편됨.

〈체육 포장〉

체육 포장【體育褒章】 명 체육 활동을 통하여 국민 체육 발전에 기여하거나 국위(國威)를 선양(宣揚)한 이에게 수여하는 포장. 수(綬)는 소수(小綬)이며, 담황색 바탕에 중앙으로 연두색 줄이 하나 있음.

체육-학【體育學】 명 체육에 관한 학문. 보건 체육학(保健體育學).

체육-회【體育會】 명 ①↗대한 체육회. ②각종 운동을 통하여 건강의 증진·유지를 꾀하려는 단체. 또, 그 모임. ③운동회.

체육 훈장【體育勳章】 명 체육 발전에 공을 세워, 국민 체위 향상과 국가 발전에 공적이 뚜렷한 이에게 수여하는 훈장. 청룡장·맹호장·거상장·백마장·기린장의 5등급이 있음.

〈체육 훈장〉

체육 훈장 거:상장【體育勳章巨象章】명 제3 등급의 체육 훈장. 수(綬)는 중수(中綬)이며, 담황색 바탕에 연두색 줄이 여섯 있음.

체육 훈장 기린장【體育勳章麒麟章】명 제5 등급의 체육 훈장. 수(綬)는 소수(小綬)이며, 담황색 바탕에 연두색 줄이 둘 있음.

체육 훈장 맹:호장【體育勳章猛虎章】명 제2 등급의 체육 훈장. 수(綬)는 중수(中綬)이며, 담황색 바탕에 연두색 줄이 여덟 있음.

체육 훈장 백마장【體育勳章白馬章】명 제4 등급의 체육 훈장. 수(綬)는 소수(小綬)이며, 담황색 바탕에 연두색 줄이 넷 있음.

체육 훈장 청룡장【體育勳章靑龍章】[—농—] 명 제1 등급의 체육 훈장. 수(綬)는 대수(大綬)이며, 엷은 오렌지색임.

체읍【涕泣】명 눈물을 흘리면서 슬피 욺. 읍체(泣涕). ¶노주 세 사람의 ~ 소리가 고요한 지밀을 흔들었다≪朴鍾和：錦衫의 피≫. ——-하다 자여불

체이【涕洟】명 ①눈물과 콧물. ②눈물·콧물을 흘리며 욺. ——-하다 자여불

체이스 맨해튼 은행【—銀行】명 [Chase Manhattan Bank] 아메리카 은행 다음가는 미국의 유력한 은행. 1955년 록펠러(Rockefeller)계인 체이스 내셔널 은행과 쿤로브(Kuhn-Loeb)계인 맨해튼 은행이 합병해서 설립됨. 본점은 뉴욕에 있음.

체이스 파일럿 [chase pilot] 명 〖항공〗 검사·훈련·조사를 하기 위해 비행(飛行)하고 있는 파일럿에게, 다른 비행기에 타고 조언(助言)하는 파일럿.

체이-증【滯頤症】[—쯩] 명 〖한의〗 어린 아이가 침을 많이 흘리는 병.

체인[1]【締姻】명 부부의 인연(因緣)을 맺음. ——-하다 자여불

체인[2]【體認】명 마음으로 깊이 인정함. 충분히 납득함. ——-하다 타여불

체인[3] [chain] 명 ①사슬. ②측량에 쓰이는 측쇄(測鎖). 보통, 100 마디, 66 피트의 건터 측쇄(Gunter測鎖)가 쓰이고 있음. ③자전거의 양냥이줄. ④동일한 자본 아래 있는 호텔, 소매점 등의 연쇄 조직(連鎖組織). ⑤영화·연극의 흥행 계통(興行系統). 서킷(circuit). ⑥적설(積雪) 때 미끄럼을 방지할 목적으로 자동차 바퀴에 감는 쇠사슬.

〈체인[3]〉

체인[4] [Chain, Ernst Boris] 명 〖사람〗 독일 출생의 영국 생화학자(生化學者). 로마의 고등 위생 연구소 교수 겸 화학적 미생물학 중앙 연구소장을 지냄. 플레밍(Fleming) 등과 함께 페니실린의 임상용법(臨床用法)을 연구, 1945년 노벨 의학상을 받음. [1906-79]

체인 레터 [chain letter] 명 편지를 받은 사람이 차례로 지명된 사람에게 같은 내용의 편지를 내도록 된 연쇄(連鎖) 편지.

체인 리액션 [chain reaction] 명 〖물〗 연쇄(連鎖) 반응.

체인 벨트 [chain belt] 명 쇠사슬 모양의 벨트. 금속제(金屬製)·플라스틱제·가죽제 등이 있음.

체인 블록 [chain block] 명 도르래·톱니바퀴·쇠사슬 등을 조합(組合)하여 무거운 물건을 달아 올리는 기계.

체인 소: [chain saw] 명 체인 모양의 톱을 원동기로 돌려서 목재를 자르는 기계. 체인 톱.

체인 스모:커 [chain smoker] 명 줄담배를 피우는 사람.

체인 스토어 [미 chain store] 명 연쇄점(連鎖店). 벨트라인 스토어. 링크스토어.

체인 스토:크스 호흡【—呼吸】명 [Cheyne-Stokes breathing] 〖의〗 [처음 보고한 스코틀랜드의 의사 체인(Cheyne, John; 1777-1836)과 아일랜드의 의사 스토크스(Stokes, William; 1804-78)의 이름에서 유래] 크고 빠른 호흡과 무(無)호흡이 차례로 되풀이되는 상태. 연수(延髓)의 호흡 중추의 기능이 약화된 상태에 있을 때 일어남. 요독증(尿毒症)·심장병·뇌압 항진(腦壓亢進) 때에 흔함.

〈체인 블록〉

체인 스티치 [chain stitch] 명 프랑스 자수에서, 사슬과 같은 느낌을 주는 스티치. 윤곽선을 굵게 할 때나 공간을 메울 때에 많이 쓰임.

체인 시스템 [chain system] 명 〖경〗 5개년 평균을 100으로 하고 매월(每月)의 지수(指數)를 계산하는 물가 지수의 계산 방법.

체인월: 채:탄법【—採炭法】[chainwall] [—뻡] 명 채탄 기술의 하나. 천반(天盤)을 석탄의 광주(鑛柱)로 받치고, 그 광주 사이에서 석탄을 채굴하는 방법.

체인 전동【—傳動】[chain] 명 체인을 체인휠 따위에 걸어 동력을 전달하는 일. ——-하다 자타여불

체인지 [change] 명 ①변천(變遷). 변화(變化). ②교체(交替). 교환(交換).

체인지 레버 [change lever] 명 자동차 등의 변속(變速) 레버.

체인지 업 [change up] 명 야구에서, 투수가 타자의 타이밍을 빼앗기 위하여 투구 폼을 바꾸지 않고 구질(球質)에 변화를 주어 공을 던지는 일. 또, 그 공. 흔히, 커브·너클·싱커 등이 많음.

체인지-오:버 [change-over] 명 〖경〗 환(換)의 매매 계약이 만기가 되었을 때, 실제의 인도를 하지 않고 다시 선물(先物)의 매매 계약으로 변경하는 일. 스와프(swap). ——-하다 타여불

체인지 오브 페이스 [change of pace] 명 야구에서, 투수가 투구의 속도를 여러 가지로 변화시키는 일.

체인지 코:트 [change court] 명 배구·테니스·탁구 등에서, 각 세트가 끝난 후 또는 일정한 득점 후에 서로 코트를 바꾸는 일.

체인 측량【—測量】[—냥] 명 [chain surveying] 체인을 써서 측량하는 일. 정밀도가 좋지 않아서 요즈음에는 별로 쓰이지 않음.

체인 컨베이어 [chain conveyor] 명 체인을 사용하여 물품을 운반하는 기계 장치의 총칭. 버킷 컨베이어·에이프런 컨베이어·슬롯 컨베이어 등이 있음.

체일【滯日】명 일본에 체재(滯在)함. ——-하다 자여불

체임【遞任】명 벼슬을 갈아냄. 체직(遞職). ——-하다 자여불

체임버 [chamber] 명 방. 회의실.

체임버 뮤:직 [chamber music] 명 〖악〗 실내악(室內樂).

체임버스 백과 사전【—百科事典】명 영국의 백과 사전. ①[Chambers's Cyclopaedia] 스코틀랜드 사람 체임버스(Chambers, Ephraim;?-1740)가 1728년에 출판함. 2권. 영국 백과 사전의 효시로 일컬어지며 프랑스 백과 전서를 만드는 데 영향을 끼침. ②[Chambers's Encyclopaedia] 스코틀랜드의 출판업자 로버트 체임버스(Robert Chambers; 1802-71)와 윌리엄 체임버스(William, Chambers;1800-83) 형제(兄弟)가 1859-68년에 완성함. 대항목(大項目)과 소(小)항목을 병용, 1950년 이후의 개정 신판(改訂新版)부터는 15권으로 되어 있음.

체임벌린[1] [Chamberlain] 명 〖사람〗 ①[Arthur Neville C.] 영국의 정치가. ❷의 아들. 보수당 당수. 1937-40년에 걸쳐 수상을 역임. 1938년 히틀러와 뮌헨 회담을 가짐. [1869-1940] ②[Joseph C.] 영국의 정치가. 자유 통일당 당수·식민지상(相)을 역임함. 대영 제국 연합론자로서 활약하였으며, 관세 개정 운동을 주창함. [1836-1914] ③[Joseph Austen C.] 영국의 정치가. ❷의 장남. 보수당 영수. 1925년 외상(外相)으로 로카르노(Locarno) 조약 체결에 성공함. 국제 연맹의 강력한 지지자로 1925년에 노벨 평화상을 받음. [1863-1937]

체임벌린[2] [Chamberlain, Owen] 명 〖사람〗 미국의 물리학자. 1955년 세그레(Segrè, E.)와 협력하여 60억 전자 볼트의 가속 장치를 사용, 반양성자(反陽性子)의 창출(創出)에 성공함. 1959년 세그레와 함께 노벨 물리학상을 받음. [1920-]

체임벌린[3] [Chamberlin, Clarence Duncan] 명 〖사람〗 미국의 비행가(飛行家). 1927년에 처음으로 대서양 횡단 비행의 여객기를 조종한, 미국 항공계의 선구자. [1893-1976]

체자[1]【帖子】명 〖역〗 체지(帖紙).

체-자[2]【帖字】[—짜] 명 〖역〗 '帖' 자를 새긴 관인의 한 가지. 체문(帖文)이나 차첩(差帖)에 찍음.

체장【體長】명 ①몸의 길이. 몸길이. ②〖어〗 물고기의 주둥이 끝에서 꼬리지느러미의 기저(基底)까지의 길이. *전장(全長).

체재[1]【滯在】명 체류(滯留). 두류(逗遛). ——-하다 자여불

체재[2]【滯財】명 재화를 모음.

체재[3]【體裁】명 생기거나 이루어진 형식 또는 됨됨이. 체제(體制). 스타일(style).

체재-비【滯在費】명 체재하는 데 필요한 비용.

체재-지【滯在地】명 체류하는 곳.

체-쟁이【滯—】명 체를 내리게 하는 일을 업으로 하는 사람. 침대 등으로 목구멍을 쑤시거나 손으로 배를 문지름.

체적[1]【滯積】명 〖한의〗 식적(食積).

체적[2]【體積】명 〖수〗 부피.

체적-계【體積計】명 체적을 재는 계량기의 총칭. 되·화학용 체적계·적산(積算) 체적계 등이 있으며, 용도 및 계량물의 형상, 곧 분말·기체·액체 등에 따라 구분하여 씀.

체적 백분율【體積百分率】[—뉼] 명 용량(容量) 백분율.

체적 유량계【體積流量計】명 부피 유량계.

〈체적계〉

체적 탄:성【體積彈性】명 〖물〗 부피 탄성.

체적 탄:성률【體積彈性率】[—뉼] 명 〖물〗 부피 탄성 계수.

체적 팽창【體積膨脹】명 〖물〗 부피 팽창.

체적 팽창 계:수【體積膨脹係數】명 부피 팽창 계수.

체전[1]【遞傳】명 차례로 여러 군데를 거쳐서 전하여 보냄. 체송(遞送). ——-하다 타여불

체전[2]【體典】명 ↗체육 제전(體育祭典).

체전-부【遞傳夫】명 체전원(遞傳員).

체전-원【遞傳員】명 우편 집배원. 체부(遞夫). 우체군(郵遞軍).

체절[1]【體節】명 체후(體候).

체절[2]【體節】명 〖동〗 환형(環形) 동물 등의 몸뚱이를 이루고 있는 낱낱의 마디. 환형 동물에서는 고리 모양의 체절이 연결되어 있으므로 특히 환절(環節)이라고 함. 절지(節肢) 동물이나 척추(脊椎) 동물 등에서는 대개 체절의 유합(癒合)·변형(變形)을 볼 수 있음. 몸마디.

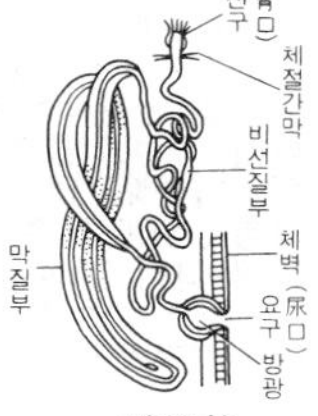

〈체절기〉

체절-기【體節器】명 〖동〗 환형(環形) 동물에 특유한 배설기. 각 체절마다 한 쌍씩 구비되어 있음. 신관(腎管). 체절 기관(體節器官).

체절 기관【體節器官】[명] 체절기.
체절 동:물【體節動物】[명] 〖동〗 환형(環形) 동물.
체제【體制】[명] ①체재(體裁). ②생물체 구조의 기본 형식, 기관(器官)의 배치 양식, 몸체 각 부분의 분화 상태 및 그것들의 상호 관계. ③〔social organization〕 기존 사회 질서를 일컬음. ¶ 자본주의 ~. ④일정한 정치 원리(政治原理)에 바탕을 둔 국가 질서의 전체적 경향. ¶ MSA ~. ⑤철학에서, 각 부분이 목적에 부합하도록 유기적으로 연락·통일된 전체를 일컬음. ⑥시문(詩文)의 양식.
체제 운:동【體制運動】[명] 〖정〗 정치 운동 가운데 기존(既存)의 사회 체제를 긍정, 보전하려는 운동.
체조[1]【締造】[명] 얽어 만듦. ——-하다 [타][여불]
체조[2]【體操】[명] ①신체 각부의 고른 발육·건강의 증진·체력의 단련을 목적으로 행하는 일정한 규칙에 따른 운동. 맨손 체조와 기계 체조로 크게 나뉨. ②'체육❷'의 구칭. ——-하다 [자][여불]
체조 경:기【體操競技】[명] 일정한 기구를 이용하거나 맨몸으로 신체의 각 부분을 놀리어 동작(動作)의 정확함과 민첩(敏捷)함 및 아름다움을 겨루는 경기.
체조-장【體操場】[명] 체조를 하기 위하여 설비한 장소.
체좌【逮坐】[명] 죄상(罪狀)을 조사함. 심문(審問)함. ——-하다 [타][여불]
체중【體重】[명] ①몸의 무게. 몸무게. 체량(體量). ②지위가 높고 중함. ——-하다 [형][여불]
체증[1]【滯症】[명] 〖한의〗 체하여 소화가 잘 아니되는 증세. [준]체(滯). * 체병(滯病).
체증[2]【遞增】[명] 수량이 차례로 점차 늚. 체가(遞加). ↔체감. ——-하다 [자][여불]
체증-기【滯症氣】[—끼] [명] 체증의 기미.
체지[1]【帖紙】[명] 〖역〗 ①관아(官衙)에서 이례(吏隷)를 고용하는 서면. 곧, 사령(辭令). 체자(帖子). [준]체(帖). ②금품을 받은 표. 곧, 영수증.
체지[2]【體肢】[명] 〖동〗 척추 동물의 체간(體幹)에서 뻗어 나온 두 쌍의 가지 부분. 전지(前肢)와 후지, 사람에서는 상지(上肢)와 하지로 나뉨. ↔체간(體幹).
체-지각령【體知覺領】[—녕] [명] 〖생〗 피부·점막에 있어서의 압각(壓覺)·촉각·온각에 대응하는 지각령의 하나. 대뇌피질(大腦皮質)의 중심구(中心溝)의 뒤, 중심 후회(中心後回) 부근에 있음. *시각령(視覺領)·시상(視床).
체지각령 하:부【體知覺領下部】[—녕—] [명] 〖생〗 미각(味覺)에 대응하는 지각령의 하나. *시상(視床).
체지방-률【體脂肪率】[—뉼] [명] 〖생리〗 사람의 몸 가운데 지방이 차지하는 비율.
체직[1]【替直】[명] 체번(替番). ——-하다 [자][여불]
체직[2]【遞職】[명] 체임(遞任). ——-하다 [자][타][여불]
체진【滯陣】[명] ①진중에 체재함. ②한 곳에 오래도록 진을 치고 머무름. ——-하다 [자][여불]
체-질[1] [명] 체로 가루 따위를 치는 것. ——-하다 [타][여불]
체질[2]【體質】[명] ①몸의 성질. 몸의 바탕. 몸바탕. ②〔constitution〕 개인에 있어서 형태적·기능적인 모든 성상(性狀). 건강·보통·허약·발육 불완전·결핵 체질 등으로 나뉨. 비유적으로도 쓰임. ¶ ~ 개선. ③↗체질 안료(顔料).
체질 개:선【體質改善】[명] ①몸의 성질이나 바탕을 고치어 좋게 함. ②낡은 사고 방식 또는 인식 따위를 고쳐 새롭게 함.
체질 안료【體質顔料】[—알—] [명] 도료·그림물감·안료 등을 만들 때 배합하는 무채색(無彩色)의 안료. 증량(增量) 외에 분쇄성·착색료(着色料)·전기 절연성(電氣絕緣性)·색상(色相) 따위의 개량을 목적으로 하며 황산(黃酸) 바륨·탄산 칼슘·카올린(Kaolin) 따위의 무기물(無機物)이 많이 쓰임. [준]체질(體質).
체질 인류학【體質人類學】[—일—] [명] 〔constitutional anthropology〕 〖인류〗 자연 인류학(自然人類學)의 한 분야. 인체의 구조(構造)·체형(體形) 등을 연구함.
체-집【體—】[명] ☞ 몸집. ¶ 내려선 것을 보니, 진실로 거판진 ~입니다《蔡萬植 : 太平天下》.
체징【替徵】[명] 다른 사람에게서 대신 징수함. ——-하다 [타][여불]
체찌 [명] 〈방〉 〖식〗 철쭉(함남).
체차[1]【遞次】[명] 순차(順次).
체차[2]【遞差】[명] 관리를 갈아 내어 바꿈. ——-하다 [타][여불]
체찰-사【體察使】[—싸] [명] 〖역〗 지방에 군란(軍亂)이 있을 때, 왕의 대신으로 그 지방에 나아가 일반 군무를 두루 총찰하던 군직(軍職). 재상(宰相)이 겸임함.
체척 측정【體尺測定】[명] 가축의 체형(體型)을 객관적으로 기록하고 심사하기 위하여 몸의 여러 부위를 측정하는 일.
체천【遞遷】[명] 봉사손(奉祀孫)의 대수(代數)가 다한 신주(神主)를 최장방(最長房)이 제사를 받들게 하려고 그 집으로 옮기는 일. 그 최장방이 죽었을 때에는 또 그 다음의 최장방의 집으로 옮기는데, 전체로 대진(代盡)된 뒤에는 매안(埋安)하는 것이 보통임. ——-하다 [타][여불]
체첩[1]【體帖】[명] 글씨의 본보기가 될 만한 잘 쓴 글씨의 장첩(裝帖).
체첩[2]【體貼】[명] 상대방과 마음을 합침. ——-하다 [자][여불]
체청【諦聽】[명] 주의하여 자세히 들음. ——-하다 [타][여불]
체체-파리〔tsetse〕 [명] 〖충〗 집파릿과에 속하는 흡혈성(吸血性) 파리. 몸은 검고 집파리보다 조금 큼. 사람이나 가축에게 사망률이 높은 수면병(睡眠病)의 병원체(病源體)인 트리파노소마(Trypanosoma)의 중간숙주로서 수면병을 매개함. 저위도(低緯度) 지방, 특히 적도 아프리카에 서식(棲息)하는데, 현재 약 20 종류가 알려져 있으며, 그 중에서 *Glossina palpalis*와 *Glossina morsitans*의 두 종이 가장 대표적(代表的)임.
체취【體臭】[명] 몸의 냄새.
체측【體側】[명] 몸의 측면.
체치-꽃 [명] 〈방〉 철쭉꽃.
체카〔러 Cheka〕 [명] 〖정〗 〔러 Chrezvychainaya Komissiya의 약칭〕 러시아 비상(非常) 위원회. 옛 소련 게페우(G.P.U.)의 전신임. 11월 혁명 당시에 설치되었다가 1922년에 폐지됨.
체커[1]〔checker〕 [명] 체크(check)하는 사람. 검사(檢查)하는 사람. 검수(檢數) 담당자.
체커[2]〔chequer, checker〕 [명] ①둘이서 하는 탁상 놀이의 하나. 판은 가로·세로 여덟 간에 흑백 무늬를 번갈아 놓은 것으로 검은 간만을 사용함. 말은 적색과 흑색의 각 12개임. ②바둑판 무늬. 체크 무늬.

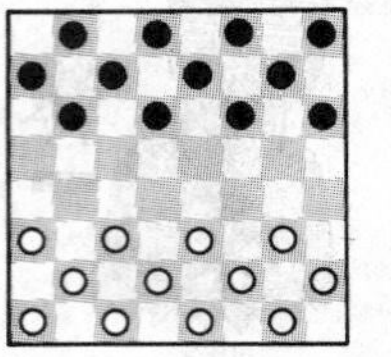
〈체커²〉

체커 플래그〔checker flag〕 [명] 자동차 경주 등에서 신호를 하기 위해 흔드는 흑백 체크 무늬의 기.
체코〔Czecho〕 [명] 〖지〗 ①유럽 중부에 있는 공화국. 보헤미아·모라비아 지방을 차지하며, 주민의 태반은 체크인(Czech人)이고 체크어(語)를 씀. 비교적 풍부한 지하 자원으로 중공업(重工業)이 발달하여 동유럽 국가 중 생활 수준이 높은 쪽임. 1918년 슬로바키아와 더불어 체코슬로바키아 공화국으로 독립하여 사회주의 국가로 유지되어오다가 1990년대 초의 소련 붕괴와 자유화 물결에 따라 슬로바키아와의 연방을 해체하고, 1993년 독립함. 수도는 프라하. 정식 명칭은 '체코 공화국(Czech Republic)'. [78,900 km² : 10,360,000 명(1992 추계)] ②↗체코슬로바키아.
체코 군단【—軍團】〔Czecho〕 [명] 〖역〗 제1차 세계 대전중, 동맹국측에 편입된 약 4만 5천명의 체크인 병사의 일단. 러시아에 투항하여 독일군과 싸웠으나, 러시아의 이탈(離脫)로 소비에트 정부의 허가를 받고 극동을 경유 프랑스로 가다가 1918년 시베리아 철도 연변에서 반란을 일으킴. 9월에 적군(赤軍)에 패배, 연말에 괴멸함.
체코슬로바키아〔Czechoslovakia〕 [명] 〖지〗 중부 유럽에 있던 사회주의 연방 공화국. 1919년 오스트리아로부터 분리되어 독립함. 1939년 독일의 지배하에 들어가 체코는 그 일주(一州)로 슬로바키아는 보호령(保護領)으로서 분리되었다가, 1945년 해방되어 독자적인 연립 내각을 구성했으나 소련의 사주로 1948년 공산 정권인 사회주의 공화국이 됨. 최근의 소련 붕괴 후 1993년 연방을 해체하고 체코 공화국과 슬로바키아 공화국으로 분리, 독립함.
체코-어【—語】 [명] 〔Czech〕 체크어.
체코-총【—銃】〔Czecho〕 [명] 체코슬로바키아에서 만든 기관총. 1937년 제조한 ZB 26형·30형이 유명함. 제2차 세계 대전 중 연합국측의 무기로 사용되었음.
체크〔check〕 [명] ①〖경〗 수표(手票). ②검사·대조 또는 그 표적으로 찍는 표. '√' ③물품을 맡기고 그 표적으로 받는 쪽지. ④바둑판 모양 직물(織物)의 무늬. 또, 그 직물. ¶ ~ 무늬. ——-하다 [타][여불]
체크 라이터〔check writer〕 [명] 체크 프로텍터❶.
체크 밸브〔check valve〕 [명] 〖기〗 증기나 수력 기계 등에서, 일정한 방향으로 흐르는 유체가 역류(逆流)하려고 할 때 스스로 통로를 개폐하는 역할을 하는 밸브. 역지판(逆止瓣). * 급수(給水) 체크 밸브.
체크-아웃〔check-out〕 [명] ①돈 계산을 함. ②호텔 등에서, 그 날 숙박료를 계산하고 방을 비워 주는 일. ↔체크인.
체크아웃 타임〔check-out time〕 [명] 호텔 등에서, 그 시각(時刻)까지 체크아웃하도록 정해진 시각. 흔히, 오전 11시까지임. 이 시각이 지나면 추가 요금이 가산(加算)됨.
체크 앤드 밸런스〔checks and balances〕 [명] 〖정〗 억제(抑制)와 균형(均衡). 권력이 특정 부문에 집중하는 것을 억제하여 각 부문간 상호의 균형을 도모하는 일. 특히, 미국에 있어서 정치의 기본 원칙.
체크-어【—語】〔Czech〕 [명] 인도유럽 어족(語族) 슬라브 어파(語派) 서(西)슬라브 어군(語群)에 속하는 언어. 주로 체코의 보헤미아·모라비아 두 지방에서 사용됨.
체크-오프〔check-off〕 [명] 〖사〗 노동 조합의 의뢰로, 노동 조합이 징수하는 조합비를 사용자(使用者)가 조합원에게 지불하는 임금(賃金)에서 공제, 일괄하여 노동 조합에 건네는 제도.
체크-인[1]【—人】〔Czech〕 [명] 보헤미아 및 모라비아 지방에 거주하는 슬라브족(族). 예로부터 슬로바키아인(人)과 언어적으로 친밀한 인연이 있으며, 제1차 세계 대전 후 합병(合倂)하여 체코슬로바키아 공화국을 구성하였다가 1993년 다시 체코와 슬로바키아로 갈라졌음.
체크-인[2]〔check-in〕 [명] ①호텔 등에서, 성명 등을 기장하고 투숙하는 일. 흔히, 오후 1시 이후에 함. ↔체크아웃. ②공항의 카운터에서, 여객이 탑승 절차(搭乘節次)를 밟는 일.
체크 카:드〔check card〕 [명] 가게 수표를 발행할 수 있는 사람에게 은행(銀行)이 교부하는 지급 보증 카드.
체크 프라이스〔check price〕 [명] 〖경〗 국제 시장의 덤핑 행위를 방지한다는 견지에서, 그 이하로는 수출 승인을 받을 수 없는 최저의 수출 가격(輸出價格). 이에 의하여 실제의 수출 가격을 국제 시장 가격에 순응(順應)시키려고 함.
체크 프로텍터〔check protector〕 [명] ①〖경〗 어음이나 수표의 개조(改造)를 막기 위하여 어음 금액을 불멸(不滅) 잉크로 박거나 움푹 파들어가게 적는 기구. 체크 라이터. ②위험물(危險物)에 대하여 인체(人體)를 보호(保護)하는 장치.
체타【涕唾】[명] 눈물과 침.

체탈【褫奪】명 '치탈(褫奪)'의 잘못된 말. ——-하다 타여불

체통【體統】명 ①관원(官員)의 체면. ②지체나 신분에 알맞은 체면. ¶ 양반의 ~.

체통(을) 잃다 구 지체나 신분에 알맞은 체면을 잃다.

체트킨〔Zetkin, Clara〕명〖사람〗독일의 여성 혁명가. 여성의 해방은 노동자의 해방을 통해서만 가능하다는 관점에서 혁명 운동을 추진하였으며 여성 운동의 이론적 기초를 닦았음. [1857-1933]

체파【遞把】명〖역〗역(驛)에 있는 파발마(把撥馬)와 바꾸어 갈아 탐. ——-하다 자여불

체-팽창【體膨脹】명〖물〗부피 팽창. ↔선팽창(線膨脹).

체팽창 계:수【體膨脹係數】명〖물〗부피 팽창 계수. ↔선팽창 계수(線膨脹係數).

체팽창-률【體膨脹率】[—뉼] 명〖물〗부피 팽창 계수.

체펠린〔Zeppelin, Ferdinand von〕명〖사람〗독일의 항공 기사·군인·백작(伯爵). 1900년 최초의 경식(硬式) 비행선을 발명하고, 2호까지 체펠린식 비행선을 제작하였음. [1838-1917]

체펠린 비행선【—飛行船】〔Zeppelin〕명 독일의 F. 체펠린이 발명하고 1900년에 첫 비행한 경식 비행선(硬式飛行船).

체포【逮捕】명 ①죄인을 쫓아가서 잡음. ②〖법〗검사·사법 경찰관 등이, 법관이 발부하는 영장에 의하여 피의자를 인치(引致)하기 위한 강제 수단. ——-하다 타여불

체포 감금죄【逮捕監禁罪】[—쬐] 명〖법〗불법으로 남을 체포 또는 감금함으로써 성립되는 죄. *감금죄(監禁罪).

체포 동의 요청【逮捕同意要請】[—/—이—] 명 현행 범인이 아닌 국회 의원을 국회 회기 중에 체포 또는 구금(拘禁)하기 위하여, 정부가 국회의 동의를 요청하는 일.

체포-죄【逮捕罪】[—쬐] 명〖법〗사람을 불법 체포함으로써 성립되는 죄. 그 본질은 사람의 신체적 활동(身體的活動)의 자유를 침해하는 데에 있으며, 감금죄(監禁罪)와 그 죄질(罪質)이 같으므로 동일 조항(條項)에 규정되어 있음.

체표【體表】명 몸의 표면.

체표 면:적【體表面積】명〖생〗몸의 표면적. 사람의 경우는, 체표 면적 =[$\sqrt{체중(kg)} \times \sqrt{신장(cm)} \times 162.7$]$cm^2$임.

체피 세:포【體皮細胞】명〔somatodermal cell〕〖동〗중생 동물(中生動物) 이배충류(二胚蟲類)에서, 체축(體軸)을 이루는 한 개의 축세포(軸細胞)를 덮는 20여 개의 유섬모(有纖毛) 세포. 서로 복와상(覆瓦狀)으로 겹쳐서 불규칙하게 배열(配列)되고, 조직을 형성하지 않는 점이 중생 동물의 특징임.

체하【帖下】명〖역〗관아에서 일꾼·상인들에게 금품을 줄 때에 서면으로 내주던 일. ——-하다 타여불

체-하다[1]【滯—】자여불 먹은 것이 잘 삭지 아니하고 위 속에 답답하게 처져 있다.

체-하다[2] 보동여불 그럴 듯하게 꾸미는 거짓 태도가 있다. 어미 '-ㄴ'·'-은'·'-는' 아래에 쓰임. ¶본체 만~/있는 ~/죽은 ~. *척하다[1].

체한【滯韓】명 한국에 체재(滯在)함. ——-하다 자여불

체해【體解】명〖역〗죽인 뒤에 시체(屍體)의 팔다리를 찢던, 옛 형벌(刑罰)의 하나. ——-하다 타여불

체향【滯鄕】명 고향에 머무름. ——-하다 자여불

체험【體驗】명 ①몸소 경험함. 또, 그 경험. ②〖심〗특정한 인격이 직접으로 경험한 심적 과정. 보통, 경험이라 할 때는 이미 지성·언어·습관에 의한 구성이 섞이어 있는 것인데, 이러한 것이 섞이지 않은 근원적인 것을 말함. ③〖철〗주관과 객관으로 나누기 전의, 개인의 주관 속에 볼 수 있는 생생한 의식 과정(意識過程)이나 내용. 에를레프니스. ——-하다 타여불

체험-담【體驗談】명 직접 경험한 바의 이야기.

체험 산:업【體驗産業】명 고객에게 내적(內的)인 실지 체험(體驗)을 체득시키기 위한 환경을 일정 기간 제공하는, 레저 산업(leisure産業)·교육 산업(教育産業)의 한 분야. 태고(太古) 또는 미래(未來)의 생활 공간(生活空間)을 제공하여 집단 생활을 체험하게 하는 따위.

체험-자【體驗者】명 체험한 사람.

체현[1]【涕泫】명 눈물이 줄줄 흐름.

체현[2]【體現】명 사상·관념 따위의 정신적인 것을 구체적인 것, 곧 형태로써 나타냄. 몸으로 실현(實現)함. ——-하다 타여불

체현-물【體現物】명 체현하는 물건.

체형[1]【體刑】명 ①↗신체형. ②직접 사람의 몸에 주는 형벌. 징역·사형 등. ↔벌금형(罰金刑). ——-하다 타여불

체형[2]【體形】명 체양(體樣).

체형[3]【體型】명 체격이 나타내는 특징으로 인간을 분류하는 기준. 곧, 비만형·척신형(瘠身型) 등.

체호프〔Chekhov, Anton Pavlovich〕명〖사람〗러시아의 소설가·극작가. 식품 잡화상(食品雜貨商)의 셋째 아들로 내어나 의사(醫師)가 되었으나, 살림을 꾸려 나가기 위해 소설을 쓰기 시작함. 단편 소설의 대가로서, 심리 묘사의 우수한 수법은 크게 평가됨. 대표작은 《귀여운 여인》·《약혼녀(約婚女)》·《6호실(室)》·《등불》·《골짜기》 등. 만년에는 사대 희곡 《세 자매(姉妹)》·《벚꽃 동산》·《갈매기》·《바냐 아저씨》 등의 새로운 분위기를 풍기는 섬세한 심리적 희곡을 남김. [1860-1904]

체-호흡【體呼吸】명 온 몸의 겉면으로 하는 호흡.

체화[1]【棣華】명 ①산앵도나무 꽃. ②형제(兄弟). 형제의 두터운 우애.

체화[2]【滯貨】명〔stock〕〖경〗①상품 등이 팔리지 않아 창고 따위에 차 있는 것. ②수송이 부진하여 밀려 있는 짐.

체화 금융【滯貨金融】[—/—늉] 명〖경〗체화를 덤핑(dumping)하지 않고 보유하는 데 필요한 자금의 융통. 담보품(擔保品)의 회수(回收)가 길어지고, 가격 인하에 따른 은행의 손실 위험이 있음.

체화-량【滯貨量】명 체화의 양.

체-화석【體化石】명 동물체(動物體)의 전부 또는 일부분을 간직하고 있는 화석.

체환[1]【替換】명 대신하여 갈아서 바꿈. 차환(差換). ——-하다 타여불

체환[2]【體環】명 거머리류의 몸의 표면에서 볼 수 있는 윤상(輪狀)의 줄. 몇 개가 한 체절을 이루는 수가 많으나 체절과 직접적인 관계는 없음.

체후【體候】명 남에게 안부를 묻는 경우 그의 건강 상태를 높이어 일컫는 말. 체도(體度). 체절(體節). ¶기(氣)~.

체휼【體恤】명 자신을 남의 처지에 놓고 살펴서 동정함. ——-하다 타여불

체흐〔Čech, Svatopluk〕명〖사람〗체코의 시인·소설가로 민주주의와 민족 해방을 위해 활약함. 장편시 《노예의 노래》는 프롤레타리아 문학의 선구로 간주됨. [1846-1908]

첸니:니〔Cennini, Cennino〕명〖사람〗이탈리아의 화가. 회화 작품은 현존하지 않으나 그의 저서 《예술의 서(書)》는 14세기의 회화 기법(技法)에 관한 귀중한 자료임. [1370?-1440?]

첸드라와시〔Tjendrawasih〕명〖지〗인도네시아령(領) 서(西)이리안 서단(西端)의 반도. 북부에는 뉴기니 척량 산맥(脊梁山脈)이 뻗어 있고, 최고 표고는 3,000 m.

첸 무〔錢穆〕명〖사람〗중화 민국의 역사학자. 자(字)는 빈쓰(賓四). 필명은 웨이쉐치주(未學齋主). 장쑤 성(江蘇省) 우시 현(無錫縣) 사람. 거의 독학(獨學)으로 1930년 이후 사학계(史學界)에 등장, 옌징(燕京)·베이징(北京) 등 각 대학의 교수가 되어 선진 제자(先秦諸子)의 연구에 업적을 남김. 후 스(胡適)의 영향을 받아 실증주의(實證主義)의 입장을 취함. 1950년 홍콩으로 망명하여 신아 서원(新亞書院) 대학장이 되었다가, 1967년 타이완(臺灣)으로 옮김. 저서에 《논어 요략(論語要略)》·《근삼백년 학술사(近三百年學術史)》·《주자 신학안(朱子新學案)》 등이 있음. [1895-]

첸산 산맥【—山脈】〔千山〕명〖지〗중국 둥베이(東北) 지구 남부, 랴오닝 성(遼寧省) 동부에서 남서쪽으로 뻗은 산맥. 장백 산맥(長白山脈)의 연장(延長)으로서, 랴오둥(遼東) 반도의 주체(主體)를 이루어 발해(渤海)로 돌출함. 높이 500-1,000 m. 랴오닝 성의 유일한 삼림 지대로 졸참나무·자작나무 등의 활엽수림이 무성함. 천산 산맥(千山山脈).

첸 산창〔錢三強〕명〖사람〗중국의 핵물리학자. 저장 성(浙江省) 출신. 첸 쉬안퉁(錢玄同)의 아들. 칭화(清華) 대학을 졸업하고, 1937년 프랑스에 유학하여 졸리오 퀴리 부부 밑에서 핵분열에 관한 연구에 종사함. 49년에 귀국하여 칭화 대학 교수와 과학원 근대 물리 연구소장·원자력 연구소장을 역임함. 64년 10월 중국의 제1차 원자 폭탄 실험을 지도함. 전삼강. [1910-92]

첸 쉐썬〔錢學森〕명〖사람〗중국의 물리학자. 장쑤 성(江蘇省) 우시(無錫) 사람. 1934년 교통 대학(交通大學)을 나와 이듬해 미국 캘리포니아 공과 대학에 유학함. 제2차 세계 대전 후에 미군 대령(大領)으로 독일에 가서 V_2 로켓의 접수(接受)를 담당함. 1955년 귀국, 과학원 역학(力學) 연구소장이 되어, 1970년 중국 최초의 인공 위성 발사에 성공함. 전학삼 [1912-]

첸 쉬안퉁〔錢玄同〕명〖사람〗중화 민국의 학자. 필명 니구쉬안퉁(疑古玄同). 첸 싼창(錢三強)의 아버지. 일본 와세다(早稲田) 대학에 유학. 루 쉰(魯迅)과 함께 신문학 운동을 하였으며, 의고파(疑古派)의 총수로서, 구 제강(顧頡剛)과 함께 중국 고전을 비판하고, 문자 개혁에 진력, 로마자(字) 운동을 일으켰음. 베이징 대학(北京大學)·칭화 대학(清華大學) 교수를 역임함. 저서 《설문 단주 소전(說文段注小箋)》·《신학위경고서(新學僞經考序)》 등. 전현동. [1897-1939]

첸신 부〈방〉마치(함남).

첸양〔黔陽〕명〖지〗중국 후난 성(湖南省) 남서쪽에 있는 현(縣). 위안장(沅江) 강과 우수이(巫水) 강의 합류점에 있음. 동유(桐油)의 특산지로서 특히 홍유(洪油)라고 하여 쓰촨 성(四川省)의 수유(秀油)와 함께 이름이 높음. 현청 소재지는 훙장(洪江). [377,000명(1982)]

첸중〔黔中〕명〖지〗중화 민국 시대에 구이저우 성(貴州省)에 두었던 도명(道名).

첸지-꽃 명〈방〉〖식〗진달래(함북).

첸 지천【錢其琛】명〖사람〗중국의 정치가. 상하이(上海) 출생. 1954년 소련에 유학하고 1976년 외무부 보도 국장, 1982년-88년 외무부 차관을 역임함. 1985년 당 중앙 위원, 1988년 외교부장이 되어 1991년 국무 위원을 겸임함. 1992년 당 정치국 위원, 1993년 외교부장에 유임하면서 부총리로 승진함. [1928-]

첸:첸-이 부〈방〉천천히(경상).

첸탄 강【—江】〔錢塘〕명〖지〗중국 저장 성(浙江省)에 있는 강. 셴샤링(仙霞嶺)에서 발원하여 동북으로 흘러, 저장 성 서북부를 관류(貫流)하며 여러 지류를 합하여 항저우 만(杭州灣)으로 흘러 들어감. 하구(河口)는 만조(滿潮) 때에 해소(海嘯) 현상이 유명함. 구명(舊名)은 점수(漸水). 전당강(錢塘江). [494 km]

첸테시미〔이 centesimi〕의명 이탈리아의 산마리노와 바티칸 시의 현행 통화 단위의 하나. 리라의 100분의 1과 같음. 단수형(單數形)은 첸테시모(centesimo).

첼란〔Celan, Paul〕명〖사람〗오스트리아의 유태계 시인. 파리에 살았음. 작품 《죽음의 푸가(fuga)》는 수용소의 체험을 그린, 인류의 비극의 본질을 추구한 명작임. 《골호(骨壺)의 모래》·《언어의 격자(格子)》 등의 시집이 있음. [1920-70]

첼러 [Zeller, Eduard] 명 『사람』 독일의 신학자·철학자. 헤겔에서 출발, 비판 철학에 접근하여 칸트 철학 부흥의 선구자의 한 사람이 되었으며, 특히 그리스 철학사가로서 저명함. [1814-1908]

첼레스타 [이 celesta] 명 『악』 피아노와 비슷하게 생긴, 건반이 있는 소형의 타악기. 강철로 만든 음판(音板)을 해머(hammer)로 쳐서 소리를 내는데, 음색(音色)이 밝고 깨끗하며 날카로움. 19세기 후반에 발명됨.

〈첼레스타〉

첼로 [cello] 명 [↗violoncello] 『악』 대형의 바이올린계(系) 저음 현악기. 현이 넉 줄이며 의자에 앉아 동체(胴體)를 무릎 사이에 끼고 활을 수평으로 하여 연주하는데, 침착하고 유현(幽玄)한 음색(音色)을 갖고 있어 독주 또는 합주 악기로 중용(重用)됨. 셀로. 비올론첼로.

첼리노그라:드 [Tselinograd] 명 『지』 카자흐 공화국 북부(北部)의 도시. 이심 강(Ishim 江) 우안(右岸)에 위치함. 농업 기계·식료품·도기(陶器)·제재 따위의 공업이 행하여짐. 1960년까지 아크몰린스크(Akmolinsk)라고 불렸음. [276,000명(1987)]

〈첼로〉

첼리니 [Cellini, Benvenuto] 명 『사람』 이탈리아의 조각가·금세공가(金細工家). 미켈란젤로(Michellangelo)의 제자로, 주로 로마에서 활동하였으며 일화에 찬 자서전을 남겼음. [1500-71]

첼리스트 [cellist] 명 첼로 연주가.

첼리아빈스크 [Chelyabinsk] 명 『지』 러시아 공화국 중부의 우랄 산맥 동남 지방에 있는 도시. 철강 기계·야금·화학 등의 공업의 중심지. 우수한 철광이 있어서 중공업이 발달됨. [1,055,000명(1981)]

첼시-요 【一窯】 [Chelsea] 명 런던 교외의 첼시 공장에서 행하여진 요업(窯業). 1730년경에 시작되어 1758-1770년경의 최성기(最盛期)에는 로코코풍(風)의 화려한 제품을 만들었으나 곧 다른 요업에 흡수됨.

첼트작 [도 Zeltsack] 명 등산 용어(登山用語)로, 가벼운 자루 모양의 휴대용 천막. 주로 겨울에 눈속의 숙영(宿營)에 씀.

쳄발로 [이 cembalo] 명 『악』 하프시코드의 이탈리아 이름.

쳇-것 명 주로 명사 밑에 쓰이어, '명색이 그런 사람이나 물건'의 뜻을 나타냄. ¶ 이래저래 어린 안해의 맘을 상하게 하니 사내~으로 염의가 없어《洪命憙: 林巨正》.

쳇-다리 명 물건을 거를 때에 체를 올려 놓는 제구. 삼차형(三叉形) 또는 사다리꼴로 된 나무.

〈쳇다리〉

쳇다리-날도래 명 『충』 [*Asotocerus nigripennis*] 쳇다리날도랫과에 속하는 곤충. 몸길이 12-13 mm, 편 날개의 길이 45 mm 내외. 두흉부(頭胸部)는 흑색이고 두부에 다섯 개의 황색 혹 모양의 돌기(突起)가 있으며, 복부는 흑갈색임. 다리는 암컷이 암갈색, 수컷은 암황색에 흑색부가 있음. 날개는 반투명하고 흑갈색이며 흑색 털이 밀생함. 한국 및 일본에 분포함.

쳇다리날도랫-과 【一科】 명 『충』 [Calamoceratidae] 날도래목(目)에 속(屬)하는 한 과(科). 유충은 괸 물 또는 급히 흐르는 물속에서 모래·조약돌 등으로 원통형의 집을 짓고 그 속에 서식함. 아시아·아프리카에 많은데, 160여 종이 분포함.

쳇-바퀴 명 얇은 나무로 둥글게 만들어 쳇불을 메우게 된 물건. 곧, 체의 몸이 되는 부분.

쳇-발 명 베틀 기구의 한 가지. 피륙이 구김살이 지거나 너비가 들락날락하지 못하게 양쪽으로 버티는 물건.

쳇-불 명 쳇바퀴에 메워 액체나 가루 같은 것을 거르는 그물 모양의 물건. 말총·명주실·철사 등으로 만듦. 최근에는 나일론사·합성 섬유사로 만듦.

쳇불-관 【一冠】 명 선비의 머리에 쓰는 관의 한 가지. 말총으로 쳇불 모양처럼 거칠게 짜서 만들었음.

쳇-줄 【體一】 명 습자(習字)의 본보기가 되는 한 줄의 글씨. 습자하는 삭서지(朔書紙) 등의 왼편 가에 스승이나 선배가 써 줌.

쳉스토호바 [Częstochowa] 명 『지』 폴란드 남부의 도시. 철도의 중심지로 야금(冶金) 콤비나트가 있으며 선강(銑鋼)·섬유·제지 및 화학 공업이 성함. 1815-1910년은 러시아령이었음. [248,000명(1982)]

쳉이 명 〈방〉 ①키[2](경상·충청·전북). ②체[1](경북).

쳐 준 '치다'의 활용형 '치어'의 준말.

쳐-가다 타 불결한 것을 쳐서 가져가다. ¶ 똥을 ~.

쳐-내다 타 불결한 것을 쳐서 내다. ¶ 외양간의 거름을 ~.

쳐:다-보다 타 ↗치어다보다. ¶ 얼굴을 ~.

쳐:-들다 타 ①들어 올리다. ¶ 돌을 ~. ②추들다. ¶ 남의 흠을 ~.

쳐-들어가다 타 무찔러 들어가다.

쳐-들어오다 타 무찔러 들어오다. 「≪古時調≫.

쳐로 조 〈옛〉 처럼. ¶ 우리님 수랑 굿쳐 갈 제 뎌 모시쳐로 니으리라

쳐-버리다 타 ①불결한 것을 쳐서 버리다. ¶ 길바닥의 쇠똥을 ~. ②치워 없애다. ¶ 쓰레기를 ~.

쳐-보다 타 ①셈을 헤아려 보다. ②시험을 치러 보다.

쳐-부수다 타 무찔러 부수다. 세차게 부수다.

쳐섬 부 〈옛〉 처음. =처섬. ¶ 그러나 覺心이 쳐섬 셔(然覺心初建)≪圓覺 下 二之一 17≫.

쳐엄 부 〈옛〉 처음. =처섬. ¶ 春服을 쳐엄 닙고 麗景이 더딘 져긔≪蘆溪 莎堤曲≫.

쳐-주다 타 ①셈을 맞추어 주다. ¶ 백원 쳐줄 테니 나한테 팔아라. ②인정하여 주다. ¶ 적임자로 ~.

쳐-죽이다 타 쳐서 죽이다. ¶ 개를 ~.

쳔 명 〈옛〉 재물. ¶ 나랏쳔 일버어 精舍를 디나아가니≪月釋 I:2≫／쇼로 쳔 사마 흥졍ᄒᆞᄂᆞ니라≪月釋 I:24≫.

쳔국 명 〈옛〉 청국장. ¶ 쳔국 시(豉) ≪字會 中 21≫.

쳔량 명 〈옛〉 천량. 재물. ¶ 쳔랴ᇰ 만히 뫼호아 두고 ≪月釋 IX:29≫.

쳔쳔타 형 〈옛〉 천천하다. ¶ 麤率은 듦써벼 쳔쳔티 몯홀씨라≪月釋 II: ⌊11≫.

쳔ᄒᆞ다 형 〈옛〉 천(賤)하다. ¶ 쳔홀 쳔(賤) ≪字會 下 26≫.

쳘량 명 〈옛〉 천량. 재물. =쳔량. ¶ 쳘량 가난ᄒᆞᆫ 니뷔라 ᄒᆞᆫ 사ᄅᆞᄆᆡ 아ᄃᆞᆯ≪八才兒 2≫.

쳥 명 〈옛〉 버선. ¶ 시욹쳥은 됴흔 보드라온 털로 미론쳥 신어쇼ᄃᆡ(氈襪穿好絨毛襪子)≪老乞 下 47≫.

쳥념 명 〈옛〉 청렴(淸廉). ¶ 쳥념 념(廉)≪石千 16≫.

쳥널 명 〈옛〉 청널. ¶ 쳥널 슌(楯) ≪字會中 5≫.

쳥ᄃᆡ 명 〈옛〉 청대. ¶ 쳥ᄃᆡ(大藍) ≪字會 上 9≫. 「註≫.

쳥명애 명 〈옛〉 머래. =비해(萆薢). ¶ 쳥명애(萆薢)≪四解 上 46 薢字

쳥ᄒᆞᆫ돈 접 〈옛〉 청하건대. ¶ 請ᄒᆞᆫ돈 어딘 引導ᄒᆞ릴 조ᄎᆞ라(請從良導)≪永嘉 上 68≫.

초[1] 명 [중세 : 쵸. 중 獨] 불을 켜는 데 쓰는 물건. 밀랍·백랍(白蠟)·쇠기름 등을 원료로 끓여서 원주형으로 굳혀 실 같은 것으로 심지를 만들어 한가운데에 박음.

초[2] 【肖】 명 성(姓)의 하나. 제주(濟州) 단본(單本)임.

초[3] 【抄】 명 ↗초록(抄錄). ¶ 춘향전 ~. ——-하다 타여불

초[4] 【炒】 명 ①불에 볶는 일. ②볶음. ——-하다 타여불

초[5] 【草】 명 ①↗기초(起草). ¶ ~를 잡다/법문을 ~하다. ②초서(草書). ¶ ~를 잘 쓰다. ——-하다 타여불 기초(起草)하다. 초잡다.

초[6] 【草】 명 ① ↗건초(乾草). ②↗갈초.

초[7] 【哨】 명 『역』 예전의 군대 편제의 하나. 약 백 명으로 한 초를 이룸.

초[8] 【楚】 명 『역』 ①중국 춘추 오패(春秋五覇)의 하나. 뒤에 전국 칠웅(戰國七雄)의 하나가 됨. 양쯔 강 중류 땅을 차지한 나라로, 후베이 성 영(郢)에 도읍하였다가 진(晉)나라에 망함. 무왕(武王) 이래 25세(世) 500여 년간 이어짐. [704-202 B.C.] ②수나라 양제(煬帝)의 대업(大業) 13년에 임자홍(林子弘)이 강남에 세운 나라. 도읍은 예장(豫章). [617-622] ③오대(五代)의 십국의 하나. 허주(許州) 사람 마은(馬殷)이 호남에 세운 나라. 도읍은 담주(潭州). 6세(世)로써 남당(南唐)에 망함.

초[9] 【楚】 명 성(姓)의 하나. 본관(本貫)은 성주(星州). 그 밖에 청주(淸州)·강릉(江陵)이 문헌에 전함.

초[10] 【綃】 명 생사(生絲)로 짠 얇은 견(絹)의 총칭. ¶ 생(生)~.

초[11] 【麨】 명 미싯가루.

초[12] 【醋】 명 조미료의 한 가지. 3-5 %의 아세트산을 함유하고 있어, 시고 약간 단 맛이 있는 액체. ¶ ~에 절이다.

초(를) 치다 구 상대방의 기승(氣勝)을 눙쳐서 숨이 죽게 만들다. ¶ 최 씨는 미처 대답도 하기 전에 노파가 한 번 더 초를 쳐서 찰떡 반죽하듯한다≪李海朝: 驅魔劍≫.

초[13] 【礁】 명 암초(暗礁).

초[14] 【秒】 의명 시간의 단위. 일 분(分)의 육십분의 일. ¶ ~를 다투다/1분 5 ~. 「~에. ↔ 말(末)

초:[15] 【初】 의명 어떤 기간의 처음이나 초기. ¶ 학기 ~/ 금년 ~/ 이 달

초:-[1] 【初】 부 ① '초기의', '첫'의 뜻. ¶ ~ 봄/~저녁. ② '초순'의 뜻. ¶ ~ 하루/~나흘.

초-[2] 【超】 부 어떤 명사 앞에 붙어, 훨씬 뛰어나다는 뜻을 나타내는 말. ¶ ~음속/~인간.

-초[1] 【初】 미 명사 밑에 붙어 '초기'·'처음'의 뜻을 나타내는 말. ¶ 고려~/이달~. ↔-말(末).

-초[2] 【草】 미 『식』 어떤 명사 밑에 붙어 '초본(草本)의 뜻을 나타내는 말. ¶ 일년~/다년~.

초가[1] 【初加】 명 『역』 관례(冠禮)의 삼가례(三加禮)의 첫째 절차. 갓을 쓰고 단령(團領)을 입고 조아(條兒)를 띰. ＊재가(再加).

초가[2] 【草家】 명 볏짚·밀짚·갈대 같은 것으로 지붕을 인 집. 초가집. ¶ ~ 삼간(三間).

[초가 삼간 다 타도 빈대 죽는 것만 시원하다] 큰 손해는 보더라도 제 마음에 들지 않는 것이 없어지는 것만 상쾌하다는 말. ＊빈대 미워 집에 불 놓는다.

초가[3] 【楚歌】 명 ①초(楚)나라의 노래. ②사면 초가(四面楚歌).

초가[4] 【樵歌】 명 나무꾼들이 부르는 노래. 초창(樵唱).

초-가량 【初假量】 명 처음으로 그 대강만을 얼추 셈쳐 잡음.

초가 삼간 【草家三間】 명 삼간 초가.

초-가성성 【超加成性】 [-썽] 명 [super-additivity] 『화』 두 종류의 현상 주약(現像主藥)을 사용했을 때, 그 현상 효과가, 각각 단독으로 썼을 때의 현상 효과의 합(合)보다 훨씬 증대(增大)하는 현상을 이름.

초-가을 【初一】 명 초기의 가을. 음력 칠월의 일컬음. 맹추(孟秋). 조추(肇秋). 초추(初秋). ＊첫가을.

초가-장이 【草家一】 명 〈방〉 개초(蓋草)장이.

초가-집 【草家一】 명 초가(草家).

초각[1] 【初刻】 명 한 시간의 맨 처음되는 각(刻).

초각[2] 【峭刻】 명 ①『미술』 부조(浮彫). ②성질이 까다로워 관대함이 적음. ——-하다 형여불

초간[1] 【初刊】 명 원간(原刊).

초간[2] 【草間】 명 풀 사이.

초간-본 【初刊本】 명 원간본(原刊本).

초-간장 【醋一醬】 명 초를 친 간장.

초-간택 【初揀擇】 명 『역』 맨 첫번의 간택(揀擇). ——-하다 타여불

초간-하다 【稍間一】 형여불 ①시간적으로 동안이 좀 뜨다. ②초원(稍

遠)하다. ¶ 백성들은 병장기 가진 장교를 보고 화적으로 여기는지 초간한 데서는 천방지축 도망질들을 치고 가까운 데서는 목숨만 살려달라고 애걸들을 하였다《洪命憙 : 林巨正》. 초간-히 부

초갈【蕉葛】명 초포(蕉布).

초감각적 지각【超感覺的知覺】명 〔extrasensory perception〕〖심〗 사상(事象)에서 발생하는 감각적 자극 없이, 외적(外的) 사상을 지각하거나 감지하거나 한다는 현상.

초-감염【初感染】명 〖의〗 병원체의 최초의 감염.

초감염-소【初感染巢】명 〖의〗 결핵균이나 매독(梅毒) 스피로헤타가 생체(生體)에 최초로 침입한 장소에 생기는 특이한 병변(病變). 결핵의 경우에는 흔히 폐에 생기나 드물게는 장(腸)에도 생기며, 매독의 경우에는 성기(性器)와 입술에 생김.

초감-제【初監祭】명 〖민〗 제주도 무속 제의(巫俗祭儀)의 서두(序頭)에 해당하는 제차(祭次) 이름. 정장(正裝)한 무당이 제단(祭壇)을 향하여 네 번 절하고, 무악(巫樂)에 맞춰 무가(巫歌)를 읊으며 모든 신(神)을 청하여 들임.

초-갑【草匣】명 ①담배 쌈지. ②궐련갑❷.

초-갓【草一】명 〈방〉 초립(草笠).

초-강【草江】명 〖지〗 경상 북도 상주군(尙州郡) 화서면(化西面)에서 발원하여 상주와 충청 북도 영동군(永同郡)을 지나 금강(錦江)으로 들어가는 강. [64.25 km]

초-강력강【超強力鋼】[一녁一] 명 비교적 저온(低溫)에서 불려 160-240 kg/mm 곧 연강(軟鋼)의 4-6 배의 강도를 얻은 강철. 저합금계(低合金系)로서, 항공기와 같이 강도(強度)에 대한 중량(重量)의 비(比)가 중요한 부품류(部品類)에 쓰임.

초강초강-하다 형 여불 얼굴 생김이 갸름하고 살이 적다. ¶ 초강초강한 새색씨.

초개【草芥】명 풀과 쓰레기. 전(轉)하여 쓸모 없는 것. ¶ ～ 같은 목숨.

초개-시【草芥視】명 보잘것 없는 것으로 봄. ——-하다 타 여불

초개집 명 〈옛〉 초가(草家). ¶ 초개집(草房) ≪譯語 上 16≫.

초-개탁【初開坼】명 처음으로 일을 시작함을 가리키는 말. ——-하다 타 여불

초객【招客】명 손님을 청함. 또, 그 손님. ——-하다 자 여불

초거[1]【招去】명 불러 감. ——-하다 타 여불

초거[2]【軺車】명 〖역〗 초헌(軺軒).

초거대 기업【超巨大企業】명 〔supergiant corporation〕〖경〗 해외의 여러 자회사(子會社)에 의한 생산액이 연간 50억 내지 1,600억 달러에 이르는 국제적인 거대 기업.

초-거성【超巨星】명 〖천〗 반지름이 태양의 수백 배나 되는 큰 항성(恒星). 절대 광도(絶對光度)는 태양의 수만 배에 이름. H-R도(圖)에서 우측 상반부에 위치함. 붉은 빛을 나타내는 안타레스(Antares)·베텔기우스(Betelgeuse) 등. *거성(巨星)·주계열성(主系列星).

초건【草件·初件】[一껀] 명 시문(詩文)의 초를 잡은 원고. 초본(草本).

초검【初檢】명 〖역〗 살옥(殺獄)에 대하여 첫번으로 행하는 검시(檢屍). *복검(覆檢).

초-겨울【初一】명 초기의 겨울. 음력 시월의 일컬음. 맹동(孟冬). 조동(肇冬). 초동(初冬). 초동삼(初冬三). *첫겨울.

초-격자【超格子】[一짜] 명 〖물〗 두 종류의 원자(原子)로 이루어진 결정(結晶)으로서, 각 원자가 결정 격자(結晶格子)를 이룸과 동시에 전체로도 그것들을 서로 겹친 결정 격자를 이루고 있는 격자(格子). 이 구조를 가지는 고성능 반도체(半導體) 등의 결정이 인공적으로 만들어지고 있음.

초격자 소자【超格子素子】명 〔superlattice device〕 2 종류의 반도체(半導體)의 얇은 결정막(結晶膜)을 몇 층 포갠 구조(構造)를 채용한 소자(素子).

초견【初見】명 첫 번으로 봄. 시도(始睹). ——-하다 타 여불

초-견본【初見本】명 처음으로 만든 본보기.

초-결명【草決明】명 〖식〗 〔←마제 결명(馬蹄決明)〕 결명차(決明茶).

초경[1]【初更】명 〖역〗 오경(五更)의 하나. 하룻 밤을 다섯 등분한 맨 첫째의 부분으로, 오후 여덟 시 전후. 초야(初夜). 일경(一更).

초경[2]【初耕】명 〖농〗 애벌갈이. ——-하다 타 여불

초경[3]【初經】명 초조(初潮).

초경[4]【草徑】명 풀이 무성한 좁은 길.

초경[5]【草莖】명 풀의 줄기.

초경[6]【樵逕】명 나뭇길.

초-경도풍【超傾度風】명 〔supergradient wind〕〖기상〗 현실의 기압 경도와 구심력(求心力)으로 결정되는, 경도풍보다 속도가 큰 바람.

초경량 항:공기【超輕量航空機】[一냥一] 명 몸체가 가벼운 2 인승의 꼬마 비행기. 평균 시속(時速) 105 km, 길이 50여 m의 평지에서 이착륙이 가능하고, 비행 거리 500 km, 지상(地上) 1 m까지 저공(低空) 비행이 가능함. 유 엘 엠(ULM).

초-경합금【超硬合金】명 〖화〗 탄화(炭化) 텅스텐을 주체로 하여 코발트를 결합제(結合劑)로 해서 만든 소결(燒結) 합금. 고온으로 가열하여도 경도(硬度)가 극히 높으므로 주철이나 철강 제품의 절단(切斷) 공구(工具)의 재료로 쓰임.

초계[1]【抄啓】명 〖역〗 인재를 뽑아 상주(上奏)함. ——-하다 타 여불

초계[2]【哨戒】명 〖군〗 적의 습격에 대비하기 위하여 일정 지역에 함선(艦船)이나 비행기를 배치하고, 감시(監視)를 엄중히 하여 경계함. ——-하다 타 여불

초-계[3]【草契】[一꼐] 명 〖역〗 볏짚을 관아에 공물로 바치던 계.

초계-기【哨戒機】명 〖군〗 적의 잠수함을 발견하여 공격하는 것 등을 주임무로 하는, 해상(海上) 초계용의 군용 항공기.

초계 문신【抄啓文臣】명 〖역〗 당하 문관(堂下文官) 중에서 문학(文學)이 뛰어난 사람을 뽑아서 다달이 강독 제술(講讀製述)의 시험을 보일 때의 시험관. 조선 정조(正祖) 때에 시행되었음.

초계-정【哨戒艇】명 〖군〗 해상의 정찰(偵察) 또는 초계를 하기 위한 주정(舟艇).

초계-탕【醋鷄湯】명 여름에 먹는 음식의 한 가지. 닭의 고기를 뼈째 토막을 치고 잘게 썬 쇠고기와 함께 간을 맞추어 끓여서 식힌 다음에, 오이·석이(石耳)·표고 들의 볶은 것과 달걀로 고명을 만들어 얹고 초를 쳐서 먹음.

초계-함【哨戒艦】명 〖군〗 초계하는 군함.

초고[1]【草稿·草藁】명 시문(詩文)의 초벌 원고. 원고(原稿). 저고(底稿).

초고[2]【礎稿】명 퇴고(推敲)의 바탕이 된 원고.

초-고고도【超高高度】명 해발 5만 피트 이상의 높이를 이르는 말.

초-고등【初一】명 〈방〉 첫고등.

초고리 명 〔몽 čuqur〕 작은 매.

초-고속도【超高速度】명 고속도보다도 훨씬 더 빠른 속도.

초고속도-강【超高速度鋼】명 굉장히 단단하고 내열성(耐熱性)이 있어 절삭(切削) 속도가 아무리 빨라도 성질에 변화 없이 사용할 수 있는 공구용(工具用)의 강철.

초고속도 영화【超高速度映畫】명 〖연〗 고속도 영화 이상, 곧 매초 수백 화면(畫面) 이상의 촬영 속도(撮影速度)를 가지는 영화의 총칭. 촬영된 것은 이른바 영화가 아니고 주로 초고속도 현상의 해석(解析)에 이용됨.

초고속도 윤전기【超高速度輪轉機】명 신문을 인쇄하는 데 쓰는 가장 능률이 높은 윤전 인쇄기.

초고속도 촬영【超高速度撮影】명 매초 수백 화면 이상을 촬영하는 일. 이것을 매초 24 화면의 표준 속도로 영사하면 육안으로는 분별할 수 없는 빠른 현상이나 물체의 변화를 관찰할 수 있음.

초고압 송:전【超高壓送電】명 〖전〗 송전 전압이 200 kV급 이상의 송전을 일컬음. 장거리 송전에서는 송전 전력이 클수록, 높은 송전 전압이 경제적으로 유리하게 됨. 이 때문에 대전력(大電力) 장거리 송전의 발달과 함께 초고압화가 진행되어, 현재 400-500 kV급의 송전이 각국에서 실시되고 있음.

초고압 전:자 현:미경【超高壓電子顯微鏡】명 전자빔(電子beam)을 가속(加速)하기 위한 전압(電壓)이 100 볼트급(級)되는 전자 현미경. 두꺼운 관찰 재료의 내부를 여실(如實)히 볼 수 있음.

초-고온【超高溫】명 원자핵 융합 반응(融合反應)이 행하여질 때와 같은, 고온 이상의 극히 높은 온도. 태양의 중심부는 섭씨 1,500만 도(度)에 달한다고 생각됨.

초고-왕【肖古王】명 〖사람〗 백제의 제5대 왕. 왕 2년(167)에 신라의 서쪽, 동 23년에 관산성, 동 24년에 구양(狗壤), 동 25년에 원산향(圓山鄕), 39년에는 요차성(腰車城) 등을 침공(侵攻)하고, 동 45년(210)에는 적현성(赤峴城)과 사도성(沙道城)을 축조함. [?-214; 재위 166-213]

초-고장력강【超高張力鋼】[一녁一] 명 항장력(抗張力)이 220 kg을 초과하는 강철.

초-고주파【超高周波】명 〔super high frequency〕〖전〗 3-300 기가 헤르츠(giga Hertz)까지의 주파수대를 이름. 지향성(指向性), 곧 전파의 나아가는 방향이 날카롭고 주위의 잡음 및 전파의 방해를 받지 않으므로 화상(畫像)과 음(音)을 선명하게 수신(受信)할 수 있는 이점(利點)이 있어 장래의 방송 형태를 크게 바꿀 가능성을 갖고 있음. 약칭:에스 에이치 에프(S.H.F.).

초고-지【草稿紙】명 초고를 쓰는 종이.

초-고진공【超高眞空】명 〖물〗 고진공(高眞空)보다 더욱 진공도가 높은 진공 상태. 보통 10^{-9}—10^{-10} mmHg 이하의 압력을 갖는 상태. *고진공(高眞空).

초-고추장【醋一醬】명 초를 쳐서 갠 고추장.

초-고층【超高層】명 구름이 생기는 대류권(對流圈)의 밖을 말함. 즉, 적도(赤道) 부근에서는 약 18 km, 극지방(極地方)에서는 약 8-450 km까지를 말함.

초고층 대:기【超高層大氣】명 지구 대기 상층 중 중간권(中間圈)에서 바깥 쪽. 로켓이나 인공 위성(人工衛星)에 의해 관측되고 있는 영역(領域)임. 중간권의 위는 고도가 증가할수록 온도가 상승(上昇)하는 온기권(溫氣圈)이 됨. 고도 80-100 km까지는 공기의 분자량이 변하지 않는 등질권(等質圈)이나, 그보다 위에서는 대기는 현저(顯著)하게 성분이 변하여, 주성분은 산소·헬륨·수소 등의 가벼운 원자로 이행(移行)함. *고층 대기(高層大氣).

초고층 빌딩【超高層一】〔building〕명 층수가 30 층 이상되는 높은 빌딩.

초고층 주:택【超高層住宅】명 택지(宅地) 부족과 지가(地價)의 앙등에 대처하고자, 초고층화한 주택.

초골리자 산【一山】〔Chogolisa〕명 〖지〗 인도 카슈미르 지방에 있는 카라코람(Karakoram) 산맥 중의 고봉(高峰)으로, 브라이드 피크(Bride Peak), 곧 신부봉(新婦峰)이라고도 함. [7,654 m]

초공[1] 명 〖민〗 제주도의 무조신(巫祖神)이며, 무당의 업(業)의 수호신(守護神).

초공[2]【梢工】명 뱃사공.

초공-맞이 명 제주도 무당굿 중 맞이굿의 한 제차(祭次). 무조신(巫祖神)인 초공을 맞아들여 축원하는 것임. 초공 본풀이 다음에 베풀어지는데, 초공이 왕림(枉臨)할 길을 닦고, 굿이 잘 진행되도록 빎.

초공-본풀이【一本一】명 〖민〗 제주도의 무당굿에서 심방이 노래하는 무조신(巫祖神)의 신화(神話). 또, 그 신화를 노래하고 축원하는 제차

(祭次). 초공맞이로 이어짐.

초과[1]【草果】 명 〖식〗 초두구(草豆蔻)의 한 종류. 열매의 크기가 가지만 하고, 껍질이 검고 두꺼우며, 씨가 굵고 맛이 심. 중국의 윈난(雲南)·량광(兩廣) 등지에 분포함. 한방(韓方)에서는 성질이 온하다 하여 위한(胃寒)·심복통(心腹痛)·토사(吐瀉)·곽란(霍亂)·반위(反胃)·적취(積聚)·악조(惡阻) 등에 약으로 씀.

초과[2]【超過】 명 일정한 한도를 지나침. 일정한 정도를 넘음. ¶예산 ~. ——-하다 자여불

초과 근무【超過勤務】 명 소정(所定)의 근무 시간 외에 근무하는 일. 오버타임(overtime).

초과 근무 수당【超過勤務手當】 명 초과 근무에 대해 지급(支給)하는, 봉급 외의 보수.

초과 대:부【超過貸付】 명 〖경〗 오버론(overloan).

초과-량【超過量】 명 초과한 분량. 또, 초과한 수량.

초과 보:험【超過保險】 명 〖경〗 보험 금액이 보험 가액(價額)을 초과하는 보험. ↔전부(全部) 보험·일부(一部) 보험.

초과-분【超過分】 명 초과한 분량.

초과 생산【超過生産】 명 〖경〗 사회의 구매력과 소비력을 크게 웃도는 생산. ——-하다 타여불

초과 소:득세【超過所得稅】 명 〖법〗 법인의 보통 소득이 자본금의 1할을 넘을 때에 1할·2할·3할의 세 가지에 의하여 물리는 세.

초과 수요 인플레이션【超過需要—】〔inflation〕 명 〖경〗 고도 성장 과정(高度成長過程)에서, 소득이 늘고 소비 수요(消費需要)가 증대할 때, 소비재 공급(消費材供給)이 따르지 못하여 물가가 상승하고 과잉(過剩) 수요를 메우지 못함으로써 나타나는 인플레이션. 디맨드 풀 인플레이션(demand pull inflation).

초과 압력【超過壓力】〔—녁〕 명 대기압(大氣壓)을 훨씬 웃도는, 폭발 때의 폭풍(爆風) 따위의 순간적인 압력. 단위는 lb/in²으로 나타냄.

초과 압류【超過押留】〔—뉴〕 명 〖법〗 채권의 만족 및 집행 비용의 변상에 필요한 범위를 넘는 압류. 법으로 금지되고 있음.

초과-액【超過額】 명 초과된 금액.

초과 이:윤【超過利潤】 명 〖경〗 평균적 생산 조건보다도 유리한 조건이나 유리한 생산 요소의 지배·독점 등으로 보통의 이윤, 곧 평균 이윤을 넘어서 자본가가 얻는 이윤.

초곽【草鞹】 명 백초피(白貂皮).

초관[1]【哨官】 명 〖역〗 한 초(哨)를 거느리던, 각 군영(軍營)의 위관(尉官)의 하나. 종구품(從九品)임.

초관[2]【哨灌】 명 〖불교〗 절에서 대중(大衆)이 밥 먹으려고 할 때에 물을 돌려 주는 놋그릇. 그 모양은 동이 비슷하되 위가 오긋하고 아래가 평퍼짐하며 물을 따르는 귀때가 있음.

초교[1]【初校】 명 〖인쇄〗 인쇄물의 첫 교정. 초준(初準).

초교[2]【草轎】 명 삿갓 가마.

초교-지【初校紙】 명 〖인쇄〗 초교를 보는 교정지.

초교-탕【—湯】 명 여름에 먹는 음식의 한 가지. 영계를 삶아 뜯어서 깻국에 넣고, 해삼(海蔘)과 전복(全鰒)을 썰어서 섞은 뒤에, 오이를 채쳐 볶은 것과 표고를 잘게 썬 것과 알고명을 한데 섞어서 얹고 실백(實栢)을 띄움.

초구[1]【初九】 명 ①〖민〗 역괘(易卦)에서, 최하위(最下位)의 양효(陽爻). ②그 달의 아홉번째 날.

초구[2]【初句】 명 맨 처음 구(句).

초구[3]【初球】 명 야구에서, 투수가 등판(登板)하여 최초로 던지는 공. 또, 어떤 한 사람의 타자(打者)에 대하여 던지는 최초의 공.

초구[4]【草具】 명 악식(惡食)❶.

초구[5]【梢溝】 명 논두렁 또는 밭도랑.

초구[6]【貂裘】 명 담비의 모피로 만든 갖옷.

초-구일【初九日】 명 초아흐렛날.

초-국가주의【超國家主義】〔—/—이〕 명 극단적인 국가주의. 울트라내셔널리즘.

초국-장【楚國章】 명 용비 어천가 제39장의 이름.

초군[1]【招軍】 명 군대를 불러 들임. ——-하다 자여불

초군[2]【超群】 명 여럿 속에서 뛰어남. ——-하다 형여불

초군[3]【樵軍】 명 나무꾼.

초군-아이【樵軍—】 명 어린 나무꾼.

초군-초군 부 일을 하는 데 조밀(稠密)하고도 느릿느릿 하는 모양. *차근차근.

초균형 예:산【超均衡豫算】〔—네—〕 명 〖경〗 세입이 세출보다 많아서 흑자가 나는 예산. *균형 예산.

초균형 재정【超均衡財政】 명 〖경〗 세입(歲入)이 세출을 초과하는 재정. 재정 지출(財政支出)을 조세 등 경상 수입(經常收入)을 하회(下廻)하도록 억제하는 일.

초극【超克】 명 난관을 극복함. ——-하다 타여불

초근【草根】 명 풀 뿌리.

초근 목피【草根木皮】 명 ①풀 뿌리와 나무 껍질. 곧, 영양 가치가 적은 악식(惡食)을 가리키는 말. ¶~로 연명하다. ②한약의 재료(材料)가 되는 물건.

초근-초근 부 착 달라붙어서 남을 깐깐하게 조르는 모양. <추근추근. ——-하다 형여불

초금【草琴】 명 풀잎피리.

초-금령【草金鈴】〔—녕〕 명 〖한의〗 견우자(牽牛子).

초급[1]【初級】 명 맨 처음의 등급. 최저급. ¶~반. ↔고급(高級).

초급[2]【初給】 명 ↗초임급(初任給).

초급[3]【峭急】 명 성품이 날카롭고 몹시 급함. ——-하다 형여불

초-급[4]【樵汲】 명 땔나무하는 일과 물 긷는 일.

초급 글라이더【初級—】〔glider〕 명 활공기(滑空機)의 하나. 활공기의 조종 연습에 쓰이며, 특히 초심자(初心者)의 연습에 쓰임. 흔히, 고무로 된 로프로 발진(發進)시킴. 초급 활공기. 프라이머리.

초급 활공기【初級滑空機】 명 초급 글라이더.

초기[1] 명 〈방〉 버섯.

초기[2]【抄記】 명 초록(抄錄). ——-하다 타여불

초기[3]【初忌】 명 ①사람이 죽은 지 1년 만에 오는 날. 소상(小祥). ②첫 기제(忌祭).

초기[4]【初期】 명 맨 처음으로 비롯되는 시기. 또, 그 동안. ¶~ 작품. ↔말기(末期).

초기[5]【草記】 명 ①초고로 씀. 또, 그 기록. ②〖역〗 서울 각 관아에서 정무상(政務上) 그리 중요하지 않은 사항을 사실만 간단히 적어 임금에게 올리던 문서.

초-기[6]【峭氣】 명 → 축기.

초기[7]【礎器】 명 도자기(陶瓷器)를 구워 만들 때에, 그 그릇을 올려 앉히는 굽 높은 받침.

초기 경결【初期硬結】 명 〖의〗 매독(梅毒) 감염 후 1-6 주간, 평균 3주간 만에 병원균 침입구에 생기는 경결. 제1기 매독에 속함. 처음에는 편평하게 융기(隆起)한 피부 내의 경결이던 것이 차차 완두콩만하게 커져서 원형 또는 타원형의 홍갈색의 연골(軟骨) 모양이 됨. 자각 증상이 없고 주로 외음부(外陰部)에 하나 생겼다가 3, 4주일 후에 자연히 흡수되어 없어지는데, 때로는 구개(口蓋)·편도선·발·젖통 등에 생기기도 함. *경성 하감(硬性下疳).

초기 경화【初期硬化】 명 콘크리트·시멘트·플라스터(plaster) 등에 물을 가한 후의 초기의 경화.

초기 기독교 미술【初期基督教美術】 명 기독교 발생 후, 비잔틴 미술에서 로마네스크 미술에 이르기까지 기독교가 보급된 로마·갈리아(Gallia)·이집트·시리아·소아시아 등에서 성행한 미술.

초기 미동【初期微動】 명 〖지〗 지진동(地震動) 가운데 최초에 나타나는 비교적 진폭이 작고 주기가 짧은 미동 부분. 보통, P파가 시작되어서 S파가 시작될 때까지의 부분에 상당함.

초기 변:화군【初期變化群】 명 〖의〗 제1차 결핵에 나타나는 특이한 병변(病變). 폐내(肺內)의 병변과 그에 대응하는 폐문부(肺門部) 림프샘의 종창(腫脹)을 아울러 말함.

초기 응:력장【初期應力場】〔—녁—〕 명 〖지〗 암석 중의 응력 분포 및 그 응력치(應力值).

초-기일【初期日】 명 맨 첫번의 기일.

초기 자본주의【初期資本主義】〔—/—이〕 명 〔도 Frühkapitalismus〕 〖경〗 독일의 사회 과학자 좀바르트의 용어. 수공업적 경제 체제가 근대 자본주의로 이행(移行)하는 과도기의 경제 체제. 유럽에 있어서 대략 15세기 중기로부터 18세기 중기까지가 이에 해당하는데, 상업과 상업 자본의 번영이 그 특징임.

초기 조건【初期條件】〔—껀〕 명 〖물〗 어떤 현상(現象)의 과정이 어떤 인과 법칙(因果法則)에 의하여 기술(記述)될 때에 그 형상의 초기 상태가 지정한 조건.

초기 침윤【初期浸潤】 명 〖의〗 결핵의 초감염(初感染)에 있어서 X선 검사로 증명되는 폐의 균등한 침윤. 2, 3개월 후에 자연히 소실(消失)되는데, 왕왕 계속 또는 확대되어 만성(慢性) 폐결핵증으로 이행(移行)하는 수도 있음.

초기하 분포【超幾何分布】 명 〖수〗 확률 분포(確率分布)의 하나. n개의 공 가운데, m개가 빨간 공이고, 나머지의 $n-m$개가 흰 공이라고 함. 여기서 임의로 r개의 공을 꺼낼 때에 그 가운데 k개가 빨간 공이고 나머지 $r-k$개가 흰 공일 확률을 $P_{(k)}$라 하면 $P_{(k)}=\frac{{}_mC_k \times {}_{n-m}C_{r-k}}{{}_nC_r}$ $(k=1, 2, \cdots, r)$임. 이와 같은 법칙에 따르는 확률 분포를 말함.

초길【初吉】 명 음력 매달 초하룻날의 일컬음.

초김 명 〈방〉 초금(草琴).

초-김치【醋—】 명 초를 쳐서 담근 열갈이 김치나 풋김치. 초저(醋菹). 초김치가 되다 구 풀이 죽다. ¶그날 밤에는 아주 다 죽은 초김치가 되어 아무말 없이《李海朝: 彈琴臺》.

초깃-값【初期—】〔—깝〕 명 〖수〗 미분 방정식(微分方程式)의 초기 조건에서, 지정된 풀이가 취해야 할 값.

초-꼬슴【初—】 명 일을 하는 데 맨 처음.

초-꼬지 명 말린 떡조개.

초-꽂이 명 촛대나 등의 초를 꽂게 된 물건. 꼬챙이 끝처럼 뾰족하게 된 것도 있고 두겁처럼 만들어서 초를 박게 된 것도 있음.

초끈 이론【超—理論】 명 〔superstring theory〕 〖물〗 소립자(素粒子)의 네 가지 상호 작용(相互作用)을 통일하는 소립자(素粒子) 이론. 소립자는 점상(點狀)이 아니고 길이를 가진 '끈'이며, 또 초대칭성(超對稱性)의 것이라고 봄. '장(場)의 이론'의 모순을 해결코자 하는 이론임. 초현(超弦) 이론.

초-나라【楚—】 명 〖역〗 중국의 '초(楚)'를 나라로서 똑똑히 일컫는 말. 주의 예전에는 '촛나라'로 발음했음.

초-나물【醋—】 명 숙주·미나리·물쑥 같은 것을 약간 데치고 양념을 하여 초를 쳐서 먹는 나물의 한 가지. 쇠고기·돼지 고기·해삼·전복 등을 저며 섞기도 함. 초채(醋菜).

초-나흗날【初—】 명 그 달의 네번째 되는 날. 초사일(初四日). ⓒ초나흘·나흗날.

초-나흘【初—】 명 ↗초나흗날.

초-난류【超亂流】〔—날—〕 명 〔superturbulent flow〕 마찰에 의한 에너지의 손실이 너무 크기 때문에 레이놀즈(Reynolds)의 층류(層流)에서

난류의 천이칙(遷移則)을 적용할 수 없는 흐름.

초-남태【初男胎】명 ①첫번으로 낳은 사내 아이의 태(胎). ②아주 어리석은 사람을 비웃는 말. ¶저 따위 ~는 참 처음 보았어≪李相協 : 눈물≫.

초-내기【初―】명 ☞신출내기.

초-내다【草―】타 〈방〉 초잡다.

초내열 합금【超耐熱合金】명〖화〗일반적인 내열성 강(鋼)은 견디지 못하는 700°-800°C의 고온에서도 견디는 합금. 예를 들면, 크롬·니켈 등 외에 코발트·텅스텐 등을 함유하는 것이 있음. 초합금.

초년[1]【初年】명 ①일생(一生)의 초기. ¶~ 고생. ↔만년(晩年). ②첫 시절. ¶~생/~병.

초년[2]【齠年】명 배냇니 빠지는 칠팔 세. 또, 그 나이.

초년 고생【初年苦生】[―꼬―] 명 젊어서 하는 고생.
[초년 고생은 만년(晩年) 복이라; 초년 고생은 사서라도 한다; 초년 고생은 양식 지고 다니며 한다; 초년 고생은 은(銀) 주고 산다] 젊어서 고생한 끝에 낙(樂)이 오는 수가 많은 까닭에 그 고생을 달게 여김을 가리키는 말.

초년-병【初年兵】명 입대한 지 얼마 안 되는 병사. 신병(新兵).

초념【初念】명 처음에 먹은 마음.

초노【樵奴】명 땔나무를 해 오는 종.

초-눈 명 초파리의 유충.

초-능력【超能力】[―녁] 명〖심〗이 에스 피(ESP). *심령 현상(心靈現象).

초-다듬이【初―】명 ①옷감 따위의 구김살을 펴는 애벌 다듬이. ②우선 초벌로 남을 몹시 패는 짓. ¶선돌은 묶인 석가놈의 어깻죽지를 참없는 발길질로 ~하여 놓고…≪金周榮 : 客主≫. ――-하다 자타여불

초다시간 이:론【超多時間理論】명〖물〗상대론적인 전자(電磁) 역학과 장(場)의 양자론(量子論)을 완전히 조화시킨 양자 전자 역학상의 이론. 디랙(Dirac)의 다시간 이론을 발전시켜서 각 입자(粒子)가 공간뿐만 아니라 시간에 대해서도 어떤 넓이를 갖는 연속된 변수(變數)를 취할 수 있도록 한 것.

초-다짐【初―】명 끼니나 혹은 좋은 음식을 먹기 전에 우선 배 고픈 것을 면하려고 간단한 음식을 조금 먹는 일. ――-하다 타여불

초단[1]【初段】명 ①첫번의 계단. ②유도·검도·태권도·바둑·장기 등의 처음의 단. 이단의 아래, 일급의 위임. ¶유도 ~/바둑 ~.

초단[2]【草短】명 화투 놀이에서, 홍싸리·흑싸리·난초의 띠 세 개를 맞추어 이루는 단.

초단[3]【礎段】명〖토〗지반이 건조물의 무게를 골고루 받게 하기 위하여, 벽·기둥·교각 따위 밑을 넓게 만든 부분.

초-단파【超短波】명 〔very high frequency〕〖물〗주파수 30-300 메가헤르츠, 파장 1-10 m의 전자기파(電磁氣波). 전리층(電離層)에서 반사되지 않으며 곧게 진행하는 성질이 강하므로, 넓은 지역에 보내는 텔레비전·FM 방송 외에, 항공 무선·이동 업무 무선 등 국내 통신에 널리 쓰임. 미터파. 약칭: 브이 에이치 에프(VHF).

초단파 가:시 가:청식 레인지【超短波可視可聽式―】명 〔VHF Visual Aural Range〕〖항공〗중파(中波) 레인지의 결점인 상한(象限) 식별의 곤란성·공전(空電)의 영향 등을 제거하기 위하여 사용되고 있는 코스(course) 표시를 위한 시설. 상한 식별은 D·U 부호의 청취에 의하고, 코스 구성은 크로스포인터 지시계(指示計)의 지침이 중앙에 올 때 신호의 수신 강도가 같도록 하는 방식임.

초단파-대【超短波帶】명 초단파 주파대(周波帶), 즉 30-300 메가 헤르츠 주파대의 이름. 약호: VHF.

초단파 방:송【超短波放送】명 초단파를 이용하여 행하는 텔레비전 및 FM 라디오 방송.

초단파 에이 디: 에프【超短波ADF】명 〔VHF Automatic Direction Finder〕〖항공〗지상에서 항공기의 방위적(方位的) 위치를 측정하는 데 사용되는 탐지기의 하나. 공항(空港)의 관제탑(管制塔)에 설치하여 공항 관제에 이용함.

초단파 요법【超短波療法】[―뻡] 명〖의〗초단파의 온열(溫熱) 작용을 이용한 요법. 절연(絶緣)된 전극(電極) 사이에 환부(患部)를 넣고 10-50 메가헤르츠의 전파를 쬠. 신경통·관절염 등에 적용함.

초달[1]【超達】명 보통을 넘어서 그 길에 통달함. ――-하다 자여불

초달[2]【楚撻】명 달초(撻楚). ――-하다 자타여불

초-닷새【初―】명 ↗초닷샛날.

초-닷샛날【初―】명 그 달의 다섯번째의 날. 초오일(初五日). 준초닷새·닷새·닷샛날.

초당[1]【初唐】명〖역〗중국의 당대(唐代)를 사분(四分)한 제일기(第一期)의 일컬음. 고조(高祖) 무덕(武德) 원년(618)에서 현종(玄宗) 즉위의 전년(前年)(711)까지를 말함. ¶~ 사걸(四傑). *만당(晩唐).

초당[2]【草堂】명 ①집의 원채 밖에 억새나 짚 같은 것으로 지붕을 이은 조그마한 집채. ②초암(草庵).
[초당 삼간 다 타도 빈대 죽는 것만 시원하다] '초가 삼간 다 타도 빈대 죽는 것만 시원하다'와 같은 뜻.

초당[3]【超黨】명 ↗초당파.

초당-곡【草堂曲】명〖문〗조선 정조(正祖)에서 순조(純祖) 때의 문신(文臣) 이상계(李商啓)가 지은 가사. 산수(山水)의 자연 속에 파묻혀 안빈낙도(安貧樂道)함을 읊음. 총 69구.

초당-길 명 〈방〉 소로(小路)(전북).

초당 사:걸【初唐四傑】명〖문〗중국의 초당(初唐), 7세기 후반에 문단에서 활약한 왕발(王勃)·양형(楊炯)·노조린(盧照隣)·낙빈왕(駱賓王)의 네 시인. 네 사람이 모두 조숙한 재사이고 기구한 운명을 가졌으며, 시풍(詩風)에 있어서도 평명(平明)·신선(新鮮)·기백(氣魄)이 공통적인 특징이었음.

초당 시여【草堂詩餘】명〖책〗중국 송대의 하사신(何士信)이 편찬한 사선집(詞選集). 당·오대·송·금(金)의 사(詞) 369수(首)가 수록되어 있는데, 전·후집 2권으로 됨.

초-당파【超黨派】명 당파적 이해를 떠나서, 모든 관계자가 하나 같은 태도를 취하는 일. 또, 그 당파. 준초당.

초당파 외:교【超黨派外交】명 외교 문제(外交問題)에 관해 각 정당이 각자의 정책을 초월하여 통일적 방침 밑에 일치(一致)된 행동을 취하는 일. 또, 그 외교.

초대[1] 명 〈방〉 미나리꽝.

초대[2]【初―】명 무슨 일에든지 경험이 없이 처음으로 나선 사람.

초대[3]【初代】명 어떤 계통의 첫번째 차례. 또, 그 사람의 시대. 일세(一世). ¶~ 대통령.

초대[4]【初對】명 ①초대면. ②일을 처음으로 당하여 서투름을 가리키는 말. ――-하다 타여불

초대[5]【招待】명 ①임금의 명으로 불러서 오게 함. ②사람을 불러서 대접함. ――-하다 타여불

초대 교:회【初代敎會】명〖기독교〗원시 기독교 시대, 곧 33-150년경에 성립된 기독 교회. 예수의 사후 예루살렘에 세워진 교회가 로마 제국의 각지에 퍼져 각 지방의 도시에 세워진 것을 말하는데, 특히 로마와 알렉산드리아의 교회가 전도·교회의 중심이었음. 이 시대는 또 사도(使徒)들이 활약하고 있기 때문에 사도 시대로도 불림. 원시 기독교. *대교회(大敎會).

초대-권【招待券】[―꿘] 명 어떤 모임에 오기를 청하는 문권(文券).

초대 규모 집적 회로【超大規模集積回路】명 〔very large scale integration〕〖물〗대규모 집적 회로를 더욱 소형 경량화(小型輕量化)한 초고밀도(超高密度) 집적 회로. 불과 수 밀리 사방의 실리콘 기판(基板) 위에 10만에서 100만 개의 트랜지스터 등이 집적되어 있음. 1977년부터 개발되기 시작함. 거대(巨大) 규모 집적 회로. 초엘 에스 아이(超 LSI). 지 에스 아이(GSI).

초-대륙【超大陸】명〖지〗판게아(pangaea).

초-대면【初對面】명 처음으로 대면함. 초대(初對). ――-하다 타여불

초대-석【招待席】명 초대한 사람을 위해서 만든 자리.

초대-연【招待宴】명 손님을 초대하여 베푸는 잔치.

초대-장【招待狀】[―짱] 명 초대하는 뜻을 적은 편지. 초장(招狀). 안내장.

초-대칭성【超對稱性】[―썽] 명 〔supersymmetry〕〖화〗페르미온(fermion)과 보손(boson) 사이에 존재한다고 예상되는 대칭성. 자연계에는 양종(兩種)의 소립자(素粒子)가 존재하는데, 이것은 하나의 소립자가 서로 다르게 나타나는 것이라고 하는 이론적(理論的)인 견해에 기초하고 있음. 이 대칭성이 존재한다면 같은 질량의 페르미온과 보손은 쌍으로 존재하여야 하나 실험적(實驗的) 증거는 아직 발견되지 않음.

초대통일 이:론【超大統一理論】명〖물〗자연을 지배하는 네 가지 기본적인 힘, 곧 약한 힘, 강한 힘, 전기 자기력, 중력(重力)이 보다 근원적인 하나의 힘의 다른 모습임을 밝히려는 이론.

초-대형【超大型】명 아주 큰 것. 극히 대형의 것.

초대형-주【超大型株】명〖경〗거대(巨大)한 자본과 경영 규모(經營規模)를 가진 회사의 주.

초뎍 명 〈옛〉 조금. 풀잎 피리. 초적(草笛). ¶초뎍가(笳)≪字會 中 32≫.

초도[1]【初度】명 ①↗초도일(初度日). ②첫번. ¶~ 순시(巡視).

초-도[2]【草島】명〖지〗전라 남도의 남해상(南海上), 여천군(麗川郡) 삼산면(三山面) 초도리(草島里)에 위치한 섬. [7.72 km² : 1,671명(1984)]

초도[3]【草圖】명 지도나 도면 따위의 초안(草案).

초도[4]【椒島】명〖지〗황해도 송화군(松禾郡) 풍해면(豐海面)에 위치한 섬. 황해도의 3대 도서(島嶼)의 하나로 육지에서 12 km 떨어져 있음. [32.56 km²]

초도 군도【草島群島】명〖지〗전라 남도 여천군(麗川郡) 삼산면(三山面)에 위치한 군도. 고흥 반도(高興半島) 남단에서 남쪽으로 약 38 km 떨어진 해상에 있음. 초도(草島)를 비롯하여 원도(圓島)·장도(長島) 등 여러 개의 작은 섬으로 이루어짐. 풀이 많고 바다새가 많아서 '초도' 또는 '조도(鳥島)'라고 일컬어졌었음.

초-도목【草都目】명〖역〗도목(都目) 때에 참고로 미리 서임(敍任)한 사람의 관직·성명을 적어서 임금에게 올리는 초본(草本).

초-도서【初圖書】명 쇠붙이나 돌들에 새기는 글자의 초견(草件).

초도 수도【椒島水道】명〖지〗황해도(黃海道) 송화군(松禾郡)의 육지와 초도(椒島) 사이의 폭 12 km의 해협(海峽).

초도 순시【初度巡視】명 한 기관(機關)의 책임자나 감독관 따위가 부임하여 처음으로 그의 관할 지역(管轄地域)을 순회하여 시찰(視察)하는 일. ――-하다 타여불

초도 습의【初度習儀】[―/―이] 명 나라의 의식(儀式)에 첫번으로 행하는 습의. ――-하다 타여불

초도-식【初渡式】명 시도식(始渡式).

초도-일【初度日】명 환갑(還甲) 날의 예스러운 일컬음. 준초도(初度). *수신(晬辰).

초독【楚毒】명 괴로움. 아픔. 고통. 고초(苦楚).

초동[1]【初冬】명 초겨울.

초동[2]【初動】명 ①최초의 행동. 최초의 동작. ¶~ 수사. ②〖지〗진원(震源)에서 최초에 도착한 지진파(地震波)에 의한 지동(地動). 지진의 큰 진동에 앞서 나타나는 작은 미동(微動)의 기간을 말함.

초동[3]【樵童】명 땔나무를 하는 아이.

초동 급부【樵童汲婦】[명] 땔나무를 하는 아이와 물을 긷는 아낙네. 곧, 평범한 사람을 뜻하는 말.
초동 목수【樵童牧豎】[명] 땔나무를 하는 아이와 짐승을 치는 아이. [준]초목(樵牧).
초-동삼【初冬三】[명] 초겨울.
초동 수사【初動搜査】[명] 범죄 사건이 일어났을 때 최초로 행해지는, 현장(現場)을 중심으로 한 수사 활동.
초두[1]【初頭】[명] ①첫 머리. ¶ 20 세기 ～. ②애초.
초두[2]【草頭】[명] 한자 부수(部首)의 하나. '菊'·'茂'·'芔' 등의 '艹'나 '艸'의 이름. '艸'는 '草'의 고자(古字)임.
초두[3]【梢頭】[명] 나무의 잔가지 끝. 우듬지.
초두[4]【鐎斗】[명] 다리 셋이 달리고 자루가 있는 쟁개비.
초두-가【初頭歌】[명]〖악〗허두가(虛頭歌).
초-두구【草豆蔻】[명]〖식〗생강과에 속하는 열대초. 중국의 푸젠(福建)·장쑤(江蘇) 등지에서 남. 잎은 피침형인데 크며, 엽막(葉膜)이 있고, 꽃은 꽃술의 끝에 피며 남빛이고, 열매는 용안(龍眼)만한데 조금 갸름하며, 열매의 껍질은 얇고 황백색임. 맛이 시고 환한 향기가 있는데 초과(草果)와 같은 약효가 있어 한약재로 쓰나 품종이 조금 다른 까닭으로 구별하는 수도 있음.
초두 난:액【焦頭爛額】[명] 불에 머리를 그슬리고 이마를 데어 가며 불을 끈다는 뜻에서 몹시 애를 씀을 이름. ——-하다 [자][여불]
초-두랄루민【超—】〔duralumin〕[명]〖화〗알루미늄에 구리·마그네슘 등을 가한 합금. 두랄루민보다 강도가 높으며 항공기의 구조재(構造材) 등으로 쓰임.
초둔【草芚】[명] 뜸[1].
초-들다 [타] 무슨 사물을 입에 올려서 말하다. 쳐들다. ¶ 초들어 말할 거리가 못되다.
초등[1]【初等】[명] 맨 처음의 등급. 차례를 따라서 올라가는 데 그 맨 아랫등급.
초등[2]【超等】[명] 등급이 뛰어남. ¶ 위광이 ～하고 권능이 탁월하도다≪구약 창세기 XLIX : 3≫. ——-하다 [자][여불]
초등-과【初等科】[—꽈][명] 초등 교육의 과정(科程). ↔고등과(高等科).
초등 교:원 연:수원【初等教員研修院】[—넌—][명]〖교〗교원 연수원의 하나. 국립 교육 대학에 부설(附設)하여, 유치원·초등 학교·공민 학교·특수 학교에 근무하는 교원의 연수를 담당함.
초등 교:육【初等教育】[명] ①초보적이며 기본적인 보통 교육을 내용으로 하는 초등 학교 교육. ②취학 후 최초 단계의 교육으로 중등 교육에 대응하는 개념.
초등 기하학【初等幾何學】[명]〖수〗평면 도형(平面圖形) 및 입체 도형(立體圖形)에 관한 여러 성질을 유클리드 기하학적으로 연구하는 기하학의 한 분과(分科).
초등 수:학【初等數學】[명] 수학의 초등 부문. 산술·이차 방정식까지의 대수학(代數學)·유클리드 기하학 및 삼각 함수 등을 말하나 명확한 규정은 없음. ↔고등 수학.
초등 학교【初等學校】[명] 취학 연령에 달한 아동에게, 국민 생활에 필요한 초등 보통 교육을 의무적으로 시키는 학교. 수업 연한은 6년임. 구칭: 국민 학교.
초등 학생【初等學生】[명] 초등 학교에서 교육을 받고 있는 학생.
초등 함:수【初等函數】[—쑤][명]〖수〗대수(代數) 함수·지수(指數) 함수·로그 함수·삼각(三角) 함수·역삼각(逆三角) 함수 및 이들의 합성(合成)함수가 역함수(逆函數)를 만드는 조작(操作)을 여러 번 행함으로써 얻을 수 있는 함수의 총칭.
초때빼 [명]〈방〉정강이(경상).
초또빼 [명]〈방〉정강이(경북).
초-똥 [명]〈방〉촛농.
초뚜빼 [명]〈방〉정강이(경북).
초라니 [명]〖민〗나자(儺者)의 하나. 기괴한 계집 형상의 탈을 쓰고, 붉은 저고리에 푸른 치마를 입고 대가 긴 깃발을 가졌음. 소매(小梅).
초라니 대상 물리듯 [구] 언제건 해야 할 일을 미루고 또 미루는 모양.
초라-떼다 [자] 격에 맞지 않는 짓이나 차림새로 말미암아 창피를 당하다.
초라-하다 [형][여불]〔근대: 초라ᄒᆞ다(중세어 '추러ᄒᆞ다'의 작은 말)〕①겉모양이 허술하여 보잘것 없다. ¶ 초라한 몰골. ②생생한 기운이 없다. <추레하다.
초락-도【草落島】[명]〖지〗충청 남도의 서해안(西海岸), 당진군(唐津郡) 석문면(石門面) 초락도리(草落島里)에 있던 섬. 지금은 간척 사업으로 뭍이 됨.
초란-도【草蘭島】[명]〖지〗전라 남도의 서해상(西海上), 신안군(新安郡) 암태면(岩泰面) 당사리(唐沙里)에 위치한 섬. [1.28 km^2 : 92 명 (1984)]
초랍다 [형]〈방〉떫다(제주).
초래[1]【招來】[명] 불러 옴. 그렇게 되게 함. ¶ 순간적 실수가 불행을 ～하다. ——-하다 [타][여불]
초래[2]【招徠】[명] 초무(招撫).
초래[3]【草萊】[명] ①풀 숲. ②풀이 우거진 땅. 황폐한 토지.
초략[1]【抄略】[명] 노략질로 빼앗음. ——-하다 [타][여불]
초략[2]【草略】[명] 몹시 거칠고 간략함. ——-하다 [형][여불]
초량[1]【初涼】[명] 초가을의 서늘한 기운. 신량(新涼). 첫가을.
초량[2]【稍良】[명] ①조금 양호함. ②작황(作況) 등급의 하나. 삼분(三分) 이상 일할(一割) 미만의 증수(增收)가 될 것으로 예상되는 경우.
초려[1]【草廬】[명] ①초가집. 초가(草家). ¶ 삼고(三顧) ～. ②자기 집을 낮추어 일컫는 말.
초려[2]【焦慮】[명] 초사(焦思). ——-하다 [자][여불]
초련[1] [명] 오종 곡식이나 풋바심 곡식으로 정규의 가을걷이 때까지 대어 먹는 일. ¶ ～ 먹으려구 풋바심한 양식이라두 있으니까 내일 아침 진지들을 해드립지요≪洪命憙 : 林巨正≫.
초련[2]【初鍊】[명] ①재목을 베어 처음으로 대강 다듬는 일. 껍질을 벗기고 옹이를 깎아 버리는 일. ②무슨 일을 대번에 완전히 하지 않고 애벌로 대강만 매만지는 짓. ——-하다 [타][여불]
초련[3]【初戀】[명] 첫사랑.
초련[4] [부]〈방〉우선(평북). ¶ ～ 너부터 반성해라.
초련 김장 [명] 정식으로 김장을 담그기 전에 김장 때까지 우선 대어 먹기 위하여 조금 담그는 김장.
초련 김치 [명] 김장 때까지 우선 대어 먹기 위하여 조금 담그는 김치.
초련-질【初鍊—】[명] 대패로 나무의 면(面)을 처음 거칠게 깎아 내는 일. ——-하다 [타][여불]
초령【哨令】[명] 초병(哨兵)이 지킬 지시나 명령.
초례[1]【草隷】[명] ①초서(草書)와 예서(隷書). ②초서(草書)의 별칭.
초례[2]【醮禮】[명] 혼인 지내는 예식. ——-하다 [자][여불]
초례-청【醮禮廳】[명] 초례를 치르는 곳. *전안청(奠雁廳).
초로[1]【初老】[명] 초로기(初老期).
초로[2]【初露】[명] 가을이 되어 처음 내린 이슬.
초로[3]【草路】[명] 풀밭의 길.
초로[4]【草露】[명] 풀 끝에 맺힌 이슬.
초로(와) 같다 [구] 덧없다. 허무하다.
초로[5]【焦勞】[명] 속을 태움. 노심 초사(勞心焦思). ——-하다 [자][여불]
초로[6]【樵路】[명] 나뭇길.
초로-기【初老期】[명] 사람의 노년기의 초기. 늙기 시작하는 과정이 시작되는 45-50세의 시기. 초로(初老). *노쇠기.
초로기성 정신병【初老期性精神病】[—썽—뼝][명]〖의〗여자에서는 월경 폐지기(閉止期), 남자에서는 작업 능력(作業能力)의 최초의 쇠약부터 심한 노년기 탈락 현상이 나타날 때까지의 초로기에 볼 수 있는 정신 이상. 고민성(苦悶性)의 흥분을 수반하는 억울(抑鬱) 상태·망상(妄想) 상태·편집성(偏執性) 경향·히스테리성 색채가 농후한데, 특히 여자에 더 많음.
초로-길【樵路—】[명]〈방〉소로(小路)(경북).
초로 인생【草露人生】[명] 초로와 같이 덧없는 인생. 조로 인생(朝露人生).
초로-질【樵路—】[명]〈방〉소로(小路)(충남).
초로-찔【樵路—】[명]〈방〉소로(小路)(충남).
초록[1]【抄錄】[명] 소용될 만한 것만 뽑아서 적음. 또 그러한 기록. 초기(抄記). 초사(抄寫). [준]초(抄). ——-하다 [타][여불]
초록[2]【草綠】[명] ↗초록빛.
초록은 동색(同色); 초록은 한 빛 [구] ㉠동류(同類)끼리 어울린다는 뜻. ㉡이름은 다르나 따지고 보면 한가지 것이라는 말. ¶ 초록은 한 빛이 되어 감사를 원망하고 최병도의 일을 원통히 여기던 차에…≪李人稙: 銀世界≫.
초록-빛【草綠—】[명] 푸른 빛깔과 누른 빛깔의 사잇 빛. 초록색. [준]초록.
초록-색【草綠色】[명] 초록빛.
초록-하늘소【草綠—】[—쏘][명]〖충〗[*Chelidonium quadricolle*] 하늘솟과에 속하는 곤충. 몸은 길이 2.5cm 내외이고 몸빛은 금속 광택이 나는 남록색(藍綠色)에 복면(腹面)은 은회색(銀灰色)의 털로 덮이고, 촉각과 다리는 자흑색이며 후흉 복판에 취선공(臭腺孔)이 있어 독특한 향기를 발산함. 유충은 단풍나무·밤나무 등의 해충임. 한국에도 분포함.
초롱[1]〔중세: 쵸롱〕[명] 석유 담는 양철통. ¶ 석유 ～/술 세 ～.
초롱[2]【一籠】[명] '등롱(燈籠)'을 촛불을 켜는 까닭에 일컫는 말.
초롱-꽃【一籠—】[명]〖식〗[*Campanula punctata*] 초롱꽃과에 속하는 다년초. 줄기와 잎에 거친 털이 산재하며, 줄기 높이 50-100 cm이고, 잎은 호생하며 긴 달걀꼴이고 근생엽(根生葉)은 유병(有柄), 경엽(莖葉)은 무병(無柄)임. 6-8월에 담자색 또는 백색에 자색 반점이 있는 종상화(鐘狀花)가 두서너 개 피고 삭과(蒴果)는 거꿀달걀꼴임. 산이나 들에 나는데, 한국의 중북부 및 홋카이도·일본 등의 동부 아시아에 분포함.

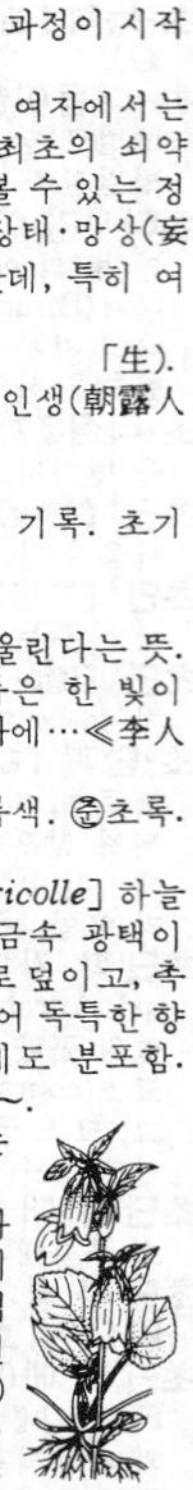
<초롱꽃>

초롱꽃-과【一籠—科】[명] [Campanulaceae] 쌍자엽(雙子葉) 식물에 속하는 한 과. 온대·아열대·열대의 산악 지대에서 자라는 다년초로 목본인 것도 소수가 있음. 잎은 호생하며, 꽃은 대개 총상(總狀) 화서 또는 취산(聚繖) 화서로 핌. 식용·약용·관상용으로, 전세계에 약 70 속(屬) 2,000 종, 한국에는 둥근잔대·왕잔대·모싯대·도라지·애기도라지·더덕 등 여러 종류가 분포함.
초롱-불【一籠—】[—뿔][명] 초롱에 켜 놓은 불.
초롱-잠【草籠簪】[명] 머리에 풀이 얽힌 모양을 섭새김한 비녀. ¶ 비취(翡翠) ～.
초롱초롱-하다 [형][여불] 맑고 영롱하게 빛나다. ¶ 눈이 ～.
초롱태 [명]〈방〉도롱태[2].
초료[1]【草料】[명]〖역〗①조선 시대 때, 군관(軍官)·환관(宦官), 가족을 데리고 부임하지 않는 진장(鎭將), 함경도·평안도·제주도 등 변방의 수령(守令)과 그 가족 등 공용 여행자가 여행길에 관으로부터 받는 소정(所定)의 공급(供給). 종인(從人)·마필(馬匹)의 숙식(宿食)을 포함함. ②↗초료장(草料狀).
초료[2]【鷦鷯】[명]〖조〗뱁새.
초료-장【草料狀】[—짱][명]〖역〗관원이 공무로 지방에 여행할 때에 지나가는 길의 각 역참(驛站)에 거마(車馬)·식료(食料) 등의 공급을 명령하는 문서. 병조(兵曹)·감사(監司)·병수사(兵水使) 등이 발급(發給)함. 초료첩(草料帖). [준]초료(草料).
초료-첩【草料帖】[명]〖역〗초료장(草料狀).
초룡【草龍】[명] 간단하게 그리거나 새긴 용(龍)의 형상.

초-롱담【草龍膽】명 『식』 과남풀.
초루【譙樓】명 문루(門樓).
초류【噍類】명 사람과 길짐승의 총칭. 곧, 먹을것을 씹어서 먹는 종류들.
초륜【超倫】명 초범(超凡). ——-하다 형여불
초름-하다 형여불 ①넉넉하지 못하다. 충분하지 못하다. ②어떠한 표준보다 조금 모자라다.
초리[1] 명 〈방〉 추리.
초리[2] 명 〈방〉 잠자리(경북).
초리[3] 명 〈옛〉 꼬리. ¶玉マ톤 龍의 초리 섯돌며 뿜는 소리 ≪松江 關東別曲≫/머리롤 썰고 초리롤 티며(擺頭打尾)≪馬經 上 108≫.
초리[4]【草履】명 짚신.
초리-도【草理島】명 『지』 경상 남도 진해시(鎭海市)의 앞바다, 명동(明洞)에 위치한 섬. [0.06 km²]
초리라 타 〈옛〉 차리라. '초다'의 활용형. ¶수스 사다가 초리라(買將條兒來帶他)≪朴解 上 16≫.
초리-지【草里池】명 『지』 평안 북도 운산군(雲山郡) 북진면(北鎭面)에 있는 못. [1.85 km²]
초리티다 타 〈옛〉 요약(要約)하다. ¶ 또 浮文을 초리티고 本實을 敷연호야(又略浮文敷本實)≪家禮 1:2≫.
초림[1]【初臨】명 『기독교』 예수가 신의 독생 성자(獨生聖子)로 세상에 세 번 오는 가운데 그 첫번에 인자(人子)로 오는 것을 가리키는 말.
초림[2]【椒林】명 서얼(庶孽).
초립[1]【峭立】명 깎아 세운 듯이 높이 솟아 있음. ——-하다 형여불
초립[2]【草笠】명 나이가 어린 사내로서 관례(冠禮)한 사람이 쓰던, 누른 빛깔의 썩 가는 풀로 결어 만든 갓. 본디, 참골풀로 결어 만들었으며, 조선 시대 초기에는 사족(士族)은 가는 대오리나 말총으로 곱게 만들어 쓰고, 서민(庶民)은 굵은 대오리나 짚 등으로 거칠게 만들어 쓰다가 후기에 와서 폐기됨. 초립동이 외에 별감(別監)·서리(胥吏)·광대 등도 썼음. 풀갓.

〈초립²〉

초립-동【草笠童】명 초립둥이.
초립-둥이【草笠―】명 초립을 쓴 젊은 사내. 초립동.
[초립둥이 장님을 보았다] 길에서 장님을 만나면 재수가 없다고 이르는데, 어린 장님은 더욱 불길하다는 말.
초립-장【草笠匠】명 『역』 초립을 만드는 장인(匠人).
초마 명 〈방〉 ①치마¹(경기·강원·충북·전남·황해). ②처마(경기·강원·충북·전남·경북).
초마-면【炒碼麵】명 짬뽕의 중국 이름.
초마 양:반【―兩班】명 『역』 치마 양반.
초막【草幕】명 ①조그마하게 지은 초가(草家)의 별장. ②『불교』 절 근방에 있는 중의 집.
초막이 명 『건』 서까래에 걸친 평고대(平高臺).
초막이-초【―草】명 『건』 초막이에 그린 단청(丹靑).
초막절【草幕節】명 『종』 수장절(收藏節).
초-만원【超滿員】명 더할 수 없이 꽉 찬 만원. ¶~의 대성황(大盛況)을 이루다.
초맛-살 명 쇠고기의 대접에 붙은 살코기.
초망[1] 명 〈방〉 마수걸이(함남).
초망[2]【草莽】명 ①풀의 떨기. 풀숲. ②촌스럽고 메떨어져서 세상 일에 서투름. ③초야(草野). ——-하다 형여불
초망자-굿【招亡者―】명 『민』 사령(死靈)굿 과정에서 망인(亡人)의 혼을 불러들이는 굿거리. 망인의 넋을 달래어 극락으로 천도하는 것이 목적임.
초망지-신【草莽之臣】명 벼슬을 아니하고 초야(草野)에 묻혀 사는 사람.
초망 착호【草網着虎】명 새끼로 엮은 망으로 범을 잡는다는 뜻으로, 엉터리 없는 짓을 이르는 말.
초매[1] 명 〈방〉 ①치마¹(강원·황해·평안·전남). ②처마(경기·강원·충남).
초매[2]【草昧】명 ①천지 개벽의 처음. 곧, 거칠고 어두운 세상. 조매(造昧). ¶~의 태고(太古) 시절. ②거칠고 어두워서 사물이 잘 정돈(整頓)되지 아니한 상태.
초매[3]【超邁】명 보통보다 훨씬 뛰어남. ——-하다 형여불
초면[1]【初面】명 처음으로 대하여 봄. 처음으로 대하는 처지. ¶그와는 ~이다. ↔구면(舊面).
초면[2]【炒麵】명 밀국수를 기름에 볶아 만든 음식.
초면[3]【草綿】명 『식』 목화(木花)❷.
초면[4]【焦面】명 『물』 화면(火面).
초면 강산【初面江山】명 처음으로 보는 타향.
초면-인【初面人】명 처음으로 대하여 보는 사람.
초면 친구【初面親舊】명 처음으로 대하여 보는 벗.
초멸【剿滅】명 도적의 무리를 무찔러 없애 버림. 초제(剿除). ——-하다 타여불
초명[1]【初名】명 처음의 이름.
초명[2]【草名】명 ①풀의 이름. ②초체(草體)로 흘려 쓴 서명(署名).
초모[1]【招募】명 ①불러서 모음. ②의병을 모집함. ——-하다 타여불
초모[2]【草茅】명 ①잔디. ②풀과 띠. 수풀. ③전(轉)하여, 민간(民間). 초야(草野).
초모[3]【醋母】명 『식』 아세트산균(―酸菌).
초모 우신【草茅愚臣】명 초야(草野)의 어리석은 신하. 신하가 자기를 낮추어 이르는 말.
초모 위언【草茅危言】명 초야(草野)에 묻힌 재야 인사(在野人士)가 국정(國政)을 통론(痛論)함. 초목 위언(草木危言).
초모-필【貂毛筆】명 담비의 털로 만든 붓.
초목[1]【草木】명 풀과 나무. 목초(木草).
초목[2]【椒目】명 『한의』 초피나무의 씨. 성질은 냉하고 맛이 쓴데, 이뇨(利尿)·해독·살충제로 씀.
초목[3]【樵牧】명 ①땔나무하는 일과 짐승을 먹이는 일. ②↗초동 목수(樵童牧豎).
초목 개병【草木皆兵】명 적(敵)이 우세한 데 겁을 먹어 초목이 모두 군사(軍士)로 보임을 이름. 또, 군사의 수효가 너무 많아 산야(山野)에 가득 찬 상태를 이름.
초목 곤충【草木昆蟲】명 초목이나 충류(蟲類).
초목 구후【草木俱朽】명 초목 동부(草木同腐). ——-하다 자여불
초목 국토 슬개 성불【草木國土悉皆成佛】명 『불교』 중국의 천태(天台)·화엄(華嚴) 종파 등에서 강조하는 설로, 초목이나 토석처럼 심정(心情)이 없는 것까지도 성불할 수 있다고 하는 주장.
초목 금:수【草木禽獸】명 초목과 금수.
초목 노:생【草木怒生】명 봄이 되어 초목이 싱싱하게 싹틈.
초목 동부【草木同腐】명 ①할 일을 못하고 풀이나 나무와 같이 썩음. ②이름을 남기지 못하고 세상을 떠남. 초목 구후(草木俱朽). ——-하다 자여불
초목 위언【草木危言】명 초모 위언(草茅危言).
초목지-신【草木之臣】명 초야의 신(臣). 벼슬 않는 신하. 또, 자기를 낮추어 일컫는 말. 초망지신(草莽之臣).
초목 지엽【草木枝葉】명 풀과 나무의 가지와 잎.
초목 지위【草木知威】명 초목도 위광(威光)을 앎. 위명(威名)의 성(盛)함을 이름.
초목 황락【草木黃落】[―낙] 명 초목의 잎이 누렇게 되어서 떨어지는 가을철의 이름.
초목-회【草木灰】명 『농』 짚이나 풀을 태운 재. 유기질(有機質) 비료의 하나. 주성분은 탄산 칼륨, 부성분은 석회 및 인산(燐酸). 염기성으로 산성 토양(酸性土壤)을 중화(中和)시킴.
초몰【抄沒】명 관(官)에서 재산을 몰수함. ——-하다 타여불
초묘【初卯】명 정월의 첫 묘일(卯日).
초무[1]【初舞】명 『악』 진연(進宴) 때 추는 남악(男樂)의 이름. 이 춤에는 창사(唱詞)가 없는데, 두 무동(舞童)이 북향하여 서서 두 손을 번갈이 바꾸어 이마에 대면서 춤을 춤.

〈초무¹〉

초무[2]【招撫】명 불러다가 어루만져 위로(慰勞)함. 불러서 따르게 함. 초래(招徠). ——-하다 타여불
초무[3]【哨務】명 초계(哨戒)의 근무. 감시하는 직무.
초-무시리【初無是理】명 처음부터 이치(理致)에 맞지 아니함. ——-하다 형여불
초-무침【醋―】명 초를 넣고 무치는 일. 또, 초로 무친 요리.
초문【初聞】명 처음 듣는 말. ¶그런 일은 금시 ~이다. ↔구문(舊聞).
초-문기【草文記】명 『역』 관계자의 서명이 아직 다 끝나지 않은 문기.
초-문자【草文字】[―짜] 명 초체(草體)의 문자. 초자(草字).
초-물【初―】명 염전(塩田) 등에서 처음으로 모래를 걸러 낸 물. 졸이면 소금이 됨.
초물-전【草物廛】명 나막신·광주리·돗자리·바구니·빨랫 방망이·초방석 등의 잡살뱅이를 파는 가게.
초미[1]【草靡】명 풀이 바람에 나부끼며 한 쪽으로 쏠리듯이 순종(順從)함. ——-하다 자여불
초미[2]【焦眉】명 눈썹에 불이 붙은 것과 같이 매우 위급함을 이르는 말. 초미지급(焦眉之急). ¶~의 급무(急務).
초미-금【焦尾琴】명 '거문고'의 별칭.
초-미립자【超微粒子】[―짜] 명 『물』 지름 100 만분의 1 mm에서 1 만분의 1 mm 정도의 극히 미세한 입자. 단위 무게당(當) 표면적이 매우 커지며, 화학 반응이 일어나기 쉽고, 빛의 흡수성이 좋아지는 등의 독특한 성질을 나타냄.
초-미분【超微粉】명 [superfines] 『야금』 금속 분말 중, 10μ 이하의 입자(粒子).
초미세 구조【超微細構造】명 ①[hyperfine structure] 『광학』 원자핵의 스핀(spin)에 의한 또는 원소 가운데에 동위체가 혼재(混在)해 있는 데서 오는 스펙트럼선(spectrum線)의 분열. ②[ultra structure] 『생』 광학 현미경으로는 관찰할 수 없는 미세한 구조.
초미세 전:자기장【超微細電磁氣場】명 『물』 원자핵(原子核)의 위치에 있어서의 전기장(電氣場)과 자기장(磁氣場).
초미소 수술【超微小手術】명 [microsurgery] 『의』 레이저 광선(laser 光線)을 메스로 하여 생물의 최소 단위인 세포를 수술하는 일.
초미에 가오리탕【初味―湯】구 가오릿국의 첫맛이라는 뜻으로, 시초부터 못마땅하거나 부족한 사물에 대하여 이르는 말.
초미지-급【焦眉之急】명 초미(焦眉). 소미지급(燒眉之急).
초민【焦悶】명 애처롭고 민망하게 여김. ¶조소사의 ~한 마음은 애간

장을 녹이는 듯하였다《金周榮 : 客主》. ——-하다 타여불

초-바구미 명 〈방〉〖충〗 초파리.

초반[1]【初盤】명 바둑·장기 등에서, 승부(勝負)의 첫판. 또는, 한 대국(對局)의 첫 단계(段階). 바둑의 포석(布石) 단계. 서반(序盤). ¶ ~전(戰). ↔종반(終盤).

초반[2]【礎盤】명〖건〗주춧돌.

초반-각【礎盤刻】명〖건〗기둥을 받치기 위하여 초석(礎石)의 상면(上面)에 새긴 반상(盤狀)의 돌기(突起).

〈초반자〉

초반-전【初盤戰】명 장기·바둑·운동 경기 따위에서, 시작 후 얼마 아니 된 첫머리 싸움. 싸움의 시작 무렵. *중반전·종반전.

초발[1]【初發】명 처음으로 생겨남.

초발[2]【峭拔】명 힘이 있고 속기(俗氣)가 없음. 흔히, 운필(運筆)의 주경(遒勁)함을 이름. ——-하다 형여불

초발-성【初發聲】[—썽] 명〖언〗첫소리.

초발-심【初發心】[—씸] 명〖불교〗①처음으로 불문(佛門)에 들어가려고 하는 발심(發心). 또, 그 사람. ②발심하여 불문에 갓 들어가 아직 수행이 미숙함. 또, 그 사람.

초발심 자경문【初發心自警文】[—씸—] 명〖책〗사미(沙彌)가 배우는 불서(佛書) 이름. 고려 보조 국사(普照國師)의 '계초심 학인문(誡初心學人文)'과 원효의 '발심 수행장(發心修行章)'과 고려 야운 대사(野雲大師)의 '자경문(自警文)'의 세 가지를 합한 것으로, 처음 중이 되는 사람을 위해 만든 것임.

초-밥【醋—】명 저민 생선·조개·새우 따위를 초친 밥에 얹어 주먹으로 쥐어 뭉치거나 김·유부로 싼 일본 요리의 하나.

초방[1]【初枋】명〖건〗기둥을 세운 뒤에 처음으로 끼우는 중방.

초방[2]【椒房】명 후비(后妃)의 궁전. 초정(椒庭).

초-방목【草榜目】명 초서로 쓴 방목.

초-방석【草方席】명 풀로 결어 만든 방석.

초방원-비【草坊院碑】명 수풀이 우거지고 남이 잘 돌보지 않는 외딴 동리에 서 있는 비.

초방지-친【椒房之親】명 후비(后妃)의 친정의 친족.

초배[1]【初配】명 원배(元配).

초배[2]【初褙】명 정배하기 전에 허름한 종이로 먼저 하는 도배. ¶~지(紙). ——-하다 타여불

초배[3]【草背】명 봉긋하게 높이 솟은 풀등.

초배[4]【超拜】명 정한 등급을 뛰어서 벼슬을 시킴. ——-하다 타여불

초배기 명 〈방〉 점심(點心)(경북).

초백-주【椒柏酒】명 술의 한 가지. 후추 일곱 개와 동향(東向)한 측백(側柏) 잎 일곱 개를 함께 술에 담가서 우린 술. 제석(除夕)에 담가서 정초(正初)에 마시면 괴질(怪疾)을 물리친다고 함.

초번[1]【初番】명 ①순번의 처음. ②최초의 당번. ③최초. 시초.

초번[2]【初燔】명〖공〗도자기의 애벌구움.

초-벌【初—】명 애벌.

초벌-구이【初—】명〖공〗도자기를 초벌로 굽는 일. 또, 그 도자기. 군힘구이. 일차(一次)구이. 애벌구이.

초범[1]【初犯】명 처음으로 저지른 범죄. 또, 그 사람. ¶~자(者).

초범[2]【超凡】명 범상(凡常)한 것보다 뛰어남. 초륜(超倫). ——-하다 형여불

초법【峭法】명 초형(峭刑).

초벽[1]【初壁】명〖건〗새벽하기에 앞서서 애벌로 흙을 바름. 또, 그 벽. ——-하다 자여불

초벽[2]【峭壁】명 매우 가파른 낭떠러지.

초벽-질【初壁—】명 벽이나 방바닥을 초벽하는 일. ——-하다 자여불

초병[1]【哨兵】명 순초(巡哨)하는 군사. 보초병.

초-병[2]【醋甁】[—뼝] 명 초를 담는 병.

초병 마개【醋甁—】[—뼝—] 명 몹시 시큰둥한 체하는 사람의 비유.

초-병정【焦秉貞】명〖사람〗중국 청(淸)나라 때의 화가. 흠천감(欽天監)에 들어갔다가 궁정 화가(宮廷畫家)로서 강희제(康熙帝)를 섬김. 흠천감에 관계하던 서양 선교사(宣教師)로부터 서양의 화법을 배운 듯 산수(山水)·인물화에 음영 원근법(陰影遠近法)을 사용한 흔적이 보임. 강희제의 명으로 그린 ≪경직도(耕織圖)≫가 유명함. 생몰년 미상.

초보[1]【初步】명 ①보행(步行)의 첫 걸음. ②학문(學問)·기술(技術) 등의 첫 걸음. ¶~ 단계.

초보[2]【哨堡】명 망보는 보루(堡壘).

초보-자【初步者】명 초보의 단계에 있는 사람.

초복【初伏】명 삼복(三伏)의 첫째. 하지(夏至) 후의 셋째 경일(庚日). *중복(中伏)·말복(末伏).

초본[1]【抄本】명 원본의 일부를 베끼거나 발췌(拔萃)한 문서. 약본(略本). ¶호적 ~. ↔등본(謄本).

초본[2]【草本·初本】명 시문(詩文)의 초를 잡은 원고. 초건(草件).

초본[3]【草本】명〖식〗식물의 지상부(地上部)가 연하고 물기가 많아, 목질(木質)을 이루지 아니하는 것의 총칭. 흔히 말하는 풀은 이에 속함. ¶일년생 ~. ↔목본(木本).

초본-경【草本莖】명〖식〗초본의 줄기. ↔목본경(木本莖).

초본 식물【草本植物】명〖식〗초본에 속하는 식물. 국화·벼·수련(水蓮)·제비꽃 등. ↔목본(木本) 식물.

초본 지대【草本地帶】명〖식〗고산(高山)의 꼭대기 부근이나 한지(寒地) 등과 같이 목본(木本)이 나지 못하고 초본만이 나 있는 지대. 관목대(灌木帶)의 위, 지의대(地衣帶)의 아래로, 지의대와 더불어 고산대(高山帶)를 이룸. 초원대(草原帶).

초본-층【草本層】명〖식〗식물 군락(植物群落)에서 초본 식물이 차지하는 층. 삼림(森林)·관목림(灌木林)에서는 음성(陰性) 식물, 초원에서는 양성(陽性) 식물이 많음.

초-봄【初—】명 초기의 봄. 음력 정월쯤을 이름. 이른봄. 맹춘(孟春). 조춘(肇春). 초춘(初春). *첫봄.
[초봄에 흰 나비 잡으면 상제가 된다] 이른봄에 하얀 나비를 잡으면, 부모의 상(喪)을 만나게 된다는 속설(俗說).

초봉【初俸】명 첫 봉급. 초급(初給).

초부[1]【初付】명 처음의 부직(付職).

초부[2]【樵夫】명 나무하는 사내. 나무꾼.

초부[3]【樵婦】명 나무하는 아낙네.

초부득-삼【初不得三】명 첫번에 실패한 것이 세 번째에는 성공한다는 뜻으로, 꾸준히 하면 성공할 수 있다는 말.

초-부유【草蜉蝣】명〖충〗풀잠자리❷.

초부-장【初附章】[—짱] 명 용비 어천가 제95장의 이름.

초-북전【初北殿】명〖악〗옛 가곡 곡조(曲調)의 이름. 북전(北殿). 후정화(後庭花).

초분[1]【初分】명 인생의 초년. 또, 그 시절의 운수.

초분[2]【草墳】명〖민〗시체를 땅에 놓고 풀이나 짚으로 덮어 두는 풍장(風葬)의 한 방식. 3년 내지 10년 동안 그대로 두었다가, 살이 다 썩은 후에, 뼈를 골라 시루에 찐 다음, 매장함. 우리 나라 남서(南西) 해안이나 섬 지방에서 볼 수 있음. *세골(洗骨).

초불【超佛】명 부처를 초월함. ——-하다 자여불

초-불량【稍不良】명〖농〗작황(作況) 등급의 한 가지. 삼분(三分) 이상, 일할(一割) 미만의 감수(減收)가 될 것으로 예상되는 경우.

초-불변강【超不變鋼】명〖화〗상온(常溫)에서의 온도 변화에 의한 신축(伸縮)이 극히 적은 합금강(合金鋼). 철(鐵) 63%, 니켈 32%, 코발트 5%로 이루어짐.

초비[1]【草肥】명 풋거름.

초비[2]【草扉】명 풀로 엮은 문. 또, 허술한 오두막집.

초비[3]【剿匪】명 비적(匪賊)을 토벌함. ——-하다 자여불

초-비상【超非常】명 비상 이상의 초긴급한 비상. ¶~ 사태.

초빈[1]【招賓】명 빈객을 부름. ——-하다 자여불

초빈[2]【草殯】명 어떠한 사정으로 장사를 지내지 못하고 송장을 방 안에 둘 수 없는 경우에, 한데나 의짓간에 관을 놓고 이엉 같은 것으로 그 위를 이어서 눈·비를 가리게 하는 일. ——-하다 타여불

초빙[1]【草—】명 〈방〉 초빈(草殯). ——-하다 타여불

초빙[2]【初氷】명 첫 얼음.

초빙[3]【招聘】명 예를 갖추어 불러 맞아들임. 징빙(徵聘). 빙초(聘招). ¶연사로 ~하다. ——-하다 타여불

초빙 교ː수【招聘教授】명 정원 외의 사람으로서 초빙된 교수. 객원(客員) 교수.

초-빛【初—】명〖미술〗단청(丹青)을 칠할 때에 애벌로 바르는 불그레한 채색.

초-사[1]【初仕】명〖역〗처음으로 벼슬길에 오름. 초입사(初入仕). ——-하다 자여불

초사[2]【抄寫】명 일부분만 발췌(拔萃)하여 베낌. 초록(抄錄). ——-하다 타여불

초사[3]【招辭】명〖역〗공사(供辭).

초사[4]【草舍】명 초가집.

초사[5]【哨舍】명 초병(哨兵)의 막사.

초사[6]【焦思】명 애를 태우며 하는 생각. 초려(焦慮). ¶노심(勞心) ~. ——-하다 타여불

초사[7]【稍事】명 사소한 일. 작은 일.

초사[8]【綃紗】명 깁의 한 가지. 발이 약간 성김.

초사[9]【楚辭】명〖책〗중국 초(楚)나라 굴원(屈原)의 사부(辭賦)와 그의 문하생 및 후인(後人)의 작품을 모은 책. 16권으로, 한(漢)나라 유향(劉向)이 편집했다고 하는데, 후한(後漢) 때 왕일(王逸)의 자작(自作)을 합하여 모두 17권이 됨.

초-사리【初—】명 처음으로 시장에 들어오는 젓조기.

초-사실주의【超事實主義】[—/—이] 명〖문〗초현실주의.

초-사일【初四日】명 초나흗날.

초-사흗날【初—】명 그 달의 셋째 날. 초삼일(初三日). 준초사흘·사흗날.

초-사흘【初—】명 ↗초사흗날. 준사흘.

초삭【草索】명 새끼[1].

초-삭대엽【初數大葉】명〖악〗가곡(歌曲) 곡조의 이름. 가곡의 우조(羽調)와 계면조(界面調)에 있어서 맨 첫 곡조. 속칭:첫치.

초산[1]【初產】명 처음으로 아이를 낳음. 첫해산. ¶~모(母)/~은 난산(難產)이었다. ——-하다 자여불

초산[2]【硝酸】명〖화〗질산(窒酸).

초산[3]【楚山】명〖지〗평안 북도 초산군의 군청 소재지. 군의 북부, 압록강안(岸)에 위치함. 부근의 임산물·잡곡·작잠사(柞蠶絲)·인삼을 비롯한 약재(藥材)·수피(獸皮) 등을 집산함.

초산[4]【醋蒜】명 초와 설탕에 절인 마늘. 반찬이나 안주로 씀. 마늘장아찌.

초산[5]【醋酸】명 '아세트산(酸)'의 구칭.

초산 견사【醋酸絹絲】명〖공〗'아세테이트 견사'의 구칭. 아세틸 인조 견사.

초산-군【楚山郡】명〖지〗평안 북도의 한 군. 관내 10면. 도의 중부 북변에 위치하여 동쪽은 강계군(江界郡), 동북쪽은 위원군(渭原郡), 서북쪽은 벽동군(碧潼郡), 동남쪽은 희천군(熙川郡)에 접하고, 북쪽은 압록강을 경계로 만주에 대함. 주요 산물로는 농산·임산·축산·공산 등이

있고, 명승 고적으로 백두산·고리산성(古理山城)·평지성(坪地城) 등이 있음. 군청 소재지는 초산(楚山). [2,328km²]
초산-균【醋酸菌】명〖식〗'아세트산균'의 구칭.
초산 나트륨【醋酸一】〔도 Natrium〕명〖화〗'아세트산 나트륨'의 구칭.
초산 니켈【醋酸一】명〖화〗'아세트산 니켈'의 구칭.
초산-동【醋酸銅】명〖화〗'아세트산 구리'의 구칭.
초산 메틸【醋酸一】〔methyl〕명〖화〗'아세트산 메틸'의 구칭.
초산 박테리아【醋酸一】〔bacteria〕명〖식〗'아세트산균(酸菌)'의 구칭.
초산 반토【醋酸礬土】명〖화〗〈속〉'아세트산 알루미늄'의 구칭.
초산 발효【醋酸醱酵】명〖화〗'아세트산 발효'의 구칭.
초산-부【初產婦】명 처음으로 해산을 한 여자. *경산부(經產婦).
초산 비닐【醋酸一】〔vinyl〕명〖화〗'아세트산 비닐'의 구칭.
초산 석회【醋酸石灰】명〖화〗'아세트산 칼슘'의 구칭. ㊟초석(醋石).
초산 섬유소【醋酸纖維素】명〖화〗'아세틸 셀룰로오스'의 구칭.
초산 셀룰로오스【醋酸一】〔cellulose〕명〖화〗'아세틸 세룰로오스'의 구칭.
초산 소:다【醋酸一】〔soda〕명〖화〗'아세트산 나트륨'의 구칭.
초산 소듐【醋酸一】〔sodium〕명〖화〗'아세트산 나트륨'의 구칭.
초산 아밀【醋酸一】〔amyl〕명〖화〗'아세트산 아밀'의 구칭.
초산 알루미늄【醋酸一】명〖화〗'아세트산 알루미늄'의 구칭.
초산 암모늄[1]【硝酸一】〔ammonium〕명〖화〗'질산(窒酸) 암모늄'의 구칭. ㊟초안(硝安).
초산 암모늄[2]【醋酸一】〔ammonium〕명〖화〗'아세트산 암모늄'의 구칭.
초산 암모니아수【醋酸一水】〔ammonia〕명〖약〗'아세트산 암모니아수'의 구칭.
초산 에스테르【醋酸一】〔ester〕명〖화〗'아세트산 에스테르'의 구칭.
초산 에틸【醋酸一】〔ethyl〕명〖화〗'아세트산 에틸'의 구칭.
초산-연【醋酸鉛】명〖화〗'아세트산납'의 구칭.
초산-염【醋酸塩】〔一념〕명〖화〗'아세트산염'의 구칭.
초산-이 명〈심마니〉낙엽(落葉).
초산 이온【醋酸一】〔ion〕명 '아세트산 이온'의 구칭.
초산 칼륨【醋酸一】〔kalium〕명〖화〗'아세트산 칼륨'의 구칭.
초산 칼슘【醋酸一】〔calcium〕명〖화〗'아세트산 칼슘'의 구칭.
초산 테르피닐【醋酸一】〔terpinyl〕명〖화〗'아세트산 테르피닐'의 구칭.
초산 페닐 수은【醋酸一水銀】〔phenyl〕명 '아세트산 페닐 수은'의 구칭.
초-삼일【初三日】명 초사흗날.
초상[1]【初喪】명 사람이 죽어서 장사 지낼 때까지의 일. ¶ ~을 치르다. [초상술에 권주가(勸酒歌) 부른다] 때와 장소에 맞지 않는 것을 한다는 말.
초상 나다 ㊀ 상사(喪事)가 생기다.
초상[2]【肖像】명 사람의 용모·용태를 그린 화상 또는 조상(彫像). ¶ 베토벤의 ~.
초상[3]【初霜】명 첫서리.
초상[4]【草床】명〖악〗아쟁(牙箏)을 받쳐 놓는 제구. 나무로 만듦.
초상[5]【草像】명〖건〗단청(丹靑)의 초안(草案).
초상[6]【鞘狀】명 칼집 모양으로 생긴 형상.
초상-계【初喪契】〔一계〕명 계원 가운데서 초상이 날 때에 돈이나 곡식을 태워 주는 계. 상포계(喪布契).
초상-권【肖像權】〔一꿘〕명〖법〗인격권(人格權)의 내용의 하나. 자기의 초상(肖像)을 사용하는 데 관한 독점권. 승낙 없이 자기의 초상이 전시(展示)되었거나, 그림 엽서에 사용되었을 경우에는, 초상권의 침해로 손해 배상을 청구할 수 있음.
초상 금:군【抄上禁軍】명〖역〗지방에서 뽑아 올려 보낸 금군(禁軍).
초상-록【初喪錄】〔一녹〕명 초상을 치른 모든 일을 적어 두는 기록(記錄). 초종록(初終錄).
초상 상제【初喪喪制】명 초상을 당한 상제.
초상-중【初喪中】명 초상을 치르는 그 동안. 초종중(初終中).
초상-집【初喪一】〔一찝〕명 초상이 난 집. 상가(喪家).
[초상집 개 같다] 의지(依支)할 데가 없이 굶주려 이리저리 헤매어 초라하다.
초상 현:상【超常現象】명〖심〗초능력(超能力)이나 심령 현상(心靈現象) 등과 같이, 일상 경험이나 논리로는 설명할 수 없는, 초자연적인 현상. 초자연 현상(超自然現象).
초상-화【肖像畫】명〖미술〗초상의 그림. ¶ ~를 그리다.
초상화-가【肖像畫家】명 초상화를 전문으로 하는 화가.
초:-새 명〈방〉〖조〗물총새.
초색【草色】명 ①풀빛. ②곡식을 못 먹고 풀 등을 먹어서 나빠진 얼굴빛. 누렇게 뜬 얼굴 빛.
초생[1]【初生】명 ①처음 생겨 남. ②☞초승.
초생[2]【草生】명 풀이 자람. 또, 그 풀.
초생 광:물【初生鑛物】명〔primary mineral〕〖광〗최초의 모양 및 조성(組成)을 지니고 있고, 이들을 함유하고 있는 암석과 동시에 형성된 광물. 원생 광물(原生鑛物).
초생-달【初生一】〔一딸〕명 ☞초승달.
초생-수【初生水】명〖지〗처녀수(處女水).
초생-아【初生兒】명 배꼽이 아직 떨어지지 아니한 갓난아이. *신생아(新生兒).
초생아 멜레나【初生兒一】〔melena〕명〖의〗신생아(新生兒) 멜레나.
초생아 일과성열【初生兒一過性熱】〔一썽녈〕명〖의〗갈열(渴熱).
초생아 황달【初生兒黃疸】명〖의〗신생아 황달.
초생 재:배【草生栽培】명 주로 과수원의 나무 밑에 목초(牧草) 등 밀생(密生)하는 작물(作物)을 심는 일. 벌초(伐草)에 의한 지력(地力)의 증진, 토양 침식(土壤浸蝕)의 방지, 지온(地溫)의 조절, 과실의 조숙화(早熟化) 등의 효과가 있음.
초생 조직【初生組織】명〖식〗분열 조직에 의하여 만들어진 식물의 전(全)조직. 표피·피층(皮層)·중심주(中心柱)의 세 부분으로 구성됨. 양치(羊齒) 식물·단자엽(單子葉) 식물의 대부분 및 초본성(草本性)의 쌍자엽 식물에서는 그 전생애를 통해 초생 조직만이 형성됨. 일차 조직(一次組織). ↔이차 조직.
초생-지【草生地】명 풀이 난 물가의 땅.
초생체 염:색【超生體染色】명〖의〗생체 밖에서 생활 세포를 색소로 물들여 분류하는 일. ↔생체(生體) 염색.
초서[1] 명〈방〉거짓말(함북).
초서[2]【抄書】명 책의 내용을 뽑아서 씀. 또, 그 책. ——-하다 타여불
초서[3]【招壻】명 ①사위를 맞음. ②데릴사위. ——-하다 자여불
초서[4]【草書】명 서체(書體)의 하나. 전례(篆隷)를 간략하게 한 것으로, 흔히 행서(行書)를 더 풀어 점획(點畫)을 줄여 흘려 쓴 글씨. 흘림.
초서[5]【草墅】명 풀로 지붕을 인 오두막집.
초서[6]【草嶼】명 풀등.
초서[7]【貂鼠】명〖동〗노랑가슴담비.
초서[8]〔Chaucer, Geoffrey〕명〖사람〗영국의 시인. 중세의 영어를 문학적 표준어(標準語)로 끌어 올렸고, 프랑스식의 운율법(韻律法)을 영시(英詩) 속에 확립하였음. 그가 죽을 때까지 집필한 중세 영국 문학의 최대 걸작 ≪캔터베리 이야기≫로써 영시(英詩)의 아버지라 일컬어짐. [1340?-1400]
초서-피【貂鼠皮】명 노랑가슴담비의 모피. 털의 밑동이 푸른 빛을 띤 것으로 초피(貂皮) 중의 중길이 됨. 청곽(靑鞹).
초서-혼【招婿婚】명 데릴사위를 들이기 위한 혼인. 데릴사위로 정하고 하는 혼인. 서입혼(婿入婚).
초석[1] 명〈방〉돗자리(충북·전라·경상·제주).
초석[2]【草席】명 짚·왕골 등으로 친 자리. 거적자리.
초석[3]【硝石】명〖화〗'질산 칼륨'의 광물명(鑛物名). 염초(焰硝). 은초(銀硝).
초석[4]【醋石】명〖화〗↗초산 석회(醋酸石灰).
초석[5]【礁石】명 물 속에 들어 있어서 표면에 나타나지 않은 돌.
초석[6]【礎石】명 ①주춧돌. 머릿돌. 모퉁잇돌. ¶ ~을 놓다. ②어떤 사물의 기초. 또, 그것을 이룩한 사람. ¶ 나라의 ~.
초석 식물【硝石植物】명〖식〗질산(窒酸) 식물.
초석-자리 명〈방〉돗자리(경상).
초선[1]【初選】명 처음으로 선출됨. ¶ ~ 의원(議員).
초선[2]【抄選】명〖역〗의정 대신과 이조 당상(吏曹堂上)이 모여서 특별히 어떤 벼슬에 마땅한 사람을 뽑는 일. ——-하다 타여불
초선[3]【哨船】명 초계(哨戒)의 임무를 띤 배.
초선[4]【醋蒜】명 초산(醋蒜).
초선-천【初禪天】명〖불교〗색계 사선천(色界四禪天)의 하나. 범중천(梵衆天)·범보천(梵輔天)·대범천(大梵天)의 삼천(三天)으로 나누는데, 과보(果報)·예(禮)·복덕(福德)에 차이가 있음. *이선천(二禪天).
초설[1]【初雪】명 그 해 겨울에 처음으로 오는 눈. 첫눈. ¶ ~이 내리다. ↔종설(終雪).
초설[2]【焦一】명 초조. ¶ 네 댁이 그 말을 듣고 ~해 하기에 너의 아버지께 말씀을 여쭙고…≪洪命憙: 林巨正≫. ——-하다 형여불 「자여불
초설[3]【剿說】명 남의 학설(學說)을 훔치어 자기의 것으로 함. ——-하다
초성[1]【初聲】명〖언〗한 소리마디의 첫 자음. 첫소리. ↔종성(終聲).
초성[2]【草聖】명 초서(草書)를 잘 쓰기로 이름난 사람. 초현(草賢).
초성[3]【焦性】명〖화〗가열(加熱)에 관련된 현상 또는 가열에 의한 탈수(脫水) 반응의 결과 생긴 화학 물질을 나타내는 말. 피로(pyro).
초성[4]【超性】명〖천주교〗자연성을 초월하는 일. 초자연(超自然). ¶ ~ 은혜. ——-하다 자여불
초-성모양【稍成貌樣】명 겨우 모양을 갖춤. ㊟초성양(稍成樣). ——-하다 자여불
초성 몰식자산【焦性沒食子酸】〔一씩一〕명〖화〗피로갈롤(pyrogallol).
초성-산【焦性酸】명〖화〗가열 또는 탈수(脫水)하여 만든 산.
초성 생명【超性生命】명〖천주교〗인간(人間)의 본성(本性)을 초월한 영원한 생명(生命). 원래 인류의 조상 아담과 그 자손에게 부여되기로 약속되었던 것인데, 원죄(原罪)를 지음으로써 잃게 되었으며 예수의 죽음과 부활(復活)로써 다시 그를 믿는 자에게 허락되었음. *초성 은혜(恩惠).
초성 알데히드【焦性一】〔aldehyde〕명〖화〗탄수화물 대사(代謝)나 젖산 발효의 중간 생성물로 생기고, 쉽게 중합(重合)되는 자극성 있는 노란 휘발성 기름.
초-성양【稍成樣】명 ↗초성모양. ——-하다 자여불
초성 은혜【超性恩惠】명〖천주교〗'생명의 은총(恩寵)'의 구칭. *초성 생명(生命).
초성 포도산【焦性葡萄酸】명〔pyruvic acid〕〖화〗피루브산(酸).
초성-해【初聲解】명〖언〗'해례본(解例本) 훈민 정음'에서 보인 해례(解例)의 하나. 초성에 대한 규정을 내리고 설명을 붙였음.
초세[1]【初世】명 나라의 첫 시대.
초세[2]【超世】명 ①한 세상에서 뛰어남. ②세속(世俗)에 구애되지 아니하

고 초연함. 초속(超俗). ——-하다 [자][여불]
초세 본원【超世本願】[명]〖불교〗아미타여래(阿彌陀如來)의 서원(誓願).
초세지-재【超世之才】[명] 일세(一世)에서 뛰어난 재능. 또, 그 사람.
초소【哨所】[명] 보초가 서 있는 곳. ¶경계(警戒) ~/방범(防犯) ~.
초소형 회로【超小型回路】[명] 극히 소형화된 전자 회로. 매우 작은 부품과 집적(集積) 회로 등을 사용한 초소형 조립(組立), 회로 구성 소자(素子)가 분리할 수 없는 집적 회로, 전기(電氣) 이외의 물리 현상(物理現象)을 이용하여 만든 소형 구조체의 기능 디바이스(機能 device)의 셋으로 나뉨. 컴퓨터·로켓 적재용(積載用) 전자 기기(器機) 등에 적합함. 상품(商品) 단위로는 더 이상 나눌 수 없는 구조임.
초속[1]【初速】[명] ↗초속도(初速度).
초속[2]【秒速】[명] 1초 동안의 속도. 초속도(秒速度). ¶~ 20 m의 바람. *분속(分速).
초속[3]【超俗】[명] 초세(超世)❷. ——-하다 [자][여불]
초속[4]【超速】[명] ↗초속도(超速度).
초-속도[1]【初速度】[명] [initial velocity]〖물〗어떤 물체의 운동을 고찰할 때, 그 최초의 시각에 물체가 가지는 속도. ¶탄환의 ~. [준]초속(初速). *종속도(終速度).
초-속도[2]【秒速度】[명] 초속(秒速).
초-속도[3]【超速度】[명] 몹시 빠른 속도. [준]초속(超速).
초속도 윤전기【超速度輪轉機】[명] 몹시 빠른 속도로 인쇄(印刷)하는 윤전기.
초손【初孫】[명] 처음으로 본 손자.
초솔【草率】[명] 거칠고 엉성함. ¶오늘 이 잔치가 너무 ~하구려≪朴鍾和: 錦衫의 피≫. ——-하다 [형][여불]
초쇄【初刷】[명] 최초의 인쇄. 초판(初版).
초쇄-본【初刷本】[명]〖인쇄〗초인본(初印本).
초수[1]【初手】[명] 첫솜씨.
초수[2]【楚囚】[명] ①중국 초(楚)나라에 붙잡힌 사람이란 뜻에서, 포로(捕虜)·죄수(罪囚) 등의 일컬음. ②역경(逆境)에 빠져 어찌할 수 없는 사람의 비유(比喩).
초수[3]【樵叟】[명] 늙은 나무꾼. 초옹(樵翁).
초-수학【超數學】[명] ①[metamathematics]〖수〗수학의 한 분야. 수학의 이론 구조를 연구의 대상으로 하는 분야. ②수학적인 생각을 초월하는 사고 방식.
초순[1]【初旬】[명] 상순(上旬). ¶5월 ~.
[초순에 달 굵듯 이슬 아침에 오이 굵듯] 언제 자라는지 모르게 잘 자란다는 말.
초순[2]【初巡】[명] 활을 쏘는 데 첫번째 순(巡).
초순[3]【焦脣】[명] 입술을 태운다는 뜻으로, 애태움을 이르는 말.
초-스피:드【超—】[speed] [명] 매우 빠른 속력(速力). ¶~의 탄환 열차(彈丸列車).
초-슬목【初—】[명]〈방〉초저녁.
초습【勦襲】[명] ①남의 것을 슬그머니 제 것으로 함. ②남의 말이나 글을 따다가 씀. 도습(蹈襲). ——-하다 [자][타][여불]
초승[1]【初—】[명] 음력(陰曆)으로 그 달 첫머리의 며칠 동안의 일컬음. ¶내달 ~께.
초승[2]【超乘】[명] 차(車)에 뛰어오름. 전(轉)하여, 시류(時流)를 탐. ——-하다 [자][여불]
초승[3]【超勝】[명] 특히 뛰어남.
초승[4]【稍勝】[명] 조금 나음. ——-하다 [형][여불]
초승-달【初—】[—딸] [명] 초승에 돋는 달. 미월(微月). 현월(弦月). 신월(新月). 세월(細月). ¶~ 모양의 눈썹. ↔그믐달.
[초승달은 잰 며느리가 본다] 초승달은 초저녁에만 잠깐 나왔다 지므로 민활한 자만이 볼 수 있다는 뜻으로, 사물의 미세(微細)한 것은 혜민(慧敏)한 자만이 살필 수 있다는 말.
초시[1]【初試】[명]〖역〗과거(科擧)의 맨 처음 시험. 지방과 서울에서 식년(式年)의 전해 가을에 보임. 또, 그 시험에 급제(及第)한 사람. ¶김 ~. *복시(覆試).
초시[2]【草市】[명]〖역〗옛날 중국에서, 주(州)·현(縣)의 성(城) 밖에 설치된 상업 교역장(交易場). 당송(唐宋) 시대에 농촌 경제의 중심으로서 발달하여 진(鎭)·시(市)라 불리는 소상업 도시로 발전하였음.
초-시계【秒時計】[명] 경기나 학술 연구 등에서 소요 시간을 초(秒) 이하까지 정밀하게 잴 수 있는 시계. 자유로 계시(計時)를 시작하게 하거나 멈추게 할 수 있음. 기초 시계(記秒時計). 스톱워치.
초시기 [명]〈방〉돗자리(경상).
초시-류【鞘翅類】[명]〖충〗딱정벌레목(目).
초식【草食】[명] ①푸성귀로만 만든 음식. 또, 그런 음식만을 먹음. 채식(菜食). ②식물성의 먹이만 먹음. ¶~ 동물. ↔육식❷. ——-하다 [자][여불]
초식 동:물【草食動物】[명]〖동〗초식류(草食類). *육식(肉食) 동물·잡식(雜食) 동물.
초식-류【草食類】[—뉴] [명]〖동〗풀을 주식물로 하는 포유 동물. 곧, 소·말·양·사슴 등. 초식 동물.
초식-성【草食性】[명] 육식(肉食)이나 곡물을 먹는 데 대하여, 풀을 먹이로 하는 성질. 넓은 뜻으로는, 식물을 먹이로 하는 성질. *식육성(食肉性)·잡식성(雜食性).
초식-어【草食魚】[명]〖어〗수초(水草)나 조류(藻類)를 주식물(主食物)로 하는 어류. 은어(銀魚)·멸치 등으로 극히 드묾. 대개의 어류도 치어(稚魚)나 유어(幼魚) 때 규조(硅藻) 등의 식물성 플랑크톤(植物性 Plankton)을 먹음.
초식-자리 [명]〈방〉돗자리(경북).
초식-장【草食場】[명] 시장 안에 푸성귀 장수들이 벌여 있는 곳.
초:신【草—】[명]〈방〉①짚신(제주). ②미투리(함남).
초-신공【初神供】[명]〖불교〗불사(佛事)를 할 때에 신장(神將)에게 고유(告由)하는 일. ——-하다 [자][여불]
초-신성【超新星】[명] [supernova]〖천〗별의 진화(進化)의 최종(最終) 단계에서 대폭발을 일으켜, 밝기가 태양의 수억(數億)내지 백억(百億)배에 달하는 신성. 하나의 은하에서 100년에 몇 개 정도 생기며, 1987년 봄 대마젤란운(大 Magellan雲) 속에 나타난 것은 육안(肉眼)으로도 볼 수 있을 정도였다고 함. 가장 최근의 것은 1993년 큰곰자리 M 81에 나타난 것으로 절대 등급 −17.5.
초실[1]【初室】[명] ①새 재목으로 세운 집. ②초취(初娶).
초실[2]【稍實】[명] ①살림이 조금 넉넉함. 초요(稍饒). ②열매가 겨우 좀 여물어 있음. ——-하다 [형][여불]
초심[1]【初心】[명] ①처음에 생긴 마음. ②처음으로 배우는 사람. 초심자.
초심[2]【初審】[명]〖법〗제일심(第一審). ¶~에서 무죄 판결(無罪判決)을 받다. ↔재심(再審).
초심[3]【焦心】[명] 마음을 졸여서 태움. ¶어미는 오직 너를 영원히 소유하고 싶은 욕망에서 주야로 ~하고 애통을 하였노라≪朴花城: 고개를 넘으면≫. ——-하다 [자][여불]
초심 고려【焦心苦慮】[명] 마음을 태우며 괴롭게 염려(念慮)함. ——-하다 [타][여불]
초-심리학【超心理學】[—니—] [명]〖심〗파라사이콜로지(parapsychology).
초심-문【初心文】[명]〖불교〗보조 선사(普照禪師)가 지은 책 이름. 초학자(初學者)를 경계하는 글임. 정식 이름은 ≪계초심 학인문(誡初心學人文)≫.
초심-자【初心者】[명] ①처음 배우는 사람. 초심(初心). ¶~를 위한 입문서. ②일에 미숙한 사람.
초-십일【初十日】[명] 초열흘날.
초싱 [명]〈옛〉초승. ¶초싱(月初)≪譯語 上 3≫/내 七月 초싱애 떠나와(我七月初頭離了)≪老乞 下 3≫.
초싹-거리다[1] [자] 촐싹거리다. <추썩거리다. **초싹-초싹**[1] [부]. ——-하다 [자][여불]
초싹-거리다[2] [타] 어깨나 또는 입은 옷 같은 것을 자꾸 치켰다 내렸다 하다. ¶그러고는 엉덩짝을 초싹거리기 시작했다≪金周榮: 客主≫. <추썩거리다. **초싹-초싹**[2] [부]. ——-하다 [타][여불]
초싹-대다 [자][타] 초싹거리다[1·2].
초싹-이다 [타] ①어깨나 입은 옷 같은 것을 치켰다 내렸다 하다. ②남을 좀스럽게 부추기다. 1)·2): <추썩이다.
초아【草芽】[명] 풀의 싹.
초-아흐레【初—】[명] ↗초아흐렛날.
초-아흐렛날【初—】[명] 그 달의 첫번째 아흐렛날. 초구일(初九日). [준]초아흐레·아흐렛날.
초악 [명]〈방〉학질(전라·경북).
초안[1]【招安】[명] ①못된 짓을 하는 자를 불러 설득시켜서 편안하게 살도록 해 줌. ②죄를 용서받음. 또, 은사(恩赦)를 공포(公布)함. ——-하다 [타][여불]
초안[2]【草案】[명] 초잡은 글발. 기초(起草)한 의안(議案). ¶~을 잡다/법률 ~. ——-하다 [타][여불]
초안[3]【硝安】[명]〖화〗[↗초산(硝酸) 암모늄] 질산 암모늄.
초안 폭약【硝安爆藥】[명]〖화〗질산 암모늄을 주제(主劑)로 해서, 니트로벤젠·니트로나프탈린 등의 질화 방향족(窒化芳香族) 화합물을 섞어서 만든 폭약. 탄광에서 흔히 사용함.
초암【草庵】[명] 풀로 지붕을 인 암자. 초당(草堂).
초암 전집【草庵全集】[명]〖책〗조선 시대 말기(末期)의 문인(文人)인 초암 김헌기(金憲基)의 시문집(詩文集). 아들과 제자들이 편집한 것을 고종(高宗) 18년(1881) 김택영(金澤榮) 등이 간행함. 시(詩)·서(書)·잡저(雜著)·서(序)·기(記)·발(跋)·명(銘)·찬(贊)·혼서(婚書)·축문(祝文)·제문(祭文)·표표(墓表)·묘갈(墓碣)·유사(遺事) 등이 실려 있음. 14권 7책. 인본(印本).
초-앞【初—】[명] 판소리의 첫머리. ¶심청가의 ~을 하다.
초애[1]【峭崖】[명] 가파른 낭떠러지.
초애[2]【湫隘】[명] 땅이 낮고 좁음. ——-하다 [형][여불]
초야[1]【初也】[명] 애초.
초야[2]【初夜】[명] ①예전에, 전날 밤중부터 이튿날 아침까지를 일컫던 말. 지금은 초저녁을 말함. ②초경(初更). ③첫날밤. ¶신혼 ~.
초야[3]【草野】[명] 시골의 궁벽한 땅. 초망(草莽). ¶~에 묻혀 살다.
초야-권【初夜權】[—꿘] [명] [라 jus primae noctis]〖사〗서민·영민(領民)이 결혼할 때에, 추장(酋長)·영주(領主)·성직자(聖職者) 등이 신랑보다 먼저 신부와 잠자리를 같이하던 권리. 근년까지 미개 민족에서 많이 볼 수 있었음.
초약[1]【草約】[명] 화투 놀이에 난초 넉 장을 갖추어서 이루는 약(約). 난약(蘭約). *풍약(楓約)·비약(約).
초약[2]【草藥】[명]〖한의〗초재(草材).
초약[3]【硝藥】[명] 화약(火藥).
초약-계【草藥契】[명]〖역〗약초(藥草)를 관아에 공물(貢物)로 바치던 계(契).
초약-장【妙藥欌】[명] 법제(法製)한 약재(藥材)만을 따로 넣어 두는 약장(藥欌).
초양[1]【初陽】[명] 아침해. 조양(朝陽). 초일(初日).
초양[2]【誚讓】[명] 나무람. 꾸짖음. ——-하다 [타][여불]

초양-도【草養島】명〖지〗경상 남도 삼천포시(三千浦市)의 앞바다, 늑도동(勒島洞)에 위치한 섬. [0.06 km^2 : 178 명(1984)]

초어[1]【草魚】명〖어〗[*Ctenopharyngodon idellus*] 잉어과에 속하는 민물고기. 몸길이 50-100 cm. 잉어와 비슷하나, 등지느러미의 기저(基底)가 짧고 수염이 없음. 등 쪽이 회갈색을 띰. 풀이나 말을 먹고 자라며, 6-7월에 산란(產卵)함. 본디, 중국·베트남·라오스 등지에 분포하며, 1970년에 우리 나라에 이입(移入)되어 식용어(食用魚)로서 하천, 연못에서 사육되고 있음.

초어[2]【梢魚·蛸魚·鮹魚】명〖동〗낙지.

초어[3]【樵漁】명 어초(漁樵).

초언【初言】명 처음으로 하는 말.

초엄[1]【初嚴】명〖역〗행군(行軍)하는 구령(口令)의 한 가지. 초엄에 대오(隊伍)를 정돈하고 이엄(二嚴)에 병기를 갖추고, 삼엄(三嚴)에 행진(行陣)하였음. *이엄(二嚴).

초엄[2]【峭嚴】명 준엄(峻嚴). ——-하다 형여불

초업【礎業】명 기초가 되는 사업.

초-엘에스아이【超 LSI】명〔very large scale integration 의 약칭〕초대규모 집적 회로(超大規模集積回路).

초여【初亦】부〈이두〉처음에.

초-여드레【初—】명 ↗초여드렛날.

초-여드렛날【初—】명 그 달의 첫번째 여드렛날. 초팔일(初八日). 준초여드레·여드렛날.

초-여름【初—】명 초기의 여름. 음력 사월쯤을 이름. 맹하(孟夏). 조하(肇夏). 초하(初夏). *첫여름.

초역【抄譯】명 원문의 어느 부분만을 뽑아서 번역함. 또, 그 번역. ¶죄와 벌의 ~. ↔완역(完譯). ——-하다 타여불

초-연[1]【—鳶】명 연의 꼭지 이외의 부분을 한 가지 빛깔로 칠한 연. 그 빛깔에 따라 먹초·청초·황초·홍초·보라초 따위로 나뉨.

초연[2]【初演】명〖연〗연극·음악 등의 최초의 상연(上演). ¶라보엠의 국내 ~.

초연[3]【初緣】명 초혼(初婚).

초연[4]【招延】명 불러 끌어들임. ——-하다 타여불

초연[5]【炒研】명〖한의〗약재를 볶아서 약연(藥碾)에 넣고 가는 일. ——-하다 타여불

초연[6]【招宴】명 연회에 초대함. ——-하다 타여불

초연[7]【悄然】명 의기를 잃어서 기운이 없는 모양. ——-하다 형여불. ——-히 부

초연[8]【硝煙】명 화약의 연기.

초연[9]【超然】명 ①범위 밖으로 뛰어난 모양. ②남과 관계하지 아니하는 모양. ¶~히 살아 가다/돈 문제에 ~하다. ——-하다 형여불. ——-히 부

초연-곡【初筵曲】명〖문〗윤선도(尹善道)가 지은 시조 2수. 나라의 연회석상(宴會席上)에서 임금께 풍간(諷諫)하기 위하여 지은 것으로 추측(推測)됨.

초연 내:각【超然內閣】명 정당·정파를 배경으로 하지 않은 내각. *단독(單獨) 내각.

초연-대【超然臺】명〖지〗중국 산둥 성(山東省) 중부, 주청 현(諸城縣)의 북쪽에 있는 고대(高臺). 송대(宋代)에 소식(蘇軾)이 이 곳 미저우(密州)의 지사(知事)였을 때에 수축(修築)하였음.

초연 반:응【硝煙反應】명 범죄 감식의 하나. 총을 발사하면, 화약의 폭발에 의하여 이산화 질소 (NO_2)가 발생, 이 NO_2가 부착한 손이나 옷을 적시어, 디페닐라민($NH(C_6H_5)_2$)을 작용시키면 자색(紫色)을 나타냄으로써 감식하는 방법.

초연-주의【超然主義】[—/—이] 명 어떠한 사물에 직접으로 관계하지 아니하고 자기의 생각·입장에서 독자적으로 그 일을 하는 주의.

초연 탄:우【硝煙彈雨】명 초연이 자욱하고 탄알이 비오듯함. ¶~를 무릅쓰고 돌격하다.

초연-회【招演會】명 손님을 초대하여 영화(映畫)나 연극(演劇)을 보이는 모임.

초열【焦熱】명 ①타는 듯한 더위. ②↗초열 지옥(焦熱地獄).

초열 지옥【焦熱地獄】명〖불교〗팔대 지옥(八大地獄)의 하나. 살생·절도·음행(淫行)·음주(飮酒)·망어(妄語)의 죄를 진 사람이 떨어진다는 지옥. 화염(火焰) 지옥. 준초열(焦熱).

초-열흘【初—】명 ↗초열흘날.

초-열흘날【初—】[—랄] 명 그 달의 열째날. 초십일(初十日). 준초열흘.

초염기성-암【超塩基性岩】[—썽—] 명〖화〗이산화 규소(二酸化珪素)의 함유량이 45% 이하인 암석의 총칭. 감람암(橄欖岩)·사문석(蛇紋石) 따위가 이에 속함. 과(過)염기성암. *염기성암(塩基性岩).

초염-병【椒塩餅】명 밀가루 떡의 한 가지. 밀가루에 참기름·조핏가루·소금·회향(茴香)을 섞어서 소를 만들어 넣고 찜.

초염-장【草染匠】명〖역〗대전 별감(大殿別監)의 초립(草笠)을 만들 풀을 누렇게 물들이는 장인(匠人).

초엽[1]【初葉】명 어떠한 시대의 초기. *중엽(中葉)·말엽(末葉). ¶20세기 ~.

초엽[2]【蕉葉·草葉】명〖건〗기둥이나 벽에 박아서 단여(短欐)·현반(懸盤) 등을 받치게 된 길쭉한 삼각형의 널조각. 흔히, 운각(雲刻)을 하였음.

〈초엽[2]〉

초-엿새【初—】명 ↗초엿샛날.

초-엿샛날【初—】명 그 달의 여섯째날. 초육일(初六日). 준초엿새.

초오[1]【草烏】명〖식〗바꽃[2].

초오[2]【超悟】명 여러 사람보다 뛰어나 현명함. ——-하다 형여불

초-오두【草烏頭】명〖한의〗중국 쓰촨 성(四川省) 이외의 각 지방에서 야생하는 바꽃의 괴근(塊根). 성질은 덥고 극성(劇性)이 있는데, 외과약(外科藥)으로나 적취(積聚)·심복통(心腹痛)·치통(齒痛)·후증(喉症) 등에 씀. 독공(毒公). 오훼(烏喙). 토부자(土附子). 해독(奚毒). 준오두(烏頭).

초 오유〔Cho Oyu〕명〖지〗히말라야 산맥 중부, 에베레스트 산군(山群) 서쪽의 네팔·중국 국경에 위치한 고봉(高峰). 1954년 10월 오스트리아 등반대(登攀隊)가 처음으로 등정(登頂)함. [8,153 m]

초-오일【初五日】명 초닷샛날.

초옥[1]【招獄】명 죄상을 밝히려고 옥사(獄事)를 문초(問招)함. ——-하다 자여불

초옥[2]【草屋】명 풀로 이엉을 엮어 지붕을 인 집. 초가집.

초옹【樵翁】명 초수(樵叟).

초완-도【草莞島】명〖지〗전라 남도의 남해상(南海上), 완도군(莞島郡) 고금면(古今面) 윤동리(潤洞里)에 위치한 섬. [0.32 km^2: 58 명(1984)]

초요[1]【招搖】명 ①이리저리 헤매는 모양. 어슬렁어슬렁 걷는 모양. 또, 그러는 일. ②늘이어 움직이는 모양. 발돋움을 하고 몸을 흔드는 모양. ——-하다 자여불

초요[2]【招邀】명 불러서 맞아들임. ——-하다 타여불

초요[3]【稍饒】명 살림이 조금 넉넉함. 초실(稍實). ——-하다 형여불

초요[4]【楚腰】명〔중국 초(楚)나라 영왕(靈王)이 허리 가는 미인을 좋아하였다는 고사에서〕여자의 가는 허리. 세요(細腰).

초요[5]【僬僥】명 ①따라지❶. ②난쟁이.

초-요기[1]【初療飢】명 시장기를 면하기 위하여 끼닛밥을 먹기 전에 우선 음식을 조금 먹는 일. ——-하다 자여불

초요-기[2]【招搖旗】명〖역〗전진(戰陣)에서나 행진할 때에 대장(大將)이 장수(將帥)들을 부르고 지휘하고 호령하는 기. 제도(制度)는 직품(職品)에 따라 다르며, 빛은 임진 왜란 이전 오위(五衛) 시대에는 푸른 바탕에 흰 빛으로 북두 칠성을 그리고, 가장자리와 화염(火焰)도 흰 빛으로 하였으며, 임진 왜란 이후 오영(五營) 시대에는 각 영문(營門)의 방위(方位)에 따라 바탕의 빛을 달리하고, 가장자리와 화염은 상생(相生)의 이치를 좇아서 하였음.

초용[1]【楚勇】명〖역〗중국 청(淸)나라 때에 태평 천국(太平天國)의 난(亂)을 평정하기 위하여 강충원(江忠源)이 그의 고향 후베이(湖北)에서 민병(民兵)을 모집하여 조직한 향용(鄉勇). *향용(鄉勇).

초용[2]【憔容】명 말라빠진 모습.

초-용담【草龍膽】명〖식〗용담(龍膽).

초우[1]【初虞】명 장사(葬事)지낸 뒤 처음으로 지내는 제사(祭祀). 혼령(魂靈)을 위안하기 위하여 당일(當日)을 넘기지 아니함. *재우(再虞)·삼우(三虞).

초우[2]【焦憂】명 몹시 걱정함. ——-하다 자여불

초우라늄 원소【超—元素】〔uranium〕명〔transuranic element〕〖물〗우라늄보다 원자 번호가 큰 인공 방사성 원소. 플루토늄(plutonium)·아메리슘(Americium)·큐륨(Curium) 같은 것. 화학적 성질은 모두 우라늄과 비슷함. 초우란 원소(超 Uran 元素).

초우란 원소【超—元素】〔도Uran〕명〖물〗초우라늄(超 uranium) 원소.

초우엉 명〈방〉〖식〗미치광이[2].

초-우인【草偶人】명 짚으로 만든 인형.

초-우주【超宇宙】명〔metagalaxy〕〖천〗존재가 확인된 은하계외 성운(銀河系外星雲)의 전체의 집합(集合).

초웅[1]【超雄】명〔supermale〕〖생〗정상(正常)의 수컷보다 상염색체(常染色體)가 상대적으로 많고 웅성 형질(雄性形質)을 정상 이상으로 표현하는 것. ↔초자(超雌).

초웅[2]【貂熊】명〖동〗검은담비.

초웅-피【貂熊皮】명 검은담비의 가죽. 잘.

초원[1]【初願】명 맨 처음의 소원. 최초의 희망.

초원[2]【草垣】명 풀로 엮어 만든 담.

초원[3]【草原】명 ①풀이 난 들. 풀벌. ¶~에 서생하는 야생 동물. ②〖지〗스텝(steppe).

초원 기후【草原氣候】명〖지〗스텝(steppe) 기후.

초원-길【草原—】[—낄] 명〔Steppe Road〕〖역〗몽고나 남부 시베리아의 스텝 지대를 거쳐 중국 화북(華北)과 흑해 북안(黑海北岸)을 잇는 교통로. 이 길을 통해 예로부터 유목 민족이 이동하였고, 스키타이 등의 서방 기마(騎馬) 문화나 동물 문양(紋樣)이 동천(東遷)하여 흉노·중국 등에까지 전해졌음. *비단길.

초원-대【草原帶】명 초본 식물을 주로 하는 군락(群落)이 분포하고 있는 지대. 초본대(草本帶). 스텝.

초-원심기【超遠心器】명〖물〗한외 원심기(限外遠心器).

초원-하다【稍遠—】형여불 제법 멀다. 초간(稍間)하다. ¶이씨 거생하는 능파촌과 김씨 거생하는 벽계촌의 상거가 초원하고…≪作者未詳 : 恨月≫.

초월[1]【初月】명 초승달.

초월[2]【超越】명 ①어떠한 한계나 표준을 넘음. 초일(超逸). ¶시대를 ~하다. ②〔도 Transzendenz〕〖철〗일반적으로 제한이나 불완전함, 이해나 자연 등에서 훨씬 뛰어나 있는 일. 스콜라 철학에서, 아리스토텔레스의 범주에 들지 아니하는 존재·선(善)·신(神)이라는 개념의 본연의 자세. 칸트 철학에서 초감성적(超感性的)인 것이 우리들의 경험에서 독립한 일. 실존(實存) 철학에서 무자각인 일상적 존재의 입장에서 철학적 자각의 입장으로 넘어서 나아가는 일. 초절(超絕). ↔내재(內在). ——-하다 자타여불

초월[3]【楚越】명 ①서로 떨어져 상관이 없는 사이. ②〔중국 초나라와 월

나라의 사이라는 뜻으로] 서로 원수처럼 여기는 사이를 이르는 말.

초월 곡선【超越曲線】명 〔transcendental curve〕〖수〗 대수(代數) 곡선이 아닌 곡선의 총칭. 보통, 해석 함수(解析函數)에 의하여 표시되는 것에 한함. 지수(指數) 곡선·대수(對數) 곡선·사인 곡선 따위.

초월-론【超越論】명 〔transcendentalism〕〖철〗 인식을 성립시키기 위하여 주관 쪽의 경험에서 독립한 선천적 여러 조건을 분명히 하고 그것들의 선천적 조건을 근거로 하여 일체의 현상을 설명하려는 관념론적 인식론. 선험론(先驗論).

초월론-적【超越論的】명관 〔도 transzendental〕〖철〗 칸트 철학에서, 인식을 성립시키는 주관 쪽의 선천적 여러 조건을 논하는 그런 방식. 선험론적(先驗論的).

초월 방정식【超越方程式】명 〖수〗 미지수의 대수식(代數式)만으로는 나타낼 수 없는 방정식. 즉, 초월 함수(函數)를 포함하는 방정식. ↔대수 방정식(代數方程式).

초월 분리【超越分離】[─불─] 명 〔transgressive segregation〕〖동〗 잡종의 분리 세대(世代)에서 어떤 형질에 관하여 양친(兩親)을 초월하는 개체(個體)가 나타나는 일. 유전학적으로는 양친에게서 유래하는 유전자(遺傳子)의 누적적 효과(累積的效果)·보족적(補足的) 효과에 의한다고 함.

초월-성【超越性】[─썽] 명 〖철〗 어느 영역·한계, 차원(次元)의 전체성(全體性)의 내부에 있지 아니하고 이것을 넘어서 존재하는 성질. ↔내재성(內在性).

초월-수【超越數】[─쑤] 명 〔transcendental number〕〖수〗 대수적(代數的) 수가 아닌 수. 곧, 원주율(圓周率)이나 자연 로그의 밑 등. ↔대수적수(代數的數).

초월-야【初月夜】명 초승달이 뜬 밤.

초월 의:식【超越意識】명 〖철〗 육체의 속박(束縛)을 벗어나며 시간(時間)과 공간(空間)을 떠나서 불가사의(不可思議)한 신비경(神祕境)으로 들어가는 의식.

초월-인【超越因】명 〖철〗 세계 밖에 있으면서 세계를 지배한다는 원인으로서의 신(神). 외재인(外在因). ↔내재인(內在因).

초월-적【超越的】[─쩍] 명관 〖철〗 제한이나 불완전함, 이해나 자연 등에서 훨씬 뛰어나 있는 모양. 스콜라 철학에서 존재·선(善)·신(神) 같은, 아리스토텔레스의 범주에는 들지 아니하는 개념의 모양. 칸트 철학에서 우리들의 경험에서 독립하여 있는 초감성적(超感性的)인 것의 모양. 실존(實存) 철학에서 무자각적(無自覺的)인 입장으로 넘어서 나아가는 모양.

초월적 가치【超越的價值】[─쩍─] 명 〖철〗 모든 주관이나 의식을 전혀 초월한다고 생각되는 가치.

초월 함:수【超越函數】[─쑤] 명 〖수〗 대수(代數) 함수가 아닌 함수. 삼각 함수·로그 함수 등.

초위[1]【初位】명 가장 낮은 자리.

초위[2]【招慰】명 불러서 위로하여 귀순(歸順)시킴. ──-하다 타여불

초유[1]【初有】명 처음으로 있음. ¶사상(史上) ~의 대변영.

초유[2]【初乳】명 〖생〗 임신(妊娠) 말기부터 분만 2-3일 사이에 분비되는 끈끈하고 진한 대황색(帶黃色)의 모유(母乳). 단백질·칼슘·나트륨이 풍부함.

초유[3]【招誘】명 불러서 권유함. ──-하다 타여불

초유[4]【招諭】명 불러서 타이름. ──-하다 타여불

초-유동【超流動】명 〖물〗 액체 헬륨 Ⅱ가 2.19°K 이하에서 나타내는 특이한 흐름의 현상. 미소한 압력차로 가는 모세관내를 자유로이 흘러 마치 점성(粘性)이 없어진 것처럼 보임.

초유-사【招諭使】명 〖역〗 난리가 일어났을 때 백성을 초유(招諭)하는 일을 맡은 임시 벼슬.

초-유점【初溜點】[─쩜] 명 〖화〗 에이 에스 티 엠(ASTM) 증류 시험에서, 유출물(溜出物) 증기의 처음 한 방울이 액화하여 응집기의 끝에서 낙하할 때에 기록되는 온도.

초-육일【初六日】명 초엿샛날.

초은【樵隱】명 산 속 깊이 숨어서 땔나무나 하여 가며 세상과 멀리 떨어져 사는 어진 사람.

초-은하단【超銀河團】명 〔supercluster of galaxies〕〖천〗 둘 이상의 은하단이나 은하군(銀河群)이 연속(連續)하여 1억 광년 이상의 큰 구조를 이룰 때의 이름. 필라멘트(filament) 또는 평판(平板) 모양이며, 초은하단과 초은하단 사이는 직경 20 Mpc에 달하는 공동(空洞)이 있음. 머리털자리 초은하단·페르세우스자리 초은하단·헤르쿨레스 초은하단 등이 알려짐. *은하단·국부 초은하단.

초음[1] 명부 〈방〉 처음(경기).

초음[2]【招飮】명 사람을 청하여 술을 마심. ──-하다 타여불

초음[3]【草陰】명 무성한 풀숲의 그늘.

초음[4]【超音】명 ↗초음파(超音波).

초-음속【超音速】명 〖물〗 소리보다 빠른 속도. ¶~ 제트기/~으로 비행하다.

초음속-기【超音速機】명 초음속의 비행기.

초음속-류【超音速流】[─뉴] 명 〔supersonic flow〕〖물〗 음속 이상의 속도로 물체의 주위를 흐르는 유체(流體)의 흐름. 물체 표면에서 충격파(衝擊波)가 발생함.

초-음역【超音域】명 〔hyperacoustic zone〕 상공에서 희박한 공기의 분자간의 거리가 음의 파장(波長)과 거의 같으며, 소리가 전해지기 어려운 100 km에서 160 km의 영역.

초-음파【超音波】명 〔supersonic wave〕〖물〗 진동수가 매초 2만 이상으로 소리로는 들리지 않는 음파. 수정(水晶)이나 로셸염(rochelle鹽)을 사용한 발진기(發振器)로써 발생시켜 어군 탐지(魚群探知)·금속 탐상(金屬探傷)·의학 진단·세척(洗滌)·초음파 가공(加工) 등에 널리 응용되고 있음. ㈜초음(超音).

초음파 가공【超音波加工】명 초음파를 이용하여 지립(砥粒)을 가공물에 충돌시켜 구멍을 뚫거나 절삭(切削) 작업을 행하는 일. 초경(超硬) 합금·귀석류(貴石類)·유리·수정(水晶) 등 굳고 부서지기 쉬운 재료의 가공에 널리 쓰임.

초음파 검:사【超音波檢查】명 〖의〗 초음파를 이용하여 체세포(體細胞)의 이상을 검사하는 방법. 초음파를 신체의 국부에 방사하여 그 반사(反射)로 얻어지는 브라운관의 상(像)을 바탕으로 내부에 존재하는 체세포(體細胞)보다 딱딱한 조직의 유무를 파악함. 뇌종양·갑상선 종양·유암·간암 등의 진단에 유효함.

초음파 발생기【超音波發生器】[─쌩─] 명 〔ultrasonic generator〕〖공〗 20 kHz 이상의 음향 파동을 발생시키기 위해서 쓰이는 전기 음향 변환기(電氣音響變換器).

초음파 세:척【超音波洗滌】명 〔ultrasonic cleaning〕 초음파 진동(振動)이 작용하고 있는 용매(溶媒) 속에 공작물을 넣고, 거죽에 붙은 파편(破片)·찌꺼기 등을 제거하는 방법.

초음파 세:척기【超音波洗滌器】명 초음파를 이용하여 기계 부품·식기(食器) 등을 세척하는 기계. 초음파가 액체 입자(粒子)나 고체(固體)를 파괴·분산시키는 작용을 응용한 것임.

초음파 시험【超音波試驗】명 〔ultrasonic testing〕〖공〗 고주파(高周波)의 기계적 진동(振動)을 사용한 비파괴 시험법(非破壞試驗法). 각종 재료에 대하여 구조적인 불연속(不連續)이나 차이를 탐지(探知)·검출(檢出)하고, 또 두께 등을 측정하는 데 쓰임.

초음파 심장 검:사법【超音波心臟檢查法】[─뻡] 명 〔echocardiography〕〖의〗 심장의 진단 기술의 하나. 흉부(胸部)에 전달 장치를 놓고, 초음파를 발생시키면 심장에 이르는데 해는 주지 않음. 심장의 각 구조부(構造部)에서 반사된 초음파는 장치에 감지(感知)되고 오실로스코프(oscilloscope)에 기록됨.

초음파 안:경【超音波眼鏡】명 맹인용 안경. 장애물이 있음을 귀로 들을 수 있도록 만들어진 안경형의 초음파(超音波) 송수신기로서, 안경에서 발사되는 초음파가 물체에 부딪쳐 수신기에 되돌아와서 안경 테에 있는 이어폰에서 삑하는 소리가 들림. 음색의 차이로 전방(前方)에 있는 것이 사람인지 금속인지, 콘크리트인지 등의 구별이 가능하며, 거리도 알 수 있음.

초음파 온도계【超音波溫度計】명 〖기상〗 음파의 속도를 측정하여 기온(氣溫)을 산출하는, 음파 기상 관측 장치의 하나.

초음파 요법【超音波療法】[─뻡] 명 〔ultrasound diathermy〕〖의〗 초음파, 곧 0.7-1.0 MHz를 사용하여, 기계적 에너지를 열(熱)로 바꾸어 열요법(熱療法)에 이용하는 방법.

초음파 응결【超音波凝結】명 〔ultrasonic coagulation〕〖물〗 초음파의 작용에 의해서 작은 입자(粒子)가 커다란 응결체(凝結體)로 결합(結合)해 가는 일.

초음파 의학【超音波醫學】명 〖의〗 초음파 발생 장치를 써서 뇌종양·간장 종양·심장 이상 따위의 발견은 물론, 초음파의 집중 투사(集中投射) 방법 등을 이용하여 치료를 행하는 의학 부문.

초음파 측심의【超音波測深儀】[─/─이] 명 초음파를 수저(水底)로 보내어, 반사파(反射波)의 도착 시간으로 수심(水深)을 측정하는 기계.

초음파 치료기【超音波治療器】명 〖의〗 초음파를 의학상의 치료에 응용한 장치. 마사지와 같은 효과가 있음.

초음파 카메라【超音波─】명 〔ultrasonic camera〕〖전〗 피검사 표본(被檢查標本) 또는 생체(生體) 조직을 통과해 온 음파를 화상(畫像)으로 표시하는 장치. 전압 결정(電壓結晶)을 사용하며, 초음파를 전압차(電壓差)로 변환함.

초음파 탐상기【超音波探傷器】명 초음파를 공업 재료 등에 투사(投射)하여, 그 반사파(反射波)나 통과파(通過波)의 강약(強弱)에 따라 재료 내부의 결함(缺陷)을 탐지하는 장치. 비파괴 시험기(非破壞試驗機)로서 널리 쓰임.

초음파 풍속계【超音波風速計】명 〖기상〗 공기 중의 음파(音波)의 전파(傳播) 속도를 측정하여 풍속(風速)을 산출하는, 음파 기상 관측 장치의 하나.

초음파 현:미경【超音波顯微鏡】명 〔ultrasonic microscope〕 빛 대신에 10만 kHz 이상의 고주파수(高周波數)의 초음파를 가느다란 빔상(beam狀)으로 시료(試料)에 투사하고, 그 초음파를 전기 신호로 바꾸어 브라운관 위에 상(像)으로서 비추게 하는 방식의 현미경. 1973년 미국의 스탠퍼드 대학에서 처음 만듦.

초-응력【初應力】[─녁] 명 〖물〗 물체를 제조할 때, 조작(操作)·열처리(熱處理)의 불균일(不均一) 또는 수 개의 물체의 조직의 무리 등과 같이, 물체가 외력(外力)을 받기 전부터 그 내부(內部)에 보유하는 응력. *잔류(殘留) 응력.

초의[1]【初意】[─/─이] 명 초지(初志).

초의[2]【草衣】[─/─이] 명 ①은자(隱者)의 옷. ②전(轉)하여, 은자(隱者).

초의[3]【草衣】[─/─이] 명 〖사람〗 조선 후기의 선사(禪師) 의순(意恂)의 호(號).

초의식 심리학【超意識心理學】[─니─] 명 〖심〗 메타사이콜로지(metapsychology)❶.

초-이레【初─】명 ↗초이렛날.

초-이렛날【初─】명 그 달의 일곱 번째날. 초칠일(初七日). ㈜초이레.

초-이일【初二日】명 초이튿날.

초-이튿날【初─】명 그 달의 두 번째날. 초이일(初二日). 이일(二日).

㊀초이틀·이튿날.
초-이틀【初一】명 ↗초이튿날. ㊀이틀.
초-익공【初翼工】명〖건〗단익공(單翼工).
초익공-집【初翼工一】[一찝] 명〖건〗익공 우설(翼工牛舌)이 한 개로 된 집.
초인[1]【招引】명 죄인이 남을 끌어 넣음. ——-하다 타여불
초인[2]【超人】명 ①보통 인간과 동떨어진 위대한 능력의 소유자. 뛰어난 능력을 가진 자. 슈퍼맨(superman). ②〔도 Übermensch〕〖철〗기성(既成) 도덕을 부정하고 민중을 지배하는 권력을 행사하면서 자기의 가능성을 극한까지 실현한 이상적인 인간. 니체(Nietzsche) 철학의 근본 이념임. 초인간(超人間).
초인[3]【樵人】명 나무꾼.
초-인간【超人間】명 초인(超人).
초-인격【超人格】[一껵] 명 인류(人類)의 성격을 완전히 초월함. 또, 그러한 존재. 신(神)이나 절대자(絶對者) 등을 가리킴.
초인격-적【超人格的】[一껵一] 명관 인간 세계를 초월하여 그 위에 있는 모양. ¶ ~ 존재(存在).
초인 문학【超人文學】명〖문〗인간을 초월한 이상과 감정을 문학으로 표현한 글.
초인-본【初印本】명〖인쇄〗초간(初刊) 또는 초각(初刻), 중간(重刊) 또는 후각을 위한 조판의 여하를 막론하고 이들 판에서 첫번째로 인쇄하여 낸 책. 탁본(拓本)인 경우는, 특히 초탑본(初搨本)이라 일컬음. 초쇄본(初刷本).
초-인사【初人事】명 첫인사.
초인-적【超人的】명관 보통 사람보다도 매우 뛰어난 모양. 뛰어난 능력을 갖고 있는 모양. ¶ ~ 노력/~ 업적을 이루다.
초인-종【招人鐘】명 사람을 부르는 신호로 울리는 종. ¶ ~을 누르다.
초인-주의【超人主義】[一/一이] 명〖철〗기독교적·민주적인 전통적 윤리관(倫理觀)을 약자(弱者)의 도덕이라 부정하고 생명력에 넘쳐, 민중을 지배하는 권력을 행사하면서 자신의 가능성(可能性)을 극한(極限)까지 실현해 나가는 이상적 인간, 즉 초인(超人)을 궁극 목적으로 하는 니체의 철학 사상. 초인 철학. 니체주의.
초인 철학【超人哲學】명〖철〗초인주의.
초일[1]【初日】명 ①첫날. ¶취임(就任) ~. ②처음 떠오르는 해.
초일[2]【超逸】명 초월(超越)❶. ——-하다 자타여불
초-일념【初一念】[一렴] 명 초지(初志).
초-일일【初一日】명 초하룻날.
초-읽기【秒一】[一일끼] 명 ①시간을 초(秒) 단위로 세는 일. ②바둑에서, 대국자(對局者)의 제한 시간이 5분 또는 10분밖에 남지 않은 때부터 기록계(記錄係)가 차례가 된 기사(棋士)에게 시간의 경과를 초 단위로 알려 주는 일. ¶ ~에 들어가다 / ~에 몰리다.
초임【初任】명 처음으로 어떤 직(職)에 임명되거나 취임함. ¶ ~ 인사. ——-하다 자여불
초-임계【超臨界】명〖물〗원자로 안의 핵분열로 발생하는 중성자의 수가 흡수되어서 핵분열을 하는 중성자의 수를 초과하고 있는 상태.
초임계압 보일러【超臨界壓一】〔boiler〕명 물의 임계압 225.4 kg/cm² 이상의 고압 증기(高壓蒸氣) 발생 장치. 초임계압에서의 물은 가열(加熱)해도 끓지 않고 연속적으로 과열 증기(過熱蒸氣)로 변하므로 드럼(drum)으로는 기수 분리(汽水分離)를 할 수 없고, 자연히 관류(貫流) 보일러의 형식이 됨. 대형(大形) 고효율(高效率) 화력(火力) 발전소에서 이용됨.
초임-급【初任給】명 임명초(初)에 받는 급료. ㊀초급(初給).
초입[1]【初入】명 ①골목이나 문 같은 데에 들어가는 어귀. ¶골목 ~에 있는 집. ②처음으로 들어감. ——-하다 자여불
초입[2]【招入】명 불러들임. ——-하다 타여불
초-입경[1]【初入京】명 시골 사람이 처음으로 서울에 옴. ——-하다 자여불
초입-경[2]【初入經】명〖천주교〗'입당송(入堂誦)'의 구용어.
초-입궁【初入宮】명〖건〗초익공(初翼工).
초-입사【初入仕】명〖역〗초사(初仕).
초자[1] 명〈방〉미나리적(炙).
초자[2]【草字】명 초체(草體)의 글자. 초문자(草文字).
초자[3]【硝子】명 유리(琉璃). ¶ ~ 공장.
초자[4]【超資】명〖역〗차례를 건너뛰어 오르는 가자(加資). ——-하다 자타여불
초자[5]【超雌】명〔superfemale〕〖생〗정상(正常)의 암컷보다 상대적으로 많은 X염색체를 지닌 초파리 개체(個體)에서, 자성(雌性) 형질이 정상의 암컷보다 강하게 표현되어 있는 일. 발생(發生)이 늦고 생활력이 약하며 생식 능력도 없음. ↔초웅(超雄).
초자[6]【樵子】명 나무꾼.
초자-관【硝子管】명 유리관(琉璃管).
초자-구【硝子球】명 유리구(琉璃球).
초자-기【硝子器】명 유리로 된 기구(器具).
초자-막【硝子膜】명〖동〗동물의 상피 조직이 외표면에 어떤 물질의 분비에 의하여 생기거나 또는 바깥 층의 세포 표면이 굳어져서 된 물건. 유리막(琉璃膜).
초자 세:공【硝子細工】명 유리 세공.
초-자아【超自我】명〖심〗프로이트(Freud,S.)의 정신 분석 이론의 주요 개념. 죄악감이나 양심의 가책 등으로 표시되는 비판적·처벌적(處罰的) 기능 곧 무의식적 양심과, 이상(理想)이나 가치관을 설정하여 자아를 지키고 자아를 포상(褒賞)하는 자아 이상(自我理想)으로 이루어짐. *양심·이상아(理想我).
초-자연【超自然】명 자연의 이법(理法)을 넘어서 신비적임.
초자연 신학【超自然神學】명〖종〗계시(啓示)에 인도된 신앙의 내용인 신(神)을 연구하는 학문. ↔자연 신학.
초자연-적【超自然的】명관 자연을 초월한 그 어떤 존재나 힘에 의거하는 모양. ¶ ~ 섭리(攝理).
초-자연주의【超自然主義】[一/一이] 명〔supernaturalism〕〖철〗자연계의 배후에 인간의 이성에 의하여 설명할 수 없는 초자연적인 실재(實在)를 상정(想定)하며, 기적·주술(呪術) 따위의 신비적 사상(事象)도 이에 의거하여 설명하고 직각(直覺) 따위와 같은 특별한 인식 능력이나 신의 계시에 의하여 설명하려고 하는 학설 또는 신앙.
초자연-지【超自然知】명 인간에게 자연적으로 부여되어 있는 지적 능력이나 지식과 구별하여, 자연을 초월한 존재로부터 부여되었다고 생각되는 신비적인 지력(知力). 또, 그 지식.
초자연 현:상【超自然現象】명〖심〗초상(超常) 현상.
초자-체【硝子體】명〖생〗유리체(琉璃體).
초자체-강【硝子體腔】명〖생〗수정체의 뒤쪽, 망막(網膜)의 앞쪽에 있는 안강(眼腔). 초자체액(液)으로 채워져 있음.
초자체-액【硝子體液】명〖생〗안구(眼球)의 내강(內腔)을 채우고 있는 투명한 겔(Gel)과 같은 물질.
초자 해:면류【硝子海綿類】[一뉴] 명〖동〗육방(六放) 해면류.
초자-휘【草字彙】명〖책〗중국 청(淸)나라의 석 양(石梁)이 편저(編著)한 초서 자전(草書字典). 한(漢)나라 장제(章帝) 이하 87가(家)의 초법(草法)을 모아 모사(模寫)한 것임. 근래의 초체(草體)는 대개 이 책에 의거하고 있음.
초작[1]【初作】명 처음으로 한 제작(製作) 또는 저작(著作).
초작[2]【焦灼】명 ①태움. 탐. ②애태움. 애탐. ——-하다 자타여불
초-잠식지【稍蠶食之】명 차츰차츰 침노(侵擄)하여 개먹어 들어감. ㊀잠식(蠶食). ——-하다 타여불 「¶연설문을 ~.
초-잡다【草一】타 시문(詩文)이나 어떤 글을 초벌로 쓰다. 초(草)하다.
초장[1]【初章】명 ①음악·가곡(歌曲)의 첫째장. ②초중종(初中終)할 때에 어떤 정한 글자가 윗머리에 있는 시구(詩句). ↔중장(中章)·종장(終章). *초중종(初中終).
초장[2]【初帳】명〖건〗도리에 직각(直角)으로 배치(配置)된 첫째의 선자연(扇子椽).
초장[3]【初場】명 ①장사를 시작한 처음의 동안. ②일의 첫머리 판. 초저녁. ¶ ~에 기분 잡치다. ③첫날의 시험장(場).
[초장에 까부는 게 파장에 매 맞는다; 초장 술에 파장 매] 첫판에 까불고 덤비다가는 뒤판에 가서 낭패를 본다는 말.
초장[4]【招狀】[一짱] 명 초대장(招待狀).
초장[5]【炒醬】명 볶은장❶.
초장[6]【哨長】명〖역〗한 초(哨)의 우두머리.
초장[7]【草場】명 풀을 베어서 쓰는 빈 땅.
초장[8]【草腸】명 채장(菜腸).
초장[9]【草葬】명 시체를 짚으로 싸서 가매장(假埋葬)하는 일.
초장[10]【醋醬】명 초를 타고 양념을 한 간장.
초장기선 전:파 간섭계【超長基線電波干涉計】명 브이 엘 비 아이(VLBI).
초장-조【酢漿藻】명〖식〗네가래.
초-장파【超長波】명〔very low frequency〕〖물〗파장(波長) 10-100 km, 주파수 10 kHz 전후의 전자기(電磁氣). 미리어미터파(miriameter 波). 약칭: 브이 엘 에프(VLF).
초재[1]【草材】명〖한의〗①우리 나라에서 나는 약재. 초약(草藥). ↔당재(唐材). ②풀 종류로 된 약재.
초재[2]【超在】명 어떤 범위의 밖에 존재함. ——-하다 자여불
초재[3]【礎材】명 ①기초가 되는 재료. ②〖건〗기초와 그 밑에 박아 넣은 말뚝을 연결하는 부분.
초재 진:용【楚材晉用】명〔중국 초(楚)나라의 산물(產物)을 진(晉)나라 사람이 이용(利用)한다는 데서〕남의 것을 취(取)하여 내가 이용함을 이르는 말.
초저【醋菹】명 초김치.
초-저고도【超低高度】명 아주 낮은 고도.
초-저녁【初一】명 ①저녁의 초기. 이른저녁. ¶ ~에 잠이 들다. ②초장(初場)❷. ¶ ~부터 글렀군.
초저녁-달【初一】명 초저녁에 뜨는 달.
초저녁-잠【初一】명 초저녁에 일찍이 드는 잠. 저녁잠. ¶ ~이 많다.
초-저온【超低溫】명〖물〗지극히 낮은 온도. 절대 영도에 무한히 가까운 저온을 가리킴.
초저온 공학【超低溫工學】명〖공〗섭씨 영하 수십 도에서 영하 150도 가량의 극히 낮은 온도를 취급하는 저온 공학(低溫工學). 강철의 저온 처리, 혈장(血漿)이나 페니실린 등의 냉동 건조 따위에 이용됨. *극저온(極低溫) 공학.
초저주파 공기 진:동【超低周波空氣振動】명 20 Hz 이하의 주파수의 진동. 공장의 기계나 교통 기관·냉난방 기구 등이 발생원(發生源)인데, 우리의 귀에는 들리지 않지만, 이 진동을 받으면, 어깨가 결리고 손발이 저리며 속이 차고 압박감·두통 등을 느끼게 됨.
초적[1]【草笛】명 풀잎 피리.
초적[2]【草賊】명 ①좀도둑. ②남의 곡식단을 훔쳐 가는 도둑. 초절(草竊).
초적[3]【樵笛】명 나무꾼이 부는 피리.
초전[1]【初戰】명 전쟁의 첫머리. ¶ ~ 박살.
초전[2]【招電】명 사람을 부르거나 초대(招待)하기 위한 전보나 전화. ¶ ~

을 받다.

초-전기【焦電氣】명〔pyroelectricity〕명〖물〗전기석(電氣石) 등의 결정체(結晶體)의 일부를 가열(加熱)할 때 표면에 나타나는 전기. '+' 및 '−'의 전기가 나타나는 방향은 그 결정의 대칭축(對稱軸)에 대해서 일정함. 피로(pyro) 전기.

초전기 전도【超電氣傳導】명〖물〗→ 초전도(超傳導).

초-전도[1]【超傳導】명〖물〗〔←초전기 전도(超電氣傳導)〕어떤 종류의 금속 또는 합금 금속 화합물의 온도가 내려 가면, 각각 정해진 전이 온도(轉移溫度) 이하에서 전기 저항(電氣抵抗)이 소실(消失)하는 현상. 동시에 마이너스 효과(效果), 조세프슨 효과 등의 특징적인 현상을 나타냄. 쿠퍼쌍(雙)이라는 전자쌍(電子雙)의 집단적(集團的)인 행동에 의해서 생긴다는 것이 양자론(量子論)에 입각하여 설명됨. 1911년 네덜란드의 물리학자 오네스(Onnes, H.K.)가 수은(水銀)에서 발견함. 전이 온도는 수십도 K 이하의 것이 많으나, 어떤 종류의 세라믹에서 전이 온도가 높은 것이 속속 발견되어 초전도 재료(材料)로서 유망시되고 있음. 초전도(超電導).

초-전도[2]【超電導】명〖물〗〔←초전기 전도(超電氣傳導)〕초전도(超傳導).

초전도 물질【超傳導物質】[—찔] 명〖물〗초전도 현상(超傳導現象)을 일으키는 물질(物質).

초전도 발전【超傳導發電】[—전] 명 발전기(發電機)의 회전자(回轉子)에 초전도체(超傳導體)를 이용한 발전.

초전도 발전기【超傳導發電機】[—전—] 명〖전〗초전도 현상(超傳導現象)을 응용한 발전기. 같은 크기의 설비로 종래의 발전기의 100배의 출력(出力)을 얻을 수 있음.

초전도 엘리베이터【超傳導—】〔elevator〕명 초전도(超傳導)를 이용한 케이블 없는 엘리베이터.

초전도 임계 온도【超傳導臨界溫度】명〖물〗초전도(超傳導)를 일으키는 데 필요한 온도.

초전도 입자 가속기【超傳導粒子加速器】명〖물〗20조(兆) 전자 볼트의 높은 에너지로 양성자를 가속(加速)시켜 서로 충돌시킴으로써 물질의 궁극적인 기본 입자를 탐색하고 우주의 기원을 밝혀 내기 위하여 길이 90km의 지하 터널 속에 초전도체 자석으로 구성된 거대한 가속기. 미국이 건설을 계획하고 있으며 자금면(資金面)에서 한국을 포함한 여러 나라가 이에 참여함.

초전도 자기 부상 철도【超傳導磁氣浮上鐵道】[—또] 명 초전도 자석(超傳導磁石)을 응용한 자기 부상식 철도.

초전도 자석【超傳導磁石】명 초전도 현상을 이용한 전자석(電磁石). 초전도체(超傳導體)에 환상(環狀)의 큰 전류(電流)를 흐르게 하여 전자석을 만듦. 전력(電力)을 소비하지 않고 강력하고 소형의 것을 만들 수 있음. 니오븀을 포함하는 합금(合金)이 흔히 이용됨.

초전도 재료【超傳導材料】명〖물〗저온에서 전기 저항이 없어지는 재료. 니오브 티탄 합금이나 니오브 주석과 같은 화합물이 개발·연구되고 있음.

초전도 전:류【超傳導電流】[—절—] 명〖물〗2개의 초전도(超傳導) 상태에 있는 물질을 전기적(電氣的)으로 약하게 결합시킬 때 그 양끝에 흐르는 전류(電流).

초전도 전:자 추진선【超傳導電磁推進船】명 스크류 대신 초전도 자석(超傳導磁石)의 강력한 자기장(磁氣場)을 이용하여 추진력(推進力)을 스크류 없는 동력선(動力船).

초전도-체【超傳導體】명〔superconductor〕〖물〗초전도를 나타낼 수 있는 물질. 이리듐(iridium)·니오브(Niob)·탄탈(Tantal)·납·수은·주석·바나듐 따위와 그 외의 합금 등.

초전도 트랜지스터【超傳導—】명〔superconducting transistor〕초전도체(超傳導體)와 반도체(半導體)를 조합하여 만든 3단자(端子) 소자(素子)의 총칭.

초-전하【超電荷】명〖물〗하이퍼 차지.

초-절[1]【初—】명〈방〉초겨울(함북).

초절[2]【峭絕】명 산봉우리가 매우 높음. ——-하다 형여불

초절[3]【草竊】명 초적(草賊)❷.

초절[4]【超絕】명 ①출중(出衆)하게 뛰어남. ②〖철〗초월(超越)❷. ——-하다 자타여불

초절-론【超絕論】명 ①초절 철학. ②초절주의.

초절-주의【超絕主義】[—쭈— / —쭈이] 명〔transcendentalism〕〖철〗19세기 중엽 미국 동부에서 일어난 관념론 철학 운동. 칸트(Kant, I.)·콜리지(Coleridge, S.T.)·셸링(Schelling, F.W.J.) 및 동양 사상(東洋思想)의 영향을 받아 범신론(汎神論)·직각주의(直覺主義)·신비주의·유니테어리어니즘(Unitarianism) 등의 철학을 주장(主張)했음. 에머슨(Emerson, R.W.)·파커(Parker, T.) 등이 이의 대표임. 초절론(超絕論).

초절 철학【超絕哲學】명〖철〗비판 철학(批判哲學).

초점[1] 명〈방〉학질(경북).

초점[2]【焦點】[—쩜] 명 ①사물·관심·흥미가 집중되는 가장 중요로운 부분. ②〔focus〕〖물〗구면거울·볼록 렌즈 같은 것에 있어서 광축(光軸)에 평행(平行)한 입사 광선이 반사·굴절하여 한 곳으로 모이는 점. 또, 반사 굴절하여 평행 광선을 이루어 내는 광점. ③〔focus〕〖수〗타원·쌍곡선·포물선(拋物線)의 위치 및 모양을 정하는 요소가 되는 점. 이들 곡선상(曲線上)의 점으로부터, 이 점에 이르는 거리와 준선(準線)에 이르는 거리와의 비(比)는 일정(一定)함.

초점 거:리【焦點距離】[—쩜—] 명〔focal length〕〖물〗구면거울·볼록 렌즈 등의 중심으로부터 초점까지의 거리. 구면거울에 있어서는 그 반지름의 2분의 1임. 소거(燒距).

초점-면【焦點面】[—쩜—] 명〔focal plane〕〖물〗초점을 지나서 축(軸)에 수직한 평면.

초점성 발작【焦點性發作】[—쩜썽—짝] 명〔focal seizure〕〖의〗전간(癲癇)의 발작이 신체의 일부에 한정되어 일어나는 일. 흔히, 의식은 잃지 않으며, 뇌의 한국 구역(限局區域)의 자극으로 일어남.

초점 심도【焦點深度】[—쩜—] 명〔focal depth〕〖물〗초점을 중심으로, 상당히 분명한 상(像)을 만드는 광축상(光軸上)의 범위(範圍). 피사계(被寫界) 심도.

초점 유리【焦點琉璃】[—쩜—뉴—] 명 핀트 글라스.

초-젓국【醋—】명 새우 젓국에 초를 치고 고춧가루를 뿌려서 만든 젓국. 초해즙(醋醢汁).

초정[1]【初政】명〖역〗새로 도임(到任)한 감사(監司)나 수령(守令)이 비로소 집무함. ——-하다 자여불

초정[2]【草亭】명 풀로 지붕을 인 정자.

초정[3]【哨艇】명 초계용(哨戒用)의 작은 배.

초정[4]【椒庭】명 초방(椒房).

초정[5]【楚亭】명〖사람〗박제가(朴齊家)의 호(號).

초정 약수【椒井藥水】명 충청 북도 청원군(淸原郡) 북일면(北一面) 초정리(椒井里)에서 나는 약수. 미국의 섀스타 광천(Shasta 鑛泉), 영국의 나포리나스 광천과 더불어 세계 3대 광천의 하나로 침. 라듐 성분이 다량 함유된 천연 탄산수임.

초제[1]【招提】명〖불교〗관부(官府)에서 사액(賜額)한 절.

초제[2]【剿除】명 초멸(剿滅). ——-하다 타여불

초제[3]【醮祭】명 성신(星辰)에게 지내는 제사.

초-제공【初提栱】명〖건〗주삼포(柱三包)의 집에는 기둥 위에 초방(初枋)과 교차(交叉)하여 짜고, 삼포 이상의 집에는 주두(柱頭) 위에 장화반(長花盤)과 교차하여 짜는 물건.

초조[1]【初祖】명 가계(家系)나 유파(流派)의 초대(初代).

초조[2]【初潮】명 월경이 처음으로 나오는 일. 또, 그 월경. 홍연(紅鉛). 초경(初經). ¶ ~를 보다.

초조[3]【焦燥】명 애를 태워서 마음을 졸이는 모양. ¶ ~한 마음. ——-하다 형여불. ——-히 부

초조-감【焦燥感】명 초조한 느낌.

초-조금【初潮—】명 매달 초승에 드는 조금.

초-조반【初早飯】명〈궁중〉조반(早飯).

초조본 대:반야 바라밀다경【初雕本大般若波羅蜜多經】[—따—] 명〖불교〗고려 현종(顯宗) 때 간행된 초조 대장경(初雕大藏經) 중의 하나. 1권 1축(軸). 목판본. 개인 소장. 국보 제 241호.

초조본 대:방광불 화엄경【初雕本大方廣佛華嚴經】명〖불교〗고려 현종(顯宗) 시대에서 선종(宣宗) 시대에 걸쳐 간행된 초조 대장경 중의 화엄경. 2책. 목판본. 국보 제 256·257호.

초종[1]【初終】명 ↗초종 장사(初終葬事).

초종[2]【草螽】명〖충〗벼메뚜기.

초종-록【初終錄】[—녹] 명 초상록(初喪錄).

초종 범절【初終凡節】명 초상 치르는 데에 관한 모든 절차.

초-종용【草蓯蓉】명〖식〗[*Orobanche coerulescens*] 열당과(列當科)의 다년생 기생 초본(寄生草本). 바닷가 모래땅에서 자라는데, 높이 10-30cm임. 뿌리 줄기는 비후(肥厚)하고, 육질(肉質)의 수염뿌리로 개사철쑥 뿌리에 기생함. 비늘 모양의 잎은 피침형 또는 좁은 달걀꼴이며 5-6월에 연한 자주색 꽃이 원줄기 끝에 수상(穗狀) 화서로 밀생(密生)함. 열매는 좁은 타원형의 삭과(蒴果)임. 옛날부터 전초(全草)를 강장 및 강정제로 사용하였음. 한국·일본·대만·중국 등에 분포함.

초종 장:례【初終葬禮】[—녜] 명 초종 장사(初終葬事).

초종 장:사【初終葬事】명 초상이 난 뒤로부터 졸곡(卒哭)까지의 일컬음. 초종 장례(初終葬禮). 준초종(初終).

초종-중【初終中】명 초상중(初喪中).

초주[1]【椒酒】명 조피 열매를 섞어서 빚은 술.

초주[2]【礎柱】명 주춧돌과 기둥.

초-주[3]【譙周】명〖사람〗중국 삼국 시대(三國時代) 촉(蜀)나라의 학자. 자(字)는 윤남(允南), 호는 복우자(伏愚子). 제갈량(諸葛亮)에게 권학 종사(勸學從事)로 추거(推擧)되어 후에 광록 대부(光祿大夫)가 됨. 저서(著書)에 ≪법훈(法訓)≫·≪오경론(五經論)≫·≪고사고선(古史考善)≫ 등이 있음. [201-270]

초주검-되다【初—】자 거의 다 죽게 되다.

초-주지【草注紙】명〖역〗초기(草記)에 쓰는 종이.

초죽【楚竹】명 중국 초(楚) 지방에서 나는 조릿대류(類).

초준[1]【初準】명 초교(初校).

초준[2]【峭峻】명 험준(險峻). ——-하다 형여불

초중【初重】명〖악〗불교의 성명(聲明)의 강식(講式)에서 음역(音域)을 삼옥타브(octave)로 가를 때 가장 낮은 음역으로 노래 불리어지는 부분. ↔이중(二重)·삼중(三重).

초-중대엽【初中大葉】명〖악〗옛 가곡의 곡조 이름. 곧, 초(初)·이(二)·삼(三)의 세 중대엽 중의 첫째 중대엽. 만대엽(慢大葉)에 뒤를 이어 없어지고 지금은 행하지 아니함.

초중성 합용 작자표【初中聲合用作字表】명〖역〗훈민 정음을 쉽게 깨우치도록 초성자와 중성자를 합하여 음절 단위의 글자를 만들어 보인 표. 자모순(字母順)에 따라 '가'행에서 시작하여 '하'행으로 끝나며, 반절표(反切表)라고도 불리었음.

초-중수소【超重水素】명〖화〗삼중 수소(三重水素).

초중 원소【超重元素】명〔superheavy element〕〖물〗초중핵(超重核)을 원자핵(原子核)으로 가지는 원소.

초-중전차【超重戰車】명 60톤 이상 되는 대형 전차.

초-중-종【初中終】명 ①〖문〗시조(時調)의 삼장. 곧, 초장·중장·종장. ②옛날 글방 아이들이 시구(詩句)를 암기하여 익히는 방법의 하나. 곧, 어떤 글자를 정하고 그 글자가 있는 옛 시구를 생각하여 외는 일. 가령, 마(馬)가 나오면 '마상 봉한식(馬上逢寒食), 천금 준마 환소첩(千金駿馬換少妾), 조기 오화마(朝騎五花馬)' 등의 시구를 외는데, 이에 초장·중장·종장의 다름이 있음. 초장은 그 글자가 첫자이고, 중장은 오언(五言)이면 셋째자, 칠언(七言)이면 넷째자이며, 종장은 끝자임. 글자를 정하는 데에는 책을 펴 넘겨서 첫장 첫자를 초장, 둘째장 첫자를 중장, 셋째장 첫자를 종장으로 함이 보통임. 사운희(射韻戲). ③〖언〗초성(初聲)·중성(中聲)·종성(終聲)의 아울러 일컬음. *종장(終章). ──-하다 자여불

초중-핵【超重核】명〖물〗현재 알려져 있는 원자핵(原子核)의 양성자수(陽性子數)나 중성자수(中性子數)보다 훨씬 큰 양성자수나 중성자수를 갖는 원자핵.

초즙【草葺】명 지붕을 풀로 임. ──-하다 자여불

초-증감【超增感】명 〔hypersensitization〕이미 도포(塗布)된 유제 감광층(乳劑感光層)에 노광(露光)하기 전에 베푸는 증감 처리(處理).

초지[1]【初地】명 ①산기슭. 산록(山麓). ②〖불교〗환희지(歡喜地).

초지[2]【初志】명 처음에 품은 의지. 맨 처음의 희망. 초의(初意). 초일념. ¶~ 일관(一貫).

초지[3]【抄紙】명 종이를 뜸. ──-하다 자여불

초지[4]【草地】명 풀이 나있는 땅. 가축의 방목(放牧) 또는 목초(牧草)의 재배에 이용되는 땅. ¶~ 조성(造成).

초지[5]【草紙】명 글을 초 잡아서 쓰는 종이.
[초지 장도 맞들면 낫다] '백지장도 맞들면 낫다' 와 같은 뜻. [초지 한 장이 바람을 막는다] 보잘것 없는 것도 적절하게 쓰면 요긴한 일을 할 수 있다는 말.

초-지니【初一】명 두 살 된 매나 새매. 산지니는 사냥에 적당하지 못하나 수지니는 매우 적당함. 초진(初陳). *삼지니·새매.

초-지대【草地帶】명 〔weed land〕〖지〗온대 지방의 여름에 비가 적은 곳에서, 키가 낮은 초류(草類)가 무성한 지대.

초-지렁【醋一】명 〈방〉초장(醋醬)

초지-법【草地法】〔一뻡〕명〖법〗초지의 조성·개량·보전·관리 및 이용에 관한 사항을 규정함으로써 축산(畜産) 진흥에 기여하려는 법.

초지 일관【初志一貫】명 처음에 먹은 마음을 끝까지 관철함. ──-하다 자여불

초지평선 레이더:【超地平線一】명 〔Over The Horizon Radar; OTHR〕〖군〗부분 궤도 폭격 병기(軌道爆擊兵器)나 아이 시 비 엠(I.C.B.M.) 등을 조기(早期)에 발견하기 위하여 미국이 개발한 레이더. 미사일이 전리층(電離層)을 통과할 때의 전리층의 흔들림 등을 단파(短波)로 탐지함. 단파는 지표(地表)와 전리층 사이의 반복을 되풀이하면서 지구를 돌므로, 지평선 아래에서도 포착할 수 있는 것임.

초-지형풍【超地衡風】명 〔supergeostrophic wind〕〖기상〗기압 경도(氣壓傾度)에서 결정되는 지형풍보다 속도가 큰 바람.

초직[1]【初職】명 초사(初仕)로 하는 벼슬.

초직[2]【峭直】명 성품이 굳고 곧음. ──-하다 형여불

초진[1]【初陳】명〖조〗초지니.

초진[2]【初診】명 최초의 진찰. ↔재진(再診).

초진[3]【勦殄】명 적을 진멸(殄滅)함. ──-하다 자여불

초-진자【秒振子】명 한 번 갔다 오는 주기(週期)가 2초인 진자.

초질【草質】명〖식〗부드럽고 녹색이며, 보통 풀과 같은 성질.

초질-근【草質根】명 목질(木質)을 조금 함유하고 있어 몸이 연한 뿌리. 무·보리 등의 뿌리.

초집[1]【抄集】명 어떤 글을 간략하게 뽑아서 모음. 또, 그 글. 초집(抄輯). ──-하다 타여불

초집[2]【抄輯】명 초집(抄集). ──-하다 타여불

초집[3]【招集】명 불러서 모음. ──-하다 타여불

초-집[4]【草一】명 〈방〉초가[2](함북).

초집[5]【草集】명 시문(詩文)의 초잡은 원고(原稿). 또, 그것을 모은 책.

초-집게【草一】명 풋나무나 짚 들의 부피를 헤아리는 데 쓰는 기구.

초차【初次】명 처음의 차례. 곧, 첫번.

초-차담【初一】명 〈방〉초꼬슴.

초창[1]【初創】명〖불교〗절을 처음 세움. ──-하다 타여불

초창[2]【怊悵】명 마음에 섭섭함. 실망(失望)하여 멍하니 있음. ¶슬피 우는 두견새 소리가 무정한 낙화를 향하여 동풍을 원망하는 듯 ~한 심회를 더욱 격동하여…《崔瓚植:春夢》. ──-하다 형여불

초창[3]【草創】명 사업을 일으켜 시작함. 또, 그 시초. ¶~기(期).

초창[4]【悄愴】명 근심스럽고 슬픔. ──-하다 형여불. ──-히 부

초창[5]【樵唱】명 초가(樵歌).

초창-기【草創期】명 어떤 사업을 일으켜 시작하는 초기(初期). ¶건국의 ~.

초채[1]【醋菜】명 초나물.

초채[2]【樵採】명 채초(採樵). ──-하다 타여불

초책[1]【抄冊】명 요점(要點)만 뽑아서 기록한 책.

초책[2]【草冊】명 초벌로 거칠게 기록한 문서.

초책[3]【誚責】명 나무람. ──-하다 타여불

초천【超遷】명 등급을 뛰어넘어서 올라감. ──-하다 자여불

초천재-아【超天才兒】명〖심〗보통, 지능 지수(知能指數)가 170을 넘는 천재아.

초청【招請】명 청하여 부름. 청초(請招). ¶~장/손님을 ~하다. ──-하다 타여불

초-청령【草蜻蛉】〔一녕〕명〖충〗풀잠자리❷.

초청 외:교【招請外交】명 우호·협조의 계기를 마련하고 그 촉진을 위하여 대상국의 요직에 있는 인물을 초청하여 환대하는 방식의 외교.

초청-장【招請狀】〔一짱〕명 초청하는 글월. ¶~을 보내다.

초체[1]【招帖】명〖역〗송사(訟事)에 관계자를 불러들이던 서류.

초체[2]【草體】명 초서의 서체(書體).

초초[1]【草草】명 간략한 모양. 바빠서 거친 모양. ──-하다[1] 형여불

초초[2]【悄悄】명 근심이 되어 기운을 잃은 모양. ──-하다 형여불

초초[3]【稍稍】부 점점(漸漸).

초초[4]【醋炒】명〖한의〗약재(藥材)를 초에 담갔다가 불에 볶아서 그 성질과 맛을 연화(軟化)시키는 일. ──-하다 타여불

초-초두랄루민【超超一】〔duralumin〕명〖화〗알루미늄에 아연(亞鉛)·마그네슘 등을 혼합한 합금(合金).

초초-하다[2]【草草一】형여불 대수롭지 않다. 초라하다. ¶눈만 보아도 초초한 인물이 아닌 표가 납디다. 그렇지 않아요? 그 골격도 사내답지요? 《洪命憙:林巨正》.

초추【初秋】명 초가을. 상추(上秋).

초춘[1]【初春】명 초봄. 헌춘(獻春).

초춘[2]【杪春】명 봄의 끝. 모춘(暮春).

초출[1]【初出】명 처음으로 나옴. ──-하다 자여불

초출[2]【抄出】명 골라서 뽑아 냄. ──-하다 타여불

초출[3]【招出】명 불러 냄. ──-하다 타여불

초출[4]【超出】명 우뚝하여 뛰어남. ──-하다 형여불

초-출사【初出仕】〔一싸〕명 ①벼슬을 한 뒤에 처음으로 출사(出仕)함. ②일을 시작하여 손을 댐의 비유. ──-하다 자여불

초충【草蟲】명 ①풀에서 사는 벌레. ②〖미술〗풀에서 사는 벌레를 그린 그림.

초췌【憔悴·顦顇】명 고생이나 병으로 인하여 몸이 마르고 파리함. ¶~한 얼굴. ──-하다 형여불

초취[1]【初吹】명〖역〗군대 군호(軍號)의 하나. 행군(行軍)할 때에 첫번으로 나팔을 붊. *재취(再吹).

초취[2]【初娶】명 첫번 혼인한 아내. 초실(初室). *전취(前娶).

초취[3]【焦臭】명 화독내.

초측 시계【秒測時計】명 항해 중인 배의 속도를 재어, 그 항정(航程)을 알기 위해 쓰이는 시간 측정용의 시계. 근세 후기 서양식 항해술의 도입으로 일부에서 사용되었음.

초츤【髫齔】명 〔다박머리에 앞니를 갈 무렵의 어린 아이란 뜻〕일곱이나 여덟 살의 어린 때.

초치【招致】명 불러서 이르게 함. ¶외국 코치의 ~. ──-하다 타여불

초-치두【草鴟頭】명〖식〗관중(貫衆).

초친-놈【醋一】명 난봉이나 부려서 사람 구실할 여망(餘望)이 없는 사람을 이르는 말.

초친-맛【醋一】명 싱겁고 멋대가리없는 취미.

초-칠일【初七日】명 ①초이렛날. ②첫이레.

초침【秒針】명 시계의 초를 가리키는 바늘. *분침(分針).

초침-품【醋沈品】명 초에 담가서 뼈까지 무르게 만든 식품. 주로 물고기가 많이 쓰임.

초:커〔chocker〕명 목에 꽉 끼는 목걸이, 목도리, 꽉 끼는 넥타이, 높은 칼라 따위를 일컬음. 흔히, 목에 꽉 끼는 목걸이를 가리킴.

초코 명 ↗초콜릿. ¶판(板)~/~ 볼.

초콜라테로〔chocolatero〕명〖기상〗멕시코 만(灣)에 임(臨)한 지역에 부는 온화한 북풍(北風).

초콜릿〔chocolate〕명 기호품(嗜好品)의 하나. 코코아 씨를 볶아 만든 가루. 더운 물에 타서 밀크·설탕을 넣어 마시거나, 밀크·버터·설탕·향료 등을 넣고 굳혀서 과자를 만듦.

초콜릿-색【一色】〔chocolate〕명 밤색.

초:크[1]〔chalk〕명 ①백악(白堊). ②분필(粉筆). ③양재(洋裁)에서, 복지 재단의 표를 하는 데 쓰는 일종의 분필. 백(白)·적(赤)·청(靑) 등의 색이 있고, 삼각형 또는 연필 모양의 것 등이 있음. ④당구(撞球)에서, 미끄럼을 막는 분말의 일종. 화산(火山)재를 굳혀서 만든 것으로, 큐(cue)의 끝에 문질러서 씀.

〈초크[1]❸〉

초:크[2]〔choke〕명 ①엔진을 시동(始動)시킬 때, 혼합 기체의 농도를 짙게 하기 위하여 공기의 흡입(吸入)을 적게 하는 일. 또, 그 장치. ②↗초크 코일(choke coil).

초:크 스트라이프〔chalk stripe〕명 초크로 선(線)을 그린 느낌을 주는 줄무늬.

초:크 코일〔choke coil〕명〖물〗교류(交流)를 제한(制限)하는 데에 사용하는 코일. 라디오·텔레비전 등의 회로(回路)에서 교류분(交流分)이나 고주파분(高周波分)만을 저지하기 위하여 사용하는 고주파 초크 코일과 정류(整流) 회로 등에 사용하는 저(低)주파 초크 코일이 있음. 준 초크.

초탁【超卓】명 월등하게 뛰어남. 탁월(卓越). ──-하다 형여불

초탈【超脫】명 세속(世俗)을 벗어남. ¶세속을 ~한 태도. ──-하다 자여불

초택[1]【初擇】명〖역〗공도회(公都會)에 응(應)할 유생(儒生)을 먼저 소관(所管) 감영(監營)에서 시험 뵈는 일.

초택[2]【草澤】명 초원(草原)이나 수택(水澤). 전(轉)하여, 민간(民間). 재야(在野).

초토[1]【草土】명 〔거적 자리와 흙베개의 뜻〕거상중(居喪中)임을 가리키

는 말.

초토[2]【焦土】명 ①불에 타서 검게 된 흙. ②불타서 없어진 자리. 또, 그 남은 재. ¶～ 작전.

초토[3]【剿討】명 도둑의 무리를 토벌함. ──-하다 타여불

초토-사【招討使】명〖역〗조선 시대 때 나라에 변란(變亂)이 있을 경우 이를 평정하기 위하여 임시로 보내던 신하.

초토 외:교【焦土外交】명 나라를 초토화해서라도 국책을 수행하려는 외교.

초토 작전【焦土作戰】명〖군〗초토 전술로 행하는 작전.

초토 전:술【焦土戰術】명〖군〗패주(敗走)할 때, 적군(敵軍)이 이용하지 못하도록 모든 시설·자재(資材) 따위를 스스로 불사르거나 파괴하는 전술.

초토-화【焦土化】명 초토가 됨. 또, 초토로 만듦. ¶적의 진영(陣營)을 ～하다. ──-하다 자타여불

초토화 작전【焦土化作戰】명〖군〗초토 작전.

초통【楚痛】명 대단히 아프고 괴로움. ──-하다 형여불

초-특급【超特急】명 ①↗초특급 열차. ②특급보다도 더 빠름. ¶～으로 마무리짓다.

초특급 열차【超特急列車】[─녈─] 명 특급보다 더 빠른 열차. ㊟초특급.

초-특작품【超特作品】명 더할 수 없이 잘된 작품.

초파【耖耙】명〖농〗써레.

초-파리【醋─】명〖충〗[*Drosophila melanogaster*] 초파릿과에 속하는 곤충. 몸길이 2-3mm 정도로 몸빛은 암갈색 또는 담황갈색으로 복안(複眼)은 적갈색, 배는 황색 또는 흑색, 날개는 담황 혹은 황갈색이며, 배와 등에 가로줄이나 얼룩점이 있음. 초·간장·술 또는 썩은 과실 같은 발효물(醱酵物)이나 생선 따위에 모이어 붙음. 세계 각지에 널리 분포함. 유전(遺傳) 실험에 많이 이용됨.

〈초파리〉

초파릿-과【醋─科】명〖충〗[Drosophilidae] 파리목(目)에 속하는 한 과(科). 몸길이 5mm 내외로 복부가 짧으며, 몸빛은 대체로 담황색이고, 이마에 세 쌍의 극모(棘毛)가 있으며, 촉각은 3절이고 타원형 또는 원형임. 성충(成蟲)은 부패 식물·나무진·발효물(醱酵物)·과실 등의 주변에 서식함. 초파리가 가장 대표적임.

초-파일【†初八日】명〖불교〗[←초팔일] 파일(八日). 사월 파일.

초판[1]【初─】명 처음의 시기나 국면(局面).

초판[2]【初版】명 서적의 첫 출판. 처음 판. 첫판. 초쇄(初刷). 원판(原版). ¶～ 5,000부 인쇄.

초판[3]【峭坂】명 준판(峻坂).

초판-본【初版本】명 초판으로 나온 책.

초-팔일【初八日】명 →초파일.

초-패왕【楚霸王】명〖사람〗중국 초(楚)나라의 항우(項羽)를 패왕(霸王)으로서 높이어 일컫는 말. *한패공(漢霸公).

초퍼[chopper] 명 ①〖고고학〗외날의 찍개. ②고기나 야채 등을 잘게 써는 기구. ③〖전〗직류 전압이나 전류를 전력용 반도체 소자를 써서 고빈도(高頻度)로 단속(斷續)시킴으로써 전압·전류의 평균값을 제어(制御)하는 장치. 원리적으로는 손실 없는 전력 변환이 가능함. 지하철 차량 등에 널리 쓰임.

초평[1]【草平】명〖건〗넓이가 한 치 가량 되고 네모진 긴 나무 오리. 초가(草家)의 평고대(平高臺)로 씀.

초평[2]【草坪】명 풀이 무성하고 넓은 벌판.

초포【蕉布】명 파초(芭蕉)의 섬유로 짠 베. 초갈(蕉葛).

초표【礁標】명 암초(暗礁) 같은 곳에 세우는 바닷길의 경계 표지(警戒標識).

초풍【一風】명 경풍(驚風)을 일으킬 정도로 깜짝 놀람. ¶총소리에 기절 ～하다 / ～난 사람처럼 놀라다. ──-하다 자여불

초플루토늄 원소【超─元素】명 [transplutonium element]〖화〗원자 번호 94의 플루토늄보다 무거운 인공 원소(人工元素)의 총칭.

초피【貂皮】명 돈피(獤皮)❶❷.

초피-나무【椒皮─】명〖식〗[*Zanthoxylum piperitum*] 운향과에 속하는 낙엽 활엽 관목. 높이 3m 가량. 갈라진 가지에 한 쌍의 가시가 있으며, 잎은 호생(互生)으로 우상 복생(羽狀複生)하는데 소엽(小葉)은 11-19 개가 넓은 피침형 내지 달걀꼴을 이루며 둔한 톱니를 가짐. 4-5 월에 녹황색의 무판화(無瓣花)가 잔 가지 끝에 산방(繖房) 화서로 피고, 길이 5mm 가량의 삭과(蒴果)를 맺는데 10 월에 발갛게 익고 까만 씨가 있음. 산기슭 양지에 나는데, 한국 각지 및 일본·중국에 분포함. 한방에서 과피(果皮)를 치한(治寒)·골통(骨痛) 등의 치료제로 쓰며, 새 잎은 식용으로, 열매는 향신료로 씀. 남초(南椒). 조피나무.

〈초피나무〉

초필【抄筆】명 잔 글씨를 쓰는 가느다란 붓.

초하【初夏】명 초여름.

초-하다[1]【抄─】타여불 ①글씨를 베끼어 기록하다. ②초록(抄錄)하다.

초-하다[2]【炒─】타여불 불에 볶다.

초-하다[3]【草─】타여불 기초(起草)하다. 초(草)잡다.

초-하루【初─】명 초하룻날. ¶정월 ～.

초-하룻날【初─】명 그 달의 첫째 날. 초일일(初一日). ¶정월 ～ 아침. ㊟초하루.

초학[1]【初學】명 ①학문을 처음으로 배움. ¶～자(者). ②익숙하지 못한 학문. *초보(初步). ──-하다 타여불

초학[2]【初瘧·草瘧】명 ①처음으로 걸린 학질. ②하루거리. ③〈방〉학질(강원·충북·전라·경상).

초학-기【初學記】명〖책〗[귀족 자제의 작시문용(作詩文用)으로 편찬된 책이란 뜻] 중국 당대(唐代)인 8세기초에 서견(徐堅) 등이 현종(玄宗)의 칙명(勅命)으로 편찬한 책. 시문(詩文)을 짓는 데 필요한 전거(典據) 있는 말·구절·작품 등을 부류별로 배열하였는데, 그 인용 내용(引用內容)이 일서(逸書)·일문(逸文)의 보고(寶庫)로서 학문상 중요시됨. 모두 30권(卷)임.

초학-자【初學者】명 ①초학의 사람. ¶～용 입문서(入門書). ②학문이 얕은 사람.

초한[1]【初寒】명 첫추위.

초한[2]【峭寒】명 살을 찌르는 듯한 추위.

초한-가【楚漢歌】명〖악〗①서도 잡가(西道雜歌)의 하나. 표모 걸식(漂母乞食)하던 한신(韓信)이 진(陣)을 치는 장면, 장자방(張子房)의 옥통소 소리에 초패왕(楚霸王)의 군사가 사기(士氣)를 잃는 장면, 초패왕의 신세 자탄(自嘆) 등으로 엮어짐. ②단가(短歌)의 하나. 초·한(楚漢)의 승부를 읊어, 한패공(漢霸公)의 덕(德)을 기린 내용임.

초-할향【初喝香】명〖악〗범패(梵唄)를 배울 때 맨 처음 배우는 곡이라는 뜻으로 '할향'을 일컫는 말.

초합【草盒】명 담뱃 서랍.

초-합금【超合金】명〖화〗초내열 합금(超耐熱合金).

초항[1]【初項】명 ①〖수〗수열(數列)·급수(級數)의 최초의 항. 제1항. ②첫 조항.

초항[2]【招降】명 적을 타일러서 항복하도록 함. ──-하다 타여불

초해【稍解】명 겨우 조금 앎. ──-하다 타여불

초-해문자【稍解文字】[─짜] 명 겨우 문자를 풀어 볼 정도에 이름. ──-하다 자여불

초해-즙【醋醢汁】명 초젓국.

초행【初行】명 처음으로 감. 또, 그 길. ¶～길. ──-하다 자여불

초행-길【初行─】[─낄] 명 초행하는 길.

초헌[1]【初獻】명 제사 때에 첫번으로 술을 신위(神位)에 드림. *아헌(亞獻)·종헌(終獻). ──-하다 타여불

초헌[2]【軺軒】명〖역〗종이품 이상의 벼슬아치가 타던 수레. 썩 긴 줏대에 외바퀴가 밑으로 달리고, 앉는 데는 의자 비슷하게 되었으며, 위는 꾸미지 않았음. 명거(命車). 목마(木馬). 초거(軺車). 헌초(軒軺).

〈초헌[2]〉

초헌-관【初獻官】명〖역〗나라 제향(祭享) 때에 초헌을 맡은 임시 벼슬. *아(亞)헌관·종(終)헌관.

초헌 다리【軺軒─】명 초헌에 걸터앉는 자세의 다리. ¶～를 하고 누워서 풍월귀를 읊으더니 잠이 스르르 들어…《李海朝 : 花의 血》.

초헌-례【初獻禮】[─네] 명〖역〗종묘 제향(宗廟祭享) 때 초헌하는 의식(儀式). *아(亞)헌례·종(終)헌례.

초헌-악【初獻樂】명〖역〗종묘 제향(宗廟祭享) 때에 초헌을 올리면서 하는 음악. *아(亞)헌악·종(終)헌악.

초혀【初如】부〈이두〉처음에.

초현[1]【初弦】명 상현(上弦).

초현[2]【草賢】명 초성(草聖).

초-현대적【超現代的】명관 현대의 첨단을 걷는 모양. ¶～ 스타일.

초-현미경【超顯微鏡】명 암시야(暗視野) 현미경.

초-현실주의【超現實主義】[─/─이] 명 [surrealism]〖문〗1920 년대 다다이슴(dadaïsme)에 이어 프랑스에서 일어난 예술 운동. 프로이트의 심층(深層) 심리학, 헤겔의 철학, 아폴리네르(Apollinaire,G.)의 시법(詩法), 키리코(Chirico, G.di)의 화풍(畫風) 등의 영향 아래, 의식하(意識下)의 세계나 불합리·비현실의 세계를 탐구하여, 기성의 미학(美學)·도덕과는 관계 없이 내적(內的) 생활의 충동(衝動)의 표현을 목적함. 초사실주의(超事實主義). 쉬르리얼리즘.

초-현실파【超現實派】명〖미술〗서양 화파(畫派)의 하나. 초현실적인 몽환(夢幻)의 세계를 상상으로 표현하는 일체의 긍정(肯定)의 대상을 의식(意識)의 바깥에서 찾고자 함. 추상파(抽象派)와 더불어 현대 미술에 많은 영향을 끼침.

초현 이:론【超絃理論】명〖물〗초끈 이론.

초-혈갈【草血竭】명〖식〗땅빈대.

초형【峭刑】명 엄한 형벌. 초법(峭法).

초혜【草鞋】명 짚신.

초혜-집 명 이쑤시개·귀이개 등을 넣는 조그마한 통. 은(銀) 또는 목각(木刻)으로 만들어, 부채 끝에 선초(扇貂)로 닮.

초혜-충【草鞋蟲】명〖충〗쥐며느리.

초호[1]【初號】명 ①최초의 호(號). 제일의 호. 수호(首號). ¶잡지의 ～. ②〖인쇄〗↗초호 활자.

초호[2]【草蒿】명〖식〗제비쑥.

초호[3]【焦湖】명〖지〗소호(巢湖).

초호[4]【礁湖】명 산호초에 있어서, 섬과의 사이에 얕은 바닷물이 괸 곳.

초호리 명〈방〉〖충〗잠자리[2](경북).

초호 장치【招弧裝置】명〖전〗송전선(送電線)의 애자(碍子)의 번갯불에 의한 손상을 방지하기 위하여 방전(放電)을 자기 쪽에 일어나게 하는 장치. 애자의 양단(兩端)에 전극(電極)을 달아서 전극간에 기중 방전(氣中放電)을 일으키게 함.

초호 활자【初號活字】[─짜] 명〖인쇄〗호수(號數) 활자 중에서 가장 큰 활자. 42포인트 정도 되는 활자로, 2호 활자의 두 배 크기임. ㊟초호.

초혼[1]【初昏】명 해가 지고 처음으로 어두워 올 때.

초혼[2]【初婚】명 ①첫 혼인(婚姻). 초연(初緣). ↔재혼(再婚). ②개혼(開婚). ——-하다 자여불

초혼[3]【招魂】명 ①혼을 부름. ②〖민〗 사람이 죽었을 때, 그 사람이 생시에 입던 저고리를 왼손에 들고 오른손은 허리에 대어 지붕에 올라서거나 마당에서 북쪽을 향해 '아무 동네 아무개 복(復)'이라고 세 번 부르는 일. 죽은 혼을 불러도 살아나지 못하는 까닭에 이 일이 끝나고 발상(發喪)함. ——-하다 타여불

초혼-제【招魂祭】명 전사 또는 순직한 혼령을 위로하는 제사.

초혼-조【招魂鳥】명 '죽은 사람의 혼령을 부르는 새'라는 뜻으로 두견새를 일컫는 말.

초훌뱅이 명 〈방〉〖충〗 잠자리[2](경북).

초홍【椒紅】명 〖한의〗 산초(山椒) 씨의 껍질. 맛이 매움.

초화[1]【招禍】명 화(禍)를 불러들임. 화를 오게 함. ——-하다 자여불

초화[2]【草花】명 풀에 핀 꽃. 또, 아름다운 꽃이 피는 종류의 풀.

초화-면【醋花綿】명 아세틸셀룰로오스.

초환【招還】명 불러서 돌아오게 함. ——-하다 타여불

초-환희지【初歡喜地】[—히—] 명 〖불교〗 환희지(歡喜地).

초황【炒黃】명 〖한의〗 약재(藥材)를 불에 볶아서 빛을 누렇게 만듦. ——-하다 타여불

초황 망조【焦惶罔措】명 초조하고 황급해서 어찌할 줄을 모름. ——-하다 자여불

초회[1]【初回】명 첫번. 첫회.

초회[2]【初會】명 〖불교〗 보살이 성불(成佛)한 후에 처음으로 설법(說法)하는 집회.

초-회전【初會戰】명 처음으로 하는 회전.

초효【初爻】명 〖민〗 육효(六爻) 중에 맨 밑에 있는 효.

초휴【初虧】명 〖천〗 일식(日蝕)이나 월식(月蝕)에 해나 달이 이지러지기 시작하는 일.

초흑【炒黑】명 〖한의〗 약재(藥材)를 불에 볶아서 빛을 꺼멓게 함. ——-하다 타여불

초-흑레벨【超黑—】명 〔blacker-than-black level〕 텔레비전에서, 흑레벨보다 큰 순시 진폭(瞬時振幅)을 갖는 레벨. 동기(同期)·제어 신호(制御信號)로 쓰임.

초ᄒᆞᄅᆞ 명 〈옛〉 초하룻날. ¶또 미월 초ᄒᆞᄅᆞ(月旦) ≪呂約 37≫/초ᄒᆞᄅᆞ 삭(朔) ≪字會 上 2≫.

촉[1]【蜀】명 ①〖역〗 ↗촉한(蜀漢). ②〖지〗 중국 쓰촨 성(四川省)의 옛이름. ③전촉(前蜀).

촉[2]【燭】명 성(姓)의 하나. 본관은 김해(金海) 하나뿐임.

촉[3]【鏃】명 긴 물건의 끝에 박힌 뾰족한 물건의 총칭. 살촉·펜촉 등.

촉[4]【觸】명 〖불교〗 십이 인연(十二因緣)의 여섯째. 주관(主觀)과 객관(客觀)의 접촉 감각(接觸感覺). 유부(有部)에서 사람의 영아기(嬰兒期)로 해석함.

촉[5] 의명 난초(蘭草)의 포기의 수를 세는 단위.

촉[6]【燭】의명 〖물〗 ↗촉광(燭光)❶❷. ¶100~짜리 전구.

촉:[7] 부 작은 물건이 아래로 늘어지거나 처진 모양. <축.

촉가【燭架】명 초를 꽂아 세우는 대(臺). 촛대.

촉각[1]【觸角】명 〔antenna〕 〖동〗 대부분의 절지동물의 두부(頭部)에 있는 감각기(感覺器). 많은 관절(關節)로 이루어지며, 사상(絲狀)·곤봉상·채찍 모양·우상(羽狀) 등이 있는데, 후각(嗅覺)·촉각(觸覺) 등을 맡아 보며, 먹이를 찾고 외적(外敵)을 막는 역할을 함. 갑각류(甲殼類)에는 두 쌍 또는 네 쌍, 곤충은 한 쌍이 있음. 더듬이.

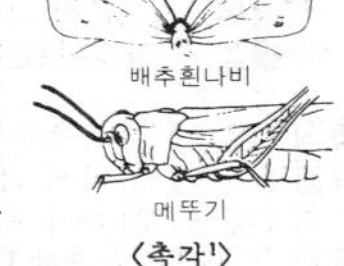

〈촉각[1]〉

촉각을 곤두세우다 구 정신을 집중시키고 신경(神經)을 곤두세워 즉각 대응(對應)할 태세를 취하다.

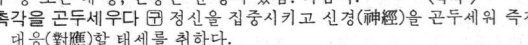

촉각[2]【觸覺】명 〔tactile sense〕〖생〗 피부에 있는 어떤 감수기(感受器)의 흥분에 의하여 일어나는 감각. 몸 표면의 자극(刺戟)의 온도와는 관계없이 다른 물건과의 접촉(接觸)에 의해서만이 생김. 압각(壓覺)·통각(痛覺) 같은 것. 촉감(觸感). 더듬 감각. ¶~이 발달하다. *압각(壓覺).

촉각-계【觸覺計】명 촉각의 감도(感度)를 측정하는 기기(機器). 피부 위의 두 점을, 두 점으로서 느낄 수 있는 최단 거리를 재는 기구.

촉각 기관【觸覺器官】명 〔tactile organ〕〖생〗 동물의 촉각을 맡은 기관. 곧, 척추 동물의 피부나 곤충의 촉각(觸角) 따위. 촉관(觸官). 촉감기(觸感器). 촉수용기(觸受容器).

촉각 로봇【觸角—】〔robot〕 명 사람의 손으로 물건을 집는 것과 같은 동작을 하는 로봇.

촉각-선【觸角腺】명 〔antennal gland〕〖동〗 갑각류(甲殼類)의 배설기(排泄器)의 하나. 제2 촉각(觸角)의 기부(基部)에 있음. 녹선(綠腺).

촉각 소:체【觸覺小體】명 〔Meissner's tactile corpuscle〕〖생〗 피부 진피(眞皮)가 형성하는 유두(乳頭) 속에 있는 지각 신경의 종말 장치(終末裝置)의 하나. 거름한 솔방울 모양인데, 결체(結締) 조직의 막으로 쌓여 있으며, 안에 신경 섬유가 와 닿아 촉각을 맡고 있음. 마이스너 소체(Meissner 小體).

촉각 시대【觸覺時代】명 〖사〗 〔맥루안(McLuhan, M.)의 저서에 나오는 tactile에서 유래한 말〕 절대적 가치가 없어지고, 각자가 몸으로 감지(感知)한 것을 존중하는, 텔레비전 인간의 시대.

촉각 장중【燭刻場中】명 〔초에 금을 그어서 시간 제한을 촉박하게 하고 글을 짓게 하는 과장중(科場中)이라는 뜻〕 정한 기한이 바싹 가까와 옴을 이르는 말.

촉감[1]【促甘】명 상사(上司)에서 하사(下司)로 독촉하는 뜻으로 보내는 공문.

촉감[2]【觸感】명 ①무엇에 닿았을 때의 느낌. 창촉(振觸). ¶~이 부드럽다. ②〖생〗 촉각(觸覺). ③〖한의〗 촉상(觸傷). ——-하다 자타여불

촉감-기【觸感器】명 〖생〗 촉관(觸官).

촉견 폐일【蜀犬吠日】명 〔중국 촉(蜀)나라는 산이 높고 안개가 짙은 위에 비 오는 날이 많아서 해를 보기 드물어, 해가 뜨면 개들이 이상히 여기어 짖는다는 데서 나온 말〕 식견(識見)이 좁아서 보통의 일을 보고도 놀라는 것을 가리키는 말. 월견 폐설(越犬吠雪).

촉경【觸境】명 〖불교〗 오진(五塵)의 하나. 외물(外物)이 몸에 접촉하여 식별되는 경계.

촉고【數罟】명 코를 촘촘하게 떠서 만든 그물.

촉-공간【觸空間】명 촉각에 의하여 지각(知覺)하는 공간. *시공간(視空間)·입체 인지(立體認知).

촉관[1]【促關】명 〖역〗 재촉하는 관문(關文).

촉관[2]【觸官】명 〖생〗 촉감기(觸感器). 촉각 기관(觸覺器官).

촉광【燭光】㊀ 명 촛불의 빛. ㊁ 의명 〖물〗 예전에 쓰던 광도(光度)의 단위. 지름 8 분의 1 인치, 무게 6 분의 1 파운드 되는 고래 기름의 초가 한 시간에 8.77 g씩 탈 때의 광도. 현재는 칸델라(candela)를 사용하며, 1 촉광은 약 1 칸델라임. 촉력(燭力). 준촉(燭).

촉구【促求】명 재촉하여 요구함. ¶맹성(猛省)을 ~하다/ 회답을 ~하다. ——-하다 타여불

촉규【蜀葵】명 〖식〗 접시꽃.

촉규-채【蜀葵菜】명 접시꽃의 갓 나오는 연한 잎을 따서 데쳐 물에 헹구어 썰어서 소금과 기름에 무친 나물.

촉규-탕【蜀葵湯】명 접시꽃의 잎을 넣어서 끓인 토장국.

촉규-화【蜀葵花】명 〖식〗 접시꽃. 준규화(葵花).

촉금【觸禁】명 금지하는 일에 저촉됨. ——-하다 자여불

촉급【促急】명 촉박하여 급함. ——-하다 형여불

촉기 명 〔←초기(峭氣)〕 생기 있고 재치 있는 기상(氣象).

촉-꽂이【鏃—】명 무슨 구멍에 꽂게 된 뾰족한 장부.

촉-끝【鏃—】명 활의 먼오금의 다음되는 부분.

촉노【觸怒】명 웃어른의 마음을 거슬려서 성을 벌컥 내게 함. 촉오(觸忤). ——-하다 타여불

촉농【燭膿】명 촛농.

촉당【蜀黨】명 〖역〗 중국 송(宋)나라 철종(哲宗) 때의 소식(蘇軾)을 수령으로 했던 당의 하나. 문파(門派)라 일컬었으며, 정이(程頤)를 중심으로 했던 낙당(洛黨)과 대항했음.

촉대【燭臺】명 촛대.

촉대-봉【燭臺峰】명 〖지〗 ①금강산(金剛山) 내금강(內金剛) 중의 한 봉우리. [1,148 m] ②경기도 가평군(加平郡)과 강원도 춘천군(春川郡) 사이에 있는 산. [1,160 m]

촉-더데【鏃—】명 살 밑의 마디. 촉(鏃)의 아래 쪽의 끝과 위쪽으로 화살 속에 박히는 부분(部分)과의 사이에 두두룩하게 된 부분.

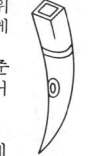

촉도【蜀道】명 ①중국 쓰촨 성(四川省)으로 통하는 극히 험준한 길. 촉(蜀)의 잔도(棧道). ②전(轉)하여, 처세(處世)하기 어려움의 비유.

촉돌【觸突】명 닿아서 부딪침. ——-하다 자여불

촉-돌이【鏃—】명 화살의 촉을 박기도 하고 뽑기도 하는 데에 쓰는 기구.

〈촉돌이〉

촉라【觸羅】[—나] 명 촉망(觸網)❶. ——-하다 자여불

촉랭【觸冷】[—냉] 명 찬 기운이 몸에 부딪침. ——-하다 자여불

촉력【燭力】[—녁] 명 촉광(燭光).

촉롱【燭籠】[—농] 명 종이나 무명을 발라서 장방형(長方形)으로 만든 촛불을 켜드는 채롱.

촉료【燭燎】[—뇨] 명 촛불과 횃불.

촉루[1]【燭淚】[—누] 명 촛농. 납루(蠟淚).

촉루[2]【钃鏤】[—누] 명 중국 옛적의 유명한 칼의 하나.

촉루[3]【髑髏】[—누] 명 해골(骸骨)❷.

촉루-배【髑髏盃】[—누—] 명 촉루로 만든 잔.

촉루 숭배【髑髏崇拜】[—누—] 명 〖종〗 동족 또는 이족(異族)의 촉루를 숭배의 대상으로 삼는 미개 종교의 하나. 동남 아시아·인도네시아·아프리카의 일부 등지에 현저함.

촉륜【觸輪】[—눈] 명 트롤리(trolley).

촉망[1]【觸網】명 ①그물에 걸림. 촉라(觸羅). ②법망(法網)에 걸림. ——-하다 자여불

촉망[2]【矚望·屬望】명 잘 되기를 바라고 기대함. 속망(屬望). ¶장래가 ~되는 청년. ——-하다 자여불

촉매【觸媒】명 〔catalyser〕〖화〗 화학 반응을 할 때 반응 물질 이외의 것으로, 그것 자체는 화학 변화를 받지 않으나 반응 속도를 촉진(促進) 또는 지체(遲滯)시키는 물질. 상온(常溫)에서는 화합하지 아니하는 산소와 수소의 혼합 기체도 백금흑(白金黑)의 촉매가 있으면 격심하게 화합(化合)함.

촉매-독【觸媒毒】명 〔catalytic poison〕〖화〗 소량으로 촉매의 활성을 현저히 감퇴, 혹은 아주 불활성(不活性)으로 하는 물질. 촉매독에 의한 작용을 독작용 또는 피독(被毒) 현상이라 하며, 백금 촉매에 대한 비소(砒素)나 암모니아 합성철(合成鐵) 촉매에 대한 황(黃) 따위는 그 예임.

촉매 반:응【觸媒反應】명 〔catalytic reaction〕〖화〗 촉매 작용에 의하여 일어나는 반응. 촉매에 의하여 반응 속도가 증가하나, 반응계(系)의

평형(平衡) 상태가 변화하지는 않음. 반응 속도는 보통, 촉매량이나 촉매의 표적에 비례함.

촉매 수소 첨가【觸媒水素添加】명〔catalytic hydrogeneration〕〖화·공〗니켈이나 팔라듐(palladium) 따위에 촉매를 이용하여 수소를 첨가하는 일. 또 그렇게 되는 일. 접촉 수소화.

촉매 작용【觸媒作用】명〔catalysis〕〖화〗촉매가 반응에 미치는 작용. 보통, 반응 속도를 증가시킴.

촉매-제【觸媒劑】명〔promoter〕〖화〗촉매에 쓰이는 물질.

촉모[1]【觸毛】명〖동〗①고양이나 쥐 따위의 수염처럼, 대부분의 포유 동물의 윗입술의 위·뺨·턱·사지(四肢) 등에 나는 뻣뻣한 털. 신경이 분포하여 촉각(觸覺)을 감수하는 기능을 맡음. ②대부분의 절지(節肢) 동물의 촉각을 맡은 감각모(感覺毛).

촉모[2]【觸冒】명 추위·더위 등을 무릅씀. ——-하다 타여불

촉목【矚目】명 눈여겨 봄. 주목하여 봄. ——-하다 타여불

촉목 상심【觸目傷心】명 사물(事物)이 눈에 보이는 대로 마음이 아픔. ——-하다 자여불

촉묘-피【蜀猫皮】명 썩 흰 빛깔의 모피(毛皮). 흔히, 옥(玉)토끼의 가죽을 말함.

촉박【促迫】명 기한이 바싹 박두하여 있음. ¶기일이 ~하다. ——-하다 형여불

촉발[1]【促發】명 ①재촉해서 내게 함. ②재촉하여 떠나게 함. ——-하다 타여불

촉발[2]【觸發】명 ①일을 당하여 감동·충동 따위를 유발(誘發)함. ¶감정을 ~시키다. ②접촉하여 폭발함. ——-하다 자여불

촉발 수뢰【觸發水雷】명〖군〗어형(魚形) 수뢰에 대해서 기계(機械) 수뢰를 일컫는말. 자발 수뢰(自發水雷).

촉발 지뢰【觸發地雷】명〔contact mine〕〖군〗폭발관(管)에 뇌관(雷管)을 장치하여 밟으면 공이가 움직여서 폭발하게 된 지뢰. *투석(投石) 지뢰·대전차 지뢰(對戰車地雷).

촉백【蜀魄】명〖조〗두견이.

촉범【觸犯】명 꺼려 피할 일을 저지름. ——-하다 타여불

촉법 소:년【觸法少年】명〖법〗12세 이상 14세 미만의 소년으로서 형벌 법령(刑罰法令)에 저촉되는 행위를 한 자. 곧, 형사 미성년자(刑事未成年者)이기 때문에 책임 능력이 없는 소년을 말하며, 보호 처분을 원칙으로 함. 법령 위반 소년.

촉병【觸甁】명〖불교〗〔'촉'은 더럽다는 뜻〕변소에 가지고 다니는, 손 씻을 물을 담은 병.

촉비【觸鼻】명 냄새가 코를 찌름. ——-하다 자여불

촉산【促產】명 ①서둘러 해산을 하게 함. 또, 그 해산. ②〖한의〗날짜가 차기 전에 하는 해산. ——-하다 타여불

촉상[1]【蜀相】명 중국 촉(蜀)나라의 재상(宰相), 특히 제갈량(諸葛亮)의 일컬음.

촉상[2]【觸傷】명〖한의〗추운 기운이 몸에 스며들어 병이 일어남. 촉감(觸感). ——-하다 자여불

촉-새 명〖조〗〔*Emberiza spodocephala*〕참샛과에 속하는 새. 날개 길이 7 cm, 꽁지 6 cm 가량이고 부리는 참새보다 길고, 배면(背面)은 갈색을 띤 황록색에 하면은 황색, 가슴과 겨드랑에는 갈색 세로무늬가 있음. 수컷은 부리 언저리가 검음. 야산의 숲 속에 서식하며, 곤충·잡초의 씨를 먹음. 5-7월에 4-6개의 알을 낳음. 고기는 맛이 썩 좋음. 한국·일본·만주·시베리아 등지에서 번식하고 인도·말레이 지방에서 월동함. 청무(靑鵡). 호작(蒿雀).

〈촉새〉

촉새 같이 나서다 구 제가 나설 자리가 아닌데 경망하게 촐랑거리고 참견하여 나서다.

촉새 부리 명 끝이 뾰족한 물건의 비유.

촉서【蜀黍】명〖식〗수수[1].

촉서 경단【蜀黍瓊團】명 거멀접이.

촉서 전병【蜀黍煎餠】명 수수 전병.

촉석-루【矗石樓】[—누] 명〖지〗진주(晉州) 촉석루.

촉선【觸線】명〖수〗접선(接線)❷. ——-하다 자여불

촉성【促成】명 재촉하여 빨리 이루어지게 함. ¶~ 재배(栽培). ——-하다 타여불

촉성 재:배【促成栽培】명〖농〗자연(自然)의 상태에서는 성숙(成熟)하지 않는 시기에 빨리 성숙하게 하는 재배 방법. 온실(溫室) 재배 같은 것. 속성(速成) 재배. 온상(溫床) 재배. ↔억제(抑制) 재배. *조숙 재배(早熟栽培).

촉수[1]【促壽】명 죽기를 재촉하다시피 하여 수명(壽命)이 짧아짐. ——-하다 자여불

촉수[2]【燭數】명 촉광(燭光)의 정도를 나타내는 수. ¶~ 높은 전구(電球).

촉수[3]【觸手】명 ①〔tentacle〕〖동〗하등(下等) 동물의 촉감기(觸感器). 대부분의 무척추(無脊椎) 동물의 입 근처에 있음. 가늘고 길쭉하여 활발하게 운동하는 돌기(突起)로 끝에 감각 세포가 많은데, 촉각을 조절하며 먹이를 포착(捕捉)하는 역할을 함. ②물건을 쥐는 손. 곧, 오른손. ③손을 댐. ¶~ 엄금(嚴禁). ——-하다 타여불

〈촉수³❶〉

촉수를 뻗치다 구 야심(野心)을 가지고 대상물(對象物)에 서서히 작용을 미치다.

촉수[4]【觸鬚】명〔palpus〕〖동〗하등 동물(下等動物)의 촉각을 맡은 기관. 귀뚜라미·새우 등의 수염 같은 것. 턱이 변한 것으로, 특히 거미 종류의 것은 발처럼 생겨 촉지(觸肢)라 불리며 생식(生殖)의 구실을 하기도 함. *촉지(觸肢).

촉수-과【觸鬚科】[—꽈] 명〖어〗〔Mullidae〕농어목(目)에 속하는 어류(魚類)의 한 과. 금줄촉수·노랑촉수·두줄촉수·먹줄촉수 따위가 이에 속함.

촉수 동:물【觸手動物】명〖동〗〔Tentaculata〕동물계(動物界)의 한 문(門). 분류 방식에 따라 추충류(箒蟲類)와 외항류(外肛類)의 병칭(倂稱)으로, 또는 추충류·외항류·완족류(腕足類)의 총칭으로 쓰는 이름.

촉-수용기【觸受容器】명〔tangoreceptor〕〖생〗촉각 기관(觸覺器官).

촉순【觸脣】명〖동〗연체(軟體) 동물의 촉각을 맡은 기관(器官).

촉슬【促膝】명 무릎을 대고 마주 앉음. ——-하다 자여불

촉실【燭悉】명 촉찰(燭察). ——-하다 타여불

촉심【燭心】명 초의 심지. 준심(心).

촉언【囑言】명 뒷일을 부탁하여 두는 말.

촉염-제【促染劑】명〖화〗염색할 때에 염착력(染着力)을 촉진시키기 위하여 첨가하는 약제. 무명에는 황산 나트륨, 견(絹)·양모(羊毛)에는 아세트산(酸)·포름산(酸) 등을 씀. 속염제(速染劑).

촉영【燭影】명 불빛의 그림자.

촉오【燭忤】명 촉노(觸怒). ——-하다 자여불

촉자리 명〈방〉족자리.

촉-작대【鏃—】명 보부상들이 가지고 다니던 물미작대기.

촉장[1]【促裝】명 서둘러 행장(行裝)을 챙김. ——-하다 자여불

촉장[2]【燭匠】명〖역〗초를 만드는 장인(匠人).

촉점【觸點】명 압점(壓點).

촉접【觸接】명 ①접촉(接觸). ②적의 근처에서 쉬지 않고 적의 정세를 탐지하는 일. ——-하다 자여불

촉조【蜀鳥】명〖조〗두견이.

촉중 명장【蜀中名將】명〔중국 촉한(蜀漢)의 명장이란 뜻〕썩 뛰어난 인재를 가리키는 말.

촉지[1]【蜀志】명〖책〗중국 진(晉)나라 진 수(陳壽)가 찬(撰)한 삼국지(三國志)의 하나. 촉(蜀)나라의 역사를 기술한 것으로, 본기(本紀) 없이 열전(列傳) 15권으로 됨.

촉지[2]【觸地】명 ①대지에 근거를 두고 있음. ②발이 땅에 닿아 있음.

촉지[3]【觸肢】명〔pedipalpus〕〖동〗누에·거미 종류 등 일부 벌레에서 촉각을 맡은 기관. *촉수(觸鬚).

촉직【促織】명〖충〗귀뚜라미.

촉진[1]【促進】명 재치어 빨리 나아가게 함. ——-하다 타여불

촉진[2]【觸診】명 손가락을 환자의 몸에 대어 진찰하는 진찰법의 한 가지. 주로 복부 내장 질환의 진단에 쓰임. ——-하다 자여불

촉진 신경【促進神經】명〔accelerator nerve〕〖동〗척추 동물의 내장 기관(內臟器官)의 이중 신경 지배에 있어, 억제 신경과 길항(拮抗)하여 그 기관의 활동을 촉진·증강하는 것. 심장의 경우에는, 교감 신경(交感神經)이 이에 해당함.

촉진 촉매【促進觸媒】명〔accelerator catalyst〕〖화〗화학 반응의 속도를 빠르게 하는 촉매.

촉진 확산【促進擴散】명〔facilitated diffusion〕〖생〗생체막(生體膜)에서의 물질 수송의 한 형식으로, 다니엘리(Danielli, J.F.)가 제안한 기구(機構). 막(膜)에 피수송(被輸送) 물질과 특이(特異)하게 결합하는 담체(擔體)를 상정(想定)하고, 이것이 막을 가로질러서 물질을 수송한다고 생각함.

촉징【促徵】명 독촉하여 거둬 들임. ——-하다 타여불

촉찰【燭察】명 밝게 비추어 살핌. 촉실(燭悉). ——-하다 타여불

촉처【觸處】명 가서 닥치는 곳.

촉처 봉패【觸處逢敗】명 가서 닥치는 곳마다 낭패(狼狽)를 당함. ——-하다 자여불

촉체【蜀體】명 중국 촉(蜀)나라 조맹부(趙孟頫)의 글씨 체.

촉초【蜀椒】명〖한의〗천초(川椒)❷.

촉촉[1]【矗矗】명 산봉우리 따위가 우뚝 솟은 모양. ——-하다 형여불. ——-히 부

촉:촉[2] 부 ①연하여 처지는 모양. ②여럿이 다 같이 늘어진 모양. 1)·2): <축축.

촉촉-이 부 촉촉하게. ¶아침 이슬에 ~ 젖었다.

촉촉-하다 형여불 물기가 있어서 조금 젖은 듯하다. <축축하다[2]. 촉촉-히 부 ☞촉촉이.

촉출【蜀秫】명〖식〗수수.

촉칠【蜀漆】명〖한의〗조피나무의 줄기. 조금 독이 있는데, 잎과 함께 달이어 학질(瘧疾)에 쓰며, 마소 같은 것이 이가 있을 때 몸에 발라 주면 이가 죽음.

촉침-법【觸針法】[—뻡] 명 축음기(蓄音機)의 바늘 같은 것을 표면에 세로 움직여 면(面)의 거친 정도에 따라 아래위로 움직이는 것을 1,000-10,000배로 확대 기록하여 표면의 거친 정도를 측정(測定)하는 가장 기본적인 방법.

촉탁【囑託】명 ①일을 부탁하여 맡김. ②부탁을 맡은 사람. ③정부 기관이나 공공 기관에서, 임시로 어떤 일을 보는 공무원이나 직원. ④〖법〗대등한 지위에 있는 관청 사이에 행해지는 위임. ⑤〖법〗특정인이 특정한 국가 사무를 수행할 것과 이에 대하여 국가가 그 자에게 반대 급부(反對給付)를 제공할 것을 약정하는 국가와 사인간(私人間)의 사법상(私法上)의 계약.

촉탁 등기【囑託登記】명〖법〗당사자의 신청에 의하지 않고 법원 그 밖의 관공서가 등기소에 촉탁해서 행하는 등기. 법률의 규정이 있을 때

에 행하여지며, 예고(豫告) 등기·경매 신청의 등기·파산의 등기 따위가 그 예임.

촉탁 살인【囑託殺人】명〖법〗피살자의 요구에 의하거나 또는 승낙을 받고 그 사람을 죽이는 일. 피해자의 동의가 있다는 점에서 보통 살인보다 형이 감해짐.

촉탁-의【囑託醫】[—/—이] 명 학교나 회사 같은 데서, 건강 진단·질병 치료 따위를 위촉하고 있는 의사.

촉풍【觸風】명 찬바람을 쐼. ——-하다 자여불

촉하【燭下】명 촛불의 아래.

촉-하다【促—】형여불 ①시기가 바싹 다가서 가깝다. ②음성 또는 음절(音節)이 느즈러진 맛이 없이 짧고 급하다.

촉한[1]【蜀漢】명〖역〗중국 삼국 시대에 유비(劉備)가 세운 나라. 지금의 쓰촨(四川)·윈난(雲南)·구이저우(貴州)의 북부와 산시(陝西) 일대를 차지했으며, 도읍은 청두(成都). 제갈량(諸葛亮)의 보좌로 한때 융성하다가 2대 43년 만에 위(魏)에 망하였음. 사가(史家)들 사이에 계한(季漢)이라고도 일컬어짐. 준촉(蜀).

촉한[2]【觸寒】명 추운 기운에 부딪침. ——-하다 자여불

촉혼【蜀魂】명〖조〗두견이의 딴 이름. 촉(蜀)나라 망제(望帝)의 혼백이 이 새가 되었다는 환우기(寰宇記)로부터 유래됨.

촉혼-조【蜀魂鳥】명〖조〗두견이.

촉화【燭火】명 촛불.

촉훈【促訓】명 재촉하는 훈령. ——-하다 자여불

촉휘【觸諱】명 존대하여야 할 웃어른의 이름을 함부로 부름. ——-하다 자여불

촌:[1]【村】명 마을. 부락. 시골. ¶~ 처녀/~에 살다/~에서 자랐다.

촌:[2]【寸】의명 ①족척(族戚) 관계의 멀고 가까움을 나타내어 세는 말. ¶몇 ~이냐. 주의 직계 혈족(直系血族)에 관해서는 촌수로 대칭(代稱)하지 않는 것이 관습임. ②치[9].

-촌【村】미 '마을'·'지역'의 뜻. ¶탄광~/선수~/대학~.

촌:가[1]【寸暇】명 촌극(寸隙). ¶~도 없다.

촌:가[2]【村家】명 시골 마을에 있는 집. 촌려(村廬). 촌사(村舍). 시골집.

촌:가[3]【村歌】명 시골에서 부르는 노래.

촌:각【寸刻】명 촌음(寸陰). ¶~을 다투다.

촌:간[1]【寸簡】명 ①짧은 편지(便紙). 촌저(寸楮). ②자기 편지에 대한 겸칭(謙稱).

촌:간[2]【村間】명 시골 마을 집들의 사이. 촌락의 사회. 여항간(閭巷間). ¶~에 퍼진 소문/~의 인정.

촌:갑【村甲】명 촌장(村長).

촌:거【村居】명 시골 마을에서 삶. ——-하다 자여불

촌:경【村逕】명 시골 마을의 좁은 길.

촌:계[1]【村契】명 마을계(契).

촌:계[2]【村鷄】명 시골의 닭. 촌닭.

촌:계 관청【村鷄官廳】명 '촌닭 관청(官廳)에 잡아 온 셈이다'와 같은 뜻. *촌닭.

촌:공【寸功】명 아주 조그마한 공로.

촌:-관-척【寸關尺】명〖한의〗손목에서 맥을 보는 부위(部位). 촌부(寸部)에서 상초(上焦), 관부(關部)에서 중초(中焦), 척부(尺部)에서 하초(下焦)의 증세를 봄.

촌:교【村郊】명 시골의 들.

촌:구【寸晷】명 촌음(寸陰). 촌각(寸刻).

촌:-구석【村—】[—꾸—] 명 도시에서 멀리 떨어져 있는 시골. 또, 시골의 구석진 곳. ¶~에 박혀 살다.

촌:극[1]【寸隙】명 얼마 안 되는 겨를. 촌가(寸暇). 촌한(寸閑).

촌:극[2]【寸劇】명 아주 짧은 단편적인 연극. 주로, 희극(喜劇)임. 토막극. ¶웃지 못할 ~을 빚다.

촌:기[1]【村妓】명 시골의 기생.

촌:기[2]【村氣】[—끼] 명 시골에 사는 사람의 기풍(氣風). 시골티.

촌:-길【村—】[—낄] 명 시골의 길. 촌로(村路).

촌:내[1]【寸內】명 십촌 안 쪽의 겨레붙이. ↔촌외.

촌:내[2]【村內】명 마을 안. 촌중(村中).

촌:-년【村—】명 시골 여자를 낮게 이르는 말. ↔촌놈.
[촌년이 아전(衙前) 서방을 하면 가 자(字) 걸음을 걷고 육계장이 아니면 밥을 안 먹는다; 촌년이 아전 서방을 하더니 초장에 길청문 밖에 와서 갓신 사 달라 한다] 되지 못한 사람은 조금이라도 권세를 쥐면, 거만하게 굴고 눈에 거슬리는 가소(可笑)로운 행실을 한다는 말.

촌:-놈【村—】명 '촌사람'의 낮춤말. *두멧놈.
[촌놈 성이 김가 아니면 이가라] 김씨·이씨가 흔하다는 말. [촌놈에 관장(官長) 들었다] 촌사람 가운데에서 훌륭한 사람이 나올 수 있다는 말. [촌놈은 똥배 부른 것만 친다] 촌 사람은 어쨌든지 배불리 실컷 먹어야 좋아한다는 데서 질(質)보다도 양(量)만 많으면 만족하는 자를 놀리는 말.

촌:단【寸斷】명 짤막짤막하게 여러 토막으로 끊어짐. 또, 끊음. ——-하다 자타여불

촌:-닭【村—】[—딱] 명 〈속〉 촌스럽고 어릿어릿하는 사람을 속되게 이르는 말.
[촌닭 관청에 잡아 온셈이다] 경험이 없는 일을 당하여 어리둥절함의 비유. 촌계 관청(村鷄官廳). [촌 닭이 관청 닭 눈 빼 먹는다] 남이 보기에는 어수룩하고 얼빠진 것 같은 사람이 약삭빠르게 잘난 체하는 사람을 도리어 제압하는 실력을 지니고 있다는 말.

촌:담 해:이【村談解頤】명〖책〗조선 성종(成宗) 때의 강희맹(姜希孟)의 저서. 그가 시골에서 한가롭게 있을 시기에 그 곳 사람들의 이야기 중, 특히 흥미가 있는 것들을 모아서 기록한 것임.

촌:-데기【村—】[—떼—] 명 촌뜨기.

촌:도-전【村徒典】명〖역〗신라의 관아의 이름. 문무왕(文武王) 10년(670)에 베풀었음.

촌:동【村童】명 촌에 사는 아이.

촌:-뜨기【村—】명 시골에 사는 촌스러운 사람. 시골뜨기. 전사한(田舍漢). ↔서울뜨기.

촌:락【村落】[촐—] 명 촌에 이루어진 부락. 그 주민의 생활에 따라 농촌·어촌(漁村)·산촌(山村)·광촌(鑛村) 등으로 구분함. 마을. 이락(里落). ¶~이 점재(點在)하다. ↔도시(都市).

촌:락 공:동체【村落共同體】[촐—] 명 (village community) 〖사〗토지 공유제(共有制)에 의한 자급 자족의 공동체. 원시 공산제(共産制)의 잔존 형태로서 후대까지 존속하였음. 촌락 공산체.

촌:락 공:산체【村落共産體】[촐—] 명〖사〗촌락 공동체(共同體).

촌:락 노영【村落露營】[촐—] 명〖군〗적정(敵情)으로나 또는 여러 정황(情況)들이 군대 전부의 사영(舍營)을 허용하지 않는 경우에 촌락에서 실시하는 노영.

촌:락 사회학【村落社會學】[촐—] 명 농촌 사회학(農村社會學).

촌:락 신화【村落神話】[촐—] 명 그 동네에서 섬기는 신의 내력(來歷)에 관한 이야기.

촌:락-지【村落址】[촐—] 명 인류가 농경(農耕) 경제에 들어감에 따라 사람들이 한곳에 정주(定住)하며, 또 공동(共同)으로 일하기 위하여 이룩한 촌락의 자취.

촌:려[1]【村閭】[촐—] 명 ①동리 입구의 문. ②촌리(村里).

촌:려[2]【村廬】[촐—] 명 촌가(村家).

촌:로[1]【村老】[촐—] 명 시골 노인. 촌옹(村翁). 전옹(田翁).

촌:로[2]【村路】[촐—] 명 촌길. 시골길.

촌:록【寸祿】[촐—] 명 얼마 안 되는 녹봉(祿俸).

촌:료【村醪】[촐—] 명 시골에서 담근 막걸리. 촌탁(村濁).

촌:리【村里】[촐—] 명 촌락. 향보(鄕保).

촌:마 두인【寸馬豆人】명 먼 곳에 있는 말과 사람이 썩 작게 보이는 것을 가리키는 말.

촌:맥【寸脈】명〖한의〗한방 의학에서 일컫는 맥박의 하나. 집게손가락과 가운뎃손가락과 약손가락을 손바닥으로 벋은 요골(橈骨)의 동맥에 대었을 때 집게손가락에 느껴지는 맥. 왼손은 신장을, 오른손은 심장·소장(小腸)을 진찰함. *관맥(關脈)·척맥(尺脈).

촌:맹【村氓】명 시골에서 사는 백성. 촌민(村民). 촌백성(村百姓). 향맹(鄕氓). 향민(鄕民).

촌:맹-이【村氓—】명 촌맹.

촌:명【村名】명 마을의 이름.

촌:목【寸—】명 소목(小木) 일을 하는 데 나무에 구멍을 파거나 혹은 장부를 만들 때에 금을 긋는 연장. 치수에 맞추어 바늘이 박혀 있음.

촌:묘【寸描】명 짧은 묘사. 스케치.

촌:무【村巫】명 시골 무당.

촌:미【村味】명 ①시골에서 만든 음식물. ②시골에 사는 맛.

촌:민【村民】명 촌맹(村氓).

촌:방【村坊】명 사람이 사는 시골 부락.

촌:-백성【村百姓】[—빽—] 명 촌맹(村氓).

촌:백-충【寸白蟲】명〖동〗촌충(寸蟲). 준백충(白蟲).

촌:벽【寸碧】명 구름 사이로 보이는 푸른 하늘.

촌:병【寸兵】명 촌철(寸鐵).

촌:병 척철【寸兵尺鐵】명 약간의 무기(武器).

촌:보[1]【寸步】명 조금 걷는 걸음. 몇 발자국 안 되는 걸음. ¶피로해서 ~도 옮길 수 없다.

촌:보[2]【寸補】명 약간의 보충(補充).

촌:-보리동지【村—同知】명 촌스러운 보리 동지.

촌:부[1]【村夫】명 시골에 사는 남자.

촌:부[2]【村婦】명 촌에 사는 부녀.

촌:-부자[1]【村夫子】명 촌학구(村學究)❶. ¶~인 체하다.

촌:-부자[2]【村富者】[—뿌—] 명 시골의 부자.

촌:-뿍디기【村—】명 〈방〉 촌뜨기(경북).

촌:사[1]【村寺】명 시골의 절.

촌:사[2]【村舍】명 촌가(村家).

촌:-사람【村—】[—싸—] 명 ①촌에 사는 사람. 촌인(村人). ②견문이 좁고 어수룩한 사람.

촌:사 불괘【寸絲不掛】명 조금도 마음에 걸리는 것이 없음. ——-하다 형여불

촌:-살림【村—】[—쌀—] 명 촌에서 하는 살림.

촌:-색시【村—】[—쌕—] 명 ①촌에서 사는 색시. ②촌스러운 색시.

촌:-샌님【村—】[—쌘—] 명 촌에 살며 벼슬을 못 지낸 늙은 양반(兩班). 촌생원(村生員).

촌:-생원【村生員】명 촌샌님.

촌:서[1]【寸書】명 ①짧은 편지. 촌간(寸簡). ②자기 편지의 겸칭.

촌:서[2]【村書】명 보잘것 없는 속된 책.

촌:서[3]【村墅】명 시골에 있는 별장 또는 농막(農幕).

촌:선【寸善】명 얼마 안 되는 착한 일 또는 좋은 일.

촌:선 척마【寸善尺魔】명 세상에는 좋은 일은 얼마 안 되고 언짢은 일은 많다는 말.

촌:성【寸誠】명 ①얼마 안 되는 성의. 촌충(寸衷). ②자기 성의의 겸칭.

촌:속【村俗】명 촌의 풍속. ¶~을 따르다.

촌:수[1]【寸數】[—쑤] 명 겨레붙이 사이의 멀고 가까운 정도가 얼마라는 수. 친등(親等). ¶~가 멀다.

촌:수²【村叟】명 촌옹(村翁).

촌:-스럽다【村—】[—쓰—] 형ㅂ불 촌티가 나다. 세련되지 않다. ¶어쩐지 ～. **촌:-스레**【村—】[—쓰—] 부

촌:시¹【寸時】명 촌음(寸陰).

촌:시²【村市】명 시골의 저자. 촌장(村場).

촌:신【村神】명 마을을 수호하는 신.

촌:심【寸心】명 ①속으로 품은 작은 뜻. 촌지(寸志). 촌충(寸衷). ②자기 생각에 대한 겸칭.

촌:야【村野】명 시골의 마을과 들.

촌:양【寸壤】명 촌토(寸土).

촌:언【寸言】명 짤막한 말. 짧으나 의미가 깊은 말. ——**-하다** 타여불

촌:역【村驛】명 시골에 있는 열차역.

촌:열【寸裂】명 갈가리 찢거나 찢어짐. ——**-하다** 자타여불

촌:옹【村翁】명 촌에서 사는 늙은이. 촌로(村老). 촌수(村叟).

촌:외【寸外】명 촌수를 따지지 않는 먼 겨레붙이. ↔촌내(寸內).

촌:유【村儒】명 촌에서 사는 선비.

촌:은【寸恩】명 얼마 안 되는 은의(恩義).

촌:음【寸陰】명 얼마 안 되는 시간. 썩 짧은 시간. 촌각(寸刻). 촌구(寸晷). 촌시(寸時). ¶～을 아끼다.

촌:음 약세【寸陰若歲】명 짧은 시간이 길게 느껴질 정도로 간절히 바라고 기다림. 일각 여삼추(一刻如三秋). 일일 삼추(一日三秋).

촌:의【寸意】[—/—이] 명 촌지(寸志).

촌:인【村人】명 촌사람.

촌:장¹【寸長】명 대수롭지 않은 기능(技能). 작은 장처(長處).

촌:장²【寸腸】명 ①마디마디의 창자. ②조그마한 진심(眞心).

촌:장³【村庄】명 살림집 밖에 시골에다 따로 장만해 두는 집.

촌:장⁴【村長】명 한 마을의 우두머리. 촌갑(村甲).

촌:장⁵【村莊】명 촌에 있는 별장.

촌:장⁶【村場】명 촌에 서는 장. 촌시(村市).

촌:저【寸楮】명 썩 짧은 편지. 촌지(寸紙). 촌찰(寸札). 촌간(寸簡).

촌:전【寸田】명 얼마 안 되는 전지(田地).

촌:전 척토【寸田尺土】명 ①얼마 안 되는 전토(田土). ②미간(眉間)과 안면(顔面).

촌:절【寸節】명 ①극히 작은 절조(節操). ②자기 절조에 대한 겸칭.

촌:정【寸情】명 촌지(寸志).

촌:주¹【村主】명〖역〗신라 때 말단(末端) 행정 구획인 마을의 장(長). 고려·조선 시대의 호장(戶長)의 전신임.

촌:주²【村酒】명 시골에서 만든 술.

촌:주위-답【村主位畓】명〖역〗신라 시대 촌주에게 준 직전(職田). 일반 농민들의 토지인 연수유답(烟受有畓) 중에 포함되어 있었음.

촌:중【村中】명 한 마을의 가운데. 온 마을. 촌내(村內).

촌:지¹【寸地】명 척토(尺土).

촌:지²【寸志】명 ①촌심(寸心). 편지(片志). ②속으로부터 우러나온 자그마한 마음을 나타낸 작은 선물. 촌의(寸意). 촌정(寸情). 박지(薄志).

촌:지³【寸紙】명 촌저(寸楮).

촌:진 척퇴【寸進尺退】명 ①진보는 적고 퇴보는 많음. ②얻는 것은 적고 잃는 것은 많음. ——**-하다** 자여불

촌:-집【村—】[—찝] 명 ①촌에 있는 집. ②도시에 와서 사는 사람이 촌에 있는 살림집을 이르는 말.

촌:찰【寸札】명 촌저(寸楮).

촌:척【寸尺】명 척촌(尺寸). ¶～을 다투다.

촌:철【寸鐵】명 작고 날카로운 쇠붙이나 무기. 촌병(寸兵). ¶몸에 ～도 지니지 않다.

촌:철 살인【寸鐵殺人】명〔한 치의 짤막한 칼로도 살인한다는 뜻으로〕 간단한 경구(警句)로 어떤 일의 급소를 찔러, 사람을 감동시킴의 비유.

촌:초【寸秒】명 극히 짧은 시간. ¶～를 다투다.

촌:촌 걸식【村村乞食】[—씩] 명 마을마다 다니며 빌어먹음. ——**-하다** 자여불

촌:촌-이¹【寸寸—】부 ①한 치 한 치마다. 각 치마다. ②조각조각. 갈기갈기. ③조금씩.

촌:촌-이²【村村—】부 마을마다.

촌:충¹【寸忠】명 ①얼마 안 되는 충의(忠義). ②자기의 충절(忠節)에 대한 겸칭.

촌:충²【寸衷】명 ①촌성(寸誠). ②촌심(寸心). 촌지(寸志).

촌:충³【寸蟲】명〖동〗촌충류(寸蟲類)에 속하는 기생충의 총칭. 몸길이는 1-3cm로부터 10m에 달하는 것도 있으며, 척추 동물의 창자에 기생하여 양분을 체벽(體壁)으로부터 섭취함. 빛은 상아색(象牙色)인데 자웅 동체(雌雄同體)이며, 똥과 함께 배설된 무수한 편절(片節)이 다른 동물을 중간 숙주로 다시 체내로 들어와 기생함. 갈고리촌충·뭉뚝촌충·민촌충·왜소(矮小) 촌충·광절열두(廣節裂頭) 촌충 등이 있음. 도충(絛蟲). 조충(條蟲). 촌백충(寸白蟲). 백충(白蟲).

촌:충-류【寸蟲類】[—뉴] 명〖동〗[Cestoidea] 편형 동물에 속하는 한 강(綱). 변태를 하며 소화관이 퇴화한 점이 흡충류(吸蟲類)와 다름. 단체(單體) 촌충류·진정(眞正) 촌충류의 두 아강(亞綱)으로 분류함. 조충류(條蟲類).

촌:-치【寸—】명 '매우 조금'을 이르는 말. ¶～의 양보도 없다.

촌:탁¹【忖度】명 남의 마음을 미루어서 헤아림. 요탁(料度). 췌량(揣量). 췌탁(揣度). 췌마(揣摩). ——**-하다** 타여불

촌:탁²【村濁】명 시골에서 만든 막걸리. 촌료(村醪).

촌:토【寸土】명 척토(尺土). 촌지(寸地). 촌양(寸壤).

촌:티【村—】명 촌사람의 티. 촌스러운 경향·냄새. 시골티. ¶～나는 사람 / ～를 못 벗다.

촌:평【寸評】명 매우 짧게 비평함. 또, 그 비평. 단평(短評). ——**-하다** 타여불

촌:-학구【村學究】명 ①시골 글방의 스승. 촌부자(村夫子). ②학식이 좁고 고루한 사람을 가리키는 말.

촌:한¹【寸閑】명 촌극(寸隙).

촌:한²【村漢】명 촌놈.

촌:항【村巷】명 먼 시골의 궁벽한 길거리.

촐 명〈방〉 꼴²(제주).

촐라 왕조【—王朝】[Chola] 명〖역〗9-13세기 중엽까지 남인도(南印度)를 지배한 타밀족(Tamil族)의 왕조. 마드라스(Madras) 일대에 군림하고 한때는 갠지즈 강 유역에까지 세력을 뻗친 일도 있었음.

촐람성이 명〈방〉 천남성(天南星).

촐랑-거리다 자 ①깊고 좁은 곳에 담긴 물이 연해 흔들리어 물결이 일다. ＜출렁거리다. ②방정맞게 까불다. ㅅ졸랑거리다. **촐랑-촐랑** 부. ——**-하다** 자여불

촐랑-대다 자 촐랑거리다.

촐랑-이 명 촐랑거리는 사람.

촐랑이 수염 같다 구 매우 경망스럽게 촐랑거리고 수다를 피우는 모양.

촐래 명〈방〉 피리.

촐랭이 명〈방〉〖충〗잠자리²(경북).

촐론〔Cholon〕명〖지〗베트남 호치민 시(市)의 남서부를 차지하는 상업 지구. 화교가 많으며 쌀 거래의 중심지임. 1778년 광둥(廣東)·푸젠(福建) 등에서 이주한 화교에 의해 창건됨. 1932년 옛 사이공(Saigon) 곧지금의 호치민 시의 일부가 됨. 숄롱.

촐뱅이 명〈방〉〖충〗잠자리²(경북).

촐싹-거리다¹ 자 주책없이 경망(輕妄)을 부리다. 초싹거리다. ＜출썩거리다¹. **촐싹-촐싹**¹ 부. ——**-하다** 자여불

촐싹-거리다² 타 충동하여 들먹거리게 하다. ＜출썩거리다². **촐싹-촐싹**² 부. ——**-하다** 타여불

촐싹-대다 자타 촐싹거리다¹·².

촐-첨지【—僉知】명 촐랑거리는 남자를 일컫는 말.

촐촐 부 물 따위가 조금씩 넘치는 모양. ＜출출.

촐촐-하다 형여불 배고픈 기운이 약간 있다. ¶뱃속이 ～. ＜출출하다. **촐촐-히** 부

촘 형〈옛〉 차가움. '추다'의 명사형. ¶초미 畜을 因ᄒᆞ야(冷因畜)≪楞嚴 Ⅲ:7≫.

촘베〔Tshombé, Moïse〕명〖사람〗콩고의 정치가. 1960년 콩고 독립과 동시에 카탕가 주(Katanga州) 수상이 되어, 벨기에의 지원으로 중앙 정부에서 분리를 선언함. 콩고 동란중에 패하여 1963년 망명. 1964년 콩고 민주 공화국의 수상이 되었으나 다음해 쿠데타로 다시 망명하여, 알제리에서 객사(客死)함. [1919-69]

촘스키〔Chomsky, Noam〕명〖사람〗미국의 언어학자. 매사추세츠 공과 대학 교수. ≪통사 구조(統辭構造)≫를 비롯하여, ≪통사 이론(統辭理論)의 제상(諸相)≫·≪데카르트 언어학≫·≪영어의 음형(音型)≫ 등을 발표함. 독자적인 변환 이론(變換理論)에 입각한 생성 문법(生成文法)의 이론 체계를 구축하고 음운론(音韻論)·의미론(意味論)에도 확장, 구조 언어학의 장벽(障壁)을 타개함으로써 언어학에 획기적 이론을 전개함. [1928-]

촘촘-하다 형여불 틈이나 구멍이 썩 배다. **촘촘-히** 부

촙〔chop〕명 ①소·돼지의 갈비. 또, 갈비 구이. ②테니스·탁구에서, 공을 깎아 치는 일. ③프로 레슬링에서, 상대를 베듯이 세게 갈겨 치는 일. 수도(手刀). ④보트 레이스에서, 노(櫓)의 날을 약간 엎어 물을 베듯이 물속에 넣는 일. ⑤권투에서, 클린치했을 때 위로부터 내리치는 짧고 날카로운 일격(一擊).

촛-가지 명〖건〗초제공(初提栱)·이제공에 쑥쑥 내민 쇠서. 포(包).

촛-국【醋—】명 음식의 맛이 지나치게 신 것을 가리키는 말. ¶김치가 ～이다.

촛-농【—膿】명 초가 탈 때에 녹아 흐르는 것. 또, 흘러 엉긴 것. 촉농(燭膿). 촉루(燭淚). 풍루(風淚).

촛-대【—臺】명 ①초를 꽂아 놓는 제구. 놋쇠·합석·백통 등으로 만듦. 촉대(燭臺). 촉가(燭架). ②활기가 없이 한 구석에 덤덤히 앉았기만 하는 것을 가리키는 말.

〈촛대❶〉

촛대-승마【—臺升麻】명〖식〗[*Cimicifuga simplex*] 성탄꽃과에 속하는 다년초. 줄기 높이 1.5m 내외이고, 잎은 2-3회 삼출(三出)하고, 소엽(小葉)은 난상 타원형 또는 긴 타원상 피침형임. 5-6월에 화판이 없는 흰 꽃이 총상(總狀) 화서로 여러 개 정생(頂生)하여 피고, 골돌과(蓇葖果)는 타원형임. 산지에 나는데, 거의 한국 각지에 분포함.

촛-밑【醋—】명 지에밥과 누룩 가루를 섞어서 삭힌 것. 식초의 밑바탕이 됨.

촛-불 명 초에 켠 불. 촉화(燭火).

촛불 기도【—祈禱】명〖기독교〗촛불을 켜 놓고 올리는 기도.

〈촛대승마〉

촛불-놀이【—롤—】명 밤에 노는 사랑(舍廊)놀이.

총¹ 명〔중세: 총〕말의 갈기와 꼬리의 털. ¶～채.

총² 명 짚신이나 미투리 따위의 앞쪽의 두 편짝으로 둘러 박은 낱낱의 울. ¶～갱기.

총³【銃】명 화약의 힘으로 탄환을 발사하는 화기(火器). 소총·권총·기

관총·엽총 같은 것. 총포(銃砲). ¶～사냥.

총[4]【聰】명 성(姓)의 하나. 본관 미상.

총:[5]【寵】명 ↗총애(寵愛)❶. ¶～을 입다. ──-하다 타여불

총[6]【總】의명 〖역〗 조선 시대 때, 토지 구실을 매기던 단위의 하나. 10 짐이 한 총, 10총이 한 묶음.

총:[7]【總】관 '어떤 수량을 합계하여 모두'의 뜻. ¶～ 200 명의 합격자.

총:-【總】투 어떤 명사 앞에 붙어, '온통'·'통틀어서' 등의 뜻을 나타내는 말. ¶～사직/～인원/～선거.

총가【銃架】명 〖군〗 총을 걸어 놓는 받침. 총대(銃臺).

총:각【總角】명 장가 갈 나이가 되고도 아직 장가 가지 아니한 남자. 미혼 청년. ¶～ 처녀. ↔처녀.

총:각 딱지를 떼:다 구 ㉠총각이 처음으로 동정(童貞)을 깨뜨리다. ㉡총각이 결혼하다.

총:각 귀:신【總角鬼神】명 몽달귀.

총:각-김치【總角―】명 손가락 굵기 만한 총각무를 무청째로 고춧가루·마늘·파·생강·젓국 따위의 양념에 버무려 담근 김치.

총:각-무【總角―】명 김장 때 무청째로 총각김치를 담그는 뿌리가 작은 무의 한 가지.

총:각-미역【總角―】명 ☞꼭지미역.

총:감【摠監】명 〖역〗 대한 제국 때, 교육부(敎育部)의 으뜸 벼슬. 부참령(副參領)으로 시키었음.

총-감기 명 →총갱기.

총:-감독【總監督】명 총괄적(總括的)으로 하는 감독. 또, 그 사람. ──-하다 타여불

총-감투 명 말총으로 뜨지 않고 피륙처럼 짜서 조각을 지어 만든 감투.

총개기【總―】명 〈방〉 총각(함남).

총-개머리【銃―】[―깨―] 명 〖군〗 '개머리❷'를 분명히 일컫는 말.

총-갱기 명 [←총감기] 짚신이나 미투리의 당감잇줄에 꿴 총의 고를 낱낱이 감아 돌아 가는 끄나풀. *앞갱기.

총거【怱遽】명 총망(怱忙). ──-하다 형여불

총-걸다【銃―】자 총을 삼각가(三角架)의 형상으로 걸어 세우다. 차총(叉銃)하다.

총검【銃劍】명 ①총과 검. 전하여, 무력(武力)을 뜻함. ②총 끝에 꽂아 적을 무찌를 때 쓰는 칼. 대검(帶劍).

총:-검거【總檢擧】명 어떠한 범죄에 관련된 사람들을 모조리 잡아들이는 일. ──-하다 타여불

총검-술【銃劍術】명 총 끝에 칼을 꽂아서 적을 척살(刺殺)하는 술(術).

총격【銃擊】명 총으로 사격함. ──-하다 타여불

총격-전【銃擊戰】명 기관총·소총(小銃) 따위로 사격하는 싸움. 사격전(射擊戰).

총-겯다【銃―】자ㄷ불 ☞총걸다.

총:결【總結】명 전체를 뭉뚱그려 매듭지음. ──-하다 타여불

총:-결산【總決算】[―싼] 명 ①〖경〗 총체적인 결산. ②일의 끝매듭을 짓는 일. ──-하다 타여불

총:경[1]【總警】명 경찰 공무원 계급의 하나. 경정(警正)의 위, 경무관의 아래.

총경[2]【聰警】명 총명하고 재빠름. 똑똑하고 재치가 있음.

총:-경동맥【總頸動脈】명 〖생〗 두부를 관류(灌流)하는 동맥의 하나. 좌우 한 쌍이 있으며 오른 쪽은 쇄골하 동맥(鎖骨下動脈)에서, 왼 쪽은 대동맥궁(大動脈弓)에서 나와서 상행하며 내외(內外)의 경동맥으로 나뉨. 내경동맥은 뇌 안에, 외경동맥은 얼굴과 두피(頭皮)에 피를 보냄.

총-계[1]【銃契】[―계] 명 〖역〗 조선 시대, 군기시(軍器寺)에 조총(鳥銃)을 공물로 바치던 계.

총:계[2]【總計】명 한데 통틀어서 계산함. 또, 그 계산. 총화(總和). *소계(小計). ──-하다 타여불

총:계 예:산주의【總計豫算主義】[―/―이] 명 〖경〗 예산에 세입·세출의 각 총액의 계상(計上)을 요하는 예산 편성상의 주의. ↔순계(純計) 예산주의.

총:-계정【總計定】명 〖경〗 계정 전체. 총체적인 계정.

총:계정 원장【總計定元帳】[―짱] 명 〖경〗 원장[2](元帳)

총계-탕【葱鷄湯】명 닭을 잡아 파를 넣고 끓인 국.

총:고【寵顧】명 귀여워하여 돌봄. ──-하다 타여불

총:-고해【總告解】명 〖천주교〗 이미 고해한, 일생 또는 지난 얼맛 동안에 범한 모든 죄를 되풀이하여 고해하는 일. ──-하다 타여불

총:곡-령【總曲嶺】[―녕] 명 〖지〗 함경 남도(咸鏡南道) 장진군(長津郡)에 있는 재. [2,066 m]

총:-공격【總攻擊】명 〖군〗 전군(全軍)이 총체적으로 공격함. ──-하다 타여불

총:공급 가격【總供給價格】명 〖경〗 케인즈의 유효 수요의 원리를 설명하기 위한 개념의 하나. 고용량에 대응해서 전체로서의 기업에 극대 이윤(極大利潤)을 가져오게 하는 매상 금액.

총:-공세【總攻勢】명 총체적으로 취(取)하는 공세.

총:관[1]【摠管】명 〖역〗 ①신라 때, 각 주(州)의 군대를 통솔하던 벼슬. 처음에 군주(軍主)라 일컫다가 문무왕(文武王) 원년(661)에 이 이름으로 고치고, 원성왕(元聖王) 원년(785)에 다시 도독(都督)으로 고치었음. 위계(位階)는 이찬(伊飡)에서 급찬(級飡)까지. ②조선 시대, 오위 도총부(五衛都摠府)의 도총관(都摠管)과 부총관(副摠管). ③ 대한 제국 때, 경위원(警衛院)·호위대(扈衛隊)·승녕부(承寧府)의 으뜸 벼슬. 칙임(勅任)임.

총:관[2]【總管】명 ①전체를 총할 관리(管理)함. ②〖역〗 총관(摠管)❷❸. ──-하다 타여불

총:관[3]【總觀】명 전체를 대충 살펴봄. ──-하다 타여불

총:괄【總括】명 ①여러 가지를 한데로 모아서 뭉침. 종합(綜合). ¶의견을 ～하다. ②[generalization] 〖논〗 어떤 개념의 외연(外延)을 늘여 개념의 적용 범위를 확대함. 일반화. 개괄. ③총람(總攬). ──-하다 타여불

총:괄-성【總括性】[―썽] 명 [colligative properties] 〖물·화〗 물질의 여러 가지 성질 가운데서, 수학적 함수와 관계되는 성질. 곧, 물질을 구성하는 분자의 수(數)에만 의존하는 성질.

총:괄-적【總括的】[―쩍] 명관 여러 개를 총괄하는 모양.

총:광【寵光】명 은총(恩寵)을 입은 영광.

총:교【寵敎】명 〖천주교〗 천주교를 사랑의 종교라는 뜻으로 일컫는 말.

총구【銃口】명 총부리. 총구멍.

총-구멍【銃―】[―꾸―] 명 총열의 앞 끝. 곧, 총알이 나가는 구멍. 총구(銃口).

총:국【總局】명 신문사 같은 데서, 지국(支局) 위에 설치하여 그 구역내의 지국을 통할하여 본사와 사무적·사업적 연락을 하는 곳.

총-군[1]【銃軍】명 〖군〗 총을 가진 군사. 총졸(銃卒). 포군(砲軍). 포수(砲手).

총:군[2]【總軍】명 전군(全軍).

총:권【總權】[―꿘] 명 전체의 권리 또는 권력.

총:-궐기【總蹶起】명 전체의 궐기. ──-하다 자여불

총극【怱劇】명 총망(怱忙). ──-하다 형여불

총근【葱根】명 ①파의 흰 뿌리. ②흰 손가락을 일컫는 말.

총급【怱急】명 매우 급함. ──-하다 형여불. ──-히 부

총기[1]【銃器】명 소총·권총 등의 화기(火器).

총기[2]【聰氣】명 ①총명한 기운. ②지닐총.

총기[3]【聰記】명 총명하고 기억력이 좋음. ──-하다 형여불

총:기[4]【總記】명 ①전체를 통괄하는 기술(記述). ②십진 분류법에 의한 도서(圖書) 분류의 하나. 백과 사전·신문·잡지·총서(叢書) 따위.

총기[5]【叢記】명 여러 가지를 모아서 기록함. 또, 그 서적(書籍). ──-하다 타여불

총:기-류【總鰭類】명 〖어〗 [Crossopterygii] 데번기(Devon 紀)에 번성했던 경골(硬骨) 어류. 어류에서 양서류(兩棲類)에의 진화를 연구하는 데 중요시됨. 상하 악골(顎骨)의 가장자리에 난 이빨은 원시 양서류를 닮아, 절단면에서 복잡한 미로상 구조(迷路狀構造)를 나타냄. 지느러미 내부의 뼈의 배열은 사지골(四肢骨)에의 출발점이라 생각되고 있음.

총-꿰미 명 〈방〉 당감잇줄.

총:남-종【摠南宗】명 〖불교〗 칠종 십이파(七宗十二派)의 하나. 남산종(南山宗)·총지종(摠持宗)의 합한 것. 뒤에 조계종(曹溪宗)과 합하여 선종(禪宗)이 되었음.

총-냉탕【葱冷湯】명 파찬국.

총냥이 명 여우·이리 등과 같이 눈이 툭 불거지고 입이 뾰족하며 얼굴이 마른 사람의 비유.

총:-넓이【總―】[―널비] 명 총면적(總面積).

총달【聰達】명 슬기롭고 명달(明達)함. ──-하다 형여불

총:담【總擔】명 [lophophore] 〖동〗 외항류(外肛類) 동물의 개체(個體)의 전단(前端)에 있어, 말편자 모양 또는 고리 모양을 이룬 부분. 그 주위에 촉수(觸手)가 있고 중앙에는 입이 있음.

총:-담관【總膽管】명 〖생〗 간장(肝臟)에서 만들어진 담즙(膽汁)을 십이지장으로 인도하는 관.

총:담관 폐:색증【總膽管閉塞症】명 〖의〗 총담관의 폐색에 의하여 담즙(膽汁)의 장내(腸內) 배출이 방해된 상태. 담석(膽石)·기생충 등에 의한 전색(栓塞) 또는 담관암(癌) 등이 원인이 됨. 반드시 황달(黃疸)이 발생함.

총-담요【―毯―】[―뇨] 명 말털로 두껍게 짜서 만든 요.

총-대[1]【銃―】[―때] 명 소총의 몸. 곧, 총열을 장치한 전체의 나무. 총상(銃床).

총대를 메:다 구 남을 대신해서 궂은 일을 하다. 남의 앞장에 서서 일을 하다.

총대[2]【銃隊】명 〖군〗 ①총군(銃軍)으로 조직한 군대. ②해군에서 총을 가지고 대오(隊伍)를 편제(編制)한 수병(水兵).

총대[3]【銃臺】명 총가(銃架).

총:대[4]【總代】명 전체의 대표.

총:-대리【總代理】명 〖천주교〗 교구장을 보필케 하기 위하여 교구장에 의해 임명된 사제나 주교.

총:-대리점【總代理店】명 한 나라의 전체 또는 광범한 구역에 걸쳐 물품 매매나 상업적 업무를 대리하는 권한이 위임된 대리점.

총-대우 명 말총이나 또는 쇠꼬리의 털로 짜서 옻을 칠한 검정 갓의 모자(帽子).

총:-대장【總大將】명 전군을 지휘하는 대장.

총:-대주교【總大主敎】명 〖천주교〗 예전에 로마·콘스탄티노플·알렉산드리아·안티오키아·예루살렘 등 주요 교구(敎區)의 최고권자를 가리키던 말. 지금은 명의뿐이며, 교황은 로마의 총대주교이기도 함.

총-댕이【銃―】명 ☞포수(砲手)❶.

총도고리 명 〈방〉 〖조〗 딱따구리(함경).

총:독【總督】명 ①어떤 관할 구역 안의 모든 정무·군무를 통할하는 벼슬. ②〖역〗 중국 명·청(明淸) 시대의 성(省)의 장관. 성내(省內)의 정무·군무를 다스리었음. ③〖일제〗 식민지(植民地)를 통할하여 정치·군사(軍事)를 총할하던 벼슬. 조선 총독·대만 총독 따위가 있었음.

총:독-부【總督府】명 총독이 정무(政務)를 보는 관청.

총:-돈수【總噸數】명 총톤수의 한자 표기(漢字表記).

총:-돌격【總突擊】명 전군(全軍)이 총체적으로 행하는 돌격. ──-하

다 [타][여불]

총돌기 [명] 〈방〉〖조〗 종다리(제주).

총:동맹 파:업【總同盟罷業】[명]〖사〗통일된 지도·지령하에 전국적으로나 지역적으로 또는 어떤 산업 전반에 걸쳐 행하여지는 대규모의 파업. 총파업. 제너럴 스트라이크.

총:-동원【總動員】[명] ①무엇을 성취하기 위하여 전인원을 동원하는 일. ②〖군〗모든 가용(可用) 자원을 충분히 이용하는 동원의 최고 정도. ——-하다 [타][여불]

총:동원-령【總動員令】[—녕] [명] 총동원을 지령하는 명령.

총:-득점【總得點】[명] 전체의 득점.

총:-득표【總得票】[명] 전체의 득표.

총-땅개미 [명] 〈방〉 당감잇줄.

총:람[1]【總覽】[—남] [명] ①전체를 통람(通覽)함. ②어떤 사물에 관한 것을 하나로 종합한 서적. ——-하다 [타][여불]

총:람[2]【總攬】[—남] [명] 한 손에 장악함. 총집(總執). 총괄. 총할. ¶국무를 ~하다. ——-하다 [타][여불]

총:람 권강【總攬權綱】[—남—] [명] 가장 높은 권리(權利)를 쥐다 잡음. ——-하다 [자][여불]

총:랑[1]【摠郎】[—낭] [명]〖역〗고려 충렬왕(忠烈王) 원년(1275)에 상서육부(尙書六部)를 고쳐서 일컬은 전리사(典理司)·군부사(軍簿司)·판도사(判圖司)·전법사(典法司)의 사사(四司) 및 공민왕(恭愍王) 11년(1362)과 동 21년에 고쳐서 일컬은 전리사·군부사·판도사·전법사·예의사(禮儀司)·전공사(典工司)의 육사(六司)의 차관(次官). 시랑(侍郎)의 고친 이름으로 품질(品秩)은 정사품임.

총랑[2]【聰朗】[—낭] [명] 총명(聰明).

총:량【總量】[—냥] [명] 전체의 분량·중량. ¶~100 kg.

총:량 규제【總量規制】[—냥—] [명] 공해(公害) 방지를 위한 규제의 하나. 공장에서 배출되는 배수(排水)·배기(排氣) 등의 오염물을 전량 그램으로 측정하여 규제하는 일. 오염 물질의 농도에 의한 규제에 대해서 양(量) 자체를 규제하는 것임.

총:량-적【總量的】[—냥—] [명][관] 전체적인 수량이나 중량으로 된 모양.

총:력【總力】[—녁] [명] 모든 힘. 전부의 힘. ¶~을 기울이다.

총:력 안보【總力安保】[—녁—] [명] 나라의 안전 보장을 위하여 온 힘을 기울임. 또, 그 안보.

총:력 외:교【總力外交】[—녁—] [명] 국가의 전력을 기울여 행하는 외교.

총:력-전【總力戰】[—녁—] [명] 좁은 뜻의 무력(武力)만이 아니고, 국가 각 분야의 총체적 힘을 기울여서 하는 전쟁.

총렵【銃獵】[—녑] [명] 총사냥. ——-하다 [타][여불]

총렵-기【銃獵期】[—녑—] [명] 총사냥하는 계절.

총-령[1]【葱嶺】[—녕] [명]〖지〗'충링'을 우리 음으로 읽은 이름.

총:령[2]【總領】[—녕] [명] 모든 것을 쥐다 거느림. ——-하다 [타][여불]

총:령[3]【寵靈】[—녕] [명] 임금의 귀염을 받는 행복.

총:록[1]【總錄】[—녹] [명] 통틀어서 적은 기록.

총록[2]【叢錄】[—녹] [명] 여러 가지 잡다(雜多)한 것을 모은 기록. 잡록(雜錄).

총:록[3]【寵祿】[—녹] [명] 총애하여 봉록(俸祿)을 많이 줌. 또, 그 봉록.

총:론[1]【總論】[—논] [명] 전체를 총괄한 이론. 또, 그 문장. ↔각론(各論).

총론[2]【叢論】[—논] [명] 여러 가지 논문·문장 따위를 모은 글. ¶문학~.

총-류탄【銃榴彈】[—뉴—] [명]〖군〗→ 총유탄(銃榴彈).

총률【摠律】[—뉼] [명] 장악원(掌樂院)의 '악사(樂師)'를 연산군 11년(1505)에 한때 고친 이름.

총:리[1]【總理】[—니] [명] ①전체를 모두 관리함. ②↗국무 총리. ③〖역〗↗내각 총리 대신. ——-하다 [타][여불]

총:리[2]【寵利】[—니] [명] 은총을 받음.

총:리 대:리인【總理代理人】[—니—] [명]〖법〗구(舊)용어로, 임의(任意) 대리인 중에서, 그 권한이 한정되어 있지 않은 대리인. 총리 대인. ↔부리(部理) 대리인.

총:리 대:신【總理大臣】[—니—] [명]〖역〗①조선 정조 때 화성(華城) 성역(城役)을 총재(摠宰)하던 대신. ②조선 시대말 통리 기무 아문(統理機務衙門)·의정부(議政府)의 장관. ③↗내각 총리 대신. [준]총리. ＊총상(總相).

총:리 대:인【總理代人】[—니—] [명]〖법〗총리 대리인.

총:리-령【總理令】[—니—] [명]〖법〗국무 총리가 소관 사무에 관하여, 법률·대통령령의 위임 또는 직권에 의하여 발하는 명령.

총:리-사【摠理使】[—니—] [명]〖역〗조선 시대 때 수원 유수(水原留守)가 겸임하던 총리영(摠理營)의 주장(主將). 품질은 정이품.

총:리 아:문【總理衙門】[—니—] [명]〖역〗중국 청(淸)나라의 내각.

총:리-영【摠理營】[—니—] [명]〖역〗조선 순조(純祖) 2년(1802)에 장용영(壯勇營)을 고쳐 일컬은 군영(軍營). 고종(高宗) 32년(1895)에 폐(廢)하였음.

총림【叢林】[—님] [명] ①잡목이 우거진 숲. ②〖불교〗많은 승려(僧侶)가 모여 사는 큰 절. 승원(僧園). 승림(僧林). ③〖불교〗주로 선종(禪宗)에서, 승려가 좌선(坐禪) 수행하는 도량(道場). ④〖불교〗특히, 중앙에 있는 큰 선림(禪林). ⑤〖불교〗강원(講院)·선원(禪院)·율원(律院)을 갖춘 종합 도량. 최고 어른을 방장(方丈)이라 함.

총망【忽忙】[명] 매우 급하고 바쁨. 총거(忽遽). 총극(忽劇). ¶~중에/몹시 ~하다. ——-하다 [형][여불]. ——-히 [부]

총:-망라【總網羅】[—나] [명] 전체를 망라함. ——-하다 [타][여불]

총망지-간【忽忙之間】[명] 총망한 사이. 매우 급하고 바쁜 틈.

총-맞다【銃—】[자] 총격(銃擊)을 당하다. 총알을 몸에 맞다. ¶복부에 총 맞아 죽다.

총:-면적【總面積】[명] 전체의 면적. 총넓이.

총:명[1]【總名】[명] 전체를 몰아서 부르는 이름. 총칭(總稱).

총명[2]【聰明】[명] 귀가 밝고 눈이 예민함. 총기가 좋고 명민(明敏)함. 총랑(聰朗). ¶~한 아이. ——-하다 [형][여불]

[총명이 불여 둔필(不如鈍筆)이라] 아무리 밝고 민첩한 기억이라도 그 때 그 때 적어 두는 것만 못하다는 말.

총:명[3]【寵命】[명] 임금이 총애하여 내리는 명령.

총명-기【聰明記】[명] ①비망록(備忘錄). ②남에게 주는 물건을 적은 발기(記).

총명 예:지【聰明睿智】[—네—] [명] 총명과 예지. 제왕(帝王)의 슬기를 칭송하는 말. [준]총예(聰睿). ——-하다 [형][여불]

총명 호:학【聰明好學】[명] 총명하고도 학문(學問)을 좋아함. ——-하다 [자][여불]

총모【聰謀】[명] 슬기로운 꾀.

총-모자 [명] 〈방〉 총대우.

총목[1]【楤木】[명]〖식〗두릅나무. 엄나무.

총:목[2]【總目】[명] 총목록(總目錄).

총:-목록【總目錄】[—녹] [명] 서적 전체의 목록. 총목(總目).

총묘【塚墓】[명] 무덤.

총:무【總務】[명] ① 어떤 기관이나 단체에서, 전체적이며 일반적인 사무를 맡아봄. 또, 그 사람. ¶~부. ②〖역〗혜민원(惠民院)의 한 벼슬. ③↗원내 총무(院內總務).

총:무-과【總務課】[—꽈] [명] 관청이나 단체·회사 등의 한 과. 관인·직인의 관수, 인사 전반, 문서의 수발(受發) 및 다른 부서의 주관에 속하지 아니하는 사항을 관장함.

총:무-관【總務官】[명]〖역〗조선 시대, 전운서(轉運署)의 으뜸 벼슬.

총:무-국【總務局】[명] ①통신사·신문사 등에서, 총무를 관장하는 국. ②〖역〗구한국 때, 궁내부(宮內府)의 수민원(綏民院)·경위원(警衛院) 및 의정부(議政府)에 두었던 한 국(局).

총:무-원【總務院】[명]〖불교〗대한 불교 조계종(曹溪宗)의 종무 집행 기관. 총무원장을 장(長)으로 하여, 총무부·교무부(敎務部)·재무부(財務部)·사회부(社會部) 등을 둠. ＊감찰원(監察院).

총:무원-장【總務院長】[명]〖불교〗대한 불교 조계종(曹溪宗)의 총무원의 우두머리. 종정(宗正)을 보좌하며, 종무 행정을 통리하고, 종정의 궐위(闕位) 때에는 그를 대행함. 임기는 4년이며, 중앙 종회(中央宗會)에서 선출하여, 종정이 임명함.

총:-무장【總武裝】[명] 전체의 무장. ——-하다 [자][여불]

총:무-처【總務處】[명] 전에, 중앙 행정 기관의 하나. 1998년 정부 조직 개편에 따라, 내무부(內務部)와 통합되어 행정 자치부(行政自治部)로 됨.

총미【銃尾】[명] 총신(銃身)의 뒷부분. ↔총구(銃口).

총:미-류【總尾類】[명]〖충〗좀목(目).

총민【聰敏】[명] 총명하고 민첩함. ——-하다 [형][여불]

총-바치【銃—】[명] 〈방〉 사냥꾼(경기).

총:-반격【總反擊】[명] 전체가 일제히 하는 반격. ——-하다 [타][여불]

총-받이[1] [—바지] [명] 짚신이나 미투리의 총을 박은 데까지의 앞바닥.

총-받이[2]【銃—】[—바지] [명] 〈속〉 전쟁하는 데 군대의 맨 앞줄 또는 제일선을 가리키는 말. 총알받이.

총백【葱白】[명]〖한의〗파의 밑동. 성질은 온(溫)하고 윤담(潤痰)하는 공효(功效)가 있으므로 탕약에 넣는데, 상한(傷寒)에 가장 흔히 씀.

총변【聰辯】[명] 총명하며 변재(辯才)가 있음. ——-하다 [형][여불]

총:보[1]【總報】[명]〖불교〗모두 합하여서 이루어진 과보(果報). 사람·소·말 따위로 태어나는 업보를 받는 따위를 말함. ↔별보(別報).

총:보[2]【總譜】[명] ①〖악〗연주하는 모든 악기의 악보를 하나로 종합 배열한 악보. 주로 지휘자용임. 모음 악보. 스코어(score). ②바둑에서, 승부(勝負)를 처음부터 끝까지 한 눈에 알아볼 수 있도록 표시한 기보(棋譜).

총복【銃腹】[명] 총(銃)열의 속.

총:-본부【總本部】[명] 전체를 통할하는 본부.

총:-본사[1]【總本司】[명]〖대종교〗대종교의 교무 행정(敎務行政)을 통합·수행하는 최고 사무 기관. 동서남북 네 곳의 도본사(道本司)를 관할하며, 총전교(總典敎)의 명령을 집행함. 전리(典理)·전강(典講)·전범(典範)의 세 전(典)으로 구성됨.

총:-본사[2]【總本寺】[명]〖불교〗총본산(總本山)❶.

총:-본산【總本山】[명] ①〖불교〗1941-45년에 우리 나라 불교의 최고 종정 기관(宗政機關). 태고사(太古寺), 곧 지금의 조계사(曹溪寺)에 두었음. 종래의 삼십일 본산(三十一本山)이 모이어 1941년에 이루어진 것으로, 그 아래에 삼십일 본산이 있고, 본산 아래에는 각기 많은 말사(末寺)가 있음. 총본산에는 한 사람의 종정(宗正)이 있어 우리 나라 불교의 모든 것을 맡아 다스렸음. 총본사(總本寺). ②전체 또는 많은 것을 통괄(統括)하는 구실. 사물(事物)의 근원이 되는 곳.

총:-본영【總本營】[명] 여러 기관을 거느려서 사무를 총람하는 곳을 가리키는 말. 총본진(總本陣).

총:-본진【總本陣】[명] 총본영(總本營).

총:부[1]【冢婦】[명] 정실(正室) 맏아들의 아내. 특히, 망부(亡父)를 계승한 맏아들이 사자(嗣子) 없이 죽었을 때의 그 아내의 일컬음. 종부(宗婦).

총:부[2]【摠部】[명]〖역〗고려 때, 상서 병부(尙書兵部)를 충숙왕(忠肅王) 서부터 공민왕(恭愍王) 5년(1356)까지와 공민왕 18-21년 사이에 일컫던 이름. ＊상서 육부(尙書六部).

총:부-랑【摠府郞】명〖역〗오위 도총부(五衛都摠府)의 낭관(郎官).

총-부리【銃―】[―뿌―]명 총열의 아가리. 총구(銃口). ↔총미(銃尾).
총부리를 들이대다 구 총을 들이대고 위협하다.

총:비【寵妃】명 군주의 총애를 받는 여자.

총:-비용【總費用】명 ①전체의 비용. ②〖경〗생산 활동의 결과에서 생산자 사용액과 요소 비용(要素費用)을 합한 금액. 총매상 수입에서 총비용을 제한 나머지가 기업의 이윤이 됨.

총빙【叢氷】명 해중의 부빙(浮氷)이 모여, 얼어붙어서 생긴 빙구(氷丘).

총:사¹【冢祀】명 종묘(宗廟) 또는 가묘(家廟)의 제사.

총:사²【冢嗣】명 총자(冢子).

총사³【叢祠】명 잡신(雜神)을 제사하는 사당집.

총:사⁴【寵賜】명 총애하여 물건을 줌. 또, 그 물건. ――-하다 타여불

총-사냥【銃―】명 총으로 하는 사냥. 총렵(銃獵). ――-하다 타여불

총:-사령관【總司令官】명〔general commander〕〖군〗전군(全軍)을 통할 지휘하는 사령관.

총:-사령부【總司令部】명〔general headquarters〕〖군〗총사령관의 막료(幕僚) 기관.

총:-사직【總辭職】명 전원이 한꺼번에 사직함. ¶내각(內閣) ~. ――-하다 자타여불

총산【葱蒜】명 파와 마늘.

총-산적【葱散炙】명 파산적.

총살【銃殺】명 총으로 쏘아 죽임. *포살(砲殺). ――-하다 타여불

총살-형【銃殺刑】명 총살하는 형(刑). 준총형(銃刑).

총상¹【銃床】명 총(銃)대¹.

총상²【銃傷】명 총맞은 상처. 총창(銃創).

총:상³【總狀】명 술 모양.

총:상⁴【總相】명〖역〗내각 총리 대신의 별칭.

총:상⁵【寵賞】명 특별히 후한 상을 줌. 또, 그 상.

총상 군체【叢狀群體】명〔gregaroid colony〕〖생〗한 개체(個體)의 분열 또는 출아(出芽)에 의해 생긴 많은 개체가 그 밑부분에서 서로 연결되어 총상의 군체(群體)를 구성하는 것. 석회 해면류(石灰海綿類)나 이끼벌레에 그것이 많음.

총:상-꽃차례【總狀―】명〖식〗무한(無限)꽃차례의 하나. 긴 꽃대에 꽃자루가 있는 여러 개의 꽃이 어긋나게 붙어서 밑에서부터 피기 시작하여 끝까지 미치어 핌. 꼬리풀·투구꽃·냉초·시닥나무·싸리나무의 꽃 따위. 총상 화서.

총:상-화【總狀花】명〖식〗총상(總狀)꽃차례의 꽃.

총:상 화서【總狀花序】명〖식〗총상꽃차례.

〈총상꽃차례〉

총:새-류【總鰓類】명〖어〗경골 어류(硬骨魚類) 실고기류의 총칭. 갑상(甲狀)의 비늘이 있고, 입 부분은 돌출하였으며, 아가미는 총상(總狀)을 이루고 있음. 소형의 바닷물고기가 많으며 해마(海馬)와 실고기 등이 이에 속함.

총생【叢生】명 ①풀이나 나무 등이 더부룩하게 뭉쳐 남. 족생(簇生). ②초목의 그루나 줄기에서 싹이 돋아 오름. ③〖식〗엽서(葉序)의 한 가지. 여러 개의 잎이 짤막한 줄기에 뭉쳐서 붙어 난 것. 잣나무 따위. 뭉쳐나기. ――-하다 자여불

총:-생산물【總生産物】명〖경〗일정 기간의 각 기업의 생산물인 재화(財貨)와 용역(用役)을 집계한 총액.

〈총생❸〉

총:서¹【總書】명〖역〗조선 시대말 내각(內閣)❷의 한 칙임(勅任) 벼슬.

총서²【叢書】명 ①일정한 형식으로 계속해서 출판하는 같은 종류의 출판물. 시리즈(series). ¶문학 ~/법률 ~. ②갖가지 책을 통일 없이 많이 모은 서적. ↔단행본(單行本).

총:-서기【總書記】명〖정〗중국 공산당의 최고 지위. 1982 년 제 12 차 당대회에서 당주석직(黨主席職)이 폐지되면서 실질적인 당 최고 직위가 됨.

총:석【寵錫】명 특별히 사랑하여 하사(下賜)함. 또, 그 물건. ――-하다 타여불

총석-돌【叢石―】명 바탕이 단단하고 빛이 검은 화산돌.

총석-정¹【叢石亭】명〖지〗관동 팔경의 하나. 강원도 통천군(通川郡) 고저(庫底)에 있는 정자. 주위에 현무암(玄武岩)으로 된 여러 개의 돌기둥이 바다 가운데에 총립(叢立)하여 절경을 이룸.

총석-정²【叢石亭】명〖문〗고려 때 기철(奇轍)이 지었다는 가요. 공민왕(恭愍王) 때 중국 원(元)나라 순제(順帝) 중궁(中宮)의 오라비 되는 기철이 원나라에서 벼슬하여 사명을 띠고 고국에 왔다가 총석정에 올라 동해를 굽어보며 지었다 함. 가사는 전하지 아니함.

총선¹【葱蒜】명 총산(葱蒜).

총:선²【總選】명 ↗총선거.

총:-선거【總選擧】명〖법〗국회 의원 전체를 한꺼번에 선출하는 선거. 준총선(總選). ――-하다 타여불

총:설¹【總說】명 전체를 통틀어서 하는 설명. 모두풀이.

총설²【叢說】명 모아 놓은 모든 학설.

총:섭【總攝】명〖불교〗승통(僧統)❶.

총성【銃聲】명 총소리.

총:세【總勢】명 한 무리의 전원(全員).

총:-세무사【總稅務司】명〖역〗①중국 청대(淸代) 1859년 이래 제2차 세계 대전이 끝날 때까지의 해관(海關) 사무를 관할하던 중앙 관청. 주로 영국인이 임명되었음. ②서양 사람을 고빙(雇聘)하여 해관(海關)의 사무를 관리시키던 벼슬. 조선 고종(高宗) 19년(1882)에 통리 기무 아문(統理機務衙門)에 두었음.

총:-소득【總所得】명 그것을 얻기 위해 소요한 경비 따위를 공제하지 않은 소득의 총액. 총수입(總收入).

총-소리【銃―】[―쏘―]명 총(銃)을 놓는 소리. 총성(銃聲).

총수¹【銃手】명 총을 쏘는 사람.

총:수²【總帥】명 전군(全軍)을 지휘(指揮)하는 사람. 총지휘관(總指揮官). ¶삼군(三軍)의 ~/재벌 ~.

총:수³【總數】명 전체의 수효. ¶인구 ~.

총수⁴【叢樹】명 무더기로 들어선 나무.

총:-수량【總數量】명 전체의 수량.

총:수요 가격【總需要價格】명〖경〗케인즈의 유효 수요(有效需要)의 원리를 설명하기 위한 개념의 하나. 고용량에 대응해서 전체로서의 기업이 올릴 수 있다고 기대하는 매상 금액.

총:수요 억제【總需要抑制】명〖경〗과도한 경제 성장에 따른 폐해를 피하기 위해 설비 투자·소비·정부 지출 따위 수요 전반의 신장(伸長)에 대한 억제. 직접적인 수요 제한과 금융 정책에 의한 간접적인 수단에 의해 행하여짐.

총:수요 정책【總需要政策】명〖경〗적당한 경제 성장을 유지하기 위해 설비 투자·재고 투자·소비·정부 지출·수출 따위의 신장(伸長)을 조절하는 일. 직접적인 수요 조절 외에 금융·재정 정책(財政政策) 따위가 이에 쓰임.

총:-수입【總收入】명 ①총소득(總所得). ②〖경〗재화의 공급에서 생산자가 얻은 화폐 수입의 총액. 곧, 재화의 가격에 기업의 판매량을 곱한 금액임.

총:순【總巡】명〖역〗구한국 때, 경무청(警務廳)에 두었던 판임(判任) 벼슬. 경무관(警務官) 다음 자리로, 중앙(中央)에 서른 명, 각 도(道)에 두 명씩 두었음.

총시-주【葱豉酒】명 상한(傷寒)을 다스리는 데에 약용(藥用)으로 쓰는 특별한 술.

총신¹【銃身】명 총열.

총:신²【寵臣】명 임금의 총애를 받는 신하. 행신(幸臣).

총:아【寵兒】명 ①특별한 귀염을 받는 사람. ②시운(時運)을 타고 입신 출세한 사람. ¶시대의 ~.

총안【銃眼】명〖군〗적을 사격하기 위하여 보루(堡壘)·성벽(城壁) 같은 엄호물(掩護物)에 뚫어 놓은 구멍. 총열을 드러내서 쏘게 되었음.

총-알【銃―】명 처란·탄알 등의 총칭. 총탄. 총환(銃丸).

총알-고둥【銃―】명〖조개〗총알고둥과의 연체동물. 암석이 많은 해안 간조선(干潮線)에 착생함. 패각이 경단 비슷하며 지름 1 cm쯤 됨. 경단고둥.

총알고둥-과【銃―科】[―꽈]명〖조개〗[Littorinidae] 복족류(腹足類)에 속하는 연체 동물의 한 과. 총알고둥·두두럭총알고둥 등이 이에 속함.

총알-받이【銃―】[―바지]명 총받이.

총알 택시【銃―】〔taxi〕명〈속〉특히 늦은 밤 등에 시내로부터 변두리 지역으로 손님을 태우고 과속으로 내닫는 택시.

총:압【總壓】명〔total pressure〕〖물〗유체(流體)의 동압(動壓)과 보통의 압력인 정압(靜壓)의 총합(總合). *동압·정압.

총:애【寵愛】명 남달리 귀엽게 여겨 사랑함. 총행(寵幸). 굄. ¶~를 입다. 준총(寵). ――-하다 타여불

총:액【總額】명 전체의 액수. ¶예산 ~.

총:액 인수【總額引受】명〖경〗신주(新株) 또는 사채(社債) 발행에 있어, 발행 회사가 특정 인수 기관으로 하여금 신주(新株) 또는 사채 전체를 일괄 인수하게 하여 투자자에게 판매하게 하는 방법.

총:액 임:금【總額賃金】명 기본급과 정례적인 상여금, 직책 수당 따위 고정적으로 지급되는 임금 항목의 합계. 시간 외 수당이나 야간·휴일 근무 수당 등과 성과급적 변동 상여금 등은 제외됨.

총약【銃藥】명 총에 장전(裝塡)해서 발사하는 화약.

총:양【寵養】명 총애(寵愛)하여 양육함. ――-하다 타여불

총어【叢語】명 그러모은 이야기. 또, 그러모은 어구(語句).

총:어-영【摠禦營】명〖역〗조선 고종(高宗) 25년(1888)에 친군영(親軍營) 소속의 별영(別營)을 고쳐 일컫은 군영(軍營). 동 31년에 폐하였음.

총:-역량【總力量】[―녕냥]명 모든 역량(力量). 전체의 역량. ¶~을 기울이다.

총:-연습【總練習】[―년―]명 끝마무리를 위해 전원이 모여 하는 연습. 음악·연극·운동 따위에서 각 담당 부분에서 연습하던 것을 정식으로 하는 구성으로 연습하는 일.

총-열【銃―】[―녈]명 소총에 탄알을 재어서 내쏘게 된 부분. 강철로 원통상(圓筒狀)을 만들어 밑바닥에 기관을 장치하고 위 끝에는 가늠쇠, 아래쪽에는 가늠자를 장비하였음. 총신(銃身). 준열.

총:-열량【總熱量】[―녈―]명 전체의 열량.

총:열량 보:존 법칙【總熱量保存法則】[―녈―]명 헤스의 법칙.

총영¹【聰穎】명 재지(才智)가 남보다 뛰어나고 똑똑함. 또, 그 모양. ――-하다 형여불

총:영²【寵榮】명 군주 등으로부터 총애를 입어 번영함.

총:-영대경【總永代經】명〖불교〗봄 가을의 피안회(彼岸會) 때에 특별히 행하는 영대경.

총:-영사【總領事】[―녕―]명 외무 공무원의 대외 직명의 하나. 최상급의 영사. 주재국 영토내의 자국민을 보호 감독하고 통상·항해에 관한 사항을 본국에 보고하며, 주재국에 근무하는 자국의 영사 및 관원을 감독함.

총:영사-관【總領事館】[―녕―]명〖법〗총영사가 주재하여 외교 사무를 분장하는 공관(公館).

총예【聰睿】명 ↗총명 예지. ――-하다 형여불

총:-예산【總豫算】[―네―]명〔general budget〕〖경〗한 회계 연도의 세출과 세입 전체를 포함하는 예산.

총오【聰悟】명 사물에 대한 이해가 빠르고 영리함. ――-하다 형여불

총요【怱擾】명 바쁘고 부산함. ¶세미쳐서는 ~하여서 못 보내었다고 하

서요《趙重桓 : 長恨夢》. ——-하다 형여불

총:욕【寵辱】명 굄을 받음과 욕을 당함.

총:욕 불경【寵辱不驚】명 총영(寵榮)도 치욕(恥辱)도 개의(介意)치 않음. 득실(得失)을 도외시함. ——-하다 자여불

총:욕 약경【寵辱若驚】명 달인(達人)은 화복(禍福)의 이치에 통달했기 때문에 복(福)은 화(禍)의 근원임을 알고 총영(寵榮)을 얻어도 경계함. 일설에는, 범인(凡人)은 사소한 총(寵)을 얻어도 또는 사소한 욕을 당해도 놀라서 이를 중시(重視)함.

총:우[1]【寵佑】명〖천주교〗천주의 사랑과 도움.

총:우[2]【寵遇】명 총애하여 특별히 대우함. ——-하다 타여불

총운【叢雲】명 겹겹으로 모여 있는 구름.

총울-하다【葱鬱—】형여불 총총하고 울울하다. ¶탄환같이 빠른 차가 어느 겨를에 벌써 압록강을 건너니 총울한 강산이 모두 보이는 대로 새롭더라《崔瓚植 : 秋月色》.

총:원[1]【總員】명 전체의 인원.

총:원[2]【總願】명〖불교〗모든 불보살(佛菩薩)에 공통으로 있는 네 가지 서원(誓願). 맹세코 모든 중생을 제도하며(衆生無邊誓願度), 맹세코 모든 번뇌를 끊으며(煩惱無數誓願斷), 맹세코 모든 가르침을 배우며(法門無盡誓願知), 맹세코 불도(佛道)의 이치를 깨닫고자(佛道無上誓願證) 하는 원. ↔별원(別願).

총:-원가【總原價】[—까] 명〖경〗제품이 제조되고 그것이 판매될 때까지 발생하는 모든 원가 요소의 합계액. 곧, 제조(製造) 원가에 일반 관리비와 판매비를 가산한 금액임. *제조 원가.

총:위-영【摠衛營】명〖역〗조선 헌종(憲宗) 12년(1846)에 총융청(摠戎廳)을 고쳐 일컫은 군영(軍營). 철종(哲宗) 즉위년(卽位年)(1850)에 다시 전 이름으로 회복하였음.

총:유【總有】명 개인주의적 공동 소유의 한 형태. 재산의 관리·처분의 권능은 공동체 자체에 속하고, 그 사용·수익(收益)의 권능은 공동체의 각 구성원에 속하는 소유 형태. 게르만의 촌락 공동체의 경지 및 원야(原野) 등에 대한 공동 소유가 이에 속함. *공유(共有).

총:-유권자【總有權者】[—꿘—] 명 전체의 유권자. 유권자의 총수.

총:유-장【寵綏章】[—짱] 명 악장(樂章)의 이름.

총-유탄【銃榴彈】[—뉴—] 명〖군〗〔←총류탄〕유탄의 한 가지. 소총의 총구에 부착토록 된 특수 발사 장치를 이용하여 발사하는 유탄 또는 소형 폭탄.

총:융-사【摠戎使】명〖역〗조선 시대 총융청(摠戎廳)의 주장(主將). 종「이품의 무관 벼슬임.

총:융-청【摠戎廳】명〖역〗조선 인조(仁祖) 2년(1624)에 설치한 군영(軍營). 처음에는 수원(水原) 등의 경기(京畿) 일대의 진(鎭)의 군무를 맡았다가, 영조(英祖) 23년(1747)에 경리청(經理廳)을 대신하여 북한산성(北漢山城)을 구관(句管)하였으며, 헌종(憲宗) 12년(1846)에 총위영(摠衛營)으로 고쳐 일컫다가, 철종(哲宗) 즉위년(卽位年)(1850)에 본 이름으로 다시 회복하고, 고종(高宗) 19년(1882)에 잠시 폐하였다가, 또 복구(復舊)하여, 동 21년에 폐함.

총:은【寵恩】명〖천주교〗성총(聖寵)과 은우(恩佑).

총:의【總意】[—/—이] 명 전체의 의사(意思). 전체의 공통된 의견. ¶국민의 ~.

총이-말【驄—】명 푸른 빛을 띤 부루말. 갈기와 꼬리가 파르스름함. 청총마(靑驄馬). 청총이. 천총마(千驄馬).

총이몰 명〈옛〉총이말. ¶이 총이몰이 나히 언머고(這箇靑馬多少些歲)《老乞 下 7》.

총:-이익금【總利益金】[—니—] 명 전체의 이익금.

총:-이익률【總利益率】[—니—뉼] 명 기업이 일정한 기간에 올린 매상 총이익·영업 이익·순이익 따위를 매상액 또는 자본금으로 제하여 얻은 비율.

총이-주【聰耳酒】명 귀밝이술.

총:인【寵人】명 총애를 받는 사람. 총자(寵者).

총:-인구【總人口】명 전체의 인구. 인구의 총계.

총:일【總一】명 전체 중에서 으뜸가는 것.

총:자[1]【冢子】명 태자(太子)나 세자(世子) 또는 적장자(嫡長子) 등의 일컬음. 총사(冢嗣).

총:자[2]【寵者】명 총인(寵人).

총:자본 이:익률【總資本利益率】[—뉼] 명〖경〗기업(企業)의 수익률을 나타내는 한 지표. 1년간의 세금을 공제한 이익을, 자기 자본과 타인 자본의 합계액(合計額)인 총자본으로 나누어서 구함.

총-잡이【銃—】명 총, 특히 권총을 잘 쏘는 사격의 명수. 건맨.

총:장【總長】명 ①〖역〗원수부(元帥府) 각국(各局)의 으뜸 벼슬. ②〖역〗관세국(關稅局)의 으뜸 벼슬. ③전체의 사무를 관리하는 으뜸 벼슬. ¶검찰 ~/참모 ~/사무 ~. ④〖교〗종합 대학의 우두머리.

총-장이【銃—】명〈방〉포수(砲手).

총:재[1]【冢宰】명〖역〗↗대총재(大冢宰).

총:재[2]【摠裁】명〖역〗대한 제국 때, 수륜원(水輪院)·철도원(鐵道院)·평식원(平式院)·수민원(綏民院)·제실 제도 정리국(帝室制度整理局)·서북 철도국(西北鐵道局)·군국 기무처(軍國機務處)·표훈원(表勳院)·지계아문(地契衙門) 등의 장관. 칙임(勅任)임.

총:재[3]【總裁】명 사무를 총괄하여 결재하는 일. 또, 그 사람. ¶한국 은행 ~/적십자사 ~. ——-하다 타여불

총:재-관【總裁官】명〖역〗대한 제국 때, 양지 아문(量地衙門)의 으뜸 벼슬. 칙임(勅任)임.

총:-재산【總財産】명 전체의 재산.

총:재 정부【總裁政府】명〖역〗테르미도르 반동(Thermidor 反動) 이후 나폴레옹의 쿠데타까지 1795-99년에 걸쳐 존재한 프랑스 정부. 다섯 사람의 총재로 구성됨. *집정(執政) 정부.

총저【葱菹】명 파김치.

총적【葱笛】명 파피리.

총:-적량【總積量】[—냥] 명 선박의 내부 용적의 총합.

총전-령【葱田嶺】[—절—] 명〖지〗①함경 남도 장진군(長津郡)에 있는 산. [1,995 m] ②함경 남도 장진군과 평안 북도 강계군(江界郡) 사이에 있는 산. [2,084 m]

총:점【總點】[—쩜] 명 전체의 점수. 득점(得點)의 총계.

총:-정보량【總情報量】명〔gross information content〕〖통신〗용장성(冗長性)의 유무에 관계없이 통보(通報)에 관계되는 전(全) 정보를 나타내는 양. 비트(bit)·니트(nit)·하틀리(hartley) 등이 그 단위임. 통보를 잡음 없는 매체(媒體)를 통하여 전송하는 데에 필요한 것임.

총:제-사【摠制使】명〖역〗고려 때 삼군 도총제부(三軍都摠制府)의 버금 벼슬. 중군(中軍)·좌군(左軍)·우군(右軍)에 한 사람씩 두었음.

총졸【銃卒】명 총군(銃軍).

총좌[1]【銃座】명 사격할 때, 총을 얹어 놓는 대.

총좌[2]【叢脞】명 번잡하고 세쇄(細瑣)함. 총쇄(叢脞). ——-하다 형여불

총주【塚主】명 무덤을 지키는 임자.

총:주-부【總奏部】명〔이 tutti〕〖악〗협주곡(協奏曲)에 있어서, 독주(獨奏)가 들어가지 않고 관현악이 연주되는 부분. 투티.

총:주행 킬로【總走行—】〔kilo〕명 ①자동차·전동차 등이 제작된 후, 그 때까지 주행한 총(總)킬로 수. ②자동차·전동차 등이 어느 기간 또는 어느 코스를 주행한 총킬로 수. ③영업소·지점 등어떤 지배에 관계되는 자동차·전동차 등의 모든 차가 일정 기간 주행한 총킬로 수.

총죽【叢竹】명 떨기로 난 대.

총죽지-교【葱竹之交】명 파피리를 불고 대말을 타면서 어렸을 때에 같이 놀던 벗의 교분(交分).

총준【聰俊】명 총명하고 준수(俊秀)함. ——-하다 형여불

총중【叢中】명〔초목이 무성한 숲속이라는 뜻에서〕떼를 지은 뭇 사람의 속. ¶만록(萬綠) ~의 홍일점(紅一點).

총중 고골【塚中枯骨】명 무덤 속의 마른 뼈라는 뜻으로, 핏기가 없고 파리하여 뼈만 남은 사람을 이르는 말.

총지[1]【塚地】명 묘지. 분묘. 무덤.

총:지[2]【摠持】명〖불교〗진언(眞言)을 외어서 모든 법(法)을 가진다는 뜻. 다라니(陀羅尼)의 역어(譯語).

총지[3]【聰知·聰智】명 총명하고 지혜(智慧)가 있음. 총철(聰哲). ——-하다 형여불

총지[4]【叢誌】명 여러 가지 일을 모은 기록.

총:-지배인【總支配人】명 경영체(經營體)가 여러 영업소로 구성될 때, 그 전체의 지배인.

총:지-종【摠持宗】명〖불교〗칠종 십이파(七宗十二派)의 하나. 신라 문무왕(文武王) 때 혜통 대사(惠通大師)가 개종(開宗)한 것으로, 뒤에 남산종(南山宗)과 합하여 총남종(摠南宗)이 됨. 천마산(天摩山) 총지사(摠持寺)가 유명하였음. 지념종(持念宗).

총:-지출【總支出】명 전체의 지출. 지출의 총액.

총:-지휘【總指揮】명 전체를 총괄하여 하는 지휘. ¶~관. ——-하다 타여불

총:지휘-관【總指揮官】명 총수(總帥).

총:지휘-자【總指揮者】명 총지휘를 하는 사람.

총진【銃陣】명〖군〗총대(銃隊)로 편성한 군대의 진영.

총:-진격【總進擊】명 전군이 일제히 하는 진격. ——-하다 자여불

총-질【銃—】명 총을 쏘는 것. ——-하다 자여불

총-집[1]【銃—】[—찝] 명 ①총을 넣어 두고 보호하기 위한 주머니나 곽. 주로 가죽으로 만듦. ②소화기(小火器)를 넣어 두는 가죽 또는 즈크로 만든 주머니.

총:집[2]【總執】명 총람(總攬). ——-하다 타여불

총:집[3]【總集】명 중국에서, 몇 사람의 것을 모은 시문집(詩文集). 《문선(文選)》·《문원(文苑)》·《전당시(全唐詩)》·《전당문(全唐文)》·《송문감(宋文鑑)》 등이 유명함. ↔별집(別集).

총집[4]【叢集】명 떼를 지어 모임. 총취(叢聚). ——-하다 자여불

총:-집결【總集結】명 인원 전체의 집결. 총체적인 집결. ¶대원이 ~하다. ——-하다 자타여불

총:-집중【總集中】명 모두 집중함. 총체적(總體的)인 집중. ¶전원이 ~하다. ——-하다 자타여불

총:-집합【總集合】명 인원 전체의 집합. ——-하다 자타여불

총:찰[1]【總察】명 모든 일의 진상을 몰아서 살핌. ——-하다 타여불

총찰[2]【聰察】명 총명하여 사물(事物)의 진실을 잘 꿰뚫어 봄. 명찰(明察). ——-하다 타여불

총:-참모장【總參謀長】명 각 군(各軍) 참모 총장의 전 이름.

총창[1]【銃創】명 총상(銃傷). 사창(射創).

총창[2]【銃槍】명 총과 창.

총창-술【銃槍術】명 총과 창을 다루는 기술.

총-채[1] 명 말총 같은 것으로 만든 먼지떨이. 주미(麈尾).

총채[2]【葱菜】명 파나물.

총채-질 명 총채로 먼지를 떨어 내는 것. ——-하다 자여불

총:책【總責】명 ↗총책임자(總責任者).

총:-책임【總責任】명 총괄적인 책임. ¶~을 지다.

총:책임-자【總責任者】명 총책임을 진 사람. ㊞총책(總責).

총:-천연색【總天然色】명 천연색을 강조하여 이르는 말.

총:천연색 영화【總天然色映畫】[—녕—] 명〖영〗천연색 영화를 강조하여 일컫는 말.

총철【聰哲】[명] 총명하며 사물의 도리를 분명히 앎. 또, 그 모양. 총지(聰智). ——-하다 [형][여불]

총:첩【寵妾】[명] 극진한 사랑을 받는 첩.

총청【葱靑】[명] ①푸릇푸릇한 모양. 창창(蒼蒼). ②파 잎.

총:-청산【總淸算】[명]〖법〗해산(解散)·파산(破産) 또는 한정 상속(限定相續) 따위의 경우, 채무자의 총재산을 가지고 총채권자에게 분배 판제(辦濟)하는 청산. ——-하다 [타][여불]

총:체【總體】[명] 전부(全部).

총:체-적¹【總體的】[명][관] 총체로 된 모양. 총체로 되는 일.

총:-체적²【總體積】[명] 전체의 체적.

총:초【寵招】[명] 남의 초대의 경칭.

총총¹【葱葱】[명] 나무가 배게 들어서서 무성한 모양. ¶모를 ~하게 심다. ——-하다 [형][여불]. ——-히 [부]

총총²【怱怱】[명] ①몹시 급하고 바쁜 모양. ¶~히 떠나다. ②몹시 몰리어 급한 모양. ¶오토(烏兎) ~. ③편지의 맺음말로 난필(亂筆)이 되어 죄송하다는 뜻을 나타내는 말. ——-하다 [형][여불]. ——-히 [부]

총총³【叢叢】[명] 많은 물건이 빽빽이 들어선 모양. ——-하다 [형][여불]. ——-히 [부]

총총⁴ [부] 별이 많고 또렷또렷한 모양. ¶하늘에 별이 ~하다. ——-하다 [형][여불]. ——-히 [부]

총총-거리다 [자] 바쁜 모양으로 발을 구르는 듯이 걷다. ㅗ종종거리다. ㅛ쫑쫑거리다. <충충거리다.

총총-걸음 [명] 발을 자주 떼어 놓으며 급히 걷는 걸음. ㅗ종종걸음.

총총-대다 [자] 총총거리다.

총총-들이【葱葱—】[부] 틈이 없을 만큼 겹겹이 들어선 모양.

총총망망-히【怱怱忙忙—】[부] 몹시 바쁘게. ¶하루 바삐 너를 보려고 ~ 오는 것이 네가 마침내 저 모양 되는 것을 보는구나≪崔瓚植 : 능라도≫.

총총-하다 [형] 〈방〉 촘촘하다.

총좌【叢脞】[명] 총좌(叢脞). ——-하다 [형][여불]

총:출【總出】[명] 전부가 모두 나옴. ——-하다 [자][여불]

총:-출동【總出動】[—똥] [명] 전원의 출동. ——-하다 [자][여불]

총:-출연【總出演】[명] 거기 속해 있는 전원(全員)이 다 나와서 출연함. ¶인기 배우가 ~하다. ——-하다 [자][여불]

총취¹【葱翠】[명] 푸른 빛.

총취²【叢聚】[명] 총집(叢集). ——-하다 [자][여불]

총취-청【葱翠靑】[명]〖공〗균요(均窯)의 동정색 회유(銅呈色灰釉)가 산화염(酸化塩)으로 말미암아 푸르게 된 빛깔. 앵가록(鸚哥綠).

총-치¹【銃—】[명] 〈방〉 불치.

총:치²【總治】[명] 전부를 다스림. ——-하다 [타][여불]

총:칙【總則】[명] 전체에 공통된 법칙. ¶민법 ~.

총:칭【總稱】[명] 전부를 총괄하여 일컬음. 또, 그 명칭. 총명(總名). 통틀어일컬음. 범칭(泛稱). *통칭(通稱). ——-하다 [타][여불]

총카파〔宗喀巴〕[명]〖사람〗라마교 황모파(黃帽派)의 개조(開祖). 중국 칭하이 성(靑海省) 아므드 지방 총카 부락에서 출생. 스승을 찾아 중앙 티베트에 나가, 현교(顯敎)와 밀교(密敎)를 연구하여, 엄격한 계율 위에 현교·밀교를 합한 새 교를 창건하고 종교 개혁 운동을 일으킴. 그가 1409년 라사에 창설한 몬람회(會)는 석가의 재세 시대의 행사를 본뜬 것으로 지금껏 티베트의 국가적 제일(祭日)임. ≪람림첸모(菩提道次第論)≫·≪카림첸모(祕密次第論)≫의 명저 외에 약 300부의 저서가 있음. [1357-1419]

총-칼【銃—】[명] ①총과 칼. ②무력(武力).

총탄【銃彈】[명] 총알. ¶~에 쓰러지다.

총탕【葱湯】[명] ①팟국. ②파를 넣고 끓인 장국. 파장국.

총:토【冢土】[명]〖역〗'사직(社稷)❷'의 별칭.

총:-톤【總—】〔ton〕[명] 총 톤수.

총:-톤수【總—數】[명] ①〔gross tonnage〕배의 용적(容積), 곧 크기를 나타내는 톤수. 배의 내부의 전체 용적을 100 ft³, 곧 2.83 m³=1톤의 단위로 나타낸 것. 배의 크기를 비교하거나 해운력(海運力) 비교에 쓰이는 외에, 세금·수수료 등을 정하는 표준이 됨. 여객선이나 어선(漁船) 등은 이 톤수로 나타냄. ②톤수의 합계. ③한 나라의 상선(商船) 등의 톤수의 총계. 총돈수(總噸數).

총통¹【銃筒】[명]〖역〗화기(火器)의 총칭. 화전(火箭)·화통(火熥)·화포(火砲) 등을 말함.

총:통²【總統】[명] ①총괄하여 다스림. 또, 그 관직. ②중국 국민당 정부의 최고 관직. ¶장(蔣)~. ③〔도 Führer und Reichskanzler〕〖역〗나치스 독일의 최고 관직. 대통령과 수상(首相)의 권한을 합친 것보다 훨씬 광범한 권한을 가졌음. ——-하다 [타][여불]

총통 완구【銃筒碗口】[명]〖역〗조선 세종 때에 개발된 총통에다가 돌을 넣고 발사하는 완구. 총통의 앞에 그릇 모양의 사발이 달려 있음.

총통-위【銃筒衛】[명]〖역〗조선 세종(世宗) 때, 총통(銃筒)을 쏘는 방사군(放射軍)만으로 조직(組織)한 군대. 100명을 1대(隊)로 조직하여 병조 군기감(軍器監)에 소속시키어, 화포(火砲)의 훈련과 시위(侍衛)를 맡아보게 하였음. 4대 세종 27년(1445)에 설치하여 7대 세조(世祖) 3년(1457)에 없앴음.

총:-통화【總通貨】[명]〖경〗통화량(通貨量)과 준통화(準通貨)를 합친, 총체적인 통화(通貨)의 일컬음.

총:-퇴각【總退却】[명] 전군(全軍)이 한꺼번에 하는 퇴각. ¶~ 명령이 내리다. ——-하다 [자][여불]

총:-퇴장【總退場】[명] 전원이 한꺼번에 하는 퇴장. ——-하다 [자][여불]

총:-파업【總罷業】[명] 총동맹 파업. ¶노조원(勞組員)들이 ~을 단행하다. ——-하다 [자][여불]

총:-파탄【總破綻】[명] 전체가 파탄함. ——-하다 [자][여불]

총:판¹【總販】[명] ↗총판매(總販賣). ——-하다 [타][여불]

총:판²【總辦】[명]〖역〗①대한 제국 때 전환국(典圜局)의 으뜸 벼슬. 뒤에 관리(管理)로 고침. ②기기국(機器局)의 으뜸 벼슬. ③통신원(通信院)·친왕부(親王府)의 으뜸 벼슬.

총:-판매【總販賣】[명] 어떤 상품을 도거리로 도맡아 팖. [준]총판. *전매(專賣). ——-하다 [타][여불]

총:평¹【總坪】[명] 총체적인 건평 또는 평수.

총:평²【總評】[명] 총체적인 평가나 평정(評定). ——-하다 [타][여불]

총:평균-법【總平均法】[—뻡] [명]〖경〗평균 원가법(平均原價法)의 한 방법. 일정 기간 중의 재고 자산의 취득 원가의 합계를 총수량으로 나누어 평균치를 구함. *단순 평균법.

총:폐【寵嬖】[명] 마음에 들어 미친한 신하나 여자를 사랑함. 또, 그 신하나 여자. ——-하다 [타][여불]

총포¹【銃砲】[명] ①총. ②총과 대포. 포총(砲銃). 화기(火器).

총:포²【總苞】[명]〖식〗국화과(科)의 두상 화서(頭狀花序)와 미나릿과(科) 식물의 산형 화서(繖形花序)에서 볼 수 있는 포(苞)의 한 가지. 화서 전체의 기부(基部)를 싸고 있음.

총포 도검 화:약류 단속법【銃砲刀劍火藥類團束法】[—뉴—] [명]〖법〗총포·도검·화약류의 제조·거래·소지(所持)·사용 및 기타 취급을 규정하여 위험과 재해를 미연에 방지할 목적으로 제정된 법률.

총포-상【銃砲商】[명] 총포를 파는 장사. 또, 그 장수.

총포-탄【銃砲彈】[명] 총포의 탄환.

총:학【總學】[명] ↗총학생회(總學生會).

총:-학생회【總學生會】[명] 한 학교 안의 학생 단체들을 통틀어서 지휘하는 학생회.

총:할【總轄】[명] 총람(總攬). ¶사무를 ~하다. ——-하다 [타][여불]

총:합【總合】[명] 전부를 합함. ——-하다 [타][여불]

총:-합계【總合計】[명] 전체의 합계. ——-하다 [타][여불]

총:행【寵幸】[명] 특별한 총애(寵愛). ——-하다 [타][여불]

총형¹【葱珩】[명] 녹색(綠色)의 패옥(佩玉).

총형²【銃刑】[명] ↗총살형(銃殺刑).

총:형 연:마기【總型硏磨機】[명]〖기〗연마기의 하나. 폭이 넓고 둥근 숫돌을 써서 그 전면(全面)으로 가는 기계. 특히, 자동차·항공기 등의 소형 기관의 크랭크축(crank 軸)의 마지막 손질에 적당함.

총혜【聰慧】[명] 총명하고 슬기로움. ——-하다 [형][여불]

총호¹【塚戶】[명] 묘(墓)지기. 「——-하다 [자]

총:호²【摠護】[명] 호상 차지(護喪次知)로서 장사를 총리함. 또, 그 사람.

총:호-사【總護使】[명]〖역〗국휼(國恤)의 초종(初終)에 관한 모든 의식을 총리하던 임시 벼슬.

총화¹【葱花】[명]〖식〗파꽃.

총화²【銃火】[명] 총을 쏠 때에 총부리에서 번쩍이는 불. 또, 총질. 총탄. 철화(鐵火).

총:화³【總和】[명] ①전체를 합하여 모은 수. 총계(總計). ②전체의 화합. ¶국민 ~ 단결.

총화⁴【叢話】[명] 여러 가지 화제와 설화(說話)를 모은 것.

총화 교환【銃火交換】[명] 서로 맞서서 총질로 싸움. ——-하다 [자][여불]

총-화향적【葱花香炙】[명] 파누름적.

총환¹【銃丸】[명] 총알.

총:환²【寵宦】[명]〖역〗환관(宦官).

총:회¹【總會】[명] ①전체 인원의 회합. ¶~를 열다. ②〖법〗사단 법인의 전체 구성원에 의하여 조직되며, 종합적 의사를 결정하는 최고 의결 기관. 사원 총회 같은 것. ¶주주(株主) ~.

총:회²【總匯】[명] 한 그릇에 죄다 담음. ——-하다 [타][여불]

총:회-꾼【總會—】[명] 소수의 주(株)를 가지고 주주 총회에 출석하여 말썽을 부리거나, 금품 등을 받고 의사 진행에 협력 또는 방해하는 것을 업으로 삼는 사람.

총:획【總畫】[명] 한자(漢字)의 한 글자의 모든 획수(畫數).

총:획 색인【總畫索引】[명] 한자 사전(漢字辭典) 등에서, 한자를 획수 차례로 벌여 놓은 찾아보기.

총:후【寵厚】[명] ①후하게 대우(待遇)함. ②특별(特別)히 총애(寵愛)함. ——-하다 [타][여불]

총:-휴부【總休符】[명]〖악〗'게네랄파우제'의 구용어.

총:-휴업【總休業】[명] 전체가 하는 휴업. ——-하다 [자][여불]

총:희【寵姬】[—히] [명] 총애를 받는 여자. *행희(幸姬).

총:-히【總—】[—이] [부] 전부. 온통 한데 몰아서. ¶쓴 돈이 ~ 얼마냐.

총ᄒᆞ다 [형] 〈옛〉 총명하다. ¶총혼 사룸(有記性的)≪同文 上 13≫.

총이몰【驄—】[명] 〈옛〉 총이말. ¶이 총이몰이 나히 언머고(這箇靑馬多少些歲)≪老乞 下 7≫.

좌기【挫氣】[명] 좌기(挫氣). ——-하다 [자][여불]

좌돈【挫頓】[명] 좌절(挫折). ——-하다 [자][여불]

좌두【莝豆】[명] 좌두(莝豆).

좌상【挫傷】[명] 좌상(挫傷). ——-하다 [자][여불]

좌섬【挫閃】[명]〖한의〗좌섬(挫閃).

좌섬 요통【挫閃腰痛】[—뇨—] [명]〖한의〗좌섬 요통(挫閃腰痛).

좌절【挫折】[명] 좌절(挫折). ——-하다 [자][여불]

좌창【挫創】[명] 좌창(挫創).

촬관【撮管】[명] 서도(書道)에서 붓을 쥐는 법의 하나. 붓대의 끝을 다섯 손가락으로 집듯이 하여 씀.

촬구-증【撮口症】[—쯩] [명]〖한의〗삼칠일(三七日) 안에 젖먹이에게 생기는 병. 얼굴이 황적색(黃赤色)으로 변하고 숨이 가쁘며 목이 쉬었다가 나중에는 혀가 굳고 입술이 푸르러지며 오그라짐.

촬상-관【撮像管】[-쌍-] 명〖물〗텔레비전 송상(送像) 장면을 일정한 텔레비전 방식에 적응하는 전기적 화상(電氣的畫像) 신호로 변환하는 기능을 가진 전자관(電子管)의 총칭.

촬영【撮影】명 대상물을 사진이나 영화로 찍음. ¶영화 ~/공중 사진 ~. ——-하다 타여불

촬영-가【撮影家】명 영화 따위의 촬영을 전문으로 하는 사람.

촬영 감독【撮影監督】명〖연〗영화의 제작에 있어서 촬영 기술 부문을 지도하고, 그 일체의 책임을 지는 촬영 기사.

촬영-기【撮影機】명 사진이나 영화를 촬영하는 기계.

촬영 기사【撮影技師】명 사진이나 영화를 찍는 기술자. 카메라맨.

촬영-대【撮影臺】명 촬영기를 설치하는 대.

촬영 대본【撮影臺本】명 콘티뉴이티(continuity).

촬영-소【撮影所】명 영화의 촬영·제작에 필요한 여러 가지 설비를 갖춘 곳. 스튜디오.

촬영-실【撮影室】명 영화·사진 따위를 촬영하기 위한 시설을 한 방.

촬영-장【撮影場】명 영화·사진 따위를 촬영하는 곳. ¶옛 궁전을 재현한 야외 ~.

촬영-점【撮影點】[-쩜] 명〔camera station〕공중(空中) 사진을 촬영할 때, 노출(露出) 순간에 카메라 렌즈가 점(占)하는 공간의 점.

촬영-차【撮影車】명 이동하면서 찍을 수 있도록 촬영기를 장치한 차.

촬요【撮要】명 요점(要點)을 추림. 또, 요점을 추리어 적은 문서(文書). ——-하다 타여불

촬이【蕞爾】명 아주 작음. ——-하다 형여불

촬토【撮土】명 한 줌의 흙.

촬피【箚皮】명 무두질을 하여 가죽을 다룸. ——-하다 자여불

최[1] 명 최활의 두 쪽에 박는 끝이 뾰족한 쇠촉.

최[2] 명〈옛〉봉대(綳帶). 끈. ¶최 봉(綳)≪字會 中 17≫.

최[3]【崔】명 성(姓)의 하나. 현재 우리 나라에는 경주(慶州)·해주(海州), 전주(全州)·동주(東州) 등 23개의 본관이 있음.

최:-【最】투 '가장'의 뜻을 나타내는 말. ¶~상급/~첨단.

최:강【最強】명 가장 셈. ¶~ 팀.

최:-경례【最敬禮】[-녜] 명 가장 존경하는 뜻으로 정중(鄭重)히 하는 경례. ——-하다 자여불

최경-제【催經劑】명〖약〗월경이 빨리 오도록 하는 약. 흔히, 식물성의 하제(下劑)나 호르몬제를 씀.

최-경(:)창【崔慶昌】명〖사람〗조선 시대 중기의 시인. 자는 가운(嘉雲), 호는 고죽(孤竹). 해주(海州) 사람. 인품이 호매(豪邁)하고 학문에 뛰어나 이이(李珥) 등과 더불어 문장이라 일컬어졌으며, 선조 때 종성 부사(鐘城府使)를 지냈음. [1539-83]

최:고[1]【最古】명 가장 오래 됨. ↔최신(最新).

최:고[2]【最高】명 가장 높음. 제일임. 무상상(無上上). ¶~ 가격/그의 인기가 ~다. ↔최저(最低).

최고[3]【催告】명 ①재촉하는 뜻으로 내는 통지. ¶대금(貸金) 반제의 ~를 받다. ②〖법〗상대방(相對方)에게 대하여 일정한 행위를 청구(請求)하는 일. 그 중요한 것은 의무자에 대한 의무 이행(義務履行)의 최고 및 권리자에 대한 권리의 행사(行使) 또는 신고(申告)의 최고가 있음. ¶~장(狀). ——-하다 타여불

최:고-가【最高價】[-까] 명 가장 비싼 값. ↔최저가.

최:고 가격법【最高價格法】명〖경〗원가 계산(原價計算)에서, 소비 재료의 계산 가격을 그 당시 보관품의 매입 원가 중 최고 단가의 것으로써 계산하는 일. 불황(不況) 때에는 고가(高價)인 재료의 보관을 꾀하고자 하는 경우에 쓰임.

최:고가 경:매인【最高價競買人】[-까-] 명 경매 신청인 가운데서 최고의 경매 가격을 신청한 사람. 이 사람이 경락인(競落人)이 됨.

최:고가 입찰인【最高價入札人】[-까-] 명 입찰 절차(入札節次)에서, 최고의 가격으로 입찰한 사람. 최고 입찰자가 두 사람 이상이면 집달관은 이들로 하여금 추가 입찰을 시켜서 최고 입찰자를 정함.

최:고 공인수【最高公因數】[-쑤] 명〖수〗최대 공약수.

최:고 공정 가격【最高公定價格】[-까-] 명〖경〗상품 공급이 부족하거나 또는 가격 형성(價格形成)이 불확정(不確定)하여 가격이 폭등할 경우에 국가가 소비자 보호를 위하여 특정한 상품에 대하여 결정한 최고한(最高限)의 가격.

최:고-권【最高權】[-꿘] 명〖법〗주권(主權)·통치권(統治權)과 같은 가장 높은 권리.

최:-고급【最高級】명 가장 고급임. ¶~품/~ 승용차.

최:고 기관【最高機關】명 가장 높은 권력을 가진 기관.

최:고 기록【最高記錄】명 일찌기 보지 못하였던 가장 높은 기록. ↔최저 기록(最低記錄).

최:고 납후【摧枯拉朽】명 마른 나무와 썩은 나무를 꺾듯이 쉽사리 상대방을 굴복시킴을 일컫는 말. ——-하다 타여불

최:-고도【最高度】명 가장 높은 도수. 가장 높은 단계.

최:고 득점【最高得點】명 가장 높은 점수를 얻음. 또, 그 점수.

최:-고등【最高等】명 가장 높은 등급. ↔최하등(最下等).

최:고-류【最高類】명〖철〗이미 다른 개념의 종개념(種概念)으로 될 수 없는 개념. 최상류(最上類).

최:고 발행법【最高發行法】[-뻡] 명 최고 발행액 제한 제도.

최:고 발행액 제:한 제:도【最高發行額制限制度】명〔maximum limit system〕〖경〗발권(發券) 제도의 하나. 은행권의 최고 발행액을 한정할 뿐, 정화(正貨)·어음·유가 증권·지금·지은(地銀) 등 보증 물건, 곧 발행 준비의 내용·비용을 은행의 재량(裁量)에 맡기는 제도. 최고 발행법. 최대 발행법. *비례 준비 제도·보증 준비 굴신 제한 제도(保證準備屈伸制限制度).

최:고 법규【最高法規】명 근대 국가의 국법(國法) 체계의 최고 단계로서의 법. 곧, 헌법(憲法).

최:고 법원【最高法院】명 행정권과 입법권에 대립하는 사법권의 최고 기관. 우리 나라에서는 대법원.

최:고-봉【最高峰】명 ①여러 산 가운데 가장 높은 봉우리. 주봉(主峰). ②한 가지 분야 중에서 가장 뛰어난 사람이나 물건. ¶문단의 ~.

최:고-선【最高善】명〖윤〗〔라 summum bonum〕인간 생활의 최고 이상. 선악을 판단하기 위한 궁극 표준으로서의 최고 목적. 지선(至善). 지고선(至高善).

최:고 소:유권【最高所有權】[-꿘] 명〖법〗가장 높은 소유권. 곧, 영토권(領土權)의 이름.

최:고-신【最高神】명 지상(至上)의 신(神). 지상신(至上神).

최:고-액【最高額】명 가장 높은 금액.

최:고 온도계【最高溫度計】명〔maximum thermometer〕일정한 시간 내의 최고 온도를 가리키는 온도계. 구부(球部)와 관부(管部)의 연락구(連絡口)를 좁게 한 수은 온도계로 온도가 내려가도 그대로 최고 온도를 가리킴. 체온계도 일종의 최고 온도계임. 최고 한란계. ↔최저 온도계(最低溫度計).

최고운-전【崔孤雲傳】명〖책〗작자 미상의 구소설. 신라말의 한문학자(漢文學者) 고운(孤雲) 최치원(崔致遠)을 주인공으로 하여 그로 하여금 초인적(超人的)인 신통력(神通力)을 발휘케 하여, 중국 민족에 대한 우리 민족의 우월성(優越性)을 표현하고 나아가 민족의 자주성(自主性)을 내세운 작품임. 한문본(漢文本)과 국문본(國文本)이 있음. *최문헌전(崔文獻傳).

최:-고위【最高位】명 가장 높은 지위 또는 부위(部位).

최고의 항:변권【催告-抗辯權】[-꿘/-에-꿘] 명〖법〗채권자가 본래의 채무자를 두고, 직접 보증인에 대하여 채무의 이행을 청구할 경우, 보증인이 '먼저 주(主)된 채무자에게 이행을 청구하라'고 하여 그 이행을 거절할 수 있는 권리. 주된 채무자가 파산하였거나 행방 불명이 된 경우는 이 권리를 주장할 수 없음.

최:고-점【最高點】[-쩜] 명 가장 높은 점수. 가장 높은 지점.

최:-고조【最高潮】명 사물이 극(極)에 달했음을 일컫는 말. 또, 그 시기. 클라이맥스.

최:고 최:저 세:율주의【最高最低稅率主義】[-/-이] 명〖경〗어떠한 보호를 필요로 하는 상품에 최고·최저의 세율을 정하는 주의. 후자는 조약국 또는 최혜국(最惠國)의 취급을 부여한 나라에 적용하고, 전자는 다른 나라에 적용함.

최:고 최:저 온도계【最高最低溫度計】명〔maximum and minimum thermometer〕〖물〗일정한 시간 내의 최고 및 최저 온도를 나타내도록 장치한 온도계. 최고 최저 한란계.

최:고 최:저 한란계【最高最低寒暖計】[-할-] 명 최고 최저 온도계.

최:고-품【最高品】명 가장 좋은 물품(物品). ↔최하품(最下品).

최:고 학부【最高學府】명〖교〗가장 정도가 높은 학교. 대학이나 대학원(大學院)의 일컬음. ¶~를 나오다.

최:고 한란계【最高寒暖計】[-할-] 명〖물〗최고 온도계.

〈최고 최저 온도계〉

최:고-형【最高刑】명 가장 중한 형벌.

최곤-악【催袞樂】명〖악〗정재(呈才) 때에 아뢰는 풍류의 이름.

최공-기【崔公器】명〖역〗중국 명(明)나라 가정(嘉靖)·융경(隆慶) 사이에 징더전(景德鎭)에서 최씨(崔氏)가 구워 낸 그릇.

최과【催科】명 조세(租稅)를 상납할 때가 가깝게 닥쳐 옴.

최괄-이 명〖민〗은율(殷栗) 탈춤에서 양반 마당·노승(老僧) 마당에 나오는 인물의 하나. 또, 그가 쓰는 나무탈. 왼쪽은 푸르고, 오른쪽은 붉은 더그레를 입고 춤을 춤. 취발이.

최-광옥【崔光玉】명〖사람〗조선 시대 말엽의 문법학자. 융희(隆熙) 2년(1908)에 ≪대한 문전(大韓文典)≫을 발간함. [1879-1911]

최-광유【崔匡裕】명〖사람〗신라 말기의 문인. 중국 당(唐)나라에 유학하고 시로 이름이 있었으며, 신라 십현(十賢)의 한 사람으로 꼽힘. ≪동문선(東文選)≫에 칠언 율시(七言律詩) 10수가 전함. 생몰년 미상.

최:구【最久】명 가장 오래 됨.

최:귀【最貴】명 가장 귀함. ——-하다 형여불

최:-귀인【最貴人】명 가장 귀한 사람.

최-규동【崔奎東】명〖사람〗교육가. 경북 성주(星州) 출생. 1918년 중동 학교(中東學校)를 설립, 교장에 취임하고 1947년 조선 전기 공업중학교를 설립, 그 후 서울시 교육회장을 거쳐 1949년에 제3대 서울 대학교 총장에 취임, 6.25 동란 때 납북되어 사망하였음. [1881-1950]

최-균【崔均】명〖사람〗조선 선조(宣祖) 때의 의병장. 자는 여평(汝平), 호는 소호(蘇湖). 전주(全州) 사람. 임진 왜란 때 의병을 일으켜 풍운장(風雲將)이라 자칭, 고성(固城) 등지에서 전공을 세우고, 정유 재란(丁酉再亂)과 이괄(李适)의 난에도 공을 세웠음. 생몰년 미상.

최:근【最近】명 ①장소나 위치가 가장 가까움. ¶연락병은 ~ 부대로 달려갔다. ②얼마 아니 되는 지나간 날. ¶~에 일어났던 일.

최:-근세【最近世】명 최근의 시대.

최:-근친【最近親】명 가장 가까운 일가. 부자나 부부간을 말함.

최금 명〈방〉풀잎피리.

최:급【最急】명 가장 급함. 가장 빠름. ——-하다 형여불

최:-급무【最急務】명 가장 급한 일.

최:기【最嗜】명 가장 즐겨서 좋아함. ——-하다 타여불

최:긴【最緊】명 가장 중요하고 긴함. ——-하다 형여불

최:-남단【最南端】명 가장 남쪽의 끝. ↔최북단(最北端).

최-남선【崔南善】명〖사람〗사학가·문학자. 호는 육당(六堂). 서울 출생. 일본 와세다(早稻田) 대학 고등 사범부(高等師範部) 지리 역사과(地理歷史科)를 수학함. 신문학 운동의 선구자로, 잡지 '소년'·'샛별'·'청춘(靑春)' 등을 간행하여 우리 나라 신문학의 터전을 닦았으며, 우리 나라 최초의 신시(新詩)인 ≪해(海)에게서 소년(小年)에게≫를 발표하였음. 또, 조선 광문회(朝鮮光文會)를 설립하여 우리의 고전(古典)을 중간(重刊)하였음. 삼일 운동 때의 독립 선언문의 기초(起草) 책임자로 투옥되었다가 출옥 후, 주로 국사 연구에 열중함. 일제 말기에 만주국 건국 대학(建國大學) 교수가 되어, 해방 후 반민족 행위자 처단법(反民族行爲者處斷法)에 의해 복역하였음. 저서에 시조집 ≪백팔 번뇌(百八煩惱)≫, 사서(史書)≪조선 역사≫·≪고사통(故事通)≫ 등이 있고, ≪시조 유취(時調類聚)≫를 편찬함. [1890-1957]

최:눌【最訥】명〖사람〗조선 후기의 고승(高僧). 자(字)는 이식(耳食), 호는 묵암(默庵), 속성은 박씨(朴氏). 흥양현(興陽縣) 장사촌(長沙村) 곧 지금의 전라 남도 고흥군(高興郡) 출신. 선교(禪敎) 양문(兩門)을 연구하여 통달하였음. ≪화엄경(華嚴經)≫의 대의(大意)를 총괄하여 ≪화엄 품목(華嚴品目)≫을 만들고, 사교(四敎)의 행상(行相)을 모아 ≪제경 문답 반착 회요(諸經問答盤着會要)≫를 지었음. [1717-90]

최:다【最多】명 가장 많음. ¶ ~ 득점. ↔최소(最少). ——-하다 형여불

최:-다수【最多數】명 가장 많은 수효.

최:단【最短】명 가장 짧음. ↔최장(最長). ——-하다 형여불

최:단 거:리【最短距離】명 ①가장 짧은 거리. ↔최장 거리. ②〖수〗두 점 사이의 직선.

최:대【最大】명 가장 큼. ¶ ~ 다수의 ~ 행복/~의 관심사. ↔최소(最小). ——-하다 형여불

최:대 공약수【最大公約數】명〔greatest common measure〕〖수〗공약수 중에서 절대치(絶對値)가 가장 큰 수. 최고 공인수(最高公因數). 약칭: 지 시 엠(G.C.M.). ↔최소 공배수.

최:대 극한【最大極限】명 상극한(上極限). ↔최소 극한.

최:대-급【最大級】[—끕] 명 가장 큰 등급.

최:대 다수의 최:대 행:복【最大多數—最大幸福】[—/—에—] 명〔the greatest happiness of the greatest number〕영국(英國)의 사상가 벤담(Bentham)의 용어로, 공리주의 윤리설(倫理說)이 주장하는 도덕적 행위의 가치 기준(基準). 많은 사람들에게 최대의 행복을 주는 행위를 선(善)이라 함. *공리주의.

최:대-량【最大量】명 가장 많은 양.

최:대 마찰력【最大摩擦力】명〔maximum frictional force〕〖물〗정지(靜止)한 물체를 옆에서 밀어, 미는 힘의 정도에 의하여 물체가 움직이기 시작하는 순간, 그 극한(極限)의 마찰력. 접촉면(接觸面)에 수직한 전압력(全壓力)에 비례하고, 접촉 면적에는 관계하지 아니함.

최:대 발행법【最大發行法】[—뻡] 명 최고 발행법.

최:대 봉:사의 원칙【最大奉仕—原則】[—/—에—] 명 협동 조합 원칙의 하나. 일정한 단체가 그 사업에 있어서 특정한 조합원이나 회원만의 이익을 목적으로 하는 것이 아니고 구성원 전체를 위하여 차별 없이 최대의 봉사를 한다는 원칙.

최:대 빈수【最大頻數】명〖수〗'모드(mode)❷'의 구용어.

최:대 사거리【最大射距離】명〖군〗최대 사정(最大射程). ↔유효(有效) 사거리.

최:대 사정【最大射程】명〖군〗총기(銃器)의 탄환이나 발사(發射) 병기의 비상체가 도달할 수 있는 최대한의 거리. 최대 사거리. 탄착 거리. *유효 사정.

최:대 산소 부:채【最大酸素負債】명 무산소(無酸素) 상태에서 달릴 수 있는 한도. 하이스피드로 달릴 때, 호흡에서 얻는 산소로는 부족하여 일시적으로 무산소 상태로 달려 골에 들어온 뒤에 필요한 산소를 호흡함. 이 무산소 상태에 견딜 수 있는 최대량은 훈련이나 근육량·폐활량 등에 의하여 차이가 있으며, 스피드의 바로미터로서 중요시됨.

최:대 속력【最大速力】[—녁] 명 가장 빠른 속력.

최:대 순간 풍속【最大瞬間風速】명〖기〗어떤 기간에 있어서의 순간 풍속의 최대값. 보통, 최대 풍속의 1.5배 정도임.

최:대 압력【最大壓力】[—녁] 명 ①가장 큰 압력. ②〖물〗포화 증기압(飽和蒸氣壓).

최:대 이각【最大離角】명〔greatest elongation〕〖천〗①지구에서 보아 내행성(內行星)이 태양에서 동쪽 또는 서쪽으로 가장 멀어졌을 때 또는 그 각거리(角距離). ②주극성(周極星)이 자오선(子午線)에 대하여 방위각(方位角)의 치우침이 가장 큰 때. *동방 최대 이각.

최:대 작업역【最大作業域】[—녁] 명〔maximum working area〕〖경〗작업자가 정상적인 작업 자세(姿勢)에서 쉽게 손이 닿을 수 있는 동작역(動作域)의 최대 부분.

최:대 장력【最大張力】[—녁] 명〖물〗포화 증기압(飽和蒸氣壓).

최대 정지 마찰각【最大靜止摩擦角】명 물체를 실은 평면을 점점 기울여 물체가 미끄러지기 시작할 때 사면과 수평면이 이루는 각도.

최:대 증기압【最大蒸氣壓】명〔maximum vapor pressure〕〖물〗포화 증기압.

최:대 출력【最大出力】명 원동기(原動機)의 최대한의 운전 상태에서 얻어지는 출력.

최:대-치【最大値】명 ①최대의 값. ②〖수〗'최댓값'의 구용어.

최:대-한【最大限】명부 최대 한도. ↔최소한(最小限).

최:대 한:도【最大限度】명부 가장 큰 한도. 최대한. ↔최소 한도.

최:대 허용 농도【最大許容濃度】명〔maximum permissible concentration; MPC〕〖의〗사람의 건강상 그다지 위험하다고는 생각되지 않는, 대기(大氣)·물·음식물(飮食物) 속에 있는 방사성 물질(放射性物質)의 단위 체적당(單位體積當)의 최대량.

최:대 허용 선량【最大許容線量】[—설—] 명〔maximum permissible dose; MPD〕〖의〗사람이 평생 동안 두드러지게 신체 장애를 일으키는 일없이 수용 가능(受容可能)한 전리 방사선량(電離放射線量).

최:대 호흡 용량【最大呼吸容量】[—뇽냥] 명 사람이 단위(單位) 시간에 의식적으로 행하는 공기의 최대 호흡량.

최:댓-값【最大—】[—깝] 명〖수〗실수(實數) 값을 취하는 함수(函數)가 그 정의역(定義域) 안에서 취하는 최대의 값. 최대치(最大値).

최-독견【崔獨鵑】명〖사람〗소설가·언론인. 본명은 상덕(象德). 중국 상하이의 혜령(惠靈) 전문 학원 졸업. 중외 일보(中外日報) 학예부장, 해방 후에 서울 신문 편집국장 등을 역임(歷任)함. 단편 ≪유모(乳母)≫·≪바보의 진노(震怒)≫, 중편 ≪승방 비곡(僧房悲曲)≫으로 알려짐. [1898-1970]

최-두선【崔斗善】명〖사람〗언론인·정치가. 1917년 일본 와세다 대학(早稻田大學) 철학과 졸업, 22년 독일 예나 대학·베를린 대학에서 철학을 연구함. 1919년 중앙 중학 교장, 47년 동아 일보 사장, 60-72년 대한 적십자사 총재, 63-64년 국무총리를 역임함. [1894-1974]

최뚝 명〈방〉밭두둑.

최:락-당【最樂堂】명〖사람〗남효온(南孝溫)의 호(號).

최:량【最良】명 가장 좋음. ——-하다 형여불

최:량-품【最良品】명 가장 좋은 물품.

최루【催淚】명 눈물을 나오게 함.

최루 가스【催淚—】〔gas〕명〖화〗독가스의 하나. 누선(淚腺)을 자극해서 눈물이 나오도록 하는 가스. 염화 피크린(塩化 pikrin) 따위. 클로로아세토페논(chloroacetophenone)은 일시성(一時性)으로 각국 경찰에서 많이 씀. 눈물 가스.

최루-성【催淚性】[—썽] 명 눈물을 흘리게 하는 성질.

최루-제【催淚劑】명 눈물을 흘리게 하는 약제.

최루-탄【催淚彈】명 최루 가스를 넣은 탄환(彈丸). 권총탄이나 폭탄 등이 있음.

최루 피스톨【催淚—】〔pistol〕명 최루탄을 발사하는 피스톨.

최-린【崔麟】명〖사람〗독립 운동가. 삼일 운동 때 민족 대표 33인의 한 사람. 호는 고우(古友). 함흥 출신. 독립 선언서에 서명, 3년 복역 후 천도교(天道敎) 교세 확장에 힘써 도령(道領)·대도정(大道正)·장로(長老)를 역임하였으나, 뒤에 친일파(親日派)로 돌아 매일 신보(每日申報) 사장을 지냈음. 6.25동란 때 납북됨. [1878-?]

최-립【崔岦】명〖사람〗조선 선조 때의 학자. 자(字)는 입지(立之), 호는 동고(東皐). 개성(開城) 사람. 승문원 제조(承文院提調)를 지냄. 문학과 사학에 달식하여, 당시의 자문(咨文)과 주청(奏請)에 대한 글은 거의 그의 손으로 되었음. [1539-1612]

최마【衰麻】명 최복(衰服)인 베옷.

최:만【最晩】명 가장 늦음. ——-하다 형여불

최-만(:)리【崔萬理】[—말—] 명〖사람〗조선 세종 때의 학자. 자는 자명(子明). 세종 때에 집현전 부제학(副提學)으로 훈민 정음 창제에 대하여 여섯 가지 이유를 들어 반대 상소를 올렸음. 생몰년 미상.

최:말【最末】명 맨 끝. 최미(最尾).

최면【催眠】명 ①잠이 오게 함. 잠을 재촉함. ②인위적으로 유치(誘致)된 일종의 수면 상태. 생리학상으로는 높여진 피암시성(被暗示性)의 존재라는 특징에 의하여 수면(睡眠)과는 구별되며, 그 작용의 결과로서, 정상 상태(正常狀態)에 있어서 보다 쉽게 어떠한 감각·운동·기억 상에 이상(異常)이 유발됨.

최면 분석【催眠分析】명〖심〗환자를 최면 상태로 유도하여서 실시하는 정신 분석.

최면-술【催眠術】명 최면 상태를 일으키는 방법. 응시법(凝視法)·언어 암시법(言語暗示法)·단조음 경청법(單調音傾聽法) 등이 있음. 정신 요법의 하나인 최면 치료법으로서 중요한 의의를 가짐.

최면-약【催眠藥】[—냑] 명〖약〗최면제.

최면 요법【催眠療法】[—뇨뻡] 명〖의〗최면으로 환자의 병을 고치는 일종의 정신 요법.

최면-제【催眠劑】명 대뇌 피질(大腦皮質)의 감수성(感受性)을 감퇴시켜서 최면 상태에 빠지게 하는 데 쓰는 약제. 베로날·칼모틴 등. 최면약(催眠藥). 수면제.

최-명길【崔鳴吉】명〖사람〗조선 인조(仁祖) 때의 정치가. 자는 자겸(子謙), 호는 지천(遲川). 병자 호란 때에 남한산성에서 항서(降書)를 써서 청나라에 항복하고, 평화의 길을 열었음. 인조 15년에 우의정, 그 후 영의정을 지냄. 시호는 문충(文忠). 저서에 ≪경서기의(經書記疑)≫ 등이 있음. [1586-1647]

최-명익【崔明翊】명〖사람〗소설가. 평양 출생. 호는 송방(松坊). 평양 고등 보통 학교 수학. 1936년 '조광(朝光)' 잡지에 단편 ≪비 오는 날≫을 발표하여 문단에 등장, 30년대 지식인(知識人)의 무기력과 절망감·소외 의식을 형상화하려 했음. 창작집 ≪장삼 이사(張三李四)≫가 있음. [1903-?]

최-무선【崔茂宣】명〖사람〗고려 말의 장군. 지문하부사(知門下府事)를 지냄. 원나라 사람으로부터 화약 제조법을 배워 화약을 만드는 동시에 화통(火煽)·화포(火砲) 등을 제조하였으며, 이를 이용하여 진포(鎭浦)에 침입한 왜구(倭寇)를 격파하여 큰 공을 세웠음. [?-1395]

최문헌-전【崔文獻傳·崔文憲傳】명 〖문〗 최고운전(崔孤雲傳)의 한문본(漢文本)의 제목.

최:미【最尾】명 최말(最末).

최:밀 충전 구조【最密充塡構造】명 〖물〗 결정(結晶) 중의 원자 배열 상태가 가장 조밀하게 이어진 구조(構造). 금속(金屬)의 결정 상태에 있어서의 배열이 이에 해당됨.

최박[1]【催拍】명 〖악〗 당악 정재(唐樂呈才) 곡파무(曲破舞)에 쓰인 사(詞)의 하나.

최박[2]【催迫】명 ①닥쳐옴. 핍박. ②독촉함. 재촉함. ——-하다 자타 여불

최박-악【催拍樂】명 〖악〗 당악(唐樂) 정재(呈才) 곡파무(曲破舞)에서, 최박(催拍)에 맞추어 아뢰는 풍류의 이름.

최-백【崔白】명 〖사람〗 중국 북송(北宋) 시대인 11세기 후반의 궁정 화가. 자(字)는 자서(子西). 특히 화조(花鳥)를 잘했으며, 자기의 내면(內面)에서 감득(感得)한 자연의 진실한 모습을 색채 위주(色彩爲主)로 묘사함. 생몰년 미상.

최복【衰服】명 참최(斬衰)나 자최(齊衰)의 상복.

최-북【崔北】명 〖사람〗 조선 영조(英祖) 때의 화가. 호(號)는 성재(星齋). 한 눈이 멀어서 반안경을 쓰고 그림을 그렸으며 술을 즐기고 성질이 괴팍하여 미친 사람으로 여기는 이가 많았는데, 산수·인물화에 능하였음. 생몰년 미상.

최:-북단【最北端】명 가장 북쪽의 끝. ↔최남단(最南端).

최:-불용【最不用】명 아주 쓸 데가 없음.

최:-비칭【最卑稱】명 〖언〗 인칭 대명사에서 가장 낮추어 이르는 말. 곧, '저'·'소인'·'너' 등. ↔최존칭(最尊稱).

최:빈-국【最貧國】명 〔most seriously affected country; least less-developed country〕〖정〗 1인당 국민 소득이 특히 적고, 무역 수지(貿易收支)의 악화(惡化)로 인한 대외 부채 잔액(對外負債殘額)이 특히 많은 나라. 자원이 없고 경제 성장이 아주 저조하여 저개발(低開發)의 가난한 상태에서 벗어나지 못하는 나라. 후발 도상국(後發途上國).

최사【摧謝】명 굴복하여 사죄함. ——-하다 타 여불

최산【催產】명 해산할 무렵에 임부(姙婦)에게 약을 먹여서 해산을 쉽고 빠르게 함. ——-하다 자 여불

최산-제【催產劑】명 〖한의〗 최산(催產)하는 데에 쓰는 약제.

최상[1]【衰裳】명 부녀자가 상복(喪服)으로서 입는 베로 지은 치마.

최:상[2]【最上】명 맨위. 지상(至上). 무상상(無上上). 상상(上上). ¶～의 행복. ↔최하(最下).

최상[3]【摧傷】명 기가 꺾이고 몸이 상함.

최:-상급【最上級】명 ①가장 위의 계급. 정도나 등급 따위가 가장 위임. 극상등(極上等). ¶～ 주(酒). ↔최하급(最下級). ②〔superlative degree〕〖언〗 서구어(西歐語)의 부사·형용사에서 그 상태·정도가 가장 세거나 큼을 나타내는 문법 형태. *비교급.

최:-상등【最上等】명 가장 높은 등급. ↔최하등(最下等).

최:-상류【最上類】[—뉴] 명 〖철〗 최고류(最高類).

최:상-선【最上善】명 〔도 oberstes Gut〕〖윤〗 의무감(義務感) 때문에 도덕법을 만들고 지키는 심술(心術)의 선(善).

최:상-지【最上地】명 〖불교〗 가장 좋은 지위.

최:-상층【最上層】명 맨 위층. ↔최하층(最下層).

최:-상품【最上品】명 가장 좋은 물품(物品). 상상품(上上品). ↔최하품(最下品).

최-서(:)해【崔曙海】명 〖사람〗 소설가. 본명은 학송(鶴松). 서해는 호. 함경 북도 성진(城津) 출생. 불우(不遇)한 환경에서 자라나 풍부한 생활 체험(生活體驗)을 묘사한 ≪고국(故國)≫·≪탈출기(脫出記)≫ 등으로 문단에 등장하고 ≪큰물진 뒤≫ 등 신경향파(新傾向派)의 문학 작품을 발표하였음. [1901-33]

최-석정【崔錫鼎】명 〖사람〗 조선 중기의 상신(相臣). 자(字)는 여화(汝和), 호는 명곡(明谷). 명길(鳴吉)의 손자. 남구만(南九萬)·박세채(朴世采)의 문인(門人). 숙종 13년(1687)에 선기 옥형(璿璣玉衡)의 수리(修理)에 참여하고, 뒤에 좌의정·영의정을 지냄. 문장과 글씨에 뛰어나고, 조부의 학문을 계승하여 양명학(陽明學)을 발전시킴. 문집 ≪명곡집(明谷集)≫·≪구수략(九數略)≫ 등이 있음. [1646-1715]

최:선[1]【最先】명 ↗최선등(最先等).

최:선[2]【最善】명 ①가장 착하고도 좋음. 베스트. ¶～의 길. *상선(上善). ↔최악(最惡). ②전력(全力). ¶～을 다하다.

최:-선두【最先頭】명 맨 앞. 가장 선두. ¶～를 달리다.

최:-선등【最先等】명 남보다 맨 먼저임. 가장 선두임. 준최선(最先).

최:-선봉【最先鋒】명 맨 앞장. ¶～을 서다.

최:성【最盛】명 가장 성함. 가장 한창임.

최:성-기【最盛期】명 가장 왕성한 시기. 전성기. 황금 시대.

최-성(:)모【崔聖模】명 〖사람〗 삼일 운동 때의 민족 대표 33인 중의 한 사람. 서울 사람. 북감리교 목사. 1919년 기독교 대표로 독립 선언서에 서명하고 체포되어 2년 형을 치르고 출옥 후, 만주로 건너가 펑텐(奉天)을 중심으로 항일 투쟁을 지도하였음. [1874-1936]

최-성지【崔誠之】명 〖사람〗 고려 때의 역학자(曆學者)·정치가. 자는 순부(純夫). 충선왕(忠宣王)을 따라 원나라에 가서 수시력(授時曆)을 배워 고려에 전하였음. 시호는 문간(文簡). [1265-1330]

최-세(:)진【崔世珍】명 〖사람〗 조선 중종(中宗) 때의 한어(漢語)·이문(吏文) 학자. 자는 공서(公瑞). 중국의 제도 물명(制度物名)에 통효(通曉)하였음. ≪사성 통해(四聲通解)≫·≪훈몽 자회(訓蒙字會)≫·≪운회 옥편(韻會玉篇)≫ 등을 저술하고, ≪박통사(朴通事)≫ 등을 한글로 옮기었음. [1473?-1542]

최:소[1]【最小】명 가장 작음. ¶～의 노력으로 최대의 효과를 거두다. ↔최대(最大). ——-하다 형 여불

최:소[2]【最少】명 ①가장 적음. ↔최다(最多). ②가장 젊음. ——-하다 형 여불

최:소 공배수【最小公倍數】명 〖수〗 공배수 중에서 가장 작은 정수(整數). 약칭: 엘 시 엠(LCM). ↔최대 공약수.

최:소 공분모【最小公分母】명 〖수〗 공분모 가운데에서 가장 작은 분모.

최:소 극한【最小極限】명 〖수〗 하(下)극한.

최:-소년【最少年】명 나이가 가장 젊음.

최:-소량【最少量】명 가장 적은 양.

최:소량의 법칙【最少量—法則】[—/—에—] 명 〔law of minimum〕〖생〗 어떤 생활 작용에 관계하는 모든 환경 요소(環境要素) 중에서, 어떤 것은 그것이 소량인 동안은 다른 요소보다 한층 더 결정적인 영향을 가지고 있다는 것을 나타낸 법칙. 1843년 독일의 리비히(Liebig)가 주창한 법칙임. 최소 양분율(養分律). 최소율 리비히율(律).

최:-소수【最小數】명 〖수〗 가장 작은 수.

최:소 안전 거:리【最小安全距離】명 〖군〗 핵폭발(核爆發)에서, 폭발 지점으로부터 우군(友軍) 부대의 안전을 확보하기 위해 필요한 거리.

최:소 양분율【最少養分律】[—뉼] 명 〖생〗 최소량(最少量)의 법칙.

최:소-율【最少律】명 〖생〗 최소량의 법칙.

최:소 이:승법【最小二乘法】[—뻡] 명 〖수〗 '최소 제곱법'의 구용어. 최소 자승법.

최:소 이온화 속도【最小—化速度】〔ion〕명 〖물〗 기체(氣體)를 통과하는 하전 입자(荷電粒子)가 원자(原子) 또는 분자를 이온화할 수 있는 최소 속도.

최:소 자승법【最小自乘法】[—뻡] 명 〖수〗 최소 이승법.

최:소 제곱법【最小—法】명 〖수〗 많은 측정값으로부터 가장 정확한 값에 가까운 값을 구하는 방법의 하나. 오차(誤差)의 제곱의 합이 가장 작도록 정함. 구칭 :최소 이승법.

최:소 준:비법【最少準備法】[—뻡] 명 〖경〗 정화 준비(正貨準備)의 최소 한도를 정하여 태환권(兌換券)의 발행을 허가하는 방법.

최:소-치【最小值】명 〖수〗 '최솟값'의 구용어.

최:소 치:사량【最少致死量】명 〖약〗 일정한 조건하에 동물을 죽이는 데 충분한 약물(藥物)의 최소량.

최:소-한【最小限】명부 최소 한도. ¶비용을 ～으로 줄이다.

최:소 한:도【最小限度】명부 가장 작은 한도. 최소한. ↔최대 한도.

최:소 혈압【最小血壓】명 〖의〗 심장이 확장했을 때의 혈압.

최:소 효:용【最小効用】명 〖경〗 한계 효용(限界効用).

최:솟-값【最小—】[—깝] 명 〖수〗 실수(實數) 값을 취하는 함수가 그 정의역(定義域) 안에서 취하는 가장 작은 값. 최소치(最小值).

최쇄【摧碎】명 부숨. 또, 부서짐. ——-하다 자타 여불

최-수성【崔壽成】명 〖사람〗 조선 중종 때의 학자. 자는 가진(可鎭), 호는 원정(猿亭). 강릉(江陵) 사람. 시문(詩文)·수학·서화(書畫)에 뛰어났으며, 기묘 사화(己卯士禍)로 벼슬을 단념하고 유람하다가 신사 무옥(辛巳誣獄)에 관련, 사형당하였음. [1487-1521]

최-수운【崔水雲】명 〖사람〗 최제우(崔濟愚)를 호(號)로 일컫는 이름.

최-순영【崔淳永】명 〖사람〗 국악인(國樂人). 본명은 순룡(淳龍). 조선 고종(高宗) 12년(1875) 장악원(掌樂院)의 악공(樂工)이 되어, 1913년 아악수장(雅樂手長), 1932년 아악사(雅樂師)가 됨. 피리의 명수(名手)임. [1864-1940]

최-술【崔述】명 〖사람〗 중국 청(淸)나라의 역사학자. 호는 동벽(東壁). 중국 고대사 연구에 심혈을 기울였으며 특히 고증학(考證學)에 뛰어남. 저서로는 ≪최동벽 유서(崔東壁遺書)≫·≪고신록(考信錄)≫이 있음. [1740-1816]

최:승【最勝】명 가장 나음. 가장 우수함. ——-하다 형 여불

최-승로【崔承老】[—노] 명 〖사람〗 고려 초기의 문신. 경주 출신의 문인으로 왕명(王命)을 받아 시무책(時務策) 28조를 올려, 군제(軍制)의 개편, 지방 관제의 확정, 관복의 제정, 승려의 횡포 엄금, 공역(貢役)의 균등, 신분 제도의 확립과 아울러 중앙 집권적 통치 체제의 확립 등을 건의, 고려 정권에 기여함. 벼슬은 수문하시중(守門下侍中)에 이름. ≪동문선(東文選)≫에 한시(漢詩) 두 편이 전함. [927-989]

최-승우【崔承祐】명 〖사람〗 신라 진성 여왕 때의 학자. 당나라의 빈공과(賓貢科)에 급제하고 귀국하였으며, 문장이 뛰어나 최치원(崔致遠)·최언위(崔彦撝)와 함께 삼최(三崔)로 불렸음. 문집으로 ≪호본집(餬本集)≫을 남김. 생몰년 미상.

최:승-인【最勝人】명 〖불교〗 염불하여 극락 세계에 왕생하기를 원하는 사람을 칭찬하여 이르는 말.

최시기 명 〈방〉 돗자리(경북).

최-시형【崔時亨】명 〖사람〗 동학(東學) 제2세 교주(敎主). 호는 해월(海月). 교조 최제우의 뒤를 이어 포교에 종사, ≪동경 대전(東經大全)≫·≪용담 유사(龍潭遺詞)≫ 등 경전(經典)을 완성하고 조직을 강화하였음. 고종(高宗) 30년(1893), 동학 탄압에 분개하여 교도를 이끌고 상경, 교조 신원(伸冤)을 상소하였으며 전봉준·손병희 등의 동학 혁명이 일어나자 동학 교주로서 배후 조종을 담당, 1898년 체포되어 서울에서 처형됨. 1907년 고종의 특지(特旨)로 신원됨. [1827-98]

최-신[1] 명 〈방〉 미투리(함남).

최:신[2]【最新】명 가장 새로움. ¶～ 유행. ↔최고(最古).

최:신-식【最新式】명 가장 새로운 방식이나 격식.

최:신-형【最新型】명 가장 새로운 모양. ¶～ 자동차.

최:심[1]【最甚】명 가장 심함. ——-하다 형 여불

최:심[2]【最深】명 가장 깊음. ——-하다 형 여불

최:심-부【最深部】명 가장 깊은 곳. 가장 깊은 부분. ¶대양(大洋)의 ～.

최아【催芽】명〖농〗 싹티우기.

최:악【最惡】명 가장 못됨. 가장 나쁨. ¶ ~의 경우. ↔최선(最善)·최호(最好). ——-하다 형여불

최:애【最愛】명 가장 사랑함. ——-하다 타여불

최-양업【崔良業】명〖사람〗 조선 후기의 천주교 신부. 일명 정구(鼎九). 아버지 경환(京煥)은 기해 박해(己亥迫害)에 순교한 성인(聖人). 1849년 중국 상하이(上海)에서 우리 나라 두 번째의 신부가 되어, 이듬해 귀국, 12년간 곳곳에서 포교함. [1821-61]

최억【摧抑】명 ①상대(相對)의 힘을 꺾어 누름. ②마음이 슬퍼 눌림. ——-하다 자타여불

최-언위【崔彦撝】명〖사람〗 신라말 고려 초의 문신. 초명은 신지(愼之). 경주(慶州) 사람. 18세에 당나라에 유학, 문과(文科)에 급제하고 귀국하였으며, 신라가 망하자 고려에 가서 태자 사부(太子師傅)가 되고 문한(文翰)을 위임받았음. [868-944]

최-영【崔瑩】명〖사람〗 고려 우왕(禑王) 때의 장군·충신. 친원파(親元派)로서 우왕 14년에 팔도 도통사(八道都統使)가 되어 명(明)나라를 치고자 군사를 일으켰으나, 이성계(李成桂)의 회군(回軍)으로 실패하고 후에 그에게 피살되었음. 시호는 무민(武愍). [1316-88]

최영 장군신【崔瑩將軍神】명〖민〗 중부 지방의 무속 신앙에서 모시는 신의 하나. 이성계에게 패하여 죽은 그의 원혼이 숭배 대상이 된 듯함.

최외【崔嵬】명 ①산이 오똑하게 높음. ②집이나 정자(亭子)가 크고 높음. ——-하다 형여불

최:-외각【最外殼】명〖물〗 전자가 존재하고 있는 전자껍질 중에서 주양자수(主量子數)가 최대이며 가장 바깥쪽에 있는 전자껍질. 원자의 화학적 성질은 주로 여기에 존재하는 전자에 의해 결정됨.

최:외각 전:자【最外殼電子】명〖물〗 최외각에 존재하는 전자.

최:요【最要】명 가장 중요함. 가장 필요함. ——-하다 형여불

최-우【崔瑀】명〖사람〗 고려 고종 때의 권신(權臣). 우봉(牛峰) 사람. 충헌(忠獻)의 아들. 아버지의 뒤를 이어 집권, 전대의 부패 일소에 노력하고, 명유(名儒)를 포섭 정치에 이용하는 한편, 몽골의 침입에 대비하여 강화로 천도(遷都)하고 대장경판(大藏經板) 재조(再雕)를 완성하였음. [?-1249]

최:-우등【最優等】명 최고의 등급.

최:우등-생【最優等生】명 가장 뛰어난 우등생. 우등생 중의 으뜸.

최:-우량【最優良】명 가장 우량함. 가장 좋음. ——-하다 형여불

최:-우수【最優秀】명 가장 우수함. ——-하다 형여불

최운【催運】명 급히 재촉하여 운송함. ——-하다 타여불

최-유선【崔惟善】명〖사람〗 고려의 문인. 한림 학사(翰林學士)를 거쳐 문하 시중(門下侍中)에 이름. 문종(文宗) 때 사찰(寺刹)의 건립, 절에 대한 공양(供養) 등으로 나라의 재정(財政) 손실을 내어서는 안 된다고 상소한 일이 있음. ≪동문선(東文選)≫에 그의 시문(詩文) 몇 편이 전함. [?-1075]

최유-제【催乳劑】명 젖의 분비를 촉진하는 약제. 최유 호르몬, 효모(酵母) 중의 비타민 L, 면실(綿實)의 제제(製劑) 따위. 민간약으로는 민들레 뿌리·천화분(天花粉)·노봉방(露蜂房) 등이 쓰임.

최-유청【崔惟淸】명〖사람〗 고려 때의 학자. 자는 직재(直哉). 예종(睿宗) 이후 사조(四朝)에 역사(歷仕)하여 벼슬은 평장사(平章事)까지 지냈음. 정중부(鄭仲夫)의 난 때 문신은 다 죽였어도, 최유청만은 덕망이 있어 죽이지 않았음. 저서에 ≪남도집(南都集)≫ 등이 있음. [1095-1174]

최유 호르몬【催乳】〔hormone〕명〖생〗 프롤락틴(prolactin).

최-윤(:)식【崔允植】명〖사람〗 수학자. 호는 동림(東林). 평북 선천(宣川) 출생. 일본 도쿄 대학(東京大學) 졸업. 서울 대학교 문리과 대학장과 대학원장을 역임하였음. 저서에 ≪고등 대수학≫·≪입체 해석 기하학≫ 등이 있음. [1899-1959]

최-윤(:)의【崔允儀】[—/—이] 명〖사람〗 고려 때의 학자. 초명은 천우(天祐). 의종(毅宗) 때 고려 역대의 헌장(憲章)과 중국 당(唐)나라의 제도를 참작하여 ≪상정 고금례(詳定古今禮)≫를 저술하였음. 시호는 문숙(文肅). [1101-62]

최-은희【崔恩喜】[—히] 명〖사람〗 우리 나라 최초의 여기자. 호는 추계(秋溪). 황해도 연백 출신. 일본의 니혼 조시(日本女子) 대학의 사회 사업학부 수학. 조선 일보 기자·학예부장을 지냄. 광복 후에는 대한 부인회 부회장 등 많은 여성 운동에 참가·지도하였음. 1983년 최은희 여기자상을 제정함. 저서에 ≪씨뿌리는 여인≫·≪근역(槿域)의 방향≫·≪여성 전진 71년≫·≪초대 여기자의 회고≫ 등. [1904-84]

최음-제【催淫劑】명〖약〗 남녀의 생식기를 자극하여 그 기능을 촉진시키는 약제의 총칭. 요힘빈(yohimbine)·모르핀(morphine)·아편 등이 있는데 부작용이 심하고 만성 중독을 일으키기 쉬우므로 주로 고환(睾丸) 또는 난소로부터 추출한 호르몬제가 사용됨.

최-익현【崔益鉉】명〖사람〗 조선 고종(高宗) 때의 문신·학자. 배일파(排日派)의 거두. 자는 찬겸(贊謙), 호는 면암(勉庵). 공조 참판(工曹參判)으로 대원군을 탄핵(彈劾), 갑오 경장 때에는 단발령(斷髮令)에 반대하였음. 광무 9년(1905) 을사 조약(乙巳條約)을 반대하고, 의병을 일으켜 항쟁하다가 잡혀서 일본군에 넘겨져 대마도(對馬島)로 유배되어 단식사(斷食死)함. [1833-1906]

최-인욱【崔仁旭】명 소설가. 경남 합천(陜川) 출신. 해인(海印) 불교 전문 학교 졸업. ≪월하 취적도(月下吹笛圖)≫로 문단(文壇)에 등장하여 ≪동자상(童子像)≫ 등 외에 ≪임꺽정≫·≪자규(子規)야 알랴마는≫·≪임진 왜란≫ 등의 역사 소설을 썼음. [1920-72]

최일 장군【崔一將軍】명〖민〗〔최영(崔瑩) 장군을 잘못 옮긴 말〕 무당이 숭봉하는 신.

최-자[1]【崔滋】명〖사람〗 고려 강종(康宗)·고종(高宗) 때의 학자. 자는 수덕(樹德), 호는 동산수(東山叟). 해주 사람. 고종 때 중서 문하 평장사(中書門下平章事) 등을 지냈는데 학식과 행정이 겸비하여 치적이 많았음. 시호는 문청(文淸). 저서에 ≪가집(家集)≫·≪보한집(補閑集)≫ 등이 있음. [1186-1260]

최자[2]【嗺子】명〖악〗 풍류의 이름.

최잔【摧殘】명 꺾어 손상을 입힘. 또, 꺾이어 손상을 입음. ——-하다 자타여불

최:장【最長】명 가장 긺. ↔최단(最短). ——-하다 형여불

최:장 거:리【最長距離】명 가장 긴 거리. ↔최단(最短) 거리.

최:-장기【最長期】명 가장 긴 기간.

최:-장방【最長房】명 사대(四代) 이내의 자손 가운데 항렬이 가장 높은 연장자(年長者).

최-재(:)서【崔載瑞】명〖사람〗 영문학자·문학 평론가. 호는 석경우(石耕牛). 황해도 해주(海州) 출생. 경성(京城) 대학을 졸업하고, 우리 나라 사람으로는 최초로 대학 강사로 발탁되었으며, 1934년부터 문학 평론을 발표, 주지주의적(主知主義的)인 비평을 시도하고 셰익스피어 연구에 공적을 남겼음. 연세 대학 교수·동국 대학교 학장을 역임. 저서에 ≪셰익스피어 예술론≫·≪문학과 지성≫ 등이 있음. [1908-64]

최-재(:)희【崔載喜】[—히] 명〖사람〗 철학자. 경북 청도 출신. 경성 제국 대학 법문학부 철학과 졸업. 서울 대학·고려 대학 교수를 역임하고 한국 철학회장을 지냄. 저서에 ≪헤겔의 철학 사상≫·≪칸트의 순수이성 비판 연구≫·≪서양 철학 사상≫ 등이 있음. [1914-84]

최:저[1]【最低】명 가장 낮음. ↔최고. ——-하다 형여불

최저[2]【摧沮】명 기세가 꺾여서 풀이 죽음. ——-하다 자여불

최:저-가【最低價】[—까] 명 가장 싼 값. ↔최고가.

최:저 경:매 가격【最低競賣價格】[—까—] 명〖법〗 부동산의 강제 경매에 있어서, 법원(法院)이 감정인에게 평가하도록 한 가격. 법원은 이 최저 경매 가격 미만으로는 경락(競落)을 허가하지 않음.

최:저 공정 가격【最低公定價格】[—까—] 명〖경〗 생산자 보호를 위해 국가가 특정한 상품에 대하여 결정하는 최저한(最低限)의 가격. 공정 가격 이하로 매매하지 못함.

최:저 기록【最低記錄】명 숫자상(數字上)으로 전에 없었던 가장 낮은 기록. ↔최고 기록.

최:저 비행 고도【最低飛行高度】명 항공기를 안전하게 조종할 수 있는 가장 낮은 높이.

최:저 산소층【最低酸素層】명〔oxygen minimum layer〕 지하수의 용존(溶存) 산소량이 매우 적거나 또는 결핍(缺乏)하여, 그것이 상하(上下)의 대수층(帶水層)보다 적은 것 같은 대수층.

최:저 생활비【最低生活費】명〖경〗 인간이 인간답게 생존하는 데 필요한 생활비. 좁은 뜻으로는 인간이 생물적 존재로서 생존하는 데 필요한 생활비이고, 넓은 뜻으로는 인간이 문화적 존재로서 생존하는 데 필요한 생활비임. *이론(理論) 생활비.

최:저 생활선【最低生活線】[—썬] 명 생명선(生命線)❶.

최:저 속도【最低速度】명 가장 느린 속도. 특히, 자동차가 고속 도로를 통행할 때 허용되는 최저의 속도.

최:저-액【最低額】명 가장 낮은 금액.

최:저 온도계【最低溫度計】명〔minimum thermometer〕〖물〗 어떤 시간 내의 최저 온도를 표시하도록 장치한 온도계. 수평으로 놓게 된 알코올 온도계로, 관내(管內)의 알코올 속에 온도가 내릴 때에만 움직이는 유리로 만든 지표(指標)를 넣은 것이 가장 흔하게 사용됨. 최저 한란계. ↔최고 온도계.

최:저 임:금【最低賃金】명 최저 임금법에 의해 보장된 최저액의 임금. 흔히 근로자의 생계비, 비슷한 직종(職種)에 종사하는 근로자의 임금 및 생산성을 고려하여 사업의 종류별로 구분하여 정함.

최:저 임:금제【最低賃金制】명 낮은 임금(賃金)의 노동자를 보호하기 위하여, 국가가 법으로써 임금의 최저액을 정하여 노동자의 생활을 보장(保障)하는 제도. 19세기에 뉴질랜드와 오스트레일리아의 일부에서 실시된 이래 영국·미국·프랑스 등에 보급(普及)되어, 여러 나라에서 원칙적으로 채택(採擇)되고 있음.

최:저 접지 기온【最低接地氣溫】명〔grass minimum〕〖기상〗 짧은 잔디의 잎끝 쪽에 온도계의 감부(感部)를 노출(露出)시켜 놓은 채 잰 최저 기온.

최:저-종【最低種】명〔라 infima species〕〖철〗 종(種)에서 종으로 내려가는 방향에서 생각되는 최소종(最小種). 더 이상 다른 개념을 외연(外延)으로서 가질 수 없는 개념. 최하종.

최:저-한【最低限】명부 최저 한도.

최:저 한:도【最低限度】명부 가장 낮은 한도. 그 이상 낮출 수 없는 정도. 최저한.

최:저 한란계【最低寒暖計】[—할—] 명〖물〗 최저 온도계.

최:저 혈압【最低血壓】명 심장이 확장하여 혈액이 심장 안에 가득 찼을 때의 혈압. 보통 성인(成人)의 최저 혈압은 70-80.

최:적【最適】명 가장 적당하거나 적합함. ——-하다 형여불

최:적 가황【最適加黃】명〔optimum cure〕〖화〗 고무의 저항력을 가장 강하게 하기 위하여 혼합하는 황(黃)의 양·가열 온도·가열 시간 등을 가장 적합한 조건 밑에서 행하는 가황(加黃).

최:적 기업 규모【最適企業規模】명〖경〗 기업의 경영상, 가장 적절한 규모. 보통, 공장이나 기업 규모의 확대에 따라 생산물 1단위당의 비용은 체감하나, 어느 규모를 넘으면 다시 상승하는데, 이 분기점의 규모를 말함.

최:적 문:제【最適問題】명 어떤 제한된 조건 아래서, 목적을 달성하는 데 가장 좋은 방법을 구하는 문제. 수량적(數量的)인 결론을 요구함을

가리키는 수가 많음.

최:적 밀도【最適密度】[―또] 명 〔optimum density〕『생』 생물이 생존하는 데 가장 적당한 밀도.

최:적 온도【最適溫度】명 화학 반응의 진행과 생물 현상(生物現象)의 발생에 가장 알맞은 온도.

최:적 잔향 시간【最適殘響時間】명 〔optimum reverberation time〕 강연(講演)·실내악·교향악 등에서, 가장 바람직한 잔향 시간. 이 값은 방(房)의 용적(容積)에 따라 다름.

최:적 제:어【最適制御】명 〔optimal control〕『컴퓨터』 제어 이론에서 제어 대상을 자동적으로 최적의 상태로 유지하려는 것. 제어 대상의 상태와 제어 신호가 생성해 낸 제어 결과를 평가하여 가장 좋은 평가 결과를 유지하면서 제어 목적을 달성하려는 방식임.

최:적 조:도【最適照度】명 통상적인 사무 작업을 하는 경우에, 가장 눈이 피로하지 않은 조도(照度).

최:적-화【最適化】명『수』 어떤 종류의 제약 조건(制約條件) 아래에서 주어진 함수(函數)를 가능한 한 최대 또는 최소로 하는 일.

최:전【最前】명 ①어떠한 때보다 훨씬 이전. ②맨 앞. ↔최후.

최:-전방【最前方】명 최전선❷.

최:-전선【最前線】명 ①맨 앞의 선. ②『군』 적과 맞서는 맨 앞의 전선(戰線). 최전방. 제일선(第一線).

최:-전열【最前列】[―녈] 명 여러 줄 가운데서 맨 앞 줄.

최절【摧折】명 ①좌절(挫折). ②억눌러서 제어함. ――하다 자타여불

최:젓-값【最低―】[―깝] 명 가장 낮은 수준일 때의 값.

최:정-산【最頂山】명『지』 대구(大邱) 광역시 달성군(達城郡)에 있는 산. 태백 산맥 중에 솟음. [915 m]

최-제(:)묵【崔濟默】명『사람』 조선 말기의 학자. 자는 가언(可言). 삭녕(朔寧) 사람. 벼슬은 하지 않고, 학업(學業)에만 열중하였으며 저서에 ≪질의록(質疑錄)≫·≪사서 의의(四書疑義)≫ 등이 있음. 가암(可菴) 선생. [1779-1847]

최-제(:)우【崔濟愚】명『사람』 천도교 제1세 교주. 동학(東學)의 창시자. 호는 수운(水雲). 경주(慶州) 출생. 16세 때 출가. 37세 때(1860) 동학을 창도(唱導)하였는데, 동학을 포덕한 지 5년 만에 사도 난정(邪道亂正)의 죄목으로 체포되어 참형(斬刑)되었음. [1824-64]

최조【催租】명 조세의 납부를 재촉함. ――하다 자여불

최:-존칭【最尊稱】명『언』 인칭 대명사에서 가장 높이어 일컫는 말. 곧, 짐(朕)·폐하·각하·어르신 등. ↔최비칭.

최:종【最終】명 맨 나중.

최:종 매:입 원가법【最終買入原價法】[―까뻡] 명『경』 재고 자산(在庫資產) 평가 방법의 하나. 사업 연도(事業年度) 중에 최종으로 매입한 자산의 단가(單價)로써 재고 자산을 평가하는 방법.

최:종 상품【最終商品】명 최종적으로 제조를 완료한 상품. 시장에서 생활용(生活用) 상품을 일컫는 말.

최:종 생성물【最終生成物】명『물』 화학 반응이나 핵(核)반응에서 최종적으로 형성되는 물질.

최:종-심【最終審】명『법』 대법원에서 하는 최종의 심리.

최:종 열차【最終列車】[―녈―] 명 막차.

최:종-일【最終日】명 마지막 날.

최:종-재【最終財】명 〔final goods〕『경』 재화의 생산 단계에서 최후에 얻어지는 완성품. 식품 등의 최종 소비재와 기계·기구 등의 최종 생산재가 있음.

최:종-적【最終的】명관 맨 나중임. 최후의 상태(狀態)임. 또, 그 모양. ¶~인 결론을 내리다. 「(極所).

최:종-점【最終點】[―쩜] 명 최종의 지점(地點) 또는 논점(論點). 극소

최:종-회【最終回】명 어떤 일을 계속, 반복하여 할 경우의 마지막 회.

최:종 효:용【最終効用】명『경』 한계 효용(限界效用).

최좌【摧挫】명 좌절(挫折). ――하다 자타여불

최:좌익-파【最左翼派】명 극좌파(極左派).

최:중【最重】명 가장 귀하여 중요함. ――하다 형여불

최질【衰絰】명 상중(喪中)에 입는 삼베 옷. 상복과 수질(首絰) 및 요질(腰絰).

최징【催徵】명 재촉하여 징수함. ――하다 타여불

최찬【璀璨】명 빛이 번쩍거려서 찬란함. ――하다 형여불

최-찬식【崔瓚植】명『사람』 신소설 작가. 호는 해동 초인(海東樵人). 경기도 광주(廣州) 출생. 중국 소설을 많이 번역한 뒤, 신소설 ≪추월색(秋月色)≫·≪안(雁)의 성(聲)≫ 등을 지음. [1881-1951]

최-창현【崔昌顯·崔昌賢】명『사람』 조선 시대의 천주교 순교자. 세례명은 요한, 호는 관천(冠泉). 서울 출신. 한약국을 경영하는 중인(中人) 신분이었으나 이벽(李蘗)의 전도로 천주교에 입교, 정조 15년(1791) 신해 박해(辛亥迫害)로 이승훈(李承薰)·권일신(權日身) 등이 물러나자 조선 교회의 지도적 인물이 되어 주문모(周文謨) 신부를 영입케 하였으며, 그 후 총회장이 되어 포교에 힘씀. 순조 원년(1801) 신유(辛酉) 박해 때 체포되어 서소문 밖 형장에서 순교함. [1754-1801]

최:-첨단【最尖端】명 ①가늘고 긴 물건이나 돌출(突出)한 곳의 가장 끝부분. ②시대나 유행 등의 가장 선두. ¶유행의 ~을 걷다.

최청【催靑】명 부화(孵化) 전에 누에알을 적당한 온도·습기·공기가 있는 곳에 두어 필요한 때에 충실한 누에가 나오게 조절하는 일. ――하다 타여불

최청-기【催靑期】명 누에알이 최청란이 되는 시기.

최청-란【催靑卵】[―난] 명 알을 깨기 약 하루 전쯤의 어두운 청색(靑色)을 띤 누에알.

최청-법【催靑法】[―뻡] 명 누에알을 적당한 곳에 두어서 필요한 때에 충실한 누에가 나오게 하는 법.

최:초【最初】명부 맨 처음.

최촉【催促】명 재촉. 독촉. ――하다 타여불

최촉 사:령【催促使令】명『역』 조선 시대에, 조세(租稅)를 못 낸 사람에게, 재촉하러 다니는, 호조(戶曹) 선혜청(宣惠廳) 또는 각 군영(軍營)의 사령.

최촉-장【催促狀】명 재촉하는 서장(書狀). 독촉장.

최최【崔崔】명 산이 높고 큼. ――하다 형여불

최-춘명【崔椿命】명『사람』 고려 고종 때의 무신·충신. 해주(海州) 사람. 최충(崔冲)의 후손. 고종(高宗) 18년(1231) 자주 부사(慈州副使)로서 몽골군에 포위된 성을 고수하여 항복하지 않음. 왕은 내시 중랑(內侍中郞) 송국첨(宋國瞻)을 보내어 항복을 권했으나 듣지 않고, 이어 후군 진주(後軍陣主) 대집성(大集成)이 몽골 관리와 함께 와서 조정이 이미 항복한 사실을 밝혔으나 역시 항복을 거절하자 투옥됨. 뒤에 몽골의 화를 두려워하여 그를 처형하려 했으나 몽골측이 도리어 고려측에 대하여 사면(赦免)을 청하여 석방된 뒤 추밀원 부사(樞密院副使)에 임명됨. [?-1250]

최-충【崔冲】명『사람』 고려 초기의 학자·문신. 자는 호연(浩然), 호는 성재(惺齋)·월포(月圃). 해주(海州) 사람. 목종(穆宗) 이후 4대에 역사(歷仕)하여 태사 중서령(太師中書令)을 지냄. 당시의 명유(名儒)로, 글씨와 문장이 뛰어났으며 노후에는 구재(九齋)를 세워 경학(經學)을 강의하여 해동 공자(海東孔子)로 추앙되었는데, 그의 제자를 가리켜 당시 문헌 공도(文憲公徒)라 하였음. 저서 ≪최문헌공 유고(遺稿)≫. 시호는 문헌(文憲). [984-1068]

최-충수【崔忠粹】명『사람』 고려 명종 때의 무신. 충헌(忠獻)의 아우. 명종 26년(1196), 형 충헌을 설복하여 함께 이의민(李義旼)을 죽이고 권세를 잡음. 이듬해 형 충헌과 함께 명종을 폐위하고 왕제(王弟) 민(旼)을 왕위에 올린 후, 이어 태자비를 폐하고 자기 딸을 태자비로 세우려다가 형과 충돌, 각기 군사를 이끌고 싸우다 패사함. [?-1197]

최-충헌【崔忠獻】명『사람』 고려 중기의 권신(權臣). 우봉(牛峰) 사람. 최씨 정권의 창립자. 경인(庚寅)·계사(癸巳)의 난 이후 무신 이의민(李義旼)을 죽이고, 삼중 대광 태위 수주국(三重大匡太尉守柱國)이 되어 정권을 잡았음. 시호는 경성(景成). [1149-1219]

최-치(:)원【崔致遠】명『사람』 신라 말기의 학자. 자는 고운(孤雲) 또는 해운(海運). 경주(慶州) 최씨의 시조(始祖)임. 12세에 입당(入唐)하여 '황소(黃巢)의 난'이 일어나자 격문(檄文)을 써서 이름을 높였으며, 28세 때(885)에 귀국하여 진성왕(眞聖王) 8년(894)에 아찬(阿飡)의 벼슬을 받았으나 곧 사퇴하고 은퇴함. 글씨를 잘 썼음. 시호는 문창후(文昌侯). 문묘에 배향함. 저서에 ≪계원 필경집(桂苑筆耕集)≫ 등이 있음. [857-?]

최-치(:)혁【崔致爀】명『사람』 조선 말기의 천주교도. 일명 선일(善―), 세례명은 요한. 공주(公州) 출신. 헌종(憲宗) 12년(1846) 천주교에 입교, 고종 3년(1866) 병인(丙寅) 박해로 9명의 프랑스 신부가 순교하자 지원 요청을 위해 중국으로 떠나는 리델(Ridel) 신부를 따라 중국으로 가서 8년간 리델 신부와 함께 ≪한불 자전(韓佛字典)≫, ≪한어 문전(韓語文典)≫ 편찬에 종사함. 고종 11년(1874) 귀국하여 외국인 신부 영입(迎入) 운동에 힘쓰다가 1878년 체포되어 투옥, 옥사함. 1880년 그가 쓴 글씨를 자모(字母)로 한 한국 최초의 ≪한어 문전(韓語文典)≫이 코스트(Coste) 신부에 의해 출판됨. [1809-78]

최:친【最親】명 가장 친하여 가까움. ――하다 형여불

최-탄【崔坦】명『사람』 고려 원종 때의 역신(逆臣). 서북면 병마사 영기관(西北面兵馬使營記官)으로 한신(韓愼) 등과 난을 일으켜 서경(西京)·북계(北界) 54성(城), 자비령(慈悲嶺) 이북 6성(城)을 탈취하여 몽골에 귀부(歸附)하고 이 지방의 총관(摠管)이 되었음. 생몰년 미상.

최토-제【催吐劑】명『약』 토하게 하는 약. 직접 구토 신경을 자극하는 중추성인 것과, 위장의 최토 지각 신경 말단을 자극하는 말초성(末梢性)의 두 가지가 있음. 토제(吐劑).

최파【摧破】명 깸. 또, 깨짐. ――하다 자타여불

최 판관【崔判官】명『불교』 죽은 사람에 대하여 살았을 때의 선악을 판단한다고 이르는 저승의 벼슬아치.

최필【―筆】명〈방〉 초필(抄筆).

최:하【最下】명 맨 아래. ↔최상(最上).

최:-하급【最下級】명 가장 낮은 계급, 또는 등급. ↔최상급(最上級).

최:-하등【最下等】명 가장 낮은 등급·계급. ↔최상등(最上等).

최:하-종【最下種】명 최저종(最低種).

최:-하층【最下層】명 맨 아래 층. ↔최상층.

최:-하품【最下品】명 가장 낮은 물품. ↔최상품·최고품.

최-학송【崔鶴松】명『사람』 최서해(崔曙海)의 본명.

최-한(:)기【崔漢綺】명『사람』 조선 시대 말기의 학자. 자는 운로(芸老), 호는 혜강(惠崗)·패동(浿東)·명남루(明南樓). 신기(神氣)의 합일(合一)을 주장하고, 증험(證驗)의 중대를 통한 인식을 중시하여, 경험주의적 철학의 중요성을 설함으로써 실학(實學) 사상의 기반을 확립하고, 나아가서는 개화 철학(開化哲學)의 선구가 됨. 주저에 ≪농정 회요(農政會要)≫·≪신기통(神氣通)≫·≪습산 진벌(習算津筏)≫ 등을 포함한 ≪명남루 전서(明南樓全書)≫가 있음. [1803-79]

최-항[1]【崔沆】명『사람』 고려 고종 때의 권신(權臣). 우봉(牛峰) 사람. 우(瑀)의 아들. 아버지의 뒤를 이어 집권, 무고(誣告)를 맹신(盲信)하여 김경손(金慶孫) 등 많은 중신들을 죽이고, 몽골에는 강경 정책을 써서, 야굴(也窟)의 침입을 받기도 하였음. [?-1257]

최-항[2]【崔恒】명『사람』 조선 세종 때의 학자·정치가. 자(字)는 정부(貞父), 호는 동량(幢梁) 또는 태허정(太虛亭). 삭녕(朔寧) 사람. 집현

전(集賢殿)에서 훈민 정음 창제에 공이 많았으며, 벼슬은 영의정에 이르렀고 영성 부원군(寧城府院君)에 봉군됨. ≪경국 대전(經國大典)≫ 등을 찬정(撰定)하였음. 저서에 ≪태허정집≫·≪관음 현상기(觀音現相記)≫ 등이 있음. 시호는 문정(文靖). [1409-74]

최-해【崔瀣】명〖사람〗고려 충숙왕 때의 학자. 자는 언명보(彥明父), 호는 졸옹(拙翁). 경주(慶州) 사람. 세속에 타협하지 않고 저술에 힘써, 고려 명현의 시문을 뽑은 ≪동인지문(東人之文)≫ 25권을 편수하였으며, 당대의 문호(文豪)로 문명을 떨쳤음. 저서 ≪졸고 천백(拙藁千百)≫ 등. [1287-1340]

최:헐【最歇】명 값이 가장 쌈. ——-하다 형여불

최-현【崔晛】명〖사람〗조선 시대 중기의 문신. 자는 계승(季昇), 호는 인재(訒齋). 전주(全州) 사람. 임진 왜란 때 구국책(救國策)을 올려 원릉 참봉(元陵參奉)이 되고, 광해군 때 천도론(遷都論)을 극력 반대, 계획을 중단케 하였으며, 인조 반정 후 부제학(副提學)을 지냄. 저서 ≪인재집≫. 시호는 정간(定簡). [1563-1640]

최-현배【崔鉉培】명〖사람〗국어학자. 울산(蔚山) 태생. 호(號)는 외솔. 주시경(周時經)의 문하. 일본 교토(京都) 대학 철학과를 졸업. 조선어 학회 사건으로 일경(日警)에 체포되어 옥고를 겪고 옥중에서 ≪글자의 혁명≫을 저술함. 한글 전용주의자로 우리 말의 체계화에 이바지함. 주저에 ≪우리 말본≫·≪한글갈≫ 등이 있음. [1894-1970]

최:혜-국【最惠國】명〖법〗통상 항해 조약을 체결한 나라 중에서, 가장 유리한 대우를 받는 나라. 관세 기타의 점에서 다른 나라에 비하여 유리한 대우를 받게 됨.

최:혜국 대:우【最惠國待遇】명〖경〗통상 항해 조약을 체결한 나라가 상대국에 대하여, 통상·항해·입국·거주·영업 등에서 지금까지 가장 좋은 대우를 하고 있는 제3국과 동등한 대우를 하는 일.

최:혜 국민 조항【最惠國民條項】명〖법〗최혜국 조항.

최:혜국 약관【最惠國約款】명 최혜국 조항.

최:혜국 조항【最惠國條項】명〔most favoured nation clause〕〖법〗통상 항해 조약에서, 상대국에 최혜국 대우를 부여하는 약속을 규정하는 조항. 최혜국 약관. 최혜 국민 조항(最惠國民條項).

최:호【最好】명 ①가장 좋음. ②가장 좋아함. ——-하다 형타여불

최-홍재【崔弘宰】명〖사람〗고려 때의 무신. 자(字)는 영여(令如). 직산(稷山) 최씨의 시조(始祖). 무인 집안에 태어나 예종 2년(1107) 윤관(尹瓘)을 따라 여진 정벌에 공을 세움. 1122년 인종의 즉위 후에도 벼슬은 올라 문하시랑 평장사(門下侍郞平章事)에 이르렀을 때 이자겸(李資謙)에 의하여 유배당함. 이자겸의 사후에 다시 등용되어 평장사에까지 이르렀음. 시호는 양숙(襄肅). [?-1135]

최화-우【催花雨】명〔꽃을 재촉하는 비의 뜻〕봄비를 일컫는 말.

최환【催喚】명 재촉하여 부름. ——-하다 타여불

최활 명 베를 짜 나아가는 데에 그 폭이 좁아지지 않게 하느라고 가로 너비를 버티는 가는 나무 오리. 활처럼 등이 휘고, 두 끝에 최를 박았음.

최-황【崔璜】명〖사람〗조선 말기(末期)의 학자. 호는 구암(苟菴). 해주(海州) 사람. 돈녕부 도정(敦寧府都正)을 지냄. 시문(詩文)에 뛰어나고 경전의 연구에 조예(造詣)가 깊어 많은 저서를 남김. 저서에 ≪구암 부묵(苟菴副墨)≫ 등이 있음. [1783-1874]

최:후【最後】명 ①맨 뒤끝. 맨 마지막. ↔최전(最前)❷. ②마지막 운명. ¶ ~를 마치다.

최:-후미【最後尾】명 길게 계속되거나 연결된 것의 맨 뒤끝.

최:후 발악【最後發惡】명 마지막으로 있는 힘을 다 내어 하는 발악. ——-하다 자여불

최:후 수단【最後手段】명 마지막으로 쓰는 수단. 어떤 교섭(交涉)에 응하지 않을 때 무력(武力)을 쓰는 따위.

최:후-신【最後身】명〖불교〗유전 윤회(流轉輪廻)의 생사(生死)가 끊기는 최후의 신체(身體). 수행(修行)이 완성되어 불과(佛果)에 이르려고 하는 신체. 아라한(阿羅漢)이나 등각(等覺)의 보살의 신체.

최:후의 만:찬【最後—晩餐】〔—/—에—〕명〖기독교〗예수가 수난(受難)을 예지(豫知)하고 그 전날 밤에 12 제자와 같이 나눈 만찬. 또, 그것을 소재로 한 모자이크·벽화·회화 따위의 명칭. 레오나르도 다 빈치의 회화가 특히 유명함. ＊성찬식(聖餐式).

최:후의 배:당【最後—配當】〔—/—에—〕명〖법〗파산 관재인(破産管財人)이 파산 재단(破産財團) 전부의 환가(換價)를 끝냈다고 인정할 때에 하는 배당.

최:후의 심:판【最後—審判】〔—/—에—〕명〖기독교〗세계의 종말에 예수가 재림(再臨)하여 전인류를 심판한다는 사상. 또, 그것을 소재로 한 모자이크·벽화·회화 따위의 명칭. 특히, 미켈란젤로가 시스티나 성당에 그린 벽화가 유명함. 공심판(公審判).

최:후 일각【最後一刻】명 마지막의 순간.

최:후 진:술【最後陳述】명〖법〗형사 공판 절차에 있어서, 피고인 또는 변호인이 하는 최종의 진술.

최:후 통첩【最後通牒】명〔ultimatum〕〖법〗국가간의 우호적인 외교 관계를 단절하고, 최종적인 요구를 제시하여 일정 기한 안에 그것이 수락되지 않으면 실력 행사를 하겠다는 뜻을 밝힌 외교 문서.

쵤너〔Zöllner, Johann Karl Friedrich〕명〖사람〗독일의 천문학자·물리학자. 라이프치히 대학 교수. 천체 측광기(天體測光器)를 고안하여 착시(錯視)에 관한 연구를 행하고, 천체의 물리적(物理的) 성질을 밝혔음. [1834-82]

쵤너의 착시【—錯視】〔—/—에—〕명〔Zöllner illusion〕〖심〗기하학적 착시의 하나. 네 개 이상의 평행선을 그리어 각 선마다 무수한 짧은 평행선을 엇비슷이 교차시키고, 각자 옆에 있는 것과는 비슷하나 반대되게 그으면, 네 개 이상의 선은 평행이 아닌 것처럼 보이는 착시 현상. 이 때의 평행선을 쵤너의 평행선이라고 함.

쵸 명〈옛〉초[1]. ¶쵸 쵹(燭)≪字會 中 15≫.

쵸롱 명〈옛〉초롱. ¶쵸롱 구(篝)≪字會 中 15≫.

쵸마 명〈옛〉치마. ¶힝즈쵸마 호(扈)≪字會 中 13≫.

쵸피 명〈옛〉조피. ¶쵸피(蜀椒)≪字會 上 12≫.

추[1]【秋】명 성(姓)의 하나. 문헌상으로는 세 본관이 있으나 현재는 추계(秋溪) 하나뿐임.

추[2]【追】명 성(姓)의 하나. 우리 나라에는 현존하지 아니함.

추[3]【鄒】명〈역〉중국 춘추 시대의 주(邾)나라를 전국 시대에 이르러 고친 이름. 맹자(孟子)의 출생지임.

추[4]【鄒】명 성(姓)의 하나. 우리 나라에는 현존하지 아니함.

추[5]【墜】명〖악〗편종(編鐘)과 특종(特鐘)을 치는 위치.

추[6]【錘】명 ①↗저울추. ②저울추와 같이 끈에 달려 늘어져서, 흔들리게 된 물건의 총칭. ¶시계의 ~. ③조방기(粗紡機)·정방기(精紡機)·연사기(撚絲機)의, 실을 꼬면서 목관(木管) 등에 감는 강제(鋼製)의 작은 축(軸). 일반적으로 방적 공장의 규모는 그 공장의 정방기의 추의 수로 표현함.

추[7]【醜】명 더러운 것. 보기 흉한 것. ↔미(美).

추[8]【鎚】명〖고고학〗마치. 망치.

추[9]【秋】의명 중요한 시기. 세월. ¶국가 존망지~. 「얕~.

-추 미 형용사 어간에 붙어 부사로 만드는 접미사. ¶갖~/곧~/늦~/

-추- 미 형용사의 어간에 붙어, 타동사가 되게 하는 어간 형성 접미사. ¶갖~다/늦~다. ＊-우-·-구-·-기-·-리-·-치-.

추가[1]【秋稼】명 가을걷이.

추가[2]【追加】명 나중에 더하여 보탬. 추증(追增). ¶예산(豫算)을 ~하다. ——-하다 타여불

추가 경정 예:산【追加更正豫算】〔—네—〕명〖법〗예산이 성립된 뒤에 생긴 사유(事由)로 말미암아 이미 성립된 예산에 변경(變更)을 가(加)하여 이룩된 예산. 본예산(本豫算)에 대비(對比)되는 용어(用語)로, 보정(補正) 예산이라고도 함. 준추경 예산. ＊수정(修正) 예산안.

추가-량【追加量】명 추가되는 양.

추가-령【楸哥嶺】명〖지〗강원도 평강군(平康郡) 고삽면(高揷面)과 함경 남도 안변군(安邊郡) 위익면(衛益面)과의 사이에 있는 재. 이 재를 중심으로 남북을 통하여 추가령 지구대(地溝帶)가 이루어졌음. 죽가령(竹駕嶺). [752 m]

추가령 지구대【楸哥嶺地溝帶】명〖지〗서울과 원산(元山) 사이에 전개된 좁고 긴 낮은 골짜기. 지형상·지질상으로 남한과 북한을 크게 이분하는 구조선(構造線)으로, 옛날부터 경원 가도(京元街道)로 또는 경원선(京元線) 통로로 중요함.

추가 배:당【追加配當】명〖법〗파산 절차에 있어서, 최후의 배당을 통지한 후, 새로 배당에 충당할 만한 재산이 있게 되었을 때에 하는 배당. ——-하다 타여불

추가-분【追加分】명 추가한 부분. 또, 그 분량.

추가 시험【追加試驗】명〖교〗어떠한 원인으로 정기 시험을 치르지 못한 학생 또는 응시생에게 추후 특별히 치르게 하는 시험. 추시험(追試驗). 준추시(追試).

추가 예:산【追加豫算】명〖경〗국가의 본예산이 성립된 후 그 정액에 부족이 생기거나 필요 불가결한 새로운 경비가 생겼을 때, 이것을 보충하기 위하여 새로 추가되는 예산.

추가 입찰【追加入札】명〖경〗다시 추가하여 하는 입찰.

추가 재판【追加裁判】명〖법〗민사 소송상 당사자가 한 청구의 일부나 전부에 대해 재판을 탈루(脫漏)한 경우, 그 탈루 부분에 관하여 하는 재판. 법원의 직권, 당사자의 신청에 의하여 함.

추가 조약【追加條約】명 본(本) 조약에 추가하여 체결하는 조약.

추가 특허【追加特許】명〖법〗특허물(特許物)을 이용하여 새로운 발명품을 냈을 때 그것에 대하여 추가되는 특허.

추가 판결【追加判決】명〖법〗민사 소송에서, 법원이 당사자의 신청에 의하여 재판에 탈루(脫漏)된 것을 보충하기 위하여 행하는 판결. 보충(補充) 판결.

추-가화【鄒家華】명〖사람〗'쩌 자화'를 우리 음으로 읽은 이름.

추간[1]【秋間】명 가을 사이. 가을 동안.

추간[2]【追刊】명 추가하여 간행함. ——-하다 타여불

추간 연:골【椎間軟骨】명〖생〗서로 이웃하는 척추골의 추체(椎體) 사이에 있는 편평한 판상(板狀)의 연골. 가장자리는 단단한 섬유성(纖維性)으로 이루어진, 섬유윤(纖維輪)이 있으며 중심부는 부드러운 수핵(髓核)으로 되어 있는데, 척추 운동은 이 연골의 탄력성에 의존하는 것임. 척추 사이에서 완충기 역할을 담당하고 있으며, 이것이 후방으로 탈출(脫出)하면 추간 연골 헤르니아를 일으킴. 추간 원판(椎間圓板). 추간판(椎間板). 디스크(disk).

추간 연:골 헤르니아【椎間軟骨—】〔라 hernia〕명〖의〗여러 가지 원인으로 추간 연골이 탄력성을 잃게 되면 수핵(髓核)이 섬유윤(纖維輪)을 뚫고 돌출(突出)하여 척추강(脊椎腔)으로부터 갈라져 나오는 척추 신경(脊髓神經)의 근부(根部)를 압박 또는 자극하여 일어나는 질환. 경부(頸部)나 흉부에도 일어나나, 요부(腰部), 특히 제4 및 제5 추간판에 다발(多發)하여, 좌골 신경통(坐骨神經痛)을 일으켜, 하퇴(下腿) 및 족부(足部)의 지각 둔마(知覺鈍麻)를 초래함. 무거운 물건을 들어 올리려고 할 때 등에 요부의 격통과 함께 일어나, 운동 불능이 됨. 추간판 헤르니아. 추간 원판 헤르니아. 속칭은 디스크(disk).

추간 원판【椎間圓板】명〖생〗추간 연골.

추간 원판 헤르니아【椎間圓板—】〔라 hernia〕명〖의〗추간 연골(軟骨)

헤르니아.

추간-판【椎間板】[명]〖생〗추간 연골.

추간판 헤르니아【椎間板—】〔라 hernia〕[명]〖의〗추간 연골 헤르니아.

추-갑사【秋甲寺】[명] 충청 남도 계룡산의 갑사는 가을 경치가 특히 뛰어나다는 말.

추강[1]【秋江】[명] 가을의 강.

추강[2]【秋江】[명]〖사람〗남효온(南孝溫)의 호(號).

추강 냉:화【秋江冷話】[명]〖책〗생육신(生六臣)의 한 사람인 남효온(南孝溫)의 문집. 시문에 대한 논의, 김종직(金宗直)·김시습(金時習)·김수온(金守溫) 등의 학행(學行)과 문학 등을 수필식으로 기록한 것으로 ≪추강집(秋江集)≫·≪대동 야승(大東野乘)≫에 전함.

추거[1]【推去】[명] 찾아서 가져감. ——-하다 [타][여불]

추거[2]【推擧】[명] 추천(推薦). ¶회장으로 ~하다. ——-하다 [타][여불]

추격【追擊】[명] ①뒤좇아 가며 침. ② 습진(習陣). ——-하다 [타][여불]

추격(을) 붙이다 [구] ㉠습진(習陣)을 하도록 시키다. ㉡이간(離間)하여 서로 싸우게 하다.

추격-전【追擊戰】[명] 전승(戰勝)의 효과를 완전히 하기 위하여 물러가는 적을 좇아가 넘다 쳐서 적에게 방전(防戰)할 틈이 없도록 행하는 전투(戰鬪).

추경[1]【秋耕】[명]〖농〗가을갈이. ——-하다 [타][여불]

추경(을) 치다 [구] 가을에 논을 갈다.

추경[2]【秋景】[명] 가을의 경치.

추경 예:산【追更豫算】[—녜—] [명] ↗추가 경정 예산(追加更正豫算).

추경 정용【椎輕釘聳】[명] 〔마치가 가벼우면 못이 도로 솟는다는 뜻〕 윗사람이 약하면 아랫사람이 말을 듣지 않게 된다는 말.

추계[1]【秋季】[명] 추기(秋期). ¶~ 운동회.

추계[2]【追啓】[명] 추신(追伸). 재계(再啓). ——-하다 [타][여불]

추계[3]【推計】[명] 추정(推定)하여 계산함. ——-하다 [타][여불]

추계 렙토스피라병【秋季—病】〔Leptospira〕[—뼝] [명]〖의〗늦여름에서 가을에 걸쳐 많이 볼 수 있는 저온 지대(低溫地帶)의 지방병(地方病). 병원체는 추계 렙토스피라라는 스피로헤타(spirochaeta)임.

추계 인구【推計人口】[명] 어떤 시기를 전후한 인구의 자연 동태 및 사회 동태와 이출(移出)을 가하여 계산한 인구.

추계-학【推計學】[명] 수리(數理) 통계학에서부터 나온 새로운 학문. 추측과 계획을 과학적으로 논구(論究)하여, 일부의 자료로부터 가장 정확하게 전체를 지배하는 법칙을 알아 내려는 학문. 추측 통계학(推測統計學).

추고[1]【追考】[명] 지나간 일을 생각함. ——-하다 [타][여불]

추고[2]【追告】[명] 덧붙여 알림. ——-하다 [타][여불]

추고[3]【推古】[명] 고대의 사적(事跡)을 깊이 조사(調査)하여 고찰(考察)함. ——-하다 [자][여불]

추고[4]【推考】[명] ①추측하여 생각함. ②벼슬아치의 허물을 추문(推問)하여 고찰(考察)함. ¶파직 아니면 추고를 당할 듯 하오. ——-하다 [자][여불]

추고[5]【推故】[명] 거짓으로 핑계함. ——-하다 [타][여불]

추고[6]【推敲】[명] '퇴고(推敲)'의 잘못.

추고 마:비【秋高馬肥】[명] 천고 마비(天高馬肥).

추고-성【趨固性】[—썽] [명] 〔stereotaxis〕〖생〗생물의 고형물(固形物)에 대한 추성(趨性). 고체형(固體形)에 접촉하려고 하는 행동. 주고성(走固性). 추촉성(趨觸性).

추곡[1]【秋穀】[명] 가을에 거두는 곡식. ¶~ 수매(收買) 가격.

추곡[2]【推轂】[명] 〔수레의 바퀴통을 밀어 수레를 앞으로 나아가게 한다는 뜻〕 남의 뒤를 밀어 주어 잘되게 함. ——-하다 [타][여불]

추곡-가【秋穀價】[명] ↗추곡 수매 가격.

추곡 수매 가격【秋穀收買價格】[—까—] [명] 정부가 양곡의 수급 조절을 원활히 하고 적정 가격을 유지하기 위하여 추곡을 생산자로부터 사들이는 가격. 가격과 수량은 국회의 동의를 얻어야 함. [준]추곡가.

추골[1]【椎骨】[명]〖생〗척추골(脊椎骨).

추골[2]【槌骨】[명]〖생〗망치뼈.

추골-장【鞦骨匠】[명]〖역〗경공장(京工匠)의 일종으로, 말 고들개를 만드는 공장(工匠).

추공[1]【秋空】[명] 높고 맑게 갠 가을 하늘.

추공[2]【秋蛩】[명] 가을 밤에 우는 귀뚜라미.

추공[3]【追供】[명] ↗추선 공양(追善供養). ——-하다 [타][여불]

추공[4]【椎孔】[명]〖생〗추골(椎骨)의 추체(椎體)와 추궁(椎弓)에 둘러싸인 강(腔).

추공[5]【錐孔】[명] ①남포 따위를 터뜨리기 위하여 뚫어 놓은 구멍. ②송곳으로 뚫은 구멍.

추과【秋果】[명] 가을에 익는 과물(果物).

추관[1]【秋官】[명]〖역〗①↗추수관(秋收官). ②조선 시대 형조(刑曹)의 예스러운 일컬음.

추관[2]【推官】[명]〖역〗추국(推鞫)할 때에 신문(訊問)하는 관원.

추관[3]【樞管】[명] 추요(樞要).

추-관계【醜關係】[명] 도덕적으로 허용되지 않는 육체 관계 따위.

추관 아:문【秋官衙門】[명]〖역〗조선 시대 형조(刑曹)의 별칭.

추관-정【秋官正】[명]〖역〗고려 때 사천대(司天臺)의 종오품(從五品)의 벼슬.

추관-지【秋官志】[명]〖책〗조선 정조(正祖) 5년(1781)에 박일원(朴一源)이 지은 책. 역대의 전장(典章)·교령(教令) 및 명신(名臣)의 사적 등을 기록하였음. 10권 10책.

추광[1]【秋光】[명] 추색(秋色).

추광[2]【麤鑛】[명]〖광〗굵고 거칠어 언짢은 광물.

추광-성【趨光性】[—썽] [명] 〔phototaxis〕〖생〗주광성(走光性).

추광-어【秋光魚】[명]〖어〗꽁치. 추도어.

추괴【醜怪】[명] 추하고 괴상함. ——-하다 [형][여불]

추교【醜交】[명] 남녀간의 추잡한 교제.

추구[1]【追求】[명] 어디까지든지 뒤쫓아 구함. ¶이상(理想)을 ~하다. ——-하다 [타][여불]

추구[2]【追究】[명] 근본을 캐어 들어가며 연구함. ¶진리의 ~. ——-하다 [타][여불]

추구[3]【追咎】[명] 지나간 뒤에 전날의 허물을 나무람. ——-하다 [타][여불]

추구[4]【芻狗】[명] 옛날 중국에서 제사 지낼 때 쓰던 짚으로 만든 개. 쓰고 나면 내버렸음. 전하여, 아무런 소용이 없게 되어 버린 물건을 이름.

추구[5]【追驅】[명] 뒤쫓아 말을 달림. ——-하다 [자][여불]

추구[6]【推究】[명] 이치(理致)로 미루어 생각하여 끝까지 규명(糾明)해 냄. ——-하다 [타][여불]

추-구월【秋九月】[명] 음력 9월을 가을철이란 뜻으로 일컫는 말.

추국[1]【秋菊】[명] 가을에 피는 국화(菊花).

추국[2]【秋麴】[명] 가을에 빚은 누룩.

추국[3]【推鞫】[명]〖역〗①죄를 다스림. ②의금부(義禁府)에서 특지(特旨)에 의하여 중죄인(重罪人)을 신문함. ——-하다 [타][여불]

추국-안【推鞫案】[명]〖역〗조선 시대에, 의금부에서 중죄인을 심문한 공초(供招) 기록.

추굴【醜窟】[명] ①추악(醜惡)한 소행을 하는 무리들의 소굴(巢窟). ②매음굴(賣淫窟).

추궁[1]【秋窮】[명] 묵은 곡식(穀食)이 떨어져, 지나기 어려운 피고개. ↔춘궁(春窮).

추궁[2]【追窮】[명] 어디까지든지 캐어 따짐. 끝까지 따지어 밝힘. 궁추(窮追). ¶책임을 ~하다. ——-하다 [타][여불]

추궁[3]【椎弓】[명]〖생〗추골을 구성하는 요소이며 추체(椎體)의 복측(腹側)에서 나오는 교상(橋狀)의 돌기(突起). 추공(椎孔)을 둘러싸고 있고 7개의 돌기를 갖고 있음.

추근-거리다 [자][타] 치근거리다.

추근-대다 [자][타] 추근거리다.

추근드롱-하다 [형] 〈방〉 축축하다(제주).

추근-추근 [부] 성질이 몹시 검질긴 모양. ¶~ 따라다니다 / 남자에게 달라붙어 ~하게 돈을 우려내는 기생처럼…≪鄭乙炳 : 개새끼들≫. >초근초근. ——-하다[1] [형][여불]. ——-히[1] [부]

추근추근-하다[2] [형][여불] 몹시 축축하다. 추근추근-히[2] [부]

추금[1]【秋琴】[명]〖사람〗강 위(姜瑋)의 호(號).

추금[2]【秋錦】[명]〖식〗과꽃.

추급[1]【追及】[명] 뒤좇아서 따라붙음. ——-하다 [자][타][여불]

추급[2]【追給】[명] 추가로 더 줌. ——-하다 [타][여불]

추급[3]【推及】[명] 미루어서 생각이 미침. ——-하다 [자][타][여불]

추급[4]【推給】[명] 찾아서 내어 줌. ——-하다 [타][여불]

추급-권【追及權】[명]〖법〗권리의 목적물이 여러 번 옮겨져 누구에게 가 있더라도 이것을 추급하여 행사할 수 있는 권리.

추기[1] [명] ↗추깃물.

추기[2]【秋氣】[명] 가을의 기운. 소기(素氣).

추기[3]【秋期】[명] 가을의 시기. 가을철. 추계(秋季).

추기[4]【追記】[명] 본문에 추가하여 기입함. ——-하다 [타][여불]

추기[5]【追騎】[명] 추격하는 기병.

추기[6]【樞機】[명] ①중추(中樞)가 되는 기관(機關). ②천하의 대정(大政). ③몹시 중요로운 사물 또는 중요 부분.

추기[7]【錐器】[명] 추화(錐花) 무늬를 놓아 만든 도자기.

추기[8]【麤氣】[명] 거칠어서 곰살갑지 못한 기습(氣習).

추기-경【樞機卿】[명] 〔cardinal〕〖천주교〗교황의 교회 행정상의 최고 고문. 11세기에 확립된 교직으로, 1586년 이래 오랫동안 정원 70명이었지만, 지역 대표성을 감안하여 점차로 증원, 현재는 약 150명을 헤아림. 교황청 각 성성(聖省)의 장관 또는 구성원으로서 교황의 통리를 분담 보좌함. 교황 사거(死去)의 경우에는 시스티나 성당에 모여 추기경 중에서 새 교황을 선출함.

추기경-단【樞機卿團】[명]〖천주교〗모든 추기경으로 구성된 집합체.

추기다 [타] 〔근대 : 츄기다('초기다'의 큰말)〕 가만히 있는 사람을 살살 꾀어서 끌어 내다. 선동하다. ¶달콤한 말로 ~.

추기-성【趨氣性】[—썽] [명] 〔aerotaxis〕〖생〗주기성(走氣性).

추길【諏吉】[명] 길일(吉日)을 택함. ——-하다 [타][여불]

추길-관【諏吉官】[명]〖역〗길일(吉日)을 가리는 일을 맡은 관상감(觀象監)의 한 직장(職掌). 일관(日官).

추깃-물 [명] 송장이 썩어서 흐르는 물. 시수(屍水). 시즙(屍汁). [준]추기.

추나【推拿】[명]〖한의〗정골법(正骨法)의 하나. 몸의 부위와 혈(穴)을 엄지손가락 또는 손바닥으로 힘주어 밀어 주기를 되풀이하는 추(推)와, 손가락으로 힘주어 해당 부위를 잡아 당기기를 되풀이하는 나(拿)의 합칭(合稱). 골절(骨折)이 아문 뒤 관절의 강직(強直)이나 후유증(後遺症)에 쓰임.

추남【醜男】[명] 보기 흉한 남자. 못생긴 남자. 추부(醜夫). ↔미남(美男).

추납[1]【追納】[명] 부족한 것을 뒷날에 채워서 바침. ——-하다 [타][여불]

추납[2]【推納】[명] 찾아서 바침. ——-하다 [타][여불]

추낭【錐囊】[명] ①송곳이 든 주머니. ②재능이 뛰어난 사람. 낭중지추(囊中之錐).

추녀[1] [명]〖건〗①처마 네 귀의 기둥 위에 끝이 번쩍 들린 크고 긴 서까래. 또, 그 부분의 처마. 충설(衝舌). 충연(衝椽). ②〈방〉 처마(경기·충청·전북).

추녀[2]【醜女】[명] 얼굴이 흉하고 못생긴 여자. 추부(醜婦). ↔미녀(美女).

추녀 높이 [명]〖건〗집이 세워진 땅바닥으로부터 추녀까지의 높이.

추녀 마루 [명]〖건〗당마루에 이어 추녀를 기와로 덮은 부분. 활개장 마루.

추녀 허리 명〖건〗번쩍 들린 추녀의 위로 휘어진 부분.
추념1 명〈방〉처마(충남).
추념2【追念】명 ①지나간 일을 돌이켜 생각함. 추사(追思). ②죽은 이를 생각함. ——-하다 타여불
추념-문【追念文】명 추념(追念)의 내용을 적은 글.
추념-사【追念辭】명 추념하는 인사말.
추노1【推奴】명 ①도망간 종을 찾아서 데려옴. ②〖역〗전에 자기집 노비였던 사람이 다른 곳에 가서 살아 자손이 번창하여졌을 때 자기 조상의 노안(奴案)에 의거하여 그 자손에게서 몸값으로 공포(貢布)를 받던 일. ——-하다 자여불
추노2【醜奴】명〖사람〗몽골 유연(柔然)의 지배자. 그 아버지 복도(伏圖)가 고차(高車)의 왕에게 죽은 후 가한(可汗)이 됨. 전략과 용병(用兵)에 뛰어나서 516년 고차(高車)를 쳐서 그 왕을 죽이고 그 강성(強盛)함을 과시, 처음으로 성곽(城郭)을 쌓음. 한편 북위(北魏)에 자주 조공을 바치고 남조(南朝) 양(梁)나라에도 사신을 파견하는 등 외교적으로도 힘썼으나 무녀(巫女)에 빠져 국정(國政)이 어지럽던 중 고차(高車)의 침입을 받고 대신(大臣)에게 죽음. [?-520;재위 508-520]
추놈〔베트남 chu' nôm〕명 베트남어를 표기하기 위해 한자(漢字)의 요소를 독특하게 결합하여 만든 문자. 14세기부터 수세기 동안 널리 사용되었지만 현재는 쓰이지 않음.
추다1 타 남을 일부러 칭찬하여 주다.
추다2 타〔중세 : 츠다〕춤을 벌이다. ¶춤을 ~.
추다3 타 ①숨은 물건을 찾아 내려고 뒤지다. ②한 쪽을 채어 올리다. 추켜들다. ③ ☞ 추리다.
추단1【抽單】명〖불교〗선사(禪寺)에서 선승(禪僧)이 승당(僧堂)을 하직하고 떠나는 일. 기단(起單).
추단2【推斷】명 ①사물을 추측하여 판단함. 또, 그 판단. ②죄상을 심문하여 처단함. ——-하다 타여불
추달【推撻】명 ①매로 때림. ②〖역〗조선 시대에 볼기를 치던 고문. ¶가짜가 많은 세상이니 능지가 나도록 ~을 받아 보세≪李周洪 : 탈선 춘향전≫. ——-하다 타여불
추담1【推談】명 핑계로 하는 말.
추담2【醜談】명 더럽고 음란한 말. 추설(醜說).
추담3【麤談】명 거칠고 어리석은 말.
추당【一堂】명〈방〉〖민〗주당(周堂).
추대1【推貸】명 취대(取貸). ——-하다 타여불
추대2【推戴】명 윗사람으로 떠받듦. ——-하다 타여불
추대3【錐臺】명〖수〗원뿔대(臺).
추대-식【推戴式】명 추대하는 의식.
추덕【樞德】명 인간 도덕의 주요한 덕.
추-도1【抽島】명〖지〗충청 남도 서해상(西海上), 보령시(保寧市) 오천면(鰲川面) 효자도리(孝子島里)에 위치한 섬. [0.99 km²]
추도2【追悼】명 죽은 사람을 생각하여 슬퍼함. ——-하다 타여불
추-도3【楸島】명〖지〗경상 남도의 남해상(南海上), 통영시(統營市) 산양읍(山陽邑) 추도리(楸島里)에 위치한 섬. [2.5 km²]
추-도4【鰍島】명〖지〗전라 남도의 남해안(南海岸), 여수시(麗水市) 화정면(華井面) 낭도리(狼島里)에 위치한 섬. [0.11 km²]
추도-문【追悼文】명 추도하는 글.
추도-사【追悼辭】명 추도하는 말.
추도-식【追悼式】명 추도하는 의식.
추도-어【秋刀魚】명〖어〗꽁치1.
추도지-리【錐刀之利】명 적은 이익. 사소한 이익.
추도지-말【錐刀之末】명 뾰족한 송곳의 끝. 전(轉)하여, 아주 작은 일. ——-하다 자여불
추도-회【追悼會】명 추도하는 모임.
추돌【追突】명 열차·자동차 따위가, 뒤에서 들이받음. ¶~ 사고(事故).
추동-산【楸洞山】명〖지〗함경 남도 풍산군(豐山郡) 안산면(安山面)과 천남면(天南面) 사이에 있는 산. [1,691 m]
추두【鰍頭】명 쇠꼬리채.
추들다1 타〈방〉초들다.
추들다2 타〈옛〉추켜들다. 부추기다. ¶그 달애며 추들며 닐와ᄃᆞ며 힘쇠우며(其…誘掖激勵)≪飜小 IX:13≫.
추등【秋等】명 ①등급을 춘추(春秋)의 둘로 나눈 것의 둘째. 또, 춘(春)·하(夏)·추(秋)·동(冬)의 넷으로 나눈 것의 셋째. ②〖역〗춘추로 두 번에 나누어 내게 된 제도에서 가을에 내는 세금. *동등(冬等).
추라치 명〖어〗굵고 큰 송사리.
추락1【秋落】명 ①예상되는 풍작이 가을에 와서 수확이 줄어짐. ②풍작으로 인하여 가을에 쌀값이 폭락함. ——-하다 자여불
추락2【墜落】명 ①높은 곳에서 떨어짐. ¶위신이 ~하다/비행기 ~ 사고. ②아버지나 할아버지의 공덕(功德)을 따르지 못하고 떨어짐. ——-하다 자여불
추락-사【墜落死】명 높은 곳에서 떨어져 죽음. ¶암벽 등반 중 실족하여 ~했다. ——-하다 자여불
추랭【秋冷】명 가을의 찬 기운.
추량1【秋涼】명 가을의 서늘한 기운.
추량2【芻糧】명 인마(人馬)의 식량.
추량3【推量】명 추측(推測). ——-하다 타여불
추레-하다 형여불〔중세 : 추러ᄒᆞ다〕차림새가 깨끗하지 못하고 생기가 없다. ¶추레한 옷차림. >초라하다.
추려-내다 타 분간하여 가려내다. ¶못된 것을 ~.
추력【推力】명 물체에 작용하는 힘의, 운동 방향 성분. 물체를 그 운동 방향으로 미는 힘. ¶~ 5만 파운드의 로켓.
추력 방향 제:어【推力方向制御】명〔thrust vector control; TVC〕로켓의 유도 제어 방식의 하나. 분사(噴射) 가스의 유동 방향을 바꾸어 줌으로써 비행 방향을 바꾸어 줌.
추렴 명〔←출렴(出斂)〕모임이나 놀이의 비용 등으로 각자(各自)가 금품을 얼마씩 내어 거둠. ¶비용(費用)을 ~하다/술~. *갹금(醵金). ——-하다 타여불
추렴-새 명 ①추렴하는 돈이나 물건. ②추렴하는 일.
추렷-하다 형〈방〉추레하다(평북).
추령1【酋領】명 추장(酋長).
추령2【芻靈】명 풀을 묶어 만든 인형(人形). 순사자(殉死者)의 대신으로 쓰던 것. *제웅.
추령-시【秋令市】명 10월 3일께에 열리는 대구(大邱)의 가을철 약령시(藥令市). *춘령시(春令市).
추령-천【秋嶺川】명〖지〗섬진강의 한 지류. 전라 북도 순창군(淳昌郡) 복흥면(福興面)에서 발원(發源)하여, 순창·정주(井州)를 지나서, 섬진강(蟾津江)으로 들어감.
추로1【秋露】명 가을 이슬.
추로2【鄒魯】명〔공자는 노(魯)나라의 사람이고, 맹자는 추(鄒)나라 사람이라는 뜻〕공맹(孔孟)을 가리켜 일컫는 말.
추로3【醜虜】명 ①더럽고 보기 흉한 이국인(異國人). 외국인을 천하게 일컫는 말. ②포로를 천하게 일컫는 말.
추로4【麤鹵】명 거칠고도 어리석음. ——-하다 형여불
추로-수【秋露水】명〖한의〗가을의 이슬이 엉기어 된 물. 달여서 약으로 씀.
추로지-향【鄒魯之鄕】명〔공맹(孔孟)의 고향이란 뜻〕예절을 알고 학문이 왕성한 곳을 일컫는 말. *추로(鄒魯).
추로-학【鄒魯學】명〔유학(儒學)을 그 발흥(勃興)한 지명에 관련시켜서 일컫는 말〕공맹(孔孟)의 학문. 유학(儒學).
추록【追錄】명 추가하여 기록함. ——-하다 타여불
추론1【追論】명 추구(追求)하여 논란(論難)함. ——-하다 타여불
추론2【推論】명 ①사리를 미루어서 논급(論及)함. ¶사실에 비추어 ~하다. ②어떠한 판단으로 미루어 다른 판단을 이끌어 냄. 추리(推理). ——-하다 타여불
추론-식【推論式】명〖논〗삼단 논법(三段論法).
추론-적【推論的】명관〖철〗비량적(比量的).
추루【醜陋】명 더럽고 지저분함. 누추(陋醜). ——-하다 형여불
추류【醜類】명 ①추잡한 무리. 악당(惡黨). ②동아리. 패거리. 중류(衆類). ③유사(類似)한 것을 비교함.
추류-성【趨流性】[—썽] 명〔rheotaxis〕〖생〗주류성(走流性).
추리1 명 양지머리의 배꼽 아래에 붙은 쇠고기.
추리2【抽利】명 남은 이익을 뽑아서 계산함. ——-하다 타여불
추리3【推理】명 ①사리를 미루어서 생각함. ②〔reasoning, inference〕〖논〗기지(既知)의 판단으로부터 새로운 판단을 도출하는 사유(思惟)작용. 사유의 가장 본질적인 작용으로 기지의 판단을 전제(前提), 새로운 판단을 결론이라고 일컬음. 전제가 하나일 때에는 직접 추리, 둘 이상일 때에는 간접 추리라 함. 추론(推論). ——-하다 타여불
추리4【趨利】명 영리(營利)에 마음을 기울임. ——-하다 자여불
추리다 타〔근대 : 추리다('초리다'의 큰말〕섞이어 있는 많은 것 속에서 여럿을 골라 뽑다. 가려 내다. ¶요점을 ~.
추리-력【推理力】명 추리하는 힘.
추리 소:설【推理小說】명〖문〗범죄 수사의 추리에 흥미의 중심을 두는 소설. 탐정 소설 따위.
추리-식【推理式】명〖논〗삼단 논법.
추리 작문【推理作文】명 보난자그램(bonanzagram).
추림【秋霖】명 가을 장마.
추마【騅馬】명 흰 바탕에 흑색(黑色), 짙은 갈색(褐色), 짙은 적색 등의 털이 섞여 난 말.
추마리 명〈방〉항아리(경남).
추만1【秋晩】명 가을날의 저녁. 또, 늦가을. 만추(晩秋).
추만2【推挽·推輓】명 ①뒤에서 밀고, 앞에서 끎. ②사람을 추거(推擧)함. ——-하다 타여불
추만3【鰍鰻】명〖동〗스라소니❶.
추말【麤末】명 굵은 가루.
추매 명〈방〉처마(강원·충남·경남).
추맥【秋麥】명 가을보리.
추머리 명〈방〉항아리(경북).
추면1【追免】명 추가하여 또는 추후에 방면(放免)함. ——-하다 타여불
추면2【皺面】명 ①주름살이 잡힌 얼굴. ②〖식〗여우오줌풀.
추면3【錐面】명〖수〗'뿔면'의 구용어.
추면4【醜面】명 못생긴 얼굴. 미운 얼굴.
추명【醜名】명 깨끗하지 못한 일로 더럽힌 이름.
추모1【酋矛】명 모(矛).
추모2【秋麰】명 가을 보리.
추모3【追慕】명 죽은 사람을 사모함. ¶~의 정(情). ——-하다 타여불
추모4【醜貌】명 보기 흉한 용모.
추-모란【秋牡丹】명 과꽃.
추모-주【秋麰酒】명 가을 보리로 빚은 술.
추모-탑【追慕塔】명 추모하는 뜻으로 세운 탑.
추목【楸木】명 가래나무. 또, 그 재목.
추목-대【楸木一】명 가래나무를 깎아서 만든 견지 낚싯대. 탄력이 있고 강인(強靭)함.
추무【樞務】명 기밀(機密)의 사무. 추요(樞要)한 사무.
추-무담석【秋無擔石】명〔중국 주(周)나라 때 담(擔)은 2석(石), 석(石)

은 1석으로, 곧 적은 수량이란 말] 가난하여 가을에 수확(收穫)이 아무것도 없음.

추문[1]【推問】명 추구(推究)하여 힐문(詰問)함. ——-하다 타여불

추문[2]【皺紋】명 주름살 같은 무늬. *주름살.

추문[3]【醜聞】명 아름답지 못한 소문. 스캔들(scandle). 조성(臊聲). ¶~을 퍼뜨리다.

추물[1]【醜物】명 더럽고 지저분한 물건이나 사람.

추물[2]【麤物】명 거칠고 못생긴 사람.

추물 공연 명〖민〗제주도 무속 제의(巫俗祭儀)의 제차(祭次)의 한 이름. 심방이 장구를 받아 앉아 그 소리에 맞춰서 소원 성취를 빌며 제물(祭物) 이름을 낱낱이 고하여 신에게 권하는 의례(儀禮)임.

추미[1] 명〈방〉칡(함북).

추미[2]【追尾】명 뒤를 따라감. ——-하다 타여불

추-미[3]【醜美】명 못생김과 잘생김. 추함과 아름다움.

추미[4]【麤米】명 잘 쓿지 아니한 궂은 쌀.

추미 전:보【追尾電報】명 특별 전보의 하나. 전보의 수신인이 지정된 주소에 있지 아니할 때, 그 간 곳을 뒤쫓아 찾아 가서 전하는 전보.

추밀【樞密】명 ①군정(軍政)에 관한 중요한 사항. ②추요(樞要)의 기밀.

추밀다 자타〈옛〉치밀다. ¶하늘의 추미러 므스 일을 스로리라 ≪松江 關東別曲≫.

추밀-원【樞密院】명〖역〗고려 때 왕명(王命)의 출납(出納)과 숙위(宿衛)·군기(軍機) 등에 관한 일을 맡은 관아. 중추원(中樞院)의 후신으로 헌종(獻宗) 원년(1095)에서 충렬왕 원년(1275)까지와, 공민왕 5년(1356)에서 11년까지의 일컬음.

추밀원 부:사【樞密院副使】명〖역〗고려 때 추밀원(樞密院)의 정삼품(正三品) 벼슬. 중추원 부사의 고친 이름.

추밀원-사【樞密院使】명〖역〗고려 때 추밀원(樞密院)의 종이품(從二品) 벼슬. 중추원사(中樞院使)를 고친 이름.

추바리 명〈방〉뚝배기(경북).

추바시 튀르크 어:군【—語群】[Chuvash-Türk] 명〖언〗중국의 서쪽 경계로부터 발칸 반도에 이르는 넓은 지역에서 사용되던 언어군. 알타이 어족에 속함.

추반【麤飯】명 거친 곡식으로 지은 밥.

추발【抽拔】명 골라서 추려 냄. ——-하다 타여불

추방[1]【秋芳】명 가을에 피는 꽃.

추방[2]【追放】명 ①쫓아내어서 멀리함. 몰아냄. 추실(追失). ②〖법〗한 나라에서 재류(在留)가 위험하다고 인정되는 자국인, 외국인 혹은 불법 입국자에 대하여 퇴거하도록 하는 일. ¶~령(令). ③일정한 이유를 들어서 공직·교직 따위에서 쫓아내는 일. ——-하다 타여불

추배[1]【追陪】명 동반함. 따라 좇음. 모시고 걸음. ——-하다 타여불

추배[2]【趨拜】명 추창(趨蹌)해 나아가서 절함. 나아가 배알함. ——-하다 자여불

추배-법【推排法】[—뻡] 명〖역〗중국 남송(南宋) 때의 전세 정리법(田稅整理法). 백성의 빈부에 따라 세율의 높낮이를 정하여 납세의 공평을 기했음.

추백【追白】명 추신(追伸). ——-하다 타여불

추병[1]【追兵】명 적군을 추격하는 군사.

추병[2]【樞柄】명 정치의 추요(樞要)한 권력.

추보[1]【推步】명 천체의 운행을 관측함. ——-하다 타여불

추보[2]【趨步】명 총총걸음으로 빨리 달림. ——-하다 자여불

추보-관【推步官】명〖역〗조선 시대 때, 관상감(觀象監)의 한 벼슬.

추보-전【秋補錢】명〖역〗조선 시대에 상무사(商務社)에서 장례 치르는 데 쓰려고 보부상들에게서 가을에 걷던 돈. *춘수전(春收錢).

추복[1]【追服】명 재상(在喪)을 당했을 때에 무슨 사정에 의하여 입지 못하였던 거상옷을 뒷날에 가서 입음. ——-하다 타여불

추복[2]【追復】명 ↗추복위(追復位). ——-하다 타여불

추복[3]【追福】명 죽은 이의 명복을 빎. ——-하다 타여불

추복[4]【推服】명 추앙(推仰)하여 복종함. ——-하다 자여불

추복[5]【騶僕】명 추종(騶從).

추복-곡【追覆曲】명〖악〗푸가(fuga).

추-복위【追復位】명 빼앗은 위호(位號)를 그 사람이 죽은 뒤에 다시 회복시켜 줌. ㊟추복(追復). ——-하다 타여불

추본【推本】명 근본을 추구(推究)함. ——-하다 자여불

추봉[1]【秋捧】명 결세(結稅)와 잡세를 가을에 징수함. ——-하다 타여불

추봉[2]【追封】명 죽은 이에게 관위(官位) 등을 내림. ——-하다 타여불

추봉[3]【推捧】명 전곡(錢穀)을 물리어서 거두어 들임. ——-하다 타여불

추봉[4]【雛鳳】명 봉의 새끼. 훌륭한 제자(弟子)의 비유.

추봉-도【秋峰島】명〖지〗경상 남도의 남해상(南海上), 통영시(統營市) 한산면(閑山面) 추봉리(秋峰里)에 위치한 섬. [4.40 km²]

추부[1]【醜夫】명 추남(醜男).

추부[2]【趨附】명 남을 붙좇아서 따름. ——-하다 타여불

추부[3]【醜婦】명 추녀(醜女). 「——-하다 타여불

추부 의뢰【趨附依賴】명 세력 있는 사람에 붙좇아서 의지하여 지냄.

추분【秋分】명 24 절기의 열여섯째. 백로(白露)와 한로(寒露) 사이에 드는데 황경(黃經)이 180°인 때로, 양력 9월 23일경임. 태양이 추분점(秋分點)에 이르러 낮과 밤의 길이가 같게 됨. 가을이 무르익어 가는 때임. ↔춘분(春分).

추분-점【秋分點】[—쩜] 명〖천〗황도(黃道)와 적도의 교점(交點) 가운데, 태양이 북쪽에서 남쪽으로 향하여 적도를 통과하는 점. 적경(赤經)·황경(黃經) 모두 180°이고 적위(赤緯)·황위(黃緯) 모두 0°임.

추분-취【秋分—】명〖식〗[*Rhynchosperum verticillatum*] 국화과에 속하는 다년초. 가지가 갈라지며 줄기의 잎은 어긋맞게 나며 거꿀달걀꼴이며 두 끝이 좁고 톱니가 있음. 8-10월에 흰꽃이 잎겨드랑이에서 피며 열매는 수과(瘦果)로 달림. 산지의 그늘진 곳에서 자라는데, 한국의 한라산을 비롯하여 일본·대만·말레이시아·인도 등지에 분포함.

추-불서【騅不逝】[—써] 명 중국 초(楚)나라 항우(項羽)의 사랑하는 준마 오추마(烏騅馬)도 전진하지 못한다는 뜻으로, 세궁 역진(勢窮力盡)한 경우의 일컬음.

추비[1] 명〈방〉추위(함북·경상).

추비[2]【追肥】명〖농〗덧거름.

추비[3]【麤鄙】명 거칠고 촌스러움. ——-하다 형여불

추빈【箠擯】명〖불교〗총림(叢林)에서 허물있는 중을 볼기를 쳐서 산문 밖으로 내쫓는 일.

추사[1]【秋史】명〖사람〗김정희(金正喜)의 호(號).

추사[2]【秋思】명 가을철에 느끼어서 일어나는 여러 가지 생각. 추정(秋情). 추회(秋懷).

추사[3]【追思】명 추념(追念). ——-하다 타여불

추사[4]【追賜】명〖역〗죽은 자에게 후에 물건을 하사함. ——-하다 타여불

추사[5]【推辭】명 남에게 사양하고 자기는 물러남. ——-하다 자여불

추사[6]【墜死】명 추락하여 죽음. ——-하다 자여불

추사[7]【趨舍】명 나아감과 물러섬. 진퇴(進退).

추사[8]【趨事】명〖역〗조선 시대 때 서반 잡직(西班雜職)의 종구품(從九品) 벼슬.

추사[9]【醜事】명 보기 흉한 일. 더러운 일.

추사 이:망【追思已亡】명〖천주교〗'위령의 날'의 구용어. 「용어.

추사 이:망 첨례【追思已亡瞻禮】[—네] 명〖천주교〗'위령의 날'의 구

추사-체【秋史體】명 조선 후기의 명필(名筆) 추사(秋史) 김정희(金正喜)의 글씨체.

추삭【追削】명〖역〗죽은 뒤에 그 사람 생전의 위훈(位勳)을 깎아 없앰. 추탈(追奪). ——-하다 타여불

추산[1]【秋山】명 가을철의 산.

추산[2]【推算】명 짐작으로 미루어서 셈함. ——-하다 타여불

추산-서【推算書】명 추산한 것을 적은 서류.

추살[1]【追殺】명 추격하여 죽임. ——-하다 타여불

추살[2]【椎殺】명 몽둥이로 쳐서 죽임. ——-하다 타여불

추-삼삭【秋三朔】명 음력 7월·8월·9월의 가을철의 석 달.

추상[1]【抽象】명 [abstraction]〖심〗일정한 인식 목표를 추구하기 위하여 여러 가지 표상(表象)이나 개념에서 특정한 특성이나 속성을 빼냄. 또, 그 빼낸 것을 사고의 대상으로 하는 정신 작용. 개괄(概括). ↔구상(具象). *사상(捨象). ——-하다 자여불

추상[2]【抽賞】명 여럿 중에서 뽑아 내어 상을 줌. 또, 그 상. ——-하다 타여불

추상[3]【秋霜】명 ①가을의 찬 서리. ②두려운 위엄이나 엄한 형벌의 비유. ¶~ 같은 호령.

추상[4]【追上】명〖역〗①쫓아가 닿음. ②선왕(先王)·선비(先妃)·선철(先哲)에게 존호를 올림. ——-하다 타여불

추상[5]【追想】명 추억(追憶). ¶~록(錄). ——-하다 타여불

추상[6]【追賞】명 ①상을 추구(追求)함. ②추후 또는 죽은 후에 상을 줌. ——-하다 자여불

추상[7]【追償】명 지정된 기일에 일부를 갚고, 나머지를 뒷날에 갚음. ——-하다 타여불

추상[8]【推上】명 역도(力道)에서, 바벨(barbell)을 어깨까지 올렸다가 반동을 이용하지 않고, 머리 위로 천천히 들어 올리는 종목. 1973년부터 역도 경기 종목에서 제외됨. 밀어올리기. *용상(聳上)·인상(引上). ——-하다 타여불

추상[9]【推尙】명 존중함. 추존(推尊). ——-하다 타여불 「타여불

추상[10]【推想】명 앞으로 올 일을 미루어 생각함. 또, 그 생각. ——-하다

추상[11]【樞相】명〖역〗고려 때, 중추원(中樞院)·추밀원(樞密院)의 종이품(從二品) 관원인 판원사(判院事)·원사(院使)·지원사(知院事) 및 정삼품(正三品)인 부사(副使)·직학사(直學士) 등을 재상(宰相)에 대하여 일컫는 말. 추신(樞臣).

추상[12]【醜相】명 추한 상(相). 추한 모양.

추-상갑【秋上甲】명〖민〗입추(立秋) 뒤 첫 번째 돌아오는 갑자일(甲子日). 이 날에 비가 오면 그 해에 비가 많이 내려 곡두 생각(穀頭生角), 곧 아직 거두지 아니한 곡식에서 싹이 튼다고 함.

추상 같다【秋霜—】형 ①위엄에 찬 호령이 매우 두렵다. ¶호령이 ~. ②형벌 등이 매섭고 엄하다.

추상-같이【秋霜—】[—가치] 부 추상 같게.

추상 개:념【抽象概念】명〖논〗추상적 개념.

추상 공간【抽象空間】명〖수〗위상 공간(位相空間).

추상 광화【抽象光畫】명 [도 Lichtgraphik] 1960년대 말경, 서독의 전위(前衛) 사진 작가가 창안한 새로운 예술 사진. 얼핏 보아서는 보통의 흑백 사진과 다를 것이 없으나, 2, 3매(枚)의 네가(nega)를 인화하거나 필름에 이끼를 눌러 붙이거나, 카메라를 사용하지 않고 직접 확대기를 써서 인화지에 인화하거나 하여, 새로운 기교를 부린 것.

추상 기보【抽象記譜】명 [graphic notation]〖악〗우연성(偶然性) 음악에서, 작곡가들이 음(音)의 움직임의 대요(大要)를 시각적(視覺的)으로 직관(直觀)하기 쉽도록 도안화(圖案化)한 것을 총괄적(總括的)으로 이르는 말.

추상 대:수학【抽象代數學】명〖수〗공리(公理)주의적 경향을 띤 대수학. 수의 개념을 사칙 공준(四則公準)의 분석에 의하여 추상화하고, 군(群)·환(環)·체(體)·아이디얼 등의 개념을 낳아서, 추상적 체계의 공

리적(公理的)인 구성을 그 연구 방법으로 하여 얻는 전체적인 체계 구조를, 종래의 대수학과 구별하여 일컫는 말. 사칙 연산(四則演算)의 결합(結合) 규칙에 의거하는 작용의 대수학으로서, 해석학·집합론·사영(射影) 기하학 등의 공리적 추상화가 행하여지며, 위상적(位相的) 방법과 더불어 현대 수학의 추상적 성격의 중심을 이룸.

추상-력【抽象力】[—녁] 명 추상하는 힘.

추상-론【抽象論】[—논] 명 단순히 머리 속에서만 생각해 낸 알맹이 없는 의견. 실제에 바탕을 두지 않아 구체성이 없고 내용이 빈곤하여 뜻이 분명치 않은 생각.

추상 명사【抽象名詞】명 〖언〗 실질 명사 중 추상적 개념을 언어로 나타낸 것. '기쁨'·'정의'·'용기' 등 무형 명사(無形名詞). ↔물질 명사(物質名詞)❶·구체 명사.

추상 무늬【抽象—】[—니] 명 구체적인 사물을 무늬의 구성 요소로 삼지 아니하고 점·직선·곡선·면·색채를 자유로이 결합하여 만들어낸 무늬. 고대(古代)의 기하학 무늬, 중세(中世)의 땋은 끈 모양의 무늬 등도 넓은 뜻의 추상 무늬에 포함됨.

추상 무:용【抽象舞踊】명 〔abstract dance〕 아무 의미도 줄거리도 없는 움직임을 위한 움직임으로써 추어지는 무용. 1925년경의 독일의 슐레머(Schlemmer, Oscar), 1934년 이후의 러시아 태생의 미국 무용 안무가(按舞家) 발런친(Balanchine, George) 등의 구성 없는 발레 등의 활동이 두드러졌음.

추상-미【抽象美】명 추상적으로 유별(類別)한 미. 곧, 그 종류에 공통되는 특유한 미.

추상 미술【抽象美術】명 〔abstract art〕 1910년경부터 일어난 예술 사조(思潮)로서, 물체의 선이나 면을 추상적으로 승화(昇華)하고, 혹은 색채의 어울림을 추구하여 이것을 조형적(造形的)인 작품으로 구성하는 일.

추상-석【抽象石】명 추상적인 미(美)를 갖춘 수석(壽石).

추상-성【抽象性】[—썽] 명 〖문〗 실제로나 구체적으로 경험할 수 없는 성질. 또, 그 경향. ↔구상성(具象性).

추상 세:포【錐狀細胞】명 〔cone cell〕 〖생〗 원추 세포(圓錐細胞).

추상-신【抽象神】명 인간에게 영향을 주는 어떤 추상적 성질이나 행위가 구체적으로 인간적 형태와 힘을 가지고 나타내어진 신. 로마의 승리의 신 빅토리아(Victoria)나 자유의 신 리베르타스(Libertas) 등.

추상 열일【秋霜烈日】[—녈—] 명 가을의 찬 서리와 여름의 뙤시 뜨거운 해와 같이 형벌이 엄정하고 권위가 있다는 말.

추상 영화【抽象映畫】[—녕—] 명 〖연〗 절대 영화(絕對映畫).

추상 예:술【抽象藝術】[—네—] 명 〖미술〗 제1차 세계 대전 후에 발생한 미술 사조(思潮)의 하나. 대상(對象)의 재현(再現)을 목적으로 하지 아니하고 합리적인 미(美)의 추구와 표현을 목표로 한 것으로, 대체로 기하학적인 양식을 가짐. 앱스트랙트(abstract). ↔구상(具象) 예술. *추상화(抽象畫).

추상 음성【抽象音聲】명 〖언〗 같은 단음(單音)이라도 실제의 발음에 있어서는 사람마다 조금씩 다르나 머리 속에서는 동일(同一)하다고 생각되는 소리. ↔구체 음성.

추상-적【抽象的】명 관 낱낱의 사물에서 공통되는 속성(屬性)을 뽑아내어 종합한 상태. 또, 그 모양. ↔구상적(具象的).

추상적 개:념【抽象的概念】명 〖논〗 구체적인 경험 내용으로부터 어떤 성질·관계·상태 등을 추출하여 생각할 경우의 그 성질·관계·상태를 가리킴. 예를 들면 경험 내용 전체를 가리키는 '인간'에 대해, 거기에서 추출한 '인간성(人間性)'·'관대(寬大)'·'용기(勇氣)' 따위와 같은 것. 속성(屬性) 개념. ↔구체적(具體的) 개념❸.

추상적 소권설【抽象的訴權說】[—꿘] 명 〖법〗 공법적(公法的) 소권설의 하나. 소권은 단지 소(訴)를 제기하여 법원의 판결에 의한 응답(應答)을 청구하는 권리라고 하는 설.

추상적 위태법【抽象的危殆法】[—뻡] 명 〖법〗 일반적으로 법익(法益)을 해칠 위험이 있다고 인정되는 행위를 함으로써 성립되는 범죄.

추상적 태:도【抽象的態度】명 〖심〗 범주적 태도(範疇的態度).

추상 존호【追上尊號】명 〖역〗 선왕(先王)·선비(先妣)께 존호를 추후에 올림. ——-하다 타여불

추상 존호 도감【追上尊號都監】명 〖역〗 상호 도감(上號都監).

추상-주의【抽象主義】[—/—이] 명 〔abstraction, abstract art〕 제1차 세계 대전 전후에 일어난 추상 예술의 움직임의 총칭.

추상주의 예:술【抽象主義藝術】[—/—이—] 명 〖미술〗 앱스트랙트(abstract).

추상-체【錐狀體】명 〔cone〕 〖생〗 눈의 망막(網膜)에서 빛을 감수(感受)하는 부분. 두더지·박쥐·생쥐·부엉이는 없음. 추체(錐體).

추상 표현주의【抽象表現主義】[—/—이] 명 〔abstract expressionism〕 일반적으로 제2차 세계 대전 후의 미국의 추상 회화(繪畫), 특히 액션 페인팅을 가리킴. 넓은 의미로는 기하학적 추상화에 대조되는 것으로서, 유동적인 형태와 세찬 표현을 갖는 추상화를 가리킴.

추상-화[1]【抽象化】명 추상적인 것으로 만들거나 되거나 함. ——-하다 자타여불

추상-화[2]【抽象畫】명 〖미술〗 사물의 사실적(寫實的) 재현이 아니고 순수한 점(點)·선(線)·면(面)·색채에 의한 표현을 목표로 한 그림. 일반적으로는 널리, 대상의 형태(形態)를 해체한 큐비즘, 곧 입체파 등의 회화도 포함함. ↔구상화(具象畫). *추상 예술.

추상 화:산【錐狀火山】명 〖지〗 화산의 한 형태. 용암(熔岩)이나 쇄설물(碎屑物)이 오랜 동안 똑같은 지점에서 여러 번 분출하여, 그 분출구(噴出口)의 주위에 퇴적(堆積)한 원추형의 화산. 코니데(Konide).

추상 회:화【抽象繪畫】명 〖미술〗 액션 페인팅.

추색【秋色】명 가을철의 빛. 가을철의 경치. 추광(秋光). 가을빛. ¶~이 완연하다.

추생[1]【抽牲】명 추첨(抽籤). ——-하다 타여불

추생[2]【鯫生】인대 〔작고 변변하지 못한 사람이라는 뜻〕 자기 자신을 겸손하게 일컫는 말.

추생 어:사【抽牲御史】명 〖역〗 정치의 잘잘못과 백성의 고락을 살피기 위해 비밀히 특파하는 사자. 그 분담 구역은 제비 뽑았음.

추서[1]【追書】명 옛날 일을 뒤좇아 씀. 나중에 씀. ——-하다 타여불

추서[2]【追敍】명 사후(死後) 그 공에 대해 서위(敍位)하는 일. 사후의 서위. ¶국민 훈장 무궁화장을 ~하다. ——-하다 타여불

추서다 자 병을 앓은 뒤에나 또는 몹시 지친 뒤에 쇠약하였던 몸이 차차 건강 상태로 회복되다. ¶깨끗이 추서지 못한 몸으로 종적을 감추어 버리고 말았다《鄭飛石 : 靑春의 倫理》.

추석[1]【秋夕】명 우리 나라 명절의 하나. 음력 8월 15일. 신라의 가배(嘉俳)로부터 유래하여, 햅쌀로 송편을 빚어서 차례(茶禮)를 지내고, 벌초(伐草)·성묘(省墓) 등을 행함. 중추절(仲秋節). 가위.

추석[2]【秋石】명 〖한의〗 동변(童便)을 고아서 정제(精製)한 결정물(結晶物). 유뇨(遺尿)·유정(遺精)·소변 백탁(白濁) 등의 치료와 정력을 돕는 효력이 있음.

추석[3]【追惜】명 죽은 뒤 그 사람을 애도(哀悼)하고 애석(哀惜)해함. ——-하다 타여불

추석-날【秋夕—】명 추석 명절의 날. 곧, 음력 팔월 보름날. 가윗날.

추석-빔【秋夕—】명 추석날에 입는 새 옷.

추선[1]【秋扇】명 ↗추풍선(秋風扇).

추선[2]【秋蟬】명 가을의 매미.

추선[3]【追善】명 ①죽은 사람의 명복을 빌기 위하여 착한 일을 함. ¶~공양(供養). ②죽은 사람의 명복을 빌고 그 기일(忌日) 같은 때에 불사(佛事)를 행하는 일. ——-하다 타여불

추선[4]【推選】명 추천하여 뽑아 냄. ——-하다 타여불

추선[5]【錘線】명 ①추(錘)에 맨 줄. 한 끝에 추를 매어 단 줄. ②연직선(鉛直線).

추선-경【追善經】명 추선(追善)을 위하여 하는 독경(讀經). 추선을 위하여 베껴 쓴 불경(佛經).

추선 공:양【追善供養】명 추선을 위하여 공양함. ⓒ추공(追供). ——-하다 타여불

추설[1]【秋雪】명 가을에 오는 눈.

추설[2]【秋設】명 경사가 지난 뒤에 그 잔치를 베풂. ——-하다 타여불

추설[3]【醜說】명 추담(醜談).

추섭【追躡】명 옛날을 좇음. 뒤를 밟아 쫓아감. ——-하다 타여불

추섭-자【追躡者】명 옛날을 좇는 사람. 뒤를 밟아 쫓아가는 사람.

추성[1]【秋成】명 가을철에 온갖 곡식이 익음. ——-하다 자여불

추성[2]【秋聲】명 가을철의 바람 소리.

추성[3]【箒星】명 〖천〗 혜성(彗星)❶.

추성[4]【樞星】명 〖천〗 천추(天樞).

추성[5]【趨性】명 〖생〗 주성(走性).

추성[6]【醜聲】명 남녀간의 추잡한 소문.

추세[1]【抽稅】명 세액(稅額)을 계산함. ——-하다 자여불

추세[2]【秋稅】명 〖역〗 한 해 치를 둘에 나눈 한 부분으로 그 해 섣달에 상납(上納)하는 조세. ↔춘세(春稅).

추세[3]【趨勢】명 ①세상 일이 되어 가는 형편. ¶세계의 ~에 따르다. ②세력 있는 사람에게 붙좇아서 따름. ——-하다 자여불

추세-법【趨勢法】[—뻡] 명 〖경〗 일정한 기간에 걸쳐 나타나는 경제의 성장, 물가 동향(物價動向) 따위, 경제 변동의 기본적 경향을 분석하는 방법. 최소 자승법(最小自乘法)·이동 평균법(移動平均法) 등이 쓰임.

추세 비:율【趨勢比率】명 〖경〗 어떤 연도(年度)의 실수(實數)를 100으로 하고 그 후 연도의 실수를 그에 대한 백분율로 표시한 비율.

추소[1]【秋宵】명 가을 밤. 추야(秋夜).

추소[2]【追訴】명 〖법〗 본소(本訴)에 추가하여 소(訴)를 제기함. 또, 그 소. ——-하다 타여불

추소[3]【追溯】명 근본으로 거슬러 올라가서 살핌. ——-하다 자여불

추소[4]【箒掃】명 비로 씀. ——-하다 타여불

추소[5]【麤疎】명 추솔(麤率). ——-하다 형여불

추속【醜俗】명 지저분하고 더러운 풍속. 추풍(醜風).

추손【雛孫】명 어린 손자.

추솔【麤率】명 거칠고 까불어서 차근차근하지 못함. 추소(麤疎). 황솔(荒率). ¶행지거동이 점점 ~함과, 그보다도 제일에 성미가 조급한 것이…《鮮于日 : 杜鵑聲》. ——-하다 형여불. ——-히 부

추송[1]【追送】명 ①뒤쫓아서 그 뒤에 물건을 보냄. ②떠나는 뒤를 배웅함. ——-하다 타여불

추송[2]【追頌】명 죽은 뒤에 그 사람의 공적(功績)·선행(善行) 등을 칭송함. ——-하다 타여불

추쇄【推刷】명 ①빚을 죄다 받아들임. ②〖역〗 부역(賦役)이나 병역을 기피한 사람 또는 자기 상전(上典)에게 의무를 다하지 않고 다른 지방에 몸을 피한 노비 등을 모조리 찾아내어 본고장에 돌려보내던 일. ——-하다 타여불

추쇄-색【推刷色】명 〖역〗 고려 공민왕 때 베풀어 추쇄의 일을 맡게 한 임시 직소(職所).

추수[1]【秋水】명 ①가을철에 맑게 흐르는 물. ②번쩍거리는 칼빛의 비유. ¶삼척(三尺) ~. ③사람의 신색(神色)이 맑고 깨끗함의 비유. ④거울 그림자의 비유. ⑤명랑하고 쾌활한 눈매의 비유.

추수[2]【秋收】명 가을에 익은 곡식을 거두어 들이는 일. 서수(西收). 가

을걷이. ¶ ~의 계절. ——하다 자타여불

추수[3]【酋帥】명 추장(酋長).

추수[4]【追水】명 모내기가 끝난 뒤에 논에 대는 물.

추수[5]【追隨】명 ①뒤좇아 따름. ②추축(追逐). ——하다 타여불

추수[6]【推數】명 앞으로 닥쳐올 운수(運數)를 미리 헤아리어 앎. ¶ 허암은 ~를 잘하기 때문에 항상 그의 아우와 아들을 보고 이르는 말이…《朴鍾和 : 錦衫의 피》. ——하다 자여불

추수[7]【醜手】명 흉한 손. 더러운 손.

추수 감:사일【秋收感謝日】명 추수 감사절(秋收感謝節).

추수 감:사절【秋收感謝節】명 〔Thanksgiving Day〕〖기독교〗〔1620년에 영국의 청교도들이 미국에 이주(移住)한 다음 해 가을, 처음으로 거둔 수확을 하느님에 감사한 일에서 유래〕 기독교 신도들이 한 해에 한 번씩 가을 곡식을 거둔 뒤에 하느님께 감사제(祭)를 올리는 날. 미국에서는 11월 네째 목요일에, 한국에서는 11월 중의 주일(主日)로 함. 추수 감사일(秋收感謝日). ㉾감사절(感謝節).

추수-관【秋收官】명〖역〗궁가(宮家)의 타작을 맡아 보던 사람. ㉾추관(秋官).

추수-기[1]【秋收記】[—끼] 명 추수를 하는 데 작인(作人)의 성명, 땅의 면적, 곡식의 종류 및 수량 등을 기록한 서류.

추수-기[2]【秋收期】명 추수하는 시기.

추수-성【趨水性】[—썽] 명〖생〗생물, 특히 식물의 물에 대한 추성(趨性). 굴수성(屈水性).

추수 식물【抽水植物】명〖식〗하천이나 호소(湖沼)의 얕은 물에서 볼 수 있는, 뿌리 또는 줄기의 밑부분이 수면(水面) 밑에 있는 수생 식물(水生植物). 연(蓮) 같은 것. *부엽(浮葉) 식물.

추수-주의【追隨主義】[—/—이] 명 아무런 비판도 없이 맹목적(盲目的)으로 남의 뒤만 따르는 주의.

추수-철【秋收—】명 추수기(秋收期).

추숙【追熟】명〖농〗수확기(秋穫期)의 탈락(脫落) 손실을 막기 위하여 적기(適期)보다 일찍 거둬 들여서 뒤에 완숙(完熟)시키는 일. 후숙(後熟). ——하다 타여불

추숭【追崇】명〖역〗왕위(王位)에 오르지 못하고 죽은 이에게 제왕(帝王)의 칭호를 올림. 추존(追尊). ——하다 타여불

추스르다 타르불 ①치켜 올리어 잘 다루다. ②잘 수습하여 다스리다. ¶ 가까스로 병석에서 몸을 추스리고 일어나다 / 쇠전꾼은 허허 웃으며 뱃구레에 찬 전대를 추스르고 나서…《金周榮 : 客主》.

추습[1]【醜習】명 더럽고 지저분한 버릇.

추습[2]【麤習】명 거칠고 막된 버릇.

추시[1]【追施】명 추후에 시행함. ——하다 타여불

추시[2]【追試】명 ①남이 실험한 결과를 다시 한번 그대로 해 보고 확인함. ②↗추가 시험.

추시[3]【追諡】명 죽은 뒤에 시호(諡號)를 추증(追贈)함. ——하다 타여불

추시[4]【錐矢】명 쇠로 만든 살촉과 깃이 달린 화살.

추시[5]【趨時】명 시속(時俗)에 붙좇음. ——하다 자여불

추-시계【錘時計】명 조정 장치로 추를 쓴 시계. 진자 시계(振子時計).

추-시험【追試驗】명 추가 시험.

추시-형【追施刑】명〖역〗죄인이 처형되기 전에 고문 따위로 죽었을 때, 법에 따라 다시 벌을 주던 형벌. 능지 처참(陵遲處斬)이 이에 속함. 영조 32년(1756)에 폐지되었음.

추식【秋植】명 가을 심기. ——하다 타여불

추신[1]【抽身】명 바쁜 중에서 몸을 빼침. ——하다 자여불

추신[2]【追伸·追申】명 뒤에 추가하여 말한다라는 뜻으로 편지 등에서 글을 추가할 때 그 글 머리에 쓰는 말. 추계(追啓). 추백(追白). 추진(追陣). ——하다 타여불

추신[3]【樞臣】명〖역〗추상(樞相).

추실[1]【追失】명 추방(追放). ——하다 타여불

추실[2]【簉室】명 적은집. 소실(小室). 첩(妾).

추심【推尋】명 ①찾아 내서 가져 옴. ②은행이 소지인의 의뢰를 받아 수표 또는 어음을 지급인(支給人)에게 제시(提示)하여 지급하게 하는 일. ——하다 타여불

추심-료【推尋料】[—뇨] 명 추심(推尋)을 의뢰하는 사람이 은행에 내는 수수료.

추심 명:령【推尋命令】[—녕] 명〖법〗채무자가 제삼 채무자에게 대하여 가지고 있는 채권(債權)을, 대위(代位)의 절차 없이 채무자에 대신하여 직접 추심할 권리를 집행 채권자에 부여하는 집행 법원(執行法院)의 결정.

추심 어음【推尋—】명〖법〗채권을 추심하기 위하여 발행하는 어음. 보통, 채권자가 채무자를 지급인으로 하고 자기 또는 자기의 채권자인 제삼자를 수취인(受取人)으로 하여 환(換)어음을 발행하고 은행에 그 추심을 위탁함. 수취인이 발행인의 채권자인 경우에는 채권의 추심과 채무의 변제가 동시에 실현되는 점에서 편리함.

추심 위임 배:서【推尋委任背書】명〖법〗수표·어음에서, '회수(回收)하기 위하여'·'추심하기 위하여'·'대리를 위하여' 그 밖에 단순히 대리권 수여를 표시하기 위하여 행하는 배서. 이런 배서가 있을 때에는 그 소지인은 수표로부터 생기는 모든 권리를 행사할 수 있고, 소지인은 대리를 위한 배서만을 할 수 있음. 또, 대리를 위한 배서에 의한 대리권은 수권자가 사망하거나 무능력자가 됨으로 인하여 소멸되지는 않음. *대리 배서(代理背書).

추심 채:무【推尋債務】명〖법〗채무자의 주소 또는 영업소에서 이행되어야 하는 채무. 민법은 지참 채무(持參債務)를 원칙으로 하므로, 특별한 규정·관습 또는 특약(特約)이 있는 경우에만 한하고, 채권자편에서 추심하러 오지 않는 이상, 변제하지 않아도 채무 불이행(不履行)으로 되지 않음.

추심 화:환【推尋貨換】명〖법〗격지 매매(隔地賣買)에 있어서, 매도인(賣渡人)이 대금 채권을 추심하기 위하여 매매의 목적물을 표창(表彰)하는 운송 증권(運送證券), 즉 화물 상환증(貨物相換證) 또는 선하 증권(船荷證券)을 첨부하여 발행한 환(換)어음.

추썩-거리다 타 ①어깨나 입은 옷 같은 것을 자꾸 추키었다 내리었다 하다. >초싹거리다[2]. ②남을 일부러 부추기다. >초싹거리다[1]. **추썩-추썩** 부. ——하다 타여불

추썩-대다 타 추썩거리다.

추썩-이다 타 ①어깨나 입은 옷 같은 것을 추키었다 내리었다 하다. ②남을 일부러 부추기다.

추아【雛兒】명 ①어려서 무지(無知)함을 이름. ②갓 부화(孵化)한 새의 새끼.

추악[1]【醜惡】명 더럽고 좋지 않음. ¶ ~한 행위. ——하다 형여불

추악[2]【麤惡】명 품질이 거칠고 좋지 않음. ——하다 형여불

추악-사【醜惡事】명 추악한 일.

추안[1]【秋雁】명 가을에 와서 우는 기러기.

추안[2]【秋顔】명 늙은 얼굴.

추안[3]【醜顔】명 못생긴 용모.

추알 명〈방〉쇠똥구리.

추앙【推仰】명 높이 받들어서 사모함. 높이 치켜 올리어 우러러 봄. ——하다 타여불

추애-산【楸愛山】명〖지〗함경 남도 안변군(安邊郡) 위익면(衛益面)과 강원도 이천군(伊川郡) 웅탄면(熊灘面) 사이에 있는 산. [1,530 m]

추앵【雛鶯】명 꾀꼬리의 새끼.

추야[1]【秋夜】명 가을 밤. 추소(秋宵).

추야[2]【秋野】명 가을의 들.

추야 목우도【秋夜牧牛圖】명 중국 송대(宋代)의 염 차평(閻次平)이 그린 것으로 전하여진 그림. 견본 착색(絹本着色), 세로 97.4cm에 가로 50.7cm임. 준법(皴法)이나 수(樹)·원산(遠山)의 묘사법은 마원파(馬遠派)나 이당(李唐)의 화법에 가까움.

추야-장【秋夜長】명 기나긴 가을 밤.

추양[1]【秋陽】명 가을 볕.

추양[2]【推讓】명 남을 추천하고 자기는 사양함. ——하다 타여불

추어【鰍魚·鰌魚】명〖어〗미꾸라지.

추어-내다 타 ↗들추어 내다.

추어-오르다 타르불 치오르다. ¶ 그 나무 위로 추어오르기도 하였다《鄭飛石 : 故苑》.

추어-올리기 명 용상(聳上).

추어-올리다 타 ①박히어 있던 물건을 끌어 내어 위로 올리다. ②추어주다.

추어-주다 타 남의 비위를 맞추어 주기 위하여 그 사람을 일부러 칭찬하여 주다.

추어-탕【鰍魚湯】명 미꾸라지를 넣고 끓인 국. 미꾸라지에 소금을 뿌려서 해감을 토하게 한 다음, 쇠고기·두부·버섯·무·새앙·고춧가루를 많이 넣고 밀가루를 걸쭉하게 타서 끓임. 또는 소금으로 해감을 토하게 한 미꾸라지에 다시 소금을 뿌리고 주물러서, 끓는 물에 넣고 끓이어 무르게 한 다음 건져내어 뼈를 추리고, 다시 그 국물에 넣고 번철에 지진 얇은 두부쪽·표고·석이 등을 섞어 파·마늘·새앙 등을 조금 다져서 한데 넣고 끓인 후에 달걀을 풀어 얹고 고추를 썰어 얹기도 함. ㉾추탕(鰍湯).

추억【追憶】명 지나간 일을 돌이키어 생각함. 추상(追想). 생각. ——하다 타여불

추억-담【追憶談】명 추억을 더듬어 하는 이야기.

추언[1]【芻言】명 무식하고 비천한 사람의 말.

추언[2]【醜言】명 추한 말. 유언(莠言).

추업【醜業】명 더러운 생업(生業). 매음(賣淫).

추업-부【醜業婦】명 추업을 생업(生業)으로 삼는 여자. 매춘부(賣春婦).

추여 명〈방〉①추녀(함남). ②처마(전남).

추연[1]【惆然】명 실망하여 슬퍼하는 모양. 슬퍼 한탄하는 모양. ¶ ~한 생각이 들다 / ~히 하늘을 쳐다보다 / 작별하기가 아까운 듯한 ~한 빛을 보인다《朴鍾和 : 錦衫의 피》. ——하다 형여불 ——히 부

추-연[2]【鄒衍·騶衍】명〖사람〗중국 전국 시대 제(齊)나라의 사상가. 맹자의 영향을 받아 음양 오행설(五行說)을 주장했음. 처음 신도(愼到)·순우곤(淳于髡) 등과 직하(稷下)에 모여, 직하 선생이라 불림. 후에 연(燕)의 소왕(昭王)이 사사(師事)하였으나 소왕이 죽고 혜왕(惠王)이 등극하니 체포되어 투옥됨. [305-240 B.C.]

추연[3]【錘鉛】명 납으로 만든 추.

추열【推閱】명 죄인을 심문함. ——하다 타여불

추열-성【趨熱性】[—썽] 명〖생〗주열성(走熱性).

추염 부:열【趨炎附熱】명 권세 있는 사람에게 아부함.

추영[1]【追榮】명〖역〗추증(追贈). ——하다 타여불

추영[2]【趨迎】명 빠르게 뛰어나가서 맞아들임. ——하다 타여불

추예【醜穢】명 추접스럽고 더러움. ——하다 형여불

추오[1]【樞奧】명 심오(深奧)하고 중요한 곳. 가장 요긴한 곳.

추오[2]【醜汚】명 못생기고 더러움. ——하다 형여불

추옥【醜屋】명 작고 누추한 집.

추온-성【趨溫性】[—썽] 명〖생〗주열성(走熱性).

추완【追完】명〖법〗①민법(民法)에서, 법률상 필요한 요건(要件)을 구비하지 않았기 때문에, 유효(有效)가 되지 못한 법률 행위에 대하여, 뒤

에 필요한 요건을 보충해서 유효가 되는 일. ②민사 소송에서, 불변(不變) 기간을 도과(徒過)한 당사자가, 그 해태(懈怠)가 자기의 책임이 아니라는 이유로 기간내에 할 수 있는 행위를 뒤에 미루어도 기간내에 완료한 것과 같은 효력을 갖는 일.

추요[1]【芻蕘】명 짐승 먹이는 꼴과 땔나무.

추요[2]【樞要】명 가장 요긴(要緊)하고 종요로움. 추할(樞轄). ——-하다 형여불

추요-자【芻蕘者】명 꼴을 베는 사람과 땔나무를 하는 사람.

추요지-설【芻蕘之說】명 고루(固陋)하고 촌스러운 말. 꼴이나 베고 나무나 하는 사람들의 하는 말이라는 뜻.

추욕【醜辱】명 더럽고 잡된 욕지거리.

추용[1]【秋容】명 가을의 모습. 가을의 경치.

추용[2]【醜容】명 추한 용모.

추우[1] 명〈방〉추위.

추우[2]【秋雨】명 가을 비.

추우[3]【騶虞】명 신령(神靈)스러운 상상의 짐승. 흰 바탕에 검은 무늬가 있고 꼬리는 길며, 성인(聖人)의 덕에 감응하여 나타난다고 함.

추우[4]【驟雨】명 →취우(驟雨).

추우- 간 '춥다'의 변칙 어간. ¶ ~니 /~면.

추우 강남【追友江南】명 '벗 따라 강남 간다'와 같은 뜻. *벗[2].

추운【秋雲】명 가을 하늘의 구름.

추워-하다 자여불 춥다고 여기다. 남보다 더 추위를 느끼다. 추위를 타다. ↔더워하다.

추원【追遠】명 조상의 덕을 추모하여 그 공양을 게을리하지 않음. ——-하다 자여불

추원 보:본【追遠報本】명 조상의 덕을 추모하여 제사 지내고 자기의 태어난 근본을 잊지 않고 은혜를 갚음.

추월[1]【秋月】명 가을 달.

추월[2]【追越】명 뒤에서 따라가서 앞의 것보다 먼저 나아감. 앞지르기. ¶버스의 ~ 금지. ——-하다 타여불

추월[3]【陬月】명 정월의 이칭.

추월-선【追越線】[—썬] 명 앞차를 앞질러 갈 수 있는 길을 나타내는 차선(車線).

추위[1] 명〔중세 : 치뷔, 치위〕추운 일. 또, 그 정도. ↔더위. 「타다.

추위(를) 타다 구 추위를 잘 느끼고 그를 견디어 나지 못하다. ↔더위

추위[2]【推委·推諉】명 자기의 일을 남에게 미루고 그 책임을 전가함. ——-하다 타여불

추위[3]【皺胃】명〘동〙반추위(反芻胃)의 제4실(室). 많은 주름으로 되어 있으며, 제삼위(第三胃)에서 온 것을 화학적으로 소화함. 주름위. 제사위(第四胃). *반추위.

추위-견딤성【—性】[—썽] 명 내한성(耐寒性).

추위-막이 명 추위를 막는 일. 또, 그 물건. *방한(防寒).

추위-염【皺胃炎】명〔abomasitis〕〘수의〙반추 동물에서 추위, 곧 제사위(第四胃)에 생기는 염증.

추율【追律】명〘역〙죽은 뒤에 역률(逆律)을 추시(追施)함. ——-하다 타여불

추은【推恩】명〘역〙시종(侍從)이나 병사(兵使)·수사(水使) 등의 아버지로, 나이가 일흔이 넘은 사람에게 가자(加資)하던 일. ——-하다 타여불

추은 분석【追銀分析】명〔inquartation〕〘화〙금은괴(金銀塊) 분석법의 하나. 질산(窒酸)을 써서 은을 용해하여, 금으로부터 분리함.

추음【秋陰】명 가을의 구름 낀 하늘.

추의[1]【秋意】[—/—이] 명 가을다운 멋. 가을다운 기분.

추의[2]【芻議】[—/—이] 명 ①초야(草野)의 언론. 천한 사람의 말. ②자기 의견을 낮추어 이르는 말.

추이[1] 명〈방〉추위.

추이[2]【推移】명 일이나 형편이 변하여 옮김. 이행(移行). ¶사건의 ~를 주시(注視)하다. ——-하다 자여불

추이[3]【椎栮】명〘식〙표고[1].

추이-지다 자〈방〉추썩거리다.

추-이퇴【推而退】명〘악〙거문고나 가야금 연주에서 높인 소리인 추성(推聲)을 낸 다음에 끌어내리는 소리인 퇴성(退聲)을 내는 수법.

추인【追認】명 ①과거로 소급해서 사실을 인정함. ②〘법〙일단 행하여진 불완전한 법률 행위를 뒤에 확정적으로 유효하게 하는 일방적 의사 표시. 민법상(民法上), 대리권(代理權)이 없는 사람의 행위, 취소(取消)할 수 있는 행위, 무효(無效)인 행위 등 세 가지 경우에 한(限)하여 이를 인정하고 있음. ——-하다 타여불

추일【秋日】명 가을 날.

추-일계【鄒一桂】명〘사람〙중국 청(淸)나라의 화가(畫家). 자는 원포(原褒), 호는 소산(小山). 만년에는 이지 노인(二知老人)이라 칭했음. 벼슬은 내각 학사(內閣學士)에 예부 시랑(禮部侍郎)을 겸했으며, 그림은 산수(山水)·화훼(花卉)에 능했음. 저서에 ≪산수화보(山水畫譜)≫ 등이 있음. [1686-1772]

추일사 가:지【推一事可知】[—싸—] 명 한 가지 일을 미루어서 다른 모든 일을 알 수 있음. *추차 가지(推此可知).

추일-성【趨日性】[—썽] 명 주일성(走日性).

추임【推任】명 ①윗사람의 추천에 의하여 임관(任官)함. ②추중(推重)하여 신임(信任)함.

추임-새 명〘악〙판소리에서, 장단을 짚는 고수(鼓手)가 창(唱)의 요소요소에서 소리의 끝귀절에 흥을 돋구기 위하여 삽입하는 탄성(嘆聲). '으이'·'좋지'·'얼씨구'·'흥' 따위. *아니리.

추:잉 검〔chewing gum〕명 '껌'의 원말.

추자[1]【楸子】명 ①가래[3]. ②〈방〉호두[3](강원·충북·전라·경상).

추자[2]【芻子】명 용수[1]❶.

추자[3]【鶖子】명〘사람〙석가 십대(十大) 제자의 한 사람인 사리불(舍利弗)의 별칭. '추(鶖)'는 그 어머니 추로조(鶖鷺鳥)를 이름.

추자 군도【楸子群島】명〘지〙제주 해협에 있는 제주도(濟州道)의 한 도서군(島嶼群). 대소 30 개의 섬이 있음. [7.56 km²]

추잠【秋蠶】명 가을에 치는 누에. 가을누에. *춘잠(春蠶)·하잠(夏蠶).

추잡[1]【醜雜】명 언행이 더럽고 지저분하여 조촐하지 아니함. ¶ ~한 행위. ——-하다 형여불

추잡[2]【麤雜】명 거칠고 막되어서 조촐한 맛이 없음. ——-하다 형여불

추잡-스럽다[1]【醜雜—】형ㅂ불 추잡한 태도(態度)가 있다. 추잡-스레【醜雜—】부

추잡-스럽다[2]【麤雜—】형ㅂ불 거칠고 막되어 조촐한 태도가 없다. 추잡-스레【麤雜—】부

추잡이 명〈심마니〉바지·고이 등의 총칭.

추장[1]【抽奬】명 여럿 속에서 뽑아 올려 씀. 추탁(抽擢). ——-하다 타여불

추장[2]【酋長】명 만족(蠻族)들이 사는 마을의 우두머리. 추령(酋領). 추수(酋帥).

추장[3]【追杖】명〘역〙고려의 이속(吏屬) 중 잡류직(雜類職). 형관(刑官)의 보조역으로 추정됨.

추장[4]【追贓】명 장물(贓物)을 들추어 내서 관청(官廳)으로 거둬 들임. ——-하다 타여불

추장[5]【推奬】명 추천하여 장려함. ——-하다 타여불

추장-국【酋長國】명 추장이 다스리는 나라.

추재【秋材】명〘식〙늦은 여름부터 늦은 가을까지의 동안에 형성되는 목질(木質)의 부분. 한 연륜(年輪) 중의 둘레 부분을 차지하는데 재질(材質)이 치밀(緻密)함. ↔춘재(春材).

추재 기이【秋齋紀異】명〘문〙추재 조수삼(趙秀三)이 지은 한시(漢詩). 여러 가지 보고 들은 기이한 사실을 먼저 이야기체(體)로 서술(敍述)하고 그것을 칠언 절구(七言絶句)로 노래함. 그의 문집 ≪추재집(秋齋集)≫에 전함.

추저분-하다【醜—】형여불 더럽고 너저분하다.

추적[1]【秋糴】명〘역〙가을에 환곡(還穀)을 나라에 바침. ——-하다 타여불

추적[2]【追跡】명 뒤를 밟아 쫓음. ——-하다 타여불

추적-거리다 자 ①비나 진눈깨비가 축축히 자꾸 내리다. ②물기가 축축하게 자꾸 젖어들다. 추적-추적 부. ¶게다가 ~ 비가 내리기 시작하자 냄새는 더욱 기승을 부려…≪金周榮 : 客主≫. ——-하다 자여불

추적 곡선【追跡曲線】명〔curve of pursuit〕〘수〙평면 곡선의 하나. 점 Q가 x축상(軸上)을 등속도(等速度)로 움직이고 다른 점 P가 Q로 향하여 등속으로 움직일 때 P가 그리는 곡선을 말함.

〈추적 곡선〉

추적-권【追跡權】명〘법〙외국 선박이 연안 영해(沿岸領海) 안에서 연안국(沿岸國)의 재판 관할에 속하는 범죄를 한 경우 영해 안에서 추적하기 시작한 연안국 군함이 영해 밖, 곧 공해(公海)에도 계속 추적하여 그 선박을 포획할 수 있는 국제법상의 권리.

추적 기지【追跡基地】명〔tracking station〕〘공〙대기중(大氣中)이나 우주 공간을 비행하는 표적물을 추적할 목적으로 설치된 무선이나 레이다 등의 기지.

추적 망:상【追跡妄想】명〘심〙노이로제나 정신병 환자에서 볼 수 있는 망상의 일종. 자기가 쫓기고 있거나 감시당하고 있다고 생각하는 근거 없는 주관적인 생각. *피해 망상(被害妄想).

추적-자【追跡子】명〘화〙트레이서(tracer).

추적 조사【追跡調査】명 인물이나 사상(事象)의 경과한 자취를 시일이 지난 뒤에 더듬어 조사·연구하는 일. 상품의 유통 과정(流通過程)을 더듬어 그 상황을 조사하거나, 학교 졸업생·퇴직자 등의 그 후의 동정(動靜)을 조사하는 일 따위.

추적 지시제【追跡指示劑】명〘화〙트레이서(tracer).

추전【墜典】명 스러진 법도. 쇠퇴한 제도나 의식.

추전-성【趨電性】[—썽] 명〘생〙주전성(走電性).

추절【秋節】명 가을철.

추점【推占】명 앞으로 올 일을 미루어서 점을 침. ——-하다 타여불

추접다 형〈방〉더럽다(경상).

추접-스럽다 형ㅂ불 추저분한 태도가 있다. 추접-스레 부

추접지근-하다 형여불 깨끗하지 아니하고 약간 추저분한 듯하다.

추접-하다 형여불 추저분하다.

추-젓【秋—】명 가을철에 담근 새우젓.

추정[1]【秋情】명 가을철에 느끼는 쓸쓸한 생각. 추사(秋思).

추정[2]【推定】명 ①추측하여 판정함. ②〘법〙어떠한 법률 관계 또는 사실이 명료하지 않을 경우 쟁의를 피하게 하기 위하여 그것에 대하여 법이 일단 내리는 판단. 당사자(當事者)가 이에 대하여 사실과 다르다는 것을 입증(立證)하였을 때는 그 효과를 잃음. ③〘수〙어떤 모집단(母集團)에서 취한 표본을 바탕으로 하여, 모집단의 평균(平均)이나 분산(分散) 등을 헤아리는 일. ——-하다 타여불

추정[3]【墜穽】명 함정에 빠짐. ——-하다 자여불

추정 광:석【推定鑛石】명〔possible ore〕지질학적·광물학적 관계에서, 충분한 가능성으로 그 존재가 인정되고, 또 그 광상(鑛床)의 일부가 이미 개발된 광석.

추정-량【推定量】[—냥] 명 상정량(想定量).
추정-론【推定論】[—논] 명〖수〗어떤 장소(場所)나 시간(時間) 또는 사물(事物)에 대해서 완전한 통계 조사(統計調査)를 하지 않고 한정(限定)된 장소나 시간 또는 사물의 통계 숫자(統計數字)로부터 수학적 방법(數學的方法)으로 추정해서 그 통계 숫자를 구하는 일.
추정 상속인【推定相續人】명〖법〗현재(現在)의 상태에서 상속이 개시(開始)된다고 가정(假定)할 경우 상속인이 될 사람. 가령 어떤 사람에게 처(妻)·자녀(子女)·양친(兩親)·형제(兄弟)가 있다면 그 추정 재산 상속인은 처와 자녀임.
추정 자백【推定自白】명〖법〗의제 자백(擬制自白).
추정 전손【推定全損】명〖경〗해상 보험의 목적물의 손해가 매우 클 경우, 특히 이를 전손(全損)으로 추정하고 보험 목적물상의 전권(全權)을 보험자에 옮겨, 보험 금액 전부의 보전(補塡)을 청구하는 일. 해석적 전손(解釋的全損). 준전손(準全損).
추제【蝤蠐】명〖충〗나무굼벵이.
추제비 명〈심마니〉하의(下衣).
추조[1]【秋曹】명〖역〗조선 시대 형조(刑曹)의 별칭.
추조[2]【追弔】명 죽은 뒤의 조상(弔喪).
추조 적발 사:건【秋曹摘發事件】[—껀] 명〖역〗조선 정조(正祖) 9년(1785), 초기 천주교인이 된 이벽(李檗)·이승훈(李承薰)·정약용(丁若鏞)·권철신(權哲身) 등이 역관(譯官) 김범우(金範禹)의 집에 모여 예배를 보다가 추조(秋曹), 곧 형조의 관원들에게 적발된 사건. 다른 사람들은 양반·명문 출신들이므로 성명을 밝히지 않은 채 방면되었으나 중인(中人)인 김범우만이 잡혀 단양(丹陽)으로 유배 가던 중 고문의 상처로 죽음으로써 최초의 순교자가 되었음.
추조-회【追弔會】명〖불교〗죽은 사람의 영을 조상(弔喪)하기 위하여 행하는 불사(佛事).
추존[1]【追尊】명〖역〗추숭(追崇). ——-하다 타여불
추존[2]【推尊】명 추앙(推仰)하여 존경함. 추상(推尙). ——-하다 타여불
추졸【醜拙】명 지저분하고도 졸망함. ——-하다 형여불
추종[1]【追從】명 뒤를 따라서 좇음. ¶타인의 ~을 불허하다. ——-하다 타여불
추종[2]【追蹤】명 뒤를 밟아 쫓아 감. 전하여, 옛일을 더듬어 찾음. ——-하다 타여불
추종[3]【錘鐘】명 추가 달린 괘종(掛鐘).
추종[4]【騶從】명 높고 귀한 사람을 뒤따라 다니는 하속(下屬). 추복(騶僕).
추종-자【追從者】명 추종하는 사람.
추종 제:어【追從制御】명 [follow-up control]〖전자 공학〗목푯값이 시간에 따라 변화하는 경우의 자동 제어. 레이더의 방향을 항공기에 자동적으로 추종시키는 것과 같은 제어를 말함.
추주[1]【湫住】명 붙들어서 머무르게 함. ——-하다 타여불
추주[2]【趨走】명 어른이나 존귀한 사람의 앞을 지나갈 때에 허리를 굽히고 빨리 걸음. ——-하다 자여불
추줍다 형〈방〉더럽다(경남).
추중【推重】명 추앙하여 존중히 여김. ——-하다 타여불
추증[1]【追增】명 추가(追加). ——-하다 타여불
추증[2]【追贈】명〖역〗①종이품(從二品) 이상의 벼슬아치의 죽은 부(父)·조부(祖父)·증조부(曾祖父)에게 관위(官位)를 내림. 이증(貤贈). 추영(追榮). ②나라에 공로 있는 벼슬아치가 죽은 뒤 그 관위(官位)를 높여 줌. ——-하다 타여불
추지【推知】명 추측(推測)하여 앎. ——-하다 타여불
추지다 형 물기가 배어서 눅눅하다.
추지-령【楸池嶺】명〖지〗강원도 통천군(通川郡) 벽양면(碧養面)과 회양군(淮陽郡) 안풍면(安豐面) 사이에 있는 재. [645 m]
추지-성【趨地性】[—썽] 명〖생〗주지성(走地性).
추진[1]【追陳】명 추신(追伸). ——-하다 타여불
추진[2]【推進】명 밀어 나아가게 함. ¶일을 ~하다. ——-하다 타여불
추진[3]【趨進】명 빨리 나아감. ——-하다 자여불
추진-기【推進機】명〖기〗프로펠러(propeller).
추진-력【推進力】[—녁] 명 추진하는 힘.
추진-제【推進劑】명 로켓 따위를 추진하는 데 사용하는 약제 또는 연료. 고체 추진제·액체 추진제 등이 있음.
추진-축【推進軸】명〖기〗프로펠러 전체를 회전시키는 축. 프로펠러축.
추징【追徵】명 ①뒷날에 추가하여 징수함. ②〖법〗형법상, 몰수할 수 있는 물건의 전부(全部) 또는 일부(一部)가 소비(消費)되었거나 하여 몰수할 수 없게 되었을 때, 그 몰수(沒收)할 수 없는 부분의 가액(價額)을 징수하는 일. ——-하다 타여불
추징-금【追徵金】명 ①행정법상(行政法上) 조세 기타의 공과금에 대하여 납부해야 할 금액을 납부하지 아니할 경우에 징수하는 금전. ②형법상(刑法上) 범죄 행위(犯罪行爲)로 얻은 물건, 범죄 행위의 보수(報酬)로 얻은 물건, 이들 물건의 대가(對價) 등에 관하여, 이미 소비되었거나 하여 몰수할 수 없을 때에 징수하는 금전.
추징-색【追徵色】명〖역〗고려 우왕(禑王) 때 베풀어 포흠(逋欠)받는 일을 맡아 보던 임시 직소(職所).
추차 가:지【推此可知】명 이 일을 미루어서 다른 일을 알 수가 있음. *추일사 가지(推一事可知).
추착【推捉】명 죄인을 들추어서 붙잡아 옴. ——-하다 타여불
추찰【推察】명 미루어서 살핌. ——-하다 타여불
추창[1]【惆悵】명 실망하여 슬퍼함. ¶사람의 마음이란 참으로 홀연히 변하는 것인가 보오. 이런 것을 생각하며 나는 어찌 ~한 생각이 드는지 ≪張德祚: 貞淸宮 閒夜月≫. ——-하다 자여불
추창[2]【推窓】명 퇴창(推窓).
추창[3]【趨蹌】명 예도(禮度)에 맞도록 허리를 굽히고 빨리 걸어감. ¶한 명회는 백수를 흩날리며 ~하여, 섬돌로 올라가…≪朴鍾和: 錦衫의 피≫. ——-하다 자여불
추처 낭중【錐處囊中】명 [송곳을 주머니 속에 넣으면 끝이 주머니 밖에 뻬져 나온다는 뜻에서] 재주와 슬기가 있는 사람이 그 재주를 발휘할 만한 지위에 앉음의 비유.
추천[1]【秋天】명 가을 하늘. 금천(金天).
추천[2]【追薦】명〖불교〗죽은 사람을 위하여 공덕을 베풀고 그 명복을 빎. ——-하다 타여불
추천[3]【推薦】명 인재(人材)를 천거함. 추거(推擧). 천달(薦達). 노미네이션(nomination). ——-하다 타여불
추천[4]【鞦韆】명 그네.
추천-경【鞦韆鏡】명 두 개의 기둥을 세우고 그 사이에 매어 달아서 위아래로 돌며 흔들리도록 만든 거울.
추천-서【推薦書】명 추천하는 서장(書狀). 추천장.
추천-인【推薦人】명 추천하는 사람. 추천자.
추천-자【推薦者】명 추천인(推薦人).
추천 작가【推薦作家】명 권위 있는 기관을 통하여 기성(旣成) 작가가 작품을 심사한 뒤 그의 천거를 받아 등장한 작가.
추천-장【推薦狀】[—짱] 명 추천서(推薦書).
추천-절【鞦韆節】명 단오절(端午節)을 그네 뛰는 명절이라는 뜻에서 일컫는 말.
추첨【抽籤】명 제비를 뽑음. 추생(抽栍). ¶~ 번호. ——-하다 자여불
추첨-권【抽籤券】[—꿘] 명 추첨에 참가할 자격을 인정받는 표.
추첨-락【抽籤落】[—낙] 명〖경〗공채·사채(社債) 등 유가 증권의 매매 가격을 정함에 있어, 그 증권의 추첨 상환에 의해 생기는 이익을 가산하지 않고 증권면의 채권액에 한정시키는 일.
추첨-부【抽籤附】명〖경〗공채·사채(社債) 등의 유가 증권의 매매 가격을 정함에 있어, 그 증권 채권액에 그 증권의 추첨에 의해 생기는 이익을 가산(加算)하는 일.
추첨 상환【抽籤償還】명〖경〗공채·사채(社債) 등의 상환 방법의 하나. 정시(定時) 상환 또는 일부(一部) 상환을 행할 경우, 추첨에 의해 상환할 채권(債券)을 확정시키는 방법.
추첨-식【抽籤式】명 추첨에 의하는 방식.
추청【秋晴】명 맑게 갠 가을 날씨.
추체[1]【椎體】명〖생〗추골(椎骨)의 주요부. 편원(扁圓)하며, 상하 양면은 연골(軟骨)과 접합면(接合面)이 됨.
추체[2]【墜體】명 공중에서 땅 위로 똑바로 떨어지는 물체.
추체[3]【錐體】명 ①〖수〗'뿔체'의 구용어. ②[pyramis]〖생〗연수(延髓)의 전면(前面), 곧 동물에 있어서는 아랫 면에 추체로(錐體路)로 형성된 좌우 한 쌍의 가늘고 기름한 융기(隆起). ③[pyramis]〖생〗두개(頭蓋) 바닥의 내면에서, 중두개와(中頭蓋窩)와 후(後)두개와와의 경계를 이루는 좌우 한 쌍의 도도록한 부분. 중이(中耳)의 주요부인 고실(鼓室)을 가지고 있으며, 안면(顏面) 신경도 이 부분을 뚫고 두개 밖으로 나와 있음. ④〖생〗추상체(錐狀體).
추체-로【錐體路】명〖생〗[연수(延髓)의 복면에서 추체(錐體)를 형성하므로 생긴 명칭] 대뇌피질 제5층에 있는 거대 추체 세포(巨大錐體細胞)에서 시작되는 신경 섬유군의 돌기(突起). 뇌신경 운동핵에 연락하며 끝나는 피질 연수로(皮質延髓路)와 척수 전주(脊髓前柱) 신경 세포에 연락하여 끝나는 피질 척수로(皮質脊髓路)의 둘로 이루어짐. 주로 수의(隨意) 운동 가운데 의식적 부분을 지배하는데, 조류(鳥類) 이하의 동물에는 없고 고등 포유 동물일수록 잘 발달되어 있음.

〈추체로〉

추체로 증후군【錐體路症候群】명〖의〗추체로의 출혈·연화(軟化)·종양(腫瘍)·변성(變性) 등의 병변(病變)으로 말미암아 장애를 받았을 때 일어나는 각종 신경 증상. 흔히, 침해된 부위(部位)의 반대쪽의 운동 장애, 건반사(腱反射)의 항진(亢進), 피부 반사의 소실이나 감쇠 등이 일어남. *추체 외로(外路) 증후군.
추체 신경【錐體神經】명 [petrosal nerve] 측두골(側頭骨)의 암양부(岩樣部), 곧 추체 유돌부(乳突部)를 지나는 신경. 슬신경절(膝神經節)에 이어짐.
추체 외:로【錐體外路】명〖생〗추체로(錐體路) 이외에서 운동을 지배하는 신경 섬유군(纖維群)의 총칭. 의사적(意思的)이 아닌 골격 운동과 관계가 있다고 하며 하등 동물(下等動物)일수록 이것의 역할이 큼. 추체 외로에 속하는 회백질(灰白質)로서 섬조체(纖條體)·담창구(淡蒼球)·적핵(赤核)·흑질(黑質)·시상 하핵(視床下核)·소뇌(小腦)의 치상핵(齒狀核) 등을 들 수 있음.
추체 외:로 증후군【錐體外路症候群】명〖의〗추체 외로의 병변(病變)으로 일어나는 각종의 증상. 근긴장(筋緊張)의 변화·운동 장애, 특히 무도병(舞蹈病) 따위가 주요 특징임.
추-체험【追體驗】명 [도 Nacherleben] 남이 체험한 일을 해석 작업 등을 통해 자기의 체험으로 재현하는 일.
추초[1]【秋草】명 가을철의 풀.
추초[2]【芻草】명 마소 따위의 가축에 먹이는 꼴.
추초[3]【箠楚】명〖역〗태형(笞刑)·장형(杖刑) 등의 형구.
추촉-성【趨觸性】명〖생〗주촉성(走觸性).

추추【啾啾】명 ①두런거리는 작은 소리. ②새나 벌레들이 찍찍거리고 우는 소리. ③슬피 우는 귀신의 곡성(哭聲). ¶ 육충신 여섯 개 무덤이 천추에 억울한 한을 호소할 길이 없으매 밤마다 밤마다 굼틀거려 흐르는 강물을 향하여 ~한 외마디 곡성을 애처롭게 부르짖어…《朴鍾和 : 錦衫의 피》. ④말의 우는 소리. ——-하다 형여불

추축¹【追逐】명 ①쫓아 버림. ②뒤쫓아다님. ③서로 겨룸. 경쟁(競爭). 각축(角逐). ④같이 다니며 술 따위를 마심. 추수(追隨). ¶ 암만 하여도 돈 있는 사람과 길게 ~하는 것이 제일일세《趙重桓 : 菊의 香》. ——-하다 타여불

추축²【樞軸】명 ①사물의 가장 중요한 부분. ②정치·권력의 중심.

추축-국【樞軸國】명〖역〗제2차 세계 대전 때에 일본·독일·이탈리아 삼국 동맹의 편에 속했던 나라. ↔연합국.

추출【抽出】명 ①빼냄. 뽑아 냄. ②〔extraction〕〖화〗용매(溶媒)를 사용하여 고체 또는 용체(溶體)에서 어떤 물질을 뽑아 내는 일. 산(酸) 등으로 화학 변화를 일으키어 하는 방법과 용해(溶解)에 의하는 방법이 있음. ③수리 통계(數理統計)에서, 모집단(母集團)으로부터 표본을 뽑아냄. ④〔extract〕〖약〗약의 활성 성분(活性成分)을 적당한 용제(溶劑)로 녹여, 용제를 증발시켜서 규정된 표준에 맞추는 제제법(製劑法). ——-하다 타여불

추출-기【抽出器】명〔extractor〕〖공〗①용매(溶媒)·원심력(遠心力)·압착(壓搾) 따위의 작용으로써 물질을 추출하는 기구. ②어떤 목적물을 제거(除去)하기 위한 장치.

추출 명:령【抽出命令】〔-녕〕명〔extract instruction〕컴퓨터에서, 주어진 표현의 선택 부분에서 새로운 표현을 만들도록 요구하는 명령.

추출-물【抽出物】명〔extract〕〖화〗액체 혼합물 또는 고체 혼합물로부터 용매에 의해 분리된 물질.

추출-비【抽出比】명〔sampling fraction〕〖통계〗표본의 크기와 모집단(母集團)의 크기와의 비(比).

추출 장치【抽出裝置】명〖화〗특정 성분을 제거하기 위해서, 액체 또는 고체와 용제와를 접촉시켜 주는 장치.

추출 정석【抽出晶析】명〔extractive crystallization〕〖화〗공정 혼합물(共晶混合物)에서 성분을 분리하기 위한 정석법(晶析法). 혼합물 용액(混合物溶液)을 냉각(冷却)하여 착안(着眼) 성분을 정석하고, 다른 성분을 액 속에 남게 함.

추출-제【抽出劑】〔-쩨〕명〔extractant〕〖화〗다른 액체 속에 용해되어 있는 용질(溶質)을 제거하기 위해서 쓰이는 약제.

추출 증류【抽出蒸溜】〔-뉴〕명〖화〗공비 혼합물(共沸混合物) 또는 끓는점이 극히 접근한 혼합물의 분리(分離)에 사용되는 증류법의 하나. 증류탑(蒸溜塔)의 꼭대기로부터 분리제(分離劑)를 연속적으로 공급하면서 증류를 행함.

추출-탑【抽出塔】명〔extraction column〕〖화〗목적 생성물(目的生成物)이 선택적(選擇的)으로 용해되어 있는 용제(溶劑)와 향류 접촉(向流接觸)을 통해서, 액(液)으로부터 목적 생성물을 분리시키는 수직형(垂直型) 프로세스 용기.

추:충-류【箒蟲類】〔-뉴〕명〖동〗〔Phoronida〕전항(前肛) 동물에 속하는 한 강(綱). 개체는 가늘고 길며 거죽에 관상(管狀)의 집이 있고, 몸은 원통상(圓筒狀)인데, 머리 끝에 마제형(馬蹄型)으로 늘어진 두 개의 촉수(觸手) 가까이에 입·항문(肛門)·신장(腎臟)이 있음. 피가 새빨갛고 자웅 동체(雌雄同體)로 난소와 정소(精巢)가 위의 양쪽에 있는 것이 특징임. 유충을 방륜자(放輪子)라 함. 비벌레 등이 이에 속함. 비벌레류(類).

추측【推測】명 ①미루어 생각하여 헤아림. 추량(推量). 미룸. ②〖언〗서법(敍法)의 하나. 미래의 일에 대한 상상이나 과거나 현재의 일에 대한 불확실한 판단을 표현하는 형식. ——-하다 타여불

추측 위치【推測位置】명 ①〖항공〗천측 항법(天測航法)에서, 항공기가 위치하는 것으로 추정되는 지표상의 점. 천체 관측의 결과로 고도(高度)를 계산해서 구(求)함. ②〖항해〗과거의 기지(既知)의 위치에서 현재의 위치까지, 기지(既知) 또는 추측에 의한 속도·방위 및 바람·해류(海流)를 나타내는 벡터를 가산(加算)하여 구한 위치.

추측 통:계학【推測統計學】명 추계학(推計學).

추측 항:법【推測航法】〔-뻡〕명 ①〖해〗지문 항법(地文航法)의 하나. 기지 선위(既知船位)를 출발점으로 하여 그 후의 침로(針路)와 항정(航程)에 의해서 현재의 선위(船位)를 추산하는 방법. ②〖항공〗항공기의 대기(對氣) 속도·비행 시간·침로(針路)·풍향(風向)·풍속(風速)·편류(偏流) 중의 어떤 것을 알아 가지고 항공기의 위치·대지(對地) 속도·도착 시각 등을 산출·추정하여 비행하는 방법.

추치¹【推治】명 죄인을 다스려 벌을 주는 일.

추치²【縐絺】명 정교(精巧)하게 짠 갈포(葛布).

추-칠월【秋七月】명 음력 칠월의 가을철을 이르는 말.

추칭¹【追稱】명 죽은 뒤에 그 사람의 공덕을 칭송함. ——-하다 타여불

추칭²【推稱】명 추천하여 칭찬함. ——-하다 타여불

추칭³【醜稱】명 더럽고 지저분한 칭호.

추켜-들다 타 치올리어 들다.

추켜-세우다 타 ①위로 추켜올려 세우다. ¶눈썹을 ~. ②☞치켜세우다.

추켜-올리다 타 ☞ 추어올리다.

추켜-잡다 타 치올리어 잡다. ¶치맛자락을 ~.

추코츠키 반:도【-半島】〔Chukotskii〕명〖지〗시베리아의 최동북단(最東北端)에 있는 반도. 북은 북극해, 남은 베링 해에 접함. 북극해로의 항로(航路)임.

추코트-족【-族】〔Chukot〕명 시베리아 북동부의 추코트 반도를 중심으로 사는 종족. 황색 인종으로 인구는 약 12,000 명(1959)인데, 추코트 자치 관구(自治管區)를 형성함. 해수(海獸) 사냥을 주(主)된 생업으로 하는 해안 추코트와, 툰드라 지대에서 순록(馴鹿)을 기르는 토나카이(tonakai) 추코트가 있음.

추콥스키〔Chukovskii, Kornei Ivanovich〕명〖사람〗러시아의 시인·평론가·번역가. 아동 시인(兒童詩人)으로서도 유명함. 저서에 《체호프로부터 현대까지》 등이 있음. [1882-1969]

추크마이어〔Zuckmayer, Carl〕명〖사람〗독일의 극작가. 표현주의에서 신즉물주의(新卽物主義)에로 나아가 나치스(Nazis)의 왜곡된 인간상을 대작 《악마의 장군》에서 다루어 절찬을 받았으며, 이 밖에 《쾨페닉 대위(Köpenick 大尉)》 등도 큰 주목을 끌었음. [1896-1977]

추크슈피체〔Zugspitze〕명〖지〗독일 남부 바이에른 주(州) 벨터슈타인(Welterstein) 산맥의 최고봉. 독일에서 가장 높은 산. [3,022 m]

추키다〔중세 : 추혀다〕타 ①위로 가뜬하게 추슬러 올리다. ¶허리춤을 ~/바지를 좀 추켜라. ②힘있게 위로 끌어 올리거나 채어 올리다. ¶얼굴을 추켜들다. ③값을 크게 올려 매기다. ④☞추기다.

추타【槌打】명 방망이로 때림. ——-하다 타여불

추탁¹【抽擢】명 추장(抽奬). ——-하다 타여불

추탁²【推託】명 ①다른 일을 핑계로 거절함. ②추거하여 촉탁함. ——-하다 타여불

추탈¹【抽脫】명〖불교〗가사를 벗는다는 뜻으로, 중이 대소변을 보러 변소에 감을 이르는 말.

추탈²【追奪】명〖역〗추삭(追削). ——-하다 타여불

추탕【鰍湯】명 ↗추어탕(鰍魚湯).

추태¹【抽苔】명 식물의 화경(花莖)이 나오는 일. ——-하다 자여불

추태²【捶笞】명 볼기를 침. ——-하다 타여불

추태³【醜態】명 더럽고 지저분한 태도. 추악한 짓. 누태(陋態). ¶~를 부리다.

추택【推擇】명 인재를 등용하기 위하여 가려 뽑음. ——-하다 타여불

추토【追討】명 도둑의 무리를 쫓아 토벌함. ——-하다 타여불

추토-사【追討使】명〖역〗반란이 일어났을 때 이를 평정(平定)하기 위하여 임명하던 임시 벼슬.

추통【芻一】명〈속〉기추(騎芻) 고랑.

추트스코예 호【-湖】〔Chudskoe〕명〖지〗러시아 연방 공화국과 에스토니아 공화국 사이에 있는 호수. 남쪽에 있는 프스코프 호(Pscov 湖)와 길이 25 km의 수로로 연결됨. 어류가 풍부함. 평균 심도(深度) 7.5 m. 페이프시호(Peipsi湖). [3,600 km²]

추파¹【秋波】명 ①가을철의 잔잔하고 아름다운 물결. ②은근한 정을 나타내는 눈치. 윙크(wink). 안파(眼波). ¶~를 던지다.

추파²【秋播】명 가을에 씨를 뿌림. 가을뿌림. ——-하다 타여불

추판¹【秋判】명〖역〗조선 시대 때 형조 판서(刑曹判書)의 별칭.

추판²【楸板】명 가래나무의 널.

추포¹【秋浦】명〖지〗'추푸'를 우리 음으로 읽은 이름.

추포²【秋脯】명 말린 오징어.

추포³【追捕】명 뒤를 쫓아 가서 잡음. ——-하다 타여불

추포⁴【麤布】명 발이 굵고 거칠게 짠 베.

추포-도【秋浦島】명〖지〗①전라 남도의 서해상(西海上), 신안군(新安郡) 암태면(岩泰面) 수곡리(水谷里)에 위치(位置)한 섬. [3.74 km² : 74 명(1984)] ②제주도 북제주군(北濟州郡) 추자면(楸子面)에 위치한 섬. [0.10 km² : 3 명(1984)]

추포-선【追捕船】명〖역〗옛날 적선(敵船)의 추포에 쓰던 병선.

추포-탕【-湯】명 깻국이나 콩국에 곰거리와 오이 절인 것을 썰어 넣고 고명을 친 국.

추푸〔秋浦〕명〖지〗중국의 안후이 성(安徽省) 남부, 양쯔 강(揚子江) 남쪽에 있는 구이츠(貴池)의 후미.

추풍¹【秋風】명 가을 바람. 상표(商飇). 상풍(商風).

추풍²【醜風】명 추속(醜俗).

추풍 감:별곡【秋風感別曲】명 조선 시대 말엽의 소설 《채봉(彩鳳) 감별곡》 속에 나오는 노래의 이름. 장필성(張弼成)과 백년 가약을 맺었다가 평양 기생이 된 여주인공 채봉(彩鳳)이, 장필성을 그리워하는 정을 읊은 노래라 함.

추풍 과:이【秋風過耳】명〔가을 바람이 귀를 스쳐 간다는 뜻〕아무런 관심을 두지 않음.

추풍 낙엽【秋風落葉】명 ①가을 바람에 흩어져 떨어지는 낙엽. ②낙엽처럼 세력 같은 것이 시들어 우수수 떨어짐의 비유.

추풍-령【秋風嶺】〔-녕〕명〖지〗경상 북도 김천(金泉)과 충청 북도 황간(黃澗) 사이, 소백 산맥의 안부(鞍部)에 있는 재. 경부선 중의 최고점으로 낙동강과 금강(錦江)의 분수령이자 한국의 중부와 남부의 경계를 이룸. [221 m]

추풍 삭막【秋風索莫】명 옛날 권세(權勢)는 간곳 없고 초라한 모양.

추풍-선【秋風扇】명 ①가을철의 부채라는 뜻으로, 제철이 지나서 쓸모없이 된 물건의 비유. ②전(轉)하여, 남자의 사랑을 잃은 여자. ㊤추선(秋扇).

추풍-성【趨風性】〔-썽〕명〖생〗주풍성(走風性).

추피【楸皮】명〖한의〗가래나무의 껍질. 구충제(驅蟲劑)로 씀.

추-하¹【秋夏】명 가을과 여름.

추하²【楸下】명 조상의 무덤이 있는 곳.

추하³【墜下】명 높은 곳에서 떨어져 내림. ——-하다 자여불

추하⁴【趨下】명 ①낮은 곳으로 달려 내려감. ②물이 빠른 속도로 흘러 내려감. ——-하다 자여불

추-하다¹【醜一】형여불 지저분하고 더럽다.

추-하다[2] 【麤—】 형 여불 정밀하지 못하고 거칠다.

추한[1] 【追恨】 명 일이 지나간 뒤에 뉘우쳐 한탄(恨歎)함.

추한[2] 【醜漢】 명 ①용모가 보기 싫게 생긴 사내. ②부끄러운 행위를 서슴없이 하는 사내. ¶~에게 겁탈을 당하다.

추할 【樞轄】 명 ①추요(樞要). ②정사상(政事上)의 중요한 곳. ③중직(重職).

추-해당 【秋海棠】 명 〖식〗 [*Begonia evansiana*] 추해당과에 속하는 다년초. 높이 60 cm 가량이고 거의 둥근 괴상(塊狀)의 저장근(貯藏根)이 있으며 줄기는 흔히 황색이나 마디는 홍색임. 잎은 호생하며 달걀꼴인데 끝이 뾰족하고 가에는 잔톱니가 있음. 자웅 동주(雌雄同株)로 7-9월에 담홍색 이판화(二瓣花)가 산방(繖房) 화서로 핌. 중국 원산(原產)으로 음습지에 나는데, 관상용으로 흔히 심음. 난장초(爛腸草). 베고니아. 단장화(斷腸花). *구근(球根) 베고니아.

〈추해당〉

추해당-과 【秋海棠科】 [—꽈] 명 〖식〗 [Begoniaceae] 이판화구(離瓣花區)에 속하는 한 과. 대개 열대 지방에 4 속 420 종, 한국에는 수종(數種)이 분포함.

추핵 【推覈】 명 죄인을 캐어 물어서 핵실(覈實)함. ──-하다 타 여불

추행[1] 【追行】 명 뒤를 좇아서 따라감. ──-하다 타 여불

추행[2] 【楸行】 명 조상의 산소에 성묘하러 감. ──-하다 자 여불

추행[3] 【醜行】 명 더럽고 지저분한 행실. 음란한 짓. 난행(亂行). 예행(穢行). ¶강제 ~.

추향[1] 【楸鄕】 명 구묘지향(丘墓之鄕).

추향[2] 【趨向】 명 ①대세에 쏠리어서 따라감. ②마음에 쏠리어 따라감. ──-하다 자 여불 「대제.

추향 대:제 【秋享大祭】 명 초가을에 지내는 종묘(宗廟)·사직(社稷)의

추향-성 【趨向性】 [—썽] 명 〖생〗 주향성(走向性).

추혀다 타 〈옛〉 추켜들다. ¶훌연 ᄯᅡ해 구러뎌 네 발을 공듕으로 추혀며 니러 도로 녜라온ᄃᆞᆺ ᄒᆞ야(忽然倒地 四足稍空 起而復舊)《馬經 下 98》.

추혀들다 타 〈옛〉 추켜들다. ¶兩肢을 추혀드러 《松江 關東別曲》.

추형[1] 【秋刑】 명 [가을에 초목이 시드는 데서] 형벌(刑罰).

추형[2] 【追刑】 명 추방의 형벌.

추형 크레인 【槌型—】 [crane] 명 〖기〗 탑(塔) 모양의 대형(大形) 크레인의 하나. 높은 탑의 꼭대기에 선회(旋回)할 수 있는 캔틸레버(cantilever)가 있어, 이 캔틸레버 위를 갈고리가 달린 트롤리가 이동함. 조선소(造船所) 등에서 많이 볼 수 있음.

추혜-서 【追惠署】 명 〖역〗 조선 연산군 때, 궁인들의 장례(葬禮) 따위에 대한 일을 맡아보던 곳.

추호[1] 【秋湖】 명 ①가을의 호수. ②〖사람〗 전영택(田榮澤)의 호(號).

추호[2] 【秋毫】 명 [가을철에 가늘어진 짐승의 털] 몹시 적음의 비유. 이호(釐毫). ¶~도 틀리지 않다.

추호[3] 【追號】 명 죽은 임금에게 시호(諡號)를 올림. 또, 그 시호.

추호[4] 【推戶】 명 퇴호(推戶).

추호 불범 【秋毫不犯】 명 마음이 썩 청렴하여 조금도 남의 것을 범하지 아니함. ──-하다 타 여불

추화[1] 【秋花】 명 가을에 피는 꽃. 「무늬.

추화[2] 【錐花】 명 〖공〗 도자기의 몸에 송곳 끝으로 파서 새긴 것처럼 된

추화-성 【趨化性】 [—썽] 명 〖생〗 주화성(走化性).

추확 【秋穫】 명 가을철의 수확. ──-하다 타 여불

추환[1] 【追喚】 명 보내어 놓고 도로 불러옴. ──-하다 타 여불

추환[2] 【芻豢】 명 ①풀을 먹는 소·말·양 따위나 곡식을 먹는 개·돼지 등을 기르는 일. ②아주 잘 차린 음식을 가리키는 말.

추환[3] 【追還】 명 뒷날에 돌리어 보냄. ──-하다 타 여불

추환[4] 【推丸】 명 〖충〗 퇴환(推丸)의 잘못.

추환[5] 【推還】 명 물건을 찾아옴. ──-하다 타 여불

추황 대:백 【抽黃對白】 명 썩 아름다운 문구를 늘어놓아 글을 지음.

추회[1] 【秋懷】 명 추사(秋思).

추회[2] 【追悔】 명 지나간 일을 뉘우침. ──-하다 타 여불

추회[3] 【追懷】 명 지나간 일이나 사람을 생각하여 그리워함. ──-하다 타 여불 「막급(後悔莫及).

추회 막급 【追悔莫及】 명 이미 지나간 일을 뉘우쳐도 소용이 없음. 후회

추효[1] 【秋曉】 명 가을의 새벽녘.

추효[2] 【追孝】 명 죽은 부모나 조상 등의 명복을 빌며 공양하여 효성을 다하는 일. 조상의 보리(菩提)를 추선(追善)하는 일. ──-하다 자 여불

추후 【追後】 명 부 일이 지나간 뒤. 나중. 준 후(後).

추후 마련 【追後磨鍊】 명 지나간 일의 잘못된 것을 그 뒤에 마련함.

추흥 【秋興】 명 가을의 흥치(興致). 「(丑時).

축[1] 【丑】 명 〖민〗 ①십이지(十二支)의 둘째. ②↗축방(丑方). ③↗축시

축[2] 【杻】 명 〖역〗 조선 시대에 죄인의 손목에 채우던 수갑. 길이 1 척 6 촌, 두께 1 촌으로 마른 나무로 만듦. 사죄인(死罪人)에게 채우되 유죄(流罪) 이하의 남자 죄인과, 부녀자에게는 채우지 않음.

축[3] 【柷】 명 〖악〗 나무로 말과 비슷하게 만든, 아악기(雅樂器)에 속하는 타악기의 한 가지. 뚜껑이 있고 속이 비었으며 사면이 꼭 막히되, 가운데 구멍 하나를 뚫어서 추병(椎柄)을 박게 되었음. 사면에는 산수(山水)를 그리고, 뚜껑에는 구름 무늬를 그려 넣었음. 구멍 뚫린 네모난 받침 위에 올려 놓고, 풍류를 시작할 때, 방망이로 밑바닥을 세번 내려치기를 세번 거듭하여 함. 강(椌).

〈축[3]〉

축[4] 【祝】 명 ↗축문(祝文).

축[5] 【逐】 명 바둑에 있어서 끝까지 단수(單手)에 몰리어 죽게 되는 경우. ¶~으로 몰다.

[축이 아니면 나갈수록 이득(利得)] 기언(棋諺)의 하나. 축일 경우 외에는 뻗어 나갈수록 이롭다는 말.

축[6] 【軸】 ㊀ 명 ①굴대. ②둘둘 말게 된 물건의 중심이 되는 막대. ③활동이나 회전(回轉)의 중심. 심대. ④〖물〗 물체가 회전 운동을 할 때 그 물체에 고정된 것으로 가상하는 직선으로서 그 공간적 위치를 바꾸지 아니하는 것. 지축(地軸)·회전축 등. ⑤〖수〗 하나의 평면 도형을 어떤 직선의 주위로 회전시켜서 입체 도형을 얻을 때의 그 직선. 원뿔의 축 같은 것. ⑥〖수〗 해석 기하학에서 점(點)의 위치를 정하는 데 그 기준이 되는 직선. ⑦〖공〗 회전체의 동력의 전달을 주목적으로 하는 둥근 막대기. 주축(主軸)·선축(線軸)·중간축(中間軸)의 세 가지가 있음. 샤프트(shaft). ⑧[axis] 〖지〗 습곡 지층(褶曲地層)이 최대 곡률(曲率)을 갖는 장소의 선(線). ⑨〖지〗 산맥의 중앙부. ㊁ 의명 ①책력 스무 권을 한 단위로 세는 말. ②지물(紙物)의 단위. 한지(韓紙)는 열 권, 두루마리는 하나를 이름. ③〖역〗 과거(科擧)의 글장 열 장을 묶은 것을 세는 말. 한 글장을 종이 한 조각에 쓰는데, 한 조각이 모자랄 때에는 종이를 이어서 쓰기도 함.

축[7] 【縮】 명 ↗흠축(欠縮).

축[8] 의명 여러 사람으로 이루어진 한 동아리. 같은 무리나 또래. ¶잘 하는 ~에 든다 / 한 ~은 떠나고 또 한 ~이 들이닥친다.

축:[9] 부 물건이 아래로 늘어지거나 처진 모양.

축가 【祝歌】 명 축하하는 뜻으로 부르는 노래.

축-가다 【縮—】 자 ① 축나다❶. ②〈방〉 여위다(경기).

축각 【軸角】 명 [optic angle] 쌍축 결정(雙軸結晶)의 두 개의 광학축(光學軸)이 이루는 예각(銳角).

축간 거:리 【軸間距離】 명 축거(軸距).

축감 【縮減】 명 ①축나서 줄어짐. ②감축(減縮). ──-하다 자 여불

축객[1] 【祝客】 명 축하하는 손님. ¶만장의 ~과 더불어.

축객[2] 【逐客】 명 ①손을 쫓음. ②축신(逐臣). ──-하다 자 여불

축거 【軸距】 명 ①자동차의 앞 차축과 뒷 차축 사이의 거리. ②항공기의 앞 착륙 장치와 뒷 착륙 장치의 중심간의 거리. 축간 거리(軸間距離). 휠 베이스(wheel base).

축견 【畜犬】 명 가축으로서 기르는 개.

축경[1] 【竺經】 명 〖불교〗 불경(佛經).

축경[2] 【祝慶】 명 경축(慶祝). ──-하다 타 여불

축계 【軸系】 명 [shafting] 〖기〗 원통형(圓筒形)의 기계 부품. 회전 운동 및 동력을 구동체(驅動體)로부터 피(被)구동체로 전달함. 이를테면, 배의 프로펠러를 구동하는 증기(蒸氣) 터빈축(軸) 따위.

축계 망:리 【逐鷄望籬】 [—니] 명 '닭 쫓던 개 지붕 쳐다보듯'과 같은 말. *닭.

축관 【祝官】 명 ①제사 지낼 때 축문을 읽는 사람. ②〖역〗 종묘·사직(社稷) 및 문묘(文廟)의 제사 때 축문을 맡아 읽던 임시 벼슬아치.

축구[1] 【畜狗】 명 축생(畜生)❷.

축구[2] 【築構】 명 축조(築造). ──-하다 타 여불

축구[3] 【蹴球】 명 11 명씩 두 패로 갈라져 둥근 가죽 공을 차서 상대편의 골(goal) 속에 넣음으로써 승부를 다투는 경기. 정식 명칭은 어소시에이션 풋볼(association football). 사커(soccer).

축구[4] 【蹴毬】 명 축국(蹴鞠·蹴踘).

축국 【蹴鞠·蹴踘】 명 〖역〗 ①옛날, 장정들이 발로 차던 꿩깃이 꽂힌 공. ②옛날, 공을 발로 차던 유희. 답국(蹋鞠). 축구(蹴毬).

축귀 【逐鬼】 명 잡귀(雜鬼)를 쫓음. ──-하다 자 여불

축기[1] 【祝旗】 명 축하의 뜻을 나타낼 때 게양하는 기.

축기[2] 【蓄氣】 명 〖생〗 호흡할 때에 최대 한도로 내쉴 수 있는 공기의 양. 보통 1,000-1,500 cc. ↔호흡기(呼吸氣)·보기(補氣)❷·잔기(殘氣).

축기[3] 【縮氣】 명 기운이 움츠러짐. 저기(沮氣). ──-하다 자 여불

축-나다 【縮—】 자 ①일정한 수효에서 부족이 생기다. 결손(缺損) 나다. ¶돈이 ~. ②축지다❷. ¶인제, 다시 음식이 들어가 원기를 도와 줘야지, 안 그러면 앓만 있어야 사람만 축날 뿐이지 소용 없다《金東里 : 山火》.

축년[1] 【丑年】 명 〖민〗 태세(太歲)의 지지(地支)가 축(丑)으로 되는 해. 곧, 을축(乙丑)·정축(丁丑)·기축(己丑)·신축(辛丑)·계축(癸丑) 등 소의 해.

축년[2] 【逐年】 명 해마다. 잇따른 해마다.

축농-증 【蓄膿症】 [—쯩] 명 〖의〗 늑막강(肋膜腔)·부비강(副鼻腔)·관절(關節)·뇌강(腦腔) 등의 체강(體腔) 속에 고름이 괴는 질환. 일반적으로 부비강에 고름이 괴는 병을 말하는데, 뺨의 부분이 긴장되고 중압감(重壓感)이 있으며 두통이 일어나고 건망증(健忘症)이 생기며, 때로는 악취(惡臭)가 나는 치즈 모양의 분비물(分泌物)이 코에서 흘러 나옴. 부비강염(副鼻腔炎).

축닉 【搐搦】 명 〖한의〗 경축(驚搐).

축다 자 축축하여지다.

축단 명 〈방〉 축담(경상).

축담 명 〖건〗 축대.

축답[1] 【築畓】 명 둑[2]❶.

축답[2] 【蹴踏】 명 발로 차고 짓밟음. ──-하다 타 여불

축대 【築臺】 명 ①높이 쌓아 올린 터. ②누대(樓臺)를 건축함.

축댓-돌 【築臺—】 명 축대를 쌓은 돌.

축도[1] 【祝禱】 명 〖기독교〗 ↗축복 기도(祝福祈禱).

축도[2] 【縮圖】 명 원형(原形)보다 작게 줄이어 그린 그림. 줄인 그림. 축소도(縮小圖).

축도-기【縮圖器】명 축도(縮圖)를 그리는 데 쓰는 기구.

〈축도기〉

축도-법【縮圖法】[—뻡] 명 도면(圖面)을 일정한 비율로 축소해서 그리는 방법.

축동【縮瞳】명 〖생〗 부교감(副交感) 신경의 지배를 받는 동공 괄약근(瞳孔括約筋)의 작용에 의해서 동공이 축소하는 현상. 동공 축소(瞳孔縮小). ↔산동(散瞳).

축두¹【軸頭】명 시축(詩軸)·횡축(橫軸) 등의 첫머리에 있는 시·글씨·그림 등.

축두²【縮頭】명 축수(縮首). ——-하다 자여불

축두막 명 〈방〉 뜰(경북).

축등【祝燈】명 경축의 뜻으로 다는 등.

축력【畜力】[—녁] 명 우마차(牛馬車)나 경구(耕具) 등을 끄는 가축의 힘.

축로【軸艫】[—노] 명 배의 고물과 이물.

축로 상함【軸艫相銜】[—노—] 명 고물과 이물이 서로 잇닿아 있는 일. 많은 배가 잇닿아 있는 모양.

축록【逐鹿】[—녹] 명 ①사슴을 쫓는 일. ②〔사기(史記)의 '秦失其鹿, 天下共逐之'에 의한 말. '록(鹿)'을 제위(帝位)에 비유함〕 제위 또는 정권(政權)·지위 등을 얻으려고 다투는 일. 각축(角逐).

축록-장¹【逐鹿章】[—녹—] 명 용비 어천가 제 55 장의 이름.

축록-장²【逐鹿場】[—녹—] 명 사슴을 쫓아 경쟁하는 곳. 곧 정권이나 패권을 다투는 곳. ¶ 고구려가 망하고 이 땅이 천하의 ~이 된 이후에도 이 땅에 군림한 자는 혹은 발해라, 혹은 금국이라, 모두가 고구려의 지족이었다≪金東仁 : 首陽大君≫.

축류¹【畜類】[—뉴] 명 가축의 종류.

축류²【軸流】[—뉴] 명 ①〔axial flow〕 〖물〗 축대칭(軸對稱) 장치(裝置)에서 축방향의 흐름. ②〔axial stream〕 〖지〗 산간부(山間部)를 흐르는 물의 주류(主流)가 골짜기의 최심부(最深部)를 따라서 흐르는 일.

축류³【縮流】[—뉴] 명 〖물〗 축맥(縮脈).

축류 송:풍기【軸流送風機】[—뉴—] 명 〔axial blower〕 축 위에 달린 프로펠러에 의하여 바람을 내는 송풍기. 대개 전동기(電動機)와 연결하여 씀. 건축물·갱내(坑內)의 통풍(通風)에 적합함. 프로펠러 송풍기.

축류 수차【軸流水車】[—뉴—] 명 물이 날개바퀴 안을 항상 회전축(回轉軸)에 평행하게 흐르도록 되어 있는 수차. 낙차(落差)가 작고 유량(流量)이 클 때에 사용됨. 프로펠러 수차·카플란(Kaplan) 수차 등.

축류 터:빈【軸流—】[—뉴—] 명 〔axial flow turbine〕 〖공〗 물·증기(蒸氣)·가스 등의 유체(流體)가 회전축의 방향에 따라 흐르도록 되어 있는 터빈. 터보제트(turbojet)의 압축기 등에 쓰임.

축류 펌프【軸流—】[—뉴—] 명 〔axial flow pump〕 〖물〗 곧은 관에 가까운 몸체에서 날개바퀴가 회전하여 물을 한쪽에서 축 방향의 다른 쪽으로 내보내도록 된 펌프. 많은 양의 물을 퍼올릴 때 사용되며, 날개바퀴에 잡물이 끼일 염려가 없어 고장이 적음.

축률¹【軸率】[—뉼] 명 〖광〗 결정면(結晶面)의 표축(標軸)의 비. 결정면의 방향을 표시함. 축비(軸比).

축률²【縮慄】[—뉼] 명 몸을 옹송그리고 벌벌 떪. ——-하다 자여불

축-마력【軸馬力】명 원동기(原動機)의 축부(軸部)에서 사용할 수 있는 출력. 원동기에 공급되는 에너지는 도중에서 마찰 등의 손실로 없어지므로 실제로 사용되는 마력은 이 축마력임. 실마력(實馬力).

축말【丑末】명 〖민〗 축시(丑時)의 마지막. 오전 세 시경.

축망【祝望】명 소망대로 되기를 빌고 바람. ——-하다 타여불

축맥【縮脈】명 〖물〗 용기(容器)의 벽에 설치된 작은 유출공(流出孔)을 통하여 용기 안에 있는 액체가 분출(噴出)하는 경우, 그 유출하는 흐름의 단면(斷面)이 유출공으로부터 조금 떨어진 곳에서 수축하는 현상.

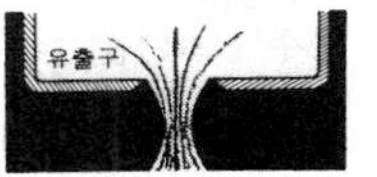

〈축맥〉

축-머리 의명 ☞ 축(軸).

축면【軸面】명 ①〖물〗 세 개의 결정축(結晶軸) 가운데 두 개에 평행된 면. ②〔axial plane〕 〖지〗 습곡(褶曲)의 날개 또는 축면이 그것과 대칭(對稱)으로 배열하는 꼭대기나 밑과 교차(交差)하는 평면(平面).

축면 대:칭 습곡【軸面對稱褶曲】명 〔symmetrical fold〕 〖지〗 양쪽 날개가 습곡 축면과 거의 같은 각도의 습곡.

축면 벽개【軸面劈開】명 〔axial plane cleavage〕 〖지〗 습곡(褶曲)의 축면이 평행으로 된 암석의 벽개.

축멸【逐滅】명 내쫓아 멸망하게 함. ¶ ~ 양왜(洋倭). ——-하다 타여불

축모【縮毛】명 ①지지어 오그라든 머리털. ②면양(緬羊)의 털.

축목¹【畜牧】명 목축(牧畜). ——-하다 자여불

축-목²【祝穆】명 〖사람〗 13세기의 남송(南宋)의 학자. 주희(朱熹)의 제자. 유서(類書) ≪사문 유취(事文類聚)≫ 170권, 지지(地誌) ≪방여 승람(方輿勝覽)≫ 70권의 저자로 알려져 있음. 생몰년 미상.

축문【祝文】명 제사 때 신명(神明)께 읽어 고하는 글. 준축(祝).

축문-판【祝文板】명 축문을 기록한 널조각. 준축판(祝板).

축미【縮米】명 일정한 수량에서 부족되는 쌀의 분량.

축-받이【軸—】[—바지] 명 베어링(bearing).

축발¹【祝髮】명 체발(剃髮). ——-하다 자여불

축발²【蓄髮】명 바싹 깎은 머리를 다시 기름. ——-하다 자여불

축방【丑方】명 〖민〗 24 방위의 하나. 정북(正北)으로부터 동으로 30도째의 방위를 중심으로 한 좌우 15도의 방위. 준축(丑).

축방향 하중【軸方向荷重】명 〔axial load〕 〖물〗 어떤 특별한 단면(斷面)의 중성축(中性軸)을 지나, 그 단면의 평면(平面)에 수직(垂直)으로 작용하는 힘.

축배【祝杯】명 축하하는 뜻으로 드는 술잔.

축-법란【竺法蘭】[—난] 명 〔범 Dharmaraksa〕 〖사람〗 중국에 불교를 처음 전한 서역(西域)의 중. 후한(後漢) 명제(明帝) 10년(67)에 중국 백마사(白馬寺)에서 가섭마등(迦葉摩騰)과 함께 경전 번역(經典飜譯)에 힘씀. 생몰년 미상.

축보【祝報】명 축의(祝意)를 나타내는 통지. 축하(祝賀)의 편지나 전보 따위.

축복【祝福】명 앞길의 행복을 빎. ¶ 전도(前途)를 ~하다. ——-하다 자타여불

축복 기도【祝福祈禱】명 〖기독교〗 예배를 마칠 무렵 목사가 성부(聖父)·성자(聖子)·성령(聖靈)에게 전체 신자(信者)의 복을 비는 기도. 준축도(祝禱).

축본【縮本】명 책·그림·글씨 등의 원형을 줄이어서 작게 만든 본새. 또, 그러하게 만든 책.

축-볼트【軸—】〔bolt〕 명 회전 대칭(回轉對稱)인 부품의 축으로 되어 있는 볼트.

축-부지【逐不知】명 바둑의 축도 모르는 사람. *먹부지.

축비¹【軸比】명 〖광〗 축률(軸率).

축비²【縮比】명 축소 비율(縮小比率).

축사¹【祝史】명 신을 모시는 일을 업(業)으로 하는 사람.

축사²【畜舍】명 가축을 기르는 건물.

축사³【祝辭】명 축하하는 뜻의 글이나 말. ¶ ~를 낭독하다. ——-하다 자여불

축사⁴【逐邪】명 사귀(邪鬼)나 사기(邪氣)를 물리쳐 내쫓음. ——-하다 자여불

축사⁵【縮砂】명 〖식〗 ↗축사밀(縮砂蔤).

축사⁶【縮寫】명 ①원형보다 작게 줄여 씀. ②사진을 줄이어서 다시 찍음. ——-하다 타여불

축사-도【縮寫圖】명 축사한 그림.

축사 로켓탄【縮射—彈】명 〔subcaliber rocket〕 〖군〗 로켓탄 자체보다도 큰 구경(口徑)의 발사통(發射筒)으로부터 발사할 수 있도록 특별히 설계된 훈련용의 로켓탄.

축사-밀【縮砂蔤】명 〖식〗 [*Amomum xanthoides*] 생강과에 속하는 풀. 높이 1 m 가량으로 잎은 가늘고 긺. 꽃은 봄과 여름 사이에 수상 화서(穗狀花序)로 피며, 열매는 황적색이고 껍질이 두껍고 쭈굴쭈굴하며 속에 수십 개의 씨가 있음. 씨는 맛이 쌉쌀하고 향긋하여 백두구(白荳蔲) 씨의 맛과 비슷함. 중국 남부에 분포함. 씨는 사인(砂仁)이라 하여 한방(漢方) 약재로 씀. 준축사(縮砂).

〈축사밀〉

축사-주【縮砂酒】명 〖한의〗 사인(砂仁)을 볶아서 가루로 만든 것을 섞어 넣고 빚은 술. 뱃속을 편하게 하고 소화를 잘 시키는 효력이 있어 심복통(心腹痛)에 복용함.

축사-포【縮射砲】명 〔subcaliber〕 〖군〗 포의 하나. 대포의 위 또는 포신(砲身) 안에 장치한 작은 포. 대포의 조준 훈련 때의 연습 사격에 사용됨. *내통포(內筒砲).

축삭¹【逐朔】명 다달이. 달마다. 축월(逐月).

축삭²【軸索】명 〖생〗 축삭 돌기(軸索突起).

축삭 돌기【軸索突起】명 〔axon〕 〖생〗 신경 세포의 두 돌기(突起) 중에서, 흥분을 원심적(遠心的)으로 전도하는 구실을 하는 것. 신경 돌기. ↔수상 돌기(樹狀突起). *신경 섬유.

축삭 원형질【軸索原形質】명 〔axoplasm〕 〖생〗 신경 축삭의 원형질.

축산【畜産】명 〖농〗 ①집에서 기르는 새·소·말·닭·돼지 등을 이름. ②농업의 한 부문. 가축을 길러, 젖·고기·달걀·모피 등의 인간 생활(人間生活)에 이용한 물질을 생산하고, 이용을 꾀하는 산업. 축산업. ¶ ~ 진흥책(振興策).

축산 공해【畜産公害】명 가축의 대규모 사육이 증가됨에 따라 일어나는 공해. 곧, 분뇨(糞尿)·악취(惡臭)·소음 따위의 공해.

축산-물【畜産物】명 가축에서 얻어지는 물품. 보통, 젖·고기·알 및 그의 가공품과 지방 따위를 이르나, 털·가죽·뼈·깃털·혈액·장기(臟器) 등 공예(工藝) 내지 공업 원료와 약품 원료·분뇨(糞尿) 등 비료 원료도 포함됨.

축산물 가공 처:리법【畜産物加工處理法】[—뻡] 명 〖법〗 수축(獸畜)의 도살(屠殺)과 축산물의 가공 처리 및 검사에 관한 필요 사항을 규정한 법. 축산물의 위생적인 관리와 그 품질의 향상을 도모하고 축산물의 건전한 발전에 기여함을 목적으로 제정됨.

축산-법【畜産法】[—뻡] 명 〖법〗 가축의 개량·증식(增殖)과 보호 등 축산 진흥과 축산물의 수급 조절(需給調節) 및 가격 안정에 관한 사항을 규정한 법.

축산 부:이사관【畜産副理事官】명 농림직(農林職) 국가 공무원 직급 명칭의 하나. 축산 직렬(職列)에 속하며, 축산 서기관(書記官)의 위, 축산 이사관의 아래로 3급 공무원임.

축산 사:무관【畜産事務官】명 농림직(農林職) 국가 공무원 직급 명칭의 하나. 축산 직렬(職列)에 속하며, 축산 주사(主事)의 위, 축산 서기관(書記官)의 아래로 5급 공무원임.

축산 서기【畜産書記】명 농림직(農林職) 국가 공무원 직급 명칭의 하나. 축산 직렬(職列)에 속하며, 축산 서기보의 위, 축산 주사보(主事補)의 아래로 8급 공무원임.

축산 서기관【畜産書記官】명 농림직(農林職) 국가 공무원 직급 명칭의 하나. 축산 직렬(職列)에 속하며, 축산 사무관의 위, 축산 부이사관의 하나. 축산 직렬(職列)에 속하며, 축산 서기의 아래로 9급 공무원임.

축산 시험장【畜産試驗場】명 농촌 진흥청 소속의 시험장의 하나. 가축·가금(家禽)의 품종 개량, 사육법 개선, 영양 사료, 초지(草地) 조성 및 축산물 이용·가공에 대한 시험 연구 사무를 관장함.

축산 식품【畜産食品】명〖농〗가축에서 생산되는 식품의 총칭. 젖·고기·알 따위와 그것을 원료로 하여 만들어진 식품.

축산-업【畜産業】명 농업의 한 부분. 가축·가금(家禽)·벌·누에 등을 사육 증식시켜 젖·고기·알·꿀·생사(生絲) 등의 식료품과 생활 필수품 및 우모(羽毛)·피혁 등의 물자를 생산하는 산업. 유목형(遊牧型)과 정착형(定着型)으로 대별되는데, 몽골과 일부 아랍 지방을 제외하고는 정착형이 일반화되고 있음. 농업의 기계화에 따라 역축(役畜)의 수효는 감소 추세에 있고 낙농·양돈(養豚)·양계의 전업화(專業化)와 경영 규모의 대형화가 현저해지고 있음. 축산.

축산업 협동 조합【畜産業協同組合】명 양축인(養畜人)의 자주적인 협동 조직을 육성해 축산업의 진흥과 조합원의 경제적·사회적 지위의 향상을 도모하기 위하여 조직된 조합. 지역별 축산업 협동 조합과 업종별 축산업 협동 조합이 있음. 가축의 개량·증식·방역 및 진료 사업, 공동 구매 및 판매 사업, 축산물과 사료의 처리·가공 및 제조 사업, 예금·적금의 수입(受入), 자금의 대출 등의 신용 사업, 복리 후생 사업 등을 행함.

축산업 협동 조합 중앙회【畜産業協同組合中央會】명 축산업 협동 조합의 중앙 조직. 축산물의 구판(購販) 및 보관, 축산물과 사료의 처리·가공 및 제조, 가축 시장의 운영 관리의 지도, 무역 및 무역 대리, 회원의 여신 자금과 사업 자금의 대출 등 여러 사업을 함.

축산 이:사관【畜産理事官】명 농림직(農林職) 국가 공무원 직급 명칭의 하나. 축산 직렬(職列)에 속하며, 축산 부이사관의 위, 관리관(管理官)의 아래로 2급 공무원임.

축산 주사【畜産主事】명 농림직(農林職) 국가 공무원 직급 명칭의 하나. 축산 직렬(職列)에 속하며, 축산 주사보의 위, 축산 사무관(事務官)의 아래로 6급 공무원임.

축산 주사보【畜産主事補】명 농림직(農林職) 국가 공무원 직급 명칭의 하나. 축산 직렬(職列)에 속하며, 축산 서기(書記)의 위, 축산 주사의 아래로 7급 공무원임.

축산 진:흥 기금【畜産振興基金】명 축산 진흥에 필요한 재원(財源)의 확보를 위하여 설치한 기금. 정부의 보조금, 한국 마사회(馬事會)로부터의 납입금, 수입 축산물의 판매 수익(收益) 납입금 등으로 조성하며, 축산업 협동 조합 중앙회가 관리 운용함.

축산 진:흥회【畜産振興會】명 1981년 '축산업 협동 조합 중앙회'로 개편.

축산-학【畜産學】명〖농〗축산에 관한 여러 가지 사항을 연구하여 그 개량·발달에 이바지하는 학문.

축산학-과【畜産學科】명〖교〗대학에서, 축산학을 전공(專攻)하는 학과. *원예학과(園藝學科)·낙농학과(酪農學科).

축살【蹴殺】명 발로 차서 죽임. ——-하다 타여불

축색[1]【軸色】명〖물〗입사광(入射光)의 편광면(偏光面)이 결정(結晶)의 각각의 전기적 주축(主軸)의 방향과 일치하도록 백색광(白色光)을 통과시켰을 때 보이는 색.

축색[2]【軸索】명〖생〗☞ 축삭.

축색 돌기【軸索突起】명 ☞ 축삭 돌기.

축색 원형질【軸索原形質】명 ☞ 축삭 원형질.

축생[1]【丑生】명〖민〗축년(丑年)에 출생한 사람을 술가(術家)에서 일컫는 말.

축생[2]【畜生】명 ①사람에게 길리어 사는 온갖 짐승. ②사람답지 못한 사람의 비유. 축구(畜狗). ③〖불교〗↗축생도(畜生道).

축생-계【畜生界】명〖불교〗십계(十界)의 하나. 악업(惡業)의 응보에 의해 인도된 동물의 세계.

축생-도【畜生道】명〖불교〗삼악도(三惡道)의 하나. 축생의 세계. 죄업(罪業)으로 축생이 되어 괴로움을 받는 길. 혈도(血途). ¶~에 빠지다. ㊟축생(畜生). *지옥도(地獄道)·아귀도(餓鬼道).

축생-취【畜生趣】명〖불교〗축생이 될 업(業)을 지은 사람이 죽은 뒤에 가서 난다고 하는, 축생들이 사는 곳.

축선[1]【軸腺】명〔axial gland〕〖동〗극피(棘皮) 동물의 석관(石管)을 둘러싼 구조. 임파절(淋巴節)과 같은 구조인데 축적신(蓄積腎)의 기능을 갖는다고 함.

축선[2]【軸線】명〔axis〕〖물〗물체가 회전하는 중심이 되는 선.

축성[1]【祝聖】명〔consecration〕〖기독교〗신성한 용도에 쓰기 위하여 보통의 것과 구별하여 성화(聖化)하는 일. 성별(聖別).

축성[2]【軸性】명〔axiality〕〖생〗생물체의 구조가 여러 가지 방향으로 극성(極性)을 지니는 성질. 예컨대 식물의 줄기 및 뿌리, 좌우 상칭(相稱) 동물의 두미축(頭尾軸)이 나타내는 성질 등.

축성[3]【築成】명 쌓아서 이룸. ——-하다 타여불

축성[4]【築城】명 ①성을 쌓음. ②〖군〗요새·보루(堡壘)·포대(砲臺)·참호 등의 구조물(構造物)의 총칭. 영구 축성과 야전 축성의 두 가지가 있음. ——-하다 자여불

축성 근:시【軸性近視】명〖의〗굴절력(屈折力)은 정상적이나 안축(眼軸)이 연장되어 있어 무한원(無限遠)으로부터 오는 평행 광선이 망막(網膜)의 전방(前方)에 결상(結像)하는 근시. *축성 원시(遠視).

축성-사【築城司】명〖역〗조선 시대에, 각지의 성 쌓는 일을 맡아보던 관아. 중기 이후로 도적이 일어나, 국방과 치안에 위협을 받게 됨에 따라 임시로 베풀다가, 명종 10년(1555)에 상설 기관이 됨.

축-성수【祝聖壽】명〖문〗조선 세종(世宗) 11년(1429) 예조(禮曹)에서 성수를 축원하여 지은 경기체가(景幾體歌). 《세종 실록》 44권에 전함.

축성 시:신경염【軸性視神經炎】[—념] 명〔라 neuritis optica axialis〕〖의〗시신경의 중축(中軸)을 지니고 있는 유두 황반 섬유(乳頭黃斑纖維)가 침해되는 질환. 시력의 감퇴와 수명(羞明) 및 특이한 중심 암점(暗點) 등의 증상이 일어나는데, 대개 초기에는 안저(眼底)에 현저한 변화 없이 만성으로 경과함. 흔히 각기(脚氣)·수유(授乳)·비타민 비(B)의 결핍·알코올 중독 등에 의해 일어나며 남자보다 여자에게 많음.

축성 시:신경 위축【軸性視神經萎縮】명〖의〗시신경 유두(乳頭)의 위쪽이 창백해지는 시신경 위축. 비타민 비원(B_1)의 결핍이나 술·담배의 중독 등이 그 원인임.

축성-식【祝聖式】명 축성(祝聖)의 의식.

축성 원:시【軸性遠視】명〔axial hypermetropia〕〖의〗원시의 한 가지. 안축(眼軸)의 과소(過小)로 생기는 원시. 주로 선천적으로 발생하는 증상으로 가장 흔하며 신생아는 대부분이 이에 속함. ↔굴절성(屈折性) 원시. *축성 근시(近視).

축성-학【築城學】명〖군〗축성을 연구하는 학문.

축-세포【軸細胞】명〔axoblast〕〖동〗중생(中生) 동물의 중축(中軸)에 있는 긴 세포. 이 세포의 분열로 무성충(無性蟲)이 만들어짐.

축소【縮小】명 줄이어서 작아짐. 또, 작게 함. ¶~ 인화(印畫)/군비 ~. ↔확대(擴大)·확장(擴張). ——-하다 자타여불

축소 균형【縮小均衡】명〖경〗경제의 규모를 줄이어 수입과 지출의 균형을 잡는 일.

축소-도【縮小圖】명 원형(原形)을 일정한 비율로 줄이어서 그린 그림. 축도(縮圖).

축소-비【縮小比】명 축소율. ↔확대비.

축소 비:율【縮小比率】명 ①지도 따위의 축도상(縮圖上)의 길이와 실제 길이와의 비율. ②어떤 물건을 축소하거나 축소한 비율. 축척(縮尺). ㊟축비.

축소-율【縮小率】명 축소 비율. 축소비.

축소 재:생산【縮小再生産】명〖경〗전보다 소규모로 행하여지는 재생산. ↔확대 재생산. *단순 재생산.

축소-촌충【縮小寸蟲】명〖동〗오묘 촌충.

축소-판【縮小版】명 ①축쇄판(縮刷版). ②어떤 것을 축소한 것과 같은 사물의 비유.

축소 해:석【縮小解釋】명〖법〗법규의 문자·문장을 엄격히 제약하고 법문(法文)의 일상의 의미를 넘지 않도록 노력하는 해석 방법. 법의 해석에 있어서 타당한 결과를 얻기 위하여 법문의 문자상의 의의를 보통 용례(用例)에 있어서보다 더 좁혀서 해석하는 일. 한국에서 민법의 '제삼자'를 '정당한 이익을 갖는 제삼자', '물권(物權)'을 '소유권(所有權)'으로 해석한 판례(判例)는 그 일례임. 한정(限定) 해석. 제한(制限) 해석. ↔확장 해석.

축송【逐送】명 쫓아 보냄. ——-하다 타여불

축쇄【縮刷】명〖인쇄〗책이나 그림의 원형을 그 크기만 줄이어서 한 인쇄. ——-하다 타여불

축쇄-판【縮刷版】명〖인쇄〗축본(縮本)으로 인쇄한 출판물. 축소판(縮小版). ¶~으로 내다. ㊟축판(縮版).

축수[1]【祝手】명 두 손바닥을 마주 대고 빎. ¶완쾌를 ~하다. ——-하다 자타여불

축수[2]【祝壽】명 오래 살기를 빎. ——-하다 자타여불

축수[3]【縮首】명 무섭고 두려워서 고개를 움츠림. 축두(縮頭). ——-하다 자여불

축수[4]【縮綏】명〖악〗장구의 부속품의 한 가지. 가죽으로 깔때기처럼 만들어, 장구의 좌우 마구리에 얼기설기 얽은 줄의 두 가닥을 끼워서 한 쪽으로 밀면 줄이 팽팽해지고, 다른 한 쪽으로 밀면 줄이 늘어지게 되어 장구의 소리를 조절함.

축수 도:량【祝壽道場】명〖불교〗고려 시대의 국왕의 생일 법회(法會). 축성 법회(祝聖法會).

축승[1]【祝勝】명 승첩(勝捷)에 대한 축하. 축첩(祝捷). ——-하다 자여불

축승[2]【縮繩】명〖악〗장구의 좌우 마구리를 잇는 줄. 무명실을 꼬아 붉게 물들여서 만듦.

축시【丑時】명〖민〗①십이시(十二時)의 둘째 시. 곧, 오전 1시부터 3시까지의 동안. ②이십사시(二十四時)의 셋째 시. 곧, 오전 1시 반부터 2시 반까지의 동안. ㊟축(丑).

축신【逐臣】명 쫓기어 귀양간 신하. 축객(逐客).

축아【蠋蛾】명〖충〗자벌레나방.

축알【蹙頞】명 괴롭고 귀찮아서 콧잔등을 찡그림. ——-하다 자여불

축암-령【祝巖嶺】[—녕] 명〖지〗경기도 포천군(抱川郡)과 양주군(楊州郡) 사이에 있는 고개. [158m]

축압-기【蓄壓器】명〔accumulator〕〖항공〗가스 터빈 엔진의 연료계(燃料系)에서, 축적(蓄積)된 압력에 의해 압축 공기 속에 연료를 방출(放出)하는 장치.

축야【逐夜】명부 밤마다.

축야-방【築冶房】명〖역〗신라 경덕왕(景德王) 때 철유전(鐵鍮典)을 한때 고친 이름.

축약【縮約】명 규모를 축소하여 간약(簡約)하게 함. ——-하다 타여불

축양【畜養】명 가축을 기름. ——-하다 타여불

축어【柷敔】명〖악〗축(柷)과 어(敔). 축은 음악을 시작할 때, 어(敔)는 그칠 때 울림.

축어-역【逐語譯】명 외국어의 원문(原文)의 한 말 한 말에 대하여 충실

하게 하는 번역. 직역. 축자역(逐字譯). ——-하다 타여불

축어 영감설【逐語靈感說】명〖종〗성서의 글자 하나, 구절 하나가 모두 하느님의 영감에 의해 이루어졌다고 하는 설.

축언【祝言】명 축하나 축복하는 말. ——-하다 자여불

축연[1]【祝宴】명 ↗축하연(祝賀宴). ¶~을 베풀다.

축연[2]【祝筵】명 축하하는 자리.

축연[3]【蹙然】명 삼가는 모양. 또, 불안(不安)한 모양. ——-하다 형여불. ——-히 부

축열-기【蓄熱器】명 보일러로부터 여분의 증기를 용기(容器) 속의 물에 불어 넣어 열로서 저장해 두었다가 필요에 따라 끌어 내어 이용하기 위한 장치.

축열-실【蓄熱室】명 고체를 고온도로 용해하는 공업용 노(爐)에서 연소 가스의 열량을 회수하여 연소용 공기의 예열(豫熱)로 이용하는 경우에 사용되는 열 교환 장치.

축엽-병【縮葉病】명〖식〗잎이 주름이 잡히거나 겹쳐져서 그 모양이 불규칙하게 되는 병. 자낭균(子囊菌)에 의하여 잎이 부풀어 오르고 울룩불룩하여지고 희게 되었다가 흑갈색으로 되어 떨어짐. 복숭아나무나 매화나무에서 나타남. 오갈잎병.

축우【畜牛】명 집에서 기르는 소.

축원【祝願】명〖종〗①신불(神佛)에 자기의 뜻을 아뢰고 그것을 성취시켜 주기를 비는 일. 잘 되게 하여 달라고 바라며 비는 일. ¶성공을 ~하다. ②↗축원문(祝願文). ——-하다 자타여불

축원-경【縮遠鏡】명 망원경(望遠鏡).

축원-굿【祝願—】명 행운과 초복(招福)을 기원하거나 병자의 병이 낫게 기원하기 위하여 하는 굿. *재수 축원굿·병기원굿.

축원-문【祝願文】명 ①축원하는 뜻을 기록한 글. ㈜축원(祝願). ②〖민〗무가(巫歌)의 일종. '축원'이란 무속(巫俗)에서 소원을 신에게 비는 것으로, 이 때 비는 내용의 말이 축원문임. '성조(成造) 축원', '고사(告祀) 축원' 따위.

축원-방【祝願旁】명〖불교〗축원문을 모아서 만든 책.

축원 화청【祝願和請】명〖불교〗사설이 한문(漢文)으로 된 화청(和請)의 하나. 6박이 한 장단을 이룸.

축월[1]【丑月】명〖민〗월건(月建)이 축(丑)으로 되는 달. 음력 섣달.

축월[2]【祝月】명〖불교〗음력 정월·오월·구월의 딴이름.

축월[3]【逐月】명 축삭(逐朔). ——-하다 자여불

축육【畜肉】명 가축 등 짐승의 고기. ¶~ 소시지. ↔어육(魚肉).

축-윤(:)명【祝允明】명〖사람〗중국 명(明)나라의 학자. 자(字)는 희철(希哲), 호(號)는 지산(枝山). 시문(詩文)에 뛰어나고 특히 초서(草書)에 능했음. 서정경(徐禎卿)·문징명(文徵明)·당인(唐寅)과 함께 오중 사재자(吳中四才子)라 일컬어지고 반세속적인 비평 정신으로 알려짐. 저서에 ≪구조 야기(九朝野記)≫·≪회성당집(懷星堂集)≫이 있음. [1460-1526]

축융[1]【祝融】명 ①불을 맡은 신. 화정(火正). ②여름을 맡은 신. 남쪽 바다를 맡은 신. *화덕 진군(火德眞君).

축융[2]【縮絨】명〖공〗모직물을 가공하는 한 공정(工程). 비누 용액·알칼리 용액을 섞어 압력이나 마찰을 가해서, 모직물(毛織物)의 길이와 폭을 수축하고 조직을 바특하게 하며, 중량을 늘이고 표면의 털끝이 서로 얽히게 만드는 일.

축융-기【縮絨機】명〖기〗축융에 사용하는 기계. 모직물을 비누 등의 용액에 적셔 온도를 높이면서 강하게 압축하여 마찰시키고, 이를 고르게 해서 짧은시간 안에 그 목적을 달성하는 장치로, 롤러식(roller式)과 접구식이 있음.

축융-성【縮絨性】[—썽] 명〖공〗털섬유가 습기·열·압력에 의해서 서로 엉키고 줄어드는 성질.

축융-제【縮絨劑】명 [fulling agent] 모직물(毛織物)을 축융할 때 쓰이는 비누 용액.

축융 직물【縮絨織物】명〖공〗소모(梳毛) 직물 및 방모(紡毛) 직물에 축융 처리 가공을 한 직물.

축음-기【蓄音機】명 음파를 기록한 물체로부터 소리를 재현시키는 장치. 둥근 판 위에 음(音)에 대응하는 물결의 줄기 같은 홈을 파고 이 판의 회전에 따라 홈에 세워 놓은 바늘에 진동을 일으켜 그 바늘의 진동을 금속판에 전달하여 소리로 나타내는 방법과, 바늘의 진동을 전자석(電磁石)·결정편(結晶片) 혹은 축전기(蓄電器) 등에 전달하여 전기적인 형태로 변경시켜 증폭기(增幅器)를 경유해서 소리로 나타내는 방법이 있음. 유성기(留聲機). 그래머폰.

〈축음기〉

축음기-판【蓄音機板】명 레코드❸.

축의[1]【祝意】[—/—이] 명 축복이나 축하를 표하는 의사.

축의[2]【祝儀】[—/—이] 명 축하하는 의식(儀式). 축전(祝典). ¶~금.

축이다 타 물에 적시어 축축하게 하다. ¶목을 ~.

축일[1]【丑日】명〖민〗일진(日辰)의 지지(地支)가 축(丑)으로 되는 날. 곧, 을축(乙丑)·정축(丁丑)·기축(己丑)·신축(辛丑)·계축(癸丑) 등.

축일[2]【祝日】명 ①축하하는 날. ②하느님·구세주·성인 등에 특별한 공경을 드리기 위하여 교회에서 제정한 날. 또, 그날 행하는 예식. 축일·대축일로 구분함.

축일[3]【逐一】명부 하나하나 좇음. 하나씩 하나씩.

축일[4]【逐日】명부 하루 하루를 좇음. 날마다.

축일 상대【逐日相對】명 축일 상종(相從). ——-하다 자여불

축일 상종【逐日相從】명 날마다 서로 사귀어 놂. 축일 상대(逐日相對). ——-하다 자여불

축일 전야【祝日前夜】명〖천주교〗대축일이나 중요 축일의 전날 또는 전날밤.

축일 증가【逐日增加】명 날마다 증가함. ——-하다 자여불

축일-학【逐日瘧】명〖한의〗며느리고금.

축자-식【逐字式】명 글을 해석·번역하는 데 원문(原文)의 글자 하나하나를 좇아 충실하게 하는 방식.

축자-역【逐字譯】명 축어역(逐語譯). ——-하다 타여불

축자-적【逐字的】명관 해석·번역을 축자식(逐字式)으로 하는 모양.

축장[1]【蓄藏】명 모아서 감추어 둠. ——-하다 타여불

축장[2]【築墻】명 담을 쌓음. ——-하다 자여불

축장 화:폐【蓄藏貨幣】명〖경〗퇴장(退藏) 화폐.

축재【蓄財】명 재물을 모아 쌓음. 저재(貯財). ¶부정(不正) ~. ——-하다 자여불

축저-하다【築底—】형여불 ☞도저(到底)하다.

축적[1]【蓄積】명 ①많이 모으는 일. 많이 모이는 일. 또, 그것. 적저(積貯). 적축(積蓄). ¶자본 ~. ②〖경〗자본가가 잉여 가치(剩餘價值)의 일부를 자본으로 전화(轉化)하여 자본의 증대를 꾀하는 일. 집적(集積)과 집중(集中)의 두 가지 형태가 있음. ——-하다 자타여불

축적[2]【蹴蹐】명 조심하여 걸음. ——-하다 자여불

축적-관【蓄積管】명〖전〗전기 또는 광선 등의 신호를 관내(管內)에 축적해 두었다가, 다시 신호로써 관외(管外)로 내놓는 기능을 가진 음극선관(陰極線管). 텔레비전·레이더·전자 계산기 등에 씀. 기록관(記錄管). 기억관(記憶管).

축적 선량【蓄積線量】[—설—] 명 [accumulative dose]〖물〗방사선에 의해 반복하여 조사(照射)를 받은 전체 피폭(被曝) 선량.

축적-신【蓄積腎】명〖동〗배설물(排泄物) 중 특히 함(含)질소성 물질을 퓨린 염기 등의 불용성 형태로 만들어 장기간에 걸쳐 자체 내에 축적하고 있는 세포·세포군(群). 또, 그 기관. 동물계에 산발적으로 보임.

축적 작용【蓄積作用】명 약물을 계속해서 복용하는 경우, 약물(藥物)이 체내(體內)에 축적되어 분량을 과하게 복용한 것과 같은 중독 작용을 일으켜 위험한 중독 증상을 나타내는 일.

축적 전송【蓄積轉送】명 [store and forward]〖통신〗데이터가 송신기와 수신기 사이의 어느 점에 일단 축적되었다가 나중에 수신기에 전송되는 데이터 통신 방법.

축전[1]【祝典】명 축하하는 의식이나 식전(式典)을 이름. 축의(祝儀). 경전(慶典).

축전[2]【祝電】명 축하하는 뜻으로 치는 전보. ¶~을 치다.

축전[3]【蓄電】명 축전기(蓄電器)나 축전지에 쓰지 않는 전기를 모아둠. ——-하다 자타여불

축전[4]【蓄錢】명 금전을 저축함. 또, 그 돈. ——-하다 자여불

축전[5]【縮錢】명 일정한 액수에서 축이 난 돈.

축전-기【蓄電器】명 [capacitor, condenser]〖물〗전기의 도체(導體)에 많은 전기량(電氣量)을 축적시키는 장치. 서로 절연(絶緣)된 두 개의 도체, 곧 양극(兩極)을 접근시켜 그 전기 사이의 인력(引力)에 의하여 전하(電荷)를 축적하게 됨. 라이덴병(Leiden 甁)·가변(可變) 축전기 등. 콘덴서(condenser).

축전-량【蓄電量】[—냥] 명〖물〗축적된 전기의 분량.

축전 음악【祝典音樂】명 축전 때에 연주되는 음악. 또, 그 목적으로 만든 악곡. 주로, 기독교의 축제나 유럽 궁정(宮廷)의 축전용으로 발달함. 헨델 작곡의 '수상(水上)의 음악', 브람스 작곡의 '대학 축전 서곡'등이 유명함.

축전-지【蓄電池】명 [storage battery]〖물〗외부의 전원(電源)에서 받은 전기를 화학 에너지의 형태로 변화시켜 축적하여 두었다가 필요할 때에 전기로 재생(再生)해 내는 장치. 보통 과산화(過酸化)납인 양극(陽極)과 납인 음극(陰極)을 묽은 황산의 전해액(電解液) 속에 세워서 만드는 납축전지(蓄電池)와, 양극으로서 수산화 제일 니켈, 음극으로서 철(鐵)을 알칼리 수용액 속에 대립시켜서 만드는 알칼리 축전지의 두 가지가 있음. 바테리. 배터리. 이차(二次) 전지.

축전지 기관차【蓄電池機關車】명 [storage battery locomotive]〖광〗축전지에 의해 움직이는 갱내(坑內) 기관차.

축절【祝節】명 [festival]〖종〗즐거운 일을 기념하여 축하하는 날. 기독교에서, 보통 일요일에 행하는 성안식일(聖安息日)과 부활절·성탄절 따위.

축정[1]【丑正】명〖민〗축시(丑時)의 한가운데. 곧, 오전 두시.

축정[2]【築庭】명 정원을 쌓고 꾸밈. ——-하다 자여불

축제[1]【祝祭】명 ①축하의 제전(祭典). ¶~ 행사/~ 기분이다. ②축하와 제사(祭祀).

축제[2]【築堤】명〖토〗둑을 쌓아 만듦. ——-하다 자여불

축제-일【祝祭日】명 ①축일(祝日)과 제일(祭日). ②축일과 제일이 겹친 날. ③축하 제전(祭典)이 벌어지는 날.

축조[1]【逐條】명 한 조목 한 조목씩 좇아감. 조목마다 깡그리. ¶~ 심의(審議). ——-하다 타여불

축조[2]【築造】명 다지고 쌓아서 만듦. 축구(築構). 조축(造築). ¶진지 ~. ——-하다 타여불

축조 발명【逐條發明】명 낱낱이 무죄(無罪)함을 변명(辨明)함. ——-하다 타여불

축조-본【縮照本】명 비석(碑石)의 문자 등을 사진으로 원형보다 작게 축소해서 제판(製版)한 것.

축조 심:의【逐條審議】[—/—이] 명 한 조목씩 차례로 모두 심의함.

축조 해:석【逐條解釋】명 법률 따위에서 낱낱의 조문을 차례를 좇아 해

석하는 일.

축좌【丑坐】명〖민〗산소나 집터 등의 축방(丑方)을 등지고 앉은 자리.

축좌 미:향【丑坐未向】명〖민〗축방(丑方)을 등지고 미방(未方)을 향한 좌향(坐向).

축주[1]【祝酒】명 축하하는 술.

축주[2]【縮酒】명 제사의 헌작(獻爵) 때에 모사(茅莎) 그릇에 약간 붓는 술을 이름.

축중-기【軸重機】명 두 바퀴 밑에 놓아서 차량(車輛)의 바퀴 한 개의 하중(荷重)을 측정하는 기계.

축중 내:력【軸重耐力】명 도로(道路) 따위가 바퀴축(軸)의 무게에 견디는 힘.

축-중합【縮重合】명〖화〗축합 중합(縮合重合).

축지【縮地】명〖민〗도술(道術)에 의해 지맥(地脈)을 축소하여 먼 거리를 가깝게 하는 일. ——-하다 자여불

축-지다【縮—】자 ①사람의 가치가 떨어지다. ¶사람이 ~/인기가 ~. ②병으로 몸이 약해지다. ¶오래 앓아서 몹시 축졌다.

축지-법【縮地法】[—뻡] 명〖민〗축지하는 술법(術法).

축지 보:천【縮地補天】명〔땅을 줄여 하늘을 깁는다는 뜻〕천자가 천하를 개조함을 이름.

축-짓다【軸—】타ㅅ불 종이 열 권씩으로 축을 만들다.

축차【逐次】一 명 차례차례로 함. 차례대로 좇아 함. 二 부 차례차례로. 차례를 따라.

축차 근:사법【逐次近似法】[—뻡] 명〔method of successive approximation〕〖수〗대수(代數) 방정식의 근(根)이나 미분 방정식·적분(積分) 방정식의 해(解)를 구할 때, 추정(推定) 또는 그 밖의 방법으로 근사해(近似解)를 구하고, 그 근사해를 사용해서 보다 정밀한 근사해를 구하고, 차례로 이 방법을 되풀이하여 근사의 정도(精度)를 높이는 계산법.

축차-적【逐次的】명관 차례대로 좇아서 하는 모양.

축차 추출법【逐次抽出法】[—뻡] 명〖수〗수리(數理) 통계의 추출법의 한 가지. 추출할 표본의 수를 미리 정하지 아니하고, 각 표본이 추출될 때마다 그 때까지 추출된 표본으로 추정을 하고, 그 결과에 따라서 다시 몇 개 더 추출할 것인가 아니할 것인가를 결정함.

축척[1]【逐斥】명 좇아서 물리침. ——-하다 타여불

축척[2]【縮尺】명 ①피륙이 정한 자수에 차지 아니함. ②축도(縮圖)를 그릴 때 그 축소(縮少)시킬 비례의 척도(尺度)를 이름. 줄인자. 제척(梯尺). ¶~ 50,000분의 1 지도. ↔현척(現尺).

축척[3]【蹙踖】명 살살 걸음. ——-하다 자여불

축천【祝天】명 하느님께 빎. ——-하다 타여불

축첩[1]【祝捷】명 축승(祝勝). ——-하다 자여불

축첩[2]【蓄妾】명 첩을 둠. ——-하다 자여불

축첩-자【蓄妾者】명 첩을 두고 사는 사람.

축첩-회【祝捷會】명 승리를 축하하기 위한 모임.

축초【丑初】명〖민〗축시(丑時)의 처음. 곧, 오전 1시경.

축축[1]【蹜蹜】명 귀인(貴人)의 앞을 지나든가 할 때에 종종걸음으로 걷는 모양. ——-하다[1] 형여불

축:축[2] 부 ①연달아 처지는 모양. ②여럿이 늘어진 모양. ¶나뭇가지가 ~ 늘어지다. 1)·2):>촉촉.

축축-이 부 축축하게.

축축-하다[2] 형여불〔중세：축축ᄒᆞ다〕물기가 약간 있어서 젖은 듯하다. ¶등골에 땀이 ~. >촉촉하다.

축출【逐出】명 쫓아냄. 몰아냄. ¶당에서 ~하다. ——-하다 타여불

축출 경외【逐出境外】명 치안(治安)을 방해하는 사람을 다른 지방으로 내쫓음.

축탕【蓫蕩】명〖식〗자리공. ——-하다 타여불

축태【縮胎】명 해산 달에 약을 먹어 태반(胎盤)이 줄어들게 하여 해산이 순하도록 함. ——-하다 자여불

축태-음【縮胎飮】명〖한의〗달생산(達生散). ——-하다 자여불

축토【築土】명〖토〗집터·둑 같은 것을 만들기 위하여 흙을 쌓아 올림.

축퇴【縮退】명 ①황송해서 움츠리고 물러감. ②〖물〗같은 에너지를 가진 상태가 하나 이상 몇인가 존재하는 일. ③〔degeneration〕분자열(分子熱)이 기체 상수(氣體常數)의 3분의 2배(倍) 이하가 되는 것과 같은, 저온(低溫)에서 기체(氣體)에 일어나는 현상.

축퇴 반:도체【縮退半導體】명〔degenerate semiconductor〕〖물〗전도대(傳導帶) 속의 전자수(電子數)가 금속(金屬)의 그것에 상당(相當)하는 반도체.

축퇴-성【縮退星】명〔degenerate star〕〖천〗항성 진화론(恒星進化論)에서 최종 단계에 상당하는 항성. 평균 반경 약 1만 km로 작으며, 10^4-10^6 g/cm^{3}의 고밀도(高密度)가 특징임. 백색 왜성(白色矮星)이라고 불리나, 저온(低溫)의 것은 황색(黃色)인 것도 있음. 광도(光度)는 태양(太陽)의 10^{-2}-10^{-4} 정도로 어두우므로 약 100개 정도만 알려지고 있으나 은하계(銀河系)에는 항성 총수의 약 3-4%가 존재한다고 추측되고 있음.

축퇴 전:자 기체【縮退電子氣體】명 온도가 페르미 온도(Fermi 溫度)보다 낮은 상태에 있기 때문에, 전자의 배열(配列)이 페르미 분포(分布)에 따르는 전자 기체.

축판[1]【祝板】명 ↗축문판(祝文板).

축판[2]【築板】명 담틀.

축판[3]【縮版】명〖인쇄〗↗축쇄판.

축폐-선【縮閉線】명〔evolute〕〖수〗어떤 곡선 위의 각 점에 대응하는 곡률(曲率) 중심의 궤적(軌跡). *신개선(伸開線).

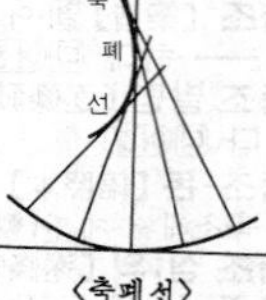

〈축폐선〉

축포【祝砲】명 축하하는 뜻을 나타내기 위하여 쏘는 공포(空砲)를 이름. *예포(禮砲).

축하【祝賀】명 ①성사(成事)를 빌고 하례(賀禮)함. 경하(慶賀). ¶~주(酒)/~ 인사. ②축수하고 치하함. ¶생신(生辰) ~. ——-하다 타여불

축-하다【縮—】형여불 ①생기(生氣)가 없다. ②약간 상하여서 싱싱하지 아니하다.

축하-식【祝賀式】명 축하하는 의식.

축하-연【祝賀宴】명 축하하는 잔치. ¶~을 열다. ㊟축연(祝宴).

축하-장【祝賀狀】[—짱] 명 축하하는 뜻을 적은 서장(書狀). ¶~을 보내다.

축하-회【祝賀會】명 축하하는 모임.

축학【竺學】명 불교의 학문.

축합【縮合】명〔condensation〕〖화〗두 개 이상의 분자 또는 같은 분자 안의 둘 이상의 부분이 원자 또는 원자단을 간단한 화합물의 형태로 분리하여 결합하는 반응. ——-하다 자여불

축합 고리【縮合—】명〔condensed ring〕〖화〗유기 화합물(有機化合物)에서 두 개 또는 그 이상의 고리가 두 개 또는 그 이상의 원자(原子)를 공유(共有)한 형태의 고리 모양 구조. 나프탈렌(naphthalene) 등의 구조. 축합핵(核).

축합 고리 모양 탄:화 수소【縮合—炭化水素】명〖화〗두 개 이상의 벤젠핵(benzene 核)이 탄소 원자를 공유(共有)하여 고리를 구성하고 있는 화합물. 콜타르(coaltar) 중에 많이 포함되어 있으며 합성적(合成的)으로 여러 가지 물건이 만들어지고 있음.

축합-물【縮合物】명〖화〗축합에 의하여 생성된 화합물.

축합 수지【縮合樹脂】명 중축합(重縮合)으로 만들어지는 수지.

축합 중합【縮合重合】명〔condensation polymerization〕〖화〗고분자 합성 반응(高分子合成反應)의 하나로, 축합 반응(縮合反應)을 되풀이하는 중합체 생성 반응(重合體生成反應). 나일론·폴리에틸렌 수지(樹脂) 따위의 생성 반응에 응용됨. 축중합(縮重合). 중축합(重縮合).

축합-핵【縮合核】명〖화〗축합 고리.

축합-환【縮合環】명〖화〗축합 고리.

축합환식 탄:화 수소【縮合環式炭化水素】명〖화〗축합 고리 모양 탄화수소.

축항[1]【逐項】명 항목을 좇음. 항목마다. ——-하다 자여불

축항[2]【築港】명〖토〗항구(港口)를 구축(構築)함. ¶~ 공사. ——-하다 자여불

축혈【蓄血】명〖한의〗어혈(瘀血).

축협【畜協】명 ↗ 축산업 협동 조합.

축호【逐戶】명 집집마다.

축혼【祝婚】명 결혼을 축하하는 일. ¶~가(歌).

축화【祝花】명 축하의 뜻을 나타내기 위하여 사용하는 꽃.

축회【築灰】명 장사(葬事) 지낼 때 광(壙)의 주위를 석회(石灰)로 굳게 다짐. ——-하다 자여불

춘간【春間】명 봄 사이.

춘강【春江】명 봄철의 강물.

춘개-채【春芥菜】명 봄철에 겨자의 속대를 썰어 소금에 절여서 항아리에 담갔다가 초에 볶아 만드는 생채(生菜).

춘거【春去】명 봄에 돌아감. ——-하다 자여불

춘경[1]【春耕】명 봄갈이. ¶~기(期). ——-하다 타여불

춘경[2]【春景】명 봄의 경치.

춘계【春季】명 춘기(春期). ¶~ 대청소/~ 대공세.

춘계 소:재【春季小齋】명〖천주교〗사계(四季) 소재의 하나로 사순절에 지키는 금육재(禁肉齋)를 일컫던 말.

춘곡【春谷】명〖사람〗고희동(高羲東)의 호(號).

춘곤【春困】명 봄 날에 느끼는 느른한 기운. ¶~증.

춘관【春官】명〖역〗조선 시대에 예조(禮曹)의 예스러운 일컬음. 종백(宗伯).

춘관 아:문【春官衙門】명〖역〗조선 시대 예조(禮曹) 관아의 별칭.

춘관-정【春官正】명〖역〗고려 때 사천대(司天臺)의 종오품 벼슬.

춘관-지【春官志】명〖책〗조선 영조(英祖) 20년(1744)에, 예조 정랑(禮曹正郞) 이맹휴(李孟休)가 왕명에 의하여 편찬한 책. 예조에 관한 여러 가지 사례(事例)를 수록하였는데, 30여 종의 인용 서목(引用書目)도 부록으로 들어 있음. 3권 3책.

춘광【春光】명 봄철의 풍광. 소광(韶光). ¶구십 ~.

춘광-호【春光好】명〖악〗정재(呈才)에 추는 춤의 이름. 당악(唐樂)인 남악(男樂)으로 남북에 각각 둘씩, 동서에 각각 하나씩 서로 맞서서 춤.

춘교【春郊】명 봄철의 경치 좋은 들.

춘궁[1]【春宮】명〖역〗①황태자의 별칭. ②왕세자의 별칭. ③태자궁(太子宮)의 별칭. ④세자궁(世子宮)의 별칭.

춘궁[2]【春窮】명 묵은 곡식이 떨어져서 지나기가 몹시 어려운 보릿고개. 궁춘(窮春).

춘궁-기【春窮期】명 봄철의, 농민이 몹시 살기 어려운 때.

춘규【春閨】명 젊은 여자들이 거처하는 방. 부인(婦人)의 침방(寢房). 전(轉)하여, 처첩(妻妾).

춘금【春禽】명 봄의 새.

춘기[1]【春氣】명 봄 기운.

춘기[2]【春期】명 봄의 시기. 춘계(春季).

춘기[3]【春機】명 ①춘정(春情)이 발작하는 동기. 이성(異性)이 그리워지는 마음. ¶~ 발동. ②춘의(春意)❶.

춘기 발동기【春機發動期】[—똥—] 명〔puberty〕〖생〗춘정(春情)이 발동하는 시기. 보통, 14-19세에 해당하는데, 환경·풍속·습관·기후·인

종 및 개인의 신체적 조건에 따라 차이가 있음. ＊사춘기(思春期)·청년 전기(青年前期).

춘-나무【椿—】[명]〈방〉참죽나무.

춘난【春暖】[명] 봄철의 따뜻한 기운. 춘훤(春暄).

춘니【春泥】[명] 눈 따위가 녹은 봄의 진창.

춘당【春堂·椿堂】[명] 춘부장(春府丈).

춘당-대【春塘臺】[명]〖지〗서울 창경궁(昌慶宮) 안에 있는 정자의 이름. ＊춘당대시(臺試).

춘당대-시【春塘臺試】[명]〖역〗조선 시대에, 임금이 친림(親臨)하여 춘당대에서 보이던 문무과(文武科)의 시험. 왕실에 경사가 있을 때 임시로 행하던 것인데, 문과(文科)는 전시(殿試)에 해당하는 단일 단계 시험, 무과(武科)는 초시(初試)·복시(覆試)가 있음. 선조(宣祖) 때부터 시작됨. 시취(試取) 인원수는 해마다 정함. [준]대시(臺試).

춘-도[1]【椿島】[명]〖지〗경상 남도의 동남 해상, 울산(蔚山) 광역시 울주군(蔚州郡) 온산읍(溫山邑) 방도리(方島里)에 위치한 섬. [0.02 km²]

춘-도[2]【椿島】[명]〖지〗황해도의 남쪽해상, 벽성군(碧城郡)에 위치한 섬. [0.231 km²]

춘등【春等】[명] ①등급을 춘추(春秋)의 둘 또는 춘하 추동의 넷으로 나눈 것의 그 첫째. ②〖역〗봄·가을 두 번에 나누어 내게 된 제도에서 봄에 내는 세금. ＊하등(夏等).

춘란【春蘭】[출—] [명]〖식〗봄에 꽃이 피는 난초란 뜻으로 일컫는 보춘화(報春花)의 딴이름.

춘람【春嵐】[출—] [명] ①봄 안개. ②봄날의 센 바람.

춘래【春來】[출—] [명] ①봄이 옴. ②봄에 이름. ——-하다 [자][여불]

춘련【春聯】[출—] [명]〖민〗입춘(立春)날 문이나 기둥·미간(楣間) 등에 써 붙이는 주련(柱聯).

춘령-시【春令市】[출—] [명] 이른 봄 2월 3일께에 열리는 대구(大邱)의 봄철 약령시(藥令市). ＊추령시(秋令市).

춘뢰【春雷】[출—] [명] 봄날의 우레.

춘류[1]【春柳】[출—] [명] 봄 버들.

춘류[2]【春留】[출—] [명]〖역〗조선 시대 때 춘천(春川)의 유수(留守).

춘림【春霖】[출—] [명] 봄 장마.

춘마곡 추갑사【春麻谷秋甲寺】[구] 봄에는 산벚꽃·철쭉이 만발(滿發)한 마곡사(麻谷寺)의 경치가 좋고, 가을에는 갑사의 단풍(丹楓)이 볼 만하다는 말.

춘만【春滿】[명] 봄이 가득함. 평화스러움. ——-하다 [형][여불]

춘말【春末】[명] 만춘(晩春).

춘매【春梅】[명] 봄에 피는 매화나무.

춘맥【春麥】[명]〖식〗봄보리.

춘면【春眠】[명] 봄새의 노곤(勞困)한 졸음. 춘수(春睡).

춘면-곡【春眠曲】[명]〖악〗십이 가사(十二歌詞)의 하나. 작자(作者)와 시대는 미상. 춘흥(春興)을 읊은 것으로 ≪청구 영언(青丘永言)≫에 실리어 전함.

춘모【春麰】[명]〖식〗봄보리.

춘몽【春夢】[명] 봄새에 꾸는 꿈. ¶일장(一場) ～.

춘반【春盤】[명]〖역〗입춘(立春) 날 궁중에서 진상(進上)된 햇나물로 지은 음식. 민간에서는 쑥떡과 나물로 만듦.

춘방[1]【春坊】[명]〖역〗조선 시대 세자 시강원(世子侍講院)의 별칭.

춘방[2]【春榜】[명]〖민〗입춘서(立春書).

춘방 공자【春坊公子】[명]〖역〗춘방 시위(侍衛) 공자.

춘방 시:위 공자【春坊侍衛公子】[명]〖역〗조선 시대 춘방의 시위 공자(侍衛公子). 춘방 공자.

춘방 통사 사인【春坊通事舍人】[명]〖역〗고려 때 첨사부(詹事府)의 한 벼슬. 인종(仁宗) 9년(1131)에 베풀었음.

춘백【春柏】[명] 3월에 피는 동백꽃을 2월에 피는 '동백(冬柏)'에 상대하여 이르는 말.

춘복【春服】[명] 봄철에 입는 옷. 춘의(春衣).

춘부[1]【春府】[명] ↗춘부장(春府丈).

춘부[2]【春婦】[명] ↗매춘부(賣春婦).

춘부 대:인【春府大人】[명] 춘부장(春府丈).

춘부-장【春府丈·椿府丈】[명] 남의 아버지에 대한 존칭. 영존(令尊). 춘당(春堂). 춘부 대인(春府大人). 춘정(春庭). [준]춘부(春府)·춘장(春丈).

춘분【春分】[명] 24절기의 넷째. 경칩(驚蟄)과 청명(清明)의 중간으로 양력 3월 21일 전후에 듦. 태양의 중심이 춘분점(春分點)에 이르러 적도(赤道) 위를 직사(直射)하며 밤낮의 길이가 같게 됨. ↔추분(秋分).

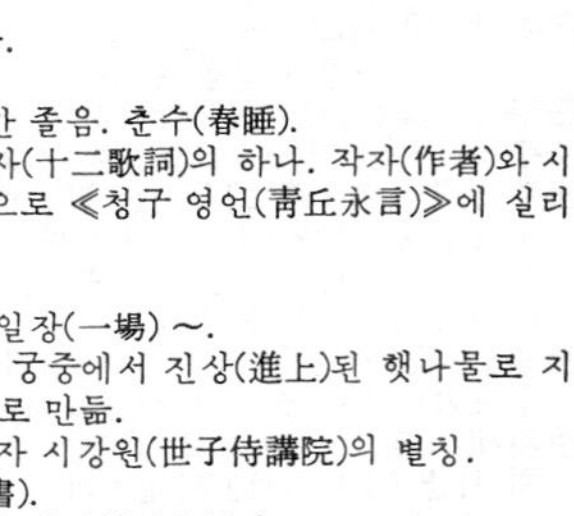

〈춘분점〉

춘분-점【春分點】[—쩜] [명]〖천〗황도(黃道)와 적도(赤道)의 교차하는 점 가운데 태양이 남쪽에서 북쪽으로 향하여 적도를 통과하는 점. 적경(赤經)·적위(赤緯) 및 황경(黃經)·황위(黃緯)의 원점(原點).

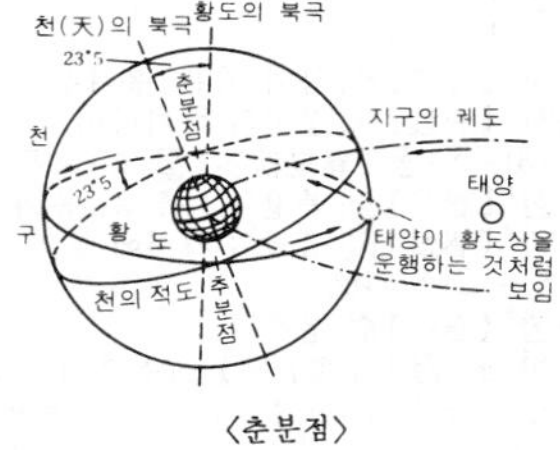

춘빙【春氷】[명] 봄의 얼음.

춘사[1]【春史】[명]〖사람〗나운규(羅雲奎)의 호(號).

춘사[2]【春社】[명] ①중춘(仲春)에, 토신(土神)에게 농사의 순조로움을 기원하는 제사. ②봄날에 행운을 비는 말. 서한문(書翰文)에서 쓰이는 용어(用語)임.

춘사[3]【春思】[명] ①봄을 느끼는 뒤숭숭한 생각. ②'색정(色情)'을 달리 이르는 말.

춘사[4]【椿事】[명] 뜻밖에 일어나는 불행한 일.

춘사-주【春蛇酒】[명] 봄철에 여러 초목의 새 잎을 따서 독사 열 마리와 함께 넣어서 담근 술. 꼭 봉하여 땅에 묻어 두었다가 삼 년 만에 꺼내어 약으로 먹음.

춘산【春山】[명] 봄철의 산.

춘산-령【春山嶺】[—살—] [명]〖지〗함경 남도 갑산군(甲山郡)에 있는 산의 이름. [1,277 m]

춘삼【春衫】[명] 봄에 입는 홑옷.

춘-삼삭【春三朔】[명] 음력 1월·2월·3월의 봄철의 석 달.

춘-삼월【春三月】[명] 봄의 끝달인 음력 삼월. 봄 경치가 가장 좋은 철.

춘-상갑【春上甲】[명] 입춘(立春)이 지난 뒤 첫 번째 돌아오는 갑자일(甲子日). 이 날에 비가 오면 큰 흉년이 든다고 함.

춘색【春色】[명] 봄의 아름다운 빛. 봄빛. ¶～이 무르녹는 때.

춘생 추살【春生秋殺】[명] 봄에는 낳게 하고 가을에는 죽임. ¶～ 양개음폐(陽開陰閉).

춘설[1]【春舌】[명]〖건〗'추녀'의 취음.

춘설[2]【春雪】[명] 봄눈. ¶～이 난분분(亂紛紛)한데.

춘설-각【春舌刻】[명]〖건〗추녀를 장식하기 위하여 새긴 조각.

춘설-차【春雪茶】[명] 우리 나라에서 나는 명차(銘茶)의 한 가지.

춘성【春城】[명]〖사람〗노자영(盧子泳)의 호(號).

춘성-군【春城郡】[명]〖지〗'춘천군(春川郡)'의 구칭. 지금은 춘천시(春川市)로 됨.

춘세【春稅】[명]〖역〗한 해 치를 둘로 나누어 그 한 몫으로 그 해 유월에 상납(上納)하는 조세. ↔추세(秋稅).

춘소[1]【春宵】[명] 봄밤. 춘야(春夜).

　춘소 일각(一刻)은 치천금(直千金) [구] 봄철의 밤 일각 동안의 경치는 천금에 해당한다는 뜻으로, 봄철의 밤을 지극히 상찬(賞讚)한 말.

　춘소 화월(花月)은 치천금(直千金) [구] 봄철의 밤의 꽃과 달을 지극히 상찬한 말.

춘소[2]【春蔬】[명] 봄철의 채소.

춘수[1]【春水】[명] 봄철에 흐르는 물. 봄물.

춘수[2]【春首】[명] 춘초(春初).

춘수[3]【春愁】[명] 봄철에 일어나는 뒤숭숭한 근심.

춘수[4]【春睡】[명] 춘면(春眠).

춘수[5]【春樹】[명] 봄철의 수목(樹木).

춘수[6]【椿壽】[명] 장수(長壽). 고령(高齡).

춘수 모:운【春樹暮雲】[명] 봄철의 수목과 저문 날의 구름. 벗에 대한 모정(慕情)이 일어남의 비유.

춘수-전【春收錢】[명] 조선 시대에, 상무사(商務社)에서 보부상들에게서 병을 고치는 데 쓰려고 봄에 걷던 돈. ＊추보전(秋補錢).

춘순-적【椿筍炙】[명] 참죽순적.

춘시【春時】[명] 봄의 시절.

춘신【春信】[명] 봄 소식. 꽃이 피고 새가 울기 시작함을 가리키는 말.

춘신-군【春申君】[명]〖사람〗전국 시대(戰國時代) 초(楚)나라의 재상(宰相) 황헐(黃歇)의 봉호(封號). 20여 년간 재상으로 있었고, 문하(門下)에 식객(食客)이 3천여 명 있었다 함. [?-238 B.C.]

춘심【春心】[명] ①춘정(春情)❶. ②봄철에 느끼는 심회(心懷).

춘앵【春鶯】[명] 봄철의 휘파람새. 봄철에 지저귀는 휘파람새.

춘앵-무【春鶯舞】[명]〖악〗춘앵전(春鶯囀).

춘앵-전【春鶯囀】[명]〖악〗진연(進宴) 때에 추는 춤의 이름. 화문석(花紋席) 하나를 깔고 한 사람의 무기(舞妓)가 그 위에서 주악(奏樂)에 맞추어 밖으로 나가지 아니하고 춤. 기생무(妓生舞) 중의 연풍태(燕風態)의 하나로, 중국 당고종(唐高宗)이 앵성(鶯聲)을 듣고 악사 백명달(白明達)에게 명하여 짓게 한 것에 조선 순조(純祖)의 세자(世子)의 창의(創意)를 더한 것이라 함. 춘앵무(春鶯舞).

〈춘앵전〉

춘야【春夜】[명] 봄철의 밤. 봄밤. 춘소(春宵).

춘약【春藥】[명] 춘정(春情)을 자극하여 흥분시키는 약제.

춘양【春陽】[명] ①봄볕. ②봄철.

춘양-목【春陽木】[명] 경상 북도 봉화군(奉化郡) 춘양면(春陽面)과 소천면(小川面) 일대의 높은 산지대에서 자라는 소나무와 그 재목의 속칭(俗稱). 속이 붉고 단단하며, 껍질이 얇아 예로부터 건축재·가구재 등으로 진중(珍重)되어 왔음.

춘엽-채【椿葉菜】[명] 참죽나물.

춘엽-포【椿葉包】[명] 참죽잎쌈.

춘와 추선【春蛙秋蟬】[명] 봄의 개구리와 가을의 매미. 무용(無用)의 언론을 이름.

춘용【春容】[명] 봄의 경치.

춘우【春雨】[명] 봄비.

춘우-수【春雨水】[명] 정월에 첫번으로 온 빗물.

춘운【春雲】[명] 봄 하늘의 구름.

춘원[1]【春院】[명] 봄의 햇빛이 비추는 집.

춘원[2]【春園】[명] 봄의 정원.

춘원[3]【春園】[명]〖사람〗이광수(李光洙)의 호(號).

춘월【春月】[명] 봄 밤의 달.

춘유【春遊】[명] 봄철의 놀이. 봄놀이. ——-하다 [자][여불]

춘유-가【春遊歌】[명]〖문〗규방 가사(閨房歌辭)의 하나. 작자·제작 연대

미상. 부녀들이 녹음(綠陰) 속에서 춘흥(春興)을 즐기며 심회(心懷)를 푸는 노래.

춘음【春陰】[명] 봄새의 흐린 날.

춘의[1]【春衣】[—/—이] [명] 춘복(春服).

춘의[2]【春意】[—/—이] [명] ①이른 봄에 만물이 피어나는 기분을 이름. 춘기(春機). ②춘정(春情).

춘의-도【春意圖】[—/—이—] [명] 춘화도(春畫圖).

춘이-사지 [명] '닭고기'의 변말.

춘이-알 [명] '달걀'의 변말.

춘인【春蚓】[명] 초봄에 지상으로 기어나오는 지렁이. 또, 서화(書畫)에서 필세(筆勢)가 꾸부러지고 서투른 것을 비유해서 하는 말.

춘인 추사【春蚓秋蛇】[명] [봄철의 지렁이와 가을철의 뱀] 글씨가 가늘고 꼬부라져서 서툴고 필세(筆勢)가 약함을 비유하는 말.

춘일【春日】[명] 봄 날.

춘잠【春蠶】[명] 봄에 치는 누에. 봄누에. ¶ ~을 놓다. ＊추잠(秋蠶)·하잠(夏蠶).

춘장[1]【春丈】[명] ↗춘부장(春府丈).

춘장[2]【春裝】[명] 봄 차림.

춘재【春材】[명]〖식〗봄철에서 여름철에 걸쳐 형성되는 목질부(木質部). 한 연륜(年輪)의 안 쪽을 차지하며 세포는 크고 도관(導管)이 굵으며 재질(材質)은 거칢. ↔추재(秋材).

춘저【春邸】[명]〖역〗①황태자(皇太子)의 별칭. ②왕세자(王世子)의 별칭. ③태자궁(太子宮)의 별칭. ④세자궁(世子宮)의 별칭.

춘절【春節】[명] 봄철.

춘정[1]【春亭】[명]〖사람〗변계량(卞季良)의 호(號).

춘정[2]【春庭】[명] 춘부장(春府丈).

춘정[3]【春情】[명] ①남녀간의 정욕. 청춘의 정욕. 춘심(春心). 춘의(春意). 색정(色情). ¶ ~을 자극하다. ②봄의 정취(情趣).

춘-정월【春正月】[명] 봄이 시작되는 음력 정월.

춘조[1]【春鳥】[명] 봄철의 새. 봄새.

춘조[2]【春曹】[명]〖역〗조선 시대 예조(禮曹)의 별칭.

춘조[3]【春潮】[명] 봄의 조수(潮水).

춘조[4]【春糶】[명]〖역〗봄에 나라에서 백성에게 환곡(還穀)을 꾸어 주던 일. ——-하다 [타][여불]

춘조-곡【春朝曲】[명]〖악〗신라 때 옥보고(玉寶高)가 지은 거문고 악곡(樂曲) 30곡 가운데의 하나.

춘주【春酒】[명] ①청명주(清明酒). ②삼해주(三亥酒).

춘진【春盡】[명] 봄의 끝.

춘찰【春察】[명]〖역〗강원도 관찰사(觀察使)의 별칭.

춘천[1]【春川】[명]〖지〗강원도의 한 시(市). 1읍(邑) 9면(面) 24동(洞). 동쪽은 인제군(麟蹄郡)·홍천군(洪川郡), 남쪽은 홍천군, 서쪽은 경기도 가평군, 북쪽은 양구군(楊口郡)·화천군에 접함. 산악이 많은 고장으로, 산수(山水)가 아름다우며, 수력 자원·임업·농업·광업이 주요 산업임. 명승 고적으로는 봉의 산성(鳳儀山城)·조양루(朝陽樓)·청평사(清平寺) 회전문(廻轉門)·소양호(昭陽湖)·등선(登仙) 폭포·구곡(九曲) 폭포·남이섬·춘천댐·의암댐·소양댐 등이 있음. 1995년 1월, 춘천군과 통합, 개편됨. 강원도의 도청 소재지(道廳所在地)임. [1,116.58 km² : 232,593명(1996)]

춘천[2]【春天】[명] 봄철의 하늘.

춘천-군【春川郡】[명]〖지〗강원도에 속했던 군. 1991년 춘성군을 개칭한 군이었으나, 1995년 1월 춘천시에 통합됨.

춘천-댐【春川—】[dam] [명] 강원도 춘천군(春川郡)에 있는 발전용의 콘크리트 댐. 높이 40m, 길이 453m, 저수량(貯水量) 1억 5,000만 t, 발전 용량 5만 7,000kw임. 1965년 준공됨.

춘천 분지【春川盆地】[명]〖지〗강원도 춘천시를 중심으로 발달한 침식(浸蝕) 분지. 태백 산맥 서쪽에 전개되었으며 북한강 유역에서 가장 큼.

춘-첩자【春帖子】[명]〖역〗입춘(立春) 날 대궐 안 기둥에 써 붙이는 주련(柱聯). 제술관(製述官)에 명하여 하례(賀禮)하는 시(詩)를 지어 올리게 하여, 연잎과 연꽃의 무늬를 그린 종이에 써서 붙이었음.

춘청【春晴】[명] 맑게 갠 봄날.

춘초[1]【春初】[명] 봄의 초기. 춘수(春首).

춘초[2]【春草】[명] ①봄철의 부드러운 풀. 봄풀. ②〖식〗백미(白薇)꽃.

춘추[1]【春秋】[명] ①봄과 가을. ¶ ~복. ↔하동(夏冬). ②1년간. 1년중. 1년의 세월. ¶ ~에 편한 날이 없다. ③연월(年月). 세월. ④어른의 나이에 대한 존칭. ¶ ~가 높다. ⑤역사(歷史)❶. ⑥역사책.

춘추[2]【春秋】[명] ①〖책〗오경(五經)의 하나. 중국 노(魯)나라의 은공(隱公) 1년(722 B.C.)에서 애공(哀公) 14년(481 B.C.)까지의 12대 242년간의 사적(事跡)을 노나라의 사관(史官)이 편년체(編年體)로 기록한 것을 공자(孔子)가 윤리적 입장에서 비판 수정을 가하고 정사 선악(正邪善惡)의 가치 판단을 내린 것. 주(周)나라 경왕(敬王) 39년(481 B.C.)에 시작하여 동왕 41년(479 B.C.)에 완성됨. 좌씨(左氏)·곡량(穀梁)·공양(公羊)의 삼전(三傳)이 있는데, 특히 좌씨전이 유명함. ②〖역〗↗춘추 시대.

춘추강-자【春秋鋼字】[명] 조선 정조(正祖) 21년(1797), ≪춘추(春秋)≫를 새로 찍으려고 조윤형(曺允亨)·황운조(黃運祚)의 글씨를 본(本)으로 하여 주자소(鑄字所)에서 만든 5,260자의 금속 활자.

춘추 곡량전【春秋穀梁傳】[—냥—] [명]〖책〗곡량전.

춘추 공양전【春秋公羊傳】[명]〖책〗공양전.

춘추-관【春秋館】[명]〖역〗①고려 때 시정(時政)의 기록을 맡은 관아. 충렬왕(忠烈王) 34년(1308)에 사관(史館)과 한림원(翰林院)을 합하여 예문 춘추관(藝文春秋館)으로 한 것을, 충숙왕(忠肅王) 12년(1325)에 춘추·예문의 두 관(館)으로 나누어 독립하고, 공민왕(恭愍王) 5년(1356)에 다시 사관으로, 동 11년(1362)에 본 이름으로, 공양왕(恭讓王) 원년(1389)에 예문관을 합하여 예문 춘추관으로 하였음. ②조선 때 시정(時政)의 기록을 맡은 관아. 태조(太祖) 원년(1392)에 고려의 제도를 본받아 예문 춘추관을 두었다가 태종(太宗) 원년(1401)에 예문·춘추의 두 관으로 각각 독립하고 고종(高宗) 31년(1894)에 폐하였음.

춘추-복【春秋服】[명] 봄철과 가을철에 입는 옷. 간복(間服).

춘추-부【春秋富】[명] 나이가 젊음.

춘-추분【春秋分】[명] 춘분과 추분.

춘추 삼전【春秋三傳】[명]〖책〗≪춘추≫의 문장에 담겨진 공자(孔子)의 본뜻을 밝히기 위한 세 가지의 해석서. 곧, 좌씨전(左氏傳)·곡량전(穀梁傳)·공양전(公羊傳)을 이름. 곡량·공양의 두 전(傳)은 ≪춘추≫의 해석에 빼어나며, 좌씨전(左氏傳)은 기사(記事)의 해명에 역점을 두었는데, 세 전기 중에서 가장 높이 평가되고 있음.

춘추 시대【春秋時代】[명]〖역〗중국 주(周)나라의 동천(東遷;770 B.C.)으로부터 진(晉)나라의 대부(大夫) 한(韓)·위(魏)·조(趙)의 독립(453 B.C.)까지 약 362년간의 시대. 이 시대에는 주(周)가 더욱 쇠약하여 그 위력을 잃고 제후(諸侯)는 서로 병탄(倂呑)을 일삼아 전쟁이 끊이지 아니하는 약육 강식(弱肉強食)의 세태를 이루었음. 이 시대의 일의 대부분이 ≪춘추≫에 실리어 있기 때문에 이렇게 부르는데 원래 ≪춘추≫의 기사(記事)는 722-481 B.C.까지의 242년간에 한정되나, 후세의 사가(史家)는 그 보는 관점에 따라, 그 전후를 포함하여 770-453 B.C.까지의 317년간을, 또는 ≪사기(史記)≫의 춘추 십이 제후 연표(春秋十二諸侯年表)가 끝나는 기원 전 477년까지를 춘추 시대라고 일컬음. [준] 춘추(春秋). ＊전국 시대(戰國時代).

춘추 십이 열국【春秋十二列國】[명]〖역〗춘추 시대의 12열국. 곧, 노(魯)·위(衛)·진(晉)·정(鄭)·조(曹)·채(蔡)·연(燕)·제(齊)·진(陳)·송(宋)·초(楚)·진(秦)의 열두 나라.

춘추 외:전【春秋外傳】[명]〖책〗국어[2](國語).

춘추-잠【春秋蠶】[명] 춘잠(春蠶)과 추잠(秋蠶).

춘추-재【春秋齋】[명]〖역〗조선 시대 초기의 성균관(成均館) 구재(九齋)의 하나. ≪춘추(春秋)≫를 공부하던 분과(分科).

춘추-전【春秋傳】[명]〖책〗≪춘추(春秋)≫에 관한 주석서(註釋書)의 총칭. 춘추 삼전(三傳) 이외에 한대(漢代)에 나온 협씨전(夾氏傳)·추씨전(鄒氏傳)과 송대(宋代)의 호안국(胡安國)이 지은 호씨전(胡氏傳) 등이 있음.

춘추 전:국【春秋戰國】[명]〖역〗춘추 시대(春秋時代)와 전국 시대(戰國時代)를 아울러 일컫는 말.

춘추 전:국 시대【春秋戰國時代】[명]〖역〗춘추 시대와 전국 시대를 통틀어 그 시대를 일컬음. 춘추 전국.

춘추 정:성【春秋鼎盛】[명] 제왕(帝王)의 춘추가 젊음. ——-하다 [형][여불]

춘추 좌:씨전【春秋左氏傳】[명]〖책〗좌씨 춘추전.

춘추 필법【春秋筆法】[—뻡] [명] [≪춘추≫의 문장에는 공자(孔子)의 역사 비판(歷史批判)이 나타나 있다고 하는 데서] 중국의 경서(經書) ≪춘추≫와 같은 비판적인 태도. 특히, 간접(間接)의 원인을 직접의 원인으로 하여 표현하는 논리 형식.

춘축【春祝】[명]〖민〗입춘(立春) 날에, 대궐에서는 춘첩자(春帖子)를, 민가(民家)에서는 춘련(春聯)을 붙이어 봄을 송축(頌祝)하는 일.

춘치새끼 [명] 〈방〉 수수께끼(전남).

춘치 자명【春雉自鳴】[명] 봄철의 꿩이 스스로 운다는 뜻으로, 시키거나 요구하지 아니하여도 제출물로 함을 가리키는 말.

춘태[1]【春太】[명] 봄에 잡은 명태.

춘태[2]【春鮐】[명] 봄에 잡은 복성선.

춘파【春播】[명] 봄에 씨를 뿌림. ——-하다 [타][여불]

춘파-성【春播性】[—썽] [명] 맥류(麥類)·채종(菜種) 따위, 봄에 뿌려 저온기(低溫期)를 거치지 않고 출수(出穗)·개화(開花)하는 성질.

춘포【春布】[명] 강원도에서 생산되는 베.

춘풍【春風】[명] 봄바람. 화풍(和風). ¶ ~에 얼음 녹듯.
[춘풍으로 남을 대하고 추풍(秋風)으로 나를 대하라] 남에게는 부드럽게, 자신에게는 엄격하게 대하라는 말.

춘풍 추우【春風秋雨】[명] 봄바람과 가을비. 곧, 지나간 세월을 가리키는 말. ¶ ~ 20여 년.

춘풍 화기【春風和氣】[명] 봄날의 화창한 기운. ¶ 옥안을 들고 주순을 열어 ~를 부쳐볼 듯이 하는 말이라≪作者未詳 : 貨水盆≫.

춘프트 [도 Zunft] [명]〖사〗중세 후기의 독일에서 상인(商人) 조합에 대한 투쟁을 목적으로, 수공업자가 조직한 동직(同職) 조합. 영국의 길드(guild)에 해당함.

춘하[1]【春夏】[명] 봄과 여름. 봄여름.

춘하[2]【春霞】[명] 봄철의 아지랑이.

춘-하-추-동【春夏秋冬】[명] 봄·여름·가을·겨울의 네 철.

춘한[1]【春旱】[명] 봄철의 가뭄음. 봄가뭄.

춘한[2]【春恨】[명] 봄날의 경치에 끌리어 마음 속에 일어나는 정한(情恨). ¶ ~ 요초(料峭).

춘한[3]【春寒】[명] 봄추위.

춘한 노:건【春寒老健】[명] 봄추위와 늙은이의 건강. 곧, 사물이 오래 가지 못함을 가리키는 말. ¶ 나이 벌써 70이 넘었으니 아무 병 없이 정정하더라도 ~을 믿을 수 없겠거든…≪玄鎭健 : 無影塔≫.

춘향【春香】[명] 춘향전(春香傳)의 여주인공 이름. 성은 성(成)씨.
[춘향이 집 가리키기] '네 집이 어디냐'는 이 도령의 물음에 춘향이가 대답한 사설(辭說)이 까다롭고 복잡한 데서, 집을 찾아가는 길이 복잡할 때 하는 말.

춘향-가【春香歌】[명]〖악〗'춘향전'을 창극조로 엮어 부른 판소리. 오늘날에 전하는 판소리 중 가장 대표적인 것. 춘향이 타령.

춘향 대:제【春享大祭】명 이른 봄에 지내는 종묘(宗廟)·사직(社稷)의 대제.

춘향이 타:령【春香—打令】명 〖악〗 춘향가.

춘향-전【春香傳】명 〖책〗 한국 고대 소설의 대표적 작품. 작자 및 시대는 미상. 주인공 이몽룡(李夢龍)과 여주인공 춘향(春香)의 연애 사건을 중심으로 하여, 당시의 사회적 특권 계급의 횡포와 이속(吏屬) 및 농민들의 생태와 감정을 묘사한 것으로, 특히 변학도(卞學道)의 관권(官權)에 대한 천민(賤民)의 항거와 자의식(自意識)의 발로를 높이 평가하며, 춘향의 정절(貞節)을 당시 부도(婦道)의 거울로서 찬양하고 있음. 여러 가지 고본(古本)과 이본(異本)이 전함. 열녀 춘향 수절가(烈女春香守節歌).

춘향전-도【春香傳圖】명 춘향이 그네를 타고 있는데 이 도령과 방자가 수작을 붙이는 장면을 그린 민화의 하나.

춘향-제【春香祭】명 〖민〗 매년 봄 남원(南原)에서 거행되는 지방 문화제(文化祭). 춘향의 넋을 위로하고, 그의 정절(貞節)을 기리는 각종 행사 및 놀이를 행함.

춘혀 명 〈방〉〖건〗 추녀.

춘화[1]【春化】명 〖농〗 식물(植物)을 저온 처리(低溫處理)하여 꽃눈의 형성(形成)과 개화(開花)를 촉진하는 일. *춘화 처리.

춘화[2]【春花】명 봄에 피는 꽃.

춘화[3]【春華】명 봄 경치의 화려한 볼품.

춘화[4]【春畫】명 춘화도(春畫圖). 비희도(秘戲圖).

춘화-도【春畫圖】명 남녀가 성교하는 광경을 그린 그림. 춘의도(春意圖). 춘화(春畫). 오브신 픽처.

춘화 처:리【春化處理】명 〖농〗 야로비 농법(Yarovi 農法).

춘화 추월【春花秋月】명 봄철의 꽃과 가을철의 달. 곧, 자연계의 아름다움을 가리키는 말.

춘효【春曉】명 봄철의 새벽.

춘후【春煦】명 봄볕이 따뜻함.

춘훤[1]【春暄】명 춘난(春暖).

춘훤[2]【椿萱】명 춘당(椿堂)과 훤당(萱堂). 부모를 높이어 이르는 말.

춘휘【春暉】명 ①봄의 따뜻한 햇빛. ②부모의 따뜻한 보호. 부모의 은덕(恩德).

춘흥【春興】명 봄철에 일어나는 흥치(興致).

춘희【椿姬】[—히] 명 ①〖프 La Dame aux Camélias〗〖문〗 뒤마(Dumas, A.)가 1848년에 지은 장편 연애 소설. 늘 동백꽃을 달고 있는 병든 창부 마르그리트(Margueritte)와 순정의 청년 아르망(Armand)의 비련을 그렸음. ②〖이 La Traviata〗〖악〗 뒤마 원작 소설 ≪춘희≫를 베르디(Verdi, D.)가 1853년에 작곡한 오페라. 3막 4장. 전주곡(前奏曲)·축배(祝杯)의 노래 등이 유명함.

출가[1]【出家】명 ①집을 떠나감. 사가(捨家). 사가 기욕(捨家棄欲). ②〖불교〗 석가 여래가 실달 태자(悉達太子)의 몸으로 19세 때 산으로 들어간 일. ③〖불교〗 속가(俗家)를 떠나서 불문(佛門)에 듦. ↔재속(在俗). ④〖천주교〗 세간(世間)을 떠나서 수도원으로 들어가는 일. ——-하다 자여불

출가[2]【出嫁】명 처녀가 시집을 감. ¶∼한 딸/∼ 외인(外人). ——-하다 자여불

출가[3]【出稼】명 일정 기간 타향에 가서 돈벌이를 함. ——-하다 자여불

출가[4]【出駕】명 귀인이 가마나 수레를 타고 나감. ——-하다 자여불

출가-계【出家戒】명 〖불교〗 삼계(三戒)의 하나. 출가한 중이 지킴.

출가 구계【出家具戒】명 〖불교〗 중이 되어 계행(戒行)의 공덕(功德)을 몸에 구유(具有)함. ——-하다 자여불

출가 득도【出家得度】명 〖불교〗 출가(出家)하여 도첩(度牒)을 받고 중이 됨. 승적(僧籍)에 오름. ——-하다 자여불

출가 외:인【出嫁外人】명 시집간 딸은 친정 사람이 아니고 남이나 마찬가지라는 뜻.

출가 위승【出家爲僧】명 〖불교〗 속가(俗家)를 떠나서 절로 들어가 중이 됨. ——-하다 자여불

출가 취:락【出稼聚落】명 계절적(季節的) 출가 때문에 이루어지는 임시적 취락.

출각【出脚】명 두 번째 벼슬길에 나아감. ——-하다 자여불

출간【出刊】명 출판(出版). ——-하다 타여불

출감【出監】명 구치감(拘置監) 등에서 석방되어 나옴. ¶∼자. ↔입감(入監). *출옥. ——-하다 자여불

출강[1]【出講】명 강의(講義)에 나아감. ¶대학(大學)에 ∼하다. ——-하다 자여불

출강[2]【出疆】명 왕명을 받아 외국에 사신으로 감. ——-하다 자여불

출거[1]【出去】명 나감. 떠나감. ——-하다 자여불

출거[2]【出渠】명 도크(dock)에 있던 배가 바다로 나감. ——-하다 자여불

출거[3]【出擧】명 〖역〗〔출(出)은 원본(元本)을 내는 일. 거(擧)는 이자를 붙여서 전곡(錢穀)을 대차(貸借)하는 일〕 중국 수(隋)·당(唐)·송(宋)·원(元) 시대에 관아 또는 사인(私人)이 행하였던 이자가 붙은 소비(消費) 대차(貸借). 특약이 없는 한 이식(利息)은 원본과 같은 종류, 같은 품등의 대체물(代替物)로 단리법(單利法)에 의하여 지불함이 원칙이었음. 속맥(粟麥) 출거와 재물(財物) 출거로 구분됨. *거전인(擧錢人)·속맥(粟麥) 출거·재물 출거. ——-하다 자타여불

출격[1]【出格】[—껵] 명 ①격식에서 벗어나는 일. 별격(別格). 파격(破格). ②중국에서 응제(應製)의 문자 등을 적을 때, 경의(敬意)를 나타내어 정해진 행(行)보다 올려서 쓰는 일. ——-하다 자여불

출격[2]【出擊】명 자기 진(陣)으로부터 나가서 적을 침. 나가서 공격함. ¶∼ 명령/∼ 100회 기록. ——-하다 자타여불

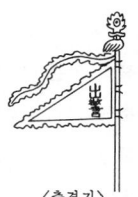

출결【出缺】명 ①↗출결석. ②↗출결근.

출결-근【出缺勤】명 출근과 결근. ㊟출결.

출결-석【出缺席】[—썩] 명 출석과 결석. ㊟출결(出缺).

출경[1]【出京】명 ①서울에서 시골로 내려감. ②상경(上京). ——-하다 자여불

출경[2]【出境】명 그 지방의 경계(境界)를 넘어서 다른 지방으로 나감. ——-하다 자여불

출경-기【出警旗】명 〖역〗 의장기의 하나. 기폭에 '出警' 두 글자가 있음.

〈출경기〉

출경-당하다【出境當—】자여불 악정(惡政)을 한 관원이 백성에게 쫓겨 다른 지방으로 나가다.

출경-시키다【出境—】타 악정(惡政)을 한 관원을 백성이 지경(地境) 밖으로 몰아 내다.

출계【出系】명 양자(養子)가 되어 그 집의 대를 이음. ¶삼촌댁에 ∼하다. ——-하다 자여불

출고【出庫】명 ①물품을 곳집에서 꺼냄. ②전차(電車)·자동차 등을 차고에서 꺼냄. ③생산자가 생산품을 시장에 냄. ¶∼ 가격. 1)·2):↔입고(入庫). ——-하다 타여불

출고-량【出庫量】명 ①곳집에서 꺼낸 물품의 양. ②생산자가 생산품을 공장 등에서 시장에 낸 양. 1)·2):↔입고량(入庫量).

출고-증【出庫證】[—쯩] 명 출고 승낙을 증명하는 증서.

출고 지시서【出庫指示書】명 출고를 요구하는 지시서.

출고-품【出庫品】명 출고한 물품.

출관【出棺】명 출상(出喪)하기 위하여 관을 집 밖으로 내어 모심. 출구(出柩). ——-하다 자여불

출광【出鑛】명 광산에서 광석을 출하(出荷)함. ——-하다 타여불

출교[1]【出校】명 ①학교에 나감. 등교(登校). ②〖인쇄〗 교정쇄(校正刷)가 나감. ——-하다 자여불

출교[2]【黜敎】명 교인(敎人)을 교적(敎籍)으로부터 삭제하여 내어쫓음. ——-하다 타여불

출구[1]【出口】명 ①나가는 어귀. ¶∼ 폐쇄. ↔입구(入口). ②상품을 항구 밖으로 내감. ③출로(出路). ——-하다 타여불

출구[2]【出柩】명 ①출관(出棺). ②천묘(遷墓) 때 무덤 속으로부터 관을 들어 냄. ——-하다 자여불

출구-세【出口稅】[—쎄] 명 상품을 항구(港口) 밖으로 수출할 때에 부과(賦課)하는 세.

출구 입이【出口入耳】명 이야기하는 사람과 듣는 사람의 뜻으로, 당사자(當事者) 이외에는 아는 사람이 없으므로 비밀(祕密)이 될 수 있음을 이르는 말.

출구 통로【出口通路】명 플랫폼이나 회장(會場)에서 밖으로 나갈 수 있거나 갈아탈 수 있는 통로.

출구-판【出口瓣】명 용기(容器)의 출구에 있는 밸브(valve).

출국【出國】명 그 나라를 떠나 외국(外國)으로 나감. ¶∼ 신고. ——-하다 자여불

출군[1]【出軍】명 ①군대에 나아감. ②군대가 출동함. ——-하다 자여불

출군[2]【出群】명 출중(出衆). ——-하다 형여불

출궁【出宮】명 ①임금의 거가(車駕)가 대궐 밖으로 나감. ②대궐 밖으로 나감. ——-하다 자여불

출근【出勤】명 근무하는 곳에 나감. ↔퇴근(退勤). ——-하다 자여불

출근-길【出勤—】[—낄] 명 직장(職場)으로 출근하는 길. 또, 직장으로 출근하는 도중(途中). ↔퇴근(退勤)길.

출근-부【出勤簿】명 출근 상황을 적는 장부. 출결근·지각·조퇴 또는 출장 등을 명시함.

출금[1]【出金】명 돈을 내어줌. 또, 그 돈. ¶∼ 전표. ↔입금(入金). ——-하다 자타여불

출금[2]【出禁】명 〖역〗 금령(禁令)을 내림. ——-하다 자여불

출금-액【出金額】명 출금한 액수. ↔입금액(入金額).

출금 전표【出金傳票】명 은행·회사 등에서 현금을 지급하였을 때, 그 계정 과목·금액·성명 등을 그 거래에 관계하는 부서(部署)로 통달하기 위하여 만드는 작은 쪽지. 구용어는 지불 전표. ↔입금(入金) 전표.

출급【出給】명 내어 줌. ——-하다 타여불

출-기불의【出其不意】[—/—이] 명 일이 뜻밖에 일어남. ——-하다 자여불

출기-장【出奇章】[—짱] 명 〖악〗 용비 어천가 제60장의 이름.

출기 제:승【出奇制勝】명 기묘한 계략(計略)을 써서 승리함. ——-하다 자여불

출-납【出納】[—랍] 명 ①내어 줌과 받아들임. ②금전 또는 물품의 수입과 지출. ¶국고 ∼. ——-하다 타여불

출납 검:사【出納檢査】[—랍—] 명 회계 검사 기관, 특히 감사원에서 현금 출납을 맡은 기관에 대해서 하는 회계 검사.

출납 결산【出納決算】[—랍—싼] 명 〖경〗 한 회계 연도 사이의 금전·물품의 수입·지출에 대한 결산.

출납-계【出納係】[—랍—] 명 현금이나 수표, 어음·증서 등을 수납 또는 지급하며 교환하는 출납의 사무를 담당하는 계. 또, 그 사람.

출납 공무원【出納公務員】[—랍—] 명 〖법〗 재정법상 현금 또는 물품의 출납 보관을 장리(掌理)하는 공무원. 그 보관에 속하는 현금 또는 물품의 망실·훼손에 대하여는 국고에 대한 변상 책임을 짐. 현금 출납 공무원과 물품 출납 공무원으로 나뉨.

출납-관【出納官】[—랍—] 명 〖군〗 한 부대(部隊) 내의 출납을 맡은 사람. *보급관(補給官).

출납-국【出納局】[—랍—] 명 〖역〗 조선 고종 31년(1894)에 설치된 탁

지 아문(度支衙門) 및 이듬해 개편된 탁지부(度支部)의 한 국(局). 금고과(金庫課)와 미름과(米廩課)가 있었으며 광무(光武) 10년(1906)에 폐하였음.

출납 기관【出納機關】[—랍—] 명〖법〗국가 또는 공공 단체의 경비를 지출관·지출원 등의 지급 명령에 따라 지급하는 집행 기관.

출납 기한【出納期限】[—랍—] 명〖법〗한 회계 연도의 세입·세출의 출납에 관한 사무의 완결 기한. 다음 회계 연도의 3월 31일까지임.

출납-대【出納臺】[—랍—] 명 어떤 물건을 내주거나 받아들이기 위하여 차려 놓은 시설.

출납-부【出納簿】[—랍—] 명 금품(金品)의 출납을 기입하는 장부. 출납장(出納帳). ¶～를 정리하다.

출납-원【出納員】[—랍—] 명 출납을 맡아보는 사람.

출납-장【出納帳】[—랍—] 명 출납부(出納簿).

출납 정:리 기한【出納整理期限】[—랍—니—] 명〖법〗복잡하고 광범위한 국가의 출납 사무를 정산(精算)하기 위하여, 연도(年度) 종료 후까지 그 정리 마감을 물리는 기간. 원칙으로 세입금(歲入金)의 수납 기한은 그 회계 연도 말일까지이고, 세출금(歲出金)의 지출 기한은 다음 회계 연도 1월 15일까지임.

출납-증【出納證】[—랍—] 명 출납하는 것을 증명하는 증서.

출납-표【出納票】[—랍—] 명 출납하는 것을 증명하는 증표.

출당【黜黨】[—땅] 명 당파(黨派)·정당(政黨) 등에서 쫓아냄. ——-하다 타 여불

출대【出代】[—때] 명 결원(缺員)이 있을 때에 그를 대신 보충함. ——-하다 타 여불

출도【秫稻】[—또] 명〖식〗찰벼.

출동【出動】[—똥] 명 ①나가서 행동함. ②일단(一團)으로 편성된 대(隊)가 임무를 수행하기 위하여 집결소에서 나아감. 군대·소방대 등이 나아가서 어떤 행동을 일으킴. ¶～ 명령/～ 준비. ——-하다 자 여불

출두[1]【出痘】[—뚜] 명 두창(痘瘡)이 내돋음. ——-하다 자 여불

출두[2]【出頭】[—뚜] 명 ①어떠한 곳에 몸소 나감. ¶법정 ～ 명령. ②〖역〗↗어사 출두(御使出頭). *출또. ——-하다 자 여불

출두-천【出頭天】[—뚜—] 명 한자의 천(天)자 머리를 내밀면 부(夫)자가 되므로 불량배들이 여자에 대하여 그 남편을 가리키는 곁말.

출또【出—】명〈속〉〖역〗출두(出頭)❷. ——-하다 자 여불

출람【出藍】명 ↗청출어람(靑出於藍). ¶～지재(材). ——-하다 자 여불

출래【出來】명 ①안으로부터 밖으로 나옴. ②사건이 일어남. ——-하다 자 여불

출렁 부 ①액체가 흔들리는 소리. ②깊은 곳에 담긴 물이 소리가 나도록 한 번 물결이 이는 모양.

출렁-거리다 자 깊은 곳에 담긴 물이 소리가 나도록 계속하여 물결이 일다. >촐랑거리다. **출렁-출렁** 부. ——-하다 자 여불

출렁-다리 명 교각(橋脚) 없이 골짜기나 강 위에 건너질러 놓은 적교(吊橋). 건널 때 출렁출렁 흔들림.

출렁-대다 자 출렁거리다.

출려【出廬】명 초려(草廬)에서 나옴. 곧, 은퇴하였던 사람이 세상에 나가 활동함. ——-하다 자 여불

출력【出力】명 ①돈을 내어서 사업을 돕는 일. ②[output]〖물〗원동기 또는 그 밖의 장치가 입력(入力)을 받아서 외부로 일(work)로서 낼 수 있는 전기적 또는 기계적인 공률(工率)의 양. 특히, 발전기·원동기 따위가 낼 수 있는 최대의 능력. 와트·마력 등으로 나타냄. 아웃풋. ¶～30만 킬로와트의 발전소. ③[output] 기계·기구(機構)가 입력을 받아서 외부에 방출하는 결과. 데이터(data)와 프로그램을 받은 컴퓨터가 중앙 처리 장치를 통하여 외부에 방출하는 정보·계산 결과 따위. 아웃풋. 2)·3):↔입력(入力).

출력-관【出力管】명 [output tube]〖전〗전자 장치의 최종 구간에서 사용할 수 있도록 설계된 전력 증폭용 전자관(電力增幅用電子管).

출력 매거진【出力—】명 [output magazine] 컴퓨터에서, 기계를 통과한 카드를 저장해 두는 장치.

출력 밀도【出力密度】[—또] 명 ①〖전〗방사된 마이크로파(micro波)나 전자계(電磁界)에서의 단위 면적에 대한 출력의 크기. 보통, W/cm^2의 단위로 나타냄. ②〖물〗원자로의 노심(爐心)의 단위 체적에 대해 산출되는 작업률.

출력 블럭【出力—】명 [output block] 컴퓨터의 내부 기억 장치의 한 부분. 전송(轉送)하는 데이터를 받아서 처리(處理)·전송(傳送)하기 위해 쓰임.

출력 장치【出力裝置】명 컴퓨터를 구성하는 부분의 하나. 외부에 정보를 보내기 위한 장치. 인쇄해서 보내는 것과 음성(音聲)으로서 보내는 것 따위가 있음.

출력 전:압【出力電壓】명〖물〗전기 계통 장치에서 신호나 전력을 외부에 공급할 때의 전압.

출력-축【出力軸】명〖기〗원동기(原動機)에서 구동부(驅動部)로 운동을 전달하는 축.

출렴【出斂】명 →추렴. ——-하다 타 여불

출렵【出獵】명 수렵(狩獵)하러 나감. ——-하다 자 여불

출령【出令】명 명령을 내림. ——-하다 자 여불

출로【出路】명 나올 길. 탈출할 길. 출구(出口). ¶～를 막다.

출뢰【出牢】명 출옥(出獄). ↔입뢰(入牢). ——-하다 자 여불

출루【出壘】명 야구에서, 타자가 안타·사구(四球)·타격 방해 등으로 일루(一壘)에 진출함. *진루(進壘). ——-하다 자 여불

출루 볼【出壘—】[ball] 명 야구에서, 타자(打者)가 공을 때리지 않고도 일루에 나아갈 수 있는 볼, 곧 포볼.

출루-율【出壘率】명 야구에서 타자가 출루한 율. 안타와 사사구(四死球)의 합계를 타수·사사구·희생 플라이의 합계로 나누어서 산출함.

출류【出類】명 같은 무리 중에서 뛰어남. 출중(出衆). 발군(拔群). ——-하다 자 형 여불

출류 발췌【出類拔萃】명 평범한 종류에서 훨씬 뛰어남. ㊀출췌(出萃). ——-하다 자 여불

출륙【出六】명〖역〗조선 시대에, 참외(參外) 품위에서 육품의 계(階)로 오름. 승륙(陞六). ——-하다 자 여불

출리【出離】명〖불교〗미망(迷妄)의 세계에서 벗어나옴. 속세(俗世)의 잡념을 끊음. ——-하다 자 여불

출리 생사【出離生死】명〖불교〗생사(生死)의 고계(苦界)를 떠나서 안락 세계로 감. ——-하다 자 여불

출리 해:탈【出離解脫】명〖불교〗미망(迷妄)의 경지(境地)를 떠나서 깨달음의 경지로 들어감. ——-하다 자 여불

출마【出馬】명 ①말을 타고 나감. ②선거에 입후보함. ——-하다 자 여불

출마-자【出馬者】명 출마한 사람. 입후보한 사람.

출마-표【出馬標】명 격구(擊毬)하는 사람이 구장(毬場)에서 출발하는 곳. 영기(令旗)와 같은 기(旗) 둘을 세우는데 그 사이의 거리는 구문(毬門)과 같음.

출막【出幕】명 전염병에 걸린 사람을 따로 막을 치고 격리시킴. ——-하다 자 여불

출말【出末】명 일이 끝장남. 출초(出梢).
 출말(이) 나다 구 일이 끝장나다.

출망【出亡】명 출분(出奔). ——-하다 자 여불

출면【黜免】명 관직을 파면하여 물리침. ——-하다 타 여불

출면 못:하다 구 몸이 몹시 쇠약해져서 몸을 가눌 기운이 없다.

출모【出母·黜母】명 아버지에게 쫓기어 나간 어머니.

출몰【出沒】명 나타났다 숨었다 함. ¶～이 잦다. ——-하다 자 여불

출몰 귀:관【出沒鬼關】명 ①귀관에 드나듦. 죽었다 살았다 함. ②죽을 지경을 당함. ——-하다 자 여불

출몰 무쌍【出沒無雙】명 나타났다 숨었다 하는 것이 비길 데 없을 만큼 심함. ——-하다 자 여불

출몰 방위각【出沒方位角】명 [amplitude]〖천〗천체(天體)가 출몰(出沒)하는 동서권(東西圈)에서 북쪽 또는 남쪽 방위에의 각거리(角距離). 동서권에서 남북 방위로 잰 수평선의 호(弧) 또는 어떤 수직권(垂直圈)이 동서권과 천정(天頂)에서 이루는 각(角).

출몰-성【出沒星】[—썽] 명〖천〗천구(天球)의 일주(日周) 운동에 따라 지평선(地平線)을 출몰하는 별. 적도(赤道) 지대에서는 모든 별이 출몰성임. ↔주극성(周極星).

출무성-하다 형 여불 ①위와 아래가 굵거나 가늘지 아니하고 비스름하다. ②물건의 대가리가 일매지게 가지런하다.

출문[1]【出文】명 장부에 기입된 액수에서 지불한 금액.

출문[2]【出門】명 문 밖으로 나감. ——-하다 자 여불

출문봉:도【出門奉導】명〖역〗조선 왕조 시대에 대가(大駕)가 궁문(宮門)이나 성문(城門)을 통과할 때 잘 모시라고 경계하는 소리. '가전 가후(駕前駕後) 충입지 말고 반듯이 안가(安駕) 시위(侍衛)! 견마부(牽馬夫) 충입지 말고 촉(鏃) 눌러 시위! 어가(御駕)의 앞뒤를 충입지 말고 반듯하게 편안히 모셔라! 견마부 충입지 말고 가교(駕轎)채의 촉을 눌러서 모셔라!' 등의 외침.

출물【出物】명 무슨 일을 하는 데에 내어 놓는 금품.

출물-꾼【出物—】명 회비·잡비 등을 혼자서 모두 부담하는 사람.

출미【秫米】명 차좁쌀.

출반【出班】명 ↗출반주(出班奏). ——-하다 자 여불

출반-좌【出班坐】명 여러 사람이 모인 자리에서 특별히 혼자 썩 앞으로 나와 앉음. ——-하다 자 여불

출반-주【出班奏】명 ①여러 사람이 모인 자리에서 맨 먼저 말을 꺼냄. ¶충청도 교사는 신바람이 나서 혼자 ～를 놓고 지껄인다《秋湜: 가시내 선생》. ②여러 신하 가운데 특히 혼자 나아가서 임금께 아뢰. ㊀출반(出班). ——-하다 자 여불

출발【出發】명 ①길을 떠나 나감. 발도(發途). 발정(發程). ②일을 시작하여 나감. ¶인생의 재(再)～. ↔도착(到着). ——-하다 자 여불

출발-계【出發係】명 스타터(starter)❶.

출발-선【出發線】[—썬] 명 경주(競走)할 때, 출발점(出發點)으로서 그어 놓은 선.

출발 신:호【出發信號】명 ①출발하라는 신호. ②↗출발 신호기.

출발 신:호기【出發信號機】명 철도의 상치(常置) 신호기의 하나. 열차 또는 차량이 정거장으로부터의 출발 여부 및 조건을 나타내는 신호기. ㊀출발 신호. *장내(場內) 신호기.

출발-점【出發點】[—쩜] 명 ①길을 가는 데 처음 떠나는 곳. ②일을 비롯하는 기점(基點). ③경주할 때에 처음 출발하는 지점.

출발-지【出發地】[—찌] 명 출발하는 지점. ↔도착지·종착지.

출방[1]【出榜】명〖역〗방방(放榜). ——-하다 자 여불

출방[2]【黜放】명 물리쳐 내침. ——-하다 타 여불

출번【出番】명 ①교대하는 일직 또는 당직 등의 번이 나가는 차례. ¶～을 기다리다. ②숙직을 하고 나감. ——-하다 자 여불

출벌【黜罰】명 관직을 삭탈하고 벌을 줌. ——-하다 타 여불

출범【出帆】명 ①배가 돛을 달고 떠나감. 개범(開帆). 해람(解纜). ↔귀범(歸帆). ②단체가 새로 조직되어 일을 시작하는 것을 비유하여 이르는 말. ¶새 내각의 ～. ——-하다 자 여불

출범-기【出帆旗】명 행선기(行船旗).

출병【出兵】명〖군〗군대를 어떠한 곳으로 내어 보냄. 출사(出師). ——「하다 자 여불

출부【出婦·黜婦】명 이혼하여 내보낸 여자.
출분【出奔】명 도망하여 달아남. 출망(出亡). ——-하다 자여불
출비【出費】명 비용을 냄. 또, 그 비용. ¶물가가 올라서 ~가 늘어나다. ——-하다 자여불
출빈【出殯】명 장례 지내기 전에 집 밖에 차린 빈소(殯所)에 송장을 옮기어 모심. ——-하다 타여불
출사[1]【出仕】[—싸] 명 벼슬을 하여 처음으로 사진(仕進)함. 진사(進仕). ¶궁중에 ~하다. ——-하다 자여불
출사[2]【出使】[—싸] 명〖역〗①조선 시대 때 벼슬아치가 지방에 출장함. ②조선 시대 때 포교(捕校)가 도둑을 잡을 명령을 받고 멀리 출장함. ——-하다 자여불
출사[3]【出師】[—싸] 명 출병(出兵). ——-하다 자여불
출사[4]【出寫】[—싸] 명 사진사(寫眞師)가 출장하여 사진을 찍음. ——-하다 자여불
출사[5]【出謝】[—싸] 명〖역〗①조선 시대 때 서직(敍職)·가계(加階) 기타 임금의 은혜를 입은 사람이 일정한 기간 안에 궁궐에 들어가서 사은 숙배(謝恩肅拜)하는 일. ②조선 시대 때 고신(告身)을 내 줌. ——-하다 자여불
출사 돌기【出絲突起】[—싸—] 명〖동〗방적 돌기(紡績突起)❶.
출사-선【出絲腺】[—싸—] 명〖동〗거미류(類)의 복부(腹部) 후방에 있는 외분비선(外分泌腺). 분비물은 체외(體外)에 나와 공기와 접촉하면 굳어져서 거미집을 만드는 실로 됨. 방적선(紡績腺).
출사-표【出師表】[—싸—] 명 ①출병할 때에 그 뜻을 적어서 임금께 올리는 글. ②중국 촉(蜀)나라의 재상(宰相) 제갈량(諸葛亮)이 선주(先主) 유비(劉備)의 사후에, 출진(出陣)에 앞서 후주(後主) 유선(劉禪)에게 바친 우국 충정(憂國衷情)이 넘치는 글.
출산[1]【出山】[—싼] 명 산에서 나옴. 산에서 나와 마을로 내려옴. ↔입산(入山). ——-하다 자여불
출산[2]【出産】[—싼] 명 출생(出生). 생산(生産). ——-하다 자여불
출산-율【出産率】[—싼뉼] 명 출생률. ¶~이 높다.
출산 휴가【出産休暇】[—싼—] 명 근로 여성의 아이를 낳기 위한 휴가. 준산휴(産休). *산전 산후 휴가.
출상[1]【出象】[—쌍] 명〖천〗태양 앞으로 금성(金星)이나 수성(水星)이 지나간 다음 다시 태양이 나타나는 일.
출상[2]【出喪】[—쌍] 명 상가(喪家)에서 상여가 떠남. ——-하다 자여불
출새【出塞】[—쌔] 명 ①성채(城砦)에서 나옴. ②국경을 넘어 변경(邊境)의 땅으로 감. ——-하다 자여불
출색【出色】[—쌕] 명 출중(出衆)하여 눈에 띔. ——-하다 형여불
출생【出生】[—쌩] 명 ①태아가 모체에서 태어남. 출산(出産). ↔사망(死亡)❶. ¶~ 연월일. ②어느 고장에서 탄생함. ¶시골 ~. ③〖법〗사람이 권리 능력(權利能力)을 취득(取得)하기 시작하는 시기를 이르는 말. ¶~ 신고(申告)/사권(私權)의 향유는 ~으로부터 시작한다. ——-하다 자타여불
출생-계【出生屆】[—쌩—] 명 '출생 신고'의 구칭.
출생-률【出生率】[—쌩뉼] 명 출생의 비율. 일정 기간, 특히 1년간에 평균 인구 천(千)명에 대한 출생아 수의 비율. 사산(死産)을 포함함. 출산율.
출생 신고【出生申告】[—쌩—] 명〖법〗사람이 출생하였음을 관청에 제출하여 알림. *출생계. ——-하다 자여불
출생 외:상【出生外傷】[—쌩—] 명 [birth tramma]〖심〗정신 분석학에서, 인간이 갖는 불안의 원형(原型)이라고 하는, 출산 때의 모태(母胎)에서의 이단(離斷)을 이름.
출생전 진단【出生前診斷】[—쌩—] 명〖의〗임신 초기에, 모체의 자궁에서 양수(羊水)를 채취하여 거기에 함유된 세포(細胞)의 염색체(染色體)·효소(酵素) 등을 검사, 태아의 남녀 성별(性別) 및 염색체 이상 질환·선천성 대사(代謝) 이상 질환·반성(伴性) 유전병 등의 유무를 알아내는 진단 방법.
출생 증명서【出生證明書】[—쌩—] 명 사람의 출생을 증명하는 문서(文書).
출생-지【出生地】[—쌩—] 명 출생한 땅. 난 곳. 생지(生地). ↔사망지(死亡地).
출생지-주의【出生地主義】[—쌩— / —쌩—이] 명〖법〗출생시의 부모의 국적 여하에 구애됨이 없이 출생지에 따라 국적을 결정하는 주의. 속지주의(屬地主義). 생지주의(生地主義).
출생 체중【出生體重】[—쌩—] 명 아기가 태어난 직후의 몸무게. 평균 3,000g 전후이며, 2,500g 미만일 경우 저(低)출생 체중이라 함.
출생-후【出生後】[—쌩—] 명 출생한 뒤. 난생 후.
출석【出席】[—썩] 명 자리에 나감. 어떠한 모임에 나가서 참여(參與)함. ¶~ 인원. ↔결석(缺席). *출근. ——-하다 자여불
출석 명:령【出席命令】[—썩—녕] 명〖법〗법원이 필요할 때에 피고인에 대하여 지정한 장소에 출석을 명하는 일.
출석-부【出席簿】[—썩—] 명 출석하고 아니함을 적는 장부.
출석-생【出席生】[—썩—] 명 출석한 학생.
출석-수【出席數】[—썩—] 명 ①출석한 사람의 수효. ②출석한 번수(番數).
출석 요구【出席要求】[—썩뇨—] 명〖법〗검사 또는 사법 경찰관이 수사에 필요한 때에 피의자 또는 피의자가 아닌 제삼자(第三者), 곧 감정인(鑑定人)·통역인(通譯人)·번역인(飜譯人) 등 참고인(參考人)의 출석을 요구하는 일.
출석-원【出席員】[—썩—] 명 출석한 인원.
출석-자【出席者】[—썩—] 명 출석한 사람. ↔결석자.
출석 정지【出席停止】[—썩—] 명〖법〗징계 사범(懲戒事犯)에 해당하는 국회 의원에 대한 징계 방법의 한 가지. 의장이 징계 위원회에 부의(付議)하여 심사 보고하게 한 다음 국회의 결의에 의하여 선포함. 그 기간은 30일 이내.
출선【出船】[—썬] 명 배가 항구를 떠나감. ——-하다 자여불
출성【出城】[—썽] 명 성 밖으로 나감. ——-하다 자여불
출세[1]【出世】[—쎄] 명 ①숨었던 사람이 세상에 나옴. ②입신(立身)하여 훌륭하게 됨. ¶~ 가도를 달리다. ③〖불교〗제불(諸佛)이 중생을 제도하기 위하여 사바(娑婆) 세계로 나옴. ④〖불교〗세상을 버리고 불도(佛道)로 들어감. 출가(出家). ——-하다 자여불
출세[2]【出稅】[—쎄] 명 세금을 냄. ——-하다 자여불
출-세간【出世間】[—쎄—] 명 ①티끌 세상과 관계를 끊음. ②〖불교〗번뇌고(煩惱苦)·미(迷)의 세간을 버리고 무위 적멸(無爲寂滅)로 들어감. ↔세간(世間)❷. ③속계(俗界)를 세간이라 하는 데 대해, 법계(法界)를 이름.
출세간-도【出世間道】[—쎄—] 명〖불교〗속세(俗世)를 버리는 보리「도(菩提道).
출세간-법【出世間法】[—쎄—] 명〖불교〗열반(涅槃)·적정(寂靜)으로 들어가기 위하여 닦는 사제(四諦) 육도(六度) 등의 불법.
출세간 상:상지【出世間上上智】[—쎄—] 명〖불교〗삼지(三智)에서 불(佛)과 보살(菩薩)의 지혜.
출세간-선【出世間禪】[—쎄—] 명〖불교〗출세간지(出世間智)를 발하는 좌선 관법(坐禪觀法).
출세간-지【出世間智】[—쎄—] 명〖불교〗삼지(三智)에서 성문(聲聞)과 연각(緣覺)의 지(智).
출세-급【出世給】[—쎄—] 명〖법〗출세한 뒤에 지급한다는 취지의 부관(付款)을 붙인 채무. 성공한다면 지급하지만 성공하지 못하면 지급하지 않는다는 조건부 채무와, 성공할 때까지 지급을 연기한다는 불확정 기한부 채무가 있음.
출세 민주주의【出世民主主義】[—쎄— / —쎄—이] 명 [status democracy] 출세의 기회가 널리 열려 있다는 의미로서의 민주주의. 체제(體制)가 폐쇄적으로 안정되어 사회 계층이 고정되고 그 가운데에서의 지위 상승(地位上昇)이 대중의 희망이 되는 시대에 생겨남. 20세기의 미국이나 근대 일본이 흔히 그 전형으로 간주됨.
출세-욕【出世慾】[—쎄—] 명 출세하려는 욕망. ¶과도한 ~.
출세-자【出世者】[—쎄—] 명 ①출세한 사람. ②〖불교〗'승려'를 이르는 말.
출세-작【出世作】[—쎄—] 명 예술계에서 인정받는 지위를 얻게 한 예「술 작품.
출세-주의【出世主義】[—쎄— / —쎄—이] 명 자기 개인의 출세만을 노리는 이기주의적인 사상이나 태도.
출셋-길【出世—】명 사회적으로 높은 지위나 성공으로 가는 길. ¶~이 열리다.
출소[1]【出所】[—쏘] 명 ①출처. ¶~를 캐다. ②출생지. ③교도소·수용소 따위 '소'자가 붙은 곳에서 나옴. ¶~한 지 3일 만에 절도죄로 잡히다. ——-하다 자여불
출소[2]【出訴】[—쏘] 명 송사(訟事)를 일으킴. 소송(訴訟)을 제기(提起)함. ——-하다 자여불
출소 기간【出訴期間】[—쏘—] 명〖법〗①소송을 제기할 수 있는 법정 기간. 예를 들면, 행정 처분의 취소 또는 변경을 구하는 소송을 제기할 수 있는 기간은, 처분이 있은 것을 안 날로부터 3개월 이내에 행하여야 함. ②출소 기한(期限).
출소 기한【出訴期限】[—쏘—] 명〖법〗어떤 권리를 일정한 기간 내에 행사하지 않으면 권리 그 자체는 소멸하지 않으나 이에 대하여 소송을 못하게 된다고 하는 제도. 또, 그 기간. 출소 기간.
출송【出送】[—쏭] 명 내어 보냄. ——-하다 타여불
출수[1]【出水】[—쑤] 명 홍수(洪水)❶.
출수[2]【出售】[—쑤] 명 물건을 내서 팔기 시작함. ——-하다 타여불
출수[3]【出穗】[—쑤] 명 이삭이 팸. 발수(發穗). ——-하다 자여불
출수-기【出穗期】[—쑤—] 명 이삭이 패는 시기. 벼·보리·밀 따위에 대해 이름.
출수-관【出水管】[—쑤—] 명〖동〗쌍각류(雙殼類)의 두 가닥의 수관 중, 등 쪽에 있는 것으로 출구에 유두(乳頭)·촉수(觸手) 따위는 없고 벽은 평활(平滑)하여 입수관(入水管)에 비해 가늘고 짧음. ↔입수관.
출시【出市】[—씨] 명 상품이 시장에 나옴. 또, 상품을 시장에 냄. ——-하다 자타여불
출신【出身】[—씬] 명 ①무슨 지방이나 파벌·학교·직업 등으로부터 나온 신분. ¶대학 ~/자유당 ~. ②처음으로 벼슬길에 나섬. ③〖역〗문무과(文武科)·잡과(雜科)에 급제하고 아직 벼슬에 나서지 못한 사람. 특히, 무과(武科)의 합격자. *급제(及第). ④〖역〗당대(唐代)에 향공진사(鄕貢進士)로 이부시(吏部試)에 합격한 사람. 송대(宋代)에 3등으로 합격한 사람.
출신-교【出身校】[—씬—] 명 그 사람이 졸업한 학교.
출썩-거리다[1] 자 주책없이 경망을 부리다. >촐싹거리다[1]. **출썩-출썩**[1] 부. ——-하다[1] 자여불
출썩-거리다[2] 타 충동하여 들먹거리게 하다. >촐싹거리다[2]. **출썩-출썩**[2] 부. ——-하다[2] 타여불
출썩-대다 자타 출썩거리다[1·2].
출아【出芽】명〖식〗①식물의 싹이 터 나옴. 또, 그 싹. ②출아법(出芽法). 또, 이에 의하여 번식시킴. ——-하다 자타여불
출아-법【出芽法】[—뻡] 명〖식〗무성(無性) 번식의 한 가지. 생물체 또는 세포의 일부에 소아(小芽)나 소돌기(小突起)가 생기고, 이것이 차차 성장하여 마침내 모체(母體)로부터 떨어져서 새로운 개체를 형성하

는 생식법(生殖法). 효모균(酵母菌)·원생 동물(原生動物)·해면(海綿) 동물 따위에 흔히 보임. 아생법(芽生法). 아생 생식. 출아(出芽)❷. 출아 생식.
출아 생식【出芽生殖】명〖식〗출아법.
출아성 세:균【出芽性細菌】[—썽—] 명 출아에 의해 증식되는 세균.
출-애굽【出—】명〖기독교〗애굽(이집트)에서 노예 노릇을 하던 이스라엘족(族)이 해방되어 모세(Moses)에게 인솔되어 나오던 일.
출애굽-기【出—記】명〔The book of Exodus, 라 Liber Exodi〕〖성〗구약 성서 중의 모세 오서(Moses 五書)의 하나. 출애굽에 관한 기록으로서, 유명한 '십계명(十誡命)'도 이 중에 기록되어 있음.
출-애급【出埃及】명〖기독교〗'출애굽'의 한자 표기(漢字表記).
출애급-기【出埃及記】명〖성〗'출애굽기'의 한자 표기(漢字表記).
출액【出液】명〔bleeding〕〖식〗식물의 가지 또는 줄기를 자르면 수액(樹液)이 나오는 현상.
출어[1]【出御】명〖역〗제왕(帝王)이 내전(內殿)에서 외전(外殿)으로 나옴. ——-하다 자여불
출어[2]【出漁】명 물고기를 잡으러 나감. ¶~권(權)/~기(期). ——-하다 자여불
출-어화복【怵於禍福】명 화복을 생각하고 두려워함. ——-하다 자여불
출역[1]【出役】명 역사(役事)에 동원되어 나감. ——-하다 자여불
출역[2]【出域】명 그 지역·수역(水域)에서 나옴. ↔입역(入域). ——-하다 자여불
출연[1]【出捐】명 ①금품을 내어 원조함. ②〖법〗당사자의 일방이 자기 의사에 의하여 재산상의 손실을 입고 상대방에게 이득(利得)을 줌. ——-하다 타여불
출연[2]【出演】명 연극(演劇)·영화(映畫)·연설(演說)·곡예(曲藝) 등을 무대(舞臺)·연단(演壇) 등의 장소에 나가서 함. ¶~ 계약/찬조 ~/겹치기 ~. ——-하다 자여불
출연[3]【怵然】명 두려워하는 모양. ——-하다 형여불
출연-금【出捐金】명 출연한 돈. 기부금.
출연-료【出演料】[—뇨] 명 출연에 대해 지급되는 보수. 개런티.
출연-자【出演者】명 출연하는 사람.
출영[1]【出迎】명 마중 나감. 나가서 맞음. 마중. 영접. ¶~객(客). ——-하다 타여불
출영[2]【出營】명 진영(陣營)이나 군영(軍營)에서 떠남. 또, 진영이나 군영에서 이탈하는 일. ——-하다 자여불
출옥【出獄】명 형기를 마치고 교도소로부터 석방되어 나옴. 출감. ¶가(假)~. ↔입옥(入獄). ——-하다 자여불
출옥-인【出獄人】명 출옥한 사람. 출옥자.
출옥-자【出獄者】명 출옥인.
출우【出尤】명 출중(出衆)함. 또, 그 사람. ——-하다 형여불
출원[1]【出院】명 등원(登院). ——-하다 자여불
출원[2]【出願】명 원서를 내어놓음. ¶특허 ~. ——-하다 자타여불
출원 공고【出願公告】명〖법〗특허청이, 출원된 특허·실용 신안(實用新案)·상표(商標) 등의 등록에 대하여 거절할 이유가 없을 경우, 등록 내용을 각기 특허 공보(公報)·실용 신안 공보·상표 공보에 게재·공고하는 일. 또, 그 공고. 일반인에게 출원이 있음을 알리고 특허 등에 대한 이의(異議) 신청의 기회를 주기 위한 것임.
출원-인【出願人】명 출원한 사람. 출원자. ¶광구(鑛區)의 ~.
출원-자【出願者】명 출원인.
출유【出遊】명 다른 곳으로 나가서 놂. ——-하다 자여불
출인-가【出引歌】명〖악〗경기(京畿) 십이 잡가(十二雜歌)의 하나. 선유가(船遊歌)의 후반부(後半部)로, 사랑 노래임.
출입【出入】명 ①나감과 들어옴. 드나듦. ¶학생 ~을 금함/~이 잦다. ②잠깐 다녀올 셈으로 집 밖으로 나감. ¶주인은 ~하고 안 계시오. *나들이. ——-하다 자타여불
출입-고【出入告】명 나들이할 때나 집에 돌아와서 사당(祠堂)에 사유(事由)를 고하는 일. ——-하다 자여불
출입-구【出入口】명 출입하는 어귀.
출입-국【出入國】명 출국과 입국. 일정(一定)한 나라에서 나가거나 들어오는 일.
출입국 관리【出入國管理】[—괄—] 명 국내외인의 출국 및 입국에 관하여 관리하는 일. ¶~ 사무/~ 사범(事犯).
출입국 관리 부:이사관【出入國管理副理事官】[—괄—] 명 공안직(公安職) 국가 공무원 직급 명칭의 하나. 출입국 관리 직렬(職列)에 속하며, 출입국 관리 서기관의 위, 출입국 관리 이사관의 아래로 3급 공무원임.
출입국 관리 사:무관【出入國管理事務官】[—괄—] 명 공안직(公安職) 국가 공무원 직급 명칭의 하나. 출입국 관리 직렬(職列)에 속하며, 출입국 관리 주사의 위, 출입국 관리 서기관의 아래로 5급 공무원임.
출입국 관리 사:무소【出入國管理事務所】[—괄—] 명〖법〗법무부 장관 소속의 한 기관. 출입국 관리에 관한 사무를 관장함.
출입국 관리 서기【出入國管理書記】[—괄—] 명 공안직(公安職) 국가 공무원 직급 명칭의 하나. 출입국 관리 직렬(職列)에 속하며, 출입국 관리 서기보의 위, 출입국 관리 주사보의 아래로 8급 공무원임.
출입국 관리 서기관【出入國管理書記官】[—괄—] 명 공안직(公安職) 국가 공무원 직급 명칭의 하나. 출입국 관리 직렬(職列)에 속하며, 출입국 관리 사무관의 위, 출입국 관리 부이사관의 아래로 4급 공무원임.
출입국 관리 서기보【出入國管理書記補】[—괄—] 명 공안직(公安職) 국가 공무원 직급 명칭의 하나. 출입국 관리 직렬(職列)에 속하며, 출입국 관리 서기의 아래로 9급 공무원임.
출입국 관리 이:사관【出入國管理理事官】[—괄—] 명 공안직(公安職) 국가 공무원 직급 명칭의 하나. 출입국 관리 직렬(職列)에 속하며, 관리관의 아래, 출입국 관리 부이사관의 위로 2급 공무원임.
출입국 관리 주사【出入國管理主事】[—괄—] 명 공안직(公安職) 국가 공무원 직급 명칭의 하나. 출입국 관리 직렬(職列)에 속하며, 출입국 관리 주사보의 위, 출입국 관리 사무관의 아래로 6급 공무원임.
출입국 관리 주사보【出入國管理主事補】[—괄—] 명 공안직(公安職) 국가 공무원 직급 명칭의 하나. 출입국 관리 직렬(職列)에 속하며, 출입국 관리 서기의 위, 출입국 관리 주사의 아래로 7급 공무원임.
출입-금【出入金】명 출금(出金)과 입금(入金).
출입 금:지【出入禁止】명 일정한 건물이나 구역(區域) 안의 출입을 금함. ¶외인 ~.
출입-문【出入門】명 드나드는 문.
출입-번【出入番】명〖역〗날짜를 정하여 교대로 궁중(宮中)에 번(番) 드는 일. ↔장번(長番).
출입번 내:시【出入番內侍】명〖역〗출입번을 하는 내관(內官). ↔장번내시(長番內侍).
출입번 차지【出入番次知】명〖역〗조선 시대 때, 내시부(內侍府)·궁내부(宮內府)의 내시(內侍)의 한 직임(職任).
출입번 치:사【出入番致仕】명〖역〗조선 시대 때, 내시부(內侍府)·궁내부(宮內府)의 내시(內侍)의 한 직임(職任).
출입-복【出入服】명 출입옷.
출입-옷【出入—】명 출입할 때에 입는 옷. 출입복(出入服). *나들이옷·외출복.
출입-자【出入者】명 드나드는 사람.
출입-증【出入證】명 출입할 수 있도록 허가한 증표.
출입-처【出入處】명 일정하게 출입하는 곳.
출입-패【出入牌】명 어떤 장소(場所)를 출입할 때에 지니는 패(牌). *출입증(出入證).
출자【出資】[—짜] 명 자금을 냄. 밑천을 냄. 특히, 회사나 조합 등의 공동 사업을 수행하기 위하여, 그 구성원이 자본을 내는 일. 재산 출자·노무(勞務) 출자·신용 출자 등으로 나뉨. ¶회사에 ~하다. ——-하다 자여불
출자-금【出資金】[—짜—] 명 출자한 금전.
출자-액【出資額】[—짜—] 명 출자한 액수(額數). ¶~에 따라 분배(分配)하다.
출자 의:무【出資義務】[—짜—] 명〖법〗출자를 할 의무. 주식 회사(株式會社) 또는 주식 합자(合資) 회사의 주주(株主)가 그 주금(株金)을 낼 의무 따위.
출자-인【出資人】[—짜—] 명 출자한 사람. 출자자(出資者).
출자-자【出資者】[—짜—] 명 출자인.
출자자 자본【出資者資本】[—짜—] 명 자기 자본.
출자 증권【出資證券】[—짜—꿘] 명〖법〗특수 법인이 그 법인에 대하여 출자한 사람에게 발행하는 유가 증권. 주식(株式)과는 다르며, 배당에 대해서는 일정률(一定率)의 보장과 제한이 규정되고 잔여 재산의 분배에 대해서도 출자액을 한도로 함.
출자형 입식【出字形立飾】[—짜—] 명〖고고학〗맞가지 장식.
출장[1]【出張】[—짱] 명 용무(用務)를 위해 다른 지역·장소에 감. 직무(職務)에 의해 임시로 파견(派遣)되는 일. ¶지방에 ~가다. ——-하다 자여불
출장[2]【出場】[—짱] 명 ①어떤 장소에 나감. ②운동 경기 등에 나감. ¶~ 정지 처분. ③ ☞끝장. ——-하다 자여불
출장(이) 나다 구 ☞출말(이) 나다.
출장 교:정【出張校正】[—짱—] 명〖인쇄〗인쇄물의 교정에서, 편집자·저자 등이 인쇄소에 나가서 하는 교정.
출장-비【出張費】[—짱—] 명 출장에 소요되는 비용.
출장-소【出張所】[—짱—] 명 ①출장하여 사무를 처리하는 곳. 공사장·공장·회사에서 업무상 필요하여 따로 설치한 사무소. ②일정한 지역의 업무를 맡아 취급하기 위하여 설치된 사무소.
출장-원【出張員】[—짱—] 명 업무 수행을 위하여 다른 장소 또는 다른 지방에 나가 있는 사람.
출장 입상【出將入相】[—짱—] 명 나가서는 장수가 되고 들어와서는 재상(宰相)이 됨. 곧, 문무(文武)가 겸전(兼全)하여 장상(將相)의 벼슬을 모두 지낸다는 뜻. ——-하다 자여불
출장-점【出張店】[—짱—] 명 본점에서 출장하여 일을 보는 점포. 일정 지역을 범위로 하여 영업하는 점포.
출장-지【出張地】[—짱—] 명 출장한 곳. 출장 임무(任務)를 수행(遂行)하는 곳.
출장-화【黜墻花】[—짱—] 명〖식〗축도화❶.
출재【黜齋】명 벌(罰)로서 재(齋)에서 물리쳐 내침. ——-하다 타여불
출재-업【出材業】[—째—] 명 목재업(木材業)의 하나. 산림(山林)에 서 있는 나무를 사서 벌채(伐採)하여 도매상이나 제재(製材)업자에게 원목(原木)으로서 매각하는 기업.
출전[1]【出典】[—쩐] 명 고사(故事)·성어(成語)·인용 문구 등의 출처가 되는 서적. ¶~을 낱낱이 밝혀 고증하다.
출전[2]【出戰】[—쩐] 명 ①싸우러 나감. 또, 나가서 싸움. ②시합·경기(競技) 등에 나감. ¶~ 선수/경기에 ~하다. ——-하다 자여불
출전[3]【出纏】명〖불교〗번뇌의 얽매임에서 벗어남. ↔재전(在纏).
출-전병【秫煎餠】명 수수 전병.
출전-피【出箭皮】[—쩐—] 명 활 등의 한가운데의 측면에 화살이 닿는

자리에 붙이는 가죽 조각.

출정[1]【出廷】[―쩡] 명 〖법〗 법정(法廷)에 나감. ――-하다 자여불

출정[2]【出征】[―쩡] 명 군대에 입대하여 정벌(征伐)하러 나감. 정행(征行). ¶지원병으로 ～하다. ――-하다 자여불

출정[3]【出定】[―쩡] 명 〖불교〗 선정(禪定)으로부터 나옴. ↔입정(入定) ❶. ――-하다 자여불

출정-군【出征軍】[―쩡―] 명 출정하는 군대.

출정 군인【出征軍人】[―쩡―] 명 출정군에 편입된 군인.

출제[1]【出帝】명 〖사람〗 10세기경의 중국 후진(後晉)의 제2대 왕. 이름은 중귀(重貴). 시조(始祖) 석경당(石敬瑭)의 건국(建國)을 도운 거란(契丹)에 대해 예(禮)를 지키지 않아 거란의 포로가 되고 나라는 망하였음. [914-964; 재위 942-946]

출제[2]【出題】[―쩨] 명 문제를 냄. 제목(題目)을 냄. ¶～ 위원/～ 범위. ――-하다 자여불

출조【出釣】[―쪼] 명 낚시질하러 떠남.

출좌【出座】[―쫘] 명 귀인 또는 신분 높은 사람이 그 자리에 나옴. ――-하다 자여불

출주[1]【出主】[―쭈] 명 제사(祭祀) 때 신주(神主)를 모시어 냄. ――-하다 자여불

출주[2]【出走】[―쭈] 명 있던 곳을 떠나서 달아남. ――-하다 자여불

출주[3]【出駐】[―쭈] 명 군대(軍隊)가 지방(地方)에 나가 주둔(駐屯)함. ――-하다 자여불

출주[4]【朮酒】[―쭈] 명 삽주 뿌리를 넣고 빚는 약술. 풍습(風濕)이나 근육·뼈의 병을 다스림.

출주-마【出走馬】[―쭈―] 명 경마에서, 레이스에 출장하는 말.

출주-축【出主祝】[―쭈―] 명 출주(出主)할 때에 읽는 축문.

출중【出衆】[―쭝] 명 뭇 사람 속에서 뛰어남. 출군(出群). ¶～한 용모(容貌). ――-하다 형여불

출중-나다【出衆―】[―쭝―] 형 출중하여 유별나다.

출-중생식【出衆生食】[―쭝――] 명 〖불교〗 밥그릇에서 다른 중생에게 베풀어 줄 밥을 조금씩 떠내는 일.

출직【出直】[―찍] 명 번(番)을 남. 숙직(宿直)을 교대하고 나옴. *입직(入直). ――-하다 자여불

출진[1]【出陣】[―찐] 명 전지(戰地)로 나아감. ――-하다 자여불

출진[2]【出陳】[―찐] 명 전람회 등에 물품을 내놓아 진열함. ――-하다 타여불

출진[3]【出塵】[―찐] 명 〖불교〗 ①세속(世俗)을 벗어남. ②번뇌의 진구(塵垢)를 벗어남. 중이 됨. ――-하다 자여불

출차【出差】명 〔evection〕〖천〗 달의 황경(黃經)의 평균차 가운데 가장 큰 것. 태양의 영향으로 달의 궤도가 주기적으로 변화하는 현상의 하나로 달의 궤도상의 위치 및 태양에 대한 상대 위치에 관계됨. 주기는 약 2일. 진폭(振幅)은 1°16′4″.

출찰【出札】명 차표·선표(船票) 등을 팖. ――-하다 자여불

출찰-구【出札口】명 출찰하는 곳. 매표 창구(賣票窓口).

출참【出站】명 〖역〗 사신(使臣)·감사(監司)를 영접하고 모든 전곡(錢穀)·역마(驛馬)를 지공(支供)하기 위하여, 그의 숙역(宿驛) 가까운 역에서 사람을 내보내던 일.

출창【出窓】명 〖건〗 ☞퇴창(退窓).

출채【出債】명 빚을 냄. ――-하다 자여불

출처[1]【出妻·黜妻】명 ①인연을 끊고 이별한 아내. ②아내를 내쫓음. ――-하다 자여불

출처[2]【出處】명 ①사물이 나온 근거. 출소(出所). ¶～를 캐다. ②세상에 나서는 일과 집 안에 들어앉는 일.

출처 어:묵【出處語默】명 나아가 벼슬하는 일과 물러나 집에 있는 일, 의견을 발표하는 일과 침묵(沈默)을 지키는 일. 곧, 사람이 처세(處世)하는 데 근본(根本)이 되는 일.

출척[1]【怵惕】명 두려워서 조심함. ――-하다 자여불

출척[2]【黜陟】명 못된 사람을 내쫓고 착한 사람을 올리어 씀. ¶경신(庚申) ～. ――-하다 타여불

출천 열녀【出天烈女】[―녈려] 명 하늘이 낸 열녀라는 뜻으로, 매우 절개가 굳은 열녀를 일컫는 말.

출천지-효【出天之孝】명 천성(天性)으로 타고 난 효성(孝誠).

출천-하다【出天―】자여불 천성으로 타고나다. ¶전하의 출천하신 효성은 귀신과 사람이 감읍할 것이오이다《朴鍾和 : 錦衫의 피》.

출초[1]【出草】명 ①기초(起草). ②〖건〗 화반(花槃)이나 촛가지 등에다 망새 같은 것을 그리는 일. ――-하다 타여불

출초[2]【出梢】명 출말(出末). ――-하다 자여불

출초[3]【出超】명 〖경〗 ↗수출 초과. ↔입초(入超). ――-하다 자여불

출출 부 물 따위가 많이 넘치는 모양. ＞촐촐.

출출-하다 형여불 배가 약간 고픈 느낌이 있다. ¶출출한 터에 맛있게 먹었다.

출췌[1]【出萃】명 ↗출류 발췌(出類拔萃). ――-하다 자여불

출췌[2]【出贅】명 처가살이. ――-하다 자여불

출치대기 명 〈방〉 수수께끼.

출타【出他】명 집에 있지 아니하고 다른 곳에 나감. ¶담당 직원은 ～중. ――-하다 자여불

출탄【出炭】명 ①석탄을 파냄. 석탄이 나옴. ¶～량(量). ②숯을 생산함. ――-하다 자여불

출탕【出湯】명 〔tapping〕〖야금〗 용융로(熔融爐)의 출탕구(出湯口)를 열고, 용융 금속을 꺼냄. ――-하다 타여불

출토【出土】명 고대의 유물·유적이 땅 속에서 나옴. ――-하다 자여불

출토-품【出土品】명 땅 속에서 발굴되어 나온 고대의 유품(遺品).

출통【出筒】명 통계(筒契)에서 계알을 흔들어 뽑음. ――-하다 자여불

출-투자【出投資】명 〖경〗 출자와 투자.

출판[1]【出判】명 재산이 탕진되어 판이 남. ――-하다 자여불

출판[2]【出版】명 서적이나 도화 등을 인쇄하여 발매·반포함. 출간(出刊). 간행(刊行). ¶자비(自費) ～/문학 전집을 ～하다. ――-하다 타여불

출판-계【出版界】명 출판인의 세계. 출판에 관계하는 업계(業界).

출판 계:약【出版契約】명 〖법〗 저작자가 그 저작물을 출판할 것을 출판인과 약속하는 계약.

출판-권【出版權】[―꿘] 명 ①저작물을 복제하여, 발매(發賣)·반포(頒布)할 수 있는 배타적인 재산권. ②저작권자가 출판자에게 설정하는 권리로서, 저작물을 문서나 도화(圖畫) 등으로 복제하여 이를 반포할 수 있는 배타적 권리. 판권(版權).

출판 기념회【出版記念會】명 어떠한 저작물의 초판(初版)이 나왔을 때에, 그것을 축하하기 위하여 그 저작자(著作者)의 선배(先輩) 또는 친지(親知)들이 베푸는 모임.

출판 문화【出版文化】명 각종 출판에 의하여 이루어지는 문화.

출판-물【出版物】명 판매·반포할 목적으로 인쇄한 서적 및 도화.

출판-법【出版法】[―뻡] 명 출판물에 관하여 여러 가지로 규정하는 법률. 곧, 출판물의 단속을 목적으로 하는 법률.

출판-사【出版社】명 출판을 영업 내용으로 하는 회사.

출판 신고【出版申告】명 출판인이 출판물을 발행할 때에 그것을 관청에 신고하는 일. 또, 그 신고. 현재는 법에 의해 납본(納本)으로써 행함. ――-하다 자여불

출판-업【出版業】명 저작물을 출판하는 영업. 출판에 종사하는 업종(業種). ¶～계(界).

출판의 자유【出版―自由】[―/―에―] 명 출판에 의하여 사상을 발표하는 자유. 표현의 자유 중에서도 가장 중요한 것으로, 어떠한 지배 권력에 의해서도 침범되어서는 안 될 기본적 인권의 하나임. 세계 각국에서 헌법(憲法)에 명시하여 보장하고 있음.

출판-인【出版人】명 저작물을 출판하는 사람. 출판업에 종사하는 사람.

출패【出牌】명 지방의 불량배가 못된 일을 계획할 때에 외방에 나가서 계책을 꾸미는 사람. ↔좌패(坐牌).

출폐【黜廢】명 폐기함. ――-하다 타여불

출포[1]【出捕】명 죄인을 관할 구역(管轄區域) 밖으로 쫓아가서 잡음. ――-하다 타여불

출포[2]【出浦】명 화물(貨物)을 다른 곳으로 실어 가려고 포구(浦口)로 냄. ――-하다 타여불

출품【出品】명 전람회·전시회·품평회(品評會)·진열장 같은 곳에 물건을 내어 놓음. ¶전람회에 ～하다. ――-하다 자타여불

출품-자【出品者】명 출품한 사람.

출-필곡【出必告】명 밖으로 나갈 때마다 반드시 부모에게 가는 곳을 아룀. *반필면(反必面). ――-하다 자여불

출하【出荷】명 ①하물(荷物)을 내어 보냄. ②생산자가 공장 등에서 생산품을 시장으로 내어 보냄. ¶～량. 1)·2):↔입하(入荷). ――-하다 자타여불

출하 안:내【出荷案內】명 적하(積荷) 안내.

출하 제:한【出荷制限】명 생산자 또는 판매자가 시장에 내는 상품의 수량을 제한하여, 가격의 유지나 인상을 도모하는 일.

출하 조절【出荷調節】명 시장에 있는 상품의 수량을 적당히 보유하고 시가(市價)의 안정을 도모하는 일.

출학【黜學】명 〖교〗 학칙을 어긴 학생을 학교로부터 내어쫓음. 방교(放校). ――-하다 타여불

출한【出汗】명 땀이 남. ――-하다 자여불

출합【出閤】명 〖역〗 ①왕자가 장성한 뒤에 사궁(私宮)을 짓고 나가서 삶. ②왕녀(王女)가 하가(下嫁)함. ――-하다 자여불

출항[1]【出航】명 선박이나 항공기가 출발함. ――-하다 자여불

출항[2]【出港】명 배가 항구를 떠나감. 발항(發港). ¶～에 좋은 날씨. ↔입항(入港). ――-하다 자여불

출항-료【出港料】[―뇨] 명 출항세(出港稅).

출항-세【出港稅】명 식민지에서 본국이나 다른 식민지로 이출(移出)하는 화물에 대하여 부과하는 여러 가지의 세금 또는 요금. 출항료(出港料).

출행【出行】명 ①나가서 다님. ②먼 길을 떠남. ――-하다 자여불

출향[1]【出向】명 출발함. 집을 떠나 목적지로 향함. ――-하다 자여불

출향[2]【出鄕】명 고향을 떠남. ――-하다 자여불

출향[3]【黜享】명 〖역〗 종묘(宗廟) 또는 문묘(文廟)의 배향(配享)을 거두어 치움. ――-하다 자타여불

출향[4]【黜鄕】명 〖역〗 패륜 행위를 저질렀거나 동규(洞規)를 어긴 자를 볼기를 치고 동네에서 내쫓는 일. 촌락 사회의 자치적 제재 방법의 하나임.

출현【出現】명 ①나타남. 나타나서 보임. ¶적기(敵機) ～/구세주의 ～. ②〔emersion〕〖천〗 엄폐(掩蔽)가 끝나고 가려졌던 천체가 다시 드러남. ――-하다 자여불

출혈【出血】명 ①〖생〗 혈액이 밖으로 나옴. 몸 밖으로 출혈함을 외출혈(外出血), 조직 안 또는 체강(體腔) 안으로 출혈함을 내출혈(內出血), 내장의 출혈이 몸 밖으로 나오는 것을 객혈(喀血)·토혈(吐血)·하혈(下血)·혈뇨(血尿)라고 함. ②결손(缺損). 손상(損傷). 희생. ¶～ 판매. ③〖군〗 전투로 인하여 생기는 인원의 손상. ¶아군의 다소의 ～은 부득이하다. ――-하다 자여불

출혈 경:쟁【出血競爭】명 결손(缺損)을 무릅쓰고 하는 경쟁.

출혈-량【出血量】명 출혈한 양(量).

출혈 보:상 링크【出血補償―】〔link〕명〖경〗수출입 링크제(制)의 하나. 어느 정도의 손실을 수반하는 상품의 수출자에 대하여 그 출혈을 벌충하기 위하여 특수 물자의 수입권을 주는 제도.

출혈-성【出血性】[―썽] 명 출혈하는 성질. 출혈하기 쉬운 성질.

출혈성 소인자【出血性素因者】[―썽―] 명〖의〗혈우병자(血友病者)처럼 피가 나오기 쉬운 체질의 사람.

출혈성 패:혈증【出血性敗血症】[―썽―쯩] 명〖동〗출혈성 패혈증균에 의한 소·양·돼지 등의 급성 전염병. 온몸의 피하(皮下) 혹은 장기(臟器)에 점(點) 모양의 출혈을 일으키고 고열·호흡 곤란 등의 증세를 보이며 치사율이 높음. 가축 법정 전염병임.

출혈 소질【出血素質】명〔hemorrhagic diathesis〕〖의〗피가 나오기 쉽고, 나오기 시작한 피가 좀처럼 지혈(止血)이 안 되는 체질(體質)의 하나. *결석(結石) 소질.

출혈 수주【出血受注】명 결손(缺損)을 각오하고 주문을 받음. 채산이 맞지 않는 주문을 받음.

출혈 수출【出血輸出】명 장래의 이익을 기대하고 당장 채산이 맞지 않는 주문을 맡아서 수출하는 일. ――-하다 타여불

출혈열 바이러스【出血熱―】[―렬―] 명〔hemorrhagic fever virus〕아버바이러스(arbovirus) 중에서 사람에게 감염(感染)하여, 발열(發熱)·피로·구토(嘔吐)·출혈 따위를 급성으로 일으키는 바이러스.

출협【出協】명 ↗대한 출판 문화 협회(大韓出版文化協會).

출-호병【秫糊餠】명 수수 풀떡.

출호이자 반:호이【出乎爾者反乎爾】구 자기가 한 일은 다 자기가 갚음을 받음. 앙경 화복(殃慶禍福)이 모두 자기 자신으로부터 나온다는 말.

출화[1]【出火】명 불이 남. ――-하다 자여불

출화[2]【出貨】명 화물을 내어 보냄. ――-하다 자여불

출회[1]【出廻】명 물품이 시장으로 나옴. ¶청과물의 ~가 저조(低調)하다. ――-하다 자여불

출회[2]【秫灰】명 차조의 짚을 태운 재. 관(棺)의 밑바닥에 깖.

출회[3]【黜會】명 단체 또는 회합에서 내쫓음. ――-하다 타여불

출회-기【出廻期】명 상품이 시장에 나오는 시기. ¶미곡의 ~.

춤[1] 명 장단에 맞추거나 흥에 겨워서 팔다리를 이리저리 놀리고 전신을 우쭐거리면서 율동적으로 뛰노는 동작. *무용·댄스.

춤[2] 명 물건의 운두나 높이를 가리키는 말. ¶~이 높은 망건/항아리의 ~이 너무 낮군.

춤[3] 명 ↗허리춤.

춤[4] 명 〈방〉 침[1](경기·강원·충북·전라·경상·제주).

춤[5] 명 〈옛〉 침[1]. ¶눉믈와 춤과 브터(從涕唾)≪楞嚴 V:72≫.

춤[6] 의명 여러 오리로 길게 생긴 물건의 한 손으로 쥘 만한 분량(分量). ¶짚 한 ~.

춤-곡【―曲】명 춤을 위하여 작곡된 악곡을 통틀어 이르는 말. 무곡(舞曲). 무도곡(舞蹈曲).

춤-물 명 〈방〉 침[1](경상).

춤-바람 [―빠―] 명 ①춤이 추어지는 흥. ②춤에 마음을 빼앗겨 몹시 들뜬 상태.

춤-사위 명 민속춤에서, 춤의 사위. 곧, 춤의 동작의 최소 단위(最小單位)로서의 기본이 되는 낱낱의 일정한 움직임.

춤-자이 명〖역〗신라 때에 춤을 추던 구실아치. 무척(舞尺). 무(舞)자이.

춤-추다 자 장단에 맞추거나 흥에 겨워서 팔다리를 놀리고 온 몸을 율동적으로 우쭐거리며 뛰놀다. 춤을 동작으로 드러내다.

춤추새끼 명 〈방〉 수수께끼.

춤츠다 자 〈옛〉 춤추다. ¶意氣로 곧 大闕에 가 춤츠고(意氣卽歸雙闕舞)≪杜諺 V:25≫.

춤치 명 〈방〉 주머니.

춤치-칼 명 〈방〉 주머니칼.

춤-판 명 춤이 벌어진 자리. ¶~이 벌어졌다.

춥다 형ㅂ불 〔중세: 칩다〕 기후가 차다. 찬 기운이 있다. ↔덥다❶. [춥기는 사명당(四溟堂) 사첫방이다] 사명당이 일본(日本)에 건너갔을 때 몹시 추운 방에서 거처(居處)하였다는 전설에서, 대단히 추운 방을 비유하는 말.

춥디-춥다 형ㅂ불 매우 춥다.

충[1] 명 ↗충항아리.

충[2]【忠】명 ①마음 속에 거짓이 없는 일. 정성을 다하여 본분을 지키는 일. 충실(忠實). ②임금·국가에 대하여 신하·국민으로서의 본분을 다하는 일.

충[3]【忠】명 성(姓)의 하나. 우리 나라에는 현존(現存)하지 않음.

충[4]【衝】명〖천〗행성(行星)이 지구에 대하여 태양과 정반대의 위치에 오는 시각. 또, 그 상태. 행성과 태양의 적경(赤經)의 차가 180°로 되는 때임. ↔합[1](合)❷.

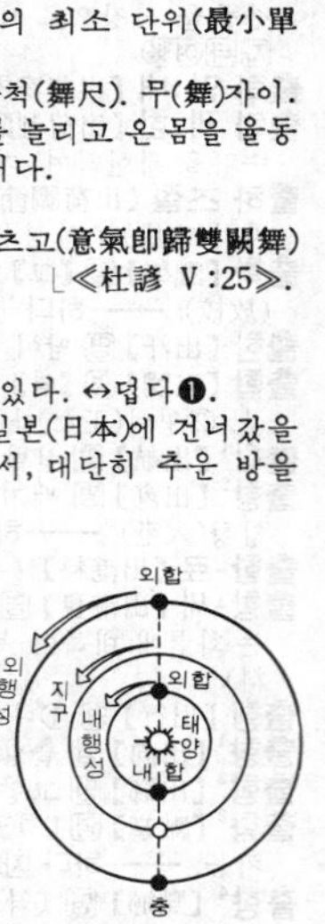

〈충[4]〉

충[5]【蟲】명 ①벌레. ②↗회충(蛔蟲).

충간[1]【忠肝】명 충성스러운 심간(心肝). 진정으로 임금을 섬기는 마음. 충담(忠膽).

충간[2]【忠諫】명 충성으로 간함. ――-하다 타여불

충간[3]【衷懇】명 진정으로 간청함. ――-하다 타여불

충간 의:담【忠肝義膽】명 충성(忠誠)된 심간(心肝)과 의열(義烈)의 담기(膽氣).

충개【蟲疥】명〖의〗옴[1].

충-거리다 자 〈방〉 꾸물거리다.

충건【忠謇】명 충의(忠義)의 직언(直言).

충격[1]【衝激】명 서로 세차게 대질러 부딪침. 또, 사람의 마음에 심한 동요(動搖)를 일으키는 일. 충격(衝擊). ――-하다 자여불

충격[2]【衝擊】명 ①적과 맞부딪쳐서 치는 일. 돌격(突擊). ②사람의 마음에 심한 자극으로 흥분을 일으키는 일. 격한 감동. 마음에 격동(激動)을 받는 강한 자극. 쇼크(shock). ¶~적인 뉴스. ③물체에 순간적으로, 급격히 가하여지는 힘. 격력(擊力). ④짧은 동안에 큰 전류(電流)가 흐르다가 그치는 순간 전류. 또, 그 전압.

충격 각도【衝擊角度】명〖물〗충격점에서 발사체 궤적(發射體軌跡)의 접선(接線)과 지평면·표적면(標的面)의 접선이 이루는 예각(銳角).

충격 계:수【衝擊係數】명〔duty ratio, duty cycle〕〖전자〗펄스(pulse) 레이더 또는 이와 유사한 시스템에서, 피크(peak) 펄스 전력(電力)에 대한 평균 전력의 비(比).

충격 돌풍【衝擊突風】명〔effective gust velocity〕〖기상〗계획 운항 속도(計劃運航速度)로 비행 중인 항공기에 가속도가 생길 정도의 강한 돌풍의 연직(鉛直) 속도 성분(成分).

충격-량【衝擊量】[―냥] 명〔impulse〕〖물〗힘의 크기와 그 힘이 작용한 시간과의 곱. 힘이 작용하는 전후에 있어서의 운동량(運動量)의 변화량과 같으며 충격과 같은 순간력의 작용의 크기를 나타내는 데 쓰임. 역적(力積).

충격-력【衝擊力】[―녁] 명〔impulsive force〕〖물〗타격(打擊)·충돌 등의 경우에 일어나는 물체간의 심한 접촉력. 격력(擊力).

충격 마이크로폰:【衝擊―】명〔impact microphone〕물체가 다른 물체와 충돌할 때의 진동을 포착(捕捉)하는 기계. 특히, 작은 유성체(流星體)의 충격을 기록하기 위해서 우주 탐사에 사용됨.

충격-사【衝擊死】명 쇼크사(死).

충격-성【衝激性·衝擊性】명 충격을 주는 성질.

충격 부:식【衝擊腐蝕】명〖야금〗유동(流動) 액체에 의해서 금속의 부식이 가속되는 일. 보통, 보호 피막(被膜)이 침식되어서 일어남.

충격 속도【衝擊速度】명 탄환·미사일이 충돌하는 순간의 속도.

충격 시험【衝擊試驗】명 충격에 대한 재료(材料)의 저항력의 강약(強弱)을 조사하는 시험. 충격 항장력(抗張力) 시험·충격 압축 시험·충격 굴곡(屈曲) 시험·충격 비틀기 시험 등이 있음. ――-하다 타여불

충격 시험기【衝擊試驗機】명 충격 시험에 사용되는 기계.

충격 시험편【衝擊試驗片】명 소성(塑性) 물질의 충격 파괴에 대한 상대적 감도(感度)를 시험하기 위해서 쓰이는 시험편.

충격 실속【衝擊失速】[―쏙] 명〖물〗음속(音速) 비행하는 항공기의 날개 표면에 발생하는 충격파(波)에 의한 실속. 충격파에 의한 급격한 압력의 상승으로 날개 표면의 기류(氣流)의 흐름이 떨어져서 양력(揚力)이 급감(急減)하는 현상. 기체가 진동하여 조종성(操縱性)을 잃고 공중 분해되는 수도 있음.

충격 에너지【衝擊―】명〔impact energy〕〖물〗물질을 파쇄(破碎)하는 데 필요한 에너지.

충격 요법【衝擊療法】[―뇨뻡] 명〖의〗환자의 생명에 위험이 없는 범위 안에서 최대한의 자극을 급격히 주어 치료하는 방법. 정신 분열증·심장 마비 등에 행하는 전격 요법(電擊療法) 따위.

충격-음【衝擊音】명〖물〗물체를 두드릴 때처럼 순간적으로 급격하게 힘이 가하여지기 때문에 물체가 진동하여 발생하는 소리. 힘이 작용하는 시간이 짧을수록 높은 소리가 나기 쉬움.

충격 응:력【衝擊應力】[―녁] 명 갑자기 가해진 힘에 의해, 물질에 미치는 단위 면적에 대한 힘.

충격-적【衝擊的】명관 충격을 받고 느끼는 모양. ¶~인 뉴스.

충격 전:류【衝擊電流】[―절―] 명〖물〗극히 짧은 시간에 큰 전류가 흐르다가 곧 그치는 것과 같은 순간 전류. 벼락이 떨어질 때의 전류 같은 것.

충격 전:압 발생기【衝擊電壓發生器】[―쌩―] 명 극히 짧은 시간에 최대 치수(値數) 10만 볼트 이상의 전압을 발생하는 장치. 송전 계통(送電系統)에 사용하는 애자(礙子)나 변압기의 절연(絕緣) 파괴의 성질을 시험하는 데 필요함.

충격 터:빈【衝擊―】〔turbine〕명〖기〗증기를 노즐에서 분출시켜 고압의 분류(噴流)를 만들어, 이것을 터빈의 바람개비에 부딪치게 하여 회전시키는 터빈. 충동(衝動) 터빈. 임펄스 터빈(impulse turbine).

충격-파【衝擊波】명〖물〗①공기 등의 기체(氣體) 속을 음속 이상의 속도로 전도(傳導)되는 강렬한 압력 변화. 폭발이나 음속 정도 또는 그 이상의 속도로 탄환이나 항공기가 나는 경우 등에 생김. ②전기 공학에서, 극히 단시간에 흐르는 전류파형(電流波形)이나 전자기파(電磁氣波). 펄스파(pulse 波). 임펄스(impulse).

충격파-관【衝擊波管】명〔shock tube〕〖물〗격벽(隔壁)에 의하여 압축실과 팽창실(膨脹室)로 구획된 기다란 관. 압축실을 고압으로 하고 격벽을 파괴할 때 팽창실 안에서 발생하는 충격파를 이용하는 장치. 고속도 유체 역학이나 고온(高溫) 화학 반응의 연구에 쓰임.

충격 파:쇄기【衝擊破碎機】명〖기〗충격력을 이용하여 원료를 부수는 크러셔(crusher)의 총칭. 석탄·석회석 또는 비교적 단단하지 아니한 광석 등을 부수는데 사용됨. 여러 가지 형식이 있음. 임팩트 크러셔(impact crusher).

충격 폭탄【衝擊爆彈】명〖군〗미국이 개발한 폭탄의 하나. 액체 연료를 폭탄 용기(容器)에 넣어 투하하면, 일정 고도(高度)에서 액체가 분출하여 에어로솔(aerosol) 상태가 되고, 공기와 이 가스가 알맞게 혼합되었을 때 폭발됨. 폭발력이 강렬하여, 폭풍과 고열이 수백 평방 미터에까지 미친다고 함. 에어로솔 폭탄(aerosol 爆彈). *기체 폭탄.

충격 피:복 방법【衝擊被覆方法】명 금속 공학에서, 방전(放電) 에너지를 이용하여, 미분(微粉)을 금속판(板) 위에 충돌시켜, 표면을 덮는 방법. 도금보다 강하고 표면이 매끄럽게 되며, 플라스틱 등에도 사용할 수 있는 이점(利點)이 있음.

충격 하중【衝擊荷重】 명 〖물〗 구조물(構造物)에 가하여지는 하중(荷重) 가운데 비교적 짧은 시간에 가하여지는 외력(外力). 작용하는 시간이 짧을수록 효과는 큼.

충격 함:수【衝擊函數】 [—쑤] 명 〔impulse function〕 〖전〗 입력(入力)을 나타낼 경우의 델터(δ) 함수의 일컬음. 응답(應答)은 임펄스 응답이라 하며, 여효(餘效) 함수로 나타냄. 일반적으로 독립 변수의 하나의 값 또는 극히 좁은 폭에 대해서 0이 아닌 함수를 가리킬 때도 있음.

충견【忠犬】 명 충직(忠直)한 개.

충경【忠敬】 명 ①충실하고 조심성이 많음. ②성의를 다하여 공경함. ③충성과 공경. ——-하다 형여불

충계【忠計】 명 충실히 계략을 꾸밈. 또, 성심을 들인 계략.

충고【忠告】 명 충심으로 남의 허물을 경계함. 착한 길로 권고함. ¶ 넌지시 ~하다. ——-하다 자타여불

충곡【衷曲】 명 심곡(心曲).

충곤【忠悃】 명 아주 참되고 정성스러움. ——-하다 형여불

충공【忠功】 명 충의(忠義)를 다하여 세운 공적. 충훈(忠勳).

충과【忠果】 명 〖식〗 감람(橄欖).

충관【衷款】 명 충심(衷心).

충군[1]【充軍】 명 ①군대에 편입함. ②〖역〗 죄를 지은 벼슬아치를 군역(軍役)에 편입시키거나 죄를 지은 평민(平民)을 천역군(賤役軍)에 편입시키던 형벌의 일종.

충군[2]【忠君】 명 임금께 충성을 다함. ——-하다 자여불

충군 애:국【忠君愛國】 명 임금께 충성을 다하고 나라를 사랑함. 준충애(忠愛). ——-하다 자여불

충군 애:민【忠君愛民】 명 임금께 충성을 다하고 백성을 사랑함. ——-하다 자여불

충근[1]【忠勤】 명 충성스럽고 근실함. ——-하다 형여불

충근[2]【忠謹】 명 충실하고 조심성이 많음. ——-하다 형여불

충기【蟲氣】 [—끼] 명 〖한의〗 충복통(蟲腹痛)의 기운.

충-나다【蟲—】 자 물건에 벌레가 생기다.

충남【忠南】 명 〖지〗 ↗충청 남도.

충남 대학교【忠南大學校】 명 국립 종합 대학의 하나. 1952년에 문리과 대학과 농과 대학의 2개 대학으로 설립하여, 1954년 공과 대학을, 1957년 대학원을 각각 설치함. 1962년 충북 대학을 흡수하여 충청 대학교로 새로 발족하였다가 1963년 다시 분리되어 충남 대학교로 개편됨. 소재지는 대전시.

충남-선【忠南線】 명 '장항선(長項線)'의 구칭.

충남 평야【忠南平野】 명 〖지〗 내포(內浦) 평야.

충납【充納】 명 모자라는 것을 채워서 바침. ——-하다 타여불

충년【冲年】 명 열 살 안팎의 어린 나이.

충노【忠奴】 명 충복(忠僕).

충담[1]【冲澹】 명 성질이 맑고 깨끗함. ——-하다 형여불

충담[2]【忠膽】 명 윗사람이나 임금을 섬기는 참된 마음. 성실한 마음. 충간(忠肝).

충담-사【忠談師】 명 〖사람〗 신라 경덕왕(景德王) 때의 중. 향가(鄕歌) 작가. 왕명으로 ≪안민가(安民歌)≫·≪찬기 파랑가(讚耆婆郎歌)≫를 지음. 생몰년 미상.

충당[1]【充當】 명 모자라는 것을 채워 메움. ¶ 학비에 ~하다. ——-하다 타여불

충당[2]【忠讜】 명 충직(忠直). ——-하다 형여불

충당[3]【衝幢】 명 〖역〗 신라 사설당(四設幢)의 하나. 돌격하는 군대.

충당-주【衝幢主】 명 〖역〗 신라 충당의 지휘관. 위계는 급찬(級飡)에서 사지(舍知)까지.

충-도【忠島】 명 〖지〗 전라 남도의 남해상, 완도군 금일읍 충도리(莞島郡金日邑忠道里)에 위치한 섬. [1.20 km² : 721명(1985)]

충돌【衝突】 명 ①서로 내질러서 부딪침. ¶ ~ 사고. ②입장·의견 등이 상반하는 자들이, 언론이나 완력(腕力)·무력으로 다투는 일. ¶ 의견 ~. ③〔collision〕 〖물〗 운동하는 두 물체가 서로 접촉하여 격력(擊力)을 미치는 현상. 이 때에 두 물체의 운동량(量)의 합(合)은 그대로 보존되나, 운동 에너지의 일부분은 열 에너지로 변함. ——-하다 자여불

충돌 규칙【衝突規則】 명 〖법〗 저촉 규정(抵觸規定).

충돌-론【衝突論】 명 〔collision theory〕 〖물〗 양자 역학(量子力學)에서, 단순 또는 복잡한 입자의 충돌을 기술하는 이론. 가정된 상호 작용에서 충돌 단면적을 유도해 내고, 확률의 보존과 시간 반전(時間反轉) 불변성과 같은 불변칙(不變則)으로써 충돌 진폭의 정성적(定性的) 성질을 조사함.

충돌-설【衝突說】 명 〔collision theory〕 〖화〗 반응 생성물(反應生成物)의 형성(形成) 속도는 반응 분자(分子) 충돌수에 저(低)에너지 준위(準位)에서의 충돌의 보정항(補正項)을 곱한 것과 같다는 화학 반응 이론.

충돌 손:실【衝突損失】 명 〖물〗 큰 흐름의 유속(流速)이 작은 흐름에 충돌할 때에 생기는 손실.

충돌-수【衝突數】 [—쑤] 명 〖물〗 기체 중의 전자(電子)처럼, 물질 속을 통과하는 한 개의 입자가 단위 시간 내에 충돌하는 평균 회수.

충돌 이온화【衝突—化】 명 〔collision ionization〕 기체나 증기(蒸氣)의 원자 또는 분자가, 다른 입자(粒子)와 충돌해서 이온화되는 일.

충돌 침로【衝突針路】 [—노] 명 〖항〗 두 척의 배나 두 대의 비행기가 그대로 전진하면 충돌할 위험이 있는 침로.

충돌 파라미터【衝突—】 명 〔collision parameter〕 〖항공〗 궤도 계산에 있어서, 중심력장(中心力場)의 인력 중심(引力中心)과 운동 물체의 속도 벡터의 연장선 사이의 거리.

충돌 포:집【衝突捕集】 명 〔impingement〕 〖공〗 유동하는 기체 또는 증기류(蒸氣流)를 고속으로 방해판(妨害板)에 충돌시켜 액적(液滴)을 분리하는 액적 제거법.

충동[1]【充棟】 명 쌓은 것이 마룻대에 닿는다는 뜻으로, 장서(藏書)가 많음을 이름. 한우(汗牛) 충동. ——-하다 형여불

충동[2]【衝動】 명 ①들쑤시어 움직이게 함. ¶ 싸우도록 ~하다. ②〖심〗 목적 관념을 떠나서 일어나는 의식. 본능적이고 찰나적(刹那的)인 것이 특징인데 동작이나 행위가 수행되지 않을 때에는 불안감을 수반하게 됨. ¶ 성적(性的) ~. ——-하다 타여불

충동-거리다【衝動—】 타 자꾸 충동이다. ¶ 가만히 있는 사람을 충동거려서 못된 짓을 하게 하다.

충동-대다【衝動—】 타 충동거리다.

충동 생활【衝動生活】 명 어떠한 일에, 목적을 의식하지 아니하고 선악(善惡)을 가림이 없이, 다만 외계(外界)의 자극에 따라서 하는 생활. 본능적 생활.

충동-이다【衝動—】 타 ①흥분할 만큼 강한 자극을 주다. ②다른 사람을 부추기다. ¶ 일마다 비뚜로 ~.

충동-적【衝動的】 명관 충동을 주는 모양. 충동을 느끼고 그것을 그대로 행동에 옮기고 마는 모양.

충동적 구매【衝動的購買】 명 미리 구매 목적을 가지고 있지 아니하였으나 실제로 가게 앞이나 가게 안에서 상품을 보거나 광고를 보고 사고 싶어져서 구매하는 행동.

충동-질【衝動—】 명 충동하는 짓. ¶ 멀쩡한 사람을 ~하다. ——-하다 타여불

충동 터:빈【衝動—】 〔turbine〕 명 〖공〗 충격 터빈.

충두【衝斗】 명 북두 칠성에 부딪친다는 뜻으로, 몹시 크고 거센 세력.

충량[1]【忠良】 [—냥] 명 충성스럽고 선량함. ——-하다 형여불

충량[2]【衝樑】 [—냥] 명 〖건〗 집채의 좌우 쪽에서 상량과 동렬(同列)로 짜이는 단량(短樑). 바깥 머리는 대량(大樑) 모양으로 기둥 위에 짜이고, 안 머리는 대량 허리 위에 걸침.

충량-과【忠良科】 [—냥—] 명 〖역〗 조선 영조(英祖) 40년(1764)에, 임진 왜란 후에 귀화(歸化)한 명(明)나라 유민(遺民)의 자손과, 병자 호란 때 항청 순사(抗淸殉死)한 자의 자손을 위하여 특설한 과시(科試).

충력【忠力】 [—녁] 명 진심으로부터의 활동·일. 또, 충의(忠義)의 염력(念力).

충렬【忠烈】 [—녈] 명 충성스럽고 절의(節義)에 열렬함. ——-하다 형여불

충렬-묘【忠烈廟】 [—녈—] 명 충렬사(忠烈祠).

충렬-문【忠烈門】 [—녈—] 명 충신 열사를 기념하기 위하여 세운 문.

충렬-사【忠烈祠】 [—녈싸] 명 충신 열사(烈士)를 제사하는 사당. 충렬묘(忠烈廟).

충렬-왕【忠烈王】 [—녈—] 명 〖사람〗 고려 제 25대 왕. 원(元)나라에 굴복하여 원 세조(元世祖)의 공주인 제국(齊國) 공주를 취(娶)하고 공주의 소고적(小姑的)인 감독을 받았음. [1236-1308 ; 재위 1274-1308]

충렴【蟲廉】 [—념] 명 무덤 속의 송장에 벌레가 생기는 재앙.

충령【忠靈】 [—녕] 명 충의(忠義)를 위하여 생명을 바친 영령(英靈).

충령-탑【忠靈塔】 [—녕—] 명 충혼탑(忠魂塔).

충로【衝路】 [—노] 명 ①적이 쳐들어 오는 길. ②사물이 많이 모이는 장소.

충류【蟲類】 [—뉴] 명 벌레의 종류. 벌레의 부류.

충립【充立】 [—닙] 명 〖역〗 대신 입역(立役)을 세워 충당(充當)함.

충링〔葱嶺〕 명 〖지〗 중앙 아시아 파미르 고원(高原)을 중국에서 일컫는 말. 중국에서 서역(西域)으로 통하는 길이 있어 전한(前漢) 때부터 유명한 곳임. 총령(葱嶺).

충만【充滿】 명 ①가득하게 참. ¶ 얼굴에 희색(喜色)이 ~하다. ②〖기독교〗 하느님의 덕과 능력이 가득 차서 완전한 상태. ——-하다 자여불. ——-히 부

충만-강【忠滿江】 명 〖지〗 평안 북도 중북부를 북류하는 압록강의 지류. 초산군(楚山郡) 남부 적유령(狄踰嶺) 산맥에서 발원하여 초산군 서부 및 벽동군(碧潼郡) 동부를 북류하다가 압록강에 합류함.

충만-대【充滿帶】 명 〔filled band〕 〖물〗 전자(電子)가 자리잡고 있는 에너지대(帶).

충매-균【蟲媒菌】 명 〔entomophilic fungi〕 곤충에 의해서 매개(媒介)되는 병원균.

충매 전염【蟲媒傳染】 명 〔insect transmission〕 〖생〗 매개충(媒介蟲)에 의해 병원체(病原體)에 감염된 식물로부터 병원체가 전반(傳搬)되어 건전(健全) 동식물에 감염되는 일. 특히, 벌레가 매개를 하는 데 필연적인 작용을 하는 경우를 이름.

충매-화【蟲媒花】 명 〖식〗 곤충의 매개에 의하여 화분(花粉)을 다른 꽃의 주두(柱頭)로 전파하여 생식하는 꽃. 향내와 화밀(花蜜)로 곤충이 꾀게 됨. 개나리꽃·무궁화꽃·복숭아꽃·외꽃·호박꽃 등. *풍매화(風媒花).

충매화 식물【蟲媒花植物】 명 〖식〗 충매화를 갖는 식물. 진달래·도라지·보춘화(報春花) 등 꽃을 관상하는 식물의 거의 전부가 포함됨.

충맥【衝脈】 명 〖한의〗 기경 팔맥(奇經八脈)의 하나.

충모[1]【忠謀】 명 충성스러운 꾀.

충모[2]【衝冒】 명 어려운 고비를 뚫고 무릅씀. ——-하다 타여불

충목-왕【忠穆王】 명 고려 제29대 왕. 충혜왕(忠惠王)의 아들. 원(元)나라에 볼모로 있다가 충혜왕 복위(復位) 5년(1344) 부왕의 죽음으로 원나라 순종(純宗)에 의하여 왕으로 봉해져, 돌아와 즉위하였으나 나이가 어리어 어머니 덕녕 공주(德寧公主)가 섭정하였음. [1337-48; 재위 1344-48]

충목지-장【衝目之杖】 명 〔눈을 찌를 막대기라는 뜻〕남을 해칠 악한 마음을 이르는 말.

충무【忠武】 명 《지》 경상 남도에 속했던 시(市). 1955년 통영읍(統營邑)이 충무시로 승격하였다가 1995년 1월, 통영군과 통합하여 통영시로 개편됨.

충무-공【忠武公】 명 《사람》 이순신의 시호(諡號)를 높이어 일컫는 말.

충무공 탄:신일【忠武公誕辰日】 명 충무공의 높은 충의(忠義)를 길이 빛내는 뜻에서 제정한 날. 4월 28일.

충무 무:공 훈장【忠武武功勳章】 명 《법》 제3등급의 무공 훈장. 수(綬)는 중수(中綬)이며, 엷은 오렌지색 바탕에 여섯 줄의 백색 줄이 있음. *화랑 무공 훈장.

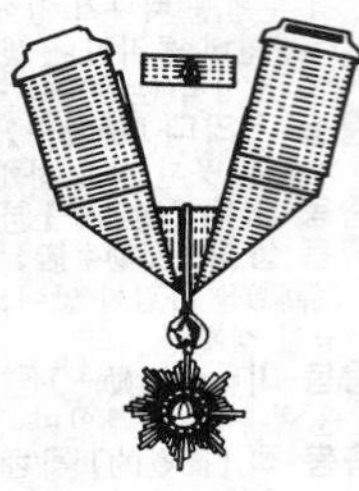
〈충무 무공 훈장〉

충무 운하【忠武運河】 명 《지》 통영 반도(統營半島)의 남쪽 끝과 미륵도(彌勒島) 사이의 운하. 길이 1,420 m, 넓이는 55 m, 수심은 3 m임. 이 밑에는 길이 461 m의 해저 터널이 있음.

충무-위【忠武衛】 명 《역》 조선 때의 오위(五衛) 가운데의 후위(後衛). 문종(文宗) 원년(1451)에 베풀었는데 충순위(忠順衛)의 정병(正兵)과 장용위(壯勇衛)가 이에 속하여 중(中)·좌(左)·우(右)·전(前)·후(後)의 다섯 부(部)로 나뉘고 함경도의 각 진(鎭)에 군대가 분속되어 있었음. 임진 왜란 뒤에 오위 병제(兵制)가 무너지면서 명목만 남아 있다가 고종 19년(1882)에 혁파(革罷)됨.

충밍 섬〔崇明〕 명 《지》 중국 상하이 시(上海市) 북부, 충밍 현(縣)으로 이루어지는 섬. 양쯔 강(揚子江) 어귀에 있으며, 진흙이 쌓이어 된 것이라 함. 원(元)나라 때는 죄수의 유배지였음. 비교적 나지막한 섬으로 온 섬이 잘 경작되어 제염(製塩)·목화(木花) 재배 등이 활발함. 숭명도. [710 km²: 140,000 명(1971)]

충-백랍【蟲白蠟】 [—납] 명 백랍(白蠟)❶.

충보【充補】 명 보충(補充). ——-하다 타여불

충복[1]【充腹】 명 음식의 좋고 나쁨을 가리지 아니하고 고픈 배를 채움. ——-하다 자여불

충복[2]【忠僕】 명 성심(誠心)으로 주인을 섬기는 남자 종. 충노(忠奴). 의복(義僕).

충-복통【蟲腹痛】 명 《한의》 거위배.

충봉【衝鋒】 명 적진으로 돌관(突貫)함. ——-하다 자여불

충북【忠北】 명 《지》 ↗충청 북도.

충북 대학교【忠北大學校】 명 국립 대학교의 하나. 1951년에 도립 청주 초급 농과 대학으로 개교, 53년에 도립 청주 농과 대학, 56년에 도립 충북 대학, 63년에는 국립 충북 대학으로 개편되었다가, 77년에 종합 대학교로 승격됨. 소재지는 청주시(淸州市).

충북-선【忠北線】 명 《지》 경부선의 조치원(鳥致院)과 충북 봉양(鳳陽) 사이의 철도선. 1958년 5월 15일 개통. 1980년에 복선(複線)이 됨. [113.2 km]

충분[1]【充分】 명 분량(分量)이 넉넉하여 모자람이 없음. ¶ ~한 증거. ——-하다 형여불. ——-히 부

충분[2]【忠憤】 명 충의(忠義)로 인하여 일어나는 분한 마음.

충분[3]【忠奮】 명 충의(忠義)를 위하여 떨치고 일어남. ——-하다 자여불

충분 조건【充分條件】 [—껀] 명 《논》 A라는 일이 성립되면 반드시 B라는 일도 성립될 때, 그 B에 대한 A의 일컬음. A에 대한 B는 '필요 조건(必要條件)'이라 함.

충분지-심【忠奮之心】 명 충의를 위하여 분기(奮起)하는 마음.

충-불사이:군【忠不事二君】 [—싸—] 명 충신 불사 이군.

충비[1]【充備】 명 넉넉하게 준비함. ——-하다 자타여불

충비[2]【忠婢】 명 성심으로 주인을 섬기는 계집 종.

충비 서:간【蟲臂鼠肝】 명 〔벌레의 앞발과 쥐의 간의 뜻〕 아주 하찮고 작은 물건을 비유(比喩)하는 말.

충-빠지다 자 화살이 떨며 나가다.

충사[1]【忠士】 명 정성을 다하여 임금과 나라를 위하는 사람. 충의(忠義)의 선비.

충사[2]【忠死】 명 충의(忠義)를 위하여 죽음. ——-하다 자여불

충사[3]【忠邪】 명 충직(忠直)과 간사(奸邪).

충사[4]【忠事】 명 정성을 다하여 일을 함. 또, 그 일.

충산〔瓊山〕 명 《지》 중국 광둥 성(廣東省) 하이난(海南) 섬 동북부의 도시. 충산 현의 주도(主都). 상업은 외항인 하이커우(海口)에 뺏기고 있으나 도내(島內)의 정치·문화의 중심지임. 교외(郊外)에 송(宋)나라 소식(蘇軾)이 좌천되어 머물렀던 옛 터가 있음. 충저우(瓊州)라고도 함. 경산.

충상【衝上】 명 상충(上衝). ——-하다 자여불

충상 단:층【衝上斷層】 명 《지》 역단층(逆斷層).

충색【充塞】 명 꽉 차서 막힘. 또, 꽉 채워서 막음. ——-하다 자타여불

충서[1]【忠恕】 명 충실하고 인정이 많음.

충서[2]【蟲書】 명 ↗조충서(鳥蟲書).

충선【忠善】 명 충실하고 선량(善良)함. ——-하다 형여불

충선-왕【忠宣王】 명 《사람》 고려 제26대 왕. 원(元)나라 세조(世祖)의 외손으로 주로 북경에 거주하였는데, 그 곳에 만권당(萬卷堂)을 지어 놓고 고려와 원나라의 학자를 모아 학문의 교류에 힘썼음. [1275-1325; 재위 1298, 1308-13]

충설【衝舌】 명 《건》 추녀.

충성[1]【忠誠】 명 진정에서 우러나는 정성. 성충(誠忠). 충성(衷誠). ——-하다 자여불 충성을 바치다. 충성을 다하다.

충성[2]【衷誠】 명 속에서 우러나는 정성. 충성(忠誠). 성실(誠實).

충성[3]【蟲聲】 명 벌레 우는 소리.

충성-스럽다【忠誠—】 형 ㅂ불 충성의 태도가 있다. 충성-스레【忠誠—】 부

충성-심【忠誠心】 명 충성스러운 마음.

충손【蟲損】 명 충해(蟲害).

충수[1]【充數】 명 일정한 수효를 채움. ¶ 당장 발기잡힐 일을 ~만 채운다고 무사부지할 듯싶으냐? ≪金周榮: 客主≫. ——-하다 타여불

충수[2]【蟲垂】 명 《생》 충양 돌기(蟲樣突起).

충수-꾼【充數—】 명 수효(數爻)를 채우는 존재밖에 되지 아니하는 쓸모 없는 사람.

충수-염【蟲垂炎】 명 《의》 충양 돌기(蟲樣突起)에 생기는 염증. 통속적으로는 맹장염이라 함. 생기는 원인에 관하여는 장내 감염설(腸內感染說)·혈행(血行) 감염설·식이성 효소설(食餌性酵素說)·알레르기설(Allergie 說) 등이 있으나 아직 결정적이 아님. 증상으로는 전구 증상(前驅症狀)으로서 변비·설사·식욕 감퇴·오한(惡寒) 등이 오고 급자기 상복부(上腹部) 및 배꼽 부근에 심한 복통이 일어남. 맹장염. 충양 돌기염.

충숙-왕【忠肅王】 명 《사람》 고려 제27대 왕. 휘는 도(燾). 충선왕(忠宣王)의 아들. 아들 충혜왕(忠惠王)에게 양위하였다가 2년 후에 다시 위에 올랐음. [1294-1339; 재위 1313-30, 32-39]

충순[1]【忠純】 명 충직하고 순실(純實)함. ——-하다 형여불. ——-히 부

충순[2]【忠順】 명 충직하고 양순함. ——-하다 형여불. ——-히 부

충순-위【忠順衛】 명 《역》 조선 시대 충무위(忠武衛)에 속했던 군대. 임금의 이성 시마(異姓緦麻)와 외육촌(外六寸) 이상의 겨레붙이, 왕비·선왕(先王)·선후(先后)의 시마와 외오촌(外五寸) 이상의 겨레붙이, 동반(東班) 육품 이상 및 서반(西班) 사품 이상으로 전에 실직(實職)을 지낸 사람, 문무과(文武科) 출신, 생원(生員), 진사(進士), 유음 자제(有蔭子弟) 들로 조직함. 성중관(成衆官)의 하나임.

충식-통【蟲蝕痛】 명 《한의》 충치(蟲齒)로 아픈 병.

충신[1]【忠臣】 명 육정(六正)의 하나. 나라와 임금을 위하여 충절(忠節)을 다하는 신하. 신신(藎臣). 성신(誠臣). *간신(奸臣)·역신(逆臣). [충신의 편도 천명(天命), 역신의 편도 천명] 세상 일은 무엇이나 사람의 뜻대로 이루어지는 것이 아니라 운명에 정해진 대로 되어 가는 것이라는 말. [충신이 죽으면 대나무가 난다] 충신이 죽은 자리에서 그 절개를 상징하는 대나무가 돋는다는 속설(俗說).

충신[2]【忠信】 명 충성과 신의.

충신 불사이:군【忠臣不事二君】 [—싸—] 명 충신은 두 임금을 섬기지 아니함. 충불사이군. ——-하다 자여불

충신 열사【忠臣烈士】 [—녈싸] 명 나라와 임금을 위해 충절을 하는 신하와 절개·의리를 지키는 사람.

충신-장【忠臣章】 [—짱] 명 《악》 용비 어천가 제106장의 이름.

충실[1]【充實】 명 ①몸이 굳세어서 튼튼함. ¶ ~한 몸. ②내용·설비 등이 알참. ¶ ~한 생활. ——-하다 형여불. ——-히 부

충실[2]【忠實】 명 충직하고 성실함. ¶ 직무에 ~하다. ——-하다 형여불. ——-히 부

충실[3]【蟲室】 명 《동》 외항류(外肛類)에 속하는 동물의 개체를 보호하는 집. 석회질(石灰質)·각소질(角素質) 혹은 우무질(質)로 되어 있는데 그 형상이 여러 가지임.

충심[1]【忠心】 명 충성스러운 마음.

충심[2]【衷心】 명 속에서 우러나는 참된 마음. 충관(衷款). ¶ ~으로 환영(歡迎)함.

충애【忠愛】 명 ①충성과 사랑. ②↗충군 애국(忠君愛國). ——-하다 자여불

충액【充額】 명 일정한 액수(額數)를 채움. ——-하다 타여불

충양 돌기【蟲樣突起】 명 《생》 맹장의 후벽(後壁)하부에 있는 가느다란 관상(管狀)의 작은 돌기(突起). 속은 비고 구부러졌으며 작은 구멍이 있어 맹장과 연락됨. 막창자꼬리. 충양수(蟲樣垂). 충수(蟲垂). *맹장(盲腸).

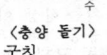

결장
회장
맹장
충수
〈충양 돌기〉

충양돌기염【蟲樣突起炎】 명 《의》 '충수염(蟲垂炎)'의 구칭.

충양-수【蟲樣垂】 명 《생》 충양 돌기.

충-어【蟲魚】 명 벌레와 물고기.

충언【忠言】 명 충고하는 말. 충직한 말. ——-하다 자타여불

충언 역이【忠言逆耳】 명 충직한 말은 귀에 거슬리어 불쾌함.

충-역【忠逆】 명 충의와 반역.

충연[1]【衝然】 명 높이 솟은 모양. ——-하다 형여불. ——-히 부

충연[2]【衝椽】 명 《건》 추녀.

충연 유:득【充然有得】 명 마음에 부족이 없음. 만족하게 생각함.

충영[1]【充盈】 명 가득함. ——-하다 자여불

충영[2]【蟲癭】 명 〔cecidium〕 《식》 곤충의 기생으로 이상 발육을 하여 혹처럼 된 식물체(體). 오배자(五倍子)는 충영의 하나인데 오배자(五倍子)벌레가 붉나무의 어린 잎·줄기·뿌리에 산란(産卵)하면 식물은 이 부분에 많은 양분을 보내게 되어 이상적으로 발육해서 여러 가지 모양으로 비후(肥厚)해지고 알을 싸서 보호함. 이 충영 속에서 깐 유충(幼蟲)은 충영 안에서 양분을 섭취하여 성충이 됨. 이런 종류의 곤충은 잉크 그 밖의 염료(染料)가 되는 것이 많음. 벌레혹.

충욕【充慾】 명 욕심을 채움. ——-하다 자여불

충용[1]【充用】 명 채워서 씀. ——-하다 타여불

충용[2]【忠勇】 명 충성스럽고 용맹함. ¶ ~ 무쌍. ——-하다 형여불

충용 사:위【忠勇四衛】 명 《역》 고려 공민왕(恭愍王) 5년(1356)에 베푼

군영(軍營). 좌·우·전·후의 네 위(衛)가 있는데 한 위(衛)에 장군 한 사람, 중랑장(中郎將)·낭장(郎將) 각 두 사람, 별장(別將)·산원(散員) 각 다섯 사람, 위장(衛長) 스무 사람, 대장(隊長) 마흔 사람이 있음. (준)충용위(忠勇衛).

충용-위【忠勇衛】명 〖역〗↗충용 사위(忠勇四衛).

충우【忠友】명 진심으로 사귄 벗.

충울【茺蔚】명 〖식〗익모초(益母草).

충울-자【茺蔚子】[—짜] 명 〖한의〗익모초(益母草)의 씨. 익모초와 같은 약효가 있음.

충원【充員】명 인원을 채움. ——-하다 자 여불

충원 지시【充員指示】명 〖군〗부족되는 병원(兵員)을 충원시키기 위한 지시. (준)충지.

충위【充位】명 오직 수채움으로 그 자리를 지킬 뿐 책임을 다하지 아니함. ——-하다 자타 여불

충유【冲幼】명 유충(幼冲). ——-하다 형 여불

충의【忠義】[—/—이] 명 ①충성과 절의(節義). ②〖역〗공신(功臣)의 자손으로서 충의위(忠義衛)에 소속된 사람.

충의 교:위【忠毅校尉】[—/—이—] 명 〖역〗조선 시대 때 정오품(正五品) 무관(武官)의 품계. 현신 교위(顯信校尉)의 위, 과의 교위(果毅校尉)의 아래임.

충의-위【忠義衛】[—/—이—] 명 〖역〗조선 시대 충좌위(忠佐衛)에 속했던 군대. 공신(功臣)의 적실(嫡室) 자손과 첩(妾) 자손으로서 승중(承重)된 사람으로 조직(組織)함. 세종 즉위년(卽位年:1419)에 베풀어서 고종(高宗) 31년(1894)에 폐하였음. 성중관(成衆官)의 하나.

충이【充耳】명 염습(殮襲)할 때에 송장의 귀에 솜을 메우는 일. ——-하다 자 여불

충이다 타 곡식이 든 섬이나 자루 등을 좌우 또는 아래로 흔들거나 까불러서 곡식이 많이 들게 하다. ¶쌀자루를 ~. *칭이다.

충익-부【忠翊府】명 〖역〗조선 시대 때 원종 공신(原從功臣)의 관부(官府). 국초(國初)에 충익사(忠翊司)를 두고 세조(世祖) 12년(1466)에 충익부(忠翊府)로 고치었다가 뒤에 충훈부(忠勳府)에 합치고 광해군(光海君) 때에 독립하였다가, 곧 병조(兵曹)에 붙였으며, 인조(仁祖) 때에 충훈부에 합쳤다가 숙종(肅宗) 2년(1676)에 다시 병조에 붙였으며, 동 6년에 충훈부에 합치고, 동 15년에 병조에 붙였다가 동 25년에 다시 충훈부에 합치었음.

충익-위【忠翊衛】명 〖역〗조선 시대 때 공신(功臣)의 자손들로 조직하여 궁중(宮中)에 번(番)들게 한 군대. 영조(英祖) 때에 베풀어서 고종(高宗) 31년(1894)에 폐함.

충익위-장【忠翊衛將】명 〖역〗조선 시대 충익위(忠翊衛)의 정삼품(正三品) 으뜸 장수.

충인【充牣】명 가득함. 그득히 됨. ——-하다 자 여불

충일【充溢】명 가득차서 넘침. ——-하다 자 여불

충입【衝入】명 대질러서 뚫고 들어감. ——-하다 자 여불

충장【充壯】명 충만하여 씩씩함. ——-하다 형 여불

충장-사【忠壯祠】명 〖지〗임진 왜란 때의 의병장 김덕령(金德齡)의 호국 정신을 기리기 위하여 세운 사우(祠宇). 광주 직할시에 있음. 1975년 건립.

충장-위【忠壯衛】명 〖역〗조선 시대 때, 전사한 사람의 자손으로 조직하여 궁중(宮中)에 번(番)들게 한 군대. 영조(英祖) 때에 베풀어서 고종(高宗) 31년(1894)에 폐함.

충장위-장【忠壯衛將】명 〖역〗조선 시대 충장위(忠壯衛)의 정삼품(正三品) 으뜸 장수.

충재【蟲災】명 해충으로 인하여 생기는 농작물의 재앙.

충저우〔瓊州〕명 〖지〗충산(瓊山).

충적[1]【充積】명 가득차게 쌓음. ——-하다 타 여불

충적[2]【冲寂】명 공허하고 조용함. ——-하다 형 여불

충적[3]【沖積·冲積】명 흐르는 물에 의하여 쌓임. ——-하다 자 여불

충적[4]【蟲積】명 〖한의〗음식이 위 속에서 잘 소화되지 아니하고 쌓여서 마치 벌레가 뭉친 것같이 감각되는 병.

충적 광:상【冲積鑛床】명 〖광〗암석 중의 유용(有用) 광물이 유수(流水)에 의하여 운반되어 하상(河床)이나 바다 또는 연못의 모래 속에 집중되어 이루어지는 광상. 사금(砂金)·사철(砂鐵)의 광상 같은 것.

충적-기【冲積期】명 〖지〗충적세(冲積世).

충적-물【冲積物】명 유수(流水)에 의하여 운반되어 쌓인 진흙이나 모래·조약돌 등의 퇴적물(堆積物).

충적-선【冲積扇】명 〖지〗선상지(扇狀地).

충적 선상지【冲積扇狀地】명 〖지〗선상지(扇狀地).

충적-세【冲積世】명 〔alluvial epoch〕〖지〗지질 시대 제4기 최후의 시대. 홍적세(洪積世)의 대(大)빙하가 녹은 다음의 후(後)빙하 시대를 말하며 신석기(新石器) 시대 이후 현대까지 이에 해당함. 기후·수륙(水陸)의 분포 및 동식물계가 현대와 거의 같음. 충적기. *현세(現世)❷.

충적 작용【冲積作用】명 〔alluviation〕〖지〗하천에 의해서 퇴적물이 퇴적되는 현상.

충적-지【冲積地】명 〖지〗충적토(冲積土)로 이루어진 땅.

충적-추【冲積錐】명 〖지〗①선상지(扇狀地). ②특히, 작은 하천에 형성된 급경사의 선상지를 일컬음.

충적-층【冲積層】명 〔alluvium〕〖지〗충적세(冲積世)에 생성된 지층. 지질학상 가장 새로운 지층으로 자갈·진흙·모래·토탄(土炭) 등으로써 이루어짐. 현대의 바닷가·강가 등의 표층(表層)을 이루는 퇴적물(堆積物)이 이에 속함. 충적통(冲積統).

충적-토【冲積土】명 〖지〗충적층에 속하는 흙. 물에 의하여 운반된 흙이나 모래가 점차 가라앉고 쌓여서 생긴 것으로 농사 짓기에 알맞음. 퇴적토(堆積土). ↔풍적토(風積土).

충적-통【冲積統】명 〖지〗충적층(層).

충적 평야【冲積平野】명 〖지〗퇴적 평야(堆積平野). *빙성(氷成) 평야.

충적 평지【冲積平地】명 〔alluvial flat〕〖지〗소규모의 충적 평야(平野). 152.4-609.6 cm/km의 경사를 가짐.

충전[1]【充電】명 〔charge〕〖전〗전지나 콘덴서에다 외부 전원(外部電源)으로부터 전류를 흐르게 하여 에너지를 축적함. ↔방전(放電)❶. ——-하다 자 여불

충전[2]【充塡】명 ①집어넣어서 막음. 채우는 일. 전충(塡充). ¶아말감 ~. ②〔backfill〕〖광〗채굴이 끝난 후 천반(天盤)을 받치기 위해서 메우는 모래나 바위. ——-하다 타 여불

충전[3]【忠戰】명 충의(忠義)를 위하여 싸움. ——-하다 자 여불

충전 가:상【充塡假像】명 〖광〗광물이 있던 자리의 빈 곳에 다른 광물이 충전되어 생긴 가상(假像).

충전-공【充塡工】명 제약(製藥)·기타 제조업 등에 있어, 충전에 종사하는 작업원(作業員).

충전-관【充塡管】명 〔packed tube〕〖공〗열용량(熱容量)이 큰 입상(粒狀) 물질을 채워 넣은 관(管). 관을 밖에서 가열하여 기체(氣體)를 가열하는 데에 쓰임.

충전 광:상【充塡鑛床】명 〖광〗암석(岩石) 중의 빈 곳이 충전되어 형성된 광상.

충전-기【充電器】명 축전지(蓄電池)의 충전에 쓰이는 장치. 특히, 교류 전압(交流電壓)을 정류(整流)하여 충전에 적합한 직류 전압(直流電壓)을 얻는 장치.

충전-물【充塡物】명 ①충전하는 물질. ②〔shell filler〕〖군〗탄환에 충전하기 위해 사용되는 폭약이나 그밖의 재료.

충전-벽【充塡壁】명 〔pack wall〕〖광〗탄갱(炭坑)이나 금속 광산 등에서, 갱도(坑道)·측벽(側壁)·채광(採鑛)이 끝난 자리에 천반(天盤)을 버티거나, 충전재(材)를 누르기 위해 만들어진 건조(乾燥)한 암석의 벽.

충전-부【充塡夫】명 〔packer, pillar man〕〖광〗석탄을 채굴한 자리에 토사(土砂)나 암석을 충전하는 인부.

충전 수갱【充塡竪坑】명 〔mill〕〖광〗충전재(充塡材)를 아래 쪽 막장으로 나르기 위해 마련된 수갱.

충전용 물질【充塡用物質】[—뇽—찔] 명 〔packing material〕〖야금〗분말 야금 때에, 예비 소결(豫備燒結)이나 또는 소결을 하는 동안, 압밀 성형체(壓密成形體)를 채워 두는 물질.

충전-율【充塡率】[—뉼] 명 어느 공간의 입자(粒子) 따위의 충전 정도를 나타내는 비율.

충전-재【充塡材】명 ①〔filler〕종이·수지(樹脂)·아스팔트 질재(質材) 및 다른 물질의 성질을 개량하고 품질을 개선하기 위해 첨가되는 불활성(不活性) 물질. ②〔caulk〕틈을 막기 위해 쓰이는 물질.

충전 전:류【充電電流】[—절—] 명 〖물〗①축전지에 충전할 때 외부 전원(電源)으로부터 흘러 들어가는 전류. ②축전기에 직류 전압을 걸어서 같은 전압이 될 때까지 흐르는 전류. ③송전선(送電線) 속의 정전 용량(靜電容量)으로 인하여 무부하(無負荷), 곧 전류를 사용하는 장치를 접속하지 않았을 때의 상태에서 흐르는 전류.

충전-탑【充塡塔】명 〔packed column〕〖물〗기체—액체, 액체—액체 따위 양상(兩相) 간의 물질 이동이 이루어질 때 양상 간(兩相間)의 접촉 면적을 증대시키고 각상(各相) 간의 흐름을 흩뜨려 물질 이동 속도를 크게 하기 위하여 안에 각종 충전물을 가득 채운 탑. 가스 흡수·증류(蒸溜)·용매 추출(溶媒抽出) 등 조작(操作)에 쓰임. 충전물로 촉매나 흡착제(吸着劑)를 쓴 것은 각기 반응탑(反應塔)·흡착탑(吸着塔)이라 불림.

충절【忠節】명 충성스러운 절의(節義).

충정[1]【冲靜】명 마음이 편안하고 고요함. ——-하다 형 여불

충정[2]【忠正】명 충실하고 올바름. ——-하다 형 여불

충정[3]【忠貞】명 충성스럽고 절개(節槪)가 곧음. ——-하다 형 여불

충정[4]【忠情】명 충성스럽고 참된 정.

충정[5]【衷情】명 속에서 우러나는 참된 정. 진정(眞情). ¶애국 ~.

충정[6]【衝程】명 〔stroke〕〖기〗행정(行程)❷.

충정-관【冲正冠】명 조선 초기에, 사대부(士大夫)가 평상시에 쓰던 관. 윗면이 네모졌음. *동파관.

〈충정관〉

충정-왕【忠定王】명 〖사람〗고려 제30대 왕. 휘(諱)는 저(胝). 충혜왕(忠惠王)의 서자. 12세에 즉위했으나, 외척 윤시우(尹時遇)와 충목왕(忠穆王)의 모후(母后) 덕녕 공주(德寧公主)의 총신 배전(裵佺) 등이 정치를 어지럽히고 밖으로 왜구의 침입이 심해 재위 3년 만에 폐위됨. [1337-52; 재위 1348-51]

충족【充足】명 ①일정한 분량에 차거나 채움. ¶요구 사항을 ~시키다. ②분량에 차서 모자람이 없음. ¶~한 생활. ——-하다 타형 여불. ——-히 부

충족-감【充足感】명 충족한 느낌. 모자람이 없는 흡족한 느낌.

충족-률【充足律】[—뉼] 명 〖철〗충족 이유율(充足理由律).

충족 원리【充足原理】[—월—] 명 〖철〗충족 이유율(充足理由律).

충족 이:유율【充足理由律】[—니—] 명 〖철〗사유(思惟) 법칙의 하나. 모든 사물의 존재 또는 진리에는 그에 상응(相應)하는 충분한 이유가 있을 것을 요구하는 원리. 라이프니츠(Leibniz)는 사유의 실질성의 원리로서 강조하여 모순율(矛盾律)과 함께 논리학의 2대 원리로 삼았고, 쇼펜하워도 이를 중시하여 생성(生成)의 충족 이유율, 인식의 충족 이유율, 존재의 충족 이유율, 행위의 충족 이유율의 넷으로 나누었음. 충

족률. 충족 원리. 레종 데르트.

충졸【衝拶】명 대질러서 부딈침. ——-하다 타여불

충좌 시:위사【忠佐侍衛司】명 〖역〗 조선 태조(太祖) 4년(1395)에 의흥 친군(義興親軍)의 십위(十衛)의 하나인 우위(右衛)를 고친 이름. 문종(文宗) 원년(1451)에 오위(五衛)를 두면서 폐하였음.

충좌-위【忠佐衛】명 조선 시대 때 오위(五衛) 가운데의 전위(前衛). 문종(文宗) 원년(1451)에 베풀었는데, 충의위(忠義衛)·충찬위(忠贊衛)·파적위(破敵衛)가 이에 속하여 중(中)·좌(左)·우(右)·전(前)·후(後)의 다섯 부(部)로 나뉘고 전라도의 각 진(鎭)에 군대가 분속되어 있었음. 임진 왜란 뒤에 오위 병제(兵制)가 무너지면서 명목만 남아 있다가 고종(高宗) 19년(1882)에 혁파(革罷)됨.

충주【忠州】명 〖지〗 충청 북도의 한 시(市). 1읍(邑) 12면(面) 15동(洞). 도의 중앙에서 약간 동쪽에 있음. 동쪽은 제천시(堤川市), 남쪽은 괴산군(槐山郡), 북쪽은 강원도 원주시(原州市), 북서쪽은 경기도 여주군(驪州郡)에 접함. 주요 산물로는 쌀·잎담배·사과·고추 등의 농산물과, 활석·중석 등의 광산물이 있음. 명승 고적으로는 국보 6호인 탑평리(塔坪里) 칠층 석탑, 일명 중앙탑(中央塔)·국보 제197호인 청룡사 보각 국사 정혜 원융탑(青龍寺普覺國師定慧圓融塔)·보물 제16호인 억정사 대지 국사비(億政寺大智國師碑)·탄금대(彈琴臺)·단월대(丹月臺)·충렬사(忠烈祠)·남산성지(南山城址)·경영루(慶迎樓)·청연당(淸燕堂)·수안보(水安堡) 온천·충주댐 등이 있음. 1995년 1월, 중원군을 통합, 개편됨. [983.73 km²: 212,791명(1996)]
[충주 달래 꼽재기 같다] 몹시 인색하고 다라운 자를 이르는 말.

충주-군【忠州郡】명 〖지〗 중원군(中原郡)의 구칭.

충주 담:배【忠州—】명 충청 북도 충주시(忠州市) 일대에서 산출되는 외국 원산의 황색종(黃色種) 담배.

충주-댐【忠州—】〔dam〕명 충청 북도 충주시와 중원군 사이에 있는 다목적 콘크리트 댐. 높이 97.5m, 길이 464m, 저수 용량(貯水容量) 27억 5000만t, 40만 kW의 발전 용량을 갖추며, 경인 지구를 포함한 한강 유역의 용수 공급을 담당(擔當)함. 1978년에 준공됨.

충주-반【忠州盤】명 충청 북도 충주 지방에서 나는 소반. 은행나무·느티나무를 써서, 열 두 모 혹은 다각(多角)으로 반면(盤面)을 만들고, 중대(中帶) 없이 개다리로 하는 것이 특색임. *안주반(安州盤).

충주 철산【忠州鐵山】〔—싼〕명 〖지〗 충청 북도 충주시(忠州市) 가금면(可金面) 및 이류면(利柳面)에 있는 철산. 광석은 변질암 중에 자철광(磁鐵鑛)이 배태(胚胎)되고 그 중에 소량의 적철광(赤鐵鑛)이 혼유되어 있음. 함철 품위(含鐵品位) 60% 내외임.

충지[1]【充指】명 〖군〗 ↗충원 지시(充員指示).

충지[2]【忠志】명 충성스러운 뜻.

충직【忠直】명 충성스럽고 곧음. 충당(忠讜). ——-하다 형여불. ——「히 부

충직-성【忠直性】명 충직한 성질이나 특성.

충찬-위【忠贊衛】명 〖역〗 조선 시대 오위(五衛)의 충좌위(忠佐衛)에 속했던 군대. 원종 공신(原從功臣) 및 그 적실(嫡室) 자손과 첩의 자손으로서 승중(承重)된 자로 조직함. 성중관(成衆官)의 하나임.

충찰【忠察】명 〖역〗 충청 북도 관찰사(觀察使)의 별칭.

충척【充斥】명 ①많은 사람이 그득함. ②그득하게 찬 것이 퍼져서 넓음. ——-하다 형여불

충천[1]【沖天·冲天】명 하늘 높이 올라감. ——-하다 자여불

충천[2]【衝天】명 ①공중에 높이 솟아 올라서 하늘을 찌를 듯함. ¶의기(意氣) ~. ②분하거나 또는 외로운 느낌이 복받치어 오름. ——-하다 자여불

충천-령【衝天嶺】〔—철—〕명 〖지〗 평안 북도 후창군(厚昌郡) 동흥면(東興面)과 함경 남도 삼수군(三水郡) 신파면(新坡面) 사이의 낭림 산맥 중에 솟은 산령. 한국에서 가장 험한 재임. [1,463m]

충청【忠淸】명 〖지〗 ↗충청도.

충청 남도【忠淸南道】명 〖지〗 한국의 한 도. 관내 6시 9군. 북은 경기도, 동은 충청 북도, 남은 전라 북도, 서는 황해에 연함. 논산 평야·예산(禮山) 평야·해안 평야의 삼대 평야를 중심으로 쌀·맥류(麥類) 외의 인삼 등 특용 작물과 약초 재배가 성하고, 한우·젖소·돼지 등의 축산 및 수산(水產)과 광업도 성하며 장항(長項)의 제련소와 서천(舒川)의 비인(庇仁) 수출 자유 지역 조성(造成), 대천(大川) 공업 단지 확장, 아산만 임해 산업 지구 개발 계획 등이 추진되고 있어 공업 지역으로서의 전망도 밝음. 명승 고적으로는 현충사(顯忠祠)·무령왕릉(武寧王陵)·칠백 의총(七百義塚)·부여 팔경(扶餘八景)·은진 미륵(恩津彌勒)·계룡산(鷄龍山)·수덕사(修德寺)·아산호(牙山湖)·온양 온천(溫陽溫泉)·유성 온천(儒城溫泉) 등이 있음. 도청 소재지는 대전 직할시(大田直轄市). ㊀충남(忠南). [8,420.14 km²: 1,851,521명(1996)]

충청-도【忠淸道】명 ①〖역〗 조선 고종 32년(1895) 이전의 우리 나라 행정 구역의 하나. 지금의 충청 남북도. ②〖지〗 충청 남도와 북도의 통칭. ㊀충청.

충청 북도【忠淸北道】명 〖지〗 한국의 한 도. 관내 3시 8군. 북은 경기도와 강원도, 동은 경상 북도, 남은 전라 북도, 서는 충청 남도에 접하는데, 14도 중 둘째로 작은 도(道)로 해안선이 없는 유일한 도임. 주요 산물로는 쌀과 맥류(麥類)·사과 외에 영동(永同)의 감과 인삼, 보은(報恩)의 대추, 충주(忠州)·음성(陰城)·청주의 황색 연초 등이 유명함. 그 밖에 약초 재배와 양잠이 성하며, 단양(丹陽)의 무연탄·시멘트, 옥천(沃川)의 철광·활석(滑石)·석회(石灰) 등이 있고, 충주를 중심으로 각종. 화학 공업이 발달함. 명승 고적은 속리산(俗離山) 국립 공원과 단양 팔경(丹陽八景)·양산(陽山) 팔경·한천(寒川) 팔경·상당산(上黨山)·화양동(華陽洞) 등이 있음. 도청 소재지는 청주시(淸州市). ㊀충북(忠北). [7,433.36 km²: 1,438,711명(1996)]

충충[1]【忡忡】명 매우 근심하는 모양. ——-하다 형여불

충충[2]【沖沖】명 ①아래로 늘어진 모양. ②근심하는 모양. ③속이 텅 빈 모양. ——-하다 형여불 「다 형여불

충충[3]【衝衝】명 마음이 조급(躁急)하여 안정되지 아니한 모양. ——-하

충충-거리다 자 땅을 구르는 듯이 바쁘게 걷다. >총총거리다.

충충-대다 자 충충거리다.

충충-하다 형여불 물이나 빛깔이 맑지 못하고 흐리다. **충충-히** 부
[충충하기는 노송나무 밑일세] 의뭉한 사람이나, 내용을 도무지 알 수 없는 일에 비유한 말.

충치[1]【蟲痔】명 〖한의〗 치루(痔漏).

충치[2]【蟲齒】명 벌레가 먹은 이. 병원(病原)은 아직 알지 못하나 세균성(細菌性)의 균이라고도 하며 화학적(化學的)인 해(害)라고도 함. 삭은니. 우치(齲齒).

충칭〔重慶〕명 〖지〗 중국 쓰촨 성(四川省) 남부에 있는 도시. 구명은 파현(巴縣)·유주(渝州). 쓰촨 분지(四川盆地)의 동부, 자링 강(嘉陵江)과 양쯔 강의 합류점에 위치하고 있어 수운의 요충이며, 청두(成都)·충칭 사이의 청위(成渝) 철도의 기점임. 또한 여러 공로(公路)의 요충지이며 항공로의 중심 공항이기도 함. 예로부터 쓰촨 분지의 요진(要鎭)으로서, 1891년에 개항하여 양쯔 강 유역의 대상부지(大商埠地)가 되었으며, 중일 전쟁 때에 국민 정부가 천도(遷都)하여 인구가 급격히 증대하였음. 이 때 대한 민국 임시 정부도 함께 이 곳으로 옮김. 철강·시멘트·방적·제지·전력(電力) 등 근대 공업이 발흥한 서남 최대의 도시로 정치·경제의 대중심지임. 쓰촨(四川)·윈난(雲南)·구이저우(貴州)·간쑤(甘肅)·산시(陝西) 등의 특산물인 돼지털·쇠가죽·양가죽·약재(藥材)·차(茶)·동유(桐油)·피혁·황사(黃絲) 등을 집산(集散)함. [1,370,000명(1983)]

충택-하다【充澤—】형여불 몸집이 크고 살결이 윤택하다.

충파[1]【沖破】명 미어뜨림. 밀어붙임. ——-하다 타여불

충파[2]【衝破】명 부딪쳐 깨뜨림. ——-하다 타여불

충평공-도【忠平公徒】명 〖역〗 〔충평(忠平)은 설립자 유감(柳監)의 시호(諡號)〕 고려 십이도(高麗十二徒)의 하나. 문종(文宗) 때의 유학자(儒學者) 유감(柳監)이 설치한 사숙(私塾). 사학(史學)·경학(經學)·문학(文學)을 가르침.

충합【衝合】명 부딪치어 하나로 되거나 되게 함. ——-하다 자타여불

충합 용:접【衝合鎔接】명 버트(butt) 용접.

충-항아리【—缸—】명 긴 타원형(楕圓形)으로 되었고 청룡(青龍)을 그린 사기병(沙器瓶). ㊀충.

충해【蟲害】명 벌레로 인하여 입은 농사의 손해. 충손(蟲損).

충허[1]【充虛】명 가득 참과 텅 빔.

충허[2]【沖虛】명 ①빔. 공허함. ②허심 탄회함. ——-하다 형여불

충혀 명 〈방〉〖건〗 추녀[1].

충현【忠賢】명 충성스럽고 현명함. ——-하다 형여불

충혈【充血】명 〔hyperemia〕〖의〗 어느 국부의 혈관 속을 흐르는 혈액의 양이 많아진 상태. 국부의 혈량(血量) 증가는 동맥성(動脈性)의 혈액 또는 정맥성(靜脈性)의 혈액 어느 쪽에 의해서도 일어날 수 있으나 보통은 동맥성의 혈량 증가를 단순히 충혈이라고 함.

충혓-집 명 〈방〉〖건〗 팔작집.

충혜-왕【忠惠王】명 〖사람〗 고려 제28대 왕. 휘(諱)는 정(禎). 1330년 원(元)나라에서 귀국, 충숙왕의 뒤를 이어 왕위에 오름. 이듬해 선왕이 복위하자 다시 원나라로 갔다가 충숙왕 8년(1339) 부왕의 죽음으로 재차 복위했음. 황음(荒淫)이 심해서 원나라로 귀양가던 도중 병사함. 시호는 헌효(獻孝). [1315-44; 재위 1330-32, 1339-44]

충혼【忠魂】명 ①충의(忠義)를 위하여 죽은 사람의 넋. ②↗충혼 의백(忠魂義魄).

충혼-각【忠魂閣】명 충혼을 모신 각(閣).

충혼-단【忠魂壇】명 충혼을 모셔 놓은 단(壇).

충혼-비【忠魂碑】명 충혼을 기리기 위하여 세운 비.

충혼 의:백【忠魂義魄】명 충의(忠義)를 위한 정신. ㊀충혼(忠魂).

충혼-탑【忠魂塔】명 나라에 충성을 다하여 죽은 영혼들을 길이 기리기 위하여 세운 탑. 충령탑.

충화【衝火】명 일부러 불을 놓음. ——-하다 타여불

충화-적【衝火賊】명 남의 집에 불을 놓고 재물을 빼앗아 가는 도둑.

충화지-기【沖和之氣】명 하늘과 땅 사이의 조화된 기운.

충회【衷懷】명 속에서 우러나는 참된 회포.

충-효【忠孝】명 충성과 효도.

충효 겸전【忠孝兼全】명 충성과 효도를 모두 겸함. 충효 쌍전. 충효 양전. ——-하다 형여불

충효 쌍전【忠孝雙全】명 충효 겸전. ——-하다 형여불

충효 양:전【忠孝兩全】명 충효 겸전. ——-하다 형여불

충-효-열【忠孝烈】명 충신과 효자와 열녀. 「하다 형여불

충후【忠厚】명 충직하고 순후(淳厚)함. 성실하고 사(私)가 없음. ——

충훈【忠勳】명 충의(忠義)를 다해 세운 훈공(勳功). 충공(忠功).

충훈-부【忠勳府】명 〖역〗 조선 시대에 공신(功臣)에 관한 사무를 보던 관아. 태조(太祖) 원년(1392)에 공신 도감(功臣都監)을 두고 세종(世宗) 16년(1434)에 충훈사(忠勳司)로, 단종(端宗) 2년(1454)에 이 이름으로 고쳐서 일컫다가 고종(高宗) 31년(1894)에 기공국(紀功局)이라 고쳐 의정부(議政府)에 붙이었음. 인각(麟閣). 맹부(盟府). ㊀훈부(勳府).

충훈부 위전【忠勳府位田】명 〖역〗 충훈부에 전속(專屬)된 전토(田土).

충훈-사【忠勳司】명 〖역〗 조선 시대에 공신(功臣)의 일을 맡은 관아. 세종(世宗) 16년(1434)에 공신 도감(功臣都監)을 고쳐서 일컫다가 단종(端宗) 2년(1454)에 충훈부(忠勳府)로 고침.

췌:[1]【萃】명 〖민〗 ↗췌괘(萃卦).

췌[2] 감 〈방〉 치[9].

췌:객【贅客】명 어떤 집안에 장가든 사람을 그 집에 대한 관계로 일컫는 말. ¶박군은 김씨 집의 ～이다.

췌:거【贅居】명 처가에 덧붙여 사는 일. 처가살이. ——-하다 자여불

췌:관【膵管】명〔pancreatic duct〕〖생〗췌장(膵臟)에서 분비되는 췌액(膵液)을 십이지장으로 보내는 가는 관. 큰 췌관과 작은 췌관 두 가지가 있음.

췌:-괘【萃卦】명〖민〗육십 사괘(六十四卦)의 하나. 태괘(兌卦)와 곤괘(坤卦)가 거듭된 괘. 못이 땅 위에 있음을 상징함. ㊌췌(萃).

췌:구【贅句】명 쓸데없는 구.

췌:기능 부전【膵機能不全】명〖의〗췌장 기능 부전(膵臟機能不全).

췌:담【贅談】명 췌언(贅言). ——-하다 자여불

췌:두【膵頭】명〖생〗췌장의 우단(右端)을 이루는 부분. 십이지장(十二指腸)으로 둘러싸여 있음. *췌미(膵尾)·췌체(膵體).

췌:량【揣量】명 촌탁(忖度). ——-하다 타여불

췌:론【贅論】명 쓸데없는 너저분한 이론. *췌언(贅言).

췌:마【揣摩】명 촌탁(忖度). ——-하다 타여불

췌:문【贅文】명 불필요한 문자나 문구.

췌:물【贅物】명 ①쓸데없는 물건. 무익(無益)한 물건. ②사치스러운 물품(物品).

췌:미【膵尾】명〖생〗췌장의 좌단(左端)을 이루어 비장(脾臟) 하부와 접한 가느다란 부분. *췌두(膵頭)·췌체(膵體).

췌:비【贅費】명 무익한 지출. 군 비용.

췌:사【贅辭】명 필요 없는 군더더기 말. 췌언. 췌어.

췌:서【贅壻】명〖사〗①데릴사위. ②중국에서, 빙재(聘財)의 지불 대신에 노역(勞役)을 하는 노역혼(勞役婚)의 경우의 데릴사위.

췌:석【膵石】명〖의〗췌장 결석(膵臟結石).

췌:안【悴顔】명 파리한 얼굴.

췌:암【膵癌】명〔cancer of the pancreas〕〖의〗췌장에 발생하는 악성 종양(腫瘍). 대개 췌장에서 원발(原發)하는 것인데 간혹 위암에서 전위(轉位)하는 수도 있음. 노인에 많고 췌장의 오른쪽에 잘 남. 췌장암.

췌:액【膵液】명〔pancreatic juice〕〖생〗췌관(膵管)을 통하여 췌장(膵臟)으로부터 십이지장으로 분비되는 무색·무취(無臭)의 투명한 알칼리성(性) 소화액. 단백질을 분해하는 트립신(trypsin)과 지방을 분해하는 리파아제(Lipase) 및 함수 탄소를 분해하는 아밀라아제(Amylase) 등의 소화 효소를 함유하고 있음. 이자액.

췌:어【贅語】명 췌사(贅辭).

췌:언【贅言】명 쓸데없는 군더더기 말. 췌담(贅談). 췌사(贅辭). *췌론(贅論). ——-하다 자여불

췌:염【膵炎】명〖의〗췌장염(膵臟炎).

췌:용【悴容】명 초췌한 얼굴. 파리한 용자(容姿).

췌:육【贅肉】명 궂은살. 식육(瘜肉). 군살.

췌:장【膵臟】명〔pancreas〕〖생〗위(胃) 및 간장(肝臟) 부근 복막(腹膜) 밖에 있는 길이 약 15cm의 암황색(暗黃色)의 기관(器管). 하루 약 500-800cc의 췌액(膵液)을 분비하여 췌관(膵管)에 의해서 십이지장으로 보냄. 이자.

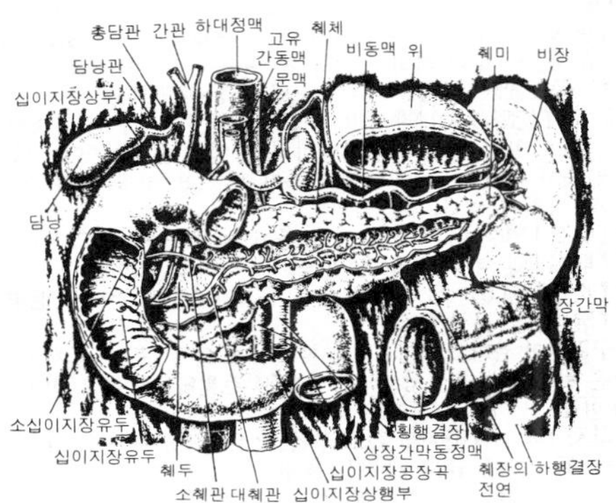

〈췌장〉

췌:장 결석【膵臟結石】[—썩]명〔pancreatic calculus〕〖의〗췌장의 배설관(排泄管) 속에 형성되는 돌. 대개 완두콩 이하의 크기인데 둥글거나 달걀꼴이며, 때로 불규칙하게 분지(分枝)한 것 같은 예도 있음. 뭉친 분비물에 탄산 석회나 인산 석회가 침착(沈着)됨으로써 형성됨. 큰 것은 췌관(膵管)의 폐색, 내강(內腔)의 확장이나 염증 따위를 일으키기도 함. 췌석(膵石).

췌:장 괴:사【膵臟壞死】명〖의〗담석증(膽石症) 기타의 원인에 의하여 췌장이 스스로 소화 작용을 일으킬 때에 발생하는 병. 대식(大食), 특히 지방질을 섭취한 뒤에 돌연히 윗배에 심한 통증(痛症)을 느낌. 절식(絶食), 특히 지방질과 단백질의 절식과 링거액의 피하 주사가 가장 효과적임. 급성 췌염(急性膵炎).

췌:장 기능 부전【膵臟機能不全】명〔pancreatic insufficiency〕〖의〗여러 병증으로 인한 췌장의 기능 저하 상태. 췌장염·췌장암 등 췌장 자체의 질환일 때 및 위무산증(胃無酸症), 위나 십이지장 궤양 또는 담도(膽道)·담낭(膽囊) 질환 등에 속발하는데, 종종 만성의 설사를 초래하고, 배분량(排糞量)은 증가되며, 변중(便中)에 지방·전분의 불소화(不消化) 찌꺼기를 볼 수 있음.

췌:장 리파아제【膵臟—】명〔pancreatic lipase〕〖화〗췌액(膵液) 중에 존재하는 효소. 지방의 가수 분해를 촉매함. 스테압신(steapsin).

췌:장성 설사【膵臟性泄瀉】[—썽—싸]명〔pancreatic diarrhea〕〖의〗췌장의 소화 효소 결핍에 기인하는 설사. 고급 지방과 질소 함유 물질이 함유된 대량의 지방변(脂肪便)이 배출되는 것이 주증(主症)임.

췌:장-암【膵臟癌】명〖의〗췌암(膵癌).

췌:장-염【膵臟炎】[—념]명〔pancreatitis〕〖의〗췌장의 염증. 갑자기 발병하여 심한 복통을 일으키며, 통증(痛症)은 왼쪽 어깨·가슴·허리로 확산(擴散)함.

췌:장 호르몬【膵臟—】명〔pancreatic hormone〕〖생〗췌장의 랑게르한스(Langerhans) 섬의 베타 세포(β 細胞)에서 분비하는 인슐린(insulin)과, 알파 세포(α 細胞)에서 분비하는 글루카곤(glucagon)의 일컬음. 이 두 가지 호르몬은 길항적(拮抗的)으로 작용하여 혈당량(血糖量)을 조절함.

췌:지【揣知】명 추측(推測)하여 앎. ——-하다 타여불

췌:체【膵體】명〖생〗췌두(膵頭)와 췌미(膵尾)와의 사이의 삼릉주(三稜柱) 모양의 부분.

췌:췌 율률【揣揣慄慄】명 몹시 무서워서 벌벌 떪. ——-하다 자여불

췌:탁【揣度】명 촌탁(忖度). ——-하다 타여불

취[1] 명〖식〗곰취·단풍취·참취 등 '취'가 붙는 산나물의 총칭. 취나물.

취:[2]【取】명〖불교〗①십이 인연(十二因緣)의 한 가지. 스무 살 이후에 애욕(愛慾)에 대한 생각이 간절하여 명리(名利)를 사방에 취구(取求)하는 일. ②번뇌(煩惱). 집착(執着).

취:[3]【趣】명〖불교〗중생이 번뇌에 의하여 업보(業報)를 만들어 그것에 끌리어 따라가서 사는 곳.

취:[4]【嘴】명〖악〗생(笙)과 같은 악기(樂器)를 부는, 대나 나무로 만든 부리. 이 부리로 기운을 불어 넣어 소리가 나게 함. *혀.

취[5]【衢】명〖지〗중국 저장 성(浙江省) 중서부의 현(縣). 수운(水運)이 편리하여 예로부터 장시(江西)·후난(湖南)·광시(廣西)·푸젠(福建)과 연락하는 요충으로 알려졌음. 시안(西安)·저간(浙贛) 철도와 저민(浙閩) 공로(公路)에 의하여 물산의 집산지를 이루고 있고, 알루미늄·제련(製鍊)·화학 비료 공업이 성함. 구(衢). [972,000명(1982)]

취:가[1]【娶嫁】명 가취(嫁娶). ——-하다 자여불

취:가[2]【醉歌】명 술에 취하여 노래를 부름. 또, 그 노래. ——-하다 자여불

취:가-혼【娶嫁婚】명 혼인과 동시에 아내가 남편의 집안으로 들어가는 혼인. *초서혼(招婿婚).

취:객【醉客】명 술취한 사람. 취인(醉人). *취한(醉漢).
[취객이 외나무다리 잘 건넌다] 보기에 위태로우나 잘 버티어 나감을 이름.

취:거[1]【取去】명 가져 감. 가지고 떠남. ——-하다 타여불

취:거[2]【聚居】명 일정한 지역에 모여 삶. ——-하다 자여불

취:격【聚格】[—껵]명 과오를 범한 활량을 사정 행수(射亭行首)의 주재(主宰) 아래 격식을 따라 처벌하는 일. 때로는 사두(射頭)의 의향으로 용서하기도 함. ——-하다 타여불

취:결【就結】명〖경〗운송 중인 상품을 담보로 하여 은행으로부터 금융을 받기 위하여 하송인(荷送人)이 그 은행을 수취인, 하수인(荷受人)을 지급인(支給人)으로 하는 어음을 발행하여 은행에서 할인을 하여 받는 일. ——-하다 타여불

취:결-례【取潔禮】명〖천주교〗구약 시대(舊約時代)에 산모(產母)가 성전(聖殿)에 가서 몸을 청결히 하는 의식. 교회에서는 정당하게 결혼하여 자녀를 두게 된 어머니만이 받을 수 있는 축복과 감사의 의식으로 침.

취:결례 첨례【取潔禮瞻禮】[—네]명〖천주교〗성모 취결례.

취:고-수【吹鼓手】명〖역〗①군중(軍中)의 취타수(吹打手)와 세악수(細樂手)의 총칭. ②취타수(吹打手)❸.

취:골【聚骨】명 한 가족의 무덤을 한 군데 산에 모아 장사(葬事)하는 일. ——-하다 자타여불

취:과【取果】명〖불교〗인(因)으로 될 것이 현재에 있고 어김없이 인이 되어서 제각기 과(果)를 취하도록 정해져 있음을 이름. ↔여과(與果).

취:관【吹管】명〔blowpipe〕〖화〗화학 또는 광물학의 실험 용구의 하나. 취관염(吹管焰)을 만들기 위한 것으로, 놋쇠나 니켈로 만드는데, 취구(吹口)가 달린 작은 관과 기실(氣室)의 역할을 하는 작은 원통(圓筒)과 여기에 직각(直角)을 이루고 첨단(尖端)에 작은 구멍을 가진 작은 관으로 이루어짐.

〈취관〉

취:관 분석【吹管分析】명〔blowpipe analysis〕〖화〗광물 등의 정성(定性) 분석의 한 가지. 숯 속에 광물의 시료(試料)를 넣어 취관으로 취관염을 발생시켜 이를 처리하고, 시료의 변색(變色)·용융(熔融)·유색(有色) 기체의 발생 및 숯 표면에 승화(昇華)하는 금속 산화물의 색과 모양 등에 의하여 시료 중의 금속과 그 성분을 검출하는 일.

취:관-염【吹管焰】[—념]명〖화〗취관의 끝을 가스 또는 알코올 불에 삽입하여 불 때 생기는 원뿔꼴의 불꽃. 취관의 끝을 불의 중앙부에 삽입하여 강하게 불면 광물을 환원(還元)시키는 힘을 가진 푸른 불꽃을 내고 끝을 불의 바깥쪽에 삽입하여 천천히 불면, 광물을 산화시키는 힘을 가진 붉은 불꽃을 냄.

취:광【醉狂】명 술에 취하여 바른 정신이 없음. 또, 그 사람.

취:구【吹口】명 나팔·피리·취관(吹管) 등의 입김을 불어 넣는 구멍.

취:구-룡【嘴口龍】명〖동〗'람포링쿠스(rhamphorhynchus)'의 한자(漢字) 이름.

취:국【翠菊】[명] 과꽃.
취:군【聚軍】[명] 군사나 인부(人夫) 등을 불러서 모음. ¶ 첨사가 시급히 ~을 시키다. ——-하다 [자][여불]
취:금-헌【醉琴軒】[명]〖사람〗박팽년(朴彭年)의 호(號).
취:급【取扱】[명] 사물을 다룸. 다루어 처리함. ¶ 바보 ~을 하다. ——-하다 [타][여불]
취:급-소【取扱所】[명] 그 일을 취급하는 곳.
취:급-인【取扱人】[명] 취급을 하는 사람. 취급자.
취:급-자【取扱者】[명] 취급인.
취:기[1]【臭氣】[명] 좋지 못한 냄새. 유기물(有機物) 기타의 물질이 분해할 때에 생기는 가스에서 나는 불쾌한 냄새 같은 것.
취:기[2]【醉氣】[명] 술이 취하여 얼근한 기운.
취:-기소:장【取其所長】[명] 장점을 가려서 취함. ——-하다 [자][여불]
취:기-제【臭氣劑】[명]〔odorant〕〖화〗안전(安全)을 꾀하기 위해서, 냄새가 없는 연료(燃料) 가스에 냄새를 나게 하는 첨가제(添加劑). 흔히, 황이나 메르캅탄(Merkaptan)을 함유한 화합물을 사용함.
취:기-화【臭氣化】[명]〔odorize〕〖화〗본래 냄새가 없는 연료(燃料) 가스 등의 물질에, 안전 대책(安全對策)으로 불쾌(不快)한 냄새가 나는 물질을 가(加)하는 일.
취-나물 [명] ①삶은 참취와 쇠고기·파 등을 섞고 기름·깨소금 등을 쳐서 주물러 볶은 나물. ②취[1].
취:뇌【臭腦】[명]〖생〗후뇌(嗅腦).
취:담【醉談】[명] 술이 취하여 함부로 지껄이는 말. 취언(醉言). ——-하다 [자][여불]
[취담 중에 진담(眞談) 있다] 술이 취하여 함부로 하는 말 속에 솔직하고 진실한 말이 있다.
취:당【聚黨】[명] 무리의 동류(同類)를 불러 모음. *결당(結黨). ——-하다 [자][여불]
취:대[1]【取貸】[명] 돈을 꾸어 쓰기도 하고 꾸어 주기도 함. 추대(推貸). *취용 취대(取用取貸). ——-하다 [타][여불]
취:대[2]【翠黛】[명] ①눈썹 그리는 푸른 먹. ②푸른 아지랭이가 어른거리는 산색(山色)의 모양.
취:덕-산【鷲德山】[명]〖지〗함경 남도 단천군(端川郡) 신만면(新滿面)과 이원군(利原郡) 동면(東面) 경계에 있는 산. [1,001 m]
취도[1] [명] 〈심마니〉〖동〗호랑이.
취:-도[2]【翠島】[명]〖지〗전라 남도 고흥(高興) 반도 동남쪽, 고흥군(高興郡) 포두면(浦頭面) 오취리(梧翠里) 해상에 위치한 섬. [1.05 km² : 685 명(1985)]
취:도[3]【醉倒】[명] 술이 대취(大醉)하여 쓰러짐. ——-하다 [자][여불]
취:두【鷲頭】[명]〖건〗망새 ❶.
취:두-박이【鷲頭—】[명]〖건〗망새를 박아서 꽂는, 큰 뿔 모양의 쇠못.
취:득【取得】[명] 자기의 소유(所有)로 함. 수중(手中)에 넣음. ——-하다 [타][여불]
취:득-세【取得稅】[명] 지방세(地方稅)의 하나. 부동산·차량·중기(重機)·입목(立木) 등의 취득에 대하여 그 취득 가격을 표준으로 하여 취득자에게 부과함.
취:득 시효【取得時效】[명]〖법〗딴 사람의 물건을 일정한 기간 계속하여 점유하는 자에게 그 소유권을 주고, 또 소유권 이외의 재산권을 일정한 기간 계속하여 사실상 행사하는 자에게 그 권리를 주는 제도. 그 요건(要件)으로은 소유의 의사를 가지고 하는 자주(自主) 점유, 점유의 평온과 공연(公然), 점유의 일정 기간의 계속 등 세 가지가 있음.
취:득 원가【取得原價】[—까] [명]〖경〗취득한 자산(資産)의 매입(買入) 가격 또는 제조 원가와 부수 비용(附隨費用)의 합계액을 말함. 회계·부기의 기록의 기초가 됨.
취:득-죄【取得罪】[명]〖법〗행사할 목적으로 위조(僞造)·변조(變造)된 화폐나 은행권을 취득하거나 장물(贓物)을 취득함으로써 성립되는 죄. ¶ 장물 ~.
취:득-지【取得地】[명] ①취득한 토지. 입수한 땅. ②어느 물건 또는 권리를 취득한 곳.
취:라-적【吹螺赤】[명]〖역〗→취라치(吹螺赤).
취:라-치【吹螺赤】[명]〖역〗〔←취라적(吹螺赤)〕군중(軍中)에서 소라를 부는 취타수(吹打手)의 하나. 조라치(吹螺赤).
취:락【聚落】[명] ①상호 부조를 목적으로 하는 인간의 집단적인 거주(居住) 장소. 생산 활동의 본거지로 사회 생활과 가족 생활을 영위하는 장소가 됨. 광의로는 도시도 포함하나 흔히, 주거(住居) 또는 가옥의 집단인 촌락이 기본 요소임. ②〔colony〕〖식〗박테리아가 고체의 배양기(培養基) 위에서 만든 집단. 보통, 한 개의 취락은 한 개의 박테리아의 분열 증식에 의하여 생김.
취:락 계:획【聚落計劃】[명] 지들룽(Siedlung).
취:락 유적【聚落遺跡】[명] 패총(貝塚), 기타의 유물(遺物)에 의하여 인간이 집단 생활을 영위하던 주거(住居)의 터로 인정되는 유적.
취:락 지리학【聚落地理學】[명]〖지〗가옥의 형태·분포·집합 등의 상태를 연구하는 인문 지리학의 한 분야. 취락이 각각 그 자연이나 사회적 환경에 따라 차이점을 가지는 것이 중요한 연구 대상이 됨.
취:락 지역【聚落地域】[명] 국토 이용 관리법에 따라, 국토 이용 계획 심의회의 심의를 거쳐 건설부 장관이 결정·고시하는 용도(用途) 지역의 하나. 도시 지역 외의 지역으로서 주민의 집단적 생활 근거지로 이용되거나 이용될 지역. 1993년 법 개정으로 없어짐.
취:란【翠巒】[명] 푸른 산. 푸른 연산(連山). → 취만.
취:람【翠嵐】[명] 먼 산에 낀 푸르스름한 아지랭이.
취:랍【臭蠟】[명] 오조세라이트(ozocerite).
취:랑【吹浪】[명] 물고기가 물 위에 떠서 숨을 쉬느라고 입을 벌렸다 오무렸다 하는 일. ——-하다 [자][여불]
취:량【驟涼】[명] 가을철에 갑작스럽게 일어나는 서늘한 기운.
취:련【吹鍊】[명] 쇠를 불림. 제련(製鍊). ——-하다 [타][여불]
취:련-소【吹鍊所】[명] 제련소(製鍊所).
취:렴[1]【聚斂】[명] 백성(百姓)의 재물(財物)을 탐하여 함부로 거두어 들임. ——-하다 [타][여불]
취:렴[2]【翠簾】[명] 푸른 대오리로 엮어 만든 발.
취:렵【驟躐】[명] 등급을 뛰어 벼슬자리에 오름.
취:령【鷲嶺】[명]〖불교〗석가(釋迦)가 설법한 인도의 영취산(靈鷲山). 취산(鷲山).
취:례【娶禮】[명] 아내를 맞는 예(禮). 혼인의 예식.
취:로[1]【取露】[명] 액체(液體) 따위를 증류(蒸溜)하여 그 김을 받음. ——-하다 [타][여불]
취:로[2]【就勞】[명] 일에 착수함. 또, 일에 종사함. 노동일을 함. ¶ ~ 인원/~ 사업. ——-하다 [자][여불]
취:로-비【就勞費】[명] 각종 공사(工事)에 취역시키는 대가(代價)로 지급하는 돈.
취:로 사:업【就勞事業】[명] 영세 근로자(零細勤勞者)의 생계를 돕기 위하여 정부에서 실시하는 새마을 사업의 하나. 주로 제방·하천·도로 등 새마을 사업장에서 일을 하게 됨. 새마을 취로 사업.
취:록【翠綠】[명] 녹색.
취:록-옥【翠綠玉】[명] 에메랄드. 취옥(翠玉).
취:루【翠樓】[명] ①푸른 칠을 한 누각. ②중국의 기생집. 청루(靑樓). 기루(妓樓).
취:루-면【翠縷麪】[명] 홰나무의 어린 잎으로 즙을 내어 가라앉힌 전분을 반죽하여 가늘게 썰어 만든 국수. 삶아서 찬물에 담갔다가 맑은 장국이나 깻국에 넣어 먹음.
취:리[1]【取利】[명] 돈이나 곡식을 빌려 주고 그 변리를 받음. 빚놀이. 돈놀이. ——-하다 [타][여불]
취:리[2]【就理】[명]〖역〗죄지은 벼슬아치가 의금부(義禁府)에 나아가 심리를 받음. ——-하다 [자][여불]
취:리[3]【醉裏·醉裡】[명] 취중(醉中).
취:리-계【取利契】[명] 이자를 얻기 위한 계.
취리히〔Zürich〕[명]〖지〗스위스 최대의 도시. 취리히 호(湖) 북안(北岸), 리마트 강 연안(沿岸)에 있음. 예로부터의 상업 도시로 1848년까지의 수도(首都). 금융·무역·교통의 세계적 중심지이며, 12세기 이래의 옛 건축물과 국립 박물관·중앙 도서관 및 1833년에 창립된 취리히 대학이 있음. [362,000 명(1982)]
취리히 호【—湖】〔Zürich〕[명]〖지〗스위스 북동부에 있는 길이 40 km, 너비 4 km의 호수. 라인 강 지류인 리마트 강(Limmat江)의 수원(水源)이며 유출구(流出口)에 취리히 시(市)가 있음. 호면 표고 406 m, 수심(水深) 143 m. [88.7 km²]
취:립【聚立】[명] 여러 사람이 한 곳에 모여 섬. ——-하다 [자][여불]
취:만【翠巒】[명] ←취란(翠巒).
취:매【醉罵】[명] 술에 취하여 남을 욕하며 꾸짖음. ——-하다 [타][여불]
취:면[1]【就眠】[명] ①잠을 자기 시작함. ②잠을 잠. ——-하다 [자][여불]
취:면[2]【醉眠】[명] 술이 취하여 잠을 잠. ——-하다 [타][여불]
취:면 운:동【就眠運動】[명]〖식〗수면 운동(睡眠運動).
취:면 의식【就眠儀式】[명] 강박 관념(強迫觀念)의 하나. 잠자려 할 때 일정한 순서로 일정한 동작을 되풀이하지 않으면 잠이 오지 않는 일. 시계를 멈추게 하거나 칼 따위를 감추지 않으면 잠을 잘 수 없다는 환각(幻覺)에 의하여 생김.
취:명[1]【吹鳴】[명] 사이렌 같은 것을 불어 울림. ——-하다 [타][여불]
취:명[2]【取名】[명] 명성(名聲)을 얻음. ——-하다 [자][여불]
취:모[1]【吹毛】[명] ①지극히 쉬움을 이름. ②↗취모 구자(吹毛求疵).
취:모[2]【醉貌】[명] 취안(醉顔).
취:모 구자【吹毛求疵】[명]〔흠을 찾으려고 털을 불어 헤침〕억지로 남의 작은 허물을 들추어냄. 취모 멱자(吹毛覓疵). [준]취모(吹毛). ——-하다 [타][여불]
취:모 멱자【吹毛覓疵】[명] 취모 구자(吹毛求疵). ——-하다 [타][여불]
취:모 보:용【取耗補用】[명]〖역〗조선 시대 때, 모곡(耗穀)을 걷어 들여서 부족한 씀씀이를 벌충하던 일.
취:모 십일【取耗什一】[명]〖역〗환자(還子)의 모곡(耗穀)을 보충하기 위하여 빌린 곡물의 10분의 1을 이식(利息)으로 받던 일.
취:목[1]【取木】[명]〖농〗'휘묻이'의 한자말.
취:목[2]【臭木】[명]〖식〗누리장나무.
취:몽【醉夢】[명] 술이 취하여 자는 동안에 꾸는 꿈.
취:몽 불성【醉夢不醒】[—썽] [명] 술에 취하여 꾸는 꿈이 깨지 않음.
취:무【醉舞】[명] 술이 취하여 춤을 춤. 또, 그 춤. ——-하다 [자][여불]
취:묵【醉墨】[명] 술이 취하여 쓴 글씨.
취:미[1]【臭味】[명] ①냄새와 맛. 기미(氣味). ②고약한 맛. 나쁜 맛.
취:미[2]【翠眉】[명] ①푸른 눈썹. 곧, 그려서 꾸민 미인의 눈썹의 비유. ②버들잎이 푸른 모양.
취:미[3]【翠微】[명] ①산의 중허리. ②먼 산에 엷게 낀 푸른 빛깔의 기운. 또, 산기(山氣)가 푸르러서 아롱아롱한 빛.
취:미[4]【趣味】[명] ①미적 대상(美的對象)을 감상하고 비판하는 능력. ②감흥을 일으키는 상태. 감흥을 느끼어 마음이 당기는 멋. ③전문으로서가 아니라 즐거움으로서 애호하는 사물. ¶ ~ 생활.
취:미 우표【趣味郵票】[명] 취미로 수집(蒐集)하는 대상으로서의 우표. *통용(通用) 우표.

취:미-집【翠微集】명『책』조선 인조(仁祖) 때의 중인 취미(翠微) 성수초(成守初)의 시문집(詩文集)·시(詩)·잡저(雜著)·서(書)·서(序) 등을 수록하고, 부록으로 행장(行狀)을 실음. 1책. 인본.

취:미 판단【趣味判斷】명『철』칸트(Kant)의 용어로, 미적(美的) 판단의 한 양식. 미적 대상이 성립하는 원리(原理)로서의 판단. 미(美)의 인상을 결정하는 것이 취미라는 견해에 의한 것으로, 내용 생산의 선험적(先驗的) 형식 논리의 뜻을 가짐.

취바리 명『민』산대도감놀이에 쓰이는 기괴한 모양의 사내의 탈.

취:박[1]【臭剝】명『화』브롬화(Brom化) 칼륨.

취:박[2]【就縛】명 잡힘. 잡혀서 묶임. ——-하다 자여불

취:반【炊飯】명 밥을 지음. ¶～기(器). ——-하다 자여불

취:발【翠髮】명 윤이 나는 아름다운 검은 머리털.

취:발-이【醉—】명『민』'양주 별산대놀이'·'송파 산대놀이'·'봉산 탈춤'·'강령 탈춤'에 나오는 주요 인물. 또, 그가 쓰는 탈. 얼굴은 불그죽하고 넓은 이마에 흘러내리는 머리털을 가진 환속(還俗)한 오입쟁이 중임.

취:백【就白】명 취복백(就伏白).

취:벽[1]【翠壁】명 녹색의 암벽(岩壁).

취:벽[2]【翠碧】명 ↗취벽색.

취:벽-색【翠碧色】명 짙푸른 색. 준취벽(翠碧).

취:병【翠屛】명 ①푸른 빛의 병풍. 산이 병풍처럼 첩첩함의 비유. ②꽃나무의 가지를 이리저리 휘어서 문이나 병풍 모양으로 만든 물건.
 취:병(을) 틀다 구 꽃나무의 가지로 취병을 만들다.

취:보[1]【醉步】명 술에 취하여 비틀거리는 걸음걸이.

취:보[2]【驟步】명 뜀. 뛰어감. ——-하다 자여불

취:보 만:산【醉步蹣跚】명 술이 취하여 비틀거리는 걸음걸이.

취:-복백【就伏白】명〔나아가 여쭙는다는 뜻〕손윗 사람에게 편지할 때, 인사말을 끝내고 여쭙고자 하는 말을 쓸 때에 쓰는 말. 취백(就白).

취:-봉【鷲峰】명『지』함경 북도 무산군(茂山郡) 동면(東面)에 있는 산. [1,193 m]

취:부【炊婦】명 부엌데기.

취:비-증【臭鼻症】[—쯩] 명〔ozena〕『의』코에서 악취(惡臭)가 나는 병증. 누구나 느낄 수 있는 악취가 나며 비강(鼻腔)의 점막(粘膜)과 뼈가 위축(萎縮)되며, 자각 증상으로는 머리가 무거운 듯하고 코가 막히어 냄새를 못 맡게 되며 코에서 피도 나옴. 그 원인과 증상에 따라 각기 진성(眞性) 취비증·단순성 취비증·후두(喉頭) 취비증 및 기관(氣管) 취비증의 4 종류로 구분함.

취:사[1]【取士】명『역』문무 양반(文武兩班)의 채용 시험. ＊취재(取才).

취:사[2]【炊事】명 밥짓는 일. 부엌일. ¶～ 도구. ——-하다 자여불

취:사[3]【取捨】명 취할 것은 취하고 버릴 것은 버림. 용사(用捨). ——-하다 타여불

취:사[4]【趣舍】명 나아감과 머무름.

취:사-반【炊事班】명 군대나 그 밖의 단체에서 취사를 맡은 반.

취:사-병【炊事兵】명『군』취사에 관한 임무를 수행하는 사병(士兵).

취:사-부【炊事婦】명 부엌에서 일하는 여자. 취부(炊婦).

취:사 분별【取捨分別】명 좋은 것은 취하고 나쁜 것은 버려 사물의 구별을 알아서 가림. ——-하다 타여불

취:사 선:택【取捨選擇】명 취할 것은 취하고, 버릴 것은 버려서 골라잡음. ——-하다 타여불

취:사-장【炊事場】명 취사의 일을 하는 곳. 부엌.

취:산[1]【聚散】명 사람들의 모임과 흩어짐. ＊집산(集散). ——-하다 자여불

취:산[2]【鷲山】명『불교』취령(鷲嶺).

취:산-꽃차례【聚繖—】명〔cyme〕『식』유한(有限)꽃차례의 하나. 꽃차례 전체의 꽃이 피면 복산방(複繖房)꽃차례와 비슷한데, 주축(主軸)의 꼭대기에 우선 한 개의 꽃이 피고, 이어 그 아래에 하나 또는 여러 개의 측축(側軸)이 나와서 각각 한 개의 정화(頂花)가 피고, 각 측축에서 다시 또 다른 측축이 나와, 점점 아래로 미침. 미나리아재비·자양화(紫陽花) 등. 취산 화서.

〈취산꽃차례〉

취:산 봉별【聚散逢別】명 취산 이합(聚散離合).

취:산 이합【聚散離合】명 모였다가 흩어지고 만났다가 헤어지는 일. 취산 봉별(聚散逢別). 이합 집산(離合集散).

취:산 화서【聚繖花序】명『식』취산꽃차례.

취:상[1]【就床】명 취침(就寢). ↔기상(起床). ——-하다 자여불

취:상[2]【醉象】명 ①〔술에 취한 코끼리의 뜻〕광포(狂暴)한 것의 비유. ②『불교』악심(惡心).

취:상 참회【取相懺悔】명『불교』삼종 참회(三種懺悔)의 하나. 부처의 용모 등을 보고 죄를 더는 참회. 관상 참회(觀相懺悔).

취:색[1]【取色】명 낡은 세간 등을 닦아서 빛을 냄. ——-하다 타여불

취:색[2]【翠色】명 남색과 파란 색의 중간 빛.

취:생 몽:사【醉生夢死】명 아무 의미 없이, 이룬 일도 없이 한 평생을 흐리멍덩하게 보냄. ——-하다 자여불

취:서[1]【就緖】명 사업(事業)의 첫발을 내디딤. 성공(成功)의 실마리가 열림. 길이 트임. ——-하다 자여불

취:서[2]【驟暑】명 갑자기 온 더위.

취:서-산【鷲棲山】명『지』경상 남도 양산시(梁山市)와 울산(蔚山) 광역시 울주구(蔚州區) 사이, 태백 산맥 남단에 솟은 산. [1,059 m]

취석[1]【—夕】명〈방〉추석(秋夕)(평북).

취:석[2]【臭石】명『광』해머 따위로 때리면 석유(石油)의 냄새가 나는 석회암(石灰岩).

취:선[1]【臭腺】명〔stink gland〕『생』동물의 체표(體表)에 있는, 악취가 나는 액체를 분비하는 선. 척추 동물에서는 피부선(皮膚腺), 특히 피지선(皮脂腺)이 특수화(特殊化)한 것임. 냄새샘. 취액선(臭液腺).

취:선[2]【翠扇】명 녹색의 부채.

취:선-향【聚仙香】명 침향(沈香)·단향(檀香)·소합향(蘇合香) 등을 섞어 만든, 피우는 향. 청원향(淸遠香).

취:설【吹雪】명 눈보라.

취성[1]【脆性】명〔brittleness〕『물』소성 변형(塑性變形)을 거의 보이지 않고 파괴에 이르는 재료의 성질. 메짐성. ＊취성 파괴.

취:성[2]【醉醒】명 술에 취하는 일과 술에서 깨는 일.

취성 파:괴【脆性破壞】명 재료가 외력(外力)에 의하여 소성 변형(塑性變形)을 거의 하지 않고 일으키는 파괴. 유리가 깨지는 것처럼 단번에 깨지는 파괴. 금속의 경우도 충격, 저온(低溫), 입계(粒界)의 불순물, 흠집에 의한 응력(應力)의 집중 등 여러가지의 원인으로 발생함.

취:소[1]【取消】명 ①기재하거나 진술한 사실을 말살함. ¶계약을 ～하다. ②『법』민법상 하자(瑕疵) 있는 의사 표시 또는 법률 행위의 효력을 표의자(表意者)나 그 밖의 특정한 사람이 소멸시켜 무효로 하는 일. 행정법상으로는 한 번 유효하게 성립한 행정 행위를 그 성립에 하자가 있음을 이유로 그 효력을 처음으로 소급하여 무효로 하는 일. 리콜(recall). ——-하다 타여불

취:소[2]【取笑】명 남의 웃음거리가 됨. ——-하다 자여불

취:소[3]【臭素】명『화』'브롬(Brom)'의 구용어.

취:소[4]【就巢】명 암새가 알을 까기 위해 보금자리에 들어 알을 품음. ¶～성(性). ——-하다 자여불

취:소 가:능 신:용장【取消可能信用狀】[—짱] 명『경』신용장의 발행 은행이 자기의 사정에 따라 언제든지 자유로이 그 발행을 취소하거나 그 조건에 변경을 가(加)할 수 있는 신용장. 불안전한 것이어서 현재는 거의 이용되지 않음. ↔취소 불능 신용장.

취:소 가리【臭素加里】명『화』'브롬화 칼륨'의 구용어.

취:소-권【取消權】[—꿘] 명『법』의사 표시 및 법률 행위의 취소를 할 수 있는 권리. 사법상(私法上)으로는 법률이 정하는 일정한 경우에만 취소할 수 있음.

취:소 나트륨【臭素—】〔도 Natrium〕명『화』'브롬화(Brom化) 나트륨'의 구용어.

취:소 불능 신:용장【取消不能信用狀】[—뇽—짱] 명『경』신용장을 일단 발행하면, 그 신용장에 이해 관계를 갖는 모든 사람의 동의 없이는 그 발행을 취소하거나 조건을 변경할 수 없는 신용장. ↔취소 가능 신용장.

취:소-산【臭素酸】명『화』'브롬산(Brom 酸)'의 구용어.

취:소산-염【臭素酸鹽】[—념] 명『화』'브롬산염(Brom 酸鹽)'의 구용어.

취:소-성【就巢性】[—썽] 명〔broodiness〕『생』조류(鳥類)가 알을 부화시키기 위해 보금자리에 들려는 성질. 몇몇 야생조(野生鳥)의 예를 제외하고 번식기에는 모두 이 성질이 나타남. 레그혼 따위 난용종(卵用種) 닭의 경우에는 인간이 이것을 가금(家禽)으로서 길들여 기르는 동안에 이러한 취소성이 완전히 소실되었음.

취:소 소송【取消訴訟】명『법』항고 소송(抗告訴訟)의 하나. 행정청(行政廳)의 위법한 처분 등을 취소 또는 변경하는 소송.

취:소-수【臭素水】명『화』'브롬수(Brom 水)'의 구용어.

취:소 암모늄【臭素—】〔ammonium〕명『화』'브롬화(Brom 化) 암모늄'의 구용어.

취:소-지【臭素紙】명 '브롬지(Brom 紙)'의 구용어.

취:소-진【臭素疹】명『의』'브롬진(Brom 疹)'의 구용어.

취:소 칼륨【臭素—】〔kalium〕명 '브롬화(Brom 化) 칼륨'의 구용어.

취:소-화【臭素化】명『화』'브롬화(化)'의 구용어. ——-하다 자여불

취:송[1]【就訟】명 재판을 받으려고 법정에 나아감. ——-하다 자여불

취:송[2]【翠松】명 짙게 푸른 소나무.

취:송[3]【聚訟】명 서로가 시비(是非)를 하여 결말이 나지 아니함. ——-하다 자여불

취:송-류【吹送流】[—뉴] 명〔wind-driven current〕『지』해상을 부는 바람과 해면(海面)의 마찰로 인해 일어나는 넓은 범위의 느린 해류. 지구의 자전(自轉)에 의하여 바람이 불어가는 쪽을 향해 북반구(北半球)에서는 오른쪽, 남반구(南半球)에서는 왼쪽으로 20°-40° 가량 기욺. 해류의 깊이는 보통 200 m 이내, 유속(流速)은 풍속(風速)의 3% 정도임. 풍성 해류(風成海流). 풍성류(風成流).

취:수[1]【取水】명 필요한 물을 수원지(水源池)에서 끌어들임. ——-하다 자여불

취:수[2]【就囚】명 옥에 갇힘. 실형을 받게 됨. ——-하다 자여불

취:수[3]【聚首】명 머리를 맞대고 가까이 앉음. ——-하다 자여불

취:수[4]【醉睡】명 술에 취하여 졺. ——-하다 자여불

취:수-관【取水管】명 취수구(取水口)에 이어진 도수관(導水管).

취:수관 게이트【取水管—】〔gate〕명 취수(取水)의 양을 조절하기 위하여 취수관에 이어진 수문.

취:수-구【取水口】명 댐 따위에서 막은 물을 취수관(取水管)에 끌어 들이는 입구(入口).

취:수-댐【取水—】〔dam〕명 취수(取水)를 위하여 만든 댐.

취:수-탑【取水塔】명『토』강이나 저수지 등에서 물을 끌어들이기 위한 관(管)이나 수문(水門)의 설비가 되어 있는 탑 모양의 구조물.

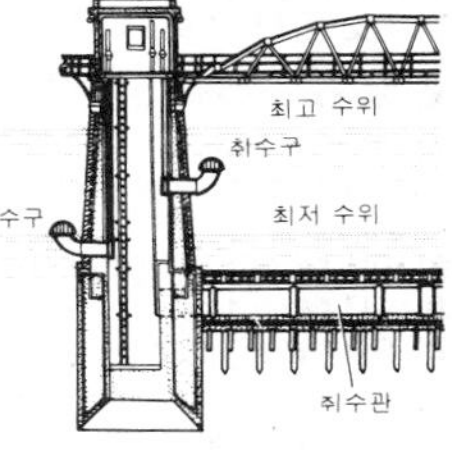

〈취수탑〉

취:슬【臭蝨】명 『충』 빈대[1].
취:승【驟陞】명 취진(驟進). ――하다 자여불
취:승-루【取勝樓】[―누] 명 『문』 작자·창작 연대 미상의 고전 소설의 하나. 국문본. 배경은 중국 당(唐)나라. 주인공 소창 처사의 가계를 중심으로 일어난 이야기를 적은 작품.
취:식[1]【取食】명 ①밥을 먹음. ②남의 밥을 염치없이 먹는 일. ¶ 무전(無錢) ~. ――하다 자여불
취:식[2]【取息】명 변리를 늘려서 받음. ――하다 자여불
취:식-객【取食客】명 남의 음식을 염치없이 먹는 사람. 포철객(哺啜客).
취:식지-계【取食之計】명 가까스로 밥이나 얻어 먹고 살아가는 꾀.
취:신【取信】명 남에게 신용을 얻음. ――하다 자여불
취:실【娶室】명 장가를 듦. 아내를 얻음. ――하다 자여불
취-쌈 명 참취 잎의 쌈. 날것을 그대로 싸기도 하고, 말린 것을 삶아서 물에 불리어, 삶은 것을 파와 쇠고기를 잘게 썰어 섞어서 간장·깨소금·후춧 가루를 쳐서 싸 먹기도 함.
취:-악기【吹樂器】명 『악』 취주 악기(吹奏樂器).
취:악-수【吹樂手】명 『역』 세악수(細樂手).
취:안[1]【醉眼】명 술에 취하여 몽롱한 눈.
취:안[2]【醉顔】명 술에 취한 얼굴. 취모(醉貌).
취안저우【泉州】명 『지』 중국 푸젠 성(福建省) 남동부의 도시. 취안저우 만(灣)에 면함. 진장(晉江) 강 어귀에 위치하여 한때 푸젠 성 제일의 항구이었음. 진장 강 유역에서 생산되는 목재·차(茶)·땅콩·사탕수수 등을 집산함. 방적·비료 공업 등이 성하고 칠기·자수·죽세공 등의 전통 수공예품을 생산함. [427,000 명(1984)]
취:액-선【臭液腺】명 『생』 취선(臭腺).
취약【脆弱·脆弱】명 무르고 약함. 가냘픔. →치약[1]. ¶ 대공(對空)~ 지구(地區). ――하다 형여불
취약-성【脆弱性】명 ①취약한 성질이나 특성. ②[vulnerability] 『군』 보복 전략 무기(報復戰略武器) 따위가 적의 제일격(第一擊)을 받았을 때 파괴되지 않고 남는 확률이 적은 일. 지상에 노출된 폭격기나 군사 기지 등은 취약함. ↔비취약성(非脆弱性).
취:약 웅예【聚葯雄蕊】명 『식』 화사(花絲)는 떨어져 있으나 약(葯)이 서로 붙어서 통상(筒狀)을 이루고, 암술의 화주(花柱)를 둘러싸고 있는 수술. 민들레 등의 국화과(科) 식물의 수술 같은 것.
취약-점【脆弱點】명 무르고 약한 점. 약점.
취:양【就養】명 ①부모의 곁에서 음식 따위를 돌보아 드림. ②관리가 부모의 고령(高齡)으로 인해 사직(辭職)하고 집에서 부모를 봉양(奉養)함. ――하다 자여불
취:어-초【醉魚草】명 『식』 [*Buddleja insignis*] 취어초과에 속하는 작은 낙엽 관목. 줄기는 높이 1-1.5 m이고 네모짐. 잎은 대생(對生)하고 피침형 또는 긴 달걀꼴에 끝이 뾰족하고 뒷면은 성상모(星狀毛)가 밀생함. 여름에 홍자색의 작은 입술 모양의 통상화(筒狀花)가 수상(穗狀) 화서로 밀집(密集)하여 핌. 산야(山野)나 냇가에 나는데, 중국 원산(原產)으로, 한국에도 분포함. 일본에는 비슷한 별종(別種)이 있음.

〈취어초〉

취:언【醉言】명 취담(醉談). ――하다 자여불
취:업【就業】명 ①일을 함. ¶ ~ 중 면회 사절. ②취직(就職). ¶ ~ 인구. ↔실업(失業). ――하다 자여불
취:업 규칙【就業規則】명 『사』 기업주와 근로자 사이에 취업의 조건에 관하여 정한 규칙. 곧, 노동 시간·임금·신분 보장·퇴직과 그 수당·안전·위생·복지 문제 등의 사항을 정해 놓은 규칙.
취:업 금:지【就業禁止】명 『법』 취업에 의하여 근로자의 건강이나 복지(福祉)가 해(害)되는 것을 예방하기 위하여 특정한 사람의 취업을 법률로써 금지하는 일. 13세 미만의 소년과 전염병·정신병에 걸린 사람은 이에 해당함.
취:업 시간【就業時間】명 일에 종사하는 시간.
취:업 인구【就業人口】명 현재 취업하여 소득을 올리고 있는 인구. 잠재 실업자(潛在失業者)도 포함됨.
취:업 제:한【就業制限】명 『법』 근로자가 과도(過度)하거나 부적당(不適當)한 취업에 의하여 받는 폐해(弊害)를 예방하기 위하여 법률로써 그 취업에 제한을 가하는 일.
취:역【就役】명 역무(役務)에 종사함. ――하다 자여불
취:연[1]【炊煙】명 밥 짓는 연기. 연화(煙火).
취연[2]【脆軟】명 연함. 무르고 부드러움. ――하다 형여불
취:연[3]【翠煙】명 ①녹색의 연기. ②멀리 푸른 나무에 걸린 놀.
취:영【翠影】명 푸르게 무성한 나무의 그늘.
취예[1] 명 〈방〉 『건』 추녀[1](함남).
취:예[2]【臭穢】명 고약한 냄새가 나고 더러움.
취:-오동【臭梧桐】명 『식』 누리장나무.
취:옥【翠玉】명 ①에메랄드(emerald). 취록옥(翠綠玉). ②↗비취옥(翡翠玉).
취:옹【醉翁】명 술 취한 노인.
취:옹-정【醉翁亭】명 중국 송(宋)나라 때 추저우(滁州)에 있었던 정자(亭子). 중지천(智遷)이 추저우의 지사(知事)였던 구양수(歐陽脩)를 위하여 세운 것임.
취:와[1]【翠瓦】명 짙푸른 빛의 기와.
취:와[2]【醉臥】명 술에 취하여 누움. ――하다 자여불
취:와[3]【鴛瓦】명 『건』 망새 ❶.
취:욕【就褥】명 ①잠자리에 듦. ②병으로 자리에 누움. ――하다 자여불
취:용【取用】명 가져다 씀. ――하다 타여불
취:용 취:대【取用取貸】명 금품을 서로 융통하여 씀. ――하다 타여불
취:우[1]【翠雨】명 푸른 잎에 매달린 빗방울. 곧, 여름비. 녹우(綠雨).
취:우[2]【醉友】명 술 취한 친구. 취한(醉漢)을 조롱하는 말.
취:우[3]【驟雨】명 소나기.
취:운[1]【翠雲】명 푸릇푸릇한 구름. 연두빛 구름.
취:운[2]【聚雲】명 떼를 지어 모인 구름.
취:원당-집【聚遠堂集】명 『책』 조선 명종(明宗) 때 사람 취원당 조광익(曺光益)의 시문집. 8대손(代孫) 조위문(曺緯文)이 편집, 고종(高宗) 때에 후손인 조한규(曺漢奎)가 간행함. 시(詩)·서(書)·기(記)·과제(科製)·유록(遺錄)·연보(年譜) 등이 수록됨. 2권 1책. 인본.
취:월【翠月】명 그리 짙지 아니한 취색(翠色)의 물감의 한 가지.
취:유 부벽정기【醉遊浮碧亭記】명 『책』 조선 초기(初期)에 김시습(金時習)이 지은 한문 소설. 송경(松京)에 사는 주인공 홍생(洪生)이 죽은 지 오래인 기씨(箕氏) 여인과 부벽루에서 놀았다는 줄거리임. ≪금오신화(金鰲新話)≫에 실려 전함.
취:육【膵肉】명 '췌육(膵肉)'을 잘못 읽는 말.
취은-광【脆銀鑛】명 『광』 은의 황안티몬화(黃 antimone 化) 광물. 몹시 무르고 금속 광택이 나며 불투명함. 은광석(銀鑛石)이 됨.
취:음[1]【取音】명 말의 뜻에는 상관하지 않고 음만 비슷하게 나는 한자(漢字)로 적는 일. 곧 '생각'을 '生覺'으로, '어음'을 '於音'으로 적는 일 등. *군두목. ――하다 타여불
취:음[2]【翠陰】명 녹음(綠陰).
취:음[3]【醉吟】명 술이 취하여 시가(詩歌)를 읊음. ――하다 자여불
취:음-자【取音字】[―짜] 명 취음한 글자.
취:응-류【鷲鷹類】[―뉴] 명 『조』 매목(目).
취:의[1]【取義】[―/―이] 명 ①의(義)를 취함. ②뜻을 취함. ――하다 자여불
취:의[2]【臭衣】[―/―이] 명 땀이나 때 따위의 악취가 나는 의복.
취:의[3]【就義】[―/―이] 명 ①바른 길을 좇음. ②의(義)를 위하여 죽음. ――하다 자여불
취:의[4]【趣意】[―/―이] 명 취지(趣旨).
취:의-서【趣意書】[―/―이―] 명 취지서(趣旨書).
취:인[1]【取人】명 인재를 골라 씀. ――하다 자여불
취:인[2]【醉人】명 취객(醉客).
취:임【就任】명 맡은 자리에 나아가 임무를 봄. ¶ 교장으로 ~하다. ↔이임(離任). ――하다 자여불
취:임-사【就任辭】명 취임할 때 하는 인사의 말. ↔이임사(離任辭).
취:임-식【就任式】명 어느 직무에 부임하였을 때, 피로(披露)나 인사·결의를 말하기 위하여 관계자를 모아 놓고 행하는 식. ¶ 이(離)~.
취:입【吹入】명 ①입김을 불어 넣음. ②레코드나 녹음기의 녹음판(錄音板)에 소리를 불어 넣음. 레코딩(recording). ¶ 레코드에 ~하다. ――하다 타여불
취:입 성형【吹入成型】명 블로 몰딩(blow molding).
취:자-거【取子車】명 물레.
취:장[1]【翠帳】명 [푸른 장막의 뜻] 부인의 침실을 이르는 말.
취:장[2]【膵臟】명 『생』 '췌장(膵臟)'을 잘못 읽는 말.
취:재[1]【取才】명 ①재주를 시험하여서 뽑는 일. ¶ 백 이방이 이쁜 딸을 두구 사위 ~를 보이지요≪洪命熹 : 林巨正≫. ②『역』 조선 때 하급 관리를 채용하기 위하여 실시한 시험. 이조(吏曹) 취재·예조(禮曹) 취재·병조(兵曹) 취재가 있었음.
취:재[2]【取材】명 어떤 사물에서 작품이나 기사의 재료 또는 제재(題材)를 얻음. ¶ ~ 기자/~ 활동. ――하다 자여불
취:재[3]【臭載】명 ①배에 실은 짐이 상하여 냄새가 나고 못쓰게 됨. ②짐을 실은 배가 침몰(沈沒)함. ――하다 자여불
취:재 기자【取材記者】명 신문사나 잡지사 등의 취재부(取材部)에 소속하여 기사의 재료를 얻기 위하여 활약하는 기자.
취:재-부【取材部】명 신문사·잡지사 등에서 주로 취재에 관한 일을 맡아 보는 부(部).
취:재-원【取材源】명 작품이나 기사 재료의 출처.
취:재원 비:익【取材源祕匿】명 신문사나 잡지사에서 기사의 독점 또는 그 밖의 목적으로 취재원을 비밀로 하는 일.
취:적[1]【吹笛】명 피리를 붊. ――하다 자여불
취:적[2]【就籍】명 출생 신고 태만이나, 호적의 기재 탈루(脫漏) 등에 의해서 무적(無籍)이 된 사람이 신고하여 호적에 오름. ――하다 자여불
취:적 비취어【取適非取魚】명 [낚시질을 하는 참뜻이 고기 잡는 데 있지 않고 세상 생각을 잊고자 하는 데 있다는 뜻] 어떠한 행동을 함에 있어서 목적이 거기에 있지 않고 다른 데에 있음을 이르는 말.
취:적-지【就籍地】명 취적한 곳.
취:정 회:신【聚精會神】명 정신을 한군데에 모음. ――하다 자여불
취:조[1]【取嘲】명 조롱을 받음. ¶ 그래도 첩에게 ~하게 된 것은 비위에 거슬리어…≪洪命熹 : 林巨正≫ ――하다 자여불
취:조[2]【取調】명 '문초(問招)'의 구용어. ――하다 타여불
취:조[3]【翠鳥】명 『조』 물총새.
취:조-관【取調官】명 문초관(問招官).
취:조-실【取調室】명 문초실(問招室).
취:종【取種】명 생물의 씨를 받음. *채종(採種). ¶ 복니를 죽이라시거든 잡아서 나를 다구. 내가 ~하겠다≪洪命熹 : 林巨正≫. ――하다 타여불
취:주【吹奏】명 『악』 저·피리·나발과 같은 관악기(管樂器)를 불어서 연주함. ――하다 타여불
취:주-악【吹奏樂】명 『악』 목관(木管) 악기·금관(金管) 악기·타악기(打樂器)로 편성되어 연주되는 음악. 관악(管樂). ¶ ~단(團).

취:주 악기【吹奏樂器】명〖악〗취주악 연주용 악기의 주체를 이루는 금관(金管) 악기·목관(木管) 악기. 관악기(管樂器). 취악기(吹樂器).

취:주 악대【吹奏樂隊】명〖악〗취주 악기를 주로 하여 편성된 악대.

취:죽【翠竹】명 푸른 대나무. 청죽(青竹).

취:중[1]【醉中】명 술 취한 동안. 취리(醉裏). 취리(醉裡). ¶～ 진담(眞談). ↔생중(生中).
[취중에 진담이 나온다] 취하면 대개 허튼 수작만 할 것 같으나, 함부로 지껄이는 듯한 말도 실은 제 진심을 털어놓는다는 뜻.

취:중[2]【就中】부 특별히 그 가운데. 그 중에서도 특히.

취:중 무천자【醉中無天子】명 술에 취하면 아무도 어려운 사람이 없음.

취:중 진정발【醉中眞情發】명 취중에 진정을 토할. 사람이 술에 취하게 되면 평상시에 품고 있던 제 마음 속을 토로한다는 뜻.

취:지[1]【取旨】명〖역〗임금의 윤허(允許)를 받음. ——-하다 자여불

취:지[2]【揣知】명 '췌지(揣知)'를 잘못 읽은 말.

취:지[3]【趣旨】명 근본(根本)이 되는 종요로운 뜻. 취의(趣意). 지취(旨趣). ¶～를 설명하다.

취:지 무금【取之無禁】명 임자 없는 물건을 마음껏 가져도 말리는 이가 없음.

취:지-서【趣旨書】명 어떠한 취지를 적은 글발. 취의서(趣意書).

취:직【就職】명 직업을 얻음. 취업(就業). ¶～ 알선. ——-하다 자여불

취:직-난【就職難】명 사회의 경제 상태가 부진하거나 경쟁자는 많고 수요(需要)는 적거나 하여 취직하기가 심히 어려운 일. 구직난(求職難).

취:직 시험【就職試驗】명 취직하려는 사람의 능력·적성 따위를 판정하기 위하여 고용주가 행하는 시험.

취:직 운:동【就職運動】명 직업을 얻기 위하여 여기저기 돌아다니며 힘쓰는 일.

취:직 지도【就職指導】명〖교〗학교 졸업 후, 곧 직업에 종사할 학생에 대한 직업의 선택·알선 및 근무(勤務)태도나 일반적·준비적인 기술 훈련을 포함하는 교육 지도. 직업 보도(職業輔導).

취:진【驟進】명 급작스럽게 벼슬이 뛰어 오름. 취승(驟陞). ——-하다 자여불

취:진-판【聚珍版】명〖역〗중국 청(清)나라의 건륭(乾隆) 38년(1773) 사고 전서(四庫全書)의 선본(善本)을 활자(活字)로 인쇄할 적에 임금이 지어준 이름.

취:집[1]【聚集】명 모아 들임. ——-하다 타여불

취:집[2]【驟集】명 급작스레 모이거나 모음. ——-하다 자타여불

취징〔曲靖〕명〖지〗중국 윈난 성(雲南省) 동부에 있는 도시. 구이저우 성(貴州省)의 문호(門戶) 구실을 하는 상업 도시이며, 부근에서 나는 농산물의 집산지임. [746,000명(1984)]

취:차【取次】부 차례차례로.

취:차-포【醉且飽】명 술을 취하도록 마시고 음식을 배부르도록 먹음. ㊥취포(醉飽). ——-하다 자여불

취:착【就捉】명 죄를 짓고 잡힘. ——-하다 자여불

취:처【娶妻】명 아내를 얻음. 장가를 듦. ——-하다 자여불

취:청【吹青】명〖공〗중국 청(清)나라 강희제(康熙帝) 때에 장시 성(江西省) 징더진(景德鎭)의 장요(臧窯)에서 나던 자기(瓷器)의 한 가지. 맨 바탕에 오수(吳須)를 뿜은 듯한 산점(散點) 무늬가 있음.

취:체【取締】명〖법〗'단속(團束)'의 구용어. ——-하다 타여불

취:체-역【取締役】명〖법〗주식 회사의 '이사(理事)'의 구용어.

취:체역-회【取締役會】명〖법〗주식 회사(株式會社)의 '이사회(理事會)'의 구칭.

취:초【取招】명 범인(犯人)을 문초(問招)하여 범죄 사실(犯罪事實)을 진술(陳述)하게 함. ——-하다 타여불

취 추바이〔瞿秋白〕명〖사람〗중국의 정치가·문학자. 장쑤 성(江蘇省) 창저우(常州) 사람. 1920년 신문사 특파원으로 모스크바에 가 혁명 직후의 소련 사정을 소개함. 귀국 후 중국 공산당 총서기(總書記) 등의 요직을 지내며, 문자(文字) 개혁을 주장하고, '중국 라틴화(化) 자모(字母)'를 완성했음. 장정(長征) 때 국민당 군에 잡혀 총살됨. [1899-1935]

취:충【臭蟲】명〖충〗빈대.

취:침【就寢】명 잠을 잠. 잠자리에 듦. 취상(就床). ¶～ 시간/～중. ↔기침(起寢)·기상(起床). ——-하다 자여불

취:타【吹打】명 ①취주 악기를 불고 타악기를 침. ②〖역〗군중(軍中)에서 나발·소라·대각·호적(號笛) 등을 불고, 징·북·나(鑼)·바라를 치는 군악(軍樂). 주장(主將)이 좌기(坐起)할 때, 군사를 조련(操鍊)할 때, 진영(陣營)을 열고 닫을 때 아뢰. 대취타(大吹打)와 소취타(小吹打)의 두 가지가 있음. ↔세악(細樂). ③〖악〗궁중 연례악(宴禮樂)의 하나. 대취타(大吹打)의 태평소 가락을 장2도 높여 조옮김하고 가락에 약간 변화를 주어 만든 관현악곡. 왕의 거둥 때나 군대의 행진이나 개선 때에 연주되었음. 만파 정식지곡(萬波停息之曲). 수요 남극(壽耀南極). ——-하다 자여불

취:타-수【吹打手】명〖역〗①군중(軍中)에서 징·나(鑼)·바라·북·솔발(鉾鈸)을 치는 군사와 나발·호적·대각(大角)을 부는 군사. ↔세악수(細樂手). ②대포(大砲)를 놓는 군사. ③취고수(吹鼓手)❷.

취:타 악단【吹打樂團】명〖악〗피리·나발 등의 취주 악기와 북·징 등의 타악기로 편성된 악단.

취:탄【吹彈】명 피리 등의 관악기를 불고, 바이올린 등의 현악기를 탐. 음악을 연주함. ——-하다 타여불

취:탕【炊湯】명 숭늉.

취:태[1]【翠苔】명 푸른 이끼. 또, 녹색 이끼. 녹태(綠苔).

취:태[2]【醉態】명 술이 취한 사람의 태도.

취:태-아【嘴太鴉】명〖조〗큰부리까마귀.

취:태평지-곡【醉太平之曲】명〖악〗평조 회상(平調會相)의 현악(絃樂)으로서의 아명(雅名).

취:택【取擇】명 가려서 골라 뽑음. 선택(選擇). ——-하다 타여불

취토[1] 명〈심마니〉호미[1].

취:토[2]【取土】명〖민〗장사 지낼 때에 광중(壙中) 네 귀에 조금씩 놓는 길방(吉方)에서 가져오는 흙. 관(棺)의 굄 역할로 하관한 뒤에 바를 뽑기 쉽게 하느라고 넣음. ——-하다 자여불

취:토[3]【聚土】명〖건〗토역(土役)할 때, 흩어진 흙을 거두어 모음. ——-하다 자여불

취:파【取播】명〖농〗씨앗을 받아서 두어 두지 않고 곧 파종(播種)함. ——-하다 타여불

취:패【臭敗】명 냄새가 몹시 나도록 썩어 문드러짐. ——-하다 자여불

취:편【取便】명 편리한 편을 취함. ——-하다 타여불

취:포【醉飽】명 ↗취차포(醉且飽). ——-하다 자여불

취푸〔曲阜〕명〖지〗중국 산둥 성(山東省) 남서부의 소도시. 쓰수이(泗水) 강의 남안(南岸)에 있음. 춘추 시대 노(魯)나라의 수도(首都)로서 공자(孔子)의 탄생지임. 공자의 묘와 사당이 있으며, 유교의 성지(聖地)로 일컬어짐. 곡부(曲阜). [518,000명(1982)]

취:품[1]【取品】명 여럿 중에서 좋은 품질을 가려 뽑음. ——-하다 타여불

취:품[2]【取稟】명 웃어른께 여쭈어서 그 의견(意見)을 기다림. ¶혼인날 두 용왕께 ～하고 정하세《洪命憙：林巨正》. ——-하다 타여불

취:품[3]【就稟】명 나아가서 아룀. ——-하다 타여불

취:풍-형【醉豐亨】명〖역〗조선 세종(世宗) 때 지은 연례악(宴禮樂). 조종(祖宗)의 창업과 성덕(聖德)을 기린 곡으로 상·하 2곡에 용비어천가 전장(全章)을 갈라 얹은 443각의 노래임.

취:풍형-무【醉豐亨舞】명〖악〗조선 시대 초기, 궁중에서 아뢰던 봉래의(鳳來儀) 가운데의 치화평무(致和平舞)로 옮기는 장면. 취풍형악을 아뢰면 무기(舞妓) 여덟 명이 대(隊)의 모양을 바꾸어 북향(北向)하여 두 줄의 세로 줄로 늘어서서 주악과 박(拍) 소리에 맞추어 구호(口號)와 용비 어천가를 부르고 염수 족도(斂手足蹈)하며, 대무(對舞)·배무(排舞)·회무(回舞)를 춤.

취:풍형-보【醉豐亨譜】명〖악〗취풍형무에 아뢰는 풍류의 악보(樂譜).

취:풍형-악【醉豐亨樂】명〖악〗취풍형무(醉豐亨舞)에 아뢰는 풍류.

취:필[1]【取筆】명 잘 쓴 글씨를 뽑음. 또, 글씨 잘 쓰는 사람을 뽑음. ——-하다 타여불

취:필[2]【醉筆】명 술이 취해서 서화(書畫)를 쓰거나 그림. 또, 그 서화.

취:하[1]【取下】명 신청하였던 일이나 서류 등을 철회(撤回)함. ¶고소～. ——-하다 타여불

취:하[2]【翠霞】명 푸른 안개나 이내.

취:-하다[1]【醉—】자여불 ①먹은 술 기운이 온몸으로 퍼지다. 술을 마셔 정신이 몽롱하여지다. ¶거나하게 ～. ②먹은 약(藥) 같은 것의 기운이 몸에 퍼지다. ③음식물의 중독으로 상기되고 온몸이 홧홧 달다. ④많은 물건이나 사람에 시달리어 정신이 흐려지다. ⑤무엇에 홀리거나 열중하여 황홀해지다. 도취(陶醉)하다.

취:-하다[2]【取—】타여불 ①가지다. 제것을 만들다. ②먹다. 섭취하다. ¶양분을 ～/단백질을 ～. ③자세를 보이다. ¶분명한 태도를 ～. ④방법 등을 쓰거나 강구하다. ¶강제 수단을 ～/조처를 ～. ⑤어떤 것을 선택하여 거기에 의거하다. ¶사실(史實)에 제재(題材)를 취한 작품. ⑥택하다. ¶갑을 버리고 을을 ～. ⑦쉬다. 잠을 자다. ¶휴식을 ～/수면을 ～. ⑧남에게서 금품, 주로 돈을 꾸다. ¶돈을 ～.

취:-하다[3]【娶—】타여불 아내를 맞아들이다. 장가를 들다.

취:학【就學】명〖교〗①학교에 입학하여 공부를 함. ¶～ 아동. ②스승에게 나아가 학문을 배움. ——-하다 자여불

취:학-률【就學率】[—눌] 명〖교〗학령(學齡) 아동의 총수에 대한 실제의 취학 아동 인원수의 백분율.

취:학 면:제【就學免除】명 교육법의 규정에 의하여 취학이 곤란하다고 인정되는 자의 보호자에 대한 취학 의무를 면제하는 일. 불구(不具)·폐질(廢疾) 등의 사유에 한하여 인정됨.

취:학 아동【就學兒童】명 국민 학교에 취학하는 아동.

취:학 연령【就學年齡】[—널—] 명 학령(學齡)❶.

취:학 유예【就學猶豫】[—뉴—] 명 교육법에서, 신체 장애 등 부득이한 사유로 취학이 곤란하다고 인정되는 자의 보호자에 대하여 취학 의무를 유예해 주는 일. 그 기간은 보통 1년 이내임.

취:학 의:무【就學義務】명 학령(學齡) 아동의 보호자가 그 아동을 취학시킬 의무.

취:학전 교:육【就學前教育】명〖교〗국민 학교 취학 이전의 유아의 교육. 이를 위한 교육 기관으로서 유치원(幼稚園) 따위가 있는데 가정 교육도 특히 중요한 구실을 함. 유아 교육(幼兒教育).

취:한[1]【取汗】명〖한의〗병을 다스리려고 땀을 내어서 그 기운을 발산시킴. 발한(發汗). ——-하다 자여불

취:한[2]【醉漢】명 술에 취한 사람을 낮게 일컫는 말.

취:한 요법【取汗療法】[—뻡] 명〖의〗발한 요법(發汗療法).

취:한-제【取汗劑】명〖한의〗땀의 분비(分泌)를 촉진시키는 약제. 발한제(發汗劑).

취:한-증【臭汗症】[—쯩] 명〔bromidrosis〕〖의〗겨드랑이나 음부(陰部) 같은 곳에서 냄새가 고약한 땀을 분비하는 병증. 아포크린선(apocrine腺) 이상(異常)으로 오는데 치료는 살리실산(酸)·레조르신·크롬산(酸) 및 질산은(窒酸銀)을 바르거나 뢴트겐 조사(照射)·전기 분해 등이 있으나 해당 부위를 절제 수술하는 것이 가장 좋음.

취:합【聚合】명 ①모여서 합침. 또, 한데 모아 합침. ②〖화〗분자나 원자가 모여서 가지가지의 상태를 나타내는 일. ③〖광〗광물(鑛物)에서 여

러 가지의 결정형(結晶形)이 결합하여 덩어리를 이루는 일. ——-하다 자타여불

취:항[1]【就航】명 배나 비행기가 항로에 오름. ¶국제선(國際線) ~. ——-하다 자여불

취:항[2]【就港】명 배 같은 것이 어떤 항구에 나아가서 취역(就役)함. ——-하다 자여불

취:해【臭骸】명 고약한 냄새를 풍기는 시체.

취:향[1]【趣向】명 취미가 쏠리는 방향. ¶개개인의 ~에 따라서.

취:향[2]【醉鄕】명 술이 거나하여 즐기는 별천지.

취:허【吹噓】명 남의 잘한 것을 풍을 쳐서 칭찬하여 천거함. ——-하다 타여불

취:헐【就歇】명 일이 한가롭고 헐한 데로 나아가는 일. ——-하다 자여불

취:형[1]【聚形】명〖광〗두 가지 이상의 형의 조합으로 된 결정형.

취:형[2]【聚螢】명 개똥벌레를 모아서 등불의 대신으로 하는 일. 고생하여 학문하는 일의 비유.

취:홍【吹紅】명〖공〗중국 청(淸)나라 강희(康熙) 때에 장요(臧窯)에서 나던 자기(瓷器)의 한 가지.

취:홍-원【聚紅院】명〖역〗조선 연산군(燕山君) 때 베푼 홍청(興淸)의 처소. *뇌영원(蕾英院).

취:화[1]【臭化】명〖화〗'브롬화(Brom 化)'의 구칭. ——-하다 자여불

취:화[2]【翠華】명〔옛날 중국에서 천자(天子)의 기를 짙푸른 새깃으로 장식한 데서〕천자의 기(旗)를 일컫는 말.

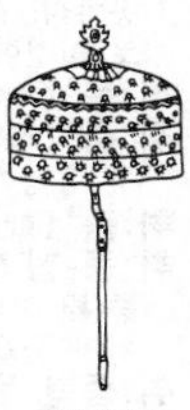

취:화 가리【臭化加里】명〖화〗'브롬화 칼륨'의 구칭.

취:화-개【翠華蓋】명〖역〗의장(儀仗)의 하나.

취:화-기【翠華旗】명〖역〗의장기(儀仗旗)의 한 가지.

〈취화개〉

취:화 나트륨【臭化—】〔도 Natrium〕명〖화〗'브롬화 나트륨'의 구칭.

취:화 메틸【臭化—】〔methyl〕명〖화〗'브롬화 메틸'의 구칭.

취:화-물【臭化物】명〖화〗'브롬화물'의 구칭.

취:화 수소【臭化水素】명〖화〗'브롬화 수소'의 구칭.

취:화 수소산【臭化水素酸】명〖화〗'브롬화 수소산'의 구칭.

취:화 알루미늄【臭化—】〔aluminium〕명〖화〗'브롬화 알루미늄'의 구칭.

취:화 암모늄【臭化—】〔ammonium〕명〖화〗'브롬화 암모늄'의 구칭.

취:화 암몬【臭化—】명〖화〗'브롬화 암모늄'의 구칭.

취:화 에틸【臭化—】〔ethyl〕명〖화〗'브롬화 에틸'의 구칭.

취:화-은【臭化銀】명〖화〗'브롬화은'의 구칭.

취:화-인【臭化燐】명〖화〗'브롬화인'의 구칭.

취:화지-본【取禍之本】명 재앙을 가져오는 근본.

취:화 칼륨【臭化—】〔kalium〕명〖화〗'브롬화 칼륨'의 구칭.

취:화 포타슘【臭化—】〔potassium〕명〖화〗'브롬화 포타슘'의 구칭.

취:황【翠篁】명 청청(靑靑)하게 우거진 대숲.

취:후【醉後】명 술에 취한 뒤. 주후(酒後).

취:훈【醉暈】명 술에 취하여 눈이 아물아물함. ——-하다 자여불

취:흥【醉興】명 술에 취하여 일어나는 흥취. ¶~이 도도하다.

췻-국 명 참취로 끓인 국.

췽이다 타 ☞ 충이다.

츄라치 명〈옛〉취라치(吹螺赤). ¶吹螺赤 츄라치 宋安. 登墻吹螺一通. 稱吹角人. 爲吹螺赤《龍歌 I:47》.

츄리라 타〈옛〉치리라. 기르리라. '치다'의 활용형. ¶이제 힝혀 나온 나라해 져고맛 모물 츄리라(今幸樂國養微軀)《重杜諺 IX:31》.

츄마 명〈옛〉치마. ¶츄마 샹(裳)《字會 中 22》.

츄마물 명〈옛〉잿빛말. ¶츄마물(灰馬)《譯解 下 28》/츄마물(鎖羅靑馬)《老乞 下 8》.

츄명 명〈옛〉점(占). 점치는 것. ¶우리 뎌긔 츄명ᄒᆞ라 가쟈(咱們那裏算去來)《老乞 下 63》.

츄심ᄒᆞ다 타〈옛〉추심(推尋)하다. ¶구의 시방절로ᄒᆞ여 도망ᄒᆞ니를 츄심ᄒᆞ라 ᄒᆞᄂᆞ니(官司見着 落跟尋逃走的)《老乞 上 45》.

츌렴 명〈옛〉추렴. ¶여러 몯을 츌렴ᄒᆞ고(抽分了幾箇馬)《朴解 中 13》.

취ᄒᆞ다 자〈옛〉취(醉)하다. ¶취홀 취(醉)《字會 下 15》.

ᄎᆞ굴위다 자〈옛〉쭈그러지다. ¶열닐굽 차힌 모미 ᄎᆞ굴위디 아니ᄒᆞ시며《月釋 II:56》.

ᄎᆞ기 부〈옛〉측은히. 섭섭히. ¶善慧 드르시고 ᄎᆞ기 너겨《月釋 I:9》.

ᄎᆞ기너기다 타〈옛〉안타깝게 여기다. 원망스럽게 생각하다. ¶물러가 갈맷ᄂᆞᆫ 雨師를 ᄎᆞ기 너기고(退藏恨雨師)《杜諺 X:25》.

츠다[1] 타〈옛〉춤을 추다. ¶춤 츠ᄂᆞᆫ ᄃᆡ 다시 고지 ᄂᆞ치 ᄀᆞᄃᆞᆨᄒᆞ야쇼ᄆᆞᆯ 보리니(舞處重看花滿面)《杜諺 X:2》.

츠다[2] 타〈옛〉자그마한 분량을 섞다. 치다. ¶됴ᄒᆞᆫ 藥草ㅣ色香美味 다 ᄀᆞ조닐 求ᄒᆞ야 디허 처 和合ᄒᆞ야《月釋 XVII:17》.

츠다[3] 타〈옛〉치우다. 치다. ¶손지 後園에 이셔 쫑 츠며(猶在後園除糞)《圓覺 下 一之一 52》.

츠다르스키〔Zdarsky, Mathias〕명〖사람〗오스트리아의 스키 교사. 6년 간이나 릴리엔펠트(Lilienfeld) 산중에 틀어박혀 새로운 스키술(術)을 연구하여 하나의 스토크와 짧은 스키를 사용하는 슈템보겐(Stemmbogen)을 강조한 새로운 스키술을 창안해 내어 '알펜스키(Alpenski)의 아버지'라 일컬어짐. [1856-1940]

츠르르 부〈방〉주르르.

츠바이크[1]〔Zweig, Arnold〕명〖사람〗독일의 유태계(系) 소설가·극작가. 제1차 세계 대전에 종군하고 1933년 팔레스타인에 망명하여 반(反)파시즘 활동에 참가. 마르크스주의의 입장에서 사회주의 리얼리즘 작풍(作風)을 확립함. 제2차 대전 후 동서 독일 펜클럽 회장. 대표작에 《백인(白人)들과의 대전쟁》이 있음. [1887-1968]

츠바이크[2]〔Zweig, Stefan〕명〖사람〗오스트리아의 유태계 시인·극작가·소설가. 나치스의 오스트리아 병합과 동시에 망명하여 브라질에서 자살했음. 처음 젊은 빈파(Wien 派)의 낭만파 서정 시인으로 등장하였으며, 전기 작가로서 《세 사람의 거장(巨匠)》·《세 사람의 시인》 등이 저명하며, 회고록 《어제의 세계》는 유럽 정신사(精神史)의 귀중한 자료임. [1881-1942]

츠비카우〔Zwickau〕명〖지〗독일 라이프치히의 남방 64 km 지점에 위치한 카를마르크스 슈타트 현(縣)의 광공업 도시. 탄전의 중심지이며 기계·자동차·섬유 공업이 행하여짐. 중세(中世) 이래 은(銀)·동(銅)의 광산 및 직물로 유명함. 중세 고딕식 성당 등이 있고, 작곡가 슈만의 생가(生家)가 남아 있음. [121,787 명(1981)]

츠빙글리〔Zwingli, Ulrich〕명〖사람〗스위스의 종교 개혁자. 취리히(Zürich)의 성직자로 있으면서 종교개혁 운동에 종사, 인문주의적(人文主義的)인 경향에 흘러 특히 성찬론(聖餐論)으로 루터(Luther)와 충돌하였음. 뒤에 가톨릭군(軍)과 싸워 전사하였음. [1484-1531]

츠음 명부〈방〉처음(충남·전북). 「1》.

츠이다[1] 타〈옛〉춤을 추게 하다. ¶놀개 춤 츠이고(翅兒舞)《朴解 中

츠이다[2] 타〈옛〉치우게 하다. ¶미양 쇠똥을 츠이거든(每使掃除牛下)《飜小 IX:24》.

츠저우 요【—窯】〔磁州〕명 중국 허베이성(河北省) 츠 현(磁縣) 펑청전(彭城鎭)에 있는 도요(陶窯). 송대(宋代) 이후의 유품이 많으며, 민간 용잡기(雜器)의 산지로 알려짐.

츠펑【赤峰】명〖지〗중국 내몽고 자치구(內蒙古自治區) 동부, 랴오허(遼河) 강의 상류에 위치한 도시. 예츠(葉赤) 철도의 종점이고 공로(公路)의 중심임. 주변에서는 밀·메밀·양털·약재 등을 산출하며, 주조(酒造)·제분(製粉)등의 공업이 일어남. 부근에 있는 츠펑 유적은 싱안링(興安嶺) 이동(以東)의 신석기 시대 채도 문화(彩陶文化)의 대표적 유적으로 유명함. [865,000 명(1984)]

측【側】의명 대립되고 있는 어느 한 쪽. ¶반대자 ~/찬성이 많은 ~.

-측【側】미 어떠한 명사 아래에 붙어서 그 쪽의 뜻을 나타내는 말. ¶정부~/학교~.

측-가름【側—】명 몸에 검은 가로줄이 있는 범을 일컫는 말.

측각[1]【側脚】명〖충〗곤충류의 배(胚)의 제일 복절(第一腹節)에 가끔 나타나는 한 쌍의 선상 기관(腺狀器官).

측각[2]【測角】명 각(角)을 측정함. ¶~점(點). ——-하다 자타여불

측각-기【測角器】명〖물〗①〔angle measuring instrument〕각도(角度)를 측정하는 기계(器械)의 총칭. 각도기·육분의(六分儀)·각도계 등. ②〔goniometer〕결정면(結晶面)과 결정면과의 각도, 결정축(結晶軸)의 각도 위치를 측정하는 장치. 결정축의 각도를 측정하기 위해서는 X선 회절(回折)을 사용함.

측간[1]【測桿】명 측량(測量)대.

측간[2]【廁間】명 뒷간. 화장실.

측거-기【測距器】명 측거의(測距儀).

측거-의【測距儀】[—/—이] 명〖물〗①〔macrometer〕멀리 있는 물체까지의 거리를 측정할 수 있도록 2개의 거울과 망원경으로 된 광학(光學) 기계. ②〔range finder〕어떤 목표까지의 거리를 측정하는 데 사용하는 장치. 좌우의 고정 위치로부터 시각도(視角度)의 차를 측정하여 삼각법에 의하여 거리를 알아냄. 측거기(測距器). 측원기(測遠器).

측경-기【測徑器】명 캘리퍼스(callipers).

측고-기【測高器】명〔hypsometer〕나무나 건물 따위의 높이를 재는 기구. 삼각법과 기하학적 닮음을 이용한 것.

측고-학【測高學】명〔hypsography〕〖지〗수면(水面)으로부터의 높이를 측정하고 기술(記述)하는 과학.

측광【測光】명〔photometry〕〖물〗빛의 강도(強度)를 잼. 광도(光度)·휘도(輝度)·조도(照度) 등의 측정이 포함됨. ——-하다 자여불

측광-기【測光器】명〔photometer〕빛의 세기·밝기의 정도 및 반사율(反射率)·흡수 계수(吸收係數)·혼탁도(混濁度)·농도(濃度) 등을 측정하는 장치. 분광(分光) 측광에 쓰이는 것을 분광 측광기라 하며, 광전 광도계(光電光度計) 따위가 있음. 광도계(光度計).

측구【側溝】명〖토〗가거(街渠)❷.

측귀【廁鬼】명〖민〗뒷간에 있다는 잡된 귀신.

측근[1]【側近】명 ①곁의 가까운 곳. ②↗측근자.

측근[2]【側根】명〖식〗곁뿌리.

측근-자【側近者】명 곁에서 가까이 모시는 사람. ㊜측근.

측기[1]【仄起】명 한시(漢詩)의 기구(起句)의 제이자(第二字)에 '仄' 자를 쓰는 일. 또, 그 한시. ↔평기(平起). *평측(平仄).

측기[2]【測器·測機】명 측량·기상 관측에 쓰이는 기기(器機). ¶기상 ~.

측-뇌실【側腦室】명〖생〗좌우 대뇌 반구(大腦半球)의 내부에 각각 하나씩 있어 투명한 물과 같은 수액(髓液)이 가득 차 있는 부분.

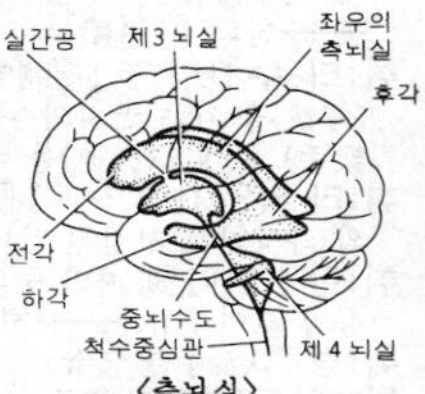

〈측뇌실〉

측다 형〈옛〉측은하다. 섭섭하다. ¶내 님금 믈즈ᄫᆞᆫ 後에아 ㅅㅅ이 사ᄒᆞ라도 측디 아니ᄒᆞ애라《三綱 忠臣 27》.

측달【惻怛】명 가엾게 여기어 슬퍼함. 측창(惻愴). ——-하다 형여불

측대-파【側帶波】명〖물〗측파대(側波帶).

측-도[1]【—島】명〖지〗인천 광역시의 서해상, 옹진군(甕津郡) 영흥면(靈興面) 선재리(仙才里)에 위치한 섬. 영흥도(靈興島)의 동쪽 3 km에 인접함. [0.30 km²]

측도[2]【測度】명 ①도수(度數)·척도(尺度)를 잼. 계측(計測). 측정(測定). ②여러 가지 양(量)을 재는 단위. 또, 어떤 단위로 어떤 양을 잤을 때 얻어지는 수치. ③〖수〗 길이·넓이·부피의 개념의 확장으로서, 일반적 집합의 부분 집합에 대하여 정의(定義)되는 양. ――-하다 타여불

측도 갑판【測度甲板】명 〔tonnage deck〕 3층 이상의 갑판을 가진 배의 경우는 밑에서 두 번째 갑판, 기타의 배는 상갑판(上甲板)의 일컬음.

측두-골【側頭骨】명 〔temporal bone〕〖생〗 두개골(頭蓋骨)의 측면을 이루는 뼈의 총칭. 두정골·전두골(前頭骨)·후두골·대익(大翼)·협골(頰骨)로 둘러싸인 부분으로, 유양 돌기(乳樣突起)·경상 돌기(莖狀突起)·협골 돌기(頰骨突起)·인(鱗)·측두인(側頭鱗)·외이도(外耳道) 및 내부의 내이(內耳)·중이(中耳)로 형성되어 있음. 섭유골(顳顬骨). 옆머리뼈.

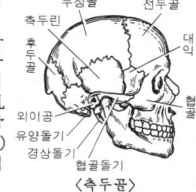

〈측두골〉

측두-근【側頭筋】명 〖생〗 측두부에서 시작하여 아래턱에 붙는 선형(扇形)의 근육. 하악(下顎) 신경의 지배를 받아 저작근(咀嚼筋)으로서 활동(活動)함.

측두-엽【側頭葉】명 〔temporal lobe〕〖생〗 대뇌 반구(大腦半球)의 일부로 외측 대뇌열(外側大腦裂)보다 아래에 있는 부분. 청각(聽覺)·후각(嗅覺)·정신 작용의 중추(中樞)임.

측두엽 전간【側頭葉癲癎】명 〔temporal-lobe epilepsy〕〖의〗 뇌의 측두엽의 병변(病變)에 기인하는 재발성 전간(癲癎) 발작.

측랑【側廊】〔―낭〕명 〖건〗 교회당 건축에서, 네이브(nave)의 바깥쪽에 있는 그보다 폭이 좁은 공간. 네이브와는 열주(列柱)로 구획되어 보통 통로로서 사용됨. 아일(aisle).

측량【測量】〔―냥〕명 ①기기(機器)를 써서 건조물의 높이·깊이·길이·넓이·거리·위치·방향 등을 재어 헤아림. ②지구 표면 상의 형상을 측정하는 일. 여러 가지 기기를 사용하여 지표(地表)의 높낮이·깊고 얕음·위치·방향·각도·거리·지형·지역의 광협(廣狹) 등을 재어 도시(圖示)함. 측량의 수단에 따라 평판 측량·사진 측량·삼각 측량 따위로, 또 목적에 따라서 지형 측량·수로 측량·지질 측량 따위로 나뉨. ③생각하여 헤아림. ¶그의 마음을 ~할 수 없다. ――-하다 타여불

측량-기[1]【測量旗】〔―냥―〕명 측량할 때 측량점의 표지로 쓰는 기.

측량-기[2]【測量器】〔―냥―〕명 측량 기계(測量器械).

측량 기계【測量器械】〔―냥―〕명 측량하는 데 쓰이는 기계. 곧, 측쇄(測鎖)·나침반·전경의(轉鏡儀)·수준의·육분의(六分儀) 같은 것. 측량기.

측량 기술자【測量技術者】〔―냥―짜〕명 〖법〗 국가 기술 자격법에 의한 측지(測地) 기술사. 측지 기사 1급 및 2급의 기술계 기술 자격을 취득한 사람을 일컬음.

측량 단위【測量單位】〔―냥―〕명 〔surveyor's measure〕 측량에 쓰이는 단위. 측쇄(測鎖) 또는 건터 체인(Gunter's chain)이 쓰임.

측량-대【測量―】〔―냥때〕명 토지를 측량할 때 쓰는 긴 막대기. 눈에 잘 띄도록 붉고 희게 칠함. 측간(測桿). 폴(pole).

측량-도【測量圖】〔―냥―〕명 측량하여 만든 지도(地圖).

측량-반【測量班】〔―냥―〕명 측량 업무를 위하여 조직된 반.

측량-법【測量法】〔―냥뻡〕명 〖법〗 측량에 관한 기준을 정한 법률. 측량의 정확성을 확보함으로써 측량 제도의 발전을 도모함을 목적으로 함.

측량-사【測量士】〔―냥―〕명 측량 기술자(測量技術者).

측량-선【測量船】〔―냥―〕명 해도(海圖) 및 수로지(水路誌)를 제작할 목적으로 해양·항만 등의 수심·조류(潮流)·해저(海底) 또는 해안선의 지형 등을 측량하는 배.

측량-수【測量手】〔―냥―〕명 측량하는 사람.

측량-술【測量術】〔―냥―〕명 토지의 위치·모양·면적 등을 측정하는 기술. 또, 그 기술로 지도를 만드는 일.

측량-업【測量業】〔―냥―〕명 기본 측량·공공(公共) 측량 또는 일반 측량의 용역(用役)을 맡아 하는 영업(營業).

측량-없다 〔―냥업―〕형 한량이나 끝이 없다. ¶나로 생각해도 내 소위가 더럽기 측량없습니다《崔曙海: 누이동생을 따라》.

측량용 수준기【測量用水準器】〔―냥농―〕명 〔surveyor's level〕 측량에 쓰이는 수준기. 망원경과 함께 삼각가(三脚架)에 장착됨. 수직 방향으로 회전하며 수준을 맞추는 조절용 스크루(screw)가 붙어 있음.

측량용 체인【測量用―】〔―냥농―〕명 〔engineer's chain〕〖토〗 측량용 측정기의 하나. 1피트마다 고리로 연결된 쇠줄. 100피트 (30.5m)와 50피트짜리가 있음.

측량-정【測量艇】〔―냥―〕명 측량에 종사하는 소형의 발동기정(發動機艇). ＊측량선(船).

측량-줄【測量―】〔―냥쭐〕명 약식(略式)의 측량에 쓰이는 측척(測尺). 일정한 간격을 두고 매듭이 있음.

측량-침【測量針】〔―냥―〕명 측량에 쓰이는 기구의 하나. 특수 강철로 만든 것으로, 평판(平板) 위의 측점(測點)에 세워 알리다드(alidade)를 받쳐 움직이지 않도록 함.

측량-판【測量板】〔―냥―〕명 측판(測板).

측량-표【測量標】〔―냥―〕명 측량상 어떤 지점에 베푼 표지(標識).

측량-학【測量學】〔―냥―〕명 측량에 관한 이론·방법 및 그 응용(應用)을 연구하는 학문.

측량-함【測量艦】〔―냥―〕명 〖군〗 특무함(特務艦)의 한 가지. 항해용의 해도(海圖)를 만들 목적으로 해양·항만 등의 수심·조류(潮流)·해저 또는 해안선의 지형 등을 측량하는 함선.

측로【側路】〔―노〕명 옆길. 샛길.

측루【側陋】〔―누〕명 ①신분이 비천함. 또, 그 사람. ②궁벽(窮僻)하고 좁음. 또, 그 장소.

측릉【側稜】〔―능〕명 〖수〗 '옆모서리'의 구용어.

측리-지【側理紙】〔―니―〕명 태지(苔紙).

측립【側立】〔―닙〕명 곁에 섬. 또, 존경·겸양의 뜻을 나타내기 위해서 가로 비켜 서는 일. ――-하다 자여불

측막 태좌【側膜胎座】명 〔pariental placenta〕〖식〗 배주(胚珠)가 착생할 때, 심피(心皮)가 유합(癒合)하여 흔히 격벽(隔壁)을 형성하지 않고, 자방벽(子房壁)의 안쪽에 직접 붙어 생긴 태좌. ＊독립 중앙 태좌·중축(中軸) 태좌.

측만【側彎】명 〔scoliosis〕〖의〗 척주(脊柱)가 옆으로 만곡된 상태. 선천성·구루병성(佝僂病性)·습관성 등 여러 가지 원인으로 말미암는데 구루병성이 가장 많음.

측맥【側脈】명 〖식〗 지맥(支脈)❷.

측면【側面】명 ①물체의 상하(上下)·전후(前後) 이외에 좌우(左右)로 향한 표면. ②〔lateral face〕〖수〗 각기둥이나 각뿔의 밑면 이외의 면. ③정면(正面)이 아닌 방면(方面). ¶~을 찌르다/~ 공격(攻擊). 1)-3): 옆면. ↔정면(正面). ④갖가지 성질·특질 가운데의 한 가지. 일면(一面). ¶~사(史)/그에게는 이와 같은 ~이 있다.

측면 공:격【側面攻擊】명 〖군〗 적의 측면을 치는 공격. ↔정면 공격(正面攻擊).

측면-관【側面觀】명 측면으로부터의 관찰. 객관적인 관찰.

측면-기【測面器】명 면적계(面積計).

측면 녹음【側面錄音】명 〔lateral recording〕 녹음의 한 방식. 녹음 파형(錄音波形)이 녹음 매질(媒質)의 표면에 평행이 되는 레코드 녹음. 녹음중 녹음침(針)은 수평 좌우로 움직임.

측면-도【側面圖】명 기계나 구조물(構造物)의 측면에서 바라본 상태를 평면적으로 나타낸 도면.

측면 묘:사【側面描寫】명 〖문〗 사물을 정면을 떠나서 측면으로 묘사하는 문학 표현 형식.

측면-법【測面法】〔―뻡〕명 〔planimetric method〕〖야금〗 입도(粒度)의 측정 방법. 일정한 면적 가운데에 존재하는 결정립수(結晶粒數)를 측정함.

측면-음【側面音】명 〔latenal〕〖언〗 날숨의 통로 중앙부를 완전히 폐쇄하고, 혀의 양쪽 또는 한쪽으로 날숨을 통하게 하는 조음법(調音法)에 의하여 형성되는 언어음. 양쪽으로 날숨을 통하게 하는 경우를 양측음(兩側音), 한쪽으로 통하게 하는 경우를 편측음(片側音)이라 함.

측-면적【側面積】명 옆넓이.

측면 콤플라이언스【側面―】〔compliance〕명 레코드의 재생용(再生用) 바늘이 홈을 따라서 움직일 때, 바늘을 좌우로 움직이는 데 필요한 힘에 관련된 바늘의 특성.

측목[1]【側目】명 ①곁눈질을 함. ②무섭고 두려워서 바로 보지 못함. ――-하다 자여불

측목[2]【廁木】명 뒷나무.

측목 시지【側目視之】명 곁눈질 하여 봄. ――-하다 타여불

측목 중:족【側目重足】명 곁눈질을 하며 두려워서 움츠림. ――-하다 자여불

측문[1]【仄聞】명 얼핏 풍문에 들음. 남이 전(傳)하는 말을 잠깐 얻어 들음. ¶~한 바에 의하면. ――-하다 타여불

측문[2]【側門】명 측면으로 낸 문. 옆문. ↔정문(正門).

측문[3]【側聞】명 옆에서 얻어 들음. ――-하다 타여불

측미-계【測微計】명 측미척(尺). 마이크로미터.

측미 지시계【測微指示計】명 〖기〗 블록 게이지(block gauge)나 표준봉 게이지(標準棒 gauge) 등을 표준편(標準片)으로 사용하여 부분(部分)이나 게이지 등의 직경 및 길이를 측정하는 정밀 측정기. 표준편과 공작물(工作物)의 치수의 근소한 차를 크게 확대하여 눈금 위에 지시하게 되어 있음. 미니미터(minimeter)·옵티미터(optimeter) 등 여러 가지 종류가 있음. 마이크로인디케이터.

측미-척【測微尺】명 ①나사의 회전각(回轉角)에 비례한 너트의 이동량(移動量)에 의해서 미소(微小)한 길이를 측정하는 기구. 측미계. 마이크로미터(micrometer). ②두 천체(天體) 사이의 미소(微小)한 각도를 정밀하게 측정하는 기구.

측미 현:미경【測微顯微鏡】명 〔micrometer microscope〕 접안 측미계(接眼測微計)를 달아 놓은 현미경. 미소한 크기를 정밀하게 측정하는 데 사용됨.

〈측미 현미경〉

측민【惻憫】명 가엾게 여기어 가슴 아파함. ――-하다 타여불

측방[1]【側防】명 〖군〗 보루(堡壘)나 진지에서 정면으로 내습하는 적을 측면에서 사격할 수 있게 병력이나 병기를 배치하는 일.

측방[2]【側傍】명 가까운 곁. 멀지 않은 바로 옆.

측방 억제【側方抑制】명 〔lateral inhibition〕〖생〗 입출력단(入出力端)을 가지는 두 개의 신경 세포가 있어서 각각의 신경 세포의 입력(入力) 또는 출력(出力)이 서로 다른 신경 세포의 입력에 대하여 억제적으로 가해지는 일. 이 때 두 신경 세포의 출력의 차는 입력의 차를 강조(強調)한 것이 됨.

측방 침식【側方浸蝕】명 〔lateral erosion〕〖지〗 하천이 곡벽(谷壁)을 침식하여 곡상(谷床)을 넓히는 작용. 이 때, 하천 기슭의 물질은 물 속에 떨어져 분해하며 동시에 하천은 물에 개개여 밑이 떨어져 나간 기슭 쪽으로 위치를 바꿈.

측백【側柏】명 〖식〗 측백나무.

측백-나무【側柏—】명〖식〗[*Biota orientalis*] 편백과(扁柏科)에 속하는 상록 침엽 교목. 높이 3 m 내외, 전체의 모양은 짧은 원뿔형이며 줄기는 많은 가지로 갈라짐. 잎은 잔 비늘 모양인데 가운데 잎은 마름모꼴, 곁의 잎은 달걀꼴을 이룸. 자웅 일가로 단성화(單性花)가 정생(頂生)하여 4월에 피고, 둥근 달걀꼴의 구과(毬果)를 맺는데 9-10월에 익음. 중국의 원산(原產)으로, 일본·한국 각지에 분포함. 정원수 또는 촌락이나 묘지 부근의 산울타리용으로 적당하며 잎과 과실은 약용함. 측백(側柏). 측백목(側柏木).

〈측백나무〉

측백-목【側柏木】명〖식〗측백나무.

측백-엽【側柏葉】명〖한의〗측백나무의 잎. 보혈·지혈·수렴제(收斂劑)로 씀.

측백-인【側柏仁】명〖한의〗백자인(柏子仁).

측백-자【側柏子】명〖한의〗백자인(柏子仁).

측벽【側壁】명 구조물의 측면에 있는 벽.

측변【側邊】명 옆 변두리.

측보-기【測步器】명〖물〗계보기(計步器). 보수계(步數計).

측복 관족류【側輻管足類】[—뉴] 명〖동〗[Pavactinopoda] 사손류(沙噀類)에 속하는 한 목(目). 관족(管足)이 없고 등과 배의 구별뿐이며 수폐(水肺)를 가지지 아니한 것이 있음. 해삼 등이 이에 속함.

측-부순환【側副循環】명 [collateral circulation]〖의〗어떤 원인으로 혈관 일부의 내강(內腔)이 폐쇄되든가 또는 좁아질 때, 문합지(吻合枝)라는 작은 혈관을 지나서 영위되는 이상적(異常的)인 혈액 순환. 특히, 정맥(靜脈)에 많음.

측-빙퇴석【側氷堆石】명 [lateral moraine]〖지〗빙하가 녹은 후에 곡빙하(谷氷河)에 의해서 퇴적된 옆은 표력토(漂礫土) 퇴적물(堆積物). 측퇴석(側堆石).

측빅ᄂᆞ모 명 〈옛〉측백나무. ¶측빅ᄂᆞ모닙(側栢葉)《方藥 27》.

측사[1]【側射】명 측면에서 사격함. ——-하다 타여불

측사[2]【側絲】명 [paraphysis]〖식〗균류(菌類)·이끼류 및 양치 식물(羊齒植物) 따위에 생기는 사상(絲狀)의 부속물. 양치 식물에서는 포자낭군(胞子囊群) 속에 생기는 모상(毛狀)의 보호 기관(保護器官)을 말함. 사상체(絲狀體).

측사-기【測斜器】명〖물〗클리노미터(clinometer).

측삭【側索】명〖생〗☞측색.

측산【測算】명 헤아려서 셈함. ——-하다 타여불

측상【廁上】명 뒷간에 앉았음.

측새【側鰓】명 [pleurobranchia]〖동〗어떤 종(種)의 절지 동물에서 볼 수 있는 흉부 측벽면(側壁面)에 있는 아가미. 옆아가미.

측색[1]【側索】명〖생〗척수(脊髓)의 백질(白質)의 일부. 범위는 척수의 회백질(灰白質) 가로부터 바깥의 표면에 걸치는데 대뇌 피질에서 나와 의식 운동을 맡고 있는 추체로(錐體路)와 소뇌로 올라가는 신경 섬유군(纖維群)·척수 시상로(脊髓視床路) 등의 섬유군이 이 곳을 지나고 있음.

측색[2]【測色】[—쌕] 명〖물〗색을 물리적으로 측정하여 수치로 나타내는 일.

측색-계【測色計】명 [colorimeter]〖물〗광선이나 물체의 빛깔을 구성하는 원색(原色)의 강도(強度)를 알아냄으로써 물리적 수치를 측정하는 장치.

측색 광도계【測色光度計】명 [colorimetric photometer]〖물〗광로(光路) 중에 컬러용 필터를 놓고 몇 개의 스펙트럼 영역에서 광도를 측정할 수 있는 기구.

측생【側生】명〖식〗줄기 또는 뿌리가 주축(主軸)에 대하여 옆으로 나는 일. ——-하다 자여불

측생 동:물【側生動物】명〖동〗[Parozoa] 해면(海綿) 동물의 이칭(異稱). 진화의 계통상, 원생(原生) 동물이 후생(後生) 동물로 진화하는 동안에 옆길로 비껴 가서 발달하였다고 생각되기 때문에 이름.

측생-약【側生葯】명〖식〗꽃밥의 한 쪽이 화사(花絲)에 붙은 약목련 같은 것. 측착약(側着葯). ↔각생약(脚生葯).

측서【廁鼠】명 [뒷간의 쥐란 뜻] 지위를 얻지 못한 사람의 비유.

측석【側席】명 옆 자리.

측선[1]【側線】명 ①열차의 운전에 늘 쓰이는 선로 이외의 철도 선로. 조차용(操車用)의 선로나 공장으로의 인도선(引導線) 같은 것. ②[lateral line]〖동〗주로, 어류·양서류(兩棲類)의 몸 양옆에 한 줄로 나란히 뻗은 선. 수류(水流)·수압(水壓) 등을 알아 내는 감각 기관임. ③옆줄. ④터치라인.

〈측선[1]❷〉

측선[2]【測線】명 측심(測深) 줄.

측선-계【側線系】명 [lateral-line system]〖동〗많은 어류(魚類) 및 양서류(兩棲類)의 양측면 피부에 있는 측선 말단(末端) 기관과 신경의 복합체(複合體).

측선-기【側線器】명 [lining sight]〖광〗복판에 가느다란 작은 구멍이 뚫린 평판(平板)으로 된 장치. 수구사(垂球絲)와 함께 지하 갱도나 막장의 방향을 보이는 데 쓰임.

측선 기관【側線器官】명 [lateral-line organ]〖동〗많은 어류(魚類)나 양서류(兩棲類)의 몸 양쪽에 걸쳐 두부(頭部)에서 꼬리 부분에 분포된 촉각(觸角) 기관. 주변의 물의 압력 변화를 예민하게 감지함.

측성[1]【仄聲】명 한자(漢字)의 사성(四聲) 가운데 상성(上聲)·거성(去聲)·입성(入聲)의 총칭. ↔평성(平聲). *측운(仄韻).

측성[2]【側性】명 [laterality]〖동〗좌우 상칭(左右相稱)의 동물에서, 쌍(雙)을 이루는 기관(器官)이 왼쪽 또는 오른쪽의 체측(體側)에 속하는 것을 나타내는 성질.

측성-학【測星學】명 [satrometry]〖천〗천체(天體)와 그 실시 운동(實視運動)의 기하학적(幾何學的) 관계를 다루는 천문학 분야.

측쇄[1]【側鎖】명 [side chain]〖화〗곁사슬.

측쇄[2]【測鎖】명 거리를 측정하는 데 쓰는 쇠사슬. 미터식(式)은 전장(全長) 20 m, 전터식은 66 ft인데 모두 100 마디로 되었음.

〈측쇄[2]〉

측쇄-법【測鎖法】[—뻡] 명 [latch]〖광〗갱내(坑內) 나침의(羅針儀)와 측쇄를 써서 행하는 갱내 측량. 또, 그것을 써서 지하 작업장의 위치를 지표(地表)에서 표를 하는 일.

측쇄-석【側碎石】명 측퇴석(側堆石).

측수[1]【測水】명 물의 깊이를 헤아려 잼. ——-하다 자여불

측수[2]【測樹】명 한 그루의 목재(木材)의 재적(材積)·연령·생장량을 측정함. 그 단위는 m·m²·m³·척(尺)·재(才) 등.

측수-기【測樹器】명 [dendrometer] 나무의 높이나 둘레·직경 등을 재는 기구.

측슬【廁—】명 〈방〉뒷간(함남).

측시【側視】명 모로 봄. 옆쪽으로 봄. ——-하다 타여불

측시-경【側視鏡】명〖의〗프리즘을 사용하여 옆의 모양을 똑바로 볼 수 있게 만든 장치. 몸속의 현상을 직접 관찰하는 데 쓰임.

측시-기【測時機】명 크로노그래프(chronograph).

측식도 낭포【側食道囊胞】명 [paraesophageal cyst]〖의〗식도벽(食道壁)에 단단히 결합된, 연골(軟骨)을 포함한 기관지 낭포(氣管支囊胞)의 일종. 흔히, 점액상(粘液狀) 물질 및 박리(剝離)된 상피(上皮) 세포로 채워져 있음.

측신【廁神】명 뒷간을 맡아 지키는 귀신.

측-신경절【側神經節】명 [pleural ganglion]〖동〗연체 동물의 피부(皮部) 신경 중추의 하나. 두(頭)신경절 뒤 쪽에 한 쌍이 있음. 복족류(腹足類) 중의 고등한 전새류(前鰓類)·후새류(後鰓類)·유폐류(有肺類) 및 부족류(斧足類) 중의 고등한 것 중에는 두(頭)신경절과 붙어 있는 것이 있음. 두족류(頭足類)에서는 복측(腹側)의 족부(足部) 신경절과 내장 신경절의 중간에 있어서 그 한계가 분명치 않음.

측실[1]【側室】명 ①작은집❸. ②〖고고학〗옆방❷.

측실[2]【廁室】명 뒷간.

측심[1]【惻心】명 ↗측은지심(惻隱之心).

측심[2]【測深】명 깊이를 잼. ——-하다 자여불

측심-관【測深管】명 [sounding pipe] 조선에서, 배의 물탱크나 기름 탱크 속의 액(液)의 깊이를 재기 위한 관.

측심-기【測深機】명 측심의(測深儀).

측심 보:정【測深補正】명〖해〗측심 방법 또는 측심기(機)의 결함으로 생기는 바른 수심과의 오차(誤差)에 대한 수정(修正).

측심-봉【測深棒】명 [sounding pole]〖공〗얕은 물이나 액체 따위의 깊이를 재는, 눈금이 있는 막대.

측심-선【測深線】명 [line of soundings]〖해〗선박이 진행하면서 측연(測鉛)으로 수심(水深)을 잰 일련(一連)의 수역(水域).

측심 속도【測深速度】명 [sounding velocity]〖물〗물 속에서의 수직 방향(垂直方向)의 음속(音速). 측심 측정에서는 800-820 패덤(fathom)/초(秒)에서 일정하다고 간주됨. 1 패덤은 6 ft. 곧 1.8288m임.

측심-연【測深鉛】명 [sounding lead] 굵은 줄 끝에 매단 납덩이. 바다 깊이 따위를 재는 데 쓰임. 측연(測鉛).

〈측심연〉

측심-의【測深儀】[—/—이] 명 [depth sounder, bathometer] 바다의 깊이를 측정하는 기계. 추(錘)가 달린 쇠사슬로 재거나 배의 밑바닥에서 초음파(超音波)를 보내어 해저(海底)에서 반사되어 돌아오는 시간의 차에 의하여 헤아려 잼. 측심기(機).

측심 장치【測深裝置】명 [sounding device] 유정(油井) 속의 액면(液面)을 측정하는 데 쓰이는 음향 장치.

측심-줄【測深—】[—쭐] 명 [lead line] 측심연(測深鉛)을 매단 줄. 측선(測線).

측심-체【側心體】명 [corpus cardiacum]〖충〗곤충의 뇌(腦)의 뒤쪽에 있는 한 쌍의 선상(腺狀) 기관. 뇌의 신경 분비(分泌) 세포에서의 분비액(液)을 저장하였다가 혈액 속으로 방출함. 분비액은 알라타체(alata 體)와 사이너스선(sinus腺)의 활동에 관계함.

측심-학【測深學】명 [bathymetry]〖해〗해저(海底)의 지형을 알아내기 위해, 해양의 깊이를 재는 과학 분야.

측아【側芽】명〖식〗곁눈. ↔정아(頂芽).

측안【側眼】명 [lateral eye]〖생〗동물체(動物體)의 정중선(正中線) 또는 그 근방에 있는 중앙안(中央眼)에 대하여 측방(側方)에 위치하는 눈을 말함.

측압【側壓】명 [lateral pressure]〖물〗유체(流體)가 용기(容器)나 물체 내부의 측면에 작용하는 압력. 한 점의 측압은 그 액체의 무게와 그 점까지의 액체의 깊이와 그 액체의 표면의 공기의 압력에 비례함. 가로 압력. 측압력.

측압-기【測壓器】명 그릇 안의 유체(流體)의 압력을 측정하는 데 쓰이는 기계의 총칭.

측압-력【側壓力】[—녁] 명〖물〗측압(側壓).

측언【側言】명 치우친 말. 편벽된 의론.

측연[1]【惻然】명 남을 가엾게 여기는 모양. 측은(惻隱)하게 생각하는 모양. ——-하다 형여불. ——-히 부

측연[2]【測鉛】명 측심연(測深鉛).

측온 도료【測溫塗料】명 시온 도료(示溫塗料).

측온용 화합물【測溫用化合物】[—농—] 명 정해진 녹는점이 있는 온도에 민감한 물질. 열처리·용접·주조(鑄造) 등의 공정에서, 설정(設

定) 온도에 달했음을 나타내는 데 쓰임.
측와【側臥】명 ①모로 누움. ¶~ 자세. ②곁에 누움. ——-하다 자여불
측용-기【測容器】명 부정형(不整形)의 재목을 재는 기구. 간단한 나무통에 물을 가득 넣고 재목을 그 속에 집어 넣어서 물이 올라오는 높이를 유리관의 자눈으로 잼.
측우-기【測雨器】명 ①우량(雨量)을 측량하는 기구. 우량계(雨量計). ②〖역〗조선 세종(世宗) 24년(1442)에 세계 최초로 제정 설치된 우량계. 서울을 중심으로 국내 각처에 베풀었음.

〈측우기❷〉

측우-대【測雨臺】명 측우기를 안정되게 올려 놓아 우량 측정이 쉬워지도록 만든 대석(臺石).
측운【仄韻】명 한자(漢字)의 사성(四聲) 가운데 상성(上聲)·거성(去聲)·입성(入聲)의 운(韻). ↔평운(平韻). *측성(仄聲).
측운-기【測雲器】명 〔nephoscope〕〖기상〗구름이 움직이는 방향과 그 속도를 재는 장치. 구름 방향계(方向計).
측운 기구【測雲氣球】명 〔ceiling balloon〕〖기상〗운저(雲底)의 높이를 측정하는 작은 기구(氣球). 기구의 상승 속도와 기구가 구름속으로 사라질 때까지의 상승 시간으로 그 높이를 계산함. 실링 관측 기구.
측원-기【測遠機】명 측거의(測距儀).
측원기-법【測遠機法】[—뻡] 명 〔self-contained base-line system〕〖군〗목표의 방위와 거리를, 내장(內藏)하는 기선(基線) 있는 거리 측정기에 따라 결정하는 장치에 의한 목표 위치의 결정 방법.
측-원자가【側原子價】[—까] 명 〖화〗베르너(Werner, A.)의 배위설(配位說) 중에서 가정된 특수한 원자가. 곧, 일차 화합물(一次化合物)이 다시 결합하여 고차(高次) 화합물을 구성할 때에 작용(作用)한다고 생각되는 원자가.
측유【廁牖】명 매화틀.
측은【惻隱】명 딱하고 가엾음. 불쌍함. ¶~히 여기다. ——-하다 형여불. ——-히 부.
측은지-심【惻隱之心】명 사단(四端)의 하나. 불쌍히 여겨서 언짢아하는 마음. ㊟측심(惻心).
측음【側音】명 ①〖언〗↗설측음(舌側音). ②〔sidetone〕〖전〗말하는 본인의 음성이 자기의 수화기에서 들리는 일. 좋지 않은 영향을 받으므로 특별한 회로(回路)에 의하여 억제함.
측음-기【測音器】명 〔sonometer〕〖공〗악선의 응력(應力)을 재는 장치. 피아노선(線)을 악선 속의 두 볼트(bolt) 사이에 당겨서 진동시켜, 악선에 가해진 응력을 제거한 다음, 모든 음조의 변화를 관측하여 응력을 나타내는 데 쓰임.
측음 레벨【測音—】명 〔sidetone level〕〖전〗통화중(通話中)의 음성(音聲)의 음량(音量)에 대한 측음 음량의 비(比). 흔히, 데시벨(db)로 나타냄.
측이【側耳】명 귀를 기울여 자세히 들음. ——-하다 자여불
측일【仄日】명 사양(斜陽).
측일-경【測日鏡】명 〖천〗태양이나 달의 직경을 재는 데 쓰는 망원경. 1748년 프랑스의 천문학자 부게(Bouguer, Pierre; 1698-1758)가 고안하여 태양의 직경을 측정하였음. 태양 측정기.
측자[1]【仄字】명 사성(四聲) 가운데 상성(上聲)·거성(去聲)·입성(入聲)의 한자(漢字). 곧, 측운(仄韻)의 한자. ↔평자(平字).
측자[2]【側子】명 〖한의〗부자(附子)의 옆에 달린 자그마한 괴근(塊根). 부자와 비슷한데 기운이 가벼워서 발산(發散)하는 효력(効力)이 있음.
측장-기【測長機】명 여러 가지 게이지(gauge)의 길이의 측정 또는 정밀 공구(工具)나 정밀 부분(部分)의 측정에 사용되는 정밀 측정기.

〈측장기〉

측전식 광:차【側轉式鑛車】명 〔side dumper〕〖광〗광석·암석(岩石)·석탄 운반용 광차의 일종. 옆으로 기울여서 쏟게 되어 있음. 사이드덤핑카.
측점【測點】명 측량할 때에 그 기준이 되는 점.
측정【測定】명 ①헤아려서 정함. ②어떤 양(量)의 크기를 기계나 장치를 써서 어떤 단위(單位)를 기준으로 하여 잼. ¶거리를 ~하다. ——-하다 타여불
측정-값【測定—】[—깝] 명 측정하여 얻은 수치(數値).
측정 공구【測定工具】명 가공된 기계 부품이나 절삭(切削) 공구 따위가 규격에 맞는가를 측정하기 위하여 공장 등에서 사용하는 측정 기구나 검사용 기구의 총칭. 마이크로미터·다이얼게이지·각도 게이지·한계 게이지 등.
측정-기[1]【測定器】명 측정하는 데 쓰이는 기구나 기계의 총칭.
측정-기[2]【測程器】명 〔log〕〖해〗배의 속력 및 항주(航走) 거리를 재는 기계. 수용(手用) 측정기·특허 측정기 등이 있음.
측-정맥【側靜脈】명 〔라 vena lateralis〕〖생〗어류(魚類)에서 체벽근(體壁筋) 속의 정맥혈(靜脈血)을 심장으로 향해 보내는 좌우 한쌍의 혈관. 다른 척추 동물에는 없음.
측족【側足】명 〖동〗옆다리.
측지[1]【側枝】명 〖식〗옆으로 뻗어 나온 가지.
측지[2]【測地】명 토지를 측량함. ¶~학/~반. ——-하다 자여불
측지 경도【測地經度】명 〔geodetic longitude〕〖측량〗기준의 자오면(子午面)과 극축(極軸)과 타원체에의 법선(法線)으로 정해지는 평면이 이루는 각. 측지 경도는 대응하는 천문 경도와 연직선(鉛直線) 편차의 묘유선(卯酉線) 방향의 성분을 위도의 코사인 값으로 나눈 양만큼 틀림. 지리 경도(地理經度).
측지 곡선【測地曲線】명 곡면(曲面) 위에 주어진 두 점(點)을 맺는 최단 곡선(最短曲線).
측지-근【側枝根】명 〖식〗측근(側根).
측지 기사【測地技師】명 측량 기술자의 하나. 측량에 관한 계획 수립 및 실시를 맡은 측지 기사 1급과 측량계획에 따라 측량을 실시하는 측지 기사 2급이 있음. *국토 개발 기술사(技術士).
측지 사:무관【測地事務官】명 시설직(施設職) 국가 공무원 직급 명칭의 하나. 측지 직렬(職列)에 속하며, 측지 주사(主事)의 위, 시설 서기관(書記官)의 아래로 5급 공무원임.
측지 서기【測地書記】명 시설직(施設職) 국가 공무원 직급 명칭의 하나. 측지 직렬(職列)에 속하며, 측지 서기보의 위, 측지 주사보(主事補)의 아래로 8급 공무원임.
측지 서기보【測地書記補】명 시설직(施設職) 국가 공무원 직급 명칭의 하나. 측지 직렬(職列)에 속하며, 측지 서기(書記)의 아래로 9급 공무원임.
측지-선【測地線】명 〔geodesic〕〖수〗어떤 공간 안의 임의의 두 점을 맺는 최단 거리를 주는 곡선. 유클리드 공간에서는 직선, 구면(球面) 위에서는 대원(大圓)임.
측지 원점【測地原點】[—쩜] 명 지도의 뼈대를 만드는 삼각 측량(三角測量)에 필요한 원점. 우리 나라에서는 서울 중구(中區) 필동(筆洞)에 있음. 경위도(經緯度) 원점.
측지 위도【測地緯度】명 〔geodetic latitude〕〖측량〗지구를 타원체로 보고 이 타원체의 법선(法線)과 자전축(自轉軸)의 방향이 이루는 각(角)의 여각(餘角). 측지 위도는 그에 대응하는 천문 위도와 연직선 편차(鉛直線偏差)의 자오선 방향의 성분만큼 틀림. 지리학적 위도. *지심(地心) 위도·천문학적 위도.
측지 위도권【測地緯度圈】[—꿘] 명 〔geodetic parallel〕〖측지〗측지 위도의 동일(同一)한 점(點)을 연결한 선(線). 지리학적 위도권(地理學的緯度圈).
측지 위성【測地衛星】명 〔geodetic satellite〕측지학적(測地學的) 여러 관측을 위한 인공 위성. 미국에서 1962년에 쏘아 올린 애나(Anna)와 1966년의 패지오스(Pageos) 등이 있음. 지구의 모양·크기의 결정, 대륙간 거리의 정밀 측정 따위를 행함.
측지 위치【測地位置】명 ①원점(原點)에서의 삼각 측량으로 좌표가 정해진 지구 상의 점. 원점의 위치는 천문 관측으로 정해짐. ②측지 위도(緯度)와 측지 경도(經度)로 정의(定義)된 지구 상의 점.
측지 주사【測地主事】명 시설직(施設職) 국가 공무원 직급 명칭의 하나. 측지 직렬(職列)에 속하며, 측지 주사보의 위, 측지 사무관(事務官)의 아래로 6급 공무원임.
측지 주사보【測地主事補】명 시설직(施設職) 국가 공무원 직급 명칭의 하나. 측지 직렬(職列)에 속하며, 측지 서기(書記)의 위, 측지 주사(主事)의 아래로 7급 공무원임.
측지 천문학【測地天文學】명 〔geodetic astronomy〕〖측량〗측지학적 정보(情報)를 얻기 위해서, 천문 관측(天文觀測)을 이용하는 측지학의 한 분야.
측지 측량【測地測量】[—냥] 명 한 나라의 지도를 만드는 경우처럼 광대한 지역을 대상으로 하는 측량. 최종 결과의 상대(相對) 오차는 10^{-6} 정도로, 1km의 길이를 1mm까지 측량한 것에 상당함. 측정 기계의 종류, 결과의 계산 방법, 지구를 회전하는 타원체로 전제하고 측량하지 않으면 안 되는 점 등으로 보통의 토목 측량과는 구별됨.
측지-학【測地學】명 〔geodesy〕지구 물리학의 한 분야. 지구의 면적·용적(容積)·형태·중력장(重力場) 및 지구 좌표계(座標系)에 있어서의 지각 상(地殼上)의 고정점(固定點) 위치 등을 정밀하게 측량하여 연구하는 학문.
측지학적 위도【測地學的緯度】명 〔geodetic latitude〕〖측량〗측지 위도(測地緯度).
측질【側跌】명 넘어짐. ——-하다 자여불
측차【側車】명 자전거나 오토바이의 옆에 단 수레. 사람을 태우거나 짐을 실음.
측착-약【側着葯】명 〖식〗측생약(側生葯).
측창【惻愴】명 측달(惻怛).
측천【測天】명 〖천〗천체를 관측하여 헤아림. ——-하다 자여불
측천 무:후【則天武后】명 〖사람〗중국 당(唐) 고종(高宗)의 황후. 성은 무(武)씨. 산시(山西) 사람. 고종이 죽은 뒤에 중종(中宗)·예종(睿宗)을 폐하고, 스스로 제위(帝位)에 올라 신성(神聖) 황제라 칭하고 국호를 주(周)로 개칭했으나, 후에 재상 장간지(張柬之) 등에 의하여 폐위됨. 무측천(武則天). ㊟무후(武后). [623-705]
측청[1]【廁圊】명 뒷간.
측청[2]【廁廳】명 크게 잘 꾸민 뒷간.
측초 시계【測秒時計】명 선박의 항주 거리(航走距離)를 측정할 때 쓰는 시계.
측출【側出】명 서출(庶出).
측탁【測度】명 헤아림. 추측함. 조사함. ——-하다 타여불
측-퇴석【側堆石】명 〖지〗측빙퇴석(側氷堆石).
측파-대【側波帶】명 〔side band〕〖물〗어떤 일정 주파수의 반송파(搬送波)가 변조(變調)를 받았을 때, 이 반송파 근방에 발생하는 주파수 성분. 측대파(側帶波).
측판[1]【側板】명 옆널.
측판[2]【側瓣】명 〖기〗내연 기관(內燃機關)의 기통(氣筒)의 측면에 배치한 판(瓣).

측판[3]【測板】명 측량기의 조준의(照準儀)를 올려 놓거나 도면을 붙이기도 하는 널조각.

측편【側扁】명 두께가 얇고 폭이 넓음. 납작함. ——-하다 형여불

측포【側砲】명〖군〗함정에서 현측(舷側) 쪽의 방향으로만 발사할 수 있는 함포(艦砲).

측풍 경위의【測風經緯儀】[—/—이] 명〖기상〗측풍 기구(氣球)의 위치를 결정하는 데 사용되는 경위의. 망원경으로 기구를 추적(追跡)하고 고도각(高度角)과 방위각(方位角)을 측정함.

측풍-기【測風器】명 ①〖기상〗풍속·풍향·풍압 등을 측정하는 기계의 총칭. 비람 미풍계(Biram 微風計) 등이 대표적임. ②〖광〗광산에서 갱내(坑內)의 통기(通氣) 측정에 사용하는 기계 장치.

측풍 기구【測風氣球】명〔pilot balloon〕〖기상〗바람을 측정하기 위해 공중에 띄우는 작은 기구. 경위의(經緯儀)에 의해서 상승(上昇) 과정을 추적하여 상공(上空)의 바람의 속도(速度)·방향(方向)의 측정 자료를 구함.

측풍 기구 관측【測風氣球觀測】명〔pilot-balloon observation〕〖기상〗기구를 공중에 띄워서 행하는 바람의 관측. 한 정점(定點)의 상공에 있어서의 풍속(風速) 및 풍향(風向)을 알아내는 방법으로서 측풍 기구의 궤적을 시각적(視角的)으로 추적해서 경위의(經緯儀)의 고도각(高度角)과 방위각(方位角)을 보고 알아냄.

측풍-학【測風學】명〔anemometry〕〖기상〗연직(鉛直) 성분을 포함해서 풍향(風向)·풍속(風速)의 측정 및 기록에 관하여 연구하는 기상학의 한 분야.

측해【測海】명 바다의 넓이나 깊이 또는 해안선(海岸線)을 측량하는 일. ——-하다 자여불

측행【仄行·側行】명 모로 걸음. 비뚜로 걸음. ——-하다 자여불

측-화구【側火口】명〔adventive crater〕〖지〗큰 화산 원추구(圓錐丘)의 측면에 벌려져 있는 화구(火口). 기생 화구(寄生火口).

측-화면【側畫面】명〖수〗정투영법(正投影法)에서, 평(平)화면·입(立)화면의 쌍방(雙方)에 직교(直交)하는 제삼(第三)의 화면. ↔평화면·입화면.

측-화산【側火山】명〔adventive cone〕〖지〗기생 화산(寄生火山).

측-환일【側幻日】명〔mock sun〕〖천〗환일과 같은 모양의 반사 현상. 일반적으로 환일환(幻日環) 상의 태양에서 120°(때로는 90°와 140°) 떨어진 곳에 나타남.

측후【測候】명 기상(氣象)을 관측하는 일. ¶～소. ——-하다 타여불

측후-관【測候官】명〖역〗샛별의 관측을 맡아 보던 관상감(觀象監)의 임시 벼슬.

측후-소【測候所】명〖기상〗기상청의 하부 조직인 '기상 관측소'의 구칭.

측ᄒᆞ다 형〈옛〉측은하다. 섭섭하다. 언짢다. ¶내 이제 世尊을 ᄆᆞᄌᆞ막 보ᅀᆞᄫᆞ니 측ᄒᆞᆫ ᄆᆞᅀᆞ미 업거이다≪月釋 X:8≫/舍利弗이 측ᄒᆞᆫ ᄂᆞᆾ고지 잇거늘≪釋譜 Ⅵ:36≫/늘근 노미 ᄆᆞᅀᆞ미 측ᄒᆞ야(老夫情懷惡)≪初杜諺 Ⅰ:6≫.

츤 명〈방〉천. 피륙(강원).

츤:의【襯衣】[—/—이] 명 →친의(襯衣).

츤:착【襯着】명 →친착(襯着). ——-하다 자여불

츤:치【齔齒】명 배냇니.

츨옷 명〈옛〉칡옷. 베옷. ¶ᄀᆞᄂᆞᆫ 츨오시 소옴 둔 오시 ᄃᆞ외얏도다(纖絺成編袍)≪重杜諺 Ⅻ:10≫.

츩 명〈옛〉칡. ¶츩 갈(葛)≪字會 上 9≫/츩불휘(葛根)≪方藥 24≫.

츩옷 명〈옛〉칡옷. 베옷. ¶겨으리 티우니 ᄯᅩ ᄀᆞᄂᆞᆫ 츩오ᄉᆞᆯ 닙노라(冬暖更纖絺)≪重杜諺 Ⅲ:6≫.

츰: 명부〈방〉처음(충남·전라).

츱다 형〈방〉춥다.

츱츱-스럽다 형ㅂ불 보기에 츱츱한 데가 있다. **츱츱-스레** 부

츱츱-하다 형여불 다랍고 염치가 없다. ¶돈에 ～.

츳 명〈옛〉사이. ¶來日 ᄯᅩ 업쓸야 봄밤이 몃 츳 새리≪海謠 尹善道≫.

츳드러 자〈옛〉떨어져. '츳듣다'의 활용형. ¶ᄒᆞᆫ번 츳드러 ᄀᆞᆺ ᄂᆞ로매(滴纔飛)≪梵音集 24≫.

츳듣다 자타〈옛〉거르다. 물점이 똑똑 떨어지다. ¶누르며 터 누르며 다와다 츳듣게 ᄒᆞ며 빗기 건니ᄂᆞᆫ 여러 이리 잇ᄂᆞ니(有壓捺椎按蹙漉衡度諸事)≪楞嚴 Ⅷ:92≫.

층[1] 명〈방〉서랍(경기).

층[2]【層】명 ①층등(層等). 계층(階層). ¶고위～/근로자～. ②거듭 포개진 물건의 그 켜. 또, 겹지. ¶탄(炭)～. ③〖건〗여러 짐으로 포개어 짓고, 그 사이를 층계로 잇는 건물에 있어서의 그 한 켜. ¶2～집.

층각【層閣】명〖건〗층루(層樓).

층간 낙차【層間落差】명〔stratigraphic throw〕〖지〗본디, 떨어져 있던 두 지층(地層)이, 단층(斷層)의 발생으로 접합 경우의 두 층간의 두께.

층간 박리【層間剝離】[—니] 명〔delamination〕〖공〗적층물(積層物)을 각각의 구성층으로 분리하는 일.

층간 이:상【層間異常】명〖지〗지층(地層) 속에 볼 수 있는 국부적인 퇴적 상태나 구조의 난맥상(亂脈相).

층거리-가자미【層—】명〖어〗〔*Limanda punctatissima*〕붕넙칫과에 속하는 바닷물고기. 몸은 길이 30cm 내외로 달걀꼴인데, 눈이 몸의 오른 쪽에 있으며 주둥이는 내밀었음. 몸빛은 왼쪽은 희고 오른 쪽은 회갈색이며 꼬리자루 부분은 주홍빛을 띰. 한대성 어종으로, 한국 동해·일본 북부·사할린 등지에 분포함.

층거리 꾸밈음【層—音】명〖악〗펼친 화음.

층격[1]【層隔】명 겹겹이 가리어 막힘. ——-하다 자여불

층격[2]【層激】명 서로 대질려서 화평하지 못함. ——-하다 형여불

층계【層階】명 ①〖건〗층층이 높이 올라가게 만들어 놓은 설비. ¶～를 오르다. ②계층(階層)❶.

층계-경【層階經】명〖천주교〗'층계송(誦)'의 구용어.

층계-송【層階誦】명〖천주교〗〔성서를 낭독하는 층대(層臺)에서 노래를 부른 데서〕미사 진행 도중에 읽는 경문(經文). 성영(聖咏) 두 구절과 '알렐루야'로 반복됨. 층계경(經).

층계-참【層階站】명〖건〗층계의 중도(中途)에 베푼 좀 넓은 곳. 계단참(階段站).

층고【層高】명 건물에서, 층과 층 사이의 높이.

층공【層空】명 매우 높은 하늘.

층공충-류【層孔蟲類】[—뉴] 명〖동〗〔Stromatoporoidea〕해생(海生) 강장 동물 히드로충강(蟲綱)의 한 목(目). 오르도비스기(紀)에서 쥐라기(紀)에 걸쳐 번성하다 멸종했음. 석회질의 얇은 껍질이 덩이 모양 또는 층상(層狀)으로 겹쳐진 화석(化石)으로만 발견되고, 동물체는 아직 알려지지 않음.

층교-기【層橋機】명〖건〗층층다리의 발디딤판을 받들기 위하여 양쪽 가장자리에 길게 댄 사재(斜材).

층군【層群】명〖지〗지층 구분의 하나. 누층(累層)이 두 개 이상 모인 것을 말함. 일반적으로, 하나의 퇴적 분지(堆積盆地) 안에 퇴적한 지층군 전체를 대표함.

층-권운【層卷雲】명〖기상〗'고층운(高層雲)'의 구칭.

층급 받침【層級—】명 탑의 옥개석(屋蓋石) 밑에 층지어 있는 받침 부분. 옥개석 받침.

층급 천장【層級天—】명〖건〗중간이 한 층 높게 된 툇간(退間)의 천장.

층꽃-풀【層—】명〖식〗〔*Caryopteris incana*〕마편초과에 속하는 다년초. 높이 60cm 내외로 온몸에 잔 털이 있으며 잎은 대생하고 달걀꼴 혹은 긴 타원형이며 잎꼭지가 있음. 7-8월에 자색 혹은 백색 꽃이 액생(腋生)하여 취산화서(聚繖花序)로 윤생(輪生)하는데 때로는 층층이 핌. 과실은 수과(瘦果). 산야(山野)에 나는데, 전남·경남에 분포함.

〈층꽃풀〉

층-나다【層—】자 층등(層等)이 생기다.

층내 습곡【層內褶曲】명〖지〗상하 평행(平行)인 지층 사이에 생긴 습곡 구조.

층-널【層—】명 ①나무 서랍의 밑에 대는 널조각. ②탁자의 각층의 바닥을 이루는, 가로 댄 널조각.

층단 변주【層斷邊柱】명〖건〗퇴량(退樑) 위에 얹힌 두 층으로 된 변주.

층단-주【層斷柱】명〖건〗통기둥과 달리 한 층 한 층 쌓아서 올려 이룬 기둥.

층대【層臺】명〖건〗↗층층대(層層臺).

층-도리【層—】명〖건〗목조 건축에서, 위층과 아래층의 경계에서 기둥 머리를 연결하는 가로재(材).

층-돌【層—】[—똘] 명〖광〗↗층샛돌.

층뒤-판【層—板】명〖건〗층디딤판의 뒤를 막아 낀 널판.

층등[1]【層等】명 서로 같지 아니한 등급. 층(層).

층등[2]【蹭蹬】명 권세(權勢)를 잃고 어정거림. ——-하다 자여불

층디딤-판【層—板】명〖건〗층계를 오르내릴 때 발디딤하는 널.

층란【層欄】[—난] 명〖건〗여러 층으로 된 난간.

층루【層樓】[—누] 명〖건〗여러 층으로 높게 지은 누각. 층각(層閣).

층류【層流】[—뉴] 명〖물〗층흐름.

층류 익형【層流翼型】[—뉴—] 명 공기와의 마찰 항력(摩擦抗力)을 적게 하기 위하여 날개 표면의 기류의 흐름이 흩어지지 않게 만들어진 날개 표면이 매끄럽고 앞의 가장자리가 날카로우며 두께가 얇은 유선형.

층릉【嶒崚】[—능] 명 산이 몹시 높고도 험함. ——-하다 형여불

층리【層理】[—니] 명 퇴적(堆積)을 이루는 암석(岩石)의 겹친 상태.

층리-면【層理面】[—니—] 명〔bedding plane〕〖지〗지층(地層)을 만드는 물질이 퇴적(堆積)했을 때의 면. 지층이 겹쳐 있을 때에는 각 지층의 상면(上面)과 하면(下面). 성층면(成層面). 층면(層面).

층만【層巒】명 여러 층이 진 멧부리.

층면【層面】명 ①겹겹이 쌓인 물건의 겉. ②〖지〗층리면(層理面).

층면 공:극【層面孔隙】명〔bedding void〕〖지〗장기간에 걸쳐 따로따로 된 용암류(溶岩流)의 사이나, 한 번의 짧은 화산 활동 중에 잇따라 방출된 용암 사이에 생기는 틈.

층면 단:층【層面斷層】명〔bedding fault〕〖지〗단층면과 구성암의 성층면(成層面)이 평행을 이루는 단층.

층면 박리【層面剝離】[—니] 명〔bedding fissility〕〖지〗퇴적암의 성층(成層)에 평행인 초생의 박리성(剝離性).

층-밀리기【層—】명〔shear〕〖물〗고체(固體)의 내부에서 어떤 면(面)의 위아래 층(層)이 반대 방향으로 힘을 받아 위아래 층 사이에 틈이 생기는 일.

층밀리기 변:형【層—變形】명〖물〗전단(剪斷)❷.

층밀리기 변:형력【層—變形力】[—녁] 명〖물〗전단 응력(剪斷應力).

층밀리기 탄:성률【層—彈性率】[—뉼] 명〔shear modulus〕〖물〗물질의 탄성률의 하나. 탄성체의 변형에 대한 변형력을 나타내는 탄성 상수(常數)로, 기체나 액체에서 이 값은 영(零)에 가까움. 강성률(剛性率).

층봉【層峰】명 첩첩이 쌓인 높고 낮은 산봉우리.

층사【層榭】명 여러 층으로 높이 지은 정자.

층상[1]【層狀】명 층을 이룬 모양. 겹친 모양.

층상[2]【層相】명〔facies〕〖지〗지질학에서 지층의 성질을 종합적으로 포

착한 특징.

층상-골【層狀骨】[명]〖생〗현미경적인 박층(薄層) 또는 박판(薄板) 구조의 뼈. 박층골(薄層骨).

층상 광:맥【層狀鑛脈】[명]〔bedded vein〕〖지〗퇴적암이나 변성암(變成岩)의 층리(層理)에 평행한 층상(層狀)의 광맥.

층상-수【層狀水】[명]〖지〗빗물이 암석의 갈라진 틈을 따라 스며들어가서 포화대(飽和帶)에 도달한 후 옆으로 이동하여 층상을 이룬 지하수. 샘물·우물물로 되어서 나옴.

층상-암【層狀岩】[명]〖광〗퇴적암(堆積岩).

층상-운【層狀雲】[명]〖기상〗층운형(層雲形) 구름.

층상 함동 황화철 광:상【層狀含銅黃化鐵鑛床】[명]〖지〗황철광(黃鐵鑛)·황화철·황동광(黃銅鑛) 등의 층상을 이루어 변성암(變成岩)의 편리면(片理面)이나 수성암의 층리면(層理面)에 따라 존재하는 광상. 함동 황화철 광상.

층상 혼:상 유체【層狀混相流體】[ㅡ뉴ㅡ] [명]〔stratified fluid〕〖물〗중력(重力)에 의해 밀도 변화를 가지는 유체. 흔히, 뒤 쪽을 향하여 밀도가 감소됨. 정상(定常) 안정에 따른 층화(層化)의 하나.

층상 화:산【層狀火山】[명]〖지〗성층 화산(成層火山).

층새【層ㅡ】[명] ①황금의 품질. 황금의 함유 성분. ②황금을 층샛돌에 대고 마찰시켜 그 석수(色數)를 헤아리는 표준 제구.

층샛-돌【層ㅡ】[명]〖광〗금의 품위(品位)를 판정(判定)하는 데 쓰이는 경도(硬度)가 높은 흑색의 돌. 층새와 금을 여기에 나란히 문질러 각각 빛깔을 비교하여 봄. 규석(鏐石). 시금석(試金石). 층석(層石). 칭석(稱石). [준]층돌.

층생 첩출【層生疊出】[명] 일이 겹쳐 자꾸 쌓이어 생겨 남. ¶…점잖은 댁에 어찌 재난이 그다지 ～한다는 말씀이오니까?≪崔瓚植 : 桃花園≫. ──-하다 [자][여불]

층서【層序】[명]〖지〗지층(地層)의 겹친 순서.

층서 단위【層序單位】[명]〔stratigraphic unit〕〖지〗성질·특성 또는 속성(屬性)을 기초로 하여, 한 단위로서 분류한 지층(地層) 또는 암석의 단층(單層). *암석(岩石) 단위.

층서-학【層序學】[명]〖지〗층서를 밝히는 학문 분야. 넓은 뜻으로는 지층에 관한 학문. 지구의 역사, 특히 시간의 선후 관계를 밝힘. 직접 중첩되지 않은 지층 상호 간의 관계를 알기 위해 암상(岩相) 층서학·화석(化石) 층서학·방사 연대(放射年代) 층서학·자기(磁氣) 층서학 등이 있음. 층위학(層位学).

층석【層石】[명] 층샛돌.

층소【層霄】[명] 높은 하늘. 구소(九霄).

층수【層數】[ㅡ쑤] [명] 층의 수효.

층승【層昇】[명] 한층 높은 단계로 올라감. ──-하다 [자][여불]

층-실사초【層ㅡ莎草】[명]〖식〗〔*Carex remoliuscula*〕방동사닛과에 속하는 다년초. 근경(根莖)은 짧고 줄기는 편삼릉주(扁三稜柱)로 총생(叢生)하며 높이는 60cm 가량임. 잎은 호생하고 좁은 선형을 이룸. 6-7월에 양성(兩性)인 소수(小穗) 2-6개를 가진 녹색 꽃이 달걀꼴 또는 둥근 모양으로 피며, 과낭(果嚢)은 달걀꼴의 긴 타원형임. 산야의 풀밭에 나는데, 강원·평북에 분포함.

층-심도【層深度】[명]〔layer depth〕〖해〗①바닷 속 혼합층(混合層)의 두께. ②약층(躍層)의 정상(頂上)까지의 깊이.

층암【層岩】[명] 층을 이루고 있는 바위.

층암 절벽【層岩絶壁】[명] 높고 험한 바위가 겹겹으로 쌓인 낭떠러지.

층애【層崖·層厓】[명] 바위가 겹겹이 쌓인 언덕.

층애 지형【層崖地形】[명]〖지〗굳은 지층은 대칭적이 아닌 구릉렬(丘陵列)이 되어 남고, 무른 지층은 낮게 나란히 발달한 지형.

층옥【層屋】[명] 층집.

층운【層雲】[명] ①층을 이루는 구름. 구름의 층. 또, 비교적 낮은 곳에 끼는 구름. ②〔stratus〕〖기상〗하층운(下層雲)의 한 가지. 지평선과 나란히 층상(層狀)을 이루어 땅에 가장 가깝게 끼는 구름. 여름에는 조석(朝夕)으로 나타나며 겨울에는 자주 온 하늘을 잿빛으로 덮음. 높이는 지상으로부터 2km 이내. 기호는 St. 층구름. 안개구름.

층운형 구름【層雲形ㅡ】[명]〔stratiformis〕〖기상〗구름의 한 가지. 수평으로 잘 퍼진 구름의 층 또는 꼭 연속해 있지는 않은 층상으로 된 구름. 층상운(層狀雲).

층위【層位】[명] ①〔level〕〖언〗어떤 유(類)의 언어 요소가 전체의 언어 구조 상에서 차지하는 위치. 곧, 언어 계층의 각 층을 일컬음. ②〔horizon〕〖지〗수 센티미터에서 30센티미터 두께의 토양(土壤)을 구성하는 층의 하나.

층위 유전【層位油田】[명] 층위 트랩 속의 탄화 수소 저류(貯留). 화학적 침적(沈積)에 의해 생성됨.

층위 트랩【層位ㅡ】[명]〔stratigraphic trap〕〖지〗유층(油層)에서의 지질 구조의 변화보다는 오히려 암상 변화(岩相變化) 때문에 저류층(貯留層)이 막혀 버리는 일.

층위-학【層位學】[명] 층서학(層序學).

층위학 연:구법【層位學硏究法】[ㅡ뻡] [명] 고고학(考古學)의 용어. 층위학을 고고학에 응용하여, 동일 지점에 있어서의 유물(遺物)을 포함하는 층위의 상하(上下) 관계에 따라 유물의 연대의 선후(先後)를 결정하는 방법. 교란(攪亂)을 받지 않은 지층(地層)에 있어서는 동일 지점에 있어서의 하층(下層)의 유물은 상층의 유물보다 오래된 것이라는 원리에 의거함.

층위학-자【層位學者】[명]〔stratigrapher〕〖지〗성층(成層)한 암석(岩石)을 취급하는 지질학자. 분류·명명(命名)·대비(對比)·해석(解析) 따위를 행함.

층-장【層欌】[명] 여러 층을 들인 장(欌). 삼(三)층장·사(四)층장 따위. *단(單)층장.

층적-운【層積雲】[명]〔strato-cumulus〕〖기상〗하층운(下層雲)의 하나로 두꺼운 덩어리나 층상(層狀)의 구름. 거의 언제나 검은 부분을 가지며, 회색 또는 희읍스름한 얼룩층이 있음. 높이는 지상 2,000m 이내. 기호는 Sc. 두루마리구름. 층쌘구름.

층절[1]【層折】[명] ①층지고 꺾임. ②층진 데와 꺾인 곳.

층절[2]【層節】[명] 일의 많은 가닥. ¶수정이는 종시도 중간에 다른 ～이 있는 것은 꿈밖이요…≪李海朝 : 花世界≫.

층제【層梯】[명] 여러 층으로 된 사닥다리.

층중【層重】[명] 층첩(層疊).

층-지다【層ㅡ】[자] 층이 있게 되다. ¶층지게 깎다.

층-집【層ㅡ】[ㅡ찝] [명] 여러 층으로 지은 집. 층옥(層屋).

층차 해:석【層次解析】[명]〔differential analysis〕〖기상〗두 점의 시각(時刻) 또는 두 개의 높이를 가지는 기상 요소의 분포차(分布差)를 도시적(圖示的)이나 수치적(數值的)으로 구하여 경향도(傾向圖) 또는 연직 방향(鉛直方向)의 차를 보이는, 즉 층후도(層厚圖)의 총관(總觀) 해석을 행하는 일.

층천【層泉】[명] 경사진 불투수층(不透水層)에 따라서 흘러 나오는 지하수(地下水).

층첩【層疊】[명] 여러 층으로 거듭 쌓거나 쌓임. 층중(層重). ──-하다 [자][타][여불]

층출【層出】[명] 거듭해서 나옴. ──-하다 [자][여불]

층-층【層層】[명] 여러 층. 거듭된 낱낱의 층. ¶～ 시하(侍下).

층층-고란초【層層皐蘭草】[명]〖식〗〔*Polypodium veitchii*〕고사릿과에 속하는 다년생 양치류(羊齒類). 근경(根莖)은 땅 속에서 가로 뻗고 암갈색의 인편(鱗片)이 빽빽이 남. 근생엽(根生葉)은 성기게 나며 길이 3-9 cm로 3-7개의 타원형 열편(裂片)이 있고, 자낭군(子嚢群)은 둥근데 잎의 뒤쪽 주맥(主脈) 좌우에 줄지어 있음. 산과 들에 나는데, 함남의 부전(赴戰) 고원 등에 분포함. 어린잎은 식용함.

층층-고랭이【層層ㅡ】[명]〖식〗〔*Cladium chinense*〕방동사닛과에 속한 다년초. 바닷가에서 자람. 잎은 꽃줄기 부근에서 무더기로 나며, 8-10월에 줄기 끝이나 윗 부분의 잎겨드랑이에 산방(繖房) 화서로 많은 작은 이삭이 밀생함. 열매는 수과(瘦果)로 거꿀달걀꼴임. 한국의 제주도와 일본·중국·말레이시아·오스트레일리아 등지에 분포함.

층층-나무【層層ㅡ】[명]〖식〗〔*Cornus controversa*〕층층나뭇과에 속하는 낙엽 활엽 교목(闊葉喬木). 높이 10-20m, 잎은 호생(互生)하며 넓은 달걀꼴 또는 원형에 끝이 뾰족하고 겉쪽은 반드러우며 뒤쪽은 흰 빛이고 가장자리는 물결 모양을 이룸. 5월에 흰 사판화(四瓣花)가 정생(頂生)하여 취산 화서(聚繖花序)로 피고, 10월에 자홍색의 작은 핵과(核果)가 자흑색으로 익음. 산복 및 골짜기의 비옥한 곳에 나는데, 한국·일본·중국에 분포함. 정원수로 심기도 하며 줄기는 양산 자루·지팡이·세공재(細工材)로 씀.

〈층층나무〉

층층나뭇-과【層層ㅡ科】[명]〖식〗〔Cornaceae〕쌍자엽 식물 이판화류(離瓣花類)에 속하는 한 과. 교목 혹은 관목으로, 전세계에 115종, 한국에는 말채나무·산딸나무·산수유나무·층층나무의 10여 종이 분포함.

층층-다리【層層ㅡ】[명]〖건〗돌이나 나무 같은 것으로 여러 층으로 만든 층계(層階).

층층-대【層層臺】[명] 여러 층으로 된 대(臺). 계단(階段). 섬. [준]층대(層臺).

층층-둥굴레【層層ㅡ】[명]〖식〗〔*Polygonatum stenophyllum*〕백합과에 속하는 다년초. 굵은 뿌리줄기가 옆으로 뻗으며 번식함. 잎은 좁은 선형으로 돌려나며, 겉은 풀빛이고, 뒤쪽은 분백색임. 연한 황색의 꽃이 6월에 피고, 열매는 장과(漿果)로 둥글며 흑색으로 익음. 충북 단양(丹陽) 근처에서 자라며 어린 순과 뿌리 줄기는 식용함.

층층 시:하【層層侍下】[명] 부모·조부모가 다 살아 있는 시하. ¶～의 시집살이.

층층-이【層層ㅡ】[부] 여러 층으로. ¶～ 쌓아 올리다.

층층이-꽃【層層ㅡ】[명]〖식〗〔*Satureia coreana*〕꿀풀과에 속하는 다년초. 줄기는 모가 지고 짧은 털이 있으며 높이는 30-60cm임. 잎은 달걀꼴 또는 달걀꼴의 타원형으로 대생(對生)하고 꼭지가 달림. 6-9월에 담홍색의 순형화(脣形花)가 윤산(輪繖) 화서로 정생하여 층층이 피고, 수과(瘦果)를 맺는데, 네 갈래진 분과(分果)임. 들에 나는데, 한국 각지 및 일본에 분포함. 어린 엽경(葉莖)은 식용함.

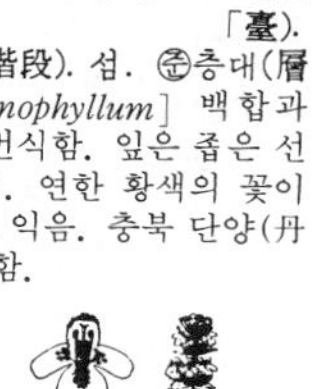
〈층층이꽃〉

층층-잔대【層層ㅡ】[명]〖식〗〔*Adenophora radiatifolia*〕초롱꽃과에 속하는 다년초. 줄기 높이 1m 내외, 뿌리는 비대(肥大)하고, 잎은 윤생(輪生)하며 긴 타원형 또는 거꿀달걀꼴의 타원형, 달걀꼴의 피침형을 이룸. 7-9월에 자색의 작은 종상화(鐘狀花)가 여러 개 윤생(輪生)하여 핌. 산지에 나는데, 한국 각지에 분포함. 어린잎과 뿌리는 식용함.

〈층층잔대〉

층층-장구채【層層ㅡ】[명]〖식〗〔*Silene macrostyla*〕너도개미자릿과(科)에 속하는 다년초. 줄기는 총생(叢生)하며 높이 1m 가량임. 잎은 호생(互生)하며 잎꼭지는 짧거나 없고 피침형(披針型) 또는 피침상(狀) 선형(線形)으

로 엽액(葉腋)에 밀생함. 7-8월에 흰 오판화(五瓣花)가 줄기 끝이나 가지 끝에 정생(頂生) 혹은 액생(腋生)하여 피고, 넓은 타원형의 삭과(蒴果)를 맺음. 산지(山地)에 나는데, 함남·함북에 분포함.

층층-화【層層花】명〖식〗접시꽃.

층탑【層塔】명 지붕이 여러 겹으로 되어 층이 진 탑. 삼층탑·오층탑·십삼층탑 등.

층판 소:체【層板小體】명〖생〗지각(知覺) 신경의 종말(終末) 장치의 하나. 그 속에 굵은 신경 섬유가 하나 있으며 모양은 둥근 달걀꼴로 길이 0.5-4.5 mm, 폭 1-2 mm인데 피부의 비교적 깊은 부분, 특히 손바닥이나 발바닥에 많이 존재(存在)함.

〈층판 소체〉

층하【層下】명 다른 것보다 낮잡아 홀대함. ¶～를 두고 사람을 대하다. ——-하다 타여불

층하-경【層下經】명〖천주교〗'제단 앞 기도'의 구용어.

층향【層向】명〖지〗기울어진 지층면과 수평면이 서로 맞닿는 직선의 방향. 주향(走向).

층화【層化】명 모집단(母集團)을 층으로 나눔. ——-하다 자여불

층화 임:의 추출법【層化任意抽出法】[—뻡/—이—뻡] 명 층화 추출법에서, 단순 임의로 표본의 추출을 행하는 방법. *비례 층화 추출법.

층화 추출법【層化抽出法】[—뻡] 명 샘플링 조사에서 샘플을 추출하는 방법의 하나. 조사 사항에 영향을 갖는 것으로 생각되는 여러 가지 요인(要因)에 의하여 모집단(母集團)을 몇 개의 층으로 나누고, 그 각 층에서 적절한 비율로 샘플을 추출하는 방법임. 층별화(層別化) 추출법. 층별 추출법.

층회-암【層灰岩】명〖지〗화산 폭발 때에 나온 부스러기와 풍화 작용에 의한 자갈·모래·진흙 등이 혼합하여, 물 속에 침적(沈積)·응고(凝固)되어 이루어진 암석.

층후-도【層厚圖】명〖기상〗물리적으로 정의된, 어떤 대기층(大氣層)의 두께를 나타내는 일기도의 하나. 대개의 경우 등층후도(等層厚圖), 즉 두 정압면(定壓面) 사이의 연직(鉛直) 거리를 나타내는 도표임.

층후 패턴【層厚—】명 [thickness pattern]〖기상〗층후도상(層厚圖上)의 층후선(層厚線)의 일반적인 기하학적 분포(分布).

층-흐름【層—】명 [laminar flow]〖물〗속도가 시간적으로 변동하지 않는 유체의 층을 이루어 흐르는 관내(管內) 또는 경계층 내의 흐름. 층류(層流).

층흐름 경계층【層—境界層】명 [laminar boundary layer]〖물〗유체(流體) 중의 물체의 표면(表面)에 연한 얇은 층. 그 중, 표면에 대한 유체의 속도가 표면에서 멀리 떨어질수록 급속히 증가하는 범위(範圍)를 가리킴.

층흐름 저:층【層—底層】명 [laminar sublayer]〖물〗난류(亂流) 경계의 밑에 있어, 물체 표면에 면하는 층흐름상(狀)의 얇은 층.

ᄎᆡ다 자〈옛〉치우치다. ¶牡丹올 ᄎᆡ여 ᄉᆞ랑ᄒᆞ샤《梵音集 14》.

ᄎᆡ돌다 자〈옛〉치우쳐 돌다. 비켜서 돌다. ¶ᄉᆞ나희 네는 길흘 계집이 ᄎᆡ도ᄃᆞ시《永言 鄭澈》.

ᄎᆡ돋다 자〈옛〉치우치다. ¶ᄎᆡᄃᆞᆯ 벽(僻)《類合 下 54》/ᄎᆡᄃᆞᆯ 편(偏)《類合 下 60》.

ᄎᆡ앗기다 타〈옛〉치우쳐 아끼다. ¶ᄆᆞ만ᄒᆞᆫ 할이 날로 들어 ᄉᆞᄉᆞ 셰간을 ᄎᆡ앗겨(漸漬日聞 偏愛私藏)《內訓 Ⅲ:36》.「解 3》.

ᄎᆡ여 부〈옛〉유다르게. 치우쳐. ¶偏 독벼리 又득혀 又ᄎᆡ여《老朴 單字

ᄎᆡ여보다 타〈옛〉치우쳐 보다. ¶자바 바도미ᄒᆞ마 구들시 ᄎᆡ여보니라(執受 旣堅故 偏觀也)《圓覺 上 二之二 25》.

ᄎᆡ이다[1] 자〈옛〉치우치다. ¶禪觀올 ᄎᆡ여 너피샤(偏弘禪觀)《永嘉 序 7》/ᄎᆡ여 慧를 비호면(偏學於慧)《永嘉 上 9》.

ᄎᆡ이다[2] 사동〈옛〉치이다. 치우도록 시키다. ¶너를 ᄯᅩᆼ ᄎᆡ유려 하먼《月釋 XIII:21》/샹네 ᄯᅩᆼ ᄎᆡ이러니(常令除糞)《圓覺 後序 47》.

ᄎᆡ티다 자〈옛〉치치다. ¶나ᄂᆞᆫ ᄎᆡ텨시니ᄂᆞᆫ 맛당히 아직 피ᄒᆞ라(則我已矣汝宜姑避)《東國新續三綱 孝子圖 Ⅷ:19》.

ᄎᆡᆨᄎᆡᆨᄒᆞ다 형〈옛〉빽빽하다. ¶니피 ᄎᆡᆨᄎᆡᆨᄒᆞ니 우는 미아미 하도다(菜密鳴蟬稠)《杜諺 XXII:4》/雲霧ᄂᆞᆫ ᄎᆡᆨᄎᆡᆨᄒᆞ야 여로미 어렵도다(雲霧密難開)《杜諺 XII:25》.

ᄎᆡᆫ 자〈옛〉치우친. 편벽된. 'ᄎᆡ다'의 활용형. ¶平等은 ᄆᆞᆯ롬씨니 ᄒᆞᆫ녁 ᄎᆡᆫ 公事 아니홀씨라《月釋 Ⅰ:45》.

치[1] 명〈궁중〉①상투. ②신발.

치를 틀다 구〈궁〉상투를 틀다.

치[2] 명〈방〉①키[2](전라·경상·충청·강원·함경·경기). ②체[1](전라·경상).

치[3] 명〈옛·방〉배의 키(충청·전북·경상·제주). ¶치 타(舵)《字會 中 25「舵字註》.

치[4]【値】명〖수〗운산(運算)하여 얻은 수. 값.

치[5]【徵】명〖악〗동양 음악에서, 오음(五音) 음계의 제4음. 또, 칠음(七音) 음계의 제5음. 오음은 궁(宮)·상(商)·각(角)·치(徵)·우(羽), 칠음은 궁·상·각·변치(變徵)·치·우·변궁(變宮)임.

치[6]【齒】명 이[2]❶.

치(가) 떨리다 구 몹시 분하거나 지긋지긋하여 이가 떨리다. ¶생각할수록 억울하고 분해서 치가 떨린다.

치(를) 떨다 구 ㉠매우 인색하여 내놓기를 꺼리다. ㉡몹시 분하거나 지긋지긋하여 이를 떨다. ¶배신감에 치를 떨다.

치[7]【癡·痴】명〖불교〗삼독(三毒)의 하나. 너무 미련하고 우둔해서 미친 듯한 짓을 하는 일.

치[8]【杞】명〖지〗중국 허난 성(河南省) 동부의 치 현(杞縣)의 현청 소재지. 카이펑 시(開封市)의 남동부 50 km 지점에 위치함. 목화가 잘 재배되나 황허(黃河) 강의 홍수와 북서 계절풍(季節風) 때문에 농산물 생산의 향상은 보이지 아니함. 최근에는 대규모의 조림 사업이 시행되고, 수리 시설이 건설되고 있음. 기.

치[9] 의명〈몽 -či(직업을 나타내는 명사 어미)〉①'이[21]'의 낮춤말. ¶그～/저 ～. ②지정된 여럿 중의 하나 또는 일부를 가리키는 말. ¶중간～/오늘 ～가 어제 ～보다 낫다. ③몫이나 분량을 가리키는 말. ¶이틀 ～ 양식/한 달 ～ 급여.

치[10] 의명〈중세: 치〉길이의 단위. 한 자의 십분의 일. 촌(寸). ¶두 ～ 닷 푼. [치 위에 치가 있다] '뛰는 놈 있으면 나는 놈 있다'와 같은 뜻.

치[11] 감 ①절구질·도끼질같이 힘드는 동작(動作)을 연거푸 할 때 내는 소리. ②☞체.「눈을 ～뜨다.

치- 접 동사의 위에 붙이어 위로 올라가는 뜻을 나타내는 말. ¶～감다/

-치 준 ☞ㅎ지. ¶현명～ 못한 일/용이(容易)～ 않다.

-치- 미 어떤 동사의 어간에 붙어 그 동작의 힘줌을 나타내는 어간 형성 접미사. ¶돋～다/밤～다. *-구-·-리-·-이-·-히-.

-치[1] 미〖민〗절기(節氣)의 이름·보름·그믐·조금 또는 일진(日辰)의 진사(辰巳)·술해(戌亥) 같은 것에 붙이어 그날 무렵의 날씨의 나빠짐을 나타내는 말. ¶입춘(立春)～/그믐～.

-치[2] 미 일부 명사나 용언의 어간에 붙어, '물고기'나 '물고기 이름'을 나타내는 말. ¶쥐～/넙～/꼬리～/날～.

치가[1]【治家】명 집안을 다스림. ——-하다 자여불

치:가[2]【致家】명 가업(家業)을 이룸. ——-하다 자여불

치:가[3]【置家】명 ↗첩치가(妾置家). ¶조필환이가 소첩을 ～하여 자식까지 낳았다 함이나…《李相協 : 눈물》. ——-하다 자여불

치감【齒疳】명〖한의〗이틀이 곪기어 썩는 병.

치-감다[—따] 타 위로 치껴서 감다.「시피 한다.

치감고 내리감는다 구 위아래 옷을 비단으로만 입어서 온몸을 감다

치강【齒腔】명〖생〗이의 속에 있는 빈 구멍의 부분. 치근(齒根)의 끝에 구멍이 통하고, 속에는 치수(齒髓)가 가득 차 있음.

치-강인의【差強人意】[—/—이] 명 조금 뜻에 맞음. 조금 마음이 든든함. ——-하다 형여불

치거【馳車】명 ①빨리 달리는 수레. 공격용의 수레. ②달리고 있는 수레. 또, 수레를 달리게 함. ——-하다 자여불

치건【侈件】[—껀] 명 사치스러운 물건.

치겁다 형ㅂ불〈방〉더럽다(평북).

치-격【絺綌】명 곱게 짠 갈포(葛布)와 굵게 짠 갈포.

치경[1]【治經】명〖역〗강경(講經)❶. ——-하다 자여불

치:경[2]【致敬】명 경의(敬意)를 표함. 경의를 다함. ——-하다 자여불

치:경[3]【致景】명 좋은 경치. 미경(美景).

치경[4]【痓痙】명〖한의〗그리 크지 않은 상처로, 파상풍균(破傷風菌)이 들어가서 일어나는 풍병(風病)의 한 가지. 오한(惡寒)과 발열(發熱)이 심함. 파상풍(破傷風).

치경[5]【齒莖】명 치근(齒根)을 싸고 있는 살.

치경[6]【齒頸】명 치관(齒冠)과 치근(齒根)의 경계가 되는 부분.

치경-꾼【治經—】명〖역〗강경(講經)꾼.

치경-류【齒鯨類】[—뉴] 명〖동〗[Odontoceti] 경류(鯨類)에 속하는 한 아목(亞目). 원뿔 모양의 잇발이 많고, 전지(前肢)에는 다섯 개의 지골(指骨)이 있음.「이에서 조음(調音)되는 음.

치경-음【齒莖音】명〖언〗설첨(舌尖) 또는 설단(舌端)과 치경(齒莖) 사

치계【雉鷄】명 ①꿩과 닭. ②꿩닭.

치계-전【雉鷄廛】명 어리 전.

치고 조 체언에 붙어, '그 전체가 예외없이' 등의 뜻을 나타내는 보조사(補助詞). ¶네 물건～ 쓸 만한 것 없더라. ②치고는❷.

치고-는 조 ①'치고'의 강조 말. ¶사람～ 못할 일이오. ②체언(體言)에 붙어, '그 중에서는 예외적으로' 등의 뜻을 나타내는 보조사(補助詞). 치고. ¶서양 사람～ 키가 작소/술맛～ 최고요/값싼 물건～ 쓸 만하다.

치고-서 조 '치고'를 강조하는 말.

치고이네르바이젠 [도 Zigeunerweisen] 명〖악〗사라사테(Sarasate)가 작곡한 바이올린곡(曲). 관현악 반주가 딸려 있으며 기교적(技巧的)인 곡으로 알려졌음. 곡명은 '집시의 선률(旋律)'이라는 뜻.

장골 천골 장골 전장골극 골반 경계선 미골 치골 관골구 결합 좌골 폐쇄공 치골
〈치골[1]〉

치곤【治棍】명〖역〗결곤(決棍). ——-하다 타여불

치골[1]【恥骨】명 [pubis]〖생〗좌골(坐骨)의 앞 쪽에 있어서 장골(腸骨)·좌골과 같이 골반을 에워싼 뼈. 불두덩뼈.

치골[2]【齒骨】명 [dental]〖생〗이틀을 이루는 뼈.

치골[3]【癡骨】명 남이 비웃는 줄 모르고 제멋대로만 하는, 요량(料量) 없고 어리석은 사람.

치골 결합【恥骨結合】명 [pubic symphysis]〖생〗좌우의 치골이 그 사이에 낀 섬유 연골(纖維軟骨)에 의하여 연결된 부분.

치골-궁【恥骨弓】명 [pubic arch]〖생〗좌우의 치골이 접합(接合)한 곳에 이루어지는 우각(隅角). 소골반(小骨盤)의 전면을 형성함.

치골-근【恥骨筋】명 [pectineus]〖생〗대퇴골(大腿骨)의 안 쪽에 있는 심줄. 치골의 위 쪽에서 일어나서 대퇴를 안으로 내전(內轉)하는 작용을 맡음.

치과【齒科】[—꽈] 명〖의〗①의학의 한 분과. 이와 이의 지지 조직(支持組織)의 치료·교정·가공(加工) 등을 함. ②↗치과 의원.

치:과 교:위【致果校尉】명〖역〗고려 때 무관(武官)의 품계. 정칠품의 상(上). 성종(成宗) 14년(995)에 정함. 치과 부위(副尉)의 위. 진무(振武)

부위의 아래.
치과 교정학【齒科矯正學】[—꽈—] 명 〖의〗 치과학의 한 부문. 부정 교합(否定咬合)의 방지 및 치료를 다룸.
치과 기공사【齒科技工士】[—꽈—] 명 의료 기사(醫療技士)의 하나. 치과 의사의 지시 감독 아래 치과 의사의 진료에 필요한 치과 기공물(技工物)·충전물(充塡物) 및 교정 장치의 제작·수리·기공(技工) 등을 업으로 하는 사람. *치과 위생사(齒科衛生士)·작업 치료사.
치과 대학【齒科大學】[—꽈—] 명 치과를 전공(專攻)하는 단과 대학(單科大學)의 하나. 「學).
치과 법의학【齒科法醫學】[—꽈—/—꽈—이—] 명 〖법〗 법치학(法齒
치:과 부:위【致果副尉】명 〖역〗 고려 때 무관(武官)의 품계. 정칠품의 하(下). 성종(成宗) 14년(995)에 정함. 익위 교위(翊威校尉)의 위, 치과 교위(校尉)의 아래임.
치과용-금【齒科用金】[—꽈—] 명 은(銀) 5-12%, 구리 4-10%에, 나머지는 금으로 된 합금(合金).
치과 위생사【齒科衛生士】[—꽈—] 명 의료 기사(醫療技士)의 하나. 치과 의사의 지시 감독 아래, 치아(齒牙) 및 구강(口腔) 질환(疾患)의 예방과 위생에 관한 업무에 종사하는 사람. *임상 병리사(臨床病理士).
치과-의【齒科醫】[—꽈—/—꽈이] 명 치과를 전문으로 하는 의사.
치과 의원【齒科醫院】[—꽈—] 명 치과를 전문으로 하는 의원. ㊕치과.
치관[1]【治棺】명 관을 만듦. ——-하다 자여불
치관[2]【齒冠】명 [crown] 〖생〗 입 안에 드러나 있는 이의 법랑질(琺瑯質) 부분.
치관 보:철【齒冠補綴】명 [crownwork] 〖의〗 이의 기능을 회복시키기 위하여 인공적으로 이에 치관을 씌우는 일.
치:교【緻巧】명 치밀하고 교묘함. 교치(巧緻). ——-하다 형여불
치교-권【治敎權】[—꿘] 명 〖천주교〗 교황의 직권의 한 가지. 교회를 다스리는 권한.
치구[1]【治具】명 ①접대하기 위한 준비. ②정치를 하는 데 필요한 법령·예악(禮樂) 등.
치구[2]【恥丘】명 [mons pubis] 〖생〗 음부(陰阜). 불두덩.
치구[3]【雉灸】명 생치구이.
치구[4]【馳驅】명 ①말을 타고 달림. ②바삐 돌아 다님. ——-하다 자여불
치구[5]【齒垢】명 치석(齒石).
치:구-표【置毬標】명 〖역〗 격구(擊毬)하는 구장(毬場)에 공을 흩어 놓은 곳. 출마표(出馬標)로부터 거리 40 m.
치국【治國】명 나라를 다스림. 이국(理國). ——-하다 자여불
치국 거:지【治國去之】명 군자는 잘 다스려진 나라에서는 할 일이 없어 떠난다는 말.
치국 안민【治國安民】명 나라를 다스리고 백성을 편안하게 함. ——-하다 자여불
치국 평천하【治國平天下】명 나라를 잘 다스리고 온 세상을 편안하게 함. ——-하다 자여불
치:군 택민【致君澤民】명 임금에게는 몸을 바쳐 충성하고, 백성들에게는 혜택을 베풂.
치근【齒根】명 [root of tooth] 〖생〗 이의 치조(齒槽) 속에 있는 부분. 이촉.
치근-거리다 자타 ①남이 몹시 싫어하도록 귀찮게 굴다. ②남이 귀찮아하도록 조르다. 1)·2): 스지근거리다. 쓰찌근거리다. >차근거리다. **치근-치근** 부. ——-하다[1] 자타여불
치근-대다 자타 치근거리다.
치근덕-거리다 자타 끈덕지게 치근거리다. 스지근덕거리다. 쓰찌근덕거리다. >차근덕거리다. **치근덕-치근덕** 부. ——-하다 자타여불
치근덕-대다 자타 치근덕거리다.
치근-막【齒根膜】명 〖생〗 치근과 그 주위의 치조골(齒槽骨) 사이에 있는 매우 좁은 공간을 채우고 있는 결합 조직성의 조직.
치근막-염【齒根膜炎】[—념] 명 [periodontitis] 〖의〗 치근막에 일어나는 염증. 충치(蟲齒)로부터 감염되는 일이 가장 많은데, 충치가 치수염(齒髓炎)을 일으켰다가 치근 선단(先端)의 작은 구멍으로부터 치근 밖의 치근막에 미치며 이 치근막염은 다시 주위의 치조골(齒槽骨)에 미치어 치조골염을 일으킴. 아프고 이가 들뜬 듯한 느낌을 주는 것이 그 증상임.
치근치근-하다[2] 형여불 끈기 있는 물건이 축축하여 맞닿으면 불쾌한 느낌이 드는 듯하다. ¶치근치근한 사람. **치근치근-히** 부
치:글러 [Ziegler, Karl] 명 〖사람〗 독일의 유기 화학자. 마르부르크(Marburg) 대학에서 수학(修學)하고 유기 금속 화합물을 연구하여 1953년 트리에틸(Triäthyl) 알루미늄과 사염화 티탄(四塩化 Titan)으로 상압하(常壓下)에서의 에틸렌의 중합(重合)에 성공(成功)함. 1963년 나타(Natta,G.)와 함께 노벨 화학상을 수상함. [1898-1973]
치:글러 나타 촉매【—觸媒】[Ziegler-Natta] 명 〖화〗 치글러 촉매.
치:글러 촉매【—觸媒】명 [Ziegler catalyst] 〖화〗 유기(有機) 금속 화합물과, 다른 금속 화합물을 결합시키는 촉매. 알루미늄과 티탄(Titan)의 결합은 가장 일반적인 것임. 에틸렌을 비롯하여 각종 올레핀(olefin)의 저압 중합(低壓重合) 외에 각종 반응에 쓰이고 있음. 치글러가 발견함. 치글러 나타(Ziegler-Natta) 촉매.
치-긋다 타ㅅ불 위 쪽으로 향하여 올리어 긋다.
치기【稚氣】명 어른이 된 뒤에도 남아 있는 어린 아이 같은 기분. 유기(乳氣). ¶~를 못 벗었다.
-치기 미 ①어떠한 명사 밑에 붙어 그것을 쳐서 나타난 결과로 내기함을 나타내는말. ¶엿~/돈~/자~. ②어떤 명사나 어근(語根)에 붙어 낚아채어 가는 도둑의 명칭을 이루는 말. ¶들~/차~/소매~.
치기-배【—輩】명 날치기·들치기·차(車)치기·소매치기 등, 날쌘 좀도둑의 패거리.
치네 [도 Zinne] 명 뾰족한 탑 모양의 암봉(岩峰).
치:념[1]【置念】명 어떤 일에 생각이나 마음을 둠. ——-하다 자여불
치념【馳念】명 몹시 생각함. 걱정함. ——-하다 자여불
치누크 [chinook] 명 〖기상〗 로키 산맥(Rocky 山脈)의 동쪽에서 부는 푄(Föhn).
치누크 아:치 [chinook arch] 명 〖기상〗 로키 산맥 위에 둑처럼 보이는 푄 구름. 보통, 고층운(高層雲)의 편평한 구름으로, 치누크가 가까워졌다는 전조(前兆)라 함.
치뉵【齒衄】명 〖한의〗 잇몸에서 피가 나는 병.
치니마기 명 〈옛〉 치니매기. 격구 용어(擊毬用語). ¶太祖便仰臥 側身防馬尾而擊之 毬還出馬前二足之間 復擊而出門 時人謂防尾 치니마기 ≪龍歌 Ⅵ:40≫.
치니-매기 명 〖역〗 격구에서, 할흉(割胸)을 한 뒤에 몸을 기울여 반듯이 누워 장(杖)으로써 말의 꼬리에 비기는 동작. 방미(防尾).
치다[1] 자 ①바람·눈보라·물결·번개 같은 것이 세차게 움직이다. ¶눈보라가 ~/벼락이 ~. ②된서리가 몹시 많이 내리다.
치:다[2] 자 ↗치이다[1]. ¶차에 ~.
치다[3] 타 ①손이나 물건을 가지고 목적물을 때리다. ¶뺨을 ~/못을 ~/홈런을 ~. ②[중세 : 티다] 소리나게 두드리거나 악기를 연주하다. ¶피아노를 ~/징을 ~/북을 ~. ③쇠붙이를 달구어 때리는 동작으로 칼·낫 같은 것을 만들다. ¶칼을 ~. ④인절미·흰떡 들을 안반에 놓고 떡메로 두드리며 짓이기다. ¶떡을 ~. ⑤때려 박아넣다. ¶마치로 못을 ~. ⑥적을 공격하다. ¶적을 ~. ⑦남의 단처(短處)를 들어 타박을 주다. ¶남을 치기 전에 자기를 반성하라. ⑧손발 또는 날개·꼬리로 공중이나 물에서 세차게 흔들다. ¶헤엄~/날개~. ⑨식물의 가지나 잎을 베어 내다. ¶가지를 ~. ⑩배게 들어선 물건 속에서 얼마쯤을 골라서 깎거나 베어 내다. ⑪무슨 물건을 제대로 두지 않고 손을 대어 매만지다. ⑫잘게 썰어서 채를 만들다. ¶오이채 ~. ⑬칼날을 밖으로 날리어 잔칼질로 밤의 보늬를 깎다. ⑭카드나 화투 등의 패를 손으로 소리나게 추슬러서 고루 섞이게 하다. 또, 카드·화투·딱지놀이를 하다. ¶화투를 ~/딱지 ~. ⑮칼을 날려 목을 베다. ¶목을 ~. ⑯공이나 기구를 가지고 놀다. 경기하다. ¶테니스를 ~. ⑰새나 벌레가 집을 짓다. ¶새가 보금자리를 ~/누에가 고치를 ~/거미가 거미줄을 ~. ⑱일을 저지르다. ¶사고를 ~.
[치고 보니 삼촌(三寸)이라] 어떤 과오를 범하고 보니 대단히 실례되는 짓이었다는 말. [치러 갔다가 맞기도 예사(例事)] 남에게 무엇을 요구하러 갔다가 도리어 요구를 당하게 되는 일도 보통 있는 일이라는 말. [친 사람은 다리를 오그리고 자고 맞은 사람은 다리를 펴고 잔다] 남에게 폭행이나 좋지 못한 짓을 한 사람은 아무래도 마음이 불안하나, 그 짓을 당한 사람은 마음이 편하다는 뜻.
치다[4] 타 ①붓이나 연필 등으로 어떠한 곳에 점이나 줄을 나타내어 표시하거나 또는 그림이 되게 하다. ¶줄을 ~/묵화를 ~. ②무슨 물건을 표시할 목적으로 인(印)을 찍어 나타내다. ③전신기(電信機)를 놀리어 전보를 송신하다. ¶전보를 ~. ④모르는 일을 알아내기 위하여 점괘를 찾아보다. ¶점을 ~. ⑤우선 셈을 잡아 놓다. 또, 어떠한 양으로 여기어 두다. ¶그건 그렇다 치고/노는 셈 ~/값으로 치면. ⑥시험을 치르다. ¶시험을 ~.
치다[5] 타 [근대 : 치다] ①액체를 따르거나 가루 같은 것을 뿌려서 넣다. ¶초를 ~/소금을~/ 그러면 나는 중매 드는 사람으로 술을 치오리다 ≪趙重桓 : 菊의 香≫. ②체질을 하여 고운 가루를 뽑아 내다. ¶체에 밀가루를 ~.
치다[6] 타 ①군막(軍幕)·휘장(揮帳)·그물·발·줄 같은 것을 펴서 벌여놓다. ¶장막을 ~/밧줄을 ~/비상선을 ~. ②병풍(屛風) 같은 것을 둘러서 세우다. ¶병풍을 ~. ③벽을 만들거나 담을 쌓아 가리우다. ¶담을 ~. ④신갱기를 감거나 대님을 두르거나 휘갑 같은 것을 마무르다. ⑤소리를 기세 있게 내다. ¶소리쳐 부르다. ⑥장난을 기세 부려 하다. ¶장난을 ~. ⑦일부러 기세를 베풀다. ¶허풍을 ~/공갈을 ~. ⑧몸을 흔들어 진저리를 몹시 내다. ¶진저리~. ⑧눈가에 웃음을 머금다. ¶눈웃음 ~.
치다[7] 타 ①돗자리·가마니·멱서리·덕석 같은 것을 틀거나 엮어 만들다. ¶돗자리를 ~/가마니를 ~. ②곤목을 엮어서 꼬다.
치다[8] 타 ①가축·가금을 길러 번식시키다. ¶닭을 ~. ②식물이 가지를 내돋게 하다. ③벌이 꿀을 빚다. ¶꿀을 ~. ④동물이 새끼를 낳아서 퍼뜨리다. ¶새끼를 ~. ⑤자선(慈善)이나 영업으로 나그네를 두다. ¶하숙생을 ~/손님을 ~.
치다[9] 타 ①쌓이거나 메인 불결한 물건을 파 내거나 그러내어 그 자리를 말끔하게 하다. ¶눈을 ~/변소를 ~. ②땅을 파 내거나 골라서 논밭이 되게 하다.
치다[10] 타 수레바퀴 등이 사람 따위를 깔아 누르고 지나가다. ¶사람을 치고 뺑소니 친 자동차.
치:다[11] 타 ↗치우다.
치:다[12] 피동 ↗치이다[3].
치다[13] 형 〈방〉 춥다.
-치다 미 어떠한 동사의 어간·어근 및 '-아·-어·-우' 등의 어미에 붙어 그 동작의 힘들임을 나타내는 말. ¶밀~/몰아~/죄어~. *-뜨리다.
치다꺼리 명 ①일을 치러 내는 짓. ¶손님 ~. ②남을 도와서 바라지하여 주는 일. ¶사건의 뒤~를 하다. ——-하다 타여불
치-닫다 자ㄷ불 위로 향하여 달리다. 달려 올라가다.
치담【治痰】명 〖한의〗 담으로 인하여 생기는 병을 고치어 다스림. ——-

하다 자여불

치대다[1] 타 ①빨래나 반죽 같은 것을 무엇에 대고 자꾸 문지르다. ¶빨래를 ~. ②귀찮게 굴다. ¶몹시 치대는 아이.

치-대다[2] 타 위쪽으로 대다. ¶판자를 ~.

치덕【齒德】명 ①많은 연령과 아름다운 덕행(德行). ②나이가 많고 덕이 있음.

치덕-치덕 부 짙게 처바르는 모양. ¶분을 ~ 바르다.

치도[1]【治道】명〖토〗길 닦이. ──-하다 자여불

[치도하여 놓으니까 거지가 먼저 지나간다] 고귀한 사람을 위하여 한 일이 비천한 사람을 위하여 한 셈이 되었다는 말.

치도[2]【馳到】명 달음질하여 이름. ──-하다 자여불

치도[3]【馳道】명 천자(天子)나 귀인(貴人)이 거둥하는 길.

치도[4]【緇徒】명〖불교〗승도(僧徒). 치려(緇侶).

치도-곤【治盜棍】명 ①〖역〗곤장(棍杖)의 한 가지. 길이 다섯 자 일곱 치, 너비 다섯 치 서 푼, 두께 한 치임. *곤장(棍杖). ②몹시 혼남. 또, 그 곤욕. ¶~ 맞다.

치도곤을 안기다 구 ㉠심한 벌을 주다. ㉡화를 입게 하다.

치도-국【治道局】명〖역〗대한 제국 때, 도로 수선의 일을 맡은 내부(內部)의 한 국(局). 광무(光武) 10년(1906)에 베풀어서 이듬해인 융희(隆熙) 원년(1907)에 폐하였음.

치독[1]【治毒】명 독기(毒氣)를 다스려 없앰. 중독(中毒)을 고침. ──-하다 자타여불

치:독[2]【置毒】명 독약을 음식에 섞음. ──-하다 자여불

치돌【馳突】명 세차게 달려듦. 돌진함. ──-하다 자여불

치둔【癡鈍】명 몹시 어리석고 하는 짓이 굼떠서 흐리터분함. ──-하다 형여불

치돋다 자 〈옛〉 치닫다. ¶두엄 우희 치ᄃᆞ라 셔셔《古時調》.

치-떠리다 타 〈방〉 치뜨리다.

치떠-보다 타 ☞칩떠보다.

치-뚫다 [―뚤타] 타 아래에서 위를 향하여 뚫다.

치-뜨다 타 눈을 위쪽으로 뜨다. ↔내리뜨다.

치-뜨리다 타 위로 던져 올리다.

치뜰다 형 하는 꼬락서니가 나쁘고 더럽다. 성정(性情)머리가 다랍다. ¶치뜬 짓만 하고 다닌다.

치란【治亂】명 ①잘 다스리는 세상과 어지러운 세상. ②혼란에 빠진 세상을 다스림. ──-하다 자여불

치람【侈濫】명 지나치게 사치하여 분수에 넘침. ──-하다 형여불

치랍【梔蠟】명 실상은 보잘것이 없이 겉만을 꾸밈을 가리키는 말.

치랭【治冷】명〖한의〗병의 냉기(冷氣)를 다스림. ──-하다 자여불

치략【治略】명 세상을 다스리는 방책. 정치의 방략(方略).

치량[1] 명〖건〗←칠량(七樑).

치량[2]【痔糧】명 양식을 쌓아 둠. ──-하다 자여불

치량-보 [―뽀] 명〖건〗←칠량(七樑)보.

치량-집 [―찝] 명〖건〗←칠량(七樑)집.

치량-쪼구미 명〖건〗←칠량(七樑)쪼구미.

치런-치런 부 ①액체가 가장자리의 전 위에서 넘치락하는 모양. ¶물이 ~ 괴다. ②물건의 한 끝이 바닥에 좀 스치락말락하는 모양. ¶치맛자락을 ~ 늘어뜨리고. 1)·2): 스치런치런. >차란차란. ──-하다 형여불

치럼-치럼 부 〈방〉 치런치런. ──-하다 형

치렁-거리다 자 ①길게 드리워진 것이 가볍게 움직이다. ¶버들가지가 ~. >차랑거리다[1]. ②일에 대하여 시일(時日)이 자꾸 느즈러지다. 치렁-치렁 부. ──-하다 자형여불

치렁-대다 자 치렁거리다.

치렁-하다 형여불 드리운 물건이 땅에 닿을 만큼 부드럽게 늘어져 있다. >차랑하다[2].

치레 명 [근대 : 티레] ①잘 매만져서 모양을 내는 일. 광식(光飾). ¶그녀는 예쁘지만 ~도 잘한다. ②어느 일에 실속보다도 더 낫게 꾸며 드러냄. ¶~로 하는 인사. ──-하다 타여불

-치레 미 치르거나 겪어 내는 일을 뜻하는 말. ¶병~ / 손님~.

치레기 명 〈방〉 찌꺼기(전북·경상).

치레기-고치 명 추리고 남은 누에고치. 설견(屑繭).

치렛-감 명 치레로 삼는 감.

치렛-거리 명 치레로 삼는 거리.

치렛-깃 명 일부 새들의, 날기 위한 소용보다도 몸치장으로 붙어 있는 아름다운 깃. 장식깃. 장식우(裝飾羽).

치렛-말 명 인사치레로 하는 말.

치렝이 명 〈방〉〖충〗잠자리.

치려[1]【侈麗】명 크고 아름다움. ──-하다 형여불

치려[2]【緇侶】명〖불교〗승도(僧徒). 치도(緇徒).

치:력 부:위【致力副尉】명〖역〗조선 시대에, 정구품 무관(武官) 잡직(雜職)의 품계. 근력(勤力) 부위의 위, 장건(壯健) 부위의 아래.

치련【治鍊】명 쇠·돌·나무 등을 불리고 다듬음. ──-하다 타여불

치렵【馳獵】명 말을 달려 사냥질함. ──-하다 타여불

치:례【致禮】명 예(禮)를 행함. 예를 다하여 행함. ──-하다 자여불

치롄 산맥【―山脈】[祁連] 명〖지〗('치롄'은 몽골어로는 하늘의 뜻) ①중국 간쑤(甘肅)·칭하이(青海) 두 성(省)의 경계를 동서로 달리는 산맥. 눈석임물이 흘러 허시후이랑(河西回廊) 지대에 면하는 북록에 많은 오아시스를 형성함. 전장(全長) 4,000 km, 주봉인 치롄 산은 표고 5,925 m. 난산(南山) 산맥. 남치롄(南祁連). ②신장 성(新疆省)의 톈산 산맥(天山山脈)의 별칭. 북치롄(北祁連). 기련 산맥.

치록【齒錄】명 모아 적음. 수록(收錄)함. ──-하다 타여불

치론【侈論】명 관대(寬大)한 의론(議論).

치롱【癡聾】명 어리석고 귀먹은 사람.

치롱-주【癡聾酒】명〖민〗귀밝이술.

치료【治療】명 병이나 상처를 다스려서 낫게 함. 치병(治病). 요치(療治). ──-하다 타여불

치료 감호【治療監護】명〖법〗사회 보호법에 따라, 죄를 지은 정신 장애자나 마약·알코올 중독자에 대하여 실형 복역(實刑服役) 전에 완치될 때까지 치료 감호소에 수용하여 치료를 실시하는 보호 처분의 하나.

치료 감호소【治療監護所】명 법무부 장관 소속하의 기관의 하나. 사회 보호법에 의하여 치료 감호 처분을 받은 자의 수용·감호와 치료 및 이에 관한 조사·연구 사무를 관장함. *보호 감호소.

치료-법【治療法】[―뻡] 명 병을 치료하는 방법. 환자를 간호하는 방법. 치법(治法).

치료-비【治療費】명 병을 다스리는 데에 드는 비용. 병비(病費).

치료-소【治療所】명 치료 시설을 해 놓은 곳.

치료-식【治療食】명 식이요법(食餌療法)에 사용되는 음식물. 요양식(療養食).

치료-실【治療室】명 치료를 하는 방. 병원 등에서 환자에게 치료를 하는 곳.

치료적 유산【治療的流産】명 [therapeutic abortion]〖의〗임신(姙娠)으로 모체(母體)의 생명과 건강이 위험할 때 행하는 중절(中絕).

치료-제【治療劑】명 치료하기 위하여 쓰는 약제.

치료 체조【治療體操】명 병의 치료를 위하여 하는 체조. 요통(腰痛)·배통(背痛)에 대한 체조, 위하수(胃下垂)·유주신(遊走腎)에 대한 복근(腹筋) 운동, 뇌졸중(腦卒中) 후유증에 대한 체조 따위가 있음.

치료 혈청【治療血清】명〖의〗전염병 치료를 위해 사용하는 면역 혈청. 고도(高度)의 항체(抗體)를 함유함. 병원체가 산출하는 독소(毒素)를 중화(中和)시키는 항독소(抗毒素) 혈청과, 균체(菌體)에 대한 항균(抗菌) 혈청이 있음.

치루[1]【痔瘻·痔漏】명 [anal fistula]〖의〗치질의 한 가지. 항문 주위의 농양(膿瘍)이 저절로 터져서 생긴 치공(痔孔)으로, 한번 형성되면 난치임. 결핵성에서 오는 것이 태반을 점하며 누공(瘻孔)에서 끊임 없이 소량의 농즙(膿汁)을 분비함. 수술적으로 누관(瘻管)을 절제하든가, 누관을 절개해서 치료함. 충치(蟲痔). 누치(瘻痔).

치루[2]【齒瘻】명〖의〗치아(齒牙)를 원인으로 하는 질환에서 생긴 누공(瘻孔).

치루다 타 〈방〉 치르다.

치룽 명 싸리로 채롱 비슷이 가로 퍼지게 둥긋하게 결어 만든 그릇. 뚜껑이 없음.

치룽-구니 명 어리석어서 쓸모가 적은 사람.

치룽-장수 명 치룽에 물건을 담아 가지고 팔러 다니는 장수.

치류【緇類】명〖불교〗승도(僧徒).

치륜【齒輪】명 톱니바퀴.

치르다 타 ①주어야 할 돈을 내어 주다. ¶값을 ~. ②무슨 일을 겪어 내다. ¶잔치를 ~/홍역(紅疫)을 ~. ③아침·점심 등을 먹다. ¶점심을 ~.

치르본 [Tjirebon] 명〖지〗인도네시아 자바 섬 북서 해안의 항구 도시. 표고 3,078 m인 차레메(Tjareme) 화산의 북동 기슭에 가깝고, 해륙 교통의 요지로, 지방적인 상업도 성함. 또, 자바에서의 이슬람 순례지의 하나이며, 화교(華僑) 거주자도 많음. [224,000 명(1980 추계)]

치름-대다 자 〈방〉 찐득대다(경상).

치리[1] 명〖어〗[*Cultriculus eigenmanni*] 잉어과에 속하는 민물고기. 몸은 길이 15-25 cm로 길게 측편되어 있고, 몸빛은 은백색으로 등 쪽이 청갈색임. 하천의 완류(緩流) 구역에 살면서, 활발히 헤엄쳐 다님. 한국 서해안에 주입하는 하천·호수에 분포함.

치리[2]【治理】명〖기독교〗장로교 헌법상, 교인으로서 교리에 불복하거나 불법한 자에 대하여, 당회(堂會)에서 증거를 수합하여 심사 책벌하는 일. 회개하지 아니하는 자는 치리권(治理權)에 의하여 출교(黜教)함.

치리-권【治理權】[―꿘] 명〖기독교〗장로교 헌법상 치리회(治理會)의 권한.

치리-회【治理會】명〖기독교〗장로교에서, 치리할 때 여는 당회(堂會).

치립【峙立】명 쑥 솟아서 우뚝 섬. ──-하다 자여불

치마 명 [중세 : 치마] ①조복(朝服)·제복(祭服)·최복(衰服) 들의 아래에 덧두루는 옷. ②여자의 아랫도리의 겉옷. 아래는 넓고 위에 주름을 잡았으며 허리와 끈이 달리었음. ③양장(洋裝)의 스커트. ④위로 절반은 흰 종이고 아래로 절반은 빛깔이 다른 종이로 만든 연에 대하여 그 아래 쪽을 가리키는 말.

[치마가 열두 폭인가] 부당한 일에 간섭한다는 말.

치마[2] 명 〈방〉 처마(경기·충북·전북·경상).

치마[3]【馳馬】명 말을 달림. ──-하다 자여불

치마-꼬리 명 풀치맛자락의 끝.

치마-끈 명 치마의 말기에 달아 가슴에 둘러매는 끈.

치마-널 명〖건〗난간(欄干) 밑 테두리에 돌려 붙인 판목(板木). 상판(裳板).

치마로자 [Cimarosa, Domenico] 명〖사람〗이탈리아의 작곡가. 상크트 페테르부르크·빈(Wien)·나폴리의 궁정에서 악사로 있었으며, 많은 오페라를 작곡함. 대표작은 《비밀 결혼》, 그 밖에 《칸타타(Cantata)》·《미사곡》 등이 있음. [1749-1801]

치마-머리 명 머리털이 적은 사나이가 상투를 짜는데, 본머리에 덧둘러서 감는 딴 머리. 썩 잘게 모숨을 지어서 실로 엮음.

치마-바지 명 치마 모양으로 된 통이 넓은 반바지.

치마부에 [Cimabue, Giovanni] 명〖사람〗이탈리아의 화가. 본명은 Cenni di Pepo. 조토(Giotto)의 스승. 대표적인 피렌체파(Firenze派)

화가로 근대 회화(繪畫)의 비조임. 대표작으로 성프란체스코 성당(聖Francesco聖堂)의 ≪십자가형(十字架刑)≫·≪묵시록≫·≪성모≫ 등의 벽화가 있음. [1240?-1302?]

치마-분【齒磨粉】[명] 이를 닦는 데 칫솔에 묻혀 쓰는 가루 치약. [준]치분「(齒粉).

치마-상투 [명] 치마머리를 넣어서 짜는 상투.

치마아제〔도 Zymase〕[명]〖화〗해당(解糖)·알코올 발효에 관여하는 일군(一群)의 효소의 총칭. 포도당을 발효시켜서 에틸 알코올과 탄산 가스를 생성하는 효소계(酵素系). 단일 물질이 아니라 약 12종의 효소로 되어 있음. ＊알코올 발효.

치마 양:반【一兩班】[명] 지체 낮은 집에서 지체 높은 집으로 여러 번 혼인한 양반.

치마-연【一鳶】[명] 연의 일종. 윗 부분은 희고 아랫 부분은 색깔이 다른 연. 그 색깔에 따라 먹치마·청치마·홍치마·황치마·보라치마·이(二)동치마·삼동치마·사동치마 등으로 나뉨.

치마-장【馳馬場】[명] 말타기를 익히는 곳.

치마-차【一次】[명] 치마로 쓰이는 감.

치마-폭【一幅】[명] 피륙을 이어 대어서 만든 치마의 폭.
[치마폭이 스물 네 폭이다] 남의 일에 참견을 많이 함을 가리키는 말.
치마폭이 넓다 [一널따] [구] 남의 일에 참견하고 간섭(干涉)하는 경향이 심하다.

치맛-바람 [명] ①입은 치맛자락이 움직이는 서슬. 설치는 여인의 서슬. ¶～이 세다. ②성복(盛服)을 갖추지 아니하고 나선 여자의 차림새. ③새색시를 농으로 일컫는 말.

치맛-자락 [명] 치마폭의 늘어진 부분.

치맛-주름 [명] 치마폭을 말기에 달 때 잡는 주름.

치망 설존【齒亡舌存】[一쫀] [명] 이는 빠져도 혀는 남음. 곧, 강한 자가 먼저 망하고 유(柔)한 자가 나중까지 남음을 이름.

치매[1] [명]〈방〉치마[1](전라·경상·충북·경기·강원·함경·황해).

치매[2]【嗤罵】[명] 비웃으며 꾸짖음. ——-하다 [타][여불]

치매[3]【雉媒】[명] 길들인 꿩으로 들에 있는 꿩을 꾀어 들이는 일.

치매[4]【癡呆】[명] ①언어 동작이 느리고 정신 작용이 완전하지 못함. 어리석음. ②정신 병리학에서, 획득(獲得)한 사회 생활을 영위하기 위해서 필요한 정신적인 능력이 지속적·본질적으로 상실된 상태를 이름. ¶노인성 ～. ——-하다 [형][여불]

치-매기다 [타] 무슨 번호 같은 것을 아래로부터 위로 올라가면서 매기다. ¶번지를 ～. ↔내리매기다.

치매-증【癡呆症】[一쯩] [명] 치매의 증세.

치머만〔Zimmermann〕[명]〖사람〗①〔Domenikus Z.〕독일의 건축가. 처음에는 화가·스투코 세공사(stucco 細工師)로서 활약함. 30세경부터 건축에 손을 대어, 남(南)독일에서의 바로크(baroque)·로코코(rococo)기(期)의 대표적 건축을 남김. [1685-1766]. ②〔Johann Baptist Z.〕독일의 화가. ❶의 형. 뮌헨의 궁정(宮廷)에 초빙되어 호화로운 많은 방을 장식함. [1680-1758]

치머발트 회:의【一會議】〔Zimmerwald〕[一/一이] [명] 1915년 스위스의 치머발트에서 열린 국제 사회주의자 회의. 제1차 대전의 발발로 제2 인터내셔널의 주력을 이룬 여러 정당이 전쟁 지지로 돌아섰기 때문에, 국제 사회주의 운동이 분열·동요하여 이에 대처하기 위한 회의였으나, 우파(右派)·중간파가 다수를 차지하여, 제국주의 전쟁을 내란으로 전화(轉化)시키려던 레닌 등 소수파를 제압하여, 제국주의 전쟁 반대와 조기(早期) 종전을 결의하는 데 그쳤음.

치-먹다 [자] ①무슨 번호 같은 것이 아래로부터 위로 치올라 가면서 먹다. ②시골 물건이 서울로 와서 팔리다. 1)·2):↔내리먹다.

치-먹이다 [타] 치먹게 하다. ¶시골 물건을 서울로 ～.

치-먹히다 [피동] 치먹음을 당하다. ¶시골 물건이 서울에 ～.

치먼〔祁門〕[명]〖지〗중국 안후이 성(安徽省) 남쪽 끝에 있는 현(縣). 홍차인 치먼차(祁門茶)의 산지로서 유명함. 삼목(杉木)이 많아 뗏목을 엮어 양쯔 강까지 운반함. 북동쪽에 치산(祁山) 산이 있음. 기문. [168.000명(1982)]

치면-하다 [형][여불] 그릇 속에 담긴 물건(物件)이 가장자리에 거의 닿을 만하다.

치명[1]【治命】[명] 죽을 무렵에 맑은 정신으로 하는 유언(遺言).

치:명[2]【致命】[명] ①죽을 지경에 이름. ②〖천주교〗천주와 그 교회를 위하여 목숨을 희생함. 순교(殉教). ——-하다 [자][여불]

치:명-상【致命傷】[명] ①치명적인 상처. 죽음의 원인이 되는 상처. ¶～을 입다. ②일생을 좌우할 만한 타격. 곧, 재기 불능하게 된 사태의 근본. ¶그 한 마디가 그에겐 ～이었소.

치:명-적【致命的】[명][관] 생사·흥망에 관계될 만큼 결정적인 모양. 페이털(fatal). ¶～인 타격.

치:명-타【致命打】[명] 치명적인 타격.

치모[1]【恥毛】[명] 사람의 외음부에 나는 털. 음모(陰毛).

치모[2]【嗤侮】[명] 비웃으며 깔봄. 멸시함. 치이(嗤易). ——-하다 [타][여불]

치목[1]【治木】[명] 재목을 다듬음. ——-하다 [자][여불]

치목[2]【齒木】[명]〖불교〗이를 닦는 데에 쓰는 나무. 한 끝은 뾰족하고 한 끝은 납작하게 버드나무로 만듦.

치목[3]【穉木·稚木】[명] 어린나무. 치수(穉樹).

치목 호:문【鴟目虎吻】[명]〔올빼미의 눈과 범의 입술이라는 뜻〕탐욕이 많은 상(相).

치-몰다 [타] 아래 쪽에서 위 쪽으로 향하여 몰다.

치무 왕국【一王國】〔Chimú〕[명]〖역〗남미 페루 북부의 태평양 연안에 있었던 왕국. 13세기 초기에 건국되어 1430-1470년경 잉카(Inca)에 정복됨. 수도(首都)의 유적은 현재의 트루히요(Trujillo) 북서에 있음. 창조신이 없는 다신교적(多神敎的) 경향이 있으며, 피라미드 형의 성소(聖所)를 구축하였음.

치묵[1]【緇墨】[명] 검음. 또, 흑색.

치문[1]【緇門】[명]〖불교〗①불경(佛經)의 이름. 불교의 사미과(沙彌科)의 과정(課程). 모든 학자의 명구(銘句)·권선문(勸善文)을 모은 것. ②검은 빛의 옷을 입은 종문(宗門).

치문[2]【鴟吻】[명]〖건〗망새❶.

치미[1]【侈靡】[명] 너무 지나치게 하는 치레. ——-하다 [자][여불]

치미[2]【雉尾】[명] 장목[1].

치미[3]【鴟尾】[명]〖건〗망새❶.

치미-선【雉尾扇】[명]〖역〗의장(儀仗)의 한 가지.

〈치미선〉

치민【治民】[명] 백성을 다스림. ——-하다 [자][여불]

치:밀【緻密】[명] ①자세하고 꼼꼼함. ¶～한 성격. ②썩 곱고 빽빽함. ③피륙 같은 것이 배고 톡톡함. 밀치(密緻). 세밀(細密). 세치(細緻). ——-하다 [형][여불]. ——-히 [부]

치:밀 골질【緻密骨質】[一찔] [명]〔라 compacta〕〖생〗골질만으로 구성되고 골수강(骨髓腔)을 갖지 않은 골조직. 연골외 골화(軟骨外骨化)에 의하여 직접 형성되는 경우와, 해면(海綿) 골질의 재구축(再構築)으로 되는 때가 있음.

치-밀다 [一][자] ①아래로부터 위로 복받쳐 오르다. ¶죽순이 흙을 치밀고 올라오다. ②욕심이나 화기·불길·연기 등이 버럭버럭 일어나다. ¶울화가 ～. ③적기(積氣)가 떠오르다. [二][타] 아래로부터 위로 밀어 올리다. ↔내리밀다.

치:밀-도【緻密度】[一또] [명] 치밀한 정도.

치:밀-성【緻密性】[一썽] [명] 치밀한 성질이나 특성.

치박【淄博】[명]〖지〗'쯔보'를 우리 음으로 읽은 이름.

치반 [명]〈방〉푸닥거리(함남). ——-하다 [자]

치-받다 [一][자] 위를 향하여 떠받아 오르다. [二][타] 위를 향하여 맞받아 밀어 내다. ↔내리받다.

치-받들다 [타] 높이 받들다.

치받아 보다 [타]〈방〉치어다보다(함북).

치-받이 [一바지] [명] ①비탈진 곳의 올라가게 된 방향. ↔내리받이. ②〖건〗집의 천장 산자 안 쪽에 바르는 흙. 앙벽(仰壁). 앙토(仰土). ——-하다 [자][여불] 천장 산자에 흙을 바르다.

치-받치다 [一][자] 불길·연기 등이 세게 솟아져서 오르다. ¶불길이 ～. [二][타] 밑을 버티어 위로 치밀다. ¶장미를 막대로 ～.

치-받히다 [一바치一] [피동] 치받음을 당하다. ¶쇠뿔에 ～.

치발【薙髮】[명] 체발(剃髮). ——-하다 [자][여불]

치발 부장【齒髮不長】[명]〔배냇니를 다 갈지 못하고, 머리는 다박머리라는 뜻〕아직 나이가 어림을 가리키는 말. 치발 불급.

치발 불급【齒髮不及】[명] 치발 부장(齒髮不長).

치배 [명]〖악〗〈속〉농악(農樂)에서, 악기잡이의 일컬음.

치-벋다 [자] 나뭇가지·덩굴 따위가 위 쪽으로 향하여 벋다.

치법【治法】[명] ①나라를 다스리는 방법. ②병을 다스리는 방법. 치료법. 치술(治術).

치변【馳辯】[명] 말을 교묘히 잘 둘러댐. 말을 잘함. ——-하다 [자][여불]

치병[1]【治兵】[명] 군대를 훈련함. ——-하다 [자][여불]

치병[2]【治病】[명] 병을 다스림. 치료(治療). ——-하다 [자][여불]

치보【馳報】[명] 급히 달려가서 알림. ——-하다 [타][여불]

치-보다 [자][타] 아래로부터 위를 향하여 보다.

치본【治本】[명] 병근(病根)을 없앰. 근본적인 치료. ——-하다 [타][여불]

치:부[1]【致富】[명] 재물을 모아 부자가 됨. ¶밀수로 ～하다. ——-하다 [자][여불]

치:부[2]【致賻】[명] 임금이 부의(賻儀)를 내림. ——-하다 [자][여불]

치부[3]【恥部】[명] ①음부(陰部). ¶～를 손으로 가리다. ②남에게 알리고 싶지 않은 부끄러운 부분. ¶서울의 ～로 알려진 곳.

치:부[4]【置簿】[명] ①금전·물품의 출납을 기록함. ＊장부(帳簿). ②↗치부책(置簿冊). ③마음 속에 새겨 둠. ——-하다 [자][여불]

치:부-꾼【致富一】[명] 부지런하고 검소하여 매우 착실한 사람. 곧, 부자가 된 또는 될 만한 사람.

치:부-술【致富術】[명] 치부하는 수단과 방법.

치:부-장【置簿帳】[一짱] [명] 치부책(置簿冊).

치:부-책【置簿冊】[명] 금전·물품의 드나드는 것을 적는 책. 치부장. [준]치부(置簿).

치분[1]【齒粉】[명] ↗치마분.

치분[2]【熾憤】[명] 격렬한 분노.

치-불다 [자] 바람이 아래에서 위를 향하여 약간 세게 불다.

치-불입【齒不入】[명] 남의 말을 잘 듣지 않음을 이르는 말.

치-붙다 [자] 위로 치켜 올라가 붙다.

치브차-족【一族】〔Chibcha〕[명] 남미 콜롬비아 중앙부의 비옥한 보고타 고원 지대(Bogota 高原地帶) 등지에서 거주하던 인디안의 한 종족. 자칭(自稱) 무이스카(Muisca)라고 일컬었으며 엘 도라도 전설(El Dorado 傳說)의 기원이 되었음. 16세기 스페인에 정복되어 그 자손은 다른 종족과 혼혈되었는데, 18세기 이후로는 그들의 언어(言語)인 치브차어(語)도 소멸됨.

치비[1] [명]〈방〉추위(함경).

치:비[2]【致一】[명]〈방〉치부(致富). ——-하다 [자]

치비타베키아〔Civitavecchia〕[명]〖지〗이탈리아 중부, 로마 북서쪽 약 60 km 지점인 티레니아(Tyrrhenian) 해안의 도시. 고대 로마 시대부터 로마의 외항으로 요지(要地)였음. 어업의 중심지이자, 시멘트 제조·조선(造船) 등의 공업 도시임. [46.000명(1981)]

치빙【馳騁】명 말을 타고 달리며 다님. 부산하게 돌아다님. ——-하다 자여불

치붐 명〈옛〉추위. ¶치붐과 더붐과 브룸과 비와《月釋 Ⅶ:53》.

치뷔 명〈옛〉추위. ¶더뷔 치뷔로 셜버 ᄒ다가 내 일후믈 드러 닏디 아니ᄒ야《釋譜 Ⅸ:9》.

치-빼다 자 치달아 내빼다. ¶점순이가 … 살금살금 기어서 산 아래로 내려간 다음 나는 바위를 끼고 엉금엉금 기어서 산 위로 치빼지 않을 수 없었다《金裕貞 : 동백꽃》.

치:사[1]【致仕】명 나이가 많아서 벼슬을 사양(辭讓)하고 물러남. ——-하다 자여불

치:사[2]【致死】명 죽게 함. 치폐(致斃). ¶과실 ~. ——-하다 타여불

치사[3]【恥事】명 남부끄러운 일. ——-하다 형여불 떳떳하지 못하고 남부끄럽다. ¶치사한 생각이 들다.

치:사[4]【致詞·致辭】명 ①경사가 있을 때에 임금께 올리는 송덕(頌德)의 글. ②〖악〗악인이 풍류에 맞추어 올리는 찬양하는 말. 곧, 여문(儷文)의 한 단(段). 뒤에 구호(口號)가 딸림. 치어(致語).

치:사[5]【致謝】명 고맙다고 사례하는 뜻을 표함. ——-하다 타여불

치사[6]【癡事】명 바보 같은 일. 어리석은 일.

치:사 기:로소【致仕耆老所】명〖역〗기로소.

치:사-대【致死帶】명〖생〗불활동대(不活動帶)를 넘어 생물의 활동이 불가능하게 되어 죽음에 이르는 온도의 범위. ↔활동대·불활동대.

치:사 돌연 변:이【致死突然變異】명〖생〗돌연 변이의 하나로, 돌연 변이에 의하여 치사 작용이 있게 되는 현상. 우성(優性) 돌연 변이에 의하여 생긴 치사 유전자는 헤테로(hetero), 곧 이형(異型)에서도 치사 작용을 나타내고, 열성(劣性) 돌연 변이로 생긴 열성 치사 유전자는 호모(homo), 곧 동형(同型)이 되면 치사 작용을 나타냄.

치-사랑 명 손윗사람에 대한 사랑.

치:사-량【致死量】명 생체(生體)를 죽음에 이르게 하는 데 충분한 약물의 양. *적량(適量)·내량(耐量)·무효량·중독량(中毒量).

치:사 반:경【致死半徑】명〔lethal radius〕〖군〗포탄·미사일 따위의 파열점(破裂點) 또는 폭심(爆心)의 제로 지점(zero 地點)과 그것이 목표를 파괴하고 인마(人馬)를 살상하는 한계점과의 거리.

치사-스럽다【恥事—】형ㅂ불 떳떳하지 못하여 남부끄럽다. 보기에 치사한 데가 있다. ¶치사스럽게 굴다. 치사-스레【恥事—】부

치:사-안【致詞案】명 치사(致詞)를 올려놓는 책상(冊床).

〈치사안〉

치:사 온도【致死溫度】명〖생〗치사대(致死帶)의 최고 및 최저 온도.

치:사 유전자【致死遺傳子】명〖생〗치사 인자(因子).

치:사-율【致死率】명〖의〗일정한 지역에서 1년 동안에 어떤 병에 의한 사망자 수의 환자수에 대한 백분율. 환자수를 알 수 있는 법정 전염병에서 쓰이며, 보통의 병에서는 사망률이 쓰임.

치:사 인자【致死因子】명〖생〗세포 또는 개체의 정상적인 형성 저지(沮止)를 일으키고 생명을 빼앗는 유전적인 결함이 생기게 하는 인자. 생쥐의 황체색(黃體色) 유전자는 열성(劣性)의 치사 인자이고, 식물의 백자(白子) 인자는 엽록소의 형성을 저지하므로 간접적으로 치사 인자가 됨. 치사 유전자(遺傳子).

치:사-죄【致死罪】[—쬐] 명〖법〗어떤 행위의 결과로 사람을 죽게 한 죄. 업무상 과실 치사죄·폭행 치사죄 등.

치산[1]【治山】명 ①산소를 매만져서 다듬음. ②식림(植林) 따위를 행하여 산을 잘 정비(整備)함. ¶~ 치수(治水). ——-하다 자여불

치산[2]【治産】명 ①생활의 수단을 세움. 가업(家業)에 힘씀. ②〖법〗재산을 관리·처분함. ¶금~자. ——-하다 자여불

치산[3]【齒算】명 나이. 연령.

치산[4]〔岐山〕명〖지〗중국 산시 성(陝西省) 펑샹 부(鳳山府)의 동쪽에 있는 산. 고공 단보(古公亶父)가 그 기슭에 주실(周室)의 터를 열고 문왕(文王)때에 봉황이 여기서 울었다 함.

치산[5]〔祁山〕명〖지〗중국 간쑤 성(甘肅省) 동남부에 있는 산과 성. 친링 산맥(秦嶺山脈)에 연결되는 험준한 곳으로, 삼국 시대에 위(魏)·촉(蜀)이 싸우게 되자 제갈공명(諸葛孔明)이 직접 군사를 이끌고 쳐들어왔으며, 사마진(司馬晉) 때에도 공방전이 있었고, 송(宋)·금(金) 양군이 싸운 일이 있는 역사상 저명한 곳임. 기산.

치산 치수【治山治水】명 치산과 치수를 하여 홍수·사태 등을 방지하여 수해를 없게 하는 일.

치-살리다 타 지나치게 추어 주다.

치상[1]【治喪】명 초상을 치름. ——-하다 자여불

치상[2]【齒狀】명 ①이가 난 것같이 베어져 들어간 자국들이 있는 모양. ¶~핵(核). ②〖식〗잎의 가장자리가 대체로 규칙적인 톱니 모양이고 돌출부는 벌어져 나온 상태.

치:상-죄【致傷罪】[—쬐] 명〖법〗어떤 행위의 결과, 남에게 상처를 입힌 죄. 과실 치상죄 등.

치상지-구【治喪之具】명 초상을 치르는 데 쓰이는 기구.

치상-핵【齒狀核】명〖생〗소뇌(小腦)의 내부에 있는 회백질(灰白質)의 덩어리인 소뇌핵(核) 중에서 가장 바깥 쪽에 있고, 또 가장 큰 덩어리. 좌우 각각 한 장씩의 넓은 회백질판(板)으로 되었는데, 그 모양이 많은 이랑을 지어 육안(肉眼)으로 보기에 이가 줄지어 있는 것과 같으므로 이렇게 일컬음. 운동 계통에 속하는 회백질로서, 그 섬유 결합으로 보아 소뇌(小腦)의 운동 조정 작용은 거의 모두 이 핵을 거쳐서 일어나는 것으로 생각됨.

치생【治生】명 생활의 방도를 차림. ——-하다 자여불

치샤 사【—寺】〔棲霞〕명〖불교〗중국 난징(南京) 동북쪽 치샤 산(山)에 있는 절. 남제(南齊)의 명승 소(紹)가 창건하였음. 남북조 시대의 천불암(千佛巖), 수(隋)나라 때의 5층 석탑 등이 남아 있음.

치:서[1]【致書】명 서신(書信)을 보냄. ——-하다 자여불

치서[2]【齒序】명 나이의 차례. 치차(齒次).

치석[1]【治石】명 돌을 다듬어서 반드럽게 만듦. ¶희고도 단단한 돌을 어찌나 ~을 잘했는지 거울같이 밝고 윤기가 영롱하게 돌았다《朴鍾和 : 多情佛心》. ——-하다 자여불

치석[2]【齒石】명 이의 표면, 특히 치경부(齒頸部)에 타액(唾液)으로부터 분비된 석회분(石灰分)이 부착(附着)하여 굳어진 물질. 치구(齒垢). 혈석(血石).

치:선[1]【置先】명 ↗치중 선수(置中先手). ——-하다 자여불

치선[2]【癡禪】명〖불교〗어리석은 선객(禪客)이란 뜻으로, 아직 지견(知見)이 열리지 못하고 다만 침묵만을 지키고 있는 선객.

치설【齒舌】명〔lingual teeth〕〖생〗부족류(斧足類) 이외의 연체 동물의 구강 안에 있는 줄 모양의 이. 먹이를 긁어서 섭취하는 작용을 함. 무수한 키틴질 소치(chitin質小齒)로 이루어져서 그 배열은 분류의 중요한 기준이 됨.

치:성[1]【致誠】명 ①있는 정성을 다함. ②신이나 부처에게 정성을 드림. ¶~을 드리다. ——-하다 자여불

치성[2]【稚省】명〖역〗신라 때, 예궁전(穢宮典)과 어룡성(御龍省)의 한 벼슬.

치성[3]【雉城】명 성가퀴.

치성[4]【齒聲】명〖언〗잇소리.

치성[5]【熾盛】명 아주 버썩 성함. ——-하다 자여불

치:성-꾼【致誠—】명 치성을 드리는 사람.

치:성-물【致誠物】명 치성을 드릴 때에 신불 앞에 바치는 물건.

치성 상:악동염【齒性上顎洞炎】[—념] 명〖의〗치근(齒根)의 카리에스(caries)가 상악동 내에 일으킨 염증. 윗니의 소구치(小臼齒)·대구치 특히 제2 소구치에 많은데, 이가 빠진 것이 원인이 되는 일도 있음. 일반적으로 증상이 심하여 콧물은 악취가 나며, 치근부에 상악동과 통하는 누공(瘻孔)이 생기거나 또는 골염(骨炎)으로 말미암아 뺨 부분에 종창(腫脹)을 일으키는 일도 있음.

치:성-터【致誠—】명 치성을 드리는 장소.

치세[1]【治世】명 ①잘 다스려진 세상. 태평한 세상. ②세상을 잘 다스림. ——-하다 자여불

치세[2]【馳說】명 ①뛰어 돌아다니면서 설득·권유함. ②유세(遊說)함. ——-하다 자여불

치-세우다 자타 위를 향하여 세우다.

치세-훈【治世訓】명 세상을 다스리는 데 관한 가르침.

치소[1]【嗤笑】명 빈정거려 웃음. ¶~ 거리가 되다. ——-하다 타여불

치-소[2]【緇素】명 ①검은 옷과 흰 옷. ②승려(僧侶)와 속인(俗人).

치소[3]【癡笑】명 어리석은 웃음.

치소-금 명〈방〉치수금.

치손【稚孫】명 어린 손자.

치솔【齒—】명〈방〉칫솔.

치-솟다 자 위로 향하여 솟다.

치송[1]【治送】명 행장을 차려 길을 떠나 보냄. ——-하다 타여불

치송[2]【稚松】명 잔솔.

치수[1]【—數】명 길이에 대한 몇 자 몇 치의 셈. ¶양복 ~를 재다.
치수(를) 내:다 구 물건의 길이의 치수를 정하다.
치수(를) 대:다 구 치수를 재어 정하다.

치수[2]【治水】명〖토〗물을 잘 다스려 하천·호수 등의 범람을 막고, 관개용(灌漑用) 물의 편리를 꾀함. ——-하다 자여불

치:수[3]【置數】명 바둑에서, 기력(棋力)의 정도에 따라, 누가 먼저 선번(先番)을 두는가를 정한 기준. 호선(互先)·선상선(先相先)·정선(定先)·선을 겸한 접바둑·접바둑의 다섯 가지가 있음. 이 밖에 덤을 주는 특별한 경우도 있음. ¶~ 고치기 시합/~를 정하다.
치:수(를) 고치다 구 보통, 4국을 내리 이기거나, 그 만한 승패 차(差)가 생긴 경우에 치수의 단계를 하나씩 올리거나 내리다.

치수[4]【齒髓】명〖생〗치강(齒腔) 속에 가득 차 있는 연하고 부드러운 조직. 혈관과 신경이 많이 분포하여 감각이 예민함. 이끝.

치수[5]【錙銖】명 옛날 중국의 저울 눈에서 백 개의 기장의 낟알을 1수(銖), 24수를 1냥(兩), 8냥을 1치(錙)라고 일컬은 데서 생긴 말. 썩 작은 무게.

치수[6]【穉樹】명 치목(穉木).

치수-강【齒髓腔】명〖의〗치아 내부의 치수로 가득 차 있는 빈 곳.

치수 괴:저【齒髓壞疽】명〖의〗치수가 부패성 염증을 일으켜 조직이 사멸(死滅)한 상태.

치수-금【—數—】명 치수를 재어서 그은 금.

치수-염【齒髓炎】명〖의〗치수(齒髓)에 생기는 염증. 몹시 쑤시고 아픈데, 화농성과 비화농성의 두 가지가 있음.

치수이〔淇水〕명〖지〗중국, 허난 성(河南省) 안양시(安陽市) 남서(南西)를 흐르는 강. 웨이허(衛河) 강으로 들어감. 기수.

치순【稚筍】명 어린 죽순(竹筍).

치순-음【齒脣音】명〖언〗순치음(脣齒音).

치술【治術】명 나라나 병을 다스리는 방법. 치법(治法).

치술령-곡【鵄述嶺曲】명〖악〗신라 눌지왕(訥祇王) 때의 악곡. 가사는 전하지 아니함. 일본으로 왕자 미사흔(未斯欣)을 데리러 간 박제상(朴堤上)을 그의 아내가 치술령에 올라가 왜국을 바라보며 기다리다가 죽었으므로 후인(後人)들이 이 이야기를 소재(素材)로 이 악곡을 지었다 함. *망부석(望夫石).

치숭-탕【穉菘湯】명 솎음 배춧국.
치-쉬다 타 숨을 크게 들이마시다.
치습【治濕】명〖한의〗병의 근원인 습기를 다스림. ——-하다 자여불
치승【差勝】명 조금 나음.
치식【齒式】명〔dental formula〕〖동〗동물의 이빨의 종류 및 수를 나타내는 식(式). 보통 한 쪽의 위아래 이빨의 수를 종류별로 나누어서 분수식으로 나타냄. 이빨의 양식(樣式), 곧 치형(齒型)은 동물, 특히 포유류의 분류상 중요한 구실을 함.
치:신[1] 명 '처신(處身)'의 낮춤말.
치:신[2]【致身】명 ①신명(身命)을 바침. ②몸을 아낌. ——-하다 자여불
치:신[3]【置身】명 몸을 어디에다 둠. 몸건사. ——-하다 자여불
치:신머리-사납다 형ㅂ불 '치신사납다'의 낮춤말. >채신머리사납다.
치:신머리-없다〔—업—〕형 '치신없다'의 낮춤말. >채신머리없다.
치:신 무지【置身無地】명 두려워 움츠러져서 몸 둘 바를 알지 못함. ——-하다 형여불
치:신-사납다 형ㅂ불〔←처신사납다〕몸을 잘못 가지어 꼴이 매우 사납다. ¶치신 사납게 굴다. >채신사납다.
치:신-없다〔업—〕형〔←처신없다〕몸을 경솔하게 가져서 체모가 없다. >채신없다.
치:신-없이〔—업씨〕부 치신없게. ¶～ 굴다.
치심[1]【侈心】명 사치를 좋아하는 마음.
치심[2]【恥心】명 부끄러움을 아는 마음.
치심[3]【穉心】명 ①어릴 적의 마음. ②어린이 같은 마음.
치심[4]【癡心】명 어리석은 마음. 바보 같은 마음.
치심 상:존【穉心尙存】명 어릴 적의 마음이 아직까지 남아 있음.
치-쌓다〔—싸타〕타 아래로부터 치켜 쌓다.
치-쌓이다〔—싸이—〕피동 치쌓음을 당하다.
치-쏠다 타 아래로부터 위로 향하여 쏠다.
치아[1]【齒牙】명〖생〗'이'를 점잖게 일컫는 말.
치아[2]【穉兒】명 치자(穉子)❶.
치아노〔Ciano, Galeazzo〕명〖사람〗이탈리아의 외교관·정치가. 무솔리니의 사위. 파시스트 내각의 외상(外相)으로서 독일·이탈리아·일본의 삼국 동맹 체결에 진력하였음. 그 후 반(反)무솔리니의 쿠데타에 참가하여 총살당함. [1903-44]
치아노:제〔도 Zyanose〕명〖의〗피부나 가시 점막(可視粘膜)이 청자색(青紫色)을 띠는 증세. 혈액 중의 산소 결핍으로 나타나는 현상으로 입술·코끝·귓불·손톱 등에 특히 현저함. 청색증(青色症).
치아 매:복증【齒牙埋伏症】명〖의〗이가 잇몸 밖으로 나오지 않아 일어나는 병증.
치아-열【齒牙熱】명〖의〗생후 반 년 내지 1년경에 유아(乳兒)의 이가 나기 시작할 시기에 일어나는 열.
치아오〔이 ciao〕감 남을 만났을 때나 헤어질 때 등에 하는 인사말. 친한 사이에 쓰임.
치아코나〔이 ciacona〕명〖악〗샤콘(chaconne).
치아-탑【齒牙塔】명〖불교〗학덕(學德)이 높은 이의 이를 넣고 쌓은 탑.
치아-통【齒牙筒】명 이쑤시개와 귀이개를 넣어서 차는 작은 통. 은·회양목·대통 같은 것으로 만들어 끈을 꿰어서 일종의 노리개처럼 참.
치악-산【雉嶽山】명〖지〗강원도 영월군(寧越郡) 수주면(水周面)과 원주군(原州郡) 소초면(所草面) 사이의 태백 산맥 중에 솟아 있는 산. [1,288 m]
치악산 국립 공원【雉嶽山國立公園】〔—닙—〕명〖지〗치악산의 비로봉(飛蘆峰)·남대봉(南臺峰)·매화봉(梅花峰)·삼봉(三峰)·향로봉(香爐峰) 등 1,000 m급 산들과 계곡이 볼거리인 태백 산맥 줄기의 국립 공원. 1984년에 지정됨. [182.09 km²]
치안【治安】명 ①나라를 편안하게 다스림. 또는 나라가 편안히 다스려짐. ②국가 사회의 안녕 질서를 보전함. 또 안녕 질서가 보전됨. ¶～ 유지(維持). ——-하다 자타여불
치안-감【治安監】명〖법〗경찰 공무원 계급의 하나. 치안 정감(治安正監)의 아래, 경무관의 위.
치안 경:찰【治安警察】명〖법〗보안 경찰(保安警察).
치안-국【治安局】명〖법〗'치안 본부(治安本部)'의 전신(前身).
치안-대【治安隊】명 치안을 목적으로 조직한 부대.
치안 방해【治安妨害】명〖법〗국가 사회의 치안을 방해함.
치안 본부【治安本部】명〖법〗사회의 안녕 질서를 유지하는 사무를 분장(分掌)하던 내무부 장관 소속하의 한 기관. 1991년 경찰법 제정으로 '경찰청'으로 바뀜.
치안 유지법【治安維持法】〔—뻡〕명〖일제〗1925년 한국·대만 및 사할린에 시행했던 일제(日帝)의 악법(惡法). 국체의 변혁과 부정(否定), 사유 재산의 부인을 목적으로 하는 결사(結社) 등의 처형과 그 과형(科刑) 절차를 규정하였는데, 우리 나라의 독립 운동에 종사하던 수많은 애국 지사들이 이 법에 의하여 투옥·처형되었음.
치안 입법【治安立法】명〖법〗정치 결사를 특별한 감시와 규제의 대상으로 하며 공공의 치안을 유지함을 목적으로 한 법령의 총칭.
치안 재판【治安裁判】명 '즉결 재판'의 속칭. 준치재(治裁).
치안 정:감【治安正監】명〖법〗경찰 공무원 계급의 하나. 치안 총감의 아래, 치안감의 위. 지방 경찰청장·경찰청 차장·경찰 대학장에 보직됨.
치안-책【治安策】명 치안의 방책.
치안 총:감【治安總監】명〖법〗경찰 공무원의 최고 계급. 경찰청장에 보직됨.
치안 판사【治安判事】명〖법〗①〔justice of the peace〕영국에서 대법관의 임명으로 일정 지역의 치안 유지를 담당하는 하급 재판관. ②프랑스 등에서 경미한 사건을 다루는 치안 재판소의 재판관.
치앙-마이〔Chiang Mai〕명〖지〗타이 북서부에 있는 성곽 도시. 1296년부터 1556년까지는 란나타이국(Lan Na Thai 國)의 수도. 1776년 타이 영토로 됨. 티크 목재의 집산지이며, 은세공(銀細工)·칠기(漆器)·견직물·티크 조각 등 가내 공업이 성함. [105,000명(1982)]
치앙마이 왕조【—王朝】〔Chiang Mai〕명〖역〗치앙마이를 본거지로 한 타이족(族)의 왕조. 창시자는 멘라이. 건국 이래 인접국의 개입과 쟁탈의 표적이 되어 동란의 역사를 걸어왔는데, 1556년 미얀마의 침입 이후로는 타이에 귀속되어, 그 한 주(州)로 편입되었음. [1296-1556]
치약[1]【脆弱·脆弱】명 ←취약. ——-하다 형여불
치약[2]【齒藥】명 이를 닦는 데 쓰는 약.
치얀〔Chillán〕명〖지〗칠레 중부의 도시. 농업 지대의 중심지로, 제분·주조(酒造)·제화(製靴) 등 공업이 활발함. 근처 안데스 산맥 기슭에 있는 온천은 휴양지로 알려짐. 1939년의 지진으로 큰 타격을 받은 적이 있음. [116,000명(1980)]
치:-양지【致良知】명〖철〗선천적·보편적 마음의 본체인 양지(良知)를 완전하게 실현하는 일.
치양-토【埴壤土】명 37.5-50 %의 점토(粘土)를 함유하는 양토(壤土). ＊사양토(砂壤土).
치:어[1]【致語】명 치사(致詞).
치어[2]【稚魚】명 알에서 깬 지 얼마 안 되는 어린 물고기. 유어(幼魚)보다 작은 물고기. ↔성어(成魚).
치어[3]【鯔魚】명 숭어.
치어-걸〔cheer＋girl〕명 치어리더.
치어다-보다 타 얼굴을 들고 치뜨어보다. 준쳐다보다.
치어-리:더〔cheerleader〕명 여성으로 구성된 응원 단원. 화려한 복장과 요란한 몸짓으로 음악에 맞추어 춤을 추거나 술 등을 흔들며 응원함. 치어 걸.
치어-지【稚魚池】명 어린 물고기를 기르는 못.
치언【癡言】명 바보 같은 말. 어리석은 말.
치역【値域】명〔range〕〖수〗함수가 취하는 값 전체의 집합. 곧, 독립 변수가 변역(變域) 내의 모든 값을 취할 때, 그에 따라서 종속 변수가 취하는 값의 범위.
치열[1]【治熱】명〖한의〗병의 열기(熱氣)를 다스림. ——-하다 자여불
치열[2]【痔裂】명 항문부의 점막이 찢어지고 난치성의 궤양이 되는 일. 경증은 변통의 조절, 좌약(坐藥) 삽입 등으로 치유되며, 난치의 것은 수술로 고침.
치열[3]【齒列】명 잇바디.
치열[4]【熾烈】명 세력이 불길같이 맹렬함. ¶～한 경쟁. ——-하다 형여불. ——-히 부
치열[5]【熾熱】명 열도(熱度)가 매우 높음. 매우 뜨거움. ——-하다 형여불. ——-히 부
치열 교정【齒列矯正】명〖의〗선천적으로 턱의 형태가 나쁘거나, 후천적으로 치열에 이상이 있을 때에 고치는 치료법. 교정 장치(矯正裝置)로 고침.
치열-궁【齒列弓】명〖생〗상하(上下)의 턱의 치열을 이르는 말. 치열은 서로 곡선을 이루고 있으므로 이렇게 부름. 치궁(齒弓).
치영【緇營】명〖역〗조선 시대 때 총융청(摠戎廳)에 속하였던 승군(僧軍)의 군영. 북한산(北漢山)에 있었음.
치예【馳詣】명 어른 앞으로 빨리 달려 감. 치진(馳進). ——-하다 자여불
치예-장【馳詣章】〔—짱〕명 용비 어천가 제62장의 이름.
치오【侈傲】명 우쭐하고 거만함. ——-하다 형여불
치-오르다 一 타 르불 아래에서 위로 향하여 오르다. 二 자 르불 어떤 곳을 아래에서 위로 오르다.
치옥【治獄】명 형률(刑律)을 관장(管掌)함. 재판(裁判)함. ——-하다 자여불
치-올리다 타 치뜨리어 올리다.
치올콥스키〔Tsiolkovskii, Konstantin Eduardovich〕명〖사람〗옛 소련의 물리학자. 열 살 때에 귀머거리가 되었으나 독학으로 수학·물리학을 배워 중학 교사가 됨. 항공 역학을 연구, 다시 로켓의 이론과 기술을 추구하여 로켓에 의한 우주 비행의 기초 이론을 세웠음. 저서에 ≪로켓에 의한 우주 탐구≫ 등이 있음. [1857-1935]
치옴 형〈옛〉추움. '칩다'의 명사형. ¶瀟湖南畔도 치오미 이러커든 玉樓高處야 더욱 닐러 므슴ᄒᆞ리≪松江 思美人曲≫.
치옴피의 난:【—亂】〔이 Ciompi〕〔—/—에—〕명〖역〗〔치옴피는 소모공(梳毛工)의 멸칭(蔑稱)〕1378년 이탈리아의 피렌체에서 소모공들이 정치적·경제적 평등을 요구하며 일으킨 폭동. 일시 정권을 잡았으나 특권 시민층의 반격으로 1382년에 진압되었음.
치옹【齒壅】명〖한의〗잇몸이 부어서 곪는 병.
치와와[1]〔Chihuahua〕명〖지〗중미 멕시코 북부의 광산 도시. 표고 약 1,500 m의 고원(高原)에 위치함. 멕시코의 중앙을 남북으로 종단(縱斷)하는 교통의 요지이며 상업의 중심지이기도 함. 납·아연·은을 산출하며 세계 유수(有數)의 제련소(製鍊所)도 있음. 주변은 치와와 견(犬)의 산지로 유명함. [406,830명(1980)]
치와와[2]〔chihuahua〕명〖동〗개의 한 품종. 멕시코 치와와 원산. 키 약 18-23 cm, 몸무게 0.8-2 kg 정도로 세계에서 가장 작은 개의 한 품종임. 귀가 크며, 단모종(短毛種)과 귀·발·꼬리에 장식 털이 있는 장모종(長毛種)이 있음. 털빛은 흑색·갈색 등 여러 가지임. 애완용임.
치외 법권【治外法權】명〖법〗다른 나라의 영토 안에 있으면서도 그 나라 통치권의 지배를 받지 않는 국제법상의 권리. 일반적으로 외국인은 거주하는 그 나라의 권력 작용을 받으나 국제 관례나 외교관에 관

한 조약에 의하여 원수(元首)·외교 사절은 당연히 치외 법권을 가지며 영사관,체류 중인 군함 및 군인에게도 어느 정도 이것이 인정됨.

치욕[1]【恥辱】[명] 수치와 모욕. 하근(瑕瑾).

치욕[2]【癡慾】[명]〖불교〗삼구(三垢)의 하나.

치우[1]【蚩尤】[명] 중국의 전설상의 인물. 신농씨(神農氏) 때 난리를 일으켜 황제(黃帝)와 탁록(涿鹿)의 들에서 싸우다가 패전하여 포살되었다 함. 후세에는 제(齊)나라의 군신(軍神)으로서 병주(兵主)의 신(神)이라 불리어 팔대신의 하나로 숭배되었음.

치우[2]【癡愚】[명] ①못생기고 어리석음. ②〖심〗정신 박약의 한 유형. 지능 수준이 중 정도인 것. 백치(白癡)와 노둔(魯鈍)의 중간. 지능 지수는 20 또는 25-50 정도. 사태의 변화에 적응하는 능력이 부족하며, 간단한 지식의 획득은 가능하나 응용(應用)은 불가능함. 타인의 도움으로 신변의 사항을 겨우 처리할 수 있음.

치우다 [타] 어떠한 자리에 있음이 마땅하지 아니한 물건을 그 자리에서 다른 데로 옮기다. ¶ 쓰레기를 ~. [준]치다.

치우러-지다 [자]〈방〉기울어지다(강원·충북·전라·경북).

치우신 예:찬【癡愚神禮讚】[명]〖책〗에라스무스(Erasmus, D.)의 저서. 1509년 모어(More, T.)의 집에서 썼으며 1511년에 간행함. 인간을 우자(愚者)의 집단으로 파악, 이것을 지배하는 치우 여신(癡愚女神)'에게 종횡 무애(縱橫無礙)의 변설을 토하게 함으로써, 중세 이래의 카톨릭 교회의 퇴폐를 예리하게 파헤치고, 인간성의 부활을 희구(希求)하였음. 우신 예찬(愚神禮讚).

치우-치다〔근대 : 츼우치다〕[자] 균형(均衡)이 맞지 아니하고 한편 쪽으로 쏠리어 있다. ¶ 감정에 ~.

치움 [형]〈옛〉추움. '칩다'의 명사형. ¶ 주리며 치우믄 奴僕이 賤흔 ᄃᆞ고(飢寒奴僕賤)≪初杜諺 XXI:12≫.

치웁다 [형]〈방〉춥다(경상).

치위[1] [명]〈옛〉추위. ¶ 勝스소갯 金으로 밍ᄀᆞ른 고즌 工巧히 치위를 견디놋다(勝裏金花巧耐寒)≪杜諺 VI:8≫.

치:위[2]【致位】[명] 높은 자리에 오름. ——-하다 [자][여불]

치:위[3]【致慰】[명] 상중(喪中)이나 복중(服中)에 있는 사람을 위로(慰勞)함. ——-하다 [타][여불]

치유[1]【治癒】[명] 병이 나음. ——-하다 [자][여불]

치유[2]【稚幼】[명] ①어림. 또, 어린 아이. ②학문·기술 등이 미숙(未熟)함. 유치(幼稚).

치육【齒肉】[명]〖생〗치은(齒齦).

치육-염【齒肉炎】[—념][명]〖의〗치은염(齒齦炎).

치육 전:유화【雉肉煎油花】[명] 생치 저냐.

치육 출혈【齒肉出血】[명]〖의〗잇몸 가장자리의 출혈. 국소적(局所的)으로는 각종 치은염(齒齦炎)·치조 농루(齒槽膿漏) 등이, 전신적으로는 각종 혈액 질환·괴혈병(壞血病) 등이 원인으로 됨.

치육-포【雉肉脯】[명] 꿩고기로 만든 포.

치:윤-법【置閏法】[—뻡][명] 달력의 주기(周期)마다 1일 이하의 끝자리수가 쌓여서 달력이 틀리는 것을 막기 위한 방법. 일단위(日單位)의 윤일(閏日) 또는 월단위(月單位)의 윤월을 두어 끝자리수를 수정하는 일.

치은【齒齦】[명]〖생〗잇몸.

치은 궤:양【齒齦潰瘍】[명]〖의〗잇몸이 허는 병.

치은 농양【齒齦膿瘍】[명]〖의〗잇몸에 헌데가 생기고 고름이 드는 병.

치은-염【齒齦炎】[—념][명]〖의〗잇몸에 생기는 염증. 치육염(齒肉炎).

치은-종【齒齦腫】[명] 잇몸이 허는 병증.

치음【齒音】[명]〖언〗잇소리.

치읓 [명]〖언〗자음 글자 'ㅊ'의 이름. 「[여불]

치:의[1]【致意】[—/—이][명] 내가 가진 뜻을 저 쪽에 알림. ——-하다 [자]

치:의[2]【致疑】[—/—이][명] 의심을 둠. ——-하다 [타][여불]

치의[3]【緇衣】[—/—이][명]〖불교〗①검은 물을 들인 중의 옷. ②승도(僧徒).

치의[4]【齒醫】[—/—이][명]〖의〗치과의(齒科醫). 「徒).

치의 예:과【齒醫豫科】[—꽈/—이—꽈][명]〖교〗대학에서, 치과 대학 교과 과정의 예비 지식을 교수하는 예과. *한의 예과(韓醫豫科).

치이다[1] [자] ①덫이나 무거운 물건에 걸리어 눌리다. ¶ 덫에 ~. ②다른 힘에 억눌리거나 이아침을 당하다. ③피륙의 올이 제대로 있지 않고 이리저리 쏠리다. 옷이나 이불에 둔 솜이 밀리어서 한쪽으로 뭉치다. [준]치다.

치이다[2] [타]〈옛〉치게 하다. ¶ 孺는 사ᄅᆞᆷ 기드려 치이ᄂᆞ니라(孺需人以養者)≪楞嚴 II:5≫.

치이다[3] [피동] 값이 얼마씩 먹히다. [준]치다.

치이다[4] [사동] 치우게 하다.

치이다[5] [사동] 대장장이에게 칼이나 낫 같은 것을 만들게 하다.

치이다[6] [사동] 불결한 물건을 쳐내게 시키다.

치인[1]【治人】[명] 치자(治者).

치인[2]【癡人】[명] 어리석고 못난 사람. 치자(癡者). 치한(癡漢).

치인 설몽【癡人說夢】[명] 종작없이 지껄이는 것을 이르는 말.

치일【治日】[명] 세상이 잘 다스려진 때.

치자[1]【治者】[명] ①한 나라를 통치하는 사람. 통치자. ②권력 관계에 있어서 권력을 가진 사람. 치인(治人). ↔피치자(被治者).

치:자[2]【梔子】[명]〖한의〗치자나무의 열매. 성질이 차서 이뇨제와 눈병·황달 등의 해열에 쓰고, 또 물감 원료로도 씀.

치자[3]【穉子】[명] ①여남은 살 안팎 되는 어린 아이. 치아(穉兒). ②어린 아들.

치자[4]【癡者】[명] 치인(癡人).

치:자-나무【梔子—】[명]〖식〗[*Gardenia jasminoides*] 꼭두서닛과에 속하는 상록 활엽 관목. 높이 2-3 m이고 잎은 대생하며 긴 타원형 또는 넓은 도피침형으로 끝이 뾰고 녹색에 광택이 남. 7월에 백색의 큰 꽃이 하나씩 정생(頂生)하여 피고, 과실은 긴 타원형이며 악통(萼筒)에 싸여 가을에 황홍색으로 익음. 관상용으로 정원에 심는데, 한국 중부 이남 및 일본·대만·중국 등지에 분포함. 과실은 '치자'라 하여 이뇨제(利尿劑)로 또는 적황색의 물감 원료로 씀.

〈치자나무〉

치자 다소【癡者多笑】[명] 어리석고 못난 사람은 아무렇지 않은 일에도 웃기를 잘함. 곧, 바보는 함부로 웃기를 잘함.

치:자-색【梔子色】[명] 치자나무 열매로 물들인 빛깔. 짙은 누른 빛에 약간 붉은 빛을 띰.

치잘피노〔이 Cisalpino〕[명]〖지〗〔이탈리아 말로 로마에서 보아 '알프스의 이쪽편'이라는 뜻〕갈리아(Gallia)를 알프스로 구분하였을 때의 호칭으로, 이탈리아 북부 지방을 일컬음. 트란스알피노(Transalpino)와 상대되는 말. 1797-1803년의 이 지방에 치잘피나(Cisalpina) 공화국이 있었음.

치-잡다 [타] 치키어 잡다.

치장[1]【治粧】[명] 잘 매만져서 꾸밈. 곱게 모양을 냄. ¶ 아름답게 ~한 아가씨. ——-하다 [타][여불]

치장[2]【治裝】[명] 행장(行裝)을 차림. ——-하다 [자][여불]

[치장 차리다가 신주(神主)개 물리어 보낸다] 일을 너무 느리게 하다가 의외(意外)의 욕이 존엄한 곳까지 미치게 한다는 말.

치재[1]【治裁】[명] ↗치안 재판.

치:재[2]【致齋】[명] 제관(祭官)이 된 사람이 제사 전 사흘 동안을 재계(齋戒)하는 일. 망자(亡者)의 거처(居處)·소어(笑語)·지의(志意)·낙(樂)·기(嗜)를 생각함. ——-하다 [사][여불]

치저【雉菹】[명] 꿩김치.

치적[1]【治績】[명] 정치상의 공적.

치적[2]【峙積】[명] 높이 쌓거나 쌓임. ——-하다 [자][타][여불]

치:전【致奠】[명] 사람이 죽은 때에 겨레붙이나 또는 벗이 슬픈 뜻을 표하는 제식(祭式). ——-하다 [자][여불]

치점【嗤點】[명] 비웃어 손가락질함. 손가락질하며 비웃음. ——-하다 [타][여불]

치정[1]【治定】[명] 잘 다스려서 안정시킴. ——-하다 [타][여불]

치정[2]【癡情】[명] 남녀간의 사랑에 있어서 생기는 온갖 어지러운 정. ¶ ~에 얽힌 살인.

치정 문학【癡情文學】[명]〖문〗치정 관계, 특히 변태적인 성생활을 향락주의적인 입장에서 그려 낸 문학.

치:제【致祭】[명] 공신(功臣)에게 내리는 제사. ——-하다 [자][여불]

치조【齒槽】[명]〖생〗치근(齒根)이 박혀 있는 상하 악골(顎骨)의 구멍. 이틀. 잇집.

치-조개 [명]〈방〉키조개. 「일부임.

치조-골【齒槽骨】[명]〖생〗치근(齒根)의 주위에 있는 뼈. 악골(顎骨)의

치조골 골막염【齒槽骨骨膜炎】[—념][명]〖의〗치조골염.

치조골 골수염【齒槽骨骨髓炎】[—쑤—][명]〖의〗치조골염.

치조골-염【齒槽骨炎】[—렴][명]〔alveolitis〕〖의〗치조골의 염증. 충치(蟲齒)가 악화하여 치수염(齒髓炎)·치근막염(齒根膜炎)의 순서로 되었다가 이 염증에 이름. 증상으로는 아프고 발열하며 뺨의 부분과 치육(齒肉)의 종창(腫脹)을 일으키고, 위턱에서는 종창이 안검(眼瞼)에 미치는 때도 있음. 치조골 골막염. 치조골 골수염.

치조 농루【齒槽膿漏】[—누][명]〖의〗이가 흔들리고 이틀에서 고름이 나는 병. 만성의 병인데, 이똥의 자극·세균의 침입·위아래의 이가 잘 맞지 아니하거나 또는 체질(體質)의 이상(異常) 같은 것이 원인이 되어 입에서 좋지 못한 냄새가 나고, 온 몸에 장애(障礙)를 미치게 되는데, 고치기 어려움.

치조 농양【齒槽膿瘍】[명]〖의〗이촉에 세균이 감염(感染)되어 이틀 속에 고름이 들어 염증이 생기는 병.

치조-음【齒槽音】[명]〖언〗치경음(齒莖音).

치졸【稚拙·穉拙】[명] 유치하고 졸렬함. ——-하다 [형][여불]

치졸-미【稚拙美】[명]〔archaic beauty〕〖예〗소박하고 치졸한 예술품이 갖는 독특(獨特)한 아름다움. 특히, 고대(古代) 그리스의 아르카이크(archaique) 조각이 갖는 고졸(古拙)한 아름다움.

치종-술【治腫術】[명] 종창(腫瘡)을 치료하는 방법 또는 기술.

치종-의【治腫醫】[—/—이][명] 전문적으로 종기를 치료하는 의인(醫人).

치종-청【治腫廳】[명]〖역〗조선 시대에 종기의 치료에 대한 일을 맡았던 관서.

치좌【齒坐】[명] 나이 차례대로 벌여 앉음. ——-하다 [자][여불]

치죄【治罪】[명] 허물을 다스리어 벌을 줌. ——-하다 [타][여불]

치주[1]【卮酒】[명] 잔술이라는 뜻으로, 적은 양의 술을 이르는 말.

치주[2]【馳走】[명] 달려서 감. ——-하다 [자][여불]

치:주[3]【置酒】[명] 술자리를 차림. ——-하다 [자][여불]

치주-염【齒周炎】[명]〖의〗치주 조직의 염증. 기계적·화학적 자극 및 세균 감염으로 말미암아 일어나는데, 증상에 따라 급성과 만성, 경로(經路)·병소(病巢)의 발현 부위(發現部位)에 따라 근첨성(根尖性)과 변연성(邊緣性)으로 나눔. 한의학의 풍치(風齒)에 상당함.

치주 조직【齒周組織】[명]〖생〗시멘트질(cement 質)·치근막(齒根膜)·치육(齒肉)·치조골(齒槽骨)의 총칭. 치소낭(齒小囊)이라고 하는 결합 조

직으로부터 생기는데, 이를 악골(顎骨)에 고정하는 작용이 있음. 지지 장치(支持裝置). *이².

치:중¹【置中】 명 바둑에서, 바둑판의 복판이나 에워 싼인 자리의 중앙에 한 점을 놓음. ¶～수(手)로 죽다. *파호(破戶). ——-하다 자여불

치:중²【置重】 명 어떠한 곳에 중점을 둠. ¶초청(招請) 외교에 ～하다. ——-하다 자여불

치중³【輜重】 명 ①말에 실은 짐. ②군대의 짐. 군수품.

치중-병【輜重兵】 명 〖군〗 군수품을 실어 나르는 군사.

치중병-대【輜重兵隊】 명 〖역〗 대한 제국 때 치중병으로 편성한 군대. 고종(高宗) 32년(1895)에 베풀었다가 융희(隆熙) 원년(1907)에 혁파(革罷)하였음.

치:중 선수【置中先手】 명 바둑에서, 복판에다 치중한 사람이 선수(先手)함. ㊟치선(置先). ——-하다 자여불

치:즈〔cheese〕 명 우유 중의 카세인을 응고 발효시킨 식품. 우유를 증기나 불로 일정 온도까지 데워서 레네트(rennet)를 가한 다음 침출액(浸出液)을 몇 번 떠 내면 차차로 응고하는데, 이것을 일정한 틀에 넣고 2%의 소금을 쳐서 만듦. 자양분(滋養分)이 많아 요리·제과 등에 쓰임. 건락(乾酪).

치:즈 시멘트〔cheese cement〕 명 아교(阿膠)의 일종(一種). 치즈나 응유(凝乳)로 만듦.

치즐〔chisel〕 명 ①조각 또는 목판화(木版畫)에 쓰이는 끌. 조각칼. ② 〖농〗 구부러진 날을 붙인 강하고 무거운 농구(農具). 밭을 가는 데 쓰임. 트랙터로 끌며 어느 정도의 깊이까지 흙을 휘젓기는 하지만 갈 수는 없음.

치:지¹【致知】 명 ①알아서 깨닫는 지경에 이름. ②주자학(朱子學)에서, 사물의 도리를 연구하여 지식을 밝히는 일. ③양명학(陽明學)에서, 본연의 양지(良知)를 밝혀서 결함을 없이 하는 일. ——-하다 자여불

치지²【差池】 명 들쭉날쭉하여서 가지런하지 아니함. 고르지 아니함. ——-하다 형여불

치:지³【置之】 명 그냥 내버려 둠. ——-하다 타여불

치:지 도:외【置之度外】 명 내버려 두고 문제로 삼지 아니함. 도외시하여 내버려 둠. ——-하다 타여불

치:지 망역【置之忘域】 명 잊어 버리고 생각하지 아니함. ——-하다 타여불

치:지 물문【置之勿問】 명 내버려 두고 묻지도 않음. ——-하다 타여불

치:직【褫職】 명 직위를 빼앗음. 면직(免職)시킴. 혁직(革職). ——-하다 자여불

치진¹【馳進】 명 ①치예(馳詣). ②〖역〗 고을 원이 감영(監營)에 급히 달려감. ——-하다 자여불

치진²【緇塵】 명 지저분한 티끌. 세속(世俗)의 더러운 때.

치진-장【馳進狀】[—짱] 명 〖역〗 수령(守令)이 감영(監營)에 달려가는 것을 알리던 글.

치질¹ 명 〈옛〉 뜨개질. 치는 일. ¶야청 바단으로 즘보기 치질 고이호 후시 미엿고(絟着一副鴉青段子 滿嬌刺護膝)≪朴解 上 26≫.

치질²【痔疾】 명 〖한의〗 똥구멍의 안팎에 나는 외과(外科)에 속하는 병의 총칭. 치루(痔瘻)·치핵(痔核)·치열(痔裂) 같은 것이 있음.

[치질 앓는 고양이 모양 같다] 주제꼴이 매우 초라한 것을 이르는 말.

치차¹【齒次】 명 치서(齒序).

치차²【齒車】 명 톱니바퀴.

치차³【輜車】 명 치중(輜重)의 운반에 쓰이는 차.

치:처 정사【置處政事】 명 〖역〗 조선 시대 때, 벼슬을 내어 놓은 의정(議政)을 돈령부(敦寧府)·중추부(中樞府)의 벼슬에 서임(敍任)하던 일.

치천【治天】 명 ↗치천하. ——-하다 자여불

치-천하【治天下】 명 천하를 다스림. ㊟치천. ——-하다 자여불

치첩【雉堞】 명 성가퀴.

치체로네〔이 cicerone〕 명 명소·고적 등의 안내인.

치첸-이트사〔Chichén Itzá〕 명 〖지〗 멕시코 유카탄(Yucatan) 지방에서 10-13세기에 번성하던 마야 신제국(Māyā 新帝國)의 도시. 유적으로 '전사(戰士)의 신전(神殿)'·피라미드형 신전(神殿)·천문대·구기장(球技場) 등이 남아 있음.

치:총【置塚】 명 〖민〗 치표(置標)로 만든 무덤.

치:추지-지【置錐之地】 명 입추지지(立錐之地).

치축【馳逐】 명 달려가서 쫓음. ——-하다 타여불

치취【馳驟】 명 몹시 빠름.

치-치다 타 ①위로 올리어 긋다. ②치뜨리다.

치치하얼〔齊齊哈爾〕 명 〖지〗 중국(中國) 동북 지방의 헤이룽장 성(黑龍江省) 서쪽의 도시. 눈장(嫩江) 평야의 중심지로, 청대(淸代)에 러시아의 북변 침입에 대한 방어지로 건설됨. 농축산물의 집산지로, 공작 기계·철강·목재 가공·제당(製糖)·식품·차량(車輛) 등의 공업이 성함. [1,246,000명(1984)]

치칼로프〔Chkalov〕 명 〖지〗 '오렌부르크(Orenburg)'의 구칭.

치켜-들다 타 위로 올려 들다. ¶손을 번쩍 ～.

치켜-세우다 타 정도 이상으로 칭찬하여 주다.

치코리〔chicory〕 명 〔*Cichorium intybus*〕 〖식〗 국화과에 속하는 다년초. 민들레 비슷한데, 키 1-2m, 여름에 청자색·담홍색·백색 등의 두화가 핌. 연하고 흰 싹은 샐러드로, 뿌리는 커피의 혼합물로 사용함. 유럽 원산임.

치:크〔cheek〕 명 볼. 뺨.

치:크 댄스〔cheek dance〕 명 남녀가 서로 뺨을 비벼 대면서 추는 에로틱한 댄스.

치클〔chicle〕 명 열대 아메리카 원산인 사포딜라(sapodilla)의 수피(樹皮)에 흠집을 내어 채취하는 유상 수액(乳狀樹液). 일종의 고무질(質)이 함유되고 연화점(軟化點)이 인체의 체온과 비슷하므로, 천연 고무와의 혼합물로 껌의 베이스(base)의 제조에 쓰임.

치클라요〔Chiclayo〕 명 〖지〗 남미 페루 북서부의 상업 도시. 피멘텔(Pimentel)·푸에르토에텐(Puerto Eten) 등 태평양 연안의 항구와 인접하여 교통의 요지임. 부근은 페루 유수의 농업 지대로서 쌀·설탕·면화 등의 거래가 성함. [446,000명(1981)]

치클로〔도 Cyclo〕 명 〖화〗 합성 감미료(合成甘味料)의 하나. 시클람산(cyclam 酸), 곧 시클로핵실술파민(cyclohexylsulfamine)의 나트륨염(塩)과 칼슘염의 통칭(通稱). 무색 또는 백색의 결정(結晶)이거나 결정성 분말로서 물에 녹으며 설탕의 30-50배의 감미가 있고 열에는 안정(安定)함. 대량 섭취시는 내장 장애와 발암(發癌)의 우려로 사용 금지된 나라도 있음.

치키다 타 위로 끌어올리다. ¶허리춤을 ～.

치킨〔chicken〕 명 ①병아리. ②식용(食用)으로서의 닭. 닭고기.

치킨 너겟〔chicken nugget〕 명 너겟(nugget).

치킨 라이스〔chicken rice〕 명 밥에 닭고기를 넣은 서양 요리의 하나. 잘게 썬 닭고기를 버터를 녹인 프라이 팬에 넣어 닭고기가 희게 되어 육즙(肉汁)이 나올 만큼 익히고, 다시 잘게 썬 양파를 넣고 익혀서 다른 그릇에 옮긴 다음, 다른 프라이 팬에 버터를 녹여 찬 밥을 저으면서 익히고 토마토 케첩(tomato ketchup)을 쳐서 다시 먼저의 고기와 양파를 섞어 넣어 접시에 담고 푸른 콩·파슬리(parsley)를 얹음.

치킨 센터〔chicken+center〕 명 〈속〉 통닭을 튀겨서 파는 경양식(輕洋食)집.

치킨 커틀릿〔chicken cutlet〕 명 닭고기에 빵가루를 입혀 기름에 튀긴 음식.

치:타:¹〔cheetah〕 명 〖동〗 〔*Acinonyx jubatus*〕 고양잇과에 속하는 표범의 일종. 몸길이 1.4m 정도로 사지(四肢)는 가늘고 길며 귀는 짧음. 몸빛은 황갈적색이며 온몸에 둥근 흑색 반문이 있음. 포유류 중 가장 걸음이 빨라서 시속 112km에 이르나 그런 속도는 450m 이상 지속되지는 못함. 영양(羚羊) 같은 작은 동물을 포식함. 바위가 많은 초원에 서너 마리씩 떼지어 사는데, 인도·페르시아·시리아·아프리카 등지에 분포함. 성질이 온순하여 인도에서는 길들이어 영양 사냥에 이용함.

〈치타¹〉

치타²〔Chita〕 명 〖지〗 러시아 공화국의 동부(東部) 치타 주(州)의 도시. 시베리아 철도가 통하는 교통의 요지. 삼림 지대의 중심을 차지하여 목재의 집산·제재가 성하고, 석탄을 산출하며, 기계·차량·제분(製粉)·직물 등의 공업이 행하여짐. [336,000명(1985)]

치타공〔Chittagong〕 명 〖지〗 방글라데시 남동부, 벵골 만(Bengal 灣)에 면한 이 나라 최대의 항만 도시. 주트·차(茶)·피혁을 수출하고, 철강·화학·기계 공업 등이 성함. 또, 불교의 유적과 힌두교 사원이 많음. 무굴조(朝) 시대에는 이슬라마바드(Islamabad)라 일컬었음. [1,388,476명(1981)]

치:탈【褫奪】 명 무엇을 벗기어 빼앗아 들임. ——-하다 타여불

치:탈 도:첩【褫奪度牒】 명 〖불교〗 승려(僧侶)가 삼보(三寶)에 대하여 불경죄(不敬罪)를 저지른 때에 그의 도첩(度牒)을 빼앗는 일. ——-하다 타여불

치탕【雉湯】 명 꿩국.

치태¹【齒苔】 명 〖의〗 이 따위에 끼는 세균(細菌)·침·점액물(粘液物) 등의 젤라틴 모양의 퇴적(堆積). 플라크(plaque).

치태²【癡態】 명 못생긴 꼬락서니. 바보같은 모양새.

치터〔도 Zither〕 명 〖악〗 현악기의 한 가지. 오스트리아·남독일·스위스 등에 옛날부터 전해 오는 악기. 편평한 공명(共鳴) 상자를 가지며, 다섯 줄의 선율현(旋律絃)과 30-40줄의 화음현(和音絃)이 있는데, 이를 오른손의 엄지손가락에 낀 피크(pick)와 집게손가락·가운뎃손가락·무명지 등으로 튀겨 연주함.

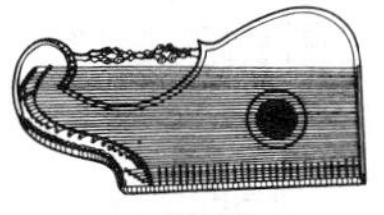
〈치터〉

치텔〔Zittel, Karl Alfred von〕 명 〖사람〗 독일의 고생물학자. 하이델베르크·파리에서 지질학을 배우고 1866년부터 뮌헨 대학 교수로 있었음. 층서학적(層序學的) 관점에서 연구하던 고생물학을 생물학적 경지로 발전시킴. 저서로 ≪고(古)동물학 핸드북≫·≪19세기말까지의 지질학 및 고생물학의 역사≫ 등이 있음. [1839-1904]

치토¹【埴土】 명 〖농〗 식토.

치-토²【雉兎】 명 꿩과 토끼.

치토-자【雉兎者】 명 꿩과 토끼를 사냥하는 사람.

치통【齒痛】 명 충치(蟲齒)·풍치(風齒) 등으로 이가 쑤시거나 몹시 아픈 통증(痛症). 이앓이.

치:패【致敗】 명 살림이 결딴남. ¶그것이 다 집안이 ～해서 궁하게 살자니까 범사가 모두 그 지경이로구나!≪蔡萬植 : 濁流≫. ——-하다 자여불

치펜데일〔Chippendale, Thomas〕 명 〖사람〗 영국의 가구(家具) 디자이너. ≪가구 설계록(設計錄)≫을 발표하였고, '치펜데일 양식'을 창시하였음. [1718?-79]

치펜데일 양식【一樣式】〔Chippendale〕 명 치펜데일이 창시한 가구의 양식. 프랑스의 로코코(rococo) 취미를 기조(基調)로 하여 고딕풍(風)·중국풍 등의 여러 시대, 여러 지역의 양식을 절충한 것으로서 18세기에 유럽에서 널리 애용되었음.

치평【治平】명 세상이 잘 다스려져서 평안함. ——-하다 형여불

치평 요람【治平要覽】[—뇨—] 명 〖책〗 조선 세종(世宗) 때 왕명으로 집현전(集賢殿) 학사들이 만든 책. 우리 나라와 중국의 정치·문화에 대한 성쇠(盛衰)와 사적(事蹟)을 기록하였음. 모두 150권.

치:폐【致斃】명 치사(致死). ——-하다 자여불

치포[1]【治圃】명 채원을 가꿈. ——-하다 자여불

치포[2]【緇布】명 검은 빛의 베.

치포-건【緇布巾】명 〖역〗 검은 베로 만들었다는 뜻에서 일컫는 유건(儒巾)의 딴이름.

치포-관【緇布冠】명 유생(儒生)이 평시에 쓰는 관. 검은 빛깔의 베로 만듦.

〈치포관〉

치표[1]【治表】명 〖한의〗 병의 근원을 다스리지 아니하고 외부에 나타나는 증세만을 그때그때에 없애는 치료 방법.

치:표[2]【置標】명 〖민〗 묏자리를 미리 잡아 표적을 묻어서 무덤의 모양과 같이 만들어 두는 일. ——-하다 자여불

치품 천사【熾品天使】명 〖천주교〗 구품 천사 중 상급 중의 최상위(最上位)에 속하는 천사. 흔히, 어린애의 얼굴 주위를 날개 넷으로 둘러 싼 것처럼 표현됨. 세라핌(Seraphim).

치풍[1]【侈風】명 사치스러운 풍속.

치풍[2]【治風】명 〖한의〗 병의 풍기(風氣)를 다스림. ——-하다 자여불

치풍-주【治風酒】명 〖한의〗 풍을 다스리는 술. 찹쌀지에와 꿀과 물을 끓여서 식힌 것에 누룩을 버무려서 담금.

치:프[1] [cheap] 명 값이 쌈. 안가(安價).

치:프[2] [chief] 명 ①두목. 수령. ②↗치프 메이트.

치:프 거버먼트 [cheap government] 명 돈이 안 드는 정부라는 뜻으로, 스미스(Smith, A.) 등 고전파 경제학자들이 주장한 이상적 정부. 국가 권력을 국방·경찰 등 필요 최소한에 제한하고 사인(私人)의 경제 활동의 자유를 최대한으로 보장하는 따위의 정부.

치:프 레이버 [cheap labour] 명 부당하게 낮은 임금(賃金)의 노동.

치:프 메이트 [chief mate] 명 기선의 일등 항해사. 준치프.

치:프 세컨드 [chief second] 명 권투에서, 선수 보조자(補助者)의 우두머리.

치핑 [chipping] 명 〖공〗 반쯤 마무리가 된 금속 제품의 사소한 표면의 결점, 기타 군더더기 같은 것을 제거하는 일.

치핑 해머 [chipping hammer] 명 〖공〗 수동(手動) 또는 공기(空氣)로 작동하는, 정 모양이나 뾰족한 형태의 해머. 금속 표면에서 녹이나 스케일(scale)을 제거하는 데 쓰임.

치하[1]【治下】명 ①지배 아래. 통치(統治) 아래. ¶공산 ~. ②그 고을의 관할 구역(管轄區域) 안.

치:하[2]【致賀】명 남의 경사에 대하여 하례(賀禮)함. ¶공로를 ~하다. ——-하다 타여불

치-하다 자여불 그 날 무렵의 날씨가 나빠지다.

치한【癡漢】명 ①치인(癡人). ②여자를 희롱하는 남자. 색한(色漢).

치핵【痔核】명 〖한의〗 치질의 한 가지. 항문 및 직장(直腸)의 정맥(靜脈)이 울혈(鬱血)에 의하여 결절상(結節狀)의 종창(腫脹)을 이룬 것. 여러 가지 질환·임신·변비 등의 원인으로 일어나는데, 가렵고 아프며, 때때로 출혈함.

치행[1]【治行】명 길 떠날 행장을 차림. ¶정 그러실 터이거든 ~이나 차려 주시오《李海朝 : 鳳仙花》. ——-하다 자여불

치행[2]【癡行】명 아주 못난 행동.

치:향【致享】명 종묘나 문묘 또는 천지 신명에게 제사를 지냄.

치험-약【治驗藥】[—냑] 명 [investigational new drug] 〖약〗 동물 실험(動物實驗)을 마치고 사람에 대한 임상 시험(臨床試驗)으로 옮긴 단계(段階)의 새 약.

치혈[1]【治血】명 〖한의〗 혈액에 관한 병을 다스림. ——-하다 자여불

치혈[2]【痔血】명 〖한의〗 치질로 인하여 나오는 피.

치화[1]【治化】명 착한 정치로 백성을 교화(敎化)함. ——-하다 타여불

치화[2]【癡話】명 ①정인(情人)끼리 주고 받는 이야기. ②정사(情事).

치:화평-무【致和平舞】명 〖악〗 봉래의(鳳來儀) 춤의 한 장면. 치화평악(致和平樂)을 아뢰면 무기(舞妓) 여덟 사람이 동서는 세로, 남북은 가로 두 사람씩 사방으로 벌여 서서 주악에 맞추어 각대(各隊)가 용비어천가를 부르며 섞바꾸어 염수(斂手)·족도(足蹈)하며 대무(對舞)·배무(背舞)·회무(回舞)를 하다가 취풍형무(醉豐亨舞)로 옮겨 감.

치:화평-악【致和平樂】명 〖악〗 봉래의(鳳來儀) 춤에서 치화평무(致和平舞)로 바꿀 때 아뢰는 풍악.

치:환【置換】명 ①바꾸어 놓음. ②〖수〗 n개의 숫자(數字)를 하나의 순열(順列)로부터 다른 순열로 바꾸어 펼침. ③[substitution] 〖화〗 어떤 화합물의 어떤 원자 또는 원자단(原子團)을 다른 원자 또는 원자단으로 바꾸어 놓음. 가령 황산의 수소를 아연으로 치환하면 황산 아연이 됨. ④[displacement] 〖심〗 본디 어떤 일정한 대상에 향하여 있어 그 때는 보통의 태도나 감정이던 것이 다른 대상에 대한 태도나 감정으로서 일반화(一般化)되어 가는 메커니즘(mechanism)을 일컬음. *전이(轉移). ——-하다 타여불

치:환-골【置換骨】명 〖생〗 연골성 골화에 의해서 만들어진 뼈. 일차골(一次骨). ↔부가골.

치:환-군【置換群】명 〖수〗 유한 집합(有限集合)의 치환이 만드는 군(群). 유한 집합의 두 치환에는 그 합성 사상(合成寫像)인 제3의 치환이 대응함. 이것을 전(前) 이자(二者)의 곱이라 함. 유한 집합 A의 치환이 있는 집합이, 이 승법(乘法)에 관하여 군(群)을 만들 때 그것을 A의 치환군이라 함.

치:환-기【置換基】명 〖화〗 유기(有機) 화합물 중의 수소 원자와 바꾸어 놓은 원자단(原子團). 수소 원자 대신에 도입된 원자단이며 본래 화합물의 유도체를 만듦. 니트로벤젠의 니트로기(基) 등.

치:환 반:응【置換反應】명 [displacement reaction] 〖화〗 화학 반응 형식의 하나. 어떤 물질이 다른 물질과 반응할 때, 분자(分子) 중에 포함된 원자 또는 원자단(原子團)을 다른 원자 또는 원자단으로 바꾸어 놓는 반응을 말함.

치:환-법【置換法】[—뻡] 명 [substitution method] 측정기(測定器) 자체의 부정확성으로 생기는 오차를 제거하기 위하여, 같은 조건하에서 측정량과 기준량을 측정·비교하여 측정치를 구하는 방법.

치:환 적분법【置換積分法】[—뻡] 명 〖수〗 적분을 계산하는 방법의 하나. 적분해야 할 함수의 변수(變數)를 다른 변수로 바꾸어 놓고 보다 간단한 적분으로 고쳐 놓은 후에 계산하는 방식.

치:환-체【置換體】명 [substitution product] 〖화〗 유기 화합물 중의 수소 원자가 다른 원자 또는 원자단과 치환되어 생긴 화합물을, 본래의 화합물에 대하여 일컫는 말. 예를 들면 니트로벤젠은 벤젠의 치환체임.

치:환-표【置換表】명 [permutation table] 〖통신〗 컴퓨터에서 부호군(符號群)의 계통적 구성을 위한 표. 부호 원문(原文) 가운데서 집단으로 취사(取捨)된 부분을 정정할 때에도 쓰임.

치효[1]【鴟梟】명 ①〖조〗 올빼미. ②포악(暴惡)하게 빼앗는 성질이 있는 사람의 비유.

치효[2]【鴟鴞】명 〖조〗 부엉이.

치-훑다 [—훌따] 타 위 쪽을 향하여 훑다. ↔내리훑다.

치휴【鴟鵂】명 〖조〗 수리부엉이.

치희【稚戲】[—히] 명 어리석은 장난. 어린이 장난.

치혀다 타 〈옛〉 치키다. ¶드리예 뻐딜 ᄆᆞ롤 녀즈시 치혀시니(橋外隕馬 薄言掣之)《龍歌 87章》.

칙간【—間】명 〈방〉 뒷간(강원·경상·함북·전라).

칙강 명 〈방〉 뒷간(전북).

칙고【勅庫】명 〖역〗 조선 시대 때, 중국 칙사(勅使)를 접대하기 위한 물품을 간직하는 창고. 평안도 각 군(郡)에 두었음.

칙교【勅敎】명 칙유(勅諭).

칙단【勅斷】명 칙재(勅裁).

칙령【勅令】[—녕] 명 칙명(勅命).

칙례【則例】[—녜] 명 〖역〗 중국 청대(淸代)의 법전인 대청회전(大淸會典)의 운용상 생긴 신례(新例)·의의(疑義)·보족(補足) 등을 각 관청에서 각각 모아 편집한 문서. 이부(吏部) 칙례·호부(戶部) 칙례·태상시(太常寺) 칙례 같은 것.

칙명【勅命】명 임금의 명령. 칙령(勅令). 칙지(勅旨). 제명(帝命).

칙-범 명 〈방〉 〖동〗 갈범.

칙사【勅使】명 임금의 명령을 전달하기 위하여 파견(派遣)되는 특사(特使). 칙차(勅差).

칙사 대:접 구 극진하고 융숭한 대접.

칙살-맞다 형 하는 짓이 얄밉고 칙살하다. >착살맞다.

칙살-부리다 자 칙살스러운 짓을 하다. >착살부리다.

칙살-스럽다 형ㅂ불 칙살한 태도가 있다. >착살스럽다. **칙살-스레** 부

칙살-하다 형여불 하는 짓이 잘고 다랍다. >착살하다.

칙서【勅書】명 임금이 어느 특정인에게 권계(勸戒)의 뜻이나 알릴 일을 적은 글. 황마(黃麻).

칙선【勅選】명 임금이 몸소 뽑음.

칙액【勅額】명 칙필(勅筆)의 편액(扁額).

칙어【勅語】명 칙유(勅諭).

칙유【勅諭】명 임금의 선유(宣諭). 칙교(勅敎). 칙어(勅語).

칙임【勅任】명 칙명(勅命)으로 벼슬을 시킴. 또, 그 벼슬.

칙임-관【勅任官】명 〖역〗 갑오 경장(甲午更張) 이후에 베푼 관계(官階)의 하나. 친임관(親任官)의 아래, 주임관(奏任官)의 위 벼슬. 곧, 대신의 청으로 임금이 임명하던 고등관 1·2등.

칙재【勅裁】명 임금의 재결. 천재(天裁).

칙제[1]【勅祭】명 칙명(勅命)에 의하여 지내는 제사.

칙제[2]【勅題】명 임금이 출제한 시문의 제목.

칙지【勅旨】명 칙명(勅命). ¶~를 받들다.

칙차【勅差】명 칙사(勅使).

칙찬【勅撰】명 ①임금이 몸소 시가나 글을 짓는 일. ②칙명에 따라 책을 엮음. 또, 그 책. ——-하다 자여불

칙칙-폭폭 부 증기 기관차가 연기를 뿜으면서 달리는 소리.

칙칙-하다 형여불 ①빛깔이 곱지 못하고 짙기만 하다. ¶칙칙한 빛깔. ②머리 털이나 숲 등이 배어서 짙어 보이다.

칙필【勅筆】명 임금의 친필. 신필(宸筆).

칙행【勅行】명 칙사(勅使)의 행차(行次).

칙허【勅許】명 임금의 허가.

친 명 〈방〉 끈(제주).

친-【親】두 ①겨레붙이에 대한 일컬음에 '직접'·'가까운'의 뜻을 나타내는 말. ¶~할아버지/~동생/~조카. ②어떤 말 위에 붙어, 그것과 친근함을 나타내는 말. ¶~정부파/~일파.

친가【親家】명 ①친정(親庭). 실가(實家). ②〖불교〗 중의 부모가 있는 속가(俗家). ③〖법〗 처(妻)가 혼인으로 인하여 부(夫)의 가(家)에 입적한 경우에 종전에 속해 있었던 가(家)를 가리켜서 하는 말.

친감[1]【親監】명 임금이 몸소 감시함. ——-하다 타여불

친감[2]【親鑑】명 임금이 몸소 감식함. ——-하다 타여불

친견【親見】명 몸소 봄. ——-하다 타여불

친겸【親傔】명 상전을 가까이 모시는 하인.

친경【親耕】명 〖역〗 농업 장려에 솔선하는 의미로 임금이 적전(籍田)에 가서 몸소 갈고 심음. ——-하다 타여불

친경-전【親耕田】명 〖역〗 임금이 친경하는 전지. 동적전(東籍田)에 속하였음. 어전(御田).

친계【親系】명 친족 관계를 혈통 연락의 형태에 따라서 본 여러 가지 계열. 남계(男系)와 여계(女系), 부계(父系)와 모계(母系), 직계(直系)와 방계(傍系), 존속(尊屬)과 비속(卑屬) 따위.

친고[1]【親告】명 ①몸소 알리어 바침. ②〖법〗 피해자(被害者)의 고소. ——-하다 타여불

친고[2]【親故】명 ①친척(親戚)과 고구(故舊). ②친구(親舊).

친고-죄【親告罪】[—죄] 명 〖법〗 검사가 공소(公訴)를 제기함에 있어서 피해자 및 그 밖의 법률에 정한 사람의 고소를 필요로 하는 범죄. 강간죄·모욕죄 등. *절대적 친고죄(絶對的親告罪).

친공-신【親功臣】명 〖역〗 부조(父祖)에게서 승습(承襲)한 공신이 아니고 자기 공으로 녹훈(錄勳)된 공신.

친관【親串】명 친하여 가까워짐.

친교[1]【親交】명 친밀한 사귐. ¶ ~가 있는 사이.

친교[2]【親教】명 부모의 교훈.

친-교사【親教師】명 〔범 upàdhyàya〕〖불교〗 나이 어린 제자가 직접 가르침을 받는 스승.

친구[1]【親口】명 〖천주교〗 천주교회에서 성무 집행중, 예수의 말씀을 기록한 서적이나 성물(聖物) 등에 대하여 존경과 복종을 나타내기 위하여 입을 맞춤. ——-하다 자여불

친구[2]【親舊】명 오래 두고 가깝게 사귄 벗. 동붕(同朋). 친우(親友). 맹형(盟兄). 벗. 친고(親故). *친지(親知).

친구-간【親舊間】명 친구인 사이.

친국【親鞫】명 〖역〗 임금이 중죄인(重罪人)을 친히 신문(訊問)함. 궐정(闕庭)에서, 시원임 대신(時原任大臣)·의금부 당상관(義禁府堂上官)·대간(臺諫)·좌우 포도 대장(左右捕盜大將)이 열석(列席)하고, 대신 중 한 사람을 위관(委官)으로 명하여 국문(鞫問)함. ——-하다 타여불

친군【親軍】명 친병(親兵).

친군-영【親軍營】명 〖역〗 조선 고종(高宗) 때 서양의 군제(軍制)를 본떠서 서울과 지방에 베푼 여러 군영(軍營)을 통할하던 관아(官衙). 고종 20년(1883)에 서울에 좌영(左營)·우영(右營)·전영(前營) 등을 두고, 21년에는 후영(後營)·별영(別營)을 더 두었으며, 지방에는 같은 해에 해방영(海防營)과 서영(西營)을, 24년에는 심영(沁營)과 남영(南營)을, 30년에는 무남영(武南營)을, 31년에는 북영(北營)·진남영(鎭南營)·진어영(鎭禦營) 들을 두었었음.

친군-위【親軍衛】명 〖역〗 ①조선 시대 때 오위(五衛)의 하나인 호분위(虎賁衛)에 속했던 함경도의 무사(武士). 수효 40명. 남도·북도에서 각 20명씩을 뽑아 정월·칠월 두 도목(都目)에 반씩 나누어 임명함. 두 번으로 짜서 일 년 만큼씩 서로 교대하여 서울에 번을 삶. ②조선 시대 때 장용영(壯勇營)의 마병(馬兵). 수효 300명.

친권[1]【親眷】명 아주 가까운 권속(眷屬).

친권[2]【親權】[—꿘] 명 〖법〗 부모가 미성년인 자식에 대하여 가지는 권리·의무의 총칭. 신상(身上)·재산상의 감독, 보호·교육을 내용으로 함. ¶ ~을 행사하다.

친권-자【親權者】[—꿘—] 명 〖법〗 친권을 행사하는 사람. 부모가 공동으로 친권을 행사하나 그 일방이 없거나 또는 친권을 행사할 수 없을 경우에는 남은 일방이 단독으로 행사하며, 양자(養子)인 경우에는 양친(養親)이 함.

친근【親近】명 정의(情誼)가 매우 가까움. *절친. ——-하다 형여불. ——-히 부

친근-감【親近感】명 친근한 느낌.

친근-루【親近漏】[—누] 명 〖불교〗 칠루(七漏)의 하나. 의복·음식·방사(房事)·의약 따위를 가까이함으로써 생기는 번뇌.

친근-미【親近味】명 친근한 맛.

친근-성【親近性】[—썽] 명 친근한 성질이나 특성.

친기【親忌】명 부모의 제사.

친기 원소【親氣元素】명 〔atmophile element〕〖화〗 골트슈미트(Goldschmidt, V. M.)의 지구 화학적 원소 분류의 하나. 원소 자체는 휘발성으로 화학적 불활성(不活性)이거나 또는 용이하게 안정된 휘발성의 화합물을 만드는 성질을 지님. 수소(H)·질소(N)·탄소(C)·염소(塩素; Cl)·브롬(Br)·요오드(I)·헬륨(He)·네온(Ne)·아르곤(Ar)·크립톤(Kr)·크세논(Xe)·산소(酸素; O)가 이에 속함. *친생(親生) 원소.

친기-위【親騎衛】명 〖역〗 조선 시대 숙종 10년(1684)에 변방(邊方)을 지키기 위하여 함경도에 두었던 기병 부대. 궁재(弓才)·마재(馬才) 및 용력(勇力)이 있는 자 600명으로 구성함.

친끈히 부 〈옛〉 친근히. 친히. =즈올아비. ¶친끈히 아니ᄒᆞ샤≪月印 上 51≫.

친-남매【親男妹】명 동기(同氣)인 남매.

친녀【親女】명 친딸.

친-누이【親—】명 동기(同氣)인 누이.

친-동기【親同氣】명 동기(同氣).

친-동생【親同生】명 동기(同氣)인 동생.

친동 원소【親銅元素】명 〔chalcophile element〕〖화〗 골트슈미트의 지구 화학적 원소 분류의 하나. 황과 화합하기 쉽고 그 황화물(黃化物)이 황화철(黃化鐵)에 녹기 쉬운 원소들. 지표(地表)에서 깊이 약 1,200-2,900 km 사이의 부분을 구성하는 성분으로 추정됨. 셀렌(Se)·텔루르(Te)·구리(Cu)·아연(Zn)·카드뮴(Cd)·납(Pb)·갈륨(Ga)·탈륨(Tl)·수은(水銀; Hg)·니켈(Ni)·팔라듐(Pd)·코발트(Co)·루테늄(Ru)·비소(砒素; As)·인듐(In)·안티몬(Sb)·비스무트(Bi)·철(Fe)·몰리브덴(Mo)·은(Ag)·인(燐; P)·황(黃; S)이 이에 속함. *친석(親石) 원소.

친드윈 강【—江】〔Chindwin〕명 〖지〗 미얀마 북서부 이라와디 강의 지류. 파트카이 산지(Patkai 山地)에서 발원하여, 나가 구릉(Naga 丘陵)의 동쪽을 남류(南流), 만달레이(Mandalay)의 남서쪽에서 이라와디 강에 합류함. 가항 거리(可航距離)는 약 500 km. [800 km]

친등【親等】명 전에, '촌(寸)'과 같은 뜻으로 쓰던 법률 용어.

친-딸【親—】명 자기가 낳은 딸. 친녀(親女).

친람【親覽】[칠—] 명 왕공 귀인(王公貴人)이 친(親)히 봄. 몸소 관람(觀覽)함. ——-하다 타여불

친림【親臨】[칠—] 명 임금이 몸소 임어(臨御)함. ——-하다 자여불

친림 도정【親臨都政】[칠—] 명 〖역〗 국왕의 친재(親裁) 아래 베풀어지는 도목 정사(都目政事).

친링 산맥【—山脈】〔秦嶺〕명 〖지〗 중국 산시 성(陝西省) 남부를 동서로 달리는 산맥. 간쑤 성(甘肅省)의 민산(岷山) 산에서 안후이 성(安徽省)의 화이양(淮陽) 구릉에 이르는 해발 3,000 m를 넘는 대산계(大山系)를 이름. 중난 산(終南山)·타이바이 산(太白山) 등 명산이 있음. 북은 웨이수이(渭水) 분지에 접함. 진령 산맥.

친막【親幕】명 장수의 밑에서 획책(劃策)에 참여하는 사람.

친-막친【親莫親】명 더할 수 없이 친함.

친면【親面】명 ①서로 가까이 사귀어 잘 아는 면식(面識). ②친근하고 면식이 있음.

친명【親命】명 부모의 명령.

친모【親母】명 친어머니.

친목【親睦】명 서로 친하여 화목함. ——-하다 형여불

친목-계【親睦契】명 친목을 목적으로 하는 계.

친목-회【親睦會】명 친목을 목적으로 하는 모임. 간친회(懇親會).

친문[1]【親問】명 왕공 귀인(王公貴人)이 몸소 물음. ——-하다 타여불

친문[2]【親聞】명 왕공 귀인이 몸소 들음. ——-하다 타여불

친밀【親密】명 지극히 사이가 좋음. 대단히 친함. 서로의 교제가 깊음. ——-하다 형여불. ——-히 부

친밀-감【親密感】명 친밀한 느낌.

친밀-성【親密性】[—썽] 명 친밀한 성질이나 특성.

친병【親兵】명 임금이 친히 거느리는 군사.

친봉【親捧】명 몸소 거두어들임. ——-하다 타여불

친부【親父】명 친아버지.

친-부모【親父母】명 친아버지와 친어머니. 친어버이. 실부모(實父母).

친분【親分】명 친밀한 정분. 계분(契分). ¶ ~이 두텁다.

친-불친【親不親】명 친함과 친하지 않음.

친붕【親朋】명 친우(親友).

친비[1]【親比】명 친하게 지냄. 가까이 함.

친비[2]【親裨】명 〖역〗 친밀하게 부리는 비장(裨將).

친사[1]【親事】명 ①친히 일을 다스림. ②결혼 문제(結婚問題). 혼담(婚談). ——-하다 자여불

친사[2]【親査】명 ↗친사돈(親査頓).

친사-간【親査間】명 친사돈끼리의 사이.

친-사돈【親査頓】명 남편과 아내의 양(兩)부모 사이의 호칭. ㊣친사(親査). ↔결사돈.

친산【親山】명 부모의 산소.

친-삼촌【親三寸】명 친아버지의 형제. ↔외삼촌.

친상【親喪】명 부모의 상사. 대우(大憂). 부모상. ¶ ~을 당하다.

친생 원소【親生元素】명 〔biophile element〕〖화〗 골트슈미트의 지구 화학적 원소 분류의 하나. 지구 표면에서 생물체를 조직하고 있는 원소들. 탄소(C)·수소(H)·산소(O)·질소(N)·인(燐; P)·황(S)·염소(Cl)·요오드(I)가 이에 속하며, 붕소(B)·칼슘(Ca)·마그네슘(Mg)·칼륨(K)·망간(Mn)·철(Fe)·구리(Cu)를 포함시키는 경우도 있음. *친철(親鐵) 원소.

친생-자【親生子】명 〖법〗 부모와 혈연 관계가 있는 자(子). 부모의 혼인 중의 출생자와 혼인 외의 출생자가 있음. *계모자(繼母子).

친서[1]【親書】명 ①몸소 글씨를 씀. ②몸소 쓴 편지. 친찰(親札). ¶대통령 ~. ——-하다 타여불

친서[2]【親署】명 왕공 귀인(王公貴人)이 몸소 하는 서명. ¶ 대통령 ~의 표창장. ——-하다 자여불

친석 원소【親石元素】명 〔lithophile element〕〖화〗 골트슈미트의 지구 화학적 원소 분류의 하나. 산소와의 화합력이 크고 지표에서 약 1,200 km 깊이까지를 구성하는 암석의 주요 성분으로 추정되는 원소들. 산소(O)·규소(珪素; Si)·티타늄(Ti)·지르코늄(Zr)·토륨(Th)·베릴륨(Be)·마그네슘(Mg)·붕소(硼素; B)·알루미늄(Al)·스칸듐(Sc)·이트륨(Y)·하프늄(Hf)·바나듐(V)·니오브(Nb)·탄탈(Ta)·크롬(Cr)·텅스텐(W)·망간(Mn)·할로겐족 원소(halogen 族元素)·희토류(稀土類) 원소·알칼리 금속 원소·알칼리 토금속 원소·란탄족 원소·악티늄족 원소 등이 이에 속함. 친암(親岩) 원소. *친기(親氣) 원소.

친선【親善】명 서로 친하여 사이가 좋음. ¶ ~ 사절(使節).

친선 경:기【親善競技】명 서로의 친선을 꾀하기 위하여 베푸는 경기.

친소【親疎】명 친하여 가까움과 친하지 못하여 버성김.

친소간-에【親疎間—】부 친하든지 친하지 아니하든지 관계할 바 없이. ¶ ~ 경우는 밝혀야 한다.

친-소대【—小帶】〔Zinn〕명 〔Zinn's zonule〕〖생〗 눈의 모양체(毛樣體) 내면 상피(上皮)와 수정체 표면을 연결하는 섬유상의 띠. 수축 작용을 하며 원근(遠近) 조정을 함.

친속【親屬】명 친족(親族).

친-손녀【親孫女】명 직계(直系)의 손녀. *외손녀·종손녀.

친-손자【親孫子】[명] 직계(直系)의 손자. *외손자.
[친손자는 걸리고 외손자는 업고 간다] 사랑에 있어서 경중(輕重)이 바꾸임을 이름.
친솔【親率】[명] 한 집안의 권솔.
친수[1]【親受】[명] 왕공 귀인(王公貴人)이 몸소 받음. 또, 손위 사람으로부터 직접 받음. ——-하다 [타][여불]
친수[2]【親授】[명] 왕공 귀인이 몸소 줌. ——-하다 [타][여불]
친수 교질【親水膠質】[명]〖화〗친수 콜로이드. ↔소수(疎水) 교질.
친수-기【親水基】[명]〖화〗물과의 친화성(親和性)이 높고 기름과의 친화성이 낮은 기(基). 카르복시기(carboxy 基)·수산기(水酸基)·술폰산기(Sulfon 酸氣) 등. 소유기(疎油基).
친수-로【親手一】[부] 손수.
친수-성【親水性】[—썽] [명] 물에 대하여 친화력(親和力)이 있는 성질. ↔소수성(疎水性).
친수 연:고【親水軟膏】[명]〖약〗친수성(親水性)이 있어 간단히 물로 닦아낼 수 있는 연고의 기제(基劑). 바셀린에 각종 약품을 섞어서 만듦.
친수 콜로이드【親水一】[명]〔hydrophilic colloid〕〖화〗분산매(分散媒)가 물인 콜로이드. 콜로이드 입자(粒子)가 물과 단단히 결합하여 있기 때문에 소수(疎水) 콜로이드에 비해 점도(粘度)가 높으며 전해질(電解質)에 의해서도 응결(凝結)하기 힘들고 안정성이 있음. 친수 교질(親水膠質). 친액(親液) 교질. 호수성(好水性) 교질. ↔소수 콜로이드.
친숙【親熟】[명] 친하여 익숙함. ——-하다 [형][여불]. ——-히 [부]
친시【親試】[명]〖역〗임금이 몸소 나와 시험을 뵘. ——-하다 [타][여불]
친시 복시【親試覆試】[명]〖역〗고려 때, 국왕(國王)이 친림(親臨)하여 보이는 복시.
친신[1]【親臣】[명] 임금을 가까이 모시는 신하.
친신[2]【親信】[명] 가까이 여겨서 신용함. ——-하다 [타][여불]
친심【親審】[명] 왕공 귀인(王公貴人)이 몸소 살펴서 사실(査實)함. ——-하다 [타][여불]
친-아들【親一】[명] 자기가 낳은 아들. 친자(親子). 실자(實子).
친-아버지【親一】[명] 자기를 낳은 아버지. 친부(親父). 실부(實父).
친-아비【親一】[명] '친아버지'를 낮추어 이르는 말.
친-아우【親一】[명] 동기(同氣)인 아우. 친제(親弟). 실제(實弟).
친암 원소【親岩元素】[명]〖화〗친석(親石) 원소.
친압[1]【親押】[명]〖역〗①임금의 수결(手決). ②임금이 향실(香室)에 납시어 친히 축문(祝文)의 글자를 손가락으로 짚어 가며 잘못된 곳이 없나 살피는 일.
친압[2]【親狎】[명] 버릇 없이 너무 지나치게 친함. ¶김중배의 군이 ~히 구는 것을 진정으로 꺼리고 싫어하나…≪趙重桓 : 長恨夢≫. ——-하다 [자][여불]. ——-히 [부]
친애[1]【親刈】[명]〖역〗임금이 적전(籍田)에서 몸소 벼를 벰. *친경(親耕). ——-하다 [타][여불]
친애[2]【親愛】[명] 친밀히 사랑함. ¶~감(感). ——-하다 [타][여불]
친액 교질【親液膠質】[명]〖화〗친수 콜로이드.
친어【親御】[명] 임금이 몸소 어떤 자리에 참석함.
친어-군【親禦軍】[명]〖역〗고려 충선왕(忠宣王) 때에 용호군(龍虎軍)을 고친 호분군(虎賁軍)을 뒤에 다시 고친 이름.
친-어머니【親一】[명] 자기를 낳은 어머니. 친모(親母). 실모(實母). *큰어머니.
친-어미【親一】[명] '친어머니'를 낮추어 이르는 말.
친-어버이【親一】[명] 친부모.
친-언니【親一】[명] 동기(同氣)인 언니. 친형(親兄). 실형(實兄).
친연【親緣】[명] ①친척의 인연. ②〖불교〗삼연(三緣)의 하나. 중생이 입으로 염불을 하면 부처가 이를 들으며, 몸으로 부처를 공경하면 부처가 이를 보며, 마음으로 부처를 생각하면 부처가 이를 아는 일.
친열【親閱】[명]〖역〗임금이 친히 열무(閱武)함. ——-하다 [자][여불]
친영【親迎】[명] ①친히 나아가 맞음. ②〖역〗육례(六禮)의 하나. 신랑이 신부를 친히 맞음. ——-하다 [타][여불]
친왕[1]【親王】[명]〖역〗황제의 형제·아들의 칭호.
친왕[2]【親往】[명] 몸소 감. ——-하다 [자][여불]
친용【親用】[명] 몸소 씀. ——-하다 [타][여불]
친우【親友】[명] 친한 벗. 가까운 친구. 친붕(親朋). 친구. *친지.
친위【親衛】[명] 임금·국가 원수(元首) 등의 신변의 호위.
친위-국【親衛局】[명]〖역〗조선 고종(高宗) 31년(1894)에 베풀었다가 다음해에 혁파한 군무 아문(軍務衙門)의 한 국(局). 서울에 있는 군대의 일을 맡았음.
친위-군【親衛軍】[명] 친위를 목적으로 편성된 군대.
친위-대【親衛隊】[명] ①국왕(國王)·국가 원수 등의 신변을 경호하는 부대(部隊). ②〖역〗대한 제국 때 서울의 수비를 맡은 중앙 군대. 고종(高宗) 32년(1895)에 베풀었다가 광무(光武) 9년(1905)에 혁파하였음. 진위대(鎭衛隊). ③〔도 Schutzstaffel〕1923년 히틀러의 신변 경호를 위해 돌격대에서 분리하여 창설한 특수 부대(特殊部隊). 1929년 이후에는 나치당의 경찰 기관으로 발전하였고 후에는 군에 준(準)하는 무장 부대가 되고, 제2차 대전 중에는 국내 및 점령지 지배를 뒷받침하는 주요 기구(主要機構)가 되었음. 약칭 : S.S.
친위 연대【親衛聯隊】[명]〖역〗대한 제국 때, 친위대(親衛隊)의 조직. 건양(建陽) 원년(1896)에 대대(大隊)를 승격한 것으로 연대 본부와 3개 대대(大隊)로 편제(編制)됨. 광무 9년(1905) 친위대가 폐지되매, 시위 보병 연대(侍衛步兵聯隊)로 개편됨.
친유-기【親油基】[명]〖화〗물과 친화성(親和性)이 낮고 기름과 친화성이 큰 기(基). 사슬 모양 탄화 수소기(水素基) 따위.
친의[1]【親倚】[—/—이] [명] 가까이 의지함. ——-하다 [자][타][여불]
친의[2]【親誼】[—/—이] [명] 친밀한 정의.
친의[3]【襯衣】[—/—이] [명]〔←츤의(襯衣)〕속옷.
친-인【親姻】[명] ①친족(親族)과 인족(姻族). ②배우자의 혈족(血族) 등의 친족. 인족. 인척(姻戚).
친일【親日】[명] 일본에 호의(好意)를 갖고 친근하게 대함. ¶~ 분자(分子). ↔배일(排日)·반일(反日).
친일-파【親日派】[명] ①일본과 친근한 파. ②〖역〗1945년 이전의 일제 강점기에 일본인 또는 일본 관헌(官憲)과 밀착(密着)하여 반민족적 행위를 한 무리.
친임【親任】[명]〖역〗↗친임관(親任官).
친임-관【親任官】[명]〖역〗갑오 경장(甲午更張) 이후에 베푼 관계(官階)의 하나. 친임식(親任式)으로 시키던 벼슬. 칙임관(勅任官)의 위 벼슬. [준]친임(親任).
친임-식【親任式】[명]〖역〗임금이 친히 행하는 친임관의 임명식.
친자[1]【親子】[명] ①친아들. ②친자식. ¶~ 확인 소송.
친자[2]【親炙】[명] 스승에게 가까이하여 친(親)히 가르침을 받음. ——-하다 [자][여불]
친-자식【親子息】[명] 자기가 낳은 자식. 친자(親子).
친-자질【親子姪】[명] 친아들과 친조카. ¶여러 해 동안 정든 것으로 말하면 ~이나 다름 없이 알고 있네≪趙重桓 : 長恨夢≫.
친잠【親蠶】[명]〖역〗잠업 장려에 시범하는 의미로 왕후가 몸소 누에를 침. ——-하다 [자][여불]
친재【親裁】[명] 임금이 몸소 재결함. ——-하다 [타][여불]
친저우【秦州】[명]〖지〗'텐수이(天水)'의 별명.
친전[1]【親展】[명] ①남을 시키지 아니하고 몸소 펴서 봄. ②편지에서, 수신인(受信人)이 직접 펴보아 주기 바란다는 뜻으로, 겉봉의 수신인 이름 옆이나 아래에 써 넣는 말. ——-하다 [타][여불]
친전[2]【親傳】[명] 몸소 전하여 줌. ——-하다 [타][여불]
친전-서【親展書】[명] '친전'이라고 봉투 겉봉에 쓴 서면(書面). 친전을 요하는 편지.
친전-향【親傳香】[명]〖역〗제향(祭享)에 임금이 향축(香祝)을 몸소 헌관(獻官)에게 전함. ——-하다 [자][여불]
친절【親切】[명] 태도가 매우 정답고 고분고분함. 간의(懇意). ↔불친절. *절친(切親). ——-하다 [형][여불]. ——-히 [부]
[친절한 동정은 철문으로도 들어 간다] 친절한 동정은 아무리 무뚝뚝한 사람에게도 통하여진다는 말.
친절-미【親切味】[명] 친절한 맛.
친접【親接】[명] 몸소 나와서 접대함. ——-하다 [타][여불]
친정[1]【親征】[명] 임금이 몸소 정벌함. ——-하다 [타][여불]
친정[2]【親政】[명] 임금이 몸소 정사를 봄. ——-하다 [자][여불]
친정[3]【親庭】[명] 시집 간 여자의 본가(本家). 친가(親家). ¶~에 자주 가는 며느리. ↔시집[2].
[친정 가면 자루 아홉 가지고 온다] 시집간 딸이 친정에서 대고 뜯어 가려 한다는 말. [친정하고 명발하고는 가면 쥐고 온다] 목화 밭에 가면 솜 끄투리라도 주워 오게 되고 친정에 가면 가져올것이 많다는 말.
친정 일가 같다 [구] 남이지만 흉허물이 없음을 이르는 말.
친정-댁【親庭宅】[—땍] [명] '친정'의 존칭. 본가댁(本家宅).
친정-살이【親庭一】[명] 친정에서 사는 일. ↔시집살이. ——-하다 [자][여불]
친정 식구【親庭食口】[명] 친정 쪽의 일가붙이. ¶~가 자주 드나들다.
친정 어머니【親庭一】[명] 시집 간 여자의 친어머니. ↔시어머니.
친제[1]【親弟】[명] 친아우.
친제[2]【親祭】[명] 임금이 몸소 제사를 지냄. 친향(親享). ——-하다 [자][여불]
친-조모【親祖母】[명] 친할머니.
친-조부【親祖父】[명] 친할아버지.
친족[1]【親族】[명] ①촌수가 가까운 겨레붙이. 흔히, 사종(四從) 이내를 말함. 족류(族類). 친속. *친척. ②〖법〗민법상, 8촌 이내의 혈족(血族), 4촌 이내의 인척(姻戚) 및 배우자의 일컬음.
친-족[2]【一族】〔Chin〕[명]〖인류〗주로 미얀마 서부의 산악 지대에 사는 종족. 인종·언어적으로 미얀마 여러 종족에 가까움. 농업에 종사하며 조·쌀을 재배하고 돼지·염소·닭 등을 기름. 산 위에 항상 가옥(杭上家屋)을 짓고 삶.
친족 결혼【親族結婚】[명] 친족끼리의 결혼.
친족-권【親族權】[명]〖법〗사권(私權)의 하나. 친족상(親族上)의 신분에 따르는 권리. 곧, 친권(親權) 및 후견(後見)에 관한 권리 등.
친족 명칭【親族名稱】[명] 친족의 신분 관계를 나타내는 명칭. 부모·숙부·백부·형제·종형제·생질·질녀 등.
친족-법【親族法】[명]〖법〗부부·부모와 자녀·후견(後見)·친족회 및 그 밖의 일반 친족 관계를 규정한 사법(私法).
친족 상간【親族相姦】[명] 친족 관계에 있는 남녀가 육체 관계를 맺음. 상피(相避).
친족 상도례【親族相盜例】[명]〖법〗직계 혈족(直系血族)·배우자 및 동거 친족 간에 행하여지는 절도는 형(刑)이 면제되고, 사기(詐欺)·횡령 따위에 있어서도 준용(準用)되며, 그 외의 친족간에서 행하여질 때는 친고죄(親告罪)가 되는 법례(法例).
친족 어:휘【親族語彙】[명]〔kinship terminology〕혈연(血緣)이나 혼인에 의하여 이루어지는 인간 관계의 호칭(呼稱)인 어휘. 아버지·어머니·아저씨·아주머니·누나·동생 따위.
친족-회【親族會】[명]〖법〗특정인 또는 그 집의 중요한 사항을 의결하는 친족적 합동 기관. 본인·호주·후견인·친족·검사(檢事)·이해 관계인 등의 청구에 의해 가정 법원이 소집함.
친족 회:의【親族會議】[—/—이] [명] ①친족들이 모여서 하는 회의.

②〖법〗〈속〉 친족회.

친족 회피【親族回避】명〖역〗중국의 구법제(舊法制)인 회피제의 한 가지. 친족이 동일한 관청에 임용되었을 경우, 그 어느 한쪽 사람을 다른 곳으로 전임시키던 일. *지방 회피.

친-좁다【親—】형ⓑ불 지내는 사이가 친하고 가깝다. ¶말씀은 더욱 감사하오나 본래 친좁지도 못하옵는 터에 불안하여서 그리합니다≪李海朝:鳳仙花≫.

친종 장군【親從將軍】명〖역〗고려 때, 응양군(鷹揚軍)·용호군(龍虎軍) 장군의 일컬음.

친종 호:군【親從護軍】명〖역〗고려 때, 응양군(鷹揚軍)·용호군(龍虎軍)의 호군(護軍) 친종 장군을 공민왕 때에 고친 이름.

친지【親知】명 서로 잘 알고 친근하게 지내는 사람. ¶~의 도움을 받다. *친구(親舊)·친우.

친지-간【親知間】명 친지의 사이.

친진【親盡】명 대진(代盡). ——-하다 자여불

친집【親執】명 남을 시키지 아니하고 몸소 잡아서 함. ——-하다 타여불

친-쪼으다【親—】타 가까이 모시고 지내다. ¶친쪼은 지는 오래지 못해도 횡뵈올 터는 아니오≪李海朝:鬢上雪≫.

친-쫍다【親—】형ⓑ불 ☞친좁다. ¶이 사람이 돌아가신 영감과 매우 친쪼와 지냈사온대…≪崔瓚植:春夢≫.

친착[1]【親着】명 문안(文案) 등에 친히 이름을 적음. ——-하다 타여불

친착[2]【襯着】명〔←츤착(襯着)〕바싹 가까이 달라붙음. ——-하다 자여불

친찬【親撰】명 임금이 시문을 몸소 지음. 또, 그 시문. ——-하다 자여불

친찰【親札】명 손수 쓴 편지. 친서(親書).

친책【親策】명〖역〗과거의 전시(殿試) 때에 임금이 몸소 임어(臨御)하여 책문(策問)을 행함. ——-하다 자여불

친척【親戚】명 ①친족과 외척(外戚). 유연(類緣). ¶~간에 정의가 두텁다. ②성이 다른 가까운 척분. 고종(姑從)·외종(外從)·이종(姨從)·권당(眷黨)·족척(族戚) 등. *친족(親族).

친철 원소【親鐵元素】명〔siderophile element〕〖화〗골트슈미트의 지구 화학적 원소 분류의 하나. 지표(地表)로부터 2,900 km의 곳에서 중심(中心)까지에 다량으로 존재하는 것으로 생각되는 원소로, 철(Fe)·니켈(Ni)·코발트(Co)·인(燐; P)·루테늄(Ru)·이리듐(Ir)·금(Au)·백금(Pt)·팔라듐(Pd)·오스뮴(Os)·게르마늄(Ge)·주석(朱錫; Sn)·몰리브덴(Mo)이 이에 속함. *친동(親銅) 원소.

친-총만기【親總萬機】명 임금이 모든 정치(政治)를 몸소 총람(總攬)함. ——-하다 자여불

친친[1]【親親】명 마땅히 친하여야 할 사람과 친함. ——-하다 자여불

친:친[2] 부 꼭꼭 감거나 동여 매는 모양. >찬찬. ¶손 안에 남은 부풀어진 지전과 땀 밴 동무의 손의 체온에 찐득한 우정이 ~ 얽혀서 불시에 가슴을 죄인 것이다≪李孝石:장미 병들다≫.

친친-하다 형여불 축축하고도 끈끈하여 불쾌(不快)한 느낌이 있다. ¶하초(下焦)가 ~.

친친히 부〈옛〉찬찬히. ¶우숨우셔 말ᄉᆞ믈 친친히 ᄒᆞ디 몬게 ᄒᆞ더라(未嘗笑語款洽)≪飜小 X:13≫.

친칠라〔스 chinchilla〕명〖동〗①[*Chinchilla laniger*] 다람쥣과에 속하는 작은 짐승. 두동(頭胴)의 길이 25-30 cm, 꼬리의 길이 16-25 cm 이며, 귀가 긺. 남아메리카 안데스 산맥 중에 사는데, 멸종에 가까울 정도로 마구잡이했으나 현재는 적극적인 보호 정책으로 그 수가 점차로 증가하고 있음. 몸빛은 회청색에 흑색 무늬가 있고 털은 매우 부드러워서 여성복의 깃 등으로 쓰임. ②집토끼 품종의 하나. 프랑스 원산으로, 털은 바탕빛은 남색, 다음은 진주색, 털끝으로 가면서 차츰 흰색이 되고, 맨끝은 흑색임. 모피용으로 최고품임.

〈친칠라❶〉

친콤【CHINCOM】명〖정〗〔China Committee의 약어〕북대서양 조약 기구에 가맹하고 있는 여러 나라의 대공산권(對共產圈) 수출 통제 기구의 하부 기관으로, 중국에 대한 수출 통제 문제를 담당한 위원회. 중공의 성립, 한국 전쟁의 발발을 계기로 미국의 지도하에 코콤과 같은 형식으로 1952년에 설립되었으나, 국제 긴장 완화로 무역 통제의 실효(實効)를 잃고, 1957년에 코콤에 통합함. 대중국(對中國) 수출 통제 위원회. *코콤.

친탁【親—】명 생김새나 성질(性質)이 부계(父系)를 닮음. 진탁. ↔외탁. ——-하다 형자여불

친피【親避】명 근친 사이에는 서로 시관(試官)과 과생(科生)이 되기를 피함. ——-하다 자여불

친필【親筆】명 손수 쓴 글씨. 진필(眞筆).

친-하다【親—】㊀형여불 가까이 사귀어 정의가 두텁다. ¶친한 친구. ㊁자타여불 ①남을 가깝게 사귀다. ②가까이하다.

친-할머니【親—】명 자기 아버지의 친어머니. 친조모(親祖母). ↔외할머니.

친-할아버지【親—】명 자기 아버지의 친아버지. 친조부(親祖父). ↔외할아버지.

친행【親行】명 일을 몸소 함. 궁행(躬行). ——-하다 타여불

친향【親享】명 친제(親祭).

친형【親兄】명 친언니.

친-형제【親兄弟】명 동기(同氣)의 형제.

친호【親好】명 서로 친하여 사이가 정다움. ——-하다 형여불

친화【親和】명 ①서로 친하여 화합(和合)함. ②〖화〗종류가 다른 물질이 서로 화합함. ——-하다 자여불

친화-력【親和力】명〖화〗각종 원소의 원자가 각각 독특한 친화성을 가지고 서로 결합할 때의 힘. 화학 친화력. 화학력(化學力).

친화-성【親和性】[—썽] 명〔affinity〕〖화〗약물 속에 있는 화학적 물질 또는 세균이나 바이러스가 특정한 장기(臟器)·조직·세포에 대하여 선택적으로 결합하려는 성질. *불친화성(不親和性).

친화이〔秦淮〕명〖지〗중국 장쑤 성(江蘇省)의 난징 시(南京市) 부근을 흐르는 강 이름. 진대(秦代)에 개통된 운하로 양쯔 강으로 흘러감. 진회.

친환【親患】명 부모의 병환.

친황-다오〔秦皇島〕〖지〗중국 허베이 성(河北省) 북부, 산하이 관(山海關) 남방의 부동항(不凍港). 1901 년에 개항하였음. 징산(京山) 철도의 지선이 잔교(棧橋)까지 직통하며 톈진·탕구(塘沽)가 결빙기에 들면 이용 가치가 큼. 카이롼 탄전(開灤炭田)의 석탄 수출 등 상공업이 성함. 1925 년에 축항되었음. 진황도(秦皇島).

친획【親獲】명 자기 손으로 얻어 가짐. ——-하다 타여불

친후[1]【親厚】명 서로 친하여 정의가 두터움. ——-하다 형여불

친후[2]【親候】명 부모의 체후(體候).

친흡【親洽】명 극진하고도 골고루 미침. ——-하다 형여불

친-히[1]【親—】부 ①친하게. ¶~ 지내다. ②몸소. 손수. ¶~ 행하다.

친히[2]【親亦】부〈이두〉친히.

칠[1]【漆】명 ①↗옻칠. ②도료(塗料)로 쓰는 물질. 또, 그것을 바르는 일. ¶~이 벗겨지다. ——-하다 타여불

칠[2]【七】수 일곱.

칠각【七覺】명〖불교〗수도상(修道上)의 일곱 가지 요건(要件). 곧, 지혜로써 법의 진위(眞僞)를 선택하는 택법각(擇法覺), 용맹심(勇猛心)으로써 진법(眞法)을 행하는 정진각(精進覺), 마음에 선법(善法)을 얻어 환희를 느끼는 희각(喜覺), 허위·번뇌를 제단(除斷)하고 심신의 경안(輕安)을 느끼는 제각(除覺), 선정(禪定)에 들어가서 망상(妄想)을 일으키지 아니하는 정각(定覺), 잘 사념(思念)하여 정혜(定慧)를 명기(明記)하는 염각(念覺), 집착(執着)을 원리(遠離)하는 사각(捨覺)의 총칭.

칠각-형【七角形】명〖수〗일곱 개의 직선으로 싸인 평면형(平面形). 칠변형(七邊形).

칠-감【漆—】[—깜] 명 칠로 쓰는 감. 도료(塗料).

칠감 식물【漆—植物】[—깜—] 명〖식〗칠료 식물(漆料植物).

칠갑【漆甲】명 철갑(鐵甲).

칠갑-산【七甲山】명〖지〗충청 남도 청양군(靑陽郡) 정산면(定山面)·대치면(大峙面)·장평면(長坪面) 경계에 있는 산. 명당(明堂) 자리가 일곱 군데 있어서 이 이름이 붙여졌다 함. 백제 법왕(法王) 때 창건된 장곡사(長谷寺)가 있으며, 도립 공원(道立公園)으로 지정되어 있음. [561m]

칠거【七去】명 ↗칠거지악(七去之惡).

칠거지-악【七去之惡】명 아내를 내쫓는 이유가 되는 일곱 가지 사항. 곧, 불순 구고(不順舅姑)·무자(無子)·음행(淫行)·질투·악질(惡疾)·구설(口舌)·도절(盜竊). 칠출(七出). ㊊칠거(七去). *삼불거(三不去).

칠-게 명〖동〗[*Macrophthalmus japonicus*] 달랑겟과에 속하는 게의 하나. 배갑(背甲)의 길이 25 mm, 폭 39 mm 내외이고, 두흉갑(頭胸甲)과 다리의 배면에 털이 적음. 두흉부에는 털이 없이 매끈하고 배갑에는 종구(縱溝)와 횡구(橫溝)가 각각 두 개씩 있음. 해변가의 진흙밭에 사는데, 한국·일본·중국 등지에 분포함.

칠견【七見】명〖불교〗바르지 못한 일곱 가지 견해. 곧, 사견(邪見)·아견(我見)·상견(常見)·단견(斷見)·계도견(戒盜見)·과도견(果盜見)·의견(疑見).

칠경【七經】명〖책〗일곱 가지 경서(經書). 곧, 시경(詩經)·서경(書經)·예기(禮記)·악기(樂記)·역경(易經)·춘추(春秋)·논어(論語). 또는 시경·서경·역경·예기·춘추·주례(周禮)·의례(儀禮). 또는 서경·시경·춘추·의례·주례·예기·논어. 또는 서경·시경·의례·주례·예기·공양전(公羊傳)·논어.

칠고[1]【七古】명〖문〗↗칠언 고시(七言古詩).

칠고[2]【七苦】명〖천주교〗↗성모 칠고(聖母七苦).

칠곡【漆谷】명〖지〗전에, 경상 북도 칠곡군(漆谷郡)의 한 읍(邑). 1981년, 대구 직할시에 편입됨.

칠곡-군【漆谷郡】명〖지〗경상 북도의 한 군. 관내 1읍 7면. 도의 서남부에 위치하며, 동남쪽은 대구 광역시, 서쪽은 성주군(星州郡)과 김천시(金泉市), 북쪽은 구미시(龜尾市), 동쪽은 군위군(軍威郡)에 인접함. 주산업은 농업으로, 쌀·보리·면화·사과·담배 등의 산출이 많고, 명승 고적으로는 천생 산성(天生山城)·가산성(架山城)·송림사(松林寺) 외에 보물 제 189 호인 송림사 오층석탑 등이 있음. 군청 소재지는 왜관읍(倭館邑)임. [451.02 km²: 86,318 명(1996)]

칠공【漆工】명 칠장이.

칠-공예【漆工藝】명 옻칠을 써서 하는 공예.

칠과【七科】명〖역〗입사로 칠과(入仕路七科).

칠관【七館】명〖역〗칠재(七齋)❷.

칠관 십이도【七官十二徒】명〖역〗고려 때 관학(官學)인 칠재(七齋)와 사학(私學)인 십이도의 총칭.

칠-관음【七觀音】명〖불교〗중생(衆生)을 교화(敎化)하기 위하여 일곱 가지로 변화한 관음. 곧, 천수(千手) 관음·마두(馬頭) 관음·십일면(十一面) 관음·성(聖)관음·여륜(如輪) 관음·준제(準提) 관음·불공 견삭(不空羂索) 관음.

칠교【七敎】명 사람이 지키어 나갈 일곱 가지 가르침. 군신·부자·부부·형제·붕우(朋友)·장유(長幼)·빈객(賓客)에 관한 도.

칠교-도【七巧圖】명 장난감의 한 가지. 직각 삼각형 큰 것 두 조각, 중간 것 한 조각, 작은 것 두 조각과 정사각형과 평행 사변형 각 한 조

각을 마음대로 이리저리 맞추어서 물건의 형상(形象)을 만들게 되어 있음. 칠교판.

〈칠교도〉

칠교-판【七巧板】명 칠교도(七巧圖).

칠-구두루부치【七—】명 〈심마니〉 잎이 일곱 난 산삼(山蔘).

칠-구신【—神】명 〈방〉 귀신(鬼神).

칠구 육십삼【七九六十三】명 『수』 구구법(九九法)의 하나. 일곱의 아홉 갑절이나 또는 아홉의 일곱 갑절은 예순 셋임.

칠국【七國】명 『역』 ①칠웅(七雄). ②↗오초 칠국(吳楚七國).

칠궁[1]【七宮】명 『지』 ①조선 역대(歷代)의 정궁(正宮) 출신이 아닌 군주의 사친(私親) 일곱 신위(神位)를 모신 곳. 서울 경복궁 뒤 궁정동(宮井洞)에 있음. 1725년 영조(英祖)가 모친 최숙빈(崔淑嬪)을 육상궁(毓祥宮)에 모신 것을 비롯하여 1908년 순종(純宗)이 원종(元宗)·경종(景宗)·진종(眞宗)·장조(莊祖)·순조(純祖)의 각 모친의 신위를 옮기고, 1929년에 이은(李垠)의 모친을 합하였음. ②조선 시대 때, 명례궁(明禮宮)·용동궁(龍洞宮)·수진궁(壽進宮)·어의궁(於義宮)·육상궁(毓祥宮)·경우궁(景祐宮)·선희궁(宣禧宮)의 총칭. *일사 칠궁(一司七宮)·별묘(別廟).

칠궁[2]【七窮】명 『농』 음력 칠월의 궁핍. 곧, 음력 칠월이 농가에서 묵은 곡식은 다 없어지고, 햇곡식은 아직 익지 아니하여 가장 곤궁한 때라는 뜻.

칠규【七竅】명 사람 얼굴에 있는, 귀·눈·코 들의 각 두 구멍과 입 한 구멍을 합한 일곱 구멍.

칠-그릇【漆—】명 칠기(漆器).

칠극【七極】명 『천주교』 칠죄종(七罪宗)에 상대되는 일곱 가지 덕행.

칠극-관【七極管】명 〔heptode〕『전』 양극·음극·제어 전극(制御電極)에 보통 격자(格子)로 쓰이는 전극 4개가 부가된 칠전극(七電極) 전자관.

칠금【七擒】명 ↗칠종 칠금(七縱七擒).

칠금-산【七金山】명 『불교』 구산 팔해(九山八海)에서 수미산(須彌山)과 철위산(鐵圍山)을 제외한 일곱 산을 이름. 모두 금빛이 나므로 금산이라고 함.

칠급 공무원【七級公務員】명 공무원 직급의 하나. 6급 공무원의 아래, 8급 공무원의 위로, 주사보(主事補) 등이 이에 해당함.

칠기[1]【七氣】명 희(喜)·노(怒)·비(悲)·은(恩)·애(愛)·경(驚)·공(恐)의 일곱 가지 심기(心氣).

칠기[2]【漆器】명 ①↗칠목기(漆木器). ②옻칠과 같이 검은 잿물로 된 도자기. 칠그릇.

칠-기구【七祈求】명 『천주교』 교황, 모든 성직자(聖職者), 나라의 지도자, 모든 천주교 신자, 천주교회의 모든 역경에 있는 사람, 미신자(未信者) 및 연령(煉靈) 들을 위하여 기구하는 일.

칠난【七難】〔—란〕명 『불교』 일곱 가지의 재화(災禍). 곧, 법화경 보문품(法華經普門品)에서는 수난(水難)·화난(火難)·나찰난(羅刹難)·왕난(王難)·귀난(鬼難)·가쇄난(枷鎖難)·원적난(怨賊難), 약사경(藥師經)에서는 인중 질역난(人衆疾疫難)·타국 침핍난(他國侵逼難)·자계 반역난(自界叛逆難)·성수 변괴난(星宿變怪難)·일월 박식난(日月薄蝕難)·비시 풍우난(非時風雨難)·과시 불우난(過時不雨難).

칠난 팔고【七難八苦】〔—란—〕명 ①『불교』 칠난과 팔고. ②전(轉)하여, 여러 가지 고난. 온갖 고난.

칠년【七年】〔—련〕명 일곱 해, 처음부터 세어서 일곱 돌째 되는 해. 【칠년 대흉(大凶)이 들어도 무당만은 안 굶어 죽는다】 사람이 궁할수록 미신을 찾는다는 말.

칠년 대:한【七年大旱】〔—련—〕명 칠 년 동안이나 내리 계속되는 큰 가뭄. 중국 은(殷)나라 탕왕(湯王) 때의 큰 가뭄. *구년지수(九年之水). 【칠년 대한에 비 바라듯】 매우 간절하게 기다리는 모양. ¶허구한 날 유씨 부인 죽이기를 칠년 대한에 비 바라듯 하여《金宇鎭 : 花上雪》. 【칠년 대한에 비 안 오는 날이 없었고 구년 장마에 볕 안 드는 날이 없었다】 옛날 중국 은나라 탕왕 때의 큰 가뭄에도 더러는 비가 왔고, 요(堯) 임금 때의 오랜 장마에도 볕 드는 날이 있었듯이, 세상 만사는 궂은 일만 계속되는 것이 아니라는 말.

칠년 대:환난【七年大患難】〔—련—〕명 『기독교』 천년 왕국(千年王國)이 오기 전의 말세(末世) 칠 년 동안에 받는다는 큰 환난.

칠년 전:쟁【七年戰爭】〔—련—〕명 『역』 1756-1763년에 걸쳐 프러시아와 영국의 두 나라와 오스트리아·러시아·프랑스 및 그 맹방(盟邦)간에 일어난 전쟁. 프리드리히(Friedrich) 대왕의 영도(領導)와 러시아의 배반으로 프러시아는 실레지아를 차지하고, 프랑스는 영국과의 식민지 전쟁에 패하여 캐나다와 인도를 상실함.

칠당【七堂】〔—땅〕명 『불교』 절에 있는 온갖 당우(堂宇). 곧, 불전(佛殿)·법전(法殿)·승당(僧堂) 등.

칠대【七大】〔—때〕명 『불교』 만유(萬有) 생성(生成)의 일곱 가지 요소. 곧, 지대(地大)·수대(水大)·화대(火大)·풍대(風大)·공대(空大)·견대(見大)·식대(識大).

칠대 만:법【七大萬法】〔—때—〕명 『책』 불교 서적을 번역한 책. 《진여 세계(眞如世界)》·《삼신 여래(三神如來)》·《성적등지(惺寂等誌)》 등의 불교책을 우리말로 번역한 것임. 조선 선조 2년(1569)에 간행됨.

칠-대복【七大福】〔—때—〕명 『천도교』 일곱 가지의 큰 복. 곧, 무궁아(無窮我)·지상 신선(地上神仙)의 인격·차생 극락(此生極樂)·장생(長生)·선지각(善知覺)·동귀 일체(同歸一體)·지상 천국(地上天國).

칠대 실록【七代實錄】〔—때—〕명 『책』 고려 칠대에 걸친 사적을 모은 책. 거란(契丹)의 입구(入寇) 때 궁궐과 함께 비고(祕庫)의 사적(史籍)이 모두 소실되어 현종 4년(1013) 9월에 최항(崔沆)·김심언(金審言) 등으로 하여금 문사를 모아 널리 사료를 수집하게 하고, 고려 태조로부터 목종(穆宗)에 이르기까지 칠대의 실록을 편찬하기 시작하여 덕종 3년(1034) 수국사(修國史) 황주량(黃周亮) 등에 의하여 완성됨. 현재 전하지 아니함.

칠-대양【七大洋】〔—때—〕명 『지』 일곱 군데의 큰 바다. 곧, 북태평양·남태평양·북대서양·남대서양·인도양·북극양·남극양.

칠덕【七德】〔—떡〕명 ①무(武)의 일곱 가지 덕. 곧, 금폭(禁暴)·즙병(戢兵)·보대(保大)·정공(定功)·안민(安民)·화중(和衆)·풍재(豐財). ②정치상 필요한 일곱 가지 덕. 곧, 존귀(尊貴)·명현(明賢)·용훈(庸勳)·장로(長老)·애친(愛親)·예신(禮新)·신구(新舊). ③시(詩)에서 필요한 일곱 가지 덕. 곧, 식리(識理)·고고(高古)·전려(典麗)·풍류(風流)·정신(精神)·질간(質幹)·체재(體裁).

칠덕-무【七德舞】〔—떡—〕명 『춤』 당(唐)나라 태종이 무(武)의 일곱 덕(德)을 기린 춤. 구공무(九功舞)·상원무(上院舞)와 더불어 삼대무(三大舞)라 함.

칠독【漆毒】〔—똑〕명 옻의 독기.

칠드 주물【—鑄物】명 〔chilled castings〕 필요한 부분에 금형을 사용하여 급속 냉각시켜, 그 표면만을 백선(白銑)으로 만드는 선철(銑鐵) 주물. 표면의 경도(硬度)가 극히 높고 내마모성(耐磨耗性)이 큰 것이 특징임. 압연 롤(壓延roll)·차륜 등에 쓰임.

칠떡-거리다 자 물건이 너무 길어 끌리어서 바닥에 닿았다 들렸다 하다. ¶바짓가랑이를 칠떡거리고 다니다. 칠떡-칠떡 부. ——-하다 자 여불

칠떡-대다 자 칠떡거리다.

칠-뜨기【七—】명 〈속〉 칠삭둥이.

칠-띠【七—】명 화투놀이에서, 단(短) 일곱 개를 이름.

칠락 팔락【七落八落】명 칠령 팔락(七零八落). ——-하다 형 여불

칠략【七略】명 『책』 중국 전한(前漢)의 유향(劉向)의 별록(別錄)에 입각하여 그의 아들 흠(歆)이 지은 서적 분류 목록. 서적 목록의 시조라고 할 수 있는 이 책은 집략(輯略)·육예략(六藝略)·제자략(諸子略)·시부략(詩賦略)·병서략(兵書略)·술수략(術數略)·방기략(方技略)의 칠략으로 분류됨. 약 3만 2천 권이었다고 함.

칠량【七樑】명 『건』 집의 갈비가 세 간통되게 넓게 지을 때, 오량(五樑)으로는 상연(上椽)의 경사(傾斜)가 급하지 못하므로 보 두 줄을 더 놓아 짓는 방식. →치량.

칠량-각【七樑閣】명 『건』 칠량집.

칠량-보【七樑—】〔—뽀〕명 『건』 칠량집 한가운데 줄의 보. →치량보.

칠량-집【七樑—】〔—찝〕명 『건』 칠량으로 지은 집. 칠량각(七樑閣). →치량집.

칠량 쪼구미【七樑—】명 『건』 칠량보를 받치는 동자 기둥. →치량 쪼구미.

칠럼-거리다 자 많은 물이 움직이는 대로 조금씩 넘쳐 흐르다. >찰람거리다. 칠럼-칠럼 부. ——-하다 자 여불

칠럼-대다 자 칠럼거리다.

칠럼-하다 형 여불 물이 그득히 괴어 있다. >찰람하다.

칠렁-칠렁 부 큰 그릇에 물이 그득그득 괴어 있는 모양. >찰랑찰랑[2]. ——-하다 형 여불 「렁-히 부

칠렁-하다 형 여불 큰 그릇에 물이 그득하게 괴어 있다. >찰랑하다[2]. 칠

칠레 〔Chile〕명 『지』 남아메리카 안데스 분수령(分水嶺)에서, 태평양 연안(沿岸)의 남반(南半)을 차지한 협장(狹長)한 공화국. 길이는 4,480km, 폭은 74-320km임. 산지(山地)가 많은데, 북쪽은 건조·사막 기후이며, 중부의 칠레 계곡은 수 개의 분지(盆地)로 나뉘어 온난(溫暖)한 지중해식 기후(地中海式氣候)이고, 남위 42도선 이남은 냉량 온습(冷涼溫濕) 기후임. 북쪽의 구리·칠레 초석(硝石), 남쪽의 석유·석탄 이외에 금·은·망간 등의 광산물이 있으며 구리가 주요 수출품임. 농업은 중부의 계곡 지대에서 행하여지는데, 밀·감자·옥수수·사탕무가 주산물임. 남쪽에는 삼림 자원(森林資源)이 많고 어업도 성함. 본디 잉카 제국의 일부였는데, 1541년 스페인 식민지가 된 후 1810년 자치 정부(自治政府)를 수립하고 1818년 독립을 선언함. 주민의 75%가 스페인계(系) 백인이며 원주민은 5%뿐임. 공용어(公用語)는 스페인어(語). 정식 명칭은 칠레 공화국(Repubic of Chile). 수도는 산티아고(Santiago). [756,945 km² : 12,750,000 명(1988)]

칠레 대:지진【—大地震】〔Chile〕명 『역』 1960년 5월 21-22일 칠레의 남부연안에 광범위하게 일어난 세계적인 지진의 하나로 여러 도시에 막대한 피해를 입혔음. 또한 이 지진으로 인하여 발생한 해일은 하와이를 비롯하여 진원지(震源地)로부터 약 17,000km나 떨어진 일본의 태평양 연안 전역에까지 미쳐 참혹한 피해를 입혔음. 사망자만 해도 칠레에서 5,700명, 하와이에서 122명, 일본에서 119명에 이르렀음. 진도(震度) 8.5-8.9.

칠레 초석【—硝石】〔Chile〕명 『광』 〔칠레 북부의 아타카마(Atacama) 사막에서 많이 산출되는 데서 유래함〕 질산 나트륨으로 이루어진 광물. 보통 덩어리로 산출되는데 백색·능면체(稜面體)의 결정(結晶)으로 갈라진 자리는 조개 껍질 모양이고 방해석(方解石)과 비슷하게 생겼음. 유리와 같은 빛을 내고 물에 잘 녹으며 흡습 용해성(吸濕溶解性)이 있는 점에서 초석과 구별됨. 질산염의 원료로서 비료·화약 등의 제조에 많이 사용되었음. 소다 초석(soda 硝石). 지리 초석(智利硝石).

칠령 팔락【七零八落】명 ①사물이 서로 연락되지 못하고 고르지도 못함. ②영락(零落)함. 지리 멸렬(支離滅裂)이 됨. 칠락 팔락(七落八落). ——-하다 자 형 여불

칠로에 섬 〔Chiloe〕명 『지』 칠레의 중남부, 태평양 연안 열도(列島)의 북단(北端)에 있는 섬으로 푸에르토몬트(Puerto Montt)의 남방에 있으며, 좁은 앙쿠드 만(Ancud灣)과 코르코바도 만(Corcovado灣)으로 본토와 분리되어 있음. 삼림(森林)이 많으며, 임업·어업·목축업이 성함.

앙쿠드 · 카스트로(Castro) 등 항구가 있음. [8, 394 km²]

칠료 식물【漆料植物】명 여러 가지 칠의 원료가 되는 식물의 총칭. 참옻나무 등. 칠감 식물.

칠루【七漏】명〖불교〗일곱 가지의 번뇌. 곧, 견루(見漏)·수루(修漏)·근루(根漏)·악루(惡漏)·친근루(親近漏)·수루(受漏)·염루(念漏).

칠룩 팔십사【七六八十四】[—썹—] 명〖수〗구귀가(九歸歌)의 하나. 일곱으로 여섯을 나눔에는 여섯을 몫 여덟으로 만들고, 잔(殘) 넷을 아랫 자리에 놓으라는 뜻.

칠률【七律】명 ↗칠언 율시(七言律詩).

칠림【漆林】명 옻나무 숲.

칠립【漆笠】명 옻칠을 한 갓. 흑립(黑笠).

칠링〔chilling〕명〖야금〗주물(鑄物)에서 열(熱)을 급속하게 제거함.

칠망【七望】명〖천〗음력 열 이렛날에 되는 망(望).

칠면-조【七面鳥】명 ①〖조〗[*Meleagris gallopavo*] 꿩과에 속하는 새. 수컷은 암컷보다 커서 몸길이 110 cm나 되며 머리와 목에는 털이 없고 그 색채가 청색·적색·창백색 등의 여러 색으로 변하므로 이 이름이 붙음. 몸빛은 청동색·백색·흑색 등의 것이 있고, 등은 대개 황갈색이고 깃털에는 넓은 암색(暗色)의 선이 있으며, 다리는 붉고, 부리는 연한 회색임. 7-8월에 16-30개의 알을 낳으며 곤충이나 곡식을 먹음. 멕시코 및 중미(中美)에서 기르던 것이 아메리카 대륙의 발견 후 전세계에서 육용(肉用) 및 애완용으로 널리 사육됨. 미국및 유럽에서는 크리스마스 등 축일에 이를 잡아 요리함. ②언행에 줏대가 없이 이랬다저랬다 하는 사람을 비유하는 말.

〈칠면조❶〉

칠면-초【七面草】명〖식〗[*Suaeda japonica*] 명아줏과에 속하는 일년초. 줄기 높이 50 cm 가량이고, 잎은 호생(互生)하고 잎꼭지가 없으며, 선형 또는 가꿀 달걀꼴의 유질(肉質)인데 처음에는 녹색이었다가 자색으로 변함. 8-9월에 녹색의 자웅화(雌雄花)가 섞이어 엽액(葉腋)에 단립(單立) 또는 쌍생(雙生)하여 피고, 과실은 포과(胞果)임. 해변에 나며, 전남·전북·경기·황해·평안 남도에 분포함. 어린잎은 식용함.

〈칠면초〉

칠목【漆木】명〖식〗옻나무.

칠목-가래【七—】명〈방〉일곱목한카래.

칠-목기【漆木器】명 옻칠한 나무 그릇. 칠그릇. ㊀칠기(漆器).

칠목기-전【漆木器廛】명 옻칠한 농짝·나무 그릇 등을 파는 가게.

칠무늬 토기【漆—土器】[—니—] 명〖고고학〗겉면에 적·청·황색 안료(顔料)를 써서 기하학적 무늬를 그려 넣은 토기. 신석기 시대의 한반도 동북·서북 지방에서 출토되는 토기로 중국 동북 지방의 영향으로 만들어진 듯함. 선사 시대의 회백색 토기 가운데 어깨 부분에 검은색으로 나타낸 가지 모양의 무늬가 돌려 있는 토기도 지금까지 칠무늬로 불리어왔으나, 이는 가지무늬 토기로서 따로 분류함. 채색 토기(彩色土器).

칠문【漆門】명〖역〗벼슬아치로서 간악(奸惡)하고 탐오(貪汚)한 행위가 있을 경우, 감찰(監察)들이 야다시(夜茶時)에 서죄(書罪)할 때 그의 집 문짝에 검은 칠을 하고 문(門)을 봉하여 수결(手決)을 둠. *서죄(書罪). ——-하다 자여불

칠물【漆物】명 옻칠을 한 기물(器物)의 총칭.

칠-박【漆—】명 옻칠을 한 함지박.

칠반 천:역【七般賤役】명〖역〗조선 시대 때, 천한 계급이 종사하는 일곱 가지 천역(賤役). ①관아의 조례(皁隷), 의금부(義禁府)의 나장(羅將), 지방청(地方廳)의 일수(日守), 조운창(漕運倉)의 조군(漕軍), 각 수영(水營)의 수군(水軍), 봉화(烽火)를 올리는 봉군(烽軍), 역참(驛站)의 역보(驛保) 등을 일컬음. ②노비·기생·영인(伶人)·혜장(鞋匠)·향리(鄕吏)·사령(使令)·승려(僧侶). 칠천(七賤).

칠발-도【七發島】[—또] 명〖지〗전라 남도 서해상(西海上), 신안군(新安郡) 비금면(飛禽面) 고서리(古西里)에 위치한 섬. 등대(燈臺)가 있음. [0.04 km²: 6명(1984)]

칠방【漆房】명 칠물(漆物)을 만드는 공방(工房).

칠배【七排】명〖문〗↗칠언 배율(七言排律).

칠백【七魄】명 ①도교(道教)에서, 사람의 몸에 있는 일곱 가지 넋. 몸 안에 있는 탁한 영혼으로, 시구(尸狗)·복시(伏矢)·작음(雀陰)·탄적(呑賊)·비독(非毒)·제예(除穢)·취폐(臭肺)의 일컬음. ②〖불교〗죽은 사람의 몸에 남아 있는 일곱 가지의 정령(精靈). 곧, 귀가 둘, 눈이 둘, 콧구멍이 둘, 입이 하나. *삼혼(三魂).

칠백 의:총【七百義塚】명〖지〗충청 남도 금산군(錦山郡) 금성면(錦城面) 의총리(義塚里)에 있는, 임진 왜란 때 왜적을 무찌르다 금산(錦山)들에서 순절한 의병장(義兵將) 고경명(高敬命)·조헌(趙憲)·영규 대사(靈圭大師) 등 700 의사(義士)의 유해를 합장(合葬)한 묘역(墓域). 본디 조선 선조(宣祖) 25년(1592)에 조헌의 제자들이 이룩한 칠백 의사총(七百義士塚)에서 비롯하여, 선조 36년(1603)에 순의비(殉義碑), 인조(仁祖) 25년(1647)에 사당 종용사(從容祠)가 건립되었는데, 1940년에 왜인들이 파괴한 것을, 1952년 군민(郡民)의 성금으로 재건, 다시 정부에서 1970-76년에 크게 중수(重修)함. 사적 제 105 호.

칠변-형【七邊形】명〖수〗칠각형.

칠보【七寶】명 ①〖불교〗일곱 가지의 보배. 무량수경(無量壽經)에는 금·은·유리·파리(玻璃)·마노(瑪瑙)·거거(硨磲)·산호, 법화경(法華經)에는 금·은·마노·유리·거거·진주·매괴(玫瑰). 칠진(七珍). ②〖불교〗전륜성왕(轉輪聖王)이 가지고 있는 일곱 가지의 보배. 곧, 윤보(輪寶)·상보(象寶)·마보(馬寶)·여의주보(如意珠寶)·여보(女寶)·장보(將寶)·주장신보(主藏臣寶). ③은이나 구리 따위의 바탕에 갖가지 빛의 에나멜을 녹여 붙여서 꽃·새·인물 따위 무늬를 나타낸 세공(細工).

칠보-관【七寶冠】명 칠보로 꾸민 관.

칠보-교【七寶橋】명 ↗불국사 칠보교.

칠보 단장【七寶丹粧】명 여러 가지 패물(佩物)로 치장하여 몸을 꾸밈. ——-하다 자여불

칠보-대【七寶臺】명〖지〗금강산(金剛山) 신금강(新金剛)에 있는 봉우리. [1, 273 m]

칠보 뒤:꽂이【七寶—】명 칠보(七寶)를 갖추어 물려서 꾸민 뒤꽂이.

칠-보리【七菩提】명〖불교〗깨달음의 지혜(智慧)를 돕는 일곱 가지 행법(行法). 곧, 마음에 외어 잊지 아니하는 염보리(念菩提), 지혜로써 참과 거짓을 가리는 택법(擇法) 보리, 정법(正法)을 정려(精勵)하는 정진(精進) 보리, 정법을 얻어 환희(歡喜)하는 희(喜)보리, 심신(心身)이 경쾌하고 평온한 경안(輕安) 보리, 선정(禪定)에 들어 마음의 평온을 흐트러뜨리지 아니하는 정(定)보리, 마음이 치우치지 아니하고 고른 사(捨) 보리.

칠보 반지【七寶斑指】명 칠보(七寶)로 장식한 반지.

칠보-산【七寶山】명〖지〗함경 북도 길명 지구대(吉明地溝帶) 동쪽에 있는 산. 상응봉(上鷹峰) 동쪽에 위치함. 산록에 전장사(全藏寺)·개심사(開心寺) 등의 옛 절이 있음. [906 m]

칠보-잠【七寶簪】명 금·은·마노·산호 등 칠보(七寶)를 물려 꾸민 비녀. 수복자(壽福字) 칠보잠·칠보 호도잠(胡桃簪)·칠보 영락잠(瓔珞簪) 등 여러 가지가 있음.

칠보 장엄【七寶莊嚴】명〖불교〗칠보로 아름답고 장엄하게 장식하는 일. 또, 그것.

칠보-재【七步才】명〔중국 위(魏)나라 조식(曹植)이 일곱 걸음을 걸을 동안에 시를 지은 고사(故事)에서 유래〕아주 뛰어난 재주. 특히, 시재(詩才)·문재(文才)를 일컫는 말.

칠보 정토【七寶淨土】명〖불교〗칠보로 장식한 장엄한 정토. 극락 정토.

칠보 족두리【七寶—】명 새색시가 쓰는 족두리. 금박(金箔)을 박고 여러 가지의 패물로 꽃 모양을 만들어 꾸밈. 소례복(小禮服)에 갖추어 쓰며, 서민(庶民)은 혼례 때에만 씀.

칠보-치마【七寶—】명〖식〗〔*Metanarthecium luteo-vinide*〕백합과에 속하는 다년초. 약간 습기가 있는 곳에서 처녀치마와 함께 자람. 뿌리줄기는 짧고 굵으며, 도피침형의 잎은 뿌리에서 10여 개가 나와 사방으로 퍼짐. 6～7월에 높이 20-40 cm의 꽃줄기 끝에 많은 흰 꽃이 수상 화서로 달림. 열매는 삭과로 달걀꼴임. 수원(水原) 근처의 칠보산(七寶山)에 자람.

칠보 화관【七寶花冠】명 칠보(七寶)로 장식한 화관. 의식(儀式) 때, 대례복(大禮服)에 갖추어 씀.

칠복【七福】명 칠난(七難)을 벗어난 행복.

칠-봉【七峰】명〖지〗전라 북도 무주군(茂朱郡)에 있는 산. [1, 292 m]

칠분-도【七分搗】명 현미(玄米)를 찧어서 겉쪽의 겨층(層)의 7할을 제거하는 용정(舂精).

칠분도-미【七分搗米】명 칠분도로 찧은 쌀. 칠분도쌀.

칠분도-쌀【七分搗—】명 칠분도미.

칠분-은【七分銀】명〖역〗칠성은(七成銀). 정은(丁銀).

칠불【七佛】명〖불교〗과거에 나타난 일곱 부처. 곧, 비바시불(毗婆尸佛)·시기불(尸棄佛)·비사부불(毗舍浮佛)·구류손불(拘留孫佛)·구나함모니불(俱那含牟尼佛)·가섭불(迦葉佛)·석가모니불.

칠불-사【七佛寺】[—싸] 명〖불교〗평안 남도 안주(安州)에 있는 절. 법흥사(法興寺)의 말사(末寺)임. 고구려 을지 문덕(乙支文德)이 수양제(隋煬帝)의 대군을 살수(薩水)에서 격멸할 때에, 7명의 중이 옷을 입은 채 강을 쉽게 건너 수나라의 군사로 하여금 얕은 줄 알고 건너게 하여 모두 빠져 죽게 했다는 7불을 모셨다 함.

칠불-암【七佛庵】명〖불교〗경상 남도 하동(河東) 쌍계사(雙溪寺)의 암자(庵子).

칠-붓【漆—】명 칠을 할 때에 쓰는 붓.

칠-뿜기【漆—】[—끼] 명 도료(塗料) 따위를 안개 모양으로 뿜어서 칠하는 일.

칠사[1]【七史】[—싸] 명〖역〗중국의 ≪송사(宋史)≫·≪남제서(南齊書)≫·≪양서(梁書)≫·≪진서(陳書)≫·≪위서(魏書)≫·≪북제서(北齊書)≫·≪주서(周書)≫의 일곱 정사(正史)의 총칭.

칠사[2]【七祀】[—싸] 명〖역〗봄에 사명(司命)과 호(戶), 여름에 조(竈), 가을에 문(門)과 여(厲), 겨울에 행(行), 계하(季夏)와 토왕(土旺)에 중류(中霤)에 지내는 제사.

칠사-강【七事講】[—싸—] 명〖역〗조선 시대 수령(守令)이 대궐에 하직하고 임소(任所)로 갈 때에 계판(啓版) 앞에서 수령 칠사(守令七事), 곧 농상성(農桑盛)·호구증(戶口增)·학교흥(學校興)·군정수(軍政修)·부역균(賦役均)·사송간(詞訟簡)·간활식(姦猾息)의 수령이 지켜야 할 일곱 조목을 외는 일. *칠사 실적(七事實績).

칠사 공:동 성명【七四共同聲明】[—싸—] 명 1972 년 7 월 4 일 서울과 평양에서 공동으로 발표한 통일 원칙에 관한 성명. 첫째 외세 의존(外勢依存)과 간섭을 배제한 자주적 해결, 둘째 무력을 배제(排除)한 평화적 방법으로의 통일 실현, 셋째 사상과 이념·제도의 차이를 초월한 민족적 대단결(大團結)을 도모한다고 하였음. 또한 상대방을 중상·비방하지 않으며 무력 도발과 군사적 충돌을 방지하고, 남북 적십자 회담의 성사(成事), 서울과 평양의 직통 전화(直通電話) 가설, 남북 조절(調節) 위원회 구성 문제 등이 언급(言及)되어 있음. 남북 공동 성명(南北共同聲明).

칠사 실적【七事實績】[─싸─쩍] 명 〖역〗 고려 이래로, 지방 수령(守令)의 통치 규범의 준거(準據)로 삼은 일곱 가지 실적(實績). 농상의 번성, 곧 농상성(農桑盛), 호구의 증가, 곧 호구증(戶口增), 학교의 흥성, 곧 학교흥(學校興), 군정(軍政)의 엄수(嚴修), 곧 군정수(軍政修), 부역의 균등, 곧 부역균(賦役均), 사송의 간결, 곧 사송간(詞訟簡), 도둑의 종식, 곧 간활식(姦猾息).

칠사 오:십오【七四五十五】[─싸─] 명 〖수〗 구귀가(九歸歌)의 하나. 일곱으로 넷을 나눔에는 그 넷을 몫 다섯으로 만들고 잔(殘) 다섯을 그 아랫 자리에 놓으라는 뜻.

칠삭둥-이【七朔─】[─싹─] 명 ①밴 지 일곱 달 만에 난 아이. ②어리석어 바보 같은 사람을 조롱하여 이르는 말. *칠뜨기.

칠산 바다【七山─】[─싼빠─] 명 〈속〉〖지〗 전라 남도 영광군(靈光郡) 백수읍(白岫邑)의 앞바다. 칠산도(七山島)가 있음. 조기잡이 어장(漁場)으로 유명함.

칠산화 망간【七酸化─】[mangan] [─싼─] 명 〖화〗 칠산화 이망간.

칠산화-물【七酸化物】[─싼─] 명 [heptoxide] 〖화〗 분자 중에 일곱 개의 산소 원자를 함유한 산화물.

칠산화 이:망간【七酸化二─】[─싼─] 명 [manganese heptoxide] 〖화〗 산화 망간❺.

칠삼 사:십이【七三四十二】[─쌈─] 명 〖수〗 구귀가(九歸歌)의 하나. 일곱으로 셋을 나눔에는 그 셋을 몫 넷으로 만들고 잔(殘) 둘을 그 아랫 자리에 놓으라는 뜻.

칠삼 황동【七三黃銅】[─쌈─] 명 〖화〗 구리 7, 아연(亞鉛) 3의 비율(比率)로 된 구리의 합금(合金). 전연성(展延性)이 커서 파이프·판(板) 등으로 쓰임.

칠색[1]【七色】[─쌕] 명 ①적(赤)·청·황·녹(綠)·자(紫)·남(藍)·주황(朱黃)의 일곱 가지 빛깔. ②〖물〗 태양광(太陽光)을 스펙트럼으로 나눌 때 나타나는 일곱 가지의 빛깔. 곧, 빨강·주황·노랑·초록·파랑·남빛·자주빛. *무지개.

칠색 팔색을 하다 구 얼굴 빛이 변하도록 놀라며 믿지 않다.

칠색[2]【漆色】[─쌕] 명 옻칠의 광택.

칠생【七生】[─쌩] 명 〖불교〗 일곱 번 다시 태어나는 일. 이 세상에 다시 태어날 수 있는 가장 많은 극한(極限).

칠서[1]【七書】[─써] 명 〖책〗 ①삼경(三經)과 사서(四書). 곧, 주역(周易)·서경(書經)·시경(詩經)·논어·맹자·중용(中庸)·대학(大學). ②↗무경 칠서(武經七書).

칠서[2]【漆書】[─써] 명 종이가 없던 옛날에 대쪽에 글자를 새기고 그 글자에 옻칠을 한 글자.

칠-서대【七─】명 〖어〗 [*Areliscus interruptus*] 참서댓과에 속하는 바닷물고기. 몸은 혀 모양으로 길고, 몸빛은 갈색임. 우리 나라 남해안 및 일본 중부 이남과 중국 연해에 분포함.

칠서 언:해【七書諺解】[─써─] 명 〖책〗 중국의 경서(經書)인 칠서를 한글로 해석한 책. 조선 선조(宣祖) 18년(1585)에 교정청(校正廳)을 설치하고 왕명(王命)으로 경서 훈해(經書訓解)의 교정을 추진하여 이루어진 책.

칠석【七夕】[─썩] 명 ①명절의 하나. 음력 칠월 초이렛날의 밤. 이날 은하(銀河) 동쪽에 있는 견우성(牽牛星)이 서쪽에 있는 직녀성(織女星)과 오작교(烏鵲橋)에서 1년에 한 번 만난다고 함. 예전부터 걸교(乞巧)와 폭서(曝書)의 풍습이 있음. ②↗칠석날.

칠석-날【七夕─】[─썽─] 명 칠석이 되는 날. 준칠석.

칠석-물【七夕─】[─썽─] 명 칠석날에 오는 비.

칠석물(이) 지다 구 칠석날에 비가 와서 큰물이 지다.

칠석-요【七夕謠】[─썽─] 명 칠석날에 부르는 민요.

칠석-제【七夕製】[─썩─] 명 〖역〗 칠석에 행하던 과거. 오제(梧製).

칠선【漆扇】[─썬] 명 옻칠을 한 부채. 단선(團扇)과 접선(摺扇)이 있으며, 접선의 살에만 옻칠을 한 것도 있음.

칠성[1]【七成】[─썽] 명 황금의 품질을 10등으로 나눈 제4등.

칠성[2]【七星】[─썽] 명 ①〖천〗 ↗북두 칠성. ②〖불교〗 ↗ 칠성각(七星閣). ③〖불교〗 ↗ 칠성당(七星堂). ④〖불교〗↗칠원 성군(七元星君). ⑤↗칠성판(七星板).

칠성[3]【七聲】[─썽] 명 〖악〗 동양 음악에서, 칠음(七音)의 일컬음.

칠성-각【七星閣】[─썽─] 명 〖불교〗 칠원 성군(七元星君)을 모신 집. 칠성전(七星殿). 준칠성(七星).

칠성 겹줄【七─】[─썽─] 명 〈방〉 칠정 겹줄.

칠성-고기【七星─】[─썽─] 명 〈방〉〖어〗 칠성장어.

칠성-굿【七星─】[─썽─] 명 〖민〗 수명 장수를 발원하여 하는 굿. 흔히, 큰 굿의 한 제차(祭次)로 행하여짐. 북두 칠성을 칠성신의 신체(神體)로 믿는 민간 신앙적 요소가 진함.

칠성-님【七星─】[─썽─] 명 칠원 성군(七元星君)의 존칭.

칠성-단【七星壇】[─썽─] 명 〖불교〗 칠원 성군(七元星君)을 모신 단(壇).

칠성-당【七星堂】[─썽─] 명 〖불교〗 칠원 성군(七元星君)을 주신(主神)으로 모신 당(堂). 준칠성(七星).

칠성-무당벌레【七星─】[─썽─] 명 〖충〗 [*Coccinella septempunctata*] 무당벌렛과에 속하는 곤충. 몸길이 8 mm 내외이고, 몸빛은 흑색, 시초(翅鞘)는 등황색에 일곱 개의 흑색 점문(點紋)이 있으며 두정(頭頂)의 복안(複眼) 내연(內緣)에 두 개의 담황색 무늬가 있음. 유충은 검고 등색(橙色)의 털과 무늬가 있으며, 성충과 함께 각종 진딧물을 잡아먹는 익충(益蟲)임. 전세계에 분포(分布)하는 공통종임.

〈칠성무당벌레〉

칠성-뱀【七星─】[─썽─] 명 〈방〉〖어〗 칠성장어.

칠-성사【七聖事】[─썽─] 명 〖천주교〗 예수가 정한 일곱 가지 성사. 곧, 세례(洗禮)·견진(堅振)·고백(告白)·성체(聖體)·병자(病者)·신품(神品)·혼인(婚姻).

칠성-상어【七星─】[─썽─] 명 〖어〗 [*Notorhynchus platycephalus*] 신락상어과에 속하는 바닷물고기. 대형의 상어인데 머리는 폭이 넓고 종편(縱扁)하며, 눈에 순막이 없고 분수공이 작으며 등지느러미는 한 개임. 몸빛은 다갈색으로 암갈색의 무늬가 있음. 한국 서남해와 동해 남부·일본 중부 이남·인도양·지중해 등에 분포함.

칠성-은【七成銀】[─썽─] 명 정은(丁銀).

칠성-장어【七星長魚】[─썽─] 명 〖어〗 [*Entosphenus japonica*] 다묵장어과에 속하는 물고기. 몸길이 63 cm 내외로, 뱀장어와 비슷하나, 머리가 몹시 뾰족하고, 몸빛은 흑청색이며, 배 쪽은 흼. 한국 동남해에 유입하는 각 하천·일본 등지에 분포함. 6-7월경에 바다에서 하천으로 거슬러 올라와 상류에서 알을 낳는데, 한 마리의 포란 수는 7만 내외임. 맛이 좋고, 눈이 어두운 데 약이 됨.

〈칠성장어〉

칠성-전【七星殿】[─썽─] 명 〖불교〗 칠성각(七星閣).

칠성-제【七星祭】[─썽─] 명 〖민〗 음력 정월 초이렛날 야반(夜半)에, 일가의 평안 무사와 자녀의 장성(長成)을 빌면서 칠성당에 드리는 제사.

칠성-초【七星草】[─썽─] 명 〖식〗 금성초(金星草).

칠성 탱화【七星幀畫】[─썽─] 명 〖불교〗 칠원 성군(七元星君)을 그린 탱화.

칠성-판【七星板】[─썽─] 명 관(棺) 속 바닥에 까는 얇은 널조각. 북두 칠성을 본떠서 일곱 구멍을 뚫음. 준칠성(七星).

칠성-풀이【七星─】[─썽─] 명 호남 지역 일대에 전승되는 서사 무가(敍事巫歌). 씻김굿이나 축원굿 등에서 구연(口演)됨. 칠성님과 매화 부인의 아들 칠형제가 뒤에 칠성신(七星神)이 된다는 줄거리.

칠성-풀잠자리【七星─】[─썽─] 명 〖충〗 [*Chrysopa septempunctata*] 풀잠자릿과에 속하는 곤충. 몸길이 13-15 mm, 편 날개가 40 mm 내외, 몸빛은 녹색 내지 황록색이며, 흉배(胸背)에 황색의 1 중조(中條)가 있음. 촉각은 황색, 얼굴에 2-7개의 흑색 무늬가 있으며 날개는 투명, 연문(緣紋)은 담록갈색임. 유충·성충은 과수원에서 작은 벌레를 잡아먹는 익충(益蟲)으로, 한국 및 동양 각지에 분포함.

칠-소반【漆小盤】[─쏘─] 명 옻칠을 한 소반.

칠수 유:고【七修類藁】[─쑤─] 명 〖책〗 중국 명(明)나라 가정(嘉靖) 45년(1566)에 낭영(郎瑛)이 찬(撰)한 책. 천지·국사(國事)·의리(義理)·변증(辨證)·시문·사물·기학(奇謔)의 칠류(七類)로 되었는데, 내용은 고금을 통하여 일반적으로 정치·사회·문학·역사·천문·지리·풍속·습관·생물 등 각 방면에 걸쳐서 의심되는 점을 들고, 작은 항목(項目)으로 많이 나누어서 고증(考證)하였음. 51권.

칠순[1]【七旬】[─쑨] 명 ①일흔 날. ②나이 일흔 살. ¶～ 노인.

칠순[2]【七順】[─쑨] 명 사람의 덕(德)을 높이는 일곱 가지 순종(順從)의 도(道). 곧, 순천(順天)·순지(順地)·순민(順民)·순리(順利)·순덕(順德)·순인(順仁)·순도(順道).

칠순-채【漆筍菜】[─쑨─] 명 옻나무 순을 데쳐서 헹구어 꼭 짜서 잘게 썰고, 소금·기름·깨소금을 쳐서 무친 나물.

칠실【漆室】[─씰] 명 매우 캄캄하게 어두운 방.

칠실지-우【漆室之憂】[─씰─] 명 [중국 노(魯)나라의 한 천부(賤婦)가 캄캄한 방에서 나라의 일을 걱정하였다는 데서 나옴] 제 분수에 넘치는 일을 근심함을 이르는 말.

칠십【七十】[─씹] 수관 일흔.

칠십 밀리 영화【七十─映畫】[milli] [─씹─] 명 칠십 밀리 폭(幅)의 필름을 사용하는 와이드 스크린(wide screen) 영화. 1955년 작품인 '오클라호마(Oklahoma)'로 시작된, 미국의 토드 에이오(Todd-AO) 방식이나 슈퍼 파나비전(super panavision) 방식 따위가 있음.

칠십오도-선【七十五度線】[─씹─] 명 [seventy-five-degree line] 〖군〗 적 항공기의 최종 폭탄 투하선과 고사포가 위치하는 엄호(掩護) 지역 사이의 가상선(假想線). 이 지점에서는 75° 의 사각(射角)으로 사격이 가능하고, 최종 폭탄 투하선에 효과적으로 공격할 수 있음.

칠십이-찬【七十二鑽】[─씹─] 명 거북이 등딱지에 72 개의 구멍을 내고 불에 태워 점을 치던 옛 거북점의 하나. 칠십이는 양수(陽數)의 극(極)인 9 와 음수(陰數)의 마지막 수 8 을 곱한 수임.

칠십이-후【七十二候】[─씹─] 명 음력에서, 일 년의 기후를 72로 나눈 것의 일컬음. 닷새를 일후(一候)로 함.

칠십인역 성:경【七十人譯聖經】[─씹─] 명 [라 Septuāginta] 〖기독교〗 구약 성서 그리스 역본(譯本)의 이름. 본디, 원문이 히브리 글로 된 구약 성서를 유태인 학자 70 명 혹은 72명이 알렉산드리아에서 그리스어(語)로 번역하였다는 전설에서 유래한 말. 셉투아진트(Septuagint).

칠십칠개국 그룹【七十七個國─】[─씹─] [group] 명 1964년의 국제 연합 무역 개발 회의 총회 후에 결성된 개발 도상국(開發途上國)의 모임. 회의 준비를 위하여 알제에 모였던 나라가 77 개국이었으며, 실제 멤버는 1990 년 현재 127 개 유엔 가맹국(加盟國)과 팔레스타인 해방 기구로 이루어짐.

칠야【漆夜】명 매우 캄캄한 밤. 흑야(黑夜).

칠-양지꽃【─陽地─】[─량─] 명 〖식〗 솜양지꽃.

칠언【七言】명 〖문〗 한 구(句)가 일곱 자로 된 한시(漢詩)의 한 체.

칠언 고:시【七言古詩】명 〖문〗 칠언으로 된 고시. 초사(楚辭) 및 항우(項羽)의 해하가(垓下歌), 한고조(漢高祖)의 대풍가(大風歌) 같은 것. 준칠고(七古).

칠언 배율【七言排律】명〖문〗한시체(漢詩體)의 하나. 한 구(句)가 칠언으로 된 배율. 준칠배(七排).

칠언-시【七言詩】명〖문〗한시(漢詩)의 한 구격(句格). 한 구절을 일곱 글자인 4·3의 격조로 엮어서 지은 시의 총칭. 이에는 칠언 고시(七言古詩)·칠언 절구(七言絶句)·칠언 율시(七言律詩)·칠언 배율(七言排律) 등이 있음.

칠언-율【七言律】[—뉼] 명〖문〗↗칠언 율시(七言律詩).

칠언 율시【七言律詩】[—씨] 명〖문〗칠언 팔구(八句)로 된 한시(漢詩). 준칠률(七律). 칠언뉼(七言律).

칠언 절구【七言絶句】명〖문〗칠언 사구(四句)로 된 한시(漢詩). 준칠절(七絶).

칠역-죄【七逆罪】명〖불교〗오역죄(五逆罪)에, 계화상(戒和尙)을 죽이는 악행(惡行), 곧 살화상(殺和尙)과, 사승(師僧)을 죽이는 악행, 곧 살아사리(殺阿闍梨)를 추가한 죄. 칠차죄(七遮罪).

칠엽-수【七葉樹】명〖식〗[*Aesculus turbinata*] 참나뭇과에 속하는 낙엽 교목(喬木). 높이 30 m, 지름 2 m 내외의 거목(巨木)으로 자람. 잎은 거꿀달걀꼴의 장타원형으로 가장자리에 둔한 톱니가 있음. 5-6월경 흰 바탕에 적색 무늬의 꽃이 원추 화서로 피는데, 암·수꽃의 구별이 있음. 과실은 거꿀달걀꼴로, 껍질이 두껍고 가을에 익으면 세쪽으로 갈라짐. 종실(種實)은 밤과 비슷한 적갈색 광택이 남. 일본 열도의 산지(山地) 특산으로, 가로수·정원수로 심으며, 나뭇결이 아름다워 가구류·세공물로 쓰임.

칠오-조【七五調】[—쪼] 명〖문〗신시(新詩)의 한 체. 일곱 자·다섯 자를 섞바꾸어 음조(音調)를 맞추어서 시를 지음.

칠오 칠십일【七五七十一】[—씹—] 명〖수〗구귀가(九歸歌)의 하나. 일곱으로 다섯을 나눔에는 그 다섯을 뭉 일곱으로 만들고, 잔(殘) 하나를 그 아랫 자리에 놓으라는 뜻.

칠와 호【—湖】[Chilwa] 명〖지〗아프리카 말라위(Malawi) 남동부, 니아사 호(Nyasa 湖)의 남동 약 100 km, 모잠비크(Mozambique)와의 국경에 있음. 길이 약 50 km, 폭 약 30 km. 유출 하천(流出河川)은 없으며, 수위(水位)의 계절 변화가 큼. 실와 호(Chilwa 湖).

칠-왕국【七王國】명 [heptarchy]〖역〗5세기 후반부터 9세기 전반에 걸쳐 잉글랜드(England)에 성립하였던, 켄트(Kent)·서식스(Sussex)·웨식스(Wessex)·에식스(Essex)·노섬브리아(Northumbria)·이스트 앵글리아(East Anglia)·머시아(Mercia)의 일곱 왕국. 이 칠왕국의 시대는 영국사상(英國史上) 암흑 시대로, 사회 체제는 원시 씨족제(原始氏族制)의 성격을 띠고 부족의 지휘자인 왕과 그 측근자(側近者)의 권력이 증대하여 지배 계급을 형성하는 경향이 이미 나타나서, 다음의 봉건 사회로 넘어갈 기운이 조성되어 가던 시대였음.

칠요【七曜】명 ↗칠요일(七曜日).

칠-요일【七曜日】명 일주일을 일곱으로 나눈 요일의 일컬음. 곧, 일요일·월요일·화요일·수요일·목요일·금요일·토요일의 총칭. 유태교(猶太教) 및 기독교를 믿는 나라의 역서(曆書)에서 쓰기 시작하였음. 칠치(七値). 준칠요(七曜).

칠웅【七雄】명〖역〗[웅(雄)은 수장(首長)의 뜻] 중국의 전국 시대에 할거하던 진(秦)·초(楚)·연(燕)·제(齊)·조(趙)·위(魏)·한(韓)의 7 강국(強國). 칠국(七國).

칠원-성군【七元星君】명〖불교〗북두(北斗)의 일곱 성군. 곧, 탐랑(貪狼) 성군·거문(巨文) 성군·녹존(祿存)성군·문곡(文曲)성군·염정(廉貞) 성군·무곡(武曲) 성군·파군(破軍) 성군의 일곱 신(神). 북두 칠성(北斗七星). 준칠성(七星).

칠월【七月】명 일 년 중의 일곱째의 달.
[칠월 더부살이가 주인 마누라 속곳 걱정한다] 농번기가 다 지난 칠월에야 들어온 신출나기가, 더구나 제게는 아무 관계도 없는 일에 주제넘게 나서서 걱정을 한다는 말. [칠월 장마는 꾸어서 해도 한다] 우리 나라에서 칠월에는 으레 장마가 있게 마련이라는 말.
칠월 송아지 구 칠월이 되어 농사(農事)의 힘드는 일도 끝나고 여름내 푸른 풀을 뜯어 먹고 번지르르해진 송아지처럼, 팔자(八字) 늘어진 사람의 비유.

칠월 왕정【七月王政】명〖역〗칠월 왕조(王朝).

칠월 왕조【七月王朝】명 [프 Monarchie de Juillet]〖역〗칠월 혁명의 결과로 성립되어, 이월 혁명까지 존속한 프랑스왕 루이 필리프의 치세(治世). 칠월 왕정(王政).

칠월 혁명【七月革命】명 [프 Révolution de Juillet]〖역〗1830년 7월 파리에서 일어난 부르주아 혁명. 프랑스왕 샤를르 10세가 귀족을 중심으로 하는 전제 정치를 단행하여, 언론·출판을 탄압하는 등 극단적인 반동 정치(反動政治)를 행한 데 대하여 국민이 봉기한 것임. 그 결과 왕은 영국으로 망명하고, 루이 필리프가 즉위(卽位)하였음.

칠음【七音】명〖악〗①음악의 음계(音階)를 이루는 일곱 가지 소리. 동양 음악에서는 궁(宮)·상(商)·각(角)·변치(變徵)·치(徵)·우(羽)·변궁(變宮), 서양 음악에서는 도·레·미·파·솔·라·시. ②〖언〗음운상(音韻上), 순음(脣音)·설음(舌音)·아음(牙音)·치음(齒音)·후음(喉音)·반설음(半舌音)·반치음(半齒音)의 일곱 가지 성음(聲音).

칠의 화음【七—和音】[—/—에—] 명〖악〗3화음 위에 다시 3도 음정을 더한 화음. 밑음으로부터 7도 위의 음정을 더한 화음.

칠이 하:가육【七二下加六】명〖수〗구귀가(九歸歌)의 하나. 일곱으로 둘을 나눔에는 그 둘을 뭉으로 삼아 그대로 두고, 잔(殘) 여섯을 그 아랫 자리에 놓으라는 뜻.

칠인제 럭비【七人制—】[rugby] 명 한 팀이 포워드(forwrard) 세 사람, 백(back) 네 사람으로 구성되어 하는 럭비. 경기 방법은, 경기 시간이 하프 타임(half time) 7분인 것 이외에는 정규(正規)의 럭비 룰(rule)에 따름.

칠일[1]【七日】명 ①이레. ②이렛날.

칠-일[2]【漆—】[—릴] 명 칠을 바르는 일. ——-하다 자 여불

칠일-장【七日葬】명 죽은 지 이레 만에 지내는 장사.

칠일-주【七日酒】[—쭈] 명 담근 후 이레 만에 마시는 술.

칠일 하:가삼【七一下加三】명〖수〗구귀가(九歸歌)의 하나. 일곱으로 하나를 나눔에는 그 하나를 뭉으로 삼아 그대로 두고, 잔(殘) 셋을 그 아랫 자리에 놓으라는 뜻.

칠자【七子】[—짜] 명〖문〗중국 명(明)나라 가정 연간(嘉靖年間)의 시인인 이 반룡(李攀龍)·왕 세정(王世貞)·사 진(謝榛)·종 신(宗臣)·양 유예(梁有譽)·서 중행(徐中行)·오 국륜(吳國倫)의 일곱 사람. 칠재자(七才子). 후칠자(後七子). 가정 칠자(嘉靖七子). *전(前)칠자.

칠자 팔서【七子八壻】[—짜—써] 명 많은 자녀(子女). 전(轉)하여, 일문(一門)의 번창함을 일컬음.

칠장[1]【漆匠】명 조선 시대 때, 경공장(京工匠)의 하나. 옻칠하는 일을 업으로 하는 장인(匠人). *칠장이.

칠-장[2]【漆欌】명 ①옻칠을 한 의장(衣欌). ②옻칠을 한 물건을 넣어서 굳히는 장. 갓방에서 갓에 칠을 하여 두는 데에 씀.

칠-장이【漆匠—】명 칠하는 일을 업으로 삼는 사람. 칠공(漆工). 페인터(painter). 도장공(塗裝工). *칠장(漆匠).

칠재【七齋】[—째] 명 ①〖불교〗↗칠칠재(七七齋). ②〖역〗고려 국학(國學)의 여택(麗擇)·대빙(待聘)·경덕(經德)·구인(求仁)·복응(服膺)·양정(養正)·강예(講藝)의 일곱 가지 분과(分科). 칠관(七館).

칠-재자【七才子】명〖문〗칠자(七子).

칠저-장【漆沮章】[—짱] 명 용비 어천가 제5장의 이름.

칠적[1]【七赤】[—쩍] 명〖민〗음양가에서 이르는 금성(金星). 구궁(九宮)에 있어서 그 근본 자리는 서쪽, 곧 태방(兌方)임.

칠적[2]【七賊】[—쩍] 명〖역〗광무 11년(1907) 7월에 일본 통감(統監) 이토 히로부미(伊藤博文)와 결탁하여 국권(國權)을 일본에게 넘겨 주는 칠조약(七條約)을 맺고, 고종 황제를 협박하여 세자(世子)에게 양위(讓位)를 시킨 일곱 매국적(賣國賊). 곧, 총리 대신 이완용(李完用)·내부대신 임선준(任善準)·법부 대신 조중응(趙重應)·농상공부 대신 송병준(宋秉畯)·학부 대신 이재곤(李載崑)·군부 대신 이병무(李秉武)·탁지부 대신 고영희(高永喜).

칠전【漆田】[—쩐] 명 옻나무를 심은 밭.

칠전 팔기【七顚八起】[—쩐—] 명 [일곱 번 넘어지고 여덟 번 일어남] 여러 번 실패하여도 재기하여 분투함. ——-하다 자 여불

칠전 팔도【七顚八倒】[—쩐—또] 명 [일곱 번 구르고 여덟 번 거꾸러진다는 뜻] 간험(艱險)한 고비를 많이 겪음을 이르는 말. 십전 구도(十顚九倒). ——-하다 자 여불

칠절【七絶】[—쩔] 명 ↗칠언 절구(七言絶句).

칠절-봉【七節峰】[—쩔—] 명〖지〗강원도 인제군(麟蹄郡) 서화면(瑞和面)과 고성군(高城郡) 간성면(杆城面) 사이에 있는 산. [1,172 m]

칠정[1]【七井】[—쩡] 명 상여(喪輿)를 메게 꾸미는 방식의 한 가지. 장강(長杠)를 밑에 가로 방망이 여덟 개를 지르고, 좌우 쪽으로 넓은 줄을 걸어서 일곱 간을 만들고 한 간에 한 사람씩 모두 열네 사람이 메게 됨.

칠정[2]【七政】[—쩡] 명 ①해·달과 화·수·목·금·토의 다섯 별. 그 절도 있는 운행이 나라의 정사(政事)와 비슷하다 하여 이름. ②북두 칠성. ③ 이십 팔수(宿) 중의 사방 각각 일곱씩 있는 별.

칠정[3]【七情】[—쩡] 명 ①사람의 일곱 가지 감정. 곧, 희(喜)·노(怒)·애(哀)·낙(樂)·애(愛)·오(惡)·욕(欲). 또는 희·노·우(憂)·사(思)·비(悲)·경(驚)·공(恐). ②〖불교〗희·노·우·구(懼)·애(愛)·증(憎)·욕.

칠정 겹줄【七井—】[—쩡—] 명 칠정(七井)에 세로줄 하나를 더한 상여의 줄. 한 간에 두 사람씩 모두 스물 여덟 사람이 멤.

칠정-력【七政曆】[—쩡녁] 명 칠정산(七政算).

칠정-산【七政算】[—쩡—] 명 역서(曆書)의 하나. 내편과 외편이 있음. 내편은 조선 시대 때, 세종(世宗)의 명에 의하여 이 순지(李純之)·김 담(金淡)이 중국 원(元)의 수시력법(授時曆法)과 명 나라의 통궤력법(通軌曆法)을 참작, 우리 나라 실정에 알맞도록 꾸민것임. 세종 24년(1442)에 완성하여 동 26년에 간행하였는데, 모두 3권 2책임. 외편 역시 세종 때 위 두 사람이 회회력 경통경(回回曆經通經)과 가령력서(假令曆書)를 개정 증보하여 이 책을 만듦. 내용은 태양·태음(太陰)·교식(交食)·오성(五星)·태음 오성 능법(太陰五星凌法)으로 나누어져 내편의 7정과는 다르며, 모두 3권 5책임. 칠정력(七政曆).

칠정 세:초【七政細草】[—쩡—] 명〖책〗조선 시대 때, 관상감(觀象監)에서 역관(曆官)들이 편찬한 역서(曆書). 해·달과 오성(五星)을 관측하여, 역상(曆象)을 측후(測候)하는 요결(要訣)을 기록함. 1 책.

칠조【七調】[—쪼] 명〖악〗조선 초기 향악(鄕樂)에 쓰인 일곱 가지 조(調). 일지(一指), 이지(二指), 삼지(三指), 사지(四指) 또는 횡지(橫指), 오지(五指) 또는 우조(羽調), 육지(六指) 또는 팔지(八指), 칠지(七指) 또는 막지(邈指)가 있음.

칠-조각【漆彫刻】명 옻칠을 두껍게 입힌 위에다 하는 조각.

칠-조약【七條約】[—쪼—] 명〖역〗한일 신협약(韓日新協約).

칠족【七族】[—쪽] 명 ①증조(曾祖)·조부·부(父)·자기·자(子)·손(孫)·증손(曾孫)의 직계친(直系親)을 중심으로 하고, 방계친(傍系親)으로 증조의 삼대손 되는 형제·종형제·재종 형제를 포함하는 동종(同宗) 친족의 일컬음. ②고모의 자녀, 자매의 자녀, 딸의 자녀, 외족(外族), 이종(姨從), 장인·장모 및 자기 동족.

칠종【七宗】[—쫑] 명〖불교〗①고려 때 불교의 일곱 파별(派別). 자은종(慈恩宗)·화엄종(華嚴宗)·시흥종(始興宗)·중도종(中道宗)·남산종(南山宗)의 오교(五教)와 조계종(曹溪宗)·천태종(天台宗)의 양종(兩宗). ②

칠종 십이파(七宗十二派)가 합친 자은종·화엄종·시흥종·중신종(中神宗)·총남종(總南宗)·조계종·천태종.

칠종 경:기【七種競技】[―쫑―] [명] 〔heptathron〕 여자 육상 경기의 새 종목(種目). 첫날에는 100 m 장애물 달리기·포환(砲丸) 던지기·높이뛰기·200 m 달리기, 이틀째에는 멀리뛰기·창던지기·800 m 달리기를 함. 종전의 5종 경기 대신, 1981 년부터 국제 육상 경기 연맹이 채택함.

칠종 십이파【七宗十二派】[―쫑―] [명] 〖불교〗 고려 중엽 이후의 불교의 파별(派別). 자은종(慈恩宗)·화엄종(華嚴宗)·도문종(道門宗)·열반종(涅槃宗)·소승종(小乘宗)·중도종(中道宗)·신인종(神印宗)·남산종(南山宗)·총지종(總持宗)·조계종(曹溪宗)·천태 법사종(天台法事宗)·천태소자종(天台疏字宗).

칠종 칠금【七縱七擒】[―쫑―] [명] 〔제갈 공명이 맹획(孟獲)을 사로잡은 고사(故事)에서, 일곱 번 놓아 주고 일곱 번 사로잡는다는 뜻〕 마음대로 잡았다 놓아 주었다 함의 비유. [준]칠금.

칠좌-성【七座星】[―좌―] [명] '북두 칠성'의 이칭.

칠-죄종【七罪宗】[―죄―] [명] 〖천주교〗 본죄(本罪)의 일곱 가지 근원. 곧, 교오(驕傲) 곧 교만, 간린(慳吝) 곧 인색, 미색(迷色) 곧 음란, 분노(忿怒), 탐도(貪饕)곧 탐욕, 질투(嫉妬), 해태(懈怠)곧 태만. 죄원(罪原). 죄종.

칠주 전:쟁【七週戰爭】[―쭈―] [명] 〖역〗 프로이센-오스트리아 전쟁.

칠-죽【漆―】 [명] 황토(黃土)와 칠(漆)을 섞어 갠 것. 애벌 옻칠할 때 씀.

칠중【七衆】[―쭝] [명] 〖불교〗 불타(佛陀)의 일곱 제자. 곧, 비구(比丘)·비구니(比丘尼)·식차마나(式叉摩那)·사미(沙彌)·사미니(沙彌尼)·우바새(優婆塞)·우바이(優婆夷).

칠중 나마【七重奈麻】[―쭝―] [명] 〖역〗 신라의 벼슬 이름. 육중 나마(六重奈麻)의 위로, 나마 중에서 가장 높은 벼슬. *나마.

칠중 대:나마【七重大奈麻】[―쭝―] [명] 〖역〗 신라의 벼슬 이름. 육중(六重) 대나마의 위, 팔중(八重) 대나마의 아래임. *대나마.

칠중 보:수【七重寶樹】[―쭝―] [명] 〖불교〗 극락에 있는, 일곱 줄로 벌여 선 보물 나무. 곧, 금·은·유리·산호·마노(瑪瑙)·파리(玻璃)·거거(硨磲)의 각 나무. [준]보수(寶樹).

칠중-주【七重奏】[―쭝―] [명] 〖악〗 셉테트(septet)❷.

칠중주-곡【七重奏曲】[―쭝―] [명] 〖악〗 칠중주(七重奏)에 의하여 된, 소나타 형식의 악곡. 셉테트.

칠중-창【七重唱】[―쭝―] [명] 〖악〗 셉테트(septet)❷.

칠즙【漆汁】 [명] 옻나무의 진액. 액체대로 있는 옻칠.

칠증【七證】[―쯩] [명] 〖불교〗 구족계(具足戒)를 줄 때에 수계(授戒)에 입회(立會)하여 증명하는 일곱 스님. *삼사칠증(三師七證).

칠지[1]【七支】[―찌] [명] 〖불교〗 신삼(身三)·구사(口四)의 악업(惡業). 신삼의 악업은 살생·투도(偸盜)·사음(邪淫), 구사의 악업은 망어(妄語)·기어(綺語)·악구(惡口)·양설(兩舌)임.

칠지[2]【漆紙】[―찌] [명] 옻칠을 한 종이.

칠지 단장【漆紙丹粧】[―찌―] [명] 활의 양냥고자 밑에 칠지(漆紙)로 가로 꾸민 단장.

칠진【七珍】[―찐] [명] 〖불교〗 칠보(七寶).

칠진 만:보【七珍萬寶】[―찐―] [명] 모든 진귀한 보물. 온갖 보물.

칠진-수【七進數】[―찐쑤] [명] 〔septinary number〕 〖수〗 7을 기수(基數)로 하여 나타낸 수.

칠질[1]【七秩】[―찔] [명] 〔한 질(秩)은 10 년〕 70 세(歲).

칠질[2]【七耋】[―찔] [명] 나이 일흔살.

칠차-죄【七遮罪】[―죄] [명] 〖불교〗 수행(修行)을 막는 일곱 가지 죄라는 뜻으로, 칠역죄(七逆罪)를 이르는 말.

칠창【漆瘡】 [명] 〖한의〗 칠독이 올라서 생기는 급성 피부병.

칠척지-구【七尺之軀】 [명] 신장(身長)이 칠 척인 몸. 어른의 몸.

칠천【七賤】 [명] 〖역〗 칠반 천역(七般賤役).

칠천-도【七川島】 [명] 〖지〗 경상 남도의 남해상, 거제군(巨濟郡) 하청면(河淸面) 어온리(於溫里)에 위치한 섬. [9.10 km²: 2,976 명(1984)]

칠첩【漆貼】 [명] 옻칠을 한 큰 부채. *백첩(白貼).

칠첩 반상【七―飯床】 [명] 반상기의 하나. 밥 그릇·국 그릇·대접·쟁반·조치·보시기가 각각 하나씩, 종지 셋, 접시 일곱으로 한 벌이 됨.

칠촌【七寸】 [명] ①일곱 치. ②아버지의 육촌. 또, 자기 육촌의 자녀.

칠출【七出】 [명] 칠거지악(七去之惡).

칠층-탑【七層塔】 [명] 〖불교〗 노반(露盤) 일곱 층의 탑.

칠치【七値】 [명] 칠요일(七曜日).

칠칠【七七】 [명] 일곱 이레.

칠칠-맞다 [형] ☞ 칠칠찮다.

칠칠 사:십구【七七四十九】 [명] 〖수〗 구구법(九九法)의 하나. 곧, 일곱의 일곱 갑절은 마흔 아홉임.

칠칠-일【七七日】 [명] 〖불교〗 사십구일(四十九日). 중유(中有).

칠칠-재【七七齋】[―째] [명] 〖불교〗 사십구일재(四十九日齋). [준]칠재.

칠칠-찮다 [―찬타] [형] 성질이나 하는 짓이 칠칠하지 못하다.

칠칠-하다 [형][여불] ①푸성귀 등이 길차다. ②주접이 들지 아니하고 깨끗하다. ③막힐 모가 없이 민첩하다. **칠칠-히** [부]

칠탄-당【七炭糖】 [명] 〖화〗 헵토오스(heptose).

칠택【漆宅】 [명] 관(棺) 안에는 옻칠을 하는 데서, 관을 일컫는 말.

칠통[1] [명] 〈방〉 질통[1]❷.

칠통[2]【漆桶】 [명] ①옻칠을 한 통. ②옻을 담는 통.

칠판【漆板】 [명] 검정·초록색 등의 칠을 하여 분필로 글씨를 쓰게 만든 널조각으로 된 교구(敎具) 또는 사무용구(事務用具). 주로, 벽(壁)에 걸어 놓고 사용함. 흑판(黑板). ¶∼ 지우개.

칠판-지우개【漆板―】 [명] 칠판에 분필로 쓴 글씨나 그림 따위를 문질러 지우는 도구.

칠팔【七八】 [명] 일여덟.

칠팔-십【七八十】[―씹] [명] 칠십이나 팔십.

칠팔 오:십육【七八五十六】[―뉵] [명] 〖수〗 구구법(九九法)의 하나. 일곱의 여덟 갑절이나 여덟의 일곱 갑절은 쉰 여섯임.

칠팔-월【七八月】 [명] 칠월과 팔월. 또는 칠월이나 팔월.

칠팔월 수숫잎 [―닙] [구] 성질이 약하여 번복하기 쉬운 사람의 비유.

칠팔월 은어 끓듯 [구] 줄어든 가을 물에 은어가 살기 어렵듯이, 갑작스럽게 수입이 없어서 살아 가기가 곤란한 모양.

칠패【七牌】 [명] 〖역〗 조선 시대에 서울에 있었던 난전(亂廛) 시장의 하나. 현재의 서소문 밖에 있었음. 미곡·포목·어물 등 각종 물품을 매매하되, 특히 어물전이 가장 규모가 컸음.

칠포[1]【七包】 [명] 〖건〗 일곱 겹으로 된 공포(貢包).

칠포[2]【漆布】 [명] ①칠을 한 헝겊. ②관(棺) 위에 붙이는 헝겊. 옻칠을 하여 관을 싸고, 그 위에 옻칠을 다시 함.

칠품【七品】 [명] ①〖역〗 옛 벼슬 품계의 하나. 육품의 아래로, 정·종(正從)의 구별이 있음. ②〖천주교〗 구제도 아래서, 성직 계열의 일곱 가지 품급(品級). 곧, 수문(守門)·강경(講經)·구마(驅魔)·시종(侍從)의 네 소품(小品)과 차부제(次副祭)·부제(副祭)·사제(司祭)의 세 대품(大品). 새 제도 아래서는 소품은 성직 계열에서 제외되는 동시에 수문품과 구마품은 없어지고, 강경품은 독서직(讀書職), 시종품은 시종직으로 개칭되는 한편 대품에서 차부제품이 없어짐. *상삼품(上三品).

칠피【漆皮】 [명] 에나멜을 칠한 가죽. ¶∼ 구두.

칠-하다【漆―】 [타][여불] 물체의 거죽에 분말(粉末)이나 액체 따위를 바르다. ¶검게 ∼/페인트를 ∼.

칠함【漆函】 [명] 옻칠을 한 함.

칠합 무지기【七合―】 [명] 〖역〗 길이가 서로 다른 일곱 벌의 무지기. 색을 층층이 맞추어 한꺼번에 입음. *무지기.

칠향 계증【七香鷄蒸】 [명] 칠향 계찜.

칠향 계찜【七香鷄―】 [명] 닭찜의 한 가지. 튀한 닭의 내장을 빼어 낸 뱃속에 생강·파·천초(川椒)·간장·초·기름 등을 섞어서 넣고, 도라지를 삶아 우린 물에 담가서 항아리에 넣어 물을 다시 조금 부어 솥에 안치고 중탕(重湯)하여 익힘. 칠향 계증(七香鷄蒸).

칠현【七賢】 [명] ①중국 춘추 시대의 일곱 현인. 곧, 백이(伯夷)·숙제(叔齊)·우중(虞仲)·이일(夷逸)·주장(朱張)·소련(少連)·유하혜(柳下惠). ②↗죽림(竹林) 칠현.

칠현-금【七絃琴】 [명] 〖악〗 일곱 줄로 된 '금(琴)'의 딴이름. 중국 고대의 문왕(文王)과 무왕(武王)이 오현금(五絃琴)에 문무현(文武絃)을 더하였음. 현재 중국에서는 고금(古琴)이라고 함.

〈칠현금〉

칠-현인【七賢人】 [명] 〖역〗 고대 그리스에서 기원전 620 년부터 70 년 사이에 실재한 뛰어난 일곱 사람의 사상가·정치가의 호칭. 이설(異說)이 많으나 일반적으로 린도스의 클레오불로스(Kleobulos)·코린토스(Korinthos)의 페리안드로스(Periandros), 미틸레네(Mytilene)의 피타코스(Pittakos), 프리에네(Priene)의 비아스(Bias), 밀레투스(Miletus)의 탈레스(Thales), 스파르타의 케일론(Cheilon), 아테네의 솔론(Solon)을 말함.

칠-호병【漆胡甁】 [명] 병 모양으로 된 서양식(西洋式)의 칠기(漆器). 술을 담는 데 쓰임.

칠홉-버버리【七合―】 [명] 〈방〉 반벙어리(경북).

칠홉-송장【七合―】 [명] 정신이 흐리멍텅하고 행동이 반편같은 사람을 욕으로 일컫는 말.

칠화【漆畫】 [명] 옻칠로 그린 그림.

칠-화음【七和音】 [명] 〖악〗 사화음(四和音).

칠휘-관【七翬冠】 [명] 〖역〗 고려 때의 왕비(王妃)의 보관(寶冠). 꿩의 깃털 일곱 개를 오른 쪽에 비스듬히 꽂음.

칠흑【漆黑】 [명] 칠(漆)처럼 검고 광택(光澤)이 있음. 또, 그 빛깔. ¶∼ 같은 밤.

칡 [칙] [명] 〖식〗 [*Pueraria thunbergiana*] 콩과에 속하는 낙엽 활엽의 만목(蔓木). 잎은 호생하고 삼출 복엽(三出複葉)인데, 소엽(小葉)은 넓은 달걀꼴이고, 가에 톱니가 없거나 2-3 갈래로 얕게 찢어지며, 전체에 갈색 털이 남. 8월에 자색 꽃이 액생(腋生)하여 총상(總狀) 화서로 피고 선형의 협과(莢果)가 10월에 익음. 산록 양지에 나며, 한국 각지·일본·대만·중국에 분포함. 뿌리는 '갈근(葛根)'이라 하여 녹말(綠末)이 많고 식용이 되며 덩굴의 속껍질은 '청올치'라 하여 끈의 대용(代用)이 되고, 피륙도 짜며, 잎은 사료 또는 식용으로 함.

〈칡〉

칡-꽃 [칙―] [명] 칡의 꽃. 갈화(葛花).

칡-덤불 [칙―] [명] 칡과 그밖의 만초(蔓草)나 형극(荊棘)들이 서로 엉크러져 우거진 덤불.

칡-덩굴 [칙―] [명] 칡의 벋은 덩굴.

칡-데기 [명] 〈방〉 칡소.

칡-때까치 [칙―] [명] 〖조〗 [*Lanius tigrinus*] 때까칫과에 속하는 새. 날개 길이 8.5 cm이고, 몸빛은 머리·목뒤·배면(背面)의 앞 쪽이 청회색, 그 이하는 적갈색에 흑색 가로 무늬가 있으며, 복부(腹部)는 희고, 부리의 기부(基部)부터 귀까지 흑색 띠가 있음. 산·들·연못가에 살며, 개구리·지렁이·곤충·작은 고기 등을 포식함. 우스리·중국·한국·일본에서 번식하고 말레이 반도 등지에서 월동함. 흙개고마리.

칡-범 [칙―] [명] '범'을 표범과 구별하여 일컫는 말.

칡범-하늘소 [칙―쏘] [명] 〖충〗 [*Rhaphuma acutivittis*] 하늘솟과에 속하는 곤충. 몸길이 12-16 mm이고, 몸빛은 흑색에 황색 털이 밀생(密

生)하여 전흉(前胸) 및 시초(翅鞘)의 조반(條斑)을 형성함. 몸의 아래 쪽은 회백색 털로 덮였음. 한국에도 분포함.

칡-부엉이 [칙—] 명 〖조〗 [*Asio otus otus*] 올빼밋과에 속하는 새. 날개 길이 30cm이고, 머리는 담황갈색, 귀는 흑갈색임. 몸의 바탕은 회백색과 담황갈색이고 등은 흑갈색이며 배는 무늬가 있는 갈색임. 올빼밋과에 속하는 새는 대부분이 야행성(夜行性)이나 칡부엉이는 낮에도 활동함. 쥐를 잡아먹는 익조(益鳥)로, 아시아·유럽 및 아프리카 대륙에 분포함. 칡점부엉이.

칡-뿌리 [칙—] 명 칡의 뿌리. 갈근(葛根). *갈분(葛粉).

칡-소 [칙—] 명 온몸에 칡덩굴 같은 무늬가 있는 소.

칡-잼이 명 〈방〉 갈범.

〈칡부엉이〉

칡점-부엉이 【—點—】 [칙—] 명 〖조〗 칡부엉이.

침[1] 명 〔중세 : 춤〕 〖생〗 입 속의 침샘에서 분비되는 끈기 있는 소화액(消化液). 냄새도 맛도 없으며, 알칼리와 탄산 수소염(炭酸水素塩)이 함유되어 있는데, 녹말을 말토오스로, 말토오스를 포도당(葡萄糖)으로 만드는 작용을 함. 구액(口液). 타액(唾液). ¶ ~을 뱉다.
【침 뱉고 밑 씻겠다】 정신이 없어서 일의 두서를 잡지 못함을 이르는 말.
【침 뱉은 우물 다시 먹는다】 다시는 안 볼 듯이 야박스럽게 행동하여도 후에 다시 청할 일이 있게 된다는 말.
침 먹은 지네 구 기운을 못 쓰고 있는 사람의 비유.

침[2] 【針】 명 ①바늘. 시계 바늘. ②〖식〗 가시[1]❶.

침[3] 【鍼】 명 사람이나 마소 등의 혈(穴)을 찔러서 병을 다스리는 데에 쓰는 바늘. *침술(鍼術).

침[4] 타 〈옛〉 치름. '치르다'의 명사형. ¶ 貧賤을 플랴ᄒᆞ고 富貴門에 들어간이 침 업쓴 흥정을 뉘 몬져 ᄒᆞ쟈ᄒᆞ리≪古時調 海謠≫.

침-감 【沈—】 명 소금 물에 담가 우리어서 떫은 맛을 없앤 감. 침시(沈柹).

침강 【沈降】 명 ①밑으로 가라앉음. ¶적혈구의 ~ 속도. 침하(沈下). ② 〔subsidence〕 〖기상〗 대기 중에서의 공기의 하강(下降) 운동. 어느 정도 넓은 지역에 걸쳐 있는 상태를 뜻함. ——-하다 자 여불

침강 계곡 【沈降溪谷】 명 〔drowned valley〕 〖지〗 육지(陸地)의 가장자리가 물 속으로 가라앉아서 하류부(下流部)에 바닷물이 들어오는 계곡.

침강 계:수 【沈降係數】 명 〔sedimentation coefficient〕 〖화〗 단위 원심력장(單位遠心力場) 또는 단위 원심 가속도(加速度)에 있어서의 침강 속도(速度).

침강-류 【沈降流】 [—뉴] 명 〔siking, down welling〕 〖지〗 해수(海水)가 수직 하방(垂直下方)으로 움직이는 운동. 표층(表層)에 부근보다 고밀도(高密度)의 해수가 존재하거나, 표층에 해수의 수렴(收斂)이 있는 경우에 발생함. 침강한 해수는 그 밀도에 상응하는 적당한 깊이에서 수평으로 퍼짐. 하강류(下降流).

침강 반:응 【沈降反應】 명 〔precipitation reaction〕 〖의〗 항원(抗原) 용액이 특이 항체(特異抗體)에 반응하여 침전을 일으키는 현상. 세균학에서, 세균종(細菌種)의 분류나 독소(毒素)의 판정(判定)에 이용되며, 그 밖에 법의학(法醫學)에서 혈액이나 분비물(分泌物)의 판정에 쓰임. *응집(凝集) 반응.

침강 부피 【沈降—】 명 〔sedimentation volume〕 〖화〗 분말을 액체 속에 분산시켜 가만히 놓아 두었을 때, 용기(容器) 바닥에 가라앉은 겉보기의 부피. 침강 체적.

침강 분리 【沈降分離】 [—불—] 명 〔sinking separation〕 〖화〗 중력의 작용에 의하여 물 속의 작은 고체 입자가 낙하(落下)하는 현상을 이용한 분리의 한 방법. *자유(自由) 침강·간섭(干涉) 침강.

침강-소 【沈降素】 명 〖의〗 침강 반응에 관여하는 특이 항체(特異抗體). 침강원(沈降原)으로서의 항원(抗原)을 말·토끼 등에 주사하여 면역(免疫)·채혈(採血)하고 혈청(血清)을 분리한 것임. ↔침강원.

침강 속도 【沈降速度】 명 〔sedimentation velocity〕 〖화〗 원심 분리(遠心分離) 조건하에서의 시료 용기(試料容器) 속의 액체와 침강 물질과의 경계면의 이동 속도. 분자량(分子量) 측정에 이용됨.

침강 시험 【沈降試驗】 명 〔precipitation test〕 〖의〗 항원(抗原)과 항체 사이의 특이한 반응 결과, 육안으로 볼 수 있는 침전(沈澱)이 생기는 면역학적(免疫學的) 시험.

침강-원 【沈降原】 명 〖의〗 침강 반응에 관여하는 항원(抗原). 혈청(血清)·흰자위 등의 단백질이나 유지방(類脂肪)·세균 다당체(細菌多糖體)가 사용됨. ↔침강소(沈降素).

침강 인산 석회 【沈降燐酸石灰】 명 〖약〗 순백색의 가벼운 결정질(結晶質)의 가루약. 제산(制酸)과 뼈의 형성 및 신경약으로 씀.

침강 천칭 【沈降天秤】 명 〔sedimentation balance〕 〖물〗 침강 물질이 침강 퇴적(堆積)하는 양(量)의 시간에 대한 변화를 측정하여 기록하는 장치. 미립자(微粒子)의 지름을 재는 데 쓰임.

침강 체적 【沈降體積】 명 〖화〗 침강 부피.

침강 평형 【沈降平衡】 명 〔sedimentation equilibrium〕 〖화〗 시료(試料) 용액과 침강 물질의 경계면에서 브라운 운동(Brown 運動)과 중력(重力)에 의한 침강이 균형을 이룬 상태를 일컬음. 분자량 측정에 이용함.

침강 해:안 【沈降海岸】 명 〖지〗 육지(陸地)의 절대적(絕對的)인 침강에 의하여 생긴 해안. 실제로는 해수면(海水面)의 높이도 변동하므로 해수면에 대하여 상대적(相對的)으로 육지가 침강하여 생김. 침수(沈水) 해안과 거의 같은 뜻으로 쓰임. *해안 지형·침수 해안·이수(離水) 해안·중성(中性) 해안.

침-개미 【針—】 명 〖충〗 [*Ponera japonica*] 개밋과에 속하는 벌레. 일개미의 몸길이 4-4.5mm, 암컷은 5mm 내외임. 몸빛은 흑갈색 내지 흑색이고 다리와 위 턱 및 꼬리 끝은 암적갈색이며, 온 몸에 회백색의 잔털이 밀생함. 독침(毒針)이 있어 그것으로 먹이를 찔러서 포식하거나 자기 방위를 함. 주로 습지의 썩은 목재 속에 서식하는데, 한국·일본 등지에 분포함.

침거 【侵據】 명 침범하여 그곳에 웅거(雄據)함. ——-하다 타 여불

침격 【侵擊】 명 침입하여 공격함. ——-하다 타 여불

침경[1] 【侵耕】 명 〖역〗 국유지나 남의 땅을 불법으로 개간하거나 경작함. ——-하다 타 여불

침경[2] 【侵境】 명 국경(國境)을 침범함. ——-하다 자 여불

침고[1] 【沈菰】 명 〖식〗 줄.

침고[2] 【沈痼】 명 고질(痼疾)❶❷.

침:골[1] 【枕骨】 명 〖생〗 두개(頭蓋)의 뒤 쪽 하부(下部)를 이룬 뼈.

침:골[2] 【砧骨】 명 〖생〗 모루뼈. *청골(聽骨).

침공[1] 【侵攻】 명 침범(侵犯)하여 공격함. ——-하다 타 여불

침:공[2] 【針工】 명 ①바느질의 기술. ②바느질 삯.

침공[3] 【針孔】 명 ①바늘 귀. ②바늘이 드나드는 구멍.

침공[4] 【鍼工】 명 ①바느질. 재봉(裁縫). 또, 바느질·재봉을 하는 사람. ②침술을 행하는 사람. 침의(鍼醫).

침공[5] 【鍼孔】 명 침 맞는 구멍.

침공 사진기 【針孔寫眞機】 명 '바늘구멍 사진기'의 구용어.

침관 【浸灌】 명 물을 뿌림. 물을 부어서 적심. ——-하다 자 여불

침-괴기 명 〈방〉 자반(佐飯)(함남).

침:굉[1] 【枕肱】 명 팔뚝을 베고 잠.

침:굉[2] 【枕肱】 명 〖사람〗 조선 중기(中期)의 중. 속성은 윤씨(尹氏). 법휘(法諱)는 현변(懸辯), 자는 이눌(而訥). 침굉은 호임. 전남 나주(羅州) 출신. 13세에 출가, 소요 화상(逍遙和尙)을 지리산으로 찾아가 제자가 되고 후에 오도(悟道)의 선승(禪僧)이 됨. 문학·서예에 능하고 유교와 도교에도 밝았음. 문집으로 ≪침굉집≫이 전함. [1616-84]

침:굉 가사 【枕肱歌辭】 명 〖문〗 조선 중기(中期)의 승려 침굉이 지은 가사. 3편. ≪귀산곡(歸山曲)≫·≪태평곡(太平曲)≫·≪청학동가(青鶴洞歌)≫의 총칭. 작자의 문집 ≪침굉집≫에 전함.

침:굉-집 【枕肱集】 명 〖책〗 조선 중기(中期)의 승려 침굉의 문집(文集). 목판본(木版本) 1권.

침구[1] 【侵寇】 명 침입하여 노략(擄掠)질함. ——-하다 자 여불

침:구[2] 【寢具】 명 잠을 자는 데에 쓰는 제구. 이부자리·베개 등.

침-구[3] 【鍼灸】 명 〖한의〗 침질과 뜸질.

침구 경험방 【鍼灸經驗方】 명 〖책〗 침구법과 보사법(補瀉法)을 합하여 엮은 책. 조선 인조(仁祖) 22년(1644) 간행. 1권.

침구-술 【鍼灸術】 명 〖한의〗 침질과 뜸질로 병을 고치는 의술.

침구-어 【針口魚】 명 〖어〗 공미리.

침구-의 【鍼灸醫】 [—/—이] 명 침술과 뜸으로 병을 치료하는 의원(醫員).

침구-학 【鍼灸學】 명 침과 뜸의 치료 작용과 그 방법을 연구하는 동양 의학의 한 부문.

침금[1] 【沈金】 명 쟁금(鎗金).

침:금[2] 【寢衾】 명 이부자리.

침금충-류 【針金蟲類】 [—뉴] 명 〖충〗 〔Gordiacea〕 선형(線形) 동물에 속하는 한 강(綱). 몸은 길이 10-15cm이고 철사처럼 가늘며 앞 끝에 입이 있고, 뒤 끝에 항문(肛門)이 있음. 소화 기관은 퇴화(退化)하고, 자웅 이체(雌雄異體)임. *선충류(線蟲類)·구두충류(鉤頭蟲類).

침:기-부 【砧基簿】 명 전묘(田畝)·부지(敷地)를 등재(登載)한 장부(帳簿).

침낭[1] 【針囊】 명 바늘집.

침:낭[2] 【寢囊】 명 슬리핑 백.

침:녀 【針女】 명 바느질하는 여자.

침노린재-과 【鍼—科】 명 〖충〗 [Reduviidae] 매미목(目)에 속하는 한 과. 몸이 다소 납작한데 촉각(觸角)은 4-5절, 단안(單眼)은 두고, 날개는 발달한 것과 퇴화한 것 또는 아주 없는 것이 있으며, 몸에 털이나 가시가 있음. 보통 해충류(害蟲類)의 피를 빠는 익충(益蟲)이나 사람에게는 직접적인 해충임. 전세계에 2,500여 종이 분포함.

침노-하다 【侵擄—】 타 여불 조금씩 개개서 빼앗다. 집적거리어 개먹다.

침-놓다 【鍼—】 [—노타] 자 ①침주다. ②따끔하게 풍자(諷刺)하다.

침니 〔chimney〕 명 ①굴뚝. ②등산 용어로, 굴뚝처럼 세로 갈라진 암벽의 틈. 보통 그 안에 들어가서 등과 발을 버티고서 오르도록 되어 있는 곳을 일컬음.

침닉 【沈溺】 명 ①침몰(沈沒). ②술·계집·노름 같은 것에 빠짐. ——-하다 자 여불

침단-목 【沈檀木】 명 인도 원산의 향나무. 불가(佛家)에서 많이 쓰이는 물건들을 만드는 데 쓰임.

침:담 【寢啖】 명 '침식(寢食)'의 경어.

침:-담그다 【沈—】 타 떫은 맛을 빼기 위하여 감을 소금물에 담그다.

침:대 【寢臺】 명 서양식의 침상(寢床). 베드(bed).

침:대-권 【寢臺券】 [—꿘] 명 열차나 기선 등에 설비된 침대를 사용할 경우에, 특정한 요금을 내고 사는 표.

침:대 요금 【寢臺料金】 명 침대권의 요금. 침대차의 침대를 사용하는 값으로 따로 더 내는 요금.

침:대-차 【寢臺車】 명 침대를 베풀어 놓은 열차.

침도[1] 【侵盜】 명 침입하여 훔침. ——-하다 타 여불

침:-도[2] 【砧島】 명 〖지〗 경상 남도의 남해상(南海上), 하동군(河東郡) 진교면(辰橋面) 술상리(述上里)에 위치한 섬. [0.08km²]

침독 【鍼毒】 [—똑] 명 침의 독기(毒氣).

침돈 【沈頓】 명 기운이 빠짐. ——-하다 자 여불

침:두 【枕頭】 명 베갯머리.

침:두 병풍 【枕頭屛風】 명 머릿 병풍.

침란 【沈亂】 [—난] 명 탐닉(耽溺)하여 어지러움. ——-하다 형 여불

침:랑 【寢郞】 [—낭] 명 〖역〗 조선 시대 때, 종묘(宗廟)·능침(陵寢)·

원(園)의 영(令)·참봉(參奉) 등의 통칭.

침략[1]【侵掠】[—냑] 명 침노하여 약탈함. ——-하다 ㉹(여불)

침략[2]【侵略】[—냑] 명 남의 나라를 침노하여 땅을 빼앗음. ¶ ~ 정책(政策). ——-하다 ㉹(여불)

침략-국【侵略國】[—냑—] 명 침략 행위를 먼저 한 나라.

침략-군【侵略軍】[—냑—] 명 남의 나라를 침략하는 군대.

침략-기【侵略期】[—냑—] 명 남의 나라를 침범하여 땅을 빼앗은 동안.

침략-자【侵略者】[—냑—] 명 침략을 하는 사람.

침략-적【侵略的】[—냑—] 명관 침략을 하는 모양.

침략 전:쟁【侵略戰爭】[—냑—] 명 침략하기 위하여 벌이는 전쟁.

침략-주의【侵略主義】[—냑—] 명 침략을 주요 정책으로 하는 주의.

침랸스크 호【—湖】〔Tsimlyansk〕 명 〖지〗 러시아 연방의 돈 강 하류에 있는 인공호(人工湖). 볼가·돈 운하(運河)의 건설에 수반해서 만들어졌음. 1955 년에 완성함. 길이 260 km, 폭 38 km, 댐 발전소의 출력 16 만 kW. 저수지의 물로 26,000 km^2의 땅을 관개(灌漑)함.

침량【斟量】[—냥] 명 짐작. ——-하다 ㉹(여불)

침려【沈慮】[—녀] 명 침사(沈思). ——-하다 ㉹(여불)

침:령-치【砧嶺峙】[—녕—] 명 〖지〗 전라 북도 장수군(長水郡) 계남면(溪南面)에 있는 재. [524 m]

침례【浸禮】[—녜—] 명 〔baptism〕 〖기독교〗 침례교에서 신도가 된 것을 증명하기 위하여 행하는 세례(洗禮)의 한 형식, 온 몸을 물에 적시는데, 그 몸이 죄(罪)에 죽고 의(義)의 몸으로 다시 살아난다는 뜻임.

침례-교【浸禮敎】[—녜—] 명 〔Baptists〕 〖기독교〗 기독교의 한 교파. 유아(幼兒)의 세례를 반대하며 침례에 특수한 의의를 인정하고 이를 중시함. 처음 1523 년에 스위스에서 일어나 미국에서 크게 발전하였으며, 한국에는 1889 년에 캐나다의 펜윅(Fenwick, M.C.) 목사 부부 등이 입국한 후 퍼졌음.

침례교-회【浸禮敎會】[—녜—] 명 〖기독교〗 침례교파의 교회. 뱁티스트 교회.

침례-파【浸禮派】[—녜—] 명 〖기독교〗 침례교의 교파.

침로【針路】[—노] 명 ①배나 비행기가 나아가는 방향. 자오선(子午線)과 진행 방향이 이루는 각(角). 자침(磁針)에 의하여 진행 방향을 정한 데서 일컬어진 이름임. ②비유적으로, 행동해야 할 방향.

침로선 선:정기【針路線選定器】 [—노—] 명 〖항공〗 자동적으로 침로를 선정하는 수단을 갖춘 장치. 전자 회로 장치(電子回路裝置)로 구성된 항행(航行) 시스템으로, 전(全)방향식 무선 표지(標識)와 거리 측정기를 비치하고 있음.

침로 신:호【針路信號】 [—노—] 명 〖해〗 선박이 항해중 침로를 바꿀 경우에, 충돌을 막기 위하여 접근하는 다른 선박을 향해 울리는 기적(汽笛) 등의 음향.

침로 오:차【針路誤差】 [—노—] 명 〔course error〕 〖해〗 침로와 실제로 지나간 방향과의 각도차.

침:류-왕【枕流王】[—뉴—] 명 〖사람〗 백제 제 15 대 왕. 동왕 원년(384) 9 월에 인도의 중 마라난타(摩羅難陀)가 동진(東晉)에서 불상을 가지고 들어와 불교가 전래되었으며, 다음해 2 월에 한산(漢山)에 처음으로 절을 지었음. [?-385 ; 재위 384-385]

침륜【沈淪】[—뉸] 명 ①침몰(沈沒). ②재산이나 권세 등이 없어져서 세력이 전과 같이 떨치지 못함. 몰락함. ——-하다 ㉶(여불)

침릉【侵陵】[—능] 명 침모(侵侮). ——-하다 ㉹(여불)

침 마취 수술【鍼麻醉手術】 명 〖한의〗 어느 특정한 경혈(經穴)에 놓은 몇개의 침으로 감각을 일시적으로 잃게 하고 하는 수술.

침망【侵罔】 명 침범하고 모멸함. ——-하다 ㉹(여불)

침-맞다【鍼—】 ㉶ ①침질을 받다. ②물건을 몰래 빼앗김을 당하다.

침매 공법【沈埋工法】[—뻡] 명 수저 터널(水底 tunnel) 공법의 한 가지. 우선 수저에 홈을 파서 기초를 만들고, 터널이 되는 강(鋼)·철근 콘크리트제(製)의 적당히 분할된 관(管)을, 양단(兩端)을 가벽(假壁)으로 막고 현장까지 물 위를 예항(曳航), 주수(注水)하여 기초 위에 가라앉힌 다음 관을 차례로 연결하고 물을 빼서 완성함.

침매 터널【沈埋—】〔tunnel〕 명 육상에서 철근 콘크리트의 파이프를 만들고, 해저(海底)에 이것을 묻을 수 있는 홈을 판 다음 파이프를 묻고, 파이프 속에 도로를 만들어 이룩한 해저 터널.

침맥【沈脈】 명 〖한의〗 손 끝으로 눌러 보아야만 뛰는 것을 알 수 있는 맥(脈). *부맥(浮脈)·지맥(遲脈)·삭맥(數脈).

침면[1]【沈眠】 명 피곤하여 깊이 잠이 듦. ——-하다 ㉶(여불)

침면[2]【沈湎】 명 정신적 고민으로 마구 술을 퍼먹으며 거친 생활을 함. ——-하다 ㉶(여불)

침모[1]【侵冒】 명 침범(侵犯). ——-하다 ㉹(여불)

침모[2]【侵侮】 명 능모(凌侮)함. 깔보고 업신 연김. 침릉(侵陵). ——-하다 ㉹(여불)

침:모[3]【針母】 명 남의 바느질을 맡아 하고 일정한 품삯을 받는 여자. 든침모와 난침모의 구별이 있음.

침:목【枕木】 명 ①길고 큰 물건 밑을 괴어 놓는 큰 나무 토막. ②철도 재료의 하나. 궤도(軌道)의 도상(道床) 위에 깔아 레일(rail)을 받치어, 레일이 받는 차량 하중(荷重)을 도상 위에 분산(分散)시키는 목재나 콘크리트재(材).

침몰【沈沒】 명 물에 빠져서 잠김. 물 속에 가라앉음. 엄몰(淹沒). 윤몰(淪沒). 침닉(沈溺). 침륜(沈淪). ——-하다 ㉶(여불)

침몰-선【沈沒船】[—썬] 명 물 속에 가라앉은 배. 침선(沈船).

침:묘【寢廟】 명 〖역〗 ①종묘(宗廟). ②산능(山陵)의 제 각(祭閣). 정자각(丁字閣). 침전(寢殿).

침묵【沈默】 명 말없이 잠잠히 있음. ¶ ~을 지키다. ——-하다 ㉶(여불)

침묵 교역【沈默交易】 명 〖경〗 어떤 제공자(提供者)가 물건을 두고 가면 상대자가 전통적인 협정이나 표지(標識)에 따라 딴 물건을 대신 놓아 두고 교환해 가는 원시적인 교역(交易). 옛날에 세계 각지에서 행하여졌다고 함.

침묵 다지【沈默多智】 명 말이 없는 가운데에 더욱 지혜로움.

침묵 시간【沈默時間】 명 〔silent period〕 〖통신〗 일정한 시간대(時間帶)를 정해 놓고 선박과 해안의 무선국(無線局)이 다 같이 송신을 중지하고 조난 신호를 듣도록 한 시간.

침묵의 탑【沈默—塔】 [—/—에—] 명 〖종〗 조로아스터교(Zoroaster 敎)의 교도가 조장(鳥葬)을 하기 위하여 설치하는 탑. 현재는 조로아스터 교도가 사는 봄베이(Bombay) 근처에만 있음. 다흐마(dakhmā).

침묵-제【沈默制】 명 〔silent system〕 〖법〗 잡거제(雜居制)에서, 수감자(收監者) 서로가 나쁜 영향에 물드는 것을 방지하기 위하여 교담(交談)을 금지하는 행형 제도(行刑制度). 오번제(Auburn 制)를 이르기도 함.

침미【沈迷】 명 깊이 빠짐. 매우 혼미함. ——-하다 ㉶(형)(여불)

침민【沈敏】 명 침착하고 민첩함. ——-하다 (형)(여불)

침박【侵迫】 명 침범하여 핍박함. ——-하다 ㉹(여불)

침반【針盤】 명 ↗나침반.

침발로〔이 cymbalo〕 명 〖악〗 심벌즈(cymbals)의 이탈리아 이름.

침:방[1]【針房】 명 〖역〗 궁중(宮中)에서 침모(針母)들이 바느질하는 곳. *세답방(洗踏房).

침:방[2]【寢房】 명 침실(寢室). 동방(洞房).

침:방 나:인【針房—】 명 〖역〗 조선 시대 때, 침방에 딸린 나인. 나인 중에서 서열(序列)이 지밀(至密) 나인 다음감. 원치마를 입음. *수방(繡房) 나인·세답방 나인.

침벌【侵伐】 명 남을 침노하여 내침. ——-하다 ㉹(여불)

침범【侵犯】 명 침노(侵擄)하여 건드림. 신분·명예(名譽)·재산·영토 등에 해를 끼침. 침모(侵冒). ¶ ~자(者)/영토를 ~하다. ——-하다 ㉹(여불)

침:변【枕邊】 명 베갯머리.

침:병【枕屛】 명 머릿 병풍. *가리개.

침보라소 산【—山】〔Chimborazo〕 명 〖지〗 남아메리카 에콰도르의 중서부(中西部) 안데스 산맥 중에 있는 원추 화산(圓錐火山). 이전에는 안데스 산맥 중의 최고봉으로 생각하였음. [6,272 m]

침본【鋟本】 명 목판본(木板本).

침:-봉[1]【枕峰】 명 〖지〗 ①함경 남도 혜산군(惠山郡) 운흥면(雲興面)에 있는 산(山). [1,781 m] ②함경 남도 혜산군(惠山郡) 보천면(普天面)에 있는 산. [1,610 m]

침봉[2]【針峰】 명 꽃꽂이에서, 굵은 바늘이 꽂혀 있어, 나뭇가지나 꽃의 줄기 등을 꽂아 고정시키는 제구.

침부[1]【沈浮】 명 ①물 위에 떠오름과 물 속에 가라앉음. 떴다 가라앉았다 함. 부침(浮沈). ②남을 따라 행동함. 세속(世俗)을 좇음. ③영고 성쇠(榮枯盛衰). ——-하다 ㉶(여불)

침부[2]【沈鳧】 명 〖조〗 ①청둥오리. ②쇠오리.

침:-불안석【寢不安席】 명 근심 걱정이 많아서 편안히 잠을 자지 못함. ——-하다 ㉶(여불)

침:불안 식불안【寢不安食不安】 명 '자도 걱정 먹어도 걱정'과 같은 뜻. *자다[2].

침사[1]【沈思】 명 정신(精神)을 한 곳으로 모아서 깊이 생각함. 침려(沈慮). ——-하다 ㉹(여불)

침-사[2]【鍼士】 명 의료법의 규정에 의거한 자격 인정을 받고, 환자의 경혈(經穴)에 대하여 침(鍼) 시술 행위를 하는 것을 업으로 하는 사람.

침사[3]【鍼砂】 명 〖한의〗 침을 만들 때의 거독(去毒)된 쇠의 고운 가루. 보약으로 씀.

침사-지【沈砂池】 명 〖토〗 사방 공사를 할 때에 물길로 흘러 내리는 모래와 흙을 막기 위하여, 요소(要所)에 만들어 놓은 못. 모래와 흙은 그 곳에 남고 물만 흘러 내리게 됨.

침삭【侵削】 명 침노하여 개먹어 들어감. ——-하다 ㉹(여불)

침-삼키다 ㉶ 먹고 싶거나 손에 넣고 싶어, 저도 모르게 군침을 삼키다. ¶길에서 여학도를 보면 곁물로 침을 꿀떡꿀떡 삼키는 자도 있고 ≪崔瓚植: 金剛門≫. *침흘리다.

침상[1]【沈床】 명 제방·호안(護岸)의 기초를 단단하게 굳히기 위한 구조물. 섶나뭇 가지를 엮어서 만든 매트상(mat狀)의 물건에 알돌을 얹어서 가라앉히는 섶나뭇 가지 침상, 나무틀을 짜맞추어 돌을 채운 목공 침상(木工沈床) 등이 있음.

침:상[2]【枕上】 명 ①베갯머리. 머리맡. ②베개의 위. 누워 있을 때.

침상[3]【針狀】 명 바늘처럼 가늘고 끝이 뾰족한 모양.

침:상[4]【寢牀】 명 누워 잘 수 있게 만든 평상(平牀). 와상(臥床). 와탑(臥榻). 광상(匡床).

침상 결정【針狀結晶】[—쩡] 명 〖화·광〗 바늘을 묶어 놓은 듯한 결정. 말산(malic acid)의 결정 또는 전기석(電氣石)의 결정 등이 이에 속함. (준)침정(針晶).

침상-엽【針狀葉】[—녑] 명 〖식〗 침엽(針葉).

침:상 용암【枕狀熔岩】[—농—] 명 〖지〗 암체(岩體) 전부가 목침 모양의 덩어리를 포개어 쌓아 놓은 것 같은 구조를 가진 용암. 주로 현무암질(玄武岩質) 용암에서 볼 수 있음.

침-샘 명 〔salivary gland〕 〖생〗 침을 분비하는 샘. 포유류에서는 구강점막(口腔粘膜) 가운데에 있으며, 귀밑샘·턱밑샘·혀밑샘이 있음. 곤충에도 발달되어 특히 파리·모기 등의 유충은 침샘이 커서 그 세포 속에 침샘 염색체가 있음. 타액선.

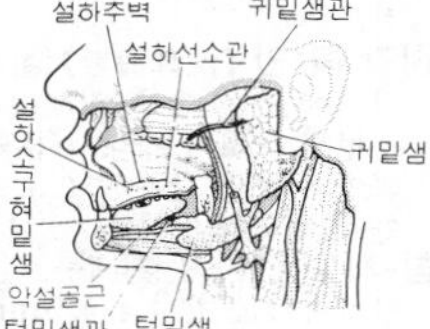

〈침샘〉

침샘 염:색체【—染色體】 명 〔salivary (gland) chromosome〕 〖생〗 쌍시류(雙翅類) 곤충의 유충(幼蟲)에 있는 침샘 세포

핵(細胞核)의 염색체. 체(體)세포핵의 염색체의 70-150 배나 되는 거대(巨大)한 염색체로 1933 년에 발견되었음. 타선 염색체.

침샘 염:색체 지도【一染色體地圖】[명]〖생〗쌍시류(雙翅類) 곤충의 침샘의 정지핵(靜止核)에서 볼 수 있는 거대한 염색체의 가로줄무늬 형태와, 각종 형질(形質)의 발현 요소(發現要素)인 유전자를 결부시켜, 염색체 상에서의 유전자의 상태적 위치를 선상(線狀)으로 그린 것. 이 지도에 의거하여 어떤 특정의 유전자 분석이 쉽게 행하여지게 되었음. 타선 염색체 지도.

침샘 호르몬〔salivary-gland hormone〕[명]〖생〗침샘인 귀밑샘에서 주로 분비되는 호르몬. 뼈나 이의 석회화를 촉진하고 혈액 중의 칼슘 농도를 저하시키는 작용을 갖는다고 함. 정제(精製)한 것을 파로틴(parotin)이라고 함.

침:석[1]【枕席】[명] ①베개와 자리. ②잠자리[1]❶.

침:석[2]【砧石】[명] 다듬잇돌.

침:석[3]【寢席】[명] 잠자리에 까는 돗자리.

침석[4]【鍼石】[명] 침술(鍼術)에 쓰는 바늘. 전하여, 훈계(訓戒).

침선[1]【沈船】[명] ①배가 가라앉음. 또, 그 배. 침몰선(沈沒船). ②강을 건너가서 배를 가라앉힘. 죽음을 각오하고 다시 돌아가지 않을 결의를 나타냄의 비유. ——-하다 [자][타][여불]

침:선[2]【針線】[명] 바늘과 실. 곧, 바느질. ——-하다 [자][여불]

침:선 방적【針線紡績】[명] 바느질과 길쌈.

침:선-비【針線婢】[명]〖역〗상의원(尙衣院)에 속하여 바느질을 맡았던 기녀(妓女).

침:선-장【針線匠】[명] 바느질로써 옷을 만드는 장인. 중요 무형 문화재 제 89 호.

침설【沈設】[명] 수뢰(水雷)·해저 전선 등을 해저(海底)에 가라앉혀 설치함. ——-하다 [타][여불]

침:성【砧聲】[명] 다듬이하는 소리.

침성-란【沈性卵】[一난][명]〔demersal egg〕〖생〗주로 어류의 알에서, 물 밑에 가라 앉는 것을 이름.

침소【寢所】[명] 사람이 자는 곳. ¶ ~에 들다.

침소 방대【針小棒大】[명] →침소 봉대. ——-하다 [자][타][여불]

침소 봉대【針小棒大】[명]〔←침소 방대〕작은 일을 크게 허풍 떨어 말함. ——-하다 [자][타][여불]

침:소 의대【寢所衣襨】[명]〈궁중〉왕이나 왕비(王妃)가 침소에 들 때 입는 잠옷.

침손【侵損】[명] 침해(侵害). ——-하다 [타][여불]

침수[1]【沈水】[명] ①물에 잠김. ②〔submergence〕〖지〗육지의 침하(沈下) 또는 해수면(海水面)의 상승(上昇) 등의 원인으로 육지가 해수면 아래에 위치하는 일. ——-하다 [자][여불]

침수[2]【沈愁】[명] 시름에 잠김. 생각에 잠김. ——-하다 [자][여불]

침수[3]【浸水】[명] 물에 젖거나 잠김. 수침(水浸). ——-하다 [자][여불]

침:수[4]【寢睡】[명] '수면(睡眠)'의 경칭. ——-하다 [자][여불]

침수 건조【浸水乾燥】[명] 목재를 물 속에 잠갔다가 말리는 일.

침수 식물【沈水植物】[명]〔submerged plants〕〖식〗몸 전체가 물 속에 잠겨 있는 수생 식물. 통발·미나리마름 같은 것. *추수(抽水)식물·수중 식물(水中植物).

침수-지【浸水地·沈水地】[명] 시위로 물에 잠긴 땅.

침수 해:안【沈水海岸】[명]〖지〗육지가 해면(海面)에 대하여 상대적으로 가라앉아서 형성된 해안. 육상의 침식 지형이 해면 아래로 침수하므로 익곡(溺谷)이 생기고, 굴곡(屈曲)이 많은 해안이 형성됨. 리아스식 해안이 전형적인 예임. *침강(沈降)해안·이수(離水)해안·중성 해안·해안 지형.

침술【鍼術】[명]〖한의〗침을 놓아 병을 다스리는 의술(醫術). 인체의 환부(患部)·손끝·혈맥(血脈)이 통하는 부분 등을 찔러서 그 자극으로 혈관에 수축 작용(收縮作用)을 일으켜, 근육(筋肉)을 부드럽게 하며 감각(感覺) 신경의 흥분을 진정(鎭靜)시키고 내장(內臟)의 고통을 완화(緩和)하는 요법임.

침술 마취【鍼術痲醉】[명]〖한의〗침에 의한 마취 방법. 미약 전류(微弱電流)를 침을 통해 인체에 전도하는 방법이 쓰이는데, 의학의 각 과(各科)에서 활용됨.

침습【浸濕】[명] 물이 스며들어 젖음. ——-하다 [자][여불]

침시【沈柹】[명] 침감.

침식[1]【侵蝕】[명] 차차로 개먹어 들어감. ——-하다 [타][여불]

침식[2]【浸蝕】[명]〔erosion〕〖지〗빗물이나 흐르는 물이 지반(地盤)을 깎아 골짜기를 만들고 산을 무너뜨리는 작용. 우식(雨蝕)·하식(河蝕)·빙식(氷蝕)·풍식(風蝕)·해식(海蝕)·용식(溶蝕) 등의 종류에 따라 각기 독특한 지형이 생김. 침식 작용. ——-하다 [타][여불]

침:-식[3]【寢食】[명] 잠자는 일과 먹는 일. 면식(眠食). 숙식(宿食). ¶ ~을 잊고 일하다.

침:식[4]【寢息】[명] 떠들썩하던 일이 가라앉아서 그침. 지식(止息). ——-하다 [자][여불]

침식-곡【浸蝕谷】[명]〖지〗침식 작용(浸蝕作用)에 의하여 생긴 골짜기. 수식곡(水蝕谷).

침식 기준면【浸蝕基準面】[명]〖지〗침식 작용이 침식을 계속할 수 있는 극한(極限)의 면. 하천의 침식에 대한 해면(海面) 높이의 면 같은 것.

침식 대지【浸蝕臺地】[명]〖지〗풍우(風雨)의 침식 작용 및 물의 운반 작용에 의하여 생긴 대지.

침식 분지【浸蝕盆地】[명]〖지〗단단한 암석 사이에 연약(軟弱)한 암석이 있어 그 경계면이 분지 모양을 이룰 때에, 그 연약층(層)이 침식되어 형성된 분지.

침:식 불안【寢食不安】[명] '자도 걱정 먹어도 걱정'과 같은 뜻. *자다[2].

침식-산【浸蝕山】[명]〖지〗단단한 암석이 수식(水蝕)에 깎이지 아니하고 그 주변 지역이 침식으로 낮게 된 후에 높은 채로 남아서 생성(生成)된 산악(山嶽). 수식산(水蝕山).

침식 산지【浸蝕山地】[명]〖지〗침식 작용에 의하여 형성된 산악 지형. 화산 지형 등에 대한 말.

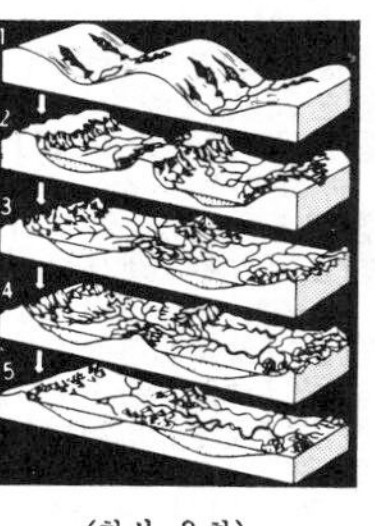

〈침식 윤회〉

침식 속도【浸蝕速度】[명]〔eroding velocity〕〖지질〗일정한 크기의 입자(粒子)가 동질(同質)의 물질을 닳게 만드는 데 필요한 최소의 평균 속도.

침식 윤회【浸蝕輪廻】[一눈一][명]〔erosion cycle〕〖지〗지형이 영력(營力)의 작용을 받아 원상태로부터 차차 변화하여 종지형(終地形)에 이르기까지의 변화의 계열(系列). 즉, 유년기(幼年期)·장년기(壯年期)·노년기(老年期)를 거쳐가는 일련의 과정. 지리학적 윤회.

침식 작용【浸蝕作用】[명]〖지〗침식(浸蝕).

침식-층【浸蝕層】[명]〔weathered layer〕〖지〗지표면의 바로 밑에 있으며, 지진파(地震波)의 속도가 느린 것이 특징인 지층(地層).

침식 평야【浸蝕平野】[명]〖지〗오랜 세월 동안 침식에 의하여 높은 곳이 거의 평지(平地)로 된 땅.

침식-호【浸蝕湖】[명]〖지〗침식 작용으로 이루어진 분지에 물이 괴어 생긴 호수.

침-신래【侵新來】[一실一][명]〖역〗신래 침학(新來侵虐). ——-하다 [자][여불]

침:실【寢室】[명] 잠을 자도록 마련된 방. 침방(寢房). 와방(臥房). 와실(臥室).

침심[1]【沈深】[명] 생각과 염려가 깊음. ——-하다 [형][여불]

침심[2]【侵尋】[명] 점점 앞으로 나아감. ——-하다 [자][여불]

침압【針壓】[명] 레코드에 닿는 바늘 끝의 압력. 픽업(pick up)의 카트리지(cartridge)의 무게로 판별함. 보통 1.5-2.5g정도의 것이 많음. 만년필의 필압에 상당함.

침어[1]【侵漁】[명] 침탈(侵奪). ——-하다 [타][여불]

침어[2]【針魚·鱵魚】[명]〖어〗공미리.

침어 낙안【沈魚落雁】[명] 아름다운 여자의 고운 얼굴을 형용하는 말.

침-어주색【沈於酒色】[명] 주색에 혹하여 빠짐. ——-하다 [자][여불]

침염【浸染】[명] ①차차 물이 듦. 점점 감화(感化)함. ②〔dip dying〕〖화〗섬유 또는 섬유 제품을 물감·염색 조제(染色助劑)를 함유하는 물감물에 담가 무늬 없이 물들이는 염색법. ——-하다 [자][타][여불]

침엽【針葉】[명]〖식〗바늘 모양이나 인편(鱗片) 모양으로 된 초목의 잎. 침상엽(針狀葉). 바늘잎. ↔활엽.

침엽-수【針葉樹】[명]〖식〗잎이 침엽으로 된 나자(裸子) 식물. 일반적으로 상록 교목(常綠喬木)으로, 구과(毬果)를 맺음. 재목은 건축재(建築材)·토목재(土木材)로서 중요함. 소나무·잣나무·향나무 등. 바늘잎 나무. ↔활엽수(闊葉樹).

침엽수-류【針葉樹類】[명]〔Coniferopsida〕〖식〗나자 식물의 한 강(綱). 자연군(自然群)을 이루며, 주로 북반구(北半球)에 분포함. 잎은 대개 침엽이며 가지에 밀생(密生)함. 꽃은 자웅 양화(雌雄兩花)로, 수꽃은 화분낭(花粉囊)을 가진 인편엽(鱗片葉)의 이삭이 되며, 암꽃은 인편 엽액(葉腋)에 종린(種鱗)이 밀생한 구상 화서(球狀花序)로 구과(毬果)를 맺음. 400여 종이 현존하며, 주목(朱木)·삼목(杉木)·소나무·젓꼭지나무 등이 이에 속함.

침엽수-림【針葉樹林】[一쑤一][명] 침엽수로 이루어진 수림.

침엽수림 기후【針葉樹林氣候】[명]〖지〗냉온대(冷溫帶) 북부에서 볼 수 있는, 식물의 생육 기간이 짧고 겨울의 추위가 심한 기후. 알래스카에서 캐나다 동부, 스칸디나비아에서 캄차카까지의 사이에 분포하는데, 영구 동토층(永久凍土層)이 두껍게 발달하고 여름에는 동토의 표면만이 녹아서 습지(濕地)로 변함.

침엽 수지【針葉樹脂】[명] 침엽수에서 분비된 수지.

침:와【寢臥】[명] 드러누움. 누워 잠. ——-하다 [자][여불]

침:완【枕腕】[명] 침완법(枕腕法).

침:완-법【枕腕法】[一뻡][명] 서도에서, 왼손을 오른팔의 팔꿈치 밑에 베개처럼 받치고 글씨를 쓰는 방법. ㊟침완.

침요[1]【侵擾】[명] 침노하여 소요를 일으킴. ——-하다 [타][여불]

침:요[2]【寢褥】[一뇨][명] 잠잘 때에 까는 요.

침용【沈勇】[명] 침착하고 용기가 있음. ——-하다 [형][여불]

침우【沈憂】[명] 마음에 쌓이어 있는 깊은 근심.

침:우 기마【寢牛起馬】[명] 소는 눕는 것을, 말은 서 있는 것을 좋아한다는 뜻으로, 사람마다 제각기 취미가 다르다는 말.

침울【沈鬱】[명] ①마음에 근심스러운 일이 있어 쾌활하지 못함. ¶ ~한 심정(心情). ②날씨나 분위기(雰圍氣) 등이 어둡고 답답함. ¶ ~한 날씨. ——-하다 [형][여불]. ——-히 [부]

침:원【寢園】[명] 임금의 산소. 능(陵). 능침(陵寢).

침:원-서【寢園署】[명]〖역〗고려 때에 능침(陵寢)의 수위(守衛)를 맡은 관아. 충렬왕(忠烈王) 34년(1308)에 대묘서(大廟署)의 고친 이름. 공민왕(恭愍王) 때, 대묘서로 다시 고치었다가 또 본이름으로 고치는 등 개변(改變)이 있었음.

침월【侵越】[명] 경계를 넘어서 침노하여 들어감. ——-하다 [타][여불]

침윤【浸潤】[명] ①차차 젖어 들어감. 점점 배어 들어감. ②점차 침입하여 퍼짐. ¶ 폐(肺)~. ——-하다 [자][여불]

침윤 마취【浸潤痲醉】[명]〔infiltration anesthesia〕〖의〗수술할 부위에 국소 마취제를 침윤시키어 신경 종말(神經終末)을 마비시키는 국소 마취 방법. *표면(表面) 마취.

침윤-제【浸潤劑】[명]〖화〗고체와 액체의 접촉각(接觸角)을 작게 하는 작용이 있는, 곧 고체가 잘 젖도록 만드는 계면 활성제(界面活性劑). 염색(染色)의 균염제(均染劑)와 천연 섬유의 정련(精錬)·표백(漂白) 등에 이용됨. 삼투제(滲透劑).

침윤지-언【浸潤之言】명 침윤지참.

침윤지-참【浸潤之譖】명 차차 젖어서 번지는 것과 같이 조금씩 오래 두고 하는 참소의 말. 침윤지언.

침은【沈隱】명 물에 가라앉아 숨음. ——-하다 자여불

침음¹【沈吟】명 ①입 속으로 웅얼거리며 깊이 생각함. ②근심에 잠기어 신음함. ——-하다 자여불 「——-하다 형여불

침음²【沈陰】명 구름과 안개가 겹치어 막 비가 내릴 듯함. 음산(陰散)함.

침음³【沈飮】명 통음(痛飮).

침음⁴【浸淫】명 어떠한 풍습에 점점 젖어 들어감. ——-하다 자여불

침음⁵【針音】명 스크래치 노이즈.

침음 양구에【沈吟良久—】부 입 속으로 웅얼거리어 깊이 생각한 지 매우 오랜 뒤에.

침음-창【浸淫瘡】명〖한의〗급성의 피부염(炎)과 습진(濕疹)의 일컬음.

침:의¹【寢衣】[—/—이] 명 자리옷.

침의²【鍼醫】[—/—이] 명 침술로 병을 다스리는 의원.

침의-청【鍼醫廳】[—/—이—] 명〖역〗내의원(內醫院)의 한 직소(職所). 침술(鍼術)로 병을 다스림.

침입¹【侵入】명 침범하여 들어감. ¶적군의 ~. ——-하다 자타여불

침입²【浸入】명 ①물이 점점 스미어듦. 침침(浸沈). ②침범하여 들어감. 무리하게 들어감. ——-하다 자타여불

침입-군【侵入軍】명 침입하는 군사.

침입-도【針入度】명 물질의 점조도(粘稠度)·경도(硬度) 따위를 나타내는 척도의 하나. 어떤 물질에 일정한 모양·무게의 바늘 또는 원뿔을 대고 일정한 힘을 가하여 일정 시간 후에 어느 정도 들어가는가를 재서 나타냄.

침입-자【侵入者】명 침입한 사람.

침입형 수소화물【侵入型水素化物】명〔interstitial hydride〕〖화〗침입형 화합물의 하나로 금속상(金屬狀) 화합물의 별칭.

침입형 화합물【侵入型化合物】명 금속의 결정 격자(結晶格子) 혹은 원자 격자(原子格子)의 틈새에, 다른 작은 비금속(非金屬) 원소의 원자가 침입하여 생긴 일종의 고용체(固溶體). 금속으로서는 천이 금속(遷移金屬)이 보통이며, 비금속으로서는 수소·붕소(硼素)·질소·탄소 등이 일반적임. 흔히, 금속 광택·도전성(導電性) 등 금속의 특성을 나타냄.

침자¹【侵恣】명 남의 권리를 침범하여 방자함.

침자²【針子】명 바늘.

침자-전【針子廛】명 바늘을 파는 가게.

침작【斟酌】명 →짐작. ——-하다 타여불

침잠【沈潛】명 ①물속에 가라앉음. ②성정(性情)이 가라앉아서 외모(外貌)에 드러나지 아니함. ——-하다 자형여불

침장¹【沈壯】명 침착하고 웅장함. ——-하다 형여불

침장²【沈藏】명 김장.

침장³【針匠】명〖역〗바늘을 만드는 장인(匠人).

침:장⁴【寢帳】명 방의 출입문에 쳐 놓아 장식과 방풍(防風)을 겸하는 장막(帳幕).

침재¹【沈滓】명 침전(沈澱)❶. ——-하다 자여불

침:재²【針才】명 바느질 재주. 바느질을 하는 솜씨.

침재³【鋟材】명 판목을 새김. ——-하다 자타여불

침재⁴【鋟梓】명 기궐(剞劂).

침-쟁이【鍼—】명〈속〉①침의(鍼醫)를 홀하게 일컫는 말. ②아편 중독자(阿片中毒者).

침:저【砧杵】명 다듬잇 방망이.

침저 기뢰【沈底機雷】명〔ground mine〕〖군〗부력(浮力)이 없는 수중(水中) 기뢰. 비교적 얕은 해저(海底)에 놓음.

침적【沈積】명 액체 속에 가라앉아 쌓임. ——-하다 자여불

침적-물【沈積物】명 침적한 물질.

침적물 식자【沈積物食者】명〔deposit feeder〕〖동〗퇴적물 식자(堆積物食者).

침적-암【沈積岩】명〖광〗퇴적암(堆積岩).

침전¹【沈澱】명 ①액체 속에 있는 세립자나 잡물 같은 것이 밑바닥에 가라앉음. 또, 그 물질. 침재(沈滓). ②〔precipitation〕〖화〗용액(溶液) 속의 화학 변화에 의하여 생기는 반응 생성물(生成物), 또는 용액 중의 용질(溶質)이 용해도(溶解度) 이상이 되었을 때에 세립상(細粒狀) 또는 목화(木花) 송이 같은 고체가 되어 용액 속에 나타나는 현상(現象). 앙금. ——-하다 자여불

침:전²【寢殿】명 ①임금의 침방(寢房)이 있는 집. ②정자각(丁字閣). 침묘(寢廟).

침전-가【沈澱價】[—까] 명〔precipitation number〕〖화〗10mℓ의 석유계 윤활유(石油系潤滑油)와 90mℓ의 석유 나프타를 혼합하였을 때 생성되는 아스팔트의 침전을, ASTM의 조건에 따라서 원심 분리(遠心分離)하고 그 양(量)을 밀리리터 단위(ml 單位)로 나타낸 수(數). 석유계 윤활유 중의 아스팔트의 양을 나타내는 데 쓰임.

침전 광:물【沈澱鑛物】명〖광〗천연수(天然水) 속에 용해되어 있는 물질이 가라앉아서 이루어진 광물. 방해석(方解石)·석고(石膏) 등.

침전 광:층【沈澱鑛層】명〖지〗광층(鑛層).

침전 구리【沈澱—】명〔cement copper〕〖야금〗황산 구리 용액(溶液)에 철(鐵)을 가함으로써 석출(析出)된 구리.

침전-막【沈澱膜】명〔precipitation membrane〕〖화〗두 용액(溶液)의 접촉점(接觸點)에 생긴 침전에 의하여 만들어진 막(膜). 한외 여과 교질(限外濾過膠質)의 투석(透析) 및 삼투압(滲透壓)의 측정 등에 쓰임.

침전-물【沈澱物】명 침전된 물건 또는 물질. 앙금 같은 것. 앙금. 전물(澱物).

침전 물질 시험【沈澱物質試驗】[—찔—] 명〔settleable solids test〕〖토〗오수(汚水) 검사에 이용되는 시험의 하나. 오수의 오니(汚泥) 생성능(生成能)을 결정하는 데 유용(有用)함. 임호프 콘(imhoff cone) 속에서 침전하기에 충분한 크기의 부유 고체(浮遊固體)의 비율(比率)을 측정함.

침전 반:응【沈澱反應】명〖화〗액상(液相) 속에서 용해도가 낮은 물질이 고상(固相)이 되어 석출(析出)·침강하는 반응.

침전-암【沈澱岩】명〖광〗수성암(水成岩).

침전 적정법【沈澱滴定法】[—뻡] 명〔precipitation titration〕〖화〗시료액(試料液)과 표준액을 반응시켜서 침전을 만들고 침전 생성(生成)의 종국(終局)으로써 반응 종말점(終末點)을 판정하는 적정법. 은(銀) 적정이 대표적 예임.

침전-제【沈澱劑】명〔precipitant〕액체 속에 섞이어 있는 불순물(不純物)을 침전시키는 화학 물질.

침전-지【沈澱池】명 ①〔settling basin〕〖토〗물 속에 섞인 흙과 모래를 가라앉히어 물을 맑게 만들기 위하여 만든 못. 침징지(沈澄池). 가란침못. ②〔settling pond〕〖광〗유출물(流出物)로부터 고체분(固體分)을 회수(回收)하기 위한 자연(自然) 또는 인공의 연못.

침전 타:르【沈澱—】〔tar〕명〖화〗중(重)타르.

침-점¹【—占】명 방향 같은 것을 정할 때 하는 점의 한 가지. 침을 손바닥에 뱉어 놓고 손가락으로 쳐서 많이 튀어 가는 쪽을 잡음. 흔히, 아이들이 사람이나 잊은 물건의 행방 등을 결정할 때 함.

침점²【侵占】명 침노하여 빼앗아 차지함. ——-하다 타여불

침점³【浸漸】명 점점 스미어 들어감. 차차 나아감. ——-하다 자여불

침정¹【沈正】명 침착하고 정직함. ——-하다 형여불

침정²【沈靜】명 성정이 가라앉고 조용함. ——-하다 형여불. ——-히 부

침정³【針晶】명〖화·광〗↗침상 결정(針狀結晶).

침제【浸劑】명〖약〗①잘게 썬 약물(藥物)에 끓인 물을 붓고 저어서, 약용 성분을 우려 낸 약제(藥劑). ②〖한의〗술로 달일 때 빠르게 달여 빠르게 마시는 약제.

침종¹【沈鐘】명〔Die versunkene Glocke〕〖문〗하우프트만(Hauptmann, G.)의 동화풍의 희곡. 종을 만드는 청년과 숲속의 요정(妖精) 사이의 비련(悲戀)을 그리어 이상과 현실, 소망(所望)과 능력의 모순을 작자의 두개의 정신의 갈등으로 나타냄. 1816년작. 5막.

침종²【浸種】명〖농〗씨담그기.

침종식 압력계【沈鐘式壓力計】[—녁—] 명〖물〗액체 속에 일부분이 잠기어 있는 종(鐘)이 압력의 변화에 따라 승강(昇降)함을 이용하여 압력의 크기를 표시 또는 기록하는 압력계의 하나. 벨 차압계(bell 差壓計).

침-주다【鍼—】자 병을 다스리려고 몸의 혈(穴)을 침으로 찌르다. 침놓다.

침중【沈重】명 ①성질이 가라앉아서 진득함. ②병세가 위중(危重)함. ¶우연히 병이 들어서 점점 ~하여 가다. ——-하다 형여불

침지¹【侵地】명 침략한 땅 또는 침략당한 땅.

침지²【浸漬·沈漬】명 ①무엇을 물 속에 담가 적심. ②식물 섬유의 줄기를 물·온탕(溫湯)·약품 등에 적시는 일. 발효시키어 인피(靭皮)와 목질부(木質部)를 쉽게 분리시키려고 하는 것임. ——-하다 타여불

침지 도금【浸漬鍍金】명〔immersion plating〕〖야금〗금속 제품의 표면에 보다 귀한 금속의 층(層)을 부착시키는 방법. 제품을 보다 귀한 금속 이온을 함유한 액체 속에 담금으로써 행함. 금속의 치환 반응(置換反應)의 일종임.

침지 세:척【浸漬洗滌】명〔soak cleaning〕〖야금〗금속을 세척액에 담그어, 전해(電解)를 하지 않고 표면을 세척하는 방법.

침-질【鍼—】명 병을 다스리는 데 침을 주는 일. ——-하다 자여불

침징【侵徵】명 위세를 부리어 불법(不法)으로 남의 물건을 빼앗아 들임. ——-하다 타여불

침징-지【沈澄池】명〖토〗침전지(沈澱池).

침착¹【沈着】명 침전하여 부착함. ——-하다 자여불

침착²【沈着】명 행동이 들뜨지 아니하고 착실함. ¶~하게 처리하다. ——-하다 형여불. ——-히 부

침착-성【沈着性】명 행동이 경솔하지 아니하고 찬찬한 성질.

침채【沈菜】명 김치.

침책【侵責】명 ①간접으로 관계되는 사람에게 책임을 추궁함. ¶실상은 악독하고 음탕한 남녀의 죄악을 도와주는 것이니까… 여러 사람에게도 그 ~이 돌아가나니…《李相協 : 눈물》. ②〖역〗조선 시대 때, 물품 수납에 있어서, 여러가지 까다로운 트집을 잡아, 술이나 돈을 청하는 짓. ¶초장꾼과 보행 행인은 일체로 ~하지 말라는 때도 두목과 졸개가… 술잔들도 뺏어 먹었거든…《洪命憙 : 林巨正》. ——-하다 타여불

침:척【針尺】명 바느질자.

침철-광【針鐵鑛】명〖광〗사방 정계(斜方晶系)에 속하는 철광물. 침상(針狀)·판상(板狀)·인편상(鱗片狀) 결정을 이루는데, 색은 황색·적갈색·암갈색을 나타냄. 종래 갈철광(褐鐵鑛)이라고 부르던 것의 대부분은 이 미세(微細) 결정의 집합체임.

침청【沈靑】명〖공〗영청(影靑).

침:-청자【砧靑磁】명 청람색(靑藍色), 불투명성(不透明性)의 유약(釉藥)을 바른 청자. 다듬이질하는 모양 같으므로 이 호칭(呼稱)이 생겼다 함. 주로 중국 남송(南宋) 시대의 룽취안 요(龍川窯)에서 산출됨.

침체【沈滯】명 ①오래도록 벼슬이 오르지 아니함. ②일이 잘 진전되지 아니함. 데드록(deadlock). ¶~ 상태. ——-하다 자여불

침체-성【沈滯性】[—썽] 명 일이 진전되지 아니하고 한자리에 머물러 있는 경향이나 성질.

침출【侵出】명 경계·테두리 따위를 넘어서, 남의 세력 범위내에 진출

함. ——-하다 ㉶㉵여불

침출-수【浸出水】[—쑤] ㊔ 땅속에 묻은 쓰레기가 썩으면서 생기는 더러운 물《토양 오염의 한 원인이 됨》.

침출-제【浸出劑】[—쩨] ㊔ 〖약〗 생약(生藥)에 들어 있는 약의 성분을 우려내는 약제. 알코올·에테르 따위.

침취【沈醉】㊔ 술이 몹시 취함. *침음(沈飮). ——-하다 ㉶여불

침취-어【針嘴魚】㊔ 〖어〗 공미리.

침치【鍼治】㊔ 침으로 병을 치료함. ——-하다 ㉵여불

침-칠 ㊔ 침으로 적시는 일. 침을 바르는 일. ¶ ~을 하여 우표를 붙이다. ——-하다 ㉶여불

침침[1]【浸沈】㊔ 스미어 들어감. 침입(浸入). ——-하다 ㉶여불

침침[2]【浸浸】㊔ 점차 나아가는 모양. ——-하다 ㊖여불. ——-히 ㊕

침침[3]【駸駸】㊔ 속력이 매우 빠름. ——-하다 ㊖여불. ——-히 ㊕

침침 칠야【—漆夜】㊔ 칠흑같이 캄캄한 밤. ¶ 더구나 낮도 아닌 ~에 어느 때나 올는지 기필치도 못하며…《李海朝 : 九疑山》.

침침-하다【沈沈—】㊖여불 ①어둡거나 흐리다. ¶ 날씨가 ~. ②눈이 체를 쓴 것처럼 어두워서 물건이 똑똑하게 보이지 아니하다. ¶ 눈이 ~. 침침-히【沈沈—】㊕

침켄트〔Chimkent〕㊔ 〖지〗 카자흐스탄(Kazakhstan) 공화국 남부의 도시. 납의 제련, 시멘트·화학·약품·식육 가공 등의 공업이 행하여짐. 12세기 실크 로드 상의 도시로 창건되었으며 침켄트 주(州)의 주도로 신구(新舊)의 두 시가로 나뉘어짐. 〔389,000명(1987)〕

침탁【踸踔】㊔ 앙감질. ——-하다 ㉶여불

침탄【浸炭】㊔ 〔cementation〕 〖야금〗 강(鋼)의 표면부의 탄소 함유량을 증가시키기 위한 처리. 저탄소강(低炭素鋼)을 탄소를 함유한 매제(媒劑) 속에서 가열하여 표면의 경도(硬度)를 높임. 또, 강의 표면에 발생한 탄소가 확산(擴散)에 의하여 내부에 침입하는 현상을 이용, 코크스·목탄 등에 의한 고체(固體) 침탄, 시안화물(Cyan化物)에 의한 액체(液體) 침탄, 일산화 탄소·메탄 등에 의한 가스 침탄 등이 있음.

침탄-강【浸炭鋼】㊔ 겉면에 침탄 작업을 하여 경화시킨 강. 내부는 무르기 때문에 잡아당기는 힘에 견디며 잘 닳거나 갈리지 아니하므로, 충격부(衝擊部)나 진동부에 쓰임.

침탈【侵奪】㊔ 침노하여 빼앗음. 침어(侵漁). ——-하다 ㉵여불

침탈-물【侵奪物】㊔ 침노하여 빼앗은 물건.

침통[1]【沈痛】㊔ ①마음에 뼈저리게 느낌. ②슬픔에 잠기어 가슴이 아픔. ¶ ~한 얼굴. ——-하다 ㊖여불. ——-히 ㊕

침통[2]【針筒】㊔ 〖고고학〗 바늘통.

침통[3]【鍼筒】㊔ ①침(鍼)을 넣어 두는 작은 통. 흔히, 작은 대 토막으로 만듦. ②〖고고학〗 바늘통.

침통 노리개【針筒—】㊔ 곱게 장식한 바늘통을 단 노리개.

침투【浸透】㊔ ①스미어 젖어서 속속들이 뱀. 젖어 들어감. 투침(透浸). ②〔infiltration〕〖지〗 암석의 틈이나 구멍을 통하여 흐르는 용액(溶液)에 물질이 녹아 운반되는 일. ③〔permeation〕 원자(原子)·분자(分子)·이온 따위가 다공질(多孔質) 물질이나 침투성 물질 속으로 또는 이것들을 통과하여 이동(移動)함. ——-하다 ㉶여불

침투-압【浸透壓】㊔ 〖물〗 삼투압(滲透壓).

침투 탐상법【浸透探傷法】[—뻡] ㊔ 재료 표면의 균열이나 편홀을 검출하는 비파괴 시험법(非破壞試驗法). 착색 용액이나 형광 도료(螢光塗料)를 칠하여 눈에 보이지 않은 흠이나 균열에 침투시킴.

침-튀기다 ㉶ 〈속〉 침방울을 튀게 할 정도로 열을 올려 지껄이다.

침파【鍼破】㊔ 침으로 종기를 쨈. ——-하다 ㉵여불

침-파리【針—】㊔ 〖충〗 ①〔*Stomoxys calcitrans*〕 침파릿과에 속하는 곤충. 몸길이 5-6.5mm이고, 몸빛은 회색에 흉배(胸背)는 황회색의 가루로 덮이고 네 개의 암갈색 종선(縱線)이 있으며, 복부(腹部)도 황회색의 가루로 덮임. 제 3-4 배절(背節)에 세 개의 갈색 무늬가 있음. 인축(人畜)의 피를 빨아 먹는 세계 공통종으로 널리 분포함. 피파리. ②검정머리기생파리.

침팬지〔chimpanzee〕㊔ 〖동〗〔*Pan satyrus*〕 유인원과(類人猿科)에 속하는 원숭이의 하나. 수컷의 키는 1.67m, 암컷은 1.3m 가량이고 털은 흑갈색, 얼굴은 담갈색 내지 흑색이며, 귀가 크고 코가 작음. 아프리카 열대 지방의 산림 지대에서 한 마리의 수컷에 여러 마리의 암컷과 새끼가 한 가족을 이루어 서식함. 주로 과실을 먹으며, 임신(妊娠) 9개월 만에 한 마리의 새끼를 낳음. 수명은 25년 가량임. 유인원 중 가장 지능이 발달하고 사람에 길들어 곡예도 잘함.

〈침팬지〉

침포【侵暴】㊔ 침학(侵虐). ——-하다 ㉵여불

침핍【侵逼】㊔ 침범하여 핍박함. ——-하다 ㉵여불

침하【沈下】㊔ ①가라앉아 내려감. 침강(沈降). ②〔subsidence〕〖광〗 갱내 채굴(採掘) 때문에 지표(地表)의 일부가 가라앉는 일. ¶ 지반이 ~하다. ——-하다 ㉶여불

침하 안정 지면【沈下安定地面】㊔ 〔settled ground〕〖광〗 충분히 침하되었기 때문에 갱내(坑內)의 채굴(採掘)한 자리로의 침하가 정지된 지표(地表).

침하-율【沈下率】㊔ 〔percentage subsidence〕〖광〗 단층의 두께에 대한 채광 후의 지반(地盤) 침하량(沈下量).

침학【侵虐】㊔ 침범하여 포학(暴虐)하게 행동함. 능학(凌虐). 침포(侵暴). ——-하다 ㉵여불

침해【侵害】㊔ 침범(侵犯)하여 손해를 끼침. 침손(侵損). ¶ 소유권 ~. 「——-하다 ㉵여불

침해-범【侵害犯】㊔ 〖법〗 살인죄·상해죄처럼 법익(法益)이 현실로 침해됨을 구성 요건(構成要件)으로 하는 범죄. 형법상의 많은 범죄가 이에 속함. ↔위태범(危殆犯).

침향【沈香】㊔ ①〖식〗〔*Aquilaria agallocha*〕 팥꽃나뭇과에 속하는 상록 교목. 높이 20m 이상, 줄기의 직경은 2m 이상임. 잎은 호생하며 혁질(革質)의 긴 타원형인데, 길이 5-7cm이고, 겉에는 광택이 남. 흰 꽃이 정생(頂生) 또는 액출(腋出)하여 산형(繖形) 화서로 밀집하여 핌. 도피침형의 과실이 익으면 두 쪽으로 갈라지며, 달걀꼴의 씨에는 꼬리 같은 부속물이 있음. 인도·동남 아시아의 원산임. 생목(生木) 또는 고목(枯木)을 땅 속에 묻어 수지(樹脂)가 적은 부분을 썩히고 수지가 많은 부분을 쓰는데, 줄기의 상처나 단면에서 흐르는 수지(樹脂)를 '침향'이라 하여 예로부터 향료로 극히 진중(珍重)됨. 가라(伽羅). ②〖한의〗 침향의 속고갱이. 성질이 온하여 곽란(霍亂)·심복통(心腹痛)·적취(積聚) 등에 약제로 씀.

〈침향〉

침향-색【沈香色】㊔ 황갈색(黃褐色).

침형【針形】㊔ ①바늘의 형상. 가늘고 길며 끝이 뾰족한 형상. ②〖식〗 바늘 모양으로 된, 잎의 형상의 한 가지. 소나무·잣나무의 잎 등. *침엽(針葉).

침혹【沈惑】㊔ 무엇을 몹시 좋아하여 정신을 잃고 거기에 빠짐. ¶ …이곳 군산 지점으로 전근해 오면서부터 주색에 ~하기를 시작했다《蔡萬植 : 濁流》. ——-하다 ㉶여불

침후【沈厚】㊔ 침착(沈着)하고 중후(重厚)함. ——-하다 ㊖여불

침훼【侵毁】㊔ 침범하여 훼손함. ——-하다 ㉵여불

침-흘리개 ㊔ 침을 늘 흘리는 버릇이 있는 사람.

침-흘리다 ㉶ ①침이 입 밖으로 나오다. ②손에 넣기를 간절히 바라다. 몹시 탐내다. *침삼키다.

칩〔chip〕㊔ ①룰렛(roulette) 또는 포커(poker) 따위의 노름판에서 판돈 대신에 쓰이는, 상아(象牙)·플라스틱 등으로 만든 산가지. ②목재(木材)를 작은 조각으로 만든 것. 펄프의 원료. ③잘게 썰어서 기름에 튀긴 요리. ④집적 회로를 구성하는 반도체의 작은 조각. 또는 그 집적 회로의 일컬음.

칩거【蟄居】㊔ 나가서 활동하지 않고 집 속에만 죽치고 있음. 침거(沈居). 폐거(閉居). ¶ ~ 생활/집안에 ~하다. ——-하다 ㉶여불

칩다 ㊖ 〈옛·방〉 춥다(전남·경상·함경). =칩다. ¶ 나리 져그나 칩거든 등을 몬져 닐오디(少冷則拊其背曰)《小諺 Ⅸ:80》.

칩떠-보다 ㉵ 눈을 치뜨고 보다. ↔내립떠보다.

칩뜨다 ㉶ 몸을 힘 있게 솟구어 높이 떠오르다.

칩룡【蟄龍】[—뇽] ㊔ ①숨어 있는 용. ②숨어 있는 영웅을 비유하는 말.

칩-보:드〔chipboard〕㊔ 목재를 자디잔 조각으로 만들어 접착제(接着劑)로 굳힌 건재(建材). 표면에 목재의 세편(細片)이 불규칙(不規則)한 무늬가 되어 나타남. 가구(家具)나 미싱 테이블의 재료로 사용됨. 파티클 보드(particle board). 「——-하다 ㉶여불

칩복【蟄伏】㊔ 자기 처소(處所)에 들어 가만히 엎드려 있음. 전복(蹎伏).

칩수【蟄獸】㊔ 겨울철에 가만히 엎드려 있는 짐승.

칩충【蟄蟲】㊔ 겨울철에 가만히 엎드려 있는 벌레.

칩칩-스럽다 ㊖ ㅂ불 ☞ 츱츱스럽다.

칩칩-하다 ㊖여불 ☞ 츱츱하다.

칠다 ㊖ 〈옛〉 춥다. =칩다. ¶ 치본 사ᄅᆞ미 블 얻둣ᄒᆞ며《月釋 ⅩⅧ:51》.

칫-솔【齒—】㊔ 이를 닦는 데 쓰는 솔.

칫솔-질【齒—】㊔ 칫솔로 이를 닦는 짓.

칭【秤】㊀㊔ 무게 백 근(百斤)의 일컬음.

칭-가유:무【稱家有無】㊔ 집의 형세(形勢)에 따라서 일을 알맞게 함.

칭개 다리 ㊔ 〈방〉 층층대(경상). 「——-하다 ㉶여불

칭거【稱擧】㊔ 등용(登用)함. ——-하다 ㉵여불

칭격【稱格】[—껵] ㊔ 〖언〗 인칭(人稱) 또는 물칭(物稱).

칭경【稱慶】㊔ 경사를 치름. ——-하다 ㉶여불

칭굉【稱觥】㊔ 헌수(獻壽). ——-하다 ㉶여불

칭굴【稱屈】㊔ 칭원(稱冤). ——-하다 ㉶여불

칭기즈 칸〔Chingiz Khan〕㊔ 〖사람〗 중국 원(元)나라의 태조(太祖). 1188년경부터 몽골족(族)을 통일하고, 1206년 제위(帝位)에 올라 칭기즈 칸이라 일컬었으며, 금(金)·서하(西夏)에 출병, 특히 유럽·인도에의 대서정(大西征)으로 동서양에 걸친 대제국을 건설하였음. 중국명은 성길사한(成吉思汗). 본명은 테무친(Temuchin). 〔1167-1227〕

칭기즈칸 구이〔Chingiz Khan〕㊔ 〔옛날, 칭기즈 칸이 군대의 사기를 고무하기 위하여 야외에서 염소 고기를 구워 먹였다는 전설에서〕 석쇠 또는 칭기즈칸 냄비를 숯불에 올려 놓고 염소 고기·야채 따위를 익혀 먹는 요리. 칭기즈칸 요리. 칭기즈칸 냄비.

칭기즈칸 냄비〔Chingiz Khan〕㊔ ①칭기즈칸 요리에서, 고기를 얹어 굽는 철제의 특수한 냄비. 중앙부가 철모처럼 생겼으며 구멍이 숭숭 뚫렸음. ②칭기즈칸 구이.

칭기즈칸 요리【—料理】〔Chingiz Khan〕[—뇨—] ㊔ 칭기즈칸 구이.

칭념【稱念】㊔ 무엇을 초들어서 잊지 말고 잘 생각하여 달라고 부탁함. ——-하다 ㉵여불

칭다오〔青島〕㊔ 〖지〗 중국 산둥 성(山東省) 동부 자오저우 만(膠州灣) 동안(東岸)의 항구 도시. 천연의 양항으로 상항(商港)·군항(軍港)을 겸한 대상공업 도시로, 땅콩·석탄·소금·계란 등을 수출하며, 방적·면직물·성냥·착유(搾油)·제분 공업이 성함. 독일의 옛 조차지(租借地)였으며, 제 1 차 세계 대전 후 한때 일본이 조차(租借)한 일이 있음. 기후가 온난하여 좋은 피서지로서 수족관(水族館) 등 명승지가 많음. 청도(青島).

칭당【稱當】㊔ 무엇에 꼭 알맞음. ——-하다 ㊖여불

칭대【稱貸】명 돈이나 물건을 꾸어 줌. ——-하다 타여불

칭덕【稱德】명 덕(德)을 일컬어 기림. ——-하다 자여불

칭도【稱道】명 마음에 그리워하여 입으로 늘 칭송함. ——-하다 타여불

칭동【秤動】명 〔libration〕 ①〖물〗 어떤 역학(力學) 관계에서, 어떤 종류의 변수(變數)가 평형점(平衡點)의 둘레에서 진동하는 현상. ②〖천〗 자전(自轉) 또는 공전(公轉) 운동에서, 천체가 회전을 완료하지 않고 어떤 한계 각도(限界角度) 안을 진동(振動)하는 현상. 목성·토성의 위성의 운동, 달의 자전, 소행성의 운동 등에서 볼 수 있음.

칭량【稱量】[—냥] 명 ①저울로 무게를 닮. ②사정이나 형편(形便)을 헤아림. ——-하다 타여불

칭량-병【秤量甁】[—냥—] 명 흡습성(吸濕性)의 물질 등을 재는 데 사용하는 작은 병. 화학 실험용으로 쓰임.

칭량 산【—山】〔淸涼〕 명 〖지〗 ①중국 산시 성(山西省) 우타이 현(五臺縣) 동북에 있는 우타이 산(五臺山)의 딴 이름. ②중국 장쑤 성(江蘇省) 난징 성(南京城) 안에 있는 산 이름. 산상(山上)에 청량사(淸涼寺)·취미정(翠微亭) 등이 있는 명승지임. 청량산.

칭량 화:폐【稱量貨幣】[—냥—] 명 〖경〗 중량을 재서, 그 교환 가치(交換價値)를 산출(算出)해서 쓰는 화폐. 중국의 마제은(馬蹄銀)과 같은 것. ↔계수(計數) 화폐.

칭링 〔慶陵〕 명 〖지〗 중국 내몽고 자치구 바린줘이치(巴林左翼旗) 바이타쯔(白塔子) 부락 서부에 있는 요대(遼代) 능묘(陵墓)의 총칭. 1920년, 벨기에의 선교사 케르빈(Kervyn)에 의하여 발견됨. 성종(聖宗)의 영경릉(永慶陵), 흥종(興宗)의 영흥릉(永興陵), 도종(道宗)의 영복릉(永福陵)의 세 능이 있어 동릉(東陵)·중릉(中陵)·서릉(西陵)이라 속칭됨. 경릉.

칭명【稱名】명 ①이름을 속임. ②〖불교〗 보살의 이름을 욈. 정토교(淨土敎)에서는 염불을 칭명의 뜻으로 해석하고, 칭명을 정토에 태어나기 위한 정정업(正定業)이라고 함. ——-하다 자여불

칭명 염:불【稱名念佛】[—념—] 명 〖불교〗 정정업(正定業).

칭모【稱慕】명 칭송하여 사모함. ——-하다 타여불

칭미【稱美】명 칭찬(稱讚). ——-하다 타여불

칭-받다 자 〈방〉 침뱉다.

칭병【稱病】명 병이 있다고 핑계함. 피병함. 칭질(稱疾). ¶~하고 두문불출하다. ——-하다 자여불

칭사【稱辭】명 칭찬하여 일컫는 말.

칭상【稱觴】명 헌수(獻壽). ——-하다 자여불

칭석【稱石】명 〖광〗 층샛돌.

칭선【稱善】명 착함을 칭찬함. 칭찬하여 좋게 여김. ¶스타일 만점이라는 흠선을 받는 그는 양장에만이 아니라 한복에서도 ~ 그대로의 반뜻하고 기품 있는 스타일이다《朴花城：고개를 넘으면》. ——-하다 자여불

칭설【稱說】명 칭찬하여 말함. ——-하다 자타여불

칭송【稱頌】명 공덕을 일컬어 기림. 칭찬하여 일컬음. ——-하다 타여불

칭수【稱首】명 첫째로 그 이름을 일컫는다는 뜻으로 뛰어난 사람을 일컫는 말.

칭술【稱述】명 칭찬하여 말함. ——-하다 타여불

칭-신판【秤神判】명 〖역〗 피의자의 몸무게를 두 번 재어서 전후의 경중(輕重)으로 죄(罪)의 유무를 판정하는 고대 인도 신판(神判)의 한 방법. *신수 신판·수신판(水神判).

칭양【稱揚】명 칭찬(稱讚). ——-하다 타여불

칭얼-거리다 자 어린 아이가 몸이 불편하거나 마음에 못마땅하여 짜증을 내며 연해 보채다. 스징얼거리다. ㅆ찡얼거리다. >창알거리다. 칭얼-칭얼 부. ——-하다 자여불

칭얼-대다 자 칭얼거리다.

칭예【稱譽】명 칭찬(稱讚). ——-하다 타여불

칭원【稱寃】명 원통(寃痛)함을 들어서 말함. 칭굴(稱屈). *호원(呼寃). ——-하다 자여불

칭원-법【稱元法】[—뻡] 명 왕정(王政) 하에서 왕의 원년(元年)을 기산(起算)하는 법(法). 유년(踰年) 칭원법과 홍년(薨年) 칭원법이 있음.

칭위【稱謂】명 ①선의(善意)를 표시하는 명목(名目). ②칭호(稱呼). 명칭. ③의견을 말함.

칭이 명 〈방〉 ①키²(경상). ②체¹(경상).

칭자-장【稱子匠】명 〖역〗 공장(工匠)의 하나. 저울 만드는 장인(匠人).

칭장 〔淸江〕 명 〖지〗 중국 장쑤 성(江蘇省) 북부의 도시. 대운하(大運河)와 신화이 강(新淮江)이 만나는 곳에 있으며 예로부터 수운(水運)의 요지임. 쌀·보리·고량·땅콩의 집산지임. 한신(韓信)의 출생지임. 1958-64년에는 화이인(淮陰)이라 불렀음. 청강(淸江). [374,000명 (1984)]

칭정【稱情】명 뜻에 맞음. ——-하다 자여불

칭직【稱職】명 재능이 직무에 알맞음. 또, 그 직무. ——-하다 자여불

칭질【稱疾】명 칭병(稱病). ——-하다 자여불

칭차오 호【—湖】〔青草〕 명 〖지〗 중국 둥팅호(洞庭湖) 남단에 붙은 호수. 가물 때는 물이 말라 초원이 되는 데서 이 이름이 있음. 청초호.

칭찬【稱讚】명 좋은 점을 일컬어 기림. 잘 한다고 추어 줌. 칭예(稱譽). 칭양(稱揚). ——-하다 타여불

칭추【秤錘】명 저울추.

칭칭 부 〈방〉 친친²(경상).

칭크-유【—油】〔도 Zink〕 명 〖약〗 외용(外用) 피부약. 산화 아연(酸化亞鉛) 500g과 식물유 500g을 혼합하여 이기어서 만듦. 백색 내지 유백색(乳白色)임.

칭탁【稱託】명 어떠하다고 핑계를 댐. ¶병을 ~하다. ——-하다 타여불

칭탄【稱歎】명 칭찬하고 감탄함. 탄칭(歎稱). ——-하다 타여불

칭탈【稱頉】명 사고가 있다고 핑계함. ¶임시 시험이라고는 ~하나 5월도 잡아들지 않았는데 모를 소리였다《李孝石：粉女》. ——-하다 자여불

칭퉁이 명 큰 벌의 총칭.

칭판【秤板】명 저울판.

칭-하다【稱—】 타여불 일컫다.

칭하이 성【—省】〔青海〕 명 〖지〗 중국 북서부의 성. 지세가 험준한 표고 3,000 m 이상의 대고원 지대로, 황허·양쯔 강 등의 발원지(發源地)임. 기후는 내륙성(內陸性)으로 한랭(寒冷)하고 강수량이 적음. 양모·우피(牛皮) 등의 축산물, 대황(大黃)·사향(麝香) 등의 임산물, 소금·철·석탄·구리 등의 광산물을 산출함. 주민(住民)은 회족(回族)·한족(漢族)·몽고족(蒙古族)·티베트족 등이 혼주(混住)함. 성도(省都)는 시닝(西寧). 청해성. [721,000 km²：3,896,000명(1982)]

칭하이 호【—湖】〔青海〕 명 〖지〗 중국 칭하이 성(省) 북동부에 있는 중국 최대의 함수호(鹹水湖). 해발 3,200 m의 고원에 있는데, 북서에서 부하 강(布哈河) 등이 주입(注入)되나, 배수 하천(排水河川)이 없는 무구호(無口湖)임. 호중(湖中)에는 섬이 세 개 있으며 생선과 소금을 많이 산출함. 겨울철(11-3월)에는 결빙되어, 연안 일대의 초원지는 티베트의 유목지로 이용됨. 구명은 셴하이(仙海). 몽고명은 코코노르(庫庫諾爾). 청해호. [4,427 km²].

칭호【稱號】명 ①어떠한 뜻으로 일컫는 이름. ②명호(名號)를 욈.

칭화 대학【—大學】〔淸華〕 명 중국 베이징(北京)에 있는 국립 대학. 1911년 미국 유학생 교육 기관으로서 창설된 칭화(淸華)학교의 후신으로 1928년 국립 대학이 됨. 1952년 베이징(北京) 대학의 공학(工學) 계열을 흡수하고, 문학·이학(理學)·법학부(法學部)는 베이징 대학으로 이관(移管)함으로써 이공계(理工系) 인재 양성을 주목적으로 삼음.

칰 명 〈방〉 〖식〗 칡(경상).

ᄎᆞ기 자 〈옛〉 차게. ¶ᄒᆞᆫᄒᆡᄅᆞᆯ ᄎᆞ기 솔마티 퍼러ᄒᆞ도소니(滿歲如松碧)《初杜諺 XVIII:23》.

ᄎᆞ다¹ 자 〈옛〉 한도(限度)에 차다. ¶三年이 ᄎᆞ니《月釋 VIII:91》/제願이 ᄎᆞ게 ᄒᆞ며 《月釋 XVIII:51》/ᄎᆞᆯ 만(滿)《石千 17》/ᄎᆞᆯ 영(盈)《石千 1》.

ᄎᆞ다² 타 〈옛〉 발로 차다. ¶ᄎᆞᆯ 뎨(踶), ᄎᆞᆯ 위(躗)《字會 下 8》.

ᄎᆞ다³ 타 〈옛〉 차다. 몸에 지니다. ¶弓劍 ᄎᆞᅀᆞᆸ고 左右에 좇ᄌᆞᄫᆞ니(常佩弓劍 左右昵侍)《龍歌 55章》.

ᄎᆞ다⁴ 형 〈옛〉 온도가 차다. ¶寒氷ᄋᆞᆫ ᄎᆞᆫ 어르미오《月釋 Ⅰ:29》/ᄎᆞᆯ 량(涼), ᄎᆞᆯ 링(冷)《字會 下 2》.

ᄎᆞ돌 명 〈옛〉 차돌. ¶ᄎᆞ돌 단량(石膏五兩)《瘟疫 25》.

ᄎᆞ라로 부 〈옛〉 차라리. ¶ᄎᆞ라로 青樓酒肆로 오며 가며 놀니라《古時調》.

ᄎᆞ려내다 타 〈옛〉 알아내다. ¶認識也辨認ᄎᆞ려내다《老朴 單字解 6》.

ᄎᆞ례 명 〈옛〉 차례. ¶ᄎᆞ례 뎨(第)《字會 上 34, 類合 上 3》/ᄎᆞ례 품(品)《字會 下 2》.

ᄎᆞ리다 타 〈옛〉 차리다❷. ¶임의 ᄌᆞ라ᄂᆞᆫ ᄀᆞᆯ히여 ᄎᆞ리믈 더옥 졍히ᄒᆞ야(既長辨析益精)《二倫 48 元定對榻》.

ᄎᆞ마 부 〈옛〉 차마. ¶罪苦ㅅ 이른 ᄎᆞ마 몯 니ᄅᆞ리로다《月釋 XXI:56》.

ᄎᆞ몸 타 〈옛〉 참음. 'ᄎᆞᆷ다'의 명사형. ¶ᄎᆞ모미 두가지니 生忍과 法忍괘라《月釋 VII:53》.

ᄎᆞ밋고고리 명 〈옛〉 참욋꼭지. ¶ᄎᆞ밋고고리(瓜蔕)《救簡 Ⅲ:72》.

ᄎᆞᄡᆞᆯ 명 〈옛〉 찹쌀. ¶ᄎᆞᄡᆞᆯ 나(糯)《字會 上 12》.

ᄎᆞ소기 명 〈옛〉 차조기. =ᄎᆞ조기. ¶ᄎᆞ소기(紫蘇)《四聲 上 40》.

ᄎᆞ조 명 〈옛〉 차좁쌀. =ᄎᆞ조ᄡᆞᆯ. ¶ᄎᆞ조(小黃米)《漢清 XII:63》.

ᄎᆞ조기 명 〈옛〉 차조기. =ᄎᆞ죠기. ¶ᄎᆞ조기소(蘇)《字會 上 14》.

ᄎᆞ조ᄡᆞᆯ 명 〈옛〉 차좁쌀. =ᄎᆞ조. ¶ᄎᆞ조ᄡᆞᆯ(黃小米)《譯語下 9》.

ᄎᆞ죠기 명 〈옛〉 차조기. =ᄎᆞ조기. ¶ᄎᆞ죠기(紫蘇)《方藥 12》.

ᄎᆞᄌᆞ라 타 〈옛〉 찾으러. 'ᄎᆞᆽ다'의 활용형. ¶ᄒᆞ마 너희 ᄎᆞᄌᆞ라 가려ᄒᆞ더니(待要尋你去來)《老乞 上 62》.

ᄎᆞᄎᆞ웅 명 〈옛〉 차차웅(次次雄). ¶次次雄或云 慈充 金大問云 方言 謂巫也. 世人以巫事鬼神 尙祭祀 故畏敬之 遂稱尊長者爲慈充《三史 卷一》.

ᄎᆞᆫ믈 명 〈옛〉 찬물. 냉수. ¶ᄎᆞᆫ믈로 ᄂᆞᄎᆡ ᄲᅳ려 ᄭᆡ애ᄒᆞ고 더브러 말 아니ᄒᆞ니《月釋 XIII:18》.

ᄎᆞᆫᄎᆞ니 부 〈옛〉 찬찬히. ¶해 이 관원이 ᄀᆞ장 ᄎᆞᆫᄎᆞ니 ᄉᆞ랑ᄒᆞ며 계피 크다(咳這官人好尋思計量大)《朴解 上 24》.

ᄎᆞᆫᄎᆞᆫ¹ 부 〈옛〉 찬찬. ¶센 머리 ᄲᆡ바 내어 ᄎᆞᆫᄎᆞᆫ 동혀 두련마ᄂᆞᆫ《古時調 金三賢》.

ᄎᆞᆫᄎᆞᆫ² 부 〈옛〉 찬찬히. 가늘게. ¶ᄎᆞᆫᄎᆞᆫ 십고 ᄃᆞᄉᆞᆫ 술이나 더운 믈릐나 ᄉᆞᆷ끼고(細嚼以溫酒或白湯送下)《胎產集要 5》.

ᄎᆞᆫᄎᆞᆫᄒᆞ다 형 〈옛〉 찬찬하다¹. 자상하다. ¶해 네너므 ᄎᆞᆫᄎᆞᆫ하다(咳你忒細詳)《朴解 上 33》.

ᄎᆞᆫ칼 명 〈옛〉 차는 칼. ¶드듸여 ᄎᆞᆫ칼 ᄲᅡ혀 손가락 버혀(遂拔佩刀斷指)《東國新續三綱 烈女圖 Ⅱ:33》.

ᄎᆞᆯ 명 〈옛〉 근원(根源). ¶ᄉᆡᆷᄎᆞᆯ(泉源)《杜諺 Ⅴ:36》/可히 흐린 ᄉᆡᆷ ᄎᆞᆯᄒᆞᆯ 비취리로다(可照濁水源) 《杜諺 XVI:5》.

ᄎᆞᆯ기장 명 〈옛〉 찰기장. ¶ᄎᆞᆯ기장 튤(秫)《字會 上 12》.

ᄎᆞᆯ밥 명 〈옛〉 찰밥. ¶대왐플 불휘ᄅᆞᆯ ᄀᆞ놀에 ᄀᆞ라 ᄎᆞᆯ바배 섯거 ᄢᅵ니혜디 말오 닚워 머고ᄃᆡ(白芨細末用糯籍煎飯 濃調服不拘時候連服) 《救簡 Ⅲ:18》.

ᄎᆞᆯ벼 명 〈옛〉 찰벼. ¶ᄎᆞᆯ벼(黏稻)《物譜 上篇》.

ᄎᆞᆯᄡᆞᆯ 명 〈옛〉 찹쌀. =ᄎᆞᄡᆞᆯ. ¶一法은 니ᄡᆞᆯ이나 或 ᄎᆞᆯᄡᆞᆯ 三升으로 ᄡᅵ밥을 딧고(一法 用大米或粘米 三升炊飯)《無寃錄 Ⅲ:53》.

ᄎᆞᆯᄯᅥᆨ 명 〈옛〉 찰떡. ¶胡餠ᄋᆞᆫ ᄎᆞᆯᄯᅥᆨ이오《金三 Ⅲ:51》.

ᄎᆞᆯ오다 타 〈옛〉 차리다. =ᄎᆞᆯ호다. ¶ᄎᆞᆯ올 졍(整)《類合 下10》.

ᄎᆞᆯ우케 명 〈옛〉 찰벼. ¶몬져 ᄎᆞᆯ우케 딥흘 ᄀᆞ마예 므르녹게 달힌 후에(先以糯稈於鍋中濃煎)≪救荒 8≫.
ᄎᆞᆯ콩 명 〈옛〉 강남콩. ¶ᄎᆞᆯ 콩 완(豌)≪字會 上 13≫.
ᄎᆞᆯ하로 부 〈옛〉 차라리. =ᄎᆞᆯ하리·ᄎᆞᆯ히. ¶ᄎᆞᆯ하로 酒鄕의 드러 이 世界를 니즈리라≪海謠≫.
ᄎᆞᆯ하리 부 〈옛〉 차라리. =ᄎᆞᆯ하로·ᄎᆞᆯ히. ¶ᄎᆞᆯ하리 싀여디여 落月이나 되야이셔 님겨신 窓안히 번드시 비최리라≪松江 續美人曲≫.
ᄎᆞᆯ해 〈옛〉 근원에. 'ᄎᆞᆯ'의 처격형(處格形). ¶武陵ᄎᆞᆯ해 길흘 일후라(失路武陵源)≪初杜諺 Ⅷ:12≫.
ᄎᆞᆯ호다 타 〈옛〉 차리다. 준비하다. =ᄎᆞᆯ히다. ¶아희야 되롱 삿갓 ᄎᆞᆯ핫스라≪永言≫.
ᄎᆞᆯ호ᄂᆞᆫ다 타 〈옛〉 차리느냐. 차리는가. 'ᄎᆞᆯ호다'의 활용형. ¶네집 喪事 ᄃᆞᆯ흔 어도록 ᄎᆞᆯ호ᄂᆞᆫ다≪古時調 鄭澈≫.
ᄎᆞᆯ히[1] 부 〈옛〉 차라리. =ᄎᆞᆯ하로·ᄎᆞᆯ하리. ¶ᄎᆞᆯ히 됴씨 귓거시 도욀 ᄯᅳᆫ이언뎡(寧作趙氏鬼)≪三綱 邦乂書襟≫.
ᄎᆞᆯ히[2] 〈옛〉 근원이. 물의 근원이. 'ᄎᆞᆯ'의 주격형(主格形). ¶ᄉᆡᆷᄎᆞᆯ히 믈ᄀᆞ니 졋나븨 소리 섯겟고(泉源冷冷雜猿狖)≪杜諺 Ⅴ:36≫.
ᄎᆞᆯ히다 타 〈옛〉 차리다. =ᄎᆞᆯ호다. ¶主人의 도리롤 ᄎᆞᆯ혀 권홀 양으로 왓ᄉᆞ오니 ≪新語 Ⅲ:17≫.
ᄎᆞᆯᄒᆞ로 〈옛〉 근원으로. 'ᄎᆞᆯ'의 향진격형(向進格形). ¶岷江ㅅ ᄎᆞᆯᄒᆞ로 올아가놋다(上岷江源)≪初杜諺 Ⅷ:7≫.
ᄎᆞᆯ홀 〈옛〉 근원을. 'ᄎᆞᆯ'의 목적격형. ¶말ᄉᆞᄆᆡ ᄎᆞᆯ홀 묻노라(問辭源)≪初杜諺 Ⅷ:25≫.
ᄎᆞᆷ 명 〈옛〉 참. 진실. ¶ᄎᆞᆷ 진(眞)≪類合 下 18, 石千 17≫.
ᄎᆞᆷ갈 명 〈옛〉 참나무. ¶ᄎᆞᆷ갈(眞櫟)≪農事直說 5≫.
ᄎᆞᆷ기름 명 〈옛〉 참기름. ¶반잔 ᄎᆞᆷ기름 두어(着上半盞香油)≪老乞 上 19≫/ᄂᆞᆯᄎᆞᆷ기름(生眞油)≪牛方 5≫.
ᄎᆞᆷᄂᆞ믈 명 〈옛〉 참나물. ¶ᄎᆞᆷᄂᆞ믈(旱芹)≪物譜 上篇≫.
ᄎᆞᆷ다 자타 〈옛〉 참다. ¶忍辱ᄋᆞᆫ 辱ᄃᆞᄫᆡᆫ 일 ᄎᆞᆷᄂᆞᆯ씨라≪月釋 Ⅱ:25≫/ᄎᆞᆷᄋᆞᆯ 인(忍)≪類合 下 11≫.
ᄎᆞᆷ빗 명 〈옛〉 참빗. ¶ᄎᆞᆷ빗 비(篦)≪字會 中 14≫/굵근 ᄎᆞᆷ빗(密篦子)≪老乞 下 61≫.
ᄎᆞᆷ새 명 〈옛〉 참새. ¶또 ᄎᆞᆷ새 구우니를 먹고져 ᄒᆞ더니(又思黃雀炙)≪飜小 Ⅸ:25≫.
ᄎᆞᆷᄽᅢ 명 〈옛〉 참깨. ¶ᄎᆞᆷᄽᅢ(白荏)≪字會 上 13 荏字註≫.
ᄎᆞᆷ아 부 〈옛〉 차마. =ᄎᆞ마. ¶부모ㅣ ᄎᆞᆷ아 ᄌᆞ식의게 이 ᄆᆞᄋᆞᆷ이 이시랴≪警民 4≫.
ᄎᆞᆷ외 명 〈옛〉 참외. ¶ᄎᆞᆷ외(甜瓜)≪老乞 下 34≫/ᄎᆞᆷ외(甜苽)≪方藥 42≫.
ᄎᆞᆷ히 부 〈옛〉 훌륭히. ¶ᄀᆞ장 ᄎᆞᆷ히 通ᄒᆞ옵시ᄂᆡ≪新語 Ⅰ:19≫.
ᄎᆞᆸᄡᆞᆯ 명 〈옛〉 찹쌀. ¶ᄎᆞᆸᄡᆞᆯ술 담은 거시여(盛着糯米酒)≪朴解 上 37≫.
ᄎᆞᆺ다 타 〈옛〉 찾다. =ᄎᆞᆽ다. ¶흐린 술란 陶令올 ᄎᆞᆺ고(濁酒尋陶令)≪杜諺 ⅩⅪ:1≫.
ᄎᆞᆺ떡 명 〈옛〉 찰떡. ¶ᄎᆞᆺ떡 ᄌᆞ(餈)≪字會 中 20≫/ᄎᆞᆺ떡(餈餻)≪字會 中 20 「餻字註≫.
ᄎᆞᆽ다 타 〈옛〉 찾다. =ᄎᆞᆺ다. ¶參究ᄂᆞᆫ ᄎᆞᄌᆞᆯ씨라≪蒙法 22≫/ᄎᆞᄌᆞᆯ 심(尋)≪類合 下 61≫.
ᄎᆡ[1] 명 〈옛〉 양념. ¶ᄎᆡ 졔(齏)≪字會 中 21≫.
ᄎᆡ[2] 부 〈옛〉 채. 미처. ¶五音을 ᄎᆡ 몰라도 律呂를 찰ᄒᆞ슬라≪古時調≫.
ᄎᆡ다 피동 〈옛〉 발길로 채다. ¶ᄆᆞᆯᄎᆡ여 傷ᄒᆞ닐 고툐ᄃᆡ(活馬踢傷)≪救方 下 18≫.
ᄎᆡᄉᆡᆨᄆᆞᄉᆞᆷ 명 〈옛〉 채색(彩色)감. 물감. ¶ᄎᆡᄉᆡᆨᄆᆞᄉᆞᆷ(顏料)≪字會 中 30 碧字註≫.
ᄎᆡ오다[1] 타 〈옛〉 채우다. 차게 하다. 식히다. ¶몸ᄎᆡ와(涼定了身己時)≪朴解 上 53≫.
ᄎᆡ오다[2] 타 〈옛〉 채우다. ¶三年을 ᄎᆡ오시니 無上道에 갓갑더시니≪月釋 Ⅷ:79≫.
ᄎᆡᆨ 명 〈옛〉 책(冊). ¶세ᄎᆡᆨ을 두고셔(置三籍)≪呂約 2≫ / 하ᄂᆞᆯ의 아바지 주신ᄎᆡᆨ은 이샹코묘ᄒᆞᆫ말ᄉᆞᆷ만코나≪찬양가 : 20≫.
ᄎᆡᆨᄎᆡᆨ기 부 〈옛〉 빽빽이. ¶가ᄉᆞ매 ᄎᆡᆨᄎᆡᆨ기 어즈러이 담겨셰라(側塞煩胸襟)≪初杜諺 ⅩⅤ:3≫.
ᄎᆡᆨᄎᆡᆨᄒᆞ다[1] 형 〈옛〉 빽빽하다. ¶ᄎᆡᆨᄎᆡᆨᄒᆞᆫ 웃ᄃᆞ미 프른 비치 重疊ᄒᆞ도다(密幹疊蒼翠)≪杜諺 Ⅵ:22≫.
ᄎᆡᆨᄎᆡᆨᄒᆞ다[2] 자 다닥치다. ¶ᄎᆡᆨᄎᆡᆨᄒᆞᆯ 칠(拶)≪字會 下 24≫.

ㅋ (키읔) ①한글 자모의 열 한째 글자. ②『언』 자음의 하나. 목젖으로 콧길을 막고 혀뿌리를 높여 연구개(軟口蓋) 뒤쪽에 붙여 입길을 막았다가 뗄 때에 거세게 나는 무성음(無聲音). 받침으로 그칠 때는 혀뿌리를 떼지 않아 ㄱ과 같게 됨. ¶ㅋ는 엄쏘리니 快ㆅ字ᄍᆞᆼ처ᅀᅥᆷ 펴아나는 소리 ᄀᆞᄐᆞ니라《訓諺》. 주의 '키읔'의 받침 소리가 연음(連音)될 때 [키으기, 키으글, 키으게] 등으로 발음함.

카:[1] [car] 명 ①차(車)·수레의 뜻. ②승용 자동차.

카:[2] [Carr, Edward Hallett] 명 『사람』 영국의 국제 정치학자. 왕립 국제 문제 협회원. 국제 정치에 있어서 현실과 이상의 종합을 기도하는 한편, 러시아 혁명사를 깊이 연구했음. 주저(主著)에 《위기의 20년》·《평화의 조건》·《러시아 혁명사》 등이 있음. [1892-1982]

카:[3] [Carr, John Dickson] 명 『사람』 미국 태생인 영국의 탐정 소설 작가. 처녀작 《밤에 걷다》로 데뷔함. 《모자 수집광 사건》·《독자여 속지 말라》 등의 작품이 있고, 그 밖에 평전(評傳) 《코넌 도일》이 있음. [1906-1977]

카[4] [ka] 명 고대 이집트 종교에서, 생명력의 근원. 생명을 낳고, 생명을 유지하는 힘.

카:[5] 부감 ①몹시 맵거나 독한 냄새가 코를 찌를 때에 내는 소리. ②곤하게 잠잘 때에 내쉬는 숨소리. 1)·2): <커.

카[6] 조 〈방〉 와[5](경북).

카가노비치 [Kaganovich, Lazar' Moiseevich] 명 『사람』 소련의 정치가·공산당 지도자. 유태계 사람. 1930년 정치국원이 되고 중공업 촉진에 참획(參劃), 1952년에 중앙 위원회 간부 회원, 1953년에는 제1 부수상(副首相)이 되었으나, 1957년 반당(反黨) 그룹으로 지목되어 실각하였음. [1893-1991]

카가얀 강 【—江】 [Cagayan] 명 『지』 필리핀의 루손 섬 북동부의 강. 중앙 산지에서 발원(發源)하여 북류(北流), 아파리(Aparri) 부근에서 바부얀(Babuyan) 해협으로 흘러 들어감. 연안은 농업 지역으로, 잎담배가 주로 재배됨. [약 350km]

카구 [kagu] 명 『조』 [*Rhynochetos jubatus*] 뉴칼레도니아 섬 특산의 두루미목(目) 카구과(科)의 새. 이 과는 카구 1종뿐임. 머리 꼭지에 큰 도가머리가 나 있고 몸길이는 56cm 정도임. 전체가 회색인데 날개에 검정·하양·밤색의 줄무늬가 있음. 산지의 숲에서 살되 야행성이며, 거의 날지 못하고 지상에서 곤충을 잡아 먹음. 국제 보호조임.

카나로 [Canaro, Francisco] 명 『사람』 아르헨티나의 작곡가·밴드 리더·바이올리니스트. 1906년부터 탱고의 연주자로서 활약을 시작하였고, 1916년에 오중주단(五重奏團)을 결성, 이어서 대편성(大編成)의 탱고 밴드를 조직하여 1925년에는 파리 연주 여행에서 큰 성공을 거두었음. 작품에 《센티미엔토 가우초(Sentimiento Gaucho)》 등이 있음. [1888-1964]

카나리아 [canaria] 명 『조』 [*Serinus canarius*] 되샛과에 속하는 새. 종달새와 비슷한데 날개 길이 7cm 가량이고, 상면(上面)은 회황갈색에 흑색 반문, 하면(下面)과 허리는 황색이고 겨드랑이 부분에 흑색 반문이 있음. 방울 소리처럼 아름답게 울어, 사조(飼鳥)로서 기름. 원래 아프리카의 야생종인데 전세계에 개량된 품종이 많음. 금사조(金絲鳥).

〈카나리아〉

카나리아 제도 【—諸島】 [Canarias] 명 『지』 아프리카 북서부에 점재(點在)하는 스페인 직할령(直轄領). 13개의 섬으로 이루어짐. 대(大)카나리아 섬의 라스팔마스는 수산 기지(水産基地)로 유명함. 포도·바나나·사탕수수를 산출. 대서양 교통의 요충임. 수도는 테네리페(Tenerife). [7,273 km² : 1,438,686 명 (1986)]

카나리아 해:류 【—海流】 명 [Canary Current] 『지』 아프리카의 북서 해안(北西海岸)을 따라 상당히 강하게 남쪽으로 흐르는 해류.

카나린 [canarin] 명 물감의 하나. 등황색(橙黃色)의 가루로, 캘리코의 날염(捺染)에 사용됨.

카나마이신 [kanamycin] 명 『약』 항생 물질의 하나. 널리 세균성 질환에 쓰이며, 포도상 구균·폐렴 쌍구균·임균·대장균·장티푸스균·디프테리아균 등에 유효하고 결핵 치료에는 특히 공효(功效)함. 독성 및 부작용(副作用)이 적은 특성과 스트렙토마이신에 저항성을 갖는 세균에 대한 공격력(攻擊力)이 강하여 주목됨. 1957년 일본의 미생물학자 우메자와 하마오(梅沢浜夫) 등이 흙 속의 방선균(放線菌)의 한 종류에서 발견하였음.

카나바닌 [canavanine] 명 『화』 작두콩에 들어 있는 아미노산의 하나. [$C_5H_{12}O_3N_4$]

카나우지 [Kanauji] 명 『지』 인도 북부, 우타르프라데시 주(Uttar Pradesh 州)의 갠지즈 강 연안(沿岸)에 있는 도시. 7세기 초엽에 하르샤 왕(Harsa 王)이 도읍한 이래 북인도의 정치 중심지가 되었고, 이슬람 정권이 델리에 확립될 때까지 약 600년간 번영하였음. [41,000명 (1981)]

카:나이트 [cahnite] 명 『광』 정방 정계(正方晶系)의 붕산염(硼酸塩) 광물. 백색 결정으로 존재함. [$Ca_2B(OH)_4(ASO_4)$]

카나카 [Kanaka] 명 『인류』 동남 태평양 특히 폴리네시아와 멜라네시아의 일부에 사는 원주민의 범칭(汎稱). 차모로(Chamorro)보다 한층 흑갈색이며, 항해(航海)에 능함.

카나:트 [아랍 qanāt] 명 건조 지대에서, 지하수를 지표로 끌어올려 관개나 그 밖의 용수(用水)로 이용하기 위한 지하 수로(地下水路).

카나페 [프 canapé] 명 서양 요리의 하나. 구운 식빵을 작고 얇게 썰어 그 위에 생선이나 고기 따위를 얹어서 만듦.

카:날라이트 [carnallite] 명 『광』 카날석(石).

카날레토 [Canaletto, Antonio] 명 『사람』 이탈리아의 화가(畫家). 베네치아(Venezia) 태생으로 베네치아의 명소(名所)·사적(史跡) 등을 파노라마풍(panorama 風)으로 극명(克明)하게 그려, 빛이나 대기(大氣)의 미묘한 효과(効果)를 포착하였음. 대표작에 《산 마르코 광장(廣場)》이 있음. [1697-1768]

카:날-석 【—石】 명 『광』 [carnallite] 칼륨과 마그네슘의 염화물(塩化物)을 주성분으로 하는 광물. 무색의 사방 정계(斜方晶系) 결정(結晶). 보통 입상(粒狀) 또는 괴상(塊狀)으로 흡습 용해성(吸濕溶解性)이 있으며 물에 녹음. 염화(塩化) 칼륨의 원료. 카날라이트. [$KMgCl_3 \cdot H_2O$]

카냥 조 〈방〉 커녕.

카냥ᄒᆞ다 타 〈옛〉 자랑하다. =잘카냥ᄒᆞ다. ¶뉘 能히 밧ᄀᆞᆯ 向ᄒᆞ야 精進 카냥ᄒᆞ리오(誰能向外誇精進)《南明 上 37》.

카:네기 [Carnegie, Andrew] 명 『사람』 스코틀랜드 출생의 미국 실업가. 제강업(製鋼業)에 성공하여 강철왕(鋼鐵王)의 별명을 얻음. 만년 카네기 재단(財團)을 세워 공공 사업에 크게 공헌하였음. 저서에 《자서전(自敍傳)》·《부(富)의 복음》 등이 있음. [1835-1919]

카:네기아이트 [carnegieite] 명 『광』 장석(長石)과 유사한 인조(人造) 광물의 하나. 저온에서는 삼사 정계(三斜晶系)이고, 고온에서는 등축 정계(等軸晶系)임. [$NaAlSiO_4$]

카:네기 홀: [Carnegie Hall] 명 미국 뉴욕에 있는 음악당(音樂堂). 1891년 카네기 재단(財團)의 기금(基金)에 의하여 건설됨.

카:네이션 [carnation] 명 『식』 [*Dianthus caryophyllus*] 석죽과에 속하는 다년초. 남유럽이 원산인데, 높이 약 30-90cm, 잎은 선상(線狀)으로 얇은 초록색이며, 여름에 향기 있는 홍색·백색의 아름다운 겹꽃이 핌. 관상용으로 재배하며, 고래로 신의 화관(花冠)을 만드는 데 쓰였고, 어버이날에 이 꽃을 가슴에 다는 풍습이 있음.

〈카네이션〉

카네킨 [포 canequine] 명 옥양목(玉洋木).

카네티 [Canetti, Elias] 명 『사람』 불가리아 태생의 스페인 유태계(系)의 영국 작가. 프랑스·독일·오스트리아에서 수학하고 1938년 이후 영국 런던에 정착, 독일어로 작품을 씀. 대표작으로 《현혹(眩惑)》, 희곡 《결혼식》·《허공의 코미디》, 회고록 《구원 받은 언어(言語)》 등 넓은 시야와 풍부한 착상, 예술적 재능이 뛰어난 작품 활동으로 1981년 노벨 문학상을 수상함. [1905-94]

카노 [Kano] 명 『지』 서아프리카 나이지리아 북부의 도시. 라고스와 철도로 연결되고 공항도 있는 교통의 요지이며, 농축산물의 집산지임. 목화·가죽 제품 등을 산출함. [475,000명 (1982)]

카노바 [Canova, Antonio] 명 『사람』 이탈리아의 고전주의를 대표하는 조각가. 대리석을 써서 초상 조각이나 고대 신화의 신들의 조상(彫像) 등을 많이 제작하였음. 특히, 로마의 《클레멘스 14세의 묘비》는 바로크로부터 고전주의로의 전환을 확인하는 것으로 중요한 작품임. [1757-1822]

카노사의 굴욕【一屈辱】〔이 Canossa〕〔一/一에一〕 명 『역』 중세의 서임권(敍任權) 투쟁에서 황제권(皇帝權)이 교황권(敎皇權)에 굴복한 상징적 사건. 신성 로마 황제 하인리히 4세는 1076년 교황 그레고리우스(Gregorius) 7세의 폐위(廢位)를 요구했다가 반대로 파문을 당하자 독일 제후의 반란을 겁낸 나머지 1077년 이탈리아의 카노사로 교황을 찾아가 공순(恭順)의 뜻을 표하여 파문이 풀렸음. 그러나 파문이 풀린 후에는 사태가 황제에게 유리하게 전개되었으므로 황제의 승리라는 설도 있음. 「65% 함유함.

카:노타이트〔carnotite〕 명 『광』 우라늄광의 일종. 산화 우라늄을 50-

카노티에〔프 canotier〕 명 〔밀짚 모자란 뜻으로〕 대표적인 여자용 모자의 한 가지. 윗 부분은 평평하고 차양이 좁음.

카노푸스〔라 Canopus〕 명 『천』 남극 부근의 하늘에 있는 별. 광도(光度)는 겨우 6등(等)임. 중국에서는 사람의 수명을 맡아 보는 별이라 하여 이것을 보면 오래 산다고 함. 남극 노인성(南極老人星). 남극성.

카논〔canon〕 명 ①카논법(法). ②법규. 법전. ③규범. 규준(規準). ④『악』 둘 이상의 성부(聲部)가 같은 선율을 어떤 간격을 두고 모방하는 가장 엄격한 형식의 대위법적(對位法的) 악곡. 전칙곡(典則曲). ⑤『미술』 인체(人體)의 각부(各部)의 치수의 비(比)의 기준. ⑥라이카 카메라를 본뜬 일본제(製) 카메라의 상품명.

카논-법【一法】〔canon〕〔一뻡〕 명 『기독교』 종교 회의나 기타의 권위, 예를 들면 가톨릭 교회에서는 교황에 의하여 공인된 기독교 교회를 규

카농〔프 canon〕 명 카논의 프랑스말. 「율하는 법. 종규(宗規).

카농-포【一砲】〔프 canon〕 명 『군』 길고 큰 포신(砲身)과 비교적 완만하게 타는 화약을 사용하여 주로 45°이내의 사각(射角)으로 원거리 사격에 이용하는 대포. 주의 가농포(加農砲)로 씀은 취음(取音).

카누:〔canoe〕 명 〔원시적(原始的)인 작은 배라는 뜻〕 수피(樹皮)·수피(獸皮)·갈대·통나무 등으로 만든 좁고 긴 배. '마상이'비슷하며, 선박(船舶)의 최초의 것임. 유럽에서는 신석기 시대부터 있었음. 독목주(獨木舟).

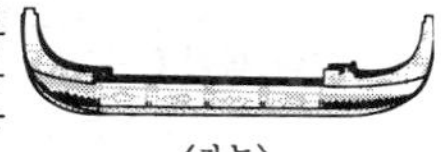

〈카누〉

카누: 경:기【一競技】〔canoe〕 명 수상(水上) 경기의 일종. 근대 스포츠로 보급되어, 1936년의 제11회 베를린 올림픽 대회 때부터 올림픽 정식 종목으로 채택되었음. 캐나디안 카누(canadian canoe)와 카약(kayak)의 두 종류가 있음.

카:눈:〔아랍 qānūn〕 명 『악』 이슬람권(圈)의 발현(撥絃) 악기. 사다리 모양의 얇은 상자 윗 면에 72개의 금속 현(絃)을 나란히 늘인 것. 손가락에 금속 깍지를 끼고 연주함.

카뉠레〔도 Kanüle〕 명 『의』 인체에 약을 넣거나 액체를 뽑아 내기 위하여 혈관(血管)·기관(氣管) 속에 넣는 관.

카뉴:트〔Canute〕 명 『사람』 크누트 일세(Knut 一世).

카:니발〔carnival〕 명 ①『기독교』 유럽의 기독교 국가에서 예수를 추앙하여, 술과 고기를 끊고 수도하는 사순재(四旬齋)가 시작되기 전의 3일 또는 일 주일 동안 술과 고기를 먹으며 가면(假面)을 쓰고 행렬(行列)하거나 극과 놀이를 하면서 즐거이 노는 일. 사육제(謝肉祭). ②전하여 일반적으로 여러 사람이 모이어 가면(假面)을 쓰고 행렬하며 신바람이 나게 떠들고 노는 축제.

카니슈카〔Kanishka〕 명 『사람』 2세기경의 인도 쿠샨(Kushan) 왕조의 왕. 간다라(Gandhara) 문화를 발전시키고 불교를 보호 장려하고, 제4회 불전 결집(佛典結集)을 행하였음. [재위 140?-170?]

카니아〔Khania〕 명 『지』 그리스의 크레테(Crete) 섬 북서안의 항구 도시. 크레테 섬의 주도(主都)로, 포도·오렌지·올리브의 집산(集散)과 가공(加工)이 행하여짐. 중세에는 베네치아(Venezia)의 지배하에 번영하였음. [47,451명(1981)]

카니에〔Kanye, Kanya〕 명 『지』 아프리카 남부, 보츠와나(Botswana) 남동부의 도시. 수도인 가베로네스(Gaberones) 남서쪽 약 70km, 해발 1,000m의 고원에 있는 오아시스 타운으로, 방와케체족(Bangwaketsi族)의 중심지가 되어 있음. 비행장·병원 등이 있고, 부근에서 석면(石綿)이 산출됨. [20,300명(1981)]

카니차로〔Cannizzaro, Stanislao〕 명 『사람』 ☞ 칸니차로.

카니차로 반:응【一反應】〔Cannizzaro〕 명 『화』 ☞ 칸니차로의 반응.

카다르〔Kádár, János〕 명 『사람』 헝가리의 정치가. 1930년대 초부터 공산당 활동을 벌여, 제2차 대전 중에는 티토와 협력, 저항 운동을 조직 전개하였음. 1947년 당 부서기장, 1948년 내상(內相)을 역임함. 1951년 티토주의자로 몰려 투옥되었으나, 1955년 비(非)스탈린화(化) 정책으로 복귀하여 헝가리 동란 후 두 번 수상을 지냄. [1912-89]

카다베린〔cadaverine〕 명 『화』 프토마인(ptomaine)의 하나. 끓는점 178°-179°C. 물에 녹으며, 단백질의 부패로 푸트레신(putrescine)과 함께 생김. 리진(Lysin)의 분해물(分解物)임.

카다피〔al-Qadhāfi Muammar〕 명 『사람』 리비아의 군인·정치가. 1969년 쿠데타를 일으켜 이드리스(Idris) 1세를 추방하고 혁명 평의회 의장이 되어 공화제를 실시함. 다음 해에 수상·국방상을 지냄. 1979년 이후 직함은 없지만 사실상의 국가 원수임. 이슬람 원리에 바탕을 둔 혁명의 실천을 개시했음. [1942-]

카: 덤퍼〔car dumper〕 명 화물 자동차나 화차에서 화물을 내릴 때 화물이 미끄러져 떨어지도록 적재함이 기울어지게 하는 장치.

카데트〔Kadet〕 명 『역』 〔Konstitutsionno-Demokraticheskaya Partiya의 약칭〕 1905년에 결성된 러시아의 정당. 19세기 후반의 개혁 운동 젬스트보(Zemstvo) 운동의 전통을 이은 자유주의 정당으로서, 비계급 정당을 가리켰으나 그 구성원은 학자·저널리스트·변호사 등의 인텔리와 도시의 부르주아지, 농촌의 자유주의적 지주였음.

카덴차〔이 cadenza〕 명 『악』 ①악곡을 끝내게 하는 일련(一連)의 화음의 결합. ②독주자나 독창자의 기교(技巧)를 과시하기 위하여, 악곡이 끝나기 직전에 연주(演奏) 또는 노래하는 장식적 경과 악구(裝飾的經過樂句). 협주곡(協奏曲)의 제일 악장·최종 악장이 끝나기 직전이나 아리아·주명곡(奏鳴曲) 등이 끝나기 직전에 가끔 삽입됨. 장식 악절(裝飾樂節).

카:드〔card〕 명 ①어떤 일정한 크기로 조그맣게 자른 두꺼운 종이. 표(票)·명함·엽서·연하장 등을 모두 포함함. 지표(紙票). ②특히, 크리스마스 카드. ③사항(事項)을 기입하여, 자료(資料)의 정리(整理)·집계(集計) 등에 쓰이는 종이. ④카드놀이에 쓰이는 패. 보통, 하트·다이아몬드·클럽·스페이드 각 13매씩 네 벌과, 조커의 53매의 패로 이루어짐. 정식 이름은 플레이잉 카드(playing card), 속칭은 트럼프. ⑤『컴퓨터』 직접 또는 간접으로 컴퓨터에 데이터나 명령을 도입(導入)시키기 위한 정보 운반 매체(媒體). 일정한 규칙에 따라 천공(穿孔)을 행하며, 문자(文字)·숫자(數字)·기호(記號) 등을 기록(記錄)함. 거의 모든 컴퓨터에 공통적으로 쓰임.

카:드 검:공기【一檢孔機】 명 〔card verifier〕 『컴퓨터』 카드가 정확하게 천공(穿孔)되었는가를 검사하는 전기(電氣) 기계식 장치. 조작원(操作員)이 조작하여 검사를 실시함.

카:드 검:사【一檢査】 명 〔card checking〕 『컴퓨터』 카드에 천공(穿孔)된 모든 데이터가 기억 장치에 정확하게 수록되었는가를 확인하는, 컴퓨터에 의한 검공(檢孔). 「사람들. 빈민(貧民).

카:드 계급【一階級】〔card〕 명 『사』 빈민 조사 카드에 기재되어 있는

카:드-기【一機】 명 〔carding machine〕 『기』 방적(紡績) 전에 섬유의 엉킨 것을 푸는 기계.

카:드-놀이〔card〕 명 서양식의 실내(室內) 게임의 하나. 보통, 53매의 카드를 사용하는데, 놀이 방법이 여러 가지 있음.

카드르〔프 cadre〕 명 간부(幹部).

카:드 리:더〔card reader〕 명 『컴퓨터』 카드 판독기.

카드리유〔프 quadrille〕 명 프랑스 사교 댄스의 하나. 대무(對舞)의 한 종류로, 네 명이 한 조가 되어 사방에서 서로 마주 보며 춤. 나폴레옹 1세의 궁정(宮廷)에서 비롯하였는데 19세기경 전유럽에 유행하였음. 미국 스퀘어 댄스(square dance)의 한 형태임.

카드모스〔Kadmos〕 명 『신』 고대 그리스 전설 중의 영웅. 페니키아의 왕자(王子)로, 제우스(Zeus)에 유괴된 누이 동생 에우로페(Europe)를 찾아 전국을 헤매었으나 뜻을 이루지 못하였음. 또, 그리스에 문자를 전했다고 함.

카드뮴〔cadmium〕 명 『화』 아연과 비슷한 청백색을 띤 육방 정계(六方晶系)의 금속 원소. 아연과 함께 산출되며 성질도 아연과 비슷함. 이용 합금(易融合金)의 제조, 카드뮴 도금(鍍金) 등에 쓰임. 원자로의 흡수재(吸收材)·차폐재(遮蔽材)로도 쓰임. 녹는점은 320.9°C, 끓는점은 767°C임. [48번 : Cd : 112.41]

카드뮴 공해【一公害】〔cadmium〕 명 아연(亞鉛) 제련소나 도금(鍍金) 공장 등, 카드뮴을 사용하는 사업장에서 배출하는 카드뮴으로 인체나 자연 환경이 오염되어 일어나는 공해.

카드뮴 램프〔cadmium lamp〕 명 『전』 카드뮴 증기(蒸氣)가 봉입(封入)된 램프. 방사하는 빛의 파장(波長)은 길이의 표준으로 사용됨.

카드뮴 레드〔cadmium red〕 명 황화(黃化) 카드뮴·셀렌화(selen 化) 카드뮴 및 중정석(重晶石)의 혼합물로 된 안료(顔料). 적색(赤色) 안료로 쓰임.

카드뮴 산화은 전:지【一酸化銀電池】 명 〔cadmium silver oxide cell〕 『전』 일차 전지(一次電池)로서 재충전(再充電)하지 않고 사용할 때도 있으나 이차(二次) 전지로 사용할 때는 재충전이 가능한 알칼리 전해질(電解質) 전지.

카드뮴 야:금학【一冶金學】 명 〔cadmium metallurgy〕 『야금』 아연(亞鉛) 광석 또는 아연·납·구리의 정련(精鍊) 부산물인 복합 광석에서 카드뮴을 추출하는 방법·원리·기술을 연구하는 학문

카드뮴 옐로:〔cadmium yellow〕 명 『미술』 황화(黃化) 카드뮴으로 만든 황색의 안료(顔料). 담황색부터 등황색(橙黃色)에 이르는 여러 가지 색이 있는데, 회화용·래커(lacquer)용임. 카드뮴황.

카드뮴 중독【一中毒】 명 〔cadmium poisoning〕 『의』 산화 카드뮴의 흡입에 의한 중독. 주로, 합금 제조·아연 제련 등의 산업 종사자에 많으며, 증상은 구토·설사·경련 등임. 일본에서 공해병(公害病)으로 알려진 '이타이이타이 병'은 카드뮴 중독이 원인이라고 함.

카드뮴 표준 전:지【一標準電池】〔cadmium〕 명 『전』 표준 전지의 일종. 카드뮴 아말감, 황산 카드뮴의 포화 용액, 풀같이 갠 황산 수은, 수은 등으로 조립한 것인데, 기전력(起電力)은 20°C에 있어서 1.01827 볼트로 전압의 표준이 됨.

카드뮴-황【一黃】〔cadmium〕 명 『미술』 카드뮴 옐로.

카:드 섹션〔card section〕 명 늘어선 여러 사람이 각자 손에 든 몇 장의 카드의 배합에 의해 전체적으로 통일된 글자나 인물·꽃 등의 무늬를 나타내어 보이는 방법.

카:드-시스템〔card-system〕 명 정보(情報)를 정리하는 방법의 하나. 항목마다 카드를 작성하여, 성명(姓名) 기타 필요한 사항을 기재한 다음 가나다순(順)·ABC순·숫자순(數字順) 등으로 분류 보존하는 정리법. 카드식(card式).

카:드-식【一式】〔card〕 명 카드시스템(card-system).

카:드식 카메라【一式】〔card-camera〕 명 카드 모양을 한 두께 10mm의 초박형(超薄型)·초경량형의 담뱃갑보다 작은 카메라. 필름은 한 장씩 촬영하여 현상할 수 있음. 우리 나라의 아남 정밀(亞南精密)이 1989년도 말에 개발했음.

카드왈라데라이트〔cadwaladerite〕 명 함수 염기성(含水塩基性) 염화

알루미늄으로 된 광물. [$Al(OH)_2Cl \cdot 4H_2O$]

카:드 전:화【一電話】〔card〕 명 자기(磁氣) 카드로 전화를 걸 수 있는 카드 공중 전화의 통칭.

카:드 케이스〔card case〕 명 ①주머니에 넣고 다니는 명함을 넣는 갑. ②카드식 목록(目錄)의 카드를 넣어 두는 상자. ③트럼프의 상자.

카:드 판독기【一判讀機】〔card〕 명 〖컴퓨터〗 천공 카드에 뚫린 구멍을 판독하여 실제로 기록된 내용을 프로그램 코드의 형태로 변환시키는 장치. 카드 리더.

카:디:〔아랍 qādī〕 명 이슬람 세계에서의 법관. 이슬람법 안의 민사·형사 사건을 관장하며, 이교도간의 분쟁이나 사건은 일반 법관에게 맡김. 초기에는 칼리프(Caliph)가 행하였으나, 비잔틴 제국의 제도 정비 중에 이 카디제가 성립되었음.

카:디건〔cardigan〕 명 〔크림 전쟁 때, 이 옷을 즐겨 입은 영국의 카디건 백작(Earl of Cardigan)의 이름에서〕 앞을 단추로 채우게 되어 있는, 털로 짠 스웨터(sweater). 소매가 있는 것과 없는 것이 있음.

〈카디건〉

카:디널〔cardinal〕 명 ①추기경(樞機卿). ②〖수〗 기수(基數). ¶ ~수(數). ③심홍색(深紅色).

카디스〔Cadiz〕 명 〖지〗 스페인 남부, 안달루시아 지방 대서양안의 아름다운 항구 도시. 매우 오래 된 도시로 옛날의 건물이 많음. 스페인의 베네치아라 불리는데, 기온은 사철 따뜻하며, 조선(造船) 공업이 행하여지고 셰리주(sherry 酒)와 올리브 등을 수출함. [158,000 명(1981)]

카:디오이드〔cardioid〕 명 〖수〗 두 점 OH를 직경의 양끝으로 하는 원주 위를 점 Q가 움직일 때, 현(弦) OQ의 연장 위에 있는 QP=OH인 두 개의 점 P의 궤적(軌跡). 심장형(心臟形)을 만듦.

〈카디오이드〉

카:디올리핀〔cardiolipin〕 명 〖생〗 생체(生體)에 널리 존재하는 인지질(燐脂質)의 하나. 지방 용매(脂肪溶媒)에 녹으며, 무극성 용매(無極性溶媒) 중에서는 홀원소물질이 중합(重合)되고 있다고 함. 레시틴(lecithin)과의 혼합물(混合物)은 매독 항체(梅毒抗體)와 특이(特異)하게 반응(反應)함. [$C_{120}H_{208}O_{24}P_3Na_3$]

카:디프〔Cardiff〕 명 〖지〗 영국의 브리스틀(Bristal) 해협에 임한 웨일스 최대의 도시. 웨일스 탄전(Wales炭田)의 석탄을 수출하며 조선업이 성함. [279,800 명(1982)]

카:딩〔carding〕 명 방적 공정(工程)의 하나. 섬유의 헝클어진 것을 풀기 위한 소면기(梳綿機)에 걸어 섬유를 평행 상태로 빗질해서 깨끗한 슬라이버로 만드는 공정.

카라〔Carra, Carlo Dalmazzo〕 명 〖사람〗 이탈리아의 화가. 1910년 '미래파 선언(未來派宣言)'에 참가, '형이상 회화파(形而上繪畫派)'의 중요 멤버로 활약함. 현대 이탈리아 미술계의 원로였음. [1881-1966]

카라간다〔Karaganda〕 명 〖지〗 카자흐(Kazakh) 공화국 카라간다 주의 수도. 카라간다 탄전이 있으며, 경공업과 식품 공업이 성함. [633,000 명(1987)]

카: 라디오〔car radio〕 명 오토라디오.

카라라 대:리석【一大理石】〔Carrara〕 명 이탈리아의 카라라(Carrara) 부근에서 채석(採石)되는 대리석. 청색을 띤 백색 또는 푸른 줄이 들어 있는 백색임.

카라마조프의 형제【一兄弟】〔Karamazov〕〔一/一에一〕 명 〖책〗 도스토옙스키의 장편 소설. 카라마조프 일가(一家), 곧 육욕적(肉欲的)인 아버지 카라마조프와 정열적인 장남, 냉엄한 지성을 가진 무신론자 차남, 애타적이고 순진한 삼남 들의 삼형제를 통하여 러시아 국민성의 방사(放肆)·교격(驕激)한 면을 묘사한 대작으로, 1878-80년에 발표하고, 계속 제2부를 집필 중 작자가 병사하여 미완성으로 남음.

카라멜로〔포 caramelo〕 명 노랑 설탕에 소다를 넣어 살짝 구운 과자.

카라바조〔Caravaggio〕 명 〖사람〗 이탈리아 초기 바로크의 대표적 화가. 종교화에 사실 묘사와 강한 조명법(照明法)을 도입하여 바로크 미술에 커다란 영향을 주었음. 대표작(代表作)에 ≪바커스≫·≪성 요한과 천사≫ 등이 있음. [1573-1610]

카라반〔프 caravane〕 명 '캐러밴' ❶의 프랑스 말.

카라발가순〔Karabalgasun〕 명 〖지〗 외몽고 오르콘 강(Orkhon 江) 우안(右岸)에 있는 옛 성터. 8-9세기의 동(東) 위구르 한국(汗國)의 수도 오르두발릭(Ordu Balik)의 유적(遺跡)임.

카라비너〔도 Karabiner〕 명 등산에서, 전연 잡을 곳이 없는 암벽을 오를 때 암벽에 피턴(piton)을 박고 피턴과 등산 밧줄을 연결하는 강철로 만든 고리.

〈카라비너〉

카라사얼〔喀喇沙爾〕 명 〖지〗 카라샤르(Kharashahr).

카라샤르〔Karashahr〕 명 〖지〗 중국 신장 성(新疆省)에 있는 오아시스 도시. 톈산 산맥(天山山脈)의 남쪽 기슭을 차지하여 고래로 중국 세력과 북방 민족과의 쟁탈지(爭奪地)였음. 실크로드의 요지. 축산(畜産)이 성한데, 특히 말이 유명하며, 암염(岩塩) 등을 산출함. 카라사얼(喀喇沙爾).

카라얀〔Karajan, Herbert von〕 명 〖사람〗 오스트리아의 지휘자. 빈(Wien) 교향악단 및 베를린 필하모니 교향악단의 지휘자로, 격정적 부분의 처리 및 독일적인 유려(流麗)한 지휘로 유명함. 1955년에는 베를린 필하모니 교향악단의 종신 상임 지휘자가 되었으며, 1956-64년에는 빈 국립 가극장의 총감독을 역임하였음. [1908-89]

카라지알레〔Caragiale, Ion Luca〕 명 〖사람〗 루마니아의 극작가. 신문기자를 하면서 사회 풍자적인 단편 소설·희곡 등을 발표, 그 비판정신으로 해서 박해를 받아 만년에 베를린으로 망명함. 부패한 정치가들의 행상을 그린 희극 ≪잃어버린 편지≫ 외에 ≪폭풍의 밤≫ 등이 있음. [1852-1912]

카라치[1]〔Carracci〕 명 〖미술〗 16세기 후반 볼로냐에서 활약한 이탈리아의 화가 일족. 라파엘로·미켈란젤로 등의 화풍을 취사 선택한 절충주의를 창시하여 바로크 양식으로의 길을 열어 볼로냐파(派)로 불림.

카라치[2]〔Karachi〕 명 〖지〗 파키스탄 남부, 아라비아 해안에 위치하는 파키스탄 최대의 도시. 무역항으로 발전, 상공업·금융의 중심지. 국제 공항이 있고, 직물·정유(精油)·자동차 조립·제강 등의 공업이 행하여짐. 1947-60년 파키스탄의 수도였음. [5,108,300 명(1981)]

카라카스〔Caracas〕 명 〖지〗 베네수엘라의 수도. 표고 약 1,000 m의 북부 고원 위에 있어 기후가 온화하고 스페인식의 아름다운 도시로 유명함. 1567년 스페인의 식민지로서 창건되어, 제2차 대전 후 석유 경기의 힘을 입어 근대적인 도시로 면모를 일신하였음. 국제 공항·외항(外港)·대학 등이 있으며, 제당(製糖)·섬유(纖維)·자동차 공업이 행하여짐. [3,000,000 명(1981 추계)]

카라카스 회:의【一會議】〔Caracas〕〔一/一이〕 명 1954년 베네수엘라의 수도 카라카스에서 열린 제 10 회 범미주(汎美洲) 회의. 1950-54년의 과테말라 혁명의 압살(壓殺)을 겨냥하여 '국제 공산주의에 대한 공동 조치'를 결의·채택함으로써 중남미 지역의 좌익 혁명 운동에 대한 최초의 국제적 저지 정책으로 그 의의가 큼.

카라칼라〔Caracalla〕 명 〖사람〗 로마 황제. 포학(暴虐)과 낭비(浪費)로 유명하여 그의 치세(治世)는 범죄로 충만되었으며, 그에 의하여 죽은 자는 2만여 명에 달함. 자신도 메소포타미아(Mesopotamia)에서 암살(暗殺)됨. [188-217: 재위 211-217]

카라칼라 욕장【一浴場】〔Caracalla〕 명 고대 로마 욕탕의 하나. 카라칼라 황제에 의해 건설된, 길이 220 m, 나비 110 m, 수용 인원 1,600 명의 거대한 벽돌 구조로 되어 있으며, 정원·오락 시설·도서실 따위를 갖추고 화려하게 장식되어 상류 계급의 사교장으로 번창했음.

카라칼파크〔Karakalpak〕 명 〖지〗 우즈베크 공화국 북서부, 아랄해(Aral海) 남쪽에 있는 자치 공화국. 우즈베크 유일의 자치 공화국임. 국토의 대부분은 키질쿰 사막인데, 관개 사업에 성공하여 목화·밀·양잠·과수 등의 농업이 발달되었음. 수도는 누쿠스. [164,900 km^2 : 1,009,000 명(1983 추계)]

카라코:람 산맥【一山脈】〔Karakoram〕 명 〖지〗 중앙 아시아의 파미르 고원으로부터 인도의 카슈미르(Kashmir) 북단을 동쪽으로 뻗은 산맥. 세계 제 2 의 고봉인 고드윈 오스턴 산(Godwin Austen 山)은 이 가운데에 있으며 무수한 빙하가 걸려 있음.

카라코:룸〔Karakorum〕 명 〖지〗 외몽고(外蒙古)에 있는 원대(元代)의 고적(古蹟). 태종(太宗) 이래 헌종(憲宗)이 카이핑(開平)으로 천도(遷都)하기까지 역대(歷代)의 서울이었음. 합랄화림(哈喇和林).

카라코:룸 하이웨이〔Karakorum Highway〕 명 〖지〗 1978년에 완성한, 중국 신장웨이우얼(新疆維吾爾) 자치구(自治區)와 파키스탄의 이슬라마바드(Islamabad) 북방 110 km 지점까지를 맺는 전장 780 km의 하이웨이. 편도 1 차선(車線), 노폭 10 m임.

카라쿰 사막【一沙漠】〔Karakum〕 명 〖지〗〔kara-kum '검은 모래'의 뜻〕 중앙(中央) 아시아 투르크멘(Turkmen) 공화국의 사막. 카스피 해(Caspi 海)와 아무다리야 강(Amu-Dar'ya 江)의 사이에 있음. 양 따위의 방목이 행하여짐. [약 300,000 km^2]

카라쿰 운하【一運河】〔Karakum〕 명 〖지〗 투르크멘 공화국의 남부(南部) 카라쿰 사막에 건설중인 운하. 아무다리야 강에서 카스피 해에 이르는 길이 1,300 km 예정의 운하로 관개와 수운(水運)에 이용될 것임.

카라-키타이〔Kara-Khitai〕 명 〖역〗 서요(西遼).

카라토〔이 carato〕 의명 캐럿(carat).

카라토-모기 명 〖충〗〔*Culex bitaeniorhynchus*〕 모깃과에 속하는 곤충. 몸길이 6 mm 가량이고 암컷의 날개 길이 5 mm쯤임. 몸은 황갈색, 시맥(翅脈)의 인편(鱗片)은 주로 흑갈색이지만 황금색인 것도 다소 있고 측린(側鱗)은 좁은 구둣주걱 모양이며 흉배의 중앙에는 흑갈린(黑褐鱗)으로 된 한 쌍의 반점이 있음. 야간에 피를 빨아 먹고 사는데 한국·일본·대만에 분포함.

카라한〔Karakhan, Lev Mikhailovich〕 명 〖사람〗 소련의 외교관. 1919년과 1920년 두 번에 걸쳐 소련의 대중국(對中國) 불평등 조약의 철폐를 밝힌 카라한 선언을 하여 두 나라의 국교 회복의 계기를 마련하고 초대 주중(駐中) 대사가 됨. [1889-1937]

카라한 왕조【一王朝】〔Karakhan〕 명 10세기에서 12세기 초까지 중앙 아시아에 있었던 위구르 민족계 왕조에 대한 역사가들의 호칭. 일리크한 조라고도 함. 12세기에 서요(西遼 : 카라키타이)에 의해 멸망함.

카라호조〔Karakhōjo〕 명 〖지〗 중국 신장웨이우얼(新疆維吾爾) 자치구 투루판 분지에 있는 도성(都城) 터. 현재는 고창(高昌) 고성(故城)으로서 전국 중요 문화재 보호구로 지정되어 있음.

카라-호토〔Khara Khoto〕 명 〖지〗 몽고 사막 중의 폐시(廢市)로, 서하(西夏)의 도시 유적. 20세기초에 서하어로 쓰인 문서·경전·불상·회화·직물·도자기 조각 등이 출토(出土)되어 서역사(西域史) 연구에 귀중한 자료가 됨.

카란사〔Carranza, Venustiano〕 명 〖사람〗 멕시코의 정치가. 1910년 멕시코 혁명에 참가하여 대통령이 되었으나 토지 개혁 실패로 민심을 잃고 살해됨. [1859-1920]

카람진〔Karamzin, Nikolai Mikhailovich〕 명 〖사람〗 러시아의 문학가·역사가. 서구적(西歐的) 문학 형식을 이입(移入)하여 러시아 문학을 고전주의로부터 감상주의로 이끌었으며, 문어(文語)의 개량에 노력하고, 러시아어와 러시아 문학 발전에 기여하였음. 또, ≪러시아사(史)≫ 12권을 편찬하였음. [1766-1826]

카랑-카랑[1] 부 ①물 같은 것이 그득하게 괴어 윗전까지 거의 찰 듯 찰 듯한 모양. ②건더기는 적은데 국물만 너무 많아서 고르지 않은 모양. ③물을 지나치게 마시어 뱃 속이 근근한 느낌이 있는 모양. 1)-3): ㅅ가랑가랑. <크렁크렁. ——-하다[1] 형여불

카랑-카랑[2] 부 ①목소리가 쇳소리가 나고 높고 맑은 모양. ¶ 노인의 목소리는 ~했다. ②하늘이 맑고 밝으면서 날씨가 몹시 찬 모양. ¶ ~한 초겨울 날씨. ——-하다 형여불

카:러 [Karrer, Paul] 명 〖사람〗 스위스의 유기 화학자. 다당류(多糖類)의 구조를 밝히고 비타민 A와 K의 유리(遊離), B_2와 E의 합성에 성공하여 1937년 하워스(Haworth)와 함께 노벨 화학상을 받았음. 주저에 ≪유기 화학≫이 있음. [1889-1971]

카레 [curry] 명 ①강황(薑黃)·후추·생강·마늘 등으로 만든 노랗고 매운 조미료. 양요리에 쓰임. ②↗카레 라이스.

카레라스 [Carreras, José] 명 〖사람〗 스페인의 테너 가수. 1971년 바르셀로나에서 데뷔. '세계 최고의 미성(美聲)'이라는 칭송을 받으며, 루치아노 파바로티·플라시도 도밍고와 함께 세계 3대 테너 가수의 한 사람으로 꼽힘. 1986년 백혈병으로 쓰러졌으나 2년의 투병 끝에 재기함. 세계 각처를 순회 공연하며 수많은 곡을 리코딩함. 1979년과 1993년 두 차례 내한 공연함. [1946-]

카레 라이스 명 [curried rice] 인도 요리의 하나. 고기·야채 등을 익힌 국물에 카레(curry) 가루·밀가루를 되직하게 섞어 쌀밥에 친 요리. ㊀카레.

카레즈 [kārēz] 명 건조(乾燥) 지대에서, 수원(水源)으로부터 물을 끌어들이기 위한 특수 구조의 지하 수로. 통풍·수리 등을 위해 적당한 간격으로 수혈(竪穴)을 만들어 놓았음. 기원전 6-5세기 경에 시작되었다고 함. 이란 고원을 중심으로 서쪽은 모로코, 동으로 중국 신장(新疆)까지 보급(普及)됨.

카렌-어 [一語] [Karen] 명 〖언〗 미얀마와 타이에 분포하는 카렌족의 언어. 티베트 어족에 속하며 티베트·미얀마어에 가까움. 미얀마계의 문자를 사용함.

카렌-인 [一人] [Karen] 명 〖인류〗 타이계(系) 인종의 하나. 이라와디강 유역, 미얀마 동부 국경 부근의 산지에 사는 호전적 민족으로 150만 명쯤 되는데, 화전 경작 또는 수전(水田) 경작을 함. 1954년 미얀마 국내에 카렌 자치주(自治州)가 두어졌음.

카렌펠트 [도 Karrenfeld] 명 〖지〗 석회암이 노출되어 있는 지역에서 석회암의 녹기 쉬운 부분이 용해하여 우묵 들어가게 되어, 마치 묘석(墓石)이 군립(群立)하여 있는 것과 같은 모습을 나타내는 지형이 발달되어 있는 지역.

카렐 [Carrel, Alexis] 명 〖사람〗 프랑스 출생의 미국 외과의(外科醫)·생물학자. 혈관 봉합술(縫合術) 및 장기 이식법(臟器移植法), 신경 섬유의 조직 배양법에 성공하여 1912년 노벨 의학상을 받고, 뒤에 인공 심장(人工心臟) 장치를 발명하였음. [1873-1944]

카렐리아-족 [一族] [Karelia] 명 〖인류〗 카렐리야 자치 공화국에 사는 핀계(Fin 系)의 종족. 언어는 카렐리아어이나 현재 이 말의 사용자 수는 약 30만 명 정도임.

카렐리야 [Kareliya] 명 〖지〗 러시아 연방의 북서부에 위치하는 자치 공화국. 핀란드와 국경을 접하고 백해(白海)에 면해 있으며 대부분이 구릉지임. 호수 면적이 국토의 약 15%를 차지하고 있음. 백해, 발트 해 운하의 개통으로 개발이 활발해져 목재·제지 따위 공업이 성하고 광산 자원도 많으며 낙농(酪農)도 활발함. 주민은 러시아인·카렐리아인이 주임. 1721년 러시아령(領)이 되어, 1940년 카렐로핀 공화국, 1956년에 자치 공화국이 됨. 수도는 페트로자보츠크(Petrozavodsk). [178,500 km²: 759,000 명(1983)]

카로 [Caro, Heinrich] 명 〖사람〗 독일의 화학 기술자. 타르 염료(tar染料) 공업의 기초를 확립한 사람 중의 한 사람. 1859년부터 영국에서 회사를 경영하는 한편 물감의 연구에 종사, 1868년 귀국하여 알리잘린(alizalin)의 공업적 제조에 성공하고 페록시 황산(peroxy 黃酸)을 발견함. 독일 특허법의 확립에도 공헌이 컸음. [1834-1910]

카로 미오 벤 [이 Caro mio ben] 명 〖악〗 이탈리아 가곡의 하나. 조르다니(Giordani)가 작곡한 것으로, 그 아름다운 선율로 널리 애창됨.

카로사 [Carossa, Hans] 명 〖사람〗 이탈리아계(系) 독일의 작가·의사. 조용한 분위기에서 자서전적이고 정신적 내면 생활을 그린 작품을 발표하여 괴테의 휴머니즘을 계승하는 작가로서 현대 독일 문단의 중진이 됨. 대표작으로는 ≪뷔르거(Bürger) 의사의 운명≫·≪루마니아 전기(Rumania 戰記)≫ 외에 시집 등이 있음. [1878-1956]

카로슈티 문자 [一文字] [Kharoṣṭhi] [一짜] 명 〖역〗 아람 문자(Aram 文字)를 본떠서 만들어졌다고 하는 고대 인도의 문자. 아소카 왕 비문이 최고(最古)의 자료이며, 북서 인도에서 중앙 아시아에 걸쳐 보급되었고 3세기 경의 문서가 동투르키스탄(東 Turkistan)을 중심으로 발견되어 고대 인도 연구에 귀중한 자료가 되고 있음.

카로텐 혈증 [一血症] [一쯩] 명 [carotenemia] 〖의〗 혈액 속에 카로틴이 존재하는 병증. 피부가 노랗게 되는 원인이 됨.

카로티노이드 [carotinoid] 명 동식물계에 널리 분포하는 황·등(橙)·적(赤) 내지 보랏빛 색소의 총칭. 모두 긴 사슬 모양의 짝이중 결합(二重結合)으로 된 폴리엔(polyene) 구조임. 일반적으로 물에 녹지 않으며, 지방(脂肪) 또는 지방을 녹이는 용매(溶媒)에 녹음. 산화되기 쉽고 산(酸)에 불안정함. 동물체에서 수종의 카로티노이드가 비타민 A를 생성하는 것이 실증됨. 또, 식물, 특히 그 녹색의 엽육(葉肉) 중에 많이 함유되어 있는데, 천연으로는 약 80 종류가 있으며, 질소를 포함치 않음. 폴리엔(polyene) 색소.

카로틴 [carotin] 명 〖화〗 동식물계에 존재하는 카로티노이드류(類) 탄화 수소(炭化水素). 세 이성체(異性體)가 있음. 홍당무의 뿌리·버터·난황(卵黃)의 황색 물질은 주로 이것임. 동물의 체내에서는 비타민 A로 분해되므로 프로비타민(provitamine) A라고도 함. [$C_{40}H_{56}$]

카론 [Charon] 명 〖신〗 그리스 신화에 나오는 인물. 명부(冥府)로 가는 삼도(三途)내의 나루터를 지키는 늙은 뱃사공.

카롤루스 대:제 [一大帝] [Carolus] 명 〖사람〗 카롤링거 왕조(王朝)의 프랑크 왕(Frank 王). 전(全)게르만 민족을 통합하고 영토를 확대하여 전성을 이루었고, 구교도를 보호하여 800년 로마 교황으로부터 신성 로마 제국의 제관(帝冠)을 받았으며, 내치(內治)에도 힘썼음. 카를 대제(Karl 大帝). 찰스(Charles) 대제. 샤를마뉴(Charlemagne). [742-814]

카롤링거 왕조 [一王朝] 명 [Carolingian dynasty] 〖역〗 메로빙거(Merovinger) 왕조를 이은 프랑크 왕국 제이(第二)의 왕조. 751년 메로빙거 왕조의 궁내 대신인 카를 마르텔(Karl, Martell: 689?-741)의 아들 피핀(Pippin: 714?-761)에서 시작되어 카를 1세 때 전유럽에 걸친 대국가가 되었으나, 843년 이탈리아·독일·프랑스의 세 왕조로 나뉘었음. 이탈리아의 왕조는 875년, 독일의 왕조는 911년, 프랑스의 왕조는 987년에 각각 단절되었음.

카롤링거 왕조 르네상스 [一王朝一] [Carolingian Renaissance] 명 〖역〗 9세기 전후에 프랑크 왕국, 특히 카를 대제(大帝)의 궁정(宮廷)을 중심으로 번창한 미술 기타 문화의 총칭. 하나의 고전 문화 부흥 운동으로 789년의 성당·수도원에 대한 학교 창설의 칙령(勅令)에서 시작되어 고대 로마 문화를 모범으로 하고 궁정과 수도원이 모체(母體)가 되어 추진되었음. 특히, 미술·건축·학예가 장려되어 이 시기에 고대 말기와 메로빙거 왕조(王朝) 이래의 문화의 융합이 이루어졌음.

카루: [karroo] 명 〖지〗 남아프리카에서 볼 수 있는, 건조·광대하고 평탄한 대지(臺地). 건기(乾期)에는 식물이 나지 않으며, 우기(雨期)에는 초지(草地)가 됨.

카루소 [Caruso, Enrico] 명 〖사람〗 이탈리아의 테너(tenor) 가수. 이탈리아 고래의 모범적인 벨칸토 창법(belcanto 唱法)으로 구미 각지에서 공연하여 성공, 세계 최고의 드라마틱 테너(dramatic tenor) 가수로서 명성을 떨쳤음. [1873-1921]

카:르 [도 Kar] 명 빙하(氷河)의 침식에 의하여 솥의 밑바닥 모양으로 된 「지형. 권곡(圈谷).

〈카르〉

카르간 [Kargan] 명 〖지〗 장자커우(張家口).

카르나발 [프 carnaval] 명 '카니발'의 프랑스어.

카르나우바-납 [一蠟] 명 [carnauba wax] 〖화〗 식물납(植物蠟)의 한 가지. 브라질에서 나는 종려(棕櫚)의 어린 잎에서 채취하는 황색 또는 녹회색의 단단한 천연 납(蠟). 절연재·초·구두약·양광택성(良光澤性) 왁스·니스, 레코드판 및 자동차의 표면 피복재로 쓰임.

카르나크 신전 [一神殿] [Karnak] 명 이집트의 고도(古都) 테베(Thebes)의 카르나크(Karnak)에 있는 신전(神殿). 고대 이집트의 중왕국(中王國) 시대 제12 왕조 아멘엠헤트(Amenemhet) 1세가 창건(創建)하여 대대로 증축이 이어졌던 아몬(Amon) 신전이 그 중심이며 신역(神域)의 넓이는 1400 m×560 m에 이름. 양쪽에 스핑크스가 늘어선 참배길, 거대한 열주(列柱)가 있는 큰 홀, 그 밖의 여러 왕이 세운 신전이 있어 카르나크가 고대 이집트 최성기(最盛期)에 있어서의 재정(祭政)의 중심지였음을 보여줌.

카르나크 열석 [一列石] [Carnac] [一녈썩] 명 프랑스 브르타뉴 지방 카르나크 마을에 있는 열석의 무리. 세 무리의 선돌이 3km에 줄지어 있음. 기원전 2000년경의 농경민의 소산인 듯하며, 열석의 방향으로 미루어 태양 숭배의 유적(遺跡)으로 짐작됨. 이 밖에 돌멘, 멘히르 따위 신석기 시대의 각종 거석(巨石) 기념물이 밀집해 있음.

카르나티크 [Carnatic] 명 〖지〗 인도의 남부, 동해안 일대의 지방. 18세기 중엽에 영국과 프랑스가 그 지배권을 다투었던 곳임.

카르납 [Carnap, Rudolf] 명 〖사람〗 독일 태생의 미국의 철학자·논리학자. 마흐(Mach) 협회를 창립하여 기관지 '인식(認識)'을 발간하고, 프라하(Praha) 대학에 취임하여 빈 학파(Wien 學派)의 지도자로서 논리적 경험주의의 저서를 냄. 저서로는 ≪의미론 서설(序說)≫·≪확률의 논리학적 기초≫ 등이 있음. [1891-1970]

카르네 [Carné, Marcel] 명 〖사람〗 프랑스의 영화 감독. 리얼리즘이 넘치는 작품으로 알려짐. 대표작 ≪안개 낀 부두(1938)≫·≪악마는 밤에 온다(1942)≫·≪인생 유전(人生流轉) (1945)≫·≪북(北)호텔≫ 등이 있음. [1909-]

카르노 [Carnot] 명 〖사람〗 ①[Lazare Hippolyte C.] ❷의 아들로 생시몽주의자. 7월 혁명에 참가하고 1848년의 2월 혁명 임시 정부의 각료가 됨. 나폴레옹 3세와 대립했으며 1875년 종신(終身) 상원 의원이 됨. [1801-88] ②[Lazare Nicolas Marguerite C.] 프랑스 혁명기의 장군·정치가·수학자. 대(大)카르노라 불리며, 혁명군을 편제(編制)하고 대(對) 프랑스 동맹군을 격파하여 '승리의 조직자'로 불리기도 함. 공화주의자로 정권에는 관심이 없고 여러 번의 정치 위기를 극복했으며, 근대적 과학 종합 학교를 창설했고, 미터법 제정에도 힘썼음. 왕정 복고 후 유형(流刑)됨. [1753-1823] ③[Marie François Sadi C.] 프랑스의 정치가. ❷의 손자. 제3 공화제에서 의원·각료를 거쳐 대통령이 됨. 재임 중에 불랑제(Boulanger) 사건·파나마 문제를 수습하여 제3공화

제의 유지에 공헌(貢獻)했는데, 뒤에 이탈리아의 무정부주의자에게 암살당함. [1837-94: 재임 1887-94] ④〔Nicolas Léonard Sadi C.〕 프랑스의 물리학자. ❷의 아들. 저서 ≪열 및 열기관에 관한 고찰≫로 '카르노 순환(循環)'을 발표하여, 열역학(熱力學)의 기초를 이룸. [1796-1832]

카르노 기관【一機關】 명 〔Carnot engine〕〖기〗 카르노 순환에 의해 작동하는 마찰이 없는 이상적인 엔진.

카르노 순환【一循環】 명 〔Carnot cycle〕〖물〗 프랑스의 물리학자 카르노(Carnot, N.L.S.)가 창안한 열기관의 효율이 최대가 되도록 하는 이상적인 사이클. 작업 물질이 등온(等溫) 팽창·단열(斷熱) 팽창·등온 압축·단열 압축의 네 과정으로 일 순환할 때 그 효율은 작업 물질에는 관계 없이 고온도와 저온도에 의해 정해진다는 것. 일종의 이상 기관으로 증기 기관의 개량 진보에 기여했으며 열력학(熱力學) 제2 법칙의 바탕이 되었음.

카르노신 〔carnosine〕 명 〖화〗 척추 동물의 근육 조직 속에 존재하는 무색의 물에 녹는 결정(結晶). 생리적 의의(生理的意義)는 아직 확실하지 않음. [$C_9H_{14}N_4O_3$]

카르니틴 〔도 Carnitin〕 명 〖화〗 무색의 흡습성(吸濕性) 결정. 녹는점 196°-198°C. 물에 녹으며 인텅스텐산(燐 tungsten酸)·염화 수은(塩化水銀) 등으로 침전(沈澱)함. 근육 속에 염기성(塩基性) 성분으로 널리 존재하며 지방산의 대사(代謝)에 관여하는 것으로 생각됨. 비타민 비티(B_T)라고도 함. [$C_7H_{15}NO_3$]

카르다노 〔Cardano, Girolamo〕 명 〖사람〗 이탈리아 문예 부흥기의 자연 과학자·철학자. 3차 및 4차 방정식의 이론을 개척하였으며, 철학적으로는 물활론적(物活論的) 자연관에 의한 인식론을 내세웠음. 저서는 ≪대수 방정식론(代數方程式論)≫ 등임. [1501-76]

카르댕 〔Cardin, Pierre〕 명 〖사람〗 이탈리아 태생의 프랑스 복식 디자이너. '옷감의 마술사'라 일컬어지며, 뛰어난 재단 기술과 풍부한 색채 감각이 높이 평가되고 있음. [1922-]

카르데나스 〔Cárdenas, Lázaro〕 명 〖사람〗 멕시코의 정치가. 멕시코 혁명에 참가하여 장군이 되고 주지사·각료를 역임하여 대통령에 취임함. 대규모의 농지 개혁, 철도·석유의 국유화에 성공하고 국내 민주화와 국가 주권 확립에 공헌함. [1895-1970: 재임 1934-40]

카르두치 〔Carducci, Giosué〕 명 〖사람〗 이탈리아의 시인·평론가. ≪청춘 시집≫·≪악마 송가(惡魔頌歌)≫ 등으로 시의 고전주의를 부흥시켰으며, 1906년 노벨 문학상을 받았음. 문학사가(文學史家)로서도 중요한 업적을 남김. [1835-1907]

카르디날 〔프 cardinal〕 명 추기경(樞機卿).

카르디아졸 〔cardiazole〕 명 〖화〗 무색 수용성(水溶性)의 결정. 녹는점 58°C. 중추 신경 특히 연수(延髓)에 작용하여 흥분을 일으킴. 정신 분열증의 치료에 쓰임. [$C_6H_{10}O_4$]

카르만 〔Kármán, Theodore von〕 명 〖사람〗 헝가리 태생 미국 응용 물리학자. 괴팅겐 대학에서 프란틀(Prantl)의 지도를 받았으며 1930년 도미(渡美)하여 캘리포니아 공과 대학의 구겐하임(Guggenheim) 항공 연구소의 소장이 됨. 카르만 소용돌이, 날개·난류(亂流)·경계층·고속 기류의 이론 등 유체(流體)·항공 역학 전반, 탄성론(彈性論)에 많은 독창적 업적을 남겼음. [1881-1963]

카르만 소용돌이 명 〔Kármán's vortex〕〖물〗 유체 속을 주상(柱狀) 물체가 움직이거나, 정지하고 있는 주상 물체에 유체가 적당한 속도로 움직이거나 할 때 물체의 좌우 양쪽에 번갈아 생기는 역방향(逆方向)의 소용돌이. 이때 생긴 소용돌이는 규칙적으로 두 줄로 늘어섬. 회초리 소리, 전선에 바람이 닿아 생기는 아이올로스음(Aiolos音)도 이 소용돌이가 원인임. 발견자 미국의 응용 역학자 카르만의 이름에서 연유함.

카르맹 〔프 carmin〕 명 〖화〗 '카민(carmine)'의 프랑스 말.

카르멘 〔Carmen〕 명 ①〖문〗 1845년에 발간된 메리메(Mérimé)의 소설. 스페인을 배경으로 하여 집시인 카르멘과 용기대(龍騎隊)의 사병 돈 호세와의 연애 갈등의 비극을 묘사한 작품임. ②〖악〗 소설 카르멘에 의하여 비제(Bizet)가 작곡한 가극. 전 4 막. 1865년 파리에서 초연(初演)됨.

카르멜 산【一山】 〔Carmel〕 명 〖지〗 이스라엘 하이파(Heifa)의 동남쪽에 있는 산. 예로부터 유태교의 성지(聖地)로 추앙되었으며, 중세기에 카르멜회(會)가 창립된 곳이기도 함. 네안데르탈인(人) 따위 원시 인류의 뼈가 출토된 동굴 유적도 있음. [546 m]

카르멜 산 유적【一山遺蹟】 〔Carmel〕 명 〖지〗 이스라엘의 카르멜 산중에 있는 석회암 동굴군(群)의 유적. 원시 인류인 구인(舊人: Homo Hemogenius)과 신인(新人: Homo Sapiens)의 이행기(移行期)를 말하는 사람의 뼈 여러 개가 발견됨.

카르멜-회【一會】 〔Carmel〕 명 가톨릭 교회에 속하는 규율이 엄한 수도회(修道會)의 하나. 처음에는 묵상(默想)을 주로 하였으나 뒤에 선교와 교육에도 종사함. 12 세기에 십자군 병사 베르톨드(Berthold)가 카르멜 산에 숨어서 공동 수양 생활을 했던 것에서 비롯되며 십자군 패배 후에는 유럽 각지에 이주하고 계율도 완화되었음. 1452년에는 카르멜 수녀회도 생김.

카르미나 부라나 〔라 Carmina Burana〕 명 〖악〗 13 세기경에 만들어진 것으로 추측되는 가요집. 1803년 독일의 뮌헨 남쪽의 한 수도원에서 발견되었는데, 작자는 미상이고 약 285 편이 실림. 자연·연애·술·교회 풍자를 소재로 한 것이 많음.

카르민 〔도 Karmin〕 명 〖화〗 카민.

카르민-산【一酸】 명 〔carminic acid〕〖화〗 카민산.

카르바미노-헤모글로빈 〔carbaminohemoglobin〕 명 〖생〗 헤모글로빈이 탄산(炭酸) 가스와 결합한 것. 이산화 탄소는 헤모글로빈의 글로빈 속의 유리(遊離) 아미노기(基)와 결합하여 -NHCOOH인 카르바미노 화합물을 만듦. 포유류(哺乳類) 혈액 속의 이산화 탄소 10-20 %가 카르바미노헤모글로빈으로서 운반됨.

카르바졸 〔carbazole〕 명 〖화〗 무색의 소엽상(小葉狀) 결정. 콜타르 특히 안트라센유(anthracene 油) 속에 많이 함유되고 있으며, 수산화(水酸化) 칼륨을 가하여 증류(蒸溜)하면 칼륨염(塩)으로서 남음. 디페닐아민(diphenylamine)의 증기를 적열(赤熱)한 관(管) 속에 넣어 탈수소(脫水素)하는 방법 등으로 합성함. [$C_{12}H_9N$]

카르바크롤 〔도 Carvacrol〕 명 〖화〗 식물 정유(植物精油) 속에 존재하며 장뇌(樟腦)를 요오드와 같이 가열하면 생기는 무색의 유상(油狀) 액체. 향료의 원료 및 살균제로 쓰임. [$C_{10}H_{14}O$]

카르발라 〔Karbala〕 명 〖지〗 이라크 중부에 있는 카르발라 주(州)의 주도. 유프라테스 강(江) 중류 우안(右岸)에 있으며 케르발라(Kerbala)라고도 함. 마호메트의 손자이자 이슬람교 시아파(shiah派)의 지도자인 후세인(Husayn)이 살해된 곳으로, 시아파의 성지(聖地)임. [184,574 명 (1985)]

카르밤-산【一酸】 명 〔carbamic acid〕〖화〗 아미노산(amino 酸)의 하나. 요소(尿素), 카르밤산 에스테르 등의 유도체(誘導體)로서 알려짐. [NH_2COOH]

카르밤산 암모늄【一酸一】 명 〔ammonium carbamate〕〖화〗 암모니아의 알코올 용액에 이산화 탄소(二酸化炭素)를 통하면 생성되는, 투명한 프리즘형 결정. 60℃로 가열하면 암모니아와 이산화 탄소로 분해하지만 냉각하면 다시 화합함. 요소(尿素) 제조에 쓰임. [$NH_4CO_2NH_2$]

카르벤 〔도 Carben〕 명 〖화〗 CH_2와 같은 이가(二價)의 탄소 원자를 가진 불안정 중간체(不安定中間體).

카르보나두 〔포 carbonado〕 명 〖광〗 브라질에서 산출(産出)되는 다이아몬드의 일종. 암회색 또는 흑색의 치밀(緻密)한 결정질(結晶質)인데 보통의 다이아몬드보다 연소열(燃燒熱)이 크며, 2-4 %의 불순물(不純物)을 포함하고 있음. 주로 금강석 착암기(鑿岩機)에 사용함. 흑(黑)금강석.

카르보나리 〔이 Carbonari〕 명 〖역〗〔숯 굽는 사람이란 뜻〕 19 세기초에 나폴리에서 조직된 이탈리아의 급진 공화주의자들의 비밀 결사. 오스트리아의 지배에서 벗어나 공화정을 수립할 것을 목적으로 하여, 스페인 혁명·프랑스 7월 혁명 등의 기회를 타서 혁명 운동을 일으켜 이탈리아 통일의 기운(氣運)을 조성했음. 초기의 당원들이 몸을 숨기 위하여 숯 굽는 사람으로 변장하고 산속에서 밀의(密議)한 데서 나온 이름임. 카르보나리당(Carbonari 黨).

카르보나리-당【一黨】 〔Carbonari〕 명 〖역〗 카르보나리.

카르보늄 이온 〔carbonium ion〕 명 〖화〗 카르보 양(陽)이온.

카르보닐 〔carbonyl〕 명 〖화〗 ①2 가(價)의 기(基)인 일산화 탄소. ②금속과 일산화 탄소로 이루어진 착염(錯塩).

카르보닐-기【一基】 〔carbonyl〕 명 〖화〗 유기 화합물의 원자단의 일종. 알데히드 및 케톤(ketone)은 모두 카르보닐기를 가짐. 불포화(不飽和) 결합을 갖는 기(基)로 반응성(反應性)이 풍부하여, 이 화합물은 합성(合成) 화학상 용도가 많음.

카르보닐-법【一法】 〔一뻡〕 명 〔carbonyl process〕〖화〗 금속 카르보닐의 열해리(熱解離)를 이용하는 금속 정제법(精製法). 니켈 제련(製鍊)에서의 몬드법(Mond法) 따위.

카르보닐-철【一鐵】 〔carbonyl〕 명 〖화〗 해면철(海綿鐵) 따위를 고온·고압하에서 일산화 탄소와 화합시켜서 얻은 철카보닐을 상압하(常壓下)에서 240°C 이상으로 열분해(熱分解)하여 얻어지는 분말 상태(粉末狀態)의 순철(純鐵). 탄소 0.0002-0.0007 %, 산소 0.01 % 이하로 다른 불순물(不純物)은 전혀 포함하지 않음. 자성(磁性) 재료·촉매(觸媒) 따위에 이용됨.

카르보란 〔carborane〕 명 〖화〗 보란(borane)의 붕소(硼素) 원자를 탄산 원자로 치환한 일군(一群)의 화합물. *보란².

카르보마이신 〔carbomycin〕 명 카보마이신.

카르보시아닌 〔carbocyanine〕 명 〖화〗 시아닌 색소(色素)에 속하는 감광성(感光性) 색소의 일군(一群). 일반적으로 청색 결정이며, 장파장(長波長)의 적색광(赤色光)과 적외선에 대한 증감제(增感劑)로서, 할로겐화은(halogen 化銀) 사진 유제(乳劑)로 널리 쓰임.

카르보 양이온【一陽一】 명 〔carbonium ion〕〖화〗 탄소를 갖는 공유 결합(共有結合)의 이온적(的) 개열(開裂)에 의하여 생기는 탄소 양(陽)이온. 카르보늄 이온.

카르보 음이온【一陰一】 명 〔carbanion〕〖화〗 탄소를 갖는 공유 결합(共有結合)의 이온적(的) 개열(開裂)에 의해 생긴 탄소 음(陰)이온.

카르보-히드라아제 〔도 Karbohydrase〕 명 탄수화물을 가수 분해하여 간단한 당(糖)으로 만드는 효소의 총칭. 아밀라아제(Amylase)·셀룰라아제(Cellulase)·인베르타아제(Invertase) 등.

카르복시-기【一基】 명 〔carboxyl group〕〖화〗 1 가(價)의 유기 원자단(有機原子團)으로 카르복시산(酸)의 작용기(作用基). 화학식 COOH. 유기 화합물에 산성(酸性)을 주어, 그 수에 따라 1 가(價)·2 가의 카르본 따위로 됨.

카르복시메틸 셀룰로오스 〔carboxymethyl cellulose〕 명 〖화〗 이온 교환 셀룰로오스(ion 交換 cellulose)의 하나. 셀룰로오스의 -OH기(基)를 $-CH_2COOH$로 치환(置換)해서 얻는 무미 무취(無味無臭)의 백색 분말. -OH기(基)의 치환도(置換度)가 40% 이상이 되면 수용성(水溶性), 75% 이상이 되면 흡습성(吸濕性)으로 됨. 수용액(水溶液)의 높은 점성(粘性)을 이용하여 염색용의 풀, 제지용(製紙用)의 사이즈제(size 劑), 아이스크림·마가린의 유화 안정제(乳化安定劑), 페인트·화장품의 점결제(粘結劑) 등으로 쓰임. 시 엠 시(CMC). 시 엠 셀룰로오스(CM cellulose). *이온 교환체(ion 交換體).

카르복시-산 【一酸】 명 〔carboxylic acid〕 분자 속에 카르복시기(基)를 갖는 유기 화합물의 총칭. 아세트산(酸)(CH_3COOH)이나 벤조산(酸)(C_6H_5COOH) 등이 그 예임. 일반식(一般式)은 RCOOH 또는 RCO_2H로 나타냄.

카르복시 펩티다아제 〔carboxypeptidase〕 명 〖화〗 단백질 분해 효소의 총칭. 펩티드환(環)의 카르복시기(基) 말단에 있는 아미노산기(酸基)를 끊는 작용이 있음.

카르복시-헤모글로빈 〔carboxyhemoglobin〕 명 〖생〗 일산화 탄소(一酸化炭素)와 헤모글로빈의 결합물. 일산화 탄소에 대한 헤모글로빈의 친화력(親和力)이 산소에 대한 것보다 크기 때문에 혈액 속에 일산화 탄소가 침입(侵入)하면 헤모글로빈이 산소와 결합하고 있더라도 일산화 탄소와 치환(置換)되어 만들어지는데, 산소 전달 능력이 없어져 일산화 탄소 중독을 일으키게 됨. 일산화 탄소 헤모글로빈.

카르복실라아제 〔도 Carboxylase〕 명 〖화〗 탄산 가스를 발생시키면서 탄수화물을 분해하는 효소의 총칭. 녹말을 말토오스로 변화시키는 아밀라아제, 말토오스를 분해하여 포도당으로 만드는 말타아제, 수크로오스를 분해하여 포도당과 과당(果糖)으로 변화시키는 인베르타아제 등 여러 종류가 있음.

카르본 〔carvone〕 명 〖화〗 액체 케톤(液體 ketone)의 하나. 끓는점은 231℃, 물·알코올에 녹으며, 광학 활성체(光學活性體)임. 향신료·향료로 쓰임. [$C_{10}H_{14}O$]

카르본-산 【一酸】〔도 Karbon〕 명 〖화〗 '카르복시산(酸)'의 구칭.

카르비놀 〔도 Carbinol〕 명 〖화〗 사슬 모양 일가(一價) 알코올을 메틸(methyl) 알코올의 유도체(誘導體)로서 나타내는 명명법(命名法)에서, 메틸 알코올을 이름.

카르빌아민 〔carbylamine〕 명 〖화〗 이소니트릴(isonitrile).

카르빌아민 반:응 【一反應】 명 〔carbylamine reaction〕 〖화〗 제1 아민 또는 크롤로포름 검출법(檢出法)의 하나. 제1 아민에 크롤로포름과 수산화 칼륨의 알코올 용액을 혼합하여 가열하면 카르빌아민, 곧 이소니트릴이 생기므로 이 특이하게 불쾌한 냄새에 의하여 제1 아민 또는 크롤로포름을 검출 할 수가 있음.

카르사이 〔네 Karssai〕 명 모직물의 하나. 올이 성기고 엷음.

카르셀-등 【一燈】〔프 carcel〕 명 〖물〗 프랑스의 발명가 카르셀(Carcel, Bertrand Guillaume; 1750-1812)이 발명한 등의 한 가지. 심지가 둥근 석유 램프와 비슷하게 생겼는데, 심지는 원통(圓筒)으로 그 안팎에 공기를 유통시키는 장치가 있으며 유리로 만든 원통형의 등피를 씌움. 용수철 장치로 된 펌프로써 언제나 기름을 심지에 넣게 되어 있음. 카셀 램프.

카르스 〔Kars〕 명 〖지〗 ①터키령 아르메니아의 한 지방. 주민은 터키족과 아르메니아족을 주로 하며, 농업·원예(園藝)·목축이 행하여짐. 1546년에 터키령(領), 1878년부터 러시아령, 1920년에 다시 터키령이 됨. ② ❶의 주도. 카르스강에 면한 높이 1,900 m되는 산중에 위치함. 아르메니아의 고대 도시인 코르사(Chorsa)에 해당함. [59,000 명(1980)]

카르스트 〔도 Karst〕 명 〖지〗 석회암 대지에서 석회암의 표면이 용해 침식을 받기 쉽고, 빗물이 주로 갈라진 틈으로 스며 들어 주위의 암석을 용해하기 쉽다는 원인 등으로 인하여 묘석 지형(墓石地形)·돌리네(Doline)·석회동(石灰洞)이 발달한 특유한 지형.

〈카르스트〉

카르시노 엠브리오닉 항:원 【一抗原】 명 〔carcino embryonic antigens; CEA〕 〖의〗 암태아성(癌胎兒性) 항원. 사람의 대장암에 특이한 것으로 거의 모든 대장암에 공통함. 대장·직장 외에 식도(食道)·위·간(肝)·췌장 등의 내배엽(內胚葉)에서 오는 장기암(臟器癌)·유방암·기관지암 등에서도 볼 수 있음. 또, 임신 2-6개월의 태아의 소화 기관에서도 볼 수 있기 때문에 이 이름이 붙음.

카르시노이드 〔carcinoid〕 명 〖의〗 점막(粘膜)에 발생하는 비교적 양성(良性)의 종양(腫瘍). 작은 원형(圓形) 세포로 된 삭상(索狀)의 실질(實質)로 이루어지며, 주위 조직에의 침윤(浸潤)은 심하지만 생장이 느리고 전이(轉移)하지 않음. 소장(小腸)이나 충양 돌기(蟲樣突起)에 가장 많이 발생함.

카르시노필린 〔carcinophyllin〕 명 〖약〗 암치료약으로서 사르코마이신(sarcomycin)에 이어서 나온 방선균(放線菌) 항생 물질. 육종(肉腫)·백혈병에 유효하고 피부암에 좋음.

카르케미시 〔Carchemish〕 명 〖지〗 터키와 시리아의 국경에 가까운 유프라테스강 우안의 고도(古都). 기원전 15세기부터 히타이트령(領) 남부의 중심지였는데 기원전 1200년에 멸망함. 그 후, 아람족(族)이 지배하는 통상(通商) 도시로서 번영했음. 그 유적은 혼합 문화권의 중심으로서 고고학상 중요함.

카르코 〔Carco, Francis〕 명 〖사람〗 프랑스의 소설가·시인. 본명(本名)은 François Marie Carcopino. 파리 뒷골목을 배경(背景)으로 무뢰한(無賴漢)들의 생활을 즐겨 그렸음. 작품 《동무》·《쫓기는 사나이》 등이 있음. [1886-1958]

카르타고 〔Carthago〕 명 〖역〗 고대 페니키아인(Phoenicia人)이 북아프리카에 세운 식민시(植民市). 기원 전 6세기에 서(西)지중해의 통상권을 장악하고 있었으나, 포에니 전쟁에서 로마에 패배하여 그 속주(屬州)가 됨. 기원전 44년 시저가 시가를 재건하여 제정기(帝政期)에는 학문·종교의 한 중심지로 번영함. 5세기에 반달인(人)에게 점령되고 7세기말 아라비아인(人)에 의해 파괴됨. 유적(遺跡)은 튀니스(Tunis)의 북부 교외에 있음.

카르타민 〔도 Carthamin〕 명 〖화〗 잇꽃의 화관(花冠)에 함유된 홍색(紅色) 색소로 칼콘(chalcone)에서 유도되는 배당체(配糖體). 녹는점 230°C. [$C_{21}H_{22}O_{11}\cdot 2H_2O$]

카르타헤나[1] 〔Cartagena〕 명 〖지〗 스페인 남동부 지중해 연안의 항구 도시. 해군 기지·공창이 있음. 야금·방적 공업도 성함. 기원전 225년경 카르타고의 식민시로 건설되어 고대 로마 시대에 번영하였음. 8-13세기에는 이슬람 세력의 지배하에 있었음. [172,751 명(1981)]

카르타헤나[2] 〔Cartagena〕 명 〖지〗 남미 콜롬비아 북부 카리브 해 연안의 항구 도시. 바랑카베르메하(Barrancabermeja)의 유전과 파이프라인으로 연결된 석유의 적출항(積出港)임. 가축·피혁·목재·담배의 거래도 활발함. 대학이 있음. [496,368 명(1985)]

카르탕 〔Cartan, Elie〕 명 〖사람〗 프랑스의 수학자. 파리 대학 교수. 리군(Lie 群)·미분 기하학·미분 방정식·다변수 함수론(多變數函數論)·상대성 이론 등에 업적이 있음. [1869-1951]

카르테 〔도 Karte〕 명 〖의〗 진료부(診療簿).

카르텔 〔cartel, 도 Kartell〕 명 동일 산업 부문의 기업 간에 시장 통제(市場統制)의 목적으로 경영 활동에 관하여 협정을 맺는 일. 참가 기업이 서로 독립성을 유지하는 점에서 트러스트와 구별됨. 판매 가격의 하한선(下限線)을 정한 가격 카르텔, 생산량을 제한한 생산 카르텔, 판매 지역을 할당한 지역 할당 카르텔, 원가 계산 방법을 정한 계산 카르텔 등의 형태가 있음. 기업 연합.

카르텔 관세 【一關稅】 〔cartel〕 명 〖경〗 국내에서 카르텔 결성을 촉진·조장하는 기능을 갖는 관세.

카르텔-선 【一船】 〔cartel〕 명 〖군〗 전시(戰時)에 포로의 교환·군사(軍使)의 파견 등 교전국간의 교통을 위하여 사용되는 선박. 관습 국제법상 불가침이며, 이를 공격·나포(拿捕) 또는 몰수할 수 없음.

카르토그람 〔프 cartogramme〕 명 지역적으로 분포되어 있는 통계 자료를 적당한 백지도(白地圖) 위에 그려 넣어, 그 분포 사상(事象)을 한 눈에 알게 하는 지도 표현법.

카르통 〔프 carton〕 명 카턴.

카르투슈 〔프 cartouche〕 명 〖건〗 판지의 끝이 말려 올라간 것 같은 모양의 장식 디자인. 바로크 건축의 장식으로 많이 쓰임.

카르트벨 어:군 【一語群】 〔Kartvel〕 명 남카프카스(南 Kavkas) 어족의 딴이름. 이베리아 어군.

카르티에-라탱 〔Quartier Latin〕 명 〖지〗 파리 중앙부 센 강(江)의 좌안(左岸), 제5·6구에 속하는 가구(街區). 시테(Cité)의 남쪽에 있으며 소르본(Sorbonne)을 비롯해서 여러 교육 기관이 있으며, 12세기 이후 문교의 중심을 이루었고 학생가(學生街)로서 유명함.

카르티에브레송 〔Cartie-Bresson, Henri〕 명 〖사람〗 프랑스의 사진 작가. 처음엔 화가를 지망했었으나 사진과 영화 쪽으로 전향함. 1946년 뉴욕 근대 미술관에서 개인전을 열어 보도 사진 작가로서 주목받음. 1947년 R. 캐퍼·D. 시모어 등과 국제적 보도 사진 통신사인 '매그넘 포토스(Magnum Photos)'를 창립. 그 후 세계의 주요 도시에서 개인전을 열어 독자적인 사진 미학(寫眞美學)을 세상에 내놓고 포토 저널리즘에 큰 영향을 끼침. 냉전 시대에 동남 아시아·중국·소련 등 세계 각지에서 취재, 많은 걸작을 남김. [1908-]

카르파초 〔Carpaccio, Vittore〕 명 〖사람〗 15세기 말에서 16세기 초두에 활약한 이탈리아 베네치아파의 화가. 전기는 분명하지 않음. 벨리니(Bellini) 일가, 특히 젠틸레(Gentile)에게 배움. 풍부하고 조화가 잘된 색채와 안정된 공간 감각에 의해 고전적인 화면을 구성했음. 대표작으로 연작 《성(聖)우르술라 이야기》·《성(聖)지롤라모의 서재》 등이 있음. [1455?-1525?]

카르파토 산맥 【一山脈】 〔Carphato〕 명 〖지〗 카르파티아 산맥(Carpathia 山脈).

카르파티아 산맥 【一山脈】 〔Carpathia〕 명 〖지〗 알프스의 연장(延長)으로 폴란드와 체코·슬로바키아 국경을 동남(東南)으로 달리는 신기 습곡 산맥(新期褶曲山脈). 카르파토 산맥. [1,400 km] ＊트란실바니아 알프스(Transylvania Alps).

카르포 〔Carpeaux, Jean-Baptiste〕 명 〖사람〗 프랑스의 조각가. 바로크적인 풍부한 동감(動感)과 교묘한 표면 처리에 의한 음영의 효과는 뒤의 로댕으로 이어지는 길을 열었음. 대표작으로 《플로르의 승리》·《우골리노와 그의 아들들》·《세계를 받드는 4부분》 등이 있음. [1827-75]

카르피니 〔Carpini, Giovanni de Piano〕 명 〖사람〗 이탈리아의 프란체스코회 수도사. 몽고의 유럽 침입을 막기 위하여 1245년 로마 교황의 친서를 가지고 몽고 제국의 수도 카라코룸에 이르러 1247년 구유크한(Gŭyŭk 汗)의 답서를 얻어 귀국했음. 그 견문록(見聞錄)은 자료로서 귀중함. [1182?-1252]

카:르 호 【一湖】 〔도 Kar〕 명 〖지〗 카르에 형성된 호수. 알프스 지방에 많음. 권곡호(圈谷湖).

카를 그렌 〔Karlgren, Bernhard〕 명 〖사람〗 스웨덴의 언어학자. 1909년 웁살라(Uppsala) 대학 졸업 후 수년간 청국(淸國)에 머물면서 중국 음운학을 연구했음. 《중국 음운학 연구》에서 비교 언어학적 수법으로 중고(中古) 곧 수·당(隋唐), 상고(上古) 곧 주·진(周秦) 한음(漢音)의 전용(全容)을 복원(復元)하였음. 그 밖에 《중국의 언어》·《한자 성형 유찬(漢字聲形類纂)》이 있음. [1889-1978]

카를 대:공 【一大公】 명 〔Karl Ludwig Johann〕 〖사람〗 오스트리아의 장군. 오스트리아 황제 프란츠 2세의 동생. 프랑스 혁명 때와 나폴레옹 시대에 종종 프랑스군을 격파하여 용명을 떨쳤음. 나폴레옹의 최대의 호적수로 일컬어지고 1809년 아스페른의 싸움에서의 승리는 특히 유명함. 입헌 군주제를 주장하여 황제와 대립함. [1771-1847]

카를 대:제 【一大帝】 〔Karl〕 명 〖사람〗 샤를마뉴(Charlemagne) 대제.

카를로비-바리 〔Karlovy Vary〕 명 〖지〗 체코 공화국, 체히주(州) 북부에 있는 온천 보양지. 프라하 서쪽 120km, 표고 374m의 골짜기에 있으며 탕온(湯溫)은 44-72°C로 음료용(飮料用)으로서도 유명함. 1946년 이래 국제 영화제(國際映畫祭)가 열림. 독일 이름으로는 카를스바트(Karlsbad). [60,775명(1981)]

카를로비바리 선언【一宣言】〔Karlovy Vary〕명〘정〙1967년 4월 체코의 카를로비바리에서 열린, 소련을 위시한 23개국의 유럽 공산당 대표자 회의에서 채택된 선언. 현존 유럽 국경의 불가침, 동서 양독(東西兩獨)의 승인, 1938년의 뮌헨 협정의 무효를 조건으로 한 유럽 안전 보장 체제 구축 등을 내용으로 함.

카를 마르크스 슈타트〔Karl Marx Stadt〕명〘지〙독일 작센 주(Sachsen州)에 있는 공업 도시 켐니츠(Chemnitz)의 옛이름. 1953년에 개칭했다가 통일 후 다시 켐니츠로 바꿈. 중세 이래 작센 지방의 직물 공업의 중심지임. 기계·섬유 등 공업이 활발함. [313,200명(1987)]

카를 마르텔〔Karl Martell〕명〘사람〙프랑크 왕국의 최고의 관직인 궁재(宮宰)로서 실권을 잡아 작센·프리젠·알라만을 평정(平定)하고, 732년 이베리아 반도에서 침입한 이슬람 교도를 투르·푸아티에의 전투에서 격파하여 그의 아들 피핀(Pippin)으로 시작되는 카롤링거 왕조(王朝)의 기초를 닦았음. [688-741]

카를 사:세【一四世】〔Karl Ⅳ〕명〘사람〙신성 로마 황제·보히미아 왕 요한의 아들. 1346년 황제 루트비히 4세의 대립자(對立者)로서 선출되어 1356년 금인 칙서(金印勅書)를 발포(發布)하여 국내를 정비하였음. 아비뇽(Avignon)에 유폐(幽閉)중인 교황의 로마 귀환을 실현함. 보히미아의 경제적 번영, 문화적 융성(文化的隆盛)을 초래하였으며, 제국의 정치적 중심은 동쪽으로 이동하였음. [1316-78; 재위 1347-78]

카를 삼세【一三世】〔Karl Ⅲ〕명〘사람〙동(東)프랑크 국왕(재위 876-887), 서로마 황제(재위 881-887). 비만왕(肥滿王)이라고도 일컬음. 동프랑크 국왕 루트비히의 막내 아들. 881년 동프랑크 국왕으로서 처음으로 제관(帝冠)을 받고 884년 서프랑크 국왕을 겸하여, 형식상 구(舊)프랑크 왕국의 재통일(再統一)에 성공하였으나, 노르만인의 침입을 막지 못하여 독일 여러 부족의 손으로 폐위됨. [839-888]

카를스루:에〔Karlsruhe〕명〘지〙독일 라인 지구대(地溝帶) 동안(東岸) 8km에 있는 바덴뷔르템베르크(Baden-Württemberg) 주(州)의 도시. 운하(運河)로 라인강에 연락이 되며, 헌법 재판소·최고 재판소·원자력 연구소·공업 대학이 있고, 마르세유에서 잉골슈타트(Ingolstadt)에 이르는 파이프라인의 경유지(經由地)로, 기계·차량·식품 가공·정유(精油) 등의 공업이 성함. [268,309명(1987)]

카를스바:트〔Karlsbad〕명〘지〙체코의 '카를로비바리(Karlovy Vary)'의 독일어 표기.

카를스바:트의 결의【一決議】〔一/一에一이〕명〔Karlsbader Beschlüsse〕〘역〙1819년 8월 6-31일 메테르니히의 주창(主唱)으로 카를스바트에서 열린 독일 10개국 대신(大臣) 회의의 결의. 자유주의·국민주의 운동의 탄압을 목적으로 하며, 대학법·출판법·선동자 단속법 및 집행 규정으로 이루어지는 4부의 법률 초안을 결정. 이것이 연방 의회의 승인을 얻어 연방법이 됨.

카를스 천염【一泉塩】〔Karls〕명〘약〙체코 공화국 서부에 있는 카를스바트(Karlsbad) 광천(鑛泉)을 결정시킨 약품. 인공적으로는 황산 나트륨에 중조·식염·황산 칼륨을 섞어 만든 흰 가루로, 완하제(緩下劑)·소화제로 쓰임.

카를 십이세【一十二世】〔Karl Ⅻ〕명〘사람〙스웨덴 국왕. 1700년 북방 전쟁(北方戰爭)을 일으켜서 덴마크에 침입, 나르바(Narva)의 싸움에서 승리를 거두고 우크라이나로 향했으나 폴타바(Poltava)의 싸움에서 러시아군에 대패했음. [1682-1718; 재위 1697-1718]

카를 아우구스트〔Karl August〕명〘사람〙작센 바이마르 대공(大公). 개명적(開明的) 군주. 괴테와 친교를 맺고 대신으로 기용(起用)하여 그 조언(助言)을 얻어 문교(文敎)의 진흥에 진력하였으며 실러를 초치하고 부르셴샤프트를 보호하여 수도 바이마르를 독일 정신 생활의 중심지로 만들었음. 복지 국가의 실현에 힘써, 1816년에는 벌써 헌법을 발포(發布)했음. [1757-1828]

카를 오:세【一五世】〔Karl Ⅴ〕명〘사람〙외조부인 페르난도 오세(Fernando Ⅴ)의 뒤를 이어 스페인왕 카를로스 일세(Carlos Ⅰ)(재위 1516-56)가 되었으며, 조부인 막시밀리안 일세(Maximilian Ⅰ)의 사후 신성 로마 제국 황제(재위 1519-56)가 됨. 신대륙을 포함한 스페인 및 독일에 걸친 광대한 영토의 합스부르크가(Habsburg家)의 왕국을 이루었으나 이를 싫어한 프랑스와 분쟁을 거듭하였음. 종교 개혁에 대하여 정치상 이유로 독일 영내(領內)에서는 용서하였으나, 스페인에서는 탄압하였음. 1521년의 보름스 국회(Worms 國會)에서는 루터를 박해하였으나 1529년 포교(布敎)를 허락, 1529년 다시 금지시켜 신교 제후(新敎諸侯)의 반감을 샀으며, 1555년 아우크스부르크(Augsburg) 종교 화의(和議)때 루터파(派)를 공인함. [1500-58]

카를 이:세【一二世】〔Karl Ⅱ〕명〘사람〙서(西)프랑크 국왕(재위 840-877), 서로마 황제(재위 875-877). 독두왕(禿頭王)이라 일컬음. 경건왕(敬虔王) 루트비히 일세(Ludwig Ⅰ)의 막내 아들. 843년 베르됭(Verdun) 조약에서 왕국을 분할(分割), 서프랑크 왕국을 취득하고 870년 메르센(Mersen) 조약에서 중형(仲兄) 동프랑크 국왕 루트비히와 로트링겐(Lothringen) 로렌(Lorraine)을 분할함. 지방 귀족의 대두로 고통을 받았고 노르만인의 침입에 굴복하여 조공(朝貢)을 바쳤음. 876년 동프랑크 왕국에 진입하였으나 패퇴(敗退)함. [823-877]

카를 차이스〔도 Carl Zeiss〕명 차이스².

카를 펠트〔Karlfeldt, Erik Axel〕명〘사람〙스웨덴의 시인. 고답 탐미(高踏耽美)의 경향을 갖는 고아(高雅)한 서정시를 지어 북유럽 신낭만파의 한 대표가 됨. ≪프리돌린(Fridolin)의 노래≫·≪프리돌린의 낙원≫·≪플로라(Flora)와 벨로나(Bellona)≫·≪가을의 각적(角笛)≫ 등이 있음. 사후 1931년 노벨 문학상이 수여됨. [1864-1931]

카리니 폐:렴【一肺炎】〔carinii〕명〔pneumocystis carinii pneumonia〕〘의〙'뉴머시스티스 카리니'라는 원충의 기생에 의한 폐렴. 에이즈(AIDS)나 말기의 암(癌) 등으로 면역력(免疫力)이 저하되었을 때에 발증(發症)함. 기침·호흡 곤란·치아노제를 수반함. 뉴머시스티스 카리니 폐렴.

카리마타 해:협【一海峽】〔Karimata〕명〘지〙인도네시아 서부 보르네오 남서안(南西岸)과 빌리턴(Billiton) 섬 사이의 해협. 폭 약 200km. 카리마타 제도 외에 수 개의 섬들이 산재함.

카리바 댐〔Kariba Dam〕명 아프리카 남부 잠비아와 짐바브웨 국경의 잠베지(Zambezi) 강에 만들어진 댐. 제방 길이 620m, 제방 높이 128m, 1960년 출력 60만kW로 발전을 개시함. 이 댐이 조성(造成)하는 카리바 호는 길이 120km, 폭 20km로 세계 굴지의 인공호(人工湖)임.

카리브 공:동체【一共同體】명〔Caribbean Community; CARICOM〕〘사〙카리브 제국(諸國)의 정치적·경제적 통합 조직. 구성국은 카리브 연안 제국 12개국. 카리브 자유 무역 연합(CARITA)을 발전적으로 해체하고, 보다 강력한 경제 통합을 목표로 결성한 공동체. 1973년 결성. 카리브 개발 은행이 자금 조달에 응하고 있음. 본부는 가이아나의 조지타운에 있음.

카리브디스〔Charybdis〕명〘신〙그리스 신화에 나오는 바다의 괴물. 바다의 소용돌이를 의인화(擬人化)한 것으로, 메시나 해협을 지나는 배들을 삼켰다고 함. 또, 이 소용돌이의 이름.

카리브-족【一族】〔Carib〕명〘인류〙남미 동해안의 부족명. 신대륙 발견 100년 전부터 베네수엘라에서 이주(移住)하여 선주(先住) 아라와크족(Arawak族)을 정복, 소앤틸리스 제도(小 Antilles 諸島) 전역 및 트리니다드 섬의 일부를 점거함. 15-16세기에 급속히 쇠퇴하였는데, 과수 재배와 어로(漁撈)를 업으로 삼으며 호전적(好戰的)임.

카리브 해【一海】명〔Caribbean Sea〕〘지〙중부 아메리카·서인도 제도·남아메리카 대륙에 둘러싸인 대서양의 내해(內海). 파나마 운하에 의하여 태평양으로 통함. 해역(海域)의 섬들은 보양지로서 유명함. 이름은 카리브족에서 유래.

카리브해 정책【一海政策】명〔Caribbean Policy〕19세기말에서 20세기초의 미국의 카리브 해 진출 정책. 쿠바·푸에르토리코의 지배로 시작하여 파나마 운하의 지배, 전체 카리브 해의 지배로 발전했음. 그 최초의 추진자는 루스벨트(Roosevelt, T.)임. 지배권의 확대와 유지를 위해 무력 행사(武力行使)도 있었으나 1930년대에 선린 외교 정책(善隣外交政策)으로 전환하였음.

카리스마〔charisma〕명〔본디 그리스어 kharisma '신의 은총'에서 유래〕예언이나 기적을 행하는 초능력적(超能力的)·신부(神賦)의 자질(資質). 독일의 사회학자 베버(Weber, Max)가 지배의 세 유형(類型)으로서, 합리적 또는 합법적 지배, 전통적 지배와 함께 카리스마적 지배를 든 데서 일반적으로 쓰이게 된 말. 사회의 지배자나 지도자의 신성 불가침(神聖不可侵)한 신위적(神威的) 권위(權威). 또, 대중을 심취(心醉)시켜 따르게 하는 능력·자질의 뜻으로 씀.

카리시미〔Carissimi, Giacomo〕명〘사람〙이탈리아의 작곡가. 아시시(Assisi)의 티볼리 성당(Tivoli 聖堂) 및 로마의 성아폴리나레(聖 Apollinare) 성당의 악장(樂長)을 지냄. ≪예프타(Jephthah)≫ 등의 작품으로 근세 오라토리오의 최초의 대작곡가로 불림. [1605-74]

카리아티드〔caryatid〕명〘건〙서양 건축에 있어서, 상부 구조를 받치는 기둥 대용의 인상 조각(人像彫刻)의 총칭. 아크로폴리스의 에레크테이온의 것이 가장 유명함.

카리에라〔Kariera〕명〘인류〙오스트레일리아 원주민의 하나. 특수한 혼인 형태를 기반으로 하는 친족 조직을 가지고 있음.

카리에르〔Carrière, Eugène〕명〘사람〙프랑스의 화가. 당시 융성했던 인상파와 후기 인상파에 동조하지 않고, 회색이나 갈색 따위 어두운 색채를 사용하여 모자상(母子像) 등 가정적이며 정감이 넘친 화면을 구성, 그 친근감 있는 화풍으로 해서 나비파(Nabis派)와 더불어 반사실주의(反寫實主義)를 대표하기도 함. [1849-1906]

카리에스〔라 caries〕명〘의〙골질(骨質)이 그 석회 염분(石灰塩分)을 소실하고 유기적 성분을 액화(液化)하여 뼈가 결손되고 고름이 나게 되는 질환. 결핵에 의하여 많이 일어나는데, 흔히 연소자들이 걸림. 요법으로 외과적 수술·원인 요법·강장(強壯) 요법 등을 행함. 골양(骨瘍). 골저(骨疽). 골괴저(骨壞疽).

카리오솜〔karyosome〕명〘생〙①염색인(染色仁). ②원생(原生) 동물의 핵에 있는 대형 단일의 양성인(兩性仁)과 같은 소구체(小球體). 염색질(質)·인질(仁質)을 함께 함유함. ③성체(成體)의 휴지핵(休止核)에서, 염색 중심(中心)을 가리킬 때가 있음.

카리오콜로오제〔도 Karyocholose〕명〘생〙핵퇴화(核退化)의 한 형(型)으로 인(仁) 물질이 이상 증대(異常增大)하는 현상.

카리온-병【一病】〔一뼝〕명〔Carrion's disease: 이 병을 실증(實證)하기 위해 스스로의 몸에 병원(病原)을 심어 죽은 페루의 의학도 Daniel Alcides Carrion (1859-85)의 이름에서 유래〕〘의〙안데스(Andes) 산중에 지역적으로 유행하는, 사람이 걸리는 세균 감염증(細菌感染症)의 하나. 적혈구 및 조혈(造血) 기관을 침범함.

카리용〔프 carillon〕명〘악〙타악기(打樂器)의 하나. 모양 또는 크기를 달리하는 많은 종(鐘)을 음계의 순으로 달아 놓고 치는 악기. 대규모의 것은 건반(鍵盤)을 누르면 지레의 작용으로 종을 치게 되어 있는 것도 있음.

카리우스-법【一法】〔Carius〕〔一뻡〕명〘화〙〔카리우스(Carius, L.)는 19세기 독일의 화학자〕유기물(有機物) 중의 할로겐(halogen)·황 및 인(燐)을 정량(定量)하는 원소 분석의 한 방법.

카리칼 〔Karikal〕 명 〖지〗 인도 남부 타밀 나두 주(Tamil Nadu 州)의 해안 도시. 코베리 강(Cauvery 江)의 삼각주 위에 있는 서구식(西歐式) 거리임. 1817-1954년에 프랑스령(領) 카리칼의 주도로, 또 쌀의 중계 무역지로 호황(好況)을 누렸음.

카:리타:더 〔car retarder〕 명 화차 조차장(貨車操車場)에서 떼어 놓은 화차를 적당한 위치에 정차시키기 위하여 궤도에 설치된 제동 장치(制動裝置).

카리테스 〔Charites〕 명 〖신〗 그리스 신화 중의 일군(一群)의 여신. 세 자매로, 쾌락(快樂)·매력(魅力)·우미(優美)를 관장하는데, 로마 신화의 그라티아이(Gratiae)에 상당함.

카:마 〔Kāma〕 명 〖신〗 인도 신화 중의 애욕의 신(神). 화살·화환(花環)을 들고 뻐꾸기·꿀벌 등을 거느리는 미남자(美男子)임.

카마 강 【一江】 〔Kama〕 명 〖지〗 러시아 우랄 산맥 서쪽 기슭에서 발원해, 남서쪽으로 흐르는 볼가 강(江)의 가장 큰 지류. 수력 발전소가 많으며, 중요한 수송로로 이용됨. [2,031 km]

카마구에이 〔Camagüey〕 명 〖지〗 쿠바 중앙부, 같은 이름의 주(州)의 주도(州都). 사탕 수수와 담배 재배 지역의 중심지로, 제당업(製糖業)이 성함. 식민 시대의 건물이 많음. [265,588 명(1987)]

카마레스 도기 【一陶器】 〔Kamares〕 명 에게 문명(Aege 文明)의 제1 융성기(隆盛期)를 대표하는 도기. 1898년 크레타 섬 중앙부에 있는 카마레스 동굴에서 발견됨. 아름다운 곡선과 대채로운 장식으로 궁전식(宮殿式) 스타일이라고도 불림.

카마르고 〔Camargo, Marie Anne de Cupis de〕 명 〖사람〗 프랑스의 여류 무용가. 18세기 최대의 발레리나. 처음으로 스커트를 짧게 하여, 다리를 내놓고 춤 춘 것으로 유명해졌으며, 다리의 움직임을 확대한 공로자임. [1710-70]

카마사이트 〔kamacite〕 명 〖광〗 니켈·철 합금(nickel 鐵合金)으로 된 광물. 타에나이트(taenite)와 함께 철운석(鐵隕石)의 대부분을 차지함.

카:마수:트라 〔Kāmasūtra〕 명 〔애경(愛經)의 뜻〕 고대 인도의 성애 문헌(性愛文獻). 예로부터 인도인은 법(法)·이(利)·애(愛)를 인생의 삼대 목적으로 하여 왔으나, 이 사랑에 관한 가르침을 풀이한 것. 4세기경의 작(作).

카:마이클[1] 〔Carmichael, Hoagland〕 명 〖사람〗 미국의 작곡가·영화 배우. 인디애나 대학 법과를 나와, 법률 관계 직업에 종사하다가, 작곡가로 전향, ≪스타더스트≫·≪내 마음 속의 조지아≫ 등 50여 곡(曲)을 작곡, 1951년 아카데미 주제가상(主題歌賞)을 탔음. 1944년에 영화 배우로 데뷔함. [1897-1981]

카:마이클[2] 〔Carmichael, Leonard〕 명 〖사람〗 미국의 심리학자·생리학자. 행동(行動)·지각(知覺)·학습(學習) 등에 관한 실험적 연구가 있음. [1898-1973]

카:마이클[3] 〔Carmichael, Stokely〕 명 〖사람〗 미국의 급진적(急進的) 흑인 운동가. 트리니다드(Trinidad) 태생으로, 하버드 대학에 입학 후 학생 비폭력 조정 위원회(SNCC)에 들어가, 위원장(1966-67)으로서 공민권 획득 운동으로부터 출발, 블랙 파워의 기치 밑에 백인에 대한 무력 봉기의 자세를 분명히 했음. [1941-]

카머-무지크 〔도 Kammermusik〕 명 〖악〗 ①실내 음악(室內音樂). ②궁중 악단(宮中樂團).

카메네프 〔Kamenev, Lev Borisovich〕 명 〖사람〗 소련의 정치가. 11월 혁명에 참가하여 공산당 간부로 활약중, 스탈린과 대립하여 제명되었으며, 1934년 키로프(Kirov) 암살 사건에 연좌(連坐)하여 처형되었음. [1883-1936]

카메라 〔camera〕 명 ①사진기. 촬영기. 휴대용 사진기. ②사진기의 암상(暗箱). ③↗텔레비전 카메라.

카메라-눈 〔camera〕 명 사람의 눈과 같이 명암(明暗)·방향·모양·빛깔 등을 느낄 수 있는 눈. 낙지·오징어 등과 척추 동물(脊椎動物)의 눈은 모두 카메라눈임.

카메라 루시다 〔라 camera lucida〕 명 〖물〗 특수한 프리즘 또는 거울, 때로는 현미경을 비치하여 물체를 종이에 투사(投射)하는 장치. 물체의 허상(虛像)을 평면상에 만들어, 상(像)의 외형(外形)을 사생(寫生)하는 데 씀.

카메라리우스 〔Camerarius, Rudolf Jakob〕 명 〖사람〗 독일의 물리학자·식물학자. 화분(花粉)의 수정 사실을 발견함. [1665-1721]

카메라 리허:설 〔camera rehearsal〕 명 텔레비전 방송에서, 실제 방송되는 것과 똑같은 조건을 갖추고 카메라에 비쳐 보는 연습.

카메라-맨 〔cameraman〕 명 ①보도 관계의 사진반원(班員). ②텔레비전·영화의 촬영 기사(技師). ③사진사. ④아마추어 사진가.

카메라 아이 〔camera eye〕 명 피사체(被寫體)를 효과적으로 포착하는 카메라맨의 능력.

카메라 앵글 〔camera angle〕 명 피사체(被寫體)에 대한 카메라의 각도.

카메라 오브스쿠라 〔라 camera obscura〕 명 '어두운 방'의 뜻으로, 카메라의 어원(語源). 밀폐한 방의 한쪽 벽에 구멍을 뚫으면, 바깥 경치가 다른 쪽 벽 위에 거꾸로 비침. 16세기 이전부터 이 원리가 알려져, 이것을 소형화(小型化)한 도구가 그림의 스케치에 쓰이고 있었음.

카메라 워:크 〔camera work〕 명 촬영 기술.

카메라 체인 〔camera chain〕 명 〖통신〗 텔레비전 카메라·증폭기(增幅器)·모니터(monitor) 및 카메라의 출력 신호(出力信號)를 조정실로 보내는 케이블 전체를 이름.

카메라 케이블 〔camera cable〕 명 〖전〗 텔레비전 카메라에서 제어실(制御室)까지 화상(畫像)을 보내는 케이블 또는 전선의 다발.

카메라:타 〔이 camerata〕 명 1570-80년대에 이탈리아 피렌체의 바르디가(Bardi 家)에 모여, 고대 그리스 연극을 규범(規範)으로 새로운 오페라 탄생에 기여한 예술가 집단. 「위치.

카메라 포지션 〔camera position〕 명 피사체(被寫體)에 대한 카메라의

카메룬: 〔Cameroon〕 명 〖지〗 아프리카 대륙, 기니 만(灣)에 면한 연합 공화국. 남부는 열대 우림(熱帶雨林) 지대, 북부는 사바나 지대임. 공용어는 프랑스어와 영어이며, 주민의 3분의 1이 기독교도이고 이슬람교도도 많음. 농업·축산업을 주로 하며 바나나·커피·옥수수류(類) 등을 산출함. 금(金)·보크사이트 등의 광산(鑛産)도 많음. 1884년 독일 보호령. 제1차 세계 대전 후 1922년 국제 연맹 위임 통치령으로서, 동부는 프랑스령, 서부는 영국령이 되었음. 1960년 프랑스령 카메룬이 카메룬 공화국으로 독립, 이듬해 영령 카메룬과 연방 공화국으로 성립하였으나, 1972년 연방제를 폐지하고 연합 공화국으로. 1984년 현재의 '카메룬 공화국(Republic of Cameroon)'으로 바꿈. 수도는 야운데(Yaoundé). [475,442 km² : 12,200,000 명(1991 추계)]

카메룬: 산 【一山】 〔Cameroon〕 명 〖지〗 카메룬 남서부 기니 만안(Guinea 灣岸)에서 약 20 km 거리에 위치한 화산. 서쪽은 세계 최다우(最多雨) 지대의 하나로 연강우량(年降雨量) 10,000 밀리를 넘음. 1861년 버턴(Burton, R.F.)이 처음 등정(登頂)함. 1909년과 1922년에 분화(噴火)했음. [4,070 m]

카메를링 오너스 〔Kamerlingh-Onnes, Heike〕 명 〖사람〗 네덜란드의 물리학자. 저온(低溫) 물리학의 개척자로, 액체 공기·액체 수소·액체 헬륨(helium)의 제조에 성공하여, 1913년 노벨 물리학상을 받았음. [1853-1926]

카메오 〔라 cameo〕 명 ①돋을새김을 한 보석·패각 등의 작은 장신구. 보통, 둘 또는 셋의 빛을 달리한 층으로 되어 있는데, 흔히 어두운 색의 바탕에 밝은 색의 초상(肖像) 등을 돋아나오게 함. 주로 마노(瑪瑙)·호박(琥珀) 등을 재료로 함. ②석고나 착색한 밀랍으로 올록볼록하게 붙여 돋을새김처럼 만든 사진화(寫眞畫). ③유명 인사나 인기 배우가 극중에 깜짝 출연하여 아주 짧은 동안 하는 연기나 역할.

카메트 〔Kamet〕 명 〖지〗 인도, 우타르프라데시 주(Uttar Pradesh 州)와 중국 국경에 위치한 히말라야 산맥의 고봉(高峰). 1931년 6월, 영국 등반대가 처음으로 등정(登頂)함. [7,756 m] *이비가민 산(山).

카메하메하 일세 【一一世】 〔Kamehameha Ⅰ〕 〔一쎄〕 명 〖사람〗 하와이 왕국 최초의 왕. 1782년 하와이 제도(諸島)의 한 왕국의 왕위에 오른 후 다른 왕국을 점차로 합병하여 1810년 하와이 왕국 최초의 국왕이 됨. [?-1819]

카멘나야 바바 〔Kamennaya baba〕 명 서쪽은 카르파티아 산맥에서 동쪽은 몽고에 이르는 스텝 지대에 널리 퍼져 있는 석인상(石人像). 청동기 시대(青銅器時代)로부터 11-12세기까지의 것으로 크기와 모양이 여러 가지임.

카멜레온 〔라 chameleon〕 명 〖동〗 [*Chamaeleon chamaeleon*] 도마뱀류 카멜레온과에 속하는 파충. 몸길이 30 cm 가량이고, 몸은 편평하며 표면에 과립상(顆粒狀)의 융기가 있음. 보통 회갈색·황갈색 또는 녹색에 불규칙한 반점이 있는데, 몸빛이 환경에 따라 변함. 다리는 길고 발가락이 나무를 잡는 데 적당하게 되어 나무에서 살며 17 cm 가량의 긴 혀로 곤충을 날쌔게 잡아먹음. 밀림 속에 사는데 북아프리카·시리아·소(小)아시아·스페인 등에 분포하고, 비슷한 종류가 인도·실론 등에 40여 종 있음.

〈카멜레온〉

카멜레온-액 【一液】 〔chameleon〕 명 〖화〗 망간산염 또는 과(過)망간산염의 수용액.

카멜레온-자리 〔Chamaeleon〕 명 〖천〗 남쪽 하늘의 별자리의 하나. 바다 뱀자리의 훨씬 남쪽에 있는데, 우리 나라에서는 보이지 아니함.

카멜리아 〔camellia〕 명 〖식〗 동백나무.

카몽이스 〔Camões, Luiz Vaz de〕 명 〖사람〗 포르투갈의 시인. 서정시 ≪우스 루지아다스(Os Lusiadas)≫로 최대의 서정 시인으로 꼽힘. [1524-80]

카무플라주 〔프 camouflage〕 명 위장(僞裝). 미채(迷彩). 은폐(隱蔽). 속임수. ——-하다 타여불

카뮈[1] 〔Camus, Albert〕 명 〖사람〗 프랑스의 소설가·극작가. 제2차 대전중 저항 운동(抵抗運動)에 참가하면서 소설 ≪이방인(異邦人)≫, 평론 ≪시시포스의 신화≫ 등을 발표하고, 종전 후 대작 ≪페스트≫를 냄. '부조리(不條理)의 철학'으로 현대의 실존주의(實存主義) 대표 작가가 됨. 1957년 노벨 문학상을 받음. [1913-60]

카뮈[2] 〔Camus, Marcel〕 명 〖사람〗 프랑스의 영화 감독. 조각·그림 등 미술에 종사하다가 1945년 영화계(映畫界)에 발을 들여놓아, ≪탁류(濁流)≫·≪흑인(黑人) 오르페≫·≪열풍(熱風)≫·≪두 사람만의 아침≫ 등을 감독함. [1912-82]

카:민 〔carmine〕 명 〖화〗 선인장과 식물에 기생하는 연지벌레의 일종인 *Cocus cactic occinelifera*의 암컷에서 얻어지는 붉은 색소. 색소 성분은 카민산임. 동양화의 물감, 적색 잉크의 제조, 음식물의 착색(着色), 염직(染織) 등의 원료로 쓰임. 양홍(洋紅). 카르맹(carmin). 카르민.

카:민 로:션 〔carmine lotion〕 명 화장수의 하나. 칼라민 로션이라고도 함. 본래는 칼라민(calamine)이라 하며 습진에 완만한 효과가 있는 약으로 이것을 화장수로 이용한 것임. 여드름이나 햇볕에 타서 화끈거리는 피부에 소염 작용이 있음. 이것을 바른 위에 유액과 영양 크림을 발라서 피부를 정리함.

카:민-산 【一酸】 명 〔carminic acid〕 〖화〗 카민의 색소 성분이 되는 배당체(配糖體). 석류빛의 광택 있는 결정. 물·알코올·에테르에 녹으며,

벤젠·클로로포름 따위에는 녹지 않음. 그림 물감·생체 조직(生體組織)의 염색·분석 시약(分析試藥) 등에 쓰임. 카르민산. [$C_{22}H_{20}O_{13}$]

카밀러 [네 kamille] 명 〖식〗 [*Matricaria chamomilla*] 국화과에 속하는 일년초. 네덜란드 원산인데, 높이 50cm 가량이며, 잎은 호생하고, 우상(羽狀) 복엽을 이루어 가늘게 째지고 향기가 있음. 여름에 둘레가 희고 속이 누른 꽃이 두상(頭狀) 화서로 핌. 꽃은 향기가 강한데 말리어서 진통제·발한제(發汗劑)로 쓰이며, 꽃속에 들어 있는 기름은 휘발성이 있음. 가밀렬(加密列).

〈카밀러〉

카:바 [아랍 al ka'bah] [-육면체(六面體)의 건물의 뜻] 메카(Mecca)의 모스크(mosque)의 중심을 이루는 석조(石造)의 성전(聖殿). 이슬람 교도 순례의 대상으로, 그 동남쪽 모퉁이에 운석(隕石)이 안치되어 있는데, 교도는 특별히 경건한 마음으로 이 돌에 입을 맞춤.

카바니스 [Cabanis, Pierre Jean Georges] 명 〖사람〗 프랑스의 의학자·철학자. 프랑스 관념학파의 대표임. 생리학적 심리학의 창시자의 한 사람임. 의식 작용이 감각 결과라는 임상적(臨床的)·생리학적 증명을 꾀했음. [1757-1808]

카바레 [프 cabaret] 명 무대·댄스 홀 등의 설비를 갖춘 서양식의 고급 술집. ＊나이트 클럽.

카바르디노발카르 [Kabardino-Balkar] 명 〖지〗 러시아 연방의 남서부에 위치한 자치 공화국. 카프카스 지방의 카프카스 산맥 북쪽 경사면을 차지하는 산지국(山地國)임. 칼바딘 종(種) 말은 승마용·사역용(使役用)으로 유명함. 목축외에 전기 기기·굴착기·전선·석탄·텅스텐·몰리브덴 등의 광공업(鑛工業)도 발달함. 수도는 날치크. [12,500 km²: 715,000 명(1985)]

카:바이드 [carbide] 명 〖화〗 ①탄화물(炭化物). ②탄화 칼슘의 상품명. 물을 부으면 아세틸렌을 발생함.

카:바이드 램프 [carbide lamp] 명 탄화(炭化) 칼슘과 물을 섞어, 아세틸렌을 발생시켜, 이것을 태우는 램프.

카바티나 [이 cavatina] 명 〖악〗 ①가극에 있어서의 서정적인 독창곡. 아리아보다 단순하며 선율적임. ②속도가 느린 짧은 기악곡(器樂曲).

카발라 [Kabbālāh] 명 〖종〗 중세부터 근세에 걸쳐 퍼진 유태교의 신비 사상. 또 그 가르침을 기록한 책. 에스파냐의 신비 사상이 탄생시킨 1300년 경의 《광휘(光輝)의 서(書)》는 유명함.

카발레로비치 [Kawalerowicz, Jerzy] 명 〖사람〗 폴란드의 영화 감독. 전후에 융성(隆盛)한 폴란드 영화의 대표자의 한 사람. 현실을 신비적 리얼리즘에 의하여 예리하게 묘사함. 《그림자(1956)》·《야간 열차(1959)》 등의 작품이 있음. [1922-]

카발레타 [이 cabaletta] 명 〖악〗 ①단순한 짧은 아리아. 리듬이 한결같고 보통 반복부가 있음. ②론도 형식(rondo 形式)의 노래. 그 중에는 변주곡(變奏曲)을 포함하는 것도 있음. ③아리아와 이중창의 마지막 스트레타(stretta).

카발리에 [프 cavalier] 명 댄스에서 상대의 남자 또는 여자.

카발리에리의 정:리 【—定理】 [Cavalieri] [—니/—에—니] 명 〖수〗 [카발리에리(Cavalieri, Francesco Bonaventura: 1598-1647)는 이탈리아 수학자] '두 개의 입체(立體)를 어떤 정해진 평면에 평행한 임의의 평면으로 잘랐을 때, 자른 면의 면적이 항상 같으면 그 두 개의 입체의 체적은 상등하다'라는 정리.

카:버[1] [Carver, George Washington] 명 〖사람〗 미국의 흑인(黑人) 식물 학자·화학자. 땅콩의 공업에의 이용 등으로 유명함. [1864-1943]

카:버[2] [Kaaba] 명 카바(al ka'ba)의 영어식 이름.

카베 [Cabet, Étienne] 명 〖사람〗 프랑스의 공상적(空想的) 공산주의자. 주저 《이카리아(Icaria) 여행기》 등을 통해서 이상적인 공산주의 사회 건설을 주장함. 2월 혁명 후 미국으로 이주하여 일리노이 주(州) 등에서 공산 콜로니(colony)의 실험을 꾀했으나 실패하고 객사함. [1788-1856]

카베아 [라 cavea] 명 고대 로마의 극장의 반원형의 관람석.

카:보나이트 [carbonite] 명 〖지〗 화성암(火成岩)이 석탄층에 관입(貫入)한 결과 생긴 천연 코크스.

카:보나타이트 [carbonatite] 명 〖지〗 ①염기성 화성암(火成岩)의 관입 작용(貫入作用)에 의해 생긴 관입 탄산염암(炭酸塩岩). ②80% 이상의 칼슘 또는 마그네슘으로 된 퇴적암(堆積岩).

카:보런덤 [Carborundum] 명 미국 카보런덤 회사 제품인 탄화 규소(炭化硅素)의 상품명. 흑색의 광택이 있는 아름다운 결정으로, 단단하기가 다이아몬드에 가까우며, 연마력(硏磨力)이 강하고 높은 온도·약품에도 견딤. 모래·코크스·소금을 섞은 것을 전기로(電氣爐)에서 세게 열한 다음 약품으로 세척하여 정제(精製)·분쇄(粉碎)하여, 연마제(硏磨劑)·내화제(耐火劑)·저항기(抵抗器) 등으로 씀. 금강사(金剛砂). 탄화 규소(炭化硅素).

카:보-마이신 [carbomycin] 명 〖약〗 무색 결정성(結晶性)의 항생 물질. 미생물인 스트렙토마이세스 할스테디(Streptomyces halstedii)로 만듦. 주로, 그람(Gram) 양성(陽性)의 세균에 대해서 유효함. 카르보마이신. [$C_{42}H_{67}O_{16}N$]

카보-베르데 [Cabo Verde] 명 〖지〗 아프리카 서쪽 끝, 베르데(Verde) 곶 서쪽 약 560 km의 대서양에 있는 공화국. 상티아고(Sān Tiago) 섬 등 15 개 섬으로 이루어지나 9 개 섬에만 사람이 살고 있음. 커피 생산과 어업을 제외하고는 산업이 빈약함. 주민의 대부분은 흑백(黑白) 혼혈의 몰라토. 공용어는 포르투갈어(語). 원수(元首)는 대통령. 의회는 단원제임. 15 세기 이래 포르투갈에 지배되어 오다가 1975 년 독립(獨立)함. 정식 명칭(名稱)은 카보베르데 공화국(Republic of Cabo-Verde). 수도는 프라이아(Praia). [4,033 km²: 360,000 명(1988)]

카보숑 [프 cabochon] 명 장식 보석에 쓰이는 기본적인 컷(cut) 형태의 하나. 보석의 표면은 볼록면(面)꼴이며, 고도의 연마를 베풂.

카:보이 [carboy] 명 주로 산(酸)과 같은 부식성(腐蝕性)의 액체를 운반하는 데 편리하도록, 상자나 채롱 속에 넣은 커다란 유리병.

〈카보이〉

카:본 [carbon] 명 ①〖화〗 탄소. ②〖물〗 아크등(燈)이나 전극(電極)에 쓰는 탄소봉(棒) 또는 탄소선(線). ③〖물〗 탄산지(紙).

카:본 마이크로폰: [carbon microphone] 명 〖물〗 탄소립(粒)을 채운 상자의 한 면이 음파(音波)에 따라 진동(振動)하여, 내부의 탄소립끼리의 접촉 저항이 변화하는 것에 의하여 전류가 음파와 같은 파동적 변화를 받는 것을 이용한 마이크로폰. 전화의 송화기 등에 쓰이는데, 감도(感度)는 좋으나 음질(音質)이 좋지 않고 탄소 잡음(炭素雜音)이 늘 일어남. ＊벨로시티 마이크로폰.

카:본 블랙 [carbon black] 명 천연 가스·기름·아세틸렌·타르·목재 등의 불완전 연소에 의해 만들어지는 흑색 안료(顔料). 먹·인쇄 잉크·페인트 등의 원료 및 고무·시멘트 등의 착색료(着色料)임.

카:본 비트 [carbon bit] 명 〖공〗 절삭 매체(切削媒體)가 탄소(炭素)에 섞이어 있는 다이아몬드 비트.

카:본 사진 【—寫眞】 [carbon] 명 카본 사진법으로 만든 사진. 변색하지 않고 온아(溫雅)하므로 미술 사진화로 상용(賞用)됨.

카:본 사진법 【—寫眞法】 [carbon] [—뻡] 명 가장 오래된 사진 인화법의 한 가지. 젤라틴 용액과 카본 블랙 또는 다른 안료(顔料)를 처리하여 지면(紙面)에 바르고 중(重)크롬산 칼륨액에 적셔 어두운 곳에서 말린 다음 감광(感光)·밀착(密着)·현상(現像)을 함. 1865 년 영국의 화학자 스원(Swan, J.W.; 1828-1924)에 의해 완성됨.

카:본 아:크램프 [carbon arclamp] 명 〖물〗 전극(電極)에 두 개의 탄소봉을 사용하여 그 사이에서 발광(發光)하도록 한 전등. 탄소 호등(炭素弧燈).

카:본 저:항기 【—抵抗器】 [carbon] 명 〖전〗 전기 저항률이 높은 탄소를 이용한 저항기. 탄소를 얇은 막 모양으로 한 것과 수지(樹脂)로 조형(造形)한 것이 있음.

카:본-지 【—紙】 [carbon] 명 복사(複寫)에 쓰이는 종이. 주로 납(蠟)과 기름을 알맞게 혼합하고 이에 유연(油煙)·감청(紺靑) 또는 유기성(有機性)의 레이크(lake) 등을 배합하여 안피지(雁皮紙) 같은 종이에 칠한 것. 탄산지(炭酸紙). 탄소지(炭素紙). 카본 페이퍼. ＊복사지.

카:본 파일 [carbon pile] 명 〖전〗 힘·스트레인(strain)·미소 변위(微小變位) 등을 측정하는 데에 쓰이는 측정 기계의 한 요소. 탄소판을 여러 장 겹친 것을 압축하면 전기 저항이 감소되는 성질을 이용한 것임. 탄소 파일.

카:본 페이퍼 [carbon paper] 명 카본지(紙).

카:볼로이 [Carboloy] 명 〖야금〗 소결(燒結)한 텅스텐 카바이드의 상품명. 절삭(切削) 공구·게이지 기타 마모(摩耗) 부품 등에 쓰임.

카부르 [Cavour, Camillo Benso di] 명 〖사람〗 이탈리아의 독립 운동가·수상. 나폴레옹 3세와 결탁하여 오스트리아 세력을 몰아 내고, 1861년 이탈리아를 통일하였음. [1810-61]

카불 [Kabul] 명 〖지〗 아프가니스탄의 수도. 카불 분지의 중앙에 위치하는데, 예로부터 서(西)아시아와 인도와의 중요 교통로이며, 군사·상업의 중심지임. 피혁(皮革)·가구(家具)·유리 공장이 있음. 무굴 왕조(Mughul 王朝) 발상(發祥)의 땅. [750,000 명(1983 추계)]

카:뷰레터 [carburetor] 명 기화기(氣化器).

카브 [Cobb, Tyrus Raymond] 명 〖사람〗 미국의 프로 야구 선수. 1907-19년 타이거스의 외야수로서 활약, 아메리칸 리그의 수위 타자 12회, 종신(終身) 타율 3할 6분 7리의 대기록을 수립함. 야구사상 불후의 대선수로서 1936년 야구 전당(殿堂)에 듦. [1886-1961]

카브랄 [Cabral, Pedro Alvares] 명 〖사람〗 포르투갈의 항해 탐험가. 가마(Gama)의 희망봉 회항 후, 제2차 인도 파견 선대(船隊)의 대장으로서 출발했으나 서진(西進)하여 브라질에 도착, 뒤에 인도로 갔음. 브라질 발견자로 일컬어지고 있으나, 이것은 잘못으로, 실제의 발견자는 핀손(Pinzón)임. [1460?-1526?]

카브루 산 【—山】 [Kabru] 명 〖지〗 시킴(Sikkim) 서부, 히말라야 산맥(Himalaya 山脈)의 고봉(高峰). 북봉(7,338 m), 남봉(7,316 m)의 두 봉으로 되고, 1935년 11월 영국의 쿡이 처음 등정(登頂)했음.

카비네-판 【—判】 [프 cabinet] 명 사진 감광(感光) 재료의 크기의 일종. 필름·건판(乾板)에서는 세로 163 mm, 가로 118 mm, 인화지에서는 세로 164 mm, 가로 119 mm 임. 캐비닛.

카비르 [Kabir] 명 〖사람〗 근세 인도의 종교가. 힌두교의 비시누파(Viṣṇu 派)에 속하며, 라마교를 숭배하고 또한 이슬람교의 영향도 받음. 사람은 모두 신 앞에서 평등하다고 하고, 신분·계급 제도를 부인했음. 또, 우상 숭배를 배척, 여러 종교간의 구별도 부인함. 최고신(最高神)에의 신앙 귀의(歸依)만이 구원을 받는다고 주장함. [1440-1518]

카비르 사막 【—沙漠】 [Kavir] 명 〖지〗 이란 고원의 중앙, 엘부르즈 산맥(Elburz 山脈)의 남동쪽에 있는 염사막(塩沙漠). 동서 600 km, 남북 320 km로 기후는 건조하여 거의 강우(降雨)가 없기 때문에 증발이 심하여 사막 표면에 염괴(塩塊)를 형성하고 있음.

카:비아 [범 kavya] 명 범어(梵語)로 된 문학적 작품의 총칭. 복잡한 수사법에 따라서 일정한 특징을 갖춘 어법과 문체로 됨.

카비테 [Cavite] 명 〖지〗 필리핀 루손(Luzon) 섬의 해항(海港)으로 카비테 주의 주도. 마닐라(Manila)의 남방 34 km에 있음. 1571년 스페인 점령 이래, 해군 기지로서 중시되었고, 제2차 대전 후에는 미국 해군 기지이며, 부근 일대는 마닐라의 근교 주택 지역으로 발전하고 있음. [88,000명(1980)]

카빈다 [Cabinda] 명 『지』 아프리카 남서부의 대서양안(大西洋岸), 콩고와 자이르 사이에 낀 앙골라(Angola)의 비지(飛地). 카카오·야자유·낙화생을 산출하며, 근래에는 석유가 발견됨. 15세기 이래로 포르투갈의 식민지로 노예(奴隷)·상아(象牙)의 수출지였음. 주도(主都)는 카빈다. [7,270 km² : 114,000명(1988)]

카:빈-총 【一銃】 [carbine] 명 ①미국 육군의 소총의 하나. 자동식(自動式) 및 반(半)자동식의 두 가지가 있음. 제원은 구경(口徑) 7.62 mm, 전장(全長) 91.4 cm, 중량 2.72 kg, 유효 사거리(射距離) 300m 임. ②기총(騎銃).

카사노바 [Casanova, Giovanni Giacomo] 명 『사람』 이탈리아의 문인(文人)·엽색가(獵色家). 음악·외국어를 잘 하고, 고금(古今)의 문학에 통하였음. 유럽 각지를 돌아다니며, 투옥(投獄)과 탈주(脫走)의 모험 생활 및 연애(戀愛) 편력으로 알려짐. 프랑스어로 된 ≪회상록≫ 12권은 유명함. [1725-98]

카사도 [Cassado, Gaspar] 명 『사람』 스페인(Spain)의 첼리스트. 카살스(Casals)에 사사(師事)하였고, 제2차 대전 후는 이탈리아에 이주(移住)하였음. [1897-1966]

카사:바 [cassava] 명 『식』 [*Manihot esculenta*] 대극과에 속하는 다년생의 낙엽 관목(落葉灌木). 높이 1.5-3 m 가량이고, 잎은 장상 복엽(掌狀複葉)임. 자웅 이가(雌雄異家)로, 노란 꽃이 총상(總狀) 화서로 핌. 괴근(塊根)은 장대(長大)한데 녹말(綠末)의 함유량이 많아 녹말당(糖)의 원료가 되고 알코올 원료·요리(料理)에 씀. 시안화 수소(cyan 化水素)를 함유한 유독성(有毒性)의 것도 있음. 브라질 원산(原產)으로 열대 및 아열대(亞熱帶)에 널리 분포함. 줄기를 잘라 꽂아서 재배(栽培)함.

〈카사바〉

카사부부 [Kasavubu, Joseph] 명 『사람』 콩고(Congo)의 민족 운동 지도자. 1960년 독립과 동시에 초대 대통령이 되었음. 콩고 동란 때에 친서방적(親西方的) 입장을 취했으나, 1965년 모부투(Mobutu)의 쿠데타로 추방됨. [1917-69]

카사블랑카 [Casablanca] 명 『지』 모로코(Morocco)의 최대의 상공업 도시. 근대적인 설비를 갖춘 아프리카 제일의 양항(良港)으로 모로코 외국 무역(外國貿易)의 3분의 1이상을 담당하며, 철강(鐵鋼)·정유(精油)·화학(化學)·비료(肥料)·시멘트·식품 가공(食品加工) 등의 공업이 성함. [3,500,000명(1991 추계)]

카사블랑카 회:의 【一會議】 [Casablanca] [—/—이] 명 『역』 1943년 1월, 영국 수상 처칠과 미국 대통령 루스벨트가 카사블랑카에서 가진 회의. 이탈리아의 시칠리아(Sicilia) 상륙 작전을 결정하고 루스벨트가 추축국(樞軸國)에 대한 무조건 항복 요구의 원칙을 명시했음.

카사이 강 【一江】 [Kasai] 명 『지』 콩고(Congo) 강의 대지류(大支流). 앙골라(Angola) 중부의 고원에서 발원하여 동류(東流)하다가, 콩고와 앙골라의 국경을 북류(北流)하여 콩고 강에 합류함. 예로부터 중요한 수운 교역로(水運交易路)임. [1,900 km]

카산드라 [Kassandrā] 명 『신』 그리스 신화 중의 인물. 트로이 왕(Troia王)의 딸로, 그를 사랑하는 아폴론(Apollon)으로부터 예언(豫言)의 능력을 받아 트로이의 함락(陷落)을 예언하였으나 그 후 그를 멀리한 관계로 아폴론은 사람들이 그녀의 예언을 믿지 않게 만들었음.

카산드로스 [Kassandros] 명 『사람』 알렉산드로스 3세의 유장(遺將) 중의 한 사람. 알렉산드로스 사후(死後)에, 그의 모친·아내·자식들을 살해함. 기원 전 319년 이후에는 마케도니아·그리스를 지배했고, 기원 전 301년 안티고노스(Antigonos)를 격파하고 권력을 강화하여 그리스를 재건했음. [358?-297 B.C.]

카살라 [Kassala] 명 『지』 수단(Sudan) 공화국의 북동부, 에티오피아 국경(Ethiopia 國境) 가까이에 있는 동명 주(同名州)의 주도(州都). 상업의 중심지이고 목화의 집산지임. 1834년 군사 기지로 창건되었음. [100,000명(1981 추계)]

카살스 [Casals, Pablo] 명 『사람』 스페인 출신의 세계 최고의 첼리스트(cellist). 그가 조직한 삼중주단은 20세기 최고로 일컬어지는데, 특히 바흐(Bach) 곡의 완전한 연주는 크게 평가됨. [1876-1973]

카상드르 [Cassandre, Adolphe Mouron] 명 『사람』 러시아 태생의 프랑스의 상업 디자이너. 1930년경 포스터 제작으로 인정을 받고, 이후 포스터나 무대 장치에 미래파(未來派)·입체파(立體派)·초현실주의의 수법을 받아들여 활약했음. [1901-68]

카생 [Cassin, René] 명 『사람』 프랑스의 법률가. 유네스코 창립에 참획. 1946년의 세계 인권 선언의 기초를 맡았고, 국제 연합 인권 위원회 위원·의장(1946-68), 1962년 이후, 유럽 인권 재판소 소장으로 활약. 1968년 노벨 평화상을 수상했음. [1887-1976]

카섕 [Cachin, Marcel] 명 『사람』 프랑스 공산당 창당 이래의 지도자의 한 사람. 1920년 프랑스 사회당 대표로서 코민테른 제2회 대회에 출석 후, 프랑스 공산당 창설(創設)의 중심 인물이 됨. 이후 국회의원, 당정치국원(黨政治局員)으로 활동했음. [1869-1958]

카세롤 [casserole] 명 『물』 화학 실험 기구의 하나. 액체 증발용(液體蒸發用)의 자루가 달린 냄비로, 보통 사기로 만듦.

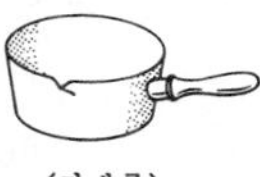
〈카세롤〉

카세인 [casein] 명 젖 속에 함유된 인단백질의 일종. 우유 속의 단백질의 약 80 %를 점함. 모든 필수 아미노산(amino 酸)을 함유하여 영양상 중요함. 탈지유(脫脂乳)를 묽게 하고 산을 가하면 pH 4.7 부근에서 응고하여 침전함. 영양제·주사제 외에 알칼리나 탄산칼슘과 혼합해 접착제(接着劑)로 쓰이며 근래에는 인조 섬유(人造纖維)·플라스틱·수성 페인트(水性 paint)의 원료 등 공업적(工業的)으로도 용도(用途)가 넓음. 건락소(乾酪素).

카세인 각질물 【一角質物】 [casein] 명 우유 단백질과 포름알데히드를 섞어 만든 플라스틱. 단추나 양산의 손잡이 등을 만드는 데 씀.

카세인 도료 【一塗料】 명 [casein paint] 아마인유(亞麻仁油) 대신에 카세인을 쓴 도료.

카세인산 나트륨 【一酸一】 명 [casein sodium] 『화』 무색 무미(無色無味)의 백색 분말. 물에 용해되지 않음. 의료(醫療)·유화(乳化)·안정화(安定化)에 쓰임. 수산화 나트륨 용액에 카세인을 용해하여 물을 증발시켜 얻음.

카세인 접착제 【一接着劑】 명 [casein glue] 유즙(乳汁)·석회 및 기타의 화학 성분을 저온에서 혼합하여 얻어지는 응유(凝乳)를 건조한 것. 합판(合板)·베니어판의 제조에 씀.

카세트 [cassette] 명 ①기계(機械)에의 장탈(裝脫)이 간편하도록 안에 필름·테이프 등을 내장(內藏)한 비닐 케이스. ②↗카세트 테이프. ③↗카세트 테이프 리코더. ④미촬영분(未撮影分)과 촬영필(撮影畢)의 각 필름실(室)이 일체(一體)가 되어 있는 카메라용 필름 케이스.

카세트 덱 [cassette deck] 명 메인 앰프나 스피커가 없는 카세트 테이프 리코더. 스테레오의 앰프에 접속(接續)해서 사용함.

카세트 브이 티: 아:르 [cassette VTR] 명 카세트 테이프를 사용하는 VTR.

카세트 테이프 [cassette tape] 명 폭 3.81 mm의 자기(磁氣) 테이프를 카세트에 수납(收納)한 녹음(錄音) 테이프. 카세트 테이프 리코더에 끼워서 곧 녹음·재생(再生)할 수 있음. 네덜란드의 필립스사(社)에서 개발함. 콤팩트 카세트.

카세트 테이프 리코:더 [cassette tape recorder] 명 카세트 테이프용(用)의 테이프 리코더. 기체(器體)의 격납실(格納室)에 카세트를 장착(裝着)해서 간단히 녹음·재생(再生)이 됨.

카셀[1] [Cassel, Gustav] 명 『사람』 스웨덴의 경제학자. 재(財)의 희소성(稀少性)의 원리에 의하여 경제 이론을 구성, 가치 무용론을 주창하여 가격으로 경제 현상을 설명했음. 특히, 구매력 평가(購買力平價)가 환시세(換時勢)를 결정한다고 하는 설이 유명함. 주저(主著)에 ≪사회 경제학 원론≫이 있음. [1866-1945]

카셀[2] [Kassel] 명 『지』 독일 서부 헤센 주(Hessen 州)의 주도. 각종 기관의 제조, 차량·과학 기계의 제작 등이 성함. [194,779명(1982)]

카:셀[3] [carcel] 의명 『물』 빛의 세기의 단위(單位). 카르셀등(carcel 燈)이 높이 40 mm의 불길을 내며 탈 때의 세기를 1카셀로 함. 1카셀은 9.5-9.6 촉광(燭光).

카셀라 [Casella, Alfredo] 명 『사람』 이탈리아의 작곡가. 파리에서 음악 공부를 하고, 로마에 국민 음악 협회를 창설하는 등 지도적 입장에 있었음. 피아니스트·지휘자로서도 뛰어났으며, 오페라·발레·교향곡 등 많은 작품을 남겼음. 대표작은 ≪이탈리아≫·≪평화에의 미사≫ 등. [1883-1947]

카:셀 램프 [carcel lamp] 명 『물』 카르셀등(燈).

카셈 [Kassem, Abdul Karim] 명 『사람』 이라크의 군인·정치가. 이집트 혁명의 영향을 받아 이라크 자유 장교 운동을 조직함. 1958년 이라크 혁명에 성공하여 왕제(王制)를 폐지하고, 초대 공화국 수상으로서 중립주의(中立主義) 정책을 추진했으나, 1963년 군부(軍部)의 쿠데타로 살해됨. [1914-63]

카슈가르 [Kashgar] 명 『지』 카스(喀什).

카슈가르 조약 【一條約】 [Kashgar] 명 『역』 1882년과 84년 2회에 걸쳐 중앙 아시아에서의 청나라와 러시아 국경 획정(劃定)에 관해 양쪽이 맺은 조약. 이것이 현재의 중국 러시아 국경선의 일부가 되었음.

카슈가르 한국 【一汗國】 [Kashgar] 명 『역』 16-7세기, 중국의 신장웨이우얼(新疆維吾爾) 자치구의 오아시스 지대를 지배한 터키족의 나라. 수도는 카슈가르. 주민은 뒤에 위구르인이라 일컬어졌으며, 이슬람교를 믿고, 농경(農耕)·상업을 주로 하고 있음.

카슈니츠 [Kaschnitz, Marie Luise von] 명 『사람』 독일의 여류 작가·서정 시인. 고고학자(考古學者)인 카슈니츠 바인베르크(Kaschnitz-Weinberg, Guido von; 1890-1958)의 아내. 전통적인 문학 형식 속에 새로운 생활 감정을 포착하려고 하는 작풍(作風)으로, 시집과 자서전적 회상 ≪어릴 때의 집≫, 단편집 ≪긴 그림자≫ 외에 방송극·수상(隨想) 등도 있음. [1901-74]

카슈미르 [Kashmir] 명 『지』 인도 서북, 파키스탄 동북쪽 지방. 히말라야·카라코람 산맥 서부의 산악 지대. 모직물(毛織物)·견직물·수공예품이 특산이며, 남부 인더스 강(江) 지류의 유역에서는 쌀·밀을 산출함. 풍광(風光)이 아름다운 관광 피서지임. 1947년 구영령(舊英領) 인도로부터 독립할 때 힌두교도이던 당시의 토후가 인도에 귀속하기로 결정하자 태반이 이슬람 교도인 주민이 반란을 일으키매 인도와 파키스탄 양국이 출병(出兵), 카슈미르 귀속을 둘러싼 전쟁을 벌임. 그 후, 유엔(UN)의 주선으로 휴전이 성립되었으나 인도령(領)·파키스탄령으로 분할되어 분쟁의 씨로 남아 있음. [223,000 km²]

카슈미르-어 【一語】 [Kashmir] 명 『언』 인구 어족(印歐語族)의 근대 인도어의 하나. 오랫동안 이슬람교도의 지배하에 있었던 관계로, 페르시아어(語)·아라비아어(語)의 차용어(借用語)가 많음. 카슈미르 계곡을 중심으로 쓰이고 있음.

카스 [喀什] 명 『지』 중국 신장웨이우얼(新疆維吾爾) 자치구 서단(西端)에 있는 오아시스 도시. 톈산(天山) 산맥을 넘어 서(西)투르키스탄, 카자호 초원(草原)으로 통하는 동서 교통의 요지. 부근의 농축산물의 집산지이며, 중앙 아시아와의 거래가 성하며 카슈가르 한국이 있던 곳. 카슈가르(Kashgar). [400,000 명(1980)]

카스바 [프 casba; casbah] 명 [본디 아라비아어의 '성새(城塞)'의 뜻] 아프리카 북부의 아랍 여러 나라에서 볼 수 있는 성새에 둘러싸인 현지인의 거주 지구를 이르는 말.

카스카라 사그라다 [스 cascara sagrada] 명 〖약〗 완하제(緩下劑)의 일종. 주로 미국의 캘리포니아에서 나는 갈매나무과(科) 식물의 줄기 및 가지의 껍질에서 채취함.

카스케트 [프 casquette] 명 앞차양이 붙은 모자. 학생모(學生帽)·선원모(船員帽)·헌팅 캡 따위.

카스타뇨 [Castagno, Andrea del] 명 〖사람〗 이탈리아의 피렌체파의 화가. 인물상(人物像)에 있어서 조각적(彫刻的)인 양감(量感) 표현, 극적 긴박감(劇的緊迫感)이 넘치는 표정이나 생동감(生動感)에 의한 생명력의 표현을 가지고, 독자적인 양식을 완성함. 대표작에 《최후의 만찬》 등. [1423-57]

카스타닌 [castanin] 명 〖화〗 밤알에서 얻어지는 글로불린(globulin)의 일종.

카:스터-유 【一油】 [castor] 명 아주까리 기름.

카: 스테레오 [car stereo] 명 자동차에 부착된 입체 음향 장치(音響裝置).

카스텔-간돌포 [Castel Gandolfo] 명 〖지〗 이탈리아의 로마 남동 약 25 km에 있는 도시. 17세기 이래 교황의 하계 별장, 바티칸 시국(Vatican 市國)의 천체 관측소가 있음. [6,200 명(1981)]

카스텔누오보 테데스코 [Castelnuovo-Tedesco, Mario] 명 〖사람〗 이탈리아 태생의 작곡가. 피렌체의 음악 학교에서 피체티(Pizzetti)에 사사(師事), 오페라 《라만드라골라》의 성공(成功)으로 지위(地位)를 확립, 1939년 미국으로 이주(移住)함. 그의 《기타 협주곡(1939)》은 유명함. [1895-1968]

카스텔라 [포 castella] 명 [지금의 스페인 북부와 중앙부에 있던 왕국 카스티야(Castilla)에서 처음 만들어 낸 빵이란 뜻] 밀가루에 거품을 낸 달걀과 설탕을 버무려서 오븐에 구운 과자. 설고(雪餻).

카스텔루 브랑쿠 [Castelo Branco, Camilo] 명 〖사람〗 포르투갈의 소설가·극작가·시인. 포르투갈 낭만주의 시대의 제1인자. 처음 의학과 이공학을 배웠으나 연애 사건으로 투옥되어 대표작 《파멸의 사랑》을 썼으며, 뒤에 실명(失明)으로 염세 자살했음. [1825-90]

카스토레움 [라 castoreum] 명 해리향(海狸香).

카스토르 [라 Castor] 명 쌍둥이자리의 α성(星). 유명한 쌍성(雙星)으로서, 광도(光度)는 1.6 등(等), 거리는 약 45 광년(光年). 늦겨울의 밤하늘을 장식함. 그리스 신화에서는 제우스와 레다의 아들로서 폴룩스(Pollux)와 함께 쌍둥이임. 폴룩스는 쌍둥이자리의 β성(星)이며, 등급은 1.2 등성(星)임. 로마 시대에는 두 별이 항해자(航海者)의 수호성(守護星)으로서 숭배되었음.

카스트 [caste] 명 〖사〗 인도에서, 고래로 내려온 엄격한 세습적 신분 제도의 네 계급. 곧 승려(僧侶)로서의 브라만(Brahman), 왕족이나 무인(武人)으로서의 크샤트리아(Kshatrya), 평민으로서의 바이샤(Vaisya), 노예로서의 수드라(Sudra). 그 소속은 나면서부터 정해지며, 한 계급에서 다른 계급으로 옮길 수 없을 뿐 아니라, 직업·통혼·관습 등이 엄중히 규정되어 제약을 받음. 사성(四姓). 사종성(四種姓).

카스트라:토 [castrato] 명 〖악〗 여성(女聲)의 음역(音域)을 가진 남성 가수. 중세까지 교회에서는 여성(女聲)이 쓰여질 수 없었기 때문에 특히 소년 시대에 거세(去勢)하여 변성(變聲)되지 않게 하는 방법을 썼음. 거세(去勢) 가수.

카스트로[1] [Castro, Guillén de] 명 〖사람〗 스페인의 극작가. 국민적 전설을 제재(題材)로 한 영웅 사극(史劇) 《젊은 날의 엘 시드(El cid)》가 그의 대표작임. [1569-1631]

카스트로[2] [Castro Ruz, Fidel] 명 〖사람〗 쿠바의 정치가. 아바나 대학 재학 때부터 혁명 운동에 참가함. 1955년 멕시코로 망명하였다가 그 이듬해 혁명군을 이끌고 쿠바에 상륙하여 1959년 바티스타(Batista) 정권 타도에 성공하고 동년 수상이 됨. 1965년 쿠바 공산당 설립과 함께 정치국원 겸 서기국원이 된 4살 아래인 동생 라울(Raúl C.R.)도 형과 행동을 함께 해서 1962년 이후 부수상 겸 국방상, 당 정치국원 겸 서기국원이 됨. [1927-]

카스틀레르 [Kastler, Alfred] 명 〖사람〗 프랑스의 물리학자. 1950년부터 원자의 미세·초미세 구조를 연구하기 위한 새 기술을 개발함. 빛과 전파를 공용하는 이중 공명(二重共鳴)이나, 편광(偏光)을 사용하는 광학적 펌프 등의 원자 여기법(勵起法)은 레이저 발전의 불가결의 기초가 되었음. 1966년 노벨 물리학상 수상. [1902-84]

카스티다데 [포 castidade] 명 〖기독교〗 정절(貞節).

카스티야 [Castilla] 명 〖지〗 스페인의 중앙 대지(臺地) 지방. 북은 칸타브리아 산맥, 남은 시에라 모레나 산맥, 동은 이베리아 산맥에 싸여 있고 기후는 대륙성임. 남쪽의 신(新)카스티야(72,346 km²)와 북쪽의 구(舊)카스티야(66,094 km²)로 나눔.

카스티야 왕국 【一王國】 [Castilla] 명 〖역〗 11세기경 이슬람교국(Islam 教國)에 대항하여 이베리아 반도(Iberia 半島)에 세워진 기독교국의 하나. 나바라(Navarra)의 페르난도 일세(Fernando 一世:?-1065)가 1037년 건설하였는데, 1479년 아라곤 왕국(Aragon 王國)과 합병하여 스페인 왕국이 되었음.

카스틸리오네[1] [Castiglione, Baldassare] 명 〖사람〗 이탈리아의 문인(文人). 여러 제후의 궁정(宮廷)에 봉사했고 《정신론(廷臣論)》을 저술했음. 문무 제예(文武諸藝)에 뛰어난 르네상스 시대의 이상적인 궁정인이며, 교황의 대사로서 스페인에서 객사했음. [1478-1529]

카스틸리오네[2] [Castiglione, Giuseppe] 명 〖사람〗 이탈리아의 화가(畫家). 1715년 전도(傳道)차 중국에 와서 건륭제(乾隆帝) 등의 총우(寵遇)를 받아 궁정 화가로서 《백준도(百駿圖)》 등의 작품을 그렸음. 중국명은 낭세령(郎世寧). [1688-1766]

카스피 해 【一海】 [Caspi] 명 [Caspian Sea] 〖지〗 중앙 아시아 서부에 있는 세계 최대의 호소(湖沼)이며 염호(塩湖). 동북쪽은 카자흐, 북서쪽은 러시아 서남부와 카프카스에 접함. 수면 고도는 해면하(海面下) 28 m. 이해(裏海). [371,000 km²]

카:슨 [Carson, Rachel Louise] 명 〖사람〗 미국의 여성 해양 생물학자·작가. 해양 생물의 생태를 묘사한 《우리를 둘러싸고 있는 바다》로 일약 유명해졌음. 농약에 의한 환경 오염을 경고한 《침묵의 봄》은 세계에 큰 충격을 주었음. [1907-64]

카슬레이 [Castlereagh, Viscount] 명 〖사람〗 영국의 정치가. 아일랜드 출신으로 아일랜드·영국 의회의 합동에 진력함. 1812-22년 외상(外相)으로서 빈 회의에 대표로 출석했으나, 메테르니히의 반동 정책에는 동조하지 않았음. 뒤에 정신 이상으로 자살했음. [1769-1822]

카시낭 명 〈방〉 〖식〗 가시나무(제주).

카시넷 [cassinet] 명 가는 소모사(梳毛絲)로 짠 직물. 능직(綾織)의 작은 무늬가 놓여 있음.

카시니 [Cassini, Giovanni Domenico] 명 〖사람〗 이탈리아의 천문학자. 뒤에 프랑스에 귀화하여 파리 천문대 초대 대장이 됨. 목성·화성의 자전 주기(自轉週期)를 측정하고 '카시니의 간극(間隙)'을 발견, 다시 달의 자전에 관한 '카시니의 법칙(法則)'을 확립하는 한편, 화성·태양의 거리를 산출하는 등 많은 업적을 남겼음. [1625-1712]

카시니 밀약 【一密約】 [Cassini] 명 〖역〗 [당시의 주청(駐淸) 러시아 공사의 이름인 Cassini에서 유래됨] 1896년 모스크바에서 러시아의 외상(外相) 로바노프(Lobanov-Rostovskij, A.B.)와 청(淸)나라의 이홍장과의 사이에 맺어진 비밀 조약의 잘못 일컫는 이름. 정식 명칭은 이(李) 로바노프 조약. 이 조약에 의해 러시아는 동청(東淸) 철도의 이권(利權) 및 그 연선(沿線)에 있는 광산의 채굴권(採掘權)과 뤼순(旅順)·다롄(大連)의 사용권을 획득하였음.

카시니의 간극 【一間隙】 [一/一에一] 명 [Cassini's division] 〖천〗 이탈리아계 프랑스 천문학자 카시니가 발견한 토성(土星) 고리 사이의 빈 틈. 토성 둘레에 있는 세 개의 동심원상(同心圓狀)의 고리 중에서, 가장 안쪽의 것과 그 다음의 것과의 사이의 좁은 틈인데, 암선(暗線)으로 된 것임.

카시니의 법칙 【一法則】 [一/一에一] 명 [Cassini's law] 〖천〗 이탈리아계 프랑스 천문학자 카시니가 발견한 달의 자전(自轉) 법칙. 곧, 달의 자전 주기는 공전(公轉) 주기와 같으며, 자전의 극(極)과 백도(白道)의 극은 동일 대원(大圓) 상에 있고, 자전의 극과 황도의 극의 각은 1°32′이라는 법칙.

카시러 [Cassirer, Ernst] 명 〖사람〗 독일의 철학자. 자연 과학의 기초 개념의 구성을 위한 시도로서 《근대 철학 및 과학에 있어서의 인식 문제》·《실체(實體) 개념 및 함수 개념》을 발표하여, 마르부르크 학파(Marburg 學派) 안에서의 지위를 획득함. 나치스를 피하여 미국으로 이주(移住), 그곳에서 사망했음. [1874-1945]

카시 몰레 [프 cache mollet] 명 [카시는 '숨긴다', 몰레는 '장딴지'의 뜻] 장딴지를 가릴 정도의 스커트 길이를 이르는 말.

카시오도루스 [Cassiodorus, Flavius Magnus Aurelius] 명 〖사람〗 중세 초기 이탈리아의 저술가. 로마의 명문 출신. 처음 동고트왕(東Goth 王) 테오도릭(Theodoric)을 섬기며 요직을 역임함. 은퇴 후, 역사·신학 등의 저작에 전념함. 주저(主著)는 《연대기(年代記)》·《고트사(Goth 史)》 등임. [487?-583?]

카시오페이아 [Kassiopeia] 명 〖신〗 그리스 신화 중의 인물. 에티오피아(Ethiopia)의 왕후. 자기의 미모를 자랑하였다가 해신(海神) 헤라의 노염을 사서 딸 안드로메다(Andromeda)를 해신에게 바침.

카시오페이아-자리 [Cassiopeia] 명 〖천〗 북천(北天)의 성좌의 하나. 북극성(北極星)을 중간으로 하여 북두 칠성과 대칭적으로 있는데, 늦가을의 저녁에 천정(天頂) 가까이 'W'자 형으로 보이어 북극성을 찾아내는 한 목표가 됨. 닻별.

카시우스 [Cassius Longinus, Gaius] 명 〖사람〗 로마의 군인·정치가. 기원 전 44년 브루투스(Brutus) 등과 함께 카이사르(Caesar)를 암살(暗殺)함. [?-42 B.C.]

카시-족 【一族】 [Khasi] 명 〖인류〗 인도 아삼(Assam) 서부의 카시 구릉(丘陵)에 살며, 오스트로아시아(Austroasia) 어족에 속하는 민족. 키가 작고 피부는 암갈색·황갈색이며, 벼·옥수수·조·콩·솜을 화전(火田)경작함. 상속은 모계를 통하며 말녀 상속(末女相續)을 함.

카시키스모 [caciquismo] 명 스페인의 근대 정치의 바닥에 잔존하는 봉건적인 인격적 지배 관계. 스페인에 편재하는 대지주와 영세 농민 사이의 봉건적 소작 관계가 지주의 약소 농민에 대한 정치적 지배를 성립시키는 사회적·경제적 기초로 됨.

카시트 [Kassites] 명 〖역〗 고대 메소포타미아의 동쪽 고지에 거주하던 종족(種族). 바빌로니아에 침입하여 왕조를 세웠음.

카시트 왕조 【一王朝】 [Kassite] 명 기원 전 16-12세기에 카시트족이 바빌론 제2 왕조를 쓰러뜨리고 세운 왕조. 수도는 바빌론. 기원전 1169년 아시리아(Assyria)에게 멸망됨. 바빌론 제3 왕조.

카신벡-병 【一病】 [Kaschin-Beck] 명 〖의〗 [1856년 처음 기재(記載)한 러시아의 카신(Kaschin, N.I.)과 1861년 자세하게 연구한 벡(Beck, E. V.)의 이름에서] 만주나 시베리아의 풍토병(風土病). 사춘기(思春期) 전후에 발병(發病)하는데 손가락과 발가락의 관절에 동통(疼痛)과 종창(腫脹)이 일어남. 심한 경우에는 발육(發育)이 정지되며, 관절 골단(關節骨端)에 변화가 일어남.

카야오 [Callao] 명 〖지〗 남아메리카 페루의 태평양 연안 중앙에 있는 항구 도시. 남태평양 연안 제일의 양항(良港)으로, 페루의 연간 무역액의 60 %를 취급함. 리마(Lima)의 서방 14km에 위치하며 군항(軍港)이 있음. 중앙 철도의 기점(基點)으로, 면화·양모(羊毛)·동광(銅鑛)·설탕·은의 수출이 많음. [436,000 명(1980)]

카약 [kayak] 명 ①주로 해수(海獸) 사냥에 사용하는 에스키모의 특색 있는 가죽 배. 그린란드에서 가장 발달됐는데, 가벼워서 속도(速度)와 기동성(機動性)이 우수함. ②카누 경기의 하나. 카약에서 발달된 거룻배를 사용함. 올림픽 종목인 카누 경기의 세부 종목으로 500 m의 싱글과 2인조, 1,000 m의 싱글·2인조·4인조의 경기가 있음.

카얀-족【一族】 [Kayan] 명 〖인류〗 보르네오 섬의 원주민의 하나. 중부의 내륙(內陸), 주로 카얀 강(Kajan 江) 중류에 약 7만 명이 삶. 본디 말레이계(系)로 육도(陸稻)를 재배하고 원시 종교를 믿으며 길게 지은 집에 많은 세대가 함께 거주함.

카: 에어컨 명 [car air conditioner] 자동차에 설비(設備)한 에어컨 장치.

카예타누스 [Cajetanus, Jacobus] 명 〖사람〗 이탈리아의 신학자·추기경(樞機卿). 토마스 아퀴나스(Thomas Aquinas)의 '신학 대전(神學大全)'의 주해(註解)로 유명함. [1469-1534]

카옌 [Cayenne] 명 〖지〗 남미 프랑스령 기아나(Guiana)의 수도. 카옌 강 어귀에 있는 항구로 부근에서 생산되는 농산물의 집산지. 새우 냉동 공장이 있음. [38,135 명(1982)]

카오다이-교【一敎】 명 [Caodaïsme] 〖종〗 베트남의 신흥 종교. 1926 년 하급 관리였던 레반촌(黎文忠 : Lê Van Chiên)이 창립한 것으로 카오다이 신(神)을 제사지냄. 불교·도교·회교·기독교·유교를 종합한 종교. 고대교(高臺敎).

카오스 [그 khaos] 명 그리스 신화에서, 우주 발생 이전의 원시적인 상태를 일컫는 말. 우주는 이 상태에서 생겼다고 함. 혼돈(混沌). 혼란(混亂). ↔ 코스모스[2](kosmos).

카올라크 [Kaolack] 명 〖지〗 세네갈 남서부, 살룸 강(Salum 江)에 임하는 하항(河港). 낙화생 선적항. 정유(精油) 공장이 있음. [96,000명(1979)]

카올리나이트 [kaolinite] 명 〖광〗 카올린 광물의 하나. 보통 점토(粘土)·고령토(高嶺土)의 주성분으로 삼사 정계(三斜晶系)와 단사 정계(單斜晶系)의 두 종류가 있음. 결정(結晶)은 육각 박편상(六角薄片狀)이나 보통의 작은 결정으로 분말괴(粉末塊)로 산출됨. 경도(硬度) 2-2.5, 비중 2.6임. 화산암(火山岩)·운모(雲母)·장석(長石)의 분해에 의해 생성(生成)하며, 지방(脂肪)과 같은 감촉이 있고, 도자기나 시멘트의 원료가 됨. 고릉석(高陵石). [$Al_2Si_2O_5(OH)_4$]

카올린 [도 Kaolin] 명 고령토(高嶺土).

카우나스 [Kaunas] 명 〖지〗 리투아니아(Lithuania) 공화국의 하항(河港) 도시. 니멘 강(Niemen 江)의 굴곡부 우안(右岸)에 있음. 농기구·목재·제지·방적(紡績)·식품 가공·주석 제품(朱錫製品)·고무 등의 공업이 성함. [395,000 명(1983)]

카우리고무 [kauri+프 gomme] 명 〖공〗 오랫 동안 땅 속에 매몰된 소나뭇과 식물의 수지(樹脂)가 화석으로 된 것. 니스의 제조에 쓰임. 카우리 코펄.

카우리 코:펄 [kauri copal] 명 〖공〗 카우리 고무.

카우보이 [cowboy] 명 ①목동(牧童). ②미국 서부 지방이나 캐나다·멕시코 등의 목축 농장에서, 말 타고 일하는 건장하고 억센 남자.

카우아이 섬 [Kauai] 명 〖지〗 미국 하와이 주의 섬. 사화산(死火山)으로 된 화산도(火山島)로, 사탕수수를 산출함. 주도(主都)는 동안(東岸)의 리후에(Lihue). 1778년 쿡(Cook J.)이 하와이 제도 중 최초로 상륙함. [1,437 km^2 : 39,000 명(1980)]

카우츠키 [Kautsky, Karl Johann] 명 〖사람〗 독일의 사회 사상가·경제학자·역사가. '에르푸르트(Erfurt) 강령'의 기초자로, 엥겔스의 사후에는 독일 사회 민주당과 제2 인터내셔널의 이론적 지도자의 한 사람이 됨. 만년에 의회주의로 전향하였음. [1854-1938]

카우프만 [Kauffmann, Angelika] 명 〖사람〗 스위스 태생의 여류 화가. 로코코(rococo) 양식에 고전주의를 가미한 작풍(作風)을 특징으로 하고, 초상화(肖像畫)·종교화(宗敎畫)·신화화(神話畫)를 그려 인기를 얻었음. 대표작에 ≪괴테상(像)≫이 있음. [1741-1807]

카운다 [Kaunda, Kenneth David] 명 〖사람〗 잠비아의 정치가. 교사 출신으로 1950년경부터 독립 운동에 참가함. 1960년 통일 민족 독립당을 창립하고 당수가 됨. 1964년 북로디지아 수상, 동년 잠비아 독립과 동시에 초대 대통령이 됨. [1924-]

카운슬 [council] 명 ①평의회(評議會). ②자문회(諮問會). ③회의.

카운슬러 [counselor] 명 카운슬링을 직업으로 하는 사람. 심리학적인 교양과 기술을 갖추어야 함. 상담원. 교도(敎導) 교사.

카운슬링 [counseling] 명 생활이나 일신상(一身上)의 문제를 본인 스스로 해결할 수 있도록 조언(助言)을 주는 일. 20세기 초기에 미국에서 시작하여 진로 상담(進路相談)·학업 상담 이외에 정신적 건강의 회복·유지 등 넓은 분야에서 응용되고 있음. 상담 지도. 신상(身上) 상담. * 교도(敎導).

카운터[1] [counter] 명 ①계산자(計算者). ②계산기(計算器). 속도계(速度計). ③은행·상점 등의 계산대(計算臺). ④트럼프 등에서 계산에 쓰는 나뭇 조각·금속·상아·조개 껍질 같은 것. ⑤〖물〗 계수관(計數管).

카운터[2] [counter] 명 ①권투나 레슬링에서, 상대방이 걸어 온 수를 역이용해서 반격하는 일. 카운터펀치. ②피겨 스케이트에서, 턴(turn)할 때 전과 정반대 방향으로 호(弧)를 그리는 일.

카운터 로테이션 [counter rotation] 명 스키에서, 회전(回轉)할 때에 반대 방향으로 몸을 돌리는 일.

카운터-블로 [counterblow] 명 권투에서, 상대편의 공격을 피하여 급히 타격을 가하는 일. 카운터펀치. 카운터.

카운터 샤:프트 [counter shaft] 명 〖기〗 주축(主軸)으로부터 받은 동력을 기계로 전달하는 중간에 있는 축. 중간축(中間軸). 부축(副軸).

카운터-오퍼 [counteroffer] 명 무역 거래에서, 판매 제의에 대하여 매수측에서 조건의 수정을 요청하는 일.

카운터 컬처 [counter culture] 명 지배적 문화에 대항하는 하위(下位) 문화. 또는 대항하여 새로이 창조되려고 하는 문화. 대항 문화(對抗文化).

카운터 테너 [countertenor] 명 〖악〗 여성의 알토에 해당하는 성부(聲部)를 노래하는 남성(男性) 가수. 주로 교회에서 여성 대신에 쓰며 팔세토로 노래함.

카운터 퍼:처스 [counter purchase] 명 〖경〗 교환 매입(買入)의 조건이 붙은 수입 계약.

카운터-펀치 [counterpunch] 명 카운터블로. 카운터.

카운터-포인트 [counterpoint] 명 〖악〗 대위법(對位法).

카운터 호도스코:프 [counter hodoscope] 명 〖물〗 여러 개의 밀착(密着)한 계수관(計數管)을 여러 단(段)으로 배치하여 하전 입자(荷電粒子)의 진로(進路)를 관측하는 장치의 총칭. 일반적으로 계수관을 세로 및 가로 두 층(層)을 겹치어 한 단으로 한 다음 여러 단을 나란히 세워 놓고 측정함.

카운트 [count] 명 ①계산. 셈. ②운동 경기에서의 득점 계산. ¶볼 ~. ③권투에서, 녹다운된 선수에게 일어설 기회를 주기 위하여 10초를 세는 일. ④〖물〗 가이거 계수관(Geiger 計數管) 등으로 방사선의 입자(粒子)의 수효를 셀 때, 1초 또는 1분간당의 수효. ⑤백작(伯爵). ——-하다 재타여불

카운트-다운 [countdown] 명 ①초(秒) 읽기. 곧, 로켓이나 유도탄의 발사 또는 화약의 폭렬(爆裂)에서, 발사 또는 폭렬의 순간을 0으로 하고 일(日)·시·분·초를 계획 개시시(時)부터 거꾸로 세는 일. ②최후의 점검.

카운트-아웃 [count-out] 명 권투에서, 녹다운이 된 선수가 10초를 세는 동안 일어서지 못하는 일.

카운포르 [Cawnpore] 명 〖지〗 칸푸르(Kanpur)의 옛이름.

카울리[1] [Cowley, Abraham] 명 〖사람〗 영국의 형이상파(形而上派) 최후의 시인. 연애 시집 ≪연인(戀人; The Mistress)≫과 종교시 ≪다윗의 노래 (Davideis)≫가 있음. [1618-67]

카울리[2] [Cowley, Malcolm] 명 〖사람〗 미국의 시인·비평가. 제1차 대전에 종군, 후에 파리에서 다다이스트(dadaiste)들과 교유(交遊)함. 대표작에 ≪추방인의 귀국≫이 있음. [1898-1989]

카워드 [Coward, Noel] 명 〖사람〗 영국의 극작가·배우. 풍속 희극의 전통에 서는 전후파(戰後派)의 대표자로, 심리의 정묘한 묘사 및 노래를 엮어 넣은 레뷰 형식으로 새 경지를 보였음. [1899-1973]

카유아 [Caillois, Roger] 명 〖사람〗 프랑스의 비평가. 에콜 노르말(École normale) 및 파리 대학 졸업. 명석한 사고(思考)와 언어, 독자적인 대각선적 연구 방법으로 사회학·미학·문학 연구 등 넓은 영역에 걸쳐, 특히 신비적 사상(神祕的事象)의 해명에 이색적인 업적을 남김. 저서에 ≪신화(神話)와 인간≫·≪생종 페르스(Saint-John Perse)의 시법(詩法)≫ 등이 있음. [1913-78]

카유테 [Cailletet, Louis Paul] 명 〖사람〗 프랑스의 물리학자·공학자. 아버지의 유업(遺業)을 계승하여 대(大)철공장 주인이 되어 물리학상의 여러 시험, 특히 열학(熱學)에 관한 시험을 함. 기체의 임계 온도(臨界溫度)의 연구, 단열 팽창(斷熱膨脹)에 의한 기체의 냉각을 이용하여, 산소·질소·공기의 액화(液化)에 성공함. [1832-1913]

카유푸티 [cajuputi] 명 〖식〗 [*Melaleuca cajuputi*] 말레이 북부·오스트레일리아 원산의 교목. 높이 약 15 m로, 껍질은 희고 잎은 가는 댓가지 모양의 혁질(革質)이며 꽃은 황백색으로 이삭 모양임. 잎에서 짜낸 카유푸티 기름은 진통약·방향(芳香)약으로 쓰임.

카이나이트 [kainite] 명 〖광〗 황산 칼륨·황산 마그네슘·염화(塩化) 마그네슘을 함유하는 광물. 단사 정계(單斜晶系)로 결정은 드물며, 보통 당 정상(糖晶狀) 또는 괴상(塊狀)임. 칼륨·마그네슘의 원료나 칼리 비료(肥料)로 쓰임.

카이로 [Cairo] 명 〖지〗 나일 강 삼각주의 꼭대기에 있는 이집트의 수도. 아프리카 최대의 도시로, 운하 교통의 중심지이며, 면직물과 피혁·담배 등이 산출됨. 부근에 피라미드와 스핑크스 등 고대 이집트 문화의 유적이 많음. [14,000,000 명(1991 추계)]

카이로네이아 [Chaironeia] 명 〖지〗 중부 그리스의 도시. 이곳에서 기원 전 338년에 마케도니아왕 필리포스 2세가 아테네·테베(Thebes)의 연합군을 격파하였음.

카이로 미술관【一美術館】 [Cairo] 명 이집트 박물관.

카이로 선언【一宣言】 [Cairo] 명 〖역〗 1943년 11월 27일에 카이로에서 당시의 미국 대통령 루스벨트, 영국 수상 처칠, 중화 민국 총통 장제스가 모여 대일(對日) 전쟁의 수행과 전후의 일본 영토의 처분에 관하여 발표한 미·영·중 삼국의 공동 선언. 포츠담 선언의 기초가 되었으며, 우리 나라의 독립도 이 선언에서 약속되었음.

카이로프랙틱 [chiropractic] 명 〖의〗 약을 쓰지 아니하고 주로 척추 처리에 의하여 병을 고치려는 요법. 미국에서 성행한 민간 요법임. 척추 조정 요법(脊椎調整療法).

카이로 회:담【一會談】 [Cairo] 명 〖역〗 제2차 세계 대전중인 1943년 11월 27일에 미국의 루스벨트, 영국의 처칠, 중화 민국의 장제스 등 삼국의 수뇌와 군사 고문·외교 사절 들이 카이로에 모여, 일본에 대한 군사 행동과 전후(戰後) 처리에 관하여 협의한 회담. 회담 후 삼국이 발표한 공동 선언이 카이로 선언임.

카이란 탄:전【一炭田】 [開灤] 명 〖지〗 중국 허베이 성(河北省)의 북부 탕산 시(唐山市) 북동쪽의 카이핑(開平) 탄광과 롼저우(灤州) 탄광으로

이뤄지는 유명한 탄전. 푸순(撫順) 버금가는 중국 제2의 탄광. 카이롼탄(開灤炭)은 강한 점결성(粘結性)을 지니므로 제철용 코크스의 원료로 적당함. 매장량은 6-10억 톤이라 함. 개롼 탄전.

카이만 〔스 caiman〕 명 『동』 중남미(中南美)에 사는 앨리게이터과(alligator 科) 악어의 총칭. 아마존 강·오리노코 강(Orinoco江) 등에 많이 살며, 큰 것은 4.5m, 작은 것은 1m 이하의 것도 있음. 성질은 비교적 온순함.

카이모그래프 〔kymograph〕 명 『물』 음파(音波)의 진동하는 상태를 곡선으로 나타내는 장치가 있는 기계. 심장 박동·호흡 운동 등을 기록함. 파동 기록기.

〈카이모그래프〉

카이바르 고개 명 〔Khaibar Pass〕 『지』 파키스탄과 아프가니스탄의 국경에 있는 사페드코 산(Safed Koh 山)의 한 고개. 최고점(最高點)은 표고 1,029m. 군사상 요충지(要衝地)로서, 역사상 수차(數次) 이슬람 세력의 인도 침략로(侵略路)가 되었음. 카이버(Khyber) 고개. 하이버 고개.

카이버 고개 〔Khyber〕 명 『지』 '카이바르 고개'의 영어명.

카이사레아 〔Caesarea〕 명 『지』 가이사랴.

카이사르 〔Caesar, Gaius Julius〕 명 『사람』 로마의 군인·정치가. 명문 출신(名門出身)으로 여러 요직을 거친 후, 기원전 60년 크라수스(Crassus)·폼페이우스와 더불어 제1차 삼두 정치(三頭政治)에 참가하고, 갈리아·브리타니아에 원정 토벌하고 크라수스가 죽은 뒤에는 폼페이우스와 싸워 이를 이집트까지 추멸(追滅)함. 이어 각지의 내란을 평정하여 종신(終身) 딕타토르(dictator)의 칭호를 얻어 정치를 독재하다가 공화 정치파의 음모로 원로원 의사당에서 피살되었음. 율리우스력(Julius曆)의 채용, 식민지의 건설 등 정치적 실적을 올렸고, 문필에도 능하여 《갈리아 전기(Galia 戰記)》 등은 라틴 문학의 뛰어난 걸작(傑作)으로 꼽힘. 영어명은 '시저(Caesar)'. [100-44 B.C.]

카이사르-력 【一曆】 〔Caesar〕 명 율리우스력.

카이설:링 〔Keyserling, Hermann〕 명 『사람』 러시아 출생의 독일인 철학자. 합리주의에 반대하고 동양적 사상을 체득, 독력으로 '지혜의 학교'를 설립, 강의하였음. [1880-1946]

카이세리 〔Kayseri〕 명 『지』 터키 중부의 고도(古都). 터키 종관(縱貫) 철도의 요지로, 오래 전부터 남북 교역의 중심 도시로서 번영했음. 면방직 공업이 성함. [378,458명(1985)]

카이스트 【KAIST】 명 〔Korea Advanced Institute of Science and Technology의 약칭〕 한국 과학 기술원.

카이위안[1] 〔開原〕 명 『지』 중국 랴오닝 성(遼寧省) 선양(瀋陽) 북동쪽의 한 현(縣). 한대(漢代)에는 요동군(遼東郡), 당대(唐代)에는 흑수 도독부(黑水都督府), 원대(元代)에는 개원로(開元路)가 되었었음. 부근의 평원(平原)은 농산물(農産物)이 풍부하여 콩·수수·밀·보리·옥수수 등을 산출함. 당대(唐代)에 창건되었다는 숭수선사(崇壽禪寺)와 금(金)나라 때의 전탑(磚塔)이 유명함. 개원(開原).

카이위안[2] 〔開遠〕 명 『지』 중국 윈난 성(雲南省) 남쪽의 현(縣). 명(明)나라 때에는 아미(阿迷)라고 불렀음. 쿤밍(昆明)과 베트남과의 국경에 있는 허커우(河口)를 잇는 쿤허 철도(昆河鐵道) 연변에 있는 물자 집산지로 이 지역에서 나는 사탕수수를 원료로 하는 윈난 성 최대의 제당 공장이 있음. 기후가 온난(溫暖)하여, 시장(西江) 강 상류의 루장(瀘江) 강 연안은 농업이 발달하고, 과수원으로도 적합지임. 개원(開遠).

카이저[1] 〔Kaiser〕 명 ①독일 황제(皇帝)의 칭호. ②『사람』 빌헬름 이세.

카이저[2] 〔Kaiser, Georg〕 명 『사람』 독일의 극작가. 표현주의의 대표자. 《아침부터 밤중까지》 등으로 출세, 입체적인 구성과 효과로 많은 작품을 내었음. [1878-1945]

카이저[3] 〔Keiser, Heinrich Gustav Johannes〕 명 『사람』 독일의 물리학자. 본대학(Bonn 大學) 교수. 분광학(分光學) 연구자로 저명하며, 보통원소의 스펙트럼 중에 있는 다수의 휘선(輝線) 연구를 함. [1853-1940]

카이저[4] 〔keiser〕 의명 〔독일의 물리학자 카이저의 이름에서 명명〕 진공중(眞空中)의 파수(波數)의 단위. 기호는 K. 1K=1 cm^{-1}.

카이저 빌헬름 협회 【一協會】 〔Kaiser-Wilhelm〕 명 독일의 과학 진흥을 위하여 1911년 빌헬름 2세의 칙허(勅許)를 얻어 설립된 기관. 뛰어난 학자들에게 강의나 교육의 의무없이 연구에 몰두할 기회를 주기 위하여, 베를린 기타에 많은 연구소를 설치했음. 제2차 대전 후 막스 플랑크 협회(Max-Planck 協會)로 개칭됨.

카이저 수염 【一鬚髯】 〔Kaiser〕 명 〔독일 황제 빌헬름(Willhelm) 2세의 수염에서 온 말〕 양쪽 끝이 위로 굽어 올라간 코밑 수염.

〈카이저 수염〉

카이-족 【一族】 〔Kai〕 명 『인류』 뉴기니 동북 지방에 사는 키가 작은 종족. 농경 생활을 하며 방랑성이 있어 부락도 산재적임.

카이툰 〔kitoon〕 명 〔kite+baloon〕 대기 오염이나 기상의 관측 등에 사용되는, 비행선 모양의 계류 기구(繫留氣球). 연처럼 높이 띄워 올림.

카이퍼 〔Kuiper, Gerard Peter〕 명 『사람』 미국의 천문학자. 네덜란드 태생으로 1937년 미국에 귀화(歸化)하였음. 항성·쌍성(雙星)을 이론적으로 연구, 행성(行星)을 관측하여 천왕성의 제5 위성(衛星) 미란다(Miranda), 해왕성의 제2 위성 네레이드(Nereid)를 발견함. [1905-]

카이펑 〔開封〕 명 『지』 중국 허난 성(河南省)의 수도. 오대(五代)의 네 왕조(王朝)와 북송(北宋)의 수도였으며, 허난 대평야(河南大平野)의 중심이고 교통의 요지임. 허난 성 유수의 공업 도시로 화학 비료·제약 공장 등 근대 공업이 크게 발달하면서도 자수와 견직물 등 수공업도 활발함. 용정(龍亭) 등의 고적이 많음. 구명은 변량(汴梁). 개봉(開封).

카이핑 〔開平〕 명 『지』 ①내몽고(內蒙古)의 둬룬(多倫) 부근의 땅. 원(元)나라 때의 상경 개평부(上京開平府) 유지(遺址). 원나라 세조(世祖)가 즉위(卽位)한 땅으로서 이름이 높음. ②중국 허베이 성(河北省) 탕산 시(唐山市)의 북동쪽에 있는 도시. 징산선(京山線)의 한 정거장. 부근에 카이롼 탄광(開灤炭鑛)이 있음. 개평(開平).

카인 〔Cain〕 명 『성』 가인[1].

카인의 후:예(後裔) 구 저주 받는 무리 또는 죄인을 일컫는 말.

카일라스 산맥 【一山脈】 〔Kailas〕 명 『지』 티베트 남서부, 카라코람 산맥(Karakoram 山脈)의 남동으로 연장된 산맥. 중부에 힌두교의 성산(聖山) 카일라스 산(6,714m)이 있음. 산맥의 전장은 약 600km.

카자드쉬 〔Casadesus, Robert〕 명 『사람』 프랑스의 피아니스트. 음악가의 집안에 태어나, 아내와 아들도 피아니스트임. 파리 음악원 졸업. 모차르트 연주에 뛰어남. [1899-1972]

카자르 왕조 【一王朝】 〔Qajar〕 명 『역』 1779-1925년에 걸쳐 이란에 군림한 이슬람 왕조. 터키계(系)의 카자르족(族) 수장(首長)인 아가 무하마드 칸(Agha Muhammad Khan)이 젠드(Zend) 왕조를 타도하고 창시함. 수도는 테헤란.

카자코프 〔Kazakov, Yurij〕 명 『사람』 러시아의 작가. 스탈린 비판 전후부터 주목을 받게 됨. 투르게네프·체호프를 상기시키는 단편에서 인간 관계의 심리적 단절의 문제를 집요하게 추구함. 작품에 《청(靑)과 녹(綠)》·《사냥개 알크투르》·《아담과 이브》 등이 있음. [1927-]

카자크 〔Kasack, Hermann〕 명 『사람』 독일의 작가. 서정시인으로서 출발, 나치스 시대에는 집필을 금지당하고, 전후에 소설 《강(江) 뒤의 도시(都市)》를 발표, 초현실주의적인 수법으로, 기능(機能)만으로 기계화된 근대 사회의 풍자도(諷刺圖)를 그렸음. 편집자로서, 또 독일어학 문학 아카데미 회장으로서도 공이 컸음. 대표작 시집 《영원한 존재》가 있음. [1896-1966]

카자흐[1] 〔Kazakh〕 명 ①『지』 카자흐스탄. ②『인류』 러시아 동남부에 사는 민족의 하나. 타타르족(Tatar族)과 슬라브족과의 혼혈 종족. 카자흐스탄과 폴란드 지방에 산재하여 있는데, 피부는 적동색(赤銅色) 내지 백색이고, 얼굴이 넓고 코가 낮음. 유목(遊牧)에 종사하며 기마(騎馬)에 능함. 코사크(Cossack).

카자흐[2] 〔Kazakh〕 명 『책』 1863년에 톨스토이가 쓴 소설. 주인공 네프류도프는 자기 희생에 인생의 즐거움을 가지면서, 한편 인생은 향락하기 위하여 있는 것이라는 엘로시카 노인의 말에 동감을 느끼는 것으로 자연과 문화, 원시인과 문명인의 대조, 카프카스 지방의 자연 풍경과 카자흐의 생활을 묘사하고 있음.

카자흐스탄 〔Kazakhstan〕 명 『지』 중앙 아시아 북부에 있는 공화국. 1936년 소련에 편입. 카자흐 사회주의 공화국이 되었다가 1991년 12월 소련에서 탈퇴, 독립을 선언함. 고원과 초원(草原)이 많고 목축을 주로 하며, 석탄·석유·식염(食塩) 등을 산출함. 수도는 아스타나(Astana). 정식 명칭은 '카자흐스탄 공화국(Republic of Kazakhstan)'. 카자흐. [2,717,300 km^2 : 16,700,000명(1990)]

카잔[1] 〔Kazan〕 명 『지』 러시아 연방 서부, 타타르 자치 공화국의 수도. 중공업 도시로, 기계·화학·모피 가공·섬유 등의 공업이 행하여지며, 유지(油脂) 콤비나트는 세계적 규모임. [1,031,000명(1983)]

카잔[2] 〔Kazan, Elia〕 명 『사람』 터키 태생의 미국 연출가·감독. 인간 감정의 극적 결합에 재능을 보임. 작품 《워터프론트》·《세일즈맨의 죽음》 등. [1909-]

카잔자키스 〔Kazantzakis, Nikos〕 명 『사람』 그리스의 작가. 크레타섬 출생. 아테네 대학에서 법학을 전공, 파리로 가서 베르그송과 니체의 철학을 공부함. 종교적·철학적 사색(思索)을 기조로, 현대인의 고뇌를 묘사한 장편 서사시 《오디세이아》, 참다운 자유가 무엇인가를 가르쳐 주는 《조르바(Zorba)의 생활과 행장(行狀)》, 1차 대전 후 터키 땅에서 쫓겨난 그리스 난민(難民)의 괴로움을 그린 《다시 십자가에 못 박히는 그리스도》 등을 발표함. [1883-1957]

카:잔 한국 【一汗國】 〔Kazan〕 명 『지』 15-16세기, 볼가 강 중류 지역을 지배했던 타타르족의 왕국. 킵차크 한국에서 독립하여 카잔 시(市)를 수도로 삼아 세력을 떨쳤으나 1552년 러시아의 이반 4세에 의해 멸망됨.

카잘스 〔Casals, Pablo〕 명 『사람』 '카살스'의 영어 이름.

카조리 〔Cajori, Florian〕 명 『사람』 스위스 태생의 미국 과학사가(科學史家). 콜로라도 대학에서 수학·물리학 교수, 캘리포니아 대학에서 수학사(數學史) 교수. 수학 및 물리학의 사적(史的) 발달을 추구함. 주저 《수학사》가 있음. [1859-1930]

카주라호 〔Khajuraho〕 명 『지』 인도 마디아프라데시 주(Madhya-Pradesh州)에 있는 도시. 10-11세기에 건립된 자이나교(Jaina 敎)·힌두교의 사원들이 남아 있어 부바네스와르(Bhubaneswar)에 이어 인도 건축사상 중요한 곳임. 거대한 건축은 없으나, 모양의 균형이 아름답고, 정치(精緻)하고 화려한 조각 장식들이 많음.

카즈베크 산 【一山】 〔Kazbek〕 명 『지』 트빌리시 북서쪽 카프카스 산맥(Kavkaz 山脈) 중부에 있는 사화산(死火山). 빙하 면적 약 81 km^2. 1868년 영국인이 첫 등정(登頂)함. [5,047m]

카지 명 〈방〉 가지[2](경남).

카지노 〔이 casino〕 명 ①댄스·음악 등의 오락 설비가 있는 사교장(社交場). ②룰렛·카드·주사위·슬롯 머신 등 실내 도박이 공인된 도박장. 또, 거기서 벌어지는 도박의 통칭. ③둘 내지 넷이서 하는 카드놀이의 한 가지.

카지노 드 파리 〔Casino de Paris〕 명 파리의 클리시 가(Clichy 街)에 있는 뮤직 홀. 19세기말 창설된 것으로 파리의 대표적 오락장임.

카찡이 부 〈방〉 가지런히(제주).

카추샤 명 『군』 ① ☞카투사. ② ☞카튜샤.

카추:차 〔스 cachucha〕 명 『악』 볼레로(bolero)와 비슷한 3박자의 스페인 무곡(舞曲).

카츠[1] 〔Katz, Bernard〕 명 『사람』 오스트리아 태생의 영국 생리학자. 런던의 유니버시티 칼리지의 생물 물리학 교수. 신경 섬유에서 골격근(骨格筋) 섬유로 흥분이 전달되는 기서(機序)에 관한 연구로 오일러(Euler, U.S. von)·액설로드(Axelrod, J.)와 함께 1970년도 노벨 생리 의학상을 받음. [1911-]

카츠[2] 〔Katz, David〕 명 『사람』 독일의 심리학자. 색채·지각의 실험 현상학적 연구에 업적을 남기고, 아동·동물에 관한 발달 심리학적 연구로도 유명함. 주저(主著) ≪색이 나타나는 법≫·≪굶주림과 식욕≫·≪동물과 인간≫ 등. [1884-1953]

카치니 〔Caccini, Giulio〕 명 『사람』 이탈리아의 작곡가. 피렌체(Firenze)의 카메라타(camerata)의 한 사람으로, 오페라를 쓰는 한편 기악 반주(伴奏)가 붙는 단성 마드리갈집(madrigal集) ≪신음악(新音樂)≫에 의하여 바로크(baroque) 음악의 선구자가 되었음. 가수로서도 뛰어남. [1550?-1618]

카친-어 【一語】 〔Kachin〕 명 『언』 티베트버마 어족에 속하는 카친족의 언어. 19세기말에 글을 적기 위하여 로마자(字)에 의한 철자법(綴字法)을 만들었음.

카친-족 【一族】 〔Kachin〕 명 『인류』 미얀마 북부의 카친 주(州)를 중심으로, 아삼(Assam) 북동부, 중국 윈난(雲南) 서부에 사는 종족. 육도(陸稻)·옥수수·조·메밀 등을 화전 경작(火田耕作)함. 윈난에서는 계단식(階段式) 논농사도 지음.

카카오 〔스 cacao〕 명 ①카카오나무. ②카카오나무의 열매. 오이 모양으로 생겼는데, 살이 많고 익으면 등황(橙黃) 또는 적갈색으로 됨. 굳고 두꺼운 껍질 안에는 방이 다섯 있고 방 하나에 5-12개의 씨가 들어 있는데, 이 씨를 말려 가루로 만든 것이 코코아이며 초콜릿이나 좌약(坐藥)의 원료로 씀. 코코아.

카카오 기름 〔스 cacao〕 명 카카오의 씨에서 짜 낸 누른 빛의 무른 지방. 정제한 것은 백색임. 스테아르산(stearic acid)·팔미트산·올레산 등의 지방산(脂肪酸)을 함유하고 있으며 과자·약·화장 비누·연고(軟膏) 등의 제조에 사용됨. 카카오지(脂).

카카오-나무 〔스 cacao〕 명 『식』 〔*Theobroma cacao*〕 벽오동과에 속하는 상록 교목. 높이 5-10m이고, 잎은 긴 타원형으로 끝이 뾰족하며, 꽃은 담홍색의 오판화(五瓣花)임. 열매는 오이 모양의 다육질(多肉質)임. 씨는 점질(粘質)의 과육(果肉) 속에 박혀 있으며, 지방을 제거하고 코코아·초콜릿 등을 만드는 원료로 씀. 남미·중미가 원산임. 카카오. 가가아수.

〈카카오나무〉

카카오-지 【一脂】 〔스 cacao〕 명 『화』 카카오 기름.

카코딜 〔cacodyl〕 명 『화』 유기 비소(有機砒素) 화합물의 하나. 매우 불쾌한 냄새를 가진 무색(無色)·맹독(猛毒)의 액체. 염화(塩化) 카코딜에 아연(亞鉛)을 작용시켜 생성함. 공기중에서 자연 발화 연소하여 이산화 탄소·물·삼산화 비소가 생김.

카코딜-산 【一酸】 명 〔cacodylic acid〕 『화』 무색의 결정(結晶). 녹는점 200°C. 산화 카코딜(酸化 cacodyl)을 산화 수은 또는 과산화 수소(過酸化水素)로 산화하여 얻음. 미산성(微酸性)으로 나트륨염(塩)은 의약에 쓰임. [$(CH_3)_2AsO \cdot OH$]

카코텔린 〔cacotheline〕 명 『화』 브루신(brucine)을 60°-70°C에서 10% 질산(窒酸)으로 처리해서 얻는 브루신의 니트로 유도체(誘導體). 황색 결정. Sn^{2+}의 검출 및 비색 시약(比色試藥)으로 쓰임.

카쿠 명 〈심마니〉 3년생 이하의 산삼.

카: 쿨:러 〔car cooler〕 명 자동차용 냉방 장치.

카:키-복 【一服】 〔인 khaki〕 명 〔카키는 인도어로 흙의 뜻〕 카키색의 군복.

카:키-색 【一色】 〔인 khaki〕 명 누른 빛에 담다색(淡茶色)이 섞인 빛깔. 군복에 많이 씀. ＊국방색.

카:키 캠벨종 【一種】 〔Khaki Campbell〕 명 『동』 집오리의 한 품종. 전체가 황갈색이며 목과 배면은 진한 청록색인 중형종임. 난용종(卵用種)인데 연간 산란수는 300개 이상임. 영국의 캠벨 부인이 개량했다고 함.

카타니아 〔Catania〕 명 『지』 이탈리아, 시칠리아 섬 동안(東岸)의 도시. 에트나 화산 남쪽 기슭의 풍요한 농업 지대의 중심지임. 기원은 그리스 식민시(植民市)로, 에트나 화산의 분화나 지진으로 여러 번 파괴되고, 현재의 시가는 18세기 이후의 것임. 1434년에 창립된 대학이 있음. [380,328 명(1981)]

카타라 저:지 【一低地】 〔Qattara〕 명 『지』 이집트의 북동부, 리비아 사막에 있는 염성(塩性)의 저지. 표고(標高) 약 마이너스 150m. 지중해 연안의 알라메인(Alamein) 남방 약 60km부터 남서방으로 퍼졌음. 길이 약 250km, 나비 약 100km.

카타르[1] 〔catarrh〕 명 『의』 조직의 파괴를 수반하지 않는 점막(粘膜)의 삼출성(滲出性) 염증. 장기(臟器)의 점막면에 축적되는 삼출액의 성상(性狀)에 따라 장액성(漿液性)·점액성(粘液性)·박탈성(剝脫性)·화농성(化膿性) 카타르 등으로 구별됨.

카타르[2] 〔Qatar〕 명 『지』 아라비아 반도 동부, 페르시아 만(灣)으로 돌출한 수장국(首長國). 땅은 건조하여 사막이 널리 분포함. 주민은 아랍계(系)로 언어는 아랍어(語). 1930년대에 석유가 발견되어, 석유가 국가의 주요 재원임. 영국의 보호령으로 있다가 1971년 독립함. 수도는 도하(Doha). 정식 명칭은 카타르국(國) (State of Qatar). [11,437 km² : 413,000 명(1992)]

카타르-기 【一期】 〔catarrh〕 명 『의』 폐렴(肺炎) 등의 초기에 기관(氣管)의 점막(粘膜)이 부어서 기침이 몹시 나는 시기.

카타르-성 【一性】 〔catarrh〕 〔一썽〕 명 『의』 카타르의 성질.

카타르성-염 【一性炎】 〔catarrh〕 〔一썽념〕 명 『의』 삼출성염(滲出性炎)의 한 가지. 위염(胃炎)·기관지염 등에서 점막(粘膜)의 분비가 많아지고, 점막의 위 꺼풀이 벗겨져 떨어지는 염증.

카타르성 폐:렴 【一性肺炎】 〔catarrh〕 〔一썽一〕 명 『의』 '기관지 폐렴'의 별칭.

카타르 소질 【一素質】 〔catarrh〕 명 『의』 감기·배탈이 자주 나며 기도(氣道)·소화기·요기(尿器) 등에 카타르가 일어나기 쉬운 체질의 하나. ＊출혈(出血) 소질.

카타르시스 〔catharsis〕 명 ①『문』 비극의 효과가 항상 울적한 인간의 공포에 눌린 감정을 해방하여 쾌감을 일으키게 하는 일. 아리스토텔레스가 그의 ≪시론≫에서 비극이 관객에 미치는 중요 작용의 하나로 든 것임. 정화(淨化). ②『심』 프로이트에 의하여 명명된 심리 요법의 한 형태. 억압된 정신적 외상(外傷)을 언어·행위·정동(情動)으로 외부에 배출함으로써 병증을 없애려는 정신 요법의 기술이며, 브로이어(Breuer)의 최면술이 그 시초임.

카타리나 〔Catharina, de Siena〕 명 『사람』 이탈리아의 도미니코회(Dominico會) 수녀(修女)·성인(聖人). 교황(敎皇) 그레고리우스(Gregorius) 11세를 아비뇽(Avignon)으로부터 로마로 귀환시키고, 또 이탈리아 여러 도시간의 분쟁을 해결하는 데 공헌함. [1347-80]

카타바 바람 명 〔katabatic wind〕 『기상』 활강 바람.

카타스트로프 〔프 catastrophe〕 명 ①돌연한 대변동. 큰 변재(變災). ②희곡의 최후의 장면. ③비극적 결말. 파국(破局).

카타스트로피슴 〔프 catastrophisme〕 명 ①『지』 지질 변화는 점차로 발생한 것이 아니고 오히려 격변(激變)에 의해 일어난 것이라고 하는 지질 진화설. ②『생』 천변 지이설(說). ③『정』 무산 계급의 지배권은 총파업과 같은 사회적인 카타스트로프에 의해 일으켜져야 한다는 사회주의자들이나 생디칼리스트들의 설.

카타 온도계 【一溫度計】 〔그 kata〕 명 『물』 〔카타는 그리스어(語)로 강하(降下)의 뜻〕 공기의 온도·습도·풍속의 세 조건이 인체에 대한 냉각력에 끼치는 종합적 결과를 측정하는 온도계. 영국의 생리학자 힐(Hill, Leonard)이 발명했음.

〈카타 온도계〉

카타콤 〔catacomb〕 명 『천주교』 카타콤바.

카타콤바 〔이 catacomba〕 명 『천주교』 초기 기독교 시대의 지하 묘지. 흔히, 화산성의 응회암(凝灰岩)의 벽을 뚫고 지하 10-15m 가량에 통로와 묘실을 만들어, 박해(迫害)를 피하여 죽은 사람을 그곳에 매장하고, 또 매장의 종교적 의식을 행한 곳. 소아시아·북아프리카·남부 이탈리아 등지에 널리 있으나, 로마 교외(郊外)의 것이 가장 대표적임. 카타콤(catacomb).

카타토니 〔도 Katatonie〕 명 『의』 긴장병성 징후군(緊張病性徵候群)을 나타내는 정신 분열병(精神分裂病).

카탈라아제 〔도 Katalase〕 명 과산화 수소(過酸化水素)를 물과 산소로 분해하는 효소. 산소를 필요로 하는 세포에는 반드시 포함되어 있으나 혐기성(嫌氣性) 세포에는 없음. 상처에 과산화 수소수(水)를 발랐을 때 작은 거품이 생기는 것은 카탈라아제의 작용으로 산소가 나오기 때문임. 특히, 동물의 간장·신장·적혈구 따위에 많음.

카탈로그 〔catalogue〕 명 ①목록(目錄). 상품 목록. 영업 안내. ②도서(圖書) 목록.

카탈로니아 〔Catalonia〕 명 『지』 카탈루냐.

카탈루냐 〔Cataluña〕 명 『지』 스페인 북동부의 역사적 지방. 지중해에 연(沿)해 있으며, 중앙을 에브로강(Ebro江)이 동류(東流)함. 포도주와 코르크의 명산지이고 해안은 공업 지대임. 1936-39년의 스페인 내란 중 인민 전선파(人民戰線派) 최후의 거점이었고, 1978년 신헌법에 의거 자치주가 되었음. 중심 도시는 바르셀로나(Barcelona). 영어로는 카탈로니아(Catalonia). [31,930 km² : 5,958,280 명(1981)]

카탈루냐-어 【一語】 〔Cataluña〕 명 『언』 인구어족(印歐語族)의 이탤릭 어파(Italic 語派)에 속하는 로만스어(Romance 語)의 하나. 스페인 동북부, 카탈루냐의 발렌시아 지방에서 쓰임.

카탕가 〔Katanga〕 명 『지』 '샤바'의 옛이름.

카:터[1] 〔Carter, Elliot〕 명 『사람』 미국의 작곡가. 하버드 대학 졸업 후, 1932-35년 파리에서 불랑제(Boulanger)에게 사사(師事)하였으며 비평가·교사로서도 활동함. [1908-]

카:터[2] 〔Carter, Howard〕 명 『사람』 영국의 이집트 학자. 1916년 이후 카나본경(卿)의 후원하에 '왕릉(王陵)의 계곡(溪谷)'을 조사, 1922년 투탄카멘(Tutankhamen)의 능묘(陵墓)를 발굴하여 그 미라를 비롯하여 수많은 보화(寶貨)를 발견함. 저서에 ≪투탕카멘의 묘≫ 등이 있음. [1873-1939]

카:터[3] 〔Carter, James Earl Jr.〕 명 『사람』 미국의 정치가. 1946년 아나폴리스 해군 사관 학교 졸업. 해군에서 전역 후, 땅콩 농장 경영. 1962년 조지아 주 상원 의원, 1971-74년 동(同) 주지사를 지내고, 1976년 민주당 후보로 제39대 대통령에 당선됨. 1980년 대통령 선거에서 레이건에게 패배함. [1924-]

카:턴 〔carton〕 명 ①마분지(馬糞紙). 판지(板紙). ②지급금·거스름돈을 담아 손님에게 내주는 종이 또는 플라스틱 접시. ③데생(dessin) 등을 할 때 쓰는, 판지로 만든 화판(畫板). ④두꺼운 종이 상자. 납(蠟)을 입힌 종이 상자. 카르통.

카:턴 팩 〔carton pack〕 명 우유 같은 음료 용기로 쓰는 종이 갑.

카테가트 해:협 【一海峽】 〔Kattegat〕 명 『지』 스칸디나비아 반도와 덴마크의 유틀란트 반도에 싸여 발트 해의 문호(門戶)를 이루는 해협(海峽).

중부 유럽으로부터 스웨덴으로의 교통로(交通路)임. 최대 수심(水深) 125 m. [약 220 km]

카테고리 [category, 도 Kategorie] 명 〖철〗 범주(範疇).

카테드랄 [프 cathédral] 명 주교좌(主敎座)가 마련되어 있는 성당. 대성당(大聖堂).

카테콜 [catechol] 명 〖화〗 이가 페놀(二價 phenol)의 하나로 레조르시놀(resorcinol) 및 히드로퀴논(hydroquinone)의 이성질체(異性質體). 무색의 침상 결정(針狀結晶)으로 녹는점 105℃, 끓는점 245℃이며 물·에테르·알코올에 녹음. 환원력(還元力)이 강하여 사진 현상액으로 쓰임. 카테큐(catechu) 건류(乾溜) 때에 발견되어 이 이름이 붙었음. [$C_6H_4(OH)_2$]

카테콜-아민 [catecholamine] 명 〖화〗 카테콜에 아민을 함유하는 곁사슬이 결합한 물질의 총칭. 호르몬·신경 전달 물질(神經傳達物質)로서 중요한 것이 있음. 아드레날린·도파민(dopamine) 따위.

카테큐 [catechu] 명 식물 염료(植物染料)의 하나. 정제(精製)한 것을 아선약(阿仙藥)이라 함. 열대의 아시아산(產) 아카시아·미모사(mimosa) 따위의 가지나 잎·열매를 쪄서 분말로 함. 무명·명주·양모 따위의 갈색(褐色) 염색에 쓰임.

카테:터 [도 Katheter] 명 〖의〗 체강(體腔)의 체액(體液)이나 소화기 등의 내용물의 배출과 약물 따위의 주입에 사용되는 관(管). 고무 제품이 많으나 금속·플라스틱 제품도 있음. 도뇨(導尿)·위장액(胃腸液) 채취·유동식(流動食) 주입·위세척(胃洗滌) 따위에 쓰임. *존데(Sonde)·소식자(消息子).

카:텐 명 ☞커튼(curtain).

카텔 [Cattell, James McKeen] 명 〖사람〗 미국의 심리학자. 개인차(個人差)의 심리학을 중시, 각종 검사나 검사법의 연구로 알려져 있으나, 오히려 교육자·조직자로서의 재능이 뛰어나, 많은 과학 정기 간행물을 편집, 미국 심리학회의 기초를 확립했음. [1860-1944]

카텝신 [도 Kathepsin] 명 〖생〗 동물의 여러 조직에 널리 분포된 단백질 분해 효소(蛋白質分解酵素). 특히, 간장(肝臟)·신장(腎臟)·비장(脾臟)에 풍부함.

카토 [Cato] 명 〖사람〗 ①[Marcus Porcius, C. Censorius] 로마의 장군·정치가·문인. 제2차 포에니 전쟁에서 활약, 집정관 등을 지냄. 중소 농민의 보호와 반(反)카르타고 정책을 주장한 보수주의·국수주의자의 대표임. 주저 《농업론(農業論)》·《기원론(起源論)》 등. 통칭은 대(大)카토. [234-149 B.C.] ②[Marcus Porcius, C. Uticensis] ❶의 증손(曾孫). 로마 공화정 말기의 정치가. 키케로(Cicero)와 함께 카탈리나(Catalina)의 음모를 처리하였음. 카이사르(Caesar)에 적대하다 패하여 자살함. 통칭은 소(小)카토. [95-46 B.C.]

카:토그램 [cartogram] 명 통계 지도(統計地圖).

카토비체 [Katowice] 명 〖지〗 폴란드 남부, 슐레지엔 탄전(炭田) 북부의 도시. 석탄·철광·아연을 산출하고, 야금(冶金)·기계·화학 공업이 행해짐. [366,100 명(1982)]

카톨리시즘 [Catholicism] 명 〖종〗 가톨릭교(Catholic敎).

카톨릭 [Catholic] 명 〖종〗 →가톨릭.

카투사 【KATUSA】 명 [Korean Augmentation Troops to the United States Army의 약칭] 〖군〗 주한(駐韓) 미 육군에 배속(配屬)된 한국 군인.

카툰: [cartoon] 명 ①동화(動畫). 만화 영화. ②벽화(壁畫)나 태피스트리(tapestry) 등의 작품의 모델이 되는 실물(實物) 크기의 밑그림.

카툴루스 [Catullus, Gaius Valerius] 명 〖사람〗 로마의 서정(抒情) 시인. 클로디아(Clodia; 작중에선 레스비아(Lesbia))에 향한 100여 편의 우아한 사랑의 노래로 유명함. [84?-54 B.C.]

카튜:샤 [Katyusha] 명 〖문〗 톨스토이의 소설 《부활(復活)》에 나오는 여주인공(女主人公)의 이름.

카:트 [cart] 명 골프에서, 캐디백을 운반하는 차. 끌고 다니는 것 외에 모터가 달린 자동 카트도 있음.

카:트라이트 [Cartwright, Edmund] 명 〖사람〗 영국의 목사·발명가. 1789년 증기 기관을 응용한 동력 직조기(動力織造機)를 발명하여 산업 혁명을 촉진시키는 데 공헌하였음. [1743-1823]

카:트리지 [cartridge] 명 ①〖군〗 약포(藥包). 탄약통(筒). ②카메라용 롤필름(roll film)의 금속제 케이스. ③하이파이(hi-fi) 장치에서, 재생용(再生用) 바늘의 진동을 전기 출력으로 바꾸는 장치.

카:트리지 카메라 [cartridge camera] 명 전용(專用) 매거진에 든 필름을 카메라에 넣기만 하면 자동적으로 촬영할 수 있는 카메라.

카:트리지 테이프 [cartridge tape] 명 카트리지에 내장(內藏)된 테이프. 흔히, 폭(幅) 6.3 mm의 엔드리스(endless) 테이프를 사용함.

카:트리지 필터 [cartridge filter] 명 〖공〗 소량의 고형물(固形物)을 함유하고 있는 공장 폐수의 정화용(淨化用) 여과기(濾過器).

카:트리지 호흡기 【一呼吸器】 [cartridge] 명 〖광〗 광산 노동자가 사용하는 공기 정화 장치(空氣淨化裝置). 약포(藥包)에는 산화(酸化)·흡착(吸着)·화학 반응의 과정으로 정화 작용을 하는 약품이 들어 있음.

카트린 드 메디시스 [Catherine de Médicis] 명 〖사람〗 프랑스 국왕 앙리 2세의 왕비. 피렌체의 메디치가(Medici家) 출신. 말기(末期) 발루아 왕조의 병약한 여러 왕의 어머니로 샤를르 9세의 섭정(攝政)이기도 했음. 종교 전쟁 동안 왕권 유지에 부심, 마키아벨리적(的) 술책을 썼음. 생 바르텔미 학살(Saint Barthélemy 虐殺)의 계획자라고 알려짐. [1519-89]

카트마이 산 【一山】 [Katmai] 명 〖지〗 미국, 알래스카 주의 활화산(活火山). 알래스카 반도의 기부(基部)에 있고, 1962년 대분화(大噴火)를 일으킴. 빙하도 많음. 부근 일대는 카트마이 국립 기념물 지역으로 지정되어 있음. [2,286 m]

카트만두 [Katmandu] 명 〖지〗 네팔의 수도. 히말라야 산간(山間)의 분지(盆地) 중앙부의 높이 1,280 m 지점에 있는데, 시내에는 많은 힌두교와 불교의 사원(寺院)이 있으며, 수력(水力) 발전소가 있음. [422,000 명(1991 추계)]

카틀레야 [cattleya] 명 〖식〗 [*Cattleya citirina*] 난초과에 속하는 열대 지방 원산의 착생(着生) 난초. 줄기는 평평한 막대 모양으로 두 모가 지고, 그 상부에 녹색의 잎이 1-3개 나는데 넓은 선형(線形) 또는 선상의 긴 타원형으로 두꺼우며, 광택이 있음. 홍자색 또는 백색의 큰 꽃이 액생(腋生)하는데, 아름다우므로, 꺾꽃이 등으로 재배하는 고급 양란(洋蘭)의 하나임.

〈카틀레야〉

카티브 [아랍 khaṭīb] 명 〖이슬람〗 대중 앞에서 연설하는 사람. 금요일에 성원(聖院)에서 설교하는 사람. 또, 기도문을 읽는 사람.

카티아와르 반:도 【一半島】 [Kathiawar] 명 〖지〗 인도 서부, 구자라트 주(Gujarat 州) 남부의 쿠치 만(Kutch 灣)과 캄베이 만(Cambay 灣)에 끼어 아라비아 해(海)로 돌출한 반도. 목화·석재(石材)가 나고 제염(製塩)·시멘트·화학 공업이 행해짐. 남부의 숲에는 사자(獅子)가 살아 정부의 보호를 받고 있음. [60,685 km²]

카티온 [cation] 명 〖물〗 양이온(陽 ion). 음극(陰極; cathode)을 향하여 움직이는 데서 나온 말.

카틸리나 [Catilina, Lucius Sergius] 명 〖사람〗 로마 공화정(共和政) 말기의 정치가. 기원 전 67-66년에 아프리카 총독. 자주 집정관(執政官)을 암살, 국가 전복 따위 음모로 당시 집정관 키케로(Cicero) 등에 쫓겨 살해됨. [108?-62 B.C.]

카파[1] [스 capa] 명 〖천주교〗 성체 강복(聖體降福) 또는 사도 예절(赦禱禮節) 때에 사제(司祭)가 입는 긴 망토 같은 의복.

카파[2] [Capa, Robert] 명 〖사람〗 헝가리 태생의 사진가. 1936년 스페인 내란을 촬영하여 인정을 받고 이후 전쟁 사진가로서 항상 전지(戰地)에서, 박진력(迫眞力)과 휴머니즘이 넘치는 작품을 남기었음. 1954년 인도차이나 전선에서 촬영중 지뢰를 밟고 폭사함. [1913-54]

카파도키아 [Cappadocia] 명 〖지〗 소(小)아시아 동부 지방의 옛이름. 시대에 따라 지역은 일정하지 않음. 기원 전 20-19세기초, 아시리아(Assyria) 시대에 건설된 식민시(植民市) 퀼테페(Kültepe)는 노예·광산물의 대교역지로, 뒤에 히타이트 제국의 한 중심이기도 함. 그곳에서 출토한 퀼테페 문서, 즉 카파도키아 문서는 중요 사료(史料)임. 기원 전 260-17년경에는 독립 왕국도 있었음.

카파블랑카 [Capablanca, José Raoúl] 명 〖사람〗 쿠바의 체스 명수. 아바나 태생으로, 12세에 국내 체스 선수권을 획득. 1921년에 라스커(Lasker, Emanuel; 1868-1941)를 이겨 세계 선수권 보유자가 됨. 1927년 선수권 상실. 자서전 등 저서도 많음. [1888-1942]

카: 퍼레이드 [car parade] 명 자동차 시가 행진. ¶~를 벌이다.

카:펀테리아 만 【一灣】 [Carpentaria] 명 〖지〗 오스트레일리아 북부, 요크 반도와 아넘랜드(Arnhem Land) 반도에 둘러싸인 만. 동서 약 670 km, 남북 약 770 km.

카페[1] [프 café] 명 ①커피(coffee)의 프랑스식 이름. ②우리 나라에서의 바(bar)의 구칭. ③커피 같은 음료와 양주 및 간단한 서양 음식을 파는 집.

카페[2] [Capet, Lucien] 명 〖사람〗 프랑스의 바이올리니스트. 라무르(L'amour) 교향악단의 수석 바이올리니스트로, 후에 카페 현악 사중주단(絃樂四重奏團)을 조직하였음. [1878-1929]

카페 누아르 [프 café noir] 명 우유를 넣지 않은 진한 커피차.

카: 페리 [car ferry] 명 여객과 자동차를 싣고 운반하는 연락선. 자동차 항송선(航送船). 페리.

카페-산 【一酸】 [café] 명 커피에서 생긴 산.

카페스톨: [cafestol] 명 〖화〗 커피나무에서 얻어지는 커피 두유(豆油)의 불감화물(不鹼化物)의 주성분. [$C_{20}H_{28}O_3$]

카페-오-레 [프 café au lait] 명 ①커피와 같은 양의 더운 우유를 넣은 커피차. ②담갈색(淡褐色).

카페-올 [프 caffe-ol] 명 커피나무 열매로 짠 기름.

카페 왕조 【一王朝】 [Capet] 명 〖역〗 987-1328년까지 프랑스에 군림한 왕조. 위그 카페(Hugh Capet)에 의하여 창설되고 샤를르(Charles) 4세의 죽음으로 단절됨.

카페인 [caffeine] 명 〖화〗 커피의 열매나 잎, 카카오·차의 잎 등에 함유되어 있는 식물성 알칼로이드의 일종. 무색·무취의 약간 쓴맛이 있는 백색 침상 결정(針狀結晶)으로, 물·알코올에는 잘 녹지 않으나 벤진·클로로포름에는 잘 녹음. 흥분·이뇨·강심(強心)의 목적으로 심장 쇠약·신장병·수종(水腫)·편두통·신경통·천식(喘息) 등에 쓰임. 극약(劇藥)이며 많이 사용하면 중독 증상을 일으킴. 테인(theine). 다소(茶素). 커피소(素). [$C_8H_{10}O_2N_4$]

카페테리아 [cafeteria] 명 손님 자신이 좋아하는 음식을 식탁으로 날라다가 먹는 간이 식당.

카:펜터[1] [Carpenter, Edward] 명 〖사람〗 영국의 작가·사회 사상가. 노동자들에 섞여 우호적 사회주의의 운동에 종사함. 저서(著書)에 《영국의 사상》·《민주주의를 지향해서》 등이 있음. [1844-1922]

카:펜터[2] [Carpenter, John Alden] 명 〖사람〗 미국의 작곡가. 엘가(Elgar, E.)에게 사사(師事), 1910년경부터 작곡에 전념함. 작품에 《미치광이 고양이》·《마천루(摩天樓)》 등이 있음. [1876-1951]

카펠라 [이 cappella] 명 〖악〗 합창대. 관현악대. 군악대.

카펠라-성 【一星】 [Capella] 명 〖천〗 [Capella는 라틴어로 암염소의 뜻] 마차부(馬車夫)자리의 수성(首星). 한겨울의 초저녁에 천정(天頂)의 조금 북편에 반짝이는 황백색의 일등성으로, 거리 46광년, 직경은 태양의 16배, 질량은 태양의 42배임.

카펠-마이스터 〔도 Kapellmeister〕 명 〖악〗 관현악단의 지휘자.

카:펫 〔carpet〕 명 양탄자. 모전(毛氈). 양화(洋花)료. 융단(絨緞).

카:펫 꽃밭 〔carpet〕 명 수놓듯이 여러 가지 무늬를 예쁘게 배치하여 큰 규모로 만든 아름다운 꽃밭.

카포 〔이 capo〕 명 〖악〗 처음.

카포그로시 〔Capogrossi, Giuseppe〕 명 〖사람〗 이탈리아의 화가. 법률을 배웠으나 1920년 그림을 그리기 시작하여 1927-32년 파리에 체류(滯留)함. 1946년경부터 점차로 비구상(非具象)으로 나아가, 현재는 '가래(spade)' 같은 모양의 기호를 반복하는 것으로 유명함. [1900-72]

카포네 〔Capone, Alphonso〕 명 〖사람〗 이탈리아 나폴리 태생의 미국 갱단의 두목. 미국이 금주법(禁酒法)에 의해 금주의 나라가 되었을 때 마피아의 두목으로서 밀조주(密造酒)와 술의 밀수를 통해 엄청난 부(富)를 축적했고, 수많은 살인 및 폭력 사건을 지휘함. '알 카포네'로 통함. [1889-1947]

카포 디스트리아스 〔Capo d'Istrias, Joannes Antonios〕 명 〖사람〗 그리스의 코르푸(Corfu) 섬 출신의 정치가. 러시아 정부의 외교관이 되어 빈 회의(Wien 會議)에 참석, 곧 러시아의 외상(外相)이 됨. 그리스 독립 전쟁 중, 1827년 그리스 국민 의회(國民議會)로부터 대통령으로 추대되어, 이듬해 귀국 취임했으나 민중의 지지를 잃고 암살당함. [1776-1831]

카: 포:트 〔car port〕 명 지붕과 기둥뿐인 간단한 자동차 차고.

카포티 〔Capote, Truman〕 명 〖사람〗 미국의 작가. 일찍부터 단편 소설을 썼는데, 23세에 장편 ≪먼 목소리, 먼 방들≫을 발표하여 주목을 끎. 서정적(抒情的)이고 기교(技巧)에 찬 문체로 인간 심리(心理)를 그리는 특색은 스스로 논픽션이라고 일컫는 ≪냉혈(冷血)≫에서 결정(結晶)됨. [1924-84]

카:-폰 〔car-phone〕 명 자동차 안에 설치하여 일반 가입 전화와 직접 통화할 수 있는 전화. ¶ ~ 중계차.

카:폴라이트 〔carpholite〕 명 〖광〗 누런 섬유상의 광물. 함수(含水)규산 망간 알루미늄으로 됨. 비중 2.93. [$MnAl_2Si_2O_6(OH)_4$]

카푸아 〔Capua〕 명 〖지〗 이탈리아 남부, 나폴리의 북쪽 약 30km, 볼투르노 강(Volturno 江)에 임한 도시. 고대에는 카실리눔이라 하였음. 농업 기계·마카로니·포도주의 제조가 행하여짐. [18,000명(1981)]

카: 풀: 〔car pool〕 명 출퇴근 때 따위에 같은 방향의 사람끼리 자가용차를 합승하는 일.

카:프[1] 〔calf〕 명 〔송아지의 뜻으로〕 송아지의 가죽.

카프[2] 【KAPF】 명 〔Korea Artista Proleta Federatio의 약칭〕 〖문〗 조선 프롤레타리아 예술 동맹. 1925년, 김기진(金基鎭)·박영희(朴英熙) 등에 의해 결성된 동맹. 프롤레타리아 문학인의 전위적(前衛的) 단체로, 1935년 해산됨.

카프레오-마이신 〔capreomycin〕 명 〖약〗 방선균(放線菌) 카프레올루스(capreolus)에서 얻는 항생 물질. 새로운 항결핵약으로서 채용됨. 근육 주사로 폐결핵 치료에 쓰이나 다른 항결핵제와 병용됨. 가벼우나 스트렙토마이신과 비슷한 부작용이 있음.

카프로-산 【一酸】 명 〔caproic acid〕 〖화〗 포화 카르복시산(酸)의 하나로 무색·불쾌한 냄새가 나는 액체. 녹는점 1.5°C, 끓는점 205°. 물에 약간 녹으며 에타놀(ethanol)·에테르(ether)에 녹음. 글리세린 에스테르로서 버터에 있음. [$CH_3(CH_2)_4COOH$]

카프롤락탐 〔caprolactam〕 명 〖화〗 나일론의 원료로서 중요한 물질. 페놀·시클로헥산(cyclohexane)·톨루엔(toluene)을 원료로 하는 고리 모양 아미드(amide)의 일종. 조해성(潮解性)의 흰 결정체로 가소제(可塑劑) 원료임. [$C_6H_{11}NO$]

카프르-산 【一酸】 명 〔capric acid〕 〖화〗 카르복시산(酸)의 하나로 백색의 결정. 녹는점 31.4°C, 끓는점 269°C. 물에 녹지 않으나 알코올·에테르에는 녹음. 글리세린 에스테르로서 버터나 야자유(椰子油) 등에 함유됨. [$CH_3 \cdot (CH_2)_8COOH$]

카프리비 〔Caprivi, Leo〕 명 〖사람〗 독일의 군인·정치가. 프로이센 수상, 독일 제국 재상(宰相)을 지냄. 비스마르크의 후임으로서 신항로 정책(新航路政策)으로의 전환을 단행하였음. 외교면에서는 러시아와의 이중 보장 조약(二重保障條約)을 경신하지 않고, 또 곡물 관세를 인하하여 유럽 각국과 통상 조약을 체결함. [1831-99]

카프리 섬 〔Capri〕 명 〖지〗 이탈리아 남부, 나폴리 남방 약 30km, 티레니아(Tyrrhenia) 해상에 있는, 석회암 따위의 암석으로 된 작은 섬. 백(白)포도주·올리브유(油)를 산출함. 세계적인 관광지로, 주도(主都)는 카프리. [10.4km²: 12,112명(1981)]

카프리스 〔프 caprice〕 명 〖악〗 카프리치오.

카프리올 〔capriole〕 명 고등 마술(高等馬術)의 하나. 앞 다리는 움직이지 않고, 뒷다리를 차올려 뻗쳤다가, 다시 제자리에 놓는 동작.

카프리치오 〔이 capriccio〕 명 〖악〗 악식상(樂式上), 일정한 규식이 없이 자유로운 변화가 많은 수법으로 작곡된 기악곡. 카프리스. 기상곡(綺想曲). 광상곡(狂想曲).

카프리치오소 〔이 capriccioso〕 명 〖악〗 '자유롭게·기분이 들뜨게 환상적으로'의 뜻.

카프릴-산 【一酸】 명 〔caprylic acid〕 〖화〗 카르복시산(酸)의 하나로 무색의 엽상(葉狀) 결정. 녹는점 16.5°C, 끓는점 237°C. 물에 녹지 않으며, 에타놀·에테르 등에 녹음. 글리세린 에스테르로서 버터나 야자유 등 유지류(油脂類) 속에 함유됨. 옥탄산(酸). [$CH_3(CH_2)_6COOH$]

카프사 문화 【一文化】 〔Capsa〕 명 〖역〗 북아프리카, 현재의 튀니지·알제리 지방을 중심으로 이베리아 반도·지중해 연안 및 케냐에 분포하는, 구석기 후기에서 중(中)석기에 걸친 석도계(石刀系)의 문화. 이 문화는 달팽이 패총을 퇴적한 유적을 많이 남기고 있고, 돌칼로부터 세석기(細石器)로 이행(移行)하는 유물이 발견됨.

카프-아이시앵 〔Cap Haïtien〕 명 〖지〗 중미(中美) 아이티 공화국 북부의 항구 도시. 대서양 연안(沿岸)의 관광 도시이며, 수도 다음가는 아이티의 정치·경제의 중심 도시이자 농산물의 수출항이기도 함. 1670년 프랑스 식민지로 창건됨. [75,000명(1982)]

카프카 〔Kafka, Franz〕 명 〖사람〗 프라하 출신의 오스트리아 작가. 1906년 법학사(法學士) 학위를 딴 뒤, 1908년 노동 재해 보험 협회(勞動災害保險協會)에 취직함. 유작(遺作)에 의하여 유명해졌는데, 현대 실존주의 문학의 선구자로 꼽힘. 작품은 ≪유형지(流刑地)에서≫·≪심판(審判)≫·≪아메리카≫·≪변신(變身)≫·≪성(城)≫ 등임. [1883-1924]

카프카스 〔Kavkaz〕 명 〖지〗 러시아 연방의 남서부, 흑해와 카스피해 사이에 끼인 지방. 중앙부(中央部)에 카프카스 산맥이 있고, 많은 소수 민족이 살고 있음. 석유를 비롯하여 천연 가스·망간·구리·몰리브덴 등의 광산(鑛産)이 많음. 아르메니아·아제르바이잔·그루지야의 세 공화국이 있음. 코카서스(Caucasus). 코카시아(Caucasia). [440,000 km²]

카프카스 산맥 【一山脈】 〔Kavkaz〕 명 〖지〗 흑해(黑海)와 카스피 해(海) 사이를 동서로 뻗은 습곡 산맥(褶曲山脈). 길이 약 1,100km에 최대 너비 180km, 높이는 중앙부에서 5,000m가 넘으며, 약 1,400m의 빙하(氷河)가 있고, 유용(有用) 광물 매장량이 많음. 코카서스 산맥(Caucasus 山脈).

카프카스 언어 【一言語】 〔Kavkaz〕 명 〖언〗 카프카스 지방에서 쓰이는 언어. 인구어(印歐語)·튀르크어(Türk語) 등은 제외됨. 남·북으로 다르며 양자의 친족(親族) 관계는 증명되어 있지 않음. 남(南)의 그루지아어(語) 이외엔 1920년 이전의 문어(文語)는 없음.

카프탄 드레스 〔caftan dress〕 명 카프탄이란 터키나 아라비아인(人)들이 입는, 허리통이 헐렁하고 소매가 긴 겉옷인데, 여기서 힌트를 얻은 낙낙한 드레스를 말함.

카플란 수차 【一水車】 명 〔Kaplan turbine〕 프로펠러형 수차의 하나. 유량(流量)의 변화에 따라 자동적으로 날개의 각도를 바꾸어 높은 효율을 유지하도록 만든 수차임. 낙차(落差)가 적고 수량이 많은 경우에 쓰임. 오스트리아의 카플란(Kaplan, V.)이 고안했음.

카피 〔copy〕 명 ①미술품 등의 복제(複製). 또, 복제하는 일. ②문서의 복사(複寫). 또, 복사하는 일. 현재는 특히 복사기에 의한 복사를 이를 때가 많음. ③광고의 캐치프레이즈·표제(標題)·본문 등의 총칭. 광고의 문장. ④모스 부호를 문자로 바꾸어 쓰는 일.

카피라이터 〔copywriter〕 명 ①카피를 쓰는 사람. ②광고 따위의 문안 작성자. 애드라이터.

카피 라이트 〔copy right〕 명 판권(版權). 저작권(著作權). 의장권(意匠權).

카피르-족 【一族】 〔아랍 Kafir〕 명 〖인류〗 ①아프가니스탄 북동부의 산악 지대에 사는 종족. 주변 종족과 신앙·관습을 달리함. 남자는 목축을 행하고, 여자는 농경(農耕)에 종사, 목각(木刻)·조금(彫金)에 뛰어남. 언어는 인도·이란 어파에 속하며, 종교적으로는 이슬람의 세력하에 있으면서도 예로부터의 미신(迷信)도 고집함. ②남아프리카 공화국의 케이프 주(Cape 州), 카프라리아(Kaffraria) 지방 원주민의 총칭. 거의가 반투 어족(Bantu 語族)에 속하며, 호사(Xosa)족이 다수를 점함. 목우(牧牛)와 농경에 종사하며, 부계적(父系的)인 외혼 씨족(外婚氏族)을 조직하고 일부 다처혼(一夫多妻婚)으로 역연혼(逆緣婚)이 행해짐. 조상 숭배가 중요한 종교적 제사임.

카피-지 【一紙】 〔copy〕 명 〔copying paper〕 문서를 복사(複寫)할 때 여러 장을 겹쳐서 사용하는 얇은 종이. 닥나무 등을 원료로 함. 특수한 종이에 할로겐화은(halogen化銀)·디아조늄염(diazonium塩)·산화 아연 등을 바른 것이 많음. 복사지.

카피차 〔Kapitsa, Pētr Leonidovich〕 명 〖사람〗 소련의 물리학자. 1912년 영국으로 건너가 강자장(強磁場) 발생법을 개발, 그것을 이용하여 극저온(極低溫)을 연구함. 1934년 귀국, 물리 문제 연구소장이 되고, 1939년 터빈을 사용한 공업적 공기 액화 장치를 완성함. 이 밖에 액체 헬륨의 초유동(超流動) 및 제2 음파를 연구함. 1978년 노벨 물리학상을 수상함. [1894-1984]

카필라 〔Kapila〕 명 〖사람〗 기원 전 3세기경의 인도의 사상가. 삼키아학파(Sāmkhya 學派)의 개조(開祖).

카호프카 호 【一湖】 〔Kakhovka〕 명 〖지〗 우크라이나 공화국 남부, 드네프르 강(Dnepr 江)의 카호프카 수력 발전소 건설에 따라 형성된 저수지. 평균 수심(水深)은 8.4m. 관개(灌漑)에도 이용되고 있음. [2,155km²]

칵[1] 부 목구멍에 걸린 것을 뱉으려고 목청에 힘을 주어 내는 소리. *캑·캭. ——-하다 자여불

칵[2] 부 〈방〉 콱.

칵-칵 부 연해 칵하는 소리나 모양. *캑캑·캭캭. ——-하다 자타 여불

칵칵-거리다 자 잇달아 칵칵 소리를 내다. ¶ 목에 가시가 걸려 ~.

칵칵-대다 자 칵칵거리다.

칵테일 〔cocktail〕 명 ①수종(數種)의 양주(洋酒)를 적당히 조합(調合)하여 감미료(甘味料)·방향료(芳香料)·고미제(苦味劑)와 얼음을 넣고 혼합한 술. 주로 식전에 마시는데 본래는 미국의 음료(飮料)임. 믹싱 글라스(mixing glass)로 교반(攪拌)하는 것과 셰이커(shaker)로 진탕(振盪)하는 것으로 대별됨. 혼합주(混合酒). ②이종(異種)의 혼합물. ¶ 환희(歡喜)와 비애(悲哀)의 ~.

칵테일 글라스 〔cocktail glass〕 명 칵테일을 마실 때 쓰이는 유리잔.

〈칵테일 글라스〉

칵테일 드레스 〔cocktail dress〕 명 칵테일 파티 같은 때 여성이 입는 드레스. 이브닝 드레스만큼은 호화롭지 못하고 정식 예복이 아님. 소매가 없거나 반소매가 보통임.

칵테일 파:티 〔cocktail party〕 명 칵테일을 주로 한 서서 먹는 형식의 소규모의 연회. 자리를 정하지 않고, 여러 사람과 자유로이 환담함.

칵테일 해트 〔cocktail hat〕 명 칵테일 드레스를 입을 때 여성이 쓰는 작은 모자. 꽃·구슬·리본·깃 따위로 장식한 화려한 것. 챙이 없는 것이 보통임.

칸[1] ㊀명 ①사방을 둘러 막은 그 선의 안. ¶빈 ～에 답을 써넣다. ②집 칸살의 넓이의 단위. 보통 일곱 자나 아홉자 평방임. ㊁의명 집의 칸살을 세는 말. ¶아흔 아홉 ～/방 한 ～. ＊간(間).

칸[2] 〔Cannes〕 명 《지》 프랑스 남동부 지중해 연안의 유명한 피한(避寒)·피서지(避暑地). 근래에는 매년 국제 영화제가 개최됨. ＊칸 영화제. [72,789명(1982)]

칸[3] 〔khan〕 명 ①중세기의 몽골·터키·달단(韃靼) 종족의 원수(元首)의 칭호. ②페르시아·아프가니스탄 등의 고관의 칭호.

칸:[4] 〔Kahn, Albert〕 명 《사람》 독일 태생의 미국의 건축가. 철근 콘크리트를 연구하여 미국·유럽 각지에서 활약하였음. 자동차 왕 포드에게 인정받아 자동차 공장의 건축이 많음. 대표작으로 디트로이트의 자동차 공장과 오하이오 주철 공장(鑄鐵工場) 등이 있음. [1869-1942]

칸[5] 〔Kahn, Herman〕 명 《사람》 미국의 전략 이론가(戰略理論家)·미래학자(未來學者). 캘리포니아 공과 대학을 졸업하고, 1947년 랜드 연구소(RAND 硏究所) 근무, 1961년 허드슨 연구소를 설립함. 저서에 ≪열핵전론(熱核戰論)≫·≪서기(西紀) 2000년≫ 등 많음. [1922-83]

칸:[6] 〔kahn〕 의명 핵물질(核物質)의 양의 단위. 유효(有效)한 방공 시설(防空施設)을 갖지 않은 큰 나라를 전멸시킬 수 있는 핵물질의 양. 1만 메가톤으로 규정되어 있음.

칸나 〔canna〕 명 《식》 〔*Canna innica*〕 칸나과에 속하는 다년초. 말레이·인도 차이나 원산으로, 근경(根莖)이 있고, 줄기는 녹색으로 넓적하며 높이 2m 가량임. 잎은 큰 타원형으로 끝이 뾰족하며, 파초(芭蕉)의 잎과 비슷함. 여름·가을에 잎 사이에서 한 개의 꽃줄기가 나와, 붉은 엽상(葉狀)의 큰 수술을 갖는 꽃이 총상 화서(總狀花序)로 핌. 관상용으로 재배하며, 품종도 여러 가지임. 난초(蘭蕉). 담화(曇華).

〈칸나〉

칸나-과 【一科】 〔canna〕 〔一꽈〕 명 《식》 〔Cannaceae〕 현화(顯花) 식물 단자엽(單子葉) 식물에 속하는 한 과.

칸나비디올: 〔cannabidiol〕 명 《화》 칸나비스의 성분. 마리화나의 여러 생리 작용을 일으킴. [$C_{21}H_{28}(OH)_2$]

칸나비스 〔cannabis〕 명 대마(大麻)의 자성 과목(雌性果木)을 말린 것.

칸나에 〔Cannae〕 명 《지》 이탈리아 동남부 아드리아 해 근방에 있는 작은 마을. 기원 전 216년 한니발(Hannibal)이 인솔한 카르타고군이 로마군에 대승(大勝)한 곳임.

칸니차로 〔Cannizzaro, Stanislao〕 명 《사람》 이탈리아의 화학자. '칸니차로 반응(反應)'의 발견자(發見者)로 유명함. 1860년 카를스루에(Karlsruhe)에서 열린 최초의 국제 화학자 회의에서 '아보가드로 가설(假說)'의 의의를 밝히고 분자 개념의 확립에 기여한 일은 화학사상 특기할 만함. [1826-1910]

칸니차로 반:응 【一反應】 〔Cannizzaro〕 명 《화》 알데히드류(類), 특히 방향족(芳香族) 알데히드가 희(稀)알칼리의 작용으로 그 한 분자가 산화되고, 다른 한 분자가 환원되어 알코올이 되는 변화.

칸다하르 〔Kandahar〕 명 《지》 아프가니스탄 동남부에 있는 상업 도시. 파키스탄에 이르는 교통 요로(要路)로, 견포(絹布)·융단 등을 산출함. 부근에 알렉산더 대왕(大王)이 건설하였다는 도시의 유적(遺跡)이 있음. [198,161명(1982)]

칸델라[1] 〔Candela, Felix〕 명 《사람》 멕시코의 건축가. 마드리드에서 출생, 스페인 내란 때 멕시코에 귀화함. 셸 구조(shell 構造)를 연구 개발, 새로운 건축 형태를 개척함. 작품에 멕시코 대학의 '우주선(宇宙線) 연구소'·'기적의 성처녀 교회(聖處女敎會)' 등이 있음. [1910-]

칸델라[2] 〔라 candela〕 의명 《물》 1948년 국제 도량형 총회에서 결정된 광도의 단위. 1기압 하에서 백금의 응고점 1,769°C에 있어서의 흑체(黑體)의 1cm² 당 광도의 1/60이라고 정의(定義)됨. 1국제 촉광(燭光)에 가까움. 기호:cd.

칸델라르 〔네 Kandelaar〕 명 간데라.

칸디다 〔독 Candida〕 명 《식》 효모(酵母)와 유사한 불완전 균류(不完全菌類)의 한 속(屬). 생육(生育) 조건에 의하여 효모 형식으로 되며 비교적 짧은 균사상(菌絲狀)이 됨. 양조장 등 당류(糖類)가 많은 곳에 혼입균(混入菌)으로서 많이 발견되며 칸디다증(症)의 원인이 됨. 모닐리아(Monilia).

칸디다-증 【一症】 〔Candida〕 〔一쯩〕 명 《의》 칸디다 알비칸스(Candida albicans)라고 부르는 일종의 사상균(絲狀菌)에 의하여 일어나는 질환. 구강 점막(口腔粘膜)·장관(腸管)·폐(肺) 등에 생기며, 가끔 패혈증(敗血症)·수막염(髓膜炎) 등을 일으키는 수도 있음. 구용어는 모닐리아증(Monilia 症).

칸딘스키 〔Kandinsky, Wassily〕 명 《사람》 러시아 태생의 프랑스 화가. 독일 인상파의 외광 묘사(外光描寫)에 불만을 느끼고 비대상적(非對象的)인 기하학적 형태와 색채에 의한 화조(畫調)의 추상적(抽象的) 구성에 노력했으며, 추상파 화가의 대가(大家)로서 이론·실제에 있어 큰 업적을 남김. [1866-1944]

-칸마룬 〈옛〉 하건마는. ¶곧 劉表를 븓고져칸마룬(逕欲依劉表)≪杜諺 XXIII:4≫.

칸-막이 명 간과 간 사이를 건너질러 막는 일. 또, 그 막은 물건. ¶～벽(壁)/～를 세우다. ——하다 자타여불

칸발릭 〔Khanbalic〕 명 《역》 중국 원대(元代)에 몽고인이 북경(北京)을 이르던 말.

칸버세이션 〔conversation〕 명 ①담화(談話). 회화(會話). 대담(對談). ②비공식 회담.

칸-살 명 ①집의 도리 네 개로 둘러 막은 면적. ¶～이 널찍하다. ②사이를 띄운 거리. ㈜칸.

칸살(을) 지르다 구 큰 칸살을 둘 또는 여럿으로 나누기 위하여 칸막이를 건너 지르다. ㈜살지르다.

칸-수 【一數】 〔一쑤〕 명 집의 칸살의 수효. 간수(間數).

칸시온 〔스 cancion〕 명 《악》 〔노래란 뜻〕 ①기악곡에 있어서의 가조(歌調). ②무곡(舞曲)에서의 주요 선율의 부분.

칸 영화제 【一映畫祭】 〔Cannes〕 〔一녕一〕 명 《연》 1946년 프랑스 중앙 영화 센터에 의해서 창설(創設)된 국제 영화제. 대상(大賞)·감독상·남녀 주연상 따위의 8개 부문의 상이 시상(施賞)됨. 매년 4월에 칸 시(市)에서 개최됨.

칸잡이-그림 명 건축의 설계도.

칸첸중가 산 【一山】 〔Kanchenjunga〕 명 《지》 히말라야 산맥 동부의 한 고봉. 네팔의 동쪽 에베레스트의 동남 150km에 있음. 세계에서 세 번째로 높은 산임. [8,598m]

칸초네 〔이 canzone〕 명 《악》 ①민요풍(民謠風)의 가곡(歌曲). ②복음(複「音」) 합창.

칸초네타 〔이 canzonetta〕 명 《악》 경쾌 우미한 소가요곡(小歌謠曲).

칸칸 무사 〔Kankan Musa〕 명 《사람》 아프리카의 마리 왕국의 왕(王). 고대 수단의 여러 군주 중 가장 위대한 왕이라 일컬어지며, 왕국의 판도는 그의 치세중에 최대가 되었음. 열성적인 이슬람 교도로서 1324년 메카 순례(巡禮) 길에 카이로를 지나면서 보여 준 영화(榮華)는 후세까지 전해짐. [?-1352]

칸칸-이 부 모든 칸마다. ¶손님이 ～ 차 있다.

칸타로스 〔그 kantharos〕 명 고대 그리스와 로마에서 쓰던 고각(高脚) 술잔의 하나. 긴 축(軸)과 두 개의 손잡이가 있음. 주신(酒神) 바커스에게 바치는 술을 담았음.

칸타리딘 〔cantharidin〕 명 《약》 가뢰·먹가뢰 등의 갑충(甲蟲)에 함유되어 있는 무수산(無水酸). 황색의 악취 있는 독액(毒液)으로, 칸타리스의 주원료(主原料)임.

칸타리스 〔cantharis〕 명 《약》 칸타리딘을 함유하고 있는 가뢰류, 특히 먹가뢰를 건조한 약품. 고유한 취기(臭氣)와 톡 쏘는 맛이 있고 피부에 닿으면 붉게 발포(發泡)하며 중추 신경을 자극하여 흥분·구토를 일으킴. 피부 자극제·발포제 등으로 사용함.

칸타브리아 산맥 【一山脈】 명 〔Cantabrian Mountains〕 《지》 칸타브리카 산맥.

칸타브리카 산맥 【一山脈】 〔Cantabrica〕 명 《지》 이베리아 반도 북쪽 기슭 비스케(Biscay) 만 남안(南岸)의 습곡 산맥(褶曲山脈). 동은 피레네(Pyrénées) 산맥에 연함. 최고봉은 세레도 산(Cerredo山). 칸타브리아.

칸타빌레 〔이 cantabile〕 명 《악》 '노래하듯이'·'노래하는 듯한 표정으로'의 뜻. 칸탄도.

칸타스 항:공 회:사 【一航空會社】 〔Qantas〕 명 세계 일주 항로를 가진 오스트레일리아의 대표적인 항공(航空) 기업. 1921년에 설립됨.

칸타타 〔이 cantata〕 명 《악》 독창·중창·합창과 기악 합주가 섞인 짧은 오라토리오풍의 성악곡(聲樂曲). 교성곡(交聲曲).

칸탄도 〔이 cantando〕 명 《악》 칸타빌레.

칸토 〔이 canto〕 명 《악》 ①가곡(歌曲). ②선율(旋律). ③합창곡의 가장 높은 음부(音部).

칸토로비치 〔Kantorovich, Leonid Vitalevich〕 명 《사람》 소련의 경제학자. 레닌그라드 대학 교수를 거쳐 소련 과학원 회원·국립 경제 관리 연구소 연구원 등을 역임함. 1975년 쿠프먼스(Koopmans, T.C.)와 공동으로 노벨 경제학상을 수상함. [1912-86]

칸토어[1] 〔Cantor, Georg〕 명 《사람》 독일의 수학자. 삼각 함수의 급수(級數) 연구에서 집합론(集合論)을 창시함. 또, 위상 공간론(位相空間論)의 기초를 쌓았음. [1845-1918]

칸토어[2] 〔도 Kantor〕 명 《악》 교회 부속 합창대의 지휘자.

칸-통 의명 수를 나타내는 관형사 밑에 붙어서 집의 몇 칸 되는 넓이를 일컫는 말. ¶두 ～/세 ～.

칸트 〔Kant, Immanuel〕 명 《사람》 독일의 철학자. 종래의 사변(思辨) 철학과 경험론을 통합하여, 인식 능력의 비판을 근본 정신으로 하는 비

판 철학을 확립한 근세 철학의 시조임. 그의 삼부작 ≪순수 이성(純粹理性) 비판≫·≪실천 이성 비판≫·≪판단력 비판≫에서, 신(神)·자유 및 이성(理性)의 세 이념은 충실성(充實性)이 실천 이성의 요청으로 정립(定立)되고, 물 자체(物自體)의 촉발에 의한 순수 이성과 함께 그의 철학 체계를 이루었음. [1724-1804]

칸트 라플라스의 성운설【―星雲說】〔Kant-Laplace〕[―/―에―] 명 〖천〗 칸트의 태양계 기원설(起源說)과 이에 이은 라플라스의 우주 진화(宇宙進化)에 관한 이론. 곧, 성운설.

칸트-주의【―主義】〔Kant〕[―/―이] 명 〖철〗 칸트 및 칸트의 비판적 선험 철학에 바탕을 둔 철학적 입장. 곧, 형이상학(形而上學)을 부인하는 비판주의, 존재와 당위(當爲)를 준별(峻別)하는 이상주의, 선험성(先驗性)을 이성 형식(理性形式)에 국한하는 형식주의 등 ＊헤겔주의.

칸트 철학【―哲學】〔Kant〕 명 〖철〗 칸트가 이룬 철학 혹은 인식론을 전개한 주저(主著) ≪순수 이성 비판≫과 도덕을 주제로 한 ≪실천 이성 비판≫, 실천 철학에 의하여 확립한 도덕과 자유의 두 영역을 오성(悟性)과 이성(理性)의 중간에 위치하는 판단력으로 연결시키려고 한 ≪판단력 비판≫ 등에서 완성한 비판 철학.

칸트 학파【―學派】〔Kant〕 명 〖철〗 칸트 철학의 정신을 계승·발전시킨 철학자들. 마이몬·라인홀트(Reinhold, Karl Leonhard; 1758-1823)·실러·피히테·셸링·헤겔·슐라이어마허·헤르바르트·쇼펜하우어 등. ＊신(新)칸트학파.

칸틸레:나〔이 cantilena〕 명 〖악〗 노래하는 것 같은 선율(旋律).

칸푸르〔Kanpur〕 명 〖지〗 인도 북부의 우타르 프라데시 주(Uttar Pradesh 州) 중부, 갠지스 강(Ganges 江) 우안(右岸)의 도시. 교통의 요지이며 공업의 중심지임. 섬유·기계·주철(鑄鐵)·피혁·화학 등의 각종 공업이 행하여지며, 공업 단지(工業團地)와 공업 대학이 있음. [1,688,242 명(1981)]

칼[1] 명 〔중세 : 갈ㅎ〕 물건을 베고 썰고 깎는 연장. 날카로운 날에 자루가 달렸음. ¶주머니 ∼/∼을 갈다.
[칼로 물 베기] 불화(不和)하였다가도 다시 곧잘 화합함을 일컫는 말. [칼 놓고 뜀뛰기; 칼 물고 뜀뛰기; 칼 짚고 뜀뛰기] 위태한 일을 모험적으로 행함을 일컫는 말. [칼을 물고 토할 노릇이다] 기가 막히도록 분하고 억울하다는 뜻.

칼[2] 명 〖역〗 중죄인(重罪人)에 씌우는 형구(刑具)의 하나. 너비 25cm, 두께 5cm 가량되는 두꺼운 널빤지로 길쭉하게 만들어, 한쪽머리 중심을 직경 15cm 가량 되게 파 내고, 다시 목만이 들어갈 만큼 길쭉하게 파내어 죄인의 목이 꼭 끼일 만큼 만든 뒤, 그 파낸 끄트머리에 꼭 맞는 나무 쪽을 끼우고 양쪽에서 나무 비녀장을 지르게 되었음. 크기에 따라 큰 칼, 작은 칼의 종류가 있음. ¶∼을 쓰고 옥(獄)에 갇힌 춘향이. ＊작은 칼.

〈칼²〉

칼[3]【KAL】 명 코리안 에어(Korean Air)의 약호. 본래는 Korean Air Lines의 약칭.

칼:[4]〔Karle, Jerome〕 명 〖사람〗 미국의 화학자. 하우프트만(H.A. Hauptmann)과 함께 X선의 회절 강도를 통계적으로 처리하는 방법을 개발하고, 결정(結晶) 구조의 결정 방식을 개발한 공이 인정되어 1985 년 하우프트만과 함께 노벨 화학상을 받음. [1918-]

칼-가래질 명 가래를 모로 세워 흙을 깎는 일. ――하다 자여불

칼-감 [―깜] 명 성질이 표독한 사람의 별명.

칼-고리 명 칼집에 끈을 꿰 달도록 붙인 고리.

칼구리 명 〈방〉 갈고리(충남).

칼-국수 명 밀가루를 반죽하여 밀방망이 등으로 밀어, 칼로 가늘게 썰어 만든 국수. 도면(刀麪). ＊틀국수·칼싹두기.

칼-귀 명 귓바퀴의 아래쪽이 귓불이 없이 밋밋하게 빰에 이어붙은 귀.

칼-금 [―끔] 명 칼날에 스치어 생긴 가는 금.

칼-깃 명 새 죽지의 주요 부분을 이룬 빳빳하고 긴 깃. 죽지에 가지런히 벌여져 붙어 있는데, 그 기부(基部)는 우부우(雨覆羽)로 덮여 있음.

칼-끝 명 칼날의 맨 끝.

칼-나물 [―라―] 명 절간에서 '생선'을 일컫는 변말.

칼-날 [―랄] 명 칼의 얇고 날카로운 부분(部分)으로 바로 물건을 베는 쪽. 도인(刀刃). ¶시퍼런 ∼. ↔칼등.
【칼날 위에 섰다】 몹시 위험스런 지경에 놓였다는 말. [칼날 쥔 놈이 자루 쥔 놈을 당할까] '날 잡은 놈이 자루 잡은 놈을 당하랴'와 같은 뜻.
칼날 같다 구 매우 예리하다. 날카롭고 위태롭다. ¶이론이 ∼/눈을 칼날같이 뜨고 쏘아본다.

칼-납자루 [―랍―] 명 〖어〗 [*Acheilognathus limbata*] 잉어과의 민물고기. 몸길이 5-8cm 내외의 것이 많은데 체측에 무늬가 없고, 몸의 폭이 넓고 짧음. 몸빛은 등 쪽이 암갈색, 배 쪽이 담색임. 민물조개 속에 산란함. 계류(溪流)의 얕은 곳과 작은 내나 못에 사는데 낙동강·섬진강 및 일본 중부 이남에 분포함.

칼-눈 [―룬] 명 칼집에 꽂은 칼이 쉬 빠지지 않도록 칼의 손잡이에 만든 장치.

칼: 대:제【―大帝】〔Karl〕 명 〖사람〗 카를 대제.

칼데라〔스 caldera〕 명 〖지〗〔커다란 솥이란 뜻〕 화산체(火山體)의 중심부에 생긴, 분화구보다 훨씬 큰 움푹 팬 지형(地形). 폭발·함몰·침식 등으로 생김. 일본 아소산(阿蘇山)의 것은 동서 18km, 남북 24km로 세계 최대.

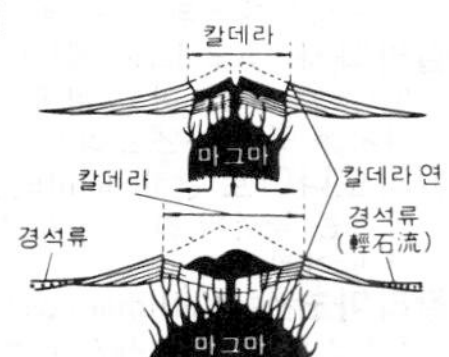

〈칼데라〉

칼데라 호【―湖】〔스 caldera〕 명 〖지〗 칼데라에 물이 괴어서 된 호수. 대개 원형(圓形)인데, 화산도가 있거나 귓바퀴 모양으로 생긴 것도 있음. 호안(湖岸)은 경사가 급하며 호저(湖底)는 평탄한데 면적에 비하여 깊은 편임. 백두산의 천지(天池) 같은 것.

칼데론 데 라 바르카〔Calderón de la Barca, Pedro〕 명 〖사람〗 스페인의 극작가. ≪이상한 마법사≫·≪십자가의 신앙≫·≪인생은 꿈≫ 등의 작품에 당시 무사(武士)의 기질을 그렸음. [1600-81]

칼데아〔Chaldaea〕 명 〖역〗 남(南)바빌로니아의 일컬음. 기원 전 10세기경 아람인(Aram 人)이 이주(移住)하여 기원 전 625년 칼데아 왕국을 건설, 87년 만에 멸망하였는데, 그 후에도 학술·신앙의 중심이 되어 왔으며, 점성술(占星術)이 성하였음. 갈대아.

칼-도마 명 ☞ 도마.

칼-도매기 명 〈방〉 도마(경북).

칼도-방【―刀旁】 명 한자 부수(部首)의 하나. '分'의 '刀'나 '刑'의 '刂'의 이름. ＊선칼도.

칼-등 [―뜽] 명 칼날의 반대쪽인 두꺼운 부분. 도배(刀背). 도척(刀脊). ¶∼으로 치다. ↔칼날.

칼라[1]〔calla〕 명 〖식〗 [*Zantedeschia aethiopica*] 천남성과(天南星科)에 속하는 다년초. 남아프리카 원산(原産)으로 습한 땅에 남. 높이 1m. 발달된 알뿌리가 있어, 화살 모양의 잎은 뿌리에서 나옴. 여름에 긴 꽃줄기 끝에 흰 불염포(佛焰苞)에 싸인 꽃이 핌. 꽃꽂이용으로 이용됨.

칼라[2]〔collar〕 명 ①양복이나 와이셔츠의 깃. ②양복이나 와이셔츠의 깃에 안으로 덧대는 일종의 장식품.

칼라디움〔caladium〕 명 〖식〗 천남성과에 속하는 관상용 식물. 외양은 토란과 비슷하며 홍·백색 등의 아름다운 반문(斑紋)이나 채색 있는 잎을 가짐. 잎은 일반적으로 달걀꼴이며, 상부에 방패 모양으로 나붙었고, 꽃은 다육질(多肉質)의 수상 화서(穗狀花序)로서, 상반에 수꽃이, 하반에 암꽃이 핌. 열대 아메리카 원산인데, 종류는 10여 종으로 잎의 채색을 여러 가지로 변화시켜 관상용으로 씀.

칼라미테스〔라 Calamites〕 명 〖식〗 노목(蘆木).

칼라민〔calamine〕 명 〖화〗 산화 아연(酸化亞鉛)과 산화 제이철(酸化第二鐵)의 분말 혼합물. 스킨 로션이나 연고(軟膏) 등에 쓰임.

칼라바르〔Calabar〕 명 〖지〗 나이지리아(Nigeria)의 남동쪽, 크로스 강(Cross 江) 어귀에 있는 항구 도시로 크로스리버 주(州)의 주도. 야자의 기름과 씨, 카카오 따위를 수출함. [122,000 명(1982)]

칼라바르 종창【―腫脹】〔Calabar〕 명 〖의〗 부종성(浮腫性)·동통성(疼痛性)의 피하(皮下) 종창. 서(西)아프리카, 특히 칼라바르 지역의 원주민에게 발생함.

칼라바르-콩〔Calabar〕 명 〖식〗 [*Physostigma venenosum*] 콩과에 속하는 다년초. 줄기는 목질(木質)로 다른 물체에 말려 올라가며, 잎은 작은 세 잎으로 된 복엽이고, 꽃은 자홍색의 나비 모양으로 총상(總狀)을 이룸. 꼬투리는 암갈색으로 여러 개의 긴 타원형의 씨를 품으며, 알칼로이드를 함유하여 유독(有毒)하나 진경약(鎭痙藥)으로 쓰임. 아프리카 서안·중부 지방이 원산임.

칼라스〔Callas, Maria〕 명 〖사람〗 그리스계의 이탈리아 소프라노 가수. 1951년 이래 스칼라 극장을 중심으로 활약하다가, 1956년 메트로폴리탄 오페라 하우스에 첫 출연했음. 풍부한 성량(聲量)과 뛰어난 기교로, 수많은 팬들을 매료시킴. [1923-77]

칼라-아자르〔도 Kala-azar〕 명 〖의〗 인도·중국·북미 등지에 있는 지방병. 병원충 리슈마니아 도노바니(Leishmania donovani)의 감염(感染)으로 갑자기 열이 생기고 빈혈(貧血)을 일으키며 비장(脾臟)이 붓고 복수(腹水) 등의 증상을 일으킴.

칼라이트〔calite〕 명 〖광〗 철·니켈·알루미늄의 내열 합금(耐熱合金). 1,204°C까지 산화(酸化)에 견디며, 통상 조건에서는 비·바람에 부식되지 않음.

칼:라일[1]〔Carlisle〕 명 〖지〗 잉글랜드 북부 컴브리아 주(Cumbria州)의 주도(主都). 도로·철도 교통의 중심이며 방적·제철 등의 공업이 행하여짐. 로마 시대의 브리타니아 지배(支配)의 기지로, 중세에는 스코틀랜드에 대한 방위 성채(城砦)도 있었음. 12세기의 성당이 있음. [101,000 명(1981)]

칼:라일[2]〔Carlyle, Thomas〕 명 〖사람〗 영국의 사상가·역사가·문필가. 처음 독일 관념론의 영향으로 이에 자서전적인 해석을 붙인 ≪의상 철학(衣裳哲學)≫을 발표하고, 당시 영국 사회의 산업 만능 사상에 대한 낭만적인 구제책으로서 영웅의 힘을 강조하였음. 저서로는 ≪프랑스 혁명사≫·≪영웅 숭배론≫ 등. [1791-1881]

칼라자〔라 chalaza〕 명 컬레이저.

칼라하리 사막【―沙漠】〔Kalahari〕 명 〖지〗 아프리카 남부에 있는 고원상(高原狀)의 사막. 사막이라고는 하나 총림(叢林)이나 야자나무가 군데군데 있는 건조 지대로, 보츠와나(Botswana)와 남아프리카의 양(兩)공화국에 걸쳐 있음. 타조·사자·영양(羚羊) 등의 야생 동물을 보호하는 칼라하리 국립 공원이 있음. [약 70만 km²]

칼락 부 병으로 쇠약하여 입을 예사로 벌리고 기침하는 소리. <컬럭. ＊콜록. ――하다 자여불

칼락-거리다 자 잇따라 칼락 소리를 내다. <컬럭거리다. ＊콜록거리다. 칼락-칼락 부. ――하다 자여불

칼락-대다 자 칼락거리다.

칼란도〔이 calando〕 명 〖악〗 '차차 약하고 느리게'의 뜻.

칼란코에〔Kalanchoe〕 명 〖식〗 [*Kalanchoe blossfeldiana*] 돌나물과에 속하는 숙근(宿根) 식물. 화경(花莖)은 길고, 분지(分枝)를 잘 함. 잎은 피침 다육질로서 환경에 민감함. 4장의 두꺼운 꽃잎이 있으며, 겨울에서 봄에 걸쳐 빨강 또는 노랑의 작은 꽃이 많이 모여 핌. 원산지는 마다가스카르 섬으로, 남아프리카 및 열대 지방에 약 100 종이 자생(自生)

분포함. 꽃꽂이나 분재(盆栽)용으로도 재배되며, 관상용임. 붉은꽃꿩의비름.

칼럼 〔column〕 명 ①고대 그리스·로마 건물의 둥근 돌기둥. 또, 일반적으로 양식(洋式) 건물의 원주(圓柱). ②신문·잡지 등에서, 시사 문제·사회 풍속 등을 촌평(寸評)하는 난(欄). 기자·평론가·문화인 등이 서명(署名)이나 익명으로 집필함.

칼럼니스트 〔columnist〕 명 신문·잡지 등의 칼럼의 필자. 또, 칼럼 집필에 숙달한 기자·평론가.

칼레 〔Calais〕 명 〖지〗 프랑스 북부, 도버 해협에 임한 항구 도시. 영국으로 가는 중요한 연락항임. 레이스·자수(刺繡) 제품 등을 산출하며 식품 가공·화학 공업이 행해짐. 청어·대구·고등어 어업의 근거지이기도 함.

칼레도니아 〔Caledonia〕 명 〖지〗 스코틀랜드의 옛 이름.

칼레도니아 운하 【一運河】 〔Caledonia〕 명 〖지〗 영국 북부, 스코틀랜드의 칼레도니아 지협(地峽)을 뚫고 나가 대서양과 북해(北海)를 잇는 갑문식(閘門式) 운하. 1847년에 완성한 것으로, 총연장(總延長) 97 km, 나비 34 m.

칼레도니아 조:산 운:동 【一造山運動】 〔Caledonia〕 명 〖지〗 스코틀랜드에서 노르웨이를 거쳐 스피츠베르겐에 이르는, 칼레도니아 산맥 등을 형성한 고생대(古生代) 중엽의 조산 운동. 이 시기에 북아메리카에서는 애팔래치아 산맥이 생겼음.

칼레도니언 〔caledonian〕 명 ☞ 캘리도니언.

칼레미 〔Kalemi〕 명 〖지〗 자이르 동부 탕가니카 호(湖) 동안(東岸)의 항구 도시. 서쪽으로 약 250 km 지점인 카발로(Kabalo)와의 사이에 철도(鐵道)가 통하며, 대안(對岸)인 키고마(Kigoma)와의 사이는 호상(湖上) 기선(汽船)으로 연락됨. 구명(舊名)은 알베르빌(Albertville). 〔70,694 명(1984)〕

칼레발라 〔Kalevala〕 명 고시(古詩)·신화(神話)·영웅(英雄) 전설 등을 모은 핀란드의 민족 서사시(民族敍事詩). 1849년에 출판되었는데, 50장(章)으로 2만 3천 행(行)에 달하며, 핀란드 문화에 다대한 영향을 끼쳤음.

칼레 수로 【一水路】 〔Calais〕 명 〖지〗 칼레 해협.

칼레츠키 〔Kalecki, Michal〕 명 〖사람〗 폴란드의 경제학자. 공업 대학을 졸업하고 독학으로 경제학을 공부함. 마르크스의 재생산론을 토대로 케인스와는 별도로 국민 소득의 결정을 논하여 케인스 혁명을 예고함. 저서에 《경제 변동론》 등이 있음. 〔1899-1970〕

칼레 해:협 【一海峽】 〔Calais〕 명 〖지〗 '도버(Dover) 해협'의 프랑스식 이름. 칼레 수로(水路).

칼로 〔Callot, Jacques〕 명 〖사람〗 프랑스의 판화가. 마니에리스모(manierismo)의 영향을 받아 뛰어난 데생과 극적인 구도로 날카로운 풍자를 섞어 사회 생활을 묘사함. 1,500점을 넘는 동판 작품 중 30년 전쟁을 그린 《전쟁의 참화(慘禍)》는 유명함. 〔1592-1635〕

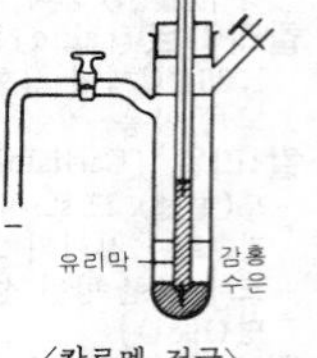

〈칼로그램〉

칼로그램 〔kalogram〕 명 인쇄용 도안(圖案)의 하나. 상점·회사 또는 개인의 이름 등을 전부 도안화(圖案化)하여 상표(商標) 등으로 사용하는 도안. 모노그램(monogram).

칼로리 〔calorie〕 명 의명 ①〖물〗 열량의 단위. 순수한 물 1g의 온도를 1기압하에서 1°C 높이는 데 요하는 열량. 기호: cal. ②킬로칼로리(kilocalorie)를 약하여 부르는 말. 식품(食品)의 영양가나 연료의 열량을 산정할 때 사용함. 기호: Cal 또는 kcal.

칼로리-미:터 〔calorimeter〕 명 〖물〗 열량계.

칼로릭-설 【一說】 〔caloric〕 명 〖화〗 열소설(熱素說).

칼로멜 〔calomel〕 명 〖화〗 감홍(甘汞).

칼로멜 전:극 【一電極】 〔calomel〕 명 〖전〗 표준 전극의 하나. 유리 그릇의 밑에 수은을 넣고, 그 위에 풀처럼 끈적한 칼로멜을 넣고는 다시 그 위에 포화(飽和)시킨 염화(塩化) 칼륨을 채움. 감홍 전극(甘汞電極).

〈칼로멜 전극〉

칼로:즈 〔callose〕 명 〖생〗 식물의 세포벽(細胞壁)의 탄수화물 성분. 칼루스(Kallus)가 형성되는 곳에 존재함.

칼론 〔Calonne, Charles Alexandre de〕 명 〖사람〗 프랑스의 정치가(政治家). 1783년 재무 총감에 취임. 당초에는 네케르(Necker, J.)를 비판하여 방만 정책(放漫政策)을 취했으나 실패하자 지방 의회 설치 및 특권 계급에 대한 과세 등의 광범한 개혁안을 내었다가 명사회(名士會)의 반대로 실각하여 영국으로 망명함. 〔1734-1802〕

칼루나이트 〔kalunite〕 명 〖광〗 천연으로 명반(明礬)의 형태로 존재하는 광물.

칼루스 〔도 Kallus〕 명 〖생〗 ①식물의 상처(傷處)나 피부(皮膚)의 단단하고 두꺼운 조직. ②부러진 뼈조각의 주위에 저절로 생기는 물질. 결국에는 뼈에 합쳐짐. ③식물의 줄기의 상처나 자른 자리의 표면에 생기는 연(軟)한 조직. ④실험적으로 만들어지는 무정형(無定形)의 식물의 세포 덩이.

칼루트론 〔calutron〕 명 〖물〗 질량(質量)과 전하(電荷)의 비(比)의 차이로 우라늄 동위 원소(同位元素)와 다른 원소를 분리하는 전기적 장치. 질량 분석기의 원리에 의하여 이루어짐.

칼륨 〔라 kalium〕 명 〔potassium〕 〖화〗 은백색(銀白色)의 연한 알칼리 금속 원소. 물 속에 넣으면, 물과 작용하여 수소를 발생시키면서 열을 발하여 폭발음을 내고, 자줏빛의 불꽃을 내어 연소하면서 수산화 칼륨으로 됨. 금속 원소 중에서 이온화(ion化) 경향이 가장 큰 원소로서 산화하기 쉬우므로 석유나 휘발유 속에다 보존함. 천연으로는 규산염(硅酸塩)으로 또는 바닷물이나 암염(岩塩) 중에 칼륨염(塩)으로 존재함. 나트륨과 같은 용도에 쓰이며, 나트륨과의 합금은 원자로의 냉각제로 쓰임. 포타슘. 칼리. 가리(加里). 〔19번: K: 39.102〕

칼륨 명반 【一明礬】 〔라 kalium〕 명 〖화〗 황산 알루미늄의 수용액(水溶液)에 황산 칼륨을 가하여 만든 명반. 명반의 대표적인 것임. 칼리 명반(kali 明礬). ＊명반.

칼륨 사:십이 【一四十二】 〔라 kalium〕 명 〔potassium 42〕 〖화〗 방사성 동위 원소. 질량수 42, 반감기(半減期) 12.4시간. β- 및 γ- 방사를 하며 유독(有毒) 물질임. 의학적으로 방사성 트레이서(tracer)로서 쓰임. 기호: ^{42}K.

칼륨 식물 【一植物】 〔라 kalium〕 명 칼륨의 함유량이 비교적 많은 식물의 총칭. 감자·사탕무 따위.

칼륨아르곤-법 【一法】 〔kalium-argon〕 〔一뻡〕 명 〖화〗 칼륨의 방사성 동위체 ^{40}K 와 괴변(壞變) 생성물(生成物) ^{40}Ar 를 이용하는 연대 측정법. 10^6 년(年) 이전의 암석의 연대를 측정할 수 있음.

칼륨-아미드 〔도 Kaliumamid〕 명 〖화〗 금속 칼륨에 고온으로 또는 수산화(水酸化) 칼륨에 용해(融解)된 칼륨에 암모니아를 작용시켜 만드는 황록색 분말. 녹는점은 338°C. 가열하면 빛깔이 짙어지며 400°C에서 승화(昇華)함. 조해성(潮解性)으로 습(濕)한 공기중에서 분해함. 〔KNH_2〕

칼륨-염 【一塩】 〔라 kalium〕 〔一념〕 명 〖화〗 여러 가지 산기(酸基)와 칼륨이 화합하여 생기는 염의 총칭. 황산 칼륨·염화(塩化) 칼륨·질산(窒酸) 칼륨·탄산 칼륨 등이 있음. 비료로 사용됨. 칼리염(kali 塩).

칼륨 유리 【一琉璃】 〔라 kalium〕 〔一뉴一〕 명 〖화〗 원료로서 탄산 칼륨을 쓴 유리. 물이나 산(酸)에 침범되지 않으므로 화학 기구에 쓰이고, 윤이 나므로, 장식용으로도 쓰임. 보헤미아 유리. 칼리 유리. ＊경질(硬質) 유리.

칼륨 장석 【一長石】 〔라 kalium〕 명 〔potash feldspar〕 〖광〗 칼륨을 주성분으로 하는, 장석의 하나. 결정 구조에 따라 단사 정계(單斜晶系)의 파리(玻璃) 장석·정장석(正長石) 및 삼사 정계(三斜晶系)의 미사(微斜) 장석의 세 종류로 나누어짐. 중요한 조암(造岩) 광물로 산성암(酸性岩)의 주요 구성 물질임. 칼리 장석. 〔$KAlSi_3O_8$〕

칼륨질 비:료 【一肥料】 〔라 kalium〕 명 〖농〗 칼륨을 유효 성분으로 하는 비료의 총칭. 식물체 안에서 단백질(蛋白質)과 탄수화물의 합성, 수분 증산(水分蒸散)의 조절 등 생리(生理) 작용과 물질 대사(物質代謝)를 조절함. 양이 적절하면 줄기나 잎이 강해지고 수확물의 품질이 좋아짐. 무기질(無機質) 비료로서 염화(塩化) 칼륨·황산(黃酸) 칼륨이 있고, 유기질(有機質) 비료로서는 콩깻묵·면화씨 유박(油粕)·탈지강(脫脂糠)·닭똥 등이 있음. ＊질소질(窒素質) 비료·인산질(燐酸質) 비료.

칼리[1] 〔Cali〕 명 〖지〗 콜롬비아 남서부, 안데스 산록의 상공업 도시. 카우카 강(Cauca 江)에 임한 교통의 요지로서, 설탕·쌀·면화·커피 등의 집산지(集散地)임. 근교에 탄전(炭田)이 있음. 제당(製糖) 외에 섬유·제지 공업 등이 행하여짐. 〔1,323,944 명(1985)〕

칼리[2] 〔라 kali〕 명 〖화〗 ①칼륨(kalium). ②탄산 칼륨. ③'칼륨염류(塩類)'의 통칭. 가리(加里).

칼:리[3] 〔Kālī〕 명 힌두교의 시바 신(神)의 비(妃). 두르가(Durgā) 또는 파르바티(Pārvati)라고도 함. 본래는 독립된 신격(神格)이었으나 시바의 배우자(配偶者)로 차츰 그 특성을 잃었음. 힌두교의 샤크타파(Sāktah 派)에서는 칼리를 특히 숭배함.

칼리-구 【一球】 〔라 kali〕 명 〔potash bulb〕 〖화〗 유기 화합물의 원소 분석에 있어서, 성분(成分)의 탄소를 탄산 가스로 바꾸어 정량(定量)할 때, 이 가스를 거두어 모으기 위하여 사용하는 수산화 칼륨액을 넣는 유리 그릇.

칼리굴라 〔Caligula〕 명 〖사람〗 로마 황제. 독재자로서 원로원(元老院)과 대립, 자기의 신격화(神格化)를 요구하다가 후에 암살됨. 〔12-41; 재위 37-41〕

칼리:닌[1] 〔Kalinin〕 명 〖지〗 러시아 연방 볼가 강(Volga 江) 상류에 있는 도시. 기계·직물(織物) 공업이 행해짐. 전에는 트베리(Tver')로 불리었는데, 1932년부터 정치가인 M.I. 칼리닌의 이름을 따서 개칭(改稱)함. 〔422,000 명(1981)〕

칼리:닌[2] 〔Kalinin, Mikhail Ivanovich〕 명 〖사람〗 소련의 정치가. 1898년부터 사회 민주 노동당원이 된 이래 소련 중앙 집행(執行) 위원회 의장·최고 간부회(幹部會) 의장 등 소련 최고 지도자의 한 사람이었음. 〔1875-1946〕

칼리닌그라드 〔Kaliningrad〕 명 〖지〗 러시아 연방의 서부에 있는 칼리닌그라드 주의 주도. 1946 년 까지는 쾨니히스베르크로 불렸음. 그다니스크 만(Gdan'sk 灣)으로 흘러드는 프레골랴 강(江) 하구 양안에 있는 부동항(不凍港)으로 조선·기계·차량·제지·목재·수산업 등이 성함. 제 2 차 대전 당시 거의 파괴되었으나 1953 년과 67 년의 종합 도시 계획으로 재건되었음. 쾨니히스베르크. 〔374,000 명(1983)〕

칼리다사 〔Kalidasa〕 명 〖사람〗 5세기경의 시인(詩人)·극작가(劇作家). 그의 대표작인 희곡 《샤쿤탈라(Abhijñā-sákuntalā)》·《구름의 사자》 등은 산스크리트 문학의 최고 수준임.

칼리도나이트 〔caledonite〕 명 〖광〗 구리·납의 염기성 황산염으로 이루어지는 녹색의 사방 정계 결정(斜方晶系結晶). 구리·납의 광상(鑛床)에서 발견됨.

칼리마코스 〔Kallimachos〕 명 〖사람〗 그리스의 시인·문헌학자. 알렉산드리아 문고의 사서(司書)였으며, 헬레니즘 시대의 시의 완성자임. 약간의 시만이 전해짐. 〔305?-240? B.C.〕

칼리 명반 【一明礬】 〔라 kali〕 명 〖화〗 칼륨 명반(kalium 明礬).

칼리 비누 [라 kali] 명 고급지방산(高級脂肪酸)의 칼륨염(kalium 塩)을 주성분으로 하는 비누. 연고상(狀)으로 흡습성(吸濕性)이 강하고 물에 용해(溶解)되기 쉬움. 화장용·약용·직물용(織物用)으로 쓰이는데, 원료유(原料油)에는 아마인유(亞麻仁油)·올리브유(olive 油) 등을 씀. 가리 비누.

칼리 비:료【—肥料】[라 kali] 명 《농》 칼륨을 유효 성분으로 하는 비료의 총칭. 질소(窒素) 비료·인(燐) 비료와 함께 비료의 3요소(要素)의 하나. 식물체내에서 탄수화물, 질소 화합물의 합성 동화 작용, 뿌리의 발육, 개화(開花)·결실(結實) 따위의 촉진, 냉해(冷害)·병충해의 저항력 증진의 작용을 함. 초목회(草木灰)·해조회(海藻灰)·염화 칼륨·황산 칼륨 따위 여러 가지가 있음. * 칼륨질 비료.

칼리-석【—石】 명 [kalinite] 《광》 명반류(明礬類)의 복굴절성(複屈折性) 광물. 칼륨·알루미늄의 함수 황산염(含水黃酸塩)으로 되어 있음. 섬유상으로 존재함. [$KAl(SO_4)_2 \cdot 11H_2O$]

칼리스 [포 Caliz] 명 《천주교》 성작(聖爵).

칼리스토 [Callisto] 명 ①《신》 아르카디아(Arcadia)의 신녀(神女). 아르테미스(Artemis)의 시녀로, 제우스(Zeus)와 정을 통한 죄로 아르테미스에 의하여 암곰으로 변신되고 뒤에 아들 아르카스(Arkas)와 함께 제우스에 의하여 큰곰·작은곰의 두 별자리가 되었다 함. ②《천》 1610년 이탈리아의 천문학자 갈릴레이에 의하여 제일·제이·제삼 위성과 함께 발견된 목성(木星)의 제사 위성(第四衛星). 광도 6등.

칼리아리 [Cagliari] 명 《지》 이탈리아의 사르데냐(Sardegna) 섬 남안(南岸) 칼리아리 만(灣)에 면한 항구 도시로, 동도(同島)의 주도(主都). 14세기의 성당과 17세기 초에 창립된 대학이 있으며, 도자기와 융단 등의 수공업 외에 제염(製塩)과 어업이 활발함. 본디 페니키아(Phoenicia)의 식민지로, 고대 로마의 유적이 있음. [222,574명(1987)]

칼리 암염【—岩塩】[라 kali] 명 《광》 짠 맛이 있는 백색 또는 무색(無色)의 등축 정계(等軸晶系)의 광물. 입방체(立方體) 또는 결정성(結晶性)의 덩이 또는 소금의 잔류물(殘留物)로 존재함. 칼륨의 주요한 광석.

칼리-염【—塩】[라 kali] 명 《화》 칼륨염(kalium 塩).

칼리 유리【—琉璃】[라 kali] 명 《화》 칼륨 유리.

칼리 장석【—長石】[라 kali] 명 칼륨 장석.

칼리지 [college] 명 ①단과 대학. 분과(分科). 전문 학교. ②영국의 몇몇 퍼블릭 스쿨(public school)의 명칭. ¶이튼(Eton) ~.

칼리지 스타일 [college style] 명 대학 생활에 있어서의 복장. 값이 비싸지는 않으나 청결하고 젊음이 넘치는 느낌을 주는 스타일. 블레이저 코트(blazer coat)에 플리츠 스커트(pleats skirt)나 즈봉 또는 스포티한 스웨터나 셔츠·블라우스 따위가 흔히 사용됨.

칼리코 [프 calicot] 명 고급 옥양목(玉洋木).

칼리크라테스 [Kallikrates] 명 《사람》 기원 전 5세기의 그리스 건축가. 페르시아 전쟁 후, 파르테논의 재건에 종사하고 이오니아식의 대표작인 아테네의 니케 신전(Nike 神殿)을 이크티노스(Iktinos)와 함께 설계·건축함. 생몰년 미상.

칼리크레인 [kallikrein] 명 《화》 췌장(膵臟)에서 분비되는 호르몬 모양의 물질. 정상인 동물의 혈당량(血糖量)에는 변화를 일으키지 않으나, 당뇨병 환자에게는 혈당량을 저하시키는 작용을 함. 인슐린과는 다른 물질임.

칼리타이프 [kalitype] 명 초기의 사진술. 옥살산 제이철(第二鐵)과 염화제1주석을 감광제(感光劑)로 한 인화지(印畫紙)와 붕사(硼砂)·로셸염(rochelle 塩)으로 된 현상액(現像液)을 썼음.

칼리포르늄 [californium] 명 《화》 1950년 캘리포니아 대학 연구실에서 사이클로트론(cyclotron)을 사용하여, 퀴륨에 알파선(α線)을 비추는 핵(核) 반응에 의하여 만든 인공 방사성 원소. 반감기(半減期) 약 800년의 알파 붕괴를 하는 핵종(核種) 외 10종의 방사능 핵종이 알려져 있음. 캘리포늄. [98번:Cf:251]

칼리포스-법【—法】[그 Kallippos] [—뻡] 명 칼리푸스법.

칼리푸스-법【—法】[Calippus, Callipus] [—뻡] 명 [Callipus는 기원 전 350년경의 그리스 천문학자] 고대 그리스에서 사용하던 역법(曆法)의 하나. 태음력(太陰曆) 76년을 일기(一期)로 하여 여기에 28회의 윤년(閏年)을 삽입하여 계절과 맞추는 방법. 고대 중국에서도 이것과 비슷한 사분법(四分法)이 행하여졌음. 칼리포스법. 사분력(四分曆).

칼리프 [calif, caliph] 명 [상속자의 뜻인 아라비아 말 khalifah에서] 이슬람의 교주. 이슬람 세계 전체의 우두머리라는 뜻으로 사용. 오스만 왕조(王朝)에서는 술탄(Sultan)과 같이 쓰였는데 세속적으로는 술탄, 종교적으로는 칼리프의 칭호로 부름. 할리파.

칼릭스투스 [Calixtus, Georgius] 명 《사람》 독일의 신학자. 프로테스탄트와 가톨릭의 조정을 시도하고, 절충주의의 입장을 취하여 양자의 비난을 받았음. [1586-1656]

칼립소[1] [스 calypso] 명 《악》 서인도 제도, 트리니다드 섬의 흑인들의 노동가(勞動歌)에서 시작된 민속 음악. 2/4 박자로 리듬이 경쾌(輕快)함.

칼립소[2] [Calypso, 그 Kalypsō] 명 《신》 그리스 신화의 요정(妖精). 오디세우스가 트로이 전쟁의 귀로에 난파하여 바다 속에 있는 오기기아(Ogygia) 섬에 표착하였을 때, 그녀에게 붙들려 두 아들을 낳았다 함.

칼:릿 [Carlit] 명 《화》 스웨덴의 칼손(Carlson)이 발명한 '과염소산 폭약(爆藥)'의 상품명.

칼링가 [Kalinga] 명 《지》 인도 중부 지방의 옛이름. 기원 전 4세기경 현재의 오리사 주(州)와 타밀나두 주(州) 일대에 거대한 왕국이 있었다고 전해짐.

칼-마구리 명 〈방〉 칼코등이.

칼마르 [Kalmar] 명 《지》 스웨덴 남동부 발트 해안의 도시. 칼마르 해협(海峽)을 사이에 두고 욀란드(Öland) 섬과 마주 보고 있음. 조선·제지·성냥·식품 공업이 활발함. 고고(考古)·민속 박물관이 있음. 9세기 이래 상업의 중심지. 1397년 칼마르 연합이 이 곳에서 이루어졌음. [52,846명(1980)]

칼마르 연합【—聯合】 명 [Kalmar union] 《역》 1397년 스웨덴의 칼마르에서 이루어진 북구 삼국(北歐三國)의 동군 연합(同君聯合). 덴마크·노르웨이의 지배자 마르그레테 2세 여왕이 스웨덴 국왕을 폐하고 종손(從孫) 에리(Eric)을 세 나라의 국왕으로 세우고 스스로 섭정이 되어 실권을 쥐었던 일. 1523년 스웨덴이 이탈하여 해체됨.

칼막이-끌 명 날이 창과 같이 뾰족하고 칼코등이를 자루목에 메운 끌.

칼-맞다 자 칼침을 당하여 상하다.

칼-메기다 타 투전짝을 고르게 섞기 위하여 반쯤 갈라 부챗살처럼 펴서 두 쪽의 각 장이 사이에 서로 끼어 들게 밀어 넣다.

칼메트 [Calmette, Albert Léon Charles] 명 《사람》 프랑스의 세균학자. 결핵의 전염 경로와 그 박멸책의 구명(究明)에 노력, 동료인 게랭(Guérin)과 함께 비 시 지(BCG)를 완성하였음. 이 밖에 알코올 발효 및 뱀독(毒)의 혈청 요법 연구가 있음. [1863-1933]

칼모듈린 [calmodulin] 명 《화》 동식물의 조직 중에 널리 분포하여 칼슘과 결합하는 단백질. 효소의 활성을 지배하고 세포의 기능을 조절함.

칼모틴 [Calmotin] 명 《화》 브롬발레릴 요소(Bromvaleryl 尿素)의 상품명. 백색 무취의 결정상(結晶狀) 분말. 진정·최면제로 쓰임.

칼-몸 명 칼의 몸. ¶~이 짤막하다.

칼무크 [Kalmuck] 명 《지》 칼미크(Kalmyk).

칼무크 문자【—文字】[Kalmuck] [—짜] 명 칼미크 문자.

칼무크-어【—語】[Kalmuck] 명 《언》 칼미크어.

칼무크-족【—族】[Kalmuck] 명 《인류》 칼미크족.

칼미아 [Kalmia] 명 《식》 [*Kalmia latiforia*] 철쭉과에 속하는 상록 관목. 높이 1-4m이고, 잎은 달걀꼴 또는 타원형으로 끝이 뾰족함. 꽃은 5월에 지난해 자란 가지 끝에 산방 화서(繖房花序)로 피며, 지름은 2cm, 빛깔은 담홍색임. 북미에 6종이 원생하며 정원수 또는 분에 가꾸고, 실생(實生)·휘묻이·접목으로 번식시킴. 잎에 유독(有毒) 마취 성분이 있음.

칼미크 [Kalmyk] 명 《지》 카스피 해(海) 서북 연안에 있는 러시아 연방의 자치 공화국(自治共和國). 주민의 대다수는 칼미크족(族)이며, 주산업은 목축(牧畜)임. 주도(主都)는 스텝노이(Stepnoi). 칼무크. [75,900 km^2 : 310,000명(1983)]

칼미크 문자【—文字】[Kalmyk] [—짜] 명 17세기 초 볼가 강 지방에 이주한 몽고족 칼미크 인이 사용하던 문자. 몽고 문자를 조금 변경한 것으로 25자인데, 세로로 쓰며 우행(右行)임. 칼무크 문자.

칼미크-어【—語】[Kalmyk] 명 《언》 몽고어 오이랏(Oirat) 방언 중, 볼가 강(Volga江) 하류에 분포한 언어. 칼무크어.

칼미크-족【—族】[Kalmyk] 명 《인류》 서몽고족의 총칭. 현재 중국의 신장웨이우얼(新疆維吾爾) 자치구 톈산 북로(天山北路) 지방, 그 외에 카스피 해 북서 연안에 살고 있음. 유목 생활(遊牧生活)을 영위하며 라마교를 신봉함. 칼무크족.

칼바도스 [프 calvados] 명 프랑스의 노르망디(Normandie) 지방 칼바도스 현(縣) 특산의 사과 브랜디. 프랑스에서는 중급품이며, 보통 식사하면서 마심.

칼-바람 [—빠—] 명 ①칼끝으로 호비는 듯한 몹시 차고 매운 바람. ②아주 혹독한 박해를 비유적으로 이르는 말.

칼뱅 [Calvin, Jean] 명 《사람》 프랑스의 종교 개혁가·신학자. 루터의 뒤를 이어 가톨릭교에 반대하고 1536년 제네바에 망명하여 종교 개혁에 착수, 교회의 제도·의식 및 일반 시정(市政)과 시민의 풍습 생활까지도 개혁하여 유럽 근대 민주주의 발전에 큰 영향을 주었음. 성서를 교의의 최고 권위(權威)로 인정하고 섭리(攝理)·예정설(豫定說)을 주장함. 《기독교 강요(綱要)》 등을 저술했음. [1509-64]

칼뱅-교【—敎】[Calvin] 명 《기독교》 칼뱅주의(Calvin 主義)를 신봉하는 기독교의 한 파.

칼뱅-이슴 [Calvinism] 명 《기독교》 칼뱅주의(Calvin 主義).

칼뱅-주의【—主義】[Calvin] [—/—이] 명 《기독교》 16세기 칼뱅의 종교 개혁 운동에 의해 제네바를 중심으로 엄격한 성서주의를 받들고 신의 절대적 권위와, 예정적 은총(豫定的恩寵)과 장로에 의한 교회 정치, 깨끗한 신앙 생활을 주내용으로 하여 일어난 기독교의 교의(敎義). 이 영향으로 프랑스에서는 위그노(Huguenot), 스코틀랜드에서는 장로 교회가 생겼으며, 영국의 퓨리터니즘의 원류(源流)가 되었음. 사회·정치·경제상 특히 영미(英美)에 큰 영향을 미쳤음.

칼베 [Calvé, Emma] 명 《사람》 프랑스의 소프라노 가수. 가극 《파우스트》 등에 출연하였는데, 폭 넓은 성량(聲量)과 연기로 인기를 얻었음. 본명은 Emma de Roquer. [1858-1942]

칼-부림 명 칼을 함부로 내저어 상대편을 위협하는 짓. 칼질. ——하다 자여불

칼-산【—山】[—싼] 명 《불교》 칼이 삐죽삐죽 솟은, 지옥에 있다는 산. ¶그것으로…선길 장수 체통을 되찾는 것에 이바지한다면 ~지옥으로 떨어진들 어찌 피할 수가 있겠습니까? 《金周榮 : 客主》.

칼-상어【—魚】 명 《어》 ↗칼철갑상어.

칼-상처【—傷處】 명 칼에 다친 상처.

칼-새 명 ①《조》 [*Micropus pacificus pacificus*] 칼샛과에 속하는 새. 제비와 비슷한데 날개 길이 18cm 가량이고, 몸빛은 배면(背面)과 하면

(下面)은 흑갈색, 목은 백색, 허리에는 백색 띠가 있으며 깃털의 가장자리는 백색임. 네 개의 발가락이 모두 앞쪽을 향한 것이 특징이며, 날개가 길고 뾰족하여 칼 모양임. 절벽에도 앉고, 특히 비바람이 치는 우천시(雨天時)에 도회지(都會地)까지 떼지어 날아옴. 6-7월에 절벽에 둥지를 짓고 두세 개의 백색 알을 낳음. 곤충을 포식(捕食)하는 익조(益鳥)로, 해안·고산(高山)에 서식하는데, 한국·일본·중국·만주에서 번식하고 호주 부근에서 월동(越冬)함. 명매기. 호연(胡燕). 귀제비. ＊바늘꼬리칼새. ②〈방〉 새매.

〈칼새❶〉

칼샛-과【一科】[명]〚조〛[Micropodidae] 칼새목(目)에 속하는 한 과. 몸빛은 대체로 흑색이고 허리 등에 백색부(白色部)가 있고, 머리는 편평하며, 부리는 짧고 편평하고, 날개가 날카롭게 긺. 둥지는 바위·동굴 등에 짓고 한 배에 대체로 순백색의 알을 한두 개 낳음. 칼새·바늘꼬리칼새 등이 이에 속함. 전세계에 80여 종이 분포함. 명매기과.

칼세올라리아 [명]〚식〛[*Calceolariahe herbeohybrida*] 현삼과에 속하는 다년생 화초. 남미의 페루(Peru) 및 칠레(Chile) 원산. 현재 원예용으로 가꾸는 것은 교배 잡종으로 높이는 30-60 cm, 타원형의 잎이 밀생하고 4-5월에 주머니 모양의 진기한 꽃이 피는데, 빛깔은 황색·갈색·담황색 등 다양하고, 얼룩점이 있어 아름다움.

칼-손잡이 [명] 칼에 달린 손잡이.

칼송이-풀 [명]〚식〛[*Pedicularis lunaris*] 현삼과에 속하는 다년초. 거친 털이 있고 줄기는 높이 150 cm 내외이며, 잎은 호생하고 무병(無柄)에 피침형임. 7-8월에 홍자색의 꽃이 줄기 위 엽액(葉腋)에 총상(總狀) 화서로 피고, 삭과(蒴果)는 달걀꼴임. 높은 산에 나는데 함북의 관모봉(冠帽峰)·설령(雪嶺)에 분포함.

칼슘〔calcium〕[명]〚화〛알칼리 토류(土類) 금속에 속하는 은백색의 무른 경금속 원소. 녹는점 851°C, 끓는점 1,240°C, 비중 1.55. 산(酸)에 잘 용해되며, 공기에 닿으면 수산화물과 탄산염으로 변함. 연성(延性)과 전성(展性)이 있으며, 주석(朱錫)보다는 굳음. 천연적으로 유리(遊離)하여 산출되지는 않으나, 방해석(方解石)·석회석·석고·백악(白堊)·인회석 등에 포함되어 알루미늄·철에 다음으로 지각(地殼) 중에 널리 분포되어 있음. 식물체에는 옥살산염(酸塩)으로서 존재하며, 동물 골격의 주성분을 이루고 있음. 용융(溶融)한 칼슘염을 전해(電解)하여 만드는데 여러 방면에 쓰임. [20번: Ca: 40.08]

칼슘 경도【一硬度】〔calcium〕[명]〚화〛물 속에 탄산염(炭酸塩)·중(重)탄산염으로서 용해하여 존재하는 칼슘 이온의 양을 나타내는 수치. 경도가 높아지면 인산(燐酸) 나트륨으로 처리하게 됨.

칼슘 대:사【一代謝】〔calcium〕[명]〚생〛혈장(血漿) 중의 칼슘 농도를 일정하게 유지하며, 뼈의 석회화(石灰化)를 위한 칼슘 공급(供給)을 하는 생화학적·생리학적 과정.

칼슘-분【一分】〔calcium〕[명]〚화〛칼슘의 성분.

칼슘 비누〔calcium〕[명] 석회염류와 보통 비누가 화합하여 생기는 백색 불용성(不溶性)의 비누. 보통 석회질을 함유하고 있는 물로 비누를 사용할 때 생기는데, 표백·염색·세탁 등을 할 때 이것이 생기면 비누의 효력이 손실되고 나쁜 결과를 일으킴.

칼슘 사:십오〔calcium 45〕[명]〚물〛칼슘의 방사성 동위 원소. 45의 질량수를 가지며, 인체나 기타 생물체의 칼슘의 신진 대사를 연구하는 방사성 트레이서로 씀. 반감기(半減期)는 164일. 기호: ^{45}Ca.

칼슘 시안아미드〔calcium cyanamide〕[명]〚화〛염화 칼슘과 플루오르화(化) 칼슘의 혼합물을 촉매로 하여 탄화 칼슘에 질소 가스를 통하면 생기는 무색의 육방 정계 결정(六方晶系結晶). 물과 작용하여 암모니아와 탄산 칼슘으로 분해됨. 탄소와의 혼합물을 석회 질소라고 하며 비료로 쓰임. [$CaCN_2$]

칼슘 카:바이드〔calcium carbide〕[명]〚화〛탄화 칼슘.

칼시민〔calcimine〕[명] 수성 도료(水性塗料)의 하나. 백색 또는 유색(有色)으로, 벽·천장의 마무리용 도료로 씀.

칼시토닌〔calcitonin〕[명]〚생〛칼슘 대사(代謝)를 조절하는 호르몬의 일종. 폴리펩티드(polypeptide)의 하나.

칼시페롤 [명]〔calciferol〕〚화〛비타민 디투(vitamine D_2)의 별칭.

칼-싸움 [명] 칼을 잡고 하는 싸움. [준]칼쌈. ——하다 [자][여불]

칼-싹두기 [명] 밀가루 같은 것을 반죽하여 칼로 굵직 굵직하고 조각지게 썰어서 물에 끓인 음식. 도면(刀麪). ＊수제비·칼국수·칼제비.

칼-쌈 [명] ↗칼싸움. ——하다 [자][여불]

칼-쓰다 [자]〚역〛죄인이 목을 칼의 구멍 안에 끼우다.

칼-씌우다 [一씌一] [타]〚역〛죄인(罪人)의 목에 칼을 씌우다.

칼잎벌과【一科】[一립一꽈] [명]〚충〛[Xyelidae] 벌목(目)에 속하는 한 과. 촉각의 제3절은 길고 산란관도 긺. 유충은 복부의 20개 환절(環節)에 한 쌍씩 의각(擬脚)이 있음. 나뭇잎을 먹으며 침엽수(針葉樹)에도 기생함. 현재까지 5종이 알려져 있음.

칼잎-용담【一龍膽】[一립一] [명]〚식〛[*Gentiana uchiyamana*] 용담과의 다년초. 줄기 높이 1 m 가량에 잎은 대생하며 엽병(葉柄)이 없는 긴 타원형 또는 피침형임. 8-9월에 자색 꽃이 줄기 끝에 여러 송이 정생(頂生) 또는 액생(腋生)하고, 삭과(蒴果)는 길쭉하고 두 각편(殼片)으로 째어짐. 산지(山地)에 나는데, 한국 중부 이북에 분포함.

칼-자 [一짜] [명]〚역〛지방 관아(地方官衙)에서 음식을 맡아 만들던 하인. 도척(刀尺).

칼-자국 [一짜一] [명] 칼로 찌르거나 벤 자국. 도반(刀瘢).

칼-자루 [一짜一] [명] ①칼에 달린 자루. 검파(劍把). 도파(刀把). ②〈속〉실제의 권력이나 힘. ¶～ 쥔 사람.

칼자루를 잡다 [구] 상대방보다 유리한 입장에 있다.

칼자루 끝장식【一裝飾】[一짜一] [명]〚고고학〛동검(銅劍)의 자루 끝에 장식으로 청동이나 돌로 만들어 붙인 것. 검파두식(劍把頭飾).

칼-자이 [一짜一] [명]〈방〉〚역〛칼자.

칼-잡이 [명] ①손에 칼을 쥔 사람. 또는 칼싸움을 직업적으로 하는 사람. 검객(劍客). ¶～의 손에 죽다. ②소나 돼지 같은 것을 잡는 일을 업으로 하는 사람. ＊백장.

칼-장단【一長短】[一짱一] [명] 도마질할 때 율동적(律動的)으로 내는 칼소리.

칼-전대【一纏帶】[一쩐一] [명] 칼집에 꽂은 칼을 넣어 두는 전대.

칼-제비 [명] 칼싹두기나 칼국수를 수제비에 대하여 일컫는 말.

칼-조개 [명]〚조개〛[*Lamceolaria acrorhyncha*] 부족류(斧足類) 석패과(石貝科)에 속하는 조개. 대형(大形)으로 보통 패각(貝殼)은 높이 23 mm, 길이는 88 mm이나 200 mm를 넘는 것도 있으며 끝이 갑자기 좁아져 뾰족한 칼끝 모양을 하고 있음. 각정(殼頂)은 앞쪽에 치우쳐 있고 두두룩한 돌기가 분포하며 빛깔은 흑갈색임. 강이나 호수의 비교적 깊은 곳에 서식하는데 한강·낙동강·금강 상류에 분포함.

칼:즈배드 캐번스 국립 공원【一國立公園】〔Carlsbad Caverns〕[一닙一] [명]〚지〛미국 뉴멕시코 주 남동부에 있는 국립 공원. 1930년에 지정되었음. 과달루페 산지 동쪽 기슭에 위치한 종유굴군(群)으로, 가장 깊은 동굴은 지하 400 m에 이름. 이중 가장 유명한 빅룸은 길이 800 m, 너비 198 m, 높이 87 m임. 또 수백만으로 추산되는 박쥐들의 서식지로도 알려져 있음.

칼-질 [명] ①칼로 물건을 깎거나 썰거나 베는 일. ②☞칼부림. ——하다 [자][여불]

칼-집[1] [一찝] [명] 칼날을 보호하기 위하여 칼의 몸을 꽂아서 넣어 두는 물건. 도실(刀室). 검초(劍鞘).

칼-집[2] [一찝] [명] 요리를 만들 재료에 칼로 에어서 낸 진집.

칼집-붙이 [一찝부치] [명]〚고고학〛나무로 만든 칼집의 중간중간에 붙어 있는 청동제의 테장식. 검초 부속구(劍鞘附屬具).

칼집 아가리 [一찝一] [명] 칼집의 아가리.

칼-차다 [자] 칼을 끈에 달아 허리에 띠다. ¶칼찬 군인.

칼-철갑상어【一鐵甲一】[명]〚어〛[*Acipenser dabryanus*] 철갑상어과에 속하는 바닷물고기. 철갑상어와 비슷한데 몸길이 1 m 가량, 입과 꼬리가 길고 뾰족함. 한국 서남해에 분포함. [준]칼상어.

칼-첨자【一籤子】[명] 칼날이 쉬 빠지지 못하게 누르기 위하여 장도집에 끼우는 것 가락 모양의 쇠붙이.

칼-춤 [명] ①〚악〛정재(呈才) 때 추는 춤의 한 가지. 향악(鄕樂)의 한 부분으로, 여기(女妓) 네 사람이 각각 전립(戰笠)을 쓰고 전복(戰服)을 입고 검기(劍器)를 두 손에 하나씩 들고 양편에 나누어 마주 서서 춤. 이 춤에는 창사(唱詞)가 없음. 검기무(劍器舞). ②칼을 손에 들고 추는 춤. 검무(劍舞).

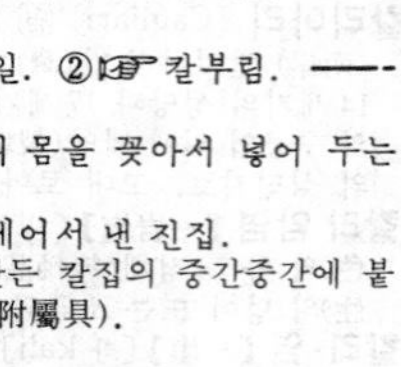
〈칼춤❶〉

칼치 [명]〈방〉〚어〛갈치(경상·경기·강원·충북·전라).

칼-침【一鍼】[명] 칼로 찌르거나 또는 찔리는 것을 가리키는 말.

칼침(을) 맞다 [구] 원혐(怨嫌) 등으로 칼 맞아 피해를 입다.

칼카 [명]〔포 calcador〕총신(銃身)을 소제하거나 총구로부터 탄알을 재는 데 쓰는 꼬챙이.

칼카스〔Kalchās〕[명]〚사람〛트로이에 원정(遠征)한 그리스군(軍)의 예언자(豫言者). 군대를 휩쓴 전염병의 원인과 전쟁의 계속 기간 따위를 예언했음. 전후 클라로스(Klaros)에서 예언자 모프소스(Mopsos)와 재주를 겨루다가 패배하여 분사(憤死)했음.

칼칼-하다 [형][여불] ①목이 말라서 무엇을 마시고 싶은 생각이 간절하다. ¶목이 칼칼해 온다. ②맵고 자극하는 맛이 있다. ¶칼칼한 대로 맛이 괜찮군. 1)·2): <컬컬하다.

칼-코 [명]〚고고학〛칼자루와 칼날 사이에 있는 돌출된 부분. 검심(劍鐔).

칼코겐〔chalcogens〕[명]〚화〛산소족(酸素族) 원소(元素).

칼-코등이 [명] 칼자루의 슴베 박은 쪽의 목에 감은 쇠로 된 테. 검비(劍鼻). 검환(劍環). 도환(刀環). [준]코등이.

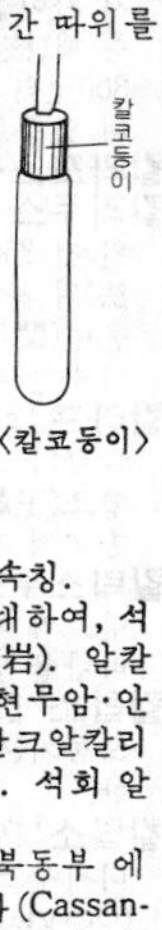

〈칼코등이〉

칼쿠리 [명]〈방〉갈퀴(경남).

칼퀴 [명]〈방〉갈퀴(충남).

칼크〔라 calc〕[명]〚화〛①석회. ②'클로르칼크(chlorkalk)'의 속칭.

칼크알칼리-암【一岩】〔calc alkali〕[명]〚광〛알칼리암(岩)에 대하여, 석회를 많이 함유하며 알칼리는 적고 규산이 많은 화성암(火成岩). 알칼리가 많은 유색 광물이나 준장석(準長石)은 포함하지 않음. 현무암·안산암(安山岩)·유문암(流紋岩) 및 그 심성암상(深成岩相)을 칼크알칼리암계라 함. 알칼리암에 비해 훨씬 일반적이고 다량으로 나옴. 석회 알칼리암.

칼키디키 반:도【一半島】〔Khalkidhiki〕[명]〚지〛그리스 북동부 에게해(Aegae海)에 돌출한 반도. 서단부는 다시 카산드라(Cassandra)·시토니아(Sithonia)·악티(Acte)의 세 반도로 나뉘어짐. 산이 많고 담배·올리브·포도주를 산출하며 마그네사이트·크롬 등의 광산물도 나옴. 반도 기부(基部)의 서쪽에 테살로니키(Thessalonike), 악티 반도 선단에 성지(聖地) 아토스 산(Athos山)이 있음.

칼킷〔Calcuit〕[명]〔calcium+biscuit〕칼슘을 함유하는 비스킷의 상품명.

칼테엿것 [명]〈옛〉칼 종류. 도류(刀類). ¶이제 아톨이 다론 댱가 드다 ᄒᆞ고 내게 잡그릇돌과 쁘던 자과 칼테엿것과 제스ᄒᆞ는 긔구를 아사다가 새 사름을 주려 ᄒᆞ거놀≪太平 I:16≫.

칼-토막 명 〈방〉 도마(충남·황해).

칼-토매기 명 〈방〉 도마(황해·평북).

칼티 명 〈방〉〖어〗 갈치.

칼파-수:트라 [Kalpa-sūtra] 명 고대 인도의 제사 의례(祭祀儀禮)의 요강서(要綱書). 기원 전 4세기 전후에 성립함. 공사(公私)에 걸친 제식(祭式) 집행이나 일상 생활의 의무 등을 규정함.

칼팍스 [kalfax] 명 자외광(紫外光)을 감광(感光)하는 유제(乳劑). 폴리에스테르 필름 베이스에 발라 열로 현상(現像)시킴.

칼-판【一板】명 칼질할 때 밑에 받치는 널조각.

칼-판때기 명 〈방〉 도마(전북).

칼-품다 [一따] 자 살의(殺意)를 품다.

칼: 피셔 시:약【一試藥】[Karl-Fisher] 명 〖화〗 미량의 물의 정량용 시약의 하나. 이산화황과 피리딘·요오드를 각각 메탄올에 녹여서 두 액체를 만들었다가 사용 직전에 섞음.

칼피스 [Calpis] 명 젖산성(酸性) 음료의 상표명. 우유를 가열(加熱)·살균(殺菌)하여 냉각(冷却)·발효(醱酵)시킨 후, 당액(糖液)·칼슘을 융합시켜 만듦.

캄란 만【一灣】[Camranh] 명 〖지〗 베트남 중부, 남중국해에 면한 만. 베트남 전쟁 때에는 미국의 해군 기지로 사용되었음.

캄베이 만【一灣】[Cambay] 명 〖지〗 아라비아 해의 북동부, 카티아와르(Kathiawar)·데칸(Deccan)의 두 반도(半島) 사이에 있는 만. 마히(Mahi)·나르마다(Narmada)·타프티(Tapti)의 여러 강이 흘러 들어가고 퇴적(堆積)이 심함.

캄보 [combo] 명 〖악〗 [combination orchestra의 약칭] 재즈용의 소편성(小編成)의 기악 그룹. 보통 3명에서 7-8명의 것을 이름.

캄보디아-국【一國】[Cambodia] 명 〖지〗 인도차이나 반도 동남부의 공화국. 태평양 전쟁 종결 후 프랑스 연합에 속하는 독립 왕국이 되었다가 1955년 왕이 퇴위하고 공화 체제로 바뀜. 1970-75년까지 쿠데타로 집권한 론놀 정권 아래서는 크메르(Khmer)로 개칭(改稱)함. 1989년 5월에 사회주의 색채가 짙었던 캄보디아 인민 공화국을 캄보디아국이라 개칭함. 주민은 캄보디아족을 주로 하며 주산업은 농업으로 쌀·고무가 주산물이고 주요 수출품임. 이 밖에 옥수수·후추·담배 등을 산출하며, 인(燐)·철 등의 광산(鑛産)이 있고 담배 제조·제유(製油) 공업도 행하여짐. 수도는 프놈펜(Pnompenh). ＊ 캄푸차. [181,035 km²: 10,861,000명(1996 추계)]

캄보디아-어【一語】[Cambodia] 명 〖언〗 캄보디아를 중심으로 타이·베트남에 분포하는 언어. 몬어(Mon語)·몬크메르어(Mon-Khmer語)를 형성하며 오스트로아시아(Austroasia) 어족(語族)에 속함. 캄보디아의 국어이며, 남인도계의 문자를 사용함. 7세기 이래의 비문(碑文) 자료가 있음. 고립어(孤立語)이며, 어순(語順)은 주어＋동사＋목적어, 피수식어(被修飾語)＋수식어. 크메르어(Khmer語).

캄보디아-인【一人】[Cambodia] 명 〖인류〗 캄보디아의 주요 민족. 원주(原住)하고 있던 몬족(Mon族)·크메르족(Khmer族)과 인도계 식민자 등과의 혼혈로 형성된 것으로 추측됨. 캄보디아어를 사용함. 피부는 검은 편이며 비교적 장신(長身)·단두(短頭)임.

캄브리아-계【一系】[Cambrian system] 명 〖지〗 캄브리아기(紀)에 속하는 지층.

캄브리아-기【一紀】명 [Cambrian Period] 〖지〗 고생대(古生代) 중 가장 오랜 시대. 5-6억 년 전에 해당되며 이 시대에 척추 동물(脊椎動物)을 제외한 대부분의 동물의 선조형(先祖形)이 나타났으나 육지의 동식물은 출현하지 않음. 특히 삼엽충(三葉蟲)의 출현이 현저함. ＊ 지질 시대(地質時代).

캄브리아 산지【一山地】[Cambria] 명 〖지〗 영국의 남서부, 웨일스(Wales)의 산지의 총칭. 하부 고생대(下部古生代) 암석을 주체(主體)로 하며 칼레도니아(Caledonia) 조산 운동(造山運動)에 의해 습곡(褶曲)을 받은 고생대 전기 지층이 전형적으로 발달된 곳임. 현재의 지형(地形)은 평균 700-800 m의 융기(隆起) 준평원(準平原)임.

캄비세스 이:세【一二世】[Kambyses Ⅱ] 명 〖사람〗 아케메네스 왕조(Achaemenes王朝) 페르시아 제국의 왕. 키로스(Kyros) 2세의 맏아들. 기원 전 525년 이집트를 정복하였고, 그 후 에티오피아에도 원정(遠征)하였으나, 실패하였음. 이 원정중에 본국에서 가우마타(Gaumata)의 반란이 일어나자 귀국 길에 죽음. [?-522 B.C.; 재위 528-522 B.C.]

캄차카 반:도【一半島】[Kamchatka] 명 〖지〗 시베리아의 동북부로부터 남쪽으로 돌출한 방추상(紡錘狀)의 반도. 동은 베링 해, 서는 오호츠크 해에 접하며, 남은 쿠릴 열도(Kurile列島)에 대하고 있음. 러시아 영토로 캄차카 산맥이 가로 뻗고 그 위에 캄차카 화산대가 겹쳐 있어 많은 화산이 있음. 연해에는 수산물이 많음. [270,000 km²]

캄캄-절벽【一絕壁】명 아무것도 모르고 있다는 말.

캄캄 칠야【一漆夜】명 아주 캄캄하게 어두운 밤. ¶ 옆에서 뺨을 쳐도 모를 ～에.

캄캄-하다 형 여불 ①몹시 어둡다. <컴컴하다. ②희망의 빛이 없어 앞길이 까마득하다. ③정보나 소식 또는 그 분야의 일을 전혀 알지 못하다. 1)-3): ㅆ깜깜하다.

캄파 [러 kampa] 명 [캄파니야(kampaniya)의 약칭] 투쟁. 특히, 대중에 호소하여 어떤 목적을 달하고자 하는 경우에 씀.

캄파냐 [Campania] 명 〖지〗 이탈리아 서남부의 주(州). 주도는 나폴리. 베수비오 화산·폼페이(Pompeii)의 유적이 있으며, 나폴리 만두(灣頭)는 관광지로 유명함. [13,595 km²]

캄파넬라 [Campanella, Tommaso] 명 〖사람〗 이탈리아의 철학자·정치 사상가. 도미니코회(Dominico會) 수사(修士)로 나폴리(Napoli) 독립 운동(獨立運動)에 가담하여 27년간 투옥되었는데, 옥중(獄中)에서 쓴 ≪태양의 나라≫는 근세(近世) 유토피아(Utopia) 사상의 원천(源泉)을 이루었음. [1568-1639]

캄파니야 [러 kampaniya] 명 캠페인(campaign).

캄팔라 [Kampala] 명 〖지〗 아프리카 중부, 우간다의 수도. 빅토리아 호(Victoria湖)의 북쪽 기슭, 표고 약 1,150 m의 고원에 있으며 인도양 연안의 몸바사(Mombasa)와 철도로 연결됨. 면화·커피 따위 농산물의 집산지임. [773,000명(1995 추계)]

캄퍼르 [Camper, Pieter] 명 〖사람〗 네덜란드의 해부학자·의사. 안과학(眼科學)·외과학(外科學)을 비롯하여 의학 전반에 업적을 남김. 특히, 인류학(人類學) 및 두개(頭蓋)의 연구로 알려짐. [1722-89]

캄펀 [Campen, Jacob van] 명 〖사람〗 네덜란드 바로크(baroque)의 건축가·화가. 하를럼(Haarlem)에서 출생. 루벤스(Rubens)에게 회화(繪畫)를 배웠는데, 이탈리아에서 팔라디오(Palladio)의 영향을 받아 17세기 네덜란드의 시민 생활에 적합한 실질적 건축 양식을 창조함. 대표작은 암스테르담의 시청사(市廳舍). [1595?-1657]

캄펜 [camphene] 명 〖화〗 두 고리 모노테르펜(monoterpene)의 하나로, 백색 결정(結晶)의 덩이. 선광성(旋光性)을 가지며, 녹는점은 50°C, 끓는점은 156°C. 약한 장뇌(樟腦) 냄새가 남. 장뇌와 같은 살충제의 합성 원료로 쓰임. [$C_{10}H_{16}$]

캄포마네스 [Campomanes, Pedro Rodríguez de] 명 〖사람〗 스페인의 정치가·경제학자. 왕실 고문 회의 의장·왕실 역사학회장을 지냈으며, 카를로스 삼세(Carlos Ⅲ)를 섬긴 계몽적 절대주의자로 유명함. 프랑스 중농(重農)주의의 영향하에 스페인 경제 부흥에 진력함. 농업 협회·공업 협회·국립 은행 등을 설립함. [1723-1802]

캄포포르미오 조약【一條約】[Campo Formio] 명 〖역〗 나폴레옹의 이탈리아 원정 결과 1797년 이탈리아 북동부의 촌락 캄포포르미오에서 프랑스·오스트리아간에 체결된 평화 조약. 프랑스는 네덜란드·이오니아 제도(Ionia諸島)를 차지하고 다시 비밀 조약으로 라인강 좌안(左岸)을, 오스트리아는 베네치아(Venezia)를 각각 차지함.

캄푸스 [Campos] 명 〖지〗 ①브라질 내륙부(內陸部)의 고원을 뒤덮는 광대한 초원과 그 지역. ②브라질 동남부에 있는 도시. 리우데자네이루주(州)에서 가장 비옥(肥沃)한 농업 지대의 중심지로 제당·알코올·직물(織物)·피혁·비누·가구(家具)·건축 재료·커피·담배 등의 공업이 행해짐. 공항(空港)이 있으며, 대서양 연안의 마카에(Macaé)와 운하로 통함. [174,218명(1980)]

캄푸치아 [Kampuchea] 명 〖지〗 캄보디아국의 정식 이름.

캄프토사우루스 [Camptosaurus] 명 쥐라기(Jura紀) 후기의 초식 공룡(草食恐龍). 뭍에 살며, 몸길이는 1-2 m. 새와 같은 부리가 있고 입 속에는 평평한 이가 나란히 남. 두 발 또는 네 발로 보행(步行)함. 비교적(比較的) 특수화(特殊化)하지 않은 조반류(鳥盤類)이며 이와 비슷한 것은 안킬로사우루스(Ankylosaurus)·트리케라톱스(Triceratops) 등의 조상(祖上)임.

캄플라지 명 ☞ 카무플라주.

캄피니 문화【一文化】[Campigny] 명 프랑스의 북부(北部)를 중심으로 영국·벨기에·네덜란드·남부 독일에 분포된 신석기 시대 전기(前期)의 농경(農耕) 문화. 1872년 모르강(Morgan, J. D.)이 프랑스 북부의 캄피니에서 유적을 발견, 누두상(漏斗狀)의 주거(住居) 유적·화로 등이 발굴되어 처음으로 문화의 존재가 밝혀짐.

캄필:리 [Campigli, Massino] 명 〖사람〗 이탈리아의 화가(畫家). 피렌체(Firenze)에서 태어나 파리에 정주(定住)함. 독학(獨學)으로 그림을 배웠으며, 입체파와 이집트 미술의 영향을 받은 후, 에트루리아(Etruria) 미술에 심취(心醉)하여 아르카이크(archaïque)한 여성상(女性像)의 구성으로 알려짐. 파도바(Padova) 대학의 대벽화(大壁畫) 등 벽화 작품도 많음. [1895-1971]

캅 [미 cop] 명 〈속〉 경관. 경찰관. ¶ 투 ～스(두 경찰관).

캅셀 [도 Kapsel] 명 교갑(膠匣). 캡슐.

캅테인 [Kapteyn, Jacobus Cornelius] 명 〖사람〗 네덜란드의 천문학자. 1904년 항성(恒星)의 고유 운동의 통계로부터 항성 사이에는 서로 정반대 방향으로 흐르는 이대 성류(二大星流)가 있음을 발견, 은하계의 구조 연구에도 공헌했음. [1851-1922]

캉[1] [Caen] 명 〖지〗 프랑스 북부 노르망디 지방의 고도(古都). 캉 운하로 영국 해협과 통함. 수도원·생피에르 성당·캉 대학이 있음. 제철 및 전기·전자 공업이 활발함. [117,119명(1982)]

캉[2] 조 〈방〉 와(경상). ¶ 너～ 나～ 놀자.

캉글리 [Kangli] 명 〖역〗 몽고의 킵차크 한국(Kipchak汗國)의 주류(主流)를 이루는 중앙 아시아의 터키계(Turkey系)의 유목민(遊牧民). 당린(唐隣). 강리(康里).

캉돌 [Candolle, Augustin Pyrame de] 명 〖사람〗 스위스의 식물학자. 식물 자연 분류법의 완성에 힘써, 식물 자연학의 창시자로 일컬어짐. 주저(主著)에 ≪식물학 통론(通論)≫이 있음. [1778-1841]

캉딩 [康定] 명 〖지〗 중국 쓰촨 성(四川省) 동부의 현(縣). 티베트 동부로 통하는 문호(門戶). 연광(鉛鑛)의 산지이며 약재·모피·사향(麝香) 등을 산출함. 한족(漢族)·티베트족(族)이 거의 반반씩 거주함. 강정(康定). [86,000명(1982 추계)]

캉 성 [康生] 명 〖사람〗 중국의 정치가. 대학 재학 중에 공산당에 입당(入黨)하고, 제2차 대전 후에 당 조직부장·정치국원·산둥 성 주석(山東省主席) 등을 역임. 1966년의 문화 혁명 때에 활약했으며, 1973년 공산당 부주석(副主席)이 됨. 강생(康生). [1903-75]

캉 유웨이 [康有爲] 명 〖사람〗 중국 청말(淸末) 중화 민국 초(初)의 정치가·학자. 호는 창수(長素) 또는 난하이(南海). 광둥 성 난하이 현(南海縣) 사람. 유럽의 신사조(新思潮)를 받아 사학(史學)·불교학·공양학(公羊學)을 배워 독자적인 유교 학설을 내세웠으며, 열강(列強)의 중국 침략에 대해 변법 자강(變法自疆)의 방책을 주장했음. 1898년 광서제(光緖帝)를 받들어 무술 변법(戊戌變法)이라는 정치적 개혁 운동을 일으켰으나, 서태후(西太后) 등의 보수파 때문에 실패했음. 그후에도 청조 부흥에 의한 군주 정체 확립을 주장하여 쑨 원(孫文)의 혁명 운동과 대립했음. 저서에 ≪대동서(大同書)≫·≪공자 개제고(孔子改制考)≫ 등이 있음. 강유위(康有爲). [1858-1927]

캉캉[1] 〔프 cancan〕 명 1830-44년경에 파리의 댄스홀에서 유행하던 서민의 저속한 춤. 특별한 스텝은 없으나 몸을 자유로이 흔들고 오리걸음을 흉내 낸 스텝이 특징임. 프렌치 캉캉.

캉캉[2] 부 작은 개가 짖는 소리. <컹컹. ——-하다 자여불

캉캉-거리다 자 잇따라 캉캉 소리를 내어 짖다. <컹컹거리다.

캉캉-대다 자 캉캉거리다.

캉프라 〔Campra, André〕 명 〖사람〗 프랑스의 오페라 작곡가. 륄리(Lully, Jean Baptiste)와 나란히 초기(初期) 프랑스 오페라를 대표하는 음악가임. 오페라 ≪베네치아(Venezia)의 사육제(謝肉祭)≫가 유명함. [1660-1744]

캉프르 〔프 camphre〕 명 〖약〗 캠퍼(camphor). ¶ ~ 주사/~ 팅크.

캐나다 〔Canada〕 명 〖지〗 북미 대륙의 북반(北半)을 차지하는 영국 연방 내의 독립국. 국토의 3분의 1이 툰드라, 3분의 1이 타이가(taiga), 나머지 3분의 1은 냉온대(冷溫帶)에 속함. 주민의 44%는 영국계이고 약 30%는 프랑스계임. 공용어는 영어·프랑스어(語). 세계 유수의 밀 생산국임. 광산 자원이 풍부하여 니켈·아연의 생산은 세계 1위이며 구리·철·금·납·우라늄·백금도 산출함. 기계·자동차·제지·제철·정유(精油)·식품 가공 등 공업이 발달하고 수산업도 성함. 원수(元首)는 영국왕. 10개 주(州)와 2개의 준주(準州)로 이루어지는 연방제(聯邦制)를 시행하며, 연방 의회는 상하 양원(上下兩院). 수도는 오타와(Ottawa). 가나다(加那陀). [9,976,139 km²: 26,990,000명(1991 추계)]

캐나다 발삼 〔Canada balsam〕 명 캐나다에서 나는 소나뭇과 식물의 수지(樹脂)로 만드는, 쓴 맛이 있고 향기가 좋은 담황색의 끈끈한 액체. 점착성(粘着性)이 강하고 굴절률이 유리와 비슷한데 광학 기계의 유리 접합이나 현미경의 슬라이드 제작에 사용됨.

캐나다 순상지 【一楯狀地】〔Canada〕 명 〖지〗 북아메리카 대륙(大陸)의 북동부에서 그린란드에 걸쳐 선(先)캄브리아 시대의 암석으로 된 광대한 지역의 지질학 상의 호칭. 몇 차례의 조산 운동(造山運動)에 의하여 생성(生成)하고, 고생대 이후의 지층은 이 순상지를 둘러싼 모양으로 퇴적했음. 로렌시아 순상지. ＊안정 대륙(安定大陸).

캐나디안 〔Canadian〕 명 카누 경기에서, 용골(龍骨) 위에 한쪽 무릎을 대고, 한쪽만 물갈퀴가 붙은 노로 좌우 번갈아 저어 나아감. 1인승·2인승의 두 종목이 있고, 거리는 보통 1,000 m 및 10,000 m이며, 남자 종목뿐임.

캐:-내다 타 〔↗캐어 내다〕 ①파내다. ②캐어물어서 속내를 알아 내다.

캐넌 〔cannon〕 명 ①〖군〗 카농포(canon 砲). ②당구에서, 공을 치는 사람의 공이 목적하는 공 둘을 연속적으로 맞히는 일.

캐노피 〔canopy〕 명 〖항공〗 ①낙하산의 주요 지지면(支持面)을 이루는 삿갓 모양의 부분. ②항공기 조종석 위에 있는 투명한 덮개.

캐니벌리즘 〔cannibalism〕 명 사람이 사람 고기를 먹는 습관. 식인 습관(食人習慣).

캐닝 〔Canning, George〕 명 〖사람〗 영국의 정치가. 1822-27년 외상(外相)으로서 자유주의적 외교 정책을 전개하여, 먼로 선언(Monroe宣言)과 그리스의 독립을 지원하였으나, 내정(內政)에 있어서는 선거법 개정에 반대하였음. 1827년 수상 취임 직후에 병사(病死)함. [1770-1827]

캐:다[1] 타 〔중세: 킈다〕 ①땅에 묻힌 물건을 파내다. ¶도라지를 ~. ②모르는 일을 자꾸 찾아 밝히어 내다. ¶남의 비밀을 ~.

캐다[2] 타 〈방〉 켜다[1]❶(경남).

캐더 〔Cather, Willa Sibert〕 명 〖사람〗 미국의 여류 소설가(女流小說家). ≪오, 개척자≫·≪나의 안토니아(Antonia)≫ 및 ≪우리들 중의 하나≫로 퓰리처상(Pulitzer賞)을 받음. [1876-1947]

캐드 【CAD】 명 〔computer aided design의 약칭〕 컴퓨터 보조 설계.

캐들-거리다 자 입속으로 좀 새되게 잇따라 웃다. <키들거리다. 캐들-캐들 부

캐디 〔caddie, caddy〕 명 골퍼(golfer)를 따라다니며 공을 줍거나 클럽(club)을 들고 다니는 사람. 보통, 소녀들을 고용함.

캐딜락 〔Cadillac〕 명 미국 고급 자동차의 상품명(商品名). 제너럴 모터스(General Motors) 회사의 제품임.

캐러더스 〔Carothers, Wallace Hume〕 명 〖사람〗 ☞ 커러더스.

캐러멜 〔caramel〕 명 ①〖화〗 자당(蔗糖)을 200°C로 가열할 때 생기는 갈색 비결정(非結晶)의 엿과 같은 물질. 흑(黑) 맥주·과자·식초·알코올 등의 착색제(着色劑)로 쓰임. ②수크로오스에 우유·초콜릿·커피 등을 넣고 고아서 굳힌 과자. 조그맣게 잘라서 종이나 오블라토(oblato)로 싸서 갑에 넣어 팖.

캐러멜 맥아 【一麥芽】〔caramel〕 명 맥주의 향기로운 맛을 내는 데 쓰는 양조용 맥아의 한 가지.

캐러멜 소:스 〔caramel sauce〕 명 후식용(後食用) 조미료. 물과 설탕을 섞어 중간불에 걸쭉하게 끓인 다음 향료를 넣어 푸딩에 사용함.

캐러밴 〔caravan〕 명 ①대상(隊商). ②〖건〗 조립식 주택 건축의 하나. 공장에서 만든 건물을 자동차로 견인하는 형식의 것. 이동에 편리한 것과 고정하여 사용하는 것이 있고, 레저용(leisure用)의 작은 집, 건설 공사의 가설 식당 등으로 쓰임.

캐러웨이-유 【一油】〔caraway〕 명 〖화〗 네덜란드 원산의 미나릿과(科) 식물 *Carum carvi*의 씨를 증류하여 만든 황색의 향유(香油). 주성분은 카르본. 비누 향료. 리큐르(liqueur) 제조 등에 쓰임.

캐러콜라이트 〔caracolite〕 명 〖광〗 결정질(結晶質) 피각상(皮殼狀)으로 존재하는 무색의 광물. 나트륨·납의 황산염(黃酸塩) 및 염화물(塩化物)로 이루어짐.

캐럴[1] 〔carol〕 명 크리스마스나 부활절(復活節)의 축가(祝歌).

캐럴[2] 〔Carroll, Lewis〕 명 〖사람〗 영국의 수학자·동화 작가(童話作家). 캐럴은 ≪이상한 나라의 앨리스(Alice)≫를 발표할 때의 필명(筆名)이며, 본명은 Charles Ludwidge Dodgson임. [1833-98]

캐럿 〔carat〕 의명 ①보석의 무게의 단위. 200 mg에 해당함. 기호: car., ct. ②순금(純金)의 함유도(含有度)를 나타내는 단위. 순금을 24캐럿으로 침. 예를 들면 18캐럿은 24분(分) 중에 18분의 순금을 함유하고 있는 것임. K. 또는 Kt. 카라토(carato).

캐롤라인 제도 【一諸島】〔Caroline〕 명 〖지〗 태평양 서부 미크로네시아에 있는 미국의 신탁 통치령인 제도. 팔라우(Palau)·야프(Yap)·트루크(Truk)·포나페(Ponape)의 비교적 큰 화산도(火山島)와 900 이상의 작은 섬으로 이루어짐. 이 가운데 트루크·포나페·야프·코스라에 등 4 지구는 1986년 독립국이 되었음. 타로토란·바나나·코브라 등을 산출함. 뉴필리핀. [1,194 km²: 85,337명(1980)]

캐리 〔carry〕 명 골프에서, 공을 친 지점에서 그 공이 처음 바운드한 첫째 낙하 지점까지 실제로 난 비상 거리(飛翔距離). 굴러간 거리는 포함하지 않음.

캐리-백 〔carry-back〕 명 럭비에서, 필드 오브 플레이(field of play)로부터 인골(in-goal)로 공을 가지고 가서 지면(地面)에 대는 일. ——-하다 타여불

캐리어 〔carrier〕 명 〖기〗 물건 또는 사람을 운반하는 기계.

캐리어 웨이브 〔carrier wave〕 명 〖물〗 반송파(搬送波).

캐리잉-볼: 〔carrying-ball〕 명 농구·핸드볼 등에서, 볼을 가지고 허용된 걸음 수 이상을 걷는 반칙(反則).

캐리커처 〔caricature〕 명 〖예〗 ①희화(戲畫). 만화(漫畫). 풍자화. ②〖문〗 시대나 사회를 비판하는 묘사법. 어떤 성격을 표현하는 경우에, 그 중 한둘의 특장(特長)이나 성질을 묘출(描出) 강조하여 전체를 나타내게 하는 표현법.

캐릭터 〔character〕 명 ①성격. 인격. ②특성. 특질. ③〖문〗 작품에 등장하는 인물. ④연극 중의 등장 인물. 또, 그가 분장(扮裝)하는 역할.

캐릭터 상품 【一商品】〔character〕 명 판매를 촉진하기 위해 텔레비전·잡지 등에 등장하는 인기 있는 인물·동물·심벌 또는 그 이미지를 디자인에 도입한 상품. 문방구·의류 등에 많음.

캐멀 〔camel〕 명 ①낙타. ②낙타의 털을 원료로 한 직물(織物).

캐멀 헤어 〔camel hair〕 명 낙타털.

캐:-묻다 타ㄷ불 ↗캐어묻다.

캐미솔: 〔camisole〕 명 ①여성용 속옷의 하나. 소매가 없고 길이는 허리 아래까지이고 끈으로 어깨에 걸침. 페티코트(petticoat)와 함께 슬립(slip) 대신으로 입음. ②여자용의 짧은 자켓.

〈캐미솔❶〉

캐번디시[1] 〔Cavendish, Henry〕 명 〖사람〗 영국의 물리학자·화학자. 물리학상의 정전기(靜電氣)에 관한 여러 가지 기초적 실험, 지구의 비중(比重) 측정, 열(熱)의 실험과 화학 상의 수소(水素)의 발견, 물의 정밀한 분석 등 많은 업적을 남김. [1731-1810]

캐번디시[2] 〔Cavendish, Thomas〕 명 〖사람〗 영국의 항해가. 1586년 배 세 척을 이끌고 플리머스(Plymouth)를 출범, 대서양을 남하하여 남미에서 필리핀·자바·희망봉(喜望峰)을 거쳐 1588년에 귀국(歸國), 세 번째의 세계 주항자(周航者)가 되었음. 후에 항해중(航海中)에 죽었음. [1560-92]

캐번디시 연:구소 【一研究所】〔Cavendish〕 명 영국의 케임브리지 대학에 있는 연구소. 캐번디시가(家)의 기부(寄附)로 1870년 맥스웰이 중심이 되어 창설하였음.

캐벌 〔Cabell, James Branch〕 명 〖사람〗 미국의 소설가·계보학자(系譜學者). 신문 기자 등의 경험이 있음. 독특한 풍자(諷刺)가 특색(特色)으로, 중세(中世) 프랑스의 가공(架空)의 나라 푸아템(Poictesme)을 무대(舞臺)로 한 작품(作品)이 많고, 특히 ≪저건(Jurgen)(1919)≫이 유명함. [1879-1968]

캐벗 〔Cabot〕 명 〖사람〗 ①〔John C.〕 이탈리아의 항해 탐험가. 북미(北美) 연안을 탐험하여, 그린란드 및 뉴펀들랜드를 발견하였음. 이탈리아 본명은 Giovanni Caboto. [1450-98] ②〔Sebastian C.〕 ❶의 아들. 북미(北美)의 허드슨 만(Hudson 灣) 및 남미(南美)의 동해안 라플라타(La Plata) 지방을 발견하였음. [1476?-1557]

캐브타이어 코:드 〔cabtyre cord〕 명 특수 고무 피복(被覆)한 코드. 물에 잘 견디고 튼튼하므로 습기나 마찰이 심한 전기 세탁기·전기 청소기 등에 쓰임.

캐비닛 〔cabinet〕 명 ①수집품(蒐集品)·사무 용품 등을 넣어 두는 장. ¶철제 ~. ②미술품 같은 것을 진열하는 유리 문으로 장식한 선반. ③내각(內閣). ④〖사진〗 카비네판(cabinet 判). ⑤라디오나 텔레비전의 외형을 이루는 상자.

캐비아 〔caviar〕 명 철갑상어의 알젓. 세계적인 진미로 알려짐. 오르되브르(hors d'oeuvre)·카나페(canapé)·술안주 등에 쓰임.

캐비지 〔cabbage〕 명 〖식〗 양배추.

캐비테이션 〔cavitation〕 명 펌프·수차·유압 기기(油壓機器) 등속에서, 압력이 국부적으로 액(液)의 포화 증기압(飽和蒸氣壓) 이하로 저하(低

下)하고 액이 소기포(小氣泡)가 되어 증발(蒸發)하는 현상. *공동 현상(空洞現象).
캐빈 〔cabin〕 명 ①조그만 집. 오막살이. ②배의 1등 및 2등 선실. ③함선(艦船)의 함장실(艦長室)·선장실(船長室).
캐빈 클래스 〔cabin class〕 명 선실(船室)의 등급(等級)에서, 퍼스트 클래스와 투어리스트 클래스의 중간인 특별 2등.
캐서린 이:세 【一二世】 〔Catherine〕 명 〖사람〗 예카테리나 2세의 영국식 표기.
캐소:드 〔cathode〕 명 〖물〗 음극(陰極). 특히, 진공관(眞空管)의 음극.
캐슈: 〔cashew〕 명 〖식〗 [*Anacardium occidentale*] 옻나뭇과의 상록 교목. 높이 10 m 정도. 열대(熱帶) 아메리카 원산(原産)으로 옻나무와 비슷함. 씨는 식용, 수지(樹脂)는 도료(塗料)로 사용함.
캐슈: 너트 〔cashew nut〕 명 캐슈의 열매. 신장형(腎臟形)으로, 구워서 핵(核)을 식용함.
캐슈: 애플 〔cashew apple〕 명 캐슈 너트의 열매 꼭지. 양주(洋酒)·아이스크림의 맛을 내는 데 씀. 비대(肥大)하고 식용 과육(食用果肉)이 있으므로 과실로 오인(誤認)되었음.
캐스케이드 산맥 【一山脈】 〔Cascade〕 명 〖지〗 미국 워싱턴 주로부터 오리건 주에 걸쳐 태평양 연안과 평행하게 달리는 산맥. 화산이 많고 빙하(氷河)가 현존(現存)함. 세계적인 임업 지대(林業地帶)임. 최고봉은 레이니어 화산(Rainier 火山)으로 4, 392 m임.
캐스케이드 샤워 〔cascade shower〕 명 〖물〗 고(高)에너지 전자 또는 광양자(光量子)가 물질층에 입사(入射)하여 기하 급수적으로 많은 입자를 만드는 현상. 전자의 제동 복사(制動輻射)에 의한 광양자의 생성, 광양자에 의한 전자, 양전자의 쌍생성(雙生成)이 번갈아 되풀이되어 다수의 전자·양전자·광양자가 증식되고 그 비적(飛跡)이 폭포의 물보라 모양을 나타냄.
캐스터 〔caster〕 명 ①텔레비전 뉴스 따위의 보도원·해설자. ②소금·후추·겨자·소스 같은 것을 넣어 두는 양식용(洋食用)의 기구.
캐스터네츠 〔castanets〕 명 〖악〗 스페인의 타악기. 두 짝의 목편(木片)이나 상아를 손가락에 끼워 서로 마주 때리면서 소리를 내는데, 보통, 기타(guitar)와 함께 스페인 무용의 반주에 쓰며, 교향 관현악에서는 자루가 달린 것을 사용함.

〈캐스터네츠〉

캐스트 〔cast〕 명 ①〖연〗 연극이나 영화에 있어서의 배역(配役). ¶올스타 ~. ②주형(鑄型). 주조물(鑄造物).
캐스트너 〔Castner, Hamilton Young〕 명 〖사람〗 미국의 화학 기술자. 뉴욕 태생으로 1886년 도영(渡英), 나트륨, 칼륨의 공업적 제조법을 연구함. 1890년 식염수의 전해(電解)에 의한 나트륨의 제조법 특허를 얻었음. [1859-99]
캐스트 스틸: 〔cast steel〕 명 주강(鑄鋼).
캐스트 아이언 〔cast iron〕 명 주철(鑄鐵).
캐스팅 〔casting〕 명 ①〖인쇄〗 주조기(鑄造機). ②〖연〗 역(役)을 배정하는 일. 또, 그 배역. ——-하다 타여불
캐스팅 릴: 〔casting reel〕 명 낚시에 쓰는 릴의 하나. 스풀(spool)을 회전시켜서 줄을 감는 구조로 되어 있음. 대형의 것은 트롤용으로 사용함.
캐스팅 보:트 〔casting vote〕 명 ①가부 동수(可否同數)인 경우의 의장의 결재 투표. 결정 투표(決定投票). ②의회 같은 데서 이대(二大) 정당의 세력이 거의 같을 때 그 승패를 결정하는 제삼당(第三黨)의 투표. 결정 투표.
캐슬 인자 【一因子】 명 〔castle's factor〕 〖생〗 음식이나 위액 속에 있는 항빈혈(抗貧血) 인자. 이것이 결핍되면 악성 빈혈이 생김. 건강한 사람의 위액에 함유되어 있는 내인자(內因子)와 음식에 함유된 외(外)인자로 구분됨. 악성 빈혈 환자의 위액에는 결여되어 있는데, 위암 등으로 위 전체를 절제했을 때 빈혈이 일어나는 것도 내인자가 없어지기 때문임.
캐시 〔cash〕 명 현금(現金).
캐시 기억 장치 【一裝置】 〔cache〕 명 〖컴퓨터〗 중앙 처리 장치의 빠른 처리 속도와 주 기억 장치의 느린 응답 속도 사이의 효율적인 동작을 위해 두 장치 사이에 실질적으로 설치되는 빠른 속도와 적은 용량의 기억 장치로서, 속도뿐 아니라, 블록 단위의 기억으로 중앙 처리 장치와 주기억 장치 간의 교류 횟수 또한 줄여주는 장치.
캐시 레지스터 〔cash register〕 명 금전 등록기(金錢登錄器).
캐시리스 체크리스 소사이어티 〔cashless checkless society〕 명 컴퓨터나 크레디트 카드의 이용이 발전하면 현금(現金)이나 수표(手票)가 불필요하게 되리라는 사회(社會).
캐시미어[1] 〔Cashmere〕 명 〖지〗 '카슈미르(Kashmir)'의 영어명(英語名).
캐시미어[2] 〔cashmere〕 명 카슈미르 지방에서 나는 산양의 털로 짠 부드러운 능직물(綾織物). 윤기가 있고 바탕이 질겨서 양복지로 많이 쓰임.
캐시미어 산양 【一山羊】 〔cashmere〕 명 〖동〗 산양(山羊)의 일종. 카슈미르 지방 원산의 모용종(毛用種). 소형종(小形種)으로 거칠고 긴 털로 덮여 있으며 그 밑에 견사(絹糸)와 같은 부드러운 잔 털이 밀생(密生)하고 있음. 털빛은 회백색·황백색·순백·암갈색 및 흑색 등이 있으며, 부드러운 잔 털은 캐시미어 직물의 원료가 됨.
캐시미어 숄: 〔cashmere shawl〕 명 캐시미어 실로 짠 숄(shawl).
캐시미어 실: 〔cashmere〕 명 카슈미르 지방에서 나는 염소의 털로 만든 실.
캐시밀론 〔Cashmilon〕 명 아크릴니트릴계(系) 합성 섬유의 상표명. 캐시미어 비슷한 촉감으로 가볍고 보온성(保溫性)이 있어 양복지 등으로 쓰임.
캐시-북 〔cashbook〕 명 현금 출납부.
캐시 카:드 〔cash card〕 명 현금 인출 카드(現金引出 card).
캐시토-미:터 〔cathetometer〕 명 두 점 사이의 수직 거리를 측정하는 기구. 눈금이 붙은 납 기둥에 따라 상하로 이동할 수 있는 망원경 또는 현미경으로 만들어졌음.

〈캐시토미터〉

캐어-묻다 타ㄷ불 깊이 파고들어 묻다. ¶죄상을 ~. ㊟캐묻다.
캐주얼 슈:즈 〔casual shoes〕 명 평상시에 신는 구두의 총칭.
캐주얼 워:터 〔casual water〕 명 〖골프〗 코스내에 비 따위로 일시적으로 괸 물.
캐주얼 웨어 〔casual wear〕 명 간단한, 약식(略式)의 평상복(平常服).
캐처 〔catcher〕 명 야구에서, 포수(捕手). 캐치. ↔피처.
캐처 보:트 〔catcher boat〕 명 포경 모선(捕鯨母船)을 따라다니는 300 톤 정도의 배. 속력이 빠르고 파도에 잘 견디며, 견인력(牽引力)이 큰 디젤선(diesel 船). 뱃머리에 포경포(捕鯨砲)가 비치되어 있음. 포경선.
캐처스 라인 〔catcher's line〕 명 야구에서, 포수선(捕手線).
캐츠-아이 〔cat's-eye〕 명 ①묘안석(猫眼石). ②헤드라이트의 빛을 반사하는 도로 표지용의 유리 구슬.
캐치 〔catch〕 명 ①잡음. 쥠. ②야구에서, 볼을 잡는 일. ③야구에서, 캐처(catcher). ④보트 레이스에서, 오어(oar)를 물 속으로 잘 넣는 일. ⑤수영에서, 손을 물 속에 넣는 일. ——-하다 자타여불
캐치 볼: 〔catch ball〕 명 야구에서, 공을 던지고 받고 하는 연습(演習). ——-하다 자여불
캐치-폰: 〔catchphone〕 명 통화 중인 전화에 호출 신호를 보내어 연결시키는 전화기. 전화국의 교환기(交換機)에 설비(設備)함.
캐치 프레이즈 〔catch phrase〕 명 ①광고·선전에서 적확한 표현으로 대중의 심리를 잘 포착하는 기발한 문구(文句). ②경구(警句).
캐터머랜-선 【一船】 〔catamaran〕 명 쌍동선(雙胴船).
캐터머랜 요트 〔catamaran yacht〕 명 쌍동형(雙胴型)의 요트.
캐터펄트 〔catapult〕 명 〖군〗 ①노(弩)와 비슷한 고대 그리스·로마의 투석기(投石機). ②함선(艦船) 위나 좁은 지면(地面)에서 비행기를 뜨게 하는 장치. 화약·압축 공기 등의 힘으로 비행기를 실은 레일(rail) 위의 대차(臺車)를 달리게 하여 공중으로 사출(射出)시킴. 비행기 사출기. 사출기(射出機). 사출 장치.
캐터플렉시 〔cataplexy〕 명 〖의〗 ①지나친 분노 또는 웃음 등의 과대 감정(誇大感情)으로 유발(誘發)되는 갑작스러운 근실조(筋失調). 종종, 깊은 수면 욕구(睡眠慾求)를 수반함. ②갑작스러운 병의 개시로 인한 허탈(虛脫). ③최면성(催眠性)의 수면(睡眠).
캐터필러 〔caterpillar〕 명 무한 궤도(無限軌道).
캐터필러 트랙터 〔caterpillar tractor〕 명 바퀴 대신에 캐터필러를 장치한 트랙터. 힘이 세며, 공사하는 데 쓰임.

〈캐터필러 트랙터〉

캐터필러 트랙터 회:사 【一會社】 〔Caterpillar Tractor〕 명 불도저·트랙터 등 건설 기계의 세계 시장에서 거의 50 %를 점하는 미국의 회사. 무한 궤도를 캐터필러로 부름은 이 회사의 이름에서 유래함. 1925년 설립, 제2차 대전의 군수(軍需)로 급성장했음.
캐티네이션 〔catenation〕 명 〖화〗 탄소(炭素)와 같이 원자(原子)가 다수 연결하여 분자(分子)를 만드는 원소(元素)의 성질.
캐티키즘 〔catechism〕 명 ①〖기독교〗 기독교의 교의(敎義)를 문답식(問答式)으로 평이하게 해명한 책. 안수례(按手禮)를 받으려고 하는 사람의 교육에 쓰임. 교리 문답서. ②〖천주교〗 공적(公的) 교의의 교과서. 대개 문답식으로 되어 있음.
캐프라 〔Capra, Frank〕 명 〖사람〗 미국의 영화 감독. 시칠리아 태생. 무성 영화 시대에 영화계에 발을 들여 놓음. 토키 초기에 ≪어느 날 밤에 생긴 일(1934)≫로 미국 특유의 경희극(輕喜劇)을 창시함. ≪우리 집의 낙원(1938)≫이 대표작임. [1897-1991]
캐피털 〔capital〕 명 ①자본. 자본금. ②대문자(大文字). ③수도(首都). ④〖건〗 주두(柱頭). 특히, 고대 그리스에 있어서의 도리스·이오니아·코린트의 세 주두 양식은 유명함.
캐피털 게인 〔capital gain〕 명 〖경〗 유가 증권(有價證券) 또는 그 밖의 자산(資産)의 매매(賣買)에 의한 이익. 자본 이득.
캐피털리스트 〔capitalist〕 명 자본가. 자본주의자.
캐피털리즘 〔capitalism〕 명 〖경〗 자본주의.
캑 부 목구멍에 걸린 것을 뱉어 내려고 힘껏 기침하는 소리. *칵·캭. ——-하다 자여불
캑스턴-판 【一版】 〔Caxton〕 명 영국의 활판 인쇄술의 개조(開祖)인 캑스턴(Caxton W.; 1422?-91)이 제작한, 활판 인쇄로 된 도서(圖書).
캑-캑 부 여러 번 캑하는 소리. *칵칵·캭캭. ——-하다 자여불
캑캑-거리다 자 연해 캑캑 소리를 내다.
캑캑-대다 자 캑캑거리다.
캑터스 〔cactus〕 명 〖식〗 선인장.
캔 〔can〕 명 통조림. 통조림의 통.
캔들 〔candle〕 명 양초.
캔디[1] 〔candy〕 명 ①봉봉·드롭스·캐러멜·초콜릿·누가 등의 사탕 과자의 총칭. 당과(糖果). ②모든 과자의 총칭. ③↗아이스 캔디.

캔디² [Kandy] 명 『지』 스리랑카 중부의 옛 도시. 차·고무의 집산지. 풍광 명미(風光明媚)한 피서지. 불교 사원(寺院)·바라문교 사원·왕궁·옛성 따위가 많음. [125,000 명(1985)]

캔버라 [Canberra] 명 『지』 오스트레일리아의 수도(首都). 1913년부터 건설된 계획 도시. 행정구(行政區)·주택구(住宅區)·공장구(工場區) 등으로 나뉘고, 인공 호수를 공원에 배치, 마치 거미집과 같은 가로(街路)가 각구(各區)를 연결함. [320,000 명(1995 추계)]

캔버스 [canvas] 명 ①『미술』 삼베 같은 천에 아교나 카세인을 바르고 그 위에 다시 아마유(亞麻油)·아연화(亞鉛華)·밀타승(密陀僧) 등을 섞어서 바른 물건. 유화(油畫)를 그릴 때 씀. 화포(畫布). ②보트레이스에서 보트의 구조상(構造上), 선수의 좌석(座席)이 없는 곳을 이름. 물이 들어오지 않도록 캔버스를 쳤는데, 그 길이는 일정하지 않지만, 골 앞에서 '캔버스의 차(差)'라 함은 2-3 m 차를 말함.

캔버스 보:트 [canvas boat] 명 캔버스로 만든 조립식 보트. 공기로 팽창시켜 부력(浮力)을 줌. 최근에는 고무를 입힌 즈크제가 많음. 유람용·낚시용임. 즈크보트.

캔슬 [cancel] 명 ①취소(取消). 삭제. ②특히, 무역상의 계약 해제(解除). ——하다 타여불

캔자스-시티 [Kansas City] 명 『지』 캔자스 주와 미주리 주에 걸쳐 있는 상공 도시. 시역(市域)이 양주(兩州)에 걸쳐 있으나 미주리 주가 주임. 도살장·쇠고기 통조림 공장 등이 있고, 제철·정유(精油)·제분(製粉)·제재(製材)·농기구 등의 공업이 성함. 제 2 차 대전 후에 자동차 공업을 주축으로 한 공업의 발달이 현저함. [미주리측 435,146 명, 캔자스측 149,767 명(1990)]

캔자스 주【一州】 [Kansas] 명 『지』 미국 중앙부의 주. 미주리 주의 서쪽, 콜로라도 주의 동쪽에 있는데, 겨울 밀의 세계적 산지이며 옥수수의 재배도 성함. 소·양·돼지의 축산도 많으며 천연 가스·석유 등의 광산도 있음. 동부의 여러 도시에서는 군수(軍需)·농업 기계 공업이 행하여짐. 주도(州都)는 토페카(Topeka). [213,095 km²: 2,477,574 명(1990)]

캔터 [canter] 명 갤럽(gallop)과 트로트(trot)의 중간 속도로 달리는 말의 보통의 구보(驅步).

캔터베리 [Canterbury] 명 『지』 영국 동남부의 도시. 종교(宗教)의 중심지로, 대성당(大聖堂)이 있고, 켈트인과 로마인의 유적(遺蹟)이 많아 관광 산업이 발달했음.

캔터베리 대:성당【一大聖堂】 [Canterbury] 명 영국 캔터베리에 있는 교회. 영국 국교회 대주교좌(大主教座)가 있으며, 6세기에 건립된 이후 7번 재건·개축을 번복, 현재의 것은 주로 11세기에 건축한 것으로 노르만 양식에서 초기 고딕에의 전환기의 양식임.

캔터베리 이야기 명 [The Canterbury Tales] 『책』 영국의 시인(詩人) 초서(Chaucer, G.)의 산문(散文)적인 운문(韻文) 설화집. 1393-1400년경 집필한 것으로 중세 문학 최대 걸작의 하나임. 캔터베리 대성당으로 순례(巡禮)의 길을 가는 29명의 신분·직업들이 다른 잡다(雜多)한 사람들이 심심 파적으로 차례로 이야기를 해 나가는 형식.

캔턴 [Canton] 명 『지』 미국 오하이오 주 동북부의 공업 도시. 제철·기계 공업이 발달함. [95,000 명(1980)]

캔턴 섬 [Canton] 명 『지』 태평양 중앙부 키리바시 공화국을 구성하는 피닉스 제도(Phoenix 諸島)의 주도(主島). 마름모꼴이며 안 쪽에 넓은 개펄이 있음. 구아노(guano)를 산출함. 호놀룰루와 뉴칼레도니아 간의 중계 항공 기지로 중요한 위치를 차지함. 1939 년부터 1979 년 키리바시로 독립할 때까지 미국·영국의 공동 관리 하에 있었음. [88 km²]

캔트 [cant] 명 『기』 ①철도의 곡선부(曲線部)에 있어서의 바깥쪽 레일과 안쪽 레일과의 높이의 차. 열차의 원심력에 의한 탈선 전복을 막기 위하여 바깥쪽 레일은 안쪽 것보다 높게 부설됨. ②사이클링·오토레이스 등의 경주로(競走路)의 곡선부에 있어서의 외주(外周)와 내주(內周)와의 높이의 차.

캔틸레버 [cantilever] 명 까치발처럼 벽면(壁面) 같은 데서 뻗쳐 나온 보. 그 위에 실린 무게를 한 군데의 지점(支點)으로 받음.

캘거리 [Calgary] 명 『지』 캐나다 앨버타 주(Alberta州) 남부의 도시. 밀·소 따위 농축산물의 대집산지로 교통의 요지임. 부근에 유전(油田)이 있음. 제분·식육 가공·정유 공업 등이 발달함. [636,104 명(1986)]

캘굴리 [Kalgoorlie] 명 『지』 오스트레일리아의 웨스턴 오스트레일리아 주 남부의 사막 대지(沙漠臺地)에 있는 광업 도시. 1893년 이래 이 나라의 금 생산의 중심지임. 대륙 횡단 철도가 인접해 있으며 공항도 있음.

캘러버라이트 [calaverite] 명 『광』 황색 또는 회백색의 단사 정계(單斜晶系) 광물. 일반적으로 텔룰르화금(tellur化金)과 소량의 은을 함유함. [$AuTe_2$]

캘러타이프 [calotype] 명 『사진』 1840년 톨벗(Talbot)이 발명한, 음화에서 양화를 얻는 최초의 사진법. 톨벗 타이프라고도 함. 질산은(窒酸銀) 용액에 적신 종이를 요오드화 칼륨으로 처리, 종이 위에 요오드화은(銀)을 생성시켜, 산성 몰식자 질산은(沒食子窒酸銀) 용액으로 감광성을 높이고, 이를 감광판(感光板)으로 하여 촬영함. 산성 몰식자 질산은 용액으로 현상하여 브롬화 칼륨 용액으로 정착시켜 음화를 얻어 인화지에 인화하여 양화를 만듦.

캘러헌 [Callaghan, James] 명 『사람』 영국의 정치가. 1945년 노동당 하원 의원, 47년 운수 정무 차관(運輸政務次官), 64년 재무상(財務相), 74년 외상(外相) 등을 역임, 76년 수상이 됨. 1979년 총선거에서 보수당(保守黨)에 패배함. [1912-]

캘리도니언 [calidonian] 명 칼레도니아, 곧 지금의 스코틀랜드에서 비롯한 무도(舞蹈)의 하나.

캘리컷 [Calicut] 명 『지』 '코지코드(Kozhikode)'의 별칭(別稱).

캘리코 [calico] 명 평직(平織)으로 된 나비가 넓은 흰 무명의 총칭.

캘리퍼스 [callipers, calipers] 명 자로 재기 힘든 물건의 바깥 지름·안지름·두께·폭 등을 재는 데 쓰는 측정용 보조 기구. 연결된 구붓한 두 다리를 목적물에 낸 다음 그것을 자로 재어 측정함. 바깥 지름·두께·폭 등을 재는 데 쓰는 것을 엑스터널(external) 캘리퍼스, 안지름을 재는데 쓰는 것을 인터널(internal) 캘리퍼스라고 함. 측경기(測徑器).

〈캘리퍼스〉

캘리포늄 [Californium] 명 『화』 칼리포르늄.

캘리포:니아 대학【一大學】 [California] 명 미국 캘리포니아 주의 주립 대학. 1868년 창립. 버클리·로스앤젤레스 등 주내의 9개 도시에 산재함. 샌프란시스코의 의학 센터는 의학의 종합적 교육 연구 기관으로서 특색 있는 존재임.

캘리포:니아 만【一灣】 [California] 명 『지』 북미의 태평양 연안, 멕시코 본토와 캘리포니아 반도 사이의 좁다란 만. 길이 약 1,120 km, 폭 약 160 km. 만(灣) 깊숙이 콜로라도 강(Colorado 江)이 흐름. 새우 등의 어획(漁獲)이 많음.

캘리포:니아 반:도【一半島】 [California] 명 『지』 멕시코 북서부의 길다란 반도. 길이 1,200 km, 폭 48-240 km. 산이 대부분을 차지하며, 건조하고 식물(植物)이 적음. 구리 등의 광산물이 나며, 서단부의 라파스(La Paz), 미국과의 국경 부근의 티후아나(Tijuana) 등에 미국 관광객을 노린 관광지가 발달함. 주도(主都)는 북단의 멕시칼리(Mexicali).

캘리포:니아 유전【一油田】 [California] 명 미국 캘리포니아 주 남부, 로스앤젤레스 주변과 캘리포니아 분지 남부 일대의 유전. 19세기 말에 발견되었으며 한때는 국내 최대의 유전이었음. 1970 년대부터 해양 유전 개발에 착수하였고 연(年) 산출량은 약 65,000만 kl 임.

캘리포:니아 주【一州】 [California] 명 『지』 미국, 태평양 연안의 주(州). 북은 오리건, 동은 네바다와 애리조나 주, 남은 멕시코에 접함. 전체적으로 지중해식 기후인데 남부에는 사막도 있음. 오렌지·레몬·포도 등 과수 재배가 성하며 밀·면화·야채도 산출함. 미국 유수의 석유·천연 가스의 생산지이기도 함. 제2차 세계 대전 후 항공 우주 공업이 눈부시게 발전함. 1846년 멕시코 전쟁 때 미군(美軍)이 이곳을 점령하고, 1848년의 조약으로 미국에 할양(割讓)됨. 주도(州都)는 새크라멘토. [404,815 km²: 29,760,021 명(1990)]

캘리포:니아 해:류【一海流】 [California] 명 『지』 미국 서해안을 따라 「남쪽으로 흐르는 해류.

캘린더¹ [calendar] 명 괘력(掛曆)·달력·책력의 총칭.

캘린더² [calender] 명 『기』 압연기(壓延機)의 한 가지. 종이·피륙·고무 같은 것을 압착(壓搾)하여 매끄럽게 윤을 내는 롤러(roller) 기계. 광택기(光澤機).

캘버 필름 [Kalver film] 명 폴리에스테르의 필름 베이스에 디아조(diazo) 화합물을 분산시킨 열가소성 수지(熱可塑性樹脂)를 바른 감광 재료. 감광한 부분에 질소 가스가 발생하여 잠상(潛像)이 이루어지고, 120°C 정도로 가열하면 이 가스가 미소한 거품이 되어 화상(畫像)을 만듦. 마이크로 필름 등에 이용함. 미국 캘버사(社)가 개발한 것.

캘빈 [Calvin, Melvin] 명 『사람』 미국의 화학자. 1947년 캘리포니아 대학 교수. 할로겐류(halogen 類)의 전자 친화력(電子親和力)·금속 포르피린류(porphyrin 類)의 촉매 작용 등을 연구함. 식물 중의 이산화 탄소의 동화 작용의 연구로 1961년 노벨 화학상을 받음. [1911-]

캘빈 사이클 [Calvin cycle] 명 『화』 캘빈 회로(回路).

캘빈 회로【一回路】 [Calvin] 명 『화』 광합성(光合成)에서, 이산화 탄소가 고정(固定)되어 여러 종의 당류(糖類)를 합성하는 경로. 미국의 화학자 캘빈의 이름에서 땀. 캘빈 사이클.

캘캘 부 캘캘거리는 소리. ㅆ깰깰. <킬킬.

캘캘-거리다 자 터져 나오려는 웃음을 참으면서 자주 캘캘 소리를 내며 웃다. ㅆ깰깰거리다. <킬킬거리다.

캘캘-대다 자 캘캘거리다.

캘커타 [Calcutta] 명 『지』 인도 서(西)벵골 주의 수도. 갠지스 강(江)의 지류인 후글리 강(Hooghly江) 어귀로부터 130 km 상류에 위치한 무역항. 상공업·금융의 중심지임. 황마(黃麻) 및 면(綿)·금속·기계·화학 등의 공업이 행해짐. 국립 박물관·동물원·식물·포트 윌리엄 요새 등이 있음. [73.3 km²: 3,305,006 명(1981)]

캘콘 [chalcone] 명 『화』 무색의 사방 정계(斜方晶系) 결정. 녹는점 58°C, 끓는점 347°C. 유도체에 카르타민(carthamin) 등의 식물 색소가 있음. [$C_{15}H_{12}O$]

캘훈 [Calhoun, John Caldwell] 명 『사람』 미국의 정치가. 육군 장관·부통령·상원 의원 역임. 1812년 영미전쟁 당시의 개전론자. 1820년대 말에 보호 관세에 반대하였으며 그 후부터 주권론(州權論)을 주장, 남부의 이익 옹호자가 되었음. [1782-1850]

캠¹ [cam] 명 『공』 회전 또는 왕복 운동을 하는 물체의 표면을 곡면형(曲面形)으로 하고, 이것을 원동체(原動體)로 하여 곡면으로 종동체(從動體)를 밀듯이 해서 종동체에 왕복 또는 회전 운동을 하게 하는 장치.

캠² 【CAM】 명 [computer aided manufacturing의 약칭] 『컴퓨터』 컴퓨터 보조 생산.

캠던 [Camden] 명 『지』 미국 뉴저지 주의 공업 도시. 델라웨어 강(江)을 사이에 둔 필라델피아의 위성 도시. 정유(精油)·조선(造船), 그 밖의 각종 공업이 발달함. [87,492 명(1990)]

캠릿 [camlet] 명 낙타나 앙고라산양(Angora山羊)의 털로 짠 얇고 아름다운 평직(平織)의 모직물. 외투감으로 흔히 사용됨. 낙타지(駱駝地).

캠벨 [Campbell, Thomas] 명 『사람』 영국의 시인. ≪호헨린덴(Hohenlinden)≫·≪발트 해(海)의 싸움≫ 등의 애국적인 전쟁시(戰爭詩)로 유명함. [1777-1844]

캠벨 배너먼 〔Campbell-Bannerman, Henry〕 명 〖사람〗 영국의 정치가. 1868년 이래 하원 의원이 되고, 에이레상(相)·육상(陸相)을 역임. 1899년 자유당 당수가 되고, 후에 수상을 지냄. [1836-1908]

캠벨 스토:크스 일조계 【一日照計】 명 〔一쪼一〕 〔Campbell-Stokes' sunshine recorder〕 〖공〗 태양 광선을 공 모양의 렌즈로 집광(集光)하고, 종이 위에 초점(焦點)을 맺게 하여 종이에 탄 흔적을 남기게 함으로써 일조 시간을 아는 일조계.

캠-샤프트 〔camshaft〕 명 캠 축(軸).

캠 엔진 〔cam engine〕 명 〖공〗 캠과 롤러의 구성으로, 왕복 운동을 회전 운동으로 변환하는 피스톤 엔진.

캠-축 【一軸】 명 〔camshaft〕 〖공〗 캠이 장착(裝着)되어 있는 회전축. 캠샤프트.

캠-코더 〔camcorder〕 명 비디오 카메라와 비디오 카세트 녹화 재생 장치를 일체화(一體化)한 제품.

캠퍼 〔camphor〕 명 〖약〗 정제한 장뇌(樟腦). 장뇌의 액(液). 캉프르.

캠퍼스 〔campus〕 명 학교, 특히 대학의 교정(校庭).

캠퍼 정기 【一丁幾】 〔camphor〕 명 〖약〗 정제 장뇌 10%를 알코올 70%에 용해하고 증류수 20%를 가하여 만든 무색 투명의 액체. 흥분제로 쓰며, 마비(痲痺)·류머티즘·신경통·타박상(打撲傷)·멍든 데 같은 피부에 바름. 장뇌정(樟腦精). 장뇌 정기(樟腦丁幾). 캠퍼 팅크.

캠퍼 주:사 【一注射】 〔camphor〕 명 〖의〗 중병 환자의 혈행(血行)을 촉진시키며, 심장 마비를 막기 위하여 장뇌액(樟腦液)을 놓는 주사.

캠퍼 팅크 〔camphor tincture〕 명 〖약〗 캠퍼 정기.

캠페인 〔campaign〕 명 ①야전(野戰). ②사회적 정치적 목적을 위하여 조직적으로 행하여지는 운동. ③선거전. 유세(遊說). 캄파니아.

캠프 〔camp〕 명 ①야영(野營). 야숙(野宿). 또, 그 막사(幕舍). ②야영 진지(陣地). ——-하다 자여불

캠프데이비드 협정 【一協定】 〔Camp David〕 명 〖정〗 정돈 상태에 빠진 이스라엘과 이집트의 단독 평화 협상을 타개하기 위하여, 미국의 카터 대통령이 이집트의 사다트 대통령과 이스라엘의 베긴 수상(首相)을 미국 메릴랜드 주(州)의 캠프데이비드 대통령 산장(山莊)으로 초치(招致)하여, 1978년 9월 5일부터 17일까지 회담하여 합의한 협정. 이에 의거하여 1979년 3월에 이집트·이스라엘의 평화 협정이 체결됨.

캠프 사이트 〔camp site〕 명 캠프하는 장소. 야영지(野營地).

캠프 인 〔camp in〕 명 〖체〗 합숙(合宿) 연습에 들어가는 일.

캠프 촌 【一村】 〔camp〕 명 캠프가 모여 이룬 마을.

캠프-파이어 〔campfire〕 명 캠프에서 때는 모닥불 또는 그것을 둘러싸고 하는 간담회.

캠핑 〔camping〕 명 야영(野營). 천막 생활. ——-하다 자여불

캡 〔cap〕 명 ①전과 운두가 없는 납작한 모자. ②연필이나 만년필의 뚜껑. ③↗캡틴. ④공산당의 세포 책임자.

〈캡❶〉

캡-램프 〔cap-lamp〕 명 〖광〗 갱내(坑內)에서 쓰는 휴대용 전기등. 소형 전구 및 반사경을 갖춘 두부(頭部)와 축전지로 되어 있음.

캡사이신 〔capsaicin〕 명 〖화〗 고추에서 추출되는 유동성(流動性) 물질. [$C_{18}H_{27}O_3N$]

캡션 〔caption〕 명 주로 신문·잡지 등의 사진의 설명문.

캡션 비디오 〔caption video〕 명 비디오테이프에 캡션 신호가 담기어, 자막 해독기로 연결하면 자막을 함께 볼 수 있는 비디오. 외국어 공부에 이용할 수 있음.

〈캡램프〉

캡슐: 〔capsule〕 명 ①교갑(膠匣). ②피막(被膜). ③씌우는 물건. ④우주 비행체(宇宙飛行體)의 기밀 용기(氣密容器). 캅셀(Kapsel).

캡스턴 〔capstan〕 명 ①수직으로 된 원추형(圓錐形)의 동체(胴體)에 밧줄 또는 체인을 감아 그것을 회전시켜 무거운 물건을 끌어 올리거나 당기는 기계. ②녹음·재생 장치에 있어서, 테이프의 속도를 결정하는 정속 회전축(定速回轉軸).

캡시드 〔capsid〕 명 〖생〗 바이러스 입자(粒子)를 둘러싸고 있는 단백질.

캡틴 〔captain〕 명 ①수령(首領). 장(長). ②선장(船長). 함장(艦長). 해군 대령. ③스포츠 팀의 주장(主將). ④육군 대위(大尉). 준캡.

캡틴 볼: 〔captain ball〕 명 구기(球技)의 하나. 여러 명을 두 편으로 나누어, 중앙에 위치한 자기 편의 주장(主將)에게 공을 보내려고 하며, 상대편은 이것을 방해하는데 주장이 먼저 공을 잡는 편이 이기게 됨. 대장(大將)공.

캥 부 ①여우·늑대 같은 짐승의 우는 소리. ②강아지 따위가 괴로워서 지르는 소리. *컁. ——-하다 자여불

캥거루 〔kangaroo〕 명 〖동〗 ①캥거루과에 속하는 짐승의 총칭. 몇 종류가 있는데 큰 것은 몸길이가 약 2m, 작은 것은 토끼만함. 몸빛도 회색인 것과 붉은 것들이 있음. ②[*Macropus giganteus*] 캥거루과에 속하는 동물. 캥거루 중의 최대형으로 몸길이 1.5m 가량이고, 앞다리는 짧고, 뒷다리는 1m나 되어서 뛰어 달아나기에 적당함. 앞다리는 다섯 발가락이고, 뒷다리는 네 발가락인데 넷째 발가락만이 발달하였음. 몸빛은 수컷은 광택 있는 회색이고, 꼬리와 사지(四肢)는 담색(淡色), 암컷은 회백색이고, 복면(腹面)은 담색임. 복부에 육아낭(育兒囊)과 네 개의 유방(乳房)이 있음. 초식성(草食性)임. 오스트레일리아의 특산종으로 가죽은 여러 가지 공예품 원료로 씀.

〈캥거루❷〉

캥거루-과 【一科】 〔Kangaroo〕 〔一꽈〕 명 〖동〗 〔Macropodidae〕 유대류(有袋類)에 속하는 한 과. 'Hypsiprymnodontinae'·'Potoroinae'·'Macropodinae'의 세 아과(亞科)로 분류하는데, 두세 종이 오스트레일리아에 분포함.

캥거루 섬 〔Kangaroo〕 명 〖지〗 오스트레일리아의 사우스오스트레일리아 주의 남해안 세인트빈센트 만 입구에 있는 섬. 동식물의 생식 보호지가 있고 여름철에는 피서지가 됨. 캥거루가 많아 이 이름으로 불렸다고 함. 동서 약 144km, 남북 약 53km임. [약 4,350km^2]

캥-캥 부 여우 따위가 여러 번 캥하고 우는 소리. *컁컁. ——-하다 자여불

캥캥-거리다 자 잇따라 캥캥 소리를 내다.

캥캥-대다 자 캥캥거리다.

캬들-캬들 부 ☞캐들캐들.

캬라멜 〔caramel〕 명 ☞캐러멜.

캬흐타 〔Kyakhta:恰克圖〕 명 〖지〗 러시아가 신설한 몽골 국경의 교역장(交易場)으로서 시베리아 중부, 부랴트 몽골(Buryat Mongol) 자치 공화국의 소읍(小邑). 대(對)중국 무역의 요지로 고래로 중국 차(茶)의 수입이 성함.

캬흐타 조약 【一條約】 명 〔Treaty of Kyakhta〕 〖역〗 1727년에 청(淸)나라와 러시아가 러시아·몽고 국경에 있는 캬흐타에서 맺은 조약. 네르친스크 조약 이후 활발해진 러시아의 베이징(北京) 무역을 에워싸고 분쟁이 일어나매 이 문제를 해결함과 동시에 양국 관계를 전면적으로 조정한 조약임. 흡극도(恰克圖) 조약.

캭 부 목구멍에 붙은 것을 떼려고 힘 있게 뱉는 소리. *칵·캑. ——-하다 자여불

캭-캭 부 여러 번 캭하는 소리. *캑캑·칵칵. ——-하다 자여불

캭캭-거리다 자 잇따라 캭캭 소리를 내다.

캭캭-대다 자 캭캭거리다.

컁 부 여우가 요물스럽게 우는 소리. *캥. ——-하다 자여불

컁-컁 부 여우가 요물스럽게 연해 우는 소리. *캥캥. ——-하다[1] 자여불

컁컁-거리다 자 잇따라 컁컁 소리를 내다.

컁컁-대다 자 컁컁거리다.

컁컁-하다[2] 형여불 얼굴이 몹시 여위다.

커:[1] 〔Kerr, Deborah〕 명 〖사람〗 세계적인 미국의 여우(女優). 스코틀랜드 출생으로, 런던의 무대를 거치어 1946년 할리우드에 데뷔, 지적(知的) 개성미와 세련된 연기로 이름을 떨침. ≪쿠오바디스≫·≪차와 동정≫ 등에 출연함. [1921-]

커:[2] 〔Kerr, John〕 명 〖사람〗 영국의 물리학자. 처음에는 자유 교회 목사였으나 뒤에 물리학·수학을 연구함. 전기 광학적(電氣光學的) 현상 및 자기(磁氣) 광학적 현상에서의 '커 효과(效果)'의 발견으로 유명함. [1824-1907]

커:[3] 부감 ①맛이 맵거나 냄새가 몹시 독할 때에 내는 소리. ②곤하게 잠잘 때 목젖에 붙은 혀뿌리를 터뜨리며 내는 숨소리. 1)·2): >카.

커나 보동 〈옛〉 하거나. ¶주근 지에 커나(死灰커나)≪楞嚴Ⅸ:61≫.

커널-선 【一線】 〔canal〕 명 〖물〗 양극선(陽極線)의 일종. 관(管)의 중간에 커널(작은 구멍)이 뚫리어 있는 음극을 가진 진공 방전관(眞空放電管)으로, 방전(放電)할 때에 커널의 후방으로 나오는 방사선.

커:너코바이트 〔kurnakovite〕 명 〖광〗 함수 붕산 마그네슘(含水硼酸magnesium)으로 이루어진 백색 광물. [$Mg_2B_6O_{11}\cdot 13H_2O$]

커넥션 〔connection〕 명 ①연락. 관계. ②친한 관계. 교우(交友).

커넥터 〔connector〕 명 〖전〗 ①스텝 바이 스텝식 전화 교환기의 접속 스위치의 하나. ②일반적으로 케이블·코드 따위에 의한 전기 회로를 접속시키기 위하여 사용되는 콘센트형의 접속 기구의 총칭.

커넥틴 〔connectin〕 명 〖생〗 척추 동물(脊椎動物)의 근육 속에 있는 근육 단백질. 근원 섬유(筋原纖維) 안의 가로무늬근(筋)을 받치며, 근육과 힘줄을 연결하고 있는 특수한 단백질.

커넥팅 〔connecting〕 명 연결함. 연락함. ¶~ 링크. ——-하다 타여불

커넥팅 로드 〔connecting rod〕 명 〖기〗 왕복 기관내의 피스톤 핀 또는 피스톤 로드의 맨 끝과 크랭크 핀과의 사이를 연락하는 막대기. 접합봉(接合棒). 연접봉.

커녕 조 체언 또는 명사형 어미 '-기'에 붙어서, '그것은 고사하고 그만 못한 것도 될 수 없다'는 뜻의 보조사. 뒤에 흔히 조사 '도'·'만'·'까지'·'조차' 따위가 붙은 말이 오며, 힘줄 때는 조사 '은'·'는'을 앞세움. ¶쉬기(는)~ 일만 했다/밥은~ 죽도 못 먹소/퇴근은~ 아침까지 일했다. *는커녕·은커녕·새로에.

커늘 〈옛〉 ㊀ 타 하거늘. ¶누믄 仇讐ㅣ라커늘≪龍歌 77章≫. ㊁ 조동 하거늘. ¶누믄 주규려커늘 ≪龍歌 77章≫.

커니와 준 조건적인 말마디의 밑에서, '하거니와' 또는 '모르거니와'의 뜻으로 쓰는 말. ¶그가 내게 빌면~ 그렇지 않으면 용서치 않겠다. *-거니와.

커닝 〔cunning〕 명 〔본래의 뜻은 교활·교묘〕 수험생(受驗生)의 부정 행위. ——-하다 자여불

커닝 볼: 〔cunning ball〕 명 럭비에서, 스크럼(scrum)에 공을 넣을 때의 부정구(不正球).

커닝엄 〔Cunningham, William〕 명 〖사람〗 영국의 경제사가(經濟史家). 고전학파 경제학의 전통에 서서 독일 역사학파의 입장을 받아들이어, 애실리(Ashley)와 함께 영국 경제사학(經濟史學)의 기초를 쌓았음. 대표작 ≪영국 상공업 발달사≫는 널리 자료를 수집하여 경제와 경제 정책의 진화를 밝힌 고전적인 저작으로 알리어짐. [1849-1919]

-커다 미 〈옛〉 -하였다. ¶二曲은 어듸메오 花巖에 春晩커다≪古詩調:李珥≫.

커다라-니 뷔 커다랗게. 「㊣커닿다.
커:-다랗다 〔—라타〕 형㊀불 〔←크다랗다〕 매우 크다. 아주 큼직하다.
커:다래-지다 자 〔←크다래지다〕 커다랗게 되다. ㊣커대지다.
커다마-하다 형 〈방〉 커다랗다.
커:-다맣다 형 〈방〉 커다랗다.
커:-닿다 〔—다타〕 형㊀불 ↗커다랗다.
커:대-지다 자 ↗커다래지다.
커:드 〔curd〕 명 유즙(乳汁)이 산(酸)이나 레닌(rennin)에 의하여 응고(凝固)한 것. 이것을 분리 숙성(熟成)하여 치즈를 만듦.
커드워:스 〔Cudworth, Ralph〕 명 〖사람〗 영국 케임브리지 플라톤 학파의 지도적 철학자. 홉스(Hobbes)의 기계론·무신론에 반대하고, 플라톤주의적인 입장에서, 신의 정신 안에 사물의 원형(原形)인 관념, 즉 이데아를 상정(想定)하여, 인간의 인식은 이것에 의하여 선천적 성격을 얻는다고 하는 신(新)이데아설을 주장함. [1617-88]
커든 〈옛〉 ⊟ 턴 하거든. ¶不可介閑이라커든《龍歌 122章》. ⊟ 조동 하거든. ¶貝錦을 일우려커든 《龍歌 123章》. ⊟ 미 -하거든. ¶儼然커든《龍歌 114章》.
커러더스 〔Carothers, Wallace Hume〕 명 〖사람〗 미국의 유기 화학자. 뒤 퐁(Du Pont) 회사의 기초 연구 부장으로서 합성(合成) 고무 및 나일론(nylon)을 발명하였음. [1896-1937]
커런덤 〔corundum〕 명 〖광〗 강옥석(鋼玉石).
커렌시 〔currency〕 명 〖경〗 통화(通貨). 「主義).
커렌시-주의 【—主義】〔currency〕 〔—/—이〕 명 〖경〗 통화주의(通貨
커런트[1] 〔currant〕 명 씨 없는 건포도.
커런트[2] 〔current〕 명 ①유동(流動). 흐름. 해류(海流). 조류(潮流). 기류(氣流). ②경향(傾向). 풍조. 사조(思潮). ③현금(現今). 현재. 목하(目下). ④전류(電流).
커런트 뉴:스 〔current news〕 명 시사 보도(時事報道). 시사.
커런트 라인 〔current line〕 명 〖해〗 유속 측정용선(流速測定用線).
커런트 립 〔current rip〕 명 〖지〗 한류(寒流)와 난류의 경계점.
커런트 토픽스 〔current topics〕 명 금일의 화제(話題). 시사 문제.
커런트 폴: 〔current pole〕 명 〖해〗 조류(潮流)의 방향이나 속도를 측정하기 위한 폴. 방향은 폴의 이동 방향에 따라 결정되며, 속도는 폴에 달린 유속 측정용선(流速測定用線)이 일정 시간에 풀려 나간 분량에 따라 측정됨.
커리 의명 〈방〉 켤레(평북·함경·강원).
커리어 〔career〕 명 경력(經歷).
커리어 시스템 〔career system〕 명 행정 기관이 확대되고 그 내용이 복잡하여짐에 따라 전문적·직업적 공무원이, 평생의 직으로서 항구적으로 공무에 종사하는 일. 미국 같은 나라에서는 이 문제가 인사 행정의 하나의 과제로 되어 있음. 종신 직제(終身職制).
커리어 파일 〔career file〕 명 개개인의 인사(人事) 기록을 기억시킨 파일. 기업이나 관청이 종업원의 경력·근무 연한·가족 구성·임금·업적 평가 등을 개인별로 전부 기억 장치에 파일하여 두고 인사 이동, 새로운 프로젝트를 실시하는 경우의 멤버 선정(選定) 및 상여(賞與)의 사정(査定), 승진 등에 이용함.
커리어 플랜 〔career plan〕 명 인사 관리 방식의 하나. 인사 이동을 축(軸)으로 하여, 교육·훈련·자격 제도·능력 평가 제도 따위를 배합하여 종합적 인사 관리 제도를 구성하고, 종업원이 자기 인생 계획의 목표와 코스를 그 제도 속의 직무·직위 체계에서 발견할 수 있게 하는 일.
커리큘럼 〔curriculum〕 명 〖교〗 학교의 교육 목표를 달성하기 위하여, 선택된 문화재(文化財)나 학습 활동을 교육적으로 편성하여 그것들의 학습이 언제 어디서 어떻게 행하여질 것인가를 체계적으로 나타낸 전체 계획. 교과 커리큘럼·경험 커리큘럼 등이 있음. 교육 과정(課程). 교과 과정. *학습 지도 요령.
커머:셜 〔commercial〕 명 ①상업적. 상인적. ②상업 방송의 라디오나 텔레비전의 광고 방송 부분. 시엠(CM).
커머:셜 디자인 〔commercial design〕 명 상품 및 서비스의 판매에 관여하는 디자인의 총칭. 그래픽 디자인·쇼윈도·네온사인·간판·점포등의 디스플레이 디자인과 텔레비전의 커머셜 등 각 분야가 포함되나, 상품 그 자체의 디자인은 보통 포함시키지 아니함.
커머:셜리즘 〔commercialism〕 명 어떤 것이라도 상품으로서 돈벌이의 대상으로 보는 사고 방식. 상업주의. 영리(營利)주의. 영리 본위.
커머:셜 메시지 〔commercial message〕 명 상업 방송이나 상업 텔레비전의 프로를 제공하는 광고주(廣告主)가 그 프로의 처음 또는 중간 및 끝에 그 상품 또는 사업의 광고를 하는 목적으로 삽입하는 선전 문구·영상(影像) 등을 이름. 시엠(CM).
커머:셜 송 〔commercial song〕 명 광고 선전용의 노래. 시엠 송.
커머:셜 페이퍼 〔commercial paper〕 명 〖경〗 상업 어음.
커모디티 플로: 분석 【—分析】〔commodity flow〕 명 〖경〗 소비나 자본 형성을 재화(財貨)의 흐름에서 파악하고 분석하는 방법. 사회 회계(社會會計)나 국민 소득의 추계(推計)·분석에 쓰임.
커뮤:니언 〔communion〕 명 ①사상의 교환. 영적 교섭(靈的交涉). ②종교 단체. ③〖기독교〗 성찬식(聖餐式).
커뮤:니케이션 〔communication〕 명 ①전달. 통신. 연락. ②〖사〗 사회 생활을 영위하는 인간 사이에 행하여지는 사상의 교환이나 전달. 언어·문학 기타 시각(視覺)·청각(聽覺)에 호소하는 여러 가지의 것이 매개(媒介)로 됨.
커뮤:니티 〔community〕 명 ①지역성과 공동성(共同性)이라는 두 개의 요건을 중심으로 이루어진 사회. 특히, 지연(地緣)에 의해 자연 발생적으로 성립한 기초 사회를 말함. 주민은 공통의 사회 관념·생활 양식·전통을 가지며 강한 공동체 의식이 엿보임. 지역 사회. 지역권(圈). ②생물의 군집. 식물의 군락.
커뮤:니티 센터 〔community center〕 명 〖사〗 지역 주민의 공동 의식을 높이기 위하여 설치된 시설. 흔히, 학교·마을 회관·운동장 등의 공동 시설을 이에 충당하며, 혹은 공동 목욕탕·일용품 점포·어린이 놀이터·유치원·공동 세탁장 등을 공동 관리하기도 함.
커뮤:니티 스쿨 〔community school〕 명 〖교〗 '지역 사회 학교(地域社會學校)'의 뜻. 학교와 지역 사회의 일체화(一體化)에 의하여 행하여지는 교육. 지역 사회의 여러 문제를 가려내어 교과(教科)에 넣고 농장(農場)·공장(工場)·가정(家庭)도 교육의 장소로 하는 방법. 1930년대에 미국에서 일어났음.
커뮤:니티 스포:츠 〔community sports〕 명 학교 교육 이외의, 사회 교육으로서의 체육·스포츠 활동을 이름. 같은 스포츠라도, 선수(選手)의 스포츠와는 이질적(異質的)인 것으로, 선수 스포츠는 경기력(競技力)의 향상, 즉 선수 강화(強化)를 지향하지만, 사회 체육이란 스포츠는 여러 계층의 시민이 여가(餘暇) 시간에, 자발적·민주적으로 하는 스포츠 활동임.
커뮤:니티 오:거나이제이션 〔community organization〕 명 〖사〗 지역 사회 복지(地域社會福祉)의 전문적인 방법의 하나. 지역 조직화(組織化) 활동 따위로 해석되며, 지역 사회의 사회적 필요 조건을 해결하기 위하여 주민의 협력하에 계획을 세우고 사회 자원(社會資源)을 거기에 조정(調整)시키는 과정(過程).
커뮤:니티 오:거나이제이션 워:커 〔community organization worker〕 명 〖사〗 커뮤니티 오거나이제이션을 측면에서 촉진하는 전문가(專門家). *케이스 워커·그룹 워커.
커뮤:니티 체스트 〔community chest〕 명 공동 모금(共同募金).
커뮤:터 서:비스 〔commuter service〕 명 경비행기(輕飛行機)나 단거리 이착륙기(離着陸機)를 이용한 근거리 수송. 미국이나 오스트레일리아에서 발달한 항공 수송 형태.
커미셔너 〔commissioner〕 명 프로의 야구·권투·레슬링 등에서 질서 유지를 위해 전권(全權)을 위탁받은 최고 책임자. 선수 이동에 관한 분쟁이나 시합 계약 따위의 일체의 재단권(裁斷權)을 가진 사람.
커미션 〔commission〕 명 ①수수료. 구전(口錢). ②회뢰(賄賂). 뇌물.
커밍스 〔Cummings, Edward Estlin〕 명 〖사람〗 미국의 화가·작가·시인. 지원병(志願兵)으로 프랑스 주둔 중에 스파이로 오인(誤認)되어 수용소 생활의 체험(體驗)을 근거로 실험적 수법의 산문(散文)인 《거대한 방》(1922)을 써서 잃어버린 세대(世代)의 전형(典型)을 보이었음. 이래 풍자적(諷刺的)인 작품을 씀. 그 밖에 희곡과 《소비에트 여행기》 등을 남김. [1894-1962]
커버 〔cover〕 명 ①덮개. 뚜껑. 표지(表紙). 표장(表裝). ②구두나 양말 등의 위로 덧신는 물건. ③운동 경기에서, 다른 선수의 행동·수비 동작을 엄호하는 행위. ④손실·부족을 보전(補塡)하는 일. ⑤〖체〗 탁구에서 공이 탁구대의 가장자리에 맞는 일. 에지 볼(edge ball). ——-하다 타여불
커버 걸: 〔cover girl〕 명 ①잡지의 표지 사진의 모델이 되어 있는 여자. ②텔레비전에서, 프로의 시작이나 끝 또는 상업 광고의 앞에 효과를 더하기 위하여 화면에 나오는 여자.
커버 글라스 〔cover glass〕 명 현미경에서 슬라이드 글라스 위에 목적물을 놓고 물을 친 후에 덮는 얇고 네모진 유리. 목적물의 분산을 막음. 덮개유리. ↔ 슬라이드 글라스.
커버데일 〔Coverdale, Miles〕 명 〖사람〗 영국의 오거스틴파(Augustine派) 성직자(聖職者). 1535년에 성경(聖經)의 영역(英譯)을 완성하였음. [1488?-1569]
커버링 〔covering〕 명 권투 따위에서, 상대의 공격을 팔과 손으로 얼굴을 가리어서 막는 방법. 얼굴 막기. 「실을 쓴, 질긴 능직물(綾織物).
커버트 〔covert〕 명 씨실은 단색(單色)실, 날실은 다른 두 색조(色調)의
커보:드 〔cupboard〕 명 식기를 넣는 선반. 찬장.
커:보미터 〔curvometer〕 명 〖기〗 곡선계(曲線計).
커:브 〔curve〕 명 ①곡선. 굴곡(屈曲). ②야구에서, 투수가 던진 공이 타자 가까이에 와서 휘는 일. 타자 몸 쪽으로 휘는 인커브, 바깥쪽으로 휘는 아웃 커브, 아래로 떨어지는 드롭 커브 등이 있음. 커브 볼.
커:브 벨트 〔curve belt〕 명 힙본 스커트(hipbone skirt) 따위에 사용되는, 체형(體型)에 맞추어서 곡선을 나타낸 벨트.
커:브 볼: 〔curve ball〕 명 커브❷.
커:서 〔cursor〕 명 ①〖컴퓨터〗 컴퓨터의 모니터 화면에서 다음에 글자가 입력되거나 출력될 위치를 나타내는 표시. ②〖수〗 계산자에 끼워 눈금을 맞추거나 읽는 데 사용하는 투명한 판.
커섹시스 〔cathexis〕 명 〖심〗 정신 분석(分析) 용어. '어떤 사람을 사랑한다' '어떤 사물을 싫어한다'라고 하는 것처럼, 대상(對象)에의 플러스 및 마이너스의 관심이 언제까지나 계속되는 일.
커스터:드 〔custard〕 명 우유와 달걀에 설탕·향미료 등을 넣어서 흐물흐물하게 찌거나 구운 과자.
커스터:드 소:스 〔custard sauce〕 명 녹말 가루·우유·설탕·달걀 노른자 등으로 만든 빵이나 푸딩용 조미료.
커스터:드 크림: 〔custard cream〕 명 달걀·우유·밀가루·설탕 등을 섞어서 만든 식품. 과자를 만드는 데 쓰임.
커스터:드 푸딩 〔custard pudding〕 명 계란·우유·설탕을 섞은 커스터드를 틀에 넣어 오븐으로 구워 말랑하게 굳힌 양과자.
커스텀 〔custom〕 명 ①관습. ②단골. ③관세(關稅). 세관(稅關).
커스텀 카: 〔custom car〕 명 특별 주문에 의하여 만들어진 보디를 얹어서 조립한 승용차.

-커시뇨 回 〈옛〉 -하셨느뇨. ¶이 나라ㅎ 어여ᄢᅴ 너겨 오디 아니커시뇨 ᄒᆞ더니≪月釋 Ⅶ:29≫.

-커시니 回 〈옛〉 〔↗ᄒᆞ거시니〕 -하시니. ¶王事ᄅᆞᆯ 爲커시니(祇爲王事棘)≪龍歌 112章≫.

-커시ᄂᆞᆯ 回 〈옛〉 〔↗ᄒᆞ거시ᄂᆞᆯ〕 -하시거늘. ¶님그미 避커시ᄂᆞᆯ(君王出避)≪龍歌 33章≫. *-거시ᄂᆞᆯ.

-커신마ᄅᆞᆫ 回 〈옛〉 〔↗ᄒᆞ거신마ᄅᆞᆫ〕 -하시건마는. ¶ 님그미 賢커신마ᄅᆞᆫ(維帝雖賢)≪龍歌 84章≫.

커우대 명 〈방〉 포대(함북).

커:즌 〔Curzon, George Nathaniel〕 명 〖사람〗 영국의 정치가. 인도 총독·상원 의장·외상 등을 역임하였음. 제 1 차 대전 후 폴란드와 소련 국경선 획정에서 주도적인 역할을 하여 '커즌 라인'의 이름을 남겼음. [1859-1925]

커:즌 라인 〔Curzon Line〕 명 커즌선.

커:즌-선【—線】 명 〔Curzon Line〕 〖역〗 1919년 제1차 대전의 전후 처리에 있어서, 연합국 최고 회의가 결정한 폴란드의 동부 국경선. 당시의 영국 외상 커즌의 이름을 기념하여 붙인 이름. 제2차 대전 후의 국경선은 거의 커즌선과 일치함. 커즌 라인.

커:지 〔kersey〕 명 원래 방모사(紡毛絲)를 사용한 모직물의 일종으로 코트지로 쓰였으나, 지금은 이를 본뜬 두꺼운 면직물을 이름. 능직이 많고 여러 무늬가 있으며 학생복·코트지를 거쳐 현재는 주로 작업복으로 씀.

커-지다 자 크게 되다.

커켁시 〔cachexy〕 명 〖의〗 병중(病中) 또는 병의 말기에 볼 수 있는, 극도의 체중 감소 및 쇠약.

커쿤: 포장【—包裝】 〔cocoon〕 명 공작 기계·전기 기기(機器) 등 금속 제품의 방수(防銹) 포장의 일종. 방수지(防水紙)나 폴리에틸렌 필름으로 싼 위에 염화(塩化) 비닐계(系)·공중합물(共重合物) 등의 가박성(可剝性) 플라스틱을 뿜어 칠함. 마치 누에고치의 커쿤과 같은 모양인 데서 이 이름이 있음. *방수 포장(防銹包裝).

커터 〔cutter〕 명 ①자르는 사람. 재단기(裁斷機). ②〖공〗 프레이즈(fraise) 작업에 쓰이는 회전식의 날붙이. ③〖연〗 영화 필름의 편집자. ④〖해〗 군함이나 기선에 부속된 오어(oar)를 갖춘 단정(短艇). 필요할 때에는 돛도 달 수 있음. ⑤〖해〗 마스트(mast)가 하나뿐인 일종의 쾌속 범정(快速帆艇). 마스트의 전후에 비교적 큰 종범(縱帆)이 달리어 있음.

커터나이트 〔cotunnite〕 명 〖광〗 연질(軟質)이고 백색 내지 황색의 사방정계(斜方晶系)의 광물. 염화(塩化)납광(鑛). $[PbCl_2]$

커터 로:더 〔cutter loader〕 명 석탄의 굴착과 굴착된 석탄을 컨베이어에 싣는 작업을 연속적으로 하는 기계.

커터 셔츠 〔cutter shirts〕 명 와이셔츠와 비슷하게 생기고 칼라와 커프스를 바꿔 달 수 없게 된 셔츠. 운동복으로 많이 씀.

커터 슈:즈 〔cutter shoes〕 명 발뒤꿈치가 낮은 여성용 구두.

커트 〔cut〕 명 ①테니스·탁구·골프 등에서, 공을 비스듬히 아래로 깎는 것처럼 치는 일. 커팅(cutting). ↔드라이브(drive)❷. ②☞컷. ——하다 타여불

커트-라인 〔cutline〕 명 끊어 버리는 선. 합격권(合格圈)의 최저선(最低線). *데드라인.

커트-샷 〔cut shot〕 명 골프에서, 공을 비스듬히 아래로 깎는 것처럼 치는 법. 커트 스트로크.

커트 스트로:크 〔cut stroke〕 명 커트 샷.

커:튼 〔curtain〕 명 ①문이나 창에 치는 휘장(揮帳). 문장(門帳). 창사(窓紗). ¶～을 치다. ②극장의 막(幕).

커:튼 레이저 〔curtain raiser〕 명 ①〖연〗 개막하는 맨 처음에 하는 연극으로 보통 짧은 일막(一幕)짜리. 개막극(開幕劇). ②운동 경기의 개막전(開幕戰).

커:튼 레일 〔curtain rail〕 명 커튼을 부착시키는 기구의 하나. 러너에 커튼을 달아 매는 후크를 달아서 레일 위를 미끄러지게 함.

커:튼 월: 〔curtain wall〕 명 ①주로 라멘 구조(Rahmen 構造)의 건물의 바깥 쪽을 가벼운 벽재(壁材)나 창(窓)으로 둘러싸는 건축법. ②댐이나 수문에서 물을 막기 위한 벽.

커:튼 콜: 〔curtain call〕 명 연극·음악회 등에서 막이 내릴 때 관객이 성대한 박수를 보내어 출연자를 일단 무대나 막의 앞에 다시 불러 내는 일.

커틀릿 〔cutlet〕 명 얇게 썬 소·양·돼지 등의 고기에 빵가루를 묻혀 기름에 튀긴 요리. ¶비프 ～.

커티:너리 〔catenary〕 명 〖수〗 등질(等質)의 밀도(密度)를 갖는 실의 양 끝을 중력장(重力場) 안에서 매달 때에 실이 표시하는 곡선(曲線). 현수선(懸垂線).

커:티스 〔Curtis, Charles Gordon〕 명 〖사람〗 미국의 발명가. 1896년 효율이 높은 충동(衝動) 증기 터빈의 특허를 획득, 터빈 제조 회사를 설립하여 함선용(艦船用) 터빈의 개량에 공헌함. 수뢰(水雷)의 추진법 등도 개발함. [1860-1953]

커:티스 터:빈 〔Curtis turbine〕 명 〖공〗 한 장의 터빈 원판에 붙인 두세 줄의 회전 날개에, 노즐로부터 분출(噴出)하는 증기의 속도 에너지를 흡수시키는 충동(衝動) 터빈의 한 형식. 미국의 커티스가 발명함. *증기 터빈.

커팅 〔cutting〕 명 ①재단(裁斷). ②커트❶. ③컷❺.

커팅 볼: 〔cutting ball〕 명 테니스나 탁구 등에서, 커트된 볼. 또, 볼을 커트하는 일.

커패시턴스 〔capacitance〕 명 〖전〗 콘덴서의 한 쪽 도체(導體)의 전하(電荷)와 크기가 같고 반대 극성(極性)의 전하가 있는 다른 한 쪽의 도체와의 전위차(電位差)의 비. *전기 용량.

커패시티 〔capacity〕 명 ①수용량(受容量). 수용 능력. ②능력. 재능. ③〖물〗 전기 용량(電氣容量).

커프스 〔cuffs〕 명 와이셔츠의 소맷부리. ¶～를 걷어 올리다.

커프스 단추 〔cuffs〕 명 커프스 버튼.

커프스 버튼 〔cuffs button〕 명 커프스에 다는 단추. 커프스 단추.

커프스-커버 〔cuffs-cover〕 명 집무(執務)할 때 커프스가 더럽혀지지 않도록 겉에 씌우는, 천 같은 것으로 만든 물건. 일토시.

커플 〔couple〕 명 ①두 개. 두 사람. 한 쌍. ②남녀 한 쌍. 부부(夫婦). 아인 파르(ein Paar).

커플링 〔coupling〕 명 ①〖기〗 한 축(軸)에서부터 다른 축으로 동력(動力)을 전달(傳達)하는 장치. 클러치(clutch)와 달라 동력의 전달을 마음대로 절단(切斷)하지는 못함. ②〖화〗 방향족(芳香族) 디아조늄염(diazonium塩)에 방향족 아민(amine)·페놀(phenol) 등이 결합하여 아조(azo) 화합물을 만드는 반응. 아조 염료(染料) 합성의 중요한 과정임. ③안쪽에 암나사(螺絲)를 낸 파이프 토막. 파이프를 연결할 때 이음매로 쓰임.

커:피 〔coffee〕 명 〔코피의 관용〕 ①커피나무 열매의 씨를 볶아 갈아서 만든 가루. 카페인을 함유하고 있으며 그 독특한 방향(芳香)으로, 널리 애음(愛飮)되며, 또 각종 과자의 원료나 흥분제로도 쓰임. 가배(珈琲). 카페. ②↗커피차. ¶밀크 ～/～를 끓이다.

커:피-나무 〔coffee〕 명 〖식〗 꼭두서닛과에 속하는 목본(木本). 식물학적으로는 많은 종류가 있는데 보통 재배종으로는 아라비카 커피(*Coffee arabica*)·리베리카 커피(*C. liberica*)·로부스타 커피(*C. robusta*) 등이 있음. 이 중 아라비카 커피가 가장 널리 재배되는데, 높이 1.2-1.3 m, 수피(樹皮)는 백색이고 잎은 대생하며 달걀꼴에 짙은 녹색, 꽃은 백색임. 액과(液果)는 짙은 홍색으로 익는데, 두 개의 종자가 있음. 리베리카 커피는 높이 10-15 m이고 수피는 농갈색, 과실은 갈색으로, 크게 익고 품질은 좋지 못함. 로부스타 커피는 가지가 많고, 2년 만에 수확(收穫)하며, 과육(果肉)이 적음. 아프리카 원산(原產)으로 열대(熱帶) 작물임. 종자는 당분·단백질·칼슘 등이 함유되어 있으며 커피의 원료가 됨.

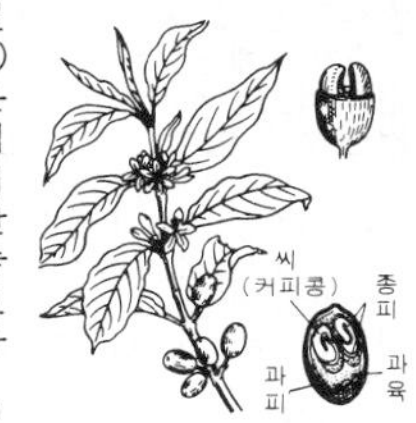

〈커피나무〉

커:피 사탕【—砂糖】 〔coffee〕 명 커피 가루를 속에 넣고 만든 사탕.

커:피 세트 〔coffee set〕 명 커피 마시는 도구의 일습(一襲). 티 세트.

커:피-소【—素】 〔coffee〕 명 〖화〗 카페인.

커:피 숍 〔coffee shop〕 명 ①호텔 같은 데에 부속(附屬)된 다실(茶室). ②다방(茶房).

커:피 시럽 〔coffee syrup〕 명 커피에 당분을 가하고 끓여서 짙게 한 액즙(液汁).

커:피-차【—茶】 〔coffee〕 명 끓는 물에 커피·설탕·우유를 넣어 만든 차. ㊕커피.

커:피-콩 〔coffee〕 명 커피나무 열매의 씨.

커:피-포트 〔coffeepot〕 명 커피를 끓이는 주전자.

커:피-하우스 〔coffeehouse〕 명 커피를 파는 가게. 다방(茶房).

커: 효:과【—効果】 명 〔Kerr effect〕 〖물〗 〔발견한 영국 물리학자 커(Kerr, John; 1824-1907)의 이름에서 유래〕 ①보통 빛을 투과시키는 물체를 정전기장(靜電氣場) 안에 놓을 때에 복(複)굴절을 일으키는 현상. ②강한 극에서 직선 편광(偏光)이 반사될 때, 그 빛이 편광 상태에 변화가 생기어서 타원 편광이 되는 현상. 자기적(磁氣的) 커 효과.

컨: 〔Kern, Jerome David〕 명 〖사람〗 미국의 작곡가. 뉴욕 음악원에서 배운 후 영국·독일에서 연구를 쌓음. 1911년 ≪빨간 페티코트≫를 첫 작품으로 뮤지컬에 손을 대어 대표작으로 ≪쇼 보트(Show Boat)≫(1929)가 있음. [1885-1945]

컨글로머릿 〔conglomerate〕 명 〖경〗 〔역암(礫岩)의 뜻〕 상호 관련이 없는 다른 종류의 업체를 차례로 흡수하여 겸영(兼營)하는 거대화(巨大化)한 기업 형태. 수익성(收益性)이 높고 장래성이 있는 회사를 주식 매점(買占) 등의 수단으로 흡수하는 것이 통례임. 복합 기업(複合企業). 집괴(集塊) 기업.

컨대 준 -하건대. ¶원～.

컨댄 준 '-컨대'에 조사 '는'이 겹친 말.

컨덕터 〔conductor〕 명 관현악·취주악(吹奏樂)·합창(合唱) 등의 지휘자. 악장(樂長). 지휘자.

컨덕트 〔conduct〕 명 ①〖악〗 관현악 등의 지휘·지도. ②집단 등의 지휘·지도·관리·통솔. ——하다 자타여불

-컨뎡 回 〈옛〉 -할지언정. ¶ 녯 聖人냇 보라믈 보미 맛당컨뎡(宜觀先聖標格이언뎡)≪蒙法 20≫.

-컨디 回 〈옛〉 -한 지. ¶擁護컨디 오라거라 ᄒᆞ니라≪楞嚴 Ⅶ:62≫. *-건디.

컨디션 〔condition〕 명 ①조건. 제약(制約). ②상태. 몸의 상태. ¶～ 조절/～이 좋다. ③주위의 상황. 사정(事情). ¶그라운드 ～.

-컨마ᄅᆞᆫ 回 〈옛〉 -하건마는. ¶身心을 보차미 魔와 外예 다 通컨마ᄅᆞᆫ(惱身心俱通魔外)≪圓覺 下 三之二 86≫. *-건마ᄅᆞᆫ.

컨버:터 렌즈 〔converter lens〕 명 카메라의 표준 렌즈 앞에 붙여 초점 거리를 바꾸게 하는 보조(補助) 렌즈.

컨버:터블 〔convertible〕 명 〔변환할 수 있음의 뜻〕 포장을 떼었다 붙였다 할 수 있는 승용차. 보통, 2 도어가 원칙임.

컨버:트 〔convert〕 명 ①〖체〗 럭비에서, 트라이한 후 골킥에 성공함. ②야구에서, 수비 위치를 바꿈. ¶외야에서 3루로 ~되다.

컨버:티-플레인 〔convertiplane〕 명 전환식 항공기.

컨베이어 〔conveyor〕 명 〖기〗 물건을 연속적으로 운반하는 기계. 화물(貨物)을 수평(水平) 또는 상하의 층간(層間)으로 이동시키는 무한 대상(無限帶狀)의 운반 장치로, 대량 생산 방식의 하나인 컨베이어 시스템의 작업에 이용되는데, 벨트식(belt式)·사슬식(式)·스크루식(screw式) 등으로 대별됨. 보통 벨트 컨베이어를 가리킬 때가 많음. 전송대(傳送帶). 반송대(搬送帶).

컨베이어 시스템 〔conveyor system〕 명 ①물품의 반송 경로(搬送經路)에 따라 컨베이어를 체계적·조직적으로 배치한 반송 계열(系列). ②컨베이어를 사용하는 일관 작업 방식. 돌아가는 컨베이어에 놓인 물품은 각 공정(工程)에서 가공·조립되어 끝에 가서 완제품으로 되어 나옴. 대량 생산 방식에 쓰임. 전송대 작업(傳送帶作業).

컨벤셔널리즘 〔conventionalism〕 명 인습(因襲)이나 관례(慣例)를 존중·도습(蹈襲)하는 경향 또는 주의.

컨벤션 〔convention〕 명 ①정치·종교 등의 집회. 연차 대회. ②관례. 습속(習俗). 인습.

컨비니언스 스토어 〔convenience store〕 명 편의점(便宜店).

컨설턴트 〔consultant〕 명 기업 경영에 관한 조언(助言)·지도·진단을 하며, 의논 상대가 되는 전문가. 경영사(經營士)와 기술사(技術士)로 대별됨. 고문(顧問).

컨설턴트 엔지니어 〔consultant engineer〕 명 각종 산업에서, 과학 기술의 전문적인 응용을 필요로 하는 분야에 대하여, 그 계획·설계·분석 등을 지도하는 기술자.

컨설턴트 회:사 【一會社】 〔consultant〕 명 〖경〗 설계(設計)를 맡거나 기술자를 제공하는 회사. 기술을 파는 새로운 산업임.

컨센서스 〔consensus〕 명 나라의 정책에 대한 국민의 동의·찬동.

컨센서스 방식 【一方式】 〔consensus〕 명 유엔에서 회의의 결정을 체결하는 방식의 하나. 투표에 의하지 아니하고 의장의 제안에 대하여 반대 의사의 표시가 없는 것으로 하여 결정(決定) 성립의 효과를 얻고자 하는 방식. 컨센서스에 의한 결의(決議)의 채택에는, 사전(事前)에 비공식 협의를 거쳐 의견 조정을 꾀하여야 함.

컨셉션 〔conception〕 명 ①임신. 수태(受胎). ②개념(槪念). 의상(意想). 개념 작용.

컨소시엄 〔consortium〕 명 ①대규모 개발 사업의 추진이나 대량의 자금 수요에 대응하기 위해 국제적으로 은행이나 기업이 참가하여 형성하는 국제적인 차관단(借款團) 또는 융자단. ②증권 발행시에 조직되는 신디케이트의 유럽식 호칭.

컨스트럭션 〔construction〕 명 ①구조. 짜임새. ②건설. ③〖섬유〗 직물(織物)의 조직을 나타내는 말. 1평방 인치마다의 씨실·날실의 수나 중량을 이름.

컨젤리터:베이트 〔congeliturbate〕 명 〖지〗 동결 작용(凍結作用)으로 인하여 이동·교란(攪亂)된 토양 또는 미고결토(未固結土).

컨젤리프랙션 〔congelifraction〕 명 〖지〗 암석 틈에 있는 물의 동결(凍結)로 암석이 부서지거나 붕괴되는 일.

컨테이너 〔container〕 명 ①화물 운송에 쓰이는 큰 상자. 두랄루민 또는 목재의 조립식인데 짐을 꾸리지 않고 그대로 실어, 문간에서 문간까지 일관(一貫) 수송을 할 수 있음. 컨테이너 전용의 트럭·열차·선박이 있으며, 이에 의한 수송을 컨테이너 수송이라 함. ¶~선(船). ②기계·기구 등의 용기.

컨테이너리제이션 〔containerization〕 명 컨테이너에 의한 상품 출하법(商品出荷法). 수송용 컨테이너를 공장에 직접 대고, 짐을 적재(積載)하여 그대로 수요자(需要者)에게 운반함으로써 수송비의 절감(節減)과 수송의 신속(迅速)을 기하며, 짐을 싣고 부리는 시간·노력이 대폭적으로 단축(短縮)됨. 컨테이너화(化).

컨테이너-선 【一船】 〔container〕 명 컨테이너를 적재 수송하는 전용선(專用船). 해치(hatch)와 해치에 걸쳐서 전후로 이동하는 커다란 기중기(起重機)가 설치되고 있는 등 하역에 편리한 독특한 설계·의장(艤裝)이 되어 있음.

컨테이너-화 【一化】 〔container〕 명 컨테이너리제이션(containerization).

컨테인먼트 정책 【一政策】 〔containment〕 명 〖정〗 ①견제 정책. 봉쇄 정책. ②미국이 냉전 시대에 소련에 대한 정책의 하나로 방어와 견제를 위주로 하는 정책. ↔롤 백 정책.

컨트롤 〔control〕 명 ①지배. 관리. 제어(制御). 절조. ②구기(球技), 특히 야구에서, 투수가 투구를 조절(調節)하는 일. ¶~이 좋다. ——-하다 타여불

컨트롤러 〔controller〕 명 ①전동기의 속도나 발전기의 전압 제어(電壓制御)에 사용하는 기구. 제어기(制御器). ②〖경〗 컨트롤러 제도에서 그 부문을 통할하는 사람. 또, 그 기관.

컨트롤러 제:도 【一制度】 〔controller〕 명 〖경〗 경영의 합리화를 위한 내부 통제 제도의 구체적인 실천 기구(機構). 회계적 자료의 수집과 관리 회계 제도에 의한 계수적(計數的) 통제를 주안으로 함.

컨트롤 타워 〔control tower〕 명 관제탑(管制塔).

컨트롤 플레인 〔control plane〕 명 〖항공〗 다른 항공기의 운동을 원격 조종하고 있는 항공기.

컨트리 댄스 〔country dance〕 명 영국의 스코틀랜드 지방의 민속 무용의 하나. 농사와 목축업을 하는 이 지방 사람들이 농사를 마치고 축제일이 되면 아름다운 해변·언덕 등에 모여서 둥글게 손을 잡고 추는 춤. 17-18세기에 유행하였으며, 카드리유(quadrille)의 전신(前身)임. 콩트르당스(contredanse).

컨트리 리스크 〔country risk〕 명 〖경〗 투융자 대상국(投融資對象國)의 신용 위험도(信用危險度). 보통, 그 나라의 국제 수지·외화(外貨) 준비·1인당 국민 소득·외채 잔고(外債殘高)·채무 상환 비율·정치 안정도 및 발전성 등을 종합 분석하여 판단함.

컨트리 앤드 웨스턴 〔country and western〕 명 〖악〗 미국 서부 및 남부 애팔래치아(Apalacia) 산악 지대에서 발달된 민요조의 가곡. 멜로디와 가사가 순박하며 3박자 또는 4박자, 형식은 각양 각색으로 보통 지방 사투리로 불리어 지방색(地方色)이 짙음. 마운틴 뮤직(mountain music)·컨트리 송(country song)·카우보이 송(cowboy song)·웨스턴 스윙(western swing)·시크릿 송(secret song)·웨스턴 요들(western jodel) 따위가 있음.

컨트리 엘리베이터 〔country elevator〕 명 〖농〗 대형 사일로(silo)의 대형 건조기를 엘리베이터로 연결한 농업 창고. 벼를 포장하지 않고 그대로 건조·저장할 수 있음.

컨트리 클럽 〔country club〕 명 전원(田園) 생활을 즐기려는 도시인들을 위한 골프·테니스·수영 등의 설비(設備)가 있는 교외(郊外)의 클럽.

컨틴전시 플랜 〔contingency plan〕 명 예측을 불허하는 장래의 사태에 대한 장기적인 대응 계획. 정치·경제·사회·국제 문제·자원·에너지 수급(需給)·법률·산업 구조 등 각종 선행(先行) 지표(指標)의 연구·검토를 바탕으로 함.

컬: 〔curl〕 명 머리털을 곱슬곱슬하게 지지는 일. 또, 그 머리털. ¶~이 풀리다. ——-하다 타여불

컬라니 명 〈방〉 호주머니(함남).

컬라이더스코:프 〔kaleidoscope〕 명 만화경(萬華鏡).

컬:래시 〔Curlash〕 명 위쪽 속눈썹을 컬시키는 화장 도구(化粧道具)의 상품명.

컬러[1] 〔color〕 명 ①색(色). 색채(色彩). ¶화려한 ~. ②채색(彩色). ③개성(個性). 작품의 맛. 기분(氣分). ¶로컬(local) ~.

컬:러[2] 〔curler〕 명 머리를 컬하기 위한 기구.

컬러 네거티브 필름 〔color negative film〕 명 컬러 프린트(print)를 만들기 위한 일반 촬영용(一般撮影用) 필름의 하나. *흑백(黑白) 네거티브 필름.

컬러 다이내믹스 〔color dynamics〕 명 〖심〗 색채 조절(色彩調節).

컬러드 〔colored〕 명 앵글로 색슨계의 백인 사회에서 황색·흑색 인종의 총칭. 남아프리카 공화국의 인종 차별 정책에서는 토박이 흑인을 포함하지 않고 있음.

컬러 리버설 필름 〔color reversal film〕 명 컬러 슬라이드를 만들기 위한 일반 촬영용(一般撮影用) 필름의 하나. *컬러 네거티브 필름.

컬러리스트 〔colorist〕 명 〖미술〗 ①착색자(着色者). 채색자(彩色者). ②색채(色彩)의 효과(効果)를 중요시하는 화가(畫家). 색조(色調) 화가. 채색 화가(彩色畫家).

컬러 린스 〔color rinse〕 명 다음 번 머리를 감을 때까지 일시적으로 염색(染色)하는 일. 헹구는 물에 타면 헹구는것과 동시에 염색이 됨. 또, 그 염료.

컬러 분해 【一分解】 〔color〕 명 착색(着色)이 된 그림이나 사진 등을 재생(再生)시키기 위해, 각 색에 대해 만든 각각의 그림·판화(版畫)·음화(陰畫)를 준비하는 과정(過程).

컬러 사진 【一寫眞】 〔color〕 명 천연색 사진. ↔흑백 사진.

컬러 서:클 〔color circle〕 명 〖미〗 색상환(色相環).

컬러 스캐너 〔color scanner〕 명 〖인쇄〗 다색 인쇄에 사용하는 컬러 원고를 광점(光點)에서 주사(走査)하고 고속으로 색분해하여 적판(赤版)·청판·황판·흑판용의 필름을 만드는 기계. 원고의 농담(濃淡)을 빛의 강약으로 바꾸고 다시 전기 신호의 강약으로 바꾸어 화상(畫像) 처리를 할 수 있으므로 정밀도가 높은 색의 수정이나 보정(補正)을 할 수 있음. 전자 색분해기(電子色分解機).

컬러 슬라이드 〔color slide〕 명 투과광(透過光)으로 보는 색채 있는 슬라이드. 보통 환등기(幻燈機)로 스크린에 투영(投影)하여 봄.

컬러 컨디셔닝 〔color conditioning〕 명 인간의 감정이 색채의 영향을 받는다는 견지에서, 학교·공장·병원 같은 건물의 색채를 적당히 조절하는 일. 색채 조절.

컬러 텔레비전 〔color television〕 명 피사체(被寫體)의 원색(原色)을 그대로 전송(電送)·재현(再現)하는 텔레비전. 1928년 영국의 베어드(Baird, John Logie; 1888-1946)가 유선(有線) 컬러 텔레비전 실험에 처음으로 성공하였고, 1951년 미국에서 최초로 방송되었음. 천연색(天然色) 텔레비전.

컬러 팩시밀리 〔color facsimile〕 명 〖전〗 컬러 사진을 전송(傳送)하는 팩시밀리 방식. 팩시밀리 전송기(電送機)의 광학계(光學系)에 색분리 필터(色分離 filter)를 써서, 원화(原畫)에서 세 개의 분리한 전송 신호(傳送信號)를 만듦.

컬러풀 〔colorful〕 명 화려함. 색채가 풍부함. ¶~한 의상. ——-하다 형여불

컬러 필름 〔color film〕 명 천연색 그대로 감광(感光)하여 그 색채를 나타내는 사진 필름. 천연색 필름.

컬러 필터 〔color filter〕 명 색(色) 유리나 다중층막(多重層膜), 기타 부분적으로 빛을 통과(通過)시키는 재료로 되어 있어, 입사광(入射光)을 부분적으로 흡수(吸收)·반사(反射) 또는 투과(透過)하는 광학 소자(光學素子).

컬럭 부 병으로 쇠약하여 입을 예사로 벌리고 내는 기침 소리. >칼락. *콜록. ——-하다 자여불

컬럭-거리다 자 잇따라 컬럭 소리를 내다. >칼락거리다. 컬럭-컬럭 부. ——-하다 자여불

컬럭-대다 자 컬럭거리다.

컬럼바이트 〔columbite〕 명 〖광〗 방사능 광물의 하나. 거정(巨晶) 화강암의 장석(長石) 중에 포함되어 있는데, 단주상(短柱狀)의 결정을 이루는 수가 많고, 철흑색(鐵黑色)을 띰.

컬럼비아 〔Columbia〕 명 〖지〗 ①미국 사우스 캐롤라이나 주(州)의 주도. 남부 면업(綿業) 중심지의 하나이며, 임업 가공업·비료 공업이 성함. [98,052 명(1990)] ②미국 미주리 주 중부에 있는 도시. 미주리 대학이 있음. [69,101 명(1990)] ③〖문〗 시(詩) 등에서, 미국의 여성 의인명(擬人名).

컬럼비아 강 【一江】 〔Columbia〕 명 〖지〗 캐나다의 컬럼비아 호(湖)에서 발원(發源)하여 애로 호(Arrow 湖)를 거쳐 미국 워싱턴 주(Washington 州)를 지나 오리건(Oregon) 주경(州境)을 흘러서 태평양에 들어가는 강. [1,953 km]

컬럼비아 고원 【一高原】 〔Columbia〕 명 〖지〗 미국 워싱턴 주 동부 일대에 있는 고원. 건조한 내륙 분지로 겨울밀과 봄밀이 재배됨. 그랜드 쿨리(Grand Coulee) 댐이 완성됨으로써 농업 수리(水利)가 개선됨.

컬럼비아 대학 【一大學】 명 〔Columbia University in the City of New York〕 뉴욕 시에 있는 미국 굴지의 사립 종합 대학. 1754년에 창립됨. 정치·철학·법·의·공(工)·치(齒)·신문·국제 정치·사회 사업·예술 등 학부를 두고 있음. 대학원생이 압도적으로 많은 것이 특색임.

컬럼비아 영화사 【一映畫社】 명 〔Columbia Pictures Corporation〕 미국의 큰 영화 제작·배급 회사의 하나. 1924년 창립.

컬럼비아 특별구 【一特別區】 명 〔District of Columbia〕 〖지〗 미국의 수도 워싱턴의 소재지로, 어느 주(州)에도 속하지 않는 연방 정부 직할지임. [177 km² : 606,900 명(1990)]

컬레이저 〔chalaza〕 명 〖생〗 알끈. 칼라자.

컬렉션 〔collection〕 명 ①수집(蒐集). 수집품(蒐集品). 특히, 미술품·골동품 등을 말함. ②징수(徵收). 모금(募金). ③새로운 복식 작품(服飾作品)의 수집(蒐集)·전시(展示), 또는 그 발표회. 특히, 고급 양장점(洋裝店)의 신작 발표회.

컬렉션 빌 〔collection bill〕 명 〖경〗 은행이 대금 추심(推尋)을 위탁받은 환어음. 은행이 추심 수수료를 징수함.

컬렉터 〔collector〕 명 ①수집가(蒐集家). ②〖전〗 트랜지스터 베이스에서 흘러나온 전하 캐리어(電荷 career)의 일차 전류가 흘러 들어가는 영역(領域). 이 영역에 접속되고 있는 전극(電極)·단자(端子)가 포함됨. ③〖전〗 전자관(電子管) 안에서 기능을 다한 전자(電子)나 이온을 모으는 전극.

컬렉터 저:항 【一抵抗】 〔collector〕 명 〖전〗 트랜지스터의 컬렉터와 베이스 사이에 있는 다이오드(diode)의 저항.

컬렉터 접합 【一接合】 〔collector〕 명 〖전〗 트랜지스터의 베이스와 컬렉터 사이의 반도체(半導體) 접합.

컬렉티비즘 〔collectivism〕 명 집산주의(集產主義). 집권주의.

컬:리 헤어 〔curly hair〕 명 컬(curl)을 많이 넣은 또는 컬만으로 구성한 머리.

컬:링 〔curling〕 명 〖체〗 얼음판에서 원반상(圓盤狀)의 돌을 미끄러뜨리어 과녁에 넣어 득점을 다투는 경기. 한 팀 4명, 2조로 행함.

컬:링 궤:양 【一潰瘍】 명 〖의〗 〔Curling's ulcer: 1842년 이 병을 기재(記載)한 영국의 외과의 컬링(Curling, Thomas Blizard; 1811-88)의 이름에서 유래〕 중증(重症)의 피부 화상(火傷)에 따라서 일어나는 급성 위궤양 또는 십이지장 궤양.

컬:링 아이언 〔curling iron〕 명 머리를 곱슬곱슬하게 지질 때 사용하는 가위처럼 생긴 기구.

컬:-사 【一糸】 〔Curl〕 명 장식용 실의 일종. 직물의 날실로 쓰이며 명주 같은 느낌을 줌.

컬처 〔culture〕 명 ①문화. 정신 문화. ②교양. 교화(敎化).

컬컬-하다 형 여불 ①목이 몹시 말라서 물이나 술 같은 것을 마시고 싶은 생각이 간절하다. ¶목이 ~. ②맵고 얼근한 맛이 있다. ¶찌개가 제법 컬컬하군. 1)·2): >칼칼하다.

컬티베이터 〔cultivator〕 명 〖기〗 경운기(耕耘機). 경작기.

컴-맹 【一盲】 명 〔computer〕 〈속〉 컴퓨터를 전혀 다룰 줄 모르는 사람을 문맹(文盲)에 비유하여 이르는 말. ¶~에서 겨우 벗어나다.

컴백 〔comeback〕 명 ①다시 옴. 돌아옴. ②회복(回復). 복귀(復歸). 부활(復活). ¶정계(政界)에 ~하다. ——하다 자 여불

컴벌랜드[1] 〔Cumberland〕 명 〖지〗 미국 메릴랜드 주(州) 북서부에 있는 공업 도시. 철도와 공업의 중심지이며 체서피크 오하이오 운하의 종점임. 섬유·타이어·화약·플라스틱·금속 제품 등의 공업이 활발함. [25,933 명(1980)]

컴벌랜드[2] 〔Cumberland〕 명 〖지〗 컴브리아.

컴브리아 〔Cumbria〕 명 〖지〗 잉글랜드, 북서부의 주(州). 1974 년 구(舊) 컴벌랜드와 웨스트모얼랜드 주(Westmorland 州)가 합병하여 성립됨. 목양(牧羊)·목우(牧牛) 등의 목축업과 석탄·철광석·석회암·석재 등이 산출됨. 방사상(放射狀)의 빙식곡(氷蝕谷)·빙식호(氷蝕湖)가 발달한 레이크 디스트릭트(Lake District)는 관광지로 유명함. 주도는 칼라일(Carlisle). 컴벌랜드.

컴브리아 산지 【一山地】 명 〔Cumbria Mts.〕 〖지〗 영국 잉글랜드 북서 지방의 컴브리아에 있는 산지(山地)로, 이든(Eden) 강에 의해 페나인(Pennine) 산맥과 갈라진 지괴 산지(地塊山地). 방사상(放射狀)으로 배열된 빙식호(氷蝕湖)가 발달하여 레이크 디스트릭트(Lake District)라고도 불리며 잉글랜드 굴지의 관광 지대임. 잉글랜드 최고봉인 스코펠 파이크(Scafell Pike)가 있음.

컴컴-하다 형 여불 ①침침하게 아주 어둡다. ¶굴속같이 ~. >캄캄하다. ②속이 시커멓고 음흉(陰凶)하여 욕심이 많다. ¶속이 컴컴한 사람. 1)·2): 쓰껌껌하다.

[컴컴하고 욕심 많기는 회덕(懷德) 선생] 겉 모양이 거만하고 속 마음이 컴컴한 사람을 이르는 말.

컴파일러 〔compiler〕 명 〖컴퓨터〗 번역기.

컴파일러 언어 【一言語】 〔compiler〕 명 〖컴퓨터〗 프로그래밍 언어의 하나. 영문(英文)과 수식(數式)으로 이루어져, 우리의 일상어(日常語)와 가장 가까운 형식임. 일반적으로, 어떤 기계에도 공용(共用)할 수 있음. 대표적인 것에 코볼·베이식 등이 있음.

컴파:트먼트 〔compartment〕 명 ①칸. 구획. 격실. ②열차의 칸막이한 방. ③칸막이한 선실(船室). 준컴파트.

컴패니언 〔companion〕 명 ①친구. 짝. 동료(同僚). ②국제적 행사 등에서, 내빈의 접대역.

컴퍼니 〔company〕 명 ①회사(會社). 상회(商會). 상사(商社). ②친구. 동무. ③사교적인 회합(會合). 교제(交際).

컴퍼스 〔compass〕 명 ①제도용의 기구. 양각(兩脚)을 자유로이 폈다 오므렸다 하여, 선의 길이를 재거나 분할하거나 혹은 원을 그리는 데 쓰임. 걸음쇠. 양각규(兩脚規). 양각기. ②나침의(羅針儀). 나침반. ③사람의 두 다리를 컴퍼스에 비유하여 일컫는 말. 보폭(步幅). ¶~가 길다.

〈컴퍼스❶〉

컴퍼스 노:스 〔compass north〕 명 자북극(磁北極).

컴퍼스 방위각 【一方位角】 〔compass〕 명 컴퍼스 노스를 기준으로 하는 방위각. 자북(磁北) 방위각.

컴퍼스 보:정 【一補正】 명 〔compass compensation〕 배·항공기의 자기(磁氣) 컴퍼스에 미치는 자기적(磁氣的) 영향을 보정하는 일.

컴퍼스 오:차 【一誤差】 명 〔compass error〕 자북극(磁北極)과 지리학적 북극과의 각도 차. 지자기(地磁氣)에 의한 편차와 운동 오차의 합.

컴펄서리 〔compulsory〕 명 피겨 스케이트의 규정 연기(規定演技). 남녀 싱글은 정하여진 도형(圖形)을 세 번(番) 에지(edge)로 그리게 됨.

컴포넌트 시스템 〔component system〕 명 레코드 플레이어·앰프·튜너·카세트 덱·스피커의 다섯 기능이 모두 분리되어 있는 오디오 시스템. *콘솔형 전축.

컴퓨:터 〔computer〕 명 〖물〗 전자 회로를 이용, 계산을 고속·자동으로 하는 장치의 총칭. 수치 계산 이외에 자동 제어·데이터 처리·사무 관리 등에도 이용됨. 전자 계산기.

컴퓨:터 게임 〔computer game〕 명 컴퓨터를 이용한 게임의 총칭. 전자 오락실의 아케이드 게임, 퍼스널 컴퓨터로 하는 게임, 게임 전용기(專用機)에 의한 게임 등으로 나뉨. *비디오 게임.

컴퓨:터 공:포증 【一恐怖症】 〔一쯩〕 명 〔computer allergy〕 컴퓨터에 대한 이해 부족이나 컴퓨터 정보 구사(驅使) 능력의 결핍 등에서 오는 컴퓨터에 대한 저항감(抵抗感).

컴퓨:터 그래픽스 〔computer graphics〕 명 컴퓨터를 이용하여 화상(畫像)이나 동화(動畫)의 작성에서 표시까지의 과정의 일부 또는 전부를 처리하는 기술 분야. 정보 과학으로서의 측면뿐 아니라 예술의 한 분야로서의 측면도 지님.

컴퓨:터 네트워:크 〔computer network〕 명 두 대 이상의 컴퓨터를 통신 회선(通信回線)으로 결합하여 서로 이용하는 형태. 컴퓨터 자원(資源)의 공동 이용, 데이터 처리의 기능 분산(機能分散)이 실현됨.

컴퓨:터 단층 촬영법 【一斷層撮影法】 〔一뻡〕 명 〔computed tomography ; CT〕 〖의〗 엑스선 빔 주사(走査) 장치와 컴퓨터를 사용하여 체내의 정밀한 단층상(斷層像)을 얻는 방법. 초음파·입자선·핵자기(核磁氣) 공명(共鳴)을 쓰는 것도 있음. 시 티(CT).

컴퓨:터리제이션 〔computarization〕 명 컴퓨터 혁명이 고도로 진전(進展)하여 컴퓨터가 우리들의 사회 생활에 불가결의 것으로 되는 일.

컴퓨:터 마인드 〔computer mind〕 명 정보화 사회에 대응하기 위한 사고 방식(思考方式). 정보나 지식을 활용하면서 지적(知的) 창조를 행하고, 미래를 향하여 적극적으로 새로운 가능성을 추구하는 생활 방식.

컴퓨:터 뮤:직 〔computer music〕 명 컴퓨터에 의해 작곡·음향 합성·연주되는 음악.

컴퓨:터 바이러스 〔computer virus〕 명 〖컴퓨터〗 컴퓨터 프로그래머가 전화선을 이용하거나 자료 기억 디스크의 바꿔치기를 통해, 다른 컴퓨터에 몰래 입력시킨 엉뚱한 프로그램이나 일련의 지시 사항. 정당하게 입력되어 있는 프로그램이나 메시지에 겹치기로 얹혀 들어가 기존 데이터를 망가뜨리거나 컴퓨터의 기능을 물리적으로 해치기도 함.

컴퓨:터 범:죄 【一犯罪】 〔computer〕 명 컴퓨터를 둘러싼 범죄. 흔히, 프로그램을 개작(改作)하여 횡령을 하거나 자기 회사의 소프트 웨어 및 데이터를 경쟁 회사에 팔아 먹는 일 따위.

컴퓨:터 보:안 【一保安】 명 〔computer security〕 피해(被害)를 가져올 갖가지 원인에서 컴퓨터와 그에 관련되는 사항을 지키기 위한 보안 대책 및 보안 조치.

컴퓨:터 보:조 교육 【一補助教育】 명 〔computer aided instruction〕 컴퓨터를 이용하여 학생마다의 이해도(理解度)에 맞는 학습 내용을 제공하고, 개별 지도를 실현하는 교육 시스템. 시 에이 아이(CAI).

컴퓨:터 보:조 생산 【一補助生產】 명 〔computer aided manufacturing〕 컴퓨터를 이용하여 제품 제조의 자동화(自動化)를 도모하는 일. 컴퓨터로 공작 기계의 선택·가공(加工) 순서 등을 결정함. 캠(CAM).

컴퓨:터 보:조 설계 【一補助設計】 명 〔computer aided design〕 〖컴퓨터〗 컴퓨터를 이용하여 기계·전기 제품 등의 설계를 하는 일. 컴퓨터와의 대화(對話) 형식으로 설계를 함. 시 에이 디(CAD). 캐드(CAD). *컴퓨터 보조 생산.

컴퓨:터 보:조 출판 【一補助出版】 명 〔computer aided publishing〕 컴

퓨터를 이용한 출판. 또, 컴퓨터를 이용한 출판 정보 처리. 퍼스널 컴퓨터로 편집하고 레이저 프린터로 출력하는 방식, 전산 사진 식자(電算寫眞植字) 시스템을 이용하여 인화지(印畫紙)에 출력시키는 CTS 조판 방식, 디스켓이나 CD롬에 내용을 담는 디스크책, 전화선이나 통신 회선(通信回線)을 이용하는 화면책 등으로 나뉨.

컴퓨:터 산:업【一産業】〔computer〕 명 컴퓨터의 제조 산업 및 컴퓨터가 여러 종류의 작업을 자동 처리하는 데 필요한 프로그램을 제공하는 소프트웨어 산업의 총칭.

컴퓨:터 아:트〔computer art〕 명 컴퓨터를 이용한 예술(藝術).

컴퓨:터 애니메이션〔computer animation〕 명 컴퓨터 그래픽스에서 생성(生成)된 대상(對象)의 화상(畫像)을 화면 위에서 움직이는 일.

컴퓨:터 야:채【一野菜】〔computer〕 명 온도·습도 등의 생산 조건을 컴퓨터에 의해서 조절하여 수경법(水耕法)으로 생산하는 야채.

컴퓨:터 음악【一音樂】 명 〔computer music〕 작곡(作曲)에 컴퓨터를 이용한 음악.

컴퓨:터 조판【一組版】 명 〔computer typesetting〕 컴퓨터를 써서 하는 조판. 문자나 화상(畫像)의 데이터를 입력(入力)하고, 레이아웃 등의 편집 처리나 인화지 출력(印畫紙出力) 등을 프로그램에 따라 자동적으로 수행함. 전산 사식(電算寫植). 시 티 에스(CTS).

컴퓨:터 혁명【一革命】〔computer〕 명 정보 혁명(情報革命).

컴퓨:토폴리스〔computopolis〕 명 컴퓨터의 기술을 활용하여 고도의 정보 기능을 가지게 한 장래의 정보화 사회에 출현하는 미래 도시.

컴퓨:토피아〔computopia〕 명 〔computer+utopia〕 컴퓨터의 발달로 혁명적인 변모를 하게 되리라는 미래 사회(未來社會)를 낙관적·이상적으로 표현한 말. 컴퓨터의 기술(技術)이 극한에 이르면 인간은 노동을 하지 않고 살아갈 수 있는 유토피아 사회를 누릴 수 있고, 사람은 미의 창조, 삶의 참된 가치 추구에만 종사하게 된다는 미래 사회.

컴프레서〔compressor〕 명 『기』 공기 압축기(壓縮機).

컴프레션 성형기【一成型機】〔compression〕 명 압축(壓縮) 성형기.

컵〔cup〕 명 ①사기나 유리로 만든 잔. ¶ 유리 ～. ②찻잔. ③경기의 우승배(優勝杯). ¶ 우승 ～.

컵-자리〔cup〕 명 〔라 Crater〕 『천』 별자리의 하나. 처녀(處女)자리의 서남쪽에 있는 작은 별자리로 늦은 봄 저녁에 남쪽 하늘에 보임.

컵-케이크〔cupcake〕 명 밀가루에 버터·설탕·달걀·베이킹 파우더 등을 넣어서 컵 모양으로 구운 양과자(洋菓子).

컷〔cut〕 명 ①절단(切斷). 잘라 냄. ②작은 삽화(插畫). ③야구에서, 곡구(曲球)를 잡아 채듯이 치는 일. ④야구에서, 야수가 던진 공이 목적한 야수에 도달하기 전에 다른 야수가 중간에서 잡는 일. ⑤영화의 편집·검열을 할 때 필요 없거나 나쁜 필름의 부분을 자르는 일. 또, 그 필름. 커팅. ⑥영화 촬영에서, 카메라의 회전 시작에서 끝까지 계속해 촬영된 일련의 필름. ⑦ ☞커트. ——-하다 타여불

컷 글라스〔cut glass〕 명 조탁(彫琢)을 한 유리 그릇.

컷-백〔cutback〕 명 ①영화 용어. 연속된 화면(畫面)의 도중에 갑자기 다른 화면이 나타났다가 다시 먼저의 화면으로 돌아가는 기교(技巧). ②미식 축구에서, 공을 가진 공격측의 플레이어가 일단 바깥 쪽으로 뛰다가 중도에 급히 중앙으로 돌아가는 일.

컷 스텝〔cut step〕 명 등산에서, 가파른 사면(斜面)이나 얼음 벽을 오를 때 피켈(pickel)로 발 딛을 자리를 만드는 작업. 스텝 커팅.

컷-아웃〔cutout〕 명 럭비·축구 등에서, 공격측의 플레이어가 터치라인(touchline) 쪽으로 급히 방향을 바꿔 달리는 일.

컷아웃 스위치〔cutout switch〕 명 『전』 안전 개폐기.

컷-오프〔cutoff〕 명 방송 중인 음악이나 이야기 따위를 급히 중단하는 일. 시청자의 주의력을 모으고 화면 변화에 대한 기대를 높이기 위한 기교(技巧). 드라마 프로그램에 많이 사용됨.

컷-워:크〔cutwork〕 명 서양 자수(刺繡)의 한 가지. 도안의 윤곽을 버튼 홀 스티치(button hole stitch)로 하고, 내부로부터 주위를 적당히 잘라 내서 모양을 만드는 수법.

버튼홀 스티치

〈컷워크〉

컷-인〔cut-in〕 명 ①영화에서, 장면의 사이사이에 대화(對話)의 일부분 등을 영사(映寫)하여 내는 삽입 자막(字幕). 소자막(小字幕). ②농구에서, 수비선을 재빨리 돌파하여 공격하는 일.

컷인-플레이〔cut-in-play〕 명 야구에서, 삼루수가 유격수 가까이 굴러 가는 느린 땅볼을 옆으로 뛰어나가 잡는 일.

컷 필름〔cut film〕 명 건판(乾板) 대신에 한 장 한 장 틀에 넣어 사용하도록 절단된 두꺼운 필름.

컹컹 부 큰 개가 짖는 소리. ¶ ～ 짖다. ＞캉캉². ——-하다 자여불

컹컹-거리다 자 잇따라 컹컹 짖다. ＞캉캉거리다.

컹컹-대다 자 컹컹거리다.

케[1] 명 〈방〉 코(경남).

케[2] 조 〈방〉 께(함남).

케[3] 보동 〈옛〉 하게. ¶ 得호라케 ᄒᆞ리니 ≪楞嚴 Ⅸ:94≫.

-케 준 -하게. ¶ 성공～ 하다/좀 더 편～ 해 드리죠.

케나〔스 quena〕 명 페루의 안데스 지방 인디오들이 애용(愛用)하는 소형(小型)의 피리. 애조(哀調)를 띤 음색(音色)의 멜로디 악기임. 흔히 갈대의 줄기로 만드나 동물의 뼈로 만든 것도 있음.

케나프〔kenaf〕 명 『식』 〔*Hibiscus camabinus*〕 아욱과에 속하는 일년초. 높이 2-3m이고, 잎은 호생(互生)하며 유병(有柄)임. 손바닥 모양의 황색 꽃이 엽액(葉腋)에 나며, 삭과(蒴果)가 열림. 줄기의 섬유는 그물·베·제지(製紙)에 사용함. 인도 원산(原產)으로 남러시아에서 재배함. 양마(洋麻).

케냐〔Kenya〕 명 『지』 아프리카 동부의 공화국. 적도(赤道) 바로 밑에 위치하며 국토의 대부분이 표고 500m 이상의 고원(高原)임. 해안 지대가 저습(低濕)한 데 비하여 북부는 건조함. 주민의 대부분은 아프리카인(人). 공용어는 스와힐리어(語). 커피·사이잘(Sisal)삼·밀 등을 산출하며 제분(製粉)·섬유·시멘트 공업 등이 행하여짐. 영국의 식민지로 있다가 1963년 독립, 1964년 공화국을 선언함. 수도는 나이로비(Nairobi). 정식 명칭은 '케냐 공화국(Republic of Kenya)' [582,646 km²: 25,905,000명(1991 추계)]

케냐 산【一山】〔Kenya〕 명 『지』 케냐에 있는 사화산(死火山). 아프리카 제2의 고봉(高峰). 적도(赤道) 바로 밑에 있으나 정상에서 4,300m까지 빙하(氷河)가 있음. [5,194m]

케냐타〔Kenyatta, Jomo〕 명 『사람』 케냐의 정치가. 일찍부터 독립 운동에 참가, 영국 유학 후 1947년 '케냐 아프리카 동맹' 총재가 되었으나 마우마우단 지도의 혐의로 체포(1952-61)됨. 1961년 '케냐 아프리카인 민족 동맹' 총재, 1963년 수상, 1964년 초대 대통령이 되어 범(汎)아프리카주의 운동을 추진함. [1891-1978]

케넌〔Kennan, George Frost〕 명 『사람』 미국의 외교관. 약 30년의 경력을 가진 소련통으로, 현실주의적 외교 정책의 제창자로서 저명함. 주소(駐蘇) 대사·유고슬라비아 대사 등을 역임하였고, 1953년 이후 프린스턴 고급 연구소에서 저작·강연 등에 종사함. 주저에 ≪미국의 외교≫·≪소비에트의 외교 정책≫이 있음. [1904-]

케네〔Quesnay, François〕 명 『사람』 프랑스의 의사·경제학자. 일생을 외과의로 근무하면서 명저 ≪경제표(經濟表)≫를 발표하여 중농(重農) 학파의 대표자로 등장하게 되었음. [1694-1774]

케네디[1]〔Kennedy, John Fitzgerald〕 명 『사람』 미국의 정치가. 민주당 출신으로 하원 및 상원 의원을 거쳐 1960년 제35대 대통령으로 선출됨. 대통령 재직 중에는 뉴 프런티어 정책을 내걸어 국내적으로는 혁신적 분위기를 고양하였고, 대외적으로는 쿠바 문제 등 힘의 외교를 통하여 미소(美蘇) 협조 정책을 추진하였음. 1963년 유세 여행 중 텍사스 주 댈러스 시에서 암살됨. [1917-63]

케네디[2]〔Kennedy, Paul Michael〕 명 『사람』 영국의 역사학자. 옥스퍼드 대학에서 학위 취득, 유럽과 미국 각지의 대학에서 교편을 잡음. 1983년부터 미국 예일 대학 교수. 전문은 현대 국제 관계와 전략사(戰略史). 1987년의 ≪강대국(強大國)의 흥망(興亡)≫으로 각광을 받음. 이밖에 ≪영국 해군 지배력의 흥망≫·≪외교의 이면 실상≫·≪21세기 준비≫ 등 저서가 많음. [1945-]

케네디 라운드〔Kennedy Round〕 명 『경』 1965년 5월, 가트(GATT) 각료 회의에서 미국이 주장한 관세 일괄 인하 방식. 1967년 53개국의 조인(調印)으로 성립되어 1972년까지 공업품 관세의 평균 3분의 1 인하 등을 협정하였음. 가트 케네디 방식. 관세 일괄 인하 교섭.

케넬리〔Kennelly, Arthur Edwin〕 명 『사람』 미국의 물리학자·전기 기술자. 인도 태생으로 영국에서 전신 관계를 연구한 후, 1887년 도미하여 에디슨의 조수가 됨. 하버드 대학의 교수를 역임. 1902년 영국의 전기 공학자 헤비사이드(Heaviside, O.)와는 별도로 전리층, 일명(一名) '케넬리 헤비사이드 층'을 발견하였음. [1861-1939]

케넬리 헤비사이드 층【一層】〔Kennelly-Heaviside〕 명 『천』 발견한 두 전기 공학자 케넬리와 헤비사이드의 이름을 붙여서 '전리층(電離層)'을 일컫는 말.

케노트론〔kenotron〕 명 『전』 고전압(高電壓)·저전류(低電流)가 요구되는 장치에서, 정류기(整流器)로 쓰기 위해 설계된 고진공 이극관(高眞空二極管).

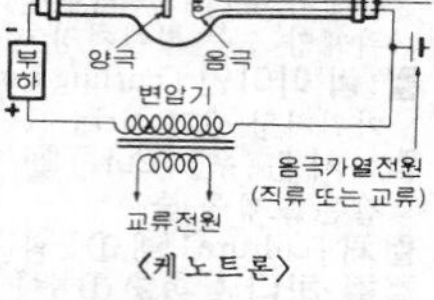

〈케노트론〉

케니언〔Kenyon, John Samuel〕 명 『사람』 미국의 음성(音聲)학자·교육가. 영어학 교수로, 노트(Knott, T.A.)와 함께 발음 사전(發音辭典)을 완성, 케니언 노트식(Kenyon-Knott式) 표기법(表記法)을 창안했음. [1874-1963]

케니언 노트식 표기법【一式表記法】〔Kenyon-Knott〕〔一뻡〕 명 케니언과 노트가 창안한 미어(美語)의 발음(發音) 표기법의 하나.

케다 타 〈방〉 켜다¹(경기·강원·충남·경남·함남).

케도【KEDO】 명 〔Korean Peninsula Energy Development〕 한반도 에너지 개발 기구.

케라토사우루스〔라 ceratosaurus〕 명 중생대(中生代) 중기(中期)인 쥐라기(Jura紀) 후기의 육식 공룡(肉食恐龍). 뭍에 살며 이각 보행(二脚步行)을 하고, 몸길이는 6-7m로 코 끝에 기묘한 혹이 있음. 짧은 앞발의 발가락은 네 개, 뒷발에는 날카로운 발톱이 달린 발가락이 셋 있음. 다른 육생류(陸生類)에 비하면 민첩했던 것으로 추측됨.

케라틴〔keratin〕 명 『화』 경단백질(硬蛋白質)의 한 가지. 일반적으로 화학 시약(試藥)에 대하여 저항력이 큼. 손톱·뿔·머리털 등의 주성분을 이루며, 척추 동물의 표피(表皮), 어류 및 파충류의 비늘에도 있음. 각소(角素). 각질(角質).

케랄라〔Kerala〕 명 『지』 인도 공화국의 한 주. 인도 반도의 서남부를 이룸. 예로부터 동서 무역으로 번영하였고, 고대 인도의 왕국이었음. 교육 수준이 높은 곳으로 유명하며, 쌀·천연 고무·향료·커피 및 운모(雲母)·흑연 등이 산출됨. [38,850 km²]

케레스[1]〔Ceres〕 명 『신』 로마 신화 중의 농경(農耕)의 여신(女神). 그리스 신화의 데메테르(Demeter)에 해당함.

케레스[2]〔Ceres〕 명 『천』 1801년 이탈리아의 천문학자 피아치(Piazzi, G.)가 발견한 소행성(小行星) 제1호. 절대 실시(實視) 등급 3.76등, 자전(自轉) 주기 9.078시간, 공전(公轉) 주기 4.6년, 지름 1,003km로 소행성 중 최대임. 케레스란 피아치가 살던 시칠리아 섬의 수호 여신의

이름임.

케렌스키 〔Kerenskii, Aleksandr Feodorovich〕 명 〖사람〗 러시아의 혁명가. 1917년의 3월 혁명 후 임시 정부(臨時政府)에 참가하여 곧 수상(首相)이 되었으나, 11월 혁명으로 몰락(沒落)하여 미국으로 망명하였음. [1881-1970]

케로겐 〔kerogen〕 명 오일 셰일(oil shale) 따위에 함유된 유기 화합물의 하나. 산소·질소·황 등을 함유하며, 원유(原油)와 비슷한 성질을 지님. 유모(油母).

케로신 〔kerosine〕 명 등유(燈油).

케루비니 〔Cherubini, Maria Luigi Carlo Zenobio Salvatore〕 명 〖사람〗 이탈리아의 작곡가. 종교곡(曲)과 가극에 몰두하였으며, 프랑스에 이주하여 1795년 파리 음악원(音樂院)을 창립하였음. 작품으로는 ≪로도이스카≫·≪메디아≫ 등이 있음. [1760-1842]

케루빔 〔라 Cherubim〕 명 〖기독교〗 지식을 맡은 천사. 아홉 천사 중 제2위임. 지품 천신(智品天神).

케루악 〔Kerouac, Jack〕 명 〖사람〗 미국의 작가·시인. 긴즈버그(Ginsberg, Allen; 1926-) 등과 교유(交遊), 비트 세대(beat 世代)를 대표함. 소설 ≪방랑≫·≪지하가의 사람들≫ 등에서 방황하는 현대의 젊은이를 표사하고 있음. [1922-69]

케룰렌 강 【一江】 〔Kerulen〕 명 〖지〗 몽골 동부의 강. 켄테이(Kentei) 산맥 남쪽에서 발원하여 내몽고의 훌룬 노르 호(Hulun Nor 湖)에 들어감. 어류(魚類)가 풍부함. 중국에서는 커루룬 강(克魯倫河)이라 함. [1,260 km]

케르겔렌 제도 【一諸島】 〔Kerguélen〕 명 〖지〗 인도양 남부에 있는 프랑스령의 제도. 약 300개의 작은 섬으로 이루어짐. 주도(主島)는 화산도(火山島)로 최고점은 2,040 m. 빙하가 있으며, 해안에는 협만(峽灣)이 발달됨. 1772년 프랑스인 항해사 케르겔렌이 발견함. [7,000 km²]

케르니히 증세 【一症勢】 〔Kernig〕 명 〖의〗 뇌막염(腦膜炎)·뇌염 등 뇌질환(腦疾患)에서 볼 수 있는 중요한 증세. 곧, 경부(頸部)에 경직(硬直)이 오고 다리를 고관절(股關節)에서 직각으로 구부리고 슬관절(膝關節)을 똑바로 펴려 하여도 펴지지 않음.

케르마 〔kerma〕 명 〖물〗 물질의 단위 질량 속에, 중성자(中性子)와 같은 전하(電荷)가 없는 입자가 들어왔을 때, 그것으로 일어난 모든 하전 입자(荷電粒子)의 운동 에너지. J/kg 또는 erg/g로 표시함.

케르마데크 제도 【一諸島】 〔Kermadec〕 명 〖지〗 뉴질랜드 북북동(北北東) 약 1,000 km, 남서(南西) 중앙 태평양에 있는 화산도군(火山島群). 환(環)태평양 조산대(造山帶)의 남서부에 위치한 화산섬으로 선데이(Sunday) 섬·매콜리 섬·커티스 암초(岩礁)·레스페랑스 암초 등으로 구성되며, 주도(主島)인 선데이 섬에 무선국과 측후소가 있음.

케르만 〔Kerman〕 명 〖지〗 이란 남동부의 도시. 북서쪽에 사막을 끼고 있으며, 자동차와 대상(隊商) 루트의 요지임. 농경지는 관개되어 곡물·면화 등을 생산하며, 융단과 면방적 공업이 행하여짐. 11세기 이래의 중요한 모스크가 있음. [140,761명 (1976)]

케르만샤 〔Kermanshah〕 명 〖지〗 이란 서부 케르만샤 주의 주도(州都). 예로부터 대상 무역(隊商貿易)의 요지이며, 유전 지대(油田地帶)의 중심지임. [536,500명 (1985)]

케르베로스 〔Kerberos〕 명 〖신〗 그리스 신화 중 저승 하이데스(Haides)의 문을 지키는 세 개의 머리와 뱀의 꼬리를 가진 개.

케르셴슈타이너 〔Kerschensteiner, Georg Michael〕 명 〖사람〗 독일의 교육가. 직업(職業) 교육에 의한 공민(公民)의 도야(陶冶)를 창도하였음. [1854-1932]

케르치 〔Kerch〕 명 〖지〗 우크라이나 공화국 크림 반도 동부에 있는 항구 도시. 어업과 담배 재배 등의 농업 외에 철 산지로 중공업이 흥함. [166,000명 (1984)]

케르키라 〔Kérkyra〕 명 〖지〗 코르푸(Corfu) 섬의 그리스어명.

케른[1] 〔cairn〕 명 등산로(登山路)·산정(山頂) 등에 도표(道標)나 기념으로 쌓아 올린 피라미드 형의 돌무더기.

케른[2] 〔도 Kern〕 명 씨. 핵(核). 전(轉)하여, 핵심. 본질. 진수(眞髓).

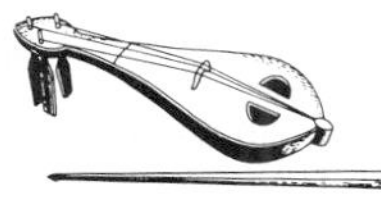
〈케만체〉

케만체 〔kemanche〕 명 〖악〗 아라비아·북아프리카 등 이슬람권(圈) 특유의 호궁(胡弓). 달걀꼴의 몸통에 장선(腸線)으로 된 3현이 있음.

케말 아타튀르크 〔Kemal Atatürk〕 명 〖사람〗 〔아타튀르크는 '터키의 아버지'라는 뜻〕 1934년 터키 의회가 케말 파샤에게 개정된 성씨법(姓氏法)에 의거해 증정(贈呈)한 성명(姓名).

케말 파샤 〔Kemal Pasha〕 명 〖사람〗 터키 공화국의 초대 대통령. 청년 터키당(黨)을 이끌고 민족 운동에 종사. 1차 대전 후 그리스와 싸워 이겨, 1925년 초대 대통령에 취임하여, 국토·주권(主權)의 회복과 터키의 근대화(近代化)에 노력하였으며, 특히 아라비아 문자(文字)를 폐지하고 로마 문자로 국자(國字) 개혁을 단행하였음. 케말 아타튀르크. [1881-1938]

케미그라운드 펄프 〔chemi-ground pulp〕 명 펄프의 일종. 목재를 수산화 나트륨 용액이나 중성 아황산 나트륨으로 간단히 처리하여 만듦. 활엽수의 사용이 가능하며, 수율(收率)은 약 85%임. 목재를 일정한 길이의 통나무 채로 약품 처리 후 쇄목기(碎木機)로 펄프화하는 방법과 미리 잘게 썰어서 약품 처리 후 정제(精製)하여 펄프화하는 방법 등이 있음.

케미 슈:즈 〔chemi shoes〕 명 ↗케미컬 슈즈.

케미스트 〔chemist〕 명 ①화학자(化學者). ②약사(藥師). 약종상(藥種商).

케미스트리 〔chemistry〕 명 화학(化學).

케미컬 〔chemical〕 명 ①화학적. '화학적으로 합성된'의 뜻. ②↗케미컬 슈즈.

케미컬 레이스 〔chemical lace〕 명 화학 약품으로 처리하여 기계로 짠 입체적 자수 무늬의 레이스. 중량감이 있고 호화로움.

케미컬 리파이너리 〔chemical refinery〕 명 〖화〗 화학 원료(化學原料)의 생산을 주목적으로 한 석유 정제(精製). 곧, 석유 화학 회사가 원료의 안전 확보를 위하여 자체 내에 석유 정제 시설(石油精製施設)을 갖추고 원료를 생산하는 일.

케미컬 밀링 〔chemical milling〕 명 〖화〗 화학적 절삭(切削) 가공법. 산(酸)·알칼리 등에 의한 용해 작용을 이용하여 금속 재료에 성형 가공을 함.

케미컬 슈:즈 〔chemical shoes〕 명 합성 피혁으로 만든 신. ㊟케미컬·케미 슈즈.

케미컬 토일릿 〔chemical toilet〕 명 수세식이 아닌 무취식(無臭式)의 가정용 변소. 플라스틱의 조립식과 전기 설비식이 있음.

케블러 〔Kevlar〕 명 미국의 뒤퐁 회사(Du Pont 會社)가 1971년에 개발한 아라미드 섬유의 상표명. '황색의 마법 섬유'라는 별명을 가진 획기적 신소재로서, 철의 5배의 인장(引張) 강도와 뛰어난 내열성을 지님. 자동차 부품·내마모재(耐磨耗材)·항공기의 강화 플라스틱 재료 등에 쓰임.

케살테낭고 〔Quezaltenango〕 명 〖지〗 중미, 과테말라 서남부의 도시. 표고(標高) 2,334미터로 산타마리아 화산 기슭에 있으며, 1902년 화산의 분화로 파괴되었다가 근대적인 도시로 재건됨. 커피 등 농산물 거래의 중심지로, 방적과 담배 제조가 행하여짐. 부근에는 1524년에 있은 원주민(原住民)과 스페인 정복자(征服者) 간의 전적지(戰跡地)가 있음. [72,745명 (1982)]

케 세라 세라 〔스 que será, será〕 명 '될 대로 되라'의 뜻.

케셀 〔Kessel, Joseph〕 명 〖사람〗 아르헨티나 태생의 러시아계 프랑스 작가. 저널리스트에서 작가로 전향(轉向), 러시아 혁명에서 취재한 ≪붉은 초원≫으로 데뷔함. 다큐멘터리식 묘사와 강렬한 인간의 본능 추구가 특색임. 주저에 ≪왕후들의 밤≫·≪행복 다음에 오는 것≫ 등이 있음. [1898-1979]

케손 〔Quezon y Molina, Manuel Luis〕 명 〖사람〗 필리핀의 정치가. 스페인과 미국에 항쟁하여 독립 운동에 투신하다가 1935년에 필리핀의 초대 대통령이 되었음. 1942년 일본이 침입하자 미국에 피하여 망명 정권을 수립하였으나 뉴욕에서 객사함. [1878-1944]

케손-시티 〔Quezon City〕 명 필리핀의 마닐라 동북쪽에 건설된 도시. 1940년부터 계획적으로 건설되기 시작하여 1948년 수도(首都)가 되었다가 1975년 11월 마닐라 시(市)와 통합, 마닐라의 일부가 됨. 초대 대통령 케손의 기념탑이 있음.

케:솜 〔Keesom, Wilhelms Hendrikus〕 명 〖사람〗 네덜란드의 물리학자. 카메를링오네스(Kamerlingh-Onnes) 연구소에서 초전도체(超傳導體)에 대한 자기장(磁氣場)의 영향을 연구하였으며, 최초로 고체 헬륨(固體 helium)을 만듦. [1876-1956]

케송 〔프 caisson〕 명 케이슨.

케송-병 【一病】 〔프 caisson〕 〔一뼝〕 명 〖의〗 케이슨병.

케스 〔Keyes〕 명 〖지〗 서부 아프리카 말리 공화국 서부, 세네갈 강 연안의 항구 도시. 다카르(Dakar)와 바마코(Bamaco)를 잇는 철도의 중간점에 있으며, 낙화생·옥수수 등 농산물 집산의 중심지임.

〈케스타〉

케스타 〔cuesta〕 명 〖지〗 경사가 완만(緩慢)하고, 무른 암석과 단단한 암석이 교호(交互)로 층을 이루고 있는 일군(一群)의 지층(地層)이 침식되어 이루어진 지형.

케스트너 〔Kästner, Erich〕 명 〖사람〗 독일의 시인·소설가. 드레스덴 태생. 신즉물주의적(新卽物主義的) 특성을 발휘한 작가로, 풍자 시집 ≪허리 위의 심장≫ 및 세상의 퇴폐를 그린 소설 ≪파비안(Fabian)≫ 등을 냄. [1899-1974]

케스틀러 〔Koestler, Arther〕 명 〖사람〗 헝가리의 작가. 공산당에서 탈당하여 독재 국가의 암흑을 그린 ≪대낮의 암흑≫으로 일약 문명(文名)을 올렸으며, 제2차 대전 중에는 영국에 망명, 이후 영국 문단에서 활약함. 소설 ≪밤도둑들≫·≪갈망의 시대≫, 희곡 ≪오는 자, 가는 자≫ 등의 작품 외에 평론 등이 있음. [1905-83]

케야르 〔Cuellar, Javier Perez de〕 명 〖사람〗 페루의 외교관. 리마 출생. 1944년부터 외교 분야에 투신, 1966년 외무 차관(次官), 1969년 주소(駐蘇) 대사, 1971년 UN 주재 대사, 1979년 UN 특별 정치 문제 담당 사무 차장을 역임, 1982년 유엔 사무 총장에 취임하였고 1986년에 재선됨. [1920-]

케어 【CARE】 명 〔Cooperative for American Relief to Everywhere의 약칭〕 미국 원조 물자 발송 협회. 본래는 미국의 25개 종교 단체(宗敎團體)에 의해 세워진 유럽에 대한 미국의 원조 물자 발송 협회(Cooperative for American Remittances to Europe)로서 유럽의 구제를 목적으로 했으나, 후에 기타 지역에까지 확대하여 그 구제 물자를 보내게 됨.

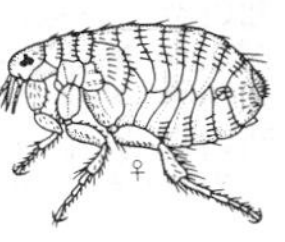
〈케오피스벼룩〉

케오피스-벼룩 〔라 cheopis〕 명 〖충〗 〔*Xenopsylla cheopis*〕 벼룩과에 속하는 곤충. 몸길이 1.5-2 mm 내외이고, 촉각(觸角)의 앞쪽과 눈 가에 각각 한 쌍의 강모(剛毛)가 있고 촉각의 뒤쪽에는 세 개의 강모가 있음. 페스트 병균(病菌)을 매개(媒介)하는데, 사람·개·고양이·쥐 등에 기생(寄生)함. 전세계에 분포함.

케이[1] 【K, k】 명 ①영어의 열한째 자모(字母). ②〖야구〗 삼진(三振).

케이[2] 〔Kay, John〕 명 『사람』 영국의 발명가. 1733년, 개량한 방적기의 특허를 받음. 그러나 실업(失業)을 겁낸 직공들의 폭동으로 집까지 파괴당하고 프랑스로 피신, 불우하게 죽었음. [1704-64]

케이[3] 〔Key, Ellen〕 명 『사람』 스웨덴의 여류 사회 운동가. 근대 여성 운동의 선구자로, 사회의 개조(改造)·여성의 지위 향상·아동의 권리 보호를 위하여 노력하였음. 저서에 《아동의 세기(世紀)》·《연애와 결혼》·《여성 운동》 등이 있음. [1849-1926]

케이-각[1] 【K脚】 명 『의』 외반슬(外反膝)의 하나. 한쪽 다리만인 것을 말하며, 양쪽 다리인 경우는 엑스각(X脚)이라 함. 케이자각(K字脚).

케이-각[2] 【K殼】 명 『물』 케이 껍질.

케이 껍질 【K—】 명 〔K-shell〕 『물』 원자핵 주위의 궤도 전자(軌道電子)의 가장 안쪽의 전자(電子)의 층. 케이각(殼). ＊엘(L) 껍질.

케이 디: 수출 【KD輸出】 명 〔Knock-Down Export〕 『경』 녹다운 수출.

케이 디: 아이 【KDI】 명 〔Korea Development Institute 의 약칭〕 한국 개발 연구원.

케이 디: 피: 【KDP】 명 〔도 Kaliumdihydrogen phosphat의 약칭〕 『화』 인산 이수소(燐酸二水素) 칼륨.

케이론 〔Cheiron〕 명 『신』 그리스 신화 속의 켄타우로스족(Kentauros族) 중 가장 현명한 인물. 의신(醫神)인 아스클레피오스(Asklepios)를 양육하고, 또 여러 영웅을 도왔다 함.

케이매그 【KMAG】 명 〔Korean Military Advisory Group의 약칭〕 한국군에 파견되어 있는 미군 군사 고문단. 주한 미 군사 고문단.

케이 밴드 〔K band〕 명 『전』 10.9-36 GHz의 무선 주파수대(帶).

케이블 〔cable〕 명 ①식물의 섬유나 철사를 꼬아서 만든 굵은 줄. 로프. ②닻줄로 쓰는 쇠사슬. ③전기 절연물(電氣絶緣物)로 겉을 싼 전화·전력 등의 전선. ④해저 전선(海底電線). 해저 전신(海底電信). ⑤↗케이블 카(cable car).

케이블-그램 〔cablegram〕 명 해저 전신(海底電信).

케이블 릴리:스 〔cable release〕 명 사진기의 셔터를 누르기 위한 보조 기구. 탄력 있는 철사와 스프링으로 되어 있음. ㊌릴리스.

케이블 스티치 〔cable stitch〕 명 뜨개질에서, 밧줄 무늬. 또, 밧줄 무늬로 뜨는 일.

케이블 카: 〔cable car〕 명 ①와이어 로프에 운반기(運搬器)를 매달아 여객·화물·광석 등을 운반하는 설비. 가공 삭도(架空索道). ②경사가 급한 사면(斜面)에 따라서 부설된 레일(rail) 위를 케이블을 감아 올리는 기계로 차량을 운전하여 승객이나 화물을 반송(搬送)하는 철도. 또, 그 차량. 등산 철도에 널리 이용됨. 강삭(鋼索) 철도. 현수(懸垂) 철도. ㊌케이블.

케이블 크레인 〔cable crane〕 명 기중기(起重機)의 일종. 두 개의 철탑 사이에 강삭(鋼索)을 치고, 그 위로 짐을 맨 트롤리(trolley)가 달리게 된 형식의 기중기. 거리가 멀고 중간에 지주(支柱)를 세우기 어려운 장소에 적합함.

케이블 텔레비전 〔cable television〕 명 동축(同軸) 케이블이나 광섬유(光纖維) 케이블을 사용하여 텔레비전 신호를 각 수상기로 전송하는 방송 시스템. 본래 이것은 산간 벽지나 빌딩 그늘에 있는 난청(難聽)·난시(難視) 지역 해소용인 재송신 중심의 소규모의 것으로 시작되었으나, 지금은 다른 방송국의 프로그램을 재송신할 뿐만 아니라 자주적인 프로그램을 방송하는 대규모·다(多)채널의 도시형으로 발전되어 가고 있음. 유선 텔레비전.

케이 비: 에스 【K.B.S.】 명 〔Korean Broadcasting System의 약칭〕 한국 방송 공사(韓國放送公社)의 통상 명칭.

케이스 〔case〕 명 ①경우(境遇). 예(例). 실례(實例). 사건(事件). 사례(事例). ¶모델(model) ~/테스트(test) ~. ②『언』 문법 상의 격(格). ③상자. 갑(匣). ¶담배 ~. ④탄피(彈皮). ⑤『인쇄』 활자를 담아 두는 나무 상자.

케이스-메이트 〔casemate〕 명 『군』 ①누벽(壘壁)을 지붕으로 방호(防護)한 포대(砲臺). 곧, 방벽(防壁)에 지붕을 씌워 올려 만든 포대. ②대포(大砲)를 방호하는 함상(艦上)의 장갑 장벽(裝甲障壁). 포곽(砲廓).

케이스 바이 케이스 〔case by case〕 명 원칙이나 방침을 정하지 않고 그때 그때 경우에 따라 적당히 일을 처리하는 일.

케이스 스터디 〔case study〕 명 불량 소년 등에 관하여, 어떤 특수한 경우를 철저히 연구함으로써 일반적인 법칙이나 이론을 유도해 내는 방법. 사례 연구법(事例研究法).

케이스-워:커 〔caseworker〕 명 『사』 정신적·육체적·사회적으로 결함이 있는 사람을 상대하여 문제를 해결·지도해 주는 사람. 사회 복지 지도원. ＊케이스워크·그룹워커.

케이스-워:크 〔casework〕 명 ①〔social casework〕 『사』 정신적·육체적·사회적으로 부적응 상태에 있는 개인이나 가정을 상대하여 문제를 해결·지도해 주는 일. 사회 사업의 기술 방법론의 기초를 이룬 것으로, 대상자와 환경과의 관계를 조사·진단 후, 본인의 자주성(自主性)을 해치지 않는 범위 내에서 측면원조(側面援助)를 행함. 개별 지도. 개별 사회 사업. ＊그룹워크. ②의사가 환자의 증상(症狀)에 따라서 치료 방법을 생각하는 일.

케이슨 〔caisson〕 명 잠함(潛函).

케이슨 공법 【—工法】 〔caisson〕 〔—뻡〕 명 『토』 잠함 공법(潛函工法).

케이슨 기초 【—基礎】 〔프 caisson〕 명 『토』 잠함 기초(潛函基礎).

케이슨-병 【—病】 〔caisson〕 〔—뼝〕 명 『의』 잠수부가 장시간 물 속의 기압이 높은 곳에 있다가 갑자기 기압이 낮은 곳으로 나오기 때문에 생기는 병. 근육·관절의 동통, 현기증, 사지의 마비 등을 일으킴. 잠함병(潛函病). 잠수병. 잠수부병.

케이싱 〔casing〕 명 ①포장. 포장 재료. ②겉상자. ③유정(油井)·우물 따위의 쇠 파이프.

케이싱-헤드 〔casinghead〕 명 『광』 석유나 천연 가스 유정(油井)의 케이싱 꼭대기에 부착시키는 기구.

케이싱헤드 탱크 〔casinghead tank〕 명 천연 가솔린 또는 4-40 프사이그(psig)의 증기압(蒸氣壓)을 가진 액체의 저장 탱크. 일반 탱크와 가압 탱크의 중간.

케이에스 【KS】 명 〔Korean Industrial Standards〕 한국 산업 규격(韓國工業規格). 또, 그 표시. ¶~ 표시품.

케이에스 마:크 〔KS mark〕 명 산업 표준화법(產業標準化法)에 따라 한국 산업 규격에 의거하여 중소 기업청이 그 제품을 표준적(標準的)이라고 인정하여 그 제품에 표시하게 하는 ㉿의 표. 광공업품·가공 기술 종목·농수 축산물 가공 식품 등에 표시함.

케이에스 자석강 【KS磁石鋼】 명 『광』 특수강의 하나. 보자력(保磁力)이 강하며 강렬한 자성을 지니는 강철.

케이 엔 에이 【K.N.A.】 명 〔Korean National Airline의 약칭〕 대한 국민 항공사. 대한 항공의 전신(前身).

케이 엘 방식 【KL方式】 명 『의』 홍역 백신(vaccine)의 방식. 처음에 불활성화(不活性化) 백신 K를 주사하고, 다음 30-45일 후에 생(生)백신 L을 주사하는 방식.

케이 엠 에이 지: 【KMAG】 명 케이매그(KMAG).

케이-오 【K.O.】 명 녹아웃(knockout). ¶~ 펀치/~율 85%의 하드 펀처.

케이오:-승 【KO勝】 명 상대를 녹아웃(knockout)시킴으로써 이기는 일. ¶~을 거두다.

케이 오: 시: 【K.O.C.】 명 〔Korea Olympic Committee의 약칭〕 한국 올림픽 위원회.

케이 인자 【K因子】 명 〔K factor〕 『물』 어떤 특수한 방사체로부터 생기는 γ선 에너지의 측도(測度).

케이 입자 【K粒子】 명 『물』 케이 중간자.

케이자-각 【K字脚】 〔—짜 —〕 명 『의』 케이각(K脚).

케이 전:자 【K電子】 명 〔K electron〕 『물』 케이(K) 껍질 속의 전자. 주양자수(主量子數)는 1임. ＊엘(L)전자.

케이 중간자 【K中間子】 명 〔K meson〕 『물』 전자 질량의 약 970 배가 되는 중간자(中間子)의 하나. 우주선(宇宙線) 가운데 있는 약간 무거운 중간자. 질량은 약 495 메가볼트(MeV). 분열하면 플러스(＋)의 파이 중간자(π中間子)와 마이너스(—)의 파이 중간자로 나뉘어짐. 케이 입자(K粒子).

케이지[1] 〔Cage, John〕 명 『사람』 미국의 작곡가. 전위적인 음표현(音表現)을 추구하여, 피아노에 이물(異物)을 넣어 음질을 바꾸어 미분음(微分音)의 연주를 가능케 하는 '프리페어드 피아노'의 창시(創始)와 자기(磁氣) 테이프에 의한 창작 등을 시도(試圖)함. [1912-92]

케이지[2] 〔cage〕 명 ①새, 특히 닭을 사육하기 위한 새장. ＊배터리. ②엘리베이터의 칸. ③↗배팅 케이지.

케이 지: 비: 【KGB】 명 〔러 Komitet Gosudarstvenoi Bezopasnosti의 약칭〕 소련의 국가 보안 위원회. 게 페 우(GPU)의 후신으로 1954년에 설립된 정보 기관. 국내 보안과 정보 수집, 군부 관리, 반체제 지식인·민족 운동·종교 활동의 감시, 소련 주재 외국인·여행자의 감시와 공작, 요인(要人)의 경호, 통신 위성·컴퓨터 등 과학 정보, 대외 정보 수집, 그 밖에 비합법적 특수 공작 등을 담당함. 소연방 각료 회의에 속하나, 실질적으로는 당 서기장에 직속되어 있었음. 소련 해체 후 1991년 10월 해체되었음.

케이지 사육 【—飼育】 〔cage〕 명 양계법(養鷄法)의 하나. 닭을 우리 안에 한 마리 또는 두 마리씩 넣어서 기르는 방법. 분산 사육함으로써 산란양(產卵量)의 개별적 파악과 병계(病鷄)의 조기 발견이 가능함. 자동 급사기(給飼器)를 갖추면 한 사람이 5,000마리 정도를 사육할 수 있음. 케이지 양계.

케이지 양:계 【—養鷄】 〔cage〕 명 케이지 사육.

케이 카: 〔K car〕 명 미국의 크라이슬러사(社)에서 1980년에 개발한 소형차(小型車). 전륜 구동(前輪驅動) 방식으로, 엔진의 배기량(排氣量)은 2,200 cc. ＊월드 카.

케이 케이 케이 【K.K.K.】 명 큐 클럭스 클랜(Ku Klux Klan)의 약자.

케이 코로나 〔K corona〕 명 『천』 태양 코로나의 내층부. 전자 산란(電子散亂)에 의한 연속 스펙트럼을 가짐.

케이-코로나미터 〔K-coronameter〕 명 『물』 개기일식(皆既日食)이 아닌 때에, 코로나를 백색광(白色光)으로 관측하는 장치. 코로나의 편광(偏光)을 이용, 광전식(光電式) 편광 검출기를 사용함.

케이크 〔cake〕 명 과자(菓子). 특히, 밀가루·달걀·버터·우유·설탕 등을 주재료로 하여 구워 만든 스펀지 케이크 등의 양과자(洋菓子). ¶생일 축하 ~.

케이크-워:크 〔cakewalk〕 명 ①가장 독특하고 우아한 걸음걸이로 걷는 사람이 상품으로 케이크를 받는 미국 흑인간의 여흥(餘興). ②『악』 케이크워크에서 발달된 초기 재즈의 한 형식으로, 흑인들에게서 나온 2박자의 무곡(舞曲). 「으로 바꾸는 일.

케이킹 〔caking〕 명 『공』 분말을 열·압력·수분 따위로 고형상(固形狀)

케이타 〔Keita, Modibo〕 명 『사람』 말리의 정치가. 1945년경부터 독립 운동에 참가, 1958년 셍고르(Senghor, L.S.)와 같이 아프리카 연방당을 결성, 서기장·말리 연방 수상 겸 수단 수상을 역임함. 1960년 세네갈 분리와 동시에 말리 대통령이 되었으나 1968년 군부 쿠데타로 실각함. [1915-77]

케이터링 서:비스 〔catering service〕 명 파티 등에 출장하여 이용자의 요구대로 장내를 세팅하고 좋아하는 요리 등을 제공하는 장사.

케이 투: [K₂] 명 『지』 카슈미르 북부, 카라코룸 산맥의 중앙부에 있는 세계 제2의 고봉(高峰). 1954년 이탈리아 원정대가 처음 정복함. 일명 고드윈오스틴 산(Godwin Austin山). [8,611m]

케이 티: 【kt】 의명 킬로톤의 약호.

케이 티 마:크 【KT—】 [mark] 명 [KT는 Korea Good Technology의 약자] 한국 산업 기술 진흥 협회(韓國產業技術振興協會)가 국산(國產) 신기술(新技術)을 인정하여 그 기술을 이용한 제품에 붙이기를 허용한 마크. 청색(靑色)의 마름모꼴 바탕에 흰 글씨로 영자(英字) 케이 티(KT)가 새겨져 있음. 정식 이름은 '국산 신기술 인정 마크'.

케이폭 [kapok] 명 케이폭나무 열매의 껍질 내벽(內壁)에 있는 털. 목화보다 가볍고 보온성(保溫性)이 풍부하며, 물을 안 빨아 들여 부력(浮力)이 큼. 구명구(救命具)·이불·베개·방석 등에 씀. 판자(panja).

케이폭-나무 [kapok] 명 『식』 [*Ceiba pentandra*] 판자과(panja科)에 속하는 낙엽 교목. 높이 15 m 가량이며 가지가 옆으로 윤생(輪生)하여 나고 날카로운 가시가 돋아 있음. 잎은 장상복엽(掌狀複葉)이고, 5월경에 흰 꽃이 핌. 삭과(蒴果)는 길이 12 cm 내외의 타원상이고 속에 150개 가량의 씨가 들어 있음. 씨는 종피(種皮)가 변한 섬유로 싸였는데 이 섬유를 '케이폭'이라 함. 씨에는 기름이 함유되어 식용·비누 원료·사료(飼料)·비료로 씀. 열대(熱帶) 작물로서 자바·필리핀·아메리카 등지에서 재배함. 판자(panja). 반지화(斑枝花).

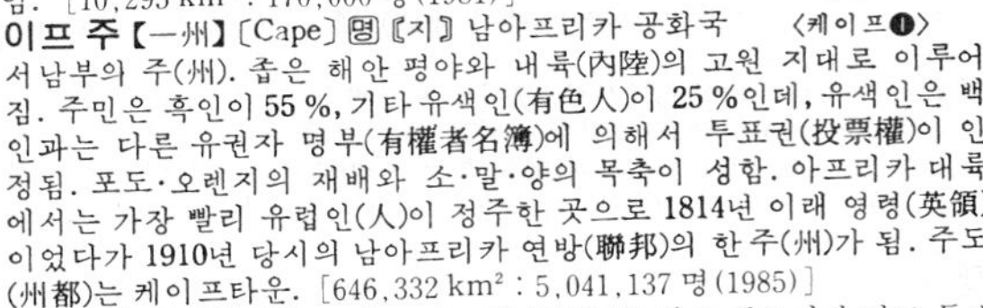

〈케이폭나무〉

케이프 [cape] 명 ①망토의 일종. 방한 방우용(防寒防雨用) 또는 해안에서 입는 것 등이 있음. ②갑(岬).

〈케이프❶〉

케이프브레턴 섬 [Cape Breton] 명 『지』 캐나다 남동부, 노바스코샤 주(州)의 섬. 카보토(Caboto) 해협을 사이에 두고 뉴펀들랜드 섬과 마주보며, 대륙과의 사이에는 좁은 칸소(Canso) 해협이 있음. 북부는 산이 많고 풍경이 아름다워 국립 공원으로 지정됨. 석탄업·어업·임업이 행하여짐. 시드니가 중심지임. [10,295 km² : 170,000 명(1981)]

케이프 주 【—州】 [Cape] 명 『지』 남아프리카 공화국 서남부의 주(州). 좁은 해안 평야와 내륙(內陸)의 고원 지대로 이루어짐. 주민은 흑인이 55%, 기타 유색인(有色人)이 25%인데, 유색인은 백인과는 다른 유권자 명부(有權者名簿)에 의해서 투표권(投票權)이 인정됨. 포도·오렌지의 재배와 소·말·양의 목축이 성함. 아프리카 대륙에서는 가장 빨리 유럽인(人)이 정주한 곳으로 1814년 이래 영령(英領)이었다가 1910년 당시의 남아프리카 연방(聯邦)의 한 주(州)가 됨. 주도(州都)는 케이프타운. [646,332 km² : 5,041,137 명(1985)]

케이프 커내버럴 [Cape Canaveral] 명 『지』 미국 플로리다 반도 동해안에 면한 곶(串). 항공 우주국 기지로 우주선·인공 위성·통신 위성 따위의 로켓 발사장으로 유명함. 1963년 고(故) 케네디 대통령을 기념하여 케이프 케네디로 개칭했었으나 1973년 본래의 이름으로 환원했음.

케이프-케네디 [Cape Kennedy] 명 『지』 '케이프 커내버럴'의 1963년부터 1973년까지의 이름.

케이프-타운 [Cape Town] 명 『지』 남아프리카 공화국 케이프 주의 주도(州都). 테이블 산의 북쪽 기슭에 위치함. 1652년 네덜란드의 식민지로 건설. 후에 영국에 점령되어 동인도(東印度) 항로의 요지(要地)가 됨. 남아프리카 최대의 상항(商港)임. [213,830 명(1980)]

케이프하:트-법 【—法】 [Capehart] [—뻡] 명 1950년, 미국의 군수(軍需) 산업법을 수정한 임시법. 트루먼 대통령의 경제 고문 케이프하트가 기초한 것으로 1951년 1월 의회에서 통과됨. 한국 전쟁에 따르는 경제력 동원과 경제 통제가 주목적임.

케이 피: 케이 악극단 【KPK 樂劇團】 명 『악』 광복 직후부터 1950년대까지 활약한 한국의 악극단.

케인스 [Keynes, John Maynard] 명 『사람』 영국의 경제학자. 제1차 세계 대전 후, 금본위 제도로의 복귀에 반대하고, 관리 통화 제도를 제창함. 1930년대 초기의 세계 대공황의 경험에 의거한 명저(名著) ≪고용·이자 및 화폐의 일반 이론≫에 의하여, 종래의 경제학을 혁신하는 이론 체계를 확립했음. 이 밖에 ≪화폐론≫·≪전비 조달론(戰費調達論)≫ 따위가 있음. [1883-1946]

케인스 학파 【—學派】 [Keynes] 명 『경』 케인스 혁명 이후에 형성된 경제학 상의 한 파. 신고전 학파가 주장한 '공급(供給)은 그 스스로의 수요를 만들어 낸다'라고 하는 세이(Say)의 법칙을 버리고 케인스에 의하여 이론화된 유효 수요(有效需要)의 원리를 주장하였음.

케인스 혁명 【—革命】 [Keynes] 명 『사』 일반 균형(均衡) 이론이 설명하지 못하였던 불완전 고용(雇傭)의 균형을 케인스 경제학이 '투자(投資)=저축(貯蓄)'의 소득 결정 이론으로 설명하였다는 이론상의 혁명성을 강조해서 일컫는 말. 한계 혁명. *한계 분석.

케일 [kale] 명 『식』 [*Brassica oleracea* var. *acephala*] 양배추의 한 변종(變種). 잎이 오글쪼글하고 결구(結球)가 안 됨. 길고 크며 긴 타원형 잎은 비타민·미네랄이 많아 녹즙(綠汁)을 짜서 마심.

케일리 [Cayley, George] 명 『사람』 영국의 공학자. 요크셔 태생. 19세기 초부터 항공기의 이론적·실험적 연구를 하여, 익단면(翼斷面)·상반각(上反角)·프로펠러 등의 항공 역학(力學)의 여러 원리를 밝히고, 모형 글라이더를 비행시키는 데 성공함. 비행선(飛行船)의 설계도 발표했음. [1773-1857]

케임브리지 [Cambridge] 명 『지』 ①영국 남동부 케임브리지 주의 주도. 런던 북방 50 km 지점에 있는데, 대표적 학술 도시로 케임브리지 대학이 있음. [90,440 명(1981)] ②미국 매사추세츠 동부의 도시. 하버드 대학·매사추세츠 공과 대학 등이 있는 학술 도시이며, 1639년 미국 최초의 인쇄(印刷) 기계가 설치된 곳으로 인쇄 출판업(出版業)이 성함. [95,802 명(1990)]

케임브리지 대학 【—大學】 [Cambridge] 명 영국 케임브리지 시(市)에 있는 대학. 옥스퍼드 대학과 함께 영국 최고(最古)의 대학으로 13세기 초에 창건, 16세기에는 영국에서의 종교개혁의 중심이 되고, 19세기 이후는 수학·자연 과학에 현저한 성과를 올림. 인격 형성을 목적으로 하는 칼리지제(制)가 특징으로, 24개의 칼리지 중 3개는 여자 칼리지로 되어 있음. 16세기부터 출판 사업도 하며, 옥스퍼드 대학과의 보트·럭비 등의 정기 시합은 유명함. 검교(劍橋) 대학.

케임브리지 학파 【—學派】 [Cambridge] 명 『경』 신고전 학파(新古典學派)의 별칭. 케임브리지 대학을 중심으로 발달한 데서 일컬음.

케첩 [ketchup] 명 토마토 등의 주스에 향료·감미료(甘味料)·식초 등을 섞어 만든 소스의 한 가지. *토마토 케첩.

케추아-족 【—族】 [Quechua] 명 『인류』 남미의 페루를 중심으로 하는 안데스 지대에 거주하는 종족. 500만-700만 명으로 추정됨. 예전에는 잉카 문명의 주인공이었으나 스페인인에 의한 이베리아 문학의 영향하에 듦. 오늘날의 이 민족은 폐쇄적(閉鎖的)·배타적(排他的)인 원주민 촌락을 만들고, 자작농(自作農)을 영위하는 외에 토착 백인이나 혼혈인의 농원 노동자가 됨.

케케-묵다 형 일이나 물건이 썩 오래 묵어서 쓸모가 그리 없다. ¶ 케케묵은 생각.

-케코 回 〈옛〉 -하게 하고. ¶ 처엄 能히 밧긔 虛케코(初能外虛)≪楞嚴 Ⅸ:56≫.

케코넨 [Kekkonen, Urho Kaleva] 명 『사람』 핀란드의 정치가. 1936년 국회 의원이 된 후, 법상·내상·수상(1950-56)을 역임하고, 1956년 이후 대통령이 됨. 전통적인 대소(對蘇) 우호·중립(中立)·비동맹(非同盟) 정책의 추진자로서 알려짐. [1900-86]

케코져 回 〈옛〉 -하게 하고자. ¶ 佛道를 일우며 한 사름도 또 그리 케코져 願호리니(願成佛道令衆亦爾)≪妙蓮 Ⅴ:40≫.

케쿨레 [Kekule, Friedrich August von] 명 『사람』 독일의 유기 화학자. 화합물의 구조식(構造式)을 구상, 벤젠(benzene)의 구조를 밝힘으로써 화합물의 연구에 박차를 가하였음. [1829-96]

케크로프스 [그 Kékrops] 명 그리스 신화에서, 아티카의 최초의 왕으로서 아테네의 창설자. 하반신은 뱀이었다고 함. 아크로폴리스를 짓고, 일부 일처제(一夫一妻制)와 사자(死者)의 매장제를 정하고, 문자도 만들었다고 함.

-케타 回 〈옛〉 -하게 하다. ¶ 邪見에 드디 아니케타 호시니(不入邪見)≪楞嚴 Ⅷ:61≫.

케텐 [ketene] 명 『화』 유독성 고반응성(高反應性)의 무색의 기체. 불쾌한 냄새가 남. 끓는점 −56°C. 에테르·아세톤에 녹으며, 물·알코올에 분해함. 유기 합성의 아세틸화제(acetyl化劑)로 쓰임. [$H_2C{=}C{=}O$]

케토글루타르-산 【—酸】 명 [ketoglutaric acid] 『화』 이염기성(二塩基性) 케톤산. 탄수화물 단백질 대사(代謝)의 중간 생성물로서 존재함. [$C_5H_6O_5$]

케토-기 【—基】 명 『화』 케톤기.

케토-산 【—酸】 명 [keto acid] 『화』 케톤산.

케토:시스 [ketosis] 명 『의』 체내에 과잉 케톤체가 나타나는 상태. 특히, 당뇨병에 수반함.

케토오스 [ketose] 명 『화』 케톤기(keton基)를 갖고 있는 단당류(單糖類).

케토코나졸 [ketoconazole] 명 『약』 항진균제로서 각종 피부 진균 감염의 치료에 효과적으로 쓰임.

케토-헥소오스 [ketohexose] 명 『화』 6개의 탄소쇄(炭素鎖)로 되어 있고 한 개의 케톤기를 함유하는 단당(單糖)의 총칭.

케톤 [ketone] 명 『화』 카르보닐기(carbonyl 基)가 두 개의 탄화 수소기(炭化水素基)와 결합하고 있는 유기 화합물(有機化合物)의 총칭. 아세톤 같은 것.

케톤-기 【—基】 명 [ketone group] 『화』 두 개의 탄화 수소기와 결합되는 카르보닐기(carbonyl基). 케토기.

케톤뇨-증 【—尿症】 [—쯩] 명 [ketonuria] 『의』 오줌 속에 케톤체가 존재하는 상태.

케톤-산 【—酸】 명 [ketonic acid] 『화』 한 분자 중에 케톤기와 카르복실기(carboxyl基)를 함께 함유하는 유기 화합물. 케톤과 카르본산(carbon酸)의 성질을 공유(共有)함. 케토산.

케톤-체 【—體】 명 [ketone body] 『생』 아세톤·아세토 아세트산 및 β-옥시 부티르산(酸)의 총칭. 당뇨성 산혈증(酸血症)·굶주림·임신 때 혈액이나 오줌에 많이 보임.

케톨라아제 [도 Ketolase] 명 『생』 효소의 하나. 탄수화물의 카르보닐 탄소위(炭素位)의 개열 촉매(開裂觸媒)가 됨.

케톨 전:이 효소 【—轉移酵素】 [ketol] 명 [transketolase] 『화』 효소의 일종. 기질(基質)을 카르보닐 탄소의 부위(部位)에서 개열(開裂)하여, 수용(受容) 화합물에 탄소수(數) 2의 단편(斷片)을 전이(轉移)해서 새로운 화합물을 형성함.

케틀 [kettle] 명 ①가마. 솥. ②『의』 수술할 때에 쓰는 의류(衣類)·가제 등을 넣어 끓여서 소독(消毒)하는 기구. 내부가 이중으로 되어 있어서, 가운데에 물과 소독물을 넣어서 끓인 뒤에, 주위의 격실(隔室)만을 열하여서 건조시킴.

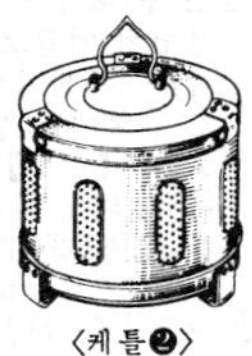
〈케틀❷〉

케틀-드럼 [kettledrum] 명 『악』 팀파니(timpani).

케틀레 [Quételet, Lambert Adolphe Jacques] 명 『사람』 벨기에의 수

학자·천문학자. 사회 현상에 확률(確率) 이론을 적용하여 근대 통계학을 완성하였음. [1796-1874]

케팔린 〔도 Kephalin〕 명 『화』 세팔린(cephalin).

케페라 〔Khepera〕 명 『신』 고대 이집트 신화에 나오는 태양신. 탄생·부활(復活)을 맡았다고 함. 이집트 사람이 부활의 표징(標徵)이라고 믿었던 풍뎅이를 머리에 얹었음.

케페우스 〔Cepheus〕 명 ①『신』 그리스 신화(神話) 중의 인물. 에티오피아(Ethiopia)의 왕으로, 카시오페이아(Kassiopeia)의 남편이며, 안드로메다(Andromeda)의 아버지. 아르고선(Argo船) 일행(一行)의 한 사람인데, 죽은 후에 별자리로 화(化)하였다고 함. ②『천』 ↗케페우스자리.

케페우스-자리 〔라 Cepheus〕 명 『천』 세페우스자리.

케플러 〔Kepler, Johannes〕 명 『사람』 독일의 천문학자. 병약·빈곤·전재(戰災) 중에서도 행성(行星) 운동의 세 법칙을 발견하여 근대 역학(力學)의 선구가 됨. 저서에 ≪우주의 신비≫·≪광학≫·≪신(新)천문학≫ 등이 있음. [1571-1630]

케플러식 망:원경 【一式望遠鏡】 명 〔Keplerian telescope〕 『물』 대물(對物) 렌즈·대안(對眼) 렌즈가 다 볼록 렌즈로 된 망원경. 천체 망원경의 대부분은 이 식으로 되어 있음. 상(像)이 도립(倒立)되어 보이므로 지상용의 것은 프리즘을 넣어서 상을 바르게 함.

케플러 운:동 【一運動】 명 〔Keplerian motion〕 『천』 천체(天體)가 다른 천체를 도는 궤도 운동. 제삼 천체의 존재로 인한 섭동(攝動)은 받지 않는 것으로 함.

케플러의 법칙 【一法則】 〔一/一에一〕 명 〔Kepler's law〕 독일의 천문학자 케플러가 행성(行星)의 운동에 관하여 발견한 세 가지 법칙. 제1법칙 '행성은 태양을 초점으로 하는 타원 궤도를 그림', 제2법칙 '태양과 행성을 연결하는 직선은 같은 시간에 같은 면적을 그림', 제3법칙 '행성의 공전(公轉) 주기의 제곱과 타원의 장축(長軸)의 세제곱과의 비(比)는 각 행성에 있어서 같음'.

켄 명 〈방〉 편. 쪽(평안).

켄다리 〔Kendari〕 명 『지』 인도네시아 셀레베스 섬 남동부 반도의 동쪽 해안에 위치한 항구 도시. 켄다리 만에 임하고 있음. 취락(聚落)은 수상(水上)에 건조된 항상 주거(杭上住居)가 주이며 주민은 코나웨카 강(江) 유역의 평야에서 등(藤)·수지(樹脂)·목재 따위를 생산·수출함. [41,021 명(1980)]

켄드루 〔Kendrew, John Cowdery〕 명 『사람』 영국의 생화학자. 케임브리지대학을 마치고 캐번디시(Cavendish) 연구소에서 브래그(Bragg, W. L.)의 지도 아래 연구함. X선 해석(解析)에 의하여 구상(球狀) 단백질인 헤모글로빈, 미오글로빈의 구조를 연구, 펩티드(peptide) 사슬의 α나선(螺旋)의 실재를 증명하고, 그 입체적 절대 구조(絶對構造)를 결정하였음. 1962년 공동 연구자 페루츠(Perutz, M. F.)와 함께 노벨 화학상을 받음. [1917-]

켄들 〔Kendall, Edward Calvin〕 명 『사람』 미국의 생화학자(生化學者). 컬럼비아 대학 출신으로 메이오 클리닉(Mayo Clinic) 생화학 부문 주임, 프린스턴 대학 화학 교수 등을 역임함. 부신 피질(副腎皮質) 호르몬의 단리(單離)와 합성(合成) 연구로 1950년 노벨 생리 의학상을 받음. 그 밖에, 티록신(thyroxine)의 분리, 구조 결정(構造決定)에 업적이 있음. [1886-1972]

켄들러 〔Kändler, Johann Joachim〕 명 『사람』 독일의 자기(磁器) 원형(原型) 제작가. 조각가 벤자민 토메의 제자가 되어 드레스덴 궁전내의 장식 조각(裝飾彫刻)으로 아우구스트 2세의 인정을 받아 1731년 마이센요(窯)의 원형 제작자로 임명되었음. 우미 화려(優美華麗)한 인형 따위 자기 조각의 기초를 만들고, 로코코풍의 식기(食器)도 제작하였음. [1706-75]

켄들매기 명 〈방〉 언덕. 비탈(평안).

켄디래기 명 〈방〉 비탈(평북).

켄타우로스 〔그 Kentauros〕 명 『신』 그리스 신화에 나오는 괴물(怪物)의 하나. 머리는 사람, 사지(四肢)는 말의 형체를 함. 원시적 야수성(原始的野獸性)을 상징함.

켄타우루스-자리 〔라 Centaurus〕 명 『천』 센타우루스자리.

켄터키 주 【一州】 〔Kentucky〕 명 『지』 미시시피 강의 동안(東岸), 오하이오 강 남쪽에 있는 미국 중부의 주. 농업이 주이며 담배·옥수수·콩·밀·과실 재배가 활발함. 소·돼지의 축산(畜產)도 있으며 경주마(競走馬)의 사육(飼育)으로 유명함. 역청탄(瀝青炭)·석유·천연 가스의 산출도 많음. 식품 가공·기계 공업도 행하여짐. 주도(州都)는 프랭크퍼트(Frankfort). [102,743 km² : 3,685,296 명(1990)]

켄턴 〔Kenton, Stan〕 명 『사람』 미국의 모던 재즈 작곡·편곡가 겸 지휘자·피아니스트. 1941년에 재즈 밴드를 조직하여 활약함. [1912-79]

켄테이 산맥 【一山脈】 〔Kentei〕 명 『지』 몽골 북동부의 곡륭 준평원 산지(曲隆準平原山地). 케룰렌 강(Kerulen江)의 수원(水源)을 이룸. 평균 고도는 2,000 m 임.

켄트 왕국 【一王國】 〔Kent〕 명 『역』 그레이트브리튼 섬의 최남동부에 성립된 앵글로색슨 7왕국의 하나. 수도는 캔터베리. 5세기 중엽에 건국하여 6세기에 최성기(最盛期)를 이루었으며, 9세기에 일어난 잉글랜드 왕국에 병합됨.

켄트 주 【一州】 〔Kent〕 명 『지』 잉글랜드 남동부의 주. 토양이 비옥하여 밀 외에 과수(果樹)·화훼(花卉)·야채 재배 등 근교(近郊) 농업이 성함. 템스 강(江) 연안에서 제지(製紙)·기계·제도(製陶) 등 공업이 행해짐. [3,731 km² : 1,463,055 명(1981)]

켄트-지 【一紙】 〔Kent〕 명 〔영국의 켄트 주(州)에서 처음 생산되었으므로 나온 이름〕 백색 린네르·헌 베 헝겊 등을 원료로 하여 만든 종이. 그림·제도·인쇄용으로 씀.

켈달 분해법 【一分解法】 〔一뻡〕 명 〔Kjeldahl method; 덴마크의 화학자 켈달(Kjeldahl, J.; 1849-1900)의 이름에 유래〕 『화』 유기 화합물을 진한 황산(黃酸)과 반응시켜, 질소 함유율을 정량(定量)하는 분석법. 생성한 황산 암모늄에서 암모늄을 증류하고 정량함.

켈라니야 〔Kelaniya〕 명 『지』 스리랑카 서부, 콜롬보의 북동 약 6 km 지점의 하반(河畔)의 도시. 스리랑카 최대의 절인 켈라니야 사원(寺院)이 있는 불교의 성지(聖地). [3,719 명(1963)]

켈러[1] 〔Keller, Gottfried〕 명 『사람』 스위스의 독일계(系) 작가. 자서전적 장편 소설 ≪녹색의 하인리히≫는 19세기 독일 사실주의 문학의 걸작으로 유명함. 그 밖에 단편 소설 ≪젤트빌라(Seldwyla)의 사람들≫·≪일곱 가지 전설≫ 등이 있음. [1819-90]

켈러[2] 〔Keller, Helen Adams〕 명 『사람』 미국의 여류 저술가·사회 사업가. 맹농아(盲聾啞)의 삼중고(三重苦)를 무릅쓰고 수개 국어에 통하고, 세계를 역방(歷訪)하여 평화와 맹농아자(盲聾啞者)의 교육·사회 복지 사업에 공헌하였음. 20세기의 기적이라 불림. 주저에 ≪나의 생애≫ 등이 있음. [1880-1969]

켈러만 〔Kellermann, Barnhard〕 명 『사람』 독일의 작가. 독일 민주 혁신 문화 동맹의 창립에 참가함. 대표작에 반자본주의적인 미래 소설 ≪터널(Tunnel)≫ 등이 있음. [1879-1951]

켈로그 〔Kellogg, Frank Billings〕 명 『사람』 미국의 정치가. 국무 장관을 역임하였으며, 1928년 프랑스의 브리앙(Briand)과 함께 전쟁을 불법으로 하는 부전 조약(不戰條約)을 제창하여 체결하였음. 1929년 노벨 평화상 수상. [1856-1937]

켈로그 브리앙 조약 【一條約】 명 〔Kellogg-Briand Pact〕 1928년 파리에서 조인된 전쟁 포기에 관한 조약. 미 국무 장관 켈로그와 프랑스 외상 브리앙에 의하여 제안되어, 처음에는 영국·독일·이탈리아·일본 등 15개국, 다음에 소련 등 60여 개국이 가입 조인하였음. 그러나 자위(自衛) 전쟁을 인정하였고, 또 조약 위반에 대한 제재 규정(制裁規定)의 결여로 일본·독일 등의 대외 진출을 방지하지 못했음. 부전(不戰) 조약. 전쟁 포기(戰爭拋棄)에 관한 조약.

켈로이드 〔keloid〕 명 『의』 ①화상(火傷)·피부의 부식(腐蝕)·수술창(手術創) 등의 상처가 아문 후에 비정상적으로 융기(隆起)된 붉은 빛의 판상(板狀) 또는 결절상(結節狀) 종양(腫瘍). 해족종(蟹足腫). ②방사능에 의한 화상의 자국.

켈리[1] 〔Kelly, Grace〕 명 『사람』 모나코의 왕비. 할리우드 여우(女優)로서 ≪백조≫·≪하이눈≫·≪상류 사회≫·≪이창(裏窓)≫ 등에 출연하여 명성을 떨치고, 1954년 ≪갈채(喝采)≫로 아카데미 여우(女優) 주연상을 탐. 1956년 모나코 왕(王) 레니에(Rainier) 3세와 결혼하였으나, 1982년 9월 자동차 사고로 사망. [1931-82]

켈리[2] 〔Kelly, Petra〕 명 『사람』 독일의 녹색당(綠色黨) 창설자. 평화 운동가. 13세 때 미국으로 건너가 아메리칸 대학 졸업. 1971년 독일 사회 민주당에 입당했다가 탈당하고 72년 녹색당 창설 운동에 참가, 80년 당수가 되고 83년 연방 의회 의원이 됨. 그러나 90년 총선에서 녹색당 후보 공천에서 탈락, 92년 10월 남편 게르트 바스티안과 함께 자택에서 시체로 발견됨. [1947-92]

켈린 〔khellin〕 명 『화』 메탄올 용액에서 결정화(結晶化)하는 합성 화합물. 맛은 쓰며, 녹는점은 154-155°C. 유기 용제(有機溶劑)보다는 물에 잘 녹음. 진경제(鎭痙劑)·관동맥 확장제(冠動脈擴張劑)·기관지 확장약으로서 의료에 쓰임.

켈밋 합금 【一合金】 〔kelmet〕 명 『화』 베어링(bearing)에 사용하는 납과 구리의 합금.

켈빈[1] 〔Kelvin〕 명 『사람』 아일랜드 출생의 영국 물리학자·수학자. 글래스고(Glasgow) 대학 물리학 교수·총장을 역임함. 이론의 응용에 깊은 관심을 가져 전기 공학을 물리학에서 독립시켰고 열역학(熱力學)의 제1 법칙·제2 법칙을 유도(誘導)하였으며, 해저 전신(海底電信)의 부설(敷設)을 연구하였음. 기타 지구(地球) 물리학의 연구 등도 있음. 본명은 William Thompson. [1824-1907]

켈빈[2] 〔kelvin〕 의명 『물』 1879년에 켈빈이 내세운 전력의 단위. 1천 볼트 암페어시(時)와 같음.

켈빈 온도 【一溫度】 명 〔Kelvin temperature〕 『물』 절대 온도.

켈젠 〔Kelsen, Hans〕 명 『사람』 오스트리아의 법학자. 빈·쾰른의 각 대학 교수를 역임함. 순수 법학(純粹法學)의 창시자로, 저서에 ≪국법학(國法學)의 주요 문제≫·≪순수 법학≫ 등이 있음. [1881-1973]

켈트 〔Celt〕 명 유럽 인종에 속하는 인종. 일반적으로 키가 크고 머리털은 금발 또는 붉은 밤색이며, 역사상 게르만 민족의 대이동 이후 영국과 프랑스 등지로 분산되어 영국·프랑스 사람과 동화되었으나 아일랜드의 켈트족은 아직도 민족성을 잃지 않고 있음.

켈트 어:파 【一語派】 〔Celt〕 명 『언』 인도·유럽 어족 중의 한 어파.

켈프 〔kelp〕 명 해조(海藻)를 낮은 온도로 태운 재. 원료는 주로 다시마를 사용하며 요오드 및 칼리의 원료가 됨.

켐니츠 〔Chemnitz〕 명 『지』 독일 작센 주(州)의 공업 도시. 구명은 카를마르크스 슈타트.

켐펠트 〔Kaempfelt, Bert〕 명 『사람』 독일의 작곡가·지휘자·피아니스트. 제2차 세계 대전 후 재즈 오케스트라에 가까운 악단을 편성하여, 방송·레코드계(界)에서 활약, ≪스페인의 눈동자≫·≪스트레인저스 인 더 나이트≫ 등의 히트곡으로 세계적인 명성을 얻음. [1923-80]

켐프 〔Kempff, Wilhelm〕 명 『사람』 독일의 대표적인 피아니스트. 베토벤곡 및 즉흥 연주로 유명하며, 오르간에도 능함. [1895-1991]

켕기다 一 자 ①팽팽하게 되다. ②탈이 날까 보아서 마음이 불안하여지다. ¶큰소리는 쳤지만, 뒤가 켕긴다. 二 타 ①잡아당기어 팽팽하게 하다. ②마주 버티다.

켕이 명 〈방〉 키²(경북).

켜 一 명 포개어진 물건의 층. ¶여러 ~를 쌓다. 二 의명 ■을 세는 단위.

¶ 벽돌을 세 ~ 쌓다.

켜-내다 [타] 고치에서 실을 켜서 뽑아 내다.

켜다[1] [타] 〔중세 : 혀다〕 ①성냥·라이터 등으로 불을 일으키다. 또는 촛불·등불·전등 따위에 불을 밝히다. ②물·술 같은 것을 단숨에 많이 마시다. ¶ 물을 한 사발 ~. ③톱으로 나무를 세로 썰어서 쪼개다. ¶ 재목을 얇게 ~. ④누에고치에서 실을 뽑다. ⑤현악기의 줄을 활로 문질러서 소리를 내다. ¶ 바이올린을 ~. ⑥기지개를 하다. ⑦엿을 다루어 흰엿을 만들다. ¶ 검은 엿을 ~. ⑧수컷이 암컷 부르는 소리를 내다. 또는 사람이 그런 짐승을 부를 목적으로 그와 같은 소리를 내다. ¶ 우레를 ~. ⑨골이 지게 하다. ¶ 밭골을 ~.

켜다[2] [타] 〈옛〉 끌다. ¶ 여러 모시뵈 살 나그내 켜오라(引將幾個買毛施布的客人來) ≪老乞 下 53≫.

켜-떡 [명] 켜를 지어서 찐 떡.

켜레 [의명] 〈방〉 켤레.

켜리 [의명] 〈방〉 켤레.

켜이다 [피동] 켜어지다. 켬을 당하다. [준]키다.

켜-지다 [자] 켠 결과로 이루어지다.

켜켜-이 [부] 여러 켜마다. ¶ 팥고물을 ~ 얹다.

켠 [명] 〈방〉 ①편. 편짝. ②쪽[4](강원·함경).

켠-나무 [명] 톱질하여 제재(製材)한 나무.

켤레[1] [명] 〔conjugation〕 〖수〗 두 개의 점 또는 선 혹은 수가 서로 특수한 관계를 가지고 있어, 서로 전환(轉換)하여도 그 성질의 논구상(論究上) 변화가 없을 경우의 그 둘의 관계. 구용어는 공액(共軛).

켤레[2] [의명] 신·버선·방망이 같은 것의 한 벌을 세는 말. ¶ 여러 ~.

켤레-각 【一角】 [명] 〔conjugate angles〕 〖수〗 꼭지점(點)과 두 변(邊)이 공통이고 그 합(合)이 360° 인 두 개의 각에서 서로 반대 측에 있는 각. 공액각(共軛角).

켤레-근 【一根】 [명] 〔conjugate root〕 〖수〗 서로가 켤레 복소수(複素數)가 되어 있는 두 근의 서로의 이름. 공액근(共軛根).

켤레-면 【一面】 [명] 〔conjugate plane〕 〖수〗 어떤 2차 곡선에 관하여 두 개의 평면의 각 극(極)이 서로 다른 평면 위에 있을 때의 그 두 평면. 공액면(共軛面).

켤레 복소수 【一複素數】 [명] 〔conjugate complex number〕 〖수〗 실부(實部)는 같고 허부(虛部)의 부호만이 다른 두 개의 복소수의, 한쪽이 다른 쪽을 가리키는 말. 공액 복소수(共軛複素數).

켤레 삼각형 【一三角形】 [명] 〖수〗 두 개의 삼각형에서, 한 삼각형의 각 변(邊) 또는 각 꼭지점이 각각 어떤 원뿔 곡선에 관하여, 다른 삼각형의 꼭지점 또는 변의 극선(極線) 또는 극(極)일 때의 그 두 삼각형. 공액 삼각형(共軛三角形).

켤레-선 【一線】 [명] 〖수〗 어떤 원뿔 곡선에 관하여 두 직선이 각각 다른 직선의 극(極)을 지날 때의 그 두 직선. 공액선(共軛線).

켤레 쌍곡선 【一雙曲線】 [명] 〔conjugate hyperbola〕 〖수〗 두 개의 쌍곡선이 각각 다른 켤레축을 가로축으로 하고 공통의 점근선(漸近線)을 가질 때의 그 두 쌍곡선. 공액 쌍곡선(共軛雙曲線).

켤레 운:동 【一運動】 [명] 〖생〗 사람의 두 눈에서 한 눈을 움직이려 하면 다른 눈도 따라서 움직이는 것처럼, 두 눈이 하나의 기관같이 긴밀한 연계(連繫)를 나타내는 정당한 운동을 가리킴. 공동(共同) 운동. 공액(共軛) 운동.

켤레 지름 [명] 〔conjugate diameter〕 〖수〗 중심을 가지고 있는 원뿔 곡선의 중심을 지나는 현(弦)의 두 개가 관련되어 있고, 한쪽이 딴 쪽에 평행(平行)인 모든 현(弦)을 이등분(二等分)할 때, 그 둘의 역할을 서로 바꾸어도 이 사실이 성립되는데 이 때에 두 현의 서로의 명칭. 공액경(共軛徑).

켤레 초점 【一焦點】 〔一쩜〕 [명] 〔conjugate focus〕 〖물〗 구면경(球面鏡)이나 렌즈의 광점(光點)과 실상(實像)의 초점이 서로 위치를 바꿀 수 있는 두 점. 공액 초점. [준]켤렛점.

켤레-축 【一軸】 [명] 〔conjugate axis〕 〖수〗 쌍곡선의 두 초점 사이의 중점(中點)에서 가로축(軸)에 직교(直交)하는 축. 공액축.

켤레-호 【一弧】 [명] 〔conjugate arc〕 〖수〗 합(合)이 한 원주와 꼭 같은 두 개의 호의 서로의 명칭. 공액호.

켤렛-점 【一點】 [명] 〔conjugate point〕 ①〖수〗 하나의 선분(線分)에 관하여, 그 선분을 포함하는 직선 위의 두 점이 먼저 선분을 같은 비(比)로 각각 외분(外分) 및 내분(內分)할 경우의 두 점. 공액점(共軛點). ②〖수〗 한 원뿔 곡선(曲線)에서 한 점의 원뿔 곡선에 대한 극선(極線)이 딴 점을 지날 때의 그 두 점. 공액점. ③〖물〗 ↗켤레 초점(焦點).

켤-물 [명] 〈방〉 썰물.

켯-속 [명] 일의 갈피. ¶ ~이 노랗다/~이 벌써 틀렸다.

켱기다 [자타] 〈방〉 켕기다.

케[1] [명] 〈방〉 켜.

케[2] [의명] 〈방〉 판.

케다[1] [자] 〈방〉 켕기다.

케케-묵다 [형] ☞ 케케묵다.

코[1] [명] 〔중세 : 고ㅎ〕 ①〖생〗 오관기(五官器)의 하나. 포유류(哺乳類)의 얼굴 복판에 우뚝 솟아 숨쉬기와 냄새 맡는 역할을 하며, 발성(發聲)을 돕는 중요한 기관. ¶ 들창~/~를 싸쥐다 /~를 찌르다. ②콧구멍에서 나오는 점액(粘液). ¶ ~를 풀다. ③잠잘 때에 연구개(軟口蓋) 따위가 호흡에 따라 진동하여 나는 소리. ¶ ~를 요란하게 골다.
[코가 쉰댓 자나 빠졌다] 근심이 쌓이고 고통(苦痛)스러운 일이 있어 맥(脈)이 빠졌음을 이르는 말. [코가 어디에 붙은지 모른다] 그 사람이 어떻게 생겼는지도 모른다 함이니, 도무지 모르는 사람이라는 뜻. [코를 잡아도 모르겠다] 몹시 캄캄하다는 뜻. [코 막고 답답하다고 한다] 손만 떼면 답답하지 않을 텐데, 자기가 원인을 마련해 놓고서는 딴 데서 해결책을 찾으려 한다. [코 맞은 개 싸 쥐듯] 몹시 아프거나 속이 상하여 어쩔 줄 모르고 쩔쩔 매며 돌아감을 이르는 말. [코묻은 떡이라도 빼앗아 먹겠다] 하는 짓이 아주 단작스럽다는 뜻. [코 아니 흘리고 유복(有福)하다] 고생하지 아니하고 이익을 얻는다는 말. [코에서 단내가 난다] 일에 시달리고 고뇌하여 심신이 몹시 피로하다는 말.

코가 꿰이다 [구] '약점이 잡히다'의 속된 말.

코가 납작해지다 [구] 몹시 무안을 당하거나 기가 죽음을 이르는 말.

코가 땅에 닿다 [구] 머리 깊숙이 숙이다. 더없이 공손하다

코가 비뚤어지게 [구] 이면(裡面) 모를 짓을 해도 스스로 부끄럼을 모를 만큼 취하도록 술을 마시는 모양. ¶ ~ 마시다.

코가 빠:지다 [구] 근심이 싸여 맥이 빠지다.

코가 솟다 [구] 남에게 자랑할 일이 있어 우쭐해지다.

코가 우뚝하다 [구] ㉠의기 양양하다. ㉡난 체하고 거만한 태도가 있다는 말.

코를 맞대다 [구] 아주 가까이 서로 마주 대하다. ¶ 두 가게가 코를 맞대고 노려보고 있었다.

코를 박듯 [구] 머리를 깊게 숙이는 모양.

코를 불다 [구] 돼지나 말·당나귀 따위가 코로 바람을 내불다.

코를 찌르다, 코를 쏘다 [구] 몹시 코를 자극하는 냄새가 나다. ¶ 기름 냄새가 ~.

코에 걸:다 [구] 무엇을 자랑삼아 내세우다.

코[2] [명] ①물건의 가장 앞쪽의 오똑하게 내민 부분. ¶ 버선~. ②그물이나 뜨개 옷 같은 것의 몸을 이룬 낱낱의 고. 코와 코를 잡아 맨 눈이 모이어 그물이 되고 코와 코를 서로 끼워서 뜨게 옷을 짬.

코[3] [명] 〈방〉 올가미(제주).

코:[4] 〔corps〕 [명] ①군단(軍團). 병단(兵團). ②단체. 단(團).

코[5] [의명] 〈방〉 쾌.

-코[1] [보동] 〈옛〉 -하고. ¶ 업게코 ≪楞嚴 I:89≫.

-코[2] [준] -하고. ¶ 기초를 완료~ 심의에 착수하다/기어~/맹세~ 복수하리다.

-코[3] [어미] 〈옛〉 -고. -인고. ¶ 工曹ㅅ 몃 ᄃᆞᆯ 길코(工曹幾月程) ≪杜諺 XXIII:40≫/오ᄂᆞᆳ 나조ᄒᆞᆫ ᄯᅩ엇던 나조코(今夕復何夕) ≪杜諺 XIX:42≫.

코 【遣】 [준] 〈이두〉 -하고. *고(遣).

코간 〔Kogan, Leonid〕 [명] 〖사람〗 소련의 바이올리니스트. 모스크바 음악원 출신으로 1951년의 엘리자베스 국제 콩쿠르에서 1등을 차지함. 기교가 뛰어남. [1924-82]

코-감기 【一感氣】 [명] 〖의〗 코가 메고, 콧물이 나오는 가벼운 증상의 감기. 상풍증(傷風症).

코거리 [명] 〈방〉 올가미(제주).

코-걸이 [명] ①씨름이나 싸움할 때에 손가락을 상대자의 콧구멍에 끼어 박아서 뒤로 밀어 넘기는 짓. ②코에 거는 물건. ¶ ~ 안경 / 코에 걸면 ㄴ~.

코-고무신 〔프 gomme〕 [명] ☞ 코신.

코-골다 [자] 잠잘 때에 요란하게 드르렁거리며 콧숨을 쉬다.

코-그리다 [자] 〈방〉 코골다(함경).

코기토 에르고 숨 〔라 cogito, ergo sum〕 [명] 〖철〗 '나는 사유(思惟)한다. 그러므로 나는 존재한다'라고 한 데카르트의 유명한 말. 세상의 모든 것은 의심할 수 있으나 의심하고 있는 자기, 그 자기의 존재는 도저히 의심할 수 없음을 나타낸 말로, 그의 철학은 이에서 출발하였으며, 근세에 있어서의 자아(自我)의 자각도 이에서 비롯함.

코-끝 [명] 콧등의 끝. 비단(鼻端). ¶ ~으로 다루다.

코끝도 볼 수 없:다 [구] 도무지 나타나지 않아 얼굴도 볼 수 없다.

코끝도 안 보인다 [구] 사람이 도무지 모습을 나타내지 않다.

코끝이 맵다 [구] '콧날이 시큼하다'와 같은 뜻.

코끼리 [명] 〔중세 : 고키리〕 〖동〗 코끼릿과에 속하는 포유류의 총칭. 현존 육서 동물 중 최대형으로, 피부는 매우 두껍고 전신이 회색 내지 회흑색이며, 털이 적음. 코는 윗입술과 함께 원통상(圓筒狀)으로 길게 늘어졌는데, 그 끝에 콧구멍이 있어 물을 빨아 들이고 손의 역할을 하는 외에 공격용 장비 구실도 함. 귀는 엽상(葉狀)으로 크고 눈은 작으며 네 발은 기둥과 같이 원주상이며 튼튼함. 윗잇몸에 있는 앞니 두 개가 특별히 길고 큰데, 이것을 상아(象牙)라고 함. 송곳니는 없고, 어금니는 크며, 겉은 매우 평평함. 초원이나 숲 속에서 떼지어 살면서 나뭇잎·나뭇가지·풀 등 식물질을 하루 약 45-90 kg, 물을 90-180 리터 먹음. 한 배에 새끼 한 마리씩 낳으며 수명은 약 60년임. 화석종(化石種)이 많고, 현재에는 인도코끼리·아프리카코끼리 등 두 종류이나, 일부에서는 아프리카코끼리를 두 종류로 보아 3종으로 나누기도 함. 아프리카코끼리는 아프리카 사바나에 분포하는데, 어깨 높이 3.5 m, 체중 6.5 톤 이상으로 귀가 크고 암수 모두 앞니가 큼. 인도코끼리는 남아시아의 삼림에 분포하는데, 어깨 높이 약 3.2 m, 암놈의 앞니는 작음. 인도코끼리는 성질이 순하여 운반·사냥에 부리나, 아프리카코끼리는 인도코끼리 보다 귀가 더 크고 성질이 사나움. 상(象).

코끼리 비스킷 [구] 양에 차지 않을 소량의 먹을 것.

코끼릿-과 【一科】 [명] 〖동〗 〔Elephantinae〕 포유류(哺乳類) 기제류(奇蹄類)에 속하는 한 과. 현재(現在) 인도코끼리·아프리카코끼리의 두 종류가 있는데, 일부에서는 아프리카코끼리를 두 종류로 나누어 모두 세 종류로 보기도 함.

코나라크 흑탑 【一黑塔】 〔Konarak〕 [명] 〖지〗 인도의 오리사(Orissa) 주의 코나라크에 있는 힌두교 사원의 유적. 13세기 중엽의 건축물로, 태양신을 모셨음. 높이 약 40 m 의 배전(拜殿)만이 현존함. 말·사자·코끼리의 정교(精巧)한 상이 조각되어 있음.

코나-스톰 [konastorm] 명 『기상』 겨울철에 하와이 제도를 엄습(掩襲)하는 폭풍. 저기압(低氣壓)이 섬의 북부를 통과할 때 파괴적인 폭풍과 큰 비를 몰고 옴.

코:나 저:기압【一低氣壓】 [kona] 명 『기상』 겨울철 아열대(亞熱帶)의 해역(海域)에 형성되는 맹렬한 저기압. 진행 속도가 느린 것이 특징이며 연간 다섯 번 정도 발생함.

코나크리 [Conakry] 명 『지』 기니(Guinea) 공화국의 수도. 기니 서부, 대서양안(大西洋岸)의 톰보(Tombo) 섬에 있는 항구 도시임. 다리로써 본토와 연결되고 철도가 통하고 있음. 근처에 수력 발전소가 건설됨에 따라 상업 도시에서 광공업 도시로 변모되고 있음. 바나나·보크사이트·철광석 따위를 수출함. 1887년에 프랑스령(領), 1893년 프랑스령 기니의 수도가 되고, 1958년 기니 공화국의 독립에 따라 수도가 됨. [1,127,000 명(1995 추계)]

코-나팔 명 코고는 짓. ¶ ~을 불다.

코-납작이 명 ①코가 유달리 납작한 사람을 놀리는 말. ②핀잔을 맞아 기가 꺾인 사람을 가리키는 말.

코냐크 [Cognac] 명 『지』 프랑스 서부 샤랑트 주(Charente 州)의 도시. 부근 일대에서 포도 재배가 성하여 이 지방 이름을 붙인 브랜디 '코냑'의 산출지로 유명함. 양조(釀造) 기구의 제조도 활발하며 중세(中世)의 고성(古城)·교회 건물도 남아 있음.

코냑 [프 cognac] 명 프랑스 코냐크 지방 명산(名産)의 고급 브랜디. 포도주를 증류해 정제(精製)한 것인데 알코올 주정도(酒精度) 40-43도임. 흥분제로서 의용(醫用)에도 쓰임.

코:너 [corner] 명 ①귀퉁이. 구석. ②야구에서, 인 코너와 아웃 코너의 총칭(總稱). ③↗코너 에어리어. ④육상 경기의 트랙 또는 경마장 트랙의 커브. ↔직주로(直走路). ⑤백화점 같은 데의 특설 판매장(販賣場). ¶ 화장품 ~. ⑥앨범의 사진 네 귀에 붙이는 물건. ⑦구석이나 모퉁이에 두거나 드나들게 되어 있는 것.
코:너에 몰리다, 코:너로 몰리다 구 구석에 몰리어 빠져 나갈 수 없게 되다.

코:너 비:드 [corner bead] 명 『건』 건물의 모서리 부분을 보호하기 위하여 벽에 밀착시켜 붙인 보호용 쇠붙이. 플라스틱제(製)의 것도 있음. 모서리쇠.

코:너 스톤 [corner stone] 명 ①『건』 귀돌. ②야구에서, 포수(捕手).

코:너 아웃 [corner out] 명 축구에서, 자기 편이 찬 공 또는 몸에 닿은 공이 자기 편 골라인 뒤로 나간 경우를 말함. 상대편에게 코너 킥이 허용(許容)됨.

코:너 에어리어 [corner area] 명 축구 경기장의 네 귀퉁이에서 코너 플래그를 중심으로 경기장 안으로 반지름 1 m의 1/4 원호(圓弧)를 그린 지역(地域). 여기서 코너킥이 이루어짐. ㊥코너.

코:너 워:크 [corner work] 명 ①야구에서, 투수가 타자를 아웃시키기 위하여 홈 베이스의 좌우 코너를 노려 교묘히 던지는 기술. ②스케이트에서, 코너를 재치있게 도는 기술. ③권투에서, 링의 코너에 몰렸을 때 풋워크로 유리한 자세를 만회하는 기술.

코:너 킥 [corner kick] 명 축구에서, 코너 아웃이 되었을 때, 코너 아웃이 된 장소에 가까운 쪽의 코너에 공을 놓고 코너 아웃을 시킨 상대 편 사람이 필드 안으로 공을 지르는 일. ——하다 타여불

코:너 플래그 [corner flag] 명 축구·럭비·하키 등 경기장 네 귀퉁이에 세우는 깃발.

코:너 히트 [corner hit] 명 하키에서, 25야드 라인 안에 있는 수비측 선수가 최후에 터치한 공이 골라인을 벗어났을 경우 공격측에 주어지는 프리 히트. 코너와 페널티 코너가 있음.

코넌트[1] [Conant, Charles Arthur] 명 『사람』 미국의 저널리스트·경제학자·은행가. 유명한 ≪근대 발권 은행사(近代發券銀行史)≫의 저자로서 중앙 은행 제도의 권장에 힘썼으며, 그 밖에 멕시코·니카라과·쿠바·필리핀의 통화 개혁 문제의 개척자로, 혹은 국제 금융 관계의 전문가로 활약함. [1861-1915]

코넌트[2] [Conant, James Bryant] 명 『사람』 미국의 유기 화학자·교육가·외교관. 약 20년간 하버드 대학 총장에 재직하고, 제2차 대전중에는 원자탄 제조 계획에 지도적 역할을 수행함. 그 후 국방 과학 분야에 많은 공헌을 하였으며, 1953년 서독 주재 대사 등을 역임함. 저서에 ≪유기 화학≫·≪과학의 이해에 대하여≫ 외에 많은 교육 관계 논저를 냄. [1893-1978]

코네티컷 주【一州】 [Connecticut] 명 『지』 미국 뉴잉글랜드의 한 주(州). 중앙부를 코네티컷 강(江)이 남북으로 관류하며, 구릉지(丘陵地)가 많고 농업을 주로하여 담배의 산출지로서 알려지고, 낙농(酪農)·양계(養鷄)가 성함. 제트엔진·헬리콥터·사무 기계 등의 공업도 이루어짐. 예일 대학을 비롯하여 각종 고등 교육 기관이 많음. 주민(州民)의 생활 수준(生活水準)은 전미국의 상위(上位)를 차지함. 1635년 최초의 식민(植民)이 이루어지고 1639년 세계 최초의 성문 헌법(成文憲法)이라고 할 기본법을 제정함. 1776년의 독립 13주(州)의 하나. 주도는 하트퍼드(Hartford). [12,618 km² : 3,287,116 명(1990)]

코:넷 [cornet] 명 『악』 트럼펫과 비슷하게 생긴 금관 악기. 19세기 중엽에 프랑스에서 만들어진 것으로, 소리를 조절하는 세 개의 판(瓣)이 있으며, 트럼펫보다 원형(圓形)에 가깝고 음색(音色)이 조금 부드러움. 취주악(吹奏樂)에 많이 쓰이나 근래에 와서는 교향 관현악에도 쓰일 때가 있음.

〈코넷〉

코노돈트 [conodont] 명 ['원뿔 모양의 이'라는 뜻] 『지』 고생대의 캄브리아기(紀)에서부터 중생대의 트라이아스기까지 있었던 해서(海棲) 동물의 부분 화석. 뿔꼴 또는 빗살꼴의 작은 것으로, 지층 구분을 알아보는 데 유효한 표준 화석임.

코-노래 명 ☞ 콧노래.

코노스코:프 [conoscope] 명 편광경(偏光鏡).

코-높다 형 잘난 체하여 몹시 뽐내며 뻐기다. ¶ 코높게 굴지 마라.

코니:데 [도 Konide] 명 『지』 자주 활동하는 화산(火山)의 일정한 분출구로부터 나온 용암(熔岩)과 많은 방출물(放出物)이 분출구의 주위에 퇴적(堆積)하여 생긴 원뿔형(形)의 화산. 추상(錐狀) 화산. 성층(成層) 화산.

코니미터 [konimeter] 명 세진계(細塵計)의 일종으로, 공기 중의 세진을 측정하는 장치. 일정량의 공기를 펌프로 빨아 들여 그리스를 칠한 슬라이드 유리에 세진을 포착, 이것을 현미경으로 보아서 세진의 수를 측정함. 휴대에 편리함.

코:니스 [cornice] 명 『건』 건축물의 벽면(壁面)을 보호하고 장식의 구실을 겸하도록 만들어진, 처마 끝에 수평으로 된 쇠시리 모양의 장식. 돌림띠.

코니아 [Konya] 명 『지』 터키의 중부 코니아 현의 주도(主都). 앙카라(Ankara) 남쪽 230 km, 표고 1,025 m의 산간 분지(山間盆地)에 있는 도시. 12-13세기 룸셀주크(al-Rum Seljuk) 왕조의 수도로서 번영함. 로마 시대에는 아이코니엄(Iconium)이라 불렀음. 밀·보리·면화·앙고라 양모·담배·초석(硝石) 등을 생산하며, 융단·피혁, 그 외에 직물 공업이 행해짐. 13세기의 셀주크 왕조가 쌓은 성채(城砦)의 유적(遺跡)과 오래된 모스크(mosque)가 있음. [513,346 명(1990)]

코:니-아일랜드 [Coney Island] 명 『지』 미국 뉴욕시 브루클린 남쪽에 있는 오락 중심지. 이전에는 길이 약 8 km의 섬이었으나 중간의 수로(水路)가 묻혀, 지금은 롱아일랜드의 일부로 되어 있음. 1844년 해수욕객(海水浴客)을 위한 설비가 갖추어졌는데, 현재는 해안을 따라 약 3 km를 넘는 산책길이 이어지고 각종 오락 시설이 완비되어 많은 유람객(遊覽客)이 모여 듦.

코닌: [conine] 명 『화』 헴록(hemlock)에 함유(含有)되는 피리딘족(pyridine族) 알칼로이드.

코다 [이 coda] 명 『악』 악장·악곡의 최후를 끝맺는 부분. 결미(結尾). ＊종구(終句).

코다이 [Kodály, Zoltán] 명 『사람』 헝가리의 작곡가. 버르토크(Bartók, B.)와 함께 현대 헝가리 음악을 대표하지만 작품은 고전적임. 1905년경부터 마자르(Magyar)의 민요 3,500 곡 이상을 수집 조사하였고, 이것을 기초로 독자적인 음악 교육법을 고안하였음. 작품에는 합주곡 ≪헝가리 시편(詩編)≫, 관현악곡 ≪갈란타 무곡(舞曲)≫ 외에 실내악곡 따위가 있음. [1882-1967]

코다크롬 [kodachrome] 명 미국의 이스트먼 코닥(Eastman Kodak) 회사에서 만든 천연색 사진 필름. 적(赤)·황(黃)·청(靑)에 각각 감광(感光)하는 유제(乳劑)를 세 층으로 발라서 현상한 후에, 그 삼원색(三原色)으로 세 층을 염색하여 하나의 필름에 천연색의 화상(畫像)을 나타내게 되었음.

코닥 [Kodak] 명 미국의 이스트먼(Eastman)이 고안한 작은 카메라 및 필름의 상품명.

코-담배 명 콧구멍에 갖다 대어 향기를 맡는 가루 담배. 스너프(snuff).

코-대다 타 〈속〉 야구에서, 연타(軟打)하다. 번트(bunt)하다.

코-대답【一對答】 명 탐탁하지 않게 여기어 건성으로 콧소리로 하는 대답. ¶ 아무리 졸라대도 ~이더라. ——하다 자여불

코데인 [도 Kodein] 명 『약』 마약의 일종으로, 아편 알칼로이드의 하나. 모르핀의 유도체(誘導體). 인산염(燐酸塩)은 백색 결정(結晶) 또는 결정성(性) 분말이고, 냄새가 없는 쓴 맛인데 의약품으로는 진해(鎭咳)·진통·진정제로 쓰임. 진해 작용 외에는 모르핀만 못하나, 부작용(副作用) 또는 중독(中毒)의 위험이 적음. 상용량(常用量)은 하루 60밀리그램. 극약임. [$C_{18}H_{21}O_3N$]

코데타 [이 codetta] 명 『악』 작은 코다(coda). 악곡을 몇 개의 부분으로 나누었을 때 그 부분의 종결에 쓰임.

코:도반 [cordovan] 명 스페인의 코르도바(Cordova)에서 생산되는 가죽. 말의 볼기 부분의 가죽으로, 고급 구두의 갑피(甲皮) 또는 혁대용임.

코도크 [Kodok] 명 『지』 아프리카 수단(Sudan) 남동쪽에 있는 도시. 백(白)나일 강 서안에 위치하는데, 오지(奧地) 개발의 기지이며, 상아(象牙) 등 물산의 집산지임. 1905년까지는 파쇼다(Fashoda)라 불리고, 1898년 영국·프랑스 사이의 파쇼다 사건으로 유명함.

코돈 [codon] 명 『생』 유전(遺傳) 암호의 기본 단위. 전령 아르 엔 에이(傳令 RNA)의 세 개의 뉴클레오티드(nucleotide)의 배열 순서에 따라 결정됨.

코:드[1] [chord] 명 『악』 ①악기의 현(絃). ②화음(和音). 또, 기타 등으로 화음을 만들기 위한 운지법(運指法).

코:드[2] [code] 명 ①법전(法典). 규정. 윤리 규정. ¶ 프레스 ~. ②전통적인 사회 규약. 관례. ③외국 전보를 사용하는 상사(商社)가 전문(電文)을 간단히 하기 위하여 정해 놓은 기호. 전신 약호(略號). 암호. ¶ ~북(book). ④컴퓨터 등에서 정보를 나타내기 위한 기호의 체계.

코:드[3] [cord] 명 ①굵은 줄. 가느다란 로프(rope). ②『전』 가느다란 여러 개의 구리줄을 황화(黃化) 고무의 혼합물로 절연(絶緣)하고 그 위를 무명실·명주실 등으로 씌운 전깃줄. 마음대로 굽힐 수 있으며, 전등의 실내선(室內線)으로 많이 쓰임.

코:드[4] [cord] 의명 목재(木材) 부피의 단위(單位)의 일컬음. 1코드는 128 ft³(4 ft×4 ft×8 ft), 약 3.6246 m³와 같음.

코드 곶【一串】 [Cod] 명 미국 매사추세츠 주 남동부의 반도. 대서양에 돌출한 사취(砂嘴)로, 길이는 100 km, 폭 2-30 km의 'ㄱ' 자꼴임. 케이프코드 만(Cape Cod 灣)을 안고 있음. 기부(基部)에는 코드 곶 운

하가 있어 보스턴과 뉴욕 간의 거리를 단축하고 있으며 일대는 국립(國立) 해안 공원임. 1620년 메이플라워 호로 청교도단이 상륙한 곳임. 케이프코드.

코:드 네임 〔chord name〕 명 『악』 화음(和音)의 종류를 음명(音名)과 부속의 기호로 나타낸 것. 화음의 근음(根音)을 영어 음명으로 표시하고, 장·단의 3화음이나 7화음의 구별을 maj, min, 7th의 기호로 우측에 열기한 것. C min 따위. 주로 경음악에 쓰임.

코:드리스 폰: 〔cordless phone〕 명 송수신(送受信) 장치(裝置)를 내장하고 있는, 코드가 없는 전화기.

코:드 스위치 〔cord switch〕 명 양쪽에 코드가 연결되어 있는 스위치의 하나.

코:드 풋 〔cord foot〕 의명 미국에서, 쌓아 올린 장작의 양의 단위. 1코드 풋은 16 ft³(길이 1 ft× 폭 4 ft×높이 4 ft)임.

코등이 명 ↗칼코등이.

코디액 섬 〔Kodiak〕 명 『지』 미국 알래스카 주 알래스카 만의 서쪽, 태평양상의 섬. 세계 최대의 코디액 곰을 비롯하여 바다표범·들새 등 야생 동물이 많으며 연어의 어획도 성함. 1784년 러시아가 이 곳을 알래스카에서의 최초의 식민지(植民地)로 건설했음. 주도(主都)는 코디액. [13,890 km²]

코:딩 〔coding〕 명 ①컴퓨터의 프로그램을 일정한 프로그래밍 언어로 쓰는 일. ②데이터 처리를 자동화하기 위하여 일정한 규칙을 따라 여러 품목에 기호나 번호를 붙이는 일.

코-딱지 명 콧구멍에 코의 진액과 먼지가 섞여 말라 붙은 딱지.
[코딱지 두면 살이 되랴] 이미 다 그릇된 것을 두어 둔다 한들 전대로 되지는 않는다는 말.

코-떼다 자 무안하도록 핀잔을 맞다. ¶ 따지러 갔다가 도리어 코를 떼었다. ＊코싸쥐다.
[코떼어 주머니에 넣다] 일을 잘못 저질러 크게 무안당하다.

코-똥 명 〈방〉 ①코딱지(충청). ②코방귀(충청). ¶ ~ 뀌다.

코-뚜레 명 ↗쇠코뚜레.

코라나 〔Khorana, Har Gobind〕 명 『사람』 인도 태생의 미국 화학자. 발생의 법칙에 관한 연구 업적으로 1968년 홀리(Holly, R.W.)·니런버그(Nirenberg, M.)와 공동으로 노벨 생리·의학상을 수상함. [1922-]

코:란 〔Koran, Coran〕 명 『종』 이슬람교(敎)의 성전(聖典). 교조 마호메트의 서기(書記)가 아라비아어로 적은 것으로, 사후(死後) 많은 이본(異本)이 나왔으나, 651년, 제3대 칼리프인 오스만(재위 644-656)이 표준본(標準本)을 정함. 마호메트가 천사 가브리엘을 통하여 계시한 알라의 말을 30편 114장에 수록한 것. 형식·내용에 의하여 메카 시대와 메디나 시대로 나눌 수 있고, 전자(前者) 약 90장(章)은 신(神) 알라의 계시, 예언자의 사명, 내세(來世)의 신앙 등을 기술한 단문(短文)이고, 후자(後者)의 약 20장(章)은 계율, 제사의 의식, 법률 따위를 기술한 장문(長文)이 많음. 이슬람 교도의 신앙·일상 생활·도덕률·법률 규범이며, 아랍 문학의 원천이기도 함. 코란경.

코:란-경 【一經】 〔Koran〕 명 『종』 코란.

코랄: 〔chorale〕 명 『악』 ①성가(聖歌). 성가의 합창곡(合唱曲). ②중찬가(衆讚歌).

코랄 프렐류:드 〔chorale prelude〕 명 『악』 중찬가(衆讚歌)를 기악으로 연주하는 곡(曲). 보통, 오르간곡이 많으며, 바흐의 작품이 유명함.

코랑-코랑 부 자루나 봉지 같은 것에 물건이 좀 덜 찬 모양. <쿠렁쿠렁. ——하다 형여불

코:러스 〔chorus〕 명 『악』 합창. 합창곡. 합창단.

코:러스 걸: 〔chorus girl〕 명 쇼나 레뷔(revue) 따위에서 여럿이 함께 노래하거나 춤추는 여성.

코러스폰던스 〔correspondence〕 명 ①코러스폰던스 계약❶❷. ②상업용 서신(商業用書信).

코러스폰던스 계:약 【一契約】 〔correspondence〕 명 『경』 ①외국과의 송금·수출입환(換) 거래에 있어서, 그 지역에 지점·출장소가 없는 경우에 외국 은행과 상호간에 환취결(換取結) 또는 대금 추심(推尋)에 관하여 맺는 계약. 코러스폰던스. ②은행간의 환거래(換去來) 계약. 보통, 서로 거리가 떨어진 사이의 대차(貸借) 관계를 현금의 수송(輸送)에 의하지 않고 결제(決濟)하는 방법. 코러스폰던스.

코러스폰던트 〔correspondent〕 명 ①통신원. 통신 기자. ②코러스폰던스 계약을 맺은 상대 은행.

코레 〔그 Kore〕 명 〔소녀의 뜻〕 ①『신』 그리스 신화에서, 제우스와 데메테르의 딸. 지하(地下)의 여왕. 페르세포네(Persephoné). ②고대 그리스 시대에 신전(神殿)이나 신역(神域)에 놓인 장의(長衣)의 여성상(女性像). 처녀상.

코레오그래퍼 〔choreographer〕 명 무용의 안무가(按舞家). 하나의 무용 또는 발레의 움직임·구성을 고안(考案)하고, 이것을 무용수에게 가르치는 사람.

코레오그래피 〔choreography〕 명 〔무용 스텝의 기록이란 뜻〕 발레의 안무. 또, 그 안무(按舞)의 구성 내용(構成內容)을 기록·보존하는 기호. 라반(Laban, R. von)의 무용보(舞踊譜)가 그 대표적인 예임.

코레조 〔Correggio, Antonio Allegri da〕 명 『사람』 이탈리아 르네상스의 화가. 파르마파(Parma 派)의 대표자로, 원근(遠近) 화법 및 명암법(明暗法)에 뛰어남. 작품으로 파르마 대성당(大聖堂)의 천정화 및 드레스덴(Dresden) 화랑의 네 제단화(祭壇畫)가 유명함. [1494-1534]

코레히도르 섬 〔Corregidor〕 명 『지』 필리핀의 루손 섬 남서쪽, 마닐라 만 어구에 있는 작은 화산도(島). 해협을 사이에 두고 바탄(Bataan) 반도와 대하고 있으며 마닐라의 방위상 요충임. 18세기경 스페인의 요새가 건설되고 20세기 이후는 미국의 군사 기지로서, 2차 대전 당시의 격전지임. 현재는 관광지로 각광을 받고 있음. [5 km²]

코렌스 〔Correns, Karl Erich〕 명 『사람』 독일의 유전(遺傳)학자. '멘델(Mendel)의 법칙'을 재발견한 사람의 하나로, 1900년에 옥수수·완두를 재료로 한 유전 현상을 발표하였음. [1864-1933]

코렐리 〔Corelli, Arcangelo〕 명 『사람』 이탈리아의 작곡가·바이올리니스트. 근대 바이올린 주법(奏法)의 확립에 기여하고, 콘체르토 그로소(concerto grosso)의 형식을 완성함. [1653-1713]

코로 〔Corot, Jean Baptiste Camille〕 명 『사람』 프랑스의 화가. 고전파의 전통을 이은 19세기 화단의 거장. 유명한 ≪나르니(Narni)의 다리≫ 외에 많은 풍경화·초상화·동물화를 그림. [1796-1875]

코로나¹ 〔corona〕 명 ①『천』 태양 대기(太陽大氣)의 희박한 가스체(gas 體). 높이 수백만 km에 달하며, 빛은 자유 전자(自由電子)가 태양 광선을 산란(散亂)시켜 생기는 연속 스펙트럼에 의한 것으로, 거의 보름달의 광도(光度)에 가까움. 온도는 약 100만 도. 전에는 개기(皆旣) 일식 때만 볼 수 있었으나 현재는 보통 때에도 코로나그래프로 관측할 수 있음. 백광(白光). ②광관(光冠). ③『물』 코로나 방전(放電). ④은하계의 원반부(圓盤部) 밖에서 전파를 발사하고 있는 구형(球形)의 부분. 지름은 약 10만 광년. 헤일로(halo).

코로나² 〔이 corona〕 명 『악』 연성 기호(延聲記號).

코로나 관측소 【一觀測所】 〔corona〕 명 태양 코로나의 상황을 코로나그래프로 관측하는 관측소. 현재 미국·러시아에 각각 둘, 독일·프랑스·스위스·오스트리아·일본에 각각 하나씩, 모두 9군데에 있음.

코로나-그래프 〔coronagraph〕 명 개기 일식(皆既日蝕) 때 이외에라도 코로나를 관측할 수 있는 특수한 망원경. 대물(對物) 렌즈의 산란광(散亂光)을 지우는 장치가 있음. 1930년 프랑스의 리오(Lyot)가 발명함.

코로나 방:전 【一放電】 〔corona〕 명 『물』 기체(氣體) 방전의 한 형식. 두 개의 전극(電極) 간에 전압을 가할 때, 전기장(電氣場)이 균일성을 잃으면 전위(電位)의 경사가 큰 부분의 기체가 국부적인 전리(電離)를 일으켜, 미음(微音)과 미광(微光)을 내면서 방전하는 현상. 피뢰침은 이 것을 이용하여 낙뢰(落雷)를 방지하는 것임. 코로나.

코로나-선 【一線】 〔corona〕 명 『물』 태양 코로나의 스펙트럼 중에서 볼 수 있는 휘선(輝線). 철·칼슘·니켈 등의 전리(電離) 이온에 의하여 발생함. 현재 파장(波長) 5303 옹스트롬, 6374 옹스트롬 등 약 20개가 발견되어 있음.

코로나이징 〔coronizing〕 명 『화』 니켈 위를 아연(亞鉛)으로 전기 도금(電氣鍍金)하는 일. 375°C에서 열 처리를 함. 피복(被覆)은 철·구리 합금에 아황산 가스·삼산화황(三酸化黃)에 대한 내식성(耐蝕性)을 주기 위하여 함.

코로나 전:류 【一電流】 〔corona〕 〔—절—〕 명 『전』 코로나 방전(放電)을 하고 있는 물체에서 공중으로 흐르는 전류.

코로네이션 〔coronation〕 명 대관식(戴冠式).

코로넷 〔coronet〕 명 ①귀족·왕족이 의식 때에 쓰는 작은 보관(寶冠). ②꽃으로 꾸민 관(冠)

〈코로넷❶〉

코로:르 〔Koror〕 명 『지』 서태평양 남서부에 있는 벨라우 공화국의 수도. 코로르 섬에 있음. [9,444명(1991)]

코로만델 해:안 【一海岸】 〔Coromandel〕 명 『지』 마드라스(Madras)를 포함하는 인도 데칸 반도 남동부 벵골 만(灣)에 면한 해안. 일찌기 로마 제국과 동남 아시아의 무역 중계지로서 성한 곳임. 마드라스 항(港) 등이 있으며, 연장 약 1,000 km에 달함.

코로보리 〔corroboree〕 명 오스트레일리아 원주민들이 밤에 지내는 제사(祭祀).

코로스 〔그 choros, khoros〕 명 『연』 고대 그리스 고전극(古典劇)에 등장한 합창대. 최초는 연기를 했지만, 점차 극의 내용을 말로 설명하는 역할이 되어, 인원도 적어졌음. 코로스의 대사는 일반적으로 선율을 수반한 것으로 생각되고 있음. 코러스(chorus)의 어원.

코롤렌코 〔Korolenko, Vladimir Galaktionovich〕 명 『사람』 러시아의 작가. 정치 운동에 참가하여 나로드니키(Narodniki)에 속하면서, 소설 ≪눈먼 음악사≫·≪나쁜 친구≫ 등을 내었는데, 인도주의적 애타주의(愛他主義) 사상이 전 작품에 넘쳐 흐름. [1853-1921]

코:뤼붕겐 〔도 Chorübungen〕 명 『악』 독일의 피아니스트·지휘자·작곡가인 뷜너(Wüllner, Franz; 1832-1902)가 뮌헨(München) 음악 학교의 합창 교수를 위하여 쓴 교본(敎本). 음정·리듬·독보(讀譜)·발음 등 성악의 초보적 훈련을 위한 교칙본(敎則本)으로 쓰임. 3권.

코:르 〔프 cor〕 명 『악』 호른(horn).

코르네유 〔Corneille, Pierre〕 명 『사람』 프랑스의 극작가·시인. 프랑스 최초의 대(大)고전 비극 시인으로 고전 비극을 완성하였음. 대표작으로는 ≪르 시드(Le Cid)≫·≪오라스(Horace)≫·≪시나(Cinna)≫·≪폴리외크트(Polyeucte)≫와, 희극 ≪멜리트(Mélite)≫ 등이 있음. ≪쉬레나(Surena)≫ 등의 결정적인 실패로 빈곤과 실의(失意) 속에 일생을 보냈음. [1606-84]

코르넬리아 〔Cornelia〕 명 『사람』 로마의 전형적 귀부인. 대(大)스키피오의 딸로서, 그라쿠스(Gracchus) 형제의 어머니임. 남편의 사망 후 유아(遺兒) 교육에 전념하여, 보물은 무엇이냐는 물음에 자녀들이라고 대답했다는 일화는 유명함. 생몰년 미상(未詳).

코르넬리우스¹ 〔Cornelius〕 명 『사람』 로마 제21대 교황. 배교자(背敎者)에 대한 관대한 취급은 로마와 카르타고의 회의에서 지지를 받음. 갈루스제(Gallus 帝)에 의하여 추방(追放)되어 로마 부근에서 순교(殉敎)하였음. [?-253; 재위 251-253]

코르넬리우스² 〔Cornelius, Peter〕 명 『사람』 독일의 작곡가·시인. 가

곡과 합창곡에 뛰어나 오페라 ≪바그다드의 이발사(理髮師)≫·≪시드(Der Cid)≫ 등이 있음. [1824-74]

코르넬리우스[3] [Cornelius, Peter von] 명 〖사람〗 독일의 화가. 나자레파(Nazare 派)의 중심 인물로서, 뮌헨·베를린 등지의 미술 학교장, 화단의 지도자를 지냈는데, 힘찬 선(線)이나 극적인 표현 등으로 독일 낭만주의(浪漫主義) 회화의 대표적 화가로 꼽힘. 작품으로는 ≪파우스트≫의 삽화(揷畫), 뮌헨 조각관(彫刻館)의 벽화(壁畫) 등이 유명함. [1783-1867]

코르노 [이 corno] 명 〖악〗 호른(Horn).

코르닐로프 [Kornilov, Lavr Georgievich] 명 〖사람〗 러시아의 군인. 러일 전쟁·제1차 대전 때는 참모와 1917년 2월 혁명 후 러시아군 최고 사령관을 역임함. 1917년 8월 26일과 10월 혁명 후 두 차례 반혁명을 기도했으나 실패하여 전사함. [1870-1918]

코르다이테스 [라 Cordaites] 명 고생대의 석탄기(石炭紀)에서부터 페름기에 걸쳐 번성하고 절멸한 겉씨 식물 잎의 화석. 잎은 가지 끝에 나고 피침형(披針形) 또는 주걱 모양으로 나란히맥이 있으며 큰 것은 길이 1 m에 이름. 30 m 정도의 교목으로 추정되며 침엽수류의 조상계(祖上系)라 일컬어짐.

코르덴 명 [corded velveteen] 누빈 것처럼 골지게 짠 우단(羽緞)과 비슷한 직물(織物). 양복감으로 쓰임.

코르도바 [Cordoba] 명 〖지〗 ①스페인 남부, 안달루시아(Andalucía) 지방 중앙부에 있는 도시로서 안달루시아 현(縣)의 주도(主都). 교통·상업의 중심지로 피혁 공업·금은 세공이 행해짐. 기원은 페니키아·카르타고의 식민지로 건설되고 로마령(領)을 거쳐, 756년 이후 이슬람 지배하의 스페인의 중심이 됨. 후에 우마이야조(Umayyah朝)의 수도로서 10세기경에는 상업·학문의 세계적 중심이 되었음. 1236년 카스티야(Castilla) 왕국에 점령되고, 1808년 프랑스군에 파괴된 이후 쇠퇴함. [272,309 명(1982)] ②아르헨티나 중북부 코르도바 주(州)의 도시. 남미의 학술·문화의 중심지, 농산물의 집산지이며 화학·자동차·피혁·섬유 공업이 성함. 1613년 창립된 이 나라 최고(最古)의 대학이 있음. [968,829 명(1980)] ③멕시코 동남부 베라크루스 주(Veracruz州)의 도시. 커피·설탕·담배 등의 거래가 성함. [121,723 명(1979)]

코르도판 고원 【一高原】 [Kordofan] 명 〖지〗 수단 중앙부의 고원. 표고 500-1,000 m. 초원 또는 황무지로, 아라비아 고무의 재배, 목축 등이 행해짐. 최근일부에서는 기계화 농업에 의한 식료 작물의 재배가 이루어지고 있음. 남쪽에서는 사바나 경관(景觀)을 보임.

코르 드 발레 [프 corps de ballet] 명 하나의 발레단에서, 주역은 아니고 배경의 역할이나 솔로의 일부를 맡는 무용단. 오페라단에서의 코러스(chorus)에 해당함.

코르디에 [Cordier, Henri] 명 〖사람〗 프랑스의 동양학자. 국립 파리 동양어 학교 교수. 동서 교섭사(東西交涉史)에 조예가 깊고, 또 그 문헌에 정통함. 주저(主著)에 ≪중국학 서지(書誌)≫·≪일본학 서지≫·≪중국과 서방 열강과의 교섭사(交涉史)≫ 등이 있음. [1849-1925]

코르디예라 산계 【一山系】 [Cordillera] 명 〖지〗 남북 아메리카 대륙 태평양 연안의 대산맥. 환태평양 조산대(環太平洋造山帶)의 일부인 로키 산맥·시에라마드레(Sierra Madre)·안데스 산맥 등의 총칭.

코르딜리네 [cordyline] 명 〖식〗 홍죽(紅竹).

코르벳-함 【一艦】 [corvet] 명 영국·캐나다 해군에서, 고사포(高射砲)·폭뢰(爆雷)·레이더를 장비하고 수송선단(輸送船團)의 호위를 주임무로 하는 고속의 소형함.

코르비에르 [Corbière, Tristan] 명 〖사람〗 프랑스의 시인. 해양 작가 코르비에르(Corbière, Edouard)의 아들. 소년 시절 류머티즘과 폐를 앓고, 후에 귀머거리가 되었음. 브르타뉴의 바다를 사랑한 고독의 상징파 시인으로, 시집 ≪노란 사랑≫을 1873년에 발표. 베를렌의 평론집 ≪저주받은 시인들(1884)≫에서 조소와 우수에 찬 시인으로 소개된 뒤 인정을 받음. 본명은 Edouard Joachim Corbière. [1845-75]

코르비용-배 【一盃】 [Corbillon] 명 테니스의 세계 선수권 여자 단체의 우승국에 수여하는 컵. 프랑스의 코르비용이 기증한 것임.

코르사:바:드 [Khorsābād] 명 〖역·지〗 티그리스 강 상류(上流), 니네베(Nineveh)의 북쪽에 있는 아시리아의 도시 유적. 사르곤(Sargon) 2세의 궁전 유구(遺構)·설화 석고상(雪花石膏像)·채유(彩釉) 벽돌 등이 출토(出土)되었음. 사르곤성(城).

코르사:주 [프 corsage] 명 몸에 꼭 붙는 여성복의 동부(胴部) 또는 동의(胴衣). 보디(body).

코르사코프[1] [Korsakov] 명 〖지〗 러시아 사할린 남부의 항만 도시. 남부 종관 철도(縱貫鐵道)의 기점으로, 어업을 주로 하는 외에 펄프·수산 가공 등의 공장이 있음. [38,000 명(1980)]

코르사코프[2] [Korsakov, Sergei Sergeevich] 명 〖사람〗 러시아의 정신 병리학자. 모스크바 대학에서 신경·정신병 연구 그룹을 만들어 코르사코프 학파(學派)를 형성하고, 근대 러시아의 정신 병리학을 육성함. 코르사코프 증후군(症候群)의 기재자(記載者)임. [1854-1900]

코르사코프-병 【一病】 [Korsakov] [一뼝] 명 〖의〗 코르사코프 증후군(症候群)의 하나. 독한 술을 계속하여 마신 만성 알코올 중독자에게서 볼 수 있는 정신병. 의식은 대체로 명확하나 기억력·판단력이 극히 나빠지며, 헛소리를 함. 심한 열성(熱性) 전염병을 앓고 난 후 또는 암(癌)·각기(脚氣)·빈혈 등에 의하여서도 같은 정신 증상이 나타나는 수가 있음. 작화증(作話症).

코르사코프 증:후군 【一症候群】 [Korsakov] 명 〖의〗 심한 기억력 장애, 때와 장소에 관한 분별력 장애, 역행성 건망증(逆行性健忘症), 작화증(作話症)의 네 증상으로 이루어지는 일군(一群)의 증상. 일반적으로 뇌의 기계적 중독성 혹은 전염병성의 심한 손상 후에 일어난다고 보고 있음. 곧, 뇌진탕·뇌좌상(腦挫傷)·뇌종양(腦腫瘍) 때나, 전간 중적증(癲癇重積症) 또는 액사(縊死)에서 살아난 뒤, 혹은 광견병(狂犬病) 예방 접종 후 등에도 나타나며, 알코올 외에도 일산화 탄소·이황화(二黃化) 탄소·비소(砒素)의 중독 등에 많이 보임. 만성 알코올 중독에 이 증후군이 일어났을 때에는 '코르사코프병'이라 일컬음. 건망성 증후군(健忘性症候群).

코르셋 [corset] 명 ①여자용 속옷의 한 가지. 배와 허리 둘레의 모양을 내기 위하여 몸을 졸라 매는데 쓰임. 비단이나 무명 또는 고무가 든 천으로 만드는데, 세로로 강철선(鋼鐵線), 고래의 여린 뼈 등을 넣어서 주름이 지지 않도록 만듦. 거들(girdle)과는 다름. ②〖의〗 정형 외과(整形外科)에서, 척추(脊椎)나 환부(患部)의 고정·안정·변형 교정(變形矯正) 등을 목적으로 하는 정형 외과용의 치료 장구(裝具). 깁스(Gips)·셀룰로이드·인공 수지(人工樹脂)·천·가죽 등을 재료로 함.

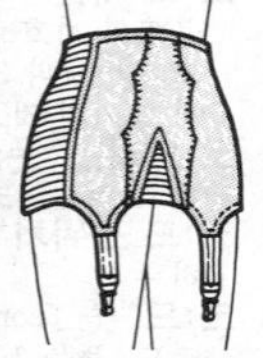
〈코르셋❶〉

코르스 섬 [Corse] 명 〖지〗 '코르시카 섬'의 프랑스 이름.

코르시카 섬 [Corsica] 명 〖지〗 지중해 서북쪽, 서부 제노바 만의 남쪽에 있는 프랑스령의 섬. 양·염소 등을 사육하며, 올리브·포도·오렌지·레몬 등의 지중해성 작물을 재배함. 주도(主都) 아작시오(Ajaccio)는 나폴레옹 1세의 출생지임. [8,681 km²: 240,178 명(1982)]

코르 앙글레 [프 cor anglais] 명 잉글리시 호른(English horn).

코:르-위붕겐 [도 Chorübungen] 명 〖악〗 코뤼붕겐.

코르쿠노프 [Korkunov, Nikolai Mikhailovich] 명 〖사람〗 러시아의 법학자. 페테르부르크 대학 국법학(國法學) 교수. 실증주의의 입장에서 법을 사회학적·심리학적으로 해명하려 했음. 그의 법이론(法理論)은 초기의 소비에트 법이론에 큰 영향을 미쳤으나, 오늘날은 심한 비판을 받고 있음. 주저(主著)에 ≪국제법≫·≪러시아 국법≫·≪법철학사≫ 등이 있음. [1853-1904]

코르크 [cork] 명 ①식물의 세포벽(細胞壁)에 코르크 조직이 침착(沈着)한 세포층. 식물의 보호 조직의 일종으로, 식물의 바깥쪽에 발달하며, 가볍고 탄력성이 풍부하여 열·전기·소리·물 등에 뛰어난 내성(耐性)을 지님. 병마개·구명구(救命具)·방음재(防音材)·보온재(保温材) 등에 이용됨. 지중해 연안에 생육(生育)하는 코르크나무에서 양질(良質)의 것이 산출됨. 전목(栓木). ②코르크로 만든 병의 마개.

코르크-나무 [cork] 명 〖식〗 [*Quercus suber*] 참나뭇과에 속하는 상록 교목(常綠喬木). 유럽 남부에서 북아프리카, 특히 지중해 연안 지방에 나는데, 높이 15-20 m 가량이고, 껍질은 두꺼우며 가지는 황모(黃毛)가 밀생함. 잎은 호생(互生)하며 달걀꼴 또는 타원형임. 꽃은 단성(單性)이고, 암꽃은 종지 모양의 총포(總苞)가 있으며 봄에 피고, 열매는 견과(堅果), 자웅 동주(雌雄同株)임. 줄기의 튼튼한 해면질(海綿質)층에서 코르크를 채취(採取)함.

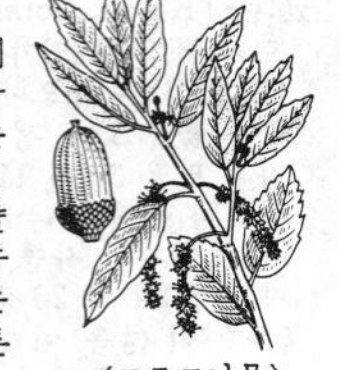
〈코르크나무〉

코르크 조직 【一組織】 [cork] 명 〖식〗 식물의 줄기나 뿌리에 생기는 코르크 형성층에 의하여 그 바깥쪽에 이루어지는 보호 조직.

코르크-질 【一質】 [cork] 명 수베린(suberin).

코르크-층 【一層】 [cork] 명 〖식〗 나무의 겉껍질 안쪽의 부분. 코르크질(質)을 갖춘 여러 층의 세포로 되어 식물체에 물이 드나드는 것을 막으며 내부를 보호함. 목전층(木栓層).

코르크 타일 [cork tile] 명 마룻바닥용 타일. 압축한 코르크를 페놀계(phenol 系) 또는 다른 수지(樹脂) 접착제로 결합시켜 만듦.

코르크 페인트 [cork paint] 명 미립상(微粒狀) 코르크 분말을 함유하고 있는 도료(塗料). 이슬이 맺히는 것을 방지하기 위하여 선박의 강재(鋼材) 부분에 씀.

코르크 형성층 【一形成層】 [cork] 명 〖식〗 2차 비대(肥大) 성장을 하는 식물의 줄기나 뿌리의 피층(皮層)에 생기는 후생(後生) 분열 조직의 하나. 분열되어 코르크 조직을 이룸. 목전(木栓) 형성층.

코르크-화 【一化】 [cork] 명 〖식〗 식물의 세포막이 2차적으로 변질하여 수베린(suberin) 등이 침착(沈着)하는 현상. 수목의 줄기나 뿌리의 코르크 조직에 현저함. 목전화(木栓化). 포화(枹化).

코르테스[1] [Cortes] 명 스페인의 신분제 의회(身分制議會). 성직(聖職)·귀족·도시 대표의 세 신분으로 구성되었고 14-15세기에 강성(強盛)하였는데, 스페인 계승 전쟁에 승리한 펠리페 5세에 의해 폐지되었음.

코르테스[2] [Cortés, Hernán] 명 〖사람〗 스페인의 멕시코 정복자. 1518년 쿠바 식민지 총독의 명으로 유카탄 반도에서 멕시코를 공격하여 1521년 아즈텍 제국(Aztec帝國)을 정복(征服)함. 1523년 멕시코 총독이 되었으나 1526년 면직(免職)되어, 본국에서 실의(失意) 속에 사망함. [1485-1547]

코르토 [Cortot, Alfred] 명 〖사람〗 프랑스의 피아니스트. 시정(詩情)이 풍부한 연주와 낭만적 해석에 특징이 있는, 현세기 최고의 거장의 하나. 특히, 쇼팽·슈만·드뷔시 등의 연주에 뛰어남. [1877-1962]

코르토나 [Cortona, Pietro da] 명 〖사람〗 이탈리아의 화가·건축가. 본명 Pietro Berrettini. 이탈리아 중부의 도시 코르토나 태생. 로마의 성기(盛期)의 바로크를 대표하는 예술가. [1596-1669]

코르티 기관 【一器官】 [Corti] 명 〖생〗 내이(內耳)의 달팽이관 기저막 위에 놓인 소리의 감수(感受) 기관. 달팽이관을 따라 나선형으로 되었으며 소리를 감수하는 유모 세포(有毛細胞)와 이것을 지지(支持)하는 지지 세포로 되어 있음. 이탈리아의 해부학자 코르티(Corti, Alfonso; 1822-88)에서 유래된 이름. 나선기(螺旋器).

코르티손 [cortisone] 명 〖생〗 부신(副腎)에서 나오는 호르몬의 일종. 탄수화물(炭水化物)의 대사(代謝) 작용, 항염증(抗炎症) 및 항(抗)알레르기 효과가 강함. 류머티즘성 관절염의 특효약 외에 피부 질환에도 쓰임. 미국의 생화학자 켄들(Kendall, E. K.)이 발견하였음.

코르티코-스테로이드 〔corticosteroid〕 명 〖생·화〗 ①부신 피질(副腎皮質)에서 분비되는 스테로이드 호르몬의 총칭. ②부신 피질 스테로이드 성질을 가진 스테로이드의 총칭.

코르티코-스테론 〔corticosterone〕 명 〖생·화〗 척추(脊椎) 동물의 부신 피질(副腎皮質)에서 생성되는 스테로이드 호르몬. 탄화 수소의 합성, 단백질 분해를 촉진함. 인슐린 작용과 길항(拮抗)함. [$C_{21}H_{30}O_4$]

코르틴 〔cortin〕 명 〖생〗 부신 피질(副腎皮質)에서 분비되는 호르몬. 생명을 유지하는 데 없어서는 안 될 물질로, 신진 대사(新陳代謝)를 촉진시켜서 아드레날린과는 반대의 역할을 하고, 췌장(膵臟)을 도움. 피질 호르몬.

코르푸 섬 〔Corfu〕 명 〖지〗 그리스 서안, 이오니아 군도(群島) 북쪽 끝에 있는 섬. 올리브유·포도주·오렌지 따위의 산출지이며 관광지임. 기원전 734년경 코린토스인(Kórinthos 人)이 식민함. 기원전 664년의 해전 후 코린토스의 지배하에 들어갔지만, 후에 독립하여 아테네에 다음 가는 해군국이 되었음. 주도(主都) 케르키라(Kérkira). [592 km² : 36,000 명(1981)]

코:리 〔Cori, Carl Ferdinand〕 명 〖사람〗 체코 출생의 미국 생화학자(生化學者). 같은 생화학자인 부인(Cori, Gerty Theresa; 1896-1957)과 함께 생체(生體) 내의 당분 대사(糖分代謝), 글리코겐(Glycogen)의 생성·분해 및 그 외 악성 종양(腫瘍)에 관한 연구로, 1947년 부부가 함께 노벨 의학상(賞)을 받음. [1896-1984]

코리건 〔Corrigan, Mairead〕 명 〖사람〗 영국의 여성 평화 운동가. 비폭력(非暴力)에 의한 평화 운동 전개로 윌리엄스(Williams, B.)와 함께 1976년도 노벨 평화상을 수상함. [1944-]

코리다 형 ①곯아 썩은 풀이나 달걀 냄새 같다. 발가락 사이의 때 냄새 같다. ¶코린 냄새가 나다. ②마음 쓰는 것이나 하는 짓이 다랍고 잘다. 1)·2): ㅅ고리다.

코리데일 〔Corriedale〕 명 〖동〗 면양(緬羊)의 한 품종. 모용(毛用)과 육용(肉用)을 겸함. 19세기에 뉴질랜드에서 메리노종(merino 種)을 기초로 한 개량종(改良種). 안면에는 털이 없고 자웅(雌雄) 모두 뿔이 없음. 사지(四肢) 끝의 털은 흼. 메리노보다 약간 크며 체질과 번식력이 강함. 모질(毛質)은 중(中) 정도인데 육질(肉質)은 좋음. *메리노.

코리슘 〔corycium〕 명 〖생〗 시생대(始生代)의 식물 화석(植物化石). 낭상(囊狀) 또는 포과상(胞果狀)이며, 탄소의 함유량이 무기물(無機物) 중에서도 많으므로 생물의 기원으로 봄. 하등 조류(下等藻類)로 추측됨. 핀란드에서 발견됨.

코리아 〔Korea〕 명 한국.

코리아 타임스 〔Korea Times〕 명 서울에서 발간되는 영자 신문(英字新聞)의 하나. 1950년에 창간됨.

코리아 펀드 〔Korea Fund〕 명 〖경〗 〈속〉 대한 투자 신탁 기금(對韓投資信託基金)의 통칭.

코리아 헤럴드 〔Korea Herald〕 명 서울에서 발간하는 영자 일간지의 하나. 1965년 8월 '코리안 리퍼블릭'을 고친 것임.

코리안 〔Korean〕 명 한국인. 한국어.

코리안 리퍼블릭 〔Korean Republic〕 명 '코리아 헤럴드'의 이전 이름.

코리안 리포지터리 〔Korean Repository〕 명 1892년 영국인 올링거에 의해 창간된 우리 나라 최초의 영문 잡지. 동년 12월에 휴간되었다가 1895년 미국인 헐버트·아펜젤러 등에 의해 속간되고 1899년 폐간됨.

코리안 에어 〔Korean Air〕 명 '대한 항공(大韓航空)'의 영어 이름.

코리올리 〔Coriolis, Gaspard Gustave de〕 명 〖사람〗 프랑스의 물리학자·토목 공학자. 프랑스 국립 이공 대학 교수. 토목 기술의 이론적 연구에서 역학(力學)의 기초 원리를 추구함. 1828년 '코리올리의 힘'을 제창함. [1792-1843]

코리올리 가:속도 【一加速度】 명 〔Coriolis' acceleration〕 〖물〗 회전 좌표계(回轉座標系)에 대하여 상대 속도(相對速度)로 운동하고 있는 물체가 갖는 실질적인 가속도. 회전 좌표계에 대한 상대 속도와 고정 좌표계에 대한 구심 가속도(求心加速度)를 보탬으로써, 고정 좌표계에 대한 가속도를 알 수 있음.

코리올리의 효:과 【一効果】 [一/一에一] 명 〔Coriolis' effect〕 ①〖물〗 지표면에서 운동하고 있는 물체가 코리올리의 힘의 결과로 받는, 지표에 대한 상대적인 편향(偏向). 수평으로 움직이는 물체는 북반구(北半球)에서는 오른쪽으로, 남반구에서는 왼쪽으로 편향함. ②〖생〗 우주 스테이션 따위 회전체(回轉體) 속에서 움직이고 있는 사람이 느끼는 생리학적(生理學的) 효과. 구토·어지러움 따위가 있음.

코리올리의 힘 [一/一에一] 명 〔Coriolis' force〕 〖물〗 회전 좌표계 중에서 운동하는 물체에 나타나는, 원심력(遠心力)과는 다른 외관(外觀)의 힘. 일정한 각속도(角速度) ω로 회전하는 좌표계 중에서, 질량 m의 물체가 속도 v로 운동하고 있을 때, 크기 $2m\omega v$에서 물체의 운동 방향에 수직인 힘. 운동 방향을 바꾸므로 '전향력(轉向力)'이라고도 함. 프랑스의 물리학자 '코리올리'가 제창함.

코리타분-하다 형여불 ☞고리타분하다. ¶코리타분한 소리 하지 말라.

코리탑탑-하다 형여불 ☞고리탑탑하다.

코린-내 명 코린 냄새. <쿠린내. ㅅ고린내.

코린토스 〔Kórinthos〕 명 〖지〗 그리스 남쪽, 펠로폰네소스 반도(Peloponnesos 半島)의 기부(基部)에 있는 항구 도시. 고대 그리스의 도시 국가의 하나로, 기원전 7-6세기 해상 무역으로 아테네·스파르타와 함께 번영함. 도자기 제조의 중심지였으며, 코린토스 전쟁·코린토스 동맹으로 알려졌음. 기원전 146년 로마에게 파괴당한 후, 기원전 44년에 재건. 1858년 지진으로 고대의 구시(舊市)는 파괴됨. 북동 6 km 해안에 신시(新市)가 건설되었으며, 과실류·건포도 거래의 중심지임. '고린도'는 코린토스의 성서 용어임. 코린트.

코린토스 운하 【一運河】 〔Kórinthos〕 명 〖지〗 그리스 남쪽 펠로폰네소스(Peloponnesos) 반도의 코린토 지협(地峽)에 있는 운하. 에게 해(海)와 이오니아 해를 연결함. 1893년 개통. 코린트(Corinth) 운하.

코린트 〔Corinth〕 명 ①〖지〗 코린토스의 영어명. ②↗코린트 게임.

코린트 게임 〔Corinth game〕 명 〔코린트는 이 게임의 용구(用具)를 파는 상사(商社)의 이름〕 공을 한 개씩 막대기로 쳐서, 못을 많이 박고 구멍을 낸 밋밋하게 경사진 반상(盤上)으로 굴려 구멍에 들어간 공의 다소(多少)에 의하여 승부를 가리는 놀이. ㊤코린트.

코린트-식 【一式】 〔Corinth〕 명 〖건〗 그리스 고전 건축 양식의 하나. 이오니아식·도리아식 다음에 나온 양식으로, 아칸서스 주두(acanthus 柱頭)가 특징이며, 주신(柱身)은 그 하단(下端) 지름의 약 10배 가량되고 매우 화려함.

〈코린트식〉

코린트 운하 【一運河】 〔Corinth〕 명 〖지〗 코린토스 운하.

코마 〔coma〕 명 ①혜성(彗星)의 두부(頭部)에 밝은 핵(核)을 둘러싼 부분. ②〖물〗 렌즈 수차(收差)의 하나. 렌즈의 축(軸)에서 떨어진 일점(一點)의 상(像)을, 축에 직각(直角)인 평면(平面)에 받으면 60°의 각도를 가진 혜성과 같은 모양의 상이 생기는 현상. 렌즈의 중심부와 주연부(周緣部)에서 빛이 모이는 위치가 다르기 때문에 일어남. 코마는 축상(軸上)에서는 일어나지 않지만 축에서 떨어질수록 커짐. 코마 수차. 비대칭 수차(非對稱收差).

코-마개 명 ①콧구멍을 틀어 막는 솜·헝겊 따위. ②주검을 마지막으로 손질하며 코를 막아주는 물건. 옛날에는 옥돌로 만든 것도 있었음. 비색(鼻塞).

코마르 〔Komar〕 명 〖군〗 러시아의 미사일 고속 초계정(高速哨戒艇). 전장(全長) 26 m, 표준형의 무게 75 t, 속도 40 노트. 사정 거리 24 km의 스틱스(Styx) 미사일 발사대 2기(基)를 장치하고 있음.

코마 수차 【一收差】 〔coma〕 명 〖물〗 코마❷.

코만도르스키예 제도 【一諸島】 〔Komandorskie〕 명 〖지〗 베링 해 서남 캄차카 반도 동쪽 약 200 km 지점의 제도. 러시아 하바로프스크 주에 속함. 표고(標高) 600-700 m의 산지가 많고, 지표(地表)의 대부분은 툰드라로 덮히고, 해안은 거의 절벽임. 어업(漁業)이 성한데, 특히 물개의 번식처로 유명함. 네 섬 중 베링·메드니(Medny) 두 섬에만 취락(聚落)을 이루고 있음. [1,848 km²]

코만도 작전 【一作戰】 〔Commando〕 명 〖군〗 〔코만도는 1899-1900년의 보어 전쟁에서 활약한 보어인 부대의 기습대의 이름. 또, 2차 대전 때 독일 점령 지역에 대한 기습 공격을 담당한 영국 육군 부대의 이름〕 수백 명 이내의 소규모 병력의 특공대에 의한 해상(海上)으로부터의 기습 상륙·파괴 작전.

코만치 〔Comanche〕 명 〖인류〗 아메리카 인디언의 한 부족. 예전, 미국의 와이오밍 주(Wyoming 州)에서 텍사스 주까지 널리 분포했었으나 현재는 오클라호마 주(Oklahoma 州)의 보호지에서 생활하고 있음.

코:맥 〔Cormack, Allan McLeod〕 명 〖사람〗 미국의 의학 물리학자. 컴퓨터 X선 단층 촬영의 이론적 기초를 구축하여 1979년 영국의 하운스필드와 함께 노벨 생리 의학상을 받음. [1924-98]

코-맹녕이 명 ☞코맹맹이.

코-맹맹이 명 코가 막히어 소리를 제대로 내지 못하는 사람.

코:머 〔comber〕 명 방적(紡績) 기계의 하나. 소면(梳綿)에 쓰이는 기계.

코-머거리 명 비색증(鼻塞症)에 걸린 사람.

코-머리 명 ①〖역〗 고을 관아에 속했던 우두머리 기생(妓生). 현수(絃首). *행수(行首) 기생. ②〈방〉 은근짜(평양).

코머스 〔commerce〕 명 ①상업. 통상(通商). 무역. ②세상과의 교섭. 교제(交際).

코먹은 소리 명 코가 메어 코를 울리면서 부자연스레 나는 소리. ¶감기에 걸려 ~를 하다.

코먼 랭귀지 〔common language〕 명 공통어. 사무 기계에 공동적으로 입력(入力)할 수 있는 매개물(媒介物). 천공(穿孔) 카드나 자기(磁氣) 테이프 따위.

코먼 로: 〔common law〕 명 〖법〗 ①영국 보통법(普通法) 재판소가 11세기경부터 판례(判例)를 통하여 생성·발전시킨 법의 체계. 불문(不文)의 판례법(法)인 점에 특징이 있음. 보통법. ②대륙법계(大陸法系)와 구별되는 영미(英美)법계의 법제(法制). 특히, 이들 법제 중의 불문법(不文法), 곧 판결(判決)과 소수의 권위적 저서(著書)에 의하여 표현되는 소위 제정되지 않은 법을 의미함. 계속성(繼續性)·강인성(强靭性)과 배심제(陪審制)·법지상(法至上)주의·선례(先例)기속주의(羈束主義) 등이 그 특색임. *에퀴티(equity).

코먼 센스[1] 〔common sense〕 명 상식(常識). 양식(良識).

코먼 센스[2] 〔Common Sense〕 명 〖책〗 영국의 페인(Paine, T.)이 1776년에 쓴 정치 평론서. 미국 독립에 큰 공헌을 함. 사회 계약설에 바탕을 두고 군주 정치(君主政治)와 세습제(世襲制)의 불합리성을 설명하고, 영국의 정체(政體)는 바른 것이 못 되며 공화제(共和制)가 바람직한 것으로 미국의 독립이 정당하다고 주장함.

코먼스 〔Commons, John Rogers〕 명 〖사람〗 미국의 경제학자·노동 행정 연구가. 베블렌(Veblen, T.B.)과 함께 제도학파(制度學派)의 창시자이며, 노동 및 공익 사업 경제론의 선구자임. 소위 '의지성(意志性)의 원리'를 주장하여 경제와 윤리(倫理)의 일치에 의한 적정(適正) 자본주의를 제창하였음. 주저(主著)에 ≪자본주의의 법적 기초≫·≪제도

적 경제학≫·≪집단 행위의 경제학≫ 등이 있음. [1862-1945]

코먼-웰스 〔Commonwealth〕 명 ①〖정〗 1649년 5월 19일 청교도 혁명 때부터 1653년 12월 6일의 종신 호민관(終身護民官) 정치 성립과 더불어 끝난 영국의 공화 정체(共和政體). ②제1차 세계 대전 후의 영연방(British Commonwealthe of Nations). 영국 본국 및 각 자치령이 상호 평등한 입장에서 자유로이 결합하는 연합 방식을 이름. *영국 연방. ③공화 정체의 국가. 자치체(自治體). 미국의 주(州)의 뜻. 단, 정식으로는 매사추세츠·펜실베이니아·버지니아·켄터키의 네 주(州)만에 쓰임.

코먼웰스 게임스 〔Commonwealth Games〕 명 엠파이어 게임스.

코메니우스 〔Comenius, Johann〕 명 〖사람〗 체코슬로바키아의 교육가. 근대 교육학의 선구자로 교육을 통한 조국과 인류의 구제(救濟)를 지향하여 ≪빛의 길≫·≪대교수학(大敎授學)≫·≪인사 개선 대회의(人事改善大會議)≫·≪자연학 개론≫ 등으로 소위 '범지학(汎智學)'을 구상, 학문과 사상과를 통일적으로 체계화시키려 하였음. 이외에도 많은 어학·교양 관계서를 냈음. [1592-1670]

코메디아 델라르테 〔이 commedia dell'arte〕 명 16 세기 중엽에 이탈리아에서 성행한 즉흥 가면 희극. 간단한 줄거리에 따라 배우가 즉흥적으로 기지(機智)를 섞어가며 진행해 나감. 배우의 역할은 정형화(定型化)되어 있어서 동일한 이름의 동일한 성격을 가짐. 11 세기의 프랑스를 비롯하여 각국의 희극 성립에 큰 영향을 미쳤음.

코메디 프랑세:즈 〔프 Comédie Française〕 명 〖연〗 프랑스의 국립 극장 및 그에 소속된 극단. 1680년 루이 14세의 명(命)에 의하여 파리에 창립됨. 1946년 제2 국립 극장인 오데옹(Odéon) 극장과 합병, 본디의 극장에서는 고전극, 전(前)의 오데옹 극장에서는 현대극을 상연함. 문화 담당 국무상(國務相)이 감독함. 속칭 몰리에르의 집.

코메콘 【COMECON】 명 〔Council for Mutual Economic Assistance의 약칭〕 〖경〗 경제 상호 원조 회의. 동유럽 중심의 사회주의 제국(諸國) 간의 경제 협력을 목적으로 하는 국제 기구. 제2차 대전 후 마셜 플랜에 대응시킨 조치로서 1949년 1월에 설립함. 사무국은 모스크바에 있었음. 소련의 해체 및 동유럽 제국의 시장 경제 도입으로 1991 년 해체되었음.

코-멕새리 명 〈방〉 코딱지(평북).

코멘테이터 〔commentator〕 명 라디오·텔레비전의 시사(時事) 해설자.

코멘트 〔comment〕 명 타인의 의견, 논문이나 사건에 대한 보완적(補完的)인 논평(論評)이나 의견. 설명. 의견. 비평(批評). ¶노 ~/~를 청하다.

코멧 〔comet〕 명 ①〖천〗 혜성(彗星). ②폭죽(爆竹) 같은 요란한 소리를 내는 장난감. ③〔C-〕 영국의 드 하빌랜드사(De Havilland社)제의 터보 제트기(機). ④〔C-〕 미국제(製) 자동차의 한 상품명. ⑤〔C-〕 소련제 미사일의 이름.

코모도 〔이 commodo, comodo〕 명 〖악〗 '알맞은 빠르기로'의 뜻.

코모도-왕도마뱀 【一王一】 〔komodo〕 명 〖동〗 〔*Varanus komodoensis*〕 현존하는 도마뱀 중 최대의 것. 몸은 회색이고 길이 약 3 m, 무게 약 150 kg. 멧돼지·사슴 등도 습격함. 인도네시아의 코모도 섬 등 4 개 섬에 서식함.

코모로 〔Comoro〕 명 〖지〗 아프리카 대륙과 인도양 상(上)의 마다가스카르 섬 사이에 있는 여러 섬으로 된 공화국. 대(大)코모로 섬에 높이 2,560 m의 활화산(活火山)이 있고 산지(山地)가 많으나 토지는 비옥하며 대부분 삼림에 덮여 있음. 국민은 아프리카계(系) 흑인·마다가스카르인·아랍인 등의 혼혈로, 대체로 이슬람교도임. 바닐라(vanila)·사탕·코코아·쌀 등을 산출하며, 제당(製糖) 공장, 럼주(rum 酒) 양조장 등이 있고, 소·양도 사육함. 프랑스 해외현(海外縣)에서 1968년 준자치국(準自治國)이 되었다가 1975년 독립함. 수도는 모로니(Moroni). 정식 명칭은 '코모로 이슬람 연방 공화국(Federal and Islamic Republic of the Comoros)'. [2,235 km² : 650,000 명(1995 추계)]

코모린 곶 【一串】 〔Comorin〕 명 〖지〗 인도 데칸 반도 남단의 갑(岬). 서고츠(西Ghats) 산맥의 첨단(尖端)이 인도양에 돌출한 것임. 고온 다습(高溫多濕)하여 열대림이 무성하며, 갑(岬) 위에 옛 사원(寺院)이 있어 순례자가 많음.

코모 호 【一湖】 〔Como〕 명 〖지〗 이탈리아 북부 롬바르디아 주(州)에 있는 이탈리아 제3의 호수. 알프스 산록의 빙하호(氷河湖)로, 관광지로서 알려짐. 남북으로 길고 동쪽은 레코 호(Lecco湖)라 불림. 주위는 높이 1,000-2,000 m의 산들로 둘러싸여 있고, 길이 약 50 km, 폭 약 4 km, 최대 심도(深度) 410 m임. 연안에 코모라는 도시가 있고, 호안(湖岸)은 풍광(風光)이 좋아 유람지가 많음. [146 km²]

코무니즘 봉 【一峯】 명 〔Pik Kommunizma〕 〖지〗 중앙 아시아, 타지크 공화국 중부의 산. 파미르(Pamir) 고원의 북부에 위치하며, 남쪽의 페드첸코 빙하(Fedchenko 氷河)를 비롯하여 많은 빙하에 둘러싸여 있으며, 처음은 가르모 봉(Garmo 峯)이라 불리어지다가 1932년 다시 스탈린 봉(Stalin 峯), 1962년에 코무니즘 봉이라 개칭됨. 1933년 9월 처음 등정(登頂)함. [7,495 m]

코묻은 돈: 구 코흘리개인 어린애들이 군것질하려고 가진 돈. ¶~을 알겨먹다.

코물 〔Qomul〕 명 〖지〗 하미²(哈密).

코뮈니케 〔프 communiqué〕 명 문서에 의한 국가의 의사 표시의 하나. 공보(公報). 외교상의 공문서(公文書). 정부의 공식 성명서(聲明書).

코뮌 〔프 commune〕 명 〖역〗 ①프랑스에서 11-12세기에 발달한 도시 자치체(自治體). 신흥 상인(新興商人)의 요구에 의하여 생긴 것으로, 행정·재판을 위한 대리 기관을 가지며, 법적으로는 왕·영주에 의하여 그 권능을 인가받았음. 코뮨. ②파리 코뮌.

코뮤널리즘 〔communalism〕 명 ①지방 분권 자치주의. ②지역주의. 특히, 근대 인도(印度)에 있어서의 힌두교도(Hindu 敎徒)와 회교도(回敎徒)와의 대립 문제와 관련하여 사용함.

코뮤니스트 〔communist〕 명 공산주의자. 공산당원.

코뮤니즘 〔communism〕 명 공산주의.

코뮨: 〔commune〕 명 〖역〗 코뮌(commune).

코미디 〔comedy〕 명 ①〖연〗 서양 연극에서, 비극(悲劇)에 대립되는 것. 희극(喜劇). ↔트래지디(tragedy). ②관객을 웃기기 위한 연극이나 경연극(輕演劇). 희극.

코미디 릴리:프 〔comedy relief〕 명 〖연〗 영화에서, 긴장된 화면에 우스운 장면을 삽입하여 과도한 긴장감을 늦추는 수법(手法). 또, 그것을 연기하는 배우.

코미디언 〔comedian〕 명 〖연〗 희극 배우. *개그 맨.

코미사르 〔러 commissar〕 명 인민 위원(人民委員). 대표.

코미스코 【COMISCO】 명 〔Committee of the International Socialist Conference의 약칭〕 〖정〗 코민포름에 대항하여 1947년 11월에 창설된 각국 사회주의 정당의 국제적 협력 조직. 영국의 노동당·프랑스의 사회당이 중심이며, 동유럽을 제외한 세계 각국의 사회 민주주의 정당이 가맹함. 이것을 모체로 1951년 사회주의 인터내셔널이 발족됨. 국제 사회주의자 회의. 국제 사회주의자 회의 위원회.

코미컬 〔comical〕 명 극 따위에서, 밝은 웃음을 자아내는 우스운 모양. 희극적인 모양. 또, 익살맞은 느낌을 주는 모양. ——-하다 형 여불

코미티아 〔라 comitia〕 명 〖역〗 고대 로마의 시민 회의. 종류로는 쿠리아회(curia會)·병원회(兵員會)·평민회(平民會) 등이 있었음.

코믹 〔comic〕 명 ①우스운 모양. 희극적(喜劇的). ↔트래직(tragic). ②↗코믹 오페라. ——-하다 형 여불

코믹 송 〔comic song〕 명 〖악〗 재미있고 우스운 맛이 있는 노래. 우스운 노래.

코믹스 〔comics〕 명 스토리가 있는 연속 만화(漫畫). 코믹 스토리(comic story). 코믹 스트립(comic strip).

코믹 오페라 〔comic opera〕 명 〖악〗 가곡(歌曲) 외에 대사(臺辭)와 경쾌한 음악이 수반되고 결말(結末)이 해피 엔드로 끝나는 가극(歌劇). 희가극(喜歌劇). 뮤지컬 코미디. 준 코믹. *그랜드 오페라.

코민턴 〔Comintern〕 명 〔Communist International의 약칭〕 〖정〗 코민테른(Komintern).

코민테른 〔러 Komintern〕 명 제삼 인터내셔널(第三 International). 코민턴(Comintern).

코민트 〔comint〕 명 〔communication intelligence의 약칭〕 〖군〗 상대국의 통신 정보(通信情報)를 수집·해석하는 작업이나 처리 기술. *엘린트(elint).

코민포름 〔Cominform〕 명 〔Communist Information Bureau의 약칭〕 〖정〗 1947년 소련·폴란드·유고슬라비아·헝가리·루마니아·체코슬로바키아·이탈리아·프랑스의 9개국 공산당 대표자가 폴란드에서 회합하고, 각국 공산당 상호간의 정보 교환·연락·활동의 조정 및 비판 등을 위하여 설립한 기관. 코민테른과 같은 지도(指導) 기관은 아님. 본부를 1948년까지 베오그라드에, 그 뒤에는 부카레스트에 두었었는데, 1956년 4월에 해산됨. 공산당 정보국.

코:밍 〔combing〕 명 방적 공정(紡績工程)의 하나. 짧은 섬유나 불필요한 것을 제거하여 섬유를 빗듯이 가즈런히 하기 위한 공정. 면사(綿絲)나 명주실·소모사(梳毛絲)의 방적 등에 쓰임.

코-밑 명 코 아래의 부분.

코밑 수염 【一鬚髥】 명 콧수염.

코-바늘 명 한 쪽 또는 양쪽 끝에 미늘이 달린 짧은 뜨개바늘. ↔대바늘.

코바늘-뜨기 명 코바늘로 뜨개질하는 일. ——-하다 타 여불

코바늘뜨기-단 명 뜨개질에서, 코바늘로 뜬 옷단.

코발레프스카야 〔Kovalevskaya, Sofya (Sonya)〕 명 〖사람〗 러시아의 여류 수학자. 편미분 방정식론(偏微分方程式論)·강체(剛體)의 회전 운동을 연구하여 함수론(函數論)을 역학(力學)에 응용함. 남편의 자살 후, 1884년부터 스톡홀름 대학 교수. 자전 소설 ≪라에프스키가(家)의 자매≫ 외에 문학 작품도 남김. [1850-91]

코발트 〔cobalt〕 명 ①〖화〗 붉은 빛을 띤 은백색 광택이 있는 금속 원소. 쇠보다 무겁고 단단하며, 연성(延性)·전성(展性)·자성(磁性)이 있고, 공기 중에서 가열하면 발화, 괴상(塊狀)의 것은 백열(白熱)하면 산화 코발트(Ⅲ)·코발트(Ⅱ)가 됨. 할로겐족 원소·황·인·비소·안티몬 등 많은 원소와 반응함. 각종 합금의 합금 원소, 자성 재료의 첨가물, 합금의 결합제 등 외에 유리나 도자기의 착색(着色) 염료·페인트나 니스의 건조제로 사용됨. [27번:Co:58.93320] ②코발트색(色). ③악성 종양(腫瘍) 치료에 쓰이는 방사성 동위 원소 코발트 60을 일컬음.

코발트 그린: 〔cobalt green〕 명 아연과 코발트와의 산화 아연으로 되는 아름다운 녹색의 안료(顔料). 또, 그 빛. 탄산 코발트(Ⅲ)와 산화 아연 또는 이에 탄산 마그네슘을 가하여 섭씨 1,200-1,300 도까지 소성(燒成)하여 만듦. 밑색을 덮어가리는 힘이 크고 안정(安定)함. 파스텔(pastel) 등에 쓰임.

코발트 블루: 〔cobalt blue〕 명 〖화〗 산화 코발트와 산화 알루미늄으로 되는 청색 도료(塗料). 또, 그 빛. 도자기나 합성 수지의 착색제(着色劑) 등에 쓰임. 코발트청(靑).

코발트-색 【一色】 〔cobalt〕 명 하늘 빛과 같은 맑은 남빛. 엷은 군청색(群靑色). 코발트.

코발트 옐로 〔cobalt yellow〕 명 〖화〗 코발트염(塩)에 아질산(亞窒酸) 칼륨을 작용시킬 때 생기는 황색의 안료(顔料).

코발트 유리 【一瑠璃】 명 〔cobalt glass〕 착색제(着色劑)로 코발트를 사용한 푸른 색유리. 장식품·광학 필터(光學 filter)·고온 작업용(高溫作

業用)의 보호 안경 등에 쓰임.

코발트 육십 〔cobalt 60〕 명 〖화〗 코발트의 인공 방사성 동위체(放射性同位體). 질량수 60. 천연 코발트에 중성자를 흡수시켜 만듦. 반감기(半減期)는 5.26년이고, β선 붕괴(崩壞) 및 2회의 γ선 붕괴를 거쳐 안정된 니켈 60이 됨. 반감기가 알맞으며 그 위에 라듐보다 강한 γ선을 방사(放射)하기 때문에 γ선원(源)으로서 이화학 산업 방면에 널리 쓰임. 기호: ^{60}Co.

코발트-청【一靑】〔cobalt〕 명 〖화〗 코발트 블루.

코발트 카르보닐 〔cobalt carbonyl〕 명 〖화〗 등색(橙色)의 투명하고 작은 결정(結晶). 물에 녹지 않고 유기 용매(有機溶媒)에는 녹으며, 산화력(酸化力)이 없는 산에는 안정하고 브롬(Brom)에 의하여 분해됨.

코발트-토【一土】〔cobalt〕 명 오수(烏須).

코발트 폭탄【一爆彈】〔cobalt〕 명 원자 폭탄·수소 폭탄의 겉을 코발트로 싼 폭탄. 핵폭발에 의해서 코발트 60이 생기며, 오랫동안 강력한 방사능이 남음.

코발트-화【一華】〔cobalt〕 명 코발트 광물(鑛物). 투명 또는 반투명이며, 심홍색(深紅色)·분홍색·회백색(灰白色) 등의 유리 광택이 나는 단사 정계(單斜晶系) 결정. 휘(輝)코발트광(鑛)이 풍화 분해(風化分解)한 것으로 광석의 깨진 틈에 끼어서 산출됨.

코-방아 명 앞으로 넘어져서 코를 땅바닥에 부딪치는 짓.
 코방아(를) 찧다 구 앞으로 넘어져서 코를 땅바닥에 짓찧다.

코-배기 명 〈속〉 코가 유난히 큰 사람을 가리키는 말. ¶양~.

코번트리 〔Coventry〕 명 〖지〗 영국 잉글랜드 중부의 중공업 도시. 제2차 대전 중에 공습으로 모두 파괴되었으나, 부흥하여 자동차·항공기·엔진·전자 공업 등이 성함. 또, 공습으로 파괴된 14세기의 성당(聖堂)도 1962년 재건됨. [304,600 명(1992)]

코-벽쟁이 명 콧구멍이 좁아서 숨을 제대로 못 쉬는 사람에 대한 별명.

코-보 명 ☞코주부.

코볼【COBOL】명 〔Common Business Oriented Language의 약칭〕 〖컴퓨터〗 사무용 응용 프로그램을 위해 1960년 미국에서 개발한 프로그램 언어. 많은 양의 정보를 효율적으로 처리하기 위해 입출력 기능에 중점을 두어 설계되었으며, 프로그램의 판독성의 증대를 위해 영어와 유사한 구문을 씀.

코볼트 〔Kobolt〕 명 튜턴 신화(Teuton神話)에 나오는 난쟁이 광부(鑛夫). 독일의 속신(俗信)에서는 집의 정(精).

코브던 〔Cobden, Richard〕 명 〖사람〗 영국의 정치가. 자유 방임주의자의 대표자로, 자유 무역을 제창하여 곡물법(穀物法) 폐지에 성공하였으며 크림(Krim) 전쟁을 반대하고, 대불(對佛) 통상 관계를 개선하는 등, 국제 평화에 진력했음. '자유 무역의 사도(使徒)'라고 불림. [1804-56]

코브도 〔Kobdo〕 명 〖지〗 호브드.

코브라 〔cobra〕 명 〖동〗 [*Naja naja atra*] 코브라과(科)에 속하는 독사(毒蛇)의 하나. 몸길이 1.6-2 m이고, 몸빛은 회색(灰色)·갈색·흑색 등의 변화가 많은데, 후두부 목에 백색의 안경(眼鏡) 쓴 모양의 뚜렷한 반문(斑紋)이 있으며, 성이 나면 목의 늑골(肋骨)을 양쪽으로 펴서 몸길이의 약 3분의 1을 꼿꼿이 세워 격렬하게 숨을 내쉬며 공격함. 야행성(夜行性)으로 밤에 개구리·뱀·도마뱀·새·쥐 등을 잡아먹음. 아프리카·대만·말레이·필리핀·인도 등에 5속 12종이 분포하며, 흔히 인도산(印度產)을 일컬음. 독은 맹렬하나 길들여서 곡예(曲藝)에 씀.

〈코브라〉

코블렌츠 〔Koblenz〕 명 〖지〗 독일의 라인 강과 모젤 강의 합류점에 위치하는 상공업 도시. 중부 라인의 상거래, 특히 모젤 와인의 거래 중심지임. 양조·화학·섬유·기계 공업이 성함. 제2차 대전 때 시가의 약 8할이 파괴되어 많은 역사적 건물을 잃음. 고대 로마의 성채(城砦)로서 창건(創建)된 고도(古都)로 11세기부터 18세기말까지 주교(主教) 도시였음. [109,654 명(1993)]

코비-부【一鼻部】명 한자 부수(部首)의 하나. '鼾'이나 '齅' 등의 '鼻'의 이름.

코뻰 몰 명 〈옛〉 코 꿰진 말. 콧구멍 넓은 말. ¶코뻰 몰(豁鼻馬)《老乞下8》.

코-빼기 명 ↗코쭝배기.
 코빼기도 나타나지 않다 구 '코끝도 안 보인다'와 같은 말.
 코빼기도 못: 보다 구 도무지 나타나지 않아 얼굴도 볼 수 없다.
 코빼기도 볼 수 없:다 구 '코끝도 볼 수 없다'와 같은 말.

코-뼈 명 〖생〗 비골(鼻骨).

코뿔-소 [一쏘] 명 〖동〗 코뿔솟과에 속하는 짐승의 총칭. 남아시아에 3종, 아프리카에 2종이 있음. 무소. 서(犀). *검은코뿔소.

코뿔솟-과【一科】명 〖동〗 [Rhinocerotidae] 기제류(奇蹄類)에 속하는 한 과. 코의 위 또는 이마에 한두 개의 뿔이 있어 일생 동안 성장하는데, 한 개의 것은 인도·자바에, 두 개의 것은 아프리카·수마트라에 분포함. 흔히 아프리카의 것을 '코뿔소'라고 함. 제삼기(第三紀) 후반에 번성했으며, 현재는 아프리카코뿔소·인도코뿔소 등 5종이 분포함.

코사【遣沙】어미 〈이두〉 -고야. -여야만. -한 후에야.

코:사이트 〔coesite〕 명 〖광〗 이산화 규소(二酸化硅素)의 고압력 동질 이상(同質異像). 천연으로는 20 킬로바(kilobar) 이상의 압력하에서만 생성됨. 운석(隕石)이 충돌한 크레이터(crater)에서 발견됨.

코사인 〔cosine〕 명 〖수〗 삼각함수의 하나. 직각삼각형의 한 예각을 낀 밑변과 빗변과의 비(比)를 그 각에 대하여 일컫는 말. 기호는 cos. 여현. ↔시컨트.

〈코사인 곡선〉

코사인 곡선【一曲線】〔cosine〕 명 〖수〗 $y=\cos x$의 그래프로 얻어지는 곡선. 여현(餘弦) 곡선.

코사인 정:리【一定理】〔cosine〕 [一니] 명 〖수〗 삼각형의 변과 각의 관계에 관한 정리. 제1 코사인 정리와 제2 코사인 정리가 있음. 삼각형 ABC의 꼭지점(點) A, B, C의 대변(對邊)을 각각 a, b, c라고 하면, $a=b\cos C+c\cos B$, $b=a\cos C+c\cos A$, $c=a\cos B+b\cos A$(제1 코사인 정리). 또, $a^2=b^2+c^2-2bc\cos A$, $b^2=c^2+a^2-2ca\cos B$, $c^2=a^2+b^2-2ab\cos C$(제2 코사인 정리). 여현(餘弦)정리. 여현 법칙.

코사크 〔Cossack〕 명 〖인류〗 카자흐[1]❷.

코사크-말 〔Cossack〕 명 〖동〗 카자흐스탄 지방에서 나는 말. 몸이 강건하고 영리함.

코-세다 형 남의 말은 안 듣고 제 고집대로만 우기는 성미가 있다.

코세크 〔cosec〕 명 〖수〗 코시컨트.

코셀 〔Kossel〕 명 〖사람〗 ①〔Albrecht, K.〕 독일의 생리 화학자. 단백질(蛋白質) 및 핵산(核酸)에 관한 연구로 세포 화학에 공헌하여 이 방면의 선구자가 됨. 1910년 노벨 생리 의학상을 수상함. [1853-1927] ②〔Walther, K.〕 ❶의 아들로 이론 물리학자. 원자 물리학의 연구와 엑스선(X線) 스펙트럼의 방사 기구(放射機構)를 양자론적(量子論的)으로 고찰하였으며, 보어(Bohr, N.)의 원자 모형에 기초하여 처음으로 원자가(價) 이론을 세웠음. [1888-1956]

코소보 사:태【一事態】〔Kosovo〕 명 〖정〗 코소보는 동유럽의 세르비아(Serbia) 공화국의 한 자치주(自治州)로 200만 명의 인구중 90% 이상이 세르비아인이 아닌 알바니아인으로 이들은 이슬람교를 신봉하고 있음. 이에 따라 세르비아인과 알바니아인 사이에 무력 충돌이 잦았으며, 1998년 알바니아인은 코소보 독립을 요구하게 되었고 세르비아는 무력으로 이를 진압하자 분쟁은 더욱 심해졌음. 세르비아는 주변 국가의 중재를 거부하고 무력 진압을 계속하자, 1999년초 NATO가 개입, 세르비아를 공습함에 세르비아가 NATO의 중재안을 수락하여 1999년 중반 사태가 진정됨. 기간중 알바니아인은 수백만명이 학살되었고, 인근 마케도니아·알바니아 공화국으로 대거 피난하였다가 일부는 귀국하였음.

코소토 〔Cossotto, Fiorenza〕 명 〖사람〗 이탈리아의 메조소프라노 가수. 1958년에 스칼라 극장에서 데뷔. 로마·뉴욕의 메트로폴리탄 가극장 등에서 활약함. 이탈리아 오페라계(界)에서 당대 최고라는 명성을 얻음. [1935-]

코-쇠 명 〖광〗 산 기슭의 끝에 있는 사금층(砂金層).

코-숭이 명 산줄기의 끝.

코슈트 〔Kossuth, Lajos〕 명 〖사람〗 헝가리의 정치가. 급진적 자유주의자로서 오스트리아·헝가리 의회에서 활약, 3월 혁명에 가담하여 중앙 정부로 하여금 헝가리의 자치를 인정케 하고, 군대를 조직하여 1849년 독립을 선언, 임시 정부 집정(執政)이 되었으나 얼마 안 있어 러시아군에 패하여 망명함. 이탈리아에서 객사함. [1802-94]

코:스[1] 〔Coase, Ronald〕 명 〖사람〗 영국 런던 태생의 미국 경제학자. 법경제학(法經濟學)의 기초를 닦은 것과 기업 조직 이론을 정립한 공로로 1991년 노벨 경제학상을 수상함. [1910-]

코:스[2] 〔course〕 명 ①진행. 경과. 진로(進路). 침로(針路). 행정(行程). ¶등산 ~. ②육상(陸上)·수영(水泳)·마술(馬術) 등의 경기 용어. 경주로(競走路). 경영 수로(競泳水路). 경조(競漕) 수로. 경마장. 주로(走路). ¶500 m ~/마라톤 ~. ③링크스(links). ¶골프 ~. ④서양 요리의 정찬(正餐)에서 차례차례 나오는 한 접시 한 접시의 요리. ¶풀 ~. ⑤과정(課程). 강좌(講座). ¶정규(正規) ~.

코스닥【KOSDAQ】명 〔Korea Securities Dealers Automated Quatation〕 〖경〗 증권 거래소에서 운영하는 장외(場外) 주식 거래 시장. 미국의 장외 주식 시장을 본떠 1996년 개장함. 증권 거래소 상장에 비해 쉽게 등록·상장할 수 있어 벤처(venture) 기업 등이 많이 등록하고 있음.

코:스 라인 〔course line〕 명 육상·수영 등의 경기에서, 경주로(競走路)·경영장(競泳場)에 그어져 있는 각 선수들의 경계선.

코:스 로:프 〔course rope〕 명 수영 경기에서, 각 코스를 구별 짓기 위해 수영장 수면에 띄워 놓은 로프.

코스모스[1] 〔cosmos〕 명 〖식〗 [*Cosmos bipinnatus*] 국화과에 속하는 일년생 초본. 멕시코 원산인데 키는 1-2 m, 잎은 이회 우상(羽狀)으로 나뉘고 그 갈라진 꽃은 선형(線形)임. 여름부터 가을에 걸쳐 줄기 끝에 8개의 설상화(舌狀花)와 작은 관상(管狀)의 중심화로 된 길이 약 6 cm의 꽃이 핌. 꽃은 백색·분홍색·담홍색·홍자색 등의 여러 가지가 있고, 또 여러 가지 모양의 원예종도 있음. 관상용으로 많이 재배함.

〈코스모스[1]〉

코스모스[2] 〔그 kosmos〕 명 그리스의 신화에서, 질서 정연한 조화있는 세계라는 뜻. 우주. 질서. ↔카오스(khaos).

코스모스 위성【一衛星】명 〔Cosmos satellites〕 1962년 3월 16일 소련이 제1호를 쏘아 올린 이래 계속하고 있는 일련의 인공 위성 시리즈. 전리층·방사능대·우주선·태양 방사선·유성진(流星塵) 따위 우주 공간의 과학 관측을 위한 것이라고 발표되었으나, 기상(氣象) 위성·통신(通信) 위성·인간 위성·정찰(偵察) 위성 따위의 개발 실험도 포함하고 있으며, 궤도 핵무기(軌道核武器)의 실험도 포함된 것으로 추정됨. 고도는 200-900 km가 많음.

코스모트론 〔cosmotron〕 명 1952년에 완성된 미국의 원자핵 입자 가속 장치. 양성자(陽性子)를 30억 전자 볼트(eV)까지 가속할 수 있는 싱크로트론으로, 이 장치로 가속(加速)된 입자(粒子)의 에너지는 우주선(宇宙線)에 필적한다고 함.

코스민스키 〔Kosminskii, Evgenii Alekseevich〕 명 〖사람〗 소련의 중세 사학가. 모스크바 대학 교수를 거쳐 과학 아카데미 회원이 됨. 영국의 봉건제에서 자본주의로의 이행(移行)에 관한 근대 경제적 입장의 역사 이론을 사적 유물론에 의거 철저히 비판했음. 주저에 ≪13세기 영국 농업사의 연구≫ 등이 있음. [1886-1959]

코스타[1] 〔Costa, Andre〕 [명] 〖사람〗 이탈리아 사회주의 운동 창시자의 한 사람. 처음에는 바쿠닌파(Bakunin派), 후에는 마르크스주의자로 전향하여 1892년 이탈리아 사회당을 창립함. [1851-1910]

코스타[2] 〔Costa, Lorenzo〕 [명] 〖사람〗 이탈리아의 화가. 종교적·신화적인 주제를 그렸으나 서정미 넘치는 풍경이 화면의 중요한 요소로 되어 있고 후의 바로크 풍경화의 모태(母胎)의 하나가 되었음. 대표작 ≪성모의 대관(戴冠)≫. [1460-1535]

코스타[3] 〔Costa, Lucio〕 [명] 〖사람〗 브라질의 건축가. 프랑스 태생. 르 코르뷔지에(Le Corbusier)·니마이어(Niemeyer) 등과 리우데자네이루의 공공 건축 설계에 참여한 후 1956년 브라질의 신 수도 브라질리아의 도시 계획을 설계했음. [1902-]

코스타-리카 〔Costa Rica〕 [명] 〖지〗 중앙 아메리카의 공화국. 파나마 쪽에 위치함. 동쪽은 카리브 해(海), 서쪽은 태평양에 면함. 대부분 고원상(高原狀) 지형으로 화산이 많음. 주민의 대부분은 스페인계 백인과 그 혼혈(混血)로, 공용어(公用語)는 스페인어이며, 로마 가톨릭교가 국교(國教)임. 농업이 주산업으로 커피·바나나·카카오를 수출함. 스페인령(領)이었으나 1821년 독립, 1824-38년 중앙 아메리카 연방에 속하였다가 연방 해체(解體)와 더불어 독립함. 수도는 산호세(San José). 정식 명칭은 '코스타리카 공화국(Republic of Costa Rica)' 〔51,100 km²: 3,330,000명(1995 추계)〕

코:스터 〔coaster〕 [명] ①연안 무역선(沿岸貿易船). ②유원지 등에 있는, 기복(起伏)이 있는 레일 위를 질주하는 탈것. ¶제트 ~. ③양주잔 따위의 받침 접시. ④↗코스터 브레이크.

코:스터 브레이크 〔coaster brake〕 [명] 자전거의 제동기의 일종. 뒷바퀴에 달아, 페달을 반대 방향으로 밟아 제동함. 기계통. [준]코스터.

코스툼 〔costume〕 [명] ①어떤 국민·계급·시대·지방 등에 특수한 복장(服裝). 민족 의상. ②여성의 의상(衣裳). 여성복(女性服). ③〖연〗 무대에서, 시대나 등장 인물의 역할을 나타내는 의상. 무대 의상. 시대의상(時代衣裳). ④가장(假裝)할 때 입는 옷. ⑤〖미술〗 옷을 입은 인물화(人物畫). 착의상(着衣像). 「만든 장신구(裝身具).

코스툼 주얼 〔costume jewel〕 [명] 목걸이·귀걸이·팔찌 등 귀금속으로

코스툼 플레이 〔costume play〕 [명] 〖연〗 배우에게 시대 의상을 입혀 그 스펙터클(spectacle)한 효과를 노린 역사극이나 역사 영화. 또, 의상의 아름다움, 호화로움, 혹은 시대 고증(時代考證)의 정밀성을 자랑하는 연극이나, 그러한 점을 중요시한 연출 방침하에 만들어진 연극.

코스트 〔cost〕 [명] ①값. 비용(費用). 경비(經費). ②생산비(生産費). 원가

코스트 다운 〔cost down〕 [명] 생산 원가를 내리는 일. 「(原價).

코스트로마 〔Kostroma〕 [명] 〖지〗 러시아 연방의 볼가 강(Volga 江)에 연한 하항(河港)으로, 코스트로마 주(州)의 주도(主都). 섬유 공업의 중심지로, 마포(麻布)를 생산하며 야금(冶金)·조선 공업(造船工業)도 행하여짐. 1210년대에 창건된 고도(古都). 〔282,000명(1993)〕

코:스트 리:그 〔coast league〕 [명] 미국 태평양 연안에 있는 직업 야구단으로 조직된 리그. 소위 메이저 리그(major league) 다음가는 것임.

코:스트 산맥 【一山脈】 [명] 〔Coast Ranges〕 〖지〗 알래스카 남부에서 캐나다·미국을 거쳐 멕시코령(領) 캘리포니아 반도에 이르는 태평양 연안의 제3기 습곡 산맥. 컬럼비아 해안 산맥·오리건 해안 산맥·캘리포니아 해안 산맥 등으로 나뉨.

코스트 업 〔cost up〕 [명] 생산 원가가 오르는 일.

코스트 인플레이션 〔cost inflation〕 [명] 생산 코스트 중, 주로 임금의 상승으로 인해 일어나는 물가 상승. *임금 인플레이션.

코스파: 【COSPAR】 [명] 〔Committee on Space Research의 약칭〕 국제 우주 공간 연구 위원회.

코시 〔Cauchy, Augustin Louis〕 [명] 〖사람〗 프랑스의 수학자. 파리 과학학사원(學士院) 회원. 파리 대학 교수 역임. 1821년 ≪해석론(解析論)≫을 내어 함수(函數)의 연속성, 급수(級數)의 수렴 개념(收斂概念)을 확립하였으며, 복소 함수론(複素函數論)도 창시하였음. 또한 물리학에서도 광학 탄성론(光學彈性論) 등 많은 업적을 남겨 아카데미상을 수상하였음. [1789-1857]

코시긴 〔Kosygin, Aleksei Nikolaevich〕 [명] 〖사람〗 소련의 정치가. 1927년 공산당에 입당. 부수상·국가 계획 위원회 회장·당 중앙 위원회 간부회원 등의 요직을 거쳐, 1964년 흐루시초프(Khrushchēv, N. S.) 해임 후, 수상에 취임. 1980년 건강 상의 이유로 수상을 사임하고 얼마 후에 사망함. [1904-80]

코시롱-하다 [형] 〈방〉 고소하다(제주).

코시모 〔Cosimo, Piero di〕 [명] 〖사람〗 이탈리아의 화가. 피렌체 태생. 레오나르도 다 빈치와 베로키오(Verrocchio) 등의 영향이 짙은 종교화·신화화(神話畫)·초상화 등을 많이 그렸음. [1462-1521]

코시-열 【一列】 [명] 〔Cauchy sequence〕 〖수〗 무한 수열(無限數列)의 하나. 수열(a_n)에 있어서 항(項)의 번호인 i와 j가 무한하게 커질 때, a_i와 a_j와의 차가 무한히 0에 가까워지면 $\{a_n\}$를 '코시열'이라 함. 기본열(基本列).

코시체 〔Košice〕 [명] 〖지〗 슬로바키아의 동쪽에 있는 주도. 슬로바키아 제2의 도시. 철도의 요지(要地)이며 농산 가공·기계·섬유·피혁·화학 공업 등이 성함. 헝가리 영토였으나 1920년 체코슬로바키아에 이양됨으로써 슬로바키아 영유(領有)가 되었음. 중세에는 미술 공예품(工藝品)의 생산으로 알려졌었음. 〔237,336명(1993)〕

코시치우슈코 〔Kościuszko, Tadeusz Andrzej Booawentura〕 [명] 〖사람〗 폴란드의 군인·애국 정치가. 미국 독립 전쟁에 참가하였다가 귀국 후 러시아로부터의 민족 해방 운동을 일으켰으나 패하여 미국·프랑스 등지에 망명하였음. [1746-1817]

코:시컨트 〔cosecant〕 [명] 〖수〗 삼각 함수의 하나. 직각삼각형의 빗변과 어떤 예각의 대변과의 비(比)를 일컬음. 기호는 cosec. 여할(餘割). 코세크. ↔사인.

코:시컨트 곡선 【一曲線】 〔cosecant〕 [명] 〖수〗 $y=\operatorname{cosec} x$의 그래프로서 얻어지는 곡선. 여할 곡선(餘割曲線).

코-신 [명] 코를 뾰족하게 세워 만든 여자용의 고무신.

코쑹긔 〈옛〉 콧구멍에. ¶더 코쑹긔 터럭 싸히고(摘了那鼻孔的毫毛) 「≪朴解 上 40≫. *곳구무.

코-싸등이 [명] 〈속〉 콧등.

코-싸배기 [명] 〈방〉 코쭝배기.

코-싸쥐다 [자] 코메고 너무 무안하여 얼굴을 바로 못 들다. ¶야단 맞고 ~.

코아래 세:치 [명] 코 밑에 있는 입을 이르는 말.

코아래 입 [명] 아주 썩 가깝다는 말.

코아래 진:상 【一進上】 [명] 뇌물. 선물.

〔코아래 진상이 제일이라〕 남의 환심을 사려면 먹이는 것이 제일 효과적이라는 말.

코아세르베이션 〔coacervation〕 [명] 〖화〗 친수성(親水性) 또는 친액성(親液性) 콜로이드의 입자가 모여서 졸(sol)이 되어 현미경적인 작은 액적(液滴)이나 육안적(肉眼的)인 상(相)으로 분리하는 현상.

코아세르베이트 〔coacervate〕 [명] 〖화〗 두 종류의 균질(均質)의 수용액(水溶液)이 혼합되었을 적에 생기는 균질하지 않은 다수의 액체의 방울. 친수 콜로이드(親水 colloid)의 용액(溶液)에 있어서, 어떤 조건하에서는 콜로이드 입자가 완전히 분리함이 없이 액과 평형(平衡) 상태를 유지하여 콜로이드가 많은 층과 적은 층으로 분리되는데, 이 현상에서 콜로이드가 많은 층을 가리키며, 콜로이드가 적은 층을 '평형액'이라 함. 소련의 오파린(Oparin, A.I.)은 1935년 지구 상의 생명 발생의 한 단계로서 코아세르베이트의 생성(生成)을 가정하였음.

코-안경 【一眼鏡】 [명] 안경 다리가 없이 콧대에 끼어 쓰는 안경.

코알라 〔koala〕 [명] 〖동〗 [*Phascolarctos cinereus*] 유대목(有袋目)에 속하는 곰의 일종. 몸은 통통하고, 길이 80cm쯤 되며, 귀는 크고 꼬리는 거의 없음. 날카로운 발톱이 있고, 다리는 사람 손과 흡사하여 나무에 오르내리는 데 편리함. 암컷에는 육아낭(育兒囊)이 있고, 유두(乳頭)는 두 개임. 털은 양털 모양으로 윗면은 회갈색, 아랫면은 황백색임. 오스트레일리아의 남동부 산림 지대에서 나뭇잎을 먹고 살며, 임신한 지 35일 만에 새끼를 낳는데 새끼는 육아낭에서 2개월간 자란 후 약 1년간 어미 등에 업혀 다님. 성질은 온순하고 잘 따름. 모피는 질이 좋아 남획(濫獲)되므로 최근에는 보호되고 있음.

〈코알라〉

코-앞 [명] 바로 가까이 마주 보이는 곳.

코앞에 닥치다 [구] 바로 눈앞에 닥쳐 일이 급박해지다.

코-약 【一藥】 [명] 코 아픈 데에 쓰는 약. 비약(鼻藥).

코어 〔core〕 [명] ①핵심(核心). 중핵부(中核部). ②〖지〗 지표(地表)로부터 2,900km 밑의 지구 내부의 총칭(總稱). ③〖교〗 공통 필수 과정(共通必須課程). ④철심(鐵心).

코어 드릴 〔core drill〕 [명] 〖기〗 회전시키면서 바위를 뚫는, 둥근 고리 모양의 착암(鑿岩) 날이 있는 기계. 바위에서 원기둥 모양의 시료(試料)를 얻어낼 수 있음.

코어 보:링 〔core boring〕 [명] 〖토·건〗 지하의 지질·광상(鑛床)의 조사를 위해 암심(岩心)을 채취하면서 행하는 시추(試錐). 광상의 유무(有無), 유층(油層) 탐사의 층서(層序), 토목 공사의 기반 조사 등에 쓰임.

코어 시스템 〔core system〕 [명] 〖건〗 건축 구조 방식의 하나. 기계실·계단·화장실·엘리베이터 따위의 공통 시설을 건물 중앙부(中央部)에 집중 시설하고 그 주위에 거주 구역(居住區域)을 벌집 모양 또는 방사형(放射形)으로 배치하는 방식.

코어 시험 【一試驗】 〔core〕 [명] 양털의 등급(等級)을 매기기 위한 시험. 자루나 고리의 중심부에서 시료(試料)를 기계적으로 꺼내어, 수분·회분(灰分)·식물질(植物質)·그리스(grease) 등의 함유율을 조사(調査)함.

코어 커리큘럼 〔미 core curriculum〕 [명] 〖교〗 교과(教科)에 구애되지 않고 생활 문제를 중심으로 하여 그것을 해결하는 경험의 과정을 핵심으로 하는 교육 과정. 1930년대 미국에서 사회 연대성을 학습시키기 위하여 채택된 것으로, 문제 해결을 중심으로 하는 종합 학습을 특색으로 함. 핵심(核心) 교육 과정. 중심 학습(中心學習).

코어-타임 〔core-time〕 [명] 플렉스 타임 제도에서, 1주일 안에 규정된 노동 시간 중, 누구나 공통으로 근무해야 하는 시간. 보통, 오전 10시부터 정오까지와 오후 3시부터 4시까지의 3시간.

코어 행렬 【一行列】 〔一녈〕 [명] 〔core matrix〕 〖컴퓨터〗 자기 코어(磁氣 core)를 가로 세로 격자 모양으로 일정하게 늘어놓은 것. 각 고리들의 가로 행(行)과 세로 열에는 주소선과 판독 / 기록선이 통과하게 되어 있음.

코:언[1] 〔Cohen, Morris Raphael〕 [명] 〖사람〗 러시아 태생의 미국의 철학자. 철학·법철학·사회 철학의 논문이 많으며, 박학(博學)으로 알려짐. 저서에 ≪이성과 자연≫·≪논리학 서론≫·≪한 자유인의 신념≫ 등이 있음. [1880-1947]

코언[2] 〔Cohen, Stanley〕 [명] 〖사람〗 미국의 생화학자. 1986년, 세포의 성장 및 분화의 메커니즘을 설명할 수 있는 세포와 기관 성장 인자를 발견한 공로로, 이탈리아의 몬탈치니(Montalcini, R.C.)와 함께 노벨 생리·의학상을 받음 [1923-]

코:-에듀케이션 〔coeducation〕 [명] 남녀 공학(男女共學).

코:-에드 〔co-ed〕 명 남녀 공학을 하는 대학의 여학생.

코:엔 〔Cohen, Hermann〕 명 〖사람〗 독일의 유태인 철학자. 신칸트 학파(新Kant學派)에 속하는 마르부르크 학파(Marburg學派)의 창시자로, 칸트의 물자체(物自體)를 배척하고, '근원(根源)으로부터의 생산(生産)'을 중심 개념으로 하는 독자적 철학으로 발전시킴. 뛰어난 교육자로서 문하에서 많은 철학자가 배출되었음. 열성적인 사회주의자이며, 일면 유태교의 윤리주의도 강조하였음. 저서에 ≪칸트 경험 이설(理說)≫·≪순수 인식의 논리학≫ 등이 있음. [1842-1918]

코:-오:디네이션 〔coordination〕 명 복장·액세서리·가구 따위의 색깔·바탕·모양·재료 등을 구색이 맞게 갖추는 일.

코:-오:디네이터 〔coordinator〕 명 ①옷이나 장신구 따위의 조화에 대해 조언(助言)하고 조정(調停)하는 사람. 인테리어 부분에서는 점포 전체의 구색(具色)·선전·전시(展示) 등에 관해 조정하는 전문직(專門職). ②특히, 방송 프로그램의 제작 진행 책임자.

코:오:디네이트 룩 〔coordinate look〕 명 〖복식〗 통일된 빛깔·무늬·디자인·소재(素材) 등을 이용, 한가지 분위기로 만들어진 의상.

코:오:디-패션 〔coordination+fashion〕 명 의상(衣裳)보다는 모자나 액세서리 등으로 전체적인 조화의 멋을 살리는 패션.

코:오퍼러티브 시스템 〔co-operative system〕 명 〖교〗 학교와 직장이 연락을 취하여 학교의 학습과 현장의 실습을 적당히 결부시키는 교육법. 직업 교육상의 유효한 방법임. *산학(産學) 협동.

코요:테 〔스 coyote〕 명 〖동〗 [*Canis latrans*] 갯과에 속하는 포유류(哺乳類). 몸길이 약 1m, 꼬리길이 약 30 cm, 몸무게 10-18 kg. 이리 비슷하나 몸집이 작고 귀가 크며 주둥이가 길쭉함. 몸빛은 여름에는 밝은 황갈색, 겨울에는 회색을 띠며, 배 쪽은 흰색임. 토끼·쥐 따위를 포식함. 미국 알래스카에서 중미(中美) 코스타리카까지의 초원에 서식함.

코-웃음 명 코끝으로 가볍게 비웃는 웃음. 비소(鼻笑).
 코웃음(을) 짓:다 구 코웃음 치는 표정을 하다.
 코웃음(을) 치다 구 ㉠코웃음을 웃다. ㉡남을 깔보고 비웃다.

코올다 자 〈옛〉 코골다. ¶고코올 한(鼾) ≪字會 上 30≫.

코이네 〔Koinē〕 명 〖언〗 고대 그리스어의 공통어. 아테네의 웅성과 함께 그 지방의 방언인 아티카 방언이 다른 방언을 흡수하여 표준어가 되고, 여기에 이오니아 방언이 첨가된 공통어가 기원 전 4세기경에 성립됨. 헬레니즘 문화와 함께 보급되어, 신약 성서에도 사용되고 라틴어와 함께 고대 사회의 공용어로서 서유럽의 여러 나라 말에 다대한 영향을 주었음. 현대 그리스어의 기초가 됨.

코이닝 〔coining〕 명 요철(凹凸)이 붙은 상하 한 쌍의 형(型)으로 금속 판재(板材)를 압축하여, 틀의 모양을 재료에 찍는 프레스 가공법. 화폐·메달·전기 기기(機器) 따위의 소형(小形) 부품 제작에 이용됨. 압인 가공(壓印加工).

코이산 어:군 【一語群】 〔Khoisan〕 명 〖언〗 코인(Khoin) 어군.

코이션 〔coition〕 명 성교(性交). 교합(交合). 교접(交接). 코이투스(coitus). ——-하다 자 여불

코이터 〔Coiter, Volcher〕 명 〖사람〗 네덜란드의 해부학자. 사람과 원숭이의 뼈를 비교 연구하여 병리 해부학의 기초를 세움. [1534-90]

코이투스 〔라 coitus〕 명 코이션(coition).

코인 〔coin〕 명 화폐. 경화(硬貨).

코인 로커 〔coin locker〕 명 일정한 경화(硬貨)로 자물쇠를 개폐(開閉)할 수 있는 수화물(手貨物)용 임대(賃貸) 로커(locker). 주로, 역(驛) 구내에 설치되어 있음.

코인 어:군 【一語群】 〔Khoin〕 명 〖언〗 아프리카 대륙의, 주로 서남부(西南部)의 변두리에서 쓰여지는 여러 언어의 총칭(總稱). 호텐토트어(Hottentot 語)·부시먼어(Bushman 語)·산다웨어(Sandawe 語)가 있음. 코이산(Khoisan) 어군.

코인 텔레비전 〔coin television〕 명 동전을 넣으면 일정한 시간만 나오는 텔레비전.

코일 〔coil〕 명 ①나사 모양이나 원형(圓形)으로 여러 번 감은 물건. ②〖물〗 나사 모양으로 여러 번 감은, 절연시킨 도선(導線). 흔히, 전류에 의한 자기장(磁氣場)을 만드는 데 쓰임. 권선(捲線). 선륜(線輪). 회선.

코일 보빈 〔coil bobbin〕 명 코일을 만들기 위한 통(筒).

코일 스프링 〔coil spring〕 명 쇠줄을 원통형·원추형·달팽이꼴 등으로 감은 스프링. 선의 단면은 원형이 많으나 네모도 있음. 재료는 용수철·경강(硬鋼)·피아노선(線), 그 밖에 비철(非鐵) 금속도 쓰임. 완충 작용·압축력·인장력(引張力)에 이용하며, 기계류에 가장 널리 쓰임.

코임바토르 〔Coimbatore〕 명 〖지〗 인도 남부, 마드라스 주(Madras 州) 서쪽의 고원 도시. 데칸(Deccan) 고원 남부의 동서안 양쪽을 잇는 철도의 요지. 면공업(綿工業)을 중심으로 급속히 발전함. 근교(近郊)인 페루르(Perur)에 힌두교 사원이 있음. [853,402 명(1991)]

코임브라 〔Coimbra〕 명 〖지〗 포르투갈 중서부(中西部)의 도시. 로마인(人)에 의해 건설되고, 그 후 11-13세기 포르투갈 왕국(王國)의 수도였음. 뛰어난 경치에 옛 성터와 13세기에 창설(創設)된 코임브라 대학이 있음.

코자네 〔Kozane〕 명 〖지〗 그리스 동부, 마케도니아 지방의 도시. 표고 약 700 m의 고지에 있는 상업 도시로, 마케도니아 지방에서 그리스의 수도 아테네로 통하는 교통의 요지임. 보리·밀·가축의 집산지이며, 그리스 정교(正教)의 주교 소재지임.

코-쟁이 명 〈속〉 '서양 사람'의 낮은 말.

코져ᄒᆞ다 타 〈옛〉 하고자 하다. ¶眞올 코져ᄒᆞ면(欲眞)≪楞嚴Ⅶ:73≫.

코-주부 【一主簿】 명 코가 큰 사람의 별명.

코-줍기 명 뜨개질에서, 코를 바늘로 걸어 내는 일.

코즈머폴리터니즘 〔cosmopolitanism〕 명 개인이 자기가 속해 있는 민족(民族)·국가(國家)·국민(國民)을 초월하여 전 인류를 동포로 보는 세계관. 세계주의(世界主義).

코즈머폴리턴 〔cosmopolitan〕 명 ①세계주의를 신봉하는 사람. 세계주의자. ②국적·국민 감정 등에 좌우되지 않는 사람. 세계적 시야(視野)를 가지고 세계적으로 활약하거나 외국인과 교제가 많은 사람. 또, 조국을 잊고 세계를 떠돌아다니는 사람을 가리킴.

코즈메틱 〔cosmetic〕 명 ①분·향수·포마드·향유(香油)·크림 등 화장품의 총칭. ②머리에 바르는 기름의 한 가지로, 백랍(白蠟)·쇠기름·파라핀 등에 향료를 넣고 굳혀서 만든 화장품. 지꾸.

코즐로프 〔Kozlov, Pyotr Kuzmich〕 명 〖사람〗 러시아의 탐험가·군인. 1908년에 중국 간쑤(甘肅) 헤이청(黑城)에서 11-13세기의 서하 시대(西夏時代)의 옛 도시를 발굴하였음. [1863-1935]

코-지 【一紙】 명 코를 풀고 씻는 종이.

코지어스코 산 【一山】 〔Kosciusko〕 명 〖지〗 오스트레일리아 남동(南東), 뉴사우스웨일스(New Southwales)의 동남에 있는 오스트레일리아 알프스의 주봉(主峰). 대륙의 최고봉. 1840년에 첫 등정(登頂)을 이룸. 동계 스포츠의 중심지임. [2,230 m]

코지코:드 〔Kozhikode〕 명 〖지〗 인도 남쪽 아라비아 해(海)에 임한 도시. 향신료(香辛料)·티크재(teak 材)·고무 등을 수출함. 1498년 바스쿠 다 가마(Vasco da Gama)가 상륙했던 곳. 1792년 영국령. 19세기까지는 유럽에 대한 무역으로 번영했음. 별칭(別稱) 캘리컷(Calicut)은 옥양목인 캘리코(calico)가 어원(語源)임. [419,531 명(1991)]

코-짤맹이 명 〈심마니〉 〖동〗 호랑이.

코-쭈배기 명 〈방〉 코쭝배기. 「㈜코빼기

코-쭝배기 명 〈속〉 코의 낮춤말. 콧사배기. ¶요사이는 ~도 안 보인다.

코-찐재리 명 〈방〉 코딱지(평북).

코-찡찡이 명 ①콧병 같은 것으로 말소리가 찡찡한 사람의 별명(別名). ②코가 찌그러진 사람의 별명. ㈜찡찡이.

코차밤바 〔Cochabamba〕 명 〖지〗 남미(南美) 볼리비아 중서부, 라파스(La Paz) 남동쪽에 있는 도시. 이 나라 제2의 도시로, 표고 2,500 m 고원에 위치하며 동부 볼리비아로의 중계 상업지로 교통의 요지임. 농업 지대를 중심으로 농산물 거래가 성함. 식민지 시대의 성당·대학 등이 있음. 아주 쾌적(快適)한 기후를 가진 곳으로서 보양·관광지이기도 함. [404,102 명(1992)]

코-청 명 두 콧구멍 사이를 막은 얇은 막(膜).

코체부 〔Kotzebue, August Friedrich Ferdinand von〕 명 〖사람〗 독일의 극작가. 당시의 청년층의 자유주의적 풍조(風潮)와 대립, 러시아의 스파이로 간주되어 암살(暗殺)당함. 대표작 ≪소도시(小都市)의 독일인≫ 등. [1761-1819]

코:치 〔coach〕 명 ①지도하여 가르침. ②운동 경기의 정신·기술을 지도 훈련시키는 일. 또, 그 사람. ——-하다 타 여불

코치닐 〔cochineal〕 명 〖화〗 물감의 한 가지. 멕시코산(産)으로, 선인장(仙人掌)에 붙는 연지벌레의 암컷을 채집(採集)하여 말려서 만든 가루. 카민(carmine)의 원료(原料)가 되며 홍색의 물감으로, 또 탄산 알칼리의 표시약(標示藥)으로도 쓰임.

코치마아제 〔도 Cozymase〕 명 〖화〗 치마아제(Zymase)를 도와 알코올 발효를 일으키게 하는 효소.

코:친[1] 〔네 Cochin〕 명 〖조〗 중국 북방 원산(原産)의 육용 품종(肉用品種)의 닭. 털은 황갈색이 많으나 백색·흑색도 있음. 살은 질적·양적으로 썩 좋음. 유럽에 소개되었을 때, 베트남 남부의 코친차이나산(Cochin-China産)으로 잘못 인식된 데서 붙여진 이름임.

〈코친¹〉

코:친[2] 〔Cochin〕 명 〖지〗 인도 남서부 케랄라 주(Kerala 州)에 있는 항만 도시. 원래 포르투갈의 식민지였으나 1163년에 네덜란드에 빼앗겨 대상업 도시로 발전하였으며, 1795년부터 영령(英領)이 되었음. 야자유(椰子油)·차(茶)·쌀·어류·고무·향료 및 그 가공품(加工品) 등을 수출함. [564,038 명(1991)]

코:친-차이나 〔Cochin-China〕 명 〖지〗 인도 차이나 반도 베트남 남부 지방을 유럽인들이 부르던 옛이름. 메콩 강 하류 유역의 충적(沖積) 평야를 중심으로 한 세계 유수의 쌀 산지. 12세기 이후 캄보디아·안남 왕국에 지배당하고 1887년 이후는 프랑스령 인도 차이나 연방의 일원이 됨. 제2차 대전 후 1946년에 독립 공화국으로서 프랑스 연방의 하나가 되었다가 1949년 바오다이 베트남국에 흡수되어 이후 코친 차이나 명칭은 공식적으로 소멸되었고 1976년에는 베트남 사회주의 공화국으로 통일됨. 주도(主都)는 호치민. 교지 지나(交趾支那).

코-침 명 콧구멍에 심지를 찔러 간질이는 것.
 코침(을) 주다 구 ㉠콧구멍에 심지를 찔러 자극을 시키다. ㉡사람을 성내게 하다.

코침-질 명 코침을 놓는 짓. ——-하다 자 타 여불

코:칭 스태프 〔coaching staff〕 명 코치의 진용(陣容). 코치진(coach 陣). ¶상대팀의 막강한 ~에 눌리다.

코카 〔coca〕 명 〖식〗 [*Erythroxylon Coca*] 코카과에 속하는 관목. 높이 2 m 가량이고, 잎은 호생하며, 타원형에 끝이 뾰족하고 기부(基部)는 가늘고 잎꼭지는 짧음. 자웅 이주(雌雄異株)로 첫여름에 황록색의 오판화(五瓣花)가 피며, 꽃이 진 후 타원형의 핵과(核果)가 홍색으로 익는데 속에 씨가 한 개 들어 있음. 잎에서 코카인을 추출(抽出)함. 페루(Peru)·볼리비아가 원산지(原産地)임. 고가(苦加). 고가(古柯). 천축계(天竺桂).

〈코카〉

코카-과【一科】〔coca〕〔一꽈〕 명 《식》 〔Erythroxylaceae〕 쌍자엽 식물(雙子葉植物)에 속하는 한 과.

코:카서스〔Caucasus〕 명 《지》 '카프카스(Kavkaz)'의 영어명.

코:카서스 산맥【一山脈】〔Caucasus〕 명 《지》 카프카스 산맥.

코:카서스 인종【一人種】〔Caucasus〕 명 《인류》 형태적(形態的) 특징에 의해 분류된 인종(人種)의 하나. 유럽 및 지중해 연안으로부터 인도에 걸쳐 분포함. 피부색은 북 유럽을 중심으로 한 것은 밝은 백색(白色)이나, 지중해와 인도의 것은 갈색에서 농갈색을 보임. 코카시아 인종. 코카소이드.

코카소이드〔Caucasoid〕 명 《인류》 코카서스 인종.

코:카시아〔Caucasia〕 명 《지》 코카서스(Caucasus).

코:카시아 인종【一人種】〔Caucasia〕 명 코카서스 인종.

코:카이트〔cokeite〕 명 《광》 석탄(石炭)에 마그마(magma)가 작용하거나 또는 석탄이 자연 연소하여 된 코크스.

코카인〔cocaine〕 명 《화》 코카나무 잎으로부터 추출되는 알칼로이드. 무색 무취의 주상 결정(柱狀結晶)으로, 알코올이나 뜨거운 물에 녹음. 국소(局所) 마취약으로 쓰이는데, 지각 신경(知覺神經) 말초(末梢)에 작용하며, 국소 혈관을 수축시키고 산동(散瞳)을 일으킴. 위통·백일해·천식(喘息) 등에 내복함.

코카-주【一酒】〔coca〕 명 붉은 포도주에 코카의 잎을 담가서 만든 약용주(藥用酒). 진통·흥분제로 유용함.

코카-콜라〔Coca-Cola〕 명 코카(coca) 잎의 추출액(抽出液)과 아프리카 서부 원산의 상록수인 콜라(cola) 열매의 추출액을 주원료로 하여 만든 미국산 청량 음료수의 상표명.

코-카타르〔도 Katarrh〕 명 《의》 코의 점막에 생기는 염증(炎症). 급성과 만성이 있는데, 급성은 감기와 밀접한 관계를 가지고 있으며, 처음에 재채기가 자꾸 나다가 콧물이 흐르고 코가 막히며, 만성은 한 쪽 또는 양쪽의 콧구멍이 막히는 것이 주(主)증상이고, 두통(頭痛)·기억력 감퇴(記憶力減退)를 초래하는데, 만성에는 비후성(肥厚性)과 수삭성(瘦削性)이 있음. 비염(鼻炎).

코칸트〔Kokand〕 명 ① 《지》 우즈베키스탄 공화국(共和國)의 고도(古都). 아무다리야 강(Amu-Darja 江) 연안(沿岸)에 있는데, 면화·비단을 산출함. 코칸트 한국(Kokand 汗國)의 중심지였음. 〔177,000 명(1992)〕 ② 《역》 ↗코칸트 한국.

코칸트 한국【一汗國】〔Kokand〕 명 《역》 18-19세기 중앙 아시아 시르강 (Syr 江) 가에 세워진 우즈베크족(族)의 통일 국가. 19세기 초엽에 전성기(全盛期)를 맞고 1876년 러시아령(領)으로 편입됨. 수도(首都)는 코칸트. ㊀코칸트.

코커 스패니얼〔cocker spaniel〕 명 《동》 개의 한 품종. 스페인 원산으로 수렵 및 애완용임. 어깨 높이 30-37 cm, 체중 9-13 kg. 다리는 짧고 튼튼하며 꼬리는 방상(房狀), 귀는 크고 늘어짐. 털은 길며 웨이브가 있고 털빛은 흑·갈·백색과 흑백의 얼룩 등이 있음.

코케트〔프 coquette〕 명 남자를 호리는 여자. 요염한 계집. 또, 요염하게 남자를 호리는 모양. ——하다 형여불

코케트리〔coquetry〕 명 교태(嬌態). 미태(媚態).

코코넛〔coconut〕 명 야자나무의 열매. 핵(核)의 중벽(中壁)을 이루는 배유(胚乳)로부터는 야자유(椰子油)를 짜 내며 또 이것을 말려 코프라(copra)·야자유(油) 등을 만듦. 싱싱한 과실(果實) 속에는 달콤한 코코넛 밀크액(液)이 있음.

코코-노르〔Koko Nor〕 명 《지》 칭하이 호(青海湖)의 토명(土名).

코코슈카〔Kokoschka, Oskar〕 명 《사람》 오스트리아의 화가. 인상파에서 출발하여, 표현주의의 대표적 작가의 한 사람인데, 특히 초상화 등에 있어 강렬(強烈)한 색채(色彩), 내면적 성격의 예민한 묘사가 특색임. 시집·단편 소설집도 내었음. 〔1886-1980〕

코코스 제도【一諸島】〔Cocos〕 명 《지》 인도양 남동부에서 2 군(群)으로 갈라진 약 27 개의 환초(環礁)로 된 섬들. 1609년 킬링(Keeling, W.)에 의하여 발견되어 '킬링 제도', 혹은 '코코스킬링 제도'라고도 불림. 1857년 영국령이 되고 1903년 이후 싱가포르 직할령이 되었다가 1955년에 오스트레일리아령(領)이 됨. 코프라의 채취를 주로 하며, 해저 전신(海底電信)의 중계 기지와 공항이 있음. 〔14 km²〕

코코아〔cocoa〕 명 《식》 〔멕시코어(語)의 caca에서 유래〕 ①카카오나무의 열매를 건조하여 분말(粉末)로 한 것. 음료(飲料)·과자·약재(藥材)로 쓰임. 카카오. ②코코아 가루를 더운 물에 설탕·밀크 등을 넣고 탄 음료. ③《식》 코코아나무.

코코아-나무〔cocoa〕 명 카카오나무.

코코아-차【一茶】〔cocoa〕 명 코코아를 물에 타서 만든 차.

코코-야자【一椰子】〔coco〕 명 《식》 야자나무.

코콜리스 연:니【一軟泥】〔coccolith〕 명 《지》 불용성의 모래만한 크기의 코콜리스 곤, 부유성 석회조(浮遊性石灰藻)의 미립자를 포함하고 있는 세립(細粒)의 원양성 퇴적물(遠洋性堆積物). 부정형 점토 물질(不定形粘土物質)이 섞여 있음.

코콜-불 명 ☞ 고콜불.

코콤【COCOM】 명 《정》 〔Coordinating Committee for Export Control to Communist Area의 약칭〕 대(對)공산권 수출 통제 조정 위원회. 북대서양 조약 기구와 보조(步調)를 맞추어 공산권(共產圈) 여러 나라에 대한 군수 물자(軍需物資)의 금수(禁輸)를 목적으로 1949년에 설치한 협정 기관. 가맹국은 미국·영국·프랑스·독일·캐나다·일본 등 17개국으로, 파리에 본부를 둠. 1990년 이후 소련·동구권의 민주화에 따라 규제 사항이 대폭 완화되었음. 파리 리스트.

코퀴〔프 cocu〕 명 오쟁이 진 남편.

코:크[1]〔Coke, *Sir* Edward〕 명 《사람》 영국의 법학자. 변호사·법무 장관 등을 역임. 보통법(普通法;common law) 옹호의 입장에서 국왕 대권(國王大權)과 싸워 법관에서 면직당한 뒤에는, 1620-29년에 하원 의원이 되어 1628년에 권리 청원(權利請願)을 기초(起草), 후의 청교도 혁명(清教徒革命)에 큰 영향을 끼침. 저서에 ≪영국법 제요(提要)≫가 있음. 〔1552-1634〕

코:크[2]〔Cork〕 명 《지》 아일랜드 남서부 코크 만(灣) 안의 항구 도시. 더블린 다음가는 아일랜드 제 2 의 도시로 아일랜드 독립 운동의 중심지임. 상공업·해륙 교통의 중심지로 낙농품(酪農品)·육류 등을 주로 수출함. 만 안의 섬에는 대서양 항로의 기항지(寄港地) 코브(Cobh)가 있음. 〔136,344 명(1981)〕

코크란〔Cochrane, Thomas〕 명 《사람》 영국 해군 제독·발명가. 스페인·프랑스 선박의 나포에 크게 활약했고, 1851년에 해군 대장이 되었음. 군무의 여가에 여러 가지 선박용 기기(機器)를 고안·개량하였으며 압축 공기를 이용(利用)한 케이슨 공법(caisson工法)의 발명으로 유명함. 〔1775-1860〕

코크로프트〔Cockcroft, John Douglas〕 명 《사람》 영국의 물리학자. 월턴(Walton, E.T.S.)과 협력하여 고전압 발생 장치(高電壓發生裝置)를 고안, 1932년 이것을 사용하여 가속된 양성자(陽性子)를 리튬핵(lithium 核)에 붙여서 두 개의 α 입자(粒子)로 변환시켜 처음으로 인공 가속 입자에 의한 원자핵 파괴 실험에 성공했음. 1951년 월턴과 함께 노벨 물리학상을 받음. 〔1897-1967〕

코:크스〔도 Koks, 영 coke〕 명 《광》 점결탄(粘結炭)·피치(pitch)·석유·석유 잔재(殘滓), 기타 탄소질 물질을 건류(乾溜)·분해 증류(分解蒸溜)하여 얻어지는 점결성·다공질(多孔質)의 고형(固形) 잔재. 탄소를 주성분으로 하고 무기 물질·휘발성 물질을 함유하고 있음. 점화(點火)하기 어려우나 불이 붙으면 연기 없이 타며 화력이 셈. 야금(冶金)용으로 사용하는 야금 코크스, 석탄 가스 제조의 부산물로서 얻어지는 가스 코크스가 있는데, 전자(前者)는 팽창도가 낮고 강도가 커서 용광로에서 제철용으로 쓰이며, 팽창도가 높고 강도가 작은 것은 수성 가스의 제조 등에 쓰임. 해탄(骸炭).

코:크스-로【一爐】〔도 Koks〕 명 석탄의 고온 건류(乾溜)에 쓰이는 공업용로(爐). 내화(耐火) 벽돌로 쌓으며, 높이 10-15 m, 안길이 15-20 m, 폭은 30-50 m나 됨. 상반부에 많은 건류실과 연소실(燃燒室)이 번갈아 배치되어 있으며, 하반부엔 축열실(蓄熱室)이 있음. 하루 300-1,000 톤의 석탄을 건류함. 여기서 석탄 건류시에 얻어지는 석탄 가스를 코크스로(爐) 가스라 함.

코:크스-화【一化】〔도 Koks〕 명 〔coking〕 ①석탄을 분해 증류하여 코크스를 만드는 일. ②원유(原油) 찌꺼기를 가열하여 석유와 석유 코크스를 만드는 일. ——하다 타여불

코큰-박쥐 명 《동》 북방뿔박쥐.

코큰 소리 명 잘난 체하는 소리.

코클랭〔Coquelin, Benoit Constant〕 명 《사람》 근대 프랑스의 희극 배우. 코메디 프랑세즈(Comédie Française)에서 데뷔함. 1897년 ≪시라노 드 베르주라크≫로 당대의 명우(名優)가 됨. 1900년 이래 베르나르(Bernhardt, Sarah)와 단체를 조직하여 미국을 순회했으며 시정(詩情)이 넘치는 재치있는 연기(演技)로 관객을 도취시켰음. 동생인 에르네스트(Ernest Coquelin; 1848-1909)도 희극 배우로 정평(定評)이 있었음. 〔1841-1909〕

코:키:나〔스 coquina〕 명 《광》 조립(粗粒)·다공질(多孔質)의 석회 퇴적물(石灰堆積物). 연체 동물의 껍질과 산호 조각이 뭉치어 바위처럼 됨. 패각암(貝殼岩).

코키리 명 〈옛·방〉 코끼리(함남). ¶코키리(象)≪詩諺 物名 9: 漢清 XIV: 2≫.

코키유〔프 coquille〕 명 서양 요리의 일종. 조개 껍데기 혹은 은제(銀製)나 도기제(陶器製)인 조개 껍데기 모양의 그릇 속에 넣은 요리. 어류·새우·게·닭고기·달걀 등을 재료로 조개 껍데기 속에 넣어 굽거나 담가서 만듦.

코킴보〔Coquimbo〕 명 《지》 남미(南美) 칠레 중부 산티아고 북방에 있는 태평양 연안의 항만 도시. 해군 기지(海軍基地). 곡물·과실·구리·망간을 수출하고 제분(製粉)·어류(魚類) 가공·금속 공업 등이 행하여짐. 근교(近郊)에 철광산(鐵鑛山)이 있음. 〔122,872 명(1993)〕

코:킹〔caulking〕 명 《공》 기관(汽罐)·수조(水漕) 등의 리벳(rivet)이나 재료의 접합부·이음매·균열 등 틈새기의 기밀(氣密)·수밀(水密)이 잘 되도록 메우는 물건. 기밀성(氣密性)이 높은 합성 수지·합성 고무 등이 쓰임. 코킹제(caulking 劑).

코:킹-법【一法】〔caulking〕〔一뻡〕 명 《화》 석유 정제 공정(精製工程)의 하나. 열분해법의 하나로, 분해 반응 시간을 오래 잡아 원료유(原料油)의 일부분을 코크스화(化)하고 분해(分解) 가스나 가솔린과 함께 코크스를 제품으로 채취함.

코:킹-제【一劑】〔calking〕 명 코킹(caulking).

코-타령【一打令】 명 콧소리로 부르는 타령.

코타분-하다 형여불 〔←코리타분하다〕. ☞ 고타분하다.

코탄젠트〔cotangent〕 명 《수》 삼각비 및 삼각 함수의 하나. 직각 삼각형 ABC에서 각(角) C를 직각으로 했을 때, 비(比) AC:BC 및 그 값을 각 A의 코탄젠트라 하며 cot A로 표기함. 또, 후자(後者)를 각의 크기의 함수로 보고, 모든 수에까지 확장한 것을 단순히 코탄젠트라 이름. 탄젠트의 역수(逆數). 여접(餘接). 여절(餘切). 약호: cot.

코탄젠트 곡선【一曲線】〔cotangent〕 명 《수》 $y=\cot x$ 의 그래프로서 얻어지는 곡선. 여접 곡선.

코탕탱 반:도【一半島】〔Cotentin〕 명 《지》 프랑스 노르망디 지방의 북쪽, 영국 해협에 돌출한 반도. 구릉지(丘陵地)로서 초지(草地)·소택

지(沼澤地)가 많고, 목축·낙농이 성하며 사과가 많이 남. 사과주와 특산품인 카망베르 치즈(Camambert cheese)가 유명함. 1944년 6월 연합군의 노르망디 상륙 작전의 무대였음.

코-태【一太】명 코를 꿰어 건조 기계에서 말린 명태.

코탯〔cotat〕명〔correlation tracking and triangulation의 약칭〕『공』 멀리 있는 여러 곳의 안테나를 연결하는 선을 기선(基線)으로 하는 궤도 측정(軌道測定) 시스템. 안테나에서 대상물의 방향을 측정하고 삼각법(三角法)으로 대상물의 우주에서의 위치를 계산함.

코터[1]〔cotta〕명『천주교』 중백의(中白衣).

코터[2]〔cotter〕명『기』 평형(平型)의 쐐기의 한 가지. 사면(斜面)의 마찰력을 이용하여 두 개의 부재(部材)를 맞붙이는 데 쓰임. 강철 또는 연철제(鍊鐵製)의 것이 많고, 주로 왕복 운동을 하는 두 부분의 고착(固着)에 사용함.

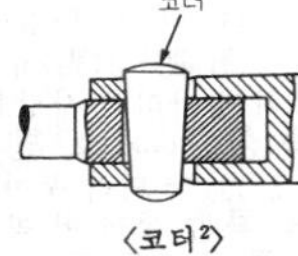

〈코터²〉

코터[3]〔cotter〕명 중세(中世) 유럽의 농촌 또는 장원(莊園)에서의 하층 농민(下層農民)을 이름.

코터 핀〔cotter pin〕명『기』 구멍에 끼우는 핀. 너트·코터를 확실하게 볼트나 축(軸)에 고정시키는 역할을 함.

코-털 명 콧구멍 안에 난 털.
코털이 센다 구 일이 하도 뜻대로 안 되어 몹시 애가 탄다.

코테〔Cottet, Charles〕명『사람』 프랑스의 화가. 처음 인상파의 영향을 받았으나 뒤에 음울한 색조로 어촌 풍경(漁村風景)을 그렸음. 대표작 ≪바다 나라에서≫. [1863-1925]

코:텍스〔Cortex〕명 미국의 핵 실험 탐지 시스템. 핵폭발로 생기는 지하 충격파의 전파를 측정하는 유체 역학적 측정 기술을 응용한 것으로서 핵군축(核軍縮)의 검증 방법으로 이용됨.

코토누〔Cotonou〕명『지』 서(西)아프리카의 베냉 공화국, 기니 만 연안(沿岸)에 있는 항구 도시. 북부로 통하는 간선 철도의 기점(起點)으로 공항(空港)이 있음. 상업의 중심지로 야자유·면화·땅콩 등을 수출함. [533,212 명(1992)]

코토시 유적【一遺跡】〔Kotosh〕명〔Kotosh는 케추아어(Kechua 語)로 '돌의 언덕'의 뜻〕 페루의 안데스 산맥 동사면(東斜面)에 있는 기원전 2,000년경의 유적. 석조 건축이 폐허가 되어 높이 14 m, 나비 100 m를 넘는 구상(丘狀)을 나타내고 있음. 최하층에서 발굴된 교차(交差)한 팔의 부조(浮彫)가 있는 신전은 차빈 문화(Chavín 文化)보다 옛적의 것으로서, 안데스 고대 문명의 기원 해명에 중요한 의의를 가지고 있음.

코토팍시 산【一山】〔Cotopaxi〕명『지』 남미 에콰도르의 수도 키토(Quito)의 동남 55 km에 있는 세계 최고의 활화산. 아름다운 원추형 화산으로 산정에 지름 약 750 m, 깊이 약 100 m의 화구가 있음. 항상 눈에 덮여 평시에는 황을 함유한 수증기를 뿜고 있음. [5,897 m]

코:트[1]〔coat〕명 ①양복의 겉옷. ②외투.

코트[2]〔Cotte, Robert de〕명『사람』 프랑스의 건축가. 1689년 왕실 소속 건축가, 1708년 수석 건축가가 되어 베르사유 궁전 예배당 건축에 착수했고, 파리의 노트르담 대성당(大聖堂) 개수(改修)와 마드리드 왕궁의 플랜 작성 등에 참가했음. [1656-1735]

코:트[3]〔court〕명 테니스·농구·배구 등의 경기장.

코트 다쥐르〔Côte d'Azur〕명『지』 프랑스 남동부, 지중해에 임한 해변 지대. 모나코·니스·칸 등 유명한 관광지를 포함함. 기후가 온난하고 풍광이 명미(名媚)한 프랑스의 대표적 보양(保養) 관광지임.

코:트 드레스〔coat dress〕명 코트처럼 앞부분이 아랫단까지 트인 것으로 단추를 채우게 된 드레스. 봄·가을에는 그냥 외출용 드레스로, 또 겨울에는 이 위에 코트를 겹쳐 입을 수도 있음.

코트-디부아르〔Côte d'Ivoire〕명『지』 서(西)아프리카, 기니 만(灣)에 면하는 공화국. 1893년 프랑스 식민지가 되어 상아·노예 무역으로 번창했음. 남쪽 해안은 열대 밀림(熱帶密林)으로 고온 다습(高溫多濕)하고 북부는 건조한 사바나 지대(Savana 地帶)임. 주민의 태반은 아샨티족(Ashanti 族), 공용어(公用語)는 프랑스어(語). 주산물은 커피·코코아·목재 등임. 1960년 독립함. 수도는 야무수크로(Yamoussoukro). 정식 명칭은 '코트디부아르 공화국(Republic of Côte d'Ivoire)'. 아이보리코스트. [322,463 km^2 : 14,253,000 명(1995 추계)]

코트라【KOTRA】명〔Korea Trade and Investment Promotion Agency의 약칭〕 대한 무역 투자 진흥 공사(大韓貿易投資振興公社).

코트렐 집진기【一集塵器】〔Cottrell〕명 기체에서 먼지나 미스트(mist)를 제거하는 기계. 고압 음전압이 걸린 가느다란 쇠줄을 친, 접지(接地)한 파이프에 기체를 통(通)하면, 입자(粒子)는 쇠줄의 코로나 방전(corona 放電)에 의해 이온화하여 파이프 속에 모이게 됨. 미국의 화학자 코트렐(Cottrell, Frederick Gardner; 1877-1948)이 발명함.

코:트-지【一紙】〔coat〕명 코티드 페이퍼(coated paper).

코:트 하우스〔court house〕명 실내에 뜰을 설비한 주택이나, 채광·통풍을 겸해서 안뜰을 설치한 주택. 수법은 오래된 것으로 그리스·로마의 도시 주택 등에서 볼 수 있으며 현대에 와서는 밀착(密着)되게 건조(建造)한 주택 단지(住宅團地) 따위에서 프라이버시를 유지(維持)하고 조경(造景) 등을 위해 이용됨.

코튼〔cotton〕명 ①면화(棉花). ②목면(木棉). 면포(綿布). 면사(綿絲). ③↗코튼지(紙).

코튼-유【一油】〔cotton〕명 면실유(綿實油).

코튼-지【一紙】〔cotton〕명 양지(洋紙)의 일종. 목면 섬유(木棉纖維)를 원료로 한, 두껍고 부드러우며 가벼운 종이. 흔히 인쇄에 쓰임. 현재는 화학 펄프를 원료로 하나, 처음에는 목면 섬유를 사용하였으므로 이 이름이 있음.

코티[1]〔Coty, René Jules Gustave〕명『사람』 프랑스의 정치가. 1954년 제4 공화국의 대통령, 1959년 드 골에게 자리를 넘김. [1882-1962]

코티[2]〔프 Coty〕명 프랑스의 화장품 회사 이름. 또, 그 제품.

코:티드 페이퍼〔coated paper〕명 아트 페이퍼(art paper). 코트지.

코티용〔프 cotillon〕명 두 사람, 네 사람 또는 여덟 사람이 한 짝이 되어서 추는 프랑스의 활발한 춤. 또, 그 곡. 음악은 보통 4분의2 박자임. 18-19세기 프랑스를 중심으로 유행함.

코티지〔cottage〕명 ①오막살이집. 시골집. ②양식 목조(洋式木造)의 작은 집, 별장·산장 따위.

코:팅〔coating〕명『화』 물체의 표면을 수지(樹脂) 따위의 엷은 막으로 씌우는 일. 목재 내의 합성 수지 코팅, 렌즈의 표면 반사를 제거하는 플루오르화(化) 마그네슘 코팅 등이 있음. ――-하다 타여불

코파이바〔라 copaiba〕명『식』〔*Copaifera bracteata*〕 콩과에 속하는 상록 교목. 높이는 6 m 가량이고 잎은 호생하고 우수(偶數)·우상(羽狀) 복엽이며, 소엽(小葉)은 6-8 개로 달걀꼴에 톱니가 없고 광택(光澤)이 남. 꽃은 흰 줄기가 있고 꽃잎은 없으며, 꽃받침은 네 개이고, 복총상(複總狀) 화서로 핌. 과실(果實)은 둥글 넓적한 협과(莢果)인데 한 개의 씨가 있음. 갈색의 수액(樹液)에서 코파이바 발삼을 채취(採取)함. 남아메리카가 원산임.

코파이바 발삼〔copaiba balsam〕명『약』 코파이바의 가지에 구멍을 뚫어서 채취하는 황갈색의 유상(油狀) 물질. 특이한 향기와 찌르는 듯한 쓴 맛이 있음. 마약 중독·임질 치료에, 또는 유화 채료(油畫彩料)의 용제(溶劑)로 쓰임.

코파카바나〔Copacabana〕명『지』 ①브라질 남동부, 리우데자네이루시 남동부의 해안. 대서양에 면한 코파카바나 모래 사장을 따라 많은 호텔이 즐비하며, 해수욕과 휴양지로 유명함. ②볼리비아, 티티카카호(Titicaca 湖)에 돌출한 반도에 있는 시가(市街). 호반의 관광지로, 많은 기적을 가져왔다고 전하는 마리아상(像)을 안치한 성당이 있음.

코판 유적【一遺跡】〔스 Copán〕명『지』 온두라스(Honduras) 서부, 표고 약 600 m의 산악 지대에 있는 마야 문명의 도시 유적. 중심부는 피라미드와 신전(神殿)을 포함한 아크로폴리스(acropolis)와 다섯 개의 광장(廣場)으로 되었으며, 주위의 관련 유구(遺構)에서 마야 문명 제일의 훌륭한 인상 조각(人像彫刻)과 다수의 상형 문자(象形文字), 정확한 역일(曆日)이 새겨진 석비군(石碑群) 등이 발견되었음.

코:퍼레이션〔corporation〕명 ①사단 법인(社團法人). 법인. ②유한(有限) 회사. 주식 회사. ③조합. 단체.

코퍼 벨트〔Copper Belt〕명『지』 아프리카의 잠비아에서 콩고 민주 공화국에 이르는 세계 굴지(屈指)의 구리 산출 지대. 추정 매장량은 7억 400만 톤.

코:퍼스-크리스티〔Corpus Christi〕명『지』 미국 텍사스 주, 멕시코만(灣) 서안의 항만 도시. 면화·석유·수산물의 적출항(積出港). 정유(精油) 공업이 성함. [266,412 명(1992)]

코:펄〔copal〕명『화』 호박(琥珀) 비슷한 원식물(原植物)에서 산출되는 천연 수지(樹脂)의 총칭. 모체 식물의 종류에 따라 그 종류·성분도 각각 다른데, 오랫동안 묻혀 있던 것일수록 단단하며, 무색 투명 또는 황갈색의 광택이 있음. 니스 등 도료의 중요 원료가 됨.

코페〔Coppée, Francois〕명『사람』 프랑스의 시인·극작가. 1866년 고답파(高踏派) 시풍(詩風)의 처녀 시집 ≪유물 상자(遺物箱子)≫를 내고, 1869년 운문(韻文)의 서정극 ≪행인(行人)≫으로 인기 작가가 되었는데, 다소 단조(單調)롭고 박력이 없으나 애수(哀愁)가 넘침. 소설에도 많은 단편을 남김. [1842-1903]

코페르니쿠스〔Copernicus, Nicolaus〕명『사람』 폴란드의 천문학자. 로마 가톨릭 교회의 성직자. 본명은 Nikolaj Kopernik 또는 Nikolas Koppernigk. 그리스 사상의 영향을 받아 육안에 의한 천체 관측에 의거, 태양이 우주의 중심이며, 모든 지구를 포함한 모든 행성(行星)은 이 태양 주위를 완전한 원형(圓形) 곡선으로 돌고 있다는 지동설(地動說)을 주장하여, 당시의 종교계·이학계(理學界)에 일대 혁명을 초래했음. 저서 ≪천체(天體)의 회전에 관하여≫는 교회와의 마찰을 피하여 죽음 직전에 간행되었음. [1473-1543]

코페르니쿠스적 전:회【一的轉回】〔Copernicus〕명〔도 Kopernikanische-Wendung〕『철』 칸트가 그의 입장을 특징지운 말. 곧 인식(認識)이 대상(對象)에 의존하는 것이 아니고, 반대로 대상이 주관(主觀)에 따르며 주관의 선천적인 형식에 의하여 구성된다고 하여 인식 대상은 현실에 불과하며 물자체(物自體)가 아님을 주장, 코페르니쿠스의 지동설(地動說)에 비유하여 일컫은 말. 이후 종래의 정설(定說)과는 정반대의 주장을 내세움을 일컫게 됨. 「의 일. 코펙.

코페이카〔러 kopeika〕명의명 러시아의 동화(銅貨). 루블(rubl)의 백분

코펙〔copeck〕명의명 코페이카(kopeika).

코펜하겐〔Copenhagen〕명『지』〔상항(商港)이란 뜻〕 덴마크(Denmark)의 수도. 현지(現地)에서는 쾨벤하운(København)이라 부름. 덴마크 동북 셸란(Sjælland) 섬 동안(東岸)에 위치하는 북(北)유럽 제1의 대도시로, 무역(貿易)·조선업(造船業)이 성함. 안데르센(Anderson)의 동화(童話)에 나오는 인어(人魚) 공주의 청동상(青銅像)과 왕궁 등이 있음. [109km^2: 1,340,000 명(1991 추계)]

코펠 명〔←도 Kocher〕 등산(登山)할 때 휴대하는 조식립(組立式) 취사(炊事) 도구.

〈코펠〉

코펠리아〔프 Coppélia〕명『연』 발레 작품(ballet 作品). 3 막 4 장. 생레옹(Saint-Léon, A.M.) 안무. 1807년 파리의 오페라 극장에서 초연(初演). ≪호프만의 이야기≫에서 취재한 것으로 인형(人形)에 생명(生命)을 부여하는 테마의 발레 중에서는 최초의 것의 하나임. 초연 이후 각국의

발레단이 상연(上演)하고 있으며 현존하는 발레 중에서 최고(最古)의 것의 하나임.

코포 〔Copeau, Jacques〕 명 〖사람〗 프랑스의 연출가(演出家)·극작가. 지드(Gide) 등과 함께 '엔 에르 에프(N.R.F.)'를 간행하였고, 1913년 비외콜롱비에(Vieux-Colombier) 극단을 창설하여 연극 혁신 운동에 나서 연극의 순화(純化) 운동에 공헌하였음. 저서 ≪비외콜롱비에 극단의 추억≫, 유저로 ≪민중 연극≫ 등이 있음. [1887-1950]

코포크 매:입 지수 【一買入指數】 〔Coppock〕 명 〖경〗 주가(株價)의 동향 그 자체를 분석함으로써 앞으로의 주가 변동을 예측하고자 하는 차트 기법. 미국의 증권 분석자 코포크(Coppock E.S.)가 주장한 이론으로 중기(中期)의 주가를 예측하는 데 적절함.

코폴라 〔Coppola, Francis Ford〕 명 〖사람〗 미국의 영화 감독·각본가. 각본가로 출발하여 ≪파리는 불타고 있는가≫ 등을 씀. 그 후 ≪대부(代父)≫·≪속(續) 대부≫·≪지옥의 묵시록(默示錄)≫ 등 화제작을 발표. ≪속 대부≫는 아카데미 감독상, ≪지옥의 묵시록≫은 칸 영화제 대상을 받음. [1939-]

코-푸렁이 명 〈속〉 줏대없이 흐리멍덩하고 어리석은 사람.

코-풀개 명 코를 풀거나 닦는 데 쓰는 물건.

코-풀다 자 콧구멍 안의 진액을 코를 쥐고 세게 불어 밖으로 나오게 하다.

코풀러 〔copula〕 명 〖논·언〗 ①계사(繫辭)❷. ②서양 문법에서, 두 개의 명사를 한쪽을 주어로 하여 하나의 문장에 결합시키는 동사. 영어의 be, 프랑스어의 être, 독일어의 sein(완전 자동사가 아닌 경우) 등.

코프 〔Kopp, Hermann Franz Moritz〕 명 〖사람〗 독일의 화학자. 주된 연구는 화학량론(化學量論)에 관한 것으로 몰 비열(Mol比熱)에 관한 '노이만콥(Neumann-Kopp)의 법칙'이 유명함. 저서에 ≪화학사(化學史)≫가 있음. [1817-92]

코프라 〔copra〕 명 〔coconut란 뜻의 말라야말 kappara에서〕 야자(椰子) 씨의 배유(胚乳)를 말린 물건. 65-70%의 유지(油脂)를 포함함. 과자의 재료, 마가린·비누·야자유(椰子油)의 원료가 됨. 주요 유지원(油脂源)의 하나임.

〈코프라〉

코프카 〔Koffka, Kurt〕 명 〖사람〗 독일의 심리학자. 1927년 이후 죽을 때까지 미국의 스미스 대학 교수. 게슈탈트 심리학(Gestalt 心理學)을 창설한 한 사람으로 지각(知覺)·사고(思考)·학습·정신 발달 등 다방면의 문제를 연구하여 많은 업적을 남겼음. 특히, 지각의 연구에 있어서 인간의 경험을 단순한 요소로 환원하는 것에 반대하고, 지각의 근본적인 여건(與件)은 게슈탈트이며 자극 배치(刺戟配置)를 특수한 구조적 실체(實體)와 연결해야 한다고 주장함. 주저 ≪게슈탈트 심리학의 원리≫ 등. [1886-1941]

코플랜드 〔Copland, Aaron〕 명 〖사람〗 미국의 대표적 작곡가. 많은 명작을 내어 세계적 명성을 얻었으며, ≪무도 교향곡≫·≪애팔래치아(Appalachia)의 봄≫으로 퓰리처상(Pulitzer賞)을 받았는데, 프랑스 현대 음악의 기교를 주로 하여 미국 민요를 가미한 간결 웅장한 스타일의 작품이 특색임. [1900-90]

코-피 명 코에서 나오는 피. 육혈(衄血).

코핀 〔coffin〕 명 방사성 물질(放射性物質)을 수송(輸送)하기 위한 상자(箱子). 사방 벽이 두꺼운 납으로 됨.

코하노프스키 〔Kochanowski, Jan〕 명 〖사람〗 폴란드의 시인. 라틴어와 자국어(自國語)로, 주로 서정시(敍情詩)를 써서, 르네상스 문학의 빛나는 황금 시대를 이룩하고 국민시(國民詩)의 기초를 쌓음. 라틴어 이외의 대표작은 ≪시가집(詩歌集)≫ 등이 있음. [1530-84]

코:-하다 자여불 〈소아〉 자다[2]❶.

코허 〔Kocher, Theodor Emil〕 명 〖사람〗 스위스의 의학자(醫學者). 갑상선(甲狀腺)의 생리·병리·외과적 연구를 행하였고, 1909년 노벨 생리 의학상을 수상하였음. 그밖에 어깨 관절 탈구(脫臼)의 정복술(整復術), 골수염(骨髓炎)과 헤르니아의 연구, 거치상 겸자(鋸齒狀鉗子)의 발명 등 공적이 있음. [1841-1917]

코-허리 명 콧등의 잘록한 곳. ¶～가 시큰하다.

코허리가 저리고 시다 구 심히 비통하다.

코흐 〔Koch, Robert〕 명 〖사람〗 독일의 세균학자. 미생물을 순수하게 배양(培養)시키는 데 성공하였으며, 1890년 투베르쿨린(Tuberkulin)을 창제(創製)하고 결핵균·콜레라균을 발견하여 1905년에 노벨 의학상을 받았음. [1843-1910]

코흐의 가:설 【一假說】 〔一/一에一〕 명 〔Koch's postulates〕 〖생〗 독일의 세균학자 코흐(Koch, Robert)가 주장한 미생물 배양에 대한 가설. 병인 물질(病因物質)로 동정(同定)된 미생물은, 병에 걸린 체내에 반드시 존재하므로, 이 병인 물질을 분리하여 순배양(純培養)으로 배양할 수 있으며, 또 이 순배양 미생물을 감수성이 있는 동물에게 접종하면, 그 동물은 반드시 발병하게 되는데, 이 동물에서 다시 미생물을 분리, 순배양할 수 있다는 것임.

코-흘리개 명 ①아직 코를 흘리는 나이 또래의 뜻으로, 어린 아이. ②콧물을 늘 흘리는 아이를 놀리는 말.

코히:러 〔coherer〕 명 〖물〗 검파기(檢波器)의 하나. 유리관(管)의 두 극(極) 사이에 니켈의 가루를 넣은 것으로, 초기(初期)의 무선 전신(無線電信)에 쓰였음.

코:히런트 발진기 【一發振器】 〔一찐一〕 명 〔coherent oscillator〕 〖공〗 이동 표적(移動標的) 지시 레이더(指示 radar)에서 사용하는 발진기. 발진기의 진동이, 연속적으로 수신되는 펄스(pulse)의 무선 주파수 위상 변화(位相變化)를 알기 위한 기준이 됨.

콕[1] 〔cock〕 명 수도·가스 기타의 기체나 액체의 유량(流量)을 조절하는 꼭지.

콕[2] 부 ①되게 부딪쳐 박히는 모양. ¶화살이 과녁에 ～ 박히다. ②부리나 연장으로 단단한 물건을 쪼는 모양. ¶뾰족한 칼끝으로 ～ 찌르다. 1)·2):＜쿡[3]. ——-하다 자여불

콕스 〔cox〕 명 ↗콕스웨인.

콕스웨인 〔coxswain〕 명 조정(漕艇) 경기에서, 경조정(競漕艇)의 타수(舵手). 키를 잡는 한편, 배의 속도를 지시함. 콕슨. 준콕스.

콕슨 〔coxswain〕 명 콕스웨인.

콕슨리스 보:트 〔coxswainless boat〕 명 타수(舵手)가 타지 않은 경조용(競漕用) 보트. 흔히, 바우(bow)가 키와 철사로 연결한 스트레처 보드(stretcher board)를 발로 움직여 조타(操舵)함.

콕시듐 〔coccidium〕 명 〖동〗 포자충류(胞子蟲類)에 속하는 원생 동물의 하나. 닭·오리·칠면조 등의 장점막(腸粘膜)이나 토끼·염소·소 등의 간장(肝臟)·장(腸)에 기생하여 설사·영양 장애를 일으킴. 특히 부화 직후의 병아리는 사망률이 높음.

콕:싱 〔coaxing〕 명 〖공〗 금속에 피로 한계(疲勞限界) 이하의 변형력(變形力)을 미리 부여함으로써, 금속의 피로 강도(強度)를 개선하는 방법.

콕-콕 부 여러 번 콕하는 모양. ¶～ 찌르다. ＜쿡쿡. ——-하다 자여불

콕콕-거리다 자 여러 번 콕콕하다. ＜쿡쿡거리다.

콕콕-대다 자 콕콕거리다.

콕토 〔Cocteau, Jean〕 명 〖사람〗 프랑스의 시인·작가. 예술원 회원. 입체파(立體派)·다다이슴(dadaïsme) 운동에 참가하여, 아담하고 공상적인 작품으로 소설 ≪무서운 아이들≫, 시집 ≪희망봉(喜望峰)≫ 등을 내었음. 극·영화의 연출자로서도 활약함. [1889-1963]

콘:[1] 〔Cohn, Norman〕 명 〖사람〗 영국의 역사가. 서섹스 대학 콜럼버스 센터 소장을 지냄. 역사 상의 집단 학살, 박해 등에 관한 연구에 이바지함. 주저로 ≪천년 왕국(千年王國)의 추구≫·≪마녀 사냥의 사회사≫ 등이 있음. [1915-]

콘:[2] 〔cone〕 명 〖물〗 ①확성기의 진동판으로 쓰이는 원추형(圓錐形)의 두꺼운 종이. ②아이스크림을 담는, 과자로 된 그릇. 먹을 수 있음.

콘:[3] 〔corn〕 명 옥수수.

-콘 미 〈옛〉 -하거든. -하니. ¶오히려 엽다 아니콘 엇데 ᄒᆞ물며 諸子ㅣ ᄯᆞ녀(猶尙不置을 何況諸子ㅣ ᄯᆞ녀)≪妙蓮 Ⅱ:77≫.

콘덴서 〔condenser〕 명 〖물〗 ①축전기(蓄電器). 응축기(凝縮器). ②복수기(復水器). ③집광경(集光鏡).

콘덴서 모:터 〔condenser motor〕 명 시동을 위한 콘덴서 보조(補助) 코일에 직렬(直列)로 접속한 유도(誘導) 전동기. 세탁기·냉장고 등 가정 전기 기기에 널리 이용됨. 콘덴서 전동기.

콘덴서 스피:커 〔condenser speaker〕 명 정전형(靜電型) 스피커. 전면 구동(全面驅動)을 하기 때문에 음(音)의 충실도는 높지만, 저음용에는 큰 면적(面積)을 필요로 함. 고음용(高音用) 확성기·헤드폰(headphone) 등에 쓰임.

콘덴서 전:동기 【一電動機】 〔condenser〕 명 콘덴서 모터.

콘덴서-지 【一紙】 〔condenser〕 명 〖전〗 전기 절연지(絕緣紙)의 하나. 크래프트 펄프(craft pulp) 등을 원료로 하는 얇은 종이로, 수지(樹脂)·유지·리그닌(lignin)·무기염류(無機塩類) 등을 제거하여 두께가 고르고 기체가 통하지 못하게 한 것. 종이 콘덴서의 유전체(誘電體)·케이블의 절연체 등에 쓰임.

콘덴세이션 〔condensation〕 명 복수 작용(復水作用).

콘덴스 〔condense〕 명 응축(凝縮). 압축. 굳힘. ——-하다 타여불

콘덴스트 밀크 〔condensed milk〕 명 가당 연유(加糖煉乳).

콘도 〔condo〕 명 〔분양 아파트의 뜻〕 소유자가 부재일 때에는 다른 제3자에게 빌려 줄 수 있는 가구 달린 분양(分讓) 주택. 콘도미니엄(condominium).

콘도르 〔스 condor〕 명 〖조〗 〔*Vultur gryphus*〕 매목(目) 콘도르과에 속하는 대형의 맹금(猛禽). 몸길이 1m, 날개 길이 80cm, 두 날개를 편 길이는 3m 가량임. 몸빛은 광택 있는 흑색에 날개에는 흰 줄이 있고, 머리와 목에는 털이 없고 목의 둘레에 깃 모양의 흰 털이 둘려 있으며 부리는 백색, 다리는 흑색임. 상당히 높이 날며 바윗벽 등에 집을 짓고 2-3월에 두 개의 알을 낳으며 울지는 못함. 때로 20-30마리씩 떼를 지어 양·산양·사슴 등도 해치나, 흔히 사체(死體)를 먹음. 높은 산에 사는데, 남아메리카의 안데스 산맥 등지에 분포함.

〈콘도르〉

콘-도미니엄 〔condominium〕 명 '콘도'의 정식 이름.

콘돔 〔condom, 도 Kondom〕 명 〔발명자인 18세기의 영국인 의사의 이름 Conton에서 나온 말〕 피임(避妊)이나 성병(性病) 예방의 목적으로 성교(性交)할 때 음경에 덮어 씌워 정액이 질 안으로 들어가는 것을 막기 위한 낭상물(囊狀物)의 총칭. 고무·부레 등으로 만들며 근래에는 플라스틱도 사용됨. 삭(sac). 루데사. 루텐자.

콘드라티예프 〔Kondratiev, Nikolai Dmitrievich〕 명 〖사람〗 소련의 경제학자·통계학자·경기 변동 연구가. 나로드니키 우파(右派)의 대표적 이론가로, 1920-28년까지 경기 연구소(景氣研究所) 소장과 티미랴제프 농업 경제 아카데미 교수를 지냄. 1921-25년의 소련 경제 부흥기에 부농 억압(富農抑壓) 정책에 반대했기 때문에, 스탈린의 비판을 받아, 그 뒤 소식 불명임. 1926년에 저서 ≪장기 파동론(長期波動論)≫에서, 경기 순환에 있어서의 50년을 주기로 하는 장기 파동을 주장하여, 이른바 '콘드라티예프 사이클'로서 자본주의 경제학자들에게 받아들여짐. [1892-1938]

콘드라티예프 사이클 〔Kondratiev cycle〕 명 〖경〗 1926년에 소련의 경

제학자 콘드라티예프가 밝힌, 경기(景氣)의 '장기 파동'의 딴이름. *키친 사이클.

콘드리오솜 〔chondriosome〕 명 〖생〗 미토콘드리아.

콘:드 비:프 〔corned beef〕 명 소금·질산 칼륨·향미료(香味料)를 섞어 절여서 열기(熱氣)로 살균한 쇠고기. 약간 매운 맛이 있음. 콘 비프.

콘디티오 시네 콰 논 〔라 conditio sine qua non〕 명 그것 없이는 있을 수 없는 조건(條件)이란 뜻. 필수 조건. 필요 조건.

콘라트 이:세 【—二世】 〔Konrad Ⅱ〕 명 〖사람〗 신성 로마 황제. 잘리에르 왕조(Salier王朝)의 시조. 폴란드를 지배하에 두고, 재차의 이탈리아 원정에서 부르군트(Burgund)를 획득하는 한편 국내 제후를 제압하는 등 다음 대인 하인리히 3세와 더불어 제왕권의 최성기를 이루었음. 슈파이여(Speyer) 대성당의 건립자. [990?-1039; 재위 1024-39]

콘래드 〔Conrad, Joseph〕 명 〖사람〗 폴란드 출생의 영국 소설가. 본명은 Teodor Konrad Nalecz Korzeniowski. 해양 생활의 체험을 살려 많은 해양 소설을 발표하였는데, ≪나시서스호(Narcissus號)의 흑인≫·≪바다의 거울≫ 등이 유명함. [1857-1924]

콘: 밀: 〔corn meal〕 명 맷돌로 간 옥수수.

콘:버:그 〔Kornberg, Arthur〕 명 〖사람〗 미국의 생화학자. 디옥시리보 핵산(核酸) 및 리보 핵산의 효소적(酵素的) 합성의 업적으로 1959년 노벨 생리 의학상 수상. [1918-]

콘: 벨트 〔Corn Belt〕 명 〖지〗 옥수수 지대.

콘보이 〔convoy〕 명 ①호위. 상선(商船) 등의 호송(護送). ②호송함(艦). 호송 선단. ——-하다 타여불

콘브리오 〔이 conbrio〕 명 〖악〗 '싱싱하게·생생하게·쾌활하게'의 뜻.

콘비치니 〔Konwitschny, Franz〕 명 〖사람〗 독일의 지휘자. 1927년 비올라 주자(viola 奏者)에서 지휘로 전향하여 1949년 이후는 라이프치히 게반트하우스(Leipzig Gewandhaus) 관현악단의 상임 지휘자로서 세 개의 국가상을 받고 독일 지휘계에 중요한 위치를 점함. [1901-62]

콘: 비:프 〔corn beef〕 명 콘드 비프.

콘사이스 〔concise〕 명 〔간결·간명의 뜻〕 휴대용 사전. 소형 사전.

콘서:버티브 〔conservative〕 명 ①보수적. 보수당적. ②보수적 경향이 있는 사람. 보수주의 정치가. ↔프러그레시브.

콘서:트 〔concert〕 명 ①음악회. 연주회. ②연주 단체(演奏團體). ③협조. 협력. 콘체르트.

콘서:트 그랜드 〔concert grand〕 명 〖악〗 연주회에 쓰이는 가장 큰 그랜드 피아노(grand piano).

콘서:트-마스터 〔concertmaster〕 명 〖악〗 관현악의 제일 바이올린의 수석 주자(奏者). 관현악곡 중의 독주부를 연주하거나 지휘자를 대신하는 등 악단 전체의 지도적 역할을 함.

콘서:트 피치 〔concert pitch〕 명 〖악〗 1939년의 국제 회의에서 제정된 표준음(標準音)의 높이. A음의 진동수가 매초(每秒) 440의 것. 연주회용 표준음으로 국제적으로 사용됨.

콘서:트 홀: 〔concert hall〕 명 〖악〗 음악회를 베풀 수 있도록 지은 건물. 음악당.

콘서:티나 〔concertina〕 명 〖악〗 육각형의 초롱 모양을 한 손풍금.

〈콘서티나〉

콘설 〔consul〕 명 ①〖역〗 로마 공화정(共和政) 시기의 행정·군사 장관. 집정관(執政官). 통령(統領). 법무관(法務官). ②영사(領事).

콘센트 명 〖전〗 〔concentric+plug의 약칭으로〕 전기 배선(配線)과 코드(cord)와의 접속(接續)에 쓰이는 기구. 플러그를 끼우는 물건. 영국에서는 wall socket, plug socket, 미국에서는 receptacle이라 함.

콘셉시온 〔Concepción〕 명 〖지〗 ①남미 칠레 중남부, 태평양안의 항구 도시. 상업의 중심지로 제화(製靴)·섬유 등의 공업도 성함. 1818년 칠레 독립 선언의 고장. 지진의 피해가 잦은데, 1960년 대지진 때도 피해를 입음. [206,107명(1982)] ②파라과이 공화국의 파라과이 강(江) 중류 좌안(左岸)에 있는 하항(河港) 도시. 목축의 중심지로, 조면(繰綿)·제재(製材)·제분 공장이 있음. 동쪽 55 km 지점에 있는 가축과 목재의 고장 오르케타(Horqueta)까지 경편(輕便) 철도가 통함. [135,000명(1982)]

콘 소르디노 〔이 con sordino〕 명 〖악〗 '약음기(弱音器)를 끼우고'의 뜻.

콘솔[1] 〔Consol〕 명 항행 원조용의 무선 시설의 하나. 독일서 개발한 고정(固定) 다중(多重) 코스형의 항공기·선박 등의 항행 원조 시설을 영국서 개량한 것으로, 사용 주파수는 200-300 kc, 중앙 안테나에서의 전력은 약 20 kW 정도임.

콘솔:[2] 〔console〕 명 ①바닥에 놓게 된 라디오나 텔레비전 수상기의 캐비닛식 큰 상자. ②컴퓨터에서, 제어 탁자(制御卓子). 컴퓨터에 지시하기 위한 키보드와 정보를 나타내는 화상(畫像) 표시 장치가 배치되어 있음. ③레이더 기지·무선 기지·텔레비전 방송국·공항 관제탑 등에 있어서의 전자(電子) 장비를 위한 주요 제어 탁자(制御卓子).

콘솔 공채 【—公債】 명 〔consolidated annuities〕 영국 정부 발행의 공채. 정부에는 원금 상환의 의무가 없는 공채로, 1752년 창설되어 1929년 이후는 사실상 영구 공채화하고 있음. 영구(永久) 공채.

콘솔: 수신기 【—受信機】 〔console〕 명 콘솔에 넣어진 텔레비전 또는 라디오 수신기.

콘솔:형 전:축 【—型電蓄】 〔console〕 명 레코드 플레이어·앰프·튜너·카세트 데크·스피커의 다섯 기능이 한 캐비닛에 합쳐져 있는 오디오 시스템. *인티그레이티드 리시버.

콘: 수:프 〔corn soup〕 명 옥수수로 만든 수프.

콘스 〔Khons〕 명 고대 이집트의 달의 신(神).

콘:-스타:치 〔cornstarch〕 명 옥수수의 전분(澱粉). 푸딩(pudding)·아이스크림 등의 요리용, 또는 세탁용의 풀로 사용됨.

콘스탄차 〔Constanța〕 명 〖지〗 루마니아 동부, 흑해안의 항구 도시. 철도·항공로 등 교통의 중심지로, 석유 산지의 중심 플로이에슈티(Ploiesti)에서 파이프 라인이 통하고, 정유·조선·제분이 행해짐. 해·공군의 기지. 기원 전 7세기에 그리스의 식민 도시 토미스(Tomis)로서 건설되어 콘스탄티누스 1세에 의하여 재건되고, 터키 영유 시대(1413-1878)를 거쳐 발전함. [327,676명(1987)]

콘스탄츠 공의회 【—公議會】 〔Konstanz〕 〔—/—이—〕 명 〖역〗 독일과 스위스의 국경에 있는 콘스탄츠에서 1414-18년 열린 중세 로마 교회 최대의 회의. 종래 대립하고 있었던 세 사람의 교황(敎皇)을 폐하고 교회 분열을 해결했음.

콘스탄탄 〔constantan〕 명 합금의 한 가지. 또, 합금의 상품명. 구리 55, 니켈 45의 비율로 되어 있는데 전기 저항이 커 전기 저항선으로 쓰이는 외에, 철·구리-파위와 짝지어 열전쌍(熱電雙)으로도 쓰임.

콘스탄티노폴리스 〔그 Konstantinopolis〕 명 〖지〗 콘스탄티노플.

콘스탄티노플 〔Constantinople〕 명 〖지〗 '이스탄불(Istanbul)'의 구칭.

콘스탄티노플 신:경 【—信經】 〔Constantionople〕 명 〖천주교〗 이단자 마체도니우스(Macedonius)가 천주 성자(聖子)는 단순한 인간에 불과하다고, 성신(聖神)의 천주성(天主性)을 부인한 데 대하여 성자·성신이 모두 한 천주임을 표백·선언한 신경. 381년에 콘스탄티노플 공의회(公議會)에서 채택된 것임.

콘스탄티노플 해:협 【—海峽】 〔Constantinople〕 명 〖지〗 터키 북서부, 아시아·유럽의 양대륙 사이에 있는 해협. 다르다넬스 해협(Dardanelles 海峽)·마르마라(Marmara) 해협·보스포루스(Bosporus) 해협의 총칭. 군사 상의 요충으로, 1936년의 몽트뢰 회의(Montreux 會議) 이전에는 해협 관리권은 국제 해협 위원회에 장악되어 있었음.

콘스탄티누스 개:선문 【—凱旋門】 〔Constantinus〕 명 로마에 있는 개선문. 315년 원로원이 콘스탄티누스 대제(大帝)의 서(西)로마 통일을 기념하여 건조함. 백대리석(白大理石)으로 만들고, 높이 21 m임.

콘스탄티누스 대:제 【—大帝】 〔Constantinus〕 명 〖사람〗 로마의 황제. 본명은 Flavius Valerius Aurelius Constantinus. 3세기 전반에 일어난 내란을 평정하고 후기 로마 제국(帝國)을 재통일하여 306년 그 독재 군주가 됨. 기독교를 공인하고, 325년 니케아(Nicea)에서 종교 회의를 열어 정통 교리(正統敎理)를 정하고, 콘스탄티노플을 건설함. 콘스탄틴 일세(一世). [274?-337; 재위 306-337]

콘스탄틴 일세 【——世】 〔Constantine I〕 〔—쎄〕 명 〖사람〗 콘스탄티누스 대제(大帝).

콘스터블 〔Constable, John〕 명 〖사람〗 19세기 영국의 대표적 풍경화가. 신선한 색채 감각과 정치(精緻)한 자연 감각을 나타내는 사실적 풍경화를 개척, 인상파(印象派)에 준 영향이 지대함. 대표작 ≪건초를 싣는 마차≫ 등. [1776-1837]

콘스턴트 〔constant〕 명 ①항상 일정함. ②〖수〗 상수(常數).

콘스티튜:션 〔constitution〕 명 ①구성. 구조. ②국법. 헌법(憲法).

콘시퀀트 〔consequent〕 명 〖악〗 푸가(fuga)나 카논(canon)에서 주제(主題)의 응답(應答). 추적부(追跡部).

콘-에이 〔con-A〕 명 〖약〗 암세포(癌細胞)의 성장을 저해하는 식물성 단백질. 미국 프린스턴 대학 연구진이 북미산(北美産)의 잭빈(jack bean)에서 추출(抽出)한 콘카나발린 에이(concanavalin A)를 단백 분해 효소(蛋白分解酵素)인 트립신(trypsin)으로 처리하여 얻어 냄. 약리 작용으로서는 암세포를 죽이지 않고 성장을 저해하여 정상(正常) 세포로 환원시킨다 함.

콘:월 〔Cornwall〕 명 〖지〗 ①영국 잉글랜드 남서단에 돌출한 반도부(部)의 주(州). 구릉성의 낙농지(酪農地)로, 그 밖에 구리·주석의 생산이 많으며 경치가 아름다워 보양지(保養地)가 많음. 주도는 보드민(Bodmin). [3,512km²: 약 431,000명(1981)] ②캐나다 남동부에 있는 공업 도시. 주요 각 철도의 요역(要驛)이 있으며, 몬트리올과 온타리오 호안(湖岸)의 각 항구를 연결하는 기선의 기항지(寄港地)로서 미국과 국제 교량(國際橋梁)이 연결되어 있는 교통의 중심지임. 직물(織物)·펄프의 제조 공업이 있음. [46,144명(1981)]

콘:월리스 〔Cornwallis, Charles〕 명 〖사람〗 영국의 군인. 1776년 미국 독립 전쟁을 진압하기 위해 파견되었으나, 워싱턴에 패함. 1786년 벵골 총독으로서 인도 통치 기구의 정비에 진력하고, 공로에 의하여 후작이 됨. 1805년 재차 벵골 총독으로 취임하였지만 임지(任地)인 가지푸르(Ghazipur)에서 병사함. [1738-1805]

콘주가아제 〔도 Conjugase〕 명 〖생〗 폴산(酸)의 분해 촉매(分解觸媒)가 된 효소의 총칭.

콘주게이트 섬유 【—纖維】 명 〔conjugate fiber〕 성질이 다른 둘 또는 그 이상의 섬유를 동일한 노즐 구멍으로 뽑아 내어 방사(紡絲)한 실. 수축률(收縮率)이 서로 다르므로 저절로 오글오글해져, 양털처럼 폭신폭신해짐.

콘체르타토 〔이 concertato〕 명 〖악〗 혼성(混成)의 대합창 또는 합주.

콘체르토 〔이 concerto〕 명 〖악〗 독주(獨奏) 악기와 관현악이 합주(合奏)하는 교향적 악곡으로 독주 악기의 기교가 충분히 발휘되도록 작곡된 소나타 형식의 악곡(樂曲). 보통, 세 악장으로 되어 있고 오케스트라의 반주가 따름. 협주곡(協奏曲). 콘체르트.

콘체르토 그로소 〔이 concerto grosso〕 명 〖악〗 〔대협주곡의 뜻〕 수개의 독주 악기와 합주단을 위하여 협주적(協奏的)으로 쓰여진 조곡풍(組曲風)의 다악장(多樂章)의 곡(曲). 바로크 시대의 전형적인 기악 형식의 하나임. 합주 협주곡.

콘체르트 〔도 Konzert〕 명 〖악〗 ①콘체르토(concerto). ②콘서트❶.

콘체르트-슈튀크〔도 Konzertstück〕 명 〖악〗일반적으로 보통 협주곡의 형을 생략한 것으로 1악장 형식의 엄격(嚴格)하지 아니한 형의 협주곡(協奏曲).

콘체르티노〔이 concertino〕 명 〖악〗〔작은 콘체르트의 뜻〕 ①소규모의 콘체르토. 소협주곡. ②콘체르토 그로소의 전합주(全合奏)에 대하여, 몇 개의 바이올린이나 비올라의 소합주(小合奏).

콘체른〔도 Konzern〕 명 〖경〗 상품 생산에서 판매에 이르기까지의 여러 가지 기업이 하나의 중앙부, 곧 은행 또는 특수 회사에 의해 지배 통제되어 있는 경제 현상. 카르텔이나 트러스트 이상으로 집중도(集中度)가 높은 기업 합동의 형태임. 재벌(財閥).

콘코:던스〔concordance〕 명 성구 색인(聖句索引). 성서 색인서. 신구약 성서 속에 기재되어 있는 여러 개념·어구에 대하여 그것이 어디에 기재되어 있는지를 찾아내기 위하여 만들어진 일종의 사전.

콘코르다트〔라 concordat〕 명 콩코르다.

콘: 크러셔〔cone crusher〕 명 〖기〗 쇄석기(碎石機)의 한 가지. 주로 3-100 mm의 쇄석(碎石) 제조용의 기계.

콘크리:트〔concrete〕 명 〖토〗 시멘트의 유도 제품(誘導製品)의 하나. 결합재(結合材)인 시멘트에 모래와 자갈을 섞고 물을 가한 혼합물. 또, 그 굳힌 것. 제법이 간단하고 압축의 세기가 실용상 크며, 내화(耐火)·내수(耐水)·내진성(耐震性)이 있으며, 경비가 싸고 어떤 모양으로도 만들 수 있으므로, 토목 건축용의 구조 재료로 매우 중요한데, 특히 철근 콘크리트로 많이 사용됨. 골재(骨材)에 따라, 보충콘크리트·중량 콘크리트·쇄석(碎石) 콘크리트·AE 콘크리트·수밀(水密) 콘크리트 등이 있음. 공굴.

콘크리:트 경화제【—硬化劑】 명 〔concrete hardener〕 시멘트류의 수화 속도(水和速度)를 촉진 또는 감소시키는 염화 칼슘·염화 나트륨·수산화(水酸化) 나트륨 따위의 혼합물. 경화제를 첨가하면, 경화하는 시간이 짧아지며, 초기의 강도(強度)가 큼.

콘크리:트 기초【—基礎】〔concrete〕 명 〖토·건〗 콘크리트조(造)의 기초. 철근 콘크리트 기초와, 비교적 경량의 구조물(構造物)에 쓰이는 무근(無筋) 콘크리트 기초가 있음. 독립 기초·연속 기초·전면(全面) 기초 등이 있음.

콘크리:트 다리〔concrete〕 명 〖토〗 나무다리·철교(鐵橋) 등에 대하여 콘크리트로 된 다리.

콘크리:트 도:로【—道路】〔concrete〕 명 〖토〗 콘크리트로 포장한 길.

콘크리:트 믹서〔concrete mixer〕 명 〖기〗 시멘트·물·모래·자갈 등 결합재와 골재(骨材)를 동력(動力)으로 회전, 혼합하여 콘크리트를 만들어 내는 기계.

콘크리:트 믹서차【—車】〔concrete mixer〕 명 생(生)콘크리트 수송용의, 콘크리트 믹서를 장치한 차. 적재한 생콘크리트가 굳지 않도록 믹서를 늘 회전시키면서 달림. 믹서차(車).

콘크리:트 버킷〔concrete bucket〕 명 크레인 끝에 매어달린 용기로, 혼합된 콘크리트를 담아 다져 넣는 데까지 운반·배출하는 물건.

콘크리:트 블록〔concrete block〕 명 콘크리트를 일정한 크기의 블록으로 성형(成型)한 토목 건축용 자재. 경석(輕石)을 시멘트로 굳힌 것, 속에 기포(氣泡)를 만든 것, 속이 빈 것 등, 용도에 따라 많은 종류가 있음.

콘크리:트 사이언스〔concrete science〕 명 형이하학(形而下學).

콘크리:트 진:동기【—振動機】〔concrete〕 명 〖기〗 다져 넣은 콘크리트에 진동을 주어 틈이나 얼룩을 없애며 굳히는 기계.

콘크리:트 침:목【—枕木】〔concrete〕 명 콘크리트로 만든 침목. 속에 강선(鋼線)에 의한 반대 변형력(反對變形力)을 부여한 PC 콘크리트가 쓰여 목재의 침목에 비하여 내구성(耐久性)·내식성(耐蝕性)이 뛰어남. PC 침목.

콘크리:트 침하 공법【—沈下工法】〔—법〕 명 〔concrete caisson sinking〕 〖토〗 콘크리트를 안 쓰고 기밀(氣密) 작업실을 채용 않는 점 말고는 케이슨 침하와 거의 같은 샤프트 침하 공법(shaft 沈下工法).

콘크리:트 파이프〔concrete pipe〕 명 콘크리트로 만든 유공관(有孔管). 주로, 지하 배수(地下排水)에 쓰이며 지름 38 cm 이상의 것이 흔히 쓰임.

콘크리:트 펌프〔concrete pump〕 명 〖기〗 믹서나 호퍼(hopper)에서 받은 콘크리트를 실린더 안에 넣어 피스톤에 의한 압력으로 철관 내로 수송하는 펌프. 수송 거리가 긴 공사 현장 등에 쓰임.

콘크리:트 포장【—鋪裝】〔concrete〕 명 〖토〗 노반(路盤) 위에 시멘트 콘크리트를 한 층 또는 두 층으로 포장하는 일.

콘크리:트 플레이서〔concrete placer〕 명 〖기〗 혼합된 콘크리트를 압축 공기를 이용하여 수송관으로 공사 현장에 보내어 다져 넣는 장치. 콘크리트 충전기(充塡機).

콘클라베〔라 conclave〕 명 〖가톨릭〗 로마 교황의 선거 집회(選擧集會). 교황이 사망하면 16-19일 사이에 전세계의 추기경(樞機卿)이 교황청의 시스티나(Sistina) 성당에 모여 새 교황을 선거함. 그 방법은 추기경 전원 일치(全員一致)로 추천하거나, 3·5·9명 등 기수(奇數)의 추기경이 선거인이 되어 결정하는 간접 선거, 추기경 전체가 선거하는 직접 선거 등 세 가지가 있음.

콘키스타도르〔스 konkistador〕 명 〔'정복자'의 뜻〕 16세기에 중남미 대륙에 침입한 스페인 사람. 잉카·아스테크 문명을 파괴하고 원주민을 대량 학살했음.

콘키올린〔conchiolin〕 명 〖생화학〗 많은 연체 동물의 패각(貝殼)에 함유된 경단백질(硬蛋白質).

콘타노〔이 contano〕 명 〖악〗 합주곡(合奏曲) 중 한 악기를 오래 쉬게 하는 일.

콘탁스〔도 Contax〕 명 2.4×3.6 cm의 화면(畫面)을 만드는 라이카판(Leica判) 카메라의 상표명. 여러 개의 우수한 교환 렌즈를 갖춤.

콘택트〔contact〕 명 ①사람과 만나 연락을 취하거나 의견·정보의 교환 등을 하는 일. 접촉(接觸). ②펜싱에서, 경기 중의 두 사람이 접촉한 채로 무기를 사용할 수도 떨어질 수도 없는 상태. ③↗콘택트 렌즈. ④레이더 스코프 등의 탐지 장치에 의한 항공기·잠수함·선박 등 물체의 초기 탐지(初期探知).

콘택트 검:층【—檢層】 명 〔contact log〕 〖석유〗 굴착정(掘鑿井)의 깊이 방향의 지층 구성에 관한 전기 저항 데이터 기록의 일종. 전극(電極)이 장치된 패드(pad)를 갱의 벽에 접촉시키면서 측정함.

콘택트 레진〔contact resin〕 명 감압성 수지(感壓性樹脂).

콘택트 렌즈〔contact lens〕 명 보통 안경 대신에, 각막에 밀착시켜, 근시·원시·난시 등의 교정에 쓰이는 소형 렌즈. 유리 또는 합성 수지로 만듦. 밀착 렌즈. 접안 안경(接眼眼鏡). ㊟콘택트.

콘테스트〔contest〕 명 ①경쟁. 시합. ②경기회(競技會). 선출회. ¶미인 ~/사진 ~.

콘텍스트〔context〕 명 문장의 전후 관계. 문맥(文脈).

콘텐츠〔contents〕 명 ①논문·서적·문서 등의 내용. 내용의 목차(目次). ②〖컴퓨터〗 각종 유무선 통신망을 통해 제공되는 디지털 정보의 통칭.

콘트라바소〔이 contrabasso〕 명 〖악〗 콘트라베이스.

콘트라베이스〔contrabass〕 명 〖악〗 바이올린류(類)의 현악기 중에서 최저음(最低音)의 악기. 보통, 4-5현(絃)으로 되었음. 중후한 음색으로 여운이 깊. 더블베이스. 콘트라바소. 베이스.

〈콘트라베이스〉

콘트라스트〔contrast〕 명 ①대조(對照). 대비(對比). 배합(配合). ②〖미술〗 회화 등에서, 명(明)과 암(暗), 원형(圓形)과 방형(方形), 직선과 곡선, 흑과 백, 적(赤)과 녹(綠) 등이 배합되어 형태나 색채, 명도(明度)가 서로를 두드러지게 하는 듯한 상태에 있을 때, 그 대비(對比)를 이름. 또, 일반적으로 사물·인물 등이 정반대의 성질을 가지고 있어 서로 상대를 두드러지게 하는 경우에도 이름. ③특히, 텔레비전·사진에서 피사체의 명암도(明暗度).

콘트라파고토〔이 contrafagotto〕 명 〖악〗 목관 악기의 하나. 파고토속(屬)에서 가장 크고 최저의 음역(音域)을 맡음. 관의 길이가 5.93 m에 달하기 때문에 여러번 접쳐 있음. 17세기 초에 독일에서 만들어지고, 19세기 후반에 헤켈이 개량 후 보급됨. 더블 바순(double bassoon).

〈콘트라파고토〉

콘트라포스토〔이 contraposto〕 명 〖미술〗〔대치(對置)·대립의 뜻〕 그리스 고전 조각에서 확립된 미적 법칙(美的法則)의 하나. 특히, 폴리클레이토스(Polykleitos)의 대표작 《창을 가진 남자》의 오른발로 몸을 지탱하고 왼발을 유연하게 굽힌 조상(彫像)에서 보는, 좌우가 대조적이면서도 조화된 것을 말함.

콘트라-프로펠러〔contra-propeller〕 명 〖기〗 한 축(軸) 위에 서로 회전 방향이 반대가 되는 프로펠러를 조합(組合)한 프로펠러. 프로펠러 회전에 의한 회전 반력(反力)의 영향을 없앤 것임.

콘트랄토〔이 contralto〕 명 〖악〗 ①알토(alto)❶. ②대형 비올라.

콘트랙트 농업【—農業】〔contract〕 명 〖농〗 계약 농업. 청부 농업.

콘트러딕션〔contradiction〕 명 〖철〗 모순(矛盾).

콘티〔Conti, Nicolo de〕 명 〖사람〗 이탈리아의 여행가(旅行家). 베네치아(Venezia) 사람. 1419년경 이탈리아를 출발, 아라비아·페르시아·인도를 거쳐 자바까지 가서, 20년이 넘는 긴 여행 후 1444년 귀국. 교황 비서가 문답 필기한 그의 여행기는 귀중한 자료임. [1395?-1469]

콘티넨털 라이스〔continental rise〕 명 〖지〗 대륙 연변(緣邊)의 천이부(遷移部). 흔히, 평탄하고 완만한 경사지. 대륙 지괴(地塊)에서 공급되는 퇴적물로 되어 있음.

콘티넨털 룩〔continental look〕 명 미국·영국식에 대하여 이탈리아·프랑스를 중심으로 한 유럽 대륙식의 신사복 스타일. 넓은 어깨폭, 바싹 죈 웨이스트, 짧은 기장, 사이드 벤츠 등이 그 특징이나 해마다 유행에 변화가 있음.

콘티넨털 브렉퍼스트〔continental breakfast〕 명 커피나 홍차 등의 음료(飮料)와 빵·버터·잼이 메뉴로 되어 있는 아침 식사. *잉글리시 브렉퍼스트.

콘티넨털 탱고〔continental tango〕 명 〖악〗 남미의 아르헨티나 탱고에 대하여 유럽에서 발달한 탱고. 아프리카 흑인의 무용 리듬에 기원을 두고 유럽, 특히 스페인에서 발달한 탱고. 대륙적이고 우아한 정서가 넘쳐 흐르는 것이 특징인데, 《라 파로마》·《꿈의 탱고》·《포에마》 등이 대표적임. *아르헨티나 탱고.

콘티넨털 플랜〔continental plan〕 명 호텔에서, 아침 식사를 포함한 방값을 계산하는, 요금 계산 방식. 시피(CP). *유러피언 플랜·모디파이드 아메리칸 플랜.

콘티뉴언스〔continuance〕 명 계속. 지속.

콘티뉴이티〔continuity〕 명 ①연속. ②〖연〗 영화·텔레비전 등에서, 각본을 기초로 하여 각 장면의 구분·내용·대사 등을 그림 등으로 상세히 기술한 것. 촬영 대본. 슈팅 스크립트(shooting script). 연출 대본.

콘티뉴이티 프로모:션〔continuity promotion〕 명 〖경〗 고객을 계속 확보하기 위해 세트(set)가 되는 상품을 잇달아 염가로 제공해 나가는 방식. 예를 들면 디너 세트를, 금주에는 작은 접시 쪽을 염가로, 다음 주에는 큰 접시를 염가로 제공하는 방식으로 판매하며, 고객은 한 세트를 염가로 마련할 수 있다는 매력 때문에 매주(每週) 찾게 되며, 그 사이 다른 상품도 구매하는 가능성을 기대할 수 있음.

콘퍼런스 [conference] 명 ①협의. 회의. ②〖경〗운임(運賃) 동맹.

콘포:미즘 [conformism] 명 관습이나 전례에 대하여 아무 비판 없이 형식적으로 따르는 일. 공식주의(公式主義). 획일(劃一)주의.

콘:포:스 [Cornforth, John Warcup] 명 〖사람〗 오스트레일리아 태생의 영국 화학자. 의학 연구소·밀스테드 효소 화학 연구소 연구원을 거쳐 서섹스(Sussex) 대학 교수를 역임함. 효소 촉매 반응의 입체 화학에 관한 연구로 1975년 프렐로그(Prelog, V.)와 공동으로 노벨 화학상을 수상함. [1917-]

콘 푸오코 [이 con fuoco] 명 〖악〗 '열정적(熱情的)으로'의 뜻.

콘:-플레이크 명 [cornflakes] 옥수수 가루로 얇게 만든 가공 식품. 소금·설탕·꿀 따위로 맛을 낸 식품으로, 우유나 크림을 쳐서 간단한 아침 식사나 간식 또는 유아식으로도 먹음.

콜:[1] [call] 명 ①전화의 호출(呼出). ¶ ~ 걸(girl). ②〖경〗 금융 기관 상호간의 초단기의 자금 대차. 주로 은행의 어음. 기말 결산의 결제 등 단기 자금 조달에 이용됨. 초단기 자금. 단자(短資). *콜 론·콜 머니. ③콜 론(call loan). ④카드 놀이에서 짝을 내라고 하는 소리.

콜:[2] [coal] 명 석탄.

콜[3] [프 col] 명 등산 용어로, 봉우리와 봉우리 사이의 우묵한 곳. 안부(鞍部).

콜:[4] [Cole, George Douglas Howard] 명 〖사람〗 영국의 경제학자. 사회주의 운동의 연구가. 길드(guild) 사회주의를 지도, 라스키 등과 함께 다원적 국가론(多元的國家論)을 제창하였음. 그의 저서는 50권이나 되는데 대표작은 ≪사회 이론≫·≪노동의 세계≫·≪산업 가치론≫·≪사회주의 경제학≫ 등이 있고, 그의 부인과의 공저(共著)로 30 편에 이르는 추리 소설이 있음. [1889-1959]

콜:[5] [Cole, *Sir* Henry] 명 〖사람〗 19세기 중엽, 영국의 산업 미술 운동의 중심 인물. 1851년 런던 만국 박람회의 기획을 추진, 이를 실현함. 미국과 상공업의 결속을 위하여 미술 협회를 활용, 공업 디자인의 선구자로 활약하였으며, 빅토리아 앤드 알버트 미술관 관장, 왕립 음악 학교·요리 학교 등의 설립에도 참여함. [1808-82]

콜:[6] [Kohl, Helmut] 명 〖사람〗 독일의 정치가. 1973년 기독교 민주 동맹(CDU) 당수가 되고, 1982년 서독 수상이 되어 1990 년 동서 독일을 통일하는데 주도적 역할을 하였음. 1993 년 방한(訪韓)한 바 있음. [1930-]

콜: 걸: [call girl] 명 전화 호출에 응하는 고급 매춘부.

콜: 금리 【一金利】 [call] [一니] 명 〖경〗 단자 시장에서 거래되는 단기 자금의 금리. 콜 레이트.

콜:-담보 【一擔保】 [call] 명 〖금융〗 콜 론 거래에서 빌리는 쪽으로부터 잡는 담보. 국채 외에 정부 보증채 등이 이용됨.

콜:더 [Calder, Alexander] 명 〖사람〗 미국의 조각가. 추상(抽象) 조각에 손대어, 1931년에 얇은 철판과 철사를 쓰는 구성 조각(構成彫刻)을 창시, 움직이는 추상 조각인 모빌(mobile)로 발전시켰음. 1952년 국제 비엔날레(biennale) 전람회에서 조각의 대상을 받음. 기발한 발상(發想)에서 나온 장난감·가정 용품의 디자인으로도 유명함. [1898-1976]

콜:더홀:형 원자로 【一型原子爐】 [Calder-Hall] 명 〖물〗 천연 우라늄을 연료로 하고, 감속재(減速材)에 흑연을 사용한 탄산 가스 냉각 방식의 발전용 원자로. 1955년 영국 원자력 공사가 콜더홀에 건설한 데서 이 이름이 붙음.

콜:드 [cold] 명 ①다른 말 위에 붙여서, '찬'·'추운'·'차가워진'의 뜻. ②↗콜드 크림·

콜:드 게임 [called game] 명 야구에서, 5회 이상의 경기를 마친 후 일몰(日沒)·강우(降雨) 등의 사정으로, 심판에 의하여 경기 중지가 선언된 시합. 승패는 그때까지의 득점수에 의하여 결정됨.

콜:드 러버 [cold rubber] 명 〖공〗 부타디엔(butadiene)과 스티렌계(styrene系) 합성 고무. 통상 49°C에서 중합(重合)하는 것을 약 4°C에서 중합시켜 만듦. 보통 중합물보다 강도(強度)·내마모성(耐磨耗性)이 우수함. 저온(低溫) 고무.

콜:드 미:트 [cold meat] 명 냉육(冷肉).

콜:드 스트립 밀 [cold strip mill] 명 〖기〗 강철의 조각을 가열하여 압연(壓延)한 것을 다시 상온(常溫)에서 얇은 판으로 압연하는 기계. 냉간(冷間) 압연기.

콜:드 워: [cold war] 명 냉전(冷戰). ↔핫 워.

콜드 웨이브 [cold wave] 명 콜드 퍼머넌트.

콜:드웰 [Caldwell, Erskine] 명 〖사람〗 미국의 작가. 남부 농민의 무지하고 동물적인 비참한 생활을 그린 ≪터배코 로드(Tobacco road)≫로 일약 문명(文名)을 얻었으며, 심각한 사회 문제를 제재(題材)로 하면서 서민적인 유머를 가진 작품을 발표함. 특히, 단편(短編)에 뛰어남. 대표작은 ≪신(神)의 작은 토지≫·≪우리들 생물≫ 등. [1903-87]

콜:드 체인 [cold chain] 명 식품을 생산지에서 소비지(消費地)까지 연속적으로 저온(低溫)의 설비 속에서 유통(流通)하는 기구. 냉장(冷藏)과 냉동(冷凍)의 두 가지가 있음.

콜:드 컬러 [cold color] 명 〖미술〗 회화(繪畫)에 있어서의 한색(寒色). 곧, 청색·자색·녹색 등.

콜:드 크림: [cold cream] 명 화장품의 일종. 유동(流動) 파라핀이나 백색 바셀린 등에 동·식물성 유지를 섞어 순수(純水)와 유화(乳化)시켜, 향료를 가한 유성 크림. 세면(洗面)·마사지 등에 쓰임. 피부에 닿으면 차게 느껴지므로 이러한 이름이 있음. ㊟콜드.

콜:드 타이프 시스템 [cold type system; CTS] 명 〖인쇄〗 납이나 열을 쓰지 않고 필름을 주체로 하는 사진화에 의한 인쇄 방식. 종래의 인쇄 공정에서는 원고→활판→인쇄라는 식의 전통적인 방법으로 납활자가 쓰이고 있으나, CTS는 납이나 열로 주조하는 대신 화학 처리로 인쇄 원판을 만드는 것으로, 탈(脫)'납 문화(文化)'라는 점에서 주목되고 있음. 이것이 컴퓨터 기술과 직결함으로써 전산 사식(電算寫植) 시스템이 됨.

콜:드 파마 명 '콜드 퍼머넌트'가 줄어 변한 말.

콜:드 퍼:머넌트 [cold permanent] 명 전기를 쓰지 않고 약품만으로 하는 퍼머넌트. 콜드 웨이브.

콜라[1] [cola] 명 〖식〗 [*Cola acuminata*] 벽오동과에 속하는 상록 교목. 아프리카 서부의 원산인데, 높이 8-15 m 가량이고, 잎은 호생하며, 긴 엽병(葉柄)이 있고 혁질(革質)의 달걀꼴로서 끝이 날카롭고 보통 가에 톱니가 없음. 꽃은 엽액(葉腋)에 원추상(圓錐狀)으로 군생(群生)하며, 황색의 무판화(無瓣花)임. 과실은 15 cm 가량의 긴 타원형이고 속에는 4-10개의 육질(肉質) 씨가 있음. 씨는 카페인과 콜라닌(colanine)을 함유하며, 콜라 음료의 원료임.

〈콜라[1]〉

콜라[2] [cola] 명 콜라 나무 열매의 씨를 원료로 한 청량 음료의 총칭.

콜라겐 [collagen] 명 〖화〗 경단백질(硬蛋白質)의 하나. 결체 조직(結締組織)의 성분으로 뼈·인대(靭帶)·피부·비늘 등에 있음. 물과 함께 끓이면 젤라틴(gelatin)으로 됨. 교원질(膠原質).

콜라르 [Kolar] 명 〖지〗 인도 반도의 남부 마이소르 주(Mysore 州) 동부에 있는 금광(金鑛) 도시. 남동쪽에 있는 콜라르 골드 필즈(Kolar Gold Fields)는 금광으로서, 전인도의 금산액의 90 % 이상을 차지함. 쌀·견포·면포·사탕 등을 산출함. [144,000 명(1981 추계)]

콜:라우슈 [Kohlrausch] 명 〖사람〗 ①[Friedrich Wilhelm Georg K.] 독일의 실험 물리학자. ❷의 아들. 베를린 대학 교수. 주로 전자기(電磁氣)에 관한 실험적 연구를 하여, 특히 교류(交流)에 의한 전해질(電解質)의 저항 측정법을 고안하였고, 이온의 당량(當量) 전기 전도도에 관한 법칙을 발견함. 저서에 명저(名著) ≪응용 물리학 강요(綱要)≫가 있음. [1840-1910] ②[Rudolf Herman Arndt K.] 독일의 물리학자. 에를랑겐 대학(Erlangen 大學) 교수. 베버(Weber W.)와 함께 정전(靜電)·전자(電磁)의 두 단위로 나타낸 전류 강도의 비(比)로서 표시되는 상수(常數)를 처음 실험적으로 발견, 그것이 진공 속의 광속도에 가까움을 밝힘. [1809-58]

콜:라이트 [Coalite] 명 석탄을 저온 건류(低溫乾溜)하여 얻어지는 코크스. 연기가 없이 타며 화력(火力)이 셈. 가스화(gas化) 원료·가정용 연료(燃料)로 쓰임. 원래는 영국에서 제조하여 판매된 상품명으로, '반성(半成) 코크스'의 통칭. 반해탄(半骸炭).

콜라주 [프 collage] 명 〖미술〗 근대 미술의 특수한 수법의 하나. 화면에 종이·인쇄물·사진 등을 오려 붙이고, 일부에 가필하여 구성, 부조리(不條理)·풍자적인 충동을 노리고 초현실적인 미학(美學)을 발견하려는 초현실주의의 한 수법. 광고·포스터 등에도 많이 사용됨.

콜라 파르테 [이 colla parte] 명 〖악〗 '반주(伴奏)는 독창자의 리듬·템포에 따르라'는 뜻.

콜랑[1] [프 collant] 명 〖복식〗 통이 매우 좁은 바지. 타이츠 따위.

〈콜랑[1]〉

콜랑[2] 부 ①물이 좁은 통 속에 꼭 차지 아니하여 위아래로 흔들리어 나는 소리. ②무엇이 착 달라붙지 아니하고 들떠서 부푼 모양. 1)·2): 쓰꼴랑. <쿨렁. ──-하다 자여불

콜랑-거리다 자 ①물 같은 것이 좁은 통 속에서 위아래로 뒤흔들리다. ②무엇이 착 달라붙지 않고 부풀어서 들썩들썩하다. 1)·2): 쓰꼴랑거리다. <쿨렁거리다. 콜랑-콜랑 부. ──-하다 자여불

콜랑-대다 자 콜랑거리다.

콜:러 [Kohler, Joseph] 명 〖사람〗 독일의 법학자. 법을 진화사적(進化史的)으로 기술, 법철학에서 헤겔파(派)라고 불려짐. 절륜(絕倫)의 정력을 발휘하여 법철학·법사학·비교 법학·민법학·특허법학 등 법학의 전영역(全領域)에 걸쳐 방대한 업적을 남겨 「만능 콜러」란 별명을 얻음. 저서에 ≪법철학 교과서≫·≪민법학(民法學) 교과서≫ 등이 있음. [1849-1919]

콜럼버스[1] [Columbus] 명 〖지〗 ①미국 오하이오 주(州)의 주도. 오하이오 탄전에 의한 공업 도시이며, 농산 가공·금속·기계 공업이 성함. 오하이오 국립 대학 외에 6개 대학과 10여 군데의 연구 시설이 있음. [632,910 명(1990)] ②미국 남부 조지아 주(州) 서경(西境)의 도시. 농산물의 집산지로, 면공업·비료·농산 가공업도 성함. 남부에 보병 학교가 있음. [179,278 명(1990)]

콜럼버스[2] [Columbus, Christopher] 명 〖사람〗 이탈리아 태생의 항해 탐험가. 1478년 포르투갈에 이주한 후, 대서양을 서항(西航)하여 인도에 도달할 목적으로 스페인왕 이사벨 1세(Isabel I)의 후원을 얻어서, 1492년 제1회 항해에 착수(着手)하여 지금의 서인도 제도의 산살바도르(San Salvador) 섬에 도달하였으며, 이후 네 번에 걸친 탐험 끝에 쿠바·아이티·자메이카·도미니카 및 남미·중미의 일부를 발견함. 죽기까지 신대륙(新大陸)을 인도의 일부로 믿고 실의(失意) 속에 죽음. 이탈리아어로는 Cristoforo Colombo. [1451?-1506]

콜럼버스의 달걀 [Columbus] [一/一에一] 명 [콜럼버스의 대륙 발견은 누구나 할 수 있는 일이라고 비평 받고, 그는 거기 모인 사람들에게 달걀을 세울 수 있느냐고 물어, 모두 실패하자 그는 달걀 끝을 쳐서 세워 보였다는 고사에서 나온 말] 누구에게나 가능한 일이라도 맨 처음에 해내기는 썩 힘듦을 이르는 말.

콜럼븀 [columbium] 명 니오브(Niob).

콜-레뇨 [이 col legno] 명 〖악〗 바이올린 따위 현악기에서 활의 등으로 현을 두드리는 주법(奏法). 궁간주(弓桿奏).

콜레니아 [Collenia] 명 〖지〗 선캄브리아기(先Cambria紀) 후기의 녹조류(綠藻類)에 의하여 형성되었다고 생각되는 돔(dome) 모양의 층상 구조(層狀構造).

콜레라 [cholera] 명 〖의〗 콜레라균이 창자에 기생하여 소장의 상피(上皮)를 침범해서 일어나는 격렬한 급성 전염병. 환자의 배설물이나 콜

레라균에 오염(汚染)된 물건으로부터 입을 통하여 인체에 침입하는데 잠복기는 1-3일 가량, 열이 몹시 나며 배가 끓고 토사를 하며, 더욱 쌀뜨물 같은 것을 설사하고 중증(重症)인 사람은 몸이 갑자기 쇠약하여 져서 결국 죽게 됨. 본래는 인도·중국의 남부 지방의 지방병이었으나 19세기 초부터 각국에 만연되기 시작하였음. 법정 전염병임. 괴질(怪疾). 호역(虎疫). 호열자(虎列刺). 쥐통.

콜레라-균【一菌】〔cholera〕 명 〖의〗 콜레라의 병원균(病原菌). 1883년 독일 의사 코흐(Koch)가 인도에서 발견하였음. 그람 음성(Gram 陰性)의 조금 구부러진 막대기 모양의 균으로 콤마균(comma 菌)이라고도 부르며 한쪽 끝에 하나의 편모(鞭毛)를 갖고 있어, 고유 운동(固有運動)을 행함. 호균(虎菌). 호열자균(虎列刺菌).

콜레스테롤〔cholesterol〕 명 〖의〗 고등 척추 동물의 체내에 들어 있는 스테린(sterin)의 일종. 지방 같은 느낌의 백색 광택이 있는 인편상(鱗片狀)의 결정(結晶). 특히, 뇌·신경 조직·부신(副腎)에 많이 함유됨. 생체막(生體膜)의 중요한 성분으로, 성(性)호르몬·부신피질 호르몬·빌산(bile酸) 등은 생체 내에서 콜레스테롤에서 합성됨. 혈액 중에 농도가 높아지면 동맥 경화증(動脈硬化症)의 원인이 됨. 콜레스테린(cholesterin). [$C_{27}H_{46}O$]

콜레스테린〔cholesterin〕 명 〖생〗 콜레스테롤.

콜레우스〔coleus〕 명 〖식〗 [*Coleus blumei*] 꿀풀과의 다년생(多年生) 초본. 높이 30-40 cm, 잎은 대생(對生)하며, 엽신(葉身)은 막질(膜質)이고 능상(菱狀) 알 모양이며 가장자리에 톱니가 있음. 잎은 황록색으로, 윗면 중앙에 암갈색 혹은 암자색의 무늬가 있어 아름다움. 꽃은 윤산화서(輪繖花序)로 끝에 5-6개가 자색 혹은 백혼색(白混色)으로 이른 봄에 핌. 열매는 수과(瘦果)이며 알 모양임. 여름철의 관엽(觀葉) 원예 식물임. 열대 지방 등지에 분포함. 콜리어스.

콜:레이트〔call rate〕 명 〖경〗 콜론의 금리(金利).

콜레:주〔프 collège〕 명 〖교〗 ①중세(中世)부터 프랑스 혁명기까지 파리 대학을 구성하고 있던 학생의 생활·교육 시설이나 학료(學寮). 기타 일반적으로 기숙제의 중·고등 교육시설, 특히 예수회(會)의 학교를 이름. ②프랑스 혁명 이후, 공립 중등 교육 기관을 가리킴.

콜레:주 드 프랑스〔프 Collège de France〕 명 〖교〗 1530년경에 프랑수아 1세(François I)가 인문적 교양의 진흥을 위하여 파리에 창설한 국립 고등 교육 기관. 강의는 저명한 대학 교수·문화인이 하였으며, 대학과는 독립되었고 청강에는 일정 자격을 요하지 않고 시험도 없이 자유이며 수료 자격도 수여하지 않았음.

콜레트〔Colette, Sidonie Gabrielle〕 명 〖사람〗 프랑스 현대의 여류 작가. 여자다운 관능의 세계를 섬세한 필치로 그린 ≪클로딘(Claudine)의 집≫·≪동물의 대화(對話)≫ 등 심리 소설의 새로운 영역을 개척하였음. 이 외에 ≪푸른 보리≫·≪제2의 여인≫·≪암코양이≫ 등이 있음. [1873-1954]

콜렉타〔라 collecta〕 명 〖천주교〗 본기도.

콜로나투스〔colonatus〕 명 〖역〗 콜로누스(colonus).

콜로네이드〔colonnade〕 명 〖건〗 건축에서, 회랑(回廊)의 하나. 수평의 들보를 지른 열주(列柱)가 있는 회랑. 고대 이집트 시대부터 쓰여 그리스·로마로 발달하여, 바로크 건축·고전주의 건축에도 많이 보임. 주랑(柱廊).

콜로누스〔colonus〕 명 〖역〗 ①콜로니아의 구성원. ②로마 제국 후기의 소작인(小作人). 법적으로는 자유민이었으나 대토지 소유자의 경지(耕地)를 경작하여 이전(移轉)의 자유가 없었음. 신분은 세습(世襲)되었으며 농노제(農奴制)의 선구(先驅)임. *콜로나투스.

콜로니〔colony〕 명 ①〖생〗 동일종 또는 여러 종으로 되는 생물의 집단. 동물에서는 개미·벌 따위의 집을 중심으로 한 집단이나 조류(鳥類)·포유류(哺乳類) 등의 번식기나 이동 등에서 보이는 집단이 대표적임. 좁은 뜻으로는, 군체(群體) 또는 고체 배양(固體培養)상 생긴 세균의 군락(群落)을 이름. 군생(群生). 군서(群棲). *군총(群叢)·군취(群聚). ②식민지에서의 식민자의 취락(聚落). ③장기 요양을 필요로 하는 환자·신체 장애자·정신 박약자 등을 모아 보호하며 사회 복귀를 위하여 훈련을 하는 따위의 시설.

콜로니아〔라 colonia〕 명 로마인의 식민시(植民市). 이탈리아의 각지 이외에, 아프리카·코르시카·스페인·소아시아 등의 정복지에 군사적·정치적 지배의 거점으로서 건설되었음.

콜로니얼리즘〔colonialism〕 명 〖정〗 식민지주의(植民地主義).

콜로니얼 스타일〔colonial style〕 명 콜로니얼 양식(樣式).

콜로니얼 양식【一樣式】〔colonial〕 명 〖건·미술〗 ①17-18세기에 영국·스페인·네덜란드 등의 식민지에서 성행한 건축·공예 양식. 본국의 양식을 반영하면서 각지의 풍토에 맞는 독자적인 스타일을 낳았음. ②특히, 19세기의 미국에서 발달한 건축 양식. 영국의 고전주의 건축을 반아들여 신대륙 취향의 실용성을 가미한 것. 콜로니얼 스타일.

콜로듐〔라 collodium〕 명 〖화〗 콜로디온(collodion).

콜로디온〔collodion〕 명 〖화〗 니트로셀룰로오스를 알코올과 에테르의 혼합액에 용해한 무색 투명의 끈끈한 액. 증발하면 투명하고 얇은 막이 생김. 상처의 피복(被覆)이나 사진 감광막(感光膜) 같은 것을 만드는 데 쓰임. 콜로듐.

콜로라도 강【一江】〔Colorado〕 명 〖지〗 ①미국 로키 산맥의 서쪽 사면(斜面)에서 발원하여 콜로라도 고원을 횡단하고, 미드 호(湖)를 거쳐 캘리포니아 만에 들어가는 강. 그랜드 캐니언·후버 댐(Hoover Dam) 등이 있음. [약 2,000 km] ②아르헨티나 중부에 있는 강. 안데스 산맥에서 발원하여 바이아블랑카 시(Bahia Blanca市)의 남쪽에서 대서양에 들어감. [약 850 km]

콜로라도 고원【一高原】〔Colorado〕 명 〖지〗 미국 로키 산맥과 그 지맥(支脈)인 워새치(Wasatch) 산맥 사이의 융기 대고원(隆起大高原). 단층(斷層)에 의하여 수개로 구분됨. 높이 1,800-3,300 m. 침식 현상(浸蝕現象)이 뚜렷하여 유명한 그랜드 캐니언을 비롯하여 많은 경승지(景勝地)가 있음. [390,000 km²] *그랜드 캐니언(Grand Canyon).

콜로라도 스프링스〔Colorado Springs〕 명 〖지〗 미국 콜로라도 주(州) 중동부에 있는 주택 및 관광 휴양 도시. 로키 산맥 동쪽 기슭 높이 1,840 m 지점에 있으며 주변에는 숱한 온천이 있음. 관광 산업 외에 전자 공학 기기 관련업과 인쇄 출판업도 성함. 공군 사관 학교와 공군 기지도 있어서 공군 사관 학교를 가리키는 말로도 쓰임. [281,140 명(1990)]

콜로라도 주【一州】〔Colorado〕 명 〖지〗 미국 서부의 산악주(山嶽州). 1859년 금광 발견 이래 급속히 발전하여 1876년 미국 제38번째의 주로 됨. 광업과 목축이 성함. 특히, 석탄 매장량은 미국 제1위이며, 세계 제일의 몰리브덴 광산(Molybdän鑛山)을 가지고 있음. 주도는 덴버(Denver). 독립 100년째의 주(州)라 하여 '백년주'라는 별명(別名)이 있음. [268,311 km² : 3,294,394 명(1990)]

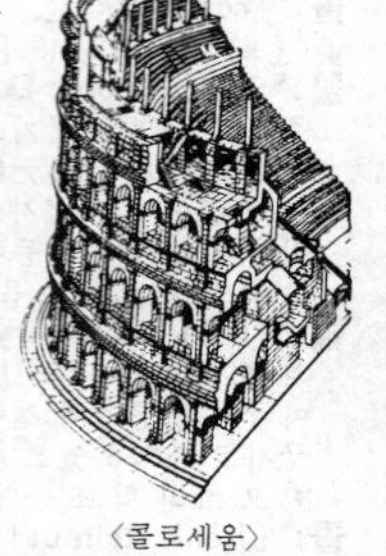
〈콜로세움〉

콜로라투라〔이 coloratura〕 명 〖악〗 ↗콜로라투라 소프라노.

콜로라투라 소프라노〔이 coloratura soprano〕 명 〖악〗 구슬을 굴리는 듯한 화려한 소리의 가수. 장식적이고 기교적인, 화려한 선율을 노래 부르는 데 적당함. 또, 그 창법과 소리. ㊟콜로라투라.

콜로서스〔colossus〕 명 거상(巨像). 거대한 조상(彫像).

콜로세움〔라 Colosseum〕 명 〖건〗 70-80년경의 고대 로마 시대에 로마 시에 세워진 거대한 원형 극장. 고대 건축의 대표적인 것으로 4층이며 중앙에 투기장이 있음. 현재는 반쯤 파괴되어 있는데, 둘레는 524 m, 수용 인원 5만명이라 함.

콜로신스-오이〔colocynth〕 명 〖식〗 [*Citrullus colocynthis*] 박과에 속하는 다년생 만초(蔓草). 인도·아라비아·페르시아·소아시아·아프리카 등지의 소산인데, 잎은 수박과 비슷하며 자웅 동주(雌雄同株)임. 여름에 오이와 비슷한 담황색의 꽃이 핌. 열매는 지름 약 10 cm 정도의 구형(球形)으로, 황색으로 익음. 과육은 맛이 쓰고 씨가 많은데 말린 것을 콜로신스 열매라 하여 완하제(緩下劑)로 씀.

콜로이드〔colloid〕 명 〖화〗 기체(氣體)·액체·고체 속에 매우 작게 분산되어 있으나, 분자(分子)보다는 크고 확산(擴散)의 속도가 느리며, 반투막(半透膜)을 통과할 수 없을 정도의 물질. 젤라틴·전분·단백질·비누·한천(寒天) 등의 수용액 중의 입자(粒子) 같은 것인데, 입자의 크기는 10^{-5}-10^{-7} cm. 교질(膠質).

콜로이드 밀〔colloid mill〕 명 기계적 분산법(分散法)으로 졸(Sol)을 만들 때에 쓰는 장치. 분산시킬 물질의 거친 분말을 물에 부유(浮遊)시켜 그 일부분을 다른 부분과 반대 방향으로 급회전시켜서, 충돌에 의하여 분말을 더욱 곱게 함.

콜로이드 삼투압【一滲透壓】〔colloid〕 명 〖화〗 콜로이드 용액에 의해 생기는 삼투압. 고분자를 통과시키지 않는 막(膜)에서의 용매(溶媒) 이동의 힘이 됨. 단백질 등의 고분자 콜로이드 용액인 혈장(血漿)에서는 조직액에서 혈관 내로 수분을 끌어들이는 힘으로서 작용함. 교질 삼투압.

콜로이드 연료【一燃料】〔一열一〕 명〔colloidal fuel〕 연료유·콜타르유에 분쇄한 석탄을 분산 혼합시킨 액상 혼합물. 주로, 큰 설비의 연료로 쓰임.

콜로이드 용액【一溶液】〔colloid〕 명 〖화〗 콜로이드 입자(粒子)가 분산(分散)하여 있는 액체. 교질(膠質) 용액.

콜로이드-은【一銀】〔colloid〕 명 〖약〗 검푸른 빛의 작은 엽상(葉狀)의 약품 이름. 금속 광택이 있으며 물에 녹는데 74-80 %의 순은(純銀)을 함유(含有)하고 있음. 살균 소독성이 있어, 물약·연고·살포약(撒布藥) 등으로 겉에 바르고 또 장티푸스나 이질 등에 1 % 내외를 내복(內服)함.

콜로이드 이온 명〔colloidal ion〕〖화〗 지름이 대체로 1-0.001 μ의 하전(荷電) 콜로이드 입자(粒子). 양(陽) 또는 음(陰)으로의 전하(電荷)에 따라 콜로이드 양(陽)이온, 콜로이드 음(陰)이온이라고 부르며, 전기(電氣) 이동에서는 각각 음극과 양극으로 이행함. 교질(膠質) 이온.

콜로이드 입자【一粒子】 명〔colloidal particle〕〖화〗 기체·액체·고체 속에 분산(分散)하여 콜로이드 상태(狀態)로 있는 미립자(微粒子). 입자의 크기는 지름 10^{-5}-10^{-7} cm 정도임.

콜로이드 적정【一滴定】 명〔colloidal titration〕〖화〗 농도(濃度)를 알고 있는 콜로이드 이온 용액을 써서 미지(未知)의 농도 또는 하전수(荷電數)를 갖는 반대 전하(電荷)의 콜로이드 이온을 적정하는 일.

콜로이드 전:해질【一電解質】 명〔colloidal electrolyte〕〖화〗 구조가 비교적 간단한 전해질로서, 용액이 콜로이드 성질을 나타내는 것. 비누 등 계면(界面) 활성제·색소(色素)·레시틴 등 인지질(燐脂質), 빌즙산(bile酸) 나트륨 수용액이 대표적임.

콜로이드질 흑연【一質黑鉛】〔colloid〕 명 물·석유·아주까리 기름·글리세린 기타 용액에 흑연을 초미립자상(超微粒子狀)으로 현탁(懸濁)시킨 것. 전자관(電子管)의 내외부에 발라, 전도성(電導性)의 차폐막(遮蔽膜)을 만듦.

콜로이드 축전지【一蓄電池】〔colloid〕 명 전해액(電解液)을 콜로이드 상태로 한 축전지. 보통의 납축전지를 개량한 것으로서, 들어 나르기에 편리함.

콜로이드 화학【一化學】 명 〔colloid chemistry〕『화』 물리 화학의 한 분과. 콜로이드 상태에 있는 분산계(分散界)·계면(界面) 등의 물리적·화학적 성질을 연구하는 학문. 현재에는, 다방면에 관련된 넓은 학문 분야로서 '콜로이드 과학'이라고도 함. 교질(膠質) 화학.

콜로타이프 〔collotype〕 명『인쇄』 평판(平版) 인쇄의 일종. 사진을 응용한 제판 인쇄(製版印刷) 방법의 하나로, 유리판에 젤라틴의 피막(被膜)을 만들어 네가를 인화(印畫)하여 제판함. 지방성(脂肪性)의 잉크를 사용하여 이것을 종이에 인쇄하면 결이 고운 바림의 사진 인화와 같은 효과를 얻을 수 있음. 한 판에 수백장 정도밖에 인쇄되지 않으므로 부수(部數)가 적은 고급 미술 인쇄 등에 이용됨. 1865년 독일의 알베르트가 발명함. 포토타이프.

콜로타이프-판【一版】〔collotype〕 명『인쇄』 콜로타이프. 또, 그런 방법에 의한 사진. 포토타이프(phototype). 헬리오타이프.

콜로파나이트 〔collophanite〕 명『광』 괴상(塊狀)의 잠정질(潛晶質) 탄산염(炭酸塩)을 함유하는 인회석(燐灰石)의 일종. 인산 비료의 중요한 원료임.

콜록 부 오랜 기침병으로 입을 오므리고 가슴이 울리게 내는 기침 소리. <쿨룩. *칼락. ——-하다 자여불

콜록-거리다 자 연해 콜록 소리를 내다. <쿨룩거리다. *칼락거리다. 콜록-콜록 부. ——-하다 자여불

콜록-대다 자 콜록거리다.

콜록-쟁이 명 오랫동안 기침병을 앓는 사람의 별명.

콜:론[1] 〔call loan〕 명『경』 '콜(call)❷'을 대출자(貸出者) 측에서 보아 일컫는 말. *콜머니·콜.

콜론[2] 〔Colon〕 명『지』 중앙 아메리카 파나마 운하 북쪽 칼리브(Calib) 해안의 항만 도시. 1850년 파나마 철도의 기점(起點)으로서 만사니오 섬 위에 건설되었는데 그 후 매립(埋立)으로 육지와 접속하여 상업·관광의 아름다운 근대 도시로 발전함. [59,832 명(1980)]

콜론[3] 〔colon〕 명 구문(歐文)에서 쓰는 구두점(句讀點)의 하나. 곧 ':'. 피리어드와 세미 콜론의 중간에 위치하는 것으로 설명구(說明句)·인용구(引用句) 등의 앞에 쓰이며 인용문(引用文)의 구(句)를 나타내는 경우에는 보통 뒤에 대시(dash)를 붙임. 중점(重點). 이중점. 쌍점(雙點). 포갤점(點).

콜론 제도【一諸島】〔Colon〕 명『지』 갈라파고스 제도(Galapagos 諸島).

콜론타이 〔Kollontai, Aleksandra Mikhailovna〕 명『사람』 소련의 여성 운동가. 공산당에 참가하여 여러 외국 공사를 역임하였으며, 성문제(性問題)를 주제로 한 소설과 여성·노동 문제의 저작이 많음. 저서에 《위대한 사랑》·《붉은 사랑》 등이 있음. [1872-1952]

콜롬보[1] 〔Colombo〕 명『지』 스리랑카의 옛 수도. 실론 섬의 남서안(南西岸)을 차지하는 세계적인 무역항으로, 인도양 항로의 중심지임. 차(茶)·고무·야자유·흑연 등을 수출함. 16세기 이후 포르투갈·네덜란드·영국의 지배하에 군사적·경제적 요지로서 발전함. 전날의 영국 총독 관저와 박물관·실론 대학 등이 있음. [1,262,000 명(1990 추계)]

콜롬보[2] 〔colombo〕 명『식』 [*Jateorhiza columba*] 새모래덩굴과에 속하는 다년생 만초(蔓草). 동아프리카의 원산인데, 잎은 잎자루가 있고 호생하며, 장상(掌狀)으로 갈라짐. 꽃은 담녹색이며 원추상(圓錐狀)으로 많이 밀생하고 잘며, 자웅 이주(雌雄異株)임. 뿌리는 방추상(紡錘狀)으로 굵은데, 잘라 말린 것을 콜롬보근(根)이라 하여 약용함.

콜롬보 계:획【一計劃】〔Colombo〕 명 1950년 1월 콜롬보에서 열린 영연방 외상 회의(英聯邦外相會議)에서 제안되어, 그 해 9월 런던에서 열린 동남 아시아 영연방 자문(諮問) 회의에서 확정(確定)된 동남 아시아 경제 개발 계획. 역외(域外) 원조국의 자본과 기술 지원을 받아 역내(域內) 회원국들의 경제 개발과 생활 수준의 향상을 목적으로 함. 우리나라는 1969년 12월에 가입하였으며, 미국·일본·동남 아시아 여러 나라도 가입함. 사무국은 콜롬보에 있음.

콜롬보 그룹: 〔Colombo group〕 명『정』 네루 인도 수상의 외교 정책을 중심으로 중립적 입장을 취하는 인도·파키스탄·미얀마·인도네시아·스리랑카의 5개국.

콜롬보-근【一根】〔colombo〕 명『약』 콜롬보의 뿌리를 동글게 썰어 말린 생약(生藥). 방추상(紡錘狀)의 덩어리로 쓴 맛이 있음. 달여서 만성 설사약 등의 건위제(健胃劑)로 씀. *콜롬보[2].

콜롬비아 〔Colombia〕 명『지』 남미 서북부의 공화국. 북은 카리브 해, 서는 대서양에 면하고, 파나마 지협(地峽)을 통하여 중미(中美)와 잇닿음. 주민의 68%는 혼혈이고 20%는 백인임. 가톨릭을 믿고, 공용어(公用語)는 스페인어. 300 년 간에 걸친 스페인의 식민지였으나, 1819 년에 현재의 파나마·베네수엘라·에콰도르와 함께 대(大)콜롬비아 공화국으로 독립하였다가 1830 년 베네수엘라·에콰도르가 탈퇴하고, 다시 1903 년 파나마가 분리하는 등 변천을 거듭한 끝에 오늘에 이름. 세계 제 2 의 커피 산지이고, 옥수수·담배·석유 등을 산출함. 수도는 보고타. 정식 명칭은 '콜롬비아 공화국(Republic of Colombia)'. [1,138,914 km²: 33,610,000 명(1991 추계)]

콜롱 〔프 colon〕 명 [식민자·이주자·계약 노동자·소작인의 뜻] 19세기에 아프리카·아시아 등지에 식민지 개척을 위하여 이주한 유럽계(系) 이민. 또, 그 자손. 좁은 뜻으로는, 알제리에 살고 있는 유럽계 이민을 가리킴.

콜루멜라 〔Columella, Lucius Junius Moderatus〕 명『사람』 1세기 중엽의 라틴 작가. 스페인에서 출생. 농경·과수·목축·양봉·조원(造園)·농업 경영·주조(酒造) 등에 관하여 논한 《농업론(農業論)》(12권)으로 유명함. 또, 《식수론(植樹論)》도 있으며 그 외의 것은 산일(散逸)함. 생몰년(生沒年) 미상.

콜룸바리움 〔라 columbarium〕 명『역』 고대 로마, 초대 기독교 시대의 지하에 만들어진 납골당(納骨堂)·묘실(墓室). 벽면에 골호(骨壺)를 넣는 많은 벽감(壁龕)이 있고, 그 벽화에는 우수한 것이 많음.

〈콜리〉

콜리 〔collie〕 명 영국 스코틀랜드 원산(原產)의 개. 얼굴이 길며 코 끝이 가늘고 구불어졌는데 털은 길고 아름다우며 북슬북슬한 꼬리를 가졌음. 목양견(牧羊犬)·애완견(愛玩犬)·엽견(獵犬)으로 쓰임.

콜리마 강【一江】〔Kolyma〕 명『지』 러시아 시베리아 동북부, 콜리마 산맥(山脈)에서 발원(發源)하여 북쪽으로 흘러서 동(東)시베리아 해(海)로 흘러 들어가는 강. 해마다 10월 초순(初旬)부터 5월까지 결빙(結氷)함. 하구(河口)에서 약 1,800 km 상류 지점까지 항행이 가능함. [2,192 km]

콜리마 산【一山】〔Colima〕 명『지』 멕시코 중서부, 서(西)시에라마드레(Sierra Madre) 산맥에 솟아 있는 활화산(活火山). 남방 45 km에 있는 코리마 시(市)에서 보이는 모습은 아름다움. 1576 년부터 1983 년까지 십여 차례에 걸쳐 분화하여 그때마다 인명 피해가 많았음. [4,339 m]

콜리메이터 〔collimator〕 명『물』 ①시준기(視準器). ②시준의(視準儀).

콜리메이트 〔collimate〕 명『물』 시준(視準)❶.

콜리스틴 〔colistin〕 명『약』 항생 물질의 일종. 백색 분말로, 아포간균(芽胞桿菌)이라는 세균이 만들어 내며, 그람 음성균(Gram陰性菌)과, 특히 녹농균(綠膿菌)에 대하여는 특효임. 이밖에 대장균 감염증, 녹농균 혼합 감염증, 장관(腸管) 수술시의 감염 예방, 백일해 등에 유효함.

콜:리어스 〔coleus〕 명『식』 콜레우스.

콜:리지 〔Coleridge, Samuel Taylor〕 명『사람』 영국의 시인·비평가. 워즈워스와 함께 《서정 민요집(抒情民謠集)》을 발간하였고, 상징적인 《늙은 선원》, 순수시(純粹詩)와 음악미(音樂美)가 풍부한 《쿠블라 칸(Kubla Khan)》 등을 발표하였는데, 영국 시사상(詩史上) 가장 환상적인 시인임. 비평(批評)에 있어서도 획기적인 이론을 전개하였음. [1772-1834]

콜리플라워 〔cauliflower〕 명『식』 [*Brassica oleracea* var. *botrytis*] 겨잣과에 속하는 2년초. 유럽 서해안의 원산으로 양배추와 비슷한데, 잎은 긴 타원형 또는 타원형이고, 줄기 끝에 선백색의 화뢰(花蕾)를 피우고 많이 갈라져서 작은 꽃이 무수히 핌. 꽃자루 및 꽃이 비대함. 여러 품종이 있으며, 양배추 중 가장 진화된 것임. 식용함.

콜린 〔choline〕 명『생』 염기성의 흡습(吸濕) 물질. 비타민 B 복합체의 일종. 유리(遊離)·결합 상태로 각종 동식물 조직, 특히, 뇌·담즙·난황(卵黃)·씨앗 속에 존재함. 세포막의 삼투압 조절·혈압 조절·신경 전달 등 여러 중요 생리 작용에 관계함. [$C_5H_{15}O_2N$]

콜린스[1] 〔Collins, John Anthony〕 명『사람』 영국의 이신론자(理神論者)·자유 사상가. 이성(理性)을 신앙의 기초로 하고, 또 성서 해석에 있어서는 지성의 자유로운 활동을 주장하며 기성 종교의 광신성(狂信性)과 비도덕성(非道德性)에 반대하면서 '인간의 자연 본성'에 의할 것을 주장함. 주저에 《자유 사상론》·《그리스도교의 근저》 등이 있음. [1676-1729]

콜린스[2] 〔Collins, William〕 명『사람』 영국의 시인. 17세 때에 발표한 《페르시아 목가(牧歌)》는 대표작으로 꼽히며, 24세 때의 작품 《송신(頌神)》은 영국 낭만파의 선구(先驅)로서 유명함. 만년에 우울증에 걸려 1754년에 발광(發狂)하여 고향에서 폐인과 같은 생활 속에서 삶을 마침. [1721-59]

콜린 에스테라아제 〔coline esterase〕 명『화』 ↗아세틸 콜린 에스테라아제.

콜: 머니 〔call money〕『경』 '콜(call)❷'을 차입자(借入者) 측에서 보아 이르는 말. *콜론·콜❷.

콜:먼 〔Coleman, Ronald〕 명『사람』 영국의 영화 배우. 주로, 미국에서 활약, 《마음의 행로》 등에 출연하였음. [1891-1958]

콜베 〔Kolbe, Hermann〕 명『사람』 독일의 유기(有機) 화학자. 마르부르크(Marburg) 대학·라이프치히 대학 교수를 역임. 유기 화합물의 구조에 대하여 기형설(基型說)을 제창, 유기 화학 이론의 발전에 공헌하였으며, 아세트산의 합성, 콜베법으로 불리는 살리실산(salicyl酸)의 합성 등도 이룩하였음. [1818-84]

콜베르 〔Colbert, Jean Baptiste〕 명『사람』 프랑스의 정치가·재정가. 루이(Louis) 14세의 재무 총감(總監) 등을 역임하였는데, 중상(重商)주의 정책으로 재정 개혁을 단행함. 산업의 장려, 동인도 회사의 설립, 해군력의 강화를 단행하고, 또 학예(學藝)를 보호 장려하였는데, 그 정책을 '콜베르티슴(Colbertisme)'이라 하여 유명함. [1619-83]

콜베르티슴 〔Colbertisme〕 명『역』 프랑스의 정치가인 콜베르가 추진한 프랑스의 중상(重商)주의.

콜: 브로:커 〔call broker〕 명『경』 콜 시장에서 금융 기관 등의 중간에 서서 콜 대차(貸借)의 중개를 하는 업자. 단자업자(短資業者).

콜:브룩데일 철교【一鐵橋】〔Coalbrookdale〕 명『지』 세계 최초의 철교. 1779년 영국의 세번 강(Severn江) 콜브룩데일에 가설된 주철제(鑄鐵製)의 다리로, 경간(徑間) 30 m, 높이 12 m임. 콜브룩데일은 18세기 이래의 제철 도시임.

콜: 사인 〔call sign〕 명 방송국이나 무선국의 전파 호출(電波呼出)의 부호. 알파벳 또는 알파벳과 숫자의 배합으로 됨. HLKA 같은 것.

콜: 시:장【一市場】〔call〕 명『경』 콜 론과 같은 융자(融資)가 행하여지는 시장. 단자 시장(短資市場).

콜: 자:금【一資金】 명 〔call〕『경』 금융 기관 간에 오가는 1-15 일 만기의 초단기 자금. 콜 자금을 빌려주는 것을 '콜 론', 빌려쓰는 것을 '콜 머

니'라고 함.

콜: 커터 〔coal cutter〕 명 〖기〗 석탄을 파 내는 기계의 한 가지. 여러 개의 쇠갈고리가 붙은 사슬 모양의 것을 수평으로 움직여 석탄을 잡아 채는 것처럼 파 내게 되어 있음.

콜: 택시 〔call taxi〕 명 전화로 호출하여 이용하는 택시.

콜콜[1] 부 좁은 구멍으로 물이 쏟아져 흐르는 소리. ㅆ꼴꼴[1]. <쿨쿨[1]. ——-하다 자여불 「쿨[2]. ——-하다 자여불

콜:콜[2] 부 어린애가 곤하게 잠잘 때 코를 고는 소리. 또, 그 모양. <쿨

콜콜-거리다[1] 자 작은 구멍으로 물이 쏟아져 흐르며 콜콜 소리를 내다. ㅆ꼴꼴거리다[1]. <쿨쿨거리다[1]. 「쿨거리다[2].

콜:콜-거리다[2] 자 곤하게 자면서 콜콜 소리를 내다. <쿨

콜콜-대다 자 콜콜거리다[1·2].

콜콜-히 부 매우 슬퍼하는 모양. ¶왜 그리 ~ 앉아 있나.

콜키쿰 〔colchicum〕 명 〖식〗 〔*Colchicum autumnale*〕 백합과에 속하는 다년생 초본. 유럽 원산의 원예용 재배 식물인데 잎은 피침형으로 서너 개가 근생(根生)하며, 10월에 잎이 나오기 전에 꽃이 백색 또는 담홍색 꽃줄기 끝에 단생(單生)함. 열매는 삭과로서, 긴 타원형임. 씨에서 콜히친(Kolchizin)을 채취함.

〈콜키쿰〉

콜:-타르 〔coal tar〕 명 〖화〗 석탄을 건류(乾溜)하여 얻는 타르. 방향족(芳香族) 탄화 수소를 주성분으로 하는 흑색의 끈끈한 유상(油狀) 액체. 섭씨 900-1,200도로 건류하여 얻어지는 고온 타르와, 섭씨 450-700도로 건류하여 얻어지는 저온 타르가 있는데, 보통 전자(前者)를 이름. 각종 합성 화학 공업의 원료로 쓰이는 외에, 그대로는 목재의 방부제 등에 쓰임. 석탄 타르. 타마유.

콜:타르 경유 【一輕油】 〔coal tar〕 명 가스 경유.

콜:타르 물감 〔coal tar〕 〔一깜〕 명 콜타르의 증류에 의하여 얻어지는 벤진·나프탈린·안트라센(anthracene) 등으로부터 유도되는 물감의 총칭. 인조 물감의 거의 대부분은 이에 의함. 타르 염료. 콜타르 염료.

콜:타르 에나멜 〔coal tar enamel〕 명 〖공〗 석유 제품을 수송하는 파이프에 도료처럼 피복재(被覆材)로 쓰는 콜타르. 내수성(耐水性)과 내음극 부식성(耐陰極腐蝕性) 효과가 있음.

콜:타르 염:료 【一染料】 〔coal tar〕 〔一뇨〕 명 콜타르 물감.

콜:트 〔Colt〕 명 미국인 콜트(Colt, Samuel; 1814-62)가 발명한 회전식(回轉式) 권총의 상표명.

콜트레인 〔Coltrane, John〕 명 〖사람〗 미국의 재즈 테너 색소폰 주자(奏者)·작곡가. 몇 개의 밴드를 거쳐, 1955년 데이비스(Davis Miles Dewey; 1926-)의 캄보(combo)에 참가하여 유명해지고, 1960년에는 자신의 밴드를 만들었음. 가장 영향력 있는 색소폰 주자. 대표작에 ≪지고(至高)한 사랑≫이 있음. [1926-67]

콜: 협정 【一協定】 〔call〕 명 〖경〗 금융이 완만할 때 업자가 경쟁적으로 싼 일변(日邊)의 콜을 제공함을 방지하기 위하여 맺는 최저 일변 협정.

콜호:스 〔러 kolkhoz〕 명 〔kollektivnoe khozyaistvo(집단 농장)의 약칭〕 〖사〗 소련의 농업 생산 협동 조합. 소련 농업의 거의 전부를 차지하는 농장 경영 조직으로, 토지·가축·농구(農具) 등을 조합의 소유로 하여 공동 경영을 행함. 농민은 그 운영에 참가하고 노동에 따른 보수를 받음. 콜호스원(員) 가족의 소규모의 부업 경영은 인정함. 집단 농장(集團農場). 공영 농장(共營農場). ＊소프호스(sovkhoz).

콜히친 〔도 Kolchizin〕 명 〖화〗 콜키쿰(colchicum)의 씨와 지하경(地下莖)에서 채취하는 알칼로이드의 일종. 황색의 결정으로 통풍(痛風)에 특효약임. 또, 식물의 핵분열을 끝마친 세포가 이분(二分)되는 것을 막는 작용을 하고, 두 개의 핵이 다시 하나로 되어 이배수(二倍數)의 염색체를 갖는 세포가 되므로, 인공적으로 배수성(倍數性)을 만드는 실험이나 품종 개량에 이용됨. [$C_{22}H_{25}O_6N$]

-콤 미 〈옛〉 씩. =-곰. ¶모맷 光明이 各各 열자콤 ㅎ시며≪月釋 Ⅱ:59≫.

콤마 〔comma〕 명 ①구두점(句讀點)의 하나. 곧 ','. 수를 표기할 때 보통 세 자리마다 찍어 그 자리를 나타내는 데도 쓰임. ②〖수〗 '소수점'의 이름. ＊콤마 이하(以下).

콤마 이:하 【一以下】 〔comma〕 명 ①크기·수·양이 계산상(計算上) 무시할 수 있을 정도로 미소(微少)함. ②사람의 가치·도량·됨됨이가 수준 이하임. 좀 모자람.

콤믈 명 〈옛〉 콧물. =콧물. ¶콤믈과 눈믈과(涕淚)≪痘要 上 3≫.

콤바인 〔combine〕 명 〖기〗 수확기(收穫機)와 탈곡기(脫穀機)의 기능을 겸비한 농업 기계. 합성식 수확기(合成式收穫機). 복식(複式) 수확기.

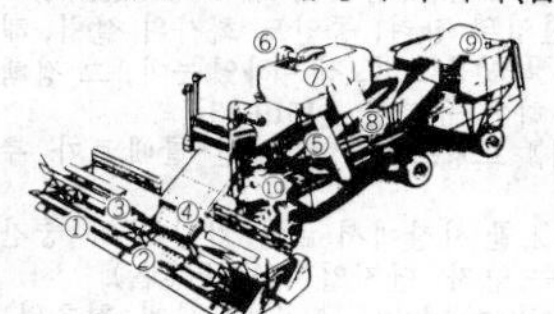

① 줄기 쓰러뜨리는 틀
② 베는 장치
③ 모으는 장치
④ 탈곡기
⑤ 낟알과 짚 분리 장치
⑥ 아래로 떨어진 낟알 올리는 장치
⑦ 낟알 상자
⑧ 짚 나르는 벨트
⑨ 짚을 묶어 뒤로 내던지는 장치
⑩ 운전대

〈콤바인〉

콤바인드 러시 〔combined rush〕 명 럭비에서, 선수가 한 덩어리가 되어 돌진함.

콤바인드 레이스 〔combined race〕 명 스키에서, 거리 경주와 점프의 두 경기의 채점(採點)으로 승부를 결정하는 일. 복합(複合) 경기.

콤부 빙하 【一氷河】 〔Khombu〕 명 〖지〗 에베레스트 산 남서부의 빙하. 1951년 영국 탐험대에 의하여 발견됨. 종전의 북방 등반로의 북동 빙하보다 새로운 등반로로서 1952년에 스위스 탐험대, 1953년에 영국 탐험대가 각각 이용하였음.

콤비 명 〔combination〕 ①무엇을 행하기 위해 두 사람이 짜는 일. 또, 그 두 사람. ¶명(名)~. ②↗콤비네이션❹❺❻.

콤비나:트 〔러 kombinat〕 명 〖경〗 기업 집단(企業集團)의 한 형태. 생산·기술 상으로서로 보조적인 관계에 있는 여러 산업·기업 또는 공장이 능률을 높이기 위하여, 일정한 지역에 집중하여 있는 것. 석유 화학(石油化學) 콤비나트가 그 대표적인 예로서, 이에 의해 원재료(原材料)의 확보, 코스트의 절감(節減), 부산물·폐물의 이용 등의 면에서 합리화(合理化)를 꾀할 수 있음. 소련에 있어, 주로 철광산과 탄전(炭田)의 결합 아래 철강업(鐵鋼業)을 건설할 때 채용된 방식에서 비롯됨.

콤비네이션 〔combination〕 명 ①서로 맞춤. 결합. 합동. 팀워크. ②공연(共演). ③〖수〗 조합[1]❸. ④아래위가 붙은 속샤쓰. 아래위가 붙은 옷. ⑤가죽과 즈크, 빛깔이 다른 가죽 등을 섞어 지은 구두. ⑥위아래가 다른 양복 한 벌. ⑦야구에서, 투수가 타자에게 던지는 공의 구종(球種)의 배합. 배구(配球). 4)-6): 준콤비.

〈콤비네이션❹〉

콤비네이션 거:래 【一去來】 〔combination〕 명 〖경〗 특정국으로부터의 특정 수입품과 이 편의 특정 수출품과를 일정 금액으로 연결시켜 유무 상통하는 무역 방식. 대금 결제가 통상(通常)의 방법으로 행하여지는 점에서 바터(barter) 무역과 다름.

콤비네이션 샐러드 〔combination salad〕 명 여러 가지 생야채(生野菜)를 혼합한 샐러드. 「탱커.

콤비네이션 탱커 〔combination tanker〕 명 석유·시멘트 혼재(混載)의

콤비 블로: 명 〔combination blow〕 권투에서 갖가지 타격을 섞어 연타하는 일.

콤샛 【COMSAT】 명 〔Communication Satellite Corporation의 약칭〕 미국 통신 위성 회사. 1963년 설립되어 위성 통신의 설비·조직을 소유하고 미국의 국제 통신업자에게 회선을 제공하고 있음.

콤소몰 〔러 Komsomol〕 명 〖사〗 〔Kommunisticheskii Soyuz Molodezhi의 약칭〕 소련 등에 있어서 공산주의 정치 교육의 일환(一環)으로서 조직된 청년 단체. 1918년 10월에 창립(創立)되었는데 공산당의 지도 하에 14-26세의 남녀로 조직되어 공산주의의 이념을 바탕으로 사회 교육적 활동을 함. 공산주의 청년 동맹. 1991년 9월 해체됨.

콤소몰스크 〔Komsomol'sk〕 명 〖지〗 러시아의 동부 하바로프스크 지방의 신흥 중공업 도시. 헤이룽 강(黑龍江) 하류 좌안에 있는데 야금(冶金)·조선·기계 제조가 성하며, 어업의 중심으로 수산물 가공이 행하여짐. 1932년 콤소몰이 건설하였으므로 이 이름이 붙음. [291,000명(1984)]

콤 연료 【COM燃料】 〔一널一〕 명 〔coal-oil mixture fuel〕 석탄 석유 혼합 연료(石炭石油混合燃料). 석탄을 고운 가루로 하여 석유에 섞은 액체 연료.

콤트랙 〔COMTRAC〕 명 〔computer aided traffic control〕 〖컴퓨터〗 컴퓨터를 사용한 열차 운전 제어 시스템. 열차 집중 제어 장치와 컴퓨터를 연결한 것임.

콤파스 〔네 kompas〕 명 ☞컴퍼스.

콤파운드 위스키 〔compound whisky〕 명 위스키 원액(原液)에 다른 원료에서 얻은 주정(酒精)을 섞은 술.

콤패티블 스테레오 방:송 【一放送】 명 〔compatible stereophonic broadcasting〕 스테레오 방송에서, 모노포닉(monophonic) 수신기(受信機)로도, 좌우(左右) 양쪽의 신호(信號)의 합성(合成) 신호로 방송을 청취(聽取)할 수 있는, 양립성(兩立性)을 가진 방송 방식(方式).

콤패티블 컬러 텔레비전 방식 【一方式】 명 〔compatible color television system〕 〖전〗 컬러 화상(畫像) 신호를, 보통의 흑백 수상기로도 정상적인 흑백 화상으로 재생할 수 있게 한, 컬러 텔레비전의 방식.

콤팩트 〔compact〕 명 ①덩어리로 굳힌 백분(白粉). ②휴대용 화장 도구의 하나. 보통, 분·연지 등이 들어 있고, 거울이 붙어 있음. 분갑(粉匣). ③콤팩트 카. ④작고 야무짐. 옹골참. ¶~한 카메라. ⑤〖수〗 위상 공간(位相空間)의 부분 집합의 성질의 하나. 위상 공간의 부분 집합이 몇 개의 개(開)집합으로 덮였을 때, 반드시 그 중의 유한개(有限個)로 덮이면 그 부분 집합은 '콤팩트'라고 이름. ⑥〖광〗 금속 가루를 압축하여 만든 덩이. 비금속 성분을 가하는 수도 있음.

콤팩트 개집합 【一開集合】 명 〔compact-open topology〕 〖수〗 어떤 위상 공간(位相空間)으로부터 다른 위상 공간까지의 모든 연속 함수(連續函數)의 공간상의 위상(位相). 이 위상의 부분기(部分基)는 집합(集合) $W(K,U)=\{f:f(K)\subset U\}$에 의하여 얻어짐. 여기서 K는 콤팩트, U는 개집합임. 「相) 공간.

콤팩트 공간 【一空間】 명 〔compact space〕 〖수〗 콤팩트 집합인 위상(位

콤팩트 디스크 〔compact disk ; CD〕 명 아날로그량(量)인 음성을 디지털적인 전기 신호로 바꾸어 처리하여, 다시 아날로그량인 음성으로 변환하는 소형 레코드. 기록된 신호를 레이저 광선으로 해독하여 음성 신호를 재생하는 것으로, 종래의 음반보다 음질과 기능이 뛰어남. 지름 12 cm의 디스크에 최대 74분의 음을 기록할 수 있음. 시디.

콤팩트 디스크 플레이어 〔compact disk player〕 명 시디 플레이어. 콤팩트 디스크를 재생하는 장치.

콤팩트 집합 【一集合】 명 〔compact set〕 〖수〗 위상 공간(位相空間)에서의 집합. 모든 개피복(開被覆)은 역시 피복인 유한 부분 집합을 갖는다는 성질이 있음.

콤팩트 카: 〔compact car〕 명 보통 차량보다 썩 작고 경제적으로 만들어진 자동차. 값이 싸고 연료비가 적게 듦. 준콤팩트.

콤팩트 카세트 〔compact cassette〕 명 카세트 테이프.

콤퍼레이터 〔comparator〕 명 ①측장기(測長器)의 하나. 임의의 길이와 표준척(標準尺)과를 비교하면서 정확히 길이를 측정할 수 있는 장치.

두 개의 측정용 확대경(擴大鏡)을 갖고 있는데, 0.001mm까지 측정할 수 있음. 사진이나 전기 회로 등에 쓰임. 비교 측정기(比較測定器). ②〖컴퓨터〗 두 개의 컴퓨터 프로그램, 파일 또는 데이터 집합으로서의 공통점과 차이점을 명시하기 위해 이들을 비교하는데 사용되는 소프트웨어 도구.

콤퍼지션 〔composition〕 명 ①〖문·연〗 구성. 구조. ②작문. ③〖미술〗 구도. ④〖악〗 작곡. 악곡.

콤포짓 시:퀀스 〔composite sequence〕 명 〖지〗 이상적인 순서로 모든 암질형(岩質型)을 함유한 일련의 주기적 퇴적물(堆積物).

콤포짓 오:더 〔composite order〕 명 〖건〗 로마 건축의 기둥머리 양식의 하나. 그리스 건축의 코린트식(式) 오더의 잎사귀 장식에 이오니아식의 소용돌이 장식을 단 것. 1세기경부터 발달함. 혼합 양식. 로마식 오더.

콤포:트 〔compote〕 명 ①설탕에 절인 과일. ②굽 달린 접시. 과일을 담거나 꽃꽂이 등에 씀.

콤프턴 〔Compton, Arther Holly〕 명 〖사람〗 미국의 실험 물리학자. 시카고 대학·워싱턴 대학 교수. 1919년 형과 함께 상한 전기계(象限電氣界)를 개량, 1923년 X선 산란(散亂)에 관한 '콤프턴 효과(Compton 効果)'의 발견으로 양자 이론(量子理論)의 새로운 전개에 공헌하여 1927년 노벨 물리학상(賞)을 받음. 제2차 세계 대전중에는 원자탄 제조 계획에 참획하고, 전후에도 원자력 연구 개발의 지도적 위치에 있었음. [1892-1962]

콤프턴 효:과 【一効果】 명 〔Compton effect〕 〖물〗 짧은 파장(波長)의 X선을 원자량이 작은 물질에 조사(照射)하면 전자를 방사함과 동시에 X선 자체는 산란(散亂)되는데, 이 X선의 파장이 처음의 X선의 파장보다 길어지는 현상. X선의 입자성(粒子性)을 입증하는 현상으로서 중요함. 1923년 미국의 콤프턴이 발견함.

콤플렉스 〔complex〕 명 ①〖심〗 정신 분석학 용어. 개인의 심적 내용(心的內容) 중에서, 억압된 사고 욕구가 서로 착종(錯綜)되어 있는 관념(觀念)의 복합(複合). 복합체. 착종체(體). 관념단(團). ②열등감(劣等感). ③합성물. 화합물.

콥대사니 명 〈방〉 마늘(제주).

콥트 〔Copts〕 명 콥트 교회의 신자.

콥트 교:회 【一敎會】 〔Copt〕 명 〔Coptic Church〕 〖종〗 이집트에 있는 기독교의 일파. 그리스도의 단성설(單性說)을 믿음. 451년 로마 가톨릭 교회에서 이탈(離脫)하였음. 이집트 인구(人口)중의 거의 10%가 이 교회에 속하고 있음.

콥트 미술 【一美術】 〔Copt〕 명 〔Coptic art〕 2세기말 나일 강 유역(流域)에의 기독교도의 이주에 따라 발달한 미술. 수도원의 조각·벽화·콥트직(織) 등 공예의 각 부문에 걸쳐서 독자적인 양식을 성숙시켜 동방 기독교 미술 중에서도 특색이 있음.

콥트-어 【一語】 명 〔Coptic〕 고대 이집트어에서 파생한 언어. 3세기 이후 이집트의 기독교도가 사용했음. 그리스 문자를 바탕으로 하는 그 표기(表記)는 고대 이집트어의 해명(解明)에도 시사(示唆)하는 바가 큼. 17세기경부터는 종교 용어로서 사용됨.

콥트-인 【一人】 〔Copt〕 명 보통 이집트에 사는 고대 이집트인의 자손으로서 콥트교의 신자들임. 그러나 타민족과의 혼혈도 있고 이슬람 교도가 된 사람도 있음. 고대 이집트인의 특색과 관습을 그대로 지니고 상(上)이집트 지방에 많이 살고 있음.

콥트-직 【一織】 〔Copt〕 명 3세기에서 8세기에 걸쳐 이집트에 산 콥트인이 창시 발달시킨 직물. 마(麻)·양모(羊毛)·비단을 재료로 하여, 색실의 문직(紋織)·자수·루프직(loop織)·홀치기 염색 등의 수법으로, 성서 속의 장면이나 기하학적 문양·당초(唐草)·식물·조수(鳥獸)·인물 등을 본떠서 만들었음.

콧-값 〔一갑〕 명 코가 크면 사나이답다는 속설(俗說)에서, 대장부다운 처신.

콧값(을) 하다 구 코가 큼직하고 남자답게 생긴 값으로 사나이답게 처신을 한다.

콧값도 못:하다 구 코도 크고 남자답게 생겼는데, 하는 짓은 남자답지 못하다.

콧-구멍 명 코에 뚫린 두 구멍. 비공(鼻孔).

[콧구멍 같은 집에 밑구멍 같은 나그네 온다] 가난한 집에 반갑지 않은 손님이 옴을 이르는 말. [콧구멍 둘 마련하기가 다행이라] 심히 답답하거나 기가 찰 때 다행히도 콧구멍이 둘 있어 호흡이 막히지 않고 통한다는 뜻. [콧구멍에 낀 대추씨] 매우 작고 보잘 것 없는 물건을 이르는 말. [콧구멍이 둘이니 숨을 쉬지] 기가 막힌다는 뜻.

콧구멍만하다 구 공간이 아주 협소하다. ¶콧구멍만한 방에서 살림을 시작하다.

콧-구양 명 〈방〉 콧구멍(함남).

콧-김 명 콧구멍으로 나오는 더운 김. ¶~을 쐬다.

콧김이 세:다 구 관계가 가까워서 영향력이 세다.

콧-날 명 콧등의 날카로운 줄. ¶~이 오뚝하다.

콧-날개 명 ☞ 콧방울. ¶노인이 ~를 벌름거리며 문득 사나이를 손짓해서 불렀다《洪盛原 : 폭군》.

콧날 밀:개 명 〖고고학〗 격지나 몸돌의 양쪽에 홈파기를 해서 가운데 부분에 콧날을 세우듯이 만든 밀개. 후기 구석기 시대 오리냐크 문화에 특히 발달했음. 콧날형 긁개.

콧날형 긁개 【一形一】 〔一극一〕 명 〖고고학〗 콧날 밀개.

콧-노래 명 입은 놀리지 않고 코로 가락만을 부르는 노래. ¶~를 부르다.

콧-노리 명 ↗콧등노리.

콧-대 명 콧등의 우뚝한 줄기.

콧대가 높다 구 '코높다'를 강조하여 이르는 말.

콧대가 세:다 구 '코세다'를 강조하여 이르는 말.

콧대를 꺾다 구 상대방의 만심(慢心)이나 자신(自信)을 꺾어, 기가 죽게 하다.

콧대를 세우다 구 우쭐해서 거만하게 굴다.

콧-등[1] 명 코의 등성이. 비척(鼻脊).

콧등(이) 부었다 구 일이 마음대로 되지 아니하여 자노 자발(自怒自發) 하나 겉으로 나타내지 못하고, 내심(內心)으로 심히 노(怒)함을 두고 이르는 말.

콧등이 세:다 구 코 세다.

콧등이 시다 구 아니꼽다. ¶콧등이 시어서 못 보겠다.

콧등이 시큰하다 구 안쓰러워서 눈물이 나올 듯이 눈시울이 뜨거워지다.

콧등이 찡하다 구 콧속이 뻐근하도록 가슴이 울리다.

콧-등[2] 명 〖고고학〗 축을 중심으로 하여 돌 연장의 날을 양 옆에서 떼어서 생긴 가운데의 등. 오리냐크 문화(Aurignac 文化)의 밀개에 잘 나타나 있음. 비형(鼻形).

콧등-노리 명 갈퀴의 가운데 치마를 맨 자리. ㊟콧노리.

콧-마루 명 콧등의 마루진 부분. 비량(鼻梁). 산정(山庭).

콧-물 명 콧구멍에서 흘러 나오는 맑은 물. 비수(鼻水). 비액(鼻液). 비체(鼻涕).

콧방 【一放】 명 〈속〉 상대방의 코끝을 손가락으로 튀기는 짓.

콧방(을) 맞다 구 〈속〉 핀잔을 먹다.

콧-방귀 명 ①코로 나오는 숨을 막았다가 갑자기 터뜨리면서 불어내는 소리. ②남을 멸시하거나 또는 남이 타이르는 말을 우습게 여김.

[콧방귀만 뀌다] 남의 말을 들은 체 만 체 말대꾸가 없다는 말.

콧-방울 명 코 끝의 좌우쪽에 불쑥이 내민 부분.

콧-배기 명 ☞ 코빼기.

콧-벽쟁이 명 콧구멍이 너무 좁아서 숨을 잘 쉬지 못하는 사람의 별명.

콧-병 【一病】 명 ①코의 병. ②병아리가 잘 앓는 코의 병.

[콧병 든 병아리 같다] 꼬박꼬박 조는 것을 두고 이르는 말.

콧-사등이 명 콧등의 낮춤말.

콧-사배기 명 〈속〉 ①코. ②코쭝배기. ¶~도 안 보인다.

콧-살 명 코를 찡그리어 생긴 주름.

콧-소리 명 ①콧구멍으로 나오는 소리. 비성(鼻聲). 비음(鼻音). ¶~로 말하다. ②〖언〗 코 안을 울리면서 내는 소리. 곧, ㄴ·ㅁ·ㅇ의 소리. 비음(鼻音). 통비음(通鼻音).

콧-속 명 콧구멍의 속. 비강(鼻腔). ¶~이 헐다.

콧-수염 【一鬚髥】 명 코 아래에 난 수염. 코밑수염. ¶~을 기르다.

콧-숨 명 코로 쉬는 숨. 비식(鼻息).

콧-잔등 명 ↗콧잔등이.

콧-잔등이 명 '코허리'의 낮춤말. ㊟콧잔등.

콧-종이 명 코를 푸는 데 쓰는 종이. 비지(鼻紙). 코지.

콧-줄기 명 〈방〉 콧대.

콩[1] 명 〔중세: 콩〕 〖식〗 [*Glycine max*] 콩과의 일년생 재배 식물. 뿌리에 많은 지근(支根)이 생기며 줄기의 높이는 60-90cm임. 잎은 처음에 자엽(子葉), 다음에 초생엽(初生葉)이 대생하며 그 뒤에 세 개의 소엽(小葉)으로 되는 본엽(本葉)이 호생함. 백색 또는 자색의 나비 모양의 꽃이 액생하여 피고, 협과(莢果)는 길고 둥근데 속에 두세 개의 씨가 있음. 중국 원산(原産)으로 한국 각지·만주 및 아메리카·캐나다·아프리카에서 재배함. 열매는 누른 빛·푸른 빛·검은 빛의 것이 있는데 단백질·지방(脂肪)이 함유되어 있음. 밥에 두어 먹기도 하고, 메주를 쑤어 된장·간장 또는 두부의 원료로 쓰며 또 기름을 짜는데, 그 깻묵은 중요한 비료가 됨. 대두(大豆).

〈콩1〉

[콩 났네 팥 났네 한다] 대수롭지 않은 일을 가지고 서로 시비를 다툰다는 말. [콩도 닷 말 팥도 닷 말] 기울지 아니하고 공평함을 이르는 말. 또는, 마찬가지라는 뜻. [콩 반(半) 알도 남의 몫에 지어 있다] 비록 작은 물건이라도 남의 소유(所有)를 부러워하는 것은 쓸데없다는 뜻. [콩 볶아 먹다가 가마솥 깨뜨린다] 작은 일을 실없이 하다가 큰 탈이 난다는 말. [콩 심은 데 콩 나고 팥 심은 데 팥 난다, 콩에서 콩 나고 팥에서 팥난다] 원인에 따라서 결과가 생긴다는 말. [콩으로 메주를 쑨다 하여도 곧이 듣지 않는다] 거짓말을 잘하여 신용할 수 없다는 뜻. [콩이야 팥이야 하다] 서로 비슷한 것을 구별하려고 따지며 시비를 한다는 뜻.

콩을 심:다 구 콩을 심을 때, 한 발로 흙을 덮고 다지면서 나아가므로, 절룩거림의 비유.

콩[2] 부 널빤지 같은 단단한 바닥 위에 무거운 물건이 떨어져 울리는 소리. <쿵. ——-하다 자여불

콩가 〔스conga〕 명 ①쿠바의 민속 음악에서 사용되는 타악기. 손으로 두드리면 힘찬 소리가 남. ②쿠바의 민속 무곡(舞曲)의 한 형식. 4분의 2 박자의 명랑한 리듬으로 열을 지어 행진하면서 춤을 춤.

콩-가루 〔一까一〕 명 콩을 빻아서 만든 가루. 두황(豆黃).

콩가루 집안 〔一까一〕 명 분쟁이 일어나서 산산조각이 난 집안.

콩-가지 〔一까一〕 명 콩나무의 가지.

콩-강정 명 강정의 한 가지. 볶은 콩을 엿으로 뭉친 강정.

콩계심이 명 〈방〉 〖충〗 먹가뢰.

콩고 〔Congo〕 명 〖지〗 ①아프리카의 중앙부 콩고 강 유역 일대의 명칭. 특히, '콩고 민주 공화국'을 아프리카인(人) 이외의 사람들이 부르는 호칭. ②아프리카 중부, 기니 만(灣) 동남부의 인민 공화국. 적도 바로 아래 있으며, 콩고 강·우방기(Ubangi) 강을 사이에 두고 콩고 민주

공화국과 접경하며 중앙 아프리카 공화국·가봉(Gabon)·카메룬(Cameroun) 등 나라와 이웃함. 주민은 바콩고족(Bakongo族)을 비롯하여 반투계(Bantu系)가 많고 프랑스어(語)를 공용함. 농업국으로 땅콩·야자유(椰子油)·목재 등을 수출하며 석유·금·다이아몬드·납 등 광산 자원도 산출함. 17-19세기에 프랑스인(人)의 침입을 받아 그 지배 아래 있다가 1958년 프랑스 공동체(共同體) 안의 자치 공화국, 1960년 독립하여 공화국을 수립하고 1969년 인민 공화국이 됨. 수도는 브라자빌(Brazzaville). 정식 명칭은 '콩고 인민 공화국(People's Republic of Congo)'. [342,000 km²: 2,590,000 명(1995 추계)]

콩고 강【一江】〔Congo〕 명 〖지〗 아프리카 중부 적도하(赤道下)의 큰 강. 잠비아(Zambia) 북동부의 산지(山地)에서 발원(發源)하여 루아풀라(Luapula) 강으로서 북류(北流)한 다음, 루알라바(Lualaba) 강이 되어, 적도 직하(直下)에 있는 스탠리(Stanley) 폭포를 거쳐 콩고 강이 되어 대서양으로 흐름. 폭포와 급단(急湍)이 많아 수운(水運)을 방해함. 자이르 강. [4,200 km]

콩고 레드〔Congo red〕 명 〖화〗 직접 염료(直接染料)의 하나. 수용성(水溶性)의 암적색(暗赤色) 분말로, 무명·견직물·양모 등에 선적색(鮮赤色)으로 물듦. 세탁이나 알칼리에는 강하나, 햇볕과 산(酸)에 약함. 종이의 염색, 지시약(指示藥) 등에 쓰임.

콩고레드시험【一試驗】 명 〔Congo red test〕 〖의〗 아밀로이드증(amyloid症)의 진단 시험. 콩고 레드를 정맥 주사하면, 정상 개체(正常個體)에서는 혈중(血中)에서 한 시간에 30%가 흡착(吸着)되나, 아밀로이드증 환자에게서는 40-100%까지도 흡착됨.

콩-고물〔一꼬一〕 명 콩가루로 만든 고물.

콩고 민주 공:화국【一民主共和國】〔Congo〕 명 〖지〗 자이르 공화국(Zaire 共和國)의 새로운 국명(國名). 1997년에 바꿈.

콩고-인【一人】〔Congo〕 명 아프리카 니그로의 일족. 콩고의 열대 우림(雨林)에 삶. 키가 작고 털이 많으며 코가 넓적함.

콩고 자유국【一自由國】〔Congo〕 명 〖지〗 '자이르 공화국'의 구칭.

콩고 조약【一條約】〔Congo〕 명 1885년 베를린에서 구미(歐美) 15 개국이 조인한 조약. 콩고 강의 자유 항행과 유역의 전시 중립화, 이 지방에 있어서의 노예 매매 금지와 자유 통상 및 1882년 벨기에가 설립한 콩고 국제 협회의 국제법상의 주체성과 콩고 강 유역 통치권의 승인 등을 규정했음.

콩-과【一科】〔一꽈〕 명 〖식〗 [Leguminosae] 쌍자엽(雙子葉) 식물 이판화류(離瓣花類)에 속하는 한 과. 목본(木本) 또는 초본(草本)으로 전세계에 13,000여 종, 한국에는 강낭콩·녹두·도둑놈의갈고리·완두·자귀풀·자운영·콩·팥·황기 등의 초본과, 골담초·싸리·다릅나무·등나무·아까시나무 등의 목본이 130여 종 분포함. 뿌리에는 근류(根瘤)가 생기는 것이 특이함.

콩-국〔一꾹〕 명 흰 콩을 살짝 삶아서 맷돌에 갈아 짜낸 물. 여름철에 국수 같은 것을 말아 먹음. 대두 냉수(大豆冷水). 두갱(豆羹).

콩-국수 명 콩국에 만 국수. 여름에 얼음을 띄워 먹음.

콩그레스〔congress〕 명 ①정식 대표자의 회의. 회합. ②특히, 미국의 의회(議會).

콩그리:브〔Congreve, William〕 명 〖사람〗 영국의 극작가. 1692년에 희극 ≪늙은 홀아비≫를 써서 인정된 이래 ≪사랑에는 사랑≫·≪세상길≫ 등을 발표하였음. 작품은 기지(機知)와 경묘(輕妙)한 회화(會話)가 특색임. 무운시(無韻詩)에도 상당한 경지를 보였음. [1670-1729]

콩글로머:천트〔conglomerchant〕 명 복합 소매업. 생산에서부터 소매에 이르는 유통(流通)의 모든 기능을 갖춘 소매법.

콩글리시 명 〔Korean+English〕 '한국인이 쓰는 영어'라는 뜻으로 한국인의 서투른 영어를 자조적(自嘲的)으로 비하하여 일컫는 말.

콩-기〔一끼〕 명 ①말이 콩을 많이 먹어서 세차고 사납게 된 기운. ②사람이 반지빠르고 세참의 비유.

콩-기름 명 ①콩에서 짜낸 기름. 두유(豆油). 태유(太油). 대두유(大豆油). ②〈방〉 콩나물.

콩-깍지 명 콩을 털어낸 껍데기.

콩-깻묵 명 콩기름을 짜낸 찌끼. 거름으로 씀. 두박(豆粕). 대두박(大豆粕). 탈지(脫脂) 대두박.

콩-꺾기 명 씨름에서, 앞무릎치기를 시도하여 상대의 앞다리와 무릎이 펴지거나 굽혀지려는 순간 다리샅바를 잡은 손과 오른손으로 상대의 오금을 끌어당겨 넘어뜨리는 손기술의 하나.

콩-꼬투리 명 콩알이 들어 있는 콩의 꼬투리.

콩-나물 명 콩을 시루 같은 구멍 있는 그릇에 담아 그늘에 두고서 물을 주어 뿌리를 내리게 한 식료품. 두아(豆芽). 숙아채(菽芽菜).

콩나물 시루 같다 구 빽빽이 들어차 있다. ¶콩나물 시루 같은 버스.

콩나물-국〔一꾹〕 명 콩나물을 넣고 끓인 국.

콩나물-밥 명 입쌀에 콩나물을 켜지켜지 두어서 지은 밥. 대두아반(大豆芽飯).

콩나물-순【一筍】 명 채 자라지 아니한 콩나물의 일컬음. 한의(韓醫)에서, 대두 황권(大豆黃卷)이라 하여 약으로 씀.

콩나물-죽【一粥】 명 입쌀에 콩나물을 섞어서 쑨 죽.

콩나물-콩 명 〈방〉 거름콩(평안).

콩나물-탕【一湯】 명 ☞ 콩나물국.

콩-노굿 명 콩의 꽃.

콩노굿 일:다〔一닐一〕 구 콩의 꽃이 피다.

콩-다식【一茶食】 명 콩가루로 만든 다식.

콩다콩 부 '콩닥'에 미음(尾音) '콩'을 달아 율동적(律動的)인 효과를 내는 말. <쿵더쿵. ——-하다 자 여불

콩닥 부 작은 방아를 찧는 소리. <쿵덕. ——-하다 자타 여불

콩닥-거리다 자타 잇따라 콩닥 소리가 나다. 잇따라 콩닥 소리를 내다. <쿵덕거리다. **콩닥-콩닥** 부. ——-하다 자타 여불

콩닥닥 부 작은 북 같은 것으로 장단(長短)을 맞추어 치는 소리. <쿵덕덕. ——-하다 자타 여불

콩닥닥-거리다 자타 잇따라 콩닥닥 소리가 나다. 또, 잇따라 콩닥닥 소리를 나게 하다. <쿵덕덕거리다. **콩닥닥-콩닥닥** 부. ——-하다 자타 여불

콩닥닥-대다 자타 콩닥닥거리다.

콩닥-대다 자타 콩닥거리다.

콩-대〔一때〕 명 콩을 떨어 낸 대.

콩-대우 명 콩을 심은 대우.

콩대우(를) 파다 구 이른봄에, 밀이나 보리 따위를 심은 밭이랑에, 드문드문 호미로 파서 콩을 심다.

콩-댐 명 물에 불린 콩을 갈아서 유지 장판(油脂壯版)에 바르는 일. 장판이 오래 갈 뿐더러 윤과 빛이 남. ——-하다 타 여불

콩-덕석 명 〈방〉 콩멍석(경남).

콩도르세〔Condorcet, Marie Jean Antoine Nicolas de Caritat, Marquis de〕 명 〖사람〗 프랑스의 수학자·철학자·정치가. ≪적분론(積分論)≫·≪해석론(解析論)≫ 등을 발표하여 1769년 과학 아카데미(Académie) 회원이 되었으며, 계몽 사상가들과 사귀어 '백과 전서(百科全書)'에 기고하고, 사회 과학에 수학적 방법을 응용하여 사회 수학(社會數學)의 수립을 꾀하는 한편, 인류의 영원한 진보를 확신하고 역사를 정신의 기구적(機構的) 운동으로 생각하였음. 대혁명의 와중에 자코뱅당(Jacobin 黨)에 의하여 투옥되어 자살함. 저서에 ≪인간 정신 진보의 역사적 개관≫ 등이 있음. [1743-94]

콩-독나방【一毒一】 명 〖충〗 [*Dasychira locuples cofuse*] 독나방과의 곤충. 편 날개의 길이가 암컷은 35 mm, 수컷은 47 mm가량이고, 몸빛은 다갈색에 앞날개의 내외 횡선(內外橫線)은 농색(濃色)임. 유충은 흑색이며 콩과 식물 및 각종 식물의 해충임. 한국·홋카이도·일본·인도 등지에 분포함. 두독아(豆毒蛾).

콩-동 명 콩을 꺾어 수숫대로 싸묶어서 동을 지은 것.

콩-들명나방【一螟一】 명 〖충〗 [*Maruca testulalis*] 명충나방과에 속하는 곤충. 편 날개의 길이 23 mm 내외이고 몸빛은 자황색을 띤 회갈색(灰褐色)인데, 앞날개는 자회색(紫灰色)에 황갈색과 적갈색의 인편(鱗片)이 있고, 전연(前緣)에는 백색 세로줄이 있으며 뒷날개는 백색임. 콩의 해충으로 전세계에 분포함. 콩명충나방.

〈콩들명나방〉

콩디야크〔Condillac, Étienne Bonnot de〕 명 〖사람〗 프랑스의 철학자. 감각론(感覺論)의 대표자. 백과 전서파(百科全書派)의 한 사람. 로크(Locke, J.)의 이원성(二元性)을 비판하고 모든 정신 활동을 감각에 귀착시켰음. 주저(主著)에 ≪인간의 인식의 기원에 관한 시론(試論)≫·≪감각론≫ 등이 있음. [1715-80]

콩-떡 명 쌀가루에 콩을 섞어서 찐 떡. 대두 백고(大豆白糕).

콩-마당 명 콩을 털려고 널어 놓은 마당.

[콩마당에 넘어졌나] 얼굴이 얽은 사람을 놀리는 말.

콩마당-질 명 마당에 콩대를 펴놓고 타작하는 일. ——-하다 자 여불

콩-망아지 명 〖충〗 팥망아지.

콩머리-비녀 명 머리 모양이 콩 모양으로 생긴 비녀.

콩-멍석 명 콩을 넌 멍석.

콩멍석 같다 구 ㉠몹시 맞거나 물것에 많이 뜯겨서 살거죽이 두툴두툴하다. ㉡얼굴이 몹시 얽어 있다.

콩멍석이 되다 구 ㉠몹시 맞거나 물것에 뜯겨서 살가죽이 두툴두툴해지다. ㉡얼굴이 몹시 얽다.

콩-명충나방【一螟蟲一】 명 〖충〗 콩들명나방.

콩-몽둥이 명 콩엿의 한 가지. 둥글게 비비어서 길쭉하게 자른 콩엿.

콩-무리 명 ↗콩버무리.

콩-물 명 〈방〉 콩국.

콩-바구미 명 〖충〗 [*Bruchus pisorum*] 콩바구밋과에 속하는 곤충. 몸길이 4-5 mm이고, 몸은 타원형이며 몸빛은 흑색임. 시초(翅鞘)는 짧은데, 각각 열 줄의 종구(縱溝)가 있으며, 대체로 갈색의 짧은 털이 덮여 있음. 촉각은 빗살 모양임. 콩이나 완두를 파먹는 해충으로 전세계에 분포함.

〈콩바구미〉

콩바구밋-과【一科】 명 〖충〗 [Lariidae] 딱정벌레목(目)에 속하는 한 과. 몸은 대개 달걀꼴이고 촉각(觸角)은 곤봉상·톱 모양·빗살 모양이며 부절(跗節)과 복판(腹板)은 각각 5절(節)임. 대부분의 종류가 콩과 식물의 종자에 기식(寄食)하는데, 전세계에 900여 종이 분포함.

콩-박각시 명 〖충〗 [*Clanis bilineata*] 박각싯과에 속하는 곤충. 편 날개 길이는 100-115 mm이고 황갈색이며, 두흉부에 암자색의 배선(背線)이 있음. 앞날개의 전연(前緣) 중앙에는 담색의 큰 반원(半圓) 무늬가 있고, 뒷날개는 암갈색에 자색을 띠고, 기부는 황갈색임. 유충은 콩류의 해충임. 한국에도 분포함.

콩-밥 명 ①쌀에 콩을 섞어서 지은 밥. ②〈속〉 죄수(罪囚)의 밥.

콩밥 먹다 구 〈속〉 감옥살이하다.

콩밥 먹이다 구 〈속〉 감옥살이를 하게 하다.

콩-밭 명 콩을 심어 가꾸는 밭.

[콩밭에 가서 두부 찾는다] 몹시 성급한 사람을 두고 하는 말. [콩밭에 간수 치겠다] 사리를 돌보지 않고 급히 덤빈다는 말. [콩밭에 소 풀어

놓고도 할 말은 있다]'처녀가 아이를 낳고도 할 말이 있다'와 같은 뜻.
콩-배나무 명 〖식〗 [*Pyrus calleryana* var. *fauriei*] 장미과의 낙엽 활엽 관목. 잎은 달걀꼴 또는 원형으로 끝이 뾰고 밑은 둥긂. 4-5월에 흰 꽃이 산방(繖房) 화서로 피고, 이과(梨果)는 구형(球形)이며 10월에 익음. 산이나 들에 나는데, 황해도·경기도 이남 및 일본·중국에 분포함. 과실은 식용함. 돌배나무.
콩-버들 명 〖식〗 [*Salix rotundifolia*] 버드나뭇과에 속하는 낙엽 활엽 관목. 잎은 원형 또는 타원형, 표면에 광택이 있음. 자웅 이가(雌雄異家)로, 꽃은 봄에 유제(葇荑) 화서로 피는데, 수꽃 이삭은 가지 끝에 정생(頂生)하며 수술은 두 개, 암꽃 이삭은 짧음. 삭과(蒴果)는 긴 달걀꼴로 광택(光澤)이 있으며 여름에 익음. 산꼭대기 부근의 경사(傾斜)진 곳에 나는데, 경북·강원도 이북 및 일본·사할린·중국·시베리아에 분포함.
콩-버무리 명 멥쌀 가루나 밀가루에, 불린 콩이나 풋콩을 많이 두고 버무려서 찐 떡. ㊈콩무리.
콩-볶기 명 〖민〗 음력 2월 초하루 하리아드랫날에, 콩을 볶아 먹는 일. 솥에 불을 지피어 콩을 넣고 주걱으로 저으며, '새알 볶아라, 쥐알 볶아라, 콩 볶아라'라고 주언(呪言)을 욈. 이날, 콩을 볶아 먹으면, 집안의 노래기가 없어진다고 함.
콩-볶듯 부 ①뭍방질하는 총소리의 비유. 콩튀듯. ¶총을 ~이 쏴대다. ②성정(性情)이 몹시 급하여 가만히 있지 않는 사람을 두고 이르는 말. └¶~이 덤빈다.
콩-볶은이 명 불에 볶은 콩.
콩-부대기 명 콩을 깍지째 불에 익히는 일. 콩청대.
콩-비지 명 되비지.
콩-새 명 〖조〗 ①[*Coccothraustes coccothraustes*] 참샛과에 속하는 새. 날개의 길이는 10 cm, 꽁지 5-6 cm 내외이고 부리는 2 cm 가량으로 굵고 튼튼하며 살빛임. 몸빛은 상면(上面)은 갈색, 복면(腹面)은 담갈색, 목은 회색, 날개는 청흑색, 부리와 눈의 주위는 흑색임. 산기슭의 숲 속에 단독 서식하는데 열매·곤충 등을 먹고, 4-6월에 4-5개의 알을 낳음. 동부 시베리아·홋카이도에서 번식하고 한국·일본·대만 등지에서 월동함. 석작(錫嘴). 상호(桑扈·桑鳸). 절지(竊脂). ②〈방〉 메추라기(강원).

〈콩새❶〉

콩-서리 명 남의 콩밭에 떼를 지어 가서 풋콩을 훔쳐 뽑아다가 불에 구워먹는 장난. *서리². ——-하다 자여불
콩-설기 명 쌀가루에 콩을 드문드문 두고서 찐 설기떡.
콩세르바투아르 〔프 conservatoire〕 명 ①음악 학교. 미술 학교. ② 〔Conservatoire〕'파리 음악원'의 통칭(通稱). 1795년에 설립함. 근대적 음악 학교의 시초라 일컬어짐.
콩-소 명 떡에 넣는 콩이나 콩가루로 만든 소.
콩소메 〔프 consommé〕 명 두 종류 이상의 육류(肉類), 주로 닭고기·쇠고기를 삶아 낸 물에 간을 한 수프(soup). 말간 수프. ↔포타주(potage).
콩스탕 〔Constant, Benjamin〕 명 〖사람〗 프랑스의 정치가·작가. 입헌 왕제주의의 정치가로서 활약하고 저서 ≪입헌 정치론≫은 근대 입헌 사상의 획기적 저서이며, 자서전적 작품 ≪아돌프(Adolphe)≫는 근대 심리 소설의 걸작으로 알려짐. [1767-1830]
콩-알 명 ①콩의 낱낱의 알. ②매우 작은 물건을 가리키는 말. ¶간이 ~만하다. ③'총알'의 곁말. ¶~을 한 방 먹고 죽다.
콩-엿 [—넏] 명 볶은 콩을 섞어서 굳힌 엿.
콩-웡 〔khong wong〕 명 〖악〗 타이의 타악기(打樂器). 높고 낮은 음률을 가지는 16-18개의 단지 모양의 징을 원형의 틀에 나란히 놓고, 연주자는 그 속에서 두 개의 둥근 머리가 달린 채로 쳐서 소리를 냄.
콩-잎 [—닙] 명 콩의 잎.
콩잎-가뢰 [—닙—] 명 〖충〗 먹가뢰. 두반묘(豆斑貓).
콩잎-장 【—醬】 [—닙—] 명 콩잎으로 장아찌를 박아 담근 간장. 두엽장(豆葉醬).
콩-자갈 명 콩알만큼씩 한 잔 자갈. *밤자갈.
콩-자반 【—佐飯】 명 콩을 간장에 끓여서 바싹 조린 반찬.
콩-장 【—醬】 명 볶은 콩을 장에 넣고 기름·깨소금·고춧가루 및 이긴 파 등을 치고 버무린 반찬. 두장(豆醬).
콩-제비꽃 명 〖식〗 [*Viola verecunda*] 제비꽃과에 속하는 다년초. 유경성(有莖性)이며, 줄기는 총생(叢生)하고 높이 20 cm 내외임. 잎은 잎꼭지가 길고 콩팥 모양의 달걀꼴이며, 탁엽(托葉)은 잎꼭지의 기각(基脚)에 달리는데 통상 피침형임. 4-5월에 흰 오판화가 액생(腋生)하여 대생함. 삭과(蒴果)는 긴 달걀꼴이며 세 쪽으로 째어짐. 들에 나는데, 한국 각지에 분포함. 어린 잎은 식용함.

〈콩제비꽃〉

콩-죽 【—粥】 명 불린 콩을 갈아서 쌀과 함께 끓인 죽. 두죽(豆粥).
콩-중이 명 〖충〗 [*Gastrimargus transversus*] 메뚜깃과(科)에 속하는 곤충. 몸길이는 날개 끝까지 40-57 mm이고, 몸빛은 녹색 또는 흑갈색이며 전흉배(前胸背)의 중앙에 높은 융기선(隆起線)이 있고, 그 양측에 흑갈색의 세로띠가 있음. 앞날개는 복부(腹部)보다 길고, 기부(基部)는 녹색이고 그 외는 흑갈색에 두 개의 회색 띠무늬가 있고 뒷날개를 펴면 수레바퀴와 비슷함. 뒷다리 퇴절(腿節)에 잔 흑점(黑點)이 흩어져 있으며 경절(脛節)은 적색임. 한국에도 분포함. 띠무늬 메뚜기. *팥중이.

〈콩중이〉

콩중이-붙이 [—부치] 명 〖충〗 [*Oedaleus infernalis saussure*] 메뚜깃과에 속하는 곤충. 몸길이는 시단(翅端)까지 수컷 42 mm, 암컷 58 mm 가량이며, 대체로 콩중이와 비슷한데 보다 작음. 몸빛은 녹색 또는 갈색이며 전흉배(前胸背)에는 세로띠가 있음. 앞날개는 길어서 꼬리 끝을 넘고 수컷의 넓적다리와 정강이 마디의 기부(基部)는 적갈색임. 한국에도 분포함. 띠무늬메뚜기붙이.
콩쥐-팥쥐 명 〖문〗 조선 시대 때의 소설. 서양에 널리 알려진 신데렐라(Cinderella)형의 설화(說話)를 소설화(小說化)한 작품. 착하고 어진 전실(前室) 딸 콩쥐가 계모와 그의 소생 팥쥐에게 온갖 구박을 받으나, 선녀의 도움으로 여러 가지 고난을 이겨내고 죽었다가 다시 환생(還生)하여 복수한다는 이야기. 악한 인간에 대한 철저한 복수를 형상화(形象化)함으로써 권선 징악(勸善懲惡)의 효과(効果)를 높인 작품임. 작자·연대 미상.
콩-지름 명 〈방〉 콩나물(경상).
콩-질금 명 〈방〉 콩나물(함경).
콩-짚 명 깍지가 달린 콩대.
콩-짜개 명 두 쪽으로 갈라진 콩.
콩짜개-덩굴 명 〖식〗 [*Lemmaphyllum microphyllum*] 고사릿과에 속하는 상록 양치류(羊齒類). 근경(根莖)은 사상(絲狀)으로 길게 벋으며, 암갈색의 긴 인편(鱗片)이 산재하고 수근(鬚根)이 있음. 잎은 성기게 나는데, 나엽(裸葉)은 원형 또는 거꿀달걀꼴 원형으로 콩짜개와 같으며, 잎꼭지가 길고 육질(肉質)이 광택이 있고 포자엽(胞子葉)은 잎꼭지가 가늘고 긺. 낭퇴(囊堆)는 선형인데 황갈색 또는 갈색임. 산지의 나무줄기나 바윗돌에 붙어서 남. 제주·전남북 등지에 분포(分布)함.
〈콩짜개덩굴〉
콩-찐이 명 검은 콩을 찹쌀 가루에 켜로 얹어서 찐 콩찰떡. ¶느티떡 ~는 제때의 별미로다≪農家月令歌≫.
콩-찰떡 명 찹쌀 가루에 검은 온 콩을 고물로 두고 켜를 지어서 찐 떡.
콩-청대 명 콩부대기.
콩칠-팔칠 부 〈방〉 콩팔칠팔.
콩케-팔케 명 사물이 마구 뒤섞여서 뒤죽박죽된 것을 가리키는 말. ¶모든 것이 ~다/~ 쌓다.
콩코:드¹ 〔Concord〕 명 〖지〗 미국 매사추세츠 주 보스턴(Boston) 시 서쪽 약 30 km에 있는 도시. 미국 독립 전쟁 때 콩코드 싸움이 벌어졌던 곳. 콩코드 그룹이라고 불리는 호손(Hawthorne)·에머슨(Emerson) 등의 문인(文人)들의 옛 집이 보존되어 있음. [16,293 명(1980)]
콩코:드² 〔Concorde〕 명 영국·프랑스 양국이 공동으로 개발한 초음속 여객기. 시작(試作) 제1호기는 1967년 12월에 완성되어, 취항은 1971년에 시작됨. 전폭(全幅) 25 m, 전장 62.1 m, 추력(推力) 17 톤의 터보제트(turbojet)를 가지고 있으며, 최대 이륙 중량 170톤, 승객수 128명, 순항 속도 마하 2.05임.
콩코르다 〔프 concordat〕 명 로마 교황과 세속 국왕 또는 정부간에 종교와 정치의 양면에 걸친 문제를 조정하기 위하여 체결되는 조약. 정교(政教) 조약. 종교 협약.
콩코르드 광:장 【—廣場】 〔Concorde〕 명 〖지〗 프랑스의 수도 파리 중앙부의 센 강(江) 오른쪽 기슭에 있는 광장. 동서 360 m, 남북 210 m의 반듯한 광장으로 18 세기에 루이 15 세의 명령으로 건설되었음. 프랑스 혁명 중에는 단두대(斷頭臺)가 설치되어, 루이 16 세·마리 앙투아네트를 비롯한 많은 명사들이 처형된 곳으로 유명함.
콩코:스 〔concourse〕 명 ①공원의 중앙 광장. ②역이나 공항 등의 건물 속의 통로를 겸한 중앙 홀(hall).
콩-콩¹ 부 강아지가 자꾸 짖는 소리. ——-하다 자여불
콩-콩² 부 여러 번 콩하는 소리. <쿵쿵. ——-하다 자여불
콩콩-거리다 자타 잇따라 콩콩 소리가 나다. 또, 잇따라 콩콩 소리를 나게 하다. ¶마루 위를 콩콩거리며 뛰어다니다. <쿵쿵거리다.
콩콩-대다 자타 콩콩거리다.
콩쿠:르 〔프 concours〕 명 ①경쟁. 경기(競技). ②음악·미술·영화 등을 장려하기 위하여 개최하는 경연회(競演會). ¶음악 ~.
콩쿨 대:회 【—大會】 명 〔←프 concours〕 콩쿠르❷.
콩크 성:당 【—聖堂】 〔Conques〕 명 남프랑스의 작은 마을 콩크에 있는 성당. 11세기에 세워진 것으로, 로마네스크 예술의 가장 아름다운 유례(遺例)의 하나임. 순례지의 하나로서 중요한 성당이었음.
콩클린-법 【—法】 [—뻡] 명 〔Conklin process〕 〖광〗 비중(比重)이 큰 매체(媒體)를 쓴 세탄법(洗炭法)의 하나.
콩키스타도레스 〔스 conquistadores〕 명 〖역〗 [정복자의 뜻] 16세기초 중남미 지방에 침입한 스페인의 모험자들을 가리킴. 아스테카 왕국을 멸망시킨 코르테스(Cortés, H.), 잉카를 멸망시킨 피사로(Pizarro, F.)가 그 대표적 인물임.
콩-탕 【—湯】 명 찬물에 고운 날콩가루를 풀어서 순두부처럼 엉길 때까지 끓였다가 진잎을 잘게 썰어 넣고 다시 끓여 내어 양념한 국.
콩태 명 〈방〉 큰 소매.
콩태기 명 〈방〉 큰 소매.
콩테 〔conté〕 명 크레용의 한 가지. 목탄(木炭)보다 단단하고 연필보다 연하며 막대기 또는 연필 모양인데, 백색·흑색·다색(茶色)의 세 가지가 있음. 목탄처럼 자유롭게 지울 수 없으므로 오늘날에는 별로 많이 쓰이지 아니함. 또, 콩테로 그린 그림. 프랑스의 화학자(化學者) 콩테(Conté, Nicolas Jacques; 1755-1805)가 발명함.
콩-튀듯 부 ①↗콩튀듯팥튀듯. ②콩볶듯. ——-하다 자여불
콩튀듯-팥튀듯 부 몹시 성이 나서 어쩔 줄 모르게 마구 팔팔 날뛰는 모양의 비유. ¶법률학에 입학함을청한즉 박 승지는 ~ 별별 야단을 다 치며 ≪金教濟:牧丹花≫. ㊈콩튀듯. ——-하다 자여불

콩트[1] 〔프 comte〕 명 프랑스의 작위. 영어로는 count, 이탈리아에서는 conte, 스페인에서는 conde라고 함. 보통, 백작이라고 번역함.

콩트[2] 〔Comte, Isidore Auguste Marie François Xavier〕 명 『사람』 프랑스의 철학자. 사회학의 개조(開祖)로, 프랑스 혁명 후의 시민 사회의 위기를 과학을 통한 인간 지성의 개혁에 의하여 재건할 것을 주장함. 사회 재(再)조직의 이론과 '인간 정신 진보의 법칙'의 확립에서 실증(實證)주의에 도달하였음. 사회는 단순한 개인의 집합 이상의 인류태(人類態: humanité)이며 그 연구가 사회학의 목적이라 하였으며, 다른 모든 과학을 여기에 포섭시키었음. 만년에 종교적 경향으로 흘러 인도교(人道敎)를 제창하였는데 ≪실증 철학 강의≫·≪실증 정치 체계≫·≪실증 정신론≫ 등의 역저(力著)를 남김. [1798-1857]

콩트[3] 〔프 conte〕 명 『문』 ①짧고 재치 있게 쓴 단편. 유머·풍자·기지로 인생을 비판한 것이 많음. 장편(掌篇) 소설. 장편(掌篇). ②❶과 같은 취향으로 웃음을 자아내는 촌극(寸劇). 프랑스에서 발달하였음.

콩트르당스 〔프 contredanse〕 명 〔country dance〕 18-19세기에 프랑스를 중심하여 유행한 사교춤. 네 쌍에서 여덟 쌍의 남녀가 상대하여 추는 활발한 춤. 본시는 영국의 컨트리 댄스임. 전원 무곡. 대무곡(對舞曲). 컨트리 댄스.

콩팍 명 〈방〉 콩팥(평안).

콩팔-칠팔 부 갈피를 잡을 수 없이 함부로 지껄이는 것을 가리키는 말. ¶～ 떠들어대다 / 아는 것이 많기도 한 인동 할멈도 이 지리에만은 문경이 충청도로 되었다 경상도가 되었다 ～이었다≪李無影 : 農民≫. ――-하다 자 여불

콩팟치 명 〈방〉 콩팥❷(함남).

콩팥 명 ①콩과 팥. ②『생』 신장(腎臟).

콩팥-게거미 명 『동』 〔*Xysticus insulicola*〕 게거밋과에 속하는 절지동물. 몸의 길이는 9 mm 내외이고, 배갑(背甲)은 담갈황색(淡褐黃色)이며, 가슴 상면의 가장자리에 한 쌍의 암적색 줄무늬가 있음. 복부는 원형이고 상면은 담황색에 담회갈색의 반문(斑紋)이 있음. 풀 사이에 서식하는데, 한국·일본에 분포함.

콩팥-꼴 명 신장형(腎臟形).

콩팥-노루발 명 『식』 〔*Pyrola renifolia*〕 노루발과에 속하는 상록 다년초. 화경(花莖)은 10-15 cm 내외이며 잎은 호생하고, 잎꼭지가 길고, 원신형(圓腎形)임. 6-7월에 녹백색의 꽃이 총상(總狀) 화서로 성기게 핌. 삭과(蒴果)는 등글고 납작한데 다섯 쪽으로 쪼개어짐. 깊은 산의 침엽 수림 밑에서 자람. 경북·평남·함남도에 분포함.

콩팥-회 【一膾】 명 소의 콩팥을 저미어서 만든 회.

콩팩기 명 〈방〉 콩팥❷(함남).

콩펙숑 〔프 confection〕 명 특히, 여성용 의복이나 내의의 기성품.

콩폿 명 〈방〉 콩팥❷(전라·경남).

콩풀 명 종이나 헝겊을 풀칠하여 붙일 때에 그 사이에 공기가 들어가서 콩알처럼 겉으로 부풀어오른 자리.

콩 명 〈옛〉 콩. ¶콩爲大豆≪訓例≫/콩 숙(菽)≪字會 上 13≫.

콩팟 명 〈옛〉 콩팥. ¶콩팟 신(腎)≪字會 上 27≫.

콰 조 〈옛〉 과. 와. 'ㅎ' 첨용(添用)하는 말에만 쓰였음. ¶天人은 하늘콰 사룸쾌라≪月釋 Ⅰ:17≫.

-콰뎌 미 〈옛〉 -하고자. ¶또 비호미 等을 건너 뛰디 아니콰뎌 ㅎ신 젼치라(亦欲學不躐等故也)≪妙蓮 Ⅲ·143≫.

콰르르 부 많은 액체(液體)가 좁은 목이나 구멍에서 급하고도 세차게 쏟아지는 소리. 또, 그 모양. ≒콰르르. ――-하다 자 여불

콰르릉 부 폭발물 따위가 터질 때에 크고 웅숭 깊게 울리어 나는 소리. ≒꽈르릉. ――-하다 자 여불

콰르릉-거리다 자타 자꾸 콰르릉 소리가 나다. 또, 자꾸 콰르릉 소리를 나게 하다. ≒꽈르릉거리다. 콰르릉-콰르릉 부. ――-하다 자타 여불

콰르릉-대다 자타 콰르릉거리다.

콰르텟 〔quartet, quartette〕 명 『악』 ①사중창(四重唱). 사중주(四重奏). 사부(四部) 합창. ②사성부(四聲部) 또는 네 악기(樂器)의 합주용으로 된 소나타(sonata) 형식의 악곡(樂曲). 사중주곡.

콰이어 〔choir〕 명 ①『악』 교회의 성가대(聖歌隊). 원칙으로 여성(女聲)을 사용하지 않고, 어린이들의 고음(高音)을 쓰기로 되어 있었으나 근래에는 거의 지켜지지 않고 있음. ②교회의 성가대석(席).

콰인 〔Quine, Willard Van Orman〕 명 『사람』 미국의 논리학자·철학자. 1934년 ≪기호(記號) 논리학의 체계≫를 발표하고 ≪수학적 논리학≫·≪논리학의 입장에서≫ 등의 저서를 냄. [1908-]

콰지 〔이 quasi〕 명 『악』 '…와 같이'의 음악 표기.

콰지모:도 〔Quasimodo, Salvatore〕 명 『사람』 이탈리아의 시인. 처음 토목 기술자였다가 문학으로 전향. 1930년 제1 시집 ≪물과 흙≫ 이후 10여 권의 시집을 냄. 1959년 고전적 정열로써 현대 생활을 묘사한 서정시로 노벨 문학상을 탐. 이탈리아의 다른 고답적(高踏的)인 시인과는 달리 서민적인 시를 썼음. 시집 ≪인생은 꿈이 아니다≫, 번역 시집 ≪그리스 서정시≫ 등이 있음. [1901-68]

콰키우틀-족 【一族】 〔Kwakiutl〕 명 미국 인디언의 한 부족. 캐나다의 브리티시 컬럼비아 및 밴쿠버 섬 근처에 살며 어렵(漁獵)을 생업(生業)으로 함. 현재는 캐나다 사회에 흡수됨으로써 그 수가 격감하고 있음.

콰피르-인 【一人】 〔Quafir〕 명 아프가니스탄(Afghanistan)의 동북부 콰피리스탄(Quafiristan) 산지에 사는 인종. 체질은 인도·이란인에 가까운 혼혈족으로 콰피르 말을 쓰며 농목축에 종사함.

콱 부 ①힘껏 들이지르는 모양. ¶주먹으로 ～ 쥐어 박다. ②몹시 숨거나 덥거나 냅거나 또는 지독한 냄새로 숨이 막히는 모양. ¶악취가 ～ 코를 찌르다. ③구멍 등을 힘주어 막거나 또는 힘있게 막히는 모양. ¶아가리를 ～ 막아 주어라/기가 막혀 말이 ～ 막힌다. ――-하다 자 여불

콱-콱 부 계속해서 콱하는 모양. ¶숨이 ～ 막히다. ――-하다 자 여불

콱콱-거리다 자 계속해서 콱콱하다.

콱콱-대다 자 콱콱거리다.

콴툼 〔라 quantum〕 명 『물』 양자(量子).

콸라-룸푸르 〔Kuala Lumpur〕 명 『지』 말레이시아 연방의 수도. 말레이 반도의 서쪽, 말라카(Malacca) 해협에 유입하는 클랑 강(Klang江)의 하구(河口)에서 약 80 km 지점에 있음. 고무 재배와 주석 공업의 중심지이고, 장대(壯大)한 사원(寺院)이 있어 유명함. 19세기 후반부터 화교(華僑)의 거리로 발전하여 말레이시아의 독립 후 근대 도시가 됨. 현행 표기는 쿠알라룸푸르임. [1,230,000 명(1991 추계)]

콸콸 부 좁은 구멍으로 많은 액체가 급히 쏟아지는 소리. ¶～ 솟구치다. ≒꽐꽐. <퀄퀄. ――-하다 자 여불

콸콸-거리다 자 계속해서 콸콸하다. ¶콸콸거리며 쏟아지다. ≒꽐꽐거리다. <퀄퀄거리다.

콸콸-대다 자 콸콸거리다.

쾅 부 ①대포를 쏘거나 폭발물이 터질 때 울리는 소리. ②무거운 물건이 되게 떨어져 울리는 소리. 1)·2): <쿵. ③문 따위가 세게 닫히는 소리. ¶문을 ～ 닫다. ≒꽝. ――-하다 자 여불

쾅-가이 〔Quang Ngai〕 명 『지』 베트남 중부 동안(東岸)의 좁은 평야에 있는 도시. 쌀·사탕수수·담배 등 농업 지대의 중심지임. 참파(Champa)의 유적이 많음. [47,000 명(1971)]

쾅-쾅 부 계속해서 쾅 울리는 소리. ㅡ광광. ≒꽝꽝. <쿵쿵. ――-하다 자타 여불

쾅쾅-거리다 자타 계속해서 쾅쾅하다. 또, 계속해서 쾅쾅 소리를 나게 하다. ¶마루 위를 쾅쾅거리며 뛰어다니다. ㅡ광광거리다. ≒꽝꽝거리다. <쿵쿵거리다.

쾅쾅-대다 자타 쾅쾅거리다.

쾌:[1] 【夬】 명 『민』 ↗쾌쾌(夬卦).

쾌[2] 【快】 명 ①『심』 감정의 근본 방향을 지속하여 나가려는 상태. ②↗쾌감(快感).

쾌[3] 의명 ①북어 스무 마리를 한 단위로 세는 말. ¶북어 두 ～. ②『역』 엽전 열 꾸러미, 곧 열 냥을 한 단위로 세는 말. 관(貫).

-쾌 조 〈옛〉 -과가. ¶갓과 솔쾌≪月釋 Ⅱ:40≫.

쾌감 【快感】 명 상쾌하고 즐거운 느낌. 유쾌한 기분. ㊂쾌(快).

쾌감 원칙 【快感原則】 명 〔도 Lustprinzip〕 『심』 프로이트의 정신 분석학의 용어로, 될 수 있는 한 불쾌감을 피하고 쾌감을 추구하는 무의식의 경향. 심리 기구(心理機構) 전체를 흥분 상태로부터 해방하거나, 흥분량을 정상적으로 유지하려는 무의식(無意識)의 경향. 쾌락 원칙. ↔현실 원칙.

쾌거 【快擧】 명 통쾌한 거사(擧事). 통쾌한 행동. ¶근래에 없던 ～다.

쾌과 【快果】 명 시원한 과실이란 뜻으로 '배'의 이칭(異稱).

쾌-쾌 【夬卦】 명 『민』 육십 사 괘(卦)의 하나. 태괘(兌卦)와 건괘(乾卦)가 거듭된 괘로, 못이 하늘 위에 있음을 상징함. ㊂쾌(夬).

쾌기 【快氣】 명 ①쾌활한 기상. 상쾌한 기분. ②쾌차(快差).

쾌-남아 【快男兒】 명 시원스럽고 쾌활(快活)한 사내. 쾌남자.

쾌-남자 【快男子】 명 쾌남아(快男兒). 쾌한(快漢).

쾌담 【快談】 명 쾌론(快論).

쾌도 【快刀】 명 썩 잘 드는 칼. ¶～ 난마(亂麻).

쾌도 난:마 【快刀亂麻】 명 어지럽게 뒤얽힌 사항을 재빠르고 명쾌하게 처리함의 비유.

쾌-둔 【快鈍】 명 시원스러움과 무딤.

쾌락[1] 【快樂】 명 ①기분이 좋고 즐거움. ②『심』 감성(感性)의 만족, 욕망의 충족에서 오는 유쾌한 감정. ¶～을 추구하다. ――-하다 형 여불

쾌락[2] 【快諾】 명 쾌히 승낙함. ――-하다 타 여불

쾌락-설 【快樂說】 명 〔hedonism〕 『윤』 쾌락을 유일한 선(善), 또는 인생의 목적으로 하여 쾌(快)를 추구하고 고(苦)를 피함을 행동의 원리로 하는 윤리설. 보통, 키레네 학파·에피쿠로스파(Epikuros派)를 가리키나, 18세기 프랑스 유물론·공리(功利)주의에 대하여도 쓰임. 쾌락주의. 히더니즘(hedonism).

쾌락 원칙 【快樂原則】 명 『심』 쾌감 원칙.

쾌락-주의 【快樂主義】 〔一/一이〕 명 『윤』 쾌락설(快樂說).

쾌락주의적 역설 【快樂主義的逆說】 〔一/一이一〕 명 『철』 인생의 목적으로서 쾌락을 의식적으로 추구할 때 필연적으로 만나게 될 여러 고통을 피하기 위하여, 일체의 쾌락을 포기하여야 하며 그에 의해서만 진실한 쾌락을 얻을 수 있다고 하는 역설(逆說).

쾌로 【快路】 명 가는 곳마다 즐거운 일이 생기는 상쾌한 여로(旅路).

쾌론 【快論】 명 시원스럽게 거리낌없이 하는 이야기. 쾌담(快談).

쾌마 【快馬】 명 시원스럽게 잘 달리는 말. 쾌제(駃騠).

쾌면 【快眠】 명 시원스럽게 잘 잠. ――-하다 자 여불

쾌몽 【快夢】 명 기분이 상쾌한 꿈.

쾌문 【快聞】 명 시원스러운 소문.

쾌미[1] 【快味】 명 기분 좋은 느낌. 상쾌한 맛.

쾌미[2] 【快美】 명 마음이 시원스럽고 아름다움. ――-하다 형 여불

쾌변[1] 【快便】 명 상쾌하게 대변을 봄. ¶쾌식(快食) ～.

쾌변[2] 【快辯】 명 거침없이 잘하는 말. 시원스럽게 하는 변론(辯論).

쾌보 【快報】 명 듣기에 시원스러운 소식. ¶전승(全勝)의 ～.

쾌복 【快復】 명 건강이 완전히 회복(恢復)됨. 전유(痊癒). 쾌유(快癒). ――-하다 자 여불

쾌분 【快奔】 명 빨리 달아남. ――-하다 자 여불

쾌사 【快事】 명 시원스러운 일. 통쾌한 일.

쾌삭-강 【快削鋼】 명 강(鋼)에 망간·황·납·셀렌(selenium) 등을 첨가한 특수한 강. 잘 깎이므로 나사의 대량 생산에 이용됨.

쾌상 【一床】 명 네모가 반듯하고, 위뚜껑이 좌우 두 짝으로 되고, 서랍은 한 개이며, 밑이 비어 있는, 방안 세간의 한 가지. 주로, 문방구(文

房具) 등을 넣어 둠.

쾌상-봉【快上峰】명『지』평안 북도 후창군(厚昌郡)과 자성군(慈城郡) 사이에 있는 산. [1,245 m]

쾌서【快壻】명 마음에 드는 좋은 사위.

쾌선【快船】명『역』조선 시대에 쾌속으로 달리던 군선(軍船)의 일컬음.

쾌설【快雪】명 욕되고 부끄러운 일을 시원스럽게 다 씻어 버림. *설욕(雪辱). ——-하다 타여불

쾌소【快笑】명 시원스러운 웃음. 유쾌히 웃음. ——-하다 자여불

쾌속【快速】명 속도가 매우 빠름. ¶～정(艇)/～으로 달리다. ——-하다 형여불

쾌-속도【快速度】명 통쾌하도록 빠른 속도.

쾌-속력【快速力】[—녁] 명 통쾌하도록 빠른 속력.

쾌속-선【快速船】명 속도가 썩 빠른 배. 쾌주선(快走船).

쾌속-정【快速艇】명 속도가 매우 빠른 주정(舟艇). 곧, 경비정(警備艇) 등과 같은 소형 선박. ㊟쾌정(快艇).

쾌승【快勝】명 통쾌한 승리. 시원스럽게 이김. ——-하다 자여불

쾌승 장군【快勝將軍】명 싸움에 통쾌하게 승리한 장군.

쾌식【快食】명 ①좋은 음식(飮食). ②유쾌하고 만족(滿足)하게 먹음. ——-하다 타여불

쾌심【快心】명 만족하게 여기는 마음. 또, 마음이 유쾌함. ——-하다 형여불

쾌심-사【快心事】명 매우 유쾌하고 대견한 일.

쾌심-작【快心作】명 예술 작품 등에 있어서 마음에 썩 들게 제작된 작품. 회심작(會心作). 쾌작(快作).

쾌어-심【快於心】명 마음이 상쾌함. ——-하다 형여불

쾌연【快然】명 마음이 상쾌한 모양. ——-하다 형여불. ——-히 부

쾌우[1]【快雨】명 소나기같이 기분이 상쾌하게 내리는 비.

쾌:우[2]【儈牛】명 소를 거간함. 또, 그 일. ——-하다 자여불

쾌유[1]【快遊】명 유쾌하게 놂. *호유(豪遊). ——-하다 자여불

쾌유[2]【快癒】명 쾌차(快差). ——-하다 자여불

쾌유-기【快癒期】명 병이 차츰 나아 가는 시기.

쾌음【快飮】명 술을 유쾌하게 마심. ——-하다 자여불

쾌의【快意】[—/—이] 명 시원스러운 마음. 유쾌한 뜻.

쾌인【快人】명 쾌활한 사람.

쾌인 쾌사【快人快事】명 쾌활한 사람의 시원스러운 행동.

쾌자【快子】명『역』[←쾌자(掛子)] 옛 전복(戰服)의 하나. 등솔을 길게 째고 소매는 없음. 근래는 복건(幞巾)과 함께 명절이나 돌날에 어린아이들에게 입힘. *폭건(幞巾).

〈쾌자〉

쾌작【快作】명 만족스럽게 제작된 작품(作品). 통쾌(痛快)한 작품. 쾌심작(快心作).

쾌재【快哉】명 마음먹은 대로 잘되어 만족스럽게 여김. ¶～를 부르다.

쾌저【快著】명 마음에 아주 흡족할 만큼 통쾌(痛快)하게 잘 된 저서(著書). ¶근래에 드문 ～다.

쾌적【快適】명 ①심신(心身)에 적합하여 기분이 썩 좋음. ¶～한 날씨/～한 생활 환경. ②『심』쾌감(快感)을 일으키는 조건이 개인적이고, 주관적(主觀的)이며, 유기적(有機的)인 상태. ③『예』감각·지각·표상(表象) 등의 내부에 있어서의 쾌감. 일반적으로 개인적·주관적이며 보편 타당성이 결여(缺如)되며 엄밀한 뜻의 미(美)와 구별됨. ——-하다 형여불

쾌적 기온【快適氣溫】명 몸으로 느끼는 가장 기분 좋은 기온. 17-22℃의 기온.

쾌전【快戰】명 마음껏 싸우는 일. 씩씩하게 어울린 싸움.

쾌정【快艇】명 ↗쾌속정(快速艇).

쾌제【駃騠】명 썩 잘 닫는 말. 준마(駿馬). 쾌마(快馬).

쾌조【快調】명 ①아주 컨디션이 좋음. ②마음먹은 대로 일이 잘 돼 감. 호조(好調). ¶～의 스타트.

쾌주【快走】명 통쾌하도록 썩 빨리 뜀. ——-하다 자여불

쾌주-선【快走船】명 쾌속선(快速船).

쾌지나 칭칭 나네 명『악』경상도 민요의 하나. 한 사람이 사설(辭說)로 메기면, 여럿이 '쾌지나 칭칭 나네'란 후렴(後斂)으로 받는, 한이 없는 군창(群唱)임.

쾌차【快差】명 병이 완전히 나음. 쾌유(快癒). 쾌복(快復). ——-하다 자여불

쾌척【快擲】명 금품을 마땅히 쓸 자리에 시원스럽게 내어 줌. ¶의연금을 ～하다. ——-하다 타여불

쾌첩【快捷】명 통쾌하도록 아주 민첩함. ——-하다 형여불

쾌청【快晴】명 하늘이 상쾌하도록 맑게 갬. ¶～한 가을 하늘. ——-하다 형여불

쾌쾌-하다【快快—】형여불 굳세고 씩씩하여 아주 시원스럽다. 쾌쾌-히【快快—】부. ¶생색이나 내는 듯이 어서 나가라고 ～ 내쫓는다《廉想涉 : 萬歲前》.

쾌투【快投】명 야구에서, 투수가 멋들어지게 공을 던지는 일. ——-하다 타여불

쾌판【快板】명 중국의 근대 음악에서, 빠른 리듬. 또, 그런 음악. ↔만판(慢板).

쾌-하다【快—】형여불 ①마음이 유쾌하다. ②병이 아주 낫다. ③하는 짓이 시원스럽다. 쾌-히【快—】부. ¶～ 승낙하다.

쾌한【快漢】명 기상이 용맹한 사나이. 쾌남자.

쾌활[1]【快活】명 마음씨나 성질 또는 행동이 씩씩하고 활발함. ¶～한 성격. ——-하다 형여불. ——-히 부

쾌활[2]【快闊】명 시원하게 앞이 트이어 넓음. ——-하다 형여불

퀫-돈 명 관돈.

쾡이 명〈방〉 괭이[1](충남).

쾨꼬릿-불 명〈방〉 고콜불.

쾨니히[1]〔König, Friedrich〕명『사람』독일의 인쇄 기술자. 1811년 런던에서 고속 회전 원통식(高速回轉圓筒式) 인쇄기를 발명하였고, 1814년 런던 타임스를 위해 복동식(複胴式) 인쇄기를 제작함. 이로써 신문·잡지의 염가(廉價) 대량 인쇄의 길을 틈. [1774-1833]

쾨니히[2]〔König, Karl Rudolf〕명『사람』독일의 음향학자. 쾨니히의 공명기(共鳴器), 쾨니히의 고온계(高溫計)를 고안하고, 또 음속(音速)·파형(波形)·'도플러의 효과' 등을 연구함. [1832-1901]

쾨니히그레츠 싸움〔Königgrätz〕명『역』1866년 프로이센군이 보헤미아의 쾨니히그레츠, 지금의 체코의 흐라데츠크랄로베(Hradec Králové)와 자도바(Sadowa)의 중간 지점(中間地點)에서 오스트리아군(軍)의 주력을 꺾고, 프로이센·오스트리아 전쟁의 대세를 결정지은 싸움. 자도바 싸움.

쾨니히스발트〔Koenigswald, Gustav Heinrich Ralph von〕명『사람』독일의 인류 고고학자. 네덜란드의 초청으로 자바(Java) 섬에서 고인류(古人類) 발굴에 종사(從事)함. 자바 섬 솔로 강(Solo江) 상류(上流)에서 *Pithecanthropus erectus*의 제2, 제3 두골(頭骨)을 발견한 외에 *Pithecanthropus robustus*, *Meganthropus palaeojavanicus*를, 홍콩에서 *Gigantopithecus blacki*를 발견함. [1902-82]

쾨니히스베르크〔Königsberg〕명『지』칼리닌그라드.

쾨니히스베르크 대학【—大學】〔Königsberg〕명 독일의 쾨니히스베르크 시(市)(1945년 이후는 러시아령(領)의 칼리닌그라드)에 있던 대학. 정식 명칭은 '왕립 알베르투스 대학(Albertus-Universität)'. 1541년 대학 예비교로서 설립되고, 1544년 대학으로 됨. 신교(新敎) 대학으로, 철학과에 중점을 두고, 인문주의적 교육을 실시함. 이 대학이 유명하게 된 것은 칸트가 활약한 시대로, 쾨니히스베르크는 사변(思辨) 철학의 중심을 이루고 있었기 때문임.

쾨르〔Cœur, Jacques〕명『사람』프랑스의 실업가·거상(巨商). 샤를 7세의 재무 담당관이 되어 광산·공업을 개발하고, 동방(東方) 무역을 한 손에 장악하여, 100년 전쟁으로 피폐(疲弊)한 국가 재정을 재건함. 이 공로로 귀족이 되었으나, 후에 공금 횡령으로 피체(被逮), 도망하여 로마에서 죽음. [1395?-1456]

쾨코리 명〈방〉 코끼리(전남).

쾨쾨-하다 형여불 상하고 찌들어 비위가 상할 정도로 고리다. ¶쾨쾨한 냄새. <퀴퀴하다.

쾨펜[1]〔Koeppen, Wolfgang〕명『사람』독일의 작가. 제2차 대전 후의 점령하의 식민지적 풍속을 몽타주 수법으로 포착(捕捉)한 소설《풀 속의 비둘기》와, 서독의 정치를 풍자(諷刺)한《온실(溫室)》등으로 알려짐. [1906-]

쾨펜[2]〔Köppen, Wladimir Peter〕명『사람』독일의 기상(氣象)학자. 유명한 '쾨펜의 기후(氣候) 분류'를 고안함. 이 외에 세계 각지의 기후·기상, 지질 시대의 기후, 기후와 기상의 영계역(領界域) 등의 연구가 많음. 또, 항해자를 위한 해양 기상도·항해 기상 편람(便覽) 등을 편집함. [1846-1940]

쾨펜의 기후 구분【—氣候區分】〔Köppen〕[—불—/—에—불—] 명 1884년 독일의 기상학자 쾨펜이 발표한 기후 구분법. 식물·삼림(森林) 분포가 기후의 영향을 강하게 받는 사실에 주목, 크게 수목 기후(樹木氣候)(열대 기후·온대 기후·아한대(亞寒帶) 기후)와 무수목(無樹木) 기후(한대 기후·건조 기후)로 기후형(型)을 구분했음.

쾨헬[1]〔Köchel, Ludwig von〕명『사람』오스트리아의 음악사가(音樂史家). 원래는 식물학자·광물학자였는데, 모차르트를 애호하여 그의 작품을 수집, 정리한 결과 1862년 '쾨헬 목록(Köchelverzeichnis)'이라고 불리는《모차르트의 전(全)작품 목록》을 편찬함. [1800-77]

쾨헬[2]〔도 Köchel〕명『악』↗쾨헬 번호. ¶～ 551번 교향곡 주피터.

쾨헬 번호【—番號】〔Köchel〕『악』오스트리아의 음악 연구가 쾨헬이 1862년에 지은《모차르트의 전(全)작품 목록》중에서 붙인 일련 번호. 보통, 약자 K를 숫자 앞에 붙임. ㊟쾨헬.

쾰:러[1]〔Köhler, Georges Jean Franz〕명『사람』독일의 면역학자. 특정 질병의 세포에만 반응하는 모노클로널 항체(抗體)의 생산 방법을 발견한 업적으로 1984년 밀스테인(Milstein, C.) 및 예르네(Jerne, N.K.)와 함께 노벨 생리 의학상을 받음. [1945-]

쾰:러[2]〔Köhler, Wolfgang〕명『사람』독일의 형태 심리학 창시자의 한 사람. 지각(知覺) 및 기억의 연구에 생리학적 가설(假說)을 채용하는 역학설(力學說)을 제창함. 주저《유인원(類人猿)의 지혜》·《게슈탈트(Gestalt) 심리학》등. 1935년 미국에 이주. [1887-1967]

쾰로이터〔Kölreuter, Josef Gottlieb〕명『사람』독일의 식물학자. 꽃은 식물의 생식 기관이며, 수정(受精)에 의해서 씨가 생긴다는 것과, 잡종은 양친의 중간적 성질을 보인다는 것 등을 설명함. 멘델 이전의 유전학의 대표적 학자임. [1733-1806]

쾰른〔Köln〕명『지』독일 라인 강 서안의 하항(河港). 독일 굴지의 상공업 도시로, 철강·조선(造船)·차량·기계·전기 기구·화학 제품·직물·종이·향수(香水) 등을 산출함. 13-14세기경에 최성기(最盛期)에 이르고, 프랑스 혁명 때는 프랑스에, 1815년 이후는 프로이센에 지배되었음. [960,631명(1993)]

쾰른-파【—派】〔Köln〕명『예』중세 말기의 독일 회화파의 하나. 쾰른 대성당의 종교화를 많이 그림. 북유럽풍의 자연주의에 신비주의적인 작풍(作風)을 가미하고 있음. 쾰른 성당(聖堂)의 로흐너(Lochner, S.)작 '세 박사(博士)의 예배'·'장미원의 성모' 등의 걸작이 있음.

쾰리커〔Kölliker, Rudolf Albert von〕명『사람』스위스 태생의 동물학자·해부학자·조직학자. 뷔르츠부르크(Würzburg) 대학 교수. 정자와 난할(卵割)을 연구하였고, 발생학·조직학 등에 뛰어난 업적을 남김. 다윈의 진화론을 지지했으나 이원 발생설(異原發生說)을 제기함. 저서에《조직학 교본》·《발생학》등이 있음. [1817-1905]

쿠가:트〔Cugat, Xavier〕명『사람』스페인 태생인 라틴 아메리카의 밴

드 지휘자·바이올리니스트. 쿠바의 아바나를 거쳐 1915년 미국에 이주, 1920년대말경 자기의 밴드를 결성한 후 주로 라틴 아메리카 음악의 연주로 인기를 모으고, 미국에서 레코드·라디오·텔레비전·영화 등 여러 분야에서 활약함. '룸바의 왕'으로 불린 라틴 밴드의 창시자(創始者)임. [1900-90]

쿠거 〔cougar〕 명 〖동〗 퓨마(puma).

쿠나시르 섬 〔Kunashir〕 명 〖지〗 쿠릴 열도 중, 최서단(最西端)에 위치하는 섬. 크기가 이 열도 중 셋째이며, 일본 홋카이도에서 가장 가까운 거리에 있음. 어업·임업·여우 사육 등이 행하여짐. 쿠릴 열도가 지시마(千島) 열도로서 일본 영토였을 때에는 구나시리(国後) 섬으로 불리었음. [약 1,500 km²]

쿠:나우 〔Kuhnau, Johann〕 명 〖사람〗 독일의 작곡가. 1684년부터 라이프치히의 성(聖)토마스 교회의 오르간 주자를 거쳐 합창대장(合唱隊長)이 됨. 교회의 성악곡·기악곡을 많이 썼고, 성서에서 취재(取材)한 6곡의 ≪성서 소나타(1700)≫는 초기의 표제(標題) 음악으로도 유명함. [1660-1722]

쿠:냥 〔중 姑娘〕 명 처녀. 젊은 여자.

쿠:데 망:원경 【一望遠鏡】 명 〔coudé telescope〕 〖물〗 빛이 극축(極軸)에 따라 반사하고, 고정면(固定面) 위에 초점이 오게 한 망원경. 이 고정면 위에 분광 사진기를 붙이거나, 접안경(接眼鏡)으로 관측하거나 함.

쿠:데 분광 사진기 【一分光寫眞器】 명 〔coudé spectrograph〕 〖물〗 쿠데 망원경의 통에 부착된 고정식(固定式) 분광 사진기.

쿠:데 분광학 【一分光學】 명 〔coudé spectroscopy〕 〖물〗 쿠데 분광 사진기를 사용하여 천체의 스펙트럼을 조사하는 학문 분야.

쿠데타 〔프 coup d'État〕 명 〖정〗 〔국가의 일격(一擊)이란 뜻〕 비합법의 무력적 기습에 의하여 정권을 탈취하는 일. 지배 계급 내부의 권력 이동으로서 체제의 변혁을 목적하는 혁명과는 구별됨. 1799년의 나폴레옹 1세, 1851년의 나폴레옹 3세의 행동 또는 1922년 이탈리아의 파시스트 무솔리니의 로마 진군 등이 그 예임. *정치 혁명(政治革命)·혁명.

쿠:덴호:페칼레르기 〔Coudenhove-Kalergi, Richard Nikolaus〕 명 〖사람〗 오스트리아의 정치학자. 어머니는 일본인. 1920~1930년대에 범(汎)유럽 운동을 전개, 나치 정권 수립 후인 1938년 스위스, 이어 미국으로 망명함. 제2차 세계 대전 후에도 유럽 통합에 노력함. [1894-1972]

쿠:드룬 〔Kudrun〕 명 〖문〗 구드룬(Gudrun).

쿠뜨바 〔아랍 Khuṭbah〕 명 〖이슬람〗 금요일 정오 지나서 또는 축제일 아침에, 예배 후에 하는 설교(說教).

쿠라레 〔curare〕 명 〖화〗 알칼로이드가 함유된 독물(毒物). 외과 수술의 마취 보조약으로 쓰임.

쿠라사우 섬 〔Curaçao〕 명 〖지〗 서인도 제도 남부, 베네수엘라 근해에 있는 네덜란드령의 앤틸리스(Antilles) 제도 중 최대의 섬. 베네수엘라의 마라카이보(Maracaibo) 유전(油田)의 원유(原油)를 정제(精製)하는 정유소가 있음. 사이잘(sisal)삼·오렌지·인광(燐鑛)이 산출됨. 섬 특산의 오렌지는 큐라소 술의 원료로 유명함. 1634년 이래 네덜란드령이며, 주도(主都)는 빌렘슈타트(Willemstad). 큐라소 섬. [444 km²: 170,000 명(1980)]

쿠라ᄒᆞ다 자 〈옛〉 크노라 하다. ¶내 쿠라ᄒᆞ야 샹녜 一切를 가비야이 너기논 젼ᄎᆞ라(爲吾我自大ᄒᆞ야 常輕一切故ㅣ라)≪六祖 上 88≫. *쿰.

쿠란 〔아랍 Quran〕 명 코란(Koran).

쿠랑 〔Courant, Maurice〕 명 〖사람〗 프랑스의 동양학자. 1890년부터 2년간 한국 서울의 공사관(公使館) 통역으로 근무. 귀국 후 리옹 대학에서 동양학을 가르침. 그의 저서 ≪조선 서지학(書誌學)≫은 구미(歐美)의 한국 연구상 귀중한 자료가 됨. [1865-1935]

쿠랑트 〔프 courante〕 명 〖악〗 4분의 3박자의 프랑스계(系)의 민속 무곡(民俗舞曲).

「——-하다 형여불

쿠렁-쿠렁 부 자루나 봉지 속에 넣은 물건이 덜 찬 모양. >코랑코랑.

쿠로시오 〔Kuroshio〕 명 〔Black Stream〕 〖지〗 해류(海流)의 하나. 필리핀 군도 동쪽에서 타이완·류큐(琉球) 열도의 동쪽, 일본 열도의 태평양안(岸)을 따라 계속 북상하다가 동쪽으로 꺾이어, 북아메리카 서해안까지 흐르는 난류(暖流). 염분(塩分)이 많고 플랑크톤(plankton)이 적어 투명(透明)하므로, 파장(波長)이 긴 광(光)인 적색·황색이 흡수되어서, 물빛은 짙은 남색을 띠며, 조류도 매우 빠름. 흑조(黑潮). 구로시오(黑潮).

쿠로파트킨 〔Kuropatkin, Aleksei Nikolaevich〕 명 〖사람〗 러시아의 장군. 육군 대신을 거친 후, 러일 전쟁의 만주군 총사령관, 제1차 세계 대전 때 북부 전선군(北部戰線軍) 사령관을 역임함. 혁명 후에 관직에서 추방되어 초등 학교 교사로서 여생을 마쳤음. [1848-1921]

쿠롱 명 〖악〗 장구의 북편을 칠 때의 입소리.

쿠르 〔도 Kur〕 의명 〔본디 치료의 뜻〕 ①〖의〗 특정 치료를 계속하는 기간. 치료의 주기(週期). ¶1~. ② 방송에서, 연속물 프로의 방송 기간의 단위. 1쿠르는 13주임.

쿠르간[1] 〔Kurgan〕 명 〖지〗 러시아의 도시. 서(西)시베리아 토볼(Tobol) 강에 면함. 17세기경에 건설된 도시로 농업 기계·자동차 공업이 성함. [363,000 명(1993)]

쿠르간[2] 〔러 Kurgan〕 명 러시아의 옛 분묘(墳墓). 청동기(青銅期) 시대부터 초기 철기(鐵器) 시대에 이르는 6-9세기에, 고대 러시아에 이주한 옛 기마 민족이 쌓은 고분을 일컬음.

쿠르낭 〔Cournand, André〕 명 〖사람〗 미국의 의학자. 프랑스 태생으로, 1931년 도미함. 포르스만(Forssman)이 고안한 심장(心臟) 카테테르(Katheter)법을 실시하여 심장병의 진단에 성과를 올리고 1956년 노벨 생리학·의학상을 수상함. [1895-1988]

쿠르노 〔Cournot, Antoine Augustin〕 명 〖사람〗 프랑스의 수학자·수리(數理) 경제학자·철학자. 수학을 경제학에 적용시켜 수요와 가격의 관계를 함수로 나타내어 완전 경쟁 하의 가격과 한계 비용의 일치, 독점 기업의 이윤을 극대화하기 위한 독점 가격, 이른바 '쿠르노의 점(點)'을 밝혀 불완전 경쟁, 곧 독점 이론의 기초를 이룩했음. 주저 ≪부(富)의 이론의 수학적 원리에 관한 연구≫ 외에 ≪유물론·생기론(生氣論)·합기론(合氣論)≫·≪경제학설 개관≫ 등이 있음. [1801-77]

쿠르노의 점 【一點】 명 〔Cournot's point〕 〔—/—에—〕 〖경〗 독점 가격과 판매량과의 관계를 나타내는 수요 곡선에서, 독점 기업에 최대의 이윤을 가져오는 생산량과 그에 대응하는 가격을 나타내는 점. 그 점에서 한계 비용과 한계 수입과는 일치함. 1838년 프랑스의 수리 경제학자 쿠르노가 설명한 원리임.

쿠르드-어 【一語】 〔Kurd〕 명 〖언〗 현대 이란어의 하나. 쿠르드족이 쓰는 언어로, 주로 터키의 쿠르디스탄(Kurdistan) 지방에서 사용됨. 문학으로서는 거의 구전(口傳)의 서사시·가요 등이 있고 많은 방언이 있는데, 대개 이대(二大) 방언으로 나뉨.

쿠르드-족 【一族】 〔Kurd〕 명 〖인류〗 쿠르디스탄(Kurdistan)을 주요 거주지로 하는 이란 어계(語系)의 민족. 이 중 약 반수가 동부 터키, 그 외는 서부(西部) 이란·북부 이란에 살고, 시리아 및 아르메니아에도 거주함. 약 5백만 명이 있는데, 과거에는 유목민이었으나 차차 농경화되고 있으며, 독립심이 강하고 용감하며 자유를 즐기고 관대하나, 반면 피의 복수·강탈을 영웅적 행위로 여겨 즐김.

쿠르디스탄 〔Kurdistan〕 명 〖지〗 서(西)아시아의 이란 고원에서 토로스(Toros) 산맥에 걸친 쿠르드족(Kurd 族)의 거주 지역. 1923년의 로잔(Lausanne) 조약에 의해 터키·이란·이라크령(領)으로 분할됨. 광산 자원이 풍부하고 평야가 적으며 목축이 행해짐. 이라크의 쿠르드족 거주지는 중요한 유전(油田) 지대로 되어 있으며, 쿠르드족의 자치권 및 독립 운동이 계속되고 있음. [220,000 km²: 5,000,000 명]

쿠르베 〔Courbet, Gustave〕 명 〖사람〗 프랑스의 화가. ≪전원의 연인≫ 등의 문학적이고 낭만적인 작품에서 차츰 사실주의(寫實主義) 경향으로 전환함. 작화(作畫)의 대상을 객관적·시각적으로 파악하여 많은 걸작을 남겼으며, 그의 철저한 예술적 태도는 19세기 프랑스 화단(畫壇)의 인상주의 및 근대 예술에 큰 영향을 끼침. 만년에 스위스에 망명하여 그 곳에서 죽음. [1819-77]

쿠르스크 〔Kursk〕 명 〖지〗 러시아 연방 서남부의 공업(工業) 도시. 흑토(黑土)지대의 중심으로 교통의 요지이며, 전기 기구·합성 수지·섬유 공업이 성하고, 농산물 가공(加工)도 함. 1095년에 창건됨. [437,000 명(1993 추계)]

쿠르틀린 〔Courteline, Georges〕 명 〖사람〗 프랑스의 극작가. 풍자적인 일막(一幕) 짜리를 잘 지음. 작품에 소설 ≪8시 47분 열차≫, 극 ≪서장님은 호인(好人)≫·≪우리 집의 평화≫ 등이 있음. [1858-1929]

쿠르티우스[1] 〔Curtius, Ernst〕 명 〖사람〗 독일의 고어(古語)학자·고고(考古)학자. 그리스에서 올림피아(Olympia)의 구적(舊跡) 발굴을 지도하고 그 보고서를 작성하였음. [1814-96]

쿠르티우스[2] 〔Curtius, Ernst Robert〕 명 〖사람〗 독일의 로망스어학자·문예 평론가. 특히, 프랑스의 문학·문화 연구자로 알려짐. 만년에 중세 문학 연구에 전념함. 주저 ≪발자크≫·≪새로운 프랑스의 문학 개척자≫·≪새로운 유럽에 있어서의 프랑스 정신≫·≪유럽 문학 평론집≫ 등. [1886-1956]

쿠리다 형 ①냄새가 몹시 구리다. ②하는 짓이 치사하고 지저분하다. 1)·2): ㅅ구리다. >코리다. ③하는 짓이 수상쩍고 의심스럽다.

쿠리터분-하다 형여불 ①냄새가 몹시 구리고 터분하다. ②하는 짓이나 성미 따위가 치사하고 너저분하다. 1)·2): ㅅ구리터분하다. >코리타분하다. 준쿠터분하다.

쿠리텁텁-하다 형여불 몹시 쿠리터분하다. >코리탑탑하다.

쿠리티바 〔Curitiba〕 명 〖지〗 브라질 남부 파라나 주(Parana 州)의 주도(州都). 표고(標高) 1,000 m의 고원 위에 있으며 커피 교역의 중심지. 독일·이탈리아계(系)의 이민이 많고, 최근 공업 도시(工業都市)로 급속히 발전함. 1712년 창립(創立)된 브라질 최고(最古)의 대학이 있음. [841,882 명(1991)]

쿠린-내 명 쿠린 냄새.

쿠릴 열도 【一列島】 〔Kuril〕 〔—또〕 명 〖지〗 일본 홋카이도(北海道)와 캄차카 반도 사이의 1,200 km에 걸친 호상(弧狀) 열도. 제3기층을 뚫는 화산군(火山群)으로, 30여의 큰 섬과 기타 많은 소도(小島)와 암초로 되었음. 화산과 온천이 많고 철·구리·금광도 있음. 주산업은 어업인데, 임업·모피·유황 채집도 행하여짐. 1875년 이후 일본령이었으나, 제2차 대전 후 소련에 속한 후 현재는 러시아 사할린(Sakhalin) 주에 속함. 일본이 영유할 때의 이름은 지시마(千島) 열도. [15,600 km²]

쿠릴타이 〔몽 khuriltai〕 명 〖역〗 〔집회(集會)의 뜻〕 몽고 민족의 국회(國會). 대한(大汗)의 추대(推戴), 개전(開戰)·강화(講和), 법령의 반포 등을 협의하기 위하여 왕후(王侯)·장령(將領)·고관 등이 참여하였으나 점차로 유력자의 지배하에 들어가게 됨. 「름.

쿠마라지바 〔범 Kumarajiva〕 명 〖사람〗 '구마라습(鳩摩羅什)'의 본이

쿠마론 〔coumarone〕 명 〖화〗 벤젠핵(benzen 核)과 푸란핵(furan 核)의 축합형(縮合形)의 화합물로, 콜타르유(油)에서 분리되는 방향성(芳香性)의 기름. 물·알칼리액에 녹지 않으나, 벤젠·석유 에테르·무수(無水) 알코올·에테르 등에 자유로이 혼합됨. 황산(黃酸) 등에 의하여 쉽게 중합(重合)하여 쿠마론 수지(樹脂)를 만듦. [C_8H_6O]

쿠마론 수지 【一樹脂】 명 〔coumarone resin〕 〖화〗 콜타르의 중질(重質) 솔벤트 나프타(solvent naphtha)에 함유되는 쿠마론류(類)를 중합시켜 얻어지는 수지. 값싼 수지 원료로서 도료(塗料)를 비롯하여 합성 고무·천연 고무의 배합제로서, 또 인쇄 잉크·접착제(接着劑)·레코드판·추잉검 등 다방면에 배합됨.

쿠마리 〔kumari〕 명 〖악〗 인도의 악기. 클라리넷과 비슷한 종적(縱笛)

으로 일곱 구멍으로 되어 있음. 대 또는 금속으로 만들며, 합주(合奏)나 독주에도 쓰임.

쿠마린 [coumarin, cumarin] 명 〖화〗 녹는점 69-70°C의 무색 결정(結晶). 침상(針狀)·주상(柱狀)으로 분해되지 않고 승화(昇華)함. 바닐라(vanilla)와 비슷한 향기가 있으며, 중요 향료의 일종으로, 버터·담배·청량 음료 등에도 향료의 일부로 쓰임.

쿠마린 배:당체【—配糖體】 명 [coumarin glycoside] 〖화〗 많은 식물에 존재하는 방향(芳香) 성분의 배당체.

쿠마시 [Kumasi] 명 〖지〗 아프리카 서부 가나(Ghana)의 중앙부인 아샨티 주(Ashanti 州)의 주도(主都). 아샨티 왕국의 고도(古都)로, 카카오·금 산지(產地)의 중심이며 산업·교통의 요지(要地). 트랙터 조립 등의 공업도 행하여짐. 1951년 창립된 대학도 있음. [385,192 명(1990)]

쿠미스 [러kumyz, 영koumiss] 명 아시아의 유목민 키르기스인(Kirghiz 人)·타타르인(Tatar 人)의 음용(飮用)으로 제조하는 발효 마유(醱酵馬乳). 말의 젖을 원료로 하여 발효시킨 것으로, 빈혈증·괴혈병(壞血病)·히스테리·장티푸스 등에 약효가 있다고 함. 칼피스는 이 제법(製法)을 본뜬 것임. 마유주(馬乳酒).

쿠바 [Cuba] 명 〖지〗 ①중앙 아메리카 서인도 제도 중의 최대의 섬. 세계 제11위의 섬으로 동서로 가늘고 길게 뻗어 있으며, 대부분이 평탄부와 기복이 있는 구릉지(丘陵地)로 되어 있고 동남부에 산지가 있음. 계절풍의 영향으로 기후는 아열대성임. ②쿠바와 그 부속 섬으로 이루어진 공화국. 주민의 70퍼센트가 스페인계의 백인이며, 나머지는 흑백 혼혈인과 흑인임. 공용어는 스페인어(語). 사탕수수 재배를 주로 한 농업국이며 제당업이 성하고 바나나·담배의 명산지이기도 함. 근래 목축도 행하여지고 니켈·크롬의 광산도 있음. 1898년의 미국과 스페인의 전쟁으로 스페인으로부터 독립했으나, 1959년에 카스트로(Castro, F.)가 주도한 쿠바 혁명 후 공산 국가가 됨. 수도는 아바나(Havana). 정식 명칭(名稱)은 '쿠바 공화국 (Republic of Cuba)'. [118,610 km² : 10,730,000 명(1991 추계)]

쿠바드 [프 couvade] 명 ['의산(擬產)'이라는 뜻] 미개(未開) 사회에서 볼 수 있는 분만(分娩) 때의 풍습. 아내가 분만할 때에 남편이 대신 자리에 누워 음식을 가린다든가 하여 산욕(產褥)에 있는 여자처럼 행동함. 인도·아프리카·남아메리카 등지에서 볼 수 있음.

쿠바 혁명【—革命】 [Cuba] 명 독재 정권을 쓰러뜨리고 사회주의 정부를 수립한 쿠바의 혁명. 1953년부터 카스트로(Castro, F.)와 게바라(Guevara, C.)를 지도자로 하는 반독재 운동은 게릴라 활동을 전개하여 결국 독재자 바티스타(Batista)를 권좌에서 추방하고, 1959년 농민·노동자의 지지를 얻자 새정부를 수립하여 1961년 카스트로는 사회주의를 선언하기에 이름.

쿠베르탱 [Coubertin, Pierre] 명 〖사람〗 프랑스의 교육가(教育家). 남작(男爵). 고대 올림픽(Olympic) 경기의 부흥을 제창, 실현시켰으며, 1894년 국제 올림픽 위원회를 창설하여 제1회 올림픽 대회를 1896년에 유서깊은 그리스의 아테네에서 개최함. 또, 국제 교육 협회를 조직하고 만년에는 그들 단체의 종신 명예 회장(名譽會長)으로 추대(推戴)됨. 주저로 《영국의 교육》·《스포츠 교육학론》·《올림픽 회상록》·《스포츠 심리학》 등이 있음. [1863-1937]

쿠베바 열매 [스 cubeba] 명 동인도산(產)의 후추과(科) 식물 쿠베바의 성숙하기 전의 열매를 말린 것. 거의 둥근 열매로, 암갈색이며 신맛과 방향(芳香)이 있음. 치마약(治痲藥)으로 쓰임.

쿠부-족【—族】 [Kubu] 명 〖인류〗 수마트라(Sumatra) 섬의 남동부 팔렘방(Palembang) 지방의 소택지(沼澤地)에 사는 종족. 말레이인과의 혼혈이 두드러지고 채집(採集)·수렵에 종사하였으나 일부는 말레이인(人)의 영향으로 근래 농사를 짓기 시작, 정착해 가고 있음.

쿠빌라이 [Khubilai] 명 〖사람〗 몽고 제국의 제5대 황제로, 중국 원(元)나라의 시조(始祖). 칭기즈 칸의 손자. 금(金)을 멸하고 송(宋)을 병합(併合)하여 대도(大都), 지금의 북경에 도읍하여 1271년 국호를 대원(大元)이라 칭함. 멀리 일본·중앙 아시아·유럽까지 쳐들어가는 등, 사상(史上) 공전(空前)의 대제국을 건설하였음. 묘호(廟號)는 세조(世祖). 중국명 홀필렬(忽必烈). [1216-94; 재위 1260-94]

쿠샨 왕조【—王朝】 [Kushan] 명 〖역〗 이란 계통(系統)의 민족 쿠산족(Kushan 族)이 1세기경부터 5세기 중엽까지 아프가니스탄·서북 인도를 중심으로 지배하였던 왕조. 대월지(大月氏)의 제후의 하나가 독립한 것으로 카니슈카 왕에 이르러 전성기(全盛期)를 이루어 간다라 미술 등 특색 있는 문화를 형성하였으며 대승(大乘) 불교도 이때 성립·발전하였음. 3세기 중엽 이후 쿠산 왕조는 북인도의 세력이 쇠퇴함에 따라 위축되었다가 후에 사산 왕조(Sasan 王朝)에 멸망됨. 귀상 왕조(貴霜王朝). *대월지(大月氏).

쿠세비츠키 [Koussevitzky, Sergei Alexandrovitch] 명 〖사람〗 러시아 출신인 미국의 음악 지휘자. 처음에 콘트라베이스 연주자. 1907년부터 유럽 악단에서 활약하여 명성을 떨치고 1924년 이래 보스턴 교향악단의 지휘자로, 현대 음악 발전에 공을 세움. [1874-1951]

쿠션 [cushion] 명 ①의자·소파(sofa)·탈것의 좌석 등에 편히 앉도록 탄력이 생기게 만든 부분. ②누비거나 수를 놓는 등 장식을 한 양식(洋式) 방석. 주로, 의자에서 등을 받치는 데 씀. 푹신푹신한 방석. 의자에 까는 방석. ③당구대 안쪽의 공이 부딪치는 가장자리의 면(面).

쿠션 볼: [cushion ball] 명 야구에서, 펜스에 맞아 튕겨 되돌아오는 공.

쿠소 [kousso] 명 〖식〗 *[Hagenia abyssinica]* 장미과에 속하는 교목(喬木). 에티오피아 원산으로, 높이 20 m쯤 되고 잎은 우상 복엽(羽狀複葉)으로 호생하며 담홍색(淡紅色)의 꽃은 엽액으로부터 나와 원추 화서(圓錐花序)로 핌. 촌충 구제제(驅除劑)로 쓰임.

쿠스코 [Cuzco] 명 〖지〗 남아메리카 페루 남동부 안데스 산중에 있는 도시. 표고 3,457 m인 곳에 있으며 상업·교통의 중심지로 양모·동광·석탄 등도 산출함. 잉카(Inca)의 고도(古都)로 고적·유물이 많음. 특히 태양의 신전(神殿)·성채(城砦)는 유명함. 주민은 인디오(Indio)가 많음. 해마다 6월 24일에 열리는 잉카 제전(祭典)에는 세계 각국으로부터 많은 관광객이 모임. [257,751 명(1993)]

쿠스쿠스 [cuscus] 명 〖동〗 유대류(有袋類) 팔랑게리다에(Phalangeridae)과에 속하는 짐승의 총칭. 크기는 쥐만한 것으로부터 고양이만한 크기에 이르는 여러 가지가 있으며, 몸의 털은 양털 같고 꼬리는 길며 물건을 감음. 동작은 활발하지 못하며 밤에 활동하고 나무 위에서 삶. 셀레베스·뉴기니·오스트레일리아 등에 분포함.

쿠스토 [Cousteau, Jacques-Yves] 명 〖사람〗 프랑스의 심해(深海) 탐험가·기록 영화 제작가. 제2차 대전에 해군 군인으로 참전, 잠수구·애퀄렁(aqualung)의 발명에 참여함. 1942년부터 해중 탐험(海中探險) 기록 영화를 만들기 시작하여 1955년 《침묵의 세계》 등을 발표함. 모나코 해양 연구소 소장을 지냄. [1910-97]

쿠시 [Kusch, Polykarp] 명 〖사람〗 독일 태생인 미국 물리학자. 컬럼비아 대학 교수. 처음 질량(質量) 분석을 연구, 1937년 이후에는 핵자기 공명(核磁氣共鳴)을 이용하여 원자의 초미세(超微細) 구조, 원자핵의 스핀(spin), 자기(磁氣) 모멘트(moment) 등을 정밀히 측정함. 1948년 전자의 자기 모멘트를 측정하여 슈윙거(Schwinger, J.S.)가 양자 전자기 역학(量子電磁氣力學)에서 이끌어 낸 예언을 실증, 장(場)의 양자론(量子論)에 주요한 근거를 부여(賦與)함. 1955년 램(Lamb, W.E.)과 함께 노벨 물리학상을 수상함. [1911-]

쿠시나가라 [Ku'sinagara] 명 〖지〗 인도의 불타가 입적(入寂)한 땅의 옛 이름. 인도 힌두스탄 평야에 있는 지금의 카시아(Kasia)를 이름. 5세기경의 것으로 추정되는 거대한 열반상을 모신 열반당이 지금도 남아 있음. 한자 음역(音譯)으로는 구시나게라(拘尸那揭羅)이며, 줄여서 구시나·구이나갈(拘夷那竭)이라고도 함.

쿠시-어【—語】 [Cush] 명 〖언〗 북동 아프리카·수단의 홍해 연안·소말리아·에티오피아 고원에 분포하는 햄계(Ham 系) 여러 언어의 총칭. 약 600만 명이 사용함.

쿠시-족【—族】 [Cush] 명 〖인류〗 아라비아인(人)의 침입 전부터 에티오피아에 정주해 있던 햄계(Ham 系)의 종족. 인종적으로는 장두(長頭). 몸이 여윈 에티오피아 인종에 속하며, 쿠시어(語)를 사용함.

쿠싱-병 【—病】 [Cushing] [—뼝] 명 〖의〗 미국 보스턴의 외과 의사 쿠싱(Cushing, Harvey; 1869-1939)이 발표한 병으로, 뇌하수체(腦下垂體)의 이상에 의하여 생기는 질환. 몸에 지방(脂肪)이 침착(沈着)하여 다모증(多毛症)·무력증(無力症)·고혈압 등을 수반함.

쿠아드라제시모 안노 [라 Quadragesimo anno] 명 1931년 5월 15일 교황 비오 11세가 레오 13세의 노동 회칙(回勅) '레룸 노바룸(Rerum novarum)'의 공포 40주년을 기념하여 공포한 회칙(回勅). 자본주의에 있어서의 개인주의·자유주의의 폐해(弊害)와 사회주의의 잘못을 지적, 복음서(福音書)의 정신에 기초한 가톨릭적 사회 개신책(社會改新策)을 서술한 것.

쿠에 [Coué, Émile] 명 〖사람〗 프랑스의 심리학자. 최면술(催眠術)과 암시법(暗示法)을 배워 쿠에이슴(Couéisme)이란 자기 암시(自己暗示)에 의한 정신 요법을 창시하였음. [1857-1926]

쿠엥카 [Cuenca] 명 〖지〗 에콰도르 중남부의 도시. 안데스 산맥의 산간 분지의 표고 약 2,600 m의 고원에 위치하고 기후가 쾌적하며, 부근은 풍요한 농업지인데 가축을 수출하고 파나마 모자의 제조가 활발함. 1557년 스페인이 창건한 도시로, 당시의 경관이 잘 보존된 도시로도 유명함. 부근에서 산출하는 대리석을 사용한 교회·대학 등의 건물이 많음. [194,981 명(1990)]

쿠오레 [이 Cuore] 명 〖문〗 [마음의 뜻] 이탈리아의 아미치스가 지은 소년 소설. 1886년에 간행되었는데, 국민 학교에 다니는 엔리코 소년의 일기체(日記體)로 인간 사이의 애정을 표현하고 이탈리아인의 심정을 그려 냈음. 우리 나라에서는 《사랑의 학교》로 번역되어 나왔음.

쿠오 바디스 [라 Quo Vadis] 명 [주여 어디로 가시나이까의 뜻] 〖문〗 폴란드 작가 시엔키에비치(Sienkiewicz)의 장편 역사 소설. 로마의 폭군(暴君) 네로(Nero)의 치세 중(治世中)에 초기 기독교도들이 받은 박해를 조국 폴란드의 수난(受難)에 비유한 작품으로, 1896년에 간행되었으며, 이 작품으로 1905년 노벨 문학상을 받음.

쿠웨이트 [Kuwait] 명 〖지〗 ①아라비아 반도 동북부, 페르시아 만안(Persia 灣岸)의 입헌 군주국. 주민은 거의가 아라비아 사람이며 국토는 평탄한 사막으로 건조함. 농업은 없고 목축과 어업이 행해짐. 풍부한 석유 자원을 가지고 있어 국가 재정이 넉넉하고, 일인당 국민 소득은 세계 정상급임. 18세기 후반에 지금의 왕가(王家)가 시작되고 19세기 말에 영국의 보호국이 됨. 1914년 자치 독립국, 1961년 완전 독립국이 됨. 1991년에는 이라크의 침공을 받아 한때 국가 존립마저 위협받았으나 미군을 위시한 다국적군(多國籍軍)의 개입으로 이라크군을 몰아냈음. 수도(首都)는 쿠웨이트. 정식 명칭은 쿠웨이트국(國) (State of Kuwait). [17,818 km² : 2,100,000 명 (1991 추계)] ②쿠웨이트의 수도(首都). 쿠웨이트 만(灣)에 면(面)한 항구 도시. 내륙 산업의 거점(據點)이고 1951년의 국내 개발 개시와 더불어 급속히 발전하여 근대적인 건물과 도로가 건설됨. [80,000 명(1991 추계)]

쿠이비셰프 [Kuibyshev] 명 〖지〗 러시아 서부 볼가 강(Volga 江) 중류에 있는 중화학 공업 도시. 교통의 요지이며, 각종 금속 가공업과 선박 수리, 석유 화학 공업 등이 성함. 1586년 사마라 요새(Samara 要塞)로서 건설되고, 1941-43년 독소(獨蘇) 전쟁 중 이 곳으로 정부를 이전하였었음. 거대한 인공호(人工湖)와 출력 230만 킬로와트의 큰 수력 발전소가 있음. 구명은 사마라(Samara). [1,242,000 명(1983)]

쿠이저우 〔夔州〕 명 〖지〗 '펑제(奉節)'의 딴이름. 기주.

쿠자누스 〔Cusanus, Nicolaus〕 명 〖사람〗 독일의 신학자·철학자·로마 교황청의 추기경. 그의 사상은 중세로부터 문예 부흥, 신학적 사색(思索)으로부터 철학적 사유(思惟)에의 추이(推移)를 보여 주며, 무한한 신에 대한 인간적 인식의 가능성을 추구한 점에서 근세 철학의 발단점(發端點)에 섬. 또, 성직자(聖職者)로서 교회 개혁(敎會改革)을 추진하고, 동서(東西)의 교회 화합(和合)에 앞장섰음. 주저에 ≪무지(無知)의 지(知)≫ 등이 있음. [1401-64]

쿠쟁[1] 〔Cousin, Jean〕 명 〖사람〗 프랑스의 미술가. 회화 이외에 판화(版畫)·조각·건축 등에도 조예가 깊고 투시 도법(透視圖法)에 관한 저서도 있음. 작품은 ≪최후의 심판≫ 외에 스테인드 글라스(stained glass)에 알려진 것이 많음. [1520?-90?]

쿠쟁[2] 〔Cousin, Victor〕 명 〖사람〗 프랑스의 철학자. 프랑스에의 독일 철학 소개자로, 중도적(中道的)인 자유주의 철학을 주장함. 저서(著書)에 ≪근세 철학사 강의≫·≪진·선·미에 대하여≫ 등. [1792-1867]

쿠즈네츠 〔Kuznets, Simon〕 명 〖사람〗 미국의 경제학자. 국민 소득의 실증적·이론적 연구의 권위자. 1954년 존스 홉킨스 대학 교수, 1960년 하버드 대학 교수 역임. 1971년 경제 성장에 대한 경험주의적 해석이 사회 구조(社會構造)와 그 발전에 관한 새로운 이해의 길을 연 공적으로 노벨 경제학상을 수상함. 저서에 ≪국민 소득과 자본 형성≫·≪각국의 경제 성장≫ 등. [1901-85]

쿠즈네츠 사이클 〔Kuznets' cycle〕 명 〖경〗 경기 순환의 주기 파동 중의 하나. 총국민 생산에서 차지하는 실질 민간 설비 투자의 비율이 20년 정도에서 규칙적으로 상하 운동을 반복한다는 것. 쿠즈네츠 파동(Kuznets' waves).

쿠즈네츠크 탄:전 【─炭田】 〔Kuznetsk〕 명 〖지〗 쿠즈바스.

쿠즈바스 〔Kuzbass〕 명 〖지〗 〔러시아 쿠즈네츠크 분지(Kuznetsk 盆地)의 약칭〕 시베리아 남서부의 대탄전(大炭田). 지하 1,800 m까지의 추정 매장량 9,053억 톤. 연간 채탄량 약 8,500만 톤이며 러시아 굴지의 야금(冶金)·중공업 지대임. 쿠즈네츠크 탄전. [26,000 km²]

쿠처 〔庫車〕 명 〖지〗 중국 서쪽, 신장웨이우얼(新疆維吾爾) 자치구(自治區)에 있는 오아시스 도시로, 쿠처 현(庫車縣)의 현청 소재지. 고래로 톈산 남로(天山南路)변의 교통 요지로, 공항(空港)이 있음. 상업이 성하며, 러시아인과 인도 상인이 모임. 근처에 유전(油田)이 있어 유명하며, 목화가 많이 산출됨. 또, 그 주변에는 천불동(千佛洞) 등의 불교 유적과 그 미술품이 많음. 고차(庫車). [305,000 명(1982)]

쿠치 습원 【─濕原】 〔Cutch, Kutch〕 명 〖지〗 인도 북서부, 아라비아 해안의 염성(塩性)의 대습지대(大濕地帶). 구자라트 주(Gujarat州)의 북서부를 차지함. 쿠치 지역(45,612 km²)의 절반 이상에 달하는데, 아라비아 해(海)의 천해성(淺海性) 만입부(灣入部)에 염류(塩類)가 매적(埋積)된 것임. 여름의 남서 계절풍 때에는 침수로 인해 습원(濕原)으로 변함.

쿠칭 〔Kuching〕 명 〖지〗 보르네오 섬 북부 사라와크 주(Sarawak州)의 주도. 쿠칭 하구(河口) 가까이 있는 하항(河港)으로, 고무·목재·사고(sago)·석유 등의 집산(集散)이 행하여지는데, 화교(華僑)가 우세함. 곤충류(昆蟲類)의 수집으로 유명한 사라와크 박물관이 있음. 구칭은 '사라와크'. [147,729 명(1991)]

쿠쿠이-나무 〔하와이 kukui〕 명 〖식〗 [*Aleurites moluccana*] 대극과(大戟科)에 속하는 교목(喬木). 높이 15 m 정도이고, 잎은 호생(互生)하며 혁질(革質)로 윤택(潤澤)이 나고 달걀꼴임. 백색의 꽃이 원추 화서로 정생함. 핵과(核果)는 구형으로 매우 단단함. 이것을 태워 등(燈) 대신으로 쓰고 또는 기름을 짜서 도료(塗料)·등유(燈油)로 씀. 말라야 또는 남미(南美)에 야생함.

쿠쿠타 〔Cúcuta〕 명 〖지〗 남미 콜롬비아 북부 베네수엘라 국경 부근의 도시. 커피·담배 거래의 중심으로, 1734년에 창건함. 1875년 지진으로 파괴되었다가 그 후 아름다운 거리로 부흥됨. [469,579 명(1994)]

쿠크리닉시 〔러 Kukryniksy〕 명 소련 화가의 그룹 이름. 쿠프리야노프(Kupriyanov, M.V.; 1903-)·크릴로프(Krylov, P.N.; 1902-)·소콜로프(Sokolov, N.A.; 1903-)의 세 사람 이름을 합한 것. 1924년 이래 공동 집필에 의한 만화도 담당함. 고리키·체호프 등의 소설의 삽화를 그리고, 또 각자 독립한 화가로서도 활동함.

쿠키 〔cookie, cooky〕 명 비스킷과 비슷한 마른 양과자(洋菓子)의 하나. 제법(製法)은 비스킷과 같지만 일반적으로 버터 등 지방분이 많고 풍미(風味) 있게 만들어진 것을 이름.

쿠킹 〔cooking〕 명 요리. 요리법.

쿠타라자 〔Kutaraja〕 명 〖지〗 반다아체.

쿠타크 〔Cuttack〕 명 〖지〗 인도 동부 오리사 주(Orissa州)의 항만 도시. 농산물의 집산·가공의 중심지이며 상업의 중심지. 섬유 공업·금은 세공(金銀細工)도 함. 1943년에 창립(創立)한 대학이 있음. [402,390 명(1991)]

쿠터분-하다 형 여불 ↗쿠리터분하다.

쿠:토 〔Coutaud, Lucien〕 명 〖사람〗 프랑스의 화가. 이탈리아에 오래 체재, 피에로 델라 프란체스카(Piero della Francesca)에게 경도(傾倒)함. 환상적인 화풍으로 쉬르레알리슴계(系)의 작가로 알려졌고, 무대 장치와 삽화·태피스트리(tapestry) 등에도 활약함. [1904-77]

쿠트브 미나:르 〔Kutb Minār〕 명 인도 델리(Delhi) 시 남교(南郊) 쿠트브에 있는 인도 최고(最古) 최대의 고탑(高塔)인 미나레트(minaret)의 이름. 미나레트는 아라비아어 manāra에서 유래하는데 '이슬람 성원(聖院)의 고탑'의 뜻임. 12세기말 이슬람 정권이 북인도를 장악한 직후에 창립하였음.

쿠팡 〔Kupang〕 명 〖지〗 인도네시아 동(東)누사텡가라 주(Nusa Tenggara州)의 주도. 티모르(Timor) 섬의 중심 도시이며 항구 도시로, 1618년 네덜란드 인에 의해 건설됨. 야자유·코프라·향목(香木)·커피·수피(獸皮) 등의 집산지이며, 주민은 중국인이 많음. 자바와 오스트레일리아를 잇는 해로(海路)와 항공로의 요지임.

쿠:퍼[1] 〔Cooper, Gary〕 명 〖사람〗 미국의 영화 배우. 몬태나 주 태생으로, 1925년 데뷔 이래 대표적 남성 스타로서 주로 서부극에서 활약하다가 점차 내면적인 연기로 중후·원숙한 역(役)을 맡았음. 1941년과 1952년 두 번에 걸쳐 아카데미 남우 주연상을 받음. [1901-61]

쿠:퍼[2] 〔Cooper, James Fenimore〕 명 〖사람〗 미국의 작가·평론가. 독립 전쟁 비화인 ≪스파이≫로 알려져 미국서는 최초의 해양 모험 소설인 ≪파일럿≫으로 인기를 얻음. 이어서 ≪사슴 사냥꾼≫·≪모히칸족(Mochican 族)의 최후≫·≪길을 여는 사람≫·≪개척자≫·≪대평원≫ 등의 오부작(5部作)으로 명성을 떨침. [1789-1851]

쿠:퍼[3] 〔Cooper, Leon N.〕 명 〖사람〗 미국의 물리학자. 뉴욕 시 태생. 1972년, 금속(金屬)의 초전도성(超傳導性)에 관한 연구(硏究)로 바딘(Bardeen, J.)·슈리퍼(Schrieffer, John R.)와 함께 노벨 물리학상을 수상함. [1930-]

쿠:퍼[4] 〔Cowper, William〕 명 〖사람〗 영국의 시인. 낭만파의 선구로서 18세기 후반의 시단을 대표함. 대표작 ≪작업≫(1785) 외에 호메로스의 번역도 있음. 그의 서간(書簡)을 모은 서간집은 문학적 향기가 높아 유명함. [1731-1800]

쿠:퍼-쌍 【─雙】 명 〔Cooper's pairs; 미국의 물리학자 쿠퍼(Cooper, Leon N.; 1930-)의 이름에 유래〕 〖물〗 초전도체(超傳導體) 속에 생기는 속박 전자(束縛電子)의 쌍.

쿠페 〔프 coupé〕 명 ①바퀴가 넷 달리고 두 사람이 타며 어자대(御者臺)가 외부에 달려 있는 상자 모양의 마차. ②자동차의 한 형(型). 상자 모양으로 생겼는데 보통 세단보다 차체(車體)가 작으며, 후부(後部)에 트렁크를 넣는 곳이 있고, 두 짝의 문이 달렸음. 대형(大型)에는 네 개, 소형(小型)에는 두 개의 좌석이 있음. ③발레에서 발놀림의 하나. 두 다리를 동시(同時)에 바닥에서 떼지 않고 바닥을 자르듯이 번갈아서 위치(位置)를 바꾸는 일.

〈쿠페②〉

쿠페론 〔cupferron〕 명 〖화〗 녹는점 164°C의 황색 결정(結晶). 산성(酸性) 또는 암모니아성 용액 중에서 암모늄기(基) 대신에 여러 가지 금속이 치환(置換)되어 침전(沈澱)되므로 분석 시약에 쓰이며, 철과 망간의 분리 등에 이용됨.

쿠:폰 〔coupon〕 명 ①원권(元券)에서 잘라 내어 사용하는 종이 쪽지. ②채권의 이자권(利子券)·회수권(回收券)·경품권(景品券)·배급권·관람권 등의 한 장씩 잘라 내어 쓰는 표. ③철도·버스·선박 등의 승차·승선권이나, 지정 여관의 숙박권 등을 한 묶음으로 한 것. 유람권 따위. ④신용 판매에서 상품 구입권 등.

쿠:폰 시험편 【─試驗片】 〔coupon〕 명 〖화〗 유체(流體) 또는 기체 생성물의 부식 작용을 검출하거나 부식 억제 첨가제(腐蝕抑制添加劑)의 효율을 시험하기 위하여 쓰이는, 규정된 크기와 무게를 가진 연마 금속편(硏磨金屬片).

쿠프랭 〔Couperin, Francois〕 명 〖사람〗 프랑스의 작곡가. 오르간 및 클라브생(clavecin) 연주가. 200년에 걸쳐 많은 음악가를 배출한 쿠프랭 가문(家門)의 가장 훌륭한 음악가로, 동명(同名)인 숙부와 구별하여 '대쿠프랭'이라 일컫고, '프랑스 음악의 아버지'로 불림. 다섯 조곡(組曲)으로 된 ≪클라브생 곡집(曲集)≫ 전4권(卷), 27 조곡을 내어, 라모(Rameau, J.P.)와 함께 프랑스 로코코를 대표함. [1668-1733]

쿠프린 〔Kuprin, Aleksandr Ivanovich〕 명 〖사람〗 러시아의 소설가. 풍부한 체험을 가미(加味)하여 많은 사실(寫實)주의적 걸작을 남겼음. 10월 혁명 후 파리로 망명하였다가 1937년 귀국해서 병으로 죽음. 대표작에 ≪결투(決鬪)≫ 외에 ≪탐욕의 신(神)≫·≪마굴(魔窟)≫ 등이 있음. [1870-1938]

쿠프먼스 〔Koopmans, Tjalling Charles〕 명 〖사람〗 네덜란드 태생의 미국 경제학자. 레이덴 대학 졸업 후, 국제 연맹에서 통계 조사에 종사함. 도미하여 시카고 대학 경제학 교수. 일찍이 계량(計量) 경제학에 추계학(推計學)을 적용함. 1975년에 자원(資源)의 최적 배분(最適配分)에 관한 연구로 노벨 경제학상을 수상함. [1910-85]

쿠플레 〔Couplet, Philippe〕 명 〖사람〗 벨기에 태생의 선교사. 중국 이름은 상응리(相應理). 1659년 중국으로 건너가 1662년 '대학'·'논어'를 라틴어로 번역함. 귀국 후 파리에서 ≪중국의 철인(哲人) 공자(孔子)≫를 출판함. 다시 중국으로 건너가던 중 배에서 짐 밑에 깔리어서 죽음. [1624-92]

쿠피도 〔라 Cupido〕 명 〖신〗 큐피드(Cupid).

쿡[1] 〔cook〕 명 요리인(料理人).

쿡[2] 〔Cook, James〕 명 〖사람〗 영국의 탐험가·항해가. 1768-79년 3차에 걸쳐 태평양 해안·오스트레일리아·뉴질랜드를 탐험, 그 영유(領有)를 선언하였으며, 남극을 주항(周航), 1778년 하와이 제도(諸島)·쿡(Cook) 제도, 소시에테(Société) 제도 등을 발견하였는데, 하와이에서 토인에게 살해당함. 캡틴 쿡(Captain Cook)으로 통칭됨. [1728-79]

쿡[3] 부 ①물건이 다른 물건 속으로 세게 박히는 모양. ¶∼ 찌르다. ②부리나 연장으로 단단한 물건을 쪼는 모양. 1)·2):>콕. ──-하다 자 여불

쿡사키 바이러스 〔Coxsackie virus〕 명 〔처음으로 환자가 발견된 미국의 쿡사키(Coxsackie)의 지명(地名)에서〕 소아 인후(咽喉) 괴양성 수포증(水疱症) 또는 유행성 흉막통 등의 원인이 되는 바이러스.

쿡 산 【─山】 〔Cook〕 명 〖지〗 ①뉴질랜드 남(南)섬의 서부에 있는 오세아니아 주의 최고봉(最高峰). 일곱 개의 빙하(氷河)가 있음. 1894년

뉴질랜드의 파이프(Fyfe, Th. C.)가 처음 등정(登頂)함. 아오랑기 산(Aorangi山). [3,763 m] ②북아메리카 유콘·알래스카 경계에 솟아 있는 세인트 일라이어스(St. Elias) 산맥 중의 고봉(高峰). [4,194 m]

쿡 제도【一諸島】〔Cook〕명 『지』 동남 태평양 상에 점재(點在)하는 8개의 섬. 주민은 폴리네시아계(Polynesia系)의 마오리족. 과실·코프라·진주 등을 산출함. 1888년 영국 보호령, 1901년 뉴질랜드령, 1965년에는 내정(內政)의 자치권을 획득함. [236 km² : 20,000 명(1995 추계)]

쿡-쿡 부 여러 번 쿡하는 모양. ¶～ 쑤시다. >콕콕. ——-하다 자여불

쿡쿡-거리다 자 계속해서 쿡쿡하다. ¶상처가 ～. >콕콕거리다.

쿡쿡-대다 자 쿡쿡거리다.

쿡 해:협【一海峽】〔Cook〕명 『지』 뉴질랜드 북(北)섬과 남(南)섬 사이의 해협. 1770년 쿡(Cook, J.)이 발견함. 가장 협소한 곳의 너비가 약 25 km. 태즈먼 해(Tasman海)와 태평양을 잇는 항로이며, 해협에 면해서 수도 웰링턴(Wellington)이 있음. 남섬 쪽에는 리아스식 해안이 발달하여 여름에는 피서객들로 붐빔.

쿤:[1] 〔Kuhn, Richard〕명 『사람』 독일의 화학자·생물학자. 카로티노이드류(carotinoid 類)의 연구 및 유기 합성(有機合成)과 입체 화학을 비롯한 다방면에 걸친 연구와, 특히 비타민 B_2의 결정 단리(結晶單離)와 합성, 비타민 A의 합성 공적은 유명함. 1938년 노벨 화학상이 수여되었으나 나치스(Nazis)의 강압으로 사퇴했다가 제 2차 대전이 끝난 후에 받음. [1900-67]

쿤:[2] 〔Kuhn, Thomas Samuel〕 명 『사람』 미국의 과학사가(科學史家). 과학 사학회 회장을 지냄. 1962년 《과학 혁명의 구조》를 발표, 패러다임 개념(槪念)을 제기함. 그 밖의 저작으로 《본질적 긴장》·《이체(異體) 이론과 양자 불연속(量子不連續)》 등이 있음. [1922-]

쿤[3] 〔Kun, Béla〕명 『사람』 헝가리의 정치가. 제1차 대전에서 러시아군에 체포되어 공산주의자가 되고 귀국 후 1919년 혁명을 지도하여 헝가리 소비에트 정권을 수립함. 1920년 러시아로 망명하였으나 스탈린에 의해 숙청됨. [1886-1939]

쿤-내 명 ☞쿠린내(평안).

쿤닐링구스 〔라 cunnilingus〕명 『심』 구강 성교(口腔性交)의 하나. 남성이 입이나 혀로 여성 성기를 자극함으로써 스스로 쾌감을 얻는 일. ↔펠라티오(fellatio). *구강 성교(口腔性交).

쿤데라 〔Kundera, Milan〕명 『사람』 체코의 시인·극작가·단편 소설가. 작품에 연애 서정시집 《모놀로그》가 있으며, 또 희곡 《열쇠의 소유주》와 사회주의 사회의 악영향에 시달리는 인간상(人間像)을 그린 소설 《농담(弄談)》 등은 전후(戰後)의 걸작임. 이른바 '프라하의 봄' 사건 후 국내에서의 활동이 억제되어 1975년 프랑스로 이주하여 작품을 발표하고 있음. [1929-]

쿤: 로:브 재벌【一財閥】〔Kuhn Loeb〕명 미국 금융 재벌의 하나. 1867년 유태계(系) 독일인 쿤(Kuhn, Abraham)과 로브(Loeb, Solomon; 1823-1903)가 개설한 쿤 로브 주식 회사를 통하여, 19세기 말에서 20세기 전반에 모건(Morgan) 재벌에 이어 지배력을 과시하였던 재벌임.

쿤룬 산맥【一山脈】〔崑崙〕명 『지』 아시아에서 가장 큰 산맥의 하나. 파미르(Pamir)에서부터 동으로 뻗어 티베트(Tibet)·신장(新疆)의 경계선을 이루고, 다시 동으로 뻗어 황허(黃河)·양쯔 강(揚子江)의 발원이 됨. 서쪽은 높고 동쪽은 저지(低地)를 이룸. 이 산맥은 19세기 말에 러시아의 지리학자이자 탐험가인 프르제발리스키와 스웨덴의 헤딘에 의해 밝혀졌음. 곤륜 산맥.

쿤밍 〔昆明〕명 『지』 중국 윈난 성(雲南省)의 주도(主都). 톈츠(滇池) 북안에 있으며 쿤허 철도(昆河鐵道)가 건설되어 미얀마와 통하게 되었으며 또한 귀저우(貴州)·쓰촨(四川)·베트남·라오스·미얀마에 이르는 자동차로(路)의 중심지(中心地)임. 시멘트·화학·기계·제련 등의 근대 공업이 가동되고 차(茶)·약재·구리 등을 수출함. 윈난(雲南). 곤명. [1,127,411 명(1990)]

쿤밍-지【一池】〔昆明〕명 『지』 '뎬츠(滇池)'의 딴이름. 곤명지.

쿤밍-호【一湖】〔昆明〕명 『지』 중국 베이징(北京) 교외 완서우 산(萬壽山) 아래에 있는 못. 청(淸)의 건륭(乾隆) 때에, 시산(西山) 산에서 발원하는 위촨(玉川) 강의 물을 끌어 종래의 시후(西湖) 호를 넓힌 것으로 둘레는 120 km임. 현재는 유람지로 개방되었음. 곤명호.

쿤스트 〔도 Kunst〕명 예술. 기예(技藝).

쿤위 〔崑崙〕명 『지』 '원덩(文登)'의 딴이름. 곤유.

쿤트 〔Kundt, August〕명 『사람』 독일의 물리학자. '쿤트의 실험'에 의하여 기체와 고체에 있어서 음파의 속도 측정의 방법을 보였음. 또, 광학에서의 이상 분산(異常分散)이나 자기(磁氣) 광학의 연구에 업적을 남김. [1839-94]

쿤트-관【一管】명 〔Kundt's tube〕 『물』 독일의 실험 물리학자 쿤트(Kundt, A.)가 공기 및 다른 기체 중의 음파 속도를 측정하는 데 사용한 특수한 유리관. *쿤트의 실험.

쿤트의 실험【一實驗】〔Kundt〕 [—/—에—] 명 『물』 독일의 물리학자 쿤트(Kundt, A.)가 1866년에 한 음속 측정을 위한 실험. 길이 1 m 정도의 유리관 속에 가벼운 코르크 분말을 넣고, 이 관내에 유리 또는 금속의 막대를 일부분 집어넣어 이 관의 바깥 부분을 습포(濕布)로 가로 비비면, 그것이 관 안으로 전파되어 관내의 공기주(空氣柱)에 종진동(縱振動)을 일으키며, 따라서 관내의 분말은 보통 절(節) 부분으로 모이는데, 이것에 의해 음파의 진동수를 측정할 수 있음. *쿤트관(管).

쿨라:크 〔러 kulak〕명 소련의 농촌 사회화 정책에 있어서 절멸(絕滅)의 대상으로 되어 있는 소련 농촌의 부농층(富農層). 1929년 이후 전면적 집단화에 따라 소멸함.

쿨란 〔kulan〕명 〔*Equus hemionus* var. *hemionus*〕 『동』 아시아산 야생 당나귀의 한 아종(亞種). 어깨 높이 약 1 m. 적갈색이며 복부는 흼. 또 귀가 길고 눈이 큼. 알타이 산지와 키르기스 초원에 분포하나 멸종 위기에 있음.

쿨:러 〔cooler〕명 냉각기. 냉방 장치. ¶카 ～/룸 ～.

쿨렁 부 ①그릇에 담긴 액체가 크게 흔들리어 나는 소리. ②무엇이 착 달라붙지 아니하고 들떠서 부푼 모양. 1)·2):ㅆ꿀렁. >콜랑[2]. ——-하다 자여불

쿨렁-거리다 자 ①물 같은 것이 넓은 통 속에서 위아래로 흔들리다. ②착 달라붙지 않고 부풀어서 들썩들썩하다. 1)·2): ㅆ꿀렁거리다. >콜랑거리다. **쿨렁-쿨렁** 부. ——-하다 자여불

쿨렁-대다 자 쿨렁거리다.

쿨렁-이다 자 ①그릇에 덜 찬 액체가 흔들리면서 소리를 내다. ②찰싹 들러 붙지 않고 매우 부풀어서 들썩이다. 1)·2) ㅆ꿀렁이다. >콜랑이다.

쿨:롬 〔coulomb〕 의명 『물』 전기량(量)의 실용(實用) 단위. 1 암페어의 전류가 1초간에 보내는 전기량. 약호 C로 표시함.

쿨:롬-미:터 〔coulomb-meter〕명 『물』 전량계(電量計).

쿨:롱 〔Coulomb, Charles Augustin de〕명 『사람』 프랑스의 물리학자·전기학자. 1777년 자침(磁針)의 제작에 관한 연구, 1781년 《단일 기계 이론(單一機械理論)》으로 아카데미상을 받고 아카데미 회원이 됨. 그 후 전기력·자기력(磁氣力)의 측정에서 '쿨롱의 법칙'을 발견하였고, 마찰(摩擦)에 관한 법칙도 발견함. [1736-1806]

쿨:롱의 법칙【一法則】[—/—에—] 명 〔Coulomb's law〕 『물』 쿨롱이 1785년에 발견한 전기력 및 자기력(磁氣力)에 관한 법칙. 곧 '두 개의 점전하(點電荷) 또는 자극(磁極) 사이에 작용하는 힘은 양자(兩者)를 맺는 직선의 방향으로 향하여 전하(電荷) 또는 자극이 같은 부호(符號)이면 반발력(反撥力), 다른 부호이면 인력(引力)으로서, 그 크기는 양자의 전기력 또는 자기량의 곱에 비례(比例)하고 양자 사이의 거리의 제곱에 반비례한다'고 하는 법칙.

쿨:롱의 힘 [—/—에—] 명 〔Coulomb force〕 『물』 쿨롱의 법칙에 따르는, 하나의 하전 입자(荷電粒子)가 다른 하전 입자에 미치는 정전기적(靜電氣的)인 인력 또는 반발력.

쿨루아:르 〔프 couloir〕명 〔복도의 뜻〕 등산에서, 눈이나 얼음이 있는 가파르고 비교적 넓은 계곡.

쿨룩 부 신병(身病)으로 쇠약해져서 입을 오므리고 울리게 내는 기침 소리. >콜록. ——-하다 자여불

쿨룩-거리다 자 계속해서 쿨룩하는 소리를 내다. >콜록거리다. **쿨룩-쿨룩** 부. ——-하다 자여불

쿨룩-대다 자 쿨룩거리다.

쿨:리[1] 〔Cooley, Charles Horton〕명 『사람』 미국의 사회학자. 미시간 대학 교수. 그의 학설은 '제1차 집단', '교통', '거울에 비친 자아' 따위의 개념에 의하여 알려지게 되어 미국 사회학의 최고 권위가 됨. 주저(主著)에 《인간성과 사회 질서》·《사회 조직론》·《사회 과정론(社會過程論)》의 3부작이 있음. [1864-1929]

쿨:리[2] 〔cooly, coolie〕명 〔←중 苦力〕 중노동에 종사하는 중국·인도의 하층 노동자. 실업자 혹은 전답을 잃은 빈농·소농이 쿨리로 됨. 서인도 제도·아프리카의 영국 식민지 등의 개발에 혹사(酷使)되었음.

쿨리아칸 〔Culiacán〕명 『지』 멕시코 서북부 시날로아(Sinaloa) 주의 주도. 쿨리아칸 강(江)을 향한 반(半)사막 지대의 상업 중심지이며, 캘리포니아 반도의 라파스(La Paz)에의 항공 중계지임. 1599년에 창건(創建)되고 현재는 방적 공업(紡績工業)이 행하여지고 있음. 정식 명칭은 Culiacán-Rosales. [415,046 명(1990)]

쿨:리지[1] 〔Coolidge, Calvin〕명 『사람』 미국의 제30대 대통령. 매사추세츠 주(州) 상원 의원, 주 지사, 하딩(Harding, W.G.) 대통령 때 공화당 부통령 등을 거쳐 1923년 8월 하딩 사후(死後) 대통령직을 승계, 이듬해에 다시 재선됨. [1872-1933; 재임 1923-29]

쿨:리지[2] 〔Coolidge William David〕명 『사람』 미국의 물리학자. 1910년에 텅스텐에 연성(延性)을 부여하는 것에 성공하여 백열 전구·전자관의 발전에 기여하였고, 이어 1913년 쿨리지관(管)을 고안하여 X선의 연구·응용에 공헌함. 또한 미국의 원자 폭탄 개발에도 관여하였음. [1875-1975]

쿨:리지-관【一管】명 〔Coolidge tube〕 『물』 X선(線)을 발생시키기 위한 진공관(眞空管). 고도의 진공으로 한 관구(管球) 안에 텅스텐의 필라멘트를 만들어 음극(陰極)으로 하고, 이를 전류로 적열(赤熱)시킬 때 생기는 열전자(熱電子)를 고전압(高電壓)으로 가속(加速)하여 대음극(對陰極)에 충돌시켜서, X선을 생기게 하는 장치. 1913년 미국의 물리학자 쿨리지(Coolidge, W.D.)가 고안하였음. 열전자 엑스선관(熱電子 X線管).

〈쿨리지관〉

쿨:링-다운 〔cooling-down〕명 경기가 끝난 뒤의 정리 운동(整理運動). ↔워밍업(warming-up).

쿨:링 시스템 〔cooling system〕명 엔진의 과열을 방지하는 장치. 엔진 케이스 속에 수로(水路)를 설치하여 냉각시키는 수냉(水冷) 방식과 엔진의 둘레에 강제로 공기를 보내어 냉각시키는 공랭(空冷) 방식의 두 가지가 있음.

쿨:링 오프 〔cooling off〕 명 할부(割賦) 판매나 외판원(外販員)의 방문(訪問) 판매에서, 구입(購入) 계약한 소비자가 일정한 냉각 기간 안에는 위약금(違約金) 없이 계약 해제를 할 수 있는 제도.

쿨: 스트립 〔cool strip〕명 『공』 900°C 이하의 온도에서 강괴(鋼塊)를 자동식으로 압연(壓延)하는 고속도(高速度) 압연기. ↔핫 스트립(hot strip).

쿨: 재즈 〔cool jazz〕명 『악』 감정을 억제한, 내성적(內省的)인 느낌의 모던 재즈의 한 형식. 1940년대의 비밥(be-bop)의 열광적인 연주 형식

에 대항하여 생김.

쿨쩍-쿨쩍 부 〈방〉 훌쩍훌쩍. ――-하다 타

쿨쿨¹ 부 큰 구멍으로 물이 쏟아져 흐르는 소리. ≒꿀꿀. >콜콜¹. ――-하다 자여불

쿨:쿨² 부 곤히 잠들었을 때 숨쉬는 소리. 또, 그 모양. >콜콜². ――-하다 자여불

쿨쿨-거리다¹ 자 큰 구멍으로 물이 쏟아지며 계속해서 쿨쿨하는 소리를 내다. ≒꿀꿀거리다¹. >콜콜거리다¹.

쿨:쿨-거리다² 자 곤히 잠들었을 때 쿨쿨 소리를 계속해서 내다. >콜콜거리다².

쿨쿨-대다 자 쿨쿨거리다¹·².

쿨쿨-이 명 〈심마니〉〖동〗 멧돼지.

쿰¹ 명 〈방〉 품¹.

쿰² 〔Qum〕 명 〖지〗 이란의 중부 지방의 도시. 테헤란 남부 이슬람교(敎)의 성지(聖地)의 하나로, 제왕(諸王)의 묘(廟)가 있음. 철도의 분기점이고, 곡물과 면화가 풍부하며, 유리·도기(陶器)·피혁 공업도 성함. 최근 부근에서 석유도 발견됨. [681,253 명(1991)]

쿰³ 형 〈옛〉 큼. '크다'의 명사형. ¶져굼과 쿰과롤 서르 드리샤(小大相容)≪楞嚴 Ⅳ:46≫/굣 깁고 쿠미 드외니라(最爲深大)≪妙蓮 Ⅵ:163≫.

쿰란 교:단【一敎團】〔Qumran〕 명 〖종〗 〔쿰란은 사해(死海)의 북서안(北西岸)의 지명〕 기원전 1세기경 정통적인 유태교에서 분리되어, 황야(荒野)에서 금욕적(禁慾的) 집단 생활을 한 에세네파(Essenes 派)의 한 분파. ＊사해 문서(死海文書).

쿰-싻 명 〈방〉 품삯.

쿵 부 ①무거운 물건이 단단한 바닥에 떨어질 때 울리는 소리. >콩. ②큰 북을 칠 때 울리는 소리. ③멀리서울려 오는 대포소리. ≒꿍. ――-하다 자여불

쿵더쿵 부 '쿵덕'에 미음(尾音) '쿵'을 달아 율동적(律動的)인 효과를 내는 말. >콩다콩. ――-하다 자여불

쿵더쿵-쿵더쿵 부 여러 번 쿵더쿵하는 모양. ――-하다 자여불

쿵덕 부 방아를 찧을 때, 확 속에 공이를 한 번 내리칠 때 나는 소리. >콩닥. ――-하다 자여불

쿵덕-거리다 자타 방아를 찧을 때 계속해서 쿵덕하는 소리가 나다. 잇따라 쿵덕 소리를 내다. >콩닥거리다. **쿵덕-쿵덕** 부. ――-하다 자타여불

쿵덕-대다 자 쿵덕거리다.

쿵덕덕 부 북 같은 타악기(打樂器)로 장단을 맞추는 소리. >콩닥닥. ――-하다 자여불

쿵덕덕-거리다 자 계속해서 쿵덕덕 소리를 내다. >콩닥닥거리다. **쿵덕덕-쿵덕덕** 부. ――-하다 자여불

쿵덕덕-대다 자 쿵덕덕거리다.

쿵덕쿵 부 ☞쿵더쿵. ――-하다 자여불

쿵 샹시〔孔祥熙〕 명 〖사람〗 중국의 전날의 재정가(財政家). 자는 융즈(庸之). 쑹 칭링(宋慶齡)의 언니인 쑹 아이링(宋靄齡)과 결혼하여 저장(浙江) 재벌의 중심 인물이 됨. 1930 년 이래 국민 정부의 재정 경제의 요직을 역임했는데, 1948 년 공직을 떠나 도미(渡美)했음. 공상희. [1881-1967]

쿵작 부 큰북 따위의 바닥을 막대끝으로 가볍게 두드릴 때 나는 소리. >콩작. ――-하다 자여불

쿵작-거리다 자 큰북 따위를 막대로 두드리는 소리가 연해 나다. 또 계속 해서 쿵작 소리를 나게 하다. >콩작거리다. **쿵작-쿵작** 부. ――-하다 자여불

쿵작-대다 자 쿵작거리다.

쿵작작 부 큰북 따위의 바닥을 박자를 맞추어 막대끝으로 두드릴 때 나는 소리. >콩작작. ――-하다 자여불

쿵작작-거리다 자 잇따라 쿵작작 소리가 나다. 또 잇따라 쿵작작 소리를 나게 하다. >콩작작거리다. **쿵작작-쿵작작** 부. ――-하다 자여불

쿵작작-대다 자 쿵작작거리다.

쿵작쿵 부 큰북 따위의 바닥을 장단을 맞추어 흥겹게 두드릴 때 나는 소리. >콩작콩. ――-하다 자여불

쿵작쿵-거리다 자 계속 쿵작쿵 소리가 나다. 또 계속 쿵작쿵 소리가 나게 하다. >콩작콩거리다. **쿵작쿵-쿵작쿵** 부. ――-하다 자여불

쿵작쿵-대다 자 쿵작쿵거리다.

쿵쾅 부 ①총·대포 등의 소리가 크고 작게 섞이어 세게 나는 소리. ②북소리 따위가 크고 작게 뒤섞이어 요란하게 나는 소리. ③마룻 바닥 따위를 여럿이서 급히 구를 때 요란스럽게 울리는 소리. ④속이 비거나 단단하고 큰 물건이 서로 부딪칠 때 요란하게 나는 소리. 1)-4):≒꿍꽝. ――-하다 자여불

쿵쾅-거리다 자타 계속해서 쿵쾅하는 소리가 나다. 또, 계속해서 쿵쾅하는 소리를 나게 하다. ≒꿍꽝거리다. **쿵쾅-쿵쾅** 부. ――-하다 자타여불

쿵쾅-대다 자타 쿵쾅거리다.

쿵쾅-이다 자타 연해 쿵쾅 소리가 나다. 또, 그 소리를 내다.

쿵쿵 부 ①무거운 물건이 연해 땅에 떨어지는 소리. 여러 번 쿵하는 소리. >콩콩². ②큰 북을 연해 쳐서 울리는 소리. ③멀리서 연해 우렁차게 울리는 총포 소리. 1)-3): ≒꿍꿍. ――-하다 자여불

쿵쿵-거리다 자타 계속해서 쿵쿵하는 소리가 나다. 또, 계속해서 쿵쿵하는 소리를 나게 하다. ≒꿍꿍거리다¹. >콩콩거리다.

쿵쿵-대다 자타 쿵쿵거리다.

쿼드〔quad〕 명 〖인쇄〗 공목(空木). 인테르.

쿼르르 부 많은 액체가 좁고 깊은 곳으로 급히 세차게 쏟아지는 소리. 또, 그 모양. ≒꿔르르. >콰르르. ――-하다 자여불

쿼:츠〔quartz〕 명 ①얇은 수정 조각을 이용한 발진기(發振器)나 그것을 사용한 장치의 총칭. 정밀도가 높음. ②수정 시계.

쿼:크〔quark〕 명 〖물〗 강입자(強粒子)를 구성하는 기본 입자. 1964 년 미국의 겔만(Gell-Mann, M.) 등에 의해 도입(導入)됨. 스핀은 1/2, 분수 전하(分數電荷)를 가진 입자로, 2 종씩 쌍을 이루며 현재 다운(down) 쿼크(d), 업(up) 쿼크(u), 스트레인지(strange) 쿼크(s), 참(charm) 쿼크(c), 보텀(bottom) 쿼크(b), 톱(top) 쿼크(t)의 존재가 확인됨.

쿼:크 모형【一模型】〔quark〕 명 〖물〗 쿼크에 의한 소립자(素粒子) 모형(模型).

쿼:터¹〔quarter〕 ㊀ 명 ① 4 분의 1. ②농구 등에서, 한 경기 시간의 4 분의 1 또는 경기 거리의 4 분의 1. ¶2 ～/3 ～. ㊁ 의명 ①야드파운드법(yard-pound 法)에서, 양(量)의 한 상업용 단위. 곡물 등의 계량에 쓰임. 곧, 290.95 리터. ②미국·캐나다의 화폐 단위. 1 달러의 4 분의 1, 곧 25 센트(cent)의 은화(銀貨).

쿼:터²〔quota〕 명 배당(配當). 할당액. 부담액. 수입(輸入) 할당제.

쿼:터 넬슨〔quarter nelson〕 명 레슬링에서, 한 팔로 다른 팔을 거들어서 하는 넬슨. ＊넬슨.

쿼:터-마스터〔quartermaster〕 명 ①배의 키·나침반·신호·선적(船積) 등을 맡은 선원. 조타수(操舵手). ②〖군〗 병참 장교. 큐 엠(Q.M.).

쿼:터-백〔quarterback〕 명 미식(美式) 축구에서, 포워드(forward)와 하프백(halfback)의 중간에 있는 선수. 또, 그 포지션. 약호(略號)는 큐 비(QB).

쿼:터 시스템〔quota system〕 명 수입액이나 이민수(移民數) 따위의 할당 제도.

쿼:터-타임〔quarter-time〕 명 농구에서, 제1·2·3·4쿼터 사이의 1 분간 쉬는 시간. 곧, 한 경기 시간의 4 분의 1마다 1 분간 쉬는 시간인데 지금은 폐지됨.

쿼:터-파이널〔quarter-final〕 명 운동경기에서, 준준(準準) 결승 시합.

쿼:털리〔quarterly〕 명 계간지(季刊誌).

쿼:테이션〔quotation〕 명 인용(引用). 인용문(引用文).

쿼:테이션 마:크〔quotation mark〕 명 인용문에 쓰이는 인용부(引用符). 곧, '" "'·' ' ''·'≪ ≫' 등. 따옴표.

쿼:텟〔quartet〕 명 〖악〗 콰르테트(quartette).

쿼:토〔quarto〕 명 사절판(四折判). 전지(全紙)를 사분(四分)한 크기임.

쿼:트〔quart〕 의명 야드파운드법(yard-pound 法)에서의 양(量)의 한 단위. 1 갤런(gallon)의 4 분의 1 또는 2 파인트(pint). 영국에서는 1.136 리터, 미국에서는 액량(液量)으로 0.946 리터, 건량(乾量)으로 8 분의 1 펙(peck) 또는 32 분의 1 부셸(bushel) 또는 1.10 리터임.

퀀셋〔Quonset〕 명 길쭉한 반원형(半圓形)의 간이 건물(簡易建物).

〈퀀셋〉

퀄퀄 부 구멍이 큰 목으로 물이 급히 쏟아지는 소리. ¶～ 쏟아져 흐르다. ≒꿜꿜. >콸콸. ――-하다 자여불

퀄퀄-거리다 자 계속해서 퀄퀄하고 쏟아지는 소리가 나다. ≒꿜꿜거리다. >콸콸거리다.

퀄퀄-대다 자 퀄퀄거리다.

퀑 부 ①폭발물이 터질 때 울리는 소리. ②무거운 물건이 되게 떨어져 울리는 소리. 1)·2):>쾅. ――-하다 자여불

퀑-퀑 부 여러 번 퀑하는 소리. >쾅쾅. ――-하다 자타여불

퀑퀑-거리다 자타 계속해서 퀑퀑하는 소리가 나다. 또, 그런 소리를 내다. >쾅쾅거리다.

퀑퀑-대다 자타 퀑퀑거리다.

퀑퀑-이다 자타 연해 터지거나 부딪혀서 퀑퀑 소리가 나다. 또, 나게 하다.

퀘르치아〔Quercia, Jacopo della〕 명 〖사람〗 이탈리아의 조각가. 후기 고딕에서 초기 르네상스에의 과도기를 대표하는 조각가로, 부조(浮彫)를 특기로 하였으나, 만년에는 동감(動感)이 풍부한 양식을 다루었음. 대표작에 ≪창세기≫ 등 볼로냐의 산 페트로니오 성당에 있는 일련의 부조들이 있음. [1378?-1438]

퀘벡〔Quebec〕 명 〖지〗 ①캐나다 퀘벡 주(州)의 주도(主都). 무역항으로, 조선·인쇄 등의 공업이 성함. 17 세기 이래의 사적(史蹟)이 많아 관광지로 유명함. [164,580 명(1986)] ②캐나다 동부의 주. 인구의 81%는 프랑스계로서 낙농·임업·어업이 성하며, 철·석면(石綿)·구리 등의 자원이 풍부하고, 제지·금속·섬유 공업이 행해짐. [1,540,687 km²]

퀘벡 조령【一條令】〔Quebec〕 명 〖역〗 1774년 영국이 프렌치인디언 전쟁에서 획득한 오하이오 주(Ohio 州) 이북의 구(舊)프랑스령(領)을 퀘벡 식민지에 편입하고 프랑스인의 전통·관습을 존중하는 정책을 시행할 것을 결정한 조령.

퀘벡 회:담【一會談】〔Quebec〕 명 〖역〗 제2차 대전 중 퀘벡에서 영·미 두 나라 수뇌와 연합 참모 본부에 의하여 개최된 회의. 제1회는 1943년 8월에 대륙 반공(反攻) 작전, 일본 본토 폭격 계획을 결정하고, 제 2 회는 1944년 9월에 전후(戰後) 독일의 처리 정책과 원폭(原爆)의 대일전(對日戰) 사용을 결정하였음.

퀘사〔quasar〕 명 〖천〗 ☞퀘이사.

퀘스천〔question〕 명 의문. 의문점.

퀘스천 마:크〔question mark〕 명 의문부(疑問符). 곧 '?'. 물음표. 인테로게이션 마크.

퀘이사〔quasar〕 명 〖천〗 준성 전파원(準星電波源).

퀘이커-파【一派】〔Quaker〕 명 〖기독교〗 17세기경 영국에서 일어난 기독교의 한 파. 그리스도는 외적인 신앙의 고백이 아니라 믿는 자의 영혼(靈魂)을 비치는 내적 빛이라는 폭스(Foxe, J.)의 이론에 기원하며, 세례(洗禮)·찬송(讚頌) 등의 의식을 배격함. 프렌드파(Friend 派). 기독우회(友會).

퀘타〔Quetta〕 명 〖지〗 파키스탄 중서부의 발루치스탄 주(Baluchistan 州)의 주도. 카라치(Karachi)의 북방 564 km, 중앙 브라위 산지(Brahui 山地)의 표고 1,650 m 고도에 위치함. 볼란(Bolan) 고개를 넘어 아프

가니스탄의 칸다하르 주(Kandahar州)와 인더스 강 하류 지역을 연결하는 교통의 요지로, 양모 제품·과실·피혁·곡물 거래의 중심지임. 자동차 수리·식품·양모 공업이 성함. [285,000명(1981)]

퀭-하다 형여불 눈이 쑥 들어가 크고 정기가 없다. ¶퀭한 눈.

퀴날딘 [quinaldine] 명〖화〗 콜타르(coal-tar) 중에 소량으로 존재하는 퀴놀린(quinoline)과 비슷한 물질. 무색 유상(油狀)의 액체로, 특이한 냄새를 가짐. 끓는점 246°-247°C. 물에 녹지 않고 클로르포름 에테르에 녹음. 공기에 닿으면 적갈색이 됨. 물감인 퀴놀린 옐로(quinoline yellow)와 합성 화학의 원료 등으로 쓰임. [$C_{10}H_9N$]

퀴노이드 [quinoid] 명〖화〗 퀴논(quinone)에 고유한 분자 구조(分子構造). 중요한 발색 원체(發色原體)의 하나로 $=C\langle\begin{smallmatrix}C=C\\C=C\end{smallmatrix}\rangle C=$와 같은 모양을 하며, 많은 물감 중에 포함됨.

퀴-논[1] [Qui Nhon] 명〖지〗 베트남 남부 기아빈 성(省)의 성도(省都). 남중국해의 퀴논만(灣)에 면하는 양항(良港). 서부 고원 지대에 고속 도로가 개통되어 있음. 연소(燕巢)의 산지로 알려져 있고, 18세기말 타이손당(Tay-son黨)의 난(亂)의 중심지였음.

퀴논[2] [quinone] 명〖화〗 벤젠핵(benzene核)의 H_2 원자가 O_2 원자와 치환(置換)되어 생성된 일군의 화합물의 총칭. 가장 간단한 것은 벤조퀴논으로, P와 O의 두 종류의 이성체(異性體)가 있음. 좁은 뜻으로는 피(P) 벤조퀴논을 단순히 퀴논이라 함. 피 벤조퀴논은 대체로 황색의 결정인데, 오(O) 벤조퀴논은 주황색 내지 붉은 색임. 피 벤조퀴논은 녹는점 116°C로 아닐린(anilin)의 산화에 의하여 만들어짐. 피부를 황갈색으로 물들이고, 가죽의 무두질에 쓰임.

퀴놀린 [quinoline] 명〖화〗 특이한 냄새가 나는 흑색의 액체. 콜타르(coal-tar) 중에서 생산되며, 알칼로이드(alkaloid) 및 시아닌(cyanine) 등 많은 색소(色素)의 기체(基體)를 이룸. 흡습성(吸濕性)이 강하고, 무기(無機) 및 유기산과 결정성의 염(塩)을 냄. 광선·습기를 피하여 저장함. 끓는점 238°C. 염료 합성 원료 외에, 방부제(防腐劑)·용제(溶劑)로 쓰임. [C_9H_7N]

퀴뇨 [Cugnot, Nicolas Joseph] 명〖사람〗 프랑스의 발명가. 1769년경 최초의 증기 기관에 의한 자동차를 시험하였음. [1725-1804]

퀴니코스 학파【一學派】[그 Kynikos] 명 키니코스 학파.

퀴닌 [quinine] 명〖약〗 기나수(幾那樹)의 껍질에서 만드는 알칼리성의 쓴 맛이 있는 알칼로이드. 명주실 모양의 광택 있는 결정(結晶)으로, 녹는점 57°C. 해열(解熱)·건위(健胃)·강장약(強壯藥)으로 쓰이며, 말라리아(malaria)의 특효약으로 널리 쓰임. 키니네. 금계랍(金鷄蠟). [$C_{20}H_{24}O_2N_2$]

퀴레트 [프 curette] 명〖의〗 소파기(搔爬器).

퀴륨 [curium] 명〖화〗 초우라늄 원소(超uranium元素)의 하나. 은백색의 금속 광택이 남. 1944년 미국의 화학자 시버그(Seaborg, G.) 등이 플루토늄(plutonium) 239에 α선을 조사(照射)하여 처음 만들었음. 퀴리 부처(夫妻)의 이름에서 지은 이름임. [96번:Cm:245]

퀴리[1] [Curie] 명〖사람〗 ①[Marje Sklodowska C.] 폴란드 출생의 프랑스 여류 물리학자. 1895년 피에르(Pierre)와 결혼, 그와 협력하여 라듐(radium)·폴로늄(polonium)을 발견하여 1903년 함께 노벨 물리학상을 수상, 금속 라듐의 분리에 성공하여 1911년 노벨 화학상을 받았음. [1867-1934] ②[Pierre C.] 프랑스의 물리학자. 파리 대학 교수. 결정(結晶) 물리학의 기초에 관한 연구와 자성체(磁性體)에 관한 '퀴리의 법칙'·'퀴리 습도(濕度)'를 발견함. 부인과 함께 한 연구로 1903년 노벨 물리학상 수상, 1906년 불의의 교통 사고로 죽음. [1859-1906]

퀴리[2] [curie] 의명 [퀴리 부처(夫妻)의 이름에서 유래] 방사성(放射性) 물질의 질량을 나타내는 단위. 1초에 3.7×10^{10}개의 괴변(壞變)을 나타내는 방사성 핵종(核種)의 양을 1퀴리라 함. 1950년경에는 1g의 라듐과 방사 평형(放射平衡)이 되는 라돈(radon)의 양을 1퀴리라 하였으나 현재는 쓰이지 않음. 기호(記號)는 Ci.

퀴리누스 [Quirinus] 명〖신〗 로마 신화 중의 군신(軍神). 로마의 건설자 로물루스(Romulus)의 죽은 영혼이라고 하는데, 퀴리누스의 언덕에 그 신전(神殿)이 있음.

퀴리누스의 언덕 [Quirinus] [—/—에—] 명 [Mons Quirinalis] 로마 일곱 언덕 중의 하나. 로마의 최북단에 있으며, 군신(軍神) 퀴리누스를 모신 신전(神殿)이 있음.

퀴리 상수【一常數】명 [Curie constant]〖물〗 퀴리의 법칙에서의 비례 상수. 퀴리 온도 이상의 온도에서는, 전기 감수율(電氣感受率) 또는 자화율(磁化率)과, 그 온도와 퀴리 온도 차의 곱은 일정함.

퀴리 온도【一溫度】명 [Curie temperature]〖물〗 온도 상승에 의하여, 강자성체(強磁性體)나 강유전체(強誘電體)가 그 성질을 소실(消失)하는 임계(臨界) 온도. 발견자 퀴리(Curie, P.)에서 따온 명칭임. 퀴리점(curie點). *퀴리의 법칙.

퀴리의 법칙【一法則】[Curie] [—/—에—] 명〖물〗 상자성체(常磁性體)의 자화율(磁化率) x가 절대 온도 T에 역비례하는, 곧 x=C/T라는 법칙. C는 물질에 따른 비례 상수로 '퀴리 상수'라 불림. 퀴리(Curie, P.)가 발견함. *퀴리 온도.

퀴리-점【一點】[curie] [—쩜] 명〖물〗 퀴리 온도.

퀴비슴 [프 cubisme] 명〖미술〗 입체파(立體派). 큐비즘.

퀴비에 [Cuvier, Georges] 명〖사람〗 프랑스의 동물학자. 동물계를 4부문 15군(群)으로 나눈 분류표를 작성함. 또, 비교 해부학적 연구에 의하여 화석(化石)을 조사, 고생물학을 창시함. 라마르크(Lamarck)의 진화론(進化論)을 부정하여 종(種)의 불변(不變)을 고집하고 천변 지이설(天變地異說)을 주창하였음. [1769-1832]

퀴비예 [Cuvilliés, François de] 명〖사람〗 벨기에 태생의 독일 로코코 건축가·장식 조각가. 뮌헨에서 궁정(宮廷) 건축가인 에프너(Effner, J.)의 조수가 되었으며, 1720년 파리에 유학함. 로코코 양식을 처음으로 독일에 도입함. 대표작에 뮌헨의 왕립 극장(王立劇場) 등이 있음. [1695-1768]

퀴에티슴 [프 quiétisme] 명〖종〗 ①자기의 의지나 행위를 부정하고, 모든 것을 신에게 맡겨 안정(安靜)을 얻고자 하는 주의. ②가톨릭의 내부에서, 순수한 신앙을 내면화(內面化)하여, 영혼의 완전한 안정을 얻을 수 있다는 신비설(神祕說). 스페인의 몰리노스(Molinos, Miguel de; 1640-97?)가 주창하였으며, 계승자는 프랑스의 귀용(Guyon) 부인. 당시의 교황은 이 교설(敎說)을 이단으로서 배척하였음. 정적주의(靜寂主義).

퀴즈 [quiz] 명 [시문(試問)·시답(試答)의 뜻] 어떤 질문에 대한 답을 알아맞히는 놀이 및 그 질문의 총칭. 글자를 만들거나 종이 위에 꾸민 서식(書式) 및 방송(放送) 등으로 하는 방식이 있고, 답에 현상(懸賞)을 붙이기도 함. ¶~ 프로.

퀴즈 쇼: [quiz show] 명 질문에 답하는 형식으로, 그 내용을 흥미 있는 쇼 형식으로 연출하는 방송 프로.

퀴즈 콘테스트 [quiz contest] 명 양편이 서로 학문적인 문제 등을 시문(試問)하여 말문을 막는 편이 이기게 되는 경기. 시문 대항(試問對抗) 경기.

퀴퀴-하다 형여불 상하고 찌들어 비위가 상할 정도로 고리다. ¶퀴퀴한 냄새. >쾨쾨하다.

퀵 [quick] 명 '빠르게, 빨리'의 뜻. ↔슬로(slow).

퀵-런치 [quick-lunch] 명 간편한 요리·도시락 따위.

퀵 리턴 피치 [quick return pitch] 명〖체〗 야구에서의 반칙 투구의 하나. 투수가 포수로부터 돌려 받은 공을 타자가 타석에서 충분히 자세를 취하기 전에 던지는 일.

퀵-샌드 [quicksand] 명 표사(漂沙).

퀵-스텝 [quickstep] 명 ①빠른 걸음. ②흑인들의 춤을 개량하여 사교 댄스에 섞은 춤추는 법의 한 가지.

퀵-체인지 [quick-change] 명 등장(登場) 인물이 재빨리 변장함. ——하다 자여불

퀵-캐리어 [quick-carrier] 명 매장(賣場)과 카운터(counter) 사이에 가설되어 현금을 전송(傳送)하는 기계.

퀸: [queen] 명 ①여왕(女王). 왕비(王妃). ②여왕의 그림이 그려진 카드의 패. ③한 패 중의 가장 으뜸가는 여자. 프리마 돈나(prima donna).

퀸: 메리 호【一號】[Queen Mary] 명 영국의 호화 여객선(豪華旅客船). 1936년에 건조된 세계 유수의 상선으로, 총톤수 81,273톤, 평균 속도 29노트, 승객 2,038명을 수용하는 거선임. 퀸 엘리자베스 호(Queen Elizabeth號)의 자매선인데, 운영난으로 1967년 미국에 매각, 롱비치에서 해사 박물관(海事博物館)으로 사용됨.

퀸:-모:드-랜드 [Queen Maud Land] 명〖지〗 남극 대륙, 서경 20°에서 동경 45°간에서 남쪽으로 뻗친 대륙의 일부분. 엔더비랜드(Enderby Land) 서쪽, 코츠랜드(Coats Land) 동쪽에 해당함. 1939년 이래 노르웨이가 영유(領有)를 주장해 왔으나, 남극 조약의 발효로 영유권은 동결되어 있음.

퀸: 샬럿 제도【一諸島】[Queen Charlotte] 명〖지〗 캐나다의 태평양쪽 난바다에 있는 제도. 브리티시컬럼비아 주(British Columbia州)에 속하며 그레이엄(Graham) 섬·모레즈비(Moresby) 섬 등 150개의 섬으로 이루어짐. 산과 빙하(氷河) 지형이 많으며, 임업·수산업·목축(牧畜)이 행하여짐. 주민(住民)은 인디언계(Indian系)의 하이다족(Haida族)임. [10,300 km²:22,000명(1982)]

퀸: 엘리자베스 호【一號】[Queen Elizabeth] 명 영국의 호화 여객선. 1940년 퀸 메리 호의 자매선(姉妹船)으로 건조된 세계 최대의 여객선으로, 총톤수 83,673톤, 순항(巡航) 속도 28.5노트, 승객 수용 약 3,000명. 1968년 미국에 매각, 회의장 등으로 사용되다가 홍콩의 선박왕 C.Y.퉁에게 다시 매각되었으나 1972년 홍콩 해상에서 화재로 인하여 수장(水葬)되었음.

퀸:즐랜드 주【一州】[Queensland] 명〖지〗 오스트레일리아 동북부의 주(州). 동부는 산지, 서부는 오스트레일리아 분지의 일부임. 소·양·말·돼지의 축산이 주요 산업이고, 사탕수수·밀·면화·야채류의 재배도 행하여짐. 구리·석탄·우라늄광·보크사이트 등의 광물 자원도 풍부하며, 석유도 1961년 남쪽 지방에서 발견되어 개발되고 있음. 원래는 유형(流刑) 식민지임. 수도는 브리즈번(Brisbane). [1,728,000 km²: 2,471,600명(1983)]

퀸텟 [quintet, quintette] 명〖악〗 ①오중창(五重唱). 오중주(五重奏). ②오중창자(五重唱者). 오중주단(五重奏團). ③오성부(五聲部) 또는 다섯 악기의 합주용으로 된 소나타 형식의 악곡(樂曲).

퀸틀 [quintal] 의명 무게의 한 단위. 주로 곡물에 쓰임. 미국에서는 100파운드, 영국에서는 112파운드, 미터법에서는 100 kg임.

퀸틸리아누스 [Quintilianus, Marcus Fabius] 명〖사람〗 로마 제정 초기의 문학자·문예 비평가·수사학자(修辭學者). 그가 만년(晩年)에 저술한 ≪변사 교정(辯辭敎程)≫은 중세 및 문예 부흥기의 문장법·문예 비평·교육 분야 등에 많은 영향을 미쳤음. [35?-95?]

퀸-히드론 [quinhydrone] 명〖화〗 히드로퀴논(hydroquinone)이 산화될 때 생성되는 퀴논과 히드로퀴논이 각 1분자씩 결합하여 된 분자 화합물. 청록색 금속 광택을 가진 결정임.

퀼로트 [프 culotte] 명 ①반바지. 또, 승마 바지. ②↗퀼로트 스커트.

퀼로트 스커:트 [culotte skirt] 명 ①스커트의 일종. 반바지식으로 가랑이가 둘로 갈라진 것인데, 종래는 승마용(乘馬用)으로 사용되었으나, 최근에는 젊은이들의 멋으로 유행됨. ②짧은 팬티(panty). 준퀼로트.

〈퀼로트❶〉

퀼팅 〔quilting〕 명 ①심을 넣고 누비듯이 무늬를 두드러지게 짠 천. ②수예(手藝) 기법(技法)의 하나. 이불·쿠션 등에 누벼서 두드러지게 무늬를 만드는 방법임. 마틀라세(matelassé).

큐:[1] 〔cue〕 명 ①당구(撞球)에서, 공을 치는 막대기. 당구봉(撞球棒). ②라디오·텔레비전 용어. 대사(臺詞)·동작(動作)·음악 등의 개시(開始) 신호.

〈큐[1]❶〉

큐:[2] 〔Q, q〕 명 영어의 17째 자모(字母).

큐:값 명 〔Q-value〕 『물』 전기 회로에서 공진(共振)의 예리함을 나타내는 양(量). 공명 에너지와 에너지 손실의 비로 표시함.

큐나:드 기선 회:사 【一汽船會社】 〔Cunard〕 명 영국의 대표적인 해운 기업(海運企業). 1839년 창립. 대서양의 여객·화물 수송에 유력하며, 대형 선박인 루시타니아 호(Lusitania號)·퀸 메리 호(Queen Mary號) 등을 인수(引受) 운영하였음. 1934년 화이트 스타 사(White Star社)와 합병. 1969년에는 퀸 엘리자베스 2세 호를 취항(就航)시켰음.

큐: 단위 【Q單位】 명 〔Q unit〕 『물』 에너지의 단위. 보존 연료의 열에너지를 측정하는 데 쓰임. 약 1.055×10^{21} 줄(J)과 같음.

큐:-대 【Q帶】 명 〔Q band〕 『전』 36-46 GHz의 무선 주파수대.

큐라소 〔curaçao〕 명 〔네덜란드령 서인도 제도(諸島)의 섬 쿠라사우(Curaçao)의 영어명에서〕 리큐르주(liqueur酒)의 일종. 알코올에 쓴 맛이 있는 쿠라사우 오렌지의 과피(果皮)를 가하여 조미한 감미성(甘味性)의 양주. 본래 서인도 제도의 쿠라사우 섬에서 만들었으나, 지금은 주로 네덜란드와 영국에서 만듦. 무색·녹색·적색·갈색 등 여러 종류가 있음.

큐: 라이트[1] 〔cue light〕 명 텔레비전 카메라의 앞뒤에 달린 빨강 또는 파랑의 전등. 출연자나 촬영자에게 현재 어느 카메라로 전환되었나를 알리는 신호등임.

큐:라이트[2] 〔curite〕 명 『광』 등적색(橙赤色)의 방사성 물질. 미침상 결정(微針狀結晶)으로 존재하며, 섬우라늄광(閃 uranium鑛)의 변질(變質) 생성물.

큐:-마:크 【Q mark】 명 원사(原絲)·의류·전기·화학·생활 용품·유화(乳化) 검사소(檢査所) 등 국내 6개 민간 단체가 시험을 거친 후 해당 업체의 신청으로 표시를 허가해 주는 마크. 알파벳 대문자 'Q'로 표시됨. 이 마크가 표시된 제품은 불량품이거나 하자가 발생했을 때 현품이나 현금으로 교환·보상해 주는 제도가 적용됨.

큐:반 힐: 〔Cuban heel〕 명 여자용 구두 종류의 하나. 힐의 안쪽이 곧바르며 비교적 굵은 중간 정도 높이의 힐. 가죽을 쌓아 올려 만드는 경우가 많음.

큐:-보:트 〔Q-boat〕 명 『역』 1차 대전 말기에 영국이 독일 잠수함을 유인하여 격침시키기 위하여 어선이나 상선으로 가장한 무장선. 큐십(Q-ship).

큐:-볼: 〔cue ball〕 명 당구에서, 자기의 공을 일컫는 말.

큐:브 〔cube〕 명 정육면체(正六面體). 입방체(立方體).

큐브릭 〔Kubrick, Stanley〕 명 『사람』 미국의 영화 감독·제작자. 사진 잡지 '루크(Look)'의 사진 기자로 활동하다가 영화 감독으로 진출하여 ≪스파르타쿠스≫·≪박사의 이상한 애정≫ 등으로 주목받음. ≪2001년의 우주 여행≫으로 단숨에 유명 감독이 됨. ≪2001년의 우주 여행≫은 당대 최고의 공상 과학 영화로 꼽힘. [1928-]

큐:비즘 〔cubism〕 명 『미술』 퀴비슴의 영어 이름.

큐:빗 〔cubit〕 의명 고대 이집트·바빌로니아 등에서 사용된 길이의 단위. 팔꿈치에서 손끝까지의 길이. 17-21인치에 해당함. 현재의 야드·피트의 바탕이 되었음.

큐:섹 〔cusec〕 의명 〔cubic foot per second; cfs〕 『물』 부피 유량(流量)의 단위. 주로, 펌프의 성능에 대해 씀. 1초간에 1입방 ft의 정상류(定常流)와 같음. 기호: ft^3/sec.

큐:-스톨 【QSTOL】 명 『항공』 〔Quiet Short Take-Off and Landing의 약칭〕 소음(騷音)을 70폰 이하로 억제하고도 단거리(短距離) 이착륙(離着陸)의 성능을 갖추어, 항공 공해(公害)를 최소로 줄인 저공해기(低公害機).

큐:-시: 【QC】 명 〔quality control〕 품질 관리. 더욱 좋고 더욱 값싼 제품을 만들어 내기 위한 경영 관리의 한 수법.

큐:시: 서:클 〔QC circle〕 명 직장(職場)과 공정(工程)의 개선을 자주적 활동으로 하는 작업 현장의 소(小)집단. 품질 관리 활동의 단위가 됨.

큐:시: 운:동 【QC 運動】 명 〔quality control campaign〕 기업 내에서 종업원이 품질 관리와 생산성 향상에 자주적으로 참여하는 운동. ¶거사적(擧社的)으로 ~을 벌이다.

큐: 식물원 【一植物園】 〔Kew〕 명 런던 교외의 큐(Kew)에 있는 국립 식물원. 정식 이름은 큐 왕립 식물원(Kew Royal Botanic Gardens). 18세기 중엽에 영국 왕실의 정원을 중심으로 발달한 것인데, 재배 식물이 풍부하고, 화단·박물관·표본관·도서관·연구실 등이 병설되어 있어 근대 식물원 중의 가장 훌륭한 것으로 이름남.

큐:-십 〔Q-ship〕 명 큐보트(Q-boat).

큐: 앤드 에이 〔Q & A〕 명 〔question and answer〕 질문과 답(答).

큐:-엠 【Q.M.】 명 『군』 쿼터마스터(quartermaster)의 약칭.

큐:-열 【Q熱】 명 『의』 〔최초의 발생지인 오스트레일리아의 퀸즐랜드(Queensland)의 Q 또는 의문이란 의미의 query의 Q를 취했다 함〕 리케차(rickettsia)를 병원체로 하는 가축 전염병의 일종. 인체(人體)에도 전염하는 열병으로, 발열·두통 등의 증상이 있으며 사망률은 낮음.

큐: 인자 【Q因子】 명 〔Q factor〕 『물』 주기적인 운동을 하는 계(系)에 어느 정도의 에너지를 저장할 수 있는가를 나타내는 양.

큐:-점 【Q點】 명 〔Q point〕 『항공』 두 개 또는 그 이상의 레이더 관측에 의하여, 레이더 목표의 위치와 움직임을 나타내는 데이터의 점.

큐:-클럭스-클랜 〔Ku-Klux-Klan〕 명 『사』 ①남북 전쟁 후 미국의 남부 각 주에서 일어났던 비밀 결사(祕密結社). 구(舊)노예 소유자가 결성, 백인 지상(白人至上)주의에 의하여 흑인(黑人)과 흑인을 옹호하는 북부 사람을 적대시하였음. ②제1차 세계 대전 후 미국 각지에서 다시 일어난 결사. 구교도(舊教徒)·유태인·동양인(東洋人)을 배척하였음. 백의단(白衣團). 약칭은 K.K.K.

큐티쿨라-층 【一層】 〔cuticula〕 명 『생』 동물의 상피(上皮) 세포나 식물의 표피(表皮)에서 분비된 여러 가지 물질이 굳어 그 표면에서 이룬 망상(網狀) 구조의 총칭. 식물의 경우 큐틴, 곧 각피소(角皮素)의 막층(膜層)으로 되어 있으며 저항력이 강하여 진한 황산(黃酸)에도 잘 견딤. 큐티쿨라층은 생물체를 기계적으로 보호하며, 내부에 있는 물의 발산과 외부 물질의 투입(透入)을 방지함. 각피(角皮).

큐:티클 리무:버 〔cuticle remover〕 명 손톱 주위에 발라 손톱 뒤의 부드러운 살갗을 연하게 또는 표백하는 액체. 팔꿈치나 무릎의 각질(角質)의 손질에도 쓰임.

큐:티클 크림: 〔cuticle cream〕 명 매니큐어를 할 때 손톱 가에 발라 손톱 뒤의 부드러운 살갗을 떼내기 좋게 부드럽게 하는 크림. *큐티클 리무버.

큐:티클 푸셔 〔cuticle pusher〕 명 매니큐어 용구(用具)의 하나. 손톱의 표피(表皮)를 다듬는 데 씀.

큐:틴 〔cutin〕 명 식물의 표면(表面)을 보호하는 지방산(脂肪酸)과 그 화합물과의 혼합물. 식물의 표피 세포(表皮細胞)의 세포막(膜) 바깥 쪽에 층을 이루고 있는데, 물에 녹지 않으며 산(酸)에도 견딤. 각피소(角皮素).

큐:폴라 〔cupola〕 명 『공』 주철(鑄鐵)을 녹이는 노(爐). 노 안의 코크스가 타면 그 열로 주철이 녹아서 밑의 출구(出口)로 흘러 나오게 되어 있음. 용선로(鎔銑爐).

코크스 철 용대

1. 장입구(裝入口) 2. 슬러그 주둥이 3. 송풍(送風) 구멍 4. 청소구멍 5. 밑바닥문 6. 모래바닥 7. 선철 나오는 구멍 8. 풀무골 9. 바람실(室) 10. 내화벽돌 11. 노의 안

〈큐폴라〉

큐프라 인견사 【一人絹絲】 명 〔cuprammonium rayon yarn〕 벰베르크 인견사.

큐:피 〔kewpie〕 명 큐피드(Cupid)를 희화(戲化)하여 머리 끝이 뾰족 나오게 만든 나체 인형(裸體人形). 흔히, 셀룰로이드·석고(石膏) 등으로 만듦.

큐:피드 〔Cupid〕 명 『신』 로마 신화의 사랑의 신. 비너스의 아들로 보통 나체(裸體)에다 등에 작은 날개가 달려 있고 활과 화살을 가진 귀여운 소년으로 그려짐. 그가 쏜 화살에 맞은 사람은 누구나 사랑에 빠진다 함. 그리스 신화의 에로스(Eros)에 해당함. 쿠피도(Cupido). 아모르(Amor).

크기 명 큰 정도. ¶~가 집채만하다.

크나-크다 형 상당히 크다. ¶크나큰 사건.

크나퍼:츠부슈 〔Knappertsbusch, Hans〕 명 『사람』 독일 지휘자. 1922년 발터(Walter, B.)의 후임으로서 뮌헨 가극장(歌劇場)의 지휘자, 또 빈(Wien) 국립 가극장, 전후(戰後)의 바이로이트(Bayreuth) 음악제(音樂祭)에서 활약함. 바그너 외에 브루크너의 연주(演奏)로도 유명함. [1888-1965]

크나프 〔Knapp, Georg Friedrich〕 명 『사람』 독일의 경제사가(經濟史家)·화폐 이론가. 슈트라스부르크(Straßburg) 대학 교수. 역사학파의 입장에서 동서 독일 농업 구조의 차이를 밝힌 외에, 화폐는 국가가 강제 통용력(通用力)을 부여하기 때문에 가치를 지닌다고 하는 ≪화폐 국정(國定) 학설≫이 유명함. [1842-1926]

크낙-새 명 『조』 〔*Dryocopus javensis richardsi*〕 딱따구릿과에 속하는 새. 날개 길이가 25 cm, 부리는 머리보다 길어서 6.5 cm, 꽁지는 18 cm 가량임. 몸빛은 주로 흑색이고 상면(上面)의 상미통(上尾筒), 허리 하면의 가슴 이하가 순백색이고 후두에서 후경(後脛)까지는 선홍색(鮮紅色)임. 암컷의 머리에는 홍색부가 없고 수컷에만 있음. 딱따구리와 같이 한쌍이 밀림(密林)에서 사는데 우는 소리가 크게 울림. 한국 특산종으로, 천연 기념물(天然記念物) 제 11호로 보호함. 1935년에 경기도 양주군(楊州郡)의 광릉(光陵)에서, 1941년 개성 만월대에서 발견되었고, 일본 쓰시마(対馬)에서는 1910년에 채집한 후 없어졌음. 골락새.

〈크낙새〉

크-넓다 〔一널따〕 형 크고 넓다. ¶크넓은 바다.

크노 〔Queneau, Raymond〕 명 『사람』 프랑스의 시인·소설가. 쉬르레알리슴에서 출발, 시집 ≪떡갈나무와 개≫·≪말기(末期)≫ 등에서 언어 표현의 가능성을 확대했으며, 앙티로망의 선구적 소설 ≪나의 벗 피에로≫·≪지하철의 자지(Zazie)≫ 등으로 유명함. [1903-76]

크노소스 〔Knossos〕 명 『지』 크레타 섬의 옛 도시로, 크레타 해상 왕국(海上王國)의 수도였던 곳. 크레타 섬 북안(北岸) 중앙부의 헤라클레이온 시(Herakleion市), 곧 지금의 칸디아 시(Candia市) 남쪽 약 5 km 지점에 위치한 작은 구릉(丘陵)에 크노소스 궁전 터가 있음. *에게 문명(Aegae文明).

크노소스 궁전 【一宮殿】 〔Knossos〕 명 에게(Aegae) 문명의 중심지인 크레타 섬 북안(北岸)의 크노소스에 있었던 궁전. 미노스(Minos) 왕이 건조한 것임. 중정(中庭)의 둘레에 수백의 작은 방을 안배(按配)한 복잡한 설계의 대(大)건축이며, 미궁(迷宮)으로서 유명함. 1900년 영국 사람 에반스(Evans, A.)가 발굴함.

크놉-액 【一液】 〔Knop〕 명 『생』 〔고안자인 독일의 화학자 크노프(Knop, J.A.L.W.; 1817-91)의 이름에서〕 녹색(綠色) 식물 배양액(培養液)의 한 가지. 질산 칼슘·인산 칼륨 등의 영양 염류(營養塩類)를 생장에 필요한

양만큼 녹인 수용액.

크뇌베나:겔 반:응【—反應】 명 〔Knoevenagel reaction; 독일의 화학자 크뇌베나겔(Knoevenagel, Emil; ?-1921)의 이름에서 유래〕『화』 활성(活性) 메틸렌기(CH_2)를 갖는 화합물과 카르보닐(carbonyl) 화합물의 축합(縮合) 반응.

크누:센 게이지 〔Knudsen gauge〕 명 『공』 〔덴마크의 물리학자 크누센(Knudsen, Martin Hans Christian; 1871-1949)의 이름에서 유래〕 미소압력(微小壓力)을 측정하는 장치. 한 쌍의 고온(高溫)의 판자 옆에 매단 판자가 기체 분자(氣體分子)의 반발력을 받아 일으키는 회전력의 크기가, 주위의 기체의 압력에 비례함을 이용한 진공계(眞空計).

크누:센 셀 〔Knudsen cell〕 명 『물』 대단히 낮은 증기압을 측정하는 데 쓰이는 용기. 증기와 평형 상태에 있는 액체를 채웠을 때, 용기에서 빠져 나가는 증기의 질량을 측정함.

크누:센의 역학적 해:류 계:산표 【—力學的海流計算表】 〔—/—에—〕 명 〔Knudsen's tables〕 『해』 1901년 덴마크의 크누센(Knudsen, M.H.C.)에 의하여 만들어진 수리 계산표. 해수의 염분 적정(滴定)과 비중계의 독해(讀解), 염분·밀도의 계산이 가능하게 되어 있음.

크누:트 일세 【—一世】 〔Knut Ⅰ〕 〔—쎄〕 명 『사람』 잉글랜드 왕(재위 1016-35)으로서는 1세, 덴마크 왕(재위 1018-35)으로서는 2세. 1016년 잉글랜드를 정복하고 왕위에 올랐으며, 부왕(父王)인 스벤(Sven) 1세의 죽음으로 덴마크 왕을 겸함. 노르웨이 및 스웨덴의 일부도 지배하여 북해 제국(北海帝國)을 건설함. 카뉴트(Canute). [995?-1035]

크눔 〔Khnum〕 명 이집트 신화(神話)의 신. 양(羊)의 수컷의 머리를 지님. 나일 상류인 엘레판티네(Elephantine)에서 숭배되며 나일의 원천(源泉)을 수호하고 만물을 창조한다고 함.

크니 명 〈옛〉 큰 것. ¶根이 크니 져그니 업시(根無大小) ≪圓覺 下 一之二 55≫.

크니:스 〔Knies, Karl〕 명 독일의 경제학자. 하이델베르크 대학 교수. 독일 역사학파의 창시자의 한 사람. 주저(主著)에 ≪역사적 방법에 의거한 정치 경제학≫·≪화폐와 신용≫ 등이 있음. [1821-98]

크니:치 〔Knietsch, Theophil Josef Rudolf〕 명 『사람』 독일의 화학 기술자. 인디고(indigo) 합성법을 개량하고, 1898년 접촉 황산(接觸黃酸)의 공업적 제법을 확립함. 독일 물감 공업의 기초를 세운 사람임. [1854-1906]

크다 ㊀ 〔중세 : 크다〕 형 ①어떤 표준에 비하여 부피나 길이가 많은 공간을 차지하다. ¶키가 ~/짐이 ~. ②수나 양이 많다. ③범위가 넓다. ¶일이 크게 벌어졌다. ④심하다. 중대하다. 위대하다.¶손해가 ~/큰 인물. 1)-4): ↔작다. ㊁ 자 자라다. 커지다. ¶커서 과학자가 되다.
[커도 한 그릇 작아도 한 그릇] 잘하나 못하나 그 소용(所用)에 있어서는 같다는 말. [크고 단 참외] 제일 좋은 것. 모든 조건을 다 갖춘 것. [큰 말이 나가면 작은 말이 큰 말 노릇한다; 큰 소가 나가면 작은 소가 큰 소 노릇한다] 윗사람이 없으면 아랫사람이 그 일을 대신할 수 있다. [큰 물에 큰 고기 논다] 활동 무대가 커야 통이 큰 사람도 모이고 클 수 있다는 말. [큰 방죽도 개미구멍으로 무너진다] ㉠작은 사물이라고 업신여기다가는 큰 화를 입는다. ㉡작은 힘으로 큰 일을 이루다. [큰 벙거지 귀 짐작] 벙거지가 아무리 커도 귀에는 걸려서 흘러내리지 않는다는 뜻으로, 무슨 일에나 짐작이 있어 대개는 맞는다는 말. [큰 소 잃고 송아지도 잃고] 대소(大小) 이중(二重)으로 손해를 입었다는 뜻.

크-다랗다 〔—라타〕 형 ㅎ불 →커다랗다. 준크닿다.

크다래-지다 자 →커다래지다. 준크대지다.

크다-말다 형 〈방〉 크다랗다.

크-닿다 〔—다타〕 형 ㅎ불 ↗크다랗다.

크대-지다 자 ↗ 크다래지다.

크댄:-하다 형 〈방〉 커다랗다(경상).

크디-크다 형 크고도 크다. ↔작디작다.

크라나흐 〔Cranach, Lucas〕 명 『사람』 독일 르네상스의 대표적 화가·판화가(版畫家). 많은 초상화·종교화를 그렸고 나체화(裸體畫)에도 독특한 경지(境地)를 나타냄. 친구인 루터(Luther)의 종교개혁 운동을 열렬히 지지함. 대표작은 ≪그리스도의 책형(磔刑)≫·≪이집트 도피중(逃避中)의 휴식(休息)≫ 등임. [1472-1553]

크라바트 〔프 cravate〕 명 넥타이.

크라수스 〔Crassus, Marcus Licinius〕 명 『사람』 로마의 정치가. 폼페이우스·카이사르와 함께 로마 공화정(共和政) 말기 제1차 삼두 정치(三頭政治)의 한 사람으로, 뒤에 파르티아(Parthia) 원정 중 패사(敗死)함. [115?-53 B.C.]

크라스노다르 〔Krasnodar〕 명 『지』 러시아 연방(聯邦), 흑해(黑海) 동안(東岸) 가까이 있는 공업 도시. 철도의 요지이며, 농목축업(農牧畜業)의 중심지로, 공작 기계·정유(精油) 공업이 행하여짐. [623,000명(1987 추계)]

크라스노봇스크 〔Krasnovodsk〕 명 『지』 중앙(中央) 아시아 투르크멘 공화국의 항구 도시. 카스피 해의 발칸 만(Balkan 灣)에 연하여 있는데, 교통·군사·상업의 중심지이며, 수산물 콤비나트가 있음. 근방에서 황과 식염(食塩) 외에 석유를 산출함. [55,000명(1983 추계)]

크라스노야르스크 〔Krasnoyarsk〕 명 『지』 러시아, 중부 시베리아 예니세이 강(Yenisei江)의 우안(右岸)에 있는 도시. 예니세이 강과 시베리아 철도의 교점(交點)이며, 공항·하항(河港)이 있음. 부근에서 산출하는 석탄·금·철·운모(雲母)·모피수(毛皮獸)의 집산지이며, 기계·조선·제재(製材)·화학·제지 공업이 행하여짐. [899,000명(1987 추계)]

크라우딩 아웃 〔crowding out〕 명 『경』 정부 지출의 증가나 조세 감면의 증가가 이자율을 상승시켜 민간 소비 및 투자 활동을 위축시키는 현상. 즉, 국채의 대량 발행으로 국채 이율이 상승하면 민간 자금이 국채로 흡수되고 전반적인 금리 수준이 상승, 자금 조달이 어려워지는 상태를 가리킴.

크라우스 〔Kraus, Karl〕 명 『사람』 오스트리아의 비평가. 평론지 '횃불'을 창간, 통산 922호의 태반을 스스로 집필하고, 모든 예술 분야의 배후에 있는 정신의 부패와 허위를 통렬(痛烈)히 풍자함. 그 밖에 희곡 ≪인류 최후의 날들≫ 등이 있음. [1874-1936]

크라우제 소:체 【—小體】 명 『생』 〔Krause's corpuscle: 독일의 해부학자 Wilhelm Krause (1833-1910)의 이름에서 유래〕 둥근 달걀꼴의 신경 종말 기관의 하나. 층판 소체(層板小體)와 닮았으나 보다 작은 낭(囊)을 가지고 있음. 피하(皮下) 0.1mm의 부분, 특히 결막(結膜), 혀의 점막(粘膜), 외성기(外性器)에서 볼 수 있으며, 냉각 수용기(冷却受容器)라고 생각되고 있음.

크라우칭 스타:트 〔crouching start〕 명 육상 경기의 스타트 방법의 하나. 양손을 어깨 너비로 벌려 땅에 대고 양다리는 앞뒤로 벌려 몸을 구부린 자세에서 양다리로 땅을 차면서 뛰어 나감. 단거리 경주(短距離競走)에 많이 이용됨.

크라운 〔crown〕 명 ①관(冠). ②왕관(王冠)의 모양을 박은 5실링(shilling)짜리 영국 화폐. ③가로 15인치, 세로 21인치의 종이의 판(判). ④모자(帽子)의 춤. ⑤치과에서 금속관(金屬冠)을 이르는 말.

크라운 기어 〔crown gear〕 명 『기』 직각으로 동력을 전달할 때에 쓰는 톱니바퀴. 관치차(冠齒車).

크라운 유리 【—琉璃】 〔crown〕 〔—뉴—〕 명 〔창(窓) 유리를 만들 때에 왕관(王冠) 모양으로 불어서 펴므로〕 소다 석회 유리(soda 石灰琉璃).

크라운 전:지 【—電池】 〔crown〕 명 『전』 알칼리 이산화(二酸化) 망간 건전지의 일반적인 명칭. 이산화 망간 흑연(黑鉛) 음극은 강철제의 통 안에 있고, 그 위를 강철의 캡이 아말감 분말 아연(amalgam 粉末亞鉛) 양극을 싸고 있는 것처럼 용접하고 있음.

크라이드로노그래프 〔cridronograph〕 명 송전선(送電線)에 발생한 전기적 과도(過度) 현상 등을 관찰하기 위한 기록 장치.

크라이스트 〔Christ〕 명 '그리스도'의 영어명.

크라이스트-처:치 〔Christchurch〕 명 『지』 뉴질랜드의 남섬 동안(東岸)에 있는 이 나라 제3의 도시. 밀·양모(羊毛)·육류(肉類) 생산의 중심지임. 1850년 영국 국교도(國教徒)가 창건, 캔터베리 대학이 있음. [289,959명(1981)]

크라이슬러[1] 〔Chrysler〕 명 미국 크라이슬러 자동차 회사에서 만든 고급 승용차의 상품명.

크라이슬러[2] 〔Chrysler, Walter Percy〕 명 『사람』 미국의 자동차 기술자·실업가. 철도 기사로 기관차 제작에 종사한 후 디트로이트(Detroit)에 '크라이슬러 자동차 회사'를 창립하였음. [1878-1940]

크라이슬러[3] 〔Kreisler, Fritz〕 명 『사람』 오스트리아 출생의 미국의 바이올린 연주가·작곡가. 특히, 베토벤·브람스의 대곡(大曲)은 그의 주요 연주 곡목이며, 소곡(小曲)에도 원숙(圓熟)한 기술과 예술적 해석을 내림. 대표작으로 ≪빈 카프리치오(Wien Capriccio)≫·≪사랑의 슬픔≫ 등이 있음. [1875-1962]

크라이슬러 회:사 【—會社】 명 〔Chrysler Corporation〕 '제너럴 모터스'·'포드'와 더불어 미국 삼대(三大) 자동차 제조 회사의 하나. '크라이슬러' 등의 승용차를 제조함. 프랑스·영국 등에 국제 계열(系列) 회사를 갖고 있으며 본사는 디트로이트에 있음. 1925년 설립.

크라이시스 〔crisis〕 명 ①위기(危機). ②『경』 경제상의 위기(危機). 공황(恐慌). ③『연』 극이나 영화의 위기 일발의 장면. 비극 구성의 제삼단(第三段).

크라이오바 〔Craiova〕 명 『지』 루마니아 서남부에 있는 상공업 중심지. 식품·섬유 공업 외에 1960년대 이후는 중공업 기지임. 로마인의 집단적 거주로 이루어진 도시로, 14세기에는 이미 무역의 요지로 알려짐. [281,044명(1986)]

크라이오트론 〔cryotron〕 명 『물』 초도전체(超導電體)에 가하여지는 자기장(磁氣場)이 어느 강도(強度) 이상일 때, 그것이 상도전(常導電)으로 되는 성질을 이용한 논리 소자(論理素子).

크라 지협 【—地峽】 명 〔Isthmus of Kra〕 『지』 〔Kra는 말레이 반도 북부의 마을 이름〕 타이 남부와 미얀마 남단의 국경 지대에 있는 좁은 지협. 동서의 폭이 가장 좁아 40km임. 고대, 동서 교통의 요로였음이 실증되었으며, 운하(運河) 개착(開鑿)이 검토됨.

크라카타우 섬: 〔Krakatau〕 명 『지』 인도네시아의 자바·수마트라 사이의 순다(Sunda) 해협에 있는 작은 화산도(火山島). 화산 활동에 의하여 몇 번이나 섬의 분합(分合)을 반복하여 왔는데, 1883년의 대폭발은 유사 이래 가장 규모(規模)가 큰 것으로, 전도(全島)의 3분의 2를 소실(消失)시켰음.

크라코비아크 무:곡 【—舞曲】 〔Krakowiak〕 명 『악』 4분의 2박자의 폴란드 민속 무곡(舞曲).

크라쿠프 〔Kraków〕 명 『지』 폴란드 남부 갈리시아(Galicia) 지방 비스투라 강(Vistura江) 북안의 공업 도시. 폴란드의 옛 수도로 사적(史蹟)이 많음. [744,000명(1987 추계)]

크라프트 〔Kraft, Adam〕 명 『사람』 독일의 조각가. 후기 고딕의 선(線)을 주체로 한 장식적 양식(裝飾的樣式)과 명쾌한 형태 감각(形態感覺)과 리얼리스틱한 조소성(彫塑性)과를 융합시킨 작풍(作風)으로 유명한데, 작품의 대부분은 석조(石彫)임. 대표작으로 성(聖)로렌초 성당의 ≪성령실(聖靈室)≫ 등이 있음. [1460?-1508?]

크라프트 디자인 〔craft design〕 명 프로덕트 디자인 중에서, 기교·솜씨에 의존하는 바가 큰 분야. 도자기·유리 그릇·각종 장신구 등의 대부분이 그 예(例)임.

크라프트 라이너 〔kraft liner〕 명 『화』 크라프트 펄프를 원료로 한 골판지의 원지. 포장지(包裝紙)로 식품·전기 기구·섬유 제품·경량 상품의 포장과 기타 항공기에 의한 운반물의 포장에 불가결함.

크라프트-에:빙 〔Krafft-Ebing, Richard von〕 명 『사람』 독일의 정신병

학자. 범죄의 이상 심리(異常心理) 및 성욕 병리학(性欲病理學)의 연구에 공적이 있음. [1840-1902]

크라프트 유니온 [craft union] 명 직업별 노동 조합(職業別勞動組合).

크라프트-지【一紙】[kraft] 명 표백되지 않은 크라프트 펄프로 만든 튼튼한 갈색 종이. 포장지·시멘트 부대로 쓰임. *크라프트 펄프.

크라프트 펄프 [kraft pulp] 명 〖화〗 화학 펄프의 일종. 펄프 원료를 황화(黃化) 나트륨과 수산화 나트륨의 혼합 용액으로 가압(加壓) 가열하여 펄프화(化)한 것으로 질김. 원료는 목재·대나무·짚 따위. 표백(漂白)된 것은 고급지·중급지로, 표백되지 않은 것은 포장(包裝) 용지·판지(板紙)·골판지로 사용됨. 황산염 펄프(黃酸塩 pulp).

크래버넷 [Cravenette] 명 ①영국 크래버넷 회사의 상표명으로, 특수한 방수 가공(防水加工)을 한 모직물. 개버딘과 비슷한 능직물(綾織物)인데, 양복감·우의용(雨衣用) 등으로 쓰임. ②개버딘(gabardine).

크래시 [crash] 명 양모(羊毛)·솜·폴리에스테르·린네르 등으로 짠 올이 성긴 직물(織物). 굵고 불균형한 실로 짬.

크래커 [cracker] 명 ①크래커 봉봉(cracker bonbon). ②가볍고 짭짤한 비스킷의 하나.

크래커 봉봉 [cracker bonbon] 명 크리스마스의 축연(祝宴) 등에 쓰이는 가늘고 긴, 종이로 만든 장난감. 끈을 잡아당기면 폭음을 내면서 찢어지며, 그 속에서 장난감 등이 튀어나옴. 크래커.

크래킹 [cracking] 명 〖화〗 석유 따위의 탄화 수소를 가열(加熱)·가압(加壓) 증류하여, 끓는점이 낮은 탄화 수소로 전화하는 방법. 분해 증류(分解蒸溜). ¶ 나프타(Naphtha) ~.

크래킹 가스 [cracking gas] 명 〖화〗 가스의 한 가지. 경유·중유 등을 고온·고압으로 접촉 반응시켜 저급 분자(低級分子)로 분해할 때 만들어짐. 메탄·수소·에틸렌·프로필렌·부틸렌 등을 함유함. 초기에는 분해 가솔린 제조의 부산물이었으나, 현재는 석유 화학 공업의 주요 원료가 됨. 분해 가스.

크랙 [crack] 명 새로운 형태의 마약으로 코카인의 한 가지. 극히 순도가 높고, 태워서 그 연기를 담배처럼 직접 들이마시는 것이 특징임. 크랙 중독은 인간을 폐인이나 죽음으로 몰아감.

크랜머 [Cranmer, Thomas] 명 〖사람〗 영국 국교회의 종교 개혁자. 헨리 8세의 이혼 문제에 관여, 국왕의 신임을 얻었으며 캔터베리 대주교로 교회 개혁을 추진함. ≪제1 기도서≫·≪42개조≫를 기초(起草)함. 뒤에 메리 1세에게 체포되어 화형(火刑)을 받음. [1489-1556]

크램 [Cram, Donald James] 명 〖사람〗 미국의 화학자. 효소와 같은 반응의 선택성이 높은 분자의 합성으로, 페더센(Pedersen, C.J.) 및 프랑스의 렌(Lehn, J.M.)과 함께 1987 년 노벨 화학상을 받음. [1919-]

크랭크 [crank] 명 ①왕복 운동을 회전 운동으로 변환시키거나 또는 그 반대의 일을 하는 장치. 자전거의 기어(gear)를 돌리기 위한 페달과 거기에 달린 쇠막대, 기차의 동륜(動輪)을 돌리는 피스톤 로드(piston rod)와 연접봉(連接棒)의 부분 같은 것. ②〖연〗 영화 촬영기의 핸들. 또, 이것을 회전하여 영화를 촬영하는 일. ③❶모양의 것을 일컬음. ¶ ~형(型). ——하다 자여불 영화를 촬영하다.

〈크랭크❶〉

크랭크-샤프트 [crankshaft] 명 크랭크에 의하여 회전되는 회전축. 크랭크축.

크랭크 업 [crank up] 명 〖연〗 영화 촬영을 완료함. ——하다 자여불

크랭크 인 [crank in] 명 〖연〗 영화의 촬영을 개시하는 일. ¶ 금주부터 ~에 들어간다. ——하다 자여불

크랭크-축【一軸】[crank] 명 크랭크의 회전축(回轉軸). 곡축(曲軸). 크랭크샤프트.

크러셔 [crusher] 명 분쇄기(粉碎機).

크러스트 [crust] 명 ①빵의 겉껍질. ②태양열(太陽熱)·기온(氣溫)·바람의 작용과 사람이 거듭 디딤으로써 형성된 눈의 딱딱한 표피(表皮). 그 밑의 적설(積雪)과는 질이 다름. 설각(雪殼).

크러싱 롤: [crushing roll] 명 〖기〗 롤(roll) 분쇄기.

크러치 [crutch] 명 ①협장(脇杖). ②노받이. 보트의 노를 거는 두 갈래로 갈라진 쇠붙이. ③〖건〗 지주(支柱).

크렁-크렁 부 ①그릇에 액체가 많이 괴어 가장자리까지 거의 찰듯찰듯한 모양. ②건더기는 적고 국물이 많아서 조화되지 아니하는 모양. ③물을 많이 켜서 뱃속이 근근한 느낌. 1)·3): ㅅ그렁그렁. >카랑카랑. ——하다 형여불

크레데 [Credé, Karl Siegmund Franz] 명 〖사람〗 독일의 산부인과 의사. 복벽(腹壁)을 통하여 자궁(子宮)을 잡고 태반(胎盤)을 압출(壓出)하는 '크레데법(法)'과 신생아의 농루안(膿漏眼)을 예방하는 '크레데 점안(點眼)'을 고안했음. [1819-92]

크레데 점안【一點眼】명 [Credé's method of antisepsis] 〖의〗 분만(分娩)할 때에 산도내(産道內)의 임균(淋菌), 기타의 화농균(化膿菌)의 감염(感染)으로 인한 신생아 농루안(新生兒膿漏眼)을 예방(豫防)하기 위하여 1-2% 의 질산은 용액(窒酸銀溶液)을 점안(點眼)하는 일.

크레디트 [credit] 명 ①외국의 정부나 금융 기관 등으로부터 단기성이나 중기성 자금을 차입(借入)하는 일. 또, 필요한 경우에 일정한 금액의 융자를 받도록 예약하는 일. 또, 그 신용. 차관(借款). ②외상 판매 따위의 상업상의 신용 거래. ③월부(月賦) 따위의 신용 판매. ④↗크레디트 카드. ⑤신문 기사의 첫머리에 명기(明記)하는 외전(外電) 기사의 제공을 계약하고 있는 외국 통신사 이름. 기사의 신뢰성을 밝힘. ⑥텔레비전 등에서, 프로 제공자의 이름을 먼저 말하는 일.

크레디트 라인 [credit line] 명 〖경〗 은행이 업자나 딴 은행에 대하여 공여(供與)하는 신용의 한도. 보통 이 한도는 수신자(受信者)의 신용 상태, 거래의 내용·조건 등을 기준으로 하여 미리 결정됨.

크레디트 설정【一設定】[一정] 명 [opening of credit] 〖경〗 크레디트 곧 차관(借款)에 필요한 금액·기간·용도 등을 정하여 계약을 맺는 일.

크레디트 카:드 [credit card] 명 〖경〗 신용 카드.

크레디트 크런치 [credit crunch] 명 어떤 종류의 규제나 은행의 경영난 등으로 금융 긴축이 극도화되어 고금리(高金利)를 물어도 자금을 융통할 수 없는 상황. 금융 공황의 계기가 됨.

크레디트 트랑슈 [credit tranche] 〖경〗 국제 통화 기금(IMF) 가맹국이 조건부로 출자 할당액(出資割當額)을 초과하여 인출(引出)할 수 있는 자금의 한도. *리저브 트랑슈(reserve tranche).

크레디트 퍼실리티 [credit facility] 명 〖경〗 은행이 업자나 다른 은행에 대하여 공여(供與)하고 있는 신용의 총칭.

크레머 [Kremer, Gidon] 명 〖사람〗 소련 출신의 바이올리니스트. 1967 년 엘리자베스 국제 콩쿠르에 3 위로 입상한 이래 파가니니 콩쿠르, 차이코프스키 콩쿠르에서 우승하여 실적을 쌓고, 유럽에서 콘서트와 레코드 녹음으로 활약함. 1980 년에 서독으로 망명, 바흐에서 현대곡에 이르기까지 초인적인 기교를 발휘, 이지적이고도 엄격한 연주 스타일로 유명함. 1993 년에 내한 공연을 가짐. [1947-]

크레모나[1] [Cremona] 명 〖지〗 이탈리아 북부, 포 강(Po江) 연안의 도시. 바이올린·첼로의 세계적 제작자인 스트라디바리(Stradivari, A.)·구아르네리(Guarneri)·아마티(Amati) 등이 배출된 곳으로 유명함. 기원 전 3세기에 로마인에 의하여 건설된 옛 도시로, 중세에는 학술의 중심지였음. [80,929 명(1981)]

크레모나[2] [Cremona, Luigi] 명 〖사람〗 이탈리아의 수학자. 사영(射影) 기하학의 교과서 저작(著作)으로 이탈리아의 기하학 교육에 큰 영향을 줌. 또, 삼차 곡면론(三次曲面論)·곡선 변형론(曲線變形論) 등의 중요한 연구를 하였음. [1830-1903]

크레미외 [Crémieux, Benjamin] 명 〖사람〗 프랑스의 비평가. 비평을 임상 의학(臨床醫學)과 비슷이 유추(類推)하고 투철한 이지(理智)로 사색(思索)의 불안을 캐어 이를 '유럽 정신'에 의한 재건으로 제시한 그의 저서 ≪불안과 재건≫은 명저임. 제2차 대전중에 강제 수용소에서 사망함. [1888-1944]

크레바스 [프 crevasse] 명 빙하(氷河)·설계(雪溪) 따위의 깊게 갈라진 틈.

크레브스 [Krebs, Hans Adolf] 명 〖사람〗 독일 출생의 영국 생물학자·생화학자. 생체내(生體內)의 요소(尿素)의 생성과 세포의 호흡을 연구, 세포 물질 대사(細胞物質代謝)의 연구에 의하여 1953년 노벨 생리의학상을 받았음. [1900-81]

크레브스 회로【一回路】[Krebs cycle] 명 〖화〗 TCA 회로를 크레브스가 발견했다 하여 이르는 이름.

크레셴도 [이 crescendo] 명 〖악〗 '점점 세게'의 뜻. '<'의 기호를 사용하는데 벌려진 부분이 세게 되는 쪽임. 약호: cres., cresc. ↔데크레셴도.

크레시 싸움 [Crécy] 명 〖역〗 백년 전쟁 초기의 한 전투. 에드워드 3세의 영국군이, 1346년 프랑스 서북쪽 크레시에서 필리프 6세의 프랑스군을 격파한 싸움. 이 전투는 백년 전쟁이 끝날 때까지 영국왕이 북프랑스를 제압할 수 있었던 계기가 되었고 봉건 기사군(騎士軍)에 대한 군사적 가치에 동요를 일으키게 하였음.

크레실라스 [Kresilas] 명 〖사람〗 기원 전 5세기 후반의 그리스 조각가. 페리클레스상(Perikles 像)의 제작으로 유명함. 그 모조품은 바티칸과 대영 박물관(大英博物館)에 있음. 생몰년 미상.

크레아틴 [creatine] 명 〖생〗 근육, 특히 수의근(隨意筋)에 단독 또는 인산과 결합한 형태로 존재하는 생리적으로 중요한 화합 물질. 일종의 아미노산으로 무색 투명하고 프리즘형으로 된 사방 정계(斜方晶系) 결정임. 생체 안에서 아데노신 삼인산(三燐酸)과 반응하여, 높은 에너지를 가진 크레아틴산이 되나 이것이 근육이 운동할 때 분해하여 많은 에너지를 방출함. [$C_4H_9O_2N_3$]

크레아틴 인산【一燐酸】명 [creatine phosphate] 〖화〗 인원질(燐原質)의 하나. 아르기닌(arginine) 인산과 함께 생체 안에 함유되어 있는 물질로 척추 동물의 근육에 널리 분포함. 근육과 같은 급격히 다량의 에너지를 소비하는 세포에서 에너지 저장 역할을 함. *아르기닌 인산.

크레안거 [Creangă, Ion] 명 〖사람〗 루마니아의 산문(散文) 작가. 모국의 민요나 전설을 연구하면서 뛰어난 상상력을 구사, 친근감을 주는 이야기를 썼음. 대표작에 ≪흰 검둥이≫·≪시어머니와 세 며느리≫ 등이 있음. [1837-89]

크레오소:트 [creosote] 명 〖약〗 너도밤나무를 건류(乾溜)하여 만드는 무색 내지 담황색의 유액(油液). 강한 자극성의 냄새가 있는데, 목재(木材)·고기 등의 방부제로 쓰이고, 살균력이 강하므로 의료상(醫療上) 환약(丸藥)으로서 소화관(消化管) 내의 이상 발효(異常醱酵)를 억제하며, 마취·진통제로 쓰임. 예전에는 폐결핵에도 약으로 쓰였음.

크레오소:트-유【一油】[creosote] 명 〖화〗 콜타르를 분류(分溜)할 때 온도 230°-270°C 사이에서 유출(溜出)되는 물질. 상온(常溫)으로 냉각시키면 나프탈렌이 석출(析出)되는데, 나머지 기름은 크레졸·나프톨·페놀 등을 함유하고 있어 어망 염료(魚網染料)·연료(燃料)·도료(塗料) 등으로 사용됨.

크레오소:트 주입법【一注入法】[creosote] 명 〖공〗 목재의 부패를 막기 위하여 크레오소트 또는 그 혼합액을 주입하는 방법.

크레오솔: [creosol] 명 〖화〗 너도밤나무의 목타르나 리그넘바이티 수지(lignumvitae 樹脂)에서 얻어지는 무색의 유상 액체(油狀液體). 방향(芳香)과 쏘는 맛이 있음.

크레올 [프 créole] 명 '크리오요(criollo)'의 프랑스어.

크레용 〔프 crayon〕 명 『미술』 ①서양화의 데생에 쓰이는 콩테(conté)·파스텔(pastel) 등의 막대기 모양의 화구(畫具). ②국민 학교 학생 등이 많이 쓰는 도화용의 채색 재료. 비누·납(蠟)·지방(脂肪) 등과 안료(顏料)를 섞어서 만듦.

크레이그 〔Craig, Edward Gordon〕 명 『사람』 영국의 무대 미술가. 신극(新劇) 운동의 선구자. 연기 및 무대의 단순화로 종합적 극장 예술을 주창, 새로운 연극적 세계의 표현을 시도하였음. [1872-1966]

크레이머 〔Kramer, Stanley〕 명 『사람』 미국의 영화 제작가·감독. 작품에 ≪하이눈(High-noon)≫·≪케인 호(Cain號)의 반란≫ 등이 있음. [1913-]

크레이지 〔crazy〕 명 열광적인 모양. 또, 거의 미친 꼴이 된 상태.

크레이징 〔crazing〕 명 『공』 금속 표면(金屬表面)에 그물 모양의 틈이 생기는 일. 잔금.

크레이터 〔crater〕 명 ①『천』 달의 표면에 곰보처럼 보이는 분화구. 소형 망원경으로 볼 수 있는 것만도 3,000개 이상이나 되며, 거의가 원형임. 화성에도 크레이터가 있음이 1964년 매리너 4호에 의하여 처음으로 촬영되었음. ②『기』 잘라낸 부스러기와의 접촉에 의하여 마손(摩損)된 절삭 공구의 패인 곳. ③『지』 분화구(噴火口). 또, 큰 공기 모양의 간헐(間歇) 분천구(噴泉口).

크레이프 〔crape, crepe〕 명 강연사(強撚絲)를 씨실로 짠, 비단·폴리에스테르·양모·레이온 등의 바탕이 오글쪼글한 직물.

크레이프 페이퍼 〔crepe paper〕 명 바탕이 오글쪼글한 종이. 조화(造花)·종이 냅킨(napkin) 등을 만드는 데 씀.

크레인[1] 〔crane〕 명 『기』 기중기(起重機).

크레인[2] 〔Crane, Hart〕 명 『사람』 미국의 시인. ≪하얀 건물≫에 이어 ≪다리≫에서는 브루클린 교(Brooklyn橋)를 상징(象徵)으로 하여 휘트맨(Whitman, W.)의 세계와 기계화되어 가는 미국을 묘사함. 멕시코 여행의 귀로에 선상(船上)에서 투신 자살(投身自殺)함. 죽은 뒤 ≪시집≫이 나옴. [1899-1932]

크레인[3] 〔Crane, Stephen〕 명 『사람』 미국의 시인·소설가. 미국 최초의 자연주의 작가의 한 사람. 종군 기자(從軍記者)로, 쿠바와 그리스에서 활약함. 작품에 ≪매기(Maggie)≫·≪붉은 무공 훈장(武功勳章)≫ 등이 있음. [1871-1900]

크레졸 〔cresol〕 명 『화』 콜타르(coal tar) 및 목타르(木 tar) 중에 함유된 방향족(芳香族) 화합물. 100-400배로 희석(稀釋)하여 소독약·방부제로 씀. [$C_6H_4(CH_3)OH$]

크레졸 비눗물 〔cresol〕 명 『약』 비누액(液) 1%와 크레졸 1%를 섞어 만든 투명한 황갈색의 액체. 외과용 소독액·살균액으로 씀.

크레졸-수 【一水】 〔cresol〕 명 『약』 크레졸 비눗물 6%와 물 94%를 섞은 액체. 소독약으로 쓰임.

크레치머 〔Kretschmer, Ernst〕 명 『사람』 독일의 정신 의학자. 1926년 마르부르크 대학, 1946년 튀빙겐 대학 교수. 이른바 체격형, 곧 비만형·세장(細長)형·투사형(鬪士型)과 기질형, 곧 조울질(躁鬱質)·분열질·전간질(癲癎質)과의 대응(對應)을 논함. 저서에 ≪체격과 성격≫·≪의학적 심리학≫ 등이 있음. [1888-1964]

크레타 문명 【一文明】 〔Creta〕 명 기원전 2000년경부터 1400년경까지 지중해의 크레타 섬에서 번영했던 문명. 에게(Aegae) 문명의 중·후기에 해당함. 유려하고 다채로운 도자기, 크노소스 궁전의 벽화 등이 유명함. 오리엔트 문명의 영향이 보이며, 그리스 문화의 효시(嚆矢)를 이룸. 미노아(Minoa) 문명.

크레타 문자 【一文字】 〔Creta〕 〔一짜〕 명 『문』 기원전 2100-1500년경에 크레타미케네(Creta-Mycenae) 문화권에서 사용한 문자의 총칭. 기원전 2100-1750년경의 산·눈·사람·손 따위와 같이 명확히 문자가 나타나 있는 그림 문자와 후에 발달한 음절 문자(音節文字)의 두 가지가 있음. 미노아(Minoa) 문자.

크레타 섬: 〔Creta〕 명 『지』 지중해 동부 에게 해(Aegae海) 남단에 있는 기다란 섬. 그리스령(領)으로 고대 에게 문명의 중심지로 번영한 후 로마·비잔틴·터키 등의 지배를 받고 그리스에 합병(合倂)됨. 크노소스 궁전(Knossos宮殿) 등 유적이 많음. 중심 도시는 이라클리온(Iráklion). [8,331 km^2]

크레티앵 드 트루아 〔Chrétien de Troyes〕 명 『사람』 12세기 프랑스의 운문(韻文) 이야기 작가. 아서 왕(Arthur王) 전설을 근거로 하여 여러 가지 연애 모험의 운문시를 써서, 궁정풍(宮廷風)의 기사도(騎士道) 이야기에 새로운 경지를 엶. [1135?-90?]

크레틴-병 【一病】 명 〔cretinism〕 『의』 선천적으로 갑상선(甲狀腺)의 결손(缺損) 또는 기능 저하로 인하여 성장 발육이 저해되는 병. 난장이 모양으로 되어 지능도 낮고, 피부는 건조하여 부종기(浮腫氣)를 나타내며, 갑상선이 크게 붓는 일도 있음. 생후 1년 이내에 증상이 나타남. 갑상선 호르몬의 투여로 신체 발육은 상당히 개선됨.

크레파스 〔craypas〕 명 〔crayon+pastel〕 『미술』 안료(顏料)를 연질유(軟質油)로 굳힌 막대기 모양의 화구(畫具). 크레용과 파스텔의 특색을 따서 만든 것으로, 원래는 상품 이름임. 색깔을 덧칠하거나 섞어 칠할 수 있음.

크레파스-화 【一畫】 〔craypas〕 명 『미술』 크레파스로 그린 그림.

크레펠린 〔Kraepelin, Emil〕 명 『사람』 독일의 정신 의학자. 1890년 하이델베르크·뮌헨 대학 등의 교수를 역임. 조발성(早發性) 치매증(癡呆症)과 조울병(躁鬱病)의 임상 소견(臨床所見)을 확정, 정신병의 분류와 체계화에 공헌함. 또한, 작업 곡선(曲線)이나 피로(疲勞)의 연구에도 업적이 있음. 주저(主著)에 ≪정신 의학 교정(精神醫學敎程)≫이 있음. [1856-1926]

크레펠린 검:사 【一檢査】 〔Kraepelin〕 명 『심』 독일의 정신 의학자 크레펠린에 의하여 고안된 성격 검사의 하나. 수의 계산 작업을 연속적으로 하게 하여 그 결과에 따라 성격을 판단함.

크레펠트 〔Krefeld〕 명 『지』 독일 라인 강 서안(西岸)의 공업 도시. 17세기 중반께부터 견직물·빌로도 생산의 중심지로 발전하여, 오늘날 섬유·차량·기계 공업이 성함. [248,413명(1993)]

크레프 드 신 〔프 crêpe de Chine〕 명 중국에서 나는 비단을 모방하여 짠 프랑스 비단.

크레피스 〔그 Krepis〕 명 그리스 신전(神殿)에서, 기단(基壇)의 주위에 대좌(臺座)처럼 두른 맨 밑의 계단.

크렐레 〔Crelle, August Leopold〕 명 『사람』 독일의 기술자. 독일 최초의 철도를 계획·실현하고, 각종 도로를 설계함. 아벨(Abel, N.H.)·슈타이너(Steiner, J.) 등을 도와서 1826년 '크렐레지(誌)'라고 하는 순수 응용 수학 잡지를 창간하여, 수학 발전에 진력함. [1780-1855]

크렘린 〔Kremlin〕 명 〔러시아어로 성채(城砦)의 뜻〕 ①『지』 러시아 제정 시대에 만들어진 각 도시의 성채. 특히 모스크바의 크렘린 궁전은 14세기에 지은 것으로, 러시아 황제의 거성(居城)이었는데, 혁명 후에는 정부와 공산당의 중앙 기관이 들어 있음. ②『지』 ↗크렘린 궁전. ③소련 정부와 공산당의 별칭.

크렘린 궁전 【一宮殿】 〔Kremlin〕 명 『지』 러시아의 모스크바 중심지에 있는 궁전. 이반 삼세(Ivan 三世)에 의하여 건설되어 1713년 페테르부르크 천도(遷都)까지 러시아 황제의 거성(居城)이었음. 주위가 성벽으로 둘러싸였으며, 현재는 러시아 정부의 여러 기관(機關)이 있음. (준) 크렘린.

크로:그 〔Krogh, August〕 명 『사람』 덴마크의 생리학자. 모세(毛細) 혈관의 운동 기능 조절에 대한 연구 등의 업적으로, 1920년 노벨 생리 의학상을 수상함. 폐(肺)에 있어서의 가스 교환에 관하여 분압차설(分壓差說)을 제창하고, 원형질막(原形質膜)의 투과성(透過性)에 관해서도 연구함. [1874-1949]

크로:나 〔Krona〕 의명 『경』 ①스웨덴의 통화(通貨) 단위로 1크로나는 100 외레(öre)임. ②아이슬란드의 통화 단위로 1크로나는 100 오라르(aurar)임.

크로나카 〔Cronaca〕 명 『사람』 이탈리아 초기 르네상스의 건축가. 본명은 Simone del Pollaiuolo. 피렌체에서 태어나, 그곳에서 활동함. 로마 건축을 연구하고 팔라초 스트로치(Palazzo Strozzi)의 중정(中庭)과 처마의 차양(遮陽), 피렌체의 팔라초 과다니(Palazzo Guadagni) 등에 새 양식을 보였음. [1457-1508]

크로낙시 〔chronaxie〕 명 『심』 신경이나 근육에다 자극으로서 최소 한도의 전류 또는 전압의 두 배에 상당한 것을 주었을 때, 최소 한도의 작용을 나타내는 데에 요하는 시간. 반응이 느린 근육은 크로낙시가 크다고 함.

크로:네 〔도 Krone〕 의명 『경』 ①덴마크의 통화(通貨) 단위. 1크로네는 100 외레(øre). ②노르웨이의 통화 단위. 1크로네는 100 외레(öre). ③옛날 독일의 10마르크 금화(金貨).

크로네커 〔Kronecker, Leopold〕 명 『사람』 독일의 수학자. 베를린 대학에서 수학(修學)하고, 1883년 동(同) 대학의 교수가 됨. 정수론(整數論)·대수학(代數學)·해석학(解析學)에 관한 다방면의 연구가 있음. [1823-91]

크로노-그래프 〔chronograph〕 명 『기』 극히 적은 시간을 정밀히 측정·기록하는 기계. 크로노미터로부터의 신호를 전자석(電磁石)에 통하여 철편(鐵片)을 흡인(吸引), 이것에 붙어 있는 펜을 움직이는 것 등. 측시기.

〈크로노그래프〉

크로노르 〔Kronor〕 의명 『경』 '크로나'의 복수.

크로노-메트리 〔chronometry〕 명 ①시간 측정에 관한 과학. ②크로노미터에 의한 시간의 측정.

크로노-미터 〔chronometer〕 명 『물』 ①온도·기압·습도 등의 영향을 거의 받지 않는 휴대용의 정밀한 태엽식 시계. 천문 관측이나 경도(經度) 측정에 쓰임. 경선의(經線儀). 시진의(時辰儀). ②1/2초를 새겨 놓은 크고 튼튼한 시계. 배 위에 정확한 시간을 알기 위하여 설계됨.

크로노스 〔Kronos〕 명 『신』 그리스 신화 중의 농경과 계절의 신(神). 제우스·헤라(Hera) 등의 아버지로, 제우스 이전의 최고신(最高神)이었음. 이 지위를 잃을까 보아 자식들을 잡아먹다가 제우스에게 살해되었다 함. 로마 신화의 사투르누스(Saturnus)에 해당됨.

〈크로노미터❶〉

크로노-스코:프 〔chronoscope〕 명 『물』 총탄이 날아가는 것과 같은 빠르고 짧은 시간을 측정하는 전자 장치.

크로니클 〔chronicle〕 명 연대기(年代記). 편년사(編年史). 역사(歷史).

크로니클 플레이 〔chronicle play〕 명 『연』 연대기극(年代記劇). 사전(史傳)이나 전기(傳記)를 연대를 따라 지은 극.

크로닌[1] 〔Cronin, Archibald Joseph〕 명 『사람』 영국의 소설가·의사. 인도주의적 입장에서 작품을 발표함. 작품에 ≪성채(城砦)≫·≪왕국의 열쇠≫·≪청년 시절≫ 등이 있음. [1896-1981]

크로닌[2] 〔Cronin, James Watson〕 명 『사람』 미국의 물리학자. 시카고 대학 교수. 중성(中性) K 중간자 붕괴에 있어서의 기본적 대칭성의 파괴에 대한 피치 크로닌 효과(効果)를 발견한 공로로, 1980년 피치와 함께 노벨 물리학상을 공동 수상함. [1931-]

크로마뇽-인 【一人】 〔Cro-Magnon〕 명 프랑스 도르도뉴(Dordogne) 지방의 동굴 크로마뇽에서 1868년 발견된 구석기 시대 후기의 화석(化石)

인류. 약 4-1만 년 전의 것으로 추정됨. 현대의 인류와 동종(同種)인데, 뼈가 굵고 키가 180 cm 정도임. 동굴 속에 그들이 그린 소·말·사슴 등의 벽화를 남겼음. *그리말디인(Grimaldi 人).

크로마이징 〔chromizing〕 명 철강 제품의, 크롬에 의한 금속 침투법. 우수한 내열·내식(耐蝕)·내마모성(耐磨耗性)을 얻게 됨.

크로마-키 : 〔chroma-key〕 명 컬러 텔레비전 방송의 화면 합성(合成) 기술. 배경과 인물을 촬영한 뒤, 어느 하나를 분리하여 다른 카메라에 옮겨 구성하는 일 따위.

크로마토-그래프 〔chromatograph〕 명 〖화〗 크로마토그래피에 쓰인 흡착제(吸着劑).

크로마토-그래피 〔chromatography〕 명 〖화〗 색소(色素) 물질의 분별 흡착(吸着)에 의한 분리법(分離法). 여러 가지 혼합물의 용액을 알루미나(alumina)·실리카 겔(silica gel)·이온 교환 수지(ion 交換樹脂) 등의 흡착제를 채운 수직으로 된 유리관(管)을 통하여 흐르게 하여 흡착성의 차이에 따라 혼합물의 성분이 여러 곳에 흡착되게 하는 방법임. 색층 분석(色層分析).

크로마토그래픽 흡착 【—吸着】 명 〔chromatographic absorption〕 〖화〗 기체·액체가 분자량에 따라, 활성탄(活性炭)·활성 알루미나·실리카 겔(silica gel) 등 고체 흡착 물질 위에 흡착되는 현상. 화학 물질의 혼합물 분석이나 분리에 이용됨.

크로마트론 〔chromatron〕 명 컬러 텔레비전 수상관(管)의 하나. 1951년 미국인 로렌스(Lawrence, E.O.)가 발명함. 수평으로 배열된 3원색 형광막(螢光膜) 앞에 색변환 격자(色變換格子)를 놓고 단일한 전자 빔(beam)으로 컬러 화상(畫像)을 재생함. 수상기 회로가 간단하여 화상이 밝은 것이 특징임. 로렌스관(管).

크로마틴 〔chromatin〕 명 〖생〗 염색질(染色質).

크로매틱 〔chromatic〕 명 〖악〗 ①'반음계적(半音階的)'의 뜻. ②↗크로매틱 스케일.

크로매틱 스케일 〔chromatic scale〕 명 〖악〗 12음으로 구성되어 각 음 사이가 모두 반음(半音)으로 구성되어 있는 음계. 반음계(半音階). ㊀ 크로매틱.

크로매틱 하:프 〔chromatic harp〕 명 〖악〗 반음(半音)의 연주를 자유로이 하기 위하여 현(絃)을 교차시켜서 팽팽히 하고 한편을 피아노의 흰 건반, 다른 편을 검은 건반처럼 만든 하프(harp). 주로 독주용(獨奏用)으로 쓰임.

크로:머 〔Cromer, 1st Earl of Evelyn Baring〕 명 〖사람〗 영국의 식민지 정치가. 1883년 이집트 총영사로 취임. 민족 운동의 억압과 아울러 이집트의 근대화를 추진하여 영국의 지위를 확립했음. [1841-1917]

크로모겐 : 〔도 Chromogen〕 명 〖화〗 색원체(色原體).

크로모마이신 에이 스리 : 〔chromomycin A_3〕 명 〖약〗 항종양성(抗腫瘍性) 항생 물질. 암·육종(肉腫)·호지킨병(Hodgkin 病) 등에 쓰임.

크로모필 〔chromophyll〕 명 〖화〗 식물 색소(植物色素)의 총칭.

크로뮴 〔chromium〕 명 〖화〗 크롬(chrome).

크로:버 〔Kroeber, Alfred Louis〕 명 〖사람〗 미국의 인류학자. ≪캘리포니아 인디언 핸드북≫은 그의 뛰어난 연구 업적을 남겼고, 문화와 문화사에 관한 문명론(文明論)의 초유기체론(超有機體論)은 유명함. 고고학(考古學)과 언어학(言語學) 분야에도 많은 업적을 남김. 저서에 ≪인류학≫이 있음. [1876-1960]

크로셰 〔프 crochet〕 명 뜨개질에 쓰는 구부러진 바늘.

크로스 〔cross〕 명 ①십자가(十字架). 십자형(十字形). 십자(十字). ②교차(交叉). 교차점(交叉點). ③이종 교배(異種交配). 혼혈아(混血兒). 잡종(雜種). ④↗크로스레이트.

크로스 라미나 〔cross lamina〕 명 〖지〗 퇴적 구조(堆積構造)의 하나. 상하의 라미나가 평행이 아닌 서로 사교(斜交)하는 경우이며, 물질을 운반하는 바람·수류(水流)의 세기나 방향이 자주 변함으로써 생김. 지층(地層)에 흔히 볼 수 있으며 쇄설물(碎屑物)의 운반 방향의 결정(決定) 등에 이용됨.

크로스-레이트 〔cross-rate〕 명 〖경〗 어떤 나라에서 본, 다른 두 나라 사이의 환시세(換時勢). ㊀크로스.

크로스-바 : 〔crossbar〕 명 ①높이뛰기·장대높이뛰기에서, 뛰어 넘는 가로대. ②럭비·축구·핸드볼·하키 따위에서, 골 포스트 위를 좌우로 가로 질러 연결하는 가로대. 골바(goalbar).

크로스바: 교환기 【—交換機】 〔crossbar〕 명 〖물〗 자동 전화기(自動電話機)의 하나. 세로 20, 가로 5가닥의 교차된 바로 된 크로스바 스위치가 주체임. 이 교환기에는 스위치를 제어하는 공통 제어 장치가 있어 다이얼에서의 정보를 한 번 축적하였다가 적당한 바를 선택, 신호에 따라 스위치를 작동시킴. 간편하고 경제적이며, 수명이 길고 신뢰도(信賴度)도 높음.

크로스바:-식 【—式】 〔crossbar〕 명 〖물〗 ①전화 자동 교환 방식의 하나. ②컴퓨터의 멀티프로세싱 시스템(multiprocessing system) 구성 방식의 하나.

크로스 벨트 〔cross belt〕 명 〖기〗 두 개의 바퀴가 서로 반대 방향으로 회전하도록 엇갈리게 맨 벨트.

크로스 보:팅 〔cross voting〕 명 의회에서 표결할 때 의원(議員)이 마음대로 자기 당에 반대하고 반대당에 찬성표를 던지는 것을 인정하는 제도. 미국과 영국에서 특히 발달했으며, 각 정당은 소속 의원들에게 당론(黨論)에 따르도록 강요하기가 어려움. 교차 투표(交叉投票).

크로스-섹션 〔crosssection〕 명 단면(斷面). 단면도(斷面圖).

크로스-스티치 〔cross-stitch〕 명 십자수(十字繡).

크로스오:버 뮤:직 〔crossover music〕 명 재즈·록·솔·라틴 뮤직 등의 요소·스타일을 교착(交錯)시킨 음악이라는 뜻으로, 퓨전 뮤직(fusion music)을 일컫는 말.

크로스-워:드 〔crossword〕 명 ↗크로스워드 퍼즐.

크로스워:드 퍼즐 〔crossword puzzle〕 명 바둑판 무늬처럼 선을 그은 칸 안에 힌트에 따라 빈 칸을 메워서 가로 세로 말이 되게 하는 놀이. 십자(十字) 말풀이. ㊀크로스워드.

크로스 컨트리 〔cross country〕 명 ↗크로스컨트리 레이스.

크로스컨트리 레이스 〔cross-country race〕 명 들·언덕·숲 따위를 횡단하며 달리는 경기. 올림픽의 근대 5종 경기에는 4 km의 코스가 있음. 단교 경주(斷郊競走). ㊀크로스 컨트리.

크로스 코:트 볼: 〔cross court ball〕 명 테니스에서 자기편의 왼쪽 또는 오른쪽으로부터 상대편의 오른쪽 또는 왼쪽으로, 코트를 비스듬하게 건너지르며 치는 볼.

크로스 킥 〔cross kick〕 명 ①축구에서, 공을 옆으로 비스듬히 차는 일. ②럭비에서, 이제까지의 공격 방향과는 반대쪽으로 올리는 킥.

크로스 파이어 〔cross fire〕 명 ①야구에서, 투수의 투구(投球)가 본루(本壘) 위에서 좌우(左右)로 엇갈리는 투구법. 십자화구(十字火球). ②〖군〗 십자 포화(十字砲火).

크로스 패스 〔cross pass〕 명 ①축구에서, 필드를 가로질러 반대편에 있는 선수에게 공을 보내는 패스. ②미식 축구에서, '크리스크로스 패스(crisscross pass)'의 약칭.

크로스-헤드 〔crosshead〕 명 〖기〗 왕복 기관에서, 피스톤 로드(piston rod)와 커넥팅 로드(connecting rod)를 연결하는 장치. 피스톤 로드의 운동을 실린더의 중심선에 일치시키는 역할을 함.

크로아티아 〔Croatia〕 명 〖지〗 동유럽에 있는 공화국. 1946 년 유고슬라비아 연방을 구성하는 6 개 공화국의 하나가 되었다가 1991 년 일방적으로 독립을 선언하고 1992 년 2 월 EC의 국가 승인을 얻었음. 세르비아계와 민족 분규로 충돌이 격심했음. 주민(住民)은 남(南)슬라브족(族)의 크로아티아인(人)이며, 크로아트어(語)를 사용함. 석탄 등의 풍부한 광산 자원과 수력 발전을 기초로 한 공업이 성함. 수도는 자그레브(Zagreb). [56,538 km² : 4,760,000 명(1992)]

크로이든 〔Croydon〕 명 〖지〗 영국 잉글랜드 남동부, 런던 남쪽 14 km 지점에 있는 도시. 대(大)런던에 포함되며, 제2차 대전 전에는 런던 공항(空港) 소재지로 알려짐. 전기 기계·항공기 따위의 정밀 공업이 행해짐. [321,500 명(1982)]

크로이소스 〔Kroisos〕 명 〖사람〗 리디아 왕국(Lydia 王國) 최후의 왕. 소(小)아시아의 그리스 도시를 정복, 왕국의 전성 시대를 이루어 고대사(古代史)의 유례없는 부자(富者)로 알려짐. 페르시아의 키루스 왕(Cyrus 王)에게 패배, 리디아 왕국은 멸망함. 후세에 대부호(大富豪)의 대명사가 되었음. 크리서스(Croesus). [?-546 B.C.; 재위 560? -546 B.C.]

크로이처 소나타 〔Kreutzer Sonata〕 명 ①〖악〗 베토벤의 작품 47번, 바이올린과 피아노를 위한 소나타. 1803년 베토벤 자신이 탄주(彈奏)하였음. ②〖책〗 1890년에 톨스토이가 지은 소설. 귀족의 젊은 아내와 음악가와의 연애를 그려 금욕적(禁慾的) 입장에서 결혼의 문제를 비판한 작품임.

크로이츠베르크 〔Kreutzberg, Harald〕 명 〖사람〗 체코 출신의 독일 무용가. 라반(Laban)·비크만(Wigman, M.)에게 사사(師事), 모던 댄스의 대표로 활약함. [1902-68]

크로이츠펠트야코프-병 【—病】 〔Creutzfeldt-Jakob〕 명 〖의〗 40-50대에 증세가 나타나서 인격 파괴와 치매(癡呆)가 급히 진행되는 병. 신경계의 운동 장애, 즉 떨림·경련·마비 등이 따르고 1 년 이내에 죽는 수가 많음. 독일의 크로이츠펠트와 야코프가 보고했음.

크로즈비 〔Crosby, Bing〕 명 〖사람〗 미국의 가수(歌手)·영화 배우. 마이크를 통한 새로운 보컬 스타일(vocal style)을 창조, 1930년대와 40년대의 미국의 팝송계(界)를 지배하여, 굵고 부드러운 목소리로 일세를 풍미했음. 대표곡은 ≪화이트 크리스마스≫. 1933년 이래 많은 영화에 출연, ≪나의 길을 가련다≫에서의 명연기로 아카데미 남우(男優) 주연상을 받았음. [1904-77]

크로체 〔Croce, Benedetto〕 명 〖사람〗 이탈리아의 철학자·역사가·정치가. 헤겔의 역사관과 칸트의 비판주의를 섭취하고, 1902년부터 ≪정신의 철학≫ 4권을 저술하여 독자적인 철학 체계를 완성하였음. 한편, 1903년부터 '크리티카(Critica)' 지(誌)를 발간, 현대의 문학·철학 및 역사의 비판을 통한 운동을 일으키고, 파시즘(Fascism)을 통렬히 비난하였음. [1866-1952]

크로커스 〔crocus〕 명 〖식〗 [*Crocus vernus*] 붓꽃과에 속하는 다년초. 높이 10-20 cm 가량. 솔잎 같은 것을 방출(放出)하는데 복판에 세로 흰 줄이 있음. 꽃은 큼직하고 자주·하양·담홍·노랑 등 여러 종류가 있음. 가을에 달걀꼴의 구근(球根)을 심으면 이른봄에 꽃이 핌. 남부 유럽 및 아시아 서부 원산(原産)의 원예 식물(園藝植物)로, 꽃줄기를 음건(陰乾)하여 약용(藥用)함. *사프란(saffraan).

〈크로커스〉

크로케 〔프 croquet〕 명 구기(球技)의 하나. 나무공을 나무 망치로 쳐서 출발점의 기둥과 반환점의 기둥 사이에 마련된 문을 통과시켜 골(goal)을 겨룸.

크로켓[1] 〔Crockett, David〕 명 〖사람〗 미국의 변경(邊境) 개척자. 테네시 태생. 처음 사냥의 명수로 알려짐. 후에 잭슨(Jackson, A.) 장군의 정찰원(偵察員)으로 활약하였고, 주의원(州議員)을 거쳐 연방(聯邦) 하원 의원이 됨. 텍사스 독립 전쟁에 참가, 알라모(Alamo)에서 전사(戰死)함. [1786-1836]

크로켓[2] 〔프 croquette〕 명 양요리의 하나. 고기를 다져 기름에 볶고, 쪄서 으깬 감자와 섞어서 둥글게 만들어 빵가루를 묻혀서 기름에 튀긴 음식.

크로코다일[1] 〔crocodile〕 명 〖동〗 ①악어. ②특히, 나일 악어.

크로코다일[2] 〔crocodile〕 의명 〖전〗 10^6 볼트와 같은 전위차(電位差)·기전력(起電力)의 단위. 원자핵 물리학 분야에서 비공식으로 쓰고 있음.

크로코딜 〔Krokodil〕 명 소련의 풍자 만화 잡지(雜誌). 내용은 정치 문제에서 가정 생활에 이르기까지 폭넓게 다루고 있으며 관료주의·사회악을 예리하게 파헤침. 1922년에 창간, 순간(旬刊).

크로키 〔프 croquis〕 명 『미술』 스케치. 약화(略畫). 빠르게 그린 그림.

크로톤 〔croton〕 명 『식』 〔*Codiaeum variegatum* var. *pictum*〕 대극과(大戟科)에 속하는 상록 관목. 열대 아시아 원산으로, 혁질(革質)의 잎은 달걀꼴 또는 선형(線形)을 이루며 두꺼운데, 홍·도·자·황색이나 백반(白斑) 등의 색이 배합되어 아름다움. 꽃은 백색에 작고 단성(單性)이며, 총상 화서(總狀花序)로 피는데 자웅 동주(雌雄同株)임. 관엽(觀葉)하기 위해 온실 등에서 재배함.

크로톤-산 【―酸】 명 〔crotonic acid〕 『화』 불포화산으로 무색 단사 정계(單斜晶系)의 결정. 합성 수지(合成樹脂)·가소제(可塑劑)·약제 제조 등에 쓰임. [$CH_3CH=CHCOOH$]

크로페시마-층 【―層】 〔chrofesima〕 명 『지』 지구의 시마층(sima層) 안쪽으로부터 중심층(中心層)까지의 부분. 주로 크롬·쇠·규소·마그네슘 등이 성분으로 되어 있음.

크로폿킨 〔Kropotkin, Pyotr Alekseevich〕 명 『사람』 러시아의 무정부주의자. 공작(公爵). 모든 분야에 자연 과학의 방법을 적용하려고 기도하고, 또 생물 진화에 있어서의 상호 부조의 요인을 중시하여 평등한 이상 사회를 설파(說破)함. 몇 차례의 투옥·망명 생활 끝에 저술에 전념하여 ≪상호 부조론(相互扶助論)≫·≪프랑스 대혁명사(史)≫ 등을 남김. [1842-1921]

크로프츠 〔Crofts, Freeman Wills〕 명 『사람』 영국의 탐정 소설가. 1920년, ≪나무통≫으로 등장. 알리바이를 무너뜨리는 것을 테마로 한 작품이 많으며, 프렌치 경감(French 警監)을 주인공으로 끈질기게 범인을 추적해 나가는 도서(倒敍) 탐정 소설의 수법이 특색임. [1879-1967]

크론 〔Krohn, Kaarle〕 명 『사람』 핀란드의 민속학자·언어학자. 핀란드 민속학을 창시한 아버지의 뒤를 이어 ≪칼레발라(Kalevala)≫를 연구, 저작을 남겼고, 또 아르네(Aarne)와 민속학을 대성함. ≪민속학 방법론≫은 명저임. [1863-1933]

크론슈타트 〔Kronstadt〕 명 『지』 루마니아 중부의 금속 공업 도시인 브라쇼브(Brașov)의 독일명.

크론시타트 〔Kronshtadt〕 명 『지』 러시아의 서부, 핀란드 만 안의 코틀린(Kotlin) 섬에 있는 도시. 상트 페테르부르크 방위의 요지(要地). 10월 혁명 때는 혁명 운동의 거점(據點)이 되었음.

크롤: 〔crawl〕 명 ↗ 크롤 스트로크.

크롤:로 〔Krolow, Karl〕 명 『사람』 독일의 시인. 자연 서정시의 전통을 이어받으면서 지적(知的)·실험적인 표현을 시도, 제2차 대전 후의 시단(詩壇)을 대표함. 에세이나 평론면에서도 날카로운 경향을 보이고 있음. [1915-]

크롤링 펙 〔crawling peg〕 명 『경』 환평가(換平價)를 점진적으로 조금씩 변경하는 방식. 평가 변경에 따른 충격을 완화하기 위한 방법.

크롤: 스트로:크 〔crawl stroke〕 명 수영법의 하나. 몸을 엎드려 거의 물에 잠그고 두 손으로는 차례로 물을 끌어당기며 두 발은 상하(上下)로 움직이면서 물을 차고 나아감. 수영에서는 가장 빠른 영법(泳法)으로 보통, 자유형 경영(自由型競泳)에서는 이 영법을 사용함. ㊥크롤.

크롬[1] 〔chrome〕 명 『화』 주석(朱錫) 비슷한 은백색의 광택이 있는 단단한 금속 원소. 크롬 철광으로부터 채취하는데, 공기 속에서 녹이 슬지 않으나, 염산과 황산에 녹으며, 강자성(强磁性)임. 녹는점 1905°C, 끓는점 약 2200°C. 니크롬·불수강(不銹鋼)·크롬강·니켈 크롬강 등 많은 유용 합금을 만드는데, 또 녹스는 것을 막기 위한 크롬 도금(鍍金)에도 널리 이용됨. 크로뮴. [24번: Cr: 51.996]

크롬:[2] 〔Crome, John〕 명 『사람』 영국의 풍경화가. 네덜란드 풍경화의 영향을 받았으며 영국 근대 풍경화가의 조(祖)로 불림. [1768-1821]

크롬-강 【―鋼】 〔chrome〕 명 『공』 크롬을 함유하는 강(鋼). 크롬이 2% 이하의 저(低)크롬강과 12% 이상의 고(高)크롬강이 많이 쓰이는데, 전자(前者)는 보통 강(鋼)보다 단단하며 공구(工具)·기계 구조용 재료 등에 쓰이고, 후자(後者)는 불수강(不銹鋼)으로 사용됨. 크롬 함량(含量) 11% 이상인 것은 스테인리스 스틸이라 하여 구별함.

크롬 그린: 〔chrome green〕 명 삼산화 이크롬(三酸化二chrome)의 안료(顔料)로서의 이름.

크롬 내:화물 【―耐火物】 〔chrome〕 명 크롬광(鑛)으로부터 만들어진 세라믹의 일종. 제강용 노(製鋼用爐) 내부에 쓰임.

크롬-녹 【―綠】 〔chrome〕 명 크롬 그린(chrome green).

크롬 니켈강 【―鋼】 〔chrome nickel〕 명 『공』 내산성(耐酸性)이 큰 합금(合金). 주로 화학 공업용 부품에 쓰이는데, 성분은 크롬 16-20%, 니켈 7-12%, 탄소 0.1-0.4 %임. *니켈 크롬강.

크롬 도금 【―鍍金】 명 〔chrome plating〕 『화』 금속 표면에, 전해(電解)로 부착시킨 크롬의 얇은 막. 잘 더러워지지 않는 금속 광택이 나며, 자동차 장식품·욕실(浴室) 비품·집기(什器), 기타 물건의 피복(被覆)에 이용됨.

크롬 레드 〔chrome red〕 명 황연(黃鉛)의 하나. 정방 정계(正方晶系) 결정(結晶)으로, 이산화(二酸化)납을 크롬산 칼륨의 수용액 속에서 펄펄 끓이거나 또는 크롬산납과 혼합·융해시켜 만듦. 물에 녹지 아니하나 산(酸)·알칼리에 녹음. 적색 안료로서 널리 이용됨. 크롬적(赤). 옥시크롬산연. 염기성 크롬산연. [$PbO \cdot PbCr_4$]

크롬 마그네시아 벽돌 【―甓―】 명 〔chrome-magnesite brick〕 크롬 철광과 마그네시아 클링커(clinker)를 원료로 하여 구워 만든 염기성(塩基性)의 내화(耐火) 벽돌. 내화도(耐火度)는 SK 38-39.

크롬 망간강 【―鋼】 〔chrome mangan〕 명 『공』 니켈 크롬강에 대용하는 강. 니켈 크롬강보다 충격에 대하여 강하므로, 철도 차량·자동차의 용수철에 쓰임.

크롬 몰리브덴강 【―鋼】 〔chrome molybden〕 명 『공』 철에 크롬과 몰리브덴을 첨가하여 만든 강. 용접하기 쉽고 열에 강함. 박판(薄板)이나 박관(薄管)에 쓰임.

크롬 무:두질 〔chrome〕 명 크롬 염류(塩類)를 써서 짐승 가죽을 무두질하는 방법. 일욕법(一浴法)과 이욕법(二浴法)이 있음.

크롬 물감 〔―깜〕 명 〔chrome dye〕 『화』 산성(酸性) 물감의 일종. 크롬 화합물을 매염제(媒染劑)로 하여 양털의 염색에 쓰임.

크롬 바나듐강 【―鋼】 〔chrome vanadium〕 명 『공』 크롬에 소량의 바나듐을 첨가한 강. 열처리가 완전한 것은 기계적 성질이 우수함.

크롬 백반 【―白礬】 명 〔chrome alum〕 『화』 황산 제이 크롬과 황산 칼륨과의 복염(複塩). 보통, 암자색(暗紫色) 정팔면체의 결정으로 제지(製紙)·정당(精糖)·잉크 제조·매염제(媒染劑)·착색료(着色料)·제혁(製革)·사진 정착(定着)에 젤라틴 고정액으로 쓰임.

크롬-산 【―酸】 명 〔chromic acid〕 『화』 ①삼산화 크롬(三酸化 chrome)의 수용액. 농도가 증가함에 따라 황적색·적색·적흑색이 됨. 크롬산염을 생성하는 산임. [H_2CrO_3] ②'삼산화 크롬'의 속칭.

크롬산-기 【―酸基】 〔chrome〕 명 『화』 이가(二價)의 음이온(陰 ion). 일반식 M_2CrO_4의 크롬산염(酸塩)을 만듦. [CrO_4^{2-}]

크롬산 나트륨 【―酸―】 명 〔sodium chromate〕 『화』 크롬산의 나트륨염(塩). 크롬 광물과 소다회(灰)를 혼합, 융해시켜 물로 추출(抽出)하여 만듦. 크롬 안료의 제조, 철의 부식 및 방수용(防銹用) 따위에 쓰이는 외에 염색·사진·유기 합성 따위의 산화제에 쓰임. [$Na_2CrO_4 \cdot 10H_2O$]

크롬산-납 【―酸―】 명 〔lead chromate〕 『화』 크롬산 나트륨과 질산염(窒酸塩)의 복분해(複分解)로써 얻어지는 단사 정계(單斜晶系)에 속하는 황색의 결정. 천연(天然)으로는 홍연광(紅鉛鑛)으로서 존재함. 황연(黃鉛)의 주성분으로 물에 녹지 않으며, 산(酸)·알칼리에 녹음. 황색 안료(顔料)·산화제(酸化劑) 등으로 쓰임. 크롬산연. [$PbCrO_4$]

크롬산 무수물 【―酸無水物】 〔chrome〕 명 『화』 삼산화(三酸化) 크롬의 통칭.

크롬산 바륨 【―酸―】 명 〔barium chromate〕 『화』 크롬산의 바륨염(塩). 황색, 사방 정계(斜方晶系)의 결정성 분말임. 산염·질산에 녹으나 물에는 거의 녹지 않음. 황연(黃鉛)·성냥·도자기 착색제의 원료로 쓰임. [$BaCrO_4$]

크롬산 아연 【―酸亞鉛】 명 〔zinc chromate〕 『화』 유독성 황색 분말. 페인트용 안료(顔料)·니스·리놀륨 등에 쓰임. [$ZnCrO_4$]

크롬산 암모늄 【―酸―】 명 〔ammonium chromate〕 『화』 황색 단사 정계(單斜晶系) 결정인 염(塩). 젤라틴 도막(gelatin 塗膜)의 증감제(增感劑)로서 사진에 쓰임. [$(NH_4)_2 CrO_4$]

크롬산-연 【―酸鉛】 〔―년〕 명 크롬산납.

크롬산 칼륨 【―酸―】 명 〔potassium chromate〕 『화』 중크롬산 칼륨과 함께 크롬 철광·탄산 칼륨으로부터 만들어지는, 사방 정계(斜方晶系)에 속하는 황색의 무수 결정. 크롬산염(chrome 酸塩) 중 가장 보통의 것인데, 물에 잘 녹으며, 안료(顔料)·크롬염류(塩類)의 제조·가죽 무두질·분석 시약 등에 쓰임. 크롬산 칼리. [K_2CrO_4]

크롬산 칼리 【―酸―】 명 〔potassium chromate〕 크롬산 칼륨.

크롬산 혼:액 【―酸混液】 명 〔chromic acid mixture〕 『화』 중크롬산 칼륨의 포화 용액에 진한 황산을 혼합한 액. 강한 산화제로 실험실에서 유리·사기 기구에 붙은 지방(脂肪)·유기질을 세척하는 데 쓰임.

크롬 옐로: 〔chrome yellow〕 명 ①『화』 크롬산(chrome 酸)납을 주성분으로 하는 황색 염료. 도료·인쇄 잉크·크레용 등에 쓰임. 크롬황. ②울금색(鬱金色).

크롬 오렌지 〔chrome orange〕 명 『화』 크롬 옐로보다 진한 것. 페인트·그림물감·방수 도료(防銹塗料) 따위에 쓰임.

크롬 운모 【―雲母】 〔chrome〕 명 〔fuchsite〕 『광』 밝은 녹색을 나타내는 크롬을 함유하고 있는 운모의 일종.

크롬웰[1] 〔Cromwell〕 명 『사람』 ① 〔Oliver C.〕 영국의 군인·정치가. 청교도(淸敎徒)로 1642-48년의 내란 때 의회군(議會軍)을 이끌고 왕당파를 물리쳐 국왕 찰스(Charles) 1세를 처형하고 공화제(共和制)를 선포하여 영국 공화국(British Commonwealth)을 세움. 아일랜드에 출정, 스코틀랜드군을 격파하여 영국 제도(諸島)를 평정함. 1651년 항해 조례(航海條例)를 발하여 영국의 해상권(海上權)을 확보하고, 1653년 호국경(護國卿)으로 추대되어 독재권을 쥐었고, 1652-54년 네덜란드 해군을 격파하여 영국의 해상 제패(制覇)의 단서(端緖)를 엶. [1599-1658] ② 〔Richard C.〕 영국의 정치가. ❶의 아들. 아버지의 뒤를 이어서 제2대 호국경에 취임. 왕정 복고(王政復古)와 동시에 프랑스로 망명했음. [1626-1712]

크롬웰[2] 〔Cromwell, Thomas〕 명 『사람』 영국의 정치가. 헨리 8세 때 추밀(樞密) 고문관을 비롯한 중직을 역임함. 종교 개혁에 진력하였으나 후에 왕의 미움을 사서 처형됨. [1485?-1540]

크롬웰 해:류 【―海流】 〔Cromwell〕 명 적도 잠류(赤道潛流).

크롬 유피 【―鞣皮】 〔chrome〕 명 크롬 화합물을 써서 무두질한 가죽. 부드럽고 연한 얇은 가죽 제품에 적합하고 일반적으로 담녹(淡綠)·청색을 띰.

크롬 중독 【―中毒】 〔chrome〕 명 『의』 산업 현장에서 크롬 및 크롬 화합물을 지나치게 흡입하여 일어나는 중독. 자극성 피부염·비중격 천공(鼻中隔穿孔) 등을 일으키며 폐암의 원인이 되기도 함.

크롬철-광 【―鐵鑛】 명 〔chromite〕 『광』 철과 크롬과의 산화물. 흑색을 띰. 크롬의 유일한 원광(原鑛)임. 금속 크롬·중크롬산(重chrome 酸)납·크롬 벽돌 등의 원료로 쓰임. 주조성(主組成)은 $FeCr_2O_4$임.

크롬 친화성 세:포 【―親和性細胞】 〔―썽―〕 명 〔chromaffin cell〕 『생』

척추 동물의 부신수질(副腎髓質)이나 방신경절(傍神經節) 또는 경동맥소체(頸動脈小體) 등에 있는, 크롬염(塩)에 대한 친화성을 갖는 세포.

크롬프톤 〔Crompton, Samuel〕 몡 『사람』 영국의 산업 혁명기의 발명가. 가늘고 균질(均質)이며, 질긴 실을 만드는 방적기인 뮬기(mule機)를 발명하였음. [1753-1827]

크롬-황 【一黃】 〔chrome〕 몡 『화』 크롬 옐로(chrome yellow)❶.

크롬 후:처리 물감 【一後處理一】 〔一깜〕 몡 〔afterchromed dye〕 물감의 하나. 섬유(纖維)를 염색한 뒤에 중크롬산(重 chrome 酸) 나트륨·황산(黃酸) 구리 등으로 처리하여 빛깔의 질(質)이나 견고도(堅固度)를 높임.

크루: 〔crew〕 몡 ①선원(船員). 승무원. 여객선의 승무원. ②여객기의 승무원. ③조정(漕艇)에서, 한배를 타는 한 팀.

크루:너 〔crooner〕 몡 낮은 목소리로 감상적(感傷的)으로 부르는 가수.

크루스[1] 〔스·포 cruz〕 몡 ①십자(十字). 십자가. ②십자가를 상징한 문장(紋章).

크루스[2] 〔Cruz, Ramón de la〕 몡 『사람』 스페인의 극작가. 하급 관리로 일생을 보내면서 많은 비극·희극을 썼음. [1731-94]

크루스[3] 〔Cruz, San Juan de la〕 몡 『사람』 스페인의 신비 문학가·성인. 카르멜회(Carmel會)의 수사(修士)로 동회(同會)의 개혁에 참여하였으며, 명상 생활을 통해서 신비 문학의 선구적 저서라 할 수 있는 ≪카르멜산(山)의 등산≫·≪정신(精神)의 가시≫ 등을 씀. [1542-91]

크루아 드 푀 〔프 Croix de Feu〕 몡 〔'불의 십자가'라는 뜻〕 프랑스의 우익 정치 단체. 1927년, 제1차 세계 대전 때 십자 훈장을 받은 재향군인(在鄕軍人)으로 조직 창설되었으나, 1936년 인민 전선 정부에 의하여 해산됨.

크루아상 〔croissant〕 몡 프랑스의 아침 식사에서 빠질 수 없는 초승달 모양의 빵. 버터를 많이 넣은 얇은 반죽을 네댓 겹 겹쳐 만드는데, 보통 빵보다 부드럽고 과자의 바삭바삭한 맛까지 곁듦.

크루:저 〔cruiser〕 몡 순항(巡航)을 목적으로 만들어진 요트.

크루:저-급 【一級】 몡 〔cruiser weight〕 프로 권투에서 79. 38-86. 18 kg 의 체급(體級). 헤비급의 아래, 라이트 헤비급의 위.

크루제이로 〔Cruzeiro〕 의명 브라질의 현행 통화 단위. 1크루제이로는 100센타보(centavo). 약호: Gr. $.

크루:즈 〔cruise〕 몡 선박 회사나 여행업자가 관광객을 모아서, 정기 항로(定期航路) 외로 운항시키는 객선(客船). 주유 관광선(周遊觀光船).

크루:즈 미사일 〔Cruise missile〕 몡 『군』 '순항(巡航) 미사일'의 원어.

크루지우스 〔Crusius, Christian August〕 몡 『사람』 독일의 철학자. 볼프(Wolff) 철학에 반대하는 대표적 인물임. 경험론적 입장에서 주지(主知)주의·비합리(非合理)주의의 형이상학(形而上學)을 주장하였음. [1715-75]

크루:징 〔cruising〕 몡 특정한 항로 없이 해상을 순항하는 일. 요트일 때는 크루즈에 의한 유람 따위를 이름. 근년에는 부정기 여객선으로 하는 주요 관광지와 세계 일주 등의 순유(巡遊)도 일컬음.

크루통 〔프 croûton〕 몡 빵을 토막으로 잘라서 기름에 튀기거나 구운 것. 수프에 띄우거나 요리에 곁들임.

크루:프[1] 〔croup〕 몡 『의』 후두(喉頭) 기관의 가장자리에 섬유소성(纖維素性)의 위막(僞膜)이 생기는 급성 염증. 인두부가 좁아지고 아프며, 질식 등을 일으키나 그 위막이 쉽게 벗겨지는 점이 디프테리아와 다름.

크루프[2] 〔Krupp, Alfred〕 몡 『사람』 독일의 발명가·기업가. 주강총(鑄鋼銃), 기타 강(鋼) 제품을 발명, 크루프사(Krupp社)를 창립하여, 독일의 대군수(大軍需) 공장으로 발전시켰음. [1812-87]

크루:프성 폐:렴 【一性肺炎】 〔一썽一〕 몡 〔croupous pneumonia〕 『의』 주로 폐렴 쌍구균(雙球菌)에 의하여 발생하는 폐렴. 오한(惡寒)이 나고 떨리며, 구역질과 경련(痙攣)으로 시작하여 고열(高熱)을 내고, 흉통(胸痛)·호흡 곤란·기침 등을 수반함. 진성(眞性) 폐렴. 섬유소성(纖維素性) 폐렴.

크루프-포 【一砲】 〔Krupp〕 몡 『군』 크루프 회사에서 만든 후장포(後裝砲). 포신(砲身)을 주철(鑄鐵)로 제조한 최초의 포(砲)임.

크루프 회:사 【一會社】 〔Krupp〕 몡 독일의 대군수 기업의 하나. 금세기 초에 이미 종합 콘체른을 형성, 나치의 정권 획득부터 제2차 대전까지 이에 협력하였음. 대전 후, 연합군 관리하에 있다가 독일 재군비로 다시 부활함. 1967년에 이르러서 개인 경영 형태를 포기, 회사 조직으로 개편, 철강·조선·산업 기계 등을 제조함.

크룩사이트 〔crookesite〕 몡 『광』 중요한 셀레늄 광물. 연회색(鉛灰色)의 괴상(塊狀)으로 존재하며, 외관(外觀)이 금속과 같음.

크룩스 〔Crookes, William〕 몡 『사람』 영국의 화학자·물리학자. 탈륨(thallium)을 발견, 이의 원자량(原子量)을 측정하였고 또한 라디오미터(radiometer)를 발명하였으며, 또 진공 방전(眞空放電)의 연구에서 음극선(陰極線)을 발견하는 등 많은 업적을 쌓음. [1832-1919]

크룩스-관 【一管】 몡 〔Crookes tube〕 『물』 관 속의 기체의 압력이 수은주(水銀柱) 0. 1 mm 정도 이하의 진공 방전관(放電管). 영국의 물리학자 크룩스가 처음으로 사용하였으므로 이 이름이 있음.

크룹스카야 〔Krupskaya, Nadezhda Konstantinovna〕 몡 『사람』 소련의 교육학자. 레닌의 처. 남편과 같이 오랜 망명 생활을 보내고 1917년 혁명과 동시에 귀국 후 피오네르(pioner) 운동을 육성한 일로도 알려짐. 저서에 ≪국민 교육과 민주주의≫ 등이 있음. [1869-1939]

크룽-테프 〔Krung Thep〕 몡 『지』 '방콕'의 정식 명칭.

크뤼거 〔Krüger, Paulus〕 몡 『사람』 남아프리카 트란스발 공화국 대통령. 1864년 트란스발군 사령관이 되어 영국의 병합 정책에 반대하였으며 보어(Boer) 전쟁 때에는 각국에 원조를 청하였으나 실패, 스위스에서 객사함. [1825-1904]

크리놀린 〔crinoline〕 몡 19세기 중엽, 스커트를 버티어 부풀게 하기 위하여 고안된 언더스커트를 이르는 말. 빳빳한 천에 고래뼈 따위 버팀테를 넣은 것. 이런 복장을 크리놀링 스타일이라 함. 또, 옷의 깃·소매·모자테 따위에 넣은 심도 이름.

크리:머 〔Cremer, William Randal〕 몡 『사람』 영국의 정치가. 여러 노동 조합을 창설하였으며, 국제적인 중재 재판소 설치의 주창자로, 1903년 노벨 평화상을 받았음. [1835-1908]

크리미아 반:도 【一半島】 〔Crimea〕 몡 『지』 크림 반도.

크리벨리 〔Crivelli, Carlo〕 몡 『사람』 이탈리아의 화가. 베네치아 태생. 주로 종교적 테마를 제단화(祭壇畫) 형식으로 그렸는데, 화려한 색채 효과와 인체 묘사에서 볼 수 있는 딱딱한 조소성(彫塑性)과 고대풍(古代風)의 치졸미(稚拙味) 등을 특징으로 함. 대표작으로 ≪그리스도의 책형(磔刑)과 마리아의 대관(戴冠)≫이 있음. [1430 ?-95 ?]

크리보이-로크 〔Krivoi Rog〕 몡 『지』 우크라이나 공화국에 있는 세계적인 철광 산지. 잉굴레츠 강(Ingulets江) 가에 있는데, 야금·기계·식료품 공업이 성함. 〔674,000 명(1983 추계)〕

크리:서스 〔Croesus〕 몡 『사람』 '크로이소스(Kroisos)'의 영어명.

크리소스토무스 〔Chrysostomus, Johannes〕 몡 『사람』 그리스 교부(敎父) 중의 최대의 설교가. 콘스탄티노플의 총주교(總主教). 상류 계급 및 황실의 사치에 반대한 까닭으로 박해를 받았음. 이름은 '금(金)의 입'의 뜻으로 능변 때문에 붙여짐. [347?-407]

크리슈나 〔Kṛṣṇa〕 몡 힌두교 신화의 영웅신(英雄神). 악왕(惡王)을 죽이고, 많은 악귀 용왕(惡鬼龍王)을 퇴치 정복하여 구세(救世)를 위한 여러 가지 위업(偉業)을 쌓음. 훗날 비슈누신(Viṣṇu神)의 화신이 됨.

크리슈나 강 【一江】 〔Krishna〕 몡 『지』 인도 반도 중부의 강. 서고츠(西 Ghats) 산맥에서 발원하여 벵골 만으로 흘러듦. 흐름은 급하나 중부 유역에 관개망(灌漑網)이 정비(整備)되어 있음. 키스티나 강(Kistina 江). 〔1, 290 km〕

크리스마스 〔Christmas〕 몡 『기독교』 예수의 성탄일(聖誕日). 12월 25일. 원래 태양의 신생(新生)을 축하하는 동지제(冬至祭)에 행했으나 3세기경부터 12월 25일로 변하였다 함. 그리스어의 첫자를 따서 'X마스'로도 씀. 성탄일(聖誕日). 성탄제(聖誕祭). 성탄절(聖誕節). 강탄제(降誕祭). 예수 성탄일.

크리스마스 로:즈 〔Christmas rose〕 몡 『식』 〔*Helleborus niger*〕 미나리아재빗과에 속하는 상록 다년초. 근경(根莖)은 굵으며 뿌리는 굵은 섬유상임. 암록색의 잎은 장상 복엽(掌狀複葉)으로 근생(根生)함. 화경(花莖)의 높이는 약 15-30 cm이며 그 끝에 직경 6 cm 정도의 흰 꽃이 핌. 뿌리를 강심제·이뇨제로 씀. 유럽 원산으로 관상용임.

크리스마스 병 【一病】 〔一뼝〕 몡 『의』 〔Christmas disease: 최초로 이 병의 환자로 기술(記述)된 20세기 영국의 소년, 스티븐 크리스마스(Stephen Christmas)의 이름에서 유래〕 응혈 인자 결핍(凝血因子缺乏) 때문에 혈액이 응고하지 않는 유전성(遺傳性)의 병. ＊크리스마스 인자(因子).

크리스마스-선인장 【一仙人掌】 〔Christmas〕 몡 『식』 〔*Epiphyllum russellianum*〕 선인장의 일종. 게발선인장과 비슷하되, 줄기 마디 가장자리에 날카로운 톱니가 있음. 빨간 꽃이 줄기 마디 끝에 한두 송이씩 11-1월에 핌. 원산지는 브라질이며 관상용으로 가꿈.

크리스마스 섬 〔Christmas〕 몡 『지』 ①'키리티마티 섬'의 구칭. ②자바 섬에서 약 400 km 남쪽에 있는 인도양 상의 섬. 남위 10°25′22″, 동경 105°39′59″. 오스트레일리아의 영토임. 인광(燐鑛) 채굴이 유일한 산업인데 연산(年産) 78만 톤 가량임. 주민의 70%가 중국인임. 〔135 km²: 3,200 명(1980)〕

크리스마스 실: 〔Christmas seal〕 몡 항(抗)결핵 기금을 모으기 위하여 크리스마스 전후에 발행되는 증표. 이 성금(誠金) 운동은 세계적으로 행하여지고 있음.

크리스마스 오라토리오 〔Christmas oratorio〕 몡 〔도 Weihnachts-Oratorium〕 『악』 바흐(Bach, J.S.)가 1734년에 작곡한 오라토리오. 복음서(福音書) 중의 예수 성탄(聖誕) 이야기를 합창과 오라토리오의 6부(部) 64곡(曲)으로 구성하였음.

크리스마스 이:브 〔Christmas Eve〕 몡 『기독교』 크리스마스의 전야(前夜). 곧, 12월 24일 밤. 성탄 전야. 성야(聖夜).

크리스마스 인자 【一因子】 몡 〔Christmas factor〕 『화』 혈액 응고에 관계하는 가용성(可溶性) 단백질의 성분. ＊크리스마스병(病).

크리스마스 카:드 〔Christmas card〕 몡 크리스마스를 축복하기 위하여 서로 보내는 카드.

크리스마스 캐럴 〔Christmas Carol〕 몡 ①크리스마스를 축복하는 찬송가. ②『책』 1843년에 간행된 디킨스(Dickens)의 소설. 냉혹(冷酷)한 수전노(守錢奴) 스크루지(Scrooge) 노인이 크리스마스 전날 밤에 동료(同僚)의 망령(亡靈)에 의하여 자신의 과거·현재·미래의 모습을 보게 됨으로써 개심(改心)한다는 줄거리. 크리스마스 이야기 중의 대표작(代表作)임.

크리스마스 트리: 〔Christmas tree〕 몡 ①『기독교』 크리스마스에 장식으로 세우는 나무. 흔히, 전나무 등의 상록수에 아름다운 장식용의 촛불·종·별·꼬마 전등 등을 닮. 성탄목(聖誕木). ②『공』 석유 갱구(石油坑口)에 부착시키는 밸브(valve). T자관(字管)·십자관, 기타 부속 부품을 조립한 장치. 석유·천연 가스 산출(產出)을 조절함.

크리스천 〔Christian〕 몡 기독교 신자. 기독교도. 예수교인.

크리스천 네임 〔Christian name〕 몡 『기독교』 세례할 때 붙이는 이름. 사도(使徒)나 성자(聖者)의 이름을 사용함. 세례명(洗禮名).

크리스천 사:세 【一四世】 〔Christian Ⅳ〕 몡 『사람』 덴마크·노르웨이 국왕. 독일 신교도(新教徒) 원조의 명목으로 30년 전쟁에 개입하였다

가 패배, 또 발트 해(Balt 海)의 권익을 에워싸고 스웨덴과 싸워 또다시 패배함으로써 순드(Sund) 해협 이동(以東)을 할양하는 등 불운의 연속이었으나 내정의 개혁, 왕권의 확립에 성공하고 해외 진출을 원조하여 국민적 영웅이 되었음. [1577-1648; 재위 1588-1648]

크리스천 사이언스 〔Christian Science〕 명 〖종〗 1866년에 미국의 에디(Eddy) 부인이 창립한 기독교 단체. 죄·병·악은 모두 허망하다고 깨달음으로써 만병을 고칠 수 있다는 일종의 정신 요법을 주장하였음. 1908년, 기관지 '크리스천 사이언스 모니터'를 창간함.

크리스천 사이언스 모니터 〔Christian Science Monitor〕 명 미국의 고급 석간지. 내용의 정확성, 국제 뉴스 중시가 특색임. 1908년 크리스천 사이언스의 창시자 에디(Eddy) 부인이 창간하였음. 발행 부수는 적으나 '뉴욕 타임즈'와 더불어 유수한 전국지(全國紙)로 꼽힘.

크리스천 스쿨: 〔christian school〕 명 기독교주의 학교.

크리스천 일세 【—一世】 〔Christian Ⅰ〕 〔—쎄〕 명 〖사람〗 독일의 올덴부르크가(Oldenburg 家) 출신의 덴마크 국왕. 당시 북구 삼국(北歐三國)은 동군 연합(同君聯合)의 관계에 있어서, 노르웨이 국왕(1450-81), 스웨덴 국왕(1457-64)으로도 있었음. [1426-81; 재위 1448-81]

크리스크로스 패스 〔criss-cross pass〕 명 ①농구에서, 세 사람 이상의 선수가 서로 패스하여 8자 모양을 그리면서 전진, 골에 접근하는 일. ②미식 축구에서, 상대방의 마크에서 벗어나기 위하여 자기의 진로(進路)와 교차(交叉)하여 반대 방향으로 전진하는 선수에게 보내는 패스. ㊟크로스패스.

크리스털 〔crystal〕 명 ①수정(水晶). 수정 제품(水晶製品). ②↗크리스털 글라스. ③결정(結晶). 결정체(結晶體). ④〖물〗 원자가 어느 정도의 기하학적 규칙성을 가지고 배열되어 있는 고체 물질. 천연·인공의 압전 물질(壓電物質), 반도체(半導體) 물질이 있음.

크리스털 검:파기 【—檢波器】 〔crystal〕 명 〖전〗 광석(鑛石) 검파기.

크리스털 글라스 〔crystal glass〕 명 고급 식기·장식품·공예품 등에 쓰이는 고급 유리. 산화철(酸化鐵) 따위의 불순물을 없애고, 산화납을 가한 본(本) 크리스털 유리와 산화납을 넣지 않는 세미 크리스털 유리가 있음. 크리스털 유리. 수정(水晶) 유리. 수정 초자(硝子). ㊟크리스털.

크리스털 다이오드 〔crystal diode〕 명 〖물〗 반도체(半導體)의 결정(結晶)의 성질을 이용하여 검파(檢波) 및 정류(整流)에 쓰는 이단자 소자(二端子素子). 반도체에는 게르마늄(Germanium)·실리콘(silicone) 등을 씀.

크리스털 리시:버 〔crystal receiver〕 명 광석 수신기(鑛石受信機).

크리스털 마이크로폰: 〔crystal microphone〕 명 〖물〗 로셸염(rochelle 塩) 등의 결정판(結晶板)을 사용하여 음성 진동에 의해 변형(變形)한 결정판이 생기는 전하(電荷)를 이용한 마이크로폰.

크리스털 비디오 수신기 【—受信機】 〔crystal video〕 명 〖물〗 광석 검파기(鑛石檢波器)와 비디오 또는 음성 증폭기(音聲增幅器)로써만 된 동조(同調) 레이더 또는 마이크로파(波) 수신기.

크리스털 유리 【—琉璃】 〔crystal〕 〔—류—〕 명 크리스털 글라스.

크리스털 정:류기 【—整流器】 〔crystal〕 〔—뉴—〕 명 크리스털 다이오드(crystal diode)를 이용한 정류기. 금속과 반도체(半導體)와의 접합부(接合部)가 정류 특성을 가진 것을 이용한 것임.

크리스털 픽업 〔crystal pick-up〕 명 레코드 플레이어(player)에 쓰는 픽업의 한 가지. 로셸염(rochelle 塩) 등의 결정판(結晶板)을 써서 바늘 끝의 진동을 전기로 바꿈.

크리스털 헤드폰: 〔crystal headphone〕 명 〖물〗 가청(可聽) 주파수 신호를 음파(音波)로 바꾸기 위해 로셸염(rochelle塩) 등의 결정판을 사용한 헤드폰.

크리스토포루스 〔Christophorus〕 명 〖사람〗 〔그리스도를 업은 자라는 뜻〕 기독교의 14 구난 성인(救難聖人)의 한 사람. 성인전(聖人傳)에 의하면 어린 그리스도를 어께에 메고 강을 건넌 거인(巨人)으로, 여행자(旅行者) 및 일반 교통(交通)의 보호 성인이라고 함. 고대 미술·소설 등의 소재가 됨.

크리스투스 〔Christus, Petrus〕 명 〖사람〗 네덜란드의 화가. 공간 표현을 회화(繪畫)에 실현하고, 대상의 입체적 효과의 표현에도 뛰어남. 감정의 표출(表出)을 극력 억제한 조용한 분위기의 종교화와 반신상 형식에 의한 초상화에 걸작이 많음. 대표작으로 ≪피에타(Pietá)≫ 등이 있음. [1420?-73]

크리스트 〔Christ〕 명 〖사람〗 그리스도.

크리스티[1] 〔Christie, Agatha〕 명 〖사람〗 영국의 여류 추리 소설가. 30세 때 쓴 처녀작 ≪스타일스장(莊) 살인 사건≫ 이후 중산 계급을 배경으로 하여 창의에 넘치는 80편의 추리 소설을 발표, 주인공인 벨기에 사람의 명탐정(名探偵) 푸아로(Poirot)를 등장시켜 수수께끼를 풀게 하였음. 대표작으로 ≪오리엔트 급행 살인 사건≫·≪ABC 살인 사건≫ 등이 있음. [1891-1976]

크리스티[2] 〔Christy, Howard Chandler〕 명 〖사람〗 미국의 화가. 여러 잡지의 삽화가로 활동하였으며 쿨리지(Coolidge) 대통령의 초상화 및 대작 ≪독립 선언서의 서명≫ 등으로 유명함. [1873-1952]

크리스티나 〔Christina, Alexandra〕 명 〖사람〗 스웨덴 국왕 구스타브 아돌프(Gustaf Adolf)의 딸. 어렸을 때 즉위하여 1644년부터 친정(親政)을 폄. 학문을 사랑하여 그로티우스(Grotius)·데카르트와 친교가 있었음. 사촌 오빠인 카를(Karl) 10세에게 양위한 후, 여러 나라를 여행, 1668년 이후부터 로마에 정주함. [1626-89: 재위 1632-54]

크리스티아니아 〔Christiania〕 명 ①〖지〗 노르웨이의 수도 오슬로(Oslo)의 구칭(舊稱). ②스키에서, 활주(滑走)중에 급히 몸을 비틀거나 중심(重心)의 전환을 응용해서 하는 회전법(回轉法).

크리스티안산 〔Kristiansand〕 명 〖지〗 노르웨이 남부의 항구 도시. 스카게라크(Skagerrak) 해협 입구에 있으며 해군 기지임. 목재·수산물의 가공과 거래가 행하여짐. [60,975명(1981)]

크리스틴 드 피장 〔Christine de Pisan〕 명 〖사람〗 프랑스의 여류 시인. 궁정(宮廷)에서 자라, 궁중을 제재(題材)로 한 우아(優雅)한 시를 썼음. [1363-1431]

크리스피 〔Crispi, Francesco〕 명 〖사람〗 이탈리아의 정치가. 처음에는 마치니(Mazzini)파의 공화주의자로 독립 운동에 참가, 독립 후에는 왕당 좌파로 전향(轉向)하여 두 번 수상을 지냄. 각종 사회 개혁을 추진하고 영국·독일·오스트리아와 짜고 프랑스에 대항하는 한편, 아프리카 침략을 꾀하였으나 에티오피아 전쟁에 패하여 실각함. [1819-1901]

크리에이터 〔creator〕 명 ①창조자. 창작가. ②조물주. 신.

크리에이티브 셀링 〔creative selling〕 명 구태(舊態)를 벗어난 창조적 판매(創造的販賣)의 총칭. 서점에서 레코드를, 복식점(服飾店)에서 화장품을 파는 따위.

크리에이티브 에이전시 〔creative agency〕 명 〖광고〗 광고 대리업(廣告代理業)의 하나. 광고주(廣告主)에 대하여 주로 광고 표현의 개발·제작 등 광고 제작 서비스를 제공함.

크리오요 〔스 criollo〕 명 ①북아메리카의 프랑스 식민지 태생의 백인. ②특히 미국 미시시피·앨라배마·플로리다에 거주하는 흑인과 프랑스인, 흑인과 스페인 사람의 혼혈아. 크리올(Creole).

크리:올 〔Creole〕 명 '크리오요(criollo)'의 영어명.

크리켓 〔cricket〕 명 영국에서 성행되는 경기. 영국의 국기(國技)인데, 11명이 한 팀이 되어 두 팀으로 갈라져서, 득점을 다툼. 그라운드의 중앙부에 두 개의 위킷(wicket)을 약 20 m 거리로 세워 놓고, 위킷 앞에서 볼을 쳐 반대편 위킷에 도달하는 횟수로 득점함.

크리:크[1] 〔creek〕 명 중국의 평야 지대에 많은 배수(排水)·관개(灌漑)·교통을 목적으로 한 작은 운하.

크리:크[2] 〔Krieck, Ernst〕 명 〖사람〗 독일의 교육학자. 하이델베르크 대학 등의 교수를 역임함. 교육 유형론(類型論)·민족 교육론 등으로 알려짐. 국가·민족을 최고 원리로 하는 그의 교육학은 나치스 정권하에서 지도 이론이 되었음. 주저 ≪교육 철학≫. [1882-1947]

크리티시즘 〔criticism〕 명 비평. 비판. 평론. 평론문.

크리틱 〔critic〕 명 ①비판자. 혹평가(酷評家). ②문예·미술 등의 평론가(評論家). ③고문서(古文書) 등의 감정가(鑑定家).

크리:프 〔creep〕 명 〖물〗 물체가 일정한 변형력 아래에서 그의 소성(塑性) 변형이 시간의 경과에 따라 천천히 증가하여 가는 현상.

크리:프 강도 【—強度】 명 〔creep〕 〖물〗 일정 온도(一定溫度)에서, 10만 시간에 1%의 변형(變形)을 가져오는 크리프 속도.

크리:프 시:험 【—試驗】 〔creep〕 명 〖물〗 주로 금속에 대하여, 시험편(試驗片)에 일정한 하중(荷重)을 장시간 가함으로써 생기는 변형(變形)과 경과 시간과의 관계를 측정하여 크리프 강도(強度) 등을 조사하는 시험.

크리프트 〔Crift, Montgomery〕 명 〖사람〗 미국의 영화 배우. 현대적인 감각과 회의적인 마스크(mask)로 호평을 받음. [1922-66]

크리:피지 〔creepage〕 명 〖전〗 유전체(誘電體)의 표면을 흐르는 전기 전도(傳導).

크리:핑 인플레이션 〔creeping inflation〕 명 〖경〗 호황(好況)·불황에 관계 없이, 물가(物價)가 꾸준히, 그리고 서서히 오르기를 계속하는 상태. ↔갤러핑 인플레이션.

크릭 〔Crick, Francis Harry Compton〕 명 〖사람〗 영국의 생물학자. 1962년 DNA(디옥시리보핵산)의 이중 나선 구조 모델을 제안하여 왓슨(Watson, J.)·윌킨스(Wilkins, M.)와 함께 노벨 생리 의학상을 받음. [1916-]

크릴 〔krill〕 명 〖동〗 〔*Euphausia superba*〕 남극해에 사는 새우 비슷한 플랑크톤. 여름철에 산란(產卵)하여, 2년 후에 5-6 cm에 달하여 생을 마침. 자원량은 수십억 톤에 이르며, 매년 세계의 총 어획량에 맞먹는 7-8,000만 톤의 어획이 가능할것으로 추정되는데, 단백질·비타민·철·칼슘 등 영양가가 높아 미래의 식량 자원으로서 주목되고 있음. 유파우시아(Euphausia).

크릴로프 〔Krylov, Ivan〕 명 〖사람〗 러시아의 시인. 우화시(寓話詩)의 장르를 단순한 도덕 교육의 영역에서 사회 풍자에까지 높였고, 민중어(民衆語)를 마음대로 구사하여 러시아 문장어(文章語)의 발전에 끼친 공이 큼. [1769-1844]

크릴-새우 〔krill〕 명 크릴(krill).

크림: 〔cream〕 명 ①우유의 지방으로 만드는 식품(食品). 지방 함유량은 10-55%이며 과자나 요리의 재료로 쓰임. 유지(乳脂). 유피(乳皮). ②화장품의 하나. 피부를 부드럽게 하고 표면에 얇은 층을 만들어 외기(外氣)·일광의 영향을 방지하는 응유상(凝乳狀)의 물질. ③물을 가한 경랍 연고(鯨蠟軟膏). ④구두약. ⑤담황색. ⑥↗아이스크림. ⑦커스터드(custard) 크림.

크림 반:도 【—半島】 〔Krym〕 명 우크라이나 공화국 남부(南部), 흑해(黑海)와 아조프 해(海) 사이에 돌출한 반도. 남부에는 관광 휴양지가 많으며, 북부는 초원(草原) 지대로 농업이 행해짐. 기원 전 5세기에는 그리스의 식민 도시(植民都市)가 설치되었고, 13세기 이후에는 킵차크 한국(Kipchak 汗國)·크림 한국·오스만 투르크 제국(帝國) 등이 지배(支配)함. 1853-56년에는 크림 전쟁의 싸움터가 됨. 크리미아 반도. [27,000 km^2 : 2,277,000명(1983 추계)]

크림:-빵 〔cream+포 pão〕 명 커스터드(custard) 크림을 속에 넣은 빵.

크림: 선디 〔cream sundae〕 명 〔↗아이스크림 선디〕 아이스크림에 과실이나 과실즙을 넣은 음료. 「스크림을 넣은 음료.

크림: 소:다 〔cream soda〕 명 〔↗아이스크림 소다〕 소다수(水)에 아이

크림 소:스 [cream sauce] 명 크림 또는 밀크에 밀가루·버터·레몬즙을 섞은 조미료(調味料). 흔히 익힌 어육(魚肉)에 침.
크림 수:프 [cream soup] 명 크림을 써서 걸쭉하게 만든 수프.
크림슨 [crimson] 명 심홍색(深紅色). 농홍색(濃紅色).
크림슨 레이크 [crimson lake] 명 『미술』 심홍색(深紅色)의 서양화 채색(彩色). 알칼리에 강하나 햇빛에는 퇴색(退色)함. 동양화의 연지(臙脂)와 같음.
크림 전:쟁【一戰爭】[Krym] 명 『역』 1853-56년에, 크림 반도(半島)를 싸움터로 한 러시아와 영국·프랑스·터키·사르디니아 등과의 전쟁. 러시아의 남하 정책(南下政策)이 그 원인으로, 세바스토폴(Sevastopol)의 함락으로 러시아가 패배하여 1856년 파리에서 강화 조약이 체결됨. 전쟁의 결과, 러시아의 남하 정책은 좌절됨.
크림 한국【一汗國】[Krym] 명 『역』 1426년경 칭기즈칸의 장자 주치의 후손인 하지기레이가 쇠퇴한 킵차크 한국에서 독립하여 크림 반도에 세운 나라. 약 2세기에 걸쳐 킵차크 한국의 정통 계승자로서의 지위를 유지했으나 남하하는 러시아에 의해 1783년 강제 병합됨.
크립토-크산틴 [cryptoxanthine] 명 『화』 식물 중에 있는 일종의 색소로, 카로티노이드에 속하는 알코올의 하나. 적자색의 주상(柱狀) 결정. 흔히, 동물의 간장 속에서 비타민 A로 변환됨. 파리의 꽃받침·옥수수씨·고추씨 등에 함유됨. [$C_{40}H_{56}O$]
크립토토:프 [cryptotope] 명 『의』 면역학적 항원(抗源)·면역원(免疫源)의 결정기(決定基). 처음에는 밖에 나타나지 않으나, 분자가 파괴되거나 분해되면 기능을 발휘함.
크립톤 [krypton] 명 『화』 비활성 기체 원소의 하나. 공기 중에 약간 혼합되어 있는 무색 무취의 기체로, 1898년 영국의 화학자 램지(Ramsay)가 액체 공기를 분리하여 발견하였음. 녹는점 −156.6°C, 끓는점 −152.9°C. 백열 전구(白熱電球)에 봉입(封入)하여 방사 효율(放射效率)을 높이는 데 쓰임. [36번:Kr:83.80]
크립톤 팔십육 [krypton 86] [一씹뉵] 명 『물』 크립톤의 동위 원소. 질량수 86. 미터의 기준 단위 측정에 쓰임. 기호: ^{86}Kr.
크메르 [Khmer] 명 『역』 ①캄보디아(Cambodia)의 주요 민족. 타이·남부 베트남에도 분포함. 9세기부터 13세기에 걸쳐 앙코르 와트(Angkor Wat)와 앙코르 톰(Angkor Tom)을 건설하였음. ②'캄보디아'의 구칭.
크메르 루:주 [Khmer Rouge] 명 ['붉은 크메르'의 뜻] 캄보디아에서, 1960년대에 프랑스에서 교육받은 마르크스주의자들에 의해 결성된 혁명파 조직의 총칭. 민주 캄보디아 정권의 주력임.
크메르 미술【一美術】[Khmer] 명 크메르 왕국이 성립한 7-13세기에 캄보디아에 전개된 힌두교와 불교(佛敎)의 미술. 9세기말의 앙코르 톰(Angkor Tom) 건설을 경계로 전·후기로 나뉘는데, 전기는 인도 미술의 크메르화(化) 과정의 시기이고, 후기는 기하학적 균형이 잡힌 배치 등을 특징으로 하는 원숙의 시기임.
크메르-어【一語】[Khmer] 명 캄보디아어.
크메르-족【一族】[Khmer] 명 크메르❶.
크바스 [러 kvas, quass] 명 엿기름과 보리·쌀보리 등으로 만든 러시아의 맥주.
크반츠 [Quantz, Johann Joachim] 명 『사람』 독일의 작곡가. 프리드리히 대왕의 플루트(flute)의 스승으로서 유명함. 300곡의 플루트 협주곡과 200곡의 실내악을 지음. [1697-1773]
크비데 [Quidde, Ludwig] 명 『사람』 독일의 역사가·평화주의자. 독일 평화 운동의 지도자로, 독일 평화 협회를 창립하여, 1927년 노벨 평화상을 받았음. 나치스 집권(執權) 이후 스위스로 망명하여 그곳에서 죽음. [1858-1941]
크산텐 [xanthene] 명 『화』 누런 기가 있는 결정(結晶). 에테르에 녹으며, 물·알코올에도 약간씩 녹음. 살진균제(殺眞菌劑)·화학 중간체로 쓰임. [$C_{13}H_{10}O$]
크산토겐산-염【一酸塩】[도 Xanthogen] [一념] 명 『화』 이황화 탄소(二黃化炭素)와 알코올성 알칼리와의 작용에 의해 결정상(結晶狀)으로 얻어지는 물질. 알칼리 섬유소(纖維素)의 크산토겐산염으로부터는 비스코스(viscose)·레이온(rayon)이 만들어짐.
크산토-마이신 [xanthomycin] 명 『생』 항생 물질의 하나. 스트렙토마이세스가 있는 균주(菌株)로부터 만듦. 두 가지 성분이 있으며, 저농도(低濃度)에서 많은 그람 양성 미생물에 대해 활성(活性)함.
크산토프로테인 반:응【一反應】[도 Xanthoprotein] 명 단백질의 검출 반응의 한 가지. 단백질이 있으면 다음의 정색 반응(呈色反應)을 보임. 소량의 시료(試料)에 질산(窒酸)을 조금 가하면 백색 침전(沈澱)이 생기며, 가열하면 황색이 되고, 냉각 후에 암모니아를 치면 등황색(橙黃色)이 됨. 단백질 분자 중의 성분인 페닐알라닌(phenylalanine)·티로신(tyrosine)·트립토판(tryptophane) 등의 벤젠핵(benzenle 核)이 니트로화(nitro 化)되기 때문에 생기는 현상임.
크산토필 [도 Xanthophyll] 명 ①『화』 카로티노이드(carotinoid)의 한 가지. 수산기(水酸基)·케톤기(ketone 基) 또는 결합 상태 불명의 산소를 함유하는 카로틴 유도체(誘導體)의 총칭. 흔히 꽃·과실·종자 등에 색을 주는 요인이 됨. ②『화』 루테인(lutein). ③『식』 엽황소(葉黃素).
크산톡시타아제 [도 Xanthoxytase] 명 『화』 옥시타아제의 한 가지. 간(肝)·폐(肺)·장(腸)·근육 등에 있는, 크산틴·히포크산틴을 산화시켜 요산(尿酸)으로 만드는 효소(酵素).
크산톤 [도 Xanthon] 명 『화』 무색(無色)의 침상(針狀) 결정(結晶). 살리실산(salicyl 酸)을 산염화인(酸塩化燐)이나 무수 질산(無水窒酸)과 함께 가열하면 생성(生成)됨. 물에 녹지 않는데, 크산톤의 옥시 유도체(誘導體)는 황색을 띠며, 식물계에 존재함. [$C_{13}H_8O_2$]
크산티페 [Xanthippe] 명 『사람』 소크라테스의 아내. 남편을 이해하지 않고 항상 남편에게 욕설을 퍼부었다고 하여 예로부터 악처(惡妻)의 대명사로 쓰임. 생몰년 미상.
크산틴 [도 Xanthin] 명 『화』 퓨린 유도체(purine 誘導體)의 한 가지. 무색의 결정성(結晶性) 가루로, 오줌·혈액·간장(肝臟) 등에 들어 있고, 다엽(茶葉) 중에도 약간 함유됨. 퓨린을 함유하는 화합물의 변화에 의해 생체(生體) 내에 생성되며, 이는 다시 요산(尿酸) 등으로 변화함. [$C_5H_4O_2N_4$]
크샤트리아 [Kshatriya] 명 『역』 고대 인도 사회의 네 계급 중의 하나. 위에서 둘째로 왕족과 무사의 계급. 찰제리(刹帝利).
크세나키스 [Xenakis, Yannis] 명 『사람』 그리스 출신 프랑스 작곡가·건축가. 반정부 활동으로 쫓겨, 1965년 프랑스로 귀화함. 수학의 음악 응용을 꾀하고, 컴퓨터의 확률론에 바탕을 둔 작품, 이른바 추계(推計) 음악을 제창함. 대표작으로 ≪노모스 감마≫ 등이 있음. 주저 ≪음악과 건축≫ 등. [1922-]
크세노크라테스 [Xenokrates] 명 『사람』 고대 그리스의 철학자. 플라톤에게서 배우고 아카데미아(Academia)의 제3대 교장을 지냄. 철학을 논리학·자연학·윤리학으로 대별(大別)하는 스토아파(派) 이후의 관습은 그로부터 비롯됨. [396?-314?B.C.]
크세노파네스 [Xenophanes] 명 『사람』 고대 그리스의 계몽 시인·철학자. 일생을 방랑하면서 자연학적(自然學的)으로 계몽된 신사상(新思想)을 애상어린 시(詩)로 읊음. 그는 신(神)의 의인화(擬人化)에 반대하여, 불생 불멸 불변(不生不滅不變)의 전일(全一)인 신(神)을 설파(說破)하였으며, 이 점에서 엘레아 학파(Elea 學派)의 선구자(先驅者)로 불림. [565?-480 B.C.]
크세노폰 [Xenophon] 명 『사람』 고대 그리스 아테네의 철학자·군인·작가. 소크라테스에 사사(師事), 뒤에 키로스군(Kyros 軍)에 참가하여 소아시아에 전전(轉戰)하고 귀국 후 수기 ≪아나바시스(Anabasis)≫를 저술, 이 밖에 역사 소설 등을 내었음. [430?-354 B.C.]
크세논 [도 Xenon] 명 『화』 비활성 기체 원소의 하나로서 공기 1에 대한 비중은 4.53, 녹는점 −111.8°C, 끓는점 −107.1°C임. 1819년 영국의 화학자 램지(Ramsay, W.)와 트래버스(Travers, M.W.)가 발견함. 공기 중에 가장 적게 존재하는 원소로, 무색·무취하고 어떠한 원소와도 화합하지 않음. 진공 방전의 빛은 청자색. 화학적으로는 완전 불활성(完全不活性)임. [54번:Xe:131.30]
크세논 램프 [도 Xenon+lamp] 명 석영관(石英管) 속에 크세논 가스를 고압(高壓)으로 봉입(封入)한 방전관(放電管). 휘도(輝度)가 높은 백색광(白色光)의 광원(光源)으로서, 연속 방전·단속(斷續) 방전·섬광(閃光) 방전 등을 할 수 있으며 백색 광원·영사용(映寫用) 광원·섬광 광원·자외선 광원 등으로 쓰임. 크세논 방전관.
크세논 방:전관【一放電管】[도 Xenon] 명 크세논 램프.
크세니아 [라 xenia] 명 『식』 중복 수정(重複受精)의 결과, 식물의 암컷의 형질인 배유(胚乳)에 수컷의 형질이 나타나는 현상. 옥수수의 황색 배유계(黃色胚乳系) 꽃가루를 백색(白色) 배유계의 암꽃술에 투여(投與)하면 종자에 황색 배유가 생기는 따위.
크세르크세스 일세 [Xerxes Ⅰ] [一쎄] 명 『사람』 아케메네스 왕조(Achaemenes 王朝) 페르시아의 왕. 다리우스(Darius) 1세의 아들. 기원 전 480년에 그리스에 원정, 살라미스 해전(Salamis 海戰)에서 패하여 귀국 후, 부하에게 암살됨. [519?-465? B.C.; 재위 486-465 B.C.]
크 세주 [프 Que sais-je?] 명 『책』 ['나는 무엇을 알고 있는가'의 뜻으로 몽테뉴의 말] 프랑스의 문고본(文庫本). 모든 분야에 걸쳐 교양적·학술적인 것이 많음. 1941년 제1권을 발행한 이래 82년 현재까지 2,000종 이상을 발행했음. 발행처는 프레스 위니베르시테르 드 프랑스.
크시 마이너스 입자【一粒子】 명 [xi-minus particle] 『물』 음(陰)으로 하전(荷電)한 크시 입자. 기호는 Ξ^-.
크시 입자【一粒子】 명 [xi particle] 『물』 중핵자(重核子)의 하나로, 크시 마이너스 입자와 크시 제로 입자의 총칭. 기호는 Ξ.
크시 제로 입자【一粒子】 명 [xi-zero particle] 『물』 하전(荷電)이 영(零)인 크시 입자. 기호는 Ξ^0
크실레놀 [도 Xylenol] 명 『화』 콜타르(coal tar)에 들어 있는 디메틸페놀(dimethylphenol). 타르 중유(中油)의 알칼리 세정(Alkali 洗淨)으로 얻어짐. 여섯 종류의 이성체(異性體)가 있으며, 소독제·약제·합성 수지(合成樹脂)의 원료 등에 쓰임.
크실레놀 오렌지 [xylenol orange] 명 『화』 금속 지시약(金屬指示藥)의 하나. 등적색(橙赤色) 분말로 물·알코올에 잘 녹으나 벤젠 등에는 녹지 않음. 약산성 영역(弱酸性領域)에서 비스무트(Bi)·토륨(Th)·스칸듐(Se)·납(Pb)·아연(Zn)·란탄(La)·카드뮴(Cd)·수은(Hg)·지르코늄(Zr) 등의 금속 이온과 수용성(水溶性) 킬레이트 화합물(chelate 化合物)을 만들며, 적색(赤色)을 나타내므로 이들 금속의 킬레이트 적정(適定)에 지시약으로, 또 지르코늄(zirconium) 등의 비색 정량(比色定量)에 쓰임. [$C_{31}H_{32}N_2O_{13}S$]
크실렌 [프 xylène] 명 『화』 방향족(芳香族) 탄화 수소의 하나. 무색 투명한 유상 액체(油狀液體)로, 오르토(ortho)크실렌·메타(meta)크실렌·파라(para)크실렌의 세 이성질체(異性質體)가 있음. 석유의 개질유(改質油)에서 추출됨. 옥탄가(價)가 높고, 인화성이 있으며 유독(有毒)함. 유기 용제(有機溶劑)·합성 수지·분석 시약(試藥) 등으로 널리 쓰임. 크실롤. [$C_6H_4(CH_3)_2$]
크실렌 수지【一樹脂】 명 [xylène-formaldehyde resin] 크실렌·포르말린·페놀을 주원료로 하는 열경화성(熱硬化性) 수지. 베이클라이트 비슷한 성질이 있는데, 내수성(耐水性)이 크고, 전기 절연재·고무의 개량재(改良材) 따위에 쓰임.
크실로오스 [xylose] 명 『화』 많은 목재 중에서 볼 수 있는 펜토오스(pentose). 가연성(可燃性)의 단 맛을 가진 백색 결정임. 물·알코올에

녹으며, 무영양 감미제(無營養甘味劑)·염색 등에 쓰임. $[C_5H_{10}O_5]$

크실롤 〔도 Xylol〕 명 〖화〗 ①크실렌. ②크실렌을 주성분으로 하는 타르 제품(製品).

크실롤레-무스크 〔도 Xylolemusk〕 명 사향(麝香)과 같은 향기가 있는 합성 향료(合成香料)의 한 가지. 알코올(alcohol)로부터 침상(針狀)으로 결정(結晶)함. 향료·보향제(保香劑)로서 많이 쓰이며, 그 밖에 용도(用途)가 넓음.

크실리딘 〔xylidine〕 명 〖화〗 크실렌으로부터 유도된 제1아민의 하나. 메틸기(methyl基)와 아미노기(amino基)의 위치에 따라 6종의 이성질체(異性質體)가 있음. 유독성(有毒性)·가연성(可燃性) 액체로서 알코올·에테르에 녹으며, 화학 중간체(化學中間體)·물감 제조·제약 등에 쓰임. 끓는점 220°C. $[(CH_3)_2C_6H_3NH_2]$

큰-가래[1] 명 〖농〗 세 사람이나 네 사람이 두 줄을 당기어 흙을 파내는 썩 큰 가래의 한 가지.

큰-가래[2] 명 〖식〗 [*Potamogeton subsessilifolius*] 가랫과에 속하는 다년생 수초(水草). 근경(根莖)은 진흙 속으로 가로 뻗으며 줄기는 가늘고 길. 물에 잠긴 잎은 가는 선형이고 물에 뜬 잎은 타원형 또는 타원상 피침형으로, 위는 녹색, 뒷면은 흔히 농갈색에 길이 5 cm 내외임. 탁엽(托葉)은 가늘고 길어 15 cm 이상임. 6-7월에 황록색의 꽃이 수상(穗狀) 화서로 액생(腋生)하고, 과실은 수과(瘦果)임. 무논·연못에 나는데, 경남 사천(泗川), 서울 교외(郊外)에 분포함.

큰가래-질 명 큰가래로 하는 가래질. ——하다 자 여불

큰가문비-나무좀 명 〖충〗 [*Ips typographus*] 나무좀과에 속하는 곤충. 몸길이 3-5.2 mm이고, 몸은 원통형(圓筒形)으로 흑색 또는 흑갈색의 광택이 나며 황색 털이 있고 촉각은 황갈색, 시초(翅鞘) 끝의 사면부(斜面部)에는 각각 네 개의 톱니가 있음. 소나무류에 기생하는데, 한국·일본 등지에 분포함.

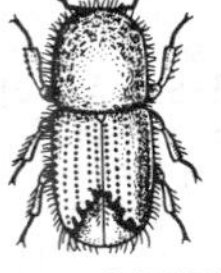
〈큰가문비나무좀〉

큰-가시고기 명 〖어〗 [*Gasterosteus aculeatus*] 큰가시고깃과에 속하는 물고기. 소하형(遡河型)과 육봉형(陸棚型)의 두 가지가 있는데, 보통 몸길이 9 cm 내외로 체측의 인판(鱗板)이 특징임. 몸빛은 청흑색이고 배 쪽은 은백색인데, 유어(幼魚)는 흑청색 무늬가 있으며 생식기(生殖期)에는 배 쪽이 주홍색이 됨. 수컷이 나뭇가지로 시내에 집을 만들어 알과 새끼 고기를 키움. 한국·일본의 호소(湖沼)·못·늪에 분포함.

〈큰가시고기〉

큰가시고기-목 【—目】 명 〖어〗 [Gasterosteida] 경골어류(硬骨魚類)에 속하는 한 목. 큰가시고깃과(科)·실바늘칫과(科)가 이 목에 속함.

큰가시고깃-과 【—科】 명 〖어〗 [Gasterosteidae] 큰가시고기 목(目)에 속하는 한 과. 큰가시고기·두만가시고기·가시고기 등이 이 과에 속함.

큰-각시취 명 〖식〗 [*Saussurea japonica*] 국화과에 속하는 다년초. 줄기 높이 1 m 이상이고, 잎은 호생하며 엽병(葉柄)이 있고 긴 타원형 또는 피침형에 우상(羽狀)으로 째어지는데, 열편(裂片)은 달걀꼴 또는 난상 긴 타원형임. 8-9월에 자색의 관상화(管狀花)가 줄기 위나 가지 끝에 피고, 수과(瘦果)는 백색의 관모(冠毛)가 있음. 산지에 나는데, 경기도 광릉(光陵)과 평남에 분포함.

큰-갓 명 양이 썩 넓은 갓.

큰-개 명 〖천〗 ↗큰개자리.

큰-개미자리 명 〖식〗 [*Sagina crassicaulis*] 너도개미자릿과에 속하는 월년초(越年草). 줄기는 여러 개가 총생(叢生)하며, 높이 20 cm 가량이고 잎은 대생하며 선형(線形)임. 5-7월에 흰 오판화가 줄기 위에 정생(頂生) 또는 액생(腋生)하여 피고, 삭과(蒴果)는 넓은 달걀꼴임. 해변에 나는데, 거의 한국 각지에 분포함.

큰-개별꽃 명 〖식〗 [*Pseudostellaria palibiniana*] 너도개미자릿과에 속하는 다년초. 괴근(塊根)은 비후(肥厚)하고 하나씩 또는 여럿이 총생(叢生)하며, 줄기는 높이 12-25 cm 내외임. 잎은 대생(對生)하며 유병(有柄) 혹은 무병(無柄)이며, 초엽(梢葉)은 달걀꼴이고, 대개 네 개가 밀집하여 윤생상(輪生狀)을 이룸. 4-6월에 줄기 끝이나 잎 사이에서 긴 화경(花梗)이 나와 그 끝에 흰 오판화가 하나씩 피고, 삭과(蒴果)는 다소 구형(球形)임. 산지에 나는데, 한국 각지에 분포함. 어린 엽경(葉莖)은 식용함.

큰-개쑥부쟁이 명 〖식〗 [*Aster macrodon*] 국화과에 속하는 다년초. 줄기는 비대(肥大)하며 잔털이 나고 높이 30-80 cm임. 잎은 호생(互生)하며 도피침형(倒披針形) 또는 좁은 비상(篦狀) 피침형으로, 길이 13 cm 가량이고 무병(無柄)임. 8-9월에 가지 끝에 두화(頭花)가 하나씩 달리는데 둘레의 설상화(舌狀花)는 자색, 중심의 관상화(冠狀花)는 황색으로 피고, 수과(瘦果)에는 적갈색 관모(冠毛)가 있음. 해변에 나는데, 전남 거문도(巨文島)에 분포함.

큰-개울 명 〈방〉 내[3](경기).

큰개-자리 명 〔라 Canis Major〕 〖천〗 봄 하늘 은하수 옆에 있는 별자리의 하나. 오리온자리의 동쪽에 있어 늦은 겨울의 일모(日暮)시에 남쪽 하늘에 보이는데, 주성(主星)은 실시 등급(實視等級) −1.5의 시리우스성(Sirius星)이며, 사냥꾼 오리온자리를 따라다니는 사냥개로서의 지위를 가짐. 준큰개. *시리우스성·작은개자리.

큰-개현삼 【—玄蔘】 명 〖식〗 [*Scrophularia kakudensis*] 현삼과에 속하는 다년초(多年草). 줄기는 모가 나고 자색이며 높이 1.3 m 가량, 잎은 대생(對生)하고 달걀꼴 또는 긴 달걀꼴로 가에 톱니가 있음. 8-9월에 암자색(暗紫色) 꽃이 줄기 끝이나 가지 끝에 원추 화서(圓錐花序)로 핌. 화관(花冠)은 종상 순형(鐘狀脣形)임. 삭과(蒴果)는 달걀꼴이며 두 각편(殼片)으로 째어짐. 산지(山地)에 나며, 제주·경남·경북·강원·평북 등지에 분포함.

큰검정-풍뎅이 명 〖충〗 [*Holotrichia morosa*] 풍뎅잇과에 속한 곤충. 몸길이 17.5-22.2 mm이고, 몸빛은 흑색 또는 암갈색에 시초(翅鞘)·전미절(前尾節)은 우단 모양이며, 복면(腹面)의 흉부(胸部)는 황색 털이 밀생함. 성충은 배·사과·벚꽃나무 잎을 먹고 유충은 각종 수목(樹木)의 뿌리를 갉아 먹는 해충임. 한국에도 분포함. 큰흑풍뎅이.

큰-계집 명 〈속〉 본처(本妻). 큰마누라. ↔작은계집.

큰-고니 명 〖조〗 [*Cygnus cygnus*] 오릿과에 속하는 새. 몸은 대형(大形)으로 날개 길이 58-63 cm임. 온몸이 순백색이나 눈의 앞쪽에는 털이 없고 황색임. 부리는 콧구멍까지는 황색이고, 그 외는 흑색임. 유럽·아시아의 극북 지방에서 번식, 지중해·중부 아시아·중국·일본·한국에서 월동함. 큰백조. *백조.

큰-고래 명 〖동〗 긴수염고래.

큰고랫-과 명 〖동〗 긴수염고랫과.

큰-고랭이 명 〖식〗 [*Scirpus tabernaemontani*] 사초과에 속하는 다년초. 줄기는 기둥꼴로 높이 80-150 cm이며 녹색에 분백(粉白)을 띠고 하부(下部)에 잎이 퇴화한 갈색 인편엽(鱗片葉)이 있을 뿐임. 6-8월에 화경(花梗)이 나와 그 끝에 엷은 황갈색 꽃이 핌. 수과(瘦果)는 거꿀달걀꼴임. 잎과 줄기는 자리를 치는 원료로 씀. 늪이나 못에 나는데 한국에는 대흑산도(大黑山島)와 중부 이북 및 구세계(舊世界)에 널리 분포함. 물고랭이.

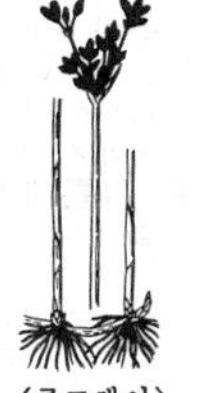
〈큰고랭이〉

큰-고추나물 명 〖식〗 [*Hypericum confertissimum*] 물레나물과에 속하는 다년초. 줄기는 원통형이고 높이는 60 cm 이상임. 잎은 대생(對生)하며 무병(無柄)이고 줄기를 싸고 있으며 달걀꼴 또는 난상 긴 타원형인데 검은 점이 산재함. 7-8월에 누런 오판화가 줄기 끝이나 가지 끝에 취산(聚繖) 화서로 피고 삭과(蒴果)는 달걀꼴임. 제주도와 지리산 등지에 분포함.

큰-골 명 〖생〗 대뇌(大腦).

큰-골무꽃 명 〖식〗 [*Scutellaria japonica*] 꿀풀과에 속하는 다년초. 줄기는 모가 지며 높이 약 30 cm임. 잎은 대생(對生)하여 유병(有柄)인데, 달걀꼴 또는 삼각상 달걀꼴임. 5-7월에 담자색의 꽃이 편측생 총상 화서(偏側生總狀花序)로 정생(頂生)하고 화관(花冠)은 긴 통상 순형(筒狀脣形)이며 수과(瘦果)는 네 분과(分果)임. 산지의 나무 그늘에 나는데, 한국 중부 이남에 분포함.

큰골-짚신나물 명 〖식〗 [*Agrimonia eupatoria*] 짚신나물과에 속하는 다년초. 줄기는 높이 40 cm 이상이고, 거친 털이 밀포하며 잎은 기수 우상 복엽(奇數羽狀複葉)이 호생하며 소엽(小葉)은 큰 것과 작은 것이 고르지 아니하고 큰 잎은 타원형임. 6-8월에 노란 꽃이 줄기 끝에 수상양 총상(穗狀樣總狀) 화서로 정생(頂生)하고, 과실은 수과(瘦果)임. 산지에 나는데, 제주·경남·강원·경기·함북도에 분포함. 어린잎은 식용함.

큰-곰[1] 명 〖동〗 [*Ursus arctos yesoensis*] 곰과에 속하는 짐승. 보통의 곰보다 대형(大形)으로, 두동(頭胴) 1.9-2.2 m, 꼬리 20 cm 가량이고 털빛은 갈색 또는 흑적갈색 등이며 앞 발톱이 몹시 길. 대개 목에는 흰 고리 무늬가 둘렸음. 성질이 용맹하고 헤엄을 잘 치며 나무에도 잘 오르고 냇가의 숲 속에 서식함. 풀 뿌리·열매·새우·개미 등을 먹으며, 겨울에는 굴 속에서 동면(冬眠)함. 임신(妊娠) 210 일 만에 1-4 마리, 보통 두 마리의 새끼를 낳음. 홋카이도·만주·캄차카·시베리아·유럽·소아시아·북미(北美) 등에 분포함. 고기는 먹고, 털·가죽은 요나 방석 등에 씀. *말곰.

〈큰곰[1]〉

큰-곰[2] 명 〖천〗 ↗큰곰자리.

큰곰-별 명 〖천〗 대웅성(大熊星)의 풀어쓴 말. *작은곰별.

큰곰-자리 명 〔라 Ursa Major〕 〖천〗 북두 칠성을 중심으로 하는 별자리의 하나. 동서 고금을 통하여 가장 인류와 친숙한 별자리로, 옛날 시력(視力) 검사에 쓰인 적도 있고, 북극성을 찾아내는 가장 쉬운 목표로 중요함. 대웅좌. 대웅성좌(大熊星座). 준큰곰. *작은곰자리.

큰-괭이밥 명 〖식〗 [*Oxalis obtriangulata*] 괭이밥과에 속하는 다년초. 근경(根莖)은 육질(肉質)이고 그 끝에 인편(鱗片)이 밀포하며 줄기와 함께 땅에 붙어 뻗음. 잎은 근생(根生)하고 장병(長柄)이며 위쪽이 약간 결각(缺刻)이 있는 거꿀 삼각형인 세 개의 소엽(小葉)으로 되었음. 5-6월에 잎 사이로부터 꽃줄기가 나와 그 끝에 꽃이 한 송이씩 피고 삭과(蒴果)는 끝이 뾰족함. 산지의 나무 그늘에 나는데, 제주·전남·강원·경기·평북에 분포함.

큰-구슬붕이 명 〖식〗 [*Gentiana zollingeri*] 용담과에 속하는 2년초. 뿌리는 땅 속으로 곧게 내리며 줄기는 높이 6-10 cm이고 잎은 대생하며 다소 후질(厚質)이고 둥근 달걀꼴임. 5-6월에 자색의 꽃이 줄기 끝에 족생(簇生)하여 피고, 삭과(蒴果)는 두 쪽으로 째짐. 산이나 들의 숲 속에 나는데, 거의 한국 각지 및 동부 아시아에 널리 분포함.

큰-구슬우렁이 명 〖조개〗 [*Neverita didyma*] 구슬우렁잇과(科)에 속하는 우렁이. 패각(貝殼)은 높이 7 cm, 직경 8-10 cm의 반구상(半球狀)이며 나탑(螺塔)은 낮고 나층(螺層)은 대개 5층인데, 표면에는 많은 나맥(螺脈)이 있으며 몸빛은 담황갈색 또는 갈색임. 각구(殼口)는 크고 반원형이며 밀폐(密閉)하는 각질(角質)의 뚜껑이 있음. 해안의 진흙 속을 뚫고 다니면서 대합·바지락조개 등을 넓은 발로 싸고, 긴 주둥이 끝에서 산액(酸液)을 분비하여 패각을 뚫고 그 안의 살을 빨아먹음. 한국·일본에 분

〈큰구슬우렁이〉

포함. 양식 패류(養殖貝類)의 해적(害敵)임. 살은 식용. 각은 패세공(貝細工) 및 어린이들의 장난감으로 쓰임. 말구슬우렁이. *구슬우렁이.
큰-굿 명 크게 차리고 하는 굿.
큰-글씨 명 글자를 크게 쓰는 글씨. ↔잔글씨.
큰-금매화【一金梅花】명《식》[*Trollius macropetalum*] 섬탄꽃과에 속하는 다년초. 줄기 높이 60cm 내외, 잎은 호생하며 근엽(根葉)은 장병(長柄), 초엽(梢葉)은 거의 무병(無柄)임. 7-8월에 줄기 끝이나 가지 끝에 너덧 개의 화경(花梗)이 나와 그 끝에 노란 꽃이 한 송이씩 피고 과실은 골돌과(蓇葖果)임. 높은 산에 나는데, 평북·함남·함북에 분포함.
큰-기러기 명《조》[*Anser fabalis*] 오릿과에 속하는 물새. 날개 길이 44-52cm, 꽁지 12-17cm이고, 몸빛은 암갈색 내지 회갈색에 배면(背面)과 겨드랑 부분의 깃은 가장자리가 담색임. 부리는 편평하고 부드러우며 끝은 흑색, 그 중간에는 독특한 등황색 띠가 있고 다리는 누르스름함. 해안·연못·논·습지에 떼지어 풀잎 특히 마름을 먹고, 일직선 또는 'V'자 형으로 줄지어 낢. 유럽 북부·시베리아에서 번식하고, 지중해·중국·한국·일본 등지에서 월동함.

〈큰기러기〉

큰-기름새 명《식》[*Spodiopogon sibiricus*] 볏과에 속(屬)하는 다년초. 줄기는 총생(叢生)하며 높이 2m가량이고, 잎은 호생하며 선상(線狀) 피침형으로 길이 30-40cm, 폭 8-20cm인데 거친 털이 나서 줄기와 잎이 모두 억셈. 8-9월에 흰 털이 있는 꽃이 원추(圓錐) 화서로 정생(頂生)하며 짧은 자갈색(紫褐色)의 가시랭이가 있음. 숲의 양지바른 곳에 나는데, 한국 각지에 분포함.
큰-기린초【一麒麟草】명《식》[*Sedum aizoon* var. *heterodontum*] 돌나뭇과에 속하는 다년초. 줄기는 높이 50cm 가량이고 원추형임. 잎은 호생(互生)하며 거의 무병(無柄)으로, 긴 타원형 또는 거꿀달걀꼴의 피침형이고 톱니가 있으며 육질(肉質)임. 7-8월에 황색의 오판화(五瓣花)가 산방상(繖房狀)의 취산(聚繖) 화서로 정생(頂生)하며, 과실은 골돌과(蓇葖果)임. 가는기린초에 비하여 잎의 폭이 넓음. 산지에 나는데, 한국 특산으로 전남·충남·충북·강원·경기·함남 각지에 분포함.
큰-기침 명 남에게 위엄을 보이거나, 제 정신을 가다듬는 태도를 나타내느라고 소리를 크게 내어 하는 기침. ↔잔기침.
——하다 자여불
큰-길 명 넓은 길. 대로(大路). 규로(逵路).
큰길-가 [一까] 명 큰길의 양쪽 옆.
큰-까치수염【一鬚髯】명《식》[*Lysimachia clethroides*] 앵초과에 속하는 다년초. 줄기는 높이 90cm 내외임. 잎은 호생하고 엽병(葉柄)이 있는데 긴 타원형 또는 긴 타원상 피침형임. 6-8월에 이삭 모양의 흰꽃이 총상(總狀) 화서로 정생(頂生)함. 과실은 삭과(蒴果)로 구형임. 산지(山地)에 나는데 거의 한국 각지 및 일본 등지에 분포함. 어린 잎은 식용함.

〈큰까치수염〉

큰-꼭두서니 명《식》[*Rubia chinensis*] 꼭두서닛과에 속하는 다년초. 줄기는 가시가 없고 높이 30-60cm이며 잎은 줄기의 각 마디에서 네 개가 윤생(輪生)하며, 긴 달걀꼴 또는 난상 피침형임. 5-6월에 흰 꽃이 원추(圓錐) 화서로 정생(頂生)하고, 과실은 반구형(半球形)이며 쌍두상(雙頭狀)으로 흑색임. 깊은 산에 나는데, 거의 한국 각지에 분포함.
큰-꽃벼룩 명《충》[*Metoecus paradoxus*] 큰꽃벼룩과에 속하는 곤충. 몸길이 9-15mm이고, 몸빛은 변화가 많으나 보통 흑색이며, 수컷의 전배판(前背板)의 후연각(後緣角)과 시초(翅鞘)는 황적색, 암컷의 전배판의 후연각과 복부는 황색, 복배판은 보통 청남색임. 한국·일본·시베리아·유럽에 분포함.
큰꽃벼룩-과【一科】명《충》벼룩목(目)에 속하는 한 과.
큰꽃-으아리 [一꼳一] 명《식》[*Clematis patens*] 미나리아재빗과에 속하는 낙엽 활엽 만목(蔓木). 잎은 피침형, 소엽(小葉)은 세 개임. 5월에 큰 담자색 꽃이 한 개씩 액생(腋生)하고 화병(花柄)은 다른 물건을 감아 올라가는데, 원예 품종으로는 백색·청자색·홍자색 등의 것이 있음. 수과(瘦果)는 달걀꼴이고 미상체(尾狀體)에는 깃 모양의 갈색 털이 있음. 가을에 익음. 산기슭에 나는데, 전북·충남북을 제외한 한국 각지 및 일본·중국에 분포함. 관상용인데 어린잎은 식용함.

〈큰꽃으아리〉

큰-꾸리 명 쇠고기 꾸리의 한 가지. 앞다리 바깥 쪽에 붙은 살덩이. ↔작은꾸리.
큰-꿩의다리 [一/一에一] 명《식》[*Thalictrum thunbergii* var. *majus*] 미나리아재빗과에 속하는 다년초. 줄기 높이 2m 내외이고 잎은 호생(互生)하며 재삼 우상 복엽(再三羽狀複葉)인데 소엽(小葉)은 원형·타원형 또는 거꿀달걀꼴의 설형(楔形)으로 끝이 얕게 째지고 뒤쪽은 분처럼 흼. 7-8월에 황백색 꽃이 밀산(密繖) 화서로 피고, 과실은 수과(瘦果)임. 산지에 나는데, 경북·강원·경기·평북에 분포함. *좀꿩의다리.
큰-꿩의비름 [一/一에一] 명《식》[*Sedum spectabile*] 돌나물과에 속하는 다년초. 줄기는 백록색에 원주형(圓柱形)으로 총생(叢生)하며 높이 45cm 가량이고 육질(肉質)임. 잎은 대생(對生) 또는 세 잎씩 윤생(輪生)하며 무병(無柄)에 달걀꼴 또는 비형(箆形)임. 8-9월에 홍자색의 큰 오판화(五瓣花)가 산방(繖房) 화서로 정생(頂生)하고 과실은 골돌과(蓇葖果)임. 중국 원산(原產)으로 산이나 들에 나는데, 한국 중부 이북에 분포함.
큰-끈끈이여뀌 명《식》[*Persicaria makinoi*] 마디풀과에 속하는 일년초. 줄기 높이 1m 가량이고 위쪽의 마디 사이는 화경(花梗)과 함께 점액(粘液)을 분비(分泌)함. 잎은 호생하고 단병(短柄)이며, 초상(鞘狀)의 탁엽(托葉)은 원통형에 길이 6cm 가량임. 7-8월에 녹색의 꽃이 수상(穗狀) 화서로 정생(頂生)하고, 과실은 수과(瘦果)임. 산이나 들에 나는데, 거의 한국 각지에 분포함.
큰-끌 명 애끌.
큰날개-잠자리붙이 [一부치] 명《충》[*Ninga deltoides*] 뱀잠자리붙잇과에 속하는 곤충. 몸길이 8-9mm, 편 날개 길이 22-26mm, 두부는 갈색임. 두정(頭頂)에는 황동색, 전흉배에는 두 개의 흑색 띠, 중·후흉배에는 흑갈색 반문이 있음. 날개는 투명하고, 앞뒷날개 후연(後緣) 중앙에 삼각형의 흰 반문이 있음. 한국에도 분포함.
큰-납지리 명《어》[*Acanthorhodeus asmussi*] 잉어과에 속하는 민물고기. 우리 나라 납지리 무리 가운데 가장 큰 것으로 몸길이 20cm 가량인데, 폭이 넓고 한 쌍의 미소한 입수염을 갖춤. 몸빛은 은백색이고 등쪽은 녹갈색인데 체측 중앙부에 청흑색 세로띠가 있으며, 산란기(產卵期)에는 지느러미 전부(前部)가 미황색이 됨. 하천의 완류(緩流)와 못가의 풀이 많은 곳에 사는데, 압록강에서 낙동강까지의 서남류(西南流) 하천과 그 부근 수역 및 일본·만주에 분포함.
큰넓적노린잿-과【一科】[一널一] 명《충》[Dysodidae] 매미목(目)에 속(屬)하는 한 과. 몸은 넓적하며 머리의 복안(複眼) 뒤쪽이 넓고 가시 모양의 돌기(突起)가 있으며, 때로는 구문(口吻)이 두부(頭部)보다 길고 전절(轉節)이 잘 발달되었음. 복부에 있는 기문(氣門)이 기부(基部)에서 다소 떨어져 있음. 주로 동양에 분포함.
큰-노랑잠자리 명《충》진노랑잠자리.
큰-노루귀 명《식》[*Hepatica maxima*] 미나리아재빗과에 속하는 다년초. 높이 20cm 내외이고, 근경(根莖)은 길고 흰 털이 밀포하며 마디가 많고 수근(鬚根)이 많음. 잎은 뿌리에서 총생(叢生)하며 엽병(葉柄)은 길고, 열편(裂片)은 둥근 달걀꼴임. 5-6월에 백색 또는 엷은 홍색의 꽃이 묵은 잎 사이에서 나온 너덧 개의 긴 화경(花梗) 끝에 한 송이씩 피고 과실은 수과(瘦果)임. 산지(山地)의 숲 속에 나는데, 울릉도에 분포함. 약용(藥用)함.

〈큰노루귀〉

큰-녹색부전나비【一綠色一】명《충》[*Favonius orientalis*] 부전나빗과에 속하는 곤충. 편 날개의 길이 43mm 내외인데, 수컷의 날개는 금속성 광택이 나는 녹색이며 외연(外緣)은 흑색이고, 암컷은 암갈색이며 중앙에 회백색의 무늬가 있고 가장자리 털은 모두 회백색임. 한국·일본·중국에 분포함.
큰-논병아리 [一뼝一] 명《조》[*Podiceps grisegena*] 논병아릿과에 속하는 물새. 날개 길이 20cm 내외이고, 몸의 상면은 모두 흑갈색이며, 날개는 회갈색이고 끝이 백색, 하면은 은백색임. 겨울에는 상면이 갈색이 됨. 머리에는 우관(羽冠)이 있음. 한국 및 동부 아시아에 분포함. 큰농병아리.

〈큰논병아리〉

큰-놈 명 ①다 자란 놈. ②〈속〉큰아들. ↔작은놈.
큰-농【一籠】명 큰 농짝. ¶네 옷은 ~에 들어 있다.
큰-농병아리 [一뼝一] 명《조》큰논병아리.
큰-누나 명 '큰누이'의 어린이 말. ↔작은누나.
큰-누에 명 석 잠을 잔 다음에 자란 누에. 장잠(壯蠶).
큰-누이 명 맨 위의 누이. 맏누이. ↔작은누이.
큰님 명〈방〉손님마마(강원).
큰-다닥냉이 명《식》[*Lepidium macrocarpum*] 겨잣과에 속하는 월년초(越年草). 줄기 높이 35cm가량이며 잎은 호생하고 유병(有柄) 또는 무병(無柄)이며 피침형 또는 선형(線形)임. 5-6월에 흰 꽃이 줄기 끝이나 가지 끝에 총상(總狀) 화서로 정생(頂生)함. 과실은 단각(短角)으로 납작하고 둥글며 두 각편(殼片)으로 째어짐. 산이나 들에 나는데, 평북에 분포함.
큰-단나【一檀那】명《불교》절에 보시(布施)를 많이 한 시주(施主). 대단나(大檀那).
큰-달 명 양력으로는 31일, 음력으로는 30일이 되는 달. 곧, 양력으로는 1,3,5,7,8,10,12의 각 달임. 대월(大月). ↔작은달.
큰-달맞이꽃 명《식》[*Oenothera lamarckiana*] 바늘꽃과에 속하는 이년초. 달맞이꽃의 일종으로 돌연 변이종(突然變異種). 달맞이꽃과 다른 점은 잎이 거꿀달걀꼴 피침형(披針形)이며, 가지 끝은 화수(花穗)를 이루고, 삭과(蒴果)에는 털이 없음. 북미 원산임.
큰-닭의덩굴 [一달기一] 명《식》[*Bilderdykia dentato-alata*] 마디풀과의 다년생의 만초(蔓草). 줄기는 다른 것에 감겨 올라가며 길이는 2m에 달함. 잎은 호생하고 장병(長柄)에 달걀꼴 초상(鞘狀)의 탁엽(托葉)은 사형(斜形)에 막질(膜質)임. 7-8월에 황록색의 꽃이 총상(總狀) 화서로 액생(腋生)하고 수과(瘦果)는 흑색으로 익음. 들에 나는데, 거의 한국 각지에 분포함.
큰당 〔인도네시아 kĕndang〕명《악》인도네시아·말레이의 타악기. 자바섬·발리 섬 등의 선율 타악기(打樂器)의 대합주 '가믈란(gamĕlan)'의 주요 악기임. 목양(牧羊)의 껍질을 양쪽에 바른 통 모양의 길쭉한 북인데 양손으로 네 가지 음을 냄. '가믈란'에서는 지휘자가 맡음.
큰대-부【一大部】명 한자 부수(部首)의 하나. '天'이나 '央'·'奏' 등의 '大'의 이름.
큰-대삿갓 명 비가 올 때 쓰는, 크게 만든 삿갓.
큰-댁【一宅】명 '큰집'의 존대어. ↔작은댁.

큰-덤불백로【一白鷺】[一노] 명 〖조〗 [*Ixobrychus eurhythmus*] 백로과의 새. 날개 길이 140mm 가량에, 몸의 배면(背面)은 진한 밤색, 날개는 회흑색·회황색 부분이 있고 하면(下面)은 황갈색이며, 암컷의 배면에는 백색 반점이 있고 하면에는 밤색과 흑갈색의 가로 무늬가 있음. 연못·하천 가에 서식하는데, 동남 시베리아·중국·일본·한국 등지에서 번식하고 남부 중국·필리핀 등지에서 월동함. *덤불백로.

〈큰덤불백로〉

큰-도끼 명 큰 나무를 찍거나 목재의 큰 부분을 찍어 내는 데에 쓰이는 썩 큰 도끼.

큰-도둑놈의갈고리 [一/一에一] 명 〖식〗 [*Desmodium oldhami*] 콩과의 다년초. 줄기 높이 1.5m, 끈끈한 털이 밀포함. 잎은 호생, 장병(長柄)에 2-3쌍의 기수 우상 복엽(奇數羽狀複葉), 소엽(小葉)은 긴 달걀꼴 또는 긴 타원형으로 끝이 뾰족함. 8월에 줄기 및 잎 사이에서 화경(花梗)이 나와 그 끝에 엷은 홍색 꽃이 수상(穗狀)의 총상(總狀) 화서로 정생함. 협과(莢果)에는 8-10mm의 갈고리가 있어 의복(衣服)에 잘 늘어 붙음. 산지에 나는데, 한국·중국·일본 등지에 분포함.

큰-도랑 명 〈방〉 내[3](강원).

큰-도마뱀 명 〖동〗 [*Varanus salvator*] 도마뱀과에 속하는 파충류의 하나. 몸길이는 꼬리까지 2.4m 가량이고, 어린 때는 몸의 상면(上面)에 흑색에 황색 잔 무늬가 있고 자라면 무늬가 희미해짐. 꼬리는 길고 콧구멍은 주둥이 위 끝에 있음. 물가의 산림에서 개구리·도롱뇽·곤충을 잡아 먹음. 알은 15-30개를 낳음. 스리랑카·필리핀 등의 여러 섬에 분포함. 고기는 식용함.

〈큰도마뱀〉

큰-도요 명 〖조〗 민댕기물떼새.

큰-독 명 높이가 대여섯 자 가량 되는 큰 오지독.

큰-돈 명 액수가 많은 돈. 거금(巨金).

큰-동맥【一動脈】명 〖생〗 대동맥(大動脈). ↔큰정맥.

큰-동서【一同壻】명 손위 동서 또는 맞동서를 작은 동서에 상대하여 일컫는 말. ¶~는 시어머니 한가지.

큰-되 명 '10 홉들이 되'를 '5 홉들이 되'에 견주어 이르는 말.

큰-두더지 명 〖동〗 [*Talpa wogura kobeae*] 두더짓과에 속하는 짐승. 두더지보다 훨씬 크며 몸빛은 적갈색을 띠고, 꼬리에는 털이 났음. 만주의 특산종임. 모피는 목도리 등을 만들어서 씀. 언서(鼴鼠). 전서(田鼠).

큰-등갈퀴【一藤一】명 〖식〗 [*Vicia pseudo-orobus*] 콩과에 속하는 다년초. 줄기는 넌출 모양이고 길이 1m 이상이며 잎은 호생하는데 유병(有柄)에 우상 복엽(羽狀複葉)이고 끝에 권수(卷鬚)가 있으며, 소엽(小葉)은 2-5쌍으로 달걀꼴 또는 긴 타원형임. 9월에 자벽색(紫碧色) 꽃이 총상(總狀) 화서로 액생(腋生)하고, 협과(莢果)는 편평하고 긴 타원형임. 들에나 산기슭에 나는데, 제주·경기·평남·평북·함남·함북에 분포(分布)함.

큰-따님 명 '큰딸'의 존대어. ↔작은따님.

큰-따옴표【一標】명 〖언〗 가로쓰기에 쓰는 따옴표 '“ ”'의 이름. 대화(對話)·인용(引用)·특별 어구 따위를 나타냄.

큰-딸 명 맨 위의 딸을 작은 딸에 상대하여 이르는 말. 맏딸. 장녀(長女). ↔작은딸.

큰-떠돌이별 명 〖천〗 대행성(大行星)의 풀어 쓴 말.

큰-마누라 명 작은마누라에 대하여 본마누라를 일컫는 말. 정실(正室). 큰계집. ↔작은마누라.

큰-마누래 명 〈방〉 손님마마(함남).

큰-마니 명 〈방〉 할머니(평북).

큰-마음 명 크게 먹은 마음씨. ㊈큰맘.

큰마음 먹다 구 ㉠후(厚)하게 요량하다. ㉡모처럼 어려운 결심을 하다.

큰-만두【一饅頭】명 잘게 빚은 만두 여러 개를 큰 껍질로 싸서 사발 덩이만하게 빚은 만두의 한 가지. 특히, 중국(中國)에서 온 사신(使臣)을 대접할 때에 썼음.

큰-말[1] 명 〖언〗 '컹컹'·'둥둥'·'퍼렇다'·'그득하다'·'뗑뗑' 등과 같이 주장되는 음절(音節)의 모음(母音)이 'ㅝ·ㅜ·ㅓ·ㅡ·ㅔ'와 같은 음성 모음(陰性母音)일 때에 그 뜻은 작은 말과 같으나 표현상의 어감(語感)이 크게 되는 말. ↔작은말.

큰-말[2] 명 〈방〉 큰소리❸❹.

큰-말똥가리 명 〖조〗 [*Buteo rufinus hemilasius*] 독수릿과에 속하는 새. 말똥가리보다 조금 크며, 날개 길이 44-51cm, 꽁지는 21-28cm. 몸빛은 머리와 목은 흰색 바탕에 연한 갈색의 세로 무늬가 있고, 날개는 담갈색, 깃의 안쪽과 배는 흰 색임. 고원(高原)에서 생활하며, 작은 새와 쥐·뱀·개구리·곤충류 등을 포식함. 바위 밑이나 산비탈에 있는 나뭇가지 등에 접시 모양의 둥우리를 짓고, 4-6월에 2-4개의 알을 낳음. 철새의 일종으로, 늦가을에 와서 이듬해 봄까지 머묾. 시베리아의 동부·몽골·중국·한국·일본 등지에 분포함.

큰-맘 명 ↗큰마음.

큰-매 명 〖조〗 [*Pernis apivorus neglectus*] 독수릿과에 속하는 새. 날개 길이 42-43cm, 꽁지의 길이 20-24cm, 부리 2.3cm 가량이고, 몸빛은 등 쪽이 갈색, 머리와 목은 검은 색, 눈 앞은 회색이며, 윗목에는 'W'자 형의 커다란 무늬가 있음. 나무 숲, 특히 농경지나 풀밭 등이 있는 곳에 서식함. 단독으로 생활하며, 땅 속에 있는 땅벌 집을 파헤치고 유충을 잡아먹으며, 들쥐·새·개구리·뱀 등도 포식함. 5-6월에 1-3개의 알을 낳음. 철새의 일종으로 5월경에서 10월까지 우리 나라에 머묾. 만주·한국·대만·중국의 남부·수마트라 등지에 분포함.

큰-매부【一妹夫】명 큰누이의 남편. ↔작은매부. *큰처남.

큰-머리 명 〖역〗 예식 때 부녀의 머리에 크게 틀어 올린 가발(假髮). 어여머리 위에 나무로 만든 큰 머리틀을 얹음. 떠구지머리. ——-하다 자 여불

〈큰머리〉

큰-먼지벌레 명 〖충〗 [*Triplogenius magnus*] 딱정벌렛과에 속하는 곤충. 몸길이 21mm 내외, 몸빛은 광택 있는 흑색에 수염은 적갈색, 시초(翅鞘)는 긴 타원형이고 종구(縱溝)는 뚜렷하며 몸의 하면(下面)의 흉측에 큰 점각(點刻)이 있으나 복절(腹節)에는 없음. 한국·일본·중국에 분포함.

큰-멋쟁이나비 명 〖충〗 [*Vanessa indica*] 네발나빗과의 곤충. 편 날개의 길이 58mm 내외, 앞날개 전연각의 반은 흑색에 백색 무늬가 여러 개 있고 중앙의 큰 무늬는 감색이며 그 속에 세 개의 흑색 무늬가 있음. 시저(翅底) 및 후연은 암갈색이며 뒷날개는 흑갈색, 그 외연은 감색에 두 개의 흑색 무늬가 있음. 한국·일본 등지에 분포함. 꼬장나비.

〈큰멋쟁이나비〉

큰-며느리 명 큰아들의 아내. 맏며느리. ↔작은며느리.

큰-못 명 〖건〗 연목(椽木) 걸이·부연(浮椽) 걸이·대문짝 등에 쓰이는 큰 못. 대못. ↔잔못.

큰무늬-배벌 [一니一] 명 〖충〗 [*Scolia japonica*] 배벌과의 곤충. 암컷의 몸길이 20-30mm이고, 몸빛은 흑색에 다소 감색 광택이 나며, 복부 제1절의 한 쌍의 점반(點斑), 제2절의 한 쌍의 환상반(環狀斑), 제3절의 좌우 상접한 횡반(橫斑), 제4절의 한 개의 선반(線斑) 등은 모두 황색임. 한국·일본·중국에 분포함.

큰-무당【一巫一】명 〖민〗 연조도 오래고 영험하기로 이름난 무당. *신(神)어미.

큰-문【一門】명 삼문(三門) 중의 가운데 제일 으뜸가는 문. *대문(大門). ↔작은 문.

큰문 잡다 구 존귀한 사람이 드나들 때에 큰문을 열다.

큰-물 명 장마가 져서 내나 강에 크게 붇은 물. 홍수(洪水). *시위.

큰물(이) 지다 구 큰물이 흐르다. 홍수가 나다.

큰-물떼새 명 〖조〗 [*Charadrius asiaticus*] 물떼샛과에 속하는 새. 날개 길이 138mm, 꽁지 74mm 가량이고 몸빛은 등과 볼은 암갈색, 이마와 목둘레는 흑색, 목과 배는 백색. 꽁지는 가운데 두 개가 검고, 부리는 흑갈색이며 다리는 담황색임. 모양이 아름답고 우는 소리도 고움. 냇가에 서식하는데, 한국·만주·몽골·중국·일본에서 번식하고, 인도 동북 지방에서 월동함.

〈큰물떼새〉

큰-물레나물 명 〖식〗 [*Hypericum ascyron* var. *longistylum*] 물레나물과에 속하는 다년초. 줄기는 목질(木質)인데 높이 1m 이상이고 잎은 대생하며 무병(無柄)에 달걀꼴 긴 타원형 또는 피침형임. 6-7월에 노란 꽃이 취산(聚繖) 화서로 정생(頂生)하는데, 햇빛을 받아야 피고 또 하루 지나면 시들며, 삭과(蒴果)는 큰 달걀꼴임. 산이나 들에 나는데, 거의 한국 각지에 분포함. 어린 잎은 식용함. *물레나물.

큰-물칭개나물 명 〖식〗 [*Veronica anagallisaquatica*] 현삼과에 속하는 이년초. 줄기 높이 30-60cm이고, 잎은 대생하며 무병(無柄)의 긴 타원상 피침형임. 8월에 백색에 홍자색 줄이 있는 꽃이 줄기 위 엽액(葉腋)에서 나와 총상 화서로 정생하여 피고, 과실은 삭과(蒴果)임. 물가의 습지에 나는데, 제주·경기·황해·평북·함남 및 일본·대만·중국에 분포함. 어린 잎은 식용함.

〈큰물칭개나물〉

큰믈 명 〈옛〉 큰물. ¶큰믈 강(洚)《字會 下 35》.

큰-밀잠자리 명 〖충〗 [*Orthetrum triangulare melania*] 잠자릿과에 속하는 곤충. 복부(腹部) 길이 35mm, 뒷날개 40mm 가량임. 다 자란 수컷의 온 몸은 납빛을 띤 회백색이며, 두부 및 흉부의 복면(腹面)은 흑색이고 중앙이 삼각(三角)으로 융기하였고 말단의 3절은 백분(白粉)이 없이 흑색인 것이 많음. 한국에도 분포함. *밀잠자리.

큰ᄆᆞᆯ 명 〈옛〉 똥. 대변(大便). ¶큰ᄆᆞᆯ(大便)《譯語 上 36》/큰ᄆᆞᆯ 보신다(大見風)《譯語 上 39》.

큰ᄆᆞᆯ보다 자 〈옛〉 똥 누다. ¶큰ᄆᆞᆯ 보라 가ᄂᆞ이다(出後)/큰ᄆᆞᆯ 보다(撒屎)《譯語 上 39》.

큰-바늘꽃 명 〖식〗 [*Epilobium hirsutum*] 바늘꽃과에 속하는 다년초. 줄기는 높이 70cm 가량이며 거친 털이 나고 잎은 대생하며 약간 줄기를 둘러싸는데 긴 타원형 또는 피침형으로 가에는 톱니가 있음. 8월에 홍자색의 사판화(四瓣花)가 줄기 끝이나 가지 끝에 액생(腋生)하고, 삭과(蒴果)는 길쭉하며 관모(冠毛)는 백색임. 산지에 나는데, 경북·강원·함남·함북에 분포함.

큰-바디 명 〖식〗 [*Angelica megaphylla*] 미나릿과에 속하는 다년초. 줄기 높이 1m 이상이고 잎은 재우상 복엽(再羽狀複葉)의 긴 타원형으로 얕게 째지고 뒷면은 백색임. 8-9월에 흰 오판화(五瓣花)가 복산형(複繖形) 화서로 피고, 과실은 타원형이며 9-10월에 익음. 산골짜기에 나는데, 금강산·설악산에 분포함.

큰-바람 명 〖기상〗 풍력 계급의 하나. 초속 17.2-20.8 미터로 부는 바람. 질강풍(疾強風). *풍력 계급.

큰-박쥐 명 〖동〗 [*Pteropus dasymallus dasymallus*] 큰박쥣과에 속하는 짐승. 대형(大形)의 박쥐로 비둘기만하며 몸길이는 20cm 가량이고, 주둥이는 길며 귀는 작고 날개의 전지(前肢)의 제 1·2 발가락에 발톱이 있고 꼬리는 몹시 짧음. 몸빛은 흑갈색에 목에는 황색 윤반(輪斑)이 있음. 낮에는 나뭇가지에 늘어져 자다가 해질 무렵부터 나와 과실(果實) 등을 먹고 사는데, 일본 및 아시아 남부·오스트레일리아·아프리카 등지에 분포함.

〈큰박쥐〉

큰-방【一房】[명] ①넓고 큰 방. 대방(大房). ②집안의 가장 어른되는 부인이 거처하는 방. 1)·2):↔작은방. ③절에서 중이 항상 거처하는 방.

큰-방가지똥 [명]『식』[*Sonchus asper*] 꽃상춧과에 속하는 이년초. 줄기는 거칠고 큰데 속이 비었고 높이 40-120cm이며 결단하면 백색 유액(乳液)이 나옴. 잎은 창록색(蒼綠色)이며 하부는 줄기를 둘러싸고 있음. 6-7월에 줄기 끝이나 가지 끝에 노란 꽃이 피는데, 두상화(頭狀花)가 한 개이고 모두 설상화(舌狀花)이며, 과실은 수과(瘦果)임. 길 가나 거친 땅에 나는데, 울릉도에 분포함.

큰방 상궁【一房尙宮】[명]『역』가장 지체 높은 상궁이라는 뜻으로 '제조 상궁(提調尙宮)'을 일컫는 말.

큰-방울새난초【一蘭草】[一쌔一] [명]『식』[*Pogonia japonica*] 난초과에 속하는 다년초. 소수의 수근(鬚根)이 있으며, 높이는 20cm 가량이고, 잎은 줄기의 중간중간에 하나씩 나며 넓은 피침형임. 5-6월에 자색 꽃이 20cm 가량의 꽃줄기 끝에 한 개가 핌. 높은 산이나 들의 습지에 나는데, 제주·강원도의 통천(通川)·경기·함남북에 분포(分布)함.

〈큰방울새난초〉

큰-밭종다리 [명]『조』[*Anthus richardi richardi*] 할미샛과에 속하는 새. 밭종다리와 비슷한데, 눈썹 무늬가 백색인 것이 특징임. 흰눈썹논종다리.

큰-백조【一白鳥】[명]『조』큰고니.

큰-뱀무 [명]『식』[*Geum aleppicum*] 장미과에 속하는 다년초. 줄기 높이 1m 이상이고, 거친 털이 있으며 잎은 머리 쪽이 큰 우상 전열(羽狀全裂)이며 열편(裂片)은 5-7개로 거꿀달걀꼴임. 6-7월에 노란 오판화(五瓣花)가 가지 끝이나 줄기 끝에 취산(聚繖) 화서로 정생(頂生)하고 수과(瘦果)는 갈색 털이 있음. 산이나 들에 나는데 한국 각지에 분포함. 어린 잎은 식용함. 수양매(水楊梅).

큰-벼룩아재비 [명]『식』[*Mitrasacme nudicaulis*] 마전과(馬錢科)에 속하는 일년초. 줄기는 여러 가지로 갈라지고 높이 3-20cm 내외, 잔털이 났음. 잎은 대생하며 긴 타원형. 7-9월에 담황색 꽃이 산형(繖形) 화서로 정생 또는 액생(腋生)하고 삭과(蒴果)는 조금 둥긂. 들이나 밭에 나는데 거의 한국 각지에 분포함.

큰-별꽃 [명]『식』[*Stellaria bungeana*] 너도개미자릿과에 속하는 월년(越年) 또는 다년초. 줄기는 연약(軟弱)한데 높이 30cm 이상이며, 잎은 대생하고 유병(有柄) 혹은 무병(無柄)에 달걀꼴 또는 난상 심장형이며 가에 잔 털이 밀포함. 6-7월에 흰 오판화(五瓣花)가 가지 끝에 취산(聚繖) 화서로 정생하고, 삭과(蒴果)는 달걀꼴이고 끝은 여섯 쪽으로 째어짐. 산지에 나는데, 한국 북부에 분포함.

큰-병풍【一屛風】[명]『식』병풍쌈.

큰-보리대가리 [명]『식』보리사초.

큰-보리장나무 [명]『식』[*Elaeagnus submacrophylla*] 보리수나뭇과에 속하는 상록 활엽 관목. 잎은 거의 원형 또는 넓은 달걀꼴이고 가에 톱니가 없으며 잎 뒤쪽에 은백색의 비늘 조각이 밀포함. 가을에 은백색의 꽃이 1-4개 액생(腋生)하여 피고, 장과(漿果)는 방추형이며 다음해의 5-6월에 붉게 익음. 해변의 산기슭에 나는데, 한국의 전남·일본에 분포함. 과실은 식용함.

큰-보:표【一譜表】[명] [great stave]『악』높은음자리 보표와 낮은음자리 보표를 한데 묶어 세로줄로 이은 보표. 혼성 합창(混聲合唱)이나 피아노·오르간 따위로 많은 성부(聲部)나 가락을 연주하는 데 쓰임. 대보표(大譜表).

큰부리-고지새 [명]『조』큰부리밀화부리.

큰부리-까마귀 [명]『조』[*Corvus levaillanti*] 까마귓과에 속하는 새. 날개의 길이 375mm, 꽁지 230mm, 부리 70mm 가량이며, 몸빛은 흑색임. 인가(人家)나 논밭에 떼를 지어 다니며, 농작물이나 과실 등에 큰 해를 주나 해충(害蟲)을 잡아 먹으므로 유익하기도 함. 시베리아 동부·일본·한국에 분포함. 취태아(嘴太鴉).

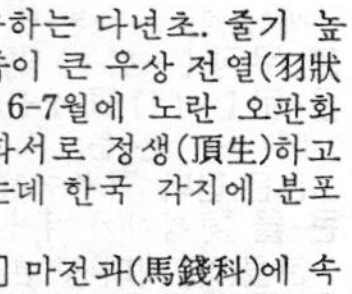
〈큰부리까마귀〉

큰부리-밀화부리 [명]『조』[*Eophona personata magnirostris*] 참샛과에 속하는 새. 고지새와 비슷한데 부리가 강대(強大)함. 한국·시베리아·만주·몽고·북중국 등지에서 나는 대륙종(大陸種)으로 특히 중국 사람은 애완용(愛玩用)으로 기름.

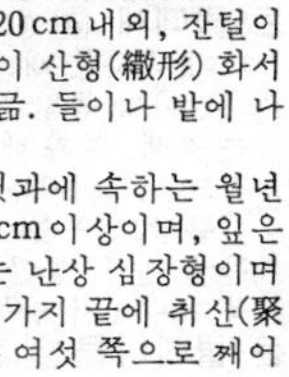
〈큰부리밀화부리〉

큰부리새-자리 [명] [라 Tucana]『천』남반구(南半球)에 있는 별자리. 뚜렷한 별자리의 모양은 없으나 은하계 우주(銀河系宇宙)의 반성운(伴星雲)이라고 생각되는 마젤란운(Magellan雲)의 하나인 소(小)마젤란운이 이 별자리 중에 있음. 우리 나라에서는 보이지 않음. 거취조(巨嘴鳥).

큰-부자【一富者】[명] 대단한 부자. 재산이 매우 많은 사람.

큰-부처 [명]『불교』크게 만든 부처님. 대불(大佛).

큰-북 [명]『악』타악기로서 땅에 놓거나 받쳐 놓고 치는, 크고 무겁게 만든 북.

〈큰북〉

큰-불 [명] ①큰 화재(火災). 대화(大火). ②큰 짐승을 잡으려고 놓은 총알. ↔잔불.

큰불(을) 놓다 [구] ㉠크게 불을 놓다. ㉡큰 짐승을 잡는 총을 쏘다.

큰-비 [명] 오래도록 많이 쏟아지는 비. 대우(大雨).

큰-비녀 [명] 큰머리나 낭자할 때에 꽂는 크고 긴 비녀의 총칭.

큰-비수리 [명]『식』[*Lespedeza trichocarpa*] 콩과에 속하는 다년초. 반관목상(半灌木狀)인데 줄기는 높이 70cm 이상이고 잔 털이 있음. 잎은 호생하고 유병(有柄)인데, 세 개의 소엽(小葉)은 선상 피침형(線狀披針形)임. 7-8월에 황백색 꽃이 총상(總狀) 화서로 액생(腋生)하고, 협과(莢果)는 조금 둥긂. 들에 나는데, 한국 북부에 분포함.

큰-사람 [명] ①키가 썩 큰 사람. ②위대하고 이름난 사람. 큰 일을 할 수 있는 사람. ¶～ 되기는 틀렸다. *대인(大人).

큰-사랑【一舍廊】[명] ①썩 크게 지은 사랑. ②웃어른이 거처하는 사랑. ↔작은사랑.

큰-사리 [명] 대조(大潮).

큰-사마귀 [명]『충』왕사마귀.

큰-사슴 [명]『동』백두산사슴.

큰-사위¹ [명] 작은사위에 대하여 일컫는 맏사위. ↔작은사위.

큰-사위² [명] 윷놀이에서 모나 윷. [준]사위.

큰-사전【一辭典】[명] ①크게 꾸민 사전. 대사전(大辭典). ②『책』한글 학회가 편찬하여 출판한 우리말 사전. 1929년에 발기하여 1957년에 발간을 끝냄. 모두 6권, 어휘수 164,125임.

큰-산꼬리풀【一山一】[명]『식』[*Veronica luxurians*] 현삼과에 속하는 다년초. 줄기 높이 1m 내외이고 잎은 대생(對生)하며 무병(無柄)에 긴 타원형 또는 피침형으로 가에 톱니가 있음. 7-8월에 벽자색의 꽃이 줄기 끝이나 가지 끝에 총상(總狀) 화서로 정생(頂生)하고, 삭과(蒴果)는 타원형임. 산지에 나는데, 경남의 지리산·강원·경기·평북·함경 등지에 분포함.

큰-산꿩의다리【一山一】[一/一에一] [명]『식』[*Thalictrum filamentosum*] 미나리아재빗과의 다년초. 줄기 높이 1m 내외, 근생엽(根生葉)은 잎꼭지가 길고 이회 삼출(二回三出), 소엽(小葉)은 달걀꼴임. 7-8월에 흰 방상화(房狀花)가 원추 화서로 피고, 수과(瘦果)는 반원형에 편평하며 세로 줄이 있음. 산지에 나는데, 강원·경기도의 명지산(明智山)·평북의 낭림산(狼林山) 등지에 분포함.

큰-산버들【一山一】[一뻐一] [명]『식』[*Salix seriseo-cinerea*] 버드나뭇과에 속하는 낙엽 활엽 관목. 줄기 높이 2m 가량, 잎은 긴 타원형 또는 넓은 도피침형이며 자웅 이가(雌雄異家)임. 봄에 어린 가지 끝에 꽃이삭이 나서 유제(葇荑) 화서로 피고, 삭과(蒴果)는 여름에 익음. 산허리 이상에 나는데, 한국 북부의 낭림산(狼林山)·관모봉(冠帽峰) 등에 분포하는 특산종임. 관상용으로 심음.

큰-산소【一山所】[명] 한 산에 여러 조상의 산소가 있는 경우, 가장 어른되는 분의 뫼.

큰-산장대【一山長一】[一때] [명]『식』[*Arabis gemmifera*] 겨잣과에 속하는 월년초. 줄기는 연하고 높이 30cm 가량이며, 근생엽(根生葉)은 총생(叢生)하고 장병(長柄)에 깃 모양으로 째짐. 초엽(梢葉)은 호생하고 유병(有柄)에 도피침형(倒披針形) 또는 타원형이며, 가에 거친 톱니가 있음. 5-6월에 흰 사판화(四瓣花)가 총상(總狀) 화서로 정생(頂生)하며 과실은 장각(長角)임. 깊은 산의 산허리에 나는데, 거의 한국 각지에 분포함.

큰-살림 [명] 규모를 크게 차려 잘 사는 가정의 살림살이. ¶～이라서 헤프다. ──하다 [자][여불]

큰-상【一床】[명] ①잔치 때에 음식을 많이 차려서 주인공(主人公)을 대접하는 상. ②많은 음식을 차릴 때에 쓰는 커다란 상.

큰상(을) 받다 [구] 잔치 때에 특별히 크게 차린 음식상을 주인공이 받다.

큰상-물림【一床一】[명] 혼인 잔치에서 큰상을 물린 뒤에, 받았던 이의 본집으로 싸서 보내는 음식. 퇴상(退床). [준]상물림.

큰-선비 [명] 학식과 덕망이 뛰어난 선비.

큰-성성이【一猩猩一】[명]『동』고릴라.

큰-센바람 [명] [strong gale]『기상』풍력 계급의 하나. 초속 20.8-24.5 미터로 부는 바람. 대강풍(大強風). *풍력 계급.

큰-소리 [명] ①목청을 크게 하여 내는 소리. ②야단치는 소리. ③일의 성패(成敗)는 가리지 않고 덮어놓고 뱃심 좋은 장담을 하는 말. 호언(豪言). 고언(高言). ¶～만 떵떵 친다. ④가만히 있다가 일이 이루어진 뒤에 여봐란 듯이 하는 말. 대어(大語). 대성(大聲). 대언(大言). ──하다 [자][여불]

큰소리 치다 [구] 호언 장담을 하다. ¶ 큰소리칠 만도 하다.

큰-소매 [명] 볼이 축 처지게 지은 넓은 소매.

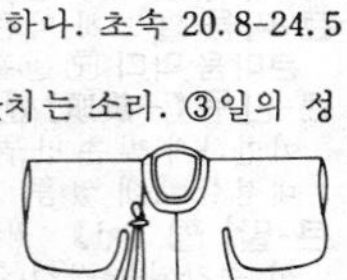
〈큰소매〉

큰-소쩍새 [명]『조』[*Otus bakkamoena ussuriensis*] 올빼미목 올빼밋과 소쩍새속의 새. 전장 24cm 정도. 일부의 무리는 텃새로 연중 볼 수 있으나, 겨울에는 북녘에서 번식한 무리가 남하해 옴. 5-6월에 한 배에 4-5개의 알을 낳으며, 먹이로는 작은 새·작은 짐승·양서류·게류 및 곤충류·거미류를 먹음. 러시아의 우수리 지방, 중국의 동북 및 중부 지방에 분포함.

큰-손 [명]『경』증권 시장에서, 대량으로 매매하여 시황(市況)에 영향을 미치게 하는 개인 또는 기관 투자가(機關投資家). 큰손줄.

큰-손가락 [一까一] [명] 〈방〉 엄지손가락(함북).

큰-손녀【一孫女】[명] 작은 손녀에 대하여 일컫는 맏손녀. ↔작은손녀.

큰-손님¹ [명] ①특별히 잘 모셔야 할 귀중한 손님. 귀빈(貴賓). ②많은 손님.

큰-손님² [명] 〈방〉 손님마마(충북·전북·경북·제주·함남).

큰-손자【一孫子】[명] 작은손자에 대하여 일컫는 맏손자. ↔작은손자.

큰-손줄 [一줄] [명]『경』큰손.

큰-송이풀 [명]『식』[*Pedicularis grandiflora*] 현삼과에 속하는 다년초. 줄기 높이 1m 이상임. 근엽(根葉)은 장병(長柄)이고 경엽(莖葉)은 호생하는데 유병(有柄)이며 우상 복엽(羽狀複葉)임. 7-8월에 홍자색의 꽃이 줄기 끝이나 가지 끝에 수상양(穗狀樣) 총상 화서로 드문드문 달리는데 화관(花冠)은 순형(脣形)이며, 과실은 삭과(蒴果)임. 고원에 나는데, 함남·함북에 분포함.

큰-솥 [명] 안방 부엌에 거는 가장 큰 솥.

큰-수리취 [명]『식』[*Synurus excelsus*] 국화과에 속하는 다년초. 줄

기 높이 1-2m, 경엽(莖葉)은 호생하며 달걀꼴의 타원형이고 상부의 잎은 유병(有柄) 또는 무병(無柄), 근엽(根葉)은 장병(長柄)에 삼각상 달걀꼴이며 얕게 째짐. 9-10월에 암자색의 두상화(頭狀花)와 관상화(管狀花)가 핌. 산이나 들에 나는데, 한국 각지에 분포함. 어린 잎은 식용하며 부싯깃을 만듦.

큰-수팔련【一蓮】명 큰 잔치 때에 쓰는 상화(床花)의 하나. 세 층으로 만든 수팔련인데 큰 연꽃을 아래층으로, 여러 개의 연꽃을 가운데 층으로 하고, 홍도(紅桃)·벽도(碧桃)·월계(月桂)·불로초(不老草)를 각 층에 섞으며 비취(翡翠)·두루미·새·나비 들을 사이사이에 곁들이고 금잔(金盞)을 받든 열 개의 선동(仙童)을 층층이 앉히고, 맨 위에 사슴을 탄 남극 노인(南極老人)을 두며, '강구 연월(康衢烟月)·수부 다남(壽富多男)'의 여덟 글자를 금지(金紙)로 둥글게 새겨서 꽃의 주위에 매달아 잔칫상의 한 복판에 세움. 삼층 대수파련(三層大水波蓮).

〈큰수팔련〉

큰-스님 명〖불교〗덕(德)이 썩 높은 생불(生佛)의 경칭.

큰-신당【一神堂】명〈방〉큰무당(제주).

큰-실꾸리고둥 명〖조개〗큰실패고둥.

큰-실패고둥 명〖조개〗[*Epitonium scalare*] 실패고둥과에 속(屬)하는 고둥. 패각(貝殼)의 높이 55mm, 직경 33mm 가량의 달걀꼴의 탑형(塔形)임. 각구(殼口)는 달걀꼴이며, 각표(殼表)는 회갈색을 띤 백색, 나층(螺層)은 5개 내외이고 규칙적이며, 상하가 연속적인 불투명한 백색의 세로 늑맥(肋脈)이 9-10개 있음. 다른 종류에서는 볼 수 없는 기형(畸形)의 고둥으로서 예로부터 동양종이 유명함. 근해 또는 심해(深海)에 서식하는데, 한국·일본·중국에 분포함. 큰실꾸리고둥.

〈큰실패고둥〉

큰-씨름 명〈방〉상씨름.

큰-아가씨 명 ①큰아씨. ②올케가 큰시누이를 부르는 경칭.

큰-아기 명 ①다 큰 계집아이. 처녀. ②맏딸을 다정하게 일컫는 말. ↔작은아기.

큰-아들 명 작은아들에 대하여 일컫는 맏아들. 장자(長子). ↔작은아들.

큰-아매 명〈방〉할머니(함북).

큰-아배 명〈방〉할아버지(함북·평북).

큰-아버지 명 아버지의 맏형. 백부(伯父). ↔작은아버지.

큰-아씨 명 결혼한 맏딸이나 맏며느리를 하인들이 일컫는 말. 큰아가씨. *작은아씨.

큰-아이 명 큰아들이나 큰딸을 다정하게 일컫는 말. 맏아이. ㊥큰애. ↔작은아이.

큰-악절【一樂節】명 [period]〖악〗두 개의 작은 악절이 합친 것. 보통, 8마디·12마디로 이루어짐. 일단 완성된 악곡의 구분인데, 제일 간단한 노래 가운데에는 이것만으로 된 것도 있음. 대악절(大樂節). ↔작은악절.

큰-애 명 ↗큰아이. ↔작은애.

큰-애기 명〈방〉큰아기.

큰-애기나리 명〖식〗[*Disporum viridescens*] 은방울꽃과(科)에 속하는 다년초. 근경(根莖)은 가로 벋으며 줄기는 곧게 서고 상부는 가지가 갈라지고 하부는 초상엽(鞘狀葉)으로 싸여졌는데 높이 50cm 내외임. 잎은 호생하며 타원형 또는 긴 타원형임. 꽃은 줄기 끝·가지 끝에 1-3송이가 정생하며, 6개의 수술은 화개(花蓋)의 기부에 달리었고 5-6월에 백색으로 핌. 장과(漿果)는 구형(球形)이고 검게 익으며 애기나리에 비하여 전체가 대형임. 산지의 숲 속에 나는데, 우리 나라 거의 전역에 야생함. 어린 잎은 식용함.

큰애기-하늘지기 명〖식〗[*Fimbristylis torresiana*] 방동사니과에 속하는 다년초. 줄기는 총생(叢生)하는데, 삼릉주(三稜柱)로, 높이는 50cm 가량이고, 잎은 선형(線形)으로 길이 30cm 가량이며, 끝이 빨고 가에 털이 있음. 8-9월에 꽃이 산형(繖形) 화서로 정생(頂生)하고, 수과(瘦果)는 삼릉상이며 작고 윤택이 남. 산이나 들의 습지에 나는데, 경북·충북·경기 등지에 분포함.

큰-앵초【一櫻草】명〖식〗[*Primula jesoana*] 앵초과(櫻草科)에 속하는 다년초. 온 몸에 짧은 털이 있는데, 화경(花莖)은 높이 40cm 내외, 잎은 근생(根生)하며 장병(長柄)에 신상 원형(腎狀圓形)이고 손바닥 모양으로 얕게 찢어짐. 5-6월에 홍자색의 꽃이 줄기 끝에 두 층의 윤산상(輪繖狀)으로 달리는데, 각 층에 5-6개씩 피고 삭과(蒴果)는 달걀꼴이고, 익으면 오각편(五殼片)으로 갈라지며, 7-8월에 익음. 산지에 나는데, 거의 한국 각지 및 일본에 분포함. 관상용이며 어린 잎은 식용함.

〈큰앵초〉

큰-어금니 명〖생〗대구치(大臼齒).

큰-어마 명〈방〉큰어머니(강원·전북·경상).

큰-어매 명〈방〉①큰어머니(전라·경상). ②할머니(경북).

큰-어머니 명 ①큰아버지의 아내. 백모(伯母). 세모(世母). ↔작은어머니. ②서자(庶子)가 아버지의 본처(本妻)를 일컫는 말. 적모(嫡母). ↔친어머니.

큰-어멍이 명〈방〉큰어머니(강원·충북·경상).

큰-어무니 명〈방〉큰어머니(경기·경북).

큰-어무이 명〈방〉큰어머니(전남·경상).

큰-어미 명 ①윗사람이 아랫사람의 큰어머니를 낮추어 부르는 말. ②☞큰계집.

큰-언니 명〈소아〉큰형. ↔작은언니.

큰-엄니 명〈방〉큰어머니(전남).

큰-엄매 명〈방〉큰어머니(전남·경상).

큰-엉겅퀴 명〖식〗[*Cirsium pendulum*] 국화과에 속하는 다년초. 줄기 높이 30-100cm이며, 잎은 무병(無柄)에 피침형 또는 난상 피침형인데, 깃 모양으로 깊게 째지며 열편(裂片)은 피침형이고 끝이 빪. 7-10월에 자색의 두화(頭花)가 총상(總狀) 화서로 피고, 수과(瘦果)는 백색 관모(冠毛)가 있음. 들에 나는데, 한국 중부 이북에 분포함. 어린 잎은 식용함.

〈큰엉겅퀴〉

큰-역신【一疫神】명〈방〉손님마마(함남).

큰-오리목【一木】명〖건〗너비가 6cm 이상 되는 오리목.

큰-오매 명〈방〉큰어머니(전라·경상).

큰-오빠 명 가장 손위 되는 오빠. ↔작은오빠.

큰-오이풀 명〖식〗[*Sanguisorba alpina*] 짚신나물과에 속하는 다년초. 뿌리는 비후(肥厚)하고, 줄기 높이 40cm 이상, 잎은 호생하는데 근엽(根葉)은 총생(叢生)하고 장병(長柄)에 기수 우상 복엽(奇數羽狀複葉)이며, 소엽(小葉)은 단병(短柄)에 긴 타원형임. 9월에 흰 꽃이 줄기 끝에 수상(穗狀) 화서로 정생하여 피고, 수과(瘦果)는 네모가 짐. 고원(高原)에 나는데, 백두산에 분포함.

큰-옷 명 예식 때에 입는 웃옷.

큰-원추리 명〖식〗[*Hemerocallis middendorffii*] 무릇난과(科)에 속하는 다년초. 뿌리는 적갈색을 띠며 곳곳에 타원형의 비대한 부분이 있음. 꽃줄기는 곧게 섰으며 상부는 짧은 가지가 갈라져 나왔는데 60cm 내외임. 잎은 가랑이 모양으로 나와서 협설상(狹舌狀)인데, 길이가 약 30-60cm, 너비 약 10-25mm 가량으로 끝이 점점 뾰족하고 선녹색임. 짙은 황색 꽃은 방상 화서(房狀花序)로 정생하고 2-4송이가 6월에 피는데 향기가 있음. 삭과(蒴果)는 넓은 타원상 원형이며 포(苞) 사이가 벌어져서 붉은 종자가 산출됨. 산지에 나는데 거의 한국 각지에 분포함. 관상용. 어린 잎은 식용함.

큰-위령선【一葳靈仙】명〖식〗[*Clematis mandshurica* var. *koreana*] 미나리아재빗과에 속하는 낙엽 활엽 만목(蔓木). 잎은 우상 복생(羽狀複生)하며, 소엽(小葉)은 여름에 자웅 일가(雌雄一家)의 흰 꽃이 기산(岐繖) 화서로 액생(腋生)하고, 수과(瘦果)는 가을에 익음. 산기슭에 나는데, 속리산에 분포함. 뿌리는 약으로 쓰며, 어린 잎은 식용함.

큰-유리새【一瑠璃一】[一뉴一] 명〖조〗[*Cyanoptila cyanomelana*] 딱샛과에 속하는 새. 날개 길이 100mm 가량이고, 수컷의 배면(背面)은 유리색, 얼굴은 흑색, 하면(下面)은 가슴까지는 흑색이고, 이하는 백색이며, 암컷의 배면은 다갈색이고, 가슴은 담갈색임. 동부 시베리아·동부 만주·한국·일본에서 번식하고, 보르네오 등지에서 월동함.

〈큰유리새〉

큰-이 명 ①남의 형제 중에서 맏이 되는 사람. ②작은집에 대하여 남의 본마누라를 일컫는 말. 1)·2):↔작은이.

큰-일 명 ①다루는 데 힘이 많이 들고 범위가 넓은 일. ↔잔일. ②[一닐] 큰 예식이나 잔치를 치르는 일. 대사(大事).

큰일(이) 나다 ㉮ 감당하기 어려운 일이나 큰 탈이 생기다.

큰일(을) 치르다 [一닐一] ㉮ 대사(大事)를 치르다.

큰입구-변【一口邊】명 엔담❷을 입구변에 상대하여 일컫는 말.

큰잎-느릅나무 [一닙一] 명〖식〗[*Ulmus macrophylla*] 느릅나뭇과에 속하는 낙엽 활엽의 작은 교목. 잎은 넓은 타원상 거꿀달걀꼴이며, 끝이 빨고 표면이 거칢. 꽃은 아직 보지 못하였음. 산록의 숲 속에 나는데 강원도 평강군(平康郡)에 분포함. 목재는 기구(器具)·신탄재로 쓰이며, 어린 잎은 식용함.

큰잎-말 [一닙一] 명〖식〗대엽조(大葉藻).

큰잎-산꿩의다리【一山一】[一닙一/一닙一에一] 명〖식〗[*Thalictrum punctatum*] 미나리아재빗과의 다년초. 줄기 높이 60cm 내외, 각엽(脚葉)은 엽병(葉柄)이 길고, 가지 끝의 잎은 엽병이 없으며, 1-2회 삼출(三出)하는데 소엽(小葉)은 다소 원형 또는 달걀꼴로 뒷면은 분처럼 흼. 6-7월에 흰 꽃이 원추(圓錐) 화서로 정생(頂生)하여 핌. 산지에 나는데, 제주·전남의 매가도(梅加島), 전북의 어청도(於青島)에 분포함.

큰잎-쓴풀 [一닙一] 명〖식〗[*Swertia wilfordii*] 용담과에 속하는 월년초. 줄기 높이 30cm 내외이고, 잎은 대생하며 무병(無柄)에 긴 달걀꼴임. 8-9월에 자색 꽃이 원추상 취산(聚繖) 화서로 줄기 끝이나 가지 끝에 정생(頂生)하고, 과실은 삭과(蒴果)임. 산지에 나는데 백두산에 분포함.

큰-자귀 명 두 손으로 들고 서서 재목을 깎는 연장. 모양은 자귀와 같이 생겼으나 규모가 크고, 긴 자루가 붙었음.

큰-장대【一長一】[一때] 명〖식〗[*Dontostemon hispidus*] 겨자과에 속하는 월년초. 줄기 높이 50cm 이상이고, 잔 털이 산재하며, 근엽(根葉)은 다소 총생(叢生)하고 장병(長柄)임. 경엽(莖葉)은 호생(互生)하고 단병(短柄)에 도피침형(倒披針形)이며 잔 털이 있고,가에는 톱니가 있음. 5-6월에 엷은 홍자색의 꽃이 산방상 총상(繖房狀總狀) 화서로 줄기 끝이나 가지 끝에 정생(頂生)하고 장각(長角)은 가늘고 긺. 산지에 나는데, 평북·함북 등지에 분포함.

큰-장백오랑캐【一長白一】명〖식〗구름제비꽃.

큰-재니등에 명〖충〗[*Bombylius major*] 재니등엣과에 속하는 곤충. 몸길이 7-11mm이고, 몸빛은 흑색에 담황색의 긴 털이 밀생함. 흉배(胸背)의 전방에 흑색 털이 혼생하며, 흉측(胸側)에는 백색의 긴 털이 밀생하는데, 상연부의 것은 갈색이며, 날개의 원반부는 흑갈색임. 한국·일본·유럽·북아프리카에 분포함.

〈큰재니등에〉

큰-재미 명 〈방〉 큰어머니(함북).

큰-절[1] 명 여자가 초례(醮禮) 때나 시부모를 뵈올 때와 같은 가장 예를 갖추어야 할 때에 하는 절. 두 손을 이마에 마주대고 앉아서 허리를 굽힘. ——하다 자여불

큰-절[2] 명 〖불교〗 딸린 절에 대하여 일컫는 주장되는 절.

큰-점나도나물 【一點一】 명 〖식〗 [*Cerastium fischerianum*] 너도개밋과에 속하는 다년초. 줄기 높이 30 cm 가량이고, 짧은 털이 밀포하며 잎은 대생하고 무병(無柄)에 타원형 또는 긴 타원상 피침형임. 5-6월에 흰 오판화가 다소 밀착하여 취산(聚繖) 화서로 피고, 과실은 삭과(蒴果)임. 밭에 나는데, 제주·황해·평북에 분포함. 어린 싹은 식용함.

큰-정맥 【一靜脈】 명 〖생〗 대정맥. ↔큰동맥.

큰-제미 명 〈방〉 큰어머니(함경).

큰-제비갈매기 명 〖조〗 [*Thalaseus bergii cristatus*] 갈매깃과에 속하는 물새. 날개 길이 360 mm 가량이고, 이마와 눈알의 백색 부분은 머리의 흑색부와 부리 사이에 있고, 등 아래는 회갈색, 얼굴과 몸의 하부는 백색, 부리는 황색, 그 기부는 녹색임. 열대 지방에 분포하는데, 대만 부근의 여러 섬에 번식함.

큰-제사 【一祭祀】 명 고조(高祖)나 고조비(高祖妣)의 제사를 그 아랫대의 제사에 대하여 일컫는 말.

큰-조롱 명 〖식〗 [*Cynanchum wilfordii*] 박주가릿과에 속하는 다년생의 만초(蔓草). 줄기는 왼쪽으로 말려 뻗어 올라가며, 길이는 1-3 m 가량에 원주형으로 녹색이며, 껍질은 질기고 절단하면 백색 유액(乳液)이 나옴. 괴근(塊根)은 비후(肥厚)하고 다육질(多肉質)이며, 백색 또는 황백색이고, 잎은 대생하며 장병(長柄)에 둥근 달걀꼴임. 7-8월에 황록색의 꽃이 엽액(葉腋)에서 나와 산형(繖形) 화서로 피고, 골돌과(蓇葖果)는 9월에 익음. 산이나 들에 나는데, 거의 한국 각지에 분포함. 괴근(塊根)은 백하수오(白河首烏)라 하며 약용함.

〈큰조롱〉

큰-조선동고비 【一朝鮮一】 명 〖조〗 [*Sitta canadensis villosa*] 동고빗과에 속하는 새. 날개 길이 60-70 mm이고, 머리 위와 목 뒤는 광택 있는 흑색이며, 몸의 하면은 담회갈색임. 눈의 앞쪽과 귀의 깃에는 백색 반점이 섞인 흑갈색의 띠가 하나 있고, 날개의 표면은 창회색을 띤 갈회색임. 4-6월에 5-7개의 알을 나무 구멍에 낳고, 나무 씨를 주로 먹음. 산림 속에 머물러 서식하는데, 한국·중국에 분포함.

큰-조카 명 큰형의 큰아들. 장질(長姪). 장조카.

큰-졸방제비꽃 명 〖식〗 [*Viola kusanoana*] 제비꽃과에 속하는 다년초. 유경성(有莖性)이고 줄기는 총생(叢生)하며, 높이 20 cm 가량임. 근엽(根葉)은 총생하고 장병(長柄), 경엽(莖葉)은 호생하고, 단병(短柄)에 둥근 신장형(腎臟形) 또는 신장상의 심장형임. 5월에 엷은 자색의 오판화(五瓣花)가 줄기 위에 좌우 상칭(左右相稱)으로 액생(腋生)하여 피고, 삭과(蒴果)는 타원형이며 다섯 쪽으로 째어짐. 산지에 나는데, 울릉도에 분포함.

큰-종다리 명 〖조〗 [*Alauda arvensis pekinensis*] 종다릿과에 속(屬)하는 새. 몸은 종다리보다 조금 크고, 등빛이 거무충충함. 동북 시베리아에서 번식하고 한국·중국 남부 등지에서 월동함.

큰주머니-가리비 명 〖조개〗 파래가리비.

큰-줄나나니 명 〖충〗 [*Gorytes grandis*] 구멍벌과에 속하는 곤충. 암컷의 몸길이 15 mm 내외이고, 몸빛은 흑색에 회백색의 털이 밀생하고 전흉 배판(前胸背板)의 후연(後緣)의 횡반(橫斑)과 복부 제1 배판 양측 후연의 타원형 반문과 제2·3 배판 후연의 횡반(橫斑)은 황색임. 한국·일본·우수리에 분포함.

큰줄-얼게비늘 명 〖어〗 [*Apogon kiensis*] 동갈돔과에 속하는 바닷물고기. 몸길이 약 65 mm, 눈은 크고 몸빛은 연한 복숭아꽃 빛이며 주둥이에서 눈을 지나 꼬리지느러미 끝까지 폭이 넓은 검은 빛의 세로띠가 하나 있음. 내만성(內灣性)의 작은 어류로 우리 나라 남해·일본 남부에 분포함. 잡어(雜魚)임.

큰-집[1] 명 ①아우나 그 자손이 맏형이나 그 자손의 집을 일컫는 말. ②분가(分家)하여 나간 집에서 그 원집을 일컫는 말. 종가(宗家). ③작은집이나 그 자손이 큰마누라나 그 자손의 집을 일컫는 말. 1)-3):↔작은집.

[큰집이 기울어져도 삼 년 간다] '부자가 망해도 삼 년 먹을 것은 있다'와 같은 뜻.

큰집 드나들듯 구 어떤 곳에 매우 익숙하게 자주 드나드는 모양.

큰-집[2] 명 〈은어〉 교도소(矯導所).

큰-집게벌레 명 〖충〗 [*Labidura japonica*] 집게벌렛과에 속하는 곤충(昆蟲). 비교적 큰 집게벌레로서 몸길이 25 mm 이상이고, 배의 끝에 있는 집게가 매우 큼. 온 몸은 거의 적갈색(赤褐色)인데, 가슴과 앞날개의 일부가 흑갈색임. 세계 공통종(共通種)임. 우리 나라·일본 등지에 분포함. 왕집게벌레.

큰-집게벌렛과 【一科】 명 〖충〗 [Labiduridae] 집게벌레목(目)에 속하는 곤충의 한 과. 우리 나라에는 큰집게벌레 1 종이 있음.

큰-참나물 명 〖식〗 [*Ostericum melanotilingia*] 미나릿과에 속하는 다년초. 줄기는 높이 60 cm 가량이고, 잎은 호생하며 장병(長柄)에 세 개의 소엽(小葉)은 달걀꼴 또는 넓은 달걀꼴로, 뒷면이 백색임. 8월에 흰 오판화(五瓣花)가 줄기 끝이나 가지 끝에 복산형(復繖形) 화서로 정생(頂生)하고, 과실은 타원형이고 조금 납작함. 산지에 나는데, 한국 중부 이남에 남. 어린 잎은 식용함.

큰-창옷 명 〈방〉 중치막.

큰-창자 명 〖생〗 대장(大腸).

큰창자-균 【一菌】 명 대장균(大腸菌).

큰-처남 【一妻男】 명 맨 맏이 되는 처남. ↔작은처남. ＊큰매부.

큰-체하다 자여불 자랑하여 젠 체하다.

큰-춤 명 성장(盛裝)하고 정식으로 추는 춤.

큰춤(을) 보다 구 자기를 위하여 큰 춤이 베풀어지는 의식의 영광을 누리다.

큰-취타 【一吹打】 명 〖역〗 대취타(大吹打).

큰-치마 명 발등을 덮어 땅에 질질 끌리도록 만든 치마. ↔짧은 치마.

큰-칼 명 〖역〗 중죄인(重罪人)에게 씌우는 형구(刑具)인 칼의 한 가지. 길이가 135 cm 가량 됨. 사수가(死囚枷). ↔작은칼. ＊칼[2].

큰코 다치다 자 크게 봉변(逢變)을 당하거나 무안을 당하다. ¶얼러붙다가 큰코 다쳤다.

큰-콩 명 〈방〉 콩(함북).

큰키-나무 명 〖식〗 교목(喬木). ↔좀나무·떨기나무.

큰-톱 명 두 사람이 마주 잡고 켜는 큰 내릴톱. 대톱.

큰톱-장이 【一匠一】 명 큰톱으로 큰 재목을 써는 일로써 업을 삼는 사람. 둘이 한 짝이 됨. 인거장(引鋸匠).

큰-톱풀 명 〖식〗 [*Achillea paektusanense*] 국화과에 속하는 다년초. 줄기 높이는 60 cm 내외이며, 잎은 피침상 선형, 무병(無柄)에, 길이는 5 cm 내외로 끝이 빨고 깃 모양으로 얕게 째지는데 열편(裂片)은 톱니모양임. 9월에 가지 끝에 흰 꽃이 피는데, 두화(頭花)는 몇 개, 설상화(舌狀花)는 많으며, 과실은 수과(瘦果)임. 높은 산에 나는데, 백두산(白頭山)에 분포함.

큰-판[1] 명 크게 벌어진 판.

큰-판[2] 【一版】 명 〖인쇄〗 대판(大版).

큰-표범 나비 【一豹一】 명 [*Brenthis daphne*] 〖충〗 네발나빗과에 속하는 곤충. 몸길이는 호랑나비보다 작아서 2 cm 내외이며, 편날개는 6 cm 정도임. 몸은 등갈색(橙褐色)으로, 표범과 비슷한 흑색의 무늬가 있으며, 흔히 날개를 곧추 세우고 앉음. 성충(成蟲)은 한 해에 한 번 7-8월에 발생하며 산지(山地)의 풀밭에 서식함. 한국 및 시베리아·만주·일본·유럽 등지에 널리 분포함.

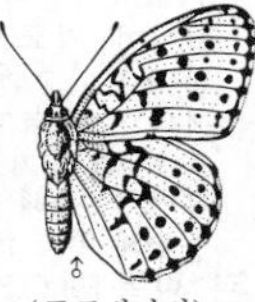

〈큰표범나비〉

큰-피돌기 명 〖생〗 대순환(大循環).

큰-피막이 명 〖식〗 [*Hydrocotyle javanica*] 미나릿과에 속하는 다년초. 줄기는 땅 위로 뻗으며 화경(花莖)은 위로 높이 올라감. 잎은 대형(大形)으로 잎꼭지가 길고 얕게 5-7회 째지며, 가에는 무딘 톱니가 있음. 봄·여름에 희고 작은 구슬 모양의 오판화(五瓣花)가 산형(繖形) 화서로 피고, 과실은 달걀꼴임. 잎을 상처에 바르면 피를 막는 약효가 있음. 피막이풀과 함께 밭에 남. 피막이풀.

큰-하늘지기 명 〖식〗 [*Fimbristylis longispica*] 방동사닛과에 속하는 다년초. 줄기는 이릉주(二稜柱)로 흔히 총생(叢生)하며, 높이 70 cm 가량임. 잎은 총생하고 좁은 선형(線形)이며, 길이는 줄기의 약 절반 가량임. 8월에 긴 화경(花莖) 끝에 다갈색의 꽃이 산형(繖形) 화서로 복생(複生)하고, 수과(瘦果)는 편평한 거꿀달걀꼴임. 해변이나 습한 들에 나는데, 제주·경기 및 일본에 분포함.

큰-할머니 명 큰할아버지의 아내. ↔작은할머니.

큰-할아버지 명 할아버지의 맏형. 백종조(伯從祖). ↔작은할아버지.

큰-해오라기 명 〖조〗 대백로(大白鷺).

큰-허리노린재 명 〖충〗 [*Molipteryx fuliginosa*] 허리노린잿과에 속하는 곤충. 몸길이 22-25 mm이고, 몸빛은 일률적으로 암갈색에 다리는 길고 크며, 퇴절 초단(腿節稍端)의 안쪽에 두 개의 가시 모양의 돌기가 있음. 악취(惡臭)가 특히 심하게 남. 산의 잡초에 흔히 서식하는데, 한국·일본 등지에 분포함.

큰-형 【一兄】 명 작은형에 대하여 일컫는 맏형. 장형(長兄). ↔작은형.

큰-형수 【一兄嫂】 명 큰형의 아내. 맏형수. ↔작은형수.

큰혹-풍뎅이 명 〖충〗 큰검정풍뎅이.

큰-홀씨 명 〖식〗 대포자(大胞子). ↔작은홀씨.

큰-활 명 정량대를 메어서 쏘게 된 크고 센 활. 길이 다섯 자 다섯 치, 줌에서 도고지까지 두 자 두 푼, 아귀의 너비 한 치 오 푼, 창밑의 너비 한 치 서 푼, 도고지에서 양냥고자까지 여섯 치 서 푼, 고자의 너비 한 치 칠 푼, 양냥고자의 길이 한 치, 모양은 각궁(角弓)과 같으나 힘이 세어, 쏘는 사람은 활을 벌리며 앞으로 뛰어 나가는 바람에 반동의 힘으로 쏘는 것이 상례임. 싸움에 큰 위력을 보임. 특히, 무과(武科)의 초시(初試)와 복시(覆試)에는 반드시 이것을 써서 응시자(應試者)를 시험하였음. 정량(正兩).

큰-황새냉이 명 〖식〗 [*Cardamine Regeliana*] 겨잣과에 속하는 다년초. 줄기 높이 20 cm 가량이고 총생(叢生)하는데 연약하며, 잎은 호생하고 유병(有柄)에 우상 전열(羽狀全裂)하며, 소엽(小葉)은 원형, 꼭대기 잎이 뚜렷하게 큼. 5-6월에 흰 사판화(四瓣花)가 총상(總狀) 화서로 정생(頂生)하여 핌. 과실은 장각(長角)으로 길이 2 cm, 2 개의 각편(殼片)으로 째짐. 산이나 들의 물가에 나는데, 제주·경북·경기·강원에 분포함. 어린 잎은 식용함.

큰-황새풀 명 〖식〗 [*Eriophorum polystachyon*] 방동사닛과에 속하는 다년초. 수근(鬚根)이 총생(叢生)하며, 줄기는 다소 편삼릉주(偏三稜柱)로 높이는 40 cm 가량인데, 근엽(根葉)은 총생하고 경엽(莖葉)은 호생하며 짧고 넓은 선형(線形)임. 7-8월에 꽃이 산형(繖形) 화서로 정생(頂生)하여 피고, 과실은 수과(瘦果)임. 높은 산의 습지에 나는데, 강원·함북 등지에 분포함.

클라:겐푸르트 〔Klagenfurt〕 명 〖지〗 오스트리아 남부의 케른텐 주(Kärnten 州)의 도시. 피혁 제품·제재·기계·섬유 공업이 발달함. 13세기 중엽 이후의 고도(古都)임. 이 도시에서 열리는 목재 견본시(見本市)는 유명함. [86,303 명(1981)]

클라도스포륨 〔cladosporium〕 명 〖생〗 불완전 균류(菌類)로, 완전한 생

식 기관을 만들지 않는 소속 불명의 곰팡이. 제트 연료를 영양식으로 하는 미생물로, 연료 탱크의 알루미늄도 먹음.

클라:드니 〔Chladni, Ernst Florens Friedrich〕 명 〖사람〗 독일의 물리학자. 처음 법률을 수업하였으나 뒤에 물리학으로 전향함. 막대기나 현(絃), 판자의 진동을 실험적으로 연구하여 고체(固體)·기체(氣體)내의 소리의 속도를 측정함. 1787년 '클라드니 도형'을 발견함. 음향학의 시조(始祖)임. [1756-1827]

클라:드니 도형【一圖形】 〔도 Chladni〕 명 〖물〗 수평하게 고정된 평판(平板) 위에 뿌려진 모래나 가루가 판의 진동(振動)에 따라서 진동하지 않는 부분에 모여들어 이루는 도형. 1787년 독일의 물리학자 클라드니(Chladni, E.F.F.)가 발견하였음. 이에 의하여 판이 진동하는 모양, 특히 진동하지 않는 부분의 모양이 명백하게 되며, 또 여기에서 생기는 판의 소리의 높이에 의하여 판의 진동수를 알아낼 수가 있음.

클라라 〔Clara〕 명 〖사람〗 이탈리아의 성녀(聖女). 성프란체스코(聖Francesco)의 지도하에 여자 수도회(修道會)를 창립함. 27년간 병고에 시달리면서 청빈과 영웅적인 애고(愛苦)를 보임. 사후 2년 만에 성인 반열에 오름. [1194-1253]

클라레 〔프 claret〕 명 보르도²(Bordeaux)❶.

클라레인 〔clarain〕 명 〖광〗 석탄 조직 성분의 하나. 층리면(層理面)에 평행한 무늬 모양 부분으로 산출(產出)됨. 보통, 명주와 같은 광택을 지니고 있어, 난반사(亂反射)함.

클라렌든 〔Clarendon〕 명 〖사람〗 영국의 정치가. 메리 2세의 외조부. 정식 이름은 Earl of Clarendon, Edward Hyde. 국회 의원이 되어 국정 개혁에 힘썼으나 청교도 혁명(清教徒革命) 개시 후 국왕측에 가담, 찰스 황태자와 함께 프랑스에 망명함. 왕정 복구 후 국정의 지도적 존재로서 국교회(國教會) 확립을 위하여 '클라렌든 법전(法典)'을 제정함. 외교 정책의 실패로 다시 프랑스에 망명, 루앙에서 죽음. 주저에 《대반란사(大反亂史)》가 있음. [1609-74]

클라리넷 〔clarinet〕 명 〖악〗 흔히, 관현악이나 취주악에 쓰이는 목관 악기(木管樂器). 마우스 피스(mouth piece)에 한 장의 혀가 있으며, 관(管)은 아래로 내려갈수록 차차 퍼지게 됨. 나무나 에보나이트로 만들어져 있는데, 금속으로 만든 것도 있음. 클라리오넷.

〈클라리넷〉

클라리오넷 〔clarionet〕 명 〖악〗 클라리넷.

클라리온 〔clarion〕 명 〖악〗 ①나팔의 한 가지. 명쾌하게 울려 퍼지는 음색을 갖는 세관(細管) 악기. 옛날, 전쟁의 신호용 또는 관현악에 사용하였음. ②오르간의, 클라리넷과 같은 음색을 내는 음전(音栓).

클라미도모나스 〔chlamydomonas〕 명 〖동〗 〔Chlamydomonadina〕 식물성 편모충류(鞭毛蟲類)의 한 목에 속하는 단세포 동물의 총칭. 세포는 단독이고, 대개는 달걀꼴 또는 구형이나 때로 방추형도 있음. 세포막은 엷고 색소립(色素粒)은 모양의 변화가 많으며, 2개의 편모가 있음. 담수(淡水)나 바닷물에서 나며 유전 연구(遺傳硏究)의 재료로 쓰임.

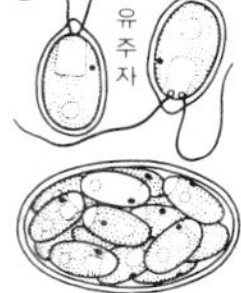

〈클라미도모나스〉

클라미디아 〔chlamydia〕 명 〖생〗 트라코마·제4 성병(第四性病) 및 고양이의 폐렴 등의 병원체(病原體)에 붙여진 속명(屬名). 직경 300밀리미크론 정도의 미생물로서, 그 특징은 DNA와 RNA 두 종류의 핵산(核酸), 리보솜(ribosome)을 함유하며, 2분열(二分裂) 방식으로 증식하고, 항생 물질이 유효(有効)하며, 세포 내에서만 증식하고 에너지 대사 기능(代謝機能)이 없음. 이 클라미디아는 비루스와는 본질적으로 다르며, 세포 체제(細胞體制)를 갖는 미생물임.

클라분트 〔Klabund〕 명 〖사람〗 독일의 소설가·시인. 본명은 Alfred Henschke. 비용(Villon, F.)의 후계자라 자칭하였음. 서정시나 표현주의 소설로 섬세한 신경과 감수성을 보임. 중국·페르시아 작품의 번역도 하고 중국극 《백묵(白墨)의 고리》의 번안(翻案)은 유명함. [1891-1928]

클라브생 〔프 clavecin〕 명 〖악〗 하프시코드(harpsichord).

클라비코:드 〔clavichord〕 명 〖악〗 피아노가 발명되기까지 하프시코드와 병용되었던 건반(鍵盤) 현악기. 건반을 누르면 작은 금속편(金屬片)이 현(絃)을 때려 소리가 나게 되어 있음.

〈클라비코드〉

클라우디우스 〔Claudius, Matthias〕 명 〖사람〗 독일의 시인. 평생을 농촌에서 경건한 신교도로 보냈음. 슈베르트의 작곡으로 알려진 《죽음과 소녀》·《자장가》를 비롯하여 서정시(抒情詩)·단문(短文)에 뛰어남. [1740-1815]

클라우제비츠 〔Clausewitz, Karl von〕 명 〖사람〗 프로이센의 장군·군사 이론가. 프로이센군(軍)의 근대화와 해방 전쟁 승리에 공헌함. 사후 간행된 《전쟁론(戰爭論)》은 근대 전쟁 이론의 고전적 명저로 유명함. [1780-1831]

클라우지우스 〔Clausius, Rudolf Emanuel〕 명 〖사람〗 독일의 이론 물리학자. 카르노(Carnot, S.)의 사상을 발전시켜 열역학 제2 법칙을 수립함. 1865년 엔트로피 개념(entropy 槪念)을 정식화(定式化)하였으며, 전해질(電解質)의 해리 개념(解離槪念), 기체 분자(氣體分子)의 평균 자유 행로(平均自由行路)의 개념을 처음으로 도입하여 분자론 발전에 많은 공헌을 함. [1822-88]

클라운 〔clown〕 명 어릿광대의 하나. 엘리자베스 왕조(王朝) 연극에서는 바보역 전문의 배우를, 셰익스피어극(劇)에서는 중요한 배역을 맡았음. 현재는 서커스나 단막극에서 익살꾼으로 등장함.

클라이나이트 〔kleinite〕 명 〖광〗 황색 내지 등색(橙色)의 광물. 수은 및 암모늄의 염기성 산화물. 황산염 및 염화물(塩化物)로 이루어짐.

클라이드 강【一江】 〔Clyde〕 명 〖지〗 영국 스코틀랜드 남서부의 강. 연안(沿岸)에 글래스고(Glasgow)·해밀턴(Hamilton)·덤버턴(Dumbarton) 등 스코틀랜드의 핵심을 이루는 공업 도시가 있음. 하구(河口)에서 운하(運河)에 의하여 북해(北海) 쪽과 연결됨. [170 km]

클라이맥스[1] 〔climax〕 명 ①흥분·긴장·정신 고양(高揚) 등이 최고조(最高潮)에 이른 상태. 또, 그 장면. ¶ ～에 달하다. ②희곡(戲曲)의 줄거리나 사건이 가장 긴장된 상태로, 최고조에 이른 점. 최고조(最高潮). 정점(頂點). ¶ 햄릿의 ～는 복수 장면이다. ③〖문〗 점층법(漸層法). ④생태학에서, 삼림(森林) 등의 극상(極相). ↔앤티클라이맥스.

클라이맥스[2] 〔Climax〕 명 〖지〗 미국 콜로라도 주(州) 중앙부 로키 산맥 중의 광산 도시. 한때 몰리브덴(molybden)의 중요한 산지였음. 하버드 대학 부속의 코로나 관측소가 있음. [300 명 (1970)]

클라이맥스 지표【一指標】 〔climax〕 명 〖경〗 단기적인 주가(株價) 예측을 위해, 1961년 그랜빌(Granville, J.E.)이 창안한 단기 지표 중의 하나. 원래는 매도(賣渡)의 클라이맥스 시점을 판단하기 위해 만들었다고 하여 클라이맥스라 했는데, 최근에는 종합 주가 지수의 동향에 대한 타당성을 검증하는 데 유용하게 쓰임.

클라이모-그래프 〔climograph〕 명 〖지〗 세계 각지의 기후, 특히 인간 생활에 관계가 깊은 기후를 직관적으로 비교할 수 있도록 고안된 기후도(氣候圖).

클라이밍 〔climbing〕 명 ①기어 오름. ②↗록(rock) 클라이밍. ③스키에서, 사면(斜面)을 똑바로 오르는 일.

클라이밍 크레인 〔climbing crane〕 명 〖기〗 고층 구조물(構造物)의 꼭대기에서 쓰이는 크레인. 작업 진도에 따라 구조물과 같이 높이 올라가 작업함.

클라이브 〔Clive, Robert〕 명 〖사람〗 영국의 군인·정치가. 영국의 동인도 회사(東印度會社) 사무원. 플래시(Plassey) 싸움에서 프랑스군에 이겨 인도에서의 영국의 지배권을 확립하였음. [1725-74]

클라이스트 〔Kleist, Heinrich von〕 명 〖사람〗 독일의 시인·극작가·소설가. 낭만파의 작가로, 이상과 현실을 이으려는 격렬한 정열(情熱)을 갖고 객관적·사실적(寫實的)인 작풍(作風)을 보여 주었음. 생전에 세상에 인정되지 않은 채 《펜테질레아(Penthesilea)》·《홈부르크 공자(Homburg公子)》 등의 작품을 남겼음. [1777-1811]

클라이스트론 〔klystron〕 명 〖전〗 극초단파(極超短波)의 발진(發振)·증폭(增幅) 등에 쓰이는 진공관의 하나. 상대되는 음극(陰極)·반사판(反射板) 사이에 그리드(grid)가 있으며, 그 옆으로 공동 공진기(空洞共振器)가 있음. 마이크로파 통신 기기·측정기 등에 널리 쓰임. 1939년 미국에서 발명되었음. 속도 변조관(變調管).

클라이언트 〔client〕 명 ①변호 의뢰인. ②광고 대리점의 고객. 광고주. ③〖컴퓨터〗 컴퓨터 통신망에서 서버 컴퓨터에 연결하여 서비스를 제공받는 쪽의 컴퓨터.

클라이젠 플라스크 명 〔Claisen flask〕 〖화〗 〔독일의 화학자 클라이젠(Claisen, Ludwig)의 이름에서〕 목이 유자(U字)형으로 된 증류용(蒸溜用)의 유리 플라스크.

클라인[1] 〔Klein, Felix〕 명 〖사람〗 독일의 수학자. 괴팅겐 대학 등의 교수를 지냄. 특히 함수론·군론(群論) 연구에 새 영역을 열었으며 수학사(數學史)·수학 교육에도 공헌함. [1849-1925]

클라인[2] 〔Klein, Lawrence R.〕 명 〖사람〗 현대 미국의 경제학자. 매사추세츠 공과 대학에서 연구하고, 미시간 대학 경제학 강사를 지냄. 경제 동학(經濟動學)의 계량(計量) 경제학적 연구에 새 분야를 엶. 경기예측(景氣豫測)에 관한 연구로 1981년 노벨 경제학상을 받음. [1920-]

클라인 항아리 명 〔Klein bottle〕 〖수〗 〔독일의 수학자 클라인의 이름에 유래〕 오른쪽 그림과 같은 직사각형에서 윗변 a와 아랫변 a를 그대로의 방향으로 붙여서 된 원기둥을 한 번 비틀어 좌우에 있는 두 변 b의 방향이 반대로 되게 붙였다고 생각할 때의 도가니의 모양. 이것은 3차원(次元) 공간에서는 실현되지 않으나 오른쪽 그림과 같은 모형으로 나타남. 뫼비우스(Möbius, A. F.)의 띠와 함께 안팎의 구별을 할 수 없는 곡면(曲面)의 보기임. 클라인 관(管).

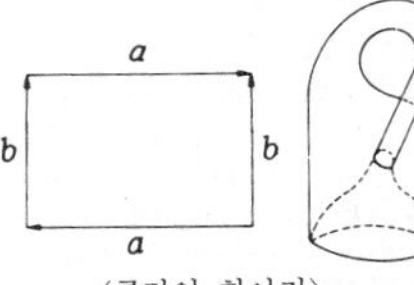

〈클라인 항아리〉

클라:크[1] 〔Clark, Alvan〕 명 〖사람〗 미국의 천문 관측 기계 제조가. 초상화가에서 망원경 제작으로 전환하여 세계적 명성을 얻음. 1862년 구경(口徑) 46 cm의 망원경으로 시리우스(Sirius)의 반성(伴星)을 발견한 것은 유명함. [1804-87]

클라:크[2] 〔Clark, Colin Grant〕 명 〖사람〗 영국의 경제학자·통계학자. 산업을 1차·2차·3차 산업으로 나누어, 국민 소득의 증대, 경제 발전에 따라 제2차·제3차에로 산업의 중점이 이행(移行)하는 것을 통계적으로 실증함. 주저에 《경제 진보의 제조건》. [1905-]

클라:크[3] 〔Clark, John Bates〕 명 〖사람〗 미국의 경제학자. 한계 생산력설(限界生產力說)을 주장, 한계 효용(限界効用) 이론의 체계를 세워, 미국 근대 경제학의 창시자로 불림. 저서로 《부(富)의 분배(分配)》·《부의 철학》·《경제 이론의 본질》 등이 있음. [1847-1938]

클라:크[4] 〔Clarke, Arthur Charles〕 명 〖사람〗 영국의 에스 에프(S.F.) 작가. 과학자로서의 《행성간(行星間) 비행》 등의 저작이 있는데 《우주에의 서막(序幕)》·《공중(空中)의 여러 섬》·《지구 유년기(地球幼年期)의 종말》·《해저 목장(海底牧場)》 등은 철학적 사색을 바탕으로 한 본격적 공상 과학 소설로서 유명함. [1917-]

클라:크[5] 〔Clarke, Samuel〕 명 〖사람〗 영국의 철학자·신학자. 신(神)의

존재, 영혼의 불멸, 의지의 자유를 논증하기에 힘쓰고, 유물론·무신론과 싸움. 자연 철학과 종교에 관한 라이프니츠와의 논쟁은 ≪왕복 서간집(書簡集)≫으로 공간(公刊)되었음. [1675-1729]

클라:크-수【—數】〔Clarke〕명〖화〗미국의 지구 화학자인 클라크(Clarke, Frank Wigglesworth; 1847-1931)가 산출한 지표(地表)로부터 약 16km까지의 지구 표부(表部)에 존재하는 원소의 양을 평균 백분율(百分率)로 나타낸 수. 산소 49, 규소 27.5 등.

클라:크 전:지【—電池】명〔Clark cell〕〖전〗〔발명자인 영국의 기술자 클라크(Clark, Josiah L.; 1822-98)의 이름에서 유래〕15°C에서 1.433V의 전압을 갖는 초기의 표준 전지. 카드뮴 표준 전지의 카드뮴을 아연(亞鉛)으로, 황산 카드뮴을 황산 아연으로 바꾼 것으로, 온도 계수(溫度係數)가 높으므로 별로 쓰이지 않음.

클라페〔도 Klappe〕명〖악〗목관(木管)에 있어서 음공(音孔)을 개폐(開閉)하는 장치.

클라프로트[1]〔Klaproth, Heinrich Julius〕명〖사람〗독일의 동양어 학자·여행가. 아시아 각지, 특히 카프카스·흑해 지방을 여행하고 연구하였음. ≪아시아 박언집(博言集)≫·≪카프카스와 그루지야(Gruziya)의 여행≫ 등 저서가 있음. [1783-1835]

클라프로트[2]〔Klaproth, Martin Heinrich〕명〖사람〗독일의 화학자·약학자. 1810년 베를린 대학 창립과 더불어 최초의 화학 교수로 있었으며, 광석의 분석법을 개량하여 우라늄·지르코늄·티타늄·텔루륨 등의 원소를 발견함. 또, 희토류(稀土類) 원소에 관한 선구적 연구가 있음. [1743-1817]

클래딩〔cladding〕명〖공〗핵연료를 덮고 있는 금속 외피(外被). 막대기 모양의 연료를 원통형의 통속에 넣어 양끝을 막아 연료의 부식(腐蝕)과 핵분열 생성물의 냉각재(冷却材) 속으로의 이탈(離脫)을 방지함.

클래스〔class〕명 ①계급. 등급. ②학급(學級). 반(班).

클래스레이트 화:합물【—化合物】〔clathrate〕명〖화〗원자(原子)나 분자의 입체 구조의 틈 사이에 다른 원자나 분자가 들어가 일정한 조성비(組成比)로 특정한 구조를 만들고 있는 화합물. 포접 화합물(包接化合物).

클래스-메이트〔classmate〕명 동급생(同級生).

클래시시즘〔classicism〕명 고전주의(古典主義).

클래시컬〔classical〕명 고전적. 전통적. ——-하다 형여불

클래식〔classic〕명 ①전형적. 고전적. ②고전(古典). 고전 작품. 고전적인 명작. ③고전적 유파(流派). 고전파. ④경음악에 대하여, 전통적이고 고상하다고 인정받는 서양 음악. 또, 그 흐름을 따르는 음악. 고전음악. 클래식 음악. ——-하다 형여불

클래식 발레〔classic ballet〕명 고전(古典) 발레.

클래식 음악【—音樂】〔classic〕명 클래식❹.

클랙슨〔Klaxon〕명〔제조 회사의 이름에서〕자동차 경적(警笛)의 상품명. 변하여, 경적의 통칭이 되었음. 혼(horn). ¶~을 울리다.

클램셸〔clamshell〕명〖건설 기계의 하나. 기다란 크레인(crane) 끝에 매단 굴착용(掘鑿用) 퍼올림통. 조개처럼 개폐(開閉)하면서 흙을 파냄. 하상(河床)이나 건물 지하 굴착에 씀.

클램프〔clamp〕명〖기〗①공작물을 공작 기계의 테이블 위에 고정시키는 장치. ②바이스(vice)의 한 가지. 손으로 다듬을 때에 작은 물건을 고정시키는 데 쓰는 기구. *시 클램프(C clamp).

클러치[1]〔clutch〕명〖기〗일직선상에 있는 두 축(軸)의 한쪽으로부터 다른 축으로 동력을 임의로 단속(斷續)하여 전하는 장치. 교합식(咬合式)·원판식(圓板式)·원추식(圓錐式) 등이 있음. 연축기(連軸器).

클러치[2]〔clutch〕명 보트의 노를 거는 쇠고리.

클러치-판【—板】〔clutch〕명〖기〗자동차의 플라이 휠(fly wheel)과 닿았다 떨어졌다 하는 클러치 끝에 달린, 원판형의 동력(動力) 전달을 단속(斷續)시키는 장치.

클러치 히터〔clutch hitter〕명〖체〗야구에서, 찬스가 났을 때에 안타를 치는 타자.

클러:크〔clerk〕명 서기(書記). 사무원.

클러:크 사이클 기관【—機關】〔Clerk cycle〕명〖물〗〔1877년 스코틀랜드의 기사(技師) 클러크(Clerk, Dugald; 1854-1932)가 처음으로 발명한 데서〕이행정(二行程) 기관.

클러터〔clutter〕명〖전〗레이더 화면에 비치는 불필요한 에코(echo). 지면·바다·비·정지 물체·적의 방해 신호 등 때문에 생김.

클럭혼:〔Kluckhohn, Clyde〕명〖사람〗미국의 문화 인류학자. 1935년 이후 하버드 대학 교수. 그의 학문 체계는 인디언의 실증적 연구와 문화 개념의 이론적 연구로 대별되며 특히, 후자에서 문화를 전체적·동적(動的)으로 파악하는 데 성공함. [1905-60]

클럽〔club〕명 ①공통된 목적·취미 등으로 결합한 단체. 또, 그 모이는 장소·모임. 구락부(俱樂部). *클럽 활동. ②골프에서, 공을 치는 막대기. 우드(wood)와 아이언(iron)의 두 종류가 있음. 골프채. ③〔본디 곤봉(棍棒)을 까맣게 도안화(圖案化)한 것으로, 농민(農民)을 나타냄〕카드놀이에서 세잎 클로버(clover)의 잎 모양이 그려져 있는 카드.

〈클럽❸〉

클럽-하우스〔clubhouse〕명 클럽의 회관(會館).

클럽 활동【—活動】〔club〕〔—똥〕명 특별 교육 활동의 하나. 교과 학습 생활과 별도로 공통의 흥미·관심을 갖는 학생들이 자주적 집단을 구성하여 학예·운동·직업·기술·사회 봉사 따위 영역에서 하는 활동. ¶~을 벌이다. *분단 학습(分團學習).

클레:〔Klee, Paul〕명〖사람〗스위스의 화가. 1911년 '청기사(青騎士)' 운동에 참가함. 표현주의나 추상화, 초현실주의 따위 여러 요소를 절충하여 페시미즘(pessimism)을 띤 시적(詩的)인 환상과 서정성(敍情性)이 풍부한 작품을 남김. [1879-1940]

클레로〔Clairaut, Alexis Claude〕명〖사람〗프랑스의 수학자·천문학자. 미분 방정식과 천체 역학에 업적을 남김. 18세에 학사원 회원이 되었으며, 주저에 ≪지구 형상론(形狀論)≫·≪달의 이론≫ 등이 있음. [1713-65]

클레르〔Clair, René〕명〖사람〗프랑스의 영화 감독. 1927년의 ≪이탈리아의 밀짚 모자≫에서 풍자 희극의 신경지를 보였으며, ≪파리의 지붕 밑≫·≪우리에게 자유를≫ 등으로 토키 미학(talkie美學)을 개척함. 1960년 아카데미 회원으로 선출됨. [1898-1981]

클레르몽-페랑〔Clermont-Ferrand〕명〖지〗프랑스 중남부 오베르뉴 지방의 도시. 고딕 성당과 1810년 창립된 대학이 있고, 고무·기계·식품 공업이 행하여짐. 파스칼의 탄생지임. [151,092명(1982)]

클레르몽 회:의【—會議】〔Clermont〕〔—/—이〕명〖역〗1095년 프랑스 중부에 있는 도시 클레르몽페랑(Clermont-Ferrand)에서 열린 종교 회의. 성지(聖地) 팔레스타인이 이교도의 수중(手中)에서 더럽혀지고 있음을 한탄하여, 각국 공동으로 성지 회복의 사업에 종사할 것을 호소하였으며, 이에서 십자군(十字軍)이 일어난 것임.

클레망〔Clément, René〕명〖사람〗프랑스의 영화 감독. 전후, 철도원의 항쟁을 그린 ≪철로의 싸움≫은 레지스탕스(resistance) 영화로 유명하며, 예리한 레알리슴(réalisme)으로 ≪유리의 성≫·≪밀회≫ 등을 발표하였음. [1913-]

클레망소〔Clemenceau, Georges〕명〖사람〗프랑스의 정치가. 1906-09에 수상을 지냄. 1917년 제1차 세계 대전 중에 다시 수상이 되어 대독(對獨) 강경책으로, 전쟁을 승리(勝利)로 이끌었으며, 베르사유(Versailles) 평화 회의를 주재하였음. [1841-1929]

클레먼츠〔Clements, Frederic〕명〖사람〗미국의 식물 생태학자. 미네소타 대학 교수와 애리조나의 카네기 연구소원을 역임함. 식물 군락(植物群落)의 천이(遷移)와 그 극상(極相)을 연구하여 소위 클레먼츠 학파(學派)를 이룸. [1874-1945]

클레멘스〔Clemens Alexandrinus〕명〖사람〗그리스의 종교가. 정식 이름은 Titus Flavius Clemens. 철학과 문학에 조예(造詣)가 깊으며, 판타에누스(Pantaenus)의 감화를 받아 신학을 연구하였는데, 인식(認識)을 중히 여기고 종교와 철학과의 조화를 꾀하였음. [150?-220?]

클레멘스 구세【—九世】〔Clemens IX〕명〖사람〗로마 교황. 속명(俗名)은 Giulio Rospigliosi. 1668년 프랑스와 스페인의 아헨 조약(Aachen 條約) 체결을 알선함. [1600-69: 재위 1667-69]

클레멘스 십사세【—十四世】〔Clemens XIV〕명〖사람〗로마 교황. 속명(俗名)은 Giovanni Vincenzo Antonio Ganganeli. 제수이트 교단(Jesuit 教團)의 금지 교서(禁止教書)를 발하고, 바티칸 미술관과 도서관을 건설하였음. [1705-74: 재위 1769-74]

클레멘스 십이세【—十二世】〔Clemens XII〕명〖사람〗로마 교황. 속명(俗名)은 Lorenzo Consini. 처음으로 공제 조합(共濟組合) 금지령을 냈음. [1652-1740: 재위 1730-40]

클레멘스 십일세【—十一世】〔Clemens XI〕〔—쎄〕명〖사람〗로마 교황. 속명은 Giovanni Francesco Albani. 장세니슴(Jansenisme)을 억압하였음. [1649-1721; 재위 1700-21]

클레멘스 오:세【—五世】〔Clemens V〕명〖사람〗로마 교황. 속명은 Bertrand de Got. 프랑스 왕 필리프 4세의 추거에 의하여 교황이 되어 교황청을 아비뇽(Avignon)으로 옮기고 필리프 4세의 괴뢰가 되어 교황의 위엄을 크게 떨어뜨렸음. [1254-1314: 재위 1305-14]

클레멘스 칠세【—七世】〔Clemens VII〕〔—쎄〕명〖사람〗로마 교황. 속명은 Giulio de Medici. 영국왕 헨리 8세의 이혼 문제로 영국 왕을 파문(破門)하였으나, 그로 인하여 영국에 있어서의 교권(教權)을 잃었음. 정치적으로는 무능하고 종교 개혁 운동도 이해할 수 없었으나, 학예를 애호하여 미켈란젤로(Michelangelo)에게 많은 작품을 의뢰하였음. [1478-1534; 재위 1523-34]

클레멘티〔Clementi, Muzio〕명〖사람〗이탈리아의 피아니스트·작곡가. 로마 태생으로 영국으로 건너가 런던을 중심으로 활약함. 교육자로도 뛰어나고 근대 피아노 주법(奏法)을 확립하였으며, 많은 피아노 소나타와 연습곡이 알려짐. [1752-1832]

클레베〔Cleve, Per Teodor〕명〖사람〗스웨덴의 화학자. 금속 암모늄(ammonium) 화합물 및 희토류 금속(稀土類金屬) 원소를 연구, 1879년 홀뮴(holmium)을 발견함. [1840-1905]

클레브 공작 부인【—公爵夫人】〔La Princesse de Clèves〕명〖문〗프랑스의 여류(女流) 작가 라 파예트 부인(La Fayette 夫人; 1634-93)의 소설. 1678년 작. 클레브 공작 부인은 불륜의 사랑에 고민하였는데, 이것을 고백받은 공작은 질투한 나머지 죽고 부인은 수도원(修道院)에 들어간다는 줄거리임. 프랑스 심리 소설(心理小說)의 선구적 작품(先驅的作品)이라고 일컬어짐.

클레안테스〔Kleanthes〕명〖사람〗고대 그리스의 철학자. 제논의 후계자. 의지의 힘에 가치를 두고 의지를 모든 덕(德)의 원천으로 여겼음. 또, 철학을 변증학·수사학·정치학·윤리학·자연학·신학의 여섯 부문으로 나누었음. 저서에 ≪제우스 찬가≫가 있음. [331?-232? B.C.]

클레오메네스 삼세【—三世】〔Kleomenes III〕명〖사람〗고대 그리스 스파르타(Sparta)의 왕. 리쿠르고스제(Lykurgos制)의 복귀를 기도, 토지 분할·부채 탕감(蕩滅)·감독관제의 폐지를 실행함. 아카이아 동맹(Achaia 同盟)과 싸워 패하여 이집트에 망명(亡命), 자살(自殺)함. [260?-219 B.C.; 재위 235-219 B.C.]

클레오메네스 일세【—一世】〔Kleomenes I〕〔—쎄〕명〖사람〗고대 그리스 스파르타의 왕. 아르고스(Argos)를 격파하여 스파르타의 지위를 강화하였음. 델포이(Delphoi)의 신탁(神託)으로 동료인 왕 데마라

토스를 정통이 아니라고 실각시켰는데, 뒤에 그의 부정(不正)이 발각되어 자살하였다 함. [?-487?B.C.; 재위 519?-487?B.C.]

클레오파트라 〔Cleopatra〕 [명] 〖사람〗 이집트 프톨레마이오스 왕조(Ptolemaios 王朝) 최후의 여왕. 한때 왕위를 빼앗겼으나 기원전 48년 카이사르(Caesar)의 애인이 되어 그의 원조로 왕위를 회복하였으며, 뒤에 안토니우스(Antonius)와 결혼하였으나 악티움(Actium)의 해전(海戰)에서 안토니우스와 클레오파트라의 해군이 옥타비아누스(Octavianus)에게 패(敗)한 후 자살(自殺)함. 재지(才智)와 미모(美貌)로 유명하였음. [69-30 B.C.; 재위 51-30 B.C.] ¶ ~의 코.

클레이 〔clay〕 [명] ①찰흙. ②↗클레이 피전. ③↗클레이 사격.

클레이 미용법 【一美容法】 〔clay〕 〔一뻡〕 [명] 순도 높은 점토(粘土)를 얼굴·몸·손발 등에 발라 그 강력한 흡착(吸着) 청정(淸淨) 작용을 이용한 최신 미용법.

클레이 사격 【一射擊】 〔clay〕 [명] 표적인 클레이 피전을 공중에 날려, 라이플 총으로 격파하는 스포츠. [준]클레이.

클레이스테네스 〔Kleisthenes〕 [명] 〖사람〗 기원전 6세기 후반 고대 아테네(Athene)의 민주 정치가. 참주(僭主)의 출현을 막기 위한 오스트라키스모스(ostrakismos)의 제도를 만들었음. 또, 10부족제(十部族制)를 실시, 이에 근거하여 500 명으로 되는 평의회(評議會) 등의 제도를 만듦. 아테네 민주 정치의 기초를 닦은 것으로 유명함. 클리스테네스(Clisthenes).

〈클레이 피전〉

클레이 코:트 〔clay court〕 [명] 모래와 자갈을 깐 토대 위에 찰흙으로 다지어 만든 테니스 코트. ↔그라스 코트.

클레이 피전 〔clay pigeon〕 [명] 클레이 사격에서 쓰이는, 석회를 뭉쳐 만든 접시 모양의 표적(標的). 발사기(發射機)로 공중에 날림. 예전에는 산 비둘기를 날렸음. [준]클레이.

클레임 〔claim〕 [명] ①청구. 청구권(請求權). ②〖경〗 무역 따위의 상품 거래에서, 거래의 상대방이 품질 불완전·착하(着荷) 부족·손상(損傷) 그 밖의 계약 위반을 하였을 때, 상대방에 대하여 손해 배상의 청구나 이의를 제기하는 일. 구상(求償). 수출 클레임. ¶ ~을 요구하다.

클레임 체크 〔claim check〕 [명] 해외 여행 등의 경우, 공항(空港) 등에서 물품(物品)을 맡겼을 때의 짐표.

클레프트 〔cleft〕 [명] 리스(Riß).

클렌저 〔cleanser〕 [명] 금속·유리 따위를 윤내는 가루.

클렌징 크림: 〔cleansing cream〕 [명] 주로 세안용(洗顔用) 유지성(油脂性)의 크림.

클렘페러 〔Klemperer, Otto〕 [명] 〖사람〗 독일의 지휘자. 함부르크·쾰른·베를린 등지에서 활동한 뒤 1933년 미국으로 망명, 1940년까지 로스앤젤레스 교향악단 상임 지휘자였음. 제2차 세계 대전 후 스위스로 이주함. [1885-1973]

클렙시드라 〔clepsydra〕 [명] 고대 그리스의 물시계. 밑바닥에 몇 개의 작은 구멍이 있는 흙 또는 금속으로 만든 항아리로, 본래는 물을 깃는 도구임. 물의 유출양(流出量)에 의해서 법정에서의 변론 시간이나 초병(哨兵)의 교대 시각의 측정에 사용했음.

클로:닝 〔cloning〕 [명] 〖생〗 수정(受精) 과정을 거치지 않고 인공적(人工的)인 방법으로 부모와 유전적으로 똑같은 아이를 산출하는 일.

클로:델 〔Claudel, Paul Louis Charles Marie〕 [명] 〖사람〗 프랑스의 외교관·시인. 각지의 대사(大使)를 역임. 문학의 경건한 해석 및 산문에 가까운 독특한 신시형(新詩形)을 창조하였음. [1868-1955]

클로:드 〔Claude, Albert〕 [명] 〖사람〗 벨기에 태생의 미국 세포 생물학자. 미토콘드리아의 단리(單離) 등 세포 내의 미세 구조 연구의 기초를 확립하여 미국의 G.E. 펄레이드와 C.R.드 뒤브와 함께 1974 년 노벨 생리·의학상을 받음. [1898-1983]

클로:드-로:랭 〔Claude-Lorrain〕 [명] 〖사람〗 프랑스의 화가·판화가(版畫家). 본명은 Claude Gellée. 로마 교황의 애호를 받아 ≪클레오파트라의 승선≫ 등의 명작을 남겼는데, 빛의 효과를 세밀히 관찰하고 질서와 균형을 중시하였음. [1600-82]

클로:드-법 【一法】 〔Claude〕 [명] 〖화〗 프랑스의 화학자 클로드(Claude, G.)가 개발한 암모니아 합성법. 하버법(Haber法)을 발전시켜 고압 하에서 반응시키는 것으로 대량 생산을 할 수 있음.

클로디우스 〔Clodius, Publius〕 [명] 〖사람〗 로마의 정치가. 호민관이 되어 정적 키케로를 추방함. 폼페이우스에게 적대하다가 그의 부하 밀로(Milo, Titus Annius; ?-48 B.C.)에 의하여 암살당함. [93?-52 B.C.]

클로라닐 〔chloranil〕 [명] 〖화〗 황색의 엽상물(葉狀物). 녹는점 290°C. 유기 용제(有機溶劑)에 녹으며, 페놀(phenol)의 염소산 칼륨·염산 처리에 의하여 만들어짐. 농업용 살균제(殺菌劑)·산화제(酸化劑)·물감 제조 등에 쓰임. [$C_6Cl_4O_2$]

클로라민 〔chloramine〕 [명] 〖화〗 ①암모니아에 하이포아염소산(hypo 亞塩素酸) 나트륨을 작용시켜 만드는 백색 결정성의 가루. 물·에테르·알코올에 녹으며, 물에 녹여 소독약으로 씀. ②클로라민 티.

클로라민 티: 〔chloramine T〕 [명] 〖화〗 백색 결정성의 가루. 물이나 알코올에 잘 녹으며, 무수물(無水物)을 모세관 속에서 열(熱)하면 175-180°C에서 폭발적으로 분해함. 강한 산화제, 살균 소독에 외과적(外科的)으로 쓰이며, 사진 감광막(感光膜) 중의 정착액(定着液)을 없애는 데도 쓰임. 상품명임. 클로라민. [$CH_3C_6H_4SO_2NClNa \cdot 3H_2O$]

클로라이드 인화지 【一印畫紙】 [명] 〔chloride paper〕 염화은 유제(塩化銀乳劑)를 바른 인화지. 밀착(密着) 인화지 또는 느린 속도의 확대용 인화지로 쓰임.

클로랄 〔chloral〕 [명] 〖화〗 에틸 알코올(ethyl alcohol)에 염소(塩素)를 작용시켜 이를 산화한 다음 다시 염소화(塩素化)하여 만드는 자극성 냄새가 있는 무색의 유상(油狀) 액체. 끓는점 97°C. D.D.T.의 제조 원료, 분석 시약으로 쓰이며, 물과 화합시켜 최면 진정제인 포수 클로랄(抱水 chloral)을 만듦. [CCl_3CHO]

클로랄라아제 〔도 Chloralase〕 [명] 〖화〗 무색의 수용성(水溶性) 결정. 녹는점 185°C. 클로랄과 우선성(右旋性) 포도당을 가열하여 만듦. 수면제로 쓰임. [$C_8H_{11}Cl_3O_6$]

클로람페니콜 〔chloramphenicol〕 [명] 〖약〗 항생 물질의 하나. 방선균(放線菌)의 일종인 *Streptomyces venezuela*에 의해 생성됨. 현재는 공업적 합성법(工業的合成法)도 있음. 특히, 그람 음성균(陰性菌) 감염증에 대하여 응용 가치가 높음. 상품명은 '클로로마이세틴(Chloromycetin)'임. [$C_{11}H_{12}Cl_2N_2O_5$]

클로렌드-산 【一酸】 [명] 〔chlorendic acid〕 〖화〗 백색의 작은 결정. 내염성(耐炎性) 폴리에스테르 수지(樹脂)·물감·살균제(殺菌劑)·살충제의 중간체로 쓰임. [$C_9H_4Cl_6O_4$]

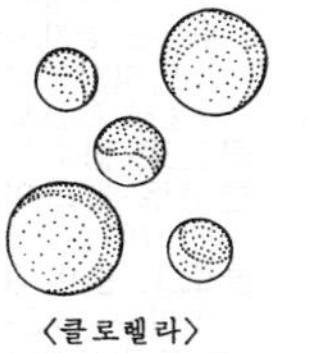
〈클로렐라〉

클로렐라 〔chlorella〕 [명] 〖식〗 담수(淡水)에서 나는 단세포의 녹조(綠藻). 직경 3-6미크론. 공중 질소를 고정하여 단백질을 만들며, 그 단백질은 필수 아미노산 12종을 함유하고 있어 식물(植物) 단백질을 이용하여 대량 배양(培養)에 의한 식량화(食糧化)의 연구가 성함. 또, 인공 배양으로 쉽게 번식하므로 가축 사료(飼料)·화장품·식품·오수 정화(汚水淨化) 등에 이용됨.

클로로- 〔chloro-〕 [부] 〖화〗 수소와 치환(置換)한 염소(塩素) 원자를 가진 유기 화합물을 나타내는 말.

클로로-금산 【一金酸】 [명] 〔chloroauric acid〕 〖화〗 염화 금산(塩化金酸).

클로로-나프탈렌 〔chloronaphthalene〕 [명] 〖화〗 나프탈렌의 일염소 치환 화합물(一塩素置換化合物). 유기 합성·가솔린에 첨가하여 엔진 밸브의 윤활제에 쓰임. [$C_{10}H_7Cl$]

클로로-다인 〔chlorodyne〕 [명] 〖약〗 마취제(痲醉劑)·진통제(鎭痛劑)의 하나. 클로로포름에 아편(阿片)을 작용시켜 만듦.

클로로-마이세틴 〔Chloromycetin〕 [명] 〖약〗 〔미국 Park Davis 회사에서 만든 클로람페니콜의 상품명〕 1948년 베네수엘라의 토양 중에서 분리한 방선균(放線菌)의 배양액으로부터 처음으로 분리된 항생 물질. 화학적으로도 합성할 수 있으며, 항생 물질 중에서 합성에 성공한 최초의 것임. 백색의 판상(板狀) 또는 침상(針狀)의 결정으로, 쓴 맛이 있음. 티푸스·파라티푸스에 대한 특효약이며, 그 밖에 세균성 이질·궤양성(潰瘍性) 대장염·백일해·리케차병이나 발진티푸스 등의 리케차 질환, 제4 성병 등의 일부, 바이러스 질환에도 유효함.

클로로모나스-목 【一目】 [명] 〖동〗 〔Chloromonadia〕 식물성 편모충류(植物性鞭毛蟲類)에 속하는 한 목(目). 편평하고 녹색 또는 무색의 편모충들이 이에 속함. 녹색(綠色) 모나스류(類).

클로로-백금산 【一白金酸】 [명] 〔chloroplatinic acid〕 〖화〗 염화(塩化) 백금산.

클로로-벤젠 〔chlorobenzene〕 [명] 〖화〗 벤젠을 염소화(塩素化)한 무색 액체. 철촉매(鐵觸媒)로써 벤젠을 염소 가스와 반응시켜 만듦. 페놀·아닐린 등 합성 염료(合成染料)의 중간체, D.D.T. 등의 원료, 유기 용제(有機溶劑) 등으로 쓰임. [C_6H_5Cl]

클로로브로마이드-지 【一紙】 [명] 〔chlorobromide paper〕 〖화〗 가스라이트지(gas-light紙)에 쓰는 염화은(塩化銀) 유제(乳劑)와 브로마이드지에 쓰는 브롬화은(Brom 化銀) 유제를 혼합하여 바른 사진 인화지.

클로로술폰-산 【一酸】 [명] 〔chlorosulfonic acid〕 〖화〗 발연성(發煙性) 액체. 수중(水中)에서 황산과 염산으로 분해하며, 제약·농약·물감·화학 중간체에 쓰임. [HSO_3Cl]

클로로-아세톤 〔chloroacetone〕 [명] 〖화〗 자극성의 무색 액체. 군용 최루(軍用催淚) 가스, 유기 합성에 쓰임. [CH_3COCH_2Cl]

클로:로 아세트산 【一酸】 [명] 〔chloroacetic acid〕 〖화〗 모노(mono) 클로로 아세트산($CH_2ClCOOH$)·디(di) 클로로 아세트산($CHCl_2COOH$)·트리(tri) 클로로 아세트산(CCl_3COOH)의 총칭. 모노클로로 아세트산은 무색의 결정인데, 수용액(水溶液)은 아세트산보다 강한 산이고, 디클로로 아세트산은 무색의 액체 또는 고체로 모노클로로 아세트산에 다시 염소(塩素)를 치환(置換)할 때 생김. 트리클로로 아세트산은 무색의 결정(結晶)으로서 디클로로 아세트산에 새로 염소를 치환하거나 클로랄(chloral)을 질산(窒酸)으로 산화(酸化)하면 생성됨.

클로로에탄 〔chloroethane〕 [명] 〖화〗 염화(塩化) 에틸.

클로로퀸 〔chloroquine〕 [명] 〖약〗 말라리아 치료제의 하나. 제2차 세계 대전 중에 합성되었음. *인산(燐酸) 클로로퀸.

클로로-테트라사이클린 〔chlorotetracycline〕 [명] 〖생〗 황색 결정성의 항생 물질. 스트렙토미세스의 일종인 *Streptomyces aureofaciens*에 의하여 만들어지며, 널리 효과가 인정되고 있음. 상품명은 오레오마이신. [$C_{22}H_{23}O_8N_2Cl$]

클로로트리플루오로에틸렌 중합체 【一重合體】 [명] 〔chlorotrifluoroethylene polymer〕 〖화〗 무색·불연성(不燃性)·고충격 강도(高衝擊強度)의 내열성(耐熱性) 수지. 거의 모든 유기 용제(有機溶劑)에 녹지 않으며, 투명한 충전물(充塡物)이나 얇은 막(膜)을 만들 수 있음. 화학 배관(配管)·부속품, 전선·케이블의 절연재·전자(電子) 부품으로 쓰임.

클로로-티몰 〔chlorothimol〕 [명] 〖화〗 백색의 결정(結晶). 녹는점 59-61°C. 벤젠·알코올에는 녹으나 물에는 녹지 않음. 살균제(殺菌劑)에 쓰임. [$CH_3C_6H_2(OH)(C_3H_7)Cl$]

클로로-티오나이트 〔chlorothionite〕 [명] 〖광〗 밝은 청색의 2차 광물. 황산 염화 칼륨(黃酸塩化 kalium) 구리로 되어 있음. 이탈리아의 베주비오 화산(Vesuvio 火山)에서 발견됨. [$K_2Cu(SO_4)Cl_2$]

클로로-포름 [chloroform] 명 『화』 표백분을 알코올과 함께 증류하거나 클로랄을 수산화 칼륨과 함께 증류(蒸溜)하여 만드는 무색의 맑은 휘발성 액체. 마취 작용을 하는 극약임. 마취제·진정제·도찰료(塗擦料) 등의 의약품, 플루오르 수지(Fluor樹脂)·프레온(Freon) 등의 제조 원료, 분석 시약, 용제(溶劑)·천연물 등의 추출 분리제(抽出分離劑) 등으로 널리 쓰임. [$CHCl_3$]

클로로-프렌 [chloroprene] 명 『화』 부타디엔의 염소화물. 무색의 휘발성 액체. 물에는 녹지 않으나 많은 유기용제(有機溶劑)에 녹음. 내유성(耐油性)의 합성 고무 제조 원료로 쓰임. [C_4H_5Cl]

클로로프렌-고무 명 [chloroprene-rubber] 클로로프렌을 중합(重合)하여 만드는 합성 고무. 상품명은 네오프렌(Neoprene).

클로로-피크린 [chloropicrin] 명 『화』 피크린산에 염소(塩素)를 작용시켜서 만드는 무색의 단냄새를 내는 휘발성 액체. 증기(蒸氣)는 폐를 강하게 자극하며, 구역질·기침·눈물이 나게 함. 급히 가열하면 폭발함. 상온(常溫)에서는 무색 액체로서 끓는점 113℃, 비중(比重) 1.66, 증기는 공기보다 5.5배 무거움. 1차 세계 대전 때 포스겐(phosgen)과 함께 질식 가스로 사용되기도 했고, 토양의 훈증 소독제(燻蒸消毒劑)·살충제(殺蟲劑) 등으로 널리 쓰임. 염화(塩化) 피크린. [CCl_3NO_2]

클로로-필 [chlorophyll] 명 『식』 엽록소(葉綠素).

클로로-필라아제 [chlorophyllase] 명 『생』 클로로필을 가수 분해 또는 개열(開裂)하는 효소.

클로로-필린 [chlorophyllin] 명 클로로필의 알칼리 분해 산물로, 일종의 비누. 세균에 대하여 어느 정도 직접 살균 작용을 갖고 있으며, 또 그 구조가 혈구소(血球素)와 비슷하므로 조혈제(造血劑)로서도 사용됨. 조직 세포를 성장 촉진하는 작용이 있으며 상처를 깨끗이 하고 표피(表皮)의 형성을 촉진시킴.

클로로필 비: [chlorophyll b] 명 『화』 엽록소(葉綠色)의 하나. 클로로필 에이와 많이 닮은 에스테르로 $-CH_3$ 대신 $-CHO$를 치환기(置換基)로 가짐. 모든 녹색 식물(綠色植物) 및 녹조(綠藻)에 소량(少量)으로 존재함. [$C_{55}H_{70}MgN_4O_6$]

클로로필 에이 [chlorophyll a] 명 『화』 엽록소의 하나. 세균을 제외한 모든 광합성(光合成) 생물 및 조류(藻類)에 존재함. 분자량 893.5, 녹는점 117°-120°C. 미국의 유기 화학자 우드워드(Woodward, R.B.)에 의하여 전합성(全合成)이 이루어지고 있음. [$C_{55}H_{72}MgN_4O_5$]

클로로-히드린 [chlorohydrin] 명 『화』 사슬 모양 탄화 수소의 수소 원자를 염소 원자 및 수산기(水酸基)로 치환(置換)한 화합물의 총칭. 가수 분해하면 글리콜을 얻게 됨.

클로록시파이트 [chloroxiphite] 명 『광』 칙칙한 올리브색 또는 담황록색의 광물. 납과 구리의 염기성 염화물(塩基性塩化物)로 이루어짐. 영국의 멘딥힐스(Mendip Hills)에서 산출함. [$Pb_3CuCl_2(OH)_2O_2$]

클로:르 [도 Chlor] 명 염소(塩素).

클로르데인 [chlordane] 명 『화』 염소계(塩素系) 살충제. 순품(純品)은 담황색(淡黃色)의 액체, 공업 제품은 암갈색(暗褐色)의 차진 액체임. 다소 지효적(遲效的)이나 광범위한 해충에 유효함. [$C_{10}H_6Cl_8$]

클로:르 석회 【一石灰】 [도 Chlor] 명 『화』 표백분(漂白粉).

클로:르-에틸 [도 Chlorethyl] 명 『화』 염화(塩化) 에틸.

클로:르-칼륨 [도 Chlorkalium] 명 『화』 염화 칼륨(塩化 kalium).

클로:르-칼리 [도 Chlorkali] 명 『화』 염화 칼륨(塩化 kalium).

클로:르-칼크 [도 Chlorkalk] 명 『화』 표백분(漂白粉).

클로:르-프로마진 [Chlorpromazine] 명 『약』 동면(冬眠) 마취제의 상품명. 조울증(躁鬱症)이나 정신 분열증(精神分裂症)의 치료, 소화기 궤양(潰瘍)이나 본태성(本態性) 고혈압 따위에도 정신 안정제(安靜劑)로서 쓰임. [$C_{17}H_{19}N_2ClS$]

클로리네이션 [chlorination] 명 직물의 특수 가공법의 하나. 양모 제품을 표백분·하이포아염소산(hypo 亞塩素酸) 소다 등의 묽은 용액으로 처리하는 일. 축융성(縮絨性) 감소·광택 증가·물감에 대한 친화력 증진 등의 효과를 냄.

클로리토이드 [chloritoid] 명 『광』 운모와 같은 모양의 광물로, 단사 정계(單斜晶系)와 삼사(三斜) 정계로 이루어진 회색 내지 녹색의 약한 다색성 결정(多色性結晶).

클로미펜 [clomiphene] 명 『약』 미국에서 개발된 여성의 배란(排卵)을 유발하는 약. 뇌하 수체에 작용하여 난소(卵巢)의 배란을 촉진시키는 호르몬을 방출시키는 작용이 있음. 배란의 장애에 의한 불임증의 치료에 적용됨.

클로:버 [clover] 명 ①『식』 [*Trifolium repens*] 콩과에 속하는 다년초. 줄기는 땅 위로 벋고, 잎은 호생함. 길이 30-60cm의 잎꼭지 끝에 소엽(小葉)이 보통 세 개, 때로 4-5개, 7-8개가 붙는데 장상(掌狀)임. 여름에 백색 꽃이 긴 화경(花梗) 끝에 나비 모양으로 핌. 유럽 원산으로 양지 바른 땅·공원·들·정원 등지에 심음. 목초(牧草)·녹비용(綠肥用)임. 화란 자운영(和蘭紫雲英). 토끼풀. ②카드 패의 하나인 '클럽'을 잘못 일컫는 말.

〈클로버❶〉

클로비스 일세 【一一世】 [Clovis Ⅰ] [一쎄] 명 『사람』 프랑크 왕국의 초대왕. 메로빙거 왕조(Merovinger 王朝)의 시조(始祖). 인근(隣近)의 제후(諸侯)를 정복, 통일을 이룩하고 도읍을 파리에 정함. 기독교로 개종하고 로마 문화를 이입(移入)하였음. [465?-511; 재위 481-511]

클로:스 [cloth] 명 ①직물(織物). 복지(服地). 모직물. ②테이블 클로스와 같은 피복포(被覆布)의 총칭(總稱). ③책의 장정(裝幀)에 쓰이는 헝겊.

클로:시 [프 cloche] 명 [종(鐘)의 뜻] 클라운(clown)이 높고 브림(brim)이 아래를 향한 종 모양의 여성용 모자.

클로:즈 [clause] 명 『언』 절(節).

클로:즈 게임 [close game] 명 운동 경기에서, 서로 실력이 백중한 접전(接戰). 백열전(白熱戰).

클로:즈드 모:기지 [closed mortgage] 명 『경』 클로즈드 엔드 모기지.

클로:즈드 숍 [closed shop] 명 전종업원이 단일 조합에 가입하여 사용자가 조합원 이외의 노동자를 고용할 수 없는 제도. 또, 그러한 공장. 조합을 탈퇴(脫退)하거나 제명(除名)된 자는 사용자가 해고(解雇)시키지 않으면 안 되게 되어 있음. 봉쇄 공장(封鎖工場). ↔오픈 숍(open shop). *유니온 숍.

클로:즈드 스탠스 [closed stance] 명 골프·야구 등에서, 타구 방향 쪽, 즉 보통 왼쪽 다리보다 다른 쪽의 다리를 뒤로 끌고, 비스듬히 선 모양의 스탠스. ↔오픈 스탠스.

클로:즈드 엔드 모:기지 [closed end mortgage] 명 『경』 담보부 사채(擔保付社債) 발행 방식의 하나. 한 번 담보부 사채를 발행하면, 동일 담보에 대해 그 채권 이외의 다른 채권은 동일 순위의 담보권으로 발행할 수 없는 방식.

클로:즈-업 [close-up] 명 ①『연』 영화에서 대상의 일부, 특히 인물의 상반신(上半身) 같은 것을 화면(畫面)에 크게 나타내는 일. 대사(大寫). ↔롱 숏(long shot). ②어떤 일을 크게 취급하는 일. 일약(一躍) 주목을 받게 되는 일. ¶ ~되다. ——하다 타여불

클로:크 [cloak] 명 ①소매가 없는 외투. ②↗클로크룸(cloakroom).

클로:크-룸 [cloakroom] 명 극장·호텔·클럽 등의 휴대품(携帶品)을 맡아 두는 곳. 준클로크.

클론: [clone] 명 『생』 ①단일 세포 또는 개체에서 유성(有性) 생식을 거치지 않고 생긴 세포나 개체의 집단. ②배양(培養) 등에서, 하나의 세포에서 증식(增殖)한 같은 유전적 형질을 가진 세포 집단. 분지계(分枝系). 영양계(營養系).

클론다이크 [Klondike] 명 『지』 캐나다 북서쪽 끝에 있는 유콘 강(Yukoon江) 지류인 클론다이크 강 유역 지방. 세계적인 사금(砂金) 산지였으나 1900년 이후 크게 쇠퇴하였음. 중심 도시는 도슨(Dawson).

클론: 동:물 【一動物】 [clone] 명 『생』 같은 유전 형질을 가진 개체군(個體群). 핵(核)을 제거한 미수정란(未受精卵)에 같은 종의 다른 동물의 세포핵을 넣어 난관(卵管) 등에서 발육시켜 태어나게 한 동물. 1997년 세계 최초로 영국에서 클론 양(羊) 돌리(Dolly)를, 이 양에서 인간의 혈액 응고 인자 유전자를 가진 새끼 양 폴리(Polly)를, 98년에는 일본에서 체세포(體細胞)를 이용한 클론 소를 탄생시키는 등 세계적으로 클론 동물을 만드는 연구가 활발히 진행되고 있음. 특히 1997년 영장류(靈長類)인 클론 원숭이를 탄생시킨 일은 클론 인간의 탄생과 관련하여 윤리적인 문제 등으로 많은 논란을 불러일으키고 있음. 복제 동물.

클론: 선택설 【一選擇說】 [clone] 명 『생』 면역 이론의 하나. 생체(生體) 안에는 개개의 항원(抗原)에 대응하는 항체(抗體)를 전문적으로 만드는 세포군이 선천적으로 있어, 항원에 대응하는 클론이 선택적으로 자극됨으로써 항체를 만든다는 학설.

클론: 인간 【一人間】 [clone] 명 『생』 단일 개체에서 클론 동물과 같은 방법으로 만들어지는 인간. 부모와 똑같은 유전 형질을 가지며, 윤리적 문제와 일란성 다생아(一卵性多生兒)가 태어날 수 있다는 점에서 많은 물의를 일으키고 있음. 복제 인간.

클롭슈토크 [Klopstock, Friedrich Gottlieb] 명 『사람』 독일의 시인. 덴마크 왕 초청으로 코펜하겐에서 오래 삶. 장편 서사시 《구세주》 외에 조국애·우정을 노래한 격조 높은 서정시가 있으며, 그리스풍의 시형(詩形)과 자유로운 어법(語法)을 시도하여 근대 문학, 특히 감상 문학(感傷文學)의 대표적인 시인으로 일컬어짐. [1724-1803]

클루그 [Klug, Aaron] 명 『사람』 영국의 분자 생물학자. 바이러스나 염색체의 구조 해석에 공헌한 업적으로 1982년 노벨 화학상을 받음. [1926-]

클루섹 [clusec] 의명 『기』 진공 펌프의 배기 동력(排氣動力)을 측정하는 동력의 단위. 1밀리토르(millitorr)의 압력으로 배초 1센티리터의 배기 동력. 약 1.333×10^{-6} 와트(W)와 같음.

클루에 [Clouet] 명 『사람』 ①[Jean C.] 프랑스의 궁정 화가. 정세(精細)한 관찰에 의한 전아(典雅)한 초상화를 많이 그림. 대표작에 《프랑수아 1세 상(像)》 등이 있음. [1485?-1545] ②[François C.] 프랑스의 화가. ❶의 아들. 파리 태생. 아버지와 함께 주로 궁정 화가로서 활약하였으며 초상화를 주로 그렸는데, 냉정하고 정밀한 객관적 묘사가 특징임. [1510?-72?]

클루조 [Clouzot, Henry George] 명 『사람』 프랑스의 영화 감독. 성격 묘사와 분위기 조성의 제1인자로 박력이 있으며, 《정부(情婦) 마농(Manon)》·《공포의 보수》 등이 알려짐. [1907-77]

클루:지 [Cluj] 명 『지』 루마니아 북서부에 위치한 이 나라 제2의 도시. 농업 지대의 중심으로, 피혁·고무·자동차·직물·담배 공업이 행하여지고 관광지로도 알려짐. [328,008명(1992)]

클루타임네스트라 [Klutaimnestra] 명 『신』 라케다이몬 왕(Lakedaimon王)의 딸. 미케네왕(Mycenae王) 아가멤논(Agamemnon)의 왕비. 남편과 트로이 원정중 아이기스토스(Aigisthos)와 통정하고 10년 만에 개선한 남편과 포로인 왕녀 카산드라(Kassandra)를 살해함. 후에 자기 아들 오레스테스(Orestes)에게 살해당함.

클뤼이탕스 [Cluytens, André] 명 『사람』 벨기에 출신의 프랑스 지휘자. 오페라·코믹 음악 감독을 거쳐, 1949년 이후 파리 음악원 관현악단의 상임(常任) 지휘자로 근무했음. [1905-67]

클류쳅스카야 산 【一山】 명 [Klyuchevskaya Sopka] 『지』 캄차카 반도의 활화산(活火山). 그 이름 'Sopka(원추형의 산)'가 뜻하듯이 산세(山勢)가 아름다움. 과거 260년 동안에 52회 분화(噴火)함. [4,750m]

클리:너 〔cleaner〕 명 ①↗배큐엄 클리너. ②얼룩진 것들을 빼는 액체. 때지우개. ③레코드판의 먼지를 터는 솔. ④↗윈도 클리너.

클리노-미터 〔clinometer〕 명 지층의 주향(走向)이나 경사각(傾斜角) 등을 측정하는 데 쓰이는 기구. 수준기(水準器)에 분도호(分度孤)를 부속시키고 호(孤)의 중심에는 포관(泡管) 및 이것과 함께 움직이는 유표(遊標)와 이것을 움직이는 소륜(小輪)을 갖춘 것으로, 측량용(測量用)·지질용(地質用)·항공용(航空用)으로 쓰임. 경사계(傾斜計). 경사의(傾斜儀). 측사기(測斜器). 경선의(徑線儀).

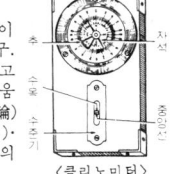

〈클리노미터〉

클리노키네시스 〔klinokinesis〕 명 〖생〗 단세포 생물 및 동물이 전진 운동중에 일으키는 방향 전환의 빈도(頻度) 또는 비율이, 자극의 강도(強度)에 의존하는 무정위 운동성(無定位運動性). 변향(變向) 무정위 운동성. 경동성(驚動性).

클리닉 〔clinic〕 명 ①임상 강의(臨床講義). ②진찰실(診察室).

클리:닝 〔cleaning〕 명 ①세탁. ②드라이 클리닝(dry cleaning). ——-하다 타여불

클리도노-그래프 〔klydonograph〕 명 〖공〗 전력 회선(電力回線)에 부착하여, 번개의 전기 특성을 평가하는 데 쓰이는 장치. 번개에 의하여 생긴 서지(surge) 전압이 사진 필름 위에 그리는 상(像)을 이용함.

클리:블랜드[1] 〔Cleveland〕 명 〖지〗 미국 오하이오 주(Ohio州) 최대의 상공업 도시. 이리 호(Erie湖) 남안의 항구 도시로 철도의 요지(要地)이기도 함. 제철·제유(製油)·기계·자동차·목공품 등의 공업이 행하여짐. 〔505,616 명 (1990)〕

클리:블랜드[2] 〔Cleveland, Stephen Grover〕 명 〖사람〗 미국의 정치가. 제 22·24 대 대통령. 남북전쟁 초기 민주당 대통령. 베네수엘라 국경 분쟁에서는 먼로주의(Monroe Doctrine)를 원용(援用)하여 대영(對英) 강경책을 씀. 〔1837-1908〕

클리:블랜드 재벌 【一財閥】 〔Cleveland〕 명 시카고 재벌처럼 오대호(五大湖) 주변 상공업 지대에 형성된 미국의 지방적 기업 집단. 10여 개의 금융 기관·철강·기계 등 50여 개의 기업을 지배하고 있음.

클리스테네스 〔Clisthenes〕 명 〖사람〗 '클레이스테네스(Kleisthenes)'의 라틴어명.

클리스티:르 〔도 Klistier〕 명 관장(灌腸).

클리어 래커 〔clear lacquer〕 명 투명(透明) 래커. 투명한 도장제(塗裝劑)로, 나뭇결을 살릴 수 있으므로 가구·판자벽(板子壁)·바닥 등에 쓰임. 색(色) 래커는 이것에 안료(顔料)를 섞은 것임.

클리어런스 〔clearance〕 명 ①축구에서, 자기편 골 앞의 공을 멀리 차내어 위태한 경우를 면하는 일. ②〖의〗 신장(腎臟)을 흐르고 있는 혈액의 몇 cc에 해당하는 성분이 매분간(每分間) 오줌 속에 배설되는가를 나타내는 값. 정화치(淨化値). ③통관(通關). ④이륙 허가(離陸許可).

클리어런스 세일 〔clearance sale〕 명 재고 정리를 위한 판매. 떨이로 팖.

클리어-스토:리 〔clearstory〕 명 〖건〗 〔밝은 계단이란 뜻〕 지붕 밑에 한층 높게 하여 창을 내어서 채광(採光)하도록 된 장치. 본래, 중세 교회에서 유래하고 공장·학교 등에 쓰이게 됨.

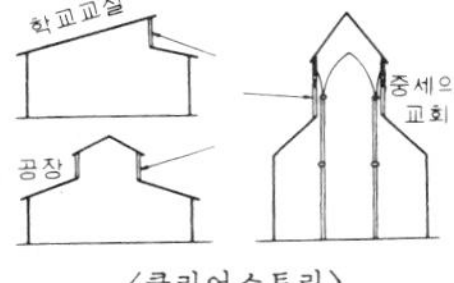

〈클리어스토리〉

클리엔테스 〔clientes〕 명 〖역〗 로마 최고기(最古期) 귀족과 평민이 대립했던 시대의 예속민. 보호자인 귀족과는 신의(信義) 관계에 있어, 각종 봉사 의무를 졌음.

클리칭 〔Klitzing, Klaus von〕 명 〖사람〗 독일의 응용 물리학자·고체물리학자. '홀(Hall)효과에 있어서의 양자(量子) 역학적 성질'을 발견한 업적으로 1985 년, 노벨 물리학상을 받음. 〔1943- 〕

클리:크 〔cleek〕 명 공을 때리는 면이 쇠로 되어 있으며 폭이 좁고 긴 골프 채.

클리토리스 〔clitoris〕 명 〖생〗 음핵(陰核).

클리:트 〔cleat〕 명 ①방 안에 전선을 부설(敷設)하는 경우에 전선을 눌러 고정시키는 기구. 사기나 에보나이트로 만듦. ②로프(rope)를 감아서 고정시키기 위하여 배의 내현(內舷)이나 마스트(mast)에 고정시킨 쇠나 나무로 만든 물건. 삭이(索耳).

클리퍼 〔clipper〕 명 1830년경부터 기선이 발달하기까지 세계적으로 활약한 쾌속 범선(快速帆船).

클리페 〔Klippe〕 명 〖지〗 데켄 구조(Decken構造)를 이룬 지역에서, 새 지층 위를 덮은 암체(岩體) 상부가 침식(浸蝕)으로 깎여, 그 일부가 고립되어 버섯 모양으로 된 산.

클릭 〔click〕 명 〖컴퓨터〗 마우스의 단추를 누르는 일. ¶ 마우스를 ～하다 / 아이콘을 ～하면 명령이나 프로그램이 실행된다. ——-하다 타여불

클린: 론: 〔clean loan〕 명 〖경〗 ①외국환 은행이 부족 자금을 외국 은행으로부터 무담보의 단명(單名) 어음으로 차입하는 일. ②외국 은행에 환거래의 뒷받침이 없는 자금을 대부하는 일.

클린 룸: 〔clean room〕 명 먼지가 거의 없다시피 한 깨끗한 방. 청정실(淸淨室).

클린: 빌 〔clean bill〕 명 〖경〗 주로, 외국환(外國換)에서 선적 서류가 첨부되어 있지 않은 환어음을 말함. 어음 양도에 담보 화물이 없으므로, 달리 충분한 담보가 있든가 신용장의 발행이 없으면 은행에서는 매입하지 않음. 무담보(無擔保) 환어음.

클린: 산업 【一産業】 〔clean〕 명 공기·물 등을 정화하는 장치 및 관련 장치를 제조하는 산업. 첨단 기술의 발달로 각종 부품이 초소형화됨에 따라 공기나 용수 중의 먼지·세균의 존재가 품질에 영향을 미치게 되어 발달한 산업.

클린: 신:용장 【一信用狀】 〔clean〕 〔一짱〕 명 〖경〗 수출입 관계 이외의 목적으로 발행되는 신용장. 여행 신용장 같은 것. ↔상업 신용장.

클린: 십 〔clean ship〕 명 원유·중유(重油)는 운반하지 않고, 정제(精製) 경유 제품만을 운반하는 유조선.

클린:-업 〔cleanup〕 명 야구에서, 장타(長打)를 쳐서 주자(走者)를 일소하는 일. ——-하다 자타여불

클린:업 트리오 〔cleanup trio〕 명 야구에서, 클린업하는 율이 많은 3번·4번·5번의 강타자(強打者).

클린: 에너지 〔clean energy〕 명 공해(公害) 물질을 방출하지 않는 깨끗한 에너지. 수력 발전·태양열 등의 에너지 자원을 비롯하여 수소(水素)·천연 가스 등이 있음.

클린치 〔clinch〕 명 권투에서, 상대편의 공격을 피하기 위하여 껴안는 일. ¶ ～ 작전. ——-하다 자여불

클린턴 〔Clinton, Bill〕 명 〖사람〗 미국의 정치가. 미국의 제 42 대 대통령. 원명은 William Jefferson Blythe Ⅳ. 대학 교수·아칸소 주 검찰총장·아칸소 주지사(州知事)를 거쳐 1992 년 민주당 대통령 후보로 현역의 부시 공화당 후보를 물리치고 제 42 대 대통령으로 당선되었고, 96 년 재선에 성공함. 〔1946- 〕

클린:-프린트 〔cleanprint〕 명 〖인쇄〗 〔손이 더러워지지 않는 인쇄라는 뜻〕 최근에 개발된 인쇄 방식으로, 특수지에 금속질 수성 잉크를 쓰는 인쇄. 종래의 인쇄기를 사용할 수 있으며 건조가 빠르고 선명하며 유해 물질을 포함하고 있지 않는 따위의 특색이 있음.

클린: 핸드 〔clean hand〕 명 〖법〗 '에퀴티(equity; 형평법 재판소)에 오는 자는 깨끗한 손으로 옴을 요한다'라는 영국 형평법상(衡平法上)의 법언(法諺). 스스로 부도덕한 행위를 주장하는 자에게는 법원(法院)은 구제를 하지 않는다는 원칙.

클린: 히트 〔clean hit〕 명 야구에서, 깨끗한 안타(安打). ¶ ～를 날리다.

클립 〔clip〕 명 ①탄력이나 나선(螺旋)을 이용하여 종이나 서장(書狀) 같은 것을 끼워 두는 기구. ¶ ～을 끼우다. ②만년필·샤프 펜슬(sharp pencil) 등에 달려 있는 양복 주머니에 끼우는 쇠. ③여자들이 머리에 웨이브를 만들기 위하여 머리를 감는 기구.

클링거[1] 〔Klinger, Friedrich Maximilian von〕 명 〖사람〗 독일의 작가. 그의 정열적인 희곡(戲曲) ≪슈트룸 운트 드랑(Strum und Drang)≫은 당시의 문예 사조의 명칭이 되었음. 〔1752-1831〕

클링거[2] 〔Klinger, Max〕 명 〖사람〗 독일의 조각가·화가. 회화(繪畫)에서 조각으로 전환하여 ≪베토벤의 좌상(坐像)≫·≪니체의 목≫ 등을 제작함. 회화에는 ≪파리스(Paris)의 심판≫·≪피에타(Pietà)≫ 등이 있음. 〔1857-1920〕

클링커[1] 〔clinker〕 명 ①철재(鐵滓). ②점토와 석회석 등을 혼합하여 가열한 덩어리. 여기에 석고를 섞고 부수어서 시멘트를 만듦. 소괴(燒塊). ③석탄을 연소시킨 후의 석탄 찌끼가 녹아서 결합한 것. ④용광로 속에 생기는 불용성(不熔性) 덩어리. 광재(鑛滓).

클링커[2] 〔도 Klinker〕 명 등산화(登山靴)의 바닥에 박는 징의 하나.

클-마니 명 〈방〉 할머니(평북).

클-어미 명 〈방〉 할머니.

큼지막-이 명 큼지막하게.

큼지막-하다 형여불 꽤 큼직하다.

큼직-이 부 큼직하게.

큼직-큼직 부 여럿이 모두 큼직한 모양. ¶ ～한 돌덩이. ——-하다 형여불

큼직-하다 형여불 꽤 크다. ¶ 큼직한 광고를 내다/큼직한 항아리.

킁킁 부 병이나 버릇으로 숨을 콧구멍으로 힘을 주어 띄엄띄엄 계속해서 내쉬는 소리. ——-하다 자여불

킁킁-거리다 자 계속해서 킁킁하다. ¶ 킁킁거리며 냄새를 맡다.

킁킁-대다 자 킁킁거리다.

킁킁-이 명 킁킁하는 소리를 섞어서 말을 하는 사람의 별명.

킈 명 〈옛〉 키. 신장(身長). ¶ 킈 젹도 크도 아니ᄒᆞ고 ≪月釋 Ⅰ:26≫/킈쟈글 좌(矬), 킈쟈글 애(矮) ≪字會 上 30≫.

키[1] 명 〔중세 : 킈〕 ①생물의 선 몸의 길이. 신장(身長). 체고(體高). 몸높이. ¶ ～를 대 보다. ②선 물건의 높이.

〔키는 작아도 담은 크다〕 키 작고 용감한 사람을 추기거나 칭찬하는 말. 〔키 작으면 앙큼하고 담대하다〕 키 작은 사람을 조롱하는 말. 〔키 크고 묽지 않은 놈 없다〕 키 큰 사람의 행동이 치밀하지 못함을 이르는 말. 〔키 크고 속 없다〕 키 큰 사람을 조롱하는 말. 〔키 크고 싱겁지 않은 사람 없다〕 키 큰 사람의 행동은 멋없이 보인다는 말. 〔키 큰 놈의 집에 내려 먹을 것 없다〕 키 작은 사람이 키 큰 사람의 집에 가서, 먹을 것이 없다고 할 때 쓰는 말. 〔키 큰 암소 똥누듯 한다〕 동작이 어설프게 보임을 조롱하는 말.

키[2] 명 〔중세 : 키〕 곡식 등을 까불러 고르는 기구. 앞은 넓고 평평하고 뒤는 좁고 우긋하게 고리버들 같은 것으로 결어 만듦. ¶ ～로 까불다.

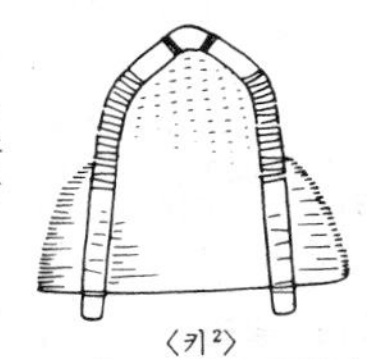
〈키²〉

키를 쓰다 구 사내 아이가 밤에 잠자다 오줌을 쌌을 때, 그 벌로 이튿날 아침에 머리에 키를 뒤집어 쓰고, 이웃집으로 소금을 얻으러 다니다.

키[3] 명 배의 방향을 조절하는 기구. 직각 삼각형의 큰 널조각을 자루를 달아 고물에 박고 아래의 주걱 모양의 넓은 쪽은 모제비로 물 속에 들어가게 하여 자루를 틀어 방향을 조절함. ¶ ～를 잡다. *방향타.

키:[4] 〔key〕 명 ①열쇠. ②어떤 문제를 해결할 수 있는 열쇠. 관건(關鍵). ¶ ～ 포인트. ③피아노·오르간 등의 음을 내기 위하여 손가락으로 누르는 부분. 건반(鍵盤). ④타이프라이터의 손가락으로 치는 글자판. ⑤기계의 회전 부분에서 회전체와 축(軸)과를 고정시키기 위하여 양자

사이에 삽입된 막대기 모양의 철편(鐵片). ⑥전화 또는 전신에서 하나의 회선(回線)을 용이하게 다른 회선에 접속시키거나 이것을 복구시키는 데 쓰는 기계.

키:[5] 〔Key, V.O. Jr.〕 명 〖사람〗 미국의 정치학자. 하버드 대학 교수. 미국 정당 정치의 연구로 저명함. 실증적(實證的)·기술적(記述的)인 학풍이 있음. 저서에 ≪정치·정당·압력단체(壓力團體)≫·≪남부의 정치≫·≪미국 주(州)정치 서설(序說)≫·≪여론(輿論)과 미국 민주 정치≫ 등이 있음. [1903-63]

키[6] 부 〈옛〉 크게. ¶키 疑心ᄒᆞ면 곧 키 아로미 이시리니(大疑則有大悟)≪蒙法 14≫.

키갈리 〔Kigali〕 명 〖지〗 동아프리카 내륙부, 르완다(Rwanda)의 수도. 1,540 m의 고원에 위치하며 커피·바나나·피혁 등 농축산물(農畜産物) 교역의 중심이며, 주석도 산출함. [118,000명 (1990추계)]

키고마 〔Kigoma〕 명 〖지〗 동아프리카 탄자니아(Tanzania) 서북부, 탕가니카 호(Tanganika湖)에 면한 도시. 대안(對岸)과는 정기 항로가 개통되어 있으며 수도(首都) 다르에스살람(Dar es Salaam)으로부터의 철도가 통함. 19세기말까지 아랍 노예 상인의 근거지였음. [22,000명 (1981)]

키-꺽다리 명 '꺽다리'를 똑똑히 일컫는 말.

키-꼴 명 〈속〉 키가 큰 체격. ¶어느새 ~이 성큼한 도포짜리 하나가 문지방을 넘어 들어섰다≪金周榮 : 客主≫.

키나 〔china, 네 kina〕 명 〖식〗 기나수(幾那樹).

키나발루 산 【—山】〔Kinabalu〕 명 〖지〗 보르네오 섬에 있는 동남 아시아 지역의 최고봉. 말레이시아의 사바 주(Sabah州)에 속함. 상봉(上峰)에는 빙식 지형(氷蝕地形)이 보임. 1962년, 그 일대(一帶)는 키나발루 국립 공원(745 km^2)으로 지정되었음. [4,101 m]

키나아제 〔도 Kinase〕 명 〖화〗 인산화(燐酸化) 반응의 촉매가 되는 효소의 총칭.

키나 엑스 명 〔네 kina+extract〕 기나 정기(幾那丁幾)를 여과하여 증발시켜 만든 맛이 쓴 엑스. 건위·강장제로 쓰임.

키나-염 【—塩】〔네 kina〕 〖약〗 명 염산 퀴닌·황산 퀴닌 따위처럼 퀴닌을 산과 화합시켜 만든 백색 침상(針狀)의 결정체. 해열제로 쓰임. 기나염(幾那塩).

키나 정기 【—丁幾】〔네 kina〕 명 기나피(幾那皮)를 알코올에 담가서 만든 액체. 적갈색으로 매우 씀. 강장제임. 기나 정기(幾那丁幾).

키나 포도주 【—葡萄酒】〔네 kina〕 명 기나 정기(幾那丁幾)를 섞은 약용의 포도주.

키-내림 명 곡식에 섞인 티끌을 바람에 날려 고르려고, 곡식을 키에 담아 높이 들고 천천히 쏟아 내리는 일. ——-하다 타여불

키네마 〔kinema〕 명 시네마(cinema).

키네마 드라마 〔kinema drama〕 명 〖연〗 시네마 드라마.

키네마성 운:동 【—性運動】〔kinema〕 〔—썽—〕 명 〖심〗 암실(暗室)에서 두 개의 광점(光點)을 적당한 시간적인 간격을 두고 차례로 점멸시킬 때 보이는 두 점 사이의 운동. 곧, 실제로는 대상(對象)의 이동이 없으나, 이 대상을 차례차례로 제시함으로써 대상의 이동이 생기는 것같이 느껴지는 현상.

키네마토-그래프 〔kinematograph〕 명 〖연〗 시네마토그래프.

키네스코:프 리코:딩 〔kinescope recording〕 명 같은 텔레비전 프로를 다른 국(局)에서 추후에 사용하기 위하여 텔레비전 모니터나 수신기의 영상(映像)을 영화 필름에 촬영 또는 녹화하는 일. *텔레비전 녹화.

키네시스 〔그 kinesis〕 명 ①운동의 뜻. 오늘날의 운동보다는 좀더 광범위한 뜻을 가지는데, 아리스토텔레스는 생물의 생장 발전까지도 포함시켰음. ②〖생〗 자극 방향에 대한 체축(體軸)의 정위(定位) 없이 행해지는 자극 반응 운동. 무정위 운동.

키네시올로지 〔kinesiology〕 명 〖체〗 스포츠 기타의 신체 운동을 역학적으로 연구하는 체육학의 한 분야. 스포츠의 기록 향상·기술 분석·인간 공학 등에 활용됨.

키네오라마 〔kineorama〕 명 〖연〗 〔kinema와 panorama가 합쳐서 된 말〕 파노라마에 색광선(色光線)을 써서 경치를 변화(變化)시켜 보이는 장치(裝置).

키네토-그래프 〔kinetograph〕 명 〖연〗 미국의 발명가 에디슨이 발명한 발성 영화 촬영기.

키네토-스코:프 〔kinetoscope〕 명 〖연〗 초기의 영화 촬영기. 1893년에 미국의 에디슨이 발명한 것으로, 40피트의 필름이 30초간 회전하게 되었음.

키네토-카메라 〔kinetocamera〕 명 영화 촬영기(撮影機).

키네토-폰: 〔kinetophone〕 명 〖연〗 발성(發聲) 영화.

키네틱 아:트 〔kinetic art〕 명 〖미술〗 움직이는 미술.

키네틴 〔kinetin〕 명 〖화〗 식물 세포 분열 촉진 물질(植物細胞分裂促進物質). 천연 식물 호르몬이라고는 할 수 없으나, 이와 유사한 물질이 식물체에서 추출(抽出)되게 됨에 따라 이런 종류의 호르몬의 식물 조절(調節)에서의 의의가 중요시되게 됨.

키네파노라마 〔kinepanorama〕 명 러시아에서 개발된, 시네라마 비슷한 영화 기법(技法). 35 mm 표준 필름을 쓰는데, 3대의 카메라를 사용하여 세 필름에다 동시에 촬영하고 이것을 영사기 3대로써 상영함.

키노-글라스 〔kino-glass〕 명 입체 영화나 입체 만화를 볼 때 쓰는 안경. 한 쪽은 청색이고, 한 쪽은 적색으로 되어 있음.

키노-드라마 〔kino-drama〕 명 〖연〗 연극과 영화를 결합시킨 연쇄극(連鎖劇).

키:-노:트 〔keynote〕 명 ①〖악〗 어떤 조(調)의 중심이 되는 주음(主音). 주조음(主調音). ②안목(眼目). 골자(骨子). 중심 사상.

키노포름 〔chinoform〕 명 〖약〗 키노탄닌산(酸)과 포름알데히드와의 화합물. 장내(腸內) 살균에 탁효(卓効)가 있으나, 스몬병(SMON病)의 원인 물질이라 생각되어, 함유(含有) 상품은 발매 금지된 나라가 많음. *스몬병(SMON病).

키뉴레닌 〔kynurenine〕 명 〖화〗 트립토판 대사(tryptophan代謝)의 중간 생성물. 트립토판을 주사한 포유 동물의 오줌 속에서 볼 수 있음. 순수한 유리산(遊離酸)은 무색의 판결정(板結晶). [$C_{10}H_{12}O_3N_2$]

키니네 〔네 kinine〕 명 〖약〗 퀴닌(quinine).

키니딘 〔quinidine〕 명 〖화〗 결정성 알칼로이드. 기나수(幾那樹)의 껍질에서 유도된 것으로, 산염(酸塩)의 형식으로 의료(醫療)에 쓰임. 키니네의 입방 이성질체(立方異性質體)임. [$C_{20}H_{24}O_2N_2$]

키니코스 학파 【—學派】〔그 Kynikos〕 명 소크라테스의 제자(弟子) 안티스테네스(Antisthenes)가 창설한 그리스 철학의 한 파. 개인적 정신의 자유를 확보하기 위해 세속적 번루(煩累)를 피하고, 되도록 무욕(無慾)한 자연 생활을 영위하는 것을 생활의 이상으로 간주하고, 그러기 위해 일체의 사회적 습관을 무시하고 문화적 생활을 경멸했음. 견유 학파(犬儒學派). 시니시즘(cynicism).

키니크 학파 【—學派】〔그 Kynik〕 명 키니코스 학파.

키닌[1] 〔kinin〕 명 〖약〗 수종의 약리학적 작용을 갖는 폴리펩티드의 총칭. 혈압 강하, 모세관의 투과성 증가 작용 등을 함.

키닌[2] 〔프 quinine〕 명 〖약〗 퀴닌.

키:다[1] 자 ↗켜이다.

키다[2] 타 〈방〉 켜다(충북).

키:다[3] 타 ↗키우다.

키다리 명 키가 매우 큰 사람의 별명. 키보. ↔난쟁이.

키다리-바꽃 명 〖식〗 〔*Aconitum arcuatum*〕 성탄꽃과에 속하는 다년초. 뿌리는 거꿀달걀꼴이며 줄기는 높이 2 m 정도로, 잎이 호생(互生)하고 잎꼭지는 길. 7-8월에 자색꽃이 줄기 끝과 가지 끝에 복총상(複總狀) 화서로 피고, 골돌과(蓇葖果)를 맺음. 산지에 나는데, 평북·함남북 등지에 분포함.

키-돋움 명 키가 커지도록 돋우는 일. ¶~을 하여 높은 뎃것을 내리다.

키드[1] 〔kid〕 명 어린 산양(山羊)의 가죽. 구두·장갑 따위 재료로 쓰임. 키드스킨. *모로코 가죽.

키드[2] 〔Kidd, Benjamin〕 명 〖사람〗 영국의 사회학자. 다윈의 주의를 도입하고, 종교의 사회적 기능을 중시하였음. 저서에 ≪사회 진화론≫·≪서구(西歐) 문명의 기본 원리≫ 등이 있음. [1858?-1916]

키드[3] 〔Kidd, William〕 명 〖사람〗 '캡틴 키드'로 알려진 영국의 해적(海賊). 인도양의 해적 진압을 위해 1696년 출항(出航)했다가, 자신도 해적으로 나서서 활약, 1699년 체포되어 처형되었음. 각지에 많은 재보(財寶)를 숨겼다고 전함. [1645?-1701]

키드[4] 〔Kyd, Thomas〕 명 〖사람〗 영국의 극작가. 비극에 뛰어났는데, 걸작 ≪스페인의 비극≫은 셰익스피어를 비롯하여 같은 시대의 작자에 큰 영향을 주어 유혈 비극 유행의 실마리가 되었음. 그 밖에 번역극 ≪코네리(Cornerie)≫가 있음. [1557?-95?]

키드니 펀치 〔kidney punch〕 명 권투에서, 콩팥을 지르는 펀치. 금지되어 있음.

키드-스킨 〔kidskin〕 명 키드[1](kid).

키드득 부 참다 못하여 입술을 밀고 새어나오는 새된 웃음 소리. 또 그렇게 웃는 모양. 준키득. ——-하다 자여불

키드득-거리다 자 참다 못해 밀려 나오는 새된 웃음 소리를 연해 내다. 준키득거리다. 키드득-키드득 부. ——-하다 자타여불

키드득-대다 자 키드득거리다.

키:드 플랙의 결절 【—結節】〔Keith-Flack〕 〔—쩔/—에—쩔〕 명 〖생〗 심장에 있는, 신경이 미치지 않아도 자신이 운동할 수 있는 자극 형성부(刺戟形成部). 온혈 동물은 대정맥(大靜脈)이 시작되는 곳에 있으며, 심장의 수축은 이 부분부터 시작되어 심방(心房) 전체에 전파됨.

키득 부 참다 못하여 입술을 밀고 새어나오는 가벼우나 새된 웃음 소리. 또, 그렇게 웃는 모양. ——-하다 자여불

키득-거리다 자 연해 키득 소리를 내어 웃다. 잇따라 키득 소리를 나게 하다. 키득-키득 부. ——-하다 자여불

키득-대다 자 키득거리다.

키들-거리다 자 참다 못하여 웃음을 입 밖으로 내어 연해 새되게 웃다. ¶남자의 흉을 보며 키들거리는 여인네들. 키들-키들 부. ——-하다 자여불

키들-대다 자 키들거리다.

키레나이카 〔Cyrenaica〕 명 〖지〗 북아프리카 리비아의 동부 지방. 대부분은 리비아 사막인데, 지중해 연안의 평야와 오아시스 지대에서 농업·목축이 행해짐. 내륙 지방에 세계 유수의 유전(油田)이 있음. 주도(主都)는 벵가지(Bengasi). [855,000 km^2]

키레네 〔Kyrene〕 명 〖지〗 북아프리카의 키레나이카(Cyrenaica) 지방의 고대 도시. 기원 전 7세기 후반 도리스인(Doris人)이 식민 도시로 건설, 리비아인과의 통상(通商)으로 번영함. 프톨레마이오스(Ptolemaeos) 왕조의 지배를 받아 오다가 기원 전 1세기 중엽에는 로마 원로원의 속주(屬州)가 되었고, 115년 유태인의 반란으로 파괴됨. 그 후 비잔틴 제국의 지배를 거쳐 641년 아라비아인에 의해 정복당함. 이 곳은 키레네 학파가 창설된 곳으로 알려져 있음.

키레네 학파 【—學派】〔Kyrene〕 명 그리스의 소(小)소크라테스 학파의 하나. 기원 전 400-275년경까지 북아프리카의 키레네에 아리스티푸스(Aristippus)와 그의 딸 아레테(Arete), 손자인 아리스티푸스 등이 중심이 되어 발전시킨 학파로서, 안니케리스(Annikeris)·헤게시아스(Hegesias)·테오도로스(Theodoros)에 의하여 계승된 쾌락주의의 학파임.

키로바바트 〔Kirovabad〕 명 〖지〗 아제르바이잔 공화국(Azerbaidzhan共和國)에서 둘째로 큰 도시. 방적·식품 가공 등의 공업이 행(行)하여짐. 페르시아의 시인(詩人) 니자미(Nizāmī:1140-1202)의 묘(墓)가 있음. 구칭은 엘리자베트폴(Elisavetpol') 또는 간자(Gandzha). [252,000

명(1983)]

키로보그라드 [Kirovograd] 명 『지』 우크라이나 공화국 중앙부에 있는 도시. 기계·식품 가공·가구 제조 공업이 행하여짐. 구칭은 엘리자베트그라드(Elisavetgrad). [281,000 명(1993)]

키로스 [Kyros] 명 『사람』 '키루스(Cyrus)'의 그리스식 이름.

키로프[1] [Kirov] 명 『지』 ①러시아 연방 공화국 북서부의 키로프 주(州)의 수도. 뱌트카 강(Vyatka江)에 면해 있으며, 철도의 요지. 기계·목공·제화(製靴)·성냥 등의 공업이 행하여짐. 1934 년까지 뱌트카(Vyatka)라 하였음. [404,000 명(1983)] ②모스크바 서남방 270 km 지점, 칼루가 주(Kaluga州)에 있는 도시. 금속·도자기 공업이 성함.

키로프[2] [Kirov, Sergei Mironovich] 명 『사람』 소련 공산당 지도자의 한 사람. 1904년 이래 볼셰비키로서 스탈린의 후계자로 지목되어 1934년 당중앙 위원회 서기로 선출된 후 그 해에 암살됨. 이것이 스탈린 대숙청의 발단이 됨. [1886-1934]

키루나 [Kiruna] 명 『지』 스웨덴 북단, 북극권 안에 있는 광산 도시. 철광산(鐵鑛山) 키루나바라(Kirunavaara)와 루오사바라(Luossavaara) 사이에 있으며, 철광은 노르웨이의 나르비크(Narvik)와 스웨덴의 룰레오(Luleå)로부터 수출함. [27,220 명(1985)]

키루나바:라 [Kirunavaara] 명 『지』 스웨덴 북단의 키루나(Kiruna) 부근에 있는 철광산(鐵鑛山)의 이름. 부근의 철광산 루오사바라(Luossavaara)와 더불어 유명함.

키루스 [Cyrus] 명 『사람』 ①고대 페르시아 제국(帝國)의 건설자. 바빌로니아를 정벌하고, 그곳에 갇힌 유대 사람들을 본국에 돌아가게 하였음. 키루스(Cyrus) 2세. [600?-529 B.C.; 재위 550-529 B.C.] ②페르시아의 왕자. 소아시아의 총독 등을 지냄. 형과 왕위(王位)를 다투다가 패하여 죽음. 그리스어로는 키로스. [424?-401 B.C.]

키루스 이:세 【一二世】 [Cyrus Ⅱ] 명 『사람』 키루스(Cyrus)❶.

키르기스 [Kirgiz] 명 『지』 키르기스스탄.

키르기스스탄 [Kyrgyzstan] 명 『지』 중앙 아시아의 서남부에 있는 공화국. 1936 년 소련에 편입, 키르기스 소비에트 사회주의 공화국이 되었다가 1992 년 독립 국가가 됨. 중국 서북부의 톈산 산맥(天山山脈)으로 경계를 이루고 있으며 산지(山地)가 많아 주로 소·돼지·양 등의 목축이 성하고, 말·면화·담배도 산출됨. 지하 자원도 풍부하며, 특히 수은·안티몬은 세계 각국으로 수출되고 있음. 석탄·석유도 있어서 각종 공업이 발전되고 있음. 수도는 비슈케크(Bishkek). 정식 명칭은 '키르기스 공화국(Republic of Kyrgyzstan)'. 키르기스. 키르기지아(Kirgizia). [198,500 km²: 4,367,000 명 (1990 추계)]

키르기스-어 【一語】 [Kirgiz] 명 튀르크 어족(Türk 語族)에 속하는 언어. 키르기스 공화국을 중심으로 동서(東西) 투르케스탄(Turkestan) 경계 부근의 산악 지대(山嶽地帶)에 널리 분포함. 1928년 로마자(Roma字) 정자법(正字法)이 채용되었으나 1940년 이후 러시아 문자에 의한 정자법으로 고쳐짐.

키르기스-인 【一人】 [Kirgiz] 명 예니세이 강(Yenisei江) 상류 지역(上流地域)에 살던 터키계 민족. 흉노(匈奴)·돌궐(突厥)·위구르(Uighur) 등에 이어 몽골에 지배되었으며 남서로 이동하여 페르가나 계곡(Fergana溪谷)에 정착했음. 18세기에는 중국 청(淸)나라에 속해 있었음.

키르기스 초원 【一草原】 명 [Kirgiz Steppe] 『지』 키르기스스탄 공화국을 중심으로 한 중앙(中央) 아시아의 광대한 초원 지대. 탁상(卓狀)의 대지(臺地)와 기복이 작은 구릉(丘陵)으로 되어 있으며 수심(水深)이 얕은 염호(塩湖)나 소택(沼澤)이 산재(散在)함.

키르기지아 [Kirgizia] 명 『지』 키르기스(Kirgiz).

키르케 [Kirkē] 명 『신』 그리스 신화 중의 마녀(魔女). 인간에 마주(魔酒)를 먹이고 주장(呪杖)으로 때려 돼지로 만든다 함. 나중에 오디세우스(Odysseus)가 물리침.

키르케고:르 [Kierkegaard, Sören Aabye] 명 『사람』 덴마크의 철학자. 낭만주의와 헤겔 철학의 영향으로 종교적 회심(回心)을 경험, 기독교적 실존(實存)의 입장에서 관념론적 사변 철학을 통렬히 비난하였음. ≪이것인가 저것인가≫·≪불안의 개념≫·≪죽음에 이르는 병≫ 등 그 시대 기독교와 헤겔에 대하여 신앙에 입각하는 종교적 실존에의 비약을 역설, 일종의 역설 변증법(逆說辯證法)을 말함으로써 근대 실존주의 사상의 선구를 이루었음. [1813-55]

키르쿠:크 [Kirkūk] 명 『지』 이라크의 수도 바그다드 북방에 있는 키르쿠크 현의 주도. 주민의 대부분은 쿠르드족(Kurd族)임. 예로부터 농·목축 산물의 중심지로서 유명한 양모(羊毛) 공업지였는데, 1927 년에 발견된 석유로 급속히 공업화가 이루어짐. 석유는 여기서 지중해 연안의 항구인 하이파(Haifa)와 트리폴리(Tripoli)에 송유관(送油管)으로 보냄. [570,000 명(1985)]

키르허 [Kircher, Athanasius] 명 『사람』 스위스의 자연과학자·수학자·고고학자. 아비뇽 및 로마 대학에서 수학과 히브리어를 강의함. 환등(幻燈) 따위 몇 개의 발명을 하고, 지도(地圖)·해도(海圖)를 제작하였으며, 또한 페스트가 병균(病菌)에 의하여 전염하는 것을 확설(確說)했음. 그가 수집한 고고학적(考古學的) 자료는 로마의 키르허 박물관에 수장되어 있음. [1601-80]

키르히너 [Kirchner, Ernst Ludwig] 명 『사람』 독일 표현주의의 화가. 신(新)인상주의에서 출발, 1905년 드레스덴에서 헤켈(Heckel, E)·슈미트로틀로프(Schmidt-Rottloff, K.) 등과 예술 단체 브뤼케(die Brücke; 다리의 뜻)를 결성하여 표현주의 운동을 전개하였음. 강렬한 색채와 대담한 폼(form)에 의한 유화와 그 밖에 판화·조각도 제작함. 나치스의 압박과 병약(病弱)으로 인하여 자살함. [1880-1938]

키르히호프 [Kirchhoff, Gustav Robert] 명 『사람』 독일의 물리학자. 정상 전류(定常電流)에 관한 '키르히호프의 법칙'을 발견, 복사론(輻射論)의 선구(先驅)를 이루었으며, 분젠(Bunsen)과 함께 분광학(分光學)의 기초를 이루었고, 탄성론(彈性論)·음향학(音響學)·열학(熱學) 등에 공적을 남겼음. [1824-87]

키르히호프의 법칙 【一法則】 [ー/ー에ー] 명 [Kirchhoff's law] 『물』 독일의 물리학자 키르히호프가 발견한 법칙. ①정상 전류(定常電流)에 관한 법칙으로 첫째, 한 점에 몇 개의 도선(導線)이 합치는 경우, 그 점에 흘러 들어가는 전류의 총합은 흘러 나오는 전류의 총합과 같고, 둘째, 몇 개의 연결점이 있는 회로 중에 생각한 임의의 폐로(閉路)에 있어서, 그것을 도는 어떤 방향을 양(陽), 그와 반대 방향을 음(陰)이라고 정하면 각 도선의 전기 저항과 그곳을 흐르는 전류와의 곱의 대수합(代數合)은 그 회로 중에 있는 기전력(起電力)의 대수합과 같음. ②복사(輻射)에 관한 법칙. 외부로부터의 복사를 잘 흡수하는 물체는 그것 자신도 잘 복사한다는 법칙임.

키리노 [Quirino, Elpidio] 명 『사람』 필리핀의 정치가. 하원과 상원의 의장을 거쳐 1934년 재무 장관, 1946년 자유당 당수, 1947년 부통령 겸 외상, 1948-53년 제2대 대통령을 역임함. [1890-1956]

키리바시 공:화국 【一共和國】 [Kiribati] 명 『지』 태평양상(太平洋上) 적도(赤道)와 날짜 변경선(變更線)이 교차하는 근방에 있는 섬나라. 길버트 제도(Gilbert 諸島)와 피닉스 제도(Phoenix諸島) 등 33 개 섬으로 이루어짐. 주산물(主産物)은 인광석(燐鑛石)과 코프라임. 1892 년 영국의 보호령이 되었다가 1916년 영국 식민지, 1977년 자치권을 획득하고 1979년 7월에 독립함. 북부의 타라와(Tarawa)·마킨(Makin) 섬은 제2차 대전 때의 격전지(激戰地)임. 수도는 타라와(Tarawa). [810 km²: 77,000 명(1997 추계)]

키리코 [Chirico, Giorgio de] 명 『사람』 그리스 출생의 이탈리아 화가. 파리에서 '형이상 회화파(形而上繪畫派)' 운동을 일으켜 초현실파에 큰 영향을 주었는데, 1919년 이후 고전적 전통에로 복귀, 현대 이탈리아 미술에 공헌함. 길게 그늘진 건축물을 황량한 기하학적 풍경 속에 묘사하는 것이 특색임. [1888-1978]

키리티마티 섬 [Kiritimati] 명 『지』 중부 태평양에 있는 라인 제도(Line諸島) 중의 섬. 태평양 최대의 환초(環礁)로서, 1777 년의 크리스마스 이브에 쿡(Cook, J.)이 발견했음. 1888 년에 영국령(領)이 되었다가 1979 년 키리바시 공화국 영토가 됨. 미국·영국의 핵실험장이었음. 구칭은 크리스마스 섬. [환초 면적 606 km², 육지 면적 244 km²: 1,300 명(1980)]

키릴렌코 [Kirilenko, Andrey P.] 명 『사람』 소련의 정치가. 1957년 당중앙 위원회 간부회원 후보, 62년 간부회원, 66년 정치국원 겸 서기(書記)를 역임함. [1906-90]

키릴로스 [그 Kyrillos] 명 『사람』 그리스의 테살로니카(Thessalonica) 태생의 기독교 전도자. 본명은 콘스탄티노스(Constantinos). 사망하기 50일 전에 수도사가 된 후 키릴로스라고 칭했음. 형(兄)인 메토디오스(Methodios)와 함께 슬라브인(人)의 포교에 종사하여 '슬라브인의 사도(使徒)'로 불림. 처음으로 고대 슬라브어인 글라골 문자(Glagol文字)를 만들고 성서의 일부를 슬라브어로 번역했음. 현재의 러시아 문자의 원형인 키릴(Cyrill) 문자는 그의 이름에서 연유함. [827 ? -869]

키릴 문자 【一文字】 [Cyrill] [ー짜] 명 그리스 문자에 의거하여 그리스인 키릴로스(Kyrillos)가 만든 글라골(Glagol) 문자를 토대로 10세기 불가리아에서 만들어진 문자. 이것이 다소 개수(改修)된 것이 현재의 러시아 문자로서 러시아·불가리아·몽골 등에서 쓰임. *러시아 문자.

키마아제 [도 Chymase] 명 『화』 레닌(rennin).

키마이라 [Chimaira] 명 『신』 그리스 신화 중의 괴수(怪獸). 전반신은 사자·산양이며, 후반신은 용사(龍蛇)의 모양을 하고 있음.

〈키마이라〉

키메라[1] [Chimera] 명 『신』 그리스 신화 중의 동물 '키마이라'의 영어명(英語名).

키메라[2] [chimera] 명 『생』 두 개 이상의 아주 다른 계통의 조직이 합해져서 하나의 생물체를 형성하는 것. 동식물계에서 종종 볼 수 있는데 초파리가 몸의 반은 수, 나머지 반은 암의 조직으로 되어 있는 자웅 겸유형(雌雄兼有型) 따위도 그 특수한 예임.

키메라 혈액형 【一血液型】 명 [blood chimerism] 『생』 두 개의 다른 유전자형의 적혈구(赤血球)를 가지는 일.

키메리즘 [chimerism] 명 『생』 하나 이상의 접합자로 된 세포군(細胞群)의 혼합물.

키모신 [chymosin] 명 『화』 레닌(rennin).

키모-트립시노겐 [chymotrypsinogen] 명 『화』 췌액(膵液)에 존재하는 불활성(不活性) 단백질 분해 효소. 트립신(trypsin)에 의해 활성(活性)의 키모트립신으로 변환됨.

키모-트립신 [chymotrypsin] 명 『화』 척추 동물의 췌액(膵液) 중에 들어 있는 소화 효소. 프로테이나아제(proteinase)의 한 가지임.

키-버들 명 〈방〉 『식』 고리버들.

키:베드 [key bed] 명 『지』 지층(地層) 중에서 특징이 있는 암상(岩相)으로, 수평으로 넓찍이 연속되어서 쉽사리 추적할 수 있는 특정한 단층(單層). 건층(鍵層).

키벨레 [Kybele] 명 『신』 프리기아(Phrygia)의 위대한 여신(女神). 생식력이 풍부한 대모신(大母神). 이 여신 숭배는 소아시아에서 발하여 지중해 지역의 여러 지방으로 퍼짐.

〈키벨레〉

키-보 명 〈방〉 키다리.

키:-보:드 [keyboard] 명 ①악기의 건반(鍵盤). ②건반 악기의 총칭. 특히, 전자(電子) 건반 악기. ③컴퓨터의 입력(入力)에 쓰이는 타이프라이터 모양의 건반. ④호텔 등에서, 열쇠를 걸어서 놓아 두는 판(板).

키-본 명 키의 회전대인 기둥. 밑에 따리를 붙였고 윗부분에 키손이 있음. 타병(舵柄). 타주(舵柱).

키-봉 명 흐르는 물 속에서 일정한 방향을 유지할 수 있도록 키가 달린 낚싯봉.

키부츠 [히 Kibbutz] 명 이스라엘의 농업 공동체. 또, 이를 관리하는 집단 농장의 한 형태. 계획적인 입식(入植) 사업이며 철저한 자치 조직과 평등과 공유(共有)의 사상에 의거하여 농장의 관리 및 경영이 행하여지는 외에 육아·교육·후생 등의 공동 관리도 행하여짐.

키블 [kibble] 명 〖광〗 광산에서 수직으로 파 내려 갈 때에 광석 등을 퍼내는 데 쓰는 철제 바께쓰. 위로 자아 올리고, 밑면에 줄이 달려서 엎질러 쏟음.

〈키블〉

키블라 [Qibla] 명 이슬람교에서의 예배의 방향. 본래는 예루살렘을 향하여 예배하는 유태교의 전통에 따랐으나 헤지라(Hegira; 성천(聖遷)) 후 2년째 말에 메카(Mecca)의 카바 신전(al ka'bah神殿)을 향하여 예배하도록 급격히 고쳐졌음.

키비 [Kivi, Aleksis] 명 〖사람〗 핀란드의 작가. 심장병과 정신병으로 젊어서 죽었으나 대표적 문호로서 높이 평가됨. 희곡 ≪마을의 구둣방≫·≪약혼≫은 핀고전극(Finn 古典劇)으로서 유명함. 이어 핀어(Finn語)로 쓰인 장편 소설 ≪7인의 형제≫는 최초의 본격적 소설임. [1834-72]

키비타스 [그 Civitas] 명 ①고대 로마 시대에는 독립된 국가, 제정 시대에는 지방의 자치 도시, 중세에는 주교좌(主教座)가 있는 도시, 뒤에는 도시 일반. ②원시 게르만인의 소국가(小國家).

키상가니 [Kisangani] 명 〖지〗 콩고 민주 공화국 킨샤사(Kinshasa)의 북동부 콩고 강 중류에 위치한 하항(河港) 도시. 상류 약 50km 지점에 스탠리(Stanly) 폭포가 있으며 남쪽으로 철도도 통하는 교통의 요지임. 1877년 최초의 유럽인으로 스탠리가 이곳에 도착하여 구명(舊名) 스탠리빌(Stanlyville)은 그의 이름에 연유함. [373,397 명(1991)]

키: 소켓 [key socket] 명 키가 달린 소켓.

〈키 소켓〉

키-순 【一順】 명 키 큰 차례. 신장순(身長順). 어깨차례.

키스 [kiss] 명 ①입을 맞추는 일. 접문(接吻). ②사랑하거나 존경하는 뜻으로 인사할 때에 손등에나 뺨에 입을 대는 일. ③당구(撞球)에서, 한 번 닿은 공에 다시 닿는 일. ——-하다 자여불

키: 스테이션 [key station] 명 여러 방송국을 연결하여 동시에 같은 프로를 각 방송국에서 방송할 때, 중심이 되어 그 프로를 실제로 제작 방송하는 방송국. 마스터 스테이션.

키: 스톤: [key stone] 명 ①돌·벽돌을 아치형으로 쌓았을 때, 아치의 중앙 최상단에 있어 전체의 힘을 지탱하는 돌. ②야구에서, 2루. 다이아몬드에 대한 말. 「및 그 상호 연휴(連携).

키:스톤: 콤비 명 [key stone combination] 야구에서, 2루수와 유격수

키스트 【KIST】 명 [Korea Institute of Science and Technology의 약자] 한국 과학 기술 연구원(韓國科學技術研究院).

키스트나 강 【一江】 [Kistna] 명 〖지〗 크리슈나 강(Krishna 江).

키슬링[1] [Kisling, Moise] 명 〖사람〗 에콜 드 파리(École de Paris)의 화가. 유태계의 폴란드인(人). 1910년 파리로 가서 세잔(Cézanne, P.)과 드랭(Derain, A.)의 영향을 받음. 고독·멜랑콜리·관능성(官能性)이 섞인 감미로운 표현주의적 작풍(作風)으로 알려짐. [1891-1953]

키슬링[2] [kissling] 명 [창안자 스위스의 키슬링(Kissling, Y.H.)의 이름에서 유래] 등산용의 큰 배낭. 뚜껑은 없고 양옆에 포켓이 붙어 있음.

〈키슬링²〉

키시네프 [Kishinev] 명 〖지〗 발칸 반도(Balkan 半島) 몰다비아 공화국(Moldavia 共和國)의 수도. 유태인이 많음. 농업 지대의 중심으로 포도주·과실·연초 등을 집산함. 또, 식품·직물·건설 재료 등의 공업이 행하여짐. [660,000 명(1991)]

키신저 [Kissinger, Henry Alfred] 명 〖사람〗 독일 출생의 미국 군사 전략 전문가·정치가. 1943년 미국에 귀화(歸化), 1957년 ≪핵무기와 외교 정책≫을 발표하여 한정 전쟁(限定戰爭)을 제창함. 1962년 하버드 대학 교수로 있다가, 1969년 닉슨 대통령의 보좌관이 되어, 1971년 중공(中共)을 방문, 닉슨의 북경 방문을 주선함. 1973년 국무장관으로서, 제4차 중동 전쟁(中東戰爭)을 수습하는 데 노력, 노벨 평화상을 수상함. [1923-]

키아다 타 〈방〉 기르다(경남).

키아로스쿠로 [이 chiaroscuro] 명 〖미술〗 ①회화(繪畫)의 명암법(明暗法). ②단색(單色)만을 써서 그 명암으로 그린 소묘(素描). ③목판화의 한 가지. 둘 또는 그 이상의 동색 판목(版木)의 명암으로 표현한 것.

키아스마 [chiasma] 명 〖생〗 생물 세포가 감수 분열(減數分裂)할 때에 서로 비슷한 두 개의 염색체(染色體)가 함께 묶여 있는 매듭처럼 밀착되어 있는 부분. 이 점에서 염색체가 부분적으로 교환되며 유전 인자(遺傳因子)의 연관이 깨뜨려진다고 함. 염색체 교차.

키:어[1] [keyer] 명 〖전〗 송신되는 정보에 따라, 송신기에 출력을 다른 상태로 바꾸는 장치.

키:어[2] [kier] 명 〖공〗 풀이나 왁스 따위 불순물을 제거하기 위하여 처리하지 않은 솜을 가압(加壓)하여 끓이는 통.

키예프 [Kiev] 명 〖지〗 우크라이나 공화국의 수도. 이 나라 최고(最古)의 도시로 대학·박물관·도서관·성당 등이 있음. 기계·직물·건설 자재 등의 공업이 행하여짐. [2,540,000 명(1991 추계)]

키예프 대:공국 【一大公國】 [Kiev] 명 〖역〗 9세기 말엽, 노르만 출신의 노브고로트(Novgorod)의 대공(大公)이 슬라브를 정복한 후 키예프를 수도로 하여 세운 공국. 이것이 러시아의 기원이 됨. 13세기에 멸망함.

키오가 호 【一湖】 [Kyoga] 명 〖지〗 동아프리카 우간다 중앙부에 있는 호수. 표고 약 1,000 m, 형상은 복잡함. 빅토리아·나일 강의 중부를 이루며 빅토리아 호(湖)와 통하며, 동부의 알버트 호(Albert 湖)와도 통함. 악어의 양식이 행하여짐. [4,400 km²]

키오스 섬 [Khios] 명 〖지〗 그리스 에게 해(Aegean Sea) 동부의 섬. 무화과·포도·올리브·안티몬·대리석 등이 산출(産出)됨. 주도(主都) 키오스는 동안(東岸)의 양항(良港)으로 고대 그리스의 유명한 폴리스였음. [904 km²]

키오스크 [kiosk] 명 가두·역 등의 신문·잡지·잡화를 파는 간이 매점.

키우다 타 [근대 : 킈우다] ①크게 하다. ¶집을 ~/재산을 ~. ㊀키다. ↔ 줄이다. ②〈방〉 기르다²❶ (경기·강원·충청·전라·경상). ¶남의 자식을 ~/새끼를 ~.

키우대 명 〈방〉 포대기.

키우 삼판 [Khiew Samphan] 명 〖사람〗 캄보디아의 정치가. 1970년 크메르루주를 조직했고, 75년 프놈펜 해방 후에는 민주 캄보디아의 지도자가 됨. 베트남군 침공 후에는 헨 삼린(Hen Samrin) 정권에 대항하는 게릴라전을 지휘함. [1931-]

키: 워:드[1] [key word] 명 문제의 해결이나 문장의 뜻풀이에서 중요한 열쇠가 되는 말. 문장 중에서 가장 중요한 의미를 갖는 말.

키: 워:드[2] [key word] 명 〖컴퓨터〗 고급 언어에서 명령문의 형태나 연산의 형태를 정의하기 위해 사용되는 특수한 단어. 이 단어들은 미리 사용 방법이 정의된 것이므로 일반적으로 프로그래머가 정의하여 쓰는 식별자로 사용되어서는 안 됨.

키:-웨스트 [Key West] 명 〖지〗 아메리카 동남부 플로리다 주 키웨스트 섬에 있는 관광 도시. 플로리다 반도와 고속 도로로 연결됨. 스페인계 주민이 많으며, 수산(水産) 도시로도 유명함. 해군 기지가 있음. 허리케인의 상습지(常襲地)로 알려졌음.

키위 [kiwi] 명 ①〖조〗 [*Apteryx owenii*] 키위과에 속하는 원시적인 새. 몸은 둥글고 닭만한데 몸길이 수컷은 32 cm, 암컷은 50 cm가량임. 날개는 없고 털 모양의 깃털이 온 몸에 났는데, 담회갈색에 흑색의 횡점(橫點)이 있음. 부리는 길고 끝에 비공(鼻孔)이 있으며 굵은 발에는 네 개의 발가락이 있고 꽁지는 없음. 낮에는 땅 속·바위 틈·나무 구멍 등에 있다가 밤이면 나와서 주로 지렁이를 포식하고 과실·잎 등도 먹으며, '키위키위'하고 욺. 암컷이 발로 땅을 파고 한두 개의 알을 낳는데, 모체(母體)에 비하여 대단히 커서 길이 14 cm, 무게는 어미의 4분의 1가량 됨. 뉴질랜드의 삼림 지대에 분포함. ②〖식〗 [*Actinidia chinensis*] 다래과의 만성(蔓性) 과수. 중국 원산의 다래나무를 품종 개량한 것으로, 따뜻한 곳에서 재배함. 잎은 어긋나고, 원심형(圓心形)이며, 꽃은 6-7월에 피고 자웅 이주임. 열매는 둥근달걀꼴 내지는 원통형이고 표면은 녹갈색으로 갈색 털이 밀생하며 키위새와 비슷하게 생김. 뉴질랜드가 주산지임. 참다래. 양다래. 중국다래.

〈키위❶〉

키위-과 【一科】 [kiwi] [一꽈] 명 〖조〗 [Apterygidae] 조류에 속하는 한 과. 원시적이고 기이(奇異)한 새 종류로, 7,000만 년 이상이나 다른 지방에서 격리되어 살아온 것으로 볼 수 있음. 날개가 없으므로 날지 못함. 뉴질랜드에 1 속(屬) 6 종이 분포함.

키읔 명 〖언〗 한글 자모 'ㅋ'의 이름.

키: 인더스트리 [key industry] 명 〖경〗 [기간 산업(基幹産業)의 뜻] ①일반 생산 부문 소장(消長)의 관건이 되는 중요 산업. 석탄·전력 등. ②그 자체의 확립이 한 국가 산업의 기초가 되어, 이것에 의존하는 다수의 모든 산업을 발달시키는 성질을 갖는 산업.

키:잉 [keying] 명 ①〖전〗 특정 있는 불연속적인 동작으로 직류 또는 반송 전류(搬送電流)를 변조시켜 전신 전송(電信傳送)처럼 신호를 구성하는 일. ②〖토〗 조립(組立)할 때 이은 자리를 기계적으로 부착시키는 일.

키-잡이 명 배의 키를 조종하는 사람. 조타수. *타수(舵手).

키-장다리 명 ☞ 키다리.

키:저-석 【一石】 [Kieser] 명 〖광〗 독일의 슈타스푸르트(Stassfurt) 등지에서 암염(岩塩)과 함께 나는 광석. 성분은 함수 황산 마그네슘(含水黃酸 magnesium)이며 회백색·담황색·무색임. 단사 정계(單斜晶系). 인조 대리석의 원료로 쓰임. [$MgSO_4H_2O$]

키-조개 명 〖조개〗 [*Pinna pectinata japonica*] 키조갯과에 속하는 조개. 패각(貝殼)은 키 또는 부채 모양 혹은 직각 삼각형으로 길이 29 cm, 폭 15 cm내외임. 껍질에는 윤맥(輪脈)이 있고 이것과 교차되는 몇 개의 방사륵(放射肋)이 있으며, 암녹색의 두 껍질은 이가 없이 인대(靭帶)로써 구부(口部)가 연결되었고, 족사(足絲)를 내어 착생하며, 산란기는 5-9월임. 한국 및 일본에 분포함.

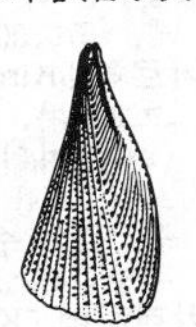

〈키조개〉

키조갯-과 【一科】 명 〖조개〗 [Pinnidae] 쌍각류(雙殼類)에 속하는 연체(軟體) 동물의 한 과.

키-질 명 키로 곡식 등을 까부르는 짓. 까부질. ——-하다 타여불

키질쿰 사막 【一砂漠】 [Kyzylkum] 명 〖지〗 [Kyzylkum은 터키어로 붉은 모래의 뜻] 중앙 아시아, 카자흐 공화국과 우즈베크 공화국에 걸쳐 있는 사막. 아무다리야 강(Amu Dar'ya江)과 시르다리야 강(Syr

Dar'ya江) 사이에 있으며, 몇 줄기의 구릉이 산재함. 유사 지역(流砂地域)이 적으며 관목이 자람. 세계 유수의 천연 가스 매장지(埋藏地)가 있음. [300,000 km²]

키-짝 명 〈방〉 키²(황해).

키:츠 [Keats, John] 명 『사람』 영국의 낭만파 시인. ≪엔디미언(Endymion)≫·≪하이피어리언(Hyperion)≫ 등의 장편 서사시로 바이런·셸리 등과 함께 탐미주의적(耽美主義的) 예술 지상주의의 극점(極點)을 이루었음. 이외 ≪나이팅게일(nightingale)에게≫·≪그리스 고병부(古甁賦)≫ 등을 남김. [1795-1821]

키치너 [Kitchener, Horatio Herbert] 명 『사람』 영국의 장군. 1898년 파쇼다(Fashoda) 사건의 해결에 임했으며, 보어 전쟁의 총사령관·인도군 사령관·이집트 주재 영국 대표를 역임함. 제1차 대전중에는 육상(陸相)이 되어, 군비 확장을 부르짖고, 전쟁 지도 협의차 러시아로 가던 도중, 탔던 배가 촉뢰(觸雷) 침몰하여 죽음. [1850-1916]

키치 패션 [kitch fashion] 명 [키치는 본래 독일어로, 위조품·속악한 것이란 뜻으로, 전통·엘리건스(elegance)에 대한 말] 1971년 가을 파리의 패션계에서 유행하기 시작했던 속악 취미의 패션. 히피·영(young)의 변형으로 흐르르한 드레스로 대표되는 저질(低質)의 드레스나 소녀복 스타일. 스모크 등이 포함됨.

키친 [kitchen] 명 요리장(料理場). 부엌. 주방. ¶다이닝 ~/리빙 ~.

키친 사이클 [Kitchin cycle] 명 『경』 1923년에 미국의 키친(Kitchin, J.)과 크럼(Crum, W.L.)에 의해 발견된, 경기의 '단기 파동(短期波動)'의 딴이름. *콘드라티에프 사이클.

키친 카: [kitchen car] 명 주방 시설이 달린 자동차.

키카데오이데아 [라 cycadeoidea] 명 『식』 [*Cycadeoidea ingens*] 중생대에 번성하던 베네티탈레스류(Bennettitales類)의 대표 식물. 소철(蘇鐵)과 비슷한 키가 낮은 나무로 줄기는 굵고 짧으며, 표면에 잎의 기부(基部)가 남아서 밀생함. 줄기의 끝에 우상(羽狀)의 잎이 총생하며, 꽃은 줄기의 옆에 붙어 피어남. 엽병(葉柄)의 관다발의 배열, 꽃의 구조 등은 소철류와 구별되어 다른 화석(化石) 식물의 경우와 같이 줄기와 잎이 따로따로 발견되는 수가 많음. 전세계의 트라이아스기(紀)에서 백악기(白堊紀)에 걸쳐 분포하고, 영국·프랑스·미국·일본 등지에 보관되고 있음.

〈키카데오이데아〉

키커 [kicker] 명 럭비·미식 축구 등에서 드롭킥하거나 플레이스 킥하는 선수.

키케로 [Cicero, Marcus Tullius] 명 『사람』 로마의 정치가·철학가·웅변가(雄辯家)·저술가. 다재(多才)와 웅변으로 정계(政界)에 기반을 갖고 있었으나, 제3차 삼두 정치 수립 후에 안토니우스와 대립하여 추방되어 살해당함. 법률·정치상의 논책(論策) 외에 풍부한 그리스적 교양으로써 철학·수사학·변론술에 관하여 많은 논술(論述)을 남겼음. [106-43 B.C.]

키쿠유-족 【一族】 [Kikuyu] 명 『인류』 케냐(Kenya)의 고지(高地)에 사는 반투계(Bantu系)의 농경 종족(農耕種族). 약 320만 명이 사는데, 소·염소·양 등의 목축에 종사함. 종교는 애니미즘(animism)이며 조상 숭배를 함. 마우마우단(Mau Mau團)의 중심 종족임.

키큰-산국 【一山菊】 명 『식』 [*Chrysanthemum lineare*] 국화과에 속하는 다년초. 줄기 높이 1 m 가량이고 잎은 무병(無柄)에 선형(線形)임. 8월에 두화(頭花)가 줄기 끝에 하나씩 피는데 설상화(舌狀花)는 백색, 심화(心花)는 황색의 관상화(管狀花)임. 산지에 나는데, 강원·평북·함북 등지에 분포함. 관상용으로 가꿈.

키클라데스 제도 【一諸島】 [Kyklades] 명 『지』 에게 해(Aegae海) 남서쪽, 델로스(Delos) 섬을 중심으로 산재하는 안드로스(Andros)·티노스(Tinos)·미코노스(Mikonos)·낙소스(Naxos)·파로스(Paros) 등 200이상의 섬으로 된 제도. 담배·올리브유·포도주·대리석 등을 산출함. 기원 전 1,000년경 이오니아인(Ionia人)이 정주했으며, 페르시아 전쟁 후 델로스 동맹이 결성되었음. 주도(主都)는 시로스(Siros) 섬의 에르무폴리스(Hermoupolis). [2,572 km² : 88,458 명(1981)]

키클로페스 [Kyklopes] 명 『신』 키클로프스의 복수.

키클로프스 [Kyklops] 명 『신』 그리스 신화에 나오는 애꾸눈의 야만적이며 난폭한 거인족. 우라노스(Uranos)와 가이아(Gaia)의 세 아들임. 해중(海中)의 섬에 살며, 식인(食人)하고 목축(牧畜)을 영위한다 함. 대장일에 능하고, 고대의 도시의 성벽, 올림포스 산의 신전(神殿)을 만들었다 함.

키킹 [kicking] 명 ①축구에서, 공을 차는 방법. ②축구에서, 반칙의 하나. 고의로 상대편을 차거나 또는 차려고 하는 행위. 그 자리에서 상대편에게 직접 프리킥을 선언함.

키타라 [그 kithara] 명 고대 그리스의 발현 악기(撥絃樂器). 목제의 공명동에 동판(銅板)이나 뿔로 만든 판자를 겹치고, 5-11개의 줄을 매었음. 리라와 비슷하나 좀 크며, 음도 크게 남. 리본을 붙여 어깨에 메고 뜯으며, 기타의 기본이 되었음.

키타로네 [이 chitarrone] 명 『악』 ①대형의 류트(lute), 특히 로마제(製)의 티오르바(tiorba)를 일컬음. 티오르바보다 두 번째의 채가 길고 전체의 모양도 세련되었음. ②콘트라베이스와 같은 조현(調絃)의 기타.

키타이 [Kitai] 명 『역』 ①'거란(契丹)'의 중앙 및 북(北)아시아 민족의 호칭. ②중세 이후의 유럽인이 화북(華北) 또는 중국 전토(全土)를 가리킨 이름.

키:턴 [Keaton, Buster] 명 『사람』 미국의 배우. 무성 시대(無聲時代)의 웃지 않는 희극 배우로서 세계적으로 명성을 떨쳤는데, 특히 채플린(Chaplin)과 함께 무언극(無言劇)에 솜씨가 있었음. [1896-1966]

키:토 [Quito] 명 『지』 남미(南美) 에콰도르(Ecuador)의 수도. 잉카 제국(Inca帝國)의 고도(古都)로, 적도 직하(赤道直下) 해발 2,850 m의 고원 도시인데, 피혁(皮革)·면직물·모직물 등을 산출함. 1533년 스페인의 점령 후 이 나라 독립과 함께 수도가 됨. 잉카의 유적이 있음. 대진재(大震災)가 여러 번 있었음. [1,090,000 명(1991)]

키톤 [그 kiton] 명 고대 그리스의 하의(下衣)를 겹친 의복. 재단하지 않은 직사각형의 천을 쓰고, 양 어깨에서 핀으로 꽂고, 웨이스트를 벨트로 묶어 주름을 잡아 착용하였음. 두 겨드랑을 꿰맨 이오니아식(Ionia式)과 오른쪽 겨드랑을 개방한 채로의 도리스식(Doris式)이 있음. 여성용은 발목까지 오고 남자용은 짧음. 주로 백색의 모직물(毛織物)·마(麻)직물이 사용되었음.

〈키톤〉

키:투:디스크 장치 【一裝置】 [key-to-disk] 명 『컴퓨터』 천공(穿孔) 카드나 종이 테이프 등의 중간 단계를 거치지 않고 키보드로부터 입력한 자료를 직접 자기(磁氣) 디스크로 보내는 자료 입력 장치.

키:투:테이프 장치 【一裝置】 [key-to-tape] 명 『컴퓨터』 키보드로부터 입력된 자료를 제어기에 의해 오프라인 방식으로 직접 자기(磁氣) 테이프로 보내는 자료 입력 장치.

키틴 [chitin] 명 『생』 절지 동물·균류(菌類)나 그 밖의 외피(外皮)·세포벽을 형성하는 함질소(含窒素) 다당류(多糖類). 약한 산(酸)이나 알칼리에 잘 녹지 않으며 강산(強酸)에 녹음. 갑각류 따위에서는 석회를 함유하여 더욱 견고하여짐.

키틴-질 【一質】 [chitin] 명 『생』 곤충이나 갑각류(甲殼類)·연체(軟體) 동물의 겉껍질의 주성분이 되는, 질소를 함유하는 무정형 다당류(無定形多糖類). 강인(強靭)하여 산이나 알칼리에 잘 녹지 않으며, 몸을 보호함. 갑각질(甲殼質).

키:퍼 [keeper] 명 ↗골 키퍼.

키: 펀처 [key puncher] 명 전자 계산기의 기록 카드에 천공기(穿孔機)의 키(key)를 두드려 구멍을 뚫는 사람. 주로 여자임.

키:펀처 병 【一病】 [key puncher] [一뼝] 명 『의』 컴퓨터·워드 프로세서의 오퍼레이터가 걸리는 직업병의 하나. 신경이 긴장된 상태로 계속해서 장시간 펀치 작업을 함으로써 손가락·위팔·어깨 부분에 생기는 과로성 질환임.

키: 펀치 [key punch] 명 전자 계산기의 카드 천공기(穿孔機).

키: 펄스법 【一法】 [key pulse] [一뻡] 명 다이얼 대신에 번호가 붙은 키를 눌러서 하는 신호법(信號法).

키: 포인트 [key point] 명 주안점(主眼點). 해결점(解決點). 사물의 요점(要點).

키:프 [keep] 명 ①럭비에서, 공을 스크럼 속에 머무르게 한 채로 전진하는 일. 또, 축구·하키·농구 등에서, 공을 상대편에 넘겨 주지 않고 확보하는 일. ②럭비·축구·하키 등에서, 골을 수비하는 일.

키:프 레인의 원칙 【一原則】 [keep lane] [一/一에一] 명 차가 교차점·커브 등을 지날 때 차종(車種)의 구별 없이 어떤 차선(車線)에 들어가도 좋으나 그 차선에서 벗어나는 것은 허용되지 않는 규칙(規則).

키프로스 [Kypros] 명 『지』 ①키프로스 공화국이 차지하는 섬. 지중해 제3의 큰 섬으로 해안선은 변화가 많으며 남북으로 평야가 가로지르고 있는데, 대부분은 산지(山地)임. ②시리아 서쪽 100 km, 터키 남쪽 65 km 지중해상의 공화국. 주민의 77 %가 그리스계(系)로 그리스 정교도, 18 %가 터키계(系)로 이슬람 교도로 대립이 심함. 공용어는 그리스어(語)·터키어(語)임. 전형적인 지중해성 기후이며 주요 농산물은 곡물(穀物)·올리브·과실임. 1573년 터키령(領), 1878년 영령(英領)으로 군사 기지가 되었다가 1960년 독립함. 1978년 친(親)그리스의 쿠데타가 일어나, 그리스와 터키와의 분쟁(紛爭)을 야기시킴. 정식 명칭은 키프로스 공화국. 수도는 니코시아. 사이프러스(Cyprus). [9,251 km² : 748,000 명(1991 추계)]

키프로스 문자 【一文字】 [Kypros] [一짜] 명 미케네(Mycenae) 문서의 선문자(線文字)와 같은 계통이라고 생각되는 음절(音節) 문자. 기원 전 6-3세기경의 비문이 있고, 일부는 그리스어로 쓰여져 있는데, 아직 미해독의 것도 있음. 약 55 문자로, 모음의 장단, 자음의 청탁(淸濁), 기음(氣音) 유무의 구별이 없음. 자음의 연속도 표기할 수 없기 때문에, 그리스인이 발명한 것은 아니라고 생각됨.

키프의 가스 발생기 【一發生器】 [一쌩一/一에一쌩一] 명 『물』 [Kipp's gas generator ; 1864 년에 죽은 네덜란드의 화학자 키프(Kipp, Petrus Jacobus)의 이름에서] 화학 실험실에서 수소 가스·탄산 가스·황화 수소 등의 가스를 발생시킬 때 쓰는 유리로 만든 기구. 키프의 장치.

묽은 황산
아연가루
〈키프의 가스 발생기〉

키프의 장치 【一裝置】 [Kipp] [一/一에一] 명 『물』 키프의 가스 발생기.

키플링 [Kipling, Rudyard] 명 『사람』 영국의 작가. 소년 소설로 발표된 ≪정글 북(Jungle Book)≫으로 인기를 끌었으며, 시집 ≪다섯 국가(國家)≫ 등을 발표. 1907년 노벨 문학상을 받았음. [1865-1936]

키:핑 [keeping] 명 럭비에서, 게임의 상황에 따라 공을 스크럼 속에 머물러 두는 일.

키: 홀:더 [key holder] 명 여러 개의 열쇠를 가지런히 모아 두는 금속제의 작은 기구. 열쇠 고리.

킥¹ [kick] 명 축구에서, 발로 공을 차는 일. ——-하다 타여불

킥² 부 참을 수 없어 절로 한 번 나오는 웃음 소리. ¶~하고 웃다. ——-하다 자여불

킥 복싱 [kick boxing] 명 발로 차기도 하고 팔꿈치·무릎을 쓰기도 하는

타이 특유의 권투.

킥-볼: 〔kickball〕 [명] ①축구 유희의 하나. 두 편으로 나누어 두 개의 동그라미 사이에 공을 놓고 먼저 상대편의 동그라미 속에 공을 차넣기로 승부를 겨루는 운동. ②야구 공 대신 큰 공을 홈 베이스에 놓고 발로 차는 유희. 풋 베이스볼(foot baseball)

킥 스텝 〔kick step〕 [명] 등산에서, 눈에 덮인 비탈을 오를 때, 눈의 표면을 차서 파헤쳐, 발 디딜 자리를 만들어가며 전진하는 일.

킥-아웃 〔kickout〕 [명] 미식 축구에서, 경기를 다시 시작할 경우, 25야드선에서 골(goal)을 향하여 공을 차내는 일. ——-하다 [타][여불]

킥 앤드 러시 〔kick and rush〕 [명] 럭비·축구의 공격법의 하나. 상대편 배후(背後)에 공을 세게 차서 띄우고 동시에 여럿이 돌진하는 전법.

킥-오프 〔kickoff〕 [명] 축구에서, 처음 공을 차서 경기를 개시 또는 재개(再開)하는 일. 시축(始蹴). ——-하다 [타][여불]

킥-킥 [부] 연해 킥하고 웃는 소리. ——-하다 [자][여불]

킥킥-거리다 [자] 계속해서 킥킥하는 소리를 내다. *킬킬거리다.

킥킥-대다 [자] 킥킥거리다.

킥 턴: 〔kick turn〕 [명] 스키에서, 정지하여 행하는 방향 전환법.

킨디 〔Kindi, al-〕 [명] 〖사람〗 아라비아의 철학자·과학자. 아라비아인 최초의 철학자로 일컬어지는데, 신(新)플라톤주의의 입장에서 알리스토텔레스를 연구함. 수학·점성술·물리학·기상·음악·의학 등의 저서 외에도 광학(光學)의 연구가 중요함. [810?-880?]

킨:뵈크-병【一病】 [명] 〔Kienböck disease; 오스트리아의 방사선 학자 킨뵈크(Kienböck, Robert)의 이름에서〕 〖의〗 손목의 수근골(手根骨)의 하나인 월상골(月狀骨)이 연화(軟化)하는 질환. 목수나 농부처럼 손목에 지속적·반복적(反復的)인 외력(外力)이 가해지는 직업에 많음.

킨샤사 〔Kinshasa〕 [명] 〖지〗 중서 아프리카 콩고 민주 공화국의 수도. 콩고 강구(江口)로부터 500 km 상류에 있음. 콩고 수운(水運)의 기점으로 여기서부터 하류는 급류(急流)와 폭포 때문에 선박이 통하지 못함. 아프리카의 중요 공항이 있음. 조선(造船)·차량·화학 약품·섬유 등의 공업이 성함. 1922년 벨기에령 콩고의 수도였음. 구칭은 레오폴드빌(Leopoldville). [3,804,000 명(1991)]

킨제이 〔Kinsey, Alfred Charles〕 [명] 〖사람〗 미국의 동물학자. 인디애나 대학 교수. ≪킨제이 보고≫를 내어 화제를 일으킴. [1894-1956]

킨제이 보:고【一報告】 〔Kinsey〕 [명] 〖책〗 킨제이가 저술한, 미국인에 있어서의 성생활의 통계적 조사 보고. 남녀 18,500명에 대한 면접 조사 결과를 사용하여 현대 사회의 성의 실태를 밝혔음. ≪남성의 성행위≫와 ≪여성의 성생활≫의 두 책으로 나누어지는데, 전자는 1948년, 후자는 1953년에 발간되었음.

킨키나-나무 〔quinquina〕 [명] 〖식〗 [*Cinchona officinalis*] 꼭두서닛과에 속하는 상록 교목 또는 관목. 남미의 원산인데, 동(東)인도 각지에서 재배됨. 잎은 긴 타원형으로 대생(對生)하며, 꽃은 원통상(圓筒狀)으로 끝이 다섯 쪽으로 갈라졌으며 원추 화서(圓錐花序)로 피는데, 색은 나무에 따라 적·황·갈색으로 다름. 나무 껍질로 키니네를 만듦. *기나수(幾那樹).

킬:[1] 〔keel〕 [명] 용골(龍骨)❷.

킬:[2] 〔Kiel〕 [명] 〖지〗 독일 북서쪽 슐레스비히홀슈타인(Schleswig-Holstein)의 주도. 킬 운하의 북방 기점(起點)에 위치하는 천연의 양항으로, 조선(造船)·기계·모직물(毛織物) 등의 공업이 성함. [249,199 명(1993)]

킬[3] 〔kill〕 [명] ①테니스에서, 상대방이 칠 수 없게 치는 일. ②배구에서, 네트 가까이 토스한 공을 상대편의 코트를 향해 세게 치는 일. 주요 공격법의 하나. 스파이크(spike). ③〖공〗 용융(熔融)한 강(鋼)에 규소(珪素)나 알루미늄과 같은 강력한 탈산제(脫酸劑)를 첨가하는 일. 금속이 고화(固化)할 때, 탄소와 산소가 반응하여 가스상의 일산화 탄소나 탄산 가스가 생성되는 것을 방지함. ——-하다 [자][여불]

킬드-강【一鋼】 [명] 〔killed steel〕 용강(熔鋼)을 강괴(鋼塊)에 부어 넣을 때 규소(珪素)·알루미늄 등의 강한 탈산제(脫酸劑)로 탈산한 강철. 탄산 가스가 발생하지 않으며 조용히 응고하여 내부까지 균질(均質)의 강괴를 만들 수 있음. 선삭(旋削)·열처리 등의 가공이 필요한 용도에 쓰임. 진정강(鎭靜鋼).

킬라우에아 산【一山】 〔Kilauea〕 [명] 〖지〗 미국 하와이 주, 하와이 섬 남동쪽에 있는 활화산. 편평(扁平)한 방패 모양의 화산으로, 약 10 km^2에 이르는 칼데라(caldera)는 용암이 분출하면 용암호(熔岩湖)가 되며, 가끔 유동성이 강한 용암이 넘쳐 해안까지 도달함. 최근에는 1952, 1955, 1960년에 큰 분화(噴火)가 있었음. 하와이 화산 국립 공원에 속하며 관광지임. [1,247 m]

킬러 〔killer〕 [명] ①배구에서, 킬을 주로 치는 중위(中衛)의 세 사람. ②야구에 있어서, 특정한 팀에 대하여 승률(勝率)이 높은 투수(投手).

킬러 티: 세포【一細胞】 〔Killer T.〕 [명] 〖생〗 인체의 면역 반응에 관여하는 T 세포 중에서 체내의 이질(異質) 세포 등을 직접 공격하여 파괴하는 것.

킬레이트 〔chelate〕 [명] 〖화〗 〔게의 집게발의 뜻〕 ↗킬레이트 화합물.

킬레이트 수지【一樹脂】 〔chelate〕 [명] 〖화〗 킬레이트 화합물인 합성 수지. 결합에 의하여 중금속 이온(重金屬 ion)을 선택적으로 흡착(吸着)하는 성질이 있어 구리 이온이나 우라닐 이온(uranyl ion)의 흡착에 이용됨.

킬레이트 적정【一滴定】 [명] 〔chelatometric titration〕 〖화〗 킬레이트 화합물의 생성 반응을 이용한 적정법. 착(錯)적정법의 한 가지. 많은 금속 이온·음이온의 정량(定量) 분석, 특히 EDTA(에틸렌디아민테트라아세트산)에 의한 칼슘·마그네슘의 정량 분석에 이용됨.

킬레이트-제【一劑】 [명] 〔chelating agent〕 〖화〗 금속 이온과 두 개 이상의 배위 결합(配位結合)을 형성할 수 있는 원자를 가진 유기 화합물. 금속 이온에 배위(配位)하여 킬레이트 화합물을 이룸.

킬레이트-화【一化】 [명] 〔chelation〕 〖화〗 한 개 이상의 금속 양이온 또는 수소 이온을 고리로 갖는 헤테로 고리 화합물(heterocyclic compound)을 생성하는 것과 같은 화학 반응. 킬레이트화 반응(chelate 化反應).

킬레이트화 반:응【一化反應】 [명] 〔chelation〕 〖화〗 킬레이트화를 똑똑히 이르는 말.

킬레이트 화:합물【一化合物】 [명] 〔chelate compound〕 〖화〗 수소 결합(水素結合)·배위 결합(配位結合) 등에 의해, 금속 원자를 게가 양쪽 집게발로 잡은 것과 같은 모양으로 결합하는 화학 구조(化學構造)를 갖는 화합물. 금속 이온의 이온으로서의 작용을 억제하는 성질을 이용하여, 세척제(洗滌劑)·안정제(安定劑)·청관제(淸罐劑)·경수 연화제(硬水軟化劑) 등으로 이용됨. [준]킬레이트.

킬로 〔그 kilo〕 [의명] 킬로그램·킬로와트·킬로미터 등의 약칭.

킬로- 〔kilo-〕 [두] 천(千)의 뜻을 나타내는 말.

킬로-그램 〔kilogram〕 [의명] 국제 단위계(國際單位系)의 질량(質量)의 기본 단위. 1그램의 천 배. 약호는 kg.

킬로그램-미:터 〔kilogrammeter〕 [의명] 〖물〗 일의 단위. 질량 1kg의 물체를 높이 1m 되는 곳까지 끌어 올리는 데 필요한 일의 분량.

킬로그램 원기【一原器】 [명] 〔prototype kilogram〕 미터법 조약에 의하여 1kg의 질량을 갖는다고 제정한 분동(分銅). 백금 90과 이리듐 10의 합금(合金)으로 만들었는데, 높이와 직경이 각각 39 mm 임.

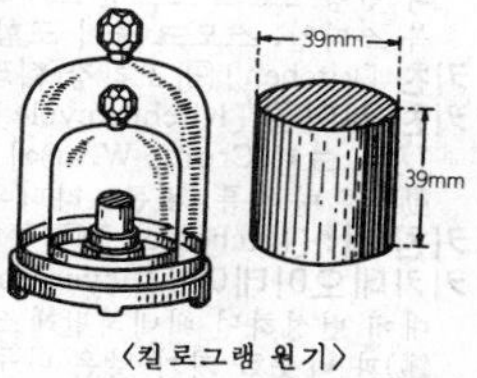

〈킬로그램 원기〉

킬로그램-중【一重】 [의명] 〔kilogram weight〕 중력(重力) 단위계(系)의 힘의 단위. 1그램중(重)의 1천 배에 해당함. 계량법(計量法)으로는 '중량 킬로그램'이라고 함. 기호는 kgw.

킬로그램 칼로리 〔kilogram calorie〕 [의명] 열량(熱量)의 단위. 1칼로리의 천 배. 킬로칼로리.

킬로-리터 〔kiloliter〕 [의명] 미터법 부피의 단위. 액체·가스체·입상물(粒狀物)을 측정하는 양의 단위. 1리터의 천 배. 약호는 kl.

킬로-미:터 〔kilometer〕 [의명] 미터법 길이의 단위. 1미터의 천 배. 약호는 km.

킬로미: 터 랑세 〔kilometer+lancé〕 [명] 스키의 속도 경주. 매년 8월 북이탈리아의 체피니아에서 국제 레이스가 거행되며, 각국의 스키 메이커가 선수를 동반하여 참가함. 길이 2.3-2.5 미터의 스키로 1 km의 직주로(直走路)를 활강(滑降)하여 도중에 정하여진, 200 m 지점에서 시속(時速)을 잼.

킬로미:터-파【一波】 [명] 〔kilometer wave, low-frequency wave〕 〖전〗 파장(波長) 1-10 km의 전자파(電磁波). 장파(長波)에 해당하며, 정식으로는 제5 대역(帶域)의 전파라 함. 약호는 LF.

킬로-바: 〔kilobar〕 [의명] 압력의 단위. 1,000 바와 같음. 약호는 kb.

킬로-볼트 〔kilovolt〕 [의명] 〖물〗 전압(電壓)의 단위. 곧, 1,000 볼트. 약호는 kV.

킬로볼트-미터 〔kilovoltmeter〕 [명] 〖전〗 수(數)킬로볼트 정도의 전위차(電位差)의 측정에 쓰이는 전압계(電壓計).

킬로볼트-암페어 〔kilovolt-ampere〕 [의명] 〖물〗 전류의 세기를 표시하는 단위. 전류와 전압의 곱으로써 표시함. 곧, 일천 볼트암페어. 약호는 kVA.

킬로-사이클 〔kilocycle〕 [의명] 〖물〗 주파수의 단위. 곧, 1,000 사이클. 약호는 kc.

킬로-수【一數】 〔kilo〕 [명] 킬로그램·킬로미터 등 킬로 단위로 나타내는 수.

킬로-스테르 〔kilostère〕 [의명] 미터법에 의한 부피의 단위. 1 킬로스테르는 1,000 스테르, 1,000 입방 미터에 해당함.

킬로-암페어 〔kiloampere〕 [의명] 〖물〗 전류의 단위. 1암페어의 천 배. 약호는 kA.

킬로암페어-시【一時】 〔kiloampere〕 [의명] 〖물〗 전기량(電氣)의 단위. 1 킬로암페어의 전류가 한 시간 동안 흘렀을 때의 전류량(電流量). 약호는 kAh.

킬로-옴: 〔kilohm〕 [의명] 전기 저항(電氣抵抗)의 단위. 1옴의 1,000배. 약호는 kΩ.

킬로-와트 〔kilowatt〕 [의명] 〖물〗 전력(電力)의 단위. 1와트의 천 배. 약호는 kW.

킬로와트-시【一時】 〔kilowatt〕 [의명] 〖물〗 일·전력량의 단위. 1와트시의 천 배. 약호는 kWh.

킬로와트-아워 〔kilowatt-hour〕 [의명] 〖물〗 킬로와트시.

킬로 전:자 볼트【一電子一】 [의명] 〔kilo electron volt〕 〖물〗 에너지의 단위. 1,000 전자 볼트. 약호는 keV.

킬로-줄: 〔kilojoule〕 [의명] 〖물〗 일 또는 에너지의 양(量)을 나타내는 단위. 1줄의 1,000배. 약호는 kJ.

킬로-칼로리 〔kilocalorie〕 [의명] 열량(熱量)의 단위. 1칼로리의 1,000배. 식품(食品)이나 연료(燃料)의 열량을 나타낼 때는 그냥 칼로리라 할 때가 많음. 약호는 kcal.

킬로-퀴리 〔kilocurie〕 [의명] 〖물〗 방사능(放射能)의 단위. 1퀴리의 1,000배. 약호는 kCi.

킬로-텍스 〔kilotex〕 [의명] 섬유의 번수(番手)의 단위. 길이 1km, 무게 1kg의 섬유. 1,000 텍스(tex).

킬로-톤 〔kiloton〕 [의명] 〖물〗 핵분열·핵융합 폭탄(爆彈)의 생산고를 나타내는 데 쓰이는 단위. TNT 화약 1,000톤의 파괴력(破壞力)과 같음.

약호는 kt.

킬로-파:섹 [kiloparsec] 의명 『천』 천체(天體) 상호간의 거리의 단위. 1 파섹의 1,000 배에 해당하며, 1 킬로파섹은 3,260 광년(光年)에 상당함. 약호는 kpc.

킬로-헤르츠 [kilohertz] 의명 진동수의 단위. 1,000 헤르츠와 같음. 약호는 kHz.

킬리만자로 산【一山】 [Kilimanjaro] 명 『지』 동아프리카 탄자니아와 케냐 국경 근처에 있는 사화산(死火山)으로, 동아프리카 지구대 화산(地溝帶火山)의 하나. 화산군(火山群)을 이루고 있는데, 최고봉인 키보(Kibo)는 아프리카 최고의 화산으로, 꼭대기에는 빙하(氷河)가 덮여 있음. [5,895 m]

킬리안 [Killian, Gustav] 명 『사람』 독일의 의학자. 1898년 기관지경(氣管支鏡)을 고안하고 전두동(前頭洞)의 새로운 수술법을 발명함. 주저에 《후부 후두(後部喉頭)의 진찰법》·《부비강(副鼻腔)》이 있음. [1860-1921]

킬리크 고개 [Kilik] 명 『지』 중국과 파키스탄 국경 지대 카라코람(Karakoram) 산맥의 북서단 카슈미르(Kashmir)와 신장웨이우얼(新疆維吾爾) 자치구의 경계에 있는 고개. 동쪽에 있는 민타카(Mintaka) 고개와 함께 인더스 강(Indus 江) 골짜기에서 길기트(Gilgit)를 거쳐, 카슈가르(Kashgar)로 빠지는 중요한 통상로(通商路)에 있으며, 아프가니스탄과도 가까움. [4,755 m]

킬와 [Kilwa] 명 『지』 아프리카 남동부, 탄자니아 남동부의 킬와키시와니에 있는 도시 유적. 975 년 페르시아 인에 의해 건설되어 약 1000-1700 년 사이에 번영한 스와힐리(Swahili) 문명 시대의 대표적 항만. 1332 년 여행가 이븐 바투타가 '세계에서 가장 아름답고 훌륭한 도시'라고 칭찬한 곳이기도 함. 왕궁·이슬람 대사원 등의 유적과 중국제의 도자기가 다수 발견되었음.

킬: 운:하【一運河】 [Kiel] 명 『지』 북해(北海)와 발트 해(Balt 海)를 연결하는 운하. 독일 북부 유틀란트 반도(Jutland 半島)의 기부(基部)에 있음. 1887년에 착공하여 1895년에 완성됨. 옛 이름은 카이저 빌헬름(Kaizer Wilhelm) 운하이며 정식 이름은 노르트오스트제(Nord-Ostsee) 운하임. [98.7 km]

킬케니 [Kilkenny] 명 『지』 아일랜드 남동쪽의 도시. 더블린(Dublin)의 남서쪽 약 100 km 지점에 있으며, 대리석·석탄을 산출함. 작가(作家) 스위프트(Swift, J.)·철학자 버클리(Berkeley, G.) 등 18세기 초기에 활약한 사람들이 배운 세인트 존 칼리지(Saint John College)가 있음. [9,466 명(1981)]

킬킬 부 어리석게 터져 나오는 웃음을 참으면서 내는 소리. 쓰낄낄. >캘캘. *킥킥. ——-하다 자여불

〈킬트〉

킬킬-거리다 자 계속해서 킬킬하는 소리를 내다. 쓰낄낄거리다. >캘캘거리다. *킥킥거리다.

킬킬-대다 자 킬킬거리다.

킬트 [kilt] 명 스코틀랜드인이 전통적으로 사용하고 있는 스커트 모양의 남자용 바지. 허리에서 무릎까지 닿는데, 앞 중앙부에 스포란(sporran)이란 조그만 가죽 주머니를 장식으로 달았음. 빛깔이나 종류에 따라 가문·계급 등이 구별되었다고 하는데, 지금도 군복으로 사용하고 있음.

킴벌:라이트 [kimberlite] 명 『광』 화성암의 한 가지. 사문암화(蛇紋岩化) 또는 탄산염화한 운모 감람암(雲母橄欖岩)으로 파이프상(pipe 狀)을 이룸. 남아프리카의 킴벌리 지방에서 산출되는 다이아몬드의 모암(母岩)임. 킴벌리암(岩).

킴벌리 [Kimberley] 명 『지』 남아프리카 공화국 케이프 주(Cape 州) 북동부의 광산 도시. 세계 제일의 다이아몬드 산지임. 철도·자동차 도로의 중심지이며, 기계·시멘트 공업도 있음. [158,195 명(1983)]

킴벌리-암【一岩】 [Kimberley] 명 킴벌라이트.

킴브리 [Cimbri] 명 『역』 고대 게르만 인종에 속하는 한 부족(部族). 유틀란트 반도(Jutland 半島) 북부에서 살고 있다가 인구 증가 때문에 튜턴인(Teuton 人)과 함께 남하하여 오늘날의 독일·스위스 지방을 거쳐 기원 전 110년경 로마군(軍)을 무찌르고 갈리아에 침입, 스페인까지 진격한 후 이탈리아로 방향을 바꿈. 그러나 기원 전 101년 로마의 명장 마리우스(Marius)에게 패멸(敗滅)됨.

킵차크 한국【一汗國】 [Kipchak] 명 『역』 몽고 사대(四大) 한국(汗國)의 하나. 1243년 중국 원(元)나라 태조(太祖)인 칭기즈 칸(成吉思汗)의 아들 주치(朮赤)와 손자 바투(拔都)가 남러시아에 세운 나라. 볼가 강가의 사라이(Sarai)에 도읍하여, 영토는 동쪽은 키르기스 고원(Kirghiz 高原)으로부터 헝가리 국경에 이르고 서쪽은 크림 지방에 접했으며, 동서 무역·교통에 의하여 번창하였으나 14세기 말기에 티무르(帖木兒)의 공격을 받아 쇠하고, 4세기에 걸쳐 러시아인(人)을 지배하다가 1502년 모스크바 태공(太公) 이반 3세에게 멸망당함. 흠찰 한국(欽察汗國). 금장 한국(金帳汗國). [1243-1502]

킷-값 [一갑] 명 키가 큰 만큼 *부끄럽지 않게* 행동함을 일컫는 말. 자기 자식이나 *손아랫 사람에* 대하여 씀. ¶ ~도 못 하는 놈.

킹¹ [king] 명 ①왕. ②카드 패의 왕의 패. ③서양 장기의 왕이 되는 말.

킹² [King, Francis Henry] 명 『사람』 영국의 작가. 영국 펜클럽 회장과 국제 펜클럽 회장을 역임함. 주요 작품으로는 《어두운 탑(塔)으로》·《바위 위의 사나이》·《얼어붙은 음악》 등이 있음. [1923-]

킹³ [King, Gregory] 명 『사람』 영국의 경제 통계가·문장 학자(紋章學者)·계보학자(系譜學者). 인구 및 국민 소득의 과학적 추계를 처음 실시하였음. 곡물의 수확량과 곡가(穀價)와의 변동 상관(變動相關)에 관한 '킹의 법칙(法則)'은 유명함. 주저에 《잉글랜드의 상태(狀態)》가 있음. [1648-1712] *킹의 법칙.

킹⁴ [King, Martin Luther] 명 『사람』 미국의 흑인 목사(牧師). 비폭력주의에 의한 차별 [illegible] 운동에 앞장섬. 1964년 노벨 평화상을 수상함. 유세중(遊說中) 멤피[illegible]서 암살됨. [1929-68]

킹⁵ [King, William [illegible] Mackenzie] 명 『사람』 캐나다의 정치가. 노동문제에 정통하고 19[illegible]48년 사이에 세 번 수상이 되어 22 년간 정권을 장악함. 이 사이에 [illegible](美英)과 군정(軍政) 양면의 협력 체제를 확립하였으며, 국제 연[illegible]도 공헌함. [1874-1950]

킹덤 [kingdom] 명 왕[illegible]

킹-사이즈 [king-size] [illegible]다 큰 것. 특대(特大). 특히, 담배에 대하여 일컬음.

킹스-타운 [King's Town[illegible] '뉴캐슬²(Newcastle)❶'의 구칭(舊稱).

킹스턴 [Kingston] 명 『지』 [illegible] 자메이카(Jamaica)의 수도. 자메이카 섬 동남 해안에 있으[illegible](海)의 무역항인 동시에 공업 기지이기도 함. 카카오·설탕·[illegible] 등을 수출(輸出)함. 해변 휴양지로도 유명함. [640,000 명[illegible]

킹스턴 체제【一體制】 [Kingst[illegible] 1976년 1월 자메이카의 수도(首都) 킹스턴에서, IMF 임[illegible]한 국제 통화면(國際通貨面)의 협력 체제. 주요 골자는 [illegible]외환 시세의 안정(安定)을 위해 협력하며, IMF는 가맹[illegible]부를 감시하고, 둘째 각국의 현행 외환 규정을 존중하[illegible]유를 인정하되 장차 다시 고정 환율제(固定換率制)로 [illegible]하여 그 절차를 정해 둘 것, 세째 장래의 통화 체제를 [illegible]통화(基軸通貨)를 기준으로 하지 않고, SDR와 같은 [illegible]준으로 한다는 것임. 이 협의 내용은 1978년 4월 1일[illegible]

킹의 법칙【一法則】 [—/—에—] 명 [illegible]물(穀物) 공급량, 곧 수확량의 변동에 따르는 곡물[illegible]여 17세기에 정립(定立)된 법칙. 수확이 1/10, 2/1[illegible]로 감소하면 곡가(穀價)는 각각 3/10, 8/10, 16/10[illegible] 보통 비율 이상으로 등귀(騰貴)한다고 함. *킹³.

킹즐리¹ [Kingsley, Charles] 명 『사람』 영[illegible]基督[illegible]敎的) 사회주의를 기조로 시·논문·동화·역[illegible]여 《히파티아(Hypatia)》·《서방(西方)으로》[illegible]음. [1819-75]

킹즐리² [Kingsley, Sydney] 명 『사람』 미국의[illegible] 사람들》로 인정받고, 이어 《데드 엔드(Dead[illegible] 《탐정 야화(探偵夜話)》 등 인도주의적 정의감[illegible]는 작품을 냄. [1906-]

킹-코브라 [king cobra] 명 『동』 [*Ophiophagus hannah*] 뱀과에 속하는 최대의 독사. 전장은 3.6 m-5.5 m. 머리는 작고 좁으며, 비늘이 극히 크고 거칠어서 목에 19-21 줄, 몸에는 15 줄밖에 없음. 몸은 엷은 올리브색으로 어두운 가로무늬가 있음. 남양과 중국 남부의 삼림 지대에 사는데, 낮에 다니며 다른 뱀들을 잡아먹음. 골을 내면 목이 툭 불거지며, 성질은 다른 뱀보다 영리하고 독성이 강하여 극히 위험함. *코브라.

〈킹코브라〉

킹 콩 [King Kong] 명 1933년 제작한 미국 영화. 거대한 고릴라 킹 콩이 뉴욕에서 난폭하게 군다는 이야기로서 괴수 영화(怪獸映畫)의 선구임.

킹크 [kink] 명 『공』 와이어 로프에 영구 변형(永久變形) 또는 손상(損傷)을 주는 단단한 매듭.

킹킹 부 어린애가 울음 섞인 소리로 응석을 피우거나 무엇을 조르는 소리. ——-하다 자여불

킹킹-거리다 자 계속해서 킹킹하는 소리를 내다.

킹킹-대다 자 킹킹거리다.

킹-펭귄 [king penguin] 명 『조』 [*Aptenodytes patagonica*] 펭귄과에 속하는 새. 키는 90 cm 정도, 주둥이는 길쭉하여 조금 아래로 구불어졌으며, 빛은 청회색 내지 흑색임. 몸 앞 턱의 기반(基半)은 벗겨졌음. 10월부터 3월에 걸쳐 알 한 개를 낳아서 이것을 발 위에 올려 놓고 품음. 이 때에 여러 마리가 한 떼가 되어 서로 일정한 거리를 두고 나란히 앉으므로 정연히 질서를 이룸. 남극 부근의 섬에 분포함.

〈킹펭귄〉

ㅋ니와 조 〈옛〉 커녕. 물론이거니와. ¶ 手品은 ㅋ니와 制度도 ㄱ줄시고 《松江 思美人曲》.

ㅋ다 타 〈옛〉 캐다. ¶ 百草 茶ㅅ니플 ㅋ야 모도아 茶藥에 ㄹ 밍ㄱ라(百草茶葉採取成茶藥)《梵音集 50》/킬 치(採)《類合 下 46》.

글자. ②〖언〗자음의 하나. 목젖
대어 입길을 막았다가 목청을 갈
ㅌ (티읕) ①한글 자모(字게 파열시켜 내는 무성음. 받침으로
으로 콧길을 막고 혀 하여 'ㄷ'과 같게 됨. 'ㄷ·ㅎ'이나
아 숨을 불어 내면서 혀쏘리니 呑ᄐᆞᆫ ㄷ字ᄌᆞᆼ 처ᅀᅥᆷ 펴아나ᄂᆞᆫ
그치는 경우는 ㅎ 'ᄐᆡ읕'의 받침 소리가 연음(連音)될 때
'ㅎ·ㄷ 의 섞임 으로 발음함.
소리 ㅈᄐᆞ니르 ~의 추종을 불허하다.
[티으시, 티엉 의 한자 표기(漢字表記). ¶양말 5 ~.
티엉. 타. 타서. ¶祿해 타 먹ᄂᆞᆫ 녯 버든 書信이
絕)≪杜諺 Ⅶ:2≫.
타¹【他】[명] 뜻. ¶~고장.
타²【打】 根이 괴외타ᄒᆞ니라≪釋譜 Ⅵ:28≫.
타³ [타] 집. 남의 집.
그쳐】[명] 집을 때려 부수고 재물을 빼앗음. ¶토호의 행
타- 으로 인하여 재산을 탕패하고… 달리 벌이를 할 방책
-타 시작하였습니다≪李海朝：雨中行人≫.
〈옛〉타고 가고자 하다. ¶고래와 거부블 타가고져 ᄒᆞ
(有志乘鯨鼇)≪初杜諺 Ⅷ:58≫. ＊ᄐᆞ다⁵.
타고 가다. ¶그뒷 櫪上앳 追風驃ᄅᆞᆯ 타가고져 求ᄒᆞ노라
風驃)≪杜諺 Ⅰ:11≫. ＊ᄐᆞ다⁵.
방〉턱¹(평북·제주).
【他家受粉】[명]〖식〗타화(他花) 수분.
【他家受精】[명]〔xenogamy〕〖생〗주로 다른 계통간의 수정.
서는 일반적인 방법임. 식물에서도 널리 행해지며 '타화 수분
受粉)'이라고도 함. 이개체간(異個體間), 이주간(異株間) 또는 특
경우에는 동일주(同一株) 내의 다른 꽃에서의 수정(受精)도 포함
↔자가(自家) 수정.
각【打刻】[명] 금속 등 단단한 물체에 문자나 숫자를 새기는 일.
——-하다 [타][여불]
타:각-부【打角夫】[명]〖역〗조선 시대에 중국에 보내던 사신 일행의 모든 기구를 감수(監守)하던 사람.

타각적 징후【他覺的徵候】[명]〔objective sign〕〖의〗환자 이외의 남에 의해서 감지(感知)되는 징후.

타간로크〔Taganrog〕[명]〖지〗러시아 연방 내의 아조프 해(Azov 海) 북동단의 공업 도시. 야금(冶金)·보일러·농업 기계·선박 수리 등 공업이 성함. [281,000명(1981)]

타갈로그-어【一語】〔Tagalog〕[명]〖언〗필리핀 타갈로그족(族)의 언어. 말라요 폴리네시아 어족(語族)의 인도네시아 어파(語派)에 속하지만 스페인어(語)로부터의 차용어(借用語)가 많음. 1939년 필리핀의 국어로 제정되어 필리핀어(語)라고도 함. 1946년 스페인어·영어와 더불어 공용어(公用語)로 인정됨.

타갈로그-족【一族】〔Tagalog〕[명]〔하안(河岸)(alog)에 사는 사람이란 뜻〕필리핀 원주민의 한 종족. 주로 마닐라를 중심으로 루손 섬 중앙부에 살며 타갈로그어(語)를 사용함. 필리핀 토착의 여러 종족 중에서 지도적 지위를 차지하며, 정계·경제계 및 학계 등에서 주동적인 활동을 함. 종교는 기독교. [10,000,000명(1975)]

타갑【鼉甲】[명]〖한의〗천산갑(穿山甲)❷.

타:개【打開】[명] 얽히고 막힌 일을 잘 처리하여 나아갈 길을 엶. ¶~책(策)/난국(難局)을 ~하다. ——-하다 [타][여불]

타:개-책【打開策】[명] 타개할 방책. ¶최상의 ~.

타거【拖去】[명] 타과(拖過). ——-하다 [타][여불]

타:격【打擊】[명] ①때리어 침. ②어떤 영향을 받아서 기운이 크게 꺾임. 쇼크. ¶입시의 실패가 그에게 큰 ~을 주었다. ③손해. 손실. ¶불경기로 큰 ~을 받았다. ④야구에서, 투수(投手)가 던지는 공을 배트로 침. 타봉(打棒). 배팅(batting). ¶~상(賞)/~ 부문.

타:격-력【打擊力】[一녁] [명] 때리어 치는 힘.

타:격-률【打擊率】[一뉼] [명] 야구에서, 안타수(安打數)를 타격수(數)로 나눈 백분율. [준]타율(打率). ↔방어율.

타:격-수【打擊數】[명] 야구에서, 실제로 타자(打者)가 된 횟수에서 사구(四球)·사구(死球)·희생타(犧牲打) 및 타격 방해에 의한 출루(出壘)의 횟수를 뺀 수. [준]타수(打數).

타:격-순【打擊順】[명] 야구에서, 배트를 치러 나갈 선수의 차례. 배팅 오더(batting order). [준]타순(打順).

타견【他見】[명] ①다른 사람이 보는 바. ②남의 의견.

타:결【妥結】[명] 두 편이 서로 좋도록 협의·절충하여 일을 마무름. 또, 그 일. ¶교섭이 원만히 ~되다. ——-하다 [자][여불]

타:경【打驚】[명] 정신이 번쩍 들게 일깨움.

타계¹【他系】[명] 딴 계통.

타계²【他界】[명] ①다른 세계. 타인의 세계. ②인간계(人間界)를 떠나 딴 세계로 간다는 뜻으로, 사람 특히 귀인(貴人)의 죽음을 일컫는 말. ¶내 나이 어려서 ~하신 어버이. ③〖불교〗십계(十界) 중에서 인간 이외의 세계. 곧, 천인(天人)·지옥(地獄)·아귀(餓鬼)·수라(修羅) 같은 것. ——-하다 [자][여불]

타계³【他計】[명] 다른 계책(計策). 다른 꾀.

타계-관【他界觀】[명] 현실 세계를 떠난 세계에 관한 관념.

타고¹【他故】[명] 다른 까닭. 다른 사고.

타:고²【打鼓】[명] 북을 침. ——-하다 [자][여불]

타고³【鼉鼓】[명] 천산갑(穿山甲)의 껍질로 멘 북.

타고-나다 [타] 선천적(先天的)으로 지니고 태어나다. ¶타고난 성격/일복을 ~.
[타고난 재주 사람마다 하나씩은 있다] 사람은 누구나 한 재주는 갖춰 있어서, 그것으로 먹고 살아가게 마련이라는 말.

타고:르〔Tagore, Rabīndranāth〕[명]〖사람〗인도의 시인·사상가. 16세 때 처녀 시집을 출판, 이듬해 영국으로 가서 서구(西歐) 사상에 접하고 동서 문화의 융합에 힘씀. 1909년 종교적 명상 생활(瞑想生活) 중에서 나온 벵골어(Bengal 語) 시집 ≪기탄잘리(Gitanjali)≫를 간행함. 서정시 ≪과일 줍기≫ 이외에 현상(現象) 세계의 혼돈의 배후에 있는 신(神)의 창조의 미(美)와 조화를 테마로 한 많은 시와 희곡을 발표함. 1913년 노벨 문학상을 받음. [1861-1941]

타-고을【他一】[명] 다른 고을. 다른 지방. 타군(他郡). [준]타골.

타-고장【他一】[명] 다른 고장.

타:곡【打穀】[명] 탈곡(脫穀).

타-골【他一】[명] ↗타고을.

타-곳【他一】[명] 다른 곳. 제 고향이 아닌 곳. 타향.

타:공¹【打孔】[명] 우표(郵票)의 천공(穿孔)을 조폐 공사(造幣公社)에서 이르는 말. ——-하다 [자][여불]

타:공²【打共】[명] 공산주의 및 그 국가를 타도함. ¶~ 즉 멸공(滅共). ——-하다 [자][여불]

타과【拖過】[명] 이 핑계 저 핑계로 기한(期限)을 끌어 나감. 타거(拖去). ——-하다 [타][여불]

타관【他官】[명] '타향(他鄕)'의 이칭. ¶~ 살림.
[타관 양반 수허좌수(他官兩班誰許座首)] 국외(局外) 사람은 참여시키지 않는다는 말.
타관 타다 [구] 타관에서 어울리지 못하여 부끄럼이나 설움을 받다.

타교【他校】[명] 다른 학교. ¶~생. ↔본교(本校).

타교-생【他校生】[명] 다른 학교의 학생. ↔본교생.

타구¹【他區】[명] ①다른 구역. ②다른 구(區). ¶~ 출신 시의원.

타:구²【打毬】[명] 옛날 운동의 한 가지. 홍·백의 두 패로 갈라서 각기 말을 타고 내달아 구장(毬場)의 한복판에 놓인 홍·백의 공을 구장(毬杖)으로 떠서 자기 편의 구문(毬門)에 먼저 집어 넘기어 승부를 겨룸. 격구(擊毬). 방희(棒戲). ——-하다 [자][여불]

타:구³【打球】[명] 야구 등에서, 볼을 치는 일. 또, 그 볼.

타구⁴【拖鉤】[명]〖민〗줄다리기. ——-하다 [자][여불]

타:구⁵【垜口】[명] 성(城)가퀴.

타:구⁶【唾具】[명] 가래침을 뱉는 그릇. 사기나 놋쇠 같은 것으로 만드는데 여러 가지 모양이 있음. 타담호(唾痰壺). 타호(唾壺).

타:구⁷【橢球·楕球】[명] 타원형으로 된 구(球).

타-구역【他區域】[명] 다른 구역. 남의 구역. ¶~ 출신.

타:구-장【打毬場】[명] 타구를 할 수 있도록 차려 놓은 넓은 마당.

타국【他國】[명] 다른 나라. 타방(他邦). 수방(殊邦). 이국(異國). ¶~ 땅에 묻히다.

물. 저인망(底引網)의 전신(前身)임.

타:루【墮淚】[명] 낙루(落淚). ——-하다 [자][여불]

타루-박 [명] 〈방〉 타래박.

타류【他流】[명] ①다른 식(式). 딴 방식. ②딴 유파(流派).

타륜【舵輪】[명] 선박(船舶)의 키를 조종(操縱)하는 손잡이 달린 바퀴. 조타륜(操舵輪).

타르[1] [tar] [명]〖화〗목재나 석탄 같은 것을 건류(乾溜)하여 얻는, 갈색 또는 흑색의 유상액(油狀液). 목(木)타르·콜타르 등.

타:르[2] [tār] [명]〖악〗이란·아프가니스탄·중앙 아시아에서 쓰는 현악기(絃樂器). 류트(lute)와 비슷하며 자루가 길고 몸통은 타원형 또는 표주박 모양임. 4현(絃)과 2현의 것이 있는데 보통 4현의 것이 쓰이며 2현의 것은 특히 도타르(dotār)라고 함. 주로, 독주(獨奏)에 쓰이기는 하나, 노래의 반주 또는 합주에도 쓰임.

타르 도포【一塗布】[명] [tarring]〖공〗말뚝이 오랫 동안 지면(地面)과 접촉함으로써 산(酸)의 작용으로 썩는 것을 막기 위하여 말뚝에 타르를 바르는 일.

타르드 [Tarde, Jean Gabriel] [명]〖사람〗프랑스의 사회학자·범죄학자. 사회 현상의 특질을 개인간(個人間)의 심리적 관계에서 구하고 심리학적 사회학의 입장(立場)을 확립하였음. 주저 ≪사회 법칙론≫·≪모방(模倣)의 법칙≫ 등이 있음. [1843-1904]

타르드누아 문화【一文化】[Tardenois] [명] 프랑스의 엔(Aisne) 지방에 있는, 타르드누아 유적(遺蹟)을 대표로 하여 유럽에 널리 분포해 있는 중석기(中石器) 시대의 문화. 기하학 형태의 세석기(細石器)가 주로 발견됨. 이 때의 사람들은 사구(砂丘)나 해안 가까이에 움막을 짓고 일종의 수혈 주거(竪穴住居)를 영위했으며, 채집·수렵 생활이 중심이었음. 연대적(年代的)으로는 서(西)아시아의 무토기 농경 문화(無土器農耕文化)와 병행한 것으로 추측됨.

타르 머캐덤 도:로【一道路】[tar macadam] [명]〖토〗잘게 깬 돌을 깔고 그 위에 타르를 뿌리거나 흘려서 롤러(roller)로 굳게 다진 도로.

타르 물감 [tar] [一깜] [명]〖화〗타르 염료.

타르바가타이 산맥【一山脈】[Tarbagatai] [명]〖지〗카자흐 공화국과 중국의 신장(新疆) 웨이우얼 자치구의 북서경(北西境)에 있는 동서 약 300 km의 산맥. 거의 수목이 자라지 않음.

타르박 [명] 〈방〉 두레박(전남).

타:르 사막【一沙漠】[Thar] [명]〖지〗파스키탄 동부(東部)로부터 인도 서북부에 걸쳐 있는 사막. 연강수량 500 mm 이하의 지역과 250 mm 이하의 사막 기후 지역으로 이루어짐. 스텝 지역에서는 지하수 등에 의한 관개(灌漑)가 발달, 콩·수수 등의 경작지가 생김. 지하 자원으로 석탄·납·아연·대리석 등이 풍부함. [270,000 km²]

타르-산【一酸】[명] [tar acid]〖화〗페놀류(phenol 類)·크레졸류(類)·크실레놀류(xylenol 類)로 된 혼합물. 타르나 타르의 증류물(蒸溜物) 속에 있으며, 독성·가연성임. 알코올·콜타르계(系) 탄화 수소에 녹음. 목재 방부제·가축용 살충제·살균제 제조용임.

타:르 샌드 [tar sand] [명]〖광〗오일 샌드(oil sand).

타르수스 [Tarsus] [명]〖지〗터키 소아시아 반도 중남부에 있는 상업 도시. 기원전 7세기 이전으로 거슬러 올라 가는 고도(古都)로 고대의 유적이 많으며, 고대 로마의 속주(屬州)이던 실리시아(Cilicia) 지방의 수도로 사도 바울의 고향임. [160,150 명(1985)]

타르스키 [Tarski, Alfred] [명]〖사람〗폴란드 태생의 논리학자·수학자. 1945년 미국에 귀화하여 캘리포니아 대학 교수가 됨. 논문 ≪형식화된 언어에 있어서의 진리 개념≫에 의하여 기초 논리학에 있어서의 의미론의 개척자로 알려짐. [1902-]

타르-암【一癌】[tar] [명] 동물의 피부에 콜타르를 발라 발생시킨 인공암(人工癌). 석탄을 상용하여 온 유럽에서는 굴뚝 소제부에게 음낭암(陰囊癌)이 많아, 이에 주목하여 타르암 형성을 위하여 많은 실험이 행하여졌으며, 콜타르 속의 발암 물질에 대한 연구도 진척되었음.

타르 염기【一塩基】[tar] [명]〖화〗석탄을 건류(乾溜)할 때에 생기는 콜타르의 성분 중에서, 묽은 황산 따위 산(酸)에 녹는 염기를 일컬음.

타르 염:료【一染料】[tar] [一뇨] [명]〖화〗아닐린·나프탈렌·안트라센·페놀 등으로부터 유도(誘導)된 염료. 타르 물감.

타르 오일 [tar oil] [명] 베네수엘라의 오리노코 강(Orinoco江) 주변에서 나는 타르 모양의 중질(重質)의 탄화 수소. 7천억 배럴의 매장량이 있다 함. 중질 원유(重質原油).

타르-지【一紙】[명] [tar paper]〖건〗타르를 입히거나 함침(含浸)한 중질(重質)의 건재용(建材用) 종이.

타르-칠【一漆】[tar] [명] 타르로 칠함. ——-하다 [타][여불]

타르타로스 [Tartaros] [명] ①〖신〗그리스 신화에 나오는, 땅 밑에 있다는 암흑계(暗黑界). 신(神)을 배반한 대죄인(大罪人)이 떨어져 유폐(幽閉)된다고 함. 지옥. ②암흑. 심연(深淵).

타르타르-산【一酸】[명] [tartaric acid]〖화〗히드록시산(酸)의 하나. 무색 투명한 단사 정계(單斜晶系)의 주상 결정(柱狀結晶). 식물의 과실(果實) 따위에 포함되어 널리 존재함. 주석(酒石)이 원료로서, 시고 상쾌한 맛이 있으며 물과 알코올에 잘 녹아 청량 음료수·약제(藥劑)·물감 등의 제조에 쓰임. 주석산(酒石酸). [$C_4H_6O_6$]

타르타르산 안티모닐 칼륨【一酸一】[명] [potassium antimonyl tartrate]〖화〗무색(無色)의 사방 정계(斜方晶系) 결정(結晶). 100℃에서 물을 잃음. 광학 분할 시약(光學分割試藥)으로서 침전 생성(沈澱生成), 칼럼 크로마토그래피(column chromatography)의 용리제(熔離劑)로 쓰임. 체내에 들어가면 유독(有毒)하나, 미량은 의약품으로 쓰임. 광학 이성질체(光學異性質體) 중의 L체를 '토주석(吐酒石)'이라고 함. 주석산(酒石酸) 안티모닐 칼륨.

타르타르산 안티몬 칼륨【一酸一】[명] [antimony potassium tartrate]〖화〗타르타르산 안티모닐 칼륨.

타르타르산-염【一酸塩】[一념] [명] [tartrate]〖화〗타르타르산이 갖는 카르복시기(基)의 수소(水素)를 금속 이온 등으로 치환(置換)하여 얻는 염. 무색 결정(無色結晶)으로 물에 녹음. 라세미체(體)·L체·D체·메소체 등의 광학 이성질체(光學異性質體)가 있는데, 특히 L체와 D체의 용해도(溶解度)의 차이를 이용하여 광학 활성(活性) 양(陽)이온의 분할 시약(分割試藥)으로 쓰임. 타르타르산 칼륨·타르타르산 나트륨·타르타르산 암모늄·타르타르산 암모늄 나트륨·타르타르산 칼슘·타르타르산 나트륨 칼륨 등이 있음. 주석산염(酒石酸塩).

타르타르산 칼륨【一酸一】[라 kalium] [명] [potassium tartrate]〖화〗신맛이 있는 무색 투명 또는 백색의 결정체(結晶體). 물에 약간 녹으며 물감 및 약용으로 쓰임. 압전율(壓電率)이 높아서 전기 통신 기재로도 많이 쓰임. 주석산(酒石酸) 칼륨. 주석영(酒石英). 약칭 : 디 케이 티(DKT). [$K_2C_4H_4O_6$]

타르타르산 칼륨 나트륨【一酸一】[kalium natrium] [명] [potassium sodium tartrate]〖화〗무색·사방 정계(斜方晶系)에 속하는 결정. 대표적인 강유전체(強誘電體)이며 압전기를 이용하는 재료로 쓰임. 화학적으로는 펠링 용액(Fehling 溶液)의 원료로 쓰임. 광학 이성질체(光學異性質體)로는 L체(體)·D체·메소체·라세미체 등이 있는데 이 중의 L체를 '로셸 염(Rochelle 塩)'이라고 함. 주석산(酒石酸) 칼륨 나트륨. 주석산 칼리 소다. [$KNaC_4H_4O_6$]

타르탈리아 [Tartaglia, Niccolò] [명]〖사람〗이탈리아 르네상스기의 수학자·물리학자. 삼차(三次) 방정식의 해법(解法)을 둘러싸고 카르다노(Cardano, G.)와 그 선취권(先取權)을 다투었음. [1499-1557]

타르튀프 [프 Le Tartuffe] [명]〖연〗몰리에르(Molière)가 지은 희곡. 5막. 1664년 완성, 같은 해 베르사유 궁전(宮殿)에서 초연(初演)됨. 교묘한 음모로 오르공가(家)에 들어가 그 재산을 횡령한 위선적 성직자(僞善的聖職者) 타르튀프가 오르공의 아내에 의해 그 가면이 벗겨져 국왕의 재판을 받기에 이르는 성격 희극(喜劇). 당시의 프랑스 사회의 위선을 풍자한 것임.

타르티니 [Tartini, Giuseppe] [명]〖사람〗이탈리아의 바이올리니스트·작곡가. 근대 주법(奏法)의 기초가 되는 운궁법(運弓法)을 창시하고 악기의 개량에도 힘썼음. 기교적인 바이올린 곡(曲)을 많이 작곡했으며 ≪악마의 트릴(trill)≫이 특히 유명함. [1692-1770]

타르 페이스트 [tar paste] [명]〖약〗타르의 환원성(還元性)을 이용하여 만든 고약. 세포 침윤(細胞侵潤)을 흡수하고 각질(角質) 형성을 촉진하며, 건조 수렴(收斂) 작용이 있음. 주로, 피부병에 쓰는데, 옴·버짐·습진 등에 효험이 있음.

타릉개 [명] 〈방〉 탕개.

타리[1]【他里】[명] 다른 동리. 남의 동리.

타리[2] [명] 〈방〉 갈기²(평북).

타리개 [명] 〈방〉 씨아.

타리박 [명] 〈방〉 두레박(충남·전남).

타림 강【一江】[Tarim] [명]〖지〗중국 신장(新疆) 웨이우얼 자치구의 타림 분지(盆地)를 관류(貫流)하는 내륙강(內陸江). 야르칸드(Yarkand)·호탄(Khotan)·카슈가르(Kashgar)의 세 강을 합하여 로브노르(Lob Nor)로 들어감. [1,600 km]

타림 분지【一盆地】[Tarim] [명]〖지〗중국 신장(新疆) 웨이우얼 자치구의 남반부를 차지하는 건조(乾燥) 분지. 텐산(天山)·쿤룬(崑崙) 산맥 사이에 있고, 중앙에 타클라마칸 사막(Taklamakan沙漠)이 있음. 남북 산지의 사면(斜面)에는 많은 계류(溪流)가 있어 오아시스(oasis)를 이루어 도시가 발달함.

타마【駝馬】[명]〖동〗①'기린'의 별칭. ②'낙타'의 별칭.

타마구 [명] ☞ 타마유(油).

〈타마린드〉

타마린드 [tamarind] [명]〖식〗[*Tamarindus indica*] 콩과에 속하는 상록 교목. 줄기 높이 2-19m, 잎은 우상(羽狀) 복엽이고, 초여름에 누른 빛의 꽃이 첩상(蝶狀)의 총상(總狀) 화서로 핌. 길이 7-15cm의 꼬투리 속에 3-10개의 씨가 들어 있는데, 이 과육(果肉)에서 신 맛이 있는 약제를 추출하여 연고나 안료로 씀. 아프리카 원산임.

타마요 [Tamayo, Rufino] [명]〖사람〗멕시코의 화가. 1948년 뉴욕에 정주(定住)함. 포비슴(fauvisme)·퀴비슴(cubisme)의 기법(技法)과 멕시코 민족 미술의 흐름의 영향을 받았으며, 타블로(tableau) 및 벽화(壁畫)를 그렸음. [1899-91]

타마-유【一油】[명] 〈속〉 콜타르(coal tar).

타마타브 [Tamatave] [명]〖지〗아프리카의 마다가스카르 동안(東岸)에 있는 항구 도시(港口都市). 기계·제유(製油)·식품 가공 등의 공업이 행하여짐. 1929-35년에 항만 설비가 개수(改修)되어, 이 나라 제1의 항구가 됨. [100,000명(1982 추계)]

타:말-성【唾沫星】[명] 잿물에 잔 물거품이 있어 쇄주(碎珠)같이 된 자기(瓷器).

타:망【打網】[명] '챙이'의 이칭.

타:매[1] [명] 〈방〉 다시마(강원).

타:매[2]【唾罵】[명] 침을 뱉고 욕을 마구 퍼부음. ——-하다 [타][여불]

타:맥【打麥】[명] 보리를 거두어 타작함. ——-하다 [자][여불]

타면[1]【他面】[명] ①어떤 물건이나 장소 등의 다른 쪽. ②어떤 일의 다른 측면이나 관점. ¶～으로는 인자한 데도 있다.

타:면[2]【打綿】[명] 탄면(彈綿). ——-하다 [자][여불]

타:면[3]【唾面】명 못된 사람의 얼굴에다 침을 뱉고 또 욕을 보임. ——하다 자여불

타면[4]【惰眠】명 ①게을러 잠을 잠. 나면(懶眠). ¶태평(太平)의 ～을 깨다. ②빈둥거리며 일을 아니함. 활기가 없음. ——하다 자여불

타:면-기【打綿機】명 면사 방적 기계(綿絲紡績機械)의 하나. 타면 장치와 송풍(送風)에 의하여 면화에 섞인 잡물(雜物)을 제거하여 섬유를 펴는 기계. 솜틀.

타:면 자건【唾面自乾】명〔남이 나의 얼굴에 침을 뱉었을 때 이를 닦으면 그 사람의 뜻을 거스르므로, 절로 마를 때까지 기다린다는 뜻〕처세(處世)에는 인내(忍耐)가 필요함을 강조한 말.

타:목 명 탁하고 쉰 목소리.

타무즈〔Tammuz〕명 선사(先史) 시대 이래의 메소포타미아의 곡물신(穀物神), 죽음과 부활의 신.

타문[1]【他門】명 남의 문중(門中). 남의 집안.

타문[2]【他聞】명 남이 들음. 남의 귀에 들림. ¶～을 꺼려 꺼리다.

타물【他物】명 다른 물건.

타물-권【他物權】[—꿘] 명〖법〗남의 소유물 위에 존재하는 물권. 곧, 지상권(地上權)·지역권(地役權)·전세권(傳貰權) 같은 것.

타-민족【他民族】명 다른 민족. 외민족(外民族).

타밀-나두〔Tamil Nadu〕명〖지〗인도 데칸 반도(Decan 半島) 남서부 코로맨들(Coromandel) 연안의 주(州). 주도는 마드라스(Madras). 산물로는 쌀·수수·티크·고무 및 망간·보크사이트·운모 등이 있음. 전 이름은 마드라스. [130,357 km²: 48,297,456명(1982)]

타밀-어【—語】〔Tamil〕명 타밀족의 언어. 드라비다 어족(Dravida 語族)에 속하며 인도의 공용어의 하나. 동남 아시아 각지, 아프리카의 일부에서도 이민(移民)에 의하여 사용됨. 최고(最古)의 문전(文典)은 1세기에 거슬러 올라간다 하며, 인도에서 범문학(梵文學)을 제외하고는 가장 오래고 풍부한 문학을 발달시켰음.

타밀-족【—族】〔Tamil〕명 인도 남부의 드라비다족(Dravida 族)의 한 부족(部族). 인도의 최남단부와 실론 섬 북동부에 삶. 아리안인 이주(移住) 전에 독자적인 문화를 갖고, 기원전 3세기에 왕국(王國)을 형성하여 촐라 왕조(Chōla 王朝) 등을 세우고, 동서 무역으로 번영하였음. 타밀어(語)의 종교 문헌에는 뛰어난 것이 남아 있음. 인구는 약 3,000만. 피부는 농갈색 또는 흑색이며, 종교는 주로 힌두교임.

타바리〔al-Tabari, Abū Ja'far Muhammad b. Jarīr〕명〖사람〗이슬람의 아바스조(Abbās朝) 시대의 학자. 신학·사학의 저술을 남겼음. 천지 창조로부터 915년까지의 세계사≪예언자들과 제왕(帝王)들의 서(書)≫와 ≪코란 주석서(注釋書)≫가 유명함. [838-923]

타바리시치〔러 tovarishch〕명〔동지(同志)의 뜻〕①남녀를 불문하고 성(姓)·직명(職名) 앞에 붙여서 가벼운 경칭으로 쓰는 말. ②상대에 대한 호칭(呼稱).

타바스코〔스 Tabasco〕명〔상품명 타바스코 소스의 약칭〕고추의 빨간 껍질에 과실초(果實醋) 등을 첨가하여 만든 매운 조미료. 양식(洋式) 요리의 조미용 또는 피자(pizza)·스파게티(spaghetti) 등에 침.

타바코〔포 tabacco〕명 담배.

타바코 로:드〔Tobacco Road〕명〖책〗1932년에 발표된 미국의 소설가 콜드웰(Caldwell, E.)의 장편 소설. 담배 재배가 성행했던 미국 남부에서 황폐한 담배 운반 도로 연변에 있는 목화 밭에 매달려 무기력하게 생활하는 농민 지터 일가의 몰락 과정을 그렸음. 「바이러스.

타바코 모자이크 바이러스〔tobacco mosaic virus〕명 담배 모자이크

타바키즘〔tobaccism〕명 니코틴 중독(中毒)의 딴이름.

타:박[1] 명 허물을 잡아 크게 탓함. ¶만나자마자 ～을 준다/물건 ～만하다. ——하다 타여불

타:박[2]【打撲】명 때리어 침. ¶～상(傷). ——하다 타여불

타박-거리다 자 다리에 힘이 없어서, 모래 위를 걷는 것과 같이 걷다. ¶밤을 새며 먼 밤길을 ～. <터벅거리다. 타박-타박[1] 부. ¶등에 괴나리봇짐을 진 채 힘없이 ～ 걸어가는 쓸쓸한 피난민들. ——하다[1] 자여불

타박-대다 자 타박거리다.

타:박-상【打撲傷】명 때려서 다친 상처. 부딪쳐서 난 상처. ¶～을 입다. 준타상(打傷).

타:박성 폐:렴【打撲性肺炎】명〖의〗크룹성(croup性) 폐렴의 한 가지. 가슴을 다쳤거나 맞았을 때 일어남.

타박-이다 자 힘이 빠진 걸음걸이로 기운 없이 느릿느릿 걷다. <터벅이다.

타박타박-하다[2] 형여불 가루 음식 같은 것이 물기가 없어 씹기에 조금 빡빡하다. ¶떡이 타박타박해서 먹기 어렵다. <터벅터벅하다[2].

타박-하다 형여불 바슬바슬하고 부드럽다. ¶막 캐낸 감자라서 그런지 …타박하면서도 매끄럽고 구수하다≪吳永壽 : 메아리≫.

타발-거리다 자 힘이 빠진 걸음걸이로 늘찌렁늘찌렁 걷다. <터벌거리다. 타발대다. 타발-타발 부. ——하다 자여불

타발-대다 자 타발거리다.

타발 천:이【他發遷移】명〔allogenic succession〕〖생〗산불·벌채·식림(植林)·홍수(洪水)·화산 활동 등, 군락(群落) 외의 작용으로 일어나는 천이. ↔자발(自發) 천이.

타방[1]【他方】명 ①↗타방면(他方面). ②↗타지방(他地方).

타방[2]【他邦】명 타국(他國).

타-방면【他方面】명 다른 방면. 준타방(他方).

타:배【駝背】명 ①낙타의 등. ②곱사등이. 곱사등.

타:백【拖白】명〖역〗예백(曳白).

타별【他別】명 특별함. ——하다 형여불

타병【舵柄】명 키본.

타:보[1]【打步】명〖경〗프리미엄(premium)❺.

타:보[2]【打報】명 타전(打電). ——하다 자여불

타보라〔Tabora〕명〖지〗아프리카 탄자니아(Tanzania)의 중서부에 위치한 도시. 상업·군사·교통의 중심지로 철도 공장이 있음. 1820년경 아랍인이 창건함. [67,400 명(1978)]

타보이〔Tavoy〕명〖지〗미얀마 남부에 있는 항구 도시. 태국과 인접해 있으며, 쌀 등 농산물의 거래가 성하고, 부근에서는 주석·중석 등을 산출함. [101,000 명(1975)]

타:봉[1]【打棒】명 야구에서, 배트. 또, 배트로 공을 치는 일. 타격(打擊). ¶～에 불이 붙다.

타봉[2]【駝峯】명 낙타의 육봉(肉峯).

타:-봉징【打封徵】명〖민〗'폐백털기'의 한자말.

타부[1]【他夫】명 딴 남자.

타부[2]【他部】명 다른 부. ¶～ 소속.

타부아에란 섬〔Tabuaeran〕명〖지〗키리바시(Kiribati)의 환초(環礁)로 폴리네시아의 라인 제도 중의 섬. 코프라 농장이 많으며, 주민은 길버트 제도로부터 노동자로서 이주함. 캐나다와 피지를 잇는 해저 전선의 중계지이며, 남서안(南西岸)에 잉글리시 하버(English Harbour)가 있음. 1798 년 미국의 패닝이 도달하여 1978 년까지 영국령이었음. 구칭 : 패닝 섬. [38 km² : 434 명(1980)]

타분대기 명〈방〉티끌(충북).

타:분-장【打糞杖】명 '똥친 막대기'와 같은 뜻.

타분-하다 형여불 ①생선·고기 등이 약간 상하여 신선한 맛이 없다. ②↗고리타분하다. 1)·2):<터분하다.

타불【陀佛】명〖불교〗↗아미타불.

타불라 라사〔라 tābula rāsa〕명〖철〗〔아무 것도 쓰이지 아니한 흰 종이란 뜻〕감각적 경험 이전의 인간의 마음은 백지와 같이 아주 공무(空無)한 것이어서 경험과 더불어 비로소 물이 들며, 인간의 지식은 무릇 경험에 의하여 비롯한다는 의미를 나타내는 말. 경험론의 주장을 표명하는 말로서 쓰임.

타브리즈〔Tabriz〕명〖지〗이란(Iran)의 북서쪽에 있는 동(東) 아제르바이잔 주(Azerbaijan 州)의 주도. 이란 제 2 의 도시로 상공업의 중심지이며, 이란과 터키를 잇는 교통의 요지(要地)이기도 함. 일찌기 일한국(Il 汗國)의 수도로서 번성했던 곳으로 당시의 유적(遺蹟)이 많음. 육상 무역(陸上貿易)의 대중심지로, 융단의 생산과 집산으로 유명하며 면화·명주 등의 거래가 성함. [929,200 명(1985)]

타블 도:트〔프 table d'hôte〕명 서양 요리의 정식(定食). ↔아 라 카르트(à la carte).

타블라-바:야〔인 tabla-bāhyā〕명〖악〗인도의 중요한 악기. 가마솥 모양의 큰 북으로, 타블라와 바야로 한 쌍을 이루는데, 전자는 통이 좀 가늘고 높으며 고음을 내고, 후자는 저음을 냄. 연주자가 앉아서 무릎의 앞과 옆에 놓고 침.

타블로〔프 tableau〕명 ①그림. 회화(繪畫). 액자. ②구상·묘사가 완성된 회화 작품. 완성 작품. ↔에튀드(étude).

타블로이드〔tabloid〕명 ①〖약〗정제(錠劑). 타블렛. ②〖인쇄〗↗타블로이드판.

타블로이드 신문【—新聞】〔tabloid〕명 타블로이드판(tabloid 判)의 소형 신문. 1901년 노드클리프(Northcliffe)가 '월드'지를 하룻 동안 편집 담당했을 때 만든 것이 시초임. 1903년 창간한 '데일리 미러'가 유행을 낳고, 1919년 창간한 '데일리 뉴스' 이후 사진을 많이 넣게 되었음.

타블로이드-판【—判】〔tabloid〕명〖인쇄〗신문·잡지 등에서 보통 신문지의 2분의 1 크기의 판. 일반적으로 기사를 요약하고 사진판을 넣음. 준타블로이드.

타:비【打碑】명 비에 새긴 글씨를 갊. ——하다 자여불

타빈【惰貧】명 게을러서 가난함. ——하다 형여불

타사[1]【他社】명 다른 회사. ¶～ 제품.

타사[2]【他事】명 딴 일. 다른 일. 여사(餘事).

타산[1]【他山】명 다른 산. 다른 사람의 산.

타:산[2]【打算】명 이해 관계를 셈쳐 봄. 절산(折算). ¶이해 ～. ——하다 타여불

타:산-적【打算的】명관 어떤 일을 하기 전에 미리 그 일의 이해 득실(利害得失)을 따져 보는 모양. 공리적(功利的). ¶～인 사람.

타산지-석【他山之石】명〔다른 산에서 난 나쁜 돌도 자기의 구슬을 가는 데에 소용이 된다는 뜻〕다른 사람의 하찮은 언행일지라도 자기의 지덕(智德)을 연마하는 데에 도움이 된다는 말. ¶～으로 삼다.

타살[1]【他殺】명 ①남이 죽임. ②남에게 당한 죽음. ¶～ 시체. 1)·2):↔자살(自殺). ——하다 자타여불

타:살[2]【打殺】명 때려서 죽임. 박살(撲殺). 구살(毆殺). ——하다 타여불

타:살-굿【打殺—】명〖민〗황해도 무속 중의 하나로, 동물을 죽여 신에게 바치는 거리.

타:상[1]【打傷】명 ↗타박상(打撲傷).

타:상[2]【打像】명〖광〗광물의 결정면을 못 같은 뾰족한 끝으로 수직으로 때렸을 때 나타나는, 그 광물 특유의 별 모양의 규칙적인 균열. 타격이 있었던 점을 중심으로 하여 몇 개의 일정 방향의 방사선 모양으로 나타남. *압상(壓像).

타:상[3]【妥商】명 타의(妥議). ——하다 타여불

타-상하설【他尙何說】명 한 가지 일을 보면 다른 일은 보지 않아도 헤아릴 수 있다는 말.

타색【他色】명 ①다른 빛. ②〖역〗사색 당파(四色黨派) 중에서 자기가

소속해 있지 않은 다른 색목(色目). ③〖광〗광물 본래의 빛깔이 아니고 불순물(不純物)이나 극히 미세(微細)하게 금이 간 것에 의하여 생기는 다른 빛깔.
타생【他生】명 ①자체(自體)의 작용으로가 아니고 딴 원인으로 생기어 남. ↔자생(自生). ②〖불교〗금생(今生) 이외의 전세(前世)나 후세(後世)에 누리는 생. ③타세(他世)에 태어나는 일.
타서【他書】명 다른 서적. 남의 서적.
타석[1]【他席】명 다른 자리. 남의 자리. 타좌(他座).
타:석[2]【打席】명 ①야구에서, 배터 박스(batter box). ②↗타석수(打席數). ¶5 ~ 3안타.
타:석[3]【唾石】명〖의〗침샘의 도관(導管) 속에 생긴 결석(結石). 턱밑샘에 가장 많은데, 박리(剝離)된 선상피(腺上皮)나 도관 상피 또는 세균이나 구강(口腔)으로부터의 이물(異物)이 심(心)이 되고 그 주위에 칼슘염(塩)이 침착하여 이루어짐. 침의 유통(流通)을 방해하며 울체(鬱滯)를 일으키는데 침샘의 염증의 원인이 됨.
타:-석기【打石器】명 ↗타제 석기(打製石器).
타:석-수:【打席數】명 야구에서, 타자로서 배터 박스에 선 횟수. 애트배트(at bat). 준타석(打席).
타:선[1]【打線】명 야구에서, 타력(打力)의 면에서 본 타자의 진용. ¶불을 뿜는 ~.
타:선[2]【唾腺】명〖생〗↗타액선(唾液腺).
타:선 염:색체【唾腺染色體】명〔salivary (gland) chromosome〕〖생〗↗타액선 염색체.
타:선 염:색체 지도【唾腺染色體地圖】명〖생〗침샘 염색체 지도.
타성[1]【他姓】명 다른 성. 이성(異姓).
타:성[2]【惰性】명 ①오래 되어 굳어진 버릇. ¶지금까지의 ~으로 이 모양이다. ②〖물〗관성(慣性).
타:성-계【惰性系】명〖물〗관성계(慣性系).
타:성-률【惰性律】[—뉼] 명〖철〗타성을 표시하는 법칙.
타성-바지【他姓—】명 자기와 다른 성바지.
타:성-적【惰性的】명관 오래 되어 버릇이 굳어진 모양. 타성에 관한 모양.
타:성 질량【惰性質量】명 관성(慣性) 질량.
타세【他世】명〖불교〗미래의 세계. 후세. 내세(來世).
타소[1]【他所】명 딴 곳. 다른 장소. 타처(他處). 여소(餘所).
타소[2]〔Tasso〕명〖책〗괴테의 희곡. 1790년 작. 르네상스의 이탈리아에서, 공주(公主)를 사랑하는 몽상적인 시인 타소와 유능하고 현실적인 대신(大臣) 안토니오를 대조시키면서, 현실 세계를 살아야 하는 시인의 고뇌를 그렸음.
타소[3]〔Tasso, Torquato〕명〖사람〗이탈리아의 서사 시인. 18세 때 서사시 《리날도(Rinaldo)》를 발표한 이래 《아민타(Aminta)》로 명성을 획득, 1575년 대작 《해방된 예루살렘》을 완성하고, 만년 계관 시인(桂冠詩人)이 되었음. [1544-95]
타:쇄【打碎】명 때려 부숨. 때려서 깨뜨림. ——-하다 타여불
타:수[1]【打手】명 야구에서, 타자(打者).
타:수[2]【打數】명 ↗타격수(打擊數).
타:수[3]【唾手】명 손에 침을 바름. 곧, 기운을 내어 일을 시작한다는 뜻. ——-하다 자여불
타수[4]【舵手】명 선박에서 키를 맡아 보는 선원. *키잡이.
타:수 가:득【唾手可得】명 어렵지 않게 성사(成事)됨을 기약(期約)할 수 있음.
타-수용【他受用】명〖불교〗부처님이 자신의 깨달음의 기쁨을 혼자서 향락(享樂)하지 않고 여러 중생에게 나누어 같이 즐기는 일. 또, 그 작용. ↔자수용(自受用).
타:순【打順】명〖야구〗↗타격순.
타슈켄트〔Tashkent〕명〖지〗①우즈베키스탄(Uzbekistan) 공화국 동부의 주(州). 시르다리아 강(江)의 지류에 임함. 밀·목화·과실 재배 등이 행해짐. 이 나라 안에서는 가장 공업이 활발하여 기계·화학·야금·식품·비료·섬유 공업 등이 발달함. [15,600 km²: 1,792,000명(1979)] ②우즈베키스탄 공화국의 수도. 타슈켄트 주(州)의 주도. 중앙 아시아 제1의 도시로, 철도·도로의 분기점이며 이 나라 남부의 문호(門戶)임. 기계·섬유·식품 공업이 활발함. 중앙 아시아에서 가장 오래된 도시의 하나임. [2,124,000명(1987)]
타스【러 TASS】명〖사〗〔Telegrafnoe Agentstvo Sovetskovo Soyuza의 약칭〕소련의 국영 전보(電報) 통신사. '이타르 타스(ITAR TASS)'의 전신. 1992년 1월 옐친 러시아 대통령에 의해 RIA 노보스티의 일부와 타스가 합병, 새로운 통신사로 재편됨.
타스만〔Tasman, Abel Janszoon〕명〖사람〗네덜란드의 항해가. 네덜란드 인도 회사에 근무중 태즈메이니아(Tasmania)·뉴질랜드 및 태평양 남부의 여러 섬을 발견하였음. [1606-59]
타스매 명〈방〉다시마(강원).
타:승【打勝】명 쳐서 이김. ——-하다 타여불
타시[1]【他市】명 다른 시(市).
타시[2]【他時】명 다른 때. 여시(餘時).
타시락-거리다 자 좀스럽게 옥신각신하며 우기어 다투다. ¶윤형빈과 영옥이 서로 타시락거리는 말을 듣고…《朴花城: 고개를 넘으면》.
타시마 명〈방〉다시마(강원).
타시매 명〈방〉다시마(강원·경상).
타실【他室】명 다른 방. 딴 방.
타실리 유적【—遺跡】〔Tassili〕명〖지〗사하라 사막 중앙 고지에 있는 유적. 제4 빙하기의 종말기, 8천-1만 년 전의 암벽화(岩壁畫) 1만 점 이상이 남아 있음. 주로 코,
타심【他心】명 다른 마음.
타심-통【他心通】명〔↗타심
〖불교〗오신통(五神通)의 하
든 선악(善惡)을 모두 알아
타아【他我】명〖철〗개인 의식
사람마다 가지고 있는 타인의
타:-악기【打樂器】명〖악〗나무
는 악기. 북과 같이 일정한 소리
하는 타악기와, 목금과 같이 가
선율을 연주할 수 있는 타악기의
↔관악기(管樂器).
타:안【妥安】명 평안함. 안온함. —
타애【他愛】명〖윤〗애타(愛他). 이
타애-설【他愛說】명〖윤〗애타설(愛
타애-주의【他愛主義】[—/—이] 명
타:액【唾液】명〔saliva〕〖생〗침[1].
타:액-선【唾液腺】명〔salivary gland〕
타:액선 염:색체【唾液腺染色體】명
타:액선 호르몬【唾液腺—】〔salivary-g
호르몬.
타:약【惰弱】명 나약(懦弱). ——-하다 형
타얄-족【—族】〔Tayal〕명 타이완 북부
의 한 종족. 옛날에 사람의 목을 베는 풍
위협적인 존재이었음. [39,000명(1942)]
타양【他養】명〔heterotrophism〕〖생〗종속
타어[1]【他語】명 다른 말.
타어[2]【鮀魚】명〖어〗'모래무지'의 이칭.
타언【他言】명 다른 말.
타에니아〔Taenia〕명〖건〗그리스의 도리스
명칭. 처마 밑에 두르는 작은 벽의 가장자리
서 가늘게 튀어나와 있음.
타역【他域】명 타향. ¶천리 ~.
타오난【洮南】명〖지〗'타오안'의 별칭.
타오다 타〈옛〉타고 오다. ¶中使ㅣ 나날 서르 타오놋다
《杜諺 Ⅷ:8》. *투다[5].
타-오르다 자르불 ①불이 붙어 타기 시작하다. ②마음이 달다.
르는 정열.
타오안〔洮安〕명〖지〗중국 지린 성(吉林省) 서북부의 현. 타오얼 강(洮兒河) 남안(南岸)에 있음. 핑치(平齊) 철도가 통하며 부근에서 산출하는 농축산물을 집산함. 제혁(製革)·제화(製靴) 공업이 활발함. 조안. 별칭: 타오난(洮南). [497,000명(1982)]
타오위안〔桃源〕명〖지〗중국 후난 성(湖南省) 북서쪽에 있는 현(縣). 한대(漢代)의 임원현(臨沅縣) 자리로 현성(縣城)은 위안장(沅江) 강 하류 좌안(左岸)에 임하여 있음. 쌀·담배·차의 생산이 많음. 도원.
타오충〔桃冲〕명〖지〗중국 안후이 성(安徽省)에 있는 철산(鐵山). 우후(蕪湖) 남서쪽에 위치하며 장룽(長龍)·쑹바이(松柏) 등 여러 철산이 있는데, 총칭해서 타오충(桃冲) 철산이라 함. 광량(鑛量)은 약 5천만톤. 도충(桃冲).
타:옥【墮獄】명〖불교〗현세의 악업(惡業)으로 인하여 죽어서 지옥에 떨어짐. ——-하다 자여불
타:욕【唾辱】명 침을 뱉으며 욕함. ——-하다 타여불
타용[1]【他用】명 다른 곳에 씀. ——-하다 타여불
타:용[2]【惰容】명 게으르고 단정하지 아니한 용모.
타우루스 산맥【—山脈】〔Taurus〕명〖지〗서아시아 터키 남부, 지중해안에 평행하는 산맥. 횡단로(橫斷路)가 몇 줄기 있으며, 크롬·구리·은(銀) 등을 산출함. [3,675 m]
타우리스 섬:의 이피게니에 [—/—에—] 명〔도 Iphigenie auf Tauris〕〖책〗1786년에 완성된 괴테(Goethe, J.W.)의 희곡. 고국에서 멀리 떨어진 타우리스 섬에서 처녀로서 신(神)을 섬기는 이피게니에의 비극과 그 기품 있는 마음을 그림. 작자가 슈타인 부인(Stein 夫人)과의 우정을 기념한, 독일 고전주의 중의 걸작(傑作)임.
타우린〔taurine〕명〖생화〗동물의 담즙(膽汁) 속에 포함되어 있는 아미노에틸술폰산(酸). 더운 물에 잘 녹으며 아미노산과 마찬가지로 양성(兩性)의 전해질임. [$H_2NCH_2CH_2SO_3H$]
타우식〔Taussig, Frank William〕명〖사람〗미국의 경제학자. 하버드 대학 교수. 무역과 관세 연구로 알려짐. 주저에 《미국 관세사(關稅史)》가 있음. [1859-1940]
타우 입자【—粒子】〔τ〕명〖물〗경입자족(輕粒子族)에 속하는 소립자의 하나. 음전하(陰電荷)와 양전하(陽電荷)를 띤 두 종류가 있으며 스핀은 1/2, 질량은 전자(電子)의 약 3,500배, 평균 수명은 약 10^{-19}초로, 뮤(μ)입자·뉴트리노 등에 붕괴됨. 1976년 가속기(加速器) 안에서 발견됨.
타우지히〔Tausig, Karl〕명〖사람〗폴란드의 피아니스트·작곡가. 리스트(Liszt, F)에 사사(師事)하였고, 탁월(卓越)한 연주 기술로 알려짐. 빈(Wien)에서 관현악 연주회를 주재하고, 새로운 음악의 소개에도 진력하였음. 교칙본(敎則本) 《피아노 일과(日課)》를 남김. [1841-71]
타우트〔Taut, Bruno〕명〖사람〗독일의 건축가. 고향인 쾨니히스베르크(Königsberg)의 건축 학교를 졸업 후 베를린에서 건축 사무소를 개설함. 라이프치히의 국제전(國際展)에 《철의 기념탑》, 쾰른(Köln)의 공작 연맹전(工作聯盟展)에 《유리의 집》을 발표하여 진보적 건축가

…로서의 명성을 얻음. 장식적인 미(美… 부정하고, 기능을 중시한 건축미를 주장하였음. [1880-1938]

타우포 호【一湖】[Taupo] 명 …랜드 북섬 중앙부에 있는 이 나라 최대의 호수(湖水). 북…쪽으로 길이는 약 40 km, 폭(幅)은 27 km, 최심부(最深部)… 호수 주변은 경치가 아름답고 화산과 온천이 많아 관광…되고 있음. [614 km²]

타우 효:과【一効…】 …』 시간적 조건에 따라 공간적 연장(延長)의 파악… …상. 헬슨(Helson)이 명명(命名)하였음. ↔에스 효… …대(時空相待).

타운 [to… …읍(邑). 지구(地區). 상가(商街). ¶코리아…

…Sealy Edward] 명 『사람』 아일랜드 태생 … 이후 옥스퍼드 대학 교수. 1899년 기체 이온 …전해(電解)할 때 발생하는 수소 이온의 전하와 …톰슨(Thomson, J.J.)과 함께 전자(電子) 측정 … [1868-1957]

타… …nd, Charles] 명 영국의 정치가. 1761-62년에 육상 … 1766년 재무상이 되어 이듬해 '타운센드 조례(條… …에 대하여 중세(重稅)를 과하였는데, 이는 독립 전쟁 …되었음. [1725-67]

…【一係數】 명 [Townsend coefficient] 『전자』 방사 계수 …) 안에서 전자(電子)가 인가 전압(印加電壓) 방향으로 움…는 1 cm 당의 이온화(ion化) 충돌의 수.

…:전【一放電】 명 [Townsend discharge] 『전자』 매우 낮은 …생기며, 전계(電界)만으로는 유지할 수 없는 방전. 이 방전 …원인으로 야기된 전리(電離)로 개시(開始)·지속함. 약 0.1 토르 …상의 중간 압력에서 발생되며 공간 전하(空間電荷)를 갖지 아…

…드 조례【一條例】[Townshend] 명 『법』 영국의 재무상(財務相) …센드가 1767년에 제정한, 식민지인 미국에 대한 네 가지 법령. 뉴 …의회의 기능 정지(機能停止), 과세의 강화, 관세 징수 기구의 정비 …등 식민지에 대한 규제의 강화와 국고 수입(國庫收入)의 증가(增加)를 목적한 것으로, 식민지측의 분노를 초래하여 미국 독립 전쟁의 한 원인이 되었음.

타운센드 특성【一特性】 명 [Townsend characteristic] 『전자』 전압이 글로 방전(glow 放電) 개시 전압보다 낮고, 조도(照度)가 일정하다는 조건하에서 광전관(光電管)이 나타내는 전류 전압 특성 곡선.

타운스 [Townes, Charles] 명 『사람』 미국의 물리학자. 컬럼비아 대학 및 매사추세츠 공과 대학 교수를 역임. 마이크로파 분광학(分光學)에 의한 분자 구조의 연구를 개척함. 1954년에는 암모니아 메이저(maser)를 발명, 고체(固體) 메이저의 이론 및 적외(赤外)·가시(可視)·자외(紫外) 영역에서 작동하는 메이저의 이론을 전개(展開)하여 메이저·레이저(laser)의 실용화에 크게 공헌하였음. 1964년에 노벨 물리학상을 수상함. [1915-]

타운 웨어 [town wear] 명 평상복(平常服)처럼 수수하면서도 격식을 차린 느낌을 주는 차림새의 외출복. 비즈니스·관극(觀劇) 등에 알맞음.

타운즈빌 [Townsville] 명 『지』 오스트레일리아의 항구 도시. 퀸즐랜드 주(Queensland 州)의 동부 해안에 위치하고 클론커리(Cloncurry)·차터스 타워스(Charters Towers) 등의 금산지(金産地)와 철도가 통하여 있음. 목양(牧羊)·목우(牧牛)의 중심지로 설탕·양모·피혁(皮革)·육류(肉類) 등을 수출함. [86,000명(1981)]

타울-거리다 자 목적을 이루기 위하여 애를 바득바득 쓰다. <터울거리다. 타울-타울 부. ——-하다 자여불

타울-대다 자 타울거리다.

타울러 [Tauler, Johannes] 명 『사람』 독일의 신비 사상가(神祕思想家). 도미니코 회(Dominico 會) 비밀 사상 단체의 중심 인물임. 스위스의 바젤(Basel)에서 활약함. 스스로의 영혼 속으로 돌아간다고 하는 내적 정화(內的淨化)를 설파하였음. [1300-61]

타워 [tower] 명 탑(塔). 누대(樓臺).

타워 브리지 [Tower Bridge] 명 『지』 [탑교(塔橋)의 뜻] 런던 템스 강의 런던탑 부근에 설치한 철교. 상하(上下)의 두 다리로 이루어져 밑의 다리는 배가 통행할 적에 중앙으로부터 위로 열리게 됨. 1894년에 준공(竣工)되었음.

타워 크레인 [tower crane] 명 『기』 철탑 위에 장치한 기중기(起重機).

타워 파:킹 [tower parking] 명 좁은 공간에 높은 주차 건물을 지어 그 안에 차를 차곡차곡 쌓아 올리는 주차 설비.

타:원【楕圓·橢圓】 명 [ellipse] 『수』 평면(平面) 위의 두 점에서의 거리의 합이 언제나 일정한 점을 이루는 궤적(軌跡)을 일컬음. 이 두 정점(頂點)을 타원의 초점(焦點)이라 함. 장원(長圓). 긴원.

〈타원〉

타:원 관절【楕圓關節】 명 『생』 타원체(楕圓體)의 곡면(曲面)을 갖는 관절.

타:원-구【楕圓球】 명 그 중심을 지나는 평면에 의하여 절단된 평면이 타원이 되는 입체.

타원-굽이【楕圓一】 명 뽕나무를 활 만드는 재료로 길고 둥글게 구부리는 일. 또, 그렇게 하여 두 끝을 맞잡아 매어 놓은 것.

타:원 궤:도의 법칙【楕圓軌道一法則】[一/一에一] 명 『천』 행성(行星)은 태양을 초점(焦點)으로 하는 타원 궤도를 운행한다는 학설. 16세기 독일의 천문학자 케플러(J. Kepler)가 발견한 세 가지 법칙 중의 첫째 법칙. ＊케플러의 법칙.

타:원 기둥【楕圓一】 명 『수』 밑면의 둘레가 타원인 기둥체. 타원도(楕圓壔). 타원주.

타:원 기둥면【楕圓一面】 명 『수』 평면상의 타원의 각점(各點)을 지나 그 평면과 교차하는 한 직선과 평행한 직선을 그음으로써 얻어지는 곡면.

〈타원 기둥면〉

타:원 기하【楕圓幾何】 명 『수』 비유클리드(非 Euclid) 기하학의 한 가지. 이 기하학에서는 평행선은 존재하지 않고, 삼각형의 내각의 합은 2직각보다 큼. 타원적 기하학.

타:원-도【楕圓壔】 명 『수』 '타원 기둥'의 구용어.

타:원도-면【楕圓壔面】 명 『수』 '타원 기둥면'의 구용어.

타:원-면【楕圓面】 명 [ellipsoid] 『수』 타원체가 만드는 곡면(曲面). 타원체면(楕圓體面).

타:원-뿔【楕圓一】 명 『수』 밑면의 둘레가 타원인 뿔체. 타원추(楕圓錐).

타:원상 성운【楕圓狀星雲】 명 『천』 타원 성운.

타:원 성운【楕圓星雲】 명 『천』 은하계 외성운(外星雲)의 한 형태. 구(球) 또는 타원체 모양의 성운. 보통, 많은 구상 성단(星團)을 수반하고, 성간 물질(星間物質)을 포함하지 않음. 타원상 성운.

타:원 운:동【楕圓運動】 명 타원형의 궤도를 그리는 운동.

타:원-율【楕圓率】[一늘] 명 『수』 타원의 반장경(半長徑)과 반단경(半短徑)과의 차와 반단경과의 비(比). 이심률(離心率). 준타율(楕率).

타원 은하【楕圓銀河】 명 [elliptical galaxy] 『천』 은하를 분류한 한 형(型). 외부(外部) 은하 중 가장 많으며 겉모양은 구형의 것도 있으나 대부분 타원형임. 10억 정도의 항성(恒星)으로 된 것도 있고 1조 정도의 항성으로 된 것도 있음. 질량은 우리 은하의 100배 가량 되는 것도 있으나 지름은 작아서 큰 것이 우리 은하 정도임. 기호는 E. 찌그러진 정도에 따라 0, 1, 2, 3, …을 E 다음에 붙임. ＊나선 은하(螺旋銀河).

타:원적 기하학【楕圓的幾何學】 명 『수』 타원 기하.

타:원 적분【楕圓積分】 명 『수』 x의 3차 또는 4차의 다항식 $f(x)$의 제곱근과 x와의 유리 함수 $R(x\sqrt{f(x)})$의 적분.

타:원적 포:물면【楕圓的抛物面】 명 『수』 2차 곡면의 하나. 방정식 $\frac{x^2}{a^2}+\frac{y^2}{b^2}=2z$로 표시되는 곡면. z축에 수직한 평면으로 자른 단면이 타원이 되고, x축 또는 y축에 수직한 평면으로 자른 단면이 포물선이 되는 데서 생긴 이름임. 타원 포물선.

타:원 적혈구증【楕圓赤血球症】[一쯩] 명 [elliptocytosis] 『의』 사람에게 있는 진기(珍奇)한 유전병. 다수(多數)의 난원(卵圓) 또는 타원형의 적혈구가 순환 혈액(循環血液) 속에 존재하는 것이 특징임.

타:원-주[1]【楕圓周】 명 『수』 타원의 둘레.

타:원-주[2]【楕圓柱】 명 『수』 타원(楕圓) 기둥.

타:원 주면【楕圓柱面】 명 『수』 타원 기둥면.

타:원-체【楕圓體】 명 『수』 타원이 그 장경(長徑) 또는 단경(短徑)의 하나를 축(軸)으로 하고 회전할 때 생기는 곡면으로 둘러 싸인 입체.

타:원체-면【楕圓體面】 명 『수』 타원면.

타:원-추【楕圓錐】 명 『수』 '타원뿔'의 구용어.

타:원 톱니바퀴【楕圓一】 명 [elliptic gear] 『기』 두 개의 타원형의 톱니바퀴로 된 변속 장치(變速裝置). 각 톱니바퀴가 한 쪽의 초점(焦點)을 중심으로 회전함.

타:원 편광【楕圓偏光】 명 『물』 전자기장(電磁氣場)이 타원 진동을 할 때의 편광. 복굴절을 하는 물체에 직선 편광을 입사시켰을 때 나타나는 빛이나 직선 편광을 금속면에서 반사시켰을 때의 반사광 따위.

타:원 포:물면【楕圓抛物面】 명 『수』 타원적 포물면.

타:원 함:수【楕圓函數】[一쑤] 명 『수』 일반적으로는 유한 복소(有限複素) 평면 위에 극(極) 이외의 특이점을 갖지 않는 일가 해석 함수(一價解析函數)로서 이중(二重) 주기(週期) 함수인 것을 이름.

타:원-형【楕圓形】 명 타원을 이룬 도형(圖形). 길쭉하게 둥근 모양. 장원형(長圓形). 긴둥근꼴. ＊난원형(卵圓形).

타월 [towel] 명 ①베 바닥에 줄기가 나고 보풀보풀하게 짠 수건. 왜수건. ②수건.

타월을 던지다 구 ㉠권투에서, 테크니컬 녹아웃을 신청하다. 권투 경기 중, 부상하여 경기 속행이 곤란하다고 판단될 때, 또 기량이나 체력에 떨어져 경기를 속행하면 녹아웃될 것이 예상될 때, 그 선수의 세컨드가 링 안에 타월을 던져 넣다. ㉡전하여, 전의(戰意)를 상실(喪失)하다. 「타여불

타:위【打圍】 명 『역』 임금이 스스로 나아가서 행하는 사냥. ——-하다

타유 공물【他有公物】 명 『법』 관리권의 주체와 소유권의 주체가 일치하지 않는 경우의 공물. 타인의 재산, 즉 사유(私有)나 공유(公有)의 재산을 공공용에 제공했을 때의 그 재산. ↔자유(自有) 공물.

타율[1]【他律】 명 ①다른 규율(規律). ②[도 Heteronomie] 『철』 자기의 본성(本性)에서 우러나오는 명령에 의하지 아니하고 다른 힘의 강박(強迫)·구속(拘束) 등에 의하여 행동하는 일. ¶～적. ↔자율(自律).

타:율[2]【打率】 명 ↗타격률. ¶3할 5푼의 ～.

타:율[3]【楕率】 명 『수』 ↗타원율(楕圓率).

타읍【他邑】 명 다른 고장의 읍. 타고을.

타의[1]【他意】[一/一이] 명 ①다른 생각. 딴 마음. 별의(別意). ②다른 사람의 뜻. ¶자의(自意) 반(半) ～ 반(半)의 정계 은퇴.

타:의[2]【妥議】[一/一이] 명 온당하게 서로 타협적으로 의논하는 일. 타상(妥商). ——-하다 타여불

타이[1]【他異】명 별개의 것으로 그것과는 다름. ——-하다 형여불

타이[2] 명〔Thailand〕〖지〗〈속〉 인도차이나 반도 중부의 입헌 왕국. 북부 산지는 몬순 삼림(Monsoon 森林)이고, 동부는 고원이며, 중부는 메남강(Menam 江) 유역의 평야로 문화의 중심임. 비옥한 땅과 풍부한 강우로 미산(米産)은 세계 수출액의 약 30 %를 차지하며, 말레이 반도부는 열대 강우림(降雨林)으로 고무·주석을 산출함. 삼림이 국토의 반 이상을 차지하고 질 좋은 목재를 수출함. 농경(農耕)과 운반에는 코끼리·물소를 사용하며, 설탕·담배·종이·시멘트·유리 등을 산출함. 주민은 거의 타이인(Thai人)인데, 약 100만의 화교(華僑)가 상권을 쥐고 있음. 국교(國教)는 불교. 옛이름은 샴(Siam). 수도는 방콕. 정식 명칭은 타이 왕국(Kingdom of Thailand). 태국(泰國). 〔514,000km² : 58,800,000명(1991년 추계)〕

타이[3]〔tie〕명 ①끈. 줄. ②↗넥타이. ③〖악〗5선식(線式) 악보에서, 두 개의 같은 높이의 음(音)의 음표 사이에 걸치는 호선(弧線) '⌒'의 이름. 두 음표를 끊지 않고 이어서 연주할 것을 가리킴. 결합선(結合線). 붙임줄. *슬러. ④↗타이 스코어(tie score).

타이가〔taiga〕명〖지〗북부 유럽·시베리아 중부·캐나다 등지의 아한대(亞寒帶)의 침엽수(針葉樹)를 주체로 한 삼림 지대. 북반구 경작 한계와 툰드라의 중간 지대로, 포드솔(Podsol) 토양(土壤)의 분포가 넓음. 세계의 중요 삼림 자원을 형성함.

타이가 기후【—氣候】명〔taiga climate〕〖지〗북반구의 대륙 북부에 발달하는 한랭한 기후. 냉대 기후(아한대 기후)를 식생(植生)에 따라 세분(細分)하면 타이가 기후와 대륙 혼합림 기후로 나뉘며, 최한월(最寒月)의 평균 기온은 −3℃ 이하, 최난월(最暖月)의 평균 기온은 10℃ 이상임. 연강수량은 일반적으로 400-500 mm 이하이고 여름에 집중함.

타이거〔tiger〕명 범. 호랑이.

타이 게임〔tie game〕명 야구에서, 5회 또는 그 이상 게임을 진행해도 득점이 같을 경우에, 일기 그 밖의 이유로 중지된 게임. 무승부가 되지만, 정식 경기의 하나로 개인 기록은 가산(加算)됨. 구용어: 드론 게임(drawn game).

타이곤〔tigon〕명〔tiger+lion〕호랑이의 수컷과 사자의 암컷과의 교배 잡종. 어미보다 크며 호랑이와 비슷한 무늬가 있고, 수컷은 사자와 같은 갈기가 있는데, 불임성(不姙性)이 강함. *라이거(liger).

타이 기록【—記錄】〔tie〕명 운동 경기에서, 동등(同等)한 기록. 타이 레코드. ¶세계 ~.

타이난〔臺南〕명〖지〗타이완(臺灣) 서남부의 도시. 타이완에서 가장 오래된 도시로서 제 2 의 상공업 도시임. 제당업(製糖業)과 제염업(製塩業)이 성하고 사적(史蹟)이 많음. 대남. 〔595,000명(1981)〕

타-이다[1] 자 운명·복·재산 따위의 태움을 받아 타게 되다. 분복이 돌아오다. ¶나에게 타인 재물/네게 그런 복인들 타였겠니?

타-이다[2] 타 태우다[5]. ¶아리따운 기녀에게 거문고를 타이고.

-타이다 미〈옛〉-하더이다. ¶깃고 즐교믈 내디 아니타이다(不生喜樂) ≪妙蓮 Ⅱ:249≫.

타이둥〔臺東〕명〖지〗타이완 동해안 남부의 항구 도시로 타이둥 현 현청 소재지. 타이둥 철도의 기점이며 이 지역의 행정·경제·문화의 중심지임. 교외에 간쯔룬(虷子崙)·즈번(知本) 등의 온천이 있음. 제당업(製糖業)이 행해짐. 대동. 〔111,000명(1983)〕

타이둥 산맥【—山脈】〔臺東〕명〖지〗타이완(臺灣) 동해안(東海岸)에 근접하여 남북으로 뻗은 산맥. 북쪽의 화롄 항(華蓮港) 부근에서부터 남쪽으로 타이둥 부근에까지 이름. 마오궁 산(猫公山 ; 992 m)·청광아오 산(成廣澳山 ; 1,597 m) 등, 1,000 m 전후의 산이 많고 타이완 산맥(山脈)과의 사이에 협소한 타이둥 평야를 끼고 있음. 타이둥 해안 산맥(臺東海岸山脈). 대동 산맥. 〔1,200 km〕

타이둥 해:안 산맥【—海岸山脈】〔臺東〕명〖지〗타이둥 산맥(臺東山脈).

타이드 론:〔tied loan〕명〖경〗대부금(貸付金)의 사용 지역이 대부국에 한정되어 있는 국제간의 대부. 곧, 대부하는 나라가 미리 용도를 지정하여 그 운용을 감독하는 형태의 차관을 이르며 대부하는 나라의 수출 진흥이 목적임. ↔임팩트 론.

타이드 아:치〔tied arch〕명 아치의 호형(弧形) 하단의 두 점 사이에 수평으로 연결재(連結材)를 건너지른 구조. 아치교(arch 橋)에 씀.

타이드아:치-교【—橋】〔tied-arch〕명 아치의 양끝을 연결재(連結材)로 이은 다리. 서울의 제1 한강교(漢江橋) 같은 것.

타이드 크랙〔tide crack〕명〖해〗조석수(潮汐水)의 상하 운동 때문에, 해양(海洋)에 평행으로 생기는 해빙(海氷)의 갈라진 금.

타이런트〔tyrant〕명 ①고대 그리스의 참주(僭主). 참왕(僭王). ②폭군(暴君). 압제자(壓制者). 전제 군주. ③몹시 횡포한 주인.

타이-레코:드〔tie-record〕명 타이 기록(tie 記錄).

타이로스【TIROS】명〔Television and Infrared Observation Satellite의 약칭〕미국의 초기의 실험적 기상 위성(氣象衛星). 지상의 적외선 복사(輻射)를 측정하는 주사 장치(走査裝置)와 2대의 텔레비전 카메라를 실음. 사진은 테이프에 녹화, 지령 전파(指令電波)로 송신함. 무게 약 130 kg의 원통형인데, 고도(高度) 약 700 km의 원궤도(圓軌道)를 비행함. 1960년 4월부터 1965년 7월 사이에 10호까지 발사하였음.

타이로프〔Tairov, Aleksandr Yakovlevich〕명〖사람〗러시아의 연출가. 무대의 역동적(力動的)인 효과를 위해 구성적(構成的) 연출로 그 특이성을 발휘했으나 그 형식주의(形式主義)가 비판되어 스타니슬라프스키(Stanislavskii)에 대치되었음. 〔1885-1950〕

타-이르다 타르불 ①사리(事理)를 밝혀 알아듣도록 말하다. ②잘 하도록 가르치다.

타이머〔timer〕명 ①경기(競技) 등에서 시간을 재는 사람. ②타임 스위치. 시한 스위치. ③셀프 타이머.

타이미르 반:도【—半島】〔Taimyr〕명〖지〗러시아 중앙 시베리아 북부 북극해의 랍테프 해(Laptevykh 海)와 카라 해(Karskoye 海) 사이의 반도. 세베르나야젬랴(Severnaya Zemlya) 섬을 마주보고 있으며 아시아 대륙의 북단에 해당하는 첼류스킨(Chelyuskin) 곶이 있음. 대부분이 툰드라로 되어 있음. 〔400,000 km²〕

타이밍〔timing〕명 ①〖연·악〗연출의 최대 효과를 올리기 위하여 연주(演奏)나 연기의 스피드를 조절하는 일. 또, 이와 같이 하여 얻어진 효과. ②시기를 보아 좋은 때에 동작을 맞추는 일. ¶~이 맞지 않다.

타이베이〔臺北〕명〖지〗타이완(臺灣) 북부에 있으며 타이완 제일의 도시. 타이베이 분지(盆地)의 중앙에 위치하는데, 1949년 12월 이래, 국민 정부(國民政府)의 수도. 타이완의 정치·경제·교육·문화·교통의 중심지이며, 주변의 여러 도시와 연결되어 타이완 북부 공업 지대를 형성함. 교외에 베이터우(北投)·차오산(草山) 등의 온천이 있어 경승지(景勝地)를 이룸. 대북. 〔2,720,000명(1991)〕

타이산〔泰山〕명〖지〗중국의 명산(名山). 산둥 성(山東省) 타이안(泰安)의 북쪽에 있는 산으로 오악(五嶽)의 하나인 '동악(東嶽)'의 일컬음. 예로부터 천자(天子)가 제후(諸侯)를 이 곳에 모아 놓고, 때때로 봉선(封禪)을 하였음. 대종(垈宗). 동대(東垈). 태산. 〔1,524 m〕

타이손 당의 난:【—黨—亂】〔西山: 베트남 Tay-son〕〔—/—에—〕명〖역〗1773-1802년 베트남 중부, 퀴논 근처 타이손 출신 완문악(阮文岳) 등 일당이 일으킨 내란. 1778년 베트남전역을 석권했으나, 완문악과 그의 아우와의 반목으로 프랑스의 원조를 받은 후에(Hué)의 완복영(阮福映)에 의해 평정됨. 이로써 베트남은 프랑스 세력하에 들게 된 실마리가 됨. *완조(阮朝).

타이스〔Thaïs〕명〖책〗아나톨 프랑스(Anatole France)의 장편 소설. 4세기경의 원시 그리스도교 시대의 이집트를 배경으로, 무희(舞姬) 타이스를 구원하려던 수도사 파프뉘스(Paphnuce)가 여자의 매력에 이끌려 지상의 사랑을 외치게 되는 과정을 그린 내용임. 1890년 완성.

타이 스코어〔tie score〕명 운동 경기에서, 동점(同點). 무승부. 준타이.

타이안〔泰安〕명〖지〗중국 산둥 성(山東省) 타이산(泰山) 산 남록(南麓), 진푸 철도(津浦鐵道) 연선에 있는 도시. 타이안 현(泰安縣)의 현청 소재지. 타이산 산의 등산로(登山路) 어귀로 번영하고 땅콩·담배·목화·고량·조·콩 등을 산출함. 태안(泰安).

타이-어[1]【—語】〔Thai〕명〖언〗타이의 국어. 방콕을 중심으로 타이 중부에서 사용됨. 구칭은 샴어(Siam 語).

타이어[2]〔tyre〕명 차바퀴의 바깥 둘레에 끼는, 쇠 또는 고무로 만든 테. 고무로 된 것은 보통 그 속에 튜브(tube)를 넣음. ¶자동차 ~.

타이-업〔tie-up〕명 결합. 제휴(提携). 협력. ——-하다 자여불

타이완〔臺灣〕명〖지〗중국 화난(華南) 지구 동부의 섬. 타이완 해협을 사이에 두고 푸젠 성(福建省)·광둥 성(廣東省)과 마주하고 있으며 펑후 제도(澎湖諸島)를 포함함. 중앙에는 타이완 산맥이 남북으로 뻗어 있고 서해안에는 전도(全島)의 약 3분의 1을 차지하는 타이완 평야가 전개됨. 기후는 아열대성(亞熱帶性)으로, 쌀·차·사탕수수·바나나·파인애플·장뇌(樟腦) 등을 산출하며, 제당(製糖)·제지(製紙)·시멘트·전자·기계·조선(造船) 등의 근대 공업이 발달함. 중국의 지배가 확립된 것은 17세기 이래이며, 1895년에 일본 영유가 되었으나, 1945년 중국에 복귀함. 1949년 12월 국민 정부가 이곳으로 옮겨와서 타이베이(臺北)를 수도로 정하고 있음. 대만. 포모사(Formosa). 별칭은 가오사(高砂). *중화 민국. 〔36,190km² : 20,550,000명(1991 추계)〕

타이완 산맥【—山脈】〔臺灣〕명〖지〗타이완의 등뼈를 이루며 북북동으로부터 남남서로 뻗은 산맥. 전반적으로 높으며 3,000 m 이상의 고산(高山)이 30여 개나 됨. 최고봉(最高峰)은 위산(玉山) 산으로 3,997 m.

타이완 해:협【—海峽】〔臺灣〕명〖지〗타이완과 중국 본토의 푸젠(福建)·광둥(廣東)의 두 성 사이에 있는 해협. 길이 약 400 km, 폭 약 150-200 km, 깊이는 50 m 내외임. 타이완 쪽 가까이에 펑후 제도(澎湖諸島)가 있음.

타이위안〔太原〕명〖지〗중국 산시 성(山西省)의 성도. 타이위안 분지의 중심임. 옌시산(閻錫山) 시대부터 제강·제지·시멘트·방직 등 근대 공업(近代工業)이 발전하였고, 교통의 중심으로 상업이 발달하였으며, 시(市)주위에는 명승·고적이 많음. 태원. 진양(晋陽). 양곡(陽曲). 〔1,750,000명(1982)〕

타이-인【—人】〔Thai〕명 ①해남도(海南島)·서남 중국·인도차이나·미얀마 등지에 분포한 타이어(Thai 語) 계통의 여러 종족의 총칭. ②메남강 유역에 사는 태국인(泰國人). 현재 총인구 약 745만. 샴인(Siam 人).

타이자오〔太昭〕명〖지〗중국 쓰촨 성(四川省) 서쪽의 도시. 티베트족과의 거주 경계점으로, 티베트로 가는 교통의 요지임. 태소.

타이중〔臺中〕명〖지〗타이완 서부에 있는 도시. 타이중 분지(盆地) 중앙에 위치함. 쌀·담배·사탕·바나나의 집산지이며 종관(縱貫) 철도의 중추(中樞)임. 서북쪽 20 km 지점에 인공항(人工港)인 타이중 항이 있고, 남동쪽에 있는 르웨탄(日月潭)은 관광지이며, 수력 발전의 근원지임. 대중. 〔607,000명(1981)〕

타이즈〔Taiz〕명〖지〗예멘(Yemen) 남부의 고원(高原) 도시. 모카(Mocha)의 북동 약 90 km, 표고 약 1,400 m 지점에 있음. 아라비아 반도에서 가장 비옥한 지방으로 농산물의 집산지. 보리·수수·감귤류 등을 생산하고 커피도 중요 산물의 하나임. 염소·양·소·말 따위 목축도 성함. 〔120,000명(1980)〕

타이츠〔tights〕명 신축성이 있는 천을 써서, 몸에 착 달라붙게 만든 의복. 발레나 운동 연습 때 입거나, 방한용(防寒用)으로서 여성이나 어린이들이 입음.

타이콘-나무좀〔tycon〕명〖충〗〔*Scolytoplatypus tycon*〕나무좀과에

속하는 곤충. 몸은 길이 3.5-4 mm의 원통형이며, 광택 있는 적갈색 또는 흑갈색임. 두부는 흑색이며, 전연(前緣)이 움쑥 들어 갔고, 촉각은 갈색임. 소나무·단풍나무 등에 기생하는데, 한국·일본·대만 등지에 분포함.

타이타이 〔중 太太〕 명 부인. 마나님.

타이탄[1] 〔Titan〕 명 ①〖신〗 그리스 신화 중의 거인족(巨人族) 티탄(Titan)의 영어명. ②토성(土星)의 위성 티탄(Titan)의 영어명. ③괴력 무쌍(怪力無雙)하고 지혜가 썩 깊은 사람.

타이탄[2] 〔Titan〕 명 〖군〗 미 공군이 보유하는 대륙간 탄도 유도탄의 하나. Ⅰ·Ⅱ형의 두 가지 형이 있음. Ⅱ형은 액체 추진 로켓 2단·관성 유도(慣性誘導) 방식의 것으로 5-10메가톤의 대형 탄두(彈頭)를 탑재함. 최대 사정 12,000 km. 추진제(推進劑) 충전 후에는 지하에 격납(格納)하고 발사시에는 지상에 내놓음. 제미니 계획에도 사용되었음.

타이태닉-호【—號】〔Titanic〕 명 영국의 여객선. 총 46,000톤. 1912년 4월, 뉴펀들랜드(New Foundland) 남방의 북대서양상에서 빙산(氷山)에 충돌하여 침몰, 승선원 2,200여 명 중 1,500여 명이 사망한 세계 최대의 해난 사고를 일으킨 선박임. 이 사고는 항해의 안전 확보에 관한 기술 및 제도를 개선시키는 계기가 되었음.

타이 택 〔tie tack〕 명 넥타이핀의 일종. 넥타이 위에서 찔러 와이셔츠 안쪽에서 고정시키게 되었음.

타이트 〔tight〕 명 ①팽팽함. ②몸에 꼭 맞음. ——-하다 형여불

타이트 스커:트 〔tight skirt〕 명 스커트 종류의 하나. 주름이 없으며 좁고, 몸에 꼭 맞게 만든 스커트.

타이트 스크럼 〔tight scrum〕 명 세트 스크럼. ↔루스 스크럼(loose scrum).

타이틀 〔title〕 명 ①제호(題號). 표제(標題). 서명(書名). ②직명(職名). ③자격. 권리. ④선수권. ⑤〖연〗 영화의 자막(字幕).

타이틀 매치 〔title match〕 명 선수권을 걸고 다투는 시합. ↔논 타이틀 매치.

타이틀 백 〔title back〕 명 영화의 첫머리에서, 제목·배역·스태프(staff) 등의 자막의 배경이 되는 화면.

타이틀 페이지 〔title page〕 명 책의 표제나 저자의 이름 같은 것을 적은 맨 앞의 페이지. 표제지(表題紙).

타이포그래피 〔typography〕 명 ①〖인쇄〗 활자·활판 인쇄술. ②디자인에서, 문자 배치의 디자인적 구성. 또, 사진 배치 따위를 포함한 그래픽 디자인 전반을 이르는 경우도 있음.

타이푼 〔typhoon〕 명 태풍(颱風).

타이푼 원자력 잠수함【—原子力潛水艦】〔Typhoon〕 명 〖군〗 러시아의 세계 최대 원자력 잠수함. 수중 배수량(水中排水量) 26,500톤, 장사거리(長射距離) 탄도 미사일 20기(基)를 장비함. 6척이 취역함.

타이프 〔type〕 명 ↗타이프라이터.
타이프(를) 치다 구 타이프라이터의 키를 두드려서 종이에 글자가 찍히게 하다. 타자(打字)하다.

타이프 공판【—孔版】〔type〕 명 〖인쇄〗 활자 공판(活字孔版).

타이프-라이터 〔typewriter〕 명 타자기(打字機). 준타이프.
타이프라이터(를) 치다 구 타이프를 치다.

타이프 페이스 〔type face〕 명 〖인쇄〗 활자의 문자면(文字面). 활자의 서체(書體).

타이플레이트 〔tieplate〕 명 레일과 침목(枕木) 사이에 끼우는 강제(鋼製) 부분 재료. 양자(兩者)의 결착을 확실히 하고 침목의 손상을 막음.

타이피스트 〔typist〕 명 타자수(打字手).

타이-핀 〔tiepin〕 명 ↗넥타이핀.

타이핑 〔typing〕 명 타이프라이터로 타자(打字)하는 일. 타자. ——-하다 타여불

타이항 산맥【—山脈】〔太行〕 명 〖지〗 중국 화베이(華北) 지구 중부에 남북으로 뻗은 산맥. 허난 성(河南省) 북부에서 북으로 뻗어 올라가 산시(山西)·허베이 성(河北省)의 경계를 이룸. 평균 높이 1 km. 우타이(五臺)·타이바이(太白)·린뤼(林慮) 산 등이 있음. 태행 산맥. [약 400 km]

타이후 〔太湖〕 명 〖지〗 중국 장쑤(江蘇)·저장(浙江)의 양성 사이에 있는 큰 담수호(淡水湖). 70여 개의 크고 작은 섬들이 있으며 섬에는 둥팅(洞庭)·마지(馬蹟)·장사(長砂)·루이산(雷山) 산 등이 자리하고 있어 예로부터 경승지(景勝地)로 유명함. 주위의 타이후 평원(平原)은 중국 제일의 미곡 지대임. 별칭은 시후(西湖). 옛 이름은 진쩌(震澤). 태호. [2,213 km²]

타익 신:탁【他益信託】 명 〖경〗 신탁 재산에서 생기는 이익이 위탁자(委託者) 이외의 사람에게 돌아가는 신탁. ↔자익 신탁(自益信託).

타인[1]【他人】 명 다른 사람. 남. 타자(他者).

타:인[2]【打印】 명 답인(踏印). ——-하다 자여불

타:인-관【打印官】 명 〖역〗 검인관(鈐印官).

타인 소:시【他人所視】 명 남이 보는 바라 숨길 수 없음.

타인 소:시에【他人所視—】 부 남이 보는 바에. ¶～ 그 짓을 어떻게 하나.

타인의 집단【他人—集團】〔—/—에—〕 명 〖사〗 외집단(外集團).

타인 자:본【他人資本】 명 〖경〗 기업(企業)이 출자자(出資者) 이외의 제3자로부터 꾸어 들인 기업 자본의 부분. 곧 부채(負債), 은행 또는 금융 업자로부터의 장기 및 단기의 차입금(借入金), 거래선(去來先)으로부터의 외상, 지급 어음 같은 단기 채무, 사채 등이 이에 속함. ↔자기(自己) 자본.

타일[1]【他日】 명부 다른 날. 이일(異日).

타일[2] 〔tile〕 명 〖건〗 점토(粘土)를 구워서 만든 얇은 판. 여러 가지 모양과 빛깔이 있는데 벽에 붙이는 것, 바닥에 까는 것, 지붕을 이는 것 등이 있음.

타일란드 〔Thailand〕 명 〖지〗 타이.

타일러[1] 〔Theiler, Max〕 명 〖사람〗 남아프리카 프리토리아(Pretoria) 태생의 의학자. 뉴욕의 록펠러 재단 윌스 연구소원. 황열(黃熱)의 백신을 만들어 황열 예방에 효과를 올림. 1951년 노벨 생리 의학상을 수상함. [1889-1972]

타일러[2] 〔Tylor, Edward Burnett〕 명 〖사람〗 영국의 인류학자. 문화는 신앙·예술·도덕·풍습·법률 등 여러 요소의 복합 총체(複合總體)이며 종교의 기원과 진화가 다신적(多神的)인 애니미즘(animism)에 있다고 주장하였음. '문화 인류학의 아버지'라 불리어짐. 저서에 ≪인류사(人類史)의 연구≫ 등. [1832-1917]

타임[1] 〔time〕 명 ①때. 시간. 시대. ②운동 경기의, 소요(所要) 시간. ③운동 경기에서, 정규의 휴지(休止) 시간 이외의 경기의 일시 중지. 또, 심판에 의한 그 명령. ④〖악〗 박자·속도·음표의 장단(長短).

타임[2] 〔Time〕 명 미국 타임 라이프사(Time-Life社)에서 발행하는 주간 뉴스 잡지. 1923년 뉴욕에서 창간. 주간지 시대의 선구(先驅)를 이룩함. 북미판·남미판·아시아판·유럽판 등을 발행함.

타임 래그 〔time lag〕 명 〖경〗 경제 활동에 어떤 자극이 주어질 때, 이에 대한 반응이 일어나기까지의 시간적 지체(遲滯). 시차(時差)라고도 함. 경제 동학(動學)의 분석상의 용어임.

타임 레이스 〔time race〕 명 기록(記錄) 레이스의 총칭. ①스피드 스케이트에서, 두 사람씩 짝이 되어 활주(滑走)하여 전출장자(全出場者)의 활주 기록으로 순위를 정하는 경기 방식. ②자전거 경기에서, 선수가 단신(單身)으로 출주(出走)하여 일정 시간내에 갈 수 있는 거리로 순위를 정하는 경기 방식. ③보트 경기에서, 병행(並行) 레이스가 아니고, 일정 거리를 따로따로 저어 가 그 소요 시간으로 순위(順位)를 정하는 경기 방식.

타임 레코:드 〔time record〕 명 ①시간의 기록. ②시간상의 가장 우수한 기록. ③타임 리코더.

타임리 〔timely〕 명 때에 알맞음. 적시(適時). 호시기. ——-하다 형여불

타임리 디스클로저 〔timely disclosure〕 명 〖경〗 증권 시장에서의 투자가(投資家) 보호책의 하나. 증권 시장에서 갖가지 정보가 난무하여 주가(株價)가 이상 등락(異常騰落)의 현상을 보일 때, 그 상장(上場) 회사가 이러한 정보에 관하여 즉시 정확한 설명을 하여 투자가의 불의의 손해를 방지하는 일.

타임리 에러 〔timely error〕 명 야구에서, 가장 중대한 경우에 저지르는 실책. 적에게 득점을 허락하는 실책.

타임 리코:더 〔time recorder〕 명 〖기〗 시각을 기록하는 장치의 총칭. 특히, 시계가 가리키는 시각을 소정(所定)의 카드에 자동적으로 기록하는 장치. 회사나 공장 같은 데서의 출퇴근 시각의 기록, 전차나 자동차의 발착(發着) 시각의 기록 등에 널리 쓰임. 시간 등록기(時間登錄器). 타임 레코드.

타임리 히트 〔timely hit〕 명 야구에서, 적시(適時)의 안타. 적시타(適時打). ¶～로 한 점을 만회하다.

타임 머신:〔time machine〕 명 현재로부터 곧장 과거·미래를 향한 여행을 가능하게 한다고 하는 공상상의 기계.

타임 셰어링 〔time sharing〕 명 〖컴퓨터〗 시분할(時分割).

타임 셰어링 레이버 〔time sharing labor〕 명 〖사〗 한 사람이 복수(複數)의 조직에 속하여 여러 종류의 일을 하는 노동 형태. 월요일부터 수요일까지는 출판사에서 기획 관계의 일을 보고, 목요일과 금요일은 광고 회사에서 일하는 따위.

타임 셰어링 시스템 〔time sharing system〕 명 〖컴퓨터〗 시분할(時分割) 시스템.

타임스 〔Times〕 명 ①영국의 유력한 일간 신문. 1785년 '데일리 유니버설 레지스터(Daily Universal Register)'로 창간되어, 1788년에 지금 이름으로 개칭됨. 온건하고 보수적이며, 발행 부수는 적으나 그 영향력은 매우 큼. 런던 타임스. ②↗뉴욕 타임스. ③신문의 이름에 붙이어 '시보(時報)·신문'의 뜻으로 쓰는 말. ¶코리아 ～.

타임스 스퀘어 〔Times Square〕 명 미국 뉴욕 시의 맨해튼(Manhattan)의 중앙부에 있는 번화가. 호텔·영화관·음식점이 길 양쪽에 즐비하고 지하철이 집중한 곳임. 길 모퉁이에 있는 뉴욕 타임스 빌딩에서 유래한 이름임.

타임 스위치 〔time switch〕 명 일정한 시간이 지나면 자동적으로 전류가 흐르거나 끊어지게 하는 장치. 전기 제품에 많이 장치함. 타이머. 시한 스위치.

타임 스탬프 〔time stamp〕 명 시각이 찍히는 기계.

타임 스터디 〔time study〕 명 경영 관리에 있어서 작업 시간을 측정하여 그 결과를 작업 계획·작업 조건 설정·원가 계산·임금 계산 등에 이용하는 일. 미국의 기계 기사 테일러(Taylor, F.W.)가 창안한 과학적 경영 관리법에서 비롯됨. 시간 연구. *테일러 시스템.

타임 스피릿 〔time spirit〕 명 시대 정신. 차이트가이스트(Zeitgeist).

타임-아웃 〔time-out〕 명 농구 등에서, 경기중에 팀이 요구하는 휴지(休止) 시간. 선수 교대·휴식 또는 협의를 위한 짧은 시간으로, 경기 시간에 포함되지 않음.

타임-업 〔time+up〕 명 〔Time is up.〕 경기 등에서 규정 시간이 다 됨.

타임-엔드 〔time-end〕 명 운동 경기 중 중간 휴식 시간 등의 규정한 시간이 끝남. 규정 시간의 종료.

타임-워치 〔time-watch〕 명 〖기〗 스톱워치(stop-watch). 기초 시계(記秒時計).

타임 워:크 〔time work〕 명 시간을 따져서 하는 삯일.

타임 차:터 〔time charter〕 명 〖경〗 선주(船主)가 직접 배를 움직이지 않고 일정한 기간 타인에게 대여하여 운항을 차용주의 자유에 맡기는 계

약. 정기 용선(定期傭船).

타임 카:드 〔time card〕 명 타임 리코더에 사용하는, 취업 시간을 기록하는 카드.

타임 캡슐 〔time capsule〕 명 그 시대를 대표·기념하는 기록이나 물건을 후세에 전하기 위하여 넣어서 땅 속에 묻는 용기(容器). 1939년의 뉴욕 만국 박람회에서 5000년 뒤에 열 것을 상정(想定)하여 만년필 따위를 합금제의 용기에 넣어 묻은 것에서 비롯됨.

타임-키:퍼 〔timekeeper〕 명 ①시간을 기록하는 사람. 계시원(計時員). ②〖악〗 박자를 지휘하는 사람. 악장(樂長).

타임 테이블 〔time table〕 명 시간표. 시간 할당표. 특히, 교통 기관의 시간표를 이름.

타임 트라이얼 〔time trial〕 명 자전거 경기에서, 정해진 거리를 단신으로 달려 걸린 시간으로 우열의 순위를 정하는 경기.

타입 〔type〕 명 ①형(型). 양식. 유형. ¶학자 ~. ②전형(典型). 대표물.

타입-대 【他入貸】 명 〖경〗 발행한 수표의 부도(不渡)를 막기 위해 다른 거래 은행을 지급 장소(支給場所)로 한 당좌 수표를 뒤미쳐 병행하여, 이를 앞서 발행된 수표의 현금 지급 은행에 담보(擔保)로 입금시키는 변칙 결제 수단. 실제 자금은 입금되지 않은 채, 은행간의 계수 조정과 수표 추심(推尋) 기간을 연장하는 편법(便法)임.

타:자[1] 【打字】 명 타자기(打字機)의 키를 두드려서 종이 위에 글자를 찍는 일. 타이핑. ——-하다 자 여불

타:자(를) 치다 구 ↗타자기(打字機)를 치다.

타:자[2] 【打者】 명 야구에서, 배트로 공을 치는 공격진(陣)의 선수. 타수(打手). 배터. ¶강~.

타자[3] 【他者】 명 자기 외의 다른 사람. 타인(他人).

타:자-기 【打字機】 명 손가락으로 키(key)를 눌러서 종이 위에 글자를 찍는 기계. 사무용과 통신용으로 많이 쓰임. 영문(英文)·한문(漢文)·한글 등의 종류가 있는데, 영문 타자기는 1878년 미국의 레밍턴(Remington)에 의하여 완성되었고, 한글 타자기는 1949년에 공병우(公炳禹)가 처음 만들었음. 타이프라이터. 인자기(印字機). 사자 기계(寫字機械).

〈타자기〉

타:자기(를) 치다 구 타자기의 키를 두드려서 글짜를 찍어 내다. 타자(打字)하다. 준타자치다.

타:자-병 【打字兵】 명 타자수로서의 병사(兵士).

타:자-수 【打字手】 명 타자기로 글자를 찍어 내는 사람. 또, 그 일을 업으로 하는 사람. 타자원. 타이피스트.

타:자-원 【打字員】 명 타자수(打字手).

타:작 【打作】 명 〖농〗 ①곡식의 알을 떨어서 그 알을 거두는 일. 마당질. 바심. ②배메기. ③지주(地主)와 소작인이 거둔 곡물을 단이나 섬의 수의 어떤 비율로 갈라 가지는, 소작 제도(小作制度)의 한 가지. 타조(打租). ——-하다 타 여불

타:작-관 【打作官】 명 가을의 추수를 간검(看檢)하기 위하여 국가에서 내어 보내던 관리.

타:작-꾼 【打作—】 명 타작하는 일꾼.

타:작 마당 【打作—】 명 타작하는 마당.

타:작-통 【打作—】 명 〈방〉 마당통.

타:잔 〔Tarzan〕 명 미국의 대중 소설 작가 버로스(Burroughs, E. R.)가 쓴 소설의 주인공. 영국 귀족의 아들인데 비행기의 불시착(不時着)으로, 밀림에서 동물에게 길러져서, 밀림을 해치는 문명인(文明人)들을 응징하여 밀림의 평화(平和)를 지킴. 1931년 이래 자주 영화화되고 있음.

타장 【他腸】 명 타지(他志).

타재 【他在】 명 〔도 Anderssein〕 〖철〗 헤겔 철학에서 쓰는 말. 어떤 개념이 그의 대립(對立)으로서의 존재(存在)에로 전화(轉化) 발전하는 경우의 후자를 전자에 대하여 일컫는 말. 특히, 이데아(Idea)에 대해 자연을 그 타재라고 부름.

타:적 명 〈방〉 타작(打作). ——-하다 타 여불

타:전 【打電】 명 전보를 침. 타보(打報). ——-하다 자 여불

타점[1] 【他店】 명 ①다른 가게. 남의 전방. ②〖경〗 일정한 계약 아래 환(換) 거래를 하는 동업자로서의 다른 은행. ↔본점(本店).

타:점[2] 【打點】 명 ①붓으로 점을 찍음. ②마음속으로 몰래 지정(指定)함. ——-하다 타 여불

타:점[3] 【打點】 〔—쩜〕 명 야구에서, 타자(打者)가 안타(安打) 등으로 자기편에 득점하게 한 점수. ¶~왕.

타점 계:정 【他店計定】 명 〖경〗 은행 부기(銀行簿記)에서 타점과의 사이에 발생한 채권 채무를 처리하는 계정.

타:정 【妥定】 명 온당하게 작정함. ——-하다 타 여불

타제[1] 【他製】 명 ↗타제품(他製品).

타:제[2] 【打製】 명 두드려 쳐서 만듦. ——-하다 타 여불

타제[3] 【佗傺】 명 멀거니 앉아 있는 모양. 실심한 모양.

타:제 석기 【打製石器】 명 뗀 석기.

타-제품 【他製品】 명 ①다른 제품. 준타제(他製). ②물건은 같으나 제작한 회사나 공장이 다른 제품.

타:조[1] 【打租】 명 〖농〗 ①타조법(打租法). 타작(打作)❸. ②타조법에 따라 거두어들인 현물.

타:조[2] 【駝鳥】 명 〖조〗 〔*Struthio camelus*〕 타조과에 속하는 새. 현생(現生)의 조류 중에서 최대의 종류로, 키가 2-2.5m, 체중이 136kg에 달함. 두부가 작고 눈이 크며, 다리와 목이 썩 길고 발가락이 두 개인데, 몸빛은 수컷은 흑색, 암컷은 회갈색임. 잡식성(雜食性)이고, 날개는 작아서 날지 못하나 매우 잘 달리어 한 걸음의 주폭(走幅)이 3.5-4.5m나 되며, 90km의 시속을 냄. 알은 회백색으로 무게 1.36kg 가량, 암수가 주야 교대로 포란(抱卵)하여 6-7 주간 만에 부화(孵化)시킴. 사막·황무지에 서식하는데, 아프리카·아시아 일부에 분포함. 깃은 장식용으로 씀.

〈타조〉

타:조-과 【駝鳥科】 〔—꽈〕 명 〖조〗 〔Struthionidae〕 타조목(目)에 속하는 조류의 한 과. 현존하는 것으로 타조 하나뿐임.

타:조-법 【打租法】 〔—뻡〕 명 소작료의 액수를 정하지 않고 분배율만 정했다가 생산물을 놓고 분배율에 따라 나누는 소작의 관행. ＊병작(並作)·반작(半作).

타:졸 【惰卒】 명 게으른 군사.

타종[1] 【他宗】 명 〖종〗 다른 종지(宗旨). 다른 종파(宗派).

타종[2] 【他種】 명 다른 종류.

타:종[3] 【打鐘】 명 종을 침. ——-하다 자 여불

타:종 신:호 【打鐘信號】 명 종을 쳐서 하는 신호.

타좌 【他座】 명 타석(他席).

타죄[1] 【他罪】 명 다른 죄.

타:죄[2] 【墮罪】 명 죄에 빠짐. ——-하다 자 여불

타:죄 이:전설 【墮罪以前說】 명 〖기독교〗 선인(善人)의 구제는 인류의 조상 아담과 하와(Hawwāh)가 원죄(原罪)에 빠지기 전부터의 하느님 뜻에 의하는 것이라고 하는 설.

타-주[1] 【他州】 명 ①다른 주. ②다른 나라.

타:주[2] 【惰走】 명 타력으로 달림. ——-하다 자 여불

타주 점유 【他主占有】 명 〖법〗 지상권자(地上權者)·저당권자·대차인·운송인(運送人)·창고업자 등의 점유와 같이 소유의 의사가 없이 특정한 관계에서 물건을 지배하는 뜻으로 점유하는 일. ↔자주 점유(自主占有).

타-줄 명 〈방〉 봇줄.

타즉-장 【他則章】 명 〖악〗 용비 어천가 제24장의 이름.

타:증승 상미승 【打憎蠅傷美蠅】 구 〔미운 파리를 치다가 고운 파리를 다친다는 뜻〕 일이 항상 공교롭게 어긋남을 비유하는 말.

타지[1] 【他地】 명 타향(他鄕). 타지방(他地方).

타지[2] 【他志】 명 딴 마음. 이심(異心). 타장(他腸).

타지[3] 【他紙】 명 다른 신문.

타지[4] 【他誌】 명 ①다른 잡지(雜誌). ②다른 사기(史記).

타:지[5] 〔페르시아 Tazi〕 명 중국 당대(唐代)에, 아라비아 사람을 일컫던 말. ＊대식²(大食).

타:지 마할 〔인 Tāj Mahal〕 명 〖지〗 인도의 아그라(Agra)에 있는 이슬람교 묘당(廟堂). 무갈 제국(Mughal 帝國)의 제5대 황제 샤 자한(Shah Jahan)이 왕비 마할을 위하여 1632년에 착공, 53년에 완성한 것임. 인도·페르시아 양식의 대표적 건물로서, 장식 미술의 정수(精粹)를 모아, 세계에서도 가장 화려한 건물로 이름이 높음.

타-지방 【他地方】 명 다른 지방. 딴 곳. 준타방(他方).

타지 지급 어음 【他地支給—】 명 〖경〗 발행인의 거주지와 다른 지방에서 지급을 약속하는 어음. ↔동지 지급(同地支給) 어음.

타지크 〔Tadzhik〕 명 〖지〗 '타지키스탄(Tadzhikistan)'의 관용 표기.

타지키스탄 〔Tadzhikistan〕 명 〖지〗 중앙 아시아 아무 강(Amu 江)의 북쪽에 있는 공화국. 1924년 우즈베키스탄 공화국 내의 자치 공화국이 되고, 1929년 소련에 편입, 타지크 사회주의 공화국으로 승격, 1992년 독립 국가가 됨. 국토의 대부분이 파미르 고원에 속해 산지가 많고 남쪽은 아프가니스탄, 동쪽은 중국과 접함. 주민은 주로 타지크인·우즈베크인·러시아인이고, 농업과 축산업이 주산업임. 면화의 산출이 많고, 사금(砂金)을 비롯한 석유·석탄 등의 광물도 산출함. 수도는 두샨베(Dushanbe). 정식 명칭은 '타지키스탄 공화국(Republic of Tadzhikistan)'. 타지크(Tadzhik). 〔143,100 km² : 5,248,000 명(1990)〕

타:진[1] 【打陣】 명 야구에서, 타자(打者)의 진용(陣容).

타:진[2] 【打診】 명 ①〖의〗 손가락이나 타진기(打診器)로 가슴이나 등을 두드려서 그 소리로 내장의 이상 유무를 진찰하는 일. ②남의 의사를 알아 봄. ¶의사 ~. ——-하다 타 여불

타:진[3] 【打盡】 명 모조리 잡음. 휘몰아 잡음. ¶일망(一網) ~. ——-하다 타 여불

타:진-기 【打診器】 명 〖의〗 타진에 쓰는 의료 기구. 타진판(打診板)·타진추(打診槌) 등.

타:진 기구 【打診氣球】 명 관측 기구.

타:진-매 【打診買】 명 〖경〗 증권 시장에서, 거래가 적어지고 장세(場勢)의 움직임이 멈추었을 때, 매도세(賣渡勢)가 어느 정도인가 타진하기 위해 매입해 보는 일.

타:진-추 【打診槌】 명 〖의〗 타진기(打診器)의 한 가지. 끝에 경질(硬質)의 고무를 단 쇠붙이의 작은 마치.

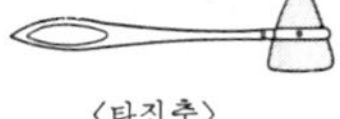
〈타진추〉

타:진-판 【打診板】 명 〖의〗 타진기(打診器)의 한 가지. 쇠붙이나 상아(象牙)로 만든 작고 납작한 판.

타:짜 명 ↗타짜꾼.

타:짜-꾼 명 ①노름판에서 속임수를 잘 부리는 사람. ②남의 일에 훼방을 잘 놓는 사람.

타책 【他策】 명 딴 계책. 다른 수단.

타처【他處】명 다른 곳. 딴 데. ¶ ~에서 온 사람.

타:척【打擲】명 후려 때림. ——하다 타여불

타천【他薦】명 타인이 추천함. ¶자천 ~의 후보(候補). ↔자천(自薦). ——하다 타여불

타:첩【妥帖·妥貼】명 별 사고 없이 일이 끝남. ¶마님께서 마음을 돌리시고 종용히 ~하시기를 천만 번 바랍니다≪崔瓚植 : 桃花園≫. ——하다 자타여불

타:청-법【打淸法】[-뻡] 명 〖악〗 거문고 연주에서, 술대로 쾌상청·쾌하청·무현을 타는 법.

타촌【他村】명 다른 마을. 다른 촌.

타:추-희【打芻戲】[-히] 명 〖민〗 나후성(羅睺星)이란 악성(惡星)을 상징한 인형을 만들고 두드리는 민속 장난. 남녀가 추령(芻靈), 곧 짚 인형을 만들고, 그 머리에 동전(銅錢)을 넣어 상원(上元) 전날 밤 어두워질 무렵에 거리에 버려 액(厄)을 면하게 하는 일인데, 추령을 땅에 버리면 아이들이 그 머리를 다투어 부수어 동전을 내고는 몸뚱이를 땅에 두드리며 즐김. 제웅치기. *제웅[1].

타:출【打出】명 쇠붙이의 판에 모형을 대고 안에서 두드려 겉으로 나오게 하여 그 물형을 만듦. ——하다 타여불

타칸【TACAN】명 [tactical air navigation] 군사용의 극초단파(極超短波), 곧 UHF에 의한 방위(方位)·거리(距離) 측정 장치(測定裝置). 거리 측정 장치(DME)와, 그 응답 전파(應答電波)를 이용하는 방위 측정 장치를 조합(組合)한 것. 기구(機構)가 간단하고 정도(精度)가 높으며, 연속적으로 지상국(地上局)의 방위와 거리를 알 수 있음.

타크-이-부스탄 [Tak-i-Bustan] 명 이란 서부의 케르만샤(Kermanshah) 근교에 있는 사산 왕조(Sasan 王朝)의 유적. 연못에 면(面)하는 암벽(岩壁)에 판 아치형(arch形)의 사당(祠堂)에 4-7세기에 걸친 3종의 부조군(浮彫群)이 있음. 높이 약 9 m, 안길이 6 m의 큰 동굴에 있는 호스라우(Khosrau) 2세(혹은 페로스)의 상(像)이 유명함.

타클라마칸 사막【一沙漠】[Taklamakan] 명 〖지〗 중국 신장(新疆) 웨이우얼 자치구 남부, 타림 분지(Tarim 盆地)의 저지(低地)를 차지하며, 타림 강(江) 남쪽에 있는 사막. 톈산 산맥·쿤룬 산맥에 둘러싸이고, 동서의 길이 1,000 km, 남북 200-400 km임.

타키온 [tachyon] 명 광속(光速)보다 빠른 속도로 운동하는 가상적인 입자(粒子). 그 존재는 특수 상대성 이론에 모순되지는 않으나, 힘을 가하면 감속(減速)하여 광속에 가까워진다는 기묘한 성질을 가짐.

타키투스 [Tacitus, Cornelius] 명 〖사람〗 고대 로마 제정기(帝政期)의 역사가·웅변가·정치가. 공화정(共和政)을 찬미, 풍자와 우울(憂鬱)을 담은 간결한 문체로 어두운 시대의 역사를 서술하고, 역사학의 고전인 ≪게르마니아(Germania)≫를 남김. [55?-117]

타킨-당【一黨】[Thakin] 명 미얀마의 민족 독립 운동의 중심 단체. 1930년대 중엽(中葉)에 결성된 반영(反英) 독립 운동의 비밀 결사 도바마(Dobama)의 통칭. 아웅 산(Aung San)·우 누(U Nu)를 중심으로, 학생·노동 운동을 지도함. 제2차 대전 후 미얀마 사회당으로 발전적 해체를 함.

타:킹턴 [Tarkington, Newton Booth] 명 〖사람〗 미국의 소설가·극작가. 미국 중서부를 무대로 사실적인 소설을 썼음. 작품에 ≪멋있는 앰버슨가(家)의 사람들≫ 등이 있음. [1869-1946]

타타르 [Tatar] 명 ①〖역〗 달단(韃靼)❶. ②타타르족(族). ③〖지〗 러시아 연방 공화국의 서부에 있는 자치 공화국. 볼가 강(Volga 江)의 중류 지역 및 그 지류인 카마 강(Kama 江)의 하류 지역을 차지하고 있음. 주민의 대부분은 튀르크계 타타르인과 러시아인. 남동부에 제2 바쿠 유전(油田)의 일부가 있고 석유 등의 지하 자원이 풍부하며 정유·석유 화학·임산 가공 등의 공업이 발달하였음. 수도는 카잔(Kazan). [67,600 km²: 3,453,000 명(1981)]

타타르-어【一語】[Tatar] 명 러시아 타타르 자치 공화국을 중심으로 쓰이는 튀르크 어족(語族)의 언어. 많은 방언(方言)이 있으며, 공화국의 서쪽 랴잔(Ryazan)에 이르는 지역, 서(西)시베리아에도 산재함. 카잔(Kazan)의 방언을 근간으로 하여 러시아 문자 정서법에 의한 문장어가 사용됨.

타타르-족【一族】[Tatar] 명 러시아 등지의 튀르크 어족의 여러 파를 이루는 종족. 대다수가 이슬람교도임. 13세기에 몽고군이 침입했을 때 튀르크인의 자손이 핀인(Finn 人)·불가리아인(Bulgaria 人)·카프카스족(Kavkaz 族) 등과 혼혈(混血)하여 잔존(殘存)한 것, 시베리아의 튀르크계 원주민이 핀인·사모예드(Samoyed)족·몽고족 등과 혼혈한 것 등으로 종족이 많음.

타타르 해:협【一海峽】명 [Tatar St.] 〖지〗 아시아 대륙과 사할린 사이의 해협(海峽). 그 중에 가장 좁은 부분을 특히 마미야(間宮) 해협이라 이름.

타:타 유도탄【一誘導彈】[Tartar] 명 〖군〗 주로 구축함 탑재용(驅逐艦搭載用)의 미해군의 함대공(艦對空) 유도탄. 테리어 유도탄보다 소형이며 사정(射程)은 거의 같음.

타타 재벌【一財閥】[인 Tata] 명 인도 제일의 재벌. 타타(Tata, Jamsetji N.; 1839-1904)가 이룩하였음. 1887년 타타 부자(父子) 회사를 설립한 이래로 인도 최대의 공업 기업인 타타 철강 회사를 비롯하여, 타타 수력 전기 회사·타타 배전 회사·중앙 인도 방적 직포 회사 등의 많은 공장을 소유함.

타:탄 [tartan] 명 격자(格子) 모양의 비단 줄무늬가 있는 직물의 이름. 스코틀랜드에서 시작되어 영국 무늬 직물의 기조(基調)를 이루었는데, 보통 빨강·초록·감색(紺色) 등의 화려한 격자 줄무늬가 있음.

타:탄 체크 [tartan check] 명 [본디 스코틀랜드 지방에서 종족과 계급을 나타내는 문장(紋章)이었으나 의식용 장식 표지(標識)로 쓰인 직물(織物)에서] 여러 가지 색을 쓴 격자 줄무늬.

타:탄 트랙 [tartan track] 명 합성 수지로 포장하여 만든 육상 경기용 전천후 주로(走路). 상표명임.

타:태[1]【惰怠】명 게으르고 느림. 태만(怠慢). ——하다 형여불

타:태[2]【墮胎】명 〖의〗 복약(服藥)하거나 기타의 인위적인 수단에 의하여 생활력 있는 태아를 분만기(分娩期)가 되기 전에 모체(母體) 밖으로 배출시키는 일. 낙태(落胎)의 구형법상의 용어. ——하다 자여불

타:태-죄【墮胎罪】[-쬐] 명 〖법〗 낙태죄(落胎罪)의 구(舊)형법상의 용어. 「토(淨土).

타토【他土】명 ①다른 토지. 딴 흙. ②〖불교〗 이 세상 이외의 땅, 곧 정

타:트 [tart] 명 과실(果實)을 넣은 파이(pie).

타틀리니즘 [Tatlinism] 명 1913년경 러시아의 조각가(彫刻家) 타틀린(Tatlin, M.)에 의해 시작된 구성주의(構成主義)의 일종. 유리·금속 따위를 쓴 구축적(構築的) 조각 릴리프에 특징이 있음.

타틀린 [Tatlin, Vladimir] 명 〖사람〗 러시아의 건축가·조각가. 금속·유리 등의 새로운 재료를 사용하여 구성주의(構成主義)의 지도자가 됨. 「[1885-1956]

타파[1]【他派】명 다른 당파·유파.

타:파[2]【打破】명 규정이나 관습 같은 것을 깨뜨려 버림. 또, 장애가 되던 것을 제거함. ¶미신 ~/인습(因習)을 ~하다. ——하다 타여불

타파이 [중 多牌] 명 마작에서, 자기가 갖고 있는 패가 잘못해서 많아지는 일. 그 회에는 날 수가 없음.

타:판【妥辦】명 타당하게 판명(辦明)함. ——하다 타여불

타:포-기【打布機】명 〖공〗 무명이나 삼베 등의 바탕을 부드럽게 하며 눈을 고르게 하고 광택을 내는 데에 쓰이는 직물 기계의 한 가지.

타표【他票】명 다른 표. 남의 표.

타:피【躱避】명 도피(逃避)❶. ——하다 자여불

타피스리 [프 tapisserie] 명 벽에 거는 장식 융단(絨緞). 영어로는 태피스트리(tapestry).

타피오카 [tapioca] 명 녹말(綠末)의 한 가지. 열대 지방에 나는 카사바(cassava)의 뿌리를 가늘게 잘라서 압착(壓搾)하여 액즙(液汁)을 빼 내고 갈아서 씻어낸 것. 브라질에서 많이 생산되는데, 소화가 잘 되어, 죽·수프(soup) 등의 원료로서 병약자(病弱者)에게 쓰이며, 또한 직물용(織物用)의 풀로서도 사용됨. 「議)함. ——하다 타여불

타:합【打合】명 미리 상의(相議)함. 이리저리 할 것을 미리 합의(合

타:합-점【打合點】명 어떤 일에 대하여 서로 합의를 볼 수 있는 점.

타:행【惰行】명 타력(惰力)으로 진행함. ——하다 자여불

타향【他鄕】명 제 고장이 아닌 다른 고장. 타관(他官). 객향(客鄕). 이리(異里). 이양(異壤). 이향(異鄕). ¶~에서 돌아오다.

타향-살이【他鄕一】명 타향에 사는 일. ——하다 자여불

타허 [漯河] 명 〖지〗 중국 산둥 성(山東省) 런핑 현(茌平縣)에서 발원하여 동북으로 흐르는 투하이 강(徒骸河)의 지류. 옛날에는 황허 강의 지류였으나 송(宋)나라 때부터 바뀜. 탑하.

타:현 악기【打絃樂器】명 현(絃)을 해머나 채 등으로 쳐서 소리를 내는 악기. 피아노·치터(Zither) 등. 「오는 피. ②토혈(吐血).

타:혈【唾血】명 ①입안·목구멍·기관지·허파 등의 병으로 침에 섞여 나

타:협【妥協】명 두 편이 서로 좋도록 협의함. ——하다 타여불

타:협-안【妥協案】명 이해가 상반되거나 견해의 우심(尤甚)한 차이를 조정하여 서로를 타협시키기 위해서 안출(案出)된 의안.

타:협-적【妥協的】명관 모든 일을 서로 협의해서 하는 모양. 타협하려는 태도가 있는 모양. ¶~ 태도. 「을 찾다.

타:협-점【妥協點】명 어떤 일의 해결에서 타협이 될 수 있는 점. ¶~

타:협 정치【妥協政治】명 〖정〗 정당(政黨)의 배경(背景)이 없거나 힘이 부치는 행정부가 유력한 어느 정당과 적당한 조건 밑에 타협하여 행하는 정치.

타:협-주의【妥協主義】[-/-이] 명 원칙을 떠나 비원칙적인 것과 타협하는 기회주의적(機會主義的) 입장.

타형【他形】명 ①다른 형체. ②〖광〗 암석내(岩石內)의 광물이 생장할 때에, 이미 있던 다른 광물에 방해되어 자신의 결정면(結晶面)을 형성하지 못하는 현상.

타형-화【他形花】명 〖식〗 동일한 종류에 속하는 식물의 같은 포기나 그루 또는 다른 포기나 그루 중에서 서로 다른 형태를 한 2종(種) 이상의 꽃이 피는 꽃. 국화·자양화 같은 것.

타:호【唾壺】명 타구(唾具).

타호 강【一江】[Tajo] 명 〖지〗 이베리아 반도(Iberia 半島) 최대의 강. 마드리드(Madrid) 동쪽에서 발원하여 포르투갈을 횡단하여 리스본(Lisbon)에서 대서양에 들어감. [910 km]

타호 호【一湖】[Tahoe] 명 〖지〗 미국 시에라네바다(Sierra Nevada) 산맥 속에 있는 호수. 호면 표고(湖面標高) 1,899 m. 최대 수심 514 m. 피서지로 유명함. [497 km²]

타:홍-증【唾紅症】[-쯩] 명 〖의〗 타혈(唾血)을 하는 병증.

타화【他化】명 〖불교〗 타인을 교화하여 지도하는 일. ——하다 타여불

타화 수분【他花受粉】명 〖식〗 배꽃이나 벚꽃과 같이 벌레나 바람 등의 매개(媒介)에 의하여 한 나무의 다른 꽃에서 꽃가루를 받아 열매나 씨를 맺는 일. 딴꽃가루받이. 타가 수분(他家受粉). ↔자화(自花) 수분.

타화 수정【他花受精】명 〖식〗 타가 수정(他家受精). 딴꽃정받이. ↔자화(自花) 수정.

타화 자재천【他化自在天】명 〖불교〗 육욕천(六欲天)의 하나. 욕계 육천 중 최상위(最上位)로서, 여기에 태어난 자는 다른 이의 즐거움을 자유로이 자기의 즐거움으로 만들어 즐길 수가 있다고 함. 또, 이 천(天)은 마왕(魔王)이 사는 거처(居處)라고도 함.

타:훼【打毁】명 때려 부숨. ——하다 타여불

타히티 섬 〔Tahiti〕 명 『지』 남태평양 소시에테 제도(Société諸島) 동쪽에 있는 섬. 1606년에 발견되고 1842년 프랑스가 점령함. 프랑스령 폴리네시아의 중심을 이루는 섬임. '남해(南海)의 낙원'이라 하여 관광으로 번영함. 과일·코프라·사탕수수·황(黃)·진주를 산출함. 고갱(Gauguin, P.)이 이 섬에서 수많은 그림을 남겼음. 중심 도시는 파페에테(Papeete). [1,050 km^2 : 95,000명(1977)]

탁[1] 명 〈방〉 턱[1](제주·평북).

탁[2] 【卓】 명 성(姓)의 하나. 현재 우리 나라에서는 광산(光山) 단본임.

탁[3] 【託】 명 성(姓)의 하나. 우리 나라에는 현존하지 아니함.

탁[4] 【濯】 명 성(姓)의 하나. 우리 나라에는 현존하지 아니함.

탁[5] 【鐸】 명 『역』 야경에 쓰는 요령(搖鈴) 또는 목탁.

탁:[6] 부 ①단단한 물건이 세게 부딪거나 터지는 소리. ¶화살이 ~ 하고 과녁에 맞다. ②별안간 어깨나 등을 손바닥으로 치는 소리. ¶무릎을 ~ 치다. ③죄어진 줄 같은 것이 갑자기 풀리거나 끊어지는 소리. 또, 그 모양. ④아무 막힘이 없거나 시원스런 모양. ¶~ 트인 시야/~ 털어 놓고 이야기하다. ——-하다 자 여불

탁갑 【坼甲】 명 씨의 껍질이 터져서 싹이 틈. ——-하다 자 여불

탁강 【濁江】 명 물이 맑지 아니한 강. 흙탕물이 흐르는 강.

탁객 【濁客】 명 탁보(濁甫)❸.

탁-갱 【一坑】 명 『광』 장벽을 정면으로 향하여 탁동의 모암(母岩)을 뚫어 들어가는 갱(坑).

탁견 【卓見】 명 뛰어난 의견이나 견식(見識). 탁식(卓識).

탁고[1] 【託孤】 명 어버이 없는 어린 아이의 뒷 일을 믿을 만한 자리에 부탁하는 일. ——-하다 타 여불

탁고[2] 【託故】 명 어떤 일을 내세워 핑계함. ——-하다 타 여불

탁고 기명 【託孤寄命】 명 어린 임금을 부탁하고 국정을 위탁함. 또, 어린 임금을 도와 그의 후견인이 됨. 준탁기(託寄).

탁관 【卓冠】 명 높이 뛰어남. ——-하다 형 여불

탁-광무 【卓光茂】 명 『사람』 고려말의 문신. 자는 겸부(謙夫), 호는 경렴정(景濂亭). 벼슬이 예의 판서(禮儀判書)에 이름. ≪동문선(東文選)≫에 수 편의 시가 전함. 1850년 그의 일고(逸稿) 몇 편과 그의 후손의 글을 모은 ≪경렴정집≫ 5권 2책이 간행됨. 생몰년 미상.

탁구 【卓球】 명 직사각형 테이블 중앙에 낮게 네트를 치고 한 개의 셀룰로이드제 공을 라켓으로 쳐 넘겨 승부를 가리는 경기. 선수의 편성에 따라 단식(單式)·복식(複式)의 구별이 있음. 서브는 5회씩 번갈아 넣고 21점을 선취(先取)한 편이 이김. 핑퐁(ping-pong). 테이블 테니스(table tennis).

탁구-공 【卓球一】 명 탁구 경기에 쓰이는 공. 셀룰로이드 등으로 만듦.

탁구-대 【卓球臺】 명 탁구 경기에 쓰이는 대. 길이 9 ft, 폭 5 ft, 높이 2.6 ft로 짙은 녹색을 칠하고 가에 폭 19 mm의 백선(白線), 중앙에 폭 3.2 mm의 백선을 침.

탁구-장 【卓球場】 명 탁구를 치는 곳.

탁구-채 【卓球一】 명 탁구용의 라켓.

탁궁 【濁宮】 명 『악』 조선 성종(成宗) 때, 소궁(小宮) 가운데 하오(下五)의 음(音)의 이름.

탁규 【度揆】 명 헤아림. 요량함. *도규(度揆). ——-하다 타 여불

탁근-스럽다 형 ㅂ불 '타끈스럽다'의 잘못. **탁근-스레** 부

탁근-하다 형 여불 '타끈하다'의 잘못.

탁기[1] 【託寄】 명 ①맡기어 부탁함. ②↗탁고 기명(託孤寄命).

탁기[2] 【琢器】 명 틀에 박아 내어, 쪼아서 고르게 만든 그릇.

탁남 【濁南】 명 『역』 조선 시대 때의 남인(南人)의 한 갈래. 숙종(肅宗) 초에 남인이 서인(西人)을 내몰고 정권을 잡아 송시열(宋時烈) 등의 서인을 죄 줄 때에 죄를 경하게 다루어서, 온건파(穩健派)로 알려진 허적(許積) 등의 일파. *청남(淸南).

탁대 【度大】 명 『역』 ↗탁지 대신(度支大臣).

탁덕 【鐸德】 명 『천주교』 덕을 행할 수 있도록 지도하는 사람이란 뜻으로, '신부'를 일컫던 말.

탁덕 양력 【度德量力】 [一냥녁] 명 자신의 덕행과 능력을 헤아려 일을 행함. ——-하다 자 여불

탁도 【濁度】 〔turbidity〕 명 물의 혼탁(混濁)을 정량적(定量的)으로 나타낸 것. 탁도의 측정에는 표준 탁도 물질로서 고령토(高嶺土)나 포르마딘 고분자가 사용되는데, 증류수 1ℓ 중에 고령토 1 mg을 포함할 때의 흐린 정도를 탁도 1도로 하고 있음. 고령토를 표준 물질로 하는 탁도는 일반적으로 혼탁이 높은 물을 측정하는 경우에 적합하고, 포르마딘 고분자를 이용하는 탁도는 혼탁이 낮은 물을 정밀하게 측정하는 데 이용됨. 혼탁도(混濁度).

탁-동 명 『광』 광맥(鑛脈)에서 직각으로 장벽을 향할 때에 그 모암(母岩)을 일컫는 말.

탁락 【卓犖】 [一낙] 명 높이 뛰어남. 초절(超絕). ——-하다 형 여불

탁란[1] 【托卵】 [一난] 명 〔deposition〕 새가 제 둥지를 짓지 않고 다른 새의 둥지에 산란하여 포란(抱卵) 및 육추를 그 둥지의 임자새(숙주)에게 위탁하는 습성. 뻐꾸기와 같이 위탁하는 새를 '탁란조'라 함. ——-하다 자 여불

탁란[2] 【濁亂】 [一난] 명 사회나 정치가 흐리고 어지러움. ——-하다 형 여불

탁랑 【濁浪】 [一낭] 명 흐린 물결.

탁량 【度量】 [一냥] 명 깊이 헤아림. ——-하다 타 여불

탁렬 【坼裂】 [一녈] 명 터져 갈라짐. ——-하다 자 여불

탁령[1] 【濯靈】 [一녕] 명 『악』 조선 세종 때 회례악(會禮樂)으로 창작된 정대업지악(定大業之樂) 중 넷째번 곡으로 제 2 변(第二變)의 하나.

탁령[2] 【鐸鈴】 [一녕] 명 방울❶.

탁론 【卓論】 [一논] 명 뛰어난 의론(議論). 탁월한 논지(論旨). 탁설(卓說).

탁료 【濁醪】 [一뇨] 명 막걸리.

탁류 【濁流】 [一뉴] 명 ①혼탁한 물의 흐름. ②무뢰배(無賴輩).

탁리 소독음 【托裏消毒飮】 [一니一] 명 『한의』 헌데를 내복(內服)하여 낫게 하는 약. 헌데의 종류·성질에 따라 여러 가지 화제(和劑)가 있음.

탁립 【卓立】 [一닙] 명 우뚝하게 서 있음. 여럿 가운데서 우뚝 뛰어남. ——-하다 자 여불

탁마 【琢磨】 명 ①옥 따위를 갈고 닦음. ②수행(修行)하여 학문·기예(技藝)·정신 따위를 향상시킴. ¶절차(切磋)~. ——-하다 타 여불

탁맥 【馲駱】 명 튀기❷.

탁명 【坼名】 명 『역』 과거(科擧) 급제자(及第者)의 봉미(封彌)를 뜯음. ——-하다 타 여불

탁목 【啄木】 명 『조』 ↗탁목조(啄木鳥).

탁목-새 【啄木一】 명 딱따구리.

탁목-조 【啄木鳥】 명 『조』 딱따구리. 준탁목.

탁미 【琢美】 명 아름답게 갈고 닦음. ——-하다 타 여불

탁반 【托盤】 명 잔대(盞臺).

탁발[1] 【托鉢】 명 〔범 piṇḍapātika〕 『불교』 ①수도(修道)하는 중이 경문을 외면서 집집마다 다니며 동냥하는 일. 행걸(行乞). ②절에서 식사 때 중들이 바리때를 들고 식당에 가는 일. ——-하다 자 여불

탁발[2] 【卓拔】 명 여럿 중에서 특별히 뛰어남. 탁절(卓絕). 탁출(卓出). ——-하다 형 여불

탁발[3] 【擢拔】 명 발탁. ——-하다 타 여불

탁발-규 【拓跋珪】 명 『사람』 중국 남북조(南北朝) 시대의 북위(北魏)의 태조(太祖) 도무제(道武帝)의 성명.

탁발-부 【拓跋部】 명 『역』 중국 한대(漢代)의 선비(鮮卑)의 한 부족(部族). 원주지(原住地)는 싱안링(興安嶺) 산맥 부근이었으나, 삼국 시대에 쑤이위안(綏遠) 지방으로 이동하여, 서진(西晉)말경에는 산시(山西) 지방 북부로 진출하였음. 후에 이 부족에서 나온 탁발규(拓跋珪)가 386년에 평성(平城), 곧 지금의 다퉁(大同)에 도읍하여, 남북조 시대의 북조(北朝) 최초의 나라인 북위(北魏)를 세웠음. *위(魏).

탁발-승 【托鉢僧】 명 『불교』 탁발하러 다니는 중.

탁방 【坼榜】 명 ①『역』 과거(科擧)에 급제한 사람의 성명을 게시함. ②일이 결말남의 비유. ——-하다 자 여불

탁방(을) 내다 구 ㉠과거에 급제한 사람의 성명을 발표하다. ㉡'결말 내다'를 비유하는 말.

탁방(을) 짓다 구 '결말(을) 짓다'를 비유하는 말.

탁방(이) 나다 구 ㉠방(榜)나다. ㉡결말이 나다. ¶애경이 다시 살림 이랍시고 시작한 지 서너 달 만에 두 사람의 관계는 또 탁방이 나고 말았다는 것이다≪金東里 : 애정의 윤리≫.

탁배기 【濁一】 명 〈방〉 막걸리(경상·황해).

탁보 【濁甫】 명 ①성질이 흐리터분한 사람. 탁주꾼. ②아무 분수를 모르는 사람. ③막걸리를 좋아하는 사람. 탁주꾼. 탁춘추(濁春秋). 탁객(濁客).

탁본 【拓本】 명 탑본(搨本).

탁봉 【坼封】 명 ①편지의 봉한 데를 뜯음. ②봉내(封內)를 뜯음. ——-하다 타 여불

탁북 【濁北】 명 『역』 조선 선조(宣祖) 말부터 광해군(光海君) 초에 걸쳐 형성되었던 대북(大北) 중의 한 파. 이이첨(李爾瞻)을 중심으로 모인 일당으로, 인조 반정(仁祖反正)과 함께 전멸됨.

탁-비석 【濁沸石】 명 『광』 비석, 곧 제올라이트(zeolite)의 일종. 백색(白色)의 단사 정계(單斜晶系) 결정으로 유리 광택이 남. 로몬타이트(laumontite). [$Ca(AlSi_2O_6)_2 \cdot 4H_2O$] *제올라이트.

탁사[1] 【托事】 명 『기독교』 교회에 소속한 토지·건물·비품 등의 보관·수리에 관한 일을 맡아 보는 교직(敎職).

탁사[2] 【託辭】 명 꾸며 대어 핑계하는 말.

탁상[1] 【卓上】 명 책상이나 식탁 등 탁자(卓子)의 위.

탁상[2] 【擢賞】 명 여럿 가운데서 뽑아 내어 칭찬함. ——-하다 타 여불

탁상 계:산기 【卓上計算機】 명 톱니바퀴 기구(機構)를 사용하여 가감승제(加減乘除)의 연산(演算)을 간편 신속히 하는 기계. 곱셈은 덧셈의, 나눗셈은 뺄셈의 반복으로 함. *전자식 탁상 계산기(電子式卓上計算機).

탁상 공론 【卓上空論】 [一논] 명 실천성이 없는 허황한 이론. 궤상 공론.

탁상 드릴링 머신 【卓上一】 〔drilling machine〕 명 작업대 위에 장치하여 사용하는 소형(小型)의 구멍 뚫는 공작 기계.

탁상 빙산 【卓狀氷山】 명 표면이 평탄한 빙산. 남극해의 대표적인 빙산으로 보통 폭 200-1,000 m, 높이 50-80 m임.

탁상 선:광법 【卓上選鑛法】 [一뻡] 명 『광』 밀도가 다른 두 물질을 분리하는 비중 선광(比重選鑛)의 하나. 앞으로의 느린 운동과 뒤로의 빠른 복귀를 하게 되는 왕복 수평 운동이나 요동(搖動)을 하는 경사 테이블 위에, 두 개의 물질을 포함한 묽은 현탁액(懸濁液)이 흐르게 함으로써 이루어짐.

탁상 선반 【卓上旋盤】 명 탁상에 장치하여 정밀(精密)한 공작을 하는 데 적합한 썩 작은 선반.

탁상 시계 【卓上時計】 명 책상 위에 놓고 보는 시계. 밑이 넓적하거나 또는 발이 달려 있음.

탁상 연:설 【卓上演說】 명 연회(宴會) 석상에서 식사를 하는 도중에 각자의 자리에서 자유롭게 하는 짤막한 연설. 테이블 스피치(table speech).

탁상-염 【卓上塩】 [一념] 명 식탁에 올려 놓아 간을 맞추는 데에 쓰는 정제(精製)한 소금.

탁상 일기 【卓上日記】 명 책상 위에 놓고 그 날 그 날 생긴 일을 기록하는 일기.

탁상 전:화 【卓上電話】 명 탁상 같은 곳에 놓아 자유롭게 이동시킬 수

있도록 위치를 고정(固定)시키지 않은 전화기.

탁상-지【卓狀地】명〖지〗책상 꼴로 이루어진 대지(臺地).

탁상 해:산【卓狀海山】명〖지〗평정 해산(平頂海山).

탁색【濁色】명〖미술〗흐린 색. 순색(純色)에 회색을 섞어서 만들어진 색.

탁생【托生·託生】명 ①세상에 태어나 삶을 유지함. ②남에게 의탁하여 생활함. ③〖불교〗전세(前世)의 인연으로 중생이 모태(母胎)에 몸을 붙임. *일련 탁생(一蓮托生). ——-하다 자여불

탁선【託宣】명 신(神)이 사람에게 붙거나 또는 꿈에 나타나서 그 뜻을 알리는 일. 신에게 기도를 하여 받은 계시. 신탁(神託).

탁설[1]【卓說】명 탁월한 논설. 뛰어난 의견. 탁론(卓論).

탁설[2]【鐸舌】명 방울알.

탁성【濁聲】명 ①탁한 목소리. ②〖악〗국악에서 12율(律)의 높낮이를 설명할 때 쓰이는 말. 조선 초기 성종(成宗) 때 중간 음역인 중성(中聲)보다 한 옥타브 낮은 음역의 소리를 나타낼 때 쓰였음.

탁세【濁世】명 ①풍교(風敎)가 어지럽고 더러운 세상. ↔청세(淸世). ②〖불교〗이 세상. 속세(俗世). 오세(汚世).

탁-소북【濁小北】명〖역〗조선 시대의 당파의 하나로 선조(宣祖) 말에 형성된 소북(小北)의 한 파. 유영경(柳永慶)을 중심으로 모인 일당. 세력이 오래 가지 못하였음. ↔청소북(淸小北).

탁송【託送】명 남에게 위탁하여 물건을 보냄. ——-하다 타여불

탁송 수화물【託送手貨物】명 철도 당국 또는 운송인이 여객에게서 인도(引渡)를 받아, 그 보관 책임 아래 운송하는 수화물.

탁송 전:보【託送電報】명 전화 가입자가 자기가 사용하는 전화에 의하여 송수(送受)하는 전보.

탁수[1]【濁水】명 흐린 물. 흙탕 물이 섞인 물. ↔청수(淸水)❶.

탁수[2]【擢秀】명 여럿 가운데서 빼어남. 또, 그 사람. ——-하다 형여불

탁수가리 명〈방〉턱주가리(평남).

탁수-계【濁水溪】명〖지〗줘수이 강.

탁승【擢昇】명 골라 뽑아서 벼슬 자리에 오르게 함. ——-하다 타여불

탁식[1]【卓識】명 탁견(卓見).

탁식[2]【託食】명 기식(寄食).

탁식[3]【啄食】명 쪼아 먹음. ——-하다 타여불

탁신【託身】명 남에게 몸을 의탁함. ——-하다 자여불

탁아【託兒】명 보호자의 부재(不在) 기간중에 유아(幼兒)를 맡는 일.

탁아-소【託兒所】명〖사〗'유아원(幼兒園)'의 전신.

탁아 시:설【託兒施設】명〖법〗아동 복지 시설의 하나. 보호자가 근로 또는 질병(疾病) 기타의 사정으로 아동을 보육(保育)하기 어려운 경우에 보호자의 위탁을 받아 아동을 보육하는 곳.

탁어【魠魚】명〖어〗자가사리.

탁언【託言】명 ①핑계의 말. 구실(口實). ②남에게 부탁하여 전하는 말. 전언(傳言).

탁업【濁業】명〖불교〗탐욕의 흐린 마음으로 생기는 몸·입·뜻의 세 가지 업.

탁연【卓然】명부 여럿 중에서 높이 뛰어난 모양. 출중(出衆)한 모양. 탁이(卓爾). ——-하다 형여불. ——-히 부

탁엽【托葉】명〖식〗보통 잎의 잎꼭지 밑에 붙어난 한 쌍의 작은 잎. 흔히, 쌍자엽(雙子葉) 식물 가운데서 볼 수 있음. 엽탁(葉托).

〈탁엽〉

탁예【濁穢】명 탁오(濁汚). 오탁(汚濁).

탁오[1]【卓午】명 정오(正午).

탁오[2]【濁汚】명 흐리고 더러움. 탁예(濁穢). 오탁(汚濁). ——-하다 형여불

탁용【擢用】명 여럿 중에서 사람을 뽑아서 씀. ——-하다 타여불

탁원【逴遠】명 아득하게 멂. ——-하다 형여불

탁월【卓越】명 월등하게 뛰어남. 초탁. ¶~한 재능(才能). ——-하다 형여불

탁월 서풍【卓越西風】명〖기상〗편서풍(偏西風).

탁월-풍【卓越風】명〖기상〗항풍(恒風).

탁위【卓偉】명 뛰어나게 훌륭함. 월등히 위대함. ——-하다 형여불

탁유【託喩】명 어떤 일에 비기어 타이름. ——-하다 타여불

탁음【濁音】명〖언〗유성음(有聲音). ↔청음(淸音)❷.

탁의[1]【卓衣】[-/-이] 명〖불교〗가사(袈裟).

탁의[2]【託意】[-/-이] 명 자기의 의사(意思)를 다른 일에 비기어 붙여서 나타냄. ——-하다 자여불

탁의[3]【濁意】[-/-이] 명 깨끗하지 못한 뜻. 더러워진 마음.

탁이[1]【卓異】명 남보다 뛰어나게 다름. 걸출(傑出)하여 이채(異彩)로움. ——-하다 형여불

탁이[2]【卓爾】명 높이 뛰어난 모양. 고원(高遠)한 모양. ——-하다 형여불

탁자[1]【卓子】명 ①물건을 올려 놓는 가구. 책상·찬탁자(饌卓子)·사방 탁자 등의 총칭. ②테이블(table). ③〖불교〗부처 앞에 붙박이로 있어, 제물(祭物)·다기(茶器) 같은 것을 차리어 놓는 상.

탁자[2]【柝字·坼字】명〖민〗파자(破字). ——-하다 자여불

탁자[3]【託子】명 자식을 남에게 당부하여 맡김. ——-하다 자여불

탁자-장【卓子欌】명 위아래 층은 터지고 가운데 층만 사면을 막고 문짝을 단 찬장. 준탁장(卓欌).

탁잔【托盞】명〖고고학〗받침잔.

탁잣-밥【卓子—】명〖불교〗부처 앞의 탁자에 올려놓은 마지(摩旨).

탁잣-손【卓子—】명 터선반이나 탁자를 올려 얹게 된 까치발.

탁장【卓欌】명 ↗탁자장(卓子欌).

탁장-면【托掌麪】명 국수의 한 가지. 소금물에 반죽한 밀가루를 조금씩 떼어서 쌀가루를 덧쳐 가며 방망이로 밀어 잘게 썰어서 끓는 물에 삶아 찬물에 담갔다가 씀.

탁재【卓才】명 뛰어난 재주. 또, 그런 사람. ¶보기 드문 ~.

탁저【擢儲】명 발탁해 왕세자로 세움. ——-하다 타여불

탁적【託迹】명 종교(宗敎)에나 또는 어떤 일에 몸을 의탁(依託)함. ——-하다 타여불

탁절[1]【卓絕】명 남보다 훨씬 뛰어남. 탁발(卓拔). 탁출(卓出). ——-하다 형여불

탁절[2]【卓節】명 뛰어나게 높은 절조(節操).

탁정[1]【託情】명 정을 붙임. ——-하다 자여불

탁정[2]【濁井】명 물이 맑지 아니한 우물.

탁정-장【濯征章】[-짱] 명〖악〗악장(樂章)의 이름. 정대업(定大業) 춤을 출 때에 독경장(篤慶章) 다음에 아뢺.

탁제【擢第】명 시험에 급제함. ——-하다 자여불

탁조【濁操】명 깨끗하지 못한 지조(志操).

탁족[1]【託足】명 잠시 머무름. 기류(寄留)함. ——-하다 자여불

탁족[2]【濯足】명 ①발을 씻음. 세족(洗足). ②↗탁족회(濯足會). ——-하다 자여불

탁족-회【濯足會】명 여름철에 청간(淸澗) 옥수(玉水)를 찾아 다니며 발을 씻고 노는 모임. 준탁족(濯足).

탁주【濁酒】명 막걸리. ↔징주(澄酒).

탁주-꾼【濁酒—】명 탁보(濁甫)❶❸.

탁쥬 명〈옛〉탁주(濁酒). 막걸리. ¶탁쥬 료(醪)≪字會 中 21≫.

탁지[1]【度支】명〖역〗①호조(戶曹). ②↗탁지부(度支部).

탁지[2]【度地】명 토지를 측량함. ——-하다 타여불

탁지 대:신【度支大臣】명〖역〗대한 제국 때 탁지부(度支部)의 으뜸 벼슬. 칙임관(勅任官)임. 준탁대(度大).

탁지-부【度支部】명〖역〗대한 제국 때 정부의 재무(財務)를 총할하던 관아. 고종(高宗) 32년(1895)에 탁지 아문(度支衙門)을 이 이름으로 고쳤는데, 순종 융희(隆熙) 4년(1910)까지 있었음. 준탁지(度支).

탁지 아:문【度支衙門】명〖역〗조선 시대 말에 정부의 재무(財務)를 총할하던 관아. 고종(高宗) 31년(1894)에 호조(戶曹)를 폐하고 베풀어서 이듬해에 탁지부(度支部)로 고쳤음.

탁지-우【濯枝雨】명 해마다 음력 유월에 오는 큰비.

탁지 정:례【度支定例】[-네] 명〖책〗조선 영조(英祖) 25년(1749)에 용도(用度)의 절감(節減)을 기하기 위하여, 병조 판서(兵曹判書) 박문수(朴文秀)에게 명하여 편찬한, 각 궁전(宮殿)·묘사(廟社)·부(府)·원(院)·시(寺)·감(監)의 경비 지출 예규(例規). 28책. 인본(印本).

탁지-지【度支志】명〖책〗조선 시대의 호조(戶曹)의 사례(事例)를 기록한 책. 정조(正祖) 12년(1788)에 왕명(王命)에 의해서 탁지랑(度支郎) 박일원(朴一源)이 편찬함. 21권. 사본(寫本).

탁지 협판【度支協辦】명〖역〗대한 제국 때 탁지부(度支部)의 버금 벼슬. 칙임(勅任) 벼슬임. 준탁협(度協). *협판(協辦).

탁-처자【託妻子】명 처자를 남에게 당부하여 맡김. ——-하다 자여불

탁-춘추【濁春秋】명 탁보(濁甫). 탁객(濁客).

탁출【卓出】명 남보다 훨씬 뛰어남. 탁발(卓拔). 탁절(卓絕). ——-하다 형여불

탁치【託治】명 ↗신탁 통치.

탁타【橐駝·橐駞】명〖동〗낙타.

탁-탁[1] 부 ①일을 결단성 있게 잘 처결하는 모양. ②여러 물건이나 사람이 연이어 거꾸러지는 모양. ③물건을 자꾸 두드리거나 먼지 같은 것을 떠는 모양. 또, 그 소리. ¶먼지를 ~ 떨다. ④침을 세게 자꾸 뱉는 모양. 또, 그 소리. ⑤숨이 못 견디게 자꾸 막히는 모양. ¶숨이 ~ 막히다. 1)-5):<턱턱.

탁-탁[2] 부 단단한 물건이 자꾸 세게 대질리거나 터지는 소리. ——-하다[1] 자여불

탁탁[3]【卓卓】명 많은 가운데서 우뚝 뛰어남. ——-하다[2] 형여불

탁탁-거리다 자타 연하여 탁탁 소리가 나다. 또, 연하여 탁탁 소리를 나게 하다.

탁탁-대다 자타 탁탁거리다.

탁탁-하다[3] 형여불 ①피륙 같은 것의 바탕이 올차고 치밀(緻密)하다. 탁탁하게 짠 광목. 특특하다. ②살림 같은 것이 넉넉하고 윤택하다. ¶세간살이가 ~.

탁트〔도 Takt〕명〖악〗박자(拍子).

탁필【卓筆】명 뛰어난 필적(筆跡) 또는 문장(文章).

탁-하다[1] 타〈방〉닮다(평안).

탁-하다[2]【濁—】형여불 ①액체나 공기가 걸쭉하게 흐리다. ¶실내 공기가 ~. ②얼굴이 훤히 트이지 못하다. ③성질이 흐리터분하고 바르지 못하다.

탁행[1]【卓行】명 높고 뛰어난 행실.

탁행[2]【逴行】명 아주 먼 곳에 감. 원행(遠行). ——-하다 자여불

탁-향로【卓香爐】[-노] 명 책상 따위의 위에 장식으로 놓는 향로. 금속제(金屬製)와 도기제(陶器製)가 있음.

탁-현【涿縣】명〖지〗중국 전한대(前漢代), 현재의 허베이 성(河北省) 중부 베이징 시(市)의 남쪽에 있었던 현(縣)의 이름. 전한(前漢) 시대에는 이 곳을 중심으로 군(郡)이 있었고, 당대(唐代)에는 주(州)가 있었음.

탁협【度協】명〖역〗↗탁지 협판(度支協辦).

탁호 난급【卓乎難及】명 높이 뛰어나서 남이 미치기 어려움. ——-하다 형여불

탁효【卓効】명 뛰어난 효험. ¶~가 있는 약.

탄[1] 명〈방〉올가미(함경).

탄:[2]【呑】명 성(姓)의 하나. 우리 나라에는 현존(現存)하지 아니함.

탄:³【炭】명 ①↗석탄(石炭). ②↗연탄(煉炭)·구멍탄.

탄:⁴【炭】명 성(姓)의 하나. 우리 나라에는 현존(現存)하지 아니함.

탄⁵【憚】명 성(姓)의 하나. 우리 나라에는 현존(現存)하지 아니함.

탄:⁶【彈】명 탄알·포탄·폭탄 등의 두루 일컬음.

탄:⁷【彈】명 성(姓)의 하나. 현재 우리 나라에는 해주(海州)·진주(晋州)의 두 본관(本貫)이 있음.

탄:가【炭價】[—까] 명 탄(炭)값. ¶ ~ 인상(引上).

탄:-가루【炭—】[—까—] 명 탄의 가루. 탄분(炭粉).

탄:갈【殫竭】명 남김없이 다함. 탄진(殫盡). ——-하다 타여불

탄:갈 심력【殫竭心力】[—녁] 명 마음과 힘을 다함. ——-하다 자여불

탄갑【彈匣】[—깝] 명 탄알을 넣는 갑. 흔히 몸에 지님.

탄:-값【炭—】[—깝] 명 석탄·연탄 등의 값. 탄가(炭價).

탄:강【誕降】명 임금이나 성인(聖人)이 탄생함. ¶ 셩자예수 ~ᄒᆞ니 십ᄌ가샹죽으셧네《찬양가 : 4》. ——-하다 자여불

탄:갱【炭坑】명〖광〗석탄을 파내는 구덩이. 노천갱(露天坑)·수갱(竪坑)·사갱(斜坑) 같은 것이 있음. 석탄갱(石炭坑).

탄:계【炭契】[—꼐] 명〖역〗숯을 공물로 바치던 계.

탄:고【炭庫】명 ①숯을 쌓아 두는 광. ②기선·군함 등에서 석탄을 저장하여 두는 창고. 석탄고(石炭庫).

탄:곡【嘆哭·歎哭】명 탄식하여 욺. ——-하다 자여불

탄:공【彈孔】명 총알로 뚫린 구멍.

탄:관【彈冠】명〔관(冠)의 먼지를 턴다는 뜻〕사관(仕官)의 준비를 하는 일.

탄:-광¹【炭—】[—광] 명 석탄·연탄 등을 저장해 두는 광.

탄:광²【炭鑛】명〖광〗↗석탄광(石炭鑛). ¶ ~ 노동자.

탄:광-굴【炭鑛窟】명 탄광의 탄을 캐어내는 굴.

탄:광-촌【炭鑛村】명 탄광 노동자들이 모여 사는 마을.

탄:광 폭약【炭鑛爆藥】명〖광〗탄갱 속에서 위험 없이 쓸 수 있는 폭약. 폭약의 폭발은, 갱내의 가스 폭발·탄진(炭塵) 폭발의 원인이 되는 경우가 많으므로 폭발 온도가 낮고, 또 폭발력이 낮지 않은 것이 요구됨. 보통, 질산 암모늄을 주제(主劑)로 하여 온도를 낮추고 폭염이 생기지 않도록 하기 위해 염화 나트륨을 가한 것이 많음. 안전 폭약(安全爆藥).

탄:구¹【呑鉤】명 고기가 낚시 바늘을 묾.

탄:구²【炭區】명 석탄이 매장되어 있는 구역.

탄:-규폐증【炭珪肺症】[—쯩] 명〔anthracosilicosis〕〖의〗탄소 및 규산 입자(珪酸粒子)의 흡입으로 인한 만성 폐렴.

탄:금【彈琴】명 거문고·가야금 등을 탐. 격금(擊琴). ——-하다 자여불

탄:금-가【彈琴歌】명〖문〗조선 때 가사(歌辭). 부귀 공명을 다 내던지고, 강산에 묻혀 한세상 술과 거문고를 벗삼아 먹고 놀자는 내용의 노래임. 작자와 연대는 미상.

탄:금-대【彈琴臺】명〖지〗충북 충주시(忠州市)에 있는 명승지(名勝地). 우륵(于勒)이 즐겨 가야금을 타던 곳이라고 전하여짐. 임진 왜란 때 신입(申砬)이 왜장 고니시 유키나가(小西行長)와 이 곳에서 싸워 전사하였음. 부근에 개원사(開元寺)가 있음.

탄:금-도【彈琴圖】명 거문고 타는 것을 그린 그림.

탄:-기【炭氣】[—끼] 명 석탄 가스의 기운.

탄-내¹ 명 무엇이 탈 때에 나는 냄새.

탄:-내²【炭—】명 ①연탄이나 숯 따위가 탈 때에 나는 독한 냄새. ②〈속〉일산화 탄소(一酸化炭素). ¶ ~를 맡다.

탄누올라 산맥【—山脈】〔Tannu-Ola〕명〖지〗러시아의 투바(Tuva) 자치 공화국 남부와 몽골의 국경 부근을 동서로 활 모양으로 뻗은 산맥. 아주 낮은 곳도 2,000 m를 넘으며, 최고점은 3,177 m에 이름. [약 350 km]

탄누 투바 공:화국【—共和國】〔Tannu Tuva〕명〖지〗투바(Tuva) 자치 공화국의 구칭.

탄:다락가-산【彈多落迦山】명〖지〗단특산(檀特山).

탄:대【彈帶】명〖군〗①탄띠. ②탄환의 아래 쪽에 새겨져 있는 치상대(齒狀帶). 총강(銃腔)의 선조(旋條)와 맞물려서 탄환의 선회 운동을 일으킴. 동대(銅帶).

탄:도¹【坦途·坦道】명 평탄한 길.

탄:-도²【炭島】명〖지〗전라 남도의 서해안, 무안군 망운면 탄도리(務安郡望雲面炭島里)에 위치한 섬. [0.50 km² : 225 명(1984 년)]

탄:도³【彈道】명 탄환이 발사되어 포물선(拋物線)을 그리면서 목적물에 이르기까지의 길. 탄환이 총포내(銃砲內)에서 정지(靜止)된 위치로부터 화약 가스의 힘으로 밀려나가 포신(砲身) 속을 운동하는 포내(砲內) 탄도, 공중을 나는 동안의 포외(砲外) 탄도, 목표물을 파괴하는 동안의 침철(侵徹) 탄도로 세분됨.

탄:도 계:수【彈道係數】명〔ballistic range〕〖물〗비상체(飛翔體)가 공기 저항을 이겨낼 수 있는 능력의 수치(數值). 질량·직경·형체(形體)에 따라 달라짐.

탄:도 곡선【彈道曲線】명 발사된 탄환이 공중에서 그리는 곡선.

탄:도 로켓【彈道—】〔rocket〕명〔ballistic vehicle〕양력(揚力)이 없는, 탄도 궤도를 비행하는 로켓.

탄:도 무:기【彈道武器】명〖군〗로켓 등에서 공중 높이 쏘아 올려서 가속(加速)하고, 일정한 위치·속도에서 분사(噴射)를 멎게 한 다음에는 포물체로서의 운동에 맡겨 목표에 명중하도록 제조된 무기(武器).

탄:도 미사일【彈道—】〔missile〕명〖군〗로켓을 동력(動力)으로 그 안의 추진제(推進劑)가 연소하는 동안 그 힘으로 날아가다가 추진제가 다 연소되면 탄환처럼 탄도를 그리며 먼 거리를 나는 미사일. 대륙간 탄도 미사일·중거리 탄도 미사일 등이 있음. 탄도 유도탄(誘導彈).

탄:도 미사일 조:기 경:계 조직【彈道—早期警戒組織】명〔ballistic missile early warning system; BMEWS〕〖군〗미국 공군의 대소(對蘇) 경계 조직. 그린란드·알래스카·영국의 세 기지(基地)에 3,000 해리(海里)를 감시할 수 있는 레이더망(網)과 통신계(系)가 있어, 15-20 분의 여유로 탄체(彈體) 낙하점을 예측, 북미 방공(防空) 사령부·전략 공군 사령부 등에 통보함.

탄:도 밀도【彈道密度】[—또] 명〔ballistic density〕〖군〗탄환이 비행 중에 저항을 받는 대기 밀도. 표준 탄도 대기(標準彈道大氣)에 의한 밀도의 백분율로 나타냄. 비뮤스(BMEWS).

탄:도벽 수정 사격【彈道癖修正射擊】명〖군〗모든 화기(火器)가 동일점(同一點)에 명중하도록 또는 파열점(破裂點)이나 탄착점(彈着點)이 바람직한 상태가 되겠금 포(砲)나 발사기(發射機)에 적용되는 보정치(補正值)를 결정하는 예비 사격. ＊영점 규정(零點規正).

탄:도 비행【彈道飛行】명〖군〗연료가 다한 로켓이 지구의 인력만을 받아 일정한 궤도를 나는 비행. ＊궤도 비행.

탄:도-어【彈塗魚】명〖어〗망둥이.

탄:도 원점【彈道原點】[—쩜] 명〔origin of the trajectory〕〖군〗포탄이 포구를 막 떠난 순간의 포구의 중심.

탄:도 유도탄【彈道誘導彈】명〖군〗탄도 미사일. 준탄도탄.

탄:도 정점【彈道頂點】[—쩜] 명〖물〗탄환이 발사되어 목적물에 도달할 때까지 그리는 탄도(彈道) 중에서 제일 높은 점.

탄:도 진:자【彈道振子】명〖물〗소총탄 같은 고속 비행 물체의 속도를 운동량 보존의 법칙을 이용하여 축소(縮小)해서 측정하는 장치.

〈탄도 진자〉

탄:도-탄【彈道彈】명〖군〗①↗탄도 유도탄. ②유도(誘導) 장치가 없고 포물선의 탄도(彈道)를 갖는 초음속의 장거리 포탄.

탄:도탄 요격 미사일【彈道彈邀擊—】명〔anti-ballistic missile; ABM〕〖군〗레이더에 의해서 포착된 대륙간 탄도탄을 추격하여 격추시키기 위한 미사일. 요격 미사일.

탄:도-학【彈道學】명 탄도(彈道)와 그에 관련된 모든 물리적·화학적 이론을 연구하는 학문.

탄:도 한:계【彈道限界】명〔ballistic limit〕〖물〗장갑 관통용 탄환(裝甲貫通用彈丸)이 지정된 경사각(傾斜角)에서, 목표로 주어진 장갑판을 완전히 관통할 수 있는 최저 속도.

탄:도 효:과【彈道效果】명〔ballistic efficiency〕〖물〗①탄환이 공기 저항을 이겨낼 수 있는 능력. ②비행체인 로켓이나 제트 엔진의 대외 효율(對外效率).

탄:동 검:류계【彈動檢流計】[—뉴—] 명〖전〗순간적으로 흐르는 전류에 의하여 운반되는 전기의 총량을 측정하는 계기.

탄:두【彈頭】명 탄환의 두부(頭部). ¶ 핵~를 탑재한 미사일.

탄:두-음【彈頭音】명 공기 속을 탄환이 음속보다 빠른 속도로 진행할 때에 발생하는 소리.

탄:-띠【彈—】명〖군〗①탄창(彈倉)을 끼어 몸에 지니게 만든 띠. 탄대(彈帶). ②기관총탄을 낀 긴 띠.

탄:력【彈力】[탈—] 명 ①물체에 외력이 작용하여 체적(體積)이나 모양이 변할 때, 물체내에 생기는, 원형(原形)으로 돌이키려는 항력(抗力). ¶ ~을 잃은 고무줄. ②마음에 받는 압박을 튕기려는 힘. 또, 어떤 일이건 받아들이어서 그것에 적응하려 하는 유연(柔軟)한 성질.

탄:력-계【彈力計】[탈—] 명 탄력의 크기를 측정하는 기구.

탄:력 고무【彈力—】〔프 gomme〕[탈—] 명 탄성 고무.

탄:력 관세【彈力關稅】[탈—] 명〔flexible tariff〕〖경〗행정 관청이 필요에 따라서 세율을 변경할 수 있는 관세. 굴신(屈伸) 관세.

탄:력 도위【彈力徒尉】[탈—] 명〖역〗조선 시대 때 종구품의 토관직(土官職) 무관(武官)의 품계. 여력(勵力) 도위의 아래.

탄:력 섬유【彈力纖維】[탈—] 명〖생〗척추 동물의 진피(眞皮)·피하(皮下)·기관(氣管)·혈관(血管) 등을 구성하는 조직에 포함되어 있는, 탄력이 풍부한 섬유.

탄:력-성【彈力性】[탈—] 명 ①물체가 외력을 받았을 때, 튀기는 힘이 있는 성질. ¶ ~이 있는 몸매. ②변화에 적응할 수 있는 성질. 변통성. ¶ ~ 있는 사고 방식. ③〖경〗어떤 상품의 가격이 약간 등귀하였을 경우 그 상품의 수요량이 그 상품 가격의 등귀율보다도 더 큰 비율로 감퇴하는 성질.

탄:력 조직【彈力組織】[탈—] 명〖생〗결합(結合) 조직 가운데 특히 탄력 섬유가 많은 조직.

탄:로¹【坦路】[탈—] 명 ↗탄탄 대로(坦坦大路).

탄:로²【綻露】[탈—] 명 비밀이 드러남. 비밀을 드러냄. 현로(顯露). ¶ 비밀이 ~ 나다. ——-하다 자타여불

탄:막¹【炭幕】명 ①주막(酒幕). ②숯막.

탄:막²【彈幕】명〖군〗적의 침투 공격에 대하여 구성하는 각종 포화(砲火)의 방벽(防壁).

탄:말【炭末】명 숯의 부스러진 가루. 숯가루.

탄:망【誕妄】명 허탄(虛誕)하고 망령(妄靈)됨. ——-하다 형여불

탄:맥【炭脈】명 땅 속에 묻혀 있는 석탄 줄기. ¶ ~을 발견하다.

탄:면【彈綿】명 솜을 탐. 타면(打綿). ——-하다 자여불

탄:명-스럽다 형ㅂ불 보기에 똑똑하지 못하고 흐리멍덩한 데가 있다. 탄:명-스레 부

탄:묵【彈墨】명 ①탄문(彈文). ②먹줄을 침. ——-하다 자여불

탄:문【彈文】명 탄핵(彈劾)하는 글. 탄묵(彈墨).

탄:미¹【炭尾】명〖광〗선탄(選炭) 작업에서, 정탄(精炭)을 가려낸 뒤에 남는 석탄 찌끼.

탄:미² 【嘆美·歎美】 명 탄복하여 크게 칭찬함. ——-하다 타여불
탄:미-류 【彈尾類】 명 〖충〗 톡토기목(目).
탄:박 【彈駁】 명 탄핵(彈劾). ——-하다 타여불
탄:발 【彈發】 명 탄사(彈射). ——-하다 자여불
탄:방 【誕放】 명 지나치게 방종함. 탄종(誕縱). ——-하다 형여불
탄:백 【坦白】 명 있는 그대로 솔직이 말함. ——-하다 타여불
탄:병 【呑倂】 명 병탄(倂呑).
탄:보 【坦步】 명 평지를 걷는 것처럼 태연히 걸음.
탄:복¹ 【坦腹】 명 ①엎드려 누움. ②'사위'를 달리 이르는 말.
탄:복² 【歎服】 명 깊이 감탄하여 심복(心服)함. ——-하다 타여불
탄:복³ 【憚服】 명 두려워하여 복종함. ——-하다 자여불
탄:부 【炭夫】 명 탄광에서 석탄을 캐는 인부. 채탄부.
탄부:르 〔아랍 tanbūr〕 명 스페인·동(東)유럽·페르시아·아라비아 등 지방에 보급되어 있는 류트 류(lute 類)의 발현(撥絃) 악기. 현(絃)의 수는 세 줄에서 여섯 줄까지 각 종류가 있으며, 춤이나 노래의 반주(伴奏)에 쓰임.
탄:분 【炭粉】 명 탄가루.
탄:분-증 【炭粉症】 〔-쯩〕 명 〔anthracosis〕 〖의〗 흡입(吸入)된 흑탄진입자(黑炭塵粒子)가 폐(肺)에 침적(沈積)되어 만성적인 염증(炎症)을 수반하는 상태.
탄:-불 【炭-】 〔-뿔〕 명 연탄이 탈 때 이는 불. *탄화(炭火).
탄:비-설 【炭比說】 명 〔carbon ratio theory〕 〖지〗 어느 지역에서나 석유의 중량은 석탄의 탄소비에 반비례한다는 설.
탄:빙 【炭氷】 명 숯과 얼음. 전혀 다른 것을 비유할 때 이름.
탄:사¹ 【彈射】 명 ①총탄을 발사함. 탄발(彈發). ②결점·과실(過失) 등을 지적함. ——-하다 자여불
탄:사² 【彈絲】 명 ①가야금·거문고 등의 줄을 탐. ②〔elater〕 〖식〗 포자낭(胞子囊)에서 포자를 튀어나게 하는 사상(絲狀) 기관의 총칭. 태류(苔類)·변형균(變形菌)에서 볼 수 있음.
탄:사³ 【彈詞】 명 중국 명(明)나라 때에 생긴 창(唱)의 일종. 맹인(盲人)이 작은 북이나 박판(拍板)의 반주로 노래하였으며 청(淸)나라 때에 와서는 비파(琵琶)·삼현(三絃)·양금(洋琴) 등에 맞추어 노래하게 되었음.
탄:사⁴ 【歎辭·嘆辭】 명 ①감탄의 말. ②탄식하여 하는 말.
탄:산¹ 【炭山】 명 〖광〗 석탄광(石炭鑛).
탄:산² 【炭酸】 명 〔carbonic acid〕 〖화〗 이산화 탄소가 물에 녹아서 생기는 극히 약한 이염기산(二塩基酸). 수용액으로서만 존재함. 성질이 극히 불안정하여 분리가 불가능함. 산성염(酸性塩)·염기성염(塩基性塩)을 만들기 쉬움. [H_2CO_3]
탄:산 가리 【炭酸加里】 명 〖화〗 '탄산 칼륨(炭酸 kalium)'의 구칭.
탄:산 가스 【炭酸-】 명 〔carbonic acid gas〕 〖화〗 이산화 탄소의 속칭. 탄산 와사(炭酸瓦斯).
탄:산 가스 검:지기 【炭酸-檢知器】 〔gas〕 명 〔carbon dioxide indicator〕 〖광〗 수산화 칼륨의 가스 흡착을 이용한, 갱내(坑內)의 이산화 탄소 검출기(檢出器).
탄:산 가스 결핍증 【炭酸-缺乏症】 〔gas〕 명 〖의〗 이산화 탄소 결핍증.
탄:산 가스 기록계 【炭酸-記錄計】 〔gas〕 명 이산화 탄소 기록계.
탄:산 가스 소화기 【炭酸-消火器】 〔gas〕 명 〔carbon dioxide fire extinguisher〕 〖화〗 화학 소화기의 하나. 소화제(消火劑)는 액화 이산화 탄소(液化二酸化炭素).
탄:산 가스 중독 【炭酸-中毒】 〔gas〕 명 〖의〗 이산화 탄소 중독.
탄:산-계 【炭酸計】 명 공기 중에 있는 이산화 탄소의 함유량을 측정하는 데 쓰이는 장치.
탄:산 고정 【炭酸固定】 명 〖생〗 탄소(炭素) 동화.
탄:산-공 【炭酸孔】 명 이산화 탄소를 자연적으로 분출하는 분기공(噴氣孔). 화산 지대 등에서 볼 수 있음.
탄:산 과이어콜 【炭酸-】 〔guaiacol〕 명 〖약〗 무미(無味)·무취(無臭)·백색의 결정성 분말. 살균제·방부제 등으로 쓰임. [$C_{15}H_{14}O_5$]
탄:산 구리 【炭酸-】 명 〔copper carbonate〕 〖화〗 ①탄산 구리(Ⅰ). 황색의 고체. 물에 녹지 않으며 가열하면 분해함. [Cu_2CO_3] ②염기성(塩基性) 탄산 구리.
탄:산-기 【炭酸基】 명 〖화〗 탄산의 분자 안에서 물을 제외하고 남은 부분. 탄소 한 원자와 산소 두 원자로 되어 있음.
탄:산 기공 【炭酸氣孔】 명 〔mofette〕 〖지질〗 화산 활동의 말기 단계에 있는 지역에서, 이산화 탄소를 내뿜는 작은 구멍.
탄:산 나트륨 【炭酸-】 〔natrium〕 명 〔sodium carbonate〕 〖화〗 나트륨의 탄산염(炭酸塩). 무수염(無水塩)은 무색의 결정. 흡습성(吸濕性)으로 1, 7, 10 수화물(水化物)이 있는데 이들은 모두 알칼리성을 나타냄. 공업적으로 매우 중요한 화합물로 암모니아 소다법(法)으로 제조하며, 유리·비누·도기(陶器)의 원료 및 제지·염색·표백·세제 등과 위산(胃散)의 중화제(中和劑)로도 쓰임. 탄산 소다(soda). 탄산 조달(曹達). [Na_2CO_3] *세탁 소다·탄산 나트륨 무수물.
탄:산 나트륨 무수물 【炭酸-無水物】 명 〔natrium〕 〖화〗 탄산 나트륨의 무수염(無水塩)의 통칭. 무색·무취(無臭)의 분말. 흡습성이 있으며, 유리·비누·나트륨염(塩)의 원료로서 중요함. 소다회(soda灰). 무수 탄산 나트륨. 무수 탄산 소다. *탄산 나트륨.
탄:산-납 【炭酸-】 명 〔lead carbonate〕 〖화〗 ①물이나 알코올에도 녹지 아니하는 무색(無色)의 입방(立方) 또는 단사 정계 결정(單斜晶系結晶). 천연적으로는 백연광(白鉛鑛)으로서 산출되고, 인공적으로는 납염(塩)의 차가운 용액에 탄산 암모늄이나 탄산 수소 나트륨을 가하여 침전시켜서 얻음. [$PbCO_3$] ②연백(鉛白)의 속칭.
탄:산 동화 작용 【炭酸同化作用】 명 〖식〗 탄소(炭素) 동화.
탄:산 마그네슘 【炭酸-】 명 〔magnesium carbonate〕 〖화〗 마그네슘의 탄산염. 무색의 삼방 정계(三方晶系) 결정. 천연으로는 고토석(苦土石)으로서 산출되며, 마그네슘염(塩) 수용액에 이산화 탄소(二酸化炭素)와 탄산 나트륨을 가하면 3 수화물을 얻음. 이 밖에 1, 5 수화물도 있음. 고무의 충전제(充填劑)·보온제(保溫劑)·도료(塗料)·의약품·화장품 등에 쓰임.
탄:산 무수물 【炭酸無水物】 명 〖화〗 이산화 탄소(二酸化炭素)의 통칭.
탄:산 바륨 【炭酸-】 명 〔barium carbonate〕 〖화〗 성질이 탄산 칼슘과 거의 같은 성질의 무색의 사방 정계(斜方晶系) 결정. 천연으로는 독중석(毒重石)으로서 산출되며 공업적으로는 중정석(重晶石)을 탄소와 600°-800℃로 가열·환원시켜 황화바륨을 만들어서, 이 열수용액(熱水溶液)에 이산화 탄소를 통하여 만듦. 바륨염·광학 유리·브라운관(管) 유리·유리 섬유·콘덴서·탈황산제(脫黃酸劑) 등으로 사용함. [$BaCO_3$]
탄:산 석회 【炭酸石灰】 명 〖화〗 탄산 칼슘(炭酸 calcium).
탄:산 소:다 【炭酸-】 〔soda〕 명 〖화〗 탄산 나트륨. ㊟소다.
탄:산-수 【炭酸水】 명 〖화〗 이산화 탄소의 포화 수용액(飽和水溶液). 천연으로는 탄산천(炭酸泉)으로서 나며, 인공적으로는 내압(耐壓)의 금속성 통 안에서 가압(加壓)된 물에 이산화 탄소를 용해시켜서 만듦. 빛이 없고 산미(酸味)가 있어 청량 음료로 상용(賞用)되며, 그 밖에 약용 및 화학 실험용으로 널리 쓰임. 소다수(水).
탄:산 수소 나트륨 【炭酸水素-】 〔natrium〕 명 〔sodium hydrogencarbonate〕 〖화〗 무색의 단사 정계(單斜晶系) 결정. 물에 녹고 알코올에는 녹지 않음. 공업적으로 암모니아소다법(ammonia soda 法)으로 제조됨. 수용액(水溶液)은 약한 알칼리성을 띠고 약 50℃에서 분해하기 시작하여 이산화 탄소를 발생하며 100℃에서 탄산 나트륨(Na_2CO_3)이 됨. 의약·세척제(洗滌劑)·베이킹 파우더(baking powder) 등으로 씀. 중탄산 나트륨. 중탄산 소다. 중탄산 조달(重炭酸曹達). 중조(重曹). 산성 탄산 나트륨. [$NaHCO_3$]
탄:산 수소 마그네슘 【炭酸水素-】 〔magnesium〕 명 〖화〗 탄산 마그네슘과 이산화 탄소와 물로 만들어지는 염(塩). 공기 중에서는 불안정하여 분해되어 탄산 마그네슘이 됨. 중탄산 마그네슘. [$Mg(HCO_3)_2$]
탄:산 수소 암모늄 【炭酸水素-】 명 〔ammonium hydrogencarbonate〕 〖화〗 탄산 암모늄을 공기 중에 방치하면 얻어지는 사방(斜方) 또는 단사 정계(單斜晶系)의 주상 결정(柱狀結晶). 암모니아수(水)에 녹여 분석 시약(分析試藥)으로 씀. [NH_4HCO_3]
탄:산 수소염 【炭酸水素塩】 명 〔hydrogencarbonate〕 〖화〗 탄산염(炭酸塩)의 한 가지. 탄산에 포함되는 두 개의 수소 원자 가운데 한 개를 금속류로 치환(置換)하여 생기는 염의 총칭. 용액으로서는 많은 것이 알려져 있지만, 고체로서는 알칼리 금속·카드뮴·암모니아 등의 염으로 그리 흔하지 않음. 고체는 가열에 의해 이산화 탄소를 내어 보내고 탄산염으로 변함. 산성(酸性) 탄산염. 중탄산염(重炭酸塩). [M^IHCO_3]
탄:산 수소염천 【炭酸水素塩泉】 명 〖지〗 광천(鑛泉)의 화학적 조성에 의한 분류의 하나. 물 1 kg 중 고형 성분(固形成分) 1,000 mg 이상을 함유하고 음이온(陰 ion)으로서 탄산 수소 이온(炭酸水素 ion)을 주성분으로 하는 광천. 알칼리천(alkali 泉)과 중탄산 토류천(土類泉)이 이에 포함됨. 중탄산염천(重炭酸塩泉).
탄:산 수소 칼륨 【炭酸水素-】 〔kalium〕 명 〔potassium hydrogencarbonate〕 〖화〗 탄산 칼륨의 진한 수용액(水溶液)에 이산화 탄소를 통하여 얻는 무색의 단사 정계 결정(單斜晶系結晶). 물에는 녹으나 알코올에는 녹지 않음. 끓이면 이산화 탄소를 내고 탄산 칼륨으로 됨. 수용액은 약간 알칼리성. 의약품·가루 비누·베이킹 파우더 등의 원료로 이용함. 산성 탄산 칼륨·중탄산 칼륨. [$KHCO_3$]
탄:산 수소 칼슘 【炭酸水素-】 〔calcium〕 명 〖화〗 탄산 칼슘의 현탁액(懸濁液)에 이산화 탄소를 통하여 얻어지는 염(塩). 중탄산(重炭酸) 칼슘. [$Ca(HCO_3)_2$]
탄:산 아연 【炭酸亞鉛】 명 〔zinc carbonate〕 〖화〗 물에 거의 녹지 아니하는 삼방 정계 결정(三方晶系結晶). 천연으로는 능아연광(菱亞鉛鑛)으로서 산출되며, 화학적으로는 이산화 탄소를 포화시킨 탄산 수소 나트륨 용액과 황산 아연 용액을 냉각시키면서 혼합하면 얻어짐. 1 수화물(水化物)도 있음. [$ZnCO_3$]
탄:산 암모늄 【炭酸-】 명 〔ammonium carbonate〕 〖화〗 보통 1 수화물(水化物)을 말하며, 이것은 무색의 사방 정계 결정(斜方晶系結晶)으로 공기 중에서는 암모니아를 방출하고 서서히 탄산 수소 암모늄이 됨. 물에 쉽게 녹으며, 분석 시약(試藥)·고무 제품·물감 제조 등에 쓰임. [$(NH_4)_2CO_3 \cdot H_2O$]
탄:산-염 【炭酸塩】 〔-념〕 명 〔carbonate〕 〖화〗 탄산의 수소 원자가 금속 원자로 치환되어 생성된 화합물의 총칭. 산성염(酸性塩)인 탄산 수소염(炭酸水素塩)과 염기성 염(塩基性塩)이 있음. 일반적으로 무색의 결정으로 양이온(陽 ion)을 함유하고 있는 것은 착색(着色)되어 있음. 고체를 가열하면 이산화 탄소를 생성하여 산화물(酸化物)이 됨. [H_2CO_3]
탄:산염 광:물 【炭酸塩鑛物】 〔-념-〕 명 탄산염을 주성분(主成分)으로 하는 광물. 고토석(苦土石)·능아연광(菱亞鉛鑛)·능철광(菱鐵鑛)·능망간광(菱Mangan鑛)·방해석(方解石)·백운석(白雲石)·아라고나이트(aragonite)·독중석(毒重石)·백연광(白鉛鑛)·남동광(藍銅鑛)·공작석(孔雀石) 따위가 있음.
탄:산염 순환 【炭酸塩循環】 〔-념-〕 명 〔carbonate cycle〕 〖화〗 탄산염의 생물 지구 화학적(生物地球化學的)인 경로. 탄산염의 이산화 탄소 가스 및 탄산으로의 변환(變換)·용해·침전, 생물체 속에서의 대사(代謝)와 재생 따위가 포함됨. 탄소(炭素) 순환.
탄:산염-암 【炭酸塩岩】 〔-념-〕 명 〔carbonate rock〕 〖광〗 주로 탄산

염으로 된 암석. 최소한 50중량 퍼센트 이상을 함유하는 경우에 이름.

탄:산염화 작용【炭酸塩化作用】[—념—] 명 〖광〗 광상(鑛床) 주변(周邊)의 모암(母岩) 속에 다량의 방해석(方解石)·고토석(苦土石)·능철광(菱鐵鑛) 등이 스며들어 교대(交代)한 변질(變質) 작용.

탄:산 와사【炭酸瓦斯】명 〖화〗 '탄산 가스'의 한자 표기.

탄:산 음료【炭酸飮料】[—뇨] 명 탄산수·사이다·레모네이드(lemonade) 등, 탄산 가스를 함유한 음료. 발포성(發泡性)의 청량(淸涼) 음료.

탄:산 정:량법【炭酸定量法】[—냥뻡] 명 〖화〗 공기 중에 들어 있는 이산화 탄소의 양을 측정하는 방법.

탄:산 조달【炭酸曹達】명 〖화〗 '탄산 소다'의 한자 표기.

탄:산 중독【炭酸中毒】명 〖의〗 탄산 가스 중독.

탄:산-증【呑酸症】[—쯩] 명 〖의〗 위(胃) 안에 열이 생기어 먹은 음식이 잘 소화되지 않고 신트림이 나는 병. 양의학의 위산 과다증(胃酸過多症)에 상당함.

탄:산-지【炭酸紙】명 〔carbon-paper의 오역(誤譯)〕 카본지(carbon紙).

탄:산-천【炭酸泉】명 〖지〗 이산화 탄소의 수용액이 천연적으로 솟아나오는 광천(鑛泉). 주로 냉천(冷泉)이고, 고형 성분(固形成分)의 종류나 양에 따라 단순(單純) 탄산천·중탄산 토류천(土類泉)·알칼리천(alkali泉)으로 구분됨.

탄:산-철【炭酸鐵】명 〔iron carbonate〕 〖화〗 담황색의 육방 정계 결정(六方晶系結晶). 천연으로는 능철광(菱鐵鑛)으로서 산출되며, 화학적으로는 제일철염(第一鐵塩)의 용액에 가용성(可溶性)의 탄산염을 가하여 침전(沈澱)시키어 얻음. 철의 염류(塩類)를 만드는 원료임. [$FeCO_3$]

탄:산철-광【炭酸鐵鑛】명 〖광〗 능철광(菱鐵鑛).

탄:산 칼륨【炭酸—】〔라 kalium〕 명 〔potassium carbonate〕 〖화〗 무색 단사 정계(單斜晶系) 결정으로 흡습 용해성(吸濕溶解性)의 백색 분말. 물에 잘 녹으며 천연으로는 나뭇재에 함유되어 있어 잿물로 추출(抽出)됨. 의약품·각종 유리·칼륨 비누 등의 원료로 쓰이며, 염색·표백(漂白)·무두질에도 이용됨. 탄산 가리. 탄산 칼리. 칼리. [K_2CO_3]

탄:산 칼리【炭酸—】〔kali〕 명 〖화〗 탄산 칼륨.

탄:산 칼슘【炭酸—】명 〔calcium carbonate〕 〖화〗 칼슘의 탄산염(炭酸塩). 육방 정계(六方晶系) 결정으로, 천연으로는 대리석·석회석·방해석·아라고나이트(aragonite)·조개 껍질 등으로 산출됨. 순수한 물에는 녹지 않으나 산(酸)에는 녹아 이산화 탄소를 방출함. 석회의 지층을 통과한 천연수는 이 성분을 함유하여, 경수(硬水)라 불림. 탄산 석회. 석회. [$CaCO_3$]

탄:산 크레오소:트【炭酸—】〔creosote〕 명 〖약〗 크레오소트의 탄산 에스테르. 무색 혹은 담황색의 투명한 물약으로, 결핵 치료에 사용하였으며 위장병이나 밥맛이 나게 하는 데도 쓰임.

탄:산 탈수 효소【炭酸脫水酵素】[—쑤—] 명 〔carbonic anhydrase〕 〖화〗 효소의 하나. 이산화 탄소와 물로부터의 탄산의 합성 또는 그 역반응의 촉매가 되며, 이산화 탄소의 이동과 유리(遊離)를 도움. 척추동물의 적혈구(赤血球), 식물의 잎 등에 있음.

탄:상[1]【炭床】명 탄층(炭層).

탄:상[2]【嘆傷·歎傷】명 탄식하여 마음이 상함. ——-하다 자여불

탄:상[3]【歎賞·嘆賞】명 ①탄복하여 크게 칭찬함. 탄칭(嘆稱). ②심히 감탄하면서 구경함. ——-하다 타여불

탄:생【誕生】명 사람이 태어남. 특히, 귀인에 대하여 쓰는 말. 생탄(生誕). ——-하다 자여불

탄:생-불【誕生佛】명 〖불교〗 탄생시의 석가 모니(釋迦牟尼)의 모습을 떠서 만든 상(像). 바른손은 하늘을 가리키고 왼손은 땅을 가리키면서, '천상 천하 유아 독존(天上天下唯我獨尊)'이라 부르는 모양을 나타내고 있음.

탄:생-석【誕生石】명 자기가 난 달의 보석으로 여러 가지 장식품을 만드는 풍습하에서 열 두 달에 맞추어 정한 보석. 1월은 석류석(石榴石)으로 정결(貞潔)·우애·충실, 2월은 자수정(紫水晶)으로 성실·평화, 3월은 녹주석(綠柱石) 또는 혈석(血石)으로 침착·용감, 4월은 금강석으로 청정(淸淨)·무구(無垢), 5월은 에메랄드(emerald)로서 행복한 아내, 6월은 진주 또는 월장석(月長石)으로 건강·장수, 7월은 루비(ruby)로서 사랑·위엄·정열, 8월은 감람석(橄欖石)으로 부부의 화합(和合), 9월은 청옥(靑玉)으로 현명·성실·덕망, 10월은 단백석(蛋白石)으로 행복·안락, 11월은 황옥(黃玉)으로 희망·결백, 12월은 터키옥(Turkey玉)으로 성공을 각각 나타낸다 함. 기원(起原)은 유태교에서 나왔다는 설과 신약 성서에서 나왔다는 두 가지 설이 있음.

탄:생-일【誕生日】명 탄생한 날.

탄:생-지【誕生地】명 탄생한 곳.

탄:석【嘆惜·歎惜】명 한탄하며 애석히 여김. ——-하다 타여불

탄:설-음【彈舌音】명 〖언〗 진동음(振動音). 탄음(彈音).

탄:성[1]【彈性】명 〔elasticity〕 〖물〗 물체에 외부로부터 어떤 힘을 가할 때, 그 모양과 부피가 변하였다가 그 외력(外力)이 없어지면 다시 본디 상태로 돌아가는 성질. *소성(塑性)·탄성 비례 한계.

탄:성[2]【歎聲·嘆聲】명 ①탄식하는 소리. ②감탄하는 소리.

탄성[3]【殫誠】명 진성(盡誠). ——-하다 자여불

탄성[4]【灘聲】명 여울 물이 흐르는 소리.

탄:성 계:수【彈性係數】명 〔modulus of elasticity〕 〖물〗 ①탄성체에 작용하는 힘과 그에 의해서 생기는 변형(變形)과의 사이의 비례 관계를 표시하는 상수(常數). ②탄성률(彈性率).

탄:성 고무【彈性—】〔프 gomme〕 명 〔India rubber〕 고무나무의 액즙(液汁)으로부터 분리한 그대로의 유상(油狀) 고무에 황산(黃酸)을 가하여 탄성을 일률적으로 하여 보존성(保存性)을 강하게 한 고무. 탄력(彈力) 고무. 고무.

탄:성-력【彈性力】[—녁] 명 〔elastic force〕 〖물〗 고체 변형에 의해서 생기는 힘. 물체의 순간적인 변형에만 존재함.

탄:성-률【彈性率】[—뉼] 명 〔modulus of elasticity〕 〖물〗 탄성체(彈性體)가 탄성의 한계내에서 갖는 응력(應力)과 변형(變形)의 비. 탄성계수. 탄성 상수(常數).

탄:성 반:발설【彈性反撥說】[—썰] 명 〔elastic rebound theory〕 〖지〗 땅속에 위치 에너지의 형태로 저장된 응력이, 이따금 탄성 에너지로서 해방되는 것이 단층(斷層)의 원인이라는 설.

탄:성 변:형【彈性變形】명 〖물〗 외부의 힘에 의해 생기는 물체의 변형 가운데 외부의 힘을 제거하면 본래의 상태로 되돌아가는 따위의 변형.

탄:성-비【彈性比】명 〔elastic ratio〕 〖물〗 고체의 최대 길이에 대한 탄성 한계(彈性限界)의 비(比).

탄:성 비:례 한:계【彈性比例限界】명 〔proportional elastic limit〕 〖물〗 응력(應力)과 변형(變形)이 비례하는 범위(範圍) 안에서의 최대 응력 강도(強度).

탄:성 산:란【彈性散亂】[—살—] 명 〔elastic scattering〕 〖물〗 탄성 충돌(衝突)에 의한 산란.

탄:성 상수【彈性常數】[—쑤] 명 〖물〗 탄성률(彈性率).

탄:성 섬유【彈性纖維】명 〔elastic fiber〕 〖생〗 결합 조직(結合組織)에서 볼 수 있는 섬유의 하나로, 탄성 조직의 중요한 성분. 균질(均質)로 광택을 가지며 레조르신(resorcine)·푸크신(fuchsine)에 의해 청자색(靑紫色)으로 염색(染色)이 되는 특징이 있음. 탄성 섬유는 세포 밖에 형성된다 하나 생성 과정(生成過程)에 대해서는 불명(不明)한 점이 많음.

탄:성 에너지【彈性—】명 〔elastic energy〕 〖물〗 탄성적으로 변화하고 있는 물체가 축적해 놓은 위치 에너지. 시계의 태엽과 활은 이것을 이용한 것임.

탄:성 연:골【彈性軟骨】[—년—] 명 〔elastic cartilage〕 〖생〗 연골 기질(軟骨基質) 가운데 탄성 섬유를 함유하는 형의 연골.

탄:성 위치 에너지【彈性位置—】명 〔elastic potential energy〕 〖물〗 물체가 변형(變形)하기 위해서, 하지 않으면 안 되는 일의 양(量).

탄:성 응:력【彈性應力】[—녁] 명 탄성 한도내에서의 응력.

탄:성 이:력【彈性履歷】명 〔elastic hysteresis〕 〖물〗 물질에 탄성 한계 이상의 힘을 가하면 파괴되지 않는다 할지라도 변형의 일부는 영구 왜곡(歪曲)으로 남기 때문에 그 경과한 이력(履歷)에 의해 물체에 가해지는 힘의 크기와 그 변형의 관계는 달라지게 된다는 현상. 탄성 히스테리시스.

탄:성 이:론【彈性理論】명 〔elastic theory〕 〖물〗 물체에 작용하는 힘과 그에 의해서 생기는 치수 변화의 관계에 관한 이론.

탄:성 잔효【彈性殘効】명 〔elastic after-effect〕 〖물〗 탄성체에 외력(外力)을 가했다가 중단하면 탄성 한계(限界) 안에서도 본디 평형 상태(平衡狀態)로 되돌아가기까지는 얼마간의 시간을 요하는데, 이러한 현상을 이름.

탄:성 조직【彈性組織】명 〔elastic tissue〕 〖생〗 성대(聲帶)와 그 밖의 인대(靭帶) 속에 있는 결합 조직의 하나. 탄성립(彈性粒)·탄성 연골(軟骨)·탄성 섬유와 같은 탄성 물질을 주성분(主成分)으로 하기 때문에 탄력성이 있음. 탄성 섬유가 조직 속을 평행하게 섬유속(纖維束)을 이루고 그 간격을 교원(膠原) 섬유 및 소수의 섬유 아세포(芽細胞)가 채우고 있음.

탄:성 중합체【彈性重合體】명 〔elastomer〕 실온(室溫)에서는 낮은 응력(應力)으로 최초 길이의 적어도 두 배 늘일 수 있으며, 응력을 풀면 곧 본디의 길이로 되돌아가는 성질을 가진 물질. 합성 고무 또는 합성 플라스틱과 같은 물질. 엘라스토머. *플라스토머(plastomer).

탄:성 진:동【彈性振動】명 〔elastic oscillation〕 〖물〗 탄성체의 기계적 진동. 막대기·판(板)·태엽 등의 진동이나 발음체의 진동 및 그 밖에 음파·지진파(地震波)에 있어서의 진동 같은 것.

탄:성-체【彈性體】명 〔elastic body〕 〖물〗 탄성을 갖는 물체. 개체(個體)는 탄성 한계 안에서는 모두 탄성체임. 특히, 고무같이 탄성의 한계가 큰 것을 말함.

탄:성 충돌【彈性衝突】명 〔elastic collision〕 〖물〗 두 개의 물체가 서로 충돌하여 순간적으로 변형되었을 경우, 본디의 모양으로 돌아가려는 탄력이 작용하여 물체가 되튕겨지는 현상.

탄:성-치【彈性値】명 〖경〗 국민 총생산이 일단위(一單位) 증가된 경우의 에너지 소비량의 증가 비율.

탄:성 탐광법【彈性探鑛法】[—뻡] 명 〖광〗 탄성파 탐사.

탄:성-파【彈性波】명 〔elastic wave〕 〖물〗 탄성 매질(媒質) 속을 전파하는 파동(波動). 지진파·음파 등. 체적 탄성으로 인한 종파(縱波)와 형상 탄성(形狀彈性)으로 인한 횡파(橫波)의 두 종류가 있음.

탄:성 파:손【彈性破損】명 〔elastic failure〕 〖물〗 물체가 힘을 받아 그 속에 탄성 한도(限度) 이상의 응력(應力)이 생겨서 완전 탄성의 성질을 잃는 현상.

탄:성파 탐광법【彈性波探鑛法】[—뻡] 명 〖광〗 탄성파 탐사.

탄:성파 탐사【彈性波探査】명 〔elastic wave prospecting〕 〖광〗 물리 탐사의 하나. 지각(地殼)을 전파하는 지진파(地震波)의 속도가 암석의 종류에 따라 다름을 이용하여, 화약의 폭발이나 중량물의 낙하(落下) 등 인공적으로 지진을 일으켜 그 파동(波動)이 지하를 전파하는 상태를 기록하여 지하 구조를 조사하는 방법. 주로 석유·석탄의 지질 구조(地質構造) 조사, 토목 공사 관계의 기반(基盤) 조사 등에 널리 쓰임. 탄성 탐광법. 탄성파(彈性波) 탐광법. 지진 탐광법.

탄:성 한:계【彈性限界】명 〔elastic limit〕 〖물〗 탄성체의 변형(變形)이 외력(外力)을 없애면 본디 형상으로 돌아가는 힘의 범위. 탄성 한도.

탄:성 한:도【彈性限度】명 〖물〗 탄성 한계.

탄:성 히스테리시스【彈性―】〔hysteresis〕 명 『물』 탄성 이력(履歷).

탄:소[1]【炭素】 명 〔carbon〕 『화』 탄소족(族) 원소의 하나. 무정형(無定形) 탄소·다이아몬드·흑연(黑鉛)의 세 동소체(同素體)가 있음. 천연으로는 탄산염(炭酸塩)으로서 수성암(水性岩)에, 이산화 탄소로서 대기(大氣)·해양(海洋) 속에, 각종 유기물(有機物)로서 생물체 안에 널리 존재함. 융해(融解)하기 어려우며, 고온(高溫)에서 철·코발트·니켈·백금족(白金族) 원소 등에 약간 녹아 탄화물(炭化物)을 만듦. [6번 : C: 12.01]

탄:소[2]【嘆訴·歎訴】 명 한탄하며 하소연함. ——하다 타여불

탄:소-강【炭素鋼】 명 탄소 함유량이 2% 이하인 강(鋼). 탄소는 철과 화합하여 시멘타이트(cementite)가 되며, 탄소량이 많을수록 시멘타이트도 많아지고 강(鋼)은 단단해지나 그만큼 가공하기 어려움. 탄소의 함유량에 따라 극연(極軟)·연(軟)·반연(半軟)·반경(半硬)·경(硬)·최경(最硬) 탄소강의 여섯 종류로 구별됨. ＊무쇠.

탄:소강화-법【炭素鋼化法】[―뻡] 명 『공』 탄소분이 적은 연철(鍊鐵)을 코크스·목탄과 함께 가열해서 고체 그대로 탄소를 흡수시키어 탄소강을 만드는 방법.

탄:소 고리 화합물【炭素―化合物】 명 〔carbocyclic compound〕 『화』 고리를 구성하는 원자가 모두 탄소 원자인 화합물. 방향족(芳香族) 고리 화합물과 지방족(脂肪族) 고리 화합물로 대별됨. ＊단소(單素) 고리 화합물.

탄:소 동위체법【炭素同位體法】[―뻡] 명 절대 지질 연대의 측정법의 하나. 생물체 안에 있는 어떤 일정량의 탄소 14(C^{14})가 5730년을 반감기로 베타 붕괴하여 N^{14}로 되는 것을 근거로 물체 내에 있어서의 C^{14}와 C^{12}의 양비(量比)를 측정하여 생물체나 지층의 연대를 추정하는 방법. 탄소 십사법(14法). 방사성 탄소 연대 측정법(放射性炭素年代測定法).

탄:소 동화【炭素同化】 명 『식』 생물이 이산화 탄소를 흡수하여 유기물(有機物)을 합성하는 일. 독립 영양(獨立營養)을 영위하는 녹색 식물이 행하는 광합성(光合成) 외에 세균류에 의한 화학 합성, 광환원(光還元) 등이 있음. 탄소 동화 작용(作用). 탄산(炭酸) 동화 작용. 탄산 고정.

탄:소-막【炭素膜】 명 〔carbon film〕 전자 현미경용(電子顯微鏡用)의 시료(試料)를 보호·조제(調製)하기 위해 시료에 증착(蒸着)시킨 탄소.

탄:소-묵【炭素墨】 명 탄소 가루로 만든 먹.

탄:소 벽돌【炭素甓―】 명 흑연(黑鉛)·코크스·무연탄 등의 탄소질 재료를 주원료로 하고 타르·피치 등을 결합재로 하여 만든 벽돌. 내화 벽돌로 쓰임.

탄:소-봉【炭素棒】 명 아크등(燈)에 사용하는 막대 모양의 탄소 전극.

탄:소-선【炭素線】 명 순수한 무명실이나 또는 대의 겉껍질을 밀폐한 용기 속에서 태워 만든 가느다란 선. 이전에 전구(電球) 안의 필라멘트로 쓰이었음.

탄:소 섬유【炭素纖維】 명 〔carbon fiber〕 『화』 ①유기 섬유(有機纖維)를 소성(燒成)하여 거의 탄소만 남기고 섬유로 한 것의 총칭. 소성 온도에 따라, 흑화(黑化) 섬유·탄소 섬유·흑연(黑鉛) 섬유로 나뉨. 내열성(耐熱性)·탄성률(彈性率)이 높아, 항공기 부품 구조재(構造材), 고온 단열재(高溫斷熱材), 패킹 재료, 골프채·낚싯대 등에 쓰임. ②아크릴 섬유·피치 섬유·레이온 섬유·리그닌(lignin) 섬유 등을 800°-1,800°C에서 소성한 탄소 섬유의 하나. 구조적으로 탄소 구조를 나타내며, 내열성·전도성(電導性)을 가짐.

탄:소 섬유 강화 플라스틱【炭素纖維強化―】 명 〔carbon fiber reinforced plastics ; CFRP〕 『화』 탄소 섬유와 플라스틱을 조합한 첨단 복합 재료의 하나. 기계적 강도와 내열성(耐熱性)이 뛰어나 스키 판(板)·골프 클럽·테니스 라켓·낚싯대를 비롯해서, 그 밖의 스포츠·레저 용품으로 실용폭이 넓어지고 있음.

탄:소-성[1]【炭素星】 명 『천』 특이성(特異星)의 하나. 스펙트럼형에 탄소의 암대(暗帶)가 뚜렷한 항성(恒星).

탄:소-성[2]【彈塑性】[―썽] 명 〔elastoplasticity〕 『물』 물체가 파괴되지 않을 정도의 탄성 한계 이상의 변형력을 받는 물질의 상태. 탄성·소성 두 가지의 성질을 가짐.

탄:소-세【炭素稅】[―쎄] 명 〔carbon tax〕 지구의 온난화 방지를 위해 이산화 탄소를 배출하는 석유·석탄 등, 각종 에너지 사용량에 따라 부과하는 세금.

탄:소 송:화기【炭素送話機】 명 탄소 가루가 압력에 의해서 저항을 변화하는 성질을 이용한 송화기. 1877년 에디슨이 발명하였음.

탄:소 순환【炭素循環】 명 〔carbon cycle〕 『화』 자연계(自然界)의 탄소가 생물계(生物界)와 무생물계 사이를 일정한 경로를 통하여 순환하고 있는 일. 대기 중의 탄소는 독립 영양(獨立營養)을 하는 식물의 탄소 동화(同化)에 의해 유기물로 합성되어 종속 영양(從屬營養)을 하는 동물의 생체에 흡수됨. 이 유기물의 대부분은 에너지원(源)으로서 산화(酸化)하여 이산화 탄소가 되며, 나머지는 배설물(排泄物) 또는 사체(死體)로 남았다가 미생물에 의해 이산화 탄소로 분해되어 각기 대기 속으로 되돌아 감. ＊질소 순환(窒素循環).

탄:소 십사【炭素14】 명 『화』 질량수(數) 14인 탄소의 방사성 동위체. 기호 C^{14}, 반감기(半減期) 5730년. 음전자를 방출하는 베타 붕괴에 의해 안정된 질소 14로 됨. 탄소의 방사성 트레이서(tracer)로서 널리 이용되며 또한 천연적으로 존재하는 것은 수천년 전에서 수만년 전의 고고학적인 연대 측정에 이용됨.

탄:소 십사법【炭素14法】[―뻡] 명 방사선 탄소 연대 측정법.

탄:소 십이【炭素12】 명 『화』 질량수 12의 안정된 탄소의 동위 원소. 자연 탄소의 약 98.9%를 점하고 있음. 모든 원소의 원자량은 이 탄소 십이의 원자량의 1/12의 비율로 정의(定義)함.

탄:소 아:크 용접【炭素―鎔接】 명 〔carbon arc welding〕 전극(電極)에 탄소를 사용한 아크 용접. 탄소 전호(電弧) 용접.

탄:소 연소 속도【炭素燃燒速度】 명 〔carbon burning rate〕 『화』 재생기(再生器) 속의 접촉 분해용 촉매에서 단위 시간에 연소하는 탄소의 중량.

탄:소-율【炭素率】 명 『식』 식물체 안의 질소량(窒素量)에 대한 탄수화물이나 탄소량의 배율(倍率). 성장하는 초기에는 작으나 점차(漸次)로 그 율이 커짐.

탄:소 저:항기【炭素抵抗器】 명 〔carbon resistor〕 『전』 탄소 입자를 접착 물질과 혼합해서 만든, 원통형의 저항기.

탄:소 저:항 온도계【炭素抵抗溫度計】 명 〔carbon resistance thermometer〕 『공』 측정 온도 범위(測定溫度範圍) 0.05-20°K의 고감도(高感度) 저항 온도계.

탄:소 전:구【炭素電球】 명 『전』 탄소를 필라멘트(filament)로 사용한 전구. 1879년 에디슨이 발명한 것으로, 고온도(高溫度)에서는 증발이 심하고 광원의 빛이 주황빛이므로 잘 사용하지 않음. 지금은 솜을 원료로 해서 만든 탄소를 사용함.

탄:소 전:극【炭素電極】 명 〔carbon electrode〕 탄소 또는 흑연(黑鉛) 막대로 된 비충전(非充電) 금속 전극. 탄소 아크 용접 때 사용함.

탄:소 전:호 용접【炭素電弧鎔接】 명 탄소 아크 용접.

탄:소족 원소【炭素族元素】 명 『화』 주기표(週期表) 제 4 족에 속하는 원소의 총칭. 탄소(炭素; C)·규소(珪素; Si)·게르마늄(Ge)·주석(朱錫; Sn)·납(Pb)의 5 원소를 말함.

탄:소-지【炭素紙】 명 카본지(紙).

탄:소질 운:석【炭素質隕石】 명 〔carbonaceous meteorite〕 『지질』 비교적 많은 탄소를 발생하는 운석.

탄:소질 혈암【炭素質頁岩】 명 〔carbonaceous shale〕 『지』 탄소가 풍부한 혈암.

탄:소-판【炭素板】 명 탄소 가루를 압착하여 만든 널조각.

탄:소 피:뢰기【炭素避雷器】 명 『전』 전신·전화 기계의 안전 보전 장치로서 사용하는 피뢰기. 두 개의 작은 탄소판(板)과 'ㄷ'자 모양의 얇은 마이카나이트판(micanite板)으로 되어 있는데, 탄소판을 한 개는 전선(電線)에, 한 개는 땅에 접속시킴. 보통 350볼트 정도의 전압으로 방전(放電)함.

탄:소 호등【炭素弧燈】 명 아크등(arc燈).

탄:소 화합물【炭素化合物】 명 〔carbon compound〕 『화』 탄소가 다른 원소들과 공유 결합(共有結合)하여 이룬 화합물의 총칭. 유기 화합물과 같은 뜻으로 쓰이며, 생명체를 구성하는 물질로서 중요할 뿐만 아니라 인간의 일상 생활에 필요한 의약품·합성 섬유·물감·향료(香料)·종이·연료 등을 제공함. 종류가 대단히 많아서 매년 10여만 종씩 새로이 합성 또는 발견되고 있음. 탄소의 결합 양식에 따라 사슬 모양 화합물 곧 지방족(脂肪族) 화합물, 고리 모양 화합물 곧 방향족(芳香族) 화합물로 대별되며, 분자량이 많은 고분자(高分子) 화합물을 따로 분류하여 포함시키기도 함.

탄:소 환식 화합물【炭素環式化合物】 명 탄소 고리 화합물.

탄:솔【坦率】 명 성품이 관대(寬大)하여 소절(小節)에 얽매이지 아니함. ——하다 형여불

탄:-수【炭水】 명 탄소와 수소.

탄:수-기【炭水基】 명 『화』 ↗탄화 수소기(炭化水素基).

탄:수소 분석계【炭水素分析計】 명 〔carbon-hydrogen analyzer〕 『화』 유기 화합물 가운데의 탄소와 수소의 정량 분석(定量分析)에 쓰이는 장치(裝置).

탄:수-차【炭水車】 명 증기 기관차의 바로 뒤에 연결하여 석탄과 물을 싣는 차량.

탄:수화-물【炭水化物】 명 『화』 탄소·수소 및 산소의 세 원소로 이루어진 화합물로서 그 중 수소와 산소의 비율이 물과 같은 조성을 갖는 화합물의 총칭. 동물이 필요로 하는 영양소의 하나로, 주로 식물체 안에서 탄소 동화(炭素同化)로 합성되며, 당류(糖類)·녹말·셀룰로오스로서 존재함. 에너지원(源)으로서 중요한 물질이 많음. 함수 탄소(含水炭素). 일반식은 $C_n(H_2O)_m$.

탄:수화물 대:사【炭水化物代謝】 명 〔carbohydrate metabolism〕 『생』 단당류(單糖類)·소당류(少糖類)·다당류(多糖類)의 분해와 합성 및 당(糖)의 세포막(細胞膜)을 통해서의 이동을 포함하는 생화학적(生化學的)·생리학적 과정.

탄:수화물 분해 효소【炭水化物分解酵素】 명 〔carbohydrase〕 『생』 이당류(二糖類)나 보다 복잡한 탄수화물의 가수 분해(加水分解)를 촉매(觸媒)하는 효소의 총칭. 카르보히드라아제.

탄:식[1]【呑食】 명 ①통째로 먹음. ②침략함. 멸망시켜서 하나로 합침. ——하다 타여불

탄:식[2]【歎息·嘆息】 명 한숨을 쉬며 한탄함. ——하다 타여불

탄:신【誕辰】 명 임금이나 성인이 난 날. 탄일(誕日).

탄:실【彈實】 명 『사람』 김명순(金明淳)의 호(號).

탄 쓰퉁〔譚嗣同〕 명 『사람』 중국 청말(淸末)의 계몽 사상가. 후난성(湖南省) 류양(瀏陽) 사람. 춘추 공양전(春秋公羊傳)을 연구하여 ≪인학(仁學)≫을 내고 평등 박애주의에 의한 신학(新學)을 제창함. 캉 유웨이(康有爲)의 변법 자강(變法自疆) 운동에 공명하여 신정(新政)에 참여하였으나 무술 정변(戊戌政變)으로 체포되어 처형됨. 담사동. [1865-98]

탄:-알【彈―】 명 총이나 대포 같은 화기(火器)에 재어서 발사하는 물체. 곧, 총탄 및 포탄의 총칭. 또, 탄환의 탄피 끝에 아물린, 앞 끝이 뾰족한 쇠붙이의 덩이. 탄환(彈丸). 알탄.

탄:알 껍데기【彈―】 명 탄피(彈皮).

탄:압【彈壓】 명 ①함부로 올러대고 억누름. ②지배 계급이 피지배 계급에 대하여 강권적으로 억누름. ¶~에 반항하다. ③죄악(罪惡)을 밝히

고 억누름. ——-하다 타여불

탄:압 정책【彈壓政策】명 내리 눌러 반항(反抗)하지 못하게 하는 정책.

탄:앙【歎仰】명 감탄하여 우러러 봄. ——-하다 타여불

탄:약【彈藥】명 탄환과 그것을 발사하기 위한 화약의 총칭. ¶∼ 상자/∼을 장전하다.

탄:약-갑【彈藥匣】명〖군〗탄약차(彈藥車)에 쌓아서 탄약통을 넣어 두는 서랍 모양의 상자.

탄:약-고【彈藥庫】명〖군〗탄약을 저장하여 두는 창고.

탄:약 상자【彈藥箱子】명〖군〗탄약을 넣어서 운반(運搬)하는 데 쓰이는 상자.

탄:약-수【彈藥手】명〖군〗①탄약 취급과 처리를 주임무(主任務)로 하는 병사. ②공용 화기(共用火器)의 조수로서 사수(射手)의 탄약 발사를 보조(補助)하는 병사.

탄:약-차【彈藥車】명〖군〗탄약을 운반하는 데 쓰이는 차량.

탄:약-통【彈藥筒】명〖군〗대포에 쓰는 탄환·장약(裝藥)·약협(藥莢)·점화제(點火劑) 등을 완전히 갖춘 통.

탄:약-호【彈藥壕】명〖군〗탄약을 임시적으로 저장하기 위하여 지면(地面)에 판 구멍 또는 호.

탄:언【誕言】명 허풍치는 말.

탄:연[1]【坦然】명 마음이 아무 걱정 없이 평정한 모양. ——-하다 형여불. ——-히 부

탄:연[2]【坦然】명〖사람〗고려 인종(仁宗) 때의 중. 속성(俗姓)은 손(孫). 8세에 육경(六經)을 다 배우고, 19세에 중이 되어 인종 23년(1145)에 왕사(王師)가 됨. 불교의 선풍(禪風)을 크게 중흥(中興)함. 시호는 대감(大鑑). 대감 국사(大鑑國師). [1070-1159]

탄:연[3]【炭煙】명 ①숯을 굽는 연기. ②탄을 때는 연기.

탄:우【彈雨】명 빗발같이 쏟아지는 총알.

탄:우지-기【呑牛之氣】명 소를 삼킬 만한 장대한 기상.

탄:원【歎願】명 사정을 자세히 이야기하고 도와 주기를 몹시 바람. 애원(哀願). ——-하다 타여불

탄:원-서【歎願書】명 탄원의 뜻을 기록한 서면.

탄:원-인【歎願人】명 탄원하는 사람. 탄원자.

탄:원-자【歎願者】명 탄원인.

탄:육【誕育】명 양육(養育)함. ——-하다 자타여불

탄:음【彈音】명〖언〗호기(呼氣)의 구강(口腔) 통로가 급격히 한번 닫혔다 열림으로써 조음되는 떨림 소리. 탄설음(彈舌音). 진동음(振動音).

탄:이【坦夷】명 마음이 진정되어 평탄함. ——-하다 형여불

탄:일【誕日】명 탄신(誕辰).

탄:일-종【誕日鐘】[-쫑] 명 성탄절(聖誕節)에 교회에서 치는 종.

탄:자[1] 명〔←담자(毯子)〕담요.

탄:자[2]【彈子】명 ①처란❶. ②탄환(彈丸)❶.

탄자니아〔Tanzania〕명〖지〗아프리카 동남부에 있는 연합 공화국. 국토의 대부분이 900-1,200 m의 고원 지대로 이루어지며, 아프리카 최고봉(最高峰)인 킬리만자로 산을 비롯하여 빅토리아 호(湖)와 탕가니카 호 등이 있음. 커피·사이잘(sisal)삼·면화·목재·금·다이아몬드 등을 산출함. 본디, 영국의 신탁 통치령이던 탕가니카와 영국 보호령이던 잔지바르가 통합해서 이루어진 나라로, 잔지바르는 대폭적인 자치권을 가짐. 수도는 다르에스살람(Dar es Salaam). 정식 명칭은 '탄자니아 연합 공화국(United Republic of Tanzania)'. [945,129 km² : 22,460,000 명(1986)]

탄:자-활【彈子―】명 탄자(彈子)를 넣어서 쏘던 활.

탄:장【彈章】명 어떤 사람의 죄상(罪狀)을 일일이 밝혀 탄핵(彈劾)하는 상소(上疏).

탄:-재【炭―】[-째] 명 탄이 타고 남은 재.

탄:저[1]【炭疽】명 탄저병(炭疽病).

탄:저[2]【彈底】명〖군〗탄환의 밑바닥 부분, 곧 탄환의 뒷 부분.

탄:저-균【炭疽菌】명〖식〗탄저병의 병원균(病原菌). 그람 양성 간상균(Gram 陽性桿狀菌)임. 균체(菌體)는 비교적 크고, 저항력이 강하며, 협막(莢膜) 또는 아포(芽胞)를 갖고 편모(鞭毛)는 없으며, 운동하지 않음. 가축의 병원균인데 사람에게 감염되면 패혈증(敗血症)을 일으키어 대개 사망함. *비탈저균(脾脫疽菌).

탄:저-병【炭疽病】[-뼝] 명 ①〔anthrax〕〖의〗가축, 특히 양·소·말 등 초식 동물에 발생하는 전염병. 사료에 섞인 탄저균에 의하여 감염되어 입 및 직장(直腸) 출혈로 심한 패혈증(敗血症)을 일으켜, 이삼 일내로 죽게 됨. 사람에게도 걸리는 수가 있는데 이 경우에는 비탈저(脾脫疽)라 일컬음. 탄저. 탄저열(炭疽熱). 비저병(鼻疽病). ②〖농〗토마토·고구마·사과·복숭아 등 육질(肉質)이 많은 과실 등에 생기는 병. 암갈색이나 황갈색의 반점(斑點)이 생기는데, 주로 보르도액(bordeaux 液)을 살포하여 예방함. 목화·강낭콩에도 남. 검썩은병.

탄:저-열【炭疽熱】명〖의〗탄저병(炭疽病)❶.

탄:저-옹【炭疽癰】명〖의〗탄저병에 걸린 가축의 피부에 생기는 옹저.

탄:전【炭田】명〖광〗석탄이 묻히어 있는 땅. 매전(煤田).

탄:정[1]【呑停】명〖역〗흉년에 무리하게 환곡(還穀)을 받고, 연말(年末)에 정감(停減)되어 남는 몫을 벼슬아치가 사사로이 먹어 버림. 또, 이러한 벼슬아치. ——-하다 타여불

탄:정[2]【彈程】명 사정(射程).

탄:제【炭劑】명〖한의〗약제(藥劑)를 항아리에 넣고 진흙으로 봉한 다음 불에 오래 태워 복용(服用)하는 한약(韓藥).

탄젠트〔tangent〕명〖수〗삼각 함수의 하나. 직각 삼각형의 예각(銳角)의 대변과 그 각을 낀 밑변의 비(比)를 그 각에 대하여 일컬음. 정접(正接). 정절(正切). ↔여접(餘接).

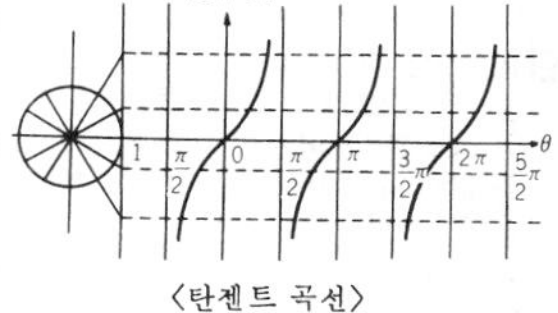

〈탄젠트 곡선〉

탄젠트 곡선【―曲線】〔tangent〕명〖수〗탄젠트 값의 변화를 나타내는 그래프. 정접(正接) 곡선.

탄젠트 법칙【―法則】〔tangent〕명〖수〗삼각형에 있어서 각(角) A, B, C에 대하는 변(邊)의 길이를 a, b, c로 하면 $\tan\frac{B-C}{2}=\frac{b-c}{b+c}\cot\frac{A}{2}$, $\tan\frac{C-A}{2}=\frac{c-a}{c+a}\cot\frac{B}{2}$, $\tan\frac{A-B}{2}=\frac{a-b}{a+b}\cot\frac{C}{2}$가 성립함. 이것을 일컬음. 정접(正接) 법칙.

탄:종【誕縱】명 탄방(誕放). ——-하다 형여불

탄:좌【炭座】명 일정량, 곧 연간(年間) 30만 톤 이상의 석탄을 생산할 수 있다고 인정하여 설정한 어떤 지역내의 석탄 광구(鑛區)의 집합체.

탄:주[1]【呑舟】명 탄주지어(呑舟之魚).

탄:주[2]【炭柱】명〖광〗탄갱에서, 지면 또는 천장의 침강·함락을 방지하기 위하여 그 주위나 옆에 채굴하지 아니하고 남겨 둔 석탄의 층.

탄:주[3]【彈奏】명 ①탄핵(彈劾)하여 상주(上奏)함. ②〖악〗현악기(絃樂器)를 탐. ——-하다 타여불

탄:주 악기【彈奏樂器】명〖악〗현악기(絃樂器).

탄:주지-어【呑舟之魚】명 배를 삼킬 만한 고기라는 뜻으로, 큰 인물을 말함. 준탄주(呑舟).

탄지[1] 명 담뱃대에 피우다가 덜 타고 남은 담배.

탄:지[2]【彈指】一명 ①손톱이나 손가락을 튀김. ②↗탄지지간(彈指之間). ③〖불교〗↗탄지경(彈指頃). 二수 ①소수(小數)의 단위(單位)의 하나. 순식(瞬息)의 억분(億分)의 일, 찰나(刹那)의 억 배, 곧 10^{-80}. ②소수의 단위의 하나. 순식의 십분의 일, 찰나의 십 배, 곧 10^{-17}. ——-하다 자여불

탄:지-경【彈指頃】명〖불교〗손가락을 튀길 동안. 아주 짧은 시간. 1탄지를 65 찰나(刹那) 또는 60 념(念)이라 하고, 1만 2천 탄지를 일 주야(一晝夜)라고도 함. 준탄지(彈指).

탄:지지-간【彈指之間】명 손가락을 튀길 사이. 아주 세월이 빠름을 이르는 말. 준탄지(彈指).

탄:진[1]【炭塵】명〖광〗탄갱(炭坑) 안의 공기 속에 부동(浮動)하는 먼지 모양의 석탄 가루. 때로 인화(引火)하여 폭발하기도 함.

탄:진[2]【殫盡】명 탄갈(殫竭). ——-하다 타여불

탄:진 폭발【炭塵爆發】명 탄진에 인화하여 일어나는 폭발. 탄진이 미세할수록 폭발을 일으키기 쉬움.

탄-질[1] 명 탄하는 짓. ——-하다 자여불

탄:질[2]【炭質】명 숯이나 석탄·무연탄 등의 품질이나 성질. 그 발열량(發熱量)에 의하여 탄질을 규정하는 것이 보통임.

탄:질-암【炭質岩】명〔carbonaceous rock〕탄소 물질을 함유하는 암석.

탄ᄌᆞ 명〈옛〉탄자(彈子). ¶탄ᄌᆞ 환(丸)《石千 39》.

탄:차【炭車】명 석탄을 실어 운반하는 차.

탄:착【彈着】명 탄환이 명중하는 일. 또, 탄환이 표적에 이르는 일이나 이르는 지점. 착탄(着彈). ——-하다 자여불

탄:착 거:리【彈着距離】명〖군〗①탄환의 발사 지점으로부터 도착 지점까지의 거리. ②최대 사정(最大射程).

탄:착-점【彈着點】명〖군〗발사된 탄환이 최초로 맞는 점. 착탄점.

탄:창[1]【彈倉】명〖군〗소총·권총 등에서 탄환이 들어가 있는 부분. 특히, 자동 소총·자동 권총 등 연발총(連發銃)에서 보충용(補充用) 탄환을 재어 두는 통.

탄:창[2]【彈創】명 총탄 또는 그 파편에 맞아서 생긴 상처.

탄:체【彈體】명〖군〗포탄·총탄 따위의 몸체.

탄:층【炭層】명〖지〗석탄의 지층. 태고(太古)의 식물이 땅 속에 묻혀서 층상(層狀)을 이루어, 탄화(炭化) 작용을 받은 것. 곧, 땅 속에 석탄이 쌓인 격지. 석탄층. 탄상(炭床).

탄:칭【歎稱·嘆稱】명 매우 감탄하여 칭찬함. 탄상(歎賞). 칭탄(稱歎). ——-하다 타여불

탄코 명〈방〉올가미(함북).

탄타〔Tanta〕명〖지〗이집트의 북부, 나일 강 삼각주(三角洲)의 중앙부에 위치한 도시. 철도의 요지이며 면화 거래의 중심지임. 면공업·모직 공업이 행하여지고 모슬렘(moslem)의 유적이 많아 모슬렘 축전(祝典)과 정기적(定期的)인 시장(市場)으로 유명함. 카이로 북방 약 80 km에 있음. [283,000 명(1984)]

탄:탄[1]【坦坦】명 평평하고 넓은 모양. ——-하다[1] 형여불. ——-히 부

탄:탄[2]【癱瘓】명〖한의〗졸중(卒中)이나 중풍(中風)으로 신체의 일부에 마비가 일어나는 병증. 편고(偏枯).

탄:탄 대:로【坦坦大路】명 ①평평하고 넓은 길. ②장래가 아무 어려움이나 괴로움이 없이 수월함을 이르는 말. 탄도(坦道). 준탄로(坦路).

탄탄-하다[2] 형여불 된 품이나 생김새가 굳고 실(實)하다. <튼튼하다. 탄탄-히 부

탄탈〔도 Tantal〕명〖화〗금속 원소의 하나. 강철과 같은 광택이 있는데, 연성(延性)·전성(展性)이 풍부하고 기계적 성질이 좋으며 화학 약품에 대한 저항력이 커서 의료 기구 또는 백금 대용으로 쓰임. 탄탈룸. [73번: Ta: 180.88]

탄탈라이트〔tantalite〕명〖광〗철흑색(鐵黑色)의 광물. 사방 정계(斜方晶系)로 결정화(結晶化)함. 보통, 짧은 주상(柱狀) 결정으로 존재하는

데 아금속(亞金屬) 광택을 냄. 모스 경도(Mohs 硬度) 6. 비중 7.95. 탄탈의 주요 광석임.

탄탈로스 〔Tantalos〕 명 〖신〗 그리스 신화 중의 인물. 제우스(Zeus)의 아들. 펠롭스(Pelops)와 니오베(Niobe)의 아버지. 아들 펠롭스의 고기를 여러 신들에게 먹이려고 한 죄로 명부(冥府)에서, 턱 아래에 물이 있으나 마시지 못하고, 머리 위에 실과가 있으나 이를 먹지 못하는 영원한 기갈(飢渴)에 허덕이게 되었다 함.

〈탄탈로스〉

탄탈룸 〔라 tantalum〕 명 〖화〗 탄탈(Tantal).

탄:토 【呑吐】 명 삼키거나 뱉음. ——-하다 타여불

탄:토-항 【呑吐港】 명 많은 화물(貨物)을 받아들이고 또 실어 내는 큰 항구(港口).

탄:통 【歎痛】 명 몹시 탄식하고 가슴 아파함. ——-하다 자여불

탄트라 〔범 Tantra〕 명 ①인도 밀주 문학(密呪文學)의 총칭. 원래는 베의 날실의 뜻이었으나 특수한 의미로 쓰여 밀주 문학이 됨. 푸라나 문학의 뒤에 일어난 문학으로 여성의 생식 능력을 신격화한 샤크티(sakti : 性力)를 숭배하고, 주로 시바 신의 배우자 샤크티 여신과의 대화체로 되어 있음. ②힌두교 샤크티파(派)의 성전(聖典). 800년 전후부터 작성된 것으로 64종류가 있었다고 함.

탄:파 【綻破】 명 파탄(破綻). ——-하다 자여불

탄:평 【坦平】 명 ①넓고 평평함. ②근심이 없이 마음이 편함. ——-하다 형여불

탄:평-채 【坦平菜】 명 탕평채(蕩平菜).

탄:폐 【炭肺】 명 〖의〗 탄폐증.

탄:폐-증 【炭肺症】 〔—쯩〕 명 〖의〗 진폐증(塵肺症)의 하나. 탄광 노동자 등, 탄소 가루를 흡입하는 사람에게 일어나는 병. 폐(肺) 안에 탄소 가루가 침착하여 만성 기관지염(氣管支炎)·간질 결합 조직(間質結合組織) 증식(增殖) 등의 증상을 일으킴. 탄폐. *진폐증.

탄:피 【彈皮】 명 탄환이나 처란의 껍질. 탄알 껍데기.

탄:필 【炭筆】 명 그림에서 대략의 윤곽을 그리는 데에 쓰는 숯 토막. 나뭇 가지를 태워서 만듦.

탄 핑산 〔譚平山〕 명 〖사람〗 중국의 정치가. 공산당의 초기 지도자. 광둥 성(廣東省) 사람. 1924년 국공 합작(國共合作)으로 국민당에도 입당, 조직 부장 등을 역임했으나, 국공 분열로 국민당에서 제명되었고, 공산당으로부터도 기회주의자로 제명당하여 홍콩으로 망명함. 그 후, 다시 중공 지지로 기울어, 공산 정권 수립 후에는 전국 인민 대표 대회 상임 위원 등을 지냄. 담평산. 〔1887-1956〕

탄:하 【呑下】 명 정제(錠劑)나 고체(固體)로 된 먹을 것을 삼켜서 넘김. ——-하다 타여불

탄:-하다 타여불 ①남의 일에 참견하다. ¶… 수심을 띤 채 아우에게 하는 대로 맡겨 버리고 탄하지 아니하였다≪朴鍾和 : 錦衫의 피≫. ②남의 말에 대꾸하여 시비조로 나서다.

탄항-도 【攤項島】 명 〖지〗 전라 남도의 서남 해상(西南海上), 진도군(珍島郡) 조도면(鳥島面) 독거도리(獨巨島里)에 위치한 섬. 〔0.09 km²: 31명(1984)〕

탄:핵 【彈劾】 명 ①죄상을 들어서 논란(論難)하여 책망함. 탄박(彈駁). ②〖법〗 신분 보장이 되어 있는 공무원의 위법(違法)을 조사하고 일정한 소추(訴追) 방식에 의해 파면(罷免)시키는 절차. 우리 나라에서는 대통령·국무 총리·국무 위원·행정 각부의 장관·헌법 재판소 재판관·법관·중앙 선거 관리 위원회 위원·감사원장 및 감사 위원, 기타 법률이 정하는 공무원의 위법에 대하여 국회의 소추에 의해서 헌법 재판소의 심판(審判)으로 파면을 선고함. ——-하다 타여불

탄:핵-권 【彈劾權】 명 〖법〗 탄핵 소추권(彈劾訴追權).

탄:핵 소추권 【彈劾訴追權】 〔—꿘〕 명 〖법〗 대통령·국무 총리·국무 위원 등 신분이 보장되어 있는 관직에 있는 사람의 위법을 탄핵 소추할 수 있는 국회의 권리. 국회에서 재적 의원 3분의 1 이상의 발의, 재적 의원 과반수의 찬성으로, 대통령에 한해서는 재적 의원 과반수의 발의, 3분의 2 이상의 찬성으로 소추를 의결하여 헌법 재판소에 탄핵 의결서를 제출함. 탄핵권(彈劾權).

탄:핵 심:판 위원회 【彈劾審判委員會】 명 〖법〗 1962년 제5차 개정 헌법에서, 탄핵 사건을 심판하기 위하여 '헌법 재판소'를 폐지하고 두었던 기관. *헌법 위원회.

탄:핵 재판소 【彈劾裁判所】 명 〖법〗 구헌법에서, 국회의 탄핵 소추가 있을 때 그 사건을 심판하기 위하여 설치하였던 재판소. 1960년의 헌법 개정(改正)으로 그 업무가 헌법 재판소(憲法裁判所)로 이관(移管)되어 폐지되었음.

탄:핵-주의 【彈劾主義】 〔—/—이〕 명 〖법〗 범죄가 있을 경우, 형벌권자(刑罰權者) 곧 국가가 형사(刑事) 절차를 개시하지 않고, 원고인 피해자나 일반 사인(私人)의 제소(提訴)에 의하여 절차가 개시되는 방식. 이 주의에 따르면 형사 소송의 목적을 달성하는 데는 원고·피고 및 국가 기관의 삼자를 필요로 하게 됨. ↔규문(糾問)주의.

탄:현 【炭峴】 명 〖지〗 대전 직할시와 옥천군 군서면(沃川郡郡西面)의 경계에 있는 식장산(食藏山)의 고개. 삼국 시대 때 백제는 신라군에게 여기를 빼기자 멸망했음.

탄:현 악기 【彈絃樂器】 명 현(絃)을 튀겨서 연주하는 악기. 거문고·가야금·하프 따위.

탄:혈 【彈穴】 명 포탄(砲彈)이나 폭탄(爆彈) 등의 폭발로 말미암아 지면에 파인 구덩이.

탄호이저 〔도 Tannhäuser〕 명 〖악〗 바그너(Wagner) 작곡의 오페라. 3막. 1845년 드레스덴(Dresden)에서 초연(初演). 서곡 '탄호이저의 대행진곡' '순례의 합창' '엘리자베트의 기도' '저녁 별의 노래' 등이 잘 알려져 있음. 독일 중세(中世)의 기사이며 음악가인 탄호이저는 관능의 포로가 되었으나, 애인 엘리자베트의 순수한 사랑과 그 죽음에 의해 영혼의 구원을 받게 된다는 전설에서 취재한 것임.

탄호이저 대:행진곡 【—大行進曲】 〔도 Tannhäuser〕 명 〖악〗 바그너 작곡의 오페라 '탄호이저' 가운데의 제2막. 노래의 경연 대회장에 입장할 때 연주하는 장대한 곡임. 또, 이 가운데의 '순례의 합창'은 사람들이 걸으면서 부르는 장중한 남성 4부의 아름다운 곡임.

탄:화[1] 【炭火】 명 숯불.

탄:화[2] 【炭化】 명 〖화〗 ①유기 화합물이 열분해 또는 다른 화학적 변화에 의하여 탄소로 되는 일. ②어떤 물질이 탄소와 화합하고 있음을 나타내는 말. ——-하다 자여불

탄:화[3] 【彈火】 명 발사한 탄환에서 일어나는 불.

탄:화[4] 【彈花】 명 활로 탄 솜.

탄:화 규소 【炭化珪素】 명 〖화〗 카보런덤(Carborundum).

탄:화 규소 벽돌 【炭化珪素甓—】 명 탄화 규소의 결정립(結晶粒)을 주원료로 하여 만든 내화(耐火) 벽돌. 열전도율이 크고, 열팽창률이 낮음.

탄:화 규소 섬유 【炭化珪素纖維】 명 〔silicon carbide fiber〕 〖화〗 폴리에틸렌형의 유기(有機) 고분자 화합물 속의 탄소를 부분적으로 규소로 치환(置換)하여 만든 섬유. 1,000°-2,000°C의 고열에 견디며 다이아몬드에 버금가는 경도(硬度), 피아노선(piano線) 이상의 강도(強度), 그리고 가벼운 특징이 있음. 원자로의 연료봉의 피복재(被覆材)·제트 엔진·선박 등에 쓰임. 실리콘 카바이드 섬유.

탄:화 규소질 내:화물 【炭化珪素質耐火物】 명 전기 가마에서 만든 탄화 규소에 결합제를 넣고 구워 만든 특수 내화물(耐火物). 열전도율이 대단히 크고 마멸·침식 등에 잘 견디며 또한 열팽창률이 낮고 높은 온도에서의 강도가 매우 큼.

탄:화-금 【炭化金】 명 〖화〗 금의 탄화물. 노란 분말이며 불안정하여 폭발하기 쉬움. 염산에 넣으면 아세틸렌을 발생함. [Au_2C_2]

탄:화 나트륨 【炭化—】 명 〔도 Natriumacetylid〕 〖화〗 아세틸렌의 나트륨염(塩). 무색의 결정. 아세틸렌 기류(氣流) 속에서 나트륨을 가열하여 얻음. 유기(有機) 합성에 쓰임. 나트륨아세틸리드. [Na_2C_2]

탄:화-도 【炭化度】 명 〖화〗 석탄의 수분(水分)과 회분(灰分)을 뺀 나머지 성분 중에서 탄소가 차지하는 비율을 중량(重量) 백분율로 나타냄. 석탄의 천연(天然)에 있어서의 탄화(炭化) 정도를 나타내는데, 탄화도 70% 이하인 것을 아탄(亞炭), 70% 이상의 것을 석탄이라고 함.

탄:화-모 【炭化毛】 명 모(毛)와 면(綿)의 혼방 직물(混紡織物)의 넝마·지스러기 등으로부터 탄화법에 의하여 회수(回收)한 재생모(再生毛). *탄화 양모(羊毛).

탄:화-물 【炭化物】 명 〖화〗 탄소(炭素)와 알칼리 금속·알칼리 토류 금속(土類金屬)·할로겐 등 양성(陽性) 원소의 화합물. 협의(狹義)로는 탄화 칼슘을 이름. 카바이드. *카보런덤.

탄:화물 핵연료 【炭化物核燃料】 〔—녈—〕 명 〔carbide nuclear fuel〕 〖원자〗 구조적 강도(強度)와 산화 저항성(酸化抵抗性)을 높이기 위해서 탄소 화합물과 금속과를 혼합한 원자로(原子爐) 연료.

탄:화-법 【炭化法】 〔—뻡〕 명 〖공〗 방모사(紡毛絲) 제조 공정의 하나. 양모(羊毛) 섬유에 섞이어 있는 식물성 섬유를 제거하는 공정(工程). 원료에 황산(黃酸)·염산 등의 산류(酸類)를 작용시키어 행함.

탄:화 석회 【炭化石灰】 명 〖화〗 탄화 칼슘.

탄:화 수소 【炭化水素】 명 〔hydrocarbon〕 〖화〗 탄소와 수소와의 화합물의 총칭. 탄소 원자의 결합 구조에 따라 사슬 모양 탄화 수소와 고리 모양 탄화 수소로, 또 포화(飽和) 탄화 수소와 불포화(不飽和) 탄화 수소 또는 지방족(脂肪族) 탄화 수소와 방향족(芳香族) 탄화 수소 등으로 분류됨.

탄:화 수소기 【炭化水素基】 명 〖화〗 탄소 원자와 수소 원자로 이루어진 포화(飽和) 또는 불포화(不飽和)의 기(基). 탄화 수소의 수소를 다른 원자나 원자단과 바꾸어서 유도된 화합물의 모체(母體)측의 기. 알킬기(alkyl基)·알릴기(allyl基)·비닐기(vinyl基)·페닐기(phenyl基) 등 그 종류가 많음. 탄수기(炭水基).

탄:화 수소 수지 【炭化水素樹脂】 명 〔hydrocarbon resins〕 콜타르·로진(rosin)·석유의 불포화(不飽和) 성분의 종합에 의해 만들어지는, 무른 고체상 또는 고무상(狀)의 물질. 고무나 아스팔트의 배합물·도료(塗料) 등에 쓰임.

탄:화 양모 【炭化羊毛】 명 양모의 원모(原毛)에 탄화 처리를 하여 식물성 잡물을 제거한 양모. *탄화모.

탄:화-은 【炭化銀】 명 〖화〗 은의 탄화물. 흰 분말이며 빛에 대해 민감함. 건조하면 매우 불안정하여 폭발하기 쉬움. [Ag_2C_2]

탄:화 작용 【炭化作用】 명 〖지〗 유기 화합물(有機化合物)이 복잡한 화학 변화나 세균(細菌)의 작용 등으로 분해하여, 그 중의 탄소분이 대부분을 차지하게 되는 작용. 목재가 열분해(熱分解)에 의하여 목탄(木炭)이 되고, 고생대(古生代) 등의 식물체가 복잡한 화학 변화에 의하여 석탄이 되는 등의 작용. *석탄화 작용.

탄:화-철 【炭化鐵】 명 〖화〗 탄소와 철과의 화합물. 시멘타이트(cementite) 이외는 순물질로서 확인할 수 있는 화합물은 거의 없음. [Fe_3C]

탄:화 칼슘 【炭化—】 〔calcium〕 명 〖화〗 생석회와 탄소를 전기로(電氣爐) 중에서 가열·반응시키어 만든 정방 정계 결정(正方晶系結晶). 순수한 것은 빛이 희고 불순물이 섞인 것은 회색을 띰. 물을 가하면 아세틸렌 가스를 발생하는 가연성(可燃性)·폭발성 기체가 되며, 습기찬 곳에서는 부식성(腐蝕性) 고체가 됨. 칼슘 카바이드(calcium carbide). 카바이드. 탄화 석회. [CaC_2]

탄:화 텅스텐 【炭化—】 명 〔tungsten carbide〕 〖화〗 탄소와 텅스텐의 화

합물. ①일(一)탄화 이(二)텅스텐. 회색의 육방 정계(六方晶系) 결정. 녹는점 2800℃, 염소(塩素)와는 250℃ 이상에서 반응하여 그래파이트(graphite)와 염화(塩化) 텅스텐이 됨. [W_2C] ②일(一)탄화 일(一)텅스텐. 회색의 금속 모양의 분말이며 내산성(耐酸性)이 매우 강함. 초경(超硬) 합금 재료로 쓰임. [WC]

탄:환【彈丸】명 ①〖군〗탄알. 탄자(彈子). ②〖군〗총이나 포에 재어서 터뜨리면 폭발하여 그 힘으로 처란이나 탄알이 튀어 나가게 된 물건. 탄저(彈底)에 뇌관(雷管)이 있고, 탄피(彈皮) 속에 화약이 있어, 그 끝에 처란이나 탄알을 끼움. *약협(藥莢). ③고대 중국에서 새를 잡기 위하여 활에 달아서 쓰던 작고 둥근 물건.

탄:환 열차【彈丸列車】[—녈—] 명 총알처럼 빨리 달리는 열차란 뜻으로, 시속 150 km 이상으로 달리는 썩 빠른 열차. *총알택시.

탄:환지-지【彈丸之地】명 사방(四方)이 적국에 포위되어 공격의 대상이 되는 아주 좁은 땅.

탄:회【坦懷】명 거리낌이 없는 마음. ¶허심 ~.

탄:흔【彈痕】명 탄환이 맞은 자국.

탈¹ 명 〈옛〉연유(緣由). ¶根元 짜흔 各各 根元 타롤 조출씨라(各隨元由也)≪楞嚴 Ⅷ:78≫.

〈탈²❶〉

탈:² 명 ①종이·나무·흙 등으로 만든 얼굴의 모양. 가면(假面). 마스크(mask). ¶~을 쓰고 춤을 추다. ②얼굴을 감추기 위하여 뒤집어 쓰는 물건. 마스크. ③속뜻을 감추고 겉으로 거짓을 꾸미는 의뭉스러운 태도·모습.
 탈을 벗다 구 거짓 모습을 벗어버리고 본래의 모습을 나타내다. 가면을 벗다.
 탈을 쓰다 구 속마음을 감추고 거짓 행동을 하거나 거짓 표정을 짓다.

탈:³ 명 〈방〉딸기(제주).

탈:⁴【頉】명 ①사고(事故). ¶~이 생기다. ②병(病). ③트집이나 핑계. ¶매사에 ~을 잡는다. ④잘못의 원인 또는 장애나 흠. ¶인물이 잘난 것도 ~이냐/돈이 많아도 ~이다. 주의 주로, 서술격 조사 '이다'와 더불어 서술어로 쓰임.
 탈을 내:다 구 탈내다.
 탈이 나다 구 탈나다.

탈-【脫】투 '벗어남'·'자유로워짐' 등의 뜻을 나타내는 말. ¶~꼴찌 / ~공업화(工業化).

탈각¹【脫却】명 ①벗어남. ②벗기어 버림. ——-하다 자타여불

탈각²【脫殼】명 ①껍질에서 벗어남. 껍데기를 벗김. ②낡은 사상이나 생활에서 벗어남. ——-하다 자타여불

탈간【脫簡】명 [고서(古書)는 죽간(竹簡)에 새기어, 철(綴)한 데서] 책 속에 편(編)이나 장(章)의 탈락, 낙정(落丁) 등이 있는 일.

탈감【脫監】명 탈옥(脫獄). ——-하다 자여불

탈감-자【脫監者】명 탈옥수(脫獄囚).

탈-감작【脫感作】명〖의〗제감작(除感作).

탈감작 요법【脫感作療法】[—뇨뻡] 명〖의〗어떤 물질의 과민(過敏)한 반응(反應)으로 나타나는 질환(疾患)에 대하여 그 원인이 되는 물질을 조금씩 주사하거나 복용(服用)해서 그 과민성(性)을 점차로 약화시켜 치료하는 방법. 기관지 천식(氣管支喘息)·두드러기의 치료에 사용됨.

탈거¹【脫去】명 ①벗겨 버림. 벗어남. ②탈출. ——-하다 자타여불

탈거²【奪去】명 빼앗아 감. ——-하다 타여불

탈건【脫巾】명 두건(頭巾)이나 기타 머리에 쓴 것을 벗음. ——-하다 자여불

탈겁【脫劫】명 언짢고 침침한 기운이 없어짐. ——-하다 자여불

탈-것[—껏] 명 말·가마·자동차·비행기 같은, 사람이 타고 다니게 된 물건의 총칭.

탈격【奪格】[—껵] 명〖언〗①인구어(印歐語)에 있어서 명사(名詞)의 격(格)의 한 가지. 처음에 분리·이탈(離奪)·원인 등의 관계를 표시한 것이었으나, 후에 수단·방법·때·곳 등도 표시하게 되었음. ②우리 나라 문법에서 '에게서'·'한테서'와 같이 동작의 비롯하는 곳을 나타내는 조사(助詞)의 한 격(格).

탈격 조:사【奪格助詞】[—껵—] 명〖언〗'에서'·'에게서'·'한테서'와 같이 동작의 비롯하는 곳을 나타내는 부사격 조사.

탈:계【頉啓】명 사고 때문에 시행할 수 없는 뜻을 상주(上奏)하는 일.

탈고【脫稿】명 원고 쓰기를 마침. ——-하다 타여불

탈-고:신【奪告身】명〖역〗죄를 지은 벼슬아치의 직첩(職牒)을 빼어들임. 수직첩(收職牒). ——-하다 타여불

탈곡【脫穀】명 ①곡식의 낟알을 이삭에서 떨어 내는 일. ②곡식의 겉겨를 낟알에서 떨어 내는 일. ——-하다 자여불

탈곡-기【脫穀機】명〖농〗곡식을 탈곡하는 데에 쓰는 농구(農具). 회전기(回轉機).

〈탈곡기〉

탈골【脫骨】명 탈구(脫臼). ——-하다 자여불

탈공【脫空】명 뜬 소문(所聞)이나 억울한 죄명(罪名)을 벗어남. ——-하다 자여불

탈공업 사회【脫工業社會】명 [post industrial society] 공업화 사회(工業化社會)의 다음에 올 미래 사회(未來社會)로서, 일반적으로 정보(情報)와 지식(知識)의 생산(生産)이 가치(價値)를 낳는 정보화(情報化) 사회의 일컬음.

탈-공해【脫公害】명 공해에서 벗어남. 또, 공해 요인을 없앰. ——-하다 자여불

탈관【脫冠】명 갓을 벗음. ——-하다 자여불

탈교【脫教】명 ①교회를 버리고 떠남. ②믿던 종교를 버림. ——-하다 자여불

탈교-자【脫教者】명 탈교한 사람.

탈구¹【脫句】[—꾸] 명 빠진 글귀.

탈구²【脫臼】명〖의〗뼈마디가 삐어져 물러나는 일. 삠. 탈골. ¶~ 교정(矯正). ——-하다 자여불

탈:-굿 명 탈을 쓰고 하는 굿.

탈:급【頉給】명 탈면(頉免)을 허락하여 줌. ——-하다 자여불

탈기【脫氣·奪氣】명 ①놀라거나 겁에 질려 기운이 아주 빠짐. ②몹시 지쳐서 기운이 빠짐. ③물에 용해되어 있는 기체(氣體)를 제거(除去)함. ——-하다 자여불

탈기-기【脫氣器】명 [deaerator]〖기〗보일러 급수에서, 산소·이산화탄소를 제거하는 장치.

탈기-재【脫氣材】명 [degasifier] 용융 금속(溶融金屬) 중에 용해한 가스를 제거하기 위해서 첨가하는 합금(合金).

탈:-꾼 명 탈춤 추는 일을 업으로 삼는 사람.

탈:-나다【頉—】[—라—] 자 ①일에 고장이 생기다. 잘못 되어 가다. ②몸에 이상이 생기다. 병이 나다.

탈:-내다【頉—】[—래—] 타 탈나게 하다. ¶시계를 자꾸 만져서 ~/찬 것을 먹이더니 어린애를 탈냈구나.

탈:-놀음 [—롤—] 명〖민〗탈놀이.

탈:-놀이 [—롤—] 명〖민〗양주 별산대놀이·송파 산대놀이·오광대(五廣大)·동래 야류(東萊野遊)·수영(水營) 야류·봉산 탈춤 등과 같이 탈을 쓰고 하는 연극. 1997년 현재 중요 무형 문화재로 12 탈놀이가 지정되어 있음. 탈놀음. 가면극(假面劇).

탈:놀이-굿 [—롤—] 명〖민〗동해안 일대에 널리 퍼져 있는 별신 굿거리 중의 하나로 연희(演戱)되는 탈놀이.

탈당【脫黨】[—땅] 명 당원이 당적(黨籍)을 떠남. ¶~ 성명(聲明). ↔입당. ——-하다 자여불

탈도【脫刀】명 패검을 떼어 놓음. ——-하다 자여불

탈:-등【—燈】명〖민〗4월 초파일에 절의 경내나 그 주위에 다는 등. 청홍색(青紅色)의 종이나 비단으로 만들고 오색(五色)의 비단이나 종이 오리로 장식함.

탈라세미아 [thalassemia] 명〖의〗혈액 속의 적혈구를 구성하는 헤모글로빈이 변이(變異)를 일으킴으로써 일어나는 유전성의 악성 빈혈증. 지중해(地中海) 지방에 흔히 분포(分布)하므로 지중해성(性) 빈혈증이라고도 함.

탈라스 싸움 [Talas] 명〖역〗751년 중국 당(唐)나라 군사가 중앙 아시아의 탈라스 강변에서 사라센 제국(帝國)의 군대에게 패한 싸움. 이로 인하여 이슬람 세력(勢力)은 중앙 아시아를 확보(確保)하였음. 또한 포로(捕虜)를 통하여 당(唐)나라의 제지법(製紙法)이 사라센 제국에 전하여짐.

탈라웃 제도【—諸島】[Talaud] 명〖지〗인도네시아의 북동부에 위치한 제도. 행정적으로는 술라웨시에 속하는 화산성(火山性)의 섬들로, 목재·사고야자·코프라 등을 산출함. [1,267 km²]

탈락¹【脫落】명 ①빠져 버림. ¶공천에서 ~하다. ②함께 할 수 없게 되어 동아리에서 벗어나는 일. 낙오(落伍)하는 일. ¶대오에서 ~하다. ③[dropping]〖언〗둘 이상의 음절이 접속할 때에 한쪽의 모음이나 자음 또는 음절이 없어져 약음(約音)으로 되는 일. '어제 저녁'이 '엊저녁'으로, '버들나무'가 '버드나무'로, '사닥다리'가 '사다리'로 되는 것과 같은 현상. 결루(缺漏). *약음(約音). ——-하다 자여불

탈락² 부 달리거나 한쪽이 떨어진 물건이 한번 흔들리는 소리. 또, 그 모양. <털럭². ——-하다 자여불

탈락-거리다 자 달리거나 늘어진 물건이 거북하게 자꾸 흔들리다. <털럭거리다. 탈락-탈락 부. ——-하다 자여불

탈락-대다 자 탈락거리다.

탈락-막【脫落膜】명〖의〗임신으로 말미암아 특이한 변화를 일으키고 있는 자궁의 점막(粘膜). 태아의 출산 후에 그 대부분이 밖으로 배출(排出)됨.

탈락성 건:망증【脫落性健忘症】[—쯩] 명〖심〗기억 장애인 역행성(逆行性) 건망증의 하나. 일정한 시기의 기억만을 상실하는 건망증. *역행성 건망증.

탈락 증:상【脫落症狀】명〖의〗기관(器官)의 일부 또는 전부가 제거·파괴되었을 경우에 그 기관의 기능 결여(缺如)의 결과로서 나타나는 증상. 주로 중추 신경계나 내분비 기관의 일부를 적출 또는 다쳤을 경우의 증상을 가리킴.

탈랍【脫蠟】명 석유 유분(溜分)으로부터 파라핀을 제거함. 파라핀을 많이 함유한 윤활유는 저온(低溫)에서 유동성(流動性)이 저하하므로, 그 정제(精製) 공정에서 탈랍을 행함.

탈략【奪掠】명 함부로 빼앗음. 약탈(掠奪). ——-하다 타여불

탈략 농업【奪掠農業】명〖농〗약탈 농법(掠奪農法).

탈략-혼【奪掠婚】명 약탈혼(掠奪婚).

탈:러 [도 Thaler] 명〖경〗15세기말부터 19세기에 걸쳐 유럽 각처에서 통용된 은화(銀貨). 특히, 독일에서는 장기간 화폐 단위로 삼았었는데, 약 3마르크(Mark)에 해당하였음.

탈레랑 [Talleyrand-Périgord, Charles-Maurice] 명〖사람〗프랑스의 정치가·외교관. 성직자 출신으로 혁명 이후 국민 의회 의장을 역임하고, 나폴레옹 1세 때 외상(外相), 다시 왕정 복고(王政復古) 후에도 외상이 되어 빈 회의(Wien會議)에서 활약하였음. 그의 탁월한 외교 수완은 패전국 프랑스로 하여금 회의의 주도권을 장악하게 하였음. [1754-1838]

탈레스 [Thales] 명〖사람〗고대 그리스의 철학자. 7현인(賢人) 중의 으뜸. 만물의 근원은 물이라고 주장하고, 자연의 합리적 설명을 최초로 시도(試圖)하여 '철학의 시조'로 불리었으며, 밀레토스 학파(Miletos學派)를 창시하였음. [640?-546? B.C.]

탈레스의 정:리【—定理】[—니/—에—니] 명 [Thales' theorem]〖수〗'원의 한 지름을 AB라 하고 이 원둘레 위에 있는 A, B 이외의 임

의의 점을 P라 할 때, ∠APB는 직각이다'라는 정리. 이 밖에 삼각형의 합동(合同)에 대한 두 정리가 있음.

탈력【脫力】명 몸의 힘이 빠짐 ¶~감(感). ——-하다 자여불

탈로【脫路】명 빠져 도망할 길. ¶~가 막히다.

탈로스〔Talos〕명〖신〗①그리스 신화 중의 발명가. 숙부인 다에달로스(Daedalos)의 질투로 인하여 죽음. ②제우스(Zeus)가 크레타왕(Creta王)인 미노스(Minos)에게 준 놋쇠로 만든 거인(巨人). 적을 보기만 하면 함께 불 속으로 끌고 들어가 태워 죽인다 함.

탈루【脫漏】명 빠져서 샘. 유루(遺漏). ——-하다 자여불

탈루 판결【脫漏判決】명〖법〗보충 판결(補充判決).

탈류【脫硫】명 '탈황(脫黃)'의 구용어.

탈륨〔도 Thallium〕명〖화〗희유 금속 원소의 하나. 1861년 영국의 화학자 크룩스(Croocks, W.)에 의하여 발견되었음. 천연적으로는 황화 광물(黃化鑛物)이나 어떤 종류의 운모(雲母) 속에 미량(微量)으로 존재함. 납과 비슷한 청백색을 띤 금속으로, 그 스펙트럼은 아름다운 녹색을 나타냄. 인공 보석의 제조 등에 이용됨. 녹는점 302.5°C, 끓는점 1,457°C. [81번 : Tl : 204.39]

탈리【脫離】명 ①벗어나 따로 떨어짐. 이탈(離脫). ②〖화〗유기 화합물의 분해 등에 의해 간단한 분자를 방출하는 일. 분열(分裂)·분해 등에서 볼 수 있음. ③〔abscission〕〖식〗식물(植物)이 성장 억제 호르몬 등과 같은 산(酸)에 의하여 잎·꽃·씨·과실 등을 떨어뜨리는 생리적 한 단계. ——-하다 자여불

탈리도마이드〔thalidomide〕명〖약〗수면제의 일종. 상품명. 비바르비탈계(非Barbital系)의 수면제로 부작용이 비교적 적으며 지속 시간이 길. 그러나 임신 초기 임부가 복용하면 기형아를 낳게 되어 현재는 시판이 금지됨.

탈리도마이드-아【—兒】〔thalidomide〕명 임신 초기에 탈리도마이드계 수면제를 복용한 산모에게서 태어난, 손발이 짧은 기형아.

탈리 반:응【脫離反應】명〔elimination reaction〕〖화〗제거 반응(除去反應).

탈리아비니〔Tagliavini, Ferruccio〕명〖사람〗이탈리아의 테너 가수. 나폴리·로마·밀라노 등에서 활약하고 뉴욕의 메트로폴리탄 가극장(歌劇場)에도 출연함. 감미로운 목소리와 뛰어난 기교로 이탈리아 오페라의 대표적 가수가 됨. [1913-]

탈리오니〔Taglioni, Maria〕명〖사람〗이탈리아의 여류(女流) 무용가. 18세 때 빈 궁정 극장(宮廷劇場)에서 데뷔, 런던에서 ≪라 실피드(La Sylphide)≫를 초연(初演)하여 명성을 떨치고 로맨틱 발레 시대(時代)를 엶. 발끝으로 서는 포안토로 춤을 춘 최초의 발레리나라고 함. [1804-84]

탈리오의 원칙【—原則】[—/—에—] 명〔라 lex talionis〕〖법〗동해보복(同害報復)의 원칙. '눈에는 눈으로, 이에는 이로'라는 말로 표현되듯이 동일한 해악에 의하여 보복을 당한다는 원칙으로 복수의 한계를 규제한 것. 원시범(原始犯)에나 고대법(古代犯)에는 종종 볼 수 있는 응보 관념의 근본적 형태임. *응보형론(應報刑論).

탈린〔Tallinn〕명〖지〗에스토니아(Estonia) 공화국의 수도. 핀란드 만(Finland 灣) 연안의 항시(港市)로, 철도·도로 교통의 중심지임. 조선(造船)·제지·가구(家具)·섬유·전기 기기(電氣機器) 등의 공업이 성하고 중세기의 건축물이 많음. 1284년 한자 동맹(Hansa 同盟) 도시였고, 1561년 스웨덴의 지배 하에 있다가 1710년 이래 러시아령이었으나 20세기에 이르러 에스토니아의 수도가 됨. [484,400명(1993)]

탈립-기【脫粒機】명〖농〗옥수수의 낟알을 그 속대로부터 떨어 내는 기계.

탈립-성【脫粒性】명〖농〗이삭에서 벼가 떨어지는 성질.

탈마〔Talma, François Joseph〕명〖사람〗프랑스의 배우. 셰익스피어 비극에 능하고 자연스러운 대사 구사를 중시하였음. 프랑스 혁명·나폴레옹의 열광적 지지자로서 유명함. [1763-1826]

탈:-막【—幕】명 탈놀음을 하기 위해 쳐 놓은 막. 또는 막을 쳐 놓은 곳.

탈망【脫網】명 망건을 벗음. ——-하다 자여불

탈망-바람【脫網—】[—빠—] 명 망건을 쓰지 않은 허술한 차림새 또는 황급한 차림새.

탈매 명〈방〉상고대.

탈머리-굿 명〖민〗호남(湖南) 농악에서 상쇠가 대포수(大砲手)의 모자를 벗겨 영기(令旗)에 달아 높이 드는 놀이.

탈:면【頉免】명 특별한 사정이나 사고에서 마땅히 져야 할 책임의 면제를 받음. ——-하다 타여불

탈모¹【脫毛】명 털이 빠짐. 또, 그 털. ——-하다 자여불

탈모²【脫帽】명 모자를 벗음. ↔착모. ——-하다 자여불

탈모-바람【脫帽—】[—빠—] 명 모자를 쓰지 않은 차림새.

탈모-법【脫毛法】[—뻡] 명 주로 미용을 위하여 손발의 털이나 액모(腋毛)를 제거하는 방법. 탈모제를 사용하는 외에도 탈모 왁스, 족집게를 사용하는 방법, 모근(毛根)을 파괴하여 영구히 털의 재생을 방지하는 전기 응고법(電氣凝固法)·전기 분해법 등이 있음.

탈모-제【脫毛劑】명〖약〗필요 없는 털을 없애는 데에 바르는 약. 바륨(barium)·비소 등의 황화물(黃化物)이나 산화 아연 등을 씀.

탈모-증【脫毛症】[—쯩] 명〖의〗주로 머리털이 빠지는 병. 노인성(老人性)·장년성(壯年性)·원형성(圓型性)·위축성(萎縮性)·매독성(梅毒性) 등 여러 가지 종류가 있음. *독두병(禿頭病).

탈무:드〔히 Talmud〕명〖종〗〔교훈·교의(敎義)의 뜻〕유태인의 율법(律法)학자의 구전(口傳)·해설(解說)을 집대성(集大成)한 책. 팔레스타인 혹은 이스라엘 탈무드와 바빌로니아 탈무드가 있는데, 보통 후자를 가리킴. 이것이 완성된 후, 오늘날에 이르기까지 성서에 다음 가는 유태인의 정신 문화의 원천으로서 높이 평가됨.

탈문【脫文】명 글이나 글귀가 빠짐. 또, 그 글귀.

탈:-바가지[—빠—] 명 ①바가지로 만든 탈. ②〈속〉탈²❶❷. ㊈탈박. ③〈속〉철모(鐵帽). 파이버(fibre).

탈:-바꿈 명〖동〗변태(變態)❷. ——-하다 자여불

탈바꿈-뿌리 명〖식〗변태근(變態根).

탈바꿈-줄기 명〖식〗변태경(變態莖).

탈바닥 부 납작한 물건이 얕은 물을 거칠게 쳐서 나는 소리. <털버덕. ——-하다 자여불

탈바닥-거리다 자타 연하여 탈바닥 소리가 나다. 또, 연하여 탈바닥 소리를 나게 하다. <털버덕거리다. 탈바닥-탈바닥 부. ——-하다 자타여불

탈바닥-대다 자타 탈바닥거리다.

탈:-박¹ 명 ①↗탈바가지. ②〈방〉두레박(전남).

탈박² 부 밑바닥이 둥근 물건으로 얕은 물을 쳐서 나는 소리. <털벅. ——-하다 자타여불

탈박-거리다 자타 잇달아 탈박 소리가 나다. 또, 잇따라 탈박 소리를 나게 하다. <털벅거리다. 탈박-탈박 부. ——-하다 자타여불

탈박-대다 자타 탈박거리다.

탈반 명〈방〉두리기상.

탈발【脫髮】명 머리털이 빠짐. ——-하다 자여불

탈방 부 작은 돌멩이 같은 것이 물에 떨어져 나는 소리. <털벙. ——-하다 자타여불

탈방-거리다 자타 잇따라 탈방 소리가 나다. 또, 잇따라 탈방 소리를 나게 하다. <털벙거리다. 탈방-탈방 부. ——-하다 자타여불

탈방-대다 자타 탈방거리다.

탈방-이다 자타 작은 물건이 연해 물에 떨어져 가볍게 물이 튀는 소리가 나다. 자여불

탈법【脫法】[—뻡] 명 법망(法網)을 교묘히 뚫거나 벗어남. ——-하다 자여불

탈법 신:탁【脫法信託】[—뻡—] 명〖법〗법령의 금지 규정에 직접으로는 위반(違反)하지 않으면서도 신탁을 이용하여 금지(禁止)에 위반하는 것과 마찬가지 효과를 거두려고 하는 것. 예컨대 토지 소유자가 금지된 자를 수익자(受益者)로 하여 토지 소유권을 수탁(受託)하여 토지 소유와 동일한 이익을 주는 따위.

탈법 행위【脫法行爲】[—뻡—] 명〖법〗강제 법규의 적용을 회피·잠탈(潛脫)하여 법의 명령·금지를 범하는 일. 탈법 행위는 원칙적으로 법률상 무효임.

탈:베:크의 규칙【—規則】〔도 Talweg〕[—/—에—] 명〖법〗양국(兩國) 사이에 흐르는 하천 상(上)에 국경선 획정(劃定)을 위한 일반 국제법 상의 규칙. 양국 간의 특별 합의 또는 관습(慣習)이 존재하지 않을 경우에 이 하천이 항행(航行)이 가능한 것이면 가항로(可航路)의 중앙선(中央線)을, 항행이 불가능한 하천이면 하천의 양안(兩岸)으로부터의 중앙선에 국경(國境)을 둠.

탈보¹ 명〈방〉빈탈타리.

탈:보²【頉報】명 상사(上司)에게 특별한 사정이 있음을 진술하여 탈면(頉免)을 청함. ——-하다 자여불

탈복【脫服】명 제복(除服). ——-하다 자여불

탈분【脫糞】명 똥을 쌈. ——-하다 자여불

탈-분화【脫分化】명〔dedifferentiation〕〖생〗특수화(特殊化)한 형질(形質)이 소실(消失)되고 일반적인 형질로 되돌아오는 현상. 특히 분화된 조직이나 세포가 무분화(無分化) 상태로 되는 일. 퇴분화(退分化).

탈산¹【脫酸】[—싼] 명〖화〗①금속의 제련에서, 용융 금속(熔融金屬)이 함유하는 과잉 산소를 제거하는 일. 또, 그 조작(操作). ②유지(油脂)의 정제(精製)에서 원유(原油) 속에 함유하는 유리 지방산을 제거하는 일. 또, 그 조작. 탈산소. ——-하다 자여불

탈:산²【—山】〔Taal〕명〖지〗필리핀 루손 섬 남부에 있는 화산. 큰 칼데라 호(caldera湖)인 탈 호(Taal湖)의 중앙에 솟아 있음. 1965년의 분화에서 다수의 희생자를 냈음. [323m]

탈산 구리【脫酸—】[—싼—] 명〔deoxidized copper〕〖야금〗인(燐)으로 탈산한 순수한 구리. 인처리(燐處理)로 산화 제일 구리를 환원(還元)하여 기공(氣孔)을 없앰.

탈-산소【脫酸素】명〖화〗탈산(脫酸).

탈산-제【脫酸劑】[—싼—] 명〖화〗①용융(熔融) 금속의 탈산에 사용하는 약제. 구리나 그 합금에는 인(燐)이나 규소(硅素)를 쓰고, 제강(製鋼)에는 망간이나 알루미늄 등을 씀. ②식품 따위에 함께 넣어 포장하여, 산소를 흡수토록 하는 약제. 식품의 산화에 의한 변질 등을 방지함.

탈-삼진【奪三振】명 야구에서, 투수(投手)가 타자(打者)를 삼진하도록 하는 일. ——-하다 자여불

탈삽【脫澁】[—쌉] 명 감의 떫은 맛이 빠짐. 또, 인공적으로 떫은 맛을 뺌. ——-하다 자타여불

탈상【脫喪】[—쌍] 명 해상(解喪). *소상(小祥). ——-하다 자여불

탈색¹【脫色】[—쌕] 명 ①들인 물색을 뺌. 섬유 제품 등에서 염색·오염(汚染) 기타 불필요한 색깔을 탈색제를 써서 제거함. 또, 그 조작. ②착색(着色) 액체로부터 색깔을 제거함. 또, 그 조작. ③유지(油脂)의 정제(精製)에서, 진한 색깔의 원유(原油) 빛깔을 제거하여 엷은 빛깔의 기름으로 만듦. 또, 그 조작. ↔염색(染色). ——-하다 타여불

탈색²【奪色】[—쌕] 명 같은 종류의 물건 가운데서 어떤 물건이 특히 뛰어나서 다른 물건을 압도함. ——-하다 자여불

탈색-법【脫色法】[—쌕—] 명 염색된 물건을 탈색하여 무색(無色)으로 하든가 물색의 강도(强度)를 약화시키는 방법.

탈색-제【脫色劑】[—쌕—] 명〔decolorizing agent〕〖화〗수산화 나트륨·표백분(漂白粉)·아연말(亞鉛末)·수탄(獸炭) 등과 같은 착색 물질의 빛깔을 흡수 또는 분해하여 제거하는 작용을 하는 물질. 수탄은 흡수에 의하여, 표백분은 산화에 의하여 각각 탈색 작용을 함.

탈색-탄【脫色炭】[—쌕—] 명〔decolorizing carbon〕〖화〗표면적이 큰

다공질(多孔質)의 미분탄소(微粉炭素). 윤활유 따위 액체의 착색 불순물을 흡착하는 데 쓰임.
탈-석유【脫石油】명 석유 의존(石油依存)을 줄이는 일. ¶～ 정책.
탈선¹【脫船】[—썬] 명 선원이 선장의 허가 없이 선박을 이탈하는 일. ——-하다 자여불
탈선²【脫線】[—썬] 명 ①열차나 전동차 등이 선로(線路)를 벗어남. ②언행(言行)이 상규(常規)를 벗어나 빗나감. ③목적 이외의 딴 길로 빠짐. ——-하다 자여불
탈선 계:수【脫線係數】[—썬—] 명 철도 차량의 탈선 위험을 표시하는 수치(數値). 커브 따위에서 원심력 때문에 레일이 옆으로 눌리는데, 그 힘을 차량의 무게로 나눈 몫으로 표시함. 0.8을 넘으면 탈선의 위험이 있음.
탈선-기【脫線器】[—썬—] 명 본선(本線) 위를 달리고 있는 열차·차량이 측선(側線)에서 나오는 딴 열차와 충돌하지 않도록 선로에 장치하여 측선 위에 있는 차량을 탈선시키는 기구.
〈탈선기〉
탈선 전:철기【脫線轉轍機】[—썬—] 명 열차 또는 차량이 충돌할 위험이 있을 때, 한쪽의 열차 또는 차량을 탈선시키기 위한 전철기.
탈선 행위【脫線行爲】[—썬—] 명 ①상규(常規)나 상식을 벗어난 행위. ②목적을 빗나간 행위.
탈세【脫稅】[—쎄] 명〖법〗납세자가 납세액의 전부 또는 일부를 포탈(逋脫)하는 일. 포탈. ¶～ 행위. ——-하다 자타여불
탈세-액【脫稅額】[—쎄—] 명 탈세한 세금의 액수.
탈세-자【脫稅者】[—쎄—] 명 세금을 포탈(逋脫)한 사람.
탈속【脫俗】[—쏙] 명 ①속태(俗態)를 벗고 세속(世俗)을 초월함. 탈진(脫塵). ¶출가(出家) ～. ②범용(凡庸)에서 넘어섬. ——-하다 자여불
탈속-반【脫粟飯】[—쏙—] 명 낟반(糲飯).
탈속찬 자모단【脫粟餐子母團】[—쏙—] 명 조밥에도 큰 알 작은 알이 있다는 뜻으로, 사람도 역시 상하 귀천이 있다는 말.
탈쇄【脫灑】[—쐐] 명 속기(俗氣)를 벗어나서 깨끗함. ——-하다 형여불
탈수【脫水】[—쑤] 명 ①물질 속에 들어 있는 수분(水分)을 제거함. ②〖화〗결정수(結晶水)를 제거하는 일. 곧, 화합물(化合物) 중에서 수소와 산소를 제거하거나 물의 분리에 의한 축합 반응(縮合反應)을 행하는 일. ¶칼슘의 ～ 작용. ③〖화〗조직 중의 결합수(結合水)가 아닌 수분을 알코올이나 기타로 치환(置換)하는 일. ——-하다 자여불
탈수-기【脫水機】[—쑤—] 명〖기〗세탁·염직(染織)·제약(製藥) 등에서 탈수하는 데에 쓰는 기계. 원통형의 그릇에 탈수할 물건을 담아, 고속으로 회전시켜 원심력(遠心力)에 의하여 수분을 사방으로 뿜게 하는 원심식(遠心式)과 진공관의 흡입력(吸入力)을 이용하는 진공식의 두 가지가 있음.
탈수-도【脫水度】[—쑤—] 명 탈수된 정도.
탈수 반:응【脫水反應】[—쑤—] 명〖화〗한 분자 안 또는 분자 사이에서 물의 분자가 제거되고 전혀 다른 구조의 딴 물질이 생기는 반응. 가령, 에틸 알코올의 분자 사이에서 탈수 반응이 일어나면 디에틸에테르, 분자 안에서 일어나면 에틸렌이 됨.
탈-수소【脫水素】명〖화〗↗탈수소 반응(脫水素反應).
탈수소 반:응【脫水素反應】명〖화〗수소가 탈리(脫離)하는 화학 반응. 산화 반응의 한 형식에 속함. 탈수소 작용. 준탈수소.
탈수소 작용【脫水素作用】명〖화〗탈수소 반응.
탈수소 효소【脫水素酵素】명〔도 Dehydrogenase〕〖화〗탈수소 반응을 촉매(觸媒)하는 효소의 총칭. 호흡·발효 등에 있어서의 산화(酸化) 단계에서 중요한 역할을 함. 데히드로게나아제.
탈수-열【脫水熱】[—쑤—] 명〖의〗신생아 일과성열(新生兒一過性熱).
탈수-제【脫水劑】[—쑤—] 명〔dehydrating agent〕〖화〗물질 속의 수분을 탈수하거나 화합물을 분해하여, 그 속의 산소와 수소를 제거하는 작용을 하는 약제. 황산(黃酸)·금속 나트륨·염화 칼슘(塩化calcium)·염화 아연·무수 황산 나트륨 같은 것. ↔흡습제(吸濕劑).
탈수-증【脫水症】[—쑤쯩] 명 ↗탈수 증상.
탈수 증:상【脫水症狀】[—쑤—] 명〖의〗여러 가지 원인으로 생기는 과도한 체액 상실(體液喪失) 상태. 수분(水分)만이 상실된 경우와 땀을 많이 흘리고 물을 마셨을 때와 같은 염분(塩分)만이 부족한 경우의 두 경우가 있음. 갈증(渴症)·정신 장애·경련 등이 따름. 준탈수증(脫水症).
탈습¹【脫習】[—씁] 명 탈투(脫套). ——-하다 자여불
탈습²【脫濕】[—씁] 명〖기〗공기 중의 수분을 감소시키는 조작. 공기의 냉각 기능을 증대시키기 위하여 행함. ——-하다 자타여불
탈습-기【脫濕器】[—씁—] 명〔dehumidifier〕〖기〗대기 중의 수증기량을 감소시키는 장치.
탈습 냉:각법【脫濕冷却法】[—씁—] 명 약품으로 공기 중의 습도(濕度)를 내리어서 몸의 땀을 빨리 증발시키어 서늘한 감을 느끼게 하는 냉각법.
탈신【脫身】[—씬] 명 상관하던 일에서 몸을 뺌. ——-하다 자여불
탈신 도주【脫身逃走】[—씬—] 명 몸을 빼쳐서 달아남. 준탈주(脫走). ——-하다 자여불
탈실【脫失】[—씰] 명 이탈(離脫)하여 없어짐. 빠져서 없어짐. ——-하다 자여불
탈싹 부 작은 사람이나 물건이 갑자기 주저앉거나 내려앉는 모양. 또, 그 소리. <털썩. ——-하다 자여불
탈싹-거리다 자 잇달아 탈싹하다. <털썩거리다. 탈싹-탈싹 부. ——-하다 자여불
탈싹-대다 자 탈싹거리다.
탈:-쓰다 자 ①얼굴에 탈을 쓰다. ②거짓에 찬 행동을 하다. ¶애국자의 탈을 쓴 매국노/사람의 탈을 쓴 악마. ③생김새나 하는 짓이 누구를 닮다.
탈-아미드【脫—】명〔deamidation〕〖화〗분자(分子)로부터 아미드기(基)를 탈리(脫離)시킴.
탈아-쥐다 자 ☞ 틀어쥐다. ¶그의 옷깃이나 손가락이나 어디 한두 군데 탈아쥐고, 그것을 젖히든지 이로 물든지…≪金東里 : 人間動議≫.
탈양-증【脫陽症】[—쯩] 명〖한의〗토사(吐瀉) 뒤에 원기가 쇠약하여 사지(四肢)가 차고 땀을 많이 흘리며 마침내 인사 불성이 되는 병.
탈어【脫語】명 빠진 말.
탈:-없다【頉—】[—업—] 형 ①일에 고장이나 잘못이 생기지 아니하다. 일이 순조롭다. ②몸에 병탈이 없다. 몸이 성하다.
탈:-없이【頉—】[—업씨] 부 탈없게. ¶～ 잘 지내고 있다.
탈염【脫塩】명〔water demineralizing〕〖화〗물에서 칼슘·마그네슘·나트륨 따위 화합물인 광물을 제거하는 일. 화학적 방법 외에 이온 교환법·증류법 등이 있음.
탈-염소【脫塩素】명〔dechlorination〕〖화〗물질에서 염소를 제거(除去)하는 일.
탈염소-제【脫塩素劑】명〔antichlor〕〖화〗제지 또는 섬유 제품 제조에서, 과다한 염소나 표백액(漂白液)을 제거할 때 쓰는 화학 약품.
탈영【脫營】명〖군〗군인(軍人)이 병영(兵營)을 빠져 도망(逃亡)함. ——-하다 자여불
탈영-병【脫營兵】명〖군〗탈영한 병사(兵士). *도망병.
탈-오【脫誤】명 탈자(脫字)와 오자(誤字). 오탈(誤脫).
탈옥【脫獄】명 죄수(罪囚)가 감옥을 빠져 도망함. 탈감(脫監). ——-하다 자여불
탈옥-수【脫獄囚】명 탈옥한 죄수. 탈감자. 탈옥자.
탈옥-자【脫獄者】명 탈옥한 사람. 탈옥수.
탈위【脫危】명 위험한 지경에서 벗어남. 병이 위경(危境)에서 벗어남. ——-하다 자여불
탈유【脫遺】명 탈루(脫漏). ——-하다 자여불
탈음【脫陰】명〖한의〗자궁탈(子宮脫).
탈음-증【脫陰症】[—쯩] 명〖한의〗자궁탈(子宮脫).
탈의【脫衣】[—이] 명 옷을 벗음. ↔착의(着衣). ——-하다 자여불
탈의-실【脫衣室】[—이—] 명 온천이나 목욕탕 등에서 옷을 벗는 방.
탈의-장【脫衣場】[—이—] 명 해수욕장이나 운동장 등에 설치한 옷 벗는 장소.
탈의-파【脫衣婆·奪衣婆】[—이—] 명〖불교〗저승으로 가는 도중의 삼도(三途)의 냇가에 있다가 죽은 사람의 옷을 뺏어 의령수(衣領樹) 위의 현의옹(懸衣翁)에게 준다고 하는 귀파(鬼婆).
탈일【脫逸】명 정도(正道)를 이탈하여 빗나감. 일탈(逸脫). ——-하다 자여불
탈자【脫字】[—짜] 명 빠진 글자. 낙자(落字).
탈:-잡다【頉—】타 기어이 잘못된 점을 꼬집어 내다.
탈장【脫腸】[—짱] 명〖의〗선천적·후천적인 원인에 의하여 생긴 복벽(腹壁)의 찢어진 틈을 통하여, 소장·대장 또는 다른 내장이 복막(腹膜)에 싸인 채 탈출하는 일. ——-하다 자여불
탈장 감돈【脫腸嵌頓】[—짱—] 명〖의〗탈장의 한 가지. 소장(小腸)이 복막(腹膜) 속에 침입하여 장(腸)이 꽉 졸려서 환납 불능(還納不能)이 되어 장폐색(腸閉塞)과 같은 증상을 나타내는 상태.
탈장-대【脫腸帶】[—짱—] 명〖의〗외부에서 압력을 가하여 탈장을 일정한 시간 동안 저지(沮止)시켜, 자연 치유(治癒)를 촉진시키는 띠. 탈장한 부분을 직접 누르는 기구와 이에 부속되어 있는 강철의 탄력 있는 스프링을 고정시키는 혁대로 되어 있음.
탈장-증【脫腸症】[—짱쯩] 명〖의〗탈장이 일어나는 병증.
탈저【脫疽】[—쩌] 명 ①〖의〗괴저(壞疽). ②〖한의〗↗탈저정(脫疽疔).
탈저-정【脫疽疔】[—쩌쩡] 명〖한의〗신체 조직의 한 부분이 생활력을 잃고, 영양 공급 및 혈액 순환이 두절됨으로써 일어나는 병. 처음에는 그 부분이 차서 피부가 푸르스름하다가 마침내 썩어 문드러짐. 그 원인으로 외상(外傷)·압박(壓迫)·세균·혈관 질환 등이 있음. 준탈저.
탈적¹【脫籍】[—쩍] 명 호적(戶籍)·당적(黨籍)·병적(兵籍) 등의 문적(文籍)에서 빠져 나옴. ——-하다 자여불
탈적²【奪嫡】[—쩍] 명 종손(宗孫)이 끊어지거나 아주 미약해진 때에 유력한 지손(支孫)이 종손을 누르고 종손 노릇을 하는 일. 탈종(奪宗). ——-하다 자여불
탈정【奪情】[—쩡] 명 ①기복 출사(起復出仕). ②억지로 남의 정을 빼앗음. ——-하다 자타여불
탈정 종공【奪情從公】[—쩡—] 명 기복 출사(起復出仕).
탈조【脫調】[—쪼] 명〖전〗송전(送電) 선로에서 안전하게 송전할 수 있는 최대 전력 이상의 전력을 보내거나 고장이 일어나거나 또는 급격한 부하(負荷) 변동이 있을 경우에 전력 계통의 동기(同期)가 깨지는 일. ——-하다 자여불
탈종【奪宗】[—쫑] 명 탈적(奪嫡). ——-하다 자여불
탈죄【脫罪】[—쬐] 명 죄를 벗어남. ——-하다 자여불
탈주【脫走】[—쭈] 명 ↗탈신 도주(脫身逃走). ¶집단 ～/～를 기도하다. ——-하다 자여불
탈주-병【脫走兵】[—쭈—] 명 도망병(逃亡兵).
탈지¹【脫脂】[—찌] 명 납질(蠟質)·유지(油脂) 등을 제거함. 또, 그 조작. 전기 도금(鍍金)을 잘 마무리하기 위하여 표면에 묻은 유지(油脂)를 제거할 때나, 목면(木綿)의 정련시(精練時) 원면(原綿) 속의 납질을 제거할 때 따위에 일컬음. ——-하다 자타여불
탈지²【奪志】[—찌] 명 정절(貞節)을 지키는 과부를 개가(改嫁)시킴. ——-하다 타여불
탈지 대:두박【脫脂大豆粕】[—찌—] 명 콩에서 기름을 짜낸 찌꺼기. 단백질 함유량이 높으며, 단백질원(蛋白質源)으로 특히 중요함. 된장·간장·과자 등의 원료로 쓰이며, 사료(飼料)·화학 조미료·플라스틱 접착제 등으로 널리 이용됨. 대두박. 콩깻묵.
탈지-면【脫脂綿】[—찌—] 명〖의〗지방분(脂肪分)과 불순물을 제거하여 소독한 솜. 외과(外科) 치료에 쓰임. 소독면(消毒綿). 정제면(精製綿). 약솜.
탈지-박【脫脂粕】[—찌—] 명 깻묵.

탈지-법【脫脂法】[—뻡] [명] ①〖의〗 탈지 요법(脫脂療法). ②물질의 지방분(脂肪分)을 제거하는 방법.

탈지 분유【脫脂粉乳】[—찌—] [명] 탈지유를 농축(濃縮), 건조하여 가루로 만든 우유. 단백질·유당(乳糖)·칼슘·비타민 B_1 등이 보통 분유보다 풍부함. 환원(還元) 우유의 원료로나 제과·제빵·아이스크림·치즈·요리 등에 널리 쓰임. 스킴밀크.

탈지 요법【脫脂療法】[—찌—뻡] [명] 〔anti-obesity〕〖의〗 지방 과다증(脂肪過多症) 환자로부터 지방을 빼는 요법. 갑상선 제제(甲狀腺製劑)를 복용하거나, 식이 요법(食餌療法)을 이용함. 탈지법.

탈지-유【脫脂乳】[—찌—] [명] 표면에 엉기는 지방분(脂肪分)을 제거한 우유. 유업(乳業)에서는 기계적으로 분리하고, 크림이나 버터 제조의 부산물로서 얻어짐. 주로 탈지 분유·아이스크림 제조에 쓰이고 노인이나 유아도 먹음. 스킴밀크.

탈지-제【脫脂劑】[—찌—] [명] 〔degreaser〕 용제(溶劑)의 하나. 폴리할로겐화(化) 탄화 수소(炭化水素)와 같은 용매(溶媒)로, 각종 공업 과정에서 유지분(油脂分)의 제거에 쓰임.

탈진[1]【脫盡】[—찐] [명] 기력(氣力)이 다 빠져 없어짐. ——-하다 (자)(여불)

탈진[2]【脫塵】[—찐] [명] 탈속(脫俗)❶. ——-하다 (자)(여불)

탈진-기【脫進機】[—찐—] [명] 진자(振子) 따위를 조속기(調速機)로 하여, 일정한 시간 간격으로 톱니바퀴를 한 이씩 회전시키는 장치. 기계 시계의 바른 보도(步度)를 유지함.

탈질-균【脫窒菌】[—찔—] [명] 질산염(窒酸塩) 또는 아질산염을 환원하여 질소 가스를 생성하는 세균의 총칭. 탈질소 세균.

탈질소 세:균【脫窒素細菌】[—쏘—] [명] 탈질균.

탈질 작용【脫窒作用】[—찔—] [명] 〖화〗 혐기성균(嫌氣性菌) 등의 미생물의 작용으로 황산염이 유리 질소(遊離窒素) 또는 아산화(亞酸化) 질소가 되는 현상. 논에 황산염의 비효(肥效)가 적은 것은 이 작용에 의하여 손실되기 때문임.

탈착【脫着】[명] 흡착(吸着)된 물질이 흡착 계면(界面)으로부터 떨어지는 현상. ——-하다 (자)(여불)

탈채【脫債】[명] 빚을 다 갚음. 부채를 벗음. ——-하다 (자)(타)(여불)

탈:처【頉處】[명] ①탈이 생긴 근원. ②탈이 난 부분.

탈출【脫出】[명] 몸을 빼쳐 도망함. 탈거(脫去). ¶국외로 ~하다. ——-하다 (자)(타)(여불)

탈출-기【脫出記】[명] ①탈출한 과정을 서술한 글. ②〖문〗 1925년 최서해(崔曙海)가 지은 단편 소설. 그 당시의 신경향파 문학의 특색이던 빈궁(貧窮) 소설의 전형(典型)으로 평가되고 있음.

탈출 로켓【脫出—】[명] 〔escape rocket〕〖항공〗 우주 캡슐의 탈출탑 선단에 달린 소형 로켓 엔진. 긴급시 캡슐에 추력(推力)을 가해 로켓에서 떨어져 나가게 하고, 아울러 캡슐을 낙하산 사용 고도(高度)까지 치올려 주는 구실을 함. *탈출탑.

탈출-병【脫出兵】[명] 〖군〗 적에게 포로가 되었다가 도망쳐 돌아온 군인. 탈출자.

탈출용 산소통【脫出用酸素筒】[—룡—] [명] 〔bailout bottle〕〖항공〗 개인용의 산소 공급에 쓰이는 산소를 가압(加壓)하여 봉입(封入)한 통. 낙하산으로 내릴 때와 같이 집중 산소 공급 장치(集中酸素供給裝置)에서 떨어질 때 쓰임.

탈출-자【脫出者】[—짜] [명] ①탈출에 성공한 사람. ¶국외 ~. ②〖군〗 탈출병.

탈출-탑【脫出塔】[명] 〔escape tower〕〖항공〗 우주 캡슐의 정상부(頂上部)에 있는 가대식(架臺式)의 탑. 캡슐과 탈출 로켓을 연결하고 있음. *탈출 로켓.

탈:-춤 [명] 얼굴에 탈을 쓰고 추는 춤. 가면무(假面舞). 가장 무도.

탈취[1]【脫臭】[명] ①탈취제 등에 의해, 냄새를 빼어 없앰. ②유지(油脂)의 정제(精製) 공정(工程)의 하나. 유지 특유의 냄새를 제거함. ——-하다 (자)(여불)

탈취[2]【奪取】[명] 빼앗아 가짐. *압취(押取). ——-하다 (타)(여불)

탈취 등유【脫臭燈油】[명] 〔deodorized kerosine〕 고도로 정제(精製)하여 냄새가 없는 등유. 등심 램프에 쓰임.

탈취-전【奪取戰】[명] 빼앗아 차지하기 위한 싸움.

탈취-제【脫臭劑】[명] 〖화〗 냄새를 빼는 데에 쓰는 약제. 염화(塩化) 칼슘·석탄산(石炭酸) 등과 같이 자체(自體)의 취기 방산(臭氣放散)으로 다른 냄새를 억제하는 약제와, 활성탄(活性炭)과 같이 흡착(吸着) 작용을 이용한 약제 등이 있음.

탈취-죄【奪取罪】[—쬐] [명] 〖법〗 재물에 대한 남의 지배를 침해하여 자기 또는 제삼자의 지배 아래 두는 행위에 의하여 성립되는 죄. 곧, 절취(竊取)·강취(強取)·편취(騙取)·갈취(喝取) 등의 행위에 대한 죄의 총칭.

탈카 〔Talca〕 [명] 〖지〗 칠레의 중부 산티아고의 남쪽 240km 지점에 있는 도시. 농업 지대의 중심으로 밀·포도주의 집산지임. 1692년에 창건된 고도(古都)로, 1928년 큰 지진의 피해를 입었으나 근대 도시로서 재건되었고 부근에 고산(高山)·호소(湖沼) 등 관광지(觀光地)가 많음. [128,000 명(1980)]

탈카와노 〔Talcahuano〕 [명] 〖지〗 칠레의 남부 태평양안(太平洋岸)의 항구 도시. 칠레의 가장 훌륭한 항만이고, 해군의 주요 기지이기도 함. 조선소·건식 선거(乾式船渠)가 설치되어 있고 근처에 해군 사관 학교가 있음. [186,000 명(1980)]

탈타리 [명] ①☞탈탈이. ②↗빈탈타리. 1)·2): <털터리.

탈탄【脫炭】[명] ①〖화〗 강철을 공기 속에서 가열(加熱)할 때 표면의 탄소가 일산화 탄소로 되어 탈출해서 표면의 탄소량이 감소되는 현상. ②주철(鑄鐵)의 염기성 조업시(操業時)에 용강(溶鋼) 속의 탄소를 연소(燃燒)시키는 일. ——-하다 (자)(여불)

탈탈[1] (부) ①먼지 등을 깨끗이 털어 버리는 모양. 또, 그 소리. ¶먼지를 ~ 털어 내다. ②아무 것도 남지 않게 죄다 털어 내는 모양. ¶주머니를 ~ 털다.

탈탈[2] (부) ① 마음은 급하나 몸이 나른하여 멀리는 걸음으로 연해 겨우 걷는 모양. ② 금이 간 질그릇 따위를 연해 두드려서 나는 소리. 1)·2): <털털. ——-하다 (자)(타)(여불)

탈탈-거리다 (자)(타) ①마음은 급하나 몸이 피곤하여 나른한 걸음으로 겨우 걷다. ¶지칠 대로 지쳐서 탈탈거리기만 한다. ②깨어져 금이 있는 질그릇 같은 것을 연해 두드리어 떠는 소리가 나다. 또, 자꾸 탈탈 소리를 나게 하다. 1)·2): <털털거리다.

탈탈-대다 (자)(타) 탈탈거리다.

탈탈이 [명] 헐어서 몹시 탈탈거리는 자동차 등을 일컫는 말.

탈태[1]【脫胎】[명] 〖공〗 질이 썩 얇아서 마치 잿물만 가지고 그릇이 된 듯한 투명(透明)한 자기(瓷器)의 몸. 그 중에서도 두께가 있는 것은 반탈태(半脫胎), 아주 얇은 것은 진탈태(眞脫胎)라 함.

탈태[2]【脫態】[명] 형태나 형식을 바꿈. ——-하다 (타)(여불)

탈태[3]【奪胎】[명] ↗환골 탈태(換骨奪胎). ——-하다 (자)(여불)

탈토【脫兎】[명] ①달아나는 토끼. ②몹시 빨리 달아남을 일컫는 말.

탈토지-세【脫兎之勢】[명] 우리를 빠져 도망하는 토끼의 기세. 썩 신속(迅速)하고 민첩(敏捷)함을 이르는 말.

탈퇴【脫退】[명] ①관계를 끊고 물러남. 일단 가입한 정당이나 단체 등에서 이탈함. ¶~ 선언. ②〖법〗 법률 관계의 구속을 이탈함. ——-하다 (자)(여불)

탈퇴-자【脫退者】[명] 탈퇴한 사람. ¶~가 속출하다.

탈투【脫套】[명] 관례(慣例)나 옛 관습을 벗어남. 탈습(脫習). ——-하다 (자)(여불)

탈:-판 [명] 탈놀음의 무대(舞臺).

탈팽이 [명] 〈방〉 달팽이(경기·충북).

탈:품【頉稟】[명] 어떤 사정에 의하여 다하기 어려운 책임을 면제해 달라고 상사(上司)에게 청하는 일. ——-하다 (자)(여불)

탈피【脫皮】[명] ①〖동〗 파충류나 곤충류 등이 성장함에 따라 낡은 허물을 벗는 일. 낡은 표피 밑에 새로운 표피가 준비되어 있는데, 표피가 대부분 각질(角質)이거나 키틴질(chitin質)로 되어 있어 성장함에 따라 신축(伸縮)이 부자유스럽기 때문임. ②낡은 사고 방식에서 벗어나 진보하는 일. ¶구습(舊習)에서 ~하다. ——-하다 (자)(여불)

탈피-각【脫皮殼】[명] 〖동〗 탈피한 허물.

탈피-선【脫皮腺】[명] 〖동〗 탈피하는 동물의 표피 속에 있으며 탈피액을 분비하여 허물 따위를 쉽게 벗겨지게 하는 선.

탈피 억제 호르몬【脫皮抑制—】[명] 〔melt-inhibiting hormone〕〖생〗 갑각류(甲殼類)의 사이너스선(sinus腺)으로부터 분비되어 탈피를 억제한다고 생각되는 호르몬. 브라운(Brown, F.A.)과 커닝엄(Cunningham, O.)에 의해 발견됨.

탈피 호르몬【脫皮—】〔도 Hormon〕[명] 〖동〗 동물의 탈피 촉진이나 억제에 관여하는 호르몬의 총칭. 곤충류의 전흉선(前胸腺) 호르몬이나 척추 동물의 갑상선(甲狀腺) 호르몬 따위가 이에 속함.

탈:하【頉下】[명] 〖역〗 사고(事故)가 있을 때, 그 역(役)을 면제하여 주는 일. ——-하다 (타)(여불)

탈:-하다【頉—】(자)(여불) 탈이 있어 일자리나 갈 곳에 나가지 못하는 사유를 말하다.

탈함【脫艦】[명] 〖군〗 함상 근무자(艦上勤務者)가 상사(上司)의 허락 없이 군함을 이탈하거나 상륙한 채로 도망하는 일. ——-하다 (자)(여불)

탈함-병【脫艦兵】[명] 〖군〗 탈함한 병사.

탈항【脫肛】[명] 〖의〗 치질(痔疾)의 한 가지. 만성 변비·분만(分娩)·치핵(痔核) 등이 원인이 되어 점막(粘膜)과 주위의 조직과의 연락이 이완(弛緩)되고, 항문의 괄약근(括約筋)의 힘이 줄어져 직장(直腸)의 밑 점막이 항문(肛門) 밖으로 빠져서 처지는 상태. 장치(腸痔).

탈항-증【脫肛症】[—쯩] [명] 〖의〗 탈항이 되는 병증.

탈해-왕【脫解王】[명] 〖사람〗 신라 제4대 왕. 성은 석(昔). 국호를 계림(鷄林)이라 하고, 일본과는 화친을 맺고, 백제·가야(伽倻)와 자주 싸웠음. 석탈해(昔脫解). [재위 57-80]

탈혈【脫血】[명] 실혈(失血). ——-하다 (자)(여불)

탈-형광색【脫螢光色】[명] 〔deblooming〕 석유를 얕은 탱크 안에서 태양이나 대기(大氣)를 쬐거나 또는 화학 약품을 첨가함으로써 형광이나 광휘(光輝)를 지우는 공정(工程).

탈혼【脫魂】[명] 의식이나 오관(五官)의 기능이 일시 정지됨. ——-하다 (자)(여불)

탈화[1]【脫化】[명] ①곤충 따위가 허물을 벗고 모양을 바꾸는 일. ②어떤 것을 기초로 하여, 형식을 바꾸어 새롭게 되는 일. 낡은 형식에서 벗어나 새로운 형식으로 변하는 일. ——-하다 (자)(여불)

탈화[2]【脫靴】[명] 신을 벗음. ——-하다 (자)(여불)

탈환【奪還】[명] 도로 빼앗음. 탈회(奪回). ——-하다 (타)(여불)

탈환-전【奪還戰】[명] 〖군〗 적에게 빼앗긴 진지(陣地)나 도시 같은 것을 탈환하기 위한 전투.

탈-활성【脫活性】[—썽] [명] 〔deactivation〕〖야금〗 부식성(腐蝕性)의 액체로부터, 부식성 성분을 화학적으로 제거하는 일.

탈황【脫黃】[명] 중유·연기 등에 함유되어 있는 유황분을 제거하는 일. 구칭(舊稱)은 탈류(脫硫). ¶~ 장치. ——-하다 (자)(여불)

탈회[1]【脫會】[명] 어떤 모임에서 관계(關係)를 끊고 탈퇴함. ↔입회(入會). ——-하다 (자)(여불)

탈회[2]【奪回】[명] 탈환(奪還). ——-하다 (타)(여불)

탐[1]【貪】[명] ①↗탐욕(貪慾). ②〖불교〗 세 가지 독(毒)의 하나. 오욕(五

欲) 경계(境界)에 물드는 망념(妄念). ——-하다 타여불

탐[2] 〔Tamm, Igor Yevgenyevich〕 명 〖사람〗 소련의 물리학자. 양자 역학과 상대성 이론에 밝아, 중성자가 자기 모멘트(磁氣moment)를 가짐을 지적하였으며, 1958년 체렌코프 효과(Cherenkov 効果)의 발견에 공이 있어 체렌코프(Cherenkov, P.) 및 프랑크(Frank, I.)와 더불어 노벨 물리학상을 받음. [1895-1971]

탐검【探檢】 명 탐색(探索)하고 두루 살핌. ——-하다 타여불

탐경-가【探景歌】 명 〖악〗 단가(短歌)의 하나. 부귀 영화란 일장 춘몽(一場春夢)이니 시름을 떨쳐 버리고 산수(山水) 자연 경관을 찾아다니며 구경하자는 내용임.

탐경-선【探鯨船】 명 모선식(母船式) 포경 선단에서 고래 떼를 발견하기 위해 현장에서 탐색의 임무를 띠는 배.

탐관【貪官】 명 탐욕에 찬 관리. 묵리(墨吏). ↔염관(廉官).
[탐관의 밑은 안반 같고 염관(廉官)의 밑은 송곳 같다] 탐관은 점점 성하고 염직한 관리는 점점 궁해진다는 말.

탐관 오:리【貪官汚吏】 명 탐욕이 많고 행실이 깨끗하지 못한 관리. 탐관과 오리.

탐광【探鑛】 명 〖광〗 각종 금속·비금속 광상(鑛床)이나 석탄층·석유층(石油層) 등을 찾아내거나, 그 모양이나 질을 분명히 하는 일. 지질학적 방법 이외에, 자력(磁力)·중력(重力)·전기(電氣)·탄성파(彈性波) 등을 이용하는 물리학적인 방법이 있음. ——-하다 자여불

탐구[1]【探究】 명 더듬어 연구함. ——-하다 타여불

탐구[2]【探求】 명 더듬어 구함. 탐색(探索). ——-하다 타여불

탐구[3]【貪求】 명 탐내어 구함. ——-하다 타여불

탐구-심【探究心】 명 깊이 살피어 사리를 밝히려는 마음. ¶~이 강한 사람.

탐구-욕【探究慾】 명 탐구하려는 의욕.

탐구-자[1]【探究者】 명 더듬어 연구하는 사람. ¶진리의 ~.

탐구-자[2]【探求者】 명 더듬어 구하는 사람.

탐권【貪權】 [—꿘] 명 탐권 낙세(貪權樂勢). ——-하다 자여불

탐권 낙세【貪權樂勢】 [—꿘—] 명 권세(權勢)를 탐냄. 탐권. ——-하다 자여불

탐기【貪嗜】 명 탐내어 즐김. ——-하다 타여불

탐-나다【貪—】 자 마음에 꼭 들어서, 몹시 가지고 싶은 욕심이 나다. ¶탐나는 물건/탐나는 색시.

탐낭 취:물【探囊取物】 명 주머니 속에 든 물건을 꺼낸다는 뜻으로, 매우 쉽게 찾아 얻음을 이르는 말. 낭중 취물(囊中取物).

탐-내다【貪—】 타 매우 마음에 들어, 가지고 싶은 욕심을 내다. ¶남의 물건을 ~.

탐닉【耽溺】 명 ①어떤 일을 몹시 즐겨서 거기에 빠짐. ②주색(酒色)에 빠짐. 몰닉. ——-하다 자여불

탐닉 생활【耽溺生活】 명 주색(酒色)에 빠져 다른 일을 돌보지 않는 타락된 생활.

탐다 무:득【貪多務得】 명 욕심(慾心)이 많아 많은 것을 탐냄. ——-하다 타여불

탐도【貪饕】 명 ①재물이나 음식을 탐냄. 탐람(貪婪). ②〖천주교〗 칠죄종(七罪宗)의 하나. 먹고 마시기를 너무지나치게 함. ——-하다 타여불

탐도 불법【貪饕不法】 [—뻡] 명 재물을 탐내어 법을 어김. ——-하다 자여불

탐도지-배【貪饕之輩】 명 탐도를 일삼는 무리.

탐독【耽讀】 명 어떤 책 따위를 특별히 즐겨서 읽음. ——-하다 타여불

탐라【耽羅】 [—나] 명 ①〖역〗 탐라국. ②'제주도(濟州島)'의 구칭.

탐라-국【耽羅國】 [—나—] 명 〖역〗 삼국 시대에 제주도에 있던 나라. 시조는 삼성혈(三姓穴)에서 나온 고(高)·부(夫)·양(良) 삼신(三神)이라고 전해짐. 백제·신라·고려에 복속(服屬)하다가 고려 숙종(肅宗) 10년(1105)에 고려의 한 군현(郡縣)이 됨. 탐라(耽羅). 동영주(東瀛州).

탐라-요【耽羅謠】 [—나—] 명 〖문〗 실전(失傳)된 고려 시대의 가요. 가사는 전하지 아니함.

탐라 총관부【耽羅摠管府】 [—나—] 명 〖역〗 고려 충렬왕 때 원나라가 삼별초(三別抄)를 진압하고 탐라에 두었던 총관부.

탐락【耽樂】 [—낙] 명 주색(酒色)에 빠져서 마음껏 즐김. ——-하다 타여불

탐람[1]【探覽】 [—남] 명 찾아서 봄. ——-하다 타여불

탐람[2]【貪婪】 [—남] 명 탐도(貪饕)❶. ——-하다 타여불

탐려【貪戾】 [—녀] 명 ①욕심이 많아 정도(正道)에 어긋남. ②욕심이 많고 포악함. ——-하다 형여불

탐련【耽戀】 [—넌] 명 ①연애에 온 정신이 빠짐. ②탐내어 생각함. ——-하다 자여불

탐렴【貪廉】 [—념] 명 탐욕(貪慾)과 청렴(淸廉).

탐리[1]【貪吏】 [—니] 명 탐관(貪官).

탐리[2]【貪利】 [—니] 명 지나치게 이익을 탐냄. ——-하다 자여불

탐리[3]【探吏】 [—니] 명 〖역〗 봉명 사신(奉命使臣)의 가는 길을 탐문(探聞)하는 아전(衙前).

탐린【貪悋】 [—닌] 명 욕심이 많고 인색함. ——-하다 형여불

탐망【探望】 명 ①살펴서 바라봄. ②넌지시 바람. ——-하다 타여불

탐매【探梅】 명 매화(梅花) 핀 경치를 찾아 구경함. 관매(觀梅). ——-하다 자여불

탐명 애:리【貪名愛利】 명 〖불교〗 명예를 탐내고 이익에 집착(執着)함. ——-하다 자여불

탐묵【貪墨】 명 탐오(貪汚). ——-하다 형여불

탐문[1]【探問】 명 찾아 물음. 채문(採問). ——-하다 타여불

탐문[2]【探聞】 명 찾아서 들음. ——-하다 타여불

탐미[1]【耽味】 명 글의 깊은 맛을 충분히 즐김. ——-하다 타여불

탐미[2]【耽美】 명 아름다움에 열중하여 깊이 즐김. 유미(唯美). ——-하다 자여불

탐미-적【耽美的】 명관 미(美)를 최고의 가치로 삼고, 미에 도취하는 경향이 있는 모양.

탐미-주의【耽美主義】 [—/—이] 명 〔aestheticism〕 〖예〗 '예술을 위한 예술, 미를 위한 미'를 강조한 예술론. 곧, 미를 인생 지상의 것으로 생각하여, 미의 창조 가운데에서 인생의 보람을 찾아 본능 그대로의 육감(肉感)이나 찰나(刹那)의 향락을 맛보려는 주의. 19세기 영국의 문예 평론가 페이터(Pater)에서 출발하여 역시 영국의 철학자 스펜서(Spencer)의 미학(美學)에서의 유희(遊戲) 본능설에 자극되어, 영국의 작가 와일드(Wilde)와 프랑스의 시인 보들레르(Baudelaire) 등에 의하여 주장되었음. 유미주의(唯美主義). 에스세티시즘. *악마주의(惡魔主義).

탐미-파【耽美派】 명 〔aesthete〕 〖예〗 탐미주의를 신봉하는 예술상의 한 파. 유미파(唯美派).

탐방[1]【探訪】 명 ①탐문하여 찾아 봄. ②기자 등이 어떤 기사 거리를 얻기 위하여 목적하는 사람을 찾아가는 일. ——-하다 타여불

탐방[2] 부 자고도 묵직한 물건이 깊은 물에 떨어지는 소리. 또, 그 모양. 스담방. <텀벙. ——-하다 자타여불

탐방-거리다 자타 잇따라 탐방 소리가 나다. 또, 잇따라 탐방 소리를 나게 하다. 스담방거리다. <텀벙거리다. **탐방-탐방** 부. ——-하다 자타여불

탐방-기【探訪記】 명 목적하는 사람이나 장소를 탐방하여 취재한 기사(記事).

탐방 기자【探訪記者】 명 탐방하는 일을 맡은 신문이나 잡지의 기자.

탐방-대다 자타 탐방거리다.

탐보【探報】 명 더듬어 찾아 알림. ——-하다 타여불

탐보프 〔Tambov〕 명 〖지〗 러시아 공화국의 한 도시. 1936년에 요새(要塞)로서 창건(創建)되었는데 철도 교통의 요지. 기계·화학·석유·식품(食品) 공업이 행해짐. [277,000명(1984)]

탐부【貪夫】 명 탐욕한 사내. 욕심 많은 속인.

탐부린 〔도 Tamburin〕 명 〖악〗 탬버린(tambourine).

탐사【探査】 명 더듬어 조사함. ¶~대(隊)/지질(地質) ~/유적(遺跡) ~/석유 ~. ——-하다 타여불

탐사-기【探査機】 명 〔space probe〕 자동 관측기와 그 관측 데이터를 송신할 무선 장치를 실은 무인 우주 비행체(無人宇宙飛行體).

탐상【探賞】 명 경치 좋은 곳을 찾아서 즐기며 구경함. ——-하다 타여불

탐상-기【探傷機】 명 레일의 균열(龜裂)이나 궤열(潰裂) 등을 발견하는 장치. 주행(走行)하면서 레일을 자화(磁化)하고, 전자 유도(電磁誘導)를 이용하여 검출하는 방식이 널리 쓰이고 있음.

탐색[1]【貪色·耽色】 명 호색(好色). ——-하다 자여불

탐색[2]【探索】 명 ①실상(實相)을 더듬어 찾음. 탐구(探求). ¶~전(戰). ②〖법〗 죄인의 행방(行方)이나 죄상(罪狀)을 샅샅이 찾음. ¶범인을 ~하다. ——-하다 타여불

탐색 구:조【探索救助】 명 〔search and rescue〕 육상·해상에서 조난자를 찾아내어 구조하기 위해 항공기·함정·잠수함·특별 구조대 및 기기(器機) 등을 사용하는 일.

탐색 이:론【探索理論】 [—니—] 명 오퍼레이션 리서치 수법(operation research 手法)의 하나. 광맥 찾기·어군 탐지 또는 특정한 목적을 위한 연구 개발 등 어떤 목표가 있어서 그것을 탐색하려는 경우, 노력의 최적 배분(最適配分)을 어떻게 하면 최대 효과가 발휘되는가를 추구하는 이론.

탐색적 예:측 수법【探索的豫測手法】 [—뻡] 명 〔exploratory forecasting technique〕 미래 예측 수법의 하나. 과거의 시계열(時系列) 데이터가 나타내는 경향선(傾向線)을 미래로 연장함으로써 미래의 가능성을 찾아내는 수법.

탐석【探石】 명 수석(壽石)을 찾는 일. ——-하다 자여불

탐-스럽다 형ㅂ불 마음이 끌리도록 보기에 소담스럽거나 좋다. ¶진홍(眞紅)의 장미가 ~. **탐-스레** 부

탐승【探勝】 명 경치 좋은 곳을 찾아 다님. ——-하다 자여불

탐승-객【探勝客】 명 경치 좋은 곳을 찾아 다니는 사람.

탐승-기【探勝記】 명 탐승한 내용 등을 쓴 글.

탐승-대【探勝隊】 명 목적지 및 기타의 조건이 같은 탐승객이 모여 이룩한 단체.

탐식【貪食】 명 음식을 탐함. 탐내어 먹음. ——-하다 자타여불

탐심【貪心】 명 ①탐내는 마음. ②부당한 욕심.

탐악【貪惡】 명 욕심이 많고 마음이 악함. ——-하다 형여불

탐애【貪愛】 명 ①남의 물건을 탐내고 제 것은 퍽 아낌. ②사랑에 집착(執着)함. ——-하다 자여불

탐오【貪汚】 명 욕심이 많고 하는 짓이 더러움. 탐묵(貪墨). ——-하다 형여불

탐욕【貪慾】 명 ①사물을 지나치게 탐하는 욕심. 도모(叨冒). 준탐(貪). ②〖불교〗 삼구(三垢)의 하나. 또, 삼독(三毒)의 하나.

탐욕-가【貪慾家】 명 탐욕이 남달리 많은 사람.

탐욕-스럽다【貪慾—】 형ㅂ불 탐욕이 있어 보이다. **탐욕-스레**【貪慾—】 부

탐위【貪位】 명 ①높은 지위를 탐함. ②재능·분에 넘치는 지위에 있음. ——-하다 자여불

탐음【貪淫】 명 지나치게 색을 탐냄. 여색에 빠짐. ——-하다 자여불

탐장【貪贓】 명 관리가 나쁜 짓을 하여 재물을 탐함. 또, 그렇게 하여 얻

은 재물. 범장(犯贓). ——-하다 [자][여불]
탐장-질【貪贓—】[명] 관리가 탐장하는 짓. ——-하다 [자][타][여불]
탐재【貪財】[명] 재물을 탐함. ——-하다 [자][여불]
탐재 호:색【貪財好色】[명] 재물을 탐하고 여색(女色)을 즐김. ——-하다 [자][여불]
탐정[1]【貪政】[명] 탐욕을 부리는 포악한 정치. ——-하다 [자][여불]
탐정[2]【探情】[명] 남의 의향을 넌지시 살핌. ——-하다 [타][여불]
탐정[3]【探偵】[명] ①몰래 사정을 더듬어 살핌. 또, 그 사람. ②적의 비밀한 사정을 살핌. 또, 그 사람. ③몰래 죄인의 죄상을 탐색하는 일. 또, 그 사람. 정탐(偵探). ——-하다 [타][여불]
탐정-가【探偵家】[명] 탐정하는 사람.
탐정-꾼【探偵—】[명] 탐정하는 사람을 낮게 이르는 말.
탐정-물【探偵物】[명] 범죄 사건의 탐정을 주제로 한, 소설·영화·희곡 따위의 부류.
탐정 소:설【探偵小說】[명]〖문〗주로 범죄 수사를 제재(題材)로 하여 그 범죄가 누구에 의해, 어떤 원인으로, 어떻게 행해졌는가를 추리하여 귀납(歸納)하는 데다 흥미의 중점을 둔 소설. 최초의 본격적인 작품은 1841년의 포(Poe, E.A.)의 ≪모르그가(街)의 살인≫임. 디텍티브 스토리. 미스터리
탐조【探照】[명] 더듬어 찾으려고 멀리 내비침. ——-하다 [타][여불]
탐조-등【探照燈】[명] 조사용(照射用) 및 원거리 발광 신호로서 쓰이는 전등(電燈) 아크등(arc燈)을 광원(光源)으로 하여 반사경(反射鏡)에 의해서 평행 광선을 묶어 한 방향으로 멀리 비치게 함. 탐해등(探海燈)과 조공등(照空燈)이 있음. 서치라이트. 사광기(射光機).

〈탐조등〉

탐주【貪酒】[명] 술을 탐함. ——-하다 [자][여불]
탐지【探知】[명] 더듬어 살펴 알아 냄. ——-하다 [타][여불]
탐지-기【探知機】[명] 어떤 사물의 소재(所在)나 진부(眞否)를 탐지하는 기계의 총칭. 지뢰 탐지기·전파 탐지기·거짓말 탐지기 등.
탐지-꾼【探知—】[명] 탐지하는 사람.
탐지 위성【探知衛星】[명] 미사일 탐지 위성·조기(早期)경보 위성의 통칭으로 적(敵)의 대륙간 탄도 미사일 등의 궤도 병기(軌道兵器)를 발사 단계에서 적외선(赤外線) 탐지하는 군사 위성. 미국의 미다스(Midas) 위성이 대표적임.
탐진-강【耽津江】[명]〖지〗전라 남도 장흥군(長興郡) 유치면(有治面)에서 발원(發源)하여 장흥·강진(康津) 등지를 지나 남해(南海)로 들어가는 강. [41 km]
탐착【貪着】[명]〖불교〗만족할 줄 모르고 더욱 사물에 집착(執着)함. 「——-하다 [자][여불]
탐찰【探察】[명] 탐색하여 살핌. ——-하다 [타][여불]
탐-천【貪泉】[명] 그 물을 마시는 자는 모두 탐욕(貪慾)스러워진다는 샘. 중국 광둥성(廣東省)에 있었다고 하는데, 진(晉)나라의 오은지(吳隱之)는 이것을 마시면서도 마음이 변하지 않아 그 이름을 떨쳤다고 함. *도천(盜泉).
탐춘【探春】[명] 봄의 경치를 찾아 다니며 구경함. ——-하다 [자][여불]
탐춘-객【探春客】[명] 탐춘하는 사람.
탐측【探測】[명] 적정(敵情)이나 기상 등을 탐색하여 측량함. ——-하다 [타][여불]
탐측 기구【探測氣球】[명]〖기상〗관측 기구❶.
탐탁-스럽다 [형][ㅂ불] 탐탁하게 보이다. 탐탁-스레 [부]
탐탁-하다 [형][여불] 마음에 들어맞도록 모양이나 태도(態度)가 어울리다. ¶이렇게 꿀 같은 탐탁한 생활이 몇 달 흘러갔다≪朴鍾和: 錦衫의 피≫. 탐탁-히 [부]
탐-탐[1]〔도 Tam-tam〕[명]〖악〗동양에서 시작된 타악기로 징의 한 가지. 청동제(靑銅製)의 두꺼운 원반(圓盤)을 채로 쳐서 소리를 내는데, 약음(弱音)은 신비적이고, 강음(強音)은 자극적인 것이 특징임. 인도·아프리카 등지에서 많이 쓰며, 관현악에도 씀. 「[부]
탐탐[2]【耽耽】[부] 매우 즐겨 좋아하는 모양. ——-하다[1] [형][여불]. ——-히
탐탐[3]【眈眈】[부] 야심을 가지고 잔뜩 노리는 모양. ¶호시(虎視)～. ——-하다[2] [형][여불]. ——-히 [부]
탐탐-하다[3] [형]〈방〉탐탁하다.
탐탕【探湯】[명] 열탕(熱湯)에 손을 넣어 본다는 뜻으로, 더위에 괴로워하는 모양, 고생하는 모양 또는 두려워하여 경계하는 모양 등의 비유로 씀.
탐페레〔Tampere〕[명]〖지〗핀란드 남서부, 호소(湖沼) 지대의 중심에 있는 이 나라 제 2 의 대도시. 공업·문화·교통의 중심지로 제지·방적·제화(製靴)·기계 등의 공업이 행해짐. 1918년 4월 핀란드 독립 전쟁에서 러시아군에 승리한 곳. [164, 423명(1974)]
탐폰〔도 Tampon〕[명] ①〖의〗소독하여 약을 적신 솜이나 가제. 국소(局所)에 삽입하여 지혈(止血)시키거나 분비액을 흡수하여 들임. 면구(綿球). 지혈전(止血栓). ②목관 악기(木管樂器)의 관(管)의 옆구멍의 공기가 새는 것을 막기 위해, 금속(金屬) 덮개에 대는 펠트.
탐피코〔Tampico〕[명]〖지〗멕시코 만에 있는 석유 수출항. 탐피코 유전의 중심지로, 송유관(送油管)이 집중되어 있고 정유소(精油所)·석유 탱크가 있음. 기후는 습열(濕熱)함. 멕시코 만 연안(沿岸)은 겨울의 보양지(保養地)로 미국으로부터의 관광객이 많음. [211,000명(1981)]
탐-하다【貪—】[타][여불] 지나치게 탐심을 내다. ¶폭리를 ～.
탐학【貪虐】[명] 탐욕이 많고 포학함. ——-하다 [형][여불]
탐해-등【探海燈】[명]〖군〗탐조등(探照燈)의 한 가지. 군함이나 요새(要塞)에 설치하여 적함(敵艦)의 야침(夜侵)을 경계하는 데 씀.
탐험【探險】[명] 실지(實地)로 살피고 조사함. 위험을 무릅쓰고 현지를 탐방함. ——-하다 [타][여불]
탐험-가【探險家】[명] 탐험에 종사하는 사람. 탐험자. *모험가.
탐험-대【探險隊】[명] 탐험을 목적으로 조직된 무리.
탐험 등산【探險登山】[명] 지리적 탐험이 가미(加味)된 등산.
탐험 소:설【探險小說】[명]〖문〗탐험을 내용으로 하는 소설.
탐험 여행【探險旅行】[명] 탐험을 목적으로 미지(未知)의 지역을 답사하는 여행.
탐험-자【探險者】[명] 탐험가.
탐호【貪好】[명] 매우 즐기며 좋아함. ——-하다 [타][여불]
탐혹[1]【耽惑】[명] 어떤 사물에 마음이 빠져 미혹됨. ——-하다 [자][여불]
탐혹[2]【貪酷】[명] 탐람(貪婪)하고 잔인함. ——-하다 [형][여불]
탐화【探花】[명]〖역〗↗탐화랑(探花郎).
탐화-랑【探花郎】[명]〖역〗조선 시대 때 갑과(甲科)에서 셋째로 급제(及第)한 사람을 이르는 말. 방방(放榜)할 때에 어전(御前)에서 모화(帽花)를 한데 받아서 여러 신은(新恩)에게 한 가지씩 나누어 머리에 꽂아 줌. 정칠품(正七品)의 품계를 줌. 담화랑(擔花郎). 장원(壯元). [준]탐화(探花). *갑과(甲科)·장원랑(壯元郎)·방안(榜眼).
탐화 봉접【探花蜂蝶】[명] 꽃을 찾아다니는 벌과 나비라는 뜻에서, 여색을 좋아하는 사람을 비유로 이르는 말.
탐횡【貪橫】[명] 탐욕이 많고 행동이 횡포함. ——-하다 [형][여불]
탐후【探候】[명] 남의 안부를 물음. ——-하다 [자][여불]
탑[1] [명]〈방〉〖농〗따비(함북).
탑[2]【塔】[명] ①〔범 stūpa〕〖불교〗사리(舍利), 곧 불골(佛骨)을 모시거나 또는 공양(供養)·보은(報恩)을 하거나 혹은 영지(靈地)를 나타내기 위하여 세우는 고층 건축물. 깎은 돌이나 목재로 세움. 솔도파(窣堵婆). *상륜(相輪). ②여러 층으로 높고 뾰족하게 세운 건물의 일컬음. 타워(tower). ¶시계～/중계(中繼)～.
탑[3]【榻】[명] 좁고 길다란 평상.
탑객【搭客】[명] 탑승객(搭乘客).
탑골 공원【塔—公園】[명]〖지〗서울 종로 2가에 있는 공원. 원래 이곳은 1464년 조선 세조가 세운 원각사(圓覺寺)가 있던 곳으로, 1897년 영국인 고문(顧問) 브라운이 공원으로 설계하여 건설하였음. 기미년(己未年) 독립 운동 때 민족 봉기(民族蜂起)의 자리로 유명하며, 공원 안에는 원각사지(圓覺寺址)·앙부일구(仰釜日晷)의 대석(臺石) 등이 있고, 13층탑·귀부(龜趺) 비석 등이 남아 있음. 파고다 공원. 탑동(塔洞) 공원.
탑골-치【塔—】[명] 잘 삼은, 매우 튼튼한 미투리. 예전 동대문 밖 탑골에서 삼은 데서 유래함.
탑교【榻敎】[명]〖역〗임금이 의정(議政)을 불러서 친(親)히 전하는 왕명(王命).
탑-기단【塔基壇】[명]〖건〗탑신(塔身) 밑의 기단(基壇).
탑-꽃【塔—】[명]〖식〗[*Satureia multicaulis*] 꿀풀과에 속하는 다년초. 줄기 높이 10-20cm로 잎은 대생하고 유병(有柄)이며, 달걀꼴, 긴 타원형 또는 난상 피침형임. 8-9월에 백색 꽃이 윤산(輪繖) 화서로 줄기 끝이나 엽액(葉腋)에 핌. 과실은 수과(瘦果). 산지의 나무 그늘에 나는데, 제주도·완도(莞島)·울릉도 등지에 분포함.
탑-다라니【塔陀羅尼】[명]〖불교〗불탑 안에 넣어 놓는 다라니. 법사리(法舍利)라고도 함.
탑-돌이【塔—】[명]〖불교〗초파일이나 큰 재(齋)가 있을 때 절에서 승려가 염주를 들고 탑을 돌며 부처의 큰 뜻과 공덕을 기리면 신도들이 등(燈)을 들고 그 뒤를 따르며 극락 왕생을 비는 불교 의식.
탑동 공원【塔洞公園】[명]〖지〗탑골 공원.
탑두【塔頭】[명]〖불교〗①선가(禪家)에서 조사(祖師)의 탑이 있는 곳. ②본사(本寺)에 속하는 자원(子院) 중의 큰 절.
탑륜【塔輪】[—뉸] [명] 불탑(佛塔)의 최상부(最上部)에 있는 상륜(相輪).
탑-망원경【塔望遠鏡】[명]〖천〗태양을 관측(觀測)하는 데에 쓰이는 탑모양의 망원경. 태양 광선이 탑 위로부터 수직(垂直)으로 탑 속에 입사(入射), 지하 실험실(地下實驗室)에서 이를 분광 측정(分光測定)함.

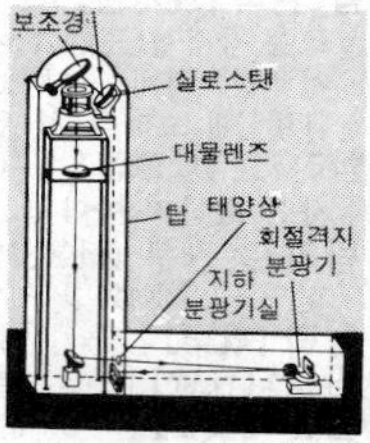

〈탑망원경〉

탑문【搨文】[명] 석탑(石搨)의 문자(文字).
탑배【榻背】[명] 의자의 등판.
탑본【搨本】[명] 금석(金石)에 새긴 글씨나 그림을 종이에 그대로 박아 냄. 또, 그 박아 낸 종이. 탁본(拓本). 비첩(碑帖). ——-하다 [타][여불]
탑비【塔碑】[명] 탑과 비.
탑삭 [부] 갑자기 덥쳐 물거나 쥐는 모양. ㅅ답삭. <텁석.
탑삭-거리다 [타] 잇따라 덥쳐 물거나 쥐다. ㅅ답삭거리다. <텁석거리다. 탑삭-탑삭 [부]. ——-하다 [타][여불]
탑삭-나룻 [명] 짧고 다보록하게 많이 난 수염. <텁석나룻.
탑삭-대다 [타] 탑삭거리다.
탑삭-부리 [명] 탑삭나룻이 난 사람의 별명. <텁석부리.
탑산【塔酸】[명]〖화〗질산식(窒酸式) 황산 제조법으로 글로버탑(Glover塔)에서 산출되는 황산. 탑황산(塔黃酸).
탑상【榻牀】[명] 교의(交椅)·와상(臥床) 등의 총칭.
탑상 보:검【榻上寶劍】[명]〖역〗조선 시대 때 조하(朝賀) 때에 보검을 가지고 임금의 곁에 모시던 임시(臨時) 벼슬.
탑상-운【塔狀雲】[명]〖기상〗탑 모양으로 머리 부분이 아주 높이 치올라간 적운(積雲). 이 구름이 떠 오르면 뇌우(雷雨)가 일어나기 쉬움.

탑새기 명 〈방〉 ①먼지(충청). ¶ 팔도 ~가 다 일어난다. ②쓰레기(충청·함경·전라).
탑새기-주다 타 남의 일을 방해하거나 망쳐 주다.
탑선【搭船】명 승선(乘船). ——-하다 자여불
탑세기 명 〈방〉 쓰레기(충청·함경).
탑소록-이 부 탑소록하게. <텁수룩이.
탑소록-하다 형여불 배게 난 털이 어수선하게 드리다. <텁수룩하다.
탑-손 명 보습을 쥐는 손.
탑쉬 명 〈심마니〉 소금.
탑승【搭乘】명 배나 비행기 같은 것에 올라 탐. ——-하다 자여불
탑승-객【搭乘客】명 배나 비행기 등에 탄 손님. 탑객(搭客).
탑승-권【搭乘券】[—꿘] 명 배나 비행기 등을 타는 표.
탑승-원【搭乘員】명 탑승하고 있는 사람. 특히, 승무원에 한정하여 사용하는 경우도 있음.
탑승-자【搭乘者】명 탑승원(搭乘員).
탑-시계【塔時計】명 시계탑에 단 시계.
탑시기 명 〈방〉 쓰레기(충청).
탑시-종【搭顋腫】명 〖한의〗 볼거리.
탑식-법【塔式法】명 〖화〗 탑식 황산 제조법.
탑식 황산 제조법【塔式黃酸製造法】[—뻡] 명 〖화〗 황산 제조법의 하나. 연실법(鉛室法)이 발달한 것으로, 건설비가 비싼 연실을 쓰지 않고, 글로버탑(Glover 塔)과 게이뤼삭탑(Gay-Lussac 塔)을 3-4기 직렬로 연결하여 행함. 연실법에 비하여 공간 용적이 적게 들고, 장치의 효율도 좋음.
탑신【塔身】명 탑기단(塔基壇)과 상륜(相輪) 사이 탑의 몸.
탑신-석【塔身石】명 석탑의 탑신을 이루는 돌.
탑언【嗒焉】부 탑연(嗒然).
탑연【嗒然】부 아무 생각 없이 우두커니 있는 모양. 탑언(嗒焉). ——-하다 형여불. ——-히 부
탑영[1]【塔影】명 탑의 그림자.
탑영[2]【搨影】명 본디의 형상(形像)을 본떠서 그림. 또, 그 그림. ——-하다 타여불
탑용【闒茸】명 용탑(茸闒). ——-하다 형여불
탑인【搨印】명 본떠서 박음. ——-하다 타여불
탑자-구【塔子溝】명 〖지〗 중국 랴오닝 성(遼寧省)에 있는 '조양(朝陽)'의 구명.
탑재【搭載】명 ①배·차량·비행기 등에 물건을 실음. ②병기(兵器)를 차량·선박·비행기 등에 장비함. ——-하다 타여불
탑재-량【搭載量】명 탑재할 수 있는 짐의 분량.
탑재-물【搭載物】명 탑재한 물건.
탑재-포【搭載砲】명 〖군〗 전차(戰車)나 비행기에 탑재하는 작은 구경(口徑)의 대포.
탑전【榻前】명 임금의 자리 앞.
탑전 정:탈【榻前定奪】명 임금이 즉석에서 재결함. ——-하다 타여불
탑전 하:교【榻前下敎】명 임금이 즉석에서 명령을 내림. ——-하다 자여불
탑조지 명 〈방〉 쟁기.
탑첨【塔尖】명 뾰족탑에서 탑의 맨 위의 뾰족한 부분.
탑파【塔婆】명 〖불교〗 ①탑(塔). ②묘(墓). ③솔도파(窣堵婆).
탑-하【漯河】명 〖지〗 타허 강.
탑향-봉【塔香峰】명 〖지〗 함경 북도 경원군(慶源郡) 용덕면(龍德面)과 아산면(阿山面), 경흥군(慶興郡) 유덕면(有德面)의 경계를 이루는 산. [826 m]
탑-현【塔峴】명 〖지〗 황해도 은율군(殷栗郡)에 있는 고개. [107 m]
탑형【塔形】명 탑과 같은 모양.
탑-황산【塔黃酸】명 〖화〗 탑산(塔酸).
탓 명 〔중세 : 닷〕 ①일이 그릇되게 된 원인. 잘못된 까닭. ¶ 모두가 네 ~이다. ②잘못된 것을 원망하는 짓. 또, 핑계나 구실로 삼는 일. ¶ 누굴 ~하랴 / 잘못되면 조상을 ~한다. ——-하다 타여불
탕[1] 명 〈방〉 배기(霜氣).
탕[2] 명 〈방〉 못[3](경북).
탕[3] 명 〈방〉 올가미(함남).
탕:[4]【湯】명 ①'국'의 높임말. 탕국. ②제사에 쓰는 국의 한 가지. 건지가 많고 국물이 적음. 소탕(素湯)·어탕(魚湯)·육탕(肉湯) 같은 것.
탕:[5]【湯】명 목간이나 온천 등의 목욕하는 곳. ¶ 여(女)~/~에 들어가다.
탕[6] 부 속이 비어서 아무것도 없는 모양. <텅[1].
탕[7] 부 총포(銃砲)가 터지면서 나는 것과 같은 소리. 쓰땅[2]. <텅[2]. ——-하다 자여불
-탕【湯】미 ①탕약 이름 밑에 붙이는 말. ¶ 쌍화(雙和)~. ②어떤 명사 밑에 붙어 '국'의 뜻을 나타내는 말. ¶ 대구~/설렁~.
탕가 〔Tanga〕 명 〖지〗 탄자니아(Tanzania)의 북동부 인도양에 면한 항도(港都). 동아프리카 제1의 사이잘(sisal) 삼의 수출항. 코프라·커피·차·고무 등도 수출함. [103,000 명(1981)]
탕가니카 〔Tanganyika〕 명 〖지〗 아프리카 동부, 탄자니아(Tanzania) 연방 공화국의 대륙부(大陸部). 좁은 해안 저지(低地)와 고원(1,200 m)으로 되어 있는데 북동쪽 기슭에는 킬리만자로 화산(Kilimanjaro 火山)이 있고 북서부는 저습지로 빅토리아 호(Victoria 湖)·탕가니카 호·말라위 호(Malawi 湖)에 둘러싸여 인도양(印度洋)에 면함. 19세기에 독일령, 제1차 세계 대전 후 영국의 신탁 통치령이었다가 1961년 12월 9일에 독립하고, 1964년 잔지바르와 연합하여 국명을 탄자니아 연방 공화국으로 고쳤음. 주도는 다르에스살람(Dar es Salaam) [937,061 km²]
탕가니카 호【—湖】〔Tanganyika〕 명 〖지〗 동아프리카 지구대(地溝帶)의 일부를 이루는 세계 제8위의 호수. 탄자니아와 콩고(Congo)의 경계에 있음. 길이 세계 제1, 깊이 세계 제2이며 각종의 독특한 동물이 서식함. [32,900 km²]
탕:갈【蕩竭】명 재물을 남김없이 다 없앰. ¶ 늦게 배운 오입에 수입을 ~하다 나중에 공금에까지 손찌검을 한 것이다《李孝石 : 粉女》. ——-하다 타여불
탕:감【蕩減】명 진 빚을 온통 삭쳐 줌. ——-하다 타여불
탕개 명 물건의 동인 줄을 죄어치는 제구. 동인 줄의 중간에 비녀장을 질러서 틀어 넘기면 줄이 졸아들게 됨.
탕개-노 명 〈방〉 쌈노.
탕개-목【—木】명 탕개줄을 비비 틀어서 풀리지 않도록 질러 놓는 나무.
탕개-붙임 [—부침] 명 탕개줄을 틀어서 나무쪽을 붙임.
탕개-줄 명 탕개목을 지른 줄.
탕개-치다 타 동인 밧줄을 탕개로 팽팽하게 하다.
탕개-톱 명 탕개를 매우고 조인 톱.
탕개-틀다 타 탕개줄을 틀어 동인 것을 죄다.
탕:객【蕩客】명 방탕한 사람.
탕:-거리【湯—】[—꺼—] 명 탕을 끓일 감. *국거리.
탕:건【宕巾】명 〔중세 : 당건(唐巾)〕 예전에 벼슬아치가 갓 속에 받쳐 쓰던 관(冠). 말총을 잘게 세워서 뜨는데 앞쪽은 낮고 뒤쪽은 높아 턱이 졌음.

〈탕건〉

탕:건-바람【宕巾—】[—빠—] 명 갓을 쓰지 않고 탕건만 쓴 차림새.
탕:건-집【宕巾—】[—찝] 명 탕건을 넣어 두는 상자.
탕:관[1]【湯灌】명 불교의 장사(葬事)에서, 납관(納棺)하기 전에 시체를 목욕시키는 일. ——-하다 타여불
탕:관[2]【湯罐】명 국을 끓이거나 약을 달이는 작은 그릇. 쇠붙이나 오지로 만드는데 흔히 자루가 달려 있음.
탕구 〔塘沽〕 명 〖지〗 중국 허베이 성(河北省) 동부의 항도(港都). 톈진(天津)의 외항(外港)으로 번영, 대(大)무역항이 됨. 부근의 장로염(長蘆塩)을 이용한 소다 공업 등 화학 공업이 성함.
탕:-구자【湯口子】명 열구자(悅口子). 열구자탕(悅口子湯).
탕구트 〔Tangut〕 명 〖역〗 6-14세기에 걸쳐 중국의 서북 변경에서 활약하던 티베트계 유목민. 본래, 칭하이 성(靑海省)에서 쓰찬 성(四川省) 일대에 걸친 산지(山地)에서 살았는데, 후위 북주(後魏北周) 시대부터 중원에 자주 침입함, 송대(宋代)에 이르러 그 일족 이원호(李元昊)가 허시(河西) 지방에 세운 서하국(西夏國)은 200년 가까이 유지되어 오다가 결국 몽고족에 멸망되었음. 오늘날에도 칭하이 지방에 퍼져 살고 있음. 당항(黨項).
탕구 협정【—協定】〔중 塘沽〕 명 1933년 5월에 탕구에서 조인된 일본 관동군(關東軍)과 중국 국민 정부군 사이에 맺어진 협정. 이로부터 중국은 일본의 만주 지배를 사실상 묵인하였음.
탕:-국【湯—】[—꾹] 명 탕[4](湯).
탕:-국물【湯—】[—꾹—] 명 탕의 국물.
탕권 명 〈옛〉 탕관(湯罐). ¶ 차탕권(茶罐)《譯語 下 12》/탕권에 져기 탕 가져(罐兒裏將些湯)《老乞 上 39》.
탕:기【湯器】[—끼] 명 국이나 찌개 등을 담는 자그마한 그릇.
탕기 〔Tanguy, Yves〕 명 〖사람〗 프랑스 출생의 미국 화가. 쉬르레알리슴 운동 추진자의 한 사람. 비(非)현실적인 정적(靜寂)에 가득찬 화풍으로 알려짐. [1900-55]
탕:깨【湯—】명 〈방〉 탕기(湯器)(평북).
탕내기 명 〈방〉 턱(평북·황해·함남).
탕:-내다 타 〈방〉 전당 잡히다.
탕:량【湯量】[—냥] 명 온천 따위에서, 용출(湧出)하는 탕수(湯水)의 양.
탕:론【蕩論】[—논] 명 〖역〗 ↗탕평론(蕩平論).
탕:-메【湯—】명 제사 때 쓰는 국과 밥.
탕:면【湯麪】명 국에 만 국수.
탕:멸【蕩滅】명 모조리 멸망함. ——-하다 자여불
탕:명【湯銘】명 ↗탕지반명(湯之盤銘).
탕:목【湯沐】명 목욕을 하고 머리를 감는 일. ——-하다 자여불
탕:반[1]【湯飯】명 장국밥❷.
탕:반[2]【湯盤】명 중국 요리에서, 젓가락을 씻기 위하여 요리의 도중에 내오는 더운 물 그릇.
탕:-방【—房】명 넓고 큰 구들장을 놓아 만든 방.
탕:병【湯餠】명 ①국수. 온면(溫麪). ②아이를 낳은 지 사흘 만에 그 아이의 장수(長壽)를 빌기 위하여 먹는 메밀 국수.
탕:복【蕩覆】명 무찔러 뒤집어 엎음. 또, 망하여 뒤집힘. ——-하다 자타여불
탕:부【蕩婦】명 방탕한 계집.
탕부랭 〔프 tambourin〕 명 〖악〗 ①탬버린. ②2/4 박자의 활발하고 속도가 빠른 프랑스 춤.
탕부르 〔프 tambour〕 명 ①돔(dome)을 떠받치기 위해서 원통형으로 쌓아 올린 벽체(壁體). ②북. 드럼.
탕산[1] 〔唐山〕 명 〖지〗 중국 허베이 성(河北省) 북동부의 도시. 징산 철도(京山鐵道)에 연해 있으며 카이롼 탄전(開灤炭田)의 중심지로, 석탄·보크사이트·석회석 등을 생산함. 철강·시멘트·제지·도자기·제분 공업·방직 등의 공업이 성함. 1976년 대지진이 일어나 막대한 피해를 입음. 당산(唐山). [1,366,000 명(1984)]
탕:산[2]【蕩産】명 ↗탕진 가산(蕩盡家産). ——-하다 자여불
탕:산[3]【蕩散】명 망하여 뿔뿔이 흩어짐. 탕석(蕩析). ——-하다 자여불

탕:상【湯傷】명 끓는 물에 덴 상처.

탕 샤오이〔唐紹儀〕명〖사람〗중국의 정치가. 광둥(廣東) 성 번우이 현(番禺縣) 사람. 자는 샤오촨(小川). 중화 민국 성립 후 국무 총리가 됨. 제 2 혁명 때 위안 스카이(袁世凱) 반대 운동에 가담하여 광둥 군정부 재무부장을 역임함. 1922 년 국무 총리 사임 후 쑨 원(孫文)의 고향인 중산 현(中山縣) 현장을 지냄. 당소의. [1860-1938]

탕:석【蕩析】명 탕산(蕩散). ——-하다 자여불

탕:-솥【湯—】명 탕을 끓이는 솥.

탕:수[1] 명〈방〉홍수[2](평북).

탕:수[2]【湯水】명 끓는 물.

탕수-빗【湯水—】명 탕수색.

탕:수-색【湯水色】명〖역〗조선 시대 때 대궐 안의 각 전(殿)에 있던 액정서(掖庭署)의 사역(使役).

탕수-육【糖水肉】명 녹말 가루를 풀어 쇠고기나 돼지 고기의 튀김을 넣고 시금달달하게 한 중국 요리.

탕슛고믈 명〈옛〉고명. 꾸미. ¶漢俗謂 탕슛고믈 曰細料物《朴解 上 7》.

탕:심【蕩心】명 방탕한 마음.

탕:아【蕩兒】명 탕자(蕩子). 유탕아(遊蕩兒). 방탕아(放蕩兒).

탕:액【湯液】명 한약을 달이어 짠 물.

탕:약【湯藥】명 ①〖한의〗달이어서 먹는 한약. 탕제(湯劑). ↔산약(散藥)·환약(丸藥). ②〖불교〗탕약 시자(湯藥侍者).
[탕약에 감초(甘草) 빠질까] 아무 곳에나 함부로 끼어 섞임을 조롱하는 말.

탕:-약망【湯若望】명〖사람〗'샬(Schall)'의 중국식 이름을 우리 음으로 읽은 이름.

탕:약 시:자【湯藥侍者】명〖불교〗선가(禪家)의 승직의 하나. 선원(禪院) 주지(住持)의 음식을 맡음. 탕약(湯藥).

탕:양【蕩漾】명 ①떠도는 모양. ②흔들리는 모양. ③물결이 넘실거려 움직이는 모양. ——-하다 형여불. ——-히 부

탕:연【蕩然】명 ①공허(空虛)한 모양. 텅 비어있는 모양. ②방자(放恣)한 모양. ——-하다 형여불

탕:-왕【湯王】명〖사람〗중국 은(殷)나라의 초대 왕. 본명은 이(履) 또는 대을(大乙). 하(夏)의 걸왕(桀王)을 내쫓고 왕위(王位)에 올랐음. 박(亳)에 도읍(都邑)하여 국호(國號)를 상(商)이라 정하고, 제도(制度)와 전례(典禮)를 잘 정비(整備)하였음. 재위(在位) 13년. 성탕(成湯).

탕:요【蕩搖】명 흔들림. 흔듦. ——-하다 자타여불

탕:-원미【湯元味】명 초상집에 보내는 죽. 멥쌀을 씻어 쌀알을 반쯤 부서지게 찧은 다음, 난도질한 쇠고기를 양념하여 넣고 묽게 끓이어 동이에 퍼 담고, 그 위에 다시 난도질하여 볶은 고기와 기름에 볶아서 잘게 썬 표고·석이와 잣가루를 뿌림.

탕:일【蕩逸】명 방탕하여 절제(節制)가 없음. ——-하다 형여불

탕:-임금【湯—】[—님—] 명〖역〗중국 은(殷)나라의 탕왕(湯王)을, 임금으로서 일컫는 이름.

탕:자【蕩子】명 방탕한 사내. 탕아(蕩兒).

탕:-잡히다 타〈방〉전당 잡히다.

탕:장【帑藏】명 내탕고(內帑庫)에 간수한 재물.

탕:전【帑錢】명 내탕금(內帑金).

탕:정[1]【湯井】명 온천(溫泉).

탕:정[2]【蕩定】명 난(亂)을 평정함. 탕평(蕩平). ——-하다 타여불

탕:정[3]【蕩情】명 방탕한 마음.

탕:제【湯劑】명〖한의〗탕약(湯藥)❶.

탕:조【湯槽】명 목욕통. 욕조(浴槽).

탕:지【蕩志】명 ①크고 넓은 뜻. ②방탕한 마음.

탕:-지기【湯—】명〖역〗대궐 안에서 국을 맡아 끓이던 차비노(差備奴).

탕:지반-명【湯之盤銘】명 중국 은(殷)나라 탕왕(湯王)이 쓰던, 쟁반에 새긴 명(銘). ㊟탕명(湯銘).

탕:진【蕩盡】명 ①쇠퇴(衰退)하여 없어짐. ②재물을 다 써서 없앰. 들어먹음. 탕패(蕩敗). 판탕(板蕩). ¶재산을 ~하다. ——-하다 타여불

탕:진 가산【蕩盡家產】명 집안 살림이나 재산을 다 써서 없앰. 탕패 가산(蕩敗家產). ㊟탕산(蕩產). ——-하다 자여불

탕:창【宕氅】명 탕건(宕巾)과 창의(氅衣).

탕:창-짜리【宕氅—】명 탕건 쓰고 창의 입은 사람을 홀하게 이르는 말.

탕:창-하다【宕氅—】자여불 당하(堂下)의 벼슬을 하다.

탕:채[1]【湯菜】명 중국 요리의 수프.

탕:채[2]【蕩債】명 채무(債務)를 탕감함. ——-하다 자여불

탕:척【蕩滌】명 죄명(罪名)을 깨끗이 씻어 줌. ——-하다 타여불

탕:척 서:용【蕩滌敍用】명〖역〗죄명(罪名)을 씻고 다시 벼슬에 올려 씀. ——-하다 타여불

탕:천【湯泉】명 온천(溫泉).

탕추-리위〔중 糖醋鯉魚〕명 중국 요리의 하나. 잉어를 통째로 튀겨, 그 위에 야채나 새우 등을 놓고 미림(味淋)·술을 타서 달게 조미한 초장과 조미한 갈분물을 얹은 화려한 요리.

탕:치【湯治】명 온천에서 목욕하여 병을 고치는 일. ¶~ 요법. ——-하다 타여불

탕:-치다【蕩—】타 ①재산을 다 없애다. ②빚을 탕감하다.

탕:치-장【湯治場】명 탕치(湯治)를 하는 곳.

탕:키 명〈방〉탕기(湯器).

탕-탕[1] 부 여럿이 다 비어서 없는 모양. ¶~ 빈 마을. <텅텅[1].

탕-탕[2] 부 총포(銃砲)가 연해 터지거나 마룻 바닥을 연해 치는 것과 같은 소리. ㅆ땅땅[1]. <텅텅[2]. ——-하다 자여불

탕탕[3] 부 실속이 없는 장담을 함부로 하는 모양. ¶큰소리만 ~ 치더니. ㅆ땅땅[3]. <텅텅[3]. ——-하다 자여불

탕:탕[4]【蕩蕩】부 ①넓고 큰 모양. ②평탄(平坦)한 모양. 편안한 모양. ③수세(水勢)가 힘찬 모양. ④법도(法度)가 쇠퇴한 모양. ⑤평온(平穩)한 모양. 마음이 편안한 모양. ——-하다 형여불

탕탕-거리다 자타 잇따라 탕 소리가 나다. 또, 잇따라 탕탕 소리를 나게 하다. <텅텅거리다.

탕탕-대다 자타 탕탕거리다.

탕:탕 유유【蕩蕩悠悠】명 흔들려 움직이는 모양. 또, 정처 없이 헤매는 모양. ——-하다 자여불

탕:탕지-훈【蕩蕩之勳】명 대단히 큰 훈공.

탕:탕 평평【蕩蕩平平】명 어느 쪽에도 치우치지 않음. ㊟탕평(蕩平). ——-하다 형여불

탕:탕평평-실【蕩蕩平平室】명〖역〗조선 정조(正祖)가 영조(英祖)의 명을 받아, 꿈에도 당론(黨論)의 탕평을 잊지 않고 탕평책을 실현하기로 다짐하여 자신의 거실에 붙인 이름.

탕:파【湯婆】명 더운 물을 넣어서 몸을 덥게 하는 쇠나 자기로 만든 그릇. 이불 속에 넣어서 씀. 탕파자. 각파(脚婆).

〈탕파〉

탕:파-자【湯婆子】명 탕파(湯婆).

탕:패【蕩敗】명 탕진(蕩盡). ¶수만금 가산을 ~하고 도리어 남의 빚을 많이 지매…《李常春 : 情》. ——-하다 타여불

탕:패 가산【蕩敗家產】명 탕진 가산(蕩盡家產). ——-하다 자여불

탕:평【蕩平】명 ①↗ 탕탕 평평(蕩蕩平平). ②〖역〗↗ 탕평책(蕩平策). ③탕정(蕩定). ——-하다 형여불. ——-히 부 「(蕩論).

탕:평-론【蕩平論】[—논] 명〖역〗탕평책(蕩平策)의 정론(政論). ㊟탕론

탕:평-비【蕩平碑】명〖역〗조선 영조(英祖) 18 년(1742), 영조가 자신의 탕평책을 내외에 표방하며 경계시키기 위해 세운 비. 영조의 친서를 새겨 성균관의 반수교(泮水橋) 위에 세움.

탕:평-채【蕩平菜】명 조선 영조(英祖) 때 탕평책(蕩平策)을 논(論)하는 자리의 음식상에 처음 올랐다는 데서 '묵청포(淸泡)'를 일컫는 이름.

탕:평-책【蕩平策】명 ①〖역〗조선 21대 영조(英祖)가 당쟁(黨爭)의 뿌리를 뽑아 일당 전제(一黨專制)의 폐단을 없애고, 양반(兩班)의 세력 균형을 취하여 왕권(王權)의 신장과 탕탕 평평(蕩蕩平平)을 피한 정책. 22대 정조(正祖)도 이 뜻을 이어 주아로 당론의 탕평에 힘썼음. ②불편 부당의 정책.

탕:폐[1]【帑幣】명 금고의 금은 재화.

탕:폐[2]【湯鼈】명 중국 송(宋)나라 때에 어전(御前)에서 차를 달일 때에 쓰던 찻잔(茶盞).

탕:포【蕩逋】명 국고(國庫)에 바칠 전곡(錢穀)을 범포(犯逋)한 사람의 변상(辨償)을 탕감해 줌. ——-하다 타여불

탕:-하다【湯—】자여불 목간하다.

탕헤르〔Tánger〕명〖지〗아프리카 대륙의 북서단(北西端), 지브롤터(Gibraltar) 해협에 면하는 모로코(Morocco)의 항만 도시. 천연적 양항(良港)이며 고래로 전략상의 요지였기 때문에 열강(列強)의 쟁탈 목표지가 되었으며 1912-56년에는 영세 중립의 국제 도시로서의 지위가 확립되었음. [186,000 명(1973 추계)]

탕헤르 사:건【—事件】〔Tánger〕[—껀] 명 모로코 사건.

탕:-현(:)조【湯顯祖】명〖사람〗중국 명(明)나라 때의 극작가. 장시 성(江西省) 린촨(臨川) 사람. 당(唐)의 전기(傳奇)와 원(元)의 곡(曲)을 기초로, 《자소기(紫簫記)》·《환혼기(還魂記)》·《남가기(南柯記)》 등의 희곡을 썼음. 이것들은 명곡(明曲)의 대표작이긴 하였으나, 율(律)이 맞지 않아 상연(上演)하기에는 적당하지 않고, 읽는 희곡으로 알려짐. [1550-1616]

탕:화[1]【湯火】명 끓는 물과 뜨거운 불.

탕:화[2]【湯花】명 유황이 많이 섞인 온천에서, 밑 바닥에 침전하여 생긴 유황화(硫黃華).

탕:화-상【湯火傷】명 탕화창(湯火瘡).

탕:화-창【湯火瘡】명〖한의〗끓는 물이나 뜨거운 불에 데어서 생긴 헌데. 탕화상(湯火傷).

탕:확【湯鑊】명 사람을 죽이기 위하여 물을 끓이는 가마솥.

탕줏값 명〈옛〉목욕료(沐浴料). ¶탕줏갑시 언메나 혼동 몰래라(不理會的多少湯錢)《朴解 上 52》.

태[1] 명 농작물에 해를 끼치는 새를 쫓는 제구. 짚이나 삼이나 실 같은 것으로 머리는 굵고 꼬리는 가늘고 부드럽게 꼬았음. 머리를 잡고 꼬리를 휘휘 두르다가 거꾸로 잡아 채면 '딱' 소리가 남. 퇘기.

태[2] 명 질그릇이나 놋그릇의 깨진 금.

태[3]【太】명 성(姓)의 하나. 현재 우리 나라에는, 협계(浹溪)를 대종(大宗)으로 하고, 그 밖에 네 개의 본관이 있음.

태[4]【台】명 성(姓)의 하나. 우리 나라에는 현존하지 아니함.

태[5]【兌】명〖민〗①↗태괘(兌卦). ②↗태방(兌方).

태[6]【苔】명 성(姓)의 하나. 우리 나라에는 현존하지 아니함.

태[7]【胎】명 ①〖생〗뱃 속의 아이를 싸고 있는 난막(卵膜)·태반(胎盤) 및 탯줄의 총칭. 자하거(紫河車). 삼. ②도가(道家)에서, 인신(人身)이 깃들이는 체기(體氣)의 근원. ③〖불교〗↗태장계(胎藏界). ④↗태지(胎紙)❶.
[태를 길렀다] 어리석고 못난 사람을 일컫는 말.

태[8]【泰】명 ①〖민〗↗태괘(泰卦). ②〖지〗↗태국(泰國).

태[9]【秦】명 성(姓)의 하나. 우리 나라에는 현존하지 아니함.

태[10]【態】명 ①맵시. ②〖언〗일반적으로 동사에 관여(關與)하는 동작의

특질, 곧 방향성에 관한 언어적 형태. 주어와 동사간의 주술 관계를 비롯하여 목적어와 동사의 관계 및 이들에 긴밀하게 관련되는 다른 체언과의 관계 등을 나타내는 동사의 형태. 능동태(能動態)·수동태(受動態)·피동태(被動態) 등이 있음.

태[11] 의명 〈방〉 판[1] (평북). ¶ 소년은 그게 마지막 ~였다. 더는 밑천이 없다≪桂鎔默 : 물매미≫.

태가[1]【太佳】명 매우 좋음. 썩 아름다움. ——-하다 형여불

태가[2]【駄價】[—까] 명 짐을 실어다 준 삯. ¶ ~를 치르다.

태-가다 자 질그릇이나 놋그릇에 깨진 금이 나다. 태먹다.

태-가르다【胎—】자 〈방〉 삼가르다.

태가리 명 〈방〉 터거리(전라·강원·경북).

태가지 명 〈방〉 터거리(전남).

태갈【苔碣】명 이끼가 낀 작은 빗돌.

태감[1]【太監】명〖역〗중국 명(明)·청(淸) 시대 환관(宦官)의 장관. 또, 환관의 속칭.

태감[2]【台監】명 '대감(大監)'을 편지 같은 데에서 쓰는 말.

태감[3]【台鑑】명 아경(亞卿) 이상의 벼슬아치에게 올리는 편지나 보고서(報告書) 같은 것의 겉봉에 살피어 보라는 뜻으로 높여 쓰는 말. ——-하다 타여불

태강【太康】명 태평(太平). ——-하다 형여불

태강-즉절【太剛則折】명 너무 세거나 빳빳하면 꺾어지기가 쉬움.

태거【汰去】명 죄과(罪過) 있는 하급 벼슬아치나 구실아치를 파면함. ——-하다 타여불

태경【苔徑】명 이끼가 낀 길.

태경 간풍【胎驚癎風】명〖한의〗아이 밴 여자가 어떤 심한 충격을 받은 까닭으로, 낳은 아이에게 일어나는 경간(驚癎).

태계[1]【台階】명 ①삼공의 지위. ②남의 집의 경칭.

태계[2]【苔階】명 이끼가 낀 섬돌.

태고[1]【太古】명 아주 오랜 옛날. 요석(遙昔). 숭석(崇昔). 반고(盤古·盤固).

태고[2]【太高】명 썩 높음. ——-하다 형여불

태고[3]【太鼓】명〖악〗북[2].

태고 국사【太古國師】명〖사람〗고려 공민왕(恭愍王) 때의 국사(國師) 보우(普愚)를 호(號)로써 일컫는 경칭.

태고-대【太古代】명 [Archaean]〖지〗지질 시대 중의 최고(最古)의 시대. 시생대(始生代)와 원생대(原生代)로 나눔. 이 시대에는 생물이 생존하지 않은 것으로 알려져 왔으나 방산충(放散蟲)·해면(海綿) 같은 생물이 생존하였다는 것이 실증되었음. 시원대(始原代). 선캄브리아시대.

태고 대:사【太古大師】명〖사람〗'태고 국사(太古國師)'의 존칭.

태고대-층【太古代層】명〖지〗태고대(太古代)의 지층(地層). 태고층.

태고-사[1]【太古史】명 태고적의 역사.

태고-사[2]【太古寺】명 ①'조계사(曹溪寺)'의 전이름. ②태고암(太古庵).

태고 순:민【太古順民】명 아주 오랜 옛날의 순하고 선량한 백성.

태고 시대【太古時代】명 아주 오랜 옛적 시대. 소수(巢燧).

태고-암【太古庵】명〖불교〗경기도 고양시 덕양구(德陽區) 신도동(神道洞) 삼각산(三角山)에 있는 절. 고려 공민왕 때 태고 국사(太古國師)가 세웠음. 6·25 전쟁 때에 불타버리고, 지금은 부근에 원증 국사 탑비(圓證國師塔碑)가 남아 있음. 태고사(太古寺).

태고-연【太古然】명 아득한 옛날과 같음. ——-하다 형여불

태고지-민【太古之民】명 오랜 옛적의 순박한 백성.

태고-층【太古層】명 태고대층.

태고 화상【太古和尙】명〖사람〗고려 때의 고승(高僧) 보우(普愚)를 호(號)로써 일컫는 말.

태곳-적【太古—】명 아득한 옛날.

태공[1]【太公】명 ↗국태공(國太公).

태공[2]【太空】명 가맣게 높고 먼 하늘.

태공-망【太公望】명 ①〖사람〗중국 주(周)나라 초기의 정치가. 성은 강(姜), 이름은 상(尙). 속칭은 강태공(姜太公). 문왕(文王)이 위수(渭水) 가에서 처음 만나 스승으로 삼았으며, 뒤에 무왕(武王)을 도와 은(殷)나라를 멸하고 천하를 평정하여 그 공으로 제(齊)나라에 봉함을 받아 그 시조(始祖)가 되었음. 병서(兵書) ≪육도(六韜)≫는 그의 저서라고 전함. 여상(呂尙). ②〈속〉 낚시꾼.

태과【太過】명 너무 지나침. 아주 심함. ——-하다 형여불. ——-히 부

태관【兌管】명 색대.

태-괘[1]【兌卦】명〖민〗①팔 괘의 하나. 상형(象形)은 '☱'인데, 못을 상징함. ②육십사 괘의 하나. 못 아래에 못이 거듭됨을 상징함. 준태(兌).

태-괘[2]【泰卦】명〖민〗육십사 괘의 하나. 곤괘(坤卦)와 건괘(乾卦)가 거듭된 것인데, 하늘과 땅이 사귐을 상징함. 준태(泰).

태괴【台槐】명 삼태(三台)와 삼괴(三槐). 곧, 삼공(三公).

태교【胎敎】명 아기를 밴 여자가 말이나 행동을 삼가서 밴 아이에게 저절로 좋은 감화를 주는 일. 태육(胎育). 태화(胎化).

태-구련【太九連】명〖사람〗조선 시대에 칼을 잘 치기로 유명한 사람. 임진 왜란 때 언복(彦福)과 함께 이순신(李舜臣)과 그의 조방장(助防將) 박종남(朴宗南) 등의 환도(環刀)를 만들었는데, 이순신 장군의 장검(長劍) 두 자루는 지금 충남 아산군(牙山郡) 현충사(顯忠祠)에 전하여 있음.

태국【泰國】명〖지〗타일란드(Thailand)의 한자 표기(漢字表記). 준태「(泰).

태권【跆拳】[—꿘] 명 우리 나라 고유의 호신 무술(護身武術)의 하나. 맨손·맨주먹으로 치고 발로 차고 함. 신라 때 화랑들의 심신 수련과 화랑 정신을 배양하는 방법의 일환으로 사용하던 데에 그 유래를 둠. 태권도(跆拳道).

태권-도【跆拳道】[—꿘—] 명 호신 무술로서의 태권(跆拳).

태그 [tag] 명 ①끈·실 등으로 매단 표찰. 꼬리표·정가표 등. ②프로레슬링 등에서, 선수의 2인조. ¶ ~팀/~ 매치.

태그 매치 [tag match] 명 프로 레슬링에서, 두 사람씩 편을 짜서 하는 시합 형식의 하나.

태그-시스템 [tag-system] 명 상품 관리 방법의 하나. 정가표에 기입된 사항을 분류 집계(分類集計)함으로써 상품에 관한 정보를 수집함.

태극【太極】명〖철〗우주 만물이 생긴 근원이라고 보는 본체(本體). 하늘과 땅이 아직 나뉘기 전의 세상 만물의 원시(元始)의 상태. 역학(易學)에서 시작하여 송(宋)나라 때에 대성한 철학 사상임.

태극-권【太極拳】명 중국 권법의 하나. 호흡을 조절하며, 원을 그리듯 완만하게 온몸을 움직이는 것이 특징임. 그 기원은 멀리 송(宋)나라 시대까지 거슬러 올라가나, 현대에 와서는 무술이라기보다는 심신(心身) 단련을 위한 건강법으로 성행함. 진식(陳式)·양식(楊式)·오식(吳式)·손식(孫式)·종합(綜合) 태극권의 오대(五大) 유파가 있음.

태극-기【太極旗】명 대한 민국의 국기. 흰 바탕의 한 가운데 태극을 양(陽)은 진홍 빛, 음(陰)은 푸른 빛으로 하고 괘는 사방 대각선상에 검은 빛으로 함. 사괘(四卦)의 위치는 기면을 향해서 건(乾)을 왼편 위로, 곤(坤)을 오른편 아래, 감(坎)을 오른편 위, 이(離)를 왼편 아래로 함. 기봉(旗峰)은 무궁화 봉오리로 하되 하반부에 꽃받침을 뚜렷이 표시하며 전체를 금색으로 함. 조선 고종(高宗) 19년(1882)에 일본에 수신사(修信使)로 간 박영효(朴泳孝)가 처음 사용하고, 고종 20년(1883)에 정식으로 국기로 채택, 공포되었음. 1949년 문교부 고시(告示)로서 현재의 제식(制式)으로 결정됨.

〈태극기〉

태극-나방【太極—】명〖충〗[*Speiredonia japonica*] 밤나방과에 속하는 곤충. 편 날개 길이 50-60 mm로, 몸빛은 회암갈색인데, 머리·목·가슴의 배면은 암갈색, 복면(腹面)과 날개 뒷면은 적색을 띠고, 앞뒤 날개 무늬는 암갈색임. 앞날개에는 뚜렷한 태극 무늬가 있음. 유충은 자귀나무의 잎을 먹으며, 5-6월과 7-8월에 두 번 출현함. 한국·중국·일본에 분포함. *왕(王)태극나방.

〈태극나방〉

태극 도설【太極圖說】명〖책〗중국 북송(北宋)의 학자 주돈이(周敦頤)가 지은 책. 무극(無極)인 태극에서부터 음양·오행(五行)과 만물이 생성하는 발전 과정을 도해하여 태극도를 만들고, 이것에 설명을 가하였음. 1권.

태극 마:크【太極—】[mark] 명 ①태극문(紋)을 도안화한 마크. ¶ ~도 선명한 한국형 미사일. ② 중소 기업청(中小企業廳)의 인가 단체인 한국 귀금속 감정(貴金屬鑑定) 센터가 X레이선 감정기로 귀금속을 감정하여 합격한 귀금속의 품질을 보증하여 부여하는 마크. 정육각형 바탕에 태극 무늬가 박혀 있음.

태극 무:공 훈장【太極武功勳章】명〖법〗제1등급의 무공 훈장. 수(綬)는 대수(大綬)이며 적색임. *무공 훈장·을지 무공 훈장.

태극-부채【太極—】명 태극선.

태극-선【太極扇】명 태극 모양을 그린 둥근 부채. 태극 부채. 까치선.

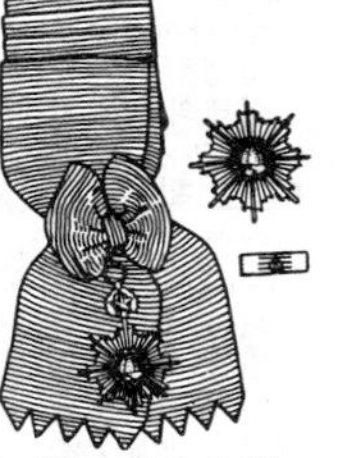
〈태극 무공 훈장〉

태극-장【太極章】명〖역〗구한말 광무(光武) 4년(1900)에 제정한 훈장의 한 가지. 1등으로부터 8등까지 있는데, 문무관(文武官)의 훈공(勳功)이 있는 자에게 주었음.

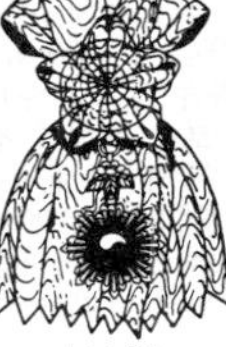
(훈1등) (훈2등) (훈3등) (훈4등) (훈5,6등) (훈7,8등)
〈태극장〉

태금[1] 명 〈방〉 튀김[2].

태금[2]【汰金】명〖광〗감흙의 황금을 물에 일음. ——-하다 자여불

태금[3]【胎禽】명〖조〗두루「미.

태금 주다 타 〈방〉 튀김 주다.

태급【太急】명 썩 급함. ——-하다 형여불. ——-히 부

태:기[1] 명 〈방〉 태[1].

태기[2] 명 ☞태질.

태기(를) 치다 구 ☞태질 치다.

태기[3]【胎氣】명 아이 밴 기미. ¶ ~가 있다.

태:기-망태 명 〈심마니〉 산삼을 넣는 망태기.

태기-산【泰岐山】명〖지〗강원도 평창군(平昌郡) 봉평면(蓬坪面)과 횡성군(橫城郡) 둔내면(屯內面) 사이에 있는 산. [1,261 m]

태:-깔【態—】명 ①태와 빛깔. ②교만한 태도.

태:깔(이) 나다 구 맵시있는 태도가 보이다.

태:깔-스럽다【態—】형ㅂ불 교만(驕慢)한 태도가 있다. 태:깔-스레【態—】부

태깔-하다 형 〈방〉 타끈하다.

태깽이 명 〈방〉 토끼(전남).

태껸 명 유연한 동작으로 손질·발질을 순간적으로 우쭉거려, 튀기는 탄력을 써서 상대를 제압하고 자신을 방어하는 한국 전통 무술. 중요 무형 문화재 제 76 호.

태끈-스럽다 형 〈방〉 타끈스럽다.

태끼 명 〈방〉 토끼(전남).

태-낀 명 〈방〉 탯줄(평북).

태:-나다 자 ↗태어나다.

태납【怠納】명 태만하여 조세를 납부하지 않음. ——-하다 타 여불

태낭【胎囊】명〖동〗포유류(哺乳類)의 태아가 쓰고 있는 주머니 모양의 기관. 또, 조류(鳥類)나 파충류(爬蟲類)의 알 껍데기 안에 있는 배(胚).

태내【胎內】명 어머니의 뱃속. 태중(胎中).

태내-불【胎內佛】명〖불교〗큰 불상(佛像)의 뱃속에 넣은 작은 불상. 화불(畫佛)·경권(經卷) 등도 넣음.

태내 오:위【胎內五位】명〖불교〗태아가 태내(胎內)에 있는 기간을 다섯으로 나눈 것. 수태(受胎)한 날로부터 첫 7 일간을 갈라람(羯邏藍), 둘째 7 일간을 알부담(頞部曇), 셋째 7 일간을 폐시(閉尸), 넷째 7 일간을 건남(健南), 그리고 나머지의 기간을 발라사카(鉢羅奢佉)라고 하는 다섯 기간. ＊태외(胎外) 오위.

태농【怠農】명 농사일을 태만하게 함. 나농(懶農). ——-하다 자 여불

태-눈【胎—】명〖식〗태아(胎芽).

태다[1]【太多】명 썩 많음. ——-하다 형 여불

태:다[2] 타 ↗태우다[1-8].

태다-수【太多數】명 썩 많은 수효.

태단【胎丹】명〖한의〗태중(胎中)에서 받은 단독(丹毒).

태-대각간【太大角干】명〖역〗신라의 대각간(大角干)의 위에 있는 위계(位階). 나라에 큰 공로가 있는 사람을 예우(禮遇)하기 위하여 베풀었는데, 일찌기 김 유신에게 준 일이 있음. 태대서발한(太大舒發翰).

태-대대로【太大對盧】명〖역〗고구려의 대관(大官). 대대로(大對盧)를 한 계단 올려서 정한 벼슬 이름.

태-대막리지【太大莫離支】[—니—] 명〖역〗고구려 후기(後期)의 대관(大官). 대막리지(大莫離支)를 한 계단 올려서 정한 벼슬 이름.

태-대사자【太大使者】명〖역〗고구려 후기 직제의 삼품쯤 되는 벼슬. 직책은 태대형(太大兄)과 같음. 알사(謁奢). 우태수 사자(優台水使者). 대부 사자(大夫使者).

태-대서발한【太大舒發翰】명〖역〗태대각간(太大角干).

태-대형【太大兄】명〖역〗고구려 후기 직제(職制)의 이품쯤 되는 벼슬. 대대로(大對盧)의 다음. 국가의 기밀과 개법(改法)·징발(徵發)·관작(官爵) 수여 등을 맡음. 막하하라지(莫何何羅支).

태도[1] 명 〈방〉 콩팥❷(제주).

태-도[2]【苔島】명〖지〗경상 남도의 남해상, 통영시(統營市) 산양읍(山陽邑)에 위치한 무인도(無人島). [0.100 km²]

태:도[3]【態度】명 ①속의 뜻이 드러나 보이는 겉모양. ¶심상한 ~. ②몸을 가지는 모양. 스타일(style). 몸가짐. ¶의젓한 ~/생활 ~. ③〖심〗일정한 안정도(安定度)를 가지고, 어느 정도 지속하여 그것에 의해서 미래의 경험이 정해지는 어떤 심적(心的) 경향. 또, 어떤 활동의 준비가 될 심적 상황.

태:도 척도【態度尺度】명 심리 검사를 위한 척도. 정의적(情意的)인 반응을 플러스에서 마이너스에 걸쳐, 단계로 나누어 구분함.

태독【胎毒】명〖의〗젖먹이의 머리나 얼굴 같은 곳에 생기는 여러 가지의 피부병. 아주 적은 수의 선천성 매독(梅毒)을 제외하고는 지루성 습진(脂漏性濕疹)·급성 습진 등과 같은 체질이나 세균 때문에 생기는 것이 많음.

태동[1]【胎動】명 ①〖생〗모태 안에서 태아가 행하는 운동. 주로 손발을 움직임. 보통, 임신 5개월경으로부터 느끼게 됨. ②〖한의〗동태(動胎). ③무슨 일이 생기려는 기운이 싹틈. ¶보수(保守) 합동의 기운이 ~하다. ——-하다 자 여불

태동[2]【泰東】명 '동양'을 예스럽게 이르는 말.

태두[1]【太豆】명 소의 콩팥을 식용(食用)으로 일컫는 군두목말.

태두[2]【泰斗】명 ↗태산 북두(泰山北斗). ¶물리학의 ~.

태둔【笞臀】명〖역〗형벌로서 볼기를 침. ——-하다 자 여불

태란【胎卵】명〖생〗태생(胎生)과 난생(卵生).

태-란-습-화【胎卵濕化】명〖불교〗태생·난생·습생·화생(化生)의 사생(四生)을 이름. 태는 모태에서 태어나는 사람이나 짐승, 난은 알에서 태어 나는 조류, 습은 습기에서 생기는 벌레류, 화는 그것의 업에 의해 생기는 하늘이나 지옥의 생물.

태람[1]【太濫】명 너무 한도에 지나침. ——-하다 형 여불

태람[2]【台覽】명 아경(亞卿) 이상의 벼슬아치나 높은 사람에게 글이나 그림 같은 것을 보낼 때 살피어 보라는 뜻으로 높여 쓰는 말. ——-하다 타 여불

태래-어【泰來魚】명〖어〗[*Tilapia mossambica*] 키클리과에 속하는 민물고기. 1955년에 태국(泰國)에서 이식(移植)한 열대성어로 몸은 대개가 긴 타원형이고 빗비늘로 덮임. 남아프리카 전역(全域)·인도네시아·수마트라·말레이·미얀마·필리핀·서인도·대만 등의 하천이나 저수지에 분포함. 1년에 여러 번 산란하여 번식률이 높음.

태런티즘 [tarantism] 명 15-17세기경 남부 이탈리아에 유행된, 독거미의 일종인 타란툴라(tarantula)에게 물려서 일어난다고 하는 무도광(舞蹈狂).

태령【太嶺·泰嶺】명 험하고 높은 재.

태뢰【太牢】명〖역〗대뢰(大牢). ↔소뢰(小牢).

태루【胎漏】명〖의〗잉태 중에 자궁에서 피가 나는 병.

태-류【苔類】명〖식〗[Hepatosida] 선태(蘚苔) 식물에 속하는 한 강(綱). 엽록소가 있어 탄소 동화 작용을 함. 몸은 편평하며, 잎과 줄기의 구별이 없고, 아래쪽에 털 같은 단세포(單細胞)의 헛뿌리가 있음. 번식은 선류(蘚類)와 같은데, 다만 배우체(配偶體)의 배상체(杯狀體)에서 생성되는 무성아(無性芽)로도 하는 것이 다름. 뜰·우물 등 축축한 곳에 나는데, 우산이끼 등이 이에 속함. ↔ 선류(蘚類).

태-릉【泰陵】명〖지〗①고려 성종(成宗)의 생부(生父) 욱(旭)의 능. 성종 원년에 생부를 대종(戴宗)이라 추존(追尊)하고 봉릉(封陵)하였음. 소재는 미상(未詳). ②조선 중종의 계비 문정(文定) 왕후 윤씨(尹氏)의 능. 서울 특별시 노원구 공릉 2동에 있음.

태릉 선:수촌【泰陵選手村】명 1966 년 6 월에 체육계 일선 지도자 및 국가 대표 선수의 강화 훈련을 위해 대한 체육회가 설립한 종합 선수 합숙 훈련장. 서울 특별시 노원구 공릉동에 소재함.

태림【台臨】명 지체가 높은 어른이 출타함. ——-하다 자 여불

태마【駄馬】명 ①짐말. ②좋지 않은 말. ¶비루 먹은 ~.

태-마노【苔瑪瑙】명 이끼와 같은 무늬가 있는 마노.

태막【胎膜】명〖동〗태아를 싸서 보호하고 호흡·영양 작용을 맡은 막상(膜狀) 기관의 양막(羊膜)·장막(漿膜)·요막(尿膜) 등의 총칭. 파충류(爬蟲類)·조류(鳥類)·포유류(哺乳類)에 있음. 태아막.

〈태막〉

태만【怠慢】명 게으르고 느림. 태홀(怠忽). 해완(解緩). ¶직무(職務) ~. ——-하다 자타 여불. ——-히 부

태맥【胎脈】명 아이를 밴 여자의 맥.

태머니 홀: [Tammany Hall] 명 1800년경부터 1930년대까지 뉴욕 시정(市政)을 지배한 보스 기구(boss機構). 1789년에 창립한 태머니 협회의 본부로, 동 협회는 무산자의 선거권 획득 운동을 무기로 민주당과 결탁, 그 하부 조직이 되어 하층 대중을 조직적으로 움직여, 태머니 홀은 보스 정치와 독직(瀆職)의 대명사가 되었음.

태-먹다 자 질그릇이나 놋그릇에 금이 나다. 태가다.

태명【台命】명 삼공(三公)의 명령. 또, 높은 사람의 명령.

태모【胎母】명 잉부(孕婦).

태-모시 명 물에 불린 모시풀의 대에서 벗겨 낸 껍질에서 겉껍질을 훑어내고 남은 하얀 속껍질. 이것을 다시 물에 적셨다가 한 올씩 쪼개어 실을 삼음.

태몽【胎夢】명 아기를 밸 징조의 꿈.

태묘【太廟】명 종묘(宗廟).

태무【殆無】명 거의 없음. ¶성과가 ~하다. ——-하다 형 여불

태-무심【太無心】명 아주 무심함. ——-하다 자 여불

태무-제【太武帝】명〖사람〗중국 북위(北魏)의 제3대 제왕. 성은 탁발(拓跋), 이름은 도(燾). 송문제(宋文帝) 때 유연(柔然)을 무찌르고, 하(夏)의 영토를 합병하였으며, 북량(北涼)을 정벌함. 총명하고 결단성이 있었으며 청렴(淸廉) 검소(儉素)함. 사졸(士卒)들과 고락을 같이하고 형벌을 엄히했는데, 환관(宦官)에게 죽음. 444 년부터 3개년에 걸친 불교 금압(佛教禁壓)은 태무(太武)의 배불 훼석(排佛毁釋)이라 하여 불교 사상(史上) 4대 법난(法難)의 첫째로 꼽힘. 묘호(廟號)는 세조(世祖). [408-452; 재위 424-452]

태묵【台墨】명 남의 편지에 대한 경칭.

태문【苔紋】명 이끼의 모양으로 된 무늬.

태미 의명 〈방〉 뎀.

태반[1]【太半】명 절반이 지남. 보통, 3분의 2 이상을 가리킴. 대반(大半).

태반[2]【汰盤】명〖광〗미세한 광물이나 진흙에 섞인 광석을 물과 함께 경사진 곳을 흐르게 하여 도태·선별(選別)하는 기계.

태반[3]【殆半】명 거의 절반. ¶일의 ~은 끝났다.

태반[4]【胎盤】명〖생〗포유 동물이 임신하였을 때, 모체의 자궁 내벽(內壁)과 태아 사이에 있어서 영양 공급·호흡·배설 등의 작용을 하는 원반 모양의 기관. 태아를 싼 막이 변형한 태아 태반과 자궁막에서 발달한 자궁 태반으로 이루어지는데 태아와는 탯줄로 연락되어 있음. ＊태아(胎兒).

〈태반[4]〉

태반 감:염【胎盤感染】명〖의〗모체의 혈행(血行) 속으로 이행(移行)한 병원균이나 바이러스가 자궁 동맥의 분지(分枝)를 거쳐 태반으로 들어와 거기에 일정한 병적 변화를 일으킨 다음, 제정맥(臍靜脈)을 통하여 태아의 혈행 속으로 이행함으로써 감염시키는 현상. 선천 매독 같은 경우.

태반 조기 박리【胎盤早期剝離】[—니] 명〖의〗태아가 출산하기 전에 태반이 자궁벽에서 떨어져 나오는 일.

태발[1]【胎髮】명 갓난아이의 날 때부터 있는 머리털. 산모(產毛). 배냇머리.

태발[2]【苔髮】명 태수(苔鬚).

태방【兌方】명〖민〗팔방(八方)의 하나. 정서(正西)를 중심으로 한 45° 각도 안의 방위. 준태(兌).

태배【鮐背】명 늙은이를 가리키는 말. 노인은 등의 살가죽이 여위고 거칠어서 복생선의 껍질과 같은 까닭으로 이르는 말.

태백[1]【太白】명 ①〖천〗↗태백성(太白星). ②〖사람〗시인 이백(李白)의 자(字).

태백[2]【太白】명〖지〗강원도의 한 시(市). 1981년에, 장성읍(長省邑)과 황지읍(黃池邑)이 합쳐져 시(市)로 됨. 우리 나라 제일의 무연탄(無煙

炭)의 탄전(炭田) 지대로서 태백선(太白線) 철도의 역이 있음. [64,820명(1996)]

태백 고원【太白高原】 명 〖지〗 태백 산맥 중, 강원도 태백산(1,567 m)을 중심으로 한 고원. 대체로 900 m 안팎의 높이에 구릉과 완만한 경사가 이어짐.

태백-산【太白山】 명 〖지〗 ①경상 북도 봉화군(奉化郡) 소천면(小川面)과 강원도 태백시(太白市) 상장동(上長洞) 사이에 있는 산. 태백 산맥의 주봉(主峰)으로 한국 제7위의 고산임. [1,567 m] ②백두산(白頭山)의 옛이름.

태백 산맥【太白山脈】 명 〖지〗 추가령 지구대(楸哥嶺地溝帶)로부터 강원도·경상 남북도의 동부를 남북으로 달리는 한국 최대의 산맥. 산맥 중에는 금강산·태백산·오대산·설악산 등이 있으며, 광주 산맥·차령 산맥·소백 산맥 등이 갈라져 나감. 태고대(太古代)·고생대(古生代)의 편마암(片麻岩)·화강암으로 구성되었는데, 산맥 서부에 비하여 동부의 경사가 급함. 평균 고도 1,000 m, 길이 600 km 가량임.

태백-선【太白線】 명 〖지〗 충청 북도 제천(堤川)에서 영월(寧越)·예미(禮美)·증산(曾山)·고한(古汗)을 거쳐 백산(栢山)에 이르는 철도. 제천에서 영월까지는 1955년 12월 30일에 준공, 그 후 연장하여 1973년 10월 16일에 백산(栢山)까지 완전 개통을 보게 됨. [107.4 km]

태백-성【太白星】 명 〖천〗 저녁 때 서쪽 하늘에 뵈는 '금성(金星)'. 개밥바라기. 장경성(長庚星). 장경(長庚). ㊎태백(太白).

태백-제비꽃【太白—】 명 〖식〗 [*Viola albida*] 제비꽃과에 속하는 다년초. 뿌리는 여러 줄기로 갈라졌으며 무경성(無莖性)임. 잎은 뿌리로부터 총생하고 장병(長柄)이며, 다소 삼각상(三角狀)의 달걀꼴임. 4-5월에 백색 꽃이 잎 사이로부터 나온 긴 꽃줄기 끝에 핌. 과실은 삭과(蒴果). 산지에 나는데, 한국 중부 이남에 분포함.

태벌【笞罰】 명 〖역〗 태장(笞杖)으로 볼기를 치는 형벌(刑罰). ——-하다 자여불

「똥. 배내똥. 소아 태변. 산분(產糞).

태변【胎便】 명 〖생〗 출생 후 먹은 것 없이 처음으로 누는 갓난 아이의

태변성 장폐색증【胎便性腸閉塞症】[—썽—] 명 [라 meconium ileus] 〖의〗 트립신 결핍에 의한 낭포성 섬유증(囊胞性纖維症)을 수반하는 신생아(新生兒)의 장폐색증.

태병【苔餠】 명 떠서 말린 파래. 태포(苔脯).

태보1【太保】 명 〖역〗 ①고려 삼사(三師)의 하나. 정일품. ②고려 때 동궁(東宮)의 종일품 벼슬. 대보(大保).

태보2【太保】 명 〖역〗 조선 시대에, 포목(布木) 대신 콩으로 받아들이던 보포(保布). ＊미보(米保)·속보(粟保).

태보3【台輔】 명 삼공(三公)·재상(宰相)의 칭. 태필(台弼).

태보4【胎褓】 명 〖생〗 삼1.

태복【太僕】 명 〖역〗 사복시(司僕寺)❷.

태복-감【太卜監】 명 〖역〗 고려 초기에 천문(天文)을 맡은 관아. 현종(顯宗) 14년(1023)에 사천대(司天臺)로 고쳤음.

태복-사【太僕司】 명 〖역〗 조선 시대에 임금의 거마(車馬)와 조마(調馬) 같은 것을 맡은 관아. 고종(高宗) 32년(1895)에 사복시(司僕寺)를 폐하고 설치하여 융희(隆熙) 원년(1907)에 주마과(主馬課)로 고침.

태복-시【太僕寺】 명 〖역〗 고려 때 궁중의 승여(乘輿)·마필(馬匹)·목장(牧場)을 맡은 관아. 충렬왕(忠烈王) 34년(1308)에 사복시(司僕寺)로 공민왕(恭愍王) 5년(1356)에 다시 본이름으로, 11년에 다시 사복시로, 18년에 또 본이름으로, 21년에 다시 사복시로 고쳤음. 대복시(大僕寺). ＊사복시(司僕寺).

「자여불

태봉1【胎封】 명 〖역〗 궁가(宮家)의 태(胎)를 묻음. 또, 그 곳. ——-하다

태봉2【胎峰】 명 〖역〗 경상 북도 성주군(星州郡) 월항면(月恒面) 인촌리(仁村里) 서진산(棲鎭山)의 선석사(禪石寺) 앞에 있는 산봉우리. 조선 왕조의 13 위(位)의 왕족의 태(胎)를 묻음.

태봉3【泰封】 명 〖역〗 궁예(弓裔)가 901 년에 송악(松嶽)에 세운 나라. 904 년에 국호를 마진(摩震), 연호를 무태(武泰)라 했다가, 이듬해에 성책(聖冊)이라 개원(改元), 철원(鐵圓)으로 천도(遷都)했으며, 그 뒤 국호를 태봉이라 고치고 수덕만세(水德萬歲)로 또 개원했음. 918 년 고려 태조 왕건(王建)에게 망함. 태봉국.

태봉-국【泰封國】 명 〖역〗 태봉3.

태부【太傅】 명 〖역〗 ①고려 삼사(三師)의 하나. 정일품. ②고려 때 동궁(東宮)의 종일품 벼슬. 대부(大傅).

태-부족【太不足】 명 많이 모자람. ¶일손이 ~이다. ——-하다 형여불

태브 [tab] 명 ①주로 장식을 목적으로 의복 따위에 붙이는 드림. 신사복의 소맷부리나 포켓·와이셔츠 등에서도 볼 수 있는 작은 띠 모양의 장식용 천 따위를 이름. ②↗트림 탭(trim tab).

태블러처 [tablature] 명 〖악〗 옛 기보법(記譜法)의 한 가지. 5선(線) 악보(樂譜)가 아니고 문자나 부호로 악기 연주 부분을 나타낸 악보.

태블릿 [tablet] 명 ①표찰(標札). 편액(扁額). 패(牌). ②편전지(便箋紙)의 한 권. ③〖약〗 알약. 정제(錠劑). 타블로이드(tabloid). ④단선 궤도(單線軌道)에서 열차가 다음 역까지 진행(進行)할 수 있다는 증거로 발차역(發車驛)의 역장(驛長)이 기관수에게 교부하는 증표(證標). 패찰(牌札). 통표(通票).

태비【苔碑】 명 이끼가 낀 비석.

태사1【太史】 명 〖역〗 옛날 중국에서 기록을 맡아 보던 관리. 사관(史官).

태사2【太社】 명 〖역〗 조선 시대 때, 임금이 백성을 위하여 후토(后土)를 제사 지내던 곳. 대사(大社).

태사3【太姒】 명 〖사람〗 중국 주(周)나라 문왕(文王)의 비(妃). 무왕(武王)의 어머니. 현부인으로서 명성이 높았음. 호(號)는 문모(文母).

태사4【太師】 명 〖역〗 ①고려 삼사(三師)의 하나. 정일품. ②고려 때 동궁(東宮)의 종일품 벼슬. 대사(大師).

태사5【太奢】 명 〖역〗 고구려 후기 직제(後期職制)의 사품쯤 되는 벼슬 이름. 후위서(後魏書)와 한원(翰苑)에 보임.

태사6【台司】 명 〖역〗 삼공(三公).

태사7【汰沙】 명 물에 일어서 좋고 나쁜 것을 갈라 놓음. 도태(淘汰). ——-하다 타여불

태사-공【太史公】 명 ①〖역〗 '태사(太史)'를 높여 부르는 말. ②〖사람〗 '사마천(司馬遷)'의 자칭(自稱).

태사-국【太史局】 명 〖역〗 고려 때 천문(天文)·역수(曆數)·측후(測候)·각루(刻漏) 등의 일을 맡은 관아. 충렬왕(忠烈王) 34년(1308)에 사천감(司天監)을 합하여 서운관(書雲觀)으로 함.

태사-기【太絲期】 명 [pachytene] 〖생〗 환원 분열(還元分裂) 전기(前期)의 제3기. 쌍으로 된 염색체가 두껍게 되고, 각 염색체는 염색 분체(分體)로 나뉘며, 상동 염색체(相同染色體) 사이에서 절단·교차함.

태사-령【太史令】 명 〖역〗 고려 때 태사국(太史局)의 종오품 벼슬.

태사-신【太史—】 명 〖역〗 상류 계급 남자의 마른신의 한 가지. 울을 비단 헝겊이나 가죽으로 하고, 코와 뒤에 흰 선문(線紋)을 새기어 놓았음. 신창에는 푸른 안가죽을 댐. 태사혜(太史鞋).

〈태사신〉

태사-혜【太史鞋】 명 〖역〗 태사신.

태사훈【台司訓】 명 〖역〗 고려 국초(國初)에 태봉(泰封)의 관제를 본떠서 정한 관등의 셋째 위계(位階). 중부(重副)의 다음.

태-산1【泰山】 명 〖지〗 '타이산'을 우리 음으로 읽은 이름.

태산2【泰山】 명 ①높고 큰 산. 교악(喬嶽). ¶~이 높다 한들. ②크고 많음을 가리키는 말. ¶할 일이 ~ 같다.

[태산 명동(鳴動)에 서일필(鼠一匹)] 무엇을 크게 떠벌리기만 하고 실제의 결과는 작은 것의 비유. [태산을 넘으면 평지를 본다] 고생을 하게 되면 그 다음에는 즐거움이 온다는 말.

태산-봉【泰山峰】 명 〖지〗 황해도 장연군(長淵郡) 해안면(海安面) 서쪽 끝, 장산곶(長山串) 동쪽에 있는 산. [380 m]

태산 부:군【泰山府君】 명 중국 태산(泰山)의 산신(山神). 사람의 수명(壽命)과 복록(福祿)을 맡는다고 하여 도가(道家)에서 모심. 동악 대제(東嶽大帝).

태산 북두【泰山北斗】 명 ①태산(泰山)과 북두성(北斗星). ②세상 사람으로부터 가장 존경(尊敬)을 받는 사람의 비유. ㊎산두(山斗)·태두(泰斗).

태산 압란【泰山壓卵】[—난] 명 큰 산이 알을 누른다는 뜻으로, 큰 위엄으로 여지없이 누르는 것의 비유.

태산 준:령【泰山峻嶺】[—줄—] 명 큰 산과 험한 고개.

태상1【太上】 명 ①가장 뛰어난 것. 극상(極上). ②천자(天子).

태상2【太常】 명 〖역〗 봉상시(奉常寺).

태상3【胎上】 명 태중(胎中).

태상 감:응편【太上感應篇】 명 〖책〗 중국 남송(南宋) 초기의 이창룡(李昌龍)이 지은 가장 유명한 권선서(勸善書). 1,277 자(字)로 된 작은 책인데, 태상 노군(太上老君)의 말씀으로 되어 있으며, 신은 악행(惡行)의 수로 사람을 조사(早死)하게 하므로, 오래 살려면 적선(積善)을 많이 하여야 한다고 설명하고 있음.

태상-경【太常卿】 명 〖역〗 고려 때, 태상부의 으뜸 벼슬.

태상 노:군【太上老君】 명 〖사람〗 '노자(老子)'의 존칭.

태상-부【太常府】 명 〖역〗 고려 때 제사(祭祀)·증시(贈諡)를 맡은 관아. 충렬왕(忠烈王) 24년(1298)에 봉상시(奉常寺)로 고침. 대상부(大常府). ＊전의시(典儀寺).

태상-시【太常寺】 명 〖역〗 고려 공민왕(恭愍王) 5년(1356)과 동 18년에 전의시(典儀寺)의 고친 이름. 대상시(大常寺).

태-상왕【太上王】 명 〖역〗 선위(禪位)하여 생존한 왕을 높이 이르는 말. 태왕(太王). ㊎상왕(上王).

태-상절【兌上絶】 명 〖민〗 태괘(兌卦)❶의 상형(象形)인 '☱'의 일컬음.

태-상황【太上皇】 명 〖역〗 선위(禪位)하여 생존한 황제를 높여 이르는 말. 태황제(太皇帝). ㊎상황(上皇). ＊금황제(今皇帝).

태생【胎生】 명 ①어떠한 땅에 태어남. ¶서울 ~. ②[viviparity] 〖생〗 어미 뱃속에서 양분을 받아 어느 정도의 발달을 한 후에 생기어 남. 단공류(單孔類)를 제외한 포유(哺乳) 동물에서만 볼 수 있음. ↔난생(卵生). ＊난태생(卵胎生).

태생 과:실【胎生果實】 명 〖식〗 홍수(紅樹)의 열매와 같이 배(胚)가 발육하여 긴 뿌리를 드리운 후에 모체(母體)에서 탈락하는 열매.

태생-기【胎生期】 명 〖생〗 태생하는 시기.

태생 동:물【胎生動物】 명 〖동〗 태생하는 동물. 곧, 단공류(單孔類)를 제외한 모든 포유 동물(哺乳動物). ↔난생(卵生) 동물.

태생 식물【胎生植物】 명 〖식〗 태생하는 식물. 종자가 결실 후에도 한동안 모체내에 머물러 거기서 종자가 발아하여 어린 식물이 됨. 맹그로브류(mangrove 類)에서 볼 수 있음. ＊태생 종자(種子).

태생-어【胎生魚】 명 모어(母魚)의 수란관(輸卵管)의 불룩한 부분에서 유어(幼魚)가 발육하여 어느 정도 성장한 뒤에 태어나는 어류의 총칭. 노랑가오리·망성어·감성돔·별상어·볼락 따위.

태생 종자【胎生種子】 명 [viviparous seed] 〖생〗 모체에 달린 채로 발아(發芽)하는 종자. 홍수(紅樹) 등 맹그로브류(mangrove 類)의 종자에서 볼 수 있음. ＊태생 식물.

「일컫는 말.

태생-지【胎生地】 명 태어난 땅.

태생-학【胎生學】 명 [embryology] 〖생〗 '발생학(發生學)'을 의학에서

태서【泰西】 명 서양(西洋). ¶~ 각국.

태서 문명【泰西文明】 명 서양의 문명.

태서 문예 신보【泰西文藝新報】명〖책〗1918년에 발간된 우리나라 최초의 순(純) 한글 문예 주간지(週刊紙). 장두철(張斗徹)이 주재(主宰). 주로 외국의 문예 사조와 작품을 번역·소개하였으며 김억(金億)이 많은 활동을 하였음.

태석【苔石】명 이끼 낀 돌. 이끼로 덮인 돌.

태선[1]【苔蘚】명〖식〗이끼.

태선[2]【苔癬】명〖의〗실질성 구진(丘疹)으로서 수포(水疱) 또는 농포(膿疱)로 변화하지 않은 만성(慢性)의 피부병. 위장 장애·내분비 장애(內分泌障礙) 등으로 말미암아 처음에는 주로 목 부분의 피부에 국한성 가려움이 생기는데, 이것을 긁으면 환부(患部)의 피부가 두껍게 되어 피부 표면이 각질의 조각이 되어 떨어지고 주위에 편평한 작은 구진(丘疹)이 점점이 나타나서 퍼짐.

태선-문【太線文】명〖고고학〗굵은금무늬.

태선충-류【苔蘚蟲類】[—뉴] 명〖동〗외항류(外肛類). 태충류(苔蟲類).

태성[1] 명 이마가 흰 망아지.

태성[2]【台星】명 별이름. 자미성(紫微星) 가까이 있는 상태(上台)·중태(中台)·하태(下台)의 세 별을 이름. 천자(天子)를 상징하는 자미궁(宮)을 지킨다고 하며 삼공(三公)에 비유됨.

태세[1]【太歲】명 ①그 해의 간지(干支). ②〖천〗목성(木星).

태세[2]【胎勢】명〖생〗자궁내에서의 태아의 자세. 정상(正常) 태세와 반굴(反屈) 태세의 두 가지가 있음.

태세[3]【態勢】명 상태와 형세. ¶전투 ~를 갖추다.

태세-신【太歲神】명〖민〗음양가(陰陽家)에서 모시는 여덟 장신(將神)의 하나. 목성(木星)에게 붙인 이름. 해마다 간지(干支)의 방향으로 운행하는데, 이 신의 방향으로 향하여 길사(吉事)를 행하면 복을 받는다 함. 나무 베는 것을 꺼림.

태소[1]【太昭】명〖지〗'타이자오'를 우리 음으로 읽은 이름.

태소[2]【太素】명 천지 개벽(天地開闢) 이전(以前)의 혼돈(混沌)하던 때. 시원(始源).

태속【笞贖】명〖역〗볼기 맞는 형벌 대신으로 바치던 돈.

태손【太孫】명〖역〗↗황태손(皇太孫).

태손-궁【太孫宮】명〖역〗① '황태손(皇太孫)'의 존칭. ②황태손의 궁전.

태수[1]【太守】명〖역〗①신라 때의 각 고을의 으뜸 벼슬. 위계(位階)는 중아찬(重阿飡)에서 사지(舍知)까지. ②지방관(地方官)❷. ③중국 고대의 군(郡)의 장관. 한대(漢代)에 창설, 뒤에 주제(州制)의 시행에 따라 자사(刺史)로 개칭. 송대(宋代) 이후는 지사(知事)의 아칭(雅稱)이 되었음.

태수[2]【苔鬚】명 수염(鬚髥)처럼 길게 자란 이끼. 드리워져 있는 이끼. 태발(苔髮).

태시[1]【太始】명 ①천지(天地)가 비롯된 무렵. 만물이 시작된 때. 태초(太初) ②만물의 밑뿌리. 근본.

태시[2]【胎屎】명 ↗배내똥❶.

태식[1]【太息】명 한숨❸.

태식[2]【胎息】명 ↗태식법(胎息法).

태식-법【胎息法】명 마음을 가다듬고 정좌(靜坐)하여 호흡을 조절하고 정신을 통일시키는 양생법(養生法). 준태식(胎息). ——-하다 자여불

태실【胎室】명〖역〗궁가(宮家)의 태(胎)를 묻은 석실(石室). 안태소(安胎所).

태심【太甚】명 너무 심함. ——-하다 형여불

태아[1]【太阿】명 중국 고대의 보검(寶劍)의 이름.

태아[2]【胎兒】명 ①〔foetus〕〖생〗모체 안에서 자라고 있는 유체(幼體). 척추 동물에 쓰이는 말. 사람의 경우는 수태하여 2개월이 지난 후 인체의 모양이 분명히 된 것을 이름. ②〖법〗태내(胎內)에 있는 아이. 민법상 원칙적으로 권리 능력을 향유(享有)하지 아니하나 불법 행위·상속·유증(遺贈)에 관하여서는 이미 출생한 것으로 간주됨.

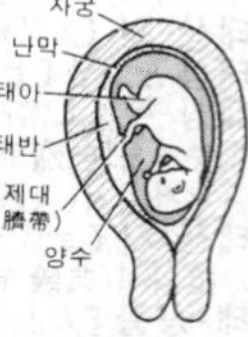

〈태아[2]❶〉

태아[3]【胎芽】명 ①〔propagule〕〖식〗양분을 저장하며 자연히 탈락(脫落)하여 다시 하나의 개체가 되는 싹. ②〖동〗임신 후 2개월까지의 척추 동물의 수정란(受精卵). *태아(胎兒).

태아 가:사【胎兒假死】명〔foetal asphyxia〕〖의〗혈액 공급 장애로 말미암아 일어나는 태아의 산소 부족 상태.

태아-기【胎兒期】명〔foetal period〕〖생〗모체 안에서 자라는 기간.

태아 기관【胎兒器官】명〔foetal organ〕〖생〗생물 발생의 초기에 볼 수 있는 고유한 막상 기관(膜狀器官). 난황낭(卵黃囊)·양막(羊膜)·요낭(尿囊) 등을 이름. 태막(胎膜). 태낭(胎囊).

태아 부:속막【胎兒附屬膜】명〖생〗태막(胎膜).

태아 부:속물【胎兒附屬物】명〖생〗태 안에 부속되어 있는 난막(卵膜)·태반(胎盤)·제대(臍帶)·양수(羊水)의 총칭.

태아 성별 판정법【胎兒性別判定法】[—뻡] 명〖의〗임신 중에 태아의 성별을 판정하는 방법. 임신 시기에 따라 판정 방법을 달리 하는데, 초기에는 융모(絨毛)의 일부를 채취하여 그 염색체를 조사, 판정함. 중기(中期)에는 양수(羊水)를 채취하고 그 속의 태아 피부 세포를 배양하여 그 염색체를 분석, 판정하는 것이 일반적임.

태아 순환【胎兒循環】명〖생〗태아의 혈액 순환. 두 줄의 제동맥(臍動脈)에서 불순한 정맥혈(靜脈血)은 융모(絨毛) 안의 모세관으로 들어가서 융모 상피 세포(絨毛上皮細胞)를 통하여 융모간 강내(絨毛間腔內)를 흐르는 모체(母體)의 동맥혈(動脈血)과 가스 교환을 하고, 신선하고 순수한 동맥혈이 되어 한 줄의 제정맥(臍靜脈)으로 들어간 다음 태아의 심장으로 감.

태아 심음【胎兒心音】명〖의〗태아의 심장 박동 소리. 보통 임신 5개월부터 청진기로 들을 수 있는데, 평균 1분 동안에 140임.

태아 장:축【胎兒長軸】명〖생〗태아축(胎兒軸).

태아 적아 세:포증【胎兒赤芽細胞症】[—쯩] 명〖의〗모체의 혈액형과 태아의 혈액형이 다를경우(주로 Rh식 혈액형에서), 태아의 적혈구가 파괴되는 수가 있는데, 이 때 태아의 체내(體內)에서 적혈구를 급조(急造)하기 위한 적아 세포가 증가하는 병. 주증상(主症狀)은 황달·빈혈·부종 등임.

태아-증【胎芽症】[—쯩] 명〔embryopathy〕〖의〗형태학적 또는 생화학적(生化學的)인 배(胚)나 태아(胎兒)의 발달 이상(發達異常).

태아-축【胎兒軸】명〖생〗자궁강내(子宮腔內)에서 굴곡 자세(屈曲姿勢)로 있는 태아의 두부(頭部)와 궁둥이를 직결(直結)한 직선. 전체 신장의 1/2에 상당함. 태아 장축(胎兒長軸).

태안[1]【泰安】명 태평하여 안락함. ——-하다 형여불. ——-히 부

태안[2]【泰安】명〖지〗충청 남도 태안군(泰安郡)의 한 읍(邑). 태안 반도의 중간에 위치하여 어업이 성하고, 백화산(白華山)의 산성(山城)과 태을암·흥주사 석탑 등의 유적이 있음. [25,819명(1996)]

태안[3]【泰安】명〖지〗'타이안'을 우리 음으로 읽은 이름.

태안-군【泰安郡】명〖지〗충청 남도 태안 반도의 서쪽에 위치한 군. 2읍 6면. 동쪽은 서산시(瑞山市), 서·남·북쪽은 바다에 접함. 1989년 서산시에서 분리, 설치되었음. 구릉성(丘陵性) 산지와 리아스식 해안으로 이루어졌고 많은 만(灣)과 반도(半島), 대소(大小)의 섬이 있음. 주요 산물로는 쌀·보리·마늘·생강 등의 농산물과 조기·갈치·멸치·꽃게 등의 해산물이 남. 명승 고적으로는 태안 마애 삼존불(磨崖三尊佛)·경이정(憬夷亭)·백화산(白華山) 등이 있으며, 만리포(萬里浦)·몽산포(夢山浦) 해수욕장 등이 있는 서해안 일대는 1978년 태안 해안 국립 공원으로 지정되었음. 군청 소재지는 태안읍. [463.81 km²: 72,137명(1996)]

태안 반:도【泰安半島】명〖지〗충청 남도 서북부 서해에 돌출한 반도. 남단은 잘리어 안면도(安眠島)로 되어 천수만(淺水灣)을 끼고, 북단은 아산만(牙山灣)·남양만(南陽灣)에 면하며 많은 간석지(干潟地)를 만들고 있음. 곡물류와 담배 등을 산출하고, 근해에서는 어업이 성함.

태안-사【泰安寺】명〖지〗전라 남도 곡성군(谷城郡) 죽곡면(竹谷面) 동리산(桐裏山)에 있는 절. 신라 시대에 창건됨. 862년에 건립된 혜철 선사탑(惠哲禪師塔)과 872년에 건립된 비(碑)는 유명함.

태안-젓【太眼—】명 명태의 눈으로만 담근 젓. 태안해(太眼醢).

태안-해【太眼醢】명 태안젓.

태안 해:안 국립 공원【泰安海岸國立公園】[—닙—] 명〖지〗충청 남도 태안 반도(泰安半島)를 중심으로 남쪽 안면도(安眼島)에 이르는 태안군·보령시(保寧市) 해안 일대의 국립 공원. 1978년 서산(瑞山) 해안 국립 공원으로 지정되었으나 1990년 현 이름으로 개칭(改稱)됨. 북국사봉(北國師峰)·남국사봉(南國師峰)의 봉우리, 학(鶴)바위·떡바위·등대(燈臺) 바위 등의 기암(奇岩)이 유명하고, 만리포(萬里浦)·연포(戀浦)·몽산포(夢山浦) 등의 해수욕장, 소근진성(所斤鎭城)·안흥진성(安興鎭城) 등의 사적(史蹟)이 있음. [328.9 km²]

태액【太液】명 중국의 궁전에 있던 못 이름.

태양[1]【太陽】명 ①태양계의 중심을 이루는 발광체(發光體)로 지구에서 가장 가까운 항성(恒星). 지구로부터의 평균 거리는 1.496×10^8 km, 적도 직경은 1.391×10^6 km, 체적은 지구의 약 130만 배이며, 표면 중력(重力)은 약 28배이고 질량은 1.9957×10^{33} g임. 약 25일의 주기로써 자전(自轉)하고 있음. 그 표면은 4,800°, 내부는 6,000°C로 광선을 발사함. 다른 행성(行星)은 이 광선에 의하여 빛나며, 지구도 이 태양에 의하여 낮과 밤, 계절의 구별이 생김. 해. 화륜(火輪). 비륜(飛輪). 일륜(日輪). 직오(織烏). ②언제나 빛나고 만물을 육성하며 희망을 주는 것. ¶민족의 ~.

태:양[2]【態樣】명 모양. 형태. 상태. 양태(樣態).

태양-경[1]【太陽經】명〖한의〗사람의 몸에 있는 십이 경락(十二經絡)의 하나. 태양(太陽)·양명(陽明)·소양(少陽)의 세 가지의 다름이 있음. 침을 놓는 데 흔히 씀. ↔태음경(太陰經).

태양-경[2]【太陽鏡】명〖물〗태양을 관측할 때 쓰는 접안경(接眼鏡). 눈에 들어 오는 태양의 광열(光熱)을 약하게 하기 위하여 특수한 장치를 하였음. 태양 접안경(太陽接眼鏡). 헬리오스코프(helioscope). ↔시데로스탯(siderostat).

태양-계【太陽系】명〔solar system〕〖천〗태양을 인력 중심(引力中心)으로 하여 운행하고 있는 천체의 집단. 수성·금성(金星)·지구·화성(火星)·목성·토성·천왕성(天王星)·해왕성(海王星) 등의 여덟 개의 행성(行星)과 이에 속한 43개의 위성(衛星) 및 수 미상의 소위성(小衛星)·1,600개 이상의 소행성(小行星)·혜성(彗星)·유성(流星)을 합한 것의 총칭. 이들 여러 행성의 궤도는 모두가 거의 동일한 평면 상에 있어서 타원형을 이루는데 태양은 그 한쪽의 초점(焦點)에 자리잡고 있음. 우리 은하 중심에 대한 공전 주기(公轉週期)는 2억 5천만 년이며 회전 속도는 초속(秒速) 250 km임. *은하 회전(銀河回轉).

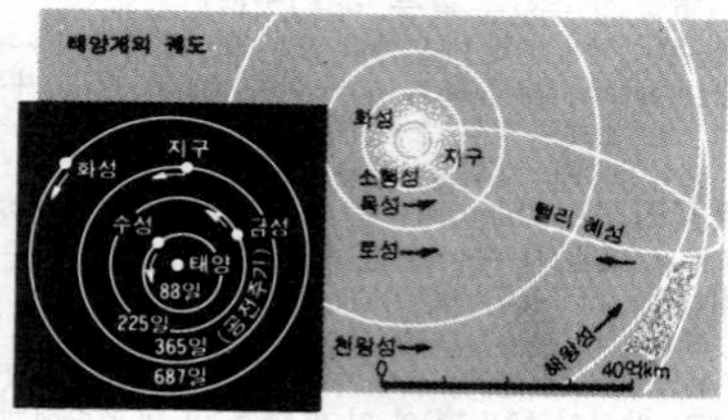

〈태양계〉

태양계의 응:집 기원론【太陽系—凝集起源論】[—논/—에—논] 명〔accretion theory〕〖천〗원반형(圓盤形) 물질 가운데의 와동(渦動)으

로부터 태양계가 생겨났다는 이론.

태양 고온로【太陽高溫爐】[—노] 명 태양광을 렌즈나 큰 포물면경(抛物面鏡)으로 초점에 모아 고온을 얻는 장치. 3,000°—3,500°C의 온도가 단시간에 얻어지고, 또 가열 분위기(加熱雰圍氣)의 제어(制御)가 용이하며 불순물 혼입의 걱정이 없는 등의 이점(利點)이 있어서 고온에서의 물성(物性)·화학 반응, 고온 재료 등의 연구에 이용됨. 태양로.

태양광 흡수 지수【太陽光吸收指數】명 〔solar absorption index〕『천』 위도(緯度)와 지방 시간이 다른 지점에서의 태양의 각도와 전리층(電離層) 흡수와의 관계.

태양 궤:도【太陽軌道】명 〔solar orbit〕『천』 행성·위성 및 기타 천체의 태양 주회 궤도(太陽周回軌道).

태양 기후【太陽氣候】명 〔solar climate〕『기상』 수리 기후(數理氣候).

태양-년【太陽年】명 〔solar year〕『천』 광의로는 태양이 어떤 기준, 즉 지구를 일주하는 기간을 말하며, 회귀년(回歸年)·근점년(近點年)·항성년(恒星年)을 포함함. 협의로는 회귀년을 말함. 즉, 해가 춘분점(春分點)을 지나서 다시 춘분점으로 돌아오는 동안. 365.242195일(日)에 해당함. 평분년(平分年). *회귀년(回歸年)·태음년(太陰年).

태양 대:기【太陽大氣】명 〔solar atmosphere〕『천』 태양의 광구(光球)를 둘러 싸고 있는, 가스의 층. 수소·헬륨·산소·탄소·질소 등으로 이루어진 기체로, 이것이 수만, 수십만 km까지 분출한 것을 홍염(紅炎)이라고 함.

태양 대:기 조류【太陽大氣潮流】명 〔solar atmospheric tide〕『지구 물리』 태양의 열적(熱的)·중력적(重力的) 활동에 의한 대기 조류.

태양 도:로【太陽道路】명 〔이 Autostrada del Sol〕 이탈리아 최대의 간선 도로. 밀라노에서 볼로냐·피렌체·로마를 거쳐 나폴리에 이름. 755 km. 1956년에 착공. 1964년에 준공됨. 중앙 분리대(分離帶) 3 m를 사이에 두고 좌우 각 7.5 m로 2차선이며, 속도 제한은 최저 60 km, 최고 160 km임.

태양-등【太陽燈】명 〔quartz-lamp〕『의』 자외선(紫外線) 발생 장치의 하나. 보건 의료에 쓰는 수은등(水銀燈). 석영(石英)으로 만든 관(管)의 굽은 자리에 수은을 넣어서 봉한 것을 음극(陰極)으로 하고 다른 끝에 텅스텐의 양극(陽極)을 갖추었음. 자외선(紫外線)을 내는 데서 이 이름이 생기었는데, 구루병(佝僂病)과 같이 일광의 부족으로 인하여 걸리는 병이나 허약 체질·피부병 등의 치료와 예방 또는 살균에 씀. 수은등(水銀燈).

태양-력【太陽曆】[—녁] 명 〔solar calendar〕『천』 지구가 해의 둘레를 1회전하는 동안을 1년으로 하는 달력. 곧, 일회귀년(一回歸年)을 시(時)의 단위로 하는데, 365일을 1년으로 정하고, 4년마다 윤일(閏日)을 두고 100년째 되는 해에는 윤일을 두지 아니하며, 또 400년째 되는 해에는 윤일을 두는 역법(曆法). 신력(新曆). ㊤양력. *태음력(太陰曆).

태양-로【太陽爐】[—노] 명 〔solar furnace〕 태양 고온로(高溫爐).

태양 망:원경【太陽望遠鏡】명 〔solar telescope〕『천』 태양을 관측하는 망원경. 태양에 의한 가열 효과로 인해서 상(像)이 비뚤어지지 않게 고안되어 있음.

태양면 망:원경【太陽面望遠鏡】명 〔disk telescope〕『천』 빛을 내는 태양면을 관측하기 위한 망원경. 탑(塔)망원경·수평 고정 망원경 따위가 이에 속함.

태양 물리학【太陽物理學】명 〔solar physics〕『천』 태양 표면의 에너지의 방사(放射), 태양 대기(大氣)의 구조, 흑점(黑點)이나 양반(羊斑) 또는 홍염(紅炎) 등의 태양 표면의 현상 등 태양의 물리적 상태를 연구하는 천문학의 한 분야(分野).

태양 발전기【太陽發電機】[—쩐—] 명 〔solar generator〕『전』 태양으로부터의 방사에 의하여 전력을 얻는 발전기. 주로, 태양 전지(太陽電池)가 쓰이며, 인공 위성에서 이용되고 있음.

태양 발전 위성【太陽發電衛星】[—쩐—] 명 〔solar power satellite〕 궤도상(軌道上)에서 태양열(太陽熱)로 발전하여 이를 전파(電波)로 지상에 보내오는 인공 위성. 미국이 구상(構想)하고 있는 것으로, 하나의 위성에서 약 500만 kw의 전력을 얻을 수 있다고 함.

태양 방:사【太陽放射】명 태양에서 방출되는 방사의 총칭. 그 에너지는 태양 상수(常數)에서 산출(算出)됨. 파장별(波長別) 에너지 분포는 약 6,000°C의 흑체(黑體) 방사에 가깝고 에너지 최대의 파장은 황색(黃色)의 부분에 있음. 방출되는 전자파의 파장에 따라 가시 광선(可視光線)·적외선·자외선·X선 등으로 나뉨.

태양 방:사선 관측【太陽放射線觀測】명 〔solar-radiation observation〕『물』 관측 지점에 도달하는 태양으로부터의 방사선의 평가. 태양 열량계(熱量計) 따위를 관측기로 사용함.

태양 배:점【太陽背點】[—쩜] 명 〔solar antapex〕『천』 천구(天球)상에서 태양 향점의 정반대의 점. 반향점(反向點). ↔태양 향점(向點).

태양 상수【太陽常數】명 〔solar constant〕『천』 태양과 지구가 평균 거리에 있을 때 지구의 대기(大氣) 밖에서 태양에 수직한 1 cm²의 면에 1분간에 입사(入射)하는 태양 광선의 열량. 미국의 스미소니언 연구소의 관측에 의하면 1.946 cal. cm^{-2}/min^{-1}임. 그러나 태양 상수는 날에 따라 또는 해에 따라 0.3 % 정도 이내에서 변동하고 있으며, 이것이 지구의 기후에 영향을 미치고 있다고 믿어짐.

태양-석【太陽石】명 『광』 ①묘안석(猫眼石). ②호박(琥珀).

태양-선[1]【太陽線】명 수상(手相)에서, 장선(掌線)의 하나. 약지(藥指) 밑의 구(丘)에 있는 세로금. 성공운(成功運)·복운(福運)·재운(財運) 등을 판단함.

태양-선[2]【太陽線】명 〔sun line〕『항행』 육분의(六分儀)에 의한 태양 관측에 의해서 정한 위치선(位置線).

태양 선회 방향【太陽旋回方向】명 〔contra solem〕『기상』 북반구에서는 시계 방향(時計方向), 남반구에서는 시계 방향의 반대 쪽으로의 공기의 움직임을 이르는 말.

태양 숭배【太陽崇拜】명 〔sun cult〕 자연 숭배의 하나. 미개 사회나 고대 사회의 종교에서, 태양을 신격화(神格化)하여 천상계(天上界)의 지배적 존재로서 숭배하는 일. 중국·일본·태국·인도·이집트·그리스·잉카(Inca)·아스테카(Aztec) 등 세계 각지의 신화·습속(習俗)에서 볼 수 있음. 태양 신앙(信仰).

태양 스펙트럼【太陽—】명 〔solar spectrum〕『물』 태양 광선의 스펙트럼. 적색에서 자색까지의 연속광(連續光) 속에 다수의 암선(暗線), 즉 프라운호퍼(Fraunhofer 線)이 보임.

태양-시【太陽時】명 〔solar time〕『천』 시간의 단위. 태양일(太陽日)을 24시간으로 해서 정하는 시법(時法). 자오선(子午線)으로부터 태양 중심까지의 각거리(角距離)에 의하여 측정함. 진(眞)태양시와 평균 태양시가 있음. *태음시(太陰時).

태양-신【太陽神】명 고대 민족이 태양을 종교 신앙의 대상으로 신격화(神格化)한 것.

태양 신경절【太陽神經節】명 『생』 좌우의 복강(腹腔) 신경절의 총칭. 여기서 나오는 신경이 태양 광선처럼 방사상(放射狀)으로 뻗어 있기 때문임.

태양 신:앙【太陽信仰】명 『종』 태양 숭배.

태양 신화【太陽神話】명 신화학상 태양을 주제(主題)로 한 설화. 태양의 발생·운행·형체·광열(光熱) 등의 현상(現象)을 여러 가지로 의인화하거나 동물의 꼴을 빌어 신화화(神話化)한 것.

태양 신화설【太陽神話說】명 신화학설 사상(史上), 태양을 중심으로 하는 여러 현상에 의해서 모든 신화의 의미를 해석하는 설. 영국의 언어학자 뮐러(Müller, F.M.)가 주창하였음.

태양 에너지【太陽—】명 〔solar energy〕『물』 태양이 방출하는 에너지. 태양 중심부의 고온 고압하에서의 열핵 융합 반응(熱核融合反應)에 의하여 4개의 수소 원자 핵이 헬륨으로 변화할 때 방출되며, 전자파 또는 미립자(微粒子)로서 지구에도 전파(傳播)되어 옴.

태양-열【太陽熱】[—녈] 명 〔solar heat〕『물』 태양으로부터 방사되어 지구에 도달하는 열. 태양 상수(太陽常數)에서 계산되는 전도달(全到達) 에너지 중, 일사(日射) 형식으로 지표(地表)에 도달하는 것은 대기에 의한 흡수 등으로 약 반 정도이며, 지구 전체로서 매년 약 96×10²² Kcal에 이르는데, 이 중 약 47 %가 해면(海面)·호면(湖面)·지면(地面)으로부터의 장파장 방사(長波長放射)에, 약 20 %가 대기에의 열 전달에 소비되고, 육상 식물 및 플랑크톤을 포함한 해중(海中)의 식물의 생육에 사용되는 것은 0.2 % 정도에 불과함.

태양열 기관【太陽熱機關】[—녈—] 명 『물』 태양열을 이용하여 동력(動力)을 발생시키는 열기관. 일광(日光)은 풍부하나 다른 연료가 궁핍한 사막 지방, 혹은 우주 공간에서의 동력 발생용으로 연구되고 있음. *태양열 발전.

태양열 발전【太陽熱發電】[—녈—쩐] 명 『물』 태양열을 전력으로 변경시키거나 이것을 이용하여 발전하는 일. 전자는 열전자쌍(熱電子雙)이나 광전지(光電池)를 사용하여 직접으로 태양열을 전기 에너지로 변경시키고, 후자는 태양열을 이용하여 수증기를 만들어 증기 기관에 의하여 발전함. *태양열 기관.

태양열 이:용【太陽熱利用】[—녈—] 명 태양열의 직접적인 이용을 이름. 비교적 새로운 기술 분야인데 거울에 의하여 태양광을 집중시키어 이용하는 태양로(太陽爐)나 태양열 기관, 온실 효과를 이용하는 온실·온상(溫床)이나 태양열 온수기(溫水器), 그리고 반도체(半導體)를 이용하는 태양 전지(電池) 등 외에 광합성(光合成)을 이용하는 클로렐라 재배(栽培) 등을 들 수 있음.

태양열 주:택【太陽熱住宅】[—녈—] 명 태양열을 이용하여 난방(暖房)이나 온수(溫水)를 공급하는 주택. 솔라 하우스(solar house).

태양-왕【太陽王】명 프랑스의 루이 14세를 이름.

태양 운:동【太陽運動】명 〔solar motion〕『천』 태양이 행하는 두 개의 주요 운동. 곧, 근린성(近隣星)에 대한 상대 운동과 태양이 속하는 은하계(銀河系)의 회전에 의거한 운동을 이름.

태양-월【太陽月】명 〔solar month〕『천』 태양년(太陽年)의 12분의 1의 시간. *태음월(太陰月).

태양 위성【太陽衛星】명 〔solar satellite〕『항공』 태양을 도는 궤도에 오르도록 설계된 인공 위성.

태양-의【太陽儀】[—/—이] 명 〔heliometer〕『천』 본디, 태양의 지름을 재기 위한 장치로 만든 기계. 대물경(對物鏡)을 꼭 반으로 잘라 각기 연결하는 두 개의 상(像)을 겹치어 놓음으로써 태양의 시각(視角)이나 근접한 두 별의 각거리(角距離)를 재는 기계. 헬리오미터.

태양의 나라【太陽—】[—/—에—] 명 〔Citta' del sole〕『책』 캄파넬라(Campanella, P.)가 지은 정치 철학론. 1623년 발간. 플라톤적 이상국가와 수도원적(修道院的) 사회가 결부된 유토피아 이야기. 모어의 《유토피아》, 베이컨의 《뉴 아틀란티스》와 더불어 근세 3대 유토피아 이야기의 하나로 일컬어짐.

태양의 돌:【太陽—】[—/—에—] 명 〔Stone of the Sun〕 멕시코의 아스테크족(Aztec 族)의 가장 중요한 종교적 예술 작품의 하나. 15세기 말기의 작품으로, 지금 멕시코시티의 박물관에 보관되어 있음. 20톤 이상의 거대한 반암(斑岩)에 직경 12피트의 원형(圓形) 부조(浮彫)가 새기어져 있는 태양의 상징 또는 그 운행(運行)의 도식(圖式)일 뿐만 아니라 아스테크의 우주관을 나타내는 걸작임.

태양-인【太陽人】명 『한의』 사상(四象) 의학에서, 사람의 체질(體質)을 넷으로 가른 하나. 폐(肺)가 크고 간(肝)이 작은 형(型)으로, 용모가 단정하고 천재형(天才型)이나, 독선적이고 자존심이 강함. 1만 명에 두세 명 정도가 이 체질이라고 함. *태음인(太陰人).

태양-일【太陽日】명〔solar day〕〖천〗해가 한 자오선(子午線)을 통과한 후, 다시 그 자오선에 돌아오기까지의 동안. 시(視)태양일과 평균 태양일이 있음. *태음일(太陰日).

태양 자기장【太陽磁氣場】명〔solar magnetic field〕〖물〗태양면에서 관측되는 자기장. 극(極) 부근에는 약한 일반 자기장이 있고, 흑점에는 강력한 자기장이 있음.

태양 자:외선【太陽紫外線】명〔solar ultraviolet radiation〕〖천〗400×10^{-9}m-4×10^{-9}m의 파장(波長)을 가진 태양 전자파(電磁波). 이 방사선(放射線)은 때로 지구의 대기(大氣)를 전리(電離)시켜, 전파 전달에 영향을 끼침.

태양 장동【太陽章動】명〔solar nutation〕〖천〗태양의 적위(赤緯) 변화에 의한 장동(章動).

태양 전:지【太陽電池】명〔solar cell〕태양 광선의 에너지를 직접 전기 에너지로 바꾸는 광전지(光電池)의 일종. 실리콘·황화 카드뮴 등을 이용하며 무인 등대(無人燈臺)·무인 기상 관측소·인공 위성·우주 로켓 등의 전원(電源)으로 쓰임. *화학 전지.

태양 전:파【太陽電波】명 태양이 방사하는 전파. 1942년 영국에서 미터파(metre 波)의 레이더 실험 중에 우연히 발견하였음. 5m의 장파는 코로나(corona)에서 나오고, 3mm의 단파는 채층(彩層)에서 나오는데, 구름이 있어도 수신할 수 있으므로 태양의 상시(常時) 관측에 유용함. 태양 자기장의 급변(急變)에 따른 전파의 이상은 델린저 현상(Dellinger 現象)으로 지표(地表)에 영향을 주며 무선 전신의 장애·지구자기(地球磁氣)의 요란(擾亂) 등의 원인이 됨.

태양 전:파 방:출【太陽電波放出】명〔solar radio emission〕〖전자〗태양에서 방출되는 전파 영역(電波領域)의 전자파 방출. 태양면 폭발 때 강도가 커짐.

태양 전:파 잡음【太陽電波雜音】명〔solar radio noise〕〖전자〗태양이 발하는 전파 잡음. 흑점이나 태양면 폭발이 있을 때에 특히 강함.

태양 접안경【太陽接眼鏡】명〖물〗태양경(太陽鏡).

태양-조석【太陽潮汐】명〔solar tide〕〖지〗조석(潮汐) 중, 태양의 기조력(起潮力)으로 일어나게 되는 부분. *태음조석(太陰潮汐).

태양-주【太陽柱】명〔sun pillar〕〖기상〗해무리에 따라 나타나며, 태양의 아래위에 퍼져 있는 희고 약간 붉은 빛의 밝은 줄. 대개 일출(日出), 일몰경(日沒頃)에 관측됨.

태양 주기【太陽周期】명〔solar cycle〕〖천〗태양과 그 대기에 일어나는 변동, 곧 흑점(黑點)의 크기와 수, 코로나(corona) 형태 따위의 변동 주기. 대략 11.1년임.

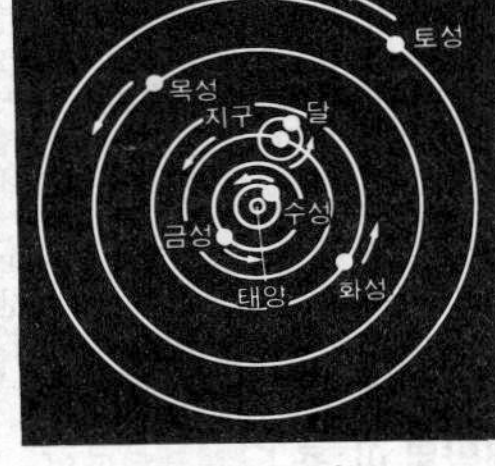

〈태양 중심설〉

태양 중심설【太陽中心說】명〖천〗지구와 그 밖의 행성이 태양을 중심으로 회전하고 있다고 하는 설. 기원전 280년경 그리스의 천문학자 아리스타르쿠스(Aristarchus)에서 비롯하여 코페르니쿠스·케플러에 이르러 강력히 주장된 것임. 지동설(地動說). ↔지구 중심설.

태양-증【太陽症】〔—쯩〕명〖한의〗상한 양증(傷寒陽症).

태양 직하점【太陽直下點】〔—쩜〕명〔subsolar point〕〖천〗어느 특정한 순간에, 태양을 천정점(天頂點)에서 보게 되는 지리적 위치.

태양-초【太陽草】명 ①다른 특별한 조작 없이, 햇볕에 말린 고추. ②햇빛을 많이 쐬어 빛이 짙은 초록색인 시금치.

태양 추진【太陽推進】명〔solar propulsion〕〖항공〗태양 엔진으로 구성된 시스템을 이용하는 우주선(宇宙船) 추진법.

태양-충【太陽蟲】명〖동〗〔*Actinophrys sol*〕태양충류에 속하는 원생 동물(原生動物)의 하나. 몸이 직경 0.05mm 가량의 구형(球形)이고 많은 허족(虛足)이 사방으로 나왔으므로 이 이름이 있음. 허족의 축사(軸絲)는 곧게 방사상으로 체외에 나왔으며, 체내(體內) 중심에는 큰 핵(核)이 있고 핵들을 둘러싼 세포질은 포상(包狀)이며 원형질(原形質)은 거의 공포(空胞)로 차 있음. 못·호소(湖沼) 등 담수(淡水)의 플랑크톤이 있는 곳에서 부유(浮游) 생활을 하며, 세균이나 작은 편모충(鞭毛蟲)을 포식함.

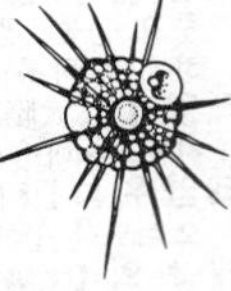
〈태양충〉

태양충-류【太陽蟲類】〔—뉴〕명〖충〗〔*Heliozoa*〕위족류(僞足類)의 원생(原生) 동물의 한 목(目). 몸은 구형(球形)이며, 방사상(放射狀)으로 된 여러 개의 허족(虛足)이 있음. 몸은 중축사(中軸絲)라고 하는 골축(骨軸)을 따라서 지탱되며, 그 모양은 방산충류(放散蟲類)와 비슷하나, 중심낭(中心囊)이 없는 것이 다름. 태양충 등이 이에 속함. *방산충류(放散蟲類).

태양 측정기【太陽測定器】명 측일경(測日鏡).

태양 탐사기【太陽探査機】명〔solar probe〕〖항공〗그 궤도가 태양 가까이 지나는 우주 탐사기의 하나. 탑재된 계기(計器)는 태양에 관한 여러 가지 데이터를 탐지해서 지구로 보냄.

태양-풍【太陽風】명〔solar wind〕〖천〗태양에서 방사(放射)되는 하전 미립자(荷電微粒子)의 흐름. 거의 양자(陽子)와 전자(電子)로 이루어진 플라스마(plasma)의 흐름이며, 지구 가까이 이르렀을 때의 평균 초속(秒速)은 약 500km, 밀도 입자(粒子)는 1cm³당(當) 1-30개, 온도는 약 10만°C임. 지구 자기권(磁氣圈)이나 방사능대(帶)의 구조에 영향을 미치며, 또 태양면 폭발에 의해 발생한 고(高)에너지 입자는 자기풍(磁氣風)·오로라(Aurora) 등을 일으킴.

태양 향:점【太陽向點】〔—쩜〕명〔solar apex〕〖천〗태양계가 항성 사이를 향하여 운동하고 있는 방향. →태양 배점(背點).

태양-혈【太陽穴】명〖한의〗사람의 몸에 침을 놓는 자리의 하나. 귀의 위 눈의 옆쪽, 무엇을 씹으면 움직이는 곳. 섭유(顳顬).

태양 활동 극소기 국제 관측년【太陽活動極小期國際觀測年】〔—똥—〕명〔International Quiet Sun Year〕아이 큐 에스 와이(IQSY).

태양 흑점【太陽黑點】명〔sunspot〕〖천〗태양 광구면(光球面)에 나타나는 어두운 반점. 직경 수백—수십만 km에 달하고 태양의 적도 부근에 쌍으로 나타나는 일이 많으며, 평균 11.1년의 주기로 출현 빈도(出現頻度)가 변화함. 그 원인에 대해서는 여러 가지 설이 있으며, 태양의 자전 주기 및 그 밖에 관측상 중요하며, 지구상의 기온과 날씨에도 가지가지의 영향을 미침. ㊟흑점.

태양 흑점설【太陽黑點說】명〖경〗태양 흑점의 수와 크기가 날씨를 좌우하며 그에 의한 농산물의 풍흉(豐凶)이 경기(景氣) 변동을 가져온다고 하는 19세기 후반의 경기 이론. 현재는 채용되지 않음.

태양 흑점 주기【太陽黑點周期】명〔sunspot cycle〕〖천〗태양 흑점의 크기와 수의 11년마다의 변동. 다른 형태의 태양 활동도 모두 이 11년 주기를 가짐.

태어【駄魚】명〖어〗명태(明太)의 딴이름.

태어-나다 자〔중세 : 타나다〕새끼가 모체(母體)나 알로부터 나오다. 출생하다. 탄생하다. ¶여자 아이가 ~/오리병아리로 ~. ㊟태나다.

태업【怠業】명 ①〖사〗노동 쟁의 수단의 하나. 일을 아주 그만 두는 것이 아니고 한동안 쉬거나 능률을 떨어뜨리거나 하여 기업주에게 손해를 끼쳐 분쟁의 해결을 보려는 방법. 사보타주(sabotage). ②일을 게을리함. ——-하다 자여불

태:-없다〔—업—〕형 ①뽐낼 만한 지위에 있으면서도 조금도 뽐내는 빛을 안 보이다. ②볼 만한 태가 없다.

태:-없이〔—업씨〕부 태가 없게.

태연¹【炲煙】명 그을음과 연기(煙氣). 매연(煤煙).

태연²【泰然】명 기색(氣色)이 아무렇지도 아니하고 그냥 그대로 있는 모양. 평연(平然). ¶~한 얼굴. ——-하다 형여불 ——-히 부

태연 무심【泰然無心】명 태연 자약하여 아무 생각이 없음. ——-하다 형여불

태연-스럽다【泰然—】형ㅂ불 태도가 태연하게 보이다. **태연-스레**【泰然—】부

태연 자약【泰然自若】명 마음에 무슨 충동을 받아도 움직임이 없이 천연스러움. ¶아무리 바빠도 ~하다. ——-하다 형여불

태열【胎熱】명〖의〗어린애가 태 안에서 열을 받은 것이 출생 후에도 열이 있는 병증. 흔히, 얼굴이 붉어지며 변비(便祕)가 생기고 오줌빛이 적황색으로 변하여 젖을 먹지 아니함.

태엽【胎葉】명 시계나 축음기·라디오 같은 기계의 동력(動力)으로 쓰이는, 탄력을 이용하는 물건. 강철을 얇고 길게 만들어서 돌돌 말아 넣었음. 발조(發條). ¶시계 ~.

태오【怠傲】명 거드름스러워 예법(禮法)이 없음. ——-하다 형여불

태왁 명 제주도에서, 해녀(海女)가 바다 속에 몸을 의지하고, 채취한 해물을 망사리에 넣고 매어서 띄워 놓은 뒤웅박.

태왁-박새기 명〈방〉태왁(제주).

태완【太緩】명 몹시 느즈러짐. ——-하다 형여불

태왕【太王】명〖역〗태상왕(太上王).

태외 오:위【胎外五位】명〖불교〗사람이 태어나서 죽을 때까지의 다섯 단계. 영해(嬰孩)·동자(童子)·소년(少年)·성년(成年) 또는 중년(中年)·노년(老年)의 다섯 가지. *태내(胎內) 오위.

태우 명〈옛〉대부(大夫). ¶됴회예 아랫 태우로 더블어(朝與下大夫)≪小諺 Ⅲ:15≫.

태우다¹ 타 ①불이 붙어 들어가게 하다. ¶집을 ~/담배를 ~. ②과열하여 검게 타게 하다. ¶밥을 ~/장판을 ~. ③햇빛 따위에 그을게 하다. ¶피부를 ~. ④마음이 조리어 가슴 속에 불이 붙는 듯하게 하다. ¶부모의 속을 ~/애를 ~. ⑤바싹 마르게 하다. ¶밭을 ~/볏모를 ~. ㊟태다.

태우다² 타 ①탈것이나, 짐승의 몸 위에 몸을 얹게 하다. ¶손님을 ~/말을 ~. ②몸 붙이기 어려운 자리에 위태롭게 가게 하다. ¶줄을 ~. ③얼음·눈 위를 걷거나 미끄러지게 하다. ¶썰매를 ~. ㊟태다.

태우다³ 타 ①재산·월급·상 따위를 주다. ¶우등상을 ~. ②의무적으로나 또는 동정적으로 갈라 주다. ¶곗돈을 ~. ③노름이나 내기에서 돈이나 물건을 지르다. ㊟태다.

태우다⁴ ㊀타 갈라 붙이게 하다. ¶밭골을 ~/가르마를 ~. ㊁사동 콩이나 팥을 맷돌에 갈아 쪼개게 하다.

태우다⁵ 타 무엇을 퀭기었다 놓였다 하게 하다. ¶그네를 ~.

태우다⁶ 타 악기를 타게 하다. 현악기·건반 악기를 연주시키다. 타이다². ¶가야금을 ~.

태우다⁷ 타 간지럼 따위를 타게 하다. ¶간지럼을 ~.

태우다⁸ 타 솜을 타게 하다. ¶묵은 이불솜을 ~.

태운【泰運】명 태평(泰平)한 운수.

태원【太原】명〖지〗'타이위안'을 우리 음으로 읽은 이름.

태위¹【太衛】명〖역〗대위(大衛).

태위²【台位】명〖역〗삼공(三公)의 자리. 곧, 재상(宰相)의 일컬음. 태좌(台座).

태위³【胎位】명〖생〗태아축(胎兒軸)과 자궁의 종축(縱軸)과의 상호 관계. 종위(縱位)와 횡위(橫位)의 두 가지가 있음.

태유【太油】[명] 콩기름.
태육【胎育】[명] ①어머니의 태 안에서 자람. ②태교(胎教).
태을【太乙】[명] ①〖철〗 태일(太一·泰一). ②〖천〗 ↗태을성.
태을-교【太乙教】[명] 흠치교(吽哆教) 계통의 종교의 하나. 증산(甑山) 강일순(姜一淳)을 교조(教祖)로 함.
태을-산【太乙山】[一싼] [명] 〖지〗 황해도 신계군(新溪郡)과 강원도 이천군(伊川郡) 사이에 있는 산. [681 m]
태을-성【太乙星】[一썽] [명] 〖민〗 음양가(陰陽家)들이 일컫는 신령(神靈)한 별. 하늘 북쪽에 있어 병란(兵亂)·재화(災禍)·생사(生死)를 맡아 다스린다고 함. 태일성(太一星·泰一星). [준]태을(太乙).
태을-점【太乙占】[一쩜] [명] 〖민〗 음양가(陰陽家)에서 행하는 점의 한 가지. 태을성(太乙星)의 팔방(八方)에 유행(遊行)하는 위치를 따라서 길흉(吉凶)을 점침. 태일점(太一占·泰一占).
태음【太陰】[명] 〖천〗 '달'을 지구의 위성(衛星)으로 일컫는 말.
태음 거:리【太陰距離】[명] 〖천〗 월리(月離)❷.
태음-경【太陰經】[명] 〖한의〗 침(鍼) 놓을 적에 흔히 이용하는 십이 경락(十二經絡)의 하나. 태음(太陰)·소음(少陰)·궐음(厥陰)의 셋으로 가름. ↔태양경(太陽經).
태음-년【太陰年】[명] [lunar year] 〖천〗 태음월(太陰月)을 열두 번 합한 동안. 윤달이 있을 때는 열세 번 합한 동안. 평균 태양일(平均太陽日)로써 나타내면 평균하여 354.367058 일에 해당되어 태양년(太陽年)의 1 년보다 10.575162일이 짧음. *태양년.
태음년-차【太陰年差】[명] 〖천〗 약 1 년 주기(週期)로 일어나는 태음 운행(太陰運行)의 변화.
태음 대:기 조석【太陰大氣潮汐】[명] [lunar atmospheric tide] 〖기상〗 달의 기조력(起潮力)에 의한 대기 조석. 진폭(振幅)이 매우 작아서, 장기간에 걸친 세심한 통계적 분석에 의해서만 검출(檢出)됨.
태음-력【太陰曆】[一녁] [명] [lunar calendar] 〖천〗 달이 차고 이지러짐을 기초로 하여 만든 책력. 곧, 달이 지구를 한 바퀴 도는 시간이 약 29.5일이 되므로 한 달을 29일 또는 30일로 하고 일 년을 열두 달로 하여 19년에 일곱 번 윤달을 두었음. 구력(舊曆). 명력(蓂曆). [준]음력(陰曆). *태양력(太陽曆).
태음-시【太陰時】[명] [lunar time] 〖천〗 달에 대한 지구의 자전(自轉)을 기초로 한 시간. *태양시.
태음양-력【太陰陽曆】[一녁] [명] 〖천〗 태음 태양력.
태음 운:동론【太陰運動論】[一논] [명] 〖천〗 달의 운동을 구하는 이론. 최초로 이 이론을 완성하고 태음표(太陰表)를 작성한 사람은 덴마크의 한센(Hansen, Peter Andreas; 1795-1874)이었고, 그 후 미국(美國)의 뉴컴(Newcomb, S.)·브라운(Brown, E.W.) 등에 의해서 연구가 되었음. 월행론(月行論). *태음표.
태음-월【太陰月】[명] [lunar month] 〖천〗 달이 신월(新月)에서 만월(滿月)을 지나서 다시 신월이 되는 때까지의 동안. 곧, 달이 태양이나 지구에 대하여 동일한 자리를 차지할 때까지의 동안. 29일 12시 44분 2초 남짓함. *태양월.
태음-인【太陰人】[명] 〖한의〗 사상(四象) 의학에서, 사람의 체질(體質)을 넷으로 가른 하나. 간(肝)이 크고 폐(肺)가 약한 형(型)으로, 체력이 듬직하고 근골(筋骨)이 좋으며, 낙천적·호걸풍의 기질에 포부가 크고 포용력이 있으나 욕심이 많은 편임. *소양인(少陽人).
태음-일【太陰日】[명] [lunar day] 〖천〗 달이 자오선(子午線)을 지나서 다시 그 자오선에 돌아오는 동안. 평균 24시 50분 28초. *태양일.
태음-조석【太陰潮汐】[명] [lunar tide] 〖지〗 조석(潮汐) 중, 달의 기조력(起潮力)으로 일어나는 부분. *태양조석(太陽潮汐).
태음-증【太陰症】[一쯩] [명] 〖한의〗 상한 음증(傷寒陰症).
태음 태양력【太陰太陽曆】[一녁] [명] [lunisolar calendar] 〖천〗 태음력과 태양력을 절충한 책력. 두 개를 조절하기 위하여 19년에 일곱 번의 윤월(閏月)을 설정하여 평균시킴. 태음양력(太陰陽曆).
태음-표【太陰表】[명] 〖천〗 천구(天球)상의 달의 장래 위치를 추산한 표. 미국의 브라운(Brown, E.W.)이 1920년에 공간(公刊)한 것을 1923년경부터 각국에서 항해·천문 관측에 사용하였음. 그 후, 다소의 보정(補正)이 가해졌으나 오늘날에는 브라운의 이론식(理論式)을 직접 컴퓨터로 풀어서 달의 위치를 구함. *태음 운동론.
태의【胎衣】[명] 〖생〗 태(胎)의 껍질.
태의-감【太醫監】[一/一이一] [명] 〖역〗 고려 때 의약·치료에 관한 일을 맡은 관아. 충렬왕(忠烈王) 34년(1308)에 사의서(司醫署)로, 뒤에 전의시(典醫寺)로, 공민왕(恭愍王) 5년(1356)에 본이름으로, 동 11년에 다시 전의시로, 동 18년에 도로 본이름으로, 동 21년에 또 전의시로 고치는 등 개변을 되풀이하였음. *전의시(典醫寺).
태의-원【太醫院】[一/一이一] [명] ①〖역〗 조선 시대 내의원(內醫院)의 별칭. ②조선 말기에 궁내부 전의사(典醫司)의 고친 이름.
태인-도【太仁島】[명] 〖지〗 여수 반도와 남해도 사이에 있으며, 전라 남도 남해안(南海岸), 광양시(光陽市) 태인동(太仁洞)에 위치한 섬. [4.03 km²]
태일【太一·泰一】[명] ①〖철〗 중국 철학에서, 천지 만물의 출현 또는 성립의 근원. 우주의 본체. 태을(太乙). ②〖천〗 태일성.
태일-교【太一教】[명] 〖종〗 중국 금(金)나라 때인 1138년경, 허난 성(河南省) 출신의 소포진(蕭抱珍)이 창시한 도교 교단(道教教團)의 한 파. 부적(符籍)으로 병을 고치기도 했으나 중도(中道)를 존숭(尊崇)하고, 대처(帶妻)·음주를 엄금했음. 원(元)나라 중엽 무렵부터 쇠퇴함.
태일-성【太一星·泰一星】[一썽] [명] 〖민〗 태을성(太乙星).
태일-전【太一殿】[명] 도교(道教)의 태일(太一)을 제사 지내는 전우(殿宇).
태일-점【太一占·泰一占】[一쩜] [명] 〖민〗 태을점(太乙占).
태잉【胎孕】[명] 잉태(孕胎). ——-하다 [자][타][여불]
태자【太子】[명] 〖역〗 ↗황태자(皇太子). ¶마의(麻衣) ~.
태자-궁【太子宮】[명] 〖역〗 ①'황태자(皇太子)'의 존칭. 춘궁(春宮). 춘저(春邸). 동궁(東宮). ②황태자의 궁전(宮殿). 동궁.
태-자리【胎一】[명] 〖식〗 태좌(胎座).
태자 밀건법【太子密建法】[一뻡] [명] 중국 청조(清朝)의 제위(帝位) 계승자 제정법. 황제의 생전에는 황태자를 공표하지 않고 그 이름을 써서 밀봉해 두었다가 황제가 죽은 후 이것을 개봉하여 후계자를 정했음. 세종(世宗) 곧 옹정제(雍正帝) 이래 행해졌음.
태자-부【太子府】[명] 〖역〗 고려 때 태자의 궁사(宮事)·시종(侍從)·진강(進講)의 일을 맡은 관아. 충렬왕(忠烈王) 원년(1275)에 몽고(蒙古)의 간섭으로 관제를 고칠 때 태자를 세자(世子)라 고치고, 그 뒤부터는 세자부(世子府)라 일컫게 되었음.
태자-비【太子妃】[명] 〖역〗 황태자의 아내.
태자 우:감문솔부【太子右監門率府】[명] 〖역〗 고려 때에 동궁(東宮)의 시위(侍衛)를 맡은 관아. 문종(文宗) 22년(1068)에 정함.
태자 우:사어솔부【太子右司禦率府】[명] 〖역〗 고려 때 동궁(東宮)의 시위(侍衛)를 맡은 관아. 문종(文宗) 22년(1068)에 정함.
태자 우:청도솔부【太子右清道率府】[명] 〖역〗 고려 때 동궁(東宮)의 시위(侍衛)를 맡은 관아. 문종(文宗) 22년(1068)에 정함.
태자-장【太子章】[一짱] [명] 〖악〗 용비 어천가 8장의 이름. 유주장(維周章).
태자 좌:감문솔부【太子左監門率府】[명] 〖역〗 고려 때 동궁(東宮)의 시위(侍衛)를 맡은 관아. 문종(文宗) 22년(1068)에 정함.
태자 좌:내:솔부【太子左內率府】[명] 〖역〗 고려 때 동궁(東宮)의 시위(侍衛)를 맡은 관아. 문종(文宗) 22년(1068)에 정함.
태자 좌:사어솔부【太子左司禦率府】[명] 〖역〗 고려 때 동궁(東宮)의 시위(侍衛)를 맡은 관아. 문종(文宗) 22년(1068)에 정함.
태자 좌:청도솔부【太子左清道率府】[명] 〖역〗 고려 때 동궁(東宮)의 시위(侍衛)를 맡은 관아. 문종(文宗) 22년(1068)에 정함.
태작【駄作】[명] 졸작(拙作).
태장【笞杖】[명] 〖역〗 ①태형(笞刑). ②태형(笞刑)과 장형(杖刑).
태장-계【胎藏界】[명] 〖불교〗 [태장은 일체를 함유하는 뜻] 밀교(密教)에서 말하는 양부 법문(兩部法門)의 하나. 대일 여래 자비(大日如來慈悲)의 지혜를 이적(理的) 방면에서 설명한 부문. 그 표상(表象)은 연화(蓮華)임. [준]태(胎). ↔금강계(金剛界).
태장계 만다라【胎藏界曼荼羅】[명] 〖불교〗 밀교(密教)의 근본(根本)인 양부 만다라(兩部曼荼羅)의 하나. 태장계 여러 부처의 덕(德)을 상징한 그림.
태장-젓【太腸一】[명] ☞ 창난젓.
태-장지【苔壯紙】[명] 전라도에서 나는 해태(海苔)를 넣어 두드려 만들던 무늬가 있는 종이. 지질(紙質)이 튼튼함.
태장-해【太腸醢】[명] 창난젓.
태재[1]【太宰】[명] 〖역〗 옛날 중국에서 모든 관리의 으뜸 벼슬의 일컬음.
태재[2]【殆哉】[명] 몹시 위태로운 일.
태재 급급【殆哉岌岌】[명] 몹시 위태함. 태재 태재(殆哉殆哉).
태재 태재【殆哉殆哉】[명] 태재 급급(岌岌).
태전【苔田】[명] 바닷가에 김을 가꾸어서 뜯어 내기 위하여 마련한 곳.
태점【胎占】[명] 뱃속에 든 아이가 남자인지 여자인지 알려고 치는 점.
태정[1]【台鼎】[명] 〖역〗 삼정승(三政丞)의 딴이름.
태정[2]【苔井】[명] 이끼가 낀 우물.
태-정-태-세-문-단-세【太定太世文端世】[명] 〈속〉 조선 시대 전기(前期)의 역대 임금의 묘호(廟號), 태조(太祖)·정종(定宗)·태종(太宗)·세종(世宗)·문종(文宗)·단종(端宗)·세조(世祖)의 첫자(字)의 모음. 역대 임금의 묘호(廟號)를 외기 위한 첫부분.
태제【太帝】[명] 중국 고대의 전설상의 제왕 '복희(伏羲)'의 딴이름.
태조[1]【太祖】[명] 한 왕조(王朝)의 첫 대(代)의 임금. ¶이(李)~.
태조[2]【太祖】[명] 〖사람〗 중국 북위(北魏)의 제1대 황제. 본명은 탁발규(拓跋珪). 전진(前秦)이 동진(東晉)에게 망함을 기화로 산시(山西) 북부에서 386년에 일어나 황제가 됨. 만년에 둘째 아들에게 죽음. [371-409; 재위 386-409]
태조[3]【太祖】[명] 〖사람〗 중국 후량(後梁)의 제1대 황제. 본명은 주전충(朱全忠). 장쑤(江蘇) 사람. 당나라를 멸하고 위(位)에 올랐다가 즉위한 지 6년 만에 아들에게 죽음. [852-912; 재위 907-912]
태조[4]【太祖】[명] 〖사람〗 중국 요(遼)나라의 제1대 왕. 본명은 야율 아보기(耶律阿保機). [872-926; 재위 916-926]
태조[5]【太祖】[명] 〖사람〗 고려의 제1대 왕. 성은 왕(王). 이름은 건(建). 송악(松嶽) 사람. 신라말 군웅(群雄)의 한 사람인 궁예(弓裔)의 부하가 되었다가 918년 부하에게 옹립(擁立)되어 송도(松都)에 도읍하고 왕위에 올랐음. *왕건(王建). [877-943; 재위 918-943]
태조[6]【太祖】[명] 〖사람〗 중국 송(宋)나라의 제1대 황제. 본명은 조광윤(趙匡胤). 후주(後周)의 금군(禁軍) 장군으로 있다가 세종(世宗)의 사후 금군에게 옹립(擁立)되어 왕위에 오르고 국호를 송이라 함. 재위시 중국을 거의 통일함. [927-976; 재위 960-976]
태조[7]【太祖】[명] 〖사람〗 중국 금(金)나라 제1대 황제. 본명은 아구다(阿骨打). 그의 종주국(宗主國) 요(遼)에 대항하여 독립을 선언하고 위(位)에 오름. 송(宋)과 동맹을 맺고 요를 공격하여 많은 영토를 확보하였으나, 요의 멸망 2년 전에 죽음. [1068-1123; 재위 1115-23]
태조[8]【太祖】[명] 〖사람〗 중국 명(明)나라 제1대 황제. 본명은 주 원장(朱元璋). 안후이(安徽) 사람. 원말(元末)의 쇠퇴를 틈타 봉기하여 명(明)을 세우고 황제가 됨. 홍무제(洪武帝). [1328-98; 재위 1368-96]

태조[9]【太祖】[명]〖사람〗조선 왕조의 제1대 왕. 성은 이(李). 초명(初名)은 성계(成桂). 즉위하여 단(旦)이라 고침. 함남 영흥(永興) 출신. 고려의 무장(武將)이었으나 1388년 위화도(威化島) 회군(回軍) 이후 삼군도총제사(都摠制使)가 되었다가 1392년 군신(群臣)에게 추대되어 왕위에 올랐음. [1335-1408; 재위 1392-98]

태조[10]【太祖】[명] 중국 청(淸)나라의 제1대 황제. 본명은 누르하치(奴兒哈赤). 만주(滿州) 푸순(撫順) 사람. 명(明)을 멸하고 청을 세워 황제가 됨. [1559-1626; 재위 1616-26]

태조 실록【太祖實錄】[명]〖책〗조선 태조의 재위(在位) 7년간의 실록. 1권 15책.

태조-왕【太祖王】[명]〖사람〗고구려 제6대 왕. 휘(諱)는 궁(宮). 유리왕(琉璃王)의 손자. 영토의 확장과 정치 체제 확립에 노력, 부족 국가적 형태에서 중앙 집권적 국가 체제로 변혁시켰음. 고구려가 실질적인 국가로서의 면목을 갖춘 것이 이 때부터임. 119세까지 장수하였음. 국조왕(國祖王). [47-165; 재위 53-146]

태종[1]【太宗】[명] 한 왕조의 선조 가운데 그 공과 덕이 태조(太祖)에 버금할 만한 임금.

태종[2]【太宗】[명]〖사람〗중국 당(唐)나라 제2대 황제. 본명은 이세민(李世民). 당조(唐朝)의 실질상의 건설자. [598-649; 재위 626-649]

태종[3]【太宗】[명]〖사람〗중국 송(宋)나라의 제2대 황제. 본명은 조광의(趙匡義). 태조(太祖) 조광윤(趙匡胤)의 아우. 오월(吳越)·북한(北漢)을 멸하여 중국을 통일함. [939-997; 재위 976-997]

태종[4]【太宗】[명]〖사람〗조선 시대 제3대 왕. 호는 방원(芳遠). 태조의 제5 왕자. 건국에 공로가 컸음. 1401년 정종(定宗)의 양위(讓位)로 즉위하였는데, 신문고(申聞鼓)의 설치 등 치적이 있음. [1367-1422; 재위 1400-18]

태종[5]【太宗】[명]〖사람〗중국 청(淸)나라 제2대 황제. 태조(太祖)의 여덟째 아들. 몽고 등지를 공략하고 국호를 청으로 고침. 중국 본토 정벌을 기획하다가 뜻을 이루지 못하고 죽음. [1597-1643; 재위 1626-43]

태종-대【太宗臺】[명]〖지〗부산시 영도구(影島區) 동삼동(東三洞) 바닷가에 자리잡은 명소(名所). 신라 태종 무열왕(太宗武烈王)이 명승지를 순유(巡遊)하다 들렀다는 곳으로, 기암 괴석에 부서지는 파도와 울창한 숲이 특색임.

태종 무:열왕【太宗武烈王】[명]〖사람〗신라 제29대 왕. 성은 김(金). 휘(諱)는 춘추(春秋). 진골(眞骨)의 제1대 왕으로, 인품과 수완이 뛰어나 당(唐)·일본과의 외교에 성공하여 당나라의 원군(援軍)을 얻어, 백제(百濟)를 멸하고 신라의 삼국 통일의 기초를 닦았음. [준]무열왕(武烈王). [604-661; 재위 654-661]

태종-비【太宗一】[명] 태종우(太宗雨).

태종 실록【太宗實錄】[명]〖책〗조선 시대 태종의 재위(在位) 18년간의 실록. 세종(世宗) 3년(1421)에 맹사성(孟思誠) 등이 찬수(撰修)함. 36권 35책.

태종-우【太宗雨】[명] 음력 오월 초열흘날에 오는 비. 조선 시대 태종이 가물 때 병으로 누워 비를 염원(念願)하다가, 오월 초열흘날에 승하(昇遐)한 데에서 나온 말. 이 날이 되면 반드시 비가 내렸다 함.

태좌[1]【台座】[명]〖역〗태위(台位).

태좌[2]【胎座】[명] [placenta]〖식〗암꽃술의 한 부분. 배주(胚珠)가 자방(子房) 안에 붙어 있는 자리. 복자방(複子房)의 중축(中軸)에 있는 백합 등의 중축 태좌, 단자방(單子房)의 측변(側邊)에 있는 완두 등의 변연(邊緣) 태좌, 복자예(複雌蕊)에서 이루어지는 단자방(單子房)의 측벽(側壁)에 있는 제비꽃 등의 측막(側膜) 태좌, 복자방의 밑에서 돌출한 축(軸)에 있는 별꽃 등의 직립 중앙 태좌 등으로 구분함. 태자리.

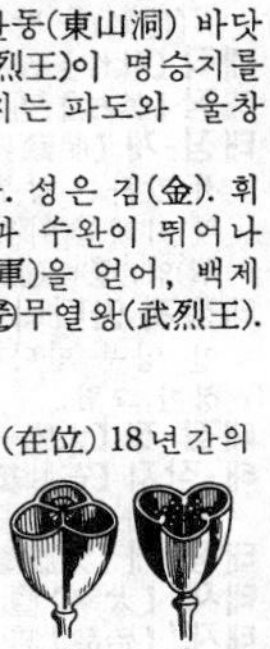

1. 중축 태좌
2. 변연 태좌
3. 측막 태좌
4. 직립 중앙 태좌

〈태좌²〉

태죄【笞罪】[명]〖역〗태형(笞刑)에 해당한 죄.

태주[1] [명]〖민〗마마를 앓다가 죽은 어린 계집 아이의 귀신. 다른 여자에게 지피어서 길흉 화복(吉凶禍福)을 말하고, 온갖 것을 잘 알아 맞힌다 함. *명도(明圖).

태주[2]【太簇】[명] ①〖악〗중국 음악 십이율(十二律)의 하나. ②음력 정월의 별칭.

태주 무:당【一巫堂】[명]〖민〗태주를 몸주로 모시고 몸주신(神)의 말을 태주의 음성으로 말하는 무당(巫堂). *명두 무당(明斗巫堂).

태주 할미 [명]〖민〗태주를 부리는 여자, 곧 태주 무당. *명두 할미.

태중【胎中】[명] 아이를 밴 동안. 태상(胎上).

태즈메이니아 [Tasmania] [명]〖지〗오스트레일리아 동남부, 배스 해협(Bass 海峽)을 사이로 떨어져 있는 섬. 1642년 네덜란드의 항해가 타스만(Tasman, A. J.)이 발견함. 1803년 영국령, 1901년 오스트레일리아 제주(諸州)와 함께 연방을 조직, 한 주(州)를 이룸. 여러 가지의 광산(鑛産)이 풍부하며 양모·과실의 산출도 많음. 주도(州都)는 호바트(Hobart). [68,000 km²: 427,000 명(1981)]

태즈메이니아 어:군【一語群】[Tasmania] [명] 오스트레일리아의 태즈메이니아섬 토착민이 사용한 여러 언어의 총칭. 다른 언어와의 역사적인 관계를 찾아볼 수 없으며, 현재는 사어(死語)임.

태지[1]【苔紙】[명] 가는 털과 같은 이끼를 섞어서 뜬 종이. 측리지(側理紙).

태지[2]【胎脂】[명] 태아의 몸 표면을 싸고 있는 회백색의 지방과 같은 물질. 5개월경부터 볼 수 있으며 체표(體表)에서 분비한 피지(皮脂)와 이탈한 상피(上皮) 세포 따위가 섞인 것임.

태지[3]【胎紙】[명] ①주련(柱聯)·병풍 따위를 배접(褙接)할 때 모자라는 종이를 채워서 넣는 종이. [준]태(胎). ②편지 속에 따로 적어 넣는 종이. 협지(夾紙).

태직【太稷】[명]〖역〗임금이 백성을 위하여 후직(后稷)을 제사지내던 곳. 대직(大稷).

태진 외:전【太眞外傳】[명] 중국의 경극(京劇)의 이름. 당대(唐代)의 소설 《양태진 외전(楊太眞外傳)》이나 백낙천의 《장한가(長恨歌)》 등에 의거해서 양 귀비(楊貴妃)의 일대기를 극화한 새로운 경극임.

태질 [명] [중세 : 태질] ①세차게 메어 치거나 넘어뜨리는 짓. ②〖농〗개상이나 탯돌에 보릿단·볏단 따위를 메어 쳐서 곡식을 떠는 짓. ——-하다 [타][여불]

태질-치다 [타] 되게 메어 치다. 세게 집어 던지다. [준]태치다.

태-짐【駄一】[명] 실거나 져서 운반하는 짐.

태짐-꾼【駄一】[명] 태짐을 실거나 지고 가는 일꾼.

태차【胎借】[명] 태중(胎中)의 차력(借力). 태중의 여자가 약을 먹어서 그 아이에게 차력이 되게 하는 일. ——-하다 [자][여불]

태창【太倉】[명]〖역〗조선 시대 광흥창(廣興倉)의 별칭.

태창 광:산【泰昌鑛山】[명]〖지〗충청 북도 충주시(忠州市) 앙성면(仰城面)에 있는 금산. 신구(新舊) 두 개의 광산이 있는데, 구광산은 1930년, 신광산은 1938년에 개광(開鑛)하였음.

태천[1]【泰川】[명]〖지〗평안 북도 태천군의 군청 소재지. 농산물의 집산(集散)이 성하고 군내 도로망의 중심을 이룸.

태천[2]【笞泉】[명] 이끼가 덮인 샘.

태천-군【泰川郡】[명]〖지〗평안 북도 남서부의 군. 관내 9면. 북은 삭주군(朔州郡)·창성군(昌城郡)·운산군(雲山郡), 동은 운산군·영변군(寧邊郡), 남은 박천군(博川郡), 서는 구성군(龜城郡)에 인접함. 지세가 험준하나 도로가 정비되어 교통은 비교적 편리함. 조·콩·팥·쌀·감자·옥수수·목화·삼·고치 등의 농산과 축산·임산이 있으며, 명승 고적으로 협수대(狹水臺) 등이 있음. 군청 소재지는 태천. [684 km²]

태청【太淸】[명] 도교(道敎)에서 하늘을 일컫는 말.

태초【太初·泰初】[명] 천지가 개벽(開闢)한 처음. 우주의 시초. 대시(大始). 무시지시(無始之時). 창초(創初). ¶~에 말씀이 있었으니.

태촉【太促】[명] ①매우 재촉함. ②매우 촉박함. ——-하다 [타][형][여불]

태충-류【苔蟲類】[一뉴] [명] 태선충류(苔蘚蟲類).

태-치다 [타] ↗태질치다.

태코그래프 [tachograph] [명]〖기〗태코미터 안에 장치되어 자동차의 주행(走行) 시간과 속도가 자동적으로 기록되는 종이.

태코미터 [tachometer] [명]〖기〗어떤 시간내의 회전 속도(回轉速度)의 변화 상태를 기록·도시(圖示)할 수 있는 회전 속도계(計). 장거리용 트럭 등에 장치하여 제한 속도를 넘으면 경보가 울리게 하여 폭주(暴走) 방지 등에 이용됨.

태클 [tackle] [명] ①럭비에서, 공을 가지고 달리는 사람의 아랫도리를 붙잡아서 쓰러뜨리거나 하여 공을 빼앗는 일. ②레슬링에서, 상대편 하반신을 공격하여 쓰러뜨리는 일. 레그 다이빙(leg diving). ③축구에서, 상대방의 공을 발로 가로채는 일. 서서하는 스탠딩 태클과 상대방의 발 밑으로 미끄러져 들어가는 슬라이딩 태클의 두 종류가 있음.

태킹 [tacking] [명]〖해〗뱃머리를 바람이 부는 쪽으로 향하게 하면서 바람을 받는 현(舷)을 한 현에서 다른 현으로 옮기는 방향 전환.

태타【怠惰】[명] 게으름. ——-하다 [형][여불]

태탕【駘蕩】[명] ①넓고 큰 모양. ②봄의 경치가 화창한 모양. ¶춘풍 ~. ——-하다 [형][여불]

태태【棣棣】[명] 위의(威儀)에 익숙한 모양. 숙달(熟達)한 모양. ——하다 [형][여불]

태토【胎土】[명] 바탕흙.

태티다 [타] 〈옛〉 태질치다. ¶태티다(鳴鞭)《釋語 上 9》.

태팅 [tatting] [명] 서양식 수예(手藝)의 한 가지. 그물 짜는 기구를 써서 작은 고리를 떠서 이은것. 옷의 장식이나 책상보 등에 쓰임.

태평[1]【太平】[명] 세상이 무사하고 해마다 풍년이 들며 화란(禍亂)·질병 등이 없이 평안함. ——-하다 [형][여불]. ——-히 [부]

태평【泰平】[명] 몸이나 마음이나 집안 따위가 평안함. ——-하다 [형][여불]. ——-히 [부]

태평-가【太平歌】[명] ①태평함을 구가(謳歌)하는 노래. ②〖악〗국악(國樂)의 가곡(歌曲) 24곡 가운데 맨 끝 곡. 남녀 병창(並唱)임. ③근대 양악(洋樂)의 선구자 정사인(鄭士仁)이 작사·작곡한 신민요의 하나. 창부 타령을 변주(變奏)한 것임.

태평-곡【太平曲】[명]〖문〗①고려 충숙왕(忠肅王) 때의 문신(文臣) 김원상(金元祥)이 지은 가사(歌辭). 제작 연대 미상. 작자가 적선래(謫仙來)라는 기생에게 부르게 하여 왕의 찬탄을 받았다 함. 현재 전하지 아니함. ②조선 중기의 승려 침굉(枕肱)이 지은 가사의 하나. 사이비(似而非) 승려에 대한 질책과 승려 본래의 사명인 중생 제도(衆生濟度)의 염원을 읊음. 작자의 문집 《침굉집》에 전함. ③조선 중종(中宗) 31년(1541), 주세붕(周世鵬)이 지은 경기체가(景幾體歌)의 하나. 5장으로 되어 있으며, 내용은 역대 성군(聖君)의 은덕(恩德)을 찬양하는 것으로서 그의 저서인 《죽계지(竹溪誌)》에 전함. *도덕가(道德歌).

태평-과【太平科】[명] 조선 때, 시절이 태평하거나 나라에 경사가 있을 때 임시로 보이던 과거의 한 가지.

태평-관【太平館】[명]〖역〗조선 시대 때 중국 사신이 우리 나라에 와서 머물던 객관(客館). 지금 서울의 태평로(太平路)에 있었음.

태평 광:기【太平廣記】[명]〖책〗중국 송(宋)나라의 이방(李昉) 등이 칙명(勅命)을 받들어 지은 책. 한(漢)나라로부터 오대(五代)에 이르기까지의 전설·기문(奇聞)을 종류에 따라 분류·집성(集成)한 설화집. 태평흥국(太平興國) 8년(983)에 완성함. 500권.

태평 광:기 언:해【太平廣記諺解】[명]〖책〗태평 광기를 한글로 번역한 책. 조선 선조(宣祖)·경종(景宗) 연간에 간행된 듯함. 국어학 연구에 중요한 자료가 됨. 5권.

태평-꾼【泰平一】[명] 아무 걱정이 없이 마음이 편안한 사람.

태평-년【太平年】 명 〖악〗 진연(進宴) 때에 아뢰던 풍류의 이름. 고려(高麗) 때에 시작되었음.

태평-도【太平道】 명 〔태평(太平)은 창시자 우길(于吉)이 신에게서 받았다는 경서(經書) ≪태평 청령서(太平淸領書)≫에서 유래〕 가장 일찍이 성립된 중국의 도교(道敎) 교단. 후한(後漢) 말의 도사(道士) 간길이 창시하였는데, 이를 이은 장각(張角)이 병자에게 부수(符水)를 마시게 하고 주문(呪文)을 외어서 민심(民心)을 얻어 황건적(黃巾賊)의 난을 일으켰음. 장각의 사후 급속도로 쇠퇴하여 그 후 오두미도(五斗米道)에 흡수되어 버렸음.

태평-사【太平詞】 명 〖문〗 노계(蘆溪) 박인로(朴仁老)가 지은 가사(歌辭). 임진 왜란 때 사졸(士卒)을 위하여 다시 돌아올 태평 성대의 광명한 세계를 마음 속에 그리어 지은 사사조(四四調) 가사체의 장가(長歌)임. 선조 32년(1599)에 지었음.

태평-산【太平山】 명 〖지〗 함경 북도 무산군(茂山郡) 연사면(延社面) 함경 산맥 북부에 있는 산. [2,077 m]

태평 성:대【太平聖代】 명 어질고 착한 임금이 다스리는 태평한 세상.

태평 성:사【太平盛事】 명 태평한 시대의 훌륭한 일.

태평 세:계【太平世界】 명 잘 다스려서 평화스러운 세상.

태평-소【太平簫】 명 〖악〗 국악의 관악기(管樂器)의 하나. 단단한 나무로 만든 관(管)에 여덟 구멍을 뚫었는데, 그 중 둘째 구멍은 뒷면에 있으며, 아래 끝에는 깔때기 모양의 구리를 달고, 윗 부리에 구리를 씌우고 갈대로 만든 겹혀를 끼워, 그 곳에 입을 대고 붊. 고려말에 중국에서 들어온 듯하며, 군중(軍中) 대취타(大吹打)와 제례악(祭禮樂)의 무무(武舞)에 쓰였으며, 지금은 농악에도 쓰임. 대평소(大平簫). 날라리. 호적(胡笛). 쇄납(瑣吶). 철적(鐵笛).

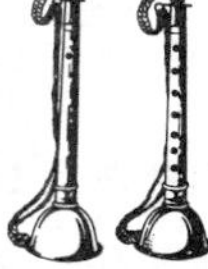
〈태평소〉

태평-송【太平頌】 명 〖역〗 신라 진덕 여왕(眞德女王)이 당(唐)나라 고종(高宗)에게 보낸 송시(頌詩). 당나라의 홍업(鴻業)을 크게 칭송 찬양한 것으로서, 신라가 장차 고구려·백제 두 나라를 공격하고자 당나라의 힘을 빌기 위한 수단으로 보낸 것임.

태평-스럽다【太平—】 형 ㅂ불 세상이 무사하고 평안한 것 같다. 태평-스레【太平—】 부

태평-양【太平洋】 명 〔Pacific Ocean〕 〖지〗 삼대양(三大洋)의 하나. 남북 아메리카·오스트레일리아·말레이 제도·아시아 대륙 사이에 위치한 바다. 지구의 전(全)해양 면적의 약 반을 차지함. 가장 깊은 곳은 메리애나 해구(海溝)에 있는 비티아즈 해연 (Vityaz 海淵)으로 11,034 m임. 베링 해·동해·황해·동중국해·남중국해·필리핀 해·산호해(珊瑚海)·태즈먼 해(Tasman海) 등의 지해(支海)가 있으며, 화산도(火山島)와 산호도가 많음. 평균 심도(深度)는 4,282 m임. [165,720,000 km²]

태평양 경제 협의회【太平洋經濟協議會】 [—/—이—] 명 〖경〗 〔Pacific Basin Economic Council〕 태평양 연안 지역 국가 사이의 경제 협력과 지역 사회 발전을 위한 기업인(企業人) 주축의 민간 기구. 1967년 일본 도쿄(東京)에서 창설되었으며, 1993년 현재 정회원은 14개국임. 우리 나라는 1984년에 가입함. 피벡(PBEC).

태평양 고기압【太平洋高氣壓】 명 〖기상〗 북태평양에 발달하는 아열대(亞熱帶) 고기압.

태평양 국가 선언【太平洋國家宣言】 명 〖정〗 1966년 7월 12일 미국의 대통령 존슨(Johnson, L. B.)이 미국은 태평양 국가로서 아시아에서 의무를 다하겠다고 한 선언.

태평양 남적도 해:류【太平洋南赤道海流】 명 〔Pacific South Equatorial Current〕 〖해〗 태평양의 북위 3도에서 남위 10도 사이를 동쪽에서 서쪽으로 흐르는 해류. *태평양 북적도 해류.

태평양-돌고래【太平洋—】 명 〖동〗 [*Tursiops gilli*] 돌고랫과에 속하는 포유 동물의 하나. 몸길이 1.5-2.5 m, 몸빛은 회색에 주둥이는 짧으며 태평양에만 분포하는데, 북태평양 특히 일본 근해에 많음. 연안성(沿岸性)으로 지능이 높고 사람을 잘 따름. 조련(調練)하면 곡예를 연출하므로 대형 수족관에서 사육·조련하여 관람시키고 있음. *참돌고래.

태평양 동:물 지리구【太平洋動物地理區】 명 〔Pacific faunal region〕 〖지〗 중앙 아메리카의 서쪽 난바다 쪽과, 남위(南緯) 약 5도의 남아메리카 해안에서 캘리포니아 반도의 선단(先端)을 연결한 일대를 포함하고 있는 해안 연안 동물 지리구.

태평양 북적도 해:류【太平洋北赤道海流】 명 〔Pacific North Equatorial Current〕 〖해〗 태평양의 북위 10도에서 북위 20도 사이를, 동쪽에서 서쪽으로 흐르는 해류. *태평양 남적도 해류.

태평양 선언【太平洋宣言】 명 〖역〗 1954년 9월의 동남 아시아 집단 방위 조약의 체결 때에 참가국 사이에 조인된 선언. 태평양 지역 모든 국민의 평등과 민족 자결권(民族自決權)의 존중 및 경제적·문화적·사회적 협력, 침략에 대한 방지 등을 내용으로 함. 태평양 헌장.

태평양-시【太平洋時】 명 〔Pacific time〕 〖천〗 서경(西經) 120도 자오선을 기선(基線)으로 한 그리니치 서쪽 제8 경대(經帶)의 시각(時刻). 태평양 표준시.

태평양식 암석군【太平洋式岩石群】 명 알칼리 금속 함유량이 비교적 적은 안산암(安山岩)·유문암(流紋岩)·화성암(火成岩)의 무리. 주로 태평양 주변 지역에 분포함. 태평양형(型) 암석.

태평양 안전 보:장 조약【太平洋安全保障條約】 명 〔Australia, New Zealand and the United States Treaty〕 〖정〗 1951년 8월에 샌프란시스코에서 미국·오스트레일리아·뉴질랜드 사이에 체결된 상호 안전 보장 조약. 태평양 지역에 대한 공산주의 침투를 상호 협동으로 방지함이 목적임. 약칭: 앤저스(ANZUS).

태평양 온대 동:물 지리구【太平洋溫帶動物地理區】 명 〔Pacific temperate faunal region〕 〖지〗 인도차이나에서 알래스카·북아메리카 서안(西岸)을 따라 북위 약 40도까지의 좁은 지역을 포함하는 해양 연안 동물 지리구.

태평양 적도 반:류【太平洋赤道反流】 [—발—] 명 〔Pacific Equatorial Counter Current〕 〖해〗 태평양의 북위 3도에서 북위 10도 사이를, 북적도 해류(北赤道海流)와 반대로, 서쪽에서 동쪽으로 흐르는 해류.

태평양 전:쟁【太平洋戰爭】 명 ①1941년부터 1945년까지의 연합국 대 일본의 전쟁. 제2차 세계 대전의 일부를 이룸. 중일(中日) 전쟁의 장기화에 따라 일본은 독일·이탈리아와 삼국 동맹을 맺고, 또 소일(蘇日) 중립 조약을 맺어 남진(南進) 정책을 실시하다가 1941년 하와이 진주만을 기습함으로써 전쟁을 유발하였음. 초기에는 일본군이 우세하여 남양(南洋) 여러 지역을 점령하였으나, 미드웨이 해전을 계기로 일본 해군은 거의 전멸되고 미군은 반격으로 전환, 1944년까지 대부분의 피점령 지구를 탈환하였으며, 1945년 히로시마(廣島)·나가사키(長崎)에의 원자탄 투하와, 소련의 참전(參戰)으로 일본은 드디어 그 해 8월 15일 무조건 항복하였음. 이 전쟁의 결과로 한국은 일제에서 해방되고, 대만은 중국으로, 사할린 남부와 쿠릴 열도는 소련으로 환부(還附)되었으며, 일본은 군국주의로부터 민주주의 국가로 전환하게 되었음. 미일(美日) 전쟁. *제2차 세계 대전. ②1879년 페루·칠레 양국간의 국경 분쟁에 기인한 전쟁. 칠레는 1884년의 강화 조약에 의해 페루 영토의 일부를 빼앗고 다른 일부를 점령함. 점령 지역의 귀속을 둘러싼 대립은 1929년까지 계속되었음.

태평양 정치 경제권【太平洋政治經濟圈】 [—꿘] 명 21세기에는 중국·일본·미국·멕시코·오스트레일리아 등 환태평양(環太平洋) 국가들이 정치·경제권을 구축(構築)하고 세계를 주도할 것이라고 보는 전문가들의 구상.

태평양 조약 기구【太平洋條約機構】 명 〔Pacific Asia Treaty Organization〕 〖정〗 태평양 안전 보장 조약·미비(美比) 안전 보장 조약·동남 아시아 조약 기구 등을 기초로 하는 전(全)태평양 지역의 집단 방위 체제. 파토(PATO).

태평양 지역 관광 협회【太平洋地域觀光協會】 명 〔Pacific Area Travel Association〕 파타(PATA).

태평양 표준시【太平洋標準時】 명 〖천〗 태평양시(太平洋時).

태평양 함:대【太平洋艦隊】 명 〖군〗 태평양을 작전 구역(作戰區域)으로 하여 조직된 함대.

태평양 헌:장【太平洋憲章】 명 태평양 선언(太平洋宣言).

태평양형 암석【太平洋型岩石】 명 태평양식(式) 암석군(岩石群).

태평 어:람【太平御覽】 명 〖책〗 중국 송(宋)나라 이방(李昉) 등이 지은 백과 사서(辭書). 983년에 완성함. 1,000권. 고금(古今)의 사실을 널리 고적 일문(古籍佚文)에 구하고, 또 유서(類書)에서 취하여 55문(門)으로 나누어 기술했음.

태평 연월【太平烟月】 [—년—] 명 태평하고 안락한 세월. ¶어즈버 ~ 이 꿈이런가 하노라.

태평 천국【太平天國】 명 ①태평하고 안락한 천국. ②〖역〗 1851년 중국 청대(淸代)에 장발적(長髮賊) 홍수전(洪秀全)이 세운 나라. 수도는 광시성(廣西省)의 융안(永安), 후에 난징(南京)으로 옮김. 기독교의 신앙에 근본을 두고 토지의 사유(私有)를 인정하지 않았으며, 신력(新曆)을 공포하고 연호를 태평 천국이라 일컬었음. 1864년 증국번(曾國藩)·이홍장(李鴻章) 및 영국인 고든(Gordon) 등의 연합군에게 멸망되었음. *장발적(長髮賊)·상제회(上帝會).

태평 천국의 난:【太平天國—亂】 [—/—에—] 명 〖역〗 청(淸)나라 말기인 1850년, 홍수전(洪秀全)을 우두머리로 하여 광시 성(廣西省) 진톈촌(金田村)에서 일어난 반란. 지주·상인·외국 자본의 연합군에 의해 멸망되기까지 15년간 계속됨. 기독교를 내용으로 하는 종교적 내란의 형태를 보였으나, 그 본질에 있어서는 이민족인 청조(淸朝)의 타도와 악습의 철폐, 남녀의 평등, 토지의 균분(均分), 조세의 경감 등을 주장한 농민 항쟁이었음.

태평 통재【太平通載】 명 〖책〗 조선 시대 초기에 성임(成任)이 중국과 우리 나라 역대 문헌에서 기문 이설(奇聞異說)을 뽑아 집대성한 책. 원래 방대한 저술이었으나 현재 거의 산일(散佚)되고 일부만 전함.

태평 한화 골계전【太平閑話滑稽傳】 명 〖책〗 조선 초기(初期), 서거정(徐巨正)이 지은 일화집(逸話集).

태평-화【太平花】 명 〖건〗 단청(丹靑) 그림의 한 가지. 정면(正面)으로 보이게 그린 꽃 모양.

태포[1]【苔脯】 명 태병(苔餠).

태포[2]【胎胞】 명 〔도 Furchtblase〕 〖의〗 분만하려고 할 때 진통 때문에 자궁(子宮)의 하부(下部)가 열리고 난막(卵膜)의 일부분이 나와서 주머니처럼 된 것. 이 속에 전양수(前羊水)가 들어 있음. *전양수(前羊水).

태풍【台風·颱風】 명 〔typhoon〕 〖기상〗 북태평양 서부에서 발생하는 열대성 저기압으로, 아시아 대륙 동부 방면으로 불어오는 맹렬한 바람. 흔히, 초속 20-60 m, 직경 30-1,590 km, 높이 10-20 km의 저기압으로 컵의 물을 젓가락으로 젓는 것과 같은 움직임을 나타냄. 한 해에 보통 24개가 발생하는데, 그 발생지·통과 중심지·발생순 등으로 이름을 붙임. 흔히 7-9월경에 내습하여 때때로 해난(海難)·폭풍우로 인한 풍수해(風水害)를 일으킴. 싹쓸바람.

태풍 경:보【颱風警報】 명 기상 경보의 하나. 태풍의 중심이 우리 나라 해안선의 500 km 범위 안에 들어가거나, 상당한 피해가 예상될 때에 발표함.

태풍-안【颱風眼】 명 〖기상〗 태풍의 눈.

태풍의 눈【颱風—】 [—/—에—] 명 〔eye of a typhoon〕 ①〖기상〗 잘 발달된 태풍의 비교적 잔잔한 중심부. 강렬한 태풍이 불 때에는 중심에 가까울수록 원심력(遠心力)이 세어지는 까닭에 중심부에 정온(靜穩)한

기상 현상이 나타나는데, 중심부의 반지름 10 여 km 이내의 권내(圈內)를 일컬음. 태풍안. ②전하여, 활발하게 움직이는 사물의 중심 세력이나 인물.

태풍 주:의보【颱風注意報】[—/—이—] 명 기상 주의보의 하나. 태풍의 중심이 우리 나라 해안선의 500km 밖에 있거나 태풍에 따라 얼마간의 피해가 예상될 때에 발표함. ¶～가 내리다.

태프트〔Taft〕명〖사람〗①〔Robert Alphonso T.〕미국의 정치가. 공화당의 영수로, 상원 의원(上院議員)을 역임. 두 차례의 대통령 후보지명에 입후보함. 전통적인 고립주의자이며, 태프트 하틀리법을 기안(起案)하였음. [1889-1953] ②〔William Howard T.〕정치가. ❶의 아버지. 여러 정계 요직을 거친 후, 1909년 제27대 대통령에 당선. 뒤에 보수적으로 되었음. [1857-1930]

태프트 하틀리법【—法】〔Taft-Hartley〕[—뻡] 명〖법〗1947년 6월에 성립·제정된 미국의 노사 관계법(勞使關係法). 1935년의 와그너법을 수정한 현행 노동 기본법으로, 입안자(立案者)인 상원 의원 태프트와 하원 의원 하틀리 두 노동 위원회 위원장의 이름을 딴 것임. 파업권(罷業權)의 제한(制限), 클로즈드 숍(closed shop)의 금지, 유니언 숍(union shop)의 대폭 제한, 노동자의 부당 노동 행위의 인정 등을 그 주요 내용으로 하고 있음. *와그너법.

태피〔taffy〕명 캔디의 일종. 설탕과 엿을 혼합하여 150°C 전후로 가열 농축(濃縮)하고, 맛을 내기 위하여 땅콩·초콜릿·커피 등을 섞어 냉각 고화(固化)하여 절단한 당과(糖菓).

태피스트리〔tapestry〕명 색실로 풍경(風景) 같은 것을 짠 주단(綢緞). 벽에 치거나 바닥에 깖. 프랑스말로는 타피스리(tapisserie).

태피터〔taffeta〕명 광택이 있는 엷은 평직(平織)의 견직물. 여성복·넥타이·리본 등을 만드는 데 씀. 호박단(琥珀緞).

태필【台弼】명 태보(台輔).

태핏〔tappet〕명〖공〗밸브(valve)를 밀어 올리는 역할을 하는 장치(裝置). 특히, 내연 기관(內燃機關)에서, 크랭크축(crank軸)과 연동(連動)하고 있는 캠(cam)에 의해 흡배기용(吸排氣用)의 밸브를 여닫는 작용을 함.

태핑 나사【—螺絲】〔tapping〕명〖공〗나사를 돌림에 따라 스스로 구멍을 파며 들어가게 된 나사. 머리가 보통, 둥글고 그 위에 드라이버의 날이 들어갈 홈이 파졌으며, 끝이 파고 들어가기에 알맞게 되었음.

〈태핑 나사〉

태학【太學】명〖역〗①중국의 고대로부터 송대(宋代)까지 국가가 중앙에 베푼 최고 학부. *국사학(國士學). ②고구려 때의 중앙에 베푼 국립 교육 기관. 소수림왕(小獸林王) 2년(372)에 설립하여, 중앙 귀족의 자제(子弟)에게 유학(儒學)을 교육하였음. ③조선 시대 때의 성균관(成均館)의 별칭.

태학-감【太學監】명〖역〗신라 때의 교육 기관. 일종의 국립 대학으로 신문왕 2년(682)에 세워 국학(國學)이라 하였는데, 경덕왕(景德王) 때에 태학감이라 개칭함. 한문과 유학(儒學)을 전문으로 가르쳤음.

태학-사【太學士】명〖역〗①조선 시대 홍문관(弘文館) 대제학(大提學)의 별칭. ②구한말, 궁내부(宮內府) 홍문관(弘文館)의 으뜸벼슬. 칙임관(勅任官)임.

태학-생【太學生】명〖역〗조선 시대 성균관(成均館)의 장의(掌議) 이하의 생원(生員)·진사(進士)의 총칭.

태항【胎缸】명〖역〗왕가(王家)의 남자 태를 담아서 태봉(胎封)하는 데 쓰는 항아리.

태행-관【太行關】명 천정관(天井關).

태행-산【太行山】명〖지〗경상 북도 청송군(靑松郡) 태백 산맥 중에 솟아 있는 산. [933 m]

태행 산맥【太行山脈】명〖지〗타이항 산맥.

태향【胎向】명〔Position〕〖생〗태아의 배부(背部) (종위(縱位)의 경우) 또는 두부(頭部) (횡위(橫位)의 경우)와 자궁벽(壁)과의 관계. 배부 또는 두부가 자궁의 좌벽(左壁)을 향하는 제1 태향과, 우벽(右壁)을 향하는 제2 태향의 두 가지로 분류됨. *태위(胎位).

태허【太虛】명 ①하늘❶. ②〖철〗중국 철학의 기초 개념의 하나. 송(宋)나라 장횡거(張橫渠)가 주장한 기(氣)의 본체. 이 태허가 응집(凝集)되어 만물이 되고, 만물은 분해하여 태허가 됨. 이 기(氣)의 철학을 명말 청초(明末淸初)의 왕부지(王夫之)가 계승함.

태현【大賢】명〖사람〗대현(大賢)의 휘(諱).

태현-경【太玄經】명〖책〗한(漢)나라 양웅(揚雄)이 지은 책. 주역(周易)에 비기어 우주 만물의 근원을 논하되, 주역의 음양 이원론(陰陽二元論)을 시(始)·중(中)·종(終)의 삼원(三元)으로써 설명하고, 이것에 역법(曆法)을 가미함. 10권.

태형【笞刑】명〖역〗①매로 볼기를 치는 형벌(刑罰). 십도(十度)에서 백도(百度)에 이름. ②당률(唐律)·명률(明律)의 오형(五刑)의 하나. 편형(鞭形).

태-호【太湖】명〖지〗'타이후'를 우리 음으로 읽은 이름.

태호-석【太湖石】명 용해(溶解)하여 기형(奇形)을 이룬 석회암의 덩어리. 정원이나 화분 등에 놓고 관상함. 중국 태호(太湖)에서 남.

태홀【怠忽】명 태만(怠慢). ——하다 형여불. ——히 부

태화[1]【太和】명〖역〗신라 진덕 여왕(眞德女王)의 연호(年號). 원년(648)에서 4년까지 쓰여짐.

태화[2]【太和】명〖지〗'대리(大理)'의 옛이름.

태화[3]【胎化】명 모태(母胎) 안에 있어서의 교화(敎化). 태교(胎敎). ——하다 자여불

태화-강【太和江】명〖지〗경상 남도 울산 광역시 울주구(蔚州區)에서 발원하여, 시내를 거쳐 울산만(灣)으로 흘러 나가는 강. 유역 일대는 해안 평야(海岸平野)를 이룸. [41.5km]

태화-관【泰和館】명 1919년 3월, 3·1운동 때에 민족 대표들이 모여 독립 선언문을 낭독한 곳. 요릿집 명월관(明月館)의 분점이었음.

태화-산【太華山】명〖지〗충청 북도 단양군(丹陽郡)과 강원도 영월군(寧越郡) 사이에 있는 산. 소백 산맥에 속함. [1,027 m]

태화-탕【太和湯】명 ①끓는 물. ②언제나 마음이 무사 태평함. ¶저 사람은 언제나 ～이야.

태환[1]【太鐶】명〖고고학〗굵은고리. ↔ 세환(細鐶).

태환[2]【兌換】명 ①바꿈. ②〖경〗지폐(紙幣)를 정화(正貨)와 바꿈. ——하다 타여불

태환[3]【胎患】명〖한의〗갓태어났을 적에 눈알이 몹시 흔들려, 너덧 살 되면 눈동자가 희게 변하고 안력(眼力)이 약하여지는 병.

태환-권【兌換券】[—꿘] 명〖경〗태환 지폐(紙幣).

태환식 귀걸이【太鐶式—】명 굵은고리 귀걸이. ↔세환식(細鐶式) 귀걸이.

태환 이식【太鐶耳飾】명 신라 시대의 금제(金製) 귀고리. 길이 9cm, 직경 3.4cm인 데 속빈 태환(太環) 밑에 달린 타원형에 가까운 고리로 중간 장식부와 연결되었는데, 정교한 영락(瓔珞)으로 꾸며지고 그 밑에는 심엽형(心葉形)의 장식이 달림.

태환 제:도【兌換制度】명〖경〗정부 또는 발권 은행(發券銀行)이 태환에 필요한 정화(正貨)를 가지고 있어 태환의 요구에 응하는 제도. 정화(正貨) 수출입의 자유와 더불어 금본위 제도에 불가결의 요건임.

태환 준:비【兌換準備】명〖경〗정부나 태환 은행이 태환의 요구에 응하기 위하여 정화(正貨)를 준비하는 일.

태환 지폐【兌換紙幣】명〖경〗발행자가 그 소유자의 요구에 따라 언제든지 한 나라 소정의 본위 화폐(本位貨幣)와 태환할 것을 규정한 지폐. 그 대표적인 것은 태환 은행권(銀行券)임. 태환권(兌換券). ↔불환 지폐(不換紙幣).

태황[1]【太皇】명〖역〗↗태황제(太皇帝).

태황[2]【胎黃】명〖한의〗신생아(新生兒)의 황달(黃疸)을 한의학에서 일컫는 말.

태-황제【太皇帝】명〖역〗태상황(太上皇). 준태황.

태-황태후【太皇太后】명〖역〗황제의 생존한 할머니. 실가(實家)의 항렬(行列)은 치지 아니하고 황통(皇統)만 침.

태후【太后】명〖역〗↗황태후(皇太后).

태흘-봉【太屹峰】명〖지〗함경 남도 갑산군(甲山郡)에 있는 산의 이름. [1,970 m]

택[1] 명〈방〉턱(경기·충청·전라·경상·강원·함경).

택[2] 명〈방〉뎀.

택[3] 명〈방〉멱[2].

택[4]【宅】명 성(姓)의 하나.

택[5]【澤】명 성(姓)의 하나.

택거【宅居】명 집에 거처함. ——하다 자여불

택견 명 태껸.

택곽【澤廓】명 아랫눈꺼풀의 코에 가까운 곳.

택교【擇交】명 벗을 가리어서 사귐. ——하다 타여불

택-급만세【澤及萬世】명 혜택(惠澤)이 영원히 미침. ——하다 자여불

택길【擇吉】명 택일(擇日). ——하다 자여불

택당-집【澤堂集】명〖책〗조선 중기의 문인, 택당 이식(李植)의 문집. 본집 6권, 속집 6권, 별집 18권, 도합 17책. 현종(顯宗) 15년(1674), 영조(英祖) 23년(1747), 동왕 40년(1754) 등 수차 간행됨.

택란【澤蘭】[—난] 명 ①〖식〗쉽사리. ②〖한의〗쉽사리의 잎. 성질이 조금 따뜻한데, 피를 다스리는 약으로 산부인과와 외과(外科)에 쓰임.

택량[1]【擇良】[—냥] 명 보다 좋은 것을 선택함. ——하다 자여불

택량[2]【澤梁】[—냥] 명 어량(魚梁)을 쳐 놓은 못.

택료【宅療】[—뇨] 명 자택에서 하는 요양(療養). ——하다 자타여불

택리-지【擇里志】[—니—] 명〖책〗조선 영조(英祖) 때 이중환(李重煥)이 지은 지리 책. 우리 나라 전역에 걸친 지형·풍토·풍속·교통에서부터 각 지방의 고사(故事) 또는 인물에 이르기까지 상세히 망라됨. 팔역지(八域志).

택반【澤畔】명 못의 가.

택발【擇拔】명 많은 가운데서 뽑아냄. 선발. ——하다 타여불

택배【宅配】명〔↗자택 배달〕신문·우유·짐 따위를 각 호별(戶別)로 배달함. ¶～편.

택배-편【宅配便】명 위탁자의 집에서 상대방의 집에까지 소화물을 운송하는 운송편.

택벌【擇伐】명〖농〗나무를 골라 가리어서 벌채함. ——하다 자여불

택부【擇婦】명 며느리감을 고름. 아내를 고름. ——하다 자타여불

택-부지【一不知】명〈방〉멱부지.

택사[1]【宅舍】명 사람이 사는 집.

택사[2]【澤瀉】명 ①〖식〗[*Alisma canaliculatum*] 택사과(科)에 속하는 다년초. 화경(花莖)은 높이 40-130mm이고, 잎은 뿌리에서 총생(叢生)하며 길이 10-30cm, 폭 1-4cm 내외의 피침형(披針形) 또는 넓은 피침형임. 7월에 백색 꽃이 총상 화서(總狀花序)로 윤생(輪生)하여 피며, 수과(瘦果)는 분과(分果)임. 무논·못·습지에 나는데, 거의 한국 각지 및 일본 등지에 분포함. *벗풀. ②〖한의〗택사의 괴근(塊根). 성질이 차며, 이수도(利水道)·임질(淋疾)·습진·부종(浮腫) 등의 약재로 씀.

〈택사[2]〉

택-사가리 명〈방〉턱주가리(경상).

택사-과【澤瀉科】[—꽈] 명 〖식〗 [Alismataceae] 단자엽(單子葉) 식물에 속하는 한 과. 초본(草本)으로서 전세계에 10속(屬) 72종, 한국에는 벗풀·보풀·쇠귀나물·올미·택사 등의 3속 6종이 분포함.

택상【宅相】명 장래에 높이 잘 될 외손(外孫).

택서【擇壻】명 사위를 고름. ——-하다 자여불

택선【擇善】명 선을 택함. ——-하다 자여불

택-소가리 명 〈방〉 턱주가리(경남·함남).

택-송아리 명 〈방〉 턱주가리(함남).

택-수가리 명 〈방〉 턱주가리(경상·강원).

택스 헤이븐 [tax haven] 명 해외에서 진출해 온 현지 설립(現地設立) 회사에 세제상(稅制上) 우대를 하는 나라나 지역. 각종 세금이 전혀 없거나 대폭 경감됨. 다국적 기업이 절세(節稅) 목적으로 이용함. 바하마·버뮤다·그랜드 케이먼(Grand Cayman)섬·홍콩·파나마 등지가 택스 헤이븐으로 꼽힘. 조세 회피지(租稅回避地).

택시 [taxi] 명 [택시 미터가 달린 자동차라는 뜻] 거리를 운전하고 다니면서 손님의 요구에 따라 태우는 영업용 승용차. *하이어(hire).

택시-값 [—깝] 명 택시를 탄 요금.

택시 강:도【—强盜】[taxi] 명 택시의 운전사나 합승자의 금품을 터는 강도짓. 또, 그런 강도.

택시-걸: [taxi-girl] 명 택시의 여자 운전수. 또, 택시의 여자 조수.

택시 드라이버 [taxi driver] 명 택시 운전수.

택시-미터 [taximeter] 명 〖기〗 택시에 장치한 요금(料金) 자동 표시기. 보통, 자동차의 앞바퀴로부터 회전이 전하여 운전 거리에 따라서 그때 그때의 요금액(額)이 표시됨.

택시스 [taxis] 명 〖생〗 주성(走性). 추성(趨性).

택심【宅心】명 존심¹(存心)❶. ——-하다 타여불

택용【擇用】명 골라서 씀. ——-하다 타여불

택우¹【澤雨】명 자우(滋雨)❷.

택우²【擇偶】명 짝을 고름. 배필을 고름. ——-하다 자여불

택인【擇人】명 쓸 사람을 고름. ——-하다 자여불

택일¹【擇一】명 하나를 고름. ¶양자 ~. ——-하다 자여불

택일²【擇日】명 좋은 날짜를 고름. 택길(擇吉). ——-하다 자여불

택일-나다【擇日—】자 택일할 때 그 날이 결정되다.

택일 단자【擇日單子】[—딴—] 명 결혼 날짜를 잡아 상대편에게 알리는 종이.

택일적 수취인【擇一的受取人】[—쩍—] 명 〖경〗 선택 수취인(選擇受取人).

택임【擇任】명 임무를 고름. ——-하다 타여불

택정【擇定】명 선정(選定). ——-하다 타여불

택조【宅兆】명 ①무덤. 묘소(墓所). ②묘지(墓誌).

택-조가리 명 〈방〉 턱주가리(전라·경상).

택-주가리 명 〈방〉 턱주가리(경기·전북·경북).

택-주뎅이 명 〈방〉 턱주가리(전남).

택-중아리 명 〈방〉 턱주가리(전남).

택지¹【宅地】명 집터. ¶~ 조성.

택지²【擇地】명 좋은 땅을 고름. ——-하다 자여불

택지 초과 부:담금【宅地超過負擔金】명 택지 과다 소유 억제를 위하여 서울·부산 등 6대 도시에서 택지를 필요 이상으로 많이 보유하고 있는 개인 또는 법인에게 부과하는 부담금. 개인은 가구별로 2백 평 이상의 소유에, 법인은 단 한 평의 택지 소유에도 부과함.

택진【宅診】명 의사가 자기 집에서 남의 병을 진찰함. ↔왕진(往診). ——-하다 타여불

택차【擇差】명 인재를 골라서 벼슬을 시킴. ——-하다 타여불

택처【擇處】명 살 곳을 고름. 있을 곳을 고름. ——-하다 자여불

택출【擇出】명 골라 냄. ——-하다 타여불

택취【擇取】명 취택(取擇). ——-하다 타여불

택칠【澤漆】명 〖식〗 등대풀.

택택-하다 형 ☞탱탱하다.

택트 [tact] 명 ①재주. 재치. 요령. ②〖악〗 지휘봉(指揮棒). ③〖악〗 박자. 마디.

택트 시스템 [tact system] 명 일관 작업(一貫作業) 조직의 한 가지. 지휘에 따라 각 공정(工程)을 일제히 시작하여 전체 공정을 일정한 시간마다 끝마침. 컨베이어의 도입(導入)이 곤란한 작업에 실시됨.

택틱스 [tactics] 명 전술(戰術). 병법(兵法). 술책(術策). 책략(策略).

택품【擇品】명 좋은 물품(物品)을 고름. ——-하다 타여불

택-피창생【澤被蒼生】명 덕택(德澤)이 만민(萬民)에게 미침. ——-하다 자여불

택-하다【擇—】타여불 ↗ 선택하다. ¶실리보다 명예를 ~.

택현【擇賢】명 어진 사람을 고름. 현인(賢人)을 고름. ——-하다 자여불

택호【宅號】명 벼슬 이름이나, 장가 든 곳의 땅 이름을 붙여서 그 사람의 집을 부르는 이름. 이진사댁·김 장관댁·서울댁 등.

택혼【擇婚】명 혼인(婚姻)할 자리를 고름. ——-하다 자여불

탠덤 [tandem] 명 ①두 필의 말이 앞뒤로 늘어서서 끄는 마차. ②2인용 자전거.

〈탠덤❷〉

탠덤 기관【—機關】[tandem] 명 두 개 또는 두 개 이상의 실린더가 한 축(軸)의 피스톤을 공유(共有)하는 증기 기관.

탠덤 레이스 [tandem race] 명 2인용 자전거를 사용하는 자전거 경주.

탤런트 [talent] 명 ①고대 그리스 및 히브리의 형량(衡量). 또, 화폐의 단위. ②재능. 수완. ③재인(才人). 인재. ④라디오·텔레비전의 예능 프로에 나오는 가수·배우 등의 연예인. 넓은 뜻으로, 인기 있는 방송 출연자. ¶텔레비전 ~.

탤런트 머니 [talent money] 명 프로 야구·크리켓 경기에서, 우수한 성적을 올린 선수에게 주는 특별 상금.

탤런트 아나운서 [talent announcer] 명 방송사원이 아닌 자유 계약(自由契約)의 아나운서.

탤리즈먼 [talisman] 명 부적(符籍) 중에서 보호적(保護的)·예방적(豫防的)인 것을 애뮬리트(amulet), 곧 호부(護符)라고 일컫는 데 대해 기복적(祈福的)인 것을 이름. 양쪽의 구별이 분명하지 않을 때도 많음.

탤컴 [talcum] 명 ①〖광〗 탤크. ②↗탤컴 파우더.

탤컴 파우더 [talcum powder] 명 활석분(滑石粉)에 붕산(硼酸)·향료(香料) 등을 혼합한 분말의 화장품. 피부를 매끈매끈하게 하고 땀을 억제하는 작용이 있어 땀띠약으로 쓰임. ㊂탤컴.

탤크 [talc] 명 〖광〗 활석(滑石). 탤컴(talcum).

탬버린 [tambourine] 명 〖악〗 타악기(打樂器)의 한 가지. 금속 또는 목제의 테의 한 쪽면에 가죽을 대고 둘레에 작은 방울을 단 악기. 손에 들고 가죽을 치며, 흔들어 방울을 울림. 집시의 민족 악기에서 비롯되어 지금은 관현악(管弦樂)에도 씀. 탐부린(Tamburin).

〈탬버린〉

탬파 [Tampa] 명 〖지〗 미국 플로리다 주(州)의 항도(港都). 플로리다 반도 서해안 탬파 만(灣)에 면함. 담배·비료·화학·약품·통조림 공업 등이 성하고, 겨울철 휴양지로 유명함. [272,000명(1981)]

탬핑 롤:러 [tamping roller] 명 땅을 다져 굳히는 데에 쓰이는 롤러. 롤러에 돌기(突起) 부분이 있어 토층(土層)의 깊은 곳까지 압축함.

탬핑 플러그 [tamping plug] 명 철제(鐵製)나 목제의 마개. 장전(裝塡)한 폭파공(爆破孔)을 밀봉(密封)하기 위해 쓰임.

탭 [tap] 명 〖공〗 ①암나사를 만드는 공구. 셋이 한 쌍이 되는데, 1번 탭은 바탕 구멍을 뚫고, 2번 탭은 불완전한 나사의 홈을 파고, 3번 탭으로 끝손질하여 완성시킴. 핸드 탭(hand tap)과 기계 탭이 있음. ②수도(水道) 같은 것의 꼭지. ③↗탭댄스.

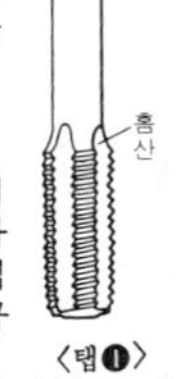

〈탭❶〉

탭-댄스 [tap dance] 명 〖연〗 댄스의 한 가지. 밑바닥에 쇠붙이를 댄 구두를 신고, 리드미컬하게 마룻 바닥을 치며 추는 춤. 본래 미국 남부의 흑인 춤이었다고 함. ㊂탭(tap).

탯:개 명 〈방〉 태가(駄價)(평안).

탯-거리【態—】명 〈속〉 태(態). 맵시. ¶소옥은 동작마다 고운 ~가 밖으로 나타나는 여인이었다《張德祚 : 狂風》.

탯-덩이【胎—】명 〈속〉 못 생긴 사람. ¶그런 ~가 어디 있나.

탯-돌 명 타작할 때 태질에 쓰는 돌.

탯-마루 명 〈방〉 툇마루(강원).

탯-바 명 〈방〉 탯자리개(강원).

탯-밭 명 〈방〉 텃밭.

탯-상 명 〈방〉 개상.

탯-자리개 명 타작할 때에 쓰는 자리개.

탯-줄¹ 명 〈방〉 탯자리개(강원).

탯-줄²【胎—】명 〖생〗 태아(胎兒)와 태반(胎盤)을 연결하는 교질(膠質)의 흰 육관(肉管). 동맥과 정맥이 있고, 태반을 통하여 모체의 혈액에서 산소 및 영양물을 태아에 보내며, 또 태아의 몸 안에 있는 불필요한 것과 이산화(二酸化) 탄소를 모체의 혈액에 보내는 작용을 함. 산후(産後) 절단된 부분이 배꼽임. 제대(臍帶). 제서(臍緖).
[탯줄 잡듯 한다] 무엇을 잔뜩 붙잡는다는 말.

탱【幀】명 ↗탱화(幀畫).

탱가다 명 〈방〉 퉁기다(경남).

탱고 [tango] 명 ①〖악〗 무곡(舞曲)의 한 가지. 2/4 박자 또는 4/8 박자로, 리듬에 그 특징이 있음. 20세기초 아르헨티나로부터 유럽을 거쳐 전세계로 퍼짐. ②서양 댄스의 한 가지. 남녀 한 쌍이 짝이 되어 탱고곡에 맞추어 추는데, 매우 육감적(肉感的)이고도 로맨틱함. 스페인 탱고·아르헨티나 탱고 및 프렌치 탱고가 있으나 앞의 둘은 무대 전용이 되고, 끝의 것만이 사교 댄스로 쓰임.

탱글-탱글 부 탱탱하고 동글동글한 모양. ——-하다 형여불

탱금 명 〈방〉 튀김².

탱금대 명 〈방〉 바지랑대(경남).

탱금 주다 타 〈방〉 튀김 주다.

탱알 명 〖식〗 개미취.

탱:이 명 〈방〉 배기(霉氣).

탱자 명 탱자나무의 열매. 향기가 있어서 방에 두거나 주머니에 넣어 가지고 다님. 약으로도 씀.

탱자-나무 명 〖식〗 [*Poncirus trifoliata*] 운향과(芸香科)에 속하는 낙엽 활엽(闊葉)의 작은 교목(喬木). 줄기는 높이 2m 가량이고 녹색이며 5cm 가량의 가시가 났음. 잎은 호생(互生)하고 삼출(三出) 복엽(複葉)이며, 소엽(小葉)은 달걀꼴이고 가에는 톱니가 있으며, 잎꼭지에는 좁은 날개가 있음. 5월에 백색 오판화(五瓣花)가 하나씩 피며, 가을에 직경 3-5cm의 둥근 장과(漿果)가 노랗게 익는데, 향기가 남. 중국 원산(原産)으로, 산울타리로 심고 과실은 약재로 씀. 구귤(枸橘).

〈탱자나무〉

탱자-성【—城】명 〖역〗 성(城)의 내외에 탱자나무가 심어져 있는 해미읍성(海美邑城)의 속칭.

탱주¹ 명 〈방〉 탱자(강원).

탱주²【撑柱】명 버팀. 또, 버팀목. 지주(支柱).

탱중【撑中】[명] 화나 어떠한 욕심이 가슴 속에 가득 차 있음. ¶분기가 ~하다 / 나도 감구하는 생각이 ~하고 부러운 마음이 가득하여 자연히 슬픔을 이기지 못하고 우는 모양이올시다《李常春 : 情》. ——-하다 [형][여불]

탱커 〔tanker〕 [명] 유조선(油槽船).

탱크 〔tank〕 [명] ①기체나 액체를 수용(收容), 저장하는 큰 통. 가스조(gas 槽)·수조(水槽)·유조(油槽) 같은 것. ②《군》 전차(戰車)❷.

탱크 가마 [명] 〔tank furnace〕 유리 용해로(融解爐)의 하나. 노내(爐內)의 탱크에 용해 유리를 저장할 수 있게 되어 있고, 탱크 윗부분은 그대로 연소실(燃燒室)로 되어 있음.

탱크 기관차【一機關車】〔tank〕 [명] 차체의 일부에 석탄과 물을 싣는 탱크를 장치한 증기 기관차.

탱크 로:리 〔tank lorry〕 [명] 가솔린·프로판 가스 등의 액체·기체의 화물을 대량으로 수송하기 위해 탱크를 설치한 화물 자동차.

〈탱크로리〉

탱크-차【一車】〔tank〕 [명] 액체 또는 기체의 화물을 대량으로 수송하기 위하여 차체(車體)를 탱크로 만든 화차(貨車).

탱크 침전물【一沈澱物】〔tank〕 [명] 〔bottom sediment〕 석유 저장 탱크 밑에 가라앉는 액체와 고체의 혼합물.

탱크-킬러 〔Tank-killer〕 [명] 《군》 미국의 항공 지원 전투기 A-10기(機)의 애칭(愛稱). 1인승으로, 전천후 출격(全天候出擊)이 가능하며, 탱크의 무쇠벽을 뚫을 수 있는 우라늄포탄 등을 적재함. 최대 시속 834 km, 작전 반경 1,000 km. 「용 윗도리.

탱크 톱 〔tank top〕 [명] 러닝 셔츠 비슷한, 목과 팔이 많이 노출된 여름

탱크 팜: 〔tank farm〕 [명] 원유(原油)나 석유 제품용(製品用)의 대용량(大容量) 저장 탱크가 많이 있는 지역.

탱탱 [부] 속에서 몹시 켕기어 겉으로 팽팽하게 불어 오른 모양. 쓰땡땡. <팅팅. ——-하다 [형][여불]

탱팡 〔프 tympan〕 [명] 《건》 중세기(中世紀)의 서구식(西歐式) 건축에 있어서, 현관 윗부분의 아치와 들보로 에워싸인 반달형의 부분. 일종의 장식으로 양각(陽刻)이 보통임.

탱화【幀畫】[명] 《불교》 그림으로 그리어서 벽에 거는 불상(佛像)을 이름. [준]탱(幀).

탱화 불사【幀畫佛事】〔一싸〕 [명] 《불교》 불상(佛像)을 그리는 일.

턍만ᄒᆞ다 [자] 〈옛〉 창만(脹滿)하다. ¶큰물 져근 믈 몯보아 비 턍만ᄒᆞ고(大少便關格不通 腹脹喘急)《救簡 Ⅲ:66》.

터¹ [명] ①건축이나 토목 공사를 할 자리. 또, 했던 자리. ②일이 이루어진 밑자리.
[터를 닦아야 집을 짓지] 기초를 닦고 나야 그 위에 일을 벌일 수 있다

터² [명] ↗터수. ¶잘 아는 ~다. 「는 말.

터³ [의명] ①어미 '-ㄹ'·'-을'·'-일' 뒤에 쓰여 예정·추측의 뜻을 나타내는 말. ¶갈 ~이다 / 그것이 좋을 ~이니. ②어미 '-ㄴ'·'-은'·'-는' 뒤에 쓰여 형편·처지의 뜻을 나타내는 말. ¶알고 지내는 ~에 어려운 사정을 모르는 척할 수 없다.

터가리 [명] 〈방〉 턱주가리(충남·평북).

터가지 [명] 〈방〉 턱주가리(충남).

터거리 [명] 〈속〉 턱¹.

터-과녁 [명] 120보(步)를 한정하고 활을 쏘는 데 쓰는 소포(小布).

터그-보:트 〔tugboat〕 [명] 예인선(曳引船).

터:너¹ 〔Turner, Frederik Jackson〕 [명] 《사람》 미국의 역사학자. 유럽의 영향을 중시하는 미국 사관을 비판, 내셔널리즘 형성에 있어서의 프론티어(frontier)의 존재와 영향을 강조하여 미국사에 신생면(新生面)을 열었음. 저서 《미국사에 있어서의 프론티어》 등. [1861-1932]

터:너² 〔Turner, Joseph Mallord William〕 [명] 《사람》 영국의 화가. 예술원 회원. 영국 각지와 이탈리아 등지로 제재(題材)를 구하여 여행, 19세기 최대의 영국 풍경 화가가 되었음. [1775-1851]

터:너³ 〔Tourner, Cyril〕 [명] 영국의 극시인. 엘리자베스 왕조의 공포 비극 《복수자의 비극》·《무신론자의 비극》의 작자로 추정되고 있음. 전기(傳記)는 확실하지 않음.

터:너 증후군【一症候群】[명] 〔Turner's syndrome〕 《의》 미국의 내분비학자 터너(Turner, H.H. ; 1892-1970)가 보고한 것으로, 성염색체 이상(異常)의 일종. X염색체 하나가 결핍되며 성별상으로는 여성, 생식기의 발육 부전으로 불임이 되며 2차 성징의 결여가 있음.

터널 〔tunnel〕 [명] ①산, 바다·강 바닥 등을 뚫어 굴로 된 철도나 도로. 수도(隧道). 굴(窟). ②야구에서, 야수(野手)가 두 다리 사이로 공을 놓치는 일. 패스트볼.

터널 굴착기【一掘鑿機】〔tunnel〕 [명] 암반(岩盤)에 갱도(坑道)나 터널을 뚫는 기계. 탱크 비슷한 차체의 전면에 상하 좌우로 움직이는 굴착 장치를 갖추고 있음. 갱도 굴진기(掘進機).

터널 다이오:드 〔tunnel diode〕 [명] 《물》 터널 효과를 응용한 피 엔 접합(pn 接合) 다이오드. 함유(含有)하는 활성 불순물(活性不純物)의 농도(濃度)를 높인 것으로서, 순(順)방향 전압을 증대시켰을 때 어느 전압 이상에서는 통과 전자와 전류가 감소하고 전압은 증대하는 음성 저항(陰性抵抗)을 나타내는 특성을 지님. 이것을 이용해서 증폭(增幅)·발진(發振) 전파 등에 쓰이고, 또 고주파 특성이 좋아 마이크로파(波)에도 쓰임. 개폐의 고속성(高速性)을 이용한 것으로는 초고속 펄스(pulse) 회로·논리(論理) 회로·기억 회로 등을 들 수 있음.

터널-요【一窯】〔tunnel〕 〔一료〕 [명] 도자기·내화물(耐火物)을 굽는 연속식(連續式) 가마. 내화 벽돌로 쌓은 길이가 수십 내지 수백 m에 달하는 터널로 일관 작업(一貫作業)이 가능하여 일정 품질의 제품을 대량 생산할 수 있음.

터널 효:과【一效果】〔tunnel〕 [명] 《물》 양자 역학(量子力學)에서의 특유한 현상의 하나. 양자(陽子)·중성자(中性子) 따위 입자(粒子)가 자체가 갖는 운동 에너지보다 강한 핵력(核力)의 장(場)을 벗어나는 현상을 일컫는 것으로, 고전(古典) 역학에서는 설명할 수 없는 현상이나 알파(α)입자가 원자핵에서 튀어나오는 경우라든지, 터널 다이오드의 음성 저항(陰性抵抗) 따위에서 볼 수 있음.

터-놓다 [타] ①막은 물건을 치워 놓다. ¶방을 ~. ②금하던 명령을 걷다. ③벗할 만한 자리에 서로 무간하게 지내다. ¶터놓고 지내는 사이.

터니 [조동] 〈옛〉 하더니. ¶毒龍이 두리여터니 《月釋 Ⅶ:23》.

터:닙 〔turnip〕 [명] 《식》 유럽 원산(原產)의 순무. 「다 [자][타][여불]

터:닝 〔turning〕 [명] ①선회. 회전. 전환. 모퉁이. ②턴(turn)❷. ——-하

터:닝 밀 〔turning mill〕 [명] 《기》 수형 선반(竪型旋盤).

터:닝 슛 〔turning shoot〕 [명] 농구·축구 등에서 바스켓이나 골을 향하여 몸을 돌리면서 하는 슛. ——-하다 [자][타][여불]

터:닝 포인트 〔turning point〕 [명] 분기점(分岐點). 중대 전환기(轉換期). 전기(轉機).

터-다지다 [자] 무게가 있는 물건으로 터를 단단하게 치다. [준]터닺다.

터-닦다 [자] ①건물을 세울 자리를 고르고 다지다. ②토대를 굳게 잡다.

터-닺다 [자] ↗터다지다.

터덕-거리다 [자] ①몹시 느른하여 겨우 몸을 가누면서 맥 없이 걷다. ②가난하여 어렵게 겨우 살아가다. ③일이 힘에 겨워 애처롭게 겨우 움직이다. ④먼지가 날 정도로 가만히 여러 번 두드리다. 1)-4):>타닥거리다. 터덕-터덕 [부]. ——-하다 [자][여불]

터덕-대다 [자] 터덕거리다.

터덜-거리다 [자][타] ①몹시 느른하여 걸음을 무겁게 힘없이 걷다. ②깨어진 질그릇 등을 두드려 흐린 소리를 나게 하다. 또, 연하여 그런 소리가 나다. ③빈 수레가 험한 길 위를 소리를 내며 가다. 1)-3):>타달거리다. 터덜-터덜 [부]. ——-하다 [자][타][여불]

터덜-대다 [자][타] 터덜거리다. 「하다 [자][타][여불]

터드렁 [부] 깨어진 쇠그릇이 울리어 나는 소리. >타드랑. [준]터렁. ——

터드렁-거리다 [자][타] 잇따라 터드렁 소리가 나다. 또, 잇따라 터드렁 소리를 나게 하다. [준]터렁거리다. >타드랑거리다. 터드렁-터드렁 [부]. ——-하다 [자][타][여불]

터드렁-대다 [자][타] 터드렁거리다. 「다. ——-하다 [타][여불]

터:득【攄得】[명] 깊이 생각하여 이치를 깨달아 알아냄. ¶진리를 ~하

터:-뜨리다 [타] 터지게 하다. ¶울음을 ~.

터라구 [명] 〈방〉 털(경남).

터래기 [명] 〈방〉 털(강원·경상).

터러귀-머리 [명] 〈방〉 잔판머리.

터러기 [명] ☞터럭.

터럭 [명] 〔중세 : 터럭〕 ①사람이나 길짐승의 몸에 난 길고 굵은 털. ②〈옛〉 머리털. 털. ¶터럭 발(髮)《字會 上 28》/터럭 모(毛)《字會 下 3》.

터럭모-부【一毛部】[명] 한자 부수(部首)의 하나. '毫'나 '毬' 등의 '毛'의 이름. 「彡'의 이름.

터럭발-부【一髮部】[명] 한자 부수(部首)의 하나. '髮'이나 '鬚' 등의

터럭삼-부【一彡部】[명] 한자 부수(部首)의 하나. '形'이나 '影' 등의 '彡'의 이름. 삐친석삼부.

터럭-손 [명] 터럭이 많이 난 손.

터럭 수:건【一手巾】[명] 털수건.

터럭-줄 [명] →타락줄.

터렁 [부] ↗터드렁. >타랑. ——-하다 [자][타][여불]

터렁-거리다 [자][타] ↗터드렁거리다. >타랑거리다. 터렁-터렁 [부]. ——-하다 [자][타][여불]

터렁구 [명] 〈방〉 털(경남).

터렁-대다 [자][타] 터렁거리다.

터레기 [명] 〈방〉 털(충북·경상).

터리 [명] 〈옛〉 털. ¶거부븨 터리와 톳기 쁠 ᄀᆞᄐᆞ닐(如龜毛兎角)《永嘉 上 77》.

터리개 [명] 〈방〉 먼지떨이.

터리기 [명] 〈방〉 털(충북·경상).

터리-풀 [명] 《식》 〔*Filipendula glaberrima*〕 장미과에 속하는 다년초. 줄기 높이 1m 이상임. 잎은 호생하는데, 장병(長柄)이고 장상(掌狀)으로 3-7갈래 갈라지며 열편(裂片)은 피침형임. 6-8월에 백색의 꽃이 취산상 산방(聚繖狀繖房) 화서로 줄기 끝과 가지 끝에 정생(頂生)함. 과실은 삭과(蒴果)임. 산에 나는데, 거의 한국 각지에 분포함.

터:림 [명] 〈방〉 트림. ——-하다 [자]

터릿 〔turret〕 [명] ①《기》 ↗터릿 선반. ②현미경·촬영기(撮影機) 등에서 여러 개의 렌즈를 붙인 회전식 렌즈 교환 장치.

터릿 선반【一旋盤】〔turret〕 [명] 《기》 공작용 선반의 하나. 가공용(加工用) 공구(工具)를 많이 장착(裝着)할 수 있는 탑 모양의 대(臺)가 있어 핸들을 돌리며 활동 왕복대(滑動往復臺)가 끝에 올 적마다 공구를 장치한 두부(頭部)가 차례로 회전하는 구조로 되어 원재료를 한 번 주축(主軸)에 끼운 채로 여러 가지 가공을 할 수 있음. 주로 봉상물(棒狀物)의 대량 가공(大量加工)에 씀. 포탑(砲塔) 선반. [준]터릿.

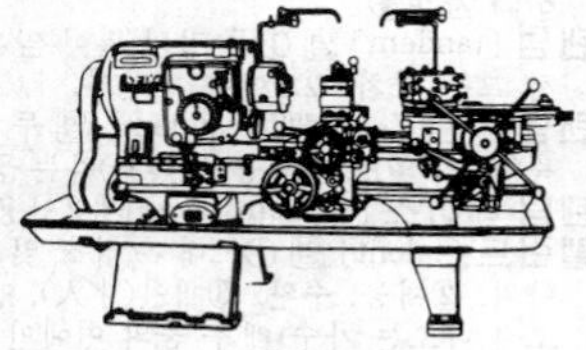

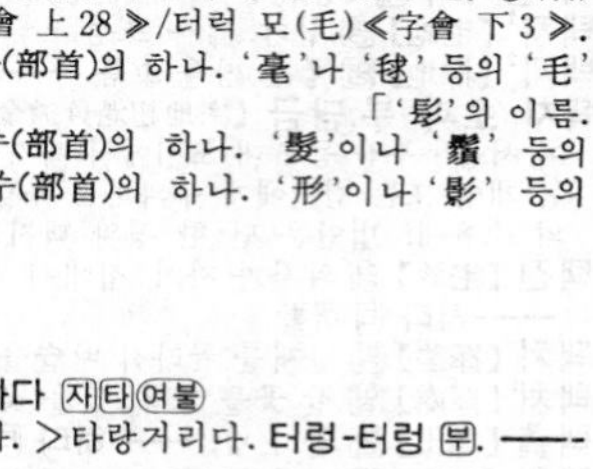
〈터릿 선반〉

터마기 [명] 〈방〉 목침(木枕)(황해).

터막 명 〈방〉 목침(木枕)(전라).
터무니 명 ①터를 잡은 자취. ②근거.
터무니-없다 〔-업-〕 형 사물의 근거가 없다. 이치·도리·조리에 맞지 않다. ¶ 터무니없는 거짓말.
터무니-없이 〔-업씨〕 부 터무니 없게. ¶ ~ 비싸다.
터:미널 〔terminal〕 명 ①끝. 종말(終末). ②열차·버스 등이 시발(始發) 또는 종착(終着)하는 정거장. 종점(終點). 종착역(終着驛). 시발역(始發驛). 터미널 스테이션. ¶고속 버스 ~. ③〖교〗 학기 시험. ④〖물〗 단자(端子). 전극(電極).
터:미널 스테이션 〔terminal station〕 명 종착역(終着驛). 시발역(始發驛). 터미널.
터:미네이터 〔terminator〕 명 ①말살자(抹殺者). 멸종(滅種)시키는 자. ②〔1984 년 제작의 미국 영화 '터미네이터'에서〕 미래 사회의 살인(殺人) 로봇.
터:버 〔Thurber, James Grover〕 명 〖사람〗 미국의 작가. '뉴요커'지(誌)에 단편과 수필을 기고함. 독특한 유머(homour)를 가지고 미국의 사회 생활을 예리하게 풍자하며, 만화풍의 삽화도 그림. 작품으로는 ≪성(性)은 필요한가≫·≪침실의 바다표범≫·≪현대의 우화(寓話)≫ 등이 있음. [1894-1961]
터벅-거리다 자 지친 다리로 힘 없이, 마치 모래 위를 걷는 것과 같이 걸어 가다. ¶혼자서 터벅거리며 걷다. >타박거리다. 터벅-터벅 부. ——-하다[1] 자 여불
터벅-대다 자 터벅거리다.
터벅터벅-하다[2] 형 여불 가루 음식 같은 것이 물기가 없어 씹기에 조금 빡빡하다. >타박타박하다[2]. *퍽퍽하다.
터:번 〔turban〕 명 ①인도인이나 이슬람교도가 머리에 둘둘 감는 데 쓰는 머리 수건. ②터번 풍(風)의 여성용 모자 또는 머리 장식.

〈터번❶〉

터벌-거리다 자 힘없는 걸음걸이로 늘찌렁늘찌렁 걷다. >타발거리다. 터벌-터벌 부. ——-하다 자 여불
터벌-대다 자 터벌거리다.
터벌림-춤 명 〖민〗 경기도 남부 지방의 도당굿에서 큰 굿거리를 할 때 굿터를 벌려 놓기 위해 추는 춤.
터보건 〔toboggan〕 명 바닥이 편평하고 긴 썰매의 하나. 가볍고 얇은 널빤지로 만드는데, 흔히 앞이 위로 꾸부러지고 양옆에 손잡이가 달려 있음. 비탈진 눈 위나 얼음 위에서 운반용·경기용 등으로 쓰임.

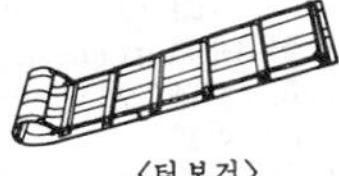
〈터보건〉

터:보 과:급기 【-過給器】 명 〔turbo super charger〕 〖기〗 내연 왕복기관(內燃往復機關)의 흡입압(吸入壓)을 증가시키기 위하여 흔히 쓰이는, 가스 터빈에서 구동(驅動)되는 원심 공기 압축기(遠心空氣壓縮器).
터:보 드릴 〔turbo drill〕 명 〖기〗 깊이 3,000 m 쯤 되는 지하에 있는 석유를 파는 데 쓰는 드릴. 종전과 같이 파이프를 돌리지 않고 선단(先端)에 수력 터빈을 달아서 굴착(掘鑿)의 끝 부분만 돌아가게 고안(考案)한 것임.
터:보 압축기 【-壓縮機】 〔turbo〕 명 〖기〗 원심 압축기.
터:보제트 엔진 〔turbojet engine〕 명 〖공〗 제트 엔진의 한 가지. 공기를 흡입하여 압축기로써 4-5 기압으로 압축한 다음, 연소실(燃燒室)로 보내어 분사되는 연료와 혼합하여 연소하고, 고온 가스를 노즐(nozzle)로부터 분출시켜 일부는 터빈을 회전하여 압축기를 구동(驅動)하고, 대부분은 대기 중으로 분출하며 추력(推力)을 얻게 됨. 고속 항공기용 발동기로서 가솔린 엔진과 교체되고 있음.

〈터보제트 엔진〉

터:보-차:저 〔turbocharger〕 명 과급기(過給器)의 한 가지. 출력(出力)과 토크(torque)를 높이는 데 쓰임.
터:보-팬 〔turbofan〕 명 터보제트 엔진의 일종. 터보프롭 엔진의 프로펠러 대신, 축류 압축기(軸流壓縮機)를 구동(驅動)하는 제트 엔진. 압축된 공기가 뒤쪽으로 분출하는 힘으로 추력을 얻는데, 덕트(duct) 안을 지나는 공기량이 터보제트 안에 보내지는 공기량보다 많은 경우를 터보팬이라 이름. 비교적 낮은 속도인 마하 0.5 내지 1.2에서 성능이 좋아 수송기(輸送機) 등에 적합함.
터:보프롭 엔진 〔turboprop engine〕 명 〖공〗 제트 엔진의 한 가지. 터보제트와 프로펠러식의 중간적 발동기. 터빈으로 압축기의 다른 프로펠러축(軸)까지 구동(驅動)하는데, 여기서 남은 고속 가스를 분사하여 추력(推力)을 증가시킴. 연료 소비가 터보제트보다 적으면서 가솔린 엔진보다 큰 마력(馬力)을 얻을 수 있는 것이 특징임. 경계 속도(境界速度)는 마하 0.6-0.7정도로 고속(高速)·고공(高空)에서는 터보제트 엔진의 효율이 좋으나 저속(低速)·저공(低空)에서는 터보프롭 엔진에 의한 프로펠러 추진이 보다 효율적이라고 함.

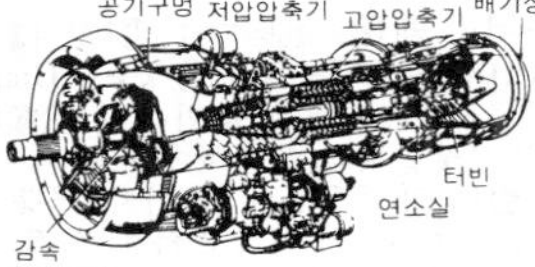

〈터보프롭 엔진〉

터:부 〔taboo〕 명 ①〔폴리네시아어(語)의 tabu, tapu에서 유래된 말로, '성화(聖化)된'·'금기(禁忌)된'의 뜻〕 신성하다고 인정된 사물·장소·행위·인격·말 등에 관하여 접촉·상용(常用)을 억제하는 종교적 금기(禁忌). 태평양 제도를 중심으로 하여 미개인 사이에 널리 볼 수 있음. ②금지(禁止). 금제(禁制).
터부룩-이 부 터부룩하게.
터부룩-하다 형 여불 머리털이나 풀·나무 같은 것이 우거져서 위가 매우 수북하다. ㄴ더부룩하다. 「>타분하다.
터분-하다 형 여불 ①상한 젓국 맛과 같이 텁텁하다. ②↗고리타분하다.
터:비니아-호 【-號】 〔Turbinia〕 명 처음으로 주기관(主機關)에 증기 터빈을 쓴 배. 1894 년 영국에서 건조(建造)된 4,000 톤급의 배인데, 2,400 마력 터빈을 장치, 시운전에서 34.5 노트를 내어 선용(船用) 고속 기관으로서의 터빈의 위치를 확립했음. ＊ 파슨스 터빈(Parsons turbine).
터:비도스탯 〔turbidostat〕 명 〖생〗 미생물을 연속 배양(連續培養)하는 장치의 하나. 배양된 균의 탁도(濁度)를 일정하게 유지하기 위해 증식관(增植管) 내의 새 배지(培地)의 유입 속도를 조정함.
터:빈 〔turbine〕 명 고압(高壓)의 물·증기·가스 등의 유체(流體)를 노즐(nozzle)로 분출시켜 그 충격에 의하여 회전 동력을 얻는 원동기(原動機). 사용하는 유체에 따라 수력 터빈·증기 터빈·가스 터빈 등으로 구별됨. 발전·선박 등에 사용함.
터:빈 발전기 【-發電機】 〔turbine〕 〔-쩐-〕 명 터빈에 의하여 구동(驅動)되는 발전기의 총칭. 특히, 증기 터빈에 의해 움직이는 교류(交流) 발전기를 가리키기도 함. 동기(同期) 발전기로서 터빈의 회전수가 높고 회전 부분은 매우 가늘고 길며 원통형임. 화력 발전소에 있는 발전기가 이의 대표적인 것임.
터:빈-선 【-船】 〔turbine〕 명 터빈을 동력 기관(動力機關)으로 하는 선박(船舶). 증기 터빈선과 가스 터빈선의 두 가지가 있는데, 흔히 전자(前者)가 많이 쓰임.
터:빈-유 【-油】 〔turbine〕 명 수력 터빈이나 증기 터빈에 쓰는 윤활유. 이 윤활유에는, 적당한 점도(粘度)를 가지고 좀처럼 산화(酸化)하지 않고, 장시간의 연속 사용에 견디며 녹 스는 것을 막는 작용과, 물과의 분리가 용이하며 유화(乳化)가 안 되고 거품이 잘 일지 않아야 하는 등의 여러 가지 성능이 요구되고 있음.
터:빈 추진 【-推進】 〔turbine〕 명 차량이나 배를 증기 터빈이나 가스 터빈으로 추진시키는 일.
터:빈 펌프 〔turbine pump〕 명 〖물〗 원심 펌프.
터빙 〔tubbing〕 명 〖광〗 외측(外側) 강도를 높이고 방수성(防水性)을 좋게 하기 위하여 원형 수갱(圓形竪坑)에 행하는 방수성 무쇠의 라이닝(lining).
터-세다 형 그 터에서 재변(災變)이 많이 생기는 경향이 있다. 드세다.
터수 명 ①살림의 형편과 정도. 가력(家力). 가세(家勢). 가양(家樣). ②서로 사귀는 분수. ¶친한 ~에 그럴 것 있나/바이 안 친한 ~도 아니지만 속으로는 맞지 않는 두 사이였다≪玄鎭健 : 無影塔≫. 준터.
터스커니 〔Tuscany〕 명 〖지〗 토스카나(Toscana)의 영어식 이름.
터스커로라 해:연 【-海淵】 〔Tuscarora〕 명 〖지〗 쿠릴 캄차카(Kuril-Kamchatka) 해구(海溝) 남부, 우루푸(Uruppu) 섬의 동쪽 200 km 앞바다에 있는 해연. 1874년 미국의 탐험선 터스커로라 호(號)가 발견하여 수심(水深) 8,514 m 를 측량했음.
터스컨-모 【-帽】 〔Tuscan〕 명 이탈리아의 터스커니(Tuscany) 지방 원산의 질이 좋은 여름 맥고 모자. 보통의 것보다 다소 누른 빛이 짙음.
터시니 〈옛〉 조동 하시더니. ¶滿國히 즐기거늘 聖性에 외다터시니(滿國酷好聖性獨闢)≪龍歌 107章≫.
-터시니 〈옛〉 미 -하시더니. ¶光有聖人이 林淨寺애 敎化터시니 ≪月釋 Ⅷ:77≫.
터알 명 ☞텃밭. ¶정성과 노력을 다 들여 하루같이에 가까운 ~에서 옥수수를 혼자 거둬들이던 것을 빤히 눈으로 보았다≪桂鎔默 : 流鶯記≫.
터우리 명 〈방〉 터울.
터울 명 한 어머니가 낳은 자녀의 나이의 차이. ¶두 살 ~로 낳다/~이 잦다.
터울-거리다 자 목적을 이루기 위하여 애를 몹시 쓰다. >타울거리다. 터울-터울 부. ——-하다 자 여불
터울-대다 자 터울거리다.
터움바 〔Toowoomba〕 명 〖지〗 오스트레일리아 퀸즐랜드 주(Queensland 州) 남동부의 도시. 표고(標高) 약 600 m 의 고지에 있는 피서지. 주변의 목우(牧牛)·목양·임업(林業) 등에서 나는 생산물의 집산지임. 〔78,000 명 (1980)〕
터-잡다 자 ①터를 골라 정하다. ②밑자리를 작정하다.
터-잡히다 자 ①터가 정하여지다. ②밑자리가 작정되다.
터전 명 자리를 잡고 앉은 곳. 기지(基地). ¶~을 마련하다.
터-주 【-主】 명 〖민〗 집터를 지키는 지신(地神). 또, 그 자리. 오쟁이 안에 베 석 자와 짚신 등을 넣어서 달아 두고 위함.
[터주에 놓고 조왕에 놓고 나면 아무 것도 없다] 얼마 되지 않는 분량의 재물을 이것저것 다 제하면 남는 것이 없다는 말. [터주에 붙이고 조왕에 붙인다] 여기저기에 갈라 붙인다는 말.
터-주다 타 금(禁)하던 것을 걷어 치우다. 막혔던 것을 걷어 치다.
터주-대:감 【-主大監】 명 〈속〉 한 동네나 단체 같은 데서 그 구성원 중 가장 오래되어 터주격인 사람을 놓으로 일컫는 말.
터주-상 【-主床】 명 〖민〗 굿할 때 터주에게 차려 놓는 상.
터주 항아리 【-主缸-】 명 〖민〗 터주에게 바치는 곡식을 담은 항아리.
터줏-고기 【-主-】 명 일정한 장소에 늘 머물러 사는 물고기.

터줏-님 명 〖민〗 '터주'의 경칭.
터줏-자리 【一主一】 명 〖민〗 터주를 모신 신단(神壇).
터:지다 ㊀자 ①싸움이나 사건 같은 것이 갑자기 벌어지다. ¶전쟁이 ~. ②한 덩이로 된 물건이 갑자기 갈라지다. 폭발하다. ¶폭탄이 ~/화산이 ~/보일러가 ~. ③둘러싸여 막혔던 것이 뚫어지거나 찢어지다. ¶배가 터지도록 먹다/봇물이 ~/콩 자루가 ~/축구공이 ~. ④꿰맨 자리가 갈라지거나 뜯어지다. ¶솔기가 터진 웃옷을 벗었다. ⑤코피 따위가 갑자기 쏟아지다. ¶코피가 ~. ⑥거죽이나 겉이 벌어져 갈라지다. ¶가뭄에 못자리가 ~/입술이 ~/바짓가랑이가 ~/항아리가 얼어 ~. ⑦숨은 일이 갑자기 드러나다. ¶독직 사건이 ~. ⑧〈속〉 얻어 맞다. 매를 맞다. ¶깡패에게 얻어 ~. ⑨쌓였던 감정 따위가 한꺼번에 쏟아져 나오다. ¶울음이 ~/분노가 ~/가슴이 터질 것 같다. ⑩웃음 같은 것이 한꺼번에 나오다. ¶웃음보가 ~/터져 나오는 함성/박수 소리가 터져 나오다. ⑪운수 따위가 한꺼번에 닥치다. ¶복이 ~. ⑫팽팽히 켕기던 것이 끊어지다. ¶통에 메운 테가 ~. ㊁보형 보동 동사·형용사 어미 '-어'·'-아' 등의 아래서 사물의 정도가 한도까지 다다랐다는 뜻을 나타내는 말. ¶물러 터진 사람/불어 터진 국수/게을러 ~. [터진 꽈리 보듯 한다] 사물을 중요시하지 아니함을 이르는 말. [터진 방앗공이에 보리알 끼듯 하였다] 긴요하지 아니한 어떤 방해물이 참여함을 이르는 말.
터지우다 타 〈방〉 터뜨리다.
터:진가로왈-부 【一日部】 명 한자 부수(部首)의 하나. '彐'의 이름. '彗'나 '彙' 등의 '彐'·'彑' 들도 '彐'와 같게 취급함.
터:진-개 명 강 같은 데로 트이어 있는 개천.
터:진에운담-변 【一邊】 명 한자 부수(部首)의 하나. '匿'이나 '區' 등의 '匚'의 이름.
터:진입구-변 【一口邊】 명 한자 부수(部首)의 하나. '匠'이나 '匣' 등에서 '匚'의 이름.
터:짐 명 〖건〗 제재(製材) 후 건조(乾燥)로 인하여 터져서 생긴 흠.
터천 명 〈방〉 터전.
터치 [touch] 명 ①손 같은 것을 댐. 건드림. 또, 그 때의 촉각(觸覺)이나 촉감(觸感). ②피아노·오르간·타이프라이터 등의 키(key)를 누르거나 두드리는 일. 탄주(彈奏). 촉건(觸鍵). ③남을 감동(感動)시키는 일. 동감(同感)을 불러 일으키는 일. ④어떤 사물에 관하여 짧게 논하거나 언급(言及)하는 일. ¶그 문제는 ~하지 말게. ⑤〖미술〗 그림에 있어서의 필촉(筆觸)·필치(筆致). ¶훌륭한 ~. ⑥사진이나 그림에 가(加)하는 수정(修整). ⑦배구에서, 전위(前衛)가 상대편 코트를 향하여 공을 재빨리 쳐넣는 공격법. ⑧야구에서, 공을 주자(走者)에게 갖다 대는 일. ⑨당구(撞球)에서, 공과 공이 맞닿는 일. 프로즌(frozen). ⑩럭비에서, 골라인에 닿거나, 골라인을 가로질러 골 안에 공을 내는 일. ——-하다 자타여불
터치 네트 [touch net] 명 네트 터치.
터치-다운 [touchdown] 명 ①럭비에서, 방어측의 경기자가 자기 편의 인골(in-goal) 안에서 지면(地面)에 있는 공에 손을 대는 일. ②아메리칸 풋볼에서, 공을 가진 자가 상대방 골라인을 넘어서는 일. 여섯 점을 얻음. 또, 그 득점.
터치라인 [touchline] 명 ①축구장에서 골(goal) 양쪽의 한계선. ②럭비에서, 경기장 좌우의 한계선(限界線). 측선(側線).
터치 스위치 [touch switch] 명 조금 닿기만 해도 전기적 회로가 끊어지거나 접속되거나 하는 스위치. 우주선 공업 분야에서 미국이 개발한 기술인데 조명 기구나 벽 스위치 등에도 이용되고 있음.
터치 아웃 [touch out] 명 야구에서, 수비측(守備側)이 주자(走者)의 몸에 공을 대어 아웃시키는 일. 척살(刺殺). ——-하다 자타여불
터치 아웃 공:격 【一攻擊】 [touch out] 명 배구에서, 상대편이 손으로 이룬 방어벽(防禦壁)에 공을 맞추어 밖으로 나가게 하는 공격.
터치 업 [touch up] 명 야구에서, 주자의 후속 타자가 친 비구(飛球)를 야수(野手)가 잡았을 때, 주자가 다음 베이스로 진출하기 위해 일단 자기 베이스로 돌아오는 일.
터치 저지 [touch judge] 명 럭비에서 선심(線審). 터치라인의 밖에서 주심을 보좌함.
터치 풋볼 [touch football] 명 아메리칸 풋볼과 비슷한 경기. 골 포스트(goal post)를 안 쓰며, 공도 보통 것보다 작음. 한 팀이 11명임.
터커 [Tucker, Richard] 명 〖사람〗 미국의 테너 가수. 1945년 메트로폴리탄 오페라 하우스에서 ≪지오콘다≫로 데뷔, 주로 미국과 캐나다에서 활약함. 1957년 내한(來韓)공연한 바 있음. [1914-1975]
터코마 [Tacoma] 명 〖지〗 미국 워싱턴 주 중서부의 항시(港市). 목재·곡물의 집산지이고, 철도·고속 도로 교통의 요충임. 펄프 공업·조선(造船) 공업·식품 가공업 등이 성함. [183,890명(1992)]
터크 [tuck] 명 양재에서, 한 개 또는 여러 개를 일정한 간격을 두고 세로 또는 가로로 천을 호아 접은 주름.
터:키[1] [Turkey] 명 〖지〗 아시아의 서쪽 끝, 유럽 동남쪽에 있는 공화국. 주민은 아시아계이며, 대부분 이슬람교(敎)를 믿음. 동서로 여러 줄기의 산맥이 뻗어 고원상(高原狀)을 이루며 좁은 해안 평야가 있음. 기후는 온대에 속하고 반건조(半乾燥)함. 밀·보리·담배·면화·과실 등의 농산물과 양·산양 등의 축산, 석탄·철광·크롬 등의 광산물을 산출, 농산물을 수출하고 공업 제품을 수입함. 옛적에는 오스만 투르크로서 극히 번영하였으나 17세기말부터 쇠퇴하여 제1차 세계 대전에 패배한 후로는 그 존립(存立)조차 위태롭게 됨. 이에 케말 파샤(Kemal Pasha)가 지도하는 국민 운동이 일어나 제정(帝政)을 폐(廢)하고 영국·그리스 등의 침입군을 격파, 1923년 공화제를 선포하고, 현판도(現版圖)를 누리게 됨. 의회는 단원제(單院制). 한국 전쟁 참전 16개국의 하나임. 수도는 앙카라(Ankara). 토이기(土耳其). [779,452 km²: 67,330,000명 (1991 추계)]
터:키[2] [turkey] 명 ①〖조〗 칠면조(七面鳥). ②연극·영화에서, 실패. ③볼링에서, 세 번 연속된 스트라이크. *포스(fourth)·더블(double).
터:키 담:배 [Turkey] 명 터키에서 나는 잎담배. 예로부터 가장 좋은 궐련의 재료로 알려짐. 빛은 노랗고 니코틴의 함량(含量)이 적은데, 달콤한 맛과 좋은 향기가 있어 유명함. 이집트에서 궐련으로 제조했기 때문에 이집트 담배라고도 함. 토이기 담배.
터:키 모자 【一帽子】 [Turkey] 명 터키인이 흔히 쓰는 모자. 원통상(圓筒狀)의 펠트 모자로서 차양이 없고, 편편한 꼭대기 중앙으로부터 검은 술을 느림. 토이기 모자.
터:키-석 【一石】 [Turkey] 명 터키옥(玉).
터:키-어 【一語】 [Turkey] 명 〖언〗 터키 공화국에서 쓰이는 언어. 넓은 뜻으로는 아시아로부터 유럽에 걸쳐 분포하는 터키계(系)의 여러 언어를 이르며, 그 상용 인구는 약 4천만임. 몽고어·퉁구스어 등과 함께 알타이 어족에 속함. 토이기어(土耳其語).
터:키-옥 【一玉】 [Turkey] 명 [turquoise; 페르시아에서 터키를 거쳐 서구(西歐)에 온 데서 이름] 보석의 한 가지. 구리·알루미늄·인 등을 함유하는 광물. 삼사 정계(三斜晶系)에 속하며 하늘색 또는 청록색을 띠고 아름다움. 주로 이란(Iran)에서 산출함. 12월의 탄생석(誕生石)임. 터키석(石).
터:키-인 【一人】 [Turkey] 명 〖인류〗 ①백인종과 혼혈한 아시아 인종의 하나. 머리털이 검고, 피부는 누른 빛을 띤 흰 색으로 입술이 두꺼움. 시베리아·소아시아 및 유럽의 동부에 많이 살고 있는데, 유목민(遊牧民)이 많음. ②터키 사람. 터키 공화국을 조직한 오스만족(Osman族). 토이기인.
터:키-탕 【一湯】 [Turkey] 명 ①터키 등 이슬람 세계에서 전래하는 열기탕(熱氣湯)의 한 가지. 밀실(密室)에 열기(熱氣)를 채워 그 더위로 땀을 빼고, 몸을 씻음. ②독실식(獨室式) 증기탕. 상자 안에 증기를 넣고 사람이 목만 내놓고 그 안에 들어가 하는 증기 목욕.
터:키 행진곡 【一行進曲】 [Turkey] 명 〖악〗 터키풍(風)의 행진곡. 베토벤의 ≪아테네의 폐허(廢墟)≫ 중의 것과, 모차르트의 피아노 소나타 중의 1악장이 알려져 있음.
터킨 블라우스 [tuckin blouse] 명 언더 블라우스.

〈터킨블라우스〉

터:-트리다 타 터뜨리다.
터:틀-넥 [turtleneck] 명 자라목 셔츠.
터:파 【攄破】 명 내 마음을 밝혀서 남의 의혹(疑惑)을 풀어 줌. ——-하다 타여불
터:펜틴 [terpentine] 명 〖화〗 테르펜틴의 영어식 이름.
터-편사 【一便射】 명 한 사정원(射亭員) 15명과 딴 사정원 15명이 편을 짜고 겨루는 편사. 사정(射亭) 편사. ——-하다 자여불
터:포 【攄抱】 명 터회(攄懷). ——-하다 자여불
터품 명 〈방〉 거품(황해).
터프[1] [tough] 명 ①억세고 완강(頑強)한 모양. 불요 불굴(不撓不屈)임. ¶~한 체질. ②권투에서, 저돌적이며 쉽사리 물러서지 아니하는 사람. ¶~ 가이(guy).
터:프[2] [turf] 명 ①잔디. ②골프 코스의 페어웨이(fairway)나 푸른 잔디를 깐 곳을 이름. ③↗터프 코스.
터:프 스키: [turf ski] 명 잔디 위에서 타는 스키.
터:프 코:스 [turf course] 명 경마(競馬)의 주로(走路)의 한 가지로, 잔디 코스. ㊀터프.
터:회 【攄懷】 명 마음 속에 품었던 생각을 터놓고 이야기함. 터포(攄抱). ——-하다 자여불
터흘 〈옛〉 터를. '터'의 목적격형. ¶精舍 지흟 터흘 어드니 맛당흔 디 업고≪釋譜 Ⅵ:23≫.
턱[1] 명 ①사람이나 동물의 입 위아래에 있어서, 발성(發聲)이나 씹는 일을 하는 기관(器官). ②아래턱의 바깥 부분. [턱 떨어진 개 지리산(智異山) 치어다보듯 한다] 이루지 못할 일을 공연히 바람을 이르는 말.
턱 떨어진 광:대 구 의지할 데 없어 꼼짝 못 하게 된 사람. 또, 그런 처지. *끈 떨어진 망석중이.
턱[2] 명 평평한 곳에 갑자기 조금 높이 된 자리.
턱(이) 지다 구 턱이 생기다.
턱[3] 명 좋은 일이 있을 때에 남에게 베푸는 음식 대접. ¶한 ~ 내다/생남(生男) ~.
턱[4] 명 ①관계된 까닭. ¶그럴 ~이 있나. ②그만한 정도. ¶아직 그 ~인가. ③템.
턱[5] 명 〖고고학〗 격지를 떼어내고 남은 원돌의 타격면. 날이 있는 반대편으로서 흔히 자루로 사용되는 면임.
턱[6] 부 ①긴장이 풀리는 모양. ¶마음을 ~ 놓다. ②남이 손을 반갑게 잡는 모양. ③무슨 동작을 의젓한 태도로 하는 모양. ¶앞에 ~ 나와 한마디 하다.
턱-거리 명 ①↗언턱거리. ②〖한의〗 풍열(風熱)로 인하여 턱 아래에 나는 종기.
턱거머리-목 【一目】 명 〖동〗 [Gnathobdellae] 거머리강에 속하는 한 목. 톱니와 같은 이를 가진 악판(顎板)을 갖추고, 이것으로 척추 동물의 살갗을 찢고 피를 빨아 먹음. 거머리과가 이에 속함. 악질류(顎蛭類).
턱-걸이 명 ①운동의 한 가지. 철봉 등을 손으로 잡고 몸을 달아올리어 턱이 그 위까지 미치게 하는 짓. ¶~ 세 번. ②싸움이나 씨름할 때 손으로 상대편 턱을 걸어 밀어 넘어뜨리는 재주. ③남에게 의뢰하여 지냄의 비유. ¶~하고 지내다. ④〈속〉 합격·영전·승급(昇級) 등에 관

한 운동. ¶ ~에 든 돈. ——-하다 자여불

턱-관절【—關節】명〖생〗아래턱 뼈를 두개골에 결부시키는 관절. 이 관절에 의해 식육류(食肉類)는 상하의 개폐(開閉) 운동, 초식류는 좌우의 수평 운동, 잡식류는 그 혼합 운동, 설치류(齧齒類)는 주로 전후의 수평 운동을 함. 악관절(顎關節).

턱-까불다 자 죽을 때 숨을 모으느라고 턱을 떨다.

턱-끼움 명〖건〗목재의 옆 면에 따낸 턱에다 다른 재목의 목두(木頭)를 끼는 일.

턱-따기 명 나무를 벨 때 일정한 방향으로 넘어지게, 베는 나무의 자리를 따내는 일.

〈턱끼움〉

턱-마루 명〈방〉산등성이.

턱-밀이 명 씨름 재간의 한 가지. 배지기를 들리었을 때에나 혹은 안낚시를 걸고 칠 때에 상대편의 재간을 막는 수단으로, 턱을 손으로 미는 것. ——-하다 타여불

턱-밑 명 ①턱의 밑. ②아주 가까운 곳을 이르는 말.

턱밑-샘 명〖생〗아래턱의 삼각부에 있어 타액(唾液)을 분비하는 선. 귀밑샘·혀밑샘과 함께 삼대 타액선의 하나임. 악하선(顎下腺).

턱-받기 명 ☞턱받이❶.

턱-받이 [—바지] 명 ①어린 아이의 턱 아래에 대어 주는, 헝겊으로 된 물건. 음식물이나 침이 옷에 묻지 않게 함. ②〈방〉멱부리.

〈턱받이〉

턱-받침 명〈방〉턱받이❶.

턱-배끼 명 ☞턱받기.

턱-뼈 명〖생〗동물의 턱을 이루는 뼈. 사람의 턱뼈는 두 개의 아래턱뼈와 한 개의 위턱뼈로 이루어짐. 악골(顎骨).

턱살 명〈속〉턱¹. ¶ ~을 받치다.

턱살-밑 명〈속〉턱밑.

턱서기 명〈방〉멍석(함경).

턱성 명〈방〉멍석(함경).

턱-솔 명〖건〗두 개의 나무나 돌을 이을 때에 그 이을 자리를 각각 두께의 반씩 깎아 서로 합한 자리.

턱-수가리 명〈방〉턱주가리(경북).

턱-수염【—鬚髥】명 아래 턱에 난 수염.

턱시:도 [미 tuxedo] 명 [뉴욕의 Tuxedo Park에 있던 사교 클럽의 이름에서 유래] 남자의 야간용(夜間用) 약식 예복(略式禮服). 보통, 검은 빛깔의 나사(羅紗)이고, 모양은 양복과 비슷한데, 윗깃은 견직으로 덮고 바지 솔기에 장식이 달렸음. 연미복(燕尾服)의 대용으로 입음. 디너 코트.

〈턱시도〉

턱-없다 [—업—] 형 ①이유에 닿지 아니하다. ②신분에 맞지 아니하다. ¶ 턱없는 값으로 팔리다.

턱-없이 [—업씨] 부 턱없게. ¶ ~ 싼 물건.

턱인 블라우스 [tuck-in blouse] 명 자락을 스커트 속으로 집어 넣어 입는 블라우스. 언더 블라우스.

턱-잎 [—닙] 명〖식〗탁엽(托葉).

턱-자가미 명 아래턱과 위턱이 맞물린 곳.

턱-자귀 명〖고고학〗몸 중간에서부터 턱이 져 올라간 자귀. 주로 청동기 시대의 팽이 토기 유적에서 출토(出土)됨.

턱-장부촉【—鏃】명〖건〗장부촉이 턱져서 이단(二段)으로 된 것.

〈턱장부촉〉

턱-전 명〖고고학〗토기의 아가리에 뚜껑을 받도록 턱을 지워 놓은 것.

턱-조가리 명〈방〉턱주가리(경기).

턱-주가리 명〈속〉아래턱.

턱-지다¹ 자 언덕이 생기다.

턱-지다² 자 한턱 해야 할 부담이 있다.

턱-짓 명 턱을 움직이어서 뜻을 나타내는 짓. ——-하다 자여불

턱-찌꺼기 명 턱찌끼.

턱-찌끼 명 먹고 남은 음식.

턱-촌목 명〖건〗재목(材木)의 한 변에 평행한 선을 긋는 연장.

턱-턱 부 ①일을 끊어서 처결을 잘 하는 모양. ¶ 맡은 일을 ~ 하여 내다. ②여럿이 차례로 거꾸러지는 모양. ¶ 병사들이 ~ 쓰러지다. ③침을 연달아 배앝는 모양. ④연해 세게 걸리거나 막히는 모양. ¶ 숨이 ~ 막히다. ⑤물건을 자꾸 두드리거나 먼지 등을 떠는 모양. 또, 그 소리. 1)-5): >탁탁.
[턱턱 사랑 영이별이요, 실뚱머룩 장래수(將來壽)라] 처음에 너무 두터운 남녀의 정은 오히려 이별이 되기 쉽고, 처음에 실뚱머룩한 사이가 오히려 뒤에는 끝까지 살게 된다는 말.

턱-털 명〈속〉턱수염.

턴: [turn] 명 ①회전(回轉). 선회(旋回). ②수영(水泳)에서 풀(pool)의 한 쪽 끝의 벽에서 오던 방향으로 방향을 바꾸어 꺾는 일. 터닝(turning). ¶ 퀵~. ③골프 경기에서, 전반(前半)의 9홀(hole)을 끝내고 후반 9홀로 옮겨 치는 일. ④〖연〗댄스에서, 방향(方向)을 바꾸어 도는 일. ¶ 코너(corner)~. ⑤〖악〗'돈꾸밈음'의 영어. ⑥진로(進路)를 바꿈. ¶ 유(U)~. ——-하다 자타여불

턴:-버클 [turnbuckle] 명〖공〗줄을 당겨 조이는 기구의 하나. 양편에 서로 반대 방향의 수나사가 있어서, 회전시켜 양편 줄을 당겨 조이게 됨.

오른나사
왼나사
〈턴버클〉

턴:불 블루: [turnbull blue] 명〖화〗제일철염(第一鐵塩)의 산성(酸性) 또는 중성(中性) 용액에 페로시안화(化)칼륨의 용액을 더할 적에 생기는 짙은 청색의 침전물(沈澱物).

턴:키 베이스 방식【—方式】명 [turn-key base system] 열쇠를 돌리면 모든 설비가 가동(稼動)하는 상태로 인도(引渡)하는 플랜트 수출의 계약 방식. 플랜트의 기본 설계에서부터 기자재(機資材) 공급 및 시공, 조업 지도(操業指導)까지 일체를 도맡아 완성시켜서 인도함.

턴: 테이블 [turn table] 명 ①레코드 플레이어 따위의 회전반. 포노 모터. ②철도의 차량 회전대. 열차의 방향 전환에 쓰임.

턴:-파이크 [turnpike] 명 ①유료(有料) 도로에서, 요금을 받는 문(門). ②유료 도로.

털 명 [중세 : 털] ①포유 동물의 피부에 나는 실 모양의 각질 형성물(角質形成物). ②물건의 거죽에 부풀어 일어난 가느다란 섬유. ③머리카락. ④우모(羽毛). ⑤↗털실. ⑥〖식〗표피 세포(表皮細胞)가 가는 실 모양을 이룬 것. 모(毛). *모근(毛根).
[털도 아니 난 것이 날기부터 하려 한다] 못난 사람이 제 격에 맞지 않는 엄청난 일을 하려 함의 비유. [털도 안 뜯고 먹으려 한다] ㉠몹시 성급하다는 말. ㉡통으로 삼키려 한다는 말. [털도 없이 부얼부얼한 체한다] 귀여움을 받음직하게 생기지 못한 자가 귀여움을 받으려고 아양부림을 이르는 말. [털을 뽑아 신을 삼겠다] 큰 은혜를 꼭 갚겠다는 말. [털 뽑아 제 구멍 메우기] 하는 짓이 융통성이 없고 고식적(姑息的)임을 이르는 말.
털 벗은 솔개 구 앙상하고 볼품이 없음을 이르는 말.

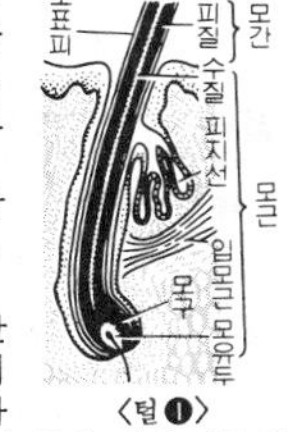

〈털❶〉

털-가죽 명 모피(毛皮)❶.

털가침-박달 명〖식〗[*Exochorda serratifolia* var. *oligantha*] 조팝나뭇과에 속하는 낙엽 활엽 관목. 잎은 도피침형(倒披針形) 또는 긴 타원형이고 잔털이 대백색(帶白色)으로 나 있음. 4-5월에 흰 꽃이 총상(總狀) 화서로 풋가지에 정생(頂生)하며, 삭과(蒴果)는 가을에 익음. 산록이나 골짜기에 나는데, 황해도·함경도 등지에 분포함. 관상용으로 심기도 함.

털-갈다 자 묵은 털이 빠지고 새로 털이 나다.

털-갈매나무 명〖식〗[*Rhamnus koraiensis*] 갈매나뭇과에 속하는 낙엽 활엽 관목. 온 줄기에 가시가 있고, 잎은 넓은 거꿀달걀꼴 또는 난원형(卵圓形)임. 자웅 이가로 5-6월에 황록색 꽃이 액생(腋生)하고 핵과(核果)는 8-9월에 흑색으로 익음. 산복 양지에 나는데, 거의 한국 각지에 분포함. 나무 껍질은 염료용임.

털-갈이 명 짐승이나 조류가 털이나 깃을 가는 일. ——-하다 자여불

털개 명〈방〉먼지떨이.

털-개회나무 명〖식〗[*Syringa velutina*] 물푸레나뭇과의 낙엽 활엽 관목. 잎은 타원형 또는 달걀꼴이고, 뒷 면에는 털이 밀생함. 5월에 홍색 꽃이 원추(圓錐) 화서로 묵은 가지 끝에 액생(腋生)하고, 삭과(蒴果)는 9월에 익음. 산복에 나는데, 평남·함경도 및 중국 북부에 분포함. 관상용으로 심음.

털-게 명〖동〗①몸 전체에 털이 많이 난 게. ②[*Erimacrus isenbeckii*] 털겟과에 속하는 게의 한 가지. 딱지의 길이는 120mm 내외이고, 각 다리의 배면(背面)과 후연(後緣)에는 긴 털이 줄을 지어 났고, 두흉갑(頭胸甲)의 전측연(前側緣)에는 일곱 개의 가시가 있음. 한해(寒海)에 서식하는데, 한국 동해안·베링 해 등에 분포함. 식용(食用)함.

〈털게❷〉

털겟-과【—科】명〖동〗[Atelecyclidae] 갑각류(甲殼類)에 속하는 한 과. 왕밤송이게·털게 등이 이에 속함.

털-고막 명〈방〉새고막.

털-곰팡이 명〖식〗자낭균(子囊菌).

털-괭이눈 명〖식〗[*Chrysosplenium baicalense*] 범의귓과에 속하는 다년초. 줄기는 가로 뻗으며, 화경(花莖)은 높이 3cm 내외이고, 잎은 대생하며, 유병(有柄)의 난원형(卵圓形) 또는 원형임. 5월에 담황록색의 꽃이 줄기 끝에 총생하여 피고, 과실은 삭과임. 산지의 습윤지에 나는데, 제주·지리산·함북 등지에 분포함.

털-괴불나무 명〖식〗[*Lonicera subhispida*] 인동과에 속하는 낙엽 활엽 관목. 수(髓)는 백색이고 잎은 타원형 또는 긴 거꿀달걀꼴임. 5월에 황색의 꽃이 하나씩 액생(腋生)함. 골짜기에 나는데, 전남·경기·함남·함북 등지에 분포함.

털-구름 명〖기상〗권운(卷雲). 새털구름.

털-구멍 [—꾸—] 명〖생〗털이 나는 작은 구멍. 모공(毛孔). 모규(毛竅).

털-굴 명〖조개〗[*Ostrea echinata*] 굴과에 속하는 조개의 한 가지. 패각(貝殼)의 길이가 40-50mm 내외이고, 표면은 회백색에 자흑색의 방사채(放射彩)와 비늘 모양의 엽편(葉片)이 있음. 파도가 낮고 함도(鹹度)가 높지 않은 하구(河口)의 암초에 서식하는데, 한국·일본·중국 등지에 분포함.

털-굴피나무 명〖식〗[*Platycarya strobilacea* var. *coreana*] 호도과에 속하는 낙엽 활엽 소교목. 잎은 우상 복엽(羽狀複葉)으로 나며 작은 잎은 장타원상 피침형(披針形)이고, 가에 톱니가 있으며 털이 남. 꽃은 6-7월에 취산(聚繖) 화서로 정생(頂生)하며, 꽃잎은 없음. 과실은 견과(堅果)로 10월에 익음. 산기슭 양지 쪽에 나는데, 전라·경상·충남·경기도에 분포함.

털-기름나물 명〖식〗[*Libanotis coreana*] 미나릿과에 속하는 다년초. 줄기 높이 90cm, 잎은 2회 우상 전열(羽狀全裂)하고, 열편(裂片)은 피침상 선형임. 7-9월에 크고 작은 흰 꽃이 복산형(複繖形) 화서로 줄기 끝과 가지 끝에 정생하고, 과실은 난원형(卵圓形)임. 산이나 들에 나는

데, 제주·함북의 무산(茂山)에 분포함.

털-깎기 [명] 가축 따위의 털을 깎는 일. 전모(剪毛). ——-하다 [자][여불]

털-꼬리풀 [명]〖식〗[*Veronica villosula*] 현삼과에 속하는 다년초. 줄기 높이 30cm 이상이며, 잎은 대생(對生) 또는 세 잎이 윤생(輪生)하며 단병(短柄) 혹은 무병(無柄)이고 피침형 또는 거꿀달걀꼴의 긴 타원형임. 8월에 자색의 꽃이 총상(總狀) 화서로 정생하고, 열매는 둥글넓적한 삭과(蒴果)임. 산지에 나는데, 제주도에 분포함.

털-끝 [명] ①털의 끝. ②매우 작은 사물을 가리키는 말. 모두(毛頭). ¶그런 생각은 ~만큼도 없다.
[털끝도 못 건드리게 한다] 조금도 손을 대지 못하게 한다는 말.
털끝 하나 [구] '단 하나도'·'전혀 아무 것도'·'어느 것 하나도' 등의 뜻으로, '없다'·'건드리다'·'까닥하다'·'만지다'·'다치다'와 함께 쓰임. ¶~라도 다쳤다간 큰코다칠 줄 알라.

털-나비날도래[—라—] [명]〖충〗[*Oecetis nigropunctata*] 나비날도랫과의 곤충. 몸길이 6mm, 편 날개의 길이 16-19mm 가량임. 두흉부(頭胸部)에 회갈색 털이 밀생하고, 복부는 청록색이며, 앞날개는 반투명한데 흑갈색의 점문(點紋)이 있으며, 뒷날개에는 투명한 흑갈색 연모(緣毛)가 있음. 한국·일본에 분포함.

털-날[—랄] [명]〖민〗설날에서 열이틀까지의 일진이, 털 있는 짐승 쥐·소·호랑이·말·염소·원숭이·닭·개·돼지에 해당하는, 자일(子日)·축일(丑日)·인일(寅日)·묘일(卯日)·오일(午日)·미일(未日)·신일(申日)·유일(酉日)·술일(戌日)·해일(亥日)의 일컬음. 설날이 털날인 때에는 풍년이 든다고 함. 유모일(有毛日). ↔털 없는 날.

털날도랫-과【—科】[—랄—] [명]〖충〗[Sericostomatidae] 날도래목에 속하는 한 과. 촉각은 크고 털이 있으며, 머리로부터 긴 기절(基節)이 있음. 소새수(小顋鬚)는 암수가 전혀 다르고, 털 또는 인편(鱗片)으로 덮여 있음. 대부분의 종류는 단안(單眼)이 없음. 유충은 흐르는 물이나 호수에 삶. 전세계에 180여 종이 분포함.

털-내복【—內服】[—래—] [명] 털내의.

털-내의【—內衣】[—래— / —래이] [명] 털실로 짠 내의.

털-너널[—러—] [명] 모물(毛物)로 크게 만든 버선. 몹시 추울 때나 먼 길 갈 때에 덧신음. 모말(毛襪). 털버선. *너널.

털-노랑제비꽃[—로—] [명]〖식〗[*Viola glabella*]제비꽃과의 다년초. 줄기는 총생(叢生)하며 높이 10-18cm 가량이고, 근생엽(根生葉)은 소수인데 장병(長柄)이며, 경엽(莖葉)은 무병(無柄)이고 심상 난형(心狀卵形) 또는 난상 심장형임. 5월에 황색 꽃이 줄기 끝에 좌우 상칭(左右相稱)으로 한두 개씩 액생(腋生)하고, 과실은 삭과(蒴果)임. 산지에 나는데, 함남에 분포함.

털-노박덩굴[—로—] [명]〖식〗[*Celastrus stephanotifolius*] 노박덩굴과의 낙엽 활엽 만목. 잎은 타원형임. 5월에 녹황색 꽃이 취산(聚繖) 화서로 피고, 삭과(蒴果)는 가을에 익음. 산록의 숲속에 나는데, 경남에 분포함. 풋싹은 식용, 종자는 채유용(採油用)임.

털:다 [타] ①붙어 있는 물건이 흩어지거나 떨어지도록 하다. ¶옷의 먼지를 ~. 쓰떨다. ②있는 재물을 죄다 내다. ¶밑천을 ~. ③도둑이나 소매치기가 남의 물건을 죄다 가져 가다. ¶도둑이 가게를 ~.
[털어서 먼지 안 나는 사람 없다] 사람은 누구나 허물을 가지고 있다는 말. 뒤를 캐면 삼거웃이 안 나오는 집안이 없다.

털-다듬이벌레 [명]〖충〗[*Kolbea fuseonervosa*] 털다듬이벌렛과에 속하는 곤충. 몸길이 3mm, 날개 길이 5mm 가량임. 두부는 적황색에 회색 털이 밀생하고, 흉부는 황갈색이며, 복부는 담황갈색임. 날개는 투명하고 시맥(翅脈)에 강모(剛毛)가 두 줄, 촉각과 시연(翅緣)에는 긴 털이 있음. 한국·일본·대만 등지에 분포함.

털다듬이벌렛-과【—科】[명]〖충〗[Caeciliidae] 다듬이벌레목(目)에 속하는 유시류(有翅類)의 한 과. 매우 작은 전흉과 두 마디로 된 부절(跗節)이 있음. 전세계에 분포함.

털다리-물맞이게 [명]〖동〗 풀게.

털-대사초【—大莎草】[명]〖식〗[*Carex ciliato-marginata*] 방동사닛과에 속하는 다년초. 줄기 높이 20cm 이상이고, 잎은 총생(叢生)하며 길이 10-20cm, 폭 15-30mm의 긴 타원상 피침형임. 꽃은 5-7월에 피는데, 웅수(雄穗)는 갈색이며, 자수(雌穗)는 녹색임. 수꽃의 영(穎)은 넓고 암꽃의 영은 긴 타원형임. 과낭(果囊)은 큼. 산지의 숲에 나는데, 한국 중부와 남부에 분포함.

털-댕강나무 [명]〖식〗[*Abelia coreana*] 인동과에 속하는 낙엽 활엽 관목. 잎은 큰 달걀꼴의 피침형 또는 넓은 피침형임. 꽃은 5월에 두 개씩 가지 끝에 나란히 피며, 열매는 9월에 익음. 산복의 바위 틈에 나는데, 관상용으로 심기도 함. 경북·황해·평남·함경도에 드물게 야생하는 특산종임. 어린잎은 식용함.

털-돌배나무 [명]〖식〗[*Pyrus ussuriensis var. puvescens*] 능금나뭇과에 속하는 낙엽 활엽 교목. 잎은 달걀꼴로 가장자리에 톱니가 있고 뒷면에는 가는 털이 있음. 4-5월에 흰 꽃이 방상 화서(房狀花序)로 핌. 열매는 이과(梨果)로 구형이며 가을에 익음. 촌락 부근 및 산지에 나는데, 경남·경기·강원 등지에 분포함. 도구재·기계재용임.

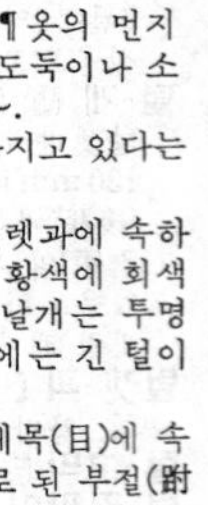
〈털동자꽃〉

털-동자꽃【—童子—】[명]〖식〗[*Lychnis fulgens*] 너도개미자릿과에 속하는 다년초. 줄기 높이 1m 가량으로, 잎은 대생하며, 무병(無柄)이고, 달걀꼴 또는 달걀꼴의 긴 타원형임. 6-8월에 짙은 홍색의 꽃이 줄기끝 잎 사이에 두셋씩 달림. 과실은 삭과(蒴果)임. 산지에 나는데, 한국 중부 이북에 분포함. 전춘라(翦春羅).

털따 [형]〈방〉떫다(경북).

털럭[1] [명]〈옛〉털. 터럭. ¶털럭 스믈 ᄌᆞᆫ 톤디라(如燎毛)《小諺 V:19》.

털럭[2] [부] 달리거나 한쪽이 떨어진 물건이 한번 흔들리는 소리. 또, 그 모양. >탈락². ——-하다 [자][여불]

털럭-거리다 [자] 매달리거나 늘어진 피륙 등이 거북하게 흔들리다. >탈락거리다. 털럭-털럭 [부]. ——-하다 [자][여불]

털럭-대다 [자] 털럭거리다.

털레-털레 [부] ①홀가분한 차림으로 무겁게 다리를 끌며 건드렁건드렁 걷는 모양. ¶장에 간 남편은 빈손으로 ~ 돌아왔다. ②매달린 물건이 건들건들 흔들리는 모양. ¶빈 수통이 ~ 흔들리다. ——-하다 [자][여불]

털리다 [一][피동] ①털어지다. 턺을 당하다. ②노름판에서 가지고 있던 돈을 모조리 잃다. ③도둑이나 소매치기에게 가지고 있던 재물을 모조리 잃어버리다. ¶가진 돈을 몽땅 ~. [二][사동] 털게 하다.

〈털매미〉

털-매미 [명]〖충〗[*Platypleura kaempferi*] 매밋과(科)에 속하는 곤충. 몸길이 20-25mm, 날개 끝까지는 35mm 내외임. 몸빛은 암황록색에 녹색 반점(斑點)이 있고 때로는 온 몸이 가는 담황색 인모(鱗毛)로 싸였음. 제일 흔하게 볼 수 있는 매미로서, 7-9월에 걸쳐 출현하여 아침부터 저녁까지 흔히 활엽수에서 '찡찡' 하고 울므로 '찡찡매미'라고도 함. 한국·일본·중국·필리핀·말레이시아·보르네오 등지에 분포함.

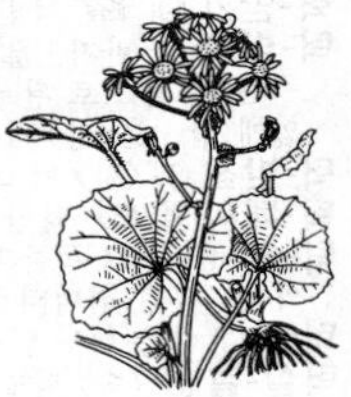
〈털머위〉

털-머위 [명]〖식〗[*Ligularia tussilaginea*] 국화과에 속하는 상록 다년초. 꽃줄기의 높이 60cm 내외로, 근생엽(根生葉)은 총생(叢生)하고 장병(長柄)이며 경엽(莖葉)은 단병(短柄)인데 신장형(腎臟形) 또는 심장상 신형임. 9-10월에 황색 꽃이 방상 화수(房狀花穗)로 핌. 바닷가에 나는데, 제주·전남·경남에 분포함. 엽병을 식용 및 약용함. 관상용(觀賞用)임.

털먹-신 [명]〈방〉털메기.

털메기 [명] 모숨을 굵게 하여 함부로 험하게 삼은 짚신.

털-모자【—帽子】[명] 짐승의 털이나 모피(毛皮)로 만든 모자.

털-목【—木】[명] 굵고 거칠게 짠 무명.

털-목도리 [명] 짐승의 털이나 털실로 만든 목도리.

털뜯다 [자]〈옛〉털을 뜯다. ¶털뜯다(撊毛)《字會 下 12 撊字註》.

털-방석【—方席】[명] 짐승의 털로 짠 방석. 또, 털을 넣고 만든 방석.

털-배자【—褙子】[명] 안에다가 털을 대고 만든 배자.

털버덕 [부] 넓적한 물건이 얕은 물 위를 거칠고 어지럽게 밟는 것과 같은 소리. >탈바닥. ——-하다 [자타][여불]

털버덕-거리다 [자타] 자꾸 털버덕하다. 또, 자꾸 털버덕 소리를 나게 하다. >탈바닥거리다. 털버덕-털버덕 [부]. ——-하다 [자타][여불]

털버덕-대다 [자타] 털버덕거리다.

털-버선 [명] 털너널.

털벅 [부] 넓적한 물건이 얕은 물 위를 밟는 소리. >탈박. ——-하다 [자타][여불]

털벅-거리다 [자타] 잇따라 털벅 소리가 나다. 또, 잇따라 털벅 소리를 나게 하다. >탈박거리다. 털벅-털벅 [부]. ——-하다 [자타][여불]

털벅-대다 [자타] 털벅거리다.

털-벌레 [명] 모충(毛蟲)❷. ——-하다 [자타][여불]

털벙 [부] 물 위에 묵직한 돌멩이 같은 것을 던지어 나는 소리. >탈방.

털벙-거리다 [자타] 잇달아 털벙 소리가 나다. 또, 잇따라 털벙 소리를 나게 하다. >탈방거리다. 털벙-털벙 [부]. ——-하다 [자타][여불]

털벙-대다 [자타] 털벙거리다.

털-벙거지 [명] 털로 만든 벙거지.

털-보 [명] 몸에 털이 많이 난 사람을 농으로 이르는 말. 부시(髥鬍).

털보-게 [명]〖동〗[*Heteropilumnus ciliatus*] 부채겟과에 속하는 게의 한 가지. 배갑(背甲)은 길이 7mm, 폭 11mm 내외이며, 연모(軟毛)로 덮이고, 다리·이마 등의 가장자리에도 비교적 긴 털이 났음. 해안선(海岸線)에 가까운 진흙이나 조약밭에 사는데, 한국·일본·중국 등지 연안(沿岸)에 분포함.

털보-박쥐 [명]〖동〗[*Myotis mystacinus gracilis*] 애기박쥣과에 속하는 박쥐의 하나. 몸이 작고, 얼굴에 긴 털이 있음. 산 속 고목(古木)의 구멍에 살며 저녁에 나와서 날아 다님. 한국·시베리아·히말라야·만주·일본 등지에 분포함. 긴수염박쥐.

털보-재니등에 [명]〖충〗[*Anastoechus nitidulus*] 재니등엣과에 속하는 곤충. 몸길이 9-11mm로, 큰재니등에와의 차이는 몸의 털이 백색에 가깝고, 복배(腹背)의 각절(各節) 기부(基部)에 담황색의 긴 가시털이 줄지어 나 있으며, 복면(腹面)이 백색인 점임. 날개의 전연부(前緣部)는 황갈색을 띠고, 전연 기부에는 긴 흑색의 털 뭉치가 있음. 아시아·유럽에 분포함.

털-복사 [명] ↗털복숭아.

털-복숭아 [명] 유월도(六月桃)를 겉에 털이 많아서 이르는 말. [준]털복사.

털-북숭이 [명] 털이 많이 난 사람 또는 물건. [준]북숭이.

털-붓 [명] '붓¹❶'을 연필이나 철필에 상대하여 이르는 말. 관성자(管城子). 모영(毛穎). 모추(毛錐). 모추자(毛錐子). 모필(毛筆).

털-붙이[—부치] [명] ①털이 있는 짐승의 가죽. ②털로 짠 물건.

털-비름 [명]〖식〗[*Euxolus caudatus*] 비름과에 속하는 일년초. 줄기는 능각(稜角)이고, 높이는 2m 가량임. 잎은 호생(互生)하고, 꼭지가 길며 마름모꼴의 긴 달걀꼴 또는 달걀꼴의 긴 타원형을 이룸. 자웅 이가(雌雄異家)로, 8월에 녹색의 잔 꽃이 원뿔꼴의 수상(穗狀) 화서로 밀집·정생(頂生)하여 피고, 개과(蓋果)를 맺음. 들에 나는데, 경기·강원 등지에 분포함. 어린잎은 식용함.

털-빛[—삧] [명] 털의 빛깔. 모색(毛色).

털-뿌리 [명] 털의 뿌리. 모근(毛根). *뿌리털.

털사 [Tulsa] 명 〖지〗 미국 오클라호마 주(州) 북동부의 아칸소 강에 임하는 광공업(鑛工業) 도시. 유전 지대(油田地帶)에 있어, 정유 공업(精油工業)의 중심지이며 유전 장비·항공기 기계·자동차·유리 및 면(綿) 공업 등이 행해짐. [361,000 명(1980)]

털-새모래덩굴 명 〖식〗 [*Menispermum dauricum* var. *pilosum*] 방기과 새모래덩굴의 한 변종(變種). 잎꼭지 윗부분에 털이 나 있음. 설악산 이북의 특산종임. 뿌리를 이뇨제(利尿劑)로 씀.

털-셔츠 [shirts] 명 털로 짠 셔츠.

털-쉽싸리 명 〖식〗 [*Lycopus uniflorus*] 꿀풀과에 속하는 다년초. 줄기는 네모지고 높이 30cm 가량임. 잎은 대생하고 긴 타원상 피침형을 이룸. 7-8월에 희고 작은 순형화(脣形花)가 엽액(葉腋)에 밀집하여 핌. 습지에 나는데, 평북의 강계에 분포함.

털-수건 【一手巾】 명 타월(towel).

털-수세 명 털이 많이 나서 험상궂게 보이는 수염.

털숭이-꽃무지 명 〖충〗 [*Glycyphana fulvistemma*] 검정꽃무지.

털숭이-하늘소 [一쏘] 명 〖충〗 [*Hesper phanes campestris*] 하늘솟과에 속하는 갑충(甲蟲). 온몸에 털이 얼룩지게 났음. 한국·일본 등지에 분포함.

털-쉬땅나무 명 〖식〗 [*Sorbaria stellipila* var. *incerta*] 조팝나뭇과에 속하는 낙엽 활엽 관목. 잎은 날개 모양으로 복생(複生)하고, 소엽(小葉)은 피침형임. 4월에 흰 꽃이 원추(圓錐) 화서로 정생하고, 골돌과(蓇葖果)를 맺으며 9월에 익음. 깊은 산에 나는데, 금강산·평북·함남에 분포함. 관상용·산울타리용임.

털-신 명 털이나 모피(毛皮) 등을 써서 만든 방한화(防寒靴).

털-실 명 짐승의 털로 만든 실. 모사(毛絲). ㊀털.

털-쌘구름 명 〖기상〗 권적운(卷積雲). *조개구름·비늘구름.

털썩 부 ①사람이 갑자기 주저앉는 소리나 모양. ¶ ~ 엉덩방아를 찧다. ②조금 두껍고 넓은 물건이 갑자기 내려앉는 소리나 모양. ¶ 지붕에서 ~ 떨어지다. 1)·2):>탈싹. ——하다 자여불

털썩-거리다 자 잇달아 털썩하다. >탈싹거리다. 털썩-털썩 부. ——하다 자여불

털썩-대다 자 털썩거리다.

털썩이-잡다 타 일을 망치다. ¶ 시세가 떨어져 털썩이잡았다.

털앵이 명 〈방〉 짚신(전남).

털어 가다 타 집에 있는 재산이나 몸에 지닌 돈을 전부 빼앗아 가다. ¶ 도둑이 몽땅 ~.

털어-놓다 [一노타] 타 비밀·고민·생각 따위를 숨김 없이 다 이야기하다.

털어 먹다 타 가산이나 몸에 지닌 돈을 함부로 써서 없애다. ¶ 재산을 다 ~/장사 밑천까지 ~.

털 없는 날 [一업一] 명 〖민〗 설날에서 열이틀까지의 일진이 털 없는 짐승 용·뱀에 해당하는 진일(辰日)·사일(巳日)의 일컬음. 설날이 털 없는 날일 때에는 흉년이 든다고 함. 무모일(無毛日). ↔털날.

털-여뀌 명 〖식〗 [*Amblygonon pilosum*] 마디풀과에 속하는 일년초. 줄기 높이 2m 가량임, 잎은 호생하며 장병(長柄)이고 넓은 달걀꼴을 이루는데 초상 탁엽(鞘狀托葉)이 있음. 7-8월에 엷은 홍자색의 꽃이 원기둥 모양의 수상(穗狀) 화서로 줄기 끝과 가지 끝에 정생하고 수과(瘦果)를 맺음. 거의 한국 전역에 분포하며, 어린잎은 식용함.

〈털여뀌〉

털-여물 명 회반죽 따위에 섞어 쓰는 짐승의 털.

털-오갈피나무 명 〖식〗 [*Acanthopanax rufinerve*] 두릅나뭇과에 속하는 낙엽 활엽 관목. 온몸에 짧은 가시가 남. 잎은 장상(掌狀)으로 3-5개이며, 소엽(小葉)은 긴 타원형 또는 조붓한 거꿀달걀꼴의 타원형인데, 잎 뒤의 주맥(主脈)에 갈색 털이 밀포하여 있음. 꽃은 8월에 산형(繖形) 화서로 피고, 과실은 아직 보지 못함. 산허리 이하에 나는데, 경북·황해·평북·함북 등지에 분포함. 수피(樹皮)는 약재로 씀.

털-오랑캐꽃 명 〖식〗 털제비꽃.

털-오리 명 털의 가닥.

털-올실 명 짐승의 털로 만든 올실.

털-옷 명 짐승의 털로 만든 옷.

털-옷감 명 털로 짠 피륙.

털-왕버들 【一王一】 명 〖식〗 [*Salix glandulosa*] 버들과에 속하는 낙엽 활엽 교목. 잎은 타원형 또는 긴 타원형임. 자웅 이가(雌雄異家)로 꽃은 4월에 피고 달걀꼴의 삭과(蒴果)를 맺는데 5월에 익음. 왕버들에 비해 가지 및 잎꼭지에 털이 있음. 평지나 강가에 나는데 전남·경남·충청 북도에 분포함. 풍치목이나 땔감으로 쓰임.

털-외투 【一外套】 명 털로 만든 외투.

털-요 [一료] 명 ①털을 넣어서 만든 요. ②모포(毛布).

털-윤노리나무 명 〖식〗 [*Pourthiaea zollingeri*] 능금나뭇과에 속하는 낙엽 활엽 교목. 잎은 타원형 또는 거꿀달걀꼴이고, 5월에 흰 꽃이 복산방(複繖房) 화서로 정생(頂生)하며, 이과(梨果)가 10월에 빨갛게 익음. 산허리에 나는데, 전라·경상·강원도 및 일본에 분포함. 연장의 자루·쇠코뚜레·신탄재(薪炭材) 등으로 씀.

털이-개 명 ☞먼지떨이.

털-이슬 [一리一] 명 〖식〗 [*Circaea mollis*] 바늘꽃과에 속하는 다년초. 줄기 높이 60cm 내외임. 잎은 대생(對生)하며 꼭지가 길고 달걀꼴 피침형임. 8월에 흰 꽃이 총상(總狀) 화서로 줄기 끝과 가지 끝에 정생 또는 액출(腋出)하여 피고 거꿀달걀꼴의 둥근 과실을 맺으며 갈고리 같은 털이 밀포함. 산이나 들의 음지에 나는데, 한국 전역에 분포함.

〈털이슬〉

털-장갑 【一掌匣】 명 털을 넣어 만든 장갑. 털실로 짠 장갑.

털-장구채 명 〖식〗 [*Melandrium firmum pubescens*] 너도개미자릿과에 속하는 월년초(越年草). 줄기 높이 50cm 가량임. 잎은 대생(對生), 잎꼭지가 짧고 피침형 또는 긴 타원형을 이룸. 잎과 줄기는 홍자색이며, 전체에 털이 배게 났으므로 장구채와 쉽게 구별됨. 7월에 흰 꽃이 정생 또는 액출(腋出)하여 피고, 긴 달걀꼴의 삭과(蒴果)를 맺음. 산에 나는데, 경남·경기·황해·평안도에 분포함.

털-장대 【一長一】 [一때] 명 〖식〗 [*Arabis nipponica*] 겨잣과에 속하는 월년초. 줄기 높이 20-60cm이고, 근생엽(根生葉)은 총생(叢生)하며 경엽(莖葉)은 호생하고, 달걀꼴 피침형임. 6-7월에 흰 꽃이 총상(總狀) 화서로 정생하고, 장각과(長角果)를 맺음. 산야에 나는데, 한국 각지에 분포함. 어린잎은 식용함.

털-재 명 〖한의〗 머리털을 살라 만든 재. 임질(淋疾)과 대소변 불통 등을 다스리는 약으로 쓰임.

털-전호 【一前胡】 명 〖식〗 [*Anthriscus menrorsus*] 미나릿과에 속하는 다년초. 줄기 높이 1m 이상, 잎은 2회 삼출(三出)하며 열편(裂片)은 달걀꼴을 이룸. 6월에 흰 꽃이 복산형(複繖形) 화서로 피는데, 총산경(總繖梗)과 소산경(小繖梗)은 각각 6-12개이고, 과실은 긴 타원형임. 산지에 나는데, 전북·강원·경기·함북에 분포함. 뿌리는 약재로 씀.

털-제비꽃 명 〖식〗 [*Viola phalacrocarpa*] 제비꽃과에 속하는 다년초. 무경성(無莖性)이며, 잎은 뿌리로부터 여러 개가 총생(叢生)하고 꼭지가 길며 심장 모양의 달걀꼴을 이룸. 4-5월에 홍자색 꽃이 길이 10cm의 꽃줄기 끝에 좌우 상칭(左右相稱)으로 한 송이씩 달리어 피고, 삭과(蒴果)를 맺음. 들의 양지에 나는데, 한국 각지에 분포함. 털오랑캐꽃.

털-조장나무 【一釣樟一】 명 〖식〗 [*Benzoin sericeum*] 녹나뭇과에 속하는 낙엽 활엽 관목. 잎은 긴 타원형인데 잎 뒤에 털이 있음. 자웅 이가(雌雄異家)로, 4월에 황색 꽃이 산형(繖形) 화서로 액생하고, 둥근 핵과(核果)를 맺는데 10월에 까맣게 익음. 전남의 무등산·조계산(曹溪山) 및 일본에 분포함. 이쑤시개·산울타리용임.

털-좁쌀풀 명 〖식〗 [*Euphrasia retrotricha*] 현삼과에 속하는 일년초. 줄기 높이 10-15 cm, 잎은 대생(對生)하며 넓은 달걀꼴임. 8월에 홍자색 꽃이 깔때기 모양의 순형(脣形)으로 엽액(葉腋)에 달리어 피고, 삭과(蒴果)는 거꿀달걀꼴의 타원형임. 깊은 산에 나는데, 부전 고원(赴戰高原)에 분포함.

털-주머니 명 〖생〗 '모낭(毛囊)'의 풀어 쓴 이름.

털-중나리 명 〖식〗 [*Lilium amabile*] 백합과에 속하는 다년초. 잎은 피침형에 촘촘히 산생(散生)하며 잎꼭지는 없고 길이 3-7cm 내외임. 꽃은 줄기 끝에 1-5개씩 달렸으며 꽃꼭지가 있음. 인경(鱗莖)은 달걀꼴의 타원형이고 길이 2.5-4cm이며, 줄기가 곧게 서고 상부는 가지가 갈라졌으며, 높이 약 1m 가량임. 꽃은 황적색으로 6-8월에 핌. 산지에 나는데 우리 나라 각지에 야생함. 관상용임.

털-지렁이나무 명 〖식〗 [*Sambucus velutina*] 인동과에 속하는 낙엽 활엽 관목. 잎은 우상 복생(羽狀複生)하고 소엽(小葉)은 달걀꼴 또는 타원형을 이룸. 꽃은 5월에 원추 화총(圓錐花叢) 또는 복산방(複繖房) 화서로 피고, 6-7월에 핵과(核果)가 빨갛게 익음. 골짜기에 나는데, 함경도의 특산종임. 잔 가지는 약재로 씀.

털-진드기 명 〖동〗 [*Kedania tanakai*] 털진드깃과에 속하는 진드기의 하나. 몸길이 1mm 가량, 몸빛은 담홍색임. 몸통이 표주박 모양이고 거미 비슷한데, 온몸에 짧은 털이 밀생함. 흔히 들쥐에 기생하며, 사람에도 붙어서 흡혈(吸血)을 함. 일본 등지에 분포함. 모낭충(毛囊蟲). 모발(毛髮)진드기.

〈털진드기〉

털진드깃-과 【一科】 명 〖동〗 진드기목(目)에 속하는 절지(節肢) 동물의 한 과.

털-진득찰 명 〖식〗 [*Siegesbeckia pubescens*] 국화과에 속하는 일년초. 줄기 높이 60-120cm, 잎과 함께 잔털이 밀생함. 잎은 대생(對生)하며 꼭지가 있고 삼각상 달걀꼴에 톱니가 있음. 9-10월에 노란 두화(頭花)는 원추 화수(圓錐花穗), 변화(邊花)는 설상화(舌狀花), 심화(心花)는 통형(筒形)으로 피고, 수과(瘦果)를 맺음. 산과 들에 나는데 한국 중부 이북·홋카이도·일본·중국 등지에 분포함. 과실은 약재로 씀.

털-질경이 명 〖식〗 [*Plantago depressa*] 질경잇과에 속하는 다년초. 잎은 뿌리에서 총생하고 잎꼭지가 긴데, 장타원형이며 길이 12cm임. 꽃줄기는 높이 25 cm 가량, 수상 화서로 가는 꽃이 밀착하였으며 깔때기 모양의 꽃부리는 4 갈래로 갈라짐. 4개의 수술과 1개의 암술이 있음. 5-7월에 흰 꽃이 피고 방추형의 삭과(蒴果)를 맺음. 들이나 길가에 나는데, 우리 나라와 중국·만주·동부 시베리아에 분포함. 잎과 종자는 약용으로 쓰며, 어린잎은 식용함.

털-찝 명 돈을 주착없이 함부로 쓰는 방탕한 사람을, 돈 버는 편에서 일컫는 변말.

털-총이 【一驄一】 명 푸르고 검은 무늬가 장기판처럼 줄이 진 말.

털층-구름 【一層一】 명 〖기상〗 권층운(卷層雲). *솜털구름·햇무리구름.

털터리 명 ①☞털털이. ②↗빈털터리. >탈타리.

털털 부 ①마음은 급하나 몸이 느른하여 떨리는 걸음으로 연해 겨우 걷는 모양. ②금이 간 질그릇 따위를 연해 두드려 나는 소리. 1)·2):>탈탈². ——하다 자타여불

털털-거리다 자타 ①마음은 급하나 몸이 썩 피곤하여 떨리는 걸음으로 연해 겨우 걷다. ②깨어져 금이 있는 질그릇 같은 것을 연해 두드리어 떠는 소리가 나다. 또, 자꾸 털털 소리를 나게 하다. 1)·2):>탈탈거리다.

털털-대다 자타 털털거리다.

털털-이 명 ①차림이나 행동이 깍듯하지 못하고 털털한 사람. ②몹시 낡아서 털털거리는 차량·수레 따위.

털털-하다 형여불 사람의 성격이 허술한 듯하고 소탈하다. ¶이런 저런 체모도 가리지 않고 털털하게 지껄여댄다≪李浩哲 : 深淺圖≫. 털털-히 ㄴ부

털-토시 명 털을 안에 댄 토시.

[털토시를 끼고 게구멍을 쑤시어도 제 재미라] 제 뜻대로 하는데 아무도 거기에 대하여 무엇이라고 말할 까닭이 없다는 뜻.

털-파리 명 『충』 털파릿과에 속하는 파리의 총칭.

털파리-붙이 [—부치] 명 『충』 [*Scatopse fuscipes*] 털파리붙잇과에 속하는 곤충. 몸길이 2.5mm 내외이고, 광택 있는 흑색임. 잡식성(雜食性)으로 퇴비(堆肥)·쓰레기 기타의 부패물 속에서 발생하며, 부엌·변소의 창문에서도 볼 수 있음. 성충은 포복성(匍匐性)이고 때로는 버섯류도 먹음. 전세계에 분포함.

털파리붙잇-과【—科】[—부칟—] 명 『충』 [Scatopsidae] 파리목(目)에 속하는 한 과. 몸은 작고 흑색 또는 대갈색인데, 부속기(附屬器)·흉부 등은 보통 부분적으로 대황색임. 촉각은 7-12절, 단안(單眼)은 세 개이며, 다리는 짧고 퇴절은 굵음. 유충은 부패 식물·동물질·똥 등에 모이고, 성충은 가을에 출현함.

털파릿-과【—科】명 『충』 [Bibionidae] 파리목(目)에 속하는 한 과. 몸빛은 흑색·암회색(暗灰色)·적갈색이 보통이고, 온몸에 털이 있음. 촉각은 8-16절(節)이고 염주 모양이며, 날개는 크고 연문(緣紋)이 뚜렷함. 파리목 중 가장 원시적인 종류에 속함. 유충은 부패 식물·화본과(禾本科) 식물·야채 등의 뿌리의 해충임. 게띠털파리 등이 있는데, 전세계에 400여 종이 분포함.

털퍼덕 부 ☞털버덕. ¶하는 수 없이 ~ 자리에 주저앉아 버릴 수밖에 …≪李鳳九 : 旅愁≫

털펭이 명 ☞덜렁이. ¶이러한 ~요 심술꾸러기로만 계붕이를 여겨 온 승재는…≪蔡萬植 : 濁流≫.

털-피나무 명 『식』 [*Tilia rufa*] 피나뭇과에 속하는 낙엽 활엽 교목. 잎은 원반상이고 잎 뒤에 갈색의 성상모(星狀毛)가 밀포(密布)했음. 6월에 꽃이 산방상(繖房狀) 화서로 액생(腋生)하여 피고, 거꿀달걀꼴 또는 둥근 과실을 맺는데, 9월에 익음. 산지의 숲 속에 나는데, 한국 각지 및 만주에 분포함. 기구재(器具材)·삿자리 제작용으로 쓰고, 수피(樹皮)는 새끼 대용으로 씀.

털-향유【—香薷】명 『식』 [*Galeopsis bifida*] 꿀풀과에 속하는 일년초. 온 몸에 거친 털이 났고 줄기는 높이 90cm 내외, 모가 지며 곧고 가지가 갈라짐. 잎은 대생(對生)하며 잎꼭지가 있고 달걀꼴 또는 달걀꼴의 장타원형임. 6-7월에 엷은 자색의 꽃이 줄기 끝 엽액에 밀착하여 윤상(輪狀) 화서로 피고, 꽃부리는 순형(脣形)을 이룸. 달걀꼴의 수과(瘦果)는 털이 있으며, 종자는 활택(滑澤)함. 산지에 나는데 우리 나라 중부 이북에 분포함.

털-황경피나무【—黃—皮—】명 『식』 [*Phellodendron molle*] 운향과에 속하는 낙엽 활엽 교목. 황경나무와 비슷한데, 잎은 우상 복생(羽狀複生)하고, 소엽(小葉)은 피침형 또는 달걀꼴 피침형임. 자웅 이가(雌雄異家)로, 5-6월에 황색 꽃이 원추 화서(圓錐花序)로 피고, 10월에 핵과(核果)가 까맣게 익음. 골짜기에 나는데, 강원·평남북·함남북에 분포(分布)함. 건축재(建築材)이며, 수피(樹皮)는 코르크재(材) 또는 과실과 함께 약재(藥材)로 씀.

텁다 형 〈방〉 덥다(경상).

텀:[1] [term] 명 ①말. 특히 용어(用語)·술어(術語)·전문어. ②기간. 기한. ③조건(條件).

텀[2] 의명 〈방〉 템.

텀: 론: [term loan] 명 대출 형식의 하나. 단기(短期) 1년에서 장기(長期) 10년의 대출(貸出). 주로, 중소 기업에 대한 자금 조달에 이용됨.

텀벙 부 묵직하고 큰 물건이 깊은 물에 떨어질 때 나는 소리. 또, 그 모양. 첨벙. 느덤벙. >탐방[2]. ——-하다 자타여불

텀벙-거리다 자타 잇따라 텀벙 소리가 나다. 또, 잇따라 텀벙 소리를 나게 하다. 첨벙거리다. >탐방거리다.

텀벙-텀벙 부. ——-하다 자타여불

텀벙-대다 자타 텀벙거리다.

텀블러 [tumbler] 명 굽과 손잡이가 없고, 바닥이 납작한 큰 컵.

텀블러 스위치 [tumbler switch] 명 아래위로 젖히게 된 스위치의 한 가지. 토글 스위치(toggle switch).

〈텀블러 스위치〉

텀블링 [tumbling] 명 ①공중제비. ②여러 사람이 손을 맞잡거나 혹은 어깨에 올라 타 앉는 것과 같은 동작으로 여러 가지 모양을 만드는 체조. ——-하다 자여불

텁다 형 〈방〉 떫다(경남).

텁석 부 갑자기 덮쳐 물거나 쥐는 모양. >탑삭.

텁석-거리다 타 잇따라 덮쳐 물거나 쥐다. >탑삭거리다. 텁석-텁석 부. ——-하다 타여불

텁석-나룻 명 짧고 더부룩하게 많이 난 수염. >탑삭나룻.

텁석-대다 타 텁석거리다.

텁석-부리 명 구레나룻이 많이 난 사람. >탑삭부리.

[텁석부리 사람된 데 없다] 수염이 많은 사람을 두고 조롱하는 말.

텁수룩-이 부 텁수룩하게. ¶수염이 ~ 나다. >탑소록이.

텁수룩-하다 형여불 더부룩하게 많이 난 털 같은 것이 어수선하게 덮여 있다. >탑소록하다.

텁시 명 〈방〉 접시(평안).

텁지근-하다 형여불 입맛이나 음식맛이 텁텁하고 개운치 못하다.

텁텁-이 명 성미가 텁텁한 사람.

텁텁-하다 형여불 ①입맛이나 음식맛이 시원하고 깨끗하지 못하다. ②눈이 깨끗하지 못하다. ③성미가 까다롭지 않고 청탁(淸濁)을 가리지 아니하다.

텃-고사【—告祀】명 『민』 터주에게 지내는 고사.

텃-구렁이 명 〈방〉 업구렁이❶.

텃-구실 명 집터에 대한 구실.

텃-논 명 집터에 딸리거나 또는 마을 가까이 있는 논.

텃-도지【—賭地】명 집터에 대하여 무는 도지.

텃-마당 명 타작(打作)할 때에 공동으로 쓰려고 닦은 마당.

텃-물 명 집의 울안에서 흘러 나오는 온갖 배수(排水).

텃-밭 명 집터에 딸린 밭. 대전(垈田). *터앝.

텃-새 명 [resident bird] 『조』 계절적 이동(移動)을 하지 않고 연중 거의 일정 지역에서 사는 새. 참새·까마귀·꿩 따위. 유조(留鳥). ↔철새.

텃-세[1]【—貰】명 터를 빌리고 무는 세.

텃-세[2]【—勢】명 먼저 자리 잡은 사람이 뒤에 들어오는 사람을 업신여기는 것. ——-하다 자여불

텅[1] 부 비어서 없는 모양. ¶~ 빈 교실. >탕[6].

텅[2] 부 총포(銃砲) 따위가 터져서 나는 것과 같은 소리. >탕[7]. ——-하다 자여불

텅간 [—깐] 명 〈방〉 ①광. ②외양간(평북).

텅갈로이 [Tungalloy] 명 탄화 텅스텐과 코발트의 합금. 강옥석(鋼玉石)보다 단단하며, 다이아몬드 다음 가는 경도를 갖고 있어 절삭 공구(切削工具) 및 내열기(耐熱器)의 부품 재료 등에 쓰임. 상품명.

텅거 정:류기【—整流器】[—뉴—] 명 [Tunger rectifier] 『물』 가스를 넣은 열전자관형(熱電子管型) 정류기의 한 가지. 토륨(thorium)·텅스텐 등의 직열(直熱) 음극과 인조 흑연의 양극을 장치하고, 속에 아르곤 등의 가스를 비교적 많이 넣었음. 원래 축전지의 충전용으로 설계된 것으로, 비교적 큰 전류의 정류에 적합함.

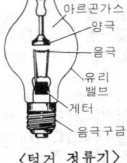

〈텅거 정류기〉

텅납새 명 〈방〉 추녀(평북).

텅 레일 [tongue rail] 명 철도에서, 분기기(分岐器)의 포인트부에 있는 가동(可動) 레일. 전철봉(轉轍棒)의 작동(作動)으로 기본 레일에 붙었다 떨어졌다 함.

텅스텐 [tungsten] 명 ①『화』 회백색의 아주 굳고 강인한 금속 원소의 하나. 광택이 있는 백색 또는 회색의 중금속으로, 철망간 중석(重石)·회중석(灰重石) 등의 광석에 들어 있는데, 여러 가지 방법으로 추출(抽出)하여 얻음. 녹는점(點) 3,400°C, 비중 19.24이고, 화학적으로도 안정됨. 텅스텐강·고속도강(高速度鋼) 등의 합금 제조, 백열 전구(白熱電球)·X선관의 진공관 선조(線條) 등 용도가 매우 넓음. 중석(重石). 볼프람(Wolfram). [74번 : W : 183.85] ②『야금』 강하고도 무른 연성(延性)의 회백색 중금속. 순금속의 형태로 주로 전기 용도에 쓰이며, 타불질과 합금으로서 치과용, 펜촉, X선관(管)의 타겟, 레코드 바늘, 고속도강 공구 및 방사선 차폐 따위에 쓰임.

텅스텐-강【—鋼】명 [tungsten steel] 『화』 텅스텐을 함유하는 강(鋼). 보통 강에 비하여 경도(硬度)·강도(強度)·내마성(耐磨性)·내열성(耐熱性)이 훨씬 큼. 종전엔 칼·총신(銃身)·자석(磁石) 그 밖에 절삭 공구용(切削工具用) 재료로 쓰였으나 최근엔 고속도강으로 바뀜. 볼프람강(Wolfram鋼).

텅스텐 램프 [tungsten lamp] 명 텅스텐 전구.

텅스텐-산【—酸】명 [tungstic acid] 『화』 황색 분말. 알칼리에 녹고 물에는 녹지 않음. 섬유의 내변색 매염제(耐變色媒染劑), 합성 수지의 첨가물 및 텅스텐 금속 제품의 제조에 쓰임.

텅스텐산 나트륨【—酸—】명 [sodium tungstate] 『화』 수용성(水溶性)의 무색 결정(結晶). 100°C에서 결정수(結晶水)를 잃음. 녹는점(點) 692°C. 화학 중간체·분석 시약 및 직물의 방화 가공(防火加工)에 쓰임. [$Na_2WO_4 \cdot 2H_2O$]

텅스텐산 마그네슘【—酸—】명 [magnesium tungstate] 『화』 백색 결정. 알코올에 녹지 않고 물과 산(酸)에는 녹음. 발광 도료(發光塗料)·형광 X레이 스크린에 쓰임. [$MgWO_4$]

텅스텐산-염【—酸鹽】[—념] 명 [tungstate] 『화』 텅스텐산(酸)의 염(鹽). 예를 들면 텅스텐산(酸) 나트륨(Na_2WO_4). [M_2WO_4]

텅스텐산염 광:물【—酸鹽鑛物】[—념—] 명 [tungstate minerals] 『광』 철망간 중석(重石)처럼 텅스텐산(酸)의 수소 원자를 다른 금속 원자로 치환(置換)한 광물의 총칭.

텅스텐산 칼슘【—酸—】명 [calcium tungstate] 『화』 백색 정사각형의 결정(結晶). 물에 조금 녹음. 발광 도료(發光塗料)의 제조(製造)에 쓰임. [$CaWO_4$]

텅스텐 전:구【—電球】[tungsten] 명 텅스텐을 필라멘트로 한 진공 백열 전구. 텅스텐 램프.

텅스텐 필라멘트 [tungsten filament] 명 텅스텐으로 만든 필라멘트. 백열 전구(白熱電球)·전자관(電子管)의 백열 음극(白熱陰極) 등에 쓰임.

텅잉 [tonguing] 명 『악』 관악기(管樂器)를 취주(吹奏)할 때에 혀 끝으로 소리를 끊는 일. 단절법(單切法)과 복절법(複切法)의 두 가지가 있음. ——-하다 자타여불

텅충 [騰衝] 명 『지』 중국 윈난 성(雲南省) 서부에 있는 현(縣). 타이핑강(太平江) 상류 미얀마 국경 근처에 위치, 미얀마로의 교통 요지임. 제2차 세계 대전 중에는 미국의 중국 국민당 정부 원조를 위한 거점 구실을 함. 구칭은 텅웨(騰越). [407,000명(1982)]

텅-텅[1] 뭐 여럿이 다 비어서 없는 모양. ¶ ~ 비어 있는 버스. >탕탕[1].

텅-텅[2] 뭐 총포(銃砲)가 연해 터지거나 마룻 바닥 등을 연해 치는 것과 같은 소리. >탕탕[2]. ——-하다 자여불

텅텅[3] 뭐 헛된 장담만 하는 모양. ¶ 큰소리만 ~ 치다. ㅆ떵떵[2]. >탕탕[3].

텅텅-거리다 자타 잇따라 텅 소리가 나다. 또, 잇따라 텅텅 소리를 나게 하다. >탕탕거리다.

텅텅-대다 자타 텅텅거리다.

테[1] 명 ①그릇의 조각이 어그러지지 못하게 둘러 맨 줄. ②죽 둘린 언저리. ③↗테두리.

테[2] 명 〈방〉 쉬. 파리의 알(경북).

테[3] 명 〈방〉 페[2](제주).

테[4] 의명 서려 놓은 실의 묶음을 세는 말.

테가리 명 〈방〉 터거리(전남).

테가지 명 〈방〉 턱주가리(전남).

테거리 명 〈방〉 턱주가리(충북·경북).

테구시갈파 〔Tegucigalpa〕 명 〖지〗〔은(銀)의 언덕이라는 뜻〕 중앙 아메리카, 온두라스(Honduras) 공화국의 수도. 평균 표고(標高) 975 m 나 되는 고원에 위치함. 바나나의 집산지이며, 목재·가구 제조·섬유 등의 공업도 행해짐. 16세기말 스페인 사람이 건설한 도시로, 화재·지진(地震)을 겪지 않아 식민지 시대(植民地時代)의 형태가 잘 보존되어 있음. 공항(空港)·대학이 있음. 〔533,000 명(1983)〕

테그네르 〔Tegnér, Esaias〕 명 〖사람〗 스웨덴의 시인. 미학(美學) 교수를 거쳐 주교(主教)가 되었는데 만년에 정신 이상을 일으켜 사망함. 애국시 ≪나의 향토에 부쳐서≫·≪육군을 위한 전시(戰詩)≫·≪스베아≫ 등으로 호평을 얻고, 장시(長詩) ≪프리티오프 이야기(Frithjofs saga)≫는 널리 알려졌음. 〔1782-1846〕

테기[1] 명 〈방〉 제기(평안).

테:기[2] 명 〈방〉 튀기 ❶❷.

테까이 명 〈방〉 〖동〗 토끼(경남).

테끼 명 〈방〉 〖동〗 토끼(충남).

테너 〔tenor〕 명 〖악〗 ①남성(男聲)의 가장 높은 음역(音域). 차중음(次中音). 하고음(下高音). 데노르. ↔베이스[2](bass). ②테너 가수(歌手).

〈테너❶〉

테너 기호 【一記號】 〔tenor〕 명 〖악〗 음부 기호(音部記號)의 하나. 보표(譜表)의 제4 선음을 일점(一點) 다음(音)으로 지정한 기호. 바하·헨델 시대에 테너의 음역(音域)을 표시하는 데 사용했음.

테너 바리톤 〔tenor baritone〕 명 〖악〗 테너에 가까운 음색의 바리톤. 또, 그 가수.

테너 색스 〔tenor sax〕 명 〖악〗 악기의 하나. 알토보다 낮고 바리톤보다 높은 음역으로 취주할 수 있는 색소폰. 음역은 최저 하일점(下一點) 내림나음(音), 최고 이점(二點) 내림마음(音).

테네시 강 【一江】 〔Tennessee〕 명 〖지〗 미국 테네시 주 중동부의 강. 녹스빌(Knoxville) 부근에서 발원하여 앨라배마 주(Alabama 州)를 거쳐 테네시 주를 횡단하여 켄터키 주에서 오하이오 강과 합류함. 티 브이 에이(TVA)에 의하여 많은 댐이 건설됨. 〔1,049 km〕

테네시 주 【一州】 〔Tennessee〕 명 〖지〗 미국 중앙부 동남쪽에 있는 동서로 가늘고 긴 주. 동부는 애팔래치아 산지(Appalachia山地)로 석탄·인(燐)·철을 산출하며, 중부는 산록 구릉(山麓丘陵)이고, 서부는 미시시피·테네시 강을 연하여 저지대를 이룸. 서부의 면화와 중·동부의 담배는 이대 작물(二大作物)이며, 화학(化學)·식품 가공(食品加工)·섬유(纖維)·철강(鐵鋼) 등의 공업이 성함. 주도는 내슈빌(Nashville). 〔109,412 km^2: 4,591,000 명(1980)〕

테노레 레지에로 〔이 tenore leggiero〕 명 〖악〗 음색(音色)이 가벼운 테너. 경하고음(輕下高音).

테노르 〔도 Tenor〕 명 〖악〗 테너(tenor).

테노진 〔도 Tenosin〕 명 〖약〗 합성 맥각 보조제(麥角補助劑). 1 cc 중 티라민(Tyramine) 0.5 mg 을 함유. 자궁 수축력은 약함. 내복하거나 주사함.

테누토 〔이 tenuto〕 명 〖악〗 음표(音標)가 지시하는 길이를 충분히 지속(持續)하여 연주하는 일. 악보 위에 짧은 횡선을 긋거나 'Ten'이라고 표시함. ——-하다 자타여불

테니:르스 〔Teniers, David〕 명 〖사람〗 플랑드르(Flandre)의 화가. 화가였던 아버지에게 사사(師事). 레오폴드 빌렘 대공(Leopold Willem 大公)의 궁정(宮廷) 화가를 지내고, 미술품 관리자로서 브뤼셀에서 활약함. 풍속화·풍경화 및 인물화에 뛰어났음. 대표작 ≪위병실(衛兵室)≫·≪자화상≫·≪방탕아≫ 등. 〔1610-90〕

테니스 〔tennis〕 명 중앙에 네트를 친 코트의 양쪽에서, 라켓으로 펠트를 씌운 고무공을 서로 치고 받는 구기(球技). 경기는 단식·복식·혼합 복식(mixed doubles)의 세 가지. 남자는 5세트 중 3세트를, 여자와 혼합 복식은 3세트 중 2세트를 선취함으로써 승리하며, 각 세트는 6게임, 각 게임은 4포인트를 선취한 편이 이김. 정식으로는 론 테니스(lawn tennis). *정구(庭球). ——-하다 자여불

테니스 엘보: 〔tennis elbow〕 명 테니스 경기자 특유의 스포츠 장애. 라켓을 잡는 팔의 팔꿈치에 일어남. 증상이 가벼울 경우, 볼을 칠 때만 아픔을 느끼지만, 병이 무거워지면 팔을 들어 올릴 수가 없고, 일상 생활에도 지장을 받음.

테니스-장 【一場】 〔tennis〕 명 테니스 경기(競技)를 하는 곳. 곧, 테니스 코트 시설이 있는 경기장. *정구장(庭球場).

테니스 코:트 〔tennis court〕 명 테니스 경기를 유효하게 할 수 있는 한정된 구역. 흰 줄로 구획하고, 중앙에 네트를 침.

테니스 코:트의 서:약 【一誓約】 〔tennis court〕 〔一/一에一〕 명 〖역〗 프랑스 혁명의 발단이 된 한 사건. 1789년 6월 20일, 베르사유 궁전 옆의 옥내 구기장(球技場)에 모인 국민 회의의 제3 신분(身分) 의원들이 헌법을 제정(制定)할 때까지 해산(解散)하지 않기로 선언, 왕권에 대항하는 결의(決意)를 표명(表明)했음.

테니슨 〔Tennyson, Alfred〕 명 〖사람〗 영국의 시인. ≪아서왕(Arthur 王)의 죽음≫과 ≪율리시스(Ulysses)≫로 빅토리아 왕조(Victoria 王朝) 최대의 시인으로 추앙되어, 1850년 워즈워스(Wordsworth)의 뒤를 이어 계관 시인(桂冠詩人)이 됨. 이후 ≪인 메모리엄(In Memoriam)≫·≪국왕 목가(國王牧歌)≫·≪이녹 아든(Enoch Arden)≫ 등 전통에 충실한 격시(格詩)를 씀. 〔1809-92〕

테니언 섬 〔Tenian〕 명 〖지〗 태평양 북서부 마리아나(Mariana) 제도의 작은 섬. 제1차 세계 대전에서 제2차 세계 대전까지는 일본의 위임 통치령이었으나 1944년 미군이 점령하여 미국의 신탁 통치령이 되었음. 〔52 km^2〕 *마리아나 제도.

테 데움 〔라 Te Deum〕 명 〖악〗〔오, 하느님이시여 당신을 찬미하나이다의 뜻〕 성(聖) 암브로시오 작이라고 전하는 종교시(宗教詩)의 첫 구절로서, 이 구로 시작되는 성가(聖歌). 감사의 예배에서 많이 불리는 찬가(讚歌)인데, 예술적으로 작곡된 것이 많음.

테두리 명 ①죽 둘린 줄. 둘레의 줄. 윤곽(輪廓). ㈜테. ②범위(範圍). 한계. ¶ 예산의 ~ 안에서.

테두리-고둥 명 〖조개〗 〔*Patelloida saccharina lanx*〕 흰삿갓조갯과의 연체(軟體) 동물. 패각(貝殼)은 삿갓 모양이고, 길이 40 mm, 폭 30 mm, 높이 12 mm 가량이며, 일곱 줄 내외의 굵은 방사륵(放射肋)이 있으며, 밭은 물새의 발과 비슷함. 조가비의 거죽은 회록색, 속은 창백색(蒼白色)임. 암초(岩礁) 위에 부착하여 사는데, 한국·일본에 분포함. 삿갓조개. *알락테두리고둥.

〈테두리고둥〉

테두리-잎벌 명 〖충〗 〔*Siabla ferox*〕 잎벌과에 속하는 벌. 암컷의 몸길이 14 mm 가량임. 몸빛은 검은데, 복부(腹部)의 제1-3절(節)·촉각 및 가운뎃 다리는 황갈색이고, 날개는 투명(透明)하며, 황색임. 한국·일본에 분포함.

테라 〔그 tera〕 관 미터법(法)의 여러 단위(單位)의 10^{12}, 곧 1조(兆) 배의 크기를 나타내는 말. 기호는 T. ¶ ~ 사이클.

테라 로사 〔terra rossa〕 명 ①〖지〗 지중해 연안에 분포하는 적갈색 토양(赤褐色土壤). 석회암(石灰岩)을 모암(母岩)으로 형성됨. 약간 부식된 대적색(帶赤色)의 토층(土層)이 뚜렷한 경계선으로 석회암과 접하고 있는 것이 특징임. ②안료(顔料)의 하나. 수산화철(水酸化鐵)을 주성분으로 하는, 천연토(天然土)에서 만드는 붉은 안료임.

테라리움 〔terrarium〕 명 곤충·달팽이·도마뱀 따위 육지에 사는 작은 동물을 기르는 상자. 보통, 철사망을 친 나무 상자인데, 필요에 따라 흙·모래·물·식물 따위를 넣기도 함.

테라마이신 〔Terramycin〕 명 〖약〗 항생 물질인 '옥시테트라사이클린'의 상품명.

테라-바이트 〔terabyte〕 의명 〖컴퓨터〗 컴퓨터 칩에 저장할 수 있는 정보량의 단위. 1 테라바이트는 1 바이트의 10^{12}배.

테라스 〔terrace〕 명 ①천연적으로 된 대지(臺地). 고대(高臺). 축대(築臺). ②건물의 외부에 지면(地面)보다 약간 높게 돌출한 부분. 벽돌 같은 것을 바닥에 깔아 놓고, 날씨가 좋을 때에는 의자를 내다 놓고 앉음. 노대(露臺). ③등산에서, 암벽에 선반처럼 턱이져 튀어나온, 비교적 넓은 판판한 곳.

테라스 하우스 〔terrace house〕 명 〖건〗 이층 건물의 연립식 아파트로, 1층 2층을 합쳐 한 가옥 구조로 된 건축형(型). 1층에 붙어 있는 테라스를 통해 정원으로 출입하게 되어 있음.

테라초 〔이 terrazzo〕 명 대리석 등의 부스러기를 다른 응착재(凝着材)와 섞어 굳힌 뒤에 표면을 닦아 대리석과 같이 만든 돌.

테라 코타 〔이 terra cotta〕 명 〖공〗〔구운 점토(粘土)라는 뜻〕 ①점토를 구워서 만든 도기(陶器)의 총칭. 석기 시대에 일어나 점차로 발달하였는데, 미술적 가치 있는 흉상(胸像)·세공품·건축 장식 등의 유품(遺品)이 많음. ②건축 재료로 쓰이는 장식용의 단단하고 설구운 도기. 주로 아치·난간·벽·천장 등의 장식으로서 석재(石材) 대신으로 쓰임.

테러 〔terror〕 명 〔공포·흉포(凶暴)·전율(戰慄)의 뜻〕 ①온갖 폭력 수단을 행사하여 상대를 위협하거나 또는 공포에 빠뜨리게 하는 행위. ②↗테러리스트·테러리즘.

테러-단 【一團】 〔terror〕 명 테러를 하기 위하여 조직(組織)된 집단(集團). 폭력단(暴力團).

테러리스트 〔terrorist〕 명 폭력주의자. 폭력 혁명주의자. ㈜테러.

테러리즘 〔terrorism〕 명 폭력을 앞장세우는 정치상의 주의. 폭력주의. ㈜테러.

테러핌 〔teraphim〕 명 〖종〗 옛 구약 시대에 히브리인(人)이 가정(家庭) 수호신으로 삼던 우상(偶像).

테레민 〔theremin〕 명 〖악〗〔발명자인 러시아의 기술자 테레민의 이름에서〕 두 개의 진공관에 의하여 생기는 발진음(發振音)을 이용한 전파(電波) 악기.

테레빈-유 【一油】 〔포 terebinthina〕 명 〔turpentine oil〕 〖화〗 송백과(松柏科) 식물의 수지(樹脂)를 증류시켜서 얻는 휘발성의 정유(精油). 주성분은 탄화 수소인데, 맛이 아주 시고 특이한 향기를 갖는 무색 또는 담황색의 끈끈한 액체임. 공기 중에서는 산화하여 수지상(樹脂狀)이 됨. 끓는점 155-165°C. 각종의 용제(溶劑) 및 니스·페인트의 제조(製造) 또는 합성 장뇌(合成樟腦)의 원료가 됨. 송지유(松脂油). 송정유(松精油). 송유(松油).

테레빈티나 〔포 terebinthina〕 명 〖화〗 송백과(松柏科) 식물에서 채취한 수지(樹脂). 이것을 정제하여 테레빈유를 얻음.

테레사 데 헤수스 〔Teresa de Jesus〕 명 〖사람〗 스페인의 수녀. 묵상(默想)을 통하여 신과의 정신적 합일(合一)을 꾀하려는 신비(神祕) 사상으로 카르멜 수녀회를 개혁, 천주교회에 큰 영향을 끼쳤음. 성녀. 주저 ≪영혼의 성(城)≫은 스페인 신비 문학의 대표작. [1515-82]

테레사 수녀【一修女】〔Teresa〕 명 〖사람〗 유고 태생의 천주교 수녀. 속명(俗名)은 아그네스 곤자 보아슈. 1928년부터 인도의 캘커타에서 수녀 생활을 시작하여, 버림받은 인도의 빈민(貧民)·나병 환자·어린이들을 위해 헌신(獻身), 1979년 노벨 평화상(平和賞)을 받음. [1910-97]

테레시코바 〔Tereshkova, Valentina V.〕 명 〖사람〗 소련의 여성 우주 비행사. 1963년 보스토크 6호로 지구를 48바퀴 돌아, 세계 최초의 여성 우주 비행사가 됨. [1937-]

테레즈 데케이루 〔프 Thérèse Desqueyroux〕 명 〖문〗 프랑스의 작가 모리악(Mauriac, F.)의 장편 소설. 1929년에 발표. 단조로운 시골 생활에 권태를 느껴 남편을 무의식적으로 독살하려 했던 젊은 지주(地主)의 아내 테레즈를 통하여 인간의 죄에 대한 심리를 묘사함.

테레프탈-산【一酸】 명 〔terephthalic acid〕〖화〗 석유계 방향족(石油系芳香族) 탄화 수소의 크실렌계(xylene 系) 제품의 하나. 가연성(可燃性) 백색 분말로 알칼리에는 녹으나 물에는 녹지 않음. 파라크실렌을 질산 산화, 공기 산화 등으로 만듦. 폴리에스테르계(系) 합성 섬유·합성 수지의 제조 원료. 금속염(金屬塩)은 촉매·안료·건조제·합성 수지 배합제 등으로 쓰임. $[C_6H_4(COOH)_2]$

테레프탈산 디메틸【一酸一】 명 〔dimethyl terephthalate〕〖화〗 무색의 결정(結晶). 녹는점 140°C, 약 300°C에서 승화(昇華)함. 알코올·에테르에 녹으나 물에는 조금 녹음. 폴리에스테르 섬유 및 필름 제조에 쓰임. $[C_6H_4(COOCH_3)_2]$

테렌티우스 〔Terentius, Publius Afer〕 명 〖사람〗 고대 로마의 희극 작가. 카르타고 태생이며 노예 출신이라고 함. '나는 인간이다, 인간에 관한 것은 남의 일로 생각할 수 없다' 등의 명언(名言)을 남김. 작품은≪안드로스에서 온 아가씨≫ 외 5편이 있음. [195-159 B.C.]

테:르 낭포【一囊胞】 명 〔도 Teerzyste〕〖의〗 난소(卵巢) 조직 내에 발생한 자궁 내막증. 주기성 변화에 따라서 월경 모양의 출혈이 있는데, 혈액이 낭포상(囊胞狀)으로 괴어 초콜릿 같은 끈끈한 액체로 됨. 하복통·요통·월경 곤란을 호소하게 됨.

테르니핀-인【一人】 명 〔Ternifine man〕〖인류〗 화석 인류(化石人類)의 이름. 알제리에서 발견된 세 개의 하악골(下顎骨)과 부분적인 뼈로 표현됨. 홍적세(洪積世) 중기(中期)의 상부(上部)에 생존했을 것이라 생각되고 있음.

테르모필레 〔Thermopylae〕 명 〖지〗 그리스의 북동부, 아테네로부터 텟살리아(Thessalia)로 통하는 협로. 기원전 480년 제3회 페르시아 전쟁 때 스파르타왕 레오니다스(Leonidas) 등이 옥쇄(玉碎)한 곳.

테르모필레 전:투【一戰鬪】〔Thermopylae〕 명 〖역〗 제3차 페르시아 전쟁 때의 결전(決戰). 기원전 480년 8월초 테르모필레에서 크세륵세스(Xerxes) 휘하의 페르시아 대군을 요격(邀擊)한 스파르타왕 레오니다스(Leonidas)가 수하(手下)의 병사들과 함께 영웅적 전사를 함.

테르미도:르의 반:동【一反動】〔프 thermidor〕〔一/一에一〕 명 〖역〗 〔thermidor는 11월의 뜻〕 프랑스 혁명기의 혁명력(革命曆)으로 테르미도르 9일 곧 1794년 7월 27일의 쿠데타에 의한 반동 정치. 의회 중간파(中間派)의 부르주아지·지롱드당(Gironde 黨) 및 당통파(Danton 派) 잔당이 일으킨 쿠데타로 자코뱅당(Jacobin 黨)인 로베스피에르파(Robespierre 派)의 독재를 무너뜨리고, 그 후의 국민 공회를 지배한 정치 체제. 1795년 10월의 총재 정부(總裁政府)까지 지속됨. *산악당(山岳黨).

테르밋 〔도 Thermit〕 명 〖화〗 철(鐵) 및 강(鋼)의 용접제(鎔接劑)의 한 가지. 알루미늄 가루와 철의 산화물과의 등량(等量) 혼합물. 산화철이 알루미늄으로 환원되어서 철이 되는 동시에 많은 열을 내는 것을 이용한 것으로, 소이탄(燒夷彈)에도 사용되었음.

테르밋-강【一鋼】〔도 Thermit〕 명 테르밋에 점화(點火)하였을 때 화학 반응에 의해서 철이 유리(遊離)되며 얻어지는 강(鋼).

테르밋-법【一法】〔도 Thermit〕 명 〖화〗 골트슈미트법(Goldschmidt法).

테르밋 압접【一壓接】〔도 Thermit〕 명 〖공〗 압접법(壓接法)의 한 가지. 테르밋 반응에 의하여 생기는 열(熱)이 충분히 가열(加熱)됐을 적에 이것을 가압(加壓)해서 용접시키는 방법.

테르밋 용접【一鎔接】〔一뇽一〕 명 〔thermit welding〕〖공〗 테르밋에 의한 용접법. 용접부가 상당히 큰 경우에 쓰임.

테르 베르트 〔프 terre verte〕 명 〔녹색의 흙의 뜻〕 천연의 흙에서 산출되는 녹색 안료(顔料). 주성분은 규산염(硅酸塩)이며 산지에 따라 색과 성분이 각각 다름.

테르보르히 〔Terborch, Gerard〕 명 〖사람〗 네덜란드의 화가. 유럽 각지에서 제작 활동을 함. 초상화·풍속화를 즐겨 그렸으며, 특히 의상(衣裳)의 묘사에 뛰어남. 주요 작품으로 ≪가정 음악회≫·≪음악 교수(音樂敎授)≫·≪자화상≫ 등이 있음. [1617-81]

테르븀 〔라 terbium〕 명 〖화〗 희토류 원소(稀土類元素)인 란타니드(lanthanide)의 하나. 회청색(灰青色) 육방 최밀 격자(六方最密格子)의 주상 결정(柱狀結晶). 1843년 스웨덴의 무산데르(Mosander, C.G.; 1797-1858)가 희토 광물(稀土鑛物) 가돌린석(gadolin 石)으로부터 얻은 이트리아(yttria) 속에서 발견하였음. 용도(用途)는 별로 알려지지 않음. [65번:Tb:158.924]

테르체토 〔이 terzetto〕 명 〖악〗 삼중창(三重唱).

테르콤【TERCOM】 명 〔Terrain Contour Matching의 약칭〕〖군〗 순항 미사일의 유도 방식. 미사일이 레이더로 지형을 측정하면서, 컴퓨터로 미리 입력한 비행 경로와 대조하여 궤도를 수정해가는 유도 방식. 지상(地上) 수(數) 미터의 초저공 비행과 우회 비행 유도가 가능함.

테르펜 〔도 Terpen〕 명 〖화〗 가연성(可燃性)의 불포화(不飽和) 탄화 수소로, 미독성(微毒性)의 액체. 식물의 함유 수지(含油樹脂)·정유(精油) 중에 존재함. 장뇌·멘톨(menthol) 및 테르피네올(Terpineol)의 중간체에 쓰임. $[C_{10}H_{16}]$

테르펜-류【一類】〔도 Terpen〕〔一뉴〕 명 〖화〗 탄화 수소(炭化水素) 및 그 유도체(誘導體).

테르펜틴 〔도 Terpentin〕 명 〖화〗 송백과(松柏科) 식물의 줄기를 벗기면 흘러 나오는 끈끈한 함유 수지(含油樹脂). 소나무의 테르펜을 증류(蒸溜)할 때 유출(溜出)되는 정유(精油)가 테레빈유이고, 이때 남는 수지가 콜로포늄임. 터펜틴.

테르피네올 〔도 Terpineol〕 명 〖화〗 메탄족(族)의 불포화 알코올로, 가연성(可燃性)의 무색 액체. 라일락 같은 향기가 남. 송근유(松根油)에서 유도되며 알코올에 녹으나 물에는 조금 녹음. 끓는점 214-224°C. 의료(醫療)·비누·소독제·산화(酸化) 방지제·향미료 및 용제(溶劑)에 쓰임. $[C_{10}H_{17}OH]$

테르피놀렌 〔terpinolene〕 명 〖화〗 가연성(可燃性) 무색 투명의 액체. 알코올·에테르 및 글리콜에 녹으나 물에는 녹지 아니함. 끓는점 184°C. 용제(溶劑)·수지(樹脂) 및 정유(精油)의 중간체에 쓰임. $[C_{10}H_{16}]$

테리아카 〔라 theriaca〕 명 〖약〗 독이 있는 짐승에게 물렸을 때 그 해독(解毒)에 쓰이는 고약. 수십 종류의 약제(藥劑)에 벌꿀을 섞어서 만듦.

테리어[1] 〔terrier〕 명 〖동〗 〔여우나 산토끼의 굴이라는 뜻〕 굴 속에 사는 작은 짐승을 잘 잡는 민첩한 작은 개의 총칭. 썩 영리하며 동작이 날쌔고 빠름. 영국 원산(原産)의 애완견(愛玩犬)으로서 사냥에 씀. 불테리어·폭스 테리어·에어델 테리어 등이 있음.

〈폭스 테리어〉

테리어[2] 〔Terrier〕 명 〖군〗 미국 해군의 지대공(地對空) 유도탄(誘導彈). 빔 유도 방식을 사용하며 사정(射程)은 약 16km임.

테리터리 〔territory〕 명 ①영토. 영역(領域). 학문 등의 분야(分野). ②동물이 어느 기간 일정 범위를 점유하고 침입자를 배제하는 행동이 보일 때, 그 점유지역을 이름. 동물의 세력권.

테리터리-제【一制】〔territory〕 명 유통 계열화(流通系列化) 정책의 한 수단으로 판매업자 또는 메이커가 거래처의 업무 담당 지역(地域)을 한정(限定)하는 제도. 담당 구역제.

테릴렌 〔Terylene〕 명 폴리에스테르계(系) 합성 섬유의 영국·캐나다의 상품명. 석유에서 산출한 크실렌(Xylene)·에틸렌, 석탄에서 산출한 나프탈렌 등이 원료이며, 잘 구기어지지 않고 마찰과 물에 강하며, 의류·호스·어망·절연(絶緣) 테이프 등에 이용됨. 미국 상품명은 데이크런(Dacron), 일본 상품명은 테토론(Tetoron)임.

테:마 〔라 thema〕 명 ①제목(題目). 논제(論題). ②〖문〗 주제(主題). ③〖악〗 주제.

테:마 공원【一公園】 명 〔theme park〕 오락 산업·영화 산업 등의 지식을 가지고 특정한 개념에 따라 전체 시설을 한 복합 비즈니스의 유원 공간. 미국의 디즈니랜드, 우리 나라의 롯데 월드 따위.

테:마 뮤:직 〔thema+music〕 명 〖악〗 어떤 작품의 주제(主題)를 노래하는 음악. 이를테면, 한 방송 프로를 상징하는 인상적인 음악을 그 프로의 앞뒤에 넣어 청취자에게 어필(appeal)하는 것과 같은 음악. 테마 음악. 주제 음악(主題音樂).

테:마 소:설【一小說】〔thema〕 명 〖문〗 어떤 일관(一貫)된 주의·사상을 주로 하여 묘사(描寫)한 소설. 주제 소설.

테:마 송 〔thema+song〕 명 〖악〗 주제가(主題歌).

테:마 음악【一音樂】〔thema〕 명 테마 뮤직. 주제곡(主題曲).

테:마-제【一制】〔라 thema〕 명 동로마 제국의 속주(屬州) 행정 조직. 7세기 이후, 타민족(他民族)의 압박에 대처하기 위하여, 속주 각지의 군단 사령관이 관할지의 민정(民政)까지 겸한 제도. 11세기까지 속주 행정의 단위였음. 군관구제(軍管區制).

테-메다 타 ↗테메우다. ¶장내는 테메인 듯이 긴장해졌다.

테-메우다 타 ①질그릇·나무 그릇 등의 벌어진 데다가 짜갠 대오리·편철(片鐵)·철사를 돌라 감다. ②일정한 틀에 얽매어 구속하다. 준테메다.

테무친 〔Temuchin : 鐵木眞〕 명 〖사람〗 성길사한(成吉思汗)의 이름.

테미 의명 〈방〉 템.

테미스 〔Themis〕 명 〖신〗 그리스 신화 중의 법과 정의의 여신. 우라노스(Uranos)의 딸로, 저울과 풍요(豐饒)의 뿔을 가지고 있음.

테미스토클레스 〔Themistokles〕 명 〖사람〗 고대 그리스, 아테네의 정치가·군인. 기원전 480년 살라미스 해전(Salamis 海戰)에서 크세륵세스(Xerxes)의 함대를 격파, 큰 승리를 거둠. 그 후 친(親) 페르시아의 혐의로 추방(追放)됨. [528?-462? B.C.]

테민 〔Temin, Howard Martin〕 명 〖사람〗 미국의 의학자. 캘리포니아 공과 대학 등 교수 역임. 유전 물질의 변형 및 RNA를 포함하고 있는 종양 바이러스에 감염된 종양 세포의 어떤 특성은 유전된다는 것을 발견했음. 1975년 볼티모어(Baltimore, D.)·둘베코(Dulbecco, R.)와 함께 노벨 생리 의학상 수상. [1934-]

테-밀이 명 문살 모서리를 조금 테가 있게 만듦. 또, 그 문살. ——-하다 타여불

테-밖 명 한동속에 들지 못한 그 밖. ¶～의 사람. *판 밖·국외(局外).

테-받다 타 그 모양을 이루다.

테:베[1] 〔도 T.B.〕 명 〖의〗 결핵증(結核症). 티 비.

테:베² 〔Thebae〕 명 〖지〗 ①그리스의 중부 보이오티아(Boiotia)의 고도(古都). 기원전 6세기 이래 아테나이(Athenai)와 동맹하여 스파르타(Sparta)와 항쟁. 기원전 371년 스파르타를 격파하고 그리스의 패권(覇權)을 잡았으며, 기원전 338년 마케도니아의 속국이 되었다가, 기원 전 335년 알렉산더 대왕에게 멸망되었음. ②이집트 나일 강 중류의 고도(古都). 고대의 중왕국 시대(中王國時代) 이래의 수도로서, 신왕국(新王國) 18-19 왕조 시대에 가장 번창하였음. 카르낙(Karnak)·룩소르(Luxor)의 신전(神殿)과 분묘 등 고대 이집트의 유적이 있음.

테:부 명 〈방〉 둑²❶(전북).

테살로니카 〔Thessalonica〕 명 〖지〗 그리스 북부, 에게 해(Aegae海)의 테르메 만(灣)에 임한 항구 도시. 그리스 유수의 무역항으로서, 면제품(綿製品)·담배·피혁(皮革) 따위를 수출하며, 유럽 각지와 연결하는 요지(要地)임. 고대 그리스 시대에는 테르마(Therma)라고 불려 상업의 중심지였음. 기원전 315년 마케도니아의 카산드로스(Kassandros) 왕이 건설했으며, 초기 그리스도교의 포교의 중심지를 이루었음. 시내에는 많은 역사적 건조물이 있음. 데살로니가. 살로니카. [402,000명(1981)]

테살리아 〔Thessalia〕 명 〖지〗 그리스 본토의 중북부, 핀도스(Pindos) 산맥과 에게 해(海)에 끼인 지방. 테살리아 평야는 고래(古來)로 그리스의 주요 밀 산지임.

테살리아 문화 【一文化】 〔Thessalia〕 명 그리스 테살리아 지방의 신석기 시대 문화. 2기로 나뉘며, 제1기는 발달한 토기(土器)와 토우(土偶)를 가졌고, 제2기는 토기가 더욱 발달하여 모양과 무늬가 다양화했고, 토우는 형식화했음.

테석-테석 부 거칠게 일어나 반지랍지 못한 모양. ——-하다 형 여불

테설-궂다 형 몹시 데설궂다. 테설맞다.

테설-맞다 형 테설궂다.

테설-이 명 테설궂은 사람.

테설이-짓 명 테설맞은 사람의 거칠거칠한 행동. ¶ ～을 아직도 못 버렸군. ——-하다 자 여불

테세우스 〔Theseus〕 명 〖신〗 그리스 신화 중의 아티카(Attica)의 영웅. 헤라클레스(Herakles)에 못지않은 모험을 하고 크레타(Creta) 섬의 미궁(迷宮)에서 괴수(怪獸) 미노타우로스(Minotauros)를 퇴치함.

테스 〔Tess〕 명 〔Tess of the d'Urbervilles〕 〖책〗 영국의 작가 하디(Hardy, T.)의 장편 소설. 1891년 출간. 시골 처녀 테스가 방탕아 알렉(Alec)의 유혹에 넘어가 사생아를 낳고 버림을 받았다가 목사의 아들 엔젤 클레어(Angel Clare)와 연애 결혼하였으나 과거의 고백으로 또다시 버림을 받게 됨. 끝내 알렉을 죽이고 단두대(斷頭臺)의 이슬로 사라진다는 줄거리. 운명에 농락(籠絡)되는 불행한 여자의 비극(悲劇)을 그린 것으로 하디의 대표작(代表作)이며, 영국 소설사상 19세기 후반의 걸작(傑作)으로 일컬어짐.

테스랑 드 보:르 〔Teisserenc de Bort, Léon Philippe〕 명 〖사람〗 프랑스의 기상학자. 기구(氣球)를 띄워 상공을 관측하고, 성층권의 존재를 발견. 대기 순환론을 제창하여 대기 활동의 개념을 도입함. [1855-1913]

테스타멘토 〔포·스 testamento〕 명 테스터먼트.

테스타멘툼 도미니 〔라 Testamentum Domini〕 명 〖기독교〗 교회의 성직위(聖職位)·교회 건축·세례·애찬(愛餐)·성찬식문(聖餐式文)을 포함한 초대 교회의 문헌(文獻).

테스터 〔tester〕 명 ①시험·검사 또는 진단하는 사람. ②〖전〗 하나의 지시침(指示針)을 사용하여, 저항치(抵抗値)·직류 전류·직류 전압·교류 전압 등을 전환시켜 측정할 수 있도록 한 장치. 회로계(回路計).

〈테스터❷〉

테스터먼트 〔testament〕 명 ①〖법〗 유언. 유언장. ②〖기독교〗 성서. 구약 성서·신약 성서의 총칭. 테스타멘토.

테스토스테론 〔testosterone〕 명 〖생〗 남성 호르몬의 일종. 소·말 따위의 정소(精巢)에서 추출되며, 전합성(全合成)도 가능함. [$C_{19}H_{28}O_2$]

테스트 〔test〕 명 ①학력·지능·능력 등을 알아보기 위한 시험·검사. 또, 그와 같은 시험을 하는 일. ②실제의 사용 조건과 가까운 조건으로 사물의 양부(良否)를 조사하는 일. 또, 이론상으로 성립되는 일을 실지에 응용하여 그 당부(當否)를 조사하는 일. ——-하다 타 여불

테스트-씨 【一氏】 명 〔Monsieur Teste〕 〖문〗 폴 발레리(Paul Valéry)가 지은 철학 소설. 1896-1946년 간행. 작자의 분신(分身)인 테스트씨를 설정하여 한 인간이 해낼 수 있는 일들을 사색 추구함. '테스트씨와의 하룻밤' 등 8편이 수록됨.

테스트 유정 【一油井】 명 〔test well〕 석유의 존재나 그 잠재적인 경제 가치를, 그 양(量)이나 변화 상황으로 결정하기 위한 유정(油井).

테스트 케이스 〔test case〕 명 ①〖법〗 판례가 될 소송 사건. ②선례(先例)로서 남을 만한 테스트. 시험적으로 해보는 실례(實例).

테스트 파일럿 〔test pilot〕 명 시험 비행의 조종사. 시험 비행사.

테스트 패턴 〔test pattern〕 명 텔레비전 수상(受像) 상태를 알아보도록 흔히 방송 전에 송상(送像)되는 도형(圖形). 대소의 원(圓)·선(線)·그래프눈·쐐기꼴·농담(濃淡) 도형 등으로 구성되는데 이것이 선명하여지도록 수상기를 조절함.

테스트-피:스 〔test-piece〕 명 시험편(試驗片).

테스피스 〔Thespis〕 명 〖사람〗 그리스 비극의 아버지라 불리는 시인. 기원전 534년에 처음으로 배우로서 무대에 오르게 되었는데, 이를 계기로 하여 그리스 비극은 급속도로 발전했음.

테슬라 〔Tesla, Nikola〕 명 〖사람〗 미국의 전기(電氣) 공학자·발명가. 유도 전동기(誘導電動機)의 원리를 발견했고, 에디슨의 직류주의에 대항, 그의 설계에 의한 교류 발전기를 사용하여 10만 마력 이상의 발전·송전에 성공함. 테슬라 전기 회사를 설립함. [1856-1943]

테슬라 코일 〔Tesla coil〕 명 〖전〗 미국의 테슬라(Tesla)가 고안하여 변특수한 변압기(變壓器). 불꽃 방전으로 생기는 고주파 진동 전류의 전압을 높이는 간단한 장치. 이차측(二次側)은 수백만 사이클, 수십만 볼트에 도달함.

테-실 명 테를 지은 실.

테-쌓기 〔一싸키〕 명 〖고고학〗 토기(土器)를 빚을 때 둥근 흙테를 똬리 모양으로 쌓아 올려 가면서 만드는 방법. ＊서리기.

테아:트르 〔프 théâtre〕 명 극장. 무대(舞臺). 극단.

테아:트르 데 나시옹 〔프 Théâtre des Nations〕 명 〖연〗 프랑스 파리의 사라 베르나르(Sarah Bernhardt) 극장에서 3-7월에 열리는 국제 무대 예술제. 국제 연극 협회(I.T.I.)의 요청에 의해서 1957년부터 열림.

테-안 명 범위(範圍)의 속.

테어 〔Thaer, Albert〕 명 〖사람〗 독일의 농학자(農學者). 영국식 농법(農法)을 도입하여 독일 농업의 근대화에 힘씀. 저서에 ≪합리적 농업 원리≫가 있음. [1752-1828]

테역 명 〈방〉 떼²(제주).

테오그니스 〔Theognis〕 명 〖사람〗 기원전 6세기의 그리스 시인. 메가라(Megara)의 귀족 출신으로 교훈시(敎訓詩)를 많이 썼으며 현존하는 그의 시집에는 딴사람의 작품도 섞여 있음.

테오도라 〔Theodora〕 명 〖사람〗 동(東)로마 황제 유스티니아누스 일세(Justinianus I)의 비(妃). 뛰어난 미모의 무희(舞姬) 출신으로 전해지는데, 정치적·종교적 문제에 많은 영향력을 행사했음. 532년 콘스탄티노플에서 일어난 니카(Nika)의 반란을 진압하는 등 남편을 도와 뛰어난 정치적 수완을 보였음. [508?-548]

테오도리크 〔Theodoric〕 명 〖사람〗 동고트 왕(東 Goths 王). 대왕으로 불림. 493년 오도아케르(Odoacer)를 공략하여 이탈리아 정복(征服)을 완성함. 로마 문화를 존중, 산업을 보호하고 선정(善政)을 베풀었으나 아리우스파(Arius 派)의 신앙을 지지했기 때문에 민심을 잃었음. [454?-526; 재위 474-526]

테오도시우스 이:세 【一二世】 〔Theodosius Ⅱ〕 명 〖사람〗 동(東)로마 황제. 어려서 즉위, 실권을 누이와 왕비에게 맡기고, 자신은 문필을 즐기며 로마 후기의 법을 집대성하여 테오도시우스 법전(法典)을 만듦. [401-450; 재위 408-450]

테오도시우스 일세 【一一世】 〔Theodosius Ⅰ〕 〔一쎄〕 명 〖사람〗 고대 로마의 황제. 392년 기독교를 국교(國敎)로 삼고, 394년 제국(帝國)의 통일을 실현하였음. 영토를 두 아들에게 나누어 준 까닭으로 그의 사후 제국은 동서(東西)로 갈라졌음. [346?-395; 재위 379-395]

테오렐 〔Theorell, Axel Hugo〕 명 〖사람〗 스웨덴의 생화학자. 호흡 산소에 관하여 선구적인 연구를 함. 효소(酵素)에 관한 연구 업적으로, 1955년 노벨 생리 의학상을 수상함. [1903-82]

테오브로민 〔theobromine〕 명 〖약〗 카카오 씨앗 따위에 들어 있는 결정(結晶) 분말. 신경 흥분 작용이 있음. [$C_7H_8N_4O_2$]

테오크리토스 〔Theokritos〕 명 〖사람〗 고대 그리스의 전원 시인. 도리아(Doria) 방언에 의한 격언시(格言詩)·송가(頌歌)·전원시 등을 남겼는데, 특히 목가체(牧歌體)의 완성자로서 널리 알려졌음. [310?-245 B.C.]

테오티와칸 문화 【一文化】 〔Teotihuacán〕 명 서력 기원 수년 전부터 650년경까지 고대 멕시코 문화의 중심을 이루었던 농경민의 문화. 멕시코시티의 북방 50km에 있는 테오티와칸 유적을 표준으로 함.

테오프라스토스 〔Theophrastos〕 명 〖사람〗 기원전 4-3세기경의 그리스 철학자. 아리스토텔레스의 후계자이며 식물학의 원조(元祖). 주저로 아리스토텔레스 형이 상학(形而上學)의 어려운 문제를 다룬 ≪형이 상학≫, 식물학의 체계적(體系的) 서술을 꾀한 ≪식물지(植物誌)≫ 등이 있음.

테오필린 〔theophylline〕 명 〖화〗 다엽(茶葉)에 함유된 알칼로이드(alkaloid). 카페인(caffeine)의 근연(近緣) 화합물이며, 냄새가 없고 맛이 쓴 백색 분말임. 이뇨(利尿)·강심제로서 동맥 경화에 의한 질환, 기관지 천식에 의한 호흡 곤란, 협심증·심장성 부종 등에 쓰임. [$C_7H_8O_2N_4$]

테우안테펙 지협 【一地峽】 〔Tehuantepec〕 명 〖지〗 멕시코 남부에 있는 지협. 남은 태평양, 북은 멕시코 만에 면하고 남북의 폭 약 200km, 남북을 횡단하는 철도가 부설되어 있어 파나마 운하에 대신하는 운하 건설의 후보지로 되어 있음.

테이레시아스 〔Teiresias〕 명 〖신〗 그리스 신화에서 테베의 예언자. 아테네가 목욕하는 것을 본 탓으로 눈이 멀었으나 보상으로서 예언의 능력을 얻었음. 일설에는 헤라의 노염을 사서 장님이 되었으며 제우스가 예언 능력과 장수(長壽)를 주었다고 함.

테이블 〔table〕 명 서양식의 탁자나 식탁의 총칭.

테이블 라인 〔table line〕 명 〖미술〗 정물화(靜物畫)에서 대상이 되는 정물이 놓여 있는 테이블과 배경이 이루는 경계선. 풍경화에서 수평선이나 지평선에 해당함.

테이블 매너 〔table manner〕 명 서양식 식사를 할 때의 예의 범절.

테이블 부선 【一浮選】 명 〔table floatation〕 〖광〗 탁상(卓上) 선광법(選鑛法)과 부유(浮遊) 선광법을 합쳐서 하나로 한 부선(浮選) 방법.

테이블 산 【一山】 〔Table〕 명 〖지〗 아프리카 남부 케이프타운(Cape Town)의 남쪽에 솟아 있는 산. 정상(頂上)이 평탄하기 때문에 이 이름이 있음. [1,088m]

테이블산-자리 【一山一】 〔table〕 명 〖천〗 〔라 Mensa〕 남반구(南半球)에 있는 별자리. 대마젤란운(大 Magellan雲)의 남쪽에 있으며 밝은 별이 약 다섯 개 있음. 우리 나라에서는 보이지 않음.

테이블 선:광법 【一選鑛法】 〔table〕 〔一뻡〕 명 〖광〗 탁상 선광법.

테이블 센터 〔table center〕 명 테이블의 한가운데에 두는 장식용의 헝겊이나 편물(編物).

테이블-스푼 〔tablespoon〕 [명] 수프용(soup用)의 대형 스푼.

테이블 스피:치 〔table speech〕 [명] 식후(食後)에 바로 그 식탁에서 행하는, 인사를 겸한 짧은 연설. 탁상 연설(卓上演說).

테이블 연:습【一練習】 〔table〕 〔―련―〕 [명] 〖연〗 공연(公演)에 앞서서 스태프(staff)와 캐스트(cast)들이 테이블을 둘러싸고, 대본(臺本)에 관한 검토나 의견 교환을 행하는 일.

테이블 차:지 〔table charge〕 [명] 레스토랑 따위에서, 음식 대금과는 별도로 지불하는 자릿값.

테이블-클로:스 〔tablecloth〕 [명] 테이블 위를 덮는 보나 또는 그런 편물의 총칭.

테이블 파이어 〔table fire〕 [명] 화재가 발생한 것처럼 허위 서류를 작성하고 그 보험금에 해당하는 돈을 딴 데로 유용(流用)하는 화재 보험 회사의 부정 행위.

테이스트 〔taste〕 [명] ①맛. 풍미(風味). 풍치(風致). ②상미(嘗味). 시식(試食). ③기호(嗜好). 취미. ――-하다 [타][여불]

테이크 백 〔take back〕 [명] 골프에서, 백 스윙(back swing)을 시작하는 동작.

테이텀 〔Tatum, Edward Lawrie〕 [명] 〖사람〗 미국의 생화학자. 붉은곰팡이의 돌연 변이주(突然變異株)를 써서 그 영양 요구성(營養要求性)을 연구, 유전 생화학을 발전시킴. 1958년 비들(Beadle, G.)·레더버그(Lederberg, J.)와 함께 노벨 생리 의학상 수상. [1909-75]

테이트 갤러리 〔Tate Gallery〕 [명] 런던에 있는 영국 국립 미술관의 하나. 실업가 테이트(Tate, H.; 1819-99)의 수집품을 중심으로 근대 영국 회화를 수장함. 1897년에 개관함.

테이퍼 〔taper〕 [명] ①〖물〗 직경이 길이 방향으로 직선적으로 변화하고 있는 원형 단면(斷面)의 봉재(棒材)에서, 직경 변화량을 길이로 제한 값. ②〖항공〗 비행기 날개의 한 형태. 날개 기부(基部)에서 끝으로 나아감에 따라 두께와 익현(翼弦)의 길이가 다 함께 감소하는 것. ③〖전〗 전기적 성질을, 회전 방향 또는 길이의 방향 등의 기계적 위치에 따라서, 서서히 변화시키고 있는 일.

테이퍼 게이지 〔taper gauge〕 [명] 구배(勾配) 게이지.

테이퍼 리:머 〔taper reamer〕 [명] 날에 구배(勾配)가 붙은 리머. 경사(傾斜) 리머.

테이퍼 핀 〔taper pin〕 [명] 축(軸)에 톱니바퀴·벨트·핸들 등의 보스(boss)를 간단히 고정시키는 핀. 작고 둥그런 키(key)인데, 약간의 구배(勾配)를 가지며, 두 물건 사이에 구멍을 뚫어 이에 끼어서 씀.

테이프 〔tape〕 [명] ①가늘고도 길게 만든 종이·헝겊 또는 비닐 따위의 오라기. 종이로 된 것은 물건을 묶거나 결혼식이나 배의 출범시 등에 던지거나, 또 경주(競走)의 결승점에 치기도 함. 헝겊으로 만든 것은 장식용 등으로 씀. ¶우승 ~를 끊다. ②전선(電線)에 감아서 절연(絕緣)하는 데 쓰는 좁고 긴 종이·헝겊 또는 비닐. 절연 테이프. ③현자지(現字紙). ④줄자. ⑤녹음기의 녹음하는 데 쓰이는 가늘고 긴 필름. 녹음 테이프.

테이프 검:공기【一檢孔機】 [명] 〔tape verifier〕 컴퓨터에서 천공(穿孔) 테이프의 잘못을 검사하기 위한 장치. 구멍 뚫린 종이 테이프를 같은 데이터로 두번째 수동 천공(手動穿孔)된 테이프와 비교함.

테이프 구동 장치【一驅動裝置】 [명] 〔tape transport〕 테이프 리코더의 기구. 테이프릴의 안정을 유지하고, 헤드를 통과하는 테이프를 구동(驅動)하며, 기타 여러 조작을 제어함.

테이프 녹음【一錄音】 [명] 〔tape recording〕 테이프 녹음기에 의해서 자기(磁氣) 테이프에 녹음하는 일.

테이프 녹음기【一錄音機】 [명] 테이프 리코더.

테이프 덱 〔tape deck〕 [명] 자기(磁氣) 테이프의 녹음·재생 장치의 하나. 증폭 장치에 접속시켜 녹음할 때는 여기에 마이크로폰을 연결시키며, 재생할 때는 스피커를 연결시켜 사용함.

테이프 라이브러리 〔tape library〕 [명] 녹음 테이프에 학습 자료·독서 자료·해설·논설 등을 기록하여 도서처럼 분류·정리·보관하여 이용자의 편의를 도모하는 시설·설비. 특히 맹인용으로 주목되고 있음.

테이프 리코:더 〔tape recorder〕 [명] 자기(磁氣) 녹음기의 한 가지. 소리를 자기(磁氣) 테이프에 기록하여 두었다가 뒤에 이것을 다시 재생시켜서 소리를 내게 하는 장치. 녹음·재생을 겸할 수 있음. 테이프 녹음기.

테이프 마:크 〔tape mark〕 [명] 자기(磁氣) 테이프에의 기록이 물리적으로 끝났음을 나타내는 특별한 문자.

테이프 메저 〔tape measure〕 [명] 줄자. 권척(卷尺). 테이프.

테이프 모니터 〔tape moniter〕 [명] 녹음기에서, 펑크션(function)의 한 가지. 독립된 스위치로 되어 있으며, 모니터 쪽으로 돌리면 테이프 덱(tape deck)으로부터의 입력(入力)에 연결이 됨.

테이프 송:신기【一送信機】 [명] 〔tape transmitter〕 〖통신〗 ①미리 구멍을 뚫어 놓은 종이 테이프를 사용하는 부호 전송(傳送) 장치. 천공(穿孔) 때보다 빠른 속도로 테이프를 보낼 수 있기 때문에 고속 전송(傳送)에 이용됨. ②나비가 좁은 테이프 위에 인쇄된 문자를 전송(傳送)하기 위한 팩시밀리 전송기.

테이프 연결 부유식 액체 수위계【一連結浮遊式液體水位計】 [명] 〔tape-float liquid-level gauge〕 〖공〗 액면 측정기의 한 가지. 부자(浮子)가 가요(可撓) 테이프에 의해서 회전 부분에 연결되어 있으며 그것이 차례로 이어져 지시기(指示器)까지 연결되어 있음.

테이핑 〔taping〕 [명] 스포츠 의학 용어(醫學用語). 선수의 관절(關節)·근육(筋肉)·인대(靭帶) 등에 테이프(tape)를 감는 일. 경기 중의 부상 예방과 치료에 유용함.

테인 〔theine〕 [명] 〖화〗 카페인(caffeine).

테일[1] 〔tail〕 [명] ①꼬리. 맨 끝. ②꼬리 모양의 물건. ③땋아 늘인 머리. 변발(辮髮). ④항공기·자동차 등의 후미(後尾). ¶~ 램프.

테일[2] 〔tael〕 [의명] ①중국의 형량 단위(衡量單位)에 대한 외국인의 칭호. 보통, 37g에 상당함. 평량(平兩). ②중국의 구식 은화(銀貨)의 단위에 대한 외국인의 칭호. 그 질량(質量)·품위(品位)에 따라 종류가 많음. 은량(銀量).

테일-라이트 〔taillight〕 [명] 열차·자동차 등의 뒤에 있는 등. 테일 램프. 미등(尾燈). ↔헤드라이트.

테일 램프 〔tail lamp〕 [명] 테일라이트.

테일러[1] 〔tailor〕 [명] ①재봉사(裁縫師). ②양복점.

테일러[2] 〔Taylor, Brook〕 [명] 〖사람〗 영국의 수학자. 1714-18년 왕립 협회장. 1715년 미분학의 '테일러의 정리(定理)'를 발표. 또, 차분법(差分法)의 기초를 확립함. 저서 ≪증분법(增分法)≫ 등. [1685-1731]

테일러[3] 〔Taylor, Elizabeth〕 [명] 〖사람〗 미국의 여우(女優). 어릴 때부터 영화계에 투신, 참신한 연기와 미모로 인기를 모음. ≪젊은이의 양지≫·≪뜨거운 양철 지붕 위의 고양이≫·≪버터필드 8≫ 등에 출연. 1961년 아카데미 주연상을 받음. [1932-]

테일러[4] 〔Taylor, Frederick Winslow〕 [명] 〖사람〗 미국의 기사(技師). '테일러 시스템(Taylor system)'을 창시하였음. 고속도강(高速度鋼)의 발명자이기도 함. 한편 조직적 공장 관리법과 생산 원가의 절감에 관한 연구도 주목할 만함. 주저 ≪과학적 관리법의 원리≫. [1856-1915]

테일러[5] 〔Taylor Jr., Joseph H.〕 [명] 〖사람〗 미국의 물리학자. 하버드 대학에서 박사 학위를 취득하고 매사추세츠 대학 교수를 거쳐 1980년부터 프린스턴 대학 교수가 됨. 1974년 제자인 헐스(Hulse, R.)와 함께 쌍성 펄서(雙星 pulsar)를 발견하였음. 이 공로로 1993년 헐스와 함께 노벨 물리학상을 수상함. [1941-]

테일러[6] 〔Taylor, Maxwell〕 [명] 〖사람〗 미국의 군인. 육군 대장. 제2차 대전중 공정(空挺) 부대를 이끌고 노르망디(Normandie) 상륙전에 참가함. 1955년 이래 극동 유엔군 총사령·육군 참모 총장·합참의장(合參議長)·주(駐) 베트남 대사를 지냄. [1901-87]

테일러[7] 〔Taylor, Robert〕 [명] 〖사람〗 미국의 배우. 단역(端役)에서 기용된 수려한 미남(美男) 배우로 ≪애수(哀愁)≫·≪쿠오바디스≫ 등에 출연했음. [1911-]

테일러 급수【一級數】 [명] 〔Taylor's series〕 〖수〗 함수를 나타내는 급수의 하나. 실변수(實變數)의 실함수(實函數) $f(x)$가 $x=x_0$에 있어서 몇 번이고 미분 가능할 때, 멱급수(冪級數)

$$\sum_{n=0}^{\infty}\frac{f^{(n)}(x_0)}{n!}(x-x_0)^n$$ 를

$f(x)$의 x_0를 중심으로 하는 테일러 급수라고 함. 테일러 전개.

테일러 도표【一圖表】 [명] 〔Taylor series〕 조선(造船)에서, 하나의 원형(原型) 크기를 변화시킨 일련의 모형 실험에서 얻은 저항 도표(抵抗圖表). 크기의 변화가 선체(船體) 저항에 미치는 영향의 검토나 계획선(計劃船)의 마력 측정에 이용됨.

테일러드 〔tailored〕 [명] ①↗테일러드 슈트. ②스포티(sporty)의 뜻.

테일러드 슈:트 〔tailored suit〕 [명] 남자가 지었거나 또는 남자 양복처럼 딱딱한 기분이 나고 꼭 맞게 지은 여성용 슈트. [준]테일러드.

테일러드 칼라 〔tailored collar〕 [명] 신사복에서, 앞을 V자형으로 벌리고 밖으로 꺾어 넘긴 옷깃. 남자 양복 이외에도 널리 쓰임.

테일러-메이드 〔tailor-made〕 [명] 테일러가 만든 것이란 뜻으로, 남자가 조제(調製)한 것을 일컫는 말.

테일러 시스템 〔Taylor system〕 [명] 19세기말에 미국인 기사 테일러(Taylor)가 창시한 공장 등의 과학적 경영 관리법. 작업 요소·동작 및 시간을 연구해서 일류 노동자를 기준으로 한 표준 능률을 설정하고, 차별적 능률급 제도를 채용하여, 노동 능률의 증진을 도모하는 방식. *포드 시스템(Ford system).

테일러의 정:리【一定理】 〔―니/―에―니〕 [명] 〔Taylor's theorem〕 〖수〗 테일러(Taylor, B.)가 정립한 미분 적분학의 기본적인 정리의 하나. 함수 $f(x)$가 독립 변수의 어떤 값 a의 근방에서 n차(次)까지의 도함수(導函數)를 가질 때, $f(x)=f(a)+f'(a)(x-a)+f''(a)(x-a)^2/2!+\cdots+f^{(n-1)}(a)(x-a)^{(n-1)}/(n-1)!+f^{(n)}(c)(x-a)^n/n!$인 c가 a와 x 사이에 존재한다는 것임. 이것을 이용하여 테일러 전개(展開)의 가능·불가능을 조사함. *테일러².

테일러 전:개【一展開】 [명] 〔Taylor's expansion〕 〖수〗 테일러 급수(級數).

테일러 접속【一接續】 [명] 〔Taylor connection〕 〖전〗 삼상 전력(三相電力)에서 이상 전력(二相電力)으로의 변환 또는 역(逆)변환을 하기 위한 변압기 접속.

테일 엔드 〔tail end〕 [명] ①꼬리. 말단(末端). ②경기에서의 최하급의 성적. 꼴찌.

테:제 〔도 These〕 [명] ①어떤 문제에 대하여 제기된 명제(命題). 제의. 주장. ②〖철〗 헤겔의 변증법(辨證法)에서, 인식(認識)의 출발점이 되는 긍정적 주장. 정립(定立). ↔안티테제. ③정치·사회 운동의 활동 방침이 되는 강령(綱領).

테: 제: 베: 〔TGV〕 [명] 〔프 Train à Grande Vitesse (매우 빠른 열차)의 약자〕 프랑스 국유 철도의 초고속 열차. 프랑스 국유 철도가 10년의 연구·개발 끝에 1981년에 실용화하였음. 당시 세계 최고였던 일본의 신칸센(新幹線)을 능가하는 초고속 열차임.

테크네튬 〔technetium〕 [명] 〖화〗 망간족(族) 원소의 하나. 비중 11.5, 녹는점 약 2,140°C. 은회색(銀灰色)의 금속으로 육방 정계 결정. 중성자를 조사(照射)한 우라늄에서 분리 정제하여 만듦. 인공적으로 만들어진 최초의 원소인데, 연철(軟鐵)의 부식 방지제 및 원자로 속의 중성자

의 흡수제로 쓰임. [43번:Tc:99]

테크네트로닉 시대【一時代】 명 [technetronic era] 테크놀로지 곧 기술과 일렉트로닉스 곧 전자 공학(電子工學)이 사회 구조나 습관 및 인간의 가치관 따위에 큰 영향을 미치는 시대를 이르는 말. 컬럼비아 대학 교수 브레진스키가 만든 말. 기술 전자 시대.

테크네트론 [technetron] 명 『전』 대전력용(大電力用)의 다중(多重) 채널 전계(電界) 효과 트랜지스터.

테크노 명 [techno] ↗테크노팝.

테크노미스트 [technomist] 명 [technology+economist] 『경』 사무 기술자(事務技術者)·기술 사무자(技術事務者)의 뜻. 컴퓨터 등을 구사(驅使)할 수 있는 전문 지식을 갖춘 사무원.

테크노크라시 [미 technocracy] 명 ①1930년경 미국에서 유행한 기술주의적·개량주의적 사회 경제 사상. 우수한 기술자가 사회 전체의 이익을 위하여 전 생산 기관을 관리·통제하고, 부(富)의 편재(偏在) 원인인 가격 제도는 생산 동력(生產動力)과 소비 가치를 기준으로 하는 에너지 단위로 대체하도록 하자고 주장함. ②기술자가 관리하는 사회 경제 체제. ③기술이 모든 사물에 가장 유용하다는 주의.

테크노크라트 [technocrat] 명 기술자나 과학자 출신(出身)의 행정관·고급 관료.

테크노-팝 [techno-pop] 명 『악』 신시사이저 등 컴퓨터를 이용한 인공적인 전자음(電子音)과 효과음, 단순하고 빠른 기계적 리듬 등을 특징으로 하는 팝 음악. 1970년대 초에 서독에서 비롯되었다고 함.

테크노-폴리스 [technopolis] 명 고급 기술 산업과 연구 시설이 집중된 작은 도시.

테크놀로지 [technology] 명 ①기술학. 공예학(工藝學). ②기술. 공예 기술.

테크놀로지 아:트 [technology art] 명 『미술』 전자 공학이나 전기·음향에 관한 기술을 이용하여 전기적·광학적(光學的) 장치를 작품화(作品化)하거나 작품의 일부에 도입(導入)하는 조형 예술의 일컬음. 모빌(mobile)이나 움직이는 조각 등이 이에 포함됨.

테크놀로지 트랜스퍼 [technology transfer] 명 [기술 이동(移動)이란 뜻] 우주 개발 등의 거대 과학(巨大科學)을 통해서 개발된 기술을 다른 분야의 기술에 보급시키는 등, 어떤 기술 공간(空間)에서 개발된 것을 다른 기술 공간에 옮겨, 응용·활용하는 일.

테크니라마 [technirama] 명 영화의 와이드 필름의 하나로 비스터비전 방식의 개량형. 35 mm 필름의 두 프레임(frame)을 한 프레임으로 촬영하여 양화(陽畫) 필름을 만들 때 특수 렌즈를 사용하여 시네마 스코프와 같은 사이즈의 필름으로 압축함. 시네마 스코프 영사기로 상영하며 필름 한 프레임의 사이즈는 세로와 가로의 비율이 1대 2.35임.

테크니션 [technician] 명 ①전문가. 전문 기술자. ②기교가(技巧家).

테크니컬 [technical] 명 전문적(專門的). 기술상. 학술상.

테크니컬 녹아웃 [technical knockout] 명 프로 권투에서, 실력에 엄청난 차이가 있거나 한편의 부상으로 더 이상의 경기를 계속할 수 없을 때 또는 세컨드가 기권을 통고했을 때 레퍼리가 10초의 카운트를 하지 않고 승부를 정하는 일. 티 케이 오(TKO). *아르 에스 시(RSC).

테크니컬러 [technicolor] 명 『연』 천연색 영화의 한 방식. 1933년 미국의 테크니컬러사(社)가 완성하였음. 삼원색(三原色)으로 분해하여 감광(感光)시킨 세 개의 네가 필름을 하나의 프린트로 만드는 방법으로 오늘날 미국에서 가장 성공한 색채 영화의 한 기술임. *천연색 영화.

테크니컬 스쿨: [technical school] 명 공업·공예에 관한 전문 지식·기능을 습득시키는 학교. 공업 학교·공예 학교 등.

테크니컬 텀: [technical term] 명 학술어(學術語). 전문어. 술어(術語). 테크닉.

테크니컬 파울 [technical foul] 명 농구에서, 퍼스널 파울(personal foul) 이외의 파울.

테크닉 [technic] 명 ①수법. 기교. 전문 기술. ②테크니컬 텀.

테클루 버:너 [teclu burner] 명 분젠(Bunsen) 버너를 개량한 것의 하나. 위쪽 원통의 하부에 공기 구멍이 있으며 그 밑에 같은 축(軸)으로 회전하는 가스량(量) 조절 콕(cock)이 있음. 조작이 용이함.

테킬라 [tequila] 명 멕시코가 원산지인 증류주(蒸溜酒). 용설란(龍舌蘭)의 수액(樹液)을 자연 발효시켜, 발효 생성물을 증류시켜서 만듦.

테타노스파즈민 [tetanospasmin] 명 『수의』 파상풍균(破傷風菌) 강직 독소.

테타놀리진 [tetanolysin] 명 『화』 파상풍균(破傷風菌)에 의해 생성되는 용혈소(溶血素). 파상풍균 용혈 독소.

테타니 [도 Tetanie] 명 『의』 전신의 근육 특히 사지근(四肢筋)에 특유한 강직성(強直性) 경련을 일으키는 병증. 부갑상선(副甲狀腺)의 기능 장애로 말미암은 말초 신경(末梢神經) 흥분성 항진의 결과로 일어나는데, 이 때 현저한 혈청 칼슘의 감소 현상을 볼 수 있음. 심하면 음식을 먹을 수 없고, 후두근(喉頭筋)이나 호흡근(呼吸筋)의 경련으로 질식할 때가 있음. 상피 소체 기능 감퇴증.

테타-테트 [프 tête-à-tête] 명 대담(對談). 밀담(密談). 밀회(密會).

테토론 [Tetoron] 명 폴리에스테르계(系) 합성 섬유의 일본 상품명(商品名). *테릴렌(Terylene).

테투안 [Tetuán] 명 『지』 모로코 북단(北端)의 항구 도시. 구(舊) 스페인령(領) 모로코의 주도(主都)로 세우타(Ceuta)와 철도로 연결됨. 농산물 거래의 중심으로 생선 통조림·가구(家具)·담배·직물(織物) 등을 제조함. [139,000 명(1971)]

테튀스 [그 Tethys] 명 토성(土星)의 제삼 위성(第三衛星). 직경은 약 1,300 km. 광도(光度)는 11등.

테트라 [그 tetra] 명 ['넷'의 뜻] 정사면체(正四面體).

테트라디마이트 [tetradymite] 명 『광』 엷은 강회색(鋼灰色)의 광물. 금속 광택이 있으며, 흔히 함금광상(含金鑛床) 중에 엽상괴(葉狀塊)로 존재함. 모스(Mohs) 경도(硬度) 1.5-2, 비중 7.2-7.6.

테트라메틸-납 명 [tetramethyl lead] 『화』 유독성의 유기(有機)납 화합물. 연료의 안티녹성(性)을 향상시킬 목적으로 자동차용 가솔린에 소량 첨가함. 광범위하게는 쓰이지 않음. [$Pb(CH_3)_4$]

테트라메틸 요소【一尿素】 명 [一뇨一] [tetramethyl urea] 『화』 끓는점(點) 176.5°C의 액체. 물 및 유기용제(有機溶劑)에 녹음. 시약(試藥)·용제(溶劑)로 쓰임. [$C_5H_{12}N_2O$]

테트라-보란 [tetraborane] 명 『화』 보란의 일종. 무색에 특이한 냄새가 있는 액체. 기체·결정으로도 존재하나 불안정하여 천천히 분해하여 수소와 디보란이 됨. 물과 반응하여 붕산과 수소를 발생함. 사(四)보란. [B_4H_{10}]

테트라사이클린 [tetracycline] 명 『약』 ①넓은 스펙트럼을 갖는 항생 물질의 총칭. 방선균(放線菌)의 일종과 어떤 타종(他種)의 균주(菌株)의 발효에 의해 생합성적(生合成的)으로 또는 클로로테트라사이클린의 수소(水素) 분해에 의해서 화학적으로 합성됨. ②테트라사이클린군(群) 항생 물질에 속하는 넓은 유효 범위를 갖는 항생 물질. 광범한 항(抗) 미생물성 작용과 낮은 독성(毒性)으로, 여러 가지 바이러스에 의한 전염병 치료(治療)에 유효함. [$C_{22}H_{24}O_8N_2$]

테트라에틸-납 명 [tetraethyl lead] 『화』 사에틸연(四ethyl 鉛).

테트라젠 [tetrazene] 명 『화』 폭발성의 무색 또는 황색을 띤 고체. 물·알코올에 거의 녹지 않음. 폭약 기폭제(起爆劑) 및 뇌관(雷管)에 쓰임.

테트라코:드 [tetrachord] 명 『악』 [네 가닥의 현(絃)의 뜻] ①고대 그리스의 사현 악기(四絃樂器). ②완전 사도(完全四度) 속에 포함되는 네 음(音)으로 이루어지는 음계. 4음 음계라고도 하며, 최초의 음과 최후의 음에 완전 4도의 간격이 있음. ③완전 사도. 테트라코르도.

테트라코르도 [이 tetracordo] 명 테트라코드.

테트라코산 [tetracosane] 명 『화』 가연성(可燃性)의 결정(結晶). 알코올에 녹고 물에는 녹지 않음. 녹는점(點) 52°C. 화학 중간체(中間體)에 쓰임. [$C_{24}H_{50}$]

테트라클로로-금산【一金酸】 명 [tetrachloroauric acid] 『화』 테트라클로로금(Ⅲ)산. 염화금산(塩化金酸).

테트라클로로-백금산【一白金酸】 명 [tetrachloroplatinic acid] 『화』 테트라클로로백금(Ⅱ)산. 염화(塩化) 백금산❷.

테트라클로로-에탄 [tetrachloroethane] 명 『화』 1, 1, 2, 2 테트라클로로에탄. 염화(塩化) 아세틸렌, 또는 사(四)염화 아세틸렌이라고도 함. 클로로포름과 같은 냄새가 나는 액체. 마취성(痲醉性)이 있음. 끓는점 147℃. [$Cl_2HCCHCl_2$]

테트라클로로-에틸렌 [tetrachloroethylene] 명 『화』 무색 투명한 액체. 녹는점 −22.18℃, 끓는점 121.2℃. 에테르와 같은 특유한 냄새가 남. 불연성(不燃性)이며 금속을 침식(浸蝕)하지 않아 금속의 세척제, 도료(塗料)의 용제(溶劑)로 쓰임. 마취 작용이 있으나 마취약으로서가 아닌 십이지장충(十二指腸蟲)의 구충제로 쓰임. 대기 오염 물질의 하나. 사염화(四塩化) 에틸렌이라고도 함. [$Cl_2C=CCl_2$]

테트라 팩 [Tetra Pak] 명 삼각뿔꼴의 종이용기(容器)의 상표명. 우유·주스 그릇으로 쓰임.

테트라포드 [tetrapod] 명 『공』 중심에서 사방으로 발이 나와 있는 콘크리트 블록. 방파제·하상(河床)의 보호에 사용됨. 프랑스에서 발명.

테트라플루오로-에틸렌 [tetrafluoroethylene] 명 『화』 무색 무취(無色無臭)의 기체. 폴리테트라플루오로에틸렌의 원료. [C_2F_2]

테트락【TETRAC】 명 『생』 [tetraiodothyroacetic acid의 약칭] 티록신(Thyroxin)을 인공적으로 탈아미노(脫 amino)를 하여 만든 물질. 갑상선 호르몬과 비교해서, 조직의 산소 소비(酸素消費)를 자극하는 작용은 강하나, 양서류(兩棲類)의 변태(變態)에 대한 작용은 약함.

테트로도톡신 [tetrodotoxin] 명 『화』 복어의 대표적 독소(毒素). 복어의 알·간장에 다량으로 들어 있음. 말초 신경과 중추 신경에 작용하는 일종의 신경독(神經毒)으로 생명에 위해함. 적당히 복용하면 진통·진경(鎭痙)·진정제가 됨. [$C_{11}H_{17}N_3O_8$]

테트로오스 [tetrose] 명 『화』 탄소 원자(炭素原子) 네 개를 갖는 단당류(單糖類)의 총칭(總稱). 알데히드기(aldehyde 基)를 갖는 단당류인 알도오스(aldose)와 케톤기(ketone 基)를 갖는 단당류인 케토오스(ketose)가 있음. [$C_4H_8O_4$]

테트릴 [tetryl] 명 『화』 황색 결정성(結晶性)의 폭발 물질. 녹는점(點) 130°C. 폭약·탄약에 쓰임. [$(NO_2)_3C_6H_2N(NO_2)CH_3$]

테티스[1] [Têthys] 명 『신』 그리스 신화 중의 여신(女神). 오우라노스(Ouranos)의 딸, 오케아노스(Oceanos)의 아내.

테티스[2] [Thetis] 명 『신』 그리스 신화에서, 바다의 여신(女神). 영웅 펠레우스(Peleus)와 결혼하여 아킬레우스(Akhilleus)를 낳았음.

테티스 해【一海】 [Tethys] 명 『지』 지질 시대, 고생대 말기로부터 신생대 초기에 걸쳐 북반구 유라시아 대륙과 남반구 곤드와나 대륙 사이에 있었던 바다.

테펭이 명 〈심마니〉 안개.

테프누트 [Tefnut] 명 『신』 이집트 신화 중의 대기(大氣)·천공(天空)·바람의 신(神)인 슈(Shu)의 아내.

테프라 [tephra] 명 『지』 화산(火山)에서 분출(噴出)된 화산 쇄설물(碎屑物)의 총칭.

테프라이트 [tephrite] 명 『광』 현무암질의 분출암(噴出岩). 주로 석회질 사장석(斜長石), 보통의 휘석(輝石) 또는 백류석(白榴石) 등으로 이루어지며, 다소의 소다질(soda 質) 파리 장석(玻璃長石)을 포함함.

테플론 [Teflon] 명 미국 뒤퐁 회사에서 만든 폴리플루오로(poly fluoro)

에틸렌 계열의 수지 및 섬유의 상품명.

테헤란 〔Teheran〕 명 『지』 이란(Iran)의 수도. 해발 1,160 m의 고지에 있는데, 도시는 거의 정사각형이며 동서 남북으로 가로(街路)가 교차함. 정치·경제·문화의 중심으로 대학·박물관을 비롯하여 역사적 건물이 많음. 석유 산업 이외의 공업 중심지로 융단·견직물·사탕·시멘트·담배 등의 공장이 있음. 1788년 카자르 왕조(王朝) 때 수도로 정하여지고 1925년 이후 급속히 근대화됨. [4,496,000명(1976)]

테헤란 회:담【—會談】〔Teheran〕 명 『정』 제2차 세계 대전 중인 1943년 11월 28일부터 12월 1일까지 미국의 루스벨트 대통령, 영국의 처칠 수상, 소련의 스탈린 수상이 테헤란에서 행한 세 거두 회담. 연합국 측의 전쟁 수행과 평화 수립에 협력하는 테헤란 선언을 발표함.

텍 명 〈방〉 턱[1](전남·경북·충북·강원).

텍사스 〔Texas〕 명 ①『지』 텍사스 주(州). ②↗텍사스 리거.

텍사스 리:거 〔Texas leaguer〕 명 〔야구에서, 미국 텍사스 리그 선수가 이러한 안타를 잘 친 데서 유래됨〕 공이 내야수(內野手)와 외야수(外野手)와의 사이에 떨어져 그 어느 쪽에서도 받지 못하는 안타(安打). 텍사스 히트. ㊌텍사스.

텍사스-열【—熱】 명 〔Texas fever〕 『의』 진드기 매개성(媒介性)의 가축 전염병. 적혈구(赤血球)에 침입하는 기생충인 *Bobesia annulatus*에 의해 발병함. 발열(發熱)·헤모글로빈 요증(尿症) 및 거비증(巨脾症)을 특징으로 함. 진드기열.

텍사스 유전【—油田】〔Texas〕 명 미국 텍사스 주(州)에 있는 유전. 내륙부(內陸部)의 유전과 멕시코 만 연안(沿岸) 유전으로 이루어짐. 멕시코 만 연안 보몬트(Beaumont) 부근의 스핀들 유전이 발견된 1901년 이후 발전하였으며 원유 산출량은 미국 최대임.

텍사스 인스트루먼츠 회:사【—會社】 명 〔Texas Instruments, Inc.〕 세계 최대의 미국 반도체 제조 회사. 1933년 탐광(探鑛) 사업으로 발족, 1950년 현 사명(社名)으로 개칭하고 전자 공업에 진출, 집적 회로(集積回路)의 개발에 성공하여 급성장을 기록함. 전자 기기(機器)·핵연료(核燃料) 등으로 경영을 다각화(多角化)함.

텍사스 주【—州】〔Texas〕 명 『지』 미국 남부 멕시코 만 연안(沿岸)의 주. 서부는 완만한 에스타카도 고원(Estacado高原)에 연하고 동부와 남부는 저지(低地). 기후는 전체적으로 건조(乾燥)함. 관개(灌漑)가 잘 되어 면화·옥수수 등의 산출이 많고, 소·양·돼지의 축산도 많음. 세계 유수의 산유지이며 천연 가스의 생산은 미국 제1, 이 밖에 헬륨·석탄·암염·석고도 산출함. 휴스턴 우주 센터로 상징되듯이 공업이 크게 발전하여 정유·석유 화학·고무·식품 가공(食品加工) 외에 항공 우주 공업도 행하여짐. 본디 멕시코령(領), 1845년 미국의 한 주(州)가 되고 이것이 아메리카 멕시코 전쟁의 일인(一因)이 됨. 주도는 오스틴(Austin). [692,408 km²: 14,228,000명(1980)]

텍사스 히트 〔Texas+hit〕 명 텍사스 리거.

텍사코 회:사【—會社】 명 〔Texaco Inc.〕 미국의 국제 석유 회사. 미국 텍사스 주의 유전 개발을 위해 1902년에 설립된 텍사스 회사(Texas Co.)가 1959년 현재의 이름으로 개칭함. 칠대(七大) 국제 석유 자본의 4위를 차지하는데 미국내에서의 원유 생산 비율이 비교적 높음.

텍스[1] 〔tex〕 명 ①조잡(粗雜)한 펄프를 압축하여 만든 섬유판(纖維板). 보온(保溫)·방음(防音)·차열성(遮熱性)이 좋고 가벼우나 물에 약한 것이 결점임. 건축 재료로 벽이나 천정에 쓰임. ②직물(織物)의 상품명 일부로 쓰이는 말. ¶골든 ～.

텍스[2] 〔프 tex〕 의명 실의 굵기를 나타내는 ISO(국제 표준화 기구) 단위의 하나. 길이 1000 m에서 1그램 되는 실을 1텍스로 함. 수가 작을수록 실이 가늚.

텍스처 〔texture〕 명 ①피륙 짜는 법. 또, 그 바탕. ②표면의 감촉.

텍스타일 〔textile〕 명 직물. 옷감.

텍스트 〔text〕 명 ①삽화·도해(圖解) 등에 대한 인쇄 자구(字句). ②주석·번역·서문 및 부록 등에 대한 본문 또는 원문. 원전(原典). ③토론·연설 등에 있어서의 제목 또는 주제 논제(論題). ④라디오 등의 강의·강연의 개략·골자를 기록한 인쇄물. ⑤『연』 각본(脚本). 상연 대본(上演臺本). ⑥↗텍스트북.

텍스트-북 〔textbook〕 명 교과서. 교본(敎本). ㊌텍스트.

텍-조가리 명 〈방〉 턱주가리(전북).

텍타이트 〔tektite〕 명 『지』 흑요석(黑曜石) 비슷한 천연 유리질 물질. 조성(組成)과 크기가 여러 가지인데 대체로 비말(飛沫) 형상임. 대개 그 기원(起源)은 외계(外界)에 있다고 추정됨.

텍토나이트 〔tectonite〕 명 『광』 암석의 요소적 부분에 있어서, 기계적 및 화학적 작용의 변화 과정이, 그 조직 속에 나타나 있는 암석.

텍토노미:터 〔tectonometer〕 명 『공』 미소 전류계(微小電流計)를 갖춘 지질 구조 탐지 장치. 표면으로부터 그 지하(地下)의 암석 구조에 관한 지식을 얻을 목적으로 쓰임.

텍토닉스 〔tectonics〕 명 『토』 ①구조물의 사용·설계에 관한 과학과 기술. ②지각(地殼)의 변형에 관한 설계.

텐[1] 〔ten〕 명 열. ¶베스트 ～.

텐[2] 〔Taine, Hippolyte Adolphe〕 명 『사람』 프랑스의 철학자·문예가·역사가. 콩트풍(Comte風)의 실증주의(實證主義)를 문예 평론에 도입, 민족·환경·시대의 세 조건 밑에 문학 작품을 설명하였음. 저서 《영문학사》·《근대 프랑스의 기원》 등. [1829 93]

텐 갈론 해트 〔ten gallon hat〕 명 〔물이 10갈론이나 드는 모자라는 뜻〕 미국의 서부 멕시코 등지에서 카우보이가 쓰는 모자. 운두가 높고, 챙이 넓으며 양옆은 위로 조금 말렸음.

텐 나인 〔ten nines〕 명 게르마늄(Germanium)·실리콘(silicon) 등의 순도(純度)가 99.99999999 %인 것을 일컫는 말.

텐더 〔tender〕 명 ①탄수차(炭水車). ②대형 선박에 전속된 잡역용(雜役用)의 배.

텐더 기관차【—機關車】〔tender〕 명 텐더가 뒤에 달린 기관차.

텐더로인 〔tenderloin〕 명 소·돼지의 허리 부분에 붙은 연한 고기. 필레(fillet).

텐더로인 스테이크 〔tenderloin steak〕 명 소의 필레(fillet)로 만든 스테이크. 맛을 최상(最上)으로 침.

텐돈 〔tendon〕 명 『토』 콘크리트 속의 강재(鋼材) 또는 강선(鋼線).

텐서 〔tensor〕 명 『수·물』 좌표계(座標系)에 관한 몇 가지의 성분의 짝에 의하여 표시되고, 그들의 성분이 좌표 변화에 의하여 원래의 성분의 1차식으로 표시되는 새로운 성분으로 바뀌는 일. 본디 탄성 물체(彈性物體) 내의 응력(應力) 및 장력(張力) 상태를 나타내는 데 쓰이었고, 최근에는 비(非)유클릿(Euclid) 기하학 및 상대성 이론의 연구 등에 매우 중요한 일종의 유방향량(有方向量)임.

텐션 〔tension〕 명 ①정신적 긴장. 불안. ②『물』 장력(張力). ③기계 공업에서, 신장력 가감(伸張力加減) 장치.

텐스 〔tense〕 명 『언』 시제(時制). 시상(時相).

텐야:드 라인 〔ten-yard line〕 명 럭비에서, 경기장의 중앙선을 사이에 두고 평행으로 10야드 지점에 친 두 줄의 선.

텐지-꽃 명 〈방〉 『식』 진달래(함북).

텐트 〔tent〕 명 천막(天幕).

텐트-촌【—村】〔tent〕 명 여러 사람이 단기간 숙박하기 위하여 많은 천막을 친 곳. 천막촌(天幕村).

텔[1] 〔아랍 tell〕 명 서남 아시아에서 소아시아, 이집트의 일부에 걸쳐, 들 가운데 만들어진 인공의 언덕. 신석기 시대에서 역사 시대에 이르는 장기간에 걸쳐 만들어진 것이 많아서, 고고학의 층위적(層位的) 연구에 절호의 자료를 제공함.

텔[2] 〔Tell, Wilhelm〕 명 『사람』 ↗빌헬름 텔(Wilhelm Tell).

텔넷 〔telnet〕 명 『컴퓨터』 인터넷의 표준 프로토콜로서 원격 컴퓨터에 접속할 때 사용하는 프로토콜 또는 프로그램. 이 프로그램을 이용하면 사용자의 단말기에 원격 컴퓨터에 바로 연결된 것처럼 사용할 수 있는 가상 단말 기능을 부여함.

텔러 〔Teller, Edward〕 명 『사람』 헝가리 태생의 미국 물리학자. 조지 워싱턴 대학·컬럼비아 대학 등의 교수를 지냄. 원자 폭탄과 수소 폭탄 개발에 참여, '수폭(水爆)의 아버지'로 불림. 전략 방위 구상(SDI)에도 간여함. [1908-]

텔러 레들리히의 법칙【—法則】〔—／—에—〕 명 〔Teller-Redlich rule〕 『물』 두 개의 동위 원소 분자에 있어서, 어떤 대칭형(對稱形)의 전진동(全振動) 주파수 비(比)의 곱은, 분자의 기하학적 구조와 원자의 질량에 따르며 포텐셜 상수(常數)에 의한 것은 아니라는 법칙.

텔레고니 〔telegony〕 명 『생』 감응 유전(感應遺傳).

텔레그래프 〔telegraph〕 명 전신(電信). 전보(電報).

텔레그램 〔telegram〕 명 전보(電報).

텔레-라이터 〔telewriter〕 명 『기』 손으로 쓰는 문자나 도형(圖形)을 송수신하는 장치. 전화 등의 통신 회선(通信回線)을 이용함. 전기 사자기(電氣寫字機).

텔레-마:케팅 〔tele-marketing〕 명 『경』 전화를 이용한 통신 판매(通信販賣).

텔레마:크[1] 〔telemark〕 명 스키 회전법의 한 가지. 바깥 쪽의 스키를 앞으로 내놓으며 안 쪽의 무릎을 굽히고 몸을 기울임. 고속도의 경우에는 적당치 아니함.

텔레마크[2] 〔프 Télémaque〕 명 〔Les aventures de Télémaque〕 『문』 프랑스의 문학가이며 주교(主敎)인 페늘롱(Fénelon)이 쓴 교훈적인 소설. 1699년 발표. 트로이 전쟁의 영웅 율리시스의 아들인 텔레마크가 아버지를 찾아서 각지로 돌아다니면서 겪는 모험을 내용으로 함.

텔레마티크 〔프 télématique〕 명 〔télécommunication, 곧 전기 통신(電氣通信)과 informatique, 곧 정보 처리(情報處理)의 합성어〕 전기 통신과 정보처리의 융합 일체화(一體化)와 그 사회적 영향.

텔레만 〔Telemann, Georg Philipp〕 명 『사람』 독일의 작곡가. 라이프치히 신교회의 오르가니스트를 거쳐, 1721년부터 함부르크시의 음악 감독으로 활약, 바하·헨델과 더불어 높이 평가됨. 작품은 풍부한 개성을 나타내고, 칸타타·수난곡 등의 종교곡을 비롯하여 관현악 모음곡·협주곡·실내악 등의 기악곡, 오페라 등 다수(多數)를 남김. [1681-1767]

텔레머 〔telemer〕 명 전화(電話)의 통화(通話) 시간을 재는 간이(簡易) 타이머의 하나.

텔레-메디신 〔telemedicine〕 명 원격 의료(遠隔醫療).

텔레-미터 〔telemeter〕 명 먼 곳으로부터 전달되는 측정량을 나타내거나 기록하는 계기. 고온(高溫)·고압(高壓)의 장소, 우주 공간 등 사람이 직접 측정하기 어려운 데에 쓰이고 있음. 원격 계측기.

텔레-미터링 〔telemetering〕 명 원격 계측(遠隔計測).

텔레뱅크 시스템 〔Telebank system〕 명 기존의 음성 정보 서비스에 컴퓨터 단말기와 스크린 기능을 첨가함으로써 고객이 사무실에 앉아 TV 화면을 보면서 전화 한 통화로 계좌 이체·잔액 조회 등 각종 은행 거래를 할 수 있는 시스템.

텔레비전 〔television〕 명 ①실경(實景)을 그대로 전파(電波)를 통해서 먼 곳으로 보내어 본디의 영상(影像)을 재성(再成)하는 방식. 아이코노스코프를 써서 빛의 강약을 전류의 강약으로 바꾸고, 이것을 필요에 따라서 증폭(增幅)하여 주로 전파로 방송하면, 수신하는 쪽에서는 이 전파를 전광 변환 장치(電光變換裝置)에 의해서 전류에 비례되는 광도(光度)의 변화로 바꾸어 상(像)을 형성시킴. 입체 텔레비전·천연색 텔레비전 등으로 발전되고 있으며, 방송용·교육용·군사용·공업용 등으로 널리 이용됨. ②↗텔레비전 수상기. ㊌티브이(TV).

텔레비전-국【一局】[명]〔television station〕텔레비전 신호의 송신이나 수신을 하는 곳.

텔레비전 네트워:크〔television network〕[명]〖통신〗영상(映像) 신호와 이에 따르는 음성 신호를 보내기 위한 통신로 설비망(網)으로, 일군(一群)의 텔레비전 방송국. 이 설비망은 각기 다른 지역에 속하는 텔레비전의 이용자를 상호 접속시켜서 같은 프로를 동시에 시청(視聽)케 함.

텔레비전 녹화【一錄畫】[명]〔television recording〕사진·전자 장치 및 그 밖의 방법에 의한 화상(畫像) 신호의 영구(永久) 기록. 텔레비전 장치나, 영사(映寫) 장치로 재생됨.

텔레비전 드라마〔television drama〕[명] 텔레비전 방영용(放映用)으로 만들어진 드라마.

텔레비전 방해【一妨害】[명]〔television interference; TVI〕〖통신〗아마추어 무선 또는 다른 송신기로 인해 텔레비전 수신기에 발생하는 방해 현상.

텔레비전 송:신기【一送信機】[명]〔television transmitter〕텔레비전 프로의 음성과 비디오 신호를, 안테나에서 방사(放射)하고, 텔레비전 수상기로 수신되는 변조(變調) 무선 주파 에너지로 바꾸는 전자 장치.

텔레비전 송:신탑【一送信塔】[명]〔television tower〕텔레비전 방송의 송신 안테나를 가설한 철제(鐵製) 또는 콘크리트제의 탑.

텔레비전 송:화기【一送話機】〔television〕[명] 텔레비전 전화.

텔레비전 수상기【一受像機】[명]〔television set〕도래(到來) 텔레비전 신호를, 음성과 함께 본디 장면으로 바꾸는 수신기. [준]텔레비전.

텔레비전 스크린:〔television screen〕[명] 텔레비전 수상기(受像機)에 있어서 수상관(受像管)의 형광 스크린.

텔레비전 신:호【一信號】[명]〔television signal〕텔레비전 방송에서, 음성 신호(音聲信號) 및 화상 신호(畫像信號)를 통틀어서 이르는 일반 용어.

텔레비전 안테나〔television antenna〕[명] 텔레비전 송수상용(送受像用)의 안테나. 사용 전파가 주파수폭이 넓은 초단파(超短波)이기 때문에 특수 구조로 되어 있음. 송상용(送像用)은 무지향성(無指向性)의 안테나 등을, 수상용(受像用)은 넓은 주파수대(周波數帶)를 고주파부(高周波部)·저주파부로 나누어서 수신하는 안테나를 사용함.

텔레비전 영화【一映畫】〔television〕[명] 텔레비전 방송을 위하여 제작된 영화.

텔레비전 이동 중계국【一移動中繼局】[명]〔television pickup station〕〖통신〗텔레비전 방송국으로부터 멀리 떨어진 곳에서 프로를 취재(取材)하여, 프로그램 소재(素材)의 전송(傳送)과 이에 관련된 통신을 행하는 육상 이동국.

텔레비전 인 텔레비전〔television in television〕[명] 피 아이 피(PIP).

텔레비전 전:화【一電話】〔television〕[명]〔video telephone〕음성(音聲)과 영상(映像)을 전화 회선(電話回線)에 실어, 전화 가입자 사이에 서로 말을 주고 받으면서 동시에 상대의 모습을 볼 수 있는 전화.

텔레비전 주사【一走査】[명]〔television scanning〕〖물〗텔레비전 화상(畫像)에 포함되는 각 세부 요소의 휘도(輝度)를 정사(精査)하는 과정.

텔레비전 중계【一中繼】〔television〕[명]〖연〗텔레비전의 국외(局外) 촬영 및 스튜디오와 송신소 또는 방송국간의 연락을 위한 중계. 주로 무선 중계임.

텔레비전 중계 방송국【一中繼放送局】〔television〕[명] 부스터국(booster局).

텔레비전 중계차【一中繼車】〔television〕[명] 텔레비전 방송 스튜디오 이외의 곳에서 방송국의 주조정실(主調整室)로 프로그램을 보내기 위하여 스튜디오의 부(副)조정실과 같은 기능을 갖춘 자동차.

텔레비전 채널〔television channel〕[명] 텔레비전 방송에 사용하는 전파의 주파수대(周波數帶).

텔레비전 카메라〔television camera〕[명]〖기〗촬상관(撮像管)을 장비하여 텔레비전 촬상에 사용하는 광학적·전기적 장치. 렌즈계(系)·파인더(finder)·조절 장치 등으로 구성됨. [준]카메라.

텔레비전 탤런트〔television talent〕[명] 텔레비전 프로그램에 자주 출연하는 연예인 또는 사회자. 또, 빈번히 출연하는 그 밖의 직업인.

텔레비전 회:의【一會議】〔telerision〕〔一/一이〕[명] 화상 회의(畫像會議).

텔레스코:프〔telescope〕[명]〖물〗망원경(望遠鏡).

텔레올로기〔도 Teleologie〕[명]〖철〗목적론(目的論).

텔레지오〔Telesio, Bernardino〕[명]〖사람〗이탈리아의 철학자. 자연 연구를 위하여 아카데미아를 설립함. 아리스토텔레스의 자연학에 반대하여 열(熱)과 냉(冷)의 두 원리로 자연 현상을 설명하려 했음. 대표작 ≪그 고유의 원리로 본 사물의 본성에 관하여≫. [1509-88]

텔레-콘트롤〔tele-control〕[명] 전화 회선(電話回線)을 이용하여 멀리 떨어진 곳에서 목적 장소의 각종 장치를 제어(制御)하는 기능(機能). 원격 제어(遠隔制御). *리모트 센서.

텔레큐리 요법【一療法】〔一뻡〕[명]〔도 Telecurietherapie〕〖의〗라듐의 원거리 조사 요법(照射療法). 심부(深部) 대종양(大腫瘍)에 균등 방사(放射)를 목적으로 행함. 이때 방사선량은 거리의 제곱에 반비(反比)하므로 대량의 라듐이 없는한 행할 수가 없음.

텔레타이프〔teletype〕[명] ①↗텔레타이프라이터. ②전신 인자법.

텔레타이프라이터〔teletypewriter〕[명]〖기〗무전 장치에 의하여, 송신자가 타이프라이터를 치면 동시에 먼 곳에 있는 수신자측의 타이프라이터가 자동적으로 같은 문자를 찍어 내게 된 장치. 통신 및 군사용으로 많이 쓰임. 전신 인자기(電信印字機). 텔레프린터. [준]텔레타이프.

텔레텍스〔teletex〕[명]〖컴퓨터〗워드 프로세서에 고도의 통신 기능을 첨가시키고, 전기 통신망을 이용하여 작성한 문서를 다른 곳으로 전송하는 장치.

텔레-텍스트〔Teletext〕[명]〔↗television text broadcasting〕일반 텔레비전 방송을 방해하지 않으면서, 정지 화면(靜止畫面)이나 문자에 의한 뉴스·생활 정보가 늘 방송되어 있어, 시청자(視聽者)가 전환기(轉換器)만 달면 텔레비전 수상기(受像機)에 언제든지 특정 정보를 골라 볼 수 있게 된 다중 방송(多重放送).

텔레파시〔telepathy〕[명]〖심〗정신 감응(精神感應).

텔레팩스〔Telefax〕[명]〔멀다는 뜻의 그리스어 tele와 복사의 뜻의 영어 facsimile에서〕모사 전송(模寫電送).

텔레-포:토그래프〔telephotograph〕[명] 전송 사진(電送寫眞).

텔레폰〔telephone〕[명] ①전화기(電話機). ②전화.

텔레폰 리퀘스트〔telephone + request〕[명] 라디오나 텔레비전 방송에서, 시청자가 신청하는 희망곡 등을 전화로 접수하여 방송하는 일. 또, 그 프로그램. 전화 리퀘스트.

텔레프린터〔teleprinter〕[명]〖기〗텔레타이프라이터.

텔레-피션〔telefission〕[명]〔television+fission(원자핵 분열)〕텔레비전에 의해서, 현대인의 사고 방식·의식(意識)·생활·환경에 핵분열(核分裂)과도 같은 변이(變異)가 일어나고 있다는 말.

텔레픽스〔telepix〕[명]〖연〗텔레비전용의 영화.

텔렉스〔Telex〕[명] 전신의 가입자를 교환 접속시켜 텔레프린터로써 직접 통신케 하는 방식. 쌍방이 송수신 겸용의 텔레프린터를 갖고서, 전화에서처럼 한 쪽에서 상대방을 호출하면 그 쪽의 수신기가 자동적으로 움직여 수신하게 됨. 국제간의 통신에 널리 이용되고 있음. 국제 가입 전화(國際加入電話).

텔로스〔그 telos〕[명] 목표. 목적.

텔로젠〔telogen〕[명]〖생〗모발 성장 주기(週期) 중의 정지상(靜止相). 이때, 모발은 모낭(毛囊) 속에 사모(死毛) 또는 막대상(狀)의 털로 남아 있음.

텔롭〔Telop〕[명]〔television opaque projector의 약칭으로, 원래는 상품명〕텔레비전 자막 송출 장치(字幕送出裝置). 텔레비전 방송에서, 텔레비전 카메라를 통하지 않고 영상 중에 문자나 그림을 직접 삽입하여 보내는 장치. 또, 그 문자나 그림.

텔루구-어【一語】〔Telugu〕[명]〖언〗드라비다 어족(Dravida語族)에 속하는 언어. 인도 남부 안드라 프라데시 주(Andhra Pradesh 州)를 중심으로 분포함.

텔루구-족【一族】〔Telugu〕[명]〖인류〗인도의 드라비다(Dravida) 제족(諸族)에 속하며 텔루구어(語)를 사용하는 종족(種族).

텔루륨〔tellurium〕[명]〖화〗텔루르.

텔루르〔도 Tellur〕[명]〖화〗원소의 한 가지. 암회색(暗灰色)의 금속광택(光澤)이 있는 결정(結晶). 불에는 녹지 않으나 질산·황산·수산화칼륨에 녹음. 화학적 성질은 유황(硫黃)·셀렌(selen)과 비슷함. 녹는점(點) 452°C, 끓는점(點) 1087°C. 합금·유리 및 도자기(陶瓷器)에 쓰임. 텔루륨. [52번: Te: 127.60]

텔루르-금【一金】〔도 Tellur〕[명]〖화〗소량의 금이 함유된 화합물의 하나. 숯불로 장시간 가열하면 금이 입상(粒狀)으로 분리됨. [$AuTe_2$]

텔루스〔Tellus〕[명]〖신〗로마 신화에 나오는 대지(大地)의 여신(女神). 자연의 생성력과 토지·작물 등을 관장하며, 그리스 신화의 가이아(Gaia)에 상당함.

텔스타: 위성【一衛星】〔Telstar〕[명] 미국 통신 위성 주식 회사에서 실용화한 통신 위성. 1962년에 세계에서 처음으로 구미간(歐美間)의 텔레비전 화상(畫像)의 중계에 성공하였음.

텔-아비브〔Tel Aviv〕[명]〖지〗이스라엘 공화국의 항구 도시(港口都市). 야파(Jaffa)의 근교(近郊)에 민족 향토 건설 실현화의 제1차 사업으로서 1906년 건설된 유태인의 도시로, 1950년 야파와 합병하여 텔아비브야파가 됨.

텔아비브-야파〔Tel Aviv-Jaffa〕[명]〖지〗이스라엘 공화국 최대의 도시. 지중해에 면한 항구로 산업·행정·문화의 중심지. 1950년 텔아비브와 야파가 병합하여 이루어짐. 구미풍(歐美風)의 근대적 설비와 경관(景觀)을 가진 신흥 상공업 도시로, 섬유·금속·화학 공업이 성함. [326,000명(1982)] *텔아비브·야파(Jaffa).

텔퍼〔telpher〕[명] 고가 궤도(高架軌道) 위를 전기로 구동(驅動)하는 운반차. 소형의 자아틀로 물건을 매달아 운반함.

텔포스 산【一山】〔Telpos〕[명]〖지〗우랄 산맥(Ural 山脈) 북부에 솟은 최고의 산. 2개의 산정(山頂)이 있음. 동부(東部)의 봉우리는 높이 1,689 m, 서부의 것은 1,640 m임.

템 [의명] 생각보다 많은 정도를 나타내는 말. 흔히 명수(名數) 아래에서 조사 '이나'를 붙이어 씀. ¶두 달 ~이나 걸린다 / 서라벌 대찰에 하나도 아니요 둘 ~이나 탑을 이룩하니…≪玄鎭健: 無影塔≫.

템스 강【一江】〔Thames〕[명]〖지〗영국 잉글랜드 남부의 강. 글로스터셔(Gloucestershire) 지방에서 발원해서 동쪽으로 흘러 런던을 관류하여 북해(北海)에 들어감. 작은 기선은 옥스퍼드까지, 큰 기선은 런던 교(橋)까지 항행(航行)이 가능함. [405 km]

템퍼러먼트〔temperament〕[명] 성질. 기질(氣質).

템퍼런스 소사이어티〔temperance society〕[명] 금주회(禁酒會). 절주회(節酒會).

템퍼링〔tempering〕[명]〖야금〗뜨임.

템페라〔이 tempera〕[명]〖미술〗서양화(西洋畫)의 한 가지. 안료(顏料)를 교질(膠質)이나 풀 같은 것에 섞어 만든 채료(彩料)로 그린 그림. 또, 그 채료. 유화(油畫)와 수채화(水彩畫)와의 중간적인 것으로, 빨리 마르고 수정(修正)이 잘 안되나 화면에 광택이 나며 내구성(耐久性)도 강함. 유화가 발견되기 이전에 많이 사용되었는데, 최근에 다시 부활되어 애용됨.

템페스토 〔이 tempesto〕 명 〖악〗 '폭풍우같이'의 뜻.

템페스트 〔Tempest〕 명 〖문〗 〔폭풍우란 뜻〕 셰익스피어의 5막 희곡. 아우에게 영지(領地)를 빼앗기고 절해(絶海)의 고도(孤島)로 유배된 밀라노의 프로스페로 공작(Prospero 公爵)이 마법(魔法)의 힘을 빌려 폭풍우를 일으켜서 아우가 탄 배를 파선시켜 복수를 하고는 뒤에 화해한다는 줄거리. 1612년에 초연(初演)되었음.

템포 〔이 tempo〕 명 〔시간이란 뜻〕 ①〖악〗 악곡 진행의 속도. 또, 박자. *속도 기호. ②〖문〗 문학 작품의 줄거리나 내용의 진전(進展) 속도. ③속도. 진도(進度).

템포 디 〔이 tempo di〕 명 〖악〗 '…의 속도로'의 뜻.

템포 루바토 〔이 tempo rubato〕 명 〖악〗 전체의 길이를 변경함이 없이, 연주자의 임의로 박자를 바꾸어 점점 느리게 했다가는 다시 빠르게 하곤 하는 일.

템포슈붕 〔도 Temposchwung〕 명 스키 회전법의 한 가지. 제동(制動)을 가하지 않고서 회전하는 고속도 스키 기술.

템포 주스토 〔이 tempo giusto〕 명 〖악〗 '정확한 템포로'의 뜻.

템포 코모도 〔이 tempo comodo〕 명 〖악〗 '템포를 마음대로' 또는 '적당한 박자로'의 뜻.

템포 프리모 〔이 tempo primo〕 명 〖악〗 '맨 처음의 템포로'의 뜻.

템프테이션 〔temptation〕 명 유혹(誘惑).

템플 〔temple〕 명 신전(神殿). 사원(寺院). 성전(聖殿).

템플 기사단 【一騎士團】 명 〔Order of Templars〕 〖역〗 중세 십자군(十字軍) 시대의 종교 기사단. 1118년 샹파뉴의 기사(騎士) 위그 드 파양스(Hugues de Payens) 등 수명이 성지 순례 보호를 위해 창립함. 1128년에 교황의 인가를 얻었음. 성지에 성을 쌓고 십자군의 주전력(主戰力)으로서 활약하여 그 세력이 확대되자 1307년 프랑스 국왕 필립 4세의 음모로 전원(全員) 체포되고 1314년 비엔 공의회(Bienne公議會)의 명으로 해산되었음.

템플턴-상 【一賞】 〔Templeton〕 명 미국의 사업가 존 템플턴이 노벨상에 종교 부문의 상이 없음을 안타까이 여겨 1972년에 재단을 세운 세계적인 종교상. 1992년에 한국의 한경직 목사가 수상함.

텝 【TEPP】 명 〖농〗 〔Tetra-Ethyl-Pyro-Phosphate의 약칭〕 농약의 한 가지. 벼의 줄기에 붙은 벌레를 죽이는 특수한 유린(有燐) 합성 살충제. 식물체내에 흡수되어 장기간 살충력을 유지하는 것이 장점임. 인축(人畜)에 해로움.

텟-실 명 〈방〉 테실.

텡 부 〈방〉 텅[1].

텡게르 산지 【一山地】 〔Tengger〕 명 〖지〗 동남 아시아 자바(Java) 섬 동부의 복식 화산(複式火山). 외륜산(外輪山)이 크고 화산 활동이 맹렬한 것으로 유명함. [2,724 m]

텡그리-노르 〔Tengri Nor〕 명 〖지〗 티베트 중남부, 라사의 북서쪽에 있는 염수호(塩水湖).

텡-보 명 〈방〉 텡쇠.

텡-쇠 명 겉으로는 튼튼한 듯이 보이나 속은 허약한 사람.

텡-텡 부 〈방〉 텅텅[1].

텨든 타 〈옛〉 치매. '티다'의 활용형. ¶모든 사ᄅᆞ미 막다히며 다새며 돌ᄒᆞ로 텨든 조치여 ᄃᆞ라 머리 가 ≪釋譜 XIX:31≫.

텨든 타 〈옛〉 치매. '티다'의 활용형. ¶이 말 니ᄅᆞ저긔 한 사ᄅᆞ미 막다히며 디새며 돌ᄒᆞ로 텨든 避ᄒᆞ야 ᄃᆞ라 머리가 住ᄒᆞ야셔 순지 노푼 소리로 닐오ᄃᆡ 내 너희ᄅᆞᆯ 업시우디 아니ᄒᆞ노니 너희 다 당다이 부톄 ᄃᆞ외리라ᄒᆞ더니 ≪月釋 XVII:85≫.

텨로 조 〈옛〉 처럼. ¶쐿가텨로 니ᄅᆞ시고 ≪新語 IV:12≫.

텨뭇다 타 〈옛〉 고문(拷問)하다. ¶텨 뭇단 말이라(勘問)≪無冤錄 3≫.

텨ᄣᅡ리다 타 〈옛〉 쳐 깨뜨리다. ¶놀애 기니 樽올 텨ᄣᅡ료라(歌長擊樽破)≪杜諺 II:64≫. *ᄣᅡ리다.

텨져주다 타 〈옛〉 고문(拷問)하다. ¶의심ᄒᆞ여 텨져주더니(涉疑打拷)≪老乞 上 25≫.

텩툑 명 〈옛〉 철쭉. ¶텩툑 텩(躑), 텩툑 툑(躅)≪字會 上 7≫.

텬동 명 〈옛〉 천둥. ¶雷뢰는 天텬動동이오≪梵音集 17≫.

텬똥 명 〈옛〉 천둥. ¶즁種 즁種 보빅 비와 텬天 똥動 번게를 사ᄅᆞᆷ이 놀라더니 ≪月印 上 59≫.

텬ᄉᆞ 명 〈옛〉 천사. ¶텬ᄉᆞ브ᄅᆞᆷ드ᄅᆞ라≪찬양가 : 18≫.

텬지-꽃 명 〈방〉 진달래꽃(함북).

텰릭 명 〈옛〉 철릭. ¶프른 뉴청노 ᄀᆞᄂᆞᆫ 줄음 텰릭이오(柳綠羅細褶兒) 「≪老乞 下 45≫.

텰청총이광간쟈ᄆᆞᆯ 명 〈옛〉 청백색이요 얼굴이 흰 말. ¶ᄒᆞᆫ ᄆᆞ장 슬진 텰총이 광간쟈ᄆᆞᆯ을 타고(騎着一箇十分膘鐵青玉面馬)≪朴解 上 28≫.

텰청총이ᄆᆞᆯ 명 〈옛〉 흰 털에 푸른 빛이 나는 말. ¶텰청총이ᄆᆞᆯ(青白馬)≪老乞 下 8≫.

텰청총광간쟈ᄆᆞᆯ 명 〈옛〉 청백색이요 얼굴이 흰 말. ¶ᄒᆞᆫ ᄆᆞ장 슬진 텰청총광 간쟈ᄆᆞᆯ 탓고(騎着一箇十分膘鐵青玉面馬)≪朴解 上 29≫.

톄 명 〈옛〉 …과 같은 것. ¶通判 판관톄엿 벼슬이라…州事知 ᄀᆞ옴아단 말이니 목ᄉᆞ톄엿 벼슬이라≪小諺 VI:3≫.

톄로 조 〈옛〉 처럼. ¶이샹 곡읍을 젼톄로 ᄒᆞ옵시면 ≪諺簡 51 肅宗諺簡≫.

톄링 〔鐵嶺〕 명 〖지〗 중국 랴오닝 성(遼寧省) 북동부, 창다(長大) 철도 연변의 도시. 농산물·면포(綿布)의 집산지임. 발해(渤海) 이래의 고도(古都)로 성(城) 안에는 당대(唐代)의 원통사(圓通寺), 명대(明代)의 춘화루(春花樓) 등 고적이 많음. 철령(鐵嶺).

톈룽산 석굴 【一山石窟】 〔天龍〕 명 〖지〗 중국 산시 성(陝西省) 타이위안 시(太原市) 서남쪽 톈룽 산에 있는 불교 유적. 연대는 명확치 않으나 대략 동위(東魏)·북제(北齊) 시대에서 당(唐)·오대(五代)에 걸쳐 영조(營造)된 것으로 추측되며, 석굴은 모두 스물한 군데임. 각 석굴마다 영조된 그 시대의 특색을 갖춘 불상을 비롯한 유적을 간직하고 있으며, 모두 정교하고 사실적인 뛰어난 솜씨가 나타나 있음. 천룡산 석굴.

톈산 남로 【一南路】 〔天山〕 〔一노〕 명 〖지〗 ①중국 신장 성(新疆省)의 톈산 산맥 이남의 지역. 곧, 쿤룬(崑崙)·톈산(天山) 양 산맥 사이의 분지(盆地)를 이름. ②톈산 산맥 남록(南麓)의 오아시스를 연결하는 동서(東西)의 교통로. 멀리 전한(前漢) 시대부터 개통·이용됨. 신장웨이우얼 자치구(自治區) 동부의 하미(Hami)를 기점으로 투르판(Turfan)·쿠차(Kucha)·아크수(Aksu)를 경유하여 카슈가르(Kashgar) 또는 야르칸드(Yarkand)·코탕(Khotang)에 이르러 파미르 고원(Pamir 高原)을 넘음. 천산 남로. *톈산 북로.

톈산 북로 【一北路】 〔天山〕 〔一노〕 명 〖지〗 ①중국 신장 성(新疆省)의 톈산 산맥 이북의 지역. 곧, 톈산·알타이 양산맥 사이의 분지(盆地)를 이름. ②톈산 산맥 북록(北麓)의 오아시스를 연결하는 동서(東西) 교통로. 후한(後漢) 시대부터 개통, 많이 이용됨. 중국 신장웨이우얼 자치구(自治區) 동부의 하미(Hami)를 기점(起點)으로 우룸치(Urumchi)·코탕(Khotang) 등지(等地)를 경유하여 일리(Ili)에 이름. 천산 북로. *톈산 남로.

톈산 산맥 【一山脈】 〔天山〕 명 〖지〗 파미르 고원(Pamir高原)에서 동북동 약 2,000 km 지점에 위치하는, 길이 약 2,500 km에 이르는 중앙 아시아의 산계(山系). 최고봉은 성리봉(勝利峰)으로 7,439 m. 산맥의 남쪽과 북쪽에는 고래(古來)로 동서 교통의 요로(要路)였던 실크 로드(Silk Road)가 있음. 천산 산맥.

톈수이 〔天水〕 명 〖지〗 중국 간쑤 성(甘肅省) 동남부의 도시. 룽하이(隴海) 철도가 지나는 교통의 요지. 담배·술·가구·칠기·면직물 등을 산출함. 시의 남쪽 교외에 큰 우물이 있는 데서 톈수이(天水)라는 이름이 붙고, 지금도 시민의 음료수로 이용됨. 천수(天水). 별명: 친저우(秦州).

톈안먼 【天安門】 명 〖역〗 중국 베이징(北京)에 있는, 명(明)·청(淸) 시대의 궁궐인 쯔진청(紫禁城)의 정문. 오문(午門)의 남쪽에 있으며 15세기 초 명(明)의 영락제(永樂帝)가 서울을 난징(南京)에서 베이징으로 옮길 때 세웠음. 문 앞에는 큰 광장이 있어 중국인의 시위·집회에 이용되고 있음.

톈진 〔天津〕 명 〖지〗 중국 화베이(華北) 지방의 대상공업 도시. 정부 직할시. 화베이 지방 최대의 무역항으로, 교통의 요지이기도 함. 석탄·석유·철광석 등 산업 자원이 풍부하고, 철강·전자·기계·화학·방적·제지 등의 공업이 발달함. 주변에서 쌀·밀·목화가 나오며 수산업도 활발함. 1980년 지하철이 개통되고, 84년 연해 항만 도시로 지정됨. 천진. [7,989,900명(1984)]

톈진 조약 【一條約】 〔天津〕 명 〖역〗 ①조선 고종(高宗) 22년(1885)에 일본의 이토 히로부미(伊藤博文)와 중국 청나라 이홍장(李鴻章)이 톈진에서 맺은 조약. 우리 나라에 주재한 청국과 일본의 군사를 철퇴시킬 것, 그 뒤에 군대를 다시 파견할 때는 서로 알릴 것 등이 그 내용임. ②프랑스 선교사의 살해 사건 및 영국 상선(商船)에 대한 무단 임검(臨檢)을 발단으로 하여, 영불 동맹군이 광둥(廣東)·베이징 등지를 점령한 결과 영불미노(英佛美露) 4개국 공사가 청국의 흠차 대신(欽差大臣) 계량(桂良)·화사납(花沙納)과 1858년에 톈진에서 맺은 조약. 기독교의 신앙 및 포교의 자유, 모든 항구의 개방, 배상금 400만 냥의 지급 등을 그 내용으로 함. ③안남(安南)의 종주권(宗主權)을 싸고 일어난 청불(淸佛) 전쟁의 뒤처리로서 1885년에 이홍장과 프랑스 대표 사이에 톈진에서 맺은 조약. 프랑스의 안남 보호권을 확약했음. 천진 조약.

톈징-관 【天井關】 명 〖지〗 중국 산시 성(陝西省) 남서 경계에 있는, 진청 현(晉城縣) 남쪽 타이항(太行) 산맥 중의 관문. 타이항관. 천정관.

톈타이-산 【天台山】 명 〖지〗 중국 저장 성(浙江省) 톈타이 현(天台縣)에 있는 명산. 셴샤링(仙霞嶺) 산맥 중의 한 봉우리로, 수려하고 계곡이 유원(幽遠)함. 수대(隋代)에 지의(智顗)가 여기서 천태종(天台宗)을 개설한 뒤로 중국 불교의 일대 도량(道場)이 되었는데, 지금도 국청사(國淸寺) 등의 큰 절이 있음.

톈퉁 산 【一山】 〔天童〕 명 〖지〗 중국 저장 성(浙江省) 닝보(寧波) 동쪽에 있는 산. 영롱암(玲瓏巖)·용은담(龍隱潭) 등의 절승(絶勝)이 있음. 천동산.

톈한 〔田漢〕 명 〖사람〗 중국의 극작가. 후난 성(湖南省) 한서우 현(漢壽縣) 사람. 일본에 유학 중 궈 모뤄(郭沫若) 등과 창조사(創造社)에 참가, 귀국하여 남국사(南國社)를 창립하여 중국 연극계의 지도적 지위에 있었음. ≪홍수(洪水)≫·≪노구교(蘆溝橋)≫·≪관한경(關漢卿)≫ 등 많은 작품을 발표했으나, 소위 문화 대혁명 때 반당(反黨)·사회주의자로 몰려 실각함. 전한. [1898-1968]

토[1] 명 윷놀이에서 '도'를 다른 말 아래에서 붙여서 쓸 때에 이르는 말. ¶복~를 쳤다/승부는 겯~간에 달렸다.

토[2] 명 〖언〗 ①↗토씨. ②한문을 읽을 때에 그 뜻을 깨닫기 쉽게 하기 위하여 한문의 구절 끝에 붙여 읽는 우리 말 부분. 곧, 면(面)·은(隱)·에(崖)·하니(爲尼)·하고(爲古)·하야(爲也)·으로(乙奴) 같은 것. *구결(口訣). 주의 '吐'로 씀은 취음(取音). ③〈속〉 한자를 읽기 쉽게 하기 위하여 한자 옆에다 한글로 적어놓은 독음(讀音). *토달다.

토[3] 명 ①간장을 졸일 때 윗면에 떠오르는 찌끼. ②간장을 담은 그릇의 밑바닥에 가라앉는 된장의 부스러기.

토[4] 【土】 명 〖민〗 오행(五行)의 하나. 방위(方位)로는 중앙이요, 시절로는 사계삭(四季朔)에 18일 동안씩 배비(排比)가 되었는데, 그 동안을 곧 토왕(土旺)이라 일컬으며, 색(色)으로는 황(黃)이 됨.

토:[5] 〔toe〕 명 ①발끝. ②발가락. ③발가락 비슷한 것.

토[6] 조 〈옛〉 도. ¶밥 머글 ᄊᆞᅀᅵ만 너겨 ᄒᆞ나토 잇븐 ᄠᅳᆮ 내리 업더라

≪釋譜 XIII:34≫.

토[7]【土】준 ①↗토요일. ②〖지〗↗토이기(土耳其).

토-【土】접 어떤 명사 앞에 붙어 '흙'의 뜻을 나타내는 말. ¶ ~마루/~벽.

-토【土】미 어떤 명사 뒤에 붙어 '흙'의 뜻을 나타내는 말. ¶ 부식~.

토가[1]【土價】[-까] 명 땅 값.

토:가[2]【討價】[-까] 명 값을 부름. 물건 값을 청구(請求)함. ──-하다 타 여불

토:가[3] [toga] 명 ①옛 로마인의 낙낙하고 긴 겉옷. 남자는 성년(成年)의 표적으로서 14세가 되면 입었음. ②직복(職服). 정복(正服).

〈토가[3]❶〉

토가니 명 〈방〉 도가니[2]❶(함남).

토:가 파:티 [toga party] 명 옛 로마의 옷 토가(toga)를 입고 춤을 추는 소란(騷亂)한 파티. 1950년대 및 1978년에 미국 대학생 사이에 크게 유행(流行)함.

토각【兎角】명 토끼의 뿔. 실재(實在)하지 않는 것의 비유.

토각 귀모【兎角龜毛】명 토끼의 뿔과 거북의 털. 곧, 세상에 없는 것의 비유.

토감【土坎】명 ①흙구덩이. ②묏자리를 정할 때까지 시체를 임시로 아무렇게나 흙으로 덮어 둠. ──-하다 자 여불

토강 명 〈방〉 못[3](충남).

토개[1]【土改】명 ↗토지 개혁(土地改革).

토개[2]【土芥】명 ①흙과 쓰레기. ②하잘것없는 것.

토개-공【土開公】명 ↗토지 개발(土地開發) 공사.

토건【土建】명 ↗토목 건축(土木建築).

토건-업【土建業】명 ↗토목 건축업.

토건업-자【土建業者】명 토목 건축을 업으로 삼는 사람.

토겐부르크-종【一種】[Toggenburg] 명 〖동〗 유용(乳用) 염소의 한 품종. 스위스의 계곡명(溪谷名)에서 유래됨. 털빛은 담갈색 또는 짙은 갈색. 몸은 작고 강건(強健)하며 기후·풍토에 잘 순응함.

토격【討擊】명 무력으로 공격함.

토결【兎缺】명 토순(兎脣).

토경[1]【兎景】명 ①달빛. 월광(月光). ②달의 그림자. 월영(月影).

토경[2]【兎徑】명 초원(草原)에 토끼가 다녀서 생긴 좁은 길.

토계【土階】명 흙으로 만든 계단.

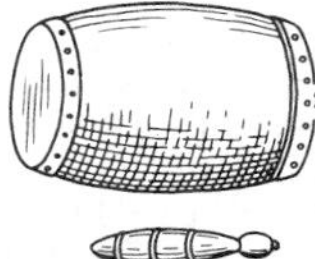

〈토고[1]〉

토고[1]【土鼓】명 〖악〗 중국 주(周)나라 때의 타악기(打樂器)의 하나. 흙을 구워 틀을 만들고 가죽으로 면(面)을 하였으며 풀을 묶어 만든 북채로 침. 부(缶) 같은 것. 질장구.

토고[2]【土膏】명 땅이 기름짐.

토고[3] [Togo] 명 아프리카 중서부 기니 만(灣)에 면한 공화국. 서는 가나, 북은 부르키나파소, 동은 베냉에 접함. 주민의 대부분이 농업에 종사하며, 공용어는 프랑스어(語)임. 커피·카카오·인광석(燐鑛石)을 산출함. 프랑스 신탁 통치령과 자치 공화국을 거쳐 1960년 독립함. 수도는 로메(Lomé). 정식 명칭은 '토고 공화국(Republic of Togo)'. [56,785 km²: 3,250,000명(1988)]

토고-등【土鼓藤】명 〖식〗 댕댕이덩굴.

토고-모기 [togo] 명 〖충〗 낮각다귀.

토골【土鶻】명 〖조〗 익더귀.

토공[1]【土工】명 ①〖토〗 축토(築土)·절토(切土) 및 이에 관련된 공사(工事). ②도공(陶工). 옹기장(甕器匠). ③토목 공사(土木工事)에 종사하는 노동자. ④미장이.

토공[2]【土公】명 〖민〗 ↗토공신(土公神).

토공[3]【土功】명 토목 공사.

토공[4]【土貢】명 〖역〗 조선 시대에, 지방의 토산물을 바치는 것이라 하여 '공물(貢物)'을 일컫던 말.

토공-신【土公神】명 〖민〗 음양가(陰陽家)에서 말하는 땅의 신. 봄에는 부엌에, 여름에는 문에, 가을에는 우물에, 겨울에는 마당에 있다고 하는데, 그때에 그 장소를 움직이면 신화(神禍)가 있다고 함. 토신(土神). ㊎토공(土公).

토과【土瓜】명 〖식〗 쥐참외.

토관[1]【土官】명 〖역〗 ↗토관직(土官職).

토관[2]【土管】명 흙을 구워 만든 둥근 관. 연통(煙筒)이나 배수로(排水路) 등에 씀.

토관-직【土官職】명 〖역〗 조선 시대, 평안·함경도 등의 변진(邊鎭)의 유력한 토착민에 주던 특수한 관직. 고려의 향직(鄕職)에서 비롯된 것으로, 조선 시대 초기에는 고려 때의 제도가 도습(蹈襲)되다가 세종(世宗) 때에 이르러 평안도·함경도의 부(府)·목(牧)·도호부(都護府) 등 12개처에 따로 두었음. 문관직(文官職)은 관찰사(觀察使)가, 무관직(武官職)은 절도사(節度使)가 각각 선발·임명하였는데, 그 도(道) 사람에 국한되었으며, 품계(品階)는 5품까지로 한정되었음. 향직(鄕職). ㊎토관(土官).

토-광[1]【土一】명 널빤지를 깔지 아니하고, 흙바닥 그대로 둔 광.

토광[2]【土壙】명 〖고고학〗 구덩이❸.

토광[3]【土鑛】명 〖광〗 흑광(黑鑛)의 산화대(酸化帶)가 흙 같은 엷은 빛의 광석으로 변화하여 금분(金粉)과 은분이 풍부한 광석.

토광 목곽묘【土壙木槨墓】명 〖고고학〗 '덧널 무덤'의 구용어.

토광-묘【土壙墓】명 〖고고학〗 '널무덤'의 구용어.

토광 인희【土廣人稀】명 지광 인희(地廣人稀). ──-하다 형 여불

토괴【土塊】명 흙덩이.

토교[1]【土窖】명 토굴(土窟).

토교[2]【土橋】명 〖토〗 흙다리.

토구[1]【土狗】명 〖충〗 땅강아지.

토구[2]【土球】명 〖고고학〗 흙구슬.

토구[3]【土寇】명 지방에서 일어나는 도둑의 떼. 토비(土匪). 토적(土賊).

토:구[4]【吐具】명 토기(吐器).

토:구[5]【討究】명 사물의 이치를 검토하여 연구함. 토심(討尋). ──-하다 타 여불

토구[6]【菟裘】명 토구지지(菟裘之地).

토구리 명 〈방〉 광[1](평북).

토구지-지【菟裘之地】명 [중국 노(魯)나라 은공(隱公)이 은서(隱棲)의 땅이라고 정한 지명(地名)에서] 벼슬을 내어 놓고 은서하는 땅. 노후(老後)에 여생을 보내는 곳. 토구(菟裘).

토구-질【土一】명 ☞ 토호질. ¶양반 돼서 죄 없는 사람 ~해 먹는 게 그렇게두 좋으냐≪李無影: 農民≫.

토-굴[1]【土一】명 〖조개〗 ①땅에서 나는 굴조개의 총칭. ②[*Ostrea denselamellosa*] 굴과에 속하는 조개. 패각(貝殼)은 길이 15cm, 원형 또는 네모지고, 표면과 가장자리에 잔 비늘이 포개져 있음. 왼쪽 껍질은 깊고, 오른쪽 껍질은 다소 편평하며 그 외층(外層)에는 회갈색에 대자색 방사상(放射狀) 무늬가 있는데, 왼쪽 껍질의 방사륵(放射肋)은 짙은 자색임. 산란기는 5-8월이고, 유생(幼生)은 어미 조개의 강내(腔內)에서 성장함. 암초 등에 붙어 사는데, 한국·일본·중국 등지에 분포함. 맛은 좋으나 양식(養殖)은 어려움. 패회(貝灰)를 만듦.

〈토굴[1]❷〉

토굴[2]【土窟】명 ①흙을 파낸 큰 구덩이. ②땅속으로 뚫린 큰 굴. 토교(土窖). 땅굴.

토굴-집【土窟一】[-찝] 명 땅굴을 파고 사람이 살 수 있도록 집처럼 꾸민 시설. 움집.

토규-류【菟葵類】명 〖동〗 [Actiniaria] 말미잘목(目).

토-극수【土克水】명 〖민〗 오행(五行)의 운행(運行)에서 토(土)가 수(水)를 이긴다는 뜻.

토:근【吐根】명 ①〖식〗 [*Uragoga ipecacuanha*] 꼭두서닛과에 속하는 상록 소관목(小灌木). 높이 30-40 cm, 뿌리는 가로 벋어 가며, 잎은 대생(對生)하는데 타원형 또는 거꿀달걀꼴임. 흰 빛의 잔 합판화가 10-12개씩 덩이져 피고, 완두(豌豆)만한 장과(漿果)가 처음에는 붉었다가 자줏빛으로 익음. 브라질 원산으로 각지에서 재배함. ②〖한의〗 토근의 뿌리를 말린 것. 알칼로이드를 함유하여 맛은 쓰고 냄새가 나며, 토제(吐劑)·거담제(祛痰劑) 또는 해응약(解凝藥)·아메바성 이질의 약재로 씀.

〈토근❶〉

토:근-정【吐根錠】명 〖약〗 토근의 뿌리에 유당(乳糖)을 섞어 만든 정제(錠劑). 거담제(祛痰劑)임.

토:근-주【吐根酒】명 토근 뿌리의 분말(粉末)을 셰리주(sherry酒)에 넣어 여과(濾過)하여 만든 황갈색의 액체. 거담제(祛痰劑)로나 콜레라·이질(痢疾)에 사용됨.

토글 스위치 [toggle switch] 명 텀블러 스위치(tumbler switch).

토금【土金】명 ①금빛이 나는 흙. ②〖광〗 흙이나 모래 속에 섞이어 있는 금.

토-금속【土金屬】명 〖화〗 ↗토류 금속(土類金屬).

토금속 원소【土金屬元素】명 〖화〗 ↗토류 금속 원소.

토기[1]【土氣】명 ①지기(地氣). ②〖한의〗 위부(胃腑)의 작용.

토기[2]【土器】명 ①〖공〗 잿물을 올리지 아니하고 진흙으로 만들어 구운 그릇의 총칭. ②〖고고학〗 원시 시대에 쓰이던 토제(土製) 그릇의 유물(遺物). 모양·무늬 등으로 민족과 시대의 특색을 나타냄. 와기(瓦器). 쓰임새와 크기에 따라 나누면 다음과 같음.

◦ 갈무리용 그릇	◦ 음식 그릇
큰독 : 높이 100 cm 이상	바라 : 지름 20 cm 이상
독 : 높이 50-100 cm	사발 : 지름 10-20 cm
큰항아리 : 높이 50 cm 이상	보시기 : 지름 5-10 cm
항아리 : 높이 30-50 cm	종지 : 지름 5 cm 이하
단지 : 높이 30 cm 이하	쟁반 : 지름 20 cm 이상
	접시 : 지름 20 cm 이하
	잔 : 높이 20 cm 이하, 높이＞지름.

토:기[3]【吐氣】명 위(胃) 속에 있는 음식물이 게워 나오는 기운. 욕지기.

토:기[4]【吐器】명 음식을 먹을 때에 씹어 삼키지 못할 물건을 뱉어 담는 작은 그릇. 토구(吐具).

토기-공【土器工】명 토기장이.

토기-방망이【土器一】명 〖고고학〗 두들개.

토기-장【土器匠】명 토기장이. 토기공(土器工).

토기-장이【土器匠一】명 토기 만드는 일을 업으로 하는 사람. 토기장. 토기공(工).

토기-점【土器店】명 토기를 구워 파는 가게. 옹기점.

토까배 명 〈방〉 대꾸(함남). ──-하다 자

토까비 [명] 〈방〉 도깨비(함경).
토까이 [명] 〈방〉 〖동〗 토끼(경상).
토깐이 [명] 〈방〉 〖동〗 토끼(경남·전남).
토깡이 [명] 〈방〉 〖동〗 토끼(경기·경상).
토깨비 [명] 〈방〉 도깨비(경상).
토깽이 [명] 〈방〉 〖동〗 토끼(충청·전라·경남·평북).
토꼽-질 [명] 〈방〉 소꿉장난(경기).
토-끝 [명] ①피륙의 끄트머리. ②피륙의 필(疋) 끝에 글씨나 그림이 박힌 부분. *화도끝.
토끼 [명] 〔중세 : 톳기〕 〖동〗 토낏과에 속하는 짐승의 총칭.
[토끼가 제 방귀에 놀란다] ㉠남몰래 저지른 일이 염려되어 스스로 겁을 집어먹음을 비유하는 말. ㉡경망함을 비유하는 말. [토끼 둘을 잡으려다가 하나도 못 잡는다] 욕심을 부리면 여러 가지 일 가운데서 하나도 성취하지 못 한다는 말. [토끼를 다 잡으면 사냥개를 잡는다] 필요한 때는 소중하게 여기다가 불필요하면 없애버림의 비유. [토끼 입에 콩가루 먹은 것 같다] 무엇을 먹은 흔적을 입가에 남기고 있다는 말. [토끼 죽으니 여우 슬퍼한다] 동류의 괴로움과 슬픔을 같이 괴로워하고 슬퍼한다는 뜻.
토낏-과【一科】 [명] 〖동〗 [Leporidae] 토끼목(目)에 속하는 한 과(科). 귀는 대체로 길고 크며, 뒷다리가 앞다리보다 훨씬 발달하였음. 겨울에는 흔히 흰 털로 변함. 초원·목장·암석 등의 숲속의 각기 일정한 곳에 사는데, 야행성(夜行性)이고, 나무 껍질·곡물·과실·채소 등을 먹음. 번식력이 강하여 생후 6개월 만에 새끼를 낳음. 집에서 기르는 것을 '집토끼', 야생(野生)의 것을 '산토끼'라 하며, 그 외 품종(品種)이 많음. 오스트레일리아와 마다가스카르 섬·뉴질랜드를 제외한 전세계에 분포함.
토끼 그물 [명] 토끼 사냥을 할 때 산 토끼의 도망 길목에 쳐놓는 그물.
토끼-길 [명] 〈방〉 소로(小路)(강원).
토끼-날 [명] 〖민〗 ①음력 정월의 첫 번 드는 묘일(卯日). 이날 여자는 남의 집 출입을 꺼림. ②'묘일(卯日)'의 통칭.
토끼다 [자] 〈속〉 '도망가다'의 변말.
토끼-뜀 [명] 두 손으로 귀를 잡고 쭈그려 앉은 자세로 뜀을 뛰는 일. ——-하다 [자][여불]
토끼-띠 [명] 〖민〗 '묘생(卯生)'을 토끼의 속성(屬性)으로 상징(象徵)하여 일컫는 말.
토끼-목【一目】 [명] 〖동〗 [Lagmorpha] 포유류(哺乳類) 진수아강(眞獸亞綱)의 한 목(目). 쥐목과 비슷하지만 위 쪽 앞니는 두 쌍이 있으며, 그 앞니의 양쪽이 모두 사기질(質)로 싸여 있고 송곳니는 없음. 앞발에 다섯 발가락, 뒷발에 네 발가락이 있고, 뒷발 뒤꿈치까지 땅에 대고 걸음. 토끼·새앙토끼가 이에 속함.
토끼-실 [명] 〈방〉 톳실.
토끼 우리 [명] 토끼장.
토끼-자리 [명] 〔라 Lepus〕 〖천〗 2월 상순의 저녁, 오리온자리의 남쪽에 보이는 작은 별자리. 3등성이 넷 있음.
토끼-잠 [명] 토끼처럼, 깊이 들지 못하고 잠깐 눈을 붙이는 잠.
토끼잠 자듯 [구] 깊이 들지 못하고 금방 잠을 깨는 모양.
토끼-장【一欌】 [명] 토끼를 넣어 기르는 장. 토끼우리. 토끼집.
토끼-전【一傳】 [명] 〖책〗 고대 소설의 하나. 용왕(龍王)의 병에 토끼의 간(肝)이 특효라 하여, 별주부(鼈主簿)에게 용궁(龍宮)으로 끌려 간 꾀 많은 토끼가 남해(南海) 용왕(龍王)을 속이고 살아 온 내용임. 작자와 연대(年代)는 미상. 별주부전(鼈主簿傳). 토생원전(兎生員傳). *수궁가(水宮歌).
토끼-질 [명] 〈방〉 소로(小路)(강원·황해·평안).
토끼-집 [명] 토끼를 가두어 기르는 통. 암컷과 수컷을 각각 따로 넣어 기름. 토끼장.
토끼-타:령【一打令】 [명] 판소리 '수궁가(水宮歌)'의 딴이름. 타령조로 부르는 토끼전이란 뜻으로 일컫는 말.
토끼-털 [명] 토끼의 털.
토끼-풀 [명] 〖식〗 클로버(clover).
토끼풀 매듭 [명] 매듭의 기본형(基本型)의 하나. 납작이 매듭과 도래 매듭을 2단으로 연결한 매듭.
토끼-해 [명] 〖민〗 '묘년(卯年)'의 속칭.
토나카이 〔tonakai〕 [명] 〖동〗 순록(馴鹿).
토:납【吐納】 [명] 묵은 기운을 입으로 내뿜고 새 기운을 코로 들이마시어 신선(神仙)되기를 배우는 술법. ——-하다 [타][여불]
토낭【土囊】 [명] ①토돈(土豚). ②땅에 뚫린 큰 구멍.
토:낼리티 〔tonality〕 [명] ①〖악〗 음조. 조성(調性). ②〖미술〗 색조(色調).
토:너 〔toner〕 [명] 〖컴퓨터〗 복사기나 레이저 프린터에서 잉크 대신 사용하는 검은색 탄소 가루.
토:너먼트 〔tournament〕 [명] ①중세 유럽에서 행하여진 기사(騎士)의 마상 시합(馬上試合) 또는 연무회(演武會). 기사를 두 편으로 갈라 말을 타고 돌진하면서 찔러 떨어뜨리는 시합인데, 대개 이긴 사람만이 남아서 결승을 다투게 됨. ②운동이나 오락 경기에서 횟수를 거듭할 적마다 진 사람은 떨어져 나가고 최후에 남는 두 사람 또는 두 패로 하여금 우승을 결정하게 하는 시합. 또, 그 경기 방식. 보통 일회전·이회전…준준(準準)결승전·준결승전·결승전의 순서로 진행됨. ↔리그전(戰).
토:네이도 〔tornado〕 [명] 〖기상〗 〔원래는 아프리카 해안에서 일어나는 센 바람이라는 뜻의 스페인어임〕 미국에서 일어나는 맹렬한 선풍(旋風). 봄·여름에 많으며, 집·나무 들을 쓰러뜨림. 큰 회오리바람.
토노미:터 〔tonometer〕 [명] 음의 진동수(振動數), 곧 고저(高低)를 정확히 재는 계기(計器). 진동수를 달리하는 수십 개의 소리 굽쇠 또는 리드(reed)를 나란히 늘어놓은 것. 음진동 측정기(音振動測定器).
토노-벙게이 〔Tono-Bungay〕 [명] 〖문〗 웰스(Wells, H.G.)의 소설. 어떤 자가 아무 효력도 없는 토노벙게이라는 약을 만들어 치부(致富)하는 과정을 그림. 1차 대전 직전의 사회상을 풍자 해부하였음. 1909년 간행.
토농【土農】 [명] 토농이.
토농-이【土農一】 [명] 한 곳에 붙박이로 살며 농사 짓는 사람. 토농.
토니[1]【土泥】 [명] ①흙이나 진흙. ②더러운 것. 오니(汚泥). 이토(泥土).
토:니[2] 〔Tawnay, Richard Henry〕 [명] 〖사람〗 영국의 경제사가. 런던 대학 교수를 지냄. 영국 중세의 농민층 분해(分解)의 연구 및 자본주의 정신의 기원을 실증적으로 구명한 《종교와 자본주의의 흥륭(興隆)》으로 저명함. 페이비언(Fabian) 사회주의 노동당원으로서 노동자 교육·산업 국유화 등에 진력하였음. [1880-1962]
토니오 크뢰거 〔Tonio Kröger〕 [명] 〖문〗 토마스 만의 단편 소설. 예술가의 길을 걷는 주인공이, 마음속에 품은 정신적 자아(自我)와 무의식의 삶, 건강한 시민에의 동경과의 대립에 고민하면서 인식을 깊게 하여 가는 과정을 그림. 작자 자신이 자신의 마음에 가장 가깝다고 고백하고 있는 걸작. 1903년 간행.
토니카 〔도 Tonika〕 [명] 〖악〗 으뜸음. 토닉(tonic).
토닉 〔tonic〕 [명] ①강장(強壯). 강장제(強壯劑). ②〖악〗 주음(主音). 으뜸음. 토니카(Tonika). ③진(jin) 등의 양주에 섞어 넣는 탄산 음료의 하나. ¶ ~ 워터(water).
토닉 솔파 〔tonic sol-fa〕 [명] 〖악〗 계명 창법(階名唱法). 계이름 부르기.
토다-족【一族】 〔Toda〕 [명] 〖인류〗 인도의 데칸(Deccan) 반도 닐기리(Nilgiri) 산지에 거주하는 소수 종족. 급속히 멸망하여 가고 있으며, 945명(1971)이 남음. 수우(水牛)의 방목과 극히 미개한 낙농(酪農)에 의존함. 일처 다부혼(一妻多夫婚)의 관행(慣行)이 있음.
토닥-거리다 [자][타] 자꾸 토닥 소리가 나다. 또, 잘 울리지 아니하는 물건을 가볍게 자꾸 두드리어 소리를 내다. ㅆ또닥거리다. <투덕거리다.
토닥-토닥 [부]. ¶두두룩하게 쌓아올린 모래를 ~ 두드리다. ——-하다 [자][타][여불]
토닥-대다 [자][타] 토닥거리다.
토단[1]【土壇】 [명] 흙으로 쌓은 단.
토단[2]【土斷】 [명] 〖역〗 현주지(現住地)의 호적에 편입하는 일. 중국 동진(東晉) 때부터 남송(南宋)에 이르기까지 일곱 번 실시한 정책으로서, 유민(流民)을 안정시키어 조세(租稅)를 받고 국가 권력을 강화(強化)하려던 것임.
토-달다 [자] ①한문의 구절 끝에 토를 붙이거나 적어 놓다. 현토(懸吐)하다. ②〈속〉 한자 옆에 그 음(音)을 한글로 적어 놓다.
토-담【土一】 [명] 흙으로 쌓아 친 담. 토원(土垣). 토장(土墻).
토담-장이【土一匠一】 [명] 토담을 치는 일로업을 삼는 사람. [준]담장이[1].
토담-집【土一】 〔一찝〕 [명] 〖건〗 재목을 쓰지 아니하고 토담만 쌓아서 그 위에 지붕을 이어 지은 집. 토옥(土屋).
토담-틀【土一】 [명] 토담을 치는 데 쓰는 틀. 틀 안에 흙을 넣고 다지어 토담을 만듦.
토-당귀【土當歸】 [명] ①〖식〗 땅두릅. *아스파라거스. ②〖한의〗 멧두릅의 뿌리. 독활(獨活).
토대【土臺】 [명] ①흙으로 쌓아올린 높은 대. ②목조 건축물의 맨 밑에 있어, 상부(上部)를 지탱하는 횡재(橫材). ③모든 건조물(建造物)의 가장 아랫도리 되는 밑바탕. 지대(地臺). 지반(地盤). 흙바탕. ④온갖 사물이나 사업의 기본(基本). *기초(基礎).
토-대황【土大黃】 [명] 〖식〗 [*Rumex aquaticus*] 마디풀과에 속하는 다년초. 줄기 높이 60 cm 내외, 뿌리는 비후(肥厚)하고 밑의 잎은 달걀꼴 또는 달걀꼴의 긴 타원형이고, 경엽(莖葉)은 긴 타원형 또는 피침형을 이룸. 7-8월에 녹색의 꽃이 원추(圓錐) 화서로 피고, 수과(瘦果)를 맺음. 깊은 산골짜기에 나는데, 함경 남도에 분포함. 뿌리는 '대황'과 함께 약재로 씀. *수영.
토: 댄스 〔toe dance〕 [명] 〖연〗 발레에서 발끝으로 서서 추는 춤. 여자에게 한하며 토슈즈(toeshoes)를 사용하는 것이 특징임. 1820년대부터 행하여졌음.
토-도【兎島】 [명] 〖지〗 전라 남도의 남해상(南海上), 완도군(莞島郡) 군외면(郡外面) 황진리(黃津里)에 위치한 섬. [0.43 km^2: 136명(1984)]
토도-사【土桃蛇】 [명] 〖동〗 흙구덩이 속의 한 곳에 모여 사는 뱀의 한 가지. 굿뱀.
토돈【土豚】 [명] 모래부대. 모래를 넣은 섬.
토둔[1]【土屯】 [명] 자그마한 언덕.
토둔[2]【土遁】 [명] 흙 속으로 숨어 도망가는 환술(幻術).
토드 〔Todd, Alexander Robertus〕 [명] 〖사람〗 영국의 화학자. 맨체스터 대학·케임브리지 대학 교수 역임. 안토시안 계(anthocyan系) 및 기타 천연 색소에 대한 연구, 비타민 B_1, E, B_{12}의 구조 결정 등 유기 화학·생화학적 연구를 하고, 1975년 뉴클레오티드(nucleotide)의 연구 업적으로 노벨 화학상을 수상함. [1907-]
토드 에이 오: 〔Todd-A.O.〕 [명] 시네라마의 한 가지. 토드(Todd, M.; 1909-58)가 아메리카 광학(光學) 회사의 협력을 얻어 개발하였음. 65 mm 나비의 네가티브(negative)로 촬영하며, 6본(本)의 자기 녹음(磁氣錄音)을 더한 70 mm 나비의 프린트(print)로 상영(上映)함.
토라[1]【土螺】 [명] 〖동〗 우렁이❶.
토:라[2] 〔그 tôrāh〕 [명] 〖종〗 유태교에서, 구약 성서의 용어로, 율법(律法)을 이르는 말.
토:라이트 〔thorite〕 [명] 〖광〗 토륨(thorium)의 규산염(硅酸塩) 광물. 갈황색(褐黃色)·갈흑색 및 흑색의 정방 정계(正方晶系) 결정임. 모스 경도(Mohs 硬度) 4.5, 비중(比重) 4.3-5.4. [$ThSiO_4$]
토라자 〔Toraja〕 [명] 〖인류〗 〔오지인(奧地人)의 뜻〕 셀레베스 섬의 동부

또는 동남부에 사는 미개인의 총칭. 고속(古俗)을 그대로 유지, 항상 주거(杭上住居)에 살며, 계단식 수전(水田) 경작을 하고, 물소와 소의 사육(飼育)도 함. 사자(死者) 숭배가 발달하고 정령(精靈) 신앙이 강함.

토라지다 자 ①먹은 음식이 체하여 신트림이 나면서 그냥 썩다. ②마음먹은 것과 틀려서 싹 돌아서다. ¶늦었다고 ~.

토란【土卵】명 〖식〗[*Colocasia antiquorum* var. *esculenta*] 천남성과에 속하는 다년초. 높이 80-120 cm로, 땅 속에 살이 많은 구경(球莖)이 달림. 잎은 두껍고 넓은 달걀꼴의 방패 모양을 이루는데, 수질(髓質)의 엽병(葉柄)은 연하고 육질(肉質)임. 꽃은 붓 모양의 육수(肉穗) 화서로 위에 암꽃, 아래에 수꽃이 피고, 결실(結實)하지 않음. 아시아 원산(原產)으로 열대·온대 지방에서 재배함. 근경(根莖)도 '토란'이라 하는데, 당질(糖質)·인(燐)·염분·칼슘분이 많아 식용함. 우자(芋子). 토련(土蓮). 토지(土芝). 땅토란.

〈토란〉

토란-국【土卵―】[―꾹] 명 ①맑은 장국이나 토장국에 토란을 넣어서 끓인 국. ②토란을 삶아 으깼다가 달걀을 씌워 지져서 맑은 장국에 넣어 끓인 국.

토란-대【土卵―】[―때] 명 고운대.

토란 장아찌【土卵―】명 토란을 장에 끓이어서 고명을 친 음식.

토란-탕【土卵湯】명 ☞ 토란국❶❷.

토:러스 [torus] 명 〖수〗 원환체(圓環體).

토러스 해:협【―海峽】[Torres] 명 〖지〗 오스트레일리아 동북단 요크갑(York岬)과 뉴기니(New Guinea) 섬 사이에 있는 해협. 동쪽의 산호해(珊瑚海)와 서쪽의 아라푸라 해(Arafura海)를 연결함. 많은 섬과 산호초(珊瑚礁)가 있어 항로(航路)로서는 이용 가치가 적음. 남부에 목요(木曜) 섬이 있음. 나비 145 km.

토런스 [Torrens, Robert Richard] 명 〖사람〗 영국의 경제학자. 아일랜드 출생. 맬서스(Malthus)·리카도(Ricardo)·밀(Mill, J.S.) 등과 함께 경제학 협회를 설립, 리카도의 추상적 연역 방법을 계승하였으며, 가치론에 있어서는 리카도의 노동 가치설을 수정하여 이윤의 공정함을 변호하였음. 저서에 《화폐론》·《곡물 무역론》 등. [1814-84]

토런스 호【―湖】[Torrens] 명 〖지〗 오스트레일리아의 사우스 오스트레일리아 주(South Australia 州) 남동부의 함호(鹹湖). 남북으로 뻗어 길이 240 km, 폭 65 km, 호면(湖面)은 해면하(海面下) 7.5 m인데 건조기에는 면적이 축소됨. [5,700 km²]

토레니아 [Torenia] 명 〖식〗 [*Torenia fournieri*] 현삼과(玄蔘科)에 속하는 일년초로 인도차이나 원산의 화초. 키는 20-30 cm, 네모진 줄기가 여럿이 모여 남. 잎은 달걀꼴이며 광택이 있고, 꽃은 금어초와 비슷한 자청색과 백색으로 6-10월까지 핌. 씨앗이 아주 작아서 모래에 섞어 직접 뿌린 다음 옮겨 심는 것이 좋음.

토레스 [Torres, Luis Vaez de] 명 〖사람〗 스페인의 항해가. 남태평양을 탐험하고, 1606년 오스트레일리아와 뉴기니 사이의 토러스 해협을 발견함. 생몰년 미상.

토레아도:르 [스 toreador] 명 (기마) 투우사(鬪牛士).

토레아도:르 팬츠 [toreador pants] 명 투우사가 입는 바지에서 힌트를 얻은 것으로, 몸에 착 달라붙고 기장이 짧은 바지.

토레온 [Torreón] 명 〖지〗 중미(中美), 멕시코 북부의 도시. 표고(標高) 1,250 m의 고지에 있으며 면화·밀 따위 농업의 중심지이고 철도의 요지임. 근교에 은·아연 등의 광산이 있고, 섬유·식품 가공 따위 공업도 행하여짐. [275,000명(1979)]

토레즈 [Thorez, Maurice] 명 〖사람〗 프랑스 공산당의 지도자. 탄광 광부 출신으로, 1930년 당서기(黨書記)로 실권을 잡고 1936년 이후 계속 서기장을 지냈음. 30여 년 동안 당을 지도했는데, 제2차 대전 중에는 모스크바로 망명, 종전 후 귀국하여 국무상(國務相)·부수상(副首相)을 역임하였음. 저서에 《인민의 아들》이 있음. [1900-64]

토렐리 [Torelli, Giuseppe] 명 〖사람〗 이탈리아의 작곡가·바이올린 연주가. 출생지인 볼로냐와 빈에서 활약(活躍)하였으며 콘체르토 그로소(concerto grosso) 외에 솔로 바이올린 콘체르토의 작곡으로 유명함. [1658-1709]

토력【土力】명 식물을 길러 내는 땅의 기운. 지력(地力).

토-력청【土瀝靑】명 토역청(土瀝靑)의 잘못.

토련【土蓮】명 〖식〗 토란.

토련-병【土蓮餠】명 토란 가루로 빚어 만든 송편.

토:렴 명 [←퇴염(退染)] 밥이나 국수에 뜨거운 국물을 여러 차례 부었다 따랐다 하여 덥게 함. ――-하다 타여불

토령【土鈴】명 〖고고학〗 흙구슬.

토:로【吐露】명 속마음을 죄다 드러내어서 말함. ――-하다 타여불

토로래 명 〈방〉〖충〗 땅강아지.

토로마틱 변:속기【―變速機】명 [toromatic transmission] 〖기〗 반자동 변속기. 토크 콘버터(torque converter)가 붙은 복합 유성(遊星) 톱니바퀴열(列)을 포함함.

토로번【吐魯番】명 〖지〗 '투루판'을 우리 음으로 읽은 이름.

토로스 산맥【―山脈】[Toros] 명 〖지〗 터키 남서부 아나톨리아(Anatolia) 고원의 남단을 이루며 지중해 해안에 병행하여 뻗쳐 있는 산맥. 세이한 강(Seyhan 江) 이동(以東)은 안티토로스(Anti-Toros) 산맥이라 함. 전체 길이 약 800 km. 크롬·구리·은(銀)을 산출(產出)함. 타우루스(Taurus) 산맥.

토록[1] 명 〖광〗 원맥(原脈)을 떠나서 다른 잡석과 함께 광맥 밖의 겉에 드러나 있는 광석. ¶양근댁 남편은 날마다 금점으로 감돌며 버력 더미를 뒤지고 ~을 주워 온다《金裕貞: 金 따는 콩밭》.

토록[2] 조 어느 정도나 얼마의 수량에 미치기까지의 뜻을 나타내는 조사. ¶이~ 풍부한 어휘를 수록한 사전은 드물다.

-토록 준 -하도록. ¶ 영원 ~ 빛나리 / 적절히 조치~ 할 것.

토:론[1]【討論】명 어떤 논제(論題)를 둘러싸고 여러 사람이 각각 의견을 말하며 논의(論議)함. 디스커션. ¶~자(者). ――-하다 타여불

토론[2] [thoron] 명 〖화〗 라돈(radon; Rn)의 동위 원소(同位元素)로서, 토륨 계열에 속하는 방사성 기체(氣體) 원소. 토륨 X의 α선(線) 방사에 의해 생성되며 α선을 방출하고 토륨 A(Th A; ²¹⁶Po)로 변화함. 반감기(半減期)는 51.5초(秒). 친핵종(親核種)은 ²²⁴Ra(Th X). 토륨 에머네이션(thorium emanation).

토:론 종결제【討論終結制】[―쩨] 명 〖정〗 의회에서 법안이나 예산안을 심의하는 과정에 있어서, 의안에 대한 의원의 토론 시간을 중도에서 제한하고 막는 제도.

토론토 [Toronto] 명 〖지〗 캐나다 온타리오 주(Ontario 州)의 주도. 온타리오 호(湖) 서쪽 끝에 있는 공업 도시. 대륙 횡단 철도의 요지(要地)이며, 오대호(五大湖) 연안 공업 지역의 연장부(延長部)에 있어 농업 기계·차량 공업이 발달함. 항만 시설도 갖추어 목재·곡물·모직물·식육(食肉) 등을 수출함. [559,000명(1981)]

토:론-회【討論會】명 어떤 문제를 가지고 그 옳고 그름을 서로 쳐서 논의하는 모임.

토롱【土壟】명 흙을 모아 쌓아서 만든 약식(略式)의 무덤. 토분.

토뢰【土牢】명 땅속에 판 옥(獄).

토룡【土龍】명 〖동〗 지렁이❶.

토류[1]【土熘】명 중국 당우(唐虞) 때에 흙으로 만들었다고 하는 밥그릇의 한 가지.

토류[2]【土類】명 [earths] 〖화〗 물에도 불에도 잘 녹지 아니하고 환원(還元)하기도 어려운 금속 산화물. 곧, 반토(礬土) 및 알루미늄과 같은 희유 금속(稀有金屬)의 산화물.

토류 금속【土類金屬】명 〖화〗 원소 주기율표 가운데 제삼족(第三族)의 금속 원소. 알루미늄·스칸듐·칼륨·이트륨·인듐·탈륨 등이 이에 속함. 토류 금속 원소. ㊟토금속(土金屬).

토류 금속 원소【土類金屬元素】명 〖화〗 토류 금속. ㊟토금속 원소.

토륨 [라 thorium] 명 〖화〗 방사성 금속 원소의 하나. 회색의 무거운 금속으로, 등축 정계(等軸晶系)에 속하는 결정. 공기 중에서 세게 열하면 연소하여 산화물이 되고, 또 높은 온도에서는 염소·수소 및 질소 등과 쉽게 결합함. 토륨 계열(系列)의 기원(起源) 원소로서 α선(線)을 방사하며 메소토륨(Mesothorium)이 됨. 우라늄 다음가는 원자력(原子力) 원료(原料)로, 산화물(酸化物)은 가스 맨틀(gas mantle)의 원료가 됨. [90번 : Th : 232.12]

토륨 계:열【―系列】[thorium] 명 〖화〗 방사성 원소의 붕괴 계열의 하나. 토륨에서 시작되어 토륨 D에서 끝남.

토:르[1] [Thor] 명 〖신〗 북유럽 신화 중의 뇌신(雷神). 허리에 띠를 두르고 손에 철퇴(鐵槌)를 쥐고 거마족(巨魔族)에 대항, 세계 파멸시 괴사(怪蛇)와 싸워 함께 죽음.

토르[2] [torr] 의명 진공(眞空) 관계에 쓰이는 압력의 단위. 1수은주(水銀柱) 밀리미터, 곧 1/760 기압과 같음. 토리첼리(Torricelli) 단위.

토르데시야스 조약【―條約】[Tordesillas] 명 1494년 스페인과 포르투갈이 스페인의 토르데시야스에서 맺은 조약. 해외에서의 영토 분쟁을 피하려고, 양국의 세력 범위를 구분한 조약임. 이로써 포르투갈은 브라질과 그 이동(以東)의 아프리카 아시아로, 스페인은 미(美)대륙에 진출했음. 그러나 그 동반구(東半球)에 있어서의 경계선은 불확실하였기 때문에 뒤에 몰루카(Moluccas) 제도(諸島)의 영유를 둘러싸고 양국간에 분쟁(紛爭)이 일어나 1529년 몰루카 제도의 동방, 동경(東經) 144°30′ 부근을 경계선으로 정했음.

토:르마이어 증:후【―症候】명 [도 Thormayersches Symptom] 〖의〗 [토르마이어(Thormayer, Josef; 1853-1929)는 독일의 외과 의사] 다량의 복수(腹水)가 괴었을 때, 반듯이 누으면 배꼽 좌우 광범한 범위에서 북소리 같은 것을 들을 수 있는 일. 결핵성 복막염에서, 장간막(腸間膜)의 단축으로 인해 소장계제(小腸係蹄)가 우복부(右腹部)로 땅김으로써 발생함.

토르발센 [Thorvaldsen, Bertel] 명 〖사람〗 덴마크의 조각가. 고전적 양식을 본받아 단정한 기법으로 그리스 신화에서 많은 제재(題材)를 취함. 대표작 《그리스도와 12사도》. [1768-1844]

토르소 [이 torso] 명 〖예〗 목과 사지(四肢)가 없이 동체(胴體)만으로 된 소상(塑像).

토르크 [torque] 명 〖물〗 토크(torque).

토르크 모:터 [torque motor] 명 토크 전동기(電動機).

토르크 컨버:터 [torque converter] 명 토크 컨버터.

토리[1] ㊀명 실을 둥글게 감은 뭉치. ㊁의명 실뭉치를 세는 말.

토리[2] 명 화살대의 끝에 씌운 쇠고리.

토리[3]【土理】명 흙의 메마르고 기름진 성질. 지미(地味). 지질.

토리[4]【土履】명 〖역〗 흙으로 구워 만든 신. 신라 고분에서 출토(出土)됨.

토리개 명 ☞ 씨아.

토리노 [Torino] 명 〖지〗 이탈리아 서북부 알프스 산록, 피에몬테 주의 주도(州都)로 상공업 도시. 1861-65년 이탈리아 왕국의 수도였음. 경치가 좋고 자동차 공업의 중심지임. 투린(Turin). [1,104,000명(1981)]

토:리-당【―黨】[Tory] 명 〖역〗 ①[Tory는 본디 아일랜드의 왕당파 유적(流賊)의 명칭인데, 반대파가 나쁜 뜻으로 붙인 별명임] 영국의 이대(二大) 정당의 하나. 왕권과 국교(國教) 제도를 옹호한 보수주의적(保守主義的) 정당. 1679년 왕제(王弟) 요크공(公)의 왕위 계승의 순서 문제로 휘그(Whig)당과 대립되어 국교파 귀족과 지주 계급의 지지를 얻었으나 이어 곧 휘그당에 압도당함. 1760년 이후 조지 3세의 어용당

화(御用黨化)하여 근 반세기 동안 정권을 장악(掌握)하였으나 뒤에 삼분(三分)되어 세력을 잃었음. 1832년 선거법 개정 이후 보수당으로 개칭하고 유력한 의회 정당의 하나로 갱생(更生)하여 근대적 의회 정치를 발전시키면서 현재에 이름. *보수당·휘그당. ②미국 독립 전쟁 때 독립파(獨立派)에 반대하였던 영국파(英國派) 또는 왕당파의 일컬음.

토리라 타 〈옛〉 타리라. ¶내 두 낢 월봉을 와 토리라(我有兩箇月俸來關) ≪朴解 上 11≫. *톤다⁴.

토리-실 명 테를 짓지 않고서 그냥 둥글게 감은 실.

토리첼리 〔Torricelli, Evangelista〕 명 〖사람〗 이탈리아의 물리학자·수학자. 망원경을 개량했으며, 1643년 제자인 비비아니(Viviani)와 함께 '토리첼리의 진공'을 발견하였음. [1608-1647]

토리첼리 단위 【一單位】〔Torricelli〕 의명 토르(torr).

토리첼리의 실험 【一實驗】〔—/—에—〕 명 〔Torricelli's experiment〕 〖물〗 대기 압력의 작용을 나타내는 토리첼리의 실험. 한쪽 끝이 막힌 유리관에 수은을 채우고, 다른 쪽 끝은 수은이 든 그릇에 담가 관을 거꾸로 세우면 관 속의 수은은 흘러 내려 그릇의 수면 위의 일정한 높이, 곧 760mm 가량 되는 곳에서 머무르고, 그 위에 진공(眞空)에 가까운 부분이 생김.

토리첼리의 정:리 【一定理】〔—니/—에—니〕 명 〔Torricelli's theorem〕 〖물〗 '용기(容器)에 넣은 점성(粘性)이 적은 액체가 작은 구멍으로 흘러 나올 때, 유출 속도는 $\sqrt{2gh}$이다'라는 정리. g는 중력 가속도(重力加速度), h는 구멍에서 액면(液面)까지의 높이이며, 곧 유출 속도(流出速度)는 질점(質點)이 h의 높이에서 자유 낙하(自由落下)할 때에 얻는 속도와 같다는 것. 베르누이(Bernoulli, J.)의 정리에서 쉽게 도출(導出)됨.

진공
760mm
〈토리첼리의 진공〉

토리첼리의 진공 【一眞空】〔—/—에—〕 명 〔Torricelli's vacuum〕 〖물〗 토리첼리의 실험에서 관(管)의 윗 부분에 생기는 진공부(眞空部). 여기에는 극히 적은 수은 증기(水銀蒸氣)가 들어 있음.

토:마¹ 〔Thoma, Ludwig〕 명 〖사람〗 독일의 소설가. 대표작은 남부 독일의 농민 생활의 표리(表裏)를 풍자적으로 그린 ≪농민≫·≪악동(惡童) 이야기≫ 등. [1867-1921]

토마² 〔Thomas〕 명 〖사람〗 12세기 프랑스의 시인. 중세 유럽 최대의 연애 전설 트리스탄(Tristan)을 개서(改書)했음. 생몰년 미상.

토마³ 〔Thomas, Albert〕 명 〖사람〗 프랑스의 정치가(政治家)·사회주의자. 국제 노동 사무국 총장을 지냈음. [1878-1932]

토마⁴ 〔Thomas, Charles Louis Ambroise〕 명 〖사람〗 프랑스의 작곡가. 오베르(Auber)를 계승, 명쾌한 작풍이 특색이며, 가극(歌劇) ≪미뇽(Mignon)≫으로 알려짐. [1811-96]

토-마루 【土一】 명 시골 집에서 흔히 볼 수 있는, 흙으로만 쌓아 만든 마루.

토마스 아 켐피스 〔Thomas á Kempis〕 명 〖사람〗 독일의 신비(神祕) 사상가이며 모범적 경건주의(敬虔主義) 수도사(修道士). '공동 생활의 형제단(兄弟團)'에 소속하여 성경(聖經)의 복사(複寫)와 연구에 전념하고 1425년 이후 수도원 부원장(副院長)으로서 후진을 지도했음. 그의 저서 ≪그리스도를 본받아서≫는 기독교 신앙의 본질을 설명한 기독교의 고전(古典)임. [1380?-1471]

토마스 아퀴나스 〔Thomas Aquinas〕 명 〖사람〗 아퀴나스(Aquinas).

토마스 학파 【一學派】〔Thomas〕 명 토미즘(Thomism).

토마지우스 〔Thomasius, Christian〕 명 〖사람〗 독일의 철학자. 독일 계몽주의의 선구자로, 대학 강의에서 처음으로 독일어를 사용, 독일어를 철학에 도입하여 철학의 통속화에 진력했음. 저서에 ≪자연법 및 국제법의 기초≫가 있음. [1655-1728]

토마토 〔tomato〕 명 〖식〗 〔*Lycopersicon esculentum*〕 가짓과에 속하는 다년생 또는 일년생 초본. 높이 1-1.5m, 잎은 호생하며 길이 15-45cm의 우상 복엽(羽狀複葉)이고, 소엽(小葉)은 5-9개임. 꽃은 액출하여 총상(總狀) 화서로 피고, 직경 5-10cm의 장과(漿果)를 맺는데 등적황색으로 익음. 종자는 편평한 달걀꼴에 거친 털이 있고, 3-4년간의 발아(發芽) 기간을 가짐. 남아메리카 열대 지방 원산으로, 보통 밭에 재배함. 과실은 비타민이 풍부하여 널리 식용함. 도마도. 일년감.

〈토마토〉

토마토 소:스 〔tomato sauce〕 명 토마토를 썰어 익혀 거른 것에 식염·버터·후추 등을 넣고 조미한 소스. 흔히, 고기·달걀·야채 따위 서양 요리에 조미료로 곁들임.

토마토 주:스 〔tomato juice〕 명 토마토를 으깨어 짜 낸 액즙.

토마토 케첩 〔tomato ketchup〕 명 토마토 퓌레(purée)를 식염·설탕·각종 향신료(香辛料)로 조미한 소스. *케첩.

토마토 퓌레 〔프 tomate purée〕 명 토마토를 거른 걸쭉한 음식. 수프, 소스, 푹 끓인 요리의 조미료로 씀.

토막¹ 一 명 ①크고 덩어리진 도막. *도막. ②〈방〉 목침(木枕)(충청·전북·황해). 二 의명 덩어리진 도막을 세는 말. ¶생선 두 ～.
토막(을) 내:다 구 토막 치다.
토막(을) 치다 구 토막이 나게 자르다. 토막 내다. ¶생선을 ～.

토막² 【土幕】 명 움막.

토막 고기 명 굵게 썰어 토막을 낸 쇠고기나 돼지 고기.

토막-극 【一劇】 명 촌극(寸劇).

토막 나무 명 짤막짤막하게 토막 친 나무.

토막-낚싯대 명 토막을 이은 낚싯대.

토막-대 명 ↗토막낚싯대.

토막-말 명 긴 내용을 간추려 한 마디로 표현하는 말.

토막-민 【土幕民】 명 움집에서 사는 사람.

토막 반찬 【一飯饌】 명 생선이나 자반을 토막 쳐서 요리한 반찬.

토막-살이 【土幕一】 명 움막살이. ——하다 자 여불

토막 생각 명 그때 그때 떠오르는 단편적인 생각.

토막-집 【土幕一】 명 움막집.

토막-토막 부 여러 토막으로 잘린 모양.

토-만두 【土饅頭】 명 〈속〉 무덤.

토말 【土末】 명 〖지〗 전라 남도 해남군(海南郡) 송지면(松旨面) 송호리(松湖里)에 있는 갑(岬)으로 갈두(葛頭) 부락. 한반도의 최남단에 위치하는 지점이어서 '땅끝', 곧 토말(土末)이라 불림. [북위 34°17′16″, 동경 126°06′02″]

토-매¹ 【土一】 명 〖농〗 벼를 갈아서 현미(玄米)를 만드는 기구. 절구통 비슷하게 아래위 두 짝으로 되고, 위 짝에 자루가 달려 있음.

토매² 【土昧】 명 어리석음. 무지 몽매함. ——하다 형 여불

토매³ 【土埋】 명 토장(土葬). ——하다 타 여불

토매⁴ 의명 〈방〉 뭇².

토매기 명 〈방〉 도마(강원·황해·평안).

토매-인 【土昧人】 명 야만인(野蠻人).

토매인-우 【土昧人遇】 명 야만인의 대우.

토-맥 【土脈】 명 지맥(地脈).

토-머름 【土一】 명 〖건〗 널조각 대신에 흙으로 막은 머름.

토머스¹ 〔Thomas, Dylan Marlais〕 명 〖사람〗 영국의 시인(詩人). 웨일스(Wales) 남부에서 출생함. 1940년대를 대표하는 환시적(幻視的) 작풍을 구사함. 엘리어트(Eliot, T.S.)와 오든(Auden, W.H.) 이후 최대의 시재(詩才)로 불리었으나, 알코올 중독으로 비참한 생애(生涯)를 마침. 작품에 ≪사랑의 지도(地圖)(1939)≫ 등을 수록한 ≪전 시집(全詩集)(1953)≫, 소설 ≪젊은 개로서의 예술가의 초상(1940)≫ 등이 있음. [1914-1953]

토머스² 〔Thomas, Frederick William〕 명 〖사람〗 영국의 동양학자. 옥스퍼드 대학 산스크리트어(語) 교수. 저서에 ≪인도에서의 이슬람교와 힌두교의 상호 영향≫이 있음. [1867-1956]

토머스³ 〔Thomas, Philip Edward〕 명 〖사람〗 영국의 시인·비평가·수필가. 이른바 조지 왕조(George王朝) 시파의 대표적인 시인으로, 처녀 시집의 필명은 Edward Eastaway였음. 생활비를 위해 많은 글을 썼는데 사물에 대한 날카로운 직관력(直觀力)과 진실한 것, 아름다운 것을 깊이 이해하는 섬세한 감수성이 풍부했음. 1차 대전에서 전사한 후, 유고(遺稿)가 정리되어 ≪시집(詩集)(1920)≫이 출판되자 시인으로서의 성가(聲價)를 굳혔음. [1878-1917]

토머스⁴ 〔Thomas, Robert Jermain〕 명 〖사람〗 영국의 기독교 선교사. 웨일스(Wales) 출생. 우리 나라 최초의 프로테스탄트 순교자. 한국명은 최난헌(崔蘭軒). 1863년 중국에 파견되어 선교 활동을 펴다가, 고종 3년 (1866) 조선으로 향하던 미국 배, 셔먼(Shermann)호에 동승(同乘), 8월 그믐께 배가 대동강(大同江) 어귀에 도달하였으나 관군에 의해 배가 불타고 육지로 나오다가 죽음을 당함. 1933년 9월 14일, 대동강 언덕에 토머스 목사 기념 예배당(記念禮拜堂)인 조왕 교회가 세워졌음. [1839-66]

토머스⁵ 〔Thomas, Sidney Gilchrist〕 명 〖사람〗 영국의 야금(冶金) 기술자. 제자인 길크리스트(Gilchrist, P.C.; 1851-1935)와 함께 베세머 전로(Bessemer轉爐)의 결점을 개량하기로 마음 먹고 노(爐)의 안벽에 염기성(塩基性) 내화물(耐火物)을 씀으로써 선철(銑鐵)에 함유된 인(燐)을 제거할 수 있는 토머스 전로를 발명하여 1877년 특허(特許)를 얻음. [1850-85]

토머스⁶ 〔Thomas, William Isaac〕 명 〖사람〗 미국의 사회학자. 하버드 대학 강사·미국 사회학회 회장직을 역임. 주로 심리학적 접근 방식으로 사회학을 다루었는데, 인간 행동 나아가서는 사회의 원동력으로서 네 가지, 즉 새로운 경험에 대한 소망, 안정에 대한 소망, 타인의 반응을 구하는 소망 및 인지(認知)에 대한 소망을 들었음. 그러나 나중에는 이와 같은 입장에서 떠나, 심리·문화적 접근 방식으로 입장을 바꿈. 저서에 ≪부적응 소녀(不適應少女)≫·≪사회적 기원을 위한 교재≫ 등이 있음. [1863-1947]

토머스-강 【一鋼】〔Thomas〕 명 전로강(轉爐鋼)의 한 가지. 토머스 전로(轉爐)로 염기성법(塩基性法)에 의해서 만든 강. 인(燐)을 주연료(主燃料)로 하여 인이 1.7-2.5% 정도 함유된 선철(銑鐵)을 장입(裝入)하여 제련함. 품질은 낮음. 철선(鐵線)·교량·건축용 등에 쓰이며, 찌끼는 토머스 인비(燐肥)가 됨.

토머스-땃쥐 〔Thomas〕 명 〖동〗 〔*Crocidura lasiura thomasi*〕 땃쥣과에 속하는 쥐. 몸길이 16cm, 꼬리 5cm 가량, 몸의 위 쪽은 회색을 띤 담갈색, 아래 쪽은 회색, 다리는 대갈색임. 땃쥐·사향쥐와 비슷하여 옆 갈비에 악취의 분비선이 있어 적을 방위함. 한국 각지 및 만주·우수리 지방에도 분포함. 사향쥐. 사양뒤쥐.

토머스-로 【一爐】〔Thomas〕 명 전로(轉爐)의 한 가지. 1878년 영국의 토머스가 발명하였음. 산화 마그네슘과 콜타르를 섞은 것으로 안벽을 바른 염기성로(塩基性爐). 인(燐)을 다량으로 함유하는 용융 선철(鎔融銑鐵)을 장입(裝入)하여 그 타오르는 열로 불순물을 산화시킴. 연강용(軟鋼用)임. 토머스 전로(轉爐).

토머스 방식 【一方式】〔Thomas〕 명 〖경〗 수출을 먼저 하고 후에 그만한 양의 수입을 행하는 바터 무역의 결제 방식(決濟方式). ↔역(逆)토머스 방식.

토머스-배 【一杯】〔Thomas〕 명 배드민턴(badminton)의 남자 단체 세

계 선수권 대회에서 우승자에게 주는 은제(銀製) 컵. 높이 약 70cm. 1939년, 국제(國際) 배드민턴 연맹 회장이던 영국의 토머스(Thomas, George)가 기증함.

토머스-법【一法】〔Thomas〕[一뻡] 명 제강법(製鋼法)의 한 가지. 토머스로(爐)를 사용하여 선철(銑鐵) 속의 인(燐)을 제거함.

토머스 슬래그〔Thomas slag〕명 토머스법에 의한 제강 과정에서 부산물로 산출되는 용재(鎔滓), 곧 찌끼. 인산분(燐酸分)이 많아 비료(肥料)로 쓰임.

토머스 인비【一燐肥】〔Thomas〕명〖화〗인산 비료(燐酸肥料)의 한 가지. 토머스강(鋼)을 제조할 때에 그 부산물로서 얻어지는 특수 화합체. 회갈색 또는 청색으로, 인산 17-20%, 석회 40-50%를 각각 함유하고 있음. 지효성(遲效性)이고 염기성(塩基性)임.

토머스 전:로【一轉爐】〔Thomas〕[一절一] 명 토머스로(爐).

토머호:크[1]〔Tomahawk〕명〖군〗미국 해군의 순항(巡航) 미사일의 일종. 수상함(水上艦)이나 잠수함에서 발사함.

토머호:크[2]〔tomahawk〕명 북아메리카 인디언이 사용하는, 투타용(投打用) 무기의 총칭. 뼈 또는 돌로 만든 칼날을 나무 자루에 붙인 것. 의식용(儀式用)의 것은 깃털로 장식하고 색칠을 하였음.

토멸【討滅】명 쳐서 멸망시킴. ——-하다 타여불

토명【土名】명 그 지방에서 쓰여지고 있는 이름.

토모[1]【土毛】명 땅에서 자라는 식물.

토모[2]【兎毛】명 토끼털.

토목[1] 명〈옛〉토막. 장작. ¶炊爨所用雜木短截者 俗謂之吐木≪中宗實錄 XI:5 庚午四月≫.

토목[2]【土木】명〖토〗↗토목 공사.

토목 건:축【土木建築】명 토목과 건축. ㊕토건.

토목 공사【土木工事】명〖토〗〔토사(土砂)와 목석(木石)으로써 하는 공사라는 뜻〕목재·철재(鐵材)·토석(土石) 등을 사용하여 도로·제방·교량·항만·철도·상하 수도(上下水道) 등을 건설·유지하는 공사의 총칭. 토목지역(土木之役). 토공(土功). ㊕토목.

토목-공이【土木一】명 투미하고 무지한 사람의 별명.

토목 공학【土木工學】명〔civil engineering〕토목에 관한 이론과 실제를 연구하는 공학의 한 부문. 토목학.

토목 공학과【土木工學科】명〖교〗대학에서, 토목 공학을 전공하는 학과. *건축 공학과.

토목-과【土木科】명 공과 계통의 학교의 한 학과. 토목에 관한 원리와 그 실제를 연구함.

토목-국【土木局】명〖역〗대한 제국 때 토목에 관한 일을 맡은 내부(內部)의 한 국(局). 고종 32년(1895)에 베풀어서 광무(光武) 9년(1905)에 폐하였다가, 순종 융희(隆熙) 원년(1907)에 다시 베풀어 4년까지 있었음.

토목 기사【土木技師】명 토목 공사에 종사하는 기사.

토목-비【土木費】명 토목 공사에 소요되는 비용.

토목 사:무관【土木事務官】명 시설직(施設職) 국가 공무원 직급 명칭의 하나. 토목 직렬(職列)에 속하며, 토목 주사(主事)의 위, 시설 사무관의 아래로 5급 공무원임.

토목 사:업【土木事業】명 토목에 관한 사업.

토목 사:업비【土木事業費】명〖경〗도로·교량(橋梁)의 건설·보수, 사방(砂防), 산림 녹화, 치수(治水), 항만 정비(港灣整備) 등 토목 사업을 위한 소요 경비(所要經費).

토목 서기【土木書記】명 시설직 국가 공무원 직급 명칭의 하나. 토목 직렬(職列)에 속하며, 토목 서기보의 위, 토목 주사보의 아래로 8급 공무원임.

토목 서기보【土木書記補】명 시설직 국가 공무원 직급 명칭의 하나. 토목 직렬(職列)에 속하며, 토목 서기의 아래로 9급 공무원임.

토목-업【土木業】명 토목 공사를 담당하여 소득을 얻는 직업.

토목용 기계【土木用機械】[一뇽一] 명〖기〗온갖 토목 공사에 쓰이는 기계의 총칭. 굴착용(掘鑿用)·구축용(構築用) 및 운반용(運搬用)의 세 가지로 크게 나뉨.

토목-원【土木員】명 토건직(土建職) 기능 공무원 관등의 하나. 토목장(土木長)의 아래. 8급·9급·10급의 세 급이 있음.

토목의 변【土木一變】[一/一에一] 명〖역〗중국 명(明)나라 황제 영종(英宗)이 몽고 오이랏부(Oirat部, 瓦剌部)의 부장(部長) 에센(Esen, 也先)의 군대와 허베이 성(河北省)의 토목보(土木堡)에서 싸워 포로가 된 사건. 1449년에 일어났으며 이듬해 화의(和議)가 성립되어 황제는 송환(送還)되었음. *에센(也先).

토목-장【土木長】명 토건직(土建職) 기능 공무원 관등의 하나. 토목원(土木員)의 위. 6급·7급의 두 급이 있음.

토목 주사【土木主事】명 시설직 국가 공무원 직급 명칭의 하나. 토목 직렬(職列)에 속하며, 토목 주사보의 위, 토목 사무관(事務官)의 아래로 6급 공무원임.

토목 주사보【土木主事補】명 시설직 국가 공무원 직급 명칭의 하나. 토목 직렬(職列)에 속하며, 토목 서기(書記)의 위, 토목 주사의 아래로 7급 공무원임.

토목지-역【土木之役】명〖토〗토목 공사.

토목 지질학【土木地質學】명〔engineering geology〕토목 건설, 주로 기반(基盤)의 상태에 관한 문제를 취급하는 지질학.

토목-학【土木學】명 토목 공학.

토목 행정【土木行政】명 도로·하천·철도·교량·운하·항만·상수도·하수도 등에 관한 행정.

토-목향【土木香】명〖한의〗목향의 뿌리. 위(胃)나 장(腸)의 운동을 돕는 건위제(健胃劑)로 쓰이는데, 향기가 있어 방부(防腐)·구충(驅蟲) 작용도 함.

토문[1]【土門】명 좌우(左右)를 흙으로 쌓아 올리고 지붕이 없는 문.

토문[2]【討問】명 찾아가서 물음. ——-하다 자타여불

토문-강【土門江】명〖지〗백두산 천지(天池)에서 발원하여 북으로 흐르는 쑹화 강(松花江)의 작은 지류. 백두산 정계비(定界碑)에 이 강이 한국과 중국과의 동쪽 경계로 정해져 있음.

토문관【土門關】명 정형구(井陘口).

토:문-조【吐蚊鳥】명〖조〗바람개비. 쏙독새.

토물【土物】명 ①흙으로 만든 물건. ②그 땅에서 나는 물건. 토산(土產).

토:미즘〔Thomism〕명〖종〗중세 최대의 스콜라 철학자인 이탈리아의 토마스 아퀴나스의 철학·신학설 또는 그의 교의(教義)를 신봉하는 철학·신학 체계와 그 해석. 아리스토텔레스 철학을 계승한 철저한 실념론(實念論)이며 가톨릭 교회의 공인 철학임. 오늘날도 가톨릭 철학자·신학자들 사이에 많은 신봉자가 있음. 토마스 학파.

토민【土民】명 한 곳에서 여러 대(代)를 두고 붙박이로 사는 백성.

토:바나이트〔torbanite〕명〖지〗외관이 탄질 혈암(炭質頁岩) 비슷한 석탄의 변종. 잘고 단단하며 흑색 내지 갈색을 띰.

토-바닥【土一】명〖광〗사금(砂金)을 캐어 내는 곳의, 흙과 모래로 된 밑바닥.

토바 호【一湖】〔Toba〕명〖지〗인도네시아 최대의 호수. 수마트라 섬 중북부에 위치하는 대(大)칼데라 호수로, 이 나라에서 가장 큰 전원(電源) 지대를 이룸. 남북의 길이 84km, 동서의 길이 24km, 깊이 450m, 연안(沿岸)은 경관이 아름다워 '동양의 스위스'로 불리는 피서지임. [1,460 km²]

토박【土薄】명 땅이 메마르고 걸차지 못함. ——-하다 형여불

토-박이【土一】명 ↗본토박이. ¶서울 ～.

토박이-말【土一】명 본디부터 그 고장에서 오래도록 써 온 말. 토착어(土着語).

토반【土班】명 여러 대(代)로 그 지방에서 붙박이로 사는 양반(兩班). 향족(鄉族).

토-반모【土斑蝥】명〖충〗땅가뢰. 가뢰.

토-반묘【土斑貓】명〖충〗땅가뢰. 가뢰.

토반-유【兎斑釉】명〖미술〗짚이나 겨를 태운 재를 장석(長石)·토회(土灰)와 섞어 만든 탁한 백색 잿물.

토-반자【土一】명〖건〗천장에 반자틀을 들인 뒤에 욋가지를 엮고 흙을 바른 반자. ↔목반자·지반자.

토방【土房】명 ①마루를 놓게 된 처마 밑의 땅. ②〈방〉뜰(충남·전라).

토백[1]【土伯】명 ①흙의 신(神). 흙 속의 괴물(怪物). ②땅속 제후(諸侯)의 장(長).

토백[2]【兎魄】명 '달'의 딴이름.

토번[1]【土蕃】명 미개(未開)한 곳에서 붙박이로 사는 야만인.

토번[2]【吐蕃】명〖역〗〔Stod-Bod의 음역(音譯)〕중국 당송 시대(唐宋時代)에 티베트족(族)을 일컫던 이름.

토번 사:부【吐蕃四部】명〖역〗중국 당(唐)나라 때 티베트를 네 부분으로 나눈 명칭. 곧, 강(康)·위(衛)·장(藏)·아리(阿里)의 총칭.

토벌[1]【討伐】명 군대를 보내어 반항(反抗)하는 무리를 침. ¶공비 ～. ——-하다 타여불

토벌[2]【討罰】명 정벌(征伐)하여 응징함. ——-하다 타여불

토벌-군【討伐軍】명 토벌의 임무를 맡은 군대.

토벌-대【討伐隊】[一때] 명 토벌하는 군대.

토:베이〔Torbay〕명〖지〗영국 잉글랜드 데번셔 남부의 도시. 라임 만(Lyme 灣) 서쪽 연안에 있는데, 1968년에 토키(Torquay)·페인턴(Paignton)·브릭섐(Brixham)의 세 도시가 합병하여 이루어짐. 토키와 페인턴 지역은 유명한 해안 휴양지임. [113,100명(1981)]

토벽【土壁】명 흙벽.

토-벽돌【土甓一】명 흙벽돌.

토벽돌-집【土甓一】[一찝] 명 흙벽돌집.

토별-가【兎鼈歌】명〖악〗판소리 '수궁가(水宮歌)'의 딴이름.

토병【土兵】명 본시 그 땅에 붙박이로 사는 사람 가운데서 뽑은 군사.

토-복령【土茯苓】[一녕] 명〖한의〗비해(萆薢).

토봉【土蜂】명〖충〗땅벌❶❷.

토뵈기 명〈방〉되¹(경북).

토부[1]【土符】명〖민〗음양가(陰陽家)에서 쓰는 말로, 땅을 파거나 우물을 파거나 개천을 만들거나 또는 담을 세우는 일 등을 피하여야 하는 날. 곧, 정월은 축(丑), 이월은 사(巳), 삼월은 유(酉), 사월은 인(寅), 오월은 오(午), 유월은 술(戌), 칠월은 묘(卯), 팔월은 미(未), 구월은 해(亥), 시월은 진(辰), 십일월은 신(申), 십이월은 자(子)의 날.

토부[2]【土部】명〖악〗국악기 중에서 흙으로 만들어 구운 것. 관악기인 훈(塤)과 타악기인 부(缶)가 있음.

토-부자【土附子】명〖한의〗초오두(草烏頭).

토분[1]【土粉】명 ①쌀을 쓿을 때 함께 섞어서 찧는 흰 흙가루. 분토(粉土). ②수비(水飛)한 찰흙을, 물 또는 묽은 청각채 용액으로 개어 건조시킨 덩이. 물에 풀어서, 페인트·니스의 애벌칠로 쓰이는데, 나무 구멍을 메워 불투명한 피막(被膜)을 이룸.

토분[2]【土墳】명 토롱(土壟).

토분[3]【兎糞】명〖한의〗토끼똥. 해열약(解熱藥)으로 씀.

토:분-증【吐糞症】[一쯩] 명〔도 Kotbrechen〕〖의〗'장불통증(腸不通症)'의 별칭. 장벽(腸壁)의 마비·경련, 장관(腸管)의 압박 등에 의하여 장강(腸腔)이 폐색(閉塞)되어 복통이 생기고, 대변의 배출 불능으로 나중에는 똥 냄새를 가진 유동물(流動物)을 구토하게 되는 질환.

토불【土佛】[명]〖불교〗흙부처.

토붕【土崩】[명] 흙이 무너지듯이 사물이 점차로 무너져 어찌할 수 없이 됨. ――-하다 [자][여불]

토붕 와해【土崩瓦解】[명] 흙이 무너지고 기와가 산산이 깨어진다는 뜻으로, 사물이 여지없이 무너져 나가 손댈 수 없이 됨을 가리키는 말. ――-하다 [자][여불]

토:브〔Taube, Henry〕[명]〖사람〗미국의 화학자. 금속 착체(金屬錯體)의 전자 이동 반응 기구에 관한 연구로, 1983년 노벨 화학상을 받음. [1915-]

토브랄코〔tobralco〕[명] 평직(平織)의 무명이나 견직물. 여성과 어린이의 옷감으로 씀. 헤어 코드(hair cord). 헤어클로스(haircloth).

토비[1]【土匪】[명] 토구(土寇).

토비[2]【討匪】[명] 비적(匪賊)의 무리를 침. ――-하다 [자][여불]

토-비해【土萆薢】[명]〖식〗며래. 나도물통이.

토빈[1]【土殯】[명] 정식으로 장사를 지내기 전에 관(棺)을 임시로 묻음. ――-하다 [타][여불]

토빈[2]〔Tobin, James〕[명]〖사람〗미국의 경제학자. 예일 대학 교수를 지냄. 케인스 이론(理論)에 따라 불황기(不況期)의 경제 팽창론을 주장함. 금융 시장과 금융 지출 결정, 고용 생산 및 가격 관계에 관한 분석 연구 업적으로 1981년 노벨 경제학상을 수상함. [1918-]

토사[1]【土司】[명]〖역〗중국의 서부(西部) 및 서남부의 여러 성(省)에 두었던 일종의 지방관. 이들 변경 지역에는 당송(唐宋) 시대까지도 중앙의 정치 권력이 미치지 않았고, 이에 원(元)나라 때부터 그 고장의 토착민을 위해 그 고장 출신으로 토사를 두었음. *유관(流官)·개토 귀류(改土歸流).

토사[2]【土砂】[명] 흙과 모래.

토:사[3]【吐絲】[명] 누에가 고치를 만들려고 실을 토해 내는 현상(現象). ――-하다 [자][여불]

토:사[4]【吐瀉】[명] ↗상토 하사(上吐下瀉). ――-하다 [자][타][여불]

토사[5]【兎舍】[명] 토끼집.

토사[6]【兎絲】[명]〖민〗툇실.

토사[7]【兎絲·菟絲】[명]〖식〗새삼.

토:사 곽란【吐瀉癨亂】[명]〖의〗위로는 토하고 아래로는 설사하면서 배가 질리고 아픈 병증.

토:사-구【吐絲口】[명]〔fusula〕〖동〗절지(節肢) 동물에 있는 방적선(紡績腺)의 방추형 말단 돌기.

토사 구팽【兎死狗烹】[명]〔교토사 주구팽(狡兎死走狗烹), 곧 날쌘 토끼가 죽으니 사냥개는 소용없이 되어 삶아 먹힌다는 뜻〕쓸모있는 동안에는 부림을 당하다가 소용이 다하면 버림을 받는다는 말.

토사-도【土砂道】[명] 흙과 모래만을 깐 채 포장(鋪裝)하지 아니한 길.

토사-문【兎絲紋】[명]〖공〗토호화(兎毫花).

토사 방지림【土砂防止林】[명] 토사 유출 방비림(土砂流出防備林).

토:사-병【吐瀉病】[一뼝][명] 토사하는 것이 주된 증상인 병.

토사 유출 방비림【土砂流出防備林】[명] 산지의 토양(土壤) 침식을 막고, 토사 유출로 인한 재해를 막기 위하여 보호 육성되는 삼림 지역. 토사 방지림.

토사-자【兎絲子】[명]〖한의〗새삼의 씨. 몽설(夢泄)·유정(遺精)·소변 불금(小便不禁) 등의 병에 약재로 씀.

토사 호비【兎死狐悲】[명] 토끼가 죽으니 여우가 슬퍼한다는 뜻으로, 동류(同類)의 불행을 슬퍼함을 비유하는 말. 호사 토읍(狐死兎泣).

토삭-토삭[부]〈방〉토실토실. ――하다 [형][여불]

토산[1]【土山】[명] 돌이나 바위가 없이 흙으로만 이루어진 산. ↔암산(岩山).

토산[2]【土産】[명] ↗토산물(土産物).

토산 금속【土酸金屬】[명]〔earth-acid metal〕〖화〗주기계(周期系)의 제 5족에 속하는 금속 가운데의 바나듐(vanadium)·니오븀(niobium)·탄탈(tantal)의 총칭. 주로 5가(價)로서 작용하는데, 그 산화물이 산성(酸性)인 데서 이 이름이 있음. 융점(融點)이 높으며, 그 산화물은 환원하기 어려움. 희산 금속(稀酸金屬). 토산족(土酸族) 금속.

토산-마【土産馬】[명] 그 고장에서 나는 말.

토산-물【土産物】[명] 그 지방에서 나는 물건. 토지 소산(土地所産).

토산-불알[명]〖한의〗〔←퇴산(㿉疝) 불알〕산증(疝症)으로 인하여 한쪽이 특히 커진 불알. *퇴산(㿉疝).

토산불-이[명]〔←퇴산(㿉疝) 불이〕토산불알을 가진 사람.

토산족 금속【土酸族金屬】[명]〖화〗토산 금속.

토산-종【土産種】[명] 그 지방에서 나는 종자 또는 종류. 토종(土種).

토산-품【土産品】[명] 그 지방 특유의 물건. ¶ ~ 가게.

토-상산【土常山】[명] 중국에서 나는 감차(甘茶)의 한 가지.

토상이[명]〈방〉상툿바람.

토상툿-바람[명]〈방〉상툿바람.

토새【土一】[명]〈방〉본토박이.

토색[1]【土色】[명] 흙빛.

토색[2]【討索】[명] 금품을 억지로 달라고 함. ――-하다 [타][여불]

토색-질【討索一】[명] 토색하는 짓. ¶ ~을 일삼다. ――-하다 [자][여불]

토-생금【土生金】[명]〖민〗오행(五行)의 운행(運行)에서 토(土)가 금(金)을 도와준다는 말.

토생원-전【兎生員傳】[명]〖문〗토끼전.

토생이[의명]〈방〉토리[1]❷.

토석【土石】[명] 흙과 돌.

토석-류【土石流】[一뉴][명]〔debris flow〕〖지〗①비로 인하여 과도로 포화(飽和)된 암설(岩屑)이 급격히 밀려내리는 일. 석편류(石片流). ② 급사면상의 암석과, 점착성(粘着性) 없는 토양(土壤) 혼합물이, 갑자기 아래 쪽으로 이동하는 일. 석편류.

토선【土船】[명] 흙을 나르는 배. 흙배.

토:설【吐說】[명] 숨기었던 사실(事實)을 비로소 밝히어 말함. 토실(吐實). ――-하다 [타][여불]

토성[1]【土性】[명] 토지의 성질. 토양의 종류.

토-성[2]【土姓】[명]〖민〗오행(五行)의 토(土)에 붙은 성. 성자(姓字)를 궁·상·각·치·우 오음(五音)에 나누어 오행에 갈라 붙였음. *화성(火姓).

토성[3]【土姓】[명]〖역〗조선 시대 초기에, 성씨(姓氏) 종류의 하나. 고려 시대 이래로 과거(科擧) 또는 서리직(胥吏職)을 거친 벼슬 품관(品官) 집단의 성씨. 곧, 양반(兩班)의 성. 군현성(郡縣姓). *백성성(百姓姓)·인리성(人吏姓).

토성[4]【土星】[명]〔Saturn〕〖천〗태양계 중의 한 행성(行星). 태양 쪽으로부터 여섯 번째에 있으며 목성(木星) 다음으로 큼. 태양에서의 평균 거리 14억 2610만 킬로미터, 공전 주기(公轉週期) 29년 167일임. 체적은 지구의 762.4배, 질량은 95.2 배이며, 비중(比重)은 물보다 가볍고 행성 중에서 최소 비중을 지님. 표면은 담황색으로 빛나고 적도(赤道) 둘레에 엷은 판(板) 모양의 고리 같은 테를 가짐. 위성(衛星)은 1982년 현재 21 개가 알려지고 있음. 새턴. 진성(鎭星). 오황(五黃).

토성[5]【土城】[명] ①흙으로 쌓아 올린 성루(城壘). ②사성(沙城)의 낮은 말. ③개자리 뒤에 흙을 쌓아서 화살을 막는 둑.

토성[6]【土城】[명]〖지〗경의선(京義線)의 한 역. 경기도 개풍군(開豊郡) 중서면(中西面)에 있는데, 토해선(土海線)의 기점이 됨.

토성-도【土性圖】[명] 각종 토양(土壤)의 분포 상태를 색채나 기호로 나타낸 지도. 토양도(土壤圖).

토-세공【土細工】[명] 흙을 재료로 하는 세공.

토:션 밸런스〔torsion balance〕[명]〖물〗비틀림저울.

-토소이다[미]〈옛〉-하더이다. ¶恩德이 디르디 아니토소이다 ≪月釋 X:31≫. *'-도소이다'.

토속【土俗】[명] 그 지방의 특유한 풍속.

토속 민요【土俗民謠】[명]〖악〗그 지방 주민들만이 부르는 민요. 모심기 노래·상여 소리 따위가 이에 속하는데, 곡조나 사설이 즉흥적인 것이 특색임. *창민요(唱民謠).

토속 신:앙【土俗信仰】[명] 어느 토착 사회에서 믿어지고 있는 신앙.

토속-적【土俗的】[명][관] 그 지방 풍속에만 고유한 모양.

토속-학【土俗學】[명]〔민속학(民俗學)과 민족학으로 분화되기 이전의 일컬음〕①민속학. ②민족학.

토수[1]【吐手】[명] '토시'의 취음.

토:수[2]【吐首】[명]〖건〗기와의 한 가지. 전각 네 귀의 추녀 끝에 끼는 용두형(龍頭形)이나 귀두형(鬼頭形)의 장식.

〈토수²〉

토수-화【土鏽花】[명]〖미술〗흙 속에 오래 묻힌 연유(軟釉)의 도자기가 변화하여 이룬 일종의 무늬.

토순【兎脣】[명] 윗 입술이 세로 찢어져, 토끼의 입술처럼 생긴 언청이의 입술. 토결(兎缺). *언청이.

토:-슈:즈〔toeshoes〕[명]〖연〗발레의 여성 무용수가 신는 신발의 한 가지. 보통 핑크색의 새틴(satin)으로 만드는데, 끝을 아교로써 굳게 하고 뒤축이 없음. 토댄스를 출 때 신음. 토신.

토스〔toss〕[명] ①가볍게 위로 던지는 일. ②동전 같은 것을 공중에 던져서 그 표리(表裏)에 의하여 사물을 결정하는 일. ③테니스 등에서, 코트와 서브를 선택하는 방법. 동전이나 라켓을 던져서 결정함. ④레슬링에서, 제1 라운드의 스탠드레슬링이 끝난 다음 제2 라운드의 선공(先攻)을 정하기 위하여 행하는 방법. 심판이 토스판(toss板)(한 면은 붉은 색이고 한 면은 녹색인 원반)을 공중에 던져서 매트(mat)에 떨어진 토스판이 붉은 면이 나오면 붉은 쪽의 선수, 녹색의 면이 나오면 녹색 쪽의 선수가 선공이 됨. ⑤야구에서, 바로 곁에 있는 자기 편에게 공을 가볍게 밑으로부터 던져 보내는 일. ⑥배구에서, 공격자에게 치기 쉽도록 공을 보내는 일. 또, 그렇게 보내지는 공. 토스의 교졸(巧拙)에 따라 공격의 위력이 좌우(左右)되므로 극히 중요함. ⑦↗토스 배팅. ――-하다 [자][타][여불]

토스 배팅〔toss batting〕[명] 야구에서, 가벼운 투구(投球)로 행하는 타격 연습. 페퍼 게임. [준]토스.

토스카〔이 Tosca〕[명] ①〖연〗프랑스의 사르두(Sardou)가 쓴 5막짜리 비극(悲劇). 1887년 초연. 가희(歌姬) 토스카와 화가 카바라도시(Cavaradossi)의 사랑을 다룬 것. ②〖악〗푸치니(Puccini)가 ❶에서 딴 3막의 가극(歌劇). 1900년 로마에서 초연. 아리아(aria)인 '절묘한 조화'·'노래에 살고 사랑에 살고'·'별은 빛나건만'은 유명함.

토스카나〔Toscana〕[명] ①〖지〗이탈리아 중앙부 서안(西岸) 지방. 아르노 강(Arno江) 유역의 비옥(肥沃)한 농업 지대로, 포도·올리브(olive)·뽕·밀·고추와 대리석·동·철 등의 광물도 산출함. 이탈리아 르네상스의 중심지로, 고대(古代)에는 에트루리아(Etruria)라 일컬었음. 주도(主都)는 피렌체(Firenze). [22,990 km²] ②이탈리아 중부 토스카나 지방에서 나는 양(羊)의 긴 털의 특징을 살려 낙타지(駱駝地)처럼 표면 처리한 가죽 소재(素材).

토스카나-식【一式】〔Toscana〕[명]〖건〗고대 로마 건축 양식의 하나. 기둥이 굵고 짧으며 번번하고 주초(柱礎)가 있는 것이 특징임.

토스카나-파【一派】〔Toscana〕[명]〖미술〗13세기, 이탈리아의 토스카나 지방에 성했던 회화의 한 유파. 압도적인 비잔틴 미술의 지배하에서 성(聖)프란체스코의 종교 개혁의 영향을 받아 인간미가 넘치는 화풍을 전개, 피렌체파(Firenze派)와 시에나파(Siena派)를 창설하여 르네상스 회화의 빛나는 선구가 되었음.

토스카넬리 〔Toscanelli, Paolo dal Pozzo〕 [명] 〖사람〗 이탈리아의 천문학자·지리학자·수학자. 본업은 의사. 지구는 둥글다는 설(說)을 믿어 유럽 서쪽 5,000 km에 아시아가 있고 서항(西航)하면 인도로 가는 길을 단축시킬 수 있다는 생각을 콜럼버스에게 말함으로써, 아메리카 대륙 발견의 실마리를 만듦. [1397-1482]

토스카니니 〔Toscanini, Arturo〕 [명] 〖사람〗 이탈리아 출생의 미국 교향악단 지휘자. 파시즘(fascism)을 피하여 망명하였음. 뉴욕 교향악단·NBC 교향악단을 지휘하고 이탈리아 음악의 정수(精髓)를 현대화한 점과 악곡의 충실한 재현(再現)으로써 이름 높음. [1867-1957]

토:스터 〔toaster〕 [명] 전열(電熱)을 이용하여 토스트를 굽는 기구.

토스토 〔이 tosto〕 [명] 〖악〗 '빠르고 급하게'의 뜻.

토:스트 〔toast〕 [명] ①식(食)빵을 얇게 썰어 양쪽을 살짝 구워서 버터나 잼 같은 것을 바른 것. ②건배(乾杯). 축배(祝杯).

토스티 〔Tosti, Francesco Paolo〕 [명] 〖사람〗 이탈리아의 작곡가. 나폴리의 왕립 음악원에서 수학. 1880년부터 영국에 이주, 왕실의 음악 교사, 왕립 음악원 성악 교수를 역임하고, 후에 모국에 돌아옴. 서정적인 많은 가곡을 작곡(作曲)하였음. 그의 ≪세레나드(serénade)≫는 특히 유명함. [1846-1916]

토스 폭격 【―爆擊】 [명] 〔toss bombing〕 〖군〗 폭격 방법의 하나. 비행기가 목표 직전에서 기수(機首)를 올려, 중력(重力)에 의한 낙하(落下)의 영향을 보정(補正)하는 상승(上昇) 각도로 폭탄을 투하함.

토습 【討襲】 [명] 적을 엄습(掩襲)함. ――-하다 [타][여불]

토시 [명] 〔←투수(套袖)〕 팔뚝에 끼는 방한(防寒) 제구. 저고리 소매 비슷이 생기었는데, 한 끝은 좁고 다른 한 끝은 넓게 되었음. 취음(取音): 토수(吐手).

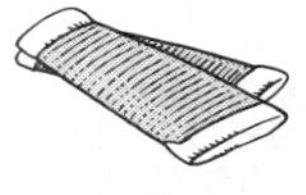

〈토시〉

토시-살 [명] 소의 만화에 붙은 고기.

토식 【討食】 [명] 음식을 강제로 청하여 먹음. ――-하다 [타][여불]

토식-증 【土食症】 [명] 〖의〗 이미증(異味症)의 한 현상. 흙·숯 따위에 식욕을 느껴 먹는 증세. 기생충 감염에 의한 것으로 여겨짐.

토신[1] 【土神】 [명] 〖민〗 음양가(陰陽家)에서 말하는, 흙을 맡고 있다는 귀신(鬼神).

토:-신[2] 〔toe〕 [명] 토슈즈(toeshoes).

토실[1] 【土室】 [명] 토옥(土屋).

토:실[2] 【吐實】 [명] 일의 실상을 말함. 토설(吐說). 실토(實吐). ――-하다 [타][여불]

토실-토실 [부] 살이 보기 좋을 만큼 찐 모양. <투실투실. *통통. ――-하다 [형][여불]

토심[1] 【土深】 [명] 〖지〗 흙의 깊이.

토:심[2] 【吐心】 [명] 좋지 아니한 낯빛이나 말로 남을 대하거나 무엇을 줄 때에, 상대편이 느끼는 불쾌하고 아니꼬운 마음. ¶인제는 이 집 주인에게 ～을 아니 받겠으니 그 일이 우선 상쾌하오≪李海朝 : 巢鶴嶺≫.

토심[3] 【討尋】 [명] 토구(討究). ――-하다 [타][여불]

토:심-스럽다 【吐心―】 [형][여불] 남이 좋지 아니한 태도로 주는 것을 받을 때에 마음에 아니꼽고 불쾌하다. ¶주삼의 안해가 거북살스럽고 토심스러운 것을 참지 못하여…≪洪命憙 : 林巨正≫. **토:심-스레** 【吐心―】 [부]

토-씨 [명] 〖언〗 조사(助詞). [준]토.

토:악 【吐握】 [명] ↗토포 악발(吐哺握髮).

토:악-질 【吐―】 [명] ①먹은 것을 게워 냄. ②남의 재물을 부당하게 빼앗거나 받았다가 도로 내어놓음. ――-하다 [타][여불]

토안 【兎眼】 [명] 안면 신경 마비로, 눈이 잘 감기지 않아서 안구(眼球)의 일부가 늘 노출되어 있는 병.

토압 【土壓】 [명] 〖토〗 쌓아 모은 흙의 압력.

토:약 【吐藥】 [명] 〖약〗 위(胃) 속에 든 물건을 토하게 하는 데 쓰는 약. 토제(吐劑).

토양 【土壤】 [명] ①흙. ②곡물(穀物) 등이 생장할 수 있는 흙. ③〖지〗 지각(地殼) 표면의 암석이 분해한 무기물(無機物)에, 부패(腐敗) 분해된 동식물에서 생긴 유기물(有機物)이 혼합된 것.

토양 감:염 【土壤感染】 [명] 〔soil-borne infection〕 병원체(病原體)가 어떤 형태로든 흙속에 장시간 남아 있어 실제의 감염원이 되는 일. 파상풍(破傷風) 등 인축(人畜)의 병 외에, 농학상(農學上)으로 세균·사상균(絲狀菌)·비루스 및 선충(線蟲) 등에 기인할 때가 많음.

토양 개:량 【土壤改良】 [명] 〖농〗 경지(耕地)의 토질을 작물 재배에 알맞게 개량하는 일. 산성이나 알칼리성이 강한 땅, 단립(團粒) 구조가 파괴되거나 침식되기 쉬운 땅, 묵은 무논, 화산회지(火山灰地), 간척지, 이탄지(泥炭地)가 그 대상임. 토양 개량제(土壤改良劑)를 쓰는 외에, 관개·객토(客土)·심경(深耕)·추경(秋耕)·건토(乾土)·전답 윤환(田畓輪換) 따위의 방법이 있음.

토양 개:량제 【土壤改良劑】 [명] 〖농〗 토양 개량을 위해 쓰이는 약제. 산성 토양에 대한 석회(石灰), 묵은 무논에 대한 함철토(含鐵土)류, 염기 치환 용량(鹽基置換容量)의 증가나 누수 방지를 위한 벤토나이트(bentonite) 외에도 최근에는 단립(團粒) 형성제·아크릴 아미드계(acryl amide系)의 고분자(高分子) 물질 등이 쓰임.

토양 공기 【土壤空氣】 [명] 〔soil air〕 〖지〗 토양 속에 함유된 공기나 그 밖의 기체(氣體).

토양 구조 【土壤構造】 [명] 〔soil structure〕 〖지〗 토양 입자가 모인, 가지가지 집합체의 배열 경향(配列傾向). 구성 미립자(微粒子)의 성질들이 각기 다름.

토양-균 【土壤菌】 [명] 지표나 지하에서 생활하는 세균 및 균류의 총칭. 질화(窒化) 세균·철(鐵) 세균·유황 세균 등은 화학 합성을 행하며, 고초균(枯草菌)·셀룰로오스 분해균 등은 종속 영양(從屬營養)을 행하고 토양 중의 유기물을 분해하는 등 물질 순환에 큰 역할을 다하고 있음. *토양 미생물.

토양 단:면 【土壤斷面】 [명] 〔soil profile〕 〖지〗 토양의 수직 단면. 층위(層位)나 모재(母材)를 나타내어 주고 있음.

토양-도 【土壤圖】 [명] 토성도(土性圖).

토양 동:물 【土壤動物】 [명] 〔soil animals〕 흙 속에서 생활하는 동물의 총칭. 아메바·선충(線蟲)·지렁이·진드기·개미·두더지 등 많은 동물군(動物群)이 이에 속함. 포식(捕食) 동물과 분해(分解) 동물이 있으며 후자는 낙엽·낙지(落枝) 등의 식물질이나 동물의 시체 등을 분해하여 토지를 비옥하게 하는 구실을 함. 지중(地中) 동물.

토양 모:체 【土壤母體】 [명] 〔parent material〕 〖지〗 아직 굳지 않은 광물이나 유기물로서, 그로부터 토양이 생성되는 모체.

토양 물리학 【土壤物理學】 [명] 〔soil physics〕 〖지구물리〗 토양의 물리적 성질을 연구하는 학문.

토양 미생물 【土壤微生物】 [명] 〔soil microorganism〕 흙 속에 있는 미생물. 세균·방사균(放射菌)·사상균(絲狀菌)·조균(藻菌) 등 종류가 많은데, 그 작용은 토양의 생성(生成)이나 고등 식물의 생육에 영향이 많음. *토양 세균·토양균.

토양 미생물학 【土壤微生物學】 [명] 〔soil microbiology〕 〖생〗 토양 속에 있는 미생물에 관한 학문. 그 기능이나 작용이 토양의 성질이나 식물 생장에 미치는 영향을 연구함.

토양 반:응 【土壤反應】 [명] 〔soil reaction〕 〖농〗 토양의 산성·중성(中性) 또는 염기성 여부를 나타내는 반응. 식물 특히 농작물과의 관계가 중대한데, 일반적으로 중성일 때가 가장 식물의 생장에 적합함.

토양 보:전 【土壤保全】 [명] 〔soil conservation〕 바람이나 물에 의한 토양 침식이나 소모를 막는 또는 최소한으로 억제하기 위한 토양 관리.

토양 복합 【土壤複合】 [명] 〔soil complex〕 〖지〗 복잡한 토양 조사에 쓰이는 작도(作圖) 단위. 둘 이상의 식별 가능한 분류 단위로 이루어짐.

토양 살균제 【土壤殺菌劑】 [명] 흙 속에 살거나 번식하여 농작물을 침해하는 병균을 방지하기 위하여 쓰는 약제. 포르말린·수은제(水銀劑) 같은 것. 토양 소독제.

토양 생물상 【土壤生物相】〔―쌍〕 [명] 〔soil biota〕 〖생〗 땅속에서 생활하는 생물의 전종류(全種類). 몸 크기에 따라, 세균·균류(菌類)·조류(藻類)·원생(原生) 동물, 미소한 선충류(線蟲類)와 같은 미생물, 조금 더 큰 중형(中形) 생물, 식물의 뿌리나 대형 지렁이·척추 동물 등의 대형 생물 등으로 나눔. 지중(地中) 생물상.

토양 세:균 【土壤細菌】 [명] 〔soil bacteria〕 흙 속에 사는 세균류의 총칭. 넓은 뜻으로 방선균(放線菌)도 포함됨. 유기물의 분해, 질산화 작용, 탈질(脫窒) 작용 등과 관계됨. 보통 1 g당 수백만에서 수십억이며, 비옥한 땅일수록 그 수는 많음.

토양 소독 【土壤消毒】 [명] 열(熱)이나 약품을 써서 흙 속에 사는 병원(病原) 미생물을 죽이는 처치.

토양 소독제 【土壤消毒劑】 [명] 토양 살균제.

토양-수 【土壤水】 [명] 〔soil water〕 〖지〗 토양수대(土壤水帶)에 있는 물.

토양수-대 【土壤水帶】 [명] 〔belt of soil water〕 〖지〗 통기대(通氣帶)의 상부의 부분. 위 쪽은 지표(地表), 아래 쪽은 중간대(中間帶)로 한정되는데, 특히 식물의 생장에 필요한 물과 뿌리를 포함함.

토양 안정제 【土壤安定劑】 [명] 〔soil stabilization〕 천연 토양의 물리적 성질을 변화시키는 약제. 사면(斜面)의 안정화와 침식 방지, 건물의 기초 정비 등에 쓰임.

토양 오:염 【土壤汚染】 [명] 〔soil pollution〕 농작물 또는 인간이나 동물에 대해 유해한 물질이 토양에 침입하는 일. 광공업 폐기물인 동(銅)·카드뮴·비소·크롬·수은·니켈·아연(亞鉛) 따위의 중금속류 및 유기염소(有機鹽素) 살충제를 중심으로 하는 합성 농약으로 인한 오염도가 심해지고 있음.

토양적 공:동체 【土壤的共同體】 [명] 〔edaphic community〕 〖식〗 염분(塩分)·배수(排水) 따위 토양 요인(要因)의 영향으로 생성된 식물 취락(植物聚落).

토양 조사 【土壤調査】 [명] 토양학의 한 분야. 어떤 면적의 토지를 대상으로 그 지역 안의 토양 단면의 특성을 조사 기록하고, 일정한 체계에 따라 분류하며, 그 분류 단위의 분포도를 작성함.

토양 지구 화:학 조사 【土壤地球化學調査】 [명] 〔pedogeochemical survey〕 〖지〗 토양 및 경토(耕土)에서 채취한 시료(試料)에 대하여, 지구화학적 조사를 행하는 일.

토양-층 【土壤層】 [명] 토층(土層).

토양 침식 【土壤浸蝕】 [명] 비바람에 의해서 농경지의 표토(表土)가 유실(流失)되는 현상.

토양-학 【土壤學】 [명] 〔pedeology〕 〖농〗 토양의 생성(生成)과 성질·변화·분류 및 분포에 관하여 연구하는 학문.

토양-형 【土壤型】 [명] 〖농〗 성인적(成因的) 토양 분류의 기본 단위. 보통 같은 형의 자연 환경 밑에서 생성되며 유기물과 무기물의 분해·합성 과정, 물질의 이동·집적(集積)의 성격, 토양 단면(斷面)의 구성, 토양 비옥도(肥沃度)의 유지 증진 방향이 동형(同型)인 것 등 생성 과정이 같은 토양군(群)을 이름.

토양 호흡 【土壤呼吸】 [명] 흙 속에 있는 식물의 뿌리·세균·균류(菌類) 및 지중(地中) 동물의 호흡으로 탄산 가스가 배출 확산하여 공기 중에 방출되는 현상. 토양 호흡은 흙 속의 환경 상태에 따라 크게 변화하는데 그 양이 극히 많아서 지표(地表) 식물의 광합성(光合成)을 돕고 탄소 순환에 큰 역할을 함.

토양 화:학【土壤化學】명〔soil chemistry〕토양 중의 무기물(無機物)·유기물(有機物) 및 생물 순환(生物循環)에 대하여 연구하는 학문.

토어¹【土魚】명〖조개〗가리맛.

토어²【土語】명 ①그 땅의 본토박이가 쓰는 말. ②사투리.

토-언제【土堰堤】명〖토〗흙만으로 쌓아 만든 둑. 어스 댐(earth dam).

토역¹【土役】명 흙일.

토:역²【吐逆】명 욕지기. 구토(嘔吐). ——-하다 자여불

토역³【討逆】명 역적을 토벌함. ——-하다 타여불

토역-과【討逆科】명〖역〗역변(逆變)의 토평(討平)을 기념하여 설치한 조선 시대의 특수 과거. 인조 2년(1624)에 '이괄(李适)의 난'을 평정하고 처음 실시했으며, 그 후 부정기적 정시(庭試)로서 행해졌음.

토역-꾼【土役一】명 흙일에 종사하는 일꾼.

토역-일【土役一】[一닐] 명 흙일.

토:역-질【吐逆一】명 욕지기. ——-하다 자여불

토-역청【土瀝青】명〖공〗아스팔트(asphalt)❶.

토역청 포도【土瀝青鋪道】명 토역청으로 포장한 도로.

토연【土煙】명 토사(土砂)가 날리어 뽀얗게 연기처럼 보이는 것.

토영【兎影】명 달빛. 월영(月影).

토영 삼굴【兎營三窟】명 토끼가 위난(危難)을 피하려고 구멍 셋을 만든다는 뜻으로, 자신의 안전을 위하여 미리 몇 가지의 방법을 짜 놓음을 가리키는 말.

토옥¹【土沃】명 땅이 기름짐. ↔토척(土瘠). ——-하다 형여불

토옥²【土屋】명 토담집. 토실(土室).

토와【土蝸】명〖동〗괄태충(括胎蟲).

토왕【土旺·土王】명〖민〗↗토왕지절(土旺之節).

토왕 용:사【土王用事】명〖민〗토왕지절(土旺之節)의 첫째 되는 날. 춘하추동에 각 한 절기씩 일 년에 네 번 있음. 곧, 입춘·입하·입추·입동의 네 절기가 드는 날의 그 전날부터 거꾸로 18일째 되는 날로, 이 날은 흙일을 금한다 함.

토왕지-절【土旺之節】명〖민〗오행(五行)에서 말하는 토기(土氣)가 왕성하는 절기. 입하 전의 봄의 토왕, 입추 전의 여름 토왕, 입동 전의 가을 토왕, 입춘 전의 겨울 토왕의 네 절기인데, 한 기간은 18일 동안임. 특히, 여름 토왕을 가리킴. 준토왕(土旺).

토요【土曜】명 ↗토요일. 주의 주로 관형적(冠形的)으로 쓰임.

토요-일【土曜日】명 칠요일(七曜日)의 제일 끝 날. 곧, 일요일로부터 일곱째 되는 날. 준토요. *주말(週末).

토욕【土浴】명 닭이 발로 흙을 파헤치고 들어앉아 버르적거리는 일. 또, 말이 땅에 뒹굴어 비비는 일. ——-하다 자여불

토욕-질【土浴一】명 토욕하는 짓. ——-하다 자여불

토욕혼【吐谷渾】명〖역〗4세기초 중국의 칭하이(青海) 지방에 있던 나라 이름. 왕족은 선비(鮮卑)로, 5호(胡) 16국 시대부터 세력을 떨쳤으나, 뒤에 북위(北魏)·수(隋)·당(唐)의 침략을 받아 663년에 토번(吐蕃)에게 멸망당하였음.

토용¹【土用】명 토왕(土旺).

토용²【土俑】명〖공〗흙으로 만든 허수아비. 옛날에 이것을 순사자(殉死者) 대신으로 무덤 속에 묻었음.

토우¹【土宇】명 하늘 아래, 곧 천하(天下) 또는 나라.

토우²【土芋】명〖식〗새박뿌리.

토우³【土雨】명 흙비.

토우⁴【土偶】명〖고고학〗흙으로 만든 물상 또는 동물상. 장식적인 용도 외에도 풍요와 다산(多産)을 기원하는 주술적인 의미도 지님. 토우인(土偶人).

토우-인【土偶人】명 토우(土偶).

토운-선【土運船】명〖토〗토목 공사장에서 흙을 실어 나르는 배.

토운-차【土運車】명〖토〗토목 공사장에서 흙을 실어 나르는 수레.

토웅【土熊】명〖동〗오소리.

토원¹【土垣】명 토담.

토원²【兎園】명〖역〗중국 양(梁)나라 효왕(孝王)이 지금의 허난성(河南省) 상구 현(商丘縣)의 동쪽에 만든 정원 이름.

토원-책【兎園册】명 ①〔중국 양(梁)나라 효왕(孝王)의 장서(藏書)가 모두 속어로 쓰여진 데서 온 말〕속된 말로 쓰여진 비속(卑俗)한 책. ②자기의 저서(著書)를 겸양해서 이르는 말.

토원후 불평【兎怨猴不平】명〖민〗궁합(宮合)에서 토끼 띠는 원숭이 띠를 꺼린다는 말. 원진살(元嗔煞)의 한 가지.

토월【兎月】명 '달'의 딴이름.

토월-회【土月會】명〖연〗신극(新劇)의 극단 이름. 1922년에 일본 도쿄(東京) 유학생인 박승희(朴勝喜)·김을한(金乙漢)·김기진(金基鎭) 등이 중심이 되고 안석주(安碩柱)·원우전(元雨田) 등이 합력(合力)하여 조직함. 전후 80여 회에 달하는 공연(公演)으로 우리 나라 연극 발전에 크게 공헌했음.

토:유【吐乳】명 유아(幼兒)가 먹은 젖을 토하는 일. 이상 분해(異常分解)에 의하여 야릇한 냄새가 남. 여러 가지 질병(疾病)의 징후(徵候)임. ——-하다 자여불

토:유-병【吐乳病】[一뼝] 명〖한의〗젖먹이가 젖을 토하는 병.

토육¹【土肉】명〖동〗해삼(海蔘).

토육²【兎肉】명 토끼 고기.

토육 저:냐【兎肉一】명 토끼 고기로 만든 저냐. 토육 전유어.

토육 전:유어【兎肉煎油魚】명 토육 저냐.

토육-회【兎肉膾】명 토끼 고기로 만든 회.

토음【土音】명 사투리.

토의¹【土宜】명 ①토지 소산(所產). ②토질이 사람 사는 데나 곡식·과실나무를 심는 데 알맞음.

토의²【討議】명 어떤 사물에 대하여 각자의 의견을 내걸어 검토하고 협의하는 일. 디스커션. ——-하다 타여불

토의-법【討議法】[一뻡] 명〔discussion method〕〖교〗집단의 성원(成員) 상호간의 토의에 의한 지식과 경험의 교류(交流)를 통하여 교육 목표를 달성하려는 교육적 지도법의 하나.

토의 자:료【討議資料】명 '토킹 페이퍼'의 역어(譯語).

토이¹【土耳】명 인상(人相)에서, 두껍고 살이 찐 귀. 그 색이 붉으면 부귀(富貴)하고 장명(長命)할 상(相)이라 함.

토이²【討夷】명 오랑캐를 토벌함. ——-하다 자여불

토이기【土耳其】명〖지〗터키(Turkey)의 취음(取音).

토이기 담:배【土耳其一】명 터키 담배.

토이기 모자【土耳其帽子】명 터키 모자.

토이기-어【土耳其語】명〖언〗터키어.

토이기-인【土耳其人】명 터키인.

토-이질【土痢疾】명〖한의〗아메바성(性) 이질(痢疾)을 한의학에서 일컫는 말.

토이토부르크 숲의 싸움〔Teutoburg〕[一/一에一] 명〖역〗서기(西紀) 9년에, 게르만인 연합군과 로마군과의 싸움. 토이토부르크 숲은 독일의 노르트라인베스트팔렌 주(Nordrhein-Westfalen 州)에 있는 삼림(森林)인데, 이 싸움에서, 로마의 3군단(軍團) 약 2만 명이 전멸(全滅)함. 이 때문에 로마 황제 아우구스투스는 게르만 공략 계획을 단념하게 되었고, 로마의 게르만에 대한 정책에 커다란 전기(轉機)를 가져오게 되었음.

토:익〔TOEIC〕명〔Test of English for International Communication〕영어를 국어(國語)로 사용하지 않는 나라에서 국제적인 의사 소통을 위하여 실시하는 영어 시험.

토인¹ 명〖역〗통인(通引).

토인²【土人】명 ①어떤 지방에 대대로 토착(土着)하여 사는 사람. ②원시적(原始的) 생활을 하는 미개인(未開人). ③흑인(黑人). ④흙으로 만든 인형(人形).

토인 문학【土人文學】명〖문〗①도회지 풍속과 문명 세계에서 격리(隔離)된 미개한 땅의 인간 생활을 묘사한 문학. ②미개한 땅의 토인이 지은, 기교가 없고 소박한 문예 작품.

토인비〔Toynbee〕명〖사람〗①〔Arnold T.〕영국의 경제사가·사회 개량가. 영국의 산업 혁명을 연구·강의(講義)하고 세틀멘트(settlement) 운동의 선구자가 되어 사회 개량을 추진했음. 주저에 ≪18세기 영국 산업 혁명론≫이 있음. [1852-83] ②〔Arnold Joseph T.〕영국의 대표적 역사가. ❶의 조카. 일찍이 투키디데스(Thukydides)의 역사 이론에 관한 탁견(卓見)을 발표하고, 슈펭글러(Spengler)와 마르크스(Marx)의 결정론적 사관(史觀)에 대하여 인간 및 인간 사회의 자유로운 결의와 행위에 의한 역사·문화의 형성을 강조하는 한편 방대한 사료(史料)를 구사(驅使)하여 여러 문명의 성장 법칙과 그것들의 정신사적 관련을 밝히는 일에 노력하고 그것을 통하여 독자적인 종교 철학을 전개하여 현대의 세계사학에 커다란 문제를 제시했음. 현대의 가장 해박한 지식인으로, 12권으로 된 대표작 ≪역사의 연구≫ 이외에 ≪시련대(試鍊臺)에 선 문명≫·≪세계와 서구(西歐)≫·≪역사가가 본 종교관≫ 등 많은 저서가 있음. [1889-1975] ③〔Philip T.〕영국의 소설가·평론가. ❷의 아들. 작품에 ≪바다에 면(面)한 정원≫·≪헤어진 친구≫ 등의 전위적 소설이 있음. [1916-]

토일릿〔toilet〕명 ①화장(化粧). ②↗토일릿 룸.

토일릿 룸:〔toilet room〕명 ①화장실(化粧室). ②변소(便所). 준토일릿.

토일릿 소:프〔toilet soap〕명 세수 비누. 화장 비누.

토일릿 케이스〔toilet case〕명 화장 도구를 넣는 상자.

토일릿 파우더〔toilet powder〕명 화장용의 흰 가루분(粉).

토일릿 페이퍼〔toilet paper〕명 뒤지. 휴지.

토장¹【土葬】명 장사(葬事)법의 한 가지. 시체를 흙 속에 매장하는 일. 토매(土埋). ——-하다 타여불

토장²【土漿】명〖한의〗지장(地漿).

토장³【土牆】명 토담.

토장⁴【土醬】명 된장❶.

토장-국【土醬一】[一꾹] 명 ☞된장국.

토장-길 명〈방〉소로(小路)(충남·전북).

토장-돌 [一똘] 명〈방〉댓돌❶(평북).

토장-묘【土葬墓】명〖고고학〗'구덩무덤'의 구용어.

토장 찌개【土醬一】명 ☞된장 찌개.

토장-탕【土醬湯】명 ☞된장국.

토재-관【土在官】명〖역〗자기가 가진 토지가 있는 곳의 관아(官衙).

토재비 명〈방〉도깨비(경상).

토저【土豬】명〖동〗오소리.

토저-피【土豬皮】명 환피(貛皮).

토적¹【土賊】명 토구(土寇).

토적²【土積】명 흙이 쌓임. ——-하다 자여불

토적³【討賊】명 도둑을 침. 역적(逆賊)을 토벌함. ——-하다 자여불

토적 성산【土積成山】명 진합 태산(塵合泰山).

토적-악【土赤嶽】명〖지〗제주도 한라산(漢拏山)의 동쪽에 있는 봉우리. [1,402 m]

토전【土田】명 논과 밭. 전답(田畓).

토점【土店】명〖광〗사금(砂金)이나 토금(土金)이 나는 광산.

토점-꾼【土店一】명 토점에서 일하는 사람.

토정¹【土定】명〖공〗중국 북부 딩저우 요(定州窯)에서 나는 빛이 누르무레한 백사기(白沙器).

토정²【土亭】명〖사람〗이지함(李之菡)의 호(號).

토정³【土鼎】명 질솥.

토:정[4]【吐情】명 마음 속에 있는 사정(事情)을 솔직히 말함. ──-하다 자여불

토:정[5]【吐精】명 남자가 정액(精液)을 쌈. 사정(射精). ──-하다 자여불

토정 비:결【土亭祕訣】명〖책〗조선 중기 명종(明宗) 때 사람 토정(土亭) 이지함(李之菡)이 지은 책. 태세(太歲)·월건(月建)·일진(日辰)을 숫자적(數字的)으로 따져 그 해의 신수를 풀어 보는 데에 씀.

토제[1]【土堤】명 흙으로 쌓아 올린 제방. 토파(土坡).

토제[2]【土製】명 흙으로 만듦. 또, 그 물건.

토:제[3]【吐劑】명〖약〗먹은 음식을 토하게 하는 약. 담반(膽礬)·토근(吐根) 같은 것. 토약(吐藥). 최토제.

토제[4]【討祭】명 벌제(伐祭). ──-하다 자여불

토제비 명〈방〉도깨비(경남).

토족[1]【土足】명 ①흙이 묻은 발. ②신을 신은 그대로의 발.

토족[2]【土族】명 토반(土班)의 겨레.

토종[1]【土種】명 그 땅에서 나는 종자. 토산종(土產種). 본토종(本土種). ＊재래종(在來種).

토종[2]【土螽】명〖충〗송장메뚜기.

토종-벌【土種─】명 양봉(洋蜂)에 대하여, 재래종의 꿀벌.

토죄【討罪】명 죄목(罪目)을 들추어 다부지게 나무람. ──-하다 자여불

토주[1]【土主】명 ①땅 주인. 지주(地主). ②〖역〗↗토주관(土主官).

토주[2]【土朱】명〖광〗①대자석(代赭石). ②석간주(石間硃).

토주[3]【土柱】명〖지〗암괴(岩塊)가 있어서 그 밑의 흙이나 사력층(砂礫層)이 오랜 빗물의 침식(浸蝕)에서 보호되어 생긴 흙의 기둥. 흔히 머리에 바윗돌을 이고 있음. 알프스 산(Alps山) 중의 관광지(觀光地) 티롤(Tirol) 지방에 있는 것이 가장 유명함. 높이 35m에 달하는 것도 있음. 토탑(土塔).

〈토주[3]〉

토주[4]【土珠】명〖고고학〗흙구슬.

토:주[5]【吐紬】명 바탕이 두껍고 빛이 누르스름한 명주의 한 가지.

토주[6]【討酒】명 술을 강청(強請)하여 마심. ──-하다 자여불

토:주-계【吐紬契】[─계] 명〖역〗토주를 관아에 공물(貢物)로 바치던 계.

토주-관【土主官】명〖역〗백성이 그 고을의 수령(守令)을 일컫는 말. ㊟토주(土主).

토:주-석【吐酒石】명〖약〗타르타르산염(酸塩)의 하나. 산성 타르타르산 칼륨(kalium)과 산화 안티몬(酸化 antimon)의 화합물. 흰 빛의 투명하고 자디잔 결정 또는 가루인데, 대기(大氣) 중에서 풍화(風化)하여 물에 녹으나 알코올에는 녹지 않음. 극약이며 살충제로서 농약, 의약품으로는 최토(催吐)·발한(發汗)·거담제(祛痰劑) 등으로 내복(內服)하고 연고(軟膏)로도 쓰임. 또 섬유·피혁(皮革) 공업에서의 매염제(媒染劑)·분석용 시약으로도 쓰임. ＊타르타르산 안티모닐 칼륨. [$C_4H_4O_6KSbO \cdot \frac{1}{2}H_2O$]

토-주자【土鑄字】명〖인쇄〗흙으로 만든 주자.

토죽【菟竹】명〖식〗둥굴레.

토중【土中】명 ①사방(四方)의 토지의 중앙이라는 뜻으로, 중국의 낙읍(洛邑)을 이르는 말. ②흙 속. 땅 속.

토지[1]【土地】명 ①땅. 흙. ②논밭. 집터. 터. ③토질(土質). ④영토(領土). ⑤〖법〗광대(廣大)한 연속성(連續性)을 지닌 자연적(自然的)인 토지를 법률적으로 일정한 구획을 지어, 등기(登記)에 의해서 사법상 소유권의 대상이 되는 것. 또한 토지에 정착(定着)하는 유체물(有體物)로서 독립적(獨立的)인 거래(去來)의 목적이 되지 않는 것은 이론상 토지의 일부로 간주함.

토지[2]【土芝】명〖식〗토란.

토지 개:량【土地改良】명 토지의 불합리한 자연 조건을 극복하고 그 이용 가치를 향상시키는 일. 개간(開墾)·농토 정리·관개(灌漑)·배수(排水) 따위.

토지 개:량 사:업【土地改良事業】명 농지 개량 사업(農地改良事業).

토지 개:량 조합【土地改良組合】명 수리(水利) 조합을 개칭(改稱)한 공공(公共) 조합. 토지 개량 사업을 행하였음. 1970년 농지(農地) 개량 조합으로 개칭됨.

토지 개:혁【土地改革】명〖사〗토지의 소유 형태에 관한 개혁. 개인의 토지 소유권에 의한 지대 수납권(地代收納權)을 부인(否認)하는 것이 그 근본 내용임.

토지 공개념【土地公槪念】명 토지는 확대 재생산이 불가능한 한정된 자산이므로 토지의 소유와 처분은 공공의 이익을 위하여 적절히 제한할 수 있다는 개념.

토지 관:할【土地管轄】명〖법〗직무나 사무에 관한 관할을 같이 하는 여러 법원 사이의 재판권을 행사하는 구역을 지역적 표준에 의해서 분배하여 규정한 관할 구역. 어느 사건을 지역적으로 어디의 법원이 분담하여 심리·재판하는가의 문제로, 민사·형사의 사건에 대해 제각기 법률로 이를 정하고 있음.

토지 구획 정:리 사:업【土地區劃整理事業】[─니─] 명〖법〗도로·공원·광장(廣場)·하천 및 초·중등 학교 용지(用地) 등의 공공 시설의 정비 개선 및 대지(垈地)로서의 이용 증진을 꾀하기 위하여 행하여지는 토지의 형질(形質) 변경과 공공 시설의 설치·변경에 관한 사업.

토지 구획 정:리 사:업법【土地區劃整理事業法】[─니─] 명〖법〗토지 구획 정리 사업의 집행 절차·방법 및 비용 부담 등에 관한 사항을 규정한 법률. 토지 구획 정리 사업을 촉진시키고 도시의 건전한 발전과 공공 복리의 증진에 기여할 것을 목적함.

토지 국유【土地國有】명〖사〗토지의 사유 재산 제도를 폐지하고 국가의 소유로 하는 일. 토지의 대소유(大所有) 및 지대 수납권(地代收納權) 만을 제한하는 토지 개혁에 대해서 이르는 말임.

토지 국유론【土地國有論】명〖사〗일체의 토지를 국유로 하여 사유 재산 제도 및 지주 계급을 없애야 한다는 토지 제도에 대한 개혁론의 하나. 밀(Mill, J. S.)이 주장한 자본주의적 토지 국유론과 마르크스·레닌 등의 사회주의적 토지 국유론의 두 가지가 있음.

토지 금고【土地金庫】명〖경〗특수 법인의 하나. 토지의 거래와 이용을 공공적(公共的)으로 매개(媒介)하여, 유휴(遊休) 토지 자본의 산업 자금화, 기업의 재무 구조의 개선과 토지의 사회적 이용도의 증진에 기여하도록 설립됨.

토지 긴박【土地緊縛】명〖역〗유럽 중세기의 장원(莊園) 제도 밑에서처럼 농민이 이동의 자유가 없고 토지에 얽매여 있는 현상.

토지 단세론【土地單稅論】명〖사〗한 국가의 조세 체계(租稅體系)로 지조(地租)만 징수하고 다른 조세는 전폐(全廢)해야 한다는 학설. 프랑스의 케네(Quesnay, F.)와 그 밖의 중농학파(重農學派)가 제창하였으며, 19세기 말 미국의 헨리 조지(Henry George) 등도 주장하였음.

토지 대장【土地臺帳】명〖법〗지적 공부(地籍公簿)의 하나. 토지의 소재지·지번(地番)·지목(地目)·등급·면적·소유자의 주소 성명 등이 등록됨. 관리청(管理廳)은 시장(구(區)가 있는 시는 구청장)·군수임. 지적 대장(地籍臺帳). ＊가옥 대장.

토지 등기【土地登記】명〖법〗토지의 소유권 및 기타의 물권(物權)에 대한 득실 변경(得失變更)을 명백히 증거하기 위하여, 등기부에 등기하는 일. ＊건물 등기.

토지 등기부【土地登記簿】명〖법〗부동산 등기부의 하나. 토지에 관한 사항을 등기하는 공적(公的) 장부로, 등기소에 비치함. ＊건물 등기부.

토지 문기【土地文記】명〖역〗토지의 매매 계약서.

토지 문:제【土地問題】명〖사〗일정한 토지 소유의 계속 등으로 일어나는 모순(矛盾)에서 오는 여러 가지 사회 문제.

토지-법【土地法】[─뻡] 명〖법〗토지의 소유·이용·개량 등에 관하여 규정한 법률의 총칭. 일반적으로 헌법·민법에서 규정함.

토지-병【土芝餠】명 껍질을 벗긴 삶은 토란을 찹쌀 가루와 버무려 넓적하게 밀어 반듯반듯하게 썰어서 참기름에 지진 떡.

토지 부:담【土地負擔】명〖법〗①특정한 공익 사업의 목적을 위하여 특정한 토지에 과해지는 공법상의 제한(制限). 하천에 대하여 과하는 특별 부담, 수해 예방 또는 하천 공사 등의 필요에 의하여 하천 부근의 토지에 가해지는 소유권의 제한 등. ②중세 독일에서 유래한 제도. 토지 소유자가 일정한 권리자에 대하여, 금전 또는 기타의 것의 급부(給付)를 반복하여야 할 채무. 종국에는 토지가 그 채무를 담보함. 물상 부담(物上負擔).

토지 분류【土地分類】[─불─] 명〖지〗국토 조사 같은 것에서 토지의 전면적인 사용을 기하기 위해, 그 자연적 성질 및 사회적 성질에 의거해서 토지를 분류하는 일. 지형·경사(傾斜)·토양(土壤)·수리(水利) 등에 의한 자연적 분류와 이용 가치·소유 관계 등에 의한 사회적 분류의 두 가지가 있음. 분류한 결과를 숫자로 표시하여 자연 요소를 분자, 사회 요소를 분모로 하여 하나하나의 경지(耕地)에 기입함.

토지 분쟁【土地紛爭】명 토지의 소유·경작 등을 둘러싼 분쟁.

토지 사:용권【土地使用權】[─꿘] 명〖법〗토지 수용법(收用法)에 의하여 국가나 지방 자치 단체가 공공 사업에 필요한 타인의 토지 사용을 인정받는 공법상의 권리. 일시적 사용권과 계속적 사용권의 두 가지가 있음.

토지 사:회주의【土地社會主義】[─/─이] 명〖사〗사회주의적 성격을 띤 토지개혁론. 토지 사유의 폐지를 주장하는 토지 공유론 같은 것.

토지 소:산【土地所產】명 어느 한 지방에서 나는 물건. 토산물(土產物). 토의(土宜). ㊟토산(土產).

토지 소:유권【土地所有權】[─꿘] 명〖법〗토지를 자유로 사용·수익(收益)·처분할 수 있는 물권(物權). 자본의 가장 기본적인 법적 형태로 각종 소유권 중에서 중심적 지위를 차지하며, 민법상의 법령의 제한, 곧 삼림법·하천법·광업법·토지 수용법·온천법 등에 저촉되지 않는 한, 그 효력은 토지의 상하(上下)에 두루 미침.

토지 수용【土地收用】명〖법〗토지 수용법에 의거한 토지의 공용 징수 처분의 한 가지. 국가의 명령권에 의하여 공익(公益)을 위해서 필요한 경우에 특정 토지의 소유권과 기타의 권리를 강제적으로 징수하여 국가 또는 제삼자에게 옮기고 피징수자에게 상당한 보상을 지급하는 행정 처분. 공용 징수(公用徵收).

토지 수용법【土地收用法】[─뻡] 명〖법〗공익 사업에 필요한 토지의 수용과 사용에 관한 사항을 규정한 법. 공공 복리의 증진과 사유 재산권과의 조절을 도모함으로써, 국토의 합리적인 이용 및 개발과 산업의 발전에 기여함을 목적으로 함.

토지 수용 위원회【土地收用委員會】명〖법〗토지 수용법에 의거해서 토지의 수용과 사용에 관한 사항을 재결(裁決)하기 위하여 설치된 기관. 합의제(合議制) 기관이며 건설 교통부에 중앙 토지 수용 위원회를, 서울 특별시·각 광역시 및 도(道)에 지방 토지 수용 위원회를 둠. 중앙 토지 수용 위원회 위원장은 건설 교통부 장관이, 지방 토지 수용 위원회 위원장은 당해 지방 장관이 됨.

토지-신【土地神】명 ①〖불교〗선종(禪宗)에서, 토지의 수호신(守護神)을 일컫는 말. 그 땅의 사원(寺院)·가람(伽藍)·사역(寺域)을 지킨다는 신(神). ②↗토지지신(土地之神).

토지 은행【土地銀行】명 미국에서 농업의 과잉 생산 경향에 대한 대책으로, 1956년부터 실시하고 있는 작부(作付) 면적 제한 방식. 밀·면화·옥수수 등의 작부 면적을 2할 한도까지 감소시키고, 그 대신 목초나 수목을 심거나 치수용(治水用)으로 전환시키고 있는 제도로 감수(減收)에 대해서는 정부가 현금이나 잉여 농산물 따위로 보상함.

토지 이:용【土地利用】명 토지의 자연 및 사회적 요소를 충분히 조사하여 그 토지에 있어서의 가장 적절한 산업의 입지적(立地的) 조건을

고려 실행하여 토지를 최대 한도로 이용하는 일.
토지 이:용도【土地利用圖】명 토지 이용의 현황을 나타낸 지도.
토지 이:용률【土地利用率】[—뉼] 명 경지(耕地) 면적에 대한 실지 경작 면적을 백분비(百分比)로 나타낸 비율.
토지 제:도【土地制度】명〖경〗생산 수단으로서의 토지의 소유 혹은 용역(用役)에 관한 법률상·관습상의 제도. 원시(原始) 토지 공유제(土地公有制), 고전(古典) 고대적(古代的) 토지 소유제, 봉건적(封建的) 토지 소유제, 자본주의적 토지 소유제, 농민적 토지 소유제, 토지 공유제 등이 있음.
토지 조사【土地調査】명〖사〗근대적인 토지 소유권을 확립하기 위하여 필요한 일을 조사하는 일.
토지 조사 사:업【土地調査事業】명〖역〗일제(日帝)가 한국을 강점(強占)한 후, 식민지적 토지 소유 관계를 확립하기 위하여 실시한 대규모의 조사 사업. 1910년에 준비를 시작, 1912-18년에 시행하였음.
토지 증가세【土地增價稅】[—까—] 명 토지의 가격이 소유자의 노비(勞費)에 의하지 않고 자연적으로 등귀한 경우에 그 증가고(增價高)에 대하여 과하는 세.
토지 증명【土地證明】명〖역〗일제(日帝)의 통감부(統監府)가 일본인의 한국 토지·가옥 매매와 소유권을 법적으로 보장하기 위하여 임시로 제정(制定)한 고종 광무(光武) 10년(1906)의 토지·가옥 증명의 규칙과, 순종(純宗) 융희(隆熙) 2년(1908)의 토지·가옥 소유권 증명의 규칙에 의거한 토지의 권리 이전(移轉)·설정(設定)·보존(保存) 등에 관계된 증명.
토지지-신【土地之神】명 토지를 맡은 신령(神靈). 토지신.
토지 착오【土地錯誤】명〖법〗어떤 나라에 적용되는 법률이나 정책을 사정과 조건이 판이(判異)한 다른 나라에 그대로 적용시키려는 착오.
토지 채:권【土地債券】[—꿘] 명 유휴(遊休) 토지의 매입(買入) 자금을 조달하기 위하여, 재무부 장관의 승인을 얻어 토지 금고(金庫)에서 발행하는 채권.
토지 초과 이:득세【土地超過利得稅】명〖법〗노는 땅의 값이 전국의 평균 땅값 상승률 이상으로 올라 얻는 초과 이득의 50%에 대해 부과하는 세금. ㊥토초세(土超稅).
토지 측량【土地測量】[—냥] 명 경계 및 면적을 측정하고 지물(地物)의 위치를 밝힐 목적으로 하는 측량.
토지 평가사【土地評價士】[—까—] 명 '감정 평가사'로 바뀜.
토지 할양【土地割讓】명〖법〗협정·보상(補償) 기타의 사정에 의하여 어떤 국가가 다른 어떤 국가에 영토(領土)의 일부를 떼어서 양여(讓與)하는 일.
토지 회:사【土地會社】명〖경〗①주로 일정한 지역 내의 지주가 주주(株主)가 되어 자기의 소작지(小作地)의 관리, 주택지의 분양(分讓)과 그 외 소작료의 취급, 토지 매매, 농작물 공동 판매 등의 사업을 위탁 취급하는 합자(合資) 회사나 주식 회사. ②단순히 토지의 분양을 업으로 하는 회사.
토-직성【土直星】명〖민〗반흉 반길(半凶半吉)의 직성으로 아홉 직성의 하나. 아홉 해에 한 번씩 돌아오는데, 사내는 열한 살, 계집은 열두 살에 처음으로 든다 함.
토:진 간:담【吐盡肝膽】명 거짓없는 실정(實情)을 숨김없이 다 말함. ¶나도 너를 착실한 놈으로 믿었기에 ~을 하는 것이 아니냐?≪金宇鎭: 花上雪≫. ——-하다 자여불
토질[1]【土疾】명 ①어떤 지방의 수질(水質)이나 토질(土質)이 맞지 아니하여서 생기는 병의 총칭. 디스토마가 그 대표적인 것임. 토질병. 풍토병(風土病). ②〈속〉폐디스토마(肺 distoma).
토질[2]【土質】명 ①땅의 성질. 흙의 성질. 흙바탕. ②흙을 구성하고 있는 물질.
토질-병【土疾病】[—뼝] 명 토질(土疾).
토질 안정제【土質安定劑】명 토목 재료로서의 흙의 역학적(力學的)·수리학적(水理學的) 성질을 개선하기 위한 재료. 살포(撒布)·혼합·주입 등의 방법으로 사용됨. 특히, 흙의 성질을 근본적으로 바꾸려고 합성 수지계(合成樹脂系) 따위의 화학적 첨가물(化學的添加物)의 연구가 추진되고 있음.
토질 역학【土質力學】명 [soil mechanics] 흙의 성질을 역학상으로 연구하려는 학문. 흙의 이용 기술면에서의 개발이 새로운 공학으로서 주목되고 있음.
토짱이 명〈방〉면[2].
토째비 명〈방〉도깨비(경상).
토쨍이 명〈방〉면[2].
토-찌끼 명 간장 속에 가라앉은 토의 찌끼.
토찌비 명〈방〉도깨비(경상).
토착【土着】명 ①대대로 그 땅에서 삶. 또, 그 땅에 상주(常住)함. *정주(定住). ②〖생〗생물이 어떤 곳에 침입(侵入)하여 거기에 정주(定住)하는 일. ——-하다 자여불
토착-민【土着民】명 대대로 그 땅에서 살고 있는 백성. *본토박이.
토착성 미생물【土着性微生物】명 [autochthonous microorganism]〖생〗토착성의 토양 미생물. 정상적인 조건하에서 토양 중에서 화학 변화를 일으킴.
토착-종【土着種】명 고유종(固有種).
토착-화【土着化】명 땅에 뿌리를 박음. 또, 뿌리박게 함. ¶민주주의의 ~. ——-하다 자타여불
토척【土瘠】명 땅이 메마름. ↔토옥(土沃). ——-하다 형여불
토청【土靑】명〖미술〗청화 자기(靑華瓷器)에 쓰는, 우리 나라에서 나는 푸른 도료(塗料). 산화 코발트광(鑛)의 한 가지임.
토체【土體】명〖민〗골상학(骨相學)에서, 사람의 체격을 오행(五行)으로 나눈 중에서 토(土)에 속하는 체격.
토초【土炒】명〖한의〗약재(藥材)를 황토(黃土) 물에 적시어 불에 볶는 일. ——-하다 타여불
토초-세【土超稅】[—쎄] 명 ↗토지 초과 이득세.
토총【土塚】명 돌을 쌓아 만든 매장 시설의 위를 흙으로 쌓은 무덤. 고구려의 무덤인 석총(石塚)에 대하는 말로, 봉토(封土) 무덤, 또는 토묘(土墓)라고도 함.
토:출【吐出】명 ①먹은 것을 게움. ②속에 품은 뜻을 털어 놓고 말함. ——-하다 타여불
토충【土蟲】명〖동〗지네.
토층【土層】명 흙의 층(層). 토양층.
토치[1] 명〈방〉도끼(경상).
토:치[2] [torch] 명 ①횃불. 성화(聖火). ¶~ 릴레이. ②↗토치 램프. ③회전 전등.
토:치 램프 [torch lamp] 명 소형의 휴대용 버너. 몸통은 통 모양이고 석유 따위의 연료를 저장, 부속된 공기 펌프로 공기를 압축하여 기름을 뿜어내게 함. 고온(高溫)의 화염을 뿜으며, 납땜, 수도·도시 가스 공사의 연관(鉛管) 접합 등에 사용됨. ㊥토치.
토:치카 [러 tochka] 명 ①〖군〗요지(要地)를 콘크리트로써 견고하게 구축하여 안에 총화기(銃火器) 등을 비치한 방어 진지. 특화점(特火點). ②사날이 좋은 사람을 가리키는 말.
토카타 [이 toccata] 명〖악〗전주곡(前奏曲)의 한 가지. 화려·급속한 연주를 주안(主眼)으로 하여 피아노·오르간 등의 건반(鍵盤) 악기를 위하여 씌어진 전주곡. 극히 자유로운 형식을 취하며, 17-18세기에 전성(全盛)했고, 특히 바흐의 오르간을 위한 작품은 유명함.
토칸칭스 강【—江】[Tocantins] 명〖지〗남미 브라질 고원 중서부에서 발원하여 북쪽으로 흘러 아마존 강(Amazon江)의 삼각 지대(三角地帶)를 지나 대서양에 들어가는 강. 유역은 고습 다우(高濕多雨)하여 개척(開拓)이 뒤떨어지고 있음. [2,699 km]
토코페롤 [tocopherol] 명 비타민 이(E)의 본체(本體).
토크[1] [toque] 명 테 없는 여성용 모자.
토:크[2] [torque] 명〖물〗물체를 어떤 회전축(回轉軸)의 둘레에 회전시키는 힘. 또, 그 힘의 모멘트. 공학에서는 특히, 축(軸) 등의 봉상 물체(棒狀物體)를 비트는 힘을 이름.
토크빌 [Tocqueville, Alexis Charles Henri Maurice Clérel de] 명〖사람〗프랑스의 정치가·사상가. 미국에서 행형 제도(行刑制度)를 연구하고 돌아와 ≪미국의 민주주의≫를 썼음. [1805-59]
토:크 쇼: [talk show] 명 유명인이나 화제의 인물과의 인터뷰, 또는 대담(對談)·좌담(座談)으로 구성되는 방송 프로그램.
토:크 전:동기【—電動器】명 [torque motor]〖전〗전기(電氣) 신호를 기계적 회전 변위 출력(回轉變位出力)으로 바꾸는 기기(機器). 전자력(電磁力)에 의해 전기 신호를 기계 변위(變位)로 변환하는 부분과, 그것을 큰 출력으로 바꾸는 유압 증폭기(油壓增幅器) 부분으로 이루어짐.
토:크 컨버:터 [torque converter] 명 유체 변속기(流體變速機)의 하나. 작동유(作動油)를 매체(媒體)로 하여 회전력의 변속을 자동적으로 조절하는 것 중, 구동(驅動) 펌프와 구동당하는 터빈으로 구성된 구조의 것을 이름. 자동차의 변속에 이용됨.
토크타미시 [Toqtamish] 명〖사람〗킵차크 한국(Kipchak 汗國) 제16대 왕. 러시아 제후(諸侯)를 압박하여 위세를 떨쳤으나, 1390년과 1395년에 본거지를 역습당하여 몰락함. [?-1406; 재위 1380-1406]
토:큰 [token] 명 버스 요금 대용이나 자동 판매기(自動販賣器) 등에 쓰이는 주화 모양의 주조물(鑄造物).
토:키 [talkie] 명〖연〗[talking picture의 약칭] 영사(映寫)할 때에 영상(映像)과 동시에 음성·음악 등이 나오는 영화의 총칭. 발성 영화(發聲映畫). 사운드 필름(sound film). ↔사일런트(silent). *사운드 트랙(sound track).
토:킥 [toe kick] 명 축구에서, 축구화 끝으로 공을 차는 일.
토:킹 페이퍼 [talking paper] 명 수뇌 회담 때에, 미리 자국(自國)의 입장이나 문제의 배경 따위를 설명한 서류. 상대국에 건네주는 것으로, 공식적인 것이 아니며 외교 문서(外交文書)로서 남는 것이 아님. 토의 자료(討議資料).
토탄[1]【土炭】명〖광〗땅속에 매몰된 연대가 오래지 아니하여 탄화 작용이 충분히 다 못 된 석탄의 한 가지. 이끼 및 볏과(科) 식물이 습지(濕地)에 퇴적하여 분해 변화한 석탄으로, 암갈색의 광택이 없고 수분이 많은 해면상(海綿狀)·섬유상(纖維狀) 또는 토괴상(土塊狀)으로 발열량(發熱量)이 적음. 비료 또는 연탄(煉炭)의 원료로 쓰임. 황해도 지방에서 많이 남. 이탄(泥炭).
토:탄[2]【吐呑】명 탄토(呑吐). ——-하다 타여불
토탄-층【土炭層】명〖지〗이탄층(泥炭層).
토탑【土塔】명 토주(土柱).
토:털 [total] 명 합계(合計). 총계(總計). 총액(總額).
토:털 디플로머시 [total diplomacy] 명〖정〗자기 나라의 방위력(防衛力)을 충분히 견고하게 한 연후에 상대국과 구체적 협정(協定)에 들어간다는 외교 방침. 총력 외교(總力外交).
토:털 룩 [total look] 명 주체(主體)가 되는 의복에 모자·구두·양말 등이 합쳐져 일체가 된 의상. 소재(素材)·색채 등 모두가 통일되는 경우도 있으며, 한두 개의 강한 콘트라스트가 있어 여기에 맞춘 같은 색의 구두·양말·모자·백 따위가 곁들여지는 경우도 있음.
토:털 시스템 [total system] 명〖경〗몇 가지의 제약(制約) 조건 아래서 일정한 목표를 달성하는 데 필요한 여러 요소가 일정한 속성(屬性)

을 갖고 서로 관련되는 시스템. 일반적으로 이 시스템은 몇 개의 서브 시스템(sub system)으로 이루어짐. 예컨대 회사는 부·과·계(部課係)로 이루어지는 따위. 어느 것이 토털인가는 목표 설정에 따라 달라짐.

토:털 워: 〔total war〕 명 〖군〗 국가 전체의 있는 힘을 다하여 싸우는 전쟁. 총력전(總力戰).

토:테미즘 〔totemism〕 명 〖사〗 토템에 의하여 형성되는 사회 체계 및 종교 형태. 토템 신앙을 중심으로 하는 제도를 갖는 단계(段階)로서, 사회적으로는 부족 집단과 결합하고, 집단의 성원(成員)을 통합하는 힘이 됨과 동시에 외혼제(外婚制)를 발생시키며, 심리적으로는 토템과 집단 성원과의 사이에 친족 관계가 있다는 신앙으로 되고, 의례적(儀禮的)으로는 토템에 대한 외경(畏敬)·금기(禁忌)로서 표현됨. 오스트레일리아·멜라네시아·폴리네시아·인도·아프리카·북미(北美) 등지에 분포함. *샤머니즘.

토:템 〔totem〕 명 〖사〗 〔북아메리카 인디언의 토어(土語) ototemn에서 나온 말. '형제·자매인 혈연(血緣)'이란 뜻〕 미개인 사이에서 부족·씨족 또는 씨족적 집단의 성원(成員)과 특별한 혈연 관계를 갖는다고 생각되는 어떤 종류의 동식물. 드물게는 자연물 혹은 조형화(造形化)한 표징 기호(表徵記號)를 말하기도 함. 동식물의 경우, 부족·민족·개인의 성립(成立) 및 생탄(生誕)의 연원(淵源)으로서 신성시(神聖視)되어 포식(捕食)이 금지되는 등 많은 터부(taboo)가 있음. 토템은 미개인에게 있어서는 사회 질서를 유지하는 권위로서 현재까지도 북미(北美)·오스트레일리아·아프리카 등지에서 행하여지고 있음.

〈토템 폴〉

토:템 포스트 〔totem post〕 명 토템 폴(totem pole).

토:템 폴: 〔totem pole〕 명 토템 기호를 그리거나 조각한 표주(標柱). 북미 인디언들은 대개 문 앞에 세워 놓음. 토템 포스트.

토:토머 〔tautomer〕 명 〖화〗 토토머화 현상(現象)을 일으키는 이성질체(異性質體). 호변(互變) 이성질체.

토:토머화 현:상 【一化現象】 명 〔tautomerism〕 〖화〗 서로 변하여 바뀔 수 있는 화합물의 두 종류의 이성질체(異性質體)가 어느 한 쪽만으로 반응할 때의 이성질(異性質) 현상. 흔히, 수소 원자(水素原子)의 결합 위치(結合位置)가 바뀜으로써 일어남. 호변 이성(互變異性).

토토칼치오 〔totocalcio〕 명 프로 축구 경기를 대상으로 하는 도박. 토토칼치오 투표권을 구입하여 프로 축구의 십수(十數) 경기의 승패, 무승부를 예상해서 투표하면 적중자에게 상금이 분배됨.

토:톨러지 〔tautology〕 명 같은 것을 표현하는 말을 필요 이상으로 반복하는 일. 동어 반복(同語反復). 유어 반복(類語反復).

토트메스 〔Thotmes〕 명 〖사람〗 기원전 15세기경 이집트 제18 왕조의 제육대(六代) 왕. 아시아에 원정하여 고대 이집트 사상(史上) 최대의 부(富)와 영토를 영유(領有)함. 또, 아멘 신전(Amen 神殿)을 비롯한 많은 신전을 건립함. 생몰년 미상.

토파[1] 【土坡】 명 흙으로 쌓아 올린 둑. 토제(土堤).

토:파[2] 【吐破】 명 마음에 품고 있던 말을 거리낌없이 털어 내어 말함. ——-하다 타여불

토파[3] 【討破】 명 남의 언론을 쳐서 깨뜨림. 남의 말을 공격하고 논박함. ——-하다 타여불

토파즈 〔topaz〕 명 〖광〗 황옥(黃玉).

토판 【土版】 명 흙으로 만든 책판(冊版).

토-판장 【土板牆】 명 나무로 짜서 집에 붙여 쌓은 담. 안팎을 반화방(半火防)같이 하여 기둥·도리·서까래·중깃·욋가지를 다 갖추고 흙과 돌로 쌓아 올림.

토패 【土敗】 명 〖한의〗 위(胃)에 토기(土氣)가 부족한 증세.

토퍼 〔topper〕 명 여성용의 가볍고도 느릿한 반(半)코트. 주로 엷은 모직물로 만들어 봄·가을에 입음. 토퍼 코트.

토퍼 코:트 〔toppercoat〕 명 토퍼(topper).

토펠리우스 〔Topelius, Sakari〕 명 〖사람〗 핀란드의 시인·소설가. 핀란드 국민 문학의 선구자로 애국적인 역사 소설과 핀란드 민화(民話)를 소재로 한 동화집으로 널리 알려짐. 작품으로는 소설 ≪군의(軍醫) 이야기≫, 시집 ≪황야(荒野)의 꽃≫, 동화 ≪어린이의 읽을거리≫·≪별의 눈동자≫ 등이 있음. [1818-98]

토평 【討平】 명 쳐서 평정(平定)함. ——-하다 타여불

토:포[1] 【吐哺】 명 ①↗토포 악발(吐哺握髮). ②입에 든 것을 토함. ——-하다 자여불

토포[2] 【討捕】 명 토벌(討伐)하여 잡음. ——-하다 타여불

토포-사 【討捕使】 명 〖역〗 조선 시대에, 각 진영(鎭營)의 도둑을 잡는 일을 맡은 벼슬. 선조(宣祖) 때에 베풀어 각읍(各邑) 수령(守令)이 겸하다가 현종(顯宗) 때부터 진영장(鎭營將)이 겸직(兼職)함.

토:포-심 【吐哺心】 명 위정자(爲政者)가 정무(政務)에 골몰하는 마음. *토포 악발(吐哺握髮).

토:포 악발 【吐哺握髮】 명 〔중국의 주공(周公)이 식사시나 목욕시에 내객(來客)이 있으면 먹던 것을 뱉고, 감고 있던 머리를 거머쥐고 영접하였다는 고사(故事)에서 유래함〕 당국자(當局者)가 내객(來客)을 응대(應待)하기에 몹시 바쁜 모양으로, 민심(民心)을 수람(收攬)하고 정무(政務)를 보살피기에 잠시도 편안함이 없음의 비유. 또, 훌륭한 인물을 잃는 것을 두려워함의 비유로도 씀. 토포 착발(吐哺捉髮). ㊟토포(吐哺). 토악(吐握). *토포심(吐哺心).

토포-영 【討捕營】 명 〖역〗 진영(鎭營).

토:포 착발 【吐哺捉髮】 명 토포 악발(吐哺握髮).

토폴로기: 〔도 Topologie〕 명 토폴로지❷.

토폴로기: 심리학 【一心理學】 〔도 Topologie〕 〔一니一〕 명 〖심〗 위상 심리학(位相心理學).

토폴로지 〔topology〕 명 〖수〗 ①위상 기하학(位相幾何學). ②위상(位相). 토폴로기(Topologie).

토표 【土豹】 명 〖동〗 '스라소니'의 이칭.

토품 【土品】 명 논밭의 품질.

토풍 【土風】 명 그 지방의 풍속·습관. 그 지방 사람의 기풍.

토프 리:더 〔top leader〕 명 정치적 지배의 중심 인물.

토:플 【TOEFL】 명 〔Test of English as Foreign Language의 약자〕 미국 등 영어를 공용어(公用語)로 사용하고 있는 나라에 유학(留學)하려는 사람을 위한 영어 시험.

토플러 〔Toffler, Alvin〕 명 〖사람〗 미국의 미래 학자. 저널리스트로 활약하며 '포천(Fortune)'의 편집 차장을 지냄. 록펠러 재단·미국 전신 전화 회사 고문을 역임함. 1970년경부터 저작 활동에 힘씀. 주저는 ≪미래의 충격≫·≪제삼(第三)의 물결≫ 등. [1928-]

토플리스 〔topless〕 명 여성의 수영복 따위에서, 젖가슴을 가리는 부분이 없는 옷. *배클리스(backless).

토피[1] 【土皮】 명 나무나 풀로 덮인 땅의 거죽. 지피(地皮).

토피[2] 【兎皮】 명 토끼 가죽.

토피카[1] 〔Topeca〕 명 〖지〗 미국의 중앙부 캔자스 주(Kansas州)의 주도(州都). 농업·제분·타이어 등의 공업이 활발함. [116,000명(1980)]

토피카[2] 〔라 topica〕 명 〖논〗 〔장소를 뜻하는 topos에서 나온 말〕 논점(論點). 관점(觀點).

토픽 〔topic〕 명 ①제목(題目). 논제(論題). ②화제(話題). ¶오늘의 ~/해외(海外) ~.

토필 【土筆】 명 ①분필(粉筆). ②〖식〗 뱀밥.

토핑 〔topping〕 명 석유 정제(精製) 과정의 하나. 원유(原油)를 끓는점의 차이를 이용하여 나프타·등유(燈油)·경유 등의 유분(油分)과 찌끼로 가름. 상압 증류(常壓蒸溜).

토하 【土蝦】 명 〖동〗 생이[1].

토:-하다 【吐一】 타여불 ①게우다❶. ②뱉다. ③속에 있는 말을 하다. ¶열변(熱辯)을 ~.

토하라 【Tochara, Tokhara】 명 〖역〗 아프가니스탄 북부, 아무 강(Amu江) 상류의 지역명·민족명. 알렉산드로스 대왕이 정복한 후 박트리아(Bactria) 왕국이 들어섰고 뒤에 대월지(大月氏)·쿠샨(Kushan)·에프탈라이트(Ephthalite)·서돌궐(西突厥)·이슬람 왕조의 정치·문화의 중심이 되었음. 중국·중앙 아시아·인도·서(西)아시아를 잇는 교통·무역의 요충(要衝)이며 중국사상 대하(大夏)라 불리어짐.

토하라-어 【一語】 〔Tochara, Tokhara〕 명 〖언〗 인도 유럽 어족(語族)의 한 어파(語派). 중앙 아시아의 타림 분지(Tarim 盆地) 북부에 분포되었으나, 1000년경 소멸함.

토하리 명 〈심마니〉 불.

토:하-물 【吐下物】 명 토하거나 설사한 오물(汚物).

토하-젓 【土蝦一】 명 ☞생이젓.

토:하-제 【吐下劑】 명 〖약〗 음식물을 토하게 하거나 설사가 나게 하는 약제. 토제(吐劑)와 하제(下劑).

토:함-산 【吐含山】 명 〖지〗 경상 북도 경주시(慶州市) 동남쪽에 있는 산. 불국사(佛國寺)와 석굴암(石窟庵)이 있음.

토해-선 【土海線】 명 〖지〗 경의선 토성역(土城驛)에서 분기하여 동해주(東海州)를 거쳐 해주(海州)에 이르는 단선 철도. 1932년 9월 1일 개통함. [81.5 km]

토핵[1] 【兎核·菟核】 명 〖한의〗 백렴(白蘞)❷.

토핵[2] 【討覈】 명 조사함. ——-하다 타여불

토-현 【兎峴】 명 〖지〗 황해도 연백군(延白郡) 해월면(海月面)에 있는 고개. [63 m]

토-현삼 【土玄蔘】 명 〖식〗 〔*Scrophularia koraiensis*〕 현삼과에 속하는 다년초. 줄기는 방형(方形)이고, 높이 1.5 m 가량이며, 잎은 대생, 유병(有柄)이며, 긴 달걀꼴임. 7월에 암자색·남자색 병 모양의 순형화(脣形花)가 원추(圓錐) 화서로 줄기 끝과 가지 끝에 여럿이 달리어 핌. 삭과(蒴果)는 달걀꼴. 산지에 나는데, 우리 나라 특산으로 거의 한국 각지에 분포함. 뿌리는 약재로 씀.

토:혈 【吐血】 명 위(胃)·식도(食道) 등의 질환으로 피를 토하는 일. 상혈(上血). ——-하다 자여불

토형 【土型】 명 토제(土製)의 주형(鑄型).

토호[1] 【土豪】 명 ①지방에서 양반을 떠세할 만큼 세력이 있는 사람. ②지방에 웅거하여 세력을 떨치는 호족(豪族).

토호[2] 【兎毫】 명 ①토끼의 잔털. ②〔토끼털로 만드는 데서〕 '모필(毛筆)'의 이칭(異稱).

토호-반 【兎毫斑】 명 〖미술〗 흑유(黑釉) 위에 있는 토끼털 같은 가느다란 무늬.

토호 열신 【土豪劣紳】 〔一씬〕 명 중국에서 관료(官僚)나 군벌(軍閥)과 결탁(結託)하여 농민을 착취하던 대지주나 자본가를 국민 혁명 당시의 노동 운동가가 일컫은 말.

토호-잔 【兎毫盞】 명 토호화(兎毫花) 무늬가 박혀 있는 잔.

토호-질 【土豪一】 명 옛날 시골에서 양반이 세력을 믿고 무고(無辜)한 백성에게 가혹한 행동을 자행하던 짓. ——-하다 자여불

토호-화 【兎毫花】 명 〖공〗 도자기(陶瓷器) 잿물의 토끼털 같은 무늬. 토사문(兎絲紋).

토: 홀:드 〔toe hold〕 명 레슬링에서, 상대편의 발목을 비트는 수. 이 수는 아마추어에서는 금지되어 있음.

토화[1] 【土花】 명 ①습기(濕氣)로 인하여 생기는 곰팡이. ②〖조개〗 미네굴. *토굴. ③〖조개〗 가리맛.

토화² 【土貨】 [명] ①그 나라에서 제조하는 물품. ②지방의 산물.
토화³ 【土話】 [명] 사투리.
토화-색 【土花色】 [명] 토화의 빛깔. 곧, 누르무레한 흙색.
토화-적 【土花炙】 [명] 굴적.
토화-젓 【土花一】 [명] 미네굴로 담근 젓.
토황-마 【土黃馬】 [명] 〖동〗 황부루.
토-회 【土灰】 [명] ①흙과 재. 석회토(石灰土). ②흙이나 재가 되는 일. 죽는 것을 일컬음.
토효 【土梟】 [명] 〖조〗 올빼미.
토후 【土侯】 [명] 영국의 보호 밑에서 토후국(土侯國)을 지배하던 세습제(世襲制)의 전제 군주(專制君主). 번왕(藩王). 왕후(王侯).
토후-국 【土侯國】 [명] ①〔Indian Native State〕 〖역〗 원래 영국의 보호 밑에서 영령 인도의 17개 직할주(直轄州)와 함께 인도 제국을 형성하던 인도내의 작은 전제 왕국. 현재는 인도 연방 또는 파키스탄에 포함되었거나 그 일부가 되었음. 번왕국(藩王國). 왕후령(王侯領). ②〖지〗 아시아, 특히 아랍 여러 나라에서 중앙 집권적 국가 행정으로부터 상대적으로 독립하여 부족의 수장(首長)이나 실력자가 지배하는 봉건적 국가.
토흐 〔Toch, Ernst〕 [명] 〖사람〗 오스트리아 출신의 미국 작곡가. 철학·의학을 공부하고, 음악은 독학함. 1913년 만하임(Mannheim) 고등 음악 학교 교수가 됨. 1934년 미국에 망명함. 교향곡·기악곡 등의 작품이 많음. [1887-1964]
톡¹ [명] 호패(胡牌).
톡² [부] ①한 부분이 불거져 오른 모양. ②살짝 치는 모양이나 그 소리. ③무엇이 갑자기 터지는 모양이나 그 소리. ④갑자기 걸리는 모양이나 그 소리. ⑤별안간 튀는 모양이나 그 소리. 1)-5): <툭.
톡-배다 [형] 피륙 같은 것이 톡톡하고 배다.
톡소이드 〔toxoid〕 [명] 〖의〗 병원체가 만드는 독소를 처리하여 독성을 감소시켜 면역성을 만드는 힘만을 남긴 것. 디프테리아·파상풍(破傷風)의 예방 접종에 이용함. 변성 독소(變性毒素).
톡소플라스마-증 【一症】 〔一쯩〕 [명] 〔라 toxoplasma〕 원충(原蟲)의 하나인 톡소플라스마의 기생에 의한 사람이나 동물의 질환. 사람의 경우 발병은 극히 드물고 대부분은 태내에서 선천적으로 감염되는 것으로 중증의 뇌장애를 일으켜 생후 수주 안에 사망함. 후천형인 경우는 피로감·발진·뇌염·림프선염 등의 증상을 일으킴.
톡소호르몬 〔toxohormone〕 [명] 〖생〗 암(癌) 세포로부터 추출(抽出) 가능한 독성(毒性) 물질. 이 호르몬의 발견은 암에 의해 동물에 나타나는 일종의 생화학적(生化學的) 변화의 설명에 하나의 근거가 되었으나 본태(本態)의 규명은 확인되어 있지 않음.
톡-수가리 [명] 〈방〉 턱주가리(경기·황해).
톡신 〔toxin〕 [명] 독소(毒素).
톡탁 [부] 서로 치는 소리. <툭탁. ——하다 [자][타][여불]
톡탁-거리다 [자][타] 잇따라 톡탁 소리가 나다. 또 잇따라 톡탁 소리를 나게 하다. <툭탁거리다. **톡탁-톡탁** [부]. ——하다 [자][타][여불]
톡탁-대다 [자][타] 톡탁거리다.
톡탁-치다 [타] 시비를 가릴 것 없이 다 쓸어 없애다. <툭탁치다.
톡토기 [명] 〖충〗 톡토기목(目)에 속하는 곤충의 총칭. 가시톡토기 등이 있음.
톡토기-목 【一目】 [명] 〖충〗 〔Collembola〕 무시 아강(無翅亞綱)에 속하는 곤충의 한 목(目). 가장 원시적인 하등 곤충으로 몸길이 3mm 이하이고, 원통형이며 날개가 없음. 가시톡토깃과(科)가 이에 속하는데 전세계에 1,100여 종이 분포함. 탄미류(彈尾類).
톡-톡 [부] ①연해 살짝살짝 치는 모양. 또, 그 소리. ②무엇이 연해 터지거나 부러지는 모양. 또, 그 소리. ③연해 튀는 모양. 또, 그 소리. ¶벼룩이 ~ 튀다. ④여기저기 쏙쏙 불거져 나온 모양. ⑤말을 자꾸 야멸치게 쏘아 붙이는 모양. ¶말을 ~ 쏘아 붙이다. ⑥작은 것이 자꾸 가볍게 부러지는 모양. 또, 그 소리. 1)-6): <툭툭.
톡톡-하다 [형][여불] ①피륙이 고르고 단단한 올로 배게 짜이어 도톰하다. ②국물이 바특하여 묽지 아니하다. 1)·2): <툭툭하다.
톡톡-히 [부] 썩 많이. ¶꾸지람을 ~ 들었다/돈을 ~ 벌다.
톤:¹ 〔tone〕 [명] ①소리. 음조(音調). 음색(音色). ②〖악〗 일정한 높이의 악음(樂音). ③〖미술〗 색조(色調).
톤² 〔ton〕 [의명] ①무게의 단위. 다음의 세 가지가 있음. 곧, 불(佛)톤은 미터법의 단위로 1톤은 1,000kg이며, 영(英)톤은 푸트파운드법의 단위로 1톤은 2,240 파운드(1016.1kg)인데, 롱 톤(long ton)이라고도 하고, 미(美)톤은 푸트파운드법의 단위로 1톤은 2,000 파운드(907kg)인데 쇼트 톤(short ton)이라고도 함. 기호 t. ②용적(容積)의 단위. 경우에 따라 그 크기를 달리하는데, 열차 화물은 100세제곱 피트(약 2,783세제곱 미터), 기선 화물은 40세제곱 피트(약 1,113세제곱 미터), 기선의 적재(積載) 용적은 100세제곱 피트(약 2,832세제곱 미터; 기호 GT)를 각각 1톤으로 함. 단, 군함의 크기를 나타내는 배수량(排水量) 톤수는 영국식에 의한 중량 톤임. 취음: 돈(噸).
톤³ [타] 〈옛〉 탄. 'ᄐᆞ다⁵'의 활용형. ¶ᄆᆞᆯ 톤 자히 ᄂᆞ리시니이다(躍馬下馬也)≪龍歌 34章≫.
톤-라이터 〔도 Tonleiter〕 [명] 〖악〗 음계(音階).
톤레사프 호 【一湖】 〔Tonle Sap〕 [명] 〖지〗 캄보디아 중서부, 인도차이나 최대의 호수. 톤레사프 강(Tonle Sap 江)에 의하여 메콩 강(Mekong 江)과 연락되며, 건계(乾季)와 우계(雨季)에 따라서 면적에 매우 큰 차이가 있음. 담수어(淡水魚)의 산출이 많음. 북서안(北西岸) 부근에 앙코르(Angkor)의 유적(遺跡)이 있음. [2,500km²]
톤말레라이 〔도 Tonmalerei〕 [명] 〖악〗 음화(音畫)❶.
톤:변:조 【一變調】 [명] 〔tone modulation〕 〖통신〗 무선 주파수의 반송파(搬送波)의 진폭을, 일정한 가청(可聽) 주파수로 바꾼 것에 의한 신호의 전송(傳送) 방식.
톤:변:조파 【一變調波】 [명] 〔tone-modulated waves〕 〖물〗 지속파(持續波)를 가청(可聽) 주파수로, 거의 주기적으로 진폭(振幅) 변조해서 얻어지는 파(波).
톤부리 〔Thonburi〕 [명] 〖지〗 타이 중부, 차오프라야 강(Chao Phraya 江) 하구로부터 약 30km, 방콕의 대안(對岸)에 있는 공업 도시. 정미·제분·제재(製材) 등이 성하고 그 외에 기계·병기·제유(製油) 등의 공장도 있음. [262,097명(1980)]
톤-세 【一稅】 〔ton〕 [명] 〖경〗 외국 무역선이 입항할 때에 순톤수(純ton數)를 기준으로 과하는 국세. 납세자는 원칙으로 선장이고 세관장이 징수함. 취음: 돈세(噸稅).
톤-수 【一數】 〔ton〕 [명] 함선의 용량. 군함은 배수량(排水量), 상선(商船)은 적재량으로 잼. 취음: 돈수(噸數).
톤:암 〔tone arm〕 [명] 레코드 플레이어(record player)의 픽업 카트리지를 받치는 장치. 카트리지가 레코드의 음구(音溝)를 따라 자유롭게 움직일 수 있도록 암의 지점(支點)은 유니버설 조인트(universal joint)나 나이프 에지(knife edge) 등의 방식을 이용함.
톤-킬로 〔ton kilo〕 [의명] ↗톤킬로미터.
톤-킬로미터 〔ton-kilometer〕 [의명] 〖광〗 화물(貨物)의 수송량을 나타내는 수치(數値)의 단위. 수송된 화물의 톤(중량)에, 수송된 킬로미터(거리)를 곱한 것. 영미(英美)에서는 톤마일을 씀. [준]톤킬로.
톤틴 연금 【一年金】 〔tontine〕 〔一년一〕 [명] 〖사〗 프랑스에서 처음 시행된 일종의 종신 연금(終身年金). 이탈리아 태생의 의사(醫師) 톤티(Tonti, Lorenzo)가 고안한 것으로 1653년에 같은 조(組)의 가입자(加入者)가 사망하면 사망자가 받을 연금액을 분할하여 그 조의 생존자(生存者)에게 교부하게 되며, 따라서 사망자가 생길 때마다 연금액이 체증(遞增)하고, 최후로 남은 가입자는 같은 조의 연금 전액을 교부받음. 다른 사람의 사망을 기뻐하는 것과 같은 폐해가 있으므로 현재는 어느 나라에서도 시행하지 않음.
톨¹ [一][명] 밤 같은 것의 낱개. [二][의명] 밤알 같은 것을 세는 말. ¶밤 한 ~.
톨² [명] 〈방〉 〖식〗 톳¹.
톨갓 [명] 〈방〉 도라지(전남).
톨:-게이트 〔tollgate〕 [명] 고속 도로나 유료 도로(有料道路)에서 통행료를 징수하는 곳.
톨:란드 〔Toland, John〕 [명] 〖사람〗 영국의 철학자. 이신론(理神論)을 강설(講說)하여 이성(理性)에 입각한 기독교를 제창하였음. 저서에 ≪신비적이 아닌 기독교≫가 있음. [1670-1722]
톨러 〔Toller, Ernst〕 [명] 〖사람〗 독일의 극작가·시인. 1차 대전에 지원 종군하였으나 환멸을 느끼고 이후 반전(反戰) 투쟁에 투신하여 투옥되었음. 그의 작품 중 태반은 옥중에서 쓰여진 것인데, 그 중 ≪변전(變轉)≫ 등이 유명함. 뉴욕에서 자살함. [1893-1939]
톨레도 〔Toledo〕 [명] 〖지〗 스페인의 중부 타호 강(Tajo 江)에 연한 고도(古都). 무어 인(Moor 人)의 정복 시대의 성벽(城壁)과 궁전이 있음. 견(絹)·모직물 공업·도업(陶業)이 행하여지고 로마 시대부터 톨레도의 검(劍)이라고 하는 칼붙이의 제작으로 유명함. [61,813명(1982)]
톨레도 성:당 【一聖堂】 〔Toledo〕 [명] 스페인의 톨레도 중심부에 있는 고딕 양식의 성당. 1227년에 창건됨.
톨레도 회:의 【一會議】 〔Toledo〕 [명] 스페인의 톨레도에서 열린 기독교의 교회 회의. 5세기에서 16세기 사이에 약 30회를 거듭함.
톨레미 〔Ptolemy〕 [명] 〖사람〗 프톨레마이오스(Ptolemaeos, Klaudio)를 영국에서 부르는 이름.
톨레미 성좌 【一星座】 〔Ptolemy〕 [명] 프톨레마이오스 자리.
톨레미의 정:리 【一定理】 〔Ptolemy〕 〔一/一에一〕 [명] 프톨레마이오스의 정리.
톨레이아이트 〔tholeiite〕 [명] 〖광〗 현무암(玄武岩)의 일종. 다른 것에 비해 이산화 규소(二酸化珪素)가 풍부하고 알칼리가 적음. 지구상에 가장 다량(多量)으로 존재하는 현무암임.
톨로이데 〔도 Tholoide〕 [명] 〖지〗 종상 화산(鐘狀火山). 괴상 화산(塊狀火山).
톨루엔 〔toluene〕 [명] 〖화〗 방향족(芳香族) 화합물의 하나. 벤졸(benzol) 중의 수소 하나를 메틸기(基)와 치환(置換)한 무색의 액체. 콜타르의 분류(分溜)에 의해 얻어지며, 또 화학적으로 합성도 됨. 인화성의 액체 특유의 악취가 나고 마취성이 있으며 유독함. 인체에 중독으로 인한 적혈구 빈혈을 일으키나 백혈구 감소를 가져오는 일은 없음. 물감·향료 및 폭약 제조에 사용됨. 톨류인(toluene). 톨루올(Toluol). [$C_6H_5CH_3$]
톨루올 〔도 Toluol〕 [명] 〖화〗 톨루엔(toluene).
톨루이딘 〔toluidine〕 [명] 〖화〗 무색의 액체로 벤젠의 수소를 각각 한 개씩 메틸기(基) 및 아미노기(基)로 치환(置換)한 화합물. 아조(azo) 염료의 제조에 쓰이는 외에 유기(有機) 합성 원료·분석 시약(分析試藥) 따위에 쓰임. [$C_6H_4(CH_3)NH_2$]
톨루카 〔Toluca〕 [명] 〖지〗 멕시코시티 서쪽 아나우악 고원(高原)에 위치한 도시. 섬유·식품·화학 공업이 성함. 인디오(Indio)의 민예품인 직물·도기·장식품 따위의 산지로도 알려짐. [242,000명(1979)]
톨류인 〔toluene〕 [명] 〖화〗 톨루엔.
톨리:도 〔Toledo〕 [명] 〖지〗 미국 동북부 오하이오 주 이리 호(Erie 湖)의 서남에 있는 공업 도시이며 항구 도시. 세계 굴지의 공업 도시로서 제유(製油)·기계·자동차·철강 등의 공업도 성함. 철도의 요지(要地)이기도 하며, 곡물(穀物)·석탄·석유·목재의 집산지임. [354,000명(1980)]
톨리아티 〔Togliatti, Palmiro〕 〖사람〗 이탈리아 공산당의 지도자. 1921년 그람시(Gramsci, A.)등과 함께 공산당을 창립함. 1926년 소련에

망명한 후 코민테른 집행 위원으로서 국제 공산주의 운동을 지도하고 1944년 귀국하여 당을 재건함. 1956년의 스탈린 비판 이후, 구조 개혁론(構造改革論)을 주창함. [1893-1964]

톨:벗 〔Talbot, William Henry Fox〕 명 〖사람〗 영국의 화학자. 칼로타이프법(Calotype法) 사진술(寫眞術)을 완성하였으며, 만년에는 언어·고고학(考古學)도 연구하였음. 저서에 사진이 들어 있는 ≪자연의 연필(鉛筆)≫ 등이 있음. [1800-77]

톨스토이[1] 〔Tolstoi, Aleksei Nikolaevich〕 명 〖사람〗 소련의 작가. 귀족 출신. 상징주의 시인으로 출발, ≪절름발이 공작(公爵)≫으로 이름이 남. 혁명 후 베를린에 망명, 1923년 귀국, ≪표트르 1세≫와 혁명기 지식인의 운명을 그린 3부작 장편 ≪고뇌의 길을 가다≫로 소비에트 작가의 지위를 확립함. [1883-1945]

톨스토이[2] 〔Tolstoi, Lev Nikolaevich〕 명 〖사람〗 러시아의 작가·사상가. 처음 ≪세바스토폴리(Sevastopoli)≫로 문단에 데뷔, 사회의 불합리를 통감하고 이의 개량을 뜻하여 점차 종교적으로 흘렀고, 예술의 의의도 종교에의 과정으로 생각하였음. 만년에는 일체의 권위와 가정을 버리고 방랑 중, 어느 역(驛)에서 객사하였음. 실사적(實寫的)인 수법으로 광범위한 파악과 표현, 깊은 심리 해부 및 집단 장면의 묘사의 탁월함이 특색이며, 작품으로 ≪전쟁과 평화≫·≪안나 카레니나(Anna Karenina)≫·≪부활≫·≪참회록≫ 등이 있음. [1828-1910]

톨스토이이즘 〔Tolstoyism〕 명 톨스토이(Tolstoi, L.N.)의 사상 및 주장, 특히 그의 무정부주의·인도(人道)주의를 일컫는 말.

톨:-유【—油】 명 〔tall oil〕 〖화〗 황색 내지 흑색의 수지상(樹脂狀) 혼합물. 악취가 있으며, 송진·지방산(脂肪酸)·스테롤, 고분자량(高分子量)의 알코올 및 그 밖의 물질로 이루어짐. 목재 펄프 제조의 폐액(廢液)에서 생김. 도료용 건성유(乾性油)·알키드 수지(alkyd 樹脂)·리놀륨·비누 및 윤활제에 쓰임.

톨테카 〔Tolteca〕 명 〖역〗 10세기경, 지금의 멕시코시티의 북방에 강대한 왕국을 건설하였던 인디오(Indio) 집단의 명칭. 톨테카는 단일 부족이 아니고 여러 부족의 합체(合體)인 정치 집단으로 여겨지고 있음. 11세기 중엽에는 멕시코 고원에 진출해서 세력을 떨치기도 하였으나 13세기경 아즈테카 왕국(Aztecas王國)에 정복당함. 상형 문자(象形文字)·달력이 있었고 석조 건축·미술·공예에 뛰어났음.

톰 타 〈옛〉 탐. '트다[5]'의 명사형. ¶ 人生애 다 ᄉ 몰 토미 貴ᄒ니(人生五馬貴) ≪杜諺 XXIII:8≫.

톰방 부 작고도 좀은 물건이 깊은 물에 떨어져 나는 소리. 또, 그 모양. <툼벙. ——-하다 자타여불

톰방-거리다 자타 연해 톰방 소리를 내며 들어갔다 나왔다 하다. 또, 연해 톰방 소리를 나게 하다. <툼벙거리다. 톰방-톰방 부. ——-하다 자타 L여불

톰방-대다 자타 톰방거리다.

톰백 〔tombac〕 명 〖화〗 압연용(壓延用) 황동(黃銅)의 일종. 아연(亞鉛)을 10-27% 함유하며, 빛깔은 적색·황금색·담적색 등임.

톰보: 〔Tombaugh, Clyde William〕 명 〖사람〗 미국의 천문학자. 1930년 로웰 천문대(Lowell 天文臺)에서 명왕성(冥王星)을 발견함. 1946년부터 애버딘 탄도 연구소(Aberdeen 彈道研究所)에서 로켓 진로(進路)를 연구함. [1906-]

톰볼로 〔tombolo〕 명 〖지〗 육계 사주(陸繫砂洲).

톰센[1] 〔Thomsen, Christian Jürgensen〕 명 〖사람〗 덴마크의 고고학자. 선사 시대(先史時代)를 석기(石器)·청동기(青銅器)·철기(鐵器)의 각 시대로 구분하는 3시대 구분법을 고안, 1836년 ≪북방 고대 문화 입문≫에서 발표하여, 선사 문화 연구에 학술적 기초를 제공했음. [1788-1865]

톰센[2] 〔Thomsen, Hans Peter Jørgen Julius〕 명 〖사람〗 덴마크의 물리화학자. 화학 변화를 일으킬 때의 반응열(反應熱)·연소열(燃燒熱)을 연구하고 열화학의 기초를 닦았음. [1826-1908]

톰센[3] 〔Thomsen, Vilhelm Ludvig Peter〕 명 〖사람〗 덴마크의 언어학자. 시베리아에서 발견된 오르콘 비문(Orkhon 碑文)을 해독하여 최고(最古)의 터키어(語)에 관한 자료를 소개하였음. 또한 주저(主著) ≪언어학사≫로 19세기 언어학의 발전을 정리하였음. [1842-1927]

톰센-병【—病】 명 〔Thomsen's disease〕 〖의〗 남자에 나타나는 유전성 근(筋)질환. 선천적(先天的)으로 힘줄의 긴장(緊張)이 강하여 운동을 시작하는 데 시간이 걸리고, 또 쥐었던 손을 펴는 것도 곤란한 질환임. 덴마크의 의사 톰센(Thomsen, A.J.; 1815-96)에서 유래된 이름. 선천성 근(筋)긴장증.

톰 소:여의 모:험【—冒險】〔—/—에—〕 명 〔The Adventures of Tom Sawyer〕 〖책〗 미국의 작가 마크 트웨인이 1875년에 쓴 모험 소설. 변경(邊境) 태생인 작자 자신의 경험에 따라, 미시시피 강변의 장난꾸러기 소년 톰과 그의 친구의 활약을 유머러스하게 묘사하였음.

톰스크 〔Tomsk〕 명 〖지〗 러시아 중남부 알타이(Altai) 지방의 도시. 오비 강(Obi江) 상류 우안(右岸)의 철도 요지이며, 농산물 집산지임. 시베리아에서는 특히 개발이 빠른 도시의 하나로, 현재는 교육의 대중심지이며, 전기 기계·화학·제화(製靴) 등 공업이 성하고, 학술·문화의 중심지임. [475,000 명(1985)]

톰슨[1] 〔Thomson, Elihu〕 명 〖사람〗 영국 태생의 미국 전기 기술자. 반발교류 전동기(反撥交流電動機)·삼상 교류 발전기(三相交流發電機)를 비롯하여 700종 이상의 발명(發明)을 하였으며, 제네럴 일렉트릭(General Electric) 회사의 전신(前身)인 전등(電燈) 사업 개발 회사를 창설하였음. [1853-1937]

톰슨[2] 〔Thomson, James〕 명 〖사람〗 영국의 시인. 스코틀랜드의 자연에 대한 정감을 노래한 시집 ≪사계(四季)≫ 등을 써서 영국 낭만주의의 선구자가 됨. [1700-48]

톰슨[3] 〔Thomson, Kenneth〕 명 〖사람〗 캐나다의 매스컴 기업 경영자. 캐나다·미국에서 여러 신문을 소유한 후, 1953년 영국에 진출하여 타임즈(The Times)를 접수함. 아아(阿亞)에도 진출하여 9개국에서 신문·잡지·방송국 등을 경영하고 있음. [1923-]

톰슨[4] 〔Thomson, *Sir* Charles Wyville〕 명 〖사람〗 영국의 박물학자·해양학자. 심해(深海) 조사 등의 해양 탐험을 통하여 해양 생물·해저 상태 등을 조사했음. 저서에 ≪심해(深海)≫ 등이 있음. [1830-82]

톰슨[5] 〔Thomson〕 명 〖사람〗 ①〔*Sir* George Paget T.〕 물리학자. ❷의 아들. 전자 카메라(電子 camera)에 의해 전자 파동성(波動性)을 실증하여 1937년 노벨 물리학상을 받았음. 또, 미국의 원자 폭탄(原子爆彈) 제조계획에도 협력함. [1892-1975] ②〔*Sir* Joseph John T.〕 영국의 물리학자. 캐번디시(Cavendish) 연구소에서 여러 학자들을 모아 원자 물리학의 단서를 열고, 전자(電子)의 질량과 원자 모형(模型)을 고안하였으며, 질량 분석기(質量分析器)를 만들었음. 네온 동위 원소(同位元素)의 발견 등의 업적도 남겼고, 많은 물리학자를 양성함. 1906년 노벨 물리학상을 받았음. [1856-1940]

톰슨[6] 〔Thomson, *Sir* William〕 명 〖사람〗 영국(英國)의 물리학자 켈빈(Kelvin)의 본명.

톰슨[7] 〔Thomson, Virgil〕 명 〖사람〗 미국의 작곡가·지휘자·비평가. 현대의 대표적인 작곡가로, 작풍(作風)은 단순하고 경묘 솔직(輕妙率直)하여 현대 미국 작곡계의 일면(一面)을 대표함. 가극·교향곡·실내악곡·피아노곡 등의 많은 작품이 있음. [1896-1989]

톰슨 효:과【—効果】 명 〔Thomson effect〕 〖전〗 부분적으로 온도가 다른 같은 종류의 도체에 전류를 흐르게 할 때 그 부분에 줄열(Joule熱) 이외에 발열과 흡열이 일어나는 현상. 이는 온도가 바뀌는 부분에서 전자 운동의 에너지가 다르기 때문에 일어난 것으로 전류의 방향을 바꾸면 발열·흡열도 바뀜. 1851년에 영국의 물리학자 톰슨, 곧 켈빈이 발견하였음. 켈빈의 효과.

톰 존:스 〔Tom Jones〕 명 〖책〗 영국의 작가 필딩(Fielding, Henry; 1707-54)의 소설. 1749년 간행. 기아(棄兒)이지만 쾌활한 주인공 톰이 가지가지 실패를 겪은 뒤, 자기의 내력이 밝혀지고 애인과 맺어지는 이야기. 밝고도 유머러스하고 힘찬 인간 관찰의 걸작임.

톰 캣 〔Tom Cat〕 명 미국의 가변익(可變翼) 함재 전투기(艦載戰鬪機). 전천후 능력이나 동시(同時) 다목표 처리 능력이 뛰어나서 미국 해군이 세계 최강을 자부하는 기종(機種)임. A형은 전장(全長) 19.54미터, 쌍발 2인승으로 최대 속도는 마하 2.34. 정식 이름은 F14 톰 캣.

톰-톰 〔tom-tom〕 명 〖악〗 타악기의 하나. 아프리카의 민속 악기에서 발달하여 재즈의 드럼으로서 쓰이게 되었음. 작은 북의 동체(胴體)를 약간 길게 한 모양이며 대·중·소의 세 가지가 있음. 이름은 악기의 소리에서 유래함.

톰프슨[1] 〔Thompson, Benjamin〕 명 〖사람〗 미국의 과학자 럼포드(Rumford)의 본명.

톰프슨[2] 〔Thompson, Francis〕 명 〖사람〗 영국의 시인. 가난과 병고(病苦)에 시달리다 아편 중독으로 생애를 마침. 가톨릭 교도로서 신앙을 읊은 시 ≪하늘의 사냥개≫를 비롯하여, ≪시집(詩集)(1893)≫ 따위가 있음. [1859-1907]

톰프슨[3] 〔Thompson, William〕 명 〖사람〗 영국의 경제학자. 영국의 산업혁명을 분배(分配)의 측면에서 비판적으로 관찰하여 리카도파(Ricardo 派) 사회주의의 중심 인물로 활약함. 주저(主著)에 ≪분배론≫·≪노동 보수론(報酬論)≫ 등이 있음. [1785-1833]

톰프슨 기관 단:총【—機關短銃】 명 〔Thompson submachine gun〕 〖군〗 구경(口徑) 0.45인치의 공랭식(空冷式) 기관 단총. 개인이 휴대(携帶), 조작할 수 있음. 미국의 장교(將校) 톰프슨(Thompson, J.T.; 1860-1940)이 발명함.

톱[1] 명 〔중세 : 톱〕 얇은 강판(鋼板)에 들쭉날쭉한 많은 이를 내고 나무·돌·금속 따위를 자르는 데 쓰는 공구. 손으로 밀었다 당겼다하는 것과 동력으로 구동(驅動)하는 것이 있음. ＊전기톱.

톱[2] 명 모시나 삼을 삼을 때에 그 끝을 긁어 훑는 데 쓰는 제구. 날의 두 끝에 등 쪽으로 직각이 되게 구부러진 두 습베에 날과 평행하게 자루가 박혀 있음.

톱[3] 명 〈옛〉 손톱. 발톱. ¶ 셰世존尊ㅅ긔 술바 톱과 터리롤 바다 ᄀ초ᅀᆞᄫᆞ니 ≪月印 上 64≫.

톱[4] 〔top〕 명 ①꼭대기. 우두머리. 맨 앞. ②수위(首位). 수석(首席). ¶ 전교에서 ~을 차지하다. ③신문 등의 면에서 가장 눈에 잘 띄는 맨 위편에 해당하는 곳. ¶ ~ 뉴스. ④릴레이의 첫째 번 주자(走者). ⑤야구에서, 일번 타자. ¶ ~ 타자(打者). ⑥보트에서, 일 번 타수(舵手). ⑦자동차나 변속기(變速機)가 달린 자전거 등에서, 최고 속도를 내는 기어(gear). 또, 그 속도. 1)-7): ＊세컨드(second). ⑧양복(洋服)의 웨이스트(waist)에서부터 위. 또, 아래윗벌로 나뉜 옷의 웃도리. ⑨방적(紡績) 공정에서, 소모(梳毛)하여 굵은 조릿대 모양으로 만든 섬유 다발. ⑩기다란 양털 섬유의 실. ⑪레이온(rayon)의 스테이플 파이버.

톱곱-질 명 〈방〉 소꿉질(충청). ——-하다 자여불

톱 그룹 〔top group〕 명 선두(先頭) 집단. 최상위(最上位) 집단.

톱-기사【—記事】〔top〕 명 ①신문에서, 지면 맨 위에 실리는 기사. ②잡지에서, 권두(卷頭)에 실리는 그 호(號)의 특별 기사. 머릿기사.

톱-끝 명 〈방〉 토끝.

톱-날 명 톱양의 끝에 세운 날카로운 이. 톱니.

톱날-게 명 〖동〗 아케우스게.

톱날-낫 명 톱날 모양의 날이 달린 낫.

톱날-머리대장【—大將】 명 〖충〗 머리대장벌레.

톱날-지붕 명 〖건〗 톱날 모양으로 연속(連續)된 지붕. 공장 건물에서 볼 수 있음.

톱날-집게벌레 명 〖충〗 못뽑이집게벌레.

톱날-하늘소 [—쏘] 명 〖충〗 [*Prionus insularis*] 하늘솟과에 속하는 곤충. 몸길이 23-47mm, 몸빛은 광택 있는 흑갈색인데, 촉각은 12절이고 톱날 모양을 이룸. 전배판(前背板) 양측에 세 개의 가시 모양의 돌기가 있고, 시초(翅鞘)에는 두 줄의 종륭(縱隆)이 있음. 다른 하늘소와 달라서 발음기(發音器)가 없고, 후퇴절(後腿節)과 윗날개의 가장자리를 맞비벼서 '슷슷'하는 소리를 냄. 유충은 침엽수(針葉樹)의 해충임. 한국·일본·중국 등지에 분포함. 톱하늘소.

톱 뉴:스 [top news] 명 〔신문 지면의 맨 윗 부분에 실린다는 뜻에서〕 그 날의 가장 중요한 기사(記事).

톱-니 명 ①톱의 날을 이룬 촘촘한 이. ②〖식〗 잎의 가장자리가 톱날과 같이 된 부분. 거치(鋸齒).

톱니-가위 명 톱니자국처럼 자르는 가위. 올이 풀리지 않도록 하기 위한 것임.

톱니날-도끼 명 〖고고학〗 톱니처럼 날카로운 날들이 가장자리로 뻗치고 가운데에 구멍이 뚫린 돌연장. 바퀴날도끼와 함께 의식에 쓰인 듯함.

톱니날-떼기 명 〖고고학〗 석기의 날을 홈떼기하여 톱니날 모양으로 만드는 일. 중기 구석기의 무스티에 문화에서 발달했음.

톱니날-연모 명 〖고고학〗 격지 또는 돌날 가장자리에 간격을 두고 톱니날같이 손질한 연모. 나무·뼈를 자르는 데 썼음.

톱니-무늬 [—니] 명 〖고고학〗 톱니 모양을 한 무늬.

톱니-바퀴 명 기계 장치의 하나로 가장자리를 톱니 모양으로 만든 바퀴. 이와 이가 서로 맞물려 돌아감으로써 한 축(軸)에서 다른 축으로 작은 힘으로 큰 동력(動力)을 전달할 수 있음. 그 종류가 매우 많은데, 평(平)톱니바퀴·우산 톱니바퀴·꼬인니 톱니바퀴·나사 톱니바퀴 등으로 크게 나눔. 아륜(牙輪). 치륜(齒輪). 치차(齒車). 기어(gear).

톱니바퀴 변:속 장치 【—變速裝置】 명 맞물리는 톱니바퀴의 조합(組合)을 달리함으로써 속도를 변화시키는 톱니바퀴 장치. 자동차·공작 기계 등에 널리 쓰임.

톱니바퀴 시험기 【—試驗機】 명 톱니바퀴의 치형오차(齒形誤差)·피치오차 따위를 검사하는 기계.

톱니바퀴식 철도 【—式鐵道】 [—또] 명 아프트식 철도.

톱니바퀴-열 【—列】 명 여러 개의 톱니바퀴를 차례로 조합하여 바라는 회전 방향·회전 속도를 얻어 냄으로써, 전체로서 하나의 기능을 발휘시키는 것. 톱니바퀴 변속 장치가 그 실용례임.

톱니바퀴 펌프 [pump] 명 동체(胴體) 내에 두 개의 톱니바퀴를 결합하여 넣고 동체 안과 톱니바퀴 사이에 있는 액체를 내보내도록 된 펌프. 내접(內接) 톱니바퀴 펌프와 외접(外接) 톱니바퀴 펌프가 있음.

톱니-오리 명 〖조〗 [*Mergus merganser orientalis*] 오릿과에 속하는 물새. 날개 길이 27cm, 부리는 6cm 가량임. 머리와 목은 검고 금속성 녹색을 띰. 등은 회백색, 어깻죽지는 검고, 가슴과 배는 흼. 부리는 붉은빛이고 톱니와 같은 검은 이빨이 있음. 하천(河川)·항만(港灣)에 사는데, 유럽·아시아·홋카이도에 분포함. 쇠비오리. *비오리·바다비오리.

톱니-잎 명 〖식〗 잎의 가장자리가 톱니 모양으로 생긴 잎. 민들레·엉겅퀴 따위의 잎. 거치상엽(鋸齒狀葉).

톱니-파 【—波】 명 [saw-tooth wave] 〖물〗 주기 파형(週期波形)의 한 가지. 시간적으로 톱니 같은 모양을 이루는 전파. 전자관 회로(電子管回路)에 있어서 많이 취급됨. 거치상파(鋸齒狀波).

톱다리-허리노린재 명 〖충〗 [*Riptortus clavatus*] 허리노린잿과에 속하는 곤충. 몸길이 16mm 내외이고, 몸과 다리는 암갈색이며, 후퇴절(後腿節)의 안 쪽에 뾰족한 침이 있음. 복배(腹背)에는 황색 반문과 흑색 띠가 있고, 촉각은 갈색이며, 제1·2·3절의 각 초단부(鞘端部)는 흑색임. 콩과 식물의 해충으로 한국·일본 등지에 분포함.

〈톱다리허리노린재〉

톱 라이트 [top light] 명 ①〖군〗 기함(旗艦)의 돛대의 뒤에 달린 신호등. ②〖연〗 무대의 천정에서 내리 비치는 라이트의 총칭.

톱-레벨 [top-level] 명 ①재능·지위 따위가 최고 수준에 있는 일. ②단체의 최고 간부. 최상층. 수뇌부.

톱 매니지먼트 [top management] 명 〖경〗 ①주식 회사의 계층적(階層的) 관리 조직에 있어서 계층의 최상층부에 위치하여 경영 계획의 결정, 경영의 전반적 통합, 경영 부문간의 조정 등을 그 주요한 기능으로 하는 기구(機構). 또, 그에 의한 경영 방식. ②사장·중역 등의 최고 경영진.

톱 모:드 [top mode] 명 유행의 최첨단.

톱-바위취 명 〖식〗 [*Saxifraga punctata*] 범의귓과에 속하는 다년초. 꽃줄기의 높이 50cm 가량, 근경(根莖)은 육질(肉質)이며 다소 비후(肥厚)함. 장병(長柄)의 잎은 뿌리에서 족생(簇生)하고, 신장형(腎臟形)을 이룸. 6-8월에 백색의 꽃이 원추(圓錐) 화서로 정생(頂生)하고 삭과(蒴果)를 맺음. 깊은 산의 습윤지에 나는데, 강원·평북·함남·함북과 일본·만주·캄차카 등지에 분포함.

톱-밥 명 톱질할 때에 나무 같은 것에서 쏠려 나오는 굵은 가루. 거설(鋸屑). 목설(木屑).

톱 배터 [top batter] 명 야구에서, 톱 타자(打者).

톱 볼: [top ball] 명 골프에서 공의 상면(上面)을 치는 일.

톱-사슴벌레 명 〖충〗 [*Psalidoremus inclinatus*] 사슴벌렛과에 속하는 곤충. 몸길이 25-45mm로, 몸빛은 흑갈색 또는 적갈색임. 수컷의 대시(大腮)는 돌출하여 기부(基部)에서 급히 밑으로 만곡(彎曲)하였고, 5-6개의 작은 톱니가 있으며, 시초(翅鞘)에는 점각(點刻)이 밀포(密布)함. 성충(成蟲)은 나무 진에 모임. 한국·일본·만주에 분포함. 쇠뿔하늘가재.

〈톱사슴벌레〉

톱-상어 【—魚】 명 〖어〗 [*Pristiophorus japonicus*] 톱상엇과에 속하는 바닷물고기. 몸길이 1.5m에 달하는데 가늘고 길며, 주둥이는 길쭉하게 내밀고 그 양쪽에 대소 부동의 뾰족한 이를 한 줄씩 갖춰서 톱 모양을 형성함. 주둥이는 중턱에 배 쪽으로 한 쌍의 긴 촉수가 있고, 뒷지느러미와 등지느러미 가시는 없음. 몸빛은 황갈색으로 배 쪽은 담색이고, 분수공은 매우 큼. 저서어(底棲魚)로서 개펄 속에 서식하는 작은 동물을 주둥이로 파내서 잡아먹음. 한국 및 일본 연해 특히 남방에서 많이 남. 태생하는데 약 12마리씩 낳음. 줄상어.

〈톱상어〉

톱상엇-과 【—科】 [—꽈] 명 〖어〗 [Pristiophoridae] 곱상어목 톱상어 아목(亞目)에 속하는 어류의 한 과. 이 과에 속한 것으로 톱상어 일종이 있음.

톱 셀러 [top seller] 명 베스트 셀러(best seller) 중에서 제일 정상(頂上)을 차지하는 책.

톱-손[1] 명 틀톱에서 양쪽 가에 있는 손잡이 나무.

톱-손[2] 명 톱질을 하는 일손. ¶ ~을 잽싸게 놀리다.

톱 스윙 [top swing] 명 골프에서, 백 스윙(back swing)의 정점(頂點).

톱 스타: [top star] 명 가장 인기있는 배우.

톱 스핀 [top spin] 명 테니스·탁구에서, 타구법(打球法)의 하나. 공의 위를 쳐서 전진 회전시키는 방법.

톱 시:크릿 [top secret] 명 극비(極祕). 1급 비밀. 최고 기밀(最高機密).

톱-실 명 〈방〉 톳실.

톱-양 [—냥] 명 톱의 이가 선 길고 얇은 쇳조각.

톱 염:색 【—染色】 [top] [—념—] 명 소모(梳毛)하여 발이 굵은 섬유 다발을 염색하는 일. 물이 곱게 들며 견뢰도(堅牢度)가 높음.

톱-이 [—니] 명 '톱니'의 잘못 쓰는 말.

톱-자국 [—짜—] 명 톱질하여 난 자국.

톱-잔대 명 〖식〗 [*Adenophora curvidens*] 초롱꽃과에 속하는 다년초. 줄기 높이 50cm로, 잎은 호생하며 선형(線形) 또는 피침형(披針形)이고, 길이 10cm 가량이며, 무병(無柄)임. 8-9월에 자색의 종상화(鐘狀花)가 줄기 끝에 총상(總狀)으로 핌. 산지에 나는데, 거의 한국 각지에 분포함. 뿌리는 식용함.

톱-장이 【—匠—】 명 톱질로 업을 삼는 사람. 오림장이와 큰톱장이가 있음.

톱-질 명 톱으로 나무나 그 밖의 물건을 자르거나 켜거나 오리는 짓. ——-하다 자여불

톱질-장이 명 〈방〉 톱장이.

톱-칼 명 ①거도(鋸刀). ②곡선 모양을 오려내는, 톱날이 좁은 톱.

톱-코:트 [topcoat] 명 ①싱글(single)로서 단추가 서너 개 달려 껴입게 된 외투. ②반(半)코트. 짧은 코트. ③매니큐어용 화장품(化粧品)의 하나. 손톱에 에나멜(enamel)을 칠한 다음에 덧바름. 에나멜의 빛깔과 광택(光澤)을 아름답게 하며 손톱 화장을 오래가게 하는 효과(效果)가 있음.

톱 클래스 [top class] 명 최고급(最高級). 또, 최고급으로 순서가 꼽혀지는 사람·단체. 최상급(最上級).

톱 타:자 【—打者】 명 야구에서, 1번 타자. 선두 타자(先頭打者). 톱 배터(top batter).

톱톱-하다 형여불 국물이 바특하여 묽지 아니하다. <툽툽하다.

톱-풀 명 〖식〗 [*Achillea mongolica*] 국화과에 속하는 다년초(多年草). 줄기 높이 60-90cm로, 잎은 호생(互生)하며 타원상 선형에, 무병(無柄)이고, 우상 심렬(羽狀深裂)하는데, 열편(裂片)은 선형을 이룸. 7-10월에 담홍색 또는 백색의 꽃이 방상(房狀) 화서로 밀생(密生)하여 피고, 총포(總苞)는 반구형(半矩形)이며, 과실은 수과(瘦果)임. 산이나 들 또는 길가에 나는데, 거의 한국 전역(全域)에 분포함. 잎과 줄기는 식용 및 약용함. 가새풀. 시초(蓍草).

〈톱풀〉

톱-하늘소 [—쏘] 명 〖충〗 톱날하늘소.

톱 해트 [top hat] 명 실크 해트(silk hat).

톱 헤비 [top heavy] 명 중심(重心)이 위에 있어서 불균형(不均衡)한 상태를 이름.

톳[1] 명 〖식〗 녹미채(鹿尾菜).

톳[2] ㊀명 김 100 장씩을 한 묶음으로 묶은 덩이. ㊁의명 김의 묶음을 세는 말. ¶김 두 ~.

톳기 명 〈옛〉 토끼. ¶톳기와 몰와는 기픠를 모롤써《月釋 Ⅱ:19》.

톳-나무 명 큰 나무.

톳-날 【兎—】 명 〖민〗 ☞ 토끼날.

톳날-구기 【兎—拘忌】 명 〖민〗 토끼날에 남의 여자가 자기 집에 와서 오줌을 누면 언짢다 하여, 여자의 출입을 꺼리는 일.

-톳던고 어미 〈옛〉 -하였던고. ¶六面은 므어슬 象톳던고《松江 關東別曲》.

톳-실 【兎—】 명 〖민〗 토끼날에 켠 실. 이를 주머니 끈 같은 것에 차면 그 해에 재액(災厄)이 물러가고 또한 경사(慶事)가 있다고 함. 토사(兎絲).

톳-장이 명 〈방〉 면[2].

통[1] 명 노름할 때에 석 장을 뽑아서 끗수가 열 또는 스물이 되는 수효.

통[2] 명 ①바짓가랑이나 소매 등의 속의 너비. ¶바지~이 넓다. ②허리·다리 따위의 굵기나 둘레. ¶다리~이 굵다. ③사람의 도량이나 씀씀이. ④〖광〗 광맥(鑛脈)의 너비.

통(이) 크다 구 마음 씀씀이나 하는 행동의 규모가 크다. ¶통이 큰 사람.

통[3] ㊀명 속이 차게 자란 배추·박 같은 것의 몸피. ¶~이 실하다. ㊁의명 속이 차게 자란 배추·박 들을 세는 말. ¶배추 백 ~.

통[4] 명 어떤 일에 한 속이 되어 이룬 무리. ¶한 ~이 되어 괴롭히다.

통(을) 짜다 [구] 여럿이 한동아리가 되기를 약속하다. ¶아마 도적놈하구 통을 짰는지 모르겠소≪洪命憙 : 林巨正≫.

통[5]【桶】[一][명] ①물 같은 것을 담는 나무 그릇의 총칭. 좁은 널조각 여러 개를 둥글게 맞추어 바닥을 끼고 테를 졸라 메워서 만든 것. 쇠붙이나 시멘트 등으로 둥글게 또는 모지게 만든 것도 있음. ②〈방〉 구유[1](경남). [二][의명] 통(桶)에 담긴 것을 세는 말. ¶물 두 ~/술 한 ~.
[통 너멋 것 바라다가 염주거리 벗겨진다] 소가 구유통의 것을 놓아 두고 그 너머엣 것을 넘겨다보다가는 목이 벗겨진다는 뜻으로, 제것 두고 남의 것에 허욕을 부리지 말라는 말.

통[6]【通】[명]〖역〗 과거(科擧) 강서과(講書科)의 성적을 매기는 네 등급(等級)의 첫째. 그 다음인 보통 등급을 약(略), 그 다음인 열등(劣等)을 조(粗), 아주 하등으로 낙제를 불(不)이라 하였음.

통[7]【筒】[명] 둥글고 긴 동강으로서 속이 빈 물건의 총칭.

통:[8]【統】[一][명] ①〖역〗 조선 때의 민호 편제(民戶編制)의 한 이름. 다섯 집을 한 통(統), 다섯 통을 한 리(里), 몇 리로 한 면(面)을 이루었음. 고종(高宗) 32년(1895)에는 열 집을 한 통으로 하였음. ②시(市) 행정의 말단 조직의 하나. 동(洞)의 아래이고 반(班)의 위임. [二][의명] [一]①② 를 세는 단위로서 이르는 말.

통:[9]【統】[명] 〔series〕〖지〗 지층 구분(地層區分)의 한 단위로, 시대 구분의 '세(世)'에 대응(對應)하는 것.

통[10] [의명] ①무슨 일로 복잡한 둘레. 또, 그 안이나 사이. ¶쌈 ~에 휩쓸리다. ②무슨 일의 결에 따라 일어나는 기운. ¶마구 몰아 대는 ~에 혼이 났다/떠드는 ~에 잠을 설치다. ③옥양목·당목·옥당목 등에 '필(疋)'과 같은 뜻으로 쓰는 말. ¶광목 한 ~. ④고기 잡는 그물을 세는 말. ¶안강망 총수는 7,748 ~으로 늘어났다.

통[11]【通】[의명] ①편지·문서·증서 등을 셀 때 쓰는 말. ¶편지 두 ~/호적 초본 한 ~. ②〖악〗 북을 치는 횟수를 나타내는 말. ¶진고(晉鼓) 3~.

통[12] [부] ①↗온통. ②도무지. 전혀. ¶술은 ~ 못 한다/무슨 소린지 ~ 모르겠다. ③↗통째. ¶어쩌면 그 집 재산을 ~으로 먹어볼까 하는 생각이 꿀떡같으나 ≪崔瓚植: 金剛門≫.

통[13] [부] ①속이 텅 빈 나무통 같은 것을 칠 때 나는 소리. ②작은 북이나 잔뜩 켕기어 맨 줄 같은 것을 치거나 튕길 때 나는 소리. 〈퉁.

통- [두] 일부 명사나 동사 등에 붙어서 쓰임. ①통째의 뜻. ¶~후추 / ~깨 / ~돼지. ②'온통', 또는 평균의 뜻. ¶~거리 / ~밀다.

-통【通】[미] ①어떤 명사 아래에 붙어서 그 방면에 정통(精通)함을 나타내는 말. ¶소식~/외교~/한국~. ②장소를 나타내는 명사 밑에 붙어 '거리'의 뜻을 나타냄. ¶을지로~ / 중앙~.

통가[1]【通加】[명] 여러 수에 똑같이 더함. ↔통감(通減). ——-하다 [타][여불]

통가[2]【通家】[명] ①선조(先祖) 때부터 서로 친하게 사귀어 오는 집. 세교(世交)가 있는 집. ②인척(姻戚).

통가[3] 〔Tonga〕[명]〖지〗 남태평양 사모아 제도 남쪽, 피지(Fiji) 동남쪽에 있는 입헌 군주국. 200 여 개의 섬으로 이루어짐. 주요 산물은 바나나와 코푸라. 1900년부터 영국의 보호령으로 있다가 1970년 독립함. 수도는 누쿠알로파(Nukualofa). 정식 명칭은 '통가 왕국(Kingdom of Tonga)'. [748 km² : 100,000 명(1995 추계)]

통가라 〔tongara〕[명]〖기상〗 마카사르(Macassar) 해협에서, 연무(煙霧)를 수반하는 남동풍.

통가리[1] [명]〖광〗 광석을 캐는 가운데 갑자기 광맥(鑛脈)이 끊어진 모암(母岩).

통-가리[2]【桶—】[명] 뜸을 엮어 둘러치고 그 안에 곡식을 채워 쌓은 더미.

통가리로 국립 공원【—國立公園】〔Tongariro〕[—닙—] [명]〖지〗 뉴질랜드 북(北)섬 중심부의 화산군(群)을 포함한 국립 공원. 해발 1,986 m의 통가리로 산(山)과 2,796 m의 루아페후 산(Ruapehu 山) 등 여러 화산과 호수·온천이 많음. [767 km²]

통가 제도【—諸島】〔Tonga〕[명]〖지〗 남태평양의 사모아(Samoa) 제도 남쪽, 피지(Fiji) 남동쪽에 있는 제도. 통가 왕국을 구성하는 도서군임. 프렌들리(Friendly) 제도.

통-가죽[1] [명] 솔기를 뜯지 아니하고 그대로 빨아 입는 옷.

통-가죽[2] [명] 조각으로 잇지 않고, 통짜로 벗겨 낸 가죽.

통가지-의【通家之誼】[명] 절친한 친구간에 통내외(通內外)하고 지내는 정의(情誼). ¶서산 갈춘영의 집과 피차 ~가 되어 한집안처럼 지내더라≪李海朝 : 鳳仙花≫.

통가타푸 섬 〔Tongatapu〕[명]〖지〗 남태평양 피지 제도(Fiji 諸島) 남동, 통가 제도의 중심을 이루는 섬. 평탄한 산호초의 섬으로 공항(空港)이 있음. 북쪽 해안의 누쿠알로파(Nukualofa)는 통가의 수도로, 정청(政廳) 소재지. 코푸라·바나나를 산출함. [261 km² : 64,000 명(1986)]

통가 해:구【—海溝】〔Tonga〕[명]〖지〗 뉴질랜드 북동단으로부터 케르마데크(Kermadec)·통가(Tonga) 양제도의 동단을 거쳐서 사모아 제도(Samoa 諸島) 남방에 이르는 해구. 남반구에서 가장 깊은 곳으로 최심(最深)은 1957년 소련의 비티아즈호(Vitiaz號)가 발견한 남위(南緯) 23°15.3, 서경(西經) 174°44.7 지점의 10,882 m 임.

통각[1]【洞角】[명]〖동〗 소·물소 등의 뿔처럼 가지가 없고 속이 빈 뿔.

통:각[2]【統覺】[명] 〔도 Apperzeption〕〖심〗 ①새로 생긴 표상(表象)을 이미 존재하는 표상에 유화(類化)·융합하는 작용. ②의식의 중심적인 부분에 있어서 뚜렷하게 대상을 포착하는 의지의 작용. ③온갖 경험에 있어서 인식·사유하는 통일 과정의 총칭. 통각 작용.

통:각[3]【痛覺】[명] ①〖심〗 피부 및 신체 내부에 '아픔'을 느끼는 감각. 이를 직접 느끼는 통점(痛點)은 다른 감각점(感覺點)에 비하여 고르고 또 조밀하게 분포되어 있음. ②〖의〗 신체에 생리적으로 생기는 아픔을 느끼는 감각. *촉각(觸覺).

통:각 검:사【統覺檢査】[명]〖심〗 투사법(投射法).

통:각 결여【痛覺缺如】[명] 〔analgesia〕 의식(意識)을 잃지 않았는데, 아픔에 대하여 무감각하게 됨.

통:각-계【痛覺計】[명] 통각의 최저·최소 자극을 재는 기계.

통:각-기【痛覺器】[명] 통점(痛點)❶.

통각-류【洞角類】[—뉴] [명]〖동〗 반추류(反芻類)의 한 가지. 머리에 통각(洞角)이 나고, 위(胃)는 네 주머니로 이루어졌음. 소·양·염소 등. 동각류.

통:각 수용기【痛覺受容器】 [명] 〔algesirecepter〕 아픔에 민감(敏感)한 피부의 감각 기관(感覺器官).

통:각 작용【統覺作用】[명] 통각(統覺). 「——-하다 [자][여불]

통간[1]【通姦】[명] 남녀(男女)가 불의(不義)의 간음(姦淫)을 함. 간통(姦通).

통간[2]【通間】[명] 집 안의 간(間)이 서로 통하여 하나로 된 것.

통:간[3]【痛諫】[명] 통렬(痛烈)히 간(諫)함. 매섭게 충고(忠告)함. 고간(苦諫). ——-하다 [타][여불]

통갈【恫喝】[명] 허세를 부리며 을러댐. 공갈함. ——-하다 [타][여불]

통:감[1]【洞鑒】[명] 통견(洞見). ——-하다 [타][여불]

통:감[2]【統監】[명] ①정치나 군사(軍事)를 통합하여 감독함. 또, 그 사람. ②〖일제〗 통감부(統監府)의 장관. 고종 광무(光武) 9년(1905) 12월에서 순종 융희(隆熙) 4년(1910) 8월까지 이토 히로부미(伊藤博文)·소네 아라스케(曾禰荒助)·데라우치 마사타케(寺內正毅)의 세 사람이 통감으로 왔었음. ——-하다 [타][여불]

통감[3]【通減】[명] 여러 수에서 똑같이 뺌. ↔통가(通加). ——-하다 [타][여불]

통감[4]【通鑑】[명] ①〖책〗 ↗자치 통감(資治通鑑). ②〈속〉 소미 가숙 통감 절요(少微家塾通鑑節要).

통:감[5]【痛感】[명] 마음에 사무치게 느낌. 절감(切感). ¶건강이 제일임을 ~하다. ——-하다 [타][여불]

통감 강목【通鑑綱目】[명]〖책〗 주희(朱熹)가 지은 중국의 역사책. 자치통감(資治通鑑)을 강(綱)과 목(目)으로 나눈 것으로, 주희가 손수 만든 한 권의 범례(凡例)에 의거하여 그 문인 조사연(趙師淵) 등이 전편(全篇)을 작성했음. 59 권. ㊅강목(綱目).

통감 기사 본말【通鑑紀事本末】[명]〖책〗 중국 송(宋)나라 때 원추(袁樞)가 지은 중국의 역사책. 자치 통감(資治通鑑)의 편년체(編年體)의 체제를 버리고 사건을 중심으로 하여 그 본말(本末)을 상세하게 기록하였음. 42 권.

통감 남요【通鑑攬要】[명]〖책〗 편년체(編年體)의 약사(略史)로 자치 통감(資治通鑑)을 초록(抄錄)한 책. 전편(前編)·정편(正編)·속편(續編)·명사(明史)의 4편으로 되었는데, 태고의 반고씨(盤古氏)로부터 명나라 회종(懷宗) 때까지의 기록으로 37권임. 청(淸)나라 요배겸(姚培謙)·장경리(張景里)의 공저(共著)라 함.

통감 답문【通鑑答問】[명]〖책〗 중국 송(宋)나라 왕응린(王應麟)이 지은 책. 5 권.

통:감-부【統監府】[명]〖일제〗 고종 광무(光武) 9년(1905), 을사 보호 조약(乙巳保護條約)이 체결된 다음 달부터 순종 융희(隆熙) 4년 (1910) 한일 합병 때까지 일제(日帝)가 한국 침략을 목적으로 서울에 두었던 기관.

통감 속편【通鑑續編】[명]〖책〗 중국 명(明)나라 진경(陳經)이 지은 사서(史書). 자치 통감(資治通鑑)의 미흡함을 보충한 책. 태고 때의 반고씨(盤古氏)로부터 고신씨(高辛氏)에 이르기까지를 제1권, 당(唐)나라·오대(五代) 및 거란(契丹)에 관한 일을 제2권으로 하고, 그 이하는 송(宋)나라 때의 사적을 기록하였음. 그 형식은 통감 강목(綱目)의 체제와 같음. 모두 24 권.

통감 외:기【通鑑外紀】[명]〖책〗 중국 송(宋)나라 때 유서(劉恕)가 지은 역사책. 복희씨(伏羲氏)로부터 주(周)나라 위열왕(威烈王) 23년(402 B.C.)까지의 사적(史蹟)을 기록하였음. 그 목록은 통감 강목 예(例)를 취했고 사마광(司馬光)의 서문(序文)이 있음. 모두 10 권.

통-감자 [명] 쪼개지 않은 통째의 감자.

통감 절요【通鑑節要】[명]〖책〗 소미 가숙 통감 절요(少微家塾通鑑節要).

통감 집람【通鑑輯覽】[명]〖책〗 황제(黃帝)로부터 명(明)나라까지의 사적을 기록한 중국 역사책. 청(淸)나라 건륭(乾隆) 32년(1767)에 칙명으로 편찬하였음. 116 권. 어비 역대 통감 집람(御批歷代通鑑輯覽).

통갑쌀 [명] 〈방〉 소꿉장난(충북).

통갑-장난 [명] 〈방〉 소꿉장난(경기·강원).

통:개【洞開】[명] 문짝 등을 활짝 열어 젖뜨림. ——-하다 [타][여불]

통:개 옥문【洞開獄門】[명] 죄의 경중(輕重)을 묻지 아니하고 은사(恩赦)로 죄인을 모두 놓아 줌. ——-하다 [타][여불]

통:개 중문【洞開重門】[명] 거듭거듭 닫힌 문짝을 모두 활짝 열어 놓음. 곧, 출입 금지된 곳을 활짝 개방함의 비유. ——-하다 [자][여불]

통-거리 [부] 어떤 사물의 전부. 가릴 것을 가리지 않고 그냥 모두. ¶~로 다 사다. *도거리·통짜.

통검 추배【通檢推排】[명]〖역〗 〔통검은 일제 검사, 추배는 민간인이 임의로 평가 계출하여 그것을 근거로 공평하게 조정함의 뜻〕 중국 금대(金代) 1164년부터 1208년까지 10년마다 세역(稅役)의 부담을 공평하게 한다는 명목으로 민간 특히 한인(漢人) 전체의 재산에 대해 실시한 사정(査定) 등록제. 그 사정 총액의 등급에 따라 물력전(物力錢)을 과세하고 각종 부역(賦役)을 할당했음.

통-것 [—껃] [명] 통으로 된 것. 통째 그대로의 것.

통겨-주다 [타] 남이 모르는 비밀을 몰래 알려 주다.

통겨-지다 [자] ①숨었던 사물이 뜻하지 않게 쑥 비어져 나오다. ②짜인 물건이 어긋나서 틀어지다. ③노리던 기회(機會)가 뜻밖에 어그러지다. 1)-3): 〈퉁겨지다.

통:격【痛擊】[명] ①적군을 통렬하게 쳐부숨. ¶~을 가하다. ②남을 몹

시 꾸짖어 나무람. ——-하다 [타][여불]

통:견[1] 【洞見】[명] 환히 내다 봄. 속까지 꿰뚫어 봄. 통감(洞鑒). ——-하다 [타][여불]

통견[2] 【通見】[명] 전체를 통하여 봄. 한 눈으로 훑어 봄. 또, 모든 것을 꿰뚫어 봄. ——-하다 [타][여불]

통견[3] 【通絹】[명] 썩 설피고 얇은 깁.

통경[1] 【通徑】[명] 〖수〗 '수직 지름'의 구용어.

통경[2] 【通經】[명] ①〖한의〗 여자가 처음으로 월경이 시작됨. ②막혀 있는 월경을 통하게 함. ——-하다 [자][여불]

통경[3] 【通經】[명] 경서의 의의(意義)에 통달하고 있음. ——-하다 [자][여불]

통경[4] 【通經】[명] 〖천주교〗 두 사람 이상이 번갈아 가며 소리내어 기도문을 읽음. 또, 그 기도문. ——-하다 [자][여불]

통경-제 【通經劑】[명] 〖약〗 월경이 나오게 하는 약제.

통계[1] 【通計】[명] 통산(通算). ——-하다 [타][여불]

통계[2] 【筒契】[—께][명] 〖역〗 ↗산통계(算筒契).

통:계[3] 【統系】[명] 계통(系統).

통:계[4] 【統計】[명] ①한데 몰아쳐서 셈함. ②대량 관찰(大量觀察)의 결과로서 얻어지는 숫자(數字). 곧, 일정한 때와 장소에 있어서의 일정한 집단적 현상을 그의 요소나 또는 부분의 하나 하나에 대하여 대량적으로 관찰·계량(計量)하고 그 대세(大勢)를 숫자로 나타내는 일.

통:계 계:열 【統計系列】[명] 같은 종류에 의한 통계수를 일정한 기준에 따라 배열한 수열.

통:계 기계 【統計機械】[명] 통계·회계 사무에서의 계산 작업을 신속히 행하는 기계. 데이터(data)의 필요한 누계(累計)를 산출하는 통계 계산기와 천공(穿孔) 카드를 사용하는 천공 카드 통계 기계군(群)으로 대별됨.

통:계 기관 【統計機關】[명] 통계의 조사·작성 및 연구를 전문적으로 맡아 보는 기관.

통:계 단위 【統計單位】[명] 통계 집단을 구성하는 같은 종류의 하나하나의 개체.

통:계-도 【統計圖】[명] ↗통계 도표.

통:계 도표 【統計圖表】[명] 통계 숫자의 내용을 이해하기 쉽도록 그림으로 나타낸 표. 형태상(形態上)으로는 기하(幾何) 도표·그림 도표·통계 지도(地圖)로 나누고, 내용상으로는 도수 분포도(度數分布圖)·상관도(相關圖)로 나눔. [준]통계도.

통:계-량 【統計量】[명] 〔statistic〕 〖통계〗 추출(抽出)에 의해서 얻어진 데이터에 관한, 어느 매개 변수(媒介變數)의 추정치(推定值).

통:계-법 【統計法】[—뻡][명] 〖법〗 통계에 관한 사항을 종합적으로 조정하고 통계의 체계를 정비하여, 통계의 신뢰성과 통계 제도의 효율성을 확보함을 목적으로 제정된 법.

통:계 분석 【統計分析】[명] 자료를 통계학적으로 수집·정리하여, 실태를 밝히는 일.

통:계 사:무관 【統計事務官】[명] 행정직 국가 공무원 직급 명칭의 하나. 통계 직렬(職列)에 속하며, 서기관의 아래, 통계 주사의 위로 5급 공무원임.

통:계 사:무소 【統計事務所】[명] 〖법〗 각종 통계 조사 사무를 지역별로 관장하게 하기 위하여 각 시도(市道)에 둔 통계청장 소속 기관.

통:계-서 【統計書】[명] 조사·수집한 통계표를 모아 엮은 책.

통:계 서기 【統計書記】[명] 행정직 국가 공무원 직급 명칭의 하나. 통계 직렬(職列)에 속하며, 통계 주사보의 아래, 통계 서기보의 위로 8급 공무원임.

통:계 서기보 【統計書記補】[명] 행정직 국가 공무원 직급 명칭의 하나. 통계 직렬(職列)에 속하며, 통계 서기의 아래로 9급 공무원임.

통:계 숫:자 【統計數字】[명] 통계에 나타난 숫자.

통:계 역학 【統計力學】[명] 〖물〗 물질을 구성하는 소립자(素粒子)·원자·분자 따위의 미립자의 운동 법칙을 바탕으로 물질의 거시적(巨視的) 성질·현상을 통계적·확률적(確率的)으로 설명하려는 물리학(物理學)의 한 부문.

통:계 연감 【統計年鑑】[명] 통계를 중심으로 한 연감. 특히, 매년 나라의 정치·경제 그 밖의 제반 통계 중에서 중요한 것을 뽑아 게재하여 그 나라의 국세(國勢)를 숫자적으로 자세히 밝힌 통계서.

통:계 위원회 【統計委員會】[명] 〖법〗 통계청장의 자문에 응하여, 통계에 관한 사항을 심의하게 하기 위하여 통계청에 둔 기관. 위원장 1명을 포함한 위원 29명 이내로 구성되며, 위원장은 통계청장이 됨.

통:계 자료 【統計資料】[명] 어떤 결론을 도출(導出)하기 위해 통계학적으로 수집·정리한 자료.

통:계-적 【統計的】[명][관] ①통계를 바탕으로 행하여지는 모양. ②통계를 잡아서 비로소 이해할 수 있는 모양.

통:계적 가:설 【統計的假說】[명] 〔statistical hypothesis〕 〖통계〗 확률 변수(確率變數)의 분포 동향에 관한 명제(命題).

통:계적 검:정 【統計的檢定】[명] 통계학에서, 귀무 가설(歸無假說), 곧 모집단(母集團)의 정확한 평균치에 대한 가정(假定)의 정부(正否)를 임의 표본(任意標本)을 사용하여 확인하는 일. 검정(檢定).

통:계적 방법 【統計的方法】[명] 매거법(枚擧法)에 기초하여 수다한 현상(現象)이나 사물에 대하여 비교적 정밀한 양적 개괄(量的槪括)을 하는 방법.

통:계적 법칙 【統計的法則】[명] 대량 관찰(大量觀察)의 결과로서 얻어진 일정한 규칙.

통:계적 예:보 【統計的豫報】[—네—][명] 〔statistical forecast〕 〖기상〗 대기(大氣)의 과거 상태에 대한 통계를 기초로 한 기상 예보.

통:계적 추측 【統計的推測】[명] 통계학에서, 임의 표본(任意標本)에 의하여 모집단(母集團)을 규정하는 평균치·분산(分散) 등의 여러 수치(數值)를 추측하는 일. 통계적 검정·추정 등이 있음.

통:계적 품:질 관:리 【統計的品質管理】[—괄—][명] 〔statistical quality control〕 〖경영〗 제품이나 프로세스의 품질 관리 수단으로서 통계적인 수법을 사용하는 일.

통:계적 해:석 【統計的解釋】[명] 〔statistical analysis〕 〖통계〗 모집단(母集團)에 관한 통계적 추측에 쓰이는 일군(一群)의 수법.

통:계적 확률 【統計的確率】[—뉼][명] 〖수〗 확률의 하나. 시행(試行) 횟수를 충분히 취했을 때, 어떤 사항이 일어나는 상대 도수(度數)가 일정치(一定值)에 집적(集積)하는 경향을 갖는다면 그 일정치를 그 사항이 일어나는 통계적 확률이라 일컬음. 경험적(經驗的) 확률. *수학적(數學的) 확률.

통계 전사 【通計前仕】[명] 〖역〗 조선 시대에, 벼슬아치의 근속 연수(勤續年數)를 계산(計算)할 경우 전직(前職)의 햇수를 가산(加算)하는 일. ——-하다 [타][여불]

통:계 조사 【統計調査】[명] 객관적으로 존재하고 있는 집단(集團)의 개체(個體)를 하나하나 관찰(觀察)하여 통계적 집단을 구상하고 그 집단의 전체에 걸치는 총체적인 여러 성질을 수량적(數量的)으로 밝히기 위해서 하는 조사.

통:계 주사 【統計主事】[명] 행정직 국가 공무원 직급 명칭의 하나. 통계 직렬(職列)에 속하며, 통계 사무관의 아래, 통계 주사보의 위로 6급 공무원임.

통:계 주사보 【統計主事補】[명] 행정직 국가 공무원 직급 명칭의 하나. 통계 직렬(職列)에 속하며, 통계 주사의 아래, 통계 서기의 위로 7급 공무원임.

통:계 지도 【統計地圖】[명] 〔statistical map〕 〖통계〗 지리적인 구역에 정량적(定量的) 요소의 변동 내지 차이를 나타낸 도면. 강우량도·인구 분포도·작물 현황도 따위가 있음.

통:계 집단 【統計集團】[명] 통계학상 일정한 공통 성질을 가지고 있는 같은 종류의 개체의 집단.

통:계 천문학 【統計天文學】[명] 〖천〗 천문학(天文學)의 한 부문. 다수의 천체를 통계적으로 처리하여 그들의 공간 분포(空間分布)나 운동 상태를 연구함.

통:계-청 【統計廳】[명] 재정 경제부 장관에 소속된 중앙 행정 기관. 통계 기준의 설정과 인구 조사(人口調査), 각종 통계의 작성 및 분석, 통계 자료의 처리 및 관리에 관한 사무를 관장함.

통:계-표 【統計表】[명] 여러 가지 사물의 종별(種別)·대소(大小)·다과(多寡)를 비교하거나 또는 한 가지 사물의 시간적으로 일어나는 숫자적 변동을 비교하여 볼 수 있도록 나타낸 표.

통:계-학 【統計學】[명] 〔statistics〕 수량적 비교를 기초로 하여 많은 사실을 통계적으로 관찰하고 처리하는 방법을 연구하는 학문. 집단에 관한 자료를 정리하고 그것을 특징지우는 여러 수치를 산출해서 자료가 가리키는 것을 알려고 하는 기술(記述) 통계학과, 집단의 상태를 그로부터 추출(抽出)된 표본에서 수리적(數理的)으로 추측하려는 추측 통계학으로 나뉨.

통:계학-과 【統計學科】[명] 〖교〗 대학에서, 통계학을 전공(專攻)하는 학과.

통:계학-자 【統計學者】[명] 통계학을 전공하는 학자.

통고[1] 【通告】[명] ①서면(書面)이나 말로 통지하여 알림. ②〖법〗 일정한 행위 또는 처분을 상대방에게 행하게 할 뜻으로 일정한 사실을 고(告)하여 알려 줌. ——-하다 [타][여불]

통고[2] 【通考】[명] ①고금의 문헌(文獻)에 통달하고 이를 체계적으로 서술(敍述)한 것을 일컬음. ②↗문헌 통고.

통:고[3] 【痛苦】[명] ①아프고 괴로움. 육체적·정신적으로 대단한 괴로움을 느끼는 일. 고통(苦痛). ②〖천주교〗 묵주의 기도 가운데 '고통의 신비'의 구용어.

통-고금 【通古今】[명] ①예나 이제나 변함없이 한결같음. ②예와 이제를 통하여 환하게 앎. ——-하다 [자][여불]

통고리 [명] 〈방〉 애꾸눈이.

통고-문 【通告文】[명] 통고서(通告書).

통고바리 [명] 〈방〉 소꿉장난(강원·충북).

통고-산 【通高山】[명] 〖지〗 경상 북도 울진군(蔚珍郡) 서면(西面) 태백 산맥 중에 솟은 산. [1,067 m]

통고-서 【通告書】[명] 통고하여 알리는 서장(書狀). 통고문.

통:-고성 【統固城】[명] 〖지〗 경상 남도 통영(統營)과 고성(固城)을 아울러서 일컫는 이름.

통고 처:분 【通告處分】[명] 〖법〗 간접 국세(國稅)·관세(關稅)·돈세(噸稅)·전매(專賣) 등에 관한 범칙 사건(犯則事件)에 대하여 세무 관청이 행하는 일정한 행정 처분. 당해(當該) 세무 관서 등이 조사의 결과 범죄의 심증(心證)을 얻은 경우에 이유를 명시(明示)하여 벌금이나 과료(科料)에 상당하는 금액, 몰수품에 해당하는 물품, 세액(稅額) 그 밖의 것을 납부할 것을 통고하는 일. 국세청장·세무서장·세관장·지방 전매청장·전매 지청장이 할 수 있는 행정 처분임.

통-고추 [명] 통째 그대로의 고추.

통곡[1] 【通谷】[명] 한 줄기로 이어가는 골짜기. 깊은 골짝.

통:곡[2] 【痛哭】[명] 소리를 높여 슬피 욺. 아주 슬퍼함. ——-하다 [자][여불]

통:곡[3] 【慟哭】[명] 큰 소리로 섧게 욺. ——-하다 [자][여불]

통:곡의 벽 【痛哭—壁】[—/—에—][명] 예루살렘 신전(神殿) 광장(廣場)에 있는 돌담의 한 부분. 유태인들은 여기서 기도(祈禱)하고, 옛날을 회상(回想)하면서 통곡한다고 함.

통:곡 재:배 【痛哭再拜】[명] 슬피 울며 두 번 절함. ——-하다 [자][여불]

통:곤 【統閫】[명] 〖역〗 '통제사(統制使)'의 별칭.

통곤-망 【通閫望】[명] 〖역〗 〔'곤(閫)'은 외지(外地)에 나가 있는 병사(兵

使)·수사(水使)] 조선 시대에, 병사와 수사의 후보자를 천거(薦擧)하던 일.
통곱-질 명 〈방〉 소꿉질(충청). ——-하다 자
통곱-파리 명 〈방〉 소꿉질(충청). ——-하다 자
통공【通功】명 분업(分業)으로 어떤 일을 이룸. ——-하다 자여불
통과【通過】명 ①통하여 지나가거나 옴. 패스(pass). ¶유리는 빛을 ~ 시킨다. ②〖정〗관청에 제출한 원서가 허가됨. ③〖법〗의회(議會) 등에 제출된 의안(議案)이 가결됨. ④전차·열차·버스 등이 정거장에 서지 않고 지나감. ⑤지장이 없이 무사히 지나감. ⑥외국인이 어떤 나라를 거쳐 다른 외국으로 가기 위하여, 경유국에 상륙하여 그 목적에 필요한 동안 체류한 후 출국하는 일. ——-하다 자타여불
통과 무:역【通過貿易】명〖경〗①중계 무역. ②〔transit trade〕상품이 제삼국(第三國)을 경유하여 거래되는 경우에 제삼국의 입장에서 보고 일컫는 말.
통과-보【通過報】명 선박 통보(船舶通報)의 하나. 특별히 지정된 등대(燈臺)에서 연안(沿岸)을 통과하는 배의 선명(船名)과 통과 시간을 청구자에게 알리는 전보.
통과 상업【通過商業】명〖경〗통과 무역.
통과-세【通過稅】[—쎄] 명 〔transit duty〕〖법〗통과 화물에 대하여 부과하는 조세.
통과 신:호기【通過信號機】명 출발 신호기에 종속하여 그 바깥 쪽에서 그 주체가 되는 신호기의 신호 현시(現示)를 예고하고 열차에 정거장 통과의 가부를 지시하는 철도 신호기의 하나. *중계(中繼) 신호기·원방 신호기(遠方信號機).
통과-역【通過驛】명 급행 열차가 서지 않고 그냥 지나가는 정거장.
통과 의례【通過儀禮】명〖사〗프랑스의 인류학자(人類學者) 방 주네프(Van Gennep)가 처음 사용한 용어. 사람이 일생을 살아가는 과정에서 새로운 상태·장소·지위·신분·연령 등을 거치면서 치르는 갖가지 의례나 의식. 생일 축하·결혼식·성년식(成年式)·어떤 단체에의 가입 및 승진(昇進), 그 밖에 입학식·졸업식, 국왕의 즉위식 등.
통과 통항권【通過通航權】[—꿘] 명〖국제법〗국제 해협(國際海峽)에서, 영해(領海)에서의 무해 통항(無害通航)보다 자유롭게, 방해되지 않고 통항할 수 있는 권리.
통과 화:물【通過貨物】명 수입되는 것이 아니고 단지 한 나라의 관세 지역을 경유하여 다른 나라로 나가는 화물.
통:관¹【洞貫】명 ①꿰뚫음. 관통함. ②앞뒤의 조리가 닿음. 그 뜻에 통달함. ——-하다 타여불
통:관²【洞觀】명 ①꿰뚫어 봄. ②추리(推理)나 사고(思考) 등에 의하지 않고 직각적으로 진리를 깨닫는 일. ——-하다 타여불
통관³【通官】명〖역〗통역(通譯). 통사관(通事官).
통관⁴【通貫】명 관통(貫通). ——-하다 타여불
통관⁵【通款】명 내정(內情)을 몰래 적에게 통함. ——-하다 타여불
통관⁶【通關】명 ①〔clearance〕〖법〗관세법의 규정에 따라, 화물 수출입의 허가를 받고 세관을 통과하는 일. ②길을 뚫어 교통을 편리하게 함. ③범죄인과 교제를 통하여 그 사건에 관계를 갖는 일. ④〖역〗조선 시대에, 관청과 관청 사이에 공문(公文)을 보낼 때 관문(關文)으로써 통용(通用)하던 일. ——-하다 자타여불
통관⁷【通觀】명 전체를 통하여 내다봄. 전체에 걸쳐서 한 번 쭉 훑어봄. ——-하다 타여불
통:관⁸【統管】명 통일하여 관할함. ——-하다 타여불
통관 베이스【通關—】〔base〕명〖경〗↗통관 베이스 무역액.
통관 베이스 무:역액【通關—貿易額】〔base〕명〖경〗세관을 통과한 물자를 기준으로 하여 집계한 무역액. 경제 원조·배상(賠償) 수출 등을 포함하며 수출은 본선 인도(本船引渡) 가격, 수입은 도착 가격으로 집계함. ㊟통관 베이스.
통관-사【通關士】명 '관세사(關稅士)'의 구칭.
통관-세【通關稅】[—쎄] 명〖법〗관세(關稅).
통관 신고서【通關申告書】명 세관에 대하여 물품의 수출·수입 또는 반송을 신고하고 그 면허를 요청하는 서류. 품명(品名)·가격·중량 등을 기재함.
통관-업【通關業】명 화주의 위탁을 받아 세관에 대하여 물품의 수입·수출·반송(返送)에 관한 절차 또는 보세 구역(保稅區域)에의 물품 반출·반입 및 이에 부수되는 절차를 대리하는 업무.
통관업-자【通關業者】명 통관을 업으로 삼는 사람.
통관-역【通關驛】명 국외와 연락하며 국경에 근접한 일반 수송용 철도역 중에서 외국 차량이 정차하는 역.
통관-장【通關場】명 관세 통로에 접속한 장소 중에서 외국 차량이 정차하는 곳. 세관장이 지정함.
통관 절차【通關節次】명 통관하는 데 소요되는 소정(所定)의 절차. 물품의 수출입, 보세 구역(保稅區域)에의 반출입(搬出入) 등에 소요되는 절차를 이름.
통:괄【統括】명 ①낱낱의 일을 한데 몰아서 잡음. ②통할(統轄). ——-하다 타여불
통:괄 계:정【統括計定】명〖경〗통제 계정(統制計定).
통교¹【通交】명 국가(國家) 또는 개인(個人) 상호간에 교의(交誼)를 통함. ——-하다 자여불
통-교²【通教】명〖불교〗천태종(天台宗)에서 설법하는 팔교(八教)의 후사(後四)인 화법(化法)의 둘째. 성문(聲聞)·연각(緣覺)·보살(菩薩)의 삼승(三乘)에 공통해서 설법된 데서 연유한 이름으로 대승교(大乘教)이며 공무생멸(空無生滅)의 이치에 따라서 인연(因緣)·사제(四諦)의 법을 살펴 알게 하는 교.
통교 조약【通交條約】명 국가간 또는 국적을 달리하는 국민간의 교의(交誼)를 통하게 하는 조약. 곧, 경제·교통·통상·항해에 관한 조약 같은 것.
통구¹【通衢】명 ①통행하는 길. ②왕래가 번잡한 통로. 사방으로 통하여 교통이 편리한 도로.
통구²【通溝】명〖지〗평안 북도 만포진(滿浦鎭) 앞의 중국 지린 성 지안현성(吉林省輯安縣城)에 있던 고구려 제 2 도인 국내성(國內城) 및 제 3 도인 환도성(丸都城)이 있던 지역. 오늘날의 지안현소(所)와 그 배후 장스딩쯔(江石頂子)의 산성(山城)을 포함하는 지역임. 동구(洞溝).
통구³ 부 〈방〉 온통(황해).
통-구덩이 [—꾸—] 명〖건〗기초 공사를 위하여 건축물의 밑바닥 전반에 걸쳐 판 구덩이.
통-구멍 [—꾸—] 명〖건〗통끼움하기 위하여 뚫은 구멍.
통구멍-과【—科】[—꾸—꽈] 명〖어〗[Uranoscopidae] 농어목에 속하는 한 과. 얼룩통구멍·통구멩이·푸렁통구멍 등이 있음.
통구멩이 [—꾸—] 명〖어〗[*Uranoscopus bicinctus*] 통구멍과에 속하는 물고기. 몸길이 27.5cm가량, 몸은 달걀꼴인데 측편(側扁)하고, 둥근 비늘로 덮임. 몸빛은 암회색 바탕에 체측(體側)에 두 개, 머리에 한 개의 큰 갈흑색 무늬가 있음. 한국 남부해·제주도 연해·일본 남부·동인도 제도 등에 분포함.
통구바리 명 〈방〉 소꿉장난(충청).
통구박질-놀음 명 〈방〉 소꿉질(함남). ——-하다 자
통구 사:호분【通溝四號墳】명 중국 지린 성 지안 현(吉林省輯安縣) 다왕촌(大王村)에 있는 고구려 시대의 고분. 통구 5 호분과 함께 묘실의 화려한 벽화로 유명함.
통구시 명 〈방〉 뒷간(경남).
통구 십이호 고:분【通溝十二號古墳】명 중국 지린 성 지안 현 다왕촌(大王村)에 있는 고구려 고분. 묘실 내의 벽화 가운데 마구간 그림이 있어 마조총(馬槽塚)이라고도 불림.
통구 오:호분【通溝五號墳】명 중국 지린 성 지안 현 다왕촌에 있는 고구려 석실 봉토분. 석실 내부에 벽화가 있음.
통국【通國】명 전국(全國).
통:군-정【統軍亭】명〖지〗관서 팔경의 하나로, 평안 북도 의주군(義州郡) 의주읍(義州邑) 압록강변 고대(高臺)에 있는 정자. 창건 연대와 명칭의 유래는 확실하지 않고, 조선 중종(中宗) 때와 순조(純祖) 때 개축과 보수가 있었음. 청일(淸日)·노일(露日) 전쟁 때 일시 일본의 포병 진지였음. 경치가 썩 좋음.
통굽-노리 명 〈방〉 소꿉장난(충북).
통굽-장난 명 〈방〉 소꿉질(충청). ——-하다 자
통권【通卷】명 잡지나 책·신문 등의 발간 제1권부터의 권수에 붙여진 일련 번호. ¶ ~ 호수(號數).
통규【通規】명 일반에게 다 같이 통하여 적용되는 규정. 통칙.
통:극【痛劇】명 몹시 극렬함. ——-하다 형여불. ——-히 부
통근【通勤】명 집에서 직장(職場)에 근무하러 다님. ¶ ~ 수당/~자(者). ——-하다 자여불
통근-권【通勤圈】[—꿘] 명 한 도시로 통근하는 사람들의 거주 범위.
통근 열차【通勤列車】[—녈—] 명 통근하는 사람의 편의를 위하여 운행되는 열차.
통근 재해【通勤災害】명 〔accident during travel to and from work〕근로자가 일상의 통근길에서 입는 재해.
통근-차【通勤車】명 통근하는 사람의 편의를 위하여 운행되는 자동차나 열차.
통-금¹ [—끔] 명 ①이것 저것 한데 몰아친 값. ②물건을 통거리로 넘겨 파는 값.
통금²【通禁】명 ↗통행 금지(通行禁止).
통:금³【痛禁】명 엄금(嚴禁). ——-하다 타여불
통기¹【通氣】명 ①내부와 외부의 공기를 잘 통하게 함. 소요(所要)되는 공기를 공급함. ②〖광〗갱내(坑內)에 공기를 들여 보내는 일. 통풍(通風). ——-하다 자여불
통기²【通寄·通奇】명 통지(通知). ——-하다 타여불
통:기³【統紀】명 통일시키는 규칙. 근본적인 규칙.
통기 건조【通氣乾燥】명 건조 재료를 적당한 두께의 층(層)으로 쌓고 여기에 열풍(熱風)을 보내어 건조하는 방법.
통기-공【通氣孔】명 공기를 통하게 하는 구멍.
통기-구【通氣口】명 공기가 드나들 수 있도록 만든 곳.
통기 기계【通氣機械】명 방이나 또는 갱내(坑內)에 공기를 통하게 하는 기계.
통기다 타 ①버틴 물건을 빠지게 건드리다. ②뼈의 관절을 어긋나게 하다. ③일의 기회를 어긋나게 하다. 1)-3): <퉁기다.
통-기둥 명〖건〗한 재목으로 이음매 없이 된 높은 기둥.
통기-법【通氣法】[—뻡] 명 ①갱내(坑內) 등에 공기를 들여 보내는 방법. ②〖의〗진단·치료를 위하여 이관(耳管)·난관(卵管) 따위 관상 장기(管狀臟器)에 공기를 불어 넣어 관의 개폐(開閉)를 알아보는 방법.
통기-성【通氣性】[—썽] 명 공기가 유통하는 성질·정도.
통기 조직【通氣組織】명〖생〗식물의 조직계(組織系)의 하나. 세포 간극(細胞間隙)이 많아서 공기의 유통 및 그 저장에 적합하게 된 유조직(柔組織).
통기-창【通氣窓】명 바람이 드나들게 뚫어 놓은 창.
통-기타:【筒—】〔guitar〕명 공명통이 있는 보통 기타의 속칭.
통-김치 명 통째로 담근 배추의 김치. 저린 배추의 줄거리의 겨지마다 소를 넣은 것을 통저린 무·오이와 함께 독에 담고 조기젓국을 탄 국물을 부어 익힘. 통저(筒菹).

통김치-쌈 명 통김치의 잎으로 싸 먹는 쌈. 통침채포(筒沈菜包).
통-깨 명 가루로 빻지 않은 통째의 깨.
통-꼭지【桶—】명 통젖.
통-꽃 명〖식〗합판화(合瓣花). ↔갈래꽃.
통꽃-류【—類】[—뉴] 명〖식〗합판화류(合瓣花類). ↔갈래꽃류·이판화류.
통-꽃받침 명〖식〗통꽃의 꽃받침. 합판화악(合瓣花萼). ↔갈래꽃받침.
통-꽃부리 명〖식〗합판화관(合瓣花冠). ↔갈래꽃부리.
통-꾼 명 벌채한 원목·대나무로 떼를 엮는 일을 업으로 삼던 사람.
통-끼움【筒—】명〖건〗한 목재의 옆 면에 다른 목재의 머리가 통하도록 구멍을 파서 끼우는 일.

〈통끼움〉

통-나무 명 켜거나 짜개지 아니한, 통째의 나무. 아직 제재(製材)하지 아니한 굵고 둥근 원목(原木). 껍질만 벗긴 둥근 재목. ↔각재(角材).
통나무-배 명 마상이❷.
통-나무좀 명〖충〗[*Hylecoetus cossis*] 통나무좀과에 속하는 곤충. 몸길이 10-17 mm로, 몸은 가늘고 다소 원통형(圓筒形)인데, 적갈색 또는 황갈색의 털이 밀생하며, 두부·시단(翅端)·후흉판(後胸板)은 암색 또는 흑색임. 유충은 오리나무 등의 해충임. 한국·일본 등지에 분포함.

〈통나무좀〉

통나무좀-과【—科】[—꽈] 명〖충〗[Lymexylidae] 딱정벌레목(目)에 속하는 한 과. 몸은 원통형(圓筒形)이며, 연약(軟弱)하고 촉각(觸角)은 톱날 모양을 이루며, 시초(翅鞘)는 짧고, 부절(跗節)은 5절, 복판(腹板)은 5-8개임. 유충은 나무 속에 구멍을 파고 그 속에 사는데, 전세계에 50여 종이 분포함.
통나무-집 명 통나무로 지은 집.
통낭【通囊】명〖생〗내이(內耳)에 있는 낭상(囊狀) 기관의 하나. 반규관(半規管)이 딸려 있으며, 소낭(小囊)과 함께 몸의 위치와 운동 감각(運動感覺)을 관장함.
통-내외【通內外】명 두 집 사이에 남녀가 내외 없이 지냄. ——-하다 자여불
통념[1]【通念】명 ①일반 사회에 널리 통하는 개념. 전체에 통하는 일반적 관념. ¶사회 ~. ②항상 생각함. ——-하다 타여불
통:념[2]【痛念】명 몹시 아프게 생각함. ——-하다 타여불
통뇨【通尿】명 소변이 잘 통하여 나오게 함. ——-하다 자여불
통뇨-기【通尿器】명〖의〗소변을 잘 통하여 나오게 하는 의료 기구. 금속(金屬) 또는 고무로 만드는데, 그 끝에나 옆에 구멍이 있음. 카테터(Katheter).
통다리-뜨기 명 씨름에서, 들재간의 하나. 상대자의 다리를 떠서 넘어뜨리는 재주.
통-단[1] 명 크게 묶은 곡식단.
통단[2]【通旦】명 밤을 새워 아침에 이름. ——-하다 자여불
통:달[1]【洞達】명 꿰뚫음. 달통함. ——-하다 자타여불
통달[2]【通達】명 ①막힘이 없이 환히 통함. 효달(曉達). ②도(道)에 깊이 통함. 사물의 이치에 거침 없이 숙달함. ¶그 방면에 ~한 사람. ③고(告)하여 알림. 통하여 알려 줌. 통지(通知). ④상급 관청이 소관(所管)의 기관 및 직원(職員)에 대하여 행하는 통지. 통첩(通牒). ——-하다 자타여불
통달-서【通達書】[—써] 명 어떠한 내용을 통달하는 서면(書面).
통-닭 [—닥] 명 털을 뜯고 내장(內臟)만 뺀 채 몸뚱이를 통거리로 익힌 닭고기.
통닭-구이 [—닥—] 명 구운 통닭. 흔히, 전기(電氣)구이 통닭을 이름.
통닭-집 [—닥—] 명 통닭구이를 전문으로 만들어 파는 식당(食堂). 참고 흔히, 옥호(屋號)로 많이 쓰임. *영양 센터.
통닭-튀김 [—닥—] 명 털과 내장을 제거한 닭을 기름에 튀기는 일. 또, 튀긴 통닭. 닭튀김.
통-대구【—大口】명 속만 빼고 말린 대구.
통-대자【通帶子】명 전대 모양으로 속이 비게 짠 띠.
통덕-랑【通德郞】[—낭] 명〖역〗조선 시대의 정오품 문관의 품계. 통선랑(通善郞)의 위, 조산 대부(朝散大夫)·조봉 대부(朝奉大夫)의 아래. 고종(高宗) 2년(1865)부터 문관·종친(宗親)의 품계로 병용했음.
통도[1]【通道】명 ①통로(通路). ②사람이 마땅히 행할 도의(道義).
통:도[2]【痛悼】명 마음이 몹시 아프고 슬픔. 상도(傷悼). *상통(傷痛). ——-하다 형여불
통도-사【通度寺】명〖불교〗경상 남도 양산시(梁山市) 하북면(下北面) 지산리(芝山里) 영취산(靈鷲山)에 있는 한국 굴지의 거찰(巨刹). 25 교구 본사(敎區本寺)의 하나. 신라 선덕 여왕(善德女王) 15년(646)에 자장 법사(慈藏法師)가 세웠음. 자장 법사가 당(唐)나라에서 받아 가지고 귀국한 불골(佛骨)·불가사(佛袈裟)가 있음.
통도 조직【通導組織】명〖식〗일반적으로 관다발 식물에 있어서 수분·양분·염분(塩分) 등의 이동 통로가 되는 조직을 말함.
통독[1]【通讀】명 ①처음부터 끝까지 내리 읽음. *정독(精讀). ②〖역〗성균관의 대사성(大司成)이 배년 서울과 지방의 유생(儒生)에게 제술(製述)과 강서(講書)를 시험하던 일. 부(賦) 1편과, 제술은 표(表)·전(箋)·논(論) 중에서 1편을, 강서는 사서(四書)·삼경(三經)을 배송(背誦)하게 하였는데, 이 시험에 합격(合格)하면 식년(式年)의 문과(文科) 복시(覆試)에 직부(直赴)할 수 있는 자격(資格)을 주었음. 정원(定員)은 10명임. ——-하다 타여불
통:독[2]【統督】명 통할(統轄)하여 감독함. ——-하다 타여불
통:독[3]【統獨】명 동독(東獨)과 서독(西獨)이 통일하여 한 나라를 이룸. 또, 통일된 독일. ——-하다 자여불
통:독-자【統督者】명 전체를 통할(統轄)하는 사람.
통-돌다 자 여러 사람의 의견이 합치되어 그렇게 하기로 서로 알리어지다.
통동[1]【通同】명 내통(內通)하여 공모(共謀)함. ——-하다 타여불
통동[2]【通洞】명〖광〗광산에 있어서의 중요 갱도(重要坑道).
통동[3]【通同】부 사물 전체의 수효나 양(量)을 모두 한목 쳐서. *온통.
통둥에 명〈방〉잠방이(평북).
통람【通覽】[—남] 명 처음부터 끝까지 죄다 봄. ——-하다 타여불
통:랑【洞朗】[—낭] 명 너르고 환함. 밝고 명랑함. ——-하다 형여불
통래【通來】[—내] 명 왕래(往來). ——-하다 자타여불
통량【統涼】[—냥] 명 경상 남도 통영(統營)에서 만든 갓의 양태.
통력[1]【通力】[—녁] 명〖불교〗만사(萬事)에 두루 통하는 신묘(神妙)한 힘. 신통력(神通力).
통력[2]【通歷】[—녁] 명 연대(年代)를 통하여 셈함. ——-하다 자여불
통:렬【痛烈】[—녈] 명 몹시 맵고 사나움. 맹렬(猛烈)함. ——-하다 형여불. ——-히 부. ¶~ 비난하다.
통령[1]【通靈】[—녕] 명 정신이 신령(神靈)과 서로 통함. 통신(通神). ——-하다 자여불
통:령[2]【統領】[—녕] 명 ①일체를 통할하여 거느림. 또, 그 사람. 통솔. 통수(統帥). 통리(統理). ②〖역〗조선 시대에 조운선(漕運船) 10척의 조졸(漕卒)의 우두머리. 해운 판관(海運判官)이 임명함. *천호(千戶). ——-하다 타여불
통:령 정부【統領政府】[—녕—] 명〖역〗프랑스 혁명기에 총재 정부(總裁政府)가 1799년 브뤼메르(Brumaire) (공화력 제 2월) 18일의 쿠데타로 무너진 다음, 나폴레옹에 의한 제일 제정(第一帝政)이 수립될 때까지의 프랑스의 정체(政體). 집정 정부(執政政府).
통령-초【通靈草】[—녕—] 명〖식〗인동덩굴.
통례[1]【通例】[—녜] 명 ①일반적으로 통하여 쓰는 전례. 세상의 관습. 상례(常例). ¶~에 따르다. ②극히 보통인 일. 일반적인 일.
통례[2]【通禮】[—녜] 명〖역〗조선 시대에 통례원(通禮院)의 정삼품 벼슬. 좌우(左右) 각 한 사람씩 있었음.
통례-문【通禮門】[—녜—] 명〖역〗①고려 때 조회(朝會)의 의례(儀禮)를 맡은 관아. 충렬왕(忠烈王) 원년(1275)에 합문(閤門)을 이 이름으로 고치고, 뒤에 합문·통례문·중문(中門)으로 여러 번 이름을 고쳤다가 공민왕(恭愍王) 21년(1372)에 다시 통례문으로 고침. ②조선 태조(太祖) 원년(1392)에 베푼 합문을 태종(太宗) 때에 고친 이름. 그 후 세조(世祖) 12년(1466)에 다시 통례원(通禮院)으로 고쳤음.
통례-원【通禮院】[—녜—] 명〖역〗조선 시대에 조회(朝會)·제사(祭祀)에 관한 의식을 맡은 관아. 태조(太祖) 원년(1392)에 베푼 합문(閤門)을 태종(太宗) 때에 통례문(通禮門)으로 고쳤다가 세조(世祖) 12년(1466)에 이 이름으로 고치고, 고종(高宗) 32년(1895)에 다시 장례원(掌禮院)으로 고치었음. 홍로(鴻臚). 사범서(師範署). 홍로원(鴻臚院).
통례-적【通例的】[—녜—] 명관 통례에 관한 모양.
통로【通路】[—노] 명 통행하는 길. ¶좁은 ~.
통로 강:제【通路強制】[—노—] 명〖역〗중세 유럽에서 여행자나 상인이 일정한 통로를 이용하도록 영주(領主)가 행사한 강제적 조치.
통론[1]【通論】[—논] 명 ①사리에 통달(通達)한 이론. ②전체를 통한 일반적이고 공통된 이론. ¶법학(法學) ~. ③세상에 통용하는 의견.
통:론[2]【痛論】[—논] 명 통절한 언론. 또, 통절하게 논함. ——-하다 타여불
통료【通遼】[—뇨] 명〖지〗'퉁랴오'를 우리 음으로 읽은 이름.
통류【通流】[—뉴] 명 꿰뚫고 흐름. 관류(貫流). ——-하다 타여불
통률【通律】[—뉼] 명 일반에서 통용되는 규율. 통칙(通則). 통규(通規).
통리[1]【通利】[—니] 명 대소변이 통함. ¶~제(劑). ——-하다 자여불
통리[2]【通理】[—니] 명 ①사리에 밝음. ②사물의 이치에 통달함. ③일반에 공통되는 도리(道理). 투리(透理). ——-하다 자여불
통:리[3]【統理】[—니] 명 ①통령(統領). ②통치(統治). ——-하다 타여불
통:리 교섭 통상 사:무 아:문【統理交涉通商事務衙門】[—니—] 명〖역〗조선 고종(高宗) 19년(1882)에 통리 아문(統理衙門)을 고친 이름. 외교(外交)와 통상 사무를 맡았음. 동 31년에 폐하고, 외무 아문(外務衙門)을 베풂. 외아문(外衙門).
통:리 군국 사:무 아:문【統理軍國事務衙門】[—니—] 명〖역〗조선 고종(高宗) 19년(1882)에 통리 내무 아문(統理內務衙門)을 고치어 일컫던 이름. 편민 이국(便民利國)에 관한 일을 담당하였음. 동 21년에 의정부(議政府)에 합병하였다가, 뒤에 다시 내무부(內務府)로 독립하고, 동 31년에 이조(吏曹)와 합하여 내무 아문(內務衙門)이 되었음. 내아문(內衙門).
통리 군자【通理君子】[—니—] 명 사리에 통달한 학자.
통:리 기무 아:문【統理機務衙門】[—니—] 명〖역〗조선 고종(高宗) 17년(1880)에 청(淸)나라 제도를 본떠 베풀어서 군국 기무(軍國機務)와 일반 정치를 총섭(總攝)하던 관아(官衙). 그 밑에 사대(事大)·교린(交隣)·군무(軍務)·변정(邊政)·기연(譏沿)·통상(通商)·군물(軍物)·기계(器械)·선함(船艦)·이용(理用)·전선(典選)·어학(語學)의 십이사(十二司)를 두었는데, 동 19년에 폐하고 통리 내무 아문(統理內務衙門)과 통리 아문(統理衙門)의 둘로 나누었음.
통:리 내:무 아:문【統理內務衙門】[—니—] 명〖역〗조선 고종 19년(1882)에 통리 기무 아문(統理機務衙門)을 폐하고 베푼 한 관아. 내무

(內務)를 총할하였는데, 그 해에 다시 통리 군국 사무 아문(統理軍國事務衙門)으로 고치었음. 내아문(內衙門).

통:리 아:문【統理衙門】[―니―] 명 〖역〗 조선 고종 19년(1882)에 통리기무 아문(統理機務衙門)을 폐하고 베푼 한 관아. 외교 사무를 맡았는데, 그 해에 통리 교섭 통상 사무 아문(統理交涉通商事務衙門)으로 고치었음. ＊외아문(外衙門).

통리-제【通利劑】[―니―] 명 〖한의〗 대소변(大小便)이 막힌 것을 잘 통하게 하는 약제(藥劑). ＊이뇨제.

통-마늘 명 쪼개지 아니한 통째로의 마늘.

통-마루 명 〖건〗 툇마루를 제외한 안방과 건넌방 사이에 놓인 큰 마루.

통-만두【桶饅頭】명 일 인분(一人分)씩 동글납작한 작은 찜통에 넣고, 쪄서 통째로 내놓는 만두.

통-말【桶―】명 둥근 통처럼 만든 말. 대두(大斗)와 소두(小斗)의 구별이 있는데, 소두의 용량(容量)은 이전 모말과 같고, 대두는 소두의 갑절임.

통망【通望】명 벼슬 후보로 추천됨. ――-하다 자여불

통-맞춤 명 〖건〗 재목의 한 끝이 다른 큰 재목에 통째로 들어가 끼이는 맞춤.

통:매【痛罵】명 몹시 꾸짖음. 또, 그 꾸지람. ――-하다 타여불

통-머름 명 〖건〗 여러 조각으로 짜지 아니하고 긴 널을 통째로 가로 대어 막은 머름. 합중방(合中枋).

통-머리 명 부채의 끝머리를 깎지 않고 제 크기대로 내밀게 한 것.

통-메다【桶―】자 ↗통메우다.

통-메우다【桶―】자 ①통 쪽을 맞추어서 테를 끼우다. ②좁은 자리에 많은 사람이 몰리어 들어감을 이르는 말. 준통메다.

통메-장수【桶―】명 〈방〉 통메장이.

통메-장이【桶―】명 통을 메우거나 고치어 메우는 일을 업으로 삼는 사람.

통명[1]【通名】명 일반에 통하는 이름.

통명[2]【通明】명 모든 것에 통달하고 지혜가 밝음. 또, 그 모양. ――-하다 형여불

통명-전【通明殿】명 〖지〗 ①서울 창경궁(昌慶宮) 안에 있는 정전(正殿). ②옥황 상제(玉皇上帝)가 있다는 집.

통-명태【―明太】명 〈방〉 동명태.

통모【通謀】명 ①비밀히 서로 통하여서 공모함. 공모(共謀). ②〖법〗 두 사람 이상이 공모하여 범죄 행위를 계획하는 일. ③〖법〗 민법상(民法上), 상대방과 공모하여 허위(虛僞)의 의사 표시(意思表示)를 하는 일. ――-하다 타여불

통모양 꽃부리【筒―】명 〖식〗 관상 화관(管狀花冠). 통상 화관(筒狀花冠).

통-모자【―帽子】명 송모자 등과 같이 운두와 위 뚜껑을 따로 만들어 붙이지 아니하고 애초에 한삼로 만든 갓모자의 한 가지.

통모-죄【通謀罪】[―쬐] 명 〖법〗 외환 유치죄.

통모 허위 표시【通謀虛僞表示】명 〖법〗 허위 표시(虛僞表示).

통목[1] 명 전에, 광산에서 광석을 나르는 일을 하던 사람.

통-목[2]【―木】명 통나무.

통목-선【―木船】명 마상이❷.

통-무 명 통째로의 무.

통문[1]【通文】명 여러 사람의 성명을 적어 차례로 돌리어 보는 통지문(通知文). ¶사발(沙鉢) ～.

통문[2]【通門】명 〖불교〗 가사(袈裟) 폭(幅)의 구멍. 통문불(通門佛).

통문-관【通文館】명 〖역〗 고려 때 역어(譯語)를 맡은 관아. 충렬왕(忠烈王) 2년(1276)에 베풀어서 뒤에 사역원(司譯院)으로 고치었음.

통문관-지【通文館志】명 〖책〗 조선 숙종(肅宗) 때, 김지남(金指南)이 지은, 고래의 조빙 응대(朝聘應對)의 사실을 기록한 책. 정조(正祖) 때에 나라에서 간행하고, 고종(高宗) 18년(1881)에 다시 중간(重刊)하였음. 12권 6책.

통문 박사【通文博士】명 〖역〗 신라 성덕왕(聖德王) 때에 상문사(詳文師)의 고친 이름.

통문-불【通門佛】명 〖불교〗 통문(通門).

통-밀다 타 이것 저것을 가릴 것 없이 똑같이 치다. 통틀다.

통-밀어 부 이것 저것을 가릴 것 없이 평균(平均)으로 쳐서. ¶～ 얼마요. 준밀어.

통-바지 명 통이 넓은 바지.

통박[1]【痛迫】명 몹시 절박함. ――-하다 형여불

통:박[2]【痛駁】명 통렬하게 공박(攻駁)함. ――-하다 타여불

통-반석【―盤石】명 한 덩어리로 된 넓고 평평한 바위. 너럭바위.

통-반장【統班長】명 통장과 반장. ＊동반장(洞班長).

통-발[1] 명 〈방〉 오리발❷.

통발[2] 명 〖식〗 [*Utricularia japonica*] 통발과에 속하는 다년생 수초(水草). 줄기는 가늘고 길며, 가로 뻗음. 잎은 호생하며 여럿이 잘게 갈라지고, 그 일부가 변하여 포충낭(捕蟲囊)이 되었고, 단병(短柄)임. 8-9월에 황색 꽃이 2-13개씩 총상(總狀) 화서로 길이 10-15cm 가량의 화경(花莖) 끝에 피고, 열매는 맺지 아니함. 연못에나 수전(水田) 등에 부유(浮游)하는데, 제주·경남·경기·황해·평북·함남 및 일본 본토·홋카이도·동부 시베리아·중국 등지에 분포함.

〈통발²〉

통-발[3]【筒―】명 가는 댓조각을 엮어서 통같이 만든 고기잡이 제구의 하나. 아가리에 작은 발을 달아 그 날카로운 끝이 가운데로 몰리게 하여, 들어간 고기가 거슬러 나오지 못하게 하고, 뒤 쪽 끝은 마음대로 묶고 풀게 되어 있어 안에 든 고기를 잡아 내게 됨. 고기의 노는 곳을 따라 물 속이나 물고에 잠가 둠. 어전(漁筌).

〈통발³〉

통발-과【―科】[―꽈] 명 〖식〗 [Lantibulariaceae] 쌍자엽 식물에 속하는 한 과. 온대와 열대에 5속(屬) 250여 종, 한국에는 개통발·통발 등 1속 수종(數種)이 분포함. 이조과(狸藻科).

통발-류【通發流】명 〖식〗 식물의 뿌리로 빨아 올리는 물이 끊임없이 줄기와 가지를 지나서 잎에 이르는 현상.

통발 작용【通發作用】명 〖식〗 증산 작용(蒸散作用).

통방[1]【通房】명 감옥에서 이웃 감방(監房)의 수감자(收監者)끼리 암호로 통하는 일. ――-하다 자여불

통방[2]【通房】명 〖역〗 시골 관아(官衙)의 통인(通引)이 있는 방.

통-방구리 명 〈방〉 동방구리.

통-방외【通方外】명 〖역〗 조선 시대에, 절일제(節日製)·황감제(黃柑製) 등에 관학 유생(館學儒生) 이외의 사자(士子)에게도 응시를 허락하던 특례.

통방이 명 쥐덫의 한 가지.

통-배추 명 속이 차게 자라 통을 이룬 배추.

통법[1]【通法】[―뻡] 명 일반에 공통되는 법칙. 통칙(通則).

통법[2]【通法】[―뻡] 명 〖수〗 여러 가지로 나타낸 도량형(度量衡) 기타의 단위(單位)를 고치어서 한 단위로 만드는 일. 몇 리(里) 몇 정(町) 등의 단위로 된 거리를 척(尺)으로 고치는 일과 같은 것.

통변【通辯】명 통역(通譯). ――-하다 타여불

통변-꾼【通辯―】명 ①통역을 낮게 이르는 말. ②〈속〉 말전주를 하고 다니는 사람.

통변 학교【通辯學校】명 〖역〗 동문학(同文學).

통보[1]【通報】명 통지(通知)하여 보고함. 또, 그 보고. ¶기상(氣象) ～. ――-하다 타여불

통보[2]【通寶】명 옛날에 통용하던 엽전(葉錢) 등 화폐(貨幣)에다 새기어 통화(通貨)라는 뜻을 나타내던 말. ¶조선(朝鮮) ～/삼한(三韓) ～/해동(海東) ～/상평(常平) ～/동국(東國) ～.

통-보리 명 누르거나 타지 않은, 통째로의 보리쌀.

통보 지표【通報指標】명 [message indicator] 〖통신〗 암호 통보의 해독(解讀)에 필요한, 바른 관건 선택(關鍵選擇)을 지시하기 위해서 통보 속에 두어지는 요소.

통:봉【痛棒】명 〖불교〗 좌선(坐禪)할 때 스승이 마음의 안정을 잡지 못하는 사람을 징벌(懲罰)하는 데 쓰는 방망이.

통부[1]【通訃】명 사람의 죽음을 통지하는 일. 고부(告訃). 부고(訃告). 부문(訃聞). 부음(訃音). 흉보(凶報). ――-하다 자여불

통부[2]【通符】명 〖역〗 의금부(義禁府)·병조(兵曹)·형조(刑曹)·한성부(漢城府)의 입직관(入直官)이나 포도청(捕盜廳)의 종사관(從事官)과 군관(軍官)이 범인(犯人)을 잡는 증표(證標)로 몸에 차던 부찰(符札).

〈통부²〉

통-부:츠[boots] 명 지퍼를 달지 않은 통가죽으로 지은 부츠.

통북투[Tombouctou] 명 〖지〗 아프리카 말리 공화국(Mali 共和國) 중앙부 니제르 강(Niger 江) 좌측 강가의 도시. 사하라 사막에서 지중해로 가는 교통의 요지이고, 수단(Sudan) 지방 서부의 이슬람 문화의 중심지(中心地)임. 부근 농산물(農產物)의 집산지임. 팀북투(Timbuktu). [20,000명(1976)]

통분[1]【通分】명 〖수〗 분모(分母)가 다른 분수(分數)나 분수식(分數式)의 각 분모를 그 최소 공배수로 만들어 공통의 분모로 만드는 일. ――-하다 타여불

통:분[2]【痛忿·痛憤】명 원통하고 분함. ――-하다 형여불

통비[1]【通比】명 〖수〗 전체를 통분한 비.

통비[2]【通匪】명 비적(匪賊)과 내통함. ――-하다 자여불

통:비[3]【痛痺】명 〖한의〗 사지(四肢)의 뼈마디가 쑤시고 아픈 병.

통-비단벌레【―緋緞―】명 〖충〗 [*Paracylindromorphus japonensis*] 비단벌레과에 속하는 곤충. 몸길이 3.5-5mm 가량으로, 가늘고 원통형(圓筒形)이며, 등흑색인데, 두부(頭部)와 전배판(前背板)의 복면(腹面)과 다리는 다소 청동색을 띰. 전배판에는 원형의 점각(點刻)이 있고, 시초(翅鞘)에는 축각(縮刻)이 있음. 한국·일본·중국·우수리 등지에 분포함.

통비-음【通鼻音】명 〖언〗 비음(鼻音).

통빙【通聘】명 서로 교제함. ――-하다 자여불

통-뼈【筒―】명 ①두 가닥의 뼈로 이루어져 있지 않고, 한 가닥으로 통처럼 되어 있는 아래팔뼈. ②힘이 센 사람을 속되게 이르는 말.

통사[1]【通士】명 사리에 정통한 사람.

통사[2]【通史】명 역사 기술법(記述法)의 한 양식. 한 시대나 지역에 국한한 특수한 역사에 대하여 전시대(全時代)·전지역에 걸쳐 통관(通觀)한 종합적인 역사.

통사[3]【通事】명 ①통역(通譯). ②〖역〗 고려 중서문하성(中書門下省)에 딸린 이속(吏屬). ③〖역〗 고려 내시부(內侍府)의 종구품 벼슬. 통인(通人). ④〖역〗 조선 시대의 통역관.

통사[4]【通詞】명 〖역〗 조선 시대 사역원(司譯院)에 딸린 이원(吏員). 의주(義州)·동래(東萊) 등지에서 통역(通譯)에 종사하였음.

통:사[5]【痛史】명 비통(悲痛)한 역사. 통분(痛憤)할 사실(史實).

통사-관【通事官】명 〖역〗 통관(通官).

통사-랑【通仕郞】명 〖역〗 ①고려 때, 구품(九品) 문관(文官)의 품계. 충렬왕 34년(1308)에 베풀어서 공민왕 5년(1356)에 폐하고, 동 11년(1362)

에 다시 두었다가 18년(1369)에 또 폐함. 징사랑(徵事郞)의 아래. ＊등사랑(登仕郞). ②조선 시대 때 정팔품 문관의 품계. 승사랑(承仕郞)의 위, 계공랑(啓功郞)의 아래.

통:사-론【統辭論】명 [syntax]〖언〗형태론(形態論)과 함께 문법을 이루는 이대 부문(二大部門)의 하나. 학교 문법 통일안 용어로는 문장론이라 함. 구문론(構文論). 문론(文論). 월갈. 신택스.

통:사-법【統辭法】[—뻡] 명〖언〗신택스(syntax).

통:사-부【統辭部】명〖언〗변형 생성 문법 이론(變形生成文法理論)의 세 중심 구성부의 하나. 음운부(音韻部)·의미부(意味部)가 해석적(解釋的)인 역할을 담당하는 구성부인데 반하여, 통사부는 이 두 구성부를 연결하는 교량적인 존재로서 문법 이론의 핵심을 이룸.

통사 사인【通事舍人】명〖역〗①고려 합문(閤門)의 정칠품 벼슬. ②고려 때 왕비부(王妃府) 동궁(東宮)의 한 벼슬.

통-사정【通事情】명 자기 사정을 남에게 알리거나 남의 사정을 잘 알아 줌. 통인정(通人情). ㊣통정(通情). ——하다 자여불

통산【通算】명 통틀어 계산함. 통계(通計). ——하다 타여불

통삼【通三】명 백성을 기본으로 하는 것과 시대를 따르는 것과 사람을 가리어 쓰는 것의 세 가지에 능통(能通)한 일. 이에 능통해야 훌륭한 군주(君主)라 함. 「보통의 경우는.

통상[1]【通常】㊀명 특별하지 않고 예사임. 보통(普通). ㊁부 보통으로.

통상[2]【通商】명 외국과 교통하여 서로 상업을 영위함. 교역(交易). 무역(貿易). ——하다 자여불

통:상[3]【痛傷】명 몹시 슬퍼함. ——하다 타여불

통상[4]【筒狀】명 통처럼 생긴 모양.

통상-국[1]【通商局】명 ①〖역〗조선 시대 말의 외무 아문(外務衙門)의 한 국(局). ②〖역〗대한 제국 때 외부(外部)의 한 국.

통상-국[2]【通商國】명 무역국(貿易國).

통상-권【通商權】[—꿘] 명〖법〗국가가 그 국민의 통상을 다른 국가에 허용하는 권리. 국가가 국제법상 당연히 가지는 권리는 아니고 통상 조약에서 합의한 경우에 한함.

통상-꽃【筒狀—】명〖식〗관상화(管狀花).

통상 대:표부【通商代表部】명 정식으로 국교를 맺지 않은 나라 등에 상주(常駐)하여 통상에 관한 외교 업무를 전담(專擔)하는 재외 공관(在外公館)의 하나.

통상-로【通商路】[—노] 명 통상하는 배가 다니는 바닷길.

통상 무:기【通常武器】명 핵무기·생물 무기 및 소이탄·폭동 진압용 가스를 제외한, 화학 무기 이외의 재래식 무기.

통상 백서【通商白書】명 무역 백서(貿易白書).

통상-복【通常服】명 평상시에 입는 옷. 평복.

통상 봉쇄【通商封鎖】명 전시(戰時) 또는 평시에 적국이나 적성국(敵性國)의 해상 통상을 봉쇄하여 경제적으로 압력을 가하는 일.

통상 사:무관【通商事務官】명〖역〗조선 시대 말 영사관(領事館)에 딸린 주임(奏任) 벼슬. 영사가 없는 곳에 두고 통상의 일을 맡았음.

통상 사:용권【通常使用權】[—꿘] 명〖법〗상표권자(商標權者) 또는 전용(專用) 사용권자의 허락을 얻어, 그 밖의 자가 지정된 상품에 대하여 등록 상표를 사용하는 권리. ＊전용(專用) 사용권.

통상 산:업부【通商産業部】명 통상·상업·공업·동력 및 지하 자원에 관한 사무를 관장했던 행정 각부의 하나. 1998년 정부 조직 개편에 따라, 통상 교섭 사무는 외교 통상부에, 기타 사무는 산업 자원부(産業資源部)에 승계됨.

통상 산:업 위원회【通商産業委員會】명 '산업 자원 위원회'의 전 이름.

통상 선:거【通常選擧】명〖법〗보궐(補闕) 선거에 대하여 선거 법규의 규정에 의하여, 보통의 경우에 실시하는 가장 일반적인 선거.

통상 소:포 우편물【通常小包郵便物】명〖법〗가격 등기(價格登記) 등 특수한 취급을 하지 아니하는 소포 우편물.

통상 실시권【通常實施權】[—꿘] 명〖법〗특허권자·실용 신안권자·의장권자(意匠權者) 또는 이들의 전용(專用) 실시권자의 허락을 얻어, 그밖의 자가 법규 또는 설정 행위(設定行爲)로 정한 범위 안에서, 특허 발명(特許發明)·등록 실용 신안·등록 의장 등을 업으로서 실시하는 권리. ＊전용(專用) 실시권.

통상 엽서【通常葉書】명 봉함(封緘)·그림·왕복(往復) 등 특수한 내용이나 외형(外形)을 갖지 않는 일반 우편 엽서.

통상 예:복【通常禮服】[—네—] 명 보통으로 입는 예복. 곧, 연미복(燕尾服)을 이르는 말.

통상 우편【通常郵便】명 소포(小包) 우편에 대한 보통의 우편.

통상 우편물【通常郵便物】명〖법〗소포(小包) 우편물에 대하여 보통으로 다루는 우편물. 송달에 소요되는 기간에 따라 빠른 우편물과 보통 우편물의 구별이 있음.

통상 전:보【通常電報】명 특수 취급을 하지 않는 보통의 전보.

통상 조약【通商條約】명〖정〗두 나라 사이에 통상·항해(航海)에 관한 동일한 권리·의무 등의 사항 및 이에 부수(附隨)되는 당사국 국민의 입국·거주 및 영사 교환(領事交換) 등에 관한 사항을 협의 규정한 조약. 상품의 생산 교환 및 판로(販路)의 개척 등의 관계에 있어서 서로의 이해를 조정(調整)하는 목적 아래 국제적인 통상의 안정과 질서를 유지하기 위한 중요한 수단임. 통상 항해 조약.

통상-주【通常株】명〖경〗보통주(普通株).

통상 주주【通常株主】명〖경〗통상주를 가진 일반적인 주주.

통상 총:회【通常總會】명〖법〗①사단 법인이 적어도 일 년에 한 번 개최하여야 하는 사원(社員) 총회. ②주식 회사나 유한(有限)회사 등에서 개최하는 정기 총회.

통상 항:해 조약【通商航海條約】명〖정〗통상 조약. ＊무역 협정.

통상 협정【通商協定】명〖정〗통상 조약 가운데서 규정 사항이 특수하거나 임시 잠정적(暫定的)인 것.

통상-화【筒狀花】명〖식〗관상화(管狀花).

통상 화관【筒狀花冠】명〖식〗관상 화관(管狀花冠).

통상 화:약【通常火藥】명 흑색(黑色) 화약·갈색(褐色) 화약 및 기타 일반적인 화약의 통칭.

통상-환【通常換】명 우편환(郵便換)의 하나. 환증서(換證書)를 우편으로 송달, 지정된 지급(支給) 우체국에서 이와 상환(相換)으로 환금(換金)을 지급받음.

통상-회【通常會】명 정기회(定期會).

통새 명〈방〉뒷간(전라·제주).

통-새김 명〈방〉〖광〗청화법(靑化法).

통-새미로 부〈방〉온새미로.

통-색【通塞】명 ①통함과 막힘. ②운수(運數)가 잘 풀리어 트임과 트이지 않음. 행(幸)과 불행(不幸).

통서[1]【通書】명〖책〗태극 도설(太極圖說)의 응용 방면을 해설한 책. 중국 송(宋)나라 주돈이(周敦頤)가 지음. 1권 40편. 중정 인의(中正仁義)로 지선 순일(至善純一)의 지성에 도달하려면 무욕(無欲) 염담(恬淡)하고 마음을 안정시켜야 한다고 설파하였음.

통:서[2]【統緖】명 한 갈래로 이어온 계통.

통석[1]【通夕】명 밤을 새움. 철야(徹夜). ——하다 자여불

통석[2]【通釋】명 통해(通解). ——하다 타여불

통:석[3]【痛惜】명 몹시 애석하게 여김. ——하다 타여불

통선【通船】명 강이나 바다를 왕래하는 선박. ¶～료(料).

통선-랑【通善郞】[—설—] 명〖역〗조선 시대의 정오품 문관의 품계. 봉직랑(奉直郞)의 위, 통덕랑(通德郞)의 아래임.

통:설[1]【洞泄】명 아주 심한 설사(泄瀉). ——하다 자여불

통설[2]【通說】명 ①도리(道理)에 통달하고 조예(造詣)가 깊은 논설. ②세간에 널리 알려진 가장 일반적인 학설. ③전반에 걸치어 해설함. 또, 그 해설. ——하다 타여불

통섭[1]【通涉】명 ①사물(事物)에 널리 통함. ②서로 내왕(來往)함. ——하다 자타여불 「타여불

통:섭[2]【統攝】명 도맡아 다스림. 전체를 관할함. 통치(統治). ——하다

통성[1]【通性】명 ↗통유성(通有性).

통성[2]【通姓】명 ↗통성명(通姓名). ——하다 자여불

통:성[3]【痛聲】명 ①병으로 앓는 소리. ②아픔을 못견디어 지르는 소리.

통성 기도【通聲祈禱】명 다 같이 소리를 내어 각자가 하는 기도. ＊묵상 기도(默想祈禱).

통-성명【通姓名】명 서로 성명을 알려 줌. 첫 대면(對面)의 인사를 교환함. ㊣통성(通姓). ——하다 자여불

통성 원리【通性原理】[—월—] 명〖철〗같은 종류의 많은 개체에 통하는 보편성(普遍性)의 면(面)에서 본 경우의 본질. 이러한 통성 원리는 개성 원리에 의하여 수렴(收斂)·한정되어서 비로소 완성된 현실성인 개체가 됨. ↔개성 원리.

통:세[1]【統稅】명〖역〗중국 청(淸)나라에서 시행한 물품세의 한 가지. 상품의 이동에 따른 통과세인 이금세(釐金稅)를 폐지하고 그에 대신한 것으로, 한 지방에서 일단 과세하면 다른 곳으로 옮겨도 과세하지 않음. 관세(關稅)·염세(塩稅)와 더불어 중요 재원이었음.

통:세[2]【痛勢】명 병의 아픈 형세.

통-세계【通世界】명 ①전세계(全世界). ②널리 세계에 통함. ——하다 자여불

통소[1]【洞簫】명〖악〗→퉁소.

통소[2]【通宵】명 철야(徹夜). ——하다 자여불

통소-기【通宵旗】명〖역〗밤에 통행(通行)을 허가하기 위하여 순청(巡廳) 앞에 세우던 기.

통-소로【通小櫨】명〖건〗첨차(檐遮)와 첨차 사이에 끼우는 소로.

통-소매 명 아래에서 위까지 통이 고른 소매.

통소 불매【通宵不寐】명 밤새도록 잠을 이루지 못함. ——하다 자여불

통-속[1] [—쏙] 명 ①비밀한 단체. ¶그 놈도 한 ～이다. ②비밀한 약조.

통속[2]【通俗】명 ①일반 세상에 널리 통하는 풍속. ②전문적이 아니고 일반으로 알기 쉬운 일.

통:속[3]【統屬】명 ①일정한 통제하에 속하는 일. 소속하는 일. ②소속의 관사(官司)를 통할하여 다스림. ——하다 타여불

통속 가요【通俗歌謠】명 ①통속적인 내용을 담은 가요. ②일반 사람이 부르기 쉽고 널리 알려진 노래.

통속 강:연【通俗講演】명 일반이 다 알아 들을 수 있는 문제(問題)나 내용(內容)의 강연.

통속 교:육【通俗教育】명〖교〗일반 민중 특히 청장년(靑壯年) 등, 성인(成人)에게 시행하는, 전문적이 아니고 알기 쉬운 일종의 사회 교육(社會教育). ＊공민(公民) 교육·성인 교육.

통속-극【通俗劇】명 통속적인 내용으로 된 연극.

통속-문【通俗文】명 모든 사람이 알아보도록 쉽게 쓴 내용의 글.

통속 문학【通俗文學】명〖문〗문학적 교양이 비교적 낮은 독자를 위하여 흥미있는 소재(素材)와 평이(平易)한 내용을 다룬 문학. ↔순문학❷.

통속-물【通俗物】명 소설·연극·영화 등에서 일반 대중이 좋아하는 것.

통속-미【通俗味】명 학술(學術)이나 예술(藝術) 등에서 풍기는 통속적인 맛이나 느낌.

통속-성【通俗性】명 통속적인 흥미를 끄는 요소(要素)·속성(俗性)을 갖추고 있는 일. 또, 그 정도.

통속 소:설【通俗小說】명〖문〗연애 소설·가정 소설·일부의 사소설(私小說) 등과 같이 흥미 본위의 통속적인 소재(素材)를 다루어, 주제나 성격 표사 등은 제이의적(第二義的)이고 사건의 전개를 중요시하는, 일

종의 대중 소설(大衆小說).
통속-어【通俗語】명 통속적으로 쓰이는 말.
통속 어:원【通俗語源】명〖언〗민간(民間) 어원.
통속-적【通俗的】명관 일반에게 속되게 통하는 모양. 흥미 본위로 일반을 즐겁게 하는 모양.
통속적 해:설【通俗的解說】명 속해(俗解).
통속 철학【通俗哲學】명〖철〗〔철학을 학적(學的) 연구로서 다루지 아니하고 평이(平易)하게 통속화하여 보급시켰다는 데서 유래된 말〕18 세기 독일 계몽기(啓蒙期)의 철학. 곧, 라이프니츠(Leibniz)로부터 칸트(Kant)에 이르기까지의 철학을 말함. 베를린을 중심으로 멘델스존(Mendelssohn, M.) 등이 시민(市民)의 교화(敎化)를 목적으로 주장하였음. *계몽 철학.
통속-화【通俗化】명 일반 대중이 알기 쉽게 됨. 통속적으로 됨. 고상(高尙)한 것을 저속(低俗)한 기호(嗜好)에 영합(迎合)하도록 바꿈. ——-하다 자여불
통-솔[1] 명 바느질 방법의 하나. 두 겹을 겹쳐 먼저 겉쪽에서 얕게 박은 다음 뒤집어 안쪽에서 다시 박는 방법. 풀리기 쉬운 옷감이나 블라우스 따위 한겹 옷에 많이 쓰임.
통-솔[2] 명〈방〉잔솔(평북).
통:솔[3]【統率】명 집단을 온통 몰아서 거느림. 통할(統轄)하여 거느림. 통령(統領). 통수(統帥). ——-하다 타여불
통:솔-권【統率權】〔一꿘〕명 통솔하는 권한.
통:솔-력【統率力】명 어떤 무리를 통솔하는 힘. 통솔하는 능력.
통:솔-자【統率者】〔一짜〕명 어떤 무리를 통솔하는 책임자.
통-송곳 명 반원형(半圓形)으로 날이 있고 긴 자루가 박혀, 송곳과 칼의 두 가지 구실을 하는 연모. *도래 송곳.
통수[1] 명〈방〉퉁소(경남).
통수[2]【通水】명 ①물이 통하게 함. 또, 그 물. ②수도(水道) 없는 지역에 물을 댐. ¶ ~식(式). ——-하다 자여불
통:수[3]【統首】명〖역〗조선 시대에 민호(民戶)를 편제(編制)한 통의 어른. 처음 이름은 통주(統主).
통:수[4]【統帥】명 통령(統領). 통솔(統率). ——-하다 타여불
통:수-권【統帥權】〔一꿘〕명〖법〗한 나라의 병력을 지휘 통솔하는 권력. 행정권과 병권(兵權)은 대개 분리하는 것이 원칙으로 되어 있으나 대통령 책임제의 나라에서는 대통령이 통수권을 아울러 관장(管掌)하고 있음. 병마지권(兵馬之權).
통-수수 명 쌀을 내지 않은 그대로의 수수.
통-술【桶一】명 통에 넣어 빚은 술. 또, 한 통 되는 술. 준주(樽酒).
통숫-간【一間】명〈방〉변소.
통-숭어 명〈방〉〖어〗동숭어.
통습【通習】명 ①세상 일반에서 행하고 있는 습관. ②모든 것에 걸쳐 배움. 사물(事物)의 진리를 잘 분별함. ——-하다 타여불
통시[1] 명〈방〉뒷간(제주·전라·경상).
통:시[2]【洞視】명 꿰뚫어 봄. 통찰(洞察). ——-하다 타여불
통시 언어학【通時言語學】명〔프 linguistique diachronique〕〖언〗연구법(硏究法)으로 구분한 언어학의 한 부문. 시간적으로 하나의 상태로부터 다음 상태로 이행(移行)·전개하는 양상(樣相)에 관하여 연구함. 스위스의 언어학자 소쉬르(Saussure)의 용어. 역사 언어학(歷史言語學). ↔공시 언어학(共時言語學).
통시 음운론【通時音韻論】〔一논〕명〖언〗언어음의 시간에 따른 변화를 연구하는 음운론의 한 부문.
통식[1]【通式】명 일반에 통하는 방식. 어느 경우에도 들어맞는 방식.
통식[2]【通識】명 여러 가지 사물(事物)의 사리(事理)를 분별하고 있음. 넓은 지식을 가지고 있음.
통신[1]【通信】명 ①소식·의지(意志)·지식 등을 남에게 전함. 음신(音信)을 통함. ②우편·전신·전화 등으로 서로 소식·정보를 전하는 일. ③지사(支社) 및 특파원(特派員) 등이 취재(取材)한 것을 본사에 알리는 일. ④〖군〗각종 첩보를 각 개인 또는 한 위치로부터 타인 또는 타 위치에 전달하는 방법 및 수단. ⑤〔communication〕〖공〗정보 전달의 과학 기술. 정보를 전류(電流) 또는 전기장(電氣場)으로 변환, 전기적 계통(電氣的系統) 또는 공간을 통하여 다른 지점에 전달하면 이것을 수신자(受信者)가 이해할 수 있도록 다시 변환하는 기술. ——-하다 타여불
통신[2]【通神】명 통령(通靈). ——-하다 자여불
통신-감【通信監】명〖군〗통신감실의 장(長). 통신 병과(通信兵科)의 병과장(兵科長)이며 참모 총장의 통신 참모임.
통신감-실【通信監室】명〖군〗군(軍)의 특별 참모 부서의 하나. 통신감이 위치하며 통신에 관한 사항을 분장함. 육군 본부·해군 본부 및 공군 본부에 둠.
통신 강:좌【通信講座】명 방송·우편 등의 통신을 이용하여 베푸는 강좌.
통신 개발 연:구원【通信開發硏究院】명 정보화 사회의 구현(具現)을 위한 국가의 통신 정책의 수립과 국민 경제의 향상에 이바지하게 할 목적으로 설립한 특수 법인. 국내외의 통신 및 통신 관련 분야의 정책·제도·산업 등에 관한 각종 정보를 수집·조사·연구하고 이를 보급·활용하게 하는 사업 등을 행함.
통신 공학【通信工學】명〔communication engineering〕전신·전화·라디오·텔레비전 등의 정보를 전달하는 기기(機器)를 취급하는 학문. 관련 분야로는 전기 공학(電氣工學)·전자 공학(電子工學)·제어 공학(制御工學) 등이 있음. *전기 공학과.
통신 공학과【通信工學科】명〖교〗대학에서, 통신 공학을 전공하는 학과.
통신 과학 기술 위원회【通信科學技術委員會】명 전에, 국회 상임 위원회의 하나. 1998년 과학 기술 정보 통신 위원회로 이름을 바꿈.
통신 관서【通信官署】명〖법〗체신 관서(遞信官署).
통신 교:수【通信敎授】명〖교〗교재(敎材)의 송부(送付)·질문(質問)·회답(回答) 등을 우송(郵送)에 의하여 행하는 교수 방법. 통신 교육에서 채용함.
통신 교:육【通信敎育】명〖교〗통학(通學)하면서 교육을 받을 수 없는 사람에게 우편·방송 등을 이용하여 일정한 교육 과정을 이수(履修)시키고자 하는 교육 조직과 활동의 총칭.
통신-국【通信局】명〖역〗대한 제국 때 통신에 관한 일을 맡은 농상공부(農商工部)의 한 국(局). 고종 32년(1895)에 베풀어서 광무(光武) 4년(1900)에 폐하고 따로 통신원(通信院)을 둠.
통신 근무【通信勤務】명〖군〗한 부대(部隊)의 통신을 편성하여 시설(施設)하고 운용하는 일.
통신-기【通信機】명〖기〗정보를 전달하기 위한 장치와 기계. 유선·무선 전신기, 전화 등.
통신 기관【通信機關】명 ①우편·전신·전화·무선 전신·선박 우편 등 일체(一切)의 통신을 매개(媒介)하는 기관의 총칭. ②〔agency communications〕〖군〗어느 일개 통신 수단에 의해서 또는 여러 가지 통신 수단을 이용해서 통신을 유지하는 데 필요한 인원 및 장비(裝備)를 가지고 있는 기관.
통신 기자【通信記者】명 ①'통신원'을 기자로서 일컫는 말. ②통신사(通信社)에 속하는 기자.
통신-단【通信團】명〖군〗↗육군 통신단.
통신-대【通信隊】명〖군〗통신에 관한 임무를 수행하는 특수한 부대.
통신 대학【通信大學】명 통신 교수의 방법으로 교육을 실시하는 대학. *방송 통신 대학.
통신-란【通信欄】〔一난〕명 신문이나 잡지 따위에서, 여러 곳에서 들어온 통신을 쓰는 난.
통신-로【通信路】〔一노〕명 통신 채널(channel).
통신-망【通信網】명 ①통신사·신문사·방송국 등에서 내외 각지에 통신원을 파견 주재(駐在)시켜 본사에 뉴스를 전달하게 하는 조직이나 설비. ②군대·경찰 등에서 명령·정보의 원활한 전달을 하기 위하여 각대(各隊)·각지에 설치한 조직.
통신망 통:제소【通信網統制所】명〔net control station〕〖군〗통신망 내의 통신을 통제하고 통신 군기(軍紀)를 유지하도록 지정된 통신소.
통신 무:기【通信武器】명〖군〗군사적인 정보·신호·경보를 전달하는 통신용 기재(器材)의 총칭. 현재는 전파(電波) 무기가 중심이고 종래의 유선(有線)·무선(無線)의 통신 무기나 광학적 또는 음향 무기는 보조적인 것이 되었음.
통신-문【通信文】명 통신하는 문장. 또, 그 문체(文體).
통신문 첨송【通信文添送】명〖법〗국제 우편환(郵便換)에서 우편 카드환이나 전신 카드환으로 송금할 때, 송금인의 신청에 따라 통신문을 증서와 함께 수취인에게 송달하는 일.
통신-법【通信法】〔一뻡〕명 통신하는 방법.
통신-병【通信兵】명〖군〗통신대(通信隊)에 소속하여 통신 임무를 수행하는 사병(士兵).
통신-부[1]【通信部】명〖군〗'통신 참모부'의 속칭.
통신-부[2]【通信簿】명〖교〗'생활 통지표'의 구칭. *성적표(成績表).
통신 부:이사관【通信副理事官】명 통신직(通信職) 국가 공무원 직급 명칭의 하나. 통신사 직렬(職列)에 속하며, 통신 서기관(書記官)의 위, 통신 이사관(理事官)의 아래로 3급 공무원임.
통신-비【通信費】명 우편·전신·전화 등에 드는 비용.
통신-사[1]【通信士】명 통신 기관 및 선박·비행기 등에서 통신에 관한 일을 맡아 보는 기술 요원(要員). 통신수(通信手).
통신-사[2]【通信司】명〖역〗대한 제국 때 궁내부(宮內部)에 딸린 관청. 전화·철도에 관한 사무를 맡음. 전화과(電話課)·철도과(鐵道課)가 있었음. 광무(光武) 3년(1899)에 베풀어서 동 9년(1905)에 폐함.
통신-사[3]【通信社】명 신문사·잡지사·방송 사업체 등에 뉴스를 제공하는 언론 기관의 하나. 영국의 로이터(Reuter), 미국의 A.P. 및 U.P.I., 프랑스의 A.F.P., 우리 나라의 연합(聯合) 통신사 따위.
통신-사[4]【通信使】명〖역〗조선 시대 때 우리 나라에서 일본으로 보내던 사신. 고종(高宗) 13년(1876)에 수신사(修信使)로 고쳤음. *회례사(回禮使).
통신 사:무【通信事務】명 무료 우편물 중 체신 관서에서 발송하는 것과 체신 관서로 발송하는 것. 발송인은 그 표면의 위쪽 왼편에 '통신 사무'라 표시하게 되어 있음.
통신 사:무관【通信事務官】명 통신직(通信職) 국가 공무원 직급 명칭의 하나. 통신 기술 직렬(職列)에 속하며, 통신 주사(主事)의 위, 통신 서기관(書記官)의 아래로 5급 공무원임.
통신 사:업【通信事業】명 ①신문사·잡지사 및 방송업자에게 뉴스를 취재·공급하여 주는 사업. ②신문사·잡지사 및 방송업자가 지면(紙面) 또는 전파(電波)로 온갖 일을 통신해 주는 사업. ③의사 전달의 매개(媒介)를 목적으로 하는 사업. 곧, 전신·전화·우편 등 통신에 관한 사업. 통신업.
통신 서기【通信書記】명 통신직(通信職) 국가 공무원 직급 명칭의 하나. 통신 기술 직렬(職列)에 속하며, 통신 서기보(書記補)의 위, 통신 주사보(主事補)의 아래로 8급 공무원임.
통신 서기관【通信書記官】명 통신직 국가 공무원 직급 명칭의 하나. 통신사 직렬(職列)에 속하며, 통신 사무관(事務官)의 위, 통신 부이사관(副理事官)의 아래로 4급 공무원임.
통신 서기보【通信書記補】명 통신직 국가 공무원 직급 명칭의 하나. 통신 기술 직렬(職列)에 속하며, 통신 서기(書記)의 아래로 9급 공무원임.

통신-소【通信所】명 통신기를 이용하여 온갖 일을 통신하는 장소나 영조물(營造物).

통신-수【通信手】명 통신사(通信士).

통신 시스템【通信—】명〔communication system〕한 장소에서 발생한 전기 신호(電氣信號)를, 떨어진 장소에서 충실히 재생(再生)시키는 전화·인쇄 전신(印刷電信)·화상 전송(畫像傳送)·데이터(data) 전송 따위 시스템.
「경영하는 기업.

통신-업【通信業】명 ①통신 사업. ②영리적인 목적 아래 통신 사업을

통신 용량【通信容量】[—냥] 명 일정 시간에 어떤 통신로(通信路)를 통해 전송되는 정보의 양(量).

통신용 변:압기【通信用變壓器】명 유선 통신 회로(回路)·전화기·발진기(發振器)·증폭기(增幅器) 및 그 밖의 전자 회로(電子回路)에 사용되는 변압기.

통신-원[1]【通信員】명 ①신문사·잡지사·통신사 등에 속하여 내외 각지에 파견되어, 그 곳의 뉴스를 취재하여 본사에 통신하는 사람. ②어떤 조직에서 통신에 관한 일을 담당하는 사람. ③전신직(電信職) 기능 공무원 관등의 하나. 통신장(通信長)의 아래. 7급·8급·9급·10급의 네 등급이 있음.

통신-원[2]【通信院】명〖역〗대한 제국 때 농공상부(農工商部)에 딸려 통신·선박에 관한 일을 맡았던 관청. 비서(祕書)·번역(飜譯)·체신(遞信)·관선(管船)·회계(會計) 등의 과(課)가 있었음. 광무(光武) 4년(1900)에 통신국(通信局)을 고쳐 부른 이름으로, 동 10년(1906)에 폐함.

통신 위성【通信衛星】명〔communication satellite〕원거리간의 전파 통신 중계에 이용되는 인공(人工) 위성. 고도 약 36,000km 상공에 정지하고 있는 정지 통신 위성(靜止通信衛星)과 정지하지 않는 저(低)·중(中)고도 통신 위성이 있음. 현재 쏘아 올린 것으로는 에코(Echo)·신컴(Syncom)·텔스타(Telstar)·릴레이(Relay)·인텔샛(Intelsat) 등이 있음. *방송(放送) 위성.

통신의 비:밀【通信—祕密】[—/—에—] 명 헌법에서 보장하는 기본적 권리의 하나. 우편(郵便)·전신(電信)·전화(電話) 등으로 발신자가 비밀히 하려는 의사를 가진 통신은 법률 규정 안에서 그 통신의 내용이 제삼자에게 알려지지 않는 일.

통신 이:사관【通信理事官】명 통신직(通信職) 국가 공무원 직급 명칭의 하나. 통신 직렬(職列)에 속하며, 통신 부이사관(副理事官)의 위, 관리관(管理官)의 아래로 2급 공무원임.

통신 일부인【通信日附印】명 우체국에 비치해 두고, 우편물의 접수(接受)의 확인 및 우표의 소인(消印)으로 사용하는 도장. 속칭: 우편 일부인.

통신 자유【通信自由】명 권리 선언에서 보장되는 전통적인 자유의 하나. 곧, 통신의 비밀을 보장 받는 자유. *신서의 비밀.

통신-장【通信長】명 전신직(電信職) 기능 공무원 관등의 하나. 통신원(通信員)의 위. 6등급·7등급의 두 등급이 있음.

통신 장:교【通信將校】명〖군〗통신 병과(兵科)의 장교.

통신 정보【通信情報】명〔communication intelligence〕〖군〗수령 예정자(受領豫定者)에 의한 것 이외의 외국 통신으로부터 수집하는 기술 및 정보·첩보.

통신 제:어 장치【通信制御裝置】명〔communication control unit〕컴퓨터를 통신 회선(通信回線)에 연결할 때 설치되는 장치.

통신 주사【通信主事】명 통신직(通信職) 국가 공무원 직급 명칭의 하나. 통신 기술 직렬(職列)에 속하며, 통신 주사보의 위, 통신 사무관(事務官)의 아래로 6급 공무원임.

통신 주사보【通信主事補】명 통신직 국가 공무원 직급 명칭의 하나. 통신 기술 직렬(職列)에 속하며, 통신 서기(書記)의 위, 통신 주사의 아래로 7급 공무원임.

통신 중계국【通信中繼局】명〔communication relay station〕한 단말국(端末局)에서 다른 단말국에 통보(通報)를 신속히 하기 위한 설비. 자동(自動)·반(半)자동·수동(手動) 등 수단에 의하여, 두 단말국의 직접 전송(直接傳送)을 위해, 회선(回線)의 전기적 접속(接續)을 행함.

통신 참모부【通信參謀部】명〖군〗사단급(師團級) 이상 부대(部隊)의 특별 참모부의 하나. 통신에 관한 사항을 분장함.

통신 채널【通信—】명〔communication channel〕둘 이상의 지점간(地點間)에, 정보를 전송(傳送)하기 위해 쓰이는 유선이나 무선의 통신 회로(通信回路).

통신 케이블【通信—】명〔communication cable〕전화·전신·텔레비전 신호 등의 전송(電送)에 사용되는 케이블. 취급되는 전력(電力)은 적지만 마이크로파(micro波)까지의 넓은 주파수대역(周波數帶域)의 것이 포함됨.

통신-통【通信筒】명〖군〗비행기 등에서 통신문을 넣어 지상으로 투하할 때에 쓰는 둥근 통.

통신 투하지【通信投下地】명〖군〗비행기로부터 통신통(通信筒)이 투하되는 지점(地點).

통신 판매【通信販賣】명〖경〗먼 곳에 있는 소비자로부터 우편 등 통신으로 주문을 받아, 상품을 판매하는 소매 방법. ㊔통판(通販).

통신-표【通信票】명〖교〗통신부.

통신 학교【通信學校】명〖군〗↗육군 통신 학교.

통신 회:의【通信會議】[—/—이] 명〔teleconference〕〖통신〗서로 다른 지점을 통신 시스템으로 연결하여 행하는 회의.

통:실【洞悉】명 모조리 앎. 죄다 알아 버림. ——-하다 타여불

통:심[1]【痛心】명 심한 상심(傷心). 몹시 괴로운 마음. 심통(心痛). ——-하다 자타여불

통:심[2]【慟心】명 매우 비탄(悲嘆)하는 마음.

통-심정【通心情】명 서로 정의(情誼)를 통함. 통인정(通人情). ㊔통정(通情). ——-하다 자여불

통-씨름 명 샅바 없이 허리와 바지를 잡고 하는 씨름.

통시 명〈옛〉변소. 뒷간. ¶도로 통시에 똥이로다 하고 ≪七大 13≫.

통아[1]【桶兒】명〖민〗짧은 화살을 쏠 때에 살을 담아 시위에 메어 쏘는 가느다란 나무통. 화살이 빠져 나가면 통은 앞에 떨어짐.

통아[2]【通雅】명〖책〗중국 잡가류(雜家類)의 책. 중국 명(明)나라의 방이지(方以智)가 찬(撰)함. '이아(爾雅)'의 체재를 본떠, 25문(門)으로 나누고 명물(名物)·상수(象數)·훈고(訓詁)·음운(音韻) 등을 어원(語源)에 대하여 상세히 고증(考證)한 것으로, 모두 52권이며 수권(首卷)은 3권임.

통안 증권【通安證券】[—꿘] 명 ↗통화 안정(安定) 증권.

통약【通約】명〖수〗약분(約分). ——-하다 자여불

통약 가:능【通約可能】명〖수〗약분 가능(約分可能).

통:양【痛痒】명 ①아픔과 가려움. ②자신에게 직접 관계되는 이해 관계를 비유하는 말. *소양(搔痒).
「致)되는 사이.

통:양 상관【痛痒相關】명 서로 썩 가까운 사이. 이해(利害)가 일치(一

통어[1]【通語】명 ①통역(通譯). ②외국 사람과 서로 말이 통함. ③일반에서 통용되고 있는 말. 통언(通言). ④말을 통함. 말의 의미를 통하게 함. ——-하다 자타여불

통:어[2]【統御】명 거느리어 제어(制御)함. ——-하다 타여불

통:어-사【統禦使】명〖역〗①↗삼도 통어사(三道統禦使). ②↗삼도 육군(陸軍) 통어사.

통:어-영【統禦營】명〖역〗삼도 통어사(三道統禦使)의 군영(軍營). 조선 인조(仁祖) 5년(1627)에 둠. 고종(高宗) 30년(1893)에 폐함.

통언[1]【通言】명 통어(通語)❸.

통:언[2]【痛言】명 ①호되게 말함. 또, 그 말. 극언(極言). ②따끔한 직언(直言). ——-하다 자타여불

통:업【統業】명 나라를 통치하는 사업.

통역【通譯】명 ①서로 다른 국어로 말하는 사람이나 언어가 부자유스러운 사람 사이에 서서 양쪽의 언어를 번역하여 그 뜻을 통하여 줌. 또, 그 사람. 통변(通辯). 통사(通事). 통어(通語). ¶동시 ~. ②〖법〗소송 절차에서, 진술자(陳述者)가 외국인이어서 그 나라 말이 통하지 않거나, 벙어리·귀머거리인 경우에, 통역을 하도록 법원에서 지정한 제삼자. ——-하다 자타여불

통역-관【通譯官】명 ①어떤 기관(機關)에 소속하여 통역에 종사하는 사람. ②〖역〗대한 제국 때 궁내부(宮內府)와 대한 의원(大韓醫院)의 주임(奏任) 벼슬.
「한 벼슬.

통역관-보【通譯官補】명〖역〗대한 제국 때, 대한 의원(大韓醫院)의

통역-사【通譯士】[—싸] 명 어떤 언어로 표현된 말을 다른 언어로 바꾸어 전달하는 사람.

통역 안:내업【通譯案內業】명 외국어(外國語)를 사용하여 관광(觀光)에 관한 안내를 하는 업.
「給職員)의 하나.

통역-원【通譯員】명 행정 관서에서 통역 업무에 종사하는 잡급 직원(雜

통역 장:교【通譯將校】명〖군〗통역에 관한 임무를 수행하는 장교.

통:연【洞然】명 밝고 환함. ——-하다 형여불 ——-히 부

통:영[1]【統營】명 통제하고 경영함. ——-하다 타여불

통:영[2]【統營】명〖역〗↗통제영(統制營).

통:영[3]【統營】명〖지〗경상 남도의 한 시(市). 1읍(邑) 6면(面) 17동(洞). 북쪽은 고성군(固城郡), 동쪽은 바다 건너 거제시(巨濟市), 남쪽은 바다, 서쪽은 바다 건너 남해군(南海郡)에 접함. 많은 섬을 포용(包容)하고 있는 시로, 연안·원양 어업의 근거지임. 수산 제조업도 성하며, 조선(造船)·누룩·양조(釀造)·전분 등 식료품 공업과 피혁(皮革) 공업 등과 감귤·고구마·마늘 등의 농업과 굴·홍합·미역 등의 수산업도 성함. 공예품으로는 예로부터 나전 칠기(螺鈿漆器)·통영반(盤)·통영갓 등이 유명함. 명승 고적으로 세병관(洗兵館)·한산도(閑山島)·충렬사(忠烈祠)·제승당(制勝堂)·안정사(安靜寺)·한려 수도(閑麗水道)·벽방산(碧芳山) 등이 있음. 1995년 1월, 충무시와 통영군을 통합, 개편됨. [234.21km²: 142,639명(1996)]

통:영-군【統營郡】명〖지〗경상 남도에 속했던 군. 1995년 1월, 충무시와 통합하여 통영시로 개편됨.

통:영-반【統營盤】명 경상 남도 통영 지방에서 나는 소반. 은행나무나 피나무로 반면(盤面)을 삼고, 상다리는 소나무를 씀. 직사각형의 반면은 비교적 두껍고, 전을 통판으로 내며, 네 귀를 접어 곡선으로 꺾어 돌림. 아래위 두 개의 중대(中臺)가 있고, 네 다리는 비교적 곧은 것이 특색임. *나주반(羅州盤).

통:영-병꽃나무【統營甁—】명〖식〗[*Weigela toensis*] 인동과에 속하는 낙엽 활엽 관목. 잎은 대생하고 달걀꼴 또는 긴 타원형에 유병(有柄)임. 꽃은 6월에 취산(聚繖) 화서로 액출(腋出) 또는 정생(頂生)하여 피고, 삭과(蒴果)는 9월에 익음. 산기슭 양지에 나는데, 경남의 통영 등지에 분포함. 관상용으로 심음.

통영 오:광대【統營五廣大】명〖민〗경상 남도 통영시(統營市)에 전승되어 내려오는 탈놀이. 중요 무형 문화재 제6호.

통용【通用】명 ①일반에 두루 쓰임. 세상에 인정받는 일. 유통(流通). ¶~ 화폐. ②넘나들어 쓰임. ③양편을 통하여 쓰임. ——-하다 자여불

통용-구【通用口】명 항상 이용하는 출입구(出入口).

통용-금【通用金】명 세상에 널리 통용되는 금화(金貨).

통용 금:지【通用禁止】명 화폐(貨幣) 같은 것의 통용(通用)을 금지함. ——-하다 타여불
「의 유효한 기간.

통용 기간【通用期間】명 차표(車票)·입장권(入場券)·정기권(定期券) 등

통용-문【通用門】명 ①대문 이외에 따로 언제나 자유롭게 드나들도록 만든 문. ②집안 사람이 평소에 드나드는 데 쓰이는 문.

통용-어【通用語】명 일반적으로 널리 통용되는 말.
통용 우표【通用郵票】명 우표 본래의 목적인 우편 요금(郵便料金) 수납의 증지(證紙)로서 실제로 통용되는 우표. *취미(趣味) 우표.
통용-음【通用音】명 속음(俗音).
통용-화【通用貨】명 통용 화폐. 「화(通貨).
통용 화:폐【通用貨幣】명 세상에 통용되고 있는 화폐. 통용화(貨). 통
통:-우후【統虞侯】명〖역〗조선 시대 수군 통제사(水軍統制使)의 버금 벼슬. 정삼품 당상관임. 뒤에 통제 중군(統制中軍)으로 바뀜.
통운1【通運】명 물건을 실어서 운반함. ¶～ 회사. ——-하다 타여불
통운2【通運】명 트여 터진 운수(運數).
통운3【通韻】명 ①음운(音韻)이 서로 통함. ②한시(漢詩)에서 음운이 유사한 이종(異種)의 운을 서로 통하여 쓸 수 있는 운. 동(東)·동(冬)·강(江)의 종성(終聲)과 같은 것. ③〖언〗실담학(悉曇學)에서 같은 모음(母音)을 갖는 문자 사이의 관계. 「쓰이는 기관의 총칭.
통운 기관【通運機關】명 선박·자동차·열차·비행기 등과 같은 통운에
통:운 망극【痛隕罔極】명 지극히 슬픔. ——-하다 형여불
통운 회:사【通運會社】명 화물(貨物)을 실어 나르고 운임(運賃)을 받는 영리 회사(營利會社). 「하다 자여불
통원【通院】명 병원 등에 치료를 받으러 다님. ¶～ 환자(患者). ——-
통:위-부【統衛部】명〖역〗미군정(美軍政) 시대의 군사 통할(統轄) 기관. 8·15 후 남한에 진주한 미군이 군정 법령 28호로 군청청 안에 설치한 국방 사령부를 1946년 국방부라 개칭하였다가 이를 다시 고친 이름. 1948년 정부 수립과 동시에 국방부가 됨.
통:위-사【統衛使】명〖역〗통위영(統衛營)의 으뜸 장수.
통:위-영【統衛營】명〖역〗조선 고종(高宗) 25년(1888)에 친군영(親軍營) 속의 후영(後營)·우영(右營)·해방영(海防營)을 합쳐서 베푼 군영(軍營). 동 31년(1894) 갑오 개혁(甲午改革) 때에 폐함.
통유1【通有】명 일반적인 물건에 공통으로 다 같이 갖추고 있음. ↔특유(特有). ——-하다 자여불
통유2【通幽】명 바둑에서, 기력(棋力)의 단계를 나타내는 말의 하나. 유현(幽玄)의 경지(境地)를 통했다는 뜻으로 6단(段)을 이르는 말. *구체(具體). 「식(博識)한 학자.
통유3【通儒】명 세상 일에 통달하고 실행력이 있는 유학자(儒學者). 박
통유4【通諭】명 말단 행정 기관인 면장〔執綱〕이 이장〔尊位·尊統〕에게 지시·명령을 내릴 때 쓰던 문서 양식.
통유-성【通有性】[-썽] 명 여럿에 공통(共通)되는 성질. 준통성(通性). ↔특유성(特有性).
통융【通融】명 융통(融通). ——-하다 타여불
통-으로 부 ↗온통으로.
통음1【通音】명 음신(音信)을 통함. ——-하다 자여불
통:음2【痛飮】명 술을 흠뻑 많이 마심. 침음(沈飮). ——-하다 타여불
통:읍【慟泣】명 슬피 욺. ——-하다 자여불
통의1【通義】[-/-이] 명 세간(世間)에 널리 통하는 도리와 정의.
통의2【通儀】[-/-이] 명 일반적으로 통하는 의식(儀式).
통의3【通誼】[-/-이] 명 세상 일반이 이행하여야 할 도의(道義).
통의4【通議】[-/-이] 명 함께 의논함. ——-하다 타여불
통의 대:부【通議大夫】[-/-이-] 명〖역〗고려 문관의 품계. 정사품의 하(下). 문종 때에 정하여 충렬왕(忠烈王) 원년(1275)에 폐하고, 24년(1298)에 다시 종삼품으로 올려 정하였다가 곧 또 폐하고, 공민왕 5년(1356)에 다시 정삼품의 하(下)로 하고, 11년(1362)에 또 폐하고, 18년(1369)에 다시 정삼품의 하(下)로 하였음. 정의(正議) 대부의 아래, 대중(大中) 대부의 위.
통의-랑【通議郎】[-/-이-] 명〖역〗조선 시대 정오품(正五品) 토관직(土官職) 문관(文官)의 품계. 봉의랑(奉議郎)의 위.
통:의-부【統義府】[-/-이-] 명〖역〗1922년에 조직된 독립 운동 단체. 그 동안 만주 각지에서 활동하던 한족회(韓族會)·독립단·광한단(光韓團)·대한 국민단(大韓國民團)·청년단 연합회(青年團聯合會)·광복군 총영(光復軍總營) 등이 합친 단체로, 지방 자치 기구와 군사 양성 기관을 설치하고 항일 투쟁을 하다가 1924년 임시 정부 산하 육군 주만 참의부(陸軍駐滿參議府)가 됨.
통이1 명〈방〉염치(廉恥). 「거든요≪金東里 : 山火≫.
통이2 부〈방〉도통(都統). ¶그보다 이 몇 해 동안 ～ 산제를 안 지냈
통:-이계지【統而計之】명 모두 합쳐서 계산함. ——-하다 타여불
통-이불【筒-】[-니-] 명 자루처럼 만든 이불.
통인1【通人】명 ①사물에 통달한 사람. 박람 다식(博覽多識)한 사람. ②통사(通事)❸.
통인2【通引】명〖역〗①고려 때 중추원(中樞院)의 이속(吏屬). 정원은 8명. ②조선 시대에 관아의 관장(官長) 앞에 딸리어 잔심부름하던 이속. 지인(知印). 토인.
통-인정【通人情】명 통사정(通事情). ——-하다 자여불
통일1【通日】명 ①1월 1일부터 통산(通算)한 일수(日數). ②하루 종일.
통:일2【統一】명 ①여럿을 몰아서 하나로 만듦. 하나의 조직·계통 아래로 정비함. 하나로 모두 합하여 지배함. 일통(一統). 통합(統合). ②〔unit〕〖철〗다양(多樣)한 여러 요소(要素)가 어떤 점(點)에서 합치하여 하나의 전체에 같이 소속(所屬)하는 관계, 곧 다양한 부분을 제시하면서 하나로서도 파악되는 관계를 일컫는 말. 종합(綜合)과 전체라는 개념이 수반됨. ③↗남북 통일(南北統一)❷. ——-하다 타여불
통:일 과학【統一科學】명〔unified science〕〖철〗논리 실증주의(論理實證主義)의 입장에 입각하여, 전문 분화된 일체(一切)의 과학을 하나의 통일적인 과학으로 정리할 수 있다는 주장. 일체의 과학은 공통의 언어와 공통의 과학적 방법을 갖는다는 전제(前提)를 둠.
통:일 관계 장:관 회:의【統一關係長官會議】[-/-이] 명 통일 관계 부처 장관의 회의. 정기 회의는 매월 1회 소집되며, 통일 및 남북 대화에 관한 주요 정책을 심의·조정함. 통일부·재정 경제부·외교 통상부·행정 자치부·법무부·국방부·교육부·문화 관광부·산업 자원부 등으로 구성되며, 의장은 통일부 장관이 됨.
통:일 국가【統一國家】명 지방 분권적(地方分權的)인 봉건제(封建制)의 중세 국가에 대하여 중앙 집권적(中央集權的)인 근대의 민족 국가를 이르는 말.
통:일-령【統一令】명〖역〗영국의 법령의 하나. 종교 개혁(宗教改革)에 관련해서 1549년 에드워드 6세 치하(治下)에서 국교회(國教會)의 의식·기도를 통일할 목적으로 발포(發布)된 것으로, 이후 몇 차례의 통일령이 나왔음. 「(高速化道路)의 이름.
통:일-로【統一路】명〖지〗서울과 판문점(板門店) 사이의 고속화 도로
통:일-미【統一美】명 조각·공예품, 특히 건축물에 있어서 전체의 구성(構成)이 잘 통일되어서 이루어진 예술적인 미.
통:일 민주당【統一民主黨】명 한국의 정당의 하나. 1987년 5월에 창당하였고, 1990년에 민주 자유당(民主自由黨)에 합당됨. 준민주당.
통:일-법【統一法】[-뻡] 명〖법〗인류 사회의 보편적 관계를 정하는 각국 통일의 공통법. 1930년의 어음에 관한 제네바 조약과 같이 상법(商法)의 분야에서 많이 실현됨.
통:일-벼【統一-】명 벼의 품종의 한 가지. 국제 미작 연구소(國際米作研究所)와 우리 나라의 농촌 진흥청(農村振興廳)이 기술 협약을 맺어 1971년에 IR667로서 새로 개량한 벼. 단위당 수확량이 많음.
통:일-부【統一部】명 통일 및 남북 대화·교류·협력에 관한 종합적 기본 정책의 수립, 통일 교육 기타 통일에 관한 사무를 맡아보는 행정 각부의 하나. 1998년, 전의 통일원이 개편된 기관임.
통:일부 장:관【統一部長官】명 통일부의 장(長)인 국무 위원. 전에 통일원 장관과 달리 부총리(副總理)를 겸하지 않음.
통:일 사회당【統一社會黨】명 ①동독의 공산계 정당. 1946년 베를린에서 소련 점령 지구의 공산당과 민주당이 합당해서 창당됨. ②〖정〗인도의 사회 민주주의적 정당. 1964년 창당되어 소시민 계급이 지지함. ③〖역〗1905년 분열된 프랑스의 사회주의 여러 파(派)가 통일하여 만들었던 사회주의 정당.
통:일-성【統一性】[-썽] 명 통일을 이룬 상태나 성질.
통:일 신라【統一新羅】[-실-] 명〖역〗삼국 통일 이후의 신라를 일컫는 말. 신라는 당(唐)나라와 연합하여 660년 이후 백제와 고구려를 차례로 멸망시키고, 676년에는 이 땅에 머물던 당나라 군사마저 몰아내고 통일을 이룩했음.
통:일 아랍 공:화국【統一-共和國】〔Arab〕명〔United Arab Republic〕〖지〗이집트(Egypt)·시리아(Syria)가 합병하여 이룩하였던 공화국. 1958년 2월에 성립(3월에 예멘이 가입). 1961년 9월 시리아가 군부의 혁명으로 분리 독립함에 따라 이집트도 1972년 이집트 아랍 공화국이라 호칭하게 됨. *아랍 공화국 연방(Arab共和國聯邦).
통:일-안【統一案】명 ①통일을 위한 의안(議案)이나 법안. ②여럿을 통일하여 하나로 만든 안. ¶맞춤법 ～.
통:일 외:무 위원회【統一外務委員會】명 국회 상임 위원회의 하나. 통일부 및 외교 통상부의 소관 사항을 심의함.
통:일-원【統一院】명 통일부의 전신(前身).
통:일 원리【統一原理】[-월-] 명 개개의 것이나 조직을 통일하는 원리. 「부총리를 겸했음.
통:일원 장:관【統一院長官】명 전에 통일원의 장(長)이던 국무 위원.
통:일 이탈리아 왕국【統一-王國】〔Italia〕명〖역〗1861년에 이탈리아 안의 교회령(教會領)·오스트리아 영토를 제외한 전(全)이탈리아를 통일해서 성립된 왕국. 중부 이탈리아를 합병한 사르디니아(Sardinia) 왕 비토리오 에마누엘레 2세(Vitorio Emanuele Ⅱ)가 초대 국왕이 되었고, 1946년의 왕정 폐지까지 계속되었음. 이탈리아 왕국.
통:일 장사【統一壯士】명 중고등부·대학부·일반부의 선수가 모두 출전(出戰)하는 아마추어 씨름 전국 대회에서 우승한 장사에게 주는 칭호.
통:일장 이:론【統一場理論】[-짱-] 명〔unified theory of field〕〖물〗일반 상대성 이론(一般相對性理論)을 확장하여, 중력장(重力場)·전자기장(電磁氣場) 및 핵력(核力)의 장(場) 등을 물리적 공간의 어떤 성질에 귀착시켜서 일반적인 장을 통일적으로 논하려는 이론.
통:일-적【統一的】[-쩍] 명관 ①전체를 통일하는 입장에 서는 모양. ②통합 지배하고 있는 모양.
통:일 전:선【統一戰線】명〔united front〕〖사〗①정치나 사회 운동 등에 있어서, 각 계층·각 당파가 각기 독자적 주장을 견지(堅持)하면서 공통의 적대 세력(敵對勢力)에 대하여 일치할 수 있는 최저한의 강령(綱領)을 결정하고, 이것에 의하여 공동 행동을 취하는 전술. ②노동자의 세력을 강화하기 위한 국제 공산당의 전술의 한 가지. 우익(右翼)인 개량(改良)주의자와 협력하여 자본가에게 대항하는 투쟁 방식. 공동 전선(共同戰線).
통:일 전:쟁【統一戰爭】명 분열된 국토를 통일하기 위한 전쟁.
통:일 주체 국민 회:의【統一主體國民會議】[-/-이] 명 1972년에 개정된 유신 헌법 아래에서 존재했던 국민의 주권적 수임 기관. 국민이 선거한 임기 6년의 2,000-5,000명의 대의원으로 구성되어, 조국 통일에 관한 중요 정책을 심의하고, 대통령을 선거하며, 국회 의원의 3분의 1을 선출함. 의장은 대통령이 됨. 1980년 10월에 개정된 헌법에 의하여 폐지됨.
통:일 주체 국민 회:의 대:의원【統一主體國民會議代議員】[-/-이-이-] 명 유신 헌법 아래에서 존재했던 통일 주체 국민 회의의 구성원. 임기는 6년이었음. 준대의원.

통:일 주체 국민 회:의법【統一主體國民會議法】[—뻡/—이뻡] 명 〖법〗 통일 주체 국민 회의의 조직(組織)·운영(運營) 기타 필요한 사항을 규정하였던 법.

통:일 지역【統一地域】 명 〖지〗 이질적(異質的)인 현상으로 성립되는 지역. 곧, 상업 지구·공업 지구·주택 지구·교외 농촌 등으로 구성되는 대도시 지역.

통:일 천하【統一天下】 명 천하를 통일함. 또, 통일된 천하. ㊂통천하(統天下). ——-하다 자 여불

통:일-체【統一體】 명 통일된 단체 또는 형체(形體).

통:일 학교 운:동【統一學校運動】 명 〖교〗 교육의 기회 균등을 목적으로 학교 계통을 유기적으로 통일, 혹은 단일화하여 계급별로 학교의 종류나 정도를 달리하는 것을 없애려는 교육 개혁 운동. 19세기말부터, 특히 독일과 프랑스에서 일어나 초등 교육 단계의 일원화(一元化)를 중심으로 다루었으며 제2차 세계 대전 후에는 중등 교육 과정까지 파급(派及)됨.

통:일 협약【統一協約】 명 복수(複數)의 기업체에 걸친 조직을 갖는 노동 조합과 그 사용자 단체 사이에 맺는 노동 협약.

통:-입골수【痛入骨髓】[—쑤] 명 원통(寃痛)한 일이 깊이 골수에 맺힘. ——-하다 자 여불 「↔쪽자.

통-자[1]【—字】 명 〖인쇄〗 글자가 완전히 한 덩이에 다 새겨진 활자(活字).

통자[2]【通刺】 명 명함을 내밀고 면회를 청함.

통:자-전【統字錢】 명 〖역〗 조선 시대에 서울 용산(龍山)의 통위영(統衛營)에서 발행한 상평 통보(常平通寶). 중앙에 네모 난 구멍이 뚫린 둥근 모양의 철전(鐵錢)이며, 대전(大錢)·중전(中錢)·소전(小錢) 및 당오전(當五錢)의 네 가지 종류가 있었음. *상평 통보.

통-잠 명 한 번도 깨지 않고 내쳐서 푹 자는 잠. ¶~과 쪽잠.

통-잣 명 송이에서 낱알을 빼내지 아니한 통짜의 잣.

통장[1]【通帳】 명 ①은행이나 협동 조합 같은 곳에서, 예금(預金)한 사람에게 출납(出納) 상태를 기록하여 주는 장부(帳簿). ¶적금(積金) ~. ②상점에 외상질을 하거나 전당포(典當鋪)에 물건을 잡힐 때 또는 배급(配給)을 탈 때 등의 경우에 품명(品名)·금액·날짜 등을 기록하는 장부. ¶배급 ~.

통:장[2]【統長】 명 ①통(統)의 우두머리. ②국민 조직(國民組織)의 단위인 통의 장.

통:장[3]【統將】 명 〖역〗 무예 별감(武藝別監)의 으뜸 장수.

통-장수【桶—】 명 ①통을 파는 사람. ②젓갈을 통에 넣어 가지고 다니며 파는 사람.

통-장이【桶—】 명 통을 메우는 장색(匠色).

통-장작【—長斫】 명 쪼개지 아니한 통째의 장작.

통장-질【通帳—】 명 통장으로 하는 외상질. ——-하다 자타 여불

통재[1]【通才】 명 온갖 사물에 능통한 재주.

통:재[2]【統裁·統宰】 명 ①통솔하여 재결(裁決)함. ②통솔하여 다스림. ——-하다 타 여불

통저【筒菹】 명 통김치.

통적【通籍】 명 궁문(宮門)의 출입을 허락함. ——-하다 자 여불

통전[1]【通典】 명 일반적으로 적용되는 규칙(規則). 어떤 경우에도 통하는 법전(法典).

통전[2]【通典】 명 〖책〗 중국의 정전(政典) 서적. 당(唐)나라 두우(杜佑)가 찬(撰)한 것으로 상고(上古)로부터 당의 현종(玄宗)까지의 모든 제도를 연혁적(沿革的)으로 통관(通觀)한 책임. 약 30년 걸려 이루어졌으며, 8문(門)으로 나뉨. 모두 200권.

통전[3]【通電】 명 ①각지에 널리 통고하는 전보. 특히, 중국에서 이 제도가 보급되었음. ②새로 또는 끊어졌던 전류(電流)를 통함. ——-하다 자 여불

통:절[1]【痛切】 명 ①뼈에 사무치게 절실함. ②극히 적절함. ——-하다 형 여불. ——-히 부

통:절[2]【慟絶】 명 너무 슬퍼 기절함. ——-하다 자 여불

통:점【痛點】[—쩜] 명 〔pain spot〕 〖의〗 ①피부 감각에서 아픔을 느끼게 하는 점. 압점(壓點)이나 냉점(冷點)에 비하여 피부의 전면(全面)에 걸쳐 많이 분포하며, 내장(內臟)에도 존재함. 통각기(痛覺器). ②통각기가 있는 곳.

통정[1]【通情】 명 ①↗통심정(通心情). ②↗통사정(通事情). ③세상 일반의 인정(人情). 세상의 일반적인 사정(事情). ④남녀(男女)가 정을 통함. ——-하다 자 여불

통정[2]【通睛】 명 〖한의〗 어린 아이가 경풍(驚風) 등으로 경련(痙攣)을 일으켜 눈을 치뜨는 병.

통정 대:부【通政大夫】 명 〖역〗 조선 시대의 문관(文官)의 정삼품 당상관(堂上官)의 품계. 고종(高宗) 2년(1865)부터는 문관·종친(宗親)·의빈(儀賓)의 품계로 병용(並用)하였음. 통훈(通訓) 대부의 위.

통정 매매【通情買賣】 명 상장 회사(上場會社)의 임·직원이 회사 내용을 특정인에게 알려 주고 주식을 사고 팔게 하는 일.

통:정법-론【統整法論】[—뻡논] 명 〖논〗 논리학의 한 부문. 이미 갖고 있는 지식을 정리·엄밀화(嚴密化)하여 앞으로의 연구의 기초로 하는 방법을 취급하는 방법론의 한 가지. 지식의 체계를 통일적인 유기적(有機的) 성질로 조직하는 과정, 곧 정의(定義)·분류(分類)·논증(論證)의 3부(部)로 나누는 것이 보통임. *방법론(方法論).

통-젖【桶—】 명 통 바깥 쪽에 달린 손잡이. 통꼭지.

통-제[1]【桶—】 명 〈방〉 통젖.

통:제[2]【統制】 명 ①일정한 방침에 따라 여러 부분으로 나누어진 것을 제한(制限)·지도(指導)함. ②어떠한 목적을 달성하기 위하여 모든 부분을 한 원리(原理) 밑으로 제약(制約)함. 많은 사물(事物)을 하나로 종합하여 다스림. ③심신(心身)을 유의적(有意的)으로 제한(制限)·지배(支配)하는 일. ——-하다 타 여불

통:제 가격【統制價格】[—까—] 명 〖경〗 공정 가격(公定價格).

통:제 경제【統制經濟】 명 〖경〗 자본주의 경제에서 국가가 어떤 목적을 수행(遂行)하기 위하여 경제 활동을 조직적·직접적·강제적으로 규제하는 경제 형태. 고용(雇傭) 통제·임금 통제·군사적 강제 노동 통제·가격 통제·배급 통제·생산 통제 등 여러 가지 통제 수단(統制手段)이 있음. ↔자유 경제. *계획 경제(計劃經濟).

통:제 계:정【統制計定】 명 〖경〗 보조 원장(補助元帳)에 기록된 종류가 다수(多數)의 동종(同種) 내역 계정(內譯計定)을 통괄하여 총계정 원장에 설치하는 계정. 통괄 계정(統括計定).

통:제 구역【統制區域】 명 관계자(關係者) 이외의 사람의 접근·출입을 통제하는 구역.

통:제-권【統制權】[—꿘] 명 통제할 수 있는 권리. ¶~의 발동.

통:제-력【統制力】 명 제약(制約)하는 힘. 지도 제한(制限)하는 통제의 힘. ¶~의 강화.

통:제-벌【統制罰】 명 〖법〗 경제 질서에 관한 통제법상의 의무 위반에 대하여 과해지는 제재(制裁).

통:제-법【統制法】[—뻡] 명 〖법〗 경제나 문화의 통제에 관한 법령의 총칭. 주로 통제 경제에 관한 법령을 말함.

통:제-부【統制府】 명 〖군〗 해군의 한 기관. 군항(軍港) 구역의 방어·경비 및 출사 준비(出師準備)에 관한 사항을 관장함.

통:제부 사령관【統制府司令官】 명 〖군〗 통제부의 장(長).

통:제-사【統制使】 명 〖역〗 ↗삼도 통제사(三道統制使).

통:제-영【統制營】 명 〖역〗 삼도 통제사(三道統制使)의 군영(軍營). 조선 선조(宣祖) 26년(1593)에 둠. 처음에 한산도(閑山島)에 설치했다가 곧 이어 지금의 통영(統營)으로 옮김. 고종(高宗) 32년(1895)에 파함. ㊂통영(統營).

통:제-적【統制的】 명 관 통제하는 성격을 가진 모양.

통:제적 원리【統制的原理】[—월—] 명 〖철〗 규제적(規制的) 원리.

통:제 조합【統制組合】 명 〖경〗 공업 조합·상업 조합·무역 조합 등과 같이 각종 형태의 사업주(事業主) 사이에, 사업의 통제를 꾀하기 위하여 설립한 조합.

통:제 중군【統制中軍】 명 〖역〗 조선 시대의 수군 통제사(水軍統制使)의 버금 벼슬. 통우후(統虞侯)를 고친 것으로 종이품.

통:제 통화【統制通貨】 명 〔controlled currency〕 〖경〗 관리 통화(管理通貨). 케인즈(Keynes, J.M.)의 용어.

통제 통화 제:도【統制通貨制度】 명 〖경〗 관리 통화 제도(管理通貨制度).

통:제-품【統制品】 명 전쟁 기타의 경제 사정에 의하여, 생산·배급·소비 등에 있어서 국가의 통제를 받는 물품.

통:제 회:사【統制會社】 명 〖경〗 다른 주식 회사의 주권(株券)을 많이 소유함으로써 그 회사를 지배하는 회사.

통-조각 명 여러 쪽으로 되지 아니하고 하나로 이루어진 조각.

통-조림【桶—】 명 조리(調理)한 고기·과일·야채 등 식료품 또는 맥주·주스 등의 음료를 양철통에 넣고 밀봉해서 오래 저장할 수 있도록 만든 식품(食品)의 한 가지. 음료가 아닌 것은 가열·살균하여 밀봉하며, 뚜껑 중앙의 각인(刻印)으로 원료·조리 상태·첨가 부원료(添加副原料)·제조 회사명·제조 연월일을 표시함. ¶연어 ~. *병조림.

통조림-통【桶—桶】 명 통조림한 식품(食品)이 든 양철통.

통-조지【桶—】 명 〈방〉 통젖.

통주[1]【通州】 명 〖지〗 '퉁저우'를 우리 음으로 읽은 이름.

통:주[2]【統主】 명 〖역〗 통수(統首)의 전 이름.

통주 저:음【通奏低音】 명 〔도 Generalbass〕 〖악〗 17-18세기 유럽 음악에서, 건반 악기의 파트가 악보에 표시된 저음 외에 즉흥적 화음을 덧붙여서 반주부(伴奏部)를 완성시키는 일. 또, 그 저음. 독주(獨奏) 파트가 쉬고 있을 때에도 그 저음이 계속 연주되는 데서 이렇게 말함. 숫자부(數字付) 저음.

통-줄[1] 명 연 날릴 때에, 연 쪽으로 향하여 갑자기 얼레에 힘을 주면서 얼레 머리를 내밀 때에 많이 풀려 나가는 줄.

통줄(을) 주다 구 연 날릴 때에, 얼레 머리를 연 쪽으로 내밀어 통줄이 나가게 하다.

통-줄[2]【筒—】 명 둥글게 생긴 줄. 둥근 구멍의 안쪽을 쓰는 데에 쓰임.

통:증【痛症】[—쯩] 명 아픈 증세. ¶심한 ~.

통:지[1]【洞知】 명 속까지 잘 앎. 충분(充分)히 알고 있음. 투지(透知). 숙지(熟知).

통지[2]【通志】 명 〖책〗 중국의 별사(別史). 구통(九通)의 하나. 중국 남송(南宋) 시대의 학자 정초(鄭樵; 1104-62)가 만년(晩年)에 지은 상고(上古)의 삼황(三皇) 이후 수(隋)까지의 기전체(紀傳體) 통사(通史)로, 종합 문화사적인 역사책. 소흥 연간(紹興年間; 1131-62)에 이룩됨. 모두 200권. 후세에 당(唐)나라 두우(杜佑)의 ≪통전(通典)≫과 원(元)나라 마단림(馬端臨)의 ≪문헌 통고(文獻通考)≫와 더불어 삼통(三通)이라고 함.

통지[3]【通知】 명 기별(寄別)하여 알림. 통기(通寄). 보지(報知). ¶서면 ~. ——-하다 타 여불

통지기 명 서방질을 잘하는 계집종. 통지기년.

통지기-년 명 ①통지기. ②음탕한 계집을 욕으로 이르는 말. ¶저 화상이 장텃거리 웃머리에 있는 ~과 배가 맞아서 샛밥을 낼름거려 왔습지요 ≪金周榮 : 客主≫.

통지기 외:입【—外入】 명 계집종과 하는 외입.

통지-버리 명 〈방〉 염치(함경).

통지 보:험【通知保險】명 〖경〗 수시로 재고량이 변동하는 창고의 재고(在庫) 상품에 대한 화재 보험의 계약(契約) 방식. 미리 최고 책임액(責任額)을 정하여 그에 의한 예탁(預託) 보험료를 받아 놓고, 정기적으로 실제 재고량을 통지하게 하여 뒷날에 그 실제량에 의해서 보험료(保險料)를 계산함.

통지-부【通知簿】명 〖교〗 생활 통지부.

통지-서【通知書】명 어떤 사실을 통지하는 글월. 안내장(案內狀).

통지 예:금【通知預金】명 〔deposits of notice〕〖경〗 은행 예금의 하나. 거치(据置) 기간을 두고, 예금 인출(引出)은 일정 기간 전에 은행에 통지를 해야 할 것을 조건으로 하는 예금. 고액의 일시 여유 자금을 예금할 때 이용되며 정기 예금 다음으로 이율이 높음.

통지 의:무【通知義務】명 보험 계약자 또는 피보험자에 대하여 일정한 사항을 통지하여야 하는 의무.

통지-표【通知表】명 ↗생활 통지표.

통직-랑【通直郎】[—낭] 명 〖역〗 ①고려 문관의 품계. 문종(文宗) 때에 종육품의 하(下)로 정하였었다가 충렬왕(忠烈王) 원년(1275)에 폐하고, 동 24년(1298)에 다시 두었다가 곧 폐하고, 동 34년(1308)에 오품으로 함. 공민왕(恭愍王) 5년(1356)에 폐하였다가 동 11년(1362)에 다시 정오품으로 하고, 18년(1369)에 또 폐함. *조의랑(朝議郞). ②조선 시대 정오품 종친(宗親)의 품계. *병직랑(秉直郎).

통진【通津】명 〖지〗 경기도 김포군(金浦郡) 월곶면(月串面) 군하리(郡下里)에 있는 옛 읍(邑). 한강(漢江) 입구를 지키는 군사·행정의 요지였다가, 1914년 김포군에 병합된 후로는 쇠퇴했음. 부근에는 탄광(炭鑛)이 있으며, 명승 고적으로는 문수산성(文殊山城)·문수사(文殊寺)·염하(塩河) 등이 있음.

통진-미【通津米】명 〔통진은 김포의 옛이름〕 경기도 김포군(金浦郡) 일대에서 나는 쌀.

통:징【痛懲】명 엄징(嚴懲). ——-하다 타여불

통짜 명 온통의 덩어리. *통거리.

통-짜다[1] 자 여럿이 한 동아리가 되기를 약속하다.

통-짜다[2] 타 어떤 물건의 각 부분을 모아 하나가 되도록 맞추다.

통짜-로 부 온통의 덩어리 그대로.

통짬 명 〈방〉 통짜.

통-째 부 나누지 않고 덩어리로 있는 그대로. 통째로.

통째-로 부 통째. ¶ ~ 먹다/~ 삶다/~ 삼키다.

통째-썰기 명 야채를 써는 방법의 하나. 당근·호박·무·고구마·오이 등을 가로 놓고 평행하게 내려 써는 방법. 대략 둥글게 만들어 여러 가지 튀김·지짐 등에 쓰임. *어슷썰기.

통쫄 명 〈방〉 철통(鐵通).

통찜 명 〈방〉 통짜.

통차【通差】명 모두에 공통되는 차이. 전체의 차이. 공차(公差).

통-차지 명 통째로 다 차지하는 일. ——-하다 타여불

통:찰【洞察】명 ①온통 밝혀서 살핌. 전체를 환하게 내다 봄. 통견(洞見). 투찰(透察). ②〔insight〕〖심〗 새로운 사태에 직면하였을 때 시행착오법(試行錯誤法)에 의하지 않고 문제를 해결하는 지성(知性)의 중요한 작용. 독일의 심리학자 쾰러(Köhler, W.)가 소리 및 지능에 관한 유인원(類人猿)의 실험 결과 주장한 것임. ——-하다 타여불

통:찰-력【洞察力】명 사물을 통찰하는 능력. ¶ ~이 뛰어나다.

통:찰 요법【洞察療法】[—료뻡] 명 〔insight therapy〕〖심〗 심리 요법의 한 가지. 자기의 적응(適應)하는 태도의 오류(誤謬)를 자각시켜서 자발적으로 적응하는 태도를 변화시키는 방법. 곧, 구체적으로 증상(症狀)의 숨은 뜻을 이해하고, 증상의 심인(心因)이 된 배경을 알고, 궁극적으로 자기 자신을 이해시켜서, 환자가 생활 상황 및 생활 태도를 스스로 변경시키도록 하는 방법임.

통창[1]【通敞】명 넓고 밝아 시원하고 환함. ——-하다 형여불

통창[2]【通暢】명 조리(條理)가 밝아 환함. ——-하다 형여불

통-채 부 ☞ 통째.

통채-로 부 ☞ 통째로.

통:책【痛責】명 엄책(嚴責). ——-하다 타여불

통:처【痛處】명 병으로 아픈 곳.

통천[1]【通川】명 〖지〗 강원도 통천군의 군청 소재지인 읍(邑). 동해 북부선(東海北部線)의 요역임.

통천[2]【通天】명 ①하늘에 통하는 일. 하늘에 닿을 정도로 높이 걸려 있는 일. ②통천관(通天冠). ③↗통천서(通天犀).

통천-건【通天巾】명 성복(成服)하기 전에 상제가 쓰는 베로 만든 건(巾). 위가 터져 있음.

통천-관【通天冠】명 〖역〗 황제가 조칙(詔勅)을 내리거나 정무(政務)를 볼 때에 쓰던 관. 오사(烏紗)로 만드는데, 높이 아홉 치, 앞쪽이 뒤쪽보다 솟아 오르고, 양(梁)이 24 량(梁)이며, 관 꼭대기에 12 수(首)의 매미를 붙이고, 앞쪽에 박산술(博山述)이라는 산(山) 모양의 장식(裝飾)을 닮. 옥잠(玉簪)과 홍영(紅纓)을 갖추고, 관영(冠纓) 끝에 백주(白珠)를 닮. 대한 제국의 고종(高宗)이 이 관을 썼음. 권운관(卷雲冠). 통천(通天).

〈통천관〉

통천-군【通川郡】명 〖지〗 강원도의 한 군. 관내 1읍 6면. 북은 함경 남도 안변군(安邊郡)과 동해, 동은 동해, 남은 고성군(高城郡)과 회양군(淮陽郡), 서는 회양군과 안변군에 인접함. 해안 평지는 동해 북부선과 항로(航路)가 있어 교통이 편리함. 주요 산물로는 콩·조·감자 등의 농산, 청어·삼치·새우 등의 수산, 삼베 등의 공산(工産)·임산 등이 있음. 명승 고적으로는 총석정(叢石亭)·금란굴(金爛窟)·백정봉(百鼎峰)·쌍룡폭(雙龍瀑)·시중대(侍中臺)·난도(卵島)·삼도(三島) 등이 있음. 군청 소재지는 통천읍(通川邑).

통천-서【通天犀】명 코뿔소의 일종. 또, 그 뿔. 뿔의 길이는 중국자로 한 자 이상, 곧 24.14 cm가 넘으며 물이 잘 묻지 않음. 허리띠 장식이나 약용으로 씀. ㊀통천(通天).

통천지-수【通天之數】명 썩 좋은 운수.

통-천판【通天板】명 〖광〗 천판을 뚫었을 때에 위의 광혈(鑛穴)과 서로 통한 천판.

통-천하[1]【通天下】명 천하(天下)에 두루 통함. 일천하(一天下). ——-하다 자여불

통:-천하[2]【統天下】명 ①온 천하. ②↗통일 천하(統一天下).

통:철[1]【洞徹】명 ①환하게 통함. ②깊이 살피어 환하게 깨달음. ——-하다 타여불

통철[2]【通徹】명 막힘없이 통함. ——-하다 자여불

통철[3]【通鐵】명 철통(鐵通).

통첩【通牒】명 ①관청 또는 단체 등에서 문서로 통지함. 또, 그 글월. ②〖법〗 국제법상, 국가의 일방적 의사 표시를 내용으로 하는 문서. 보통, 국가의 태도나 정책을 표시하거나, 사실을 통지하는 데에 쓰임. 국가 간의 합의를 포함할 때도 있음. ¶ 최후 ~. ③〖법〗 행정 관청이 그 소관(所管) 사무에 관하여 관하(管下)의 기관이나 직원 또는 공공(公共) 단체 등에 대하여 어떤 사항(事項)을 통지(通知)하는 한 방식으로, 곧 행정 처분(行政處分)의 한 형식임. 훈령(訓令)의 성질을 띠는 경우가 많음. ——-하다 타여불

통첩-장【通牒狀】명 통첩하는 내용을 적은 서장(書狀).

통청[1]【通淸】명 〖역〗 청관(淸官)이 될 자격을 얻는 일.

통청[2]【通請】명 〖불교〗 ①모든 부처를 한목에 부름. ②대중(大衆)을 모두 부름.

통청-례【通淸例】[—네] 명 〖역〗 조선 시대 홍문관(弘文館)의 관원(官員)을 임명하는 절차.

통초[1]【通草】명 〖한의〗 목통(木通)❷.

통:초[2]【痛楚】명 몹시 아프고 괴로움. ——-하다 형여불

통초-주【通草酒】명 〖한의〗 통초의 씨를 볶아 다리어 그 물에 담근 술. 오장(五臟)의 기운을 돕고, 십이 경맥(十二經脈)을 통하게 함.

통:촉【洞燭】명 '양찰(亮察)'의 높임말. ¶ ~하여 주옵소서. ——-하다 타여불

통치[1]【通治】명 한 가지의 약(藥)이 여러 가지 병에 두루 효험(効驗)이 있음. ¶ 만병 ~. ——-하다 타여불

통:치[2]【痛治】명 엄치(嚴治). ——-하다 타여불

통:치[3]【統治】명 ①도맡아 다스림. ②원수(元首) 또는 지배자가 주권을 행사하여 국토 및 국민을 지배하는 일. 통섭(統攝). ¶ 헌법은 국가 ~의 기본법이다. ——-하다 타여불

통:치 계:약설【統治契約說】명 〖사〗 계약설의 하나. 군주(君主)와 인민은 보호와 복종의 계약이 맺어져 있다는 주장. 따라서 이 계약에 위반한 군주는 인민에 의하여 정당한 방벌(放伐)의 대상이 된다는 개념이 내포되어 있어서, 군주와 인민의 신분적(身分的) 구별을 전제(前提)로 하는 사회 계약설과는 다르며, 사회 계약설보다 선행(先行)하였음. 16세기 중기에 프랑스의 반(反)군주론자가 주장하였음.

통:치-구【統治區】명 통치하는 구역 또는 지구.

통:치-권【統治權】[—꿘] 명 〖정〗 국가의 절대적인 최고 지배권. 국가를 통치하는 권력. 국민·국토를 합법적으로 지배하는 권리. 주권과 동의(同義)로 사용되는데, 그 주체(主體)는 군주제(君主制) 국가에서는 군주, 공화제 국가에서는 국민 자체 또는 국민을 대표하는 통치자, 곧 대통령이며, 객체(客體)는 어느 국가거나 국토와 국민임. 지방 공공 단체(地方公共團體)의 통치권은 국가로부터 위임된 것으로, 통치권의 발동(發動) 형식에 의하여, 국가의 정치(政治) 형태가 규정됨. 주권(主權). ¶ ~을 행사하다.

통:치 기관【統治機關】명 〖정〗 통치자가 국가를 통치하기 위하여 설치한 기관. 곧, 최고 통치 기관으로서의 대통령 혹은 군주(君主)와 폐설(廢設) 및 직무 권한(職務權限)이 정하여진 통치의 직접 기관인 국회·법원·행정부와 이에 종속하는 간접 통치 기관이 있음.

통-치다 타 ☞ 한통치다.

통-치마 명 양쪽 선단이 없이 통으로 지은 치마. ↔풀치마.

통:치-자【統治者】명 국가를 통치하는 사람. 곧, 군주(君主)·대통령 등과 같은 통치권의 주체(主體).

통:치-지【統治地】명 통치권이 미치는 지역. 통치하는 곳.

통:치 행위【統治行爲】명 〖정〗 고도(高度)의 정치성이 개재되어 법원에서 그 합법·합헌성(合憲性)을 심사하는 것이 부적당한 국가 행위. 나라의 실정에 따라 다소 차이는 있으나, 영국·프랑스·독일·미국에서 학설·판례로 인정되고 있으며, 국회 내부의 자율권(自律權)에 맡기는 의회 행위나 국회의 소집·해산 등 국회와 정부간에 관계되는 행위, 국가의 승인과 외교 사절의 교환·접수(接受) 등의 외교 행위가 있음.

통칙【通則】명 통규(通規).

통-칡 명 쪼개지 아니한 통째로의 칡덩굴.

통침채-포【筩沈菜包】명 통김치쌈.

통칭[1]【通稱】명 ①공통으로 쓰이는 이름. 두루 일컬음. ②일반에 통용하는 이름이나 언설(言說). 통호(通號). ¶ ~으로 부르다. ③인명(人名) 등에서 실명(實名)과는 따로 평소에 일컫는 이름. *총칭(總稱).

통:칭[2]【統稱】명 도거리로 부르는 이름.

통:쾌【痛快】명 ①아주 유쾌함. ¶ ~한 홈런을 날리다. ②불평이나 불만스럽게 여기던 일이 뜻대로 잘 풀릴 때에 마음이 매우 상쾌함. ¶ ~하게 느끼다. ——-하다 형여불. ——-히 부

통:쾌-감【痛快感】명 통쾌한 느낌.

통-크다 형 마음씀이 크다. 도량이 넓다. ¶통큰 사내.

통킹〔東京:Tonking〕명 〖지〗 동남 아시아 인도차이나 반도의 북동부에 있는 통킹 만 연안의 지방. 송코이 강(Songkoi江) 하류의 델터(delta) 지대를 차지하며, 북베트남의 중심부로, 북은 중국, 서는 라오스에 접함. 쌀의 생산지로 유명하고, 석탄의 산출은 인도차이나 제일임. 주민은 주로 안남족(Annam族)임. 중심지 하노이(Hanoi)의 별명 통킹이 전역의 호칭이 됨.

통킹 만【一灣】〔東京〕명 〔Gulf of Tonking〕〖지〗 베트남 북부와 중국의 레이저우(雷州) 반도·하이난(海南) 섬에 둘러싸인 만. 남중국 해로 통함. 해상 교통(海上交通)의 요지이며 수산 자원(水産資源)이 풍부함. 하이퐁(Haiphong) 항이 있음.

통:타【痛打】명 ①통쾌(痛快)하게 때림. 또, 그 타격(打擊). ②강타(強打). ——-하다 타여불

통:탄【痛歎】명 몹시 탄식(歎息)함. ¶참으로 ~할 일이다. ——-하다 타여불

통탈【通脫】명 작은 일·소절(小節)에 구애(拘礙)하지 아니함. 소탈(疏脫)함.

통탕 부 ①널빤지 같은 것을 함부로 두드릴 때에 나는 요란한 소리. ②총을 마구 놓는 소리. 1)·2):<통탕. ——-하다 자타여불

통탕-거리다 자타 잇따라 통탕 소리가 나다. 또, 자꾸 통탕 소리를 나게 하다. <통탕거리다. **통탕-통탕** 부. ——-하다 자타여불

통탕-대다 자타 통탕거리다.

통태 명 〈방〉 바귀¹(경남).

통-터지다 자 여럿이 한꺼번에 냅다 쏟아져 나오다.

통-털어 부 ☞통틀어.

통:토【統土】명 국토를 통치하는 일.

통:통¹【洞通】명 꿰뚫음. ——-하다 타여불

통통² 부 몸피가 붓거나 살지거나 불어서 굵은 모양. ¶발이 ~ 붓다. <퉁퉁¹. *똥똥. ——-하다 형여불. ——-히 부

통-통³ 부 연해 나는 통소리. ¶마루를 ~ 구르다. <퉁퉁². ——-하다 자타여불

통통-거리다 자타 자꾸 통통 소리가 나다. 또, 자꾸 통통 소리를 나게 하다. ¶통통거리는 똑딱선. <퉁퉁거리다.

통통-걸음 명 발을 통통 구르며 빨리 걷는 걸음. <퉁퉁걸음.

통통-대다 자타 통통거리다.

통통-배 명 기관에서 통통 소리를 내는 작은 발동기선.

통통-장【一醬】명 〈방〉 청국장(충남).

통투【通透】명 사리를 뚫어지게 깨달아 환함. ¶도련님 범절을 소비가 이미 ~히 아옵나니 결단코 강도되실 양반이 아니시오…《李海朝:昭陽亭》. ——-하다 형여불. ——-히 부

통-틀다 타 있는 대로 모두 한데 묶다.

통-틀어 부 있는 대로 모두 합하여. 도파니. ¶~ 얼마요.

통틀어-일컫다 타ㄷ불 전부를 뭉뚱그리어 일컫다.

통틀어-일컬음 명 전부를 뭉뚱그리어 일컬음. 또, 그 이름. 총칭(總稱).

통판¹【通判】명 ①모든 일을 판정(判定)함. ②〖역〗 중국 송(宋)나라 때 비롯한 지방관(地方官). 번진(藩鎭)의 힘을 누르기 위하여 조신(朝臣)이 나가서 군(郡)의 정치를 감독하였으며, 명(明)·청(淸) 때도 있었음. ③〖역〗 고려 때 대도호부(大都護府)의 판관(判官). ——-하다 타여불

통판²【通版】명 〖인쇄〗 신문의 양면을 한 텟줄 안에 몰아 넣고 짠 판.

통판³【通販】명 ↗통신 판매(通信販賣).

통-팔도【通八道】〔一또〕명 팔도, 곧 우리 나라의 도처에 널리 통함. 통팔로(通八路). ——-하다 자여불

통-팔로【通八路】명 통팔도(通八道). ——-하다 자여불

통-팥 명 맷돌에 타지 아니하고 통째로 밥에 섞는 팥.

통폐【通弊】명 일반에 두루 있는 폐단. ¶입시 지옥(入試地獄)은 교육의 ~이다.

통:-폐합【統廢合】명 동일·유사한 계통의 여러 기업이나 기구를 폐지 또는 합쳐서 하나로 만듦. ——-하다 타여불

통:폭【痛爆】명 지독한 폭격(爆擊). 격심한 폭격. 맹폭(猛爆). ——-하다 타여불

통표【通票】명 타블렛(tablette)❹.

통풍¹【通風】명 ①바람을 통하게 함. 공기를 잘 드나들 수 있게 함. ¶~ 장치. ②〔ventilation〕 관측 기기의 수감부(受感部)에, 관측 대상의 공기를 보내는 일. 특히, 습구(濕球) 온도계의 습구에 공기류(空氣流)를 생기게 할 때에 쓰이는 용어(用語). ——-하다 자여불

통:풍²【痛風】명 〔gout〕〖의〗 손·발의 관절(關節)이 붓고 아픈 요산성(尿酸性)의 관절염(炎). 피 속에 많은 요산(尿酸)이 생기어, 여기에 냉(冷)·외상(外傷)·피로(疲勞) 따위가 유인(誘因)이 되어 요산염이 관절 연골(軟骨)이나 코·귓불의 연골에 침착(沈着)되어 일어남. 육식(肉食)을 즐기는 비만형(肥滿型)의 사람에게 많이 발생함. 급성과 만성의 두 가지가 있음.

통풍 건습계【通風乾濕計】명 통풍 장치(裝置)를 갖춘 건습계의 한 가지. 독일의 기상(氣象)학자 아스만(Assman, R.; 1845-1918)이 1887년에 고안(考案)한 아스만 통풍 건습계 따위가 있음.

통풍장치

건구 습구

〈통풍 건습계〉

통:풍 결석【痛風結石】〔一썩〕명 〔chalkstone〕〖의〗 통풍 환자에서 볼 수 있는 요산(尿酸) 나트륨 결석.

통:풍 결절【痛風結節】〔一쩔〕명 〔tophus〕〖의〗 통풍 환자의 수족의 무지기 관절(拇指基關節)·피하(皮下) 조직·코·이각(耳殼) 등의 연골에 요산염(尿酸塩)이 침착(沈着)하고, 이것을 결합직(結合織)이 둘러싸서 생기는 혹.

통풍-계【通風計】명 〔draft gauge〕 송풍기 또는 통풍기의 풍량을 알기 위하여 날개바퀴 앞뒤의 차압(差壓)을 측정하는 압력계.

통풍-관【通風管】명 〔airflow pipe〕〖공〗 어떤 장소에서 다른 장소에 공기를 보내기 위한 관.

통풍-구【通風口】명 공기를 통하도록 낸 구멍. 공기구(空氣口).

통풍-권【通風權】〔一꿘〕명 자기 집에 통풍이 잘 되도록 확보하는 권리(權利).

통풍-기【通風機】명 〔ventilator〕 낮은 풍압(風壓)으로 공기를 유동시키는 송풍기(送風機). 탄갱(炭坑)·실내·선박 등의 환기·통풍을 함. 다익(多翼) 통풍기·플레이트(plate) 통풍기·터보(turbo) 통풍기 등이 있음. 벤틸레이터.

통풍 자기 온도계【通風自記溫度計】명 〔aspiration thermograph〕〖공〗 환기(換氣)가 흡기팬(吸氣 fan)에 의하여 행해지는 자기 온도계.

통풍-창【通風窓】명 주로, 공기를 통하도록 만든 작은 창.

통풍-통【通風筒】명 송풍기(送風機) 따위로 보내는 바람의 통로(通路)가 되는 통.

통-하다【通一】자타여불 ①막힘이 없이 트이다. ¶사방으로 ~. ②거침없이 서로 사귀다. ¶잘 통하는 사이. ③말을 주고 받아 서로의 뜻을 알다. ¶아무리 말해도 안 ~. ④어떠한 방면에 능하고 행하게 알다. ¶고금(古今)에 ~/내부 사정에 ~. ⑤길 따위가 이르다. 다다르다. 이어지다. ¶로마로 통하는 길/전화가 ~. ⑥비밀히 연락이나 관계를 맺다. ¶적에게 ~/하녀와 ~. ⑦전체에 미치다. ¶일년을 통하여. ⑧사이에 세워서 중개하게 하다. ¶라디오나 텔레비전을 통하여 알리다/사람을 통하여 교섭하다. ⑨어떤 경로를 따라 움직이어 가다. ¶대변(大便)이 ~/전류가 통하고 있다.

통-하정【通下情】명 아랫 사람의 정상(情狀)을 잘 알아 줌. ——-하다 자여불

통학【通學】명 기숙사 아닌 자기 숙소에서 학교에 다니며 수학(修學)함. ¶열차 ~. ——-하다 자여불

통학 구역【通學區域】명 〖교〗 통학을 허락하는 구역. 원거리 통학의 억제 또는 취학 아동수의 균등을 위하여 국민 학교 같은 데서 구역을 제한함. 학구(學區).

통학-권【通學券】명 ↗통학 정기 승차권.

통학-복【通學服】명 통학할 때에 입는 옷.

통학-생【通學生】명 통학하는 학생. ¶열차 ~. ↔기숙생(寄宿生).

통학 열차【通學列車】〔一녈一〕명 통학생의 편의를 도모하여 특별히 운행되는 열차.

통학 정:기 승차권【通學定期乘車券】〔一꿘〕명 통학할 때 쓰기 위하여 발행한 학생 전용의 정기 승차권.

통학-차【通學車】명 통학생을 위하여 특별히 운행되는 자동차·버스 및 열차 등의 총칭.

통:한¹【痛恨】명 가슴 아프게 몹시 한탄함. 매우 분하게 여김. ¶~의 일격을 당하다. ——-하다 타여불

통:한²【統韓】명 분단(分斷)된 남한(南韓)과 북한(北韓)이 통일하여 한 나라를 이룸. ——-하다 자여불

통:한-사【痛恨事】명 통한할 일. 몹시 원통한 일.

통:할【統轄】명 모두 거느려서 관할(管轄)함. 통괄(統括). ¶~ 구역. ——-하다 타여불

통:합【統合】명 ①모두 합쳐서 하나로 모음. 둘 이상의 것을 하나로 모아서 다스림. 통일(統一). ¶기업 ~. ②〖교〗 아동 및 학생의 생활 경험을 중심으로 학습을 종합·통일하는 일. ③다양한 입장을 국가 등 일원적인 단체의 의사에 응집(凝集)함. ——-하다 타여불

통:합 교:수【統合教授】명 〖교〗 여러 가지 교과(教科)를 통합하여 각 교과가 어떤 종합적인 학습 계획의 면모를 갖추도록 교육 목표를 향하여 다 함께 교수하는 방법.

통:합-군【統合軍】명 〖군〗 여러 나라의 군대를 하나의 사령부 아래 통합한 군대. *연합군(聯合軍).

통:합-체【統合體】명 〖언〗 신태그마(syntagma).

통항【通航】명 배가 통하여 다님. 항행(航行). ——-하다 자여불

통항-권【通航權】〔一꿘〕명 〖법〗 국제 조약에 의하여 외국 영해를 통항(通航)하는 권리.

통항-료【通航料】〔一뇨〕명 배나 뗏목배의 편리를 위하여 하천에 공사를 베푼 사인(私人)이나 공공 단체가, 통항하는 배나 뗏목배로부터 징수하는 요금.

통해【通解】명 문장(文章) 등을 전부를 통하여 해석함. 통석(通釋). ——-하다 타여불

통해-주【通海紬】명 중국에서 나는 두꺼운 명주.

통행【通行】명 ①길로 통하여 다님. 왕래. ¶좌측 ~. ②일반적으로 통하여 행해지는 일. ¶널리 ~되는 언어. ③물건이나 화폐가 돌아서 유통함. ——-하다 자타여불

통행-권【通行權】〔一꿘〕명 〖법〗 ①공법상(公法上)의 관념에 있어서는 내외국인(內外國人)이 국내를 자유로 왕래하는 권리. ②사법(私法), 특히 민법상(民法上)으로는 자기의 소유지 이외의 처소를 법률의 규정에 따라 통행하는 권리.

통행 규정【通行規定】명 〖법〗 도로 같은 것의 통행에 관한 규정.

통행 금:지【通行禁止】명 특정한 지역 또는 시간에 사람 및 차량의 통행을 일체 금하는 일. ¶~ 지역/야간 ~. ㊣통금(通禁).

통행-료【通行料】〔一뇨〕명 유료 도로(有料道路)를 통행하는 차량으로부터 받는 요금.

통행-본【通行本】명 널리 일반에게 통하여지는 책. 유포본(流布本).

통행-세【通行稅】[一쎄] 명 〖법〗 교통세(交通稅)의 한 가지. 차량·선박·항공기 등의 이용자에게 부과하는 간접세. 1977년 부가 가치세법의 시행에 따라 폐지됨.
통행-인【通行人】명 통행하는 사람. 통행자.
통행-자【通行者】명 통행인.
통-행전【筒行纏】명 아래에 귀가 달리지 아니한 예사 행전. ↔귀행전.
통행-증【通行證】[一쯩] 명 어떤 지역이나 특정 시간에 사람이나 차량 등의 통행을 허가하는 증서. ¶야간 ~.
통헌 대:부【通憲大夫】명 〖역〗 ①고려 때, 종이품 문관(文官)의 품계. 충렬왕(忠烈王) 34년(1308)에 정하고, 충선왕(忠宣王) 2년(1310)에 폐함. ②조선 시대의 정이품 의빈(儀賓)의 품계. 고종(高宗) 2년(1865)까지 쓰임. *봉헌(奉憲) 대부.
통:혁【恫嚇】명 통갈(恫喝).
통현【通玄】명 사물(事物)의 현묘(玄妙)한 이치(理致)를 깨달음. ——하다 타여불
통혈【通穴】명 ①공기가 통하게 뚫어 놓은 구멍. ②〖광〗 갱도(坑道)와 갱도를 서로 통하도록 뚫음. 또, 그 구멍. ——하다 자여불
통형【筒形】명 속이 빈 원통형(圓筒形). 대롱 모양.
통형 동기【筒形銅器】명 〖고고학〗 굴대투겁.
통형-병【筒形甁】명 몸체가 통형이고 목과 입이 작은 술병의 하나. 고려 시대에서 조선 시대에 걸쳐 제작됨.
통형 퓨:즈【筒形—】[fuse] 명 〖전〗 절연체(絶緣體)의 통 속에 퓨즈를 장치한 것.
통호[1]【通好】명 서로 통하여 우정(友情)을 맺음. 우정을 통함. ——하다 자여불
통호[2]【通號】명 널리 세상에 통하여 사용하는 명호(名號). 통칭(通稱).
통:-호[3]【統戶】명 통(統)과 호(戶).
통:호-수【統戶數】[一쑤] 명 통(統)과 호(戶)의 차례. 또, 그 수효.
통혼【通婚】명 ①혼인할 의사를 타진(打診)함. ②두 집안 사이에 서로 혼인 관계를 맺음. ——하다 자여불
통혼-권【通婚圈】[一꿘] 명 통혼하는 범위. 지역이나 사회적 신분에 따라 그 범위가 달라짐.
통화[1]【通化】명 〖지〗 '퉁화'를 우리 음으로 읽은 이름.
통화[2]【通化】명 〖불교〗 부처의 가르침을 널리 펴서 중생을 교화(敎化)함. ——하다 타여불
통화[3]【通貨】명 ①〖경〗 한 나라 안에서 유통 수단·지불 수단으로 통용되는 화폐의 총칭. 유통 화폐(流通貨幣). 통용(通用) 화폐. ②〖법〗 강제 유통력을 가지는 화폐란 뜻으로, 본위(本位) 화폐·보조 화폐·은행권·정부 지폐·예금 통화 등의 총칭. 현재 한국 은행권이 쓰임. 서큘레이션(circulation).
통화[4]【通話】㊀명 ①말을 서로 주고 받음. ②전화 등으로 말을 서로 통함. ¶~ 중(中). ㊁의명 일정한 시간내의 통화를 단위로서 일컫는 말. ¶1 ~ 3분 이내. ——하다 자여불
통화[5]【筒花】명 〖식〗 통상화(筒狀花).
통화 가치【通貨價値】명 〖경〗 화폐 가치.
통화 개:혁【通貨改革】명 [currency reform] 〖경〗 주로, 인플레이션의 수습(收拾)을 위하여 행하여지는 통화 조치. 평가 절하(平價切下)·데노미네이션 또는 신구(新舊) 통화 교환에 즈음하여서의 보유 현금·예금량 삭감 조치 등의 총칭.
통화-고【通貨高】명 〖경〗 ↗통화 발행고(通貨發行高).
통화 공:급량【通貨供給量】[一냥] 명 〖경〗 중앙 은행이 공급하는 현금 통화의 양(量). 이 경우 통화에는 일반적으로 현금·요구불 예금이 포함되는데, 민간 은행의 정기 예금이 포함되는 경우도 있음.
통화 관:리【通貨管理】[一괄一] 명 〖경〗 지폐 발행을 금준비(金準備)의 제약으로부터 해방하여 그 발행액을 인위적으로 관리·조절하는 일. 케인즈 등에 의하여 제창되었음. *관리 통화(管理通貨).
통화 교환성【通貨交換性】[一썽] 명 [convertibility of currency] 〖경〗 금본위제(金本位制)에 있어서는 통화의 금태환성(金兌換性)을 의미하나, 오늘날에는 자유 외환 시장에 있어서 한 나라의 통화를 타국(他國)의 통화, 특히 미국의 '달러'와 자유로 교환할 수 있는 일을 이름. 통화 자유 교환성.
통화 구역【通話區域】명 어떤 전화국에서 정한 일정한 요금으로 통화할 수 있는 구역. 시내와 시외(市外)로 나눔.
통화 국정설【通貨國定說】명 화폐 국정설.
통화 도:수【通話度數】[一쑤] 명 전화 가입자가 통화를 한 횟수. 시외 전화의 경우는 통화 시간을 횟수로 환산하여 계산함.
통화 도:수계【通話度數計】[一쑤一] 명 전자석(電磁石)과 스프링과의 작용으로 통화할 때마다 한 번씩 숫자반(數字盤)의 톱니바퀴를 회전시켜 통화 도수를 기록하게 된 기계.
통화-량【通貨量】명 나라 안에서 실제로 유통되고 있는 통화의 양.
통화-료【通話料】명 시외 전화나 공중 전화를 사용하여 통화한 삯으로 지불하는 요금.
통화 발행고【通貨發行高】명 통화의 발행 액수. ㊟통화고.
통화 발행 한:도【通貨發行限度】명 〖경〗 중앙 은행이 발행하는 통화의 최고 한도.
통화 상품설【通貨商品說】명 화폐의 실체를 금속에 구하여 화폐의 소재(素材)인 금속의 가치가 화폐의 가치라 하고, 가치 척도(尺度)·가치 보존(保存)을 화폐의 제1차적 기능으로 삼는 학설. 중상주의(重商主義)·고전 학파(古典學派)·역사 학파 등은 대략 이 설을 채택함. ↔명목 학설(名目學說).
통화 선:택 약관부 발행【通貨選擇約款附發行】명 [optional currency issues] 〖경〗 국제간(國際間)의 기채(起債)에서, 원리금(元利金)을 받음에 있어 지급 통화(支給通貨)를 선택할 수 있다는 뜻의 약관이 붙어 있는 것. 예컨대, 파운드채(債)이지만 마르크(Mark)로 지급을 받을 수 있는 것 따위.
통화성 예:금【通貨性預金】[一썽네一] 명 〖경〗 은행 예금 중, 일상시(日常時)의 지급 거래를 위하여 보유되는 예금.
통화 수:량설【通貨數量說】명 〖경〗 화폐 수량설.
통화 수축【通貨收縮】명 〖경〗 디플레이션. ↔통화 팽창(膨脹).
통화 승수【通貨乘數】명 〖경〗 통화량(通貨量)이 확대·감소되는 과정의 비율을 나타내는 수치(數値). 통화량을 본원 통화(本源通貨)로 나눈 값으로 표시됨. 선진국일수록 통화 승수가 큼.
통화-시【通話時】명 전화를 통화하는 데 걸리는 시간. 시외 전화·공중 전화는 3분이 1통화로 되어 있음.
통화 안정 증권【通貨安定證券】[一꿘] 명 〖경〗 통화량의 조절을 목적으로 중앙 은행이 발행하는 단기 증권. 국채·정부 보증 채권 등과 함께 공개 시장에서 매매됨.
통화 위조죄【通貨僞造罪】[一쬐] 명 〖법〗 행사(行使)할 목적으로 통화를 위조·변조(變造)하거나 또는 이를 교부(交付)·수입(輸入)·수득(收得)함으로써 성립되는 죄.
통화 유통 속도【通貨流通速度】명 〖경〗 어떤 일정 기간에 통화가 거래에 사용되는 회수. 통화의 증대는 물가 앙등을 초래하지만 통화량이 불변한 상태에서도 유통 속도가 커지면 통화량 증대와 같은 결과를 초래하게 됨. 따라서 통화량 유통 속도도 통화량과 같이 통화 정책의 대상이 됨. 화폐 유통 속도.
통화 인플레이션【通貨—】[inflation] 명 〖경〗 불환 지폐(不換紙幣)를 증발(增發)하거나 정화(正貨)의 금(金) 함유량을 줄여서 통화를 증발함으로써 일어나는 인플레이션. *신용(信用) 인플레이션·재정(財政) 인플레이션.
통화-자【通話者】명 전화로 통화하는 사람.
통화 자유 교환성【通貨自由交換性】[一썽] 명 〖경〗 통화 교환성.
통화 정책【通貨政策】명 [monetary policy] 〖경〗 통화의 수량을 적당히 신축(伸縮)하여 한 나라 안의 금융·경기(景氣)·물가·생산 등을 적당하게 통제·조절하려는 정책. 금리(金利) 정책·공개 시장 조작(操作)·지급 준비율 변경 정책 등이 있음.
통화 조절【通貨調節】명 〖경〗 수요(需要)의 증감에 따라 주조(鑄造) 화폐·지폐·은행권의 수량을 적당히 조절하여 물가(物價) 수준을 안정시키는 일.
통화-주의【通貨主義】[一/一이] 명 [currency principle] 〖경〗 중앙 은행권의 태환권 발행액을 금의 유통과 같은 수량으로 증감시키면 물가 수준이 안정된다는 설. ↔은행주의(銀行主義).
통화 채:권 펀드【通貨債券—】[一꿘一] 명 [bond management fund] 〖경〗 증권 회사가 한국 은행으로부터 인수한 통화 조절용 채권을 위주로 회사채의 일부를 편입하여, 투자 신탁 회사가 발행하는 수익 증권을 인수하고 이를 투자자에게 판매하는 형태의 펀드. 통화채 펀드.
통화 통:제【通貨統制】명 〖경〗 통화의 가치를 유지·안정시키기 위하여 국가가 통화를 관리·통제하는 일.
통화 팽창【通貨膨脹】명 〖경〗 인플레이션. ↔통화 수축(收縮).
통환【通患】명 ①일반에 공통되는 걱정. ②어느 곳이나 또는 어느 사람이나 두루 가지고 있는 폐해(弊害). 통폐(通弊).
통:회【痛悔】명 ①몹시 뉘우침. 뼈저리게 뉘우침. 가슴 아프게 후회함. ②[penance] 〖천주교〗 고백 성사(告白聖事)의 다섯 가지 요소 중의 하나. 자기 죄를 진심으로 뉘우치는 마음. ——하다 타여불
통:회의 기도【痛悔—祈禱】[一/一에一] 명 〖천주교〗 주요 기도문의 하나. 고백 성사(告白聖事) 때에 죄를 뉘우치는 기도문. 구명(舊名)은 소회죄경(小悔罪經)임.
통효【通曉】명 ①환하게 깨달아서 앎. 효통(曉通). ②철야(徹夜). ——하다 자여불
통효 대:사【通曉大師】명 〖사람〗 신라의 고승(高僧) 범일(梵日)을 시호(諡號)로서 일컫는 이름.
통후【通侯】명 ①[그 덕이 왕실에 통한다는 뜻에서] 모든 제후(諸侯)·열후(列侯). ②제후(諸侯) 중에서 관위(官位)가 높은 사람.
통-후추 명 빻아서 가루를 만들지 아니한, 알 그대로의 후추.
통훈 대:부【通訓大夫】명 〖역〗 조선 시대 문관(文官)의 정삼품 당하관(堂下官)의 품계. 고종(高宗) 2년(1865)부터 문관·종친(宗親)·의빈(儀賓)의 품계로 병용(倂用)하였음. 통정(通政) 대부의 아래.
통-히 부 〈방〉 온통. 도통(都統).
톺다[1] 타 샅샅이 더듬어 뒤지면서 찾다.
톺다[2] 타 삼을 삶을 적에 꽨 삼의 끝을 가늘고 부드럽게 하려고 톱으로 눌러 훑다.
톺아-보다 타 샅샅이 톺아 나가면서 살피다.
톺-질 명 삼·모시 따위를 톱으로 톺는 짓. ——하다 타여불
퇴:[1]【退】명 〖건〗 ①물림❷. ②↗툇마루. ③↗툇간(退間).
퇴:[2]【退】명 ①퇴짜. ¶~를 놓다. ②싫증이 나거나 물리는 느낌. ¶들입다 먹었더니 ~가 난다.
퇴[3]【堆】명 〖지〗 대륙붕(大陸棚) 등에 있는 해저의 융기(隆起). 이 부분에 어군(魚群)이 많이 모이며, 주(洲)나 초(礁)보다 깊으므로 항해(航海)의 장애는 되지 않음. 천퇴(淺堆). 뱅크(bank).
퇴:각【退却】명 ①물러감. 패(敗)하여 후퇴함. ¶~ 명령. ②가져온 금품을 물리쳐서 받지 않음. ——하다 자타여불
퇴:각-군【退却軍】명 〖군〗 퇴각하는 군대.
퇴:각-로【退却路】[一노] 명 퇴각하는 길. 퇴로(退路).

퇴:거【退去】명 ①물러감. ¶~ 명령(命令)/~ 신고(申告). ②은거(隱居). ――-하다 자여불

퇴:거 불응죄【退去不應罪】[―쬐] 명 〖법〗 사람의 주거, 간수(看守)하는 저택·건조물이나 선박 또는 점유하는 방실(房室)에서 퇴거 요구를 받고도 응하지 아니함으로써 성립하는 죄. 불(不)퇴거죄. *주거 침입죄(住居侵入罪).

퇴:거 신고【退去申告】명 전출 신고. ↔전입(轉入) 신고.

퇴격【槌擊】명 방망이나 쇠뭉치로 침. ――-하다 타여불

퇴:경[1]【退京】명 서울에서 묵다가 시골로 내려감. ↔입경(入京). ――-하다 자여불

퇴:경[2]【退耕】명 벼슬을 내놓고 시골에 가서 농사(農事)를 지음. ――-하다 자여불

퇴:경[3]【退境】명 어떠한 경계(境界) 안에서 그 밖으로 물러남. ――-하다 자여불

퇴경[4]【頹景】명 ①쇠퇴한 모양. ②황혼(黃昏).

퇴:경-당【退耕堂】명 〖사람〗 '권상로(權相老)'의 호(號).

퇴:계【退溪】명 〖사람〗 '이황(李滉)'의 호(號).

퇴:계-집【退溪集】명 〖책〗 이황(李滉)의 유고(遺稿)를 엮어서, 조선 선조(宣祖) 32년(1599) 도산 서원(陶山書院)에서 간행(刊行)한 책. 68권 31책.

퇴고【推敲】명 [당(唐)나라의 시인(詩人) 가도(賈島)가 승퇴월하문(僧推月下門)의 시구(詩句)를 지을 때, 퇴(推)를 한유(韓愈)에게 물어 고(敲)로 고친 고사(故事)에서] 시문(詩文)을 지을 때 자구(字句)를 여러 번 생각하여 고치는 일. 고퇴(敲推). ¶~를 거듭하다. ――-하다 타여불

퇴:골【腿骨】명 〖생〗 다리를 이루는 뼈. 넓적다리뼈·정강이뼈·종아리뼈의 총칭. 다리뼈.

퇴:공【退供】명 〖불교〗 부처님 앞에 공양 드린 물건을 물림. ――-하다 자여불

퇴:관[1]【退官】명 벼슬을 내놓고 물러감. 퇴임(退任). *퇴직(退職). ――-하다 자여불

퇴:관[2]【退棺】명 나장(裸葬)하기 위하여 하관(下棺)할 때 관을 벗겨 물려 냄. ――-하다 자여불

퇴괴【頹壞】명 퇴폐하여 붕괴됨. ――-하다 자여불

퇴:교[1]【退校】명 ①퇴학(退學). ¶~ 처분. ②하학(下學)하고 집으로 돌아감. ――-하다 자여불

퇴:교[2]【退校】명 〖역〗 퇴직(退職)한 하사(下士). 퇴직한 장교(將校).

퇴:-교잡【退交雜】명 [backcross] 〖생〗 교잡에 의해 생긴 잡종(雜種)과 그 양친의 어느 쪽과의 교배.

퇴:구-류【腿口類】명 〖동〗 [*Merostomata*] 절지(節肢) 동물에 속하는 한 강(綱). 검미목(劍尾目)과 광익목(廣翼目)이 이에 속함.

퇴:군【退軍】명 싸움터에서 군사(軍士)를 물림. 퇴진(退陣). ――-하다 자여불

퇴:궐【退闕】명 대궐에서 물러나옴. ↔입궐(入闕). ――-하다 자여불

퇴:근【退勤】명 직장에서 시간을 마치고 물러나옴. ¶~ 시간. ↔출근(出勤). ――-하다 자여불

퇴:근-길【退勤―】[―낄] 명 직장(職場)에서 퇴근하여 집으로 돌아가는 길. 또, 퇴근하여 돌아가는 도중(途中). ¶~에 들르다/~에 만나다. ↔출근(出勤)길.

퇴:기[1]【退妓】명 〖역〗 기안(妓案)에서 물러난 기생(妓生). ¶~ 월매(月梅)의 딸.

퇴:기[2]【退期】명 기한(期限)을 물림. 기한을 연기(延期)함. 퇴한(退限). ――-하다 자여불

퇴기다 타 ①힘을 모았다가 갑자기 탁 놓아 내뻗치다. ②건드리어서 갑자기 튀어 달아나게 하다. 1)·2): <튀기다.

퇴김 명 연을 날릴 때에 얼레 자루를 잦히며 통줄을 주어서 연 머리를 그루박는 일. <튀김. ――-하다 타여불

퇴김(을) 주다 구 연을 날릴 때에 퇴김 재간을 부리다. <튀김(을) 주다.

퇴:깃-돌 명 〈방〉 댓돌❶(함북).

퇴깽이 명 〈방〉 〖동〗 토끼(경기·전라·충청).

퇴끼 명 〈방〉 〖동〗 토끼(경기·강원·전북·충남·함남·평북).

퇴:-내다 타 먹거나 가지거나 누리는 것을 실컷 물리도록 하다.

퇴니에스 [Tönnies, Ferdinand] 명 〖사람〗 독일의 사회학자. 킬(Kiel) 대학 교수. 인간 의사(意思)를 진실한 자연적 본질 의사와 관념적 인위적(人爲的)인 선택 의사로 구별하고, 이에 대응하여 사회도 게마인샤프트(Gemeinschaft)와 게젤샤프트(Gesellschaft)의 두 가지로 구별될 수 있다는 학설로 유명함. 주저 ≪게마인샤프트와 게젤샤프트≫로 사회 과학사상 불후의 지위를 쌓음. [1855-1936]

퇴:단【退團】명 소속하는 단체(團體)에서 탈퇴(脫退)함. ↔입단(入團). ――-하다 자여불

퇴당【頹唐】명 ①퇴폐(頹廢). ②퇴락(頹落). ――-하다 자여불

퇴:대【退待】명 물러가서 기다림. ――-하다 타여불

퇴:-도지【退賭地】[―또―] 명 〖역〗 조선 중기 이후, 민전(民田)에서 전주(田主)가 10년을 작정하고 소작권(小作權)을 파는 계약. 10년이 차면 무상(無償)으로, 5년이면 대금의 반액, 1년이면 전액(全額)으로 반환을 받을 수가 있었음. 선도지(先賭地)라고도 함.

퇴:둔【退遁】명 도망쳐 물러남. 퇴피(退避). ――-하다 자여불

퇴:등【退燈】명 〖역〗 시골 관아에서 원이 잠잘 때에 등불을 끄던 일. ――-하다 자여불

퇴락【頹落】명 무너지고 떨어짐. 퇴당(頹唐). ¶~한 고향 집. ――-하다 자여불

퇴란【頹瀾】명 꼭대기가 무너져 떨어지려고 하는 파도(波濤).

퇴:량【退樑】명 〖건〗 툇보.

퇴:령[1]【退令】명 〖역〗 시골 관아에서 이속(吏屬)·사령(使令)들에게 퇴청(退廳)을 허락하는 명령. ――-하다 자여불

퇴령[2]【頹齡】명 노쇠한 연령(年齡). 고령(高齡).

퇴:로[1]【退老】명 늙어서 벼슬에서 물러나 은퇴(隱退)함. ――-하다 자여불

퇴:로[2]【退路】명 후퇴(後退)할 길. 퇴각로(退却路). ¶~ 차단(遮斷). ↔진로(進路).

퇴:로 재:상【退老宰相】명 늙어서 벼슬에서 물러난 재상.

퇴:리[1]【退吏】명 은퇴(隱退)한 관리. 퇴직한 관리.

퇴리[2]【堆裏】명 퇴적(堆積)된 것의 속.

퇴:-마냥 명 〖농〗 아주 늦게 심은 모.

퇴:-만양【―晩―】명 〖농〗 ☞퇴마냥.

퇴:-맞다【退―】자 ☞퇴박 맞다.

퇴모【頹暮】명 늙고 기운이 쇠함.

퇴:물【退物】명 ①웃사람이 쓰던 것을 물려 준 물건. 퇴물림. ②퇴박맞은 물건. 퇴물림. ③그 직업에서 물러난 사람을 낮게 이르는 말. ¶기생 ~.

퇴:-물림【退―】명 ①큰상물림. ②퇴물❶. ¶형의 ~을 입다. ③퇴물❷.

퇴:-밀이명 〖건〗 살밀이의 한 가지. ――-하다 타여불

퇴밀이 대:패명 문살을 퇴밀이하는 데 쓰는 대패.

퇴:박-맞다【退―】자 마음에 들지 않아 물리침을 받다.

퇴:박-하다【退―】타여불 마음에 들지 않아 거절하다. *타박하다.

퇴방 명 〈방〉 뜰(경북).

퇴:범 하:승【退凡下乘】명 〖불교〗 [범하(凡下)를 퇴하고 하승 하마(下乘下馬)시킨다는 뜻] 석가가 영취산(靈鷲山)에서 설법하였을 때, 마갈타(摩揭陀)의 국왕(國王) 빈파사라(頻婆沙羅)가 이것을 들으려고 길을 내고 중로(中路)에 두 개의 졸탑파(卒堵婆)를 세워, 하나는 '하승(下乘)'이라고 기록하여 왕이 여기서부터 도보(徒步)로 가며, 또 하나는 '퇴범(退凡)'이라고 기록하여 범인은 이 곳에서부터 안으로 들어가지 못하게 했다고 함. 이 넉 자(字)를 제찰(制札)로서 사원(寺院)의 문 앞에 세움. 퇴하(退下).

퇴벽【頹壁】명 허물어져 내린 벽.

퇴:보【退步】명 ①뒤로 물러감. 후퇴(後退). ¶문화의 ~. ②재지(才智)나 힘이 전(前)만 못하게 됨. 각보(却步). 1)·2): ↔진보(進步). ――-하다 자여불

퇴:봉【退封】명 〖역〗 진상물(進上物) 봉진(封進)의 시기를 놓침.

퇴:분【退盆】명 분(盆)에 심은 화초(花草)를 뽑아 버림. ↔등분(登盆). ――-하다 타여불

퇴:-분화【退分化】명 〖생〗 탈분화(脫分化).

퇴비[1]【堆肥】명 비료의 하나. 짚·잡초·낙엽·해조(海藻) 등을 퇴적(堆積)하여 물·유안(硫安) 등을 적당히 보급하면서 뒤집어서 썩인 것. 여러 요소(要素)가 작물이 흡수하기 좋은 형태로 들어 있어 시비(施肥)의 효과가 크며, 지력(地力)을 증대(增大)시킴. 두엄. 적비(積肥). ¶~ 증산.

퇴비(를) 하다 구 퇴비를 만들다.

퇴비[2]【頹圮】명 퇴패(頹敗). ――-하다 자여불

퇴비-사【堆肥舍】명 퇴비를 쌓아서 넣어 두는 곳간.

퇴비-장【堆肥場】명 퇴비를 쌓아 두는 곳.

퇴:사[1]【退士】명 퇴관하여 은둔하고 있는 선비.

퇴:사[2]【退舍】명 ①물러나서 머무름. ②기숙사 등에서 나옴. 또, 사(舍)에서 퇴거당함. ――-하다 자여불

퇴:사[3]【退仕】명 ①낮은 벼슬아치가 구실을 내놓고 물러감. ②〖역〗 사퇴(仕退). ――-하다 자여불

퇴:사[4]【退寺】명 〖불교〗 퇴속(退俗). ――-하다 자여불

퇴:사[5]【退社】명 ①사원(社員)이 퇴근(退勤)함. ②회사의 직원이 그 회사를 그만두고 물러남. ¶~ 조치. ↔입사(入社). ③사단 법인(社團法人)의 구성원인 사원이 그 법인으로부터 탈퇴하여 법인과의 관계를 끊음. ――-하다 자여불

퇴:사[6]【退思】명 물러나서 생각함. ――-하다 타여불

퇴사[7]【頹舍】명 퇴옥(頹屋).

퇴산[1] 명 〈옛〉 토산불이. 토산불알을 가진 사람의 별명. ¶퇴산 퇴(癩), 퇴산 산(疝) ≪字會 中 34≫.

퇴:산[2]【退散】명 ①모였던 것이 흩어져 감. ②흩어져 도망질함. ――-하다 자여불

퇴산[3]【癀疝·癩疝】명 〖한의〗 불알이 붓는 병의 총칭. 퇴산증(癩疝症). *토산불알.

퇴산-증【癩疝症】[―쯩] 명 〖한의〗 퇴산(癩疝).

퇴:상[1]【退床】명 ①음식상을 물림. ②큰상물림. ――-하다 자여불

퇴:상[2]【退霜】명 첫서리가 늦게 내림. 상강(霜降)이 지나서야 내린 늦서리. ――-하다 자여불

퇴:색【退色·褪色】명 빛이 바램. 투색(渝色). ¶~한 낡은 모자. ――-하다 자여불

퇴:색 반점【褪色斑點】[―쩜] 명 [bleach spot] 〖지〗 적색암(赤色岩) 속의 녹색이나 황색 부분. 유기물(有機物) 미립자 둘레의 산화 제이철(酸化第二鐵)의 감소로 생김.

퇴:서【退暑】명 물러가는 더위.

퇴:석[1]【退席】명 ①자리에서 물러남. 퇴좌(退座). ②모임이 파하기 전에 먼저 자리를 떠 물러남. 퇴장(退場). ――-하다 자여불

퇴석[2]【堆石】명 ①[moraine] 〖지〗 빙하(氷河)에 의하여 운반되어 쌓여진 돌·모래·흙 같은 것. 빙하의 분포 상태(分布狀態)를 아는 자료가 됨.

빙퇴석(氷堆石). 모레인. ②돌을 높이 쌓음. 또, 그 퇴적(堆積)한 돌. ——-하다 [자][여불]

퇴석-층【堆石層】[명]〖지〗퇴석이 모이어 이룬 지층(地層).

퇴석-호【堆石湖】[명]〔morainal lake〕〖지〗대륙 빙하(大陸氷河)의 말단(末端) 퇴석 또는 바닥의 퇴석 중의 표력토(漂礫土)가 불규칙하게 퇴적하여 생긴 와지(窪地)에 담수(湛水)하는 빙성호(氷成湖).

퇴:선【退膳】[명] ①↗제퇴선(祭退膳). ②임금의 어상(御床)에서 물려낸 음식.

퇴:선-간【退膳間】[명]〖역〗조선 시대에, 수랏상을 차리고 물리는 곳.

퇴설【頹雪】[명] 사태를 이루어 굴러 떨어지는 눈.

퇴설-당【堆雪堂】[—땅][명]〖불교〗별당(別堂)❷.

퇴:섭【退攝】[명] 두려워서 뒤로 물러남. ——-하다 [자][여불]

퇴:성¹【退城】[명] 성에서 물러나옴. ——-하다 [자][여불]

퇴:성²【退聲】[명]〖악〗국악(國樂)에서, 흘러내리는 소리 또는 꺾는 소리.

퇴세【頹勢】[명] 쇠퇴하여 가는 형세.

퇴:소【退所】[명] ①소원(所員)이 퇴근함. 또, 그 직을 그만두고 물러남. ②요양소(療養所)·연수소(硏修所)·훈련소(訓鍊所) 등에서 요양·연수·훈련 등을 마치고 나옴. ——-하다 [자][여불]

퇴:속¹【退俗】[명]〖불교〗중이 도로 속인(俗人)이 됨. 퇴사(退寺). 환속(還俗). 환퇴(還退). ——-하다 [자][여불]

퇴속²【頹俗】[명] 쇠퇴하여 문란해진 풍속. 퇴풍(頹風).

퇴:송¹【退送】[명] 물품 등을 물리쳐 도로 보냄. ——-하다 [타][여불]

퇴:송²【退訟】[명] 소송을 받지 아니하고 물리침. ——-하다 [자][여불]

퇴:수¹【退水】[명] ①넘쳤던 물이 빠짐. ②수구(水球)에서, 반칙(反則)한 선수가 잠시 동안 풀 밖으로 물러나게 되는 일. 육상의 구기(球技) 경기에서 퇴장에 해당함. ——-하다 [자][여불]

퇴:수²【退守】[명] 후퇴하여 수비함. ↔진격(進擊). ——-하다 [타][여불]

퇴:수³【退受】[명]〖불교〗시주(施主)하는 가사(袈裟)를 받아 가짐. ——-하다 [타][여불]

퇴싀 [명]〈옛〉토시. ¶套袖 謂之吐手者 華音之誤翻也, 華音套袖 作 퇴싀《雅言 卷二》.

퇴:식¹【退食】[명] ①조정(朝廷)에서 물러나와 집에서 밥 먹음. ②전(轉)하여, 공직(公職)에서 물러남. ——-하다 [자][여불]

퇴:식²【退息】[명] 물러나서 휴식함. 퇴휴(退休). ——-하다 [자][여불]

퇴:식-밥【退食—】[명]〖불교〗부처님 앞에 올리었다가 물린 밥. 불공밥.

퇴:신【退身】[명] 관계하는 일에서 물러남. ——-하다 [자][여불]

퇴:실【退室】[명] 방에서 물러남. ——-하다 [자][여불]

퇴:암【退闇】[명] 사물에 어두운 사람을 물리침. ——-하다 [자][여불]

퇴:-양¹ [명]〈방〉툇보.

퇴:양²【退讓】[명] 남에게 사양하고 물러남. ——-하다 [타][여불]

퇴:역【退役】[명]〖군〗①현역(現役)으로부터 물러남. ¶~ 장군. ②제2국민역(第二國民役)까지 마친 장교가 병역에서 물러나는 일. *전역(轉役). ——-하다 [자][여불]

퇴:역 연금【退役年金】[—녀—][명] 군인 연금의 하나. 20년 이상 복무(服務)한 군인에게 퇴직한 때부터 사망할 때까지 지급하는 연금.

퇴:연¹【退然】[명] ①기력이 없이 느른한 모양. ②겸허하고 조용한 모양. ——-하다 [형][여불]

퇴연²【頹然】[명] ①좇는 모양. ②힘없이 보이는 모양. ③취하여 쓰러지는 모양. ④나이가 들어 쇠퇴하는 모양. ——-하다 [형][여불]

퇴:열【退熱】[명] 병의 열이 물러감. ——-하다 [자][여불]

퇴:염【退染】[명] ①→토렴. ②물든 물건의 빛깔을 빨아 냄. ——-하다 [타][여불]

퇴:영¹【退嬰】[명] ①뒷걸음질 침. ②틀어박힘. ③진취적인 기상이 없음. ↔진취(進取). ——-하다 [자][여불]

퇴:영²【退營】[명]〖군〗영외 거주(營外居住)를 하는 군인 등이 하루의 근무를 끝내고 병영(兵營)으로부터 물러나옴. ——-하다 [자][여불]

퇴:영-적【退嬰的】[명][관] 무슨 일에든 망설이는 모양. 새로운 일 따위에 좀처럼 손대기를 꺼려하는 모양.

퇴옥【頹屋】[명] 낡아서 허물어진 가옥(家屋). 퇴사(頹舍).

퇴운【頹運】[명] 쇠퇴(衰頹)한 기운(氣運).

퇴:원¹【退院】[명] 입원(入院)했던 환자(患者)가 병원에서 물러나옴. ↔입원. ——-하다 [자][여불]

퇴원²【頹垣】[명] 허물어진 담장.

퇴:위【退位】[명] ①임금의 자리에서 물러남. ②위치(位置)를 뒤로 물림. ——-하다 [자][여불]

퇴:은【退隱】[명] 은퇴(隱退). ——-하다 [자][여불]

퇴이【頹弛】[명] 반듯하게 되어 있던 것이 흐트러지고 헐렁해짐. 기분이나 규율 따위가 해이해짐.

퇴:인【退引】[명] 뒤로 물러남. 인퇴(引退).

퇴일【頹日】[명] 저녁해. 석일(夕日).

퇴:-일보【退一步】[명] 한 걸음 물러남. 조금 염려가 되어 한 걸음 뒤로 물러앉음. ——-하다 [자][여불]

퇴:임【退任】[명] 임무에서 물러감. ¶~사(辭). *퇴직(退職). ——-하다 [자][여불]

퇴:잠【退潛】[명] 물러나 가만히 있음. ——-하다 [자][여불]

퇴:장¹【退狀】[명]〖역〗소장(訴狀)을 반려(返戾)함. ——-하다 [자][여불]

퇴:장²【退場】[명] ①장내(場內)·무대 등에서 물러남. ②회장(會場) 같은 곳에서 회를 마치기 전에 먼저 물러남. 퇴석(退席). ③경기(競技) 중 반칙(反則) 등으로 인하여 물러남. ——-하다 [자][여불]

퇴:장³【退藏】[명] ①물러나서 자취를 감춤. ②물자를 감추어 놓고 소지(所持)함. ③화폐(貨幣) 등을 사용하지 않고 넣어 두고 묵힘. 사장(死藏). ——-하다 [자][타][여불]

퇴:장 화:폐【退藏貨幣】[명]〔도 Schatz〕〖경〗유통 부문(流通部門)에서 거두어 들여져 퇴장된 화폐. 유통되지 않고 저장되어 있는 화폐. 장농 예금이나 수집 화폐 따위. 축장 화폐(蓄藏貨幣).

퇴적【堆積】[명] ①많이 덮쳐 쌓임. 또, 많이 덮쳐 쌓음. ②〖지〗↗퇴적 작용. ——-하다 [자][타][여불]

퇴적 광:상【堆積鑛床】[명]〔sedimentary deposit〕〖광〗마그마(magma) 광상·변성(變成) 광상과 더불어 성인(成因)에 의해 광상을 세 가지로 대별(大別)했을 경우의 한 가지. 유수(流水)·바람·생물·화학적 침전(沈澱)·지표수(地表水)의 증발 등의 작용으로 지표 또는 그 부근에 생긴 광상. 곧, 광층(鑛層)·풍화 잔류(風化殘留) 광상·사광상(砂鑛床)·유기성(有機性) 광상 따위.

퇴적 단구【堆積段丘】[명]〔alluvial terrace, drift terrace〕〖지〗골짜기 양안(兩岸)에 주로 모래와 조약돌로 구성되는 단구. 사력(砂礫) 단구.

퇴적 단위【堆積單位】[명]〔sedimentation unit〕〖지〗1회의 퇴적 작용 기간(堆積作用期間)에 만들어진 퇴적 광상(堆積鑛床).

퇴적-대【堆積臺】[명]〖지〗해식(海蝕)에 의해 생기는 지형의 한 가지. 파랑(波浪)에 의해 해식대·해식애(海蝕崖)가 만들어질 때, 육지나 해저(海底)를 깎은 암설(岩屑)이 해식대 전면으로 운반·퇴적되어 평탄한 해저를 이룬 것.

퇴적 대지【堆積臺地】[명]〖지〗강물에 의한 퇴적 작용에 의하여 생긴 대상 지형(臺狀地形)의 땅.

퇴적-도【堆積島】[명]〖지〗화산의 분출물(噴出物)이나 생물의 유해(遺骸) 등이 퇴적하여 이루어진 섬.

퇴적-론【堆積論】[—논][명]〖지〗퇴적물 및 퇴적암에 관하여, 풍화(風化)·풍식(風蝕)·운반 과정·침적(沈積) 과정·속성(續成) 작용·퇴적 환경·퇴적물의 분류 등을 연구하는 지질학·광물학의 한 분야.

퇴적-물【堆積物】[명] ①덮쳐 쌓인 물건. ②〔sediment〕〖지〗물·바람·중력(重力)·빙하(氷河) 등에 의하여 공급원지(供給源地)로부터 운반되어 해면 위나 아래의 지표에 집적(集積)한 고형(固形) 물질. 이것이 굳어서 퇴적암이 됨. 모래·자갈 등의 육원 쇄설물(陸源碎屑物), 생물의 유해(遺骸)·점탄(粘炭) 등의 생물원 퇴적물, 화학적 침전(沈澱), 화산(火山) 쇄설물이 있음.

퇴적물 식자【堆積物食者】[명]〔deposit feeder〕〖동〗수저(水底)의 기층(基層)에서 데트리투스(detritus)를 모아서 먹는 동물. 침적물 식자.

퇴적 분지【堆積盆地】[명]〔sedimentation basin〕〖지질〗바다 속의 평탄하고 넓은 요지(凹地)로, 그 속에 퇴적물이 집적되는 곳.

퇴적-산【堆積山】[명]〖지〗퇴적 작용으로 이루어진 산.

퇴적-상【堆積相】[명]〔sedimentary facies〕〖지〗지층이 퇴적할 때의 환경 조건을 반영하고 있는 여러 가지 특징적인 상태.

퇴적 선량【堆積線量】[—설—][명]〔deposit dose〕핵폭발 후에 지표면에 퇴적한 잔류 방사선(殘留放射線).

퇴적성 광:상【堆積性鑛床】[명]〖지〗풍화·침식·운반·퇴적·속성(續成) 따위의 지표면에서 행해지는 작용에 의해 유용한 광물이 모이고 쌓여서 생긴 광상. 수성(水成) 광상.

퇴적성 화:산 활동【堆積性火山活動】[—똥][명]〔sedimentary volcanism〕〖지〗압축 상태에 있는 가스에 의하여 밀려 나오는 퇴적물이나 물·가스 등의 혼합물이, 지층을 뚫고 분출(噴出)하는 현상.

퇴적-심【堆積心】[명]〔depocenter〕〖지〗퇴적물이 가장 두터운 곳.

퇴적-암【堆積岩】[명]〔sedimentary rock〕〖광〗퇴적 작용에 의하여 생긴 암석. 부스러진 암석의 작은 덩이나 생물의 유해 등이 수중 또는 육상에 기계적 또는 화학적으로 침전 퇴적하여 생김. 퇴적물과 성인(成因)에 따라서 쇄설암(碎屑岩)·화학적 퇴적암으로 나뉨. 사암(砂岩)·혈암(頁岩)·석회암(石灰岩) 등. 수성암(水成岩). 침적암(沈積岩). 층상암(層狀岩).

퇴적 암석학【堆積岩石學】[명]〔sedimentary petrology〕퇴적물 및 퇴적암의 조성(組成)·특성 및 기원(起源)에 관한 학문.

퇴적-열【堆積熱】[—녈][명] 물건이 퇴적하여 물리적·화학적으로 생기는 열. 풀·짚 또는 가축의 배설물 등이 퇴적되었을 때 발효(醱酵)·부패하는 과정에서 생김.

퇴적 윤회【堆積輪廻】[—눈—][명]〔cycle of sedimentation〕〖지〗퇴적 환경의 주기적 변화에 따라 퇴적물의 종류가 주기적으로 변화하는 현상. 퇴적 작용이 일어나고 있는 동안에 해수의 침입·범람·후퇴의 세 시기를 따라 퇴적 환경이 주기적인 변화를 나타낸 결과 지층이 주기적인 배열(配列)을 보임.

퇴적 작용【堆積作用】[명]〔sedimentation〕〖지〗물·바람·중력(重力)·빙하 등에 의하여 운반된 암석의 파편이나 생물의 유해(遺骸)가 운반력이 약한 곳에 집적(集積)하는 현상. 특히, 물 속에 집적하는 경우를 침적(沈積)이라 함. [준]퇴적.

퇴적 잔류 자기【堆積殘留磁氣】[—잘—][명]〔depositional remnant magnetization〕〖물〗이미 자화(磁化)되어 있는 입자가 퇴적할 때의 배열(配列)에 의해서 퇴적암 속에 생기는 잔류 자기.

퇴적-장【堆積場】[명] 물건을 퇴적하여 두는 곳.

퇴적 주상 해:분【堆積舟狀海盆】[명]〔sedimentation trough〕〖지〗폭이 좁으며 바닥이 U자형 또는 V자형으로 생긴, 퇴적물이 집적(集積)하는 바다 속의 요지(凹地).

퇴적-층【堆積層】[명]〖지〗퇴적하여 이루어진 지층.

퇴적-토【堆積土】[명] 수북이 쌓아 올리거나 쌓아 올려진 흙. 충적토(沖積土).

퇴적 평야【堆積平野】[명]〖지〗퇴적 작용에 의하여 생긴 평야. 선상지

(扇狀地)·삼각주(三角洲)·범람원(氾濫原) 등의 충적(沖積) 평야와 융기(隆起) 삼각주·해안 평야 등이 있음.

퇴적-학【堆積學】명〔sedimentology〕 퇴적물이나 퇴적암의 기재(記載)·분류·기원·해석에 관한 학문 분야.

퇴:전【退轉】명 ①『불교』 보리심(菩提心)을 잃어 수증(修證)한 도위(道位)를 잃고 본디의 하위(下位)로 전락(轉落)함. ↔불퇴전(不退轉). ②파산(破產)하여 살림이 다른 사람에게로 넘어감. ③일이 바뀌어 나빠게 됨. ——-하다 자여불

퇴:절【腿節】명 곤충·거미·진드기 등에서 허벅다리 부분의 마디. 다른 마디보다 굵고 길며, 강대한 근육이 있음. 넓적다리마디. *부절(附節).

퇴:정[1]【退廷】명 조정(朝廷)이나 법정(法廷)에서 물러나옴. ↔입정(入廷). ——-하다 자여불

퇴:정[2]【退定】명 기한을 물리어서 작정함. ——-하다 타여불

퇴:조[1]【退朝】명 조정(朝廷)에서 물러나옴. 조회(朝會)에서 물러나옴. ——-하다 자여불

퇴:조[2]【退潮】명 ①『지』 썰물. ②왕성(旺盛)하던 세력(勢力)이 쇠퇴함. ——-하다 자여불

퇴-조개 명『조개』〔*Caecella chinensis*〕 퇴조개과에 속하는 조개. 패각(貝殼)의 길이 27 mm, 높이 20 mm, 폭 11 mm 내외의 타원형이며, 각정(殼頂)은 중앙에 있고 각표(殼表)는 더러운 황색의 각피로 덮였으나 각정은 탈피하여 희고 내면도 흼. 자갈이 섞인 모래 바닥에 사는데, 한국·일본에 분포함. 헌가락지조개.

퇴:조-기【退潮期】명 ①썰물이 일어나는 시기. ②기세가 한때 쇠퇴되는 시기. ↔고조기(高潮期).

퇴:좌【退座】명 퇴석(退席). ——-하다 자여불

퇴:주[1]【退柱】명『건』 툇기둥.

퇴:주[2]【退酒】명 제사 때 초헌(初獻)과 아헌(亞獻)에서 물린 술.

퇴주[3]【堆朱】명『미술』 주칠(朱漆)을 백 번 정도까지 칠하여 그 위에 산수(山水)·화조(花鳥)·인물 등을 부조(浮彫)한 공예품. 합(盒)이나 도자기·가구(家具) 등에 베풂. 황색 또는 흑색 칠을 한 것을 각각 퇴황(堆黃)·퇴흑(堆黑)이라고 함. 척홍(剔紅).

퇴:주-기【退酒器】명 퇴줏 그릇.

퇴:주-잔【退酒盞】[-짠] 명 권하거나 드리다가 퇴박맞은 술잔.

퇴:줏 그릇【退酒-】명 퇴주를 담는 그릇. 퇴주기(退酒器).

퇴:직【退職】명 현직(現職)에서 물러남. 개결(開缺). ¶정년 ~. *퇴임(退任). ——-하다 자여불

퇴:직-금【退職金】명 관공서(官公署) 또는 회사 등의 사기업(私企業)에 근무하는 사람이 퇴직할 때 근무처 등에서 일시금(一時金)으로 지급(支給)하는 돈.

퇴:직 급여【退職給與】명 퇴직하는 공무원·근로자에게 지급되는 급여. 퇴직 연금·퇴직 연금 일시금·퇴직 일시금·퇴직 연금 공제 일시금 등.

퇴:직 급여 충당금【退職給與充當金】명 부동산 소득·사업 소득·산림(山林) 소득이 있는 사람이 사용인의 퇴직 급여에 충당하기 위하여 계상(計上)하는 금전(金錢). 일정한 한도(限度) 내에서 필요 경비(經費)로 인정됨.

퇴:직 소:득【退職所得】명『법』 퇴직 급여(給與)에 의한 소득. 당해(當該) 연도에 발생한 갑종(甲種) 및 을종(乙種)의 퇴직 급여와 공로(功勞) 퇴직 수당이 있음. *급여 소득.

퇴:직 수당【退職手當】명 퇴직하는 사람에게 그 근무 연수에 비례하여 지급하는 수당.

퇴:직 연금【退職年金】[-년-] 명 퇴직 급여의 하나. 공무원이 20년 이상 근무하고 퇴직하였을 때부터 사망할 때까지 지급되는 연금.

퇴:직 연금 일시금【退職年金一時金】[-년-씨-] 명 퇴직 급여의 하나. 공무원 본인이 원할 때 퇴직 연금에 갈음하여 일시에 지급(支給)하는 금액.

퇴:직 위로금【退職慰勞金】명 회사 중역 등이 퇴직할 때 재직 중의 직무 집행에 대한 보수(報酬)로서 지불하는 금전.

퇴:직 일시금【退職一時金】[-씨-] 명 퇴직 급여의 하나. 공무원이 20년 미만 재직하고 퇴직할 때 지급되는 금액.

퇴:직-자【退職者】명 퇴직하는 사람. 또, 퇴직한 사람.

퇴:직 준:비 프로그램【退職準備-】〔program〕 명 기업의 중고 연령자(中高年齡者)를 대상으로 하는, 퇴직 후의 인생 설계·여가(餘暇)·건강 문제, 기타 노후(老後) 문제에 대한 교육 계획.

퇴:진【退陣】명 ①군사의 진지를 뒤로 물림. 퇴군(退軍). ②공공의 지위나 사회적 지위에서 물러남. ——-하다 자타여불

퇴짓-돌 명『건』 처마 밑에 돌려 놓은 장대석(長臺石).

퇴:-짜【退-】명〔←퇴자(退字)〕 ①상납(上納)하는 포목(布木)의 품질이 낮아 '退'자가 찍혀 도로 물려나온 물건. ②퇴박맞은 물건.

퇴:짜(를) 놓다 구 ㉠바치는 물건 따위를 물리치다. ㉡거절하다. ¶남의 부탁을 ~.

퇴:짜(를) 맞다 구 ㉠바치는 물건 따위가 퇴함을 받다. ㉡거절(拒絕)당하다. ¶여자한테 ~.

퇴:찌기【退-】명〈방〉 퇴짜❷(함남).

퇴:창[1]【退窓】명『건』 바람벽 밖으로 쑥 내밀도록 물려서 낸 창(窓).

퇴창[2]【推窓】명 창문을 밀어서 엶. 추창(推窓). ——-하다 자여불

퇴:척【退斥】명 물리침. 퇴하여 배척함. ——-하다 타여불

퇴:-천정【退天井】명『건』 퇴간(退間)의 천정.

퇴첩【堆疊】명 우뚝하게 겹쳐 쌓음. ——-하다 타여불

퇴:청【退廳】명 근무 시간을 마치고 관청에서 물러나옴. ↔등청(登廳). ——-하다 자여불

퇴:촉【退鏃】명 화살이 과녁에 닿았다가 튀어서 뒤로 물러남. ——-하다 자여불

퇴:촌【退村】명 ①시골 아전이 읍내에서 촌으로 물러가서 삶. ②선수촌(選手村)에서 나옴. ↔입촌(入村). ——-하다 자여불

퇴:축[1]【退逐】명 보낸 것을 받지 않고 쫓아 보냄. ——-하다 타여불

퇴:축[2]【退縮】명 ①움츠리고 물러남. ②치아(齒牙)의 둘레가 퇴행 위축(退行萎縮)하여 시멘트질(cement質)이 노출하는 일. ③〔involution〕『의』 인체의 기관 따위가 그 기능을 끝내면 정상 상태로까지 퇴행성(退行性) 변화를 일으키는 일. 임신 후의 자궁(子宮) 따위가 그 예임. ④〔involution〕『생』 중년 이후의 인체에서 볼 수 있는 퇴행의 시기 또는 쇠미(衰微)·붕괴의 과정. ——-하다 자여불

퇴:출【退出】명 물러나서 나감. ——-하다 자여불

퇴:출 기업【退出企業】명『경』 청산이나 파산 등으로 주거래 은행들이 신규 여신(與信)을 중단하여 실질적으로 활동을 하지 못하는 기업. 이들 기업들은 계열사 간 합병이나 지분 매각 등을 통해 회생이나 청산 절차를 밟게 됨.

퇴:치【退治】명 ①물리쳐서 아주 없애버림. ¶문맹 ~. ②『불교』 불도 수행에 전념(專念)하기 위하여 번뇌의 악마를 없애고 여러 장애(障礙)를 끊는 일. ——-하다 타여불

퇴:-치다【退-】타〈방〉 퇴하다.

퇴칠【堆漆】명『미술』 퇴주(堆朱)·퇴흑(堆黑)·퇴황(堆黃) 등의 총칭.

퇴:침【退枕】명 서랍이 있는 목침. 서랍에는 빗 기타의 화장구(化粧具)를 넣음.

퇴타【頹惰】명 쇠약하고 나태함. ——-하다 형여불

퇴탁【追琢】명 ①옥석(玉石)을 갈아 다듬음. ②뒤에 다시 정정(訂正)함. ——-하다 타여불

퇴토【堆土】명 퇴적한 흙. 쌓아 모은 흙.

퇴퇴[1]【堆堆】명 겹겹이 쌓인 모양. ——-하다 형여불

퇴-퇴[2] 부 ☞ 퉤퉤.

퇴:-판 명 물리도록 흡족하게 퇴내는 판.

퇴:패[1]【退敗】명 패퇴(敗退). ——-하다 자여불

퇴패[2]【頹敗】명 풍속·도덕·문화 같은 것이 쇠퇴하여 문란함. 퇴비(頹圮). ——-하다 자여불

퇴:폐[1]【退廢】명 ①퇴폐(頹廢)❷. ②폐(廢)하여 물리침. 그 지위에서 물러나게 함. 또, 물러남. ——-하다 자타여불

퇴폐[2]【頹廢】명 ①쇠퇴하여 결딴남. 퇴당(頹唐). ②도의(道義)·풍속 등이 쇠퇴하여 문란해짐. 퇴폐(退廢). ¶~ 풍조(風潮)/~ 음악. ——-하다 자여불

퇴폐 문학【頹廢文學】명『문』 19세기말의 유럽의 회의(懷疑) 사상을 기초로 한 문학. 기성(旣成)의 사회 도덕을 무시하며 예술의 목적은 일시적·육체적 향락(肉體的享樂)을 구하는 데 있다는 부패한 문학. 데카당(décadent) 문학.

퇴폐 예:술【頹廢藝術】명〔도 entartete Kunst〕 20세기초 나치스 정권에 의해서, 독일 정신에 위배되며 퇴폐적이라고 간주된 예술. 표현주의를 비롯하여 거의 모든 현대 예술(現代藝術)이 그 낙인이 찍혀 배척되었음.

퇴폐-적【頹廢的】명관 도덕(道德)·기풍 따위가 문란해서 불건전한 모양. ¶~ 경향/~인 소설.

퇴폐-주의【頹廢主義】[-/-이] 명『문』 문학상(文學上)의 주의로서의 데카당스(décadence). 데카당티슴.

퇴폐-파【頹廢派】명『문』 데카당스(décadence).

퇴풍【頹風】명 ①퇴폐한 풍속. ②쇠퇴(衰頹)해 가는 모양. ③폭풍(暴風).

퇴:피【退避】명 ①벼슬이나 직책(職責) 같은 것을 물러나와 피함. ②위험(危險)을 피하기 위하여 물러남. 물러나서 위험을 피함. 퇴둔(退遁). ——-하다 자타여불

퇴:필【退筆】명 끝이 닳아서 못쓰게 된 붓.

퇴:하【退下】명『불교』 퇴범 하승(退凡下乘).

퇴-하다[1] 타여불〈방〉 튀하다.

퇴:-하다[2]【退-】타여불 ①주는 물품을 물리치다. ②다시 무르다. ③더한 것을 덜어 내다.

퇴:학【退學】명 학생이 졸업 전에, 다니던 학교를 그만 둠. 또, 그만두게 함. ¶~ 처분. ——-하다 자타여불

퇴:학-생【退學生】명 퇴학한 학생.

퇴:한【退限】명 퇴기(退期). ——-하다 자여불

퇴:함【退艦】명『군』 임무(任務)에서 풀려나서 그 군함(軍艦)을 떠남. ——-하다 자여불

퇴:행【退行】명 ①뒤로 물러감. 퇴각(退却). ②다른 날로 물려서 행함. ③퇴화(退化)❶. ④『천』 행성(行星)이 천구(天球) 위를 동쪽에서 서쪽으로 향하여 운행(運行)하는 일. 역행(逆行). ⑤〔regression, retrograde movement〕『심』 발달·진화 과정에서 질병·곤란에 봉착하였을 때 이미 경과한 어린이나 원시적 상태의 단계로 되돌아 가는 현상. 그 행동이 어린애 같고 내용이 정서적(情緒的)임. 야뇨증(夜尿症) 습관이 없어진 아이가 다시 그 습관이 나타나는 것 등. ⑥〔regression〕『동』 동물이 일정한 발생 단계에 도달한 후 그 체재가 퇴화적 변화를 일으키는 현상. ——-하다 자여불

퇴:행-기【退行期】명『의』 병세(病勢)가 차츰 회복되는 시기.

퇴:행기 울병【退行期鬱病】[-뼝] 명〔involutional melancholia〕『의』 초로기(初老期)에 볼 수 있는 정신병. 내인(內因)·외인(外因)·심인(心因)이 복잡하게 얽혀서 발병함. 보통의 울병보다 불안·고민이 심하여 침착성이 없으며 초조·흥분의 도가 강함. 갱년기(更年期) 울병.

퇴:행성 변:화【退行性變化】[-썽-] 명『생』 병리 형태학(病理形態學)상 조직 또는 세포가 어떤 원인으로 기능의 감퇴나 정지를 일으키

고, 또 신진 대사 장애가 발생된 결과, 조직 또는 세포에 나타나는 위축·변성(變性)·괴사(壞死) 등의 변화의 총칭.

퇴:행적 진:화【退行的進化】명 〖생〗 계통 발생 과정에서의 퇴화를 진화의 일환으로 간주하였을 때의 일컬음. 또한 기생충의 몸의 단순화, 동혈(洞穴) 동물의 눈의 퇴화 등의 퇴화에서 적응의 의의(意義)가 인정되었을 때 한하여 이름.

퇴호【推戶】명 지게문을 밀어서 엶. 추호(推戶). ——-하다 자여불

퇴:혼【退婚】명 언약한 혼인을 어느 한편에서 퇴함. ——-하다 자여불

퇴:홍¹【退紅】명 담홍(淡紅).

퇴홍²【堆紅】명 퇴주(堆朱)의 한 가지. 주칠(朱漆)을 두껍게 칠한 다음 무늬와 같이 그것을 파 내고 검은 색을 칠한 것. *퇴황.

퇴:화¹【退化】명 ①진보 이전(進步以前)의 상태로 되돌아감. 퇴행(退行). ②〔degeneration〕〖생〗 생물체의 어떤 기관·조직이 진화·계통 발생 및 개체 발생 과정에서 형태의 단순화, 크기의 감소(減少), 활동력의 감퇴 등 퇴행적(退行的) 변화를 하는 일. 졸되기. ↔진화(進化). ③〔retrogression〕〖심〗 어른이 어린 아이 짓을 하면서 어린 아이처럼 되어 가는 현상. ——-하다 자여불

퇴화²【堆花】명 붓이나 대쪽으로 흑색·백색 등의 유색토(有色土)를 도자기의 겉에 쌓아 올리고 그림이나 무늬를 그리거나 새기는 기법. 또, 그 그림이나 무늬.

퇴:화 기관【退化器官】명 〖생〗 흔적 기관(痕跡器官)이나 유생 기관(幼生器官) 등 퇴화된 기관.

퇴화 분채【堆花粉彩】명 〖미술〗 퇴화 조각을 한 위에 분채를 올려서 만든 무늬.

퇴:환¹【退換】명 〖역〗 환표(換票)의 지불을 거절함. ——-하다 타여불

퇴환²【推丸】명 〖충〗 쇠똥구리.

퇴황【堆黃】명 겉에 황색 칠을 한 퇴주(堆朱). *퇴흑.

퇴:회【退會】명 회원이 그 회에서 탈퇴함. ↔입회(入會). ——-하다 자여불

퇴:휴【退休】명 ①물러나서 쉼. ②벼슬을 내놓고 물러남. 사직(辭職)함. 퇴식(退息). ——-하다 자여불

퇴:휴 차왜【退休差倭】명 〖역〗 조선 시대에, 왜국(倭國)의 쇼군(將軍) 또는 대마도주(對馬島主)가 은퇴하였음을 통지하기 위하여 오는 대마도(對馬島)의 사자(使者).

퇴흑【堆黑】명 〖미술〗 퇴주(堆朱)와 같은 제법(製法)으로 만들었으되 붉은 칠 대신에 검은 칠을 한 것. *퇴홍.

툇:간【退間】명 〖건〗 집채의 원칸살 밖에 딴 기둥을 세워 붙여 지은 칸살. 준퇴(退).

툇:-기둥【退—】명 〖건〗 툇간(退間)에 딸린 기둥.

툇:-도리【退—】명 〖건〗 물림간에 얹히는 짧은 도리.

툇:-돌 명 댓돌❶.

툇:-마루【退—】명 원간살 밖에 달아 낸 마루. 선 데크(sun deck). 준퇴.

툇:-보【退—】명 툇기둥과 안기둥에 얹힌 짧은 보. 퇴량(退樑).

톰 명 〈옛〉 침. 때림. ¶ 즈조 툐몰(頻更鞭撻)≪圓覺 後序 58≫.

투¹【套】명 ①버릇이 된 일. ¶늘 말하는 ~/말~가 좋지 않다. ②일의 법식(法式). ¶편지~. ③무슨 일을 하는 품이나 솜씨. ¶하는 ~가 많이 해 본 사람이다.

투:²〔two〕명 둘. 두 개.

투가리 명 〈방〉 ①뚝배기(충청·전라·경북). ②항아리(전북).

투각¹ 명 〈방〉 튀김¹(경기·충남).

투각²【透刻】명 ①조각 방법의 하나. 재료(材料)를 뚫어 파서 모양을 나타냄. 뚫을 새김. ②〖고고학〗 맞새김.

투-각섬석【透角閃石】명 〔tremolite〕〖광〗 각섬석의 하나. 주성분(主成分)은 칼슘·마그네슘·규소·산소이며 알칼리 금속·알루미늄을 함유(含有)하지 않음. 단사 정계(單斜晶系)이며, 일반적으로 백색 또는 담색(淡色)으로 유리 광택이 있고 변성암(變成岩)에서 산출됨. 투섬석(透閃石). [$Ca_2Mg_5Si_8O_{22}(OH)_2$]

투간 바라노프스키〔Tugan-Baranovskij, Mikhail Ivanovich〕명 〖사람〗 러시아의 경제학자. 공황(恐慌)은 생산 부문간의 불균형에서 일어난다고 주장한 재생산론(再生產論)으로 저명함. 처음에는 합법 마르크스주의자였으나, 후에 수정주의로 전향, 마르크스주의를 비판하였음. 주저에 ≪근대 영국의 산업 공황≫이 있음. [1865-1919]

투강【投江】명 강물에 던짐. ——-하다 타여불

투갱이 명 〈방〉 뚝배기(전라).

투거리 명 〈방〉 뚝배기(충남).

투겁 명 ←두겁.

투겁-까뀌 명 〈방〉 손자귀.

투겁-도끼 명 〖고고학〗 〔←두겁도끼〕 도끼몸에 투겁을 만들어 자루를 끼워서 쓰는 도끼. 공부(銎斧).

투겁-창【—槍】명 〖고고학〗 밑동에 있는 긴 투겁 속에 자루를 끼워 쓰는 창. 보통 것은 자루에 슴베를 박음.

투게비 미 〈방〉 투성이(함남).

투격-나다 자 ☞ 티격나다.

투견¹【透見】명 겉에 나타나지 아니한 참 모습을 꿰뚫어 봄. ——-하다 타여불

투견²【鬪犬】명 개끼리 싸움을 붙임. 또, 거기에 쓰이는 개. 투구(鬪狗). ¶~ 대회. ——-하다 자여불

투계【鬪鷄】명 ①싸움닭. ②닭끼리 싸움을 붙임. ——-하다 자여불

투고【投稿】명 원고(原稿)를 신문사나 잡지사 등에 보냄. 또, 그 원고. 투서(投書). ¶독자(讀者) ~ 환영/신문에 ~하다. ——-하다 자여불

투고-란【投稿欄】명 투고한 글을 싣는 잡지(雜誌)나 신문의 난. 기서란(寄書欄).

투고-자【投稿者】명 투고하는 사람.

투공【透孔】명 〖고고학〗 '굽구멍'의 구용어.

투과【透過】명 ①꿰뚫고 지나감. 투명하게 비쳐 보임. ②〔transmission〕〖물〗 광선(光線)·방사선 등이 물질의 내부를 통과함. ¶빛이 ~하다. ——-하다 자타여불

투과-광【透過光】명 〖물〗 비색계(比色計)로 비색을 분석할 때 착색 용액(着色溶液)을 스치어 감으로써 착색도(着色度)를 비교할 수 있게 하는 광선.

투과-능【透過能】명 투과율.

투과-막【透過膜】명 빛이나 물기가 투과할 수 있는 막.

투과-색【透過色】명 투명색(透明色).

투과-성【透過性】〔—썽〕명 ①〔permeability〕〖생〗 원형질막(原形質膜), 그 밖의 유기성(有機性) 및 무기성(無機性) 피막(皮膜)이 기체·액체·용질(溶質)·이온 등을 통과시키는 성능. ②〖지〗 매질(媒質)의 구조(構造)를 손상(損傷)시키지 않고 유동체(流動體)를 통과시키는 다공질(多孔質) 암석·토양(土壤) 또는 퇴적물의 성질. 투수성(透水性).

투과성-막【透過性膜】〔—썽—〕명 〔permeable membrance〕〖화〗 물질의 얇은 시트(sheet)나 막. 액체 분자나 기체 분자가, 막의 모세공(毛細孔)을 통하거나 또는 이온 교환(ion交換) 등을 하여, 선택적으로 이것을 통과하는 것을 이용, 투석·전기(電氣) 투석·역침투(逆浸透)에 쓰임.

투과-율【透過率】명 〔transmissivity〕〖물〗 흡수 계수(吸收係數)의 역수(逆數). 복사선이나 방사선이 물체를 투과하는 능력을 나타내는 비율. 투과능(透過能).

투과 회절【透過回折】명 〔transmission diffraction〕〖물〗 전자선(電子線) 회절 해석법의 하나. 두께 1 마이크로미터(μm) 이하의 시료 박막(試料薄膜)에 전자선을 투과시키는 방법.

투과 효소【透過酵素】명 〔permease〕 세포막에 존재하며, 외부로부터 내부에 물질을 투과시키는 효소의 총칭.

투관¹【透關】명 〖불교〗 수행(修行)에 방해가 되는 것을 모두 물리치어 제거함. 선종(禪宗)에서 '투관 파절(破節)'의 형식(形式)으로 씀.

투관²【套管】명 〖전〗 고전압(高電壓)의 도체가 건축물 또는 전기기기(機器)의 벽을 뚫고 지나가는 곳에, 절연(絕緣)의 목적으로 사용하는 통 모양의 절연체. 전력용은 사기로, 통신용은 유리로 만듦.

〈투관²〉

투관-침【套管針】명 〖의〗 복막염·늑막염 등에서 복막강이나 늑막강에 괸 액체를 뽑아 내는 데 쓰는 의료 기계. 금속제의 좀 굵은 내강관(內腔管)과 이 속에 넣는 천자침(穿刺針)으로 되어 있음.

투광¹【投光】명 빛을 비춤. 빛을 일정 방향(一定方向)으로 모아서 비춤. ¶~ 장치. ——-하다 자타여불

투광²【透光】명 빛이 물체를 뚫고 들어감. 또, 그 빛. ——-하다 자여불

〈투관침〉

투광-기【投光器】명 광원(光源)으로부터의 빛을 광학계(光學系)로 모아 먼 곳을 비추는 조명 장치. 광원으로는 전구·수은등·아크등 따위를 사용하며, 광학계로는 포물면(抛物面) 반사경·렌즈 등을 사용함. 차량·선박·옥외 작업장·경기장의 조명에 널리 사용됨. 헤드라이트·스포트라이트(spotlight) 등.

투광 영:사【投光映寫】명 〔flood projection〕〖통신〗 팩시밀리 전송에 있어서의 광학적(光學的) 방법의 하나. 원화(原畫) 전체가 조명되고, 원화와 수광 소자(受光素子) 사이의 개공(開孔)에 의해서 주사점(走査點)이 형성됨.

투광 조:명【投光照明】명 투광기(投光器)를 사용하여 건축물의 외부나 동상(銅像)·기념비·경기장 등을 조명하는 방법.

투구¹ 명 〔근세 중국어 : 頭盔〕 군인이 전쟁 때에 갑옷과 함께 머리에 쓰던 쇠모자. * 갑옷.

〈투구¹〉

투구²【投球】명 공을 던짐. 또, 그 공. ¶전력 ~. ——-하다 자여불

투구³【鬪狗】명 투견(鬪犬). ——-하다 자여불

투구⁴【鬪具】명 싸움에 쓰이는 도구. 두무(兜鍪). 무구(武具). 무기. 병기.

투구⁵【鬪毆】명 서로 싸우며 때림. ——-하다 타여불

투구-꽃 명 〖식〗 ①바곳²❶. ②〔*Veronica serpyllifolia*〕 현삼과에 속하는 다년초. 줄기 높이 10-20cm이고 잎은 대생하며 거의 무병이고 달걀꼴 또는 긴 타원형임. 7-8월에 백색에 자색 줄이 있는 꽃이 총상(總狀) 화서로 핌. 삭과(蒴果)는 편원형(扁圓形)임. 산지에 나는데, 평북의 낭림산, 함남의 혜산진·부전 고원 등지에 분포함.

투구리 명 〈방〉 약두구리.

-투구리 미 〈방〉 -투성이(함남).

투구바리 명 〈방〉 뚝배기(경북).

투구-벌레 명 〖충〗 장수풍뎅이.

투구-법【投球法】〔—뻡〕명 야구(野球)에서, 공을 던지는 방법. ¶~을 바꾸다.

투구-풍뎅이 명 〖충〗 투구벌레.

투군【投軍】명 입대(入隊). ——-하다 자여불

투귀【投歸】명 ①귀화(歸化)함. 투화(投化). ②돌아감 ——-하다 자여불

투그리다 자 짐승이 서로 틀려 싸우려고 소리를 지르며 잔뜩 벼르다.

투글르크 왕조【—王朝】〔Tughluq〕명 〖역〗 인도의 이슬람 왕조의 하나로, 노예(奴隸) 왕조·힐지(Khilji) 왕조의 뒤를 이은 세 번째의 델리(Dehli) 왕조. 1320년 기야둣딘 투글르크(Ghiyāthu'd-Dīn Tughluq; 재위 1320-25)가 델리(Delhi)에 도읍하여 세움. 1398년 티무르(Timur)의 침략을 받아 급속히 쇠퇴하여 1413년 사이드 왕조(Sayyid王朝)에 의하여 멸망됨. [1320-1413]

투금【投金】명 ↗투자 금융 회사.

투금-사【投金社】명 ↗투자 금융 회사.

투기¹【投企】명 〖철〗 실존 철학 용어. 현재를 초월하여 미래에로 자기를

내맡기는 일. 인간은 그것에 의하여 실존한다고 함. 피투성(被投性)·사실성(事實性)과 짝을 이루는 인간 행동의 근본 구조.

투기²【投寄】명 ①남에게 물건을 부치어 줌. ②투서(投書) 또는 기고(寄稿)함. ——-하다 타여불

투기³【投棄】명 내던져 버림. ——-하다 타여불

투기⁴【投機】명 ①기회를 엿보아 큰 이익을 보려는 짓. 곧, 불확실한 이익을 예상하여 행하는 사행적 행위(射倖的行爲). ②『경』시가(時價)의 변동을 예기(豫期)하고 그 차익을 얻기 위하여 행하는 매매 거래. ③『불교』선종(禪宗)에서, 수행자(修行者)가 불조(佛祖)의 가르침의 요체(要諦)를 이루어 대오(大悟)하는 일. 또, 학인(學人)의 기(機)와 사가(師家)의 기(機)가 일치하는 일.

투기⁵【妬忌】명 강새암. ¶～하지 말라. ——-하다 자여불

투기⁶【鬪技】명 ①곡예(曲藝)·운동 등의 재주를 서로 다툼. ②고대 올림픽에서, 레슬링·팽크레이션(pancratium) 등의 맞붙어 싸우는 경기. ③유도·레슬링·삼보(sambo) 등의 격투 경기. ——-하다 자여불

투기 거:래【投機去來】명 실물(實物)의 수도(受渡)는 하지 아니하고 시가(時價)의 변동에 의하여 생기는 차액(差額)만을 목적으로 하는 매매 거래.

투기 공:황【投機恐慌】명『경』투기 활동으로 인하여 야기되는 공황. 증권 시장(證券市場) 공황과 상업 공황 등이 이에 속함.

투기 구매【投機購買】명 동산(動産)·유가 증권을 뒷날에 비싸게 팔 목적으로 미리 싸게 사들여 놓는 행위.

투기-꾼【投機—】명 ①기회를 틈타 요행으로 돈 벌기를 꾀하는 사람. ②투기 거래를 하는 사람.

투기 매:각【投機賣却】명 절대적 상행위의 일종. 동산(動産)·유가 증권을 뒷날에 싸게 살 예정으로 미리 비싸게 파는 행위.

투기 매매【投機賣買】명 투기적으로 사고 파는 행위.

투기 사:업【投機事業】명 ①불확실한 이익을 노리고 하는 사업. 모험의 성질이 있는 사업. ②시가(市價)의 변동을 예상하고 그 차액금을 얻기 위하여 매매 거래를 하는 사업. 투기업.

투기-상【投機商】명 일확 천금(一攫千金)을 바라는 듣보기 장사. 또, 그 장수.

투기-성【投機性】[—썽] 명 투기적인 성질.

투기 시:장【投機市場】명 투기 거래를 행하는 시장. 가장 발달한 것이 거래소(去來所)임.

투기-심¹【投機心】명 ①기회를 틈타 한 번에 큰 이익을 얻으려는 마음. ②성패(成敗)는 알 수 없으나 어떤 일을 해보려고 결심하는 마음.

투기-심²【妬忌心】명 강새암하는 마음.

투기-업【投機業】명 투기 사업.

투기업-자【投機業者】명 투기 사업을 업으로 삼는 사람.

투기-열【投機熱】명 투기 사업에 대한 열성.

투기 자:본【投機資本】명『경』투기에 충당되는 자본.

투기-적【投機的】명관 ①투기의 성질을 띠고 있는 모양. ②일의 성패(成敗)가 불확실하고 모험적인 모양.

투기-주【投機株】명『경』투기의 대상이 되는 주식.

투김 명〈방〉튀김¹(전남).

투깔 명〈방〉뚝배기.

투깔-스럽다 형ㅂ불 일이나 물건(物件)의 모양새가 투박스럽고 거칠다. 투깔-스레 부

투꾸바리 명〈방〉뚝배기(경북).

투덕-거리다 자타 자꾸 투덕 소리가 나다. 또, 잘 울리지 아니하는 물건을 세차게 연이어 두드려서 연해 투덕 소리를 나게 하다. ㅆ뚜덕거리다. >토닥거리다. 투덕-투덕 부. ——-하다¹ 자타여불

투덕-대다 자타 투덕거리다.

투덕투덕-하다² 형여불 얼굴이 살지고 두툼하고 복스럽다.

투덜-거리다 자 혼자 자꾸 불평의 말을 중얼거리다. ¶월급이 적다고 ～. ㅅ두덜거리다. ㅆ뚜덜거리다. 투덜-투덜 부. ——-하다 자여불

투덜-대다 자 투덜거리다.

투도【偸盜】명 ①남의 물건을 훔침. 또, 그 사람. 투절(偸竊). ②『불교』오계(五戒)의 하나. 남의 것을 몰래 가져 가는 일. ——-하다 타여불

투도-계【偸盜戒】명『불교』오계(五戒) 및 십계(十戒) 등의 하나. 남의 것을 몰래 훔치는 것을 금하는 계율.

투두둑 부 우박 따위가 세차게 쏟아지는 소리. ——-하다 자여불

투두둑-거리다 자 우박 따위가 세차게 떨어지며 소리가 나다. 투두둑-투두둑 부. ——-하다 자여불

투두둑-대다 자 투두둑거리다.

투두루기 명〈방〉두드러기(경기).

투득【透得】명 환하게 깨달음. ——-하다 타여불

투라티〔Turati, Filippo〕명『사람』이탈리아 사회주의 운동의 지도자. 19세기말부터 20세기 전반(前半)에 걸쳐 영향력을 행사, '이탈리아의 조레스(Jaurès)'로 불림. 파시즘에 반대하여 1926년 파리로 망명(亡命)함. [1857-1932]

투란 저:지【—低地】명〔Turan Lowland〕『지』카스피 해(Caspi 海)로부터 동남으로 전개되어 있는 저지. 대부분이 사질(砂質)·점토질(粘土質)의 황무지인데, 북으로 키르기스 고원(Kirghiz 高原)과 남으로 이란 고원(Iran 高原)이 둘러싸고 있으며, 카자흐(Kazakh)·우즈베크(Uzbek)·투르크멘(Turkmen) 공화국이 위치함. 낮은 함몰지(陷沒地)로 카스피 해안에는 해면 하의 저지대도 있으며 대부분이 표고 300 m 이하임. 일부 오아시스에서 운하망(運河網)과 농업 기계에 의해 잡곡·면화·과실 등이 재배되고 있음.

투렁-투렁 부〈방〉터렁터렁. ——-하다 자

투:레〔Touré, Sékou〕명『사람』기니의 정치가. 모스크바·북경 등지에 유학함. 1952년 기니 민주당을 창설, 총재로서 반프랑스 운동을 지도함. 1958년 독립하면서 초대 수상이 되고 1960년 대통령이 됨. [1922-84]

투레-질 명 젖먹이 아이가 두 입술을 떨며 '투루루' 소리를 내는 짓. ——-하다 자여불

투렌〔Tourane〕명『지』'다낭(Da Nang)'의 프랑스 식민지 시대의 이름.

투력¹【投力】명 투척(投擲)하는 힘.

투력²【鬪力】명 바둑에서, 기력(棋力)의 단계를 나타내는 말의 하나. 싸움질을 할 줄 안다는 뜻으로 3단(段)을 이르는 말. *소교(小巧).

투료【投了】명 바둑·장기에서, 승부의 도중에 한쪽이 진 것을 인정하고 대국(對局)을 끝내는 일. 던짐. *종국(終局). ——-하다 자여불

투루루 부 젖먹이 아이가 투레질하는 소리. ——-하다 자여불 '투루루' 소리를 내다.

투루판〔吐魯番〕명『지』중국 신장(新疆) 웨이우얼 자치구 중앙부, 우룸치(Urumchi) 남동쪽에 있는 도시. 톈산 남로(天山南路) 상에 위치하며 실크 로드에 면한 교통의 요지임. 해면하(海面下) 15 m의 저지(低地)로 피서지이며, 면화와 포도를 산출함. 유목민(遊牧民)과 한(漢)민족이 패권을 다투었던 지역임. 한대(漢代)에는 차사국(車師國), 남북조(南北朝)와 당대(唐代)에는 고창국(高昌國)이 건설되고, 명대(明代)에는 투루판 왕국의 수도(首都)였음. 부근(附近)에는 5-10 세기경의 불교·기독교의 유적(遺蹟)이 많음. [186,000 명(1982)]

투:르〔Tours〕명『지』프랑스의 중부 루아르 강(Loire江) 중류 남안의 옛 도시. 포도주의 집산지이며, 농산물의 거래가 성하고 기계·화학·비료 등의 공업이 행해짐. 발자크의 출생지임. [132,000 명(1982)]

투르게네프〔Turgenev, Ivan Sergeevich〕명『사람』러시아의 작가. 부유한 지주의 아들로 태어나서 페테르스부르크 대학을 나와 베를린 대학에 유학함. 농노(農奴) 해방 전후의 낡은 귀족의 의식(意識)과 개혁의 이상을 갖는 새로운 세대와의 대립을 기조로 하여 사실적(寫實的)인 자연 묘사와 예민한 심리 관찰(心理觀察)로써 정서에 넘치는 작풍(作風)으로 러시아의 전원(田園)을 그렸음. 작품에 ≪사냥꾼의 수기(手記)≫·≪첫사랑≫·≪아버지와 아들≫·≪처녀지(處女地)≫·≪루딘≫≪연기(煙氣)≫ 등이 있음. [1818-83]

투르말린〔ㅍ tourmaline〕명『광』전기석(電氣石).

투르케스탄〔Turkestan〕명『지』투르키스탄.

투르쿠〔Turku〕명『지』핀란드(Finland) 남서부 보스니아 만(Bosnia 灣) 입구에 있는 항시(港市). 부동항(不凍港)이며 철도·항공로가 집중함. 조선(造船)·직물(織物)·해운업(海運業)이 성함. 중세 이후 1812년까지 핀란드의 수도였음. [164,000 명(1981)]

투르크〔Turks〕명『역』오스만 투르크(Osman Turks).

투르크계 제족【—系諸族】〔Turks〕명 알타이 산록(山麓)을 원향(原鄕)으로 하고, 시베리아·중앙 및 서(西)아시아·동(東)유럽 등에 널리 분포하는 족속으로, 튀르크족(Türk 族)이라고도 이름. 알타이어(語) 중의 터키어를 씀. 현재 이들은, 터키 공화국 국민 및 이란 북서부에 사는 서방(西方) 그룹과, 카자흐·투르크멘·우즈베크·키르기즈·알타이 지방민, 시베리아의 야쿠트족(族) 및 중국의 위구르 지방민 등을 포함하는 동방 그룹으로 나눌 수 있으며, 그 총수 약 4천 6백만 명의 거의가 이슬람교도임.

투르크 그리:스 전:쟁【—戰爭】〔Turks Greece〕명 제1차 세계 대전의 전승국인 그리스와 전패국 투르크 사이에 1919-22년에 벌어진 전쟁. 대(大)그리스주의에 입각하여 영토의 확장을 꾀한 그리스는 투르크 영내로 출병했으나 케말 아타튀르크(Kemal Atatürk)가 이끄는 투르크군에 의해 격퇴됨.

투르크만차이 조약【—條約】〔Turkmanchai〕명『역』러시아와 이란의 국경 분쟁 후 1828년 이란의 투르크만차이에서 맺어진 조약. 패전한 이란은 영토 할양·배상금 지불 및 러시아인의 치외 법권을 인정함. 이후 이란은 서구 열강의 압력 증대에 시달리게 됨.

투르크메니스탄〔Turkmenistan〕명『지』중앙 아시아의 서남부, 카스피 해(Caspi 海)에 면한 독립 국가 연합의 한 공화국. 러시아의 일부인 투르케스탄 자치 공화국에서 1924 년 소련에 편입, 투르크메니스탄 사회주의 공화국이 되고, 1992 년 독립 국가가 됨. 아무 강(Amu江)과 카스피 해 사이에 있으며, 대부분이 카라쿰(Karakum) 사막으로 이루어지고 주민은 투르크멘인·우즈베크인 등임. 공용어는 투르크멘어(語)이며 주종교는 이슬람교 수니파(派). 면화(棉花)와 석유(石油)를 산출함. 수도(首都)는 아슈하바트(Ashkhabad). 투르크멘. [488,100 km² : 3,622,000 명(1990)]

투르크멘〔Turkmen〕『지』투르크메니스탄.

투르크 제:국【—帝國】〔Turks〕명『역』오스만 투르크 제국(Osman Turks 帝國).

투르크 혁명【—革命】〔Turks〕명『역』오스만 제국을 타도하고, 터키 공화국을 수립한 혁명. 제1차 세계 대전에 패배하여 매국적인 조약을 맺은 오스만 정부에 대해서 케말 아타튀르크(Kemal Atatürk)는 아나톨리아(Anatolia) 루멜리아(Rumelia) 권리 옹호단을 조직하고, 앙카라에 터키 대국민 의회를 소집, 그리스군(軍)을 소(小)아시아에서 격퇴하여, 1922년에 제정(帝政)을 폐지하고, 새로 연합국측과 대등한 조약을 맺었음. 다음해에 옹호단을 인민 공화당으로 개편하고 케말이 초대 대통령에 취임했으며, 1924년 공화국 헌법을 발포(發布)함.

투르키스탄〔Turkistan〕명『지』〔터키족의 땅이란 뜻〕중앙 아시아의 지방명, 중앙 아시아라 부르는 지역과 거의 같음. 건조 기후로 대부분이 사막과 초원(草原)임. 파미르 고원(Pamir 高原)을 경계로 하여 서(西)투르키스탄에는 투르크메니스탄(Turkmenistan)·우즈베크(Uzbek)·

타지크(Tadzhik)·카자흐(Kazakh)·키르기스(Kirghiz)의 5개 공화국이 있음. 동투르키스탄은 중국령(中國領)으로 신장 웨이우얼(新疆維吾爾) 자치구의 대부분이며, 남부의 일부는 아프가니스탄령(Afghanistan 領)임. 투르케스탄. [15,000 km²]

투:르 푸아티에의 싸움 [Tours-Poitier] [—/—에—] 명 『역』 732년 프랑크 왕국의 재상 샤를 마르텔(Charles Martel ; 689?-741)이 이슬람군(軍)을 격파한 싸움. 이슬람교(教)의 서구 침입을 저지시킨 싸움으로 일컬어지나, 이슬람측의 사료에는 이 전투가 기록되어 있지 않은 것으로 보아 그 의미가 회의적임. 서구 역사에 처음으로 중장 기병(重裝騎兵)이 등장했으며 결전(決戰)은 남프랑스의 루아르 강(Loire江) 유역인 투르와 푸아티에 사이에서 벌어짐. 푸아티에의 싸움.

투른발트 [Thurnwald, Richard] 명 『사람』 독일의 인류학자·사회학자. 비스마르크 제도(諸島)·솔로몬 제도·뉴기니·동(東) 아프리카 등의 조사 여행에서 새로운 인류학적 자료를 수집하고, 인류학에 기능주의적(機能主義的) 고찰을 가하였음. 저서에 ≪인류 사회, 그 민족 사회학적 기초≫ 등이 있음. [1869-1954]

투리 【透理】 명 통리(通理)❸. ——-하다 자여불

투막 【一幕】 명 울릉도(鬱陵島)의 통나무집. 대개, 방이 세 개 있고, 집 주위에는 옥수수 대로 촘촘히 엮은 울타리를 처마 높이만큼 바싹 붙여 두름. *너와집.

투망 【投網】 명 쟁이.

투망-질 【投網—】 명 쟁이를 던져 물고기를 잡는 것. ——-하다 자여불

투매¹ 【投賣】 명 손해를 무릅쓰고 상품(商品)을 막 싸게 팔아 버림. 덤핑(dumping). ¶상품을 반값에 ~하다. ——-하다 타여불

투매² 【偸賣】 명 도매(盜賣). ——-하다 타여불

투맹 【渝盟】 명 맹세한 언약을 저버림. ——-하다 타여불

투먼 【豆漫】 명 〈옛〉 두만강(豆滿江). ¶奚關城 東距薰春江七里 西距豆漫 투먼江五里≪龍歌 Ⅰ:8≫.

투명¹ 【投命】 명 목숨을 버림. ——-하다 자여불

투명² 【透明】 명 ①흐리지 않고 속까지 환히 트여 밝음. ②『물』 물체가 광선을 통과시킴. 빛은 물질 속을 지날 때 항상 어느 정도 흡수되는데 그 정도가 약할 때를 이름. ——-하다 형여불

투명-대 【透明帶】 명 물체의 투명한 부분.

투명-도 【透明度】 명 ①호수(湖水)나 해수(海水)의 투명한 정도를 나타내는 값. 투명판을 물 속에 넣어서 보이지 않는 데까지의 깊이를 m로 써 표시함. 해수의 최대 투명도는 북대서양이 60 m, 동해는 20 m임. ②『광』 광물이 빛을 통할 만큼의 얇은 정도를 비율로 나타낸 값.

투명도-판 【透明度板】 명 『화』 투명판.

투명 비누 【透明—】 명 화장 비누의 하나로, 외관상 반투명인 것. 우지(牛脂)·피마자유·야자유로 만든 비누를 그대로 급랭(急冷)하거나 에타놀·글리세린·자당(蔗糖) 등의 투명제(透明劑)를 섞어서 만듦.

투명-색 【透明色】 명 빛이 투명한 물체를 투과(透過)하였을 때 보이는 색. 색유리나 필터를 통과한 색 따위. 투과색(透過色).

투명 수지 【透明樹脂】 명 무색 투명한 인조(人造) 수지. 요소 수지(尿素樹脂)의 이칭.

투명-지 【透明紙】 명 투명 또는 반투명의 얇은 종이의 총칭. 글라신지(glassine 紙)·유지(油紙)·납지(蠟紙) 따위. 제도(製圖)·전사(轉寫)·포장(包裝) 등에 쓰임.

투명-질 【透明質】 명 [hyaloplasm] 『생』 세포의 원형질(原形質) 속에 있는 투명하고 과립(顆粒)이 없는 기초(基礎) 물질. 보통, 외부 원형질에서 볼 수 있음. 히알로플라스마(Hyaloplasma).

투명-체 【透明體】 명 [transparent body] 『물』 광선을 잘 통과시키는 물체. 유리·물·공기 등. 또, 특정한 파장(波長)의 빛을 잘 통과시키고 다른 파장의 빛은 흡수할 수 없는 물체. ↔불투명체.

투명-판 【透明板】 명 물의 투명도를 측정하는 데 쓰이는 백색 원반. 보통 직경 33 cm의 원반(圓盤)에 추를 달아 물 속에 넣어 측정(測定)함. 투명도판.

백색 원반 —추
〈투명판〉

투모 【妬娼·妒娼】 명 부부가 서로 상대방을 질투함. ——-하다 자여불

투묘 【投錨】 명 배의 닻을 내림. 배를 정박(碇泊)시킴. ↔발묘(拔錨). ——-하다 자여불

투문¹ 【土門】 명 〈옛〉 토문. 땅이름. ¶ 土門 투문 地名 在豆漫江之北 南距慶源六十里 西距常家下 샹갸하 一日程也≪龍歌 Ⅶ:23≫.

투문² 【鬪文】 명 서로 문장의 우열(優劣)을 다툼. ——-하다 자여불

투미-하다 형여불 어리석고 둔하다. ¶투미한 사나이.

투-밀이 명 『건』 ☞퇴밀이. ——-하다 타여불

투바 [Tuva] 명 『지』 남동(南東) 시베리아에 위치하여 러시아 연방공화국을 구성하는 자치 공화국. 원래 외몽고의 일부를 이루는 속국이었으나 1921년 소련의 세력하에 투바 인민 공화국으로 독립하였다가 1944년에 자치주(自治州)가 된 후 1961년 자치 공화국이 됨. 주요 산업은 농업과 목축이며 금·석탄·암염(岩塩)·피혁 등을 산출함. 수도는 키질(Kyzyl). [170,500 km²: 269,000 명(1981)]

투: 바이 포: 공법 【—工法】 [—뻡] 명 [two by four method] 『건』 기둥을 사용하지 않고 2인치×4인치의 간주(間柱)만으로 판자(板子)를 만들어 그것을 세워 벽(壁)으로 하고, 집 전체를 이러한 판자와 들보로 만 짓는 공법.

투박 【偸薄】 명 박정(薄情)하고 불성실(不誠實)함. ——-하다 형여불

투박-스럽다 형ㅂ불 투박한 태가 있다. 투박-스레 부

투박-하다 형여불 모양 없이 튼튼만 하다. ¶투박한 외투.

투발루 [Tuvalu] 명 『지』 서남 태평양 상에 4개의 환초(環礁)와 5개의 산호도(珊瑚島)로 구성된 나라. 1892년 길버트 제도와 같이 영국 보호령이 되었다가 1975년 분리, 1978년 10월 영연방(英聯邦)의 일원으로 완전 독립함. 수산물과 코프라·코코넛이 주산물임. 수도는 푸나푸티(Funafuti). [25.9 km² : 9,317 명(1991)]

투베르쿨로:제 [도 Tuberkulose] 명 『의』 결핵증(結核症).

투베르쿨린 [도 Tuberkulin] 명 『의』 결핵균(結核菌)을 글리세린 부용(glycérine bouillon) 배양기(培養基)에 길러서, 가열 살균하여 여과(濾過)한 투명 갈색의 주사액(注射液). 1890년 코흐(Koch, R.)가 창제(創製)한 것으로, 독성(毒性)을 가지고 결핵균을 죽이는 작용을 함. 초기 결핵의 치료 또는 진단에 씀. 1890년 창제한 것은 구(舊)투베르쿨린이라 하며 1897년 창제한 것은 신(新)투베르쿨린이라고 함.

투베르쿨린 반:응 【—反應】 명 [도 Tuberkulin reaktion] 『의』 투베르쿨린액 0.1 cc를 전완굴측(前腕屈側)의 피내(皮内)에 주사하여 48시간 후에 발적(發赤)·종창(腫脹)·부종(浮腫) 등을 보고 결핵 감염의 유무를 판정하는 검사법. 여러 가지 방법이 있으나 망투법(Mantoux法)을 가장 많이 씀. 원래는 투베르쿨린을 항원(抗原)으로 한 항원 항체(抗體) 반응의 총칭임.

투:베이스 히트 [two-base hit] 명 야구에서, 이루타(二壘打).

투병 【鬪病】 명 적극적으로 질병과 싸움. 병을 고치려는 강한 의지를 가지고 요양(療養)함. ¶~ 생활. ——-하다 자여불

투병 식과 【投兵息戈】 명 병기를 던지고 창(槍)을 멈춤. 싸움의 그침을 이름. ——-하다 자여불

투부¹ 【妬婦】 명 질투심이 많은 여자.

투부² 【鬪斧】 명 [battle axe] 『역』 북유럽의 후기 석기 시대의 마제(磨製) 석기의 하나. 가운데에 자루를 박는 구멍이 뚫리고 자루와 평행되게 양날 또는 외날이 있는 도끼. 주로, 무기로 사용되었음.

〈투부²〉

투부아이 제도 【—諸島】 [Tubuai] 명 『지』 남태평양상 폴리네시아(Polynesia) 제도 남서부 소시에테(Sociéte) 제도의 남쪽에 있는 다섯 개의 화산암도(火山岩島). 기후가 온화(溫和)하여 주민의 기질(氣質)이 선량함. 타로(taro) 감자·커피·코프라·향수(香水) 등을 산출함. 1769년경에 발견되었으며, 1880년 프랑스령이 되었음. 오스트랄 제도(Austral 諸島) [174 km²: 5,200 명(1977)]

투비 【投畀】 명 왕명(王命)으로 죄인을 정배(定配)함. ——-하다 타여불

투씨 명 〈옛〉 토끼. ¶兎兒洞 투씻골 在咸興府北一百二十五里高遷社≪龍歌 Ⅶ:54≫.

투사¹ 【投舍】 명 여관을 잡음. 투숙(投宿). ——-하다 자여불

투사² 【投射】 명 ①『물』 입사(入射). ¶~ 도법/광선이 수면에 ~되다. ②[projection] 『심』 정신 분석 용어. 자기의 내부에 생기는 욕망·감정·결점·이상 등을 억압(抑壓)하여 무의식화하고, 더 나아가 그것을 외계의 대상(對象)으로 돌리고 자아(自我)와는 딴 객관적인 지각 내용으로서 경험하는 심적 기제(心的機制). 자기 비판에서 생기는 압력을 해결하는 수단의 하나로 정신 분열증에서의 환시(幻視)·환각·망상 등이 그 예임. ↔투입(投入)❹. ③빛의 상(像)과 그림자를 스크린 등에 비추어 나타냄. ——-하다 타여불

투사³ 【投捨】 명 내던져 버림. ——-하다 타여불

투사⁴ 【投梭】 명 음탕한 마음을 내는 남자를 여자가 거절함. ——-하다 자여불

투사⁵ 【透射】 명 빛이 물건을 꿰뚫고 들어옴. ——하다 자여불

투사⁶ 【透寫】 명 그림이나 글씨를 다른 얇은 종이 밑에 받쳐 놓고 그대로 그리거나 씀. 트레이스(trace). ——-하다 타여불

투사⁷ 【鬪士】 명 ①전장이나 경기장에 싸우려고 나선 사람. ②사회 운동 등에서 활약 투쟁하는 사람. 전사(戰士). ¶독립 ~/자유의 ~. ③투지(鬪志)에 불타는 사람. 전투적인 사람.

투사⁸ 【鬪死】 명 싸워서 죽음. ——-하다 자여불

투사-각 【投射角】 명 『물』 입사각(入射角).

투사-관 【投寫管】 명 [projection cathode-ray tube] 『전』 비교적 작은 상(像)을 만들어 내는 텔레비전 브라운관. 그 상이 광학계(光學系)를 이용해서 큰 화면에 투영되게 함.

투사 광선 【投射光線】 명 『물』 입사 광선(入射光線).

투사-대 【透寫臺】 명 투사 도판(透寫圖板).

투사 도판 【透寫圖板】 명 청사진이나 사진의 수정(修整) 그 밖에 같은 도면의 복사 등에 사용되는 제도대. 흐린 유리를 깔고 유리 아래에서 형광등을 비추게 되어 있음. 투사대. 라이트 테이블(light table).

〈투사 도판〉

투사-법 【投射法】 [—뻡] 명 [projective techniques] 『심』 인격 진단법의 하나. 구조화(構造化)되어 있지 않은 것을 보이고, 피험자(被驗者)의 해석 중에 투사된 인간의 성격과 정신 내부의 상태를 밝히는 방법. 로르샤하 테스트(Rorschach test)·과제 통각 검사(課題統覺檢査) 등이 있음. 투영법(投影法). 통각 검사(統覺檢査). 프로젝티브법(法).

투사-본 【透寫本】 명 영사본(影寫本).

투사-선 【投射線】 명 『물』 입사 광선(入射光線).

투사 섬유 【投射纖維】 명 [projection fibers] 대뇌 피질(大腦皮質)을 뇌의 하위 중추(下位中樞)나 그 반대 쪽에 연결하는 섬유.

투사-영 【投射影】 명 『물』 투영(投影).

투사-율 【投射率】 명 농구 등에서, 바스켓을 향하여 슛(shoot)한 것과 그것이 득점된 것과의 비율.

투사-점 【投射點】 [—쩜] 명 입사점(入射點).

투사-지【透寫紙】 명 도면(圖面)을 투사하는 데 쓰는 얇은 반투명의 종이. 반수(礬水)를 바른 미농지(美濃紙)나 기름을 먹인 양지(洋紙) 등. 트레이싱 페이퍼.

투사-형【鬪士型】 명 ①크레치머(Kretschmer, E.)의 체격형(體格型)의 하나. 어깨 폭은 넓고 근육이 발달하고, 골격이 완강하여 피부는 털이 많고 강인함. 점착(粘着) 기질의 경우가 많음. 근골형(筋骨型). ②투지(鬪志)가 강하고 사회 운동에 활발한 성격.

투살【鬪殺】 명 싸워서 죽임. ——-하다 타여불

투상【鬪傷】 명 싸움으로 말미암아 상처를 입음. 또, 그 상처.

투상-스럽다 형ㅂ불 ↗툽상스럽다. 투상-스레 부

투색【渝色】 명 퇴색(退色). ——-하다 자여불

투생【偸生】 명 죽어야 옳을 때에 안 죽고 욕되게 살기를 꾀함. ——-하다 자여불

투서¹【投書】 명 ①의견·희망·불만 등을 써서 신문·잡지·라디오 등의 보도 기관이나 공공 기관에 보냄. ¶ ~광(狂). ②투고(投稿). ③서장(書狀)을 던져 넣음. ——-하다 자타여불

투서²【套署·套書】 명 〔중세 : 圖書〕 인⁷(印)❶.

투서-가【投書家】 명 투서하는 사람.

투서-란【投書欄】 명 투서를 게재하는 난.

투서-인【投書人】 명 투서를 하는 사람. 투서를 한 사람.

투서-함【投書函】 명 투서를 넣는 함.

투석¹【投石】 명 돌을 던짐. 또, 그 돌. ¶ ~전(戰). ——-하다 자여불

투석²【透析】 명 〔dialysis〕〖화〗 셀로판막(cellophane膜)·황산지(黃酸紙)·방광막(膀胱膜)·콜로디온막(collodion膜) 등의 반투막(半透膜)을 사용하여 콜로이드(colloid)나 고분자(高分子) 용액을 정제(精製)하는 방법. 콜로이드를 반투막으로 싸고 다량의 용액 속에 넣었을 때 콜로이드 입자(粒子)나 고분자 물질은 막 속에 남고 저분자(低分子)의 전해질(電解質)이나 불순 물질은 막의 밖으로 탈출·확산하는 것을 이용한 것임. ——-하다 타여불

투-석고【透石膏】 명 흰 색 또는 무색 투명한 결정질 석고(結晶質石膏). 광학(光學) 기계의 제조에 사용됨.

투석-구【投石具】 명 옛 무기의 하나. 길이 2m 정도의 끈 또는 가죽 끈의 중간을 넓게 하고, 거기에 돌을 싸서 끈의 양끝을 모아 잡고 돌리다가 한 끝을 놓아 돌을 날림. 동양이나 티베트의 여러 민족의 사냥 도구 또는 장난감으로 남아 있음.

투석-기¹【投石器】 명 활에 시위가 두 개이고, 그 중앙부에 돌을 받치는 데가 있어 시위를 당겼다 놓으면 돌이 날아 가게 된 장치. 남아메리카의 차코족(Chaco 族)이 사용하고 있음.

투석-기²【透析器】 명 〖화〗 투석할 때 쓰이는 기구.

〈투석기²〉

투석-유【透析乳】 명 동물성 반투막(半透膜)을 써서 투석하여 당분(糖分)을 제거한 우유.

투석 지뢰【投石地雷】 명 땅 속에 홈을 파서 사면(斜面)에 약협(藥莢)을 묻은 후 작은 돌을 쌓고 적이 가까이 오면 전기 착화(着火)로 폭발시켜 돌이 날아가게 한 지뢰. *대전차 지뢰.

투-섬석【透閃石】 명 〖광〗 투각섬석(透角閃石).

-투성이 미 명사 뒤에 붙어, 그 명사가 뜻하는 것이 매우 많은 모양 또는 그 명사가 뜻하는 것이 묻어 더러워진 모양 등을 나타냄. ¶ 피~ / 먼지~ / 상처~.

투속【投屬】 명 투탁(投託). ——-하다 자여불

투:손〔Tucson〕 명 〖지〗 미국 애리조나 주(州) 남부의 상공업 도시. 철도의 요지(要地)로 광산물·농산물의 집산지. 제분(製粉)·벽돌·전자 기기·금속 공업이 성함. 1695년경 스페인 사람이 식민지(植民地)로 창건함. 〔331,000 명 (1980)〕

투수¹【投手】 명 야구나 소프트 볼에서, 내야(內野)의 중앙에서 타자(打者)에게 공을 던지는 사람. 피처(pitcher). ↔포수(捕手).

투수²【投水】 명 물에 몸을 던짐. ——-하다 자여불

투수³【套袖】 명 →토시.

투수⁴【透水】 명 ①물이 스며 듦. ②물 속을 통과함. ③〔percolation〕〖지〗 암석 또는 토양 속의 다공질(多孔質) 공간을 통과하는 지하수의 중력류(重力流). ——-하다 자여불

투수바리 명 〈방〉 뚝배기(경상).

투수-성【透水性】〔—썽〕 명 투과성(透過性)❷.

투수-층【透水層】 명 〔permeable layer〕〖지〗 모래나 자갈 등으로 구성되어 지하수가 침투하기 쉬운 지층(地層). 사력층(砂礫層)·사암층(砂岩層) 등.

투수-판【投手板】 명 야구에서, 마운드(mound). 피처스 플레이트.

투숙【投宿】 명 여관에 들어서 잠. 투지(投止). 투사(投舍). ¶ ~객. ——-하다 자여불

투숙-인【投宿人】 명 투숙한 사람. 유숙객(留宿客).

투숙-자【投宿者】 명 투숙한 사람. 투숙인(投宿人).

투순-군【投順軍】 명 〖역〗 임진 왜란 때 우리 나라에 투항한 일본 병졸들을 모아 조직한 군대. 선조(宣祖) 27년(1594)에 선전관(宣傳官) 이영백(李榮白)이 이 군대를 인솔하고 그 때에 번창하던 토적(土賊)들을 토벌함.

투슈 명 〈옛〉 도장(圖章). ¶ 투슈티다(押了) ≪釋語 上 10≫.

투슈티다 자 〈옛〉 도장 찍다. ¶ 투슈티다(押了) ≪釋語 上 10≫.

투:스〔tooth〕 명 이. 치아(齒牙).

투:스-브러시〔toothbrush〕 명 칫솔.

투: 스텝〔two step〕 명 ①〖연〗 2/4 박자의 사교 댄스. 또, 그 댄스곡. 원무(圓舞)의 한 가지로, 폭스 트롯의 기초를 이루는 스텝임. ②야구에서, 투수가 타자에 대하여 투구할 때, 투수판 위에서 자기 몸을 받치고 있는 다리를 한 번 디뎌 놓았다가 다시 한 번 고쳐 딛는 일.

투: 스텝 테스트〔two step test〕 명 〖의〗 심전도(心電圖) 검사법의 하나. 조용히 누워 있는 상태에서의 심전도와 두 계단으로 된 상자의 상하 승강을 열세 번 왕복시킨 뒤에 얻은 심전도를 비교 검사하는 방법임. 잠재적 협심증 및 활동 후의 심장의 기능을 판정하는 데 씀.

투:스 파우더〔tooth powder〕 명 치분(齒粉).

투:스 페이스트〔tooth paste〕 명 크림 모양의 치약. 튜브(tube) 안에 들어 있음.

투습【套習】 명 본을 떠서 함. ——-하다 타여불

투시¹【妬視】 명 질시(嫉視). ——-하다 타여불

투시²【透視】 명 ①막힌 물체를 꿰뚫어 봄. 환히 꿰뚫어 봄. ②〔clairvoyance〕〖심〗 감각에 의하여 알 수 없는 것을 인지(認知)하는 일. 초능력(超能力)에 의하여 가능하다 함. 또, 그 능력. 염력(念力). 천리안(千里眼). ¶ ~력(力). ③〖의〗 인체에 조사(照射)하여 투과(透過)한 엑스선을 형광판(螢光板)으로 받아 육안으로 보면서 진찰하는 방법. 흉부나 위장의 검사 등에 응용함. ——-하다 타여불

투시³【鬪詩】 명 서로 시를 지어 그 우열을 다툼.

투시-도【透視圖】 명 〖미술〗 어떤 시점(視點)에서 본 물체의 형태를 평면상에 나타낸 그림. 투시화(透視畫). 디오라마(diorama).

투시 도법【透視圖法】〔—뻡〕 명 〔perspective drawing〕 ①〖미술〗 입체 용기 화법(立體用器畫法)의 한 가지. 한 점을 시점(視點)으로 하여 물체를 원근법(遠近法)에 따라, 우리의 눈에 비친 그대로 그리는 법. 시점(視點)·정시 방향(正視方向)·물체(物體)를 정하여 투시도를 그리는 방법. 배경화법(背景畫法). 원경법(遠景法). 투시 화법(透視畫法). ㊀투시법(透視法). ↔투영 도법(投影圖法)❶. ②〖지〗 지도 투영법(投影法)의 한 가지. 무한대의 거리 또는 지구상의 한 점이나 지구의 중심에 시점(視點)을 두고 시선에 대하여 수직으로 놓인 평면상(平面上)에 지표를 투영하고 있다고 가상(假想)하고 그리는 방법. 중심 투영법(中心透影法).

투시-력【透視力】 명 투시하는 힘.

투시-법【透視法】〔—뻡〕 명 ↗투시 도법(透視圖法).

투시-화【透視畫】 명 투시도(透視圖).

투시 화:법【透視畫法】〔—뻡〕 명 투시 도법❶.

투식¹【偸食】 명 ①공금이나 공곡(公穀)을 도둑질하여 먹음. ②아무 일도 하지 않고 먹고 지냄. 도식(徒食). ——-하다 자타여불

투식²【套式】 명 투로 된 법식(法式).

투신¹【投身】 명 ①어떤 일에 몸을 던져 관계함. 투족(投足). ¶ 정계에 ~하다. ②높은 곳에서 밑으로 몸을 던짐. ——-하다 자여불

투신²【投信】 명 〖경〗 ↗투자 신탁(投資信託).

투신 자살【投身自殺】 명 물 속으로나 높은 곳에서 몸을 던져 자살함. ——-하다 자여불

투실-투실 부 살이 보기 좋게 많이 찐 모양. >토실토실. ——-하다 형여불

투심¹【妬心】 명 미워하고 시기하는 마음.

투심²【偸心】 명 〖불교〗 도둑의 마음.

투심³【鬪心】 명 싸우는 마음. 싸우려는 마음.

투아【偸兒】 명 도둑. 도아(盜兒).

투아레그-족【—族】〔Tuareg〕 명 〖인류〗 베르베르인(Berbers 人)의 한 종족. 사하라 사막에서 유목하며, 교역을 행함. 장신(長身)으로 기품이 높고 호전적(好戰的)이며, 남자는 복면(覆面)을 하는 풍습이 있음. 귀족(貴族)·평민(平民) 및 흑인 노예의 신분 계층이 있음. 언어는 햄어족(Ham 語族)의 계통임.

투아모투 제도【—諸島】〔Tuamotu〕 명 〖지〗 남태평양 중부, 프랑스령 폴리네시아(Polynesia)에 속하는, 약 80 개의 환초(環礁)로 이루어진 도서군(島嶼群). 주도(主島)는 랑기로아(Rangiroa). 1606 년에 발견되어, 1880 년 이래 프랑스령 식민지이며, 인광석(燐鑛石)·코프라·진주조개를 산출함. 주도(主都)는 아파타키(Apataki). 〔774 km^2 : 11,211 명 (1983)〕

투안¹【偸安】 명 목전(目前)의 안일(安逸)을 탐함. ——-하다 자여불

투안²【偸眼】 명 몰래 봄. 남의 눈을 피함. ——-하다 타여불

투알〔프 toile〕 명 화포(畫布).

투약【投藥】 명 병에 알맞은 약제를 투여(投與)함. 약을 처방(處方)하여 줌. ¶ 환자에게 ~하다. ——-하다 자여불

투약-구【投藥口】 명 병원 같은 데서 약을 지어 내어 주는 조그마한 창구(窓口).

투어¹【套語】 명 버릇이 된 예사로운 말. 신통하지 못한 예사로운 말. 상투어.

투어²【鬪魚】 명 〖어〗 버들붕어❶.

투어³〔tour〕 명 ①만유(漫遊). 탐승(探勝). 관광(觀光) 여행. ②비교적 간단한 여행. 소풍. ¶ 스키 ~.

투어리스트〔tourist〕 명 관광객(觀光客). 만유객(漫遊客). 여행자.

투어리스트 걸:〔tourist girl〕 명 투어링 카 등에 편승하여 관광객이나 유람객에게 안내 설명을 하는 여자.

투어리스트 뷰로〔tourist bureau〕 명 여행사(旅行社). 여행 안내소(旅行案內所). 여행 상담소(相談所).

투어리스트 클래스〔tourist class〕 명 정기선·항공기의 여객 등급에서 2등. 이코노미 클래스. *퍼스트 클래스.

투어링〔touring〕 명 ①택시 영업소. ②간단한 관광 여행. ③↗투어링 카.

투어링 카:〔touring car〕 명 ①관광용(觀光用)의 자동차. ②자동차의 차체(車體)의 이름. 일반적으로 차체가 길고 객실(客室)에 보조 좌석이

있어, 7인이 타게 되어 있음. ㊟투어링.

투여【投與】명 남에게 줌. 특히, 약 같은 것을 줌. ——-하다 타여불

투열-구【透熱灸】명〖한의〗뜸의 하나로 가장 일반적인 구법(灸法). 쌀알 크기의 약쑥을 특정한 치료 부위(部位)에 놓고 뜸을 뜸. 특히, 통증이 있는 질환에 유효함.

투열-성【透熱性】[-썽] 명〖물〗적외선(赤外線)을 통과시키는 능력.

투영[1]【投映】명 슬라이드 따위를 비쳐 냄. ¶ ~기(機)/~법(法). ——-하다 타여불

투영[2]【投影】명 ①지면·수면 등에 물체의 그림자가 비침. 또, 그 그림자. 사영(射影). ②비유적으로 어떤 물건의 존재나 영향이 다른 물건 위에 구체적인 형태로 나타남. ③〔projection〕〖수〗물체에 평행 광선을 보내고 그 그림자를 평면 위에 비추는 일. 또, 그 그림자의 도면. 평행선과 평면이 수직일 때는 정사영(正射影), 그렇지 않을 때는 사투영(斜投影) 또는 사사영(斜射影)이라 함. ④〖수〗물체를 어떤 점(點)에서 본 형상의 평면도(平面圖).

투영[3]【透映】명 ①광선(光線)을 통하여 비침. ②환히 속까지 비치어 보임. ——-하다 자타여불

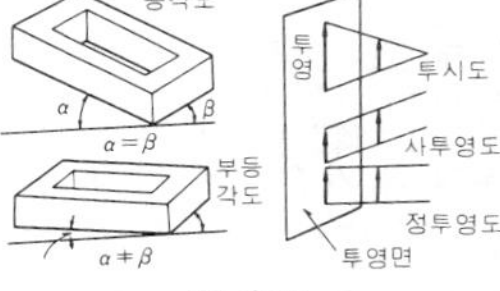

〈투영도〉

투영 그:림【投影—】명〖미술〗투영도(投影圖).

투영-도【投影圖】명〖미술〗투영 도법(投影圖法)에 의하여 평면 위에 그린 그림. 투영화(投影畫). 투영 그림.

투영 도법【投影圖法】[-뻡] 명〖미술〗①공간(空間)에 있는 물체의 위치·형상을 한 점(點) 또는 무한 원점(無限遠點)에서 보아 한 평면상에 나타내는 도법. 곧, 시점(視點)과 물체상의 모든 점을 맺은 직선을 한 평면상에서 만나게 하여 그 평면 위에 도형을 그리는 법. ↔투시 도법(透視圖法)❶. ②시점(視點)이 공간 안의 한 점일 때를 중심(中心) 투영 도법, 무한 원점일 때를 평행 투영 도법, 시점과 물체의 각 점을 잇는 직선과 수직인 평면을 이용한 평행 투영 도법을 정(正)평행 투영 도법이라 함. ③정평행(正平行) 투영 도법에 의하여 물체를 서로 직교(直交)하는 세 개의 평면 위에 그리고 이것을 한 조(組)로 하여 물체를 나타내는 방법. 정투영법(正投影法). 투영 화법. ㊟투영법(投影法).

투영 렌즈【投影—】〔lens〕명〖물〗확대한 영상(映像)을 명확하게 하기 위하여 쓰이는 렌즈.

투영-면【投影面】명 물체를 한 표면 위에 투영하는 경우의 그 표면.

투영-법【投影法】[-뻡] 명 ①〖미술〗↗투영 도법(投影圖法). ②〔projective technique, projective method〕〖심〗인격 진단법. 애매한 자극(刺戟) 재료를 사용하여 피험자(被驗者)를 반응시켜 그 반응 방법에 의하여 마음의 내부·사고(思考)·감정의 특징을 찾아 내려는 것. 투사법(投射法). 통각 검사(統覺檢査).

투영-선【投影線】명 직선(直線)의 투영.

투영식 컴퍼스【投影式—】〔compass〕명〖항〗자기(磁氣) 컴퍼스의 형식. 방위 기선(方位基線)과 방위반(方位盤) 또는 그것들의 부분 영상(映像)이 광학계(光學系)를 통하여 조타원(操舵員)의 정위치에 가까운 스크린 위에 투영됨.

투영 테스트【投影—】명〔projective test〕〖심〗표준적 상황이지만 뚜렷이 구조화(構造化)되어 있지 않는 것에 대한 피(被)실험자의 반응을 관찰하는 테스트.

투영-화【投影畫】명〖미술〗투영도(投影圖).

투영 화:법【投影畫法】[-뻡] 명〖미술〗투영 도법(投影圖法)❶❷.

투오넬라의 백조【—白鳥】[-/-에-] 명〔The swan of Tuonela〕〖악〗〔투오넬라는 핀란드(Finland) 신화에 나오는 명부(冥府)〕시벨리우스(Sibelius) 작곡의 교향시. 전설 및 민족 서사시(民族敍事詩) 칼레발라(Kalevala)에 나오는 영웅 래민카이넨의 이야기를 다룬 일련의 교향시의 제3번임. 특히, 백조를 나타내고 있는 이 곡은 잉글리시 호른(English horn)의 독주곡(獨奏曲)이라고도 할 수 있을 정도로 유명함.

투옥【投獄】명 옥에 가둠. 감옥에 넣음. ——-하다 타여불

투우【鬪牛】명 ①소싸움. 또, 싸움 소. ②투우사(鬪牛士)와 맹우(猛牛)와의 결사적 투기(鬪技). 옛날 그리스와 로마에서 상무(尙武)의 기풍을 발양(發揚)하기 위하여 생긴 것으로 지금은 스페인의 국기(國技)로 행하여지고 있음. ——-하다 자여불

투우-사【鬪牛士】명 투우를 전문으로 하는 사람.

투우-장【鬪牛場】명 투우하는 곳.

투-원반【投圓盤】명 원반던지기.

투윤-성【透潤性】[-썽] 명〔intrability〕〖식〗식물 세포에서, 세포 외의 물질이 세포막(細胞膜)을 통과하여 세포질까지만 이르고, 액포(液胞)에는 들어가지 않는 성질.

투-융자【投融資】명〖경〗투자와 융자. ¶ 재정(財政) ~.

투입【投入】명 ①정한 인원 외의 사람을 더 넣음. ¶ 병력을 계속 ~하다. ②자본이나 노동력을 들이어 넣음. ¶ 자본을 ~하다. ③던져 넣음. ④〖심〗자기 이외의 사람이나 집단이 자기에게 기대하고 있는 태도 그 자체를 자기의 태도로 하여 이것에 일치시켜서 행동의 기준을 삼는 일. 자기와 다른 사람들과를 동일시(同一視)함으로써 위험이나 그에 수반하는 불안을 피하고자 하는 기제(機制). ↔투사(投射)❷. ⑤약품의 재료를 집어넣음. ——-하다 타여불

투입-구【投入口】명 던져 넣는 구멍. ¶ 신문 ~.

투입 산:출 분석【投入產出分析】명〖경〗한 나라의 일정한 기간 동안에 행해진 모든 경제 활동을 산업 부문(產業部門)별로 분할하여 각 부문에 투입(投入)된 것과 산출된 것의 상호 관계를 분석하는 경제 분석의 한 방식. 산업 연관 분석(產業連關分析).

투입 산:출표【投入產出表】명〖경〗〔input-output table〕'산업 연관표'의 딴이름.

투입 쌍정【透入雙晶】명〔interpenetration twin〕〖광〗두 개 이상의 결정이 쌍정이 되어, 서로 상대방 속에서 성장한 것처럼 보이는 결정.

투자[1]【投資】명 ①사업에 자금을 투입함. 출자(出資). ②〖경〗이익을 고려하여 주권(株券)·채권(債券) 등의 구입에 자금을 돌림. 방자(放資). ③〖경〗공장·기계나 원료·제품의 재고품 등의 자본재(資本財)가 해마다 증가하는 부분. ——-하다 자여불

투자[2]【骰子】명 주사위.

투자-가【投資家】명 투자자.

투자 가치【投資價值】명 증권이 지니는 내재적(內在的) 가치를 이르는 말. 증권을 이윤 증권으로 볼 때는 그 수익력을 중심으로 투자 가치가 산정(算定)되며, 물적(物的) 증권으로 볼 때는 자산 내용 중심으로 투자 가치가 측정됨.

투자 감:세【投資減稅】명〖경〗기업 감세(企業減稅)의 하나로, 새로운 설비 투자에 대한 세공제(稅控除) 조처. 일반적으로 민간 설비 투자를 자극함으로써 생산 활동을 자극하고, 경기(景氣) 확대·고용 확보를 꾀함을 목적으로 하는 경기 대책 정책 수단의 하나임.

투자 경기【投資景氣】명〖경〗공장 확장, 새로운 기계 설비 등에 대한 투자로 말미암아 조성되는 경기.

투자-골【骰子骨】명 주사위뼈.

투자 금융【投資金融】[-/-늉] 명 은행이나 금융 회사 등이 증권을 사는 사람에게 필요한 자금을 빌려 주거나 신용 거래(信用去來)를 가능하게 해 주는 일.

투자 금융업자【投資金融業者】[-/-늉-] 명 투자 금융업을 전문으로 하는 금융 회사의 일컬음.

투자 금융 회:사【投資金融會社】[-/-늉-] 명〖경〗기업 단기 금융의 일원화, 사(私)금융의 제도 금융권(金融圈)으로의 흡수 및 금융 시장의 다원화(多元化) 등을 도모하기 위해 설립된 금융 기관. 융통 어음의 할인·매출을 주업무로 함. 속칭 : 단자(短資) 회사. ㊟투금사(投金社).

투자 기간【投資期間】명 자금을 투입(投入)하여 운용(運用)하는 동안. 보통 장기·중기·단기로 구분함. 노후(老後)를 노린 운용이라면 장기 투자이고, 결혼·진학(進學) 등을 위한 자금 운용이라면 중기 투자, 일시적 여유 자금의 운용은 단기 투자라고 할 수 있음.

투자 보:장 협정【投資保障協定】명〖경〗해외 투자를 피차간에 촉진하기 위하여, 상대국 기업(企業)에 대하여 자국내에서의 자유로운 사업 활동이나 이익의 국외 송금(送金)을 보장하고, 컨트리 리스크 등에 의한 피해에 관하여 기업 대신 정부(政府)가 직접 상대국과 교섭하는 구상 대위권(求償代位權)을 인정한 협정.

투자 보:험 제:도【投資保險制度】명〖경〗해외에의 투자에 수반하는 위험을 커버하기 위한 보험으로서, 정부에 의한 수출 보험 제도의 일부임.

투자 세:액 공:제【投資稅額控除】명〖경〗특별히 국가적 견지에서 투자 촉진의 필요를 느끼는 산업 분야에 기업이 투자했을 때, 그 투자액의 일정 비율에 해당하는 금액을 산출 세액에서 공제해 주는 조세 지원 제도.

투자 수요【投資需要】명〖경〗사회의 총수요 중 투자에 사용되는 부분.

투자 승수【投資乘數】[-쑤] 명〖경〗투자의 증가분(增加分)에 대한 소득의 증가 비율.

투자 시:장【投資市場】명〖경〗자본 시장을 투자한 사람 편에서 이르는 말. 투자가 행하여지고 있는 범위(範圍).

투자 식민지【投資植民地】명 주로 열대 및 아열대(亞熱帶)에 위치하여 원주민의 수가 많을 뿐더러 사회적 힘도 강하여 식민자가 다수 이주하여 살기에 부적당한 식민지. 따라서 소수의 자본가·관리·군대 등이 주둔하여 식민자의 자본과 지휘 아래 원주민 노동자를 사용하는 자본가적 기업이 영위됨. ↔이주(移住) 식민지.

투자 신탁【投資信託】명〖경〗투자자로부터 위탁 회사가 자금을 신탁받아 유가 증권에 투자하여 그 수익을 투자자에게 분배하는 일. 투자 신탁에는 주식형과 공사채형이 있음. 주식형은 주로 주식 투자로 운용되지만 일부는 채권 등에도 운영함. 공사채형은 확정이부(確定利附) 채권이 주된 운용 대상임. ㊟투신(投信).

투자 신:탁 수탁 회:사【投資信託受託會社】명〔investment trust depositary bank〕〖경〗위탁 회사에서 투자 신탁의 신탁 재산을 수탁하여 그 지시(指示)에 따라, 관리·보관·계산 등을 맡는 회사. 신탁 은행 또는 신탁 업무를 행하는 금융 기관에 한(限)함.

투자 신:탁 위탁 회:사【投資信託委託會社】명〔investment trust management company〕〖경〗투자 신탁 재산을 운영하는 회사로, 수익 증권(受益證券)을 발행하며, 신탁 은행과 신탁 계약을 맺고 신탁 재산을 설정하여, 그 재산의 운영 및 기준 가격의 산정 등을 함. ㊟투신 회사(投信會社)·위탁 회사·투신 위탁.

투자 신:탁 판매 회:사【投資信託販賣會社】명〔investment trust sales company〕〖경〗수익 증권(受益證券)을 전문으로 판매하는 증권 회사.

투자-액【投資額】명 투자한 금액.

투자-율【透磁率】명〔magnetic permeability〕〖물〗자기 유도(磁氣誘導)의 크기와 자기장(磁氣場)의 크기와의 비. 자기장 안의 물질이 자화(磁化)하는 정도를 나타내는 상수(常數). 쇠붙이 같은 강자성체(強磁性體)에서는 수천, 상(常)자성체에서는 10 이하, 반(反)자성체에서는 마이너스(—)가 됨. 도자율(導磁率).

투자율-계【透磁率計】명〔permeameter〕〖공〗자속(磁束) 또는 자속 밀도를 측정하는 장치. 자속은 정해진 크기의 자기장(磁氣場)에 있는 피(被)측정 자성체(磁性體)에서 발생하는데 여기서 계산에 의해 투자율

이 결정(決定)됨.
투자 은행【投資銀行】[명]〖경〗증권 투자를 전문으로 하는 은행.
투자-자【投資者】[명] 투자하는 사람. 투자가(投資家).
투자 자문업【投資諮問業】[명]〖경〗투자자에 대하여 투자 대상 품목의 선택이나 매매의 방법 및 시기에 관한 조언을 하는 영업.
투자 자문 회:사【投資諮問會社】[명]〖경〗증권 거래법에 의해 재무부에 등록하고 투자 자문업을 영위하는 주식 회사.
투자 자:산【投資資産】[명]〖경〗대차 대조표의 투자 부문에 계상되는 자산. 장기간에 걸치어 보유하는 자산으로, 관계 회사에 대한 출자금이나 주식·사채(社債) 등이 있음.
투자-재【投資財】[명]〖경〗생산재(生産財).
투자-주【投資株】[명]〖경〗이윤 채산(採算)으로 보아 투자할 수 있는 주식. 주가(株價)의 변동이 적으며, 회사 경영이 견실하고 배당이 평균적으로 높아서 안정되어 있는 것임.
투자 회:사【投資會社】[명] 투자의 목적으로 다른 회사의 주식(株式)을 취득 보유하는 회사. 지주 회사(持株會社).
투자 회수 기간【投資回收期間】[명]〔payout time〕〖경〗투자의 수익성(收益性) 또는 유동성의 척도. 곧, 수익과 감가 상각에서, 감모 설비(減耗設備)에 대한 초기 투자를 회수하는 데 필요한 기간.
투자 효:율【投資効率】[명]〖경〗투하(投下)한 자본에 의하여 생긴 성과와 자본과의 비율. 일반적으로 자본에 대한 순생산액의 비율을 말함. 총자본 투자 효율·설비 효율 등이 있음.
투작【偸斫】[명] 도벌(盜伐). ——-하다 [타][여불]
투장[1]【偸葬】[명] 암장(暗葬). ——-하다 [타][여불]
투장[2]【鬪將】[명] ①싸우는 장수. ②투쟁하는 수뇌자(首腦者). ③남의 앞에 서서 활동하는 사람.
투쟁【鬪爭】[명] ①상대를 쓰러뜨리려고 싸워서 다툼. ②사회 운동·노동 운동 등에서 계급이나 주의가 다른 사람끼리 다툼. 흔히 피지배 계급(被支配階級)에서의 행위를 이름. ¶임금 ～. ——-하다 [자][여불]
투쟁 견고【鬪諍堅固】[명]〖불교〗다섯 가지 견고(堅固) 중의 다섯 번째 또는 오오백년(五五百年)의 하나. 불멸 후(佛滅後) 제5의 오백 년으로, 서로 자설(自說)의 우위(優位)를 주장하고 사견(邪見)뿐이어서 불법(佛法)이 자취를 감추는 때를 일컬음.
투쟁-기【鬪爭記】[명] 어떤 투쟁에 관한 내용을 기록한 기록. 또, 그 서적.
투쟁-담【鬪爭談】[명] 어떤 투쟁에 관한 내용을 담은 이야기.
투쟁-력【鬪爭力】[—녁] [명] 투쟁하는 힘.
투쟁 문학【鬪爭文學】[명]〖문〗사회주의적 계급 투쟁의 문학.
투쟁-사【鬪爭史】[명] 투쟁의 역사.
투쟁-심【鬪爭心】[명] 싸워서 상대방을 쓰러뜨리려는 마음. 대항하여 상대편에게 이기려는 의욕(意慾).
투쟁-욕【鬪爭慾】[—뇩] [명] 투쟁하려는 의욕.
투쟁 위원회【鬪爭委員會】[명] 노동 운동·학생 운동·정치 운동 등에서 특정한 투쟁의 지도를 강화하기 위하여 평상시의 집행부와 별개로 조직한 기관.
투쟁-적【鬪爭的】[명][관] 투쟁하려는 성격을 지닌 모양. 투쟁에 관한 모양. ¶～인 언동.
투전[1]【投錢】[명] ①돈치기. ②돈을 던짐. ③돈을 줌. ——-하다 [자][여불]
투전[2]【鬪牋】[명] 노름 제구의 한 가지. 두꺼운 종이로 작은 손가락 넓이만 하고 길이 다섯 치쯤 되게 만들어, 그 위에 인물(人物)·조수(鳥獸)·충어(蟲魚) 또는 문자나 시구(詩句) 등을 그리어 끗수를 표시하고 기름으로 결어 만든 것. 60장 또는 80장을 한 벌로 하는데, 실제로는 40장을 쓰며, 노는 방법은 여러 가지임. ——-하다 [자][여불]

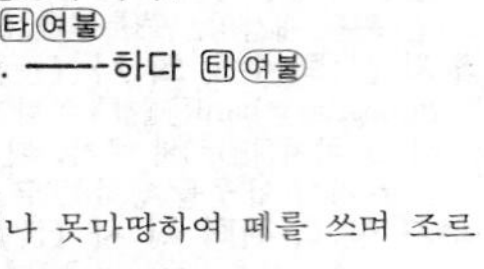

〈투전²〉

투전[3]【鬪戰】[명] 전투(戰鬪).
투전-꾼【鬪牋—】[명] 투전 노름을 일삼는 사람.
투전-목【鬪牋—】[명] 한 벌로 되어 있는 투전.
투전-방【鬪牋房】[—빵] [명] 투전꾼들이 모여서 투전하는 방.
투전 타:령【鬪牋打令】[명]〖악〗경상도 민요의 하나.
투절【偸竊】[명] 투도(偸盜)❶. ——-하다 [타][여불]
투정[1] [명] ↗투정질. ¶～ 부리다/음식 ～. ——-하다 [타][여불]
투정[2]【妬情】[명] 투기하는 마음.
투정-꾼 [명] 곧잘 투정을 부리는 사람.
투정-쟁이 [명] 투정꾼.
투정-질 [명]〔근대 : 투졍질〕성에 덜 차거나 못마땅하여 떼를 쓰며 조르는 짓. [준]투정. ——-하다 [타][여불]
투정-창【妬精瘡】[명]〖한의〗음식창(陰蝕瘡).
투조【透彫】[명]〖미술〗조각법의 하나. 조각재의 면을 도려 내어서 도안(圖案)을 나타내는 방법. 누공(漏空).
투족【投足】[명] 발을 들여놓음. 직장이나 사회에 발을 들여놓음. 투신(投身). ——-하다 [자][여불]
투주【渝州】[명]〖지〗중국 수나라·당나라 때에 지금의 쓰촨 성(四川省) 충칭 시(重慶市) 남쪽, 바 현(巴縣)을 중심으로 있었던 주(州).
투즈 호【—湖】〔Tuz〕[명]〖지〗터키 중부, 수도 앙카라의 남동쪽 약 100 km 지점에 있는 터키 제2의 호수. 길이 약 80 km, 폭 약 50 km, 호면의 표고는 899 m. 내륙성이며, 염분이 32 %인 염호(塩湖)로, 다량의 소금을 산출함. [1,700 km²]
투증【投贈】[명] 물건을 선사하는 일.
투지[1]【投止】[명] ①발을 붙이고 섬. ②투숙(投宿). ——-하다 [자][여불]
투지[2]【透知】[명] 속속들이 잘 앎. 숙지(熟知). 통지(洞知).
투지[3]【鬪志】[명] 싸우고자 하는 의지(意志). 투쟁심(鬪爭心). 투쟁 정신. ¶～가 만만하다.
투지-력【鬪志力】[명] 싸우려는 투지의 힘.
투지-례【投地禮】[명]〖불〗오체 투지(五體投地).
투지 만만【鬪志滿滿】[명] 싸우고자 하는 의지가 가득 차 있음. ——-하다 [형][여불]
투찰【透察】[명] 꿰뚫어 짐작함. ——-하다 [타][여불]
투창[1]【投槍】[명] 투척(投擲) 경기의 하나. 창을 여섯 번 던져서 도착한 거리를 서로 비교하여 승부를 결정하는 경기. 재블린(javelin). 창던지기. ——-하다 [자][여불]
투창[2]【透窓】[명]〖고고학〗'굽구멍'의 구용어.
투창-기【投槍器】[명] 에스키모·오스트레일리아의 원주민·멜라네시아인 등 미개 민족이 사냥이나 전투할 때 쓰는 투창의 보조 기구. 길이 50-100 cm의 나무인데, 이 끝에다 창을 끼워 한 손으로 던짐.

〈투창기〉

투채【鬪彩】[명]〖미술〗도자기 위에 그린 그림의 난만(爛漫)한 채색.
투처【妬妻】[명] 강새암이 심한 아내.
투척【投擲】[명] 던짐. ——-하다 [타][여불]
투척 경:기【投擲競技】[명] 필드(field) 경기 중에서 투포환(投砲丸)·투원반(投圓盤)·투창(投槍)·투해머(投hammer) 등의 총칭.
투척-력【投擲力】[—녁] [명] 물건을 던지는 힘.
투척 병기【投擲兵器】[명]〖군〗근접 전투에서, 손으로 던지거나 간단한 기구를 써서 던지는 폭발물이나 그 기구. 수류탄·총류탄 등과 척탄통(擲彈筒)·유탄 발사기 등.
투천【鬪—】[명]〈방〉투전(鬪牋). ——-하다 [자]
투철【透徹】[명] ①투명함. ②사리가 밝고 확실함. 철저(徹底). ¶～한 이론(理論). ——-하다 [형][여불]. ——-히 [부]
투-철퇴【投鐵槌】[명] 투해머(投hammer).
투초【鬪草】[명] 풀싸움❶. ——-하다 [자][여불]
투출【投出】[명] ①내던짐. ②〖심〗자기의 기분·경향·성질 등을 무의식중에 행동에 나타내는 일. ——-하다 [타][여불]
투취【偸取】[명] 절취(竊取). ——-하다 [타][여불]
투침[1]【偸鍼】[명] 다래끼².
투침[2]【透浸】[명] 약품이 배어들게 함. 침투(浸透). ——-하다 [타][여불]
투쿠만〔Tucumán〕[명]〖지〗남미(南美) 아르헨티나(Argentina) 북서부의 중심 도시. 안데스 산맥(Andes山脈) 동쪽 기슭의 관개 농업 지역의 중심으로 사탕수수를 생산하며 철도와 도로 교통의 요지임. 제당(製糖)·제분(製粉)·제재(製材)·맥주 제조(麥酒製造) 따위의 공업이 행하여짐. 1565년에 창건, 스페인 식민지 시대의 건물이 많고 대학이 있음. [497,000명(1980)]
투키디데스〔Thoukydides〕[명]〖사람〗고대 그리스 아테네(Athenae)의 역사가. 투철한 사안(史眼)과 공평·정확한 서술로써 서양 역사학의 시조라 불림. 펠로폰네소스 전쟁에 종군하여 ≪펠로폰네소스 전쟁사≫를 저술하였음. [460?-400? B.C.]
투-타【投打】[명] 야구(野球)에서, 투구력(投球力)과 타격력(打擊力). 피칭(pitching)과 배팅(batting).
투탁【投託】[명] ①남의 세력에 기댐. ②조상이 확실하지 않은 사람이 유명한 남의 조상을 자기 조상이라 함. 두탁. ——-하다 [자][여불]
투탁 도:장【投託導掌】[명]〖역〗조선 시대 후기의 도장(導掌)의 한 형태. 공역(公役)의 면제를 도모하여 자기의 전토(田土)를 사궁 장토(司宮庄土)에 투탁(投託)하고, 그 토지를 관리하는 도장(導掌).
투탄[1]【投炭】[명] 화구(火口) 등에 석탄을 퍼 넣음. ——-하다 [자][여불]
투탄[2]【投彈】[명] 수류탄(手榴彈) 같은 것을 던짐. 폭탄(爆彈)을 떨어뜨림. ——-하다 [자][여불]
투탄-구【投炭口】[명] 탄을 퍼넣는 아가리나 구멍.
투탈【透脫】[명]〖불교〗깨닫는 일.
투탕카멘〔Tutankhamen〕[명]〖사람〗고대 이집트 제18왕조의 왕. 아멘호텝(Amenhotep) 4세의 사위이며 후계자(後繼者). 선왕(先王)의 사후, 아몬 신앙(Amon信仰)을 부활시킴. 1922년 왕릉(王陵)의 골짜기에 있는 왕의 분묘(墳墓)가 발굴(發掘)되었는데, 무덤에는 황금관(黃金棺) 속에 황금 마스크를 한 왕의 미라가 안장되어 있었으며, 장신구 등 무수한 재보(財寶)가 수장(收藏)되어 있었음. [재위 1361-1351 B.C.]
투태【投胎】[명] 이 세상에 다시 태어남.
투:-텐-잭〔two-ten-Jack〕[명] 카드 놀이의 한 가지. 점수를 매긴 카드를 모아 그 대소를 다툼. 점수에는 플러스와 마이너스가 있는데 어느 것이든 2와 10과 잭의 패가 최고의 점수임.
투토〔이 tutto〕[명]〖악〗'전부'·'모두'의 뜻.
투토카인〔도 Tutokain〕[명] 국소 마취제의 한 가지. 백색 침상(針狀) 결정으로 코카인 대신 씀.
투:톤 컬러〔two-tone color〕[명] 다른 계통의 두 빛깔 또는 같은 계통의 농담(濃淡)의 두 색을 어울리게 한 배색(配色).
투:톤 변:조【—變調】[명]〔two-tone modulation〕〖통신〗인쇄 전신(印刷電信)에서 신호의 두 상태를 나타내는 데에 두 개의 다른 반송파(搬送波)를 쓰는 변조 방식. 한 주파수에서 다른 주파로의 전환은 급격하며 위상(位相)의 불연속을 수반함.
투통【透通】[명] ①훤히 통함. ②투명(透明)함. ——-하다 [형][여불]
투투〔Tutu, Desmond Mpilo〕[명]〖사람〗아프리카 태생의 영국 성공회 소속 성직자. 대주교. 1960년 교구 사제로 출발, 레소토 주교, 요하네스버그 주교를 거쳐 1986년 케이프타운 대주교로 착임. 인종 차별 정책에 반대하여 구금당하기도 함. 1984년 노벨 평화상 수상. [1931-]

투투레기-질 명 〈방〉 투레질(함북). ——-하다 자

투투일라 섬 〔Tutuila〕 명 『지』 남태평양 사모아 제도의 동반(東半), 미국령 사모아의 주도(主島). 화산도이나, 동서에 기다란 만입(灣入)이 많고 남안(南岸) 중앙에 양항(良港) 파고파고 항(Pago Pago 港)이 있음. 주도(主都)는 파고파고. 어업이 성하며, 수산 가공 공장이 있어 통조림·냉동어를 생산함. [137 km²: 31,000 명(1980)]

투티 〔이 tutti〕 명 『악』 ①다 같이 부름. 다 같이 합주함. ②전부라는 뜻으로, 관현악(管絃樂)이나 합창 등에서, 단일 악기나 가수의 솔로부(部)에 대하여, 전악기(全樂器) 또는 전가수가 협주(協奏)하는 부분. 총주부(總奏部).

투티코린 〔Tuticorin〕 명 『지』 인도 마드래스 주(Madras 州)의 도시. 마나르 만(Manar 灣)에 면한 항구로, 면화·차(茶)·커피·진주(眞珠) 등을 수출함. 진주 채집의 중심지임. [251,000 명(1981)]

투팔 【鬪八】 명 『건』 네 벽과 네 귀의 여덟 변으로 홍예문을 쌓는 것처럼 올려 만든 천장. 고구려 고분의 천장 따위.

투: 페어 〔two pairs〕 명 포커 놀이에서 끗수의 하나. 동위(同位)의 두 장의 패가 두 조(組) 갖추어진 것. 원 페어(one pair)보다 강하고 스리 카드보다 약함.

투:-포:-디: 【2-4-D】 명 『약』 이사디(2, 4-D).

투-포환 【投砲丸】 명 투척(投擲) 경기의 하나. 직경 2.13 m 의 원(圓) 안에서 한 손으로 7.25 kg(여자는 4 kg)의 금속제 포환을 던져서 그 도착 거리를 비교하여 등위를 결정하는 경기. 포환 던지기.

투폴레프 〔Tupolev, Andrej Nikolaevich〕 명 『사람』 소련의 항공기 설계가. 모스크바 고등 공업 학교에서 항공 역학을 전공, 1918년부터 16년간 중앙 항공 유체 역학(流體力學) 연구소장을 지냄. 1922년 ANT-1 복엽기(複葉機)로부터 TU-2 폭격기, TU-114 수송기 등 대형기의 설계를 맡았음. [1888-1972]

투표 【投票】 명 선거 또는 채결(採決)할 때에 각 사람의 뜻을 나타내기 위하여 표지(票紙)에 이름·부호 또는 의견을 기입하여 일정한 장소에 제출하는 일. ——-하다 자타여불

투표 관리자 【投票管理者】 [―괄―] 명 선거 사무에 관한 일체를 관리하기 위한 각급(各級) 선거 위원회 따위.

투표-구 【投票區】 명 투표 관리의 단위가 되는 구역. 한 선거구(選擧區)에 여러 투표구를 둠.

투표구 선:거 관리 위원장 【投票區選擧管理委員長】 [―괄―] 명 투표구내의 선거에 관한 사무를 담임 관리하는 사람.

투표-권 【投票權】 [―꿘] 명 투표하는 권리. ¶ ~을 행사(行使)하다.

투표-록 【投票錄】 명 각 투표구의 선거 관리 위원장이 투표의 전말(顚末)을 기록 작성한 문서.

투표-소 【投票所】 명 투표하는 곳. 투표구(區)마다 둠. 투표장(投票場). ㊟표소(票所).

투표-수 【投票數】 명 투표의 수효.

투표 용:지 【投票用紙】 명 투표에 사용하는 일정한 양식(樣式)의 종이. ㊟투표지.

투표-율 【投票率】 명 유권자 전체에 대한 실투표자(實投票者)의 수의 비율(比率).

투표-인 【投票人】 명 투표자(投票者).

투표-일 【投票日】 명 투표하는 날.

투표-자 【投票者】 명 투표하는 사람. 투표인.

투표-장 【投票場】 명 투표소(投票所).

투표-지 【投票紙】 명 ↗투표 용지.

투표 참관인 【投票參觀人】 명 투표 사무의 집행에 입회하는 사람.

투표-함 【投票函】 명 기입한 투표 용지를 넣는 상자.

투풍가토 산 【―山】 〔Tupungato〕 명 『지』 남미 칠레의 산티아고 동쪽 약 80 km, 아르헨티나와의 국경에 있는 안데스 산맥 중의 고봉. 1897년에 첫 등정(登頂)함. [6,550 m]

투: 플래툰: 시스템 〔미 two platoon system〕 명 〔2개 소대(小隊) 작전의 뜻〕 야구에서, 특징은 다르나 실력이 엇비슷한 팀을 두 개 짜 놓고, 상대 팀 또는 그 팀의 성격에 따라 그 둘 중의 한 팀을 대전케 하는 전법. 예를 들면, 상대 투수가 오른손잡이일 경우 다른 한쪽은 왼손잡이 타자만의 라인업을 짜는 일 따위.

투:-피:스 〔two-piece〕 명 〔↗two-piece dress〕 여성복에서 윗도리와 스커트의 둘로 한 벌이 되는 옷. 위아랫도리를 같은 천으로 만든 것이 많음. ↔원피스.

투피-족 【―族】 〔Tupi〕 명 『인류』 아메리칸 인디언 중 투피어(語)를 사용하는 여러 종족(種族)의 총칭. 아마존 강(Amazon 江) 남부에 널리 분포되어 열대림(熱帶林)에 작은 촌락을 형성하여 원시적(原始的) 농경·수렵에 종사함. 신화(神話) 상의 천공신(天空神)의 토지를 구하기 위하여 이동하므로 광범위하게 분포되어 있으며, 16세기 스페인 사람이 올 때까지도 파라과이·페루로 이동을 계속하였음. 동부 지방의 몇 종족은 현저히 근대화하였음.

투:피크 〔tupik〕 명 에스키모의 여름 집. 바다표범 가죽으로 지은 천막임.

투필 【投筆】 명 붓을 던져 버림. 문필을 버리고 무예에 종사함. ——-하다 자여불

투필 성자 【投筆成字】 명 글씨에 능한 사람은 정신을 들이지 아니하고 붓을 던져도 글씨가 잘 된다는 말. ——-하다 자여불

투하[1] 【投下】 명 ①던지어 아래로 떨어뜨림. ¶폭탄을 ~하다. ②사업을 위하여 자본을 냄. 투자(投資). ¶간척 공사에 ~한 돈이 10억 원이 넘는다. ——-하다 타여불

투하[2] 【投荷】 명 배가 조난(遭難)하였을 때, 선체(船體)와 하물(荷物)을 구하기 위하여 하물의 일부를 바다에 던짐. 또, 그 화물. 제하(除荷). ——-하다 타여불

투하 존데 【投下―】 명 〔dropsonde〕 『기상』 관측한 기상 상황을 보고하기 위하여 고공을 비행하는 항공기에서 낙하산으로 투하되는 라디오존데(Radiosonde).

투하 존데 관측 【投下―觀測】 명 〔dropsonde observation〕 『기상』 낙하 중에 있는 투하 존데의 무선 신호에서 수치(數値)를 얻는 일.

투하쳅스키 사:건 【―事件】 〔Tukhachevski〕 [―껀] 명 1937년 적군(赤軍)의 최고 지도자 투하쳅스키 원수 등, 여덟 장군이 스탈린에 의해 숙청된 사건. 독일·일본의 스파이, 반(反)스탈린 쿠데타 계획 등이 죄상(罪狀)이었으나 스탈린 비판 후, 이들의 죄상이 사실 무근임이 드러났음.

투하-탄 【投下彈】 명 『군』 비행기에서 지상 목표로 투하하여 적의 살상·진지 파괴·소이(燒夷)·조명(照明)을 하기 위하여 쓰는 폭탄. 소이탄·조명탄 등이 있음.

투하 통신 【投下通信】 명 『군』 비행기에서 지상 부대에 투하하는 통신. 무선 통신으로 전할 수 없는 지도나 사진 등을 투하함.

투한[1] 【妬悍】 명 질투심이 강하고 사나움. ——-하다 형여불

투한[2] 【偸閒】 명 바쁜 중에 틈을 찾음. ——-하다 자여불

투한[3] 【鬪佷】 명 다투어 싸움. ——-하다 자여불

투함 【投函】 명 우체통·투서함·투표함 등에 편지·투서(投書)·투표 용지 등을 넣음. ——-하다 타여불

투합 【投合】 명 마음 따위가 서로 일치함. ¶의기 ~. ——-하다 자여불

투항 【投降】 명 적에게 항복함. ——-하다 자여불

투항-병 【投降兵】 명 투항하는 병사.

투-해머 【投―】 〔hammer〕 명 투척(投擲) 경기의 하나. 무게 7.25 kg 이상의 해머를 직경 2.135 m 의 원 안에서 던져 그 거리로 등위를 겨룸. 투철퇴(投鐵槌).

투향 【投鄕】 명 시골 선비가 지방 관청의 직원이 됨. ——-하다 자여불

투헌 【投獻】 명 물건을 바침. ——-하다 타여불

투현 【妬賢】 명 어진 사람을 시기함. ——-하다 자여불

투현 질능 【妬賢嫉能】 [―릉] 명 어질고 유능한 사람을 시기하여 미워함. ——-하다 타여불

투호 【投壺】 명 화살을 던져 병 속에 넣어서 승부를 가리는 놀이. 두 사람이 서로 대하여 청·홍의 살을 병 속에 던져 넣은 후에 그 수효로써 승부를 결정함. 연음(宴飮) 때 귀족들이 많이 하였음. ——-하다 자여불

〈투호〉

투호 낙양춘 【投壺洛陽春】 명 『악』 창사(唱詞)의 하나.

투호-살 【投壺―】 명 투호 놀이에 쓰는 화살.

투호 삼작 노리개[1] 【投壺三作―】 명 은도금한 구리, 밀화(蜜花), 마노, 비취 등으로 투호(投壺) 놀이용(用)의 투호를 작게 만들어 단 삼작 노리개.

투호 삼작 노리개[2] 【透壺三作―】 명 섭새김한 작은 항아리를 단 삼작 노리개.

투혼 【鬪魂】 명 끝까지 투쟁하려는 기백(氣魄). 투쟁 정신.

투홀 【投笏】 명 〔홀(笏)을 내던진다는 뜻으로〕 벼슬살이를 그만둠. ——-하다 자여불

투홀스키 〔Tucholsky, Kurt〕 명 『사람』 독일의 작가·저널리스트. 합리적 지성을 지닌 열렬한 평화주의자로 국수주의와 군국주의, 속물 근성을 경묘 신랄(輕妙辛辣)한 필치로 풍자함. 나치스에 의해 시민권을 박탈당하고 스웨덴에서 자살함. [1890-1935]

투화[1] 【投化】 명 덕화(德化)를 사모해서 투항(投降)하여 귀복(歸服)함. 투귀(投歸). ——-하다 자여불

투화[2] 【透化】 명 결정성(結晶性)의 물질을 용융(熔融) 후, 그것을 냉각하여 결정이 석출(析出)되지 않도록 과냉각(過冷却) 상태로 만드는 일. 유리나 에나멜의 제조에 이용됨. ——-하다 타여불

투화-전 【投化田】 명 『역』 고려 때 귀화(歸化)한 외국인에게 주었던 토지. 귀화한 외국인으로서 관직을 받은 자에게 주어, 자기 일생에 한하여 소유케 하였으며 죽은 후에는 반환하였음.

투휘 【投揮】 명 물건을 휘두름. ——-하다 타여불

투-휘석 【透輝石】 명 『광』 칼슘과 마그네슘을 주요 금속 원소로서 함유하는 휘석. 짧은 주상(柱狀) 결정을 이루며 빛은 보통 초록색임. 반려암(斑糲岩)·현무암(玄武岩) 등의 중요한 구성 광물임.

툭 부 ①어느 한 부분이 불거져 오른 모양. ¶이마가 ~ 불거지다. ②슬쩍 치는 모양이나 소리. ¶~ 치고 간다. ③무엇이 갑자기 터지는 모양이나 소리. ¶주머니가 ~ 터지다. ④갑자기 걸리는 모양이나 소리. ¶문턱에 ~ 걸려 넘어지다. ⑤갑자기 튀는 모양이나 소리. 1)-5): >톡[2].

툭까리 명 〈방〉 뚝배기(경북).

툭바리 명 〈방〉 ①보시기(경북). ②뚝배기(경남).

툭박-지다 형 투툭하고 질박하다.

툭배기 명 〈방〉 뚝배기.

툭배리 명 〈방〉 뚝배기.

툭빠리 명 〈방〉 뚝배기(경남).

툭빼기 명 〈방〉 뚝배기(경기·충청·전라·경상).

툭빼이 명 〈방〉 뚝배기(경북).

툭사리 명 〈방〉 뚝배기.

툭사바리 명 〈방〉 뚝배기(경남).

툭수리 명 〈방〉 뚝배기.

툭수리(를) 차다 구 망하여 빌어먹다.

툭수바리 명 〈방〉 뚝배기(경상).

툭수발 명 〈방〉 뚝배기(전남).

톡시바리 [명] 〈방〉 뚝배기(경북).
톡시발 [명] 〈방〉 뚝배기(전남).
톡싸리 [명] 〈방〉 뚝배기(경상).
톡-탁 [부] 서로 치는 소리나 모양. >톡탁. ——-하다 [자][타][여불]
톡탁-거리다 [자][타] 연해 톡탁 소리가 나다. 또, 연해 톡탁 소리를 나게 하다. >톡탁거리다. 톡탁-톡탁 [부]. ——-하다 [자][타][여불]
톡탁-대다 [자][타] 톡탁거리다.
톡탁-치다 [타] ①옳고 그름을 가리지 아니하고 다 쓸어 없애다. >톡탁치다. ②〈방〉 싹싹하다.
톡-톡 [부] ①여기저기 불거진 모양. ②여러 번 슬쩍 치는 모양이나 소리. ③무엇이 여러 번 터지거나 부러지는 모양이나 소리. ④나가다가 여러 번 거치는 모양이나 소리. ⑤여러 번 튀는 모양이나 소리. ⑥말을 아무렇게나 내뱉는 모양. ¶말을 아무렇게나 ～ 해 댄다. 1)-6): >톡톡.
톡톡-이 [명] 〈심마니〉 총(銃).
톡톡-하다 [형][여불] ①피륙이 단단한 올로 고르고 배게 짜이어서 두껍다. ②국물이 바특하여 묽지 않다. >톡톡하다.
톡-하면 [부] 조금이라도 어떤 일이 있으면 버릇처럼 곧. 걸핏하면. ¶～ 운다.
툰드라 〔러 tundra〕 [명] 〖지〗 북극(北極)에 가까운 지대에 널리 분포된 큰 벌판. 여름에 지표(地表)의 일부가 녹아서 습지(濕地)가 될 뿐 대부분이 얼음으로 덮여 있으며, 여름에 선태류(蘚苔類)·지의류(地衣類)·작은 관목(灌木) 등의 식물과 순록(馴鹿) 같은 동물이 살 뿐임. 유라시아(Eurasia) 북부·시베리아 북부·캐나다 북부·알래스카 북부 등지에 퍼져 있음. 툰드라 지대. 동토대(凍土帶). 동야(凍野). 동원(凍原). 동원대(凍原帶).
툰드라 기후【一氣候】〔러 tundra〕 [명] 〖지〗 한대(寒帶) 기후의 하나. 가장 따뜻한 달의 평균 기온이 0-10°C이며, 땅은 영구히 얼어 있으나 여름에는 표면만 녹아 습원(濕原)을 이룸. 계절이나 장소에 따라, 이끼·버드나무·고채목 등의 식물이 자람. 러시아·스칸디나비아·알래스카 등지에 분포함.
툰드라 식물대【一植物帶】〔러 tundra〕 [명] 식물 지리구(地理區)의 하나. 극지(極地)·저온(低溫)·동토(凍土)로 인하여, 이끼·지의류(地衣類)의 식생(植生)으로 된 지역. 때로는 왜소한 고채목·버드나무 또는 볏과(科) 식물이 자람. 시베리아·북미 북부·유럽 등지에 분포함.
툰드라 지대【一地帶】〔러 tundra〕 [명] 〖지〗 툰드라.
툰드라-토【一土】〔러 tundra〕 [명] 〖지〗 저온(低溫)·습윤(濕潤) 기후인 극지(極地)에 분포된 토양으로, 층상(層狀) 구조는 볼 수 없음. 여름에 동토(凍土) 표면이 약간 녹으면, 주로 이끼·지의 식물(地衣植物)이 자라고 식물 고사체(枯死體)의 분해가 저해되어 이탄(泥炭)이 심하게 퇴적함.
툰베르크-관【一管】 [명] 〔Thunberg tube〕 툰베르크(Thunberg, T.)가 고안한 두꺼운 유리로 된 시험관 모양의 호흡 산소 측정 장치. 주로, 탈수소(脫水素) 효소의 측정에 쓰임.
툰베리 〔Thunberg, Carl Peter〕 [명] 〖사람〗 스웨덴의 동식물학자·의사. 일본산(産) 식물을 명명(命名)한 것이 많음. 주저 《일본 식물지(植物誌)》. [1743-1828]
툰시 〔屯溪〕 [명] 〖지〗 중국 안후이 성(安徽省)의 남동 경계선 근처에 있는 도시. 부근에서 산출되는 유명한 '툰루이(屯綠)'라는 차(茶)의 집산지로 알려짐. 둔계. [103,000 명(1984)]
툴:¹ 〔tool〕 [명] 도구(道具). 공구(工具). 공작 기계(工作機械).
툴:² 〔Toul〕 [명] 〖지〗 프랑스 북동부, 모젤 강(Moselle江)을 바라보는, 성벽에 둘러싸인 도시. 중세(中世)에는 독립된 주교 도시(主敎都市)로 번영했는데, 16세기 중기에 프랑스령이 되었음. 도자기·포도주·브랜디 등의 집산지임. [17,000 명(1982)]
툴: 그라인더 〔tool grinder〕 [명] 〖기〗 공구 연마기(工具研磨機).
툴라 〔Tula〕 [명] 〖지〗 모스크바 남부 하리코프 철도(Kharjkov 鐵道)에 연한 공업 도시. 탄전(炭田)의 중심지이며, 제철·각종 기계·화학·직물(織物) 등의 공업이 성함. 12세기에 건설된 요새 도시(要塞都市)로, 1595년 러시아 최초의 총기 공장(銃器工場)이 건설(建設)되었음. [521,000 명(1981)]
툴렁 [부] 〈방〉 털썩(평안).
툴:롱 〔Toulon〕 [명] 〖지〗 프랑스 남동부 지중해에 임한 군항(軍港). 프랑스 지중해 함대의 근거지로, 해군 사관 학교와 프랑스 최대의 조선소(造船所)와 조병창이 있음. 제2차 대전중 독일의 잠수함 기지가 되기도 했음. [179,000 명(1982)]
툴루이 〔Tului〕 [명] 〖사람〗 칭기즈칸의 네째 아들. 원(元)나라의 예종(睿宗). 부친을 따라 금(金)나라 토벌과 서방(西方) 원정에 무공을 세우고, 부친 사망 후는 섭정인 감국(監國)으로서 그의 형 오고타이를 도왔음. 대한(大汗)의 자리는 오고타이가 계승했지만, 정통(正統)은 툴루이의 아들인 뭉케와 손자 쿠빌라이에게 계승되었음. [1192-1232]
툴루:즈 〔Toulouse〕 [명] 〖지〗 프랑스 남부 가론 강(Garonne江) 중류 북안의 도시. 미디 운하(Midi運河)의 기점으로, 교통의 요지이며, 포도주와 곡물의 거래가 성하며, 기계(機械)·화학(化學)·항공기 공업(航空機工業)도 행하여짐. [348,000 명(1982)]
툴:륨 〔도 Thulium〕 [명] 〖화〗 희토류(稀土類) 원소의 하나. 가돌린석(石)·모나자이트(monazite) 따위에 들어 있는데, 희토류 원소 중 가장 적게 산출되며, 아직 순수한 금속으로서는 얻어지지 않았음. [69번 : Tm : 168.934]
툴:리 〔Thule〕 [명] 〖지〗 그린란드(Greenland) 북서 해안에 있는 작은 취락(聚落). 1910년에 덴마크의 교역소(交易所)로 건설된 곳인데 주로 에스키모인이 살고 있음. 1950년 이래 미국의 북극 항로를 위한 항공·군사 기지가 설치됨. [771 명(1980)]
툴툴-거리다 [자] 성난 기색으로 두덜거리다. ¶흰 수증기를 토해 놓는 것처럼 툴툴거리면서 풀무 같은 입을 열어 불평하는 것을 보았다《崔仁浩 : 잠자는 신화》.
툴툴-대다 [자] 툴툴거리다
툴툴-하다 [자][여불] '툴툴거리다'의 홑내말.
툴: 홀:더 〔tool holder〕 [명] 〖기〗 공작 기계에서 공구(工具)를 공작 기계에 달 때에 쓰는 보조적인 장치. 공구 고정구(工具固定具).
툼벙¹ [명] 〈방〉 못³(충남·전남).
툼벙² [부] 크고 좁은 물건이 깊은 물을 한 번 쳐서 소리를 내면서 들어갔다가 나오는 모양. >톰방. ——-하다 [자][여불]
툼벙-거리다 [자][타] 연해 툼벙 소리를 내면서 들어갔다 나왔다 하다. 또, 연해 툼벙 소리를 나게 하다. >톰방거리다. 툼벙-툼벙 [부]. ——-하다 [자][타][여불]
툼벙-대다 [자][타] 툼벙거리다.
툼슈크 〔Tumshuk〕 [명] 〖지〗 중국 신장 웨이우얼(新疆維吾爾) 자치구의 톈산 남로(天山南路) 서부에 있는 한 역(驛). 부근의 불교 유적으로 유명함. 1906년 많은 사당(祠堂)과 소상 단편(塑像斷片) 등 약 400 점의 유물이 발굴되었으며, 그 후 절터·목상(木像)·벽화 등이 발견됨. 2-8 세기의 유적으로, 간다라(Gandhara) 양식과 밀접한 관련(關聯)을 지님.
툽상-스럽다 [형][여불] 투박하고 상스럽다. [준]투상스럽다. **툽상-스레** [부]
툽투비 [부] 〈옛〉 짙게. 진하게. ¶凍瘡을 고트되 가짓 불휘를 툽투비 글혀 싯고(治凍瘡 落蘇根 卽茄子也 濃煎湯洗了)《救方 上 8》.
툽툽-하다 [형][여불] 국물이 바특하여 묽지 아니하다. >톱톱하다.
툽-하다 [형][여불] ☞ 툭툭하다❶. ¶…그 툽한 저고리를 벗는 법도 없고 땀 한 방울 흘리지도 않는다《李無影 : 三年》.
통¹ [명] ①품질이 낮은 놋쇠. ¶～부처/～주발. ②품질이 낮은 놋쇠로 만든 엽전(葉錢). 또, 돈의 별칭.
통² [명] 〈방〉 〖의〗 창병(瘡病).
통³ [부] ①속이 빈 나무 통 같은 것을 치는 소리. ②북 같은 것을 치는 소리. ③대포 같은 것을 놓는 소리. 1)·2): >통.
통가리¹ [명] 〖어〗 [*Liobagrus andersoii*] 메깃과에 속하는 민물고기. 몸은 길이 5-13 cm로 자가사리와 비슷하나 입가에 있는 네 쌍의 수염이 뚜렷하고, 머리가 메기 모양으로 납작함. 몸빛이 황적갈색인데 등 쪽은 더 짙음. 맑은 계류의 자갈 밑에 여럿이 모여 사는데, 한국 중부의 동서 양해안으로 흐르는 각 하천에 분포함. 비넘(緋鯰).
통가리² [명] 〈방〉 둥우리(충남).
통겁다 [형] 〈방〉 ①두껍다(전북). ②굵다(전라).
통겨-지다 [자] ①짜인 물건이 어긋나서 틀어지다. ②숨었던 일이나 물건이 뜻밖에 쑥 나오다. ③노리던 기회가 뜻밖에 어그러지다. 1)·3): >통겨지다.
통견【一絹】 [명] 〈방〉 통견(通絹).
통관 〔潼關〕 [명] 〖지〗 중국 산시 성(陝西省)의 동쪽 끝에 있는 한 현(縣). 황허(黃河) 강에 가까우며 예로부터 동쪽의 한구관(函谷關)과 함께 험난한 요해처(要害處)로서 전사(戰史)에 이름이 높음. 동관. [264,768 명(1987)]
통구리 [명] 일정한 크기로 묶거나 싼 덩어리.
통구스-어【一語】〔Tungus〕 [명] 알타이 어족(語族)의 한 파로, 퉁구스족이 사용하는 여러 언어의 총칭. 금대(金代)의 여진어(女眞語), 청대(淸代)의 만주어(滿洲語)도 같은 계통의 언어이며, 만주어는 신장(新疆) 웨이우얼 자치구에 수만(數萬)의 구어(口語) 사용자가 현존한다고 함. 다른 퉁구스 여러 언어에는 문헌이 없으며, 언어 구조는 모음 조화(母音調和)와 교착어적(膠着語的) 문법 구조가 특색임.
통구스-족【一族】〔Tungus〕 [명] 동부 시베리아·중국·만주 등지에 분포한 몽고계의 한 종족. 특히, 헤이룽 강(黑龍江) 하류 지방에 많은데, 광대뼈가 나오고, 코가 솟고, 눈이 검으며, 모발(毛髮)은 흑색, 피부는 황백색임. 대부분이 수렵을 주로 하고 유목·농경에 종사하고 있으며, 샤머니즘을 신봉함. 중국 역사상 진한(秦漢) 시대의 동호(東胡), 한대(漢代) 이후의 선비(鮮卑), 당대(唐代)의 말갈(靺鞨), 당(唐)나라 말엽의 거란(契丹), 송대(宋代)의 여진(女眞) 및 만주인(滿洲人)이 이에 속함. 통고사족(通古斯族).
통구 왕조【一王朝】〔Tungu〕 [명] 〖역〗 미얀마의 왕조. 아바 왕조(Ava 王朝)를 타도하고 미얀마를 통일하였음. 이세(二世) 때가 전성기(全盛期)였으며, 수도(首都)는 아바(Ava). 탈라잉족(Talaings族)에 멸망됨. [1531-1752]
통기다 [타] ①버티어 놓은 물건을 빠지게 건드리다. ②뼈의 관절을 어긋나게 하다. ¶사람 다리, 말 다리 모주리 통겨 놓기 전에 얼른 가거라《洪命憙 : 林巨正》. ③기회가 어그러지게 하다. 1)-3): >통기다.
통너불개 [명] 〈심마니〉 〖조〗 꿩.
통넝이 [명] 〈심마니〉 감자.
통-노구 [명] 통으로 만든 작은 솥. 바닥이 평평하고 위아래가 비스름함. ¶그 소리가 왕방울로 ～를 가시는 것 같다.
[통노구 밥은 설수록 좋다] 통노구솥은 밥이 잘 눋는다는 말.

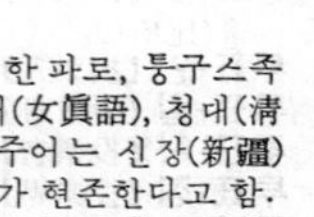
〈통노구〉

통-딴 [명] 〖역〗 절도(竊盜) 죄인이 출옥한 뒤에 포도청의 딴꾼이 된 사람.
통-때 [명] 엽전(葉錢)에 묻은 때.
통라오 〔通遼〕 [명] 〖지〗 중국 내몽고(內蒙古) 자치구 동남부의 도시. 시랴오(西遼) 강 남안, 다정 철도(大鄭鐵道)에 연해 있음. 철리목 맹맹부(哲里木盟盟府)가 있음. 이 지방의 풍부한 농산물의 집산지이며 유목 지역과의 사이에 소·말·양·짐승 가죽 등의 거래가 활발함. 토명(土名)

은 백음태래(白音太來).

통런 〔銅仁〕 [명] 〖지〗 중국 구이저우 성(貴州省) 동북부의 도시. 후난 성(湖南省)에 가깝고, 마양 강(麻陽江)의 수운(水運)이 편리하며, 상업이 성함. 특산은 동유(桐油)·차·수은(水銀)·오배자(五倍子) 등이며, 그 남방의 완산창(萬山場)은 중국 최대의 수은 산지임. 동인(銅仁). [약 50,000 명(1971)]

통-맞다 [자] ↗통바리맞다.

통명-부리다 [자] 괜히 불쾌한 말이나 태도를 취하다.

통명-스럽다 [형][ㅂ불] 불쑥 하는 말이 듣기에 불쾌하거나, 얼굴 빛이 불쾌하다. 통명-스레 [부]

통-바리 [명] 통으로 만든 바리.

통바리(를) 맞다 [구] 무엇을 말하다가 매몰스럽게 거절당하다. [준]통맞다.

통바리(를) 쓰다 [구] ☞통바리(를) 맞다. ¶어제도 굿이야기를 했다가 통바리를 썼다《桂鎔默 : 병풍에 그린 닭이》.

통바이 산 【一山】 〔桐柏〕 [명] 〖지〗 ①중국 허난 성(河南省) 통바이 현(縣) 서남쪽과 후베이 성(湖北省)과의 경계에 있는 산. [높이 1,078 m] ②중국 저장 성(浙江省) 동쪽 톈타이 산(天台山) 서쪽에 있는 산. 당나라의 도사(道士) 사마 승정(司馬承禎)이 산 위에 통바이 궁을 짓고 살았음. 동백산.

통-방울 [명] 통으로 만든 방울.

통방울-눈 [명] 통방울처럼 불거진 눈.

통방울-이 [명] 눈이 통방울처럼 불거진 사람. 철안(凸眼).

통-부처 [명] 통으로 만든 부처.

통-사발 [명] 〈방〉 통주발.

통산 〔銅山〕 [명] 〖지〗 중국 장쑤 성(江蘇省) 양저우(楊州)의 서쪽, 이징 현(儀徵縣)의 서북에 있는 산. 구리를 산출함.

통세 [명] 〈방〉 통소(함경).

통소 [명] 〖악〗 〔←통소(洞簫)〕 당악기(唐樂器)에 속하는 피리의 하나. 정악용(正樂用)의 것은 가는 대로 만들며, 입김을 불어 넣는 아귀가 있고 여섯 구멍이 있는데 한 구멍은 뒤에 있음. 민속악(民俗樂)에 쓰이는 것은 속칭 '퉁애'라 하여, 뒤에 하나, 앞에 네 지공(指孔)이 있으며, 청공(淸孔)이 뚫린 것이 다름. 본디 아악기(雅樂器)인 소(簫)를 개량한 것으로, 아래위가 통한 소(簫)의 뜻임. 지금은 향악(鄕樂)의 독주 악기로 널리 쓰임.

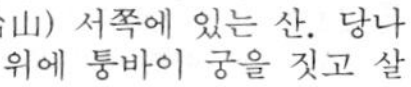

〈통소〉

통-속 〔一쏙〕 [명] 〈방〉 통속.

통수 [명] 〈방〉 통소(전라·충청·평안).

통수리 [명] 〈방〉 둥우리(전남).

통시 [명] 〈방〉 통소(함북).

통시리 [명] 〈방〉 둥우리(전남).

통아 [명] 〈방〉 〖민〗 통아(桶兒).

통애 [명] 〖악〗 민속악(民俗樂)에서 쓰이는 다섯 개의 지공(指孔)과 하나의 청공(淸孔)을 갖춘 통소의 속칭(俗稱).

통어리 [명] 〈방〉 둥우리(전북).

통어리-적다 [형] 옳은지 그른지도 모르고 아무 생각 없이 행동하는 데가 있다. 행동이 열통적고 멋없다.

통우리 [명] 〈방〉 둥우리(전라).

통자 강 【一江】 〔佟佳〕 [명] 〖지〗 중국, 만주 선양(瀋陽)의 환런 현(桓仁縣)에 있는 압록강(鴨綠江)의 지류. 남쪽으로 흘러 압록강과 합쳐 황해(黃海)로 들어감. 동가 강.

통저우 〔通州〕 [명] 〖지〗 중국 베이징 시(北京市) 동쪽의 도시. 베이징 시에 이르는 동쪽 문호 구실을 하는 위성 도시로, 상업이 매우 성하며, 철도가 베이징 시내까지 연결됨. 북운하(北運河)의 북쪽 끝에 있어 수륙 교통의 요충임. 이 곳에서 베이징까지는 퉁후이취(通惠渠)가 통함. 통주(通州).

통-주발 【一周鉢】 [명] 통으로 만든 주발.

통지리 [명] 〈방〉 둥우리(전남).

통-추발 [명] 〈방〉 통주발.

통-탕 [부] ①널빤지를 함부로 요란스럽게 두드리는 소리. ②작은 총을 함부로 쏘는 소리. 1)·2):＞통탕. ——-하다 [자][타][여불]

통탕-거리다 [자][타] 연해 통탕 소리가 나다. 또, 연해 통탕 소리를 나게 하다. ＞통탕거리다. 통탕-통탕 [부]. ——-하다 [자][타][여불]

통탕-대다 [자][타] 통탕거리다.

통통¹ [부] 붓거나 살찌거나 불어서 몸피가 굵은 모양. ¶～ 부은 얼굴. ＞통통². ——-하다 [형][여불]. ——-히 [부]

통통² [부] 연해 나는 통 소리. ＞통통³. ——-하다 [자][타][여불]

통통-거리다 [자][타] 잇따라 통통 소리가 나다. 또, 잇따라 통통 소리를 나게 하다. ＞통통거리다.

통통-걸음 [명] 발을 통통 구르며 걷는 걸음. ＞통통걸음.

통통-대다 [자][타] 통통거리다.

통통-마디 [명] 〖식〗 [*Salicornia herbacea*] 명아줏과에 속하는 일년초. 줄기는 마디가 많고 가지는 대생(對生)하며 다육질(多肉質)인데, 처음에는 짙은 녹색이었다가 홍적색으로 변함. 잎은 없음. 8-9월에 녹색 꽃이 수상(穗狀) 화서로 가지 끝에 정생(頂生)하여 핌. 과실은 포과(胞果)임. 바닷가에 나는데, 전북·경북·경기·황해·평남 등지에 분포함.

〈통통마디〉

통통-증 【一症】 〔一쯩〕 [명] ①일이 뜻대로 되지 아니하여 갑갑히 여기어 골을 내는 증세. ②마음 속으로만 분하고 원통한 생각을 하고 겉으로는 나타내지 아니하는 증세. ¶팔룡이는 민며느리로 데려다가 기른 아내가 싫어서 날마다 ～을 놓는다더니만…음전이와 다시 장가를 들었다는 것이다《李無影 : 農民》.

통팅 호 【一湖】 〔洞庭〕 [명] 〖지〗 중국 후난 성(湖南省) 북동부에 있는 이 나라 제 2 의 담수호(淡水湖). 양쯔 강의 흐름을 완화시키며 범람을 방지하는 작용을 하고 있고, 운하에 의해 양쯔 강과 통함. 샹장(湘江) 강·쯔수이(資水) 강·위안장(沅江) 강 등이 흘러듦. 특히 호수의 주위, 북방에는 후난(湖南) 평야가 있어 중국의 곡창 지대를 이룸. 부근은 소상 팔경(瀟湘八景)으로 유명한 경승지(景勝地)이며, 겨울에서 봄에는 감수(減水)되고 여름에는 증수되어 면적은 최소 3,100 km², 최대 5,500 km² 인데, 전에는 중국 제 1 의 대호수였으나, 지금은 포양 호(鄱陽湖)가 가장 큼. 동정호(洞庭湖). 삼호(三湖). 오저(五渚). 구강(九江).

통 피우 〔董必武〕 [명] 〖사람〗 중국의 정치가. 후베이 성(湖北省) 사람. 국가 주석 서리를 지냄. 중국 공산당 창립 대회에 참가하여 장시(江西) 소비에트구(區)에서 교육 부문을 담당함. 중일 전쟁 때부터 전후에 걸쳐 국공(國共) 합작에 진력함. 동필무(董必武). [1886-1975]

통화 〔通化〕 [명] 〖지〗 중국 지린 성(吉林省) 남부의 도시. 지린과 지안(集安)을 연결하는 철도변에 있어 부근에서 산출하는 목재·신탄(薪炭) 등을 집산함. 제지(製紙)·광산 기계·전기(電機)·시멘트·방적·화학 공업 등이 활발함. 19 세기 후반에 개척된 비교적 새로운 도시로 한국인이 많이 삶. 별칭 터우다오거우(頭道溝). 통화. [약 30 만명(1971)]

퉁 [명] 〈옛〉 동(銅). ¶퉁 부플 티면 十二億 사ᄅᆞ미 몯고《釋譜 Ⅵ:28》.

퉤 [부] 침 따위를 함부로 뱉는 모양. 또, 그 소리.

퉤끼 [명] 〈방〉 토끼(제주).

퉤-퉤 [부] 침 따위를 함부로 잇따라 뱉는 소리.

튀각 [명] ①다시마나 죽나무순 등을 잘라 끓는 기름에 튀긴 반찬. ②〈방〉 튀김(경기·충남·경북).

튀각 산:자 【一饊子】 [명] 반찬의 한 가지. 다시마를 잘라서 넓게 펴고 질게 지은 찹쌀밥을 한쪽에만 얇게 발라 말린 뒤에 썰어서 끓는 기름에 띄워 지진 반찬. 해대 산자(海帶饊子). 다시마 산자.

튀개 [명] 스프링. 출렁쇠.

튀곤 [명] 〈옛〉 매의 한 가지. ¶白黃鷹 튀곤《字會 上 15 集字註》.

튀:기 [명] ①혈통이 다른 종족 사이에서 생겨난 새끼나 아이. 잡종(雜種). 혼혈아(混血兒). 잡종아(雜種兒). ②수나귀와 암소 사이에서 난다는 짐승. 탁맥(馲駈).

튀기다¹ [타] 〔근대 : 토기다〕 ①힘을 모았다가 갑자기 탁 놓아 내뻗치거나 튀게 하다. ¶흙탕물을 ～ / 용수철을 ～ / 손가락을 ～. ②짐승·도둑 등을 건드리어서 갑자기 튀어 달아나게 하다. ③손가락 끝을 움직여 주판을 놓다. ¶주판 알을 ～. 1)-3) : ＞퇴기다.

튀기다² [타] 끓는 기름에 넣거나 불에 익혀서 부풀어 오르게 하다. ¶통닭을 기름에 ～.

튀기미 [명] 〈방〉 튀김¹(전북).

튀길-힘 [명] 탄력(彈力).

튀김¹ [명] ①채소·어육(魚肉) 등을 기름에 튀기는 일. 또 그 튀긴 것. 뎀뿌라. 프라이. ¶깻잎 ～ / 고구마 ～ / 생선 ～. ②뜨거운 열에 익혀서 부풀게 한 것. ¶강냉이 ～ / 누룽지 ～. ——-하다 [자][여불]

튀김² [명] 연을 날릴 때에 연 머리를 숙여 가지고 얼레 자루를 채치며 통줄을 주어서 연 머리를 그루박는 일. ＞퇴김.

튀김(을) 주다 [구] 연을 날릴 때에 튀김의 기술을 부리다. ＞퇴김(을) 주다.

튀김-옷 [명] 튀김할 때 재료의 거죽에 입히는 녹말가루·밀가루·빵가루 따위.

튀끼 [명] 〈방〉 〖동〗 토끼(함남).

튀:넨 〔Thünen, Johann Heinrich von〕 [명] 〖사람〗 독일의 농업 경제학자. 대학 중퇴 후 농장 경영에 종사하면서, 농업 이론을 실제적인 면에서 연구. 1826년 농업 경제학의 고전인 주저(主著) 《고립국(孤立國)》을 저술하고, 농업 입지의 경제 이론을 세워 차액 지대(差額地代)의 개념을 밝히는 등, 농업 경제학(農業經濟學)의 창립자가 됨. 또, 그의 임금(賃金)에 관한 이론은 마샬(Marshall, A.)을 비롯하여 근대 경제학 이론에 큰 영향을 주었음. [1783-1850]

튀는-목 [명] 〖악〗 판소리에서, 평성(平聲)으로 소리를 하다가 위로 튀어 나오는 목소리.

튀니스 〔Tunis〕 [명] 〖지〗 튀니지(Tunisie) 공화국의 수도. 지중해(地中海) 남부의 튀니스 만(灣)의 내포(內浦), 튀니스 호(湖)에 면한 항만 도시로, 올리브·포도주·양모(羊毛)·피혁(皮革) 등을 수출함. 19세기에 프랑스에 점령되고 1956년 튀니지 독립으로 그 수도가 됨. [600,000 명(1992)]

튀니스 해:협 【一海峽】 〔Tunis〕 [명] 〖지〗 지중해의 중앙부, 시칠리아 섬 서단(西端)과 튀니스 사이의 해협. 폭 약 150 km 로, 평균 수심이 200 m 미만임. 시칠리아 해협.

튀니지 〔Tunisie〕 [명] 〖지〗 북아프리카의 북부 지중해에 임한 공화국. 남부는 사막, 중·서부는 고원, 동부는 저습지(低濕地)임. 주민의 90 %가 아랍계(系). 주민의 대부분이 농업에 종사하며 공용어는 아랍어(語). 올리브·밀 등 농산물과 석유·철·인광석도 산출함. 제2차 대전중 북아프리카 작전(作戰)의 초점(焦點)이었으며, 1881년 이후 프랑스의 보호령(保護領)이었는데, 1956년 독립하였음. 수도(首都)는 튀니스(Tunis). 정식 명칭은 '튀니지 공화국(Republic of Tunisia)'. [163,601 km² : 8,450,000 명(1992)]

튀다 [자] 〔중세 : 뛰다〕 ①갑자기 터지는 힘으로 세게 나가다. ¶콩이 ～ / 불꽃이 ～. ②공 같은 것이 부딪쳐서 튀어 오르다. ③어떤 힘으로 물방울이나 흙 따위가 세차게 흩어지다. ¶바지에 흙탕물이 ～ / 입에서 침이 ～. ④〈속〉 달아나다. ¶도둑이 ～. ⑤〖광〗 함지로 감을 일어 본 결과 금(金)이 없다.

튀르고 〔Turgot, Anne Robert Jacques〕 [명] 〖사람〗 프랑스의 정치가·경제학자. 루이 16세의 재정 대신으로 중농주의적(重農主義的)인 정책을 시행하였으나, 특권 계급의 반대로 실패하였음. 저서에 《부(富)의

형성과 분배에 관한 성찰(省察)≫이 있음. [1727-1781]

튀르크-어【―語】〔Türk〕 명 『언』 알타이 어족(語族)의 한 파. 중앙 아시아・유럽・시베리아의 광대한 지역에서 사용되며, 모음 조화(母音調和)가 잘 발달되어 있는 것이 특징임. 터키어・카자흐(Kazakh)어・우즈베크(Uzbek)어・타타르(Tatar)어・키르기스(Kirghiz)어・투르크메니스탄(Turkmenistan)어 등과 같은 여러 방언으로 이루어짐.

튀르크-족【―族】〔Türk〕 명 투르크계 제족(諸族).

튀르키슈-로:트윌:〔도 Türkischrotöl〕 명 『화』 로트유(Rot 油).

튀:링거-발트〔Thüringer Wald〕 명 『지』 독일의 중앙부를 북서쪽에서 남동쪽으로 뻗은 산맥. 베라(Werra) 강・잘레(Saale) 강의 상류부에 해당하며, 삼림(森林) 지대로 되어 있음. 최고봉은 그로서 베르베르크(Großer Beerberg)로 984 m. 독일 문화의 숲이라 불리며 침엽수(針葉樹)가 많고 피서지임. 튀링겐 숲.

튀:링겐〔Thüringen〕 명 『지』 독일 중앙부의 지방. 비옥한 농업지이며, 갈탄(褐炭)・암염(岩塩) 등의 광산(鑛產)이 있고, 많은 보양지(保養地)가 있음.

튀:링겐 숲〔Thüringen〕 명 『지』 튀링거발트(Thüringer Wald).

튀-밥 명 ①찰벼를 볶아 튀겨서 매화같이 된 것. 유과에 붙임. ②쌀・옥수수・보리쌀 따위를 튀긴 것. 주전부리로 먹음. ¶ 쌀 ～ / 옥수수 ～.
튀밥 튀기다 구 과장(誇張)하다.

튀:빙겐〔Tübingen〕 명 『지』 독일 남서부의 대학 도시. 라인 강의 지류 네카(Neckar) 강 연안에 있으며, 금속・섬유・정밀 기계 공업이 활발함. 1078 년에 이룩된 성채(城砦)를 중심으로 발전한 고도(古都)임. 튀빙겐 대학이 유명함. [75,013 명(1984)]

튀어-나다 자 튀어서 나가다.

튀어-나오다 자 ①튀어서 나오다. ②불거지다❸.

튀일리 궁【―宮】〔Tuileries〕 명 『역』 프랑스 파리에 있었던 옛 왕궁. 센 강(江) 우측 기슭에 1564년 앙리 2세 왕비가 지었음. 루브르 궁(宮)과 파빌리언으로 연결되었으며, 역대에 확장 개축되었음. 1871년 파리 코뮌으로 불에 타서 없어짐.

튀-장【―醬】 명 〈방〉 된장(경북).

튀정 명 〈방〉 투정. ――하다 타

튀튀〔프 tutu〕 명 『연』 발레에 사용하는 스커트. 순백색의 천에 주름을 많이 잡아 펄렁펄렁 나부끼게 함. 흔히, 모슬린을 겹쳐 만듦.

튀튀클라식 튀튀로맨틱
〈튀튀〉

튀-하다 타 여불 새나 짐승의 털을 뽑기 위하여 끓는 물에 잠깐 넣었다가 꺼내다. ¶ 닭을 뜨거운 물에 ～. 「등에 쓰임.

튈〔프 tulle〕 명 얇은 망사(網紗) 같은 직물(織物). 베일・이브닝 드레스

튕기다 타 ☞퉁기다.

튜:너[1]〔tuna〕 명 가공한 다랑어의 고기.

튜:너[2]〔tuner〕 명 ①텔레비전 수상기 등에서 목적하는 전파를 선택하는 부분. 동조기(同調器). ②FM 수신기 등에서 목적하는 전파를 선택하고 가청 주파수까지 변환(變換)하는 부분. 동조기. ¶ FM ～.

튜:닉〔tunic〕 명 허리 밑까지 내려와 벨트(belt)를 띠게 된 여성용의 낙낙한 블라우스 비슷한 코트. 튜닉 코트.

튜:닉 코:트〔tunic coat〕 명 튜닉.

튜:닝〔tuning〕 명 ①전기 동조(同調) 회로에서 코일의 인덕턴스 또는 콘덴서의 용량을 바꾸어 동조(同調)하는 일. ②『악』 조율(調律).

튜:더-가【―家】〔Tudor〕 명 영국의 왕가(王家). 웨일즈의 귀족 오웬 튜더(Owen Tudor)에 비롯하여 1485년 헨리 7세가 튜더 왕조를 열고, 1603년 엘리자베스 여왕의 죽음으로 단절(斷絕)되었음.

튜:더 양식【―樣式】〔Tudor〕 명 『건』 영국 후기 고딕 건축의 양식. 튜더 왕조 시대의 건축에서 볼 수 있음. 수직 효과를 강조한 이전의 고딕 건물보다는 수직성이 약해졌으며, 많은 조각 장식을 사용한 중후(重厚)하고 화려한 양식임.

튜:더 왕조【―王朝】〔Tudor〕 명 『역』 1485년부터 1603년에 걸친 영국의 왕조. 곧, 헨리 7세를 개조(開祖)로 하여 엘리자베스 여왕에 이르기까지의 왕조. 이 시대는 중앙 집권적 절대주의 정치가 행하여졌으며, 초기 자본주의의 발달 도상에 있는 영국의 번영을 가져왔고, 동시에 문학・연극 등 문화면에도 찬란한 바가 있었음.

튜:링 머신〔Turing machine〕 명 1936년 영국의 튜링이 고안한 상상(想像)의 계산 기계. 인간의 계산 순서를 이상화(理想化)한 것임.

튜멘〔Tyumen〕 명 『지』 서부 시베리아의 도시. 우랄 산맥 동쪽 기슭의 툴라 강(Tula 江)에 면한 하항(河港). 조선(造船)・건설(建設)・기계(機械)・플라스틱(plastic)・모직물(毛織物) 등의 공업이 행하여짐. 1586년 창건된 도시로 시베리아에서 가장 오래 되었음. 시베리아 횡단 철도의 개통 이전에는 시베리아에의 문호였음. [378, 000 명(1981)]

튜멘 유전【―油田】〔Tyumen〕 명 『지』 러시아 공화국 서(西)시베리아의 튜멘 주를 중심으로 한 유전군(油田群)의 총칭. 우랄 산맥 남쪽, 오비 강(江) 유역 일대에 퍼져 있는데, 천연 가스와 원유(原油)의 매장량이 방대함.

튜:바〔tuba〕 명 『악』 ①옛 로마의 곧은 나팔(喇叭). ②금관 악기(金管樂器)의 한 가지. 셋 내지 다섯 개의 밸브(valve)를 갖는 큰 나팔. 금관 악기의 최저음부(最低音部)를 맡아, 장중(莊重)하고 낮은 음을 냄. 관현악 및 취주악(吹奏樂)에 쓰임.

〈튜바❷〉

튜:버로:즈〔tuberose〕 명 『식』 만향옥(晩香玉).

튜:뷸러 실루엣〔tubular silhouette〕 명 『복식』 어깨에서부터 옷자락까지 파이프처럼 곧게 생긴 실루엣. 펜슬(pencil) 실루엣. 실린더(cylinder) 실루엣.

튜:브〔tube〕 명 ①관(管). 통(筒). ②페이스트(paste)・치약・채료(彩料) 등을 넣고 짜내어 쓰게 된 납이나 금속 등으로 만든 관(管). ¶ ～에 든 치약. ③자동차나 자전거 등의 고무 타이어에 바람을 채우는 고무관(管). ④헤엄이 서투른 사람이 안전을 위해 쓰는 자동차 튜브 모양의 것. ¶ 수영 ～. ⑤『악』 악기의 관(管) 또는 피리. ⑥『악』 관악기(管樂器). ⑦『지』 측면(側面)은 매끈하고, 단면(斷面)은 둥글게 생긴 굴 속의 통로.

튜:브리스 타이어〔tubeless tire〕 명 튜브를 사용하지 아니한 타이어. 기밀성(氣密性)의 고무를 써서 직접 공기를 넣게 됨.

튜:브 물감〔tube〕[―깜] 명 부드러운 금속 튜브에 들어 있는 물감. 수채화(水彩畫) 물감과 유화(油畫) 물감이 있음.

튜:브 밀〔tube mill〕 명 『기』 점토・석탄・광석 등을 가루로 만드는 기계. 횡축(橫軸)을 중심으로 회전하는 원통(圓筒) 안에 여러 개의 작은 철구(鐵球)를 넣고 철구의 운동에 의하여 물건을 가루로 만듦.

튜:브식 호흡 장치【―式呼吸裝置】 명 〔air-tube breathing apparatus〕 가뇨성(可撓性) 튜브로 신선한 공기를 공급하는, 방연(防煙) 마스크나 마우스 피스(mouth piece)로 된 장치.

튜:브 영양【―營養】〔tube〕 명 『의』 튜브를 비강(鼻腔)이나 식도(食道)를 통해, 위(胃) 또는 공장(空腸) 속에 삽입하고 유동성의 영양물을 환자에게 공급하는 방법.

튜체프〔Tyutchev, Fyodor Ivanovich〕 명 『사람』 러시아의 시인. 러시아에서의 '철학적 시인'의 시조로 지목되며, 푸시킨・레르몬토프・네크라소프와 함께 19세기 전반(前半) 러시아 시단(詩壇)의 중진이었음. 작품에 ≪독일로부터의 시≫ 등이 있음. [1803-73]

튜:터〔tutor〕 명 가정 교사. 개인 지도 교사.

튜:턴-인【―人】〔Teuton〕 명 『인류』 인도 유럽인 중 게르만 민족의 하나. 독일・스칸디나비아・네덜란드 및 영국 남부의 주민을 주로 일컬음.

튤:립〔tulip〕 명 『식』 [*Tulipa gesneriana*] 백합과에 속하는 다년초. 높이 20-60 cm이고, 잎은 넓은 피침형이며 분가루로 덮였음. 4-5월에 자갈색 종(鐘) 모양의 큰 육판화(六瓣花)가 화경 끝에 정생(頂生)하며, 향기가 많음. 유럽 원산(原產)으로 백색・황색 등의 품종이 많으며, 관상용임. 꽃으로는 '울창주(鬱鬯酒)'를 빚는다고 함. 울초(鬱草). 울금향.

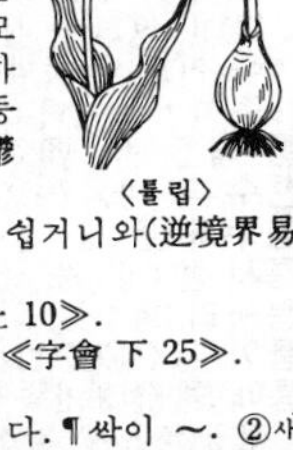
〈튤립〉

튬 타 〈옛〉 치움. '티다'의 명사형. ¶ 逆境界는 튜미 쉽거니와(逆境界易打)≪龜鑑 下 54≫.

틍나모 명 〈옛〉 참죽나무. ¶ 틍나모 츈(椿)≪字會 上 10≫.

틍뎡 명 〈옛〉 충정(忠貞). 충성(忠誠). ¶ 틍뎡 튱(忠)≪字會 下 25≫.

트기 명 ☞튀기.

트다[1] 자 ①풀이나 나무의 싹이나 꽃봉오리가 벌어지다. ¶ 싹이 ～. ②새벽에 동쪽이 훤하여지다. ¶ 동이 ～. ③추위 등으로 살가죽이 조하여 벌어지다. ¶ 손이 ～. ④더는 바랄 수 없을 만큼 어그러지다. ¶ 성공하기는 애저녁에 텄다.

트다[2] 타 ①막혔던 것을 통하게 하다. ¶ 산길을 ～. ②서로 거래 관계를 맺다. ¶ 거래를 ～. ③서로 격식을 버리고 스스럼없이 사귀다. ¶ 인사를 틉시다 / 트고 지낸다.

트더지다 자 〈방〉 터지다❹.

트라베〔프 travée〕 명 『건』 건물에서 네 기둥으로 둘러싸인 부분. 교회당(教會堂) 따위에서는 아치나 볼트(vault)의 천정을 세우는 단위(單位)가 됨.

트라베큘라〔trabecula〕 명 『생』 [작은 대들보의 뜻] 생물체의 조직을 받치는 막대 모양의 작은 구조(構造). 곧, 동물의 심실 내벽(心室內壁)에 있는 심근(心筋)의 다발로 구성되는 육주(肉柱)나 비장(脾臟)의 결합 조직성의 비주(脾柱) 따위.

트라브존〔Trabzon〕 명 『지』 터키 동북부, 흑해(黑海)에 면한 도시. 농업과 임업이 성하고 담배가 남. 이란에의 중계 무역(中繼貿易)의 기지(基地). [108,000 명(1980)]

트라야누스〔Trajanus, Marcus Ulpius〕 명 『사람』 고대 로마의 황제(皇帝). 오현제(五賢帝)의 하나로, 외정(外征)에 공이 크고 로마의 최대 판도를 이루었음. [53?-117]

트라야누스 기념주【―記念柱】〔Trajanus〕 명 로마 트라야누스 포룸 중앙에 세워진 약 30 m 높이의 대리석 원주(圓柱). 113년에 완성된 것임. 트라야누스 황제가 원정한 여러 장면이 나선상(螺旋狀)으로 부각(浮刻)되어 있음.

트라우마〔trauma〕 명 『심』 정신적 외상(外傷). 격심한 공포・슬픔・감동・경악 등으로 그것이 경과한 뒤에 마음에 깊은 상처를 남긴 것. 이것이 후에 여러 가지 신경증 장애의 원인이 됨.

트라우베-강【―腔】 명 〔Traube's space〕 『의』 좌늑골궁(左肋骨弓)・심장・간 및 비장(脾臟)의 전흉부(前胸部) 탁음계(濁音界)에 있는 부위. 타진시(打診時) 위공포(胃空胞)의 울림에 의해 흔히, 북소리가 나는데 좌흉막강(左胸膜腔)에 많은 삼출액(滲出液)이 괴어 있을 때에는 탁한 소리로 들림. 흉막염(胸膜炎) 진단에 이용되기도 함.

트라이〔try〕 명 ①꾀하여 노력하여 봄. 시도(試圖). ②럭비에서, 공격측의 경기자(競技者)가 상대측의 인골(ingoal) 안에 공을 찍는 일. 4점을 득점(得點)하고, 플레이스 킥(place kick)의 권리를 얻게 됨. ――하다 자 타 여불

트라이던트 잠수함【―潛水艦】〔Trident〕 명 『군』 잠수함 발사 탄도

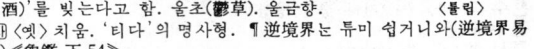

미사일을 탑재(搭載)한 미국의 원자력 잠수함. 미국의 3대 전략핵 중의 하나로, 1981년에 취역(就役)을 시작함.

트라이아스-계【一系】명〔Triassic System〕〖지〗트라이아스기의 지층. 구칭 : 삼첩계(三疊系).

트라이아스-기【一紀】명〔Triassic period〕〖지〗지질 시대의 중생대(中生代)의 최초의 시대. 약 2억 5천만 년 내지 2억 1천만 년 전의 시대. 독일에서 이 시대의 지층이 3층으로 되어 있어서 생긴 이름임. 암모나이트(ammonite)와 공룡류(恐龍類)의 조상이나 경골어(硬骨魚)·파충류들이 번성하기 시작함. 식물로는 소철류(蘇鐵類)·은행류·송백류(松柏類)가 번성했음. 삼첩기(三疊紀).

트라이아스기 전기【一紀前期】명〔Lower Triassic〕〖지〗지질 연대의 트라이아스기의 최초의 시대. 약 2억 2천 5백만 년 전에서 2억 1천 5백만 년 전까지 계속됨.

트라이아스기 중기【一紀中期】명〔Middle Triassic〕〖지〗트라이아스기 전기와 후기 사이의 지질학적 시대. 약 2억 1천 5백만 년 전에 시작됨.

트라이아스기 후:기【一紀後期】명〔Upper Triassic〕〖지〗지질 연대의 트라이아스기의 최후의 시대. 약 2억 년 전에 시작함.

트라이 아웃〔try out〕명 예선 경기 또는 정식 공연 전에 행하는 시연(試演).

트라이애슬론〔triathlon〕명 수영 3.8 km, 사이클링 179.2 km, 마라톤 42.195 km를 한 사람이 하루에 해내는 내구(耐久) 경기. 1978년 미국에서 처음 열려, 이후 해마다 대회가 열림. 철인(鐵人) 레이스.

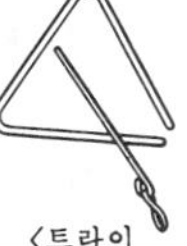
〈트라이앵글❸〉

트라이앵글〔triangle〕명 ①〖수〗삼각형. ②삼각자. ③〖악〗타악기(打樂器)의 하나. 강철봉(鋼鐵棒)을 정삼각형으로 구부려 한 쪽 끝을 실로 매달고 금속봉으로 두들김. 소리가 매우 맑고 고음(高音)을 냄. 관현악·군악(軍樂) 등에 쓺.

트라이어드〔triad〕명〖악〗삼화음(三和音).

트라이얼〔trial〕명 ①시련(試鍊). 고난(苦難). ②심문(審問). ③자전거 경기에서, 독주 시간 경주(獨走時間競走).

트라이얼비전〔미 trialvision〕명〖법〗〔trial+television〕법정(法廷)에서의 증인 심문 대신에 비디오테이프에 녹화된 증인 진술(證人陳述)을 법정에서 재생(再生)하는 일. 미국의 민사 재판에서 사용되고 있음.

트라이얼 앤드 에러〔trial and error〕명〖심〗시행 착오(試行錯誤).

트라이엑스 필름〔Tri-X film〕명 미국의 코닥(Kodak) 회사가 만든 감도(感度)가 높은 필름. 현상(現像)이 잘 되며, 보존성(保存性)과 입자성(粒子性)이 좋음.

트라이유니티〔triunity〕명 삼위 일체(三位一體). 트리니티(trinity).

트라이치케〔Treitschke, Heinrich von〕명〖사람〗독일의 역사가·국제법학자. 프러시아 연감(年鑑)의 주필(主筆)을 역임하였는데, 권력 국가(權力國家) 사상을 제창하고 식민지 정책을 창도(唱導)하여 비스마르크(Bismarck)에 공헌하였음. ≪정치 역사론≫·≪정치학 강의≫ 등의 저서가 있음. [1834-96]

트라이컬러 픽처 튜:브〔tricolor picture tube〕명 컬러 텔레비전용의 삼색 수상관(受像管).

트라이포드〔tripod〕명 삼각대(三脚臺). 삼각기(三脚器). 삼각 의자.

트라지메노 호【一湖】〔Trasimeno〕명〖지〗이탈리아 중부 아펜니노(Apennino) 산에 있는 호수. 호면 표고 259 m, 최대 수심 8 m. 호안(湖岸)에서는 기원전 217년 한니발이 로마군을 격파하였고, 제2차 대전 때도 격전이 있었음. [129 km²]

〈트라코돈〉

트라코돈 명〖동〗〔Trachodon〕 뱀강(綱) 공룡류(類)에 속하는 화석(化石) 동물의 하나. 수서(水棲) 또는 양서(兩棲)를 했으며 주둥이가 오리의 부리처럼 되고, 후지(後肢)는 길고 튼튼하며 물갈퀴가 있고 전지(前肢)는 짧음. 꼬리는 길고 강대함. 백악기(白堊紀) 후기에 서식했음. 압취 공룡(鴨嘴恐龍).

트라코마〔trachoma〕명〖의〗결막(結膜)의 만성 전염성 질환. 프로바첵(Prowazeck) 소체(小體)라는 병원체에 의해 일어남. 결막염과 증상이 거의 같은데, 그 외에 결막 조직의 발적(發赤)·비후(肥厚)·혼탁(溷濁), 백색 또는 회백색 과립(顆粒)의 발생, 반흔 형성(瘢痕形成) 등의 증세가 더함. 가만 두면 각막(角膜)이 혼탁해지며 시력 장애(視力障礙)·만성 누낭염(慢性淚囊炎) 등을 일으켜 종국에는 실명(失明)하기에 이름. 트라홈. 개씨바리.

트라클〔Trakl, Georg〕명〖사람〗오스트리아의 초기 표현주의의 시인. 마약(痲藥) 중독자였으며, 제1차 세계 대전에 간호병으로 종군하여 전쟁의 비참함에 착란(錯亂)하여 자살함. 그의 작품은 음악적인 리듬과 묵시록적인 직관(直觀)의 순수성으로 20세기 독일시(詩) 최고의 성과에 듦. [1887-1914]

트라키아〔Thracia〕명〖지〗에게 해(海) 동북안 지방. 고대 트라키아는 불가리아 남부를 포함한 지역으로 금·은·목재의 산지로 알려짐. 1453년 오스만 투르크의 지배하에 들어, 1878년에 북부는 동(東)루멜리아(Rumelia)로 분리됨.

트라팔가르 갑【一岬】〔Trafalgar〕명〖지〗이베리아(Iberia) 반도 서남 해안의 갑(岬). 1805년 넬슨 제독의 영국 함대와 프랑스·스페인의 연합 함대가 회전(會戰)한 곳으로 유명함.

트라팔가르 광:장【一廣場】명〔Trafalgar Square〕〖지〗영국 런던에 있는 광장. 템스 강(江) 북안에 있는데, 유명한 넬슨 기념탑이 있으며, 관청·박물관·극장 등이 모여 있어 런던의 한 중심지를 이룸.

트라팔가르 해:전【一海戰】〔Trafalgar〕명〖역〗나폴레옹 전쟁 중인 1805년 10월 21일, 스페인의 트라팔가르 앞바다에서 넬슨 제독이 이끄는 영국 함대가 프랑스·스페인의 연합 함대를 무찔러 대첩(大捷)을 거둔 유명한 해전. 이 해전으로 인하여 넬슨은 전사하였으나, 영국이 제해권(制海權)을 완전 장악하여 나폴레옹 1세의 영국 본토 침공(侵攻)을 좌절(挫折)시켰음.

트라피스트〔프 trappiste〕명〖천주교〗시토(Citeaux) 수도회에서 분리 독립한 엄률(嚴律) 시토 수도회의 속칭. 침묵(沈默)·기도·정진(精進)·노역(勞役)의 엄숙한 계율(戒律) 밑에 노동 작업을 행함.

트라하텐베르그〔Trakhtenberg, Iosif Adol'fovich〕명〖사람〗소련의 경제학자. 1939년 과학 아카데미 회원. 자본주의의 신용 이론·신용 조직 및 신용·화폐 공황을 연구함. 주저에 ≪지폐론(紙幣論)≫·≪현대의 신용 및 신용 조직≫·≪화폐 공포≫ 등이 있음. [1883-1960]

트라홈〔도 Trachom〕명〖의〗트라코마(trachoma).

트란스발 공:화국【一共和國】〔Transvaal〕명〖역〗1848년에 보어인(Boer 人)에 의하여 남아프리카에 세워졌던 공화국. 남아 전쟁(南阿戰爭)에 패하여 1902년 영국의 식민지가 되고 뒤에 1910년에 남아 연방의 한 주(州), 1961년 남아프리카 공화국의 한 주가 되었음.

트란스발 전:쟁【一戰爭】〔Transvaal〕명〖역〗남아 전쟁(南阿戰爭).

트란스발 주【一州】〔Transvaal〕명〖지〗남아 공화국 북동부의 한 주(州). 세계적인 광산(鑛産) 지대로, 광산액은 남아 전체의 80 %를 점함. 요하네스버그를 중심으로 하는 금광을 위시하여, 우라늄·다이아몬드·구리·철·석탄 등의 산출이 많음. 주도(州都)는 프리토리아(Pretoria). [262,499 km² : 5,645,000 명 (1980)]

트란스-요르단〔Transjordan〕명〖지〗요르단 왕국이 제1차 세계 대전 후에 영국의 위임 통치령(1923-48년)이었을 때의 이름.

트란스첸덴탈〔도 transzendental〕명〖철〗선험적.

트란실바니아〔Transylvania〕명〖지〗루마니아 중앙부 및 북서부의 지방. 카르파티아 산맥(Carpathia山脈)과 트란실바니아 알프스에 싸인 대상 분지(臺狀盆地)로, 대지는 삼림(森林)이 많고, 하곡부(河谷部)는 농경지임. 지하 자원이 풍부하여 철강·기계·화학·섬유·목재 가공 따위의 공업이 행하여짐. 전에는 헝가리령이었으나 1919년 루마니아령이 되었음. [102,000 km² : 약 780만명 (1980)]

트란실바니아 알프스〔Transylvania Alps〕명〖지〗루마니아 중앙부를 동서로 뻗은 산맥. 카르파티아 산맥(Carpathia 山脈)의 남쪽 부분으로 루마니아를 남북으로 2분함. [370 km]

트란퀼로〔이 tranquillo〕명〖악〗'조용하게, 가만히'의 뜻.

트랄리움〔도 Tralium〕명〖악〗독일의 전기 악기. 피아노와 비슷한데, 키(key)에 전기를 통하면 음계 등이 자유로이 연주됨.

트래거캔스〔tragacanth〕명 트래거캔스 고무나무에서 채취되는 점액을 굳힌 것. 복잡한 다당류(多糖類)의 혼합물로, 환약(丸藥)·정제(錠劑)·수렴약의 완화제 따위 약용 외에 향료나 아이스크림 등의 식품에 쓰이고 있음. 트래거캔스 고무.

트래거캔스 고무〔tragacanth gum〕명 트래거캔스.

트래기 명〈방〉뜰(경북).

트래버:스〔traverse〕명 ①산허리나 암벽(岩壁)을 따라 가는 일. 또, 산맥을 횡단하는 일. 등산 용어. ②〖지〗지질학적 지역 한 쪽에서의 반대쪽으로 조사 또는 시료(試料)를 채취해 가는 선(線). ──-하다 타 여불

트래버:스 측량【一測量】명〔traverse survey〕〖토〗다각 측량(多角測量).

트래블러스 체크〔traveller's check〕명 여행자의 현금을 은행이 수표로 발행하여, 여행지의 은행에서 현금으로 찾아 쓸 수 있도록 된 수표. 여행자 수표.

트래블 론:〔travel loan〕명 주로 여행업자와 은행 따위의 금융 기관이 제휴(提携)하여 제정한, 여행 할부 판매 제도.

트래블링〔travelling〕명 농구에서, 경기자(競技者)가 공을 가지고 행동할 수 있는 범위를 넘어서 움직이는 일. 두 발짝을 넘어서 뛸 수 없음.

트래지디〔tragedy〕명 비극(悲劇). ↔코메디(comedy).

트래지-코미디〔tragicomedy〕명〖연〗희비극(喜悲劇).

트래직〔tragic〕명 비극적. 비장한 모양. ↔코믹(comic).

트래커〔Tracker〕명〖항공〗미국의 대잠수함 공격 항공기. 모함(母艦)에서의 발착(發着)이 가능함. 잠수함의 탐지·위치 결정 및 파괴를 주목적으로 설계됨. S-2라 불림.

트래킹〔tracking〕명 광학적(光學的) 또는 전파적(電波的) 방법으로 인공 위성 따위의 비행체를 추적(追跡) 관측하여, 그 궤도 및 위치를 정하는 일. 보통, 인공 위성이 발하는 전파 신호를 수신하고 추적함.

트래킹 오차【一誤差】〔tracking〕명〖공〗음반(音盤)의 파형(波形)의 진동 방향과 픽업의 진동 방향 사이의 각도. 픽업 암(pickup arm)이 반경 방향의 축상(軸上)에 있을 때에만, 홈과의 접촉이 바르게 됨. 픽업 암이 길면 긴 만큼 트래킹 오차는 적어짐.

트랙〔track〕명 ①육상 경기장 또는 경마장의 경주로(競走路). ¶ ~ 위를 달리다. ②경주(競走) 경기.

트랙 경:기【一競技】〔track〕명 육상 경기장의 트랙에서 행하는 경기의 총칭. 경주 경기. ↔필드 경기.

트랙 백〔track back〕명〖연〗카메라를 대상물로부터 뒤로 물려 가면서 하는 이동 촬영. ↔트랙 업(track up).

트랙 볼:〔track ball〕명〖컴퓨터〗커서를 이동시키는 데 쓰는 볼 모양의 입력 장치. 주로 그래픽 정보를 입력하는 데 씀.

트랙션〔traction〕명 ①〖미술〗도장면(塗裝面)이 갈라져서, 그 틈으로 바닥이 드러나는 일. ②〖지〗퇴적 입자(堆積粒子)가 유수(流水)·빙하·풍력(風力) 따위에 의해서 유로(流路)의 바닥을 따라 운반되는 현

상. 저면 유동.

트랙션 튜:브 〔traction tube〕 [명] 〖공〗 여러 가지 크기의 모래알을 이동시킬 수 있는 최저 유수 속도(流水速度)를 측정하는 장치. 모래로 채워진 수평 유리관으로 되어 있음.

트랙 업 〔track up〕 [명] 〖연〗 카메라를 대상물로 향해 전진시키면서 하는 이동 촬영. ↔트랙 백(track back).

트랙터 〔tractor〕 [명] ①강력한 원동기를 갖춘 작업용 자동차. 트레일러(trailer)나 농업 기계를 끌며, 농사 일이나 토목 건설에 사용됨. 차륜식(車輪式)과 캐터필러식이 있음. 견인차(牽引車). 견인 자동차. ②↗핸들드트랙터.

트랙터 로:더 〔tractor loader〕 [명] 〖기〗 트랙터 셔블.

트랙터 셔블 〔tractor shovel〕 [명] 〖기〗 날 붙은 통이 갖추어진 트랙터. 흙이나 자갈 따위를 파내어, 이것을 트럭에 실어 주는 데 씀. 트랙터 로더(tractor loader).

트랙터 수문 【一水門】 〔tractor〕 [명] 〖토〗 방수(放水)를 조절하는 수문의 하나. 저수지에서 물을 뺄 때 쓰이며, 롤러(roller)식과 차륜식(車輪式)의 두 가지 형식이 있음.

트랙트릭스 〔tractrix〕 [명] 〖수〗 현수선(懸垂線)의 맨 밑의 점에서 시작되는 신개선(伸開線). 이 곡선상의 임의의 점 P에 있어서의 접선과, 이 곡선의 접근선과의 교점을 Q라 하면 PQ의 길이는 일정함. 호곡선.

트랜셉트 〔transept〕 [명] 〖건〗 십자형 구조의 교회당에서 본당과 직교(直交)하는 좌우의 돌출부. 두 쌍으로 되는 경우도 있음.

트랜스¹ 〔trance〕 [명] 최면 상태나 히스테리 때에 나타나는, 의식이 정상적이 아닌 상태. 외계와 접촉을 끊고 깊은 명상 상태에 들어가 특수한 희열에 잠기는 것을 이름.

트랜스² 〔trans〕 [명] 〖전〗 〔↗트랜스포머(transformer)〕 변압기.

트랜스듀:서 〔transducer〕 [명] 변환기(變換器).

트랜스미션 〔transmission〕 [명] 변속기.

트랜스미터 〔transmitter〕 [명] 〖물〗 전신기의 송신기, 전화의 송화기(送話器), 무선 전신·라디오의 송파기(送波機) 등의 총칭.

트랜스시:버 〔transceiver〕 [명] 휴대용의 소형 무선 전화기. 근거리(近距離) 연락용임.

트랜스아미나아제 〔transaminase〕 [명] 〖화〗 아미노기(基) 전이 효소(轉移酵素). 아미노산의 아미노기(基)를 알파케톤산(α ketone 酸)으로 전이하여 각기 다른 케톤산과 아미노산으로 생성하는 반응

$$RCH(NH_2)COOH + R'COCOOH \rightleftarrows RCOCOOH + R'CH(NH_2)COOH$$

를 촉매하는 효소의 총칭. 생물계에 널리 분포하며, 생체내에서의 아미노산 합성(合成)에 중요함.

트랜스 월:드 항공 회:사 【一航空會社】 [명] 〔Trans World Airlines, Inc.; TWA〕 1925년에 설립된 미국의 유력한 항공 회사. 미국의 국내선·국제선의 두 부문에서 유력하며, 총수송량은 미국 제2위임.

트랜스-유 【一油】 〔trans〕 [명] 〖화〗 고도로 정제(精製)한 낮은 점도(粘度)의 절연유(絕緣油). 절연 파괴 전압이 크고, 냉각 작용이 좋으며, 장기간 사용하여도 산화(酸化) 변질하거나 부패하는 일이 없음. 또한, 겨울에는 유동점(流動點)이 낮고 여름에는 증발 감량(蒸發減量)이 적어 항시 사용됨. 전기 절연유(電氣絕緣油).

트랜스퍼 〔transfer〕 [명] 〖경〗 트랜스퍼 기구.

트랜스퍼 기구 【一機構】 〔transfer〕 [명] 〖경〗 국제 수지의 불균형을 시정하기 위한 기구. 중상주의 및 신중상주의의 일방적 수출 경쟁에 대하여 수출입 쌍방의 증대에 의한 수지 균형을 목적으로 함. 일시적으로는 단기 자본의 이동 등으로 조정함. 2차 대전후의 브레튼우즈 협정(Bretton Woods 協定)·국제 무역 헌장·마샬 플랜 등에 현저하게 나타나고 있음. 국제 수지 조정 기구. 트랜스퍼.

트랜스퍼 머신 〔transfer machine〕 [명] 일정한 전용(專用) 공작 기계를 가공 순서대로 배열하여 놓고, 각 공작 기계가 피가공물(被加工物)을 일관(一貫)하여 자동적으로 완성하게 한 공작 설비.

트랜스포:머 〔transformer〕 [명] 〖전〗 트랜스.

트랜스포:테이션 푸어 〔transportation poor〕 [명] 자동차의 혜택을 입지 못하는 계층. 자동차 운전을 못하는 노령층, 심신 장애자층, 자동차를 살 수 없는 경제적 빈곤층이나 주부(主婦) 계층을 일컬음.

트랜스포:트 〔transport〕 [명] 수송(輸送).

트랜스폼 단:층 【一斷層】 [명] 〔transform fault〕 플레이트 경계의 일종. 두 플레이트가 떨어지지도 않고 접근하지도 않고 다만 어긋나게 움직이는 경우의 경계. 여느 단층과는 구별하여 이름. 중앙 해령(海嶺)이나 해구(海溝)에서 나타내는 플레이트 경계가 그 연장선 상에서 변신하였다는 뜻으로 이름이 붙여짐.

트랜스-히말라야 〔Trans-Himalaya〕 [명] 〖지〗 히말라야 산맥 북쪽, 인더스 강(Indus 江) 상류와 브라마푸트라 강(Brahmaputra 江) 상류를 끼고 나란히 뻗은 산맥. 최대 폭 250 km. [1,000 km]

트랜슬레이션 〔translation〕 [명] 번역(飜譯).

트랜슬레이터 〔translator〕 [명] 번역가. 통역.

트랜싯 〔transit〕 [명] 각을 재는 측량 기계의 한 가지. 수평축(水平軸) 및 수직축의 주위에 자유로 회전할 수 있는 망원경과 분도원(分度圓)이 장치되어 있음. 지상(地上)의 측량 또는 태양 및 항성(恒星) 등을 관측하여 방위(方位)·경위도(經緯度)·시각(時刻) 등을 측량하는 데 사용함. 전경의(轉鏡儀).

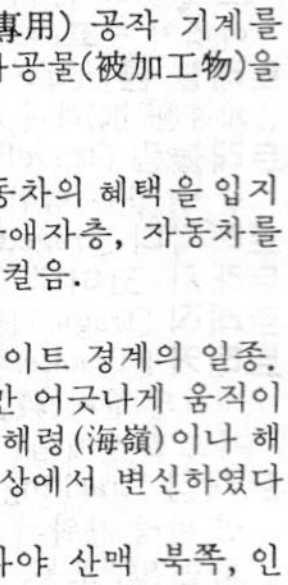

〈트랜싯〉

트랜싯 위성 【一衛星】 〔transit〕 〔一싣一〕 [명] 미해군이 군사 목적으로 개발한 항해 위성. 전파 발진(發振)에 의하여 악천후에도 위치 측정이 가능함. 중량 120 kg.

트랜잭션 텔레폰 〔미 transaction telephone〕 [명] '데이터 텔레폰'을 미국에서 일컫는 말.

트랜지스터 〔transistor〕 [명] ①〖물〗 〔transfer of energy through varistor의 약칭〕 게르마늄 결정(結晶)을 특수한 각도(角度)로 끊은 것을 이용하여, 진공관과 같은 증폭 작용(增幅作用)을 하는 전자 장치. 직경 약 5 mm, 길이 약 20 mm 정도의 작은 것도 있으며, 가열 전극(加熱電極)이 필요 없고, 필요 전력이 극히 소량임. 다수의 진공관을 사용하는 장치에 이용하면, 전체의 중량·용적을 아주 작게 할 수 있고, 또한 발열(發熱)에 의한 불리한 점을 제거할 수 있음. 라디오 수신기·통신기 및 컴퓨터 등에 널리 쓰임. 결정 삼극관(結晶三極管). 광석(鑛石) 삼극관. ②↗트랜지스터 라디오.

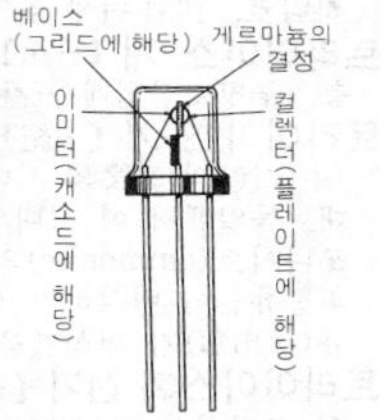

〈트랜지스터❶〉

트랜지스터 걸: 〔transistor girl〕 [명] 아리잠직하며 손쉽게 사귈 수 있는 처녀.

트랜지스터 라디오 〔transistor radio〕 [명] 진공관 대신에 트랜지스터를 사용한 라디오 수신기. [준]트랜지스터.

트랜지스터 모:터 〔transistor motor〕 [명] 브러시(brush)와 정류자(整流子)에 의한 정류 작용에 대신하여, 트랜지스터의 개폐 작용을 사용한 직류 전동기(直流電動機). 차량 적재용·휴대용 기기에 알맞으며, 또 불똥이나 소음의 발생을 꺼리는 장소에 알맞음.

트랜지스터 시계 【一時計】 〔transistor〕 [명] 트랜지스터의 정류(整流)·증폭(增幅) 작용을 이용한 무접점(無接點)의 전지 시계.

트랜지스터 증폭기 【一增幅器】 〔transistor〕 [명] 한 개 또는 몇 개의 트랜지스터가 전자관(電子管)의 증폭 작용과 맞먹는 증폭 작용을 하는 증폭기.

트랜지스터 칩 〔transistor chip〕 [명] 캡슐에 봉입(封入)되지 않은 트랜지스터. 초소형(超小型) 회로에 쓰임.

트랜지스터 텔레비전 〔transistor television〕 [명] 회로의 증폭 또는 발진(發振) 등에 트랜지스터를 사용한 텔레비전 수상기. 작고 가벼우며, 전력의 소비가 적은 데다 스위치를 누르는 동시에 상(像)이 나오는 등의 특징이 있음. 휴대용·자동차용 등이 있음.

트랜지스터 특성 【一特性】 〔transistor〕 [명] 트랜지스터의 임피던스(impedance) 및 이득치(利得值).

트램-웨이 〔tramway〕 [명] 〖기〗 두상 궤도(頭上軌道)나 공중에 친 와이어로프 및 케이블 위를, 바퀴 달린 차가 짐을 실어 나르는 운반 장치.

트램퍼 〔tramper〕 [명] 부정기선(不定期船). 트램프(tramp).

트램펄린 〔trampolin〕 [명] 체조(體操)의 특수 종목의 한 가지. 또, 그 기구(器具). 탄력 있는 매트(mat) 위에서 뛰어 오르거나 몸을 구부리거나 회전 운동 등을 함.

트램프 〔tramp〕 [명] 트램퍼(tramper).

트랩¹ 〔trap〕 [명] ①사격의 표적(標的)으로서 공중에 점토제(粘土製)의 비둘기를 날리는 장치. 방조기(放鳥器). ②배수관의 일부를 구부려서 항상 일정량의 물이 괴어 있게 하고 하수구 등에서 역류(逆流)하는 냄새를 막는 장치. ¶유(U) ～. ③증기 배관(配管)의 물을 뽑는 장치. ④스프링을 단 경이륜 마차(輕二輪馬車).

〈트랩¹❷〉

트랩² 〔trap〕 [명] 선박이나 비행기의 승강(昇降)에 사용하는 사닥다리. 현제(舷梯). ¶비행기의 ～을 오르다.

트랩 사격 경:기 【一射擊競技】 〔trap〕 [명] 트랩, 곧 올가미를 씌운 새를 날려 표적으로 삼았던 크레이(clay) 사격의 일컬음. 현재의 점토(粘土)로 만든 비둘기가 생기기 이전의 명칭.

트랩-슈:팅 〔trapshooting〕 [명] 놀이의 한 가지. 쏘아올린 점토제의 비둘기 따위를 피스톨로 쏘는 일.

트랩 회로 【一回路】 〔trap〕 [명] 고주파 회로에서 필요한 주파수 이외의 파동을 감쇠(減衰)시키기 위하여 부가하는 회로. 텔레비전 수상기 따위에 많이 쓰임.

트랭퀼라이저 〔tranquilizer〕 [명] 〖약〗 정신·신경의 안정제. 주로 노이로제 등의 신경 흥분이나 정신병에 유효한 약물을 이름.

트러블 〔trouble〕 [명] ①근심. 곤란. 불행. ②말썽거리. 쟁의(爭議). 분쟁(紛爭). ¶～을 일으키다. ③(기계 따위의) 고장. 부조(不調).

트러블-메이커 〔troublemaker〕 [명] 말썽을 일으키는 사람. 분쟁을 일으키는 사람. 말썽꾸러기.

트러블 숏 〔trouble shot〕 [명] 골프에서, 곤란한 상태에 있는 공을 치는 일.

트러스 〔truss〕 [명] 〖건·토〗 여러 개의 부재(部材)로써 짜 맞추어, 지붕이나 교량 등에 도리로서 쓰이는, 특수한 형상의 가구(架構). 구조상의 하중(荷重)을 주로 구조 부재의 축방향(軸方向)의 저항력만으로 지탱하도록 만든 것임.

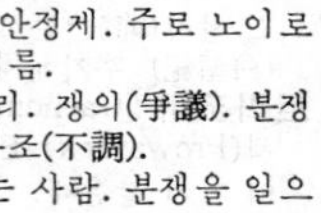

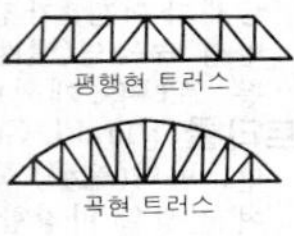

〈트러스〉

트러스-교 【一橋】 〔truss〕 [명] 도로·선로 따위에서, 다리의 도리가 트러스 구조로 되어 있는 다리. 워렌(warren) 트러스교·사현(四弦) 트러스교 등이 있음.

트러스 보 〔truss〕 [명] 〖건·토〗 교량 따위에서 부재(部材)를 트러스로 짜서 맞춘 구조의 도리. 트러스트 거더(trussed girder). 구형(構桁).

트러스트 〔trust〕 [명] 〖경〗 독점적 기업 합동(獨占的企業合同). 같은 종류의 생산에 종사하는 기업가가 자유 경쟁의 결과로 인한 생산 과잉(生産過剩)·가격 저락(價格低落) 등을 피하고, 나아가서 시장 및 이윤의 독점을 목적으로 하여 합동하는 것. 카르텔보다 결합의 정도가 높으며 가입한 기업체의 독립성은 거의 상실됨. 기업 합동.

트러스트 거:더 〔trussed girder〕 [명] 〖건·토〗 트러스 보.

트러피:즈 라인 〔trapeze line〕 명 양재(洋裁) 용어. 좁은 어깨, 높은 듯한 웨이스트(waist), 어깨에서부터 옷자락까지 완만(緩慢)하게 사다리꼴로 퍼진 실루엣.

트럭 〔truck〕 명 ①화물 자동차. ¶~ 운전수. ②역구내(驛構內)에서 수화물 같은것을 나르는 작은 수레. ③토공용(土工用)의 짐수레. 손으로 밀어 운전하는 경편 궤조(輕便軌條) 위를 달리는 사륜 대차(四輪臺車). ④무개 화차(無蓋貨車).

트럭 믹서 〔truck mixer〕 명 배합된 콘크리트를 필요한 장소로 굳지 않도록 개면서 운반하는 콘크리트 믹서를 장치한 트럭. 상면 개방형(上面開放型)과 경사동형(傾斜胴型)이 있음. *레미콘.

트럭 스케일 〔truck scale〕 명 트럭이나 짐수레의 적화(積貨)를 계량하는 저울. 계량대(計量臺)는 땅 속에 묻혀 있음.

트럭 시스템 〔truck system〕 명 『경』 피고용자에 대하여 임금(賃金) 대신에 그 전부 또는 일부를, 증권(證券)·금권(金券) 또는 물품·식료 등으로 지불하는 제도. 노동자의 실질(實質) 임금을 저하시키고, 그 생활의 자유를 구속하여, 고용자에 대한 신분적 예속을 초래(招來)하는, 봉건적(封建的)인 임금 제도임. 물품 임금제(物品賃金制). 실물 급여 제도(實物給與制度).

트럭 터:미널 〔truck terminal〕 명 대도시의 교통 체증(滯症)을 완화하기 위하여 만든 교외(郊外)의 트럭 전용 주차장.

트럼펫 〔trumpet〕 명 『악』 금관 악기의 한 가지. 원래 신호용(信號用)의 나팔이 발달된 것으로서, 이에 밸브나 피스톤을 세 개 장비하여 발음 능력을 더한 것임. 음색(音色)은 높고 날카로우며 명쾌하여 관현악·취주악에 사용되는데, 특히 재즈 같은 경음악의 연주에는 없어서는 안 될 악기임.

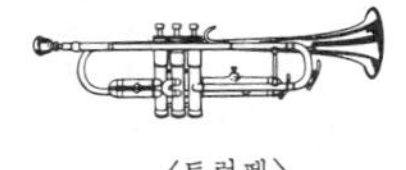
〈트럼펫〉

트럼프 〔trump〕 명 〈속〉 플레잉 카드(playing card). 카드. 또, 그 카드를 가지고 하는 놀이.

트렁크 〔trunk〕 명 ①여행할 때 쓰는 큰 가방. ②자동차 뒤쪽의 짐 넣는 곳. ③『통신』 정보(情報)가 컴퓨터에 전송(轉送)되는 통로(通路).

트렁크 그룹 〔trunk group〕 명 『통신』 두 개의 접속 지점(接續地點)을 결합하는, 일정한 형(型)의 특성을 지닌 중계선(中繼線)의 집합.

〈트렁크❶〉

트렁크-룸: 〔trunkroom〕 명 광이나 헛간 등에서, 특히 트렁크를 넣어 두는 장소.

트렁크스 〔trunks〕 명 남자용의 팬티. 수영·복싱 등에서 착용함.

트레댜코프스키 〔Tredyakovskii, Vasilii Kirillovich〕 명 『사람』 러시아의 시인. 로모노소프(Lomonosov, M.V.)와 비견함. 러시아의 초기 고전주의의 대표자. ≪러시아 신간이 작시법(新簡易作詩法)≫에 의해 실러블 악센트(syllable accent) 시(詩)의 기초를 쌓았음. [1703-69]

트레드 〔tread〕 명 타이어의 직접 노면(路面)에 닿는 부분. 마모(磨耗)에 견딜 수 있는 단단한 고무로 되었으며, 용도에 따라서 여러 가지 모양이 새겨져 있음.

트레드밀 〔treadmill〕 명 제자리 달리기 장치. 살을 빼거나 몸 컨디션 조절을 위한 실내 운동 용구임.

트레디션 〔tradition〕 명 전통(傳統). 「여불

트레-머리 명 여자의 머리를 꼭뒤에다가 틀어 붙인 머리. ──-하다 자

트레몰로 〔이 tremolo〕 명 『악』 일음(一音)·이음(二音) 또는 몇 개의 음을 될 수 있는 대로 빨리 반복하는 주법(奏法). 주로 기악(器樂)에 씀. 진음(震音).

트레미 〔tremie〕 명 『공』 수중(水中)에 콘크리트를 부설하는 장치. 상단(上端)에 깔때기 모양의 호퍼(hopper)가 있는 큰 금속관(管)이 달리고 물 속 하단(下端)에는 판(瓣)기구를 갖춤.

트레-바리 명 이유 없이 남의 말에 반대하기를 좋아하는 성격. ¶내가… 구명하겠답시고 극간하고 나선다면 ~있는 대신들이 나를 칭하여 난도들과 붕결이 졌다고 논핵하고…≪金周榮 : 客主≫.

트레박 명 〈방〉 두레박(전남).

트레-방석 【一方席】 명 나선(螺旋) 모양으로 틀어서 만든 방석.

트레벨랸 〔Trevelyan, George Macaulay〕 명 『사람』 미국의 역사가. 케임브리지 대학 교수를 지냄. 영국 근대사를 전공하였는데, 뛰어난 서술력으로 알려짐. 주요 저서로 ≪앤 여왕(Anne女王) 시대의 영국≫·≪영국사≫·≪영국 사회사≫ 등이 있음. [1876-1962]

트레비딕 〔Trevithick, Richard〕 명 『사람』 영국의 기사·발명가. 고압 증기 기관을 설계, 최초의 증기 기관차를 만들었음. [1771-1833]

트레비의 샘: 〔Trevi〕 〔─/─에─〕 명 이탈리아의 로마에 있는 분수. 해신(海神) 넵투누스가 반인 반어(半人半魚)의 종신(從神)들이 끄는 수레 위에 선 군상(群像)을 본뜨고 있음. 1762년 건조. 여기서 분수에 등을 돌린 채로 화폐를 물 속에 던지면 다시 로마에 온다는 속설이 있음.

트레오닌 〔threonine〕 명 『화』 필수 아미노산(酸)의 하나. 1935년 로즈(Rose) 등에 의해 발견됨. 무색의 결정질(結晶質)이며 영양상(營養上) 중요한 요소로 생각됨. 단백질로부터의 조제는 곤란하나 여러 가지 합성법이 있음.

트레이너 〔trainer〕 명 ①각종 운동에서, 선수의 체력을 조정하는 사람. ②말·개 따위의 조교사(調敎師). ③운동 선수가 연습복(練習服) 위에 착용하는 웃도리.

트레이닝 〔training〕 명 훈련. 교련(敎鍊). 연습.

트레이닝 셔츠 〔training shirts〕 명 운동 경기용 또는 연습용의 셔츠.

트레이닝 슈:즈 〔training shoes〕 명 스포츠 연습용의 신. 바닥에 고무를 댐.

트레이닝 캠프 〔training camp〕 명 스포츠 훈련을 위해서 다른 지방으로 갔을 때의 합숙소(合宿所). 「팬츠.

트레이닝 팬츠 〔training pants〕 명 운동 경기를 연습할 적에 입는 긴

트레이드 〔trade〕 명 ①상업. 통상(通商). 무역(貿易). ②프로 팀간의 이적(移籍). 교환(交換). 곧, 선수가 팔려 가는 일.

트레이드 네임 〔trade name〕 명 ①상호(商號). ②상품명.

트레이드-마:크 〔trademark〕 명 ①상표(商標). 등록 상표. ②여러 사람에 있어서 그것이 다른 사람과는 다르다고 느끼게 하는 외견(外見)·소지품·성향(性向) 따위.

트레이드 머니 〔trade money〕 명 프로 야구단 등에서, 선수를 이적(移籍)할 때에 거래되는 돈.

트레이드 오프 〔trade off〕 명 『경』 〔한쪽을 좇으면 다른 쪽이 소홀하여진다는 뜻〕 완전 고용이 이루어지려 하면 물가가 상승하고, 물가 상승이 수습되면 실업(失業)이 증대한다는 물가와 고용의 이율 배반적 관계를 이름.

트레이드 유니어니즘 〔trade unionism〕 명 『사』 노동 조합주의.

트레이드 유니언 〔trade union〕 명 『사』 노동 조합(勞動組合).

트레이서 〔tracer〕 명 『물』 물질의 행방 또는 변화를 추적(追跡)·지시하기 위하여 사용되는 특수한 물질. 어떤 물감, 방사능이 있는 원소 또는 방사성 동위 원소(放射性同位元素)가 이 목적으로 사용됨. 추적자(追跡子). 추적 지시제.

트레이스 〔trace〕 명 ①등산 용어. 발자국 또는 발자국을 따라가는 일. ②원도(原圖) 위에 얇은 종이를 놓고 그림을 베끼는 일. ──-하다 자타여불

트레이시 〔Tracy, Spencer〕 명 『사람』 미국의 영화 배우. 무대에서 진출, 20여 년간의 풍부한 성격 연기로 두 차례의 아카데미상을 받음. ≪노인과 바다≫ 등에 출연함. [1900-67]

트레이싱 페이퍼 〔tracing paper〕 명 투사지(透寫紙). 복도지(複圖紙).

트레인 〔train〕 명 기차(汽車). 열차(列車).

트레일러 〔trailer〕 명 견인차(牽引車)에 부수(附隨)하여 여객 또는 하물을 운반하는, 원동기가 없는 차량. 부수차(附隨車).

〈트레일러〉

트레일러-버스 〔trailer-bus〕 명 원동기를 갖춘 견인차(牽引車)로써 대형의 트레일러를 끄는 버스. 부수식(附隨式) 합승 자동차.

트레일러 트럭 〔trailer truck〕 명 트레일러를 끌도록 된 자동차. 기관과 앞의 운전실만 있고, 뒤에 트레일러를 연결하는 장치가 있음.

〈트레일러 트럭〉

트레저리 체크 〔treasury cheque〕 명 『경』 미국 재무성이 정부 지불을 위하여 발행하는 미국 정부의 수표.

트레킹 〔trekking〕 명 ①본격적인 등산이 아닌 가벼운 마음으로 하는 산행. ②건강과 레크리에이션을 목적으로 하는 도보 운동의 총칭.

트레-트레 부 빙빙 틀어진 모양. >타래타래. ──-하다 형여불

트레티야코프 〔Tret'yakov, Sergei Mikhailovich〕 명 『사람』 러시아의 시인·극작가. 예술 좌익 전선의 대표적 시인임. 훗날 숙청에 의해 옥사했음. 대표작 ≪짖어라, 중국≫. [1892-1939]

트레티야코프 미술관 【一美術館】 〔Tret'yakov〕 명 모스크바에 있는 러시아 국립 미술관의 하나. 19세기의 실업가인 트레티야코프 형제가 수집한 미술품을 모체로 하여 1856년에 창립했음.

트레파크 〔러 trepak〕 명 『악』 러시아 및 우크라이나 지방의 무곡(舞曲). 호파크(hopak)와 비슷하나, 박자가 3박자임.

트레할로오스 〔trehalose〕 명 『화』 2당류의 일종으로 버섯이나 해초 등에 많이 포함되어 있음. 생명에 불가결한 물 대신에 세포 형태를 보존하는 작용이 있는 식품·의약품의 새로운 보존제 등으로의 응용도 시작되고 있음.

트렌처 〔trencher〕 명 도랑을 파는 기계. 트랙터에 여러 개의 굴착용 소형 버킷을 체인으로 연결, 환상(環狀)으로 부착시키고, 주행(走行)하면서 이것을 회전시켜 굴착, 흙을 양쪽 옆으로 쏟아 놓음.

트렌치 〔trench〕 명 ①도랑. 해구(海溝). 참호. ②고고학에서, 발굴구(發掘溝) 또는 시굴구(試掘溝). 발굴 조사에서, 유적(遺跡)에 십자(十字)·엘자(L字)·방사상(放射狀)으로 이것을 설정(設定)하고, 주로 부분 발굴에 의해 유적의 개관(槪觀)을 파악하기 위해 쓰임. 그 밖에 고분(古墳) 등의 전면(全面) 발굴이 곤란할 때도 쓰임.

트렌치 코:트 〔trench coat〕 명 〔제1차 대전 때 영국 병사가 트렌치, 곧 참호 안에서 입은 것이 시초임〕 외투의 한 가지. 모양은 더블인데, 옷깃을 젖힌 곳에 단춧구멍을 내어 앞을 가릴 수 있게 되었음. 어깨에 덮개를 댄 것도 있음. 포켓이 많고 전체적으로 낙낙하게 만든 것으로 레인 코트(rain coat)·더스터 코트(duster coat) 등으로 쓰임.

〈트렌치 코트〉

트렌턴 〔Trenton〕 명 『지』 미국 뉴저지 주(New Jersey州)의 주도(州都). 델라웨어 강(Delaware江) 수운(水運)의 종점. 전선·전기 기구·항공기 부품·화학 공업이 성함. 1679년 퀘이커파(Quaker派) 사람들이 창건함. [92,000명(1980)]

트렌토 〔Trento〕 명 『지』 이탈리아의 동북부 아디제 강(Adige江)의 골짜기에 있는 옛 도시. 1545-63년의 종교 회의(宗敎會議)로 유명함. 트렌트(Trent). 트리엔트(Trient). 고명(古名)은 트리덴툼(Tridentum). [99,000명(1981)]

트렌토 종교 회:의 【一宗敎會議】 〔Trento〕 〔─/─이〕 명 『종』 트리엔트

(Trient) 종교 회의.

트렌트 〔Trent〕 명 〖지〗 트렌토의 영어명.

트렛-하다 형 〈방〉 트릿하다.

트로나 〔도 Trona〕 명 〖화〗 천연 소다 중 가장 중요한 것으로, 백색·회색 또는 황색의 유리 광택이 있는 단사 정계(單斜晶系) 주상(柱狀) 또는 섬유상(狀)의 결정(結晶). 고대 이집트에서 이미 사용된 세계 최초의 소다라고 함.

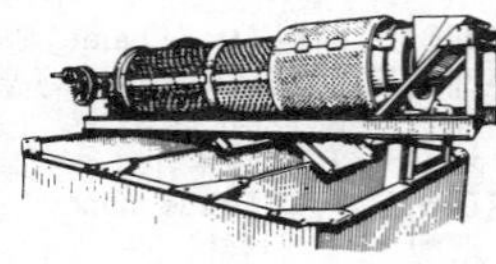
〈트로멜〉

트로멜 〔trommel〕 명 〖광〗 철사망(鐵絲網)을 메운 원통형(圓筒形)의 회전식 광물 분립기(分粒機).

트로브리안드 〔Trobriand〕 명 〖지〗 뉴기니(New Guinea) 섬 동단(東端), 단트러카스토(D'Entrecasteaux) 제도(諸島) 북방에 분포(分布)하고 있는 소(小)산호섬군(群). 오스트레일리아령(領) 파푸아(Papua)에 속함. [12,000 명(1970)]

트로야 〔Troja〕 명 〖지〗 트로이아.

트로야-군 【一群】 〔Troja〕 명 〖천〗 〔각 소행성의 이름이 그리스 신화의 트로야 전쟁의 용사(勇士)의 이름을 딴 데서 유래〕 태양과 목성(木星)에 대해 정삼각형을 이루는 위치에 있는 소행성군(小行星群). 목성 진행 방향에 대해 앞에 67개, 뒤에 54개가 있으며 목성과 거의 같은 궤도를 같은 주기로 운행함.

트로야의 유적 【一遺跡】 〔Troja〕 〔一/一에一〕 명 소(小)아시아의 서쪽 다다넬즈(Dardanelles) 해협(海峽)에 임하여 있는, 동기(銅器) 시대에서 로마 시대에 걸친 옛 도시의 유적.

트로이[1] 〔troy〕 명 〔프랑스의 지명 Troyes에서 유래〕 영국에서 금·은·보석 등을 다는 저울. 그 단위를 트로이 온스라고 이름.

트로이[2] 〔Troy〕 명 〖지〗 트로이아(Troea).

트로이아 〔Troea〕 명 〖지〗 호메로스(Homeros)의 서사시(敍事詩) 일리아스(Ilias)로 유명한 그리스의 옛 도시. 다다넬즈(Dardanelles) 해협의 에게해(Aegae海) 출구 부근에 그 유적이 있음. 트로이(Troy). 트로야(Troja).

트로이 온스 〔troy ounce〕 의명 트로이 저울의 단위. 480그레인, 약 「31.1034g에 상당함.

트로이 전:쟁 【一戰爭】 〔Troy〕 명 〖역〗 호메로스의 시에 나오는 그리스 고대의 유명한 전설적 전쟁. 스파르타의 왕비 헬레네(Helene)가 트로이(Troy)의 왕자 파리스(Paris)에게 유괴(誘拐)당한 것이 원인이 되어, 이를 탈환하고자 아가멤논(Agamemnon)을 총대장으로 하여 10만 명의 그리스 군사가 10년간의 공위(攻圍) 끝에 트로이성(城)을 점령하였다고 함.

〈트로이카❶〉

트로이카 〔러 troika〕 명 ①러시아 특유의 교통 기관. 세 필의 말이 끄는 썰매이며, 두 사람 내지 네 사람이 탐. 적설기가 지나면 수레 바퀴를 달아 마차로 개장(改裝)할 수도 있음. ②삼두제(三頭制). 한 기관에 장(長)을 세 사람 두어 서로 견제케 하려는 제도.

트로이 파운드 〔troy pound〕 의명 트로이 온스의 십이 배. 약 373.23g에 해당함.

트로일로스 〔Troilos〕 명 〖신〗 그리스 신화에서, 트로야의 왕 프리아모스(Priamos)의 아들. 아킬레스(Achilles)에게 살해됨. 중세에 이르러 이를 주제로 한 이야기가 셰익스피어에 의해 창작되었음.

트로츠키 〔Trotskii, Leon〕 명 〖사람〗 러시아의 혁명가. 유태의 소지주(小地主) 태생으로 혁명에 참가한 후 1898년에 체포되었으나 탈주하여 빈(Wien)에서 '프라우다(Pravda)'를 발행하였음. 1917년 3월 혁명 후 귀국하여 레닌과 더불어 활동했고, 외무·육군 인민 위원을 역임하였음. 신경제 정책에 반대하여 파면, 1927년 당에서 제명되어 멕시코에서 암살되었음. 저서에 ≪영구 혁명론≫·≪러시아 혁명사≫ 등이 있음. 본명은 Lev Davydovich Bronstein. [1879-1940]

트로츠키스트 〔Trotskyist〕 명 트로츠키의 노선을 지지하는 사람. 트로츠키주의 신봉자.

트로츠키-주의 【一主義】 〔一/一이〕 명 〔Trotskyism〕 〖정〗 러시아 혁명 후, 레닌·스탈린의 일국(一國) 사회주의 건설의 이론에 반대하여 트로츠키가 제창한 이론. 서구(西歐) 여러 나라의 혁명 없이는 러시아만의 사회주의 건설은 불가능하다는 영구 혁명론(永久革命論)임. 영속 혁명론(永續革命論).

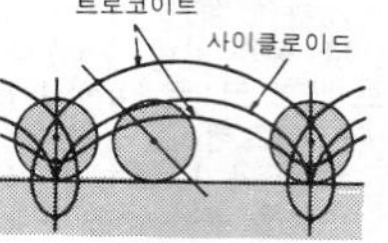

〈트로코이드〉

트로:치-제 【一劑】 〔troche〕 명 트로키제.

트로코이드 〔trochoid〕 명 〖수〗 원이 일직선상을 미끄러지는 일 없이 굴러 갈 때에, 이 원에 대하여 고정된 한 점이 그리는 곡선. *사이클로이드(cycloid).

트로코이드-파 【一波】 〔trochoid〕 명 무한히 깊은 바다의 표면에 일어날 수 있는, 유한 진폭(有限振幅)의 물결의 일종. 수면(水面)의 모양이 트로코이드로 되므로 이러한 이름이 있음.

〈트로코포어〉

트로코포어 〔trochophore〕 명 〖동〗 두족류(頭足類)를 제외한 연체(軟體) 동물이나 환형(環形) 동물의 유생(幼生)의 한 형태. 전체가 방울·팽이나 난구(卵球)의 모양을 하며, 섬모가 고리 모양으로 가로 둘러싸여 있음. 크기는 직경이 0.5mm, 길이 수 mm에 이르고, 끝에 긴 섬모를 가진 것이 있어서 이것으로써 물 속을 헤엄침. 이 유생은 곧 변하여 다른 유생이 됨. 물 속의 플랑크톤으로서 어류의 먹이가 됨.

트로:키-제 【一劑】 〔troche〕 명 〖약〗 구중정(口中錠). 의약품을 백당(白糖)·방향제(芳香劑)·결합제(結合劑) 등과 합쳐 원형(圓形)·타원형·직사각형의 정제(錠劑)로 만든 것이며, 입 안에서 서서히 녹게 하거나 붕괴시켜서 구강(口腔)·인후(咽喉)·기관지(氣管支) 등에 작용시킴. 항생 물질이나 살균제의 트로키가 구내염(口內炎)·인후 카타르 등에 쓰이고 있음. 트로치제.

트로포 〔이 troppo〕 명 〖악〗 '과도(過度)히'의 뜻.

트로포니오스 〔Trophonios〕 명 〖신〗 그리스 신화에서, 아가메데스(Agamedes)의 형. 보이오티아(Boiotia)의 레바데아에 신탁소(神託所)를 가졌던 영웅으로 지하실에서 예언을 했음. 델포이(Delphoi)의 아폴론(Apollon) 신전(神殿) 등의 건축가이기도 함.

트로포미오신 〔tropomyosin〕 명 〖화〗 미오신 비슷한 근육 단백질. 근절(筋節)을 분할하는 제트대(Z帶)의 구조 부분에 포함됨.

트로포콜라겐 〔tropocollagen〕 명 〖화〗 콜라겐 원섬유(原纖維)의 기본적 구성 단위.

트로폴론 〔tropolone〕 명 〖화〗 칠원환 환식(七員環環式) 케톤의 트로폰의 2-하이드록시(hydroxy) 유도체. 무색(無色)의 침상(針狀) 결정(結晶). 녹는점(點) 49-50°C, 끓는점(點) 70°C(2mmHg). 승화성(昇華性). 물·유기 용매(有機溶媒)에 녹음. 방향족(芳香族) 같은 성질을 나타내며 이 유도체를 포함시켜 일반적으로 흔히 트로폴론이라고 총칭하기도 함. [$C_7H_6O_2$]

트로피 〔trophy〕 명 우승배(優勝盃).

트로피즘 〔tropism〕 명 〖심〗 추성[5](趨性).

트로피컬 〔tropical〕 명 〔열대풍의 뜻〕 모직물의 한 가지. 얇은 바탕의 평직 하복지(平織夏服地). 화학 섬유와 섞어 짠 것이 많음.

트로피컬 드링크 〔tropical+drink〕 명 열대 음료.

트로피컬 밴드 〔tropical band〕 명 적도(赤道)를 중심으로 한 열대 지역의 나라에서 행하고 있는 국내(國內) 단파 방송(短波放送). 국제 조약상에 국내 방송은 중파(中波), 국제 방송은 단파(短波) 방송을 행하도록 되어 있으나, 중남미 등 열대 지방에는 뇌명(雷鳴) 등이 많은 특수 사정을 고려하여 국내 단파 방송이 허용되고 있음.

트로피컬 우스티드 〔tropical worsted〕 명 소모사(梳毛絲)의 밀도를 거칠게 짠, 산뜻한 감촉의 여름용의 엷은 평직물(平織物). 주로 남자용임.

트론헤임 〔Trondheim〕 명 〖지〗 노르웨이의 북부 트론헤임 협만(峽灣)의 남안(南岸)에 있는 항구 도시. 조선(造船)·양조(釀造)·제재 등의 공장이 있으며, 무역도 성하며 어류·목재·목재 기구·어유(魚油)의 수출이 많음. [135,000명(1982)]

트롤 〔trawl〕 명 ↗트롤망(網).

트롤럽 〔Trollope, Anthony〕 명 〖사람〗 영국의 소설가. 우체국에 근무하면서 가공(架空)의 시골 마을을 무대로 한 많은 장편 소설을 썼음. 대표작에 ≪구빈원장(救貧院長; The Warden)≫이 있음. [1815-82]

〈트롤리 버스〉

트롤리 〔trolley〕 명 ①전차(電車)의 폴(pole) 꼭대기에 있는 작은 쇠바퀴. 가공선(架空線)에 접하여 전기를 통하게 함. 촉륜(觸輪). ②↗트롤리 버스(trolley bus).

트롤리 버스 〔trolley bus〕 명 가공선(架空線)으로부터 폴(pole)을 통하여 전력(電力)의 공급을 받아 달리는 버스. 궤도(軌道)를 필요로 하지 아니함. 무궤도 전차. ㊀트롤리.

트롤리-선 【一線】 〔trolley〕 명 전차(電車)나 전기 기관차의 전동기(電動機)에 전력을 공급하는 전선. 카드뮴선·규동선(硅銅線)이 쓰임.

트롤리 컨베이어 〔trolley conveyer〕 명 체인 컨베이어의 일종. 천정에 설치된 레일에 트롤리를 일정 간격으로 배치, 이 트롤리 사이를 체인으로 연결하고 그 트롤리 또는 체인에 짐을 매다는 쇠장식을 부착, 순환식으로 이동시켜 짐을 운반함. 만곡(灣曲)·구배(勾配)가 용이하며 기구(機構)의 모든 것이 가공식(架空式)이어서 바닥 면적을 유효하게 이용할 수 있는 이점(利點)이 있음.

〈트롤리 폴〉

트롤리 폴: 〔trolley pole〕 명 전차(電車) 등의 지붕 위에 있어 전기(電氣)를 통하게 하는 촉륜봉(觸輪棒).

트롤링 〔trolling〕 명 고속(高速) 선박으로 바다 위를 달리면서 회유(回遊)하는 대형 물고기를 낚는 미국식 제물 낚시의 견지 낚시질 경기(競技; big game fishing). 낚는 물고기 종류는 청새치·다랑어·상어·만새기·방어 등.

〈트롤망〉

트롤-망 【一網】 〔trawl〕 명 원양 어업(遠洋漁業)에 쓰는 그물의 한 가지. 낭망(囊網)과 여기에 연결하는 양익(兩翼)의 수망(袖網)으로 이루어진 것으로, 이를 어선(漁船) 한 척(隻)이 바다 밑으로 끌어 당겨 고기를 잡음. 저인망(底引網). ㊀트롤(trawl).

트롤-선 【一船】 〔trawl〕 명 모래나 진흙의 바다 밑에 트롤망(網)을 끌면서 항행하여 고기를 잡는 어선. 보통, 총톤수 이삼백 톤이고 배 밑에 어창(漁艙)이 있음. 저인망 어선(底引網漁船).

트롤 어업 【一漁業】 〔trawl〕 명 트롤망에 의한 허가 어업(許可漁業). 19세기경 영국에서 발달되었음. 저인망 어업(底引網漁業).

트롤 윈치 〔trawl winch〕 명 트롤선에서 트롤망(trawl網)을 끌어 올리는 데 쓰이는 윈치. 상갑판(上甲板)의 중앙에 견고한 대를 만들고 그 위에 설치함.

트롬보:겐 〔도 Thrombogen〕 명 〖화〗 프로트롬빈(prothrombin).

트롬보-스테닌 〔thrombosthenin〕 명 〖생〗 혈소판(血小板) 중에 함유된 악토미오신상(actomyosin 狀)의 수축성(收縮性) 단백질. 혈병(血餠) 수축을 일으키는 작용을 함. 또, 혈소판 응집(凝集)에도 관여하여 지혈(止血)에 중요한 구실을 함.

트롬보-카이네이스 〔thrombokinase〕 명 〖화〗 혈장(血漿) 중에 존재하는 분해 효소. 트롬보플라스틴(thromboplastin)·칼슘 및 제5 인자와 더불어 프로트롬빈(prothrombin)을 트롬빈으로 바꿈.

트롬보-키나아제 〔도 Thrombokinase〕 명 〖화〗 트롬보카이네이스.

트롬보-플라스틴 〔thromboplastin〕 명 〖화〗 혈액(血液) 중의 리포 단백질(lipoprotein)의 일종. 프로트롬빈(prothrombin)의 트롬빈으로의 변환(變換)을 촉진함.

트롬본 〔trombone〕 명 〖악〗 금관 악기(金管樂器)의 한 가지. 긴 U자 형의 관(管)을 맞추어 만들며, 슬라이드 장치로 음의 높이를 변화시킴. 소프라노·앨토·테너·테너 베이스·베이스·콘트라 베이스 등이 있는데, 강음(強音)은 전악기 중에서 가장 장대(壯大)함. 관현악·취주악(吹奏樂)에 쓰임. 포자우네.

〈트롬본〉

트롬빈 〔도 Thrombin〕 명 〖화〗 피브리노겐(fibrinogen)을 불용성(不溶性)의 피브린(fibrin)으로 변화시키는 효소. 혈액 속에는 불활성(不活性)의 트롬보겐(thrombogen)으로 들어 있으며, 조직의 세포나 혈소판(血小板)이 파괴되면 활성의 트롬빈으로 변하여 혈액을 굳힘.

트롯 〔trot〕 명 ①마술(馬術)에서, 말의 속보(速步). ②↗폭스 트롯.

트롱프-뢰유 〔프 trompe-l'œil〕 명 〖미술〗 대상을 정밀하게 묘사함으로써 마치 그림이 아니고 진짜인 양 착각을 일으키게 하는 그림. 17세기 네덜란드의 시민 사이에서 발달하였으며 서민의 일상 생활과 물건에 대한 소박한 애착(愛着)을 반영, 미술사(美術史)의 흐름과는 관계 없이 계속되었음. 20세기에 이르자 정밀 묘사에 의한 착각을 노려 쉬르레알리슴(surréalisme)의 화가들이 사용하고 있음. 속임 그림.

트뢸치 〔Troeltsch, Ernst〕 명 〖사람〗 독일의 프로테스탄트 신학자·역사 철학자. 종교 사회학·역사 철학·근대 종교 사상사 연구에 신생면(新生面)을 개척했음. 주저(主著)는 ≪역사주의와 그 제문제(諸問題)≫. [1865-1923]

트루드 〔러 Trud〕 명 〔노동의 뜻〕 전(全)소비에트 연방 노동 조합 중앙 평의회의 기관지(機關紙). 1921년 2월 15일 창간.

트루:먼 〔Truman, Harry Shippe〕 명 〖사람〗 미국의 정치가. 민주당원. 제33대 대통령. 1944년 부통령으로 당선되어 다음 해 루스벨트 대통령의 서거(逝去)로 대통령에 승격되었음. 루스벨트 대통령의 뉴 딜(New Deal) 정책을 계승(繼承)하였으며, 제2차 세계 대전을 승리로 완결지었고, 1948년 재선되었음. 제2차 세계 대전의 종결, 전후 수습(收拾)에 활약하였으며 마샬 플랜(Marshall Plan)을 위시하여 반소(反蘇)·반공(反共) 정책을 취하였으며 한국의 6·25 전쟁 때는 한국을 위해 적극 지원하였음. [1884-1972]

트루:먼 독트린 〔Truman Doctrine〕 명 〖정〗 1947년 미국의 트루먼 대통령이 선언한 대소(對蘇) 외교 정책. 먼로주의로부터의 일대 전환을 가져 오는 대외 정책(對外政策)으로서, 소련 세력을 봉쇄(封鎖)하여 자유주의 제국에 대한 공산주의의 위협에 대해 투쟁할 것을 명시(明示)하였음. 뒤에 마샬 플랜·북대서양 조약 등으로 구체화되었음. 트루먼 선언(宣言).

트루바두:르 〔프 troubadour〕 명 〖문〗 중세기의 프랑스 남부를 음유(吟遊)하던 시인 음악가(詩人音樂家)의 무리. 북부(北部)에서는 트루베르(trouvère)라고 하며, 독일의 미네징거(Minnesinger)와 같은 것임. 음유 시인(吟遊詩人).

트루베:르 〔프 trouvère〕 명 〖문〗 중세(中世) 북부 프랑스에서 활약한 음유 시인(吟遊詩人). 트루바두르처럼 귀족 출신자가 시에 선율을 붙여 노래하는 형식을 발전시켰으며 훗날 서민 계급에 계승되었음.

트루:스 〔truth〕 명 진리(眞理). 진실(眞實).

트루:시알 오만 〔Trucial Oman〕 명 〖지〗〔휴전 조약의 오만의 뜻〕 아랍 에미레이트 연방이 독립하기 이전에 영국 보호령이었을 때의 아라비아 반도 남동부, 페르시아 만 남안(Persia 灣南岸)에 있던 일곱 토후국(土侯國)의 총칭. 1820년 영국을 포함한 7토후국 휴전 협정이 맺어진 이래 영국의 보호령이었으나 1971년 7개 토후국의 연합으로 독립함.

트루아용 〔Troyon, Constant〕 명 〖사람〗 프랑스의 화가. 17-18세기의 네덜란드 회화(繪畫)와 퐁텐블로파(Fontainebleau 派)의 풍경화를 연구한 우수한 동물 화가로, 동물의 생태 및 그 분위기와 빛을 극히 특징적(特徵的)으로 파악하였음. 동물의 떼를 곁들인 전원(田園) 풍경을 즐겨 그렸으며, 대표작(代表作)에 ≪경작(耕作)하러 가는 길≫이 있음. [1810-65]

트루아 조약 【一條約】〔Troyes〕 명 〖역〗 백년 전쟁 중인 1420년, 중부 프랑스의 트루아에서 아쟁쿠르(Agincourt)의 싸움 후, 영국·프랑스가 맺은 화약(和約). 싸움에 대승한 영국왕 헨리 5세는 프랑스 국왕 샤를(Charles) 6세와 부르기뇽공(Bourguignons 公) 필립(Philippe)에게 자신이 샤를 6세의 딸 카트린(Catherine)과 결혼해서 프랑스 왕위 계승권을 가질 수 있도록 할 것을 약속시켰음. *아쟁쿠르의 싸움.

트루크-어 【一語】〔Truk〕 명 〖언〗 말레이 폴리네시아 어족(語族) 멜라네시아 어파(語派)에 속하는 언어. 캐롤라인(Caroline) 제도의 트루크 섬에서 쓰임.

트루크 제:도 【一諸島】〔Truk〕 명 〖지〗 서태평양 캐롤라인 제도 중의 화산도군(火山島群). 크고 작은 70여 개의 섬으로 이루어졌음. 미국의 신탁 통치령을 거쳐 1981년 독립한 미크로네시아 연방의 한 지구로 됨. 코프라를 산출함. [130 km²: 38,000 명(1980)]

트루히요 〔Trujillo〕 명 〖지〗 시우다드 트루히요(Ciudad Trujillo).

트뤼도 〔Trudeau, Pierre Elliott〕 명 〖사람〗 캐나다의 정치가. 1961년 몬트리올 대학 교수, 1965년 하원 의원, 1967년 법무상 겸 검찰 총장, 1968년 자유당(自由黨) 당수를 역임. 1968-79년 수상을 지내고, 1980년 다시 수상이 됨. 1981년 한국을 방문함. [1919-]

트름 명 〈방〉 트림. ──하다 자

-트리- 미 -뜨리-. ¶넘어~다 / 퍼~다 / 망가~다.

트리고니아 〔trigonia〕 명 〖조개〗 연체(軟體) 동물의 쌍각류(雙殼類)에 속하는 화석(化石) 동물. 쥐라기(Jura 紀) 초에 출현하여 백악기(白堊紀)에 걸쳐 전성하였고 그후 점차로 쇠하여 현재는 1종(種)만이 생존하고 있음. 껍데기는 두껍고, 모양은 삼각형 또는 평행 사변형인데, 이는 중세대의 표준 화석임. 삼각패(三角貝).

〈트리고니아〉

트리니다드 섬 〔Trinidad〕 명 〖지〗 중미(中美) 서인도 제도 최남단, 베네수엘라 북동안에 있는 섬. 천연 아스팔트(asphalt)의 산출은 세계 제1임. 1498년 콜럼버스가 발견하였음. 스페인·영국·네덜란드·프랑스의 지배가 끝난 후, 1802년 영국 영토가 되었고, 1962년 토바고(Tobago) 섬과 합쳐 영국 연방(英國聯邦)의 일원으로 독립하였음. 주도(主都)는 포트오브스페인(Port of Spain). [4,828 km²: 892,317 명(1970)]

트리니다드-토바고 〔Trinidad and Tobago〕 명 〖지〗 중미(中美) 서인도 제도 남서단(南西端)에 있는 나라. 영연방의 일원임. 트리니다드 섬과 토바고 섬으로 이루어짐. 기후는 열대성이며 주민의 47%가 흑인이고 35%가 인도계(系)임. 공용어는 영어. 석유·천연 가스·천연 아스팔트를 산출함. 주요 농산물은 사탕수수. 1498년 콜럼버스가 발견함. 영국의 식민지로 있다가 1962년 8월 영국 연방내(聯邦內)에서 독립하였음. 수도는 포트오브스페인(Port-of-Spain). [5,130 km²: 1,310,000 명(1995 추계)]

트리니트로-톨루엔 〔trinitrotoluene〕 명 〖화〗 티 엔 티(TNT).

트리니트론 방식 【一方式】〔trinitron system〕 명 〖전자〗 컬러 텔레비전 수상관(受像管)의 한 방식. 종래의 섀도 마스크식(shadow mask 式)과 크로마트론식(chromatron 式)의 장점을 절충해서 만든 것으로 화면(畫面)이 깨끗하고 구조가 간단한 것이 특징임.

트리니티 〔trinity〕 명 ①〖기독교〗 삼위 일체(三位一體). 트라이유니티(triunity). ②〖악〗 삼박자(三拍子).

-트리다 미 -뜨리다.

트리머 〔trimmer〕 명 개의 털을 깎아 주는 사람.

트리메토키놀 〔trimetoquinol〕 명 〖약〗 기관지 천식약. 지속적이고 강력한 기관지 확장 작용이 특징이며, 만성 기관지염에도 적용됨. 경구(經口)·주사·흡입(吸入)으로 사용함. 동계(動悸)·두통 따위의 부작용이 따르는 수가 있음.

트리메틸렌-트리니트라민 〔trimethylenetrinitramine〕 명 〖화〗 백색 침상 결정(白色針狀結晶). 니트로 화합물보다 폭발력이 강하며, 폭약에 쓰임. 독이 있음. [$C_3H_6N_6O_6$]

트리밍 〔trimming〕 명 ①양재에서, 양복 가장자리의 선두르는 장식품. ②사진 용어. 원판(原板)에서 인화지(印畫紙)에 밀착이나 확대를 할 때에 구도(構圖)를 조정하기 위하여 원화(原畫) 중의 불필요한 부분을 제거하여 밀착하는 일. ③개의 털 따위를 깎아 가지런히 함.

트리밍 탱크 〔trimming tank〕 명 적하(積荷) 상태 따위로 선박의 트림(trim)이 항행에 부적당하게 되었을 때, 이것을 바로잡기 위하여 물을 넣는 탱크. 부심(浮心)에 대한 거리를 크게 하기 위하여 선수(船首)나 선미에 배치함.

트리반드럼 〔Trivandrum〕 명 〖지〗 인도 데칸 반도 남단에 위치한 케랄라 주(Kerala 州)의 주도. 고무·향료·코코넛 따위를 수출하고, 섬유(纖維)·자동차 공업(自動車工業)도 행하여짐. 궁(宮)·사원·대학이 있음. [409,761 명(1971)]

트리보니아누스 〔Tribonianus〕 명 〖사람〗 6세기경의 비잔틴 제국의 법률가. 로마 법을 배우고 유스티니아누스 일세의 법률편찬 사업을 지도함. [?-542]

트리부스 〔라 tribus〕 명 〔부족(部族)의 뜻〕 고대 로마 삼단계의 씨족 사회 조직 최대의 단위. 원래 로마는 혈연적인 세 개의 트리부스로 나뉘었으나, 후에 트리부스는 지연적(地緣的)인 행정 구역을 의미하게 되어 평민회(平民會)를 구성하는 한 단위로 되었음.

트리뷴: 〔tribune〕 명 ①〖역〗 호민관(護民官). ②인민 지도의 뜻에서, 신문(新聞)의 제명(題名). ¶헤럴드 ~. ③교회당 측랑(側廊) 상부에 만들어지는 연속된 회랑(回廊)의 부분. 측랑의 2층에 해당함. 고딕 양식의 초기에 흔히 보임.

트리비얼리즘 〔trivialism〕 명 〖문〗 문학의 서술에 있어서 사상(事象)의 본질을 탐구하기보다는 말초적(末梢的)인 일을 세밀하게 표사하려는 데 노력하는 태도. 쇄말주의(瑣末主義).

트리스탄과 이졸데 명 〔도 Tristan und Isolde〕 ①〖문〗 유럽의 한 전설. 고대 켈트 전설에서 유래하는 중세 독일 및 프랑스의 서사시(敍事詩)의 영웅 트리스탄과 아일랜드의 왕녀 이졸데의 숙명적인 비련(悲戀) 이야기. ②〖악〗 바그너의 3막(幕) 가극(歌劇). 중세기의 전설적 서사시를 대본(臺本)으로 하여, 바그너 자신이 구상(構想) 작사(作詞)하고 작곡(作曲)한 작품. 대표적인 연애 비가극(悲歌劇)으로, 1865년 뮌헨에서 초연(初演)되었음.

트리스탄다쿠:나 섬 명 〔Tristan da Cunha〕 〖지〗 남태평양 중앙부 남위 37° 부근에 위치한 화산(火山)으로 생긴 고도(孤島). 최고점(最高點) 2,060 m. 기상 관측소·무전 기지가 있음. 영국의 식민지임. [104 km²: 300 명(1995)]

트리스테 〔이 triste〕 명 〖악〗 '슬프게·음침하게'의 뜻.

트리스트럼 섄디 〔Tristram Shandy〕 명 〔The Life and Opinions of Tristram Shandy〕 〖문〗 스턴(Sterne, L.)의 대표적 소설. 1760-67년에 간행됨. 전부 9권으로 미완(未完) 작품임. 이렇다 할 줄거리는 없으나 가히 기작(奇作)이라 할 수 있는데, 인생의 모습을 주관적으로, 단면적으로 의식의 흐름을 좇아 파악하려 한 데서, '의식의 흐름'파(派)의 원류적(源流的) 작품으로 크게 주목을 받았음.

트리아농 명 〔Palais de Trianon〕 〖지〗 프랑스의 궁전. 루이 14세가 지은 그랑 트리아농과 루이 15세가 지은 프티 트리아농의 둘로 이루어짐. 베르사유(Versailles) 궁전 정원(庭園)의 북쪽에 있음. 트리아농 궁전(宮殿).

트리아농 궁전 【一宮殿】 〔Trianon〕 명 〖지〗 트리아농.

트리아농 조약 【一條約】 〔Trianon〕 명 제1차 세계 대전 후, 1920년 6월 4일 트리아농 궁전에서 연합국측과 헝가리 사이에 맺어진 강화 조약. 이로써 헝가리는 독립을 인정받았으나 루마니아·체코슬로바키아·유고슬라비아에 영토 할양(割讓)을 약속하고, 예전부터의 대제국(大帝國)은 붕괴됨.

트리아데 〔도 Triade〕 명 ①〖종〗 삼신(三神)을 일조(一組)로 하는 일. 곧, 이집트의 오시리스(Osiris)·이시스(Isis)·호르스(Hors)나 기독교의 삼위 일체 따위. ②〖철〗 헤겔 철학에서, 변증법의 발전 단계를 정(正)·반(反)·합(合)의 삼단계로 나누어 이들 삼자의 대립(對立)과 종합(綜合)을 통하여 발전시키어 간다고 하는데 이 삼단계를 한 조(組)로 하여 이르는 말.

트리어 〔Trier〕 명 〖지〗 독일 서부(西部)의 도시. 포도주 거래의 중심지. 맥주 양조·직물·담배·정밀 기계 공업이 활발함. 기원전 15년 아우구스투스 황제가 건설, 원형(圓形) 야외 극장·바실리카 등 로마 시대의 유적이 많음. 마르크스의 출생지임. [94,683명(1983)]

트리에스테 〔Trieste〕 명 〖지〗 이탈리아와 슬로베니아의 국경 지대에 있는 항구(港口) 및 그 주변의 지역. 로마 시대로부터 베네치아 만(Venezia灣) 북단의 항구로서 발전하였는데, 조선·기계·정유(精油) 등이 성함. 1918년까지 오스트리아령(領). 1919년에 이탈리아령이 되었다가, 1948년 트리에스테 자유 지역으로서 국제 연합 안전 보장 이사회의 관리하에 들어간 후, 1954년 10월 이탈리아와 유고의 협약에 의하여 남북으로 각각 양분 귀속되었음.

트리에스테 관:할 문:제 【一管轄問題】 〔Trieste〕 명 트리에스테를 둘러싸고 일어난 영토 관할 문제. ＊트리에스테.

트리에스테-호 【一號】 〔Trieste〕 명 피카르 부자(Piccard 父子)가 스위스·이탈리아 양국의 원조로 건조한 심해 탐사용 잠수정. 1958년 미 해군이 매입(買入), 1960년 초심해용(超深海用)으로 개조, 챌린저 해연(Challenger海淵)에서의 잠수, 침몰된 미국 원자력 잠수함 트레셔 호(Thresher號)의 조사 따위를 행함.

트리엔날레 〔이 triennale〕 명 3년마다 열리는 국제적 미술 전람회. 특히 밀라노에서 3년마다 열리는 미술 공예전(工藝展)을 이름.

트리엔트 〔Trient〕 명 〖지〗 트렌토(Trento)의 독일명.

트리엔트 종교 회:의 【一宗教會議】 〔Trient〕 〔一/一이〕 명 〖종〗 1545-63년 사이, 전후 3회에 걸치어 트리엔트에서 열린 종교 회의. 신구 양교(新舊兩教)의 화해(和解)를 목적으로 하였으나 신교측이 참석하지 아니하여 도리어 구교측의 결속이 이루어져 반종교 개혁 운동으로 발전되고 교황권(教皇權)의 완전한 승리로 종결되었음. 트렌토(Trento) 종교 회의.

트리오 〔trio〕 명 ①〖악〗 삼중주(三重奏). 삼중창(三重唱). 삼중주곡. ②〖악〗 악식상(樂式上)의 중간 주부(奏部). 중간부(中間部). ③삼인조(三人組). ¶가요계의 ～.

트리오 소나타 〔trio sonata〕 명 〖악〗 삼중주(三重奏)에 의한 소나타. 17세기경에 자주 쓰이었으나 그 후 트리오가 되었고, 또 20세기의 신고전주의의 작품에 나타나고 있음. 삼중 주명곡(三重奏鳴曲).

트리오스 〔triose〕 명 〖화〗 탄소 원자 세 개를 함유한 단당(單糖)을 이름. 천연으로는 존재하지 아니하지만 합성에 의하여 만들어짐. 삼탄당(三炭糖).

트리오스 인산 【一燐酸】 〔triose〕 명 〖화〗 삼탄당(三炭糖)의 인산 에스테르의 총칭. 알코올 발효·해당(解糖)·광합성(光合成) 등에서 중간체로서 존재함.

트리치노폴리 〔Trichinopoly〕 명 〖지〗 '티루치라팔리'의 구명.

트리카르복시산 회로 【一酸回路】 명 〔tricarboxylic acid cycle〕 〖화〗 티 시 에이(TCA) 회로.

트리케라톱스 〔triceratops〕 명 백악기(白堊紀) 후기의 초식 공룡(草食恐龍). 몸길이 6-9m, 체중 8톤 반으로 추정됨. 코 위에 하나, 두 눈 위에 하나씩의 길고 강한 뿔이 있으며, 머리 길이 2m인데 그 뒷부분은 투구의 내리닫이 모양으로 목과 어깨를 덮고 있음. 입은 앵무새 부리 모양임.

트리코 〔프 tricot〕 명 ①손으로 짠 털옷. ②손으로 짠 털옷처럼 기계로 짠 일종의 메리야스 직물(織物). 부드럽고 잘 늘어나므로, 장갑·머플러(muffler)·속옷 등에 쓰임. 트리콧.

트리코데르마 〔라 trichoderma〕 명 〖생〗 불완전균(不完全菌)의 한 속(屬). 토양·낙엽·그루터기·썩은 나무 등에 나는 곰팡이로, 푸른 곰팡이와 비슷함. 생태계 속에서는 유기물의 분해에 중요한 역할을 함. 세균이나 곰팡이에 대하여 강하게 작용하는 항생 물질을 생산하기 때문에 식물의 병원균 퇴치(退治)에 쓰이는 반면, 유용균(有用菌)의 재배에는 해를 끼침.

트리코라 산 【一山】 〔Trikora〕 명 〖지〗 인도네시아령(領) 서이리안(西Irian) 중부에 있는 산. 뉴기니에서는 자야 산(Djaja山)에 비기는 고봉(高峰)임. [4,730m]

트리코마이신 〔trichomycin〕 명 〖약〗 항생 물질의 하나. 1952년 도쿄 대학 전염병 연구소가 하치조지마(八丈島)의 토양에서 추출하였음. 트리코모나스(trichomonas) 원충(原蟲)이나 곰팡이의 억제력이 강하여 무좀 따위의 백선 감염증(白癬感染症), 장칸디다증(腸candida症), 구강 및 인후두(咽喉頭) 칸디다증, 요도(尿道)·질(膣) 칸디다증 따위에 연고나 정제로 하여 씀. 상품명.

트리코모나스 〔라 trichomonas〕 명 〖동〗 편모충류(鞭毛蟲類)에 속하는 원생 동물의 총칭. 몸은 서양 배 모양으로 그 길이 0.01-0.04mm 정도인데, 한 개의 핵을 갖고 몸의 앞 끝에 여러 개의 자유 편모가 있음. 흔히, 인체의 장(腸)·구강(口腔)·질(膣) 등에 기생하는데, 병원성으로서는 질(膣)트리코모나스에 의한 질염(膣炎)이 문제가 됨.

트리코모나스 앙구스타 명 〖동〗 〔*Trichomonas angusta*〕 원생 동물 편모충류(鞭毛蟲類)의 원충(原蟲). 몸은 구형·타원형·단어형(短魚形) 등 여러 가지이며, 몸길이는 8-15μ8. 몸의 뒤 끝에 세 개의 짧은 편모가 있는데 그 중 하나는 체벽(體壁)을 따라 미단(尾端) 밖에까지 연장됨. 핵(核)은 타원형으고, 세균류(類)를 섭취함. 개구리·두꺼비의 창자에 기생(寄生)함.

트리코모나스 질염 【一膣炎】 〔一렴〕 〔trichomonas〕 명 〖의〗 질(膣)트리코모나스의 감염에 의한 질염. 묽은 농성(膿性)의 대하(帶下)가 많이 흐르며, 외음부가 발적(發赤)하고 가려움. 임신중에 흔히 나타나며, 부부간의 상호 감염으로 남성은 요도염을 일으키기 쉬움.

트리코-직 【一織】 〔프 tricot〕 명 겉모양과 조직을 메리야스와 비슷하게 짠 직물. 또, 그러한 직조 방법. 신축성이 있어 양복감·셔츠감·속옷류에 쓰임.

트리코 편직기 【一編織機】 〔프 tricot〕 명 경사(經絲) 메리야스 기계의 일종. 경사를 바디의 운동으로 편직침(針)에 공급하여 프레서(presser) 및 싱커(sinker)로 짬.

트리콜로르 〔프 tricolore〕 명 〔3색의 뜻〕 삼색기(三色旗). 특히 적(赤)·백(白)·청(青)으로 이루어지는 프랑스 국기를 이를 때가 많음.

트리콧 〔tricot〕 명 트리코의 영어 이름.

트리쿠니 〔프 tricouni〕 명 신에 박는 징의 일종. 주로 등산화(登山靴)에 사용함.

트리클렌 〔trichlene〕 명 〖화〗 트리클로로에틸렌.

트리클로로-에틸렌 〔trichloroethylene〕 명 〖화〗 클로로포름과 비슷한 냄새를 갖는 무색의 액체. 불연성(不燃性). 에틸렌을 염소(塩素)로 처리하여 만듦. 용제(溶劑)·탈지·소화제·살충제·구충제·드라이클리닝 등 용도가 넓음. 대기 오염 물질의 하나. 트리클렌. [$CHCl=CCl_2$] ＊테트라클로로에틸렌.

트리:테스트 〔tree test〕 명 바움 테스트.

트리토누스 〔라 tritonus〕 명 〖악〗 〔3 온음(音)의 뜻〕 온음이 세 개 연속되어 생기는 증(增) 4도(度)의 음정. 선율로서도 노래하기 어렵고 화성적(和聲的)으로도 불협화 음정으로서 주목됨.

트리톤[1] 〔triton〕 명 〖화〗 삼중 양성자(三重陽性子).

트리톤[2] 〔Triton〕 명 〖천〗 해왕성(海王星)의 제1 위성. 1846년 러셀(Russell, H.N.)에 의하여 발견됨. 공전 주기(公轉周期)는 5일과 21시간 2분 33.1초, 반지름 2,000km. 역행(逆行)하는 것으로 유명함. 일반적으로 역행하는 위성은 주행성(主行星)으로부터 멀리 떨어져 있는데 이 별은 매우 가까운 위치에 있는 것이 특색임.

〈트리톤[3]〉

트리톤[3] 〔Triton〕 명 〖신〗 그리스 신화 중의 해령(海靈). 해신(海神) 포세이돈(Poseidon)의 아들로, 소라를 불어 물결을 일으키었다 자게 하였다 함.

트리튬 〔tritium〕 명 〖화〗 삼중 수소(三重水素).

〈트리파노소마〉

트리파노소마 〔라 Trypanosoma〕 명 〖동〗 트리파노소마과(科)에 속하는 편모충류(鞭毛蟲類)의 총칭. 몸은 방추형이고 한 개의 편모가 있음. 척추 동물의 혈액 속에 기생하는데, 수면병(睡眠病)·악성 질환의 병원(病原)이 되는 것이 많음. ＊체체파리.

트리파노소마 로타토륨 〔Trypanosoma rotatorium〕 명 〖동〗 개구리트리파노소마.

트리파노소마-증 【一症】 〔一쯩〕 〔라 Trypanosoma〕 명 수면병.

트리파플라빈 〔trypaflavine〕 명 〖화〗 아크리딘 물감의 일종. 황색의 색소로, 용액은 수면병(睡眠病)의 특효약임.

트리퍼 〔도 Tripper〕 명 〖의〗 임질(淋疾).

트리:펌: 〔tree firm〕 명 〖농〗 수목 농장(樹木農場).

트리폴리 〔Tripoli〕 명 〖지〗 ①레바논(Lebanon) 북서부의 항만 도시. 지중해에 면함. 이라크의 키르쿠크(Kirkuk)에서 뻗은 석유 파이프 라인의 종점으로 석유의 적출항(積出港)임. 기원전 7세기에서 로마 시대에 걸쳐, 페니키아(Phoenicia)의 도시로서 번영했음. 고명(古名) 트리폴리스. 별명 타라불루스. [175,000명(1980)] ②리비아의 수도. 지중해에 면함. 석유 적출항(積出港). 상업 중심지로 제유·담배·피혁 공업이 성함. 기원전 700년경 페니키아인의 식민지로 건설되었음. 고래의 구시가(舊市街)와 이탈리아인(人)이 세운 신시가(新市街)로 이루어져 있으며, 구시가에는 고대·중세의 유적이 있음. [587,000명(1980)]

트리폴리타니아 〔Tripolitania〕 명 〖지〗 북아프리카 리비아 북서부의 지방. 이 나라 안에서는 비교적 풍족하고 인구도 많은 지역임. 농업과 목축업이 성함. 주도는 트리폴리. [353,000km²: 1,450,000명(1987)]

트리플 〔triple〕 명 삼중(三重). ¶～ 플레이.

트리플렛 [triplet] [명] 〖악〗 셋잇단음표.
트리플 스틸: [triple steal] [명] 야구에서, 삼중 도루(三重盜壘).
트리플 점프 [triple jump] [명] 육상 경기에서, 삼단 뛰기.
트리플 크라운 [triple crown] [명] ①프로 야구에서, 수위 타자(首位打者), 홈런 왕, 타점(打點)왕의 세 가지를 혼자서 독점한 사람에게 주어지는 찬사(讚辭). 삼관왕(三冠王). ②스키에서, 활강·회전·대회전 경기의 1위를 동시에 차지하는 일.
트리플 플레이 [triple play] [명] 야구에서, 연속하여 세 사람을 아웃시키는 일. 삼중살(三重殺).
트리핑 [tripping] [명] 축구·농구·아이스하키 등에서 상대 팀 선수를 넘어지게 하는 일. 반칙임. ¶ ~ 파울(foul). ——-하다 [타][여불]
트리할로-메탄 [trihalomethane] [명] 〖화〗 메탄(CH_4)의 네 개의 수소 원자 가운데 세 개가 할로겐에 의해 치환(置換)된 화합물. 클로로포름(chloroform) 따위.
트릭 [trick] [명] ①속임수. 간책(奸策). 계교(計巧). ¶ ~에 걸리다/~에 속다/~을 쓰다. ②↗트릭 워크(trick work).
트릭 워:크 [trick work] [명] 〖연〗 영화 촬영의 특수 기술의 하나. 카메라·장치 그 밖의 속임수를 써서, 실제로는 불가능한 일을 실지와 같이 화면(畫面)에 나타내는 기교. 주로 미니어처 세트(miniature set)를 씀. 특수 촬영. 트릭 촬영. [준]트릭.
트릭 점프 [trick jump] [명] 배구에서, 상대편 블록을 견제할 목적으로, 실지로는 볼에 터치하지 않는 플레이어가 점프하는 일.
트릭 촬영 【一撮影】 [trick] [명] 〖연〗 트릭 워크.
트릭 플레이 [trick play] [명] 야구에서, 상대편 주자(走者)를 속이는 플레이.
트릴 [trill] [명] 〖악〗 '떤꾸밈음'의 영어 명칭.
트릴러 [triller] [명] 〖악〗 트릴(trill).
트릴로 [이 trillo] [명] 〖악〗 '떤꾸밈음'의 이탈리아 말.
트:림[1] [명] [중세 : 트림] 위(胃) 속의 가스나 공기가 식도에서 구강(口腔)으로 역류하는 현상. 과다한 식사 후나 청량 음료를 마시고 난 후에 겪게 됨. 애기(噯氣). 기트림. ¶ ~이 나오다 / 냉수 마시고 용~ 한다. ——-하다 [자][여불]
트림[2] [Thrym] [명] 〖신〗 북구(北歐) 신화에 나오는 거인. 에다(Edda)의 '트림의 노래'에서, 트림은 토르(Thor)의 쇠망치를 훔치어, 땅 속에 감추나 계략에 걸리어 살해됨.
트림[3] [trim] [명] 선박이 외력(外力)을 받아 이루는 이물과 고물의 흘수차(吃水差). 선수(船首) 흘수가 선미 흘수보다 큰 경우를 선수 트림이라 하며, 그 반대를 선미 트림이라 이름. 종경사(縱傾斜).
트림 운:동 【一運動】 [trim] [명] [본디 노르웨이어(語)로 배의 밸런스를 잡는다는 뜻] 스포츠에 의한, 건강 부족 해소 운동.
트림 태브 [trim tab] [명] 〖항공〗 보조익(補助翼)·승강타(昇降舵)·방향타(方向舵) 등의 뒤끝에 붙어 있는 작은 날개. [준]탭.
트립 [trip] [명] ①짧은 항해(航海). ②가벼운 여행. 유람(遊覽).
트립시노겐 [trypsinogen] [명] 췌액(膵液) 중에 분비되는 트립신의 효소원(酵素原).
트립신 [라 trypsin] [명] 〖생〗 췌장(膵臟)에서 분비되는 일종의 소화 효소. 단백질을 가수 분해하여 아미노산(酸)을 만듦.
트립 차:터 [trip charter] [명] [항해 용선(傭船) 계약의 뜻] 용선 계약의 하나. 한 항해의 화물 운송 계약이며, 1 톤에 얼마라는 식으로 정하는 계약 방식.
트립토판 [tryptophan(e)] [명] 〖화〗 아미노산의 하나. 엘라스틴(elastin)·락트알부민(lactalbumin)·카제인(casein)·혈청 단백질(血清蛋白質) 등에 많이 함유되어 있음. 키뉴레닌(kynurenine)·키뉴렌산(酸) 및 일군(一群)의 생체 색소(生體色素)의 모체(母體)이며, 생체내(生體內) 중간 대사(中間代謝)에는 비타민 B_6가 보효소(補酵素)로서 관여함. 백색 판상 결정(板狀結晶)으로 찬 물에 잘 녹지 아니함. 녹는점(點)은 약 289°C. [$C_8H_6NCH_2CH(NH_2)COOH$]
트립틱 [triptych] [명] 〖미술〗 삼면으로 이루어진 회화 또는 부조(浮彫). 보통 양쪽 날개는 경첩으로 중앙 부분에 겹칠 수 있음. 중세(中世)에 서구(西歐)에서 제단화(祭壇畫)로서 제작됨.
트릿-하다 [형][여불] ①먹은 음식이 잘 삭지 아니하여 가슴이 거북하다. ②〈속〉 끊고 맺는 데가 없이 똑똑하지 아니하다. ¶ 트릿한 사람 / 소년원에 있을 때 해낸 생각이다. 왜? 트릿하니?《金承鈺 : 내가 훔친 여름》.
트링코말리 [Trincomalee] [명] 〖지〗 실론(Ceylon) 섬 동북안의 세계적인 자연 항시(港市). 쌀·코코넛·목재·담배를 수출함. 옛 영국 해군의 요항임. [34,872명 (1963)]
트베르 [Tver] [명] 〖지〗 '칼리닌(Kalinin)'의 고명(古名).
트빌리시 [Tbilisi] [명] 〖지〗 그루지야 공화국의 수도. 문화·교통·경제의 중심지이며 흑해(黑海)와 카스피 해(Caspi海)를 연결하는 요지로, 포도주·비단으로 유명하고, 공작 기계·전기 기관차·전기 제품·통조림·가구 공업이 활발함. 구명은 티플리스(Tiflis). [1,174,000명(1986)]
트와이닝 [Twining, Nathan] [명] 〖사람〗 미국의 군인. 세계 제2차 대전 중에 유럽·남태평양 공군 전투 사령관으로서 일본에의 원폭(原爆) 투하를 지휘함. 1953년 공군 참모 총장을 거쳐 연합 참모 회의 의장 등을 역임하였음. [1897-1982]
트와일라이트 [twilight] [명] 황혼(黃昏).
트웨인 [Twain, Mark] [명] 〖사람〗 마크 트웨인(Mark Twain).
트위:드 [tweed] [명] 옷감 스코치(scotch)의 총칭. 원래는 스코틀랜드의 홈스펀(homespun), 현재는 기계로 짠 것도 말함.
트위스트[1] [twist] [명] 당구에서, 큐볼의 옆을 깎아 치는 일. 공이 쿠션에 맞고 돌아오는 각도가 달라짐.
트위스트[2] [twist] [명] 〖악〗 허리를 중심으로 상하체를 좌우로 비틀면서 추는 춤. 1960년대 초부터 미국을 비롯하여 세계 각국에 유행함, 4/4 박자의 리듬이 뚜렷하고 빠른 음악에 맞춰 춤.
트위스트 드릴 [twist drill] [명] 도래송곳.
트위스트 스타일 [twist style] [명] 긴 머리를 목덜미에서 틀면서 뒤로 올려 후두부(後頭部)에서 좌우를 합치는 것처럼 한데 모은 화려한 헤어(hair) 스타일.
트위:터 [tweeter] [명] 높은 음역용(音域用)의 스피커.
트윈 [twin] [명] ①쌍둥이. 쌍생아. 또, 쌍둥이의 한 쪽. ②호텔에서, 트윈 베드를 배치하고 있는 일. 또, 그 방.
트윈 베드 [twin bed] [명] 같은 싱글 베드 두 대를 나란히 놓고 사용하는 일. 또, 그 침대.
트윈 스타일 [twin style] [명] 원래, 짝이 아닌 스웨터 두 벌을 껴입은 스타일. 재료와 색깔 모양이 다른 것을 짝맞추어 특이하고 신선한 인상을 얻으려고 함.
트이다 [자] ①막혔던 물건이 없어지다. ¶ 운이 ~/시계(視界)가 ~. ②환하게 비치다. ③거리끼는 일이 없어지다. ④생각이 환히 열리다. ¶ 머리가 트인 사람. ⑤구멍이 뚫리다. [준]틔다.
트적-거리다 [자] 〈방〉 티적거리다. ¶ 서로 입심을 부리고 트적거리지만 그것은…반목을 위한 반목이었다《鄭飛石 : 薔薇의 季節》 **트적-트적** [부]. ——-하다 [자]
트적지근-하다 [형][여불] 속이 조금 트릿하여 불쾌하다. ¶ 속이 트적지근하니 잘 내리질 않는다.
트죽-태죽 [부] ☞티적티적. ¶ ~ 꼬집어 가지고 넌의 비녀쪽을 턱 잡고는 한바탕 훌뚜들겨 대는구나《金裕貞 : 아내》.
트집 [명] ①한 덩이가 되어야 할 물건이나 일이 벌어진 틈. ②공연히 조그마한 흠절을 드러내어 남을 괴롭히는 꼬투리. ¶ ~을 잡아 몰아내다.
트집(이) 나다 [구] 트집이 생기다.
트집(을) 잡다 [구] 조그마한 흠집을 꼬집어 내어 공연히 괴롭게 굴다.
트집-거리 [명] 트집을 부리고 나설 만한 꼬투리.
트집-쟁이 [명] 공연히 트집만 자꾸 잡는 사람.
트집-조 [명] 트집을 잡고 덤비려는 말투나 태도. ¶ ~로 나오다.
특 [명] 〈옛〉 트기❷. ¶ 馬父牛母生曰특 牛父馬母亦曰특《青藏館全書》.
특가 【特價】 [명] 특별히 싸게 매긴 값. ¶ ~ 판매/~품.
특가-법 【特加法】 [—뻡] [명] 〖법〗 ↗특정 경제 범죄 가중(加重) 처벌 등에 관한 법률.
특감 【特減】 [명] 특별히 감함. ——-하다 [타][여불]
특강 【特講】 [명] 특별히 베푸는 강의(講義). ¶ 국문학 ~.
특검 【特檢】 [명] ↗ 특별 검사(檢査).
특검-단 【特檢團】 [명] ↗특명 검열단(特命檢閱團).
특검-제 【特檢制】 [명] 〖법〗 ↗특별 검사제(特別檢事制).
특경[1] 【特磬】 [명] 〖악〗 아악기(雅樂器)에 속하는 타악기의 하나. 경쇠의 한 가지로, 편경(編磬)보다 큰 경(磬)돌을 가자(架子)에 하나만 닮. 풍류를 그칠 때에 침.

〈특경❶〉

특경[2] 【特警】 [명] 〖법〗 전투 경찰 순경의 가장 높은 계급. 수경(首警)의 위.
특경-대 【特警隊】 [명] 특별한 경계·경호 등의 임무를 맡은 부대. 특별 경비대(特別警備隊).
특고 【特高】 [명] ①특별히 높음. ②↗특별 고등계(高等係). ——-하다 [형][여불]
특공 【特功】 [명] 특별한 공로.
특공-대 【特攻隊】 [명] ①[commando] 〖군〗 적지를 기습 공격하기 위하여 특별히 훈련된 부대. ②제2차 세계 대전 때에 일본의 항공 부대에서 자살적인 공격을 하던 부대. 특별 공격대.
특공 정신 【特攻精神】 [명] 어떤 목적(目的)을 위하여는 목숨을 내어 던지는 정신.
특과 【特科】 [명] ①특수한 과목. ②〖군〗 전투 병과. 곧, 보병·포병·기갑·통신·공병을 제외한 병과. 특수 병과. *병과(兵科).
특과-병 【特科兵】 [명] 〖군〗 전투 병과 이외의 다른 병과에 속하는 사병.
특-관세 【特關稅】 [명] ↗임시 특별 관세.
특교 【特敎】 [명] 특지(特旨).
특권 【特權】 [명] ①특별한 권능·권리. ②특정인 또는 특정의 신분이나 계급에 속하는 사람에게 특별히 주어지는 우월(優越)한 지위나 권리. ¶ ~ 의식(意識)/~을 누리다.
특권 거:래 【特權去來】 [명] 〖경〗 구미(歐美)에서 행하여지는 정기 거래(定期去來)의 한 가지. 거래의 상대방에 프리미엄(premium)을 지불함으로써 일방적으로 해약(解約)할 수 있는 특권을 취득하는 것. 프리미엄 거래. 옵션 거래(option 去來).
특권 계급 【特權階級】 [명] 〖사〗 일반 사회나 특정(特定) 사회에 있어서 우월권(優越權)이나 지배권(支配權)을 가지는 사람들 또는 그 신분·계급. 중세의 귀족(貴族) 및 성직자(聖職者), 근세의 자본가 또는 막연히 고급 관리나 재산가 등을 이름.
특권-층 【特權層】 [명] 특권 계급. ↔서민층.
특근 【特勤】 [명] 근무 시간 외에 더하는 근무. ——-하다 [자][여불]
특근 수당 【特勤手當】 [명] 특근에 대한 보수로 주는 수당.
특급[1] 【特急】 [명] ①↗특별 급행(特別急行). ②↗특급 열차.
특급[2] 【特級】 [명] 특별(特別)한 등급. 흔히, 1급의 윗 등급을 이름. ¶ ~ 청주(清酒)/~ 열차.
특급[3] 【特給】 [명] 특별히 줌. ——-하다 [타][여불]
특급-권 【特急券】 [명] ↗특별 급행권.
특급 열차 【特急列車】 [—녈—] [명] ↗특별 급행 열차. [준]특급.

특급-주【特級酒】명 등급이 특별히 높은 술. 청주의 경우, 알코올분(分)이 16 %인 것.

특기[1]【特技】명 특별한 기능(技能).

특기[2]【特記】명 특별히 기록함. 또, 그 기록. ¶～ 사항/～할 만한 일. ——-하다 타여불

특기-병【特技兵】명〖군〗민간인(民間人)으로 있을 적에 습득한 기술이나 지식을 가지고 입대한 사병.

특념【特念】명 특별히 염려함. ——-하다 타여불

특단【特段】명 특별. 각별. ¶～의 조치.

특달【特達】명 ①특별히 재주가 뛰어남. ②특별히 통지함. 또, 그 통지. ——-하다 형여불

특대[1]【特大】명 특별히 큼. 또, 그 물건. ¶～호(號).

특대[2]【特待】명 특별한 대우(待遇). 특우(特遇). ——-하다 타여불

특대-생【特待生】명 학업과 품행이 우수하여 수업료 면제(授業料免除) 등의 특전(特典)을 입는 학생.

특동-대【特動隊】명 특별한 경우에 동원시키기 위하여 마련된 부대.

특등【特等】명 특별히 뛰어난 등급. 일등보다 더 나은 것.

특등-실【特等室】명 열차·여객선·호텔 등에 마련한 가장 좋은 방.

특등-품【特等品】명 품질이 가장 좋은 물품. 특등에 속하는 물품.

특란【特卵】[—난] 명 특별히 크고 좋은 계란.

특례【特例】[—녜] 명 ①특별한 예. ¶～는 인정하지 않는다. ②특별한 전례(典例). ③〖법〗일반적 규율인 법령 또는 규정에 대하여 특수적(特殊的)·예외적(例外的)인 경우를 규율하는 법령 또는 규정.

특례-법【特例法】[—녜뻡] 명〖법〗특별법(特別法).

특리【特利】[—니] 명 규정 이상으로 비싼 이자(利子).

특립【特立】[—닙] 명 ①남에게 의지하거나, 아부하지 않고 자립(自立)하는 일. ②여럿 가운데서 특별히 뛰어나 우뚝 섬. ——-하다 자여불

특립 독행【特立獨行】[—닙—] 명 남에게 의지하지 아니하고 자기 소신(所信)대로 나감.

특립 중앙 태좌【特立中央胎座】[—닙—] 명〖식〗단실(單室)의 복자방(複子房)에 있는 태좌. 화탁(花托)의 일부가 뻗어서 자방 안에 길게 돌출한 것. 별꽃·앵초 같은 것.

특매【特賣】명 ①특별히 싸게 팖. 바겐 세일. ¶～품(品). ②경쟁 입찰에 의하지 않고 수의 계약(隨意契約)에 의하여 특정한 사람에게 매도함. ——-하다 타여불

특매-장【特賣場】명 상점을 따로 정하여 특가(特價)의 물건을 파는 곳.

특면【特免】명 ①특별히 용서(容恕)함. ②특별히 죄를 면(免)하여 줌. ——-하다 타여불

특명【特命】명 ①특지(特旨). ②특별한 명령. ③특별히 임명함. 또, 그 임명. ④〖군〗↗특별 명령❷. ——-하다 타여불

특명 전권 공사【特命全權公使】[—꿘—] 명〖법〗외교 사절(外交使節)의 제이 계급. 명예와 석차에 있어서 특명 전권 대사 다음이며 직무와 특권은 대사와 같음.

특명 전권 대:사【特命全權大使】[—꿘—] 명〖법〗외교 사절(外交使節)의 제일급. 국가의 원수(元首)로부터 다른 나라의 원수에게 파견되어 주재국(駐在國)에 대하여 국가의 의사(意思)를 표시하는 임무를 가지며, 국가의 원수와 그 권위(權威)를 대표함. 국내법상으로는 대사관의 장(長)으로 외무부 장관의 명을 받아 외교·조약·기타 사무를 맡으며, 국제법상으로는 대사와 같은 외교 특권을 가짐. 전권 대사(全權大使). 대사.

특묘【特廟】명 첩(妾)된 사람의 사당.

특무【特務】명 ①특별한 임무. ②(구세군에서) 전도사를 일컫는 계급. *사관(士官)·병사(兵士).

특무 기관【特務機關】명〖군〗군인의 신분이나 첩보(諜報)에 관한 일을 맡아 보는 군의 특수 기관. 「군 특무 부대.

특무-대【特務隊】명〖군〗①군의 정보 부대. 시 아이 시(CIC). ②↗육

특무 상:사【特務上士】명〖군〗전에, 군대 계급의 하나. 준위(准尉)와 일등 상사(上士)의 중간에 있던 것으로, 주로 부하의 인사(人事)에 관한 서무를 관장하였음. *주임 상사(主任上士).

특무-정【特務艇】명〖군〗해군 함선의 하나. 부설정(敷設艇)·초계정(哨戒艇)·소해정(掃海艇)·잠수함 모정(母艇) 등.

특무 정:교【特務正校】명〖역〗구한국 시대에 새 관제를 따른 무관(武官) 계급의 하나. 하사관(下士官)의 제일 높은 자리로, 참위(參尉)의 아래, 정교(正校)의 위임.

특무-함【特務艦】명〖군〗해군에서 함정의 활동에 필요한 조력을 하는 함정. 공작함(工作艦)·운송함·쇄빙함(碎氷艦)·표적함(標的艦)·연습 특무함·급유함(給油艦)·급량함(給量艦) 등의 총칭.

특무 함:정【特務艦艇】명〖군〗함정의 활동에 필요한 지원을 하는 임무를 띤 특무함과 특무정의 총칭.

특발【特發】명〖의〗남에게 전염을 받지 아니하고 제 스스로 전염병을 발생함. ——-하다 자여불

특발 골절【特發骨折】[—쩔] 명〖의〗골연화증(骨軟化症)·골종양(骨腫瘍)·골수염 등으로 뼈 자체가 정상이 아니고 저항력이 약할 때에 미약한 외력으로도 일어나는 골절.

특발-병【特發病】[—뼝] 명 [idiopathy]〖의〗다른 질병(疾病)의 결과로 나타나는 것이 아니고, 자연 발생적인 원발성(原發性)의 질병.

특발-성【特發性】[—썽] 명〖의〗병의 발생에 있어 병리론적(病理論的)으로 명확한 원인이 없이 일어나는 성질. 고혈압·혈뇨(血尿) 등에 흔히 있음. ¶～ 탈모증(脫毛症).

특발성 가족성 황달【特發性家族性黃疸】[—썽가—] 명 [idiopathic familial jaundice]〖의〗원인 불명의 가족성 폐색성(閉塞性) 황달. 담관(膽管)으로의 결합형 빌리루빈(結合型 bilirubin)을 배출하는 기능이 저하(低下)함.

특발성 고콜레스테롤 혈증【特發性高—血症】[—썽—쯩] 명 [idiopathic hypercholesterolemia]〖의〗지방 대사(脂肪代謝)의 유전 장애. 혈액·세포 및 혈장(血漿) 중의 콜레스테롤 양(量)이 높은 것이 특징임.

특발성 신:출혈【特發性腎出血】[—썽—] 명〖의〗임상적(臨床的) 결정을 내릴 수 없는 원인 불명의 신장(腎臟) 출혈로 인한 혈뇨(血尿).

특발성 유:환관증【特發性類宦官症】[—썽—쯩] 명 [idiopathic eunuchoidism]〖의〗유환관증의 일차형(一次型). 유방(乳房)의 발달은 없으나 고환(睾丸)이 청춘 전기(青春前期)의 단계(段階)에서 발달이 정체(停滯)됨.

특발성 질환【特發性疾患】[—썽—] 명〖의〗외계(外界)로부터의 작용에 의하지 아니하고 스스로 일어나는 병. 특발성 기흉(氣胸)·특발성 탈저(脫疽) 등.

특배【特配】명 ①↗특별 배급. ②↗특별 배당. ——-하다 타여불

특벼리 부〈옛〉특별히. ¶특벼리(特地)≪老朴 累字解 9≫.

특별【特別】명 보통보다 다른 모양. 보통이 아닌 모양. ¶～ 서비스/～한 사이. ↔보통. ——-하다 형여불. ——-히 부

특별 가봉【特別加俸】명 특별한 사유에 대하여 본봉(本俸) 이외에 가급(加給)되는 봉급.

특별 가중【特別加重】명〖법〗형벌(刑罰) 가중의 한 가지. 곧, 재범(再犯) 가중 이외에 여러 사람이 함께 죄한 범죄나 부모에게 폭행·협박을 행한 범죄 등에 대한 가중.

특별 감:경【特別減輕】명〖법〗특별한 경우에 형벌을 덜어서 가볍게 함. 곧, 자수(自首) 감경·작량(酌量) 감경·미수범(未遂犯) 감경·종범(從犯) 감경 이외의 감경.

특별 감시【特別監視】명〖법〗가석방(假釋放)을 허락한 죄수에 대하여 본형(本刑)의 기한 동안 행하는 감시.

특별 감:형【特別減刑】명〖법〗특사(特赦)의 하나. 내각의 결정에 따라 특수한 경우에 형기(刑期)를 감함.

특별 거중 조정【特別居中調停】명〖법〗분쟁 당사국(紛爭當事國)이 각각 한 나라를 선정하여 분쟁 해결을 그에게 맡기고, 일정 기간 직접 교섭을 중지하는 방법. 거중 조정의 특별한 방식으로서 국제 분쟁의 평화적 처리 조약에서 인정된 것임.

특별 검:사제【特別檢事制】명〖법〗정치적 중립이 요구되는 사건에 대해 변호사 등을 특별 검사로 지명하여 수사 및 공소 유지(公訴維持)를 담당케 하는 제도. 영미법계(英美法系) 국가에서 발달함. 준특검제(特檢制).

특별 결의【特別決議】[—/—이] 명 정관(定款)의 변경, 그 밖의 중대 사항을 결의하기 위하여, 특히 조건을 엄중(嚴重)히 하여 놓은 주주 총회(株主總會)의 결의. ↔보통 결의.

특별 경:비대【特別警備隊】명 특경대(特警隊).

특별 계:약【特別契約】명〖법〗본계약에 대하여 후일 특별히 체결하는 계약. 금전 차입(金錢借入)의 계약을 체결한 후에 그 이행(履行) 장소를 약속함과 같은 것.

특별 고등계【特別高等係】명〖일제〗우리 나라 독립 운동가들의 동태 조사를 도맡아 보던 경찰서의 한 계(係). 준특고(特高).

특별 고압선【特別高壓線】명 전선(電線) 상호간 또는 전선과 대지(大地)간에 있어서의 전위(電位)의 차가 3,500 v를 초과한 경우의 전압의 송배전선(送配電線).

특별 공:격대【特別攻擊隊】명 특공대(特攻隊)❶❷.

특별 과징【特別課徵】명〖법〗공경제적 수입(公經濟的收入)의 하나. 공권력체(公權力體)의 일정한 활동에 요하는 비용에 충당하기 위하여 이 활동으로 이익을 받는 일정한 지역내의 자(者)에게 그 이익에 따라서 과징하는 화폐.

특별 관람석【特別觀覽席】[—괄—] 명 그랜드 스탠드.

특별 관습【特別慣習】명 상관습(商慣習) 등과 같이, 특정(特定)한 사람들 사이에 행하여지는 관습.

특별 관청【特別官廳】명〖법〗행정 관청 중, 그 권한이 특수한 사항에 한정된 관청. 감사원(監査院)·경찰서(警察署) 등.

특별 관측【特別觀測】명 [special observation]〖기상〗항공 기상 관측의 일종. 가장 최근의 기록 관측 이후에 일어난 관측 요소의 특이한 변화를 관측·통보하는 일.

특별 교부세【特別交付稅】명 지방 교부세의 하나로, 자치 단체에 특별한 재정 수요(財政需要)가 있을 때 국가가 당해 지방 자치 단체에 교부하는 세.

특별 교:서【特別教書】명〖정〗수시로 필요에 의하여 의회에 보내는 교서. ↔연차 교서.

특별 교:실【特別教室】명〖교〗특별한 설비를 해 놓은 교실. 과학(科學)·미술(美術)·공작(工作)·음악(音樂) 등의 교실 외에 시청각 교실·어학 교실 등이 있음.

특별 교:육 활동【特別教育活動】[—똥] 명〖교〗초·중·고교에서 교과 학습 이외의 교육 과정의 하나. 학생의 자발적·자치적인 활동을 주로 하는 영역으로 자치회 활동·클럽 활동 등을 포함함. 특별 활동의 구칭. *과외 활동.

특별 권력 관계【特別權力關係】[—궐—] 명〖법〗공법상의 특별한 원인에 따라, 공법상의 특정한 목적에 필요한 한도내에서, 한 당사자가 딴 당사자를 지배하고, 딴 당사자가 이에 복종함을 내용으로 하는 관계. 공무원으로서 공무에 종사하고, 조합원으로서 공공 조합에 가입하며, 국립 또는 공립 학교 학생으로서 학교에 입학하였을 때의 관계. ↔일반 권력 관계(一般權力關係).

특별 권한【特別權限】명〖법〗특별한 규정에 의하여 특히 어떤 기관에

소속시킨 권한.
특별 규정【特別規定】[명]〖법〗어떤 특정한 사항에만 적용하는 법규.
특별 급행【特別急行】[명] 특별 급행 열차. [준]특급.
특별 급행권【特別急行券】[ㅡ꿘] [명] 급행권의 하나. 특별 급행 열차(特別急行列車)에 승차(乘車)하기 위하여 승차권 이외에 필요로 하는 표. [준]특급권(特急券).
특별 급행 열차【特別急行列車】[ㅡ녈ㅡ] [명] 보통의 급행 열차보다 빠르고 지정역에만 정거하는, 고정적인 특별 차량으로 편성된 급행 열차. 주요 노선을 달림. 특별 급행. [준]특급 열차(特急列車).
특별 기상 통보【特別氣象通報】[명] [special weather report]〖기상〗특별 관측을 기호화(記號化)하여 행하는 기상 통보.
특별 노동 위원회【特別勞動委員會】[명] 노동 위원회의 일종. 특별한 필요가 있는 경우에 일정한 지구 또는 사항에 관하여 설치하는데, 근로자(勤勞者) 위원·사용자(使用者) 위원·공익(公益) 위원 각각 동수(同數)로 구성됨.
특별 다수【特別多數】[명] 의안 표결에서 3분의 2 이상을 이름.
특별 다수결【特別多數決】[명]〖법〗의안의 결의를 특별 다수에 의해 가부를 결정하는 일. 헌법의 개정 같은 일.
특별 담보【特別擔保】[명]〖법〗특정 채권(特定債權)을 위한 저당(抵當)이 되는 특정 재산. ↔공동 담보.
특별 대:리인【特別代理人】[명]〖법〗①민사 소송의 규정에 따라 법원에서 선임하는 미성년자·금치산자(禁治産者) 등 소송 무능력자에 대한 법률상의 대리인. ②민법상의 대리인이 가끔 본인과의 사이에 이익이 상반되는 경우에, 특히 선임되는 다른 대리인.
특별 명:령【特別命令】[ㅡ녕] [명] ①특별히 내리는 명령. ②〖군〗한 부대의 개인 또는 개인의 소집단(小集團)에 대하여 내리는 명령 형식의 지시. 일반적으로 보직(補職)·재(再)보직·전속·진급·면직·위원 임명 등의 사항을 망라함. [준]특명(特命). ↔일반 명령.
특별 명사【特別名詞】[명]〖언〗고유 명사.
특별 방략【特別方略】[ㅡ냑] [명] 특별한 방법과 꾀.
특별 방:송【特別放送】[명] 정규 프로그램이 아닌 임시 편성의, 특별한 내용을 가진 방송.
특별 배:급【特別配給】[명] 어떤 기관이나 단체에서 어떤 대상자에게 특별히 주는 배급. [준]특배(特配). ——-하다 [타][여불]
특별 배:당【特別配當】[명]〖경〗①회사가 일정한 기간 안에 예기했던 바 이상의 이익을 본 경우, 보통 배당 이외에 잉여(剩餘)의 이익을 일정한 비율로 주주(株主)에게 주는 배당. ②보험 회사가 계약에 따라 보험금이 일정시(一定時)에 일정액에 도달하였을 때 그 지급 금액의 일부를 되돌려 주는 일. 1)·2):[준]특배(特配).
특별 배:임죄【特別背任罪】[ㅡ쬐] [명]〖법〗형법에 규정되어 있는 배임죄 외에 상법(商法) 그 밖의 법으로 규정되어 있는 배임죄. 형이 보통 배임에 대한 것보다 무거움. 회사·유한 회사·보험 회사 등의 발기인·이사·대표자 등의 배임죄.
특별-법【特別法】[ㅡ뻡] [명]〖법〗특정한 지역·사람·사항에 한해서 적용하는 법. 특례법(特例法). ↔일반법·보통법.
특별 법원【特別法院】[명]〖역〗①대한 제국 때 황족(皇族)의 범죄를 심리하던 재판소. 고종(高宗) 32년(1895)에 베풀어서 융희(隆熙) 2년에 폐하고, 그 사무를 대심원(大審院)으로 옮겨 붙였음. ②〖법〗특수한 사람이나 사건에 관하여 재판권을 행하는 법원.
특별 변:호인【特別辯護人】[명]〖법〗간이(簡易) 법원이나 지방 법원의 사건에 있어서, 특히 법원의 허가를 얻은 경우에 변호사가 아닌 사람 중에서 변호인으로서 선임된 사람.
특별 보:좌관【特別補佐官】[명]〖정〗대통령 같은 요직에 있는 이의 직속 자문 기관. 전문적 문제나 중요한 문제에 대해 조언·답변 등을 행함. [준]특보.
특별 보:호 선박【特別保護船舶】[명]〖법〗전시(戰時) 국제법에서 특별히 포획(捕獲)이 금지되어 있는 선박. 종교·학술·박애(博愛)의 임무를 띠고 있는 선박 등.
특별-복【特別服】[명] 평소에 입는 옷이 아닌, 특별한 경우에 입는 특별한 모양·기능을 가진 옷.
특별 부:가세【特別附加稅】[명] 기업이 토지나 건물을 매각하여 차익을 얻었을 때 내는 세금. 법인의 양도 소득세 격임.
특별 부:담【特別負擔】[명]〖법〗특정의 공익(公益) 사업에서 특별한 이익을 얻거나 또는 그 사업에 특별한 관계가 있을 때 부과되는 공용(公用) 부담. 수익자(受益者) 부담금. 분담금(分擔金). ↔일반 부담.
특별 분해【特別分解】[명]〖군〗병기 분해의 한 가지. 병기의 복잡한 부분까지 하는 분해. ↔보통 분해.
특별-비【特別費】[명] 특별한 곳에 쓰기 위해 별도로 계상된 비용.
특별 비행【特別飛行】[명] [special flight]〖항공〗예정편(豫定便) 이외의 특별한 공수(空輸)를 위한 비행.
특별 사:면【特別赦免】[명]〖법〗사면(赦免)의 한 가지. 형(刑)의 선고를 받은 특정 범인(特定犯人)에 대하여 형의 집행(執行)이 면제되거나 유죄 선고(有罪宣告)의 효력이 상실(喪失)되게 하는 조치. 대통령이 행함. [준]특사(特赦).
특별 사법 경:찰 관리【特別司法警察官吏】[ㅡ괄ㅡ] [명]〖법〗산림(森林)·해사(海事)·전매·세무·군수사 기관 기타 특별한 사항에 관해 사법 경찰 관리의 직무를 수행하는 공무원.
특별 사:용【特別使用】[명]〖법〗공물(公物)의 관리권(管理權) 또는 경찰권(警察權)에 의해 일반 대중에 금지되어 있는 사용을 특히 특정인(特定人)에게 허가하는 일.
특별-상【特別賞】[명] 특히 두드러진 부문이나 사항에 대해 주어지는 상.
특별 상각【特別償却】[명]〖경〗산업 정책상 어떤 업종, 혹은 고정 자산에 대해 할증(割增)의 상각에 의해 법인세 부담의 경감(輕減)을 인정받고 있는 일. 산업의 합리화(合理化)와 설비 투자(設備投資)의 촉진 등을 목적으로 함.
특별 상:고【特別上告】[명]〖법〗구법상(舊法上)에 있어서, 민사 소송에서 고등 법원이 상고심(上告審)으로서 선고한 종국 판결에 대해 대법원에 하는 상소. 헌법 위반이나 판례 위반의 경우 판결의 확정력(確定力)이 차단(遮斷)됨이 없이 대법원에 상소할 수 있었으나 신법(新法)은 상고심을 일원화하면서 이를 폐지함.
특별 상이 기장【特別傷痍記章】[명] 상이 기장의 하나. 전투 또는 작전상의 공무 수행중 불구(不具)가 된 상이자(傷痍者)에게 줌. ↔보통 상이 기장. *상이 기장.

〈특별 상이 기장〉

특별-석【特別席】[명] 일반석이 아닌 따로 마련한 좌석. ↔일반석.
특별 선:거【特別選擧】[명] 특별한 사유가 발생했을 때 시행되는 선거. 재선거·보궐(補闕) 선거·증원(增員) 선거 등.
특별-세【特別稅】[ㅡ쎄] [명] 특별한 목적을 위하여 부과된 세금. ↔일반세. *목적세.
특별 세:계일【特別世界日】[명]〖지〗세계일의 하나로, 특히 태양에서의 폭발이 예상되는 날. *세계일.
특별 소비세【特別消費稅】[ㅡ쎄] [명] 국세의 하나. 보석·모피 제품·냉장고(冷藏庫)·승용 자동차·휘발유 등 특정한 물품과, 경마장·골프장·카지노 등 특정한 장소에의 입장 행위 등에 대하여 부과하는 세금. 업자를 통하여 받는 간접세임.
특별 손:익【特別損益】[명]〖경〗손익 계산서상의 주요 개념으로 당기(當期) 업적에는 관계 없는 재산의 증감을 이름. 경상(經常) 손익에 가산(加算)함.
특별 수권【特別授權】[ㅡ꿘] [명] 특별한 의사 표시에 의하여 타인에게 특별한 권한을 수여하는 일.
특별 수당【特別手當】[명] 객관적인 근무 조건에 따라 일정한 급료 이외에 지급되는 정기 또는 임시의 보수. 도서 벽지 근무 수당·직책 수당 따위.
특별 수사부【特別搜查部】[명]〖법〗대검찰청(大檢察廳)의 한 부서인 중앙 수사부(中央搜查部)의 전의 이름.
특별 승인【特別承認】[명] 특별히 승인하는 일. [준]특인.
특별-시【特別市】[명] ①지방 자치 단체(地方自治團體)의 하나. 도(道)와 동일한 것으로서, 보통의 시(市)가 도의 감독을 받는 데 대하여 특별시는 직접으로 중앙의 감독을 받음. 현재 특별시는 서울 특별시뿐임. ②↗서울 특별시.
특별시-도【特別市道】[명] 도로 종별(種別)의 하나. 서울 특별시 구역내의 도로로서, 서울 특별시장이 그 노선을 인정한 도로.
특별시-세【特別市稅】[명] 지방세의 하나로, 특별시가 부과·징수하는 세금. 보통세와 목적세의 두 가지가 있음. 보통세로는 취득세, 등록세, 주민세, 자동차세, 농지세, 담배 소비세, 도축세(屠畜稅), 경주(競走)·마권세(馬券稅)가 있고, 목적세로는 도시 계획세·공동 시설세·지역 개발세가 있음. *도세(道稅).
특별 열차【特別列車】[ㅡ렬ㅡ] [명] ①특별한 목적이나 임무(任務)를 가지고 운행(運行)되는 열차. ②특별한 설비(設備)를 했거나 특별히 꾸며 놓은 열차.
특별 예:금【特別預金】[ㅡ례ㅡ] [명]〖경〗정기 예금 및 당좌(當座) 예금 이외의 특약에 의한 예금.
특별 예:방【特別豫防】[ㅡ례ㅡ] [명]〖법〗범인(犯人)에게 형벌을 과하는 것은 그렇게 함으로써 사회 일반을 범죄로부터 예방하려는 것이 아니고, 그 범인이 다시 범죄에 빠지지 않도록 예방하는 것이 목적이라고 하는 생각. 교육형(教育刑) 같은 것. ↔일반 예방.
특별 예:방설【特別豫防說】[ㅡ례ㅡ] [명]〖법〗형벌의 목적으로서 특별 예방을 중시하고 형벌의 개별화를 강조하는 이론(理論).
특별 위원【特別委員】[명] 국회에 있어서 상임 위원회의 소관에 속하지 않는 어떤 특정한 안건을 처리하기 위하여 선임된 위원 각 단체의 소속 위원수의 비율에 의하여 선임됨.
특별 위원회【特別委員會】[명]〖법〗국회에서, 상임 위원회의 소관(所管)에 속하지 않는 특정한 사항(事項)을 심사하기 위하여 필요에 따라 설치되는 위원회. 예산 결산·윤리·여성 특별 위원회 따위.
특별 위임【特別委任】[명] 특별 사항에 관한 위임.
특별 융자【特別融資】[ㅡ륭ㅡ] [명]〖경〗은행이 큰 손실을 보고 경영 위기에 있을 때 등에, 한국 은행(韓國銀行)이 예외적으로 구제 금융(救濟金融)의 성격으로 그 은행에 자금을 대출해 주는 일.
특별 은행【特別銀行】[명]〖법〗특수 은행.
특별 인출권【特別引出權】[ㅡ꿘] [명] [Special drawing rights]〖경〗바르게는 국제 통화 기금(國際通貨基金) 특별 인출권. 국제 통화 기금 가맹국이 국제 수지가 악화했을 때, 국제 통화 기금에서 무담보(無擔保)로 외화(外貨)를 인출할 수 있는 권리. 1968년에 설치된 것으로 금·달러에 다음가는 제3의 통화로 간주되고 있음. 약칭: 에스 디 아르(S.D.R.).
특별 임:용【特別任用】[명] 어떠한 관직에 특별히 경험이 있는 사람을 일정한 자격 또는 조건에 의하지 아니하고 임용하는 일.
특별 잉:여 가치【特別剩餘價值】[명]〖경〗한 기업내에서 사회적 평균 이상의 노동 생산력에 의해 생산된 상품의 잉여 가치. 같은 종류의 여러 기업에서 노동 생산력(勞動生産力)이 평균화(平均化)될 경우에는 이 특별 잉여 가치는 없어짐.
특별 재산세【特別財產稅】[ㅡ쎄] [명] 재산세의 하나. 특정한 이유로 취

득한 재산에 과하는 세금으로 상속세·고정 재산세 따위.

특별 재판적【特別裁判籍】명〖법〗민사 소송에서, 보통 재판적 이외에, 특별한 종류 또는 한정된 범위의 소송(訴訟)에 대하여서만 인정되는 재판적. 불법 행위에 관한 소송은 그 행위가 있었던 곳의 법원에도 제출할 수 있는 것으로 한 따위.

특별 저:축 예:금【特別貯蓄預金】[—녜—] 명〖경〗예금의 한 가지. 금융 기관과 예치주간의 특정한 계약으로 이루어지는 예금. 보통 예금보다 이자가 높고 예치 기간이 긴 것이 특징임. 신탁 예금·가계 예금 따위. 「른 예금. 무기명 정기 예금 따위.

특별 정:기 예:금【特別定期預金】명〖경〗예치 조건이 보통 예금과 다

특별 지방 자치 단체【特別地方自治團體】명〖법〗조직·기능면에서 특수한 성격을 띤 지방 자치 단체. 시(市)·군(郡)에서 그 사무의 일부 또는 전부를 공동 처리하기 위하여 두는 시·군 조합(組合)을 이름. ↔보통 지방 자치 단체.

특별 지방 행정 기관【特別地方行政機關】명〖법〗특정한 중앙 관청에 소속하여, 당해 관할 구역내에 시행되는 그 중앙 관청의 권한에 속하는 특수한 행정 사무를 관장(管掌)하는 국가의 지방 행정 기관. 지방 해운항만청(海運港灣廳)·지방 국세청·지방 철도청·지방 체신 관서 따위. ↔보통 지방 행정 기관.

특별 징수【特別徵收】명〖법〗지방세 징수 방법의 한 가지. 납세자로부터 직접 징수하지 아니하고, 징수의 편의(便宜)가 있는 자로 하여금 징수시켜 납입케 하는 일. ↔보통 징수.

특별 징수 의:무자【特別徵收義務者】명 특별 징수에 의해서 지방세를 징수하고 납입할 의무를 진 사람.

특별 참모【特別參謀】명〖군〗한 사령부(司令部)에서 근무하는 참모 장교(將校)로서, 일반 조정(調整) 참모단이나 개인 참모단에 포함되지 않는 참모. ↔일반 참모.

특별 참모부【特別參謀部】명〖군〗사령부의 참모 부서 중 일반 참모부가 아닌 기타의 참모 부서.

특별 청산【特別淸算】명〖경〗주식 회사의 청산에 있어서, 채무 초과의 혐의가 있을 때 또는 청산 수행에 현저한 지장을 초래할 사정이 있을 때, 법원의 감독하에 행하는 특수한 청산 절차.

특별 출생률【特別出生率】[—쌩뉼] 명 15세부터 45세까지의 여자의 평균 인구 1000에 대한 출생수. 그 나라의 출산(出産) 능력을 아는 데 중요한 지표(指標)가 됨. *보통(普通) 출생률.

특별 포스트【特別—】[post] 명〖경〗증권 시장에서, 특별히 투자자의 주의를 환기시켜야 할 종목(種目)을 거래하도록 지정된 매매대(賣買臺). *관리 포스트.

특별 학급【特別學級】명〖교〗심신(心身)의 장애가 있는 학생의 적절한 지도를 위하여 국민 학교·중학교 등에 특별히 설치한 학급.

특별 항:고【特別抗告】명〖법〗민사·형사 등의 소송에서, 불복(不服)의 신청을 할 수 없는 결정이나 명령에 대하여 대법원에 대하여 행하는 항고. 민사에서는 헌법 위반, 형사에서는 헌법 위반·판례(判例) 위반을 이유로 할 때만 인정됨.

특별 핵물질【特別核物質】[—찔] 명〖화〗플루토늄(plutonium)·우라늄 235·우라늄 238 등 핵분열성 물질 및 삼중(三重) 수소·리튬(lithium) 등 핵변화에 의한 에너지를 방사하는 물질의 총칭.

특별 형법【特別刑法】[—뻡] 명〖법〗형법(刑法) 이외의 형벌 법규(刑罰法規). 특별한 범죄에 대하여 적용(適用)되는 형법. 곧, 경범죄 처벌법 등. ↔보통 형법.

특별 활동【特別活動】[—똥] 명〖교〗국민 학교·중학교·고등 학교의 교육 과정의 한 영역(領域)으로 교과(敎科) 활동 이외의 특별 교육 활동. *과외 활동. 준특활(特活).

특별 회:계【特別會計】명〖법〗국가의 회계의 하나. 국가 예산의 내용을 명확히 하기 위하여 일반 회계와 별개의 세입·세출 예산으로 경리(經理)함. 국가가 특정한 사업을 하는 경우나 특정한 자금을 보유하여 운영을 하는 경우 또는 기타 특정한 세입을 가지고 특정한 세출에 충당함으로써 일반의 세입 세출과 구분하여 정리함. 필요가 있는 경우에만 인정됨. ↔일반 회계. 「는 회원.

특별 회:원【特別會員】명 어떤 단체나 회합에 특별한 자격으로 참여하

특별 횡선 수표【特別橫線手票】명〖경〗특정 횡선 수표.

특보[1]【特報】명 특별히 보도함. 또, 그 보도. ——하다 타여불

특보[2]【特補】명 ↗특별 보좌관. ¶정치 ～.

특사[1]【特使】명 특별한 임무를 띠고 파견하는 사절(使節). 전사(專使). ¶대통령 ～.

특사[2]【特赦】명 ↗특별 사면(特別赦免). ——하다 타여불

특사[3]【特寫】명 특별히 사진을 찍는 일. ——하다 타여불

특사[4]【特賜】명 임금이 신하에게 특별히 내림. ——하다 타여불

특사-랑【特仕郞】명〖역〗고려 때 문관의 품계(品階). 종구품(從九品)의 하(下). 문종(文宗) 때 정하였는데 충렬왕(忠烈王) 원년(1275)에 폐하고, 동 24년(1298)에 다시 두었음. *문림랑(文林郞).

특사 배:달【特使配達】명 ①특별히 따로 사람을 시켜서 전하는 배달. ②↗특사 배달 전보.

특사 배:달 전:보【特使配達電報】명 특수 취급(取扱) 전보의 하나. 직배달(直配達) 구역 밖으로 보내는 전보로 특사에 의하여 배달됨. 준특사 배달.

특사 외:교【特使外交】명 비공식적인 외교 교섭의 한 형식. 수상 또는 외상의 개인적인 대리로서 외국에 파견된 특사가 외교 문제나 분쟁 해결을 위한 사전 교섭을 함.

특산【特産】명 그 지방(地方)의 특별한 산출(産出). 또, 그 산물. *원산(原産).

특산-물【特産物】명 그 지방의 특별한 산물.

특산-종【特産種】명 그 지방 특산의 품종.

특산-품【特産品】명 그 지방에서 특수하게 생산되는 물품.

특상[1]【特上】명 특별하게 고급임. 또, 그 물건.

특상[2]【特賞】명 특별한 상.

특색【特色】명 ①보통의 것과 다른 점. ¶～ 있는 문장. ②특장(特長). *특징.

특생【特牲】명 소로 이바지하는 희생.

특서【特書】명 특필(特筆). ——하다 타여불

특선【特選】명 ①특별히 골라 뽑음. ②미술 전람회 같은 데서 특히 우수하다고 인정된 작품. ——하다 타여불

특설【特設】명 특별히 설비·설치함. ——하다 타여불

특설-반【特設班】명 특별히 설치한 반.

특설 함:선【特設艦船】명〖군〗전시 또는 사변 때에 상선(商船)이나 어선(漁船)을 징발하여 해군 함선에 준(準)하여 군용에 쓰는 배.

특성【特性】명 그것에만 있는 특수한 성질. 특질(特質).

특성 복사【特性輻射】명 [characteristic radiation]〖물〗전자(電子)를 하나 제거당한 원자로부터 발생하는 복사. 그 파장(波長)은 당해 원자와 복사에 관여한 에너지 준위(準位)에만 의존함.

특성 엑스선【特性X線】명 [characteristic X-rays]〖물〗엑스선관(管)의 대음극(對陰極)을 만드는 원소(元素)의 종류에 의해서 여러 가지 종류로 나오는 특정한 파장(波長)을 가진 엑스선. 파장의 분포에 의해서 대음극을 만드는 원소의 원자 구조에 관한 지식을 얻을 수 있음.

특성 함:수【特性函數】[—쑤] 명〖수〗특징(特徵) 함수.

특성화 학과【特性化學科】명〖교〗실업계(實業系) 학과 중 특정 산업(特定産業)에 필요한 인력(人力)을 양성하는 학과.

특세【特勢】명 특별히 다른 형세.

특소【特小】명 특별히 작음. 또, 그 물건. ↔특대(特大).

특소-세【特消稅】명 ↗특별 소비세.

특수[1]【特秀】명 특별히 뛰어남. 특히 우수함. ——하다 형여불

특수[2]【特殊】명 ①특별히 다름. 또, 그 모양. ②[the particular]〖철〗일정한 대상군(對象群)에만 속하는 것. 곧, 보편(普遍)보다 좁고 개별(個別)보다는 넓은 일정하지 않은 영역(領域). 인종은 인류, 곧 보편과 개인, 곧 개별에 대하여 특수가 되는 것 같은 것. 형식 논리학(形式論理學)에서는 하위 개념(下位槪念)이 상위(上位) 개념에 대하여 특수가 됨. ↔보편. ——하다 형여불

특수[3]【特需】명 특별한 수요(需要). ¶추석 ～.

특수 감:각【特殊感覺】명 일반의 감각과 다른 이질의 감각.

특수 감:관 에너지설【特殊感官—說】[energy] 명 특수 에너지설.

특수-강【特殊鋼】명 [special steel] 화학 성분·제조법·열처리(熱處理) 등을 달리하여 특정한 성질을 강조하도록 만들어진 강(鋼). 명확한 정의는 없으나, 일반적으로 합금강(合金鋼)을 지칭함. 용도·특성에 따라 구조용 특수강·용수철강·공구강(工具鋼)·고속도강·내열강·내식강(耐蝕鋼)·자석강 등 많은 종류가 있음. 합금강. *강철.

특수 강:도죄【特殊强盜罪】[—쬐] 명〖법〗밤중에 사람의 주거(住居)·간수(看守)하는 저택·건조물이나 선박 또는 점유하는 방실(房室)에 침입하여 강도 행위를 하는 죄 및 흉기를 휴대하거나 두 사람 이상이 합동하여 강도 행위를 함으로써 성립하는 죄.

특수 경력직 공무원【特殊經歷職公務員】[—녁—] 명〖법〗공무원을 크게 나눈 구분의 하나. 경력직 공무원 이외의 공무원의 일컬음. 정무직(政務職) 공무원·별정직(別定職) 공무원·전문직(專門職) 공무원·고용직(雇傭職) 공무원으로 다시 나뉨. *정무직 공무원.

특수 과학【特殊科學】명 경험적 사실이나 경험적 지식에 기초를 둔 학문. 과학을 철학과 구별하기 위한 이름.

특수 교:육【特殊敎育】명 ①신체·정신상의 이상(異常)이 있는 자들에게 특별히 행하는 교육. 점자(點字)·구화(口話) 및 기타 기구를 사용하여 교육 교정(矯正) 및 직업 보도(輔導)를 함. ②천재 교육. ③특수한 교과나 학과만을 중심으로 하는 교육.

특수 균형 분석【特殊均衡分析】명〖경〗경제 체계의 전체가 아닌 특정 부분(特定部分)의 균형 상태를 토대로 하여 분석을 단기간으로 한정(限定)하거나, 상호 의존(相互依存)의 관계가 미약한 경제 제량(經濟諸量)을 무시(無視)하고 제1차적인 근사치(近似値)로 만족하는 경제 분석 방법. ↔일반(一般) 균형 분석.

특수 근무 수당【特殊勤務手當】명 업무 수행상 생명의 직접적인 위험이 수반하거나, 특수하고 곤란한 근무 조건 아래서 일하는 사람에게 지급되는 수당.

특수급 무선 통신사【特殊級無線通信士】명 무선 종사자(無線從事者) 자격의 하나. 국가 기술 자격 검정(檢定)에 합격한 자가 취득하며, 무선 전화 갑급(甲級) 및 을급(乙級)·항공급(航空級)·국내 무선 전신급 등 4종으로 구분됨.

특수 대학원【特殊大學院】명 일반 대학원에 대해 특수한 교육 과정 및 행정 체계로 운영되는 대학원.

특수 도자기【特殊陶磁器】명 생활 용품·건축 용품 이외의 전기 재료·내열(耐熱) 재료 등 특수한 용도(用途)에 쓰이는 도자기. *뉴 세라믹(new ceramics).

특수-란【特殊卵】명 특수한 먹이를 주어서 키운 닭의 달걀로서, 유기(有機) 요오드를 함유한 알. 비타민 A,B,E도 여느 달걀보다 많이 함유하고 있음.

특수 면:허【特殊免許】명 자동차 운전 면허의 하나. 제일종 특수 면허와 제이종 특수 면허가 있는데, 모두 트레일러·레커차(wrecker車)를 운전할 수 있음. *대형 면허·보통 면허·소형 면허·원동기 장치 자

전거 면허.

특수 문자【特殊文字】[—짜] 명 〔special character〕 숫자(數字)나 로마자(Roma字) 따위 이외에, 컴퓨터에 사용(使用)되는 문자를 이름. +·—·( )·=·₩ 따위.

특수 배:서【特殊背書】명 〖경〗 양도(讓渡) 이외의 특별한 목적을 갖는 추심 위임(推尋委任) 배서와 입질(入質) 배서.

특수 법인【特殊法人】명 특별법에 의하여 설치된 법인. 국책상 또는 공공의 이익을 위하여 설치됨. 임원은 정부에서 임명하고, 정부의 특별한 감독을 받음. 한국 은행·대한 석탄 공사 등.

특수 병과【特殊兵科】[—꽈] 명 〖군〗 군인의 병과 구분의 하나. 육해공군에 각각 의무·법무·군종과가 있음. *기본 병과.

특수 보:호물【特殊保護物】명 전시(戰時) 국제법상 공위(攻圍)·포격(砲擊)을 함에 있어서 손해가 생기지 않도록 특히 보호되는 건축물. 종교·학술·자선(慈善)용의 건물, 역사 상의 기념 건조물, 군사 상의 목적에 사용되지 아니하는 병원, 부상자 수용소 등.

특수 부대【特殊部隊】명 〖군〗 사단(師團) 또는 그 이상의 상급 부대의 본부에 배속되어 부대 전체를 위하여 전투 근무를 포함한 어떤 특수 근무를 수행하는 부대.

특수 분개장【特殊分介帳】[—짱] 명 〖경〗 부기에서, 이용도가 많은 보조장으로서의 현금 출납장·당좌 예금 출납장·매입장·매출장(賣出帳) 등에 분개장의 기능을 부여한 장부.

특수 비행【特殊飛行】명 ①〖군〗 공중 촬영 또는 활공기(滑空機)에 의한 수송을 포함한 부대 공수(空輸)와 같은 특수한 전술적 임무를 수행하는 군사 비행. ②비행기의 자세·고도를 급격히 변화하는 조종법. 수직 선회·공중 선회·횡전(橫轉)·급반전(急反轉)·급상승·급강하 등.

특수 사회【特殊社會】명 어떤 특별한 층(層)의 사람들로 구성(構成)되어 있는 사회.

특수 상대성 이:론【特殊相對性理論】[—썽—] 명 서로 등속 운동(等速運動)을 하고 있는 관성계(慣性系)에 관한 상대성 이론. 1905년 아인슈타인이 발표함. 서로 등속 운동을 하고 있는 관측자에 대하여, 모든 물리 법칙은 동일(同一)한 형식을 취하며 빛의 속도는 일정하다는 것임. ↔일반(一般) 상대성 이론. *상대성 이론.

특수-선【特殊船】명 특수한 용도에 사용되는 선박. 군함(軍艦)·상선(商船)이외의 어선(漁船)·작업선(作業船)·운반선(運搬船) 등을 이름.

특수-성【特殊性】[—썽] 명 사물의 특수한 성질. ↔일반성.

특수 시:약【特殊試藥】명 〖화〗 어떤 원소·이온·기(基) 등 특정한 화학 성분에 대하여서만 예민한 반응을 나타내는 분석(分析) 시약. 황산 이온에 대한 바륨염(塩) 외에 대부분의 유기(有機) 시약이 이에 속함.

특수 신:호소【特殊信號所】명 구부러진 좁은 수로(水路) 등을 항행하는 선박의 교통 정리를 위하여 육상(陸上)에 설치된 신호소. 통항선(通航船)에 대하여 다른 선박의 상황이나 조류(潮流)의 속도·방향 등을 통지(通知)함.

특수 신화학【特殊神話學】명 〖신〗 어떤 특정한 민족이나 국민의 신화를 연구 대상으로 하는 신화학. 국민 신화학. ↔일반 신화학.

특수 심리학【特殊心理學】[—니—] 명 〖심〗 정신 생활의 특수한 현상을 연구하는 심리학. ↔보통 심리학.

특수-아【特殊兒】명 〔handicapped children〕 심신(心身)의 발달·행동이 어떤 점에서 일반 어린이와 다른 어린이. 특수 교육의 대상이 됨. 이상아(異常兒).

특수 에너지설【特殊—說】〔energy〕 명 〖심〗 사람의 감각 기관은 어떠한 자극을 받는다 하더라도, 그 자극의 성질에는 관계가 없이, 언제나 그 감각 기관이 특별히 가진 감각을 일으킨다고 하는 학설. 곧, 감각의 성질은 자극의 성질에 의하여 규정되는 것이 아니라 그 자극을 받는 감각 기관의 성질에 따라서 규정된다는 설. 19세기 전반(前半)의 생리학자 뮐러(Müller, J.P.)는 이 사실을 그가 신봉하는 칸트 철학의 공간 직관(空間直觀)의 선험성(先驗性)을 실증하는 것으로 채택하여, 의식하는 것은 외계(外界)가 아니고 신경 자체의 상태라고 주장하였음. 특수 감관(特殊感官) 에너지설.

특수-염【特殊炎】명 〖의〗 생체 조직에 나타나는 비교적 특정한 반응을 토대로 하여, 반대로 그 병원체를 예상할 수 있는 특별한 관계를 가지는 염증. 결핵·매독·나병 같은 것.

특수 우편【特殊郵便】명 특수 취급 우편. ↔보통 우편.

특수 유전【特殊遺傳】명 〖생〗 양친(兩親)의 한쪽이 가진 특히 뛰어난 성질의 유전.

특수 유흥 음:식점【特殊遊興飮食店】명 전에, 주한(駐韓) 외국 군인 및 외국인 선원(船員) 등의 유흥과 휴식을 목적으로, 유흥 종사자를 두고 주류(酒類)와 음식물을 조리 판매하며, 가무 음곡(歌舞音曲) 또는 무도(舞蹈)를 행하던 영업소. 지금은 유흥 음식점으로 포괄 분류됨.

특수 은행【特殊銀行】명 〖법〗 특별 법규에 의하여 세워져 특별한 업무를 행하는 은행. 한국 은행·한국 산업 은행·중소 기업 은행 등. 특별 은행. ↔민간 은행·보통 은행. *국책(國策) 은행.

특수 이민【特殊移民】명 외국의 초청에 의하여 그 나라에 3년 이상 거주하게 되는 이주(移住)와 입양(入養)·결혼 등으로 인한 이주의 총칭. 특수 이주.

특수 이:서【特殊裏書】명 '특수 배서(背書)'의 구칭.

특수 이주【特殊移住】명 특수 이민(移民).

특수 인쇄【特殊印刷】명 종이 이외의 유리·금속·나무·천·플라스틱 등의 소재(素材)에 인쇄하는 일. 또, 보통 사용되지 않는 방식(方式)으로 하는 인쇄.

특수 임산물【特殊林産物】명 재목·목탄·장작 등 주산물 외에 밤·호두 등의 나무 열매, 계피·죽피(竹皮) 등의 수피(樹皮), 옻칠·송진 등의 수지(樹指), 버섯이나 산채(山菜) 등의 임간(林間) 부산물.

특수 자동차【特殊自動車】명 자동차 종류의 하나. 특별한 설비를 필요로 하는 사람 또는 화물을 운송하거나, 특별한 작업 요인을 수행하도록 제작된 자동차로서, 승용·승합·화물 자동차 외의 것을 말함. ㊎특수차.

특수적 균형 분석【特殊的均衡分析】명 경제 현상의 생산·교환의 관계를 분석하는 경우에, 부분적 경제 현상의 수급(需給)이 동일하게 되기 위한 조건을 고찰하는 일. ↔일반(一般) 균형 분석.

특수 조:사【特殊助詞】명 〖언〗 경우에 따라, 주격(主格)·목적격·보격·부사격을 나타내게 하는 조사. '은'·'는'·'도'·'만' 따위가 있음.

특수 조약【特殊條約】명 〖정〗 특정 국가 간에 체결되어, 제삼국의 가입을 허락하지 아니하는 조약. 개별 조약. ↔일반 조약.

특수 종교사【特殊宗敎史】명 〖종〗 특정한 종교의 역사적 과정을 기술한 종교사. ↔비교(比較) 종교사.

특수 주:강【特殊鑄鋼】명 〖공〗 탄소 이외에 특수 원소를 함유하며, 특수한 열처리(熱處理)를 베풀어서 특정한 용도에 쓰이는 주강. 마모(磨耗)에 견디는 고망간(高Mangan) 주강, 고온 고압에 견디는 몰리브덴(Molybdān) 주강 따위.

특수 주:철【特殊鑄鐵】명 〖공〗 특수 원소가 첨가되어 있고, 또 열처리(熱處理)를 베풀어서 특수한 용도에 쓰이는 주철. 니켈크롬 주철·고규소(高硅素) 주철 따위.

특수-지【特殊紙】명 특수한 용도에만 쓰이는 종이. 거름종이, 궐련에 쓰는 라이스페이퍼, 전기 기기의 절연지(絶緣紙), 기계 포장용의 방수지(防銹紙) 등등.

특수-차【特殊車】명 특수 자동차.

특수 차량【特殊車輛】명 어떤 특수한 활동에만 적당하도록 만든 차체와 장비를 갖춘 차량. 공수 후차(空輸後車)·파괴차(破壞車)·설상차(雪上車)·트랙터 따위.

특수 창:조설【特殊創造說】명 〖종〗 우주의 만물은 하느님이 처음으로 낱낱이 만들었다는 학설. 창세기(創世紀) 같은 곳에 나타나 있으며, 과학이 발달하지 않았던 시대에 믿어졌음.

특수 채:권【特殊債券】[—꿘] 명 〖경〗 특별한 법령에 의하여 설립된 법인(法人)이 발행하는 채권. 넓은 뜻으로는, 은행 채권 또는 특수 사채(社債), 좁은 뜻으로는, 회사 이외의 법인이 발행하는 채권, 곧 상공(商工) 채권·산업 채권 등을 말함.

특수 촬영【特殊撮影】명 영화·텔레비전 촬영에서, 고도의 기술이나 트릭(trick)을 구사하여 촬영하는 일. 넓은 뜻으로는, 고속도 촬영·현미경 촬영 등을 포함함. 트릭 워크(trick work). ㊎특촬.

특수 취:급 우편【特殊取扱郵便】명 특수한 취급을 요하는 우편. 등기(登記)·속달(速達)·접수 시각 증명·배달 증명·내용 증명(內容證明)·특별 송달 등. 특수 우편.

특수 취:급 전:보【特殊取扱電報】명 청구에 의하여 특수 취급을 하는 전보. 대조(對照)·특사(特使) 배달·동문(同文)·회신료 선납(回信料先納)·회답 통지·배달 통지·배달 일시 지정·유치(留置)·친전(親展)·복사 송부(複寫送付) 등이 있음.

특수 탄:약【特殊彈藥】명 〔special ammunition〕 〖군〗 특별한 통제·취급·보안을 위하여 미국 육군성(陸軍省)에서 지정한 탄약 품목. 핵 및 비핵(非核) 탄두 부분·원자 폭파 자재·핵 탄환·미사일 본체(本體)·미사일 추진 화약 등이 포함됨.

특수 특장차【特殊特裝車】명 특수한 장비(裝備)를 갖추고 특수한 용도에 쓰이는 자동차. 소방차(消防車)·제설차(除雪車)·믹서 트럭·탱크 롤리 같은 것. ㊎특장차(特裝車).

특수 폭탄【特殊爆彈】명 〖군〗 특수한 공격 목표와 용도에 쓰이는 폭탄. 소이(燒夷) 폭탄·세균(細菌) 폭탄·독가스 폭탄·조명 폭탄 따위. *파편(破片) 폭탄·파괴 폭탄.

특수 필름【特殊—】〔film〕 명 학술 기록용(學術記錄用)·의료용(醫療用)·제판용(製版用)·항공 측량용(航空測量用)·마이크로 사진용 등 특수한 용도에 쓰이는 사진 필름의 총칭. ↔일반 촬영용 필름.

특수 학교【特殊學校】명 장애인에게 유치원·초등 학교·중학교·고등학교에 준한 교육과 실생활에 필요한 지식 및 기술을 가르치는 학교.

특수 학급【特殊學級】명 〖교〗 교육법에 의거, 초등 학교·중학교에 있어서, 지체 부자유자, 청각·시각·언어 장애자 등을 위해 특별히 설치하는 학급.

특수 함:수【特殊函數】[—쑤] 명 〖수〗 초등(初等) 함수를 부정 적분(不定積分)으로 나타낸 함수 등. 흔히, 사용되는 함수 중에서 초등 함수가 아닌 것의 총칭. 고등 함수(高等函數)라고도 함.

특수 혼인율【特殊婚姻率】[—뉼] 명 1년 동안에 신고된 법률 상의 혼인 수와 그 해의 미혼(未婚) 인구와의 비율. *보통 혼인율·혼인 빈도.

특수-화【特殊化】명 일반적으로 보편적인 것에, 특수한 것을 가하여 한정(限定)하는 일. ——-하다 타여불

특수 회:사【特殊會社】명 〖법〗 특별한 법령에 의해서 설립된 주식 회사. 정부가 법률에 의해서 특별히 감독하고 어떤 특권을 부여하는 것과, 정부의 면허(免許)를 받아 그의 특별한 감독을 받는 것이 있음.

특악【慝惡】명 사악(邪惡)함. ——-하다 형여불

특애【特愛】명 특별히 사랑함. 또, 그 사랑. ——-하다 타여불

특약【特約】명 ①특별한 조건을 부대(附帶)한 약속. ¶에이 피(AP) ~. ②특별한 편의나 이익이 있는 계약. ¶~점. ——-하다 타여불

특약-관【特約館】명 어떤 특정(特定)한 영화 회사의 작품만을 상영하는 영화관.

특약부 화:재 보:험【特約附火災保險】명 ↗신체 손해 배상 특약부 화재 보험.

특약일 결제 거:래【特約日決濟去來】[—쩨—] 명 [seller's option] 〖경〗 증권(證券) 거래소에서의 매매 거래의 하나. 매매 계약의 약정일(約定日)로부터 기산(起算)하여 15일 이내의 일정한 날에 당사자 간에 직접 인도·인수하는 결제 방식.

특약-점【特約店】명 제조원(製造元)이나 판매원(販賣元)과 특별한 편의(便宜)의 계약을 맺고 거래하는 상점. 딜러.

특에이 공항【特A空港】명 공항의 급수(級數)의 하나. 국제 민간 항공(民間航空) 기관이 정한 것으로, 세계 각 공항의 활주로·발착소(發着所) 시설의 상황이 최상위급에 속하는 공항. 복식 활주로(複式滑走路)를 가지며 비행기가 거의 매분(每分)마다 발착할 수 있고 시설이 완비된 공항임.

특용【特用】명 특별하게 쓰이거나 씀. 또, 그 용도(用途). ¶~ 작물(作物). ——-하다 자타여불

특용-림【特用林】[—님] 명 옻나무·거망옻나무 등 수액(樹液)·과실(果實)·수피(樹皮) 등의 채취를 목적으로 하는 특수한 나무 종류로만 구성되어 있는 삼림. ＊자가용림(自家用林)·보통림(普通林).

특용 작물【特用作物】명 〖농〗 식용(食用) 이외의 특별한 용도에 쓰이는 농작물. 담배·차(茶)·삼·목화·모시 같은 것. 공예 작물(工藝作物).

특우【特遇】명 특대(特待). ——-하다 타여불

특위【特委】명 ↗특별 위원회. ¶반민(反民) ~.

특유【特有】명 그것에만 특별히 갖추어져 있는 일. 또, 그 모양. ¶마늘 ~의 냄새. ——-하다 형여불

특유-물【特有物】명 특별히 소유하는 물건.

특유-성【特有性】[—썽] 명 그 물건에 한해서 갖는 성질. 특성.

특유 운:동【特有運動】명 〖천〗 태양계의 운동에 관계 없는 항성(恒星) 자신의 운동. ↔대시 운동(對視運動).

특유 재산【特有財產】명 ①특별히 소유하는 재산. ②〖법〗 공동하다고 인정할 주체(主體) 간에 있어서 특별히 한쪽이 소유하는 재산. 곧, 처(妻)가 자기의 이름으로 독립하여 소유하는 재산 따위.

특융【特融】명 금전 등을 특별히 융통(融通)함. ——-하다 타여불

특은【特恩】명 특별한 은혜.

특이【特異】명 ①특별히 다른 것과 다름. ¶~한 체질. ②보통보다 훨씬 나음. ¶~한 재능. ——-하다 형여불

특이-성¹【特異性】[—썽] 명 ①다른 것과 특히 다른 성질. ②어떤 특정의 물질에 대해서만 특정의 반응을 한다는 성질. 이 범위가 좁을수록 특이성이 높다고 함. ③[idiosyncrasy] 〖심〗 어떤 특정한 개인을 다른 사람들과 구별할 수 있는, 고유하고도 특수한 온갖 성격(性格)과 기질(氣質).

특이-성²【特異星】명 〖천〗 절대 광도(絶對光度)와 별의 크기로는 충분히 설명할 수 없는 특수한 스펙트럼을 나타내는 별. 조기성(早期星)·탄소성(炭素星)·에스형성(S型星) 등이 있음.

특이 소:행성【特異小行星】명 〖천〗 보통의 소행성과 매우 다른 궤도를 가지는 소행성. 주기(周期)가 긴 것, 곧 히달고(Hidalgo) 14년, 짧은 것은 이카루스(Icarus)로 1-12년, 궤도 경사가 큰 히달고 42.5°, 궤도 이심률(軌道離心率)이 큰 것에는 이카루스 0.83, 아도니스(Adonis) 0.76 등 여러 가지가 있으며, 지구에 접근하는 것으로는 헤르메스(Hermes) 80만 km, 아도니스 150만 km 따위가 있음.

특이 아:동【特異兒童】명 〖심〗 정신적 또는 신체적으로 장애가 있는 아이. 성질이 난폭(亂暴)한 아이 또는 말을 하지 않는 아이들처럼 보통 아이와 다른 특수한 아이. 특수 아동. ＊문제아(問題兒)·정신 박약아(薄弱兒)·정신 지체아(遲滯兒)·지진아(遲進兒).

특이-일【特異日】명 〖기상〗 우연히 기대 밖의 어떤 특수한 일기가 나타나기 쉬운 역일(曆日) 상의 특정한 날. 미국 동해안 뉴잉글랜드에서 기온이 높아지고 눈이 녹는 일이 많은 1월말 따위.

특이-점【特異點】[—쩜] 명 ①특별히 다른 점. ②[singular point] 〖수〗 곡선 상의 한 점에서 접선(接線)이 하나보다 많거나 하나도 없거나 또는 접선의 방향이 접점(接點)의 위치에 따라 불연속적으로 변화하거나, 접선이 접점에서 곡선을 가로지르거나 하는 등, 모든 이상한 성질을 나타내는 곡선 상의 이상한 점. 중복점(重複點)·고립점(孤立點)·각점(角點)·변곡점(變曲點) 등이 이에 속함. 분기점(分岐點).

특이-질【特異質】명 [idiosyncrasy] 〖의〗 약품·음식·치료 또는 기타의 상황에 대하여 보통 사람과는 다른 반응을 나타내는 특수한 체질(體質). 특이 체질.

특이 체질【特異體質】명 〖의〗 특이질. 이상 체질(異常體質).

특익【特益】명 특별한 이익.

특인【特認】명 ↗특별 승인.

특임【特任】명 특별한 어느 관직(官職)에 임명함. 또, 그 임무. ——-하다 타여불

특임 공관장【特任公館長】명 〖법〗 대통령이 필요한 경우에 특별히 기용 임명하는 비(非)직업 외교관 출신의 공관장.

특자【慝者】명 간특(奸慝)한 사람. 간사하고 악한 사람.

특작【特作】명 특수한 작품. 특히, 우수한 작품.

특장【特長】명 특별히 뛰어난 장점. 특색(特色).

특장-차【特裝車】명 ↗특수 특장차(特殊特裝車)

특재¹【特才】명 특별한 재능.

특재²【特裁】명 특별한 재결(裁決).

특저【特著】명 특별한 저술(著述). 또, 그 책.

특전¹【特典】명 ①특별한 은전(恩典). ¶~을 입다. ②특별한 대우. ¶회원의 ~. ③특별한 의식(儀式).

특전²【特電】명 신문사의 특별한 전보 통신. 주로 외국 특파원의 보도에 의한 것. ¶로이터 ~.

특전-처【特戰處】명 전에, 계엄 사령부 소속 부서(部署)의 하나. 선무 공작(宣撫工作)·전단 배포(傳單配布)와 기타 특전에 관한 사항(事項)을 분장(分掌)함.

특점【特點】명 다른 것과 특별히 다른 점.

특정【特定】명 특별한 지정(指定). 특별히 지정함. ¶~된 표시. ——-하다 타여불

특정 가격【特定價格】[—까—] 명 〖법〗 재산의 감정 평가에서, 물건의 성격상 정상 가격으로 감정함이 부적당할 경우나 감정에 있어서 특수한 조건이 수반될 경우에 물건의 성격·조건에 알맞은 가격.

특정-국【特定國】명 특정한 나라.

특정 다목적 댐법【特定多目的—法】[dam] [—뻡] 명 〖법〗 다목적 댐의 건설 및 관리(管理)에 관하여 하천법(河川法)의 특례(特例)를 규정(規定)한 법률.

특정-물【特定物】명 〖법〗 거래할 때에 당사자의 의사로써 구체적으로 지정한 물건. 곧, 어느 군 어느 면 어느 이(里) 몇 번지 몇 호의 땅 몇 평방 미터라고 하는 것과 같은 것. ↔불(不)특정물.

특정 승계【特定承繼】명 〖법〗 다른 사람의 권리를 낱낱이 취득하는 일. 매매 등에 의한 가장 일반적인 승계. ↔포괄(包括) 승계.

특정 연:구 기관 육성법【特定研究機關育成法】[—뻡] 명 〖법〗 과학 기술과 산업 경제의 발전을 위하여 정부가 출연(出捐)하는 연구 기관의 보호 육성을 위하여 필요한 사항을 규정한 법률.

특정 외:래품 판매 금:지법【特定外來品販賣禁止法】[—뻡] 명 〖법〗 국내 산업을 저해하거나 사치성이 있는 특정 외래품의 판매를 금지함으로써 국내 산업의 보호와 건전한 국민 경제의 발전을 기(期)하기 위한 법률.

특정 유증【特定遺贈】명 〖법〗 포괄(包括) 유증 이외의 유증. 특정한 물건이나 권리(權利) 혹은 일정액의 금전(金錢)을 주는 유증 따위. ↔포괄(包括) 유증.

특정-인【特定人】명 특별히 지정한 사람. ↔일반인.

특정 임:료【特定賃料】[—뇨] 명 〖법〗 재산의 감정 평가에서, 대상 물건을 정상 임료로 감정함이 부적당할 경우 또는 감정에 있어서 특수(特殊) 조건이 수반되는 경우에 해당 물건의 성격(性格)·조건(條件)에 적합한 임료.

특정 자본【特定資本】명 〖경〗 일정한 목적에만 쓰기로 한 자본.

특정 재산【特定財產】명 〖법〗 총재산 중 특별히 지정된 일부의 재산. ↔포괄(包括) 재산.

특정-주【特定株】명 [specified stock] 〖경〗 증권 거래소가 시장 진흥(市場振興)을 위하여 특별히 지정한 대표적인 인기주(人氣株).

특정직 공무원【特定職公務員】명 〖법〗 경력직(經歷職) 공무원의 한 갈래. 일반직(一般職)·기능직(技能職) 이외의 경력직 공무원. 법관(法官)·검사(檢事)·외무(外務) 공무원·경찰 공무원·소방(消防) 공무원·교육 공무원·군인·군무원(軍務員) 및 국가 안전 기획부의 직원과 특수 분야에 종사하는 공무원으로서 법률이 특정직 공무원으로 지정하는 공무원. ＊기능직 공무원.

특정 횡선 수표【特定橫線手票】명 〖경〗 횡선(橫線) 내에 은행명(銀行名)을 기재한 횡선 수표. 특별 횡선 수표. ↔일반(一般) 횡선 수표.

특제¹【特除】명 특지(特旨)로써 벼슬을 시킴. ——-하다 타여불

특제²【特制】명 특별한 제도(制度).

특제³【特祭】명 특별히 제사 지냄. 또, 그 제사.

특제⁴【特製】명 특별히 만듦. 또, 그 제품. 별제(別製). ↔병제(並製). ——-하다 타여불

특제-품【特製品】명 특별히 만든 물품.

특조【特操】명 언제나 변하지 않는 절개(節槪). 굳게 지키어 변하지 않는 기개(氣槪).

특종¹【特種】명 ①특별한 종류. ②↗특종 기사.

특종²【特鐘】명 〖악〗 아악기(雅樂器)에 속하는 타악기의 하나. 풍류를 시작할 때에 치는 종. 가자(架子)에 큰 종 한 개를 닮.

〈특종²〉

특종 기사【特種記事】명 신문사·잡지사 등에서, 그 사(社)에서만 얻은 중대한 기사. ㊞특종(特種).

특주【特酒】명 ①특별한 방법으로 특별히 좋게 만든 술. ②동동주.

특중【特重】명 특별히 중대함. ——-하다 형여불

특지¹【特旨】명 특별한 왕지(王旨). 특교(特敎). 특명(特命).

특지²【特志】명 ①좋은 일을 위하여 내는 특별(特別)한 뜻. ②↗특지가(特志家).

특지-가【特志家】명 특지가 있는 사람. ㊞특지(特志).

특진¹【特診】명 병원에서, 환자의 요청에 따라 특정한 의사가 진료하는 일. ——-하다 타여불

특진²【特進】명 뛰어난 공로에 의하여 특별히 진급(進級)함. ¶흉악범 체포로 1 계급 ~하다. ——-하다 자여불

특진³【特進】명 〖역〗 ①고려 때 문관(文官)의 품계(品階). 성종(成宗) 14년(995)에 정광(正匡)을 고쳐서 일컬었는데, 문종(文宗)이 정이품으로 정하였다가, 충렬왕(忠烈王) 원년(1275)에 폐함. ②중국의 관명(官名). 삼공(三公)의 아래. 명(明)나라 때까지 있었음.

특진-관【特進官】명 〖역〗 ①조선 시대에 경연(經筵)에 참진(參進)하던 벼슬. 성종(成宗) 2년(1471)에 창설하였는데, 처음에는 삼품 이상의 문관(文官)만 시키다가, 뒤에는 이품 이상의 문관·무관(武官)·음관(蔭官)까지 시켰음. ②대한 제국 때 궁내부(宮內府)의 칙임(勅任) 벼슬. 왕실에 관한 일을 자순(諮詢)함.

특진 보:국 삼중 대:광【特進輔國三重大匡】 명 〖역〗 고려 때 문관(文官)의 품계. 정일품의 상(上). 공민왕(恭愍王) 18년(1369)에 정함.
특진 삼중 대:광【特進三重大匡】 명 〖역〗 고려 때 문관(文官)의 품계 정일품의 하(下). 공민왕(恭愍王) 18년(1369)에 정함.
특질【特質】 명 특종의 성질. 특별한 성질. 특성. ¶고려 문화의 ～/한국인의 ～.
특집【特輯】 명 신문·잡지·라디오·텔레비전 등에서 특정한 문제를 중심으로 하여 편집함. 또, 그러한 편집물.
특집 기사【特輯記事】 명 신문·잡지 등에서, 특히 힘을 들여 만든 기사. 또, 어떤 특정한 문제에 대하여 편집한 기사.
특집-호【特輯號】 명 특집으로 발행하는 출판물의 지정된 호(號).
특징【特徵】 명 ①다른 것에 비겨서 특별히 눈에 뜨이는 점. ¶～적(的). ＊특색(特色). ②〖역〗 벼슬을 시키려고 임금이 특별히 부름. ——-하다 타여불
특징(을) 짓:다 구 어떤 사물의 특징을 이루다. ¶까마귀는 검은 것으로 특징지어진다.
특징-적【特徵的】 명관 특징으로 되는 모양.
특징 함:수【特徵函數】 [—쑤] 명 〔characteristic function〕〖수〗하나의 집합(集合)이 부분 집합(部分集合)에 부수하는 함수의 하나. B가 집합 A의 부분 집합일 때, 다음과 같은 함수 f를 B의 특징 함수라고 함. $x \in B$이면 $f(x)=1$, $x \in A-B$이면 $f(x)=0$. 정의(定義) 함수. 특성(特性) 함수.
특차[1]【特次】 명 1차·2차 등의 순차적 서열을 넘어서 특별히 앞세우거나 우대하여 다루는 차례. ¶신입생을 ～로 뽑는 학교.
특차[2]【特差】 명 특별히 임금이 사신을 보냄. ——-하다 타여불
특채【特採】 명 특별히 채용(採用)함. ——-하다 타여불
특천【特薦】 명 특별히 추천함. ——-하다 타여불
특청【特請】 명 특별히 청함. 또, 그 청. ——-하다 타여불
특촬【特撮】 명 ↗특수 촬영(特殊撮影).
특출【特出】 명 특별히 뛰어남. ——-하다 형여불
특칭【特稱】 명 ①전체 가운데서 특히 그것만을 가리켜서 이름. 또, 그 일컬음. ②〖논〗 주사(主辭)가 나타내는 사물의 한 부분에 대하여 한정(限定)하는 일컬음. '어떤'·'이'·'그'·'한'·'두' 같은 말이 쓰임.
특칭 긍:정【特稱肯定】 명 〖논〗 ↗특칭 긍정 판단(判斷)·특칭 긍정 명제(命題).
특칭 긍:정 명:제【特稱肯定命題】 명 〖논〗 특칭 긍정 판단(判斷). ㊟특칭 긍정.
특칭 긍:정 판단【特稱肯定判斷】 명 〖논〗 정언적(定言的) 판단 가운데서 '어떤 A는 B다'라는 형식으로 표시되는 특칭 판단의 한 가지. 특칭 긍정 명제(命題). ㊟특칭 긍정. ↔특칭 부정(否定) 판단. ＊전칭(全稱) 긍정 판단.
특칭 명:제【特稱命題】 명 〖논〗 주사(主辭)의 일부분에 관한 판단(判斷)을 표시하는 명제. 특칭 긍정(肯定)과 특칭 부정(否定)의 두 가지로 나뉨. '어떤 사람은 선량하다'·'어떤 새는 날지 못한다'와 같은 것.
특칭 부:정【特稱否定】 명 〖논〗 ↗특칭 부정(否定) 판단·특칭 부정 명제(命題).
특칭 부:정 명:제【特稱否定命題】 명 〖논〗 특칭 부정 판단(判斷). ㊟특칭 부정.
특칭 부:정 판단【特稱否定判斷】 명 〖논〗 정언적(定言的) 판단 가운데서 '어떤 A는 B가 아니다'라는 형식으로 표시되는 특칭 판단의 한 가지. 특칭 부정 명제(命題). ㊟특칭 부정. ↔특칭 긍정(肯定) 판단. ＊전칭(全稱) 부정 판단.
특칭 전제의 허위【特稱前提—虛僞】 [—/—에—] 명 〔fallacy of particular premises〕〖논〗 추론(推論)의 형식 허위의 하나. 정언적(定言的) 삼단 논법의 규칙에 의하면 두 개의 특칭의 전제로부터는 결론(結論)을 얻을 수 없는데, 이 규칙에 반(反)하기 때문에 생기는 오류(誤謬). '어떤 부자는 악인이다'·'어떤 선인은 부자다'에서 '어떤 선인은 악인이다'로 되는 것.
특칭 판단【特稱判斷】 명 〖논〗 주어(主語)가 가리키는 일부의 것이 주장(主張) 내용에 대해서 긍정적(肯定的) 또는 부정적(否定的)인 관계를 갖는 경우의 정언적(定言的) 판단. 특칭 긍정 판단(特稱肯定判斷)과 특칭 부정(否定) 판단의 두 가지가 있음. ＊단칭(單稱) 판단·전칭(全稱) 판단. 「布)≪梵音集 33≫.
특트기 부 〈옛〉 칙칙히. 빽빽히. ¶祥瑞ㅅ 구루미 특트기 펴시며(祥雲密
특특-하다 형여불 피륙 등의 바탕이 태가 없이 흐리다. ＞탁탁하다.
특특ᄒᆞ다 형 〈옛〉 칙칙하다. 빽빽하다. ¶특특ᄒᆞᆫ 구루미 ᄀᆞᄃᆞ기 펴(密雲彌布)≪妙蓮 Ⅲ:10≫.
특파【特派】 명 특별히 파견함. ——-하다 타여불
특파 공사【特派公使】 명 〖정〗 ↗특파 전권(全權) 공사.
특파 대:사【特派大使】 명 〖정〗 ↗특파 전권(全權) 대사.
특파-원【特派員】 명 ①특파된 사람. ②신문·잡지·라디오·텔레비전 등의 기관에서 외국에 특파되어 뉴스 보도의 임무를 맡는 기자.
특파 전권 공사【特派全權公使】 [—꿘—] 명 〖정〗 어떤 특정한 사명을 띠고 일시적으로 특파되는 전권 공사. ㊟특파 공사.
특파 전권 대:사【特派全權大使】 [—꿘—] 명 〖정〗 어떤 특정한 사명을 띠고 일시적으로 특파되는 전권 대사. ㊟특파 대사.
특품【特品】 명 특별히 좋은 물품.
특필【特筆】 명 두드러진 일을 특별히 크게 적음. 또, 그 글. 특서(特書). ¶대서 ～. ——-하다 타여불
특필 대:서【特筆大書】 명 대서 특필. ——-하다 타여불 「자여불
특행【特行】 명 ①혼자 감. ②남보다 뛰어난 행동(行動)을 함. ——-하다
특허【特許】 명 ①특별히 허락함. ②〖법〗 특정한 사람을 위하여 새로운 특정한 권리를 설정하는 행정 행위. ③〖법〗 어떤 사람의 고안으로 이루어진 공업적 발명의 전용권(專用權)을 그 사람 또는 승계자에게 부여하는 행정 행위. ④↗특허권. ——-하다 타여불
특허 공보【特許公報】 명 〖법〗 특허법에 규정된 사항 및 특허 발명에 관하여 필요한 사항을 기재하는 특허청 발행의 공보(公報).
특허-국【特許局】 명 〖법〗 '특허청'의 전신(前身).
특허-권【特許權】 [—꿘] 명 〖법〗 공업적 신발명을 한 사람이 자기의 발명을 특허청의 특허 원부(原簿)에 등록함으로써 얻는 그 발명품에 대한 독점적(獨占的) 전용권(專用權). 타인의 제작·사용 또는 판매·반포(頒布) 등을 금지함. 권리의 존속 기간은 출원 공고일로부터 15년간임. ㊟특허.
특허 기업【特許企業】 명 특허에 의하여 설립·경영되는 공기업(公企業). 한국 조폐 공사·대한 주택 공사 등의 사업, 수도 사업, 농지 개량(農地改良) 사업 등.
특허 대:리업【特許代理業】 명 특허·실용 신안(實用新案)·의장(意匠) 또는 상표(商標)에 관한 대리업.
특허 등록【特許登錄】 [—녹] 명 〖법〗 특허법에 따라 특허권에 관한 사항을 특허 원부(原簿)에 기재(記載)하여 공시(公示)하는 등록. 특허권은 등록에 의하여 발생함.
특허-료【特許料】 명 〖법〗 특허 출원인(出願人) 또는 특허권자가 납부하는 특허 발명의 독점에 대한 보상적(報償的) 금전. 행정 상의 수수료의 성질을 가짐.
특허 발명【特許發明】 명 특허권이 있는 발명.
특허-법【特許法】 [—뻡] 명 〖법〗 발명을 장려·보호·육성함으로써 기술의 진보 발전을 도모하고 국가 산업의 발전에 기여하게 함을 목적으로 규정한 법. 특허 출원(出願)·심사(審査)·특허권·소송(訴訟) 등에 대하여 규정함.
특허 법원【特許法院】 명 〖법〗 특허·실용 신안·의장(意匠)·상표에 관한 쟁송(爭訟) 사건에 대하여 심판하는 제1심의 법원. 신설 법원으로 1998년 3월 1일부터 시행.
특허 변:리사【特許辨理士】 [—별—] 명 '변리사'를 흔히 이르는 말.
특허 비:밀 보:호 협정【特許祕密保護協定】 [—쩡] 명 긴밀한 군사 안보 협력 관계에 있는 국가 간에 국방상 기밀을 필요로 하는 군사적 발명과 기술을 상대국에 특허로 출원할 경우, 접수국이 그 내용을 일정 기간 공개하지 않는다고 약속하는 협정.
특허 사:무소【特許事務所】 명 변리사(辨理士)의 사무소.
특허 실시권【特許實施權】 [—씨꿘] 명 〖법〗 타인의 소유에 속하는 특허 발명을 영리 목적으로 실시할 수 있는 권리. 특허권자가 3년 이상 실시하지 아니할 경우, 이해 관계자(利害關係者)가 특허청장에게 신청하여 허락받을 수 있음.
특허 심:판【特許審判】 명 〖법〗 특허에 관한 다툼을 판정하기 위하여, 특허청장이 지정하는 심판관의 합의(合議)로 행하여지는 절차. 심판과 그 불복(不服)에 대한 항고(抗告)의 심판이 있음.
특허 원부【特許原簿】 명 특허청에서 특허권의 설정·변경·소멸·이전(移轉)에 관한 사항을 등록하는 장부.
특허 제:도【特許制度】 명 〖법〗 특허 전용(專用)에 관한 제도.
특허-주의【特許主義】 [—/—이] 명 〖법〗 사단(社團) 또는 재단(財團)을 법인으로 할 적에, 국가의 특허를 요하는 법인 설립 상의 입법(立法) 주의. 특허의 방법에는 군주(君主)의 특허와 특별한 입법에 의한 특허가 있음.
특허-증【特許證】 [—쯩] 명 특허권 설정의 등록을 필한 특허권자에게 발부되는 증명서. 특허 번호, 특허권자, 발명 고안자, 발명 고안의 명칭 등이 기재됨.
특허-청【特許廳】 명 〖법〗 산업 자원부 장관 소속 하의 중앙 행정 기관. 특허·실용 신안(實用新案)·의장(意匠) 및 상표에 관한 사무와 이에 대한 심사·심판·항고 심판 및 변리사에 관한 사무를 관장함.
특허 출원【特許出願】 명 〖법〗 새로운 공업적 발명을 한 사람이 국가에 대해 그 특허를 요구하는 행위.
특허 침해【特許侵害】 명 〖법〗 남의 특허권을 침해함. ——-하다 자여불
특허 표지【特許標識】 명 〖법〗 특허권의 침해를 방지하기 위하여 사용·판매할 특허품에 붙이는 표지.
특허-품【特許品】 명 특허권이 있는 발명품. 특허를 얻은 상품.
특혜【特惠】 명 특별한 은혜 또는 혜택. ¶～를 주다/～를 받다.
특혜 관세【特惠關稅】 명 특정한 나라의 생산품이나 선박에 대하여 과(課)하는, 일반 세율보다 낮은 관세. ＊차별(差別) 관세.
특혜 무:역【特惠貿易】 명 〖경〗 특혜 관세(關稅)를 적용시켜서 하는 무역. ＊호혜(互惠) 무역.
특혜 세:율【特惠稅率】 명 특혜 관세의 세율.
특호【特號】 명 ↗특호 활자.
특호 활자【特號活字】 [—짜] 명 인쇄에서, 초호(初號) 활자보다 특별히 큰 활자.
특화【特化】 명 한 나라의 산업 구조나 수출 구성에 있어서, 특정 산업 또는 상품이, 상대적으로 큰 비중을 차지하고 있는 상태. ¶ ～ 산업.
특-화점【特火點】 [—쩜] 명 〖군〗 특별히 공고(鞏固)하게 구축한 화점(火點). 토치카(totschka).
특활【特活】 명 〖교〗 ↗특별 활동.
특효【特效】 명 특별한 효험(效驗). 수효(殊效).
특효-약【特效藥】 명 어떤 질병에 대하여 특별한 효험(效驗)이 있는 약. 특효제(劑).
특효-제【特效劑】 명 특효약.

특-히【特—】부 ↗특별히. ¶~ 마음 끌리는 사람/~ 유의하다.
튼-갈왈【—曰】명 한자(漢字) 부수(部首)의 하나. 왼쪽이 터진 갈왈, 곧 '曰'.
튼실-하다 형여불 튼튼하고 실하다.
튼-입구【—口】명 한자 부수(部首)의 하나. 오른쪽이 터진 입구, 곧 '匚'.
튼튼-하다 형여불 〔근대 : 튼튼ᄒᆞ다〕 사람이나 물건이 단단하고 실하여 강하다. ¶튼튼하게 지은 건물 / 인적 배경(人的背景)이 ~ / 몸이 ~. >탄탄하다². **튼튼-히** 부
틀[1] 명 ①물건을 만드는 데 '골'이나 또는 '판'이 되는 것. ¶~에 박힌 말. ②물건을 받치거나 팽팽히 켕기게 하기 위하여 테두리만으로 된 물건. ¶수~/사진~. ③〈속〉 기계(機械). ¶새끼~/가마니~. ④틀거지. ¶~이 진 인물. ⑤↗재봉틀. ¶발~ / 손 ~.
틀[2] 명 〈옛〉 의식(儀式). ¶三世諸佛說法ᄒᆞ시논 트리니≪釋譜 XIII:61≫.
-틀 미 〈옛〉 -들. =돌. ¶精魅ᄂᆞᆫ 靈精이니 돗가비트렛 거시라≪金三 IV:23≫/모로매 몬져 이 트렛 이롤 더러 ᄇᆞ리고(須先除去此等)≪內訓 III:51≫. *이틀³.
틀-가락 [—까—] 명 무거운 물건을 목도하는 데 쓰는 긴 나무. 우리 나라에서 재래로부터 썼음.
틀가지 명 ☞ 틀거지. ¶그 정좌하고 앉은 ~가 만만치가 않다≪李無影 : 三年≫.
틀거리 명 ☞틀거지.
틀거지 명 튼실하고 위엄이 있는 겉모양. 틀.
틀-국수 명 틀에 눌러서 뺀 국수. ↔칼국수.
틀-누비 명 재봉틀로 누빈 누비.
틀-니 명 떼었다 끼웠다 할 수 있도록 만들어 해 박은 이. 부분 의치(部分義齒)와 총(總)의치가 있음.
틀다 타 ①한 물건의 양쪽 끝을 서로 반대쪽으로 돌리다. ¶주리를 ~/상투를 ~. ②일이 어그러지도록 방해하다. ¶일을 틀어 놓다. ③솜틀로 솜을 타다. ④라디오·수도 따위 기계나 장치를 작동하게 하다. ¶전축을 ~/수도를 ~.
틀따 형 〈방〉 떫다(강원·경북).
틀리다[1] ㊀자 ①바른 점에 들어서지 아니하다. ¶계산이 ~. ②사이가 틀어지다. ㊁피동 한 물건의 양쪽 끝이 서로 반대 쪽으로 돌림을 당하다. ¶틀린 실타래/틀린 엿가락.
틀리다[2] 형 〈방〉 다르다(전남·경상).
틀림 명 ①서로 어그러져 맞지 아니함. ②바른 점에서 어긋남.
틀림-없다 [—업—] 형 어긋남이 없다. 꼭 같다. ¶틀림없는 사람.
틀림-없이 [—업씨] 부 틀림없게.
틀-바느질 명 재봉틀로 하는 바느질.
틀박 명 〈방〉 두레박(전남).
틀수-하다 형여불 성질이 넓고 깊다.
틀-스럽다 형ㅂ불 틀거지가 있어 보이다. **틀-스레** 부
틀어-넣다 [—너타] 타 비좁은 자리에 억지로 돌리면서 들이밀어 넣다.
틀어-막다 타 ①억지로 틀어 넣어 통하지 아니하게 하다. ¶쥐구멍을 ~. ②말이나 행동을 제 마음대로 못 하도록 억제하다. ③일이 안 되게 억지로 막다.
틀어-박다 타 ①비좁은 구멍에 돌리면서 억지로 들어가게 박다. ②무엇을 어떤 곳에 함부로 오래 넣어 두다.
틀어-박히다 자 나가지 아니하고 집 속이나 어떤 곳에만 있다. 죽치고 있다. ¶집구석에 ~/시골에 ~.
틀어-쥐다 타 통틀어 손아귀에 쥐다.
틀어-지다 자 ①제 갈 자리에서 옆으로 굽어 나가다. ¶줄이 ~. ②새끼 모양으로 꼬여 틀리다. ③사귀는 사이가 서로 벌어지다. ¶두 사람 사이가 ~. ④꾀하는 일이 어그러지다. ¶계획이 ~.
틀-지다 형 틀거지가 있다. ¶틀진 인물.
틀-톱 명 톱에 틀이 붙어 두 사람이 이 쪽 저 쪽에서 밀고 당기어 켜게 된 톱.

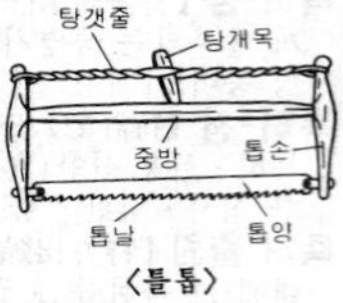

탕갯줄 탕개목 중방 톱손 톱날 톱양
〈틀톱〉

틀팽이 명 〈방〉〖동〗 달팽이(강원).
틈 명 〔중세 : 틈〕 ①벌어져 사이가 난 자리. 간극(間隙). ¶~ 사이로 바람이 들어온다 / 물샐~도 없다. ②겨를. ¶책을 읽을 ~도 없다. ③기회. ¶혼잡한 ~을 타다. ④불화. ¶둘 사이에 ~이 생기다.
틈기【闖起】명 틈발(闖發). ——-하다 자여불
틈-나다 자 ①겨를이 생기다. ¶틈나는 대로 찾아가마. ②서로 사이가 멀어지다.
【틈난 돌이 터지고 태먹은 독이 깨진다】 흠집이 생기면 결국 망가진다. 썩은 고기에 벌레 난다.
틈-내다 자 무슨 일을 위해 겨를을 내다. ¶틈내어 한번 찾아가겠다.
틈:-뚜럭 명 〈방〉 둑²❶(전북).
틈-바구니 명 〈속〉 틈¹❶. ¶두 사람의 ~에 끼어서. ㊥틈바귀.
틈-바귀 명 ↗틈바구니.
틈발【闖發】명 기회를 타서 일어남. ——-하다 자여불
틈사【闖肆】명 기회를 타서 마음대로 함. ——-하다 타여불
틈-사리 명 ☞틈서리.
틈-새 명 벌어져 난 틈의 사이.
틈새 게이지 명 〔clearance gauge〕 틈새를 측정하는 게이지. 두께가 각각 다른 여러 장의 얇은 철판을 포개어 철(綴)한 것으로, 임의(任意)의 두께의 철판을 끄집어 내어, 측정하고자 하는 틈에 삽입하여 그 거리를 측정함. 구용어:극간(隙間) 게이지.
틈-새기 명 틈의 극히 좁은 부분. ¶상자의 ~/~ 바람.
틈새-시장【—市場】명〖경〗 유사한 기존 상품은 많으나 수요자가 찾는 바로 그 상품이 없어 수요가 틈새처럼 비어 있는 상태. ¶~을 노리고 창업한 기업.
틈-서리 명 틈의 가장자리.
틈-세기 명 〈방〉 틈새기.
틈실-하다 형 〈방〉 튼실하다.
틈아리 명 〈방〉〖어〗 퉁가리.
틈입【闖入】명 기회를 타서 느닷없이 함부로 뛰어듦. ¶~자(者). ——-하다 자여불
틈-타다 자 겨를을 얻다. 기회를 얻다. ¶감시의 허술함을 틈타 탈출하다.
틈틈-이 부 ①틈이 난 구멍마다. ②겨를이 있을 때마다. 짬짬이. ¶일하면서 ~ 공부하다.
틉틉-하다 형 〈방〉 텁텁하다.
틍아리 명 〈방〉〖어〗 퉁가리.
틔[1] 명 〈방〉 티¹.
틔[2] 명 〈옛〉 티. ¶귀 구무 닷가 틔 업게 ᄒᆞ라(掏一掏耳朶)≪朴解 上 45≫.
틔눈 명 〈옛〉 티눈. ¶鷄眼鞋襪突小足指相磨皮堅生釘俗名틔눈≪靑莊館全書 II:17≫.
틔:다 [티—] 자 ↗트이다. ¶멘 코가 ~.
틔끌 명 〈옛〉 티끌. ¶ᄒᆞᆫ 틔끌만 ᄒᆞᆯ지라도≪行釋 5≫.
틔ㅅ글 명 〈옛〉 티끌. ¶틔ㅅ글(塵埃)≪漢淸 I:34≫.
틔우다 [티—] 타 트이게 하다.
틧글 명 〈옛〉 티끌. ¶ᄌᆡ와 틧글을 부처 업시ᄒᆞ라(扇去灰塵)≪無寃錄 III:43≫/ᄇᆞ람에 틧글나다(風揚塵)≪漢淸 I:17≫.
티[1] 명 ①재·흙 그 밖의 온갖 물건의 잔 부스러기 혹은 찌꺼기. 고체(固體)의 극히 잘게 부스러진 조각. ¶눈에 ~가 들어가다. ②조그마한 흠절(欠節). ¶~ 없는 어린이/옥에도 ~가 있다. ③〈방〉 개암❷.
티[2] 명 〈방〉 쉬¹(경남).
티:[3] 〔T, t〕 명 영어의 스무 번째 자모(字母).
티:[4] 〔tea〕 명 ①차(茶). 특히, 홍차(紅茶). ②점심과 디너(dinner) 사이의 차가 딸려 나오는 가벼운 식사. 주로, 영국에서 볼 수 있음.
티:[5] 〔tee〕 명 골프(golf)에서, 공을 치기 시작할 때에 공을 올려 놓는 것. 나무나 플라스틱 등으로 만듦. 또, 공을 치기 시작하는 일. 구좌(球座).
티[6] 의명 어떠한 색태(色態)나 기색(氣色) 또는 버릇. ¶시골 ~/학생 ~/슬픈 ~/관료 ~가 나다. ——-하다 자여불 어떠한 색태나 버릇을 겉에 드러내다.
티[7] 부 〈옛〉 치. 올리. 위로. ¶氣運은 별 밧긔 티달엇고(氣衝星象表)≪杜諺 XXI:9≫.
-티[1] 미 〈옛〉 -치. 물고기 이름에 붙는 접미사. ¶方言魚名 必加治字 訥治 俊治 葛治 諫治≪雅言 卷三≫.
-티[2] 미 〈옛〉 ① -하지. ¶能히 正히 證티 몯ᄒᆞ야니와(未能正證)≪楞嚴 VIII:41≫. ②-하기. ¶이러틋ᄒᆞᆫ 化티 어려ᄫᅳᆫ 剛強ᄒᆞᆫ 罪苦衆生ᄋᆞᆯ 度脫ᄒᆞ거든 보ᄂᆞ니≪月釋 XXI:34≫.
티각 명 〈방〉 튀각.
티각-나다 자 ☞ 티격나다.
티각-태각 부 ☞티격태격. ——-하다 자여불
티-검불 명 ☞팃검불.
티-검지 명 〈방〉 검부저기(전남).
티게비 명 〈방〉 티끌(충북·경북).
티격 명 서로 뜻이 맞지 않아 사이가 벌어지는 사단. ¶둘 사이에 ~이 있고 나서….
티격-나다 자 서로 뜻이 맞지 아니하여 사이가 벌어지다. ¶티격난 사이.
티격-태격 부 서로 뜻이 맞지 아니하여 이러니 저러니 시비를 말하는 모양. ¶서로 의견이 안 맞아 ~하다. ——-하다 자여불
티: 그라운드 〔tee ground〕 명 골프에서, 공을 치기 시작하는 구역.
티그리스 강【—江】〔Tigris〕 명〖지〗 소아시아(小 Asia)와 메소포타미아(Mesopotamia)를 흐르는 강. 아르메니아 고원(Armenia 高原)에서 발원하여 유프라테스 강(Euphrates 江)에 합류(合流)하여 페르시아 만(Persia 灣)으로 흐름. 유역(流域)의 메소포타미아 지방은, 고대 문명 발상지(發祥地)로, 현재는 쌀·보리·밀 따위의 관개(灌漑) 농업이 행하여지고 있음. [1,950 km]
티금지 명 〈방〉 티끌(전북).
티:기[1] 명 〈방〉 트기.
티:-기[2]【T機】명〖군〗〔T는 trainer의 약칭〕 미국 군용기(軍用機)의 기종(機種)의 하나. 연습기(練習機)의 일컬음.
티김 명 〈방〉 튀김¹(경상).
티깁지 명 〈방〉 티끌(경북).
티-까쟁이 명 〈방〉 검부저기(함남).
티깔 명 〈방〉 티끌(전북).
티깨락 명 〈방〉 티끌(전북).
티깨비 명 〈방〉 티끌(경북).
티깰 명 〈방〉 티끌(전북).
티꺼리 명 〈방〉 검불(경남).
티꺼부지 명 〈방〉 티끌(경남).
티껄 명 〈방〉 티끌(충청·전북·경북).
티껌불 명 〈방〉 티끌(충남).
티껍다 형 〈방〉 더럽다(평안).
티껍지 명 〈방〉 티끌(충북·경북).
티께비 명 〈방〉 티끌(경북).
티꼘 명 〈방〉 티끌(전북).
티끄락지 명 〈방〉 티끌(전북).
티끄래기 명 〈방〉 티끌(충북·경남).
티끄부 명 〈방〉 티끌(경북).

티끅지 명 〈방〉 티끌(경남).

티끌 명 〔중세 : 듣글〕 ①티와 먼지. 많은 티. 진애(塵埃). 진분(塵氛). ② '만큼'·'만하다'와 함께 써서 몹시 작거나 분량이 적음을 나타냄. ¶욕심은 ~만큼도 없었다.

[티끌 모아 태산] 조금씩 모은 것이 나중에 큰 덩어리가 된다는 말. 진합 태산(塵合泰山).

티끌 더미 [―떠―] 명 티끌을 모아 놓은 더미.

티끌-맹이 명 〈방〉 티끌(경북).

티끌 세:상【―世上】 명 종교적인 영계(靈界)에서 볼 때의 이 세상. 곧, 정신에 고통을 주는 복잡하고 어수선한 세상. 진경(塵境). 진계(塵界). 진세(塵世). 속세(俗世).

티끼비 명 〈방〉 티끌(경남).

티:네만 〔Thienemann, August〕 명 〖사람〗 독일의 호소학자(湖沼學者). 킬 대학 교수. 북독일의 호소를 조사하여 호소 표식(標式)의 연구를 완성함. 나우만(Naumann, E.)과 함께 호소 표식의 논문을 발표하여 종합 호소학(湖沼學)의 체계를 세웠음. 1922년 이론 응용 육수학(陸水學) 국제 연맹을 제창(提唱), 이를 성립시키고 회장이 되었음. [1882-1960]

티눈 명 손이나 발에 생기는 무사마귀 비슷한 굳은 살. 눌리면 속의 신경이 자극되어 아픔. 계안창(鷄眼瘡). 육자(肉刺). 「17 醫字註≫.

티다[1] 타 〈옛〉 그물 따위를 치다. ¶들그물 티다(俗稱打扮罾)≪字會 中

티다[2] 타 〈옛〉 칼 따위로 치다. ¶재ᄂᆞ려 티샤(下阪而擊)≪龍歌 36章≫/갈ᄒᆞ로 튜니(擊劒)≪杜諺 XXV:30≫. 「21≫.

티다[3] 타 〈옛〉 치다. 빚을 내다. ¶水銀으로 광틴 투구(明盔)≪譯語 上

티다[4] 타 〈옛〉 치다. 찍다. ¶투슈 티다(押子)≪譯語 上 10≫.

-티다 미 〈옛〉 어떠한 행동의 힘줌을 나타내는 말. ¶님금 ᄯᅡ히 조보ᄆᆞᆯ 슬허 ᄇᆞ라티니라(悵望王土窄)≪杜諺 XXIV:14≫.

티:더블유아이【TWI】 명 〔training within industry 의 약칭〕 직장(職場)의 제일선의 감독자를 양성할 목적으로 하는 훈련 방식. 생산 능률의 향상과 노무 관리의 철저를 기(期)한 것으로, 1940년 미국 정부가 처음으로 실시하였음.

티디ᄅᆞ다 타 〈옛〉 치지르다. ¶제 하ᄂᆞᆯ해 티디ᄅᆞᆯ 意氣ᄅᆞᆯ 뒷도다(自由衝天意氣)≪金三 IX:6≫.

티: 디: 엑스【TDX】 명 〔time division exchange〕 〖통신〗 국산 전(全)전자식 교환기. 1984 년 우리 나라에서 개발되어 현재 전화국의 주력 기종으로 자리잡아 가는 동시에 해외에도 수출되거나 합작 생산을 하는 등, 세계적인 교환기로 부상하고 있음. 특히 1991 년에는 TDX 10 을 개발하여 선진국의 2 배 규모인 1 시간당 150만 회선을 돌파했음.

티딜다 자 〈옛〉 치솟다. ¶氣運은 별밧긔 티딜엇고(氣衝星象表)≪初杜諺 XXI:9≫.

티-뜯다 타 ①무엇에 붙은 티를 뜯어 내다. ②흠절(欠節)을 자꾸 찾아 내서 시비하다.

티라나 〔Tirana〕 명 〖지〗 알바니아(Albania)의 수도. 정치·경제의 중심지(中心地)이며, 금속·섬유·식품 가공(食品加工)·담배 등의 공업이 행하여짐. 16세기까지는 소촌(小村)이었으나, 1614년 터키의 봉건 영주(封建領主)가 이슬람교(敎)의 성원(聖院)을 건설한 후 도시화(都市化)하여, 1920년에 수도가 됨. 1939년 이탈리아에 점령되었다가 1944년에 해방됨. [225,700 명(1987)]

티라나 조약【―條約】 〔Tirana〕 명 〖역〗 이탈리아와 알바니아가 체결한 상호 원조 조약. 1926년의 조약에서는 알바니아 북부 국경 방위가 주목적이었으나, 1927년의 조약으로 이탈리아는 알바니아를 자기의 세력 하에 두고, 대외 침략의 제일보를 내디딤.

티레니아 해【―海】 〔Tyrrhenia〕 명 〖지〗 이탈리아 반도와 코르시카(Corsica)·시칠리아(Sicilia)·사르디니아(Sardinia)의 여러 섬에 둘러싸인 해역(海域). 주요 항구는 나폴리·팔레르모·치비타베키아 등.

티로신 〔tyrosine〕 명 〖화〗 방향족(芳香族) 아미노산(酸)의 하나. 광택 있는 침상 결정(針狀結晶)으로 물에는 잘 녹지 않음. [$C_9H_{11}NO_3$]

티로신 대:사【―代謝】 〔tyrosine〕 명 〖화〗 티로신이 생합성(生合成) 또는 대사 분해(分解)되어 가는 과정의 총칭.

티록신 〔도 Thyroxin〕 명 〖생〗 갑상선(甲狀腺)에서 분비되는 호르몬의 한 가지. 요오드를 함유하며, 물질 교대(物質交代)를 왕성하게 함. 과잉되면 바제도병(Basedow 病)을, 결핍되면 점액 부종(粘液浮腫)을 일으킴. 다이록신(thyroxine).

티롤 〔Tirol〕 명 〖지〗 오스트리아 서부에서 이탈리아 북부에 걸치는 알프스 동부의 지방. 계곡이나 산 중턱에 독특한 문화를 갖는 촌락이 산재하고 있으며, 목축업·목공업·시멘트 등의 제조 공업이 행하여지고 있음. 14세기 이래 합스부르크가(Habsburg 家)의 영지(領地)였으며, 1919년 남(南)티롤은 이탈리아에 할양(割讓)되었음. 스키장 및 휴양지로 알려진 곳이 많음.

티롤리언 해트 〔Tirolean hat〕 명 차양이 좁고, 크라운과 차양 경계에 끈을 두르고, 깃털 장식이 달린 다색(茶色) 또는 녹색의 펠트(felt) 모자. 알프스 산맥 티롤(Tirol) 지방에서 시작된 것이며 등산가가 애용함. 티롤모(帽).

〈티롤리언 해트〉

티롤-모【―帽】 〔Tirol〕 명 티롤리언 해트.

티롤 무:곡【―舞曲】 〔Tirol〕 명 〖악〗 이탈리아의 북부 국경에 있는 티롤 지방의 민속(民俗) 무곡. 4 분의 3 박자의 윤무(輪舞).

티루스 〔Tyrus〕 명 〖지〗 페니키아(Phoenicia)의 고대(古代) 도시. 기원전 12세기경, 지중해 무역의 중심지로서 번영하였었음.

티루치라팔리 〔Tiruchirapalli〕 명 〖지〗 인도 남동부, 마드라스 주(Madras 州) 중부 코버리 강(Cauvery 江) 중류 우안(右岸)의 도시. 철도·상업의 요지임. 차량·시멘트·직물·담배 등의 공업이 성함. 18세기 카르나틱 전쟁 (Carnatic 戰爭) 때의 영불군(英佛軍)의 격전지로 유명함. 구명은 트리치노폴리(Trichinopoly). [608,000 명(1981)]

티:-룸 〔tearoom〕 명 다방(茶房). 끽다점(喫茶店).

티르 〔Tyr〕 명 〖신〗 북유럽 신화(神話) 중의 군신(軍神). 신왕(神王) 오딘(Odin)의 아들로, 토르(Thor)에 다음가는 유력신(有力神)임.

티르구-무레슈 〔Tîrgu Mureş〕 명 〖지〗 루마니아 중부의 도시. 클루즈(Cluj) 남동 약 80 km 지점에 있으며, 가구·피혁(皮革) 공업이 행하여짐. 주민(住民)의 약 50 %가 마자르인(Magyar 人)이며, 미술관(美術館)이 있음. [134,000 명(1980)]

티르피츠 〔Tirpitz, Alfred von〕 명 〖사람〗 독일의 군인. 1911년 해상(海相)이 되어 대건함 계획(大建艦計劃)을 추진, 제1차 대전에서 무제한 잠수함 작전(無制限潛水艦作戰)을 수행하여 중립국의 비난을 받음. 카프(Kapp, Wolgang; 1858-1922) 등과 조국당(祖國黨)을 결성하였고, 전후에는 제정파(帝政派)로서 활약함. [1849-1930]

티리치미르 산【―山】 〔Tirich Mir〕 명 〖지〗 서파키스탄 북쪽 끝, 치트랄 지방(Chitral 地方) 북서쪽에 있는 힌두쿠시 산맥(Hindu Kush 山脈)의 최고봉(高峰). 1950년 노르웨이 등반대(登攀隊)가 첫 등정(登頂)을 함. [7,690 m]

티린스 〔Tiryns〕 명 〖지〗 그리스 펠로폰네소스(Peloponnesos) 반도의 아르골리코스 만(Argolikos 灣) 안쪽에 있는 미케네 문명(Mycenae 文明)의 유적. 언덕 위에는 기원전 2,000 년대 후반에 쌓은 성(城)의 폐허가 있으며, 주위에 기원전 13 세기의 성벽이 남아 있고, 성내에서 벽화와 판석 프리즈(板石frieze)의 단편(斷片)이 발견됨. 슐리만(Schliemann, H.)이 발굴함.

티:-림프구【T―球】 〔lymph〕 명 〔T lymphocyte〕 〖생〗 티(T)세포.

티: 마:크 〔tee mark〕 명 골프에서, 티 위에 출발선을 표시한 두 개의 표지(標識).

티:-맨 〔T-man〕 명 ①〔treasury man 의 약칭〕 미국 재무부가 지폐 위조자·마약(痲藥) 매매자를 단속하기 위하여 설치한 수사관. ②〔traffic man 의 약칭〕 미국의 시민으로 교통 위반을 단속하기 위하여 경찰이 위촉한 사람.

티머시 〔timothy〕 명 〖식〗 [*Phleum pratense*] 볏과(科)에 속한 다년초. 야생(野生)하는데, 높이는 60-90 cm 로 줄기나 잎이 부드러워 질이 좋은 목초로서 재배되기도 함. 줄기의 기부(基部)는 굵으며 원주상(圓柱狀)의 꽃이삭으로 6-8월에 꽃이 핌.

티모르 섬 〔Timor〕 명 〖지〗 인도네시아의 동남부, 소(小)순다 열도(列島)에 속하는 최대의 섬. 북동에서 남서로 갸름하게 위치하는데, 산이 많으며, 건조기가 길어 밀림(密林)은 적고, 오히려 사배나를 이루어, 유칼리·아카시아 등 오스트레일리아 계통의 나무가 많음. 원주민은 남서부에 사는 티모르인(人)과 중부·남부에 사는 베룬인(人)이 주축을 이룸. 코코야자·커피·목화·쌀·담배 등을 산출하나, 일반적으로 산업 개발 정도는 낮음. 해안에서는 다랑어·가다랭이 등의 어업도 행하여짐. [33,854 km²: 약 700,000 명]

티모르 해【―海】 〔Timor〕 명 〖지〗 티모르 섬 남쪽 일대의 바다. 인도양과 아라푸라 해(Arafura 海)를 연결함. 생물 분포 상의 베버선(Weber 線)이 지나감.

티몬 〔Timon〕 명 〖사람〗 그리스의 철학자. 회의파(懷疑派)의 한 사람. 피론(Pyrrhon)의 제자로서 스승의 학설을 계승하여 풍자시(諷刺詩)를 남겼음. [320?-230? B.C.]

티몰 〔도 Thymol〕 명 〖화〗 페놀(phenol)의 일종. 산들깨의 성분으로, 특이한 향기가 있는 무색(無色)의 판상 결정(板狀結晶). 십이지장충·회충·요충의 구충제(驅蟲劑) 및 방부제(防腐劑)로 쓰임. 녹는점(點) 51°C, 끓는점(點) 232.8°C. [$C_{10}H_{14}O$]

티무:르 〔Timur〕 명 〖사람〗 티무르 왕조(Timur 王朝)의 개조. 몽고제국 왕가(王家)의 후예(後裔)로, 아시아의 대정복자(大征服者)임. 흠찰한국(欽察汗國)을 정벌하고 사마르칸드(Samarkand)에 도읍하여 인도·터키를 정복한 뒤, 세계의 통일을 꿈꾸어 명(明)나라를 치러 가는 중도에 병사하였음. 오랜 병란 중에도 학예의 장려, 마호메트교의 홍도(弘道), 상업 무역(商業貿易)의 발달에 힘을 기울였음. 한자명은 첩목아(帖木兒). [1336-1405]

티무:르 왕조【―王朝】 〔Timur〕 명 〖역〗 티무르를 창시자로 하는 중앙아시아의 제국(帝國). 수도(首都)인 사마르칸드는 동서 무역의 요충지(要衝地)로서 번영하였으며, 장려(壯麗)한 건축물과 도로가 건설되고 우수한 학자와 예술가가 배출되어 이란적(Iran 的) 이슬람 문화가 발전했음. 티무르의 아들 샤 루흐(Shāh Rukh), 손자 울룩 벡(Ulugh Beg) 등이 통치하던 때가 최성기(最盛期)임. 울룩 벡이 암살당한 후 왕족 사이의 정권 쟁탈과 외부 민족의 침입에 의한 내란과 외침(外侵)의 역사를 되풀이하고 약 10대(代) 140년으로 붕괴했음. 그 후, 왕족의 한 사람인 바부르(Bābur)가 아프가니스탄으로 망명, 무갈(Mughal) 제국을 창건했음. [1369-1508]

티미랴제프 〔Timiryazev, Kliment Arkadievich〕 명 〖사람〗 러시아의 식물 생리학자. 모스크바 대학 교수. 광합성(光合成)과 빛의 파장(波長)과의 관계를 연구하였으며, 다윈의 진화론을 소개하여 민중 계몽에 힘썼음. [1843-1920]

티미쇼아라 〔Timişoara〕 명 〖지〗 루마니아 서부, 바나트(Banat) 지방의 중심 도시. 섬유·화학·피혁 공업이 행하여짐. 1552-1716년 터키령이었다가 1919년 루마니아령이 됨. [288,000 명(1980)]

티민 〔도 Thymin〕 명 〖화〗 생체(生體) 속에 존재하는 피리미딘(Pyrimidine) 염기(塩基)의 하나. DNA 속에 존재하나 리보 핵산(ribonucleic acid)에는 함유되지 않음. 승화성(昇華性)의 침상 결정(針狀結晶)임. [$C_5H_6N_2O_2$]

티민 기아사【—飢餓死】명〔thymineless death〕〖생〗 티민 요구성(要求性)의 세균을, 티민이 없는 배지(培地)에 옮겨서 배양(培養)을 계속하면 세포가 죽는 현상.

티-밀이 명〖건〗☞퇴밀이.

티:밍〔teeming〕명〖야금〗 용융 금속(熔融金屬)을 노(爐) 따위에서 잉곳용(ingot用) 주형(鑄型)에 유입(流入)시키는 일.

티쁘다 타〈옛〉 치뜨다. ¶어귀 굳브ᄅ고 누늘 티ᄠ고(牙關緊急眼目上視)《救簡 I:7》.

티-받이 [—바지] 명〈방〉 쓰레받기.

티: 백〔tea bag〕명 특수한 종이에 차(茶)를 싸서 넣은 작은 주머니. 뜨거운 물에 담가 우려 내어 간단히 차를 만들게 되었음. 티 볼(tea ball).

티베리우스〔Tiberius, Claudius Nero Caesar〕명〖사람〗 로마 황제. 옥타비아누스(Octavianus)의 양자(養子). 제위(帝位)에 오르기 전에 장군으로서 게르마니아, 파노니아(Pannonia) 등지에서 공을 세웠으며 등위(登位) 후에도 속주(屬州) 통치, 국가 재정의 재건 등에 힘을 썼으나 인망(人望)은 높지 않았음. [B.C.42-A.D.37: 재위 A.D. 14-37]

티베스티 산지【—山地】〔Tibesti〕명〖지〗 아프리카 북부, 차드(Chad)의 북서단(北西端)을 차지하는 산지. 표고는 1,000-3,000 m. 최고봉은 남동단의 에미쿠시 산(Emi Kussi 山)으로 3,415 m임. 사하라의 건조(乾燥) 지대에 있으며 식물(植物)이 거의 없는 암산(岩山)이고, 산지 안에 점재(點在)하는 오아시스에서는 대추야자 등이 재배됨.

티베트〔Tibet〕명〖지〗 중국 본토의 서쪽, 인도의 북쪽, 파미르(Pamir) 고원의 동쪽에 위치하는 고원 지대. 황하·양자강·인더스 강(Indus江) 등이 여기에서 발원(發源)함. 18세기 이래 중국의 종주권(宗主權) 하에 있었으나 20세기에 들어 영국의 실력에 의한 지배를 받아 그 보호하에 교황 자치국의 형식을 이루고 있었으나, 2차 대전 후 중국의 치하에 들게 되어 1965년 티베트 자치구(自治區)가 됨. 주민은 티베트족 외에 그의 동일 계통인 탕구트족(Tangut 族)·몽고족·키르기스족(Kirghiz族)과 소수의 한인(漢人)이며, 유목(遊牧)을 업으로 하고 티베트어를 씀. 종교와 정치가 미분화(未分化) 상태여서 주민은 신성한 통치자를 추앙하는 관념을 갖고 있음. 7세기경부터 불교가 전파하여 차차 불교를 기초로 하여 라마교(Lama 教)가 형성되어 생활 문화를 확립하였음. 광물 자원(資源)이 풍부하다고 하나 전혀 개발되지 않았으며, 농림·목축이 겨우 행하여지고 있음. 중심 도시는 라사(Lhasa). 서장(西藏). [1,221,600 km²: 1,892,000 명(1982)]

티베트 고원【—高原】〔Tibet〕명〖지〗 중국의 남서부, 히말라야 산맥과 쿤룬(崑崙) 산맥 사이에 펼쳐진 고원. 고냉지(高冷地)이기 때문에 일교차(日較差)가 크며 공기는 희박함. 북부는 건조 지대이고 남·동부는 인더스 강(江)·브라마푸트라(Brahmaputra) 강·메콩 강·양쯔강(揚子江) 등의 수원(水源)으로 대협곡(大峡谷)을 이루고 있음. 주민은 거의 티베트인이며 유목·농경에 종사함.

티베트 문자【—文字】〔Tibet〕[—짜] 명〖언〗 티베트어를 적는 고유한 문자. 음소 문자(音素文字)로서, 자음자(子音字) 30, 모음자 4로 이루어짐. 왼쪽에서 오른쪽으로 쓰며, 서체(書體)는 크게 나누어 주로 판본(版本)에 쓰는 유두체(有頭體)와 서사(書寫)에 쓰는 무두체(無頭體)가 있음. 기원(起原)에 대하여는 북방 인도계 문자의 한 서체(書體)를 연구 작성한 것이라고도 함.

〈티베트 문자〉

티베트 버:마 어:족【—語族】〔Tibet-Burma〕명〖언〗 동남 아시아의 서반부(西半部)에서 통용되는 언어. 티베트어·버마어를 위시하여 히말라야 제어(Himalaya 諸語)·북부 아샘 제어(北部 Assam 諸語)·나가어(Naga 語)·카친어(Kachin 語)·롤로어(Lo-Lo 語) 등이 이에 속함.

티베트-어【—語】〔Tibet〕명〖언〗 티베트족의 언어. 지나 티베트 어족 중의 티베트 버마 어파에 속함. 문법상으로는 중국어에 가까우며, 문어(文語)와 구어(口語)의 구별이 뚜렷함. 서장어(西藏語). ＊티베트 문자.

티베트-족【—族】〔Tibet〕명 주로 티베트 고원 일대에 사는 토착족(土着族). 머리가 넓고, 광대뼈가 나왔으며, 턱이 가늘고, 눈은 갈색이며, 머리털은 검고, 피부색은 암갈색임. 일반적으로 생활 양식이 중국이나 몽고와 비슷하며 주로 농경과 목축에 종사함. 종교는 라마교인데, 이는 티베트 문화 전체에 지배적 영향을 주고 있음. 일처 다부제가 행하여지며, 외국인의 입국을 꺼린다고 함. 서장족(西藏族).

티보¹〔Thibaut, Anton Friedrich Justus〕명〖사람〗 독일의 로마법학자. 예나(Jena)·하이델베르크 대학의 교수. 나폴레옹 전쟁 때 민족 통일 기운이 일자, 통일 법전에 의한 신사회(新社會) 질서 건설을 주장하여 사비니(Savigny, F.K. von) 등과 논쟁을 함. 주저(主著)로는 《판덱텐(Pandekten)법 체계》·《독일 일반 민법전(民法典)의 필요에 관하여》 등. [1772-1840]

티보²〔Thibaud, Jacques〕명〖사람〗 프랑스의 바이올린 연주가. 파리 음악원 출신, 현대 굴지의 바이올린 명수이었음. [1880-1953]

티보가의 사람들【—家—】[—/—에—] 명〔프 Les Thibaults〕〖책〗 프랑스 작가 마르탱 뒤 가르(Martin du Gard, R.)의 대표작. 대하 소설의 하나로서 17년이 걸려 1939년에 완성하였음. 이 작품의 전반(前半)은 20세기초부터 제1차 세계 대전을 향해 달음질치는 시대적 배경 아래 주인공 자크가 인터내셔널 운동에 참가, 비행기로 반전(反戰) 삐라를 뿌리려 하다가 추락사(墜落死)하기까지이고, 후반은 자크의 형 앙투안이 종군하다가 부상당하여 요양 중, 지난 날에 자크와 함께 지키고자 한 평화와 자크의 유아(遺兒)를 생각하며 다음에 올 세대에 희망을 걸고 스스로 목숨을 끊기까지임. 20세기 전반(前半)의 프랑스 최우수작으로 작자가 1937년에 노벨 문학상을 받은 작품임. 11권 8부.

티-보다 타 흠절(欠節)을 살피다.

티보데〔Thibaudet, Albert〕명〖사람〗 프랑스의 문예 비평가·소설가. 《말라르메론(Mallarmé 論)》·《발레리론(Valéry 論)》 등으로 명성을 얻은 후, '엔 아르 에프(N.R.F.)'지의 비평을 담당함. 고금의 문학에 통하고 깊은 교양 위에 선 생명의 직관적(直觀的)인 비평은 비평 문학의 새로운 길을 열었으며, 유저(遺著) 《프랑스 문학사》는 새로운 세대의 구분에 의해 크게 주목되었음. [1874-1936]

티: 볼〔tea ball〕명 티 백(tea bag).

티: 볼트〔T bolt〕명〖기〗 두부(頭部)가 T형으로 된 볼트. 드릴(drill)의 회전두(回轉頭) 또는 기계 받침의 T형 홈에 끼워 박도록 되어 있음.

티불루스〔Tibullus, Albius〕명〖사람〗 로마의 시인. 젊은 유녀(遊女) 델리아(Delia)에 대한 사랑을 전원(田園)에의 애정과 결부시켜 노래한 연가(戀歌)를 중심으로 한 엘레지 16편 등을 남겼음. [48?-19 B.C.]

티: 브이【T.V.】명〔television의 약칭〕 텔레비전.

티: 브이 가이드〔TV Guide〕명 텔레비전 방송 프로의 소개(紹介) 기사를 내용으로 한 미국의 월간 잡지.

티: 브이 디너〔TV dinner〕명〈속〉 인기 있는 텔레비전 프로를 보기 위해 자리를 떠나지 않고, 요리하여 먹고 빈 그릇은 그냥 쓰레기통에 버리는 간편한 음식.

티: 브이 에이【TVA】명〖사·경〗〔Tennessee Valley Authority의 약칭〕 미국에 있는 테네시 계곡 개발 공사(溪谷開發公社). 뉴딜 정책의 일환(一環)으로서, 1933년 테네시 강 유역의 종합적 개발을 위해 설치되었는데, 공공 투자에 의한 종합적 자원 개발의 전형(典型)으로서 세계적으로 유명함.

티: 브이 인간【TV 人間】명〖사〗 텔레비전 문화 시대의 사람. 전감각적(全感覺的)이고 다양성(多樣性) 있는 사고(思考)를 특징으로 함. ＊활자(活字) 인간.

티: 비:【TB】명〖의〗〔tubercle bacillus의 약칭〕 결핵증(結核症). 결핵병(結核病).

티: 비: 엠 공법【TBM工法】[—뻡] 명〖토〗 발파 작업 없이 굴착 기계가 땅 속에서 회전하여 암반에 원형의 구멍을 뚫고 전진하면서 부서진 암반을 뒤로 실어내는 자동 터널 굴착 공법.

티비온〔도 Tibion〕명〖약〗 4아세틸아미노 벤즈알데히드 티오세미카르바존(4-acetylamino benzaldehyde thiosemicarbazone)의 상품명 및 통칭. 항(抗)결핵약의 일종으로 내복(內服)함. 황색의 맛이 쓴 결정(結晶). 1946년 독일인 도막(Domagk)이 처음 만듦.

티: 비: 원〔T.B. one〕명〖약〗 티비온(Tibion).

티사구 명〈방〉 티¹(평북).

티: 샷〔tee shot〕명 골프 용어(用語)로, 티 그라운드(tee ground)에서 치는 제일타(第一打).

티서 강【—江】〔Tisza〕명〖지〗 헝가리 동쪽을 남북으로 관류(貫流)하는 도나우 강(Donau江)의 지류. 우크라이나 서쪽의 카르파티아(Carpathian) 산맥에서 발원하여 헝가리 대평원을 관통하고 유고슬라비아의 베오그라드(Beograd)의 북쪽 약 40 km 지점에서 도나우 강과 합침. 유량(流量)의 계절 변화가 커서 가끔 홍수가 일어남. [1,280 km]

티석-티석 부 환히 트이지 못하거나 반지랍지 못한 모양. ——-하다 형여불

티: 세트〔tea set〕명 커피 세트.

티:-세포【T細胞】명〖생〗〔T cell; T는 thymus의 머리 글자〕 면역 반응의 성질 등을 지닌, 흉선(胸腺)을 거쳐 성숙하는 림프구(球)의 각종 세포 집단의 하나. 티림프구(T lymph球). ＊비세포(B細胞).

티센 회:사【—會社】명〔August Thyssen-Hütte A.G.〕 1871년 루르(Ruhr)에서 연철(鍊鐵)·압연(壓延) 공장으로 창업한 유럽 최대의 철강 재벌. 기계·조선 등도 겸하여 독일 중공업계에 큰 영향력이 있음.

티셀리우스〔Tiselius, Arne Wilhelm Kaurin〕명〖사람〗 스웨덴의 화학자. 전기 영동 장치(電氣泳動裝置)를 고안(考案)하였으며, 혈청(血淸) 단백질 분리에 관한 연구로 알려졌음. 1948년 노벨 화학상을 수상함. [1902-71]

티: 셔츠〔T-shirt〕명 'T'자형(型)으로 생긴 반소매의 속셔츠.

〈티 셔츠〉

티슈바인〔Tischbein〕명〖사람〗 ①〔Johann Friedrich August, T.〕 독일의 화가. 유럽 각지를 편력한 후, 라이프치히 아카데미의 교장에 취임함. 영국풍(英國風)의 표현 양식을 기초로 문인(文人)과 귀족(貴族)의 초상을 그렸음. [1750-1812] ②〔Johann Heinrich Wilhelm, T.〕 ❶의 종제(從弟). 독일의 화가. 고전주의와 네덜란드풍의 사실주의의 두 요소를 함께 지닌 초상 화가이며, 이탈리아 여행 중인 괴테를 그린 《캄파냐의 괴테》로 유명함. [1751-1829]

티슈 페이퍼〔tissue paper〕명 ①박엽지(薄葉紙). 귀중품 등을 포장하는 질이 좋은 종이. ②화장용의 얇고 부드러운 질이 좋은 종이.

티:-스푼:〔teaspoon〕명 차 마시는 데 쓰는 작은 숟가락. 용량(容量)은 테이블 스푼의 약 3분의 1임.

티: 시:【T. C.】명〔traveler's check의 약어〕 여행자 수표.

티: 시: 디: 디:【TCDD】명〔tetra chlor dibenzo dioxine의 약칭〕 맹독(猛毒)을 가지는 불용성(不溶性) 물질. 직접 몸에 닿으면, 동물은 피를 토하고 죽고 피부는 문드러지며, 식물(植物)의 잎은 시들어 떨어짐. 고엽제(枯葉劑)·제초제(除草劑)의 원료로 쓰이는 외에 화학 병기(化學兵器)로도 사용됨.

티: 시: 에이 회로【TCA回路】명〔TCA cycle; tricarboxylic acid cycle의 약칭〕〖화〗 크렙스(Krebs, H.A.)가 밝혀 낸, 동식물·미생물의 호흡에서 가장 주요한 대사(代謝) 회로. 당(糖)·지방산(脂肪酸) 등의 유기물이 이 회로에서 완전 산화·분해되어 생체(生體)의 에너지원(energy源)이 됨. 트리카르복시산(酸) 회로. 시트르산 회로. 크렙스 회로.

티:시:피:【T.C.P.】 명〘화〙 '인산 트리크레실(燐酸 tricresyl)'의 영어 약칭.

티아마트 〔Tiamat〕 명〘신〙 고대 바빌로니아 신화에서, 원초적 존재(原初的存在)·혼돈(混沌)의 상징(象徵). 창조 신화(創造神話)에서 악룡(惡龍)의 모습으로 마군(魔軍)을 거느리고 신군(神軍)과 싸워 마르둑(Marduk)에게 피살(被殺)됨. 그 시체에서 천지가 만들어졌다고 함. *압수(Apsu).

티아미나아제 〔thiaminase〕 명〘화〙 티아민, 곧 비타민 B_1을 분해하는 효소. 조개류(類)·담수어(淡水魚)의 내장 등에 많으며, 사람 몸 안에서는 비타민 B_1 결핍증을 일으키게 함. 아노이리나아제.

티아민 〔도 Thiamin〕 명〘화〙 '비타민 B_1'의 학명(學名). 아노이린(Aneurin).

티아우아나코 〔Tiahuanaco〕 명〘지〙 남미 볼리비아에 있는 선사 시대 유적. 티티카카 호(Titicaca 湖) 남안에서 약 3km 떨어진 언덕 위에 있음. 정교하게 조각한 바위문·기둥·조상(彫像) 등이 남아 있음.

티어 보틀 〔tear bottle〕 명 눈물 단지❷.

티엄 명 〈방〉 티끌(강원).

티:업 〔tee up〕 명 골프 용어(用語)로, 티 그라운드에서 제1타(打)를 치기 위하여 공을 구좌(球座) 위에 놓는 일.

티에라-델-푸에고 〔Tierra del Fuego〕 명〘지〙〔불의 나라라는 뜻〕 남미(南美) 남단 마젤란 해협(Magellan 海峽) 남쪽의 섬. 작은 속도(屬島)가 많음. 채집·수렵·어로(漁撈)를 주로 하는 미개인이 삶. 서반(西半)은 칠레령, 동반은 아르헨티나령임. [칠레령 50,250 km²:4,800명; 아르헨티나령 20,912 km²:3,700명]

티에르 〔Thiers, Louis Adolphe〕 명〘사람〙 프랑스의 정치가·역사가. 공화주의자(共和主義者)로 7월 혁명에 공헌하였고, 독불(獨佛) 전쟁 후 제3 공화정(共和政)의 초대 대통령을 지냄. [1797-1877]

티에리 〔Thierry, Jacques Nicolas Augustin〕 명〘사람〙 프랑스의 역사가. 문헌학파(文獻學派)에 대항하여 역사에 문학적 요소를 주입코자 했음. 주저(主著)로 ≪메로빙 왕조 시대사(Meroving 王朝時代史)≫가 있음. [1795-1856]

티:에스 곡선【TS曲線】 명〘지〙 바닷물의 온도 T와 염분 S를 좌표로 취하고, 해양 각 층의 온도와 염분과의 관계를 도표로 표시한 곡선. 해양이 어떤 성질의 물 및 그 혼합 바닷물로 이루어져 있는가를 판정하는 데 이용됨.

티:에이 시:시:【TACC】 명 〔tactical air control center의 약칭〕〘군〙 전술 항공 통제 본부(戰術航空統制本部).

티:에이 티:【T.A.T.】 명〘심〙〔Thematic Apperception Test의 약칭〕 퍼서낼리티 테스트 투영법의 하나. 1935년 미국의 모건(Morgan)과 머리(Murray)가 고안. 피험자(被驗者)와 동성(同性) 동연령(同年齡)의 인물의 극적인 광경을 그린 20장의 그림을 보여 주고 피험자로 하여금 상상력을 자유로이 구사하여 한 이야기를 만들게 하여 이에 투사된 마음 속의 희망·사상·감정 등을 알아 내어 그 사람의 개성을 밝히는 테스트. *과제 통각 검사(課題統覺檢査).

티에폴로 〔Tiepolo, Battista Giovanni〕 명〘사람〙 이탈리아의 화가. 18세기 베네치아파(Venezia 派)의 대표적 장식(裝飾) 화가. 빛의 효과와 전경(前景) 인물 처리에 뛰어나며 유럽 각지에서 벽화(壁畫)를 그렸음. [1696-1770]

티:엔 티:【T.N.T.】 명〘화〙〔trinitrotoluene의 약칭〕 톨루엔(toluene)을 강하게 니트로화(化)하여 얻는 고성능(高性能)의 폭약. 현재 표준적인 작약(炸藥)임.

티:엔 티:당량【T.N.T. 當量】 명〘물〙 핵폭탄의 폭발 에너지의 단위. TNT 화약의 폭발 에너지량으로 환산한 수로 나타냄.

티:엠【TM】 명〘군〙〔technical manual의 약칭〕 기술 교범.

티:엠 티:시스템 〔T.M.T. system〕 명〘연〙〔T.M.T.는 Ten Minutes Take의 약칭〕 미국의 영화 감독 히치콕(Hitchcock, A.)이 그의 작품 ≪로프(Rope)≫에서 사용한 영화 기교. 샷(shot)을 중단하지 않고 처음부터 끝까지 연속적으로 촬영하기 때문에 극의 진행 시간과 영사 시간이 엄밀히 일치함. 따라서 치밀한 각본 구성과 연출 계획이 요구됨.

티:오:【T.O.】 명 〔table of organization의 약칭〕 ①조직표(組織表). 편성표(編成表). 편제표. ②정원(定員). ¶ ~가 오버되다.

티오- 〔thio-〕 투 산소산(酸素酸)의 산소의 일부 또는 전부가 황(黃)으로 치환(置換)된 산 이름 앞에 붙이는 말. ¶ ~황산. *하이포아-.

티오-나프텐 〔thionaphthene〕 명〘화〙 쿠마론(coumarone)의 산소(酸素) 원자를 황으로 치환한 것과 같은 유기(有機) 화합물. 녹는점 32℃, 끓는점 221-222℃. 나프탈렌과 같은 냄새가 나며 인디고이드(indigoid) 물감의 기본 물질임. $[C_8H_6S]$

티오-산【一酸】 명 〔thio acid〕〘화〙 산소산(酸素酸)의 산소 원자 대신에 황 원자가 들어 있는 화합물의 총칭. 황산(H_2So_4)에 대하여 $H_2S_2O_3$를 티오황산이라고 하는 따위.

티오시안-산【一酸】 명 〔thiocyanic acid〕〘화〙 자극적인 냄새가 있는 무색의 유독(有毒) 기체. 칼륨·염(塩)에 황산 수소 칼륨을 작용시키거나 또는 건조한 수은 또는 납의 염(塩)을 황화 수소 중에 조금 열을 가하여 얻음. 녹는점 -103℃. 상온(常溫)에서 분해해버리는 불안정한 산(酸)인데, 수용액은 강(强)한 산으로서 각종 염(塩)을 만들며, 액체·공기 중에서는 고체가 됨. [HSCN]

티오시안산 암모늄【一酸一】 명 〔ammonium thiocyanate〕〘화〙 무색의 단사 정계 결정(單斜晶系結晶). 습(濕)한 공기 중에서는 조해성(潮解性)을 나타내며 96℃ 이상에서는 사방(斜方) 정계로 바뀜. 녹는점은 149.6℃. 은 및 수은의 용량 분석(容量分析), 티오요소(尿素) 합성 등에 쓰임. $[NH_4NCS]$

티오시안산 칼륨【一酸一】 〔도 Kalium〕 명 〔potassium thiocyanate〕〘화〙 티오시안산의 칼륨염(塩). 녹는점 173℃. 무색의 사방 정계(斜方晶系)의 조해성(潮解性) 결정. 물·에탄올에 잘 녹으며, 염료·날염(捺染)·사진 등에 쓰임. [KSCN]

티오-알코올 〔thioalcohol〕 명〘화〙 티올.

티오-에:테르 〔thioether〕 명〘화〙 에테르의 산소 원자 대신에 황이 들어 있는 화합물. 일반적으로 물에 녹지 아니하며, 에테르보다 산(酸)에 대하여 안정됨. 가황 촉진제(加黃促進劑)·산화 방지제(酸化防止劑)·가솔린·윤활유(潤滑油)의 첨가제(添加劑)로서 중요함. 황화 알킬(黃化 alkyl).

티오-요소【一尿素】 명 〔thiourea〕〘화〙 요소(尿素)의 산소 원자가 황 원자로 치환된 화합물. 물에 잘 녹는 무색의 결정(結晶)으로 티오시안산(酸) 암모늄을 가열하거나 또는 시안아미드를 황화 수소에 부가(附加)시켜서 얻음. 녹는점 180℃. 무기산(無機酸)과 부가물(附加物)을 만드는 등 요소(尿素)와 비슷한 성질을 가짐. 가황(加黃) 촉진제·요소 수지 원료 등에 쓰임. 티오카르바미드. $[SC(NH_2)_2]$

티오-인디고 〔thioindigo〕 명〘화〙 자적색(紫赤色)의 색소(色素). 인디고와 같은 방법으로 합성(合成)됨. 붉은 색조(色調)의 물감으로서 중요함. $[C_{16}H_8O_2S_2]$

티:오:지도【TO 地圖】 명 중세(中世) 유럽의 세계 지도. 당시의 그리스도교적 세계관을 나타내는 도식(圖式)에 가까운 것임. O자 속에 T자가 박힌 모양이며 O는 세계를 둘러싸는 바다인 오케아노스(Okeanos), T는 돈 강(江)·나일 강·지중해를 나타내고, 육지는 T자에 의해 아시아·유럽·아프리카로 3분되어 중심에 예루살렘, 상부인 동쪽에 파라다이스가 있음.

티오카르바미드 〔thiocarbamide〕 명〘화〙 티오요소(尿素).

티오콜 〔Thiokol〕 명 다황화계(多黃化系) 합성 고무의 상품명. 고체·액체·라텍스상(latex狀)의 것이 있는데, 고체 티오콜은 천연 고무 따위와 섞어 내유성(耐油性) 고무·내오존성(耐 ozon性) 고무를 만들며, 액체 티오콜은 접착제 등으로 쓰이고, 또 고체 로켓 연료 제조에도 쓰임.

티오-테파 〔thiotepa〕 명〘약〙 제암제(制癌劑)의 한 가지. 암세포에 독을 주어 치료하려는 방법에 쓰임. 실제로 티오 테파는 백혈병 따위 악성 종양에 쓰이고 있음.

티오-페놀 〔thiophenol〕 명〘화〙 페놀의 산소 원자 대신에 황(黃) 원자가 들어 있는 화합물. 악취가 있는 무색의 액체로, 물에 약간 녹으며 산성(酸性)을 나타냄. 페놀에 5황화인을 작용시키거나, 염화 벤젠 술포닐을 아연(亞鉛)과 황산에 환원(還元)하여서 얻음. 페닐메르캅탄. $[C_6H_5SH]$

티오-펜 〔thiophene〕 명〘화〙 복소(複素) 고리 모양 화합물에 속하는 유기 화합물. 무색의 액체로서, 물에 녹지 않으나 유기 용매(有機溶媒)에는 녹음. 콜타르 중에 들어 있으며, 화학적으로는 숙신산(酸) 나트륨에 삼황화인(三黃化燐)을 작용시켜 얻음. 화학적 및 물리적 성질은 거의 벤젠과 같음. $[C_4H_4S]$

티:오프 〔tee off〕 명 골프 용어로, 구좌(球座)에서 공을 치는 일.

티오-황산【一黃酸】 명 〔thiosulfuric acid〕〘화〙 황산(H_2SO_4)의 황에 배위(配位)되어 있는 산소 원자 한 개를 황 원자 하나와 치환(置換)한 구조를 가진 이염기산(二塩基酸). 산(酸)으로서 황산에 맞서나 극히 분해하기 쉬운 고로 유리(遊離)되어 있는 산은 얻어지지 아니함. $[H_2S_2O_3]$

티오황산 나트륨【一黃酸一】 〔도 Natrium〕 명 〔sodium thiosulfate〕〘화〙 티오황산의 나트륨염(塩). 보통은 5수화물(水化物)로서 존재하고, 단사 정계(單斜晶系)에 속하는 무색의 결정임. 아황산(亞黃酸) 나트륨의 용액에 황을 가하여 가열하면 얻어짐. 녹는점 48℃, 조해성(潮解性)·풍해성(風解性)이 있고 물에 잘 녹음. 할로겐화은(halogen 化銀)을 녹이므로 사진의 정착제(定着劑)로, 요오드 적정(滴定)의 시약(試藥)으로, 수돗물의 살균용으로 넣은 염소(塩素) 제거용으로, 또 중금속(重金屬)이나 시안화 수소의 해독제(解毒劑)로 쓰이는 등 그 용도가 넓음. '차아(次亞)황산 나트륨'은 오칭(誤稱). $[Na_2S_2O_3]$

티오황산-염【一黃酸塩】 〔一념〕 명 〔thiosulfate〕〘화〙 금속을 알코올에 담가 이산화황을 통해 얻어지는 화합물. 일반적으로 결정은 무색이며 물에 잘 녹는 것이 많으며, 수용액 중에서 안정하고 환원성(還元性)이 큼. 수용액은 가스 분석에 있어서 산소 흡수제·염료 합성 표백(染料合成漂白) 등에 쓰임. 전에는 '하이포아 황산염'이라고 잘못 불리기도 함.

티옥트-산【一酸】 명 〔thioctic acid〕〘화〙 리포산(酸).

티온-산【一酸】 명 〔thionic acid〕〘화〙 2티온산 및 3티온산 등의 총칭(總稱).

티올 〔thiol〕 명〘화〙 알코올의 산소 원자(酸素原子) 대신 황 원자가 들어 있는 유기 화합물의 총칭. 일반적으로 대응(對應)하는 알코올보다 끓는점이 낮고, 특유한 악취(惡臭)가 있음. 물에 녹아서 약한 산성(酸性)을 나타내며, 수소는 금속과 치환하여 금속염(金屬塩)을 만듦. 메르캅탄(merkaptan). 티오알코올.

티옴킨 〔Tiomkin, Dimitri〕 명〘사람〙 러시아 출생의 미국 영화 음악 작곡가. 처음 순수 음악을 하다가, 할리우드로 옮긴 후 영화 음악에 몰두하여 ≪하이눈(Highnoon)≫·≪노인과 바다≫ 등의 명작 주제 음악을 작곡함. [1889-1979]

티와티다 자 〈옛〉 치밀다. ¶ㅁᆞ옴이 답답ᄒᆞ고 미쳐 조급ᄒᆞ고 귀운이 티와티며 망녕된 말ᄒᆞ며(心煩狂躁氣喘妄語)≪痘要 下 26≫. *티완다.

티완다 자 〈옛〉 솟다. ¶山의 양지 티와돈ᄃᆞᆺᄒᆞ고(山勢聳)≪梵音集 1≫.

티:유:백사십사【TU 144】 명 소련 최초의 초음속(超音速) 여객기. 투폴레프(Tupolev, A.N.)의 아들 투폴레프(Tupolev, A.A.)의 설계 팀

이 개발, 1968년 첫 비행함. 콘코드(Concord)와 비슷한 변형(變形) 델타익기(翼機)로 익폭(翼幅) 24.6m, 전장(全長) 54.7m, 최대 이륙 중량 150톤, 추진력 17.5톤의 기관이 넷, 최고 속도 마하(Mach) 2.35, 항속 거리 6,500km로 여객 120명을 태울 수 있음.

티: 유: 시:【T.U.C】 명〖사〗〔Trades Union Congress의 약칭〕 영국 최대의 산업별 노동 조합 연합체. 1868년에 설립된 것으로, 제2차 대전 후, 세계 노련 결성의 중심이 됨. 1949년에는 국제 자유 노련 결성의 주체로 활약함. 영국 노동 조합 회의(英國勞動組合會議).

티읕 명〖언〗한글의 자모 'ㅌ'의 이름.

티이다 자〈옛〉치이다. ¶므슴 鐵로 티이려 ᄒᆞ는다(着甚麽鐵頭打)≪朴解 上 15≫.

티: 이: 이:【TEE】 명〔Trans Europe Express의 약칭〕 유럽 국제 급행. 프랑스·독일·이탈리아·스위스·네덜란드·벨기에·룩셈부르크의 7개국 철도에 의해 각국 약 90개 주요 도시를 연결하여 직통 운행되는 급행 열차. 연장(延長) 약 1만 km. 항공기·고속 도로에 대항하여 1957년에 개통되었음.

티:-자【T—】 명 'T'자 모양으로 된 제도용(製圖用)의 큰 자. 평행선(平行線) 등을 그리는 데 쓰임. 정자 정규(丁字定規). 〈티자〉

티:저 광:고【—廣告】〔teaser〕 명〈속〉살 마음이 내키게 하는 광고.

티적-거리다 타 남의 흠을 잡아 이말 저말 비위 거슬리는 말로 성가시게 굴다. 티적-티적 부. ——하다 타여불

티적-대다 타 티적거리다.

티-지르다 자 르불 개암지르다.

티:처〔teacher〕 명 교사(教師). 선생(先生).

티치너〔Titchener, Edward Bradford〕 명〖사람〗영국계의 미국 심리학자. 코넬 대학 교수. 철학에서 독립된 과학으로서의 심리학의 확립에 노력하고, 실험 심리학으로서의 구성(構成) 심리학을 발전시켰음. 저서에 ≪실험 심리학≫ 등. [1867-1927]

티치아노〔Tiziano, Vecelli〕 명〖사람〗이탈리아의 화가. 황제·귀족들의 총애를 받아 초상화·벽화 등을 제작하였는데, 명쾌한 색채와 사실성(寫實性)으로써 인간 생활의 환희를 그린 점에서 그리스 미술 이래의 거장(巨匠)의 하나로 꼽힘. [1477?-1576]

티:치-인〔미 teach-in〕 명 정치 문제 등에 관하여 의견을 교환하고 이해와 관심을 돋우는 교내(校內) 토론회. 전하여, 토론 집회를 이름.

티:칭 머신:〔teaching machine〕 명 학습자의 이해도(理解度)·반응을 측정하면서 학습을 진행시키는 교육 기기(機器). 문제에 대한 학습자의 반응을, ○×식 회답의 버튼을 눌러서 나타내게 하는 방식이 거의 전부임. 전자 계산기를 이용하는 것도 있음. 고도의 것으로는 교사의 질문 자체가 장치에 삽입되어 테이프 리코더·카드·슬라이드·텔레비전 등으로 순차적으로 문제가 제출되는 것도 있음. 1950년대부터 미국에서 보급되었음.

티커〔ticker〕 명〖기〗증권 거래소에서 시시 각각으로 변동하는 시세를 보도하는 유선 인자식 전신기(有線印字式電信機). 한 사람의 발신인에 의하여 티커 수신기를 갖고 있는 가입자는 동시에 동일 부호 또는 수자로써 줄곧 가격의 변동을 알 수 있음. 주식 가격 표시기(株式價格表示器).

티케〔Tyche〕 명〖신〗그리스 신화에 나오는 행복·운명의 여신.

티: 케이 오:【T.K.O.】 명〔technical knockout의 약칭〕 권투에서, 기술이 엄청나게 차이질 때, 심판관이 시합 도중에 승패를 결정짓는 일.

티켓〔ticket〕 명 ①차표(車票). 승차권(乘車券). 입장권(入場券). ②허가장. ③정가표(定價表). 가격표. ④배급품 구입권(配給品購入券).

티켓 걸:〔ticket girl〕 명 영화관(映畫館)·극장 등의 입장권 판매소의 소녀 판매원.

티: 큐: 시:【T.Q.C.】 명〖경〗〔total quality control의 머리 글자〕 종합적 품질 관리(綜合的品質管理).

티:크[1]〔teak〕 명〖식〗〔*Tectona grandis*〕 마편초과에 속하는 열대성의 낙엽 교목(喬木). 높이 약 30m로, 줄기는 곧고 가지는 방형(方形)이며, 수피(樹皮)는 회백색임. 잎은 큰 타원형인데 윗 면은 거칠고 아랫 면엔 밀모(密毛)가 나 있으며 회백색임. 꽃은 백색의 통상화(筒狀花)로 대개 오열(五裂)하며 향기를 풍김. 재목은 가볍고 단단하며 팽창·수축이 적고, 오래도록 부패하지 아니하여 조선재(造船材)·차량용재(車輛用材)·가구재(家具材) 등에 씀. 미얀마·타이 등지에서 남. 〈티크[1]〉

티:크[2]〔Tieck, Ludwig〕 명〖사람〗독일의 시인·극작가·소설가. 슐레겨(Schleger) 형제와 함께 독일 낭만파의 중심 인물로, 희곡 ≪장화를 신은 고양이≫, 소설 ≪금발의 에크벨트≫ 등이 있음. [1773-1853]

티타나이트〔titanite〕 명〖광〗칼슘·티탄(Titan)·규소(硅素)·산소 등을 성분으로 하는 광물. 회색·갈색 등이며 투명 또는 반투명이고 광택이 있음. 단사 정계(單斜晶系). 보통 편평상(扁平狀)·설상(楔狀)이며 화강암·결정 편암(結晶片岩) 등에서 산출됨. 티탄석(石).

티타노마키아〔그 Titanomachia〕 명 그리스 신화에서, 티탄 일족과 제우스 형제들 간의 싸움. 10년의 격전 끝에 티탄은 정복되어 타르타로스(Tartaros)에 던져짐.

티타늄〔titanium〕 명〖화〗'티탄(Titan)'의 영어명.

티타니아〔titania〕 명〖화〗이산화(二酸化) 티탄.

티: 타임〔tea time〕 명 차 마시는 시간. 특히, 영국 등에서 오후에 홍차와 간단한 식사를 즐기는 시간.

티탄[1]〔도 Titan〕 명〖화〗은백색(銀白色)의 단단한 금속 원소. 천연으로 극히 널리 분포하여 대부분의 암석이나 토양(土壤)에 들어 있음. 뜨겁게 가열(加熱)하면 강한 빛을 내며 연소하고, 거의 모든 비금속 원소와 화합함. 티탄철의 제조, 아크등(Arc燈)의 전극으로서 쓰이며, 또 그 화합물은 매염제(媒染劑) 및 물감·안료·발연제(發煙劑)·유리 제조 등에 이용되며, 최근에 티탄철은 항공기의 엔진·기체(機體) 재료로 쓰이게 되었음. 티타늄. [22번: Ti: 47.90]

티탄[2]〔Titan〕 명 ①〖신〗그리스 신화 중의 거인족(巨人族). 올림포스(Olympos)의 신들에 의해 멸망되었음. 타이탄(Titan). ②〖천〗토성(土星)의 제6 위성(衛星). 1655년 호이헨스가 발견하였음. 질량은 지구의 5분의 1이며, 약 16일에 토성(土星)을 일주함.

티탄-백【—白】〔도 Titan〕 명 산화 티탄(TiO_2)을 주성분으로 하는 백색 안료(顏料). 착색력·은폐력(隱蔽力)이 백색 안료 중 최대임. 도료(塗料), 종이나 합성 섬유의 광택을 지우는 데 또는 독성이 없으므로 화장품에도 사용됨. 티탄 화이트. *이산화 티탄.

티탄산 바륨【—酸—】 명〔도 Bariumtitanat〕〖화〗흰 빛깔의 가루로, 강유전체(強誘電體)의 한 가지. 현저한 압전기 효과(壓電氣效果)를 나타냄. 축전기나 축음기의 픽업, 백색 안료 등에 쓰임. [$BaTiO_3$]

티탄산 스트론튬【—酸—】 명〔도 Strontiumtitanat〕 산화 티탄과 산화 스트론튬으로 합성할 수 있는 굴절률(屈折率)이 거의 다이아몬드와 같은 무색의 괴상(塊狀) 결정. 광채가 다이아몬드와 흡사한 보석으로 스타 다이아·파뷸라이트 등의 이름으로 쓰이고 있음. [$SrTiO_3$]

티탄-석【—石】〔도 Titan〕 명 티타나이트.

티탄 자기【—瓷器】 명〔도 Titanporzellan〕 산화 티탄(TiO_2) 분말을 성형(成形)·소성(燒成)한 자기. 유전율(誘電率)이 커서 콘덴서(condenser) 재료로 사용됨. 그 밖에 티탄산 마그네슘($MgO·TiO_2$)·티탄산 바륨($BaO·TiO_2$)·티탄산 스트론튬($SrO·TiO_2$) 등도 강유전체용(強誘電體用) 자기로 쓰임.

티탄족 원소【—族元素】〔도 Titan〕 명〖화〗주기율표(週期律表) 제Ⅳ족 b 아족(亞族)에 속하는 티탄(Ti)·지르코늄(Zr)·하프늄(Hf)의 3 원소의 총칭. 모두 산화물·복(複)산화물·규산염(硅酸塩) 등으로서 산출됨. 단체(單體)는 녹는점(點)이 높은 은백색의 금속으로 되어 있음.

티탄 철광【—鐵鑛】〔도 Titan〕 명〖광〗티탄의 주요(主要)한 광석 광물(鑛石鑛物). 아금속(亞金屬) 광택, 철흑색(鐵黑色)으로 불투명한 삼방정계(三方晶系). 경도 5-6, 비중 4.6-4.9. 약한 자성(磁性)을 지님. 염기성 화성암(塩基性火成岩)의 부성분(副成分)으로서 존재(存在)하며, 자철광(磁鐵鑛)과 더불어 광상(鑛床)을 만듦. [$FeTiO_3$]

티탄 합금【—合金】〔도 Titan〕 명 티탄에 알루미늄·크롬·철·망간·몰리브덴·바나듐 등을 첨가한 합금. 가볍고 내식성(耐蝕性)·내열성(耐熱性)이 뛰어남. 항공기·자동차·선박·화학 기계 등에 쓰임.

티탄 화이트〔Titan white〕 명 티탄백(Titan 白).

티토〔Tito, Josip Broz〕 명〖사람〗유고슬라비아의 정치가. 1917년 러시아 혁명군에 가담하였으며, 2차 대전중 반독(反獨) 유격전을 지휘하였고, 1946년 유고 인민 공화국의 초대 대통령에 취임하였음. 1948년 민족적인 공산주의의 창도로 코민포름(Comminform)에서 탈퇴, 한때 소련으로부터 수정주의자로 비난받기도 하였으나, 그 후 화해함. 본명은 Josip Broz. [1892-1980]

티토-이즘〔Titoism〕 명〖정〗티토주의(主義).

티토-주의【—主義】〔—/—이〕 명〔Titoism〕〖정〗2차 대전 이후, 티토가 주도한 민족주의적 공산주의 사상 및 그 정책. 티토이즘.

티투스〔Titus〕 명〖사람〗로마 황제. 베스파시아누스(Vespasianus) 황제의 아들. 즉위 전부터 부친의 유능한 보좌관이었으며, 70년 예루살렘을 점령(占領)함. 그의 치세(治世)는 짧았으나 평화가 계속되었음. [39-81; 재위 79-81]

티: 티:【T.T.】 명〔telegraphic transfer의 약칭〕 전신(電信)에 의한 환(換)·송금(送金).

티티다 타〈옛〉치뜨리다. ¶시혹 비와 둥과 딜어 虛空애 티티고 바드며≪月釋 XXI:43≫.

티: 티: 레이트〔T.T. rate〕 명〔T.T는 telegraphic transfer의 약칭〕 외국환을 티티 방식으로 송금할 때 쓰이는 은행 매도(賣渡) 전신 환율.

티티-새 명〖조〗①지빠귀. ②개똥지빠귀.

티: 티: 시:【TTC】 명〔total traffic control의 약칭〕 열차 운행 종합 제어 장치(列車運行綜合制御裝置). 전동차(電動車)의 운행 상황의 데이터를 자동적으로 모아서 전동차의 다이얼에 혼란이 일어났을 때, 컴퓨터가 정상(正常) 다이얼로 고치는 최선의 조건을 가려 내어 이에 맞추어 신호기(信號機)를 바꾸든가 역(驛)에서의 정차(停車) 시간을 가감(加減)하는 장치.

티: 티: 엘 카메라〔T.T.L. camera〕 명〔T.T.L.은 through the lens의 약칭〕 촬영 렌즈를 통하여 들어온 빛으로 노출을 측정하는 장치를 내장(內藏)한 카메라. 일안(一眼) 리플렉스 카메라에 많음.

티티카카 호【—湖】〔Titicaca〕 명〖지〗페루와 볼리비아의 국경 지대인 안데스 산맥 중부의 산간 분지에 있는 담수호. 남미에서 가장 크며, 수면 고도(水面高度)는 3,812m로 세계에서 제일 높음. 어류(魚類)가 많고 어부들은 초선(草船)으로 출어(出漁)함. 부근에 잉카(Inca)의 유적이 있음. [8,288 km^2: 최대 수심 281m] *티아우아나코(Tiahuanaco).

티: 티: 티:【T.T.T.】 명〔time temperature tolerance의 약칭〕 허용량·온도·시간. 식품이 어느 정도의 온도에서 몇 시간까지 신선하게 보존되는가를 나타내는 수치.

티: 파:티〔tea party〕 명 다과회(茶菓會).

티:-포트〔teapot〕 명 홍차를 담아서 잔에 붓는 그릇. 찻주전자. 찻병.

티푸스〔typhus〕 명〖의〗티푸스균에 의하여 발병하는 질환의 총칭. 일

반적으로 장티푸스를 가리킴.

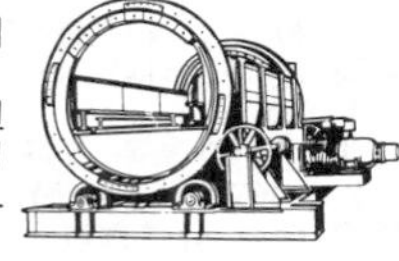
〈티플러〉

티푸스-균【一菌】〔typhus〕 명 〖의〗 장(腸)티푸스의 병원균.

티플러〔tippler〕 명 광차(鑛車) 등에 실린 물건을 쏟기 위하여 광차를 옆으로 누이거나 회전시키는 장치(裝置). 광차가 닿으면 그대로 고정(固定)시켜 롤러에 의하여 회전시켜서 적재물을 부림.

티플리스〔Tiflis〕 명 〖지〗 '트빌리시(Tbilisi)'의 구명(舊名).

티:피:오:【T.P.O.】 명 〔time place occasion 의 약칭〕 옷은 때와 장소와 경우에 따라 입어야 한다는 뜻. 「——-하다 형여불

티피컬〔typical〕 명 전형적(典型的). 대표적(代表的). 유형적(類型的).

티핀〔tiffin〕 명 정식(定食)보다 약간 간단한 식사.

티핑〔tipping〕 명 디멘셔널 컬러링(dimensional coloring)의 하나. 앞 부분의 몇 가닥 끝 부분만을 밝게 하는 머리 염색법. 주로 쇼트 헤어에 효과적임.

티-하다 자여불 어떠한 색태나 버릇을 겉에 드러내다.

티:항:원【T 抗原】 명 〔T-antigen〕 〖생〗 바이러스가 세포 속에 침입하여 만드는 일종의 단백질. 이것이 핵의 유전자에 접합(接合)하면, 그 세포는 무방향(無方向)·무질서(無秩序)한 번식을 하게 됨.

티:형-강【T 型鋼】 명 형강의 한 가지. 횡단면(橫斷面)이 'T'자형(字形)으로 된 봉상(棒狀)의 강재(鋼材). 다른 강재나 티형강과 엮어 맞추어 여러 가지 구조물(構造物)에 씀. 중량이 가볍고 구부러지지 않는 것이 특징임.

티:형 미익【T 型尾翼】 명 비행기의 수평 미익과 수직 미익을 부착시키는 방식의 하나. 수직 미익 정상(頂上)에 수평 미익을 단 것으로 뒷쪽에서 보면 T자형임.

티:형 옹:벽【T 型擁壁】 명 〖토〗 끊은 면이 뒤집힌 'T'자 모양으로 된 철근(鐵筋) 콘크리트 옹벽.

티호노프[1]〔Tikhonov, Nikolai Aleksandrovich〕 명 〖사람〗 소련의 정치가. 1930년 드니에프로페트로프스크 야금(冶金) 대학 졸업, 1950년에 과학 경제회의 부의장, 1976년 제1 부수상, 1979년 정치국원이 되고, 1980년 코시긴의 사임에 따라 수상을 지냄. [1905-]

티호노프[2]〔Tikhonov, Nikolai Semyonovich〕 명 〖사람〗 소련의 시인. 혁명적 로맨티시즘에 넘치는 회화적(繪畫的) 작품으로 알려져 있음. 제2차 대전 후로는 사회 활동가로서의 비중이 큼. 대표작은 서사시 ≪키로프는 우리들과 함께≫. [1896-1979]

티후아나〔Tijuana〕 명 〖지〗 중미 멕시코 북서단(北西端), 태평양 연안의 도시. 미국과의 국경에 있으며 샌디에이고(San Diego)의 남쪽에 근접함. 오락 시설이 완비되어 있어 관광객이 연간 1천 2백만 명에 달함. 약간의 경공업도 있음. [566,000 명(1979)]

틱-병【一病】〔도 Tic〕 명 〖의〗 온몸에 불수의적(不隨意的) 경련 운동을 일으켜, 언어 모방증(模倣症)·운동 모방증 등을 수반하는 신경병.

틱소트로피〔thixotropy〕 명 〖화〗 〔그리스어의 thixis (접촉(接觸)하다)와 tropos (변하다)가 합쳐 된 말〕 교질(膠質) 용액의 겔(Gel)이 기계적 충동에 의하여 졸(Sol)로 변하고 이를 방치(放置)하여 두면 다시 겔로 되돌아가는 현상. 요변성(搖變性).

틴:〔teen〕 명 〔어미에 teen이 붙는 연령. 곧, thirteen-nineteen 사이란 뜻〕 십대(十代)의 소년·소녀. ¶하이 ~/로 ~.

틴들[1]〔Tyndale, William〕 명 〖사람〗 영국의 종교가. 1525년 신약(新約) 및 구약(舊約)의 처음 5장을 영역하였음. 유태교도들에 의해 화형(火刑)을 당하였음. 그의 번역은 후에 영역(英譯) 성서의 기초가 되었음. [1490?-1536]

틴들[2]〔Tyndall, John〕 명 〖사람〗 아일랜드의 물리학자. 독학으로 미립자(微粒子)의 산광(散光)을 연구하여 '틴들 현상'을 발견하였고, 그 밖에 빙하(氷河) 등의 연구와 결정체(結晶體)의 자기적(磁氣的) 성질의 연구 및 음향학에도 공적이 큼. [1820-93]

틴들 현:상【一現象】 명 〔Tyndall phenomenon〕 〖물〗 투명 물질 중에 많은 미립자(微粒子)가 분산하고 있는 경우, 투사(投射)된 광선이 사방으로 산란(散亂)하여 광선의 통로가 흐리게 보이는 현상.

틴들-화【一花】 명 〔Tyndall flowers〕 빛을 받는 빙체(氷體) 내부에 나타나는, 물로 채워진 작은 동혈(洞穴). 기본적으로는 육방 정계(六方晶系)의 형상을 나타낼 때가 많음.

틴버:겐〔Tinbergen, Nikolaas〕 명 〖사람〗 네덜란드 태생의 영국 동물학자. 네덜란드의 경제학자 틴베르겐의 동생. 영국에 귀화(歸化)하여, 옥스퍼드 대학 박물관 연구원이 됨. 1973년 새나 투어(鬪魚)를 대상으로 하여 추상화(抽象化)된 모델을 사용한 동물 행동학을 개척한 공로로 노벨 생리 의학상을 수상함. [1907-88]

틴베르겐〔Tinbergen, Jan〕 명 〖사람〗 네덜란드의 경제학자. 영국에 귀화한 동물학자 틴버겐의 형. 1933년 로테르담(Rotterdam) 경제 대학 교수, 1945-55년 네덜란드 중앙 계획국 장관을 역임. 1930년대 말에 경기 순환(景氣循環)의 계량(計量) 후에 계량 경제학적 수법으로 경제 정책 이론을 체계화하였음. 1969년 최초의 노벨 경제학상을 수상함. [1903-]

틴:-에이저〔teen-ager〕 명 10대의 소년·소녀. 사춘기의 남녀. 십대.

틴캘코나이트〔tincalconite〕 명 〖광〗 무색 내지 유백색의 광물. 능면체 정계(菱面體晶系)로 결정화(結晶化)함. 붕사 및 붕소 화합물의 주요 광석의 하나임. [$Na_2B_4O_7 \cdot 5H_2O$]

틴토레토〔Tintoretto〕 명 〖사람〗 이탈리아 베네치아파(Venezia派)의 화가. 미켈란젤로(Michelangelo)에게 사사(師事)함. 색채의 대조에 특색이 있는데, 그 중 ≪성마르코(聖Marco)의 기적≫은 유명함. 본명은 Jacopo Robusti. [1518-94]

틴트〔tint〕 명 〖미술〗 ①동판화(銅版畫)·목판화(木板畫)에서 농담(濃淡) 표현 기법(技法)의 하나. 많은 평행선(平行線)으로 명암(明暗)을 나타내는 선(線)바림. ②물감을 체질 안료(體質顔料)인 무채색의 안료의 입자(粒子)에 부착시켜 유색(有色) 안료에 가까운 색상(色相)으로 조정(調整)한 채료(彩料).

틸덴〔Tilden, William Tatem〕 명 〖사람〗 미국의 테니스 선수. 1920년부터 7년 동안 미국에 데이비스 컵(Davis cup)을 가져 오고, 윔블던(Wimbledon)의 전영(全英) 테니스 선수권 대회에서 3회 우승함. 1931년 프로로 전향함. [1893-1953]

틸라크〔Tilak, Bāl Gangādhar〕 명 〖사람〗 인도 독립 운동의 지도자. 1890년 '케사리(Kesari; 사자(獅子)'지(紙)를 발간, 영국 지배를 공격하여, 독립 운동의 조직화에 활약함. 1905년의 벵골 분할법 반대 투쟁에 즈음하여 급진적 주장을 전개하여, 인도 국민 회의파(國民會議派) 중에서도 급진파를 형성함. [1856-1920]

틸:레〔Tiele, Cornelius Petrus〕 명 〖사람〗 네덜란드의 종교 사학가(史學家). 처음에 목사, 나중에 라이덴(Leiden) 대학 교수가 되어 창설된 종교 연구의 강좌를 담당함. 이집트에서 중동 여러 나라의 종교에 이르기까지 이들을 비교 연구하였음. 저서에 ≪종교학원론≫ 등이 있음. [1830-1902]

틸리히〔Tillich, Paul Johann Oskar〕 명 〖사람〗 독일 태생의 미국 신학자(神學者)·철학자. 1933년 도미 후, 유니온(Union) 신학교의 교수로 변증법적 교의학(敎義學)의 강의로 이름 났고, 일면 기독교적 사회 운동의 지도자로도 활약하였음. 주저(主著)에 ≪조직 신학(組織神學)≫이 있음. [1886-1965]

틸부르흐〔Tilburg〕 명 〖지〗 네덜란드 남부에 있는 노르트브라반트 주(Noord-Brabant州)의 공업 도시. 로테르담(Rotterdam) 남동 55 km에 있으며, 철도·운하 교통의 요지이고, 모직물·기계·피혁·식품 공업이 성함. 1929년 창립의 가톨릭 경제 대학이 있음. [154,094 명(1984)]

틸지트〔Tilsit〕 명 〖지〗 소베츠크(Sovetsk)의 구명(舊名).

틸지트 조약【一條約】〔Tilsit〕 명 1807년 7월, 나폴레옹 1세와 프로이센 왕(王) 프리드리히 빌헬름(Friedrich Wilhelm) 3세, 러시아 황제 알렉산드르(Aleksandr) 1세가 맺은 강화 조약. 프로이센의 영토의 대부분을 할양(割讓)하여 베스트팔렌(Westfalen) 왕국·바르샤바 공국(Warszawa 公國)을 설립(設立)함. 이로 인하여 대륙에 있어서의 나폴레옹의 지배가 확립(確立)됨.

틸트-다운〔tilt-down〕 명 〖연〗 영화 촬영 기법(技法)의 한 가지. 카메라를 수직으로 밑을 향해 움직이면서 하는 촬영. ↔틸트업.

틸트-업〔tilt-up〕 명 〖연〗 영화 촬영 기법(技法)의 한 가지. 카메라를 수직으로 위를 향해 움직이면서 하는 촬영. ↔틸트다운.

틸트업 공법【一工法】〔一뻡〕 명 〔tilt-up method〕 〖공〗 대형의 콘크리트판(concrete板)을 조립하여 건조(建造)하는 공법. 기중기 등으로 조립용(組立用) 콘크리트판을 달아 올려서 지붕·벽·마룻 바닥 등을 조립함. 이 공법에는 습식(濕式)과 건식(乾式)의 두 가지가 있음.

틸흐다 타 〈옛〉 칠(漆)하다. ¶블근 틸흔 집기슬기(朱甍)≪杜諺 I:20≫.

팀:〔team〕 명 ①같은 일에 종사하는 일단(一團)의 사람. ②운동 경기의 단체. 곧, 두 패로 나누어서 하는 경기의 한 편짝.

팀: 게임〔team game〕 명 단체전(團體戰).

팀-뚝 명 〈방〉 둑²❶(전북).

팀: 레이스〔team race〕 명 단체 경주(團體競走). 「乞 上 59≫.

팀 받다 타 〈옛〉 전당잡다. ¶팀 바다 가져 온 은이라(貼將來的銀子)≪老

팀부〔Thimbu〕 명 〖지〗 히말라야 산맥 동단에 있는 부탄 왕국의 수도. 이 나라의 중서부 높이 2,450 m 지점에 위치하는데, 1962년 수도로 지정된 뒤부터 급속히 근대화됨. 팀푸. 타시초종. [20,000 명(1985)]

팀: 스피리트〔Team Spirit〕 명 유사시를 가상하여 1976년부터 매년 1월 하순부터 4월 말에 걸쳐 한국의 후방 지역에서 실시되는 한미 합동 군사 훈련.

팀:-워:크〔teamwork〕 명 팀의 공동 동작. 일단(一團)의 사람들이 협동하여 행하는 동작 또는 그들 상호간의 연대(連帶). ¶~가 짜여 있다.

팀치 명 〈옛〉 김치. =짐치. ¶술과 믈과 대그릇과 나모그릇과 팀치와 젓과 드려 노흐며(納酒漿籩豆菹醢)≪內訓: Ⅲ 2≫.

팀: 컬러〔team+colour〕 명 그 팀이 갖고 있는 분위기나 특색.

팀: 티:칭〔team teaching〕 명 몇 사람의 교사가 한 조(組)가 되어 각 교사가 가장 잘 하는 단원을 가르치는 일.

〈팀파눔〉

팀파눔〔tympanum〕 명 〖건〗 그리스식 건축의 지붕에 의해서 구획된 맞배 지붕 윗 부분의 벽.

팀파니〔이 timpani〕 명 〖악〗 타악기(打樂器)의 한 가지. 구리로 만든 반구형(半球型)의 북. 평면에 쇠가죽을 대고 그 둘레의 나사로써 이를 신축(伸縮)하여 음률을 조절함. 음역은 저음(低音)이며, 대·중·소형(型) 등이 있음. 오케스트라에서는 대소(大小) 둘 혹은 셋 이상을 씀. 케틀드럼(kettledrum).

〈팀파니〉

팀파니스트〔timpanist〕 명 팀파니를 연주하는 사람.

팀: 플레이〔team play〕 명 스포츠 또는 기타 공동 작업(共同作業)에서, 복수(複數)의 힘에 의해 승리 또는 일의 원활(圓滑)을 도모하려는 공동 플레이.

팁〔tip〕 명 ①행하(行下). ②여급(女給)이나 사환에게 일정한 품삯 외에 더 주는 돈. *놀음차. ③야구나 테니스에서, 공이 배트(bat)나 라켓(racket)에 스치고 지나가는 일.

틧-검불 명 짚·풀 같은 것의 부스러기.
팅 〔Ting, Samuel Chao Chung〕 명 〖사람〗 중국계의 미국 물리학자. 중국 이름은 딩자오중(丁肇中). 컬럼비아 대학·매사추세츠 공대(工大) 교수. 1974년 대가속기(大加速器)로 신입자(新粒子) 제이(J)를 발견함. 1976년 리히터(Richter, B.)와 공동(共同)으로 노벨 물리학상을 수상함. [1936-]
팅겔리 〔Tinguely, Jean〕 명 〖사람〗 스위스의 조각가. 바젤(Basel)의 미술 학교에서 배움. 1951년 파리에 나와, 모터로 움직이는 철선 조각(鐵線彫刻), 금속 양각(金屬陽刻) 등을 시도함. 1959년 자동 데생(dessin) 기계, 이어 폐물(廢物) 기계를 짜 맞추어, 소음을 내면서 불규칙하게 움직이는 조각을 만듦. [1925-]
팅크 명 〔tincture〕 〖약〗 어떤 약품을 알코올로 삼출(滲出)한 액체. 요오드 팅크. 캠퍼 팅크 등. 정기(丁幾).
팅팅 부 속에서 켕기어 겉으로 불어 나온 모양. ¶물에 ~ 붇다. ㅆ띵띵. >탱탱. ——-하다 형 여불 「면 판이 나는 상태.
팅 파이 〔중 聽牌〕 명 마작(麻雀)에서, 앞으로 패(牌)가 한 개만 들어오
ᄐᆞᄀᆞᆯ 〈옛〉 턱을. 'ᄐᆞᆨ'의 목적격형. ¶眞實로 사ᄅᆞᄆᆡ ᄐᆞᄀᆞᆯ 글희여 즐겨웃게 ᄒᆞᄂᆞ니(實解頤)≪初杜諺 Ⅷ:4≫.
ᄐᆞ다¹ 자 〈옛〉 불에 타다. ¶다만 ᄐᆞ 검은 흔젹이 이시ᄃᆡ(只有焦黑痕)≪無寃錄 Ⅲ:24≫.
ᄐᆞ다² 타 〈옛〉 섞어 타다. ¶ᄐᆞ다(和攪)≪同文 上 60≫.
ᄐᆞ다³ 타 〈옛〉 악기 따위를 타다. ¶너희 樂工들이 ᄐᆞ리 그저 ᄐᆞ고(你這樂工們 彈的只管彈)≪朴新解 Ⅰ:6≫. *ᄣᆞ다.
ᄐᆞ다⁴ 타 〈옛〉 타다. 받다. ¶雜숨 ᄐᆞᆫ 즁싱≪月釋 Ⅸ:53≫/대개 이ᄃᆞᆯ 스므날ᄭᅴ 詔書와 箚付를 ᄐᆞ면 즉시 ᄯᅥ나고져ᄒᆞ노라(大約這月二十邊領了詔書箚付就要起身)≪朴新解 Ⅰ:9≫.
ᄐᆞ다⁵ 타 〈옛〉 탈것을 타다. ¶乘은 ᄐᆞᆯ씨라≪月序 18≫.
ᄐᆞ다⁶ 타 〈옛〉 타다. 더위·추위 같은 것을 특별히 느끼다. ¶더위 ᄐᆞ다(害熱), 치위 ᄐᆞ다(害冷)≪譯語 上 5≫.
ᄐᆞ다⁷ 타 타고 나다. 태어나다. ¶이에 性ᄋᆞᆯ ᄐᆞᄂᆞ니라(受性於此)≪楞嚴 Ⅰ:89≫.
ᄐᆞ록 조 〈옛〉 토록. ¶終日ᄐᆞ록 圓覺호ᄃᆡ≪圓覺 序 5≫/ᄯᅩ 良久ᄐᆞ록 말 몯하야(又良久不能語)≪金剛 下 事實 4≫.
ᄐᆞᆨ 명 〈옛〉 턱. ¶驪龍ᄋᆡ ᄐᆞᆨ 아래 明月寶珠ㅣ 잇ᄂᆞ니(驪龍頷下 有明月寶珠)≪圓覺 序 29≫.
ᄐᆞᆯ 의명 〈옛〉 들. ¶너나믄 하ᄂᆞᆯᄐᆞᆯ히 남진 겨집 모맷 香ᄋᆞᆯ 다 머리셔 마타≪釋譜 XIX:19≫.
ᄐᆞᆺ 조동 〈옛〉 하듯. ¶그 나모 브튜려 ᄐᆞᆺ호미(欲然其木)≪楞嚴 Ⅷ:41≫.
-ᄐᆞᆺ 미 〈옛〉 -하듯. ¶가ᄌᆞᆯ비건댄 虛空ᄋᆡ 東西南北四維上下ㅣ 無量無邊ᄐᆞᆺᄒᆞ야≪月釋 XVII:40≫.
ᄐᆡ 명 〈옛〉 태(笞). ¶ᄐᆡᆺ ᄐᆡ(笞)≪字會 中 15≫.
ᄐᆡ오다¹ 타 〈옛〉 타고 나다. 태어나다. ¶ᄐᆡ올 부(賦)≪字會 下 2≫.
ᄐᆡ오다² 타 〈옛〉 불로 태우다. ¶시혹 地獄이 이쇼ᄃᆡ 쇠로 새를 ᄐᆡ오ᄂᆞ니≪月釋 XXI:81≫.
ᄐᆡ오다³ 타 〈옛〉 탈것을 태우다. ¶모든 將軍들히 붓드러 ᄆᆞᆯ ᄐᆡ오고(衆將軍們扶侍上馬)≪朴解 下 60≫.
ᄐᆡ우다 타 〈옛〉 태우다. =ᄐᆡ오다². ¶숫글 븕게 ᄐᆡ우고(用炭燒紅)≪救方 下 96≫.
ᄐᆡᆨ 명 〈옛〉 턱. ¶狼頭ᄂᆞᆫ ᄐᆡᆨ 아래 고기ᄅᆞᆯ 드듸ᄂᆞᆫ ᄃᆞᆺ ᄒᆞ도다(狼頭如跋胡)≪杜諺 Ⅱ:7≫.
ᄐᆡᆼ 명 〈옛〉 탱(幀). ¶ᄐᆡᆼ 잇ᄂᆞᆫ 집과(影堂)≪朴解 上 61≫.
ᄐᆡᆼᄌᆞ 명 〈옛〉 탱자. ¶ᄐᆡᆼᄌᆞ 기(枳)≪字會 上 10≫.
ᄐᆡᆼᄌᆡ 〈옛〉 탱자가. 'ᄐᆡᆼᄌᆞ'의 주격형(主格形). ¶ᄐᆡᆼ지 곳다온 橘에 눌러 노핫도다(橙壓香橘)≪杜諺 Ⅱ:36≫.

ㅍ (피읖) ①한글 자모의 열 세째 글자. ②〖언〗 자음의 하나. 목젖으로 콧길을 막고 두 입술을 다물어 입길을 막았다가 뗄 때에 목청을 갈고 숨을 불어 내면서 파열되어 나오는 맑은 소리. 받침으로 그칠 때는 입술을 떼지 아니하여 'ㅂ'과 같게 됨. ¶ㅍ는 입시울쏘리니 漂푷字 쫑 처섬 펴아나는 소리 ᄀᆞᄐᆞ니라《訓諺》. 주의 '피읖'의 받침 소리가 연음(連音)될 때 [피으비, 피으블, 피으베] 등으로 발음함.

파¹ 명 〖식〗 ①↗양파·골파. ② [*Allium fistulosum*] 백합과에 속하는 다년생 숙근초(宿根草). 지하경(地下莖)에는 많은 수근(鬚根)이 있고 줄기 높이 30-60cm이며, 잎은 원주상이며 끝이 뾰족하고 속이 비었는데 밑 부분은 서로 겹치어 하나가 되고 흰 빛임. 여름에 총포(總苞)에 싸인 백록색 꽃이 산형(繖形) 화서로 화경(花莖) 끝에 밀생하여 종형(鐘形)으로 피고, 종자는 모가 나고 삼각형에 오목한 파상(波狀) 주름이 있으며 흑색으로 익음. 중국 서부 원산(原產)으로 동양 및 온대 지방의 밭에 재배함. 칼슘·염분(塩分)·비타민 등의 함유량이 많고 특이한 향취(香臭)가 있어서 생식(生食)·약용 및 요리에 널리 쓰임.

〈파¹❷〉

파² 【巴】 명 성(姓)의 하나. 우리 나라에는 현존하지 아니함.

파³ 【波】 명 [wave] 〖물〗 파동(波動).

파⁴ 【派】 명 ①물이 나뉘어 흐르는 갈래. ②주의·사상 또는 행동 등을 같이하는 계통(系統). ¶전후(戰後)~. ③↗파계(派系).

파:⁵ 【破】 명 ①깨어지거나 상한 물건. ②사람의 결점. ③〖민〗 풍수 지리(風水地理)에서 득(得)이 흘러 간 곳. ＊득(得).

파⁶ [이 fa] 명 〖악〗 ① 음계 이름의 하나. 장조 음계의 제4음, 단조(短調) 음계의 제6음. ②'F'음(音)의 이탈리아 음이름. 우리 나라 음이름 '바'와 같음.

파⁷: [par] 명 ①동가(同價). 동등(同等). ②유가 증권(有價證券)의 시가가 그 액면 또는 불입액(拂入額)과 동일한 일. 평가(平價). ③본위(本位) 화폐 금속의 순분비가(純分比價). ④골프에서, 각 홀의 표준 타수(標準打數).

파⁸ [프 pas] 명 ①발레에서, 몸의 중심(重心)이 한쪽 다리로부터 다른 쪽에 옮기기까지의 동작을 말함. 스텝. ②춤의 뜻으로, 파 드 되(pasde deux) 따위로도 쓰임.

파⁹ [중 八] 수 팔(八).

파¹⁰ 【把】 의명 〖역〗 줌▣❷.

-파 【波】 미 ①'파동'·'물결' 따위를 뜻하는 말. ¶전자기 ~/충격~. ②계속적으로 반복하는 공격 또는 기복(起伏)이 있는 것의 횟수(回數)를 나타내는 말.

파:가¹ 【破家】 명 파호(破戶). ——-하다 자여불

파:가² 【罷家】 명 살림살이를 작파함. ——-하다 자여불

파가니니 [Paganini, Nicolo] 명 〖사람〗 이탈리아의 바이올린 연주가 작곡가. 일찍 악재(樂才)를 보여 독학으로 경이적인 기교를 습득, 대단한 천재로서 유럽인을 경탄케 하였음. 그의 천재성을 보이는, 연주하기 어려운 몇 곡(曲)의 작품이 있음. [1782-1840]

파:가 저택 【破家瀦宅】 명 〖역〗 파륜자(破倫者) 등의 죄인의 집을 헐어 없애고 그 터를 파서 물을 대어 못을 만드는 형벌. ——-하다 타여불

파:각 【破却】 명 깨뜨림. ——-하다 타여불

파간 [Pagan] 명 〖지〗 미얀마 중부, 이라와디 강 (Irrawaddy江) 중류의 동안(東岸)에 있는 고도(古都). 11-13세기에는 파간 왕조의 수도였음. 부근에 역대의 왕이 세운 수백 기(數百基)의 불탑 유적군(佛塔遺跡群)이 있음. 포감(蒲甘).

파간 왕조 【一王朝】 [Pagan] 명 〖역〗 미얀마 최초의 통일 왕조. 아노라타 왕(Anawrahta王)이 1044년에 이라와디 강(Irrawaddy江) 유역을 영역으로 하여 파간에 도읍하면서 시작됨. 소승(小乘) 불교를 믿고 많은 불탑 사원(佛塔寺院)을 남겼기 때문에 건사 왕조(建寺王朝)라고도 함. 중국에서는 송대(宋代)에 포감국(蒲甘國), 원대(元代)에 면국(緬國)이라고 함. 원(元)나라 침입을 받아 1287년에 망함. 파간조(Pagan朝).

파-간장 【一醬】 명 양념으로 파를 썰어 넣은 간장.

파간-조 【一朝】 [Pagan] 명 〖역〗 파간 왕조.

파:갑 유탄 【破甲榴彈】 [一뉴一] 명 〖군〗 유탄(榴彈)의 한 가지. 침투력과 폭발력으로써 적군의 방어 공작물, 특히 요새(要塞)를 파괴함을 목적으로 함.

파:갑-탄 【破甲彈】 명 〖군〗 포탄의 한 가지. 파괴력이 강하여 적함의 장갑부(裝甲部)나 포탑(砲塔) 또는 적성(敵城)의 포탑과 철벽 등을 격파함에 사용하는데, 니켈강(鋼)·크롬강 등으로 만듦. 철갑탄(徹甲彈).

파-강회 【一膾】 명 파를 데쳐서 돼지 고기 또는 편육을 휘어 감아 상투처럼 만들고 잣을 박은 것을 초고추장에 찍어 먹는 강회. 세총 강회(細葱江膾).

파개 명 배에서 쓰는 손두레박. ＊파래박.

파:건 【破件】 [一껀] 명 파치.

파:겁 【破怯】 명 익숙하여 두려움이나 부끄러움이 없음. ——-하다 자여불

파:격 【破格】 명 격식(格式)을 깨뜨림. 또는 그리 된 격식. 출격(出格). ——-하다 타여불

파:격-적 【破格的】 명관 정례(定例)를 벗어나는 모양. ¶ ~ 문장/~인 대우/~ 승진.

파견 【派遣】 명 사람을 보냄. 사람에게 용무(用務)를 띠워서 출장시킴. 파송(派送). 발견(發遣). ¶~ 근무/대사를 ~하다. ——-하다 타여불

파견-국 【派遣國】 명 외교 사절(外交使節)이나 영사(領事) 등을 파견하는 국가.

파견-군 【派遣軍】 명 〖군〗 특수한 임무를 띠워 파견하는 군대.

파견-단 【派遣團】 명 어떤 임무를 띠고 외부에 파견된 단체.

파견-대 【派遣隊】 명 〖군〗 파견 부대(派遣部隊).

파견 부대 【派遣部隊】 명 〖군〗 경비상(警備上) 또는 전략 상의 요구에 의하여 파견된 부대. 파견대.

파견 영사 【派遣領事】 [一녕一] 명 직무 영사(職務領事). ↔명예 영사(名譽領事)·선임 영사(選任領事).

파견 장:교 【派遣將校】 명 〖군〗 외국군과의 합동 작전을 수행하기 위하여 또는 작전·정보·기타 군사에 관한 연락을 긴밀히 하기 위하여 외국군 사령부 또는 부대에 파견한 국군 장교.

파견-지 【派遣地】 명 파견되는 곳.

파:경¹ 【破鏡】 명 ①깨어진 거울. ②이지러진 달을 비유하는 말. ③부부의 금실이 좋지 않아 이혼하게 되는 일. ¶~에 이르다.

파:경² 【罷經】 명 〖악〗 국악 곡조의 하나. 장문의 축귀경(逐鬼經)을 타령 장단에 얹어 부르는 서도(西道) 소리 곡조임.

파계¹ 【派系】 명 동종(同宗)에서 갈리어 나온 계통. 준파(派).

파:계² 【破戒】 명 〖종〗 계율을 깨뜨리어 지키지 아니함. ↔지계(持戒). ——-하다 자여불

파:계³ 【破契】 명 계(契)를 깨뜨림. ↔설계(設契). ——-하다 자타여불

파:계⁴ 【罷繼】 명 파양(罷養). ——-하다 자여불

파:계 무참 【破戒無慚】 명 〖불교〗 계율(戒律)을 어기면서 부끄러워함이 없음. 또, 그 모양.

파계-사 【把溪寺】 명 〖지〗 동화사(桐華寺)의 말사(末寺). 경상 북도 달성군(達城郡) 공산면(公山面) 중대리(中大里)에 있음. 신라 성덕왕 13년(714)에 심지 왕사(心地王師)가 창건함.

파:계-승 【破戒僧】 명 〖불교〗 파계(破戒)한 중. 낙승(落僧). 무참괴승(無慚愧僧).

파고 【波高】 명 물결의 높이.

파고-계 【波高計】 명 〖지〗 파도의 높이를 측정하는 기계의 총칭.

파고다 [pagoda] 명 미얀마 지방에서 탑파(塔婆)를 일컫는 말. 서양 각국어에서는 넓게 동양의 불탑(佛塔)을 일컬음.

파고다 공원 【一公園】 [Pagoda] 명 〖지〗 탑골 공원.

파고-들다 자타 ①깊숙이 안으로 들어가다. ②깊이 스며들다. ¶마음속에 ~. ③비집고 들어가 발을 붙이다. ¶외국 시장에 ~. ④깊이 캐어 알아내다. ¶진상을 ~.

파:-고무 【破一】 [프 gomme] 명 못 쓰게 된 헌 고무.

파고 전:압계 【波高電壓計】 명 〖전〗 교류전압의 파고치(波高値). 곧 최대치를 측정하는 전압계.

파:고-지¹ 【破古紙】 명 ①〖식〗 [*Copaiba langsdorfii*] 콩과에 속하는 일년초. 키는 1m 내외이고 잎은 유병(有柄)이며 엽신(葉身)은 심장형(心臟形)으로서 주름 무늬와 톱니가 있음. 여름과 가을에 3cm 가량의 꽃

줄기가 엽액(葉腋)에서 나와 작은 나비 모양의 자주색 꽃이 산형(繖形) 화서로 핌. ②〖한의〗파고지의 씨. 소금을 탄 술에 볶아 쓰는데 성질은 온(溫)하고 요통(腰痛)·슬통(膝痛)에 쓰며 고정(固精)하는 효험이 있음. 보골지(補骨脂).

파:고-지²【破古紙】명 파지와 헌 종이.

파고-치【波高値】명〔crest value〕〖전〗교류(交流)의 파형(波形)에 있어서 진폭(振幅)의 최고치. 정현파(正弦波)의 파고치는 실효치의 $\sqrt{2}$ 배(倍)임. 첨두치(尖頭值).

파고토〔이 fagotto〕명〖악〗파곳.

파고-파고〔Pago Pago〕명〖지〗남태평양 미국령 사모아(Samoa)의 수도(首都). 투투일라(Tutuila) 섬 남안(南岸)에 있는 항구로, 미국의 해군 기지가 있음. [25,000 명(1981)]

파곡【波谷】명〖물〗물결의 가장 낮은 위치. 물결의 골. ↔파구(波丘).

파:골【破骨】명 뼈를 으스러뜨리거나 부러뜨림. 또, 그리 된 뼈. ——-하다 자여불

파곳〔도 Fagott〕명〖악〗바순(bassoon).

파:공【罷工】명〖천주교〗주일(主日)과 지정된 대축일(大祝日)에 육체 노동을 금함. ——-하다 자여불

파:공 관면【罷工寬免】명〖천주교〗부득이한 이유에 의하여 파공(罷工)을 면허(免許)함. ——-하다 자여불

파:과【破瓜】명↗파과지년(破瓜之年).

파:과-기【破瓜期】명 여자가 경도(經度)를 처음 시작하는 15-16세 되는 시기.

파:과-병【破瓜病】[—뼝] 명〖의〗정신 분열병의 중핵(中核)을 이루는 질병의 한 형(型). 발병 및 경과가 극히 만성(慢性)인데, 원래 내향성이고 고독한 경향이 있는 사람의 사춘기에 발병하는 수가 많으며, 차차로 지력 장애, 감정의 둔마(鈍痲), 일상 생활의 불규칙, 흥미의 상실, 태타(怠惰), 정신 작업의 불능 등을 나타내고, 또 망상·환청(幻聽)·충동 행위·독백(獨白)·독소(獨笑) 등의 증상을 보임. 수년 경과 후에는 독특한 사회 기피적(忌避的)·내폐적(內閉的) 상태에 빠짐. *긴장병·망상치매(妄想痴呆).

파:과지-년【破瓜之年】명〔'瓜' 자를 종횡(縱橫)으로 해자(解字)를 하면 두 개의 '八'자가 된 데서〕①〔8×2=16에서 나옴〕여자의 16세. ②〔8×8=64에서 나옴〕남자의 64세. 준파과(破瓜).

파:관-탕【破棺湯】명〖한의〗똥을 말리어 증소(蒸燒)하여 물에 오랫동안 담갔다가 그 웃물을 뜬 것. 부인 대열(大熱)에 묘약(妙藥)이라 함.

파광¹【波光】명 물결이 번쩍이는 빛.

파:광²【破壙】명 ①무덤을 이장(移葬)한 그 옛 자리. ②개장(改葬)하기 위하여 광중을 파 헤침. ——-하다 자타여불

파:광-터【破壙—】명 파광한 자리.

파:괴【破壞】명 ①깨뜨리어 헐어 버림. 깨뜨리어 기능을 잃게 함. ¶~력(力)/~자(者)/~적(的). ↔건설(建設). ②남의 입론(立論)이나 주장 등을 부인(否認)함. ——-하다 타여불

파:괴 강도【破壞強度】명〔breaking strength〕〖토〗물체가 큰 외력(外力)을 받고 깨뜨려질 때에 생기는 응력(應力).

파:괴 계:수【破壞係數】명 어떤 재료(材料)가 파괴되기까지를 탄성체(彈性體)로 하고, 응력(應力)과 변형(變形)과의 관계에서, 계산에 의해 이끌어낸 파괴 응력. 실제의 파괴점에서의 파괴 응력과는 다름.

파:괴-력【破壞力】명 파괴하는 힘.

파:괴 변:형력【破壞變形力】[—녁] 명〔breaking stress〕〖물〗압축·인장(引張)·전단(剪斷)에 의하여 재료가 파괴될 때까지 드는 변형력. 파괴 응력(應力).

파:괴 소방【破壞消防】명 파괴 소화.

파:괴 소화【破壞消火】명 연소 물체를 파괴 제거함으로써 불을 끄는 방법. 파괴 소방. ↔냉각(冷却) 소화·질식(窒息) 소화.

파:괴 시험【破壞試驗】명〔destructive testing〕재료(材料) 시험의 일종. 재료의 특성을 알아내기 위하여 충격을 주거나 파괴를 하여, 재료의 인성(靭性)·강도(強度)·기타 기계적 성질 등을 검사하는 일. X선 시험, 그 외의 비파괴(非破壞) 시험에 비하여 시험법이 간단하고 확실성이 있음.

파:괴 위성【破壞衛星】명〖군〗비행 중의 인공 위성(人工衛星) 혹은 궤도 폭탄(軌道爆彈)을 파괴하는 인공 위성.

파:괴 응:력【破壞應力】[—녁] 명〔breaking stress〕〖물〗파괴 변형력(破壞變形力). 극응력(極應力).

파:괴-자【破壞者】명 파괴하는 사람. ↔건설자(建設者).

파:괴-적【破壞的】명관 모든 방면에 있어서 파괴하는 방향으로 나아가는 모양. 또, 그러한 성질. ↔건설적(建設的).

파:괴 전:압【破壞電壓】명〔puncture voltage, breakdown voltage〕〖전〗절연(絶緣) 파괴를 발생시키는 데 필요한 최저한의 전압. *절연 파괴(絶緣破壞).

파:괴-점【破壞點】[—쩜] 명 어떤 물체가 외력에 의해 파괴되는 극한점(極限點).

파:괴-주의【破壞主義】[—/—이] 명 ①남의 입론(立論)·계획 또는 조직 등을 반대·부인(否認)·파괴하는 사상이나 의견. ②〖철〗확실한 진리 또는 선악(善惡)의 표준 등의 존재를 부정하는 주의.

파:괴 폭탄【破壞爆彈】명〖군〗구조물 파괴를 목적으로 하는 폭탄. *파편(破片) 폭탄·특수 폭탄.

파:괴 하중【破壞荷重】명〔breaking load〕〖물〗물체에 외력(外力)이 가해져서 파괴하게 될 때, 그 물체가 견디어낸 최대 하중(最大荷重). 시험기(試驗機)에 장치된 시험편(試驗片)에 서서히 하중을 가해서 파괴되는 순간의 하중으로 나타냄.

파구¹ 명〈방〉바위(평북).

파구²【波丘】명〖물〗물결의 가장 높은 위치. 물결의 마루. ↔파곡(波谷).

파:-구분【破舊墳】명 개장(改葬)하기 위하여 무덤을 파냄. 파묘(破墓). ——-하다 자여불

파:국【破局】명 판국이 결딴남. 또, 그 판국. 카타스트로프(catastrophe). ¶~에 직면하다. ——-하다 자여불

파:국-적【破局的】명관 어떤 일이나 사태(事態)가 결딴나는 판국이 되는 성질이나 상태.

파:군¹【罷君】명〖역〗왕가(王家)에서 오대(五代) 이후에는 종친(宗親)의 봉군(封君)을 폐하는 일. ——-하다 타여불

파:군²【罷軍】명 군대의 진(陣)을 풀어서 헤침. 파진(罷陣). ——-하다 자여불

파:군-성【破軍星】명〖민〗북두 칠성(北斗七星)의 제7성인 요광성(搖光星)의 일컬음. 칼 모양을 하고 있다고 하며, 그 칼끝이 가리키는 방향은 만사에 불길하다 함. 요광성.

파:귀【罷歸】명 일을 끝마치고 돌아감. 파(罷)하여 돌아감. ——-하다 자여불

파극【巴戟】명〖한의〗↗파극천(巴戟天).

파극-천【巴戟天】명〖한의〗부조초(不凋草)의 뿌리. 정혈(精血) 강장제(強壯劑)로서 음위(陰痿)·몽설(夢泄)·유정(遺精)에 씀. 괄파천(括巴天). 준파극(巴戟).

파근파근-하다 형여불 ①음식이 메지고 빡빡하여 타박타박한 느낌이 있다. ¶감자가 ~. ②다리가 걸음마다 파근하다. 「부

파근-하다 형여불 다리 힘이 지치어 팍팍하고 노작지근하다. 파근-히

파금【巴金】명〖사람〗'바진'을 우리 음으로 읽은 이름.

파급【波及】명 ①어떠한 일의 여파(餘波)나 영향이 미치는 범위가 차차 넓어짐. ¶사건이 전국적으로 ~되다. ②〔transfer〕〖심〗어떤 조건(條件) 밑에서 일정한 동작을 연습한 다음, 그와 비슷한 조건 밑에서 비슷한 동작을 할 때 앞의 경우보다 아주 쉽게 배울 수 있는 일. ——-하다 자여불

파기¹【疤記】명 병정·죄인 등의 몸을 검사하여 그 특징을 적은 기록.

파:기²【破棄】명 ①깨뜨리거나 찢어서 내어 버림. 또, 계약이나 약속한 일 따위를 취소함. ¶계약을 ~하다. ②〖법〗소송법상 상소 법원(上訴法院)에서 상소 이유(上訴理由)가 있다고 인정하여 원심 판결(原審判決)을 취소하는 일. 그 취소한 뒤의 처리에 따라 환송(還送)·이송(移送)·자판(自判)으로 구분됨. 파훼(破毁). ¶원심 ~. ——-하다 타여불

파:기³【破器】명 깨어진 그릇.

파:-기록【破記錄】명 기록을 깨뜨림. ——-하다 자여불

파:기 상종【破器相從】명 이미 망그러진 일을 고치고자 쓸데없이 애를 씀을 이르는 말.

파:-기와【破—】명 깨어지거나 흠집이 있는 기와.

파:기 이송【破棄移送】명〖법〗상고 법원이 원심 판결을 파기하는 경우에, 사건을 환송하는 것보다도 원심 법원과 동등한 다른 법원에 사건을 심리시키는 것이 편리하다고 생각될 때 사건을 원심 법원과 동등한 법원에 이송(移送)하는 일.

파:기 자판【破棄自判】명〖법〗상고(上告) 법원에서 원심(原審) 판결을 파기한 경우에 환송(還送) 또는 이송(移送)을 하지 아니하고 피고 사건에 대하여 직접 판결하는 재판. 상고 법원인 대법원(大法院)은 원심 판결을 파기한 경우에 그 소송 기록과 제일심(第一審) 및 원심 법원에서 조사한 증거에 의하여 판결하기 충분하다고 인정할 때에는 피고 사건에 대하여 직접 판결(判決)을 할 수 있음. 파훼 자판(破毁自判). *파기(破棄). ——-하다 타여불

파:기 판결【破棄判決】명〖법〗파기 자판(破棄自判).

파:기 환송【破棄還送】명〖법〗사후심(事後審) 법원이 종국 판결(終局判決)에서 원심 판결을 파기한 경우에, 사건을 다시 심판시키기 위하여 원심 법원으로 환송(還送)하는 일. 파훼 환송(破毁還送).

파-김치 명 파로 담근 김치. 총저(葱菹).

파김치(가) 되다 구 기운이 몹시 지쳐서 아주 느른하게 됨을 비유하는 말.

파나【PANA】명〔Pan-Asia News Agency의 약자〕아시아의 통신사. 1949년 홍콩에 본사를 두고, 아시아의 뉴스 사진을 전세계의 신문에 배포함.

파:-나다【破—】자 물건이 찢어지거나 깨어져서 흠이 생기어 쓰지 못하게 되다.

파나마¹〔Panama〕명〖지〗남북 아메리카를 연결하는 지협부(地峽部)를 차지하고 있는 공화국. 두 줄기의 산맥이 가로 뻗쳐 있으며 바나나 등 열대 산물을 산출함. 미개발지가 많음. 파나마 운하로 유명함. 수도는 파나마시티(Panama City). 정식 명칭은 '파나마 공화국(Republic of Panama)'. [77,082 km^2: 2,470,000 명(1991)]

파나마²〔panama〕명 ①↗파나마풀. ②↗파나마 모자.

파나마 모자【—帽子】〔panama〕명 파나마풀의 잎을 잘게 쪼개어서 희게 바랜 것으로, 짜서 만든 여름 모자. 파나마 해트. 준파나마.

〈파나마 모자〉

파나마-시티〔Panama City〕명〖지〗중앙 아메리카 파나마 공화국의 수도. 파나마 운하 남쪽 입구, 태평양 연안의 항구 도시임. 파나마 철도의 종점이며 대륙 발견 시대의 교통의 요지였음. 스페인풍의 아름다운 도시로 구적(舊跡)도 많음. [390,000 명(1991)]

파나마 운하【—運河】〔Panama〕명〖지〗파나마 지협을 개착(開鑿)하여 대서양과 태평양을 연락하는 중요한 해양 운하. 인공(人工)의 가툰

호(Gatun 湖)를 이용하는 갑문식(閘門式)으로 길이 93 km, 폭 90-300 m이며, 통과 시간은 7-8 시간임. 1914년에 미국에 의하여 준공(竣工)되었음. 운하를 중심으로 약 16 km 폭의 지대는 운하(運河) 지대라 하여 미국의 점유지(占有地)임.

파나마 운하 지대【一運河地帶】명〔Panama Canal Zone〕《지》파나마 운하를 위하여 설치된 운하 양안 8 km, 연장 80 km에 걸치는 지대. 1903년에 미국이 파나마로부터 조차(租借)한 영구 조차지이었으나, 1977년 9월 운하 반환 조약과 운하 중립 조약에 조인, 10월부터 발효되어, 2000년까지 운하와 운하 지대가 파나마에 반환되게 되었음. 행정 중심지는 발보아하이츠(Balboa Heights)에 설치되어 있음. [1,676 km²(수(水)·육(陸)의 총면적): 52,000 명(1974)]

파나마 지협【一地峽】〔Panama〕명《지》북아메리카 대륙의 남동과 남아메리카를 연결하는 지협. 광의(廣義)로는 파나마 공화국의 전토를 가리키나 협의(狹意)로는 파나마 운하의 양단을 말함.

파나마 클로:스〔panama cloth〕명 여름용 신사복·여성복의 천으로 사용되는 소모(梳毛) 직물의 일종. 탄력이 있는 평직물(平織物)로 무명으로 짠 것은 모자의 심 따위로 사용됨.

파나마-풀〔panama〕명《식》〔*Carludovica palmata*〕파나마풀과에 속하는 다년초(多年草). 줄기는 짧고 잎은 근생(根生)하는데, 암록색이며 네 갈래로 째지고, 수없이 갈라져 부채 모양을 이루고 엽병(葉柄)은 원주형인데 길이 1-2 m 또는 4 m 가량임. 4개의 수꽃과 1개의 암꽃이 네 조각의 포(苞)에 싸여 잎 사이에서 나와 길이 15 cm 가량의 녹색 육수(肉穗) 화서로 피고, 장과(漿果)를 맺음. 잎으로는 파나마 모자 등을 만듦. 브라질에서 중앙 아메리카에 걸쳐 분포함. ㊀파나마.

〈파나마풀〉

파나마풀-과【一科】〔panama〕〔一꽈〕명《식》〔Cyclanthaceae〕단자엽(單子葉) 식물에 속하는 한 과. 11속(屬) 180종(種)이 주로 미국의 열대 지방에 남.

파나마 해트〔panama hat〕명 파나마 모자.

파나마 회:의【一會議】〔一/一이〕〔Panama〕명《역》1826년 파나마에서 열렸던 회의. 새로 독립된 파나마와 미주(美洲) 제(諸)공화국 간의 공통된 여러 문제를 토의하기 위하여 소집(召集)되었음. 범미주의(汎美主義)의 근원이 됨.

파-나물 명 데친 파에다 간장·기름·깨소금·후춧가루 등을 양념하여 무친 나물. 총채(葱菜).

파나이〔Panay〕명《지》필리핀 비사야 제도(Visaya 諸島) 중의 섬. 산지가 많고 쌀·감자·코코야자·담배·말 등을 산출함. 주도(主都)는 일로일로(Iloilo). [11,965 km² : 1,769,000 명(1975)]

파나이티오스〔Panaitios〕명《사람》그리스의 철학자. 스토아파(派)에 속하며 소스키피오(小 Scipio)의 동방(東方) 여행에 수행, 아테네에 돌아와서 스토아파 학교를 맡음. 저서(著書)는 약간의 단편(斷片)만이 《의무(義務)에 관하여》에 남아 있음. [180?-110?B.C.]

파내【叵耐】명 아주 견디기 어려움.

파-내다 타 묻히거나 박힌 것을 파서 꺼내다. ¶ 고분(古墳)을 ~.

파네타이트〔panethite〕명《광》운석(隕石) 중에만 존재하는 것으로 알려진 인산염(燐酸塩) 광물(鑛物). 나트륨·칼륨·마그네슘·칼슘·철(鐵) 및 망간을 함유함.

파:노【罷駑】명 ① 지쳐서 둔한 말. ②쓸모없는 둔재(鈍材).

파노라마〔panorama〕명 ①전체의 경치. ②야외(野外)의 높은 곳으로부터, 실지로 사방을 전망하는 것과 같은 느낌을 주는 사생적(寫生的) 그림을 건물 안에 장치한 것. 건물 안의 벽에 둥글게 그림을 걸고, 전망대(展望臺)에 선 관람자의 눈의 높이를 그림의 수평선(水平線)과 같은 높이로 하여, 반사 광선(反射光線)을 이용하며, 또 그림의 전면(前面)에는 화중(畫中)의 형상에 융합(融合)하는 가설물(假設物)을 설치하여 관람자에게 마치 실경(實景)을 보는 것 같은 느낌을 줌.

파노라마-대【一臺】〔panorama〕명 사방의 경치를 멀리까지 볼 수 있도록 되어 있는 높은 장소. 전망대(展望臺).

파노라마 망:원경【一望遠鏡】〔panorama〕명 잠망경(潛望鏡)의 한 가지. 관측자가 위치를 바꾸지 않고 주위를 살필 수 있음.

파노라마 사진【一寫眞】명〔Panoramic photography〕시계(視界)의 모든 둘레의 사진, 또는 그에 가까운 넓은 화각(畫角)을 가진 사진. 전용 카메라를 사용하지 않고 보통 카메라를 사용할 경우에는 수평 방향으로 화면을 옮겨 가며 찍어서 이것을 인화할 때 연결시킴.

파노라마 사진기【一寫眞機】〔panorama〕명 전경(全景) 사진기. 175° 전후에서, 어둠 상자의 위치를 움직이지 않고, 렌즈만 옆으로 이동하여 전경의 사진을 찍는 사진기.

파노라마 촬영【一撮影】〔panorama〕명 촬영자의 주위의 넓은 범위를 촬영하는 일. 촬영기를 수평(水平)으로 회전시켜 전경(全景)을 촬영함.

파노라마 카메라〔panorama camera〕명 초광각(超廣角)의 시야(視野)를 한 장의 필름에 촬영하게 된 카메라. 300°가 넘는 화각(畫角)의 촬영도 가능함.

파노프스키〔Panofsky, Erwin〕명《사람》독일 태생의 미술 학자. 함부르크 대학 강사를 거쳐 미국에 이주함. 이코놀로지(iconology)의 방법을 확립하고, 중세 르네상스의 표현 연구에 업적을 남김. 주저(主著)에 《이코놀로지의 연구》·《알브레히트 뒤러(Albrecht Dürer)》 등이 있음. [1892-1968]

파농〔Fanon, Frantz〕명《사람》식민지 해방 운동의 이론가. 서(西)인도 제도 마르티니크(Martinique) 섬 태생의 흑인으로 프랑스에서 정신 의학을 수학, 알제리에서 병원에 근무하면서 민족 해방 전선과 접촉하고, 그 이론적 지도자가 됨. 주저에 《검은 피부·하얀 가면》·《지상의 저주받은 사람》 등이 있음. [1925-62]

파뇰〔Pagnol, Marcel〕명《사람》프랑스의 극작가. 처녀작으로는 《영예를 파는 사람》, 정치가와 실업가에 의해 빚어지는 사회악을 통렬히 비난한 《토파즈(Topaz)》로 세계적인 명성을 얻었고, 이외 묘한 화술로 그린 풍자 희극이 있음. [1895-1974]

파-누름적【一炙】명 데친 파를 간장과 후춧가루에 버무리어 꼬챙이에 꿰고 밀가루와 달걀을 씌워서 지진 적. 총화향적(葱花香炙).

파:니 부 아무 하는 일 없이 노는 모양. ¶ ~ 놀지만 말고 일 좀 해라. <퍼니.

파니니〔Pānini〕명《사람》기원전 4세기경의 인도 문법학자. 고전(古典) 산스크리트어(語)의 문법을 집대성하였고 파니니 문전(文典)을 저술하였음. 생몰년 미상.

파니파트 싸움〔Panipat〕명 인도 북서부 델리(Delhi)의 북방에 있는 파니파트에서 벌어진 인도 사상 중요한 전쟁. 1526년 인도의 무갈(Mughal) 제국의 시조 바부르(Bābur)가 이 땅에서 델리 왕의 군사를 무찔렀고, 그의 손자 악바르(Akbar)도 1556년 아프간인(Afghan 人)을 무찔렀음. 그 뒤 1761년 마라타 동맹군(Marātha 同盟軍)이 아프간인에게 이곳에서 멸망되었음.

파다[1]【頗多】명 아주 많음. 매우 많음. ¶ 그런 일은 예나 지금이나 ~하다. ——-하다 형여불. ——-히 부

파다[2]【播多】명 소문 등이 널리 퍼짐. ¶ 온 동네에 ~한 소문. ——-하다 형여불. ——-히 부

파다[3] 타〔중세 : ᄑᆞ다〕①구멍이나 구덩이를 만들다. ¶ 땅을 ~ / 우물을 ~ / 굴을 ~. ②일의 밑자리를 속까지 깊이 알아내다. ¶ 사건의 진상을 파고들다 ③삭제하다. ¶ 호적을 파 버리다. ④새기다[1]❶. ¶ 도장을 ~. ⑤젖을 밝히다. ¶ 어린아이가 젖만 파고든다. ⑥전력을 기울여 연구하거나 공부하다. ¶ 공부를 ~ / 책만 ~. ⑦도려 내다. ¶ 목둘레를 너무 많이 팠다.

[**파고 세운 장나무**] 땅을 깊이 파고 세운 장나무여서, 사람이나 일이 든든하고 믿음직스럽다는 말.

파다닥 부〈방〉파드닥.

파다닥-거리다 자〈방〉파드닥거리다.

파닥 부 작은 새가 가볍게 날개를 치거나, 작은 물고기가 꼬리를 치는 소리. <퍼덕. ——-하다 자타여불

파닥-거리다 자타 연해 파닥이다. ㅆ파딱거리다. <퍼덕거리다. 파닥-파닥 부. ——-하다 자타여불

파닥-대다 자타 파닥거리다.

파닥-이다 자타 ①새가 자유롭지 못한 몸을 바스락거리며 날개를 가볍고 빠르게 쳐서 소리를 내다. ②물고기가 꼬리를 물바닥에 쳐서 소리를 내다. 1)·2): ㅆ파딱이다. <퍼덕이다.

파:단【破斷】명 재료(材料)에 파괴(破壞)가 일어나거나 잘록해져서, 둘 이상의 부분으로 떨어져 나가는 일.

파:단-면【破斷面】명 금속 재료가 부러졌을 때 나타나는 면(面). 그 양상(樣相)에 의해서 재료의 조직(組織)이나 내부 결함(內部缺陷) 등을 알 수 있음.

파:단면 시험【破斷面試驗】명〔fracture test〕《공》①조성(組成)이나 결함의 유무(有無)와 같은 재료 특성을 알아내기 위한 파단면의 검사. ②파괴 응력(破壞應力)을 평가할 수 있도록 계획된 시험.

파:단-선【破斷線】명 무엇을 그림으로 나타내려 할 때, 그릴 필요가 없는 부분을 깨어져 떨어져 나간 모양으로 나타내는 선(線).

파:담【破談】명 의논(議論)이 깨어짐. 담화(談話)가 중단됨. ——-하다 자여불

파당[1] 명〈방〉우시장(牛市場).

파당[2]【巴塘】명《지》'바탕'을 우리 음으로 읽은 이름.

파당[3]【派黨】명 ①당파(黨派). ¶ ~ 싸움. ②여러 갈래로 된 단체.

파당[4]〔Padang〕명《지》인도네시아 서(西)수마트라 주(州)의 주도. 에마하펜(Emahafen)을 외항(外港)으로 하여 근교(近郊)에 있는 탄전의 석탄을 적출(積出)하는 외에 코프라·차·담배 등을 수출함. [481,000 명(1980)]

파-당청【波唐靑】명 중국 장시 성(江西省)에서 나는 당청(唐靑)의 이름.

파:대【破帶】명 가을철에 전답(田畓)의 새를 쫓기 위한 배. 짚으로 꼰 줄 끝에 삼·말총 또는 짐승 가죽을 매어 꼰 것으로, 이것을 둘러서 치면 그 끝이 휘감기게 되어 총소리와 같은 소리가 남.

파-대가리 명《식》〔*Kyllingia brevifolia*〕방동사닛과에 속하는 다년초. 향기가 나며, 높이 30 cm 내외이고 근경(根莖)은 횡주(橫走)함. 줄기는 수장(痩長)하고 직립(直立)함. 협선형(狹線形)의 잎이 각생(脚生)하며, 6-7월에 갈색 혹은 녹색의 꽃이 정생(頂生)하는데, 열매는 수과(瘦果)임. 원야(原野)의 햇볕 쪼이는 습지에 나는데, 한국 각지에 분포함.

파:더〔father〕명 ①아버지. ②신부(神父).

파데레프스키〔Paderewskii, Ignacy Jan〕명《사람》폴란드의 피아니스트·작곡가·정치가. 바르샤바(Warszawa) 음악 학원장. 1차 대전 중 의연(義捐) 연주로 독립 운동에 노력하였으며, 1919년 폴란드 공화국의 초대 수상(首相)이 되었음. 피아노의 명수(名手)로서, 작곡도 많이 하였음. [1860-1941]

파데예프〔Fadeev, Aleksandr〕명《사람》소련의 작가. 혁명 운동에 참가했던 체험을 바탕으로 한 중편 《괴멸(壞滅)》로 프롤레타리아계(系) 작가의 제1인자가 됨. 스탈린 비판 후 자살. 제2차 대전 중의 소년들의 대독(對獨) 저항을 그린 장편 《젊은 친위대(親衛隊)》 등이 유명함. [1901-56]

파도[1]【波濤】명 큰 물결. 도란(濤瀾). 도파(濤波). ¶ ~가 높다.

파도(가) 치다 구 물결이 일어나다.

파도[2] 〔포 fado〕 명 〖악〗 포르투갈의 대표적인 민요 및 춤. 리스본에서 발생했으며, 여러 가지 형의 것이 있는데, 전형적인 파도는 느린 템포의 2 박자를 취하며 애수에 찬 곡조가 특색임. 크고 작은 몇 종류의 기타로 반주함.

파도바 〔Padova〕 명 〖지〗 이탈리아 북쪽, 베네치아의 서쪽 약 35 km지점에 있는 도시. 기계·금속·화학·식품·섬유 공업이 성하며 갈릴레이가 교편을 잡은 파도바 대학이 있음. 고대 로마의 식민지(植民地)였으며, 15-18 세기 베네치아령(領), 1797 년 오스트리아령(領)이 되었다가 1866 년에 이탈리아령(領)이 됨. 파두아(Padua). 〔234,700 명(1981)〕

파도-타기 【波濤—】 명 파도를 이용하여 타원형으로 된 널빤지를 타고 파도 속을 빠져나가며 즐기는 놀이. 서핑. ——-하다 자여불

파독[1] 【派獨】 명 독일에 파견함. ¶ ~ 기술자. ——-하다 타여불

파:독[2] 【破毒】 명 독기(毒氣)를 없앰. ——-하다 자타여불

파동 【波動】 명 ①물결의 움직임. ②사회적으로 변동을 가져올 만한 거센 움직임. ¶정치 ~. ③〔wave〕 〖물〗 매질(媒質) 속의 변위(變位)가 차례로, 연속적으로, 또한 주기적(周期的)으로 다른 부분으로 전파하여 가는 현상. 같은 시각에 같은 상태가 나타나는 점(點)으로 이루어지는 면(面)을 파면(波面)이라 함. 이것은 또한 구상(球狀)이냐 평면이냐에 따라 구면파(球面波)·평면파(平面波)로 나뉘며, 또한 매질의 진동(振動)의 방향이 파동의 진행 방향에 대하여 평행이냐 수직이냐에 따라 종파(縱波)·횡파(橫波)로 구별됨. 파(波). ④주기적인 변화. ¶경기의 장기(長期) ~.

파동(이) 치다 구 물결 따위가 움직이다.

파동 광학 【波動光學】 명 〔wave optics〕 〖물〗 빛을 파동(波動)으로 다루는 물리 광학의 한 부문. 빛의 간섭(干涉)·빛의 회절(回折)·편광(偏光)·빛의 분산(分散) 및 이들에 대한 물질의 광학적인 성질을 연구하는 것이 주요 과제임.

파동 기록기 【波動記錄器】 명 〖물〗 카이모그래프(kymograph).

파동 모:터 【波動—】 명 〔wave motor〕 바다의 파도를 유효(有效)한 에너지로 바꾸기 위해, 파도의 양력(揚力)을 이용하는 전동기.

파동 방정식 【波動方程式】 명 〖물〗 ①파동을 수학적으로 나타내는 운동 방정식의 하나. 좌표(座標) 및 시간을 독립 변수로 하고, 그 함수(函數)로서 매질(媒質)의 변위(變位)를 나타내는 파동 벡터(波動 vector)가 만족하는 2차 편미분(偏微分) 방정식임. ②소립자(素粒子)의 상태를 기술(記述)하는 운동 방정식의 하나.

파동-설 【波動說】 명 ①〖물〗 빛의 본질은 어떤 매질(媒質)에 있어서의 파동(波動)이라고 하는 학설(學說). 네덜란드의 물리학자 C. 호이겐스(Huyghens)가 창설하였음. ②〖언〗 언어(言語)의 지리적 변천은 파동적(波動的)으로 생긴다고 하는 학설. 독일의 언어학자 슈미트(Schmidt)가 주창하였음.

파동 역학 【波動力學】 〔—녁—〕 명 〔wave mechanics〕 〖물〗 슈뢰딩거(Schrödinger)가 드 브로이(de Broglie)의 물질파(物質波)의 이론을 발전시키어 물질 입자 특히 전자(電子)의 운동을 기술하기 위하여 세운 역학. 물질파의 운동 상태를 나타내는 파동 함수학(函數學)에 의한 파동 방정식을 근본 법칙으로 하며 매트릭스(matrics) 역학과 함께 양자(量子) 역학의 근거로 된 이론임.

파동 함:수 【波動函數】 〔—쑤〕 명 〔wave function〕 〖물〗 물질파(物質波)의 운동 상태를 나타내는 함수.

파두[1] 【巴豆】 명 〖식〗 〔*Croton tiglium*〕 대극과에 속하는 상록 활엽 관목. 높이 3-4 m이고 잎은 호생하고 유병(有柄)에 달걀꼴이고 가에 가는 톱니가 있음. 꽃은 길이 5-8 cm 의 총상(總狀) 화서로 피는데, 상부(上部)에는 수꽃이 녹색의 오판화(五瓣花), 하부에는 암꽃이 무판화(無瓣花)로 달리며, 과실은 길이 2.5 cm의 거꿀달걀꼴이고, 3 개의 종자가 들어 있음. 열대 아시아의 원산임. 종자는 맹독(猛毒)이 있는데 한방(漢方)에서 '파두'라 하여 기름을 짜고, 하제(下劑)·피부 자극제, 또는 적취(積聚)·징가(癥瘕)를 탕척(蕩滌)하는 데 쓰이나, 위험하여 일반의 사용을 금지한다 함.

〈파두[1]〉

파두[2] 【波頭】 명 ①물결의 마루. 파구. ②바다의 위. 해상(海上).

파두마 【波頭摩】 명 〖불교〗 발특마(鉢特摩).

파두-상 【巴豆霜】 명 〖한의〗 파두 껍질을 벗기고 기름을 빼어 버린 가루. 하제(下劑)로 씀.

파두아 〔Padua〕 명 〖지〗 '파도바(Padova)'의 영어 이름.

파두-유 【巴豆油】 명 〖한의〗 파두씨의 기름. 맹독(猛毒)이 있으나 하제(下劑) 또는 피부 자극제로 씀.

파두츠 〔Vaduz〕 명 〖지〗 리히텐슈타인(Liechtenstein)의 수도. 리히텐슈타인의 중부, 스위스와의 국경에 가까운 라인 강 상류 우안(右岸)에 있으며, 관광의 중심지로 섬유 공업이 행하여짐. 16세기의 성(城)·미술관이 있음. 〔4,800 명(1984)〕

파드닥 부 새나 물고기 같은 것이 요란스럽게 날개나 꼬리를 치는 소리. <퍼드덕. ——-하다 자여불

파드닥-거리다 자 새나 물고기 같은 것이 연하여 파드닥 소리를 내며 날개나 꼬리를 치다. <퍼드덕거리다. 파드닥-파드닥 부. ——-하다 자여불

파드닥-대다 자 파드닥거리다.

파 드 되 〔프 pas de deux〕 명 발레 용어. 두 사람의 춤이라는 뜻. 클래식 발레에서는 발레리나와 그 상대역이 추는 아다지오(adagio)·바리아시옹(variation)·코다(coda)의 세 부분으로 되는 춤을 말함.

파드득 부 무른 똥을 힘들이어 눌 때에 되바라지게 나는 소리. ㅅ바드득. ㅆ빠드득. <포드득·푸드득. ——-하다 자여불

파드득-거리다 자 잇달아 파드득 소리가 나다. ㅅ바드득거리다. ㅆ빠드득거리다. <포드득거리다·푸드득거리다. 파드득-파드득 부. ——-하다 자여불

파드득-나무 명 〈방〉 사시나무.

파드득-나물 명 〖식〗 반디나물.

파드득-대다 자 파드득거리다.

파드마삼바바 〔Padmasambhava〕 명 〖사람〗 8세기 초에 티베트에 불교를 전한 인도 중. 라마교(敎) 닝마파(rÑin-ma-pa)의 시조(始祖)로 침. 절을 세우고 밀교(密敎)를 포교함. 연화생(蓮華生).

파 드 트루아 〔프 pas de trois〕 명 클래식 발레에서, 세 사람이 한 조(組)가 되어서 추는 춤.

파들-거리다 자타 몸이 연해 파르르 떨리다. 또는 떨다. ㅅ바들거리다. 파들-파들 부. ——-하다 자타여불

파들-대다 자타 파들거리다.

파디딕 부 〈방〉 파드득.

파:딩 〔farthing〕 명의명 영국의 최소액의 동화(銅貨). 4 분의 1 페니.

파딱 부 〈방〉 파뜩.

파딱-거리다 자타 연해 파딱이다. ㅅ파닥거리다. <퍼떡거리다. 파딱-파딱 부. ——-하다 자타여불

파딱-대다 자타 파딱거리다.

파딱-이다 자타 ①새가 자유롭지 못한 몸을 바스락거리며 날개를 가볍고 빠르게 쳐서 소리를 내다. ②물고기가 꼬리를 물바닥에 쳐서 소리를 내다. 1)·2): ㅅ파닥이다. <퍼떡이다.

파뜩 부 ①무슨 생각이 빨리 뚜렷이 떠오르는 모양. ②행동을 재빨리 날쌔게 하는 모양. 1)·2): <퍼뜩. ——-하다 형여불

파뜩-파뜩 부 무슨 생각을 빨리 깨닫는 모양. <퍼뜩퍼뜩. ——-하다 형여불

파뜻 부 〈방〉 파뜩.

파라[1] 【爬羅】 명 그러모음. ——-하다 타여불

파라[2] 〔Farrar, Geraldin〕 명 〖사람〗 이탈리아의 소프라노 가수. 베를린에서 가극 ≪파우스트(Faust)≫에 데뷔한 이래 뉴욕의 메트로폴리탄(Metropolitan) 가극장의 전속 가수를 지냄. 〔1882-1952〕

파라- 〔그 para-〕 부 〔그리스어로 '넘어서'·'반대쪽으로'의 뜻〕 화학 따위에서 비슷한 물질을 구별할 때에 쓰는 말. ① 치환기(置換基)의 위치를 나타내는 말. 파라크실렌(paraxylene) 따위. ② 원자핵의 스핀(spin)의 차이를 나타내는 말. 파라 수소(para 水素) 따위. ③ 중합체(重合體)를 뜻하는 말. 파라알데히드(paraldehyde) 따위. ＊오르토-(ortho-)·메타-(meta-).

파라가 【婆羅迦】 명 〖조〗 원앙(鴛鴦).

파라-고무 〔Para+gomme〕 명 〔남미 아마존 강 어귀의 파라 항(Para港)에서 여러 곳으로 수출되기 때문에 생긴 이름〕 ①파라고무나무에서 채취한 생고무. ②↗파라고무나무.

파라고무-나무 〔Para+프 gomme〕 명 〖식〗 〔*Hevea brasiliensis*〕 대극과에 속하는 상록 교목. 높이 30 m, 직경 4 m 가량임. 자웅 동주(雌雄同株)로서, 잎은 삼출(三出) 복엽(複葉)으로 장병(長柄)임. 여름에 가지 위나 엽액(葉腋)에 많은 흰 빛 단성화(單性花)가 총상(總狀) 화서로 핌. 꽃진 뒤에 공 모양의 삭과(蒴果)를 맺음. 줄기를 째면 흰 젖 같은 액체가 흐르는데 이것으로 탄성 고무를 만듦. 브라질 원산으로 고무 생산의 90 % 이상을 차지함. ㈜파라고무.

〈파라고무나무〉

파라과이 〔Paraguay〕 명 〖지〗 남미 중부 남회귀선(南回歸線)에 걸쳐 있는 공화국. 국토는 파라과이 강(江)에 의해 동서(東西)로 나뉨. 기온이 높고 대륙성 기후(大陸性氣候)이며, 농목(農牧)과 임업(林業)이 성함. 주민은 스페인계(系)와 인디오의 혼혈인데, 약 95 %가 동부에 집중함. 가톨릭이 국교이며 스페인어(語)가 공용어. 공업은 식품 가공·시멘트·제재 등이 행해짐. 수도는 아순시온(Asuncion). 정식 명칭은 '파라과이 공화국(Republic of Paraguay)'. 〔406,752 km²: 4,400,000 명(1991)〕

파라과이 강 【—江】 〔Paraguay〕 명 남(南)아메리카 라플라타 수계(La Plata水系)의 큰 강. 브라질의 마토 그로소 대지(Mato Grosso 臺地)에서 시작하여 볼리비아·파라과이·아르헨티나의 국경을 남으로 흘러 파라나 강(Parana 江)에 들어감. 〔2,550 km〕

파라과이 전:쟁 【—戰爭】 〔Paraguay〕 명 파라과이가 1864-1870년 영토 확장을 목적으로 우루과이·브라질·아르헨티나를 상대로 일으킨 전쟁. 사상(史上) 보기 드문 섬멸전(殲滅戰)으로, 패배한 파라과이의 인구는 1863년의 약 1,337,000명이 1871년에 약 221,000명으로 격감하였고, 전승국(戰勝國)들도 경제 위기를 당하였음.

파라나 〔Paraná〕 명 〖지〗 아르헨티나 중부, 파라나 강(江) 동쪽 기슭의 항구 도시. 곡물·소·양의 대산지(大產地)가 인접하고 있어 농축산물의 수출이 많음. 시멘트·가구(家具)·피혁(皮革)·냉동육(冷凍肉)·유락(乳酪) 제품 등의 공업이 있음. 1853-1862년에 아르헨티나의 수도(首都)였음. 〔161,600 명(1980)〕

파라나 강 【—江】 〔Paraná〕 명 〖지〗 남미(南美) 중남부, 라플라타 수계(La Plata水系)의 주요 하천. 브라질 남동부의 고원에서 시작하여 파라과이·브라질·아르헨티나의 국경을 이루며 팜파스(Pampas)를 가로질러 라플라타 강(江)에 들어감. 〔4,500 km〕

파라나-국 【波羅奈國】 명 〔범 Varanasi〕 고대 인도에 있던 나라. 지금의 바라나시(varanasi)를 중심으로 한 지역. 녹야원(鹿野苑)이 교외에 있었음.

파라-노이아 〔라 paranoia〕 명 《의》 편집병(偏執病).

파라다이스 〔paradise〕 명 ①근심 걱정 없이 행복을 누릴 수 있는 곳. 이상향(理想鄕). 낙원(樂園). ②중세(中世)의 성당(聖堂) 또는 공회당(公會堂)의 앞뜰. ③《성》 구약에서는 '에덴의 동산' 신약에서는, '천국(天國)'을 일컫는 말.

파라다이스 로스트 〔Paradise Lost〕 명 《책》 실낙원(失樂園).

파라다이스 피시 〔paradise fish〕 명 《어》 [*Macropodus opercularis*] 중국 남부 원산의 관상어(觀賞魚). 전장 9cm 정도이고 수컷들은 싸움을 좋아하며, 싸우는 중에 몸의 색채가 특히 짙고 선명해지며, 진 편은 곧 색채가 흐려짐. 수컷은 수면에 기포로 굴을 만들어 그 속의 알을 지킴. 버들붕어과에 속하며 이 과의 어류는 아가미 가까이에 미기(迷器)라고 하는 부속 호흡기(呼吸器)가 있는 것으로 유명함. 극락어(極樂魚). *버들붕어.

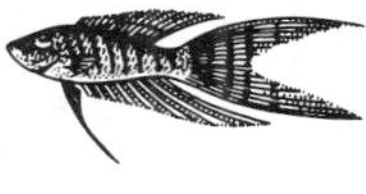
〈파라다이스 피시〉

파라-디클로로벤젠 〔paradichlorobenzene〕 명 《화》 촉매(觸媒)로서 철을 사용하고 벤젠을 염소화(塩素化)하여 얻는 무색의 판상 결정(板狀結晶). 염료(染料) 합성의 중간체로도 쓰이는데 강력한 의복용 방충제로 널리 사용됨.

파라-레드 〔parared〕 명 아조(azo) 물감의 하나. 적색에서 청적색(靑赤色)까지의 여러 가지 색을 나타내는 유기 안료(有機顔料)로서, 포스터컬러·도료(塗料)·잉크 따위에 쓰임. 선명도(鮮明度)나 광택은 별로 좋지 않음. 현재는 사용되지 않음.

파라마리보 〔Paramaribo〕 명 《지》 남미 북동부, 수리남(Suriname)의 수도(首都)로 항구 도시(港口都市). 사탕·커피·보크사이트 등을 수출함. [178,000 명(1990)]

파라메디컬 〔paramedical〕 명 《의》 의사를 돕는 입장에서 의료(醫療)의 실기(實技)를 담당하는 사람. 간호사·방사선 기사 등.

파라-메트론 〔parametron〕 명 《물》 기억·논리 연산(論理演算)의 기능을 행하는 회로 소자(回路素子)·장치. 페라이트(ferrite)의 투자율 비직선성(透磁率非直線性)을 응용한 것으로, 컴퓨터나 전화 교환기·공업용 제어기 등에 쓰임.

파라문【婆羅門】명 《불교》 →바라문(婆羅門).

파라문-교【婆羅門敎】명 《종》 →바라문교.

파라-미터 〔parameter〕 명 《수》 변수(變數) 사이를 매개(媒介)하는 변수(變數). 매개 변수.

파라미터 표시【一表示】〔parameter〕 명 《수》 매개 변수 표시.

파라밀【婆羅蜜】명 《불교》 →바라밀(婆羅蜜).

파라밀다【婆羅蜜多】〔一따〕 명 〔범 Pāramitā〕 《불교》 →바라밀다(婆羅蜜多).

파라볼라 안테나 〔parabola antenna〕 명 《물》 극초단파 중계용의 안테나. 전파(電波)를 일정한 방향으로 집중시켜서 발사하는 안테나로서 지름 1-3m의 포물면(抛物面)꼴의 금속면에 반사시켜서 송신함. 텔레비전 중계 따위에 쓰임. 포물면 안테나.

파라볼로이드 〔paraboloid〕 명 회전 포물면(回轉抛物面).

파라비 〔Farabi, al-〕 명 《사람》 아라비아의 철학자. 아리스토텔레스의 주석을 기초로 하여, 플라톤의 《국가편》을 도입. 이슬람 사회를 하나의 유토피아로 생각한 《이상 국가론》을 저술하였음. [870?-950?]

파라-비오시스 〔parabiosis〕 명 두 동물의 신체의 일부가 서로 결합되어 있는 상태. 또, 실험에 의해 봉합(縫合)한 상태에도 이름.

파라-사이콜러지 〔parapsychology〕 명 《심》 소위 투시(透視)·사념 전달(思念傳達)·예지(豫知)·염력(念力) 등의 현상을 심리학적 방법으로 연구하려는 부문. 조직적인 연구(硏究)가 행하여진 것은 1928년 이후로, 린(Rhine, J.B.)이 엄밀한 실험적 연구를 하여 그의 존립(存立)을 입증(立證)시켰음. 메타사이콜로지(metapsychology). 초심리학(超心理學).

파라 상태【一狀態】명 〔parastate〕 핵(核)의 스핀(spin)이 반평행(反平行)인 두 원자(原子) 분자(分子)의 상태.

파라셀 군도【一群島】〔Paracel〕 명 《지》 시사(西沙) 군도.

파라솔 〔프 parasol〕 명 여자들이 햇빛을 피하기 위하여 펴서 드는 양산(洋傘). 양산(陽傘).

파라-쇼크 〔parashock〕 명 손목시계 따위를 떨어뜨리거나 부딪쳐도 고장이 나지 않게 하는 진동 방지 장치.

파라 수소【一水素】〔para〕 명 〔parahydrogen〕 수소 분자에 포함된 2개의 수소 원자의 원자핵, 곧 양자(陽子)의 자전(自轉) 방향이 반대 방향으로 된 수소 분자. 같은 방향의 것은 오르토 수소(orthohydrogen)라고 함.

파라슈:트 〔parachute〕 명 낙하산.

파라스 〔터키 paras〕 의명 유고슬라비아의 화폐 단위의 하나. 디나르(dinar)의 1/100.

파라아미노 벤젠술폰 아미도 〔para-amino benzensulfon amido〕 명 《약》 술파제의 하나. 백색 결정으로, 구균류(球菌類) 감염증의 치료약으로 쓰임.

파라아미노 벤조산【一酸】명 〔para-amino benzoic acid〕 《약》 비타민 비(B)복합제의 하나. 황적색의 침상 결정(針狀結晶)으로, 여러 가지 미생물의 발육·증식에 필요하며, 물감의 중간체로 쓰이는 외에 국부 마취약으로도 사용됨.

파라아미노 부티르산【一酸】명 〔para-amino butric acid〕 《생》 신경 호르몬의 한 가지. GABA로 약칭(略稱)하며, 신경 말단에서 분비함. 신경 세포의 막에 과분극(過分極)을 행하게 하며, 임펄스(impulse)의 전달을 저지(沮止)하는 작용을 함.

파라-아미노살리실산【一酸】명 〔para-aminosalic acid〕 《화》 항균성(抗菌性) 물질의 하나. 특히, 결핵균의 발육을 10^{-5}M의 농도로 억제함. 임상적(臨床的)으로 결핵 치료에 쓰임. 약칭 : 파스(PAS). [$C_7H_7NO_3$]

파라-아세트알데히드 〔paraacetaldehyde〕 명 파라알데히드.

파라-알데히드 〔paraldehyde〕 명 《화》 아세트알데히드가 3분자 환상(環狀)으로 중합(重合)한 물질. 아세트알데히드를 진한 황산(黃酸)으로 처리하여 얻는 방향(芳香)을 가진 무색 액체. 서서히 분해되어 아세트알데히드가 됨. 아세트알데히드보다 잘 타지 않고 반응성이 낮아, 수송이나 저장의 필요에서 일단 파라알데히드로 만드는 일이 있음. 고무공업·유기(有機) 합성 원료·용제(溶劑)·진정제 따위로 이용함. 파라아세트알데히드. [$C_6H_{12}O_3$]

파라오 〔Pharaoh〕 명 《역》 고대 이집트왕의 칭호. '큰 집'이라는 뜻으로, 왕은 태양신 라(Ra)의 아들이며, 사제장(司祭長)이 되었음.

파라-옥시아조벤젠 〔paraoxyazobenzene〕 명 《화》 아조(azo) 물감의 하나. 등적색(橙赤色) 기둥꼴의 결정체. [$p\text{-}C_6H_5 \cdot N_2 \cdot C_6H_4 \cdot OH$]

파라이소 〔포 paraíso〕 명 《기독교》 천국. 낙원.

파라이소 테레알 〔포 paraíso terreal〕 명 지상 낙원. 현세의 낙원.

파라지【破羅之】명 '바라지³'의 취음.

파라 척결【爬羅剔抉】명 ①손톱으로 후벼 파냄. ②숨은 인재를 찾아냄. ③남의 흠을 들추어 냄. ──하다 타여불

파라켈수스 〔Paracelsus, Philippus Aureolus〕 명 《사람》 스위스의 의학자. 본명은 Theophrastus Bombastus von Hohenheim. 갈레노스(Galenos)의 체액설(體液說)에 반대하여, 병(病)은 체성분(體成分)인 염(塩)·유황·수은의 3원소의 혼합 상태가 변화함에 따라 생기는 것이라고 단정하고 질산은(窒酸銀)·승홍(昇汞) 등 화학 약품을 치료에 쓰도록 제창함. 의화학(醫化學)의 시조로 일컬어짐. 저서에 《대외과학(大外科學)》이 있음. [1493?-1541]

파라-크산틴 〔paraxanthine〕 명 《화》 오줌 속에 존재하는 침상 결정(針狀結晶). 녹는점 294°-295°C. 푸린(Purin) 유도체로 메틸화(methyl化)하면 카페인이 됨. [$C_7H_8N_4O_2$]

파라-크실렌 〔paraxylene〕 명 《화》 크실렌의 삼종(三種)의 이성체(異性體)의 하나. 무색의 액체. 테레프탈산(terephthal酸)을 거쳐 폴리에스테르계(系) 섬유를 만드는 원료로 중요함. [$p\text{-}C_6H_4(CH_3)_2$] *메타크실렌·오르토크실렌.

파라-토너 〔para-toner〕 명 물에 녹지 않는 적색 안료(顔料). β나프톨과 파라니트로아닐린으로 만듦. 도료(塗料)·인쇄(印刷) 잉크 등의 제조에 쓰임.

파라-토르몬 〔parathormone〕 명 《생》 상피 소체(上皮小體) 호르몬. 폴리펩티드 호르몬의 한 가지로, 칼슘과 인산(燐酸)의 대사(代謝) 조정에 작용함.

파라티온 〔도 Parathion〕 명 유기인계(有機燐系) 살충 농약의 한 가지. 제2차 세계 대전 직전에 독일에서 개발되어 전후에 농약으로 널리 사용됨. 살충력이 강력하고 적용 범위가 넓으나 선택성(選擇性)이 없기 때문에 익충(益蟲)까지 죽이고 인축(人畜)에 대한 독성(毒性)이 강함. 현재 우리 나라에서는 사용이 금지됨. [$C_{10}H_{14}NO_5PS$]

파라티온 중독【一中毒】〔도 Parathion〕 명 《의》 농약 파라티온에 의한 중독. 동공 수축·발한(發汗)·구토·설사·혈압 상승·근육 경련 마비·호흡근(呼吸筋) 마비·혼수 등의 증상을 나타냄.

파라티푸스 〔도 Paratyphus〕 명 《의》 법정 전염병의 하나. 파라티푸스균에 의하여 생기는 급성 소화기 전염병. 증상은 장티푸스(腸typhus)와 비슷하나, 경증(輕症)이며, 대개 2-3주일 지나면 해열되고 회복하게 됨. A와 B의 이종(二種)이 있음.

파라티푸스-균【一菌】〔도 Paratyphus〕 명 《의》 간상균(桿狀菌)의 일종으로, 그 종류가 많고, 주로 편모(鞭毛)를 가지고 운동하며, 아포(芽胞)는 만들지 아니함. 포도당(葡萄糖)을 분해하여 산(酸)과 가스를 산출함. 티푸스성(typhus性) 질병의 병원(病原)으로서는 파라티푸스 B균(菌)이 가장 많음.

파라-파랗다 형 〈방〉 새파랗다.

파라-팩 〔parapack〕 명 《공》 비행기로부터 투하(投下)하기 위하여 파라슈트를 단 화물(貨物).

파라-포름 〔paraform〕 명 《화》 포름알데히드의 중합체(重合體). 자극적인 냄새가 나는 백색 고체인데, 포름알데히드의 수용액(水溶液)을 가열함으로써 얻음. 살균제·페놀 수지(phenol樹脂)의 원료 따위로 쓰임. [$HO(CH_2O)_nH(n=8\text{-}100)$]

파라-포자【一胞子】〔para〕 명 홍조류(紅藻類)에서 볼 수 있는 특이한 형태의 포자. 사분(四分) 포자와 섞여서 또는 별도로 난 파라 포자낭(胞子囊) 속에 생김. 아메바상(amoeba狀)의 세포로, 포자낭에서 나와 영양 증식(營養增殖)함.

파라핀 〔paraffin〕 명 《화》 ①석유에서 채취하는 결정성의 백색 고체. 주성분은 탄소 수 20-30의 파라핀계 탄화 수소로, 녹는점은 40°-65°C 정도. 화학 약품·물 등에 대한 친화성이 적음. 파라핀지(紙)·성냥·크레용·전기 절연 등에 이용함. 파라핀납. 석랍(石蠟). ②넓은 의미로 메탄계(Methane系) 탄화 수소(炭化水素)의 통칭.

파라핀계 탄:화 수소【一系炭化水素】〔paraffin〕 명 《화》 메탄계 탄화 수소(Methane系炭化水素).

파라핀-납【一蠟】〔paraffin〕 명 파라핀❶.

파라핀-유【一油】〔paraffin〕 명 《화》 중유(重油)를 증류하여 만듦. 액상(液狀)의 파라핀계(系) 탄화 수소(炭化水素)의 고비점 부분(高沸點部分)의 혼합물.

파라핀-지【一紙】〔paraffin〕 명 파라핀납(蠟)을 먹인 종이.

파라핀 직공암【一職工癌】〔paraffin〕 명 《의》 파라핀 공장의 직공에 생기는 암. 특히, 피부암 등이, 파라핀을 제조하기까지의 과정에서

여러 가지 화학적 자극에 의하여 발생함.

파라-헬륨 〔parahelium〕 명 스핀(spin)이 반평행(反平行)인 두 개의 전자(電子)를 함유하는 헬륨의 상태. 오르토헬륨에서는 스핀이 같은 방향(方向)임.

파라-호르몬 〔parahormone〕 명 〖생〗 특정한 호르몬 샘에서 분비되지는 않으나, 혈관 운동 중추(血管運動中樞)·호흡 중추(呼吸中樞) 따위에 영향을 주고 전신의 기능 조정을 하는 탄산 가스·젖산 따위와 같은 대사물(代謝物)을 일컬음. 부(副)호르몬.

파라홈 명 〈옛〉 파람. '파라ᄒᆞ다'의 명사형. ¶ 흐르는 므른 파라호미 족ᄒᆞ도다(流水碧如藍) ≪南明 下 10≫.

파라 화:합물 【一化合物】 〔para〕 명 〖화〗 벤젠의 6개의 수소 원자 중 가장 먼 위치에 있는 2개의 수소 원자가 다른 기(基)와 치환(置換)되어 있는 화합물. 나프탈린의 이치환체(二置換體) 따위를 일컫기도 함.

파라ᄒᆞ다 형 〈옛〉 파랗다. ¶ 뭀 ᄀᆞ싀 내왓는 묏부리 파라ᄒᆞ도다(渚秀蘆筍綠) ≪杜諺 Ⅵ:52≫.

파:락 【擺落】 명 털어 버림. 털어 떨어뜨림. ——하다 타여불

파:락-호 【破落戶】 명 행세하는 집의 자손으로서 난봉이 나서 결딴난 사람.

파:란¹ 명 투명(透明)하지 못한 유리 성질의 물체(物體). 쇠로 된 그릇을 장식(裝飾)하거나 녹을 막기 위하여 그 거죽에 바르는 것으로, 사산화삼(四酸化三)납·붕사(硼砂) 및 유릿가루를 고열(高熱)로 녹이어서 만듦. 법랑(琺瑯).

파란² 【波瀾】 명 ① 작은 물결과 큰 물결. 파랑(波浪). ②어수선한 사단(事端)의 비유. ¶ 일대 ~이 예상되다. ③문장의 기복(起伏)이나 변화 또는 시문(詩文) 따위의 한층 두드러지게 뛰어난 부분.

파란³ 【波蘭】 명 〖지〗 '폴란드(Poland)'의 한자 표기(表記).

파란 곡절 【波瀾曲折】 명 사람의 생활 또는 일의 진행에 있어서 일어나는 많은 곤란과 변화. ¶ ~을 겪다.

파란 만:장 【波瀾萬丈】 명 물결의 기복(起伏)이 몹시 심한 것처럼 사건의 진행에도 변화가 심함. ¶ ~한 생애. ——하다 형여불

〈파란여로〉

파란-여로 【一黎蘆】 〔一녀一〕 명 〖식〗 〔*Veratrum maximowiczii*〕 백합과에 속하는 다년초. 근경(根莖)은 짧고 갈색의 털로 덮였으며 줄기는 원기둥꼴인데 높이 1 m 내외이고, 잎은 긴 타원형 또는 피침형임. 7월에 녹색이나 담자색의 작은 꽃이 원추(圓錐) 화서로 피고, 삭과(蒴果)는 타원형임. 산의 숲 속에 나는데, 한국 각지에 분포함. 유독(有毒)한데 뿌리는 약용함.

파란 중첩 【波瀾重疊】 명 사건의 진행에 여러 가지 변화와 난관이 겹치어 있음. ——하다 자여불

파란트로푸스 〔Paranthropus〕 명 〖인류〗 1938년 이후 남아프리카 등에서 발견된 화석 인류. 큰 턱과 어금니를 가지고 직립 보행(直立步行)할 수 있고 초식성(草食性)이었던 것으로 생각됨. 보다 진보한 오스트랄로피테쿠스(Australopithecus)와 다투어 멸망한 것으로 추측됨.

파랄림픽 〔Paralympic〕 명 장애인 올림픽 대회.

파랑¹ 명 파란 물감이나 빛깔. <퍼렁.

파랑² 【波浪】 명 파란(波瀾). 물결. ¶ ~이 일다.

파랑-강충이 명 〖충〗 빛이 푸른 강충이의 총칭. 청부(青蚨).

파랑게비 명 〈방〉 풍구(경북).

파랑 경:보 【波浪警報】 명 기상 특보의 하나. 폭풍 현상은 없고, 6 m 이상의 풍랑 또는 파도 등이 일어 큰 피해가 예상될 때 발표하는 기상 특보(氣象特報)의 하나. ＊파랑 주의보.

파랑-계 【波浪計】 명 파랑(波浪)의 파고(波高)·주기(周期)를 측정(測定)하는 기계(器械).

파랑-나나니 명 〖충〗 유리나나니.

파랑돌 〔프 farandole〕 명 〖악〗 프랑스의 프로방스(Provence) 지방에서 시작되었다는 8분의 6박자의 경쾌한 무곡(舞曲).

〈파랑돔〉

파랑-돔 명 〖어〗 〔*Pomacentrus coelestis*〕 점자돔과에 속하는 바닷 물고기. 몸빛이 아름다운 하늘 빛인데 꼬리 쪽과 배 쪽은 노란 빛이며 가슴지느러미 밑에 검은 띠가 둘렸음. 제주도·일본 중부에 분포함.

파랑-무지기 명 끝에 파랑물을 들인 무지기.

파랑-물잠자리 명 〖충〗 물잠자리❷.

파랑버들-돼지벌레 명 〖충〗 버들청돼지벌레.

파랑-벌 명 〖충〗 청벌.

파랑벌-과 【一科】 〔一파〕 명 〖충〗 청벌과.

파랑-새¹ 명 ①푸른 빛깔을 띤 새. 영조(靈鳥)로서 길조(吉兆)를 상징한다 함. 청조(青鳥). ②〖조〗 〔*Eurystomus orientalis absundus*〕 파랑샛과에 속하는 새. 날개 길이 18-20 cm, 꽁지 9-10 cm, 부리 2-2.3 cm, 몸빛은 암녹색에 머리는 녹색을 띤 흑갈색, 그 외의 부분은 아름다운 청록색으로 부리와 다리는 붉음. 날개 가운데에 청백색의 큰 무늬가 있으며, 날 때는 더욱 뚜렷이 나타나며, 부리는 폭이 넓고 끝이 구부러졌음. 큰 나무의 높은 곳에 집을 짓고 6-7월에 흰 알을 3-5개 낳음. 모기·갑충(甲蟲)·매미·잠자리 등을 잡아먹음. 한국·동부 시베리아·만주·중국 및 일본 등에 번식하고 겨울에는 해남도(海南島), 말라야 지방 및 버마 등지에서 월동(越冬)함.

〈파랑새¹❷〉

〔파랑새 보고 며늘아기 곡식 됫박 기운다〕 남도(南道) 산간 지방에서 파랑새를 가뭄과 기근(飢饉) 등 불행의 상징으로 여기므로, 이 새를 보고 며느리가 양식을 아끼느라 담던 됫박을 기울여서 곡식을 덜어 놓는다는 말.

파랑-새² 명 〔L'Oiseau bleu〕 〖문〗 벨기에의 시인이며 극작가인 마테를링크(Maeterlinck, Maurice)가 지은 동화극(童話劇)의 이름. 가난한 집의 아이인 틸틸, 미틸 오뉘가 크리스마스 전야에 꿈 속에서 요정(妖精)에게 인도되어 행복의 상징인 파랑새를 찾아서 온갖 곳을 돌아다니다가 마침내는 제 머리맡에서 새장에 든 파랑새를 발견하게 되어, 행복이란 바로 신변(身邊)에 있으며 남을 행복스럽게 하는 데에 있음을 깨닫는다는 줄거리임. 1908년에 모스크바에서 처음으로 상연됨. 6막 12장.

파랑새-목 【一目】 명 〖조〗 〔Coracida〕 조류(鳥類)에 속하는 한 목(目). 발은 짧고 숲 속이나 나무 위에 살며, 둥우리는 나무 위 공동(空洞)에 지음. 알은 희고 새끼는 만성성(晩成性)임. 파랑샛과·물총샛과·후투티과가 이에 속함.

파랑샛-과 【一科】 명 〖조〗 〔Coraciidae〕 파랑새목(目)에 속(屬)하는 한 과. 주로 열대산의 중형의 조류로서 몸빛은 녹색·청색·적색·흑색 등 복잡한 색채를 가져 아름다우며 암수컷이 같은 빛임. 삼림 속에 서식하는데, 유럽·아시아·오스트레일리아에 20여 종이 분포함.

파랑-쐐기나방 명 〖충〗 〔*Parasa consocia*〕 쐐기나방과에 속하는 곤충. 날개 길이 4 cm 내외이며, 몸빛은 녹색이고 유충은 황록색임. 등 줄기에 푸른 줄이 있으며, 양옆구리에는 누른 점이 이어져 있음. 달걀꼴의 갈색 고치를 짓는데, 감나무·사과나무·버드나무의 잎을 갉아 먹는 해충으로 한국·중국·일본 등지에 분포함. ＊쐐기나방.

파랑-이 명 파란 빛깔의 물건. <퍼렁이.

파랑-자주쐐기나방 【一紫朱一】 명 〖충〗 〔*Parasa sinica*〕 쐐기나방과에 속하는 곤충. 날개 길이 수컷은 2.5 cm, 암컷은 3.3 cm 내외, 몸과 날개는 짙은 녹색인데, 앞날개의 하부에 있는 무늬와 가장자리 및 뒷날개와 배·다리 등은 암자갈색(暗紫褐色)임. 유충은 샛노란데 타원형의 갈색 고치를 지으며, 감나무·배나무·사과나무 등의 잎을 먹음. 홋카이도와 중국 등지에 분포함.

파랑 주:의보 【波浪注意報】 〔一/一이一〕 명 기상 특보의 한 가지. 풍랑·너울 등에 의하여 재해가 일어날 염려가 있을 때에 그에 대하여 주의를 환기(喚起)시키는 예보. ＊파랑 경보.

〈파랑쥐치〉

파랑-쥐치 명 〖어〗 〔*Balistes niger*〕 쥐치복과에 속하는 바닷물고기. 몸길이 30 cm 남짓한데 타원형으로 측편되고 입이 작음. 몸빛은 청흑색 바탕인데 주둥이 끝이 노랗고 체측 중앙부에 둥근 백색 반점이 석 줄 배열되어 있으며, 꼬리지느러미 중앙과 등지느러미·뒷지느러미 밑부분이 노람. 한국 남부·일본 중부 이남·대만·인도양 등에 분포함.

파랑 침식 【波浪浸蝕】 명 파랑과 조류(潮流) 및 그것들에 의한 퇴적물의 이동으로 육지(陸地)가 침식되는 일.

파랑-콩 명 파란 빛깔의 콩.

파:랗다 〔一라타〕 형ㅎ불 매우 푸르다. 아주 푸르다. <퍼렇다.

파래¹ 명 〖식〗 〔*Monostroma nitidum*〕 파랫과에 속하는 해초(海草). 김 비슷한데, 길이 18 cm 가량이고 엽상(葉狀)으로 원형(圓形) 또는 긴 것, 머리털처럼 가늘고 긴 것 등이 있고, 가장자리는 물결 모양을 이루며 광택 있는 황록색임. 세포는 한 층, 두께는 24-30 μ 내외이고 부드러우며 세포 배열이 불규칙한데 대개 두 쌍을 형성함. 강(江)어귀의 기수(汽水)에 군생(群生)함. 국에 넣고, 튀각·풀의 원료로 중요함. 석순(石蓴). ＊청태(青苔).

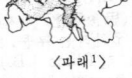

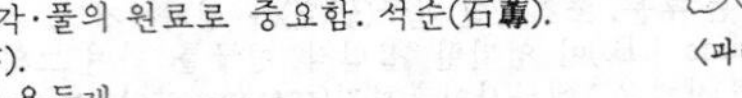
〈파래¹〉

파래² 명 〈방〉 용두레.

파래-가리비 명 〖조개〗 〔*Chlamys farreri*〕 가리빗과에 속하는 조개. 패각(貝殼)의 표면에는 9-10개의 큰 방사륵(放射肋)과 그 사이에 몇 개씩의 작은 늑맥(肋脈)이 있고, 그 위에 비늘이 덮였으며, 표면은 백색에 자색을 띤 담갈색의 구름 무늬가 있음. 북부 중국·한국 해안에 분포함. 큰주머니가리비.

파래-박 명 배의 안으로 들어온 물을 퍼내는 바가지. ＊파개.

파래이 명 〈방〉 〖충〗 파리¹(경북).

파:래-지다 자 파랗게 되다. <퍼레지다.

파래-튀각 명 찹쌀죽을 묻히어 말린 파래를 기름에다 튀긴 튀각.

파랫-과 【一科】 명 〖식〗 〔Monostromaceae〕 녹조류(綠藻類)에 속하는 한 과.

파랫-국 명 파래를 넣고 끓인 맑은 국. 청태탕(青苔湯).

파랭이 명 〈방〉 〖충〗 파리¹(강원·경상).

파레¹ 명 〈방〉 〖식〗 파래¹(제주).

파레² 〔Paré, Ambroise〕 명 〖사람〗 프랑스의 의사. 군의(軍醫)가 되어 총상(銃傷)에 대한 치료 경험을 쌓아 그 치료법을 일신하였음. 또 사지(四肢)를 절단하는 경우에 혈관을 묶는다든가, 탈장(脫腸) 수술, 골절(骨折)·탈구(脫臼)의 수술 등에서 근대적 외과(外科) 수술의 선구자가 되었음. 〔1517?-90〕

파레이 명 〈방〉 〖식〗 파래¹(경남).

파레토 〔Pareto, Vilfredo〕 명 〖사람〗 이탈리아의 경제학자·사회학자. 수리(數理) 경제학에 공헌하였으며, 논리 실험적인 사회학을 제창하여 파시스트(Fascist)들에 이용되었음. 저서로는 ≪사회학 대강≫·≪경제학 요론≫ 등이 있음. 〔1848-1923〕

파레토 최:적 【一最適】 명 〔Pareto optimum〕 자원(資源)의 배분(配分)이 가장 효율적으로 이루어진 상태. 이탈리아의 경제학자 파레토에 의

해 최초로 언급됨. 「시시스.
파:렌 명〔도 Parenthese〕〖인쇄〗둥근 괄호. 곧, (   ). 손톱 묶음. 퍼렌
파:렌하이트〔Fahrenheit, Gabriel Daniel〕명〖사람〗독일의 물리학자. 수은 온도계(水銀溫度計)를 발명하고 화씨(華氏) 온도 눈금을 결정하였으며, 열학(熱學)·기상학에 많은 업적을 남김. [1686-1736]
파렐〔Farel, Guillaume〕명〖사람〗프랑스의 종교 개혁자. 성서의 연구를 통해서 로마 교회의 개혁을 뜻했으나 추방되어 스위스로 가서 개혁 운동을 일으킴. 칼뱅(Calvin)과 함께 제네바를 신교 도시로 만드는 데 성공했으나 뒤에 추방됨. [1489-1565]
파렝이 명〈방〉〖충〗파리.
파려【玻瓈】명〖불교〗파리(玻璃)❸.
파려-괴【玻瓈塊】명 파리모(玻璃母).
파력【波力】명 파도의 압력.
파력-계【波力計】명 파도의 압력을 재는 기계. 파압계(波壓計).
파력 발전【波力發電】〔—쩐〕명〔wave-activated power generation〕해면(海面) 물결의 상하(上下) 운동의 에너지로 발전하는 것. 양동이를 해면에 대해 씌운 듯한 공기 피스톤실(室)을 만들어, 파도가 밀어오면 피스톤실의 공기가 압축되고, 파도가 써면 공기가 부푸는데, 이 공기의 움직임으로 피스톤실 상부의 공기 터빈 날개를 돌려 발전함.
파련-각【波連刻】명〖건〗건축 장식의 하나. 연속한 화초형(花草形)을 새긴 것.
파련 대공【波蓮臺工】명〖건〗마루 대공의 한 가지.

〈파련 대공〉

파:-렴치【破廉恥】명 수치를 수치로 알지 아니함. 염치를 모름. 뻔뻔스러움. 몰염치. ¶ ~한 행동. ——-하다 형여불
파:렴치-범【破廉恥犯】명 도덕적으로 비난을 받아야 할 동기(動機)로 행해진 범죄. 또, 그 범인.
파:렴치-죄【破廉恥罪】〔—쬐〕명〖법〗절도·강도·사기·공갈·횡령 등과 같은 비도덕적인 범죄 행위의 속칭.
파:렴치-한【破廉恥漢】명 수치를 수치로 알지 아니하는 사람. 부끄러움을 모르는 사람.
파령 산맥【巴嶺山脈】명〖지〗대파 산맥(大巴山脈).
파로디〔도 Parodie〕명〖문〗문학 작품의 한 형식. 어떤 작가의 시(詩)의 문체(文體)나 운율(韻律)을 모방하여, 그것을 풍자적 또는 조롱적으로 꾸민 익살 시문. 패러디.
파로틴〔parotin〕명〖화〗침샘 호르몬의 본체(本體). 뼈나 치아(齒牙)의 칼슘 침착(沈着)을 촉진시키는 작용이 있고, 뼈가 굵지 않은 유아(乳兒)나 중년 이후의 변형성 관절증(變形性關節症) 등에 유효하다고 함.
파:로-호【破虜湖】명 화천(華川)댐.
파롤〔프 parole〕명〖언〗스위스의 언어학자 소쉬르(Saussure)의 용어. 특정한 개인에 의한, 특정한 장소에 있어서의 언어(言語)의 사용. *랑그(langue). 랑가주(langage).
파롱【簸弄】명 조희(調戲). ——-하다 타여불 「자여불
파:뢰【破牢】명 죄수가 옥(獄)을 부수고 달아남. 파옥(破獄). ——-하다
파:루【罷漏】명〖역〗오경 삼점(五更三點)에 큰 쇠북을 삼십 삼천(三十三天)의 뜻으로 서른세 번 치던 일. 서울 도성(都城) 안에서 인정(人定) 이후 야행(夜行)을 금하였다가 파루를 치면 풀리었음. 바루.
파루크 일세【—一世】〔Fārūq Ⅰ〕〔—쎄〕명〖사람〗이집트 국왕. 제2차 대전 중에는 영국에 협력하고, 전후에는 민족 운동을 탄압했는데, 1952년 이집트 혁명으로 국외로 추방됨. 황태자가 어린 나이에 즉위하였으나 53년에 폐위되면서 이집트 왕국은 끝났음. [1920-65]
파:륜【破倫】명 패륜(悖倫).
파:륜-자【破倫者】명 인륜(人倫)을 깨뜨리는 짓을 하는 사람.
파르께-하다 형여불 곱지도 짙지도 아니하게 약간 파랗다. <푸르께하다.
파르나소스 산【—山】〔Parnassos〕명〖지〗그리스 남부의 산. 코린토스 만(Korinthos 灣) 북안(北岸)에 위치하며, 남쪽 기슭에 델포이 신전(Delphoi 神殿)이 있음. 석회암 산지(石灰岩山地)임. 파르나스. [2,457 m]
파르나스〔프 Parnasse〕명 ①〖문〗시(詩). 시단(詩壇). 문학계(文學界). ②그리스 신화의 시신(詩神)인 아폴로(Apollo)와 뮤즈(Muse)의 영지(靈地)인 산 이름. 파르나소스 산(山).
파르나시앵〔프 parnassiens〕명〖문〗프랑스 19세기 중엽 이후 특히 제 2 제정기(帝政期)에 활약하였던 시파(詩派). 고답파(高踏派).
파르나이바 강【—江】〔Parnaíba〕명〖지〗남미 중동부, 파라나 강(江)의 상류. 브라질 남동부의 고원에서 시작하여 남서쪽으로 흘러 그란데 강(Grande 江)과 합류하여 파라나 강이 됨. [800 km]
파르네제 극장【—劇場】명〔Teatro Farnese〕이탈리아의 파르마에 있는 옥내 극장. 바로크 극장의 최고 걸작으로 일컬어지며 1618년에 창건됨.
파르당당-하다 형〈방〉파르댕댕하다.
파르대대-하다 형여불 천하여 보이게 파르스름하다. <푸르데데하다.
파르댕댕-하다 형여불 격에 어울리지 아니하게 파르스름하다. <푸르뎅뎅하다.
파르데데-하다 형〈방〉파르대대하다.
파르드〔아랍 farḍ〕명〖이슬람〗알라의 명령(命令). 의무 예배(義務禮拜).
파르라니 부 파르랗게. ¶ ~ 깎은 머리.
파르랗다〔—라타〕형ㅎ불 파르스름하다. ¶ 배코친 머리가 ~.
파르래-지다 자 파르랗게 되다.
파르래-하다 형여불 좀 여리게 파랗다. ¶ 눈가가 파르래했다.
파르르 부 ①적은 물이 좁은 면적으로 갑자기 넘을 듯이 끓어 오르는 모양이나 소리. ②조급한 사람이 갑자기 성을 몹시 내거나, 심한 충격으로 몸의 일부에 경련(痙攣)을 일으키는 모양. ③얇게 펴놓은 나무 같은 것에 불이 댕기는 모양. ④잎사귀 등이 떠는 모양. 1)-4): 스바르르. <퍼르르. *포르르. ——-하다 자여불
파르마〔Parma〕명〖지〗이탈리아 북부의 도시. 파르마 강(江)에 면하여 있으며, 철도·도로 교통의 요지(要地)임. 기계·식품 가공업이 성함. [179,000 명(1981)]
파르메니데스〔Parmenides〕명〖사람〗고대 그리스의 철학자. 엘레아학파(Elea學派)의 대표자로서, 불생 불멸(不生不滅)·유일 불가분(唯一不可分)의 실체로서의 '존재'를 상정(想定)하고, 이와 사유(思惟)의 동일함을 말하였으며, 일체의 변화(變化)를 가현(假現)이라고 하였음. [540?-?B.C.]
파르메산 치:즈〔Parmesan cheese〕명 탈지 우유로 만드는 이탈리아산(産)의 경질(硬質) 치즈. 가루로 부수어 수프·샐러드·스파게티 등에 사용함.
파르무레-하다 형여불 아주 옅게 파란 듯하다. <푸르무레하다.
파르미지아니노〔Parmigianino〕명〖사람〗이탈리아 르네상스기의 화가. 본명은 Girolamo Francesco Maria Mazzuoli. 마니에리스모(manierismo)의 대표적인 화가로, 가늘고 긴 우아한 곡선을 쓴 인물 표현이 특징임. 대표작 ≪긴 목의 마돈나≫. [1503-40]
파르속속-하다 형〈방〉파르족족하다.
파르스레-하다 형여불 파르스름하다.
파르스름-하다 형여불 약간 파랗다. <푸르스름하다.
파르시:〔parsee〕명 인도의 조로아스터 교도(Zoroaster 敎徒). 페르시아계(系)로서 봄베이를 중심으로 거주함. 7-8세기경 아랍 이슬람교도로부터 추방당하여 온 주민들로서, 힌두 풍속에 따를 것을 조건으로 이주가 허락되었음. 주로 상업 활동에 종사하고있음. 배화(拜火) 교도.
파르족족-하다 형여불 빛깔이 고르거나 깨끗하지 아니하고 칙칙하게 파르스름하다. <푸르죽죽하다.
파르치발〔Parzival〕명〖문〗독일의 시인 볼프람(Wolfram)이 13세기 초엽에 지은 서사시. 순박하고 어리석은 자연아(自然兒) 파르치발이 많은 고난과 모험 끝에 성배 수호(聖杯守護)의 왕이 된다는 줄거리. 독일 교양 소설의 선구작임. 그 후 바그너의 같은 이름으로 된 악극의 원전(原典)이 되었음. 16권.
파르타이〔도 Partei〕명 정당. 당파. 특히, 공산당의 이칭(異稱).
파르테논〔Parthenon〕명〖신〗고대 그리스 아테나이(Athenai)의 아크로폴리스(Akropolis) 언덕에 있는 신전(神殿). 처녀신(處女神) 아테나이 파르테노스(Athenai Parthenos)를 모심. 기원전 400년경 페리클레스(Perikles) 시대에 건축된 도리스식(Doris 式)으로, 정면(正面)에 8개의 기둥이 있음. 1688년 전화(戰禍)로 크게 파괴된 후 1801년 이래 조각의 대부분은 대영 박물관(大英博物館)에 이관했음.
파르트너샤프트 경영【—經營】〔도 Partnerschaft〕명〖경〗전체 구성원의 경영 참여(參與) 및 성과(成果)에 대한 공정한 배분(配分)이 이루어지는 경영 형태. 제2차 세계 대전 후 서독에서 제창함.
파르티아〔Parthia〕명 ①〖지〗카스피 해의 남동, 이란 고원 북동부 지방의 옛이름. ②〖역〗서(西)아시아에 이란족(族)이 세웠던 나라. 기원전 2세기 중엽에, 셀레우코스 왕조(Seleukos 王朝)의 시리아가 쇠퇴한 틈을 타서, 카스피 해 남동 지방에 아르사케스(Arsaces)가 건국했음. 기원전 2세기 중엽에는 유프라테스에서 인더스에 이르는 광대한 지역을 지배했고, 로마와의 공방(攻防)을 되풀이했으나 226년 사산 왕조(Sasan 王朝) 페르시아에 멸망당했음. 중국명은 안식(安息).
파르티잔〔partizan〕명 ①한 패의 사람. 조직이나 당파에 속하는 사람. ②빨치산.
파르티타〔이 partita〕명〖악〗17-18세기의 조곡(組曲) 또는 변주곡(變奏曲)의 일컬음. 유행 무곡(流行舞曲)을 모은 것으로 바흐의 것이 유명함. 오르드르(ordre).
파르페〔프 parfait〕명 아이스크림에 과일·초콜릿·생(生)크림 등을 첨가한 냉과자(冷菓子). 「뜻.
파를란도〔이 parlando〕명〖악〗나타냄말의 한 가지. '이야기하듯'의
파를러망〔프 Parlement〕명〖역〗혁명 이전의 프랑스의 최고 사법 기관(最高司法機關). 고등 법원(高等法院).
파름 수도원【—修道院】명〔프 La Chartreuse de Parme〕〖책〗스탕달(Stendhal)의 장편 소설. 1839년 발표. 이탈리아의 한 귀족의 아들이 연인(戀人)의 죽음으로 인하여 파름 수도원에 은퇴하기까지의 갈등을 그린 역작(力作).
파릇-이 부 파릇하게.
파릇-파릇 부 새뜻하게 점점이 파란 모양. <푸릇푸릇. ——-하다 형여불
파릇-하다 형여불 빛깔이 좀 파란 듯하다.
파릉【巴陵】명〖지〗'악양(岳陽)'의 구명.
파릉-채【菠薐菜】명〖식〗시금치.
파:리[1] 명〔중세 : 프리←풀+이〕①〖충〗파리목 환봉 아목(環縫亞目)에 속하는 곤충의 총칭. 한 쌍의 날개와 관상(管狀)의 구문(口吻)이 있고, 뒷날개는 퇴화, 액체나 흡혈한 먹이를 한때 저장하는 소낭(嗉囊)이 있음. 알·유충·번데기·성충의 완전 변태를 거치며, 쉬파리 등은 난태생(卵胎生)임. 유충을 '구더기'라고 하는데, 2회 가량 탈피(脫皮)하고 수일 또는 10여 일 만에 번데기에서 성충이 되고 2-3일에 산란(産卵)함. 여름에 많이 발생하는데, 상처(傷處)에 발생한 구더기는 치료를 돕는 일이 있으나 대부분 적리(赤痢)·장티푸스·콜레라·소아 마비 등의 병원균(病原菌)을 매개하는 위생(衛生) 곤충임. 전세계에 많은 종류가 분포하는데, 금파리·집파리·쉬파리·쇠파리·별붙이파리 등이 있음. ②

〖충〗 집파리. *똥파리. ③〈속〉 털없이 뜯어먹거나 한 몫 끼어 이득(利得)을 보려는 사람. ¶작은 잔치에 ~가 꾄다.

[파리 위에 날라리 있다] 위에는 또 위가 있다는 말. '날라리'는 날라리꽃등에의 준말. [파리 한 섬을 다 먹었다 해도 실제로 먹지 않았으면 그만] 모함을 들더라도, 실제로 제게 그런 일이 없으면, 모른 체하라는 말.

파:리 경주인(京主人) 구 진무른 눈에 파리가 모여 드는 일의 비유. 곧, 시골 아전이 서울에 오면, 그 고을 경주인의 집으로 모여 든다는 말.

파:리 날리다 구 한가하여 파리나 쫓고 있다는 뜻으로 사업·영업 따위가 번성하지 못하다는 말.

파:리발 드리다 구 손을 싹싹 비비며 애걸하다.

파:리 잡듯 구 목숨 죽기를 대수롭지 않게 여기는 모양.

파리[2] 명 〈방〉 팔[1](함북).

파리[3]【玻璃】명 ①유리(琉璃). ②수정(水晶). ③〖불교〗 일곱 가지 보석 가운데의 하나. 파려(玻瓈). 유리(瑠璃).

파리[4]【笆籬】명 ①울타리. ②↗파리 변물(笆籬邊物).

파리[5] [Paris] 명 〖지〗 프랑스의 수도. 이 나라의 북방, 파리 분지(盆地)의 중심부에 있으며 시(市)의 중앙을 센 강(Seine江)이 구불구불 흐르고 있고 강 가운데의 시테(Cité) 섬을 중심으로 방사 도로(放射道路)를 가진 동심 원상(同心圓狀) 도시임. 프랑스의 경제·문화·정치의 중심지(中心地)이며, 세계 문화의 중심지의 하나임. 또, 예술·오락의 도시, 유행(流行)의 본원(本源)으로 세계적으로 유명함. 저명한 건축물·학교·구적(舊跡) 등이 많음. 기계·자동차·항공기·화학·건설 자재·식품 가공·인쇄 등의 공업이 행하여지며, 복식(服飾)·향수(香水)·출판 등도 세계적으로 유명함. [2,180,000 명(1995 추계)]

파리 강:화 조약【一講和條約】[Paris] 명 제1차 세계 대전의 파리 평화 회의에서 결정된 여러 강화 조약. 대(對)독일의 베르사유 조약, 대(對)오스트리아의 생제르맹(Saint-Germain) 조약, 대(對)헝가리의 트리아농(Trianon) 조약, 대(對)불가리아의 뇌이(Neuilly) 조약, 대(對)터키의 세브르(Sévres) 조약 등을 가리킴. 「❶.

파리 강:화 회:의【一講和會議】[Paris] [ㅡ/ㅡ이] 명 파리 평화 회의

파리 국립 은행【一國立銀行】[ㅡ닙ㅡ] 명 [프 Banque Nationale de Paris] 프랑스 최대의 상업 은행. 파리 국민 할인 은행과 국민 상공업 은행의 합병으로 1966 년에 설립됨. 본사는 파리. 세계 80 개국에 지점·자회사가 있음. 예금액은 2,521 억 프랑(1983 년).

파:리-꽃 명 〖식〗 〈방〉 제비꽃.

파리냐스 갑【一岬】명 [Pariñas] 〖지〗 남미 대륙의 최서단(最西端)을 이루고, 페루의 북부에 속하는 곶. 부근에 페루에서 가장 큰 유전(油田)이 있음.

파리니 [Parini, Giuseppe] 명 〖사람〗 이탈리아의 시인. 계몽주의 사상으로 일관한 서정시와 귀족의 나태(懶怠)한 생활을 풍자한 시를 썼음. 대표작 《일일(一日)》. [1729-99]

파리다카르 랠리 [Paris-Dakar rally] 명 매년 연말에 프랑스 파리를 출발하여 세네갈의 다카르까지 20 여 일 간에 걸쳐 아프리카 대륙을 주파하는, 매우 가혹한 자동차 경기로 크로스컨트리 랠리(cross-country rally)의 일종. 1992 년부터는 최종 도착지가 남아프리카 공화국의 케이프타운으로 연장 변경됨.

파리 대학【一大學】[Paris] 명 [Université de Paris] 파리 센(Seine) 강 좌안에 있는 종합 대학. 12세기에 파리 주교(主教) 밑에 있었던 여러 학교를 합쳐 성립됨. 1808-1885년 소르본 대학(Sorbonne大學)과 합쳐 프랑스 교육계(教育界)의 중심이 되었음. 신학(神學)·법학(法學)·이학(理學)·의학(醫學)·문학(文學)의 다섯 학부(學部) 외에 여러 개의 연구소·실험소·천문대·도서관 등이 부속되어 있었음. 1968 년 제일 대학부터 제십삼 대학까지의 13 개 신제(新制) 대학으로 재편됨. *소르본 대학.

파:리-똥 명 파리의 잘고 까만 똥.

[파리똥은 똥이 아니랴] 비록 양이나 질은 다를지라도 같은 종류라는 말.

파:리똥-새 명 〖광〗 파리똥같이 새까맣고 자잘한 새.

파리 리스트 [Paris list] 명 코콤(COCOM).

파리마 산맥【一山脈】[Parima] 명 〖지〗 남아메리카 베네수엘라와 브라질의 국경 지대에 있는 산맥. 길이는 약 300 km 이며, 오리노코 수계(Orinoco水系)와 아마존 수계의 분수계를 이룸. [2,400 m]

파리 마치 [Paris Match] 명 1949 년에 창간된 프랑스의 주간지. 사진을 중심으로 한 르포르타주를 특색으로 하며 다채로운 내용 전개로 넓은 독자층을 가짐. 1972 년 12 월부터는 기사(記事)와 사진을 양립시키는 지면으로 변경함. 1986 년 현재 발행 부수 107 만부.

파:리-매[1] 명 〖충〗 [*Promachus yesonicus*] 파리맷과에 속하는 곤충. 파리와 비슷한데 몸길이 25-28 mm 이고 몸빛은 흑색에 흉배(胸背)의 중앙에는 갈색의 종선(縱線)이 두 줄 있음. 수컷의 복부 제5 및 암컷의 제6절까지의 각 절 후연(後緣)에는 황색 털로 된 가로띠가 있으며 수컷의 꼬리 끝에는 흰 털 뭉치가 있고, 암컷의 꼬리 끝 2절은 광택 있는 청람색(青藍色)임. 다른 작은 곤충을 포식하는데, 한국·일본에 분포함. 염옥맹(塩屋虻).

〈파리매[1]〉

파리매[2] 명 〈방〉 〖식〗 파래[1](강원).

파:리맷-과【一科】명 〖충〗 [Asilidae] 파리목(目)에 속하는 한 과. 몸은 암흑색(暗黑色)·회색·대황색(帶黃色)·대갈색(帶褐色)·대적색(帶赤色) 또는 이들의 혼합색에 털 또는 극모(棘毛)가 있음. 촉각은 보통 3절로 가늘고 길며 끝에 깃털 모양의 극모가 있음. 발이 발달하여 다른 곤충류를 발로 움켜서 포식함. 복부는 8절이고 날개는 강대하며 무색 투명하고 대백색(帶白色) 또는 흑갈색임. 전세계에 4,000여 종이 분포함.

파:리-머리 명 〖역〗 평정건(平頂巾)의 속칭.

파리-모【玻璃母】명 유리의 녹아서 엉긴 덩어리. 파려괴(玻瓈塊).

파:리-목【一目】명 〖충〗 [Diptera] 유시류(有翅類)에 속하는 곤충의 한 목(目). 발달된 한 쌍의 날개와 큰 복안(複眼)이 있고, 보통 세 개의 단안(單眼)이 있음. 태생하는 종류도 있으나 대개 난생인데, 완전 변태를 함. 파리·등에·모기·모기붙이 등이 이에 속하며, 직봉류(直縫類)·환봉류(環縫類)의 둘로 분류됨. 쌍시류(雙翅類).

파:리목 동곳 명 꼭지가 둥글고 목이 잘록하게 생긴 동곳.

파:리 목숨 명 보잘것없이 남에게 죽임을 당하는 목숨을 비유하는 말.

파:리 목숨 같다 구 생명이 하찮고 보잘것없다.

파리-버섯 명 〖식〗 [*Amanita melleiceps*] 주름버섯목 광대버섯과의 담자균류. 여름에서 가을에 걸쳐 해송림이나 참나무 졸참나무가 섞인 송림에 남. 갓의 지름 3~6 cm인데, 처음에는 빵 모양이었다가 차츰 평평해짐. 갓의 표면은 황색 또는 황토색이며, 이것을 밥과 비벼 놓으면 파리가 먹고 죽음. 포자는 넓은 타원형으로, 한국·일본·중국에 분포함.

파리 변물【笆籬邊物】명 쓸데없는 물건. 준파리(笆籬).

파리 분지【一盆地】명 [Paris Basin] 〖지〗 프랑스 중북부 파리를 중심으로 한 광대한 분지. 국토의 약 1/4 을 차지함. 북은 아르덴 고지(高地), 동은 보주 산지(山地), 남은 마시프상트랄, 서는 아르모리카 산계(山系)로 둘러싸임. 중심 도시는 파리. [길이 500 km, 폭 400 km]

파리 비엔날레전【一展】명 [프 Biennale de Paris] 프랑스 정부 및 파리 시의 후원으로 1959년부터 격년(隔年)으로 열리는 미술전. 전세계 청년 미술가에게 국제적 회합의 장소를 제공할 목적으로 계획된 것으로서, 참가 자격은 20세에서 35세까지로 한정한 데서 청년(青年) 비엔날레라고도 불림.

파리 선언【一宣言】[Paris] 명 〖법〗 해상법 요의(海上法要議).

파리스 [Paris] 명 〖신〗 그리스 신화 중의 미남(美男). 트로이(Troy)의 왕자. 헤라(Hera)·아테네(Athene)·아프로디테(Aphrodite) 세 여신(女神)의 미를 심판하여 아프로디테를 선정하였음. 아프로디테의 도움으로 메넬라우스(Menelaus)의 아내, 헬레네(Helene)를 약탈하여 트로이 전쟁을 일으켰고, 그리스군의 독시(毒矢)에 맞아 죽었음.

파리스의 심판【一審判】[Paris] [ㅡ/ㅡ에ㅡ] 명 〖신〗 그리스 신화에서, 트로이(Troy)왕의 아들인 파리스(Paris)가 해라(Hera)·아테네(Athene)·아프로디테(Aphrodite)의 세 여신의 미(美)의 경쟁을 판결하여 아프로디테에게 승리를 선언한 일.

파리 식물원【一植物園】[Paris] 명 파리의 중앙부에 있는 공원식(公園式) 식물원. 17세기 중엽부터 있는 것으로 대부분 잔디밭과 화단으로 이루어짐.

파리-약【一藥】명 파리를 잡는 데 쓰는 약

파리 오페라 극장【一劇場】[Paris Opéra] 명 [Théâtre National de l' Opéra, Paris] 프랑스 파리에 있는 국립 오페라 극장. 1669 년 왕립 음악 아카데미라는 이름으로 개장되었으며 장려함과 넓은 무대로 유명한데, 현재의 건물은 1875 년 건축가 J.L.C. 가르니에가 설계한 것임.

파리 외:방 전교회【一外邦傳敎會】[Société des Missions Etrangères de Paris; M.E.P.] 명 프랑스에 있는, 아시아 포교를 위한 가톨릭 전도 단체. 한국에 대한 전도 및 일본의 가톨릭 부흥의 선구를 이룸. 문화 활동·사회 사업에도 종사함.

파리 음악원【一音樂院】[Paris] 명 1795년 왕실 가곡 학교(王室歌曲學校)의 후신(後身)으로, 파리에 설립된 음악 학교. 콩세르바투아르(Conservatoire).

파리의 아메리카인【一人】[ㅡ/ㅡ에ㅡ] 명 [An American in Paris] 〖악〗 거시윈(Gershwin)이 작곡한 관현악곡의 하나. 1928년 완성. 파리의 인상을 음악화한 것으로, 발레화(化)·영화화에 의하여 유명해짐.

파:리-자리 명 [라 Musca] 〖천〗 남십자성(南十字星)의 남쪽 옆에 위치한 남천(南天)의 작은 성좌(星座). 우리 나라에서는 보이지 않음.

파:리잡이-거미 명 〖충〗 승호(蠅虎).

파리 장:석【玻璃長石】명 [sanidine] 〖광〗 화산암(火山岩) 중에서 나는 유리 모양의 칼륨 장석. 단사 정계(單斜晶系)임.

파리-제【一祭】[Paris] 명 대혁명(大革命)의 발단을 이룬 1789년 7월 14일을 기념하는 프랑스의 국민 축제일. 이 날에는 거리마다 꽃을 장식하고, 시민이 술과 춤으로 흥겹게 보냄.

파리 조약【一條約】[Paris] 명 〖역〗 ①1763년 영국·프랑스·스페인(Spain) 3국 사이에 체결된 조약. 7년 전쟁을 종결하고, 프랑스는 캐나다 및 미시시피 강 이동(以東)을, 스페인은 플로리다(Florida)를 영국에 할양(割讓)하고, 프랑스는 루이지애나(Louisiana)를 스페인에 할양함. ②1783년 영국·미국 사이에 체결된 조약. 미국의 독립 전쟁을 종결시키고, 영국은 미국의 독립을 승인하고 미시시피 강 이동을 양여(讓與)함. ③나폴레옹 전쟁을 종결시킨 동맹국과 프랑스 사이에 체결된 조약. 제1차는 1814년 5월에 체결되었으며, 프랑스 국경을 1792년 당시로 복귀하고 관계 제국(諸國)의 영역을 조정함. 제2차는 1815년 11월에 체결하였으며, 프랑스 국경을 1790년 당시로 복귀하고 배상금·군대 주둔(駐屯) 등을 규정함. ④1856년 크림 전쟁(Krim戰爭) 종결의 조약. 러시아·영국·프랑스·오스트리아(Austria)·터키(Turkey)·프로이센(Preussen) 및 사르데냐(Sardegna) 사이에 체결됨. 터키 관계가 주이고 흑해(黑海)의 중립, 다뉴브(Danube) 강 자유 항행의 원칙을 확립함. ⑤1898년 아메리카·스페인 전쟁을 종결하기 위하여 미국·스페인 사이에 체결된 조약. 쿠바(Cuba)의 독립을 승인하고 필리핀(Philippines)을 미국에 할양함. ⑥제2차 대전 후 1947년 연합국 21개국과 추축국(樞軸國) 5개국이 체결한 조약. 추축국측은 모든 식민지를 포기하고 연합국에 영토 할양, 배상금 지불, 군비(軍備) 제한, 추축국 상호 간의 영

토 조정, 트리에스트(Trieste)의 자유항화(自由港化) 등을 약정(約定)함. ⑦1954년 14개국 외상 회의에서 채택된 여러 협정(協定). 독일 문제가 중심이 되었으며, 이 협정에 의하여 서독(西獨)이 주권을 회복함. 파리 협정.

파리지앵 〔프 Parisien〕 [명] 파리에서 태어나 거기서 자란 남자.

파리지엔 〔프 Parisienne〕 [명] 파리에서 태어나 자란 여자. 파리의 여성. 파리 여자. 파리 아가씨.

파:리지옥-풀 【一地獄一】 [명] 〖식〗 〔*Dionaea muscipula*〕 끈끈이귀갯과에 속하는 다년초. 끈끈이주걱과 비슷한데, 화경(花莖) 높이 10-40 cm이며, 근생엽(根生葉)은 길이 5-15 cm이고 엽병에 넓은 날개가 있음. 엽신(葉身)은 원형 또는 신장형에 이열(二裂)하며 가에 가시 모양의 긴 털이 있고 세 개의 감각모(感覺毛)가 있음. 5-7월에 흰 오판화(五瓣花)가 화경 끝에 산방(繖房) 화서로 2-10개가 피고 삭과(蒴果)는 길이 5 mm가량임. 잎의 감각모에 개미·파리 같은 벌레가 닿으면 급히 닫아 포식하는 식충(食蟲) 식물임. 미국 캐롤라이나 주(州)의 원산(原產)으로, 1속 1종이 분포함.

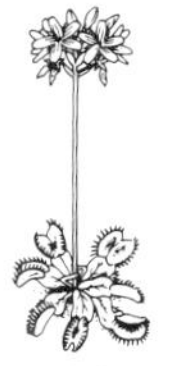
〈파리지옥풀〉

파:리-채 [명] ①파리를 때려 죽이는 채. ②〈방〉 파리통❷. ③〈은어〉 손.

파리춤 [명] 〈방〉 주근깨(제주).

파리 코뮌 〔Paris Commune〕 [명] 〔Commune de Paris〕 〖역〗 1871년 3월 18일-5월 27일 파리에 수립되었던 혁명적 노동자 정권. 프로이센 프랑스 전쟁의 패배(敗北)로 제이 제정(第二帝政)이 무너진 후 국민군(國民軍) 중앙 위원회가 결성되어 티에르(Thiers)의 국방 정부(國防政府)에 대항하여 코뮌을 선언하고, 노동자·소시민층의 대표가 혁명적 행정을 실시했음. 정부군과의 시가전에서 패했으나 역사적 의의는 큼. [준]코뮌.

파리쿠틴 산 【一山】 〔Parícutin〕 [명] 〖지〗 멕시코(Mexico) 중부에 있는 화산(火山). 1943년 2,000 m 고원(高原)의 밭에서 용암(熔岩)과 화산재를 분출(噴出)하면서 수년 동안에 성층(成層) 화산을 형성하였음. 〔2, 273 m〕

파리 클럽 〔Paris Club〕 [명] 외국 채무 변제가 어려워진 개발 도상국이 원금의 삭감이나 금리 감면, 변제 기간의 연장에 대해 주요 채권국과 교섭하는 회의. 1956년 아르헨티나의 채무 연장 협의를 위해 채권국이 파리에 모인 데서 이 이름이 붙음. 주요 채권국 회의.

파:리-통 【一筒】 [명] ①파리를 잡는 데 쓰이는 유리로 만든 통. 목이 짧은 병 모양으로 크고 둥글게 만들고 밑을 안으로 깊숙하게 욱여 올리어서 위쪽으로 파리가 들어가도록 큰 구멍을 내었는데, 속 둘레의 홈에 물을 부어 두어 빠져 죽게 되어 있음. ②파리를 잡는 기구의 하나. 싸릿가지를 여러 오리로 짜개어 통발 모양으로 만든 것에 종이를 바르고 밑바닥에 구멍을 내어서 파리가 많이 앉아 있는 곳을 덮고 구멍으로 몰아 넣어서 잡음. ③〈방〉 어항(魚缸)❷.

파리-파 【一派】 〔Paris〕 [명] '에콜 드 파리(école de Paris)'의 딴이름.

파리 평화 회:의 【一平和會議】 〔Paris〕 〔一/一이〕 [명] 〖정〗 ①1919년 1-5월, 제1차 대전 후의 연합국의 대독 강화 예비 회의(對獨講和豫備會議). 국제 연맹(國際聯盟) 수립을 결정하고 베르사유 강화 조약안(Versailles 講和條約案)을 기초함. 파리 강화 회의. 파리 회의. ②1946년 7-10월 제2차 대전 후 연합국과 추축 제국(樞軸諸國)과의 강화 회의. 이탈리아 영토(Italy 領土) 처분이 주제(主題)였음.

파:리-풀 [명] 〖식〗 〔*Phryma leptostachya*〕 파리풀과에 속하는 다년초. 줄기 높이 30-70 cm 내외이고 잎은 대생(對生)하며 유병(有柄)에 난상 타원형 또는 긴 타원형이고 가에 톱니가 있음. 7-9월에 담자색의 잔 순형화(脣形花)가 가지 끝에 수상(穗狀) 화서로 핌. 산야(山野)의 나무 그늘에 나는데, 한국 각지 및 일본에 분포함. 유독 식물(有毒植物)로, 뿌리를 이기어 파리를 잡는 데 씀.

〈파리풀〉

파:리풀-과 【一科】 〔一꽈〕 [명] 〖식〗 〔Phrymaceae〕 현화 식물 쌍자엽문(雙子葉門)에 속하는 한 과. 전세계에 1속(屬) 2종이 있는데, 아시아 대륙과 아메리카 대륙에 많이 분포하며, 한국에는 파리풀 1종이 있음.

파리-하다 [형][여불] 〔중세 : 파려ᄒᆞ다〕 몸이 쇠약하여 마르고 해쓱하다.

파리 헌:장 【一憲章】 [명] 〔Charter of Paris〕 1990년 11월, 유럽 안보 협력 회의에서 채택한 헌장. 유럽의 대립·분단의 시기 종언과 협력의 시대 개시 확인, 민주화 강화, 민족적 소수파의 존중, 시장 경제의 발전, 영토문제를 에워싼 무력 행사의 제한, 환경 문제를 위한 유럽 환경 기구 설립 요구 등을 채택하여 냉전 후 유럽 신시대의 지침을 제시했음.

파리 협약 【一協約】 〔Paris〕 [명] ↗산업 재산권 보호를 위한 파리 협약.

파리 협정 【一協定】 〔Paris〕 [명] 〖정〗 1954년 10월에 파리에서 체결된 협정. 미(美)·영(英)·불(佛)·이(伊)·캐나다·벨기에·네덜란드·룩셈부르크 등 14개국이 서독(西獨)의 주권 회복(主權回復)·재군비(再軍備)·나토 가입(NATO 加入) 등의 승인을 협정한 것. 파리 조약

파리 회:의 【一會議】 〔Paris〕 〔一/一이〕 [명] 〖역〗 파리 평화 회의❶.

파:립 【破笠】 [명] 찢어진 헌 갓. 해어진 갓. 폐립(敝笠).

파링턴 〔Parrington, Vernon Louis〕 [명] 〖사람〗 미국의 문학사가(文學史家). 문학사를 사상사 중심으로 해석하였고, 후에 미국 사상사에 크게 영향을 주었음. 주저에 ≪미국 사상의 주조(主潮)≫가 있음. 〔1871-1929〕

파:마 [명] '퍼머넌트 웨이브(permanent wave)'가 줄어 변한 말. ——-하다 [자][여불]

파마구스타 〔Famagusta〕 [명] 〖지〗 키프로스(Kypros) 섬 동해안의 항구 도시. 키프로스 최대의 무역항. 부근의 과수원과 밭에서 생산되는 농산물, 특히 오렌지의 선적항으로 유명함. 셰익스피어의 ≪오셀로≫의 무대이기도 하며, 역사적 유적도 많음. 〔39,500명(1982)〕

파:망 【破網】 [명] 찢어진 망건. 해어진 망건. ↔신망(新網).

파:머스턴¹ 〔Palmerston〕 [명] 〖지〗 '다윈(Darwin)'의 구명.

파:머스턴² 〔Palmerston, Henry John Temple〕 [명] 〖사람〗 영국의 정치가. 토리당(Tory 黨) 출신으로 수상(首相)을 역임. 전후(前後) 35년간 영국의 외교를 지도하여 그리스 독립의 승인, 미국 남북 전쟁에 중립을 지키는 등 자유주의·국민주의를 원조하고, 해외 시장 개척으로 영국의 국민적 이익에 공헌하였음. 〔1784-1865〕

파:머스턴-노:스 〔Palmerston North〕 [명] 〖지〗 뉴질랜드 북도(北島) 남부에 있는 도시. 철도 분기점이며, 쿡 해협에 면한 낮고 평탄한 낙농의 중심지임. 〔62,700명(1985)〕

파:머시 〔pharmacy〕 [명] 〖약〗 ①약방(藥房). ②약학(藥學).

파-먹다 [타] ①파서 먹다. ②벌지 아니하고, 있는 것으로 놀고 먹다.

파면¹ 【波面】 [명] ①물결의 면(面). ②〔wave surface〕 〖물〗 파동(波動)이 전하여 가는 공간에서 같은 시각(時刻)에 같은 위상(位相)이 가지런히 된 연속적인 면(面).

파:면² 【罷免】 [명] ①직무를 면제(免除)시킴. 파출(罷黜). ②〖법〗 징계(懲戒) 절차를 거쳐 국가의 일방적 의사에 의하여 공무원 관계를 소멸시키거나 관직을 박탈하는 행정 처분. ¶ ～권. ——-하다 [타][여불]

파:-면자 【破綿子】 [명] 헌 솜.

파:면-종 【破眠鐘】 [명] 경시종(警時鐘).

파:멸 【破滅】 [명] 파괴하고 멸망함. ——-하다 [자][여불]

파:멸-적 【破滅的】 [명] [관] 파멸해 가는 모양. 파괴, 멸망될 만큼 심한 모양. ¶ ～인 손해.

파:-명당 【破明堂】 [명] 명당(明堂)에 있는 무덤을 파서 다른 곳으로 옮김. ——-하다 [자][여불]

파:명-산 【破明山】 [명] 〖지〗 평안 북도 희천군(熙川郡)에 있는 산의 이름. 〔1,056 m〕

파:몽 【破夢】 [명] 꿈을 깸. ——-하다 [자][여불]

파:묘¹ 【破卯】 [명] 파효(破曉).

파:묘² 【破墓】 [명] 파구분(破舊墳). ——-하다 [자][여불]

파:묘-축 【破墓祝】 [명] 파묘할 때에 읽는 축문(祝文).

파:묵 【破墨】 [명] 〖미술〗 수묵화(水墨畫)의 기본적 화법의 한 가지. 먹의 바림으로 물상(物象)의 입체감을 나타냄. *발묵(潑墨).

파문¹ 【波紋·波文】 [명] ①수면에 이는 잔 물결. ¶ ～이 일다. ②물결 모양의 무늬. 파상문(波狀紋). ③어떠한 일의 영향. ¶ 세상에 ～을 던지다.

파:문² 【破門】 [명] ①사제(師弟)의 의리(義理)를 끊고 제척(除斥)함. 문인(門人)을 제명함. ¶ 제자를 ～하였다. ②〖종〗 신도(信徒)를 종문(宗門)에서 제명함. 기절(棄絕). ——-하다 [타][여불]

파:문³ 【破門】 [명] 〖민〗 묏자리에서, 파수(破水)의 끝으로 보이는 점. ↔득수(得水).

파:문-벌 【破門罰】 [명] 〖천주교〗 기절벌(棄絕罰).

파문-상 【波紋狀】 [명] 파문(波紋)의 모양. 파문의 상태.

파-묻다¹ [타] ①땅을 파고 그 속에 무엇을 넣고 묻다. ②남이 모르게 깊이 감추다. ¶ 어둠 속에 ～.

파-묻다² [타][ㄷ불] 여러 번 자세히 따지어 캐어 묻다. ¶ 너무 그렇게 파묻지 말라.

파-묻히다 [피동] 파묻음을 당하다. ¶ 파묻힌 옛날의 성지(城址).

파:물 【破物】 [명] 깨어지거나 흠이 나서 못쓰게 된 물건. 파손된 물건.

파물- [간] '파묻다²'의 불규칙 어간(不規則語幹).

파미간 【波彌干】 [명] 〖역〗 파진찬(波珍飡)❶.

파미르 고원 【一高原】 〔Pamir〕 [명] 〖지〗 중국·타지크·아프가니스탄 세 나라의 접촉 지대에 있는 고원. 이 곳으로부터 히말라야·쿤룬(崑崙)·톈산(天山)·힌두쿠시(Hindukush) 등의 대산맥이 사방으로 뻗어나 세계의 지붕이라고 불리어짐. 기후는 대륙성이고 건조 지대이며, 타지크족(Tadzhik 族)·키르기스족(Kirghiz 族) 및 이란계 제족(Iran 系諸族)이 양을 침. 현지인(現地人)은 세계의 지붕이라는 뜻인 바미 둔야(Bami Dunya)라 부름. 평균 표고 5,000 m. *총령(葱嶺).

파:민 【罷民】 [명] ①일정한 주소나 직업이 없는 부랑민. ②민중을 피폐하게 함. ——-하다 [자][여불]

파-밑동 [명] 파의 아랫도리의 흰 부분. 총백(葱白).

파바로티 〔Pavarotti, Luciano〕 [명] 〖사람〗 이탈리아의 테너 가수. 플라시도 도밍고·호세 카레라스와 더불어 20세기 3대 테너 가수의 하나로 꼽힘. 1961년 아킬레페리 성악 콩쿠르에서 우승한 후 오페라 가수로 데뷔함. 따스하고 힘있고 화려한 고음(高音) 처리가 일품(逸品)임. 오페라 '라 보엠'·'리골레토' 등에 단골로 출연함. 구미(歐美)의 주요 가극장에서 활약함. 1977년과 1993년 두 차례 내한(來韓) 공연함. 〔1935-〕

파반¹ 【把盤】 [명] 손잡이가 달린 목판.

파반² 〔프 pavane〕 [명] 〖악〗 16-17세기의 서양의 궁정(宮廷) 무용. 2박자 계통의 완만한 곡으로, 각종 댄스의 처음에 춤. 후에 조곡(組曲)의 서곡(序曲)으로도 되었음.

파발 【擺撥】 [명] 〖역〗 조선 시대에 공문(公文) 특히 변경(邊境)의 군사 정보를 지방과 서울에 급히 보내기 위하여 설치한 역참(驛站). 선조(宣祖) 30년(1597)경부터 시행됨. ¶ ～을 놓다.

파발-꾼 【擺撥一】 [명] 〖역〗 조선 시대에 공문(公文) 특히 변경(邊境)의 군사 정보를 지방과 서울에 급히 보내기 위하여, 각 역참에 딸려 공문(公文)을 가지고 역참 사이를 나르는 사람. 첩보(捷步).

파발-령 【把撥嶺】 [명] 〖지〗 평안 북도 위원군(渭原郡)에 있는 고개. 〔478 m〕

파발-마 【擺撥馬】 [명] 〖역〗 조선 시대에 공무(公務)로 급히 가는 사람이 타는 말. 서울과 의주(義州) 사이의 역참(驛站)에 두었음.

파방¹ 【派房】 [명] 〖역〗 조선 시대에 해마다 한 번씩 각 지방 군(郡)에서 육방(六房)의 하리(下吏)들을 교질(交迭)하던 일. 파임(派任). 환방(換房). ——-하다 [타][여불]

파:방²【罷榜】명 〖역〗 과거에 급제된 사람의 발표를 취소함. ——-하다 타여불

[파방에 수수엿 장수] '파장에 수수엿 장수'와 같은 뜻.

파:방-치다 구 살던 살림을 그만 집어치우다.

파:방-판【罷榜—】명 일이 다 끝난 판.

파-밭 명 파를 심은 밭.

파밭 밟듯하다 구 조심스럽게 발을 옮겨 걸어 나가다.

파배【把杯】명 손잡이가 달린 술잔.

파벌【派閥】명 한 파(派)에서 갈린 가벌(家閥)이나 지벌(地閥). ¶ ~ 싸움.

파벌-적【派閥的】명관 파벌을 이루는 모양.

파벌-주의【派閥主義】[—/—이] 명 파벌을 주장하는 주의. 파벌적 행동을 하는 경향. 섹셔널리즘(sectionalism).

파:법【破法】명 〖불교〗 잘못된 견해(見解)로 부처님의 바른 법을 파척(破斥)하고, 다른 사람까지 유혹하여 자기 소견에 찬성하도록 하는 일. ——-하다 타여불

파:벽¹【破僻】명 벽성(僻姓) 또는 무반향(無班鄕)으로부터 인재가 나 본래의 미천한 상태를 벗어남. 파천황(破天荒). ——-하다 자여불

파:벽²【破壁】명 무너진 벽. 부서진 벽.

파:벽³【破甓】명 깨어지거나 부서진 벽돌. 헌 벽돌.

파:-벽돌【破甓—】명 깨지거나 헐어 버린 벽돌.

파:벽-토【破壁土】명 무너진 벽의 흙.

파별【派別】명 갈래를 나누어 가름. 또, 그런 갈래. ——-하다 타여불

파병【派兵】명 군대를 파출(派出)하는 일. ——-하다 자여불

파보【派譜】명 동종(同宗) 속의 한 파의 보첩(譜牒).

파보리〔이 favori〕명 〖악〗 '사랑스럽게'의 뜻.

파복¹【波腹】명〔loop〕〖물〗 정상파(定常波)에 있어서 가장 진동(振動)이 심한 곳.

파:복²【罷伏】명 〖역〗 파루(罷漏) 뒤에 순행 돌던 나졸(邏卒)들이 집으로 들어감. ——-하다 자여불

파:본【破本】명 제본(製本)이 잘못된 책.

파부-초【婆婦草】명 〖식〗 [*Stemona japonica*] 백부과에 속하는 다년초. 높이 60cm 이상이고, 상부(上部)는 덩굴져서 다른 물건에 감겨 오르며, 잎은 달걀꼴인데 광택이 나고 서너 개가 윤생(輪生)함. 7월에 담녹색의 사판화(四瓣花)가, 엽액(葉腋)에서 나온 가는 꽃줄기 끝에 한두 개 핌. 천문동 비슷한 괴근(塊根)은 '백부근(百部根)'이라 하여 기침·피부 살충의 약재로 씀. 중국 원산으로, 각지에서 재배함. 백부(百部). 야천문동(野天門冬).

〈파부초〉

파:부 침선【破釜沈船】명 살아서 돌아가지 않을 각오로 크게 싸움을 이르는 말.

파불라스〔포 fabulas〕명 우화(寓話).

파브르〔Fabre, Jean Henri〕명 〖사람〗 프랑스의 곤충학자. 곤충, 특히 벌의 생태 관찰로써 유명함. 그의 《곤충기(昆蟲記)》는 문학적으로도 높이 평가됨. [1823-1915]

파브리〔Fabry, Charles〕명 〖사람〗 프랑스의 물리학자. 파리 대학 교수. 페로(Pérot, Alfred; 1863-1925)와 같이 간섭 분광기(干涉分光器)·간섭계(計)를 만듦. 또 절대 전기계(絶對電氣計)·점성률(粘性率)에 대한 연구가 있음. [1867-1945]

파브리치우스〔Fabricius〕명 〖사람〗 ①〔David, F.〕 독일의 신학자·천문학자. 1596년 고래자리에서 변광성(變光星)을 발견하여 '미라(Mira)'라 명명함. 브라에(Brahe, T.)와 케플러(Kepler, J.)의 친구임. [1564-1617] ②〔Johannes, F.〕 독일의 천문학자. ❶의 아들. 1610년 갈릴레이와는 별도로 태양 흑점을 발견하고 그 이동으로부터 태양의 자전(自轉)을 확인함. [1587-1615]

파브리키우스〔Fabricius ab Aquapendente, Hieronymus〕명 〖사람〗 이탈리아의 해부학자(解剖學者). 파도바(Padova) 대학에 독자적 해부학 실습실을 설치, 특히 심장 판막(瓣膜)의 작용을 설명하여 유명하며, 그의 문하에 저명한 하비(Harvey)가 있었음. [1537-1619]

파브리키우스-낭【—囊】〔Fabricius〕명 〖생〗 조류(鳥類)의 총배출강(總排出腔) 부근에 있는 림프 여포 조직(lymph 濾胞組織). 포유 동물의 장관계(腸管系) 림프 조직과 유사한 것으로 생각됨. 이것을 제거하면 면역 저하(免疫低下)가 생김.

파브리페로의 간섭계【—干涉計】[—/—에—] 명〔Fabry-Pérot interferometer〕〖물〗 1897년 프랑스의 물리학자 파브리(Fabry, C.)와 페로(Pérot, A.)가 고안한 다광선(多光線) 간섭계. 고분해능(高分解能)의 간섭 분광기로 쓰임.

파블로바〔Pavlova, Anna〕명 〖사람〗 러시아의 여류 무용가(舞踊家). 20세기 초의 유능한 발레리나로, 《지젤》·《백조(白鳥)의 호수(湖水)》 등으로 세계적인 명성을 얻었으며, 특히 《백조의 호수》 중의 '빈사(瀕死)의 백조'의 장면이 유명했음. 러시아에는 돌아가지 않고 세계 각지에서 공연하였음. [1885-1931]

파블로프〔Pavlov, Ivan Petrovich〕명 〖사람〗 러시아의 생리학자. 조건 반사(條件反射)의 연구로서 세계적으로 알려짐. 대뇌(大腦)의 생리를 연구하였으며, 1904년 소화선(消化腺)에 대한 연구로 노벨 생리·의학상을 받았음. [1849-1936]

파블리오〔fabliaux〕명 〖문〗 13세기에 북(北)프랑스에서 유행한 운문(韻文)으로 된 단편 설화의 총칭. 내용은 우스운 이야기가 많고, 교훈적인 이야기, 사랑에 관한 이야기 등도 있음. 콩트의 전신임.

파:비【破碑】명 깨어진 비석. 또, 비석을 깨뜨림. ——-하다 자여불

파비우스〔Fabius〕명 〖사람〗 고대 로마의 장군·집정관(執政官). 본명은 Quintus Fabius Maximus Verrucosus Cunctator. 제2차 포에니(Poeni) 전쟁 때 지모(智謀)로써 한니발 휘하(麾下)의 카르타고군(軍)을 격파함. [?-203 B.C.]

파:빈【破殯】명 계빈(啓殯).

파빌리온〔pavilion〕명 ①야유회·운동회 따위에 쓰는 큰 천막. ②만국 박람회장에 세워진 하나하나의 건물의 일컬음. ③귀족의 집 뜰 따위에 만들어 놓은 정자(亭子). ④〖건〗 고전주의 건축에서, 좌우 끝 부분에 돌출(突出)한 익랑부(翼廊部). ⑤일시적인 용도로 지은 건물.

파-뿌리 명 ①파의 뿌리. ②백발(白髮)의 비유. ¶검은 머리 ~가 되도록.

파사¹【波斯】명 '페르시아'의 음역(音譯).

파:사²【破寺】명 허물어진 절.

파:사³【破邪】명 사도(邪道)를 파괴하는 일. 사설(邪說)을 깨는 일. ¶ ~ 현정(顯正).

파:사⁴【破事】명 깨어진 일. 실패한 일.

파사⁵【婆娑】명 ①춤추는 소매가 날리는 모양. ②몸이 가냘픈 모양. ③초목의 잎이 떨어지고 가지가 성긴 모양. ④거문고의 소리가 꺾이는 모양. ——-하다 형여불

파:사⁶【罷士】명 ①피로해서 지친 사졸(士卒). ②재능이 모자라는 사람.

파:사⁷【罷仕】명 ①그 날의 일을 끝냄. ②〖역〗 사퇴(仕退). ——-하다 자여불

파:사⁸【罷祀】명 ↗파제사(罷祭祀).

파:-사기【破沙器】명 깨어지거나 금이 난 사기(沙器).

파사닉【波斯匿】명〔범 Prasenajit〕〖불교〗 석가와 같은 시대의 중인도(中印度) 사위국왕(舍衛國王). 불교를 믿고 보호한 사람.

파사드〔프 façade〕명 서양 건축의 정면·전면의 일컬음. 고딕 건축처럼 두 개 이상 있는 것도 있음. 보통, 도로나 광장에 면함.

파사로비츠 조약【—條約】〔Passarowitz〕명 〖역〗 다뉴브 강변의 파사로비츠에서 1718년 베네치아(Venezia)와 오스만투르크의 전쟁을 종결시킨 조약. 베네치아를 지원하여 전쟁에 참전한 오스트리아는 북(北) 세르비아를 위시한 광대한 지역을 획득했고 베네치아는 펠로폰네소스(Peloponnesos) 반도를 잃고 급속도로 몰락했음.

파사-사다【婆舍斯多】명 〖불교〗 스물 다섯째의 조사(祖師)의 이름. 불타(佛陀)의 제25대 제자로서, 인도의 계빈국인(罽人)이며 성은 바라문임. 사자 비구(師子比丘)의 의발(衣鉢)을 받았고 불여밀다(不如密多)에게 전법(傳法)한 고승(高僧)임.

파사 석탑【婆娑石塔】명 〖불교〗 경상 남도 김해(金海)에 있는 탑. 신라 유리왕(儒理王) 시대에, 수로왕(首露王)의 왕후 허황옥(許黃玉)이 인도 아수타(阿輸陀)의 공주(公主)로서 올 때에 만들어서 가지고 왔다 함. 사면(四面) 오층(五層)의 아름다운 탑임.

파사-왕【婆娑王】명 〖사람〗 신라 제5대 왕. 성은 박(朴). 월성(月城)을 쌓아 백성을 옮겨 살게 하고, 음집벌국(音汁伐國)을 정벌하고 실직(悉直)·압독(押督) 등 여러 나라를 병합하였음. [?-112; 재위 80-112]

파사:주〔프 passage〕명 승마 경기 종목의 하나. 되도록 보폭(步幅)을 줄이고 리듬감 있게 춤추듯이 걷는 속보(速步)의 일종으로 올림픽 종목에 포함됨.

파사칼리아〔passacaglia〕명 〖악〗 바로크 음악의 악곡의 한 형식. 3박자 계통의 이탈리아 무곡(舞曲)이 기원이며, 샤콘(chaconne)에 가까운 일종의 변주곡(變奏曲). 바흐(Bach, J.S.)의 오르간곡(曲) 《파사칼리아》가 유명함.

파:사 현:정【破邪顯正】명 〖불교〗 사견(邪見)·사도(邪道)를 타파하여 정법(正法)을 창현(彰顯)함. ——-하다 자여불

파삭 부 연하고 메마른 것이 가볍게 부스러지는 모양. 또, 소리. <퍼석 ——-하다 ㊀자형여불 파삭 소리가 나다. ㊁형여불 쉽게 부스러질 만큼 메마르며 보송보송하다.

파삭-거리다 자 바싹 마른 연한 것이 연해 가볍게 부스러지는 소리가 나다. <퍼석거리다. 파삭-파삭 부. ——-하다 ㊀ 자여불 파삭거리다. ㊁ 형여불 매우 파삭하다.

파삭-대다 자 파삭거리다. <퍼석대다.

파삭-파삭 부 메마르고 엉성하여 연하여 헤식게 부스러지는 모양. <퍼석퍼석. ——-하다 형여불

파삭-하다 형여불 메마르고 연하여 잘 부서지게 부피만 엉성하다. <퍼석하다.

파:산¹【破產】명 ①가산(家產)을 모두 잃어버림. 망고. ②〖법〗 채무자(債務者)가 그 채무를 완제(完濟)할 수 없는 상태에 빠졌을 경우에, 그 채무자의 총재산을 모든 채권자에게 공평히 변제(辨濟)할 것을 목적으로 하는 재판 상의 제도. 채권자의 신청에 의하여 법원이 선고하며 선고된 후는 파산법에 규정된 절차에 의하여 집행됨. 도산(倒產). 분산(分散). ——-하다 자여불

파:산²【破散】명 깨뜨려 흩뜨림. ——-하다 타여불 「다 자여불

파:산³【破算】명 주판에 계산되어 있는 셈을 헝클어 버리는 일. ——-하

파:산⁴【罷散】명 벼슬을 그만두어 한산하게 됨. ——-하다 형여불

파:산 관재인【破產管財人】명 〖법〗 파산 재단에 속하는 재산의 관리를 하는 파산 절차 상의 업무를 수행하는 사람. 행위 능력자인 자연인(自然人) 중에서 법원이 선임하며 법원의 감독 아래 파산 재단의 점유·관리·환가(換價) 및 배당에 관한 업무를 수행함.

파:산 기관【破產機關】명 〖법〗 파산 절차 상의 기관. 곧, 파산 법원(破產法院)·파산 관재인(破產管財人)·감사 위원(監査委員) 및 채권자 집회(債權者集會)의 총칭.

파:산 능력【破產能力】[—녁] 명 〖법〗 파산 선고를 받고 파산자가 될 수 있는 능력. 자연인(自然人)은 모두 이 능력을 가짐.

파:산 범:죄【破產犯罪】명 〖법〗 파산 절차의 공정(公正)을 해치는 행위에 의하여 성립되는 범죄. 사기(詐欺) 파산죄·과태(過怠) 파산죄·파산 증수회죄(贈收賄罪)·설명 의무 위반 등은 모두 이 범죄에 속함.

파:산-법【破產法】[—뻡] 명 〖법〗 파산의 절차에 관하여 규정한 법률.

파산 재단·파산 채권·부인권(否認權) 등의 실체(實體) 규정, 파산 선고(宣告)·파산 관재인(管財人)·채권자 집회·감사(監査) 위원 등의 절차 규정, 면책(免責) 및 복권(復權)·벌칙 등으로 됨.

파:산 법원【破產法院】[명]〖법〗파산 절차의 개시 및 종결, 파산 관재인(管財人)과 감사 위원(監査委員)의 선임(選任)·감독(監督), 채권자 집회(集會)의 소집과 지휘 등 파산 절차의 정당한 진행에 관하여 책임을 지는 법원.

파:산 선고【破產宣告】[명]〖법〗파산 법원이 신청에 의하여 채무자(債務者)의 파산 원인(原因)을 인증(認證)하고 그에게 파산의 결정을 내리는 선고.

파:산 수속【破產手續】[명]〖법〗'파산 절차(破產節次)'의 구법상 명칭.

파:산 신청권자【破產申請權者】[—꿘—] [명]〖법〗파산의 신청을 할 수 있는 사람. 곧, 채권자·채무자·법인체의 이사(理事) 등.

파:산 신청인【破產申請人】[명] 파산 신청권자로서 파산의 신청을 하는 사람.

파:산 원인【破產原因】[명]〖법〗채무자에 의한 총채무(總債務)의 완제(完濟)가 불가능하다고 추측되는 징후(徵候). 즉, 지불 정지·지불 불능(支拂不能)·채무 초과의 세 가지가 있음.

파:산-자【破產者】[명]〖법〗파산 선고를 받은 사람. 파산 채무자.

파:산 장애【破產障礙】[명]〖법〗파산 선고의 요건(要件)이 구비되어 있음에도 불구하고 파산 선고를 방해하는 사정.

파:산 재단【破產財團】[명]〖법〗파산 절차에 의하여 파산 채권자에게 배당되어야 할 파산자의 총재산(總財產). ＊법정 재단(法定財團).

파-산적【—散炙】[명] 데친 파와 기름하게 썬 쇠고기를 간장·기름·깨소금·후춧가루 등을 치고 함께 주무른 것을 꼬챙이에 꿰어 재었다가 구운 음식. 총산적(葱散炙).

파:산 절차【破產節次】[명]〖법〗파산 재단(破產財團)을 그의 총채권자에게 평등하게 배당 반제(配當返濟)함을 목적으로 한 특별한 민사 소송상의 절차.

파:산 주임관【破產主任官】[명]〖법〗파산 법원이 파산 선고(宣告)와 동시에 그 판사 가운데에서 한 사람을 선정하여 파산 절차를 지휘 감독케 하는데 그 선정을 받은 사람.

파:산 채:권【破產債權】[—꿘] [명]〖법〗파산 절차에서 신고하고 파산 재단으로부터 공평한 공동 변제를 받을 수 있는 채권.

파:산 채:권자【破產債權者】[—꿘—] [명]〖법〗파산 채권을 갖고 있는 사람. 「❸.

파:산 채:권자 집회【破產債權者集會】[—꿘—] [명]〖법〗채권자 집회

파:산 채:무자【破產債務者】[명]〖법〗파산자(破產者).

파:산 폐:지【破產廢止】[명]〖법〗파산 선고 후, 그 절차 진행 중에 그 목적을 달성하지 못한 채 재산 정리의 절차를 중지하는 일. 파산 종료 원인의 하나로, 동의(同意) 폐지와 재단(財團) 부족에 의한 폐지가 있음.

파상[1]【波狀】[명] ①물결이 기복(起伏)하는 형상. 상하로 만곡한 형상. ②물결이 밀려왔다가는 밀려가는 것처럼, 일정한 간격을 두고 같은 일을 되풀이하는 일.

파:상[2]【破傷】[명] 깨어져 상함. ——하다 [자][타][여불]

파상 공:격【波狀攻擊】[명]〖군〗하나의 공격 목표에 대하여 파상(波狀)으로 단속적(斷續的)으로 하는 공격.

파상-문【波狀紋】[명] 파문(波紋). 물결무늬.

파상-설[1]【波狀雪】[명] 스카블라(skavla).

파상-설[2]【波狀說】[명]〖언〗수지설(樹枝說).

파:상-습【破傷濕】[명]〖한의〗상처로 습기가 들어가서 생기는 병증.

파상-열【波狀熱】[—녈] [명]〖의〗브루셀라 균속(Brucella 菌屬)의 감염으로 생기는 전염병. 소·양 따위 가축병이나, 생우유의 복용으로 사람도 감염되는 수가 있음. 고열기(高熱期)와 무열기(無熱期)가 파상으로 교차되는 것이 특징임. 브루셀라병.

파상-운【波狀雲】[명]〖기상〗물결 모양의 구름. 주로 고적운(高積雲)·권적운(卷積雲)·층적운(層積雲) 등에 생김. 물결구름.

파상 운:동【波狀運動】[명]〖생〗거머리가 헤엄칠 때 또는 뱀이 길 때와 같이 몸을 파상(波狀)으로 움직이는 운동.

파상 저:기압【波狀低氣壓】[명] 〔wave cyclone〕〖기상〗전선(前線)에 따라서 발달하는 저기압. 저기압 중심 둘레의 순환(循環)이 전선을 파상(波狀)으로 변형(變形)하는 경향이 있음.

파상 파:업【波狀罷業】[명] 동맹 파업 형태의 하나. 통일적 요구를 쟁취하기 위한 전술로 동일 산업의 여러 조합이나, 동일 기업의 지역적 조합 조직이 차례차례로 연속해서 행하는 파업.

파상 평원【波狀平原】[명]〖지〗준평원(準平原).

파:상-풍【破傷風】[명] 〔tetanus〕〖의〗상처를 통하여 체내에 들어간 파상풍균의 독소로 일어나는 전염병. 병증은 교근(咬筋)의 강직, 안면근의 강직, 몸의 후방 반장(後方反張), 강직성 근육 경련, 발열 등으로 나타나며 중증(重症)은 수시간내에 사망함. 치경(痓痙).

파:상풍-균【破傷風菌】[명] 〔*Clostridium tetani*〕〖의·식〗파상풍의 병원균(病原菌). 그람 양성(Gram 陽性)의 간균(桿菌)으로, 혐기성(嫌氣性)이고 흙 속에 삶. 1884년 독일의 의사 니콜라이어(Nicolaier, A.)가 발견하였음.

파:상풍균 강식 독소【破傷風菌強直毒素】[명] 〔tetanospasmin〕〖수의〗파상풍균에 의해 생성되는 신경 독소(神經毒素). 파상풍(破傷風) 증상의 원인이 됨.

파:상풍균 용혈 독소【破傷風菌溶血毒素】[명]〖화〗테타놀리진(tetanolysin).

파:상풍 톡소이드【破傷風—】[명] 〔tetanus toxoid〕〖의〗파상풍의 예방용 백신. 파상풍 병원균을 방치(放置)해서 독성을 약하게 한 것으로, 사람에게 저항성을 갖게 하나 독소로서의 작용은 없음.

파:상풍 혈청【破傷風血清】[명] 〔tetanus antitoxin〕파상풍균이 산출하는 독소(毒素)를 말에 주사하여, 면역(免疫)시켜 만든 항독소 혈청. 파상풍의 치료 또는 예방에 쓰임.

파:색【破色】[명] 원색(原色)에 백색 또는 회색을 조금 섞은 색.

파:색-조【破色調】[명] 원색(原色)에 회색을 가한 색. 즉, 제삼차색을 말하며, 간색(間色)과 동의(同意)로 쓰임.

파생[1]【派生】[명] 어떤 사물의 주체로부터 갈리어 나와 생김. 분파(分派)해서 생김. 또, 그리 된 것. ——하다 [자][여불]

파:생[2]【罷省】[명] 그만두게 하여 폐지함. ——하다 [타][여불]

파생-률【派生律】[—뉼] [명]〖철〗일반적인 법칙으로서 특별한 경우에 적용되는 법칙.

파생-물【派生物】[명] 어떤 사물의 주체에서 갈리어 나와 생긴 물건.

파생-법【派生法】[—뻡] [명]〖언〗실질 형태소에 형식 형태소를 붙이어 파생어를 만드는 단어 형성법. ↔합성법(合成法).

파생 사회【派生社會】[명]〖사〗사회의 분화 과정(分化過程)에 있어서 원형(原型)을 이루는 기초 사회로부터 파생된 사회.

파생 수요【派生需要】[명]〖경〗어떠한 재화(財貨)를 생산할 때에 생기는 간접적인 수요.

파생-어【派生語】[명] 〔derivative〕〖언〗하나의 독립된 낱말로서 어근에 접사(接辭)가 붙어 이차적으로 만들어진 낱말. '김칫국'·'덧버선'·'들볶다' 따위. ＊복합어·합성어.

파생-음【派生音】[명]〖악〗'사이음(音)'의 한자 이름.

파생-적【派生的】[명][관] 어떤 원칙적인 것에 대해 종속적(從屬的) 또는 부분적인 모양. 파생한 모양.

파생적 세:포 간극【派生的細胞間隙】[명] 〔lysigenous intercellular space〕〖생〗처음 서로 밀접해 있던 식물의 조직 세포가 조직이 성장함에 따라 파괴되고 뒤에 남는 세포 간극. 간극 안에 공기가 있으면 일종의 통기(通氣) 조직이 되고, 점액(粘液) 또는 유지(油脂) 따위 물질이 있으면 분비(分泌) 조직이 됨.

파생적 소:득【派生的所得】[명] 연금·공채·이자·증여(贈與) 등과 같이, 생산에 종사하지 않고 본원적 소득에서 갈라져 나오는 소득.

파생-체【派生體】[명] 한 근원이 되는 주체로부터 갈리어 나온 개체.

파샤〔pasha〕[명] 터기(Turkey)에서, 장군·총독·사령관 등에게 주는 영예의 칭호. ¶케말 ～.

파서-국【巴西國】[명]〖지〗'브라질(Brazil)'의 한자(漢字) 이름.

파:석【破石】[명] 암석이나 광석을 깨뜨림. ——하다 [자][여불]

파선[1]【波線】[명] 물결 모양으로 구불구불한 선.

파:선[2]【破船】[명] 풍파(風波)나 어떤 장애물로 말미암아 배가 해상에서 파괴됨. 또, 그 배. ＊난파선. ——하다 [자][여불]

파:선[3]【破線】[명] 짧은 선을 간격을 두고 벌여놓은 선. 제도(製圖)에서 보이지 않는 부분의 형태를 나타낼 때 사용함.

파선[4]【擺線】[명]〖수〗〔←패선(擺線)〕'사이클로이드'의 구용어.

파설【播說】[명] 말을 전파(傳播)함. 말을 퍼뜨림. ——하다 [자][타][여불]

파:성【破聲】[명]〖악〗판소리 창법(唱法) 용어. 깨어진 징소리처럼 부서져 나오는 변화된 목소리.

파:성-기【破成器】[명] 파쇠로 만든 그릇.

파:섹〔parsec〕[의명]〖천〗〔parallax second 에서 유래〕항성(恒星)의 거리를 측정하기 위한 천문학상의 거리의 단위. 연주 시차(年周視差)의 각도나 1초(秒)에 상당하는 거리를 1파섹이라 하며 1파섹은 약 30조 8,400억 km 또는 3,259 광년(光年). 기호(記號)는 pc. 먼 거리의 천체·은하 등을 나타낼 때에는 킬로파섹(kpc), 메가파섹(Mpc)등으로 나타냄. ＊광년(光年).

파:셰-식【—式】[명] 〔Paasche〕[명] 지수(指數) 계산 방법의 하나. 중량 비교시에 얻는 가중 평균(加重平均). 「벤스.

파소 도블레〔스 paso doble〕[명]〖악〗스페인풍(風)의 원스텝(onestep)

파속[1]【把束】[명]〖역〗논밭의 결세(結稅)의 단위인 줌과 뭇.

파속[2]【波束】[명] 〔wave packet〕〖물〗①어느 시각에 있어서의 파도의 공간적(空間的) 파형(波形)이 매질(媒質)의 유한(有限) 부분에 한정되어 있는 파도. ②양자 역학(量子力學)에서, 공간적으로 유한의 넓이를 갖는 파동 함수(函數). 입자(粒子)는 이 공간의 유한 부분에서만 존재의 확률을 가짐.

파속[3]【波速】[명] 파동(波動)이 전파되는 속도.

파:손【破損】[명] 깨어져 못 쓰게 됨. 깨뜨려 못 쓰게 만듦. ¶기물을 ～하다/유리창이 ～되다. ——하다 [자][타][여불]

파송【派送】[명] 파견(派遣). ——하다 [타][여불] 「[자][타][여불]

파:쇄【破碎】[명] 깨어져서 부스러짐. 깨뜨리어 부스러뜨림. ——하다

파:쇄-기【破碎機】[명] 광석·석탄 등을 잘게 부수는 기계. 분쇄기.

파:쇄-대【破碎帶】[명]〖지〗단층(斷層)을 따라 암석(岩石)이 부스러져 나간 부분.

파:쇄-암【破碎岩】[명]〖지〗단층(斷層)을 따라 암석이 부스러진 것. 광물(鑛物)은 세립화(細粒化)되고 또 심하게 왜곡(歪曲)됨.

파:쇄-위【破碎胃】[명]〖생〗위벽의 일정한 부위(部位)가 두드러진 돌기물(突起物)로서, 위(胃)의 안쪽에 돌출하여, 근육의 지배를 받아 위 속의 먹이를 잘게 부수는 부분. 조류(鳥類)의 모래주머니, 절지(節肢) 동물의 소낭(嗉囊) 따위.

파:-쇠【破—】[명] ①쇠붙이로 된 그릇의 깨어진 조각. 파철(破鐵). 설철(屑鐵). ②헌쇠.

파쇼〔이 fascio〕[명] ①이탈리아의 파시스트당(黨)의 일컬음. 전투단(戰鬪團)(Fascio di Combatimento)이란 이름으로 결성되었기 때문에 이 당(黨)을 이렇게 부르기도 함. ②일반적으로 파시즘적인 운동·경향·지

배 체제(支配體制)를 가리키는 말.

파쇼다 사:건【一事件】[一껀] [Fashoda] 명 『역』 아프리카 분할 시대에 3C 정책을 취한 영국과, 아프리카 횡단 정책을 취한 프랑스가 1898년에 나일 강변 파쇼다에서 충돌한 사건. 두 나라 관계를 긴장시켰으나 이듬해에 영국이 이집트를, 프랑스가 모로코를 각각 세력 범위 안에 두기로 하고 타협함.

파숑 [프 Passion] 명 ①『연』 주로 중세(中世)에 있어서 예수를 중심으로 하여 그 탄생으로부터 수난(受難)·죽음·승천(昇天)에 이르기까지의 일대기(一代記)를 연극화(演劇化)한 것. 수난극(受難劇). ②『악』 예수의 수난사(受難史)를 다룬 곡으로 편곡은 오라토리오(oratorio)와 같음. 수난곡(受難曲). 패션(passion).

파수[1]【把手】명 ①그릇 따위의 손잡이. 자루. 잡이. ②손을 잡음. ——-하다 자여불

파수[2]【把守】명 경계하여 지킴. 또, 그 사람. ——-하다 타여불
파수(를) 보다 구 한 곳을 경계하여 지키어 보다.

파수[3]【波數】명 [wave number] 『물』 일정한 매질(媒質)의 단위 길이에 포함되는 파동의 수. 파장(波長)의 역수와 같음.

파수[4]【派收】명 ①5일째마다 매매한 물건 값을 치르는 일. 각 지방에 따라서 일정하지 않으나 서울에서는 음력으로 초닷새·열흘·보름·스무날·스무닷새·그믐날임. ②장날에서 장날까지의 동안.

파:수[5]【破水】명 ①분만(分娩)할 때 양막(羊膜)이 터져서 양수(羊水)가 배출되는 일. 또, 그 양수. ②『민』 풍수 지리 상(風水地理上), 묘소(墓所) 또는 마을터에서 산 뒤로 보이는 물줄기의 파문(破門)으로 빠져 나가는 물. ＊득수 득파(得水得破).

파수-간【把手間】[一깐] 명 파수꾼이 파수를 보는 방.

파수-꾼【把守一】명 파수(把守) 보는 사람.

파수-막【把守幕】명 파수 보기 위하여 만든 막.

파수-변【派收邊】명 닷새 기한으로 치르는 변돈.

파수-병【把守兵】명 파수 보는 병정. 보초병.

파순【波旬】명 [범 Pâpiyâs] 『불교』 석가(釋迦)의 수도를 방해하려고 한 마왕의 이름. 천마(天魔).

파슈토-어【一語】[Pashto] 명 『언』 인도 유럽 어족(語族)에 속하는 근대 이란어(語)의 하나. 파탄(Pathan)족의 언어로, 아프가니스탄의 공용어의 하나이며 인접한 파키스탄 일부에서도 사용됨. 푸슈투어(Pushtu 語).

파스[1] [farce] 명 『연』 소극(笑劇).

파스[2]【PAS】명 『약』 [para-amino-salicylic acid의 약칭] 백색의 쓴 맛이 나는 가루. 결핵의 특효약으로서 스트렙토마이신(streptomycin)에 대하여 저항성(抵抗性)을 가지게 된 균(菌)에도 유효하다고 함. 1946년에 스웨덴의 레만(Lehmann)이 발견하였음.

파스[3] 명 ↗파스타. ¶허리 삔 데 ～를 붙이다.

파스[4] [Paz, Octavio] 명 『사람』 멕시코의 작가·시인·외교관. 첫 시집 《루나르 실베스트레》로 초현실주의 시인으로 지목됨. 오랫동안 인도·일본에서 외교관으로 근무. 1981년 세르반테스 상, 1990년 노벨 문학상을 수상. 시집 《가석방》·《태양의 돌》, 평론집 《고독(孤獨)의 미로》 등이 있음. [1914-98]

파스너 [fastener] 명 ①분리되어 있는 것을 잠그는 데 쓰는 기구의 총칭. ②↗슬라이드 파스너(slide fastener).

파스칼[1] [Pascal, Blaise] 명 『사람』 프랑스의 사상가·수학자·물리학자. 일찍 수학·물리 등에 특이한 재능을 보여 16세 때 《원추 곡선론(圓錐曲線論)》을 발표, 계산기 및 '수압기(水壓機)의 원리' 등을 발견하였음. 1654년경부터 차츰 종교적 회심(回心)을 경험, 얀센파(Jansen派)에 공명(共鳴), 이의 변호를 위해 《시골 친구에게 보내는 편지》를 내고, 명저 《팡세(Pensées)》에서 기독교적 변증론을 생각하여 신(神)의 은총을 증명코자 하였음. '인간은 생각하는 갈대'라는 말로 유명함. [1623-62]

파스칼[2] [pascal] 의명 압력(壓力)이나 변형력(變形力)의 국제 단위계(國際單位系) 단위. 1 파스칼은 1 m^2당(當) 1 뉴턴의 힘이 더해지는 압력을 뜻함. 기호는 Pa. ＊헥토파스칼.

파스칼의 삼각형【一三角形】[一/一에一] 명 [Pascal's triangle] 『수』 이항 계수(二項係數)를 삼각형 꼴로 배열한 것. 이항 계수를 구체적으로 계산하는데 쓰임.

파스칼의 원리【一原理】[一월一/一에월一] 명 [Pascal's principle] 『물』 액체 또는 기체의 압력에 관한 법칙. 곧, 밀폐(密閉)된 액체는 그 일부에 받은 압력을 증감(增減) 없이 전체의 부분에 전달한다는 원리. 수압기(水壓器)에 응용됨. 1653년 파스칼이 발견하였음.

파스칼의 정:리【一定理】[一니/一에一니] 명 [Pascal's theorem] 『수』 평면 기하학(平面幾何學)의 정리의 하나. 평면상에 있는 6점이 같은 원뿔 곡선 상에 있으면 이 6점으로 되는 6각형의 대변(對邊)의 교점(交點)은 같은 직선 상에 있게 되며, 그 역(逆)의 현상도 성립된다는 정리. 1640년 파스칼이 발견하였음.

파스콜리 [Pascoli, Giovanni] 명 『사람』 이탈리아의 시인. 시인은 자연과 인간에 접하여 어린애 같은 감동을 나타낸다는 입장에서 새로운 시어(詩語)들을 개척, 현대 이탈리아 시에 커다란 영향을 끼쳤음. 시집 《미리채 (Myricae)》 등이 있음. [1855-1912]

파스킨 [Pascin, Julius Pincas] 명 『사람』 유태계의 미국 화가. 수개국을 여행, 1920년부터 파리에서 제작에 몰두하여 현대 회화 운동에서 고립된 채 주로 거지나 여자 등을 신경질적이고 약간 병적인 화풍으로 묘사함. 파리에서 자살하였음. [1885-1930]

파스타[1] [도 Pasta] 명 파스타제(劑). 준파스.

파스타[2] [이 pasta] 명 [pasta sciutta의 약칭] 이탈리아식 국수의 총칭. 밀가루를 달걀에 반죽하여 만듦. 마카로니·스파게티가 그 대표적인 것임.

파스타-제【一劑】[도 Pasta] 명 다량의 분말제(粉末劑)를 포함한 유성(油性)의 연고제(軟膏劑). 파스타.

파스테르나크 [Pasternak, Boris Leonidovich] 명 『사람』 소련의 시인·작가. 유태계로, 미래파의 기관지 '레프(Lev)'를 거점(據點)으로 섬세한 감성을 나타낸 서정시(抒情詩)의 독자적인 타입으로서, 러시아 최후의 순수 예술파 시인으로 평가되며, 다른 소련 작가와는 달리 형식면의 은연한 중후감(重厚感)이 엿보임. 1958년, 혁명에 대한 인텔리겐차의 위화감(違和感)을 주제(主題)로 한 장편 소설 《의사 지바고(Zhivago)》로 노벨 문학 상의 수상자로 선정되었으나, 국내의 정치적 압력 때문에 사퇴했음. [1890-1960]

파스텔 [pastel] 명 『미술』 파스텔화(畫)에 쓰이는 크레용의 한 가지. 빛이 있는 가루 원료를 길쭉하게 굳힌 것. 원료로는 옛날부터 석고 또는 질이 좋은 점토(粘土)를 썼으나, 지금은 물에 거른 탈산 석회(脫酸石灰)로 만듦.

파스텔-조【一調】[pastel] [一쪼] 명 연하고 부드러운 중간색의 색조. 파스텔의 색조(色調)와 비슷한 데서 생긴 말.

파스텔 컬러 [pastel color] 명 [파스텔의 색조와 비슷하다는 뜻에서] 엷은 빛깔. 부드러운 중간색.

파스텔 톤: [pastel tone] 명 화재(畫材)인 파스텔과 비슷한 백색을 포함한 부드러운 색조. 강렬한 원색과는 대조적임.

파스텔-화【一畫】[pastel] 명 『미술』 파스텔로 그린 그림.

파스토 [Pasto] 명 『지』 남아메리카 콜롬비아 남서부 에콰도르 국경 근처의 고원(高原) 도시. 표고(標高) 약 2,500 m. 농·축산물 거래의 중심지로 파나마 모자 제조가 성함. [244,500 명(1985)]

파스토랄 [프 pastorale] 명 『악』 ①목가(牧歌)적인 기악곡(器樂曲) 또는 성악곡(聲樂曲). 전원곡(田園曲). 목가(牧歌). ②전원 생활이나 풍경, 목가적인 정서 따위를 주제로 한 시문학(詩文學). 전원시(田園詩). 목가(牧歌). ③풍경화의 한 양식. 로코코 시대에 즐겨 그린 목가적인 풍경화.

파스토랄레 [이 pastorale] 명 『악』 '목가풍(牧歌風)으로'의 뜻.

파스토랄 심포니 [Pastoral Symphony] 명 『악』 전원 교향곡(田園交響曲).

파스퇴:르 [Pasteur, Louis] 명 『사람』 프랑스의 화학자·미생물학자. 부패·발효가 미생물의 작용임을 설명하였으며, 유산균·효모균(酵母菌)을 발견함. 자연 발생설을 부인하고, 또한 저온 살균(低溫殺菌)의 방법을 발표하였음. 가축의 탄저병(炭疽病)·광견병(狂犬病)의 예방 접종법(豫防接種法)을 발견. 1888년 파스퇴르 연구소 초대(初代) 소장이 되었음. [1822-95]

파스퇴:르 연:구소【一研究所】명 [Institut Pasteur] 1888년 파스퇴르에 의한 광견병 예방법의 확립을 기념하여 국제 갹금(醵金)으로써 파리에 설치된 연구소. 미생물학부(微生物學部)·혈청 치료부(血清治療部)·생화학부(生化學部) 등으로 이루어졌음. 전염 병원 및 백신·바이러스 연구실도 부속되어 있음.

파스퇴:르 효:과【一効果】명 [Pasteur effect] 혐기성(嫌氣性) 조건 대신 충분한 양(量)의 산소(酸素)를 공급함으로써 발효(醱酵)를 저지(沮止)하는 일.

파스투렐 [프 pastourelle] 명 프랑스 중세기의 전원시(田園詩). ＊파스토랄.

파스트-백 [fastback] 명 승용 자동차의 형식의 하나. 차체 후부가 유선식(流線式)으로 된 형식.

파스파 [HPhags-pa] 명 『사람』 중국 원(元)나라 때 라마교(敎)의 중. 1260년 쿠빌라이의 스승이 되고 원조(元朝)의 공용 문자인 파스파 문자를 만들었음. 팔사파(八思巴). [1239?-80]

파스파 문자【一文字】[ḤPhags-pa] [一짜] 명 『역』 중국 원(元)나라의 세조(世祖) 쿠빌라이 칸(Khubilai Khan)이, 티베트 중으로 임금의 스승이 된 파스파(ḥPhags-pa)를 시켜 새로 만들게 한 원나라의 나라 글. 티베트 문자의 모양을 약간 고치고, 몽고어 및 기타의 언어를 표기하기 위한 자모(字母)를 다소 첨가한 것인데, 몽고어 외에 중국어·티베트어·범어(梵語)·터키어 등을 표현하는 데에도 사용됨. 원나라 멸망 후는 거의 쓰이지 않음. 주의 '팔사파 문자(八思巴文字)'로 씀은 취음(取音).

파스피에 [프 passepied] 명 『악』 옛날 프랑스의 선원(船員)들 사이에서 일어난 3박자(拍子)의 무곡(舞曲). 메누엣(menuett) 비슷하나 훨씬 경쾌함.

파:슨스 [Parsons, Charles Algernon] 명 『사람』 영국의 발명가·기계 기사(技師). 1884년 반동 증기(反動蒸氣) 터빈의 특허를 얻어 1897년에 세계 최초의 증기 터빈선(船) '터비니아호(Turbinia號)'를 완성하였음. [1854-1931]

파:슨스 터:빈 [Parsons turbine] 명 영국의 발명가 파슨스가 1897년에 발명한 대표적인 축류(軸流) 반동 터빈. ＊터비니아호(Turbinia 號).

파:슬리 [parsley] 명 『식』 [*Petrocelinum sativum*] 미나릿과에 속하는 2년생 초본(草本). 골이 있고 높이 30-60 cm, 줄기에서 많은 가지를 내며 유병(有柄), 삼출 중복엽(三出重複葉), 잎은 짙은 녹색, 윗면은 광택이 있음. 2년째에 20-50 cm의 화경(花莖)이 나와 복산형(複繖形) 화서로 황록색의 직경 2 mm의 꽃이 피며, 넓은 달걀꼴의 지름 약 3 mm의 삭과(蒴果)가 열림. 전체에 향기가 있어 식용으로 함. 유럽 남동부·아프리카 북안(北岸) 원산임. 양(洋)미나리.

〈파슬리〉

파슬-파슬 부 덩어리진 가루 등속이 물기가 없어 쉽게 헤어지는 모양. ㄴ바슬바슬. <퍼슬퍼슬. *포슬포슬. ——-하다 형여불

파시[1]【波市】명 해상(海上)에서 열리는 생선 시장. 황해도 연평(延坪)의 조기 파시, 전라 북도 위도(蝟島)의 조기 파시, 거문도(巨文島) 및 청산도(靑山島)의 고등어 파시, 추자도(楸子島)의 멸치 파시 등이 특히 유명함.

파:시[2]【罷市】명〔중국 진(晉)나라의 양호(洋祜)가 형주 도독(荊州都督)으로 재임 중 죽자, 백성들이 그를 추모하여 시장을 열지 않았다는 고사에서〕중국에서, 도시의 상인이 다 가게를 닫고 물건 파는 것을 중지하는 일. *철시(撤市).

파:시[3]〔parsi〕명〖종〗배화교도(拜火敎徒).

파시[4]〔Passy, Frédéric〕명〖사람〗프랑스의 경제학자·정치가. 평화 운동에 종사하여 1867년 국제 평화 동맹(國際平和同盟)을 창설함. 경제학에서는 노사(勞使) 평등주의를 제창하였음. 1901년 제1회 노벨 평화상 수상. [1822-1912]

파시스트〔fascist〕명 ①파시즘(fascism)을 신봉·주장하는 사람. ②이탈리아의 파시스트 당원(fascist黨員).

파시스트-당【—黨】〔Fascist〕명 이탈리아의 정당. 1919년 무솔리니가 조직한 '이탈리아 전투자 동맹'이 그 전신임. 전체주의적·반혁명적 행동 단체. 1922년에 정권을 획득한 후 일당 독재(一黨獨裁) 체제를 강화함. 당의 최고 기관 파시스트 대평의회(大評議會)를 설치하여 무솔리니가 당수령(黨首領)과 정부 주석(政府主席)을 겸임했으나 제2차 세계 대전에 돌입, 1943년 붕괴함. 파쇼.

파시시 부 ☞ 부스스. ¶ ~ 일어서 나가 버린다.

파시즘〔fascism〕명 ①협의로는, 이탈리아의 파시스트당의 사상 또는 지배 체제. ②광의로는, 이탈리아 파시즘과 공통의 본질을 갖는 경향·운동·지배 체제. 즉, 제1차 세계 대전 후에 나타난 극단적인 전체주의적·배타적 정치 이념. 또는, 그런 정치 체제. 자유주의를 부정하고 일당 독재에 의한 철저한 전체주의·국수주의를 표방하며 지도자에 대한 절대 복종과 반대자에 대한 가혹한 탄압, 반공(反共)을 내세워 침략 정책을 취하는 것을 특색으로 함.

파시-풍【波市風】명 파시(波市)의 풍경(風景).

파식[1]【波蝕】명〖지〗물결이 육지를 침식하는 일. ——-하다 타여불

파식[2]【播植】명 씨앗을 뿌리어 심음. ——-하다 타여불

파식 대지【波蝕臺地】명〖지〗파식에 의하여 육지가 깎이어 나가, 해안에 가까운 해저에 생긴 평탄면(平坦面). 해식(海蝕) 대지.

파심【波心】명 물결의 한가운데. 물결의 중심.

파악[1]【把握】명 ①손으로 잡아 쥠. ②확실하게 이해함. ¶ 정세(情勢) ~. ——-하다 타여불

파:악[2]【破惡】명〖불교〗불교에 있어서의 오덕(五德)의 하나.

파:안【破顔】명 얼굴빛을 부드럽게 하여 활짝 웃음. 개안(開顔). ——-하다 자여불

파:안 대:소【破顔大笑】명 얼굴빛을 부드럽게 하여 크게 웃음. ——-하다 자여불

파압【波壓】명 밀려오는 파도의 압력.

파압-계【波壓計】명 파력계(波力計).

파야【波若】명〖사람〗고구려 영양왕(嬰陽王) 때의 중. 어려서 중국 텐타이 산(天台山)에 들어가 지자 대사(智者大師)를 찾아 천태종(天台宗)을 배우고, 신라에 들어와 천태종의 종주(宗主)가 됨. [561-613]

파:약【破約】명 약속을 깨뜨림. 해약(解約). ——-하다 자타여불

파얀스〔Fajans, Kazimierz〕명 폴란드 태생의 미국 물리 화학자. 뮌헨 대학 교수를 지내다가 1934년 도미 미시간 대학 교수가 됨. 우라늄 X_2를 발견하였고, 소디(Soddy, F.)와 함께 방사성 핵종의 변위 법측을 발견함. [1887-] 「변위칙(變位則).

파얀스 소디의 법칙【—法則】[—/—에—]〔Fajans Soddy〕명〖물〗

파양[1]【爬癢】명 가려운 데를 긁음. ——-하다 자여불

파:양[2]【罷養】명〖법〗양자 관계의 법적 효력을 해제하는 법률 행위. 파계(罷繼). 구용어 : 이연(離緣). ——-하다 타여불

파:양-수【柏痒樹】명〖식〗배롱나무.

파양-축【簸揚縮】명 키질하여 쭉정이를 날려 버림으로써 생기는 감소(減少).

파양-호【鄱陽湖】명〖지〗'포양 호'를 우리 음으로 읽은 이름.

파:업【罷業】명 ①하던 일을 중지함. ②↗동맹 파업. ¶ 동정 ~. ——-하다 자여불

파:업-권【罷業權】명 사용자와 근로자의 사이에 노동 조건에 관하여 의견의 차이가 있을 때 그 요구를 관철시키기 위하여 근로자가 파업을 행할 수 있는 권리.

파:업 기금【罷業基金】명〖사〗동맹 파업(同盟罷業) 때 사용하기 위하여 노동자가 평상시에 미리 준비하여 두는 자금.

파에 명〈방〉〖식〗파[1]❷(함경).

파에스〔Páez, José Antonio〕명〖사람〗베네수엘라의 혁명가. 1810년 이후 반(反)스페인 독립 전쟁에 참가함. 베네수엘라 초대 대통령. 1847년 혁명에 실패하여 망명함. [1790-1873]

파에톤〔Phaëthon〕명〖신〗그리스 신화 중의 인물. 아폴론(Apollon)의 아들로, 아비의 일륜차(日輪車)를 타고 대지에 접근, 인류의 소실(燒失)을 겁낸 제우스(Zeus)에 의해 격살(擊殺)되었음.

파:연【罷宴】명 잔치가 끝남 또는 끝냄. ——-하다 자타여불

파:연-곡[1]【罷宴曲】명〖악〗잔치를 끝낼 때에 부르는 노래.

파:연-곡[2]【罷筵曲】명〖문〗윤선도(尹善道)가 지은 시조 2수. 내용은 연회(宴會)를 즐기되 절제할 것과, 주도(酒道)에서의 덕과 예의를 지킬 것을 읊은 교훈적인 노래.

파:열【破裂】명 깨어져서 갈라짐. 깨뜨리어 가름. ——-하다 자타여불

파:열 강도【破裂強度】명〔bursting strength〕재료(材料)가 파열되지 않고 압력에 견디는 능력의 크기. 주어진 두께의 용기(容器)를 파열하는 데 필요한 수압(水壓)과 같음.

파:열-시【破裂矢】명 포경용(捕鯨用) 작살의 하나. 발사되어 고래의 살 속으로 들어간 뒤 파열(破裂)하도록 되어 있음.

파:열 압력【破裂壓力】[—녁] 명〔burst pressure〕고압 용기(高壓容器)가 안전하게 견딜 수 있는 최대 내압(最大內壓).

파:열-음【破裂音】명〖언〗자음(子音)을 발음할 때에 후두(喉頭) 위의 발음 기관(發音器官)의 어느 한 부분을 막고 숨을 그친 다음 이를 터뜨리고 내는 소리. 곧, ㅂ·ㅃ·ㅍ·ㄷ·ㄸ·ㅌ·ㄱ·ㄲ·ㅋ 등의 소리. 정지음(停止音). *내파음(內破音).

파:열-파【破裂波】명〔burst wave〕탄알이나 폭탄의 파열에 의한 압축 공기의 파동. 큰 피해(被害)를 줌.

〈파오〉

파염 명〈방〉파임.

파예 명〈방〉〖식〗파[1](함남).

파오〔중 包〕명 몽고 사람의 이동식 텐트 모양의 집.

파오쯔〔중 包子〕명 중국식 만두. 또, 소를 넣지 않고, 발효시킨 밀가루 반죽을 찐 빵.

파오치〔波吾赤〕명 원(元)나라의 영향을 받은 고려 시대의 몽고식 관직명. 그 직책에 대해서는 자세히 알 수 없으나 여객(旅客)이나 여객과 관계있는 일을 맡았던 군인으로 보임.

파:옥[1]【破屋】명 무너진 집. 허물어진 집. ¶ ~을 수리하다.

파:옥[2]【破獄】명 죄수(罪囚)가 옥(獄)을 깨뜨리고 달아남. 탈옥(脫獄)함. 파뢰(破牢). ——-하다 자여불

파:옥 도주【破獄逃走】명 죄수(罪囚)가 옥(獄)을 깨뜨리고 도망(逃亡)함. ——-하다 자여불

파:와【破瓦】명 깨어진 기와.

파욜〔Fayol, Henri〕명〖사람〗프랑스의 경영학자. 광산 기사를 거쳐 광업 회사 사장에 취임, 관리(管理) 연구소를 세움. 경영 관리를 중요시하여 체계적(體系的)인 전체 관리법, 곧 파욜리즘을 처음으로 전개함. [1841-1925]

파우[1] 명〈방〉바위(평북).

파우[2] 명〈방〉〖식〗파[1]❷(경북).

파우누스〔Faunus〕명〖신〗고대 로마 신화 중의 농경 목축(農耕牧畜)의 신. 예언(豫言)도 관장함. 그리스 신화의 판(Pan)에 상당함.

〈파우누스〉

파우더〔powder〕명 ①가루·분말(粉末). ②화장용의 분. ¶ 베이비 ~. ③화약(火藥).

파우더 퍼프〔powder puff〕명 퍼프.

파우사니아스〔Pausanias〕명〖사람〗2세기 후반의 고대 그리스의 여행가·저작가. 팔레스타인·이집트·이탈리아·그리스 등지를 답사하고 전성 시대의 그리스를 알 수 있는 사료(史料)로서 가치가 큰 10권의 ≪그리스 안내기≫를 씀. 생몰년 미상.

파우스톱스키〔Paustovskii, Konstantin〕명〖사람〗소련의 작가. 소련에서는 드문 순수 예술파의 거장임. 자서전적인 6부작 ≪내 생애 이야기≫ 외에 산문시적(散文詩的)인 중·단편이 있음. [1892-1968]

파우스트[1]〔도 Faust〕명 ①〖문〗괴테의 대표적인 희곡. 파우스트 전설에서 취재한 것으로, 독일 근대 문학 최대의 작품이라 일컬어짐. 학문과 지식에 실망한 노박사(老博士) 파우스트는 악마 메피스토펠레스(Mephistopheles)에 의하여 현세적(現世的) 향락을 알게 되며, 그레트헨(Gretchen)과 연애를 체험하나 이에 만족하지 못하고, 고전미의 전형(典型)인 헬레네와 결혼하나 미(美)도 그를 구할 수 없어 결국 새로운 이상국(理想國) 건설에 노력함으로써 만족을 느꼈다는 이야기. ②〖악〗구노(Gounot) 작곡의 가극(歌劇). 괴테의 파우스트 제1부에 기초를 둠. 1859년에 초연(初演)됨.

파우스트[2]〔Faust, Johann〕명〖사람〗16세기 경의 독일의 전설적 인물. 15-16세기에 걸쳐 실재(實在)한 연금술사(鍊金術師) 파우스트(Faust, Georg)에 갖가지 마술 전설이 결합하여 형성된 인물로, 악마와 계약을 체결, 그 마력(魔力)에 의해 쾌락을 얻고 호화롭게 지낼 수 있었으나 계약 기간이 끝나자 비참한 최후를 마쳤다고 전해짐. 이 전설은 괴테를 위시한 많은 작가에 의해 작품화됨.

파우스트-적【—的】〔Faust〕명관〖철〗괴테의 ≪파우스트≫에 표현되어 있는 것과 같은 유형적(類型的)인 성격을 의미하는 말.

파우스트적 충동【—的衝動】〔Faust〕명 다양(多樣)한 인생을 편력(遍歷)·체험(體驗)하면서, 자기의 가능성(可能性)을 무한히 확대하려는 충동. 전설(傳說)의 주인공 파우스트의 언행(言行)에 유래(由來)하며, 영원의 여성(女性)에 의하여 이상(理想)의 궁극(窮極)으로 향상하려는 욕망(慾望)을 포함함.

파우치〔pouch〕명 행낭(行囊).

파우케르〔Pauker, Ana〕명 루마니아의 여성 혁명가. 루마니아 공산당 최고 지도자의 한 사람. 1947년 외상, 1949년 부수상을 겸임했으나, 1952년 실각함. [1893-1960]

파운달〔poundal〕의명〖물〗영국의 절대 단위계에서, 힘의 단위. 1파운드 질량의 물체에 1ft/sec²의 가속도를 일으키는 힘. 0.138254954376 뉴턴(N)에 해당함.

파운데이션〔foundation〕명 ①기초 화장에 쓰는 화장품의 하나. 가루분을 유지(油脂)에 섞은 것. ②몸매를 고르게 하기 위한 여성의 속옷.

브래지어·거들·코르셋 등. ③유화(油畫)의 소지(素地)의 바탕칠. ④기초.

파운드[1] 〔Pound, Ezra Loomis〕 명 『사람』 미국의 시인·평론가. 일찌기 런던에 거주하며 이미지즘(imagism) 신시(新詩) 운동을 지도, 엘리엇(Eliot, T.S.) 등에 큰 영향을 주었으며, 2차 대전 중 파시즘(fascism)에 동조 협력하여 전후(戰後)에 종신형(終身刑)의 선고를 받았으나 정신 이상으로 석방되었음. [1885-1972]

파운드[2] 〔Pound, Roscoe〕 명 『사람』 미국의 법학자. 하버드 대학 교수. 다양(多樣)한 사회 세력이 지니는 서로 다른 이익을 가장 합리적·능률적으로 조화시키는 것이 법 및 법학의 임무라고 주장함. 주저(主著)에 《코먼로의 정신》·《법률 철학 입문》·《법률사관》·《법에 의한 사회 통제》·《법의 임무》 등이 있음. [1870-1964]

파운드[3] 〔pound〕 의명 ①영국의 무게의 단위. 1파운드는 16온스, 0.4536 kg. 금은(金銀)이나 약제(藥劑)를 다는 단위로서는, 1파운드는 12금량(金量) 온스, 373.2g. 기호는 lb. 봉도(封度). ②영국의 화폐 단위. 1파운드는 20실링. 방(磅). 기호는 £·L.

파운드 블록 〔pound block〕 명 『경』 스털링 블록(sterling block).

파운드 스털:링 〔pound sterling〕 명 영국 법정 통화의 정식 명칭.

파운드 지역 【一地域】〔pound〕 명 『경』 스털링 지역(sterling 地域).

파운드 케이크 〔pound cake〕 명 거품을 낸 달걀에 버터·우유·설탕·밀가루를 섞어 반죽하고 건포도나 호도 따위의 건조 과실을 끼워서 구운 양과자. 설탕·우유·밀가루·달걀 따위를 각 1파운드씩 섞는다는 데서 생긴 이름임.

파운틴 펜 〔fountain pen〕 명 만년필(萬年筆).

파울[1] 〔foul〕 명 ①규칙 위반. 반칙(反則). ②↗파울 볼. ③↗파울 히트.

파울[2] 〔Paul, Hermann〕 명 『사람』 독일의 언어학자·문학자. 청년 문법학파의 하나로, 명저 《언어사(言語史) 원리》로 언어 연구의 체계를 세우고, 언어 곧 언어사라 주장하였음. [1846-1921]

파울 그라운드 〔foul ground〕 명 야구에서, 파울 라인 밖의 운동장.

파울 라인 〔foul line〕 명 야구에서, 본루(本壘)와 일루(一壘) 및 본루와 삼루(三壘)를 연결한 직선 또는 그 연장선(延長線).

파울러 〔Fowler, Ralf Howard〕 명 『사람』 영국의 이론 물리학자. 케임브리지 대학 수리(數理) 물리학 교수. 양자(量子) 통계 역학에서의 다빈 파울러 방법을 창시하였고, 항성(恒星)의 대기(大氣)에 관한 인도의 천문학자 사하(Saha, Meghnad)의 전리론(電離論)을 정밀화하였으며, 물·얼음의 구조에 관한 연구가 있음. [1889-1944]

파울러-수 【一水】〔Fowler〕 명 『약』 〔영국의 물리학자 파울러의 이름에서〕 아비산 10g, 탄산 칼리 7.6g, 알코올 30cc를 물 1리터에 녹이어 만든 강장제(強壯劑). 보혈제(補血劑)로도 쓰임.

파울러 수색 표준액 【一水色標準液】〔Fowler〕 명 『화』 호수·해수의 색을 측정할 때, 기준이 되는 액. 황산동(黃酸銅)과 암모니아를 용해한 남색의 수용액과 황색의 크롬산 칼리 수용액의 혼합의 비율에 의하여 1에서 11까지의 계급이 있음.

파울루스 삼세 【一三世】〔Paulus Ⅲ〕 명 『사람』 바오로 삼세.

파울루스 육세 【一六世】〔Paulus Ⅵ〕 명 『사람』 바오로 육세.

파울리 〔Pauli, Wolfgang〕 명 『사람』 스위스의 이론 물리학자. 미국 등지에서 강의, 상대성 이론·양자론(量子論)의 체계화에 힘쓰고 1924년 스핀(spin)을 최초로 도입하여 '파울리의 원리'를 발견함. 이 외 중간자(中間子)의 연구에도 공헌이 있어 1945년 노벨 물리학상을 받았음. [1900-58]

파울리의 원리 【一原理】〔一윌—/—에윌—〕 명 〔Pauli's Principle〕 『물』 1924년 스위스의 물리학자 파울리가 제창한 양자 역학의 기본 원리. 일반적으로 전자가 점(占)할 수 있는 양자 역학적 상태는 한 쌍의 양자수(量子數)에 의해 규정되지만, 확정된 양자수를 갖는 고유 상태에는 전자는 하나밖에 존재할 수 없다는 법칙임. 파울리의 배타율(排他律) 또는 파울리의 금제율(禁制律)이라고도 함.

파울 메인 〔foul main〕 명 석탄 가스를 제조할 때 봉수관(封水管)과 냉수관(冷水管)을 연결하는 관(管).

파울 볼: 〔foul ball〕 명 야구에서, 타자가 파울 라인 밖으로 친 공. 선외구(線外球). ㊥파울(foul).

파울젠 〔Paulsen, Friedrich〕 명 『사람』 독일의 철학자·교육학자. 페흐너(Fechner)·쇼펜하워의 영향으로 비판 철학을 심리적·발생론적으로 수정하였음. [1846-1908]

파울 팁 〔foul tip〕 명 야구에서, 타자의 배트를 스쳐, 직접 포수의 미트(mitt) 속에 들어간 파울 볼.

파울 플라이 〔foul fly〕 명 야구에서, 파울 그라운드 위에 쳐 올려진 타구(打球).

파울 히트 〔foul hit〕 명 야구에서, 파울 볼이 되게 침. ㊥파울(foul).

파워[1] 〔power〕 명 ①힘. 권리. 능력. 권력. ¶우먼 ～. ②『공』 공률(工率). 공정(工程). 동력(動力). ③『수』 제곱. 멱(冪). ④『기』 동력.

파워[2] 〔Power, Tyron〕 명 『사람』 미국의 배우. 미남(美男)으로, 단역(端役)에서 진출하여 《혈(血)과 사(砂)》 등에서 호연. 1958년 마드리드(Madrid)에서 촬영 중 심장 마비로 사망함. [1913-58]

파워 리프팅 〔power lifting〕 명 바벨을 이용하여 몸을 단련하는 운동의 하나. 구부린 자세로 바벨을 어깨에 메고 무릎을 펴서 일어서는 스쿼트(squat), 바로 누워 양팔로 바벨을 번쩍 들어 올리는 벤치 프레스(bench press), 선 자세로 바벨을 허리 높이까지 들어 올리는 데드 리프트(dead lift)의 세 종류가 있음.

파워 보:트 레이스 〔power boat race〕 명 엔진을 장착한 소형정(小型艇)의 레이스. 세계 각국을 돌며 경기를 벌이는데, 경기 방식에 따라 F 1, F 2, 오프쇼어 그랑프리 등 세 가지 종목으로 나뉨.

파워 브레이크 〔power brake〕 명 대형·고속 자동차 등에 장치된 유압(油壓) 브레이크. 동력 브레이크. 서보브레이크(servobrake).

파워 셔블 〔power shovel〕 명 토사·자갈 따위를 파서 싣는 건설 기계. 동력(動力) 삽.

파워 스티어링 〔power steering〕 명 배력 장치(倍力裝置)가 달린 조향(操向) 장치. 운전자가 조향 핸들(steering wheel)을 돌리는 힘을 다른 힘으로 보충하는 생력 장치(省力裝置)의 하나임. 엔진으로 유압(油壓) 펌프를 구동해서 리저버에 유압을 축적해 두고, 스티어링 샤프트가 돌아가면 그 끝에 달린 유압 밸브가 열려서 피스톤이 앞바퀴를 돌리는 힘을 도움.

파워 앰프 〔power amp〕 명 전력 증폭기. 특히 오디오 분야에서는 스피커를 울리기 위해 필요한 전력을 만들어내는 기계를 말함. 메인 앰프.

파워 엘리트 〔power elite〕 명 경제·군사·정치의 각 기관 상층부에 있으면서 권력을 가지고 연합하여 사회의 지배적 지위를 점(占)하고 있는 일단의 사람들. 밀스(Mills, C.W.)의 동명(同名)의 저서로 일반화된 개념임.

파워 유닛 〔power unit〕 명 유압(油壓) 탱크·펌프 원동기 및 보기류(補器類)를 기능적으로 안배(按配)하여 고압의 기름을 빼낼 수 있도록 한 장치. 유압 유니트.

파워 일렉트로닉스 〔power electronics〕 명 발전(發電)·변전(變電) 등의 고전압·대전류를 다루는 전자 공업의 분야. H.F. 스톰이, 전력용 반도체 소자(素子)를 사용한 전자 장치·전자 회로를 사용하여, 전력의 변환·제어·개폐 등을 조작하는 기술 분야를 solid-state power electronics라 한 데서 기원함.

파워 폴리틱스 〔power politics〕 명 ①무력(武力)을 배경으로 한 정치·외교. ②권력(權力) 정치.

파워 핸들 〔power handle〕 명 파워 스티어링 장치를 하여 조작력을 확대한 핸들.

파원[1] 【波源】 명 『물』 파동의 근원.

파원[2] 【派員】 명 파견(派遣)된 사람.

파월[1] 【派越】 명 베트남, 곧 월남에 파견함. ¶～ 장병. ——-하다 타여불

파월[2] 【播越】 명 파천(播遷). ——-하다 자여불

파월[3] 〔Powell, Cecile Frank〕 명 『사람』 영국의 물리학자. 원자핵 건판(原子核乾板)을 고안하여 고지(高地) 관측소에서 우주선(宇宙線)을 연구함. 파이 중간자(π中間子), 뮤 중간자(μ中間子)의 존재를 발견하여 1950년 노벨 물리학상을 받음. [1903-69]

파월[4] 〔Powell, Colin L.〕 명 『사람』 미국의 군인. 육군 대장, 흑인 최초의 합동 참모 본부 의장. 군에 복무하면서 조지 워싱턴 대학에서 경영학을 수학함. 서독 주둔군 사령관, 레이건 대통령의 보좌관 등을 지냄. [1937-]

파월[5] 〔Powell, John Wesley〕 명 『사람』 미국의 지질학자·인류학자. 일리노이 대학 교수. 북아메리카 인디언 각 종족의 언어를 분류했음. 콜로라도 강(江)의 탐험은 유명함. [1834-1902]

파유 〔프 faille〕 명 가로 골이 진 평직(平織)의 견직물(絹織物). 빳빳하지만 감촉이 부드러우며, 여성복·코트 등으로 쓰임. 면(綿)·모(毛)·화섬(化纖)도 있음.

파음호특 【巴音浩特】 명 『지』 '바인하오터'를 우리 음으로 읽은 이름.

파:의[1] 【罷意】〔—/—이〕 명 하고자 하던 의사를 버림. ——-하다 타여불

파:의[2] 【罷議】〔—/—이〕 명 의논을 그만둠. ——-하다 자타여불

파이[1] 명 〈방〉 『식』 파(함남).

파이[2] 명 〈방〉 ①그만 둠. ②좋지 않음(경상).

파이[3] 〔중 牌〕 명 마작(痲雀)용의 패(牌).

파이[4] 〔pie〕 명 밀가루를 반죽하여, 과실·고기 등을 넣어서 구운 서양 과자. 애플 파이(apple pie)·레몬(lemon) 파이·치킨(chicken) 파이 등이 있음. ¶피자(pizza) ～.

파이[5] 【Π, π】 명 〔pi〕 그리스어의 열여섯째 자모(字母). 수학에서 Π는 총승(總乘) 기호에, π는 원주율(圓周率)에 쓰임.

파이 결합 【π結合】 명 〔pi bonding〕 『화』 원자 궤도의 최대의 중첩(重疊)이, 두 원자의 핵을 잇는 선에 수직인 면(面)을 따라 존재하는 공유 결합(共有結合).

파이낸셜 애널리스트 〔financial analist〕 명 『경』 증권 애널리스트.

파이낸스 〔finance〕 명 ①재원(財源). ②재정(財政). ③재정학(財政學).

파이너 〔Finer, Herman〕 명 『사람』 영국 출신의 미국의 행정학자. 런던 대학 강사와 시카고 대학 교수를 역임함. 구미(歐美)의 정치 제도의 비교 연구로 알려짐. 주저(主著)에 《현대 정부의 이론과 현실》·《현대 정부의 장래》가 있음. [1898-1969]

파이널 세트 〔final set〕 명 배구·테니스·탁구 등에서 승패를 가름하는 최종 세트.

파이닝거 〔Feininger, Lyonel〕 명 『사람』 미국의 화가. 유럽에 건너가 파리에서 퀴비슴(cubisme)의 영향을 받음. 1919-33년 바우하우스의 교수를 지냄. 기하학적으로 단순화한 형체와 들로네풍(Delaunay 風)의 빛과 색채의 효과를 특징으로 함. [1871-1956]

파이다 피동 →패다.

파이렉스 유리 【一琉璃】〔Pyrex〕 명 『화』 붕규산(硼硅酸) 유리의 상품명. 열팽창 계수가 흔히 유리의 1/2내지 1/4임으로 화학 분석 기구·특수 진공관·전기 절연·내열(耐熱) 등 이화학용으로 쓰임. 또, 냄비 등 가정용 그릇으로도 쓰임. 미국의 코닝 유리회사(Corning Glass Works)에서 개발하였음.

파이로-미터 〔pyrometer〕 명 『물』 고온계(高溫計).

파이로필라이트 〔pyrophylite〕 명 『광』 납석의 주요 광물. 주로 장석(長石)의 열수 변질(熱水變質)로 생기며, 결정 편암(結晶片岩) 속에서 많이 나옴. 무색(無色) 또는 백(白)·황(黃)·담청색(淡靑色)등으로 곱

고 매끄러움. 단사 정계(單斜晶系). 인재(印材)·연필심(鉛筆芯)이나 종이·고무의 충전재(充塡材)로 쓰임. 엽납석(葉蠟石). [$Al_2Si_4O_{10}(OH)_2$]

파이버 〔fiber〕 명 ①섬유(纖維). 또, 섬유상(纖維狀)의 것. ②철모 밑에 받쳐 쓰는 모자. 섬유로 만들었음. 속칭 : 탈바가지. ③↗스테이플 파이버(staple fibre). ④↗벌커나이즈드 파이버 (vulcanized fibre).

파이버-보:드 〔fiberboard〕 명 펄프 섬유·석면(石綿)·유리 섬유 등의 섬유질 재료를 압축 성형한 널빤지의 총칭. 흡음성(吸音性)·단열성(斷熱性)이 크므로, 내장재(內裝材)로 쓰임.

파이버 브레드 〔fiber bread〕 명 펄프의 알파 섬유소를 재료에 섞어 만든 저(低)칼로리의 빵. 섬유(纖維) 빵.

파이버-스코:프 〔fiberscope〕 명 광섬유(光纖維)를 이용하여 광학상(光學像)을 전송하는 장치. 여러 가지 내시경(內視鏡)과 검사에 응용됨.

파이버 옵틱스 〔fiber optics〕 명 광섬유(光纖維).

파이브-에이스 〔five-eighths〕 명 럭비에서, 하프와 스리쿼터의 중간에 위치하는 플레이어.

파이손 〔Python〕 명 '피톤'의 영어명.

파이앙스 〔프 faïence〕 명 석유(錫釉)를 바른 도기(陶器). 서양에서 주로 17-18세기에 만들어진 것을 가리킴. 마욜리카(Majolica) 도기·델프트(Delft) 도기 등.

파이어 〔fire〕 명 ①불. ②〈속〉 해고(解雇)하는 일. ——-하다 타여불 해고하다.

파이어니어 〔pioneer〕 명 ①선구자. 개척자. ②〔Pioneer〕 미국의 인공 행성. 1958년 8월 17일에 달을 목표로 처음 발사된 1호부터 3호까지는 모두 실패하고, 4호가 미국 최초로 주기(周期) 398일의 인공 행성이 되었으며, 5호는 800만 km의 먼 거리에서 통신에 성공함.

파이어-맨 〔fireman〕 명 ①소방수(消防手). ②증기 기관차나 기선의 화부(火夫). ③〔야구에서, 상대 팀의 공격의 불길을 막는다는 데서〕 구원 투수(救援投手)의 별명.

파이어티즘 〔pietism〕 명 『종』 경건주의(敬虔主義).

파이어-플레이스 〔fireplace〕 명 서양식 집의 난방 장치로, 벽 안에 설치한 난로. 벽로(壁爐). 벽난로. 페치카.

파이에를스 〔Peierls, Rudolf Ernst〕 명 『사람』 독일의 이론 물리학자. 영국에 건너가 버밍엄 대학 및 옥스퍼드 대학 교수를 지냄. 장(場)의 양자론(量子論)·원자핵 이론·고체 양자론 등 넓은 분야에 많은 업적을 남김. [1907-]

파이오니오스 〔Paionios〕 명 『사람』 기원전 5세기의 그리스의 조각가. '니케(Nike)'의 작자로서 유명함. 나는 듯이 달리는 여신(女神)의 경쾌한 운동 표현은 그 후의 그리스 조각에 큰 영향을 끼침.

파이온 〔pion〕 명 『물』 파이 중간자(π中間子).

파이완-족 【一族】 〔Paiwan〕 명 대만(臺灣)에 있는 고사족(高砂族)의 주요 종족의 하나. 남부 산지(山地)에 살며 약 24,000명. 루카이(Rukai)족과 퓨마(Pyuma)족을 포함하여 총칭하는 수도 있음. 언어는 인도네시아어계(語系)임.

파이윰 〔Faiyûm〕 명 『지』 이집트 북동부의 도시. 나일 강(江) 좌안(左岸) 약 30 km 지점에 있음. 농산물 거래의 중심지이며, 면방직·담배 공업 등이 행하여짐. 도시의 서북쪽 비르케트 카룬 호(Birket Qarun湖) 주변의 단구(段丘)에 구석기 시대·신석기 시대의 유적이 있는데, 특히 신석기 시대의 유적은 이집트에서 가장 오래된 농경(農耕) 문화의 하나로 유명함. [167,000명(1976)]

파이잘 〔Faisal, Amir〕 명 『사람』 사우디 아라비아 제3대 국왕. 이븐 사우드(Ibn Saud)의 사남(四男)이며, 이대(二代) 사우드 왕의 동생임. 1964년 즉위함. 나라의 근대화와 합리화에 노력하고 아랍 세계의 지도적 입장에서 활약하였으나, 조카에게 암살당함. [1906-75]

파이저 회:사 【一會社】 명 〔Charles Pfizer Co., Inc.〕 미국의 제약 회사. 세계 최대의 항생 물질 생산 업체임. 1849년에 산토닌 제조로 창업함. 제2차 세계 대전 중 영국에서 발명된 페니실린의 대량 생산에 성공한 후 테라마이신 등을 개발(開發)하였으며, 의약 외에 화장품·농약 등도 제조(製造)함.

파이 중간자 【π中間子】 명 〔π meson〕 『물』 중간자족(中間子族)에 속하는 소립자(素粒子)의 하나. 하전(荷電)이 $\pi^+ \cdot \pi^- \cdot \pi^\circ$의 세 가지가 있으며, 스핀(spin)은 0. 핵력(核力)의 장(場)을 매개하는 소립자로 핵자(核子)는 π중간자를 주고받음으로써 결합되는 것으로 알려짐. 1947년 파웰(Powell)이 발견함. 파이온(pion).

파이지엘로 〔Paisiello, Giovanni〕 명 『사람』 이탈리아의 작곡가. 나폴리의 음악원을 나와 페테르스부르크·파리·나폴리에서 활약하였음. 오페라 부파의 작곡가로서 성공하였으며, 100곡 이상의 오페라 가운데서 ≪세빌랴의 이발사≫가 유명함. [1740-1816]

파이카 〔pica〕 명 구문(歐文) 활자의 크기를 나타내는 구칭(舊稱). 현재의 5호 활자에 해당함.

파이쿠 〔중 排骨〕 명 중국 요리의 하나. 골부육(骨付肉).

파이크스 피:크 〔Pikes Peak〕 명 『지』 미국 서부 로키 산맥의 한 봉우리. 콜로라도 주(Colorado州) 중앙에 있음. 대평원의 전망(展望)이 장관(壯觀)이며 등산 철도가 완비되어 있음. [4,303 m]

파이톤-사이드 〔phytoncide〕 명 『식』 수목(樹木)에서 발산하는, 살균력(殺菌力)이 있는 미세 물질(微細物質). 숲에서 느끼는 상쾌한 향내는 이 물질의 냄새임.

파이트 〔fight〕 명 ①전투력. 투지(鬪志). ②원기(元氣). 기력.

파이트 머니 〔fight money〕 명 권투·레슬링 등의 시합의 보수(報酬).

파이팅 〔fighting〕 감 '잘 싸우자'는 뜻으로 운동 선수들이 외치는 구호.

파이팅 스피릿 〔fighting spirit〕 명 감투 정신. 투지(鬪志).

파이프 〔pipe〕 명 ①주로 물·가스·증기 등을 수송하는 데 사용하는 관(管). 도관(導管). ②살담배를 피우는 서양식 담뱃대.

파이프 라인 〔pipe line〕 명 송유관(送油管).

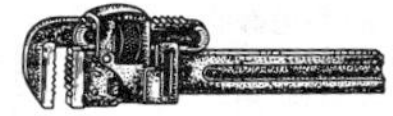
〈파이프 렌치〉

파이프 렌치 〔pipe wrench〕 명 『공』 관(管)을 부설할 때 관의 나사를 돌리는 공구. 대개 100 mm 이하의 철관을 붙일 때 씀.

파이프-석 【一石】 명 〔pipestone〕 핑크색의, 반문(斑紋)이 있는 점토질(粘土質)의 돌. 아메리카 인디언이 담배 파이프를 만드는 재료로 씀.

파이프 스케일 〔pipe scale〕 명 파이프의 내벽(內壁)에 끼는 녹과 부식물(腐蝕物). 전열(傳熱) 능력을 떨어뜨리고, 유체(流體)의 압력 손실을 증가시킴.

파이프-스틸 〔pipe-still〕 명 주로 석유 정제(精製)를 위시한 분해 반응(分解反應) 및 증류(蒸留) 등에 쓰이는 관식 가열로(管式加熱爐). 피가열물(被加熱物)을 강제로 유동(流動)시키는 가열관(加熱管)이 많이 있으며, 가열 용량이 크고 열효율(熱効率)도 좋음. 연소 장치로는 제어가 쉬운 중유 버너·가스 버너가 쓰임.

파이프 오르간 〔pipe organ〕 명 『악』 크고 작은 가지가지의 관 파이프(管 pipe)를 음계적(音階的)으로 배열하고, 이것에 바람을 보내어 주악(奏樂)하는 건반 악기(鍵盤樂器). 큰 것은 높이 15 m, 나비 20 m, 음관(音管) 1만 개 이상이나 되는 것이 있음. 바람은 전기 펌프(電氣 pump)로 보내며 치는 사람은 손 건반·다리 건반·음전(音栓)을 조작하여 연주함. 장엄하고 신비적인 음률과 웅장한 저음(低音)을 낼 수 있고 여러 가지 악기의 음을 낼 수 있음. 주로 교회·음악실 등에 비치함. *리드 오르간(reed organ).

파이프-커트 〔pipe-cut〕 명 남성 피임 수술의 하나. 남성의 정관(精管)을 절단하는 일.

파이프 탭 〔pipe tap〕 명 관용(管用) 나사의 암나사를 절단하는 공구(工具).

파이프 토양간 전:위 【一土壤間電位】 명 〔pipe-to-soil potential〕 『전』 매설(埋設)한 파이프와 그 주위의 토양 사이에 발생하는 전압 곧 기전력(起電力). 전해(電解) 작용의 결과로 발생하는데 파이프의 전해 부식(電解腐蝕)의 원인이 됨.

파이-하다 타 〈방〉 그만두다(경상).

파이 회로망 【π回路網】 명 〔pi network〕 『전』 직열로 접속된 세 개의 임피던스 지로(impedance 支路)를 갖고 폐회로(閉回路)를 형성하는 전기 회로망. 하나의 출력 단자(出力端子), 하나의 입력(入力) 단자, 하나의 입출력(入出力) 공통 단자를 형성하는 접합점을 가짐.

파이힝거 〔Vaihinger, Hans〕 명 『사람』 독일의 철학자. 인간의 일체의 사유적(思惟的) 활동을 유용(有用)한 '가구(假構)'라고 보는 관념론적 실증주의를 주창, 생(生)의 철학과 프래그머티즘에 영향을 줌. 칸트 문헌학자(文獻學者)로서의 ≪칸트 순수 이성 비판 주석≫은 유명(有名)함. [1852-1933]

파인[1] 【巴人】 명 시골 사람. 비속(鄙俗)한 사람.

파인[2] 【巴人】 명 『사람』 김동환(金東煥)의 호(號).

파인더 〔finder〕 명 사진기의 들여다보는 창(窓). 구도(構圖)를 정하거나 핀트를 맞추기 위한 것임.

파인먼 〔Feynman, Richard Phillips〕 명 『사람』 미국의 물리학자. 캘리포니아 공과(工科) 대학 교수. 도모나가(朝永)·슈윙거(Schwinger)와는 별도로 양자 전자기 역학(量子電磁氣力學)을 연구하여 1965년에 세 사람 함께 노벨 물리학상을 받음. 이 밖에 액체 헬륨 Ⅱ, β붕괴 등도 연구함. [1918-88]

파인 세라믹스 〔fine ceramics〕 명 세라믹스 가운데에서, 천연으로 존재하지 않은 질화규소·탄화규소 등의 질화물이나 탄화물을 원료를 써서 내열성(耐熱性)·내약품성·절연성 기타 특정 기능을 지니게 하여, 정밀 기계·반도체·의료용 등의 재료로 개발된 것. 뉴 세라믹스.

〈파인애플〉

파인애플 〔pineapple〕 명 아나나스(ananas)의 열매. 좋은 향기가 있으며 단백질을 소화시키는 힘이 있고 통조림·주스 등을 만듦. *모과수.

파인애플 폭탄 【一爆彈】 〔pineapple〕 명 낙하(落下)에 방향성(方向性)을 주기 위하여 깃을 붙여 모양이 파인애플같이 생긴 산탄 폭탄(散彈爆彈)의 일종의 속칭.

파인-유 【一油】 〔pine〕 명 송근유(松根油)를 증류시켜서 얻는 유상 물질(油狀物質). 용제(溶劑)·방취·방충제 등으로 씀.

파인 주:스 〔pine juice〕 명 파인애플의 과즙에 감미료(甘味料)를 탄 음료.

파인 케미스트리 〔fine chemistry〕 명 의약품·화장품·사진 재료 등 부가 가치(附加價值)가 높은 화학 제품을 다품종(多品種)·소량 생산하여 기업 이익을 창출해 내기 위한 생산 기술에 관련된 화학의 총칭.

파인 케미컬 〔fine chemical〕 명 물감·의약품 등으로 대표되는 정밀 화학 제품. 또, 그 공업.

파인트 〔pint〕 의명 야드파운드법(yard-pound 法)에 의한 액량(液量)의 단위. 1파인트는 1갈론(gallon)의 8분의 1. 영국에서는 0.57리터, 미국에서는 0.47리터.

파인 플레이 〔fine play〕 명 경기 용어로서, 미기(美技). 묘기(妙技).

파:일[1] 【†八日】 명 〔←팔일〕 『불교』 음력 4월 8일의 석가(釋迦) 탄생일. 이 날에는 파일등(八日燈)을 닮. 8일 및 9일의 이틀 밤에는 집집마다 여러 가지 모양의 등에다 불을 켜 달고 그 아래서 물장구를 치거나 풍악을 하고, 딱총과 불놀이를 하며 느티나무 잎으로 싼 떡과 검정콩을 쪄서 먹음. 초파일. 팔일(八日). 욕불일(浴佛日). 연등절(燃燈節). 부처님 오신 날. *석존제(釋尊祭).

파:일[2] 【破日】 명 『민』 음력으로 매월 초닷샛날, 열 나흗날 및 스무 사흗날의 총칭. 이 날에 일을 하면 불길(不吉)하다 함. 삼패일(三敗日).

파일[3] 〔file〕 명 ①서류철(書類綴). ②『컴퓨터』 정리된 자료의 집합.

파일[4] 〔pile〕 명 ①『물』 〔atomic pile의 약칭〕 원자로(原子爐). ②첨모 직

물(添毛織物)·유모 직물(有毛織物)의 일컬음. 원사 이외에 다른 실을 더하여 짜며, 이 실을 천의 표면에 테 모양으로 나타내어, 그대로 놓아 두거나 또는 자른 것으로, 외투용으로 씀. ¶면(綿) ~. ③건축·토목의 기초 공사를 하는 데에 박는 말뚝.

파일 드라이버 〔pile driver〕 명 말뚝을 때려 박는 기계.

파:일-등 【†八日燈】 명 음력 4월 8일에 집집에서 불을 켜서 다는 여러 가지 모양의 등.

파일럿 〔pilot〕 명 ①항공기 조종사. ②항만(港灣)이나 강의 물길을 안내하는 사람. 수로(水路) 안내인. 도선사(導船士).

파일럿 램프 〔pilot lamp〕 명 《전》 전류(電流)의 유통 여부를 알기 위하여 전기 회로·기기(機器) 등의 전기 장치에 달아 두는 전등. 표시등(燈).

파일럿 보:트 〔pilot boat〕 명 입항(入港)하는 선박을 인도하는 작은 배. 수로 안내선(水路案內船).

파일럿 전:동기 【一電動機】 명 〔pilot motor〕 전류(電流)의 자동 제어(自動制御)에 쓰이는 작은 전동기.

파일럿 조사 【一調査】 〔pilot〕 명 조사 기획에 있어서, 조사표 작성·표본 추출·현지 조사에 앞서 필요한 데이터를 얻기 위하여 행하여지는 예비 조사. 조사표 작성을 위한 것 이외에는 본조사와 같은 조건 아래서 규모가 작은 시험 조사의 형태를 취함.

파일럿-판 【一瓣】 〔pilot〕 명 유압(油壓) 서보 기구(servo 機構)에 있어서, 외부 입력(外部入力)에 따라 서보모터(servo-motor)에의 압력유(壓力油)의 공급(供給)을 제어하는 판(瓣). 작은 원운동(原運動)의 힘으로 큰 종운동(從運動)의 힘을 내게 하는 역할을 함. 사통로(四通路)판. 실린더(cylinder)판.

파일럿 팜: 〔pilot farm〕 명 이상적인 근대 경영 형태를 갖춘 실험 농장.

파일럿 플랜트 〔pilot plant〕 명 새로운 생산 공장 시설에 앞서 공정(工程)·조작(操作)·제품의 가부(可否)·난이(難易) 등의 자료를 얻기 위하여 만들어지는 실험 공장.

파일론 〔pylon〕 명 〔본디 그리스어로 문(門)의 뜻〕 ①《건》 고대 이집트의 신전(神殿) 입구 양쪽에 있는, 석조(石造)의 탑문(塔門). 대형상(臺形狀)의 높고 두꺼운 벽으로 전면(前面)은 상형 문자·부조(浮彫)로 장식됨. ②《항공》 제트기의 연료 탱크·엔진·로켓탄 등의 현수 지주(懸垂支柱).

파일링 시스템 〔filing system〕 명 서류·카드·서적·신문 스크랩 등을 필요에 따라 곧 꺼내볼 수 있게 배열 보관하는 일. 이 시스템이 완비될수록 경영 상의 사무 능률이 높아짐. 파일 방식.

파일 방식 【一方式】 〔file〕 명 파일링 시스템.

파일 북 〔file book〕 명 자유 자재로 노트장을 끼우든가 또는 뺄 수 있게 된 공책.

파일 직물 【一織物】 〔pile〕 명 한쪽 또는 양면에 파일이 있는 직물의 총칭. 우단(羽緞)·코르덴·면직 빌로도 따위.

파일 해머 〔pile hammer〕 명 《토》 말뚝을 땅에 때려 박는 기계의 철퇴(鐵槌). 중력에 의해 타격력(打擊力)을 줌.

파:임[1] 명 한자(漢字) 가운데의 '乀'의 이름.

파임[2] 【派任】 명 《역》 '파방(派房)'의 별칭. ——-하다 타여불

파:임-내다 타 일치(一致)된 의논에 대하여 나중에 와서 딴 소리를 하여 그르치다.

파자[1] 【笆子·把子】 명 바자[1].

파:자[2] 【破字】 명 ①한자(漢字)의 자획(字劃)을 분합(分合)하여 맞추는 수수께끼. 곧, '姜'자를 분해하여 '八王女'라 하고, '破瓜'의 '瓜'자를 두 개의 '八'자로 보아 '십륙 세(十六歲)'라 하고, '黃絹幼婦'의 '黃絹'은 '色絲'로 '絕'자, '幼婦'는 '少女'로 '妙'자, 곧 '絕妙'라고 하는 따위. ②《민》 술가(術家)의 점치는 법의 한 가지. 한자(漢字)를 풀어 보아서 좋고 언짢음을 알아 냄. 탁자(坼字). 해자(解字). ——-하다 자여불

파:자-령 【破字令】 명 《악》 당악 정재(唐樂呈才)인 오양선(五羊仙)과 수연장무(壽延長舞)에 쓰이던 반주 음악(伴奏音樂)의 하나.

파자마 〔pajamas〕 명 ①낙낙하게 지은, 위아랫벌로 된 자리옷. ②인도 사람의 통 넓은 바지.

〈파자마❶〉

파:자-무 【破子舞】 명 《악》 정재(呈才) 때에 추는 춤의 이름.

파:자-사 【破子詞】 명 《악》 풍류(風流)의 이름.

파자-장 【把子匠】 명 《역》 바자를 만드는 장인(匠人).

파:자-쟁이 【破字一】 명 해자(解字)쟁이.

파자-전 【笆子廛】 명 죽기(竹器)를 파는 가게.

파:자-점 【破字占】 명 《민》 파자(破字)로써 길흉(吉凶)을 점침. 또, 그 점. ——-하다 자여불

파:-잡다 타 결점을 들추어 내다.

파장[1] 【把掌】 명 《역》 결세액(結稅額)과 납세자(納稅者)를 양안(量案)에서 부책(簿册)에 초록(抄錄)하는 일. ——-하다 타여불

파장[2] 【波長】 명 〔wave length〕 《물》 파동(波動)에 있어서 같은 위상(位相)을 가진 서로 이웃한 두 점(點) 사이의 거리. 횡파(橫波)에서는 서로 이웃한 마루와 마루 또는 골과 골과의 거리, 종파(縱波)에서는 서로 이웃한 밀(密)과 밀 또는 소(疎)와 소와의 거리를 말함.

파장[3] 【播張】 명 〈이두〉 분배(分排). 바장(播張).

파:장[4] 【罷場】 명 과장(科場)·백일장(白日場)·시장(市場) 따위가 파함. 또, 그 때. ——-하다 자여불

[파장에 수수엿 장수] 무슨 일이 다 끝나서 일이 심심하게 됨을 비유하는 말.

파장-계 【波長計】 명 〔wavemeter〕 《기》 교류(交流)의 주파수(周波數)를 자동적으로 지시하는 계기(計器).

파-장국 【一醬一】 〔一꾹〕 명 파를 넣어서 끓인 맑은 장국. 총탕(葱湯).

파장-기 【把掌記】 〔一끼〕 명 《역》 결세액(結稅額)과 납세자(納稅者)를 양안(量案)에서 초록(抄錄)한 부책(簿册).

파:장-머리 【罷場一】 명 파장이 될 무렵. 파장할 때.

파장 분광계 【波長分光計】 명 《물》 분광계(分光計).

파-장아찌 명 파로 담근 장아찌. 가는 파를 토막 내어 진장을 붓고 기름과 깨소금·고춧 가루를 넣어서 담금.

파:재[1] 【破材】 명 파재목(破材木).

파:재[2] 【破齋·罷齋】 명 ①《불교》 법회(法會)나 재회(齋會)를 모두 마침. ②제사가 끝나 재계(齋戒)를 마침. ——-하다 자여불

파:-재목 【破材木】 명 파손된 재목. 헌 재목.

파쟁 【派爭】 명 파(派)끼리의 다툼. ——-하다 자여불

파저 【波底】 명 물밑❶.

파-적[1] 【一炙】 명 파전[1]

파:적[2] 【破寂】 명 ①적적함을 면함. 고요함을 깨뜨림. ②심심풀이. 소한(消閑). ¶심심 ~. ——-하다 자여불

파:적[3] 【破敵】 명 적을 깨부숨. ——-하다 자여불

파:적[4] 【破積】 명 적병(積病)을 고침. ——-하다 타여불

파:적-위 【破敵衛】 명 《역》 조선 시대에 오위(五衛)의 하나인 충좌위(忠佐衛)에 딸린 군대. 군사 가운데 목전(木箭)·편전(片箭)·주(走)·역(力)의 네 가지 중에서 두 가지에 합격한 사람으로 조직한 특별 부대.

파:적지-계 【破敵之計】 명 적을 깨부술 계책.

파-전[1] 【一煎】 명 밀가루에 길쭉길쭉하게 썬 파를 주로 하여 고기·조갯살·굴 등을 얹어 번철에 넓적하게 지진 전. 파산적.

파:전[2] 【破錢】 명 깨어진 돈.

파전[3] 【播傳】 명 전파(傳播). ——-하다 타여불

파:전[4] 【罷戰】 명 싸움을 그만둠. 싸움을 그침. ——-하다 자여불

파절[1] 【波節】 명 〔node〕 《물》 정상파(定常波)에 있어서 진동(振動)하지 아니하는 부분.

파:절[2] 【破節】 명 절개를 깨뜨림. ——-하다 자여불 「여불

파:접 【罷接】 명 작시(作詩)·독서의 회합을 거두어 치움. ——-하다 타

파:접-례 【罷接禮】 〔一녜〕 명 파접(罷接)할 때에 베푸는 잔치. 세연례(洗硯禮). ↔개접례(開接禮). ——-하다 자여불

파:정 【破精】 명 사정(射精). ——-하다 자여불

파:제[1] 【破堤】 명 홍수 따위로 제방(堤防)이 무너짐.

파:제[2] 【破題】 명 《역》 과거(科擧) 보는 시(詩)의 첫머리에 그 글제의 뜻을 들추어 냄.

파:제[3] 【罷祭】 명 ↗파제사(罷祭祀). ——-하다 자여불

파:제 만:사 【破除萬事】 명 제백사(除百事). ——-하다 타여불

파:-제사 【罷祭祀】 명 제사를 마침. 준파사(罷祀)·파제(罷祭). ——-하다 자여불

파:제삿-날 【罷祭祀一】 명 제사를 마친 날. 준파젯날.

파:젯-날 【罷祭一】 명 ↗파제삿날.

파:조 【罷朝】 명 조현(朝見)을 그만둠. 조현을 마침. ——-하다 자여불

파족 【派族】 명 나뉘어 갈라진 종족(宗族).

파졸리니 〔Pasolini, Pier Paolo〕 명 이탈리아의 영화 감독. 시인·작가로서도 활동함. 이탈리아 누벨바그(nouvelle vague)의 한 사람으로서, 《마태 복음(福音)》·《테오라마》·《데카메론》·《메디아》·《돼지 우리》 등의 작품을 남김. 〔1922-75〕

파-종[1] 명 파의 돋은 종.

파:종[2] 【破腫】 명 《한의》 종기를 침으로 땀. ——-하다 자타여불

파종[3] 【播種】 명 《농》 논밭에 곡식의 씨앗을 뿌리어 심음. 부종(付種). 종파(種播). *낙종(落種). ——-하다 자여불

파종-기[1] 【播種期】 명 《농》 파종 시기.

파종-기[2] 【播種機】 명 씨앗을 뿌리는 기계. 종자 상자의 구멍으로부터 씨앗을 밖으로 밀어 내는 간단한 수동기로부터 트랙터 견인(牽引)의 점파기(點播機)·조파기(條播機)·산파기(散播機) 등이 있음.

파종 시기 【播種時期】 명 《농》 파종하는 시기. 준 파종기.

파종이 명 〈방〉 《충》 베짱이.

파주[1] 【把住】 명 ①마음 속에 간직하여 둠. ②《심》 기왕의 경험으로 얻은 감각을 오랫 동안 의식 속에 간직하고 있다가 때때로 이를 재현(再現)할 수 있는 작용. ——-하다 타여불

파주[2] 【坡州】 명 《지》 경기도의 한 시(市). 3읍(邑) 7면(面) 2동(洞). 북쪽은 군사 분계선, 서쪽은 군사 분계선과 한강을 건너 김포시(金浦市), 동쪽은 양주군(楊州郡), 남쪽은 고양시(高陽市)에 접함. 시의 중앙을 통과하는 경의선(京義線)은 문산(汶山)에서 끊겼으나, 통일로(統一路)가 판문점까지 이르러 자동차 교통이 편리함. 농업과 축산이 주이며, 명승 고적으로는 용암사(龍巖寺) 석불 입상(石佛立像)·공릉(恭陵)·덕은리(德隱里) 지석묘군(支石墓群)·파산 서원(坡山書院)·화석정(花石亭)·반구정(伴鷗亭)·임진각(臨津閣) 등이 있음. 1996년 3월, 파주군이 승격하여 시(市)가 됨. 〔653.24 km^2 : 168,163 명(1996)〕

파주 미륵(彌勒) 구 몸이 비대한 사람의 비유.

파주[3] 〔Pajou, Auguistin〕 명 《사람》 프랑스의 조각가. 프랑스 로코코의 대표적 조각가의 한 사람으로, 장식 조각·초상 외에 신화·역사에서 취재(取材)한 작품도 많음. 대표작에 《올림포스의 신들》 등이 있음. 〔1730-1809〕

파주-군 【坡州郡】 명 《지》 경기도에 속했던 군. 1996년 3월, 시(市)로 승격함.

파-죽음 명 심히 맞거나 지쳐서 녹초가 된 상태를 이르는 말. 초죽음.

파:죽지-세 【破竹之勢】 명 세력이 강대하여 대적(大敵)을 거침없이 물

리치고 쳐들어 가는 기세. *세여 파죽(勢如破竹).

파즈르 〔아랍 fajr〕 명 〖이슬람〗 새벽.

파:증【破甑】명 〔깨어진 시루라는 뜻〕 이러쿵저러쿵 말했자 소용이 없음의 비유.

파지[1]【巴只】명 〖역〗 조선 초기에 대전(大殿)과 동궁(東宮)의 천례(賤隸)로서 청소를 맡았던 동남(童男).

파지[2]【把持】명 움키어 가짐. 쥐고 있음. ——-하다 타여불

파:지[3]【破紙】명 ①찢어진 종이. ②인쇄·제본 등의 공정에서 손상하여 못쓰게 된 종이.

파지리크 고:분군【—古墳群】〔Pazyryk〕 명 서(西)시베리아의 파지리크에 있는 알타이 문화 파지리크기(期)의 표준 유적(標準遺跡). 기원전 5-2세기 사이의 약 백 년 동안에 형성된 것으로 생각됨. 이중(二重)의 목곽(木槨)으로 되고 말을 부장(副葬)한 호화로운 분묘에서 아키나케스형(Akinakes 型)의 단검(短劍), 동물 의장(意匠)이 있는 목각(木刻)과 직물(織物) 따위가 출토되고 중국·이란 등지로부터의 수입품도 발견되어 동서 문화 교류의 중요한 자료를 제공했음.

파지오스 일호【——號】〔Pageos〕 명 1966년 6월 23일 미국이 반덴버그 기지(Vandenberg 基地)에서 쏘아올린 측지용(測地用) 기구 위성(氣球衛星). 높이 약 4,200 km의 둥근 궤도를 도는데, 직경 약 30 m의 플라스틱제(製)의 큰 기구로, 지구 상 41개소에서 카메라로 촬영됨.

파직[1]【把直】명 파수(把守)를 보는 당직(當直).

파:직[2]【罷職】명 관직(官職)을 파면(罷免)시킴. ——-하다 타여불

파:-직물【破織物】명 헐거나 찢어진 직물.

파직ᄒᆞ다 타 〈옛〉 파직하다. ¶파직ᄒᆞ다(替也) ≪老朴 單字解 7≫.

파:진[1]【破陣】명 적진(敵陣)을 쳐부숨. ——-하다 자여불

파:진[2]【罷陣】명 〖군〗 파군(罷軍). ——-하다 타여불

파:진-무【破陣舞】명 〖악〗 당나라 태종(太宗)이 지은 춤이름으로, 무무(武舞). 악공 120인이 갑옷에 창을 잡고 춤. 칠덕무(七德舞).

파진-찬【波珍飡】명 〖역〗 ①신라 십칠 관등(十七官等)의 네째 위계(位階). 진골(眞骨)이 하는 벼슬. 대아찬(大阿飡)의 위, 잡찬(迊飡)의 아래임. 해간(海干). 파미간(波彌干). 해찬(海飡). ②고려 태조(太祖) 때 다섯째 관계(官階).

파쭝이-메뚜기 명 〈방〉 누리[1].

파착【把捉】명 ①포착(捕捉). ②마음을 단단히 가다듬어서 늦추지 아니함. ——-하다 타여불

파-찬국 명 파를 넣고 만든 찬국. 총냉탕(葱冷湯).

파:찰-음【破擦音】명 〖언〗 파열(破裂)과 마찰(摩擦)이 함께 되어 나는 자음. 곧, ㅈ, ㅉ, ㅊ 등.

파:척【罷斥】명 파면하여 물리침. ——-하다 타여불

파천【播遷】명 〖역〗 임금이 도성(都城)을 떠나 딴 곳으로 피란함. 파탕(播蕩). 파월(播越). ¶아관(俄館) ～. ——-하다 자여불

파:-천황【破天荒】명 〔천황(天荒)이란 천지가 아직 열리지 않은 때의 혼돈한 상태이며, 이것을 깨뜨리고 새로운 세상을 만든다는 뜻. 또, 중국 당대(唐代)에 형주(荊州)에서 과거의 합격자가 나오지 않자 '천황(天荒)'이라 일컬었는데, 대중 연간(大中年間)에 유세(劉蛻)가 처음으로 급제하여 천황을 깨뜨렸다고 한 고서(古書)의 기사(記事)에서〕 ①이전에 아무도 한 적이 없는 일을 하는 일. 미증유(未曾有). 전대 미문(前代未聞). ¶～의 일대 사건. ②파벽(破僻).

파:철【破鐵】명 파쇠❶.

파:체[1]【破砌】명 ①깨어진 섬돌. ②파손(破損)된 문지방.

파:체[2]【破涕】명 울음을 거둠. 곧, 슬픔을 기쁨으로 돌리어 생각함. ——-하다 자여불

파체코 〔Pacheco, Francisco〕 명 〖사람〗 스페인의 초상 화가·종교 화가. 이탈리아 예술의 영향이 짙은 낭만주의 화가. 저서 ≪회화(繪畫)의 기술≫은 미술사 상 중요한 문헌임. 대표작에 ≪처녀 잉태≫·≪성(聖)세바스티안≫ 등이 있음. [1564-1654]

파초[1]【芭椒】명 〖한의〗 천초(川椒)❷.

파초[2]【芭蕉】명 ①〖식〗 [*Musa basjoo*] 파초과에 속하는 다년초. 높이 3 m 내외. 잎은 긴 타원형으로 길이 1-2 m인데 여러 개가 모여 좌우 양쪽에 나며 기부(基部)는 서로 붙어 굵은 줄기처럼 보임. 엽심(葉心)에서 긴 화경(花莖)이 나와 여름에 황갈색 단성화(單性花)가 피었다가, 차례로 떨어져 짐. 열매는 육질(肉質) 원기둥꼴임. 중국 원산으로 여러 품종이 있는데, 따뜻한 지방에서 관상용으로 재배함. 감초(甘蕉). 천초(川椒). ②〖한의〗 파초의 줄기·잎·뿌리. 소갈(消渴)·황달(黃疸) 또는 외과(外科)의 약재로 씀.

〈파초[2]〉

파초-과【芭蕉科】〔—꽈〕 명 〖식〗 [Musaceae] 단자엽(單子葉) 식물에 속하는 한 과. 열대(熱帶)·난대(暖帶) 지방에 80종이 있는데, 한국에는 야생종은 없고 관상용으로 재배하는 것이 있을 뿐임.

파초-기어【芭蕉旗魚】명 〖어〗 돛새치.

파초-선【芭蕉扇】명 〖역〗 파초의 잎 모양으로 만든 부채. 또, 폭넓은 파초 잎을 그대로 구부려 드리운 것. 의정(議政)이 출행할 때에 머리 위를 가리었음.

파초-실【芭蕉實】명 〖식〗 바나나(banana).

파-총[1] 명 〈방〉 팟종.

파총[2]【把摠】명 〖역〗 각 군영(軍營)의 종사품 무관 벼슬.
[파총 벼슬에 감투 걱정한다] 하찮은 파총 주제에 감투 걱정을 한다는 뜻이니, 쓸데없는 걱정을 한다는 말.

파출[1]【派出】명 사무를 배당하여 사람을 출장시킴. ——-하다 타여불

파:출[2]【罷黜】명 '파면(罷免)'의 별칭. ——-하다 타여불

파출-부【派出婦】명 일반 가정 등의 요청에 의해 임시로 출장하여 가사(家事) 따위를 돌봐주는 일종의 시간제 가정부.

파출-소【派出所】〔—쏘〕 명 ①파출(派出)된 사람이 사무를 보는 곳. 부원(部員)을 파견하여 둔 곳. ②↗경찰관 파출소.

파충【爬蟲】명 〖동〗 파충류(爬蟲類)에 속하는 동물의 총칭.

파충-류【爬蟲類】〔—뉴〕 명 〖동〗 '뱀강(綱)'의 관용어.

파충류 전성 시대【爬蟲類全盛時代】〔—뉴—〕 명 〖지〗 지질 시대 중 파충류가 크게 번영했던 중생대(中生代)를 말함. 특히, 쥐라기(Jura 紀)·백악기(白堊紀)에는 거대한 공룡이 출현했음.

파측-하다【叵測—】형 〈방〉 불측하다❷. ¶남자와 달라 부인네시니까 파측한 인심에 실로 염려가 되는 걸≪李海朝 : 巢鶴嶺≫.

파:-치【破—】명 파손되어서 못 쓰게 된 물건. 파건(破件).

파치노 〔Pacino, Al〕 명 〖사람〗 미국의 영화 배우. 뉴욕에서 시칠리아 이민(移民)의 아들로 태어남. 액터즈 스튜디오 수학(修學), 일찌기 연극 배우로서 ≪호랑이는 넥타이를 매는가≫로 토니상(賞)을 받고, 영화 ≪대부(代父)≫에 기용되어 강력하고 냉혹한 체취를 풍기는 연기를 보였으며, ≪사랑의 파도≫·≪프랭크와 자니≫ 등에서는 에로틱한 연기, 중년 남성의 매력을 발휘함. ≪여인(女人)의 향기≫로 1993년 아카데미 남우(男優) 주연상을 탐. [1940-]

파:치먼트 〔parchment〕 명 ①양피지(羊皮紙). ②↗파치먼트 페이퍼.

파:치먼트 페이퍼 〔parchment paper〕 명 황산지(黃酸紙). ㊟ 파치먼트.

파치 아수라왕【婆稚阿修羅王】명 〖불교〗 〔범어 Balin asura의 음역〕 아수라왕의 하나.

파:침【破鍼】명 바소.

파:카 〔parka〕 명 ①에스키모인이 입는 후드가 달린 모피 재킷. ②후드가 달린, 약간 긴 셔츠 모양의 자켓.

파카라이마 산맥【—山脈】〔Pacaraima〕 명 〖지〗 남아메리카 북부의 베네수엘라·브라질·기아나(Guiana) 국경에 있는 산맥. 오리노코 수계(Orinoco 水系)와 아마존 수계의 분수령을 이룸. 최고봉은 로라이마 산(Roraima 山). 길이 약 800 km.

파:커 〔Parker, Dorothy〕 명 〖사람〗 미국의 여류 시인·소설가·시나리오 작가. 뉴저지 주(州)의 웨스트엔드에서 부유한 유태계 의류업자 집안에 태어남. 잡지 '보그(Vogue)'·'배니티 페어(Vanity Fair)' 등의 기자로서 신랄한 연극 평론을 써서 유명해짐. 1926년에 시집 ≪마음대로≫로 문단에 등장, 1929년에 사교계 여성의 비애(悲哀)를 그린 단편 ≪빅블론드≫로 오헨리상(賞)을 받음. 단편집 ≪살아 있는 자(者)를 위한 비가(悲歌)≫·≪쾌락이 끝난 후≫ 등으로 1920-30년대의 미국 최고의 여류 단편 작가로 평가됨. [1893-1967]

파:커라이징 〔parkerizing〕 명 〖화〗 철강(鐵鋼)의 방수법(防銹法)의 하나. 인산 망간(燐酸 mangan) 또는 인산철(燐酸鐵)로서 철판의 표면에 피막(皮膜)을 만들어서, 녹이 스는 것을 막는 방법. 염산·황산 등을 취급하는 것에는 적당하지 못함.

파켈 무:곡【—舞曲】〔Fackel〕 명 〖악〗 4분의 3박자의 폴란드의 민속 무곡. 4세기경부터 행하여졌으며, 근래 독일에서는 결혼식 같은 데서 아직도 사용되고 있음.

파쿠다 〔Pakudha-Kaccāyana〕 명 〖사람〗 기원전 6-5세기의 인도의 자유 사상가. 육사 외도(六師外道)의 한 사람. 인간은 지(地)·수(水)·화(火)·풍(風)·고(苦)·락(樂)·영혼의 7요소로 이루어진다고 말함.

파쿠먼 〔法庫門〕 명 〖지〗 만주의 테링(鐵嶺) 서북쪽에 있는 도시. 몽골과의 무역 기지임. 법고문.

파:크[1] 〔park〕 명 ①공원(公園). 유원지(遊園地). 흔히, 형식 명사처럼 그 이름의 일부로 쓰임. ②자동차 등이 특정(特定) 장소에 잠시 주차(駐車)하는 일. 파킹. ——-하다 자여불

파:크[2] 〔Park, Mungo〕 명 〖사람〗 영국의 아프리카 탐험가. 두 차례 니제르 강(Niger 江)을 탐험하였는데, 두 번째 탐험에서 원주민(原住民)에게 붙들려 살해됨. 저서에 ≪아프리카 오지 여행기(奧地旅行記)≫가 있음. [1771-1806]

파:크[3] 〔Park, Robert Ezra〕 명 〖사람〗 미국의 사회학자. 동식물 생태학의 방법을 사회학적으로 도입하여 인간 생태학적 방법을 확립하고, 도시(都市) 사회학의 발전에 크게 공헌하였음. 편저(編著)에 ≪도시(都市)≫ 등이 있음. [1864-1944]

파:크스-법【—法】〔Parkes〕 〔—뻡〕 명 건식 제련법(乾式製鍊法)의 하나. 조연(粗鉛)을 유연로(柔鉛爐)에 녹여 불순물을 제거한 후, 녹은 납에 아연을 넣으면 금·은은 아연과 결합하여 두 액(液)의 층을 이루는데, 이것을 분리시켜 남은 아연을 제거하여 제품화함. 1850년 영국의 화학자 파크스(Parkes, Alexander; 1813-90)가 개발하였음.

파:크 앤드 라이드 방식【—方式】〔park and ride〕 명 자택에서 가까운 철도역까지 자가용차로 나와 그 곳에서 고속 철도를 이용하여 도심(都心)으로 통근하는 방식. 미국의 대도시에서 보급된 것으로, 도중의 교통 체증(滯症)과 도심부의 주차난(駐車難)을 피하기 위하여 차츰 보급(普及)됨.

파:크-웨이 〔parkway〕 명 레크리에이션 드라이브를 목적으로 한 고속도로(高速道路). 상용 차량(商用車輛)은 통행하지 못함.

파:키스탄 〔Pakistan〕 명 〖지〗 아시아 대륙, 인도 북서부에 위치한 공화국. 아라비아 해(海)에 면하고 인더스 강 유역과 그 북쪽 산악 지대로 이루어짐. 주민의 대다수가 이슬람교도임. 인종 구성이 복잡하고 언어도 여러 가지이나 우르두어(Urdu 語)가 국어이며 영어도 공용어(公用語)로 병용됨. 주요 산업은 농업으로 밀·면화·사탕수수가 산출되며, 석탄·크롬·암염(岩塩)·천연 가스 등의 광산(鑛産)이 있음. 인도를 사이에 두고 동(東)파키스탄과 서(西)파키스탄으로 분리되어 있었으나, 1971년, 동파키스탄이 '방글라데시'로 독립하여, 현재는 종래의 서파키스

탄에 한정됨. 수도는 이슬라마바드(Islamabad). 정식 명칭은 '파키스탄 이슬람 공화국(Islamic Republic of Pakistan)'. [794,600 km²: 115,520,000 명(1991 추계)]

파:킨슨 〔Parkinson, Cyril Northcote〕 명 『사람』 영국의 역사학자·경영학자. '파킨슨의 법칙'을 주장하여 행정이나 경영의 조직·운영과 인간의 비합리적인 심리 작용 사이의 관련을 분석, 일의 양(量)과 관리인의 수(數)와의 사이에 상관 관계가 존재함을 부정하였음. 저서에 ≪법과 이윤≫·≪동양과 서양≫ 등이 있음. [1909-93]

파:킨슨-병 【一病】〔Parkinson〕[一뼝] 명 『의』 추체 외로계 뇌질환(錐體外路系腦疾患)의 하나. 영국의 병리학자 파킨슨(Parkinson, James: 1755-1824)이 1817년에 처음으로 보고(報告)하였음. 근육이 굳어지고 떨리며, 운동이 느리고 굼떠지는 것이 주증세(主症勢)인데, 중년 이후에 많음. 원인 불명의 변성 질환(變性疾患)임. 진전 마비(振顫痲痺).

파:킨슨의 법칙 【一法則】[一/一에一]〔Parkinson〕 명 영국의 경영학자 파킨슨이 주창한 법칙. 현대 사회를 풍자적으로 분석하여 주창(主唱)한 사회 생태학적 법칙임. 공무원의 수는 일의 유무나 경중(輕重)에 관계없이 일정한 비율로 증대한다는 정리(定理)가 유명함.

파:킹 〔parking〕 명 자동차 따위가 특정한 장소에 일시 주차(駐車)함. 파크(park). ¶ ~ 미터.

파:킹 궤:도 【一軌道】〔parking〕 명 대기 궤도(待機軌道). 잠정 궤도(暫定軌道).

파:킹 미:터 〔parking meter〕 명 동전을 넣어 두면 자동적으로 주차 시간이 표시되고, 주차 요금이 징수되는 주차 요금계(駐車料金計). 유료 주차장에 설치됨.

파타 【PATA】 명 〔Pacific Area Travel Association의 약자〕 아시아·태평양 지역의 관광(觀光) 진흥 개발 기구. 1951년에 창설. 한국·일본·미국·오스트레일리아 등 역내(域內) 국가들이 회원국이 되고, 그 밖에 호텔·여행사 등이 회원으로 가맹함. 태평양 지역 관광 협회.

파타고니아 〔Patagonia〕 명 『지』 아르헨티나 남부에 있는 수목(樹木)이 없는 건조 지방. 안데스 산지 이동(以東)의 동파타고니아는 아르헨티나령(Argentina領)인데 단순히 파타고니아, 이서(以西)의 칠레령(Chile領)을 서부 파타고니아라 부름. 남부에는 협만(峽灣)이 발달하고 한랭 건조지(寒冷乾燥地)로 근래 목양(牧羊)이 행하여짐. 코모도로 리바다비아(Comodoro Rivadavia) 부근의 석유는 주목됨. [805,500 km²]

파타고니아-족 【一族】〔Patagonia〕 명 남아메리카 파타고니아 지방의 아라우칸족(Araucan族)의 일부와 그 밖의 종족을 가리키는 이름. 장신(長身)이며 수렵 생활(狩獵生活)을 하는데, 현재는 순수한 종족이 없다 함.

파타니 〔Pattani〕 명 『지』 타이의 남부(南部) 말레이 반도 동해안의 항구 도시. 이 나라 남부의 정치·경제의 중심지이며 주석(朱錫)의 주요 수출항임.

파:탄[1] 【破綻】 명 ①옷 따위가 찢어지고 터짐. 탄파(綻破). ②일의 갈무리가 아니됨. 일이 중도에서 그릇됨. ¶일의 ~을 가져오다. ③『경』 상점·회사 등이 지금 정지(支給停止)로 됨. ——하다 자 여불

파탄[2] 〔Patan〕 명 『지』 네팔 동부, 바그마티 강안(Bagmati江岸)의 도시. 밀·쌀 등 농산물의 집산지임. 7세기 이래의 고도(古都)로, 아쇼카 왕(王) 시대 이래의 불교 유물·사원이 많이 있음. [49,000 명(1971)]

파:탄암-현 【破呑巖峴】 명 『지』 경상 북도 봉화(奉化)의 동쪽, 태백산(太白山) 남쪽에 있는 험한 재. 이 재 북쪽에 사고(史庫)가 있던 각화사(覺華寺) 홍락암(洪洛庵)이 있음.

파탄 왕조 【一王朝】〔Pathān〕 명 13세기 초엽에서 16세기 전반까지, 델리(Delhi)를 중심으로 교체된 5개의 인도 이슬람 왕조의 총칭. 파탄은 아프간계(Afghan系) 종족의 이름으로, 원래는 아프간계 이슬람 왕조를 가리킴.

파탄잘리 〔Patañjali〕 명 『사람』 기원전 2세기경의 인도의 산스크리트 문법학자. 파니니(Pāṇini)와 더불어 고전 문법학의 확립자.

파:탈 【擺脫】 명 구속(拘束)이나 예절(禮節) 등으로부터 벗어남. ¶오늘부터 자네와 나 사이에는 격이고 무엇이고 모두 ~하세≪金周榮: 客主≫. ——하다 자 여불

파:탈리-푸트라 〔Pātaliputra〕 명 『지』 인도의 고대 도시. 마가다국(Magadha國)의 수도. 기원전 5세기경부터 약 1,000년간 북인도의 정치·경제의 중심지였음. 갠지스 강(江) 중류의 파트나(Patna) 부근에 유적(遺跡)이 있음. 화씨성(華氏城). 화자성(華子城).

파탕 【播蕩】 명 임금이 도성(都城)을 떠나 딴 곳으로 피란함. 파천(播遷). ——하다 자 여불

파터는 병: 【一病】 명 〈방〉 학질(제주).

파테[1] 〔프 pâté〕 명 고기를 넣은 파이.

파테[2] 〔Pathé〕 명 프랑스의 영화 회사. 영화가 발명된 직후 파테(Pathé, Charles; 1863-1957)가 창립함. 무성(無聲) 영화 시대를 대표하는 대회사이며, 토키 시대로 접어든 후로는 배급업을 주로 함.

파테 베이비 〔Pathé Baby〕 명 『연』 프랑스의 파테 회사(Pathé會社)가 1920년에 발매(發賣)한 소형(小型)의 9.5 mm 영화(映畫). 현재는 쓰지 아니함.

파테트 라오 〔Pathet Lao〕 명 라오스의 나라라는 뜻으로, 라오스 애국당(愛國黨)을 중심으로 하는 좌파 세력. 라오스 애국 전선이라고도 함. 1951년 수파누봉(Souphanou Vong)이 반불 항전 정부(反佛抗戰政府)를 수립한 데서 비롯됨. 북부 라오스를 근거로, 우파·중립 우파의 라오스 왕국 정부 타도 및 미국과의 대결을 제창하였음.

파텔 〔Patel, Sardar Vallabhai〕 명 『사람』 인도의 정치가. 국민 회의파에 가입, 독립 투쟁에 참가하였음. 독립 후 네루 내각의 부수상 겸 내상을 역임하면서 좌익 운동을 탄압함. [1875-1951]

파:토[1] 【破一】 명 ☞파투(破鬪)(충청·경상).

파:토[2] 【破土】 명 ↗참파토(斬破土). ——하다 자 여불

파토[3] 【PATO】 명 『정』 〔Pacific Area Treaty Organization의 약칭〕 태평양 조약 기구(太平洋條約機構).

파토스 〔그 pathos〕 명 페이소스.

파:톤 〔parton〕 명 『물』 미국의 파인만(Feynman, R.P.)에 의해 1969년경 제창된 가설(假說)의 입자(粒子). 강한 상호 작용(相互作用)을 갖는 입자군(粒子群) 하드론(hadron)의 구성 요소가 됨.

파:투 【破鬪】 명 ①화투를 칠 때에 장수가 부족하거나 혹은 차례가 바뀌어서 그 판이 무효로 되는 일. ②화투판을 깸. ——하다 자 타 여불

파:투(가) 나다 구 화투를 칠 때에 파투가 되다.

파투(를) 내다 구 화투판을 깨다.

파:트 〔part〕 명 ①전체를 구성하는 한 부분(部分). 요소(要素). ②직분. 역할. ③『악』 음부(音部). 성부(聲部). 악장(樂章). ④책·희곡·시 등의 부(部)·편(篇)·권(卷). ⑤『기』 부분품(部分品).

파트나 〔Patna〕 명 『지』 인도 비하르(Bihar) 주의 주도(主都). 갠지스 강의 우안(右岸)에 임한 수륙 교통의 요지이며, 쌀 산지의 중심으로 밀·감자·아편 등도 집산함. 아쇼카 왕(Aśoka王)의 도읍인 파타리 푸트라 성의 유적이 있음. [918,900 명(1981)]

파:트너 〔partner〕 명 ①춤·경기·유희 등에서, 둘이 한짝이 되는 경우의 상대. 짝패. 동반자(同伴者). ②배우자(配偶者). ③『법』 조합원(組合員). 사원(社員). ④골프에서, 2인 1조의 매치 플레이(match play)에서 같은 편. 주의 스트로크 플레이(stroke play)에서 함께 경기하는 사람은 파트너가 아님.

파:트 드 베:르 〔프 pâte de verre〕 명 유리 공예(工藝)의 한 기법(技法). 유리 가루를 틀에 넣은 다음 녹여서 가공함. 유리와 도자기의 중간적인 것으로, 독특한 아름다움이 있음.

파트라스 〔Patras〕 명 『지』 파트레(Pátrai).

파트레 〔그 Pátrai〕 명 『지』 그리스 남부, 파트레 만(灣)에 면한 항구 도시. 상공업의 중심지로 포도·올리브유(油) 등을 수출함. 초기 그리스도교 포교의 중심지이며 1821년 그리스 독립 전쟁의 발단지임. 파트라스(Patras). [154,500 명(1981)]

파트로:네 〔도 Patrone〕 명 ①탄약통(彈藥筒). ②원통형의 필름 용기로서, 감긴 그대로 밝은 데서도 카메라에 장전(裝塡)하여 한 번 사용한 후 버리게 된 것. 35밀리 필름에 쓰임.

파트롤 〔이 patrol〕 명 『악』 순라곡(巡邏曲).

파트롱 〔프 patron〕 명 패트런.

파트리키 〔라 patrici〕 명 『역』 로마 공화정(共和政) 초기의 귀족 계급(貴族階級). 평민과 함께 로마 시민을 구성하였음. 처음에는 지주(地主) 귀족으로서 원로원(元老院) 의원을 위시하여 주요 관직을 독점하였으나, 평민(平民)과의 신분 투쟁의 결과 점차로 평등화되어 기원전 4세기에는 이 두 계급이 노빌레스(nobiles)라 불리는 새로운 귀족 계급을 구성하게 되고, 기원전 3세기 초엽에는 거의 완전한 신분의 평등이 실현되었음. 패트리션(patrician).

파:트-타이머 〔part-timer〕 명 일반 근로자에 비해 단시간 근무에 종사하는 근로자. 비상근 근무자(非常勤勤務者).

파:트-타임 〔part-time〕 명 종일이 아니고, 아침 혹은 저녁 등으로 시간을 정하여 단시간(短時間) 근무하는 제도. 비상근(非常勤) 노동. ¶부업 따위, 시간제로 하는 일을 ~ 잡(job)이라고 한다.

파:트 토:키 〔part talkie〕 명 부분 발성 영화(部分發聲映畫). ↔올 토키(all talkie).

파:티 〔party〕 명 ①당파(黨派). 정당(政黨). ②사교(社交) 등을 목적으로 하는 모임. 연회(宴會). 다과회(茶菓會). ¶칵테일 ~/생일 ~. ③무도회(舞蹈會). ¶댄스 ~. ④『법』 당사자(當事者). ⑤『군』 분견대(分遣隊). ⑥일행(一行).

파티마 〔Fatima〕 명 『지』 포르투갈 중서부에 있는 마을. 1917년 성모 마리아가 출현하는 기적이 있었다고 전해져, 그 후 매년 약 20만 명의 순례자가 이 곳에 들름.

파티마 왕조 【一王朝】〔Fāṭima〕 명 10세기 초에서 12세기까지 이집트를 중심으로 북아프리카 시리아 일대를 지배한 이슬람 왕조. 시조는 우바이드 알라 알마디('Ubaid Allāh al-Mahdi)임. 909년 아바스(Abbās) 왕조로부터 독립하여 카이로에 도읍을 정함. 지중해·북아프리카의 무역을 독점하여 한때 크게 번영했으나 1171년 살라딘(Saladin)에 의해 멸망됨. *아이유브 왕조(Ayyūb王朝).

파:티시페이션 오일 〔participation oil〕 명 『경』 자본 참가 협정(資本參加協定)에 의해서 산유국(產油國)이 취득하는 원유. 전체 생산량 가운데 자본 참가 비율에 상당하는 양을 취득함.

파티오 〔스 patio〕 명 스페인이나 라틴 아메리카의 저택에서, 담으로 둘러싸인 가운데 뜰.

파:티클 보:드 〔particle board〕 명 칩보드(chipboard).

파티탄 문화 【一文化】〔Patjitan〕 명 자바 섬의 전기(前期) 구석기 시대 문화. 유적은 동부 자바의 파티탄에 있으며, 1935년 네덜란드의 고고학자 쾨니히스발트(Koenigswald, G.H.R. von)가 다량의 박편(剝片) 석기를 발견한 후 많은 조사가 있었으며 석기 포함층(石器包含層)이 홍적세(洪積世) 중기부터 후기에 속하는 것으로 밝혀짐.

파파[1] 【派派】 명 동종(同宗)에서 갈리어 나온 여러 갈래.

파파[2] 【皤皤】 명 머리털이 허옇게 센 모양. ¶ 안으로 들어가니, 안방에 ~ 노부인이 앉았다가…≪作者未詳: 天然亭≫.

파파[3] 〔papa〕 명 〈소아〉 아빠. 아버지.

파파[4] 〔포 Papa〕 명 로마 교황.

파파 노:인 【皤皤老人】 명 백발이 된 늙은이.

파파닌 〔Papanin, Ivan Dmitrievich〕 명 『사람』 소련의 과학자·북극

탐험가. 1937년 5월 비행기로 북극의 얼음 위에 내려 관측 기지를 세우고 이듬해 2월까지 관측에 종사함. 그 공으로 두 차례 소련의 영웅 칭호를 받음. [1894-86]

파파베린 [Papaverine] 명 『약』 아편 중에 포함되는 알칼로이드의 한 가지. 모르핀과는 달리 마취 작용은 약하지만 평활근 이완(平滑筋弛緩) 작용이 강하여 호흡 중추를 흥분시키는 작용을 함. 일반적으로 모르핀과 병용하여 진통에 쓰이는 극약임. [$C_{20}H_{21}O_4N$]

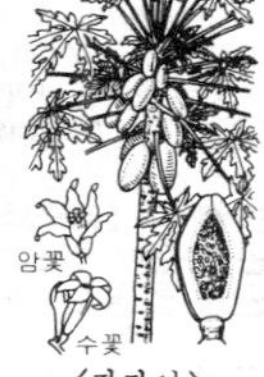

〈파파야〉

파파야 [papaya] 명 『식』 [*Carica papaya*] 파파야과에 속하는 열대(熱帶) 아메리카 원산의 상록 교목. 줄기는 연하고 가지가 벋지 않음. 장병(長柄)의 잎은 줄기 끝에 나는데, 장상(掌狀)으로 째짐. 자웅 이주(雌雄異株). 오판화(五瓣花)가 피는데, 수꽃은 황색 육질(肉質), 암꽃은 단병(短柄)으로 총생(叢生)함. 노란 타원형의 과실을 맺는데 길이 20-30 cm, 많은 종자가 들어 있고 향기가 있어 식용하며, 덜 익은 것의 유액(乳液)으로 파파인을 만듦. 번과수(蕃瓜樹).

파파-이 【派派一】 부 파(派)마다. 갈래마다.

파파인 [papain] 명 파파야의 과즙(果汁) 중에 있는 단백질 분해 효소의 총칭. 좁은 뜻으로는, 이 중에 함유된 효소의 일종을 가리킴.

파팽 [Papin, Denis] 명 『사람』 프랑스의 물리학자·발명가. 영국으로 건너가 증기력에 의한 진공 기관을 연구, 1690년 실린더와 피스톤에 의한 최초의 대기압 기관을 고안함. 이것은 실용되지는 않았으나, 후일 뉴코먼(Newcomen, T.)의 발명에 영향을 끼친 선구적 업적으로 평가됨. [1647-1712?]

파펜 [Papen, Franz von] 명 『사람』 독일의 정치가. 제1차 세계 대전 후 중앙당(中央黨)의 최우익(最右翼)에 속하였고, 1932년에 수상직에 오른 뒤 1933년에는 히틀러·파펜 연립 내각을 조직하여 부수상으로서 나치에 협력함. 제2차 세계 대전 패전 후 전범(戰犯) 재판에서 징역형을 받았으나 1946년에 석방됨. [1879-1969]

파:편 【破片】 명 깨어진 조각. 부서진 조각. ¶ 유리 ~/포탄의 ~.

파:편-탄 【破片彈】 명 ↗파편 폭탄.

파:편 폭탄 【破片爆彈】 명 『군』 탄착(彈着) 순간에 폭발하여 탄체(彈體)가 세편화(細片化)되어 인축(人畜)을 살상함을 목적으로 하는 폭탄. 세열 폭탄(細裂爆彈). 준파편탄. ↔파괴 폭탄·특수 폭탄.

파:폐 【罷弊】 명 피폐(疲弊). ——-하다 형여불

파푸아 [Papua] 명 『지』 '뉴기니(New Guinea)'의 별칭.

파푸아-뉴:기니 [Papua New Guinea] 명 『지』 오스트레일리아 북쪽, 뉴기니 섬 동반부(東半部)와 부건빌(Bougainville) 섬 등으로 이루어진 나라. 고온 다습(高溫多濕)한 열대 우림(雨林) 기후 지대에 속하며 밀림으로 뒤덮임. 원주민은 파푸아인(人). 구리·석유·우라늄·목재(木材) 등 천연 자원이 풍부함. 1973년 오스트레일리아 신탁 통치령(信託統治領)이던 뉴기니와 보호령(保護領)이던 파푸아가 통합, 자치 정부를 세웠다가 1975년 독립을 선언함. 수도는 포트모르즈비(Port Moresby). [462,840 km² : 3,770,000 명 (1991 추계)]

파푸아 언어군 【一言語群】 [Papua] 명 『언』 뉴기니 섬 및 그 근방의 몰루카 제도(Moluccas 諸島)·솔로몬(Solomon) 제도 등에서 사용하는 언어 가운데서 말레이 폴리네시아어(Malay-Polynesia 語) 및 오스트레일리아 언어군을 제외한 여러 언어의 총칭. 100 이상의 언어가 보고되고 있으나 계통도 상호 친족 관계도 불분명함.

파프 [pap] 명 연고처럼 생긴 피부약. 또, 그 약으로 찜질하는 일.

파프리카 [헝가리 paprika] 명 고추의 일종. 또, 그것으로 만든 향료(香料). 단 맛이 남.

파:-플레이 [par-play] 명 골프에서, 표준 타수(標準打數)로 경기를 진행하는 일.

파피니 [Papini, Giovanni] 명 『사람』 이탈리아의 작가·시인. 처음에는 무신론적 입장에서 수편의 저작과 수종의 잡지에 관여하였으나 점차 염세·허무·회의에 빠져 마침내 모든 것을 청산하고 가톨릭에 개종, 《그리스도전(傳)》·《빵과 포도주》·《성(聖) 아우구스티누스》 등을 씀. [1881-1956]

파피루스 [papyrus] 명 ①『식』 [*Cyperus papyrus*] 방동사닛과에 속하는 다년초. 높이 2 m 이상이고 굵은 줄기는 녹색으로 기부(基部)에는 인편(鱗片)이 있고, 위에는 다수의 포엽(包葉)과 가는 화서(花序)가 늘어져 꽃이삭을 이룸. 나일 강·팔레스타인·시칠리아·이집트 지방에 분포하는데 8-9세기에 제지용(製紙用)으로 많이 재배되었음. 근경(根莖)은 식용하며, 관상용임. 머리방동사니. ②유럽에서, 종이가 발명되기 전에 쓰던 종이의 대용품. 이집트에서 나던 파피루스풀의 줄기로 만든 것인데, 순백색(純白色)의 섬유를 종횡으로 배열하였음. 아름답고 내구력(耐久力)이 있어 수천 년 전의 것이 지금도 남아 있음. ③↗파피루스 문서(文書).

〈파피루스❶〉

파피루스 기둥 [papyrus] 명 고대 이집트 건축에 사용된 것으로 파피루스의 형태를 딴 기둥. 신왕국(新王國) 시대에, 그 이전의 기하학(幾何學) 형식의 기둥을 대신하여 썼음.

파피루스 문서 【一文書】 [papyrus] 명 파피루스에 쓰여진 고대 문서의 총칭. 흔히, 그리스어로 적혔으며, 문학·철학·수사학 또는 그리스도교에 관한 사본 따위가 남아 고대 이집트·그리스학 연구에 중요 사료(史料)가 되고 있음. 준파피루스.

파-피리 명 파의 잎으로 만든 아이들의 장난감 피리. 짤막하게 자른 파 잎의 한쪽을 불김에 쐬어 후줄근하게 하여, 불어서 그 부분이 떨리어 소리가 나도록 함. 총적(葱笛).

파피에 콜레 [프 papier collé] 명 『미술』 브라크(Braque, Georges)와 피카소가 처음으로 사용한 기법(技法)으로, 그림 물감으로 그리는 대신에 화면에 신문지·벽지·레테르·차표 따위의 단편(斷片)을 붙여서 만드는 그림. 퀴비슴(cubisme)의 한 기법임. 화면에 생생한 현실감과 이상한 박력을 줌.

파피:티 [Papeete] 명 『지』 남태평양, 프랑스령(領) 폴리네시아의 주도(主都). 타히티(Tahiti) 섬 북서안(北西岸)에 있는 상업(商業)·교통(交通)·관광(觀光)의 중심지. 근교(近郊)에 국제 공항(國際空港)이 있음. [63,000 명 (1977)]

파필 【把筆】 명 붓대를 잡음. ——-하다 자여불

파:하 【破夏】 명 『불교』 하안거(夏安居)의 중도에 하산(下山)하는 일.

파:-하다[1] 【破一】 타여불 적을 쳐부수어서 이기다. ¶ 적진을 ~.

파:-하다[2] 【罷一】 자타여불 ①일을 다하다. 마치다. ¶ 학교가 파했다/일을 ~. ②헤어지다.

파:한 【破閑】 명 심심풀이. ——-하다 자여불

파:한-집 【破閑集】 명 『책』 고려 명종(明宗) 때 사람 이인로(李仁老)의 설화 문학집(說話文學集). 명유(名儒)들의 시문(詩文)이 인멸(湮滅)된 것을 개탄하여 시화(詩話)·문담(文談)·기사(紀事)와 자기 작품을 수록함. 원종(元宗) 1년(1260) 그의 아들이 간행. 3권 1책.

파행[1] 【爬行】 명 벌레·짐승 등이 땅 위를 기어 다님. ¶ ~ 동물. ——-하다 자여불

파행[2] 【跛行】 명 ①절뚝거리며 걸어감. ②균형(均衡)이 잡히지 않음. ¶ ~ 상태. ——-하다 자여불

파행 본위제 【跛行本位制】 명 [limping standard] 『경』 화폐 제도에 있어서 금화 및 은화를 무제한 법화(法貨)로 인정하되, 그 중 한 쪽의 자유 주조를 인정하지 아니하는 본위 제도(本位制度). 은본위제 또는 복본위제(複本位制)에서 금본위제로의 과도기에 프랑스·미국, 기타 여러 나라에서 채용하였던 제도임.

파행 상태 【跛行狀態】 명 일이 균형이 잡히지 못한 채 진행되고 있는 상태.

파행 시세 【跛行時勢】 명 『경』 호경기(好景氣)일 때, 어떤 그룹은 호황(好況)이지만 다른 그룹은 불황(不況) 상태인 파행 경기에서, 그것이 주식(株式)에 반영(反映)되어 어떤 것은 높고 어떤 것은 낮은 경우의 시세의 일컬음.

파행-적 【跛行的】 명관 일이 순조롭게 진행되지 아니하는 상태. 사물의 균형이 잡히지 않은 상태 또는 성질. ¶ ~인 경제 성장.

파행-증 【爬行症】 [一쯩] 명 『의』 기생충증의 일종. 체내에 기생충이 침입하여, 주로 그 유충(幼蟲)이 피하 조직(皮下組織) 속을 이동하기 때문에 생기는 염증성 종창(炎症性腫脹).

파허 [Pacher, Michael] 명 『사람』 독일의 화가·조각가. 독일의 후기 고딕을 대표하는 예술가의 한 사람으로, 장중하고 정교한 목조(木彫) 제단(祭壇)을 남기고 있음. [1435 ?-98]

파-헤치다 타 ①속에 든 물건이 드러나도록 파서 젖히다. ¶ 땅을 ~. ②남의 비밀·악행(惡行)·실패(失敗) 등을 파 들추어 세상에 드러내다. 폭로하다. ¶ 사건의 이면을 ~.

파:혈[1] 【破穴】 명 『민』 묏자리로서 합당(合當)한 땅에 썼던 뫼를 파헤침. ——-하다 타여불

파:혈[2] 【破血】 명 『한의』 몸 안에 뭉친 나쁜 피를 약으로 없어지게 함. ——-하다 자여불

파:혈-제 【破血劑】 [一쩨] 명 『한의』 파혈(破血)시키는 약제.

파형 【波形】 명 물결처럼 기복(起伏)이 있는 모양. 물결 모양.

파형-철 【波形鐵】 명 골함석처럼 얇은 철판을 파형으로 구부려 골지게 한 것. 지붕 따위를 이는 데 씀.

파:호 【破戶】 명 바둑을 둘 때 상대방의 말을 잡기 위하여 말을 상대방의 집 중간 위치에 놓아서 두 집이 나지 못하도록 함. 파가(破家). ¶ ~ 치는 수(手). *치중(置中). ——-하다 자여불

파:혹 【破惑】 명 의혹(疑惑)을 풀어 버림. 해혹(解惑). ——-하다 자타여불

파:혼 【破婚】 명 약혼(約婚)을 파기함. 절혼(絕婚). 약혼 해제(約婚解除). ——-하다 자여불

파:환 귀결 【罷還歸結】 명 『역』 조선 철종(哲宗) 후기에 삼정란(三政亂) 후에, 환곡(還穀) 제도를 없애고 종래의 환자(還子)의 모곡(耗穀)으로 충당하던 경비를 전결(田結)로 귀일(歸一)하여 대신 급대(給代)하기로 정한 원칙.

파:회 【罷會】 명 『불교』 법회(法會)를 다 마침. ——-하다 자여불

파:효 【破曉】 명 새벽. 날샐녘. 파묘(破卯).

파:훼 【破毁】 명 ①깨뜨리어 헐어 버림. ②『법』 파기(破棄). ——-하다 타여불

파:훼 자판 【破毁自判】 명 『법』 파기(破棄) 자판.

파:훼 환송 【破毁還送】 명 『법』 파기(破棄) 환송.

파:휴 【罷休】 명 일을 그만두고 쉼. ——-하다 자여불

파:흥 【破興】 명 흥이 깨어짐. 흥을 깨뜨림. 패흥(敗興). ¶ ~이 되다. ——-하다 자타여불

파-히 【頗一】 부 〈방〉 자못.

팍[1] 명 〈방〉 팔(평안).

팍[2] 부 ①힘차게 냅다 지르는 모양. ¶ ~ 지르다. ②힘없이 거꾸러지는 모양. ¶ ~ 거꾸러지다. 1)·2): <퍽. ——-하다 형여불

팍삭 부 ①맥없이 한 번 주저앉는 모양이나 소리. ¶ ~ 내려앉다. ②메마르고 엉성한 부피의 물건이 부드럽게 가라앉거나 여지없이 깨어져 바스러지는 모양. 또, 그 소리. 1)·2): <퍽석. ——-하다 형여불

팍삭-팍삭 부 연하여 팍삭 소리를 내며 주저앉거나 바스러지는 모양.

<퍼석퍼석. ──-하다 형여불

팍스 로마나〔라 Pax Romana〕명〖역〗〔로마의 평화란 뜻으로〕기원 전 1세기말의 아우구스투스(Augustus) 황제 시대에서 오현제(五賢帝) 시대까지의 약 200년간. 고대 로마의 황금 시대로서, 밖으로는 수비(守備)가 든든하고 안으로는 치안이 확립되었음.

팍스 루소아메리카나〔라 Pax Russo-Americana〕명〔Pax는 라틴어로 평화의 뜻〕미소(美蘇) 양대 세력의 균형 위에 유지되는 평화.

팍스 아메리카나〔라 Pax Americana〕명 '미국 주도하(主導下)의 세계 평화'의 뜻. 소련 공산주의의 붕괴로 냉전이 종식된 후, 1991년 1월부터 시작된 걸프(Gulf)전에서의 미국 주도에 의한 다국적군(多國籍軍)의 승리로 미국이 보여 준, '세계의 경찰관'으로서의 지도적인 역할에 붙여진 이름임.

팍신-팍신 부 녹녹한 가루가 엉기어 붙어 약간 튀길 힘이 있어 만지면 부서질 듯한 느낌이 있는 모양. <퍽신퍽신. ──-하다 형여불

팍신-하다 형여불 보드랍고 튀기는 힘이 있어 닿으면 부서질 듯한 느낌이 있다. <퍽신하다.

팍파:크〔Fakfak〕명〖지〗인도네시아령(領) 서이리안(西Irian) 서부의 항구. 수심(水深)이 깊은 양항(良港)으로 뉴기니에서는 거주(居住)에 가장 알맞은 곳으로 침. 네덜란드령(領) 시대에 지방 행정의 중심지였으며, 공항(空港)이 있음.

팍팍 부 ①자꾸 내지르거나 쑤시는 모양. ②힘없이 자꾸 거꾸러지는 모양. ¶총탄에 적병이 ~ 쓰러졌다. ③진흙 같은 것을 디딜 때 몹시 발이 빠지는 모양. ④눈이나 비가 되게 쏟아지는 모양. 1)-4): <퍽퍽.

팍팍-이 부 팍팍하게

팍팍-하다 형여불 ①다리가 몹시 지쳐서 걸음을 내어디디기 어렵도록 무겁다. ②음식이 끈기나 물기가 적어서 먹기에 목이 약간 메일 정도로 메마르고 부드러운 맛이 없다. 1)·2): <퍽퍽하다. *타박타박하다.

판[1] ㊀명 일이 벌어진 자리. ¶씨름~/노름~. ㊁의명 ①'처지'·'형편'·'판국'의 뜻을 나타내는 말. ¶가세가 기울어 온 식구가 생활 전선에 뛰어들 ~이다/이제나저제나 하고 기다리던 ~에 마침내 기회가 왔다. ②승부를 겨루는 일의 수효를 세는 말. ¶내기 장기에서 세 ~을 내리 지다.

판[2]【判】명 성(姓)의 하나. 현재 우리 나라에는, 본관이 해주(海州) 하나뿐임.

판[3]【板】㊀명 ①널빤지. 나무를 얇게 반반하게 만든 것. 또, 금속이나 돌 따위를 널빤지처럼 얇게 반반하게 만든 것. ¶쇠~. ②반반한 표면을 사용하는 기구. 특히, 장기판·바둑판·쌍륙판(雙六板) 같은 것을 일컬음. ③〖인쇄〗그림이나 글씨 등을 새기어 인쇄에 사용하는 나무 조각 또는 쇳조각. 판(版). ④↗유성기판·축음기판·레코드판. ㊁의명 달걀 30개를 오목오목하게 반(半)달걀꼴로 파인 종이 또는 플라스틱 판에 세워 담은 것을 세는 말.

판[4]【板】명 성(姓)의 하나. 우리 나라에는 현존하지 아니함.

판[5]【版】명〖인쇄〗①그림이나 글씨 등을 새기어 인쇄에 사용하는 나뭇조각 또는 쇳조각. 판(板). ②↗활판(活版). ¶~을 짜다/~을 무느다. ③잉크를 종이에 칠하는 매개체(媒介體)의 구실을 하는 물건의 총칭. 평판(平版)·요판(凹版)·철판(凸版) 등의 종류가 있음. ④인쇄의 판면(版面). 판면의 크기. 전(轉)하여, 책의 크기. ¶요즘 잡지는 ~이 크다. ⑤인쇄하는 일. 인쇄해서 책을 만드는 일. 또, 같은 책의 동일(同一)한 판에 의한 인쇄 횟수(回數).

판에 박다 구 사물의 모양이 다르지 않고 모두 같거나 같은 일이 되풀이됨을 이르는 말. 변통성(變通性)이 없고 진부(陳腐)하다. ¶판에 박은 말.

판에 박은 것 같다 구 여럿이 모두 다르지 않고 일매지게 꼭 같다.

판을 거듭하다 구 한 번 출판한 책을, 같은 판(版)을 이용해서 다시 찍어 내다. 책이 잘 나가서 여러 번 찍다.

판[6]【瓣】명 ①화판(花瓣). ②〖공〗기계의 일부로서 어떤 구멍 옆에 붙어서 기체(氣體) 또는 액체의 출입 조절(出入調節)의 기능을 주로 맡고 있는 기구의 총칭. 밸브(valve). ③〖생〗심장 내벽(心臟內壁)이나 혈관 속에 있어서 혈액의 역류(逆流)를 방지하는 막(膜). 판막(瓣膜). ¶반월(半月)~/이첨(二尖)~.

판[7]〔pan〕명 ①↗파노라마. ②팬 포커스(pan focus).

판[8]〔Pan〕명〖신〗그리스 신화 중의 숲·목축·수렵의 신(神). 이마에 뿔이 있고 온 몸에 털이 많으며 다리·꼬리는 염소 모양을 하고 있음. 목인(牧人)의 음악을 관장, 사람으로 하여금 원인 불명의 공포를 일으키게 한다하여 패닉(panic)의 어원(語源)이 되고 있음.

〈판⁸〉

판[9]【判】의명 책이나 상품의 종이의 길이 및 너비의 규격을 표시하는 말. ¶국(菊)~/사륙(四六)~/명함(名銜)~.

판가【販價】[─까] 명 ↗판매 가격(販賣價格).

판-가름 명 시비(是非)·우열(優劣)을 판단하여 가름. ──-하다 타여불

판가름(이) 나다 구 시비(是非)·우열(優劣)을 가리어 결정이 나다.

판각[1]【板刻】명〖인쇄〗그림이나 글씨를 나무 조각에 새김. 각판(刻板). ¶~본(本). ──-하다 타여불

판각[2]【板閣·版閣】명〖불교〗경판(經版)을 쌓아 두는 전각(殿閣). 판전(版殿). 판전각(版殿閣).

판각-본【板刻本】명 목판(木板)으로 인쇄한 책. ㊄판본(板本).

판갑【板甲】명〖고고학〗판갑옷.

판-갑옷【板甲─】명〖고고학〗앞 면을 금속판을 못 따위로 박아 통판으로 만든 갑옷 *비늘갑옷.

판-값 명 물건을 팔고 받은 값. ↔산값.

판-검사【判檢事】명 판사(判事)와 검사(檢事).

판게아〔Pangaea〕명〖지〗현재의 대륙이 분열·이동하기 이전의 단일 대륙(單一大陸). 초대륙(超大陸).

판겐〔pangen〕명 다윈(Darwin)의 제창에 의한, 세포질성(細胞質性)의 유전 조절 입자(遺傳調節粒子).

판결【判決】명 ①시비·선악을 가리어 결정함. 부결(剖決). ¶공평한 ~. ②〖법〗민사 소송법에서 소송에 대하여, 구두 변론(口頭辯論) 또는 공판(公判)의 결과에 의하여 행하여지는 재판. 형사 소송법에서는 공판 절차에 있어서, 유죄·무죄 또는 면소(免訴) 기타를 선고하는 법원의 종국(終局) 재판. 저지먼트(judgement). ──-하다 타여불

판결-례【判決例】명〖법〗법원에서 동일(同一) 또는 유사(類似)한 소송 사건 또는 논점(論點)에 관하여 판결한 전례. ㊄판례(判例).

판결-록【判決錄】명 판결에 관한 기록.

판결-문【判決文】명〖법〗판결서(判決書).

판결 법원【判決法院】명 어떤 소송 사건(訴訟事件)에 대하여 판결을 내린 법원.

판결-사【判決事】[─싸] 명 ①시비·선악을 판결하는 일. ②〖역〗장례원(掌隷院)의 으뜸 벼슬. 위계(位階)는 정삼품.

판결 사:실【判決事實】명〖법〗구두 변론의 요점(要點)을 적시(摘示)하여 사실 및 쟁점(爭點)을 명백히 확인하는 판결문의 한 부분. *판결 주문·판결 이유.

판결-서【判決書】명〖법〗판결을 기재한 재판서(裁判書). 판결문.

판결 원본【判決原本】명〖법〗판결을 표시하기 위하여 확정적으로 최초에 작성하는 서면(書面). *판결서.

판결 유예【判決猶豫】[─류─] 명〖법〗법원이 일정한 범죄자에 대하여 개전(改悛)의 정이 있다고 인정할 때에 일정 기간을 유예하고 판결을 내리지 않는 일.

판결 이:유【判決理由】명〖법〗판결의 기초가 되는 사실 자료에 의하여 법률의 해석 적용을 밝혀 판결 주문이 유래하는 판단의 경로를 나타내는 판결문의 한 부분. *판결 주문·판결 사실.

판결 절차【判決節次】명〖법〗형식적으로는 소(訴)에 의하여 개시(開始)되고, 판결(判決)에 의하여 완결되는 소송 절차. 실질적으로는 판결에 의하여 구체적인 법률 효과의 확정, 곧 원고의 청구에 대한 당부(當否)의 확정을 목적으로 하는 소송 절차.

판결 정:본【判決正本】명〖법〗판결 원본에 의하여 이를 완전히 전사(轉寫)하여 작성한 서류로서 판결 원본(原本)과 동일한 효력을 가지는 것. 서기관(書記官) 또는 서기가 작성함.

판결 주문【判決主文】명〖법〗판결의 결론의 부분. 민사 소송에서는 원고(原告)의 청구의 적부(適否) 및 당부(當否)의 판례(判例), 소송 비용, 가집행(假執行)의 선언 등이 실리고, 형사 소송에서는 공소 기각(公訴棄却)·면소(免訴)·무죄·형의 선고(宣告) 및 소송 비용 등이 표시됨. 선고할 때 이 부분은 반드시 낭독하여야 함. ㊄주문(主文). *판결 사실(事實)·판결 이유(理由).

판결 청구권【判決請求權】[─꿘] 명〖법〗소권(訴權).

판경【判黥】명 흉년(凶年)이 올 것으로 판단(判斷)하여 정함. ──-하다 타여불

판계【板桂】명〖한의〗육계(肉桂).

판-공【辦公】명 공무에 종사함. ──-하다 자여불

판-공론【─公論】[─꽁논] 명 여러 사람의 입으로 공동으로 떠도는 의논(議論).

판-공부사【判工部事】명〖역〗↗판상서공부사(判尙書工部事).

판공-비【辦公費】명 공무(公務) 처리에 필요한 비용.

판공 성:사【辦功聖事】명〖천주교〗사규(四規)에 정한 성사(聖事).

판공 주다【辦功─】자〖천주교〗판공 성사(聖事)를 시행하다.

판:관【判官】명 ①심판관(審判官). 재판관. ②〖역〗신라 봉성사 성전(奉聖寺成典)·감은사(感恩寺) 성전·봉덕사(奉德寺) 성전·영묘사(靈廟寺) 성전 등의 한 벼슬. ③〖역〗고려 개성부(開城府)·중문(中門)·통례문(通禮門)·자운방(紫雲坊)·대청관(大淸觀)·오부(五部)의 한 벼슬. 품질(品秩)은 오품(五品)에서 구품까지. ④〖역〗고려 유수관(留守官)·도호부(都護府)·방어진(防禦鎭)과 그 밖의 각 고을의 육품(六品) 이상의 벼슬. ⑤〖역〗조선 시대 때 돈령부(敦寧府)·한성부(漢城府)·상서원(尙瑞院)·봉상시(奉常寺) 기타 여러 관아의 종오품 벼슬. ⑥〖역〗조선 시대 때 감영(監營)·유수영(留守營) 및 큰 고을에 둔 벼슬. 종오품. ⑦〖역〗구나(驅儺)할 때 나자(儺者)의 하나. 녹의(綠衣)를 입고 탈과 화립(畫笠)을 씀. ⑧〈속〉↗판관 사령(使令).

판:관-기【判官記】명〖성〗사사기(師士記).

판:관 사:령【判官使令】[─싸─] 명〔감영(監營)·유수영(留守營)의 판관에 딸린 사령의 뜻〕아내가 시키는 말에 거역할 줄 모르는 사람을 농으로 일컫는 말. ¶넌 그저 석란이라면 쩔쩔매더라. 그러다가 ~될라《朴花城: 벼랑에 피는 꽃》.

판광【版匡】명 광곽(匡郭).

판교[1]【判校】명〖역〗조선 시대 승문원(承文院)·교서관(校書館)의 당하(堂下) 정삼품 벼슬.

판교[2]【判敎】명 교상 판석(敎相判釋).

판교[3]【板橋】명 널다리.

판교 잡기【板橋雜記】명〖책〗중국 명말(明末)의 난징(南京) 창반차오(長板橋)의 유곽 풍정(遊廓風情)을 중심으로 소개한 책. 명말·청초(淸初)의 사람 여회(餘懷) 찬(撰). 당시 화류항(花柳巷)에서의 명기(名妓)·풍류랑(風流郞) 등의 일화(逸話) 등 명말 난징의 일면을 엿볼 수 있는 훌륭한 사료(史料)임. 3권.

판-교종사【判敎宗師】명〖역〗도대사(都大師).

판구【版口】명 판심(版心).

판구조-론【板構造論】[명]〔plate tectonics〕〖지〗 지구 표면은 10여 개의 딱딱한 판이 마치 모자이크처럼 짜여져 빈틈없이 덮여 있고, 이 판들의 운동으로 갖가지 지학(地學) 현상, 특히 지진·화산 폭발 등이 일어난다고 하는 이론. 1960년대 중반부터 여러 학자가 주창하였음. 플레이트 텍토닉스.

판국【一局】[명] ①사건이 벌어져 있는 국면(局面). ¶어수선한 ~. ②〖민〗 집터 또는 묏자리 등의 위치와 형국.

판-국자감사【判國子監事】[명]〖역〗 고려 국자감(國子監)의 으뜸 벼슬. 타관(他官)이 겸함. *판사(判事).

판-군기감사【判軍器監事】[명]〖역〗 ①고려 군기감(軍器監)의 으뜸 벼슬. 종삼품. *판사(判事). ②조선 시대 초기에 군기감의 으뜸 벼슬. 정삼품. *판사(判事).

판-군자시사【判軍資寺事】[명]〖역〗 고려 군자시(軍資寺)의 으뜸 벼슬. 정삼품. *판사(判事).

판굿〔一꾿〕 [명]〖민〗 걸립패나 남사당패들이 여러 가지 놀이를 순서대로 짜서, 판놀음에서 솜씨를 보여 주기 위해 벌이는 농악.

판권【版權·板權】〔一꿘〕 [명]〖법〗 도서(圖書)의 출판에 관한 이익을 전유(專有)하는 권리. 저작권자(著作權者)가 그 저작물의 출판을 맡는 사람에 대하여 설정하는 권리로서, 저작권법상(著作權法上) 인정된 무체 재산권(無體財產權)의 하나임. 출판권(出版權). ¶~ 소유/~ 침해. *저작권(著作權).

판권 소:유【版權所有】〔一꿘一〕 [명] 판권을 소유함. 출판권을 가지고 있음. ——-하다 [자][여불]

판권-장【版權張】〔一꿘짱〕 [명]〖인쇄〗 책을 인쇄할 때 그 책의 맨 끝장에 인쇄 및 발행의 연월일과 저작자·발행자의 주소와 성명 등을 밝히어 박은 종잇장.

판금[1]【板金】[명] 아주 얇고 넓게 조각을 지은 금속.

판금[2]【販禁】[명] ↗판매 금지. ¶~당한 서적. ——-하다 [타][여불]

판금-공【板金工】[명] 판금을 절단·절곡(折曲)·용접하여 공기 조화·난방 설비에 쓰이는 덕트(도관)·홈통·옥외 간판 등을 제작 설치 및 유지·보수하는 기술자.

판-금오【判金吾】[명]〖역〗 '판의금부사(判義禁府事)'의 별칭.

판-꽂이 [명]〖식〗 나뭇가지를 묘포(苗圃)에 꽂아 모를 길렀다가 다른 곳으로 이식(移植)하는 식목법(植木法). 건조하거나 부식토(腐植土)가 적은 땅에 심을 때에 쓰이는 방법임.

판-나다 [자] ①판이 끝나다. ②재산이나 물건이 죄다 없어지다. ¶허구한 날 먹다가 판나겠다.

판날개-풀잠자리 [명]〖충〗〔*Eososmylus harmandinus*〕 판날개풀잠자릿과에 속하는 곤충. 편 날개의 길이 36 mm 내외, 몸빛은 담황색에 두흉배(頭胸背)에는 많은 흑색 무늬가 있고, 날개는 투명하며 연문(緣紋)은 황색, 그 양측의 무늬와 후연(後緣)의 점문(點紋)은 흑색, 시맥(翅脈)은 황색이나 흑색을 이루고 흑갈색 강모(剛毛)가 있음. 한국·일본 등지에 분포함. *풀잠자리.

판날개풀잠자릿-과【一科】 [명]〖충〗〔Osmylidae〕 풀잠자리목(目)에 속(屬)하는 한 과(科). 중대형(中大型)이며 가늘고 반문(斑紋)이 있음. 촉각(觸角)은 실 모양이며, 단안(單眼)은 세 개이고 발톱에는 네 개나 다섯 개 또는 10-12개의 이가 있음. 유충(幼蟲)은 흐르는 맑은 물에 서식함. 북미(北美) 이외의 전세계에 20속 50여 종이 분포함.

판납【辦納】[명] 금전 또는 물품을 이리저리 변통하여서 바침. ——-하다 [타][여불]

판-내부시사【判內府寺事】[명] 〖역〗 ①고려 내부시(內府寺)의 정삼품 벼슬. *판사(判事). ②조선 시대 초기의 내부시의 으뜸 벼슬. 정삼품. *판사(判事).

판-내시부사 【判內侍府事】[명]〖역〗 ①고려 내시부(內侍府)의 으뜸 벼슬. 정이품. ②조선 시대 초기의 내시부의 으뜸 벼슬. 종이품. *판사(判事).

판다〔panda〕[명]〖동〗〔*Ailurus fulgens*〕 포유류(哺乳類) 식육목(食肉目) 프로키오니데과(Procyonidae科)에 속하는 짐승. 몸길이 50-60 cm, 꼬리 40-45 cm 안팎이며, 사지는 짧고 척행성(蹠行性)으로서 발바닥은 거의 털에 덮였고, 발톱은 반쯤 감출 수 있음. 대가리는 짧고 넓으며, 귀는 삼각형으로 크고 몸의 윗 면은 고운 붉은 밤색, 낯은 희고 눈밑에는 갈색 무늬가 있고, 몸의 하면과 사지는 검고, 꼬리는 밤색이며 암갈색의 가로 무늬가 많음. 나무에 잘 오르며, 나무의 굴에 암수 한 쌍이 살고, 댓잎·죽순·지의(地衣) 등 외에 때로는 새·쥐도 먹음. 히말라야에서 중국 서부의 고산 표고 2,000-3,600 m의 고지대에 분포함. 중국에 사는 '자이언트 판다(*Ailuropoda melanoleucus*)'라 불리는 종류는 몸길이 150-180 cm, 어깨에서 전지(前肢)·목·가슴에까지 검은 횡대(橫帶)가 있으며, 눈·귀의 주위와 후지(後肢)는 까맣고 다른 부분은 누런 기가 있는 백색임. 꼬리가 길며, 중국 쓰촨 성(四川省)·시캉 성(西康省)·간쑤 성(甘肅省)·산시 성(陝西省)의 경계에 삶.

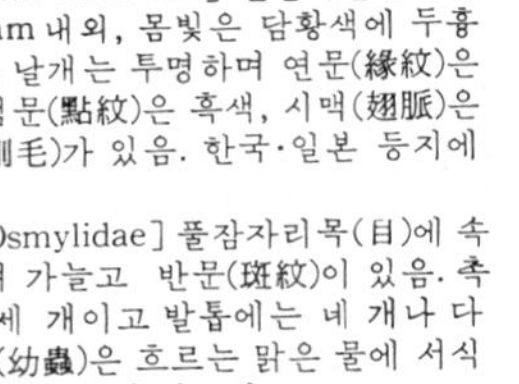
〈판다〉

판-다르다 [형][르불] 아주 다르다. 판이(判異)하다.

판단【判斷】[명] ①어떤 사물의 진위(眞僞)·선악·미추(美醜) 등을 생각하여 판가름함. 판정. 단정(斷定). ¶~ 기준/정확한 ~. ②길흉(吉凶)을 점침. ③〔judgement〕〖논〗 형식 논리학상 주사(主辭)와 빈사(賓辭)와의 종합(綜合). 이 판단이 집합하여 추리(推理)로 되며, 따라서 판단은 개념(概念)과 추리의 중간에 있는 작용이고, 이것을 언어로 표시하면 명제(命題)로 됨. 단정. ——-하다 [타][여불]

판단 능력【判斷能力】〔一녁〕 [명] 자기의 행위의 시비 선악(是非善惡)을 판단할 수 있는 정신적인 능력. ¶~이 흐려지다.

판단-력【判斷力】〔一녁〕 [명] 판단하는 힘. ¶~이 뛰어나다.

판단 중지【判斷中止】[명]〔그 epokhe〕〖철〗 고대 그리스 철학에서 피론(Pyrrhon) 등의 회의파(懷疑派)가 독단론자(獨斷論者)에 대하여 주장한 이론 및 태도. 어떠한 언설(言說)일지라도 반대될 수 있으므로 판단은 모두 중지하여야 한다는 주장.

판단 필연성【判斷必然性】〔一썽〕 [명]〖철〗 판단 작용에 의하여 포착(捕捉)된 가치(價値).

판당【判堂】[명]〖역〗 당상(堂上)인 판서(判書)·판윤(判尹) 등의 별칭.

판당고〔스 fandango〕[명]〖악〗 삼박자(三拍子) 또는 육박자(六拍子)의 활발하고 야성적(野性的)인 스페인의 무용. 또, 그 무곡(舞曲).

판대기 [명]〈방〉 판자(板子)(충북).

판-대복시사【判大僕寺事】[명] 〖역〗 고려 대복시(大僕寺)의 으뜸 벼슬. 정삼품. 판태복시사(判太僕寺事). *판사(判事).

판-대부시사【判大府寺事】[명] 〖역〗 고려 대부시(大府寺)의 으뜸 벼슬. 정삼품. *판사(判事).

판-대상시사 【判大常寺事】 [명] 〖역〗 고려 대상시(大常寺)의 으뜸 벼슬. 정삼품. 판태상시사(判太常寺事). *판사(判事).

판데-목 [명] 〖지〗 경상 남도 충무시(忠武市) 앞바다의 충무 운하(忠武運河)가 뚫린 어름의 수로. 임진 왜란(壬辰倭亂) 때 패잔(敗殘) 왜수군(倭水軍)이 이 곳의 육지를 파고 물길을 틔워서 배를 몰아 도주한 데서 이름이 붙여짐. 현재는 게르버(Gerver) 다리가 놓여 있음. 한자 이름은 착량(鑿梁).

판덴〔중 飯店〕[명] ①여관. ②요리점. 음식점.

판도【版圖】[명] ①한 나라의 영토(領土). ¶~를 넓히다. ②어떤 세력이 미치는 영역(領域)·범위. ¶그의 출현으로 재계의 ~가 달라졌다.

판도라〔Pandōra〕[명]〖신〗 그리스 신화 중의 미녀(美女). 인류 최초의 여성으로, 프로메테우스(Prometheus)가 천계(天界)의 불을 훔쳐 낸 것을 노한 제우스(Zeus)가 인간을 벌하기 위해 헤파이스토스(Hephaistos)로 하여금 흙으로 인류 최초의 여자, 즉 판도라를 만들게 하고, 판도라를 시켜 인류의 죄고(罪苦)를 가득 처넣은 상자를 인류에게 내렸다 함.

〈판도라〉

판도라의 궤:【一櫃】〔一/一에一〕〔Pandōra〕[명]〖신〗 제우스(Zeus)가 판도라에게 인생의 모든 죄악·재화(災禍)를 싸서 넣어 주었다고 하는 궤. 판도라가 호기심에서 이것을 열었기 때문에 모든 불행이 쏟아져 나왔으나, 희망만은 끝까지 궤 속에 남아 있었다고 함. *판도라.

판도리나〔pandorina〕[명]〖동〗 녹조류(綠藻類) 볼복스과(volvox科)에 속하는 담수조(淡水藻). 4-32개의 단세포의 개체가 빽빽하게 모이고, 공동의 한천질(寒天質)에 싸여 구상(球狀) 또는 타원체 모양의 군체(群體)를 이룸. 각 개체는 서양 배 모양으로, 두꺼운 쪽의 선단(先端)으로부터 두 개의 같은 길이의 긴 털이 군체 밖으로 나와 있으며, 전체로써 회전 운동을 함. 세포 중에는 한 개의 안점(眼點), 두 개의 수축포(收縮胞), 컵 모양의 엽록체가 있음. 유성(有性) 및 무성(無性) 생식을 하며 자웅 이주(雌雄異株)임.

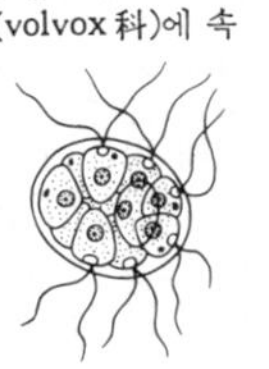
〈판도리나〉

판도-방【判道房】[명]〖불교〗 ①고승(高僧)들이 거처하는 큰 방의 둘레에 있는 절간의 작은 방. ②불도를 닦고자 중들이 모여서 공부하는 방. 절 방 가운데 가장 크고 넓음.

판도-사【判圖司】[명]〖역〗 고려 때 상서 호부(尙書戶部)의 뒷 이름. 충렬왕(忠烈王) 원년(1275)에서 24년 정월까지, 충렬왕 24년 8월에서 34년까지, 충숙왕(忠肅王) 때부터 공민왕(恭愍王) 5년(1356)까지, 공민왕 11년에서 18년까지, 공민왕 21년에서 공양왕(恭讓王) 원년(1389)까지의 일컬음. *상서 육부(尙書六部).

판-도첨의사사사【判都僉議使司事】〔一/一이一〕 [명]〖역〗 고려 도첨의사사(都僉議使司)의 으뜸 벼슬. 종일품. 중서령(中書令)의 후신으로, 충렬왕(忠烈王) 때 도첨의령(都僉議令)의 고친 것. *판사(判事).

판도파【板堵婆】[명]〖불교〗 솔도파(率堵婆)❷.

판-도평의사사사【判都評議使司事】〔一/一이一〕 [명]〖역〗 도평의사사(都評議使司)의 으뜸 벼슬. 타관(他官)이 겸함. *판사(判事).

판독【判讀】[명] 뜻을 헤아려 읽음. ¶암호를 ~하다. ——-하다 [타][여불]

판-돈〔一똔〕[명] 노름판에 태워 놓은 돈. 또는 노름판에 내어 놓은 모두의 돈. ¶~을 태우다.

【판돈 일곱 닢에 노름꾼은 아홉】 하찮은 일에 그것을 노리고, 모여드는 사람이 굉장히 많다는 말.

판돈(을) 떼:다 [구] 노름판을 벌이고 이긴 사람으로부터 판돈 가운데 얼마씩 떼어 가지다. *불전 떼다.

판-돈녕【判敦寧】[명]〖역〗 ↗판돈녕부사(判敦寧府事).

판-돈녕부사【判敦寧府事】[명]〖역〗 조선 시대 돈녕부(敦寧府)의 종일품 벼슬. [준]판돈녕(判敦寧). *판사(判事).

판돌 [명]〈방〉 다듬잇돌(평북).

판두-방【一房】[명]〈방〉 판도방(判道房).

판둥-거리다 [자] 하는 일 없이 빤빤스럽게 놀고만 있다. ㅅ반둥거리다. ㅆ빤둥거리다. <펀둥거리다. 판둥-판둥 [부]. ——-하다 [자][여불]

판둥-대다 [자] 판둥거리다.

판득【辦得】[명] 변통하여 얻음. ——-하다 [타][여불]

판들-거리다 [자] 하는 일 없이 얄미운 태도로 게으르게 놀기만 하다. ㅅ반들거리다. ㅆ빤들거리다. <펀들거리다. **판들-판들** [부]. ——-하다 [자] (여불)
판-들다 [타] 가진 재산을 모두 써서 없애 버리다.
판들-대다 [자] 판들거리다.
판디아 왕조 【一王朝】〔Pāndya〕 [명] 〖역〗 기원전 3세기 이전부터 14세기 전반에 걸쳐, 마두라이(Madurai)를 중심으로 인도 반도 남단부(南端部)를 지배한 왕조. 할지조(Khalji朝)의 침입으로 망했음.
판딧 〔Pandit, Vijaya Lakshmi〕 [명] 〖사람〗 인도의 정치가·외교관. 네루 수상의 누이동생. 주미(駐美)·주소(駐蘇) 대사 등을 역임, 1953년 제8회 유엔 총회 의장을 지냄. [1900-]
판-따지다 [타] 〈방〉 판가름하다.
판-때기 【板一】 [명] 〈속〉 널빤지.
판-때리다 [타] 시비·선악을 가려 결정하다.
판람 【板藍】 [판一] [명] 〖식〗 마람(馬藍).
판례 【判例】 [팔一] [명] 〖법〗 ↗판결례(判決例). ¶좋은 ~를 남기다.
판례-법 【判例法】 [팔一뻡] [명] 〖법〗 판례(判例)의 누적(累積)에 의하여 성립한 법 규범(法規範)으로서 성문화(成文化)되지 아니한 것. 미국·영국은 이것이 중심임.
판례-집 【判例集】 [팔一] [명] 법원의 판례를 모아 기록한 것.
판로 【販路】 [팔一] [명] 상품이 팔리는 방면이나 길. ¶~를 개척하다.
판로-난 【販路難】 [팔一] [명] 판로상의 곤란.
판로 카르텔 【販路一】 〔도 Kartell〕 [팔一] [명] 〖경〗 판매 지역을 협정하는 카르텔. *조건(條件) 카르텔·생산 제한(生產制限) 카르텔.
판로 협정 【販路協定】 [팔一] [명] 〖경〗 경쟁을 피하기 위하여 상품 판매자 사이에 판로를 협의하여 결정함.
판리 【辦理】 [팔一] [명] 일을 처리함. ——-하다 [타] (여불)
판막 【瓣膜】 [명] 〖생〗 판(瓣). 날름막.
판-막다 [자] 마지막으로 이겨서 그 판의 끝장을 내다. 판막음하다.
판막-령 【板幕嶺】 [一녕] [명] 〖지〗 ①평안 북도 삭주군(朔州郡) 구곡면(九曲面)과 의주군(義州郡) 광평면(廣坪面) 사이에 있는 재. [348 m] ②평안 북도 후창군(厚昌郡) 동신면(東新面)에 있는 산. [1, 152 m] ③함경 북도 학성군(鶴城郡) 학상면(鶴上面)과 함경 남도 단천군(端川郡) 남일면(南日面) 사이에 있는 산. [942 m]
판-막음 [명] 그 판에서의 마지막 승리. *판막다. ——-하다 [자] (여불)
판-막이 [명] 판막음. ——-하다 [자] (여불)
판매 【販賣】 [명] 상품(商品) 따위를 팖. 판육(販鬻). ¶~업(業)/~원(員). ——-하다 [타] (여불)
판매-가 【販賣價】 [一까] [명] 우표 수집에서, 우표 전문 가게나 우표 수집가 사이에서 실제로 거래되는 우표의 값. *목록가(目錄價).
판매 가격 【販賣價格】 [一까一] [명] 상품(商品)을 파는 가격(價格). ¶~의 할인. ㊟판가(販價).
판매-계 【販賣系】 [명] 상품을 판매하는 일을 맡은 사람.
판매-고 【販賣高】 [명] 매상고(賣上高).
판매 관:리 【販賣管理】 [一괄一] [명] 〔sales management〕 기업이 상품 판매의 효율적 향상을 위해서 행하는 체계적 시책(體系的施策). 곧, 영업 부문·판매 부문의 관리 활동.
판매-권 【販賣權】 [一꿘] [명] 판매할 수 있는 권리.
판매 금:지 【販賣禁止】 [명] 어떤 상품에 대해 법률상 또는 경제상의 이유로 그 판매를 금지함. ㊟판금(販禁). ——-하다 [자] (여불)
판매-량 【販賣量】 [명] 일정한 기간에 판매한 양. ¶~의 증가.
판매-망 【販賣網】 [명] 그물처럼 친, 판매를 위한 조직·기관(機關). ¶~조직.
판매-부 【販賣部】 [명] 어느 한 기관(機關) 안에 설치하여 판매의 사무를 주장하는 부서. ¶~장.
판매-비 【販賣費】 [명] 상품의 판매를 위한 비용. 판매 수수료·발송운임·광고 선전비 등.
판매-사 【販賣士】 [명] 〖경〗 일정한 자격을 갖춘 유통(流通) 판매 전문 요원. 1급은 경영자 또는 지점장급, 2급은 부장·과장, 3급은 일반 판매원임.
판매 셰어 【販賣一】 〔share〕 [명] 〖경〗 어떤 상품의 판매 총액에 대하여, 그 중 특정 기업의 제품이 점유하고 있는 비율. *시장 점유율.
판매-소 【販賣所】 [명] 판매하는 장소. 판매하기 위하여 특별히 설치한 장소. 발매소(發賣所). ¶구내 ~.
판매 시점 정보 관:리 시스템 【販賣時點情報管理一】 [一쩜一괄一] [명] 〔point of sales system〕 〖경〗 판매가 이루어진 시점(時點)에서 판매 활동을 관리하는 시스템. 소매점(小賣店)의 매장(賣場)의 금전 등록기(金錢登錄機)에 정찰(正札)을 해독(解讀)하는 기능(機能)을 갖게 하여, 그것을 단말(端末)로 하여 본사(本社) 등의 컴퓨터를 연결하고, 판매한 즉시 데이터가 입력(入力)되면, 전표 정리(傳票整理)·장부(帳簿) 계산 등의 매상 관리(賣上管理)·재고 정리·상품 관리를 할 수 있게 함.
판매-액 【販賣額】 [명] 판매한 금액. 또, 그 총액. ¶~의 증가.
판매-업 【販賣業】 [명] 상품을 판매하는 영업.
판매 예:산 【販賣豫算】 [명] 〖경〗 판매 계획을 수립하는 동시에 제작(製作) 예산 및 자금 조달의 계획과 조화시키고 판매비(費)의 합리적 규제(規制)를 행할 목적으로 편성되는 예산.
판매-원[1] 【販賣元】 [명] 어떤 상품(商品)을 판매하는 근원이 되는 곳.
판매-원[2] 【販賣員】 [명] 상품을 판매하는 사람. ¶~ 모집.
판매-인 【販賣人】 [명] 상품을 판매하는 사람.
판매-점 【販賣店】 [명] 상품을 판매하는 가게. ¶구내 ~.
판매 조합 【販賣組合】 [명] 조합원의 생산물을 협동하여 유리하게 판매함을 목적으로 하는 조합.
판매 책임제 【販賣責任制】 [명] 구매자가 물건을 잘못 산 책임을 판매자가 지는 제도. 종래에는 상품의 매매에는 선택의 자유가 있기 때문에 물건을 잘못 산 책임이 구매자측에 있다고 본 데 대하여 매입자의 무지(無知)로 인한 손해를 판매자가 지는 제도.
판매-처 【販賣處】 [명] 판매하는 곳.
판매 촉진 【販賣促進】 [명] 여러 가지 방법을 써서 수요(需要)를 불러 일으키고 자극(刺戟)함으로써 판매가 늘어나도록 유도하는 일. 전시회(展示會)의 개최, 판매점 안의 장식(裝飾), 카탈로그의 배포(配布), 강습회(講習會)의 개최, 광고의 강화 등의 방법이 채용됨. ㊟판촉(販促).
판매 카르텔 【販賣一】 〔도 Kartell〕 [명] 〖경〗 제품 판매상의 경쟁을 배제하기 위한 카르텔. 판매 가격의 통제, 판로(販路) 통제 등의 카르텔이 있는데, 가장 중요한 형태는 제품을 공동 판매하는 공동 판매 카르텔임. 또, 좁은 뜻으로 공동 판매 카르텔을 일컬음. ¶~의 형성.
판매-품 【販賣品】 [명] 판매하는 물품.
판매 협정 【販賣協定】 [명] 〖경〗 카르텔의 일종. 동업자 간의 경쟁에 의한 가격의 하락을 방지하고 이윤을 증가시키기 위하여 기업자가 연합하여 만든 판매상의 협정.
판매 회:사 【販賣會社】 [명] 다른 회사나 공장 등에서 생산한 상품에 대하여 판매의 업무를 주로 하는 회사.
판매 회수 대:금 【販賣回收代金】 [명] 물건을 팔아 그 대가(代價)로 거두어 들이는 돈.
판면[1] 【板面】 [명] 널빤지의 표면.
판면[2] 【版面】 [명] 인쇄판의 겉면.
판명 【判明】 [명] ①명백히 드러남. 분명하게 밝혀짐. ¶사실이 ~되다. ②〔distinct〕 〖철〗 개념(槪念)의 내용을 형성하는 요소의 성질이 정밀(精密)히 인식되어 있는 일. *명석 판명(明晳判明). ——-하다. [자] (여불)
판목[1] 【板木】 [명] 〖건〗 두께가 6 cm 이상, 폭이 두께의 3배(倍) 이상 되는 재목.
판목[2] 【板目】 [명] 널빤지에 나타난 나뭇결.
판목[3] 【版木】 [명] 인쇄하기 위하여 글자나 그림을 새긴 나무. 책판이나 그림판에 쓰는 나무. ¶~장이.
판목-선 【板木船】 [명] 판자로 만든 배.
판-몰이 [명] 노름판의 돈을 한 사람이 모두 몰아 가짐. ——-하다 [타] (여불)
판무[1] 【判無】 [명] 아주 없음. 도무지 없음. 판연(判然)히 없음. ——-하다 [형] (여불)
판무[2] 【辦務】 [명] 사무를 처리함. ——-하다 [타] (여불)
판무-관 【辦務官】 [명] 영국 같은 나라에서, 보호국 또는 식민지로 파견하여 정치·외교의 사무를 처리하도록 한 관리(官吏). ¶고등 ~.
판-무식 【判無識】 [명] 전무식(全無識). ——-하다 [형] (여불)
판무식-쟁이 【判無識一】 [명] 아주 무식한 사람.
판문 【板門】 [명] 판자로 만든 문.
판문점 【板門店】 [명] 〖지〗 경기도 개성시(開城市) 동방 10 km, 군사 경계선 위에 있는 촌락. 1953년 7월 27일 한국 전쟁의 휴전 협정이 조인된 곳으로, 지금은 유엔군과 북한군의 군사 정전 위원회와 군사 연락 장교 회의 장소임.
판문점 회:담 【板門店會談】 [명] 한국 전쟁을 종식시키기 위하여 유엔군측과 북한군측이 1952년 10월 판문점에서 재개한 정전 회담. 1951년 8월에 열렸던 개성 회담에 뒤이어 재개한 것인데, 1953년 7월 27일 정전 협정을 맺음.
판-문하 【判門下】 [명] 〖역〗 고려 문하부(門下府)의 장관(長官). 종일품. 중서령(中書令)의 후신(後身)으로, 우왕(禑王) 때에 영문하(領門下)의 고친 이름.
판-물리다 [타] 씨름판에서 판을 좁히고 물리어 들어오는 구경꾼을 뒤로 물리다.
판-밀직 【判密直】 [一찍] [명] 〖역〗 ↗판밀직사사(判密直司事).
판-밀직사 【判密直事】 [一찍一] [명] 〖역〗 ↗판밀직사사.
판-밀직사사 【判密直司事】 [一찍一] [명] 〖역〗 고려 밀직사(密直司)의 으뜸 벼슬. 종이품. 충렬왕(忠烈王) 원년(1275)에 판추밀원사(判樞密院事)의 고친 이름. ㊟판사사(判司事)·판밀직(判密直)·판밀직사(判密直事). *판사(判事).
판-박이 【版一】 [명] ①판에 박아 낸 책. ②꼭 같은 것. 변통성이 없이 꼭 그 모양임. 또, 그러한 사람. ③물에 풀리기 쉬운 풀을 바탕 종이에 바르고 뒤집어 인쇄한 종이. 물을 묻혀 붙여 놓고 겉을 떼어 내면 인쇄된 부분만 남음. 금속·유리·도자기 등의 인쇄에 이용되고 아이들의 장난감으로도 쓰임.
판박이 상놈 【版一常一】 [명] 〈방〉 판상놈.
판-밖 [명] 일이 벌어진 그 밖. *테밖·국외(局外).
판밖엣 사람 [구] 그 일에 관계가 없는 사람.
판발 【辮髮】 [명] ①편발(辮髮·編髮). ②변발(辮髮). ——-하다 [자] (여불)
판-벌이다 [자] 노름을 시작하다.
판법 【判法】 [一뻡] [명] 판단하는 방법.
판벽 【板壁】 [명] 판자로 만든 벽.
판별 【判別】 [명] 판단하여 구별함. 식별(識別). ¶진위를 ~하다. ——-하다 [타] (여불)
판별-방 【判別房】 [명] 〖역〗 조선 시대 호조(戶曹)의 한 분장(分掌). 수시로 물건 사들이는 일을 맡음.
판별 숙주 【判別宿主】 [명] 〖생〗 바이러스·기생균이 기생하는 식물이 각각 특정한 종(種)에 한정되는 점을 이용하여 그 분류를 할 때 사용되는 숙주 실험 식물을 이름.
판별-식 【判別式】 [명] 〔discriminant〕 〖수〗 2차 방정식의 근(根)의 종류

를 판별하기 위한 식. 2차 방정식 $ax^2+bx+c=0(a\neq0)$에 대하여, b^2-4ac를 일컬으며, 기호 'D'로 표시함. $D>0$일 때는 서로 다른 두 실근(實根), $D=0$일 때는 중근(重根), $D<0$일 때는 허근(虛根)이 됨.

판별-역【判別閾】[명] 식별역(識別閾). *역(閾).

판-병마사【判兵馬事】[명]〖역〗 고려 도병마사(都兵馬使)의 으뜸 벼슬. 타관(他官)이 겸하였는데, 충렬왕(忠烈王) 5년(1279)에 판도평의사사사(判都評議使司事)로 고침. *판사(判事).

판-병부사【判兵部事】[명]〖역〗 ↗판상서병부사(判尙書兵部事).

판본【板本·版本】[명]〖인쇄〗 ↗판각본(板刻本).

판부【判付】[명]〖역〗 주안(奏案)을 임금이 윤가(允可)함. 판하(判下). ――-하다 [타][여불]

판-부사【判府事】[명]〖역〗 ↗판중추부사(判中樞府事).

판불【板佛】[명]〖불교〗 널빤지나 동판(銅板)에 불상(佛像)의 모양을 새기고 채색한 불상.

판비【辦備】[명] 마련하여 준비함. 변통(變通)하여 준비함. ¶ 이에 자본을 ~하여 가지고 길을 떠날새…《李海朝 : 鴛鴦圖》. ――-하다 [타][여불]

판비량-론【判比量論】[―논] [명]〖불교〗 신라 문무왕(文武王) 11년(671)에 원효(元曉)가 지은, 추리 판단(推理判斷)의 논리를 풀이한 책. 일본에 그 필사본(筆寫本)이 전함.

판-비서성사【判秘書省事】[명]〖역〗 고려 비서성(秘書省)의 장관(長官). 정삼품. *판사(判事).

판사【判事】[명] ①〖역〗고려 때 도첨의사사(都僉議使司)·문하부(門下府)·도병마사(都兵馬使)·도평의사사(都評議使司)·삼사(三司)·중추원(中樞院)·추밀원(樞密院)·밀직사(密直司)·상서 육부(尙書六部)·어사대(御史臺)·개성부(開城府)·비서성(秘書省)·전교시(典校寺)·합문(閤門) 기타 여러 관아의 장관. 품질(品秩)은 일품(一品)에서 삼품까지. ②〖역〗조선 시대 초기에 도평의사사·삼사·사평부(司平府)·중추원(中樞院)·상서사(尙瑞司)·합문(閤門)·봉상시(奉常寺)·전중시(殿中寺) 기타 여러 관아의 장관. 품질은 일품에서 삼품까지. ③〖역〗조선 시대 돈녕부(敦寧府)·의금부(義禁府)·중추부(中樞府)의 종일품 벼슬. ④〖역〗갑오경장(甲午更張) 이후 돈녕원(敦寧院)·고등 재판소(高等裁判所)·평리원(平理院)·특별 법원(特別法院)·한성 재판소(漢城裁判所)·지방 재판소(地方裁判所)의 칙임(勅任) 또는 주임(奏任) 벼슬. ⑤〖법〗대법원장과 대법원 판사 이외의 법관. 고등 법원·지방 법원에 각각 속하여 심리 재판(審理裁判)을 맡아 봄. ¶ 부장 ~.

판-사농시사【判司農寺事】[명]〖역〗 ①고려 사농시(司農寺)의 으뜸 벼슬. 정삼품. ②조선 시대 초기 사농시의 으뜸 벼슬. 정삼품. 태종(太宗) 원년(1401)에 판전농시사(判典農寺事)로 고침. *판사(判事).

판-사사【判司事】[명]〖역〗 ①↗판밀직사사(判密直司事). ②↗판삼사사(判三司事).

판-사수시사【判司水寺事】[명]〖역〗 고려 사수시(司水寺)의 으뜸 벼슬. 정삼품. *판사(判事).

판-사재시사【判司宰寺事】[명]〖역〗 고려 사재시(司宰寺)의 장관(長官). 정삼품. *판사(判事).

판-사천대사【判司天臺事】[명]〖역〗 고려 사천대(司天臺)의 으뜸 벼슬. 정삼품. *판사(判事).

판-사평부사【判司平府事】[명]〖역〗 조선 시대 국초(國初)의 사평부(司平府)의 벼슬. *판사(判事).

판-삼사사【判三司事】[명]〖역〗 ①고려 삼사(三司)의 으뜸 벼슬. 종일품. 재신(宰臣)이 겸임함. *판사(判事). ②조선 시대 초기 삼사의 종일품 벼슬. 태종(太宗) 원년(1401)에 판사평부사(判司平府事)로 고침. [준]판사사(判司事). *판사(判事).

판-상¹ 【―上】[명] 전체 가운데서 가장 나은 사물(事物).

판상²【板狀】[명] 널조각 같은 형상(形狀). ¶ ~ 구조(構造).

판상³【辦償】[명] ①빚을 갚음. 판제(辦濟). 변상(辨償). 변제(辨濟). ②손실(損失)을 물어 줌. 변상(辨償). 변제(辨濟). *배상(賠償). ③재물을 내어 지은 죄과(罪過)를 갚음. 변상(辨償). ――-하다 [타][여불]

판상 결정체【板狀結晶體】[―쩡―] [명] 판상(板狀)으로 된 결정체.

판-상놈【―常―】[명] 가장 못된 상놈. 판박이 상놈.

판-상서공부사【判尙書工部事】[명]〖역〗 고려 때 상서 공부(尙書工部)의 으뜸 벼슬. 재신(宰臣)이 겸함. [준]판공부사(判工部事). *판사(判事).

판-상서병부사【判尙書兵部事】[명]〖역〗 고려 때 상서 병부(尙書兵部)의 으뜸 벼슬. 재신(宰臣)이 겸함. [준]판병부사(判兵部事). *판사(判事).

판-상서사사【判尙瑞司事】[명]〖역〗 ①고려 상서사(尙瑞司)의 으뜸 벼슬. 양부(兩府)의 재신(宰臣)이 겸함. *판사(判事). ②조선 시대 초기 상서사의 으뜸 벼슬. 재신이 겸함. *판사(判事).

판-상서예부사【判尙書禮部事】[명]〖역〗 고려 때 상서 예부(尙書禮部)의 으뜸 벼슬. 재신(宰臣)이 겸함. [준]판예부사(判禮部事). *판사(判事).

판-상서이부사【判尙書吏部事】[명]〖역〗 고려 때 상서 이부(尙書吏部)의 으뜸 벼슬. 재신(宰臣)이 겸함. [준]판이부사(判吏部事). *판사(判事).

판-상서형부사【判尙書刑部事】[명]〖역〗 고려 때 상서 형부(尙書刑部)의 으뜸 벼슬. 재신(宰臣)이 겸함. [준]판형부사(判刑部事). *판사(判事).

판-상서호부사【判尙書戶部事】[명]〖역〗 고려 때 상서 호부(尙書戶部)의 으뜸 벼슬. 재신(宰臣)이 겸하였음. [준]판호부사(判戶部事). *판사(判事).

판상 절리【板狀節理】[명]〖지〗 화성암(火成岩)에 발달하는, 판상으로 갈라지는 틈.

판상 주:환【阪上走丸】[명] 비탈에서 공을 굴린다는 뜻으로, 기회를 탐의 비유. 또, 형세가 급전함의 비유.

판새-류¹【板鰓類】[명]〖어〗 [Elasmobranchii] 연골어류의 한 아강(亞綱). 몸은 방추형 또는 편평하며 비늘은 순린(楯鱗), 입은 머리끝 배 쪽에 열리고 외새열(外鰓裂)은 5-7쌍, 수컷에는 기각(鰭脚)이라고 하는 교접기(交接器)가 있음. 뼈는 모두 연골임. 팽이상어목·악상어목·곱상어목·가오리목 등이 이에 속함. 연골류(軟骨類).

판새-류²【瓣鰓類】[명]〖동〗 [Lamellibranchia] 부족류(斧足類). 이매패류(二枚貝類).

판서¹【判書】[명]〖역〗 ①고려 때 전리사(典理司)·군부사(軍簿司)·판도사(判圖司)·전법사(典法司)·예의사(禮儀司)·전공사(典工司)의 으뜸 벼슬. 정삼품. ②고려 말기의 육조(六曹)의 으뜸 벼슬. 정삼품. 공양왕(恭讓王) 원년(1389)에 상서(尙書)의 고친 이름. ③조선 시대 육조의 으뜸 벼슬. 정이품. 태종(太宗) 5년(1405)에 베풀어 고종(高宗) 31년(1894)에 폐지됨.

판서²【板書】[명] ①칠판에 분필로 글씨를 씀. ②학습 내용을 간결하게 칠판에 적어서 이해에 도움을 줌. ――-하다 [자][타][여불]

판-선공시사【判繕工寺事】[명]〖역〗 고려 때 선공시(繕工寺)의 으뜸 벼슬. 정삼품. *판사(判事).

판-선종사【判禪宗師】[명]〖역〗 도대선사(都大禪師).

판-설다 [형] 전체의 사정에 서투르다. 아주 서투르다. ¶ 그의 하는 일은 아무리 보아도 ~. ↔판수 익다.

판-세¹【―勢】[―쎄] [명] 판의 형세.

판세²【版稅】[명] 저자(著者)의 인세(印稅).

판-셈 [―쎔] [명] 빚진 사람이 그의 재산을 빚 준 각 사람에게 모두 맡기어서 나누어 갖게 함. ――-하다 [타][여불]

판-소리 [―쏘―] [명]〖악〗민속악(民俗樂)의 한 갈래. 광대(廣大) 혼자서 고수(鼓手)의 북 반주에 맞추어, 서사적(敍事的)인 사설(辭說)을 연창(演唱)하는 일종의 극가(劇歌). 조선 숙종(肅宗) 말년(末年) 내지 영조(英祖) 초년에 걸쳐, 충청도·전라도를 중심으로 발달되어 온 것으로, 판소리 열 두 마당이 전해 내려오나, 지금은 춘향가(春香歌)·심청가(沈淸歌)·흥부가·적벽가(赤壁歌)·수궁가(水宮歌)의 다섯 마당만이 불리어짐. 창극조(唱劇調). *판소리 열 두 마당. ――-하다 [자][여불]

판소리 고법【―鼓法】[―쏘―뻡] [명] 판소리 광대의 소리에 맞추어 고수(鼓手)가 북을 쳐서 장단을 맞추어 반주하는 법.

판소리 여섯 마당 [―쏘―] [명] 판소리로 불리어지던 6편의 작품. 곧, 현재까지 판소리로서 불리어지고 있는 오가(五歌), 춘향가(春香歌)·심청가(沈淸歌)·흥부가(興夫歌)·적벽가(赤壁歌)·수궁가(水宮歌)에 변강쇠 타령을 더한 것.

판소리 열두 마당 [―쏘―뚜―] [명] 판소리로 가창(歌唱)되던 12편의 작품에 대한 호칭. 곧, 춘향가(春香歌)·심청가(沈淸歌)·흥부가(興夫歌)·수궁가(水宮歌)·적벽가(赤壁歌)·배비장 타령(裵裨將打令)·변강쇠 타령·강릉 매화 타령(江陵梅花打令)·옹고집 타령(甕固執打令)·장끼 타령·무숙이 타령·숙영 낭자 타령(淑英娘子打令). 또, '무숙이 타령'과 '숙영 낭자 타령' 대신에 '왈자 타령'과 '가짜 신선 타령'을 포함시키기도 함.

판-소부감사【判小府監事】[명]〖역〗 고려 때, 소부감(小府監)의 으뜸 벼슬. 종삼품. *판사(判事).

판-소부시사【判小府寺事】[명]〖역〗 고려 때, 소부시(小府寺)의 으뜸 벼슬. 정삼품. *판사(判事).

판-쇠 [―쐬] [명]〖광〗한쪽으로 치우치지 아니하고 전면(全面)에 널리 분포되어 있는 사금층(砂金層).

판수¹ [명] ①점치는 것을 업으로 삼는 소경. ②소경. ¶ 지팡이 없이 다니는 ~ 봤는가?

【판수는 죽는 날이 없을까】 자기가 죽는 날도 모르는 점쟁이를 찾아 다니는 일이 부질없음을 이르는 말.

판수²【辦壽】[명] 생일 축하를 함. ――-하다 [자][여불]

판수 익다 [―쑤―] [형] 전체의 사정에 익숙하다. ↔판설다.

판시【判示】[명]〖법〗판결이나 결정 따위, 재판의 이유 중에, 어떤 사항에 관한 판단을 명시하는 일. ――-하다 [타][여불]

판-시세【―時勢】[―씨―] [명] 판국의 시세.

판식【版式】[명] 서책(書冊)의 판본(版本)에 관한 용어. 광곽(匡郭)·행격(行格)·판심(版心) 등의 판 전체의 짜임새와 그 형태적인 특징을 일컬음. 행관(行款).

판-식목도감사【判式目都監事】[명]〖역〗 고려 때, 식목도감(式目都監)의 으뜸 벼슬. 재신(宰臣)이 겸함. *판사(判事).

판심【版心】[명] 서책(書冊)의 판본(版本)에 관한 용어. 책장이 중앙에서 접힌 곳. 판심의 정중(正中)을 중봉(中縫)이라 함. 판구(版口).

판심 어미【版心魚尾】[명]〖인쇄〗판심에 인쇄하는 제비부리 모양의 도형. 양면의 사란(絲欄)을 맞추어 접으면 자연히 양면에 걸쳐 배분됨. 위쪽에 있는데, 흔히 그 아래에 책명을 넣고 또 그 아랫부분에는 면수(面數)의 숫자를 인쇄함.

판-씨름 [명]〖체〗 상씨름에 나갈 사람을 가리기 위해 벌이는 씨름.

판압【判押】[명] 수결(手決). ――-하다 [자][여불]

판야 [포 panja] [명]〖식〗 ☞ 판자³(panja).

판어【板魚】[명]〖어〗 넙치.

판-어사대사【判御史臺事】[명]〖역〗 고려 때, 어사대(御史臺)의 으뜸 벼슬. 정삼품. *판사(判事).

판연【判然】[명] 아주 환하게 판명(判明)된 모양. 또, 명백한 모양. 요연(瞭然). ――-하다 [형][여불]. ――-히 [부]

판열【瓣裂】[명]〖식〗 약(葯)의 열개법(裂開法)의 한 가지. 꽃술이 들창문을 여는 것처럼 터지고 꽃가루를 날리게 됨.

판-예부사【判禮部事】[명]〖역〗 ↗판상서예부사(判尙書禮部事).

판옥【板屋】[명] 벽이 판자(板子)로 된 집.

판옥-선【板屋船】[명] 조선 명종(明宗) 10년(1555년)에 개발한 조선 시대의 군선(軍船). 2층 구조로 되어 있는데, 노젓는 군사를 아래층 갑판의 보호된 장소에 배치하고, 상갑판 위에 포와 활 및 전투원을 배치했음. 승무원이 100 여 명으로 임진왜란에 주력선(主力船)으로 활약했음.

판용-강【瓣用鋼】명 가솔린 기관(機關)이나 디젤 기관 등의 고속도 내연 기관의 흡기판(吸氣瓣)·배기판(排氣瓣)으로 사용되는 특수강. 고온도의 연소 가스(燃燒gas)를 견디고 타격 접촉에 의한 마모(磨耗)에 강한 성질을 가짐.

판 원란〔范文瀾〕명〖사람〗중국의 역사학자. 베이징(北京) 대학 졸업. 일본에 유학했다가 귀국하여 여러 대학의 교수를 역임함. 저서 ≪문심조룡 강소(文心雕龍講疏)≫·≪중국 통사 간편(中國通史簡編)≫·≪중국 근대사≫. 범문란. [1891-1969]

판-원사【判院事】명〖역〗①↗판추밀원사(判樞密院事). ②↗판한림원사(判翰林院事). ③↗판중추원사(判中樞院事).

판-위위시사【判衛尉寺事】명〖역〗고려 때 위위시(衛尉寺)의 으뜸 벼슬. 정삼품. *판사(判事).

판-유리【板琉璃】명 판상(板狀)의 유리.

판육【販鬻】명 파는 일. 판매(販賣).

판윤【判尹】명〖역〗①조선 시대 한성부(漢城府)의 으뜸 벼슬. 정이품. ②대한 제국 때 한성부의 으뜸 벼슬. 칙임관(勅任官)임.

판-의금【判義禁】명〖역〗↗판의금부사(判義禁府事).

판-의금부사【判義禁府事】명〖역〗조선 시대 의금부(義禁府)의 으뜸 벼슬. 종일품. 판금오(判金吾). (준)판의금(判義禁). *판사(判事).

판이【判異】명 아주 다름. ¶사실과 ~한 이야기. ——-하다 형여불

판-이부사【判吏部事】명〖역〗↗판상서이부사(判尙書吏部事).

판인【判印】명 인형(印形). 인장(印章).

판임【判任】명〖일제〗↗판임관(判任官).

판임-관【判任官】명〖일제〗패전전(敗戰前) 일본에 있어서의 최하급의 관명(官名). 주임관(奏任官)의 아래로, 본속(本屬)의 장관(長官)의 자의(自意)로 임면(任免)되었음. (준)판임(判任).

판자[1] 명 넓게 만든 발이랑.

판자[2]【板子】명 ①나무로 된 널조각. ②송판(松板).

판자[3]〔포 panja〕명〖식〗케이폭(kapok).

판자-계【板子契】【—계】명〖역〗관아에 송판(松板)을 공물(貢物)로 바치던 계.

판자기 명〈방〉옹자배기.

판자-때기【板子—】명〈방〉널빤지(전북).

판자-문【板子門】명 판자로 만들어서 단 문.

판자-벽【板子壁】명 판자로 된 벽.

판자-봉【板子峰】명〖지〗평안 북도 자성군(慈城郡) 이평면(梨坪面)에 있는 산. [1,069 m]

판자-촌【板子村】명 판잣집들이 모여 있는 도시 빈민의 주거지.

판잣-집【板子—】명 판자를 이어 둘러서 벽을 만들고 지은, 임시로 사는 집.

판장[1]【板墻】명 ↗널판장. ¶~을 둘러 치다.

판장[2]【板張】명 널빤지.
판장이 되다 (구) 늙고 병들어서 거의 다 죽어 가다.

판장-담【板張—】명 널빤지로 두른 담.

판장-문【板張門】명 널빤지로 된 문. 널문.

판장-벽【板張壁】명 널빤지로 된 벽.

판-장원【—壯元】【—짱—】명 그 판에서 재주가 가장 뛰어난 사람.

판-장작감사【判將作監事】명〖역〗고려 때 장작감(將作監)의 으뜸 벼슬. 종삼품. *판사(判事).

판재[1]【板材】명 ①통나무를 널빤지로 한 목재. 두께에 따라 사푼널·육푼널·한치널 따위로 분류함. ②관재(棺材).

판재[2]【版材】명 인쇄판에 쓰이는 재료. 오프셋 인쇄에서는 아연판(亞鉛板)·알루미늄판(板), 철판 사진판(凸版寫眞版)에는 보통, 아연판·동판(銅板)·플라스틱판(板) 등이 쓰임.

판쟁이 명〈방〉판자[2](평안).

판-저:머니즘〔Pan-Germanism〕명〖정〗범게르만주의(汎German主義).

판-저:먼주의【—主義】【—/—이】〔Pan-German〕명〖정〗범게르만주의.

판적【版籍】명 ①〖역〗호구(戶口)를 적은 책. ②서책(書冊).

판적-국【版籍局】명〖역〗①갑오 경장(甲午更張) 이후 호적(戶籍)에 관한 사무를 맡아 보던 내무 아문(內務衙門)의 한 국(局). ②대한 제국 때 내부(內部)의 한 국. 광무(光武) 9년(1905)에 판적과(版籍課)로 고치어 경무국(警務局)에 옮김.

판적-사【版籍司】명〖역〗조선 시대에 호구(戶口)·토지(土地)·조세(租稅)·부역(賦役)·공물(貢物)·권농(勸農)·손실 답험(損實踏驗)·진휼(賑恤) 등의 일을 맡은 호조(戶曹)의 한 분장(分掌).

판전【版殿】명〖불교〗판각(版閣).

판-전각【版殿閣】명〖불교〗판각(版閣).

판-전교시사【判典校寺事】명〖역〗고려 때, 전교시(典校寺)의 으뜸 벼슬. 정삼품. *판사(判事).

판-전의시사【判典儀寺事】[—/—이—] 명〖역〗고려 때, 전의시(典儀寺)의 으뜸 벼슬. 정삼품. *판사(判事).

판-전중성사【判殿中省事】명〖역〗고려 때, 전중성(殿中省)의 으뜸 벼슬. 정삼품. *판사(判事).

판-전중시사【判殿中寺事】명〖역〗①고려 전중시(殿中寺)의 장관(長官). 정삼품. ②조선 시대 초기 전중시의 으뜸 벼슬. 정삼품. 태종(太宗) 원년(1401)에 판종부시사(判宗簿寺事)로 고침.

판정【判定】명 ①판별(判別)하여 결정함. ②권투나 레슬링 경기에서, 폴(fall)이나 케이 오(K.O.) 등의 이유에 의하여 경기가 중지되지 않고 소정의 시간이 종료되었을 경우, 심판의 채점(採點)에 의하여 승패를 결정하는 일. ——-하다 타여불

판정-승【判定勝】명 ①판별하여 승리를 결정함. ②권투·레슬링 등의 경기에서, 판정에 의하여 이김. 디시전(decision). ——-하다 자여불

판정-패【判定敗】명 권투·레슬링 등의 경기에서, 판정에 의하여 짐. ——-하다 자여불

판제【辦濟】명 판상(辦償)❶. ——-하다 타여불

판-조사【—曹司】명 그 판에서 재주가 가장 뒤떨어진 사람.

판-종부시사【判宗簿寺事】명〖역〗①고려 때 종부시(宗簿寺)의 으뜸 벼슬. 정삼품. ②조선 시대 초기 종부시의 장관(長官). 정삼품. 태종(太宗) 원년(1401)에 판전중시사(判殿中寺事)의 고친 이름.

판-종정경【判宗正卿】명〖역〗조선 시대 종친부(宗親府)의 정일품 벼슬. 고종(高宗) 6년(1869)에 정하였는데, 적실 왕손(嫡室王孫)·대원군 봉사손(大院君奉祀孫)·승습군(承襲君) 들로 상보국 숭록 대부(上輔國崇祿大夫)와 보국 숭록 대부(輔國崇祿大夫)의 계(階)를 가진 사람으로 시키었음.

판좌【瓣座】명〖물〗판의 주요부를 이루는, 판체(瓣體)를 받는 쇠장식. 판좌와 판체와의 간격을 가감함으로써 물·가스 등의 유동체(流動體)의 통로의 개폐(開閉) 및 유량(流量)을 조절함.

판주【辦主】명〖역〗음식물(飮食物)을 제공하는 사람.

판-주다 타 그 판에서 가장 뛰어난 사람으로 인정하여 내어 놓다.

판-중【—中】명 판을 이룬 여러 사람 가운데.

판-중추【判中樞】명〖역〗①↗판중추원사. ②↗판중추부사.

판-중추부사【判中樞府事】명〖역〗조선 시대 중추부의 종일품 벼슬. (준)판부사(判府事)·판중추(判中樞). *판사(判事).

판-중추원사【判中樞院事】명〖역〗①고려 중추원(中樞院)의 으뜸 벼슬. 종이품. 헌종(獻宗) 원년(1095)에 판추밀원사(判樞密院事)로, 충렬왕(忠烈王) 원년(1275)에 판밀직사사(判密直司事)로, 공민왕(恭愍王) 5년(1356)에 다시 판추밀원사로, 11년에 또 다시 판밀직사사로 고침. *판사(判事). ②조선 시대 초기 중추원의 정이품 벼슬. 세조(世祖) 12년(1466)에 판중추부사(判中樞府事)로 고치고, 종일품으로 올림. (준)판원사(判院事)·판중추(判中樞). *판사(判事).

판지[1]【判旨】명〖법〗판결·결정 중의 어떤 사항에 관하여 표시된 판단의 취지(趣旨) 또는 내용의 요지.

판지[2]【判知】명 판단하여 앎. 판별(判別). ——-하다 타여불

판지[3]【板紙】명 두껍고 단단하게 널조각처럼 만든 종이. 보드지(board紙).

판-짜기【版—】명〖인쇄〗조판(組版).

판-짜다 타 ①하나의 동아리를 조직하다. ②〖인〗원고에 맞추어 판을 짜냄. 조판하다.

판 쩡상【樊增祥】명〖사람〗중국 청말(淸末)의 시인. 호는 윈먼(雲門) 또는 판산(樊山). 시는 매우 염려(艶麗)하여 문학 혁명 때 다시 빛을 보게 됨. 문집으로 ≪번산집(樊山集)≫이 있음. 번증상. [1846-1931]

판-차리다 타 무슨 일을 할 판을 만들다.

판차탄트라〔범 Pañcatantra〕명〖책〗범어(梵語)로 된, 고대 인도의 교훈적 우화집(寓話集). 오 장(五章)으로 되어 있음.

판책【版冊】명 판으로 박아낸 서책.

판첸 라마〔Paṇ-čhen bla-ma〕명〔판첸은 대학자의 뜻인 판디타 첸포(paṇ-di-ta čhen-po)의 약어〕티베트의 르카쩨(日喀則)의 타시룬포(bKra-šis lhun-po) 사원 주지(住持)의 경칭. 달라이 라마(Dalai Lama)의 다음가는 부교주(副敎主)의 지위. 17세기 이래 티베트의 정치·종교의 최고 권력을 장악하며, 역대(歷代)로 동명(同名)을 이어받음. 현재는 중국의 티베트 자치구 대표 위원의 자리에 있음. *달라이 라마.

판초〔poncho〕명 남아메리카 원주민이 입는 한 장의 천으로 된 외투. 또, 그와 비슷한 모양의 우의(雨衣). 군인·등산가 등이 흔히 씀.

판-초자【板硝子】명 판유리.

판-초코【板—】명〔초코는 초콜릿의 준말〕판자 모양의 네모지고 납작한 초콜릿.

판촉【販促】명 ↗판매 촉진(販賣促進).

판-추밀【判樞密】명〖역〗↗판추밀원사(判樞密院事).

판-추밀원사【判樞密院事】명〖역〗고려 추밀원(樞密院)의 으뜸 벼슬. 종이품. 헌종(獻宗) 원년(1095)에 판중추원사(判中樞院事)의 고친 이름. (준)판원사(判院事)·판추밀(判樞密). *판사(判事).

판축【板築·版築】명 ①판자와 판자 사이에 흙을 넣고, 공이로 다짐. 또, 그 널판때기와 공이. ②다져쌓기.

판출【辦出】명 변통하여 갖추어 냄. ——-하다 타여불

판-치[1]【板峙】명〖지〗①전라 남도 광주시(光州市)와 화순군(和順郡) 화순면(和順面) 사이에 있는 고개. [232 m] ②충청 남도 공주군(公州郡)에 있는 고개. [86 m]

판치[2]【板齒】명 앞니. 문치(門齒). 전치(前齒).

판-치다 자 그 판에서 가장 잘하다.

판크라티온〔그 pankration〕명 고대 올림픽에서, 레슬링과 복싱을 혼합한, 맨손으로 하는 투기(鬪技). 치거나 손발을 비틀거나 조르기 등은 허용되나 물거나 눈을 후비는 일 등은 금지되며 한쪽이 항복할 때까지 계속됨.

판크레아틴〔도 Pankreatin〕명〖생〗온혈 동물의 췌장(膵臟)에서 분비되는 효소의 혼합물. 트립신(trypsin) 또는 에렙신(erepsin)과 같은 작용을 가짐.

판크레오치민〔도 Pankreozymin〕명〖생〗위장(胃腸) 호르몬의 한 가지. 장조직(腸組織)으로부터 분비되는데, 췌장의 효소 생성 기능(酵素生成機能)을 촉진하는 역할을 함.

판타 레이〔그 panta rhei〕명 '만유(萬有)는 유전(流轉)한다'라는 뜻으로, 헤라클레이토스(Herakleitos)가 제창한 말.

판타지〔도 Phantasie〕명〖악〗환상곡(幻想曲).

판타지스튀크 〔도 Phantasiestück〕 명 〖악〗 자유로운 형식에 의한 환상적(幻想的) 소기악곡(小器樂曲).

판타지아 〔이 fantasia〕 명 〖악〗 환상곡(幻想曲). 팬터지(fantasy). 「지.

판탈롱 〔프 pantalon〕 명 아랫부분이 나팔 모양으로 된 넓은 여성용 바

판탕 【板蕩】 명 ① 〔시전(詩傳) 대아(大雅)의 판(板)과 탕(蕩)의 이편(二篇)이 모두 문란한 정사(政事)를 읊은 데서〕 국정(國政)이 문란하여짐. ②탕진(蕩盡). ——-하다 자타 여불

판-태복시사 【判太僕寺事】 명 〖역〗 판대복시사(判大僕寺事).

판-태사국사 【判太史局事】 명 〖역〗 고려 태사국(太史局)의 으뜸 벼슬. 정삼품. *판사(判事).

판-태상시사 【判太常寺事】 명 〖역〗 판대상시사(判大常寺事).

판-태의감사 【判太醫監事】 〔—/—이—〕 명 〖역〗 고려 태의감(太醫監)의 으뜸 벼슬. 종삼품(從三品). *판사(判事).

판테온 〔Pantheon〕 명 〔만신전(萬神殿)의 뜻〕 ①로마에 있는 원형 신전(圓形神殿). 기원전 27년에 아그리파(Agrippa)가 창건, 후에 불타서 120-124년 하드리아누스제(Hadrianus帝)의 명에 의하여 재건됨. 원형(圓形) 평면(平面)의 사당(祠堂)으로 로마 시대의 건축 중 가장 원형(原形)에 가까움. 지금은 이탈리아 국왕(國王)의 관(棺)이 안치되어 있음. ②파리(Paris)에 있는 교회(敎會). 고전주의(古典主義) 양식(樣式)의 석조 구조(石造構造). 안에 프랑스의 국가적인 공로자·위인을 합사(合祠)하는 묘(廟)가 있음.

판텔레리아 섬 〔Pantelleria〕 명 〖지〗 이탈리아 시칠리아(Sicilia) 섬의 남서쪽에 있는 작은 화산도(火山島). 포도·오렌지·보리·면화를 산출하며 목양(牧羊)과 어업도 성함. [83 km²: 8, 000 명(1981)]

판토텐-산 【—酸】 명 〔pantothenic acid〕 〖화〗 비타민 B 복합체의 하나. 탄수화물이나 지방의 대사(代謝)에 필요한 효소(酵素)의 성분을 이루며, 이것이 부족하면 성장 정지(成長停止)·피부염·신경계(神經系)의 변성(變性) 등을 초래함.

판토폰 〔도 Pantopon〕 명 〖약〗 진통(鎭痛)·진해제(鎭咳劑)의 상품명. 아편을 정제(精製)하여, 그 알칼로이드(alkaloid)를 염산염(塩酸塩)으로 만든 담갈색(淡褐色) 내지 담홍색(淡紅色)의 결정성 분말(結晶性粉末)로, 내복(內服) 또는 주사용(注射用)으로 쓰임.

판판 부 아주 온통. ¶어젯저녁에 싸라기 한 되로 콩나물죽을 쑤어 먹고는 오늘 아침은 ~ 굶었다≪蔡萬植: 濁流≫.

판판-이 부 판마다. 온통. 사뭇. ¶~ 놀고만 있다.

판판-하다 형 여불 물건의 표면에 고저(高低)가 없이 고르고 넓다. <펀펀하다. 판판-히 부

판하 【判下】 명 〖역〗 판부(判付). ——-하다 타 여불 「부

판:-하다 형 여불 가가 아득하게 판판하고 너르다. <펀하다. 판:-히[1]

판하 정:식 【判下定式】 명 〖역〗 임금의 재가를 맡은 정식(定式).

판-한림 【判翰林】 명 〖역〗 ↗판한림원사(判翰林院事).

판-한림원사 【判翰林院事】 명 〖역〗 고려 한림원(翰林院)의 으뜸 벼슬. 재신(宰臣)이 겸함. 준판원사(判院事)·판한림(判翰林). *판사(判事).

판-합문사 【判閤門事】 명 〖역〗 ①고려 합문(閤門)의 으뜸 벼슬. 정삼품. ②조선 시대 초(初) 합문의 장관(長官). 정삼품. 태종(太宗) 때에 판통례문사(判通禮門事)로 고침. *판사(判事).

판행 【版行】 명 출판하여 발행함. ——-하다 타 여불

판-헴 명 〈방〉 판셈. ——-하다 타

판형 【判型】 명 〖인쇄〗 책의 크기. A4판·B5판 등.

판-형부사 【判刑部事】 명 〖역〗 ↗판상서형부사(判尙書刑部事).

판-호부사 【判戶部事】 명 〖역〗 ↗판상서호부사(判尙書戶部事).

판화[1] 【版畫】 명 〔engraving〕 〖미술〗 나무·금속·돌 등의 판면(板面)에 그림·도안(圖案)·무늬 등을 묘각(描刻)하여 잉크·그림 물감을 발라서 인쇄한 그림. 판의 종류에 따라 목(木)판화·동(銅)판화 및 석(石)판화 등이 있고, 판의 형태에 따라 철판(凸版)·요판(凹版)·평판(平版)·공판(孔版) 등으로 나눔.

판화[2] 【瓣化】 명 〖식〗 피자(被子) 식물의 꽃에서, 수술·암술 등 화판 이외의 기관이 화판상(狀)으로 변화하는 일.

판화 부식 【版畫腐蝕】 명 〖인쇄〗 동판화(銅版畫)의 제작에 있어 동판(銅板)의 표면에 일종의 밀(蠟)을 주제(主劑)로 한 방식제(防蝕劑)를 칠하고 그 위로부터 바늘로 글씨나 그림을 새기어 동면(銅面)을 노출(露出)시키고, 질산(窒酸)을 부어 부식(腐蝕)하여 만드는 요판술(凹版術) 및 그 인쇄물(印刷物). 에칭(etching).

판-히[2] 【判—】 부 ↗판연(判然)히.

팔[1] 명 〖생〗 사람의 전지(前肢). 곧, 어깨와 손목 사이의 부분.

[팔이 들이굽지 내굽나] ㉠자기와 가까운 사람에게 정이 쏠림은 사람의 상정(常情)이라는 말. ㉡자기에게 이익되게 처리함이 사람의 상정이라는 말.

팔 소매를 걷어 붙이다 [—부치—] 구 팔을 걷어 붙이다.

팔을 걷고 나서다 구 무슨 일에 적극적으로 나서서 덤비다.

팔을 걷어 붙이다 [—부치—] 구 무슨 일에 적극적으로 나서다. 팔소매를 걷어 붙이다. ¶발해가 팔 걷어 붙이며 한 소리를 뽑는다≪옥루몽(玉樓夢)≫.

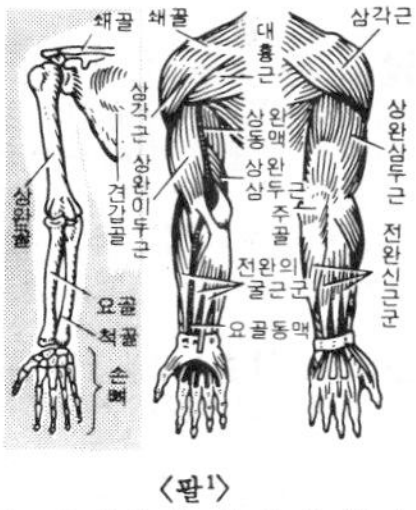

〈팔¹〉

팔[2] 〔Pal, Radabinordo〕 명 〖사람〗 인도의 법학자. 1946년 극동 국제 군사 재판 인도 대표 판사. 일본의 무죄를 주장했음. 유엔 사법 위원회 의장 등을 지냄. [1886-1967]

팔[3] 【八】 수관 여덟.

팔-가락지 명 여자의 팔목에 끼는 금·은·옥·백금 등으로 된 고리 모양의 장식품. 비환(臂環). 준팔찌.

팔가-문 【八家文】 명 당송 팔대가(唐宋八大家)의 문장(文章).

팔가-시 【八家詩】 명 조선 후기 헌종·철종·고종 때의 한시(漢詩)의 여덟 대가. 신위(申緯)·김정희(金正喜)·김택영(金澤榮). 이건창(李建昌)·강위(姜瑋)·황현(黃玹)·조수삼(趙秀三)·이학규(李學逵) 등. 이들의 시를 모아 엮은 ≪팔가 정화(八家精華)≫가 있음.

팔가 정화 【八家精華】 명 〖책〗 조선 시대 후기의 대표적인 한문학자 신위(申緯)·김정희(金正喜)·김택영(金澤榮) 등 팔대가(八大家)의 시를 모아 엮은 시집. 1923년 편찬. 2권 2책. *팔가시.

팔가치 【八加赤】 〔몽 balgachi〕 〖역〗 고려 때, 위사(衛士)의 하나. 몽골에서 온 용어(用語).

팔각 【八角】 명 ① 여덟 개의 모. 팔모. ②〖식〗 붓순나무.

팔각-기둥 【八角—】 명 〖수〗 밑면이 팔각형으로 된 각기둥. 팔각주(八角柱). 팔각도(壔).

팔각-당 【八角堂】 명 팔각형으로 세운 불당(佛堂).

팔각-도 【八角壔】 명 〖수〗 팔각기둥.

팔각-목 【八脚目】 명 〖동〗 팔완목(八腕目).

팔각-반 【八角盤】 명 천판(天板)의 모서리가 여덟 모로 되어 있는 소반.

팔각-뿔 【八角—】 명 〖수〗 밑면이 팔각형인 각뿔. 팔각추(八角錐).

팔각-시 【八角詩】 명 〖문〗 시회(詩會) 같은 곳에서 글자 여덟 개를 뽑아 그 속에서 한 자씩 가지고 이것을 두자(頭字)로 하여 사자구(四字句)와 삼자구(三字句)를 서로 지은 다음, 각 사람의 지은 것을 한데 맞추어서 칠언 절구(七言絕句)를 만드는 시작(詩作)의 놀이. 오언 절구(五言絕句)로 할 때에는 삼자구(三字句)와 이자구(二字句)를 짓게 됨.

팔각 시계 【八角時計】 명 겉모양이 팔각형인 시계. 대개 추를 쓰지 않고 용수철 장치를 한 괘종.

팔각-정 【八角亭】 명 〖건〗 팔모정.

팔각-주 【八角柱】 명 〖수〗 팔각기둥.

팔각 지붕 【八角—】 명 〖건〗 팔작(八作) 지붕.

팔각-집 【八角—】 명 〖건〗 지붕이 팔각(八角)으로 된 집.

〈팔각집〉

팔각-추 【八角錐】 명 〖수〗 팔각뿔.

팔각 파배 【八角把杯】 명 여덟 모가 지고 손잡이가 달린 술잔.

팔각-형 【八角形】 명 〖수〗 여덟 개의 직선을 연결하여 둘러 막은 평면(平面). 여덟모꼴.

팔각-회향 【八角茴香】 명 〖식〗 붓순나무.

팔강-회 【八講會】 명 〖불교〗 법화 팔강회(法華八講會).

팔개 【八愷】 명 옛 중국 전설(傳說)에서, 고양씨(高陽氏)의 여덟 사람의 재자(才子). *팔원 팔개(八元八愷).

팔-걸음 명 물구나무를 서서 팔로 걷는 짓.

팔-걸이 명 ①팔을 걸치고 앉도록 된 의자에서, 팔을 걸치는 부분. ②씨름 재간의 한 가지. 오른씨름에서는 왼손으로 상대자의 오른다리를, 왼씨름에서는 오른손으로 상대자의 왼다리를 걸어서 고개와 몸으로 밀어서 넘어뜨림. ③발로 몸을 뜨게 하고 두 팔을 섞바꾸어 물 위로 빨리 놀려서 치는 헤엄.

팔걸이 의자 【—椅子】 명 팔걸이가 있는 의자.

팔-검무 【八劍舞】 명 〖민〗 여덟 사람이 춤을 추는 진주(晋州) 검무(劍舞)의 딴이름.

팔-것 〔—껃〕 명 판매할 물건. 매품(賣品).

팔것-몰림 【—껃—】 명 〖경〗 증권 시장에서, 매물 쇄도(賣物殺到)의 상 ㄴ태. ↔살것몰림.

팔결 명부 ↗팔괄결.

팔경 【八景】 명 어떤 지역의 여덟 가지의 아름다운 경치. 중국의 '소상 팔경(瀟湘八景)'에서 비롯된 말. 우리 나라의 관동(關東) 팔경 따위.

팔계 【八戒】 명 〖불교〗 우바새(優婆塞) 및 우바니(優婆尼)가 육재일(六齋日)에 그 날 하루 낮밤 동안 지키는 여덟 계행(戒行). 곧, 불살생계(不殺生戒)·불투도계(不偸盜戒)·불사음계(不邪淫戒)·불망어계(不妄語戒)·불음주계(不飮酒戒)의 오계(五戒)에다 불좌고대광상계(不坐高大廣牀戒)·불착화만영락계(不着花鬘瓔珞戒) 및 불습가무희악계(不習歌舞戲樂戒)·비시식계(非時食戒)의 삼계(三戒)를 더한 것. 팔관재계(八關齋戒).

팔고[1] 【八苦】 명 〖불교〗 인생이 겪는 여덟 가지 괴로움. 생고(生苦)·노고(老苦)·병고(病苦)·사고(死苦)·애별리고(愛別離苦)·원증회고(怨憎會苦)·구부득고(求不得苦)·오음성고(五陰盛苦).

팔고[2] 【八顧】 명 〔고(顧)는 선덕(善德)을 행하여 사람을 돌보아 준다는 뜻〕 중국 후한(後漢) 영제(靈帝) 때의 여덟 사람의 명사(名士). 곧, 곽태(郭泰)·범방(范滂)·윤훈(尹勳)·파숙(巴肅)·종자(宗慈)·하복(夏馥)·채연(蔡衍)·양척(羊陟).

팔-고리 명 팔찌.

팔고-무 【八鼓舞】 명 〖악〗 여덟 사람이서 추는 무고(舞鼓) 춤. 무고(舞鼓) 여덟 개를 배설(配設)하고, 북채를 두 손에 든 네 사람은 무고(舞鼓)를 끼고 돌며 북을 치며 원무(元舞)를 추고, 나머지 넷은 두 손에 삼지화(三枝花)를 들고 가에서 돌며 협무(挾舞)를 춤. *사고무(四鼓舞).

팔고-문 【八股文】 명 중국, 명초(明初)로부터 청말(淸末)까지 과거의 답안 논문에 쓰인 문체(文體). 「통도(系統圖).

팔고조-도 【八高祖圖】 명 사대(四代)까지의 조(祖) 및 외조(外祖)의 계

팔곡 【八穀】 명 여덟 가지의 곡식. 곧, 벼·보리·기장·피·수수·조·깨·콩 또는 벼·보리·기장·조·밀·콩·팥·깨.

팔공 【八供】 명 〖불교〗 금강 만다라(金剛曼荼羅)에서 내공양(內供養)의 네 보살(菩薩)과 외공양의 네 보살. 팔공 보살. 팔공양.

팔공덕-수 【八功德水】 명 〖불교〗 여덟 가지의 공덕이 있다는 극락 정토

의 못. 설이 많은데, 구사론(俱舍論)에는 감(甘)·냉(冷)·연(輭)·경(輕)·청정(淸淨)·불취(不臭)·음시 불손후(飮時不損喉)·음이 불상장(飮已不傷腸)의 팔덕(八德)을 가지고 있다고 함.

팔공 보살【八供菩薩】[명]〖불교〗팔공(八供). 팔공양.

팔공-산【八公山】[명]〖지〗①대구 직할시와 경상 북도 영천군(永川郡) 신녕면(新寧面)과 군위군(軍威郡) 악계면(岳溪面) 사이에 있는 산. 은해사(銀海寺)·동화사(桐華寺)가 있고, 심지 왕사(心地王師)와 같은 도사(道師)가 많이 났으며 원효(元曉)·의상(義湘)·윤필(潤筆) 등의 도사가 수도한 산임. 또한 6.25때의 격전지임. [1,192 m] ②전라 북도 장수군(長水郡) 장수면(長水面)과 진안군(鎭安郡) 백운면(白雲面) 사이에 있는 산. [1,151 m]

팔공 산맥【八公山脈】[명]〖지〗태백 산맥(太白山脈)의 남부를 달리는 산맥. 산맥 중에 팔공산이 있음.

팔공산-제【八公山制】[명]〖악〗대구(大邱) 팔공산 이남의 영남 지방(嶺南地方)에서 부르는 범패(梵唄).

팔-공양【八供養】[명]〖불교〗팔공 보살(八供菩薩).

팔-공이 [명]〈방〉팔꿈치.

팔-과【八科】[—꽈] [명] 한방에서, 어른·소아·부인·안목(眼目)·구치(口齒)·외과(外科)·침(鍼)·안마(按摩)의 8과를 말함.

팔관 도감【八關都監】[명]〖역〗고려 중기에 서경(西京)의 팔관회 행사를 맡던 기관. 묘청(妙淸)의 반란으로 혁파되었던 서경의 관제를 인종 16년(1138)의 관제 개편 때, 전날의 팔관보(八關寶)가 팔관 도감으로 부활됨.

팔관-보【八關寶】[명]〖역〗고려 때 나라에서 전곡(錢穀)을 저축하여 공사(公私)로 빌어 쓰게 하고, 그 변리(邊利)를 거두어 모아서 팔관회(八關會)의 비용으로 쓰던 기관. *보(寶).

팔관재-계【八關齋戒】[명]〖불교〗팔계(八戒).

팔관-회【八關會】[명]〖역〗고려 때 중경(中京)과 서경(西京)에서 토속신(土俗神)에게 제지내던 의식. 태조(太祖)초부터 시작되어 성종(成宗) 때 일시 정파(停罷)하였으나 현종(顯宗) 때 다시 부활되어 국가적인 중요한 행사로서, 중경에서는 추수 이후 음력 11월에, 서경에서는 10월에 등불을 찬란히 하고 술과 다과(茶果)를 베풀고 가무(歌舞)와 백희(百戲)를 아뢰어 나라와 왕실의 태평을 빌었음. 이 날에 각 고을의 벼슬아치가 글을 올려 하례(賀禮)하고, 외국의 상인들이 각기 방물(方物)을 바치고 축하하였음. *연등회(燃燈會).

팔괘【八卦】[명]〖민〗①중국 상고 시대(上古時代)의 복희씨(伏羲氏)가 지었다는 여덟 가지의 괘(卦)로, 주역(周易)에서 자연계(自然界) 및 인사계(人事界)의 모든 현상을 음양(陰陽)을 겹치어서 여덟 가지의 상(象)으로 나타낸 것. 곧, ☰(건(乾))·☱(태(兌))·☲(이(離))·☳(진(震))·☴(손(巽))·☵(감(坎))·☶(간(艮))·☷(곤(坤))의 일컬음. ②점(占).

팔괘-장【八卦章】[명]〖역〗갑오 개혁(甲午改革) 이후에 정한 훈장의 하나. 1등에서 8등까지 있는데 문무관(文武官) 중에 훈공(勳功)이 있는 사람에게 서사(敍賜)하였음.

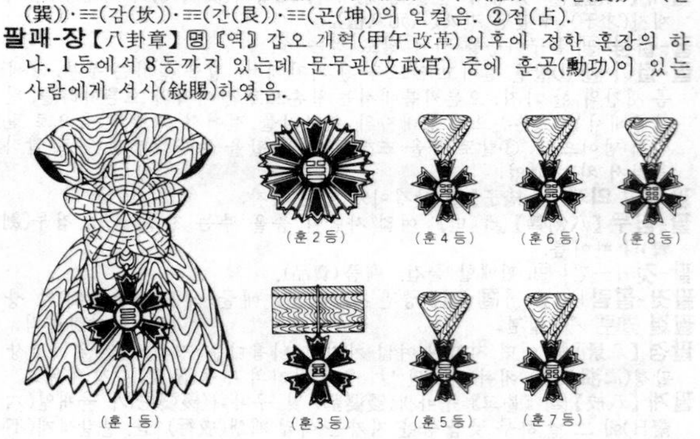

(훈1등)
(훈2등)
(훈3등)
(훈4등)
(훈5등)
(훈6등)
(훈7등)
(훈8등)

〈팔괘장〉

팔괘-침【八卦枕】[명] 팔괘를 수놓은 베개.

팔굉【八紘】[명] 팔방(八方)의 멀고 너른 범위. 곧, 온 세상. 팔극(八極). 팔황(八荒).

팔교【八教】[명]〖불교〗천태종에서 설(說)하는 교판(教判)의 하나. 중생 교화의 형식 방법면에서 불교를 나눈 돈(頓)·점(漸)·비밀(秘密)·부정(不定)의 4종(種), 곧 화의(化儀)의 사교(四教)와 교리의 내용면에서 나눈 장(藏)·통(通)·별(別)·원(圓)의 4종, 곧 화법(化法)의 사교(四教)의 총칭.

팔구¹【八九】[수][관] 여덟이나 아홉.

팔구²【八區】[명] 팔방(八方)의 구역. 곧, 온 천하.

팔구³【八溝】[명]〖지〗'평천(平泉)'의 딴이름.

팔구-분【八九分】[명] 열로 나눈 것 가운데서 여덟이나 아홉쯤 되는 정도(程度).

팔구-십【八九十】[명] 여든이나 아흔.

팔구-월【八九月】[명] 팔월과 구월. 또는 팔월이나 구월.

팔구-차【八九次】[명][부] 여덟이나 아홉 번.

팔구 칠십이【八九七十二】[—씹—] [명]〖수〗여덟의 아홉 갑절 또는 아홉의 여덟 갑절은 일흔 둘이라는 구구법(九九法)의 하나.

팔-굽혀펴기 [명] 엎드려서 손바닥과 발끝으로 몸을 지탱하고 팔을 굽혔다 폈다 하는 체조. ——-하다 [자][여불]

팔극【八極】[명] 팔굉(八紘).

팔극-관【八極管】[명]〔octode〕〖전〗양극(陽極)·음극(陰極)·제어(制御) 전극 및 다섯 개의 부가(附加) 전극이 있는 8전극 전자관.

팔금-도【八禽島】[명]〖지〗전라 남도의 서해상(西海上), 신안군(新安郡) 안좌면(安佐面) 읍리(邑里)에 위치한 섬. [22.6 km²: 4,134 명(1984)]

팔급 공무원【八級公務員】[명] 공무원 직급의 하나. 7급 공무원의 아래, 9급 공무원의 위로, 서기(書記) 등이 이에 해당함.

팔기【八旗】[명]〖역〗중국 청(淸)의 병제(兵制)의 한 가지. 청 태조(淸太祖)가 명(明)의 만력(萬曆) 44년(1616)에 제정한 것으로 총군(總軍)을 각각 기(旗)의 빛에 따라, 정황(正黃)·정백(正白)·정홍(正紅)·정람(正藍)·양황(鑲黃)·양백(鑲白)·양홍(鑲紅)·양람(鑲藍)의 8 개의 기(旗)로 하고 각기의 병수(兵數)는 7,500명으로 하였음. 태조의 아들 태종(太宗)대에 가서 앞의 팔기 외에 몽고 팔기(蒙古八旗)·한인 팔기(漢人八旗)를 두었으나 세조(世祖)가 베이징(北京)으로 천도(遷都)함에 이르러 팔기병(八旗兵)을 금려(禁旅)·주방(駐防)의 둘로 하여, 금려는 만주 팔기(滿洲八旗)를 주로 하여 베이징(北京)에 주재(駐在)시키고 주방은 외성(外省) 및 각 성(各城)에 분산(分散) 주재시키었음. *기(旗)·기인(旗人).

팔-깍지 [명]〈방〉팔가락지.

팔-꼬뱅이 [명]〈방〉팔꿈치.

팔-꾸머리 [명]〈속〉팔꿈치.

팔-꿈치 [명]〖생〗팔의 상하 관절(上下關節)의 연접(連接)한 곳의 바깥쪽. 팔의 관절을 굽힐 때에 밖으로 내미는 부분.

팔-꿉 [명]〈방〉팔꿈치(함북).

팔난【八難】[—란] [명] ①여덟 가지의 재난. 곧, 배고픔·목마름·추위·더위·물·불·칼·병란(兵亂). ②〖불교〗부처를 보지 못하고 불법(佛法)을 들을 수 없는 여덟 가지의 곤란. 곧, 지옥(地獄)·축생(畜生)·아귀(餓鬼)·장수천(長壽天)·맹롱 음아(盲聾瘖瘂)·울단월(鬱單越)·세지 변총(世智辯聰)·생재불전불후(生在佛前佛後).

팔-난봉 [—란—] [명] 언행이 아주 허랑 방탕(虛浪放蕩)하여 여러 방면으로 난봉을 부리는 사람. 파락호(破落戶).

[팔난봉에 뫼 썼다] 팔난봉에게 부탁해서 뫼를 썼다 함이니 우둔한 자식이 났을 때 이르는 말.

팔년 병화【八年兵火】[—련—] [명]〔중국 초한(楚漢) 시대에 항우(項羽)와 유방(劉邦) 사이의 싸움이 팔 년 동안이나 계속한 데서〕싸움이 오랫 동안 계속하여 승부가 속히 결정되지 아니함의 비유.

팔년 풍진【八年風塵】[—련—] [명]〔중국 한(漢)의 유방(劉邦)이 팔 년이나 계속한 싸움 끝에 초(楚)의 항우(項羽)를 멸(滅)한 일에서 나온 말〕여러 해 동안 고생을 겪음의 비유.

팔-놀림 [—롤—] [명] 팔을 움직이는 모양.

팔다 [타]〔중세 : 풀다〕①값을 받고 물건이나 노력을 주다. ↔사다❶. ②이름을 빙자하다. ¶친구의 이름을 ~. ③정신이나 눈을 다른 곳으로 돌리다. ¶한눈 ~가 넘어지다. ④돈을 주고 남의 곡식을 사다. ¶쌀 팔러 가다. ↔사다❷. ⑤여자가 돈을 받고 몸을 허락하다. ¶몸을 ~. ⑥ 이득을 얻으려고 속이거나 배신하다. ¶나라를 ~.

팔-다리 [명] 팔과 다리. ¶~가 쑤시다. *수족.

팔다리-뼈 [명] 팔과 다리의 뼈.

팔다리 운:동【—運動】[명] 팔과 다리를 함께 굽히었다 폈다 하는 운동.

팔달¹【八達】[—딸] [명] ①길이 팔방(八方)으로 통하여 있음. ¶사통(四通) ~. ②모든 일에 정통(精通)함. ——-하다 [자][여불]

팔달²【八達】[—딸] [명]〖농〗전날에 많이 심던 벼품종의 하나.

팔달-산【八達山】[—딸싼] [명]〖지〗경기도 수원(水原) 남쪽에 있는 산. 들 가운데 우뚝 솟아 있어서 사망 팔달(四望八達)할 수 있다고 하여 이 이름이 생기었음.

팔당-댐【八堂—】〔dam〕[—땅—] [명] 경기도 남양주군(南楊州郡) 와부읍(瓦阜邑) 팔당에 있는 발전용의 콘크리트 댐. 총저수량 2억 4400 만 톤으로, 경인 지구(京仁地區)의 주요 상수원(上水源)으로 이용되고 있음. 1974년 준공됨.

팔당 수력 발전소【八堂水力發電所】[—땅—쩐—] [명]〖지〗경기도 남양주군(南楊州郡)와부읍(瓦阜邑) 팔당에 설치된 발전소. 출력 8만 kW. 수문(水門)의 높이 32 m, 길이 577 m. 1974년 준공. 국내 최초의 저낙차(低落差) 벨브형(valve型) 발전 설비를 갖춤.

팔-대가【八大家】[—때—] [명] ①〖문〗↗당송 팔대가(唐宋八大家). ②수투전(數鬪牋).

팔대 금강 동:자【八大金剛童子】[—때—] [명]〖불교〗밀교에서, 부동명왕(不動明王)의 사자(使者)인 8명의 동자.

팔대 명왕【八大明王】[—때—] [명]〖불교〗여덟 명왕. 곧, 부동 명왕(不動明王)·항삼세존(降三世尊)·군다리 명왕(軍荼利明王)·육족존(六足尊)·금강 야차(金剛夜叉)·예적 금강(穢跡金剛)·무능승(無能勝)·마두 관음(馬頭觀音).

팔-대문【八大門】[—때—] [명]〖지〗서울에 있는 8개의 큰 성문. 정동(正東)의 흥인지문(興仁之門) 곧 동대문, 정서의 돈의문(敦義門) 곧 서대문, 정남의 숭례문(崇禮門) 곧 남대문, 정북의 숙정문(肅靖門) 곧 북문(폐쇄), 동북의 혜화문(惠化門) 곧 동소문, 동남의 광희문(光熙門) 곧 수구문(水口門), 서남의 소의문(昭義門) 곧 서소문, 서북의 창의문(彰義門) 곧 자하문(紫霞門) 등 8개의 문. 즉, 4대문과 4소문을 합치어 이르는 말.

팔대 보살【八大菩薩】[—때—] [명]〖불교〗팔체(八體)의 보살. 약사 본원경(藥師本願經)에서, 문수 사리 보살(文殊師利菩薩)·관세음 보살(觀世音菩薩)·득대세지 보살(得大勢至菩薩)·무진의 보살(無盡意菩薩)·보단화 보살(寶檀華菩薩)·약왕 보살(藥王菩薩)·약상 보살(藥上菩薩)·미륵 보살(彌勒菩薩)의 팔대 보살을 일컫는 말. 경(經)에 따라 이설(異說)이 있음.

팔대-사【八代史】[—때—] [명] 중국의 진서(晉書)·송서(宋書)·제서(齊書)·양서(梁書)·진서(陳書)·주서(周書)·수서(隋書)·당서(唐書)의 팔대(八代)의 정사(正史).

팔대 산인【八大山人】[—때—] [명]〖사람〗중국 명(明)나라 말기와 청

(淸)나라 초기에 걸친 화승(畫僧). 속명(俗名)은 주답(朱耷). 명나라의 왕족 출신으로, 명나라 멸망 후 출가하고, 뒤에 고향인 남창(南昌)에 머물면서 갖가지 기행(奇行)을 행함. 만년에는 화조 산수(花鳥山水)를 그렸고, 자유 분방(自由奔放)한 필치로써 독자적인 화풍을 이룸. 대표작 ≪산수 화조 화책(山水花鳥畫冊)≫. [1625?-1705?]

팔대 야:차【八大夜叉】[—때 —] 명〖불교〗여덟 야차신(夜叉神). 곧, 보현(寶賢)·만현(滿賢)·산지(散支)·중덕(衆德)·응념(應念)·대만(大滿)·무비력(無比力)·밀엄(密嚴).

팔대-어【八帶魚】[—때 —] 명〖어〗문어(文魚).

팔대 용신【八大龍神】[—때 —] 명〖불교〗팔대 용왕.

팔대 용왕【八大龍王】[—때 —] 명〖불교〗여덟 용왕. 곧, 난타(難陀)·발난타(跋難陀)·사갈라(娑羯羅)·화수길(和修吉)·덕차가(德叉迦)·아나바달다(阿那婆達多)·마나산(摩那散)·우발라(優鉢羅). 팔대 용신. *덕차가 용왕(德叉迦龍王).

팔대 유성【八大遊星】[—때 —] 명〖천〗팔대 행성(八大行星).

팔대 지옥【八大地獄】[—때 —] 명〖불교〗팔한 지옥(八寒地獄)과 팔열 지옥(八熱地獄)의 총칭.

팔대 행성【八大行星】[—때 —] 명〖천〗여덟 개의 큰 행성. 곧, 수성(水星)·금성(金星)·지구(地球)·화성(火星)·목성(木星)·토성(土星)·천왕성(天王星)·해왕성(海王星). 팔대 유성(八大遊星).

팔댓-심 [—땓—] 명〈방〉팔심.

팔덕【八德】[—떡] 명 인(仁)·의(義)·예(禮)·지(智)·충(忠)·신(信)·효(孝)·제(悌)의 여덟 가지 덕(德).

팔덕-선【八德扇】[—떡—] 명 부들을 한 끝은 엮고 다른 끝은 모아 묶은 부들 부채. 바람을 일구고 모기를 쫓고 깔고 앉는 등 여덟 가지 용도가 있다는 뜻에서 온 말.

팔도【八道】[—또] 명〖지〗①조선 시대의 행정 구역, 곧 경기도·충청도·경상도·전라도·강원도·황해도·평안도·함경도의 8도. 고종 32년(1896)에 13도로 개편하였음. *십삼도(十三道). ②우리 나라 전국을 이름. [팔도를 무른 메주 밟듯 한다] 전국 팔도의 방방 곡곡을 두루 다녔다는 말. [팔도에 솥 걸어 놓았군] 어디를 가나 언어 먹을 데가 많은 사람을 두고 이르는 말.

팔도 강산【八道江山】[—또—] 명 우리 나라 전도(全道)의 산수(山水).

팔도-도【八道圖】[—또—] 명〖역〗조선 태종 2년(1402)에 작성된 우리 나라 전도(全圖). 이회(李薈)가 제작한 것으로 우리 나라 최초의 것으로 침. 우리 나라의 가장 오래된 전도라는 점에서 귀중한 자료임.

팔도 명산【八道名山】[—또—] 명 우리 나라 전도(全道)의 명산.

팔도-설【八道說】[—또—] 명 (eightfold way)〖화〗하드론(hadron)의 구성 요소로서 u.d.s의 3쿼크만 알려져 있었던 1962년경에 겔만(Gell-Mann, M.) 등이 제창한 하드론의 분류법. 이것으로 바리온(barion)의 분류에 성공했고 현재의 쿼크 모형이 완성됨. *겔만.

팔도 음정【八度音程】[—또—] 명〖악〗옥타브(octave).

팔도 읍지가【八道邑誌歌】[—또—] 명〖문〗작자·제작 연대 미상의 가사의 하나. 우리 나라 팔도의 여러 고을에 대한 풍물을 엮은 노래.

팔도 지리지【八道地理志】[—또—] 명〖책〗①조선 세종(世宗)의 명으로, 맹사성(孟思誠) 등이 지은 우리 나라 지리 책. 세종 14년(1432)에 완성, 현재 전하지 아니함. ②조선 성종 9년(1478)에 양성지(梁誠之)가 편찬한 우리 나라 지리지. 간행되지 못하고 ≪동국여지승람(東國輿地勝覽)≫의 기초 자료가 되었음. 8권 8책. 세종 때 이루어진 술한 발전과 정비된 문물 제도를 담기 위했던 것임.

팔도 총섭【八道摠攝】[—또—] 명〖역〗조선 시대의 승직(僧職)의 하나. 임진 왜란 때 선조가 휴정(休靜) 곧 서산 대사에게 내린 벼슬로, 당상(堂上)격인 팔도 16종(宗) 도총섭(都摠攝)으로 전국의 의승군(義僧軍)을 통솔하였음. 인조(仁祖) 때에는 벽암(碧巖) 곧 각성(覺性) 대사가 도총섭이 되어 남한산성의 축성을 감독하였고, 성중의 개운사(開雲寺)에서 산성을 수비하였음.

팔두-령【八頭鈴】[—뚜—] 명〖민〗우리 나라 청동기 시대의 청동 방울로 팔령구(八鈴具)·팔주령(八珠鈴)이라고도 하는데, 불가사리 모양의 납작한 판에 여덟 방향의 방사상(放射狀)으로 퍼진 돌기 끝에 둥근 방울이 하나씩 달려 있음. 무덤에서 한 쌍으로 출토됨.

팔-두신【八頭身】[—뚜—] 명 팔등신(八等身).

팔두 작미【八斗作米】[—뚜—] 명 벼 한 섬을 찧는데, 모말로 쌀 여덟 말을 받고 그 나머지는 방아 삯으로 주는 일.

팔-뒤꿈치 명 ☞팔꿈치.

팔-등신【八等身】[—뜽—] 명 ①〖미술〗미술 해부학(美術解剖學) 용어. 신장(身長)을 얼굴의 길이로 나눈 몫, 곧 두신 지수(頭身指數)가 8이 되는 몸. 또, 그러한 사람. ②몸의 균형이 잡힌 미인의 표준. ¶~의 미인.

팔따기 명〈방〉팔.

팔따시 명〈방〉팔때기.

팔딱 부 ①힘을 모아서 가볍게 뛰는 모양. ②맥이 뛰는 모양. 1)·2): <펄떡. *폴닥. ——-하다 자여불

팔딱-거리다 자 ①힘을 모아서 가볍게 계속하여 뛰다. ②맥이 자꾸 뛰다. ③성이 나서 팔팔 뛰며 못 견디어 하다. ④문을 여닫으며 자꾸 나들다. 1)-4): <펄떡거리다. *폴딱거리다. 팔딱-팔딱 부. ——-하다 자여불

팔딱-대다 자 팔딱거리다.

팔딱-선 명〈방〉똑딱선(함북).

팔딱-이다 자 작은 것이 탄력 있게 뛰다. <펄떡이다.

팔-때기 명 '팔'의 낮춤말.

팔뚝 명 팔꿈치로부터 손목까지의 부분.

팔뚝을 뽐내다 구 소매를 걷어 올려서 팔뚝을 드러내어 힘을 자랑하다.

팔뚝-굽이 명〈방〉팔꿈치(함북).

팔뚝 시계【—時計】명 ☞손목 시계.

팔-띠기 명〈방〉팔때기(경북).

팔-띵이 명〈방〉팔때기(경북).

팔라듐 (palladium) 명〖화〗백금속(白金屬) 원소의 하나. 백금광(白金鑛) 중에 있으며, 은백색(銀白色)으로 백금에 가장 가까우나 진한 질산(窒酸)에 용해되는 점이 다름. 백금보다 값이 싸고 녹는점 1,555°C, 끓는점 2,200°C로 경도(硬度)가 높으며, 부식(腐蝕)에 대한 저항력이 강(強)하므로 전기용(電氣用)·치과용(齒科用)·장식용(裝飾用)으로 쓰임. [46번 : Pd : 106.4]

팔라듐 해:면【—海綿】(palladium) 명〖화〗염화 팔라듐산 암모늄(塩化 palladium酸 ammonium)을 수소(水素) 가운데서 열하여 얻는 해면(海綿) 모양의 팔라듐. 환원 촉매(還元觸媒)임.

팔라디오 (Palladio, Andrea) 명〖사람〗이탈리아 후기 르네상스의 대표적인 건축가의 한 사람. 고대 로마 건축을 연구, 좌우 상칭(左右相稱)을 기본으로 하는 엄격한 고전주의 양식을 확립함. 이론가로서도 뛰어나 ≪건축 사서(建築四書)≫ 등을 저술함. [1508-80]

팔라바 왕조【—王朝】(Pallava) 명〖역〗3세기 후반에서 9세기 말엽까지 마드라스(Madras) 부근의 칸치(Kānchi)를 중심으로 남인도 남동해안 지방을 지배한 왕조. 촐라 왕조(Chola王朝)에 멸망함.

팔라스[1] (Pallas) 명 ①〖신〗그리스 신화의 여신 '아테나'의 통칭의 하나. ②〖천〗소행성(小行星) 2번. 1802년 올베르스(Olbers)가 발견. 공전주기(公轉週期) 4.6년, 궤도 반장경(軌道半長徑) 2.77천문(天文) 단위, 직경 490 km.

팔라스[2] (Pallas, Peter Simon) 명〖사람〗주로 러시아에서 업적을 남긴 독일의 박물학자·지질학자·여행가. 예카테리나(Ekaterina) 2세의 청으로 우랄 산맥으로부터 시베리아 방면을 탐험, 매머드를 비롯하여 많은 절멸 동물의 화석을 발견하는 한편, 우랄 산맥 등의 구조·성인(成因) 등을 해명함. [1741-1811]

팔라시오 발데스 (Palacio Valdés, Armando) 명〖사람〗스페인의 작가. '유럽 평론'의 주필을 지내었고, 후에 소설가로 전향하여 경묘하고 평명(平明)한 문체의 소설을 썼음. 주저에 ≪마르타와 마리아≫ 등이 있음. [1853-1938]

팔라완 섬 (Palawan) 명〖지〗필리핀 남서부의 해상에 있는 세장(細長)한 섬. 북동 남서로 연장 460 km, 최협부(最狹部)의 폭은 5 km. 중앙을 준험(峻險)한 산지가 가로지르고, 해안은 출입이 복잡함. 주민은 비사야족(Visaya 族)(기독교)과 모로족(Moro族)(이슬람교)임. 쌀·고추·코코야자·나왕재(羅王材)·크롬광(chrome鑛)·수은 등을 산출함. [14,784 km²: 371,000명(1980)]

팔라 왕조【—王朝】(Pāla) 명〖역〗인도의 벵골 지방을 지배하였던 왕조. 창립자는 고팔라(Gopāla). 갠지즈 강 하류에서 발전하여 8세기 후반에는 중류 유역에까지 진출하였으나 이웃 나라와의 싸움으로 쇠망함. 밀교(密教)를 중심으로 하는 인도 불교(佛教) 말기의 전성 시대였음. [765?-1199?]

팔라우-어【—語】(Palau) 명 말레이 폴리네시아 어족(語族) 인도네시아 어파(語派)에 속하는 언어. 서태평양의 팔라우 제도에서 사용됨.

팔라우 제도【—諸島】명 (Palau Islands)〖지〗서태평양 남부, 미크로네시아 서부의 미국 신탁 통치령(1991년 현재). 캐롤라인 제도에 속하는 섬무리. 약 350개의 작은 섬들로 이루어짐. 총 육지 면적 488 km². 1981년 벨라우(Belau) 또는 팔라우 공화국이라는 자치(自治) 정부가 수립됨. *벨라우.

팔라우 해:구【—海溝】(Palau) 명〖지〗팔라우 제도의 동쪽에 남북으로 가로질린 해구. 최고 수심은 8,138 m.

팔라웅-족【—族】(Palaung) 명 미얀마의 살윈 강(Salween江)을 본거로, 북부의 샨(Shan) 제주(諸州)로부터 윈난(雲南) 지방에 걸치어 거주하는 종족. 약 15만 명. 화전(火田)을 경작, 차(茶)·수수 등을 재배함. 이웃하는 샨족(Shan 族)과 문화적으로 밀접한 관계를 가짐. 정령 신앙(精靈信仰) 외에 버마인(人)의 영향을 받아 불교를 믿음. 언어는 몬크메르 언어군(Mon-Khmer 言語群)에 듦.

팔라초 (이 palazzo) 명 궁전. 왕궁 또는 중세(中世)의 귀족의 저택.

팔라츠키 (Palacký, František) 명〖사람〗체코슬로바키아의 역사가·정치가. ≪체코 민족사≫·≪후스(Hus) 전쟁사 서설≫을 써서 오스트리아 제국(帝國) 치하의 체코인(人)에게 민족주의와 자유주의를 고취(鼓吹)함. 1848년에 열린 슬라브 민족 회의를 지도, 의장이 되어 후반생(後半生)을 정계(政界)에서 활약함. [1798-1876]

팔라-파【—派】(Pāla) 명 8-12세기 인도의 팔라 왕조 시대의 불교 미술을 일컫는 말. 이 기(期)에는 굽타 왕조(Gupta王朝) 미술이 쇠퇴하여 힌두교와 결부된 밀교 미술이 융성함. 비하르 주(Bihar州) 및 벵골 지방에 조각 유품이 많음.

팔락 부 종이나 베 같은 것이 바람에 날리어 가볍게 나부끼는 모양. 또, 그 소리. <펄럭. ——-하다 자여불

팔락-거리다 자 바람에 가볍게 날리어 아주 빠르게 나부끼다. <펄럭거리다. *폴락거리다. 팔락-팔락 부. ——-하다 자여불

팔락-대다 자 팔락거리다.

팔락-이다 자타 바람에 날리어 가볍고 빠르게 연해 나부끼다. <펄럭이다.

팔랑 부 바람에 날리어 한번 가볍고 부드럽게 나부끼는 모양. <펄렁. *폴랑. ——-하다 자여불

팔랑-개비 명 ①어린 아이 장난감의 한 가지. 빳빳한 여러 가지의 색종이를 여러 갈래로 자르고 그 귀를 구부리어 한데 모아서 성긴 톱니바퀴처럼 만들고 철사 같은 것의 꼭지에 꿰어 자루에 붙이어서 바람에 뱅뱅 돌도록 만든 것. 바람개비. 풍차(風車). *도르래[1]. ②몸을 주착없이 가볍게 놀리며 돌아다니는 사람의 비유. ③〈방〉도르래[1](평안·함경).

〈팔랑개비❶〉

팔랑-거리다 [자] 바람에 날리어 계속하여 가볍게 나부끼다. <펄렁거리다. *폴랑거리다. **팔랑-팔랑** [부]. ¶꽃잎이 ~ 날리어 떨어지다. ――하다 [자][여불]

팔랑나빗-과 【一科】 [명] 〖충〗 [Hesperiidae] 나비목(目)에 속하는 한 과. 몸은 칙칙한 흑색·회색·갈색·등색(橙色) 등이며, 촉각은 곤봉 모양임. 정지하였을 때는 날개를 반쯤 폄. 풀 속에 삶. 꽃팔랑나비 등이 있는데 전세계에 3,000여 종이 분포함.

팔랑-대다 [자] 팔랑거리다.

팔랑헤-당 【一黨】 [Falange] [명] ①〖역〗 스페인의 파시즘 정당(fascism 政黨)의 이름. 1933년 결성. 국가 지상주의(國家至上主義)를 주장. 스페인 내란중인 1937년에 프랑코(Franco)가 재편, 내란 후 프랑코 독재 체제하의 유일한 정치 조직이 됨. 그러나 스페인 국내에서는 정당이 아니라 국민 운동 조직이라고 규정함. ②1936년에 설립된 레바논(Lebanon)의 정치 조직으로 레바논에서의 지배층인 기독교도의 권익을 방위하는 역할을 함. 이스라엘과 손을 잡고 레바논에서의 팔레스타인 세력 추방을 꾀함.

팔랴 [Falla, Manuel de] [명] 〖사람〗 스페인(Spain)의 작곡가. 처녀작 ≪덧없는 인생≫으로 명성을 얻은 후 파리에 유학하여 드뷔시(Debussy)의 영향을 받아 이의 인상주의(印象主義) 및 스페인 민요풍을 띤 화성(和聲)을 조화시키어 스페인 근대 음악의 제1인자로 꼽힘. 작품으로 ≪사랑은 마술사≫·≪삼각 모자≫ 등이 알리어졌음. [1876-1946]

팔량-주 【八兩紬】 [명] 한 필의 무게가 여덟 냥쭝이 되는, 중국에서 나는 명주의 한 가지.

팔량-치 【八良峙】 [명] 〖지〗 경상 남도 함양군(咸陽郡)과 전라 북도 남원군(南原郡) 사이에 있는 고개. [513 m]

팔:러 [parlor] [명] ①응접실(應接室). 담화실(談話室). ②여관·술집·요리점 등의 특별실(特別室). ③음료수·양과자·경양식을 주로 하는 식당. ¶프루츠 ~.

팔레 데 나시옹 [프 Palais des Nations] [명] 〖지〗 제네바의 국제 연합(國際聯合) 유럽 위원회 사무국 건물. 1937년 제네바의 레만 호반에 국제 연맹 본부로 건조됨. 근년의 큰 국제 회의는 대개 여기서 열림.

팔레르모 [Palermo] [명] 〖지〗 이탈리아 시칠리아(Sicilia) 섬 북안의 팔레르모 만(灣)에 있는 항구 도시이며 시칠리아의 주도. 기독교 문화와 이슬람 문화의 영향을 받음. 1071년 시칠리아 왕국의 수도가 된 이래 발전하여 이탈리아 유수의 도시가 되었음. 황·포도주·올리브유를 집산하며 제강·조선·화학·섬유 공업이 성함. [716,149 명 (1984)]

팔레비 [Pahlevi, Mohammad Riza] [명] 〖사람〗 전 이란왕(王). 제2차 대전 때, 추축국(樞軸國) 편에 가담한 부왕(父王)이 추방된 후 즉위함. 토지 개혁 등 이른바 '국왕의 혁명'으로 국내 근대화를 촉진함. 1979년 이란 혁명으로 국외로 망명, 미국·파나마 등지를 전전하다가 이집트에서 암으로 사망함. [1919-80]

팔레비 왕조 【一王朝】 [Pahlevi] [명] 〖역〗 카자르 왕조(Qajar 王朝)를 뒤이어 이란을 통치한 왕조. 이란 혁명으로 2대 만에 망함. [1926-79]

팔레스 [Pales] [명] 〖신〗 고대 로마의 여신(女神). 가축·목장을 관장하였음.

팔레스타인 [Palestine] [명] 〖지〗 서아시아 지중해의 동안(東岸)에 있는 협장(狹長)한 지역으로, 이스라엘과 요르단(Jordan)에 걸친 지방. 동부에는 요르단 계곡과 사해(死海)가 있고 건조 지역(乾燥地域)으로 농업과 과실의 재배가 성함. 성서 세계(聖書世界)의 중심이며 고대 동방 제국의 침입·쟁탈의 땅으로 성서에는 가나안(Canaan)으로 되어 있음. 중세에는 십자군(十字軍)이 지배하였고 1517-1918년에는 터키가 지배하였음. 1923-48년 영국의 위임 통치가 시행되었고 1948년 유태인이 이스라엘 공화국을 세웠음. 유태교·기독교·이슬람교의 성지(聖地)임. 팔레스티나.

팔레스타인 게릴라 [Palestine guerilla] [명] 팔레스타인 해방 게릴라 조직에 소속하는 아랍 게릴라의 총칭.

팔레스타인 문:제 【一問題】 [Palestine] [명] 팔레스타인을 둘러싼 아랍·유태 두 민족 간의 분쟁. 제1차 대전 중, 영국이 아랍인(人)에게는 후사인 맥마혼 협정(Husain-McMahon 協定)으로, 유태인(人)에게는 밸푸어 선언(Balfour 宣言)으로 팔레스타인에 각각 건국을 약속하는 모순된 정책을 취했기 때문에 전후에 두 민족의 대립이 격화, 팔레스타인이 분할되어 이스라엘이 건국하자 팔레스타인 전쟁·수에즈 동란·중동 전쟁·레바논 전쟁 등 무력 항쟁이 계속됨. *맥마혼 선언.

팔레스타인 민족 평의회 【一民族評議會】 [一/一이一] [명] [Palestine Nation Council] 〖정〗 아랍 각국에 분산(分散)해 있는 팔레스타인인의 대표로 구성되는, 팔레스타인인의 최고 의사 결정 기관. 1964년 발족. 1년에 2회 카이로에서 총회가 열리는데, 구성원은 116명, 팔레스타인 해방 기구의 집행 위원은 이 총회에서 선출됨. 약칭: 피 엔 시(PNC).

팔레스타인 전:쟁 【一戰爭】 [Palestine] [명] 〖역〗 이스라엘 공화국 건국(建國)을 둘러싸고 1948년에 일어난 제1차 중동 전쟁(中東戰爭)의 일컬음. 이스라엘의 독립 선언에 반발한 아랍 제국(諸國)이 전쟁을 개시하여, 이스라엘이 우위(優位)를 차지하는 가운데 1949년 국제 연합의 중재로 휴전이 성립되었으나, 많은 아랍 사람이 땅을 빼앗겨, 양자의 대립은 더욱 심각해짐.

팔레스타인 해:방 기구 【一解放機構】 [명] [Palestine Liberation Organization] 〖정〗 팔레스타인의 아랍인의 반(反)이스라엘 해방 조직의 통일 전선. 1964년 아랍 수뇌 회의의 결의에 의해 결성, 산하에 팔레스타인 민족 평의회와 집행 위원회를 두고 있음. 1996년 1월 20일 아라파트 의장이 자치 행정부의 대표가 됨. 약칭: 피 엘 오(PLO).

팔레스타인 해:방 운:동 【一解放運動】 [Palestine] [명] 1948년, 이스라엘의 건국으로 팔레스타인에서 추방된 아랍 난민(Arab 難民)들이 그들의 고향을 다시 찾자는 운동.

팔레스트리나 [Palestrina, Giovanni Pierluigi da] [명] 〖사람〗 이탈리아의 작곡가. 로마악파(Roma 樂派)의 시조로, ≪교황 마르첼(敎皇 Marcel)의 미사곡≫에서 팔레스트리나 양식(Palestrina 樣式)을 확립, 가톨릭 교회 음악의 선구자로서 16세기의 대위법(對位法) 기술을 완성함. ≪스타바트 마테르(Stabat Mater)≫ 등은 미사곡으로 매년 교황청(敎皇廳) 성당에서 연주되었음. [1525-94]

팔레스트리나 양식 【一樣式】 [Palestrina] [명] 〖악〗 로마악파(Roma 樂「派).

팔레스티나 [Palestina] [명] 〖지〗 팔레스타인(Palestine).

팔레오-세 【一世】 [명] [Paleocene Epoch] 〖지〗 지질 시대 구분의 하나. 신생대(新生代) 제삼기(第三紀)를 작게 나눈 것 중의 최고(最古)의 시대. 약 6,500만 년 전부터 약 5,500만 년까지의 시대로 원시적인 포유류(哺乳類)와 유공충류(有孔蟲類)가 번성하기 시작함. 구칭: 효신세(曉新世). *백악기(白堊紀). 에오세(世).

〈팔레트❶〉

팔레트 [프 palette] [명] ①〖미술〗 수채화(水彩畫)·유화(油畫)를 그릴 때, 튜브로부터 그림 물감을 짜내어 조합(調合)하기 위한 방형(方形) 또는 타원형의 판. 조색판(調色板). ②고대 이집트에서 쓰인, 눈 주위에 칠하는 안료(顔料)를 섞는 도구.

팔레트-나이프 [palette-knife] [명] 〖미술〗 팔레트에 말려 있는, 그림 물감이나 찌끼를 긁어 내는 칼. 화필(畫筆)의 대용으로도 쓰임.

〈팔레트나이프〉

팔렘방 [Palembang] [명] 〖지〗 인도네시아 수마트라 섬 남동부에 있는 항구 도시. 주위가 대습원(大濕原)으로 둘러싸여 있지만 지리적 위치가 좋아 고래로부터 수마트라의 요충으로 번영함. 20세기에 들어와 수마트라 유전(油田) 개발의 중심지가 됨. [787,000 명 (1980)]

팔려간 신부 【一新婦】 [명] [체코 Prodaná nevěsta] 〖악〗 스메타나 작곡의 3막 오페라. K. 사비나의 체코어 대본에 의해 1864-65년에 작곡. 19세기 보헤미아의 시골 마을이 무대인데, 서로 사랑하는 예니크와 마르젱카의 기지(機智)로 결혼 중매업자와 다른 구혼자를 물리치고 결혼에 성공한다는 줄거리. 민족색이 짙어 체코 국민 가극으로 침.

팔로¹ 【八路】 [명] 〖지〗 팔도(八道).

팔로² [palau] [명] 팔라듐과 금(金)의 합금. 분석 화학(分析化學)에서 백금(白金) 대용품으로 쓰임.

팔로-군 【八路軍】 [명] 〖역〗 중국의 항일(抗日) 전쟁 때에 화북(華北)에서 활약한 중국 공산당군. 1927년 난창 폭동(南昌暴動)에서 홍군(紅軍)이라고 불리었던 군대로, 1937년의 제2차 국공 합작(國共合作) 이후 국민 혁명군 제팔로군으로 개칭, 화중(華中)의 신사군(新四軍)과 함께 항일전(抗日戰)의 최전선(最前線)에서 싸웠음. 1947년 인민 해방군(人民解放軍)으로 개칭됨.

팔로마 사진 성도 【一寫眞星圖】 [명] [Palomar Sky Atlas] [명] 미국의 팔로마 산 천문대에서 미국 지리학 협회와 공동으로 제작한, 적위(赤緯) −33° 이북의 전천(全天) 사진 성도. 빨강과 파랑 색필터를 사용해 촬영한 각각 935장의 사진임.

팔로마 산 천문대 【一山天文臺】 [Palomar] [명] 〖천〗 미국 캘리포니아 주의 팔로마 산정(山頂) 가까이에 있는 천문대. 록펠러 재단의 기부(寄附)로 1948년 건설됨. 세계 제2의 구경(口徑) 508 cm 반사(反射) 망원경과 122 cm 및 46 cm 슈미트식(Schmidt 式) 망원경 등이 있음. 윌슨 산(Wilson 山) 천문대와 함께 캘리포니아 공과 대학에 소속함.

팔로 사:징증 【一四徵症】 [一쯩] [명] [팔로(Fallot, A.)는 프랑스의 의사] 〖의〗 선천성(先天性) 심장병의 한 가지. 폐동맥 협착·심실 중격 결손(心室中隔缺損)·대동맥 기승(騎乘)·우심실 비대의 기형이 공존하여, 호흡 곤란·발육 장애 등의 증상을 나타냄. 수술이 유일한 치료법임.

팔로스 [Palos] [명] 〖지〗 스페인 서남부 대서양에 임한 틴토 강(Tinto 江) 입구에 있는 작은 항구 도시. 한때는 중요한 항구였지만 오늘날은 토사(土砂)가 쌓여 항구의 기능을 상실함. 1492년 8월 콜럼버스(Columbus)가 이 곳에서 대항해에 출발하였으며, 1528년에는 스페인의 멕시코 정복자인 코르테스(Cortéz, H.)가 귀국한 곳임. [5,800 명 (1982)]

팔로피우스 [Fallopius, Gabriel] [명] 〖사람〗 이탈리아의 해부학자. 파도바(Padova) 대학의 외과학·해부학·식물학 교수. 여성 생식기 및 귀의 해부학적 업적이 두드러짐. 나팔관을 발견함. [1523-62]

팔로피우스-관 【一管】 [Fallopius] [명] 〖생〗 이탈리아의 해부학자 팔로피우스가 발견한 포유류의 수란관(輸卵管). 나팔관.

팔륙 칠십사 【八六七十四】 [一씹一] [명] 〖수〗 구귀가(九歸歌)의 하나. '여덟'으로 '여섯'을 나눔에는, 그 '여섯'을 몫 '일곱'으로 만들고, 나머지 '넷'을 그 아래 자리에 놓으라는 뜻.

팔릉-경 【八稜鏡】 [명] 거울의 하나. 원경(圓鏡)의 주연(周緣)이 팔판 능화형(八瓣菱花形)으로 된 거울. 중국 당대(唐代)부터 보이며, 송대(宋代) 이후에 사용됨. 고려 시대의 거울에도 이런 양식의 거울이 있었음.

팔리다 [자] ①(물건을) 남이 사가다. 살 사람이 생기다. ¶잘 팔리는 가게 / 외국으로 팔리어 나가다. ②널리 알려지다. 유명해지다. ¶이름이 ~ / 얼굴이 팔리어져 있다. ③출연(出演)할 기회가 많이 있다. ¶지금 가장 많이 팔리는 탤런트. ④정신이 한곳으로 쏠리거나 치우치다. ¶놀이에 정신이 ~ / 이야기에 ~.

팔리-어 【一語】 [Pāli] [명] 〖언〗 인도유럽 어족(Indo-Europe 語族)의 인도이란파(Indo-Iran 派)의 인도어. 스리랑카·미얀마·시암(Siam) 등지에서 불교 전적(典籍)에 쓰인 말. 원래 고대 인도의 속어의 일종으로, 범어와 계통이 같음. 팔리(Pāli)는 선(線)·규범(規範)의 뜻으로부터 성전(聖典)의 뜻으로 변하였으며, 근대에 이르러 언어의 명칭으로 됨.

팔림-새 명 상품의 팔리는 상태. ¶ ~가 좋다.
팔마 〔Palma, Tomás Estrada〕 명 〖사람〗 쿠바의 정치가. 1868년 이후 쿠바 독립을 위해 반(反)스페인 무력 항쟁을 지휘하고, 독립과 동시에 초대 대통령이 됨. [1835-1908]
팔마-데-마요르카 〔Palma de Mallorca〕 명 〖지〗 스페인 동쪽 발레아레스 제도(Baleares 諸島)의 주도이며, 마요르카 섬 서남안(西南岸)의 항구 도시. 조선(造船)·직물(織物)·양조·제분 등 공업이 행해짐. 고딕식 성당 및 이슬람 시대의 궁전이 있음. [284,000명(1982)]
팔-마디 명 팔의 뼈마디. ¶ 날이 궂으려나 ~가 쑥쑥 쑤신다.
팔마 베키오 〔Palma Vecchio〕 명 〖사람〗 이탈리아의 화가. 본명은 Jacopo d'Antonio Negretti. 최성기(最盛期) 르네상스의 베네치아파(派)를 대표하는 화가로, 현세적(現世的)·감각적 매력을 지닌 종교화(宗教畫)가 많음. 대표작(代表作)에 ≪세 자매(姉妹)≫·≪삼왕(三王) 예배≫ 등이 있음. [1480-1528]
팔만 【八蠻】 명 중국 남방(南方)의 여덟 오랑캐. 곧, 천축(天竺)·해수(咳首)·초요(僬僥)·파종(跛踵)·천흉(穿胸)·담이(儋耳)·구지(狗軹)·방척(旁脊).
팔만 나락 【八萬奈落】 명 〖불교〗 팔만 지옥(八萬地獄).
팔만 대:장경 【八萬大藏經】 명 〖불교〗 ↗팔만 사천 대장경.
팔만 법문 【八萬法門】 명 〖불교〗 ↗팔만 사천 법문.
팔만 사:천 대:장경 【八萬四千大藏經】 명 〖불교〗 대장경을, 8만 4천의 법문(法門)이 있으므로 일컫는 말. ㊛팔만 대장경.
팔만 사:천 법문 【八萬四千法門】 명 〖불교〗 8만 4천 갈래의 법문(法門). 8만 4천의 번뇌(煩惱)로 인하여 중생이 피로하므로 부처는 이것을 다스리기 위하여 8만 4천 법문을 설(說)하였다 함.
팔만 장안 【八萬長安】 명 사람이 많이 사는 곳이란 뜻으로 '서울'을 일컫는 말.
팔만 지옥 【八萬地獄】 명 〖불교〗 중생이 번뇌 때문에 당하는 많은 괴로움을 지옥에 비유하여 한 말. 팔만 나락.
팔매 명 〔근대 : 풀매〕 돌 같은 작고 단단한 물건을 손에 쥐고 팔을 흔들어서 멀리 던지는 짓. ¶ 돌~.
팔매(를) 치다 구 돌 같은 작고 단단한 물건을 손에 쥐고 팔을 흔들어서 멀리 던지다.
팔매-질 명 팔매 치는 짓. ¶ 돌~하다. ——-하다 자여불
팔매-치기 명 자그마한 돌을 손에 쥐고 팔을 흔들어서 그 돌을 멀리 보내거나 높이 올리기를 겨루는 장난. ——-하다 자여불
팔맥-풍뎅이 명 〖충〗 [*Anomala octiescostata*] 풍뎅잇과에 속하는 곤충. 몸길이 1-1.2cm로 몸은 달걀꼴이며, 배면(背面)은 녹색(綠色)이고, 하면은 흑자색(黑紫色)에 구릿빛 광택이 나며, 백색의 털이 많음. 촉각은 흑색임. 한국·일본 등지에 분포함.
팔맷-돌 명 ①〖고고학〗 둥글게 다듬은 주먹만한 돌. 짐승의 힘줄이나 끈으로 2～5개를 묶어서 던져 짐승 사냥에 썼음. 사냥돌. ②팔매질에 쓰는 돌. 납작스름하고 손안에 쏙 들어와 멀리 날아갈 수 있는 돌을 고름.
팔메트 〔palmette〕 명 야자(椰子)의 일종(一種)을 본떴다고 하는 장식(裝飾). 방사상(放射狀)으로 화판(花瓣)을 배치한 식물 무늬. 메소포타미아 기원(起源)이라 하나, 이집트나 그리스의 장식에서도 볼 수 있음.
팔면 【八面】 명 ①여러 방면. 각 방면. ②〖수〗 여덟 개의 평면.
팔면-고 【八面鼓】 명 〖악〗 영고(靈鼓)처럼 여덟의 면(面)을 가진, 틀에 매어 놓고 치는 북.
팔면 부지 【八面不知】 명 어느 모로 보나 전혀 알지 못하는 사람임.
팔면 영롱 【八面玲瓏】 [—녕농] 명 어느 쪽으로 보아도, 아름답게 빛나고 맑은 모양을 일컫는 말.
팔면 육비 【八面六臂】 [—뉵—] 명 ①여덟 개의 얼굴과 여섯 개의 팔. ②어떤 일을 당하여도, 묘하게 처리하는 수완(手腕)·역량(力量)이 있음을 일컫는 말.
팔면-체 【八面體】 명 〖수〗 여덟 개의 평면(平面)으로 둘러 막힌 입체(立體).
팔-모[1] 【八一】 명 팔각(八角)❶.
팔모[2] 【八母】 명 〖역〗 복제(服制)에서 최복(衰服)의 어머니 이외 따로 구별하여 일컫는 여덟 어머니. 곧, 적모(嫡母)·계모(繼母)·양모(養母)·자모(慈母)·가모(嫁母)·출모(黜母)·서모(庶母)·유모(乳母).
팔-모가지 명 〈비〉 팔목.
팔모-귀 【八—】 명 네모진 것에 여덟 모를 만들고 남은, 네 쪽의 삼각형.
팔모 기둥 【八—】 명 〖건〗 여덟 모로 다듬은 기둥. 팔각주(八角柱).
팔모-살 【八—】 명 〖건〗 여덟 모가 지게 낸 문살 따위.
팔모-상 【八—床】 명 여덟 모가 진 상.
팔모 얼레 【八—】 명 모서리가 여덟인 얼레.
팔모-정 【八—亭】 명 여덟 모가 지게 지은 정자(亭子). 팔각정.
팔모 지붕 【八—】 명 〖건〗 여덟 모로 된 지붕.
팔모 항아리 【八—缸—】 명 여덟 모가 지게 만든 항아리.
팔목[1] 명 〖생〗 손과 연접하는 팔의 끝 부분.
팔목[2] 【八目】 명 수투전(數鬪牋).
팔목[3] 【八牧】 명 〖역〗 고려 때 있었던 지방 행정 구역. 현종(顯宗) 9년(1018)에 종래의 여러 도(道)의 안무사(安撫使)를 폐하고 대도호부(大都護府)와 함께 둔 목(牧). 곧, 광주(廣州)·충주(忠州)·청주(淸州)·진주(晋州)·상주(尙州)·전주(全州)·나주(羅州)·황주(黃州).
팔목-류 【八目類】 [—뉴] 명 〖동〗 다목장어목(多目長魚目).
팔목 시계 【—時計】 명 ☞ 손목 시계.
팔문 【八門】 명 〖민〗 술가(術家)가 구궁(九宮)에 맞추어서 길흉(吉凶)을 점치는 여덟 문(門). 곧, 휴문(休門)·생문(生門)·상문(傷門)·두문(杜門)·경문(景門)·사문(死門)·경문(驚門)·개문(開門).
팔문 금사진 【八門金蛇陣】 명 〖군〗 팔문을 이용한 진법.
팔문 둔:갑 【八門遁甲】 명 〖민〗 술가(術家)가 귀신을 부리는 술법.
팔-문장 【八文章】 명 조선 시대 여덟 사람의 한문 문장가. 곧, 백광훈(白光勳)·송익필(宋翼弼)·이산해(李山海)·최경창(崔慶昌)·최립(崔岦)·이순인(李純仁)·윤탁연(尹卓然)·하응림(河應臨) 등.
팔물-탕 【八物湯】 명 〖한의〗 사물탕(四物湯)과 사군자탕(四君子湯)을 배합한 탕약. 기혈(氣血)을 고루 보함. 팔진탕(八珍湯).
팔미라 〔Palmyra〕 명 〖지〗 시리아 중부의 고대 도시. 로마 치하에서 광범한 자치권을 가지고 기원전 1세기부터 기원 후 3세기에 걸쳐 대상(隊商)의 근거지로 번영함. 한때 시리아·메소포타미아를 지배, 로마에 반항했다가 273년에 멸망함. 폐허에서 개선문·탑형 분묘·오리엔트식 조각 등이 발견됨.
팔미라 섬 〔Palmyra〕 명 〖지〗 미국 하와이 주 호놀룰루 시에 속하는 환초(環礁). 중부 태평양, 폴리네시아 중부 라인 제도(諸島)에 위치함. 미국 공군 기지가 있음. [$3\,km^2$]
팔미-원 【八味元】 명 〖한의〗 팔미환(八味丸).
팔미-채 【八味菜】 명 생선을 기름하게 썰고 배추와 오이채를 섞어서 소금·설탕·겨자·초 같은 것을 치고 버무리어서 만든 나물.
팔미트-산 【一酸】 명 〔palmitic acid〕 〖화〗 일염기 지방산(一塩基脂肪酸)의 일종. 대표적 지방산으로서 동식물계에 널리 존재함. 상온(常溫)에서 백색 고체(白色固體)로, 비누·페인트·그리스(grease)·화장품 등의 원료로 쓰임. [$CH_3(CH_2)_{14}COOH$]
팔미틴 〔도 Palmitin〕 명 〖화〗 팔미트산(酸)의 글리세린 에스테르. 백색 납상(白色蠟狀)의 결정체(結晶體). 천연(天然)으로는 유지(油脂)의 성분으로서 널리 동식물계(動植物界)에 분포함.
팔미-환 【八味丸】 명 〖한의〗 육미환(六味丸)에다 육계(肉桂)와 부자(附子)를 더한 약. 보정제(補精劑)로 씀. 팔미원(八味元).
팔-밀이 명 ①혼인날 신랑이 신부 집에 이를 때, 신부 집에서 특정한 사람이 두 손을 마주 잡고 읍(揖)하며 맞이하여 행례청(行禮廳)까지 팔을 밀어 인도하는 예. ¶ 오가의 문전에 와서 신랑이 기러기를 드리고 박유복이의 ~로 초례청에 들어섰다≪洪命憙 : 林巨正≫. ②마땅히 자기가 할 일을 남에게 미룸. ¶ 상감 마마께서는…왕대비 마마께나 말씀을 아뢰어 보아라 하시고 팔밀이를 하셨더랍니다그려≪朴鍾和: 錦衫의 피≫. ——-하다 자타여불
팔밀이-꾼 명 팔밀이를 하는 사람.
팔방 【八方】 명 ①사방(四方)과 사우(四隅). 곧, 동·서·남·북·동북·동남·서북·서남의 여덟 방위. ②〖민〗 건방(乾方)·감방(坎方)·간방(艮方)·진방(震方)·손방(巽方)·이방(離方)·곤방(坤方)·태방(兌方)의 여덟 방위. ③모든 방면. 이곳 저곳. ¶ 사방 ~ 다 찾아 보다/~으로 수배하다.
팔방-류 【八放類】 [—뉴] 명 〖충〗 [Octocoralla] 산호강(珊瑚綱)에 속하는 강장(腔腸) 동물의 한 아강(亞綱). 격막(隔膜)은 크고 여덟 개이며, 촉수(觸手)는 날개 모양의 작은 돌기(突起)가 있음. 군체(群體)를 이루어 공동의 골축(骨軸)이 있음. 근생류(根生類)·해새류(海鰓類)·고르고니류(類) 등 네 목(目)으로 분류함.
팔-방망이 【八—】 명 방망이 여덟을 앞뒤로 대어서 열여섯 사람이 메게 된 상여(喪輿).
팔방 미인 【八方美人】 명 ①어느 모로 보나 아름다운 미인. ②누구에게나 두루 곱게 보이는 방법으로 처세하는 사람. ③여러 방면의 일에 능통한 사람. ④아무 일에나 조금씩 손대는 사람.
팔방-산호류 【八放珊瑚類】 명 〖동〗 팔방류(八放類).
팔-방식 【PAL方式】 명 〔PAL은 phase alternation by line의 약칭〕 독일(獨逸)에서 개발된 컬러 텔레비전 방식. N.T.S.C. 방식에 비해서 색상(色相)은 뛰어나나 흑백 텔레비전과의 양립성(兩立性)은 떨어짐. 영국·이탈리아·북유럽 여러 나라에서 채용하고 있음.
팔방-천 【八方天】 명 〖불교〗 하늘을 여덟의 방위로 나눈 일컬음. 곧, 동의 제석천(帝釋天), 동북의 이사나천(伊舍那天), 남의 염마천(閻魔天), 동남의 화천(火天), 서의 수천(水天), 서남의 나찰천(羅刹天), 북의 비사문천(毘沙門天), 서북의 풍천(風天).
팔-밭 명 〈방〉 화전민(火田民) 등이 산기슭에 삽·쇠스랑·괭이 따위로 파서 일군 밭. 개간전(開墾田)(충북).
팔배 명 〈방〉 마고자.
팔-배태 명 저고리의 소매 밑 솔기를 따라서 겨드랑이 끝까지 두 편으로 따로 좁게 댄 헝겊.
팔백[1] 【八白】 명 〖민〗 음양가(陰陽家)에서 '토성(土星)'을 일컫는 말. 구궁(九宮)에서 그 근본 위치는 동북쪽, 곧 간방(艮方)임.
팔백[2] 【八百】 수 백의 여덟 갑절.
[팔백금(金)으로 집을 사고 천금(千金)으로 이웃을 산다] 좋은 이웃을 찾아 주거지를 정한다는 말.
팔법 【八法】 [—뻡] 명 ①중국 주대(周代)의 관부(官府)를 다스리는 여덟 가지의 법제(法制). 곧, 관속(官屬)·관직(官職)·관련(官聯)(관직의 연락)·관상(官常)(각 관의 상직(常職))·관성(官成)(관부의 품식(品式))·관법(官法)(소관(所管)의 법도(法度))·관형(官刑)(소관의 형벌)·관계(官計)(관부의 회계). ②서법(書法)의 여덟 가지 운필법(運筆法). *영자 팔법(永字八法). ③〖불교〗 지(地)·수(水)·화(火)·풍(風)의 사대(四大)와 색(色)·향(香)·미(味)·촉(觸)의 사미(四微). ④〖불교〗 사순(四順)·사위(四違)의 팔풍(八風).
팔-베개 명 팔을 베개 삼아서 베는 것.
팔보-당 【八寶糖】 명 중국식 당속(糖屬)의 한 가지. 사탕 가루에 여러 가지 빛깔을 들이어서 대강 끓인 다음 다섯 모의 화판(花瓣)을 새긴 판에 부어서 굳힌 것.
팔보 두부 【八寶豆腐】 명 두부를 표고 버섯 가루·잣 가루·외씨 가루·익힌 닭고기·돼지고기·쇠고기 등과 한데 주물러서 닭 삶은 국에다 넣고 간장을 쳐서 볶아 익힌 음식.
팔보-반 【八寶飯】 명 중국 음식의 하나. 연밥·대추 등 여덟 가지 과일을 얼음사탕과 섞어 넣고 지은 찹쌀밥.
팔보-채 【八寶菜】 명 중국 요리의 한 가지. 여덟 가지의 재료를 배합한 요리라는 뜻으로, 마른 해삼·새우·목이버섯·표고버섯·닭고기·죽순·

파·완두콩을 기름에 볶아 소금으로 간을 맞추어 수프에 넣고 끓인 다음 물에 푼 녹말로 걸쭉하게 한 것.

팔복-전【八福田】명〖불교〗복을 심는 팔인(八因)이 있는 밭. ①곧, 불전(佛田)·성인전(聖人田)·승전(僧田)·화상전(和尙田)·아사리전(阿闍梨田)·부전(父田)·모전(母田)·병전(病田). ②길가에 샘 파는 일, 물가에 다리 놓는 일, 험한 길을 닦는 일, 부모에게 효도하는 일, 삼보(三寶)를 공경하는 일, 병자(病者)을 구원하는 일, 가난한 사람에게 밥 주는 일, 무차 대회(無遮大會)를 베푸는 일.

팔-봉【八峰】명〖지〗①함경 남도 신흥군(新興郡)과 홍원군(洪原郡) 사이에 있는 산. [1,681 m] ②함경 남도 고원군(高原郡) 산곡면(山谷面)과 수동면(水洞面) 사이에 있는 산. 낭림 산맥(狼林山脈) 남단에 있음. 팔봉산. [1,054 m]

팔봉덕-산【八峰德山】명〖지〗함경 남도 갑산군(甲山郡) 회린면(會麟面)에 있는 산. [1,072 m]

팔봉-산【八峰山】명〖지〗①팔봉(八峰)❷. ②평안 남도 맹산군(孟山郡) 봉인면(封仁面)에 있는 산. [664 m]

팔부【八部】명〖불교〗↗팔부중(八部衆).

팔부 신중【八部神衆】명 팔부중.

팔부-중【八部衆】명〖불교〗불법을 지키는 여덟 신장(神將). 곧, 천(天)·용(龍)·야차(夜叉)·건달바(乾闥婆)·아수라(阿修羅)·가루라(迦樓羅)·긴나라(緊那羅)·마후라가(摩睺羅迦). 천룡 팔부(天龍八部). ㊧팔부(八部).

팔분【八分】명 예서(隸書) 이분(二分)과 전서(篆書) 팔분을 섞어서 만든 한자(漢字)의 서체(書體). 중국 한(漢)의 채옹(蔡邕)의 창작임.

〈팔분〉

팔분 쉼:표【八分一標】명〖악〗온쉼표의 8분의 1의 길이를 나타내는 쉼표. '𝄾'의 기호로 표시함. 팔분 휴부(八分休符).

팔분 음부【八分音符】명〖악〗팔분 음표.

팔분 음표【八分音標】명〔quaver, eighth note〕〖악〗온음표의 8분의 1의 길이를 나타내는 음표. '♪'로 표시함. 팔분 음부.

팔분-의【八分儀】〔-/-이〕명 '옥탄트(octant)'의 역어(譯語).

팔분의-자리【八分儀一】〔-/-이-〕명〔라 Octans〕〖천〗하늘의 남극(南極)을 포함하는 남천(南天)의 작은 성좌(星座).

팔분 휴부【八分休符】명〖악〗팔분 쉼표.

팔-불용【八不用】명 몹시 어리석은 사람을 가리키는 말. 팔불출(八不出). 팔불취(八不取).

팔-불출【八不出】명 팔불용(八不用).

팔-불취【八不取】명 팔불용(八不用).

팔-뼈 명 팔의 뼈.

팔사【八絲】〔-싸〕명 여덟 가닥으로 드린 실 노끈.

팔사 첨작오【八四添作五】〔-싸-〕명〖수〗구귀가(九歸歌)의 하나. '여덟'으로 '넷'을 나눔에는 그 '넷'을 몫 '다섯'으로 만들어 놓으라는 뜻.

팔사파 문자【八思巴文字】〔-싸-짜〕명 '파스파 문자'의 취음.

팔삭【八朔】〔-싹〕명 음력 팔월 초하룻날. 이 날 농가에서 처음으로 햇곡식을 빔.

팔삭-둥이【八朔一】〔-싹-〕명 ①잉태한 지 8개월 만에 낳은 아이. ②똑똑하지 못한 사람을 조롱하여 일컫는 말.

팔산화 삼우라늄【八酸化三一】〔-싼-〕명〔triuranium octoxide〕〖화〗산화 우라늄❸

팔삼 하:가육【八三下加六】〔-쌈-〕명〖수〗구귀가(九歸歌)의 하나. '여덟'으로 셋을 나눔에는 그 '셋'을 몫으로 삼아서 그대로 두고 나머지 '여섯'을 그 아래 자리에 놓으라는 뜻.

팔상¹【八相】〔-쌍〕명 ①인상(人相)의 여덟 가지 상. 곧, 위(威)·후(厚)·청(淸)·고(古)·고(孤)·박(薄)·악(惡)·속(俗). ②〖불교〗석가가 중생을 제도(濟度)하기 위하여 일생 중 나타낸 여덟 가지의 변상(變相). 곧, 대승(大乘) 불교에서의 종도솔천퇴(從兜率天退)·입태(入胎)·주태(住胎)·출태(出胎)·출가(出家)·성도(成道)·전법륜(轉法輪)·입열반(入涅槃), 소승 불교(小乘佛敎)에서의 종도솔천하(從兜率天下)·탁태(託胎)·출생(出生)·출가(出家)·항마(降魔)·성도(成道)·전법륜(轉法輪)·입열반(入涅槃)을 이름.

팔상²【八象】〔-쌍〕명 팔괘(八卦)의 상(象). 곧, 건(乾)은 천(天)에, 곤(坤)은 지(地)에, 감(坎)은 수(水)에, 이(離)는 화(火)에, 간(艮)은 산(山)에, 태(兌)는 택(澤)에, 손(巽)은 풍(風)에, 진(震)은 뇌(雷)에 해당함.

팔상 성도【八相成道】〔-쌍-〕명〖불교〗석가가 일생 중 팔상(八相)으로 이룬 도(道). 팔상 작불(八相作佛).

팔상 작불【八相作佛】〔-쌍-〕명〖불교〗팔상 성도(八相成道).

팔상-전¹【八相殿】〔-쌍-〕명〖불교〗석가 팔상의 그림과 존상(尊相)을 봉안(奉安)한 법당.

팔상-전²【捌相殿】〔-쌍-〕명〖불교〗↗법주사(法住寺) 팔상전.

팔색-조【八色鳥】〔-쌕-〕명〖조〗[*Pitta brachyura*] 팔색조과에 속하는 새. 개똥지빠귀와 비슷한데 날개 길이 12-13 cm, 꽁지 3.5-4.4 cm, 부리 2-3 cm이고, 배면(背面)은 녹색이고, 머리는 흑다색(黑茶色)이며, 중앙에 흑색 종선(縱線)이 있음. 꽁지 무늬는 황백색, 얼굴은 흑색, 소우복(小雨覆)과 상미통(上尾筒)은 청색, 가슴은 담황 갈색이고, 목과 복부는 백색, 하복부 이하 하미통(下尾筒)은 선홍색임. 깊은 숲 속에 한 마리씩 살며 곤충·지렁이·새우 등을 포식함. 5-7월에 4-6개의 알을 낳음. 여러 가지 빛이 잘 조화된 아름다운 철새로, 남부 중국 및 대만 등지에서 여름에 한국과 일본, 특히 제주도의 한라산(漢拏山) 산림 속으로 와서 번식하고 가을에는 돌아감.

〈팔색조〉

팔색조-과【八色鳥科】〔-쌕-꽈〕명〖조〗[Pittidae] 참새목(目)에 속하는 한 과. 중형의 조류로 전부가 적·청·녹·황·흑색 등의 짙은 색채를 가진 아름다운 종류임. 둥지는 지상 또는 낮은 나뭇 가지나 바위 위에 짓고, 황백색에 갈색 및 흑자색 등의 반문이 있는 알을 한 배에 3-5개씩 낳음. 인도·중국·오스트레일리아·뉴질랜드·미국 등지에 70여 종이 분포함.

팔서¹【八書】〔-써〕명 ↗팔체서(八體書).

팔서²【八書】〔-써〕명〖책〗사기(史記)의 지류(志類)를 8종으로 분류한 책. 곧, 예서(禮書)·악서(樂書)·율서(律書)·역서(曆書)·천관서(天官書)·봉선서(封禪書)·하거서(河渠書)·평준서(平準書).

팔선【八仙】〔-썬〕명 ①↗곤륜 팔선(崑崙八仙). ②↗팔선인(八仙人). ③↗음중 팔선(飮中八仙). ④중국의 회남왕(淮南王) 유안(劉安)의 고제(高弟)인 8인의 도사(道士). 곧, 소비(蘇非)·계상(季上)·우오(尤吳)·진유(陳由)·오피(伍被)·뇌피(雷被)·모피(毛被)·진창(晉昌).

팔선-고【八仙糕】〔-썬-〕명 섣달에, 볶은 찹쌀·백출(白朮)·백복령(白茯苓)·산약(山藥)·연실(蓮實)·감인(芡仁)·진피(陳皮)·감초(甘草) 등을 한데 갈아서 냉수에 타 먹는 음료(飮料).

팔선 교자【八仙交子】〔-썬-〕명 팔선상(八仙床).

팔-선녀【八仙女】〔-썬-〕명〖문〗고대 소설 구운몽(九雲夢)에 나오는 주인공 양소유(楊少游)의 처첩인 여덟 미인(美人).
[팔선녀다] 옷차림이 꼴불견일 때 비아냥거리는 말. [팔선녀를 꾸민다] 《구운몽》의 팔선녀와는 반대로 옷차림이 요란스럽거나 어울리지 않을 때에 비아냥거리는 말.

팔선-상【八仙床】〔-썬-〕명 네모가 반듯하게 된 큰 상. 여덟 사람이 둘러앉을 만한 크기로 만듦. 팔선 교자(八仙交子).

팔선 소주【八仙燒酒】〔-썬-〕명 찹쌀을 소방목(蘇方木)·방풍(防風)·창출(蒼朮)·송절(松節)·선모(仙茅)·모과(木瓜)·우슬(牛膝)·하수오(何首烏) 등을 한데 달이어 낸 물에 담가서 내린 소주. ㊧팔선주(八仙酒).

팔-선인【八仙人】〔-썬-〕명 중국 한(漢)나라의 종리권(鍾離權)·장과로(張果老)·한상자(韓湘子)·이철괴(李鐵拐)·조국구(曹國舅)·여동빈(呂洞賓)의 여섯 사람과, 남채화(藍采和)·하선고(何仙姑)의 두 여선(女仙). 중국의 민간 전승(傳承)이나 문학에서 자주 오르내렸으며 원(元)나라 때부터 이따금 화재(畫材)가 됨. ㊧팔선(八仙).

팔선-주【八仙酒】〔-썬-〕명 ↗팔선 소주(八仙燒酒).

팔선-화【八仙花】〔-썬-〕명〖식〗자양화(紫陽花). 수국(水菊).

팔성¹【八成】〔-썽〕명 황금의 품질을 10 등급으로 나눈 셋째 등급.

팔성²【八姓】〔-썽〕명〖역〗백제의 지배 계급이었던 여덟 가지 성(姓). 곧, 해씨(解氏)·사씨(沙氏)·연씨(燕氏)·협씨(劦氏)·진씨(眞氏)·국씨(國氏)·백씨(苩氏)·목씨(木氏).

팔성-당【八聖堂】〔-썽-〕명〖역〗고려 인종(仁宗) 때 묘청(妙淸)이 임원궁(林原宮) 안에 세운 사당(祠堂). 전국의 빼어난 여덟 산(山)을 선정하여 그 산의 중심이 되는 부처·신령을 함께 모시어 국가 발전과 국민의 행복을 위해 제사지냈다고 함.

팔-성도【八聖道】〔-썽-〕명〖불교〗불교 수행에 있어서의 여덟 가지 명목. 곧, 정견(正見)·정어(正語)·정업(正業)·정명(正命)·정념(正念)·정정(正定)·정사유(正思惟)·정정진(正精進). 팔정도(八正道).

팔성-은【八成銀】〔-썽-〕명〖역〗현은(玄銀).

팔세【八世】〔-쎄〕명 오제(五帝)와 삼왕(三王)의 세상. 팔대(八代).

팔세-보【八世譜】〔-쎄-〕명〖역〗문관(文官)·무관(武官)·음관(蔭官)을 고사(考査)하기 위하여 그의 팔대조(八代祖)까지 기록한 보첩(譜牒).

팔세-아【八歲兒】〔-쎄-〕명〖책〗조선 시대에 목판본으로 간행된 만주어(滿洲語) 학습서. 편저자 미상. 본래 역과(譯科)의 강서목(講書目)이었으나 틀린 곳이 많아 숙종 때 신계암(申繼黯)이 교정했고, 또 정조 원년(1777)에 왕명으로 행지추(行知樞) 김진하(金振夏)가 엄밀히 교정, 사역원 판관(司譯院判官) 장병성(張丙成)이 써서 간행되었음. 신석(新釋) 팔세아.

팔세토〔이 falsetto〕명〖악〗'거짓소리'의 이탈리아 말.

팔손이-나무【八一】〔-쏜-〕명〖식〗[*Fatsia japonica*] 두릅나뭇과에 속하는 상록 활엽 관목. 잎은 장상(掌狀)에 8-9 갈래로 갈라지며 열편(裂片)은 난상(卵狀) 피침형이고 혁질(革質)임. 11월에 백색의 꽃이 산형(繖形) 화서로 정생(頂生)하는데, 수꽃은 액생(腋生)함. 장과(漿果)는 다음해 5월에 흑색으로 익음. 해변의 산록(山麓) 및 골짜기에 나는데, 거제도·일본 등지에 분포함. 정원수로 심음.

〈팔손이나무〉

팔송-사【八送使】〔-쏭-〕명〖역〗예전에 대마도주(對馬島主)가 해마다 여덟 번씩 우리 나라에 보내던 사신(使臣).

팔수-무【八手舞】〔-쑤-〕명〖악〗진연(進宴) 때에 추던 춤의 이름.

팔순【八旬】〔-쑨〕명 ①80 일. ②여든 살. 팔십 세. ¶∼ 노모(老母).

팔시간 노동제【八時間勞動制】〔-씨-〕명〖사〗노동자의 노동 시간을 하루 평균 8시간(휴게 시간 제외) 또는 일 주일에 48시간으로 하여, 하루에 8시간의 노동, 8시간의 휴양(休養), 8시간의 안면(安眠)을 취함을 원칙으로 하는 제도. 1919년 워싱턴에서의 국제 노동 기구 총회에서 채택되었음. 사십팔 시간제(四十八時間制).

팔식【八識】〔-씩〕명〖불교〗오관(五官)과 몸을 통하여 외계의 사물을 인식할 수 있는 여덟 가지의 심적(心的) 작용. 곧, 안식(眼識)·이식(耳識)·비식(鼻識)·설식(舌識)·신식(身識)·의식(意識)·말나식(末那識)·아뢰야식(阿賴耶識).

팔-심〔-씸〕명 팔뚝의 힘. ¶∼이 세다.

팔십【八十】〔-씹〕㊀㊁ 여든.
[팔십 노인도 세 살 먹은 아이한테 배울 것이 있다] 어린아이의 말에도

더러는 귀담아 들을 만한 것이 있다는 말.

팔십 수형호【八十隨形好】[—씹—] 명 《불교》 부처의 삼십 이 상(三十二相)에 부수하여 불신(佛身)을 장엄하게 하는 80가지의 호상(好相). 32상과 중복되는 것도 있음. 팔십종호(八十種好).

팔십일 개국 선언【八十一個國宣言】[—씹—] 명 1960년 모스크바에서 열린 81개국 공산당·노동자당 대표자 회의에서 발표된 선언. 1957년의 모스크바 선언을 발전시켜 평화 공존이 사회주의 여러 나라의 외교 정책의 기조(基調)이며, 전쟁은 불가피한 것이 아니라는 소련 공산당의 주장이 중심을 이룬 것으로, 이후 국제 공산주의 운동의 공동 강령(綱領)이 됨.

팔십종-호【八十種好】[—씹—] 명 《불교》 팔십 수형호(八十隨形好).

팔십팔 올림픽 고속 도:로【八十八一高速道路】[Olympic][—씹—] 명 《지》 1988년도 올림픽 대회의 서울 개최가 결정된 1981년에 기공(起工)하게 됨을 기념하여 정부에서 붙인, 동서 고속 도로(東西高速道路)의 정식 명칭. ㊀팔팔 올림픽 고속 도로·올림픽 고속도로.

팔십 화엄【八十華嚴】[—씹—] 명 《불교》 중국 당(唐)나라의 증성(證聖) 원년(690)에 우전국(于闐國)의 실차난타(實叉難陀)가 불수기사(佛授記寺)에서 번역한 책 이름. 모두 45,000송(頌)이며 80권임.

팔-싸리【八—】 명 홍싸리 넉 장과 흑싸리 넉 장을 합한 8장의 화투짝. 또, 그것을 다 모은 약.

팔싹 부 ①연기나 먼지 같은 것이 한바탕 일어나는 모양. *폴싹. ②갑자기 주저앉는 모양. 1)·2): <펄썩. ——-하다 자 여불

팔싹-거리다 자 ①연기·먼지 따위가 무더기로 가볍게 연해 일어나다. ②맥없이 가볍게 연해 내려앉거나 주저앉다. 1) : 2) <펄썩거리다. 팔싹-팔싹 부.¶천동지기와 건답에는 먼지가 ~ 일어나게 되었다≪朴鍾和 : 多情佛心≫. <펄썩펄썩. *폴싹폴싹. ——-하다 자 여불

팔싹-대다 자 팔싹거리다.

팔싹-이다 자 ①연기나 먼지 따위가 무더기로 가볍게 일어나다. ②맥없이 가볍게 내려앉거나 주저앉다. 1) : 2) <펄썩이다.

팔-씨름 명 팔심을 겨루는 내기. 두 사람이 각기 팔꿈치를 무릎 또는 방바닥에 대고 손을 마주 잡아 버티어 각기의 안쪽으로 넘어뜨리는 짓. ——-하다 자 여불

팔-아귀 명 좌우 팔의 사이.

팔아 내다 타 ①물건을 연해 잘 팔다. ②물건을 팔아서 돈으로 내다.

팔아-두들기기 명 《경》 증권 시장에서, 다량(多量)의 매도(賣渡)로 시세를 인위적으로 하락시키는 일.

팔아-먹다 타 ①물건을 값을 받고 남에게 주어 버리다. ¶가산을 모두 ~. ②물건을 없애 버리다. ③정신을 남에게 쏠리어 버리다. ¶정신을 딴데 ~. ④곡식을 사 먹다. ⑤값을 받고 권리를 남에게 주다. ⑥여자가 금품을 받고 몸을 남자에게 맡기다.

팔양-경【八陽經】 명 《불교》 천음 지양(天陰地陽)의 여덟 가지 양(陽)을 말하여 혼인·해산(解産)·장사(葬事) 등에 관한 미신적(迷信的) 행동을 타파(打破)하는 내용의 불경(佛經)의 하나. 한글로 번역한 것도 있음.

팔역-지【八域誌】 명 《책》 택리지(擇里志).

팔열 지옥【八熱地獄】 명 《불교》 극히 뜨거운 여덟 지옥. 곧, 등활(等活)·흑승(黑繩)·중합(衆合)·규환(叫喚)·대규환(大叫喚)·초열(焦熱)·대초열(大焦熱)·무간(無間)의 여덟 지옥.

팔염화 팔붕소【八塩化八硼素】 명 《화》 염화 붕소❹.

팔영-령【八營嶺】[—녕] 명 《지》 평안 북도 삭주군(朔州郡) 외남면(外南面)과 구성군(龜城郡) 구성면(龜城面) 사이에 있는 재. [296 m]

팔영-산【八影山】 명 《지》 전라 남도 고흥군(高興郡) 점암면(占岩面)에 있는 산. [609 m]

팔-오금 명 팔꿈치의 구부리는 안쪽. ㊀오금.

팔오 육십이【八五六十二】 명 《수》 구귀가(九歸歌)의 하나. 8로 5를 나눔에는 그 5를 묶 6으로 만들고, 2를 그 아래 자리에 놓으라는 뜻.

팔완-목【八腕目】 명 《동》 [Octopoda] 연체(軟體) 동물의 두족류(頭足類)에 속하는 한 목(目). 여덟 개의 발이 있으나, 촉완(觸腕)이 없고, 흡반(吸盤)은 꼭지가 없음. 문어·낙지 등이 이에 속함. 여덟발목(目). 팔각목(八脚目).

팔왕의 난:【八王—亂】[—/—에—] 명 《역》 중국 서진(西晉) 말기의 난. 무제(武帝)의 사후(死後), 정권을 탐내어 8명의 왕이 격전을 되풀이한 난으로, 나라는 피폐해지고 화북(華北)에 오호(五胡)가 침입하여 서진의 멸망을 초래하였음.

팔왕-일【八王日】 명 《불교》 인간을 맡은 모든 왕신(王神)이 교대(交代)한다고 하는 날. 곧, 입춘·춘분·입하·하지·입추·추분·입동·동지.

팔우-설【八隅說】 명 《물》 원자가론(原子價論)의 고전적(古典的) 고찰의 하나. 원자의 가전자(價電子)는 입방체의 여덟 모퉁이에 위치한다는 설로 루이스(Lewis, N.G.)가 제창하였음.

팔-운동【—運動】 명 팔의 근육이나 기능의 단련을 위하여, 팔을 움직여 하는 운동. 상지 운동(上肢運動).

팔원 팔개【八元八愷】 명 고대 중국 전설에 나오는 전욱 고양씨(顓頊高陽氏)의 여덟 재자(才子) 및 제곡 고신씨(帝嚳高辛氏)의 여덟 재자의 일컬음. 요순(堯舜) 때의 사람이란 설도 있으며, 여덟의 얌전한 사람과 여덟의 선량(善良)한 사람의 뜻으로 쓰임.

팔월【八月】 명 ①일 년 중 여덟 번째의 달. ②〈방〉 추석(충북·경상).

팔월 가우【八月—】 명 〈방〉 한가위(강원).

팔월 보름【八月—】 명 〈방〉 한가위(경북).

팔월-선【八月仙】[—썬] 명 팔월에 농사일을 끝내고 추수를 시작할 때까지의 한가한 농부. 신선 같다는 뜻.

팔월 추석【八月秋夕】 명 〈방〉 추석(경남).

팔월-치【八月—】 명 팔월에 금전이나 물품을 수급(受給)하는 몫. *치.

팔월 한가위【八月—】 명 음력 팔월 보름날.

팔위【八衛】 명 《역》 고려 때의 이군(二軍)과 육위(六衛)의 통칭.

팔유【八儒】 명 공자(孔子)가 죽은 후에 갈라진 유교(儒教)의 여덟 학파(學派). 곧, 자장씨(子張氏)·자사씨(子思氏)·안씨(顏氏)·맹씨(孟氏)·칠조씨(漆雕氏)·중량씨(仲良氏)·손씨(孫氏)·악정씨(樂正氏)의 여덟 파(派).

팔음【八音】 명 ①《악》 아악(雅樂)에 쓰는 여덟 가지 악기(樂器). 또, 그 소리. 곧, 종(鐘) 등의 금(金), 경(磬) 등의 석(石), 금(琴)·슬(瑟) 등의 사(絲), 적(笛) 등의 죽(竹), 생(笙)·간(竿) 등의 포(匏), 부(缶) 등의 토(土), 고(鼓) 등의 혁(革), 어(敔) 등의 목(木). ②《불교》 여래(如來)의 음성과 언사가 청아(淸雅)하여 문법(聞法)·개오(開悟)를 잘 시킴에 대하여 그 일음(一音) 위에 여덟 가지의 특색을 갖춤을 이르는 말.

팔의【八議】[—이] 명 《역》 중국 당(唐)나라 때에, 평의(評議)하여 형벌을 감면(減免)한 여덟 가지 조건. 곧, 의친(議親)·의고(議故)·의현(議賢)·의능(議能)·의공(議功)·의귀(議貴)·의근(議勤)·의빈(議賓).

-팔이[1] 미 파는 사람. ¶신문~/성냥~.

-팔이[2] 미 팔의 생긴 모양으로 일컫는 사람의 별칭. ¶외~/곰배~.

팔이 하:가사【八二下加四】[—리—] 명 《수》 구귀가(九歸歌)의 하나. 8로 2를 나눔에는 그 2를 묶으로 삼아서 그대로 두고, 나머지 4를 그 아래 자리에 놓으라는 뜻.

팔인-교【八人轎】 명 여덟 사람이 메는 교자.

팔일【八日】 명 ①여드레. ②여드렛날. ③《불교》 파일.

팔일-무【八佾舞】 명 《악》 원구단(圜丘壇)·종묘(宗廟)·문묘(文廟) 등의 나라의 큰 제사 때에, 악생(樂生) 64인을 8열로 정렬시키어서 추게 하는 규모가 큰 문무(文舞)나 무무(武舞).

팔일 선언【八一宣言】 명 《역》 중국 공산당이 1935년 8월 1일 국민당 정부에 호소하여, 내전(內戰)을 중지하고, 항일(抗日)을 위하여 민족 통일 전선을 결성할 것을 제의한 선언.

팔-일오【八一五】 명 1945년 8월 15일을 일컫는 말.

팔일오 광복【八一五光復】 명 《역》 우리 나라가 일제(日帝)의 식민지로부터 1945년 8월 15일에 해방(解放)되어 광명을 회복한 것을 일컫는 말.

팔일오 선언【八一五宣言】 명 《역》 1970년의 광복절 경축사에서 행한 박정희(朴正熙) 대통령의 선언. 북한의 무력 도발 중지를 촉구하고 선의에 의한 건설·개발·창조의 경쟁에 나설 것을 제창하여, 남북 대화의 역사적 계기를 마련한 선언으로, 남북 적십자 회담의 바탕이 되었음.

팔일-장【八日粧】 명 《불교》 욕불일(浴佛日).

팔일 하:가이【八一下加二】[—릴—] 명 《수》 구귀가(九歸歌)의 하나. 8로 1을 나눔에는 그 1을 묶으로 삼아 그대로 두고, 나머지 2를 그 아래 자리에 놓으라는 뜻.

팔자[1]【八字】[—짜] 명 [사주 팔자(四柱八字)의 관념에서 온 말] 사람의 한 평생의 운수. ¶~가 사납다/~ 좋다. *사주 세다.

[팔자는 길 들이기로 간다] 습관이 마침내 천성(天性)이 되어, 사람의 일생을 좌우한다는 말. [팔자는 독에 들어가서도 못 피한다] 일이 뜻과 어긋남을 체념하는 뜻으로 탄식하는 말.

팔자(를) 고치다 구 ㉠재가(再嫁)하다. ㉡갑작스레 부자가 되거나 지체를 얻어 딴 사람처럼 됨의 비유.

팔자(가) 늘어지다 구 근심 걱정이 없고, 사는 것이 편안하다.

팔자(가) 사:납다 구 기박(奇薄)한 운명을 타고 나다.

[팔자가 사나우니까 의붓아들이 삼 년 맏이라] 닥친 일이 마땅하지 못함을 자탄하는 말.

팔자(가) 세:다 구 험악한 운명을 타고 나다. ¶팔자가 세어 남의 첩이 되었을망정.

팔자에 없:다 구 분수에 넘쳐 격에 어울리지 않다. 뜻하지 않은 복록(福祿)이 겹다.

팔자[2]【八字】[—짜] 명 한자(漢字)의 '팔(八)'자와 같은 형상. ¶~로 기른 카이저 수염/~ 눈썹을 꼿꼿이 세우다.

팔자 걸음【八字—】[—짜—] 명 ↗여덟팔자 걸음.

팔자-땜【八字—】[—짜—] 명 사나운 팔자를 어떤 다른 어려운 일을 당함으로써 때움. 아주 험상궂은 일을 당하였을 때에 쓰는 말. ——-하다 자 여불

팔자 문수【八字文殊】[—짜—] 명 《불교》 암아미라우전좌락(唵阿味羅吽傳佐洛)의 여덟 글자를 진언(眞言)으로 하는 문수 보살(文殊菩薩).

팔자 소:관【八字所關】[—짜—] 명 팔자에 의해 운명적으로 겪는 바. ¶중년 상처도 ~인 게야.

팔자 수염【八字鬚髥】[—짜—] 명 여덟 팔자(八字) 모양으로 난 수염.

팔자 청산【八字青山】[—짜—] 명 팔자 춘산(八字春山).

팔자 춘산【八字春山】[—짜—] 명 미인(美人)의 고운 눈썹을 비유·형용하는 말. 팔자 청산(八字青山).

팔자 타:령【八字打令】[—짜—] 명 불행한 자신의 신세를 한탄하는 일. ¶~이 절로 난다.

팔작-가【八作家】[—짝—] 명 《건》 팔작집.

팔작 지붕【八作—】[—짝—] 명 《건》 한식 가옥의 지붕 형태의 하나. 지붕 위에 까치 박공이 달려 끝은 모임지붕처럼 되고 용마루 부분에 삼각형의 벽이 이루어진 것. 합각 지붕. 팔각 지붕.

팔작-집【八作—】[—짝—] 명 《건》 네 귀에 모두 추녀를 달아서 지은 집. 팔작가(八作家).

팔-잡가【八雜歌】 명 《악》 경기 잡가(雜歌) 좌창(坐唱)에 속하는 십이 잡가(十二雜歌) 가운데, 유산가(遊山歌)·적벽가(赤壁歌)·제비가·소춘향가(小春香歌)·집장가(執杖歌)·형장가(刑杖歌)·평양가(平壤歌)·선유가

(船遊歌)의 여덟 잡가. ＊잡잡가(雜雜歌).

팔잡아-돌리기 명 씨름에서, 왼손으로 상대의 오른팔 윗부분을 세게 당기면서 오른손으로 상대의 오른쪽 무릎 바깥 부위를 쳐 상대를 돌려 넘어뜨리는 손재간.

팔-장사【八壯士】[―짱―] 명 〖역〗 병자 호란(丙子胡亂)에 항복하고 봉림 대군(鳳林大君)이 청(淸)나라로 볼모로 갈 적에 그를 모시고 랴오양(遼陽)까지 따라간 여덟 사람. 곧, 김지웅(金志雄)·박기성(朴起星)·박배원(朴培元)·신진익(申晋翼)·오효성(吳孝誠)·장사민(張士敏)·장애성(張愛聲)·조양(趙壤).

팔-장신【八將神】[―짱―] 명 〖민〗 음양가(陰陽家)에서 말하는 길흉(吉凶)의 방위를 맡은 여덟 신. 곧, 태세(太歲)·대장군(大將軍)·태음(太陰)·세형(歲刑)·세파(歲破)·세살(歲煞)·황번(黃幡)·표미(豹尾).

팔재【八災】[―째] 명 〖불교〗 선정(禪定)을 방해하는 여덟 가지 재환(災患). 곧, 희(喜)·우(憂)·고(苦)·낙(樂)·심(尋)·사(伺)·출식(出息)·입식(入息).

팔-재간【―才幹】[―째―] 명 씨름에서, 팔을 쓰는 재간.

팔전【八專】[―쩐] 명 〖민〗 임자(壬子)에서 계해(癸亥)까지의 12일 중 축(丑)·진(辰)·오(午)·술(戌)의 나흘을 제한 나머지 8일 동안의 일컬음. 임(壬)·계(癸)는 모두 물이라는 뜻으로, 이 동안에 비가 많이 온다고 하며 1년 중 여섯 차례가 있음.

팔전자-군【八電子群】 명 〔octet〕 원자(原子) 또는 이온(ion) 중의 여덟 개 원자가(原子價) 전자의 집합(集合). 최외각(最外殼) 전자 곧 원자가(原子價) 전자가 s전자 및 p전자인 경우에 가장 안정(安定)된 배치를 형성함.

팔절【八節】[―쩔] 명 여덟 절후. 곧, 입춘(立春)·춘분(春分)·입하(立夏)·하지(夏至)·입추(立秋)·추분(秋分)·입동(立冬)·동지(冬至).

팔절-일【八節日】[―쩔―] 명 팔절(八節)에 해당하는 날.

팔절-판【八切判】[―쩔―] 명 사진 용어로서, 가로 22 cm, 세로 16.5 cm 인 사진판의 크기의 이름.

팔점박이-먼지벌레【八點―】[―쩜―] 명 〖충〗 [*Lebidia octoguttata*] 딱정벌렛과에 속하는 곤충. 몸길이 10-11 mm이고 온 몸빛은 광택 있는 황갈색이며 시초(翅鞘)의 옆쪽과 중앙에 한 개씩, 각 시단(翅端)에 세 개씩, 모두 여덟 개의 황백색 원형 반문(斑紋)이 있음. 한국·일본·중국 및 대만에 분포함.

〈팔점박이 먼지벌레〉

팔점박이-보라맵시벌【八點―】[―쩜―] 명 〖충〗 [*Ichneumon cyaniventris*] 맵시벌과에 속하는 곤충. 암컷은 몸길이 20 mm 내외이며 몸빛이 대체로 흑색, 복부는 남색의 광택이 나고 복안(複眼) 안쪽의 반문(斑紋)과 흉배(胸背)의 여러 무늬와 제1-4 복절(腹節) 양쪽의 반문 등은 황백색이며, 두흉부와 제1-3 복절에는 점각(點刻)이 있음. 한국·일본 및 유럽 각지에 분포함.

팔정【八定】[―쩡] 명 〖불교〗 색계(色界)의 사선정(四禪定)과 무색계(無色界)의 사무색정(四無色定).

팔-정도【八正道】[―쩡―] 명 〖불교〗 팔성도(八聖道).

팔정 자비【八正慈悲】[―쩡―] 명 〖불교〗 팔정도(八正道)의 실천에 있어 자비를 행하는 일.

팔-조목【八條目】[―쪼―] 명 대학(大學)의 수기 치인(修己治人)의 여덟 조목. 곧, 격물(格物)·치지(致知)·성의(誠意)·정심(正心)·수신(修身)·제가(齊家)·치국(治國)·평천하(平天下). ＊삼강령(三綱領).

팔조 법금【八條法禁】[―쪼―] 명 〖역〗 팔조지교(八條之教).

팔조지-교【八條之教】 [―쪼―] 명 〖역〗 우리 나라의 고대 사회에서 시행된 여덟 가지의 법금(法禁). 살인·상해(傷害)·투도(偸盜)만이 전해짐. 종래 기자(箕子)가 베푼 것이라고 전하여 왔으나, 이에 대하여 고대 인류 사회에 공통되는 만민법적(萬民法的) 성질의 것이라는 유력한 반대설이 있음. 팔조 법금. 팔조지금법.

팔조지-금법【八條之禁法】 [―쪼―뻡] 명 팔조지교(八條之教).

팔족-시【八足詩】[―쪽―] 명 〖문〗 팔각시(八角詩)에서 머리 글자로 쓰는 것을 끝 글자로 쓰는, 팔각시와 비슷한 장난.

팔좌【八座】[―쫘] 명 〖역〗 ①중국 후한(後漢)·진(晉)나라에서 육조(六曹)의 상서(尙書) 및 일령(一令)·일복야(一僕射)의 총칭. ②위(魏)·송(宋)·제(齊)에서 오조(五曹)·일령(一令)·이복야(二僕射)의 총칭. ③수(隋)·당(唐)에서 좌우 복야(僕射)와 영(令)과 육상서(六尙書)의 총칭.

팔주【八柱】[―쭈] 명 팔방(八方)의 지역에 있어서 하늘을 받치고 있다고 하는 상상의 기둥. 곤륜산(崑崙山) 아래에 있다 함.

팔주-령【八珠鈴】[―쭈―] 명 〖고고학〗 팔두령(八頭鈴). ＊쌍두령(雙頭鈴).

팔-주비전【八注比廛】[―쭈―] 명 〖역〗 조선 시대에 서울에 있던 백각전(百各廛) 가운데에서 선전(縇廛)·면포전(綿布廛)·면주전(綿紬廛)·지전(紙廛)·저포전(苧布廛)·포전(布廛)·내어물전(內魚物廛)·외어물전(外魚物廛)의 여덟 시전(市廛). ＊육주비전(六注比廛).

팔-죽지 [―쭉―] 명 팔꿈치에서 어깨 죽지 사이의 부분.

팔준【八駿】[―쭌] 명 〖역〗 조선 태조(太祖) 이성계(李成桂)가 가졌던 여덟 마리의 준마(駿馬). 곧, 횡운골(橫雲鶻)·유린청(遊麟靑)·추풍오(追風烏)·발전자(發電赭)·용등자(龍騰紫)·응상백(凝霜白)·사자황(獅子黃)·현표(玄豹).

팔-준마【八駿馬】[―쭌―] 명 중국 주(周)나라의 목왕(穆王)이 사랑하던 여덟 마리의 준마. 곧, 화(驊)·유이(騮駬)·적기(赤驥)·백의(白義)·요거(驍渠)·황유(黃騟)·도리(盜驪)·산자(山子).

팔중 대:나마【八重大奈麻】[―쭝―] 명 〖역〗 신라의 벼슬 이름. 칠중대나마(七重大奈麻)의 위.

팔중 대:내마【八重大奈麻】[―쭝―] 명 〖역〗 팔중 대나마.

팔중-주【八重奏】[―쭝―] 명 〔octet〕 〖악〗 실내악(室內樂)의 하나로, 여덟 개의 독주 악기에 의한 중주. 현악 팔중주·관악 팔중주·관현(管絃) 팔중주 등이 있음. 옥텟.

팔중주-곡【八重奏曲】[―쭝―] 명 〔octet〕 〖악〗 팔중주(八重奏)를 위한 소나타 형식의 악곡(樂曲). 옥텟.

팔중-항【八重項】[―쭝―] 명 〔octet〕 〖물〗 여덟 가지 상태로 이루어지는 소립자(素粒子)의 다중항(多重項). 하드론족(hadron 族)의 바리온(baryon)·의스칼라(擬 scalar) 중간자·벡터(vector) 중간자와 같이 스핀(spin) 및 패리티(parity)가 서로 비슷한 입자(粒子)가 여덟 개씩 짝이 되어 있는 삼차원(三次元) 특수 유니터리군(unitary 群)의 팔차원 표현(八次元表現).

팔진【八鎭】[―찐] 명 사방(四方)과 사우(四隅). 팔황(八荒).

팔진-고【八珍糕】[―찐―] 명 묵은 쌀과 찹쌀에 백복령(白茯苓)·산약(山藥)·율무·백편두(白藊豆)·연육(蓮肉)·감인(芡仁) 등을 함께 섞어서 가루를 만들고 설탕을 쳐 버무리어 쪄 낸 다음 다식판(茶食板)에 박은 음식.

팔진-도【八陣圖】[―찐―] 명 여덟 가지 모양으로 친 진법(陣法)의 그림. 보통, 천(天)·지(地)·풍(風)·운(雲)·용(龍)·호(虎)·조(鳥)·사(蛇)의 여덟 가지로 나타내나, 병가(兵家)에 따라 그 형상은 서로 같지 아니함. 제갈공명(諸葛孔明)은 동당(洞當)·중황(中黃)·용등(龍騰)·조상(鳥翔)·연횡(連衡)·악기(握奇)·호익(虎翼)·절충(折衝)이라 하였고, 손자(孫子)는 방(方)·원(圓)·빈(牝)·모(牡)·충방(衝方)·부저(罘罝)·거륜(車輪)·안항(雁行)이라 하였으며, 오자(吳子)는 거상(車箱)·거륜(車輪)·곡진(曲陣)·예진(銳陣)·직진(直陣)·괘진(卦陣)·충진(衝陣)·아관진(鵞鸛陣)이라 하였음.

팔-진미【八珍味】[―찐―] 명 중국에서 성대한 식상(食床)에 갖춘다고 하는 여덟 가지의 진미. 곧, 순모(淳母)·순오(淳熬)·포장(炮牂)·포돈(炮豚)·도진(擣珍)·오(熬)·지(漬)·간료(肝膋) 또는 용간(龍肝)·봉수(鳳髓)·토태(兎胎)·이미(鯉尾)·악적(鶚炙)·웅장(熊掌)·성순(猩脣)·표제(豹蹄) 등.

팔진 성찬【八珍盛饌】[―찐―] 명 온갖 맛있는 음식을 갖춘 성찬. 진수 성찬.

팔진지-미【八珍之味】[―찐―] 명 팔진미.

팔진-탕【八珍湯】[―찐―] 명 〖한의〗 팔물탕(八物湯).

팔질【八耋】[―찔] 명 나이 여든 살의 일컬음.

팔-짓 [―찟] 명 팔을 놀리는 짓. ¶손짓 ～하면서 연설하다. ――-하다 「자여불

팔ᄌᆞ 명 〈옛〉 팔자(八字). 일생의 운수. ¶네 날 위ᄒᆞ여 팔ᄌᆞ 보고져(你與我看命) ≪老乞 下 64≫.

팔짝 부 ①문 같은 것을 갑자기 여는 모양. ②갑자기 가볍게 뛰거나 나는 모양. 1)·2): <펄쩍. ――-하다 자타여불

팔짝-거리다 자타 ①문 같은 것을 갑자기 자꾸 여닫다. ②계속하여 갑자기 가볍게 뛰거나 날다. 1)·2): <펄쩍거리다. **팔짝-팔짝** 부. ――-하다 자타여불

팔짝-대다 자타 팔짝거리다.

팔짝 뛰다 자 억울하거나 뜻밖의 일을 당하였을 때 깜짝 놀라면서 세게 부인(否認)하다. <펄쩍 뛰다.

팔짱 명 두 손을 각각 다른 쪽 팔 소매 속에 마주 넣거나, 두 팔을 가슴 앞으로 바짝 마주 끼어 손을 두 겨드랑 밑으로 각각 두는 짓.

팔짱(을) 꽂다 구 팔짱(을) 지르다.

팔짱(을) 끼고 보다 구 수수 방관(袖手傍觀)하다.

팔짱(을) 끼다 구 두 팔을 마주 굽히어 끼다.

팔짱(을) 지르다 구 두 팔을 양쪽 소매 속에 넣어서 마주 꽂다. 팔짱(을) 꽂다.

팔찌 명 ①↗팔가락지. ②활을 쏠 때에 활을 쥐는 쪽의 팔소매를 걷어 매는 띠.

팔찌-동 명 활을 쏠 때의 예법. 활을 쏠 때에, 남행(南行)으로 상가자(賞加資)나 체지 가자(帖紙加資)를 한 사람은 무계급자(無階級者)이므로 무과(武科) 출신의 사람 위에 서지 못하고, 남행이라도 가자한 사람이면 당하 출신의 사람 위에서 쏘며, 매양 습사(習射)할 때에는 한 순 외에 한두 대도 더 쏘지 못하며 두 순을 계속하여 쏘지 못함.

팔척 장신【八尺長身】 명 장대한 사람의 몸을 과장하여 이르는 말.

팔천【八賤】 명 〖역〗 조선 시대의 천민(賤民) 중 사천(私賤)에 속한 여덟 천민. 곧, 사노비(私奴婢)·승려(僧侶)·백정(白丁)·무당·광대·상여(喪輿)꾼·기생(妓生)·공장(工匠).

팔체【八體】 명 ↗팔체서(八體書).

팔체-서【八體書】 명 중국 진(秦) 나라 때에 쓰인 여덟 가지 서체. 곧, 대전(大篆)·소전(小篆)·각부(刻符)·충서(蟲書)·모인(摹印)·서서(署書)·수서(殳書)·예서(隸書). 준팔서(八書)·팔체(八體).

팔초【八草】 명 〖한의〗 한방(韓方)에서 쓰이는 창포(菖蒲)·애엽(艾葉)·차전(車前)·하엽(荷葉)·창용(蒼茸)·인동(忍冬)·마편(馬鞭)·번루(蘩蔞)의 여덟 가지 약초.

팔초-어【八稍魚】 명 〖동〗 문어(文魚).

팔초-하다 형여불 얼굴이 좁고 턱이 빨다.

팔촌【八寸】 명 ①여덟 치. ②삼종 형제(三從兄弟)되는 촌수.

팔-춤 명 팔로 추는 춤.

팔츠 〔Pfalz〕 명 〖지〗 독일 서부에 있던 지방. 처음에는 하(下)팔츠와 상(上)팔츠로 갈라져 신성 로마 제국의 공령(公領)이었는데, 30년 전쟁으로 상팔츠를 잃었으며, 1689-1697년에 팔츠 전쟁의 싸움터가 됨.

팔츠 전:쟁【―戰爭】〔Pfalz〕 명 〖역〗 1689-1697년에 걸쳐, 팔츠의 상속 문제로 프랑스 국왕 루이 14세가 영국·독일·네덜란드·스페인·스웨덴 등의 아우크스부르크 동맹과 벌인 전쟁. 처음에는 이 곳에 진입했던

프랑스가 우세(優勢)했으나, 1692년 이후 부진(不振)하여 라이스바이크(Rijswijk) 조약으로 종결됨. 아우크스부르크 동맹 전쟁.

팔칠 팔십육【八七八十六】[-십뉵] 명 《수》 구귀가(九歸歌)의 한 가지. 8로 7을 나눔에는 그 7을 묶 8로 만들고, 나머지 6을 그 아래 자리에 놓으라는 뜻.

팔칠 회:의【八七會議】[-/-이] 명 1927년 8월 7일, 중국에서 국공(國共) 분열 후의 정치 정세에 대응하기 위하여 중국 공산당이 연 긴급 회의. 천 두슈(陳獨秀)에 의한 우익 기회주의(右翼機會主義)의 청산, 토지 개혁의 철저, 도시 무장 봉기 따위를 결의하여, 이후 제1차 극좌 맹동주의(極左盲動主義) 시대로 돌입하였음.

팔콘 [Falcon] 명 《군》 미국 공군의 공대공(空對空) 미사일의 이름. 고체 추진체 로켓으로 사정 거리 9 km. 적외선 추격형과 레이더 유도형이 있으며 전천후 요격기(邀擊機)에 장비됨.

팔팔 부 ①적은 물이 용솟음치며 끓는 모양. ¶물이 ~ 끓다. ②몸이나 온돌방이 몹시 달치는 모양. ③작은 것이 기운차게 한 자리에서 자꾸 날거나 뛰는 모양. ¶~ 뛰는 물고기. 1)-3):<펄펄.
  팔팔 뛰다 구 억울하거나 뜻밖의 일을 당하여, 깜짝 놀라거나 매우 세게 부인하다. <펄펄 뛰다.

팔팔-결 명부 엄청나게 어긋나는 일이나 모양. ¶키하구 몸집은 비슷 같을는지 몰라두 얼굴이 ~ 다른데 용하게 속이구 나갔구려《洪命憙: 林巨正》. ㉦팔결.

팔팔 라인【八八-】[line] 명 남북한 당국 간에 설치된 직통 전화의 이름. 우리 측의 제안으로 1985년에 설치, 월(月) 1-2회 정도 통화가 이루어짐.

팔팔-스럽다 형 ㅂ불 본래 팔팔한 데가 있다. 팔팔-스레 부

팔팔-아【八八兒】명 앵무새.

팔팔 올림픽 고속 도:로【88-高速道路】[Olympic] 명 《지》 ↗팔십팔 올림픽 고속 도로.

팔팔 육십사【八八六十四】[-륙-] 명 《수》 8의 여덟 갑절은 64라고 하는, 구구법(九九法)의 하나.

팔팔-풀거미 명 《동》 들풀거미. 풀거미.

팔팔-하다 형여불 ①성질이 급하고 매우 쌀쌀하다. ②날 듯이 아주 생기가 있다. 1)·2):<펄펄하다.

팔포【八包】명 《역》 조선 세종(世宗) 때부터 명(明)나라 또는 청(淸)나라로 보내는 사신(使臣)에게 노자(路資)와 무역(貿易) 자금으로서 휴대(携帶)를 허용한, 한 사람 앞에 인삼 10근짜리 8꾸러미. 숙종(肅宗) 8년(1682)에, 은 2,000냥으로 대충(代充)됨.

팔포 대:상【八包大商】명 ①생활에 걱정이 없는 사람을 가리키는 말. ②《역》 중국으로 보내던 사대 사행(事大使行)에 수행(隨行)하여 홍삼(紅蔘)을 파는 허가를 맡았던 의주(義州) 상인. *만상(灣商).

팔표【八表】명 팔방(八方)의 구석. 땅의 끝. *팔방.

팔푼-이【八-】명 좀 모자라는 사람을 업신여겨 이르는 말.

팔품【八品】명 《역》 관계(官階)의 여덟 째. 정·종(正從)의 구별이 있음.

팔풍【八風】명 팔방(八方)의 바람. 곧, 동북 염풍(炎風)·동방 조풍(條風)·동남 혜풍(惠風)·남방 거풍(巨風)·서남 양풍(涼風)·서방 유풍(飂風)·서북 여풍(麗風)·북방 한풍(寒風).

〈팔풍기〉

팔풍-기【八風旗】명 《역》 의장기(儀仗旗)의 한 가지.

팔풍-받이【八風-】[-바지] 명 사방으로 바람을 받는 곳. ¶제가 ~에 앉아 있는 청상의 신세라 하여 흰소리로 대꾸를 하시는 것입니까?《金周榮: 客主》.

팔-학사【八學士】명 《역》 조선 시대 예문관(藝文館)의 봉교(奉教)·대교(待教) 각 두 사람과 검열(檢閱) 네 사람을 합하여 이르는 말.

팔한【八寒】명 《불교》 ↗팔한 지옥(八寒地獄).

팔한 지옥【八寒地獄】명 《불교》 여덟 가지의 몹시 추운 지옥. 곧, 알부타(頞部陀)·이라부타(尼剌部陀)·알찰타(頞哳陀)·확확파(臛臛婆)·호호파(虎虎婆)·울발라(嗢鉢羅)·발특마(鉢特摩)·마하 발특마(摩訶鉢特摩). ㉦팔한(八寒).

팔한 팔열【八寒八熱】명 팔한 지옥과 팔열 지옥.

팔행-시【八行詩】명 여덟 줄로 된 시.

팔형【八刑】명 중국 주대(周代)의 여덟 가지 형벌. 곧, 불효(不孝)·불목(不睦)·불인(不姻)(혼인하지 않음)·불임(不姙)(아이를 배지 않음)·부제(不弟)(형제간에 우애 없음)·불휼(不恤)·조언(造言)·난민(亂民)에 대한 형벌.

팔황【八荒】명 팔굉(八紘).

팔-회목 명 팔의 회목.

팜 반 동 [Pham Van Dong] 명 《사람》 베트남의 정치가. 제2차 대전 전부터 공산주의 운동에 참가, 전시 중에 베트민 창설자의 한 사람이 됨. 북베트남 외상·제네바 회담 대표를 역임하고 1955년 이래 수상으로 있다가 87년에 수상 사임. [1906-]

팜:-볼: [palm+ball] 명 야구에서, 투수의 투구법의 하나. 손바닥에 볼을 붙이고, 엄지손가락과 새끼손가락으로 볼을 누르면서 앞으로 밀어내듯이 던지는 것으로, 타자(打者)의 바로 앞에서 불규칙한 곡선을 그리게 됨.

팜:-비:치 [Palm Beach] 명 《지》 미국 플로리다 주 남동부 대서양안(大西洋岸)의 소도시. 플로리다 반도와 좁다란 개펄을 사이에 두고 대하는 보초(堡礁) 위의 팜비치와 본토 쪽의 웨스트팜비치로 나뉨. 19세기 이후 피한지(避寒地)·보양지(保養地)로서 발달함. [팜비치 11,340명(1986), 웨스트팜비치 67,613명(1984)]

팜: 시스템 [farm system] 명 미국 프로 야구에서, 메이저 리그(major league)에 소속된 팀이, 마이너(minor) 리그에 소속된 팀 구단(球團)과 자금적(資金的) 계열 관계를 갖고 그 팀, 곧 팜 팀에 자기 팀의 선수를 일정 기간 위탁하거나, 그 팀에서 우수한 선수를 발탁하여 보강(補強)하는 제도.

팜:-유【-油】명 [palm oil] 종려유(棕櫚油).

팜: 팀: [farm team] 명 프로 야구의 제이군(第二軍). 제일군 선수(第一軍選手)를 양성(養成)하기 위한 팀(team). *팜 시스템.

팜파스 [pampas] 명 《지》 남미 중부의 온대 초원(草原). 주로 아르헨티나의 중동부를 차지하는 라플라타 강(La Plata 江)·우루과이 강의 유역으로, 해발 150 m 이하의 평탄한 저지(低地)임. 토양이 비옥하고 소·양의 방목(放牧)이 성하며 밀의 산출이 많음. *스텝. [600,000 km²]

팜플렛 [pamphlet] 명 ☞팸플릿.

팜플로나 [Pamplona] 명 《지》 스페인 북부의 도시. 제당·포도주·피혁 공업 외에 구리·납의 제련이 성함. 14세기에 지은 성당과 대학이 있음. [184,340명(1986)]

팝 뮤:직 [미 pop music] 명 《악》 포퓰러 뮤직.

팝 송 [미 pop song] 명 《악》 ↗포퓰러 송(popular song).

팝스 [미 pops] 명 《악》 포퓰러 송(popular song).

팝스트 [Pabst, Georg Wilhelm] 명 《사람》 오스트리아의 영화 감독. 신즉물주의(新卽物主義) 영화 ≪삼류(三類) 오페라≫ 등으로 세계적 명성을 얻음. 사회주의적 경향을 띰. [1885-1967]

팝 아:트 [pop art] 명 미국에서 일어난 전위(前衛) 예술 운동의 하나. 상업 미술·만화·포스터 등을 소재로 한, 회화(繪畫)·조각 분야의 운동.

팝 재즈 [미 pop jazz] 명 《악》 누구나 이해하기 쉬운 대중적인 재즈. 로큰롤·무드 재즈 따위. ↔모던 재즈.

팝-콘: [미 popcorn] 명 튀긴 옥수수에 짭짤하게 간을 한 식품(食品).

팟 명 〈방〉 팥(경기·전북·제주).

팟-국 명 맑은 장국에다 파와 약간의 콩나물을 넣고 고추장을 약간 풀어서 끓인 국. 총탕(葱湯).

팟-종 명 파의 종.

팟치 명 〈방〉 팥(함북).

팡 부 갑자기 되바라지게 터지거나 튀는 소리. ¶~하고 터지다. ㅆ빵. <펑. ——-하다 자여불

팡가-티다 타 〈방〉 팽개치다(평안).

팡개 명 돌멩이나 흙덩어리를 찍어서 멀리 던지어 새를 날리는 데에 쓰는 대 토막. 그 한 끝을 네 갈래로 짜개어서 흙을 찍어 집도록 되었음.

팡개-질 명 팡개로 돌멩이나 흙덩이를 찍어서 던지는 짓. ¶~하여 새를 쫓다. ——-하다 자여불

팡개-치다 타 →팽개치다.

팡구 명 〈방〉 바위(평북).

팡당 부 작고 무거운 물건이 얕은 물 속에 떨어져서 되바라지게 나는 소리. <펑덩. ——-하다 자타여불

팡당-거리다 자타 계속하여 팡당 소리가 나다. 또, 계속하여 팡당 소리를 나게 하다. <펑덩거리다. 팡당-팡당 부. ——-하다 자타여불

팡당-대다 자타 팡당거리다.

팡당-이다 자타 작으나 묵직한 물건이 얕은 물에 떨어지며 소리가 나다. 또, 나게 하다. <펑덩이다.

팡석 명 〈방〉 방석(함남).

팡세 [프 Pensées] 명 《책》 프랑스의 종교 사상가 파스칼의 유저(遺著). 그가 만년(晩年)에 써 모은 단편적(斷片的)인 노트(note)를 사후(死後) 그의 친구들이 편집하여 1670년에 출판하였음. 내용은 인간학적(人間學的) 부분과 신학적(神學的) 부분으로 대별됨. 명상록(瞑想錄).

팡숑 [프 pension] 명 식사를 제공하는 숙박 시설. 부업적(副業的)으로 경영하는 것을 이름.

팡에 명 〈방〉 《식》 파[1]❷(함남).

팡이[1] 명 《식》 민꽃식물의 한 가지. 버섯·곰팡이 따위. 잎파랑이가 없고 기생함.

팡이[2] 명 〈방〉 《식》 파[1]❷(평북).

팡이-갓 명 《식》 균산(菌傘).

팡이-무리 명 《식》 균류(菌類).

팡이-실 명 《식》 균사(菌絲).

팡이-자루 명 《식》 균병(菌柄).

팡-치다 타 〈방〉 훼방하다.

팡타그뤼엘 [프 Pantagruel] 명 《책》 프랑수아 라블레(François Rabelais)의 장편 소설. 1532-64년 간(刊). 거인국(巨人國)의 왕 가르강튀아(Gargantua)의 아들 팡타그뤼엘의 모험을 주제로 한 것으로 전(全) 5권 중 제2권임. '가르강튀아의 이야기'와 쌍서(雙書)의 형식을 취했음.

팡타-쿠르 [프 panta-court] 명 길이가 짧은 팡탈롱. 길이는 무릎에서 복사뼈 위 사이로 일정치 않음. 1970년경에 팡탈롱의 변형으로 출현(出現)했음.

팡탈롱 [프 pantalon] 명 판탈롱.

팡탱-라투르 [Fantin-Latour, Henri] 명 《사람》 프랑스의 화가. 쿠르베의 영향을 받아 사실적(寫實的)인 초상화와 꽃그림을 잘 그렸음. 대표작에 ≪보들레르송(頌)≫ 등이 있음. [1836-1904]

팡파:르 [프 fanfare] 명 《악》 ①삼화음(三和音)의 음만을 사용한 트럼펫의 신호(信號). ②북과 금관 악기(金管樂器)를 위하여 작곡된 짧고 활발한 악곡.

팡파-지다 형 동그스름하고 옆으로 퍼지다. <펑퍼지다.

팡파짐-하다 형여불 볼록하게 가로 퍼지다. <펑퍼짐하다.

팡-팡 (부) ①눈이나 물 같은 것이 세차게 쏟아지거나 솟는 모양. ②여러 번 계속하여 나는 거센 총소리. 1)·2):<펑펑. ——-하다 (자)(여불)
팡팡-거리다 (자)(타) ①연해 팡팡하는 소리가 나다. 또, 연해 팡팡 소리를 나게 하다. ②팡팡하고 쏟아지다. ③작은 물건이 얕은 물 속으로 자꾸 떨어져 들어 가다. ④재산을 헤프게 자꾸 쓰다. 1)-4):<펑펑거리다.
팡팡-대다 (자)(타) 팡팡거리다.
팥 (명)〖식〗[*Phaseolus ganularis*] 콩과에 속하는 일년초. 높이 30-60 cm. 잎은 호생하며 삼출 복엽(三出複葉)이고 소엽(小葉)은 난상(卵狀) 타원형으로 끝이 뾰족함. 여름에 노란 꽃이 엽액(葉腋)에서 피고, 긴 원통형 꼬투리에 4-15개의 적갈색·흑색·회백색·담황색 등의 씨가 들어 있음. 동양 원산(原產)으로 중국·한국·일본 등지에서 널리 재배함. 종자를 '팥'이라 하는데, 탄수화물·단백질을 함유하는 유용한 잡곡임. 소두(小豆).
[팥으로 메주를 쑨대도 곧이 듣는다; 팥을 콩이라 해도 곧이 듣는다] 지나치게 남을 믿는 사람을 조롱하는 말.
[팥이 풀어져도 솥안에 있다] 손해를 본 듯하나 기실 손해 본 게 없다는 말.

〈팥〉

팥-가루 (명) 팥을 삶아서 만든 가루.
팥-고물 (명) 팥을 삶아 약간 으깨어 만든 고물. 떡에 묻히는 데 씀.
팥-고추장【—醬】(명) 콩과 팥을 함께 삶아서 찧은 다음 흰무리를 섞어 버무리어 작은 덩이로 만든 메주의 가루로 담근 고추장.
팥-꼬투리 (명) 알갱이가 든 팥의 열매.
팥-꽃 (명) 팥의 꽃. 약으로 씀. 소두화(小豆花).
팥꽃-나무 (명)〖식〗[*Daphne genkwa*] 팥꽃나뭇과에 속하는 관목. 높이 1 m 내외이고 잎은 대생하며 피침형이고 털이 밀생함. 4월에 담자색의 긴 산형상(繖形狀) 수상화(穗狀花)가 정생(頂生)하는데 화개(花蓋)는 통상(筒狀)이고 장과(漿果)는 가을에 익음. 꽃봉오리를 말린 것을 '완화(芫花)'라 하여 한방(韓方)에서 약재(藥材)로 씀. 해변이나 들·산지에 나는데 전남·황해 및 일본·대만·중국에 분포함. 관상용(觀賞用)으로 가꿈.

〈팥꽃나무〉

팥꽃나뭇-과【—科】(명)〖식〗[Daphnaceae] 쌍자엽(雙子葉) 식물 이판화류(離瓣花類)에 속하는 한 과. 전세계에 460여 종, 한국에는 백서향(白瑞香)·팥꽃나무·삼지닥나무 등이 있음. 서향과(瑞香科).
팥-노굿 (명) 팥의 꽃.
팥노굿 일:다 [—닐—] (구) 팥의 꽃이 피다.
팥-눈 (명) 팥알의 겉에 하얀 점이 박힌 자리. 이것이 곧 배아(胚芽)임.
팥-단자【—團子】(명) 붉은 팥 가루를 묻힌 단자.
팥-닭 [—닥] (명)〖조〗흰눈썹뜸부기.
팥-대우 (명)〖농〗팥을 심은 대우.
팥대우(를) 파다 (구) 이른 봄에, 보리나 밀을 심은 밭이랑에 드문드문 호미로 파서, 팥을 심다.
팥두-변【—豆邊】(명) 한자 부수(部首)의 하나. '豐'이나 '豌' 등의 '豆'의 이름.
팥-떡 (명) 팥고물을 묻히어 만든 떡. 시루에 떡을 안칠 때 켜마다 팥고물을 뿌리어서 찜. 적두병(赤豆餠).
팥-망아지 (명)〖충〗나비나 나방의 유충(幼蟲) 중에서, 자벌레·배추벌레 및 털 있는 벌레 이외의 모든 유충의 속칭. 몸은 원통(圓筒) 모양이며, 초록색에, 거의 털이 없음. 봄과 여름의 콩·팥·토란 등의 잎을 먹음. 콩망아지.

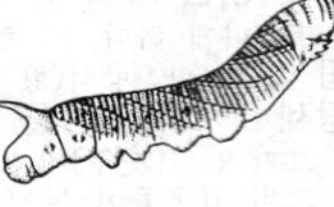
〈팥망아지〉

팥-매 (명) 팥을 타는 커다란 맷돌.
팥-물 (명) 팥을 삶아 짜서 거른 물. 팥죽 쑤는 데 쓰임.
팥물-밥 (명) 붉은 팥을 삶은 물에 쌀을 안쳐 지은 밥.
팥-밥 (명) 팥을 놓아서 지은 밥. 적두반(赤豆飯).
팥배 (명) 팥배나무의 열매. 당리(棠梨). 감당(甘棠).
팥배-나무 (명)〖식〗[*Sorbus alnifolia*] 장미과에 속하는 낙엽 활엽 교목. 높이는 10 m 가량이고, 흑갈색에 회백색의 점이 있으며 잎은 호생하고 거의 달걀꼴 또는 타원형이고 굵은 톱니가 있음. 4-5월에 흰 꽃이 방상(房狀) 화서로 피고, 이과(梨果)는 10월에 익음. 산지에 나는데, 한국 및 일본·만주에 분포함. 목재는 기구재·신탄재(薪炭材), 과실은 식용함. 감당(甘棠).

〈팥배나무〉

팥-비누 (명) 팥을 껍질을 벗기고 만든 가루. 비누 대신 씀.
팥-소 (명) 팥을 삶아 만든 떡 속에 넣는 소. 적두함(赤豆餡).
팥-수라【—水剌】(명)〈궁중〉팥밥. ↔흰수라.
팥-알 [팓—] (명) 팥의 낱개의 알.
팥-애기자운【—紫雲】[팓—] (명)〖식〗[*Gueldenstaedtia longicarpa*] 콩과에 속하는 다년초. 뿌리는 굵고 줄기는 짧아서 거의 무경(無莖)이며, 잎은 뿌리에서 족생(簇生)하고 길이 15cm 이내의 장병(長柄)에 기수 우상 복생(奇數羽狀複生)하며 5-10쌍의 소엽(小葉)은 타원형임. 5월에 노란 꽃이 10cm 내외의 화경(花莖) 끝에 피고, 과실은 협과(莢果)임. 산지에 나는데, 황해도에 분포함.
팥-잎 [—닙] (명) 팥의 잎. 소두엽(小豆葉).
팥잎-국 [—닙—] (명) 팥잎에 콩가루를 묻히어서 토장(土醬)에 끓인 국.
팥잎 댕기 [—닙—] (명) 댕기 종류의 하나. 가장자리가 팥잎처럼 말린다는 데서 붙여진 이름. 옛날 궁중의 무수리나 세수간 나인들이 드렸음.
팥잎-죽【—粥】[—닙—] (명) 보드라운 팥잎을 넣고 쑨 죽.
팥-장【—醬】(명) 팥과 밀가루로 메주를 만들어 담근 장. 소두장(小豆醬).
팥-죽【—粥】(명) 팥을 물을 많이 붓고 삶아, 체에 으깨어 밭이어서 솥에 넣고 쌀을 넣어서 쑨 죽. 두죽(豆粥)❷.
팥죽 동옷【—粥—】(명) 어린 아이들의 동지빔으로 입는 자줏빛 또는 보랏빛의 동옷.
팥죽-할멈【—粥—】(명)〈속〉[본디, '합죽할미'의 잘못] 팥죽 같은 유동식(流動食)이나 먹을, 이가 다 빠진 노파를 익살스럽게 일컫는 말.
팥-중이 (명)〖충〗[*Oedaleus infernalis*] 메뚜깃과에 속하는 곤충. 몸길이가 날개 끝까지 32-45 mm이고 몸빛은 갈색인데 전흉배(前胸背)의 융기선(隆起線)은 높지 않으며, 중앙에 'X'자의 담색(淡色) 무늬가 있고 앞 날개는 흑갈색이며 몇 개의 회황색 무늬가 있음. 한국에도 분포함. *콩중이.
팥-청미래【—靑—】(명)〖식〗[*Smilax japonica*] 청미랫과에 속하는 낙엽 활엽 만목(蔓木). 줄기에 가시가 있고, 잎은 달걀꼴 또는 넓은 타원형이며 세 개의 엽맥(葉脈)이 있고 덩굴손이 있음. 자웅 이가(雌雄二家)로, 첫여름에 꽃이 산형(繖形) 화서로 피고, 장과(漿果)는 8월에 적색으로 익음. 산록 양지(山麓陽地)에 나는데, 드물게 전남·경남 및 일본에 분포(分布)함. 어린 싹과 과실(果實)은 식용(食用)함.

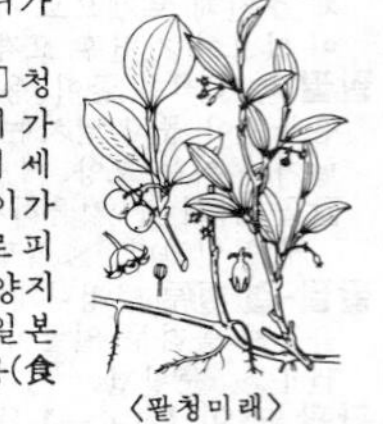
〈팥청미래〉

팥-편 (명) 붉은 팥을 삶아 체에 으깨어 걸러서 찌끼는 버리고 물만 가라앉히어 웃물을 따르고 밀가루를 넣어 꿀을 치고 익힌 음식.
패[1] (명)〈방〉폐(경북).
패[2] (명)〈방〉〖식〗파[1]❷(전남·경상).
패[3]【牌】(명) ①어떤 사물의 특징·이름·성분 기타를 알리기 위하여 그림이나 글씨를 그리거나 쓰거나 새긴 자그마한 종이나 나뭇 조각. ②동아리나 무리. ¶젊은 ~. ③간판(看板). ④어떤 표적으로 만든 금속붙이. ⑤〈방〉표(票)(전라·제주·평남).
패:[4]【霸】(명) ①남을 교묘하게 속이는 꾀. 「우리가 ~를 모르고 학춤을 춘 것일세《金周榮 : 客主》. ②바둑에서, 서로 한 수씩 걸러 가면서 잡고자 하는 한 집.
패:에 떨어졌다 (구) 남의 암계(暗計)에 넘어갔다는 말.
패가[1]【珮珂】(명) 옥(玉)으로 만든 띠.
패:가[2]【敗家】(명) 가산(家產)을 탕진하여 없앰. ——-하다 (자)(여불)
패:가 망신【敗家亡身】(명) 가산(家產)을 탕진하고 몸을 망침. 인망 가폐(人亡家廢). ——-하다 (자)(여불)
패:가 자제【敗家子弟】(명) 가산을 탕진한 자제.
패:각【貝殼】(명) 조가비. *개각(介殼).
패:각-분【貝殼粉】(명) 조가비를 빻은 가루. 사료로 씀. 패분(貝粉).
패:각-선【貝殼腺】(명) 대부분의 연체(軟體) 동물의 유생(幼生)에서, 발생(發生) 때에 패각을 분비하는 선(腺).
패:각-암【貝殼岩】(명) 코키너(coquina).
패:각 추방【貝殼追放】(명)〖역〗'오스트라시즘(ostracism)'의 오역(誤譯). 지금은 '도편 추방(陶片追放)'으로 고쳐짐.
패:각-충【貝殼蟲】(명)〖충〗개각충(介殼蟲).
패:갑【貝甲】(명) 조개의 껍데기. 패각(貝殼). 갑(甲).
패:강【浿江】(명)〖지〗패수(浿水)❷.
패:강진-전【浿江鎭典】(명)〖역〗신라의 관아. 대동강(大同江) 하류(下流) 남쪽 연안(沿岸)의 지방을 다스렸음.
패-거리【牌—】(명) 그 패에 속하는 동아리 전체.
패:검[1]【佩劍】(명) 차는 칼 또는 칼을 참. 대검(帶劍). 대도(帶刀). 패도(佩刀). ——-하다 (타)(여불)
패:검[2]【佩劍】(명)〖건〗찰쇠.
패:고【敗鼓】(명) 못쓰게 된 북. 부서진 북.
패:공【霸功】(명) 패자(霸者)가 된 공로.
패:관【稗官】(명) ①〖역〗옛날에 임금이 민간의 풍속이나 정사(政事)를 살피기 위하여 가설 항담(街說巷談)을 모아 기록시키던 벼슬아치. ②이야기를 짓는 사람. ③↗패관 소설(稗官小說).
패:관 기서【稗官奇書】(명)〖문〗패관 문학.
패:관 문학【稗官文學】(명)〖문〗패관이 채집한 가설 항담(街說巷談)에, 자연히 패관의 창의성과 윤색(潤色)까지 가미되어 일종의 문학 형태를 갖추게 된 것. 이제현(李齊賢)의 《역옹 패설(櫟翁稗說)》이나 《죽부인전(竹夫人傳)》·《국순전(麴醇傳)》 등은 다 패관 문학의 대표적인 것으로, 근대 소설의 기원에 심대한 의의를 가졌음.
패:관 소:설【稗官小說】(명)〖문〗①민간의 가설 항담(街說巷談) 등을 주제로 한 소설. ②패관 문학이라고 불리는 일련(一連)의 이야기조의 작품들. (준)패관(稗官)·패설(稗說).
패:관 잡기【稗官雜記】(명)〖책〗조선 중종(中宗) 때의 문인(文人) 어숙권(魚叔權)의 필기류(筆記類). 정사(政事)·인물·풍속·일화(逸話)·시화(詩話)·민속(民俗)·문물 제도 등을 기록한 책. 《대동 야승(大東野乘)》에 수록되어 있음. 4권.
패:괴[1]【悖乖】(명) 패려(悖戾)궂고 도리에 어그러짐. ¶더욱 ~하여 다른 신들을 좇아 섬겨《구약 사사기 Ⅱ : 19》. ——-하다 (형)(여불)
패:괴[2]【敗壞】(명) 부서지고 무너짐. 또, 무너뜨림. ——-하다 (자)(타)(여불)
패:국【敗局】(명) 쇠폐(衰弊)한 정국(政局)이나 국면(局面).
패:군【敗軍】(명) 싸움에 진 군사.
패:군지-장【敗軍之將】(명) 싸움에 진 장수. (준)패장(敗將).
[패군지장은 병법을 말하지 않는다] 실패를 한 자는 그 일에 대하여 다시는 구구히 변명할 필요가 없다는 말.

패:권【覇權】[—꿘] 명 ①패자의 권력. 곧, 수령(首領)이나 승자(勝者)가 가지는 권력. ¶～을 다투다. ②국제 정치에서, 어떤 지역 또는 세계에서 어떤 국가가 무력이나 다른 힘으로 남의 나라를 지배하는 경우에 그 우월적인 지위 혹은 권력. ¶～ 반대 조항(條項).

패:권-주의【覇權主義】[—꿘—/—꿘—이] 명 〖정〗 세계의 패권을 장악하려는 제국주의(帝國主義).

패:근【敗根】 명 〖불교〗 성문(聲聞)·연각(緣覺)의 이승(二乘). 성불(成佛)할 만한 근본이 없어졌기 때문에, 불과 증득(佛果證得)의 인종(因種)이 없으므로 초목의 뿌리에 비유한 말. 패종(敗種).

패:-금철【佩金鐵】 명 〖건〗 찰쇠.

패기[1] 명 〈방〉 〖식〗 팥(함경).

패기[2] 명 〈방〉 포기[1](경상).

패:기[3]【覇氣】 명 ①패권을 잡으려는 기상. ②패자의 늠름한 기상. ③야심(野心).

패:기 만:만【覇氣滿滿】 명 패기가 가득함. ——-하다 형여불

패:기 발발【覇氣勃勃】 명 ①성격이 진취적(進取的)이고 패기가 한창 일어나는 모양. ②모험이나 투기(投機)를 좋아하는 마음이나 어떤 사업에 대한 야심이 불 일듯 하는 모양. ——-하다 형여불

패끈 부 〈방〉 파뜩.

패끼 명 〈방〉 팥(함경·황해).

패:-나다【覇—】 자 바둑을 둘 때에 패가 생기다.

패-내다 타 〈방〉 파내다.

패널〔panel〕 명 ①〖건〗 벽널 따위의 널빤지. ②〖미술〗 화포(畫布) 대용의 화판(畫板). 또, 화판에 그린 그림. 패널화. ③〖건〗 콘크리트를 붓는 형틀. 거푸집. ④스커트 등에 딴 천을 써서 세로로 넣은 직사각형의 장식. ⑤〖법〗 배심원. 배심원 명부. ⑥건축 재료로서 치수를 갖추어 만든 베니야판. 프린트 합판 따위.

패널 건:축【—建築】〔panel system building〕 새로운 조립 주택으로, 경량 철골(輕量鐵骨)이나 플라스틱 등의 새로운 건재(建材)를 사용하거나 벽판(壁板)을 사용하여 조립하는 건축물.

패널 기법【—技法】[—뻡] 명 〔panel technique〕 일단(一團)의 그룹에 속하는 사람들로부터 판매에 관한 정보를 연속적으로 수집하는 기법. 정보 제공자 그룹을 '패널'이라고 함. 결점은 운영에 비용과 노력이 많이 소요되는 점임. 패널 조사.

패널 디스커션〔panel discussion〕 명 토의하는 문제에 관해 보통 4-6인 가량의 대립되는 의견의 대표자가 청중(聽衆) 앞에서 논의하는 일. 좌담식 공개 토의(座談式公開討議). 배심 토의(陪審討議).

패널라이트〔Panelite〕 명 멜라민계 수지(melamine系樹脂)를 주체로 한 합성 수지판(樹脂板)의 상품명. 열에 약하고 상처가 나기 쉬우므로, 테이블 판(板) 등에 쓰임. *데콜라(Decola).

패널 라이팅〔panel lighting〕 명 패널 조명(照明).

패널리스트〔panelist〕 명 패널 디스커션의 참석자.

패널 쇼:〔panel show〕 명 특정한 일단(一團)의 사람으로 행하는 퀴즈쇼(quiz show).

패널 스커:트〔panel skirt〕 명 장식으로, 딴 천을 댄, 슬림 스커트(slim skirt).

패널 조:명【—照明】〔panel〕 명 천장에 패널을 깔아 면광원(面光源)을 만드는 조명 방식. 보통, 젖빛 유리 등의 패널을 사용, 그 위에서 형광등으로 조명함. 패널 라이팅(panel lighting).

패널 조사【—調査】 명 〔panel survey〕 통계적으로 충분한 정보(情報)를 얻을 목적으로 한 시점(時點)만의 조사에 그치지 않고, 일정수의 조사 대상(對象)을 선정, 연속적으로 하는 조사. * 패널 기법.

패널 테크닉〔panel technique〕 명 여론 조사의 결과를 정확히 하고, 예상(豫想)을 가능하게 하기 위해 어떤 기간 중 면접(面接)을 되풀이하여 그 사이의 의견의 변화를 살피는 방법.

패널 판지【—板紙】 명 〔panel board〕 경질(硬質)의 치밀한 압축지(壓縮紙). 캐비닛의 측면이나 벽재(壁材)로 사용함.

패널-화【—畫】〔panel〕 명 〖미술〗 판자에 그린 그림. 패널❷.

패널 히:터〔panel heater〕 명 난방 기구의 일종. 강판(鋼板)으로 만든 패널 가운데에 기름을 밀폐시키고, 전기를 통해서 기름을 덥혀 패널면으로 열을 발열하게 함.

패널 히:팅〔panel heating〕 명 바닥·벽·천장 등에 온수관(溫水管) 또는 전열선(電熱線)을 묻어서, 그 복사열로 방 안을 따뜻하게 하는 난방(暖房). 복사 난방(輻射暖房).

패:녀【悖女】 명 막되어 먹은 여자, 또는 딸.

패닉〔panic〕 명 〖경〗 공황(恐慌). *판[8].

패닝〔panning〕 명 〖광〗 모래 가운데의 무거운 금속을 선별(選別)하는 방법. 모래를 주발 같은 그릇에 담고 물을 넣고 흔들어서 모래를 바깥으로 내보내어 금속을 남게 함.

패닝 섬〔Fanning〕 명 〖지〗 '타부아에란 섬'의 구칭.

패다[1] 자 ①곡식의 이삭이 나오다. ②변성기(變聲期)가 되면서 소년의 목소리가 어른의 목소리처럼 웅숭깊게 되다. ¶열다섯이면 목소리가 팬다. ③소년의 성기(性器)가 성숙하여 귀두(龜頭)가 밖으로 나오다.
[패는 곡식 이삭 뽑기] 매우 심술이 사납다는 말. ¶심술부가 한 번만 뒤집히면 심사를 피우는데 썩 야단스럽게 피웠다. 술 잘 먹고 욕 잘 하고……오려논에 물 터놓기 잦힌 밥에 흙 퍼붓기 패는 곡식 이삭 빼기 논두렁에 구멍 뚫기 ≪興夫傳≫.

패다[2] 타 사정없이 마구 때리다.

패:다[3] 타 [중세 : 픠다] 도끼로 장작 등을 쪼개다.

패다[4] 타 〈방〉 펴다(경남).

패:다[5] ㊀ 피동 팜을 당하다. 패어지다. ㊁ 사동 파게 하다.

패:다라-엽【貝多羅葉】 명 〖불교〗 〔패다라는 범어 pattra의 역어(譯語)로 잎의 뜻〕 옛날에 인도에서 철필(鐵筆)로 경문(經文)을 새기던 다라수(多羅樹)의 잎. 종려(棕櫚)의 잎사귀와 비슷하여 두껍고 단단함. 패엽(貝葉). 패서(貝書). 다라엽.

패:담【悖談·誖談】 명 사리(事理)에 어그러지는 말. 패설(悖說). ——-하다 자여불

패대기-치다 타 사납고 빠른 동작으로 내동댕이 치다. ¶놈의 멱살을 틀어잡고 냅다 패대기쳤다.

패:덕[1]【悖德】 명 ①도덕과 의리에 어그러짐. ②정도(正道)에서 벗어난 행위. ¶～한(漢). ——-하다 자여불

패:덕[2]【敗德】 명 도덕과 의리를 그르침. 인도(人道)를 등짐. ——-하다 「자여불

패덕[3]〔paddock〕 명 〖경마〗 레이스에 앞서, 출장마(出場馬)를 팬들에게 선보이는 장소.

패:덕-광【悖德狂】 명 도덕과 의리에 어그러지는 일만 하는 광적(狂的)인 사람.

패:덕-적【悖德的】 명관 도덕과 의리에 어그러지는 모양. ¶～인 행위.

패:덕-주의【悖德主義】[—/—이] 명 줄곧 도리에 어그러진 짓을 하는 주의.

패덤〔fathom〕 의명 깊이를 나타내는 단위. 주로, 바다의 깊이를 재는 데 쓰임. 1 패덤은 약 1.83 m.

패:도[1]【佩刀】 명 ①패검[1](佩劍). ②노리개에 차는 장도(粧刀). *낭도(囊刀).

패:도[2]【覇道】 명 인의(仁義)를 무시하고 무력이나 권모(權謀)로써 공리(功利)를 오로지하는 일. ↔왕도(王道).

패:독-산【敗毒散】 명 〖한의〗 감기와 몸살을 푸는 약. 여러 가지 처방법이 있음.
[패독산에 신검초] 빠져서는 안될, 꼭 필요한 물건이라는 뜻.

패:동[1]【貝東】 명 〖사람〗 최한기(崔漢綺)의 호(號).

패:동[2]【敗洞】 명 쇠폐(衰廢)해 버린 동네.

패:-동개【佩—】 명 허리에 동개를 참. ——-하다 자여불

패두【牌頭】 명 ①인부(人夫) 열 사람의 두목. 패장(牌將). ②〖역〗 죄인의 볼기를 치던 형조(刑曹)의 사령(使令).

패둥-패둥 부 나이 든 사람이 통통하게 살이 찌고 피부에 탄력이 있어 기운차 보이는 모양. <피둥피둥❶. ——-하다 형여불

패드〔pad〕 명 ①양복 따위의 어깨에 넣는 심. ②여성이 육체미를 돋보이기 위해 신체 일부에 대는 물건. 히프 패드·바스트 패드 따위. ③스탬프 잉크를 머금게 하여 쓰는 대(臺). 스탬프 패드. ④흡습성(吸濕性)의 생리 용구(生理用具)의 하나.

패들〔paddle〕 명 카누를 저을 때 쓰는 국자 모양의 노.

패들링〔paddling〕 명 ①카누에서, 배가 나아가는 방향으로 향해 패들을 저어 가는 일. ②보트에서, 폼(form)에 주의를 하며 힘을 세게 넣지 않고 노를 젓는 일. ③서핑에서, 앞바다를 향해 나아갈 때 양손으로 물을 저어 널빤지를 전진시키는 일.

패들-법【—法】〔paddle〕[—뻡] 명 〖공〗 반사로(反射爐) 중에서 선철(銑鐵)을 가열하여 연철(鍊鐵)을 얻는 방법. 전로(轉爐)·평로(平爐)가 출현하면서 쓰이지 않게 됨.

패들 테니스〔paddle tennis〕 명 대형의 탁구채로 스폰지 공을 치는, 새로운 구기(球技). 룰은 테니스와 같고, 코트는 테니스의 4분의 1임.

패때기 명 〈방〉 표(票)(전남). 「다.

패-떼다【牌—】 자 골패·투전·화투 따위를 가지고 패(牌)를 맞추어 떼

패뜩-패뜩 부 ☞ 빼쭉빼쭉[1].

패:란【悖亂】 명 모반(謀叛)을 일으킴.

패래다[1] 자 〈방〉 여위다(강원·충북).

패래다[2] 형 〈방〉 파리하다.

패래지다 자 〈방〉 여위다(강원).

패랙 명 〈방〉 벼룩(경남).

패랭이 명 ①〖역〗 댓개비로 엮어 만든 갓의 한 가지. 역졸(驛卒)·보부상(褓負商) 등 천인(賤人)이나 상인(喪人)이 썼음. 평량립(平凉笠). 평량자(平凉子). 폐양자(蔽陽子). ②〖식〗 ↗패랭이꽃.

〈패랭이❶〉

[패랭이에 숟가락 꽂고 산다] 가난하여 살림이 몹시 보잘것 없다는 말.

패랭이-고누 명 아(亞)자 모양의 말밭에, 각각 여섯 개의 말을 놓고 노는 고누의 한 가지. *열두밭고누.

패랭이-꽃 명 ①너도개미자릿과에 속하는 각시패랭이꽃·난쟁이패랭이꽃·술패랭이꽃·장백패랭이꽃 등의 총칭. ②〖식〗 [*Dianthus sinensis*] 너도개미자릿과에 속하는 다년초. 전체가 분록색(粉綠色)을 띠며 줄기는 총생(叢生)하고 높이는 30 cm 내외이고, 잎은 대생하며 선형 또는 피침형임. 6-8월에 홍백색의 꽃이 줄기 위 가지 끝에 하나씩 또는 다소 족생(簇生)하여 피고, 과실은 삭과(蒴果)임. 들에 나는데 한국 각지에 분포함. 관상용이고, 꽃은 '구맥(瞿麥)'이라 하여 전초(全草)와 함께 약재로 씀. 석죽(石竹). 천국(天菊). 준패랭이. ③패랭이꽃의 꽃. 석죽화(石竹花).

〈패랭이꽃❷〉

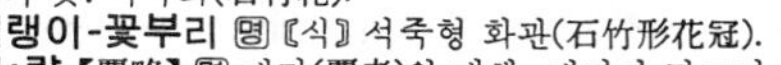

패랭이-꽃부리 명 〖식〗 석죽형 화관(石竹形花冠).

패:략【覇略】 명 패자(覇者)의 계책. 패자가 되고자 하는 계책.

패러그래프〔paragraph〕 명 ①문장의 절(節)·단락(段落). 항(項). ②신문 등의 소기사(小記事).

패러글라이더〔paraglider〕 명 낙하산과 행글라이더를 혼합한 스포츠. 낙하산으로는 조작성을 지닌 방형산(方形傘)을 씀. 산의 사면(斜面)을

달려 내려가다가 이륙하여 활강함.

패러다임 〔paradigm〕 명 미국의 쿤(Kuhn, Thomas)이 그의 저서 ≪과학 혁명의 구조≫에서 제시한 개념. '어떤 영역의 전문적 과학자 집단을 지배하며, 그 구성원에 의해 공유되고 있는 문제 제시와 해결법의 총체'를 뜻함. 이런 뜻에서의 패러다임이 고정화되면 과학 그 자체가 벽에 부딪치게 되므로 패러다임의 전환이 요구됨.

패러데이 〔Faraday, Michael〕 명 〖사람〗 영국의 물리학자·화학자. 1813년 왕립 연구소의 데이비(Davy)의 조수(助手)로 화학 연구에 몰두하여, 염소(塩素)의 액화, 철의 합금 및 벤젠등(benzene 燈)을 발견하고, 또 전자기(電磁氣)의 실험에 종사하여 전자 유도(電磁誘導)의 법칙을 발견하고, 1833년 전기 분해(電氣分解)에 관한 '패러데이의 법칙'을 발견하였음. 이외 진공 방전(眞空放電)·반자성(反磁性) 물질의 발견 등 업적이 크며, 이 모두가 그의 연구 일지인 ≪전기학의 실험적 연구≫에 실려 있음. [1791-1867]

패러데이 상수【一常數】명 〔Faraday constant〕〖물〗 전기 분해에 의하여, 1그램 당량(當量)의 원소 또는 이온을 석출(析出)하는 데 요하는 전기량. 96,500 쿨롱(coulomb). *패러데이의 전기 분해 법칙.

패러데이의 법칙【一法則】〔一/一에一〕〔Faraday〕 명 〖물〗 ↗패러데이의 전기 분해 법칙.

패러데이의 전:기 분해 법칙【一電氣分解法則】〔一/一에一〕 명 〔Faraday's law of electrolysis〕〖물〗 패러데이가 1833년에 발견한 법칙. 곧, 전해질 용액을 전기 분해할 때 석출(析出)된 물질의 양은 통과한 전기량에 비례하고, 1화학 당량의 원소 또는 원자단을 석출하는 데 요하는 전기량은 물질에 관계없이 일정(96,500 쿨롱)하다는 법칙. 준 패러데이의 법칙·전해의 법칙.

패러데이 전:자 유도의 법칙 【一電磁誘導一法則】〔一/一에一〕 명 〔Faraday's law of electromagnetic induction〕〖물〗 패러데이가 1831년에 발견한 법칙. 전자 유도에 의하여 회로에 유도되는 기전력(起電力)의 크기는 그 회로를 뚫는 자기력선속(磁氣力線束)의 시간적인 변화의 비율에 비례한다는 법칙.

패러데이 효:과【一效果】명 〔Faraday effect〕〖물〗 등방성(等方性) 물질을 자기장(磁氣場) 안에 두고, 그 속에서 직선 편광(偏光)을 자장 방향으로 진행시키면 편광면이 회전하는 현상. 편광면의 회전각 θ는 자기장의 세기 H와 빛의 물질 중의 통과 거리 l의 곱에 비례하며, $\theta = rHl$로 놓았을 때의 비례 상수 r를 베르데(Verdet)의 상수라고 함. 1845년 패러데이가 발견함.

패러독스 〔paradox〕 명 〖논〗 ①역설(逆說). ②기론(奇論). 반대설(反對說). ③모순(矛盾)의 논(論). 자가 당착(自家撞着)의 말. 배리(背理).

패러독시컬 〔paradoxical〕 명 ①역설(逆說)적임. ②구실(口實)에 맞지 않음. ——-하다 형 여불

패러디 〔parody〕 명 ①풍자(諷刺). 경쾌하고 익살스러운 흉내. ②〖문〗 파로디(Parodie).

패러마운트 〔Paramount〕 명 미국의 영화 제작·배급 회사. 주커(Zuker, Adolph)가 1921년에 창립한 페이머스 플레이어즈(Famous Players)의 후신임. 제1차 세계 대전 후, 세계 제1의 영화 회사가 되어, 무성 영화(無聲映畫)의 황금 시대를 만들었으며, 토키 출현 후는 대작품들을 제작하였음.

패러-세일링 〔para-sailing〕 명 낙하산을 착용한 사람이 로프로 모터보트나 자동차에 끌리어 공중 70-80m까지 날아 오르는 스포츠.

패러클리:트[1] 〔paraclete〕 명 변호자(辯護者). 중재인(仲裁人). 위안해 주는 사람.

패러클리:트[2] 〔Paraclete〕 명 〖성〗 성신(聖神).

패러프레이즈 〔paraphrase〕 명 ①해설(解說). 상해(詳解). ②〖악〗 어떤 악곡(樂曲)에 새로운 기교를 가하거나 또는 악곡을 개수(改修)함. 또, 그 곡. ——-하다 타 여불

패럴 〔Farrell, James Thomas〕 명 〖사람〗 미국의 소설가. 시카고 출생으로 여러 직업에 종사하였고, 특히 미국인의 생활 환경과 운명 등을 사실주의의 필치(筆致)로 묘사하였음. 대표작 ≪스터즈 로니건 (Studs Lonigan)≫은 혼란한 사회의 교육 문제를 그린 작품임. [1904-79]

패럴렐 〔parallel〕 명 ①평행(平行). ②〖수〗 평행선. ③〖인쇄〗 평행 기호(平行記號). 문장 중의 참조부(參照符)로 쓰임. 곧 '‖'. ④〖물〗 전기의 회로(回路)를 평행으로 연결하는 일. 병렬식(並列式). ⑤〖지〗 위도권(緯度圈). 위선(緯線). ⑥스키 기술의 하나. 양쪽의 스키를 평행으로 하여 조작·활주하는 일.

패럴렐리즘 〔parallelism〕 명 ①〖철〗 평행론(平行論). 병행설(並行說). ②〖연〗 하나의 희곡(戲曲) 중에 줄거리와 인물의 종류와 대사(臺詞) 등이 항상 조응(照應)하여 사용되며, 그것이 병행하여 서로 얽혀서 전개되어 가는 일.

패럴렐 액션 〔parallel action〕 명 〖연〗 영화의 몽타주(montage)의 하나. 같은 시간에 다른 장소에서 일어나는 사건을 교대로 접속하여 보이는 술법(術法).

패럿 〔farad〕 의명 〖물〗 〔패러데이(Faraday, M.)의 이름에서 유래〕 정전기 용량(靜電氣容量)의 실용 단위. 1쿨롬(coulomb)의 전기량을 충전하였을 때 양극 사이에 1볼트의 전위차(電位差)를 생기게 하는 콘덴서의 정전기 용량. 기호는 F.

패:려【悖戾】명 성질이 순직(純直)하지 못하고 비꼬임. ——-하다 형 여불

패:려 궂다 구 언행(言行)이 거칠고 예모(禮貌)가 없다.

패:령【稗嶺】명 '피고개'의 한자말.

패:례【悖禮】명 예의에 어그러짐. 또, 그러한 예절(禮節). ——-하다 형 여불

패루【牌樓】명 시가(市街)에 있는 누각(樓閣)의 문(門).

패:류[1]【貝類】명 〖조개〗 연체(軟體) 동물 중의 조개·고둥 따위의 패각(貝殼)을 갖춘 동물을 통속적으로 분류한 종류. 쌍패류(雙貝類)와 권패류(卷貝類)로 크게 구분함. 조개류(類).

패:류[2]【悖謬】명 어그러져 틀림. 도리에 어긋남. ——-하다 형 여불

패:류[3]【悖類】명 패려(悖戾)한 무리. 곧, 언행(言行)이 거칠고 염치 없는 무리.

패:류-학【貝類學】명 〔conchology〕 패류의 기원(起源)·역사·변천·생태 등을 연구하는 동물학의 한 분야.

패:륜【悖倫】명 인륜(人倫)에 어그러짐. 파륜(破倫). 불륜(不倫). ——-하다 형 여불

패:륜-아【悖倫兒】명 인륜(人倫)에 어그러진 행위를 하는 자.

패:리【悖理】명 도리에 어그러짐. ¶ 남의 선대의 묘를 굴총한 패리한 상고들을 엄형으로 다스리지 않고 방면한다면…≪金周榮 : 客主≫. ——-하다 형 여불

패리티 〔parity〕 명 ①〖경〗 타국 통화(他國通貨)와의 비율. ②〖경〗 농가의 수입과 생활비와의 비율. 평형(平衡). ③동등(同等). ④〖수〗 1과 0으로 성립된 수열(數列)에 있어서의 1의 개수(個數)의 짝수·홀수를 나타내는 말. 그 개수가 짝수일 때 패리티는 0, 홀수일 때 패리티는 1이라고 함. ⑤〖물〗 소립자(素粒子)의 고유의 성질의 한 가지. 소립자의 상태를 나타내는 파동 함수(波動函數)의 공간 좌표의 부호를 모두 바꾸었을 때, 파동 함수의 부호가 바뀌지 않으면 패리티는 짝 또는 양(陽)이라고 하고, 플러스(+) 또는 플러스 일(+1)로 나타냄. 반전성(反轉性). 우기성(偶奇性).

패리티 가격【一價格】〔parity〕 명 패리티 계산에 의하여 결정한 물가.

패리티 검:사【一檢查】〔parity〕 명 〖컴퓨터〗 패리티 체크.

패리티 계:산【一計算】〔parity〕 명 〖경〗 1933년 5월 미국에서 최초로 채용한 농산물 공정 가격의 결정 방법. 기준 연도(基準年度)를 정하고, 그 연도에 농민이 농산물의 생산과 생활에 쓴 각종의 물자와 용역(用役)의 가격과 수량을 기준으로 하여, 비교 연차(年次)의 물자 및 용역의 가격 지수(指數)를 가중 평균해서, 이 생산된 농산물의 물가 지수를 산정(算定)하고 이것을 기준시(基準時)의 가격에 곱하여서 비교 연차의 해당 농산물의 공정 가격을 산정함. 일반 물가와의 균형을 유지하고, 기초 물자인 농산물의 가격을 안정시킴으로써, 거꾸로 일반 물가를 안정시키려는 목적을 가짐. 농업 패리티(農業 parity). 균형 계산(均衡計算).

패리티 지수【一指數】〔parity〕 명 〖경〗 어떤 기준 연도의 가격을 100으로 하고 그 후의 물가 상승률을 지표로 나타낸 것.

패리티 체크 〔parity check〕 명 컴퓨터 내의 데이터의 이동(移動)의 정오(正誤)를, 그 패리티에 의하여 판정하는 검사 방법.

패:림【稗林】명 〖책〗 조선 시대 야사(野史)의 총서. 편자·편찬 연대 미상. 유서(類書)인 ≪대동 야승(大東野乘)≫과 20종이 겹쳐 있음. 대동 패림(大東稗林).

패링 〔parrying〕 명 권투에서, 상대편의 타격을 팔이나 손으로 떨쳐서 피하는 방어.

패마농 명 〈방〉 파(제주).

패:만【悖慢】명 사람됨이 온화하지 못하고 거칢. ——-하다 형 여불

패:망【敗亡】명 ①싸움에 져서 망함. ②싸움에 져서 죽음. 패상(敗喪). 경복(傾覆). ——-하다 자 여불

패:망 쇠미【敗亡衰微】명 패망하여 쇠미함. 패하여 쇠잔해짐. 준 패쇠(敗衰).

패맡다 타 〈방〉 배알다(전남).

패:멸【敗滅】명 싸움에 져서 멸망함. ——-하다 자 여불

패:모【貝母】명 ①〖식〗 〔*Fritillaria verticillata*〕 백합과에 속하는 다년초. 줄기는 곧고, 높이 30-80cm. 인경(鱗莖)은 두 개의 반구형(半球形)에 백색의 인편(鱗片)으로 되고, 수근(鬚根)이 많이 나옴. 잎은 두세 개씩 윤생(輪生)하고 길이 7-15cm의 넓은 선형(線形)이며 끝이 수염 같음. 5월에 담황록색에 안쪽은 자색 반점이 있는 육판화(六瓣花)가 줄기 끝에 긴 타원형으로 피고, 삭과(蒴果)는 짧은 삼각형임. 중국 원산으로 산지에 나는데, 함남 갑산(甲山) 및 중국 등에 분포함. 관상용(觀賞用)으로 재배함. ②〖한의〗 패모의 인경의 인편(片鱗). 전초(全草)와 함께 기침과 담(痰)의 약재로 씀. 맹근(莔根).

〈패모❶〉

패목【牌木】명 패를 붙였거나 그 자체에 패를 새긴 나무. 팻말.

패:몰【敗沒】명 ①패망(敗亡). ②패사(敗死). ——-하다 자 여불

패:묘【貝墓】명 중국 한(漢)나라 때의 분묘(墳墓)의 한 가지. 직사각형으로 땅을 파고, 조개 껍질을 깐 다음, 그 위에 목판(木板)으로 바닥·벽·천장을 만들고, 다시 그 주위에 조개 껍질을 쌓고 흙으로 덮은 무덤. 해변에 가까운 랴오둥(遼東) 반도에 많음.

패:문 운:부【佩文韻府】명 〖책〗 중국 청(淸)나라 강희제(康熙帝)의 칙명(勅命)에 의하여 장옥서(張玉書)·진정경(陳廷敬)·이광지(李光地) 등 76명이 편찬한 책. 사성(四聲)에 의하여 이자(二字)·삼자·사자의 어구(語句)의 말자(末字)의 운(韻)에 따라 배열한 운서(韻書)의 집대성으로서, 우리 나라 ≪대동 운부 군옥(大東韻府群玉)≫과 비슷한 백과 사전임. 444권. 1711년 간행.

패:문재 서화보【佩文齋書畫譜】명 〖책〗 중국 청초(淸初)에 강희제(康熙帝)의 칙명(勅命)으로 손악반(孫岳頒) 등이 편집한, 상고(上古)로부터 명말(明末)에 이르기까지의 서화 관계 문헌(文獻)의 집성(集成). 100권. 1708년 간행.

패:물[1]【貝物】명 산호(珊瑚)·호박(琥珀)·수정(水晶)·대모(玳瑁) 등으로 만든 물건.

패:물[2]【佩物】명 ①사람의 몸에 차는 장식물(裝飾物). ②노리개❶.
패:물-궤 【佩物櫃】[—궤] 명 패물을 넣어 두는 궤. *의복궤(衣服櫃).
패:물 삼건【佩物三件】[—껀] 명 산호(珊瑚)·호박(琥珀)·밀화(蜜花) 등으로 장식한 여자의 패물. 패물 삼작(佩物三作).
패:물 삼작【佩物三作】명 패물 삼건(佩物三件).
패:물-함 【佩物函】명 패물을 보관하는 함.
패밀리 〔family〕명 가족(家族). 가문(家門).
패밀리 사이즈 〔family size〕명 인구 통계에서, 한 쌍의 부부가 낳은 자녀의 수. 이것으로 가족의 크기를 나타냄. 보통, 아내의 연령이 50세 이상으로, 부부가 함께 건재하는 완전 부부가 그 동안 출산한 자녀의 수를 말함.
패:반【稗飯】명 피밥.
패방【牌坊】명 『건』 문짝이 없는 대문 모양의 중국 독자(獨自)의 건축. 궁전·능(陵)을 비롯하여 불사(佛寺)의 전면(前面)에 세우는데, 도시의 십자로 등에도 장식 또는 기념으로 세움. 기둥은 2-6개이며 지붕을 여러 층으로 얹은 것도 있음.
패발다 타 〈방〉 뱉다(전남·경상).
패:배【敗北】명 싸움에 짐. 져서 도망함. 패주(敗走). ——-하다 자여불
패:배의 세:대【敗北一世代】[—/—에—] 명 비트 제너레이션❶.
패:배-자【敗北者】명 싸움에 진 사람.
패:배-주의【敗北主義】[—/—이] 명 아예, 패배를 예측하고, 성공이나 승리를 스스로 기대하지 않는 사고(思考)나 태도.
패:병[1]【敗兵】명 싸움에 진 병정.
패:병[2]【欛柄】명 생살 여탈(生殺與奪)의 권병(權柄)을 장악함. ——-하다 자여불
패:보【敗報】명 싸움에 패배한 소식. ↔승보(勝報).
패:-보다【敗—】자 실패를 당하다. 낭패를 보다.
패:복【佩服】명 ①패용(佩用). ②마음에 새겨 잊지 않음. ③깊이 마음속에 느낌. 깊이 감복(感服)함. ——-하다 자타여불
패:부【佩符】명 병부(兵符)를 차고 고을 원의 지위에 있는 일.
패-부진【牌不進】명 『역』 왕명(王命)으로 명초(命招)를 받았을 때, 병이나 또는 다른 사고로 말미암아 봉명(奉命)하지 못하는 일.
패:분【貝粉】명 조개 껍질의 가루. 자개의 가루. 패각분(貝殼粉).
패:사[1]【敗死】명 싸움에 져서 죽음. ——-하다 자여불
패:사[2]【敗事】명 실패한 일.
패:사[3]【稗史】명 『역』 사관(史官) 아닌 사람이 이야기 모양으로 꾸며 쓴 역사 기록(歷史記錄). 패관(稗官)이 소설과 같은 형식으로 꾸며서 쓴 역사 이야기.
패:사 소:설【稗史小說】명 『문』 패관 문학(稗官文學).
패:산【敗散】명 싸움에 져서 뿔뿔이 흩어짐. ——-하다 자여불
패:상【敗喪】명 패망(敗亡)❷. ——-하다 자여불
패:색【敗色】명 패배의 빛. 패배할 것 같은 경향. ¶이미 ~이 완연하다.
패:색이 짙다 구 패배할 것 같은 경향이 심하다. ¶경기 종료 5분 전에 3대 0이니 A팀은 패색이 짙은 끝이다.
패:서[1]【貝書】명 『불교』 패다라엽(貝多羅葉).
패:서[2]【浿西】명 『지』 ↗패서도(浿西道).
패:서[3]【敗絮】명 녀무 묵어서 못 쓰게 된 솜.
패:서-도【浿西道】명 『역』 평안도의 옛 이름.고려 성종(成宗) 14년(995)에 전국을 10개 도(道)로 나눌 때, 서경(西京)을 중심으로 한 부근 일대를 그렇게 정하였음. 준패서(浿西).
패서디나〔Pasadena〕명 『지』 미국 로스앤젤레스 근교의 위성 도시. 19세기 말 이래로 신년(新年) 장미 품평회(薔薇品評會)와 미식 축구 경기로 유명함. 캘리포니아 공과 대학이 있음. [133,180명(1987)]
패:석【貝石】명 ①자개의 화석(化石). ②조가비가 많이 붙어 있는 돌.
패:-석회【貝石灰】명 자개를 불에 태워 만든 석회.
패:선【敗船】명 배가 부서짐. 또, 그 배. ——-하다 자여불
패:설[1]【悖說·詩說】명 패담(悖談).
패:설[2]【稗說】명 ①가설 항담(街說巷談)·기담 이문(奇談異聞) 등 세상에 떠돌아다니는 설화(說話). ②↗패관 소설(稗官小說).
패:세【敗勢】명 패할 형세. ↔승세(勝勢).
패셔닛〔passionate〕명 정열적(情熱的). 다정 다감. ——-하다 형여불
패션[1]〔fashion〕명 ①유행(流行). ②양식(樣式).
패션[2]〔passion〕명 ①열정(熱情). 격정(激情). 정열(情熱). 정화(情火). ②『악』 '파숑(Passion)❷'의 영어 이름.
패션 디렉터〔fashion director〕명 패션 코디네이터.
패션 모델〔fashion model〕명 최신 유행의 옷 따위를 발표할 때, 그것을 입고 관객에게 보이는 것을 업으로 하는 사람. 준모델.
패션 북〔fashion book〕명 의상(衣裳) 등의 유행을 도시(圖示)한 책. 스타일 북(style book).
패션 비즈니스〔fashion business〕명 복식(服飾)에 관련된 산업을 일괄하여 부르는 칭호.
패션 쇼:〔fashion show〕명 그 시즌의 유행 의상(流行衣裳)을 모아 모델이 착용하고 관객에게 보이는 쇼.
패션 코:디네이터〔fashion coordinator〕명 섬유 회사나 백화점 등에서 상품의 복식면(服飾面)에서의 연출(演出)을 기획(企劃)하는 사람. 패션 디렉터.
패:소【敗訴】명 송사(訟事)에 지는 일. 낙송(落訟). 낙과(落科). ↔승소(勝訴). ——-하다 자여불
패소미터〔passometer〕명 『기』 측정기(測定器)의 일종. 한쪽 끝을 고정하고 다른쪽을 움직여서 공작물(工作物)의 바깥 지름을 재는데 씀.
패:소-자【敗訴者】명 재판에 진 사람.
패:속【敗俗】명 쇠퇴(衰退)해 버린 풍속.
패:쇠【敗衰】명 ↗패망 쇠미(敗亡衰微). ——-하다 자여불
패:수[1]【浿水】명 『역』 ①옛날 낙랑(樂浪)의 서울과 국경에 있던 수명(水名). 왕검성(王儉城)의 패수는 지금의 펑텐 하이청 현(奉天海城縣) 서남에 있는 어이하(淤泥河)라 하며, 누방(鏤方)의 패수는 다링강(大淩江) 곧 백랑하(白狼河)라 함. ②대동강의 옛이름. 패강(浿江).
패:수[2]【敗數】명 패운(敗運).
패수-깐 명 〈방〉 대장간(경남).
패:수-살【敗數煞】[—쌀] 명 패운살(敗運煞).
패스〔pass〕명 ①통과. 합격. 급제(及第). ¶입학 시험에 ~하다. ②무임(無賃) 승차권. 무료 입장권. 정기권(定期券). ③↗패스포트(passport). ④축구·핸드볼·농구 등에서, 같은 편끼리 공을 주고받아 연락하는 일. ⑤카드 놀이에서, 자기의 차례를 거르고 다음 차례로 돌리는 일. ⑥↗패스 볼. ——-하다 자타여불
패스 볼:〔pass+ball〕명 ①패스트 볼(passed ball). ②축구·농구 등에서 자기편에 공을 보내는 일. 또, 그 공. 준패스.
패스워:드〔password〕명 『컴퓨터』 특정한 시스템에 로그인(login)을 할 때, 사용자의 신원을 확인하기 위하여 입력하는 문자열. 암호.
패스-워:크〔passwork〕명 축구 따위에서, 자기편 선수에게 공을 보내고 받고 하는 일.
패스터라이제이션〔pasteurization〕명 〔프랑스의 화학자 파스티르가 창시한 데서 유래〕 저온(低溫) 살균법. 단백질·당류·비타민 등, 높은 온도에 변화·파괴되는 물질을 함유하는 액체의 살균법.
패스트 볼:〔passed ball〕명 야구에서, 캐처 또는 야수(野手)가 볼을 잘 못 받아 뒤로 빠뜨리는 일. 일구(逸球). 패스 볼.
패스트 푸:드〔fast-food〕명 점두(店頭)에서 즉시 먹거나 가지고 갈 수 있게 조리를 해놓은 식품. 햄버거·치킨·도넛·피자 따위.
패스-포:트〔passport〕명 ①외국 여행자에 대하여 정부가 본인의 신분(身分)·국적(國籍)을 증명하고, 아울러 외국의 관헌(官憲)에 편의(便宜) 공여(供與)와 보호를 의뢰하는 공문서. 여권(旅券). ②통행증(通行證). ③전시(戰時)에 중립국(中立國)의 선박(船舶)에게 주는 통항증(通航證). 1)-3): 준패스(pass).
패:습【悖習】명 못된 버릇. 못된 풍습.
패시미터〔passimeter〕명 『기』 기계 공작(機械工作)에서 구멍의 안지름의 조사 또는 측정에 쓰이는 기구.
패시브〔passive〕명 ①수동적(受動的). 수동(受動). 수신(受身). ②『언』 문장의 형태·동사 등이 수동적인 것. 1)·2): ↔액티브(active).
패시지〔passage〕명 ①통과. 통행. ② 『악』 경과구(經過句).
패식【佩飾】명 『고고학』 드리개.
패싱-샷〔passing-shot〕명 ①테니스에서, 네트 플레이(net play)를 하려고 다가선 상대편의 겨드랑이 밑으로 빠져 나가게 타구(打球)하는 일. ②탁구에서, 상대편이 받아 칠 수 없도록 역모션(逆 motion)으로 쳐 보내는 일. ——-하다 자여불
패-싸움[1]【牌—】명 패끼리 싸우는 일. ¶~을 벌이다. 준패쌈.
패:-싸움[2]【覇—】명 바둑에서, 패가 났을 때, 피차 양보하지 않고 서로 패를 씀으로써 끝까지 싸우는 일.
패-쌈【牌—】명 ↗패싸움.
패:-쓰다【覇—】자 ①교묘한 수단으로 위기를 면하다.②바둑에서, 패를 두다.
패:악【悖惡】명 도리에 어긋나고 흉악함. ——-하다 형여불
패암 명 곡식의 이삭이 패어 나옴. ¶~이 고르다.
패알다 타 〈방〉 뱉다(전라).
패:양-수【怕痒樹】명 『식』 자미(紫薇). 백일홍.
패:업[1]【敗業】명 사업에 실패함. ——-하다 자여불
패:업[2]【覇業】명 ①패자(覇者)의 사업. ②제후(諸侯)의 으뜸이 되는 사업.
패역【悖逆·詩逆】명 패악하고 불순(不順)함. 인륜(人倫)에 어긋나고 나라에 반역함. 행역(悻逆). ——-하다 형여불
패:역 무도【悖逆無道】명 패악하고 불순(不順)하여 사람다운 점이 없음. ——-하다 형여불
패:연【沛然】명 ①비가 억수로 쏟아지는 모양. ②물이 높은 곳에서 줄기차게 떨어지는 모양. ③성대(盛大)한 모양. ——-하다 형여불. ——-히 부
패:엽【貝葉】명 『불교』 패다라엽(貝多羅葉).
패:엽-경【貝葉經】명 『불교』 패다라엽(貝多羅葉)에 바늘로 새긴 불경.
패:엽-사【貝葉寺】명 『불교』 황해도 신천군(信川郡) 용진면(用珍面) 구월산(九月山) 속에 있는 절. 신라 중엽 법심 선사(法深禪師)가 세웠음. 당승(唐僧)인 패엽 대사(貝葉大師)가 지었다고도 함. 종전에 31본산(本山)의 하나였음. 한산사(寒山寺).
패:영[1]【貝纓】명 산호(珊瑚)·호박(琥珀)·밀화(蜜花)·대모(玳瑁)·수정(水晶) 등을 꿰어 만든 갓끈.
패:영[2]【浿營】명 『역』 기영(箕營).
패:옥[1]【佩玉】명 『역』 조선 시대에 금관 조복(金冠朝服)의 좌우에 늘이어 차는 옥. 흰 옥을 서로 연하여 무릎 밑까지 내려 가도록 하는 것인데, 얇은 사(紗)로 긴 주머니를 지어 그 속에 넣어서 참.

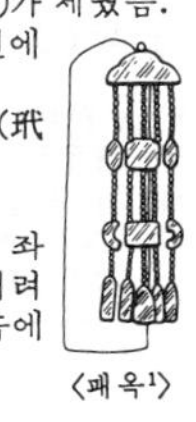
〈패옥1〉

패:옥[2]【敗屋】명 허물어진 집.
패:왕【覇王】명 ①패자(覇者)와 왕자(王者). 패도(覇道)와 왕도(王道). ②『역』 중국 춘추 전국(春秋戰國) 시대에 제후(諸侯)를 통어(統御)하여 천하를 다스리던 자. 오패(五覇)가 대표적임.
패:왕-수【覇王樹】명 『식』 선인장(仙人掌).
패:왕지-자【覇王之資】명 패자(覇者)나 왕자(王者)가 될 자격.
패:용【佩用】명 훈장이나 명패 등을 몸에 닮. 몸에 참. ——-하다 타여불
패:운【敗運】명 기울어져 가는 운수. 패수(敗數).

패:운-살【敗運煞】[—쌀] 명 운수가 기울어질 살. 패수살(敗數煞).
패:은【佩恩】명 은혜를 입음. ——하다 자여불
패:의【敗衣】[—/—이] 명 떨어진 옷. 해어진 옷.
패이 명〈방〉팽이(황해).
패이다 피동 사동〈방〉패다[5].
패:이-호【貝爾湖】명〖지〗'베이얼 호'를 우리 음으로 읽은 이름.
패:인[1]【敗因】명 싸움에 지거나 일에 실패한 원인. ↔승인(勝因).
패인[2]【牌印】명 기패 인신(旗牌印信)의 하나. 일종의 신분 증명표(身分證明票)임.
패일【敗日】명〖민〗음력으로 매월 초닷샛날. 액이 있는 불길한 날이므로 집에 들어앉아 행동을 삼갔음. 특히 정월 5일·14일·23일이 3패일이며 매사에 조심했음.
패:자[1]【貝子】명〖조개〗자패(紫貝).
패:자[2]【沛者】명〖역〗고구려 전기 직제의 대관(大官). 대로(對盧)와 같이 국정(國政)을 총리하던 벼슬.
패:자[3]【悖子】명 인륜(人倫)을 어긴 자식.
패:자[4]【敗子】명 가산(家産)을 탕진하는 자식.
패:자[5]【敗者】명 싸움이나 경기에 진 사람. ¶ ~전(戰). ↔승자(勝者).
패자[6]【牌子】명〖역〗패지(牌旨). →배자.
패:자[7]【覇者】명 ①제후(諸侯)의 우두머리. ¶ 춘추 전국(春秋戰國) 시대의 ~. ②무(武)로써 출세하여 패도(覇道)로 천하를 다스리는 사람. ↔왕(王)❹·왕자(王者)❷. ③어느 부문(部門)에서 가장 인기 있고 우두머리 격이 되는 사람. 경기 따위의 우승자.
패:자 부:활전【敗者復活戰】[—쩐] 명 토너먼트 경기에서, 패퇴한 사람이나 팀에게 다시 한 번 참가할 기회를 주기 위해 행하여지는 시합.
패:자 역손【悖子逆孫】명 패역(悖逆)한 자손.
패:자-전【敗者戰】명 운동 경기나 바둑 따위에서 패자끼리 승부를 다투는 시합. ↔승자전(勝者戰).
패:잔【敗殘】명 패하여 세력이 꺾인 나머지.
패:잔-군【敗殘軍】명 싸움에 져서 얼마 남지 않은 군대.
패:잔-병【敗殘兵】명 싸움에 진 살아남은 병사(兵士). 잔병(殘兵).
패-잡다【牌—】자 노름판에서 물주가 되다.
패:장[1]【敗將】명 ↗패군지장(敗軍之將).
패:장[2]【敗醬】명〖식〗마타리.
패장[3]【牌—】명〈방〉패(牌)❷.
패장[4]【牌將】명 ①관아(官衙)나 일터의 일꾼을 거느리는 사람. ②〖역〗전례(典禮) 때에 여령(女伶)을 거느리는 사람. ③〖역〗공사(公事)에 장공(匠工)을 거느리는 사람.
패:적[1]【敗敵】명 싸움에 진 적(敵).
패:적[2]【敗績】명 자기 나라의 패전(敗戰)을 일컫는 말.
패:전[1]【敗戰】명 싸움에 짐. 전패(戰敗). ↔승전(勝戰). ——하다 자여불
패전[2]【牌錢】명 팻돈.
패:전-국【敗戰國】명 싸움에 진 나라. ↔전승국(戰勝國).
패:전 투수【敗戰投手】명 야구에서, 팀의 패전에 가장 책임이 있었던 투수. 투구(投球) 횟수에는 관계가 없고, 계속 지고 있던 경기이면 먼저 득점을 허용한 투수, 중도(中途)에서 동점(同點)이 된 경우는 그 이후의 경과(經過)로 패전을 초래한 투수를 일컬음. ↔승리 투수.
패전트〔pageant〕명 ①야외극(野外劇). ②화려한 행렬(行列). 가장(假裝) 행렬.
패:정【悖政】명 도리를 벗어난 정치. 학정(虐政).
패:조【敗兆】명 싸움에 질 징조.
패:졸【敗卒】명 패병(敗兵).
패:종【敗種】명 패근(敗根).
패:주[1]【貝柱】명〖조개〗조개 관자.
패:주[2]【敗走】명 싸움에 져 도망침. 패배(敗北). ¶ ~병(兵) / ~하는 적. ——하다 자여불
패:지[1]【敗紙】명 ①찢어진 종이. 못쓰게 된 종이. ②휴지(休紙). 폐지(廢紙).
패지[2]【牌旨】명〖역〗조선 시대에 지위가 높은 사람이 낮은 사람에게 공식으로 권한을 부여(賦與)하는 글발. 특히, 노비(奴婢)에게 토지·가옥·노비 등의 매매(賣買)·전당(典當)을 명령하는 위임 문서. 패자(牌子). →배지.
패:진【敗陣】명 싸움에 진 진영.
패-차다【牌—】자 ①남이 지목할 것을 각오하다. ②좋지 못한 일로 별명이 붙게 되다.
패:착【敗着】명 바둑에서, 그 곳에 돌을 놓았기 때문에 결과적으로 그 판에 지게 된 악수(惡手).
패찰【牌札】명 타블렛(tablette)❹.
패-채우다【牌—】타 좋지 못한 일로 남에게 별명을 붙이다.
패:천-공【敗天公】명〖민〗해어진 헌 패랭이. 이것을 달여 먹으면 악기(惡氣)를 없앤다고 함.
패:철【佩鐵】명 ①지관(地官)이 몸에 지남철(指南鐵)을 지님. ②〖건〗찰쇠. ——하다 자여불
패초【牌招】명〖역〗조선 시대에 승지(承旨)를 시켜 왕명으로 신하를 부름. '命' 자를 쓴 목패(木牌)에 부르는 신하의 이름을 써서 승정원(承政院)의 원례(院隷)를 시켜 보냄. ¶ ~령(令). ——하다 타여불
패:촌【敗村】명 쇠패한 촌락(村落).
패:총【貝塚】명 조개더미.
패:출 패:입【悖出悖入】명 도리에 어그러지는 일을 하면 또 그와 같은 일을 받는다는 뜻.
패치〔patch〕명 깁는 형겊 대신에 대는 가죽.
패치-워:크〔patchwork〕명 이것저것 그러모은 것. 쪽모이 세공. 창의(創意) 없는 사전 편찬에도 비유됨.
패치 테스트〔patch test〕명〖의〗약물이나 화장품 따위에 대한 특이 체질을 확인하는 시험. 시료(試料)를 피부(皮膚) 표면에 붙이고 48시간 방치한 뒤에 조직(組織)의 감수성을 시험함.
패치 포켓〔patch pocket〕명 솔기가 보이는 바깥 포켓. 실용과 장식을 겸해 흔히 사용됨.
패카:드〔Packard〕명 미국의 패카드 모터스(Packard Motors) 회사제의 상자형(箱子型) 자동차.
패컬티〔faculty〕명 ①능력. 재능. 수완. 또, 기능. ②대학 등의 학부(學部). 또, 교수단(教授團).
패키지〔package〕명 ①소포 우편물(小包郵便物). ②물건을 보호하거나 그것을 수송하기 위하여 만든 포장 용기.
패키지 걸:〔package girl〕명 패키지 쇼에서 춤을 추는 직업 무용수.
패키지 쇼:〔package show〕명 방송국과는 독립된 제작소에서 제작하는 쇼 프로그램.
패키지식 동:력로【—式動力爐】[—녁노] 명〔package power reactor〕〖물〗이동식의 소형 동력로. 출력은 크지 않으나 비행기로 수송 가능한 장점이 있음.
패키지 투어〔package tour〕명 비용 일체를 일괄해서 내는, 여행사 주관(主管)의 일정 코스의 단체 여행.
패키지 프로그램〔package program〕명 미리 짜놓은 상업 방송의 프로그램. 독립 프로덕션 따위가 그대로 스폰서에게 팔 수 있도록 만든 프로그램. *패키지 쇼.
패키징〔packaging〕명 상품 포장. 특히, 상품 디자인에서 상품의 용기나 포장물 등을 디자인 제작(製作)하는 일.
패킷 교환【—交換】〔packet〕명 통신 데이터를 일정한 길이의 패킷(포장)으로 나눈 다음 하나하나의 송신처(送信處)를 나타내는 신호를 부가하여, 이 패킷을 축적 교환함으로써 송수신하는 일.
패킹〔packing〕명 ①화물(貨物) 안에 넣어서 물품이 파손되지 않도록 바깥 상자와의 사이에 끼우는 물건. 또, 그 일. ②관(管)의 이음매 등에 기밀(氣密)·수밀(水密) 등의 목적으로 끼우는 재료. 가죽·삼실 부스러기·석면(石綿)·구리·납 등이 쓰임. ③포장. 짐꾸림. ——하다 자타여불
패킹 케이스〔packing case〕명 포장 상자(包裝箱子).
패킹 페이퍼〔packing paper〕명 포장용(包裝用)의 종이.
패:택【沛澤】명 ①우택(雨澤). ②죄수(罪囚)를 대사(大赦)하는 은전(恩典)의 비유.
패터:슨〔Paterson〕명〖지〗미국 뉴저지 주(New Jersey州) 동부, 뉴욕 서북 교외에 있는 공업 도시. 파세이크(Paseic) 강을 면해 있는 도시임. 섬유·가공·플라스틱·고무·기계 공업이 성함. [137,900명(1980)]
패턴〔pattern〕명 ①정해진 방식이나 형태. 양식(樣式). 형(型). 견본(見本). 유형(類型). ¶ 테스트 ~. ②〖철〗문화 사회학(文化社會學)이나 문화 인류학(人類學) 등에 쓰이는 개념(概念)으로 모범적인 형(型)의 뜻. ③〖공〗거푸집을 만드는 나무나 금속의 원형(原型). ④〖인쇄〗모형(母型) 또는 부형(父型)을 조각기로 조각할 때, 원형으로서 사용되는 문자판. ⑤양장 등에 쓰이는 본. ⑥도안. 도형. 무늬.
패턴 북〔pattern book〕명 유행 디자인의 구체적 설명과 재단을 중심으로 편집된 카탈로그식 책. *패션 북(fashion book).
패턴 온 패턴〔pattern on pattern〕명〔무늬 위에 무늬가 있다는 뜻〕체크와 꽃, 줄무늬에 물방울 따위처럼 다른 종류의 무늬를 혼합한 날염(捺染). 이 경향은 코디네이트 루크(coordinate look)를 구성하는 좋은 요소가 됨.
패턴 인식【—認識】〔pattern〕명 문자·도형·음성 따위와 같은 종류에 속하는 것에서 특징을 발견하여 분류하는 일.
패턴트〔patent〕명 특허(特許). 특허품(特許品).
패턴트 레더〔patent leather〕명 에나멜 가죽. 소·염소 가죽에 에나멜 페인트를 칠한 광택이 있는 가죽. 구두·가방·벨트 등에 사용됨.
패-통 명 교도소에서 재소자(在所者)가 어떤 용무가 있을 때 담당 교도관을 부르기 위하여 마련한 장치.
패:퇴[1]【敗退】명 싸움에 패하여 물러남. ——하다 자여불
패:퇴[2]【敗頹】명 쇠패(衰敗)하여 퇴퇴(廢頹)함. ——하다 자여불
패트〔pat〕명 가볍게 침. 두드림. 어루만짐.
패트런〔patron〕명 ①특정한 예술가나 예술상의 주의·활동에 재정적·정신적 지원을 하는 사람이나 기관. 보호자. 후원자(後援者). 찬조자(贊助者). ②특정한 지지자·원조자. 특히, 이성(異性)에 대하여 특정한 재정적 원조나 보증을 서 주는 사람. ③상점(商店) 또는 여관(旅館)의 고객(顧客). 파트롱.
패트롤〔patrol〕명 ①순찰(巡察). 순시(巡視). 정찰(偵察). ②순찰대. 정찰대. 순회(巡廻)하는 사람. ③〖악〗순라곡(巡羅曲). ——하다 자여불
패트롤-제【—制】〔patrol〕명 순찰제(巡察制)의 경비(警備) 방식. 경찰관 등이 교대(交代)로 입초(立哨)를 서는 것이 아니고 일정한 구역을 순찰하는 경비 방법.
패트롤 카:〔patrol car〕명 순찰 자동차.
패트리션〔patrician〕명 ①파트리키(patrici). ②중세(中世) 이탈리아·스위스·독일 등의 자유 도시(自由都市)의 지배 계급의 하나.
패트리엇〔Patriot〕명 미국 육군의 최신식 지대공 미사일의 일종. 돌입(突入)해 오는 미사일에 대한 요격(邀擊)이 가능하여 걸프전(戰)에서는 이라크가 발사한 스커드 미사일을 이스라엘과 사우디아라비아에서 요격하여 큰 성과를 올렸음. 사정 거리 120km, 길이 5.2m, 지름 41cm, 무게 약 1톤, 발사시의 탄두 속도 마하 5 전후(前後)임.
패틴슨-법【—法】〔Pattinson〕[—뻡] 명〔영국의 야금학자 Pattinson, Hugh Lee의 이름에서〕소량의 은(銀)을 함유하는 조제(粗製)의 납으

로부터 순수한 납 또는 은을 얻는 방법의 하나. 납과 은의 두 성분계(成分系)는 은이 약 2.5 % 이하에서는 조제(粗製)의 납을 서서히 냉각하면 먼저 순수한 납이 응고(凝固)함. 나머지로부터 은을 얻을 수 있음.

패-패【牌牌】명 여러 패. 무리와 무리.

패패-이【牌牌―】부 여러 패가 다 각각. ¶둘씩 셋씩 ～ 헤어져 부강 역으로 나아가서 호남선 철도를 타고…《崔瓚植 : 春夢》.

패:표【佩瓢】명 쪽박을 찬다는 뜻으로, 곧 구차하여 빌어 먹는다는 말.

패:표 착풍【佩瓢捉風】명 성사(成事)되지 않을 것을 뻔히 알면서도 헛되이 하려함의 비유.

패풍 명〈방〉 홰살(함남).

패:하【敗荷】명 시들어 마르거나 찢어진 연(蓮) 잎.

패:-하다【敗―】자여불 ①싸움에 지다. ②살림이 거덜나다. ③여위고 못되다.

패:행【悖行】명 도리에 어그러진 행위.

패:향[1]【佩香】명 몸에 지니고 다니는 향.

패:향[2]【悖鄕】명 못된 백성이 살아서 풍기가 좋지 아니한 고장.

패:혈성【敗血性】[―썽] 명 패혈증의 성질.

패:혈성 유산【敗血性流產】[―썽뉴―] 명 [septic abortion] 《의》 자궁 내막(子宮內膜)의 급성 감염(感染) 때문에 일어나는 유산(流產).

패:혈-증【敗血症】[―쯩] 명 [sepsis, septicemia] 《의》 세균 특히 화농균(化膿菌)이 혈액이나 림프관(lymph管) 안에 들어가서 세균이 분비하는 독소(毒素)로 말미암아 심한 중독 증상(中毒症狀)이나 그밖에 여러 가지 급성 염증(急性炎症)을 일으키는 병.

패호【牌號】명 남들이 패채워서 부르는 별명. 또, 별호.

패:화【貝貨】명 미개(未開) 시대의 인류가 사용한 패각제(貝殼製)의 화폐. 지금도 쓰는 종족이 있음.

패:환【珮環】명 옥(玉)으로 만든 고리.

패:흥【敗興】명 파흥(破興). ――-하다 자타여불

팩[1] [pack] 명 ①피부 미용의 한 가지. 밀가루·계란·백도토(白陶土) 등에 각종 약제·영양제를 반죽해서 노화(老化) 방지·표백·청정(淸淨) 등의 효과를 내는 미용법. 또, 그 반죽. ②비닐로 만든 작은 용기. 과일·야채 따위를 담아서 팖. ③물품을 포장하는 일. 또, 그 포장물. ④럭비에서, 세게 스크럼을 짜는 일.

팩[2] 명 '퍽[1](puck)'의 잘못 일컫는 말.

팩[3] 부 ①작은 몸이 맥없이 가볍게 쓰러지는 모양. *퍅. ②썩은 새끼나 줄·끈 등이 힘없이 끊어지는 모양. 1)·2): <픽. ――-하다 자여불

팩성【―性】명 ☞퍅성(愎性).

팩스 [fax] 명 '팩시밀리'의 약칭.

팩시밀리 [facsimile] 명 ①모사(模寫). 복사(複寫). 카피(copy). ②모사 전송(模寫電送). 약칭 : 팩스.

팩시밀리 방:송【―放送】[facsimile] 명 텔레비전 전파 등에 문자나 도형, 사진 등의 화상(畫像) 정보를 실어 각 가정의 텔레비전 수신기에 접속한 팩시밀리 수신기로 그 화상을 하드카피로서 보내는 서비스. 텔레비전의 음성 전파 틈새 따위에 그 신호를 중첩해서 방송하므로 텔레비전 화면에는 그 정보가 비치지 않음.

팩시밀리 신문【―新聞】명 [facsimile newspaper] 전송 신문(電送新聞).

팩시밀리 전:신기【―電信機】[facsimile] 명 모사 전신기.

팩터 [factor] 명 ①요인(要因). 인자(因子). ②인수(因數). ③《화》 분석 화학(分析化學)에서, 환산 계수(換算係數) 또는 보정(補正) 계수의 뜻.

팩터리 [factory] 명 ①제조소. 공장. ②대리점. 출장소. 재외 상관(在外商館).

팩터리 로: [factory law] 명 《법》 공장법(工場法).

팩터링 [factoring] 명 《경》 외상 매출 채권(外上賣出債權) 매수업(買受業). 기업의 외상 매출 채권을 사서, 자기의 위험 부담(危險負擔)으로 그 채권의 관리와 대금 회수를 집행하는 업무. 또, 그 업무를 업으로 삼는 기업(企業). ¶～ 금융(金融)/～ 회사.

팩트 [fact] 명 사실(事實). 실제(實際). 진술한 사실.

팩티스 [factice] 명 《화》 유지(油脂), 예컨대 종자유(種子油)·콩기름 따위에 황(黃) 또는 염화황(塩化黃)을 반응시켜 얻는 고무상(狀) 물질. 고무의 연화제(軟化劑)에 쓰임.

팩-팩 부 ①작은 몸이 여럿이 또는 잇따라서 힘없이 쓰러지는 모양. <픽픽. ②자그마한 몸이 지지 않으려고, 연해 덤벼드는 모양. *퍅퍅. ③썩은 새끼 같은 것이 힘없이 자꾸 끊어지는 모양. <픽픽. ――-하다 자여불

팩-하다 형여불 퍅하다.

팬[1] [fan] 명 ①부채. ②자기가 하는 것은 아니나 운동 경기나 연극·영화 따위에 대한 열렬한 애호가. 또, 어떤 특정의 인물을 광신적으로 지지하는 사람. ¶영화～/야구～. ③송풍기·선풍기. ④《지》 선상지(扇狀地).

팬[2] [pan] 명 ①접시 모양의 얕은 냄비. 손냄비. ¶프라이～. ②[panoramic의 준말] 촬영기를 한 곳에 고정시킨 채 상하 좌우로 움직이며 찍는 방법. 파노라마 촬영. 이동 촬영.

팬- [pan] 두 다른 외래어의 앞에 붙어서, '모두'의 뜻을 나타내는 말. 범(汎)-. ¶～아메리카니즘.

팬더 [panda] 명 《동》 ☞판다.

팬델리어 [fandelier] 명 [fan+chandelier] 천장에 매다는 선풍기.

팬둥-거리다 자 아무 하는 일 없이 게으름만 부리고 놀다. ㅅ밴둥거리다. ㅆ뺀둥거리다. <핀둥거리다. 팬둥-팬둥 부. ――-하다 자여불

팬둥-대다 자 팬둥거리다.

팬들-거리다 자 하는 일이 없이 뻔뻔하게 놀고만 있다. ㅅ밴들거리다. ㅆ뺀들거리다. <핀들거리다. 팬들-팬들 부. ――-하다 자여불

팬들-대다 자 팬들거리다.

팬 레터 [fan letter] 명 팬이 영화 배우 등 스타에게 보내는 편지.

팬수 명〈방〉 대장장이(경남).

팬스틱 [panstick] 명 기초 화장품(化粧品)의 하나로, 막대 모양의 유성분(油性粉).

팬-슬라브주의【―主義】[―/―이] 명 [Pan-Slavism] 《정》 범(汎)슬라브주의.

팬시 [fancy] 명 ①상상. 공상. ②내킨 생각. 일시적 기분. 변덕. ③공상적인 디자인의 복식(服飾).

팬시 드레스 [fancy dress] 명 가장 무도회 따위에 입는 기발(奇拔)한 의상(衣裳).

팬시 볼: [fancy ball] 명 가장 무도회(假裝舞蹈會).

팬시 상품【―商品】[fancy] 명 학생이나 젊은 여성을 대상으로 하는 신변 잡화·장신구·문방구 등.

팬시 스토어 [fancy store] 명 화장품이나 복식용(服飾用)의 자질구레한 물건을 파는 가게.

팬시이즘 [pantheism] 명 《철》 범신론(汎神論).

팬-아라비즘 [Pan-Arabism] 명 《정》 범아랍주의(汎Arab主義).

팬-아메리카니즘 [Pan-Americanism] 명 《정》 범미주의(汎美主義). 팬아메리카주의.

팬아메리카-주의【―主義】[―/―이] [Pan-America] 명 《정》 팬아메리카니즘.

팬아메리칸 하이웨이 [Pan-American Highway] 명 남북 아메리카의 모든 나라를 연결할 목적으로 건설 중인 국제 고속 도로.

팬아메리칸 항:공 회:사【―航空會社】명 [Pan-American World Airways Inc.] 1922년에 설립된 미국의 국제 항공 회사. 제2차 대전을 고비로 전세계에 노선을 확충함.

팬-아시아니즘 [Pan-Asianism] 명 범아시아주의(汎Asia主義).

팬-아프리카니즘 [Pan-Africanism] 명 《정》 아프리카인이 아프리카의 개성을 바탕으로 통일 단결하여 해방을 쟁취해 가려는 운동이나 주의. 범(汎)아프리카주의.

〈팬지〉

팬잔-례【―禮】[―녜] 명 첫딸을 낳은 이가 친구들에게 졸리어 한턱 내는 일. ↔생남례(生男禮). ――-하다 자여불

팬지 [pansy] 명 《식》 [*Viola tricolor* var. *hontensis*] 제비꽃과에 속하는 일년초 또는 월년초. 줄기 높이 20 cm 가량. 봄에 자색(紫色)·백색·황색의 오판화가 정생함. 원종(原種)이 유럽·시베리아 등지에 자생하며, 세계 각지에서 관상용으로 많이 재배함. 품종이 많음.

팬츠 [pants] 명 ①바지. ②육상 경기용의 짧은 바지. ¶트레이닝 ～/러닝 ～. ③드로어즈(drawers).

팬츠 부:츠 [pants boots] 명 미국에서 시작된 복식(服飾)의 하나. 스타킹과 부츠를 하나로 한 것으로, 팬티·거들·스타킹·부츠를 겸한 것. 재료는 편물로 된 탄성(彈性) 섬유이므로 질기고, 발목이 헐렁하지 않고 잘 맞음.

팬-케이크 [pancake] 명 ①프라이팬이나 번철에 구운, 빈대떡 모양의 과자. 주로 아침 식사용. 핫케이크. ②얇고 납작한 고형분(固形粉)의 상품명으로, 땀이나 지방기(脂肪氣)를 흡수하는 작용이 있음. ¶～ 화장품.

팬크로 [panchro] 명 ↗팬크로매틱(panchromatic).

팬크로매틱 [panchromatic] 명 브롬화은(Brom化銀) 건판(乾板)보다 색채에 잘 감광(感光)하도록 만든 사진 건판(寫眞乾板) 또는 필름. 범색건판(汎色乾板). 준팬크로(panchro).

팬크로매틱 건판【―乾板】[panchromatic] 명 사진 건판의 하나. 스펙트럼의 빨강에서 보랏빛까지 전부 감광하는 건판. 전색(全色) 건판.

팬크로매틱 필름 [panchromatic film] 명 팬크로필름의 정식 명칭.

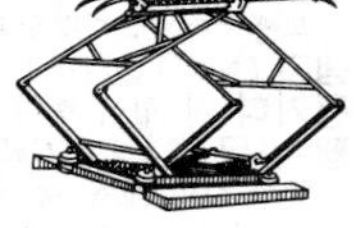
〈팬터그래프❶〉

팬크로-필름 [panchro film] 명 《화》 시아닌계(cyanin系) 색소 등의 증감제(增感劑)를 가하여, 브롬화은(Brom化銀)만으로는 감광(感光)되지 않는 장파장(長波長)의 가시 광선(可視光線) 전부를 감광하게 한 사진 필름. 피사체(被寫體)의 명암을 가장 자연스럽게 재현할 수 있음.

팬태스틱 [fantastic] 명 공상적. 광상적(狂想的). ――-하다 형여불

〈팬터그래프❷〉

팬터그래프 [pantagraph] 명 ①전차 또는 전기 기관차의 집전 장치(集電裝置). 용수철이나 압축 공기로 오르내리고, 전차선(電車線)과의 접촉면(接觸面)은 평동판(平銅板) 또는 롤러(roller)임. 집전기(集電器). ②도형(圖形)을 같은 비(比)로 확대·축소하여 그리는 제도기. 축도기.

팬터마임 [pantomime] 명 《연》 대사(臺詞)가 없이 몸짓과 표정(表情)만으로 하는 연극. 무언극(無言劇).

팬터지 [fantasy] 명 ①공상(空想). 환상(幻像). ②《악》 판타지아.

팬텀 [phantom] 명 ①환영(幻影). 망령(亡靈). ②[Phantom] 미국 해군의 함상(艦上) 전투기의 통칭. F4 팬텀 Ⅱ는 미국을 비롯한 서유럽 제국(諸國)의 전투·공격기로 채택되고 있음. ③《물》 생물(生物)의 밀도(密度)와 실효 원자 번호(實效原子番號)에 아주 근사(近似)한 부피를

갖는 물질. 방사성(放射性)을 함유하는 생물학적 실험에 쓰임.

〈팬티〉

팬트리 〔pantry〕 명 식량·식기류(食器類)를 저장하는 작은 방.

팬티 〔panty〕 명 여성용의 짧은 바지. 다리 부분은 거의 없고, 허리에 꼭 붙음. 팬티스(panties).

팬티 거:들 〔panty girdle〕 명 복부(腹部)에서 허리, 혹은 허벅지까지의 몸매를 다듬기 위한 여자 속옷의 하나.

팬티스 〔panties〕 명 팬티(panty).

팬티 스타킹 〔panty stocking〕 명 팬티와 스타킹이 한데 붙은 여성용 속내의의 하나.

팬티 호:스 〔panty hose〕 명 '팬티 스타킹'의 미국에서의 호칭.

팬-파이프 〔panpipe〕 명 관악기의 하나. 고대 그리스에서 시작한 원시 악기로, 갈대 또는 금속제의 관(管)을 평평하게 늘어놓거나 묶은 것을 취명(吹鳴)하여 연주하였음. 반수신(半獸神) 판(Pan)이 사용하였다는 데서 딴 이름.

팬-포:커스 〔pan-focus〕 명 〖연〗 광각 렌즈(廣角 lens)를 될 수 있는 한 좁혀서, 선명하게 찍히는 거리를 멀리 한 영화 촬영의 기법(技法). 장심도 촬영(長深度撮影).

팬 히터 〔fan heater〕 명 온풍기(溫風器).

팰러스 〔phallus〕 명 ①남근상(男根像). 조화(造化)의 생산력의 상징으로서 종교적으로 숭배하여, 고대의 디오니수스제(Dionysus祭)에는 이것을 메고 다녔음. ②〖생〗 음경(陰莖). 음핵(陰核).

팰리스 〔palace〕 명 ①궁전(宮殿). ②호화로운 건물. 전당(殿堂). ③넓은 오락장. ④잔주름이 있는 부드러운 천의 한 가지.

팰리시즘 〔phallicism〕 명 남근 숭배(男根崇拜). 생식기(生殖器) 숭배.

팰리티제이션 〔palletization〕 명 상품을 실은 팰릿만을 이동시키는 유닛(unit) 수송 시스템의 한 가지.

팰릿 〔pallet〕 명 포크리프트 트럭의 포크를 들이밀어 떠받쳐서 운반하는 데 쓰이는 짐판. 목제의 네모난 틀로 짠 판자형 팰릿이 많으며, 무너지기 쉬운 짐은 판자나 철망을 댄 상자식 팰릿을 씀.

팰미트 〔palmate〕 명 부채꼴 또는 손바닥 모양을 한 식물(植物) 무늬의 총칭.

팸: 명 〈방〉 파임.

팸플릿 〔pamphlet〕 명 ①가철(假綴)한 작은 책자(册子). 소책자(小册子). ¶ ~을 돌리다. ②소논문(小論文). 특히, 시사 문제에 대한 소논문(小論文).

팻:-감 【覇—】 명 바둑에서, 패를 쓸 수 있는 자리.

팻기 명 〈방〉 팥(황해·함경).

팻-돈 【牌—】 명 노름판에서 걸어 놓은 돈. 패전(牌錢).

팻-말 【牌—】 명 패목(牌木).

팻-술 【牌—】 명 〖역〗 벼슬아치가 호패(號牌)를 차던 큰 술끈. 당상관(堂上官)은 자줏빛, 당하관(堂下官)은 남빛을 씀.

팻치 명 〈방〉 팥(함북).

팻키 명 〈방〉 팥(함경).

팽[1] 명 팽나무의 열매. 굵은 팥알만하며 빨갛게 익으면 맛이 달콤하여 아이들이 먹기도 하고, 푸른 것은 팽총의 탄알로도 씀.

팽[2] 【彭】 명 성(姓)의 하나. 용강(龍岡)과 절강(浙江)의 두 본이 있음.

팽[3] 〔pang〕 명 고통(苦痛). 비통(悲痛).

팽[4] 부 ①한 바퀴 재빨리 도는 모양. ②갑자기 정신이 아찔한 모양. ¶ 머리가 ~ 돌다. 1)·2): ㄴ뱅. ㅆ뺑. <핑. ——-하다 자여불

팽개-질 명 팽개치는 짓. ——-하다 자여불

팽개-치다 타 〔←팡개치다〕 집어던지어 내버리다. 비유적(比喩的)으로도 씀. ¶ 일을 중도에서 ~/가방을 마루에 팽개치고 나가다.

팽구 명 〈방〉 팽이.

팽구리 명 〈방〉 팽이.

팽그르르 부 ①미끄러지듯 빨리 한 바퀴 도는 모양. ¶ ~ 돌다. ②갑자기 정신이 아찔한 모양. 1)·2): ㄴ뱅그르르. ㅆ뺑그르르. <핑그르르.

팽글-팽글 부 연해 미끄럽게 도는 모양. ¶ 팽이가 ~ 돌다. ㄴ뱅글뱅글. ㅆ뺑글뺑글. <핑글핑글.

팽기 【蟛蜞】 명 〖동〗 방게.

팽기다 자 힘이 축나서 기진해지다. ¶ 기운이 ~.

팽-나무 명 〖식〗 〔*Celtis sinensis* var. *japonica*〕 느릅나뭇과에 속하는 낙엽 활엽 교목. 높이 20m 내외이고 수피(樹皮)는 회색인데 2년생의 가지는 갈색, 1년생의 가지는 녹색임. 잎은 달걀꼴 또는 넓은 타원형으로 상반부에 가는 톱니가 있음. 자웅 잡가(雌雄雜家)로, 5월에 수꽃은 취산(聚繖) 화서로, 암꽃은 한 개씩 액생(腋生)하여 피며, 구형(球形)의 핵과(核果)는 9월에 홍갈색으로 익음. 산록(山麓)·골짜기 및 개울가에 나는데, 한국 각지 및 중국·일본에 분포함. 목재는 단단하여 건축·기구재(器具材)·기계나 연장의 자루·목탄(木炭) 등을 만들고, 정자 나무로 많이 심음.

〈팽나무〉

팽나무-버섯 명 〖식〗 〔*Collybia velutipes*〕 담자균류(擔子菌類)에 속하는 식용 버섯의 하나. 갓의 직경 2 ~ 10cm로 황갈색이며, 줄기는 가늚. 육질(肉質)은 연함. 늦가을에서 봄에 걸쳐 저온(低溫)에서도 잘 자람. 팽나무·느티나무·감나무 등의 등걸이나 고목(枯木)에 총생(叢生)함. 암실에서 재배한 것은 황백색의 콩나물 모양임. 찌개 따위를 끓일 때 씀. 팽이버섯.

팽다 【烹茶】 명 전다(煎茶). ——-하다 자여불

팽대 【膨大】 명 부풀어 올라 커짐. ——-하다 자여불

팽댕이 명 〈방〉 팽이(경상).

팽-덕회 【彭德懷】 명 〖사람〗 '펑 더화이'를 우리 음으로 읽은 이름.

팽두 이숙 【烹頭耳熟】 명 한 일이 잘 됨에 따라서 다른 일이 저절로 이루어짐의 비유. 망거 목수(網擧目隨).

팽란 【烹卵】 〔—난〕 명 돌알[2].

팽르베 〔Painlevé, Paul〕 명 〖사람〗 프랑스의 수학자·정치가. 파리 대학 등의 교수를 역임. 미분 방정식·함수론 등을 연구함. 1910년부터 정계에 투신, 수상 두 차례와 육상·공상·문상·재상 및 하원 의장 등을 역임함. [1863-1933]

팽만 【膨滿】 명 ①음식을 많이 먹어 배가 썩 부름. ¶ 복부(腹部) ~감(感). ②점점 부풀어올라 터질 듯함. ③〔turgor〕 〖식〗 세포액의 내용에 따라 식물 세포벽(壁)이나 막(膜)이 부풀어 오는 일. 팽창(膨脹). ——-하다 형여불. ——-히 부

팽매 명 〈방〉 팔매.

팽배[1] 【彭排】 명 〖역〗 조선 시대에 오위(五衛)의 하나인 호분위(虎賁衛)에 딸린 잡종(雜種)의 군병(軍兵).

팽배[2] 【澎湃·彭湃】 명 물결이 맞부딪쳐 솟구침. 전하여 사물이 맹렬한 기세로 일어남. ¶ 평화를 희구(希求)하는 소리가 ~하다. ——-하다 자여불. ——-히 부

팽배 대:부 【彭排隊副】 명 〖역〗 조선 시대 종구품(從九品) 잡직(雜職)의 무관.

팽배 대:장 【彭排隊長】 명 〖역〗 조선 시대 정구품(正九品) 잡직(雜職)의 무관.

팽배이 명 〈방〉 팽이[1](경남).

팽부 【烹夫】 명 〖역〗 조선 시대 사옹원(司饔院)의 종구품 잡직(雜職). 임부(飪夫)의 아래.

팽비 명 〈방〉 팽이[1](경남).

팽상 【彭殤】 명 수요(壽夭).

팽선 【烹鮮】 명 〔≪노자(老子)≫의 '治大國者若烹小鮮', 곧 큰 나라를 다스리는 자는, 작은 물고기를 요리할 때 비늘이나 내장을 떼어 내지 않고 하는 것처럼, 너무 번거로운 수단·법령 등을 피하고 될 수 있는 대로 자연에 맡겨야 한다는 데서 나온 말〕 백성을 다스림. 국정(國政)을 처리함.

팽성[1] 【彭城】 명 〖지〗 경기도 평택군(平澤郡)의 한 읍(邑). 안성천(安城川)을 등지고 군의 남쪽에 위치함. 부용산(芙蓉山)이 있고, 부근에서 복숭아·사과가 산출됨. [30,802(1990)]

팽성[2] 【彭城】 명 중국 장쑤 성(江蘇省) 쉬저우 시(徐州市) 부근의 옛 이름. 춘추(春秋) 시대에는 송(宋)의 읍(邑)이었고, 진대(秦代) 말기에는 항우(項羽)가 초(楚)나라의 회왕(懷王)과 함께 도읍을 둔 곳이었으며, 한대(漢代)에는 군(郡)이 설치되었던 곳.

팽압 【膨壓】 명 〔turgor pressure〕 〖식〗 식물 세포를 물 또는 삼투압(滲透壓)이 세포액보다 어느 정도 이하로 낮은 용액 속에 넣었을 때, 막압(膜壓)과 평형(平衡)을 유지하기 위해서 세포의 내부로부터 밖을 향하여 작용하는 막압(膜壓)과 같은 크기의 압력. 식물은 이 팽압에 의하여 체형(體形)을 유지하고 있으며, 팽압의 급격한 변화에 의하여 함수초(含羞草)의 운동 등이 일어나는 것임.

팽압 운:동 【膨壓運動】 명 〔turgor movement〕 〖식〗 세포 또는 조직의 세포군(群)이 팽압에 의하여 일어나는 식물의 운동.

팽애 명 〈방〉 〖식〗 파[1]❷(함남).

팽양 포고 【烹羊炮羔】 명 설 같은 때에 양·염소 등을 잡아 잔치를 차리어 베풂. ——-하다 자여불

팽월 【彭月·蟛蚏】 명 〖동〗 팽활(蟛蛸).

팽윤 【膨潤】 명 〔swelling〕 〖화〗 용매(溶媒) 속에 담근 고분자(高分子) 화합물이 용매를 흡수하여 차차 체적이 불어 가는 현상. 일반적으로, 열(熱)의 발생을 수반하며, 전해질(電解質) 등에 의한 영향을 받으며, 염류(塩類)가 존재하면 팽윤이 적고 산(酸) 또는 알칼리가 존재하면 커지는 수가 많음. ↔용해(溶解).

팽윤-압 【膨潤壓】 명 〖화〗 팽윤이 진행되고 있을 때, 부피의 증대(增大)를 방해하면 일어나는 압력.

팽이[1] 명 〔중세 : 핑이. 근대 : 핑이〕 둥글고 짧은 나무를 원뿔꼴로 깎아서 뾰족한 끝에 구슬을 박아 채로 쳐서 중심을 잡고 팽팽 돌게 한 어린이의 장난감. 요새는 원뿔꼴의 금속이나 나무로 만든 것에 축(軸)을 끼워 끈을 감아서 잡아채어 돌리거나 손으로 비틀어서 돌리는 것도 있음. ¶ ~를 돌리다 / ~를 치다 / ~가 죽다.

팽이[2] 명 〈방〉 〖식〗 파[1]❷(경기·강원·황해·함남·평안).

팽이-돌리기 명 새로운 팽이의 쇠막대 축에 끈을 감아서 돌리는 놀이. ——-하다 자타여불

팽이-버섯 명 〖식〗 팽나무버섯.

팽이-채 명 팽이를 쳐서 돌리는 채.

팽이-치기 명 팽이를 채로 쳐서 돌리는 놀이. ——-하다 자여불

팽이 토기 【—土器】 명 〖고고학〗 청동기(靑銅器) 시대에 청천강(淸川江) 이남, 한강(漢江) 이북의 서부 지방에서 만들어진 팽이 또는 유방 모양의 토기.

팽이형 토기 【—形土器】 명 〖고고학〗 팽이 토기.

팽임 【烹飪】 명 음식을 삶고 지져서 장만함. 팽조(烹調). 팽할(烹割). ——-하다 타여불

팽조 【烹調】 명 팽임(烹飪). ——-하다 타여불

팽창 【膨脹】 명 ①부풀어서 띵띵하게 늘어남. ②발전하여 크게 번져 퍼짐. ¶ 예산의 ~/도시 인구가 ~하다. ③〔expansion〕 〖물〗 물질이 온

도의 상승(上昇)과 더불어 그 길이나 체적(體積)이 증대하는 현상. ¶ 열에 의한 기체의 ~. ④『식』 팽만(膨滿). ——-하다 자여불

팽창-계【膨脹計】명〔dilatometer〕『물』 물체의 팽창률을 측정하는 장치. 고체의 선(線)팽창률을 측정하는 피조(Fizeau) 팽창계, 액체의 체적 팽창률(膨脹率)을 측정하는 중량(重量) 팽창계·체적(體積) 팽창계 등이 있으며, 기체의 체적 팽창률은 기체 온도계로 체적 변화를 측정하여 구함.

팽창 계:수【膨脹係數】명『물』 팽창률(率).

팽창-률【膨脹率】[—뉼] 명〔expansion coefficient〕『물』 물체가 온도 1°C 올라갈 때마다 증가하는 길이 또는 체적과, 본디의 길이 또는 체적과의 비(比). 전자를 선(線)팽창률, 후자를 체적 팽창률이라 함. 팽창 계수(係數).

팽창-색【膨脹色】명 진출색(進出色).

팽창-성【膨脹性】[—썽] 명 부피가 늘어나는 성질.

팽창 슬래그【膨脹—】명〔expanded slag〕『공』 인광석(燐鑛石)의 슬래그를 약 1,093°C의 예열로(豫熱爐)에 넣은 후, 물·고압 수증기 및 공기로 처리하여 얻는 성형(成形) 슬래그. 경량(輕量)의 콘크리트 블록을 만드는 데 쓰임. 팽창 광재(鑛滓).

팽창 시멘트【膨脹—】명〔expansive cement〕 수경(水硬) 시멘트의 하나. 보통, 황산염(黃酸塩)과 알루미나 함유량이 많음. 경화(硬化) 후, 건조에 의한 수축을 메우기 위해 팽창함.

팽창 온도계【膨脹溫度計】명『물』 물체의 체적이 온도에 따라 변함을 이용한 온도계. 액체 팽창 온도계·기체 팽창 온도계·고체 온도계·바이메탈 온도계 등이 있음.

팽창 우:주【膨脹宇宙】명〔expanding universe〕『천』 우주 팽창설에 의한 우주. 백 수십억 년 전에 폭발적으로 개벽(開闢)되었다고 생각되는 우주가 계속 팽창하여 우주의 온도와 밀도가 내려감에 따라, 원소(元素)·은하(銀河)·별이 형성되고, 진화하여 현재에 이르고 있다고 생각하는 우주. 진화 우주(進化宇宙).

팽창-제【膨脹劑】명 ①가열(加熱)되면 팽창하여, 불을 끄는 피복물(被覆物). ②베이킹파우더.

팽창-주의【膨脹主義】[— / —이] 명 ①『정』 국가의 영토 확장을 지향하는 운동이나 정책. 흔히 국내에서는 국가주의를 강조하고 대외적으로는 강경 정책을 써서 결국 전쟁·정복으로 발전함. ②『법』 파산(破産) 선고 당시의 파산자의 재산뿐만 아니라 파산 절차 중에 취득한 재산까지 파산 재단(財團)속에 흡수시키는 주의. ↔고정주의(固定主義).

팽창-판【膨脹瓣】명〔expansion valve〕 ①증기 기관(蒸氣機關)에서, 증기의 소비량을 최소한으로 하기 위한 특수한 판(瓣). 마이어식(式)과 라이더식이 있음. ②냉동기(冷凍機)에 있어서 압축된 기체의 압력을 줄여 팽창시켜서 저온(低溫)으로 하기 위한 판.

팽창 흑연【膨脹黑鉛】명 천연(天然) 흑연을 산화열(酸化熱)로 처리하여 200-400배 가량 부풀린 신소재(新素材). 압축시키면 원하는 형태로 성형 가공(成形加工)이 가능하며, 석면(石綿) 재료의 대체용(代替用)으로, 석유 화학 제품으로, 자동차·항공기의 엔진, 발전(發電)·냉동기·진공기(眞空機) 등의 부품으로 활용됨.

팽-총【—銃】명 팽을 탄알로 삼아 쏘는 아이들의 장난감 총. 총열은 맞구멍이 난 좁은 대통인데, 그 양끝에 팽을 하나씩 넣어 두고 한쪽을 자루에 박힌 대쪽으로 밀어서 공기의 압력으로 쏘아 냄. 팽 대신 종이를 쓰기도 함.

팽패려-하다【—悖戾—】형여불 ☞ 팽패롭다.

팽패-롭다 형ㅂ불 성질이 괴상하고 부드럽지 못하다. 팽패-로이 부

팽패리 명 팽패로운 사람을 놓으로 이르는 말.

팽팽 부 ①연해 빨리 도는 모양. ¶ 팽이야 ~ 돌아라. ㅅ뱅뱅. ㅆ뺑뺑. ②총알 따위가 공중으로 빠르게 지나는 소리. 또, 그 모양. 1)·2): <핑핑.

팽팽이 명『어』 열목이의 어린 새끼. ↔산치[1].

팽팽-하다[1] 형여불 ①물건이 잔뜩 켕기어 튀길 힘이 있다. ¶ 바람으로 연줄이 ~. ②양쪽의 힘이 서로 어슷비슷하다. ¶ 팽팽한 줄다리기. ③성질이 팍하고 너그럽지 못하다. 1)·2): <핑핑하다. 팽팽-히[1] 부

팽팽-하다[2]【膨膨—】형여불 한껏 부풀어 띵띵하게 되다. ¶ 혈색 좋은 얼굴은 팽팽하고 눈에는 젊은 생기가 감돌고 있었다《鮮于煇 : 깃발 없는 旗手》. 팽팽-히[2]【膨膨—】부

팽-하다[1]【烹—】타여불『역』 죄인을 정확(鼎鑊)의 형벌에 처하다.

팽:-하다[2] 형여불 과부족(過不足)이 없이 꼭 알맞다.

팽할【烹割】명 팽임(烹飪). ——-하다 타여불

팽호-도【彭湖島】명『지』 펑후 섬.

팽호 제도【彭湖諸島】명『지』 펑후 제도.

팽화【膨化】명〔imbibition〕『화』 겔(Gel)이 액체를 흡수하여 용적(容積)이 증대하는 현상. ——-하다 자여불

팽활【蟛蝟】명『동』 바닷가의 이사토(泥砂土) 속에 사는 게의 한 종류. 방게보다 작고 엄지발가락에 털이 없음. 팽월(彭月·蟛螁).

퍅 부 가냘픈 몸이 지쳐서 힘없이 쓰러지는 모양. <픽. *팩.

퍅성【愎性】명 퍅한 성질.

퍅-퍅 부 ①가냘픈 몸이 여럿이 또는 잇따라 힘없이 쓰러지는 모양. *픽픽. ②가냘픈 몸이 지지 않으려고 자꾸 대드는 모양. ¶ ~ 대들다. *팩팩.

퍅퍅-쏘다 자 입바른 말을 잘하다.

퍅-하다【愎—】형여불 성질이 몹시 좁고도 비꼬여 걸핏하면 성을 잘 내다. 팩하다. ¶ 퍅하는 성질.

퍼[1] 타〈옛〉 피어. '프다[1]'의 활용형. ¶ 七覺 고지 퍼(開七覺華)《圓覺 上 二之二 118》.

퍼:[2]〔fur〕명 모피(毛皮). 또, 그 제품(製品).

퍼:걸러〔pergola〕명 '페르골라(Pergola)'의 영어 이름.

퍼괴 명〈옛〉 포기[1]. =퍼기. ¶ 퍼괴(叢), 곳퍼괴(花叢)《同文 上 45》.

퍼그워시 회:의【—會議】〔Pugwash〕[— / —이] 명 정식 명칭은 '과학과 국제 문제에 관한 회의'. 핵무기의 전면 금지, 전쟁의 근절과 세계의 상호 신뢰를 달성할 것을 목적으로 하는 과학자의 국제 회의. 1955년 러셀·아인슈타인 등의 제창으로 1957년 처음 캐나다의 퍼그워시에서 열림. 그후, 수시로 각지에서 열림.

퍼기 명〈옛〉 포기[1]. =퍼괴. ¶ 삿기를 드려 두위텨 느라 흔퍼기예 도로 오느다(挾子翻飛還一叢)《杜諺 X:18》.

퍼-내다 타 깊숙한 데에 담긴 것을 길어 내거나 떠 내다. ¶ 물을 ~.

퍼내티시즘〔fanaticism〕명 심취(心醉). 열광(熱狂). 광신(狂信).

퍼내틱〔fanatic〕명 열광적(熱狂的). 광신적(狂信的). ——-하다 형여불

퍼:니 부 하는 일 없이 놀고만 있는 모양. ¶ 그저 ~ 허송 세월만 하고 있다. >파니.

퍼:니스〔furnace〕명 ①화로. 난로. ②용광로(鎔鑛爐).

퍼:니처〔furniture〕명 가구(家具). 비품(備品).

퍼-담다 타 퍼서 담다. ¶ 자루에 쌀을 ~.

퍼대고-앉다 자〈방〉 퍼더버리고 앉다.

퍼대기 명〈방〉 포대기(평북·강원).

퍼-대다 타 술 따위를 연방 퍼마시다.

퍼더덕 부〈방〉 퍼드덕.

퍼더덕-거리다 자〈방〉 퍼드덕거리다.

퍼더버리고 앉다 자 다리를 오므리거나 뻗거나 아무렇게나 하고 제멋대로 편히 앉다.

퍼더-버리다 타 팔다리를 아무렇게나 뻗고 편히 앉아 버리다. ¶ 내 방에서 네 활개를 퍼더버리고 실컷 마음껏 쉬다.

퍼덕-거리다 자 연해 퍼덕이다. ㅆ퍼떡거리다. >파닥거리다. **퍼덕-퍼덕** 부. ——-하다 자여불

퍼덕-대다 자 퍼덕거리다.

퍼덕-이다 자 ①새가 바지락거리며 날개를 쳐서 소리를 내다. ¶ 닭이 날개를 ~. ②물고기가 꼬리로 물바닥을 쳐서 소리를 내다. 1)·2): ㅆ퍼떡이다. >파닥이다.

퍼둪다 타〈옛〉 풀어 덮다. ¶ 鹿皮 오술 비사 와해 ᄭᆞ르시고 마리를 퍼두퍼시늘《月釋 I:16》.

퍼드덕 부 새가 날개를 치거나 물고기가 꼬리를 요란스럽게 쳐서 나는 소리. >파드닥. ——-하다 자여불

퍼드덕-거리다 자 새나 물고기가 연해 날개나 꼬리를 치면서 퍼드덕 소리를 내다. >파드닥거리다. 퍼드덕-퍼드덕 부. ——-하다 자여불

퍼드덕-대다 자 퍼드덕거리다.

퍼디다 자〈옛〉 퍼지다. ¶ 부텨 업스신 後에 法 디녀 後世예 퍼디게 호미《釋譜 Ⅵ:13》.

퍼떡 부〈방〉 ①퍼뜩. ②얼른(경상).

퍼떡-거리다 자 연해 퍼떡이다. ㅅ퍼덕거리다. >파딱거리다. 퍼떡-퍼떡 부. ——-하다 자여불

퍼떡-대다 자 퍼떡거리다.

퍼떡-이다 자 ①새가 날개를 부자연스럽게 세차게 쳐서 소리를 내다. ②물고기가 꼬리로 물바닥을 세차게 쳐서 소리를 내다. 1)·2): ㅅ퍼덕이다. >파딱이다.

퍼:-뜨리다 타 ①널리 펴서 미치게 하다. ②소문 따위를 세상이 널리 알게 하다. ¶ 소문을 퍼뜨리고 다니다.

퍼뜩 부 ①어떤 생각이 별안간 머리에 떠오르는 모양. ¶ 좋은 생각이 ~ 머리에 떠오르다. ②행동을 재빨리 날쌔게 하는 모양. 1)·2): >파뜩. 얼른(경북). ——-하다 형여불

퍼뜩-퍼뜩 부 ①연해 빨리 깨닫는 모양. >파뜩파뜩. ②푸뜩푸뜩. ——-하다 형여불

퍼뜻 부〈방〉 퍼뜩(경상).

퍼러 부〈옛〉 퍼렇게. ¶ 미햇 비르미 퍼러 나니(野莧青青)《初杜諺 XVI:65》.

퍼러히 부〈옛〉 퍼렇게. ¶ 蒼生ᄋᆞᆫ 퍼러히 살씨니 머리 보는 ᄠᅳ디라《金剛 80》.

퍼러ᄒᆞ다 형〈옛〉 퍼렇다. ¶ 蕩蕩ᄒᆞ야 正히 퍼러ᄒᆞ고(蕩蕩正靑)《內訓 Ⅱ:61》.

퍼렁 명관 퍼런 빛깔이나 물감. >파랑.

퍼렁-이 명 퍼런 빛이 나는 물건. >파랑이.

퍼렇다 [—러타] 형ㅎ불 매우 푸르다. 칙칙하게 푸르다. >파랗다.

퍼레이드〔parade〕명 ①관병식(觀兵式). 열병(閱兵). ②축하 행렬. 시위 행렬. ¶ 카 ~. ③장관(壯觀). ④검술(劍術)에서, 방어 자세.

퍼레-지다 자 퍼렇게 되다. >파래지다.

퍼렌시시스〔parenthesis〕명『인쇄』 손톱묶음. 파렌.

퍼루츠〔Perutz, Max Ferdinand〕명『사람』 오스트리아 태생의 영국 화학자. 빈(Wien) 대학을 나온 후 단백질의 구조에 관한 연구를 함. X선 해석(解析)에 의한 헤모글로빈의 분자 구조를 해명하여 공동 연구자인 켄드류(Kendrew, J.C.)와 함께 1962년도 노벨 화학상을 수상함. [1914-]

퍼르께-하다 형 ☞ 푸르께하다.

퍼르데데-하다 형 ☞ 푸르데데하다.

퍼르뎅뎅-하다 형 ☞ 푸르뎅뎅하다.

퍼르르 부 ①많은 물이 넓게 퍼져 끓어오르는 모양. 또, 그 소리. ②속이 좁고 참을성 없는 사람이 대수롭지 않은 일에 별안간 성을 내는 모양. ¶ 하찮은 일에도 ~ 성낸다. ③얇은 종이나 펴놓은 나뭇개비에 불이 붙어 타오르는 모양. ④갑자기 몸을 떠는 모양. 1)-4): ㅅ버르르. >파르르. *푸르르.

퍼르스럼-하다 형 ☞ 푸르스름하다.

퍼르죽죽-하다 형 ☞ 푸르죽죽하다.

퍼릇-퍼릇 부 ☞ 푸릇푸릇.

퍼리[1] 명 〈옛·방〉 펄. 벌. ¶존퍼리 져(沮). 존퍼리 셔(洳) ≪字會 上 5≫/존퍼리 뎐(淀). 존퍼리 탕(蕩) ≪字會 上≫.

퍼리[2] 명 〈방〉 〖충〗 파리[1](전라·경남).

퍼-마시다 타 술 따위를 바가지로 퍼서 마시듯이 많이 마시다.

퍼:머넌트 〔permanent〕 명 ①영속적. ②↗퍼머넌트 웨이브(permanent wave). ──-하다 자 여불

퍼:머넌트 웨이브 〔permanent wave〕 명 머리를, 전열기 및 화학 약품을 사용하여 물결처럼 곱슬곱슬하게 지지는 일. 또, 그 머리. 준퍼머넌트(permanent)·파마.

퍼:머넌트 프레스 가공【―加工】〔permanent press〕 명 와이셔츠·스커트 등의 봉제품에 대한 가공의 하나. 천에 수지(樹脂)를 침투시켜, 봉제한 후에 고온으로 다려서 주름·형태를 고정시킴. 옷감이 구겨지지 않고 옷 모양이 변화하지 않음. 주로 합섬 제품(合纖製品)에 적용(適用)함. 준피 피 가공(P.P.加工).

퍼-먹다 타 ①퍼서 먹다. ②함부로 많이 먹다. ¶밥을 막 ~.

퍼:멀로이 〔permalloy〕 명 니켈(nickel) 75-90 %, 철(鐵) 20-25 %를 함유한 합금(合金)으로 매우 큰 투자율(透磁率)을 지니며, 순철(純鐵)의 8배의 자성(磁性)을 나타냄. 마멸도(磨滅度)가 적고 신전성(伸展性)이 풍부함.

퍼:뮤테이션 〔permutation〕 명 〖수〗 순열(順列). 치환(置換).

퍼:뮤티트 〔Permutite〕 명 경수(硬水)를 연수(軟水)로 만들기 위하여, 인공적으로 만든 알루미노 규산 나트륨의 상품명(商品名).

퍼:밀 〔permill〕 의명 천분율(千分率). 프로밀(promille). 기호: '‰'.

퍼벌-하다 자 여불 외양(外樣)을 꾸미지 아니하다.

퍼-붓다 자 타 ㅅ불 ①퍼서 붓다. ¶물을 ~. ②비·눈 따위가 억세게 마구 쏟아지다. ¶비가 억수같이 ~. ③욕설을 마구 하다. ¶비난을 ~.

퍼브 〔pub〕 명 〔←public house〕 대중 주점(大衆酒店). 선술집.

퍼블리시티 〔publicity〕 명 선전의 한 가지. 광고료를 지불하지 않고 결과적으로 광고의 효과를 얻을 수 있는 기사(記事)·프로그램 또는 그러한 기사·프로그램을 만들도록 작용하는 활동.

퍼블리시티 릴리:스 〔publicity release〕 명 관청·기업에서 보도 기관에 대하여, 정보 제공 또는 취재(取材) 협력을 목적으로 행하는 발표. 또, 그 인쇄물(印刷物).

퍼블릭 〔public〕 명 공공(公共)·공립(公立)·공중(公衆)·공사(公事)·일반(一般)의 뜻.

퍼블릭 릴레이션스 〔public relations〕 명 피 아르(P.R.)의 정식 명칭.

퍼블릭 스쿨: 〔public school〕 명 〖교〗 ①공립 학교. ②미국(美國)의 공립 학교. 공비(公費)로 경영되는 초등·중등 및 고등 교육의 학교. ③영국(英國)에서 대학 진학(大學進學)의 예비 교육(豫備敎育) 또는 공무원의 양성을 목적으로 하는 기숙제(寄宿制)의 사립 중등 학교(私立中等學校). 대개 오랜 전통(傳統)을 자랑하며, 또 풍부한 기금(基金)을 가지고 있음. 미국의 하이 스쿨에 해당함. 근년에는 그 수를 증가하여 여자 전문의 학교도 있음.

퍼블릭 스페이스 〔public space〕 명 여관이나 호텔에서, 개인용 방이 아닌 식당·바·댄스 홀·회의실 따위의 일컬음.

퍼블릭 억셉턴스 〔public acceptance〕 명 지역 주민(地域住民)의 이해(理解)와 승인(承認). 시민(市民)의 일상 생활에 밀접한 관련을 가진 의료·환경 감시·폐기물 처리(廢棄物處理) 등의 사회 개발적인 기술이나 시설·시스템의 도입에 있어 정부나 기업이 지역 주민의 이해와 승인을 필요로 함을 말함.

퍼블릭 코:스 〔public course〕 명 회원(會員)이 아니라도 이용할 수 있는 골프장.

퍼블릭 코:퍼레이션 〔public corporation〕 명 공공 기업체(公共企業體).

퍼:서 〔purser〕 명 배의 사무장(事務長).

퍼석 부 연하고 메마른 것이 연해 가볍게 부스러지는 모양. 또, 그 소리. >파삭. ──-하다 ㊀자 여불 퍼석 소리가 나다. ㊁형 여불 물건이 메마르고 연하여 부스러지기 쉽다.

퍼석-거리다 자 연하고 메마른 것이 연해 가볍게 부스러지는 소리가 나다. >파삭거리다. 퍼석-퍼석 부. ──-하다 ㊀자 여불 퍼석거리다. ㊁형 여불 매우 퍼석하다.

퍼석-대다 자 퍼석거리다. >파삭대다.

퍼세틱 〔pathetic〕 명 슬픈 것. 비장(悲壯)한 것. 감동적인 것. ──-하다 형 여불

퍼세틱 드라마 〔pathetic drama〕 명 〖연〗 감상적인 연극 또는 희곡.

퍼센트 〔percent〕 의명 전체의 100분의 1을 단위로 하여 나타낸 비율. 백분(百分)의 얼마에 상당하는가를 표시함. 기호(記號) '%'. ¶백 ~의 능률.

퍼센티지 〔percentage〕 명 백분비. 백분율.

퍼:셀[1] 〔Purcell, Edward Mills〕 명 〖사람〗 미국의 물리학자. 하버드 대학 교수. 자기 공명(磁氣共鳴)에 의한 전파의 흡수를 이용하여 액체·고체 시료(試料)의 원자핵의 자기(磁氣) 모멘트를 측정하는 방법을 고안함. 독자적으로 같은 방법을 고안한 블로흐(Bloch, F.)와 함께 1952년 노벨 물리학상을 받음. [1912-]

퍼:셀[2] 〔Purcell, Henry〕 명 〖사람〗 영국의 작곡가. 왕실 관현 합주단 소속 작곡가로 궁정 음악을 쓰는 한편 극음악의 작곡가로서도 활약함. 극음악으로 쓴 것은 40곡에 이르지만 오페라로서 남아 있는 것은 ≪디도(Dido)와 아에네아스(Aeneas)≫뿐임. 이 밖에도 많은 성악곡과 기악곡이 있음. 엘리자베스 여왕 시대 최대의 음악가로, 그 음악의 청신(淸新)함은 20세기에 들어 재평가되고 있음. [1659-95]

퍼:셉트론 〔perceptron〕 명 시각(視覺)과 뇌(腦)기능의 모델화(化)를 꾀한 장치의 한 가지. 미국 코넬 대학의 로젠블라트(Rosenblatt, F.) 등이 만든 대표적인 학습 기계.

퍼:스[1] 〔Peirce, Charles Sanders〕 명 〖사람〗 미국의 철학자·수학자·물리학자. 확률론(確率論) 및 철학(哲學)의 과학적 방법론(科學的方法論)을 연구함. 제임스(James, W.)와 달리 프래그머티즘(pragmatism)을 창시하였으며, 그 밖에 기호론(記號論)·기호 논리학(記號論理學)의 방면에도 큰 업적을 남겼음. 저서에 ≪논리학 연구(論理學硏究)≫ 등이 있음. [1839-1914]

퍼:스[2] 〔Perth〕 명 〖지〗 오스트레일리아, 웨스턴오스트레일리아 주(州)의 주도(主都). 스완 강(Swan 江)의 하구에서 19 km 지점에 있음. 하구의 프리맨틀(Fremantle)을 외항(外港)으로 함. 지중해성 기후로 삼림(森林)·밀농장·목축이 성함. 행정·상공업·문화의 중심지로 자동차·섬유·비료·시멘트 공업이 행하여짐. 1829년 창건되고, 1891-94년 금광이 발견된 이래 급속히 발달함. 〔969,100 명(1983)〕

퍼:스낼리티 〔personality〕 명 인격(人格). 개성(個性).

퍼:스널 〔personal〕 명 일 개인의 일. 일신상(一身上). 사적(私的). 인격적(人格的).

퍼:스널 인플루언스 〔personal influence〕 명 〖광고〗 사람의 입을 통하여 전하여지는 커뮤니케이션의 영향. 인적 영향(人的影響).

퍼:스널 컴퓨:터 〔personal computer〕 명 〖컴퓨터〗 개인이나 가정에서의 이용을 목적으로 한 마이크로컴퓨터(microcomputer). 주로 탁상용(卓上用)인데, 휴대용도 있음. 개인용 컴퓨터. 약칭 : 피 시(PC). 준퍼스컴.

퍼:스널 파울 〔personal foul〕 명 농구에서, 상대팀의 플레이어(player)와의 신체적 접촉을 포함하여 인 플레이(in play) 또는 스로인(throw in)하는 플레이어에 공이 주어진 뒤에 일어난 동작에 의한 플레이어의 파울. ──-하다 자 여불

퍼:스-오브-포:스 〔Firth of Forth〕 명 〖지〗 스코틀랜드 남동부의 북해(北海)에 연한 협만(峽灣). 부근의 대어장(大漁場)을 상대로 하는 대소의 어항(漁港)이 있음.

퍼스-컴 명 ↗퍼스널 컴퓨터.

퍼:스트 〔first〕 명 ①첫째. 제일(第一). 맨 처음. ②야구에서, 퍼스트 베이스(first base). ③퍼스트 베이스맨(first baseman).

퍼:스트 내셔널 시티 은행【―銀行】 명 〔First National City Bank: 약칭 F.N.C.B.〕 미국에서 세 번째의 상업 은행. 전세계에 약 600개의 해외 지점을 가지고 있음.

퍼:스트 네임 〔first name〕 명 성(姓)이나 세례명(洗禮名)에 대한 이름의 일컬음.

퍼:스트 러브 〔first love〕 명 첫사랑.

퍼:스트 런 〔first run〕 명 영화(映畫)의 개봉 흥행(興行). 또, 개봉관(開封館).

퍼:스트 레이디 〔first lady〕 명 최상석(最上席)의 부인(夫人). 특히, 대통령 부인.

퍼:스트 미트 〔first mitt〕 명 야구에서, 일루수(一壘手)가 쓰는 미트.

퍼:스트 베이스 〔first base〕 명 ①야구에서, 제일루(第一壘). 준퍼스트. ②↗퍼스트 베이스맨.

퍼:스트 베이스맨 〔first baseman〕 명 야구에서, 제일루(第一壘)를 지키는 야수(野手). 일루수(一壘手). 준퍼스트(first)·퍼스트 베이스(first base).

퍼:스트 신: 〔first scene〕 명 첫 장면(場面).

퍼:스트 임프레션 〔first impression〕 명 첫 인상(印象).

퍼:스트 클래스 〔first class〕 명 열차·상선(商船)의 여객의 등급에서, 1등. *투어리스트 클래스.

퍼스티언 〔fustian〕 명 일종의 능직 면포(綾織綿布).

퍼스펙티브 〔perspective〕 명 ①투시화(透視畫). 투시법(透視法). 원근법(遠近法). ②원경(遠景). 조망(眺望). ③장래에 대한 전망(展望). 가망(可望).

퍼슬-퍼슬 부 덩이를 이룬 가루 따위가 물기 없이 말라서 쉽게 헤어지는 모양. ¶~해서 떡을 빚기에 나쁘다. ㅅ버슬버슬. >파슬파슬. *푸슬푸슬. ──-하다 형 여불

퍼시픽 컨버:터 〔pacific converter〕 명 화학 섬유의 섬유속(纖維束)을 절단하여 소모(梳毛)를 만드는 기계.

퍼시픽 코:스트 리:그 〔Pacific Coast League〕 명 〖체〗 미국 프로 야구의 태평양 연안에 있는 스리 에이급(AAA級)의 리그.

퍼:실라이트 〔percylite〕 명 〖광〗 구리 및 납의 염기성 염화물(塩基性塩化物)로 이루어진 광물. 푸른 색의 12면체 결정(結晶)으로 존재하며, 경도(硬度)는 2.5. $[PbCuCl_2(OH)_2]$

퍼:싱 투: 〔Pershing Ⅱ〕 명 미국의 2단계 지대지(地對地) 핵탄두 미사일. 사정 거리 약 2,000 km.

퍼즐 〔puzzle〕 명 ①수수께끼. 알아맞히기. 퀴즈(quiz). ②난문(難問). 난제(難題).

퍼:지 〔purge〕 명 숙청(肅淸). 추방. 공직 추방(公職追放). *레드 퍼지(red purge).

퍼:지다 자 ①끝이 넓적하게 또는 굵게 벌어지게 되다. ¶밑이 퍼진 스커트. ②넓은 범위에 미치다. ¶소문이 널리 ~/유행이 ~/전염병이 ~. ③자손이 번성하여지다. ¶집안이 ~. ④초목이 무성(茂盛)하게 되다. ¶가지가 ~. ⑤삶은 것이 불어 커지다. 밥이나 죽 같은 것이 푹 삶아지자. ¶잘 퍼진 죽. ⑥빨래의 구김살이 잘 다려지다. ¶잘 퍼지지 않는 바지. ⑦고루 미치다. ¶약 기운이 ~.

퍼지르고 앉다 〔一안따〕 구 두 다리를 아무렇게나 내던지듯이 하고 주저앉다.

퍼지르다 타여불 ①퍼더버리다. ②말을 마구하다. ¶ 악담을 ~. ③입에 다 연방 퍼넣다.

퍼지 이:론 【一理論】〔fuzzy〕 명 애매 모호한 개념을 수학적으로 풀어 보고자 하는 집합 이론. 이를테면 컴퓨터는 2 진법에 따라 연산을 하므로 1 아니면 0, 곧 참 아니면 거짓임. 그러나 퍼지 이론이 적용된 컴퓨터는 참도 아니고 거짓도 아닌 모호한 개념까지 파악함. 즉 종래의 컴퓨터는 '100 개 이상이면 많다'라고 입력시키면 99 는 '적다'로 나오나 퍼지 컴퓨터는 '어지간히 많다'로 나오게 됨.

퍼치다 타 〈방〉 퍼뜨리다.

퍼:커션 〔percussion〕 명 드럼·심벌 따위 각종 타악기(打樂器). 또, 각종 타악기의 연주(演奏).

퍼:컬레이터 〔percolator〕 명 ①여과 장치(濾過裝置)를 한 커피 끓이는 기구. ②여과기(濾過器).

퍼: 코:트 〔fur coat〕 명 모피제(毛皮製) 코트의 총칭. 방한용(防寒用)으로 뿐 아니라 이브닝 드레스와 짝맞추어져 호화로운 멋을 풍기는 코트임.

퍼:킨 〔Perkin, William Henry〕 명 《사람》 영국의 유기 화학자. 1856년 아닐린(aniline) 염료를 합성, 색소 공업을 창시하였으며, '퍼킨 반응'을 발견하여 쿠마린(coumarin)을 합성, 천연 향료(天然香料) 연구의 선구가 되었음. [1838-1907]

퍼:킨 반:응 【一反應】 명 〔Perkin's reaction〕 《화》 방향족 알데히드(芳香族 aldehyde)와 카본산(酸) 나트륨염(塩) 및 이에 맞먹는 무수 초산(無水醋酸)과 반응하여 방향족 불포화산(不飽和酸)을 만드는 반응.

퍼터 〔putter〕 명 골프에서, 그린(green)에 있는 공을 홀에 넣을 때에 사용하는 클럽.

퍼터널리즘 〔paternalism〕 명 정치·경제·고용(雇用) 관계 등에서, 아들에 대한 아버지의 것과 같은 선의(善意)에 기초를 둔 배려, 또는 통제나 간섭. 온정주의·가족주의적 경영 또는 통제.

퍼텐셜 〔potential〕 명 ①가능(可能)함. 잠재(潛在)함. ②《전》 전위(電位). ③《물》 벡터(vector)의 장(場)의 크기를 이의 경사의 비율로 나타낼 수 있는 스칼라량(scalar 量). 벡터량의 종류에 따라 중력(重力)의 퍼텐셜, 전기력의 퍼텐셜, 운동 퍼텐셜, 열역학적 퍼텐셜이라 함.

퍼텐셜 에너지 〔potential energy〕 명 《물》 위치 에너지(位置 energy).

퍼텐쇼미터 〔potentiometer〕 명 《전》 전위차계(電位差計).

퍼:트[1] 【PERT】 명 〔program evaluation and review technique 의 약칭〕 목표를 예정 시간대로 완성시키기 위한 계획·관리·통제의 새로운 수법. 1957년경 미국에서 폴라리스 미사일 개발중(開發中)에 수학자 클라크(Clarke, C.E.)가 고안하였음. 우주 개발·일반 기업 외에 연극의 준비, 외과 수술의 집도(執刀) 순서 개량, 방재(防災) 계획 등 응용 범위가 넓음.

퍼트[2] 〔putt〕 명 골프에서, 그린(green)의 공을 홀(hole)에 넣기 위하여 퍼터(putter)로 가볍게 치는 일. 또, 그 기술. 퍼팅(putting).

퍼-트리다 타 퍼뜨리다.

퍼티 〔putty〕 명 《화》 산화 주석(朱錫) 또는 탄산 석회를 아마인유(亞麻仁油) 같은 건성유(乾性油)로 이긴 연한 물질. 공기 중에서 시일이 지남에 따라 경화(硬化)하므로 창유리의 정착, 판자의 도장(塗裝), 철관(鐵管)의 연결 등에 사용함. 떡밥.

퍼팅 〔putting〕 명 퍼트[2](putt). ──하다 자여불

퍼팅 그린: 〔putting green〕 명 골프에서, 홀 부근의 퍼팅하기 좋도록 특히 고운 잔디 따위로 잘 정비된 구역.

퍼:펙트 〔perfect〕 명 ①'완전·완벽'의 뜻. ②↗퍼펙트 게임.

퍼:펙트 게임 〔perfect game〕 명 ①야구에서, 수비진(守備陣)의 피처(pitcher)가 공을 교묘(巧妙)하게 던지어 상대 팀의 주자(走者)를 한 사람도 베이스에 내보내지 않고, 한 투수가 한 시합을 완투(完投)하여 이기는 일. 완전 시합(完全試合). ②볼링에서, 모든 투구(投球)가 스트라이크가 된 게임. 득점은 만점인 300 점. 1)·2): 준퍼펙트.

퍼:펜디큘라 스타일 〔perpendicular style〕 명 14세기 중엽에 발생한 영국 고딕 건축 후기의 양식(樣式). 고딕 양식이 갖는 수직성(垂直性)이 강조되어 세로 간격이 좁고 세밀하며 첨탑(尖塔)이 많은 구성을 이룸. 런던에 있는 웨스트민스터 대성당(大聖堂)의 헨리 7세 예배당이 대표적인 건축물임.

퍼:포레이션 〔perforation〕 명 필름의 양쪽 가에 뚫린 구멍.

퍼프 〔puff〕 명 〔powder puff 의 약칭〕 분첩(粉貼)❶.

퍼프드 라이스 〔puffed rice〕 명 서양식 죽의 한 가지. 튀긴 쌀에 우유와 설탕을 섞어서 만듦.

퍼프 슬리:브 〔puff sleeve〕 명 어깨 끝이나 소매 끝에 개더(gather)를 넣어 낙낙하게 한 소매.

퍽[1] 〔puck〕 명 아이스하키에서, 공처럼 사용하는 것. 경화(硬化) 고무로 만든 것으로, 두께 2.54 cm, 직경 7.62 cm 의 납작한 원반형임.

퍽[2] 〔Puck〕 명 나쁜 장난을 좋아하는 작은 요정(妖精). 흔히, 만화 잡지 등의 표제(標題)로 쓰임.

퍽[3] 부 ①힘있게 냅다 지르는 모양이나 그 소리. ¶ ~ 하고 면상을 지르다. ②힘없이 한번에 거꾸러지는 모양이나 그 소리. ¶ ~ 쓰러지다. ③진흙 같은 데를 밟을 때 깊숙이 빠지는 모양이나 그 소리. 1)-2): >팍. ──하다 형여불

퍽[4] 부 썩 많이. 아주 지나치게. ¶ ~ 강하다.

퍽석 부 ①맥없이 주저앉는 모양이나 그 소리. ¶ 그 자리에 ~ 주저앉다. ②메마르고 엉성한 물건이 가볍게 가라앉거나 또는 여지없이 깨어지는 모양. 또, 그 소리. ¶ 흙담이 ~ 무너지다. 1)·2): >팍삭. ──하다 형여불

퍽석-퍽석 부 맥없이 연해 주저앉는 모양. 또, 메마르고 엉성한 것이 여러번 가볍게 가라앉거나 여지없이 깨어지는 모양. >팍삭팍삭. ──하다 형여불

퍽신-퍽신 부 부드럽고 약간 튀길 힘이 있어 만지면 부서질 듯한 느낌이 있는 모양. >팍신팍신. *푹신푹신. ──하다 형여불

퍽신-하다 형여불 부드럽고 튀기는 힘이 있어 닿으면 부서질 듯한 느낌이 있다. >팍신하다. *푹신하다.

퍽으나 부 〈방〉 퍽.

퍽-치기 명 느닷없이 덤벼들어 한 대 퍽 치고, 금품(金品)을 빼앗는 치기배(輩).

퍽-퍽 부 ①힘있게 자꾸 내지르는 모양. ②힘없이 연해 거꾸러지는 모양. ¶ ~ 쓰러지다. ③눈이나 비가 많이 쏟아지는 모양. ④진흙 같은 데를 디딜 때 깊이 빠지는 모양. ¶ ~ 빠지는 수렁. 1)-4): >팍팍.

퍽퍽-하다 형여불 ①메진 가루 같은 것을 씹을 때, 물기나 끈기가 없어서 목이 메일 정도로 메마르다. ¶ 떡이 어찌나 퍽퍽한지 넘어가지 않는다. *터벅터벅하다. ②다리가 아주 지쳐서 꼼짝 못할 정도로 힘이 없다. 1)·2): >팍팍하다. *터벅터벅하다.

펀개 명 〈방〉 번개(제주).

펀더기 명 넓은 들.

펀더멘털리즘 〔fundamentalism〕 명 제1차 세계 대전 후, 자유주의(自由主義) 신학(神學) 및 세속화(世俗化)한 생활에 대항하여, 특히 미국에서 일어난 프로테스탄트 교회의 보수적(保守的) 운동의 입장을 이름. 근본주의(根本主義).

펀더지 명 〈방〉 펀더기.

펀덩 명 〈방〉 버덩.

펀둥-거리다 자 아무 하는 일이 없이 뻔뻔스럽게 놀고만 있다. ¶ 거리에서 펀둥거리는 단주를 현마가 당초에 주워 올린 동기부터가 그의 용모에 혹한 까닭이었다《李孝石 : 花粉》. 一번둥거리다. 一뻔둥거리다. >판둥거리다. **펀둥-펀둥** 부 ¶ ~ 드러누워서 마냥 게으름을 피우고 있으면 식사는 저절로 운반되어 왔다《鄭乙炳 : 개새끼들》. ──하다 자여불

펀둥-대다 자 펀둥거리다.

펀드 〔fund〕 명 기금(基金). 자금(資金).

펀드 매니저 〔fund manager〕 명 《경》 은행·보험 회사 그 밖의 금융 기관에서 금융 자산을 전문으로 운용하는 담당자. 전에는 투자 신탁 등 극히 제한된 분야의 자산 운용자를 가리켰으나, 최근에는 보험·은행 등에도 금융 자산 운용이 높아져 그 범위도 넓어지고 있음. 자금 관리자.

펀들-거리다 자 아무 하는 일없이 밉살맞은 태도로 게으르게 놀기만 하다. 一번들거리다. 一뻔들거리다. >판들거리다. **펀들-펀들** 부. ──하다 자여불

펀들-대다 자 펀들거리다.

펀디 만 【一灣】〔Fundy〕 명 《지》 캐나다 남동부, 뉴브런즈윅 주와 노바스코샤 주 사이에 있는 만. 간만(干滿)의 차는 만 어귀에서 6 m, 내만 깊숙한 곳에서 15 m로 세계 최대임. [길이 150 km, 너비 50 km]

펀뜻 부 ☞언뜻. ¶ 머리에는 ~ 불안스러운 의혹이 떠올랐다《鄭飛石 : 青春의 倫理》.

펀수 명 〈방〉 소경[1](경기).

펀수이 〔汾水〕 명 《지》 중국 산시 성(山西省)을 남북으로 종관(縱貫)하는 강. 유역(流域)에 타이위안(太原)·린펀(臨汾) 등 몇 개의 중심 평야를 전개하면서 남쪽으로 흘러 황해로 들어감. 동성(同省)의 남북 교통의 간선임. 분수.

펀양 〔汾陽〕 명 《지》 중국 산시 성(山西省) 서부 타이위안 분지(太原盆地) 서단의 도시. 산시(陝西) 북부·산시(山西) 서부의 물자 집산지이고, 특산물로는 분주(汾酒)가 있음. 분양.

펀자브 〔Punjab〕 명 《지》〔산스크리트어로 다섯 바다의 뜻〕 ①인도 북서부에서 파키스탄 북부에 걸치는 인더스 강 상류 지역의 지방. 인더스 강의 지류(支流)가 흐르며, 관개(灌漑)에 의한 농업이 행하여짐. 주산물은 밀·면화(棉花)임. 고대 문명의 발상지(發祥地)임. ②인도 공화국 북부의 주. 북쪽은 카슈미르, 서쪽은 파키스탄에 접함. 주도(州都)는 찬디가르(Chandigarh). [50,362 km² : 16,670,000 명(1981)]

펀자브-어 【一語】 명 〔Punjab〕 《언》 인도 펀자브 지방에서 쓰이는 언어로, 인도어파(印度語派)에 속하며, 아라비아어(語)·페르시아어(語)로부터의 차용어(借用語)가 많음. 약 2,500만 인이 사용함.

펀처 〔puncher〕 명 ①권투에서, 펀치를 장기(長技)로 하는 사람. ¶ 하드 ~. ②↗키 펀처. ③표·종이 따위에 구멍을 뚫는 기구.

펀치[1] 〔punch〕 명 ①권투에서 타격. 또, 주먹으로 세게 치는 일. ¶ 강 ~. ②럭비에서, 발 끝으로 공을 튕겨 차는 일. ③구멍을 뚫는 일. 또 그 용구. 차표 등에 구멍을 뚫는 가위나, 서류 등에 구멍을 뚫는 기구. ④《컴퓨터》 종이 테이프·카드 등에 정보(情報)를 나타내는 구멍을 뚫는 일. 천공(穿孔). ⑤과실즙에 설탕·양주 따위를 섞은 음료. ⑥《미술》 ↗펀치화(punch 畫).

펀치[2] 〔Punch〕 명 영국의 지식 계급을 대상으로 한 고급 주간지. 서민감각(庶民感覺)의 사회 비판을 강하게 반영한 유머와 풍자화(諷刺畫)가 특색임.

펀치-기 【一器】〔punch〕 명 팸플릿 등을 철(綴)할 때에 작은 구멍을 뚫는 기계.

펀치 모:형 【一母型】〔punch〕 명 《인쇄》 부형(父型)을 모형재(材)에 두드려 박아서 만든 모형. 소규모에서는 수공에 의하나, 깊이를 평균하게 두드려 박기 어려우므로 특수한 기계를 사용함.

펀치 카:드 〔punch card〕 명 천공(穿孔) 카드.

펀치카:드 시스템 〔punch-card system〕 명 카드에 구멍을 뚫어서 정보(情報)를 표시, 이를 사용하여 자료의 정리, 수치(數値)의 계산 등을 하는 기계 조직. 또, 그와 같은 정보 처리(情報處理) 조직. 약칭:피 시 에스(P.C.S.).

펀치-화 【—畫】〔punch〕 명 『미술』 우의(寓意)·풍자(諷刺)의 우스개 만화. ㊟펀치.

펀칭 〔punching〕 명 『체』 축구에서, 골키퍼가 골로 날아오는 공을 손으로 쳐내기. ——-하다 타여불

펀칭 머신: 〔punching machine〕 명 펀치 모형(母型)을 만드는 기계.

펀칭 백 〔punching bag〕 명 권투에서, 가격하는 힘을 연마하는 데 쓰는, 모래 따위를 넣은 부대(負袋). 흔히, 가죽·즈크(doek)로 만들어 매달아 놓음.

펀칭 볼: 〔punching ball〕 명 권투 연습 용구(用具)의 하나. 팔의 스피드와 눈의 움직임을 정확하게 하기 위하여 눈 높이로 매달아 치는 가죽으로 된 볼.

펀트[1] 〔punt〕 명 ↗펀트 킥. ——-하다 자여불

펀트[2] 〔punt〕 명 바닥이 편편하고, 두 끝이 방형(方形)으로 생긴 작은 배. 삿대로 움직임.

펀트 킥 〔punt kick〕 명 럭비에서, 공을 손에서 떨어뜨려 공이 땅에 닿기 전에 차는 일. ㊟펀트.

펀펀-하다 형여불 물건의 거죽에 높낮이가 없이 너르다. >판판하다. 펀펀-히 부

펀:-하다 형여불 가가 아득하게 너르다. >판하다. 펀:-히 부

펄[1] 명 ①↗개펄. ②아주 넓고 평평한 땅. 스벌.

펄:[2] 〔pearl〕 명 ①진주(眞珠). ②보물.

펄기 명 〈옛〉 포기. ¶미나리 혼펄기를 캐여셔 시수이다《古詩調》. *퍼기.

펄-꾼 명 겉치레를 아니하는 사람을 이르는 말.

펄떡 부 ①힘을 모아 가볍게 뛰는 모양. ¶물고기가 ~ 뛰다. ②맥이 아주 크게 뛰는 모양. 1)·2): >팔딱. ——-하다 자여불

펄떡-거리다 자 ①힘을 모아 가볍게 자꾸 뛰다. ②문을 여닫으며 자꾸 나들다. ③맥이 세게 자꾸 뛰다. ④성이 나서 펄펄 뛰며 못 견디어하다. 1)-4): >팔딱거리다. 펄떡-펄떡 부. ——-하다 자여불

펄떡-대다 자 펄떡거리다.

펄떡이다 자 큰 것이 탄력있게 뛰다. >팔딱이다.

펄:라이트 〔pearlite〕 명 『광』 가장 안정된 강(鋼)의 조직. 오스테나이트(austenite) 상태의 강을 서서히 냉각하면 얻을 수 있음.

펄럭 부 바람에 날리어 한 번 빠르게 나부끼는 모양이나 그 소리. >팔락. ——-하다 자여불

펄럭-거리다 자 바람에 날리어 아주 빠르게 연해 나부끼다. ¶빨래가 바람에 ~. >팔락거리다. *풀럭거리다. 펄럭-펄럭 부. ——-하다 자여불

펄럭-대다 자 펄럭거리다.

펄럭-이다 자 바람에 날리어 세차게 빨리 나부끼다. ¶펄럭이는 깃발.

펄렁 부 바람에 날리어 한 번 가볍게 나부끼는 모양. >팔랑. ——-하다 자여불

펄렁-거리다 자 바람에 날리어 가볍게 계속하여 나부끼다. >팔랑거리다. *풀렁거리다. 펄렁-펄렁 부. ——-하다 자여불

펄렁-대다 자 펄렁거리다.

펄레이드 〔Palade, George Emil〕 명 『사람』 루마니아 태생의 미국 식물학자. 록펠러 대학·예일 대학 교수. 세포 구조와 기능에 관한 연구로 클로드(Claude, Albert; 1898-1983)·드뒤브(De Duve, Christian René Marie Joseph; 1917-)와 함께 1974년 노벨 생리 의학상을 받음. [1912-]

펄:로:크 〔Perlohrke〕 명 화학 섬유의 섬유속(纖維束)에서 슬라이버를 만드는 기계. 비교적 가느다란 실을 방적하는 데 쓰임.

펄:롱 〔furlong〕 의명 길이의 단위. 8분의 1마일에 해당함.

펄:만 〔Perlman, Itzhak〕 명 『사람』 이스라엘의 바이올리니스트. 어려서 소아 마비를 앓아, 하반신을 못쓰는데, 미국의 줄리어드 음악원에서 공부함. 음색이 곱고, 마술적 테크닉을 가졌다 하여, 현대 세계에서 가장 인기 높은 바이올리니스트로 꼽힘. [1945-]

펄버라이저 〔pulverizer〕 명 『기』 석탄을 분쇄하는 기계. 타쇄식(打碎式)·마모식(磨耗式)·전마식(轉磨式)·관식(管式) 등이 있음.

펄서: 〔pulsar〕 명 『천』 1967년 영국의 천문학자 휴이시(Hewish, A.) 등에 의해 발견된 전파 천체(電波天體). 펄스 주기(pulse週期)는 3-0.03초, 10^{-8}의 정도(精度)로 일정하게 전파를 발사함. 은하계(銀河系) 안에서 약 350개 발견되고 있으며, 태양과의 거리는 수십 파섹(pc)에서 수 킬로파섹(kpc)임.

펄스 〔pulse〕 명 ①동맥. 맥박. ②『물』 일반적으로, 어떤 양(量)이 극히 짧은 시간 동안 변화할 때 그 부분의 일컬음. 진동(振動) 또는 파(波)의 특수한 예로, 그 파형(波形)에 따라 장방형 펄스·삼각 펄스 등으로 불림. 또, 전류·전파 등으로 신호에 쓰이는 것을 지칭할 때도 있음.

펄스-광 【—光】 명 〔pulsed light〕 『물』 강도(強度)가 일정한 방법에 따라 펄스상(狀)으로 변조(變調)된 빛의 빔.

펄스 레이저 〔pulse laser〕 명 『물』 피크 파워가 수십 킬로와트 이상이며, 수백 마이크로초(秒)의 펄스광(光)을 발생하는 레이저.

펄스 변:조 【—變調】 명 〔pulse modulation〕 『컴퓨터』 자기 테이프에 데이터를 기록하는 방식의 하나. 1과 0을 180도의 위상차(位相差)로 표현하여 기록하고 극성의 변화 방향에 의해 1과 0을 검출하는 방법.

펄스 부호 변:조 【—符號變調】 〔pulse〕 명 『컴퓨터』 펄스 코드 변조.

펄스-열 【—列】 명 〔pulse train〕 『물』 비슷한 성질을 가지고 규칙적으로 연속되어 있는 일련(一連)의 펄스.

펄스 이온화함 【—化函】 명 〔pulse ionization chamber〕 입사(入射)한 방사선의 전리 작용(電離作用)에 의해 전극(電極)에 생기는 전압(電壓) 변동을 펄스로서 추출, 증폭(增幅)하여 계산하기 위한 전리함(電離函). 전극의 형상(形狀)에 따라 평행 평판형(平行平板形)·원통형·구형(球形) 등으로 나뉨.

펄스 전:류 【—電流】 〔pulse〕 〔—절—〕 명 『물』 전류 파형(波形)의 하나. 간헐적으로 짧은 시간만 흐르는 전류. 전류가 흐르고 있는 시간에 비하여 파고(波高)가 큰 것을 말함.

펄스 전:리함 【—電離函】 〔pulse〕 〔—절—〕 명 펄스 이온화함.

펄스-제트 〔pulsejet〕 명 제트 기관의 하나. 압축기가 없이 연소실의 공기 취입구에 맥박을 치듯 개폐하는 자동판(自動瓣)이 있음. 제2차 대전 중 독일에서 개발됨. 무인 비행기 따위에 쓰임.

펄스 진:폭 【—振幅】 명 〔pulse amplitude〕 일정값을 유지하고 있는 수준(水準)에서 잰 펄스의 크기. 피크의 높이, 평균적인 높이, 유효(有效)한 높이, 순간적인 높이 등으로 표시됨.

펄스 코:드 변:조 【—變調】 명 〔pulse code modulation〕 『컴퓨터』 일정 주기로 아날로그 전압을 수치화(數値化)하는 방식. 즉, 아날로그 형태의 신호를 원래 형태대로 전송하면 회선 안팎에서 생기는 잡음으로 인해 신호가 왜곡되므로 아날로그 신호를 디지털화된 펄스 신호로 변조시키는 방식. 피시엠(PCM).

펄스 통신 【—通信】 명 〔pulse communication〕 직사각형(直四角形) 펄스열(列)을 반송파(搬送波)로 하고 펄스의 진폭·폭·시간적 위치 따위를 신호에 따라 변화시켜 정보를 전달하는 통신 방식.

펄스-폭 【—幅】 명 〔pulse width〕 펄스의 순간 진폭(振幅)이 규정 수준을 초과한 시간 간격(時間間隔). 펄스 나비.

펄스 회로 【—回路】 명 〔pulse circuit〕 『컴퓨터』 펄스 신호를 발생시켜 그 파형(波形)을 다루기 쉬운 형태로 변환·성형하는 회로.

펄썩 부 ①연기나 먼지 등이 한바탕 일어나는 모양. ¶먼지가 ~ 난다. ②갑자기 주저앉는 모양. ¶땅바닥에 ~ 주저앉다. 1)·2): >팔싹. *풀썩. ——-하다 자여불

펄썩-거리다 자 ①연기·먼지 따위가 무더기로 거볍게 연해 일어나다. ②맥없이 거볍게 연해 내려앉거나 주저앉다. 1)·2) >팔싹거리다. 펄썩-펄썩 부. ——-하다 자여불

펄썩-대다 자 펄썩거리다.

펄썩-이다 자 ①연기·먼지 따위가 무더기로 거볍게 일어나다. ②맥없이 거볍게 내려앉거나 주저앉다. 1)·2) >팔싹이다.

펄썩-펄썩 부 연기나 먼지가 연해 일어나는 모양. >팔싹팔싹. *풀썩풀썩. ——-하다 자여불

펄이 명 〈방〉 펄[1]❷.

펄-조개 명 『조개』 [*Anodonta woodiana*] 석패과에 속하는 민물조개. 패각(貝殼)의 길이 13 *cm* 가량이고 표면은 황갈색 광택이 나며 각정(殼頂) 부분은 회끄무레하고 내면은 옅은 살색임. 패각의 윤맥(輪脈)은 가늘게 새겨져 있고 유패(幼貝)는 표면이 감람색에 때로 황록색 방사상 줄이 있어 아름다움. 못이나 늪 등의 물이 닿는 진흙 속에 사는데 아시아 대륙에 널리 분포함. 어린 것은 살이 연하여 맛이 썩 좋음. 분포 지역이 광대하므로 산지(産地)에 따라 패각의 형상에 변화가 많음. 뻘조개. 씹조개.

〈펄조개〉

펄쩍 부 ①문이나 뚜껑 등을 급히 여는 모양. ②갑자기 뛰거나 솟아오르는 모양. ¶~ 뛰어오르다. 1)·2): >팔짝. ——-하다 자타여불

펄쩍-거리다 자타 ①문이나 뚜껑 따위를 연해 바삐 여닫다. ②연해 뛰거나 솟아 오르다. 1)-2): >팔짝거리다. 펄쩍-펄쩍 부. ——-하다 자타여불

펄쩍-나게 부 〈방〉 뻔질나게.

펄쩍-대다 자타 펄쩍거리다.

펄쩍 뛰다 자 억울하거나 뜻밖의 일을 당하였을 때에 깜짝 놀라거나 강하게 부인하다. ¶놀라 ~/펄쩍 뛰며 부인하다. >팔짝 뛰다.

펄펄 부 ①많은 물이 계속해서 끓는 모양. ¶물을 ~ 끓이다. ②온돌방이나 몸이 몹시 뜨겁게 다는 모양. ¶방이 ~ 끓다/열이 높아 몸이 ~ 끓다. ③새나 눈·기폭(旗幅) 등이 계속해서 날거나, 뛰거나, 날리거나 나부끼는 모양. ¶새가 ~ 날다. 1)-3): >팔팔.

펄펄 뛰다 구 억울한 일이나 의외의 일을 당하였을 때에 깜짝 놀라거나 매우 강하게 부인하다. ¶분해서 ~. >팔팔 뛰다. *펄쩍 뛰다.

펄펄-하다 형여불 ①성질이 급하고 매우 팔팔하다. ②날 듯이 생기가 있다. 1)·2): >팔팔하다.

펄프 〔pulp〕 명 ①기계적·화학적 처리에 의하여 식물체의 섬유를 추출한 것. 직물·종이 등을 만드는 데 쓰임. ②광석(鑛石)을 가루로 깨뜨려 물과 섞은 것. 선광(選鑛)이나 파이프 수송에 쓰임. 광액(鑛液).

펄프 매거진: 〔pulp magazine〕 명 값싼 갱지(更紙)를 사용한 잡지. 보통, 선정적(煽情的)인 잡지·만화를 이름.

펄프-스톤: 〔pulpstone〕 명 사암(砂岩)을 바퀴 모양으로 깎아 만든 숫돌. 특히, 제지(製紙)할 때 목재 펄프를 짓이기는 데 쓰임.

펄프-재 【—材】 명 〔pulpwood〕 펄프 제조에 쓰이는 목재(木材)의 총칭.

펄:-하:버 〔Pearl Harbor〕 명 『지』 미국의 하와이 주 오아후(Oahu) 섬 남부의 만. 만구(灣口)가 좁고 내부가 넓음. 미국 해군 기지가 설치되어 있으며, 1941년 12월 8일 일본 해·공군의 기습(奇襲)을 받아 태평양 전쟁의 발발을 초래했던 곳임. 진주만(眞珠灣).

펌: 뱅킹 〔firm banking〕 명 정보 기술을 구사한 은행 서비스 중 기업을 대상으로 한 것. 자금 회수의 효율화, 입금의 신속·정확한 통지, 자금의 효율적 관리, 지급 사무의 합리화 등을 가져옴. *일렉트로닉 뱅킹.

펌블 〔fumble〕 명 야구에서, 공을 잡지 못하고 놓치는 일.

펌웨어 〔firmware〕 명 『컴퓨터』 롬(ROM)에 기록된 마이크로프로그램의 집합으로, 소프트웨어적인 특성과 하드웨어적인 특성을 함께 가지고

있는 것.

펌프〔pump〕명〖물〗흡입 및 압축 작용에 의하여, 액체·기체를 빨아올리거나 또는 이동시키는 기계. 진공 펌프·왕복 펌프·회전 펌프·원심 펌프·축류(軸流) 펌프 등이 있음. 양수기(揚水機)·무자위. 폼프.

펌프-선【一船】〔pump〕명 준설선(浚渫船)의 한 가지. 펌프로 물과 함께 토사(土砂)를 빨아올려, 이것을 선창(船倉)에 모았다가 운반하는 자항식(自航式)과 따로 마련된 파이프를 통해 매립지(埋立地)로 직접 배송(排送)하는 비항식(非航式)이 있음. 시간당 준설 능력은 200-1,000 m^3, 최대 준설 심도 약 20 m 임.

펌프 수차【一水車】〔pump〕명 양수용(揚水用) 펌프와 발전용 수차를 겸한 것. 바로 돌 때는 펌프, 역전(逆轉)할 때는 수차로 작용하여 양수 발전소에서 쓰임.

펌프스〔pumps〕명 여성용 구두의 하나. 끈이 없고 발등이 깊이 파져 있으며, 보통 중(中)힐이나 하이힐임.

〈펌프스〉

펌프 우물〔pump〕명 펌프를 박아서 물을 자아올리도록 된 우물.

펌프-자리〔pump〕명〖천〗공기펌프자리.

펑[1] 부 갑자기 웅성깊게 터지거나 튀는 소리. ¶～하고 터지다. ㅆ빵. 「>팡. ──-하다 자여불

펑[2] 감 마작할 때에 맞추었다는 뜻으로 쓰는 말. ──-하다 자여불

펑 궈장〔馮國璋〕명〖사람〗중국의 군인. 즈리 파(直隷派) 군벌의 수령. 자(字)는 화푸(華甫). 허베이 성(河北省) 허젠(河間) 출신. 신해 혁명 때는 위안 스카이(袁世凱) 밑에서 혁명파 진압에 힘쓰고, 위안 스카이가 중화 민국 대총통이 되자 즈리 파의 수령으로서 안후이 파(安徽派)와 항쟁. 1917 년 리 위안훙(黎元洪) 사직 후 대총통 권한 대행, 1918 년 쉬 스창(徐世昌)이 대총통이 되자 돤 치루이(段棋瑞)와 함께 밀려남. 풍국장. [1859-1919]

펑 더화이〔彭德懷〕명〖사람〗중국의 군인. 육군 원수. 후난 성(湖南省) 사람. 1927 년 공산당에 입당. 팔로군(八路軍) 부총사령(副總司令)을 거쳐 1951 년 의용군 사령관으로 6·25 전쟁 때 북한을 도와 한국에 침입함. 1954 년 국무원(國務院) 부총리 겸 국방상(國防相)이 되었으나 1958 년 대약진(大躍進) 운동을 비판하여, 국방상에서 해임, 실각함. 팽덕회. [1898-1974]

펑덩 부 크고 무거운 물건이 깊은 물에 떨어질 때에 나는 소리. >팡당. 「*풍덩. ──-하다 자타여불

펑덩-거리다 자타 계속해서 펑덩 소리가 나다. 또, 계속해서 펑덩 소리를 나게 하다. >팡당거리다. 펑덩-펑덩 부. ──-하다 자타여불

펑덩-대다 자타 펑덩거리다.

펑덩이다 자 타 묵직한 물건이 연해 물에 떨어져서 소리가 나다. 또, 나「게 하다. >팡당이다.

펑링-두〔風陵渡〕명〖지〗중국 산시 성(山西省) 남서 경계의 소도시. 퉁푸(同蒲) 철도의 종점으로 황허 강을 사이에 두고 퉁관(潼關)과 마주 섬. 성(省) 남쪽 물산(物産)의 집산지로, 상업이 성함. 풍릉도. [약 10,000 명(1975)]

펑산〔鳳山〕명〖지〗타이완(臺灣) 가오숭(高雄) 시의 동쪽 8 km 지점에 있는 도시. 현재 펑산(鳳山) 군아(軍衙)의 소재지이며 파인애플의 명산지로 통조림 업자가 많음. 사탕수수의 재배도 성함. [약 100,000 명(1975)]

펑샹〔鳳翔〕명〖지〗중국 산시 성(山西省) 웨이허(渭河) 강 유역에 있는 도시. 중요 시장이며, 곡물. 면화·삼·담배·양털·양가죽 등을 산출하고, 직물·칠기·목기 등의 공장도 있음. 봉상.

펑양【鳳陽】명〖지〗중국 안후이 성(安徽省) 화이허(淮河) 강 유역에 있는 도시. 곡류(穀類)가 주산물이며 명승 고적이 많음. 명(明)나라 태조가 이곳에서 일어났음. 성의 남쪽에는 명태조의 고비(考妣)를 매장한 효릉(孝陵)이 있음. 봉양.

펑완【豐滿】명〖지〗중국 동북 지구 중부, 지린 성(吉林省)의 쑹화 호(松花湖) 북서안(北西岸)의 다펑완(大豐滿)과 펑완 일대를 가리킴. 지린 남쪽 약 20 km 부근임. 댐과 동북부 최대의 발전소가 있음. 지린과 철도로 연결됨. [약 40,000 명(1971)]

펑 위샹〔馮玉祥〕명〖사람〗중화 민국의 군인·정치가. 안후이 성(安徽省) 출신. 신해 혁명(辛亥革命)에 참가, 처음에는 즈리 파(直隷派)에 속했으나 후에 펑톈 파(奉天派)로 전향하여 베이징(北京)을 점령, 국민군 총사령으로서 세력을 떨침. 1926 년 국민당에 입당, 장 제스(蔣介石)의 북벌(北伐)에 응하여 펑톈 군과 싸웠으나 뒤에 내전 반대와 반장(反蔣) 운동을 일으켰다가 실패함. 기독교 신자라 하여 '크리스찬 제네럴'로 불렸음. 풍옥상. [1882-1948]

펑 유란【馮友蘭】명〖사람〗중국의 철학자. 자(字)는 즈성(芝生). 허난 성(河南省) 탕허(唐河) 출신. 베이징 대학 졸업 후 미국에 유학, 베르그송·듀이·러셀에 경도(傾倒)함. 귀국 후 여러 대학 교수를 지내고 1934 년 ≪중국 철학사≫, 1939 년 ≪신이학(新理學)≫, 1945 년 ≪신원도(新原道)≫ 등을 발표. 자기의 관념론적인 철학 세계를 수립하고 1955 년 후즈(胡適) 비판에 참가한 후 자기 비판을 함. 중국 철학사의 유산 계승을 주장하고, 1963 년 철학사 연구 방법 논쟁에 참가함. 풍우란. [1895-]

펑제〔奉節〕명〖지〗중국 쓰촨 성(四川省) 동쪽에 있는 도시. 양쯔 강(揚子江) 북쪽에 위치하는데 곡물 외에 감자·석탄 등을 산출함. 후베이 성(湖北省)과의 통상지로서 면제품(綿製品)·잡화가 들어옴. 명승 고적으로는 백제성(白帝城)·공명 팔진(孔明八陣)의 언덕·와룡산(臥龍山) 등이 있음. 당대(唐代) 이후 기주부(夔州府)의 주도(主都)였으므로 쿠이저우(夔州)라고도 함. 봉절.

펑즈 전:쟁【一戰爭】〔奉直〕명〖역〗중국에서, 일본이 지원(支援)한 펑톈 군벌(奉天軍閥) 장 쭤린(張作霖)과 영미(英美)의 지원을 받은 즈리 군벌(直隷軍閥) 우 페이푸(吳佩孚) 사이에 일어났던 전쟁. 1922 년 4 월부터 5 월까지 싸웠는데, 그 결과 우 페이푸가 이기고 장 쭤린이 패퇴했으며, 1924 년 9-11 월에는 우 페이푸마저 펑 위샹(馮玉祥)의 배반으로 실각(失脚)했음. 봉직 전쟁.

펑청-거리다 자 ☞ 흥청거리다. ¶펑청거려 가면서 놀다.

펑크 명〔puncture〕〈속〉①자동차나 자전거의 튜브나 타이어 따위에 구멍이 남. 또, 그 구멍. ②옷 따위가 해져서 구멍이 남. 또 그 구멍. ¶양말에 ～가 나다. ③하려던 일이 도중에 틀어짐. ④비밀이 새거나 드러나는 것. *빵꾸.

펑크(가) 나다 구〈속〉①튜브 따위가 터져 구멍이 뚫리다. ②계획한 일이 중도에 틀어지다. ③옷 따위가 해져서 구멍이 나다. ④처녀가 정조를 잃다.

펑크(를) 때우다 구 튜브·타이어에 구멍이 난 것을 때우다.

펑크 록〔punk rock〕명〖악〗록 음악의 일종. 1970 년대 후반에 유행함. 단순한 리듬과 사회 체제에 대한 노골적이고 공격적인 가사(歌詞)를 절규하는 것이 특징임.

펑크셔널 조직【一組織】〔functional〕명〖경〗라인 스태프제(line staff 制)와 함께 일컬어지는 경영 조직의 기본 형태. 각 기능의 전문성을 최대한으로 발휘하는 장점이 있는 대신, 권한 관계가 복잡해지는 단점이 있음. 직능(職能) 조직.

펑크션〔function〕명 ①기능(機能). 직무(職務). 관능(官能). ②〖수〗함수(函數). ③전기 입력(入力)의 변환 스위치.

펑크 스타일〔punk style〕명 1970 년대 후반, 영국에서부터 유행하기 시작한 복장·머리 스타일. 하류(下流)의 젊은 이들 사이에 유행했는데, 너덜거리는 티셔츠에 술을 달고 머리털은 곧추 세웠음.

펑크추에이션〔punctuation〕명〖언〗구두(句讀). 구두법. 구두점.

펑키〔funky〕명 ①음악 등이 야성적이고 생생함. ②복장(服裝)이 원색을 써서, 자극적임. 또, 그 모양.

펑톈 사:건【一事件】〔奉天〕[一껀] 명〖역〗1928 년 6 월 만주를 지배하고 있던 장 쭤린(張作霖)이 국민 정부군인 장 제스(蔣介石)의 북벌군(北伐軍)에게 패하여 베이징(北京)으로부터 펑톈으로 철수하는 도중, 일본의 관동군(關東軍) 참모(參謀) 가와모토 다이사쿠(河本大作) 등의 음모(陰謀)로, 열차와 함께 폭사(爆死)한 사건. 봉천 사건.

펑톈-파【一派】〔奉天〕명〖역〗펑톈을 중심으로 하고 장 쭤린(張作霖)을 수반으로 한 중국 군벌(軍閥)의 한 파. 1916 년에 위안 스카이(袁世凱)가 사망한 뒤에 일어나 위세를 떨치다가 1928 년에 장 제스 군(蔣介石軍)의 북벌에 패하여 펑톈으로 가던 중, 일본 관동군(關東軍)의 음모로 장 쭤린은 폭사하고, 1931 년 만주 사변에 의해 망함. 봉천파. * 즈리 파.

펑-퍼지다 자 둥그스름하고 펀펀하게 가로 퍼지다. >팡파지다.

펑퍼짐-하다 형여불 둥그스름하고 펀펀하게 가로 퍼져 있다. ¶펑퍼짐한 얼굴/펑퍼짐한 엉덩이. >팡파짐하다.

펑-펑 부 ①넓은 구멍으로 액체가 세차게 쏟아져 나오는 소리나 모양. 또, 눈이 많이 내리는 모양. ¶눈이 ～ 쏟아지다. ②여러 번 거세게 나는 총소리. 1)-2):>팡팡. ──-하다 자타여불

펑펑-거리다 자타 ①연해 펑펑하는 소리가 나다. 또, 연해 펑펑 소리를 나게 하다. ②펑펑하고 쏟아지다. ③큰 물건이 깊은 물에 계속해서 떨어지다. ④재산을 계속해서 헤프게 쓰다. 1)-4):>팡팡거리다.

펑펑-대다 자타 펑펑거리다.

펑황 산 한:묘【一山漢墓】〔鳳凰〕명〖고고학〗중국 양쯔 강(江) 유역의 우한(武漢)의 서쪽, 후베이 성 장링 현(湖北省江陵縣) 펑황 산에서 1975 년에 발굴된 무덤. 전한(前漢) 문제(文帝) 13 년(B.C. 167)에 매장(埋藏)된 것으로, 50 세 가량의 남자의 유체(遺體)의 외형이 완전하고, 관 속에서 많은 칠기(漆器)·죽간(竹簡)·죽패(竹牌) 등의 부장품(副葬品)이 발견됨. 봉황산 한묘.

펑후 섬〔澎湖〕명〖지〗중국 펑후 제도(澎湖諸島) 중에서 가장 큰 섬. 현무암질 용암(玄武岩質熔岩)으로 이루어진 30-40 m의 대지(臺地)로, 바람이 세어서 농경이 부적당하고 어업이 주산업임. 중심 도시는 이전에 마공(馬公)이라 부르던 펑후(澎湖). 팽호도. [64 km^2]

펑후 제도【一諸島】〔澎湖〕명〖지〗대만 해협(臺灣海峽)에 있는 64 개의 도서군(島嶼群). 펑후·바이사(白沙)·위웡(漁翁)의 세 섬이 가장 큼. 고구마·수수·땅콩을 산출함. 영어명은 페스커도리스(Pescadores). 팽호 제도. [126.8 km^2 : 120,000 명(1976)]

페 명〈방〉표(票)(전남·제주·함북).

페가수스〔Pegasus〕명〖신〗그리스 신화 중의 날개 돋친 천마(天馬). 펠세우스(Pelseus)가 메두사(Medusa)의 목을 자를 때 떨어지는 핏방울에서 생겼다 하며, 이후 하늘의 페가수스자리가 되었다 함.

〈페가수스〉

페가수스-자리〔Pegasus〕명〖천〗북쪽 하늘의 성좌(星座). 안드로메다(Andromeda)자리의 서남쪽, 백조자리의 동남쪽에 있는 대성좌(大星座). 10월 하순(下旬)에 서쪽에 남중(南中)함. 알파성(α 星)은 마르카브(Markab).

페거서스 위성【一衛星】〔Pegasus〕명 우주 낙진(落塵) 조사용으로 발사된 미국의 일련(一連)의 인공 위성. 우주 낙진의 충돌 횟수를 측정하기 위하여 궤도상에서 펼 수 있는 길이 30 m, 폭 4.3 m 의 거대한 날개 두 장이 있음.

페구〔Pegu〕명〖지〗미얀마 남부, 페구 강(江)에 면한 고도(古都). 미작(米作)의 중심지로 철도의 요지. 대불탑(大佛塔)과 대와불상(大臥佛像) 등 불교 유적이 많으며 불교도의 순례지(巡禮地)임. 한때 페구 왕조의 수도. [135,000 명(1977)]

페그마타이트〔pegmatite〕명〖광〗암맥(岩脈)을 이루고 석영(石英)·장석(長石)·운모(雲母)의 거대한 결정으로 이루어진 화성암. 화강암(花崗岩)이 엉기어 굳은 나머지의 마그마(magma)가 화강암보다도 낮은

온도로 엉기어 굳어서 된 것으로서, 석류석(石榴石)·전기석(電氣石)·녹주석(綠柱石) 등을 포함하고 있음. 거정(巨晶) 화강암.

페그마타이트 광:상【—鑛床】〔pegmatite〕 명 〖지〗 마그마(magma)가 굳을 때 페그마타이트 시대의 잔장(殘漿)이 짜내어져서 굳은 것. 페그마타이트 시대에는 여러 가지 희유(稀有) 원소가 휘발성 화합물로서 집중하며, 지각(地殼)의 작은 틈에도 들어가 굳어 버리므로 보통 암맥(岩脈)으로서 발견됨. 모나자이트석(monazite石)과 여러 가지 광물 및 보석류를 함유하며, 주석(朱錫) 광맥·중석(重石) 및 수연(水鉛) 광맥·금(金)광맥으로 채굴되는 것도 있음.

페기[1] 명 〈방〉 포기[1](함경·경상·제주).

페기[2]〔Péguy, Charles Pierre〕 명 〖사람〗 프랑스의 시인·평론가. 사회주의자로 드레퓌스(Dreyfus) 옹호 운동의 일원으로 활약했고, 시극(詩劇) ≪잔 다르크(Jeanne d'Arc)≫를 발표함. 문예 잡지 '반월 수첩(半月手帖)'을 창간하고 신비적(神祕的)인 시를 많이 씀. 뒤에 전통주의자로 전향, 제1차 세계 대전에서 전사함. 주된 작품에 ≪우리들의 조국≫·≪잔 다르크의 애덕(愛德)≫이 있음. [1873-1914]

페나세틴〔phenacetin〕 명 〖약〗 물에 잘 녹지 않는 무색의 판상 결정(板狀結晶) 또는 결정성 분말(結晶性粉末)의 약. 해열(解熱)·진통제(鎭痛劑)로, 내복 후 30분 만에 작용함. [$C_{10}H_{13}O_2N$]

페나인 산맥【—山脈】〔Pennine〕 명 〖지〗 영국 대브리튼 섬의 척량(脊梁)을 이룬 산지. 랭커셔(Lancashire)와 요크셔(Yorkshire)의 경계를 이루고 남북으로 뻗음. 우량(雨量)의 차를 이루게 하여 직조업(織造業)의 분포에 영향을 줌. 석탄·철의 매장(埋藏)이 많음. 산록(山麓)에서는 양의 사육이 성함. 최고봉은 크로스펠(Cross Fell)로 높이 893 m임. 전장(全長) 240 km.

페나인 알프스〔Pennine Alps〕 명 〖지〗 중유럽 스위스와 이탈리아의 국경을 이루는 알프스의 주맥(主脈).

페나진〔phenazine〕 명 〖화〗 황색의 침상(針狀) 결정체. 아닐린(aniline)을 적열관(赤熱管)에 통하면 생김. 융점(融點) 171°C. 물에는 약간 녹으며, 알코올·에테르에 녹음. 화학 중간체(中間體)·물감 제조에 쓰임. [$C_{12}H_8N_2$]

페나키스토-스코:프〔phenakistoscope〕 명 주위에 세로 길쭉한 구멍을 뚫은 원판과 원주(圓周)에 조금씩 다른 자세의 그림을 늘어 놓은 원판을 같은 축(軸)으로 돌려 보는 장난감.

〈페나키스토스코프〉

페난트렌〔Phenanthrene〕 명 〖화〗 방향족(芳香族) 탄화 수소의 한 가지. 타르 속의 안트라센(anthracene)을 분류(分溜)하여 얻는 무색의 판상 결정(板狀結晶)으로, 물에 녹지 않으며, 에테르 및 벤젠에 녹음. 물감·수지(樹脂)·의약의 원료로 쓰임.

페낭〔Penang〕 명 〖지〗 피낭(Pinang)의 별칭.

페넌트〔pennant〕 명 ①가늘고 긴 삼각기(三角旗). ②야구의 우승기. ③뜻이 바뀌어 '우승(優勝)'의 뜻으로도 쓰임. ¶ ~ 레이스. ④〖기상〗 일기도에 풍속을 나타내는 표지. 바람의 방향에서, 저기압부(低氣壓部)를 향해 그은 삼각기 모양으로 나타냄.

패넌트 레이스〔pennant race〕 명 야구 리그전 따위에서, 장기에 걸쳐 우승을 겨룸. 또, 그 공식(公式) 경기.

페널티〔penalty〕 명 ①형벌(刑罰). 벌칙(罰則). ②경기자(競技者)의 규칙 위반 행위에 대한 벌. 각 경기에 따라 주어지는 벌칙은 달라, 당사자에 대하여 감점·실격(失格) 외에, 상대방에게 득점의 기회를 주는 것 등이 있음. ¶ ~ 킥.

페널티 골:〔penalty goal〕 명 축구·럭비 등에서, 페널티 킥(penalty kick)으로 들어간 골.

페널티 박스〔penalty box〕 명 아이스하키에서, 링 사이드에 마련된 자리. 반칙(反則)한 경기자가 일정 시간 앉아 있어야 할 장소로, 이 사이 그 팀은 인원수가 줄어 들게 됨.

페널티 불리〔penalty bully〕 명 하키(hockey)에서, 스트라이킹 서클(striking circle) 안에서의 방어측의 고의의 반칙이 있을 경우 또는 고의가 아닌 반칙이라도 만약 반칙이 없었더라면 골 인(goal in)이 되었을 것이라고 생각되는 경우에 골 라인(goal line)의 중앙으로부터 골 앞 5야드 지점에서 행하는 불리. ——-하다 자 여불

페널티 스트로:크〔penalty stroke〕 명 골프에서, 경기 도중 반칙한 행위에 대해 부가(附加)되는 벌타(罰打).

페널티 에어리어〔penalty area〕 명 아식 축구(蹴球)에서 벌칙 구역(罰則區域). 곧, 각 골 포스트에서 바깥쪽으로 16.5 m 떨어져 골 라인에 직각으로 각각 16.5 m의 선을 긋고, 그 양 끝을 골라인과 평행되게 연결하여, 이 선에 둘러싸인 지역을 일컬음.

페널티 코:너〔penalty corner〕 명 하키에서, 코너로 될 경우인데, 고의의 반칙이 수반되었을 때 골 포스트(goal post)에서 10야드 이상 떨어진 골 라인으로부터 행하여지는 히트(hit). 공격측에게는 코너보다 훨씬 유리한 기회임.

페널티 킥〔penalty kick〕 명 ①축구에서, 페널티 에어리어 안에서 방어측이 반칙(反則)하였을 때, 상대편이 얻는 킥. 이 때는 페널티 킥 마크(mark)에다 공을 놓고 골 키퍼와 1대 1로 상대함. ②럭비에서, 경기자가 반칙한 경우, 상대편이 그 자리에다 공을 놓고 차게 하는 일. ——-하다 자 여불

페넬로페〔Penelope〕 명 〖신〗 그리스 신화 중 오디세우스(Odysseus)의 처. 생각이 깊고 정숙한 여성으로, 남편의 원정 중 많은 왕자들로부터의 청혼을 물리치고 정절(貞節)을 지켰음.

〈페넬로페〉

페노바르비탈〔phenobarbital〕 명 〖화〗 바르비투르산(Barbitur酸) 유도체(誘導體). 무색 무취(無色無臭)의 분말(粉末)로, 수면 작용이 바르비탈(Barbital)의 2-4배(倍). 최면·진정·구토·항경련제(抗痙攣劑)로 쓰임. 계속적으로 복용하면 각종 정신 기능의 저하를 초래함. 극약임. 상품명은 루미날(Luminal).

페놀〔phenol〕 명 〖화〗 ①특취(特臭) 있는 무색의 침상 결정(針狀結晶) 또는 백색 결정의 괴상물(塊狀物). 유독(有毒)함. 공업적으로 콜타르(coal tar)를 분류(分溜)하여, 또는 벤졸을 원료로 합성함. 물·알코올·에테르에 잘 녹으며 녹는점은 40.95 C, 끓는점은 181.0℃임. 방부(防腐)·소독용·합성 수지 원료 등으로 쓰임. 구칭 : 석탄산(石炭酸). [C_6H_5OH] ②페놀류(類).

페놀 계:수【—係數】〔phenol〕 명 〖화〗 페놀을 기준으로 해서 표시되는 각종 소독약의 살균력의 유효성을 나타내는 계수.

페놀-나트륨〔도 Phenolnatrium〕 명 〖화〗 무색(無色) 조해성(潮解性)의 분말. 소독(消毒)·살균제(殺菌劑)로서 또는 살리실산(酸)의 원료로 쓰임. [C_6H_5ONa]

페놀 레드〔phenol red〕 명 〖화〗 선적색(鮮赤色) 내지 암적색(暗赤色)의 결정. 페놀이나 빙초산에 잘 녹으며, 물에는 잘 녹지 않음. 산염기 지시약(酸塩基指示藥)으로 쓰임. [$C_{19}H_{14}O_5S$]

페놀 레진〔phenol resin〕 명 〖화〗 페놀 수지(樹脂).

페놀-류【—類】 명 〔phenols〕 〖화〗 방향족 탄화 수소(芳香族炭化水素)의 핵(核)과 결합하고 있는 수소 원자를 히드록시기(hydroxy基 : OH)와 치환(置換)한 화합물의 총칭. 히드록시기의 수에 따라 일가(一價) 페놀(페놀·크레졸·카르바크롤 따위), 이가(二價) 페놀(히드로키논·레조르신·카테콜 따위), 삼가(三價) 페놀(오르신·우루시올 따위)이 있음. 각종 페놀은 염화철(塩化鐵)(Ⅲ)에 의해 각각 다른 정색(呈色) 반응을 보이므로, 검출(檢出)·식별에 쓰임. 공해 물질(公害物質)임.

페놀-산【—酸】 명 〔phenolic acid〕 〖화〗 벤젠핵(benzene核)에 페놀성(性) 히드록시기(hydroxy基 : OH)와 카르복시기(carboxy基 : COOH)를 가지는 방향족(芳香族) 카르복시산(酸). 이를테면, 살리실산(酸) 따위. 페놀과 산(酸)과의 두 성질을 겸해 가짐.

페놀 수지【—樹脂】 명 〔phenol resin〕 〖화〗 페놀류와 알데히드에서 얻어지는 수지. 페놀포름알데히드(phenol-formaldehyde) 수지가 그 대표적인 것임. 불에 잘 타지 않으며 기계 강도(機械強度)가 높고 전기 및 열의 절연성(絶緣性)·내수(耐水)·내화학 약품성(耐化學藥品性) 등이 뛰어나서 성형품(成形品)·전기 부품·접착제(接着劑) 따위로 널리 쓰임. 베이클라이트(bakelite). 석탄산 수지(石炭酸樹脂).

페놀 시:약【—試藥】〔phenol〕 명 〖화〗 단백질의 비색 정량용(比色定量用) 시약의 한 가지. 알칼리성으로, 유리(遊離) 및 단백질 중의 티로신 트립토판(tyrosine tryptophan) 잔기(殘基)와 반응(反應)해서 청람색(青藍色)을 나타내어 비색 정량(比色定量)을 하게 됨.

페놀 에:테르〔phenol ether〕 명 〖화〗 페놀의 수산기(水酸基)의 수소를 탄화 수소기(基)로 치환한 형의 에테르.

페놀-프탈레인〔phenolphthalein〕 명 〖화〗 물에는 극히 소량이 녹으며, 온 알칼리(温alkali)에는 쉽게 녹아 농홍색(濃紅色)을 나타내는 무색(無色)의 결정(結晶). 산·알칼리성의 지시약(指示藥), 특히 중화 적정(中和滴定)의 종점(終點) 지시에 가끔 쓰이며 완하제(緩下劑)로서도 쓰임. [$C_{20}H_{14}O_4$]

페늘롱〔Fénelon, François de Salignac de La Mothe-〕 명 〖사람〗 프랑스의 저술가. 캉브레(Cambrai)의 대주교(大主教). 루이(Louis) 14세의 손자의 사부(師傅)로 있으면서 교과용(教科用)으로 소설 ≪텔레마크(Télémaque)≫를 지었으나 이후 루이 14세를 풍자하였다 하여 실각, 불우한 일생을 마쳤음. [1651-1715]

페니〔penny〕 의명 영국의 화폐 단위(貨幣單位). 종래는 파운드의 240분의 1이었으나, 1971년 100분의 1 파운드로 개정함. 펜스(pence)의 단수(單數)임. 기호:구(舊) 단위는 'd', 신 단위는 'p'.

페니나이트〔penninite〕 명 〖광〗 에메랄드 녹색·올리브 녹색·담녹색(淡綠色)·대청색(帶青色)의 녹니석류(綠泥石類)의 광물. 단사 정계(單斜晶系)의 결정.

페니마이〔penimy〕 명 〖약〗 마이실린(mycilin).

페니스〔라 penis〕 명 음경(陰莖). 자지. ↔벌바(vulva).

페니실륨〔penicillium〕 명 〖식〗 푸른곰팡이의 학명(學名)으로 이것에서 분리해 낸 항생(抗生) 물질을 페니실린(penicillin)이라 함. 1929년에 플레밍(Fleming, A.)이 처음으로 이 분리에 성공함.

페니실린〔penicillin〕 명 〖약〗 어떤 종류의 푸른 곰팡이를 배양(培養)하여 얻은 항생(抗生) 물질의 일종. 1929년 플레밍(Fleming, A.)이 페니실륨 노타툼(*Penicillium notatum*)에서 분리하는 데 성공하였음. 그의 화학적 구조의 차이로 F·G·K·X 등의 종류가 있음. 세포벽(細胞壁)의 합성 저해제(合成沮害劑)로 증식(增殖)하는 세균만을 죽이는 성질이 있어서 포도 구균(葡萄球菌)·연쇄(連鎖) 구균에 의한 감염증(感染症)·폐렴·임질·단독(丹毒)·패혈증(敗血症)·매독 등에 유효함. 부작용은 극히 적음. 근육 주사·정맥 주사 또는 연고(軟膏)로도 사용하고, 내복(內服)으로는 효과가 적음. 최근에는 페니실린의 모체(母體)가 되는 것을 곰팡이로 하여금 만들게 하여 여러 가지의 합성(合成) 페니실린을 만들고 있음. *페니실륨.

페니실린 쇼크〔penicillin shock〕 명 〖의〗 페니실린 주사(注射)로 인한 충격증(衝擊症). 약품 알레르기(藥品 Allergie)의 심한 증상으로 주사침(注射針)을 빼자마자 이명(耳鳴)·호흡 곤란·발한(發汗)·혈압 저하(血壓低下)·경련(痙攣) 등이 일어남. 죽는 일이 가끔 있음.

페니실린쇼크-사【—死】〔penicillin shock〕 명 〖의〗 페니실린 쇼크에 의한 사망. 경련(痙攣)이 일어난 지 약 30분이면 죽음.

페니실린 알레르기 [penicillin+도 Allergie] 명 《의》 페니실린에 대한 과민증(過敏症). 주사(注射)하였을 때 주로 일어나는 증세로, 피부에 나타날 때가 많음. 보통 두드러기·습진(濕疹)의 증상을 나타냄. 심하면 쇼크를 일으킴.

페니실린 우유【一牛乳】[penicillin] 명 페니실린이 들어 있는 우유. 젖소의 유방염(乳房炎)의 치료·발육 촉진제로서, 다른 항생 물질과 함께 사료(飼料)에 섞어서 주었던 페니실린이 잔류(殘留)해 있는 것임. 이 우유를 사람이 계속 마시면 알레르기 증상 따위의 부작용을 일으키고, 또 내성(耐性)이 생겨 병에 걸렸을 때 약이 듣지 않게 됨.

페니-웨이트 [penny weight] 의명 영국의 중량의 단위. 온스(ounce)의 20분의 1임.

페니키아 [Phoenicia] 명 셈족(Sem族)의 일파인 페니키아인이 기원전 3000년경부터 지중해(地中海) 동안(東岸) 시리아(Syria) 중부 지방에 건설한 도시 국가의 총칭. 주된 도시 국가는 시돈(Sidon)·티루스(Tyrus)·비블로스(Byblos). 기원전 8세기 이후는 정치적 독립을 잃어 기원전 4세기에 마케도니아(Macedonia)에 패하고, 기원전 1세기에는 로마에 병합되었음. 기원전 1200-900년이 최성시(最盛時)였음.

페니키아 문자【一文字】[Phoenicia] [一짜] 명 《어》 페니키아어의 표음(表音) 문자. 22자의 자음자(子音字)로 이루어지며 오른쪽에서 왼쪽으로 가로쓰기를 함. 현재 알려지고 있는 최고(最古)의 것은 기원전 13세기에 속하며, 그리스 문자·아람 문자(Aram文字)는 여기서 나왔음. 오늘의 알파벳의 모체이기도 함.

페니키아 미술【一美術】[Phoenicia] 명 시리아의 지중해 연안 지방의 고대 미술. 오리엔트·이집트·에게 해(海) 등 여러 문명의 영향을 받아 이들의 절충 양식을 발전시켰고 시돈(Sidon)·비블로스(Byblos)가 그 중심지였음.

페니키아-어【一語】[Phoenicia] 명 《언》 가나안어(Canaan語)에 속하는 북서 셈어(Sem語). 고대 시리아 해안 지방에서 지중해 전역, 특히 카르타고(Carthago)를 중심으로 하는 북아프리카에서 사용된 언어로, 상업 국민인 페니키아인들이 사용했음. 6세기 이후 없어짐.

페니키아-인【一人】[Phoenicia] 명 기원전 3000년경부터 지중해 동안(東岸)에 도시 국가군을 이룩했던 셈계(Sem系)의 한 파.

페니-페이퍼 [penny-paper] 명 19세기에 미국에서 처음 나온 값싼 대중지(大衆紙). 1833년 뉴욕에서 창간된 '선(Sun)'지(紙)가 그 시초라고 함. 그 때까지의 신문이 지식 계급을 주대상으로 하여 값도 비쌌던 데 대하여 싸고 대중적 흥미를 끄는 기사에 중점을 두었음. '뉴욕 헤럴드'·'뉴욕 트리뷴'이 창간되면서 전성기를 맞았으나, 1890년대 이후 황색(黃色) 신문 시대로 이행(移行)되었음.

페니히 [도 Pfennig] 의명 독일의 화폐 단위. 마르크의 100분의 1임. 기호는「Pf」.

페닐-기【一基】[phenyl] 명 《화》 벤젠(Benzen) 분자에서 수소 원자 한 개를 제거하여 얻는 기. $[C_6H_5-]$

페닐 메르캅탄 [phenyl mercaptan] 명 《화》 티오페놀(thiophenol).

페닐-알라닌 [phenylalanine] 명 《화》 필수 아미노산의 하나. 그 화합물은 판상(板狀) 또는 침상(針狀)의 결정을 이루며, 물에 잘 녹지 않고 약간 쓴 맛이 있음. 각종 단백질 중에 약 2-5% 함유됨. 흔히, 종자(種子)의 유아(幼芽) 안에서 유리 상태(遊離狀態)로 발견됨.

페닐케톤 요증【一尿症】[一쯩] 명 [phenylketonuria] 《의》 정신 박약의 하나. 페닐알라닌의 선천적 대사 이상(代謝異常)에 의하여 일어나는 유유아(乳幼兒)의 병. 생후 수 개월 이내에 구토·지능 장애·뇌파 이상(腦波異常)·보행 장애를 주징(主徵)으로 함. 페닐알라닌이 들어 있지 않은 식사를 주어 치료하나 생후 3개월 이내에 발견하면 치료가 가능함. 열성(劣性) 유전을 함.

페다[1] 자 〈방〉 피다(함남).

페다[2] 타 〈방〉 펴다[1](전라·충남·함남).

페달 [이 pedal] 명 ①발로 밟거나 누르거나 하여 기계류를 작동시키는 부품. 자전거의 발걸이나 재봉틀의 발판 따위. ②악기의 발로 밟는 장치의 하나. 그것을 밟음으로써, 피아노의 경우에는 음을 연장하거나 약음(弱音)으로 하고, 하프에서는 반음(半音) 변화시키며, 팀파니의 경우에는 음고(音高)를 상하(上下)시키는 기능을 가짐. ③풍금·첼발로 등의 발로 밟는 건반(鍵盤). *매뉴얼.

페달 곡선【一曲線】[pedal] 명 《수》 수족(垂足) 곡선.

페달 심벌 [pedal cymbal] 명 《악》 타악기(打樂器)의 일종. 페달을 발로 밟아 치면서 연주하는 악기임.

페달 푸셔 [pedal pusher] 명 자전거를 탈 때 입는 양복 바지. 장딴지까지 내려오는 짤막한 것으로, 페달을 밟기 쉽도록 홀쭉하게 되어 있음.

페당티슴 [프 pédantisme] 명 페던트리(pedantry).

페댄틱 [pedantic] 명 학자연(學者然)하는 모양. 아는 체하는 모양. 현학(衒學)적인 것. ——-하다 형 여불

페더 [feather] 명 새털. ¶~ 터치(새털과 같은 가벼운 느낌).

페더고직스 [pedagogics] 명 《교》 교육학(教育學). 교수법(教授法).

페더-급【一級】[feather] [一끕] 명 중량별 경기의 체중 등급의 하나. 아마추어 권투는 54-57kg, 프로 권투는 55.34-57.15kg, 레슬링에서는 125.5-136.5파운드, 역도에서는 56-60kg. 페더웨이트(featherweight).

페더럴리스트 [federalist] 명 독립 당시의 미국에서, 연방 체제(體制)의 강화와 1787년에 채택된 헌법 비준(批准) 촉진을 주장했던 사람들. 연방주의자(聯邦主義者).

페더럴리즘 [federalism] 명 연방주의(聯邦主義).

페더레이션 [federation] 명 연합(聯合). 연방(聯邦).

페더레이션 컵 대:회【一大會】[Federation Cup] 국제 테니스 연맹 50주 년을 기념하기 위해 1963년에 창립한 여자 테니스 국별 대항전. 2단식, 1복식으로 된 3포인트제(制)의 토너먼트로 우승을 결정함.

페더 스티치 [feather stitch] 명 프랑스 자수에서, 풀·줄기·잎사귀·꽃잎 따위를 수놓을 때 쓰이는 자수 방법의 하나.

페더-웨이트 [featherweight] 명 페더급(feather級).

페던트 [pedant] 명 학식을 자랑하는 사람. 학자연(學者然)하는 사람. 현학자(衒學者).

페던트리 [pedantry] 명 학자연(學者然)하는 것. 학식이나 교양을 과시(誇示)하려 하고 아는 체하는 태도. 현학(衒學). 페당티슴.

페:데 [Feyder, Jacques] 명 《사람》 벨기에 출신의 프랑스 영화 감독. 리얼리즘의 가작(佳作)을 많이 남겼음. 대표작에 《여자만의 도시(都市)》 등이 있음. [1888-1948]

페도미터 [pedometer] 명 계보기(計步器).

페도필리아 [pedophilia] 명 변태 성욕(變態性慾)의 하나. 이성(異性)인 소아(小兒)를 성교의 대상으로 하려고 함.

페드로 이:세【一二世】[Pedro Ⅱ] 명 《사람》 브라질 황제. 페드로 1세의 아들로 장기간에 걸쳐 국내 평화와 번영에 이바지했으나, 노예 폐지 정책을 써서 지주 계급의 지지를 잃고, 1889년에 혁명으로 퇴위하여, 유럽으로 망명함. [1825-91; 재위 1831-89]

페드로 일세【一一世】[Pedro Ⅰ] [一쎄] 명 《사람》 브라질 황제. 포르투갈 국왕 조앙(João) 6세의 아들. 나폴레옹이 침입하자 국왕과 함께 브라질로 피신하여 국왕이 귀국한 후에는 브라질의 분리 독립을 선언하고 황제가 되었으나 자의적(恣意的)인 시정(施政)으로 브라질인(人)의 반감을 샀음. 퇴위 후 본국으로 돌아가, 딸 마리아의 섭정(攝政)이 되었음. [1798-1834; 재위 1822-31]

페드로프 [Fedrov, Evgraf Stepanovich] 명 《사람》 러시아의 결정학(結晶學) 광물학자. 1905년 페트로그라드(Petrograd) 광산 대학의 결정학 및 광물학 교수. 그가 고안(考案)한 현미경용의 만능 회전대(萬能回轉臺: Fedrov stage)는 특히 유명함. 결정학의 기초가 되는 결정군(群)에 관한 독창적인 논문을 발표함. [1853-1919]

페드르 [Phèdre] 명 《문》 프랑스의 극시인(劇詩人) 라신(Racine, J.B.)이 지은 비극. 아테네 왕비 페드르의 의붓 아들 이폴리트(Hippolyte)에 대한 불륜의 사랑을 그린 것으로 프랑스 고전 비극의 최고 걸작임. 전(全) 5막. 1677년 초연(初演).

페드첸코 빙하【一氷河】[Fedchenko] 명 《지》 중앙 아시아 타지키스탄 공화국에 있는 빙하. 파미르 고원(Pamir高原)에서 발원함. 길이 77 km, 넓이 약 900 km^2에 이르며 얼음의 두께는 500 m 이상임.

페디오니테 [도 Pedionite] 명 《지》 유동성이 강한 용암(鎔岩)이 접근하여 있는 많은 분화구로부터 비교적 조용히 몇 번 분출하여 두꺼운 대상(臺狀)으로 퇴적한 화산. 우리 나라의 개마 고원, 인도의 데칸(Deccan) 고원 등이 그 예임. 대상 화산.

페디큐어 [pedicure] 명 발톱을 아름답게 다듬는 화장법. *미조술(美爪術)·매니큐어.

페라라 [Ferrara] 명 《지》 이탈리아 북부의 역사적 도시. 에밀리아로마냐(Emilia-Romagna) 지방에 있음. 피혁·유리·견제품(絹製品) 등을 산출함. 르네상스의 학예 중심지로 시인 타소(Tasso)가 활약하였고 역사적인 건조물(建造物)로 유명한 이외에 사보나롤라(Savonarola)의 탄생지이며 회화로는 페라라파(派)가 나왔음. [146,100명(1984)]

페라리 [Ferrari] 명 이탈리아의 페라리 자동차 회사가 제작한 자동차. 생산량은 적으나 강력한 엔진과 호화로운 장비를 갖춘 고성능 스포츠카로서 유명함.

페라이트 [ferrite] 명 《광》 ①보통 온도에 있어서의 순철(純鐵)의 금속 조직학상(金屬組織學上)의 명칭. 현미경으로 보면 다각형 망상(網狀)을 하고 있음. ②일반적으로, $MO\cdot Fe_2O_3$로 표시되는 아철산염(亞鐵酸塩). 각종 통신 기기(通信器機)의 자심(磁心) 따위에 널리 쓰이는 중요한 자성(磁性) 재료임.

페랍다 형 〈방〉 이상하다(함남).

페랭 [Perrin, Jean Baptiste] 명 《사람》 프랑스의 물리 화학자. 분자(分子)의 실재(實在)를 밝혀 이를 측정하는 데 성공하고, 화학 반응의 복사(輻射) 이론을 세워 광학(光學) 방면의 업적도 있음. 물질의 불연속적(不連續的) 구조에 관한 연구와 특히 침전 평형(沈澱平衡)에 관한 발견으로 1926년에 노벨 물리학상을 받았음. 제2차 세계 대전 중 미국에 망명하여 뉴욕에서 죽음. [1870-1942]

페레 [Perret, Auguste] 명 《사람》 프랑스의 건축가. 철근 콘크리트라는 새로운 재료와 기술을 써서 20세기 초엽의 신건축을 지도했음. 대표작으로 샹젤리제(Champs-Élysées) 극장 등이 있음. [1874-1954]

페레다 [Pereda, José maria de] 명 《사람》 스페인의 작가. 19세기의 가장 뛰어난 사실주의 작가로, 이른바 향토 소설의 대표적 작가임. 소설의 줄거리는 지극히 단순하지만, 성격 묘사에 뛰어난 재능을 발휘하여 아름다운 자연 묘사와 더불어 페레다의 특색을 형성하고 있음. 대표작에 《바위산(山)의 저 편》이 있음. [1833-1906]

페레로 [Ferrero, Guglielmo] 명 《사람》 이탈리아의 역사가·작가. 그의 저작품으로 《로마의 위대성 및 멸망》·《고대 로마와 현대 미국》 등이 유명함. [1871-1942]

페레스 갈도스 [Pérez Galdós, Benito] 명 《사람》 스페인의 소설가·극작가. 처음에 법률을 배우고, 문학으로 전향, 정치가로서도 활약함. 대표작은 19세기의 스페인 역사를 제재(題材)로 한 장편 《국사 삽화(國史挿話)》. 만년(晩年)에 눈이 멂. 갈도스. [1843-1920]

페레스 데 아얄라 [Pérez de Ayala, Ramón] 명 《사람》 스페인의 소설가·시인·평론가. 제1차 대전 중에는 신문 기자로 활약, 공화 정부 시대에는 주영(駐英) 대사를 역임함. 초기에 《오솔길의 평화》 등 시집을 발표, 그 후 뛰어난 문명 비평 《정치와 투우(鬪牛)》 등으로 재능을 발

휘했음. [1881-1962]

페레스 에스키벨 〔Pérez Esquivel, Adolfo〕 명 〖사람〗 아르헨티나의 인권 운동가(人權運動家)·조각가. 부에노스아이레스 출생. 1956년 국립 미술 대학을 졸업하고, 라플라타 대학에서 조각 교수를 지냄. 1974년부터 인권 운동에 투신, 중남미 기독교 평화 단체인 평화 정의 봉사 협회의 회장으로서 비폭력적 방법에 의해 중남미의 정의 평화 구현에 이바지한 공로로 1980년 노벨 평화상을 받음. [1931-]

페레스트로이카 〔러 perestroika〕 명 재건(再建). 개혁(改革). 소련의 고르바초프 정권(政權)이 1987 년 초에 표방하고 나섰던 정책 표어이기도 함.

페레올 〔Ferréol, Jean-Joseph-Jena-Baptiste〕 명 〖사람〗 프랑스의 신부. 1843년 조선 교구 제3대 주교가 되어, 헌종(憲宗) 11년(1845) 김 대건(金大建) 신부의 안내로 다블뤼(Daveluy, M.N.A.) 신부와 함께 충청도 은진군(恩津郡) 강경리(江景里)에 상륙, 서울로 들어와 전교(傳敎)함. 1847년 ≪기해 일기(己亥日記)≫를 보충하여 병오년(丙午年)의 박해 사실을 로마 교황청에 보고함. 그 뒤 입국한 최양업(崔良業)과 함께 포교에 힘쓰다 서울에서 병사함. [1808-53]

페로 〔Perrault, Charles〕 명 〖사람〗 프랑스의 시인·비평가·동화 작가. 1687년 근대인이 고대인보다 뛰어났다고 주장하는 시를 발표하여 고대파의 부알로(Boileau-Despréaux, N.)와 논쟁, 이것이 신구(新舊) 논쟁의 발단이 되었음. 작가로서는 ≪페로 동화집≫으로 유명함. ≪거위 아주머니의 이야기≫ 또는 ≪선녀(仙女) 이야기≫로도 불리는 이 동화집은 ≪잠자는 숲의 공주≫·≪붉은 두건(頭巾)≫·≪푸른 수염≫·≪장화(長靴)를 신은 고양이≫·≪신데렐라≫ 등 11편으로 이루어져 오늘날도 널리 읽히고 있음. [1628-1703]

페로- 〔ferro-〕 접 '철'의 뜻. 그 뜻의 합성어를 만듦. ¶ ~바나듐.

페로-니켈 〔ferronickel〕 명 니켈을 함유하는 합금철.

페로-망간 명 〔ferromanganese〕 〖화〗 망간 80%를 함유한 합금철(合金鐵). 제강(製鋼)할 때, 탈황제(脫黃劑)로서 쓰임. 망간철.

페로몬 〔pheromone〕 명 〖생〗 동물 특히 곤충이 분비하며, 극히 미량(微量)으로 동류(同類)에게 어떤 행동을 일으키게 하는 물질. 먹이를 발견한 개미가 동류에게 알리거나, 모기의 암컷이 수컷을 꾀며, 바퀴벌레가 한군데로 모이는 일 등에서 각각 페로몬의 존재를 볼 수 있음.

페로-바나듐 〔ferrovanadium〕 명 35-55%의 바나듐을 함유하는 합금철(合金鐵). 고속도강(高速度鋼)을 제조할 때, 0.1-2.5% 바나듐을 첨가하기 위하여 씀.

페로-세륨 〔ferrocerium〕 명 많은 세륨을 함유하는 합금철. 라이터 돌 제조에 쓰임.

페로시안화 칼륨 【一化一】 〔도 Kalium〕 명 〔potasium ferrocyanide〕 〖화〗 헥사시아노철(Ⅱ)산 칼륨. 보통 3수화물로 존재하는데 이것은 단사 정계(單斜晶系)의 황색 결정(結晶)임. 물에 잘 녹고, 그 용액은 쓴맛이 있으며, 무독함. 옛날에는 동물의 모피·근육·피 등의 함질소 유기물(含窒素有機物)을 쇳가루와 탄산 칼륨에 섞어 강열(强熱)하여 만들었으나, 지금은 황산철(Ⅱ) 수용액에 시안화 칼륨을 가하여 만듦. 청사진(靑寫眞)·정성(定性) 분석 등에 쓰임. 황혈염(黃血塩). 황혈(黃血)칼리. [$K_4[Fe(CN)_6]$] ＊페리시안화 칼륨.

페로-실리콘 〔ferrosilicon〕 명 〖화〗 규소(硅素) 함유량이 15-95%인, 철(鐵)과 규소와의 합금. 강철 제조에 탈산제(脫酸劑), 규소 강판(硅素鋼板)·내산 주물(耐酸鑄物) 등의 첨가제로 쓰임. 규소철(鐵).

페로-알로이 〔ferroalloy〕 명 합금철(合金鐵). 철에 한 가지 또는 두 가지 이상의 주로 금속 원소를 많이 첨가한 합금의 총칭. 전기로·특수강(特殊鋼)의 제조에 쓰임.

페로-알루미늄 〔ferroaluminium〕 명 철(鐵)과 알루미늄의 합금. 용융(熔融)한 강철에 탈산제(脫酸劑)로서나 합금의 성분(成分)으로 첨가함.

페로:제도 【一諸島】 명 〖지〗 〔Faeroe Islands〕 북대서양 아이슬란드와 셰틀랜드(Shetland) 섬의 사이에 있는 덴마크령(Denmark 領)의 21개의 섬들. 구릉성(丘陵性)으로 목양(牧羊)을 주로 함. 부동항(不凍港)이 많으며, 연어·고래 등의 어업(漁業)이 성(盛)함. 섬 이름은 양(羊)이라는 뜻임. 주도(主都)는 스트뢰뫼(Strömö) 섬의 토르스하운(Thorshavn). [1,399 km²: 44,800 (1983)]

페로체 〔이 feroce〕 명 〖악〗 '거칠게'의 뜻.

페로-타이프 〔ferrotype〕 명 사진 용어로서, 주로 크롬을 도금(鍍金)한 철판에 콜로디온막(collodion 膜)을 붙이어, 광택 있는 양화(陽畫)를 만드는 방법. 철판 사진(鐵板寫眞).

페로-텅스텐 〔ferrotungsten〕 명 텅스텐을 함유하는 합금철. 제강(製鋼)에 쓰임.

페로-티탄 〔ferro+ 도 Titan〕 명 〔ferrotitanium〕 15-45%의 티탄을 함유하는 합금철. 제강(製鋼)에 쓰임.

페론 〔Perón, Juan Domingo〕 명 〖사람〗 아르헨티나의 군인·정치가. 노동상(勞動相)·육상(陸相)·부통령을 거쳐 1946년 대통령이 되어 극단적인 국가 사회주의(國家社會主義) 경제 체재를 확립함. 헌법(憲法)을 개정하여 1949년 대통령으로 재선, 독재 정치를 펴다가 1955년의 쿠데타로 실각하여 니카라과에 망명함. 1973년 귀국하여 다시 대통령에 당선됨. [1895-1974]

페롱 〔Féron, Stanislas〕 명 〖사람〗 프랑스의 신부. 1854년 외방 전교회(外邦傳敎會) 신학교에 들어가 신부가 되어, 1857년 조선에 입국, 베르뇌(Berneux, S.F.) 신부 밑에서 천안(天安)을 중심으로 전교에 힘쓰다가, 고종 8년(1866) 박해를 피하여 청(淸)나라 즈푸(芝罘)로 탈출함. [1827-?]

페루 〔Peru〕 명 〖지〗 남미 서북부 태평양 연안의 공화국. 서부는 안데스 산맥이 달리고 동부는 아마존 상류의 밀림 지대임. 주민은 인디오가 약 반수를 점함. 철광석·동광석·면(綿)·사탕수수 등을 수출함. 옛 잉카 제국(Inca 帝國)의 땅으로 1535년 스페인의 식민지로 되었다가 1821년 독립함. 수도는 리마(Lima). 정식 명칭은 '페루 공화국'(Republic of Peru). [1,285,216 km²: 21,256,000 명(1988)]

페루-면 【一綿】 〔Peru〕 명 페루에서 생산되는 면화. 백색이며, 약간 단단하나 섬유는 길고 탄력성·강도(强度)가 있어 메리야스용의 원사(原絲)와 양모(羊毛) 등의 혼방(混紡)에 쓰임.

페루자 〔Perugia〕 명 〖지〗 이탈리아 중부, 움브리아 주(Umbria 州)의 주도(州都). 농산물 거래의 중심지이며 유리·도자기·식품 공업 등이 성함. 초콜릿이 유명하고, 고딕식(Gothic 式)의 성당(聖堂)·대학이 있음. [144,900 명(1984)]

페루지노 〔Perugino〕 명 〖사람〗 이탈리아의 초기 움브리아파(Umbria 派)의 대표적 화가. 본명 Pietro Vannucci. 처음 피에로 델라 프란체스카(Piero della Francesca)에 수학하고 다음에 피렌체(Firenze)에서 베로키오(Verocchio, A.)를 사사(師事). 명쾌한 화면 구성과 세련된 색채미, 배경으로 쓰인 풍경 묘사의 아름다움에 정평이 있음. 라파엘로의 스승. 대표작에 ≪베드로에게 열쇠를 주는 그리스도≫·≪피에타(Pieta)≫ 등이 있음. [1450?-1523]

페루치 〔Peruzzi, Baldassare〕 명 〖사람〗 이탈리아의 화가·건축가. 처음 화가로 출발했다가 1503년 로마에서 브라만테(Bramante)의 제자 겸 협력자로서 건축에 종사하고, 1509-11년 파르네시나궁(Farnesina 宮)을 설계함. 로마의 산 피에트로 대성전(San Pietro 大聖殿) 건축에도 참가했다고 함. [1481-1536]

페루 해:류 【一海流】 명 〔Peru Current〕 〖지〗 칠레 및 페루 연안(沿岸)을 북으로 흐르는 태평양의 한류(寒流). F.H.A. 훔볼트가 최초로 이 해류를 도표로 표시한 데서 '훔볼트 해류'라고도 하며, 연안부와 난바다의 두 갈래 흐름이 있음.

페르가나 〔Fergana〕 명 〖지〗 중앙 아시아 동부의 지방. 대부분 우즈베크 공화국에 속함. 옛날부터 동서 교통의 요지로 알려졌으며 면화·포도 등을 산출함. 처음 이란계(系) 민족이 살고 있었으나 7세기 이후 터키계(系) 민족이 침입하여 점차 이슬람화(化)하고 1876년에 러시아령(領)이 됨.

페르가몬 〔Pergamon〕 명 〖지〗 소(小)아시아 서안(西岸)에 있는 헬레니즘 시대의 고대 도시. 기원전 3세기, 페르시아로부터 독립한 아탈로스(Attalos) 왕국의 수도(首都)로서 번창하여 헬레니즘 문화의 중심지의 하나가 됨. 알렉산드리아에 버금가는 대도서관, 페르가몬파(派)의 조각이 있는 대리석의 제단(祭壇)으로 유명함. 현재의 이름은 베르가마(Bergama).

페르가몬 왕국 【一王國】 〔Pergamon〕 명 소(小)아시아에 있던 고대 왕국. 기원전 3세기에 성립. 기원전 2세기 로마령(領)이 됨. 모직물·양피지(羊皮紙) 등을 특산(特産)하였음.

페르골라 〔도 Pergola〕 명 〖건〗 뜰이나 평평한 지붕 위에다, 목재(木材)를 종횡(縱橫)으로 얽어놓아서 등(藤)과 같은 덩굴지는 나무를 올리게 만든 장치. 퍼걸러(pergola).

〈페르골라〉

페르골레시 〔Pergolesi, Giovanni Battista〕 명 〖사람〗 이탈리아의 작곡가. 나폴리에서 음악을 수학(修學)하고 작곡 활동을 시작함. 막간극(幕間劇)으로 쓴 ≪라 세르바 파드로나(La serva padrona)≫는 오페라 부파(opera buffa)의 선구적 작품이며, 여성 합창을 위한 ≪스타바트 마테르(Stabat Mater)≫도 유명함. [1710-36]

페:르 귄트 〔Peer Gynt〕 명 ①〖문〗 입센이 1867년에 지은 극시(劇詩). 주인공은 페르 귄트. ②〖악〗 그리그가 작곡한 23곡으로 이루어진 모음곡. 입센이 지은 극시에 곡을 붙인 것.

페르난데스 〔Fernandez, Juan〕 명 〖사람〗 스페인의 항해가. 남미의 서안 및 태평양의 여러 섬을 탐험함. 칠레(Chile) 앞바다의 제도(諸島)는 그의 이름을 따서 지은 것임. [1546?-1602]

페르난도 오:세 【一五世】 〔Fernando Ⅴ〕 명 〖사람〗 카스티야 왕(Castilla 王; 재위 1474-1504). 아라곤 왕(Aragon 王; 재위 1479-1516)으로서는 페르난도 2세. 시칠리아 왕(王)과 나폴리 왕(王)을 겸했음. 카스티야 왕녀 이사벨과 결혼, 1479년 아라곤·카스티야 두 왕국의 통일로 스페인 왕국이 탄생했음. 1492년 그라나다(Granada)를 점령하여 국토 회복을 완성, 국제(國制)를 정비하여 절대 왕제의 기초를 쌓았음. [1452-1516]

페르난도포 섬 〔Fernando Po〕 명 〖지〗 서아프리카 기니 만(Guinea 灣) 깊숙이 있는 스페인령의 섬. 화산도이며 비옥한 토지에 각종 농작물과 재목을 산출함. [2,017 km²: 61,000 명 (1980 추계)]

페르남부쿠 〔Pernambuco〕 명 〖지〗 레시페(Recife)의 별칭.

페르니크 〔Pernik〕 명 〖지〗 불가리아의 서부 지방에 있는 공업 도시. 부근에서 석탄을 산출하며 철강·유리·전기 기구 따위의 공업이 행하여짐. [96,400 명(1983)]

페르덴도시 〔이 perdendosi〕 명 〖악〗 '점점 느리면서 약하게'의 뜻.

페르디난트 일세 【一一世】 〔Ferdinand Ⅰ〕 〔一一쎄〕 명 〖사람〗 신성 로마 황제. 1526년 보헤미아(Bohemia)·헝가리의 왕으로 선임됨. 독일에 있어서의 종교 문제 처리에 전심하여 아우크스부르크 화약(Augsburg 和約)을 성립시켰음. [1503-64; 재위 1556-64]

페르마 〔Fermat, Pierre de〕 명 〖사람〗 프랑스의 수학자. 원뿔 곡선의 연구로부터 해석 기하학을 고안하고, 미적분(微積分)의 선구적 연구와 더불어 광선(光線)의 통로(通路)에 관한 '페르마의 원리'를 발견했음. [1601-65]

페르마의 원리 【一原理】 〔一월一/一에월一〕 명 〔Fermat's principle〕 〖물〗 빛이 점 A로부터 다른 점 B로 가는 진로는 여러 다른 길에 비하여 통과하는데 요하는 시간이 극소 또는 극대라는 원리. 이것은 '광선은 극소의 시간으로 도달할 수 있는 경로(經路)를 취한다'로 바꾸어 말할 수도 있음. 반사·굴절의 법칙도 이 원리로부터 유도됨.

페르마의 정:리【一定理】〔一니/一에一니〕 명 〔Fermat's theorem〕〖수〗 페르마가 발견한 정리. ①소정리(小定理)로, 정수(整數) a가 소수(素數) p의 배수(倍數)가 아니라면, $a^{p-1}-1$은 p로 나누어 떨어진다는 정리. ②대(大)정리로, n이 2보다 큰 자연수라면, $x^n+y^n=z^n$이 되는 정수(整數) x,y,z의 짝은 존재하지 않는다는 정리.

페르마:타〔이 fermata〕 명 〖악〗 '늘임표'의 이탈리아 말.

페르모라이트〔fermorite〕 명 백색(白色)의 광물. 칼슘 및 스트론튬의 비산염(砒酸塩)·인산염(燐酸塩)·플루오르화물(化物)로 이루어졌으며, 결정상(結晶狀)의 덩어리로 존재함.

페르뮴〔도 Fermium〕 명 〖화〗 악티늄(actinium) 계열에 속하는 인공 방사성 원소의 하나. 1952년 태평양에서 실시된 열핵 폭발(熱核爆發) 실험 때의 재 속에서 발견되었음. 주로, 플루토늄(plutonium) 등을 장시간 중성자 조사(照射)하여 만듦. 이탈리아의 물리학자 페르미(Fermi, E.)에서 유래함. [100번:Fm:253]

페르미[1]〔Fermi, Enrico〕 명 〖사람〗 이탈리아의 원자 물리학자. 전자(電子)에 관한 새로운 통계법을 발표, 중성자(中性子) 및 중성자에 의한 원자핵(原子核) 파괴의 실험 등에 공헌을 하여 1938년 노벨 물리학상을 받음. 그 후 파시스트(Fascist)에 추방되어 미국에 가서, 세계 최초로 원자로(原子爐)를 건설, 우라늄 235의 핵분열에 성공, 원자 폭탄 제조에 공헌했음. [1901-54]

페르미[2]〔fermi〕 의명 길이의 단위의 하나. 원자핵 물리학에서 쓰이는 단위로, 10^{-13} cm와 같음. 이탈리아의 물리학자 페르미(Fermi, E.)의 이름에서 딴 명칭.

페르미-상【一賞】〔Fermi〕 명 페르미를 기념하여 원자 과학의 공로자에게 주는 상. 1955년부터 매년 미국에서 5만 달러씩 상금을 줌.

페르미온〔fermion〕 명 〖화〗 스핀(spin)이 1/2, 1/3 등 반정수(半整數)의 값을 가진 소립자(素粒子). 전자(電子)·양성자(陽性子)·중성자(中性子)·쿼크(quark)·중입자(重粒子) 등이 이에 속함. 페르미 입자(Fermi 粒子). ↔보손(boson).

페르미 입자【一粒子】 명 〔Fermi particle〕〖화〗 페르미온(fermion). ↔보스 입자(Bose 粒子).

페르보른〔Verworn, Max〕 명 〖사람〗 독일의 생리학자. 괴팅겐 대학·본 대학 교수. 단세포(單細胞) 생물의 자극 현상, 동물의 근육·신경계의 자극 생리학적 연구로 일반 생리학의 창시자로 불림. 또, 인과관(因果觀)에 대하여 조건주의(條件主義)를 제창하여, 인식할 수 있는 것은 현상 생기(現象生起)의 조건만이라고 하여 자연 과학의 인식론과 방법에 문제를 던졌음. 저서에 ≪일반 생리학≫·≪자극과 마비≫가 있음. [1863-1921]

페르비:스트〔Verbiest, Ferdinand〕 명 〖사람〗 벨기에 출신의 예수회(會)의 선교사. 1659년에 중국 청(淸)나라의 산시(陝西)에서 포교(布教)하였으며, 흠천감(欽天監)에서 아담 샬(Adam Schall)을 보좌함. 강희(康熙) 황제의 신임을 받아 역법(曆法)의 개수, 천문 관측 기계의 제작, 크고 작은 대포의 주조 등을 함. 중국 최초의 정확한 세계 지도 ≪곤여 전도(坤輿全圖)≫를 작성하였고, ≪곤여 도설(圖說)≫도 만듦. 중국명은 남회인(南懷仁). [1623-88]

페르 세〔라 per se〕 명 〖철〗 '자기 자신(自己自身)에 의함'의 뜻.

페르세우스〔Perseus〕 명 〖신〗 그리스 신화 중의 영웅. 제우스(Zeus)의 아들로, 메두사(Medusa)의 목을 잘라 죽이고 귀국 도중, 안드로메다(Andromeda)를 구출하여 아내로 삼았음.

〈페르세우스〉

페르세우스-자리〔Perseus〕 명 〖천〗 북천(北天)의 성좌(星座). 안드로메다(Andromeda) 자리의 동쪽에 있음. 1월 초순 저녁때 머리 위로 보이는 성좌임.

페르세포네〔Persephone〕 명 〖신〗 그리스 신화 중의 생성·번식의 여신(女神), 명부(冥府)의 여왕(女王). 하이데스(Haides)의 꾐으로 명부에 들어 반 년씩 명계(明界)·명계(冥界)를 드나들었다 함.

페르세폴리스〔Persepolis〕 명 〖지〗 페르시아 제국의 고도(古都). 다리우스(Darius) 1세 때 아케메네스 왕조(Achaemenes王朝)의 서울이 되어, 기원전 518-460년에 웅장한 왕궁이 세워졌으나 알렉산더 대왕에 의해 회신(灰燼)이 됨. 이란 남부에 있는 유적에는 왕궁의 유구(遺構)가 있으며 여기저기서 아케메네스 왕조 미술의 융성(隆盛)을 나타내는 부조(浮彫)를 볼 수 있음.

페르소나〔라 persona〕 명 ①〖미술〗〔사람·인체(人體)의 뜻〕 인체상(像). ②〖기독교〗〔위격(位格)이라 역(譯)함〕 의지(意志)와 이성(理性)을 갖추고 있는 순령(純靈). 삼위 일체(三位一體)의 신(神), 곧 제1 페르소나인 부(父)·제2 페르소나인 자(子)·제3 페르소나인 성령(聖靈)을 말함.

페르소나 그라타〔라 persona grata〕 명 〖법〗〔본디 '호감(好感)이 가는 인물' 또는 '우호적인 인물'의 뜻〕 외교 사절(外交使節)을 접수(接受)하는 나라에서 받아들일 수 있는 사람. ↔페르소나 논 그라타.

페르소나 논 그라타〔라 persona non grata〕 명 〖법〗〔본디 '좋아하지 않는 사람' 또는 '비우호적(非友好的)인 사람'의 뜻〕 외교 사절(外交使節)의 접수국(接受國) 정부에서 받아들이기를 기피(忌避)하는 사람.

페르슈어〔Verschuer, Otmar Freiherr von〕 명 〖사람〗 독일의 인류학자·인류(人類) 유전학자. 프랑크푸르트 대학 교수. 쌍생아(雙生兒)를 자료로 하여 인류의 유전과 환경과의 관계를 연구하여 많은 공헌을 함. [1896-1969]

페르스만〔Fersman, Aleksandr Evgen'evich〕 명 〖사람〗 소련의 지구화학 개척자. 모스크바의 로모노소프(Lomonosov) 연구소 교수. 페그머타이트(pegmatite) 및 콜라 반도(Kola半島)의 알칼리암(岩)과 그에 따르는 광상(鑛床)의 연구로 유명함. [1883-1945]

페르시아〔Persia〕 명 〖지〗 ①이란(Iran)의 구칭. 아케메네스조(Achaemenes朝)의 발상지(發祥地)인 페르시스(Persis) 지방에서 유래함. 기원전 7세기 말 메디아 왕국(Media王國)이 건국되어, 아케메네스조·알렉산더 제국·사산조(Sasan朝)의 대를 거쳐, 7세기에 아라비아인(人)에게 정복되어 이슬람화(化)함. 9세기에 사만조(Sāmān朝)가 독립하였으나 후에 터키계(系)의 여러 왕조·일 한국(Il 汗國)·티무르(Timur) 제국 등의 지배하에 들어감. 16세기 초 사파비조(Safavi朝)가 독립하고, 이후 여러 왕조가 계속되었으나 영국·러시아에 의해 반식민지화됨. 1925년 팔레비조가 흥(興)하여 1935년 국호(國號)를 이란이라 바꾸고 현재에 이름. 파사(波斯). ②페르시아 제국의 통칭.

페르시아-고양이〔Persia〕 명 〖동〗 고양이의 한 품종(品種). 대형에 몸빛은 백색·검정·회색·얼룩 등이 있으며 보통, 털이 긴데, 단모종(短毛種)도 있음. 애완용(愛玩用)임. 앙골라 고양이.

페르시아 도기【一陶器】〔Persia〕 명 이슬람 문화권(文化圈)인 페르시아·시리아·이집트·터키·중앙 아시아에서 생산되는 도기(陶器). 낮은 열도(熱度)로 구운 연도(軟陶)가 많으며 거의가 다채로운 채색과 무늬를 새김. 15세기경부터 중국의 영향을 받는 한편 유럽에도 전하여져 이스파노모레스크 양식(hispano-moresque 樣式)을 낳음.

페르시아 만【一灣】〔Persia〕 명 〖지〗 이란과 아라비아 반도에 둘러싸인 만. 인도양의 부속해(附屬海)로, 호르무즈(Hormuz)에 의해 오만만(Oman灣)을 거쳐 아라비아 해(海)로 이어짐. 만안(灣岸)은 티그리스(Tigris)와 유프라테스(Euphrates) 양 하구(河口)의 퇴적(堆積)이 성함. 남안(南岸)의 바레인(Bahrein) 섬은 석유로 주목됨. 고대로부터 동서 교통의 중요한 통로였음.

페르시아-어【一語】〔Persia〕 명 〖언〗 인도 유럽 어족의 이란 어파(Iran語派)에 속하는 이란 제어(諸語)의 하나. 아케메네스 왕조(Achaemenes王朝)의 임금들이 남긴 비문(碑文)에서 비롯하여 사산(Sasan) 왕조에 계승되었으나, 7세기에 있었던 아랍족(族)의 침입으로 어휘(語彙)의 거의 반이 아랍어(語)로 바뀌고 글자도 아랍 문자를 채용하게 되었음. 근대어는 구조상으로도 인도 유럽의 굴절적(屈折的) 특징을 상실하고 두드러지게 분석적·교착적(膠着的)임.

페르시아 전:쟁【一戰爭】〔Persia〕 명 〖역〗 페르시아의 그리스 침입으로 인하여 그리스와 페르시아 사이에 일어난 전쟁. 제1회(492 B.C.)는 폭풍 때문에 페르시아군이 실패하였고, 제2회(490 B.C.)에는 그리스군이 마라톤(Marathon)의 싸움에서 대승하였음. 제3회(480 B.C.)는 크세르크세스(Xerxes) 왕의 페르시아군이 테르모필레(Thermopylae)에서 스파르타(Sparta) 군을 전멸시키고, 아테네에 침입하였으나 실패하고, 아테네의 주도권이 확립되어 델로스(Delos) 동맹이 체결되었음.

페르시아 제:국【一帝國】〔Persia〕 명 〖역〗 고대 이란(Iran)에 일어난 제국. 기원전 559년 아케메네스조(朝)의 키로스 2세(Kyros Ⅱ)가 건국함. 메디아(Media)·리디아(Lydia)·신바빌로니아의 3왕국을 멸망시키고 이집트를 정복하여 오리엔트 세계의 통일에 성공하였음. 다리우스 일세(Darius Ⅰ) 때에는 대제국(大帝國)을 건설, 최성기(最盛期)에 이름. 페르시아 전쟁 후 쇠미하여 알렉산더(Alexander) 대왕의 동정(東征)으로 기원전 330년에 멸망함. 조로아스터교(Zoroaster 教)를 신봉하고 건축·미술에 특징이 있었음.

페르시우스 플라쿠스〔Persius Flaccus, Aulus〕 명 〖사람〗 고대 로마의 풍자 시인. 스토아 사상을 신봉하고 부(富)보다도 덕(德)을 권장하는 6편 650행의 풍자시를 남김. [34-62]

페르테스-병【一病】〔一뼝〕 명 〔Perthe's disease〕〖의〗 대퇴골의 골두부(骨頭部)의 골수염(炎). 학령기(學齡期) 전후의 사내아이에 많으며, 계집아이에는 드묾. 독일의 외과 의사 페르테스(Perthes, Georg Clemens; 1869-1927)가 처음으로 기재(記載)하였음.

페르피냥〔Perpignan〕 명 〖지〗 프랑스 남부 스페인과의 국경 근처에 있는 도시. 포도주·과실·야채 거래의 중심지이며 제지(製紙)·양조업 등이 성함. 1276-1344년에는 마요르카 왕국(Mallorca王國)의 수도였음. [113,600명(1982)]

페름〔Perm'〕 명 〖지〗 러시아의 카마 강안(Kama江岸)에 있는 도시. 카마 강(江)의 수력을 이용하여 각종 기계·화학·정유·목재 가공 등의 공업이 행하여짐. 대학도 있는데 페름기(紀)의 명칭은 이 지방에 널리 분포하는 지층(地層)에서 유래함. 1940-57년까지 몰로토프 시(Molotov市)로 불림. [1,065,000명(1986)]

페름-계【一系】 명 〔Permian system〕〖지〗 페름기(紀)의 지층. 구칭 : 이첩계(二疊系).

페름-기【一紀】 명 〔Permian period〕〖지〗 지질학상 고생대(古生代)의 최후로, 중생대의 트라이아스(紀) 직전의 시대. 약 2억 9천만 년 전부터 약 2억 5천만 년 전까지의 시대. 동물에서는 푸줄리나·암모나이트 등의 전성 시대였으며, 식물에서는 겉씨 식물 등이 나타남. 구칭 : 이첩기(二疊紀).

페리[1]〔ferry〕 명 카 페리(car ferry).

페리[2]〔Perry, Ralph Barton〕 명 〖사람〗 미국의 철학자. 하버드 대학 교수. 신실재론(新實在論)을 제창한 6인 중의 한 사람. 제임스(James, W.)에 대한 전기(傳記)로 퓰리처상(Pulitzer賞)을 받았음. 주저에 ≪가치(價值)의 일반론(一般論)≫이 있음. [1876-1957]

페리고르디노〔이 perigordino〕 명 〖악〗 옛날 네덜란드의 무도곡(舞蹈曲). 8분의 6박자임.

페리디늄-윌레이 명 〖동〗〔*Peridinium willei*〕 대편모류(帶鞭毛類)에 속

하는 원생(原生) 동물의 하나. 몸은 길이와 폭이 50-60 μ의 구형(球形)이고 몸의 앞쪽에 14개, 뒤쪽에 일곱 개의 갑판(甲板)이 있음. 정면(頂面)의 체벽(體壁)이 횡구(橫溝)에 따라 팽출(膨出)하고, 정단(頂端)은 둔한 원형(圓形)이며 구멍이 없고 익상 돌기(翼狀突起)가 좌우로 있음. 못이나 늪에 서식함.

페리미터 [perimeter] 명 시야(視野)의 주변부(周邊部)를 측정하는 시야계(視野計)의 한 가지. 여러 가지 형이 있으나, 목표를 주시(注視)시키고, 백색 또는 색시표(色視標)를 움직여서 시야의 범위를 측정하는 것임. *평면(平面) 시야계.

페리-보:트 [ferryboat] 명 여객·화물·차량 등을 나르는 대형 연락선. 철도 차량용과 카 페리가 있음.

페리스코:프 [periscope] 명 ①잠망경(潛望鏡). ②정세(情勢)의 관망(觀望)·개관.

페리시안화 칼륨 【一化一】 [도 Kalium] 명 [potassium ferricyanide] 〖화〗 헥사시아노철(Ⅲ)산 칼륨. 페로시안화 칼륨의 수용액에 염소(塩素)를 통하거나 산화하여 얻는 암적색(暗赤色)의 단사 정계(單斜晶系) 결정. 물에 녹아 황색을 띰. 청사진지(靑寫眞紙)의 감광제(感光劑)의 제조에 쓰이며 인디고 염색 때에 산화제 또는 분석 시약(分析試藥)으로 사용됨. 적혈염(赤血塩). [$K_3[Fe(CN)_6]$] *페로시안화 칼륨.

페리오이코이 [그 perioikoi] 명 '주위(周圍)에서 사는 사람'의 뜻으로, 고대 그리스의 폴리스에 있었던 반자유민(半自由民)·종속민(從屬民). 납세·병역의 의무는 있었으나 참정권(參政權)은 없었음. 스파르타 등 도리스인계(Doris人系)의 폴리스에 많았음.

페리오 치약 【一齒藥】 [perioe] 명 카프론산(酸) 등 치주(齒周) 질환을 예방하는 약용 성분이 함유된 치약.

페리 자성체 【一磁性體】 [ferri] 명 〖물〗 강자성체(強磁性體)의 일종. 페라이트(ferrite)처럼, 결정(結晶) 중에서 두 종류 이상의 자성 이온(ion)의 자기(磁氣) 모멘트(moment)가, 반평행(反平行)으로 배열하여, 그 차이가 자발 자기화(自發磁氣化)를 형성하는 물질.

페리클레스 [Perikles] 명 〖사람〗 고대 그리스 아테네(Athene)의 정치가. 보수 세력의 실권을 빼앗아 민주 정치를 실시함. 매년 장군에 선임되어 페리클레스 시대가 출현, 아테네 민주 정치의 전성기를 이룸. 델로스 동맹(Delos同盟)의 공금을 유용(流用)하여 현존하는 파르테논을 조영(造營)하는 등 문화면에도 큰 역할을 하였음. 말년 펠로폰네소스(Peloponnesos) 전쟁에 종군 중 병사함. [495?-429 B.C.]

페리파토스 학파 【一學派】 [Peripatos] 명 〖철〗 [아리스토텔레스가 그가 세운 학교 리케이온(Lykeion)에서 제자들과 산책길(peripatos)을 산책(peripatein)하면서 강의한 데서 유래] '아리스토텔레스 학파(Aristoteles學派)'의 별명. 소요(逍遙) 학파.

페리프테로스 [그 peripteros] 명 〖역〗 고대 그리스 신전(神殿) 건축의 한 형식. 둘레가 한 줄의 기둥으로 둘러싸인 형식의 신전.

페릴라르틴 [perillartine] 명 〖화〗 자소(紫蘇)의 방향(芳香) 성분. 자당(蔗糖)의 약 2천 배의 단맛을 가진 결정체(結晶體). [$C_{10}H_{15}NO$]

페미나-상 【一賞】 명 [프 Prix Fémina] 〖문〗 공쿠르상(Goncour賞)의 성공과 명성(名聲)에 영향을 받아 창설된 문학상. 심사원이 전부 여성 작가인 것이 특징임. 수상은 매년 12월, 그 해에 발표된 우수 작품(優秀作品)에 수여함.

페미니니티 테스트 [femininity test] 명 올림픽이나 세계 선수권 대회 등에서 여자 선수의 성검사(性檢査)를 하는 일. 흔히, 구강 점막(口腔粘膜)의 염색체(染色體)를 조사함.

페미니스트 [feminist] 명 ①여권 확장론자. ②여성 숭배자. 여자에게 친절한 남자.

페미니스트 아:트 [feminist art] 명 종래의 예술을 남성 중심의 것으로 생각하고, 여성의 감성(感性)·시점(視點)에 중심을 둔 예술. 1960년대 후반부터 미국의 여성 예술가들이 표방(標榜)하고 나섬.

페미니즘 [feminism] 명 여성의 사회상(社會上)·정치상·법률상의 권리의 확장을 주장하는 설. 여성 해방론(女性解放論). 여권 확장론(女權擴張論). 남녀 동권주의(男女同權主義).

페미닌 [feminine] 명 여자다움. 가날픔.

페미컨 [pemmican] 명 쇠고기를 말린 후 과실·지방(脂肪)을 섞어 빵처럼 굳게 한 것. 휴대 식량용임. 원래는 북미 토인의 요리임.

페샤와르 [Peshawar] 명 〖지〗 파키스탄 북부에 있는 도시. 아프가니스탄과의 국경 가까이에 있어 옛날부터 교통·상업의 요지임. 특산물은 총포류·권련·가구(家具)·명주·면(棉)·모직물 등 수공예품임. 박물관·대학이 있음. [566,000 명(1981)]

페서리 [pessary] 명 자궁의 위치 이상을 바로잡기 위해 쓰는 고무제의 기구. 임신(妊娠) 조절에도 쓰임. 자궁전(子宮栓).

페세타 [스 peseta] 의명 스페인의 화폐 단위(貨幣單位). 1페세타는 100센티모(centimo)임.

페소 [스 peso] ㊀명 옛날 스페인의 금은화(金銀貨). ㊁의명 아르헨티나·콜롬비아·도미니카·우루과이·쿠바·멕시코·필리핀 등의 화폐 단위(貨幣單位). 1페소는 100센타보(centavo)인데, 우루과이에서는 100센테시모(centesimo)임.

페스 [Fèz] 명 〖지〗 모로코 왕국 북부의 분지(盆地)에 있는 도시. 구 모로코 왕국의 수도로 성벽으로 둘러싸이고 회교 성원(聖院)이 많음. 모로코 가죽·페스모(帽)·모직물 등을 산출하며 농산물의 집산·가공, 피혁 공업 등이 행하여짐. [548,000명 (1971)]

페스카도:리스 [Pescadores] 명 〖지〗 평후 제도(澎湖諸島)의 영어명.

페스코 【FESCO】 명 [Far East Superintendence Co. 의 약칭] 제네바에 본사를 둔 제스코, 곧 GESCO (General Superintendence Co.)의 극동 지역 담당 회사. 무역업자 사이에 서서 수출입 상품의 품질 검사 업무를 행함.

페스탈로치 [Pestalozzi, Johann Heinrich] 명 〖사람〗 스위스의 교육가·교육 학자. 루소(Rousseau) 등의 영향으로 독력으로 고아원·학원 등을 창설, 인간성의 도야를 목적으로 하는 인간 학교(人間學校)의 기초로서 전능력의 자발적 활동을 통하여 조화 발전시키는 직관적(直觀的) 방법을 창도하였음. 근대 교육의 아버지로 불리며, 저서 ≪게르트루트(Gertrud)는 어떻게 그 아이들을 가르치는가≫·≪은자(隱者)의 해질녘≫ 등이 있음. [1746-1827]

페스트[1] [pest] 명 〖의〗 페스트균에 의한 급성 전염병. 오한·고열·두통·권태·현기증이 나며, 피부가 흑자색으로 변함. 선(腺)·피부·폐·안(眼) 페스트 등이 있음. 전염력(傳染力)이 강하고 전에는 치사율 100%였음. 흑사병(黑死病).

페스트[2] [프 Peste] 명 〖책〗 1947년에 지은 카뮈의 장편 소설. 페스트병에 걸린, 인간들의 절망과 반항, 희망과 불안을 묘사했음.

페스트-균 【一菌】 [pest] 명 〖식〗 [*Pesteurella pestis*] 페스트의 병원균. 짧고 비대(肥大)한 비운동성(非運動性) 그람 음성(Gram陰性)의 간균(桿菌)으로, 구형(球形) 또는 선상(線狀)으로 변형하며, 건조한 객담(喀痰) 중에서 3개월, 일광(日光)에서 4시간, 95% 알코올에서 10분간 생존함. 프랑스의 예르생(Yersin, Alexandre Émile John; 1863-1943)이 발견하였음.

페스트 혈청 【一血淸】 [pest] 명 〖의〗 페스트 환자에 쓰이는 치료용 혈청. 약독화(弱毒化)한 페스트균으로 말을 면역하여, 이 말의 혈청을 씀. 페스트 환자에게 주사함으로써, 이 중에 함유된 항체(抗體)가 환자 체내의 페스트균과 작용하여 독성을 감약(減弱)시킴.

페스티벌 [festival] 명 축제. 잔치.

페시미스트 [pessimist] 명 염세가(厭世家). 염세주의자. 비관론자(悲觀論者). ↔옵티미스트(optimist).

페시미즘 [pessimism] 명 염세론(厭世論). 염세주의. 비관론. ↔옵티미즘(optimism).

페아노 [Peano, Giuseppe] 명 〖사람〗 이탈리아의 수학자·논리학자. 1809년 토리노(Torino) 대학 교수. 기하학·불변식론(不變式論)·미분 방정식론(微分方程式論) 등을 연구, 페아노 곡선(曲線)의 실례를 처음 소개함. 근대 기호(記號) 논리학의 개척자의 한 사람으로, 현용(現用)의 논리 기호를 도입함. [1858-1932]

페어[1] [fair] 명 ①도의적으로 올바른 것. 공평. 공명 정대한 것. ¶~플레이로 이기다. ②경기 용어로서, 규칙에 맞음. 특히, 테니스·야구 등에서 서브한 공이 규정한 장소에 들어가는 일. ↔파울(foul).

페어[2] [pair] 명 서로 대(對)를 이루는 두 개. 한 쌍.

페어[3] [pear] 명 〖식〗 배[3]❶.

페어 그라운드 [fair ground] 명 ①야구에서, 파울 라인(foul line) 안의 지역. ②품평회(品評會)·견본시(見本市)의 회장(會場).

페어 딜: [Fair Deal] 명 〖정〗 1949년 미국의 트루만 대통령이 행한 민주당의 정책. 뉴 딜(New Deal)을 계승하여 대외적(對外的)으로는 냉전기(冷戰期)의 미국의 지도적(指導的) 지위 확보에 노력하였으며, 국내적(國內的)으로는 경기(景氣)의 진흥(振興)을 꾀하였음. *뉴 딜(New Deal).

페어리 [fairy] 명 인간의 형체를 하고 있으며, 특수한 마력(魔力)을 갖고 인간의 일에 간섭한다고 하는 요정(妖精).

페어리-랜드 [fairyland] 명 요정(妖精)의 나라. 선경(仙境). 불가사의한 나라.

페어리 테일 [fairy tale] 명 동화(童話). 옛날 이야기.

페어링 [pairring] 명 골프에서, 정해진 출장 선수의 짝을 맞추는 일.

페어뱅크스[1] [Fairbanks] 명 〖지〗 북미 알래스카의 중부 태너노 강(Tanana江)에 임한 도시. 알래스카 하이웨이·알래스카 철도의 종점으로 국제 공항·미 공군 기지가 있음. 금·목재를 산출함. [22,645명(1980)]

페어뱅크스[2] [Fairbanks, Douglas] 명 〖사람〗 미국의 영화 배우·제작자. 무성 영화 시대에 낙천적 희활극(喜活劇) 배우로 인기를 얻고, 1919년 채플린(Chaplin, C. S.) 등과 함께 '유나이티드 아티스트(United Artists)' 사를 창립, 제작에도 손대었음. [1883-1939]

페어-스케이팅 [pair-skating] 명 두 사람 곧, 남녀 한 쌍이 되어 하는 피겨 스케이팅(figure skating).

페어-웨이 [fairway] 명 골프 코스에서, 티 쇼트(tee shot)의 위치에서 그린(green)까지의 사이의, 풀을 짧게 깎아 정지(整地)한 장소.

페어 캐치 [fair catch] 명 럭비에서, 공을 찬 것을 상대편이 잡는 일. 이 경우에 공을 잡은 사람이 전진하지 않을 것을 신호로 나타내면 방해받지 않고 공을 차도록 허용됨.

페어 플라이 [fair fly] 명 야구에서, 페어 그라운드(fair ground) 내에 떠오른 플라이(fly).

페어 플레이 [fair play] 명 ①경기를 정정 당당히 행하는 일. 정정 당당한 승부. ②경기 중의 미기(美技). 파인 플레이(fine play).

페이 [pay] 명 봉급. 삯. 보수. 수당(手當).

페이거니즘 [paganism] 명 이교(異教). 이교주의(異教主義).

페이더 [fader] 명 〖영화〗 ①토키(talkie)의 음량 조절기. ②필름 현상(現像)의 광량(光量) 조절기.

페이-데이 [payday] 명 봉급날. 월급날. 지급일.

페이드 볼: [fade ball] 명 골프에서, 곧장 날아간 공의 구속(球速)이 떨어질 무렵, 천천히 오른쪽으로 흐르듯이 낙하하는 상태. 또, 그 공.

페이드-아웃 [fade-out] 명 ①영화나 텔레비전의 화면이 처음에 밝았다가 차차로 어두워지는 일. 용암(溶暗). ②라디오에서 소리를 차차 마이크에서 멀리 하여 음량(音量)을 감소시키는 일. 약칭: 에프 오(F.O.). 1)·2):↔페이드인(fade-in).

페이드-인 [fade-in] 명 ①영화나 텔레비전의 화면이 처음에는 어둡다가 차차 밝아짐. 용명(溶明). ②라디오에서 소리를 차차 마이크에 가까이 하며 음량을 증가시키는 일. 약칭: 에프 아이(F.I.). 1)·2):↔페이드 아웃(fade-out).

페이디아스 [Pheidias] 명 『사람』 기원전 5세기의 그리스 조각가. 아티카(Attica)의 고전 조각의 대성자(大成者)로, 고대를 통하여 최대의 조각가로 지칭됨. 금과 상아를 소재로 한 파르테논의 '아테네상(像)', 올림피아의 '제우스상(像)' 등을 제작했다고 전하지만, 작품은 모작(模作)의 단편 밖에 남아 있지 않음.

페이딩 [fading] 명 『전』 무선 전파를 원거리에서 수신할 때 그 감도(感度)가 강해졌다 약해졌다 하는 현상.

페이브 명 페이브먼트(pavement)의 약칭.

페이브먼트 [pavement] 명 ①포장(鋪裝)한 길. 포도(鋪道). ②인도(人道).

페이블 [fable] 명 우화(寓話). 동화(童話).

페이비어니즘 [Fabianism] 명 1884년에 설립된 영국의 페이비언 협회에서 취하고 있는 점진적 사회주의. 페이비언 사회주의. 「즘.

페이비언 사회주의 【—社會主義】 [Fabian] [—/—이] 명 페이비어니

페이비언 협회 【—協會】 [Fabian] 명 『사』 1884년에 설립된 영국의 사회주의 단체. 점진적인 사회주의화를 그 목표로 하였음. 특히 제1차 세계 대전 때부터 노동당을 원조하여 그 이론적 지주가 됨.

페이소스 [pathos] 명 ①애수·비애감(悲哀感). ②『철』 수동(受動)을 나타내는 말. 정념(情念)·격정(激情)처럼 일시적이고 지속성(持續性)이 없는 상태를 말함. 로고스(logos)가 일반성·객관성인 것에 대하여 파토스는 개별성(個別性)·주체성을 나타내는 말임. 미학상(美學上)으로는 강렬하고 엄숙한 감정적 흥분을 말함. 파토스. ↔에토스(ēthos).

페이수이 [淝水] 명 『지』 중국 안후이 성(安徽省)의 중부를 흐르는 두 강. 허페이 시(合肥市) 북쪽의 지밍 산(鷄鳴山)에서 발원하며, 하나는 동류(東流)하여 차오후(巢湖) 호로, 다른 하나는 북류(北流)하여, 화이허(淮河) 강으로 들어감. 비수.

페이수이 싸움 [淝水] 명 『역』 중국 전진(前秦)의 왕, 부견(苻堅)과 동진(東晉)과의 싸움. 화베이(華北)를 통일한 부견이 강남(江南)을 마저 정복하려고, 383년 90만 대군을 거느리고 남하하여, 사현(謝玄)이 이끄는 8만의 동진군과 페이수이에서 싸워 대패하고 자신도 화살에 맞아 겨우 목숨을 건졌음. 이 싸움의 결과 화베이의 각 부족이 모두 자립하여 왕국을 세우고, 마침내 남북조(南北朝) 대립의 형세를 형성하기에 이름. 비수 싸움.

페이스[1] [face] 명 ①안면(顔面). 용모. ②등산에서, 암벽(岩壁)을 이르는 말. ③골프에서 클럽 헤드(club head)의 전면(前面). 직접 공을 치는 부분을 이르는 말.

페이스[2] [pace] 명 ①보조(步調). 보도(步度). 보속(步速). 또, 일의 진척(進陟) 상황이나 일상 생활의 리듬. ¶상대방의 ～에 말려 들다. ②속도(速度). 특히 야구에서, 투구(投球)의 구속(球速). ¶체인지 오브 ～.

페이스 가:딩 [face guarding] 명 농구에서, 맞은 편의 경기자 앞에 서서, 그 사람의 동작을 따라 진행을 방해하는 일.

페이스 리프트 [face lift] 명 안면(顔面)의 처진 피부와 주름을 위로 치켜 올리는 기구.

페이스-메이커 [pacemaker] 명 ①연습(練習)·경주(競走) 따위에서, 선두(先頭)에 서서 보조(步調)를 지시(指示)하며 조정(調整)하는 사람. ②경마(競馬)에서, 다른 말의 보조를 주도(主導)하는 기수(騎手). 주도자(主導者). ③전극(電極)을 심장에 장치하여, 단속적(斷續的)인 자극을 줌으로써 심장의 고동(鼓動)을 계속시키는 장치.

페이스 밸류 [face value] 명 『경』 증권·어음 등의 액면 가격(額面價格).

페이스-오프 [face-off] 명 아이스하키에서, 인플레이할 때 행하는 방법. 양쪽 1명씩 마주보고, 그 중간에 레퍼리가 내던진 퍽(puck)을 스틱으로 빼앗는 동작.

페이스트 [paste] 명 ①갈거나 개어서 풀처럼 만든 식품. 육류·내장·토마토를 으깨어 조미(調味)한 식품으로, 샌드위치나 카나페(canapé)에 바르거나 소스를 만드는 데 쓰임. ②납땜에 쓰이는 연고상(軟膏狀) 물질. 땜납과 재료와의 접착을 촉진·보호함.

페이시스트라토스 [Peisistratos] 명 『사람』 고대 그리스·아테네의 정치가. 기원전 561년 솔론(Solon)의 개혁이 있은 후의 혼란기에 참주(僭主)가 됨. 권농책(勸農策)에 의하여 소농민을 보호하고 아테네 발전의 바탕을 다짐. [?-527 B.C.]

페이 원중 [裵文仲] 명 『사람』 중국의 지질학자·고고학자. 1929년에 저우커우뎬 동굴(周口店洞窟)의 제3차 발굴을 지휘하여 시난트로푸스(Sinan thropus)의 두개(頭蓋)와 치아를 발견하고, 1931년 그들이 사용한 석기를 발견했음. 논저(論著) ≪저우커우뎬 개굴 보고(周口店開掘報告)≫·≪지질 조사 보고≫ 등이 있음. 배문중. [1904-]

페이자:주 [프 paysage] 명 풍경화.

페이지 [page] 명 책이나 장부 등의 한 면(面).

페이지 보이[1] [page boy] 명 호텔 등의 보이.

페이지보이[2] [pageboy] 명 안말이.

페이지 프린터 [page printer] 명 『컴퓨터』 인쇄 작업을 하기 전에 기계 내부에서 페이지 단위로 인쇄 방법 또는 배열 방법을 결정할 수 있는 프린터.

페이크 [fake] 명 『악』 [새로 만들어낸다는 뜻] 재즈의 즉흥 연주.

페이크로 명 『화』 '페이퍼 크로마토그래피'의 약칭.

페이터 [Pater, Walter Horatio] 명 『사람』 영국의 비평가. 옥스퍼드에서 일생을 지냄. 초기의 논문 ≪르네상스 연구≫로 성공하였으나, 예술지상주의자란 비난을 듣자 명작 ≪쾌락자 마리우스(Marius)≫로 변호하였음. 기독교적인 정신성에 통하는 미적 경지를 개척, 이를 인상주의적인 문체로 표현하여 인상 비평(印象批評)을 창시하고 문단에 큰 영향을 주었음. [1839-94]

페이털 [fatal] 명 ①운명적. ②치명적(致命的). ——-하다 형여불

페이털리스트 [fatalist] 명 숙명론자(宿命論者). 운명론자(運命論者).

페이털리즘 [fatalism] 명 『철』 숙명론(宿命論). 운명론(運命論).

페이트리아:크 [patriarch] 명 ①가장(家長). 족장(族長). ②『기독교』 초기 기독교회의 주교(主教). ③그리스 정교(正教)의 대장로(大長老).

페이튼 [phaeton] 명 두 줄의 앞을 향한 좌석과 접을 수 있도록 된 포장(布帳)이 있는 자동차. 「다.

페이퍼 [paper] 명 ①종이. ②↗샌드페이퍼(sandpaper). ¶～로 문지르

페이퍼 나이프 [paper knife] 명 종이를 베는 작은 칼. 쇠뿐만 아니라 은(銀)·상아(象牙)·나무 등으로도 만듦. 서도(書刀).

페이퍼리스 제:도 【—制度】 명 [paperless system] 공채(公債)·주권(株券)의 매매나 양도를 유가 증권(有價證券) 집중 관리 중앙 기관의 계좌(計座)에서 맡게 하고, 채권(債券)·주권의 인쇄 발행(印刷發行)을 없애려는 제도.

페이퍼-백 [paper-back] 명 표지(表紙)를 종이 한 장으로 장정(裝幀)한, 포켓판(版)의 염가본(廉價本). 세계적으로 유명한 페이퍼백으로는 영국의 '펭귄 북스', 미국의 '포켓 북', 프랑스의 '크세즈(Que Sais-je)' 등이 있음.

페이퍼 스컬프처 [paper sculpture] 명 『미술』 한 장의 종이를 오리거나 구부려서 입체적으로 구성하는 기법. 학이나 배 따위의 종이접기도 이의 한 가지임.

페이퍼 크로마토그래피 [paper chromatography] 명 『화』 여과지(濾過紙)를 쓴 크로마토그래피. 검출(檢出)하려는 물질의 미량(微量)이 든 용액을 거름종이에 흡수시키고 또 시약(試藥)을 흡수시켜 그 반응(反應)을 일으키는 위치에서, 검출하려는 물질의 양이나 질을 아는 방법. 약칭: 페이크로.

페이퍼 테스트 [paper test] 명 테스트 형식의 하나. 테스트 용지(用紙)에 필답(筆答)을 함.

페이퍼 플랜 [paper plan] 명 지상(紙上)의 안(案). 탁상 공론.

페이퍼 홀:더 [paper holder] 명 ①두꺼운 종이 따위로 만들어, 서류를 끼워 정리·보존하기 위한 사무 용구. ②세면장·변소용의 휴지걸이.

페이프시 호 【—湖】 [Peipsi] 명 『지』 추트스코예 호(Chudskoe 湖).

페인 [Paine, Thomas] 명 『사람』 영국의 정치 평론가. 1774년 도미, 반영(反英) 사상을 고취하고, 본국에서 ≪인간의 권리≫ 등을 내었으나 박해를 받아 프랑스에 도피하여 ≪이성(理性)의 시대≫를 출판, 날카로운 급진주의자로서 자연법적 인권을 주장하였음. [1737-1809]

페인 클리닉 [pain clinic] 명 『의』 통각(痛覺)을 제거하는 것을 목표로 한 대증(對症) 요법을 다루는 과(科). 주로, 마취의(痲醉醫)가 중심이 되어, 원인(原因) 요법의 곤란 또는 불가능한 동통(疼痛)을 대상으로 하여 실시함. 삼차(三叉) 신경, 암 말기(癌末期)의 통증 등을 다룸. 동통 진료(診療).

페인터[1] [painter] 명 ①화가(畫家). ②칠장이.

페인터[2] [Painter, Theophilus Shickel] 명 『사람』 미국의 동물학자·세포학자. 텍사스 대학 교수·총장을 지냄. 실험 동물학·세포 유전학·세포 화학 분야에 많은 업적을 남겼으며, 특히 타액선 염색체(唾液腺染色體)의 의의를 밝히고, 그 구조와 유전자 및 핵산(核酸)과의 관계를 추구(追求)하였음. [1889-1969]

페인텍스 [paintex] 명 수예(手藝)의 한 가지. 기름 성분이 강한 그림 물감을 사용하여 헝겊·가죽·종이 등의 위에 그림이나 도안(圖案)을 그리는 것. 또, 그 그림 물감. 「制) 동작. ¶～ 모션.

페인트[1] [feint] 명 운동 경기에서, 공격하는 시늉. 속이기 위한 견제(牽

페인트[2] [paint] 명 안료(顔料)를 전색제(展色劑)와 혼합하여 만든 도료(塗料)의 총칭. 전색제에 따라, 유성(油性) 페인트·수성(水性) 페인트·에나멜 페인트·에멀션(emulsion) 페인트로 구분함. 좁은 뜻으로는, 유성 페인트를 일컬으며, 이전에는 양칠(洋漆)·뼁끼라 하였음.

페인트 전:법 【—戰法】 [—뻡] [feint] 명 배구에서, 정통적(正統的)인 삼단(三段) 전법에 대하여 완급 자재(緩急自在)의 공격법으로 상대편의 의도(意圖)를 찌르는 전법. ↔삼단 전법(三段戰法).

페인트-칠 【—漆】 [paint] 명 페인트를 바르는 일. 또, 그 칠. ——-하다 자타여불

페인팅 나이프 [painting knife] 명 『미술』 유화(油畫)를 그릴 때에 쓰는 쇠칼. 잘못 그린 데를 긁어 버리거나, 붓 대신 그림을 그리는 데에 쓰기도 함.

〈페인팅 나이프〉

페일-세이프 [failsafe] 명 『공』 고장(故障)이나 그릇된 조작(操作)으로 발생할지도 모르는 사고(事故)를 방지하기 위한 안전 장치.

페잔 [Fezzan] 명 『지』 아프리카의 옛 이탈리아 식민지. 리비아 남부의 건조한 황지(荒地) 지방을 말함.

페잔테 [이 pesante] 명 『악』 '무겁게 힘을 넣어서'의 뜻.

페전트 [peasant] 명 ①농부(農夫). 소작인(小作人). ②시골 사람.

페전트 블라우스 [peasant blouse] 명 등이나 가슴에 주름 또는 스모킹(smocking)을 넣어 낙낙하게 만든 블라우스. 페전트 셔츠.

페전트 셔츠 [peasant shirt] 명 페전트 블라우스.

페전트 스커:트 [peasant skirt] 명 개더(gathers) 스커트의 일종. 주름만 잡으면 되므로 만들기가 간단하여 농민들이 많이 입기 때문에 이런 이름이 있음. 특히, 전원풍(田園風)의 것에 이 이름이 사용됨.

페전트 아:트 [peasant art] 명 ①원시적 예술(原始的藝術). ②농민 예

술(農民藝術). ③재주가 없는 것.

페:체:섬유【PC纖維】명 폴리 염화 비닐을 염소화(塩素化)하여 아세톤(acetone)에 녹여 만든 합성 섬유. 제2차 세계 대전 중, 독일에서 발명됨. 연화(軟化) 온도가 낮고, 열이나 빛에 대하여 안정성(安定性)이 없으나, 내약품성(耐藥品性)·방충성(防蟲性)은 우수함. 방수포(防水布)·여포(濾布)·텐트 용.

페초라 강【—江】〔Pechora〕명〖지〗북동 유럽 우랄 산맥(Ural山脈) 북서쪽 산록(山麓)에서 발원하여 툰드라대(Tundra帶)를 북쪽으로 흘러 바렌츠 해(Barents海)에 들어가는 유럽 제6위의 강. 결빙기(結氷期)가 길어 이용 가치가 적음. [1,809 km]

페:치〔Pécs〕명 헝가리 남서부의 도시로, 경제·문화의 중심지. 금속·기계·피혁 공업이 행하여지며, 부근에서 역청탄(瀝靑炭)이 남. 헝가리 최고(最古)의 대학이 있음. [168,800 명(1980)]

페치카〔러 pechka〕명 러시아식 가옥(家屋)의 난방 장치. 돌·벽돌·금속 등으로 만든 난로를 벽에 붙여서, 벽을 가열하면 방안 전체가 따뜻하게 됨. 러시아·만주 등지에서 사용함. 벽난로.

페커리〔peccary〕명〖동〗페커리과(科)에 속하는 멧돼지 비슷한 포유류. 2종이 있는데 *Pecari angulatus*는 두동(頭胴)이 90cm 안팎이며, 불분명한 백색을 띤 회색이고, *Tayassu pecari*는 더 크며, 주로 희읍스름한 빰을 가지고 몸은 검음. 2종이 모두 복잡한 위(胃)를 가졌고, 등에 하나의 피부선(皮膚腺)이 있어 악취(惡臭)를 풍기고 뒷다리에는 발톱이 셋뿐임. 삼림에 떼 지어 살며 성질이 사납고 야행성(夜行性)이며 잡식성(雜食性)임. 미국의 텍사스에서 파라과이에 걸쳐 분포함.

〈페커리〉

페키니:스〔Pekinese〕명〖동〗중국 베이징(北京) 원산의 애완용(愛玩用) 발바리. 털이 길고 고우며 부리가 짧고, 귀가 처졌으며 꼬리가 등쪽으로 휘었음.

페:타-〔그 peta〕튀 미터법(法)의 여러 단위(單位)의 10^{15}, 곧 1000조(兆) 배의 크기를 나타내는 말. 기호는 P. ¶ 8∼헤르츠(PHz).

페탈라이트〔petalite〕명〖광〗단사 정계(單斜晶系)의 광물(鑛物). 리튬(lithium)과 알루미늄의 규산염(珪酸塩). 보통, 괴상(塊狀) 또는 엽상(葉狀)으로 유리 광택이 있으며, 무색 내지 회백색인데 때로는 홍색 또는 녹색을 띤 백색임. 리튬을 채취함. 엽장석(葉長石).

페탱〔Pétain, Henri Philippe〕명〖사람〗프랑스의 군인·정치가·원수(元帥). 1916년 베르됭(Verdun) 방위에 무공을 세운 이래 각료에도 참여했으나, 2차 대전 중 비시(Vichy) 정부의 국가 주석(主席)이 됨. 독일에 협력하여 독재를 쓰다가 종전과 함께 체포되어 반역죄로서 종신형(終身刑) 복역 중 죽음. [1856-1951]

페테르부르크〔Peterburg〕명〖지〗'상트 페테르부르크'의 통칭.

페텐코:퍼〔Pettenkofer, Max von〕명〖사람〗독일의 의학자. 뮌헨 대학 교수. 도시 상하수도(上下水道)의 정비, 영양 향상 등 사회적·정치적 상태가 사람의 건강과 사망률에 큰 영향을 끼친다고 주장, 근대적 위생학의 기반을 이룩하였음. 이 밖에 어른의 하루 영양 필요량을 측정하는 등, 영양 화학의 연구도 있음. [1818-1901]

페트[1]〔도 Fett〕명 우지(牛脂)에서 짜낸 요리용의 기름.

페트[2]〔pet〕명 ①애완(愛玩)의 동물. 애완물. ②주로, 나이가 아래인 연인(戀人). ③응석부리게 기르는 아이.

페트라〔Petra〕명〖지〗요르단 남부의 고대 도시. 기원 전후에 아랍계(系) 유목민의 나바테(Nabatae) 왕국 수도(首都)로서, 또한 교역(交易)의 중계지로서 번창했다가, 106년 로마 제국의 지배 아래 듦. 부근에 있는 계곡의 단애(斷崖)에 신전(神殿)과 능묘(陵廟)가 남아 있으며, 여기서 뛰어난 건축·조각 기술을 엿볼 수 있음.

페트라르카〔Petrarca, Francesco〕명〖사람〗이탈리아의 문예 부흥기의 시인. 시재(詩才)와 학식으로 일세를 풍미, 로마에서 계관 시인(桂冠詩人)의 명예를 얻었고, 일면 우수한 고전학자로서 이후 인문주의의 선구가 되었음. 저서로 우아한 ≪서정시집≫ 및 ≪아프리카≫ 등이 있음. [1304-74]

페트로그라:드〔Petrograd〕명〖지〗1919년-24년 사이의 상트 페테르부르크의 이름.

페트로니우스〔Petronius, Titus (Gaius)〕명〖사람〗로마의 작가·정치가. 네로의 총신(寵臣)으로 '멋진 판관(判官)'이라는 별명까지 얻었으나, 네로의 총애를 잃자 자살함. 소설 ≪사티리콘(Satyricon)≫은 그의 작품으로 알려짐. [?-66]

페트로자보츠크〔Petrozavodsk〕명〖지〗러시아 연방, 카렐리야(Kareliya) 자치 공화국의 주도(主都). 오네가 호안(Onega湖岸)의 항도(港都)로 기계 공업이 행하여짐. 대학과 각종 극장·박물관·공항 등이 있음. [259,000 명(1986)]

페트로파블롭스크〔Petropavlovsk〕명〖지〗카자흐(Kazakh) 공화국의 북부에 있는 도시. 이심 강(Ishim江) 강안(江岸)에 있으며, 농업 기계 제조가 행하여짐. 1752년 요새(要塞)로 창건됨. [229,000 명(1986)]

페트로파블롭스크-캄차츠키〔Petropavlovsk-Kamchatski〕명〖지〗러시아 연방의 캄차카 반도(Kamchatka半島) 남동안(南東岸), 아바차 만(灣)의 항시(港市). 선박 수리가 행하여짐. 북양 어업의 기지로 항해 학교가 있음. 1740년 창건. [248,000 명(1986)]

페트롤레이텀〔petrolatum〕명〖화〗석유에서 채취되는 고점도(高粘度)의 납(蠟). 그리스(grease)·카본지(carbon紙) 등에 쓰이며, 특히 정제(精製)하면 바셀린(vaseline)이 됨. *바셀린.

페트루스 롬바르두스〔Petrus Lombardus〕명〖사람〗이탈리아 사람으로 스콜라 철학자. 파리(Paris)의 주교(主教). 마기스테르 센텐티아룸(Magister Sententiarum), 곧 '명제집(命題集)의 스승'이라고 불리며, 그의 저서 ≪센텐티아(Sententia) 신학(神學)의 서(書)≫는 신앙의 명제를 변증법적으로 논한 새로운 형식의 것으로 수세기 동안 신학의 교과서로 중시되었음. [1100?-64]

페트루시카〔Petrushka〕명〖악〗스트라빈스키(Stravinsky, I. F.)가 지은 무용 조곡(舞踊組曲). 1911년에 댜길레프(Diagilev, S.P.)에 의하여 파리에서 처음 공연되었음.

페트리 접시〔도 Petri〕명〖의〗유리로 된 원형 평저(圓形平底)의 뚜껑이 있는 접시. 주로, 세균 배양 등, 의(醫)·약(藥)·생화학(生化學) 방면에서 쓰임.

페트-병[1]【—病】[—뼝] 명〔pet〕〖의〗원래는 동물 특유의 병이, 애완 동물, 곧 페트로서 사육하고 있는 개·고양이·새 등을 통하여 우연히 인간에게 전염된 경우에 발생된 병의 총칭. 대표적인 것으로 앵무병·톡소플래즈모시스(toxoplasmosis) 등이 있음.

페트-병[2]【PET瓶】명〔polyethylen terephthalate resin bottle〕청량 음료 따위의 용기(容器)로 쓰이는 플라스틱 병. '페트'는 폴리에틸렌 테레프탈레이트 수지(樹脂)의 준말.

페트 푸드〔pet food〕명 개·고양이·관상어(觀賞魚)·새 따위를 사육하는 데 필요한 영양소를 균형있게 배합하여 만든 사료.

페티〔Petty, William〕명〖사람〗영국의 경제학자·자연 과학자. 옥스퍼드 대학 해부학(解剖學) 교수. 노동 가치설(勞動價値說)을 처음으로 제창하여 지대(地代)는 지주(地主)가 수득(收得)하는 불지불(不支拂) 노동이라는 것을 간파(看破)하였음. 또, 경제학에 대량 관찰(大量觀察)의 실증적 방법을 적용하여 '정치 산술(政治算術)'을 창시, 통계학의 시조가 됨. 주저(主著)에 ≪조세 공납론(租稅貢納論)≫·≪정치 산술≫ 등이 있음. [1623-87]

페티시〔fetish〕명 주물(呪物). 물신(物神). 야만인이 영검한 신으로 숭배하는 나무 조각·돌 조각·동물 등.

페티시즘〔fetishism〕명〖종〗①물신 숭배(物神崇拜). ②〖심〗성적 도착(性的倒錯)의 일종(一種). 이성(異性)의 신체(身體)의 일부나, 몸에 입은 것 또는 몸에 지닌 것 따위에 비정상적인 집착을 나타내며, 그것으로 말미암아 성적 만족을 얻는 일.

페티코:트〔petticoat, pettycoat〕명 여자의 속옷의 하나. 스커트 밑에 받쳐 입는 속치마의 한 가지.

〈페티코트〉

페티클라:크의 법칙【—法則】[—/—에—] 명〔Petty and Clark's Law〕〖경〗국민 소득의 상승에 따라 한 나라의 산업 구조가 제1차 산업에서 제2차 산업, 제2차 산업에서 제3차 산업으로 그 비중이 이행한다는 법칙. 1690년 영국의 경제 학자 페티(Petty, W.)가 지적한 위의 사실을 근거로, 1951년 영국의 경제학자 클라크(Clark, C. G.)가 각국(各國)의 예를 들어 실증(實證)하였음. 페티의 법칙. 클라크의 법칙.

페티티오 프린키피〔라 petitio principii〕명 ①〖철〗선결 문제 요구(先決問題要求)의 허위(虛僞). ②〖논〗지금부터 논증(論證)하려는 사항을 주장(主張)의 논거(論據)로 전제(前提)하여 사용하는 일. 순환 논증(循環論證).

페팅〔petting〕명 남녀 사이의 애정(愛情)의 표현인 관능적(官能的) 애무(愛撫).

페퍼[1]〔pepper〕명〖식〗후추.

페퍼[2]〔Pfeffer, Wilhelm〕명〖사람〗독일의 식물학자. 삼투압(滲透壓), 자극과 반응 등에 관한 연구로, ≪식물 생리학(植物生理學)≫의 저서가 있음. [1845-1920]

페퍼 게임〔pepper game〕명 토스 배팅(toss batting).

페퍼민트〔peppermint〕명 ①리큐어주(liqueur酒)의 일종. 박향유(薄香油)·등피유(橙皮油)·아니스유(anis油)·근근유(菫根油) 등의 소량을 향료(香料)로서 가한 알코올 음료로 청록색임. 박하주(薄荷酒). ②〖식〗박하(薄荷).

페퍼 포그〔Pepper Fog〕명 최루 가스의 상표명.

페프스너〔Pevsner, Antoine〕명〖사람〗러시아 태생의 프랑스 조각가. 가보(Gabo, N.)의 형. 화가를 지망(志望)하여 키예프·페테르스부르크(Petersburg)의 미술 학교에 다닌 뒤, 1911년 파리에 나와 입체파와 접촉함. 1915년 제1차 대전으로 귀국하는 도중에 오슬로에서 아우 가보와 재회(再會), 그 영향으로 조각으로 바꾸어 그와 더불어 구성주의(構成主義)를 추진함. 1930년 프랑스에 귀화함. [1884-1962]

페플럼〔peplum〕명 허리에 두르는 짧은 스커트.

페플로스〔peplos〕명 고대 그리스의 의복. 기원전 6세기경부터 여성들이 착용, 그 후 아테네의 여성들이 이오니아식(Ionia式) 키톤(chiton)을 착용하면서부터 이것과 구별하여 페플로스를 도리스식(Doris式) 키톤이라고 부르게 됨.

페:-하【pH】명〖화〗수소 이온 지수(水素 ion指數)를 나타내는 기호. 피 에이치. *수소 이온 지수.

페:하:-계【pH計】명〖화〗수용액(水溶液)의 페하를 전기 화학적으로 측정하는 장치. 간단하며, 정확히 측정할 수 있음. 유리 전극(電極)이 많이 쓰여짐.

페:하: 시험지【pH試驗紙】명〖화〗페하의 측정에 쓰이는 시험지. 여과지(濾過紙)에 산염기 지시약(酸塩基指示藥)을 침투시켜 말린 것. 리트머스(litmus) 시험지는 그 일종임.

페:하: 전:극【pH電極】명〔pH electrode〕〖화〗엷은 유리막(膜)으로 된 전극. 수소 이온(水素 ion) 검지기(檢知器)로서 많은 pH 측정기(測定器)에 이용됨.

페:하: 지시약【pH 指示藥】명〖화〗산염기 지시약(酸塩基指示藥).

페히너 [Fechner, Gustav Theodor] 명 『사람』 독일의 과학자·철학자. 정신 물리학(精神物理學)의 창시자. 정밀한 실험적 정신과 분망한 사변적 요소를 겸하여 강한 범신론적(汎神論的) 경향으로 만유(萬有)의 심령(心靈)을 인정하는 형이상학을 말하였음. 심리학적으로 일종의 심신 평행론(平行論)을 주장하여 '페히너의 법칙'도 발견하였음. 저서 ≪정신 물리학 요강≫ 등. [1801-87]

페히너의 법칙 【一法則】 [Fechner] [一/一에一] 명 『생·심』 베버(Weber)의 법칙을 페히너(Fechner)가 수식화(數式化)한 법칙. *베버의 법칙·베버 페히너의 법칙.

페히슈타인 [Pechstein, Max] 명 『사람』 독일의 화가. 1910년 베를린에서 신분리파(新分離派)를 창시한 표현주의의 대가. 형태를 단순화하면서도 추상화하지 않기 때문에 구상적 표현파(具象的表現派)라고 불림. 제2차 대전 중 나치스에 의해 퇴폐 예술가로 지목되었으나 전후에는 베를린 미술 학교 교수로 초빙되었음. [1881-1955]

펙 [Peck, Gregory] 명 『사람』 미국의 배우. 영화 ≪왕국의 열쇠≫로 데뷔, 이래 ≪로마의 휴일≫ 등에 주연하였음. [1916-]

펙틴 [pectin] 명 야채와 과실 중에 포함된 산성 다당류(酸性多糖類). 과실이 익을 때 젤리화(jelly化)를 촉진함. 잼(jam)·젤리 등의 식용(食用), 미생물의 배지(培地), 약용 등에 쓰임.

펙틴-질 【一質】 [pectin] 명 『생』 고등 식물의 목질(木質)이 아닌 조직. 곧, 잎·뿌리·과실 등에 많이 함유된 일군(一群)의 다당류(多糖類). 무색·무미(無味)·무취(無臭)의 비정질(非晶質)로서 친수(親水) 콜로이드(colloid)가 됨. 당(糖)·산(酸)으로 겔화(Gel化)함. 식품 공업, 기타에 많은 용도가 있음.

펜[1] [pen] 명 ①글씨 쓰는 기구의 한 가지. 끝을 뾰족하게 하여 잉크나 먹 등을 찍어서 쓰며, 주로 쇠붙이로 만들고 펜대에 끼워서 씀. 펜촉. ②펜촉을 펜대에 끼운 것. 철필(鐵筆). 경필(硬筆). ③전(轉)하여, 글을 씀. 문필 활동(文筆活動)을 함.

펜[2] [Penn, William] 명 『사람』 영국의 북미 개척자. 퀘이커(Quaker) 교도로 종교적·정치적 자유의 땅을 찾아, 국왕의 특허장을 가지고 북미(北美) 식민지 개척(開拓)에 나섬. 1682년 도미(渡美)하여 필라델피아(Philadelphia)를 건설하고 인디언과 우호 관계를 유지하면서 펜실베이니아 식민지의 발전에 힘씀. [1644-1718]

펜-나이프 [penknife] 명 작은 주머니 칼. 원래는 깃 펜을 깎던 것임.

펜 네임 [pen name] 명 문예상 작품에 쓰는 본명(本名) 이외의 이름. 아호(雅號). 필명(筆名).

펜-대 [pen] [一때] 명 펜을 끼어서 쓰는 자루. 철필대.

펜더 [fender] 명 자동차의 흙받기. 바퀴에서 튀어 오르는 흙탕물을 막기 위해 바퀴 윗부분에 둥글게 씌운 철판.

펜던트 [pendant] 명 ①늘어져 있는 물건. 늘어뜨린 장식. ②가운데에 보석으로 된 드롭(drop)을 달아서 가슴에 늘어뜨리게 된 목걸이. *목걸이. ③조명(照明) 기구의 하나. 천장·처마끝 등에 달아서 늘어뜨린 장식용 전등.

펜던트 스위치 [pendant switch] 명 높은 곳에 있는 회로를 개폐시킬 때 코드를 유도하여 그 끝에 매달아 쓰는 스위치.

펜데레츠키 [Penderecki, Krzysztof] 명 『사람』 폴란드의 작곡가. 에센 고등 음악 학교·예일 대학 교수 등을 지냄. 1950년대 중반부터 서유럽의 전위 음악 기법을 도입, 서유럽 음악계에서도 높이 평가됨. 대표작 ≪아나크라시스≫·≪테 데움≫ 등. [1933-]

펜듈럼 [pendulem] 명 ①시계 따위의 진자(振子). 흔들리는 추. 매다는 램프. ②『미술』 작은 광원(光源)의 움직임을 카메라로 연속적으로 촬영하는 방법.

펜디올 [phenthiol] 명 『화』 티오페놀(Thiophenol).

펜딩 [pending] 명 미결정(未決定)임. 현안(懸案)중임. 보류(保留). 미결.

펜리르 [Fenrir] 명 『신』 북(北)유럽 신화에 등장하는 거대한 이리. 악신(惡神)인 로키(Loki)와 거인(巨人) 여자인 앙그르보다(Angrboda) 사이에서 태어난 수컷 새끼. 신(神)들은 이 괴물이 가져올 위험을 미리 알아차리고 난장이가 만든 마술의 끈으로 이것을 묶어 두었으나, 세계 종말의 날에 펜리르는 끈을 끊고 마군(魔軍)과 함께 신(神)들의 세계를 습격, 주신(主神)인 오딘(Odin)을 한입에 삼켜 버렸다가 오딘의 아들 비다르(Vidar)에게 찢겨 죽음.

펜맨-십 [penmanship] 명 습자(習字). 서체(書體). 필적(筆跡).

펜수-깐 명 〈방〉 대장간(경북).

펜스[1] [fence] 명 울타리. 특히, 야구에서, 그라운드를 둘러싼 울타리.

펜스[2] [pence] 의명 영국 화폐(貨幣)의 단위. 페니(penny)의 복수(複數)임. ¶달과 6～.

펜스톡 [penstock] 명 수압관(水壓管).

펜슬 [pencil] 명 연필.

펜슬 스트라이프 [pencil stripe] 명 연필로 그린 선(線) 굵기 정도의 줄무늬.

펜슬 실루엣 [pencil silhouette] 명 『복식』 튜뷸러 실루엣(tubular silhouette).

펜슬 합금 【一合金】 [pencil] 명 『화』 납·비스무트(Wismut)·수은 합금의 일종. 종이에 쓸 수 있으므로 이 이름이 있음.

펜실베이니아-계 【一系】 [Pennsylvania] 명 『지』 미국에서, 석탄계(石炭系)를 둘로 구분한 것 중 후반기에 대한 명칭. 북미(北美) 동부, 애팔래치아 산맥(Appalachia山脈), 곧 미시시피(Mississippi) 강 동쪽에서는 하반(下半)이 해성층(海成層)이고 상반(上半)은 반담수(半淡水) 내지 최대 규모의 석탄층이 있는 육성층(陸成層)으로서, 그 사이에 현저한 차이가 있기 때문에 이렇게 구별된 것임. 전반기는 미시시피계(Mississippi系)라고 부름.

펜실베이니아 주 【一州】 [Pennsylvania] 명 『지』 미국 동부 애팔래치아 산맥(Appalachia山脈) 북단을 차지하고 있는 주. 무연탄은 미국의 거의 전량, 역청탄(瀝青炭)은 3위를 차지하고, 석유·천연 가스도 풍부함. 미국 1위의 철강업을 중심으로 금속·기계·화학·시멘트·식품 가공·섬유 등 공업이 행하여짐. 오대호(五大湖)·동부 두 공업 지대의 중심지임. 농업은 원예·낙농·과실·양계 등이 성함. 주도(州都)는 해리스버그(Harrisburg). [117,412 km²: 11,867,000 명(1980)]

펜싱 [fencing] 명 서양식 격검(擊劍). 기사에 의하여 중세 유럽에 발달되었고 결투도 이것으로 하였음. 지금은 스포츠로서 올림픽 종목의 하나임. *사브르(sabre).

펜자 [Penza] 명 『지』 러시아 연방 공화국 안의 공업 도시. 기계·자전거·시계·계산기·전기 기기(機器) 등의 공업이 행하여짐. [532,000 명(1983)]

펜-촉 【一鏃】 [pen] 명 펜의 촉. 철필촉(鐵筆鏃).

펜치 명 [pinchers] 뻰찌.

펜 컴퓨:터 [pen computer] 명 키보드 대신 스크린에 펜으로 입력할 수 있는 노트북형 컴퓨터.

펜-클럽 [P.E.N. club] 명 [P.E.N.은 Poets, Playwriters, Editors, Essayists and Novelists의 약칭] ①국제 펜 클럽(國際 P.E.N. club). ②한국 펜 클럽(韓國 P.E.N. club).

펜타곤 [Pentagon] 명 [5각형의 뜻] 미국 국방 총성(國防總省)의 통칭. 육·해·공군의 3성(省)을 통합한 최고 군사 기관(最高軍事機關)으로서, 1943년에 완성된 외곽(外廓) 5각형의 청사(廳舍) 건물이 워싱턴 포토맥(Potomac) 강변에 있음.

펜타-에리트리톨 [Pentaerythritol] 명 『화』 결정성(結晶性)의 백색 고체. 녹는점 261°-262°C. 물에 녹음. 폭약(爆藥) 펜타에리트리톨 테트라니트레이트(Pentaerythritol tetranitrate)의 제조, 알키드 수지(Alkyd 樹脂), 도료 원료(塗料原料) 제조에 쓰임. [$(CH_2OH)_4C$]

펜타-클로로페놀 [pentachlorophenol] 명 『화』 결정체(結晶體)로 된 농약의 하나. 이것의 나트륨염(塩) 등이 살균제·제초제·목재 방부제로 쓰여지고 있음. 약칭(略稱): 피 시 피(P.C.P.). [C_6Cl_5OH]

펜타-토닉 [pentatonic] 명 『악』 오음(五音) 음계.

펜타-프리즘 [penta-prism] 명 단면(斷面)이 5각형을 이루는 프리즘으로, 하나의 각(角)은 90°, 그 양쪽의 각은 112.5°로 되어 있음. 입사(入射) 광선은 내부에서 두 번 전반사(全反射)한 후 90°로 방향을 바꾸어 밖으로 나오는데, 상(像)은 상하 좌우(上下左右)로 전도(轉倒)되지 않음. 일안(一眼) 레플렉스 카메라에 사용됨. 오각(五角) 프리즘.

펜탄 [pentane] 명 『화』 탄소(炭素) 다섯 개로 된 메탄계(methane 系) 탄화 수소의 한 가지. 3 종의 이성체(異性體)가 있음.

펜탄-등 【一燈】 명 [pentane lamp] 『물』 영국 등지에서 광도(光度)의 표준으로 쓰였던 등(燈). 공기 20 체적과 펜탄 가스 7 체적의 혼합 기체를 지름 7분의 1인치의 점화구(點火口)에서 불꽃의 높이 2.5인치로 태워, 이것이 1기압에서 0.8 %의 수증기를 함유하는 공기 중에 방출하는 수평 광도(水平光度)를 10 촉(燭)으로 함.

펜탄 온도계 【一溫度計】 명 [pentane thermometer] 『물』 펜탄을 사용한 액체(液體) 온도계. 극히 저온(低溫) −200°C까지 측정할 수 있음.

펜테실레이아 [Penthesileia] 명 『신』 그리스 신화의 아마존족(Amazon 族)의 여왕. 헥토르(Hektor)가 전사한 후 트로이(Troy)에 가담하여 싸우다가 아킬레우스(Achilleus)에게 오른쪽 젖가슴을 찔리어 죽음.

펜테질레아 [Penthesileia] 명 『문』 1808년 독일의 극작가 클라이스트(Kleist, Heinrich von)가 지은 비극. 그의 대표작으로, 아마존족(Amazon族)의 여왕인 펜테실레이아가 아킬레우스(Achilleus)를 사랑하나, 오히려 속았음을 깨닫고 그를 죽인다는 줄거리. 애정에서 증오로 바뀌는 주인공의 심리 분석이 뛰어남.

펜토믹 사단 【一師團】 명 [pentomic division] 『군』 펜토믹 편제에 의한 육군의 사단. 대대(大隊) 병력급(兵力級)의 5개 전투단(戰鬪團)으로 구성되고, 핵무기(核武器)를 장비(裝備)하여 기동력(機動力)과 화력(火力)을 중시함.

펜토믹 편제 【一編制】 [pentomic] 명 『군』 [pentomic은 오제형(五梯形)의 뜻인 penta와 원자(原子)의 뜻인 atomic의 합성(合成)] 미국 육군의 새로운 편성 방법. 종전의 사단(師團) 편성을 5개 전투단으로 개편하여 각 전투단이 전술(戰術) 핵무기와 재래식(在來式) 무기를 병용하게 하며, 사단 병력을 대폭 축소하는 대신, 화력·기동력·자급 자족력(自給自足力)을 증가하여 핵무기 전투에 적응시킨 것임. 1953년 한국 전쟁 휴전 후에 안출(案出)됨.

펜토산 [pentosan] 명 『화』 가수 분해(加水分解)에 의하여 펜토오스를 생성하는 다당류(多糖類)의 총칭.

펜토오스 [pentose] 명 『화』 탄소 원자 다섯 개를 갖는 단당류(單糖類). 알도오스(aldose)와 케토오스(ketose)가 있음. 단당류 중 헥소스(hexose) 다음으로 널리 동식물계에 분포하나, 유리(遊離)의 상태로 산출되는 일은 드물고, 대개는 다당류(多糖類)나 배당체(配糖體)로서 산출됨. 효모(酵母)에 의하여 발효(醱酵)되지 않음. 오탄당(五炭糖). [$C_5H_{10}O_5$]

펜토오스 요증 【一尿症】 [一쯩] 명 [pentosuria] 『의』 오줌 속에 펜토오스를 배설(排泄)하는 대사 이상증(代謝異常症).

펜토탈 [pentotal] 명 『약』 '티오펜탈나트륨'의 통칭. 속효적(速效的)인 주사용 마취약으로 쓰임. 분해와 배설이 빨라 30분 이내에 마취가 풀리므로 단시간의 수술이나 발치(拔齒) 때 등에 쓰임.

펜트라이트 [penthrite] 명 『화』 사질산(四窒酸) 펜타에리트리톨(pentaerythritol)의 통칭. 펜타에리트리톨을 농질산(濃窒酸)으로 처리하여 얻어지는 백색 결정(白色結晶)임. 녹는점 140.8°C. 작약(炸藥) 또는 도폭선(導爆線)의 심약(心藥), 뇌관(雷管)의 첨장약(添裝藥)으로 쓰임.

[$C(CH_2ON_2)_4$]

펜 팔 [pen pal] 명 펜 프렌드(pen friend).

펜홀:더 그립 [penholder grip] 명 탁구에서, 라켓을 쥐는 방법의 하나. 자루의 기부(基部)를 집게손가락으로 가볍게 감고 엄지손가락은 자루의 측면에 대고서 자루의 이면(裏面)은 가운데 손가락·약손가락·새끼손가락으로 받쳐, 마치 펜을 쥘 때처럼 쥠. *셰이크핸드 그립(shake-hand grip).

펜-화 【一畫】 [pen] 명 펜으로 그린 그림.

펠라그라 [도 Pellagra] 명 『의』 니코틴산(酸)의 결핍으로 생기는 질환. 손발·얼굴·윗가슴 등 햇볕이 쬐는 부분에 홍반(紅斑)이 생기며, 가렵고 색소가 침착(沈着)하여 끝내는 낙설(落屑) 현상이 일어남. 이 피부 증상과 더불어 설사·시력 장애·이명(耳鳴)·경련(痙攣)·운동 마비 등을 일으키는 수도 있음. 치료에는 니코틴산을 투여(投與)함.

펠라기우스 [Pelagius] 명 『사람』 영국의 신학자(神學者). 원죄(原罪)와 유아 세례(幼兒洗禮)를 부정하고 그리스도의 은총(恩寵)은 구원(救援)이 아니라 구원을 쉽게 하기 위하여 필요한 것일 뿐이라고 주장함. 이 주장은 아우구스티누스의 비난을 받고 후에 이단(異端)으로 배척됨. [360?-420?]

펠라티오 [fellatio] 명 구강 성교(口腔性交)의 하나. 여성이 입술이나 혀로 남성의 성기를 애무하는 일. ↔쿤닐링구스(cunnilingus).

펠레 [Pelé] 명 『사람』 브라질의 축구 선수. 본명은 에드손 아란테스 도 나스시멘토(Edson Arantes Do Nascimento). 월드컵 대회에 4회 출전하여 3회 우승함. 공식 시합에서 1,216점을 얻는 대기록을 세워 '축구의 황제'로 불림. 1974년 내셔널 팀에서 물러난 후 미국 프로 팀 '코스모스'에 입단 활약하다가 은퇴. [1940-]

펠레아스와 멜리장드 명 [Pelléas et Mélisande] 드뷔시(Debussy)의 오페라. 마테를링크(Maeterlinck)의 희곡을 대본으로 한 5막짜리, 약 10년 걸려 완성됨. 1902년 초연. 근대 오페라의 걸작(傑作)으로 꼽힘.

펠레우스 [Peleus] 명 『신』 그리스 신화 중의 영웅. 아킬레스의 아버지. 테살리아(Thessalia)를 다스림. 아르고선(Argo船)의 원정(遠征)에 참가하였음.

펠레타이징 [pelletizing] 명 『광』 빈광(貧鑛)이나 분광(粉鑛)을 분말로 하여, 결합제(結合劑)로 굳혀 구상(球狀)으로 하는 처리법.

펠로폰네소스 동맹 【一同盟】 [Peloponnesos] 명 『역』 고대 그리스에서, 스파르타를 맹주(盟主)로 하는 펠로폰네소스 반도 내외(內外)의 여러 도시(都市)의 공수(攻守) 동맹. 기원전 6세기 말에 성립되고 기원전 4세기에 해체됨.

펠로폰네소스 반:도 【一半島】 [Peloponnesos] 명 『지』 동남 유럽 발칸 반도 남단의 코린트 지협(Corinth地峽)으로 연결된 반도로 그리스의 남부를 이룸. 북부는 아르카디아(Arkadia)의 고원, 남부는 스파르타의 평원임. 올리브(olive)·포도·과수(果樹)를 재배하며, 양(羊)·염소를 사육함. 고대 문화의 유적(遺跡)이 여러 곳에서 발굴되고 있음. 기원전 8-5세기에 스파르타의 도시 국가가 번성하던 곳임. 1821-28년의 그리스 터키 전쟁에서 그리스 영토로 되었음. 모레아 반도(Morea半島)라고도 함. [21,439 km²: 1,012,500 명(1981)]

펠로폰네소스 전:쟁 【一戰爭】 [Peloponnesos] 명 『역』 페르시아 전쟁(Persia戰爭) 후 아테네(Athene)를 중심으로 하는 델로스 동맹(Delos同盟)과 스파르타(Sparta)를 중심으로 하는 펠로폰네소스 동맹(同盟)과의 사이에 일어난 전쟁. 기원전 431-404년에 걸쳐 전 그리스가 두 진영(陣營)으로 나뉘어 싸웠으나, 페리클레스(Perikles)의 사후(死後) 아테네의 패배(敗北)로 끝나 스파르타가 그리스 제방(諸邦)의 패자(霸者)가 되었음.

펠로피다스 [Pelopidas] 명 『사람』 고대 그리스 테베(Thebes)의 장군. 에파미논다스(Epaminondas)와 함께 과두파(寡頭派)를 쓰러뜨리고 민주 정치(民主政治)를 확립, 테베의 발전에 힘씀. 기원전 371년 레우크트라(Leuktra)의 싸움에서 스파르타군을 격파하고 키노스케팔라에(Cynoscephalae) 싸움에서 전사함. [410?-364 B.C.]

펠롭스 [Pelops] 명 『신』 그리스 신화의 탄탈로스(Tantalos)의 아들. 아버지가 신(神)에게 바치는 요리(料理)에 쓰려고 아이를 죽였으나 신들은 펠롭스에게 다시 생명을 주었음. 성년(成年)이 된 펠롭스는 포세이돈으로부터 선사받은 말과 전차를 가지고 엘리스(Elis)에 가서 왕녀 히포다메이아(Hippodameia)에게 구혼하여 왕이 제안한 전차 경주(戰車競走)에 계략을 써서 왕은 죽고 펠롭스가 승리하여 왕녀와 결혼, 왕위를 계승함.

펠리니 [Fellini, Federico] 명 『사람』 이탈리아의 영화 감독. ≪청춘 군상≫으로 인정을 받고 ≪길≫·≪달콤한 생활≫ 등을 발표함. 인간의 구원을 추구하는 신비주의를 특징으로 함. 이 밖에 자전적 작품인 ≪8$\frac{1}{2}$≫과 유부녀의 불안을 그린 ≪영혼의 줄리에타(Giulietta)≫ 등이 있음. [1920-93]

펠리오 [Pelliot, Paul] 명 『사람』 프랑스의 중국학(中國學)의 대가. 파리의 동양어 학교를 나와 베이징 유학 중 의화단(義和團) 사건을 당함. 1906-08년 중앙 아시아를 탐험. 둔황(敦煌)에서, 남북조(南北朝)로부터 송·원대(宋元代)에 이르는 고문서(古文書) 수천 점을 발견, 이를 수집하여 중국학에 새로운 세기를 엶. 그 후 콜레주 드 프랑스 교수, 1935년 아시아 학회 회장이 됨. [1878-1945]

펠리컨 [pelican] 명 『조』 사다새.

펠리컨 북스 [Pelican Books] 명 영국의 염가본 총서(廉價本叢書)의 하나. '펭귄 북스(Penguin Books)'가 성공을 거두자 1937년 펭귄 북스 발행자가 교양과 과학 지식을 높이는 데 목적을 두고 계획한 것으로, 성공을 거두었음.

펠리페 삼세 【一三世】 [Felipe Ⅲ] 명 『사람』 스페인 국왕, 펠리페 2세의 아들. 네덜란드의 실질적 독립을 승인함. 100만 명의 무어인(Moor人)을 국외로 추방하여 농공업이 쇠퇴하였으며, 외전(外戰)과 낭비로 국고는 궁핍해지고, 총신(寵臣)의 독재 정치를 방임하여 국가의 몰락을 재촉함. [1578-1621; 재위 1598-1621]

펠리페 오:세 【一五世】 [Felipe Ⅴ] 명 『사람』 스페인 국왕. 프랑스 국왕 루이 14세의 손자로, 스페인 부르봉 왕조(Bourbon王朝)의 시조(始祖)임. 즉위 직후 스페인 계승 전쟁이 일어남. 라슈타트(Rastatt) 조약으로 남(南)네덜란드를 잃었으나 왕위는 확인됨. 1724년 그의 아들 루이스(Luis)에게 양위(讓位)하였으나 루이스의 급사(急死)로 다시 즉위함. 명재상(名宰相) 파티뇨(Patiño, José; 1666-1736)의 보필(輔弼)로 계몽 군주(啓蒙君主)로서 명성(名聲)을 얻었음. [1683-1746; 재위 1700-24, 1724-46]

펠리페 이:세 【一二世】 [Felipe Ⅱ] 명 『사람』 스페인 국왕, 합스부르크가(Habsburg家) 칼 5세의 아들로 영국 여왕 메리 1세의 남편. 스페인·포르투갈·나폴리·밀라노·네덜란드·아메리카 대륙·필리핀에 걸친 세계적 대제국을 지배, 신교도를 탄압하여 반종교 개혁의 선두에 섬. 네덜란드 독립 전쟁에서의 패배, 무적 함대의 괴멸로 큰 타격을 받음. [1527-98; 재위 1556-98]

펠릿 [pellet] 명 ①『광』 철광석의 분말을 지름 1-3 cm 정도의 구상(球狀)으로 구워서 굳힌 것. 철을 만들 때 코크스 등과 함께 용광로에 넣음. ②『약』 피하(皮下)에 심는 성(性)호르몬의 작은 원주(圓柱) 모양의 정제(錠劑). 순 호르몬이며, 한 번의 주사(注射)로 수개월이나 효력이 지속함.

펠릿 재:배 【一栽培】 [pellet] 명 『농』 과산화 석회(過酸化石灰)·발아 촉진제(發芽促進劑) 등 초기 생육(初期生育)에 필요한 영양제(榮養劑)와 흙을 섞어서 알약 모양으로 만든 볍씨를, 논에 직접 뿌리는 재배법.

펠:링 [Fehling, Hermann von] 명 『사람』 독일의 화학자. 리비히(Liebig, J.F. von)의 지도로 화학을 연구함. 펠링액(液)을 발명하였으며, 메탈알데히드(metalaldehyde)·파라알데히드(paraaldehyde) 등의 연구가 있음. [1812-85]

펠:링-액 【一液】 명 [Fehling's solution] 『화』 당(糖)의 검출(檢出)·정량(定量)에 쓰이는 시약(試藥). 황산(黃酸) 구리 용액의 A액(液)과, 로셸염(Rochelle塩)과 가성 소다(苛性 soda) 용액을 혼합한 B액(液)으로 되어 있으며 짙은 청색으로, 사용시에 섞어서 씀. 독일의 화학자 펠링(Fehling, H. von)이 발명하였음.

펠턴 수차 【一水車】 [Pelton] 명 충동식(衝動式) 수력 터빈(turbine)의 일종. 1870년 미국의 펠턴(Pelton, L.A.)이 발명함. 물을 관(管) 끝의 노즐에서 고속(高速)으로 분출(噴出)하여 동륜(動輪)의 물받이에 충돌시켜 수차를 회전(回轉)시킴. 물이 높은 곳에서 떨어질 때와 수량(水量)이 적을 때 적합함. 구조(構造)가 간단하고 효율(効率)이 큼.

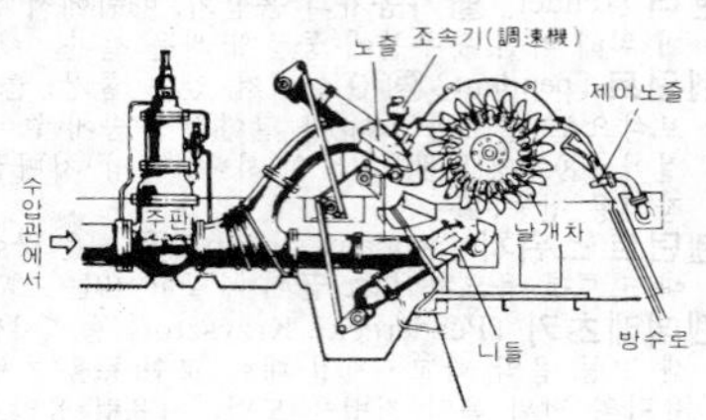

〈펠턴 수차〉

펠트 [felt] 명 양모(羊毛) 또는 그 이외의 짐승의 털을 원료로 습기·열·압력을 가하여 만든 물건. 모자 등의 제조에 씀. ¶ ~ 모자.

펠트 펜 [felt pen] 명 휘발성(揮發性)의 잉크를 넣은 용기(容器)에 펠트 등을 심(芯)으로 꽂은 필기 용구. 무엇에든 쓸 수 있고 빨리 마르는 것이 특징임. 상품명 : 매직 잉크(Magic Ink).

펠티에 효:과 【一効果】 명 [Peltier effect; 발견자인 프랑스의 물리학자 펠티에(Peltier, Charles Athanase; 1785-1845)의 이름에서 유래됨] 『물』 전기 현상(現象)의 하나. 두 개의 다른 금속(金屬)의 접속(接續)을 통하여 전류를 통하면 그 접속점에 있어서 열의 발생 또는 흡수의 현상이 일어남. 안티몬과 창연(蒼鉛)을 접속시키면 효과가 더욱 현저함.

펨토- [그 femto] 두 미터법(法)의 여러 단위의 10^{-15}배, 곧 1000조(兆)분의 1을 나타내는 말. 기호는 f.

펨토-초 【一秒】 의명 [femtosecond] 1초의 1000조(兆)분의 1초. 곧, 빛이 10만분의 3 cm 진행하는 시간의 단위. 기호는 fs.

펨토초 화학 【一秒化學】 명 [femtosecond chemistry] 펨토초 단위의 짧은 시간에 일어나는 반응의 측정이나 제어를 다루는 화학. 최단(最短) 펄스의 폭이 4 fs라는 고속 펄스 따위로 수명이 극히 짧은 물질의 반응을 관측·측정함.

펩시노:겐 [pepsinogen] 명 『화』 펩신의 원체(元體)이며 염산(塩酸)「에 의해 펩신이 됨.

펩신 [pepsin] 명 『화』 단백질(蛋白質) 분해 효소(酵素). 위액(胃液) 중에서, 염산과의 협동 작용에 의하여 단백질을 프로테아제(Protease) 및 펩톤(peptone)으로 분해하여 장벽(腸壁)이 흡수할 수 있는 물질이 되게 하는 작용을 함. 약재(藥材)로도 쓰임.

펩톤 [peptone] 명 『화』 유도 단백질(誘導蛋白質)의 하나. 천연(天然) 단백질이 효소(酵素)·산(酸) 또는 알칼리에 의하여 분해된 물질. 인공적으로 산에 의한 가수 분해(加水分解)로도 만듦. 물에 녹기 쉽고 단백질보다 소화하기 쉽기 때문에 병자의 인공 영양제로 사용함. *알부모오스(albumose).

펩티드 [peptide] 명 『화』 알파 아미노산(α amino 酸)과 동종(同種)의 것 또는 이종(異種)의 것의 두 개 내지 그 이상의 사이에서 아미노기(基)의 수소 원자와 카복실기(carboxyl基)의 수산기(水酸基)가 물을 만들어 탈출(脫出)하고, 나머지 부분이 결합한 화합물. 이것은 천연(天然)

의 단백질과 비슷한 작용을 함. 펩타이드.

펩티제이션 〔peptization〕 명 『화』 응결한 콜로이드(colloid)의 침전이나 고체를 본디 콜로이드 용액으로 환원하는 일. 콜로이드 용액이 안정하도록 적당량의 전해질(電解質)을 가하여 침전한 입자(粒子)에 전하(電荷)를 주거나 그 반대로 콜로이드 입자에 묻은 과잉의 전해질을 제거함. 해교(解膠).

펫다 자 〈옛〉 피어 있다. 피었다. '프다[1]'의 활용형. ¶ 一千靑蓮이 모다 펫더니 ≪月釋 Ⅰ:21≫/栴檀樹ㅣ 곳 펫거든(栴檀樹華敷) ≪妙蓮 Ⅵ:47≫.

펭 명 〈방〉 병(甁)(제주).

펭귄 〔penguin〕 명 『조』 ①펭귄과(科)에 속하는 새의 총칭. 인조(人鳥). ②〔*Aptenodytes forsteri*〕 펭귄과에 속하는 바다새의 하나. 최대종(最大種)으로, 직립(直立)한 키는 90cm 가량이고 방추형(紡錘形)이며 짧은 다리는 몸의 뒤쪽에 있으며, 날개는 짧고 지느러미 모양인데 전연 날지 못하고, 곧추 서서 걷는 모양이 사람과 흡사함. 부리는 3-5 쪽 또는 그 이상의 각질판(角質板)으로 되고 관비(管鼻)임. 발에는 오리발이 있어서 바다를 헤엄치면서 고기·낙지·새우 등을 포식(捕食)하고, 5월에 바위·돌 틈에 두 개의 알을 낳음. 해상(海上)에 군생(群生)하는데, 남극(南極) 지방에 분포함. 동물원에서 사육함.

〈펭귄❷〉

펭귄-과 〔一科〕 〔penguin〕 〔一꽈〕 명 『조』 〔Spheniscidae〕 인조목(人鳥目)에 속하는 조류의 한 과. 몸의 크기는 종류에 따라 다르나, 곧게 선 높이는 최소 30cm에서 최고 90cm 이상에 달함. 주로, 남반구의 한지(寒地)·남극 대륙·오스트레일리아·남아프리카·뉴질랜드·남미(南美) 남쪽 끝에 분포함. 작은 돌로 간단한 둥지를 만들어 두세 개의 알을 낳음. 현재 약 17종이 있는데, 펭귄·킹 펭귄 등이 있음.

펭귄 북스 〔Penguin books〕 명 영국의 알렌 레인(Allen Lane)이 두 형제와 협동하여 1935년에 창간한 염가본 총서(廉價本叢書)의 이름. 정평 있는 소설을 한 권 6펜스의 헐값으로 대량 인쇄 출판하는 것이 목적이었으며 대성공을 거두었음. 이 성공이 계기가 되어 각국에서 이와 유사한 총서가 나왔음. ＊펠리컨 북스.

펭뎅이 명 〈방〉 팽이.

펭크 〔Penck〕 명 『사람』 ①〔Albert P.〕 독일의 지질학자·지리학자. 빈(Wien) 대학·베를린 대학 교수. 지형학(地形學) 발전의 선구자. 지지(地誌)의 저술, 인문(人文) 지리학의 논문도 있음. 저서에 브뤼크너(Brückner, E.)와의 공저(共著) ≪빙기(氷期)의 알프스≫·≪지표의 형태학(形態學)≫ 등이 있음. 〔1858-1945〕 ②〔Walther P.〕 독일의 지질학자. ❶의 아들. 데이비스(Davis, W.M.)의 침식 윤회설(浸蝕輪廻說)에 반론을 펴고 지형은 지각(地殼) 운동 등의 내력(內力)과 침식 작용 등의 외력(外力)의 상호 작용에 의해 형성된다고 생각, 지형 분석의 방법을 명시함. 〔1888-1923〕

펴-내다 타 ①개킨 것을 넓게 하여 내어 놓다. ②옹색함을 견디어 내다. ③널리 퍼뜨리다. 발행(發行)하다. 반포(頒布)하다.

펴낸-이 명 발행자(發行者).

펴널 명 상투 짤 때에 맺는 맨 아랫 돌림. 위의 다른 돌림보다 크고 넓게 함.

펴-놓다 타 ①펴서 벌리어 놓다. ¶ 이부자리를 ～. ②마음 속을 숨김 없이 나타내다.

펴다[1] 타 〔중세 : 프다〕 ①개킨 것을 젖혀 놓다. ¶ 이부자리를 ～. ②구김살을 없애고 반반하게 하다. ¶ 주름을 ～. ③굽은 것을 곧게 만들다. ¶ 허리를 ～. ④헤치다. ⑤넓게 깔다. ¶ 자리를 ～. ⑥마음을 놓다. ¶ 기(氣)를 ～. ⑦숨기지 않다. ⑧수족을 뻗다. ¶ 다리를 ～. ⑨나누다. ⑩접은 것을 벌리다. ¶ 책을 ～. ⑪옹색함을 여유 있게 하다. ⑫노여움을 풀다. ⑬세상에 널리 알리다. ¶ 계엄령을 ～. ⑭세력 따위 범위를 넓히다. ¶ 세력을 ～. ↔접다.

펴다[2] 타 〈옛〉 ①베풀다. ¶ 모로매 다스룔 法을 펴릴서(須設治方) ≪圓覺序 58≫. ②펴다[1]. ¶ 伸은 펼 씨라 ≪訓諺≫.

펴디다 자 〈옛〉 퍼지다. ¶ 法이 펴디여 가미 믈흘러 녀미 ᄀᆞᄐᆞᆯ씨 ≪釋譜 Ⅸ:21≫/펴딜 만(漫) ≪字會 下 35≫.

펴디릴써 자 〈옛〉 퍼질 것이므로. '펴디다'의 활용형. ¶ 이제 教法이 東土애 펴디릴써 ≪月釋 Ⅱ:52≫.

펴락-쥐락 부 ☞ 쥐락펴락.

펴-묻기 명 『고고학』 시체의 두 다리를 뻗치어 펴서 매장하는 방법. 신장(伸葬). 신전장(伸展葬). ↔굽혀묻기.

펴아나다 자 〈옛〉 피어나다. ¶ 처섬 펴아나는 소리(初發聲) ≪訓諺≫.

펴아뇨 타 〈옛〉 폈느뇨. 폈는가. '펴다[2]❶'의 활용형. ¶ 菩薩法利니 ᄅᆞ싫 제 현맛 莊嚴과 현맛 供養이 祥瑞ᄅᆞᆯ 펴아뇨 ≪月釋 ⅩⅦ:p.24≫.

펴엣다 자타 〈옛〉 펴 있다. 폈다. '펴다[2]❷'의 활용형. ¶ 즉자히 入定ᄒᆞ야 펴엣던 볼홀 구필 ᄉᆞᅀᅵ예 ≪釋譜 Ⅵ:2≫.

펴이다 피동 ①옮혔던 것이 제대로 되다. ②옹색함이 없어지다. ¶ 살림살이가 ～. 준 피다. ③펴지게 되다. 준 폐다.

펴-지다 자 ①개켜져 있던 것이 젖혀지다. ②구김살이 없어지다. ¶ 주름이 ～. ③굽혔던 것이 곧게 되다. ¶ 철사가 곧게 ～. ④접힌 것이 벌어지다. ¶ 우산이 ～.

편[1] 명 '떡'을 점잖게 이르는 말. ¶ 갖은 ～/절～.

편[2] 【片】 명 성(姓)의 하나. 현재 우리 나라에는 본관이 절강(浙江) 하나 뿐임.

편[3] 【扁】 명 성(姓)의 하나. 현재 우리 나라에는 본관이 희천(熙川) 하나뿐임.

편[4] 【便】 명 ①↗인편(人便). ¶ 아저씨 ～에 보내다. ②한 쪽. ③패(牌)로 갈린 한 쪽. ¶ 우리 ～이 이겼다. ④무엇을 하기에 알맞은 계제(階梯)나 편의(便宜). ¶ 기차 ～/항공 ～. ⑤사물을 몇 개로 나누어 생각했을 때의 한 쪽. ¶ 어차피 갈 바에야 일찍 가는 ～이 낫다.

편[5] 【編】 명 ①『악』 노래 곡조(曲調)의 한 가지. ②인명(人名)·단체 등 밑에 붙어서 편찬(編纂)의 뜻을 나타내는 말. ¶ 문교부 ～ 중등 국어 교과서.

편[6] 【鞭】 명 쇠도리깨.

편[7] 【便·偏】 의명 ↗편쪽. ¶ 우리～.

편[8] 【篇】 一 의명 형식이나 내용·성질 등이 다른 글을 구별하여 나타내는 말. ¶ 서양～/동양～. 二 의명 ①책이나 시문(詩文)의 수효. ¶ 산문(散文) 8～. ②책 속에서 큰 대목의 수효를 가리키는 말. ¶ 제일～/제이～.

편:[9] 【片】 의명 인삼의 뿌리를 세는 말.

편-가르다 【便一】 자타 르불 승부를 겨루기 위하여 몇 패로 나누다.

편각[1] 【片刻】 명 삽시간(霎時間).

편각[2] 【偏角】 명 ①〔angle of deviation〕 『지』 자침(磁針)이 가리키는 방향과 지리학적 자오선과의 사이에 생기는 각. 자침이 가리키는 북쪽과 진북(眞北)이 일치하지 않기 때문에 생김. ②〔argument〕 『수』 경사(傾斜)를 나타내는 각. 방향각(方向角) 등과 같이, 어떤 방향에 있어서 그것이 일정한 기준 방향에서의 기울. 경각(傾角). ③『물』 프리즘 등에 있어서 광선의 방향이 변화하는 경우에, 처음 방향과 굴절한 후의 방향과의 사이에 생기는 각. 방위각(方位角).

편각-계 【偏角計】 명 편각을 측정하는 기계. 지리학적 자오선(子午線)을 정하기 위한 망원경과 자침(磁針)이 장치되어 있음.

편:간[1] 【片簡】 명 문서(文書)의 조각. 문서의 자투리. 편서(片書).

편간[2] 【編刊】 명 책을 편찬하여 발간(發刊)함. ――하다 타여불

편-갈리다 【便一】 피동 편가름을 당하다.

편갑 【片甲】 명 갑옷 조각. 곧, 싸움에 지고 난 군사를 이르는 말.

편강 【片薑】 명 얇게 저민 새앙을 설탕에 조리어 말린 당속(糖屬)의 한 가지.

편-강렬 【片康烈】 〔一녈〕 명 『사람』 독립 운동가. 호는 애사(愛史). 황해도 연백(延白) 출신. 17세 때 의병(義兵)에 참가하였으며, 3·1 운동 때는 구월산 주비대(九月山籌備隊)를 조직, 일본군과 싸웠으며, 뒤에 만주(滿洲)에서 의성단(義成團)을 조직, 펑톈(奉天)에서 부하 7명과 백주 대로상에서 일군과 시가전을 벌이는 등 활약을 함. 1925년 일경에 체포되어 복역 중 병사함. 〔1892-1928〕

편거 【福苣】 명 『식』 시화.

편:-거리 【片一】 의명 인삼을 작근(作斤)할 때 그 개수를 세는 말.

편격 【偏格】 〔一껵〕 명 『문』 한시(漢詩) 작법상의 용어. 근체시(近體詩)로 첫 구(句)의 둘째 자(字)가 평자(平字)로 시작되는 오언시(五言詩) 및 첫 구의 둘째 자가 측자(仄字)로 시작되는 칠언시(七言詩). ↔정격(正格)❷.

편견 【偏見】 명 ①공정하지 못하고 한 쪽으로 치우친 생각. 편벽(偏僻)된 견해(見解). ¶ ～을 버리다. ②『심』 축적(蓄積)된 지식·신념(信念) 및 태도가 몹시 일방적이고 불건전하거나, 사실을 정확하게 파악하기 전에 내리는, 정곡(正鵠)을 벗어난 판단(判斷).

편견-적 【偏見的】 명 관 편견에 지배되는 상태. 편견에 관한 모양.

편경[1] 【偏傾】 명 한 쪽으로 기울어짐. 한 쪽으로 치우침. ――하다 자여불

편경[2] 【編磬】 명 『악』 아악기(雅樂器)에 속하는 타악기의 한 가지. 두 층으로 된 걸이가 있고, 한 층에 여덟 개씩 매어 단 경(磬)쇠. 뿔망치로 치는데, 음색(音色)이 청아(淸雅)함. 편종(編鐘)과 짝을 이루어 쓰임.

〈편경[2]〉

편계 【遍界·偏界】 명 온 세계. 삼천 세계(三千世界).

편-계피 【片桂皮】 명 아주 얇고 조각으로 된 계피.

편고[1] 【片孤】 명 어버이의 한 쪽을 잃은 아이.

편고[2] 【偏枯】 명 『한의』 탄탄(癱瘓).

편고지-역 【偏苦之役】 명 남보다 괴로움을 더 받으면서 하는 일.

편곡[1] 【偏曲】 명 성질이 편벽(偏僻)하고 곡함. ――하다 형여불

편곡[2] 【編曲】 명 〔arrangement〕 『악』 어떤 악기나 또는 음성(音聲)을 위하여 작곡(作曲)된 곡을 다른 악기를 위하거나, 다른 형식으로 바꾸어 꾸며서 연주(演奏) 효과를 달리하는 일. 또, 그 곡. 어레인지(arrange). 어레인지먼트. ――하다 자타여불

편곤 【鞭棍】 명 ①쇠도리깨와 곤(棍). ②십팔기(十八技) 또는 무예 이십사반(武藝二十四般)의 하나. 보졸(步卒)이 쇠도리깨와 곤(棍)을 가지고 하는 무예(武藝)임.

편관[1] 【扁罐】 명 배가 불룩한 주전자.

편:관[2] 【偏觀】 명 두루 봄. ――하다 타여불

편광[1] 【偏光】 명 〔polarized light〕 『물』 한정된 방향으로만 진동(振動)하는 광파(光波). 모든 진동 방향의 광파가 섞여 있는 자연광(自然光)을 전기석(電氣石)이나 편광 프리즘(prism)을 통과시키면, 특정한 방향으로만 진동하는 편광을 얻을 수 있음. ↔자연광(自然光).

편광[2] 【偏狂】 명 어느 사물에 집착(執着)하여, 상식에 벗어난 일을 예사로 하는 사람.

편광-각 【偏光角】 명 〔angle of polarization〕 『물』 반사 광선과 굴절 광선이 이루는 각이 직각이 되게 물체에 빛을 쐬어 반사광이 완전 편광이 되도록 했을 때의 투사각(投射角).

편광-경 【偏光鏡】 명 『물』 니콜 프리즘(Nicol prism)을 사용하지 않고 두 개의 유리 평면경(平面鏡)을 써서 편광을 검출(檢出)하는 장치. 뇌렌베르크(Nörrenberg)가 발명했기 때문에 뇌렌베르크의 편광기(偏光器)라고도 함. 코노스코프.

편광-계 【偏光計】 명 〔polarimeter〕 『물』 선광성(旋光性) 물질의 선광도(旋光度)를 측정하는 기계. 특히, 사탕 용액(砂糖溶液)의 농도(濃度)를 측정하는 데 쓰이는 것은 사탕계(砂糖計)라 함. 선광계(旋光計).

편광-기【偏光器】명〖물〗편광자(偏光子).

편광-면【偏光面】명〔plane of polarization〕〖물〗빛의 진동(振動) 벡터(vector) 중, 진동 자장(振動磁場)과 빛의 진행 방향을 포함하는 면(面). 또, 진동 전장(振動電場)과 빛의 진행 방향을 포함하는 면.

편광 복상 프리즘【偏光複像—】〔prism〕명〖물〗자연광을 서로 수직한 진동 방향을 갖는 두 개의 편광으로 분해하는 데 쓰이는 프리즘. 수정(水晶)이나 방해석(方解石)으로 만듦.

편광-자【偏光子】명〔polarizer〕〖물〗자연광(自然光)을 편광으로 바꾸는 장치. 니콜 프리즘(Nicol prism)·폴라로이드(polaroid)·전기석(電氣石) 등이 있음. 편광기(偏光器).

편광 측정【偏光測定】명〔polarimetry〕〖물〗편광계를 써서 평면 편광이 물질 속을 통과할 때 편광면이 회전하는 것을 측정하는 일.

편광-판【偏光板】명〖물〗자연광(自然光)을 투과(透過)하면 직선 편광(直線偏光)으로 변화하는 얇은 판.

편광 프리즘【偏光—】〔prism〕명〖물〗편광을 발생시키거나 이것을 검출(檢出)하는 프리즘. 니콜 프리즘(Nicol prism) 등이 있음.

편광 필터【偏光—】명〔polarizing filter〕〖물〗광파(光波)의 진동 방향을 조정하는 필터. 수면(水面)·유리·금속면 등의 반사를 지울 때 쓰임.

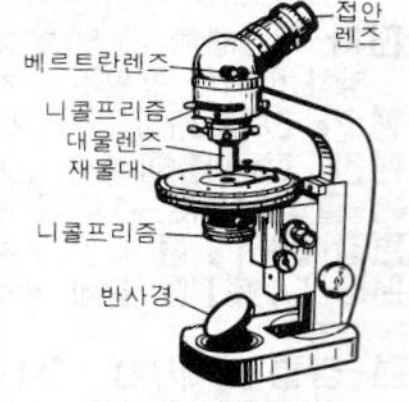

〈편광 현미경〉

편광 현:미경【偏光顯微鏡】명〔polarizing microscope〕편광을 사용하는 현미경. 흔히 암석학(岩石學)·광물학(鑛物學)에서 광물 조각을 광학적으로 관찰하는 데 쓰임. 두 개의 니콜 프리즘(Nicol prism)이 있고 재물대(載物臺)가 회전하게 되어 있는 점이 보통 현미경과 다름. 암석 현미경. 광물 현미경.

편구【偏球】명 ①공을 상하(上下)로부터 압축(壓縮)한 모양. ②〖수〗'넓적구'의 구용어.

편국【偏國】명 궁벽한 땅. 벽지(僻地).

편굴【偏屈】명 편벽(偏僻)하고 비굴(卑屈)함. ——-하다 형여불

편극【偏極】명〔polarization〕〖물〗분극(分極).

편극 중성자선【偏極中性子線】명〖물〗자기 모멘트(磁氣moment)의 방향을 같이한 중성자의 흐름. 자성체(磁性體)의 자기 구조(磁氣構造)를 조사하는 데 쓰임.

편근【便近】명 가깝고 편리함. ——-하다 형여불

편:금【片芩】명〖한의〗숙금(宿芩).

편급【褊急·偏急】명 소견이 좁고 성질이 아주 급함. ——-하다 형여불. ——-히 부

편기[1]【偏嗜】명 치우치게 즐김. 편벽한 기호(嗜好). 혹기(惑嗜). ——-하다 타여불

편기[2]【褊忌】명 소견이 좁아 남을 시기함. ——-하다 타여불

편기[3]【騙欺】명 속임. 편취(騙取). ——-하다 자여불

편:-난운【片亂雲】명〖기상〗보통 난층운(亂層雲)에서 발생하는 불규칙적으로 조각이 난 구름. 저공(低空)에서 많이 볼 수 있는데, 적란운(積亂雲)이나 적운(積雲) 밑에 나타나는 경우도 있음. 조각 비늘 구름.

편년【編年】명 연대(年代)를 따라서 역사를 편찬함.

편년-사【編年史】명 편년체(編年體)로 엮은 역사. 연대기(年代紀).

편년-체【編年體】명 연대(年代)의 순서를 따라서 편찬한 역사 편찬의 한 체재(體裁). ≪춘추(春秋)≫에서 비롯함. 좌씨전체(左氏傳體). 기년체(紀年體). ↔기전체(紀傳體)·기사 본말체(紀事本末體).

편년 통록【編年通錄】[—녹] 명〖책〗고려 의종(毅宗) 때 김관의(金寬毅)가 편찬한 역사서. 현재에는 전하지 않고, 다만 고려 시조(時調)에 관한 설화(說話)가 ≪고려사≫ 세가편(世家編)에 인용되었음.

편녕【便佞】명 말로는 모든 일을 잘 할 것 같으나, 마음이 음험(陰險)하여 실속이 없음. ——-하다 형여불

편-놈 명〖민〗산디놀음을 하는 사람의 비칭(卑稱).

편:뇌【片腦】명〖한의〗용뇌향(龍腦香).

편:뇌-유【片腦油】명 장뇌유(樟腦油)를 정류(精溜)하여 얻는 무색 휘발성의 기름. 방향(芳香)이 있으며, 방충제·향료·도료의 용제(溶劑) 등에 쓰임.

편단[1]【偏袒】명 한 쪽 소매를 벗음. ——-하다 자여불

편단[2]【偏斷】명 편벽되게 결정함. ——-하다 타여불

편단 우:견【偏袒右肩】명〖불교〗상대에 대하여 공경(恭敬)의 뜻을 나타내는 착의(着衣) 상의 예법. 왼편 어깨에 법의(法衣)를 걸치고 바른편 어깨를 드러나게 입음.

편달【鞭撻】명 ①채찍으로 때림. ②종아리나 볼기를 침. 편복(鞭扑). 복달(扑撻). ③경계하고 격려함. ¶지도 ~을 바라다. ——-하다 타여불

편:답【遍踏】명 널리 돌아다님. 편력(遍歷). ——-하다 자여불

편당【偏黨】명 한 쪽의 당파. 한 당파에 치우침. ——-하다 자여불

편당-적【偏黨的】명관 한 당파에 치우친 것.

편대【編隊】명〖군〗①대오(隊伍)를 편성(編成)함. 또, 편성된 대오. ②두 대 이상의 비행기가 대형(隊形)을 편성함. 또, 그 대형. ¶~ 비행. ——-하다 타여불

편대-기【編隊機】명〖군〗편대를 이룬 항공기.

편대 비행【編隊飛行】명〖군〗비행기가 여러 가지 형태의 대오를 편성하여 비행함. ——-하다 자여불

편대-장【編隊長】명〖군〗①편대의 장(長). ②편대 비행을 지휘 통솔하면서 목적·방향 기타를 지시하는 책임자.

편:-도[1]【片島】명〖지〗경상 남도의 남해상, 하동군(河東郡) 금남면(金南面)에 위치한 무인도(無人島). [0.003 km²]

편도[2]【片道】명 ①가고 오는 길 중 어느 한 쪽. 또, 그 길. ¶~ 승차권. ②일방적으로만 함. *왕복.

편도[3]【扁桃·匾桃】명〖식〗①[*Prunus amygdalus*] 장미과에 속하는 낙엽 교목. 복숭아나무와 비슷한데 높이 6 m 가량이고, 잎은 피침형에 톱니가 있음. 이른봄에 담홍색 오판화(五瓣花)가 화경(花梗)이 없이 두 개씩 가지에 마주 붙어 핌. 핵과(核果)는, 길이 4-5 cm이고 복숭아와 같으나 수분이 적어서 익으면 껍질이 말라 터지어 씨가 드러남. 잔털이 나고 좌우로 편평(扁平)하여 '편도'라 하고 인(仁)은 단맛이 있어 생식(生食) 또는 요리에 씀. 지중해 연안의 원산임. 감편도(甘扁桃). ②감복숭아.

편도[4]【便道】명 지름길. 편리한 길. 첩경(捷徑).

편도 무:역【片道貿易】명 편무역(片貿易).

편도-선【扁桃腺】명〔도 Tonsille〕〖생〗사람의 입 속 후두부(喉頭部) 양쪽에 하나씩 있는 편평하고 타원형인 림프 세포군(lymph 細胞群). 불룩불룩한 점막 상피(粘膜上皮)의 주벽(周壁)에 림프 세포가 집적(集積)한 것임. 신체(身體)의 발육기(發育期)에 있어서 멸균(滅菌) 및 면역(免疫) 등으로 신체를 보호하는 생리적(生理的) 기관으로 알려져 있음. 구개 편도(口蓋扁桃).

편도선 농양【扁桃腺膿瘍】명〔tonsillar abscess〕〖의〗선와성 편도염(腺窩性扁桃炎)에 이어 일어나는 농양. 편도선의 주위에 농양이 일어나 조금도 삼키지 못함. 편도선 주위(周圍) 농양.

편도선 비:대【扁桃腺肥大】명〔도 Tonsillenhypertrophie〕〖의〗편도선이 비대한 증상. 소아(小兒)는 양쪽이, 어른은 양쪽 또는 한쪽이 벌겋게 부어, 결체 조직(結締組織)이 증가하여 주위와 유착(癒着)함. 호흡 곤란·불면(不眠)·이물감(異物感) 기타의 자각 증상(自覺症狀)을 수반(隨伴)함. 만성 맹장(慢性盲腸)을 일으켜, 지육(智育)·체육(體育)의 발달이 저해되는 경우가 있음. 절제술(切除術)이 가장 효과적인 치료 방법임.

편도선-염【扁桃腺炎】[—념] 명〔tonsillitis〕〖의〗편도선에 생기는 염증. 편도선이 벌겋게 부어 음식물을 넘기기가 곤란하게 됨. 고열(高熱)과 동통(疼痛)이 따르며 습관성(習慣性)이므로 재발하기 쉬움. 절제(切除)가 가장 효과적인 치료 방법임.

편도선 절제술【扁桃腺切除術】[—쩨—] 명〖의〗소아(小兒)의 편도선 비대 등에 있어서 인두부(咽頭部)에 돌출(突出)한 부분을 절제하는 외과 수술법의 한 가지.

편도선 주위 농양【扁桃腺周圍膿瘍】명〖의〗편도선 농양.

편도-유【扁桃油】명〔almond oil〕〖약〗편도의 씨에서 채취한 담황색(淡黃色)의 지방유(脂肪油). 약용(藥用)·비누·향유(香油)·감마유(減摩油) 등의 제조에 쓰임.

편-도함수【偏導函數】[—쑤] 명〔partial derivative〕〖수〗다변수(多變數) 함수에서, 하나의 독립(獨立) 변수 이외의 여러 변수는 일정(一定)하게 하고, 하나의 변수에 대하여 그 함수를 미분(微分)한 도함수. *편미분(偏微分).

편독[1]【便毒】명 성병(性病)에 의한 가래톳.

편독[2]【偏讀】명 한 방면에만 치우치게 독서하는 일. ——-하다 자여불

편:독[3]【遍讀】명 두루 읽음. 박람(博覽). ——-하다 타여불

편동-풍【偏東風】명〖기상〗극(極)지방에서, 지구 자전의 영향을 받아 동쪽에서 서쪽으로 부는 바람. 주극풍(周極風). *편서풍(偏西風).

편두【扁豆】명〖식〗불콩❶.

편두-상어【扁頭—】명〖어〗[*Scoliodom walbeehmi*] 참상어과에 속하는 바닷물고기. 몸길이 약 1.5 m로 길쭉하며, 머리는 종편(縱偏)되고 폭이 넓으며, 눈이 작고 지느러미도 모두 작음. 몸빛은 등 쪽이 청갈색이고 배 쪽은 흼. 열대성 어족으로 한국 남해·일본 남부·인도양 등에 분포함. 식용함.

편두-통【偏頭痛】명〖의〗주기성(周期性)이 심한 두통으로 처음 한 쪽 머리가 발작적(發作的)으로 아프다가 온 머리로 미침. 광선 감각(光線感覺)의 예민, 구토(嘔吐)·이명(耳鳴)·권태 등의 전조(前兆)에 이어 일어남. 젊은 사람 특히 여자와 두뇌(頭腦) 노동자에게 많은데, 유전성(遺傳性)이 인정되며, 소년기(少年期)부터 반복되는 것을 특징으로 함. 변두통(邊頭痛).

편-들다【便—】타 가담(加擔)하여 힘을 보태다. *역성들다.

편락【編樂】[펼—] 명〖악〗낙시조(樂時調)를 엮은 가곡(歌曲)의 한 가지. *낙시조(樂時調).

편람【便覽】[펼—] 명 보기에 편리하도록 간명하게 만든 책. 핸드북(handbook). ¶통신 공학 ~.

편람-도【便覽圖】[펼—] 명 간명한 편람 형식으로 만든 해도(海圖)나 지도 또는 도면.

편:력[1]【遍歷】[펼—] 명 ①이곳 저곳을 돌아 다님. 편답(遍踏). 발섭(跋涉). 천력(踐歷). ②여러 가지 경험을 함. ¶다채로운 여성 ~. ——-하다 자여불

편력[2]【編曆】[펼—] 명 달력을 만듦. ——-하다 타여불

편력-학【編曆學】[펼—] 명〖천〗역추산학(曆推算學).

편로【便路】[펼—] 명 ①편리한 길. ②편리한 방법.

편론【偏論】[펼—] 명 남이나 타당(他黨)을 논란(論難)함. ——-하다 타여불

편루【偏陋·褊陋】[펼—] 명 편협(偏狹)하고 고루함. ——-하다 형여불

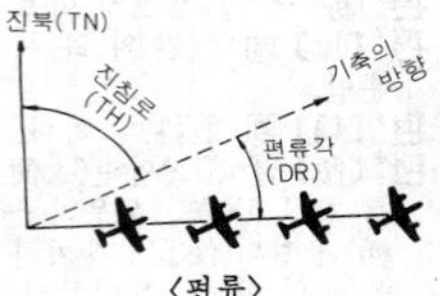

〈편류〉

편류【偏流】[펼—] 명〖항공〗비행기가 비행 중에 바람에 의해 수평(水平)으로 이행(移行)되어 항로(航路)에서 한쪽으로 벗어나는 일. ——-하다 자여불

편류-각【偏流角】[펼—] 명〔drift angle〕①〖항공〗항적(航跡)과 항공기의 축선(軸線)과의 교각(交角). ②선체(船體)의 축선(軸線)과 그 진행 방향의 접선(接線)이 수평면(水平面) 위에서 이루는 각.

편류-계【偏流計】[펼—] 명〔drift meter〕편류각을 측정하는 계기(計器).

편류 수정각【偏流修正角】[펼—] 명〖항공〗바람의 작용을 무시하고 예정 항로(豫定航路)를 비행하여 항로와 항적(航跡)을 일치시키기 위해 예정 항로의 진방위(眞方位)에 더하는 각도.

편류-우【偏流右】[펼—] 명〖항공〗항적(航跡)의 연장부(延長部)가 기수(機首)의 오른편에 있는 일.

편류-좌【偏流左】[펼—] 명〖항공〗항적(航跡)의 연장부(延長部)가 기수(機首)의 왼편에 있는 일.

편:리[1]【片理】[펼—] 명〔schistosity〕〖광〗결정 편암(結晶片岩)에서 볼 수 있는 석리(石理). 판상(板狀) 또는 침상(針狀)인 녹니석(綠泥石)·운모(雲母)·각섬석(角閃石) 등의 광물에서 볼 수 있는 일정한 방향으로 평행하게 생기는 조직으로서 암석은 편리면(片理面)에 따라 얇게 벗겨짐. ＊석리(石理).

편리[2]【便利】[펼—] 명 편하고 쉬움. ¶생활에 ～한 물건. ↔불편(不便). ＊편의(便宜). ——-하다 형여불

편리 공:생【片利共生】[펼—] 명〔commensalism〕〖생〗한편은 이익을 받으나 그 상대방인 다른 편은 이익도 해(害)도 없는 공생의 한 양식. ↔상리 작용(相利作用).

편리 공:생 생물【片利共生生物】[펼—] 명〔commensal〕〖생〗편리 공생 상태로 살고 있는 생물.

편리 기와【便利—】[펼—] 명 기와 재료에다 아스팔트(asphalt)를 침투시켜서 만든 기와. 가벼워서 아주 실용적임.

편리-화【便利靴】[펼—] 명 가볍고 부드러워서 신기에 편한 신. 헝겊이나 가죽으로 만듦.

편:린【片鱗】[펼—] 명 ①한 조각의 비늘. ②사물의 극히 작은 한 부분. 일단(一端). ¶그의 성격의 ～을 엿볼 수 있다.

편립-상【偏立像】[펼—] 명 조각(彫刻)의 입상(立像)에서, 양쪽 다리에 건 체중이 한 쪽으로 기울어져 있는 상(像). 고대 그리스의 클래식기(期) 이후에 만듦.

편:마【騙馬】명 마상(馬上)에서 재주를 부리는 놀이. 마상재(馬上才).

편-마비【片痲痺】명〖의〗편측 마비(片側痲痺). 반신 불수(半身不隨).

편:마상 조직【片痲狀組織】명〖광〗암석 조직의 하나. 운모·각섬석(角閃石) 등이 풍부한 층(層)과 석영·장석(長石) 등이 풍부한 층이 교호(交互)로 배열(排列)된 조직. 편마암에서 볼 수 있는 것으로, 편리(片理)보다 배열이 평행(平行)하지 않으며 조립(粗粒)임.

편:마-암【片痲岩】명〔gneiss〕〖광〗주성분으로 반드시 장석(長石)을 포함하고, 석영(石英)·운모·각섬석(角閃石)으로 이루어진 결정성(結晶性) 변성암(變成岩). 수성암(水成岩)과 화성암(火成岩)의 두 종류가 있음. 운모가 갈피 지어서 섞이고 다른 광물도 주로 줄무늬를 이룬 것이 화강암(花崗岩)과 다름. 오래된 지층(地層)에 많으며 한국에도 많이 분포되어 있음. 변쑥돌.

편:만【遍滿】명 널리 참. 꽉 참. ——-하다 형여불

편말【篇末】명 편미(篇尾).

편망【編網】명 그물을 뜨는 일. 그물뜨기. ——-하다 타여불

편망-구【編網具】명〖고고학〗그물바늘.

편-먹다【便—】타〈속〉편을 갈라 짜서 한 편이 되다.

편면[1]【片面】명 한 쪽 면.

편면[2]【鞭面】명〖악〗채편.

편면 행위【片面行爲】명〖법〗단독 행위.

편:모[1]【片貌】명 단편적인 모습. ¶～를 엿보다.

편모[2]【偏母】명 아버지가 죽고 홀로 있는 어머니. ¶～ 밑에서 자라다.

편모[3]【鞭毛】명〔flagellum〕〖생〗세균·원생 동물의 편모충류, 동식물의 배우자(配偶子)·정자(精子) 등에서 볼 수 있는 미소한 실 모양의 세포 소기관(小器官). 플라젤린(flagellin) 등의 단백질(蛋白質)로 된 미소한 섬유로 편모 운동을 하며, 이보다 길이가 짧고 한 개체에 수가 많은 것을 '섬모(纖毛)'라고 하여 구별함.

1 단모균(單毛菌)
2 양모균(兩毛菌)
3,4 총모균(叢毛菌)
5 주모균(周毛菌)
〈편모균〉

편모-균【鞭毛菌】명 균체(菌體)에 편모가 있어 고유한 운동성을 가지는 세균. 단모균(單毛菌)·양모균(兩毛菌)·총모균(叢毛菌)·주모균(周毛菌) 등으로 구분함.

편모-류【鞭毛類】명 ①〖동〗편모충류(鞭毛蟲類). ②〖식〗편모조류(鞭毛藻類).

편모 슬하【偏母膝下】명 편모 시하(偏母侍下).

편모 시:하【偏母侍下】명 편모를 모시고 있는 처지. 자시하(慈侍下). 편모 슬하(偏母膝下). ¶～에서 공부하다.

편모 식물【鞭毛植物】명 편모조류(鞭毛藻類).

편모-실【鞭毛室】명〔flagellated chamber〕〖생〗해면(海綿) 동물의 구계(溝系)의 중심이 되는 소실(小室). 내벽(內壁)은 한 줄의 깃세포로 이루어짐. 해면체 내에 유입(流入)한 물은 깃세포의 편모 운동에 의하여 구계를 통하여 밖으로 보내짐. 이때 섭식(攝食)·호흡·배출(排出) 등이 이 실(室)에서 행하여짐. ＊구계(溝系).

편모 운:동【鞭毛運動】명〖생〗편모를 파상(波狀) 또는 나선상으로 움직여 전진(前進)·회전·후진(後進) 및 식물 섭취(攝取)를 하는 운동. 편모류와 동물의 정충(精蟲) 등은 이 방법으로 활동함.

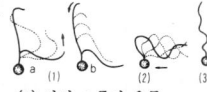

(1) 전진 a 준비 운동
b 유효 운동
(2) 측진(側進)
(3) 후진(後進)
화살표는 진행 방향
〈편모 운동〉

편-모작【片毛作】명〖농〗일모작(一毛作).

편모조-류【鞭毛藻類】명〖식〗〔Flagellata〕편모(鞭毛)를 가지는 단세포 식물의 총칭. 유핵(有核)의 엽록체(葉綠體)가 있는 진핵(眞核) 생물로서 세포막이 있고 한천질(寒天質)에 싸였는데, 다수의 개체(個體)가 군체(群體)를 형성한 것도 있음. 기생 또는 단독 생활을 하는 가장 원시적 생물임. 때로는 편모충류로 분류되기도 함. 편모류. 편모 식물.

편모-충【鞭毛蟲】명〖동〗편모충류에 속하는 생물의 총칭. 주로 해수(海水)·담수에서 편모 운동을 하며 생활을 영위(營爲)함. 야광충(夜光蟲)·트리파노소마(trypanosoma)·유글레나(Euglena)·뿔말·볼복스(Volvox) 등이 있음.

편모충-류【鞭毛蟲類】[—뉴] 명〖동〗[Mastigophora] 원생 동물(原生動物) 형주아문(形走亞門)에 속하는 한 강(綱). 핵막(核膜)으로 싸인 핵을 가진 단세포 진핵(眞核) 생물이며 동물과 식물의 중간 성질을 갖추고 있음. 하나 내지 다수의 편모로 운동하고 대개 분열로 증식함. 광합성(光合成)을 하는 식물성 편모충류와 유기물을 섭취하는 동물성 편모충류의 두 아강(亞綱)으로 분류하는데 유글레나(Euglena)처럼 광합성도 하고 때에 따라 유기물을 섭취하는 것도 있음. 편모류(鞭毛類). 유편류(有鞭類).

편무【片務·偏務】명 한 쪽에서만 지는 의무.

편-무감각증【片無感覺症】명〖의〗신체의 한 쪽의 감각의 상실(喪失).

편무 계:약【片務契約】명〖법〗당사자의 한 쪽만이 채무(債務)를 부담하는 계약. 또한 증여(贈與)·소비 대차(消費貸借)·사용 대차 등과 같이 당사자의 양쪽이 채무를 부담한다 하더라도 그 채무가 대가(對價)의 의미를 가지지 않는 계약도 이에 속함. ↔쌍무(雙務) 계약.

편-무역【片貿易】명〖경〗어떤 상대방에 대하여 행해지는 무역이 수출(輸出)이나 수입(輸入)의 어느 편에 치우치는 일. 편도 무역. ↔쌍무 무역(雙務貿易).

편무-적【片務的·偏務的】명관 의무(義務)를 한 쪽에서만 지는 상태. ↔쌍무적(雙務的).

편문[1]【片聞】명 한 쪽 편의 말만 들음. ——-하다 자여불

편문[2]【便門】명 통용문(通用門). 뒷문.

편물【編物】명 ①뜨개질. ¶～ 기계. ②뜨개것. 니팅(knitting).

편물 강:습【編物講習】명 뜨개질에 대한 기술(技術)을 가르쳐 주기 위한 강습.

편물 기계【編物機械】명 편물을 짜는 기계. 조작(操作)이 간편하여 쉽게 그 기술을 익힐 수 있음.

편물 학원【編物學院】명 뜨개질에 관한 실기(實技)를 교육(敎育)하는 기관.

편미【篇尾】명 일편(一篇)의 끝부분. 편말(篇末).

편-미분【偏微分】명〖수〗다변수 함수(多變數函數)의 편도함수를 구하는 일. 둘 이상의 변수(變數) $x, y, z, \cdots$의 함수 $f(x, y, z, \cdots)$가 있을 때, x만이 변하고, $y, z, \cdots$는 변하지 않는다 하고, 그 변수로 미분하는 일. $\partial f/\partial x$로 나타냄. ——-하다 타여불

편미분 계:수【偏微分係數】명〖수〗다변수 함수(多變數函數)를 하나의 변수만의 함수로 보았을 때의 미분 계수. 부분 미분 계수.

편미분 방정식【偏微分方程式】명〖수〗미분 방정식의 하나. 미지 함수(未知函數)가 다변수(多變數)의 함수이며, 미지 함수의 편도함수를 포함하는 것을 이름.

편:반【片盤】명〖광〗광산에서 탄층(炭層)의 방향에 따라서 판 수평 갱도(水平坑道).

편-발[1]【扁—】명 편평족(扁平足).

편발[2]【辮髮·編髮】명 ①관례(冠禮)를 하기 전에 머리를 땋아 늘이던 일. 또, 그 머리. ¶아비 생각대루 하다가 편발 처녀루 일평생을 보내게 되면 어떻게 할테냐《洪命憙：林巨正》. ②변발(辮髮). ——-하다 자여불

편발 아이【辮髮—】명 머리를 길게 땋아 늘인 아이.

편방【偏旁】명 한자(漢字)의 왼쪽인 '편(偏)'과 오른쪽인 '방(旁)'의 일컬음. 변방(邊旁).

편배【編配】명〖역〗도류안(徒流案)에 적어 넣음. ——-하다 타여불

편백【扁柏】명〖식〗노송나무.

편번【翩翻】명 나부끼거나 나는 모양.

편범【片帆】명 돛을 한 쪽으로 기울여, 바람을 받게 하는 일.

편법[1]【便法】[—뻡] 명 편리한 방법. ¶～을 쓰다.

편법[2]【篇法】[—뻡] 명 시문(詩文) 등을 편을 지어 만드는 방식.

편벽[1]【便辟】명 남의 뜻에 영합(迎合)하여 그 비위를 잘 맞춤. 또, 그런 사람. ——-하다 자여불

편벽[2]【偏僻】명 한 쪽으로만 치우침. ——-하다 형여불

편벽 고루【偏僻孤陋】명 외롭게 자라서 견문이 좁고 한 쪽으로만 치우침. ——-하다 형여불

편벽-되다【偏僻—】형 성질이 한 쪽으로만 치우치다.

편벽-되이【偏僻—】부 편벽되게.

편병【扁甁】명〖고고학〗자라병❷.

편복[1]【便服】명 평상시에 입는 옷. 편의(便衣).

편복[2]【便腹】명 뚱뚱한 배.

편복[3]【蝙蝠】명〖동〗박쥐.

편복[4]【鞭扑】명 편달(鞭撻). ——-하다 타여불

편복-문【蝙蝠文】명 박쥐 형상으로 구성된 금문(錦文) 형식의 문양. '蝠'은 '福'으로 넘나들어 '福'자 대신 박쥐 무늬를 그려 넣었는데, 흔히 의료(衣料)·가구 장식·식기·떡살 등에 이 무늬를 놓았음.

편복-산【蝙蝠傘】명 박쥐 우산.

편복지-역【蝙蝠之役】명 박쥐 구실.

편비【褊裨】명〖역〗각 군영(軍營)의 부장(副將).

편-비내 (명) 방죽이 무너지지 않도록, 대나 갈대를 엮어서 둘러치는 일. [주의] '編飛乃'로 쓰은 취음.

편사[1]【便私】(명) 자기만이 편하도록 꾀함. ——-하다 (자)(여불)

편사[2]【便射】(명)〖역〗사원(射員)끼리 편을 갈라 활쏘는 재주를 겨루는 일. 옛날에는 사정(射亭)의 소속에 따라 편을 나누었는데 터편사·골편사·장안(長安) 편사·사랑(舍廊) 편사·한량(閑良) 편사·한출(閑出) 편사·삼동(三同) 편사·남북촌(南北村) 편사·아동(兒童) 편사 등이 있었음. ——-하다 (자)(여불)

[편삿 놈이 넬 머리 들먹거리듯] 당치 않은 것을 들추어 내어 말썽을 부린다는 말.

편사[3]【偏私】(명) 특정인(特定人)에게만 호의(好意)를 보임. 편파(偏頗). ——-하다 (자)(여불)

편사[4]【編絲】(명) 수(繡)를 놓거나 여러 가지 무늬를 겯는 실.

편사-국【編史局】(명)〖역〗갑오 경장(甲午更張) 이후 수사(修史)의 일을 맡은 의정부(議政府)의 한 국(局). 고종(高宗) 31년(1894)에 베풀어서 참의(參議) 한 사람, 주사(主事) 네 사람을 두었음.

편사-회【便射會】(명)〖역〗편사하는 모임.

편삭【編削】(명) 서적(書籍)을 편차(編次)함. ——-하다 (자)(여불)

편-삭대엽【編數大葉】(명)〖악〗〔큰 잎을 자주 엮는다는 뜻〕가곡(歌曲)의 곡조의 한 가지. 음계(音階)는 계면조(界面調)이며, 계락(界樂) 다음에 부름. 대군(大軍)이 쳐들어오는 풍도(風度)로서, 고각(鼓角)을 울리는 노래. 편잦은한잎.

편산[1]【偏產】(명) 태아(胎兒)가 이마부터 나오는 일. ——-하다 (자)(여불)

편:산[2]【遍散】(명) 곳곳에 널리 흩어져 있음. ——-하다 (형)(여불)

편삼【偏衫·褊衫】(명)〖불교〗승복(僧服)의 일종. 상반신(上半身)을 덮는 법의(法衣). 왼쪽 어깨에서 오른쪽 옆구리에 걸침.

편상-화【編上靴】(명) 목이 단화보다는 길고 장화보다 짧은 구두의 한 가지. 신등에서부터 목까지 긴 끈으로 얽어 매게 되었음.

편색【偏色】(명)〖역〗색목(色目)의 종류.

편:서[1]【片書】(명) 편간(片簡).

편서[2]【便書】(명) 인편에 부치는 편지.

편서-풍【偏西風】(명)〖지〗위도(緯度) 30°-65°의 중위도(中緯度) 지방에서 일년내 서쪽에서 동쪽으로 부는 바람. 북반구(北半球)에서는 계절풍 때문에 현저하지 않으나, 남반구(南半球)에서는 육지가 적어서 현저하며 풍속 3-4m/s 정도로 끊임없이 붊. 탁월 서풍(卓越西風).

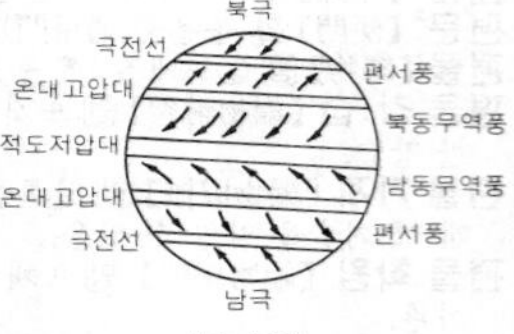

〈편서풍〉

편서풍-대【偏西風帶】(명)〖지〗남북 양반구(兩半球)의 중위도(中緯度) 지방에서, 대상(帶狀)으로 지구를 에워싸는 편서풍이 탁월(卓越)한 지대. 계절에 따라 다소 남북으로 이동함.

편석【偏析】(명) [segregation] 주물 제품(鑄物製品)에서, 용융 합금(熔融合金)이 응고할 때 먼저 석출(析出)되는 부분과 나중에 응고되는 부분이 조성(組成)을 달리하는 현상. 풀림 처리(處理)로 경감 혹은 제거(除去)할 수 있음.

편선[1]【便船】(명) 경편(輕便)한 배.

편선[2]【蹁躚】(명) ①빙 돌아서 가는 모양. ②빙빙 돌며 춤추는 모양.

편성[1]【偏性】(명) 한 쪽으로 치우친 성질. 편벽된 성질.

편성[2]【編成】(명) ①엮어서 만드는 일. ②엮어 모아서 책을 이룸. ③조직하고 형성(形成)하는 일. ¶예산 ~/학급 ~. ——-하다 (타)(여불)

편성-물【編成物】(명) 실이나 끈으로 고리를 얽고, 고리와 고리를 연결하여 만드는 옷감. 흔히 '니트(knit)'라고 불림.

편성-원【編成原】(명) [organizer]〖생〗초기(初期)의 발생 단계(段階)에 있는 척추(脊椎) 동물의 배자(胚子)의 원구(原口) 등에 해당되는 부분. 강한 유도 작용(誘導作用)으로써 배삭(背索)을 분화(分化)시켜 배자의 체축(體軸)을 결정하는 중요한 역할을 하는 것으로, 배자에 대하여 척추 동물로서의 특징적인 기관의 형성을 갖게 하는 원동력이 됨. 형성체(形成體). 오거나이저.

편성 책임자【編成責任者】(명) 방송국의 장(長)이 선임(選任)한 사람으로서, 방송 순서의 편성에 관하여 책임을 지는 사람. *광고 책임자.

편성-표【編成表】(명) 군(軍)이나 어떤 단체의 편성을 계통적으로 도시(圖示)한 표. *편제표.

편성 혐기성 세:균【偏性嫌氣性細菌】[—썽—] (명)〖생〗혐기성 세균의 하나. 산소가 있으면 생육(生育)을 못하는 세균. 황산염 환원 세균(黃酸塩還元細菌)·메탄(methane) 세균, 대부분의 광합성 세균 따위. ↔편성 호기성 세균.

편성 호:기성 세:균【偏性好氣性細菌】[—썽—] (명)〖생〗호기성 세균의 하나. 산소가 없으면 생육이 전연 불가능한 세균. 대부분의 화학 합성(化學合成) 무기 산화 세균(無機酸化細菌)이나 결핵균·고초균(枯草菌) 등. ↔편성 혐기성 세균.

편소【褊小】(명) 땅이나 장소 등이 좁고 작음. ——-하다 (형)(여불)

편수[1] (명) 얇게 밀어 편 밀가루 반죽을 보시기 등으로 눌러 떼어, 채소로 만든 소를 넣고 네 귀를 서로 붙여 끓는 물에 익혀 장국에 넣어 먹는 여름 음식. 특히 개성 지방에서 많이 해먹음. 변씨 만두(卞氏饅頭).

편수[2] (명) ①공장(工匠)의 두목. ②〈방〉대장장이(경상). [주의] '邊首'로 씀은 취음(取音).

편수[3]【片手】(명) 한 팔. 외팔.

편수[4]【篇首】(명) 책 편(篇)의 첫머리.

편수[5]【編修】(명) ①책을 편집하고 수정(修正)하는 일. ¶~ 자료/~국. ②〖역〗중국에서 옛날에 국사(國史) 편찬(編纂)에 종사하던 사관(史官). ——-하다 (타)(여불)

편수[6]【鞭穗】(명) 챗열.

편수-관【編修官】(명) ①〖역〗춘추관(春秋館)의 정삼품에서 종사품까지의 당하관(堂下官) 벼슬. ②교육부 장학 편수실에서 교재(敎材)의 편수를 맡아보는 공무원. 장학관으로 보함.

편수-깐 (명)〈방〉대장간(경북).

편수 용상【片手聳上】(명) 바벨(barbell)을 한 손에 쥐고, 한 팔로 완전히 머리 위에 추어 올리는 운동.

편수 전거【片手全擧】(명) 바벨(barbell)을 땅 위에 놓고, 한 손으로 잡아 올리면서 허리를 펴는 운동.

편수 진:상【片手振上】(명) 한 손으로 아령(啞鈴)을 쥐고 앞뒤로 흔들다가, 팔을 뻗친 채 앞으로 향하여 머리 위에 높이 올리는 운동.

편수 추상【片手推上】(명) 어깨 위에서 아령(啞鈴)을 쥐고 꼿꼿한 자세로 팔을 쳐드는 운동.

편술【編述】(명) 문서(文書)를 모아 엮음. ——-하다 (타)(여불)

편습【便習】(명) 사람에 숙습(熟習)함. 일에 익음. ——-하다 (자)(여불)

편승【便乘】(명) ①남이 타고 가는 거마(車馬)의 한 자리를 얻어 탐. 편의를 얻어 거마를 탐. ¶친구 차에 ~하다. ②편선(便船)을 탐. ③세태(世態)를 잘 이용하거나 남의 세력을 이용하여 자신의 이익을 거둠. ¶시대의 조류에 ~하다. ——-하다 (자)(여불)

편시【片時】(명) 잠시(暫時). ¶~라도 속히 정탐을 고쳐 다시 하여야 하겠다《隱菊散人 : 누구의 죄》.

편시-간【片時間】(명) 잠시간(暫時間).

편시-춘【片時春】(명)〖악〗판소리를 부르기 전에 목을 푸느라고 부르는 단가(短歌)의 하나.

편식【偏食】(명) 어떤 특정한 음식만을 편벽(偏僻)되게 즐기거나 가려 먹음. ——-하다 (타)(여불)

편신[1]【偏信】(명) 한편만을 편벽(偏僻)되게 믿음. 편벽한 믿음. ——-하다 (타)(여불)

편:신[2]【遍身】(명) ①전신(全身). ②온 몸에 두루 퍼짐.

편:심[1]【片心】(명) ①작은 마음. ②일방적인 마음.

편심[2]【偏心】(명) ①한 쪽으로 치우친 마음. 편벽된 마음. 편의(偏意). ②〖물〗세로로 작용하는 힘의 선(線)이 재료의 횡단면(橫斷面)을 통과하지 않는 일. 재료의 강약(強弱)에서 논하는 말임.

편심 기구【偏心機構】(명)〖물〗크랭크(crank)의 회전(回轉)에서 왕복(往復) 운동을 얻는 장치(裝置). 편심륜(偏心輪)과 편심봉(偏心棒)으로 되어 있음.

편심-륜【偏心輪】[—눈] (명) [eccentric]〖물〗편심 기구의 한 부분. 회전(回轉) 운동을 왕복 운동으로 바꾸기 위한 장치로서 외륜(外輪)과 내륜(內輪)으로 되어 있어, 내륜이 외륜 속에서 자유로이 회전할 때, 그 자체의 중심과 회전의 중심이 일치하지 않으므로 편심봉(偏心棒)의 끝에 왕복 운동을 가하게 됨. 재봉틀 바늘의 상하 운동 등에 이용됨.

〈편심륜〉

편심-봉【偏心棒】(명)〖물〗편심 기구의 한 부분. 편심륜의 회전(回轉)에서 전달되어 오는 힘을 받아서 왕복(往復) 운동을 하는 장치.

편심 하중【偏心荷重】(명) [eccentric load]〖공〗구조(構造)의 단면(斷面) 중심 이외의 점에 걸리는 하중.

편-쌈【便—】(명) 〔↗편싸움〕①편을 갈라 하는 쌈. ②〖민〗음력 정월에 편을 갈라서 돌을 던지고 방망이를 휘둘러 승부(勝負)를 내던 장난의 한 가지. 편전(便戰). *석전(石戰). ——-하다 (자)(여불)

편쌈-꾼【便—】(명) 편쌈에 한몫 끼어 노는 사람.

편쌈-질【便—】(명) 걸핏하면 편쌈을 벌이는 짓. ——-하다 (자)(여불)

편-쑤기 (명) 정월 초하룻날에 차례(茶禮) 지내는 떡국.

편-씨름【便—】(명) 편을 갈라 승부를 겨루는 씨름. ——-하다 (자)(여불)

편안[1]【便安】(명) ①무사함. ②거북하지 않고 한결같이 좋음. ¶~한 생활. ——-하다 (형)(여불). ——-히 (부)

편안[2]【偏安】(명) 시골에 살며 평안한 마음으로 지냄. ——-하다 (자)(여불)

편:암[1]【片岩】(명) [schist]〖광〗석영(石英)·운모 등이 박층(薄層)을 이룬 엽편상(葉片狀)의 변성암(變成岩)의 한 가지. 흔히 담회색(淡灰色)이나 담갈색(淡褐色)을 띰. 구성 광물립(構成鑛物粒)이 육안으로 인정될 정도로 굵은 것을 결정(結晶) 편암이라고 함. *결정(結晶) 편암.

편:암[2]【片庵】(명) ①조잡(粗雜)하게 지은 집. ②자기가 사는 집을 낮추어 일컫는 말.

편애[1]【偏隘】(명) 성미가 편벽되고 좁음. ——-하다 (형)(여불)

편애[2]【偏愛】(명) 편벽된 사랑. 어떠한 사람이나 한편만 치우쳐 사랑함. 또, 그 애정. ¶장남을 ~하다. ——-하다 (타)(여불)

편애 편증【偏愛偏憎】(명) 한 쪽은 지나치게 좋아하면서 다른 쪽은 미워함. ——-하다 (타)(여불)

편액【扁額】(명) 종이나 비단 또는 널빤지에 그림을 그리거나 글씨를 써서 방안에나 문 위에 걸어 놓는 액자(額子). 편제(扁題). ㊟액(額).

편:어【片語】(명) 편언[2](片言).

편언[1]【片言】(명) 한 쪽 사람이 하는 말.

편:언[2]【片言】(명) 한 마디의 말. 간단한 말. 편어. 척언(隻言).

편:언-교【片言交】(명) 한 마디 말이나 몇 자의 글로써 서로 사귀게 됨. ——-하다 (자)(여불)

편:언 절옥【片言折獄】(명) 한 마디 말로 송사(訟事)의 시비를 가리는 일. ——-하다 (자)(여불)

편:언 척자【片言隻字】(명) 한 마디 말과 몇 자의 글. 곧, 짧은 말과 글. *일언 반구.

편역 명 ①〈방〉 한쪽 패(牌). ②☞역성.
 편역 들다 구 ☞편들다. *역성하다.
편연[1]【便姸】명 몸이 재고 아리따움. ——-하다 형여불
편연[2]【便娟】명 ①춤추는 모양. 또, 가볍게 나는 모양. ②화려함. 우아함. ——-하다 형여불
편:-연지【片臙脂】명 붉은 물을 솜에 먹이어 말린, 중국에서 나는 물감의 한 가지. 끓는 물에 담갔다가 그 물을 짜서 씀.
편:영[1]【片影】명 조그마한 그림자.
편영[2]【便佞】명 →편녕(便佞).
편오【編伍】명 ①대오(隊伍)에 편입(編入)함. ②대오를 편성(編成)함. ——-하다 자타여불
편:운【片雲】명 조각 구름.
편:월【片月】명 조각달.
편육【片肉】명 얇게 썬 수육. 익은이. *우목(牛目).
편율【扁率】명〖천〗지구 기타의 행성(行星) 등과 같은 편평 타원체(扁平楕圓體) 곧 편구(扁球)의 편평도(扁平度)를 나타내는 양(量). 적도 반경(赤道半徑)과 극반경(極半徑)의 차(差)를 적도 반경으로 나눈 비(比). 편평률.
편의[1]【便衣】[—/—이] 명 편복(便服).
편의[2]【便宜】[—/—이] 명 ①형편이 좋음. 편리하고 마땅함. ②그 때 그 때에 적응한 처치. 또, 특별한 조치. ¶~를 도모(圖謀)하다/~를 제공(提供)하다. ——-하다 형여불
편의[3]【偏倚】[—/—이] 명 ①치우침. 기울어져 있음. ②〖수〗수치(數値)·위치(位置)·방향(方向) 등이 일정한 기준·평균치(平均値)에서 기울어짐. 편차(偏差). ——-하다 형여불
편의[4]【偏意】[—/—이] 명 편심(偏心).
편의-대【便衣隊】[—/—이—] 명 중국에서, 무장 없이 적지(敵地)에 잠입(潛入)하여, 후방을 교란하고 적정(敵情)을 탐지하던 부대.
편의 도법【便宜圖法】[—뻡/—이—뻡] 명〖지〗투시 도법(透視圖法) 등, 여러가지 도법의 장점을 따서 그린 도법의 총칭.
편의 재량【便宜裁量】[—/—이—] 명〖법〗다의적(多義的) 불확정적인 규정으로 된법규에 대하여 무엇이 가장 행정 목적에 적합한가를 판단하여 행하는 행정 관청의 재량. ↔법규재량·기속 재량(羈束裁量).
편의 재배【偏倚栽培】[—/—이—] 명〖농〗식민지 등에서 본국의 정책에 이로운 농작물만을 재배하는 일.
편의-적【便宜的】[—/—이—] 명관 수단·방법 따위에서, 절대·완전한 것이 아니고, 그때의 사정에 편리하다는 이유로 임시 채택된 모양. ¶과학상의 실재(實在)는 인간이 만든 ~ 상대적인 것이 아니고.
편의-점【便宜店】[—/—이—] 명 소비자를 위해 아침 일찍부터 밤늦게까지 휴일 없이 일상 생필품을 취급하는 소형 셀프 서비스 상점. 주로, 일용 잡화·식료품 등을 소매함. 셀프 서비스이기 때문에 경영자는 인건비를 절약할 수 있는 이점이 있음. 컨비니언스 스토어.
편의 종사【便宜從事】[—/—이—] 명〖역〗임금이 사절(使節)을 보낼 때에, 무슨 일을 정해서 맡기지 아니하고, 가서 형편에 따라 좋을 대로 하라는 일. ——-하다 자여불
편의-주의【便宜主義】[—/—이—이] 명 어떤 사물을 근본적으로 처리하지 아니하고, 임시로 둘러 맞추는 방법.
편의 지위【便宜肢位】[—/—이—] 명〖의〗외상·관절염 등으로 말미암아 관절 강직이 일어날 우려가 있을 때, 강직을 일으켜도 기능상 편리한 관절의 각도로 두어 두는 팔다리의 위치.
편의 치:적선【便宜置籍船】[—/—이—] 명 세제 등이 자기 나라보다 유리한 외국에 선적을 둔 배. 대형선(大型船)에 많으며, 리베리아가 외국선 선적 유치 정책을 취하고 그리스계(系) 선주(船主)들이 이를 이용하면서 비롯됨. 편의 치적국으로는 리베리아 이외에 파나마·온두라스 등이 있음.
편-이[1] 명 펴낸이. 발행자(發行者).
편이[2]【便易】명 편리하고 용이(容易)함. ——-하다 형여불
편익【便益】명 편리하고 유익(有益)함. ¶~을 주다. ——-하다 형여불
편익 관세【便益關稅】명〖법〗관세에 관한 조약의 특별 규정에 의한 편익을 받고 있지 않은 나라의 생산물이 수입되는 것에 대하여 과해지는 저율(低率)의 관세. 수입국측의 수출품에 대하여도 관세 상의 차별을 받지 않는 경우에 인정됨. 이 규정에 의한 편익의 한도내에서 부과(賦課)하는 관세.
편인【偏人】명 성질이 편벽된 사람. 별난 짓을 잘하는 사람. *이인(異人)·기인(奇人).
편일【片日】명 ①〖민〗육갑(六甲)의 십간(十干) 중에서, 갑(甲)·병(丙)·무(戊)·경(庚)·임(壬)의 날. ②짝이 맞지 않는 날. 곧, 기수(奇數)의 날. ↔쌍일(雙日).
편입【編入】명 ①얽거나 짜 넣음. ②한 동아리에 끼게 함. ¶3학년에 ~하다. ——-하다 타여불
편입-생【編入生】명〖교〗입학기에, 첫 학년에 입학하지 아니하고 어떤 학년에 편입한 학생.
편자[1] 명 ①말굽에 대어 붙이는 쇳조각. 제철(蹄鐵). ②↗망건(網巾) 편자.
편자[2]【編者】명 책을 편저(編著)한 사람. 엮은이.
편자 고래 명 편자 모양으로 만든 방고래의 한 형식.
편작[1]【扁鵲】명〖사람〗중국 전국 시대의 명의(名醫). 발해군(渤海郡) 정(鄭)나라 사람. 성은 진(秦). 이름은 월인(越人). 장상군(長桑君)에게 의학을 배워 금방(禁方)의 구전(口傳)과 의서(醫書)를 받아 명의가 되었으며, 괵(虢)나라 태자의 급환(急患)을 고쳤다고 함. 흔히 인도의 명의 기파(耆婆)와 병칭(並稱)됨. 생몰년 미상.
편작[2]【編作】명 죽세공(竹細工)이나 자리 등을 겯거나 짜서 만드는 일. ——-하다 타여불
편장[1]【偏長】명 당파의 어른. 편짝의 우두머리.
편장[2]【偏將】명 대장을 돕는 한 방면(方面)의 장수. 부장(副將). 장좌(將佐). 편비(偏裨).
편-장단【編長短】명〖악〗가곡(歌曲) 장단의 하나. 가곡의 기본 장단은 한 장단이 10점 16박이지만, 이것의 변형인 편장단은 10점 10박임.
편-잦은한잎【編—】명〖악〗편삭대엽(編數大葉).
편재[1]【偏在】명 한 곳에 치우쳐 존재(存在)함. ¶부(富)의 ~. ——-하다 자여불
편:재[2]【遍在】명 두루 퍼지어 있음. ——-하다 자여불
편재[3]【騙財】명 남의 재물을 속여서 빼앗음. ——-하다 타여불
편:재-론【遍在論】명〖기독교〗이 우주의 일체의 사물에는 예외없이 예수의 힘이 편재한다는 설. *범신론(汎神論).
편:저[1]【片楮】명 편지(片紙).
편저[2]【編著】명 편집하여 저술함. ——-하다 타여불
편저-자【編著者】명 편자와 저자. 편집하여 저술한 사람.
편적【篇籍】명 서적. 서책(書册).
편:-적운【片積雲】명 구름 모양의 일종. 조각조각으로 된 적운(積雲).
편:전[1]【片箭】명 ①아기살. ②총통(銃筒)에 넣어서 놓는, 하나로 된 화전(火箭).
편전[2]【便殿】명 임금이 평상시에 거처하는 궁전.
편전[3]【便戰】명 편쌈.
편전 대:령【便殿待令】명〖역〗편전(便殿)에서 임금이 신하를 인견(引見)하는 일.
편전-지【便箋紙】명 편지지(片紙紙).
편:절【片節】명 [Froglottid]〖동〗진정 촌충류(眞正寸蟲類)의 몸을 구성하는 동규적(同規的)인 한 체절(體節). 경부(頸部)에서 신생(新生)되는데 각각 한 조(組)의 자웅의 생식 기관이 있음. 편절수(片節數)는 수개(數個)에서 수천 개 있음.
편정【偏情】명 감정에 편중됨. 정으로만 기욺. ——-하다 자여불
편제[1]【扁提】명〖공〗자라병.
편제[2]【扁題】명 편액(扁額).
편제[3]【編制】명 ①낱낱을 모아 단체로 조직함. ②〖군〗지휘 계통을 세워 티 오(T.O.)에 의하여 대오(隊伍)를 편성함. 또, 그 제도. 평시(平時) 편제·전시 편제 및 특무(特務) 편제 등이 있음. ——-하다 타여불
편제-표【編制表】명〖군〗부대·행정 단위·운영 기관 및 시설 등의 군대 편제를 표시하는 도표. 티 오(T.O.).
편조[1]【扁爪】명〖동〗포유 동물의 손톱·발톱의 한 형식. 사람의 손톱처럼 손톱 바닥만이 잘 발달하여 편평(扁平)하게 된 손발톱. 영장목(靈長目)에 속하는 동물만이 이것을 갖고 있음.
편:조[2]【遍照】명 ①두루 비춤. ②〖불교〗변조(遍照). ——-하다 타여불
편조[3]【遍照】명〖사람〗신돈(辛旽)의 본명.
편조[4]【編造】명 ①엮어서 만듦. ②법령·규칙 등을 편찬(編纂)하여 만듦. ——-하다 타여불
편조-식【偏條植】명〖농〗가로나 세로 어느 한 쪽으로만 줄이 서도록 심는 모. 반(半)줄모. *정조식(正條植).
편족【片足】명 ①한 쪽 다리. ②한 쪽 다리가 없는 불구자.
편종【編鐘】명〖악〗아악기(雅樂器)에 속하는 타악기의 하나. 12율의 순서로 조율(調律)된 종을 한 단에 여덟 개씩 두 단으로 된 나무틀에다 16개를 달아 뿔망치로 침. 음색이 웅장함. 우리 나라에는 고려 예종(睿宗) 때, 중국 송(宋)나라에서 들어옴.

〈편종〉

편좌【便坐】명 ①편히 앉음. ②쉬는 방. 휴게실. ——-하다 자여불
편좌우 이:성체【偏左右異性體】명〖화〗디아스테레오 이성체.
편:주[1]【片舟】명 편주(扁舟).
편주[2]【扁舟】명 작은 배. 조각배. ¶일엽 ~.
편:죽[1]【片竹】명 조각 대.
편죽[2]【扁竹】명〖식〗마디풀.
편중【偏重】명 ①한 쪽으로 치우쳐 무거움. ②치우치게 소중히 여김. ¶학력 ~. ——-하다 형타여불
편즙【編輯】명 →편집(編輯).
편증【偏憎】명 편벽되이 지나치게 미워함. ——-하다 타여불
편:지[1]【片志】명 자기 뜻의 낮춤말. 미지(微志). 촌지(寸志).
편:지[2]【片紙·便紙】명 소식을 서로 알리거나, 용건을 적어 보내는 글. 또, 그리하는 일. 간독(簡牘). 서간(書柬·書簡). 서독(書牘). 서자(書字). 이소(鯉素). 척간(尺簡). 척독(尺牘). 척한(尺翰). 서찰(書札). 서척(書尺). 서한(書翰). 서함(書函·書械). 찰한(札翰). 편저(片楮). 수찰(手札). 신서(信書). 레터(letter). *서신(書信)·안서(雁書)·안신(雁信). ——-하다 자여불 편지를 부치다.
 편:지에 문:안(問安) 구 편지에는 으레 문안하는 말이 있어야 함이 마땅하다는 뜻. 곧, 서로 따라다님을 이르는 말.
편:지-딱지【片紙—】명〈방〉우표.
편지름-여창【編—女唱】명〖악〗여창지름시조.
편:지-지【片紙紙】명 편지를 쓰는 용지. 편전지(便箋紙).
편:지-질【片紙—】명 ①편지를 주고받는 일. ②자꾸 편지를 써서 보내는 짓. ——-하다 자여불
편:지-통【片紙筒】명 편지를 모아 두는 통. 또, 우편 집배원이 편지를 넣어 두고 가는 통.
편:지-투【片紙套】명 편지틀.
편:지-틀【片紙—】명 편지를 쓸 때에 참고가 되도록 본보기나 격식을

적은 책. 편지투. 간독(簡牘). 「물.
편직【編織】명 ①한 올의 실로 뜨개질한 것처럼 짜는 직조법. ②편직
편직-물【編織物】명 실로 뜨개질한 것처럼 짠 피륙. 편직.
편질【篇帙】명 책의 편과 질. 「하다 타여불
편집[1]【偏執】명 편견(偏見)을 고집하고, 남의 말을 듣지 아니함. ——-
편집[2]【編輯】명 〔←편즙〕 신문·잡지·사전·단행본 등의 저작물(著作物)을 간행하기 위하여, 일정한 목적 밑에 수집(蒐集)한 기사(記事)·원고(原稿)를 어떤 기획에 의하여 보충·선택·정정하고 배열하여 형식을 갖추는 일. ——-하다 타여불
편집[3]【篇什】명 시가(詩歌). 또, 시가의 편장(篇章). 「슴.
편집-관【編輯官】명 〖역〗 대한 제국 때 참모부(參謀部)의 판임(判任) 벼
편집-광【偏執狂】명 〖의〗 어떤 사물에 집착(執着)하여, 상식으로는 판단도 할 수 없는 행동을 예사로 하는 정신병자(精神病者). 모노마니아(monomania).
편집-국【編輯局】명 ①신문사·출판사 등에서 편집에 관한 일을 맡아보는 부서(部署). *공무국(工務局). ②〖역〗 갑오 경장(甲午更張) 이후, 교과 도서(敎科圖書)의 편집과 번역을 맡은 학무 아문(學務衙門)의 한 국(局). ③〖역〗 대한 제국 때 학부(學部)의 한 국(局).
편집국-장【編輯局長】명 ①신문사·출판사 등의 편집국의 장(長). ②〖역〗 학문 아문(學問衙門)이나 학부(學部)의 편집국 책임자인 주임관(奏任官).
편집-권【編輯權】명 신문·잡지·서적 등의 편집 방침을 결정하여 실행하는 권리.
편집-기【編輯機】명 〔editor〕〖컴퓨터〗 보고서·편지 등의 문서를 만들거나 고치기 위한 프로그램. 문안(文案)의 입력·수정·삭제 및 파일의 생성과 문안의 저장·생성 등의 기능을 가짐.
편집-병【偏執病】명 〖의〗 망상(妄想)을 주요 징후로 하는 정신병(精神病). 정동(情動)·의지면(意志面)의 장애는 적음. 파라노이아(paranoia). *편집광.
편집-부【編輯部】명 ①신문·잡지·단행본 등의 편집을 주업무로 하는 부서. ②기자가 취재한 원고를 수합(收合)하여 일정한 방침 아래 취사선택해서 배열하여 신문의 지면(紙面)을 편성하는 업무를 담당하는 신문사 편집국의 한 부서.
편집-실【編輯室】명 ①편집국❶. ②편집을 맡아 보는 방.
편집-원【編輯員】명 편집인의 명(命)에 의하여, 편집에 관한 실무를 담당 수행하는 사람. 편집자(編輯者).
편집 위원【編輯委員】명 잡지 및 전집(全集) 기타의 간행물에 대한 편집 경향·편집 계획 등을 담당하는 위원.
편집-인【編輯人】명 ①편집의 책임자. 편집자. ②〖법〗 정기 간행물의 발행인(發行人)이 선임(選任)한 사람으로서, 정기 간행물의 편집에 관하여 책임을 지는 사람. *인쇄인.
편집-자【編輯者】명 ①편집인(編輯人). ②편집원(編輯員).
편집-장【編輯長】명 편집 부서(部署)의 책임자. 편집 업무를 통할(統割)하는 사람. 편집의 대표(代表).
편집-질【偏執質】명 〖의〗 자기를 지나치게 높이 평가하는 기질. 자아 비대(自我肥大), 탐욕, 타인에 대한 의심, 일정한 감정에 의한 판단, 사물에 대한 제멋대로의 해석을 내림. *편집병.
편집 회:의【編輯會議】〔—/—이〕 명 편집 위원·편집원들이 모여 간행물(刊行物)의 편집에 대하여 토의하는 모임.
편집 후:기【編輯後記】명 편집을 끝내고 나서, 편집에 있어서의 과정(過程)·감상·앞으로의 계획·비평·특별한 화제 등을 단편적으로 적은 간단한 기사(記事). *여적란(餘滴欄).
편:-짓다【片—】 타ㅅ불 ①목재의 감을, 용도에 따라 여러 몫으로 나누어 두다. ②인삼을 작근(作斤)할 때에 편(片)의 일정한 수효를 골라서 맞추어 놓다. 작근(作斤)하다. 「편먹다.
편-짜다【便—】 자 승부(勝負)를 겨루기 위하여 편을 갈라 조직하다. *
편-짝【便—·偏—】 의명 상대하는 두 편 중, 어느 한 편을 가리키는 말. ¶이~/저~. 준편(便·偏).
편차[1]【便車】명 짐을 운반하는 손수레.
편차[2]【偏差】명 ①〖수〗 수치·위치·방향 등이 일정한 기준에서 빗나감. 편의(偏倚). ②정확하게 조준(照準)하여 발사한 탄환이, 풍력(風力) 기타의 원인으로 명중(命中)하지 않고 생기는 목표와 탄착점(彈着點)과의 차이. ¶~ 수정(修正). ③〔variation〕 자기(磁氣) 자오선과 지리적 자오선이 이루는 각. 곧, 자침(磁針)이 가리키는 북(北)과 지리 상의 북이 이루는 각.
편차[3]【編次】명 순서를 따라 편집(編輯)하는 일. 또, 그 순서. ——-하다 타여불
편찬【編纂】명 여러 종류의 재료를 모아 책의 내용을 꾸며 냄. 편집(編輯). ——-하다 타여불
편찬-서【編纂書】명 편찬하여 이룬 책.
편찬-소【編纂所】명 책을 편찬하여 내는 곳.
편찬-원【編纂員】명 어떤 책의 편찬에 종사하는 사람.
편-찮다【便—】〔—찬타〕 형 ①편하지 아니하다. ②병으로 앓고 있다.
편책【鞭策】명 말채찍.
편:철【片鐵】명 ①쇳조각. ②가락지❷.
편철[2]【編綴】명 짜서 겯음. ——-하다 타여불
편철[3]【編鐵】명 편철(片鐵).
편-청【—淸】명 떡을 먹을 때 떡에 찍는 꿀.
편추【鞭芻】명 〖역〗 옛날 무예(武藝)의 하나. 말을 타고 달리면서 철편(鐵鞭)으로 좌우에 세워 놓은 짚 인형(人形)을 후려침.
편축【扁蓄】명 〖식〗 마디풀.

편충【鞭蟲】명 〖동〗 [*Trichocephalus trichiuris*] 선충류(線蟲類) 편충과에 속하는 선형(線形) 동물의 하나. 길이는 암컷이 45-50 mm, 수컷이 40-45mm이고 몸의 앞쪽은 실모양으로 가늘고 후반부(後半部)는 급히 넓어져서 그 속에 생식기가 있음. 알은 외계(外界)에서 성숙란(成熟卵)이 되고 구강(口腔)을 통하여 감염하며 주로 사람의 장(腸) 특히 맹장(盲腸)에 기생하는데, 빈혈(貧血)·신경증(神經症)이 일어나며 설사를 계속하기도 함.

〈편충〉

편충-과【扁蟲科】〔—꽈〕 명 〖충〗 머리대장과.
편충-류【扁蟲類】〔—뉴〕 명 〖충〗 편형(扁形) 동물에 속하는 기생충류.
편취【騙取】명 남을 속이어 재물이나 이익 등을 빼앗음. ——-하다 타여불
편측【片側】명 한 쪽. ↔양측(兩側).
편측 마비【片側痲痺】명 〖의〗 편(片) 마비.
편-층운【片層雲】명 층운이 편편이 조각으로 되어 떠 있는 구름.
편친【偏親】명 홀로 된 어버이.
편친 시:하【偏親侍下】명 편친을 모시고 있는 처지.
편침-의【偏針儀】〔—/—이〕 명 〖지〗 나침(羅針)의 지력(指力)을 측정하는 기구. 천상(天象)·육표(陸標)를 보지 않고 자차(自差)를 수정하는 데 쓰임.
편태【鞭笞】명 채찍이나 몽둥이. 또, 채찍이나 몽둥이로 때림. ——-하다 타여불
편토【片土】명 작은 토지. 한 조각의 땅.
편-틀명 떡을 괴어 올리는 데 쓰는 굽이 높은 나무 그릇.
편파[1]【偏跛】명 절름거림. 또, 절름함.
편파[2]【偏頗】명 한쪽으로 치우쳐 공평하지 못함. ¶~한 애증(愛憎). ——-하다 형여불
편파-성【偏頗性】〔—썽〕 명 어느 한 쪽으로 치우쳐 공평을 잃는 성질.
편파-적【偏頗的】명관 공평치 못하고 한 쪽으로 치우치는 경향이 있음. ¶~인 생각.
편편[1] 명 〈방〉 편평(扁平). ——-하다 형. ——-히 부
편편[2]【片片】명 조각조각. ¶추억의 ~들.
편편[3]【翩翩】부 가볍게 훨훨 나는 모양.
편편-금【片片金】명 어느 물건이나 모두 다 진기(珍奇)함.
편편 옥토【片片沃土】명 어느 논밭이나 모두 다 비옥(肥沃)함.
편편-이[1]【片片—】부 조각조각으로 깨어져 헤지는 모양.
편편-이[2]【便便—】부 인편이 있을 때마다.
편편-찮다【便便—】〔—찬타〕 형 불편하고 거북살스럽다. ¶잠자리가 ~.
편편-하다【便便—】 형여불 ①거리끼거나 어긋남이 없이 편안하다. ②물건의 배가 부르지 않고 번듯하다. 편편-히【便便—】부
편평【扁平】명 넓고 평평함. ——-하다 형여불. ——-히 부
편평-골【扁平骨】명 〖생〗 넓적뼈. *단골(短骨)·장골(長骨).
편평-률【扁平率】〔—늘〕 명 〖천〗 편율(扁率).
편평 상:피【扁平上皮】명 〖생〗 높이가 낮은 세포로 조직된 상피. 동물의 체표면(體表面)이나 체내의 강소(腔所)에 면한 유리면(遊離面)을 덮음. ↔원주 상피·입방 상피.
편평 상:피암【扁平上皮癌】명 〖의〗 유암(類癌).
편평 세:포【扁平細胞】명 〔pinacocyte〕〖생〗 해면(海綿) 동물의 피부를 이루는 편평한 세포. 해면의 체표(體表)를 상피(上皮) 모양으로 덮는데 그 형태는 일정하지 않음.
편평-족【扁平足】명 〖의〗 발바닥에 오목 들어간 데가 없이 편평하게 된 발. 선천성(先天性)과 후천성(後天性)이 있는데, 후천성의 것은 부적당한 신발, 딱딱한 바닥 위에서의 장시간의 작업(作業), 외상(外傷) 등이 그 원인임.
편평-지수【扁平指數】명 〖고고학〗 납작지수.
편평-체【扁平體】명 〖식〗 전엽체(前葉體).
편폐[1]【偏嬖】명 한 쪽만 편벽되게 총애함. ——-하다 타여불
편폐[2]【偏廢】명 한 쪽만을 버림. 또, 한 쪽만이 없어짐. ——-하다 자여불
편포【片脯】명 난도질하여 반대기를 지어 말린 고기.
편포-호【扁蒲壺】명 중국 송(宋)나라 때, 균요(均窯)에서 나던, 꽃무늬가 있는 술항아리.
편풍 명 〈옛〉 병풍. ¶편풍 병(屛), 편풍 의(扆)《字會 中 13》.
편-하다【便—】 형여불 ①거북하거나 괴롭지 않다. ②근심이나 걱정이 없다. ¶마음이 ~. ③쉽고 만만하다. 편-히【便—】부
편한【篇翰】명 서적(書籍). 서책(書册).
편향【偏向】명 ①한 쪽으로 치우쳐 중정(中正)을 잃음. ¶~된 교육. ②〖물〗 대전 입자(帶電粒子)의 비행 방향을 전계(電界)나 자계(磁界)를 가하여 변화시키는 일. ——-하다 자여불
편향 교:육【偏向敎育】명 〖교〗 교육의 중립성(中立性)을 벗어나 종교적·정치적으로 어느 한 종파 또는 한 당파로 편향된 교육.
편향-력【偏向力】〔—녁〕 명 〔deflecting force〕〖지〗 전향력(轉向力). 코리올리의 힘.
편향-적【偏向的】명관 한 쪽으로 치우친 경향(傾向)이 있는 모양. ¶~인 보도(報道).
편향 코일【偏向—】명 〔deflection coil〕〖물〗 브라운관(管) 등에서, 전자류(電子流)의 전자 편향(電磁偏向)에 쓰이는 코일. 편향각(角)이 크기 때문에 텔레비전의 수상관이나 레이더용(用)의 브라운관에 쓰임.
편향-판【偏向板】명 〖물〗 브라운관 속의 전자선(電子線)의 방향을 바꾸기 위하여, 전계(電界)를 가(加)하기 위해 마주보는 두 장의 금속판.

편협【偏狹·褊狹】명 ①땅 같은 것이 좁음. 또, 그 모양. 협소(狹小). ②마음이 좁고 편벽(偏僻)됨. 도량(度量)이 좁음. ¶ ~한 생각. ——-하다 형여불

편협-심【偏狹心·褊狹心】명 편협한 마음.

편형[1]【扁形】명 편평(扁平)한 모양.

편형[2]【鞭刑】명 매로 치는 형벌. 태형(笞刑).

편형 동:물【扁形動物】명 『동』[Platyhelminthes] 동물 분류 상의 한 문(門). 최초의 삼배엽(三胚葉) 동물로 몸은 편평(扁平)하고 환절(環節)이 없으며, 전후 좌우와 복배(腹背)의 구별이 있음. 몸 안은 간충직(間充織)으로 충만되어 있고, 이 안에 소화관(消化管)·신경계·배설 기관인 원신관(原腎管)이 있음. 대체로 항문(肛門)이 없으며 자웅 동체(雌雄同體)임. 독립 또는 기생(寄生)함. 와충류(渦蟲類)·흡충류(吸蟲類)·촌충류(寸蟲類)의 세 강(綱)으로 분류함. *선형(線形) 동물.

편호[1]【扁壺】명 몸체의 한 면이나 양면(兩面)이 눌려서 평퍼짐한 형상의 항아리. 통일 신라 시대 이후부터 나타남.

편호[2]【編戶】명 ①호적(戶籍)을 편성(編成)함. ②호적에 편입(編入)함. 또, 그 집. ——-하다 타여불

편혹【偏惑】명 편애(偏愛)에 빠져 정신을 잃음. ——-하다 자여불

편히-쉬어【便—】감 편히 쉴 것을 명할 때에 발하는 구령. '쉬어' 자세에 내려지며, 왼쪽 발을 고정시킨 채 수족·신체의 굴신 등이 허용되나 흡연·담화 등은 할 수 없음.

펼치다 타 넓게 펴다. 펴서 드러나게 하다.

펼친 그:림 명 전개도(展開圖).

펼침-화음【—和音】명 [broken chord] 『악』 화음을 구성하는 각 소리가, 동시가 아니고 분산하여 낮은 음에서 높은 음으로 급속히 연주하는 일. 기악이나 성악의 반주에 많이 쓰이며, 가락을 짓는 데도 쓰임. 층거리 꾸밈음. 분산화음(分散和音). 아르페지오(arpeggio).

폄[1] 명 〈심마니〉 떡.

폄:[2]【貶】명 남을 깎아 내리어 나쁘게 말함. ——-하다 타여불

폄:강【貶降】명 벼슬의 등급을 떨어뜨림. ——-하다 타여불

폄:격【貶格】[—껵] 명 품격(品格)을 떨어뜨림. ——-하다 타여불

폄:론【貶論】[—논] 명 남을 폄함. 남을 폄척하는 말. ——-하다 타여불

폄:류【貶流】[—뉴] 명 벼슬을 떨어뜨리고 귀양 보냄. ——-하다 타여불

폄:박【貶薄】명 남을 폄척하고 얄잡음. ——-하다 타여불

폄:사【貶辭】명 남을 폄척하는 말.

폄석【砭石】명 돌로 만든 침으로 외과적(外科的) 치료를 하는 데 쓰인 고대 사회의 의료 기구의 하나. 석침(石針).

폄:적【貶謫】명 벼슬을 강등(降等)시키고 멀리 옮겨 보냄. ——-하다 타여불

폄:제【貶題】명 『역』 감사(監司)가 해마다 두 차례씩 수령(守令)의 치적(治績)을 상·중·하로 매겨서 중앙(中央)에 보고하는데, 하등으로 보고하는 일.

폄:좌【貶座】명 벼슬 자리에서 내치고 죄를 줌. ——-하다 타여불

폄:직【貶職】명 벼슬이 떨어짐. 면직을 당함.

폄:찬【貶竄】명 벼슬을 떨어뜨리고 먼 곳으로 귀양을 보냄. 폄류(貶流). ——-하다 타여불

폄:척【貶斥】명 ①벼슬을 떨어뜨리어 물리침. ②인망(人望)을 깎아 말하여 배척함. 폄출(貶黜) ——-하다 타여불

폄:천【貶遷】명 벼슬을 강등(降等)하고 좌천(左遷)시킴. ——-하다 타여불

폄:출【貶黜】명 폄척(貶斥). 감출(減黜). ——-하다 타여불

폄:하【貶下】명 치적(治績)이 나쁜 원을 폄출함. ——-하다 타여불

폄:-하다【貶—】타여불 남을 깎아 내려 말하다.

폄:훼【貶毁】명 남을 깎아 내리고 헐뜯음. ——-하다 타여불

평[1]【平】명 성(姓)의 하나. 현재 우리 나라에는 충주(忠州)·부평(富平) 등 여섯 개의 본관이 있음.

평:[2]【評】명 ①선악(善惡)·가부(可否)·가치(價値) 등을 평하여서 말함. 비평(批評). ¶ ~이 좋다. ②↗평론(評論). ——-하다 타여불

평[3]【坪】의명 ①지적(地積)의 단위. 곧, 여섯 자 평방(平方). 보(步). ②입체(立體)의 단위. 곧, 여섯 자 입방(立方). ③형겊·유리·벽 등의 한 자 평방. ④조각(彫刻)·동판(銅版) 등의 한 치 평방. ⑤조짐[2].

평-【平】투 '특별한 직무나 책임을 맡고 있지 않은 보통의'의 뜻. ¶ ~교사/~사원/~당원(黨員).

평가[1]【平家】명 『건』 평집.

평가[2]【平價】[—까] 명 ①물건의 값이 싸지도 않고 비싸지도 않은 값. ②『경』 두 나라 사이의 본위 화폐(本位貨幣)에 들어 있는 금속의 함유량(含有量)을 기준으로 하여 산출(算出)되는 두 나라 화폐 사이의 비가(比價). 금본위국 사이의 평가가 그 대표적인 것임. ③『경』 공채·사채·주권(株券) 같은 유가 증권(有價證券)의 시장 가격이 액면 금액(額面金額)과 같은 것.

평:가[3]【評價】[—까] 명 ①물품의 가격을 평정(評定)함. 또, 그 가격. ②선악 미추(善惡美醜) 등의 가치를 논정(論定)함. 또, 그 가치. ③『교』 교사와 아동이 어떤 교과(教科)에 대하여 학습의 효과·발달 등을 측정함. 교육 평가. ——-하다 타여불

평:가 가격【評價價格】[—까—] 명 토지나 유가 증권 등, 구입 가격과 시가(時價)가 현저히 다를 경우, 시가 그 밖의 기준으로 재평가(再評價)한 가격.

평-가락지【平—】명 밋밋하게 곧은 소반의 가락지. *굴곡(屈曲) 가락지.

평가락지 매듭【平—】명 가락지 매듭을 응용(應用)한 납작한 매듭의 하나.

평가 모집법【平價募集法】[—까—] 명 『경』 주식(株式)을 모집함에 있어, 액면 금액과 같은 가격으로 하는 방법. 액면 모집법(額面募集法). ↔할인 모집법.

평가 발행【平價發行】[—까—] 명 『경』 국채(國債)나 채권 등을 그 액면 금액과 같은 가격으로써 하는 발행. 액면 발행(額面發行). ↔할인(割引) 발행.

평:가 이:익【評價利益】[—까—] 명 『경』 소유 재산을 고쳐 평가함으로써 생기는 이익.

평:가 이:자【評價利子】[—까—] 명 『경』 원금(元金)이 금전 아닌 물건인 경우에 이를 금전으로 견적(見積)하여 그 금액에 대하여 일정한 율(率)로 지불하는 이자.

평가 절상【平價切上】[—까—쌍] 명 본위 화폐 중의 순금의 양을 늘리는 일. 화폐 단위의 가치를 올리는 일. ↔평가 절하.

평가 절하【平價切下】[—까—] 명 『경』 본위 화폐 단위가 함유(含有)하는 금량(金量)을 절하(切下)하는 일. 화폐 단위의 가치를 내리는 일. 디밸류에이션(devaluation). ↔평가 절상.

평각【平角】명 『수』 한 점(點)에서 나간 두 반직선(半直線)이 일직선을 이룰 때 그 두 반직선이 만드는 각. 2직각. 곧, 180°와 같음.

평강[1]【平康】명 평안(平安). ——-하다 형여불

평강[2]【平康】명 『지』 강원도 평강군의 군청 소재지로 읍(邑). 군의 남동부에 위치하며 경원선(京元線)의 요역(要驛)임. 김화(金化)·철원(鐵原) 등지로 통하는 도로가 있어 본군(本郡) 외의 물산을 집산하는 산업·교통상의 요지임.

평강 공주【平岡公主】명 『사람』 고구려 평원왕(平原王)의 딸. 남편은 장군 온달(溫達). 어릴 때 잘 울어서 왕이 우스개로 바보 온달에게 시집보내겠다고 했었는데, 커서 좋은 혼처를 마다하여 부왕에게 쫓겨나자 온달을 찾아가 그를 성공시켰다고 함. 생몰년 미상.

평강-군【平康郡】명 『지』 강원도의 한 군. 북은 함경 남도 안변군(安邊郡), 동은 회양군(淮陽郡)과 김화군(金化郡), 남은 철원군(鐵原郡), 서는 이천군(伊川郡)에 인접함. 산지(山地)가 많은 관계로 교통은 불편하고, 콩·보리·조·감자·소·닭·피륙 등이 나며, 명승 고적으로는 소금강(小金剛)·국사동(國師洞)·갑기천(甲棄川) 등이 있음. 군청 소재지는 평강읍. [369 km²]

평거[1]【平居】명 평상시(平常時).

평거[2]【平擧】명 『악』 가곡의 한 가지. 처음을 평탄하게 시작하므로 일컫는 이름.

평격지 명 〈옛〉 납작한 나막신. ¶굽쩌러진 평격지 민발에 신고《永言》.

평견【平絹】명 평직(平織)의 견포(絹布).

평:결【評決】명 ①평의(評議)하여 결정함. ②『법』 합의제(合議制)의 법원에서 재판의 내용을 확정하기 위하여 평의(評議)·채결(採決)하는 일. 합의(合議). ——-하다 타여불

평경【平鏡】명 맞보기.

평:고【評估】명 『법』 재판(裁判) 때에, 장물(贓物)의 값을 평정(評定)함. ——-하다 타여불

평고-대【平高臺】명 『건』 처마 끝에 가로 놓은 오리목. 평교대.

평-골【平—】명 가죽신의 신골의 한 가지. 창이 평평하고, 앞이 과히 들리지 아니한 본새임.

평과【苹果】명 사과(沙果).

평관【平關】명 『역』 동등한 관아(官衙) 사이의 관문(關文).

평교[1]【平交】명 나이가 서로 비슷한 벗.

평교[2]【平郊】명 들 밖. 또, 성문 밖의 넓고 평평한 들.

평교[3]【平校】명 규격에 맞도록 바르게 검정(檢定)함. ——-하다 타여불

평교-간【平交間】명 나이가 서로 비슷한 친구 사이.

평교-대【平交臺】명 『건』 평고대(平高臺).

평교-배【平交輩】명 나이가 서로 비슷한 벗들. 나이 또래가 같거나 어금지금한 친구의 무리.

평-교사【平教師】명 특수한 직무(職務)나 직책(職責)을 맡고 있지 않은 보통의 교사.

평-교자【平轎子】명 『역』 종일품 이상 및 기로소 당상관(耆老所堂上官)이 타는 남여(籃輿). 앞뒤로 두 사람씩 네 사람이 낮게 어깨에 메고 천천히 가도록 되어 있음. 준교자(轎子).

평균【平均】명 ①부동(不同)이나 다소(多少)가 없이 균일(均一)함. 또, 그렇게 함. 연등(連等). ②[mean] 『수』 어떤 가정(假定) 밑에서, 많은 수(數)나 같은 종류의 양(量)의 중간의 값을 갖는 수. 혹은 그런 수치를 구하는 일. 그 가정의 상이(相異)에 따라 산술 평균·기하 평균·조화 평균 등으로 나눔. ——-하다 타여불

평균-값【平均—】[—깝] 명 『수』 ①평균하여 얻어지는 값. 구용어:평균치. ②몇 개의 변량(變量)의 중간이라고 생각되는 값. 평균치. 평균수. 고른값.

평균값의 정:리【平均—定理】[—깝씌—니 / —깝쎄—니] 명 『수』 미적분학(微積分學)에서의 기본적 정리. 미분학(微分學)에서는, '함수 $f(x)$가 $a\leq x\leq b$로 연속된다면 $(f(a)-f(b))/(a-b)=f'(c)$인 것처럼 되는 c가 a와 b 사이에 존재한다'라는 명제를, 적분학에서는 '함수 $f(x)$가 $a\leq x\leq b$로 연속되면 $\int_a^b f(x)dx=f(c)(b-a)$처럼 되는 c가 a와 b 사이에 존재한다'라는 명제를 말함.

평균 고조 간극【平均高潮間隙】명 조후차(潮候差).

평균-곤【平均棍】명 [haltere] ①『충』 파리·모기 등의 쌍시류(雙翅類)에서 크기가 몹시 작아지고 끝이 주머니 모양으로 불룩하게 변화한 뒷날개. 주머니 모양의 부분에 신경이 많아 날 때에 몸의 평형(平衡)을 유지하는 역할을 함. ②『동』 유미 양서류(有尾兩棲類)의 유생(幼生)의 일정한 시기에 생기는 눈의 뒤쪽에 옆으로 내민 곤봉 모양의 부속물. 앞다리가 발달하면 퇴화되는데 그 때까지 몸을 버티는 일을 하는 기관으

로 생각됨.
평균 기온【平均氣溫】[명]〖기상〗 일정한 기간을 두고 관측한 결과를 평균한 기온. 상온(常溫).
평균-대【平均臺】[명] 체조 경기의 여자 종목(種目)에 쓰이는 기계(器械). 높이 1.2 m, 길이 5 m, 폭(幅) 10 cm, 두께 16 cm의 나무로 만든 대(臺). 또, 그 위에서 행하는 연기(演技) 종목. 이것을 모방(模倣)하여 만든 놀이용의 대도 이름. 평행대.
평균대 운:동【平均臺運動】[명] 평균대의 위에서 행하는 여자 체조 경기. 연기의 구성(構成)은 보행(步行)·각종 스텝·도약(跳躍)·선회(旋回)·포즈 등을 조화(調和)시켜 안정(安定)되고 아름다운 폼(form)과 동작을 겨룸.
평균-량【平均量】[一냥] [명] 같은 종류의 양(量)의 중간치(値)를 갖는 양.
평균 물가 지수【平均物價指數】[一까一] [명]〖경〗 한 나라의 중요 물품 중 약간을 가려 내어 일정 기간에서의 각 상품의 평균 가격을 100으로 하여 일정 연월 기간내에 해당 상품의 가격의 변동을 100에 대한 비례로 나타낸 숫자.
평균 배:당률【平均配當率】[一뉼] [명]〖경〗 여러 회사의 배당률을 평균한 것. 대상 회사(對象會社)의 배당률을 합산하여 대상 회사수로 나누는 방법, 대상 회사가 지급하는 배당금 합계를 연율로 환산해 평균 납입 자본금의 합계로 나누는 방법이 있음. 일반적으로 후자의 방법을 많이 이용함.
평균 변:화율【平均變化率】[명]〖수〗 함수(函數)의 변화 정도. 즉, x의 함수 y가 있고, x가 x_1에서 x_2까지 변화하였을 때, 이에 따라 y의 값이 y_1에서 y_2까지 변화하였다면, 이 때의 x, y의 변화고(變化高)의 비(比) $\frac{y_2-y_1}{x_2-x_1}$를, x가 x_1에서 x_2까지 변화하였을 때의 y의 평균 변화율이라 함.
평균 보:험료【平均保險料】[一뇨] [명]〖경〗 적립 보험료(積立保險料).
평균 분배【平均分配】[명] 많고 적음이 없이 똑같은 비율로 나눔. [준]평분(平分). ——-하다 [타][여불]
평균 분자량【平均分子量】[명]〖물〗 여러가지 분자의 혼합물을 단일(單一)한 분자로 이루어진 것이라고 보았을 때의 분자량. 공기·석유·고분자 물질 등에서 쓰임.
평균 비:용【平均費用】[명]〖경〗 어떤 재(財)를 생산하는 데 드는 비용을 생산되는 재의 총량으로 나눈 비용. 평균생산비. *한계(限界) 생산비.
평균-산【平均算】[명]〖수〗 산수(算數) 응용 문제의 하나. 수치(數値)의 개수(個數)와 그 수치의 평균 곧 상가 평균(相加平均) 및 몇 가지의 조건에서 미지(未知)의 것을 구하는 것.
평균 생산비【平均生産費】[명]〖경〗 평균 비용.
평균 소비 성:향【平均消費性向】[명]〖경〗 소비 지출과 소득의 비율. *한계 소비 성향.
평균 속도【平均速度】[명] [mean velocity]〖물〗 기체 속의 분자와 같은, 입자(粒子)의 어떤 집단이 가지고 있는 평균적인 속도.
평균 속력【平均速力】[一녁] [명] [average speed]〖수〗 물체(物體)가 어떤 거리 s를 시간 t로 움직였을 때의 s와 t와의 몫. 시간의 단위(單位)를 정하는 것에 따라, 평균 시속(時速)·평균 초속(秒速)이라 이름.
평균-수【平均數】[一쑤] [명]〖수〗 평균(平均)한 수치(數値). 평균값. 중수(中數).
평균 수면【平均水面】[명]〖지〗 바람 그 밖의 일체의 외력(外力)이 작용하지 않으며 또 조석(潮汐)에 의한 수위(水位)의 승강(昇降)도 없을 때의 가상적(假想的) 해면. 하나의 기준이 되는 면으로서, 조위(潮位) 등은 이 면에서의 고저(高低)에 의하여 측정됨. 평균 해면.
평균 수명【平均壽命】[명] ①어떤 지역의 평균적인 수명. 흔히 한 나라의 그것을 말하며, 일 년 동안에 죽은 사람의 모든 나이를 합치고, 그 합친 나이를 죽은 사람의 수효로 나누어서 얻는 수. *평균 여명. ②[mean life]〖물〗 방사성 원소나 소립자(素粒子)가 붕괴하여 다른 종류의 원소나 소립자로 바뀔 때에, 개개의 입자가 붕괴할 때까지의 시간의 총화를 전체 입자의 수로 나눈 수치.
평균 수위【平均水位】[명] 하천·호소(湖沼)·바다 등의 일정 기간 수위의 평균. 항만·하천 등의 공사에 필요한 자료가 됨.
평균 수준【平均水準】[명] 그 동류(同類) 전체 가운데 대부분을 차지하고 있는 정도.
평균-시【平均時】[명]〖천〗 ↗평균 태양시(平均太陽時).
평균 심도【平均深度】[명] [mean depth] 하도(河道)나 도수로(導水路) 등에서, 그 단면적(斷面積)을 수면(水面)의 나비로 나누어서 얻은 평균 수심(水深).
평균-액【平均額】[명] 평균하여 얻어지는 액수.
평균 여명【平均餘命】[명] 어떤 연령이 되었을 때, 그 후 생존할 수 있는 평균 연수. 그 연령의 사람이 그 후 생존한 연수를 합하여 그 연령 때의 생존자수로 나누어서 산출함.
평균 연교차【平均年較差】[一년一] [명]〖기상〗 월 평균 기온이 일년 중에서 가장 높은 달과 가장 낮은 달과의 차.
평균 연령【平均年齡】[一녈一] [명] 그 사회·조직을 구성하는 사람들의 나이의 평균값.
평균 운:동【平均運動】[명]〖천〗 행성(行星)이 타원 궤도상을 공전(公轉)할 때의 평균 각속도. 곧, 360°를 공전 주기로 나눈 값.
평균 원가법【平均原價法】[一까뻡] [명]〖경〗 재고 자산(在庫資産)의 출고 가격 및 재고품 원가(原價)를 산정하는 데, 그 자산의 개별적 취득 원가(取得原價)에 의하지 않고, 어떤 평균치를 구하여, 이를 출고 수량 및 재고 수량에 곱함으로써 계산하는 방법. 총평균법(總平均法)·단순 평균법·가중(加重) 평균법·이동(移動) 평균법 등이 있음.
평균 유:효 압력【平均有效壓力】[一녁] [명]〖물〗 증기 기관이나 내연(內燃) 기관의 피스톤의 평균 압력. 인디케이터 선도(indicator 線圖)의 면적으로 표시된 일의 양을 실린더 용적으로 나눈 값.
평균-율[1]【平均律】[一뉼] [명]〖악〗 한 옥타브(octave)를 열두 개의 반음(半音)으로 등분하여 구성한 악률(樂律). 열두 가지의 음(音)으로부터 온갖 전조(轉調)의 처리가 용이하여 근세 음악 발달의 기조(基調)를 이룬바, 오르간이나 피아노 등의 건반 악기(鍵盤樂器)는 일반적으로 이에 의하여 조율됨. 평균율 음계.
평균-율[2]【平均率】[一뉼] [명] 평균한 비율.
평균율 음계【平均律音階】[一뉼一] [명]〖악〗 평균율(平均律).
평균율 클라비:어 곡집【平均律一曲集】[一뉼一] [명] [도 Das Wohltemperierte Klavier]〖악〗 바흐(Bach, J. S.) 작곡의 클라비어 곡집. 2권, 모두 48곡. 제1권은 1722년, 제2권은 1744년 완성. 곡마다 전주곡과 푸가로 되어 있고, 모든 장·단조(長短調)가 곡조에 쓰이고 있음.
평균 응:력【平均應力】[一녁] [명] [mean stress]〖물〗 주기적으로 변화하는 응력의 최대값과 최소값의 산술 평균.
평균 이:윤율【平均利潤率】[一뉼] [명]〖경〗 여러 생산 부문 사이의 이윤이 평균화(平均化)하여 생긴 일반적인 이윤율.
평균-인【平均人】[명] 사회에 있어서 통상(通常)의 판단 능력과 행위 능력을 가진 사람. 보통 사람.
평균 임:금【平均賃金】[명]〖경〗 ①근로 기준법에 규정된 해고(解雇) 수당·재해 보상금 등을 지급하는 경우에, 그 지급액의 기준이 되는 임금. 지난 3개월간에 지급된 임금의 총액을 그 기간의 총일수(總日數)로 나눈 액수. ②임금 베이스 산정(算定) 등의 목적으로 산업·연령·남녀별 등으로 계산·평균한 임금.
평균 자유 행로【平均自由行路】[一노] [명]〖물〗 기체의 한 분자가 다른 분자와 충돌하여서부터 또 다음 분자와 충돌하기까지의 거리를, 일정한 상태에 있는 한 개의 기체의 모든 분자에 대하여 평균한 값.
평균 저:축 성:향【平均貯蓄性向】[명]〖경〗 저축 성향.
평균-적【平均的】[명][관] 그 동류(同類) 전체 중에서 가장 일반적인 모양. 보통 정도임. ¶~ 수명 / ~인 크기 / ~인 사고(思考).
평균-점【平均點】[一쩜] [명] 각 학과의 점수의 총계를 과목의 수로 나눈 수. 주로 학업 성적의 경우에 이름.
평균 정:오【平均正午】[명]〖천〗 어떤 지역에서 평균 태양이 자오선(子午線)을 통과하는 시각 및 그 현상. 곧, 평균 태양시(太陽時)의 12시의 일컬음.
평균 정:자【平均正子】[명]〖천〗 평균 태양이 하늘의 북극(北極) 아래에서 남중(南中)하는 시각 및 그 현상.
평균 조면【平均潮面】[명]〖지〗 해수(海水)의 간만(干滿)의 2회 이상의 평균 높이.
평균 주가【平均株價】[一까] [명]〖경〗 주식 시세의 변동을 나타내는 지표의 하나로, 일정수의 주식의 값을 평균한 것. 단순 평균 주가·다우식(Dow 式) 평균 주가 곧 수정(修正) 평균 주가 및 가중 평균 주가의 세 종류로 나뉨.
평균 지권【平均地權】[一꿘] [명] 중국의 삼민주의(三民主義) 가운데 민생주의적 정책의 하나. 주로 도시의 지가(地價)의 앙등으로 일부 사람이 부당한 이익을 얻는 것을 방지하기 위하여 토지 소유의 균등화(均等化)를 꾀한 것.
평균 지시 압력【平均指示壓力】[一녁] [명]〖물〗 기관(機關)의 한 사이클 중에 이루어진 지시 작업량에 상당하는 평균 압력.
평균 춘분점【平均春分點】[一쩜] [명]〖천〗 장동(章動)의 영향을 받지 않고 일반 세차(歲差)의 영향만을 받아서 일정한 속도로 이동하는 가상(假想)의 춘분점을 이름.
평균-치【平均値】[명]〖수〗 '평균값'의 구용어.
평균 태양【平均太陽】[명]〖천〗 천구(天球)의 적도(赤道)를, 일 년을 주기(周期)로 하여, 같은 속도로 순행(順行)하는 가상 천체(假想天體). 곧, 지구가 태양의 둘레에 원형 궤도(圓形軌道)를 그린다고 가설(假設)한 것임. ↔진태양(眞太陽).
평균 태양년【平均太陽年】[명]〖천〗 회귀년(回歸年).
평균 태양시【平均太陽時】[명]〖천〗 평균 태양의 시각(時角)에 의하여 계산하는 시간. 곧, 평균 태양일의 24분의 1을 한 시간으로 하는 시제(時制). 오늘날의 문명국에서 널리 쓰임. [준]평균시(平均時).
평균 태양일【平均太陽日】[명] [mean solar day]〖천〗 평균 태양의 중심이 자오선(子午線)을 지났다가 다시 같은 자오선을 지나기까지의 시간. 일상 생활에서 말하는 하루.
평균 태양초【平均太陽秒】[명] [mean solar second]〖천〗 평균 태양일의 86,400분의 1과 같은 단위.
평균 편차【平均偏差】[명] 통계에 있어서, 자료의 평균값에서 빗나간 정도를 표시하는 수치의 하나. 각 자료의 값과 평균값과의 차의 절대치(絶對値)의 평균값을 이름. *사분위 편차(四分位偏差)·표준 편차(標準偏差).
평균 풍속【平均風速】[명]〖기상〗 풍속을 표시할 때에 10분 동안의 풍속의 평균으로 나타낸 풍속. ↔순간 풍속.
평균 항성시【平均恒星時】[명]〖천〗 평균 춘분점(春分點)의 시각(時角)에 의거하여 정하여진 시법(時法).
평균 해:면【平均海面】[명]〖지〗 평균 수면(平均水面).
평균 혈압【平均血壓】[명]〖의〗 최고 혈압과 최저 혈압의 중간치(中間値). 보통, 최저 혈압에 최고 혈압과 최저 혈압의 차(差)의 3분의 1을 더한 값을 이름.
평균-화【平均化】[명] 평균하게 함. ——-하다 [타][여불]
평-극자【平屐子】[명] 평나막신.

평기[1]【平氣】[명]〖천〗태양의 평균 황경(平均黃經)을 기준으로 1년을 24 등분(等分)하여 절기(節氣)를 정하는 역법(曆法). ↔정기(定氣).

평기[2]【平起】[명] 한시(漢詩)의 기구(起句)의 제이자(第二字)에 '平' 자를 쓰는 일. 또, 그 한시. ↔측기(仄起). *평측(平仄).

평-기둥【平—】[명]〖건〗한 층 높이의 기둥. 평주(平柱).

평길【平吉】[명] 별다른 화복(禍福)이 없이 그저 편안(便安)함. ——-하다 [형][여불]

평-나막신【平—】[명] 울이 없는 평바닥의 나막신. 뒤에 들메가 있어 발에 동여매고 신게 됨. 평극자(平屐子).

평난 공신【平難功臣】[명]〖역〗조선 선조(宣祖) 23년(1590)에, 반란을 꾀하던 정여립(鄭汝立)을 죽인 공(功)으로 박충간(朴忠侃) 등 22 인에게 내린 훈호(勳號).

평남【平南】[명]〖지〗↗평안 남도(平安南道).

평남 남부 탄:전【平南南部炭田】[명]〖지〗평양(平壤)을 중심으로 대동강 연안에 집중적으로 매장된 무연탄 탄전. 질(質)이 우량하며, 매장량 3억 톤. 흑령(黑嶺)·강동(江東)·덕산(德山)·삼신(三神)·사동(寺洞)·대보(大寶) 등의 탄광이 유명함. 가장 일찍 개발됨.

평남 북부 탄:전【平南北部炭田】[명]〖지〗평원선(平元線) 이북, 평안 남도 북부 지방의 순천(順川)·개천(价川)·덕천(德川) 각 군 및 평안 북도 영변군(寧邊郡)에 걸친 넓은 지역에 분포된 무연탄 탄전. 품질이 우량하며, 매장량 5억 톤 추정, 개천·덕천·신창(新倉)·조창(朝倉)·용등(龍登) 등의 탄광이 유명함.

평남-선【平南線】[명]〖지〗평양(平壤)과 남포(南浦) 사이의 단선 철도. 1910년 10월 16일에 준공(竣工)되었음. 평양과 그 외항(外港)인 남포를 연결하는 것으로 중요함. [55.2 km]

평년【平年】[명] ①윤년(閏年)이 아닌 해. ↔윤년(閏年). ②풍년(豐年)도 흉년(凶年)도 아닌 보통의 수확(收穫)을 올린 해. ③보통의 해. 특별히 이상한 사건이나 현상이 없는 해.

평년-값【平年—】[—깝] [명] 〔mormals〕〖기상〗과거 30년 간의 기상 요소를 평균한 값. 1990 년대에는 1961-90 년의 30 년 간의 평균값을 씀. 30 년 평균값을 구할 수 없는 경우에는 10 년 기간을 사용할 수 있는데, 이것을 준(準)평년값이라고 함. 평년치(平年値).

평년-작【平年作】[명] 풍작(豐作)도 흉작(凶作)도 아닌 보통의 수확(收穫). 과거 5개년의 수확고(收穫高) 중, 최고와 최저의 해를 제한 나머지 3개년의 수확고의 평균 수확량. [준]평작(平作).

평년-치【平年値】[명]〖기상〗평년값.

평다리-치다【平—】[자] 꿇어 앉지 아니하고 편하게 앉아 다리를 마음대로 가지다.

평단[1]【平旦】[명] 새벽. 동이 틀 때.

평:단[2]【評壇】[명] 비평가(批評家)의 사회.

평담【平澹·平淡】[명] 마음이 고요하고 의욕이 없음. ——-하다 [형][여불]

평당【坪當】[명] 한 평에 대한 율(率). ¶ ~ 십만 원.

평-대문【平大門】[명] 행랑채나 좌우 건물과 높이가 같은 대문.

평대 인쇄기【平臺印刷機】[명]〖인쇄〗철판(凸版) 인쇄기의 한 가지. 수평으로 왕복 운동하는 평반(平盤) 위에 판(版)을 짜서 붙임. 활자물(活字物)의 인쇄에 쓰임.

평-대패【平—】[명]〖공〗목재의 면을 평면으로 깎는 데 쓰이는 대패.

평댕이 [명]〈방〉팽이(경북).

평덕-선【平德線】[명]〖지〗평남 남부 탄전(平南南部炭田)의 개발을 목적으로 평양 대동강역에서 평남 동부 구릉 지대(丘陵地帶)의 승호리(勝湖里)·삼등(三登)·신성천(新成川)·덕천(德川)을 지나 장상(長上)에 이르는 운탄선(運炭線). 평양 탄광선(平壤炭鑛線).

평-도【平島】[명]〖지〗전라 남도의 남해상(南海上), 여천군(麗川郡) 삼산면(三山面) 손죽리(巽竹里)에 위치한 섬. [0.41 km²: 125 명(1984)]

평-도리【平—】[명]〖건〗방각재(方角材)로 된 도리.

평-두량【平斗量】[명] 평말.

평두 작살【平頭—】[명] 남극(南極) 포경(捕鯨) 올림픽에서 사용된 신형의 작살. 종래의 끝이 뾰족한 첨두(尖頭) 작살의 대가리를 평평하게 잘라내어 만든 것. 고래에 박히는 능력은 첨두 작살의 10배나 되며 고래의 즉사율도 훨씬 높음.

평두-정【平頭釘】[명] '민머리못'의 구용어.

평등【平等】[명] ①차별이 없이 동등(同等)한 등급. ②치우침이 없이 고르고 한결같음. 두루 미쳐 차별(差別)이 없음. ¶남녀 ~/만인(萬人)은 법(法) 앞에 ~하다. ——-하다 [형][여불]

평등-각【平等覺】[명]〖불교〗부처는 모든 법이 평등함을 깨달아 안 분이라는 뜻에서, '부처'를 뜻하는 말.

평등-계【平等界】[명]〖불교〗천지 만유(萬有)의 차별이 없는 세계. 곧 진여(眞如)의 세계, 실상(實相)의 세계. ↔차별계(差別界).

평등-관【平等觀】[명] ①〖불교〗모든 법의 진상(眞相)은 평등 일여(平等一如)하다고 보는 견해. ↔차별관(差別觀). ②일체의 것에 구별·차별을 두지 아니하는 견해.

평등-권【平等權】[—꿘] [명]〖법〗①국제법상 국가가 차별 없이 평등한 권리·의무를 가지는 일. 국제 회의에서의 평등한 참가권, 동수(同數)·동가치(同價値)의 투표권 같은 것. ②헌법상 모든 국민은 법 앞에 평등하여 정치적·경제적·사회적 생활의 모든 면에서 차별을 받지 아니하는 국민의 권리.

평등 대:혜【平等大慧】[명]〖불교〗삼승(三乘)은 방편(方便)이고 일승(一乘)의 법만이 진실이라고 설법하는 부처의 지혜. 또, 부처의 지혜인 일체지지(一切智智).

평등 무차별【平等無差別】[명] 일체 차별(差別)이 없이 다 같이 평등함. ——-하다 [형][여불]

평등 배:당주의【平等配當主義】[—/—이] [명]〖법〗압류 채권자를 위하여 압류 질권(質權) 그 밖의 우선권을 인정하지 않고 집행에 참가한 채권자를 평등히 취급하여 그 채권액에 비례하여 압류 재산으로부터 변제를 받도록 하는 입법주의. ↔우선(優先) 배당주의.

평등 사:상【平等思想】[명] 특권의 철폐와 기회 균등을 내세우며, 만민은 법 앞에 평등하다고 주장하는 사상.

평등 상속【平等相續】[명]〖법〗균분(均分) 상속.

평등 선:거제【平等選擧制】[명]〖정〗불평등 선거를 인정하지 않는 1인 1표의 선거 제도. ↔불평등 선거제·차등 선거.

평등 성:지【平等性智】[명]〖불교〗①법상종(法相宗)에서 말하는 사지(四智)의 하나. 미나식(末那識)에서 전(轉)하여 얻는 지혜. 피차(彼此)의 차별에 구애되지 않고 평등하다고 깨닫는 지혜. ②밀교(密敎)에서, 대일 여래(大日如來)의 오지(五智)의 하나. 사물은 본래 평등하다고 깨닫는 지혜.

평등-심【平等心】[명] ①모든 것을 차별하지 않고 한결같이 사랑하는 마음. ②〖불교〗부처님의 자비심.

평등-왕【平等王】[명] ①염라 대왕(閻羅大王). ②태고 때, 인도에서 공명무사하게 전지(田地)를 나누고 상벌을 관장했다는 왕.

평등-주의【平等主義】[—/—이] [명] 〔egalitarianism〕 모든 시민에게 정치적·경제적·법적으로 차별을 두지 않고 평등하게 대하는 입장. 이것과 저것과의 차별을 인정하지 않는 주의.

평등-파【平等派】[명]〖역〗수평파(水平派).

평락【平樂】[—낙] [명]〖지〗'핑러'를 우리 음으로 읽는 이름.

평란[1]【平亂】[—난] [명] 난리를 평정(平定)함. ——-하다 [자][여불]

평란[2]【平欄】[—난] [명]〖건〗장식이 없는 난간. ↔교란(交欄).

평란 층제【平欄層梯】[—난—] [명]〖건〗교란(交欄)이 없이 평란으로 된 층계의 계단.

평량【平涼】[—냥] [명]〖지〗'핑량'을 우리 음으로 읽은 이름.

평량-립【平涼笠】[—냥닙] [명]〖역〗패랭이❶.

평량-자【平涼子】[—냥—] [명]〖역〗패랭이❶.

평로【平爐】[—노] [명] 〔open-hearth furnace〕 제강로(製鋼爐)로서 가장 널리 쓰이는 반사로(反射爐)의 하나. 내화 벽돌로 만드는데 축열실(蓄熱室)이 있고 주로 가스 연료로 가열(加熱)함. 노상(爐床)에 선철(銑鐵)·산화철(酸化鐵)·설철(屑鐵) 등을 넣고 녹여서, 산화 제련(酸化製鍊)함으로써 강(鋼)을 만듦. 지멘스 마르탱노(Siemens-Martin 爐). 마르틴 노(Martin 爐). ↔수로(竪爐).

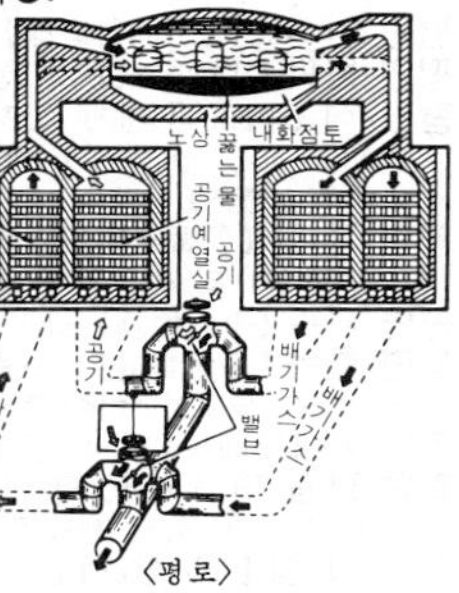

〈평로〉

평로-강【平爐鋼】[—노—] [명] 평로(平爐)로 만들어 낸 강(鋼). 산성(酸性)과 염기성(塩基性)의 두 가지가 있음.

평로-공【平爐工】[—노—] [명] 평로에서 제강(製鋼)에 종사하는 사람.

평로-법【平爐法】[—노뻡] [명] 〔openhearth process〕 평로(平爐)를 사용한 제강법(製鋼法)의 하나. 전로법(轉爐法)에 비하여, 소요 시간은 길지만 탄소 기타의 불순물이 적은 강(鋼)을 얻을 수 있음.

평로-위【平虜衛】[—노—] [명]〖역〗조선 세조 5년(1459) 호익위(虎翼衛)를 고친 이름.

평로-진【平虜鎭】[—노—] [명]〖역〗고려 때 북계(北界)에 설치한 진(鎭). 지금의 평안 북도 희천군(熙川郡) 신풍면(新豐面) 남동(南洞)으로 비정(比定)되는데, 목종(穆宗) 4년 (1001)에 진성(鎭城)이 축설(築設)됨. 뒤에 유원진(柔遠鎭)으로 이름을 고침.

평:론【評論】[—논] [명] 사물의 가치·선악(善惡) 등을 비평하여 논함. 또, 그 글. ¶경제 ~. [준]평(評). ——-하다 [타][여불]

평:론-가【評論家】[—논—] [명] 평론을 전문으로 하는 사람. 비평가.

평:론-계【評論界】[—논—] [명] 평론가의 사회. 논단(論壇).

평:론 잡지【評論雜誌】[—논—] [명] 리뷰(review).

평:론-집【評論集】[—논—] 여러 평론을 한데 모은 책. ¶문학 ~.

평롱【平弄】[—농] [명]〖악〗우리 나라 재래 음악인 가곡의 하나. 언롱(言弄)이 처음을 높이 질러 내는 데 대해 평출(平出) 곧 평성(平聲)으로 내는 농(弄)이란 말. ↔언롱(言弄).

평:리【評理】[—니] [명]〖역〗고려 때 도첨의 사사(都僉議使司)·도첨의부(都僉議府)·문하부(門下府)의 종이품 벼슬, 참지정사(參知政事)의 후신으로 충렬왕(忠烈王) 34년(1308)에 참리(參理)의 고친 이름.

평리-원【平理院】[—니—] [명]〖역〗대한 제국 때 재판을 맡은 관아. 고종(高宗) 32년(1895)에 의금부(義禁府)를 고등 재판소(高等裁判所)라 고쳐 일컫다가, 동 광무(光武) 3년(1899)에 이 이름으로 고치고, 순종(純宗) 융희(隆熙) 원년(1907)에 폐하여 공소원(控訴院)과 대심원(大審院)으로 나누어 붙임.

평:림【評林】[—님] [명] 평론(評論)을 모아서 실은 책.

평-말【平—】[명] 곡식(穀食)을 될 때에 평미레로 고르게 밀어 된 말. 평두량(平斗量).

평맥【平脈】[명] 건강한 사람의 정상적인 맥박. 1분간에 60-75번 뜀.

평면【平面】[명] ①평평한 표면(表面). ↔곡면(曲面)❶. ②〖수〗면(面)의 하나. 한 표면 위의 임의의 두 점을 지나는 직선이 항상 그 표면에 포함되는 면.

평면-각【平面角】[명]〖수〗한 평면 위에 있는 각.

평면 거울【平面—】[명] 평면경(平面鏡).

평면-경【平面鏡】[명] 반사면(反射面)이 평면을 이룬 거울. 평면 거울.

평면 곡선【平面曲線】[명]〖수〗원(圓) 및 그 밖의 이차 곡선(二次曲線) 등과 같이 한 평면 안에 포함되는 곡선.

평면 교차【平面交叉】명〖토〗도로와 도로, 철도 노선(鐵道路線) 상호 간 또는 도로와 철도 노선이 서로 동일(同一) 지평면에서 교차하는 일. ↔입체(立體) 교차.

평면 기하학【平面幾何學】명〖수〗평면 상(平面上)에 있어서의 도형(圖形)의 성질을 연구하는 기하학. ↔공간 기하학(空間幾何學).

평면 다각형【平面多角形】명〖수〗꼭지점이 한 평면 위에 있는 다각형.

평면 대:칭【平面對稱】명〖수〗면대칭(面對稱).

평면-도【平面圖】명 ①투영 도법(投影圖法) 중, 물체의 수평면 상에서의 투영에 의하여 생긴 그림. 복도(伏圖). ②〖건〗건축물의 각 층을 어느 높이에서 수평면에서 자른 단면도. ↔입면도(立面圖).

평면 도안【平面圖案】명 도안의 한 가지. 평면 위에 그려진 것으로 포스터·책의 표지(表紙) 무늬 같은 것.

평면 도형【平面圖形】명 평면형(平面形)❷❸.

평면 묘:사【平面描寫】명〖문〗주관(主觀)을 가하지 않고, 작가의 눈에 비친 사건의 표면만을 있는 그대로 그리는 문예 상의 기교.

평면-미【平面美】명〖미술〗그림의 외형에 나타난 미(美).

평면-반【平面盤】명〖기〗①평삭반(平削盤) ②정면 선반(正面旋盤).

평면 배:양【平面培養】명〖생〗고형(固形) 배양법의 하나. 한천(寒天)·젤라틴(gelatine) 등을 사용하여 평판 상(平板狀)으로 고형 배지(培地)를 만들어, 미생물이나 세포 조직·기관(器官)의 배양을 하는 일.

평면 삼각법【平面三角法】명〖수〗삼각법의 하나. 삼각 함수(三角函數)를 써서 평면 상의 삼각형의 변(邊)·각(角) 사이의 관계를 기초로 하는 각종의 기하학적 관계 및 그 응용을 연구하는 삼각법. 역학(力學)·물리학·공업 기술 등에 널리 응용됨. ↔구면(球面) 삼각법.

평면 삼각형【平面三角形】명〖수〗평면 위에 그린 삼각형.

평면 선반【平面旋盤】명 정면 선반(正面旋盤).

평면 시:야계【平面視野計】명〔campimeter〕시야의 중심부(中心部)를 측정하는 시야계의 한 가지. ＊캄피미터.

평면 연:마반【平面研磨盤】명〖기〗표면 연마기(表面研磨機).

평면 음파【平面音波】명〖물〗파면(波面)이 평면인 음파(音波).

평면-적【平面的】명관 ①평면이 평평한 모양. ②내면(內面)에 들어서지 않고 표면 상(表面上)에서만 논의하거나 표현하거나 하는 모양. ↔입체적(立體的).

평면 좌:표【平面座標】명〖수〗평면 상의 점의 위치를 나타내는 두 개의 수(數)의 조(組).

평면 지도【平面地圖】명 평면에 그린 지도.

평면 측량【平面測量】[—냥] 명 지표면(地表面)을 평면으로서 취급하는 측량. ↔대지(大地) 측량.

평면-파【平面波】명 파면(波面)이 평면인 파동(波動).

평면 편광【平面偏光】명〖물〗광파(光波)의 진동(振動) 방향이 한 평면 안에 있는 것. 직선 편광(直線偏光).

평면 항:법【平面航法】[—뻡] 명 추측(推測) 항법에 의한 선박(船舶)이 평면 삼각법을 사용하여 침로(針路)와 항정(航程)으로부터 출발점과의 위도차(緯度差)·경도차(經度差)를 산출(算出)함으로써 현재의 위치를 아는 방법.

평면 해:석 기하학【平面解析幾何學】명〖수〗좌표를 써서 평면 도형의 성질을, 계산에 의하여 연구하는 기하학.

평면-형【平面形】명 ①평면과 같이 넓고도 평평한 형(形). ②〖수〗한 평면 위에 전부 포함되는 온갖 종류의 도형. 평면 도형. ③〖수〗평면만으로 이루어지고 따라서 곡면(曲面)의 부분이 들어 있지 아니한 삼차원 공간(三次元空間) 내의 도형. 또, 그 중에서도 특히 다면체(多面體)의 일컬음. 평면 도형. 1)·2):↔곡면형.

평명【平明】명 ①아침 해가 뜨는 시각. 해가 돋아 밝아올 무렵. ②평이(平易)하고 명석(明晳)함. ——-하다 형여불

평명-체【平明體】명〖문〗문체(文體)의 한 가지. 학술문·기사(記事)·규칙 등과 같이 꾸미는 말이 적고 이해하기 쉬우며 실용적인 문체. 건조체(乾燥體).

평목【平木】명 평미레.

평무【平蕪】명 잡초가 무성한 평평한 들.

평문[1]【平文】명〖문〗보통문(普通文). 산문(散文). 대우(對遇)를 쓰지 않는 글.

평문[2]【平問】명〖역〗조선 시대에, 형구(刑具)를 써서 닥달하지 않고 그냥 죄인을 심문함을 일컬음. ——-하다 타여불

평-미레【平—】명 말에 곡식을 담고, 그 위를 밀어서 고르게 하는 데 쓰는 방망이. 평목(平木).

평미레-질【平—】명 곡식을 될 때 평미레를 쓰는 짓. ——-하다 타여불

평미리-치다【平—】타 고르게 하다. 평등하게 하다.

평미리-하다【平—】타여불 ☞평미리치다.

평-미사【平彌撒】명〖천주교〗사제(司祭)가 미사의 모든 부분을 창하지 않고 읽는 보통 미사. ＊장엄(壯嚴) 미사·대미사(大彌撒).

평민【平民】명 ①벼슬이 없는 일반민(一般民). 서민(庶民). 백민(白民). ¶~적/~층. ②상사람.

평민 계급【平民階級】명〖사〗평민이 소속하여 있는 사회적인 계급. 귀족 및 특권 계급에 대한 말임. 평민층(平民層).

평민-당【平民黨】명〖정〗↗평화 민주당.

평민-어【平民語】명 일반 사람들이 쓰는 말.

평민-적【平民的】명관 지위나 신분에 구애되지 않으며 의식(儀式) 같은 것을 피하는 모양. ↔귀족적(貴族的). ＊대중적(大衆的).

평민 정치【平民政治】명〖정〗평민이 직접 또는 간접으로 정치에 참여(參與)하여 평민의 의사에 의하여 행해지는 정치. 민주 정치(民主政治). ↔귀족 정치(貴族政治).

평민-주의【平民主義】[—/—이] 명 신분의 상하 귀천(上下貴賤)을 가리지 않고 평등하게 다루며, 모든 것을 평민적으로 처리하는 주의.

평민-층【平民層】명〖사〗평민 계급(平民階級).

평민-파【平民派】명〔라 populares〕고대 로마의 당파. 귀족 계급에 대항하는 신흥 중산층이, 무산(無産) 시민의 이익 옹호를 구실로 무산 시민의 지지를 구한 데서 이 이름이 있음.

평민-회【平民會】명〔comitia tributa〕〖역〗고대 로마 시대에 평민을 위하여, 호민관(護民官)이 소집(召集)하여 사회(司會)한 평민 의회(平民議會).

평-밀이【平—】명〖건〗평면(平面)이 지게 밀 때 쓰는 대패. 또, 그렇게 미는 일. 평대패. ——-하다 타여불

평-바닥명〖광〗①수평(水平)으로 파 들어가는 일. 또, 그 바닥. ②감흙 바닥이 판판하게 된 바닥. ——-하다 타여불

평반【平盤】명 다리가 달리지 않은 둥근 예반.

평반에 물 담은 듯 구 안정되고 고요함의 비유.

평-반자【平—】명 가는 오리목을 가로 세로 드문드문 질러 '井'자형을 만들어 종이로 평평하게 바른 반자.

평-발【平—】명 편평족(扁平足).

평발-치다 타〈방〉도사리다❷.

평방[1]【平方】명〖수〗①'제곱'의 구용어. ②길이의 단위 위에 붙어서 넓이의 단위를 나타내는 말. ¶~킬로/~마일. ③길이의 단위 밑에 붙어, 그 길이를 한 변(邊)으로 하는 정사각형의 넓이를 나타내는 말. ¶10킬로 ~/5마일 ~. ＊입방(立方).

평방[2]【平枋】명〖건〗공포(貢包) 등을 받치기 위하여, 기둥 위에 초방(初枋)을 짜고, 그 위에 수평으로 올려 놓은 넓적한 나무.

평방-근【平方根】명〖수〗'제곱근'의 구용어.

평방근-표【平方根表】명〖수〗'제곱근표'의 구용어.

평방 미:터【平方—】〔meter〕의명〖수〗'제곱 미터'의 구용어.

평방-비【平方比】명〖수〗'제곱비'의 구용어.

평방-수【平方數】명〖수〗'제곱수'의 구용어.

평방-어【平方魚】명〖어〗부시리.

평방-척【平方尺】명〖수〗제곱자.

평방-표【平方表】명〖수〗'제곱표'의 구용어.

평방-형【平方形】명〖수〗정사각형(正四角形). 정방형(正方形).

평번【平反】명 원죄(冤罪)를 다시 조사하여서 무죄(無罪)로 하거나 감형(減刑)함. ——-하다 자여불

평범【平凡】명 뛰어난 점이 없이 보통임. ¶~한 인물. ↔비범(非凡). ——-하다 형여불. ——-히 부

평범-화【平凡化】명 평범(平凡)하게 됨. 평범하게 만드는 일. ——-하다 자타여불

평보【平步】명 보통 걸음. 느린 걸음.

평복[1]【平服】명 ①평상시에 입는 옷. 평상복. 통상복(通常服). ②제복이나 관복이 아닌 보통의 옷. ¶~ 차림. ——-하다 자여불 평복 차림을 하다. 평상복을 입다.

평복[2]【平復】명 병이 나아 건강이 회복됨. 평유(平癒). ——-하다 자여불

평북【平北】명〖지〗↗평안 북도(平安北道).

평북-선【平北線】명〖지〗평안 북도 정주(定州)에서 출발하여 부령(富寧)을 거쳐 수풍(水豐)에 이르는 단선 철도. 정주에서 경의선(京義線)과 연락됨. 수풍 수력 발전소 건설에 크게 이바지함. 1939년 10월 1일에 개통됨. [128.2 km]

평분【平分】명 ↗평균 분배(平均分配). ——-하다 타여불

평분-년【平分年】명〖천〗태양년(太陽年).

평분-시【平分時】명 진태양(眞太陽)의 남중(南中)을 기준 시각(基準時刻)으로 하여, 진태양일(眞太陽日)을 24등분하는 시법(時法).

평사[1]【平沙】명 모래펄.

평사[2]【平射】명 ①평면에 투영(投影)하는 일. ②낮은 앙각(仰角)으로서, 탄환(彈丸)을 직사적(直射的)으로 발사(發射)하는 일. ——-하다 자여불

평:사[3]【評事】명〖역〗①신라 사정부(司正府)·좌이방부(左理方府)·우이방부(右理方府)의 한 벼슬. 경덕왕(景德王) 때에 좌(佐)의 고친 이름. 위계(位階)는 대나마(大奈麻)에서 나마(奈麻)까지. ②↗병마 평사(兵馬評事).

평:사-관【評事官】명〖역〗고려 사평 순위부(司平巡衛府)의 순위관(巡衛官) 다음 벼슬.

평사 낙안【平沙落雁】명 ①모래펄에 날아와 앉는 기러기. ②소상 팔경(瀟湘八景)의 하나. 흔히, 동양화의 화제(畫題)가 됨. ③글씨나 문장이 매끈하게 잘 되었음을 표현하는 말. 또, 글씨의 점(點)을 잘 찍은 것을 표현하는 말.

평사-도【平沙島】명〖지〗전라 남도의 서남해상(西南海上), 진도군(珍島郡) 조도면(鳥島面) 고사도리(高沙島里)에 위치한 섬. [0.31 km²: 95명 (1984)]

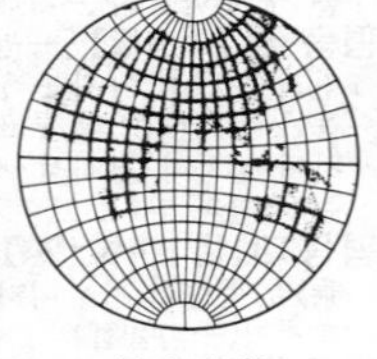

〈평사 도법〉

평사 도법【平射圖法】[—뻡] 명〖지〗투시 도법(透視圖法)의 한 가지. 지구 직경의 한 점을 시점(視點)으로 가정하여, 그 반대측의 반구(半球)를 평면 상에 나타내어 경위선(經緯線)을 투사(投射)하는 방법. 중앙부가 약간 작게 나타남.

평-사량【平四樑】명〖건〗간반(間半)에 보 네 개를 써서 용마루가 그리 높지 아니하게 지은 집. 지붕의 한 쪽은 한 간이 되고 한 쪽은 반 간이 됨.

평-사원【平社員】[명] 직위가 높지도 않고 특수한 직책을 맡지도 아니한 보통의 사원.
평-사위【平一】[명]〖춤〗두 팔을 어깨 높이로 올려서 벌리고 추는 춤사위.
평사 지도【平射地圖】[명]〖지〗평사 도법(平射圖法)에 의한 지도.
평사-포【平射砲】[명]〖군〗평사에 사용하는 평사 보병포(步兵砲)·야포(野砲)·카농포(canon砲) 등의 총칭. 앙각(仰角)이 25°이하라 탄도(彈道)가 낮고 포신(砲身)이 장대함.
평삭[1]【平削】[명]〖기〗셰이퍼(shaper)나 플레이너(planer) 등을 사용하여 공작물이나 공구(工具) 중의 어느 한 쪽에 직선 왕복 운동을 시켜서 공작물의 표면을 판판하게 깎는 가공.
평삭[2]【平朔】[명] 한 달의 평균 일수가 일삭망월(一朔望月)로 되도록, 큰 달과 작은 달을 안배(按排)하는 역법(曆法). ↔정삭(定朔).
평삭-반【平削盤】[명]〖기〗플레이너(planer).
평산【平山】[명]〖지〗황해도 평산군(平山郡)의 한 소도시. 군의 동부, 예성강(禮成江) 우안에 위치함. 사방이 산지로 싸인 소분지(小盆地)로 옛날 군사 상의 요지였음. 경의선(京義線)이 통과하나 역은 없음.
평산-군【平山郡】[명]〖지〗황해도의 한 군. 북은 서흥군(瑞興郡), 동은 신계군(新溪郡)과 금천군(金川郡), 남은 연백군(延白郡), 서는 벽성군(碧城郡)과 재령군(載寧郡)에 인접함. 기후는 대체로 온난하며, 경의선(京義線)이 동부 평지를 통과함. 주요 산물은 농산과 축산·임산(林產)·공산(工產) 등이 있음. 명승 고적으로는 태백산성(太白山城)·옥류천(玉流泉)·주필대(駐蹕臺)·평산 온천 등이 있음. 군청 소재지는 남천읍(南川邑). [1,323km²]
평-산-냉-연【平山冷燕】[명]〖책〗〔책 이름은 작품 중의 주요 인물인 평여형(平如衡)·산대(山黛)·냉강설(冷絳雪)·연백함(燕白頷)네 사람의 성을 모은 것〕중국 청(淸)나라 초기의 장편 소설. 작가 미상(未詳). 재자 가인(才子佳人)의 이야기인데, 1826년 쥘리앵(Julien, S.)의 불역판(佛譯版)이 나와 유럽에서 유명함.
평산덕-산【平山德山】[명]〖지〗함경(咸鏡) 남도 고원군(高原郡) 운곡면(雲谷面)과 평안(平安) 남도 양덕군(陽德郡) 온천면(溫泉面) 사이에 있는 산. [1,159m]
평산 온천【平山溫泉】[명]〖지〗황해도 평산군(平山郡)에 있는 온천. 온도는 45°C로 무색 투명한 알칼리성 단순천(單純泉)임.
평-삼치【平一】[명]〖어〗[*Sawara koreanus*] 동갈삼치과에 속하는 바닷물고기. 몸길이 1.5m, 무게 15kg에 달하는데 삼치와 비슷하나 몸높이가 높고, 주둥이가 짧음. 배지느러미가 몹시 작으며 비늘도 아주 작아서 피하(皮下)에 묻혀 있음. 몸빛은 등 쪽이 회청색이고, 배 쪽은 은백색이며, 체측에 너덧 줄의 회흑색의 무늬가 있음. 한국 서남해와 일본에 분포함. 식용하며 외국에 수출도 함.
평삽【平一】[명] 삽날이 직각으로 되었으며 모래나 석탄 따위를 푸는 데 쓰는 납작한 삽. 각삽(角一).
평상[1]【平床·平牀】[명] 나무로 만든 침상(寢床)의 한 가지. 살평상과 널평상의 두 가지가 있음.
평상[2]【平常】[명][부] ↗평상시(平常時).
평상-복【平常服】[명] 평복(平服). 설의(褻衣).
평상 성:총【平常聖寵】[명]〖천주교〗상존 성총(常存聖寵).
평상-시【平常時】[一][명] ①보통 때. 상시(常時). 평시(平時). 평거(平居). 평소(平素). 평일(平日). ②평화로운 때. 전쟁이 없고 무사한 때. ↔비상시(非常時). [二][부] 평상시에. [준]평상(平常)·평시(平時)·상시(常時).
평상-인【平常人】[명] 평범한 보통 사람.
평상-일【平常日】[명] 일요일이나 명절·경축일(慶祝日)이 아닌 보통 날. 평일(平日).
평생【平生】[一][명] 일생(一生). ¶～의 사업. [二][부] 평생을. 평생토록.
[평생 소원이 누룽갱이] 사람의 소원이 하찮다는 말. [평생을 살아도 님의 속은 모른다] 님의 속을 짐작하기 어렵다는 말.
평생을 맡기다 [구] 여자가 결혼을 하다. 여자를 시집 보내다.
평생 고용 제:도【平生雇用制度】[명] 종신 고용 제도.
평생 교:육【平生教育】[명] 인간의 교육이, 가정 교육·학교 교육·사회 교육의 통합(統合)으로서, 전생애에 걸친 교육으로 조직화(組織化)되어야 한다는 교육관(教育觀). 1967년 유네스코 성인 교육 회의에서 제창된 교육론(論).
평생-도【平生圖】[명]〖미술〗사람의 한 평생 경력을 그린 그림.
평생 소:원【平生所願】[명] 일생의 소원.
평생지-계【平生之計】[명] 일생의 생활 계획(生活計劃).
평생-토록【平生一】[부] 일생 동안 걸려서. 일생이 다할 때까지. 종신토록. 일생토록. ¶～ 외길을 걷다.
평생 회:원【平生會員】[명] 종신 회원(終身會員).
평서[1]【平書】[명] 평신(平信).
평서[2]【平敍】[명]〖역〗한 벼슬의 임기가 차서 벼슬이 갈릴 때에 급수(級數)가 올라가지 못하고 같은 급에 머물러 있는 일.
평서[3]【平敍】[명] 사물을 있는 그대로 서술하는 일. 특히 독자에게 호소(呼訴)하는 수사적(修辭的) 수법을 쓰지 아니하고, 객관적(客觀的)으로 글을 짓는 일.
평서-문【平敍文】[명] 문장의 종류의 하나. 의문문·감탄문·명령문에 대하여, 사물을 객관적으로 서술하는 것을 주로 하여, 독자에게 작용하는 특별한 수사적(修辭的) 수법을 쓰지 아니한 것. 현대문의 형식으로는 흔히 용언(用言)이나 조동사의 종결형(終結形)으로 맺음.
평서-법【平敍法】[一뻡][명] 문법(文法)에서, 종결 어미(終結語尾)에 나타나는 서법의 한 가지로서 어떤 사실을 그대로 베풀어 말하는 일. 설명법(說明法).
평석[1]【平石】[명]〖역〗소곡(小斛).
평:석[2]【評釋】[명] 문장이나 시가(詩歌)를 비평하고 주석(註釋)하는 일. ——-하다 [타][여불]
평:설【評說】[명] ①세간(世間)의 평판. ②비평을 가하여 설명함. 평론. ——-하다 [타][여불]
평성【平聲】[명]〖언〗①사성(四聲)의 하나. 조선 시대 초기에, 글자의 왼편에 방점(傍點)이 없는 글자의 소리로서, 가장 낮은 소리임. 현재는 소리에는 있으나, 글자에는 표하지 아니함. ↔측성(仄聲). ② 한자음(漢字音)의 사성의 하나. 상평성(上平聲)과 하평성(下平聲)의 구별이 있는데 모두 낮고 순평(順平)한 소리임.
평성-자【平聲字】[一짜][명] 평자(平字).
평소【平素】[一][명] ①평상시(平常時). 생시(生時). ②지나간 적의 날. ¶～의 소망. [二][부] 평소에.
평수[1]【平水】[명] ↗평수위(平水位).
평수[2]【坪數】[一쑤][명] 평(坪)의 수량. 평으로 따진 넓이.
평수[3]【萍水】[명] 부평초(浮萍草)와 물.
평수 구역【平水區域】[명]〖법〗항해 구역의 하나. 호수·하천·항만 내 및 선박 안전법 시행령에 구체적으로 열거된 구역임. 이 구역을 항해하는 선박을 내수선(內水船)이라 함.
평-수량【平水量】[명]〖지〗하천(河川)의 유량(流量)을 이르는 말. 1년을 통하여 185일 간은 유지할 수 있는 수량.
평수 상봉【萍水相逢】[명] 부평초와 물이 만남. 서로 우연히 타향에서 만나 알게 됨을 이름.
평-수사【平修士】[명]〖천주교〗성직을 지망하지 않는 수도사. 수사(修士).
평수사-회【平修士會】[명]〖천주교〗평수사들로만 구성된 수도회.
평수-운【平水韻】[명] 중국 금(金)나라의 정대(正大) 6년(1229)에, 평수(平水), 곧 산시성(山西省) 장저우(絳州) 사람 왕문욱(王文郁)이 한자(漢字)의 운(韻) 중에서 이삼 개씩 상통(相通)하는 것을 합쳐서 206운(韻)을 107운으로 고치고, 후에 상성(上聲)의 극(極)을 없애어, 106운으로 한 것. 현행(現行)의 시운(詩韻)임.
평-수위【平水位】[명] 평상시의 강물의 높이. [준]평수(平水).
평순【平順】[명] ①성질이 온순함. ②몸에 병이 없음. ——-하다 [형][여불]
평순 모:음【平脣母音】[명]〖언〗발음할 때 입술을 둥글게 오므리지 않는 모음. 원순 모음(圓脣母音)이 아닌 모음. ㅓ·ㅣ·ㅡ·ㅔ 따위.
평승【平僧】[명] 지위가 없는 보통의 중.
평시[1]【平時】[명][부] ↗평상시(平常時).
평:시[2]【評詩】[명]〖문〗①시문학 또는 특정시(特定詩)를 비평하여 읊은 시. ②시에 대하여 주관적으로 품평(品評)한 글.
평시 공법【平時公法】[一뻡][명]〖법〗평시 국제법(平時國際法).
평시 국제 공법【平時國際公法】[一뻡][명]〖법〗평시 국제법.
평시 국제법【平時國際法】[一뻡][명]〖법〗평화시에 있어서 행하여지는 국제법. 전쟁 때라도 중립국 상호간 및 중립국과 교전국 사이에서는 평시 국제법이 시행됨. 평시 공법(公法). 평시 국제 공법. ↔전시(戰時) 국제법.
평시-두【平市斗】[명]〖역〗관승(官升)의 한 가지. 조선 시대 평시서(平市署)에서 만들어 백성이 쓰도록 한 말임.
평시 봉쇄【平時封鎖】[명]〖법〗평상시에, 한 국가가 그 해군력(海軍力)을 이용하여, 다른 나라의 해안을 봉쇄하여, 그 영해(領海) 안의 선박(船舶) 출입을 차단하는 행위. 일종의 복수 수단으로서 행하여짐. ↔전시 봉쇄(戰時封鎖).
평시-서【平市署】[명]〖역〗조선 시대에 시전(市廛)에서 쓰는 자·말·저울 등과 물건 값의 높고 낮음을 검사하던 관아. 태조(太祖) 원년(1392)에 베푼 경시서(京市署)를 세조(世祖) 12년(1466)에 이 이름으로 고쳐서 고종(高宗) 31년(1894)까지 있었음. *경시감(京市監).
평시 점:령【平時占領】[一녕][명] 평시에 보복(報復) 등의 수단으로서 행하여지는 점령. ↔전시(戰時) 점령.
평-시조【平時調】[명] ①〖악〗목소리를 순평(順平)하게 내어 부르는, 시조 창법(唱法)의 한 가지. ②〖문〗시조의 한 가지. 초장(初章)이 3·4·3(4)·4, 중장(中章)이 3·4·4(3)·4, 종장(終章) 3·5·4·3으로 글자 총수가 45자 안팎의 가장 기본적이고 대표적인 시조 형식. *사설 시조(辭說時調)·엇시조(旕時調).
평시 징발【平時徵發】[명]〖군〗평상시의 훈련(訓鍊) 등에서 실시하는 징발. ↔전시 징발(戰時徵發).
평시 편제【平時編制】[명]〖군〗평상시에 있어서의 군대의 편제. ↔전시 편제(戰時編制).
평시 포격【平時砲擊】[명]〖군〗평상시에 한 국가가 제해권(制海權)을 이용하여, 다른 국가의 해안에 함포(艦砲) 사격을 가하는 일.
평식-원【平式院】[명]〖역〗대한 제국 때 궁내부(宮內府)에 속하여 자·말·저울 등을 만들어 내고 검사(檢査)하는 일을 맡아보던 관아. 고종 광무(光武) 6년(1902)에 베풀어서 동 8년에 폐하여 농상공부(農商工部)에 붙이었음.
평신[1]【平身】[명] 엎드려 절한 뒤에 몸을 그전대로 펴는 일. ——-하다 [자][여불]
평신[2]【平信】[명] ①평상시의 소식. ②무사한 소식. 평서(平書).
평-신도【平信徒】[명] 교직(敎職)에 있지 아니한 일반 신도.
평신 저:두【平身低頭】[명] 저두 평신(低頭平身).
평실【萍實】[명] 태양의 이칭(異稱).
평심【平心】[명] ↗평심 서기(平心舒氣). ——-하다 [자][여불]
평심 서:기【平心舒氣】[명] 마음을 평온하고 순화롭게 함. 또, 그런 마음. [준]평심(平心). ——-하다 [자][여불]
평안[1]【平安】[명] 무사히 잘 있음. 무사하여 걱정이 없음. ¶ ～을 빌다.

——-하다 형여불. ——-히 부

평안² 【平安】 명 ↗평안도.

평안 감사도 저 싫으면 그만 구 아무리 좋은 일도 마음이 내키지 않으면 아니한다는 말.

평안 남도 【平安南道】 명 〖지〗 한국 14도의 하나. 서는 황해(黃海)에 임하고, 남은 황해도, 북은 평안 북도, 동은 함경 남도에 접함. 동북부는 산악 지대, 중부에는 묘향 산맥(妙香山脈)이 있음. 경의선(京義線)이 남북으로 통하고, 서부 저지대(低地帶)에는 안주(安州) 평야·평양(平壤) 평야·강서(江西) 평야 등이 있음. 대동강(大同江) 유역과 안주 평야의 쌀, 성천(成川)의 평양률(平壤栗), 광량만(廣梁灣)의 소금, 남포(南浦)의 사과, 사동(寺洞)의 석탄, 승호리(勝湖里)의 시멘트, 개천(价川)·남포(南浦)의 철 등이 있고, 명승 고적(名勝古蹟)으로는 용강(龍岡)·강서(江西)의 고분군(古墳群) 등이 있음. 도청 소재지는 평양(平壤). 준평남(平南). [14,939 km²]

평안-도 【平安道】 명 ①〖지〗 평안 남도와 평안 북도의 통칭. ②〖역〗 조선 시대 팔도(八道)의 하나. 곧, 지금의 평안 남도와 평안 북도. 준평안(平安).

평안 북도 【平安北道】 명 〖지〗 한국 14도의 하나. 한국의 서북부를 차지하고 있으며, 북서는 압록강에 의하여 중국 지린 성(吉林省)과 인접하고 있음. 함경 남도 다음가는 제2의 큰 도(道)로 동북부는 북한의 중앙 북부에 가로 놓인 개마 고원(蓋馬高原)의 서쪽에 해당하며 기후는 한서(寒暑)의 차가 심하고 산물로는 해안 평야·청천강(淸川江) 유역의 쌀·보리, 남시(南市)의 소금이 있음. 운산(雲山)·삼성(三成)·의주(義州)·삭주(朔州) 등의 광구(鑛區)는 47개처나 되며, 동양 굴지의 수풍(水豐) 수력 발전소가 있음. 명승 고적으로 약산 동대(藥山東臺)·통군정(統軍亭)·동룡굴(蝀龍窟)·삭주(朔州) 온천·백마산성(白馬山城) 등이 있음. 도청 소재지는 신의주(新義州). 준평북(平北). [28,000 km²]

평안-선 【平安線】 명 평남선(平南線)의 종점인 남포역(南浦驛)에서 분기하여 덕동(德洞)·광량만(廣梁灣)·귀성(貴城) 등의 대염전 지대(大塩田地帶)를 지나서 용강 온천(龍岡溫泉)에 달하는 철도선. 연선(沿線)의 좌측은 염전 지대, 우측에는 사과 과수원이 많음. 1938년 7월 10일 개통됨. [34.7 km]

평안-천 【平安川】 명 〖지〗 임진강(臨津江)의 지류. 강원도 평강군(平康郡) 고삽면(高揷面)에서 발원하여 평강(平康)·이천(伊川) 등지를 지나 임진강으로 들어감. [81 km]

평압식 인쇄기 【平壓式印刷機】 명 판(版)과 가압(加壓)하는 부분이 평면(平面)으로 된 인쇄기. 가장 원시적인 구조로 적은 부수(部數)의 철판(凸版) 인쇄나 명함·카드 등을 인쇄할 때 씀.

평애-법 【坪刈法】 [—뻡] 명 〖농〗 농작물의 작황(作況)을 실지 검사할 때에, 평균작(平均作)으로 된 곳의 한 평 또는 몇 평을 베어서, 전체의 수확량을 셈하여 내는 방법.

평야 【平野】 명 기복(起伏)이 매우 작고, 거의 평평하고 너른 지표면(地表面). 거의 수평(水平)인 오래된 지질 시대(地質時代)의 지층(地層)으로 이루어진 구조 평야(構造平野), 하천(河川)의 충적 작용(沖積作用)으로 이루어진 충적 평야, 얕은 해저(海底)가 융기(隆起)된 해안(海岸) 평야 등으로 나누어짐. 들. 평원(平原).

평야 식물대 【平野植物帶】 명 〖식〗 산 높이에 따른 식물 분포를 주안(主眼)으로 하는 분류로, 산밑 식물대에 속하며, 대개 해발(海拔) 50 m에서 북쪽은 280 m, 남쪽은 350 m까지의 지대를 말함. 주로, 제비꽃·민들레 등이 무성함.

평양 【平壤】 명 〖지〗 평안 남도의 한 시. 도청 소재지로서 대동군(大同郡) 중앙부 대동강에 면하여 있으며, 한국 최고(最古)의 도시로 관서(關西) 지방의 행정·경제·문화·교통의 중심지임. 주변 평야는 농산지이며 사동(寺洞)의 무연탄전 개발과 더불어 공업 도시가 되고 평원선(平元線)·평남선(平南線)의 기점으로 대동강의 수운 등과 함께 교통이 편리함. 고무·담배·방직 공업이 성하고, 명승 고적으로는 을밀대(乙密臺)·모란대(牡丹臺)·부벽루(浮碧樓)·대동문(大同門)·능라도(陵羅島)·기자릉(箕子陵) 등이 있음. 별칭은 기성(箕城)·서경(西京)·서도(西都)·호원(鎬原)·유경(柳京). [약 200 km²: 약 1,500,000 명]

[평양 병정의 발싸개 같다] 더러운 물건이나 비루한 언동의 비유. [평양 황(黃) 고집이라] 평양의 황씨네가 대단히 고집이 세고 융통성이 없었다 하여, 완고하고 고집 센 사람을 일컫는 비유.

평양 돌:팔매 들어가듯 구 사정 없이 들이닥치는 모양. 겨냥이 어김없는 모양. ¶김관일이 앞에 평양 돌팔매 들어가듯 술잔이 들어갈 때에 ≪李人稙: 牡丹峰≫.

평양-가 【平壤歌】 명 〖악〗 경기 십이 잡가(京畿十二雜歌)의 하나. 평양 기생 월선(月仙)네 집에 놀러 가자는 야유랑(冶遊郞)의 굿노래.

평양-관 【平壤冠】 명 〖역〗 조선 시대에 평양에서 말총으로 떠서 만든 관(冠).

평양 냉:면 【平壤冷麪】 명 보통의 물냉면을 평양의 향토식(鄕土食)이라 하여, 함흥 냉면에 상대해서 일컫는 말. 보통, 순메밀로 뽑은 국수를 씀.

평양-률 【平壤栗】 [—뉼] 명 ①함종(咸從) 지방을 중심으로 한 부근 일대에서 나는 밤을, 평양에서 집산(集散)하는 까닭에 일컫는 말. ②감률(甘栗).

평양 반:닫이 【平壤半—】 [—다지] 명 평안도 지방, 주로 평양에서 나는 반닫이. 대체로 크기가 크며, 큼직큼직한 쇠장식을 앞면에 가득 대는 것이 특징임. *경상도 반닫이.

평양-성 【平壤城】 명 〖지〗 지금의 평양시 주변을 둘러싼 성곽. 고구려 이후, 조선 시대 후기에 수차에 걸쳐 개축됨. 성내는 북성(北城)·내성(內城)·중성(中城)·외성(外城)의 네 부분으로 구분됨.

평양-지 【平壤志】 명 〖책〗 고구려의 서울이며 고려의 서경(西京)이었던 평양의 지지(地誌). 원지(原志)는 조선 선조(宣祖) 23년(1590)에 평안도 관찰사 윤두수(尹斗壽)가, 속지(續志)는 그의 후손 윤유(尹游)가 영조(英祖) 6년(1730)에 편집 간행한 것을 헌종(憲宗) 3년(1837)에 원지와 합간(合刊), 후속지는 철종(哲宗) 5년(1854)에 그 지방 사람이 편집한 것을 후인이 합본함. 현존한 지방지 중 편찬 연대가 가장 오랜것으로 평양 연구에 중요한 자료임. 원지(原志) 9권, 속지(續志) 5권, 후속지 2권. 서경지(西京志).

평양지-선 【平壤志選】 명 〖책〗 윤두수(尹斗壽)의 ≪평양지≫ 중에 나오는 시만을 초록(抄錄)한 책. 3권 1책.

평양 짚신 【平壤—】 명 볏짚의 둘째나 세째 마디로 삼은, 평양에서 나던 고운 짚신. 옥미투리.

평양 탄:광선 【平壤炭鑛線】 명 〖지〗 평양 대동강에서 출발하여 강동을 거쳐 신성천에 이르는 단선 철도. 1909-39년에 부설 개통되었음. 사동(寺洞)·승호리(勝湖里)의 석탄, 성천(成川)의 금·은·동 기타의 개발 촉진을 위한 철도임. [91.9 km]

평양 평야 【平壤平野】 명 〖지〗 평양의 대동강 유역을 중심으로 한 평야.

평:어 【評語】 명 ①비평(批評)하는 말. 평언(評言). ②〖교〗 수(秀)·우(優)·미(美)·양(良)·가(可) 등과 같이, 학과 기타의 성적을 표시하는 짧은 말.

평:언 【評言】 명 평어(評語)❶.

평-여장 【平女墻】 [—녀—] 명 〖건〗 위가 편평한 여장.

평연 【平椽】 명 〖건〗 들연.

평열 【平熱】 [—녈] 명 건강한 때의 인체(人體)의 체온. 우리 나라 사람은 36-37°C.

평영 【平泳】 명 개구리처럼 손발을 좌우 대칭으로 움직이면서 치는 헤엄. 개구리헤엄. 브레스트스트로크(breaststroke).

평-오량 【平五樑】 명 〖건〗 도리 다섯 개를 얹어서 지은 집.

평온¹ 【平溫】 명 ①평상시의 온도. ②평균 온도.

평온² 【平穩】 명 고요하고 안온(安穩)함. ——-하다 형여불. ——-히 부

평온 무사 【平穩無事】 명 평온하여 아무 일이 없음. ——-하다 형여불

평요 렌즈 【平凹—】 [lens] 명 〖물〗 한 쪽 면은 평평하고 다른 한 쪽 면은 오목한 렌즈.

평요-전 【平妖傳】 명 〖책〗 중국 명대(明代)의 장편(長編) 소설. 나관중(羅貫中)의 작품이라고 전함. 정식으로는 ≪북송 삼수(北宋三遂) 평요전≫. 북송 인종(仁宗) 때, 왕칙(王則)이라는 사람이 요술쟁이의 도움으로 난리를 일으키지만 제갈수지(諸葛遂智)·마수(馬遂)·이수(李遂)의 삼수(三遂)에게 토벌된다는 내용.

평요-판 【平凹版】 명 〖인쇄〗 오프셋 인쇄에 가장 일반적으로 쓰이는 판식(版式). 평판(平版)을 개량한 인쇄판(印刷版). 부식(腐蝕)·도금(鍍金) 등의 방법에 의하여, 평판의 획선부(劃線部)를 약간 오목하게 하고 잉크가 잘 묻도록 하여 판의 내구력(耐久力)을 강화한 것. 평판 인쇄기(平版印刷機)로 인쇄함.

평운 【平韻】 명 평성(平聲)에 따른 상하(上下)의 30 운(韻). ↔측운(仄韻).

평원¹ 【平原】 명 평탄(平坦)한 들판. 평야(平野).

평원² 【平圓】 명 평평하고 둥긂. ——-하다 형여불

평원³ 【平遠】 명 시야(視野)가 넓고 평평함. ——-하다 형여불

평원⁴ 【平遠】 명 〖미술〗 삼원(三遠)의 하나. 산수화(山水畫)를 그릴 때 앞산에서 뒷산을 바라보는 방법. *삼원(三遠).

평원 광:야 【平原曠野】 명 평평하고 넓은 들판.

평원-군¹ 【平原君】 명 〖사람〗 중국 전국 시대의 조(趙)나라 공자(公子). 조나라 무령왕(武靈王)의 아들로, 이름은 승(勝). 평원, 곧 지금의 산둥 성(山東省) 핑위안 현(平原縣)에 봉(封)해짐. 현명하고 객(客)을 좋아하여 식객 수천 명이 모였다 함. 세 번 재상을 지냈고, 제(齊)나라의 맹상군(孟嘗君), 초(楚)나라의 춘신군(春申君), 위(魏)나라의 신릉군(信陵君)과 함께 전국 사군(戰國四君)의 한 사람으로 꼽힘. [?-151 B.C.]

평원-군² 【平原郡】 명 〖지〗 평안 남도의 한 군. 북은 안주군(安州郡), 동은 순천군(順川郡), 남은 강서군(江西郡)과 대동군(大同郡), 서는 황해에 인접함. 각종 농산과 축산이 있고 어업도 성함. 명승 고적으로는 삼충사(三忠祠)·와룡산(臥龍山)·법흥사(法興寺) 등이 있음. 군청 소재지는 영유(永柔). [1,084 km²]

평원-부 【平原部】 명 〖지〗 여러 가지 형태의 지형(地形) 중에서 평원에 속하는 부분.

평원-선 【平元線】 명 〖지〗 서포(西浦)에서 고원(高原)까지의 단선 철도. 동해안과 서해안을 연락함. 1941년에 개통. [212.6 km]

평원-성 【平原省】 명 〖지〗 핑위안 성.

평원-왕 【平原王】 명 〖사람〗 고구려 제25대 왕. 휘(諱)는 양성(陽城). 진(陳)·수(隋) 등과 수교(修交)하고 장안성(長安城)을 축조, 평양성으로 천도(遷都)하였음. 온달(溫達)의 장인. [?-590; 재위 559-590]

평위-산 【平胃散】 명 〖한의〗 식품 중독(食品中毒)으로 인한 설사·배앓이 등에 복용하는 약.

평유 【平癒】 명 병이 완전히 나음. 평복(平復). ¶~를 기원(祈願)하다. ——-하다 자여불

평음 【平音】 명 〖언〗 예사소리.

평:의 【評議】 [—/—이] 명 서로 의견을 교환하여 의논함. ——-하다 타여불

평-의걸이 【平衣—】 명 살의걸이에 대하여, 앞면을 널빤지로 댄 의걸이.

평:의-원 【評議員】 [—/—이—] 명 어떤 일을 평의하는 데 참여하는 사람. 평의회의 회원.

평의-전 【平議殿】 [—/—이—] 명 〖역〗 통일 신라 때의 '남당(南堂)'의 고친이름. 여기서 화백(和白) 회의를 엶.

「관.

평:의-회 【評議會】 [—/—이—] 명 어떤 일을 평의하기 위한 합의제 기

평이 【平易】 명 까다롭지 않고 쉬움. ¶ ~한 표현. ――-하다 형여불

평이-성 【平易性】 [―썽] 명 평이한 성질이나 특성.

평-이음 【平―】 명 《건》 건축용 목재(木材)를 편평하게 깎은 그대로 잇는 방법(方法).

평인 【平人】 명 ①평민(平民). ②병이 없는 사람. ③상제(喪制)에 대하여, 상제 아닌 사람을 이르는 말.

평-인사 【平人事】 명 평상으로 하는 인사. 보통 인사. ――-하다 자여불

평일 【平日】 명 ①평상시(平常時). 진일(鎭日). ②평상일(平常日). 상일(常日). 위크데이(weekday). ③평소(平素).

평일-도 【平日島】 [―또] 명 《지》 전라 남도의 남해상(南海上), 완도군(莞島郡) 금일면(金日面)에 위치한 섬. [18.9 km²: 10,146 명(1984)]

평-입자 【平笠子】 [―닙―] 명 보통 갓이란 뜻으로 칠립(漆笠)을 일컫는 말.

평-자[1] 【平字】 명 사성(四聲)의 평성(平聲)에 딸린 글자. 한시(漢詩)의 염(簾)을 보는 데 씀. ↔측자(仄字).

평:자[2] 【評者】 명 비평하는 사람.

평자-전 【平字錢】 [―짜―] 명 《역》 조선 시대 후엽에 평양 감영(平壤監營)의 평시청(平市廳)에서 발행한 상평 통보(常平通寶). 가운데 네모난 구멍이 뚫린 둥근 철전(鐵錢)으로, 대전(大錢)·소전(小錢)·당오전(當五錢)의 세 가지가 있었음.

평-작[1] 명 그리 길지도 짧지도 않은 화살.

평작[2] 【平作】 명 《농》 ①↗평년작. *상작(上作). ②고랑을 치지 않고 씨를 뿌려 재배하는 방법.

평장[1] 【平章】 명 ①공평하게 비평함. ②공명 정대한 정치를 함. ――-하다 자여불

평장[2] 【平葬】 명 ↗평토장(平土葬). ――-하다 타여불

평장-사 【平章事】 명 《역》 ↗내사 시랑 평장사(內史侍郎平章事)·문하 시랑(門下侍郎) 평장사·중서 시랑(中書侍郎) 평장사·중서(中書) 평장사·문하(門下) 평장사·평장 정사(平章政事).

평장 정사 【平章政事】 명 《역》 고려 중서 문하성(中書門下省)의 정이품(正二品) 벼슬. 공민왕(恭愍王) 9년(1360)에 중서 시랑 평장사(中書侍郎平章事)와 문하 시랑 평장사(門下侍郎平章事)를 합하여 고친 이름. 준 평장사.

평저 【平底】 명 평평한 밑바닥.

평저-선 【平底船】 명 뱃바닥이 평평한 배. 넓은 뜻으로는 바닥판이 평탄한 배를 모두 가리키나, 좁은 뜻으로는 고려 시대의 세곡(稅穀)을 운반하던 강선(江船)을 가리킴.

평저 플라스크 【平底―】 [flask] 명 밑바닥이 평평한 플라스크.

평적 【萍跡】 명 평종(萍蹤).

평전[1] 【平田】 명 ①평평하고 넓은 논밭. ②높은 곳에 있는 평지(平地).

평:전[2] 【評傳】 명 비평을 겸한 전기(傳記).

평:점 【評點】 [―쩜] 명 ①시문(詩文)의 중요한 곳에 찍는 점. ②피교육자의 학력을 매기는 점수. ¶ ~이 박하다. ③물건의 가치를 평하여 매기는 점수.

평정[1] 【平正】 명 공평하고 정직함. ――-하다 형여불

평정[2] 【平定】 명 난리를 평온하게 진정시킴. ¶ 반란을 ~하다. ――-하다 타여불

평정[3] 【平定】 명 《지》 '핑딩'을 우리 음으로 읽은 이름.

평정[4] 【平靜】 명 평안하고 고요함. 고요하여 마음의 동요가 없음. ¶ ~을 되찾다. ――-하다 형여불. ――-히 부

평:정[5] 【評定】 명 평의(評議)하여 결정함. ¶ 근무 ~. ――-하다 타여불

평정-건 【平頂巾】 명 《역》 각 사(司)의 서리(書吏)가 쓰던 건(巾).

〈평정건〉

평:정 기준 【評定基準】 명 학습 결과·성격·태도 등을 평가할 때 사용하는 기준. 숫자(數字)로 나타내는 경우와 A·B·C·D 또는 수(秀)·우(優)·미(美)·양(良)·가(可) 등 문자를 사용하는 경우가 있음.

평:정-법 【評定法】 [―뻡] 명 [rating method] 《심》 평어(評語)·도시적 방법(圖示的方法)·품등법(品等法) 등에 의하여 사상(事象)의 특징을 일정한 견지(見地)에서 선택하여, 각 특징에 대하여 평정케 하는 방법. 미리 작성된 평가 목록(評價目錄)에 의하여, 자기의 상태를 내성(內省)하면서, 자신의 사회성, 태도·성격의 경향 등을 스스로 평정하는 자기 평정법도 있음. 페히너(Fechner)가 실험 미학(實驗美學)의 연구에 이용한 실험법으로, 정신 물리학적 측정법에 대하여, 가치 판단을 포함하는 실험법이라고 하였음.

평:정-서 【評定書】 명 평정한 내용을 기록한 문서.

평정 해:산 【平頂海山】 명 《지》 기요(guyot).

평제 【平帝】 명 《사람》 중국 전한(前漢)의 제14대 황제. 성명은 유연(劉衎), 아버지는 중산효왕(中山孝王). 애제(哀帝)의 뒤를 이어 9살에 즉위함. 왕망(王莽)이 대사마(大司馬)가 되어 실권을 잡고 외척(外戚) 위씨(衛氏) 일족을 죽이고 찬탈의 태세를 굳히던 중, 평제가 장성하여 사태를 알아차리게 되자 왕망에 의해 독살당함. 시호는 효평 황제(孝平皇帝). [9 B.C.-5 A.D.; 재위 1 B.C.-5 A.D.]

평제-탑 【平濟塔】 명 《지》 탑의 1층 옥신(屋身)에 '대당 평백제국 비명(大唐平百濟國碑銘)'이라 새겨져 있으므로 일컫는 부여 정림사지 오층 석탑(扶餘定林寺址五層石塔)의 통속적인 이름.

평조 【平調】 명 《악》 우리 나라 속악(俗樂)의 음계. 중국 음악의 치조(徵調)와 양악(洋樂)의 장조(長調)에 가까운 낮은 음조임. 청황종궁(淸黃鐘宮)과 임종궁(林鐘宮)의 두 가지가 있음.

평조-화 【平調和】 명 《악》 평조의 악상(樂想). 깊고 바르고 화평한 느낌이 드는 음악이라는 뜻. *웅심 화평(雄深和平)·정대 화평(正大和平).

평조 회:상 【平調會相】 명 《악》 영산 회상(靈山會相)의 하나. 조선 고종(高宗) 때에, 현악(絃樂) 영산 회상을 평조(平調)로 전조(轉調)한 것으로, 화려하고 웅장하며 화평스러운 풍도(風度)가 넘침. 상(上)영산·중(中)영산·세(細)영산·가락덜이·삼현(三絃)도드리·염불(念佛)도드리·타령·군악(軍樂)의 여덟 대목으로 이루어짐. 궁중 연례악 외에 대금·피리·평조 단소의 독주곡으로 많이 애주(愛奏)되고, 정재(呈才) 춘앵전(春鶯囀)의 반주로 쓰임. 유초 신지곡(柳初新之曲).

평종 【萍蹤】 명 [부평초의 떠다닌 자취라는 뜻] 각처로 유랑함을 이름. 평적(萍跡).

평좌 【平坐】 명 예절을 차리지 않고 편하게 앉음. ――-하다 자여불

평주 【平柱】 명 《건》 여러 기둥의 크기나 모양이 균일(均一)한 기둥. 변주(邊柱)에 많음.

평주 가:담 【萍州可談】 명 《책》 중국의 책이름. 1119년 송(宋)나라 주욱(朱彧) 찬(撰). 모두 148 항(項)으로 됨. 관제(官制)·국전(國典)으로부터 토속(土俗)·민풍(民風)에 이르기까지 광범하게 수록했는데, 저자의 아버지 주복(朱服)이 요(遼)나라로 사행(使行)했을 때와 뒤에 광저우(廣州) 태수로 있을 때, 임무 중에 견문(見聞)한 부분이 상당히 많음. 특히, 광저우의 시박(市舶)이나 번방(蕃坊)에 관한 상세한 기록은 당시 중국의 남방 해상 무역에 관한 귀중한 문헌임.

평준 【平準】 명 ①수준기(水準器)를 써서 수평(水平)이 되게 하는 일. ②수준기(水準器). ③사물을 균일(均一)되게 조정(調整)하는 일. ――-하다 타여불

평준-법 【平準法】 [―뻡] 명 ①수준기(水準器)를 써서 수평이 되게 하는 방법. ②《역》 한(漢)나라 무제(武帝)가 쓴 물가 조정책(物價調整策). 풍년(豐年)에 물자(物資)를 평준창(平準倉)에 저장하여 두었다가, 흉년(凶年)에 방출(放出)하여 물가고(物價高)를 조정하고, 그 이윤(利潤)을 세입(歲入)으로 하였음.

평준-점 【平準點】 [―쩜] 명 사물이 균일(均一) 안정하게 되는 점.

평준-창 【平準倉】 명 《역》 중국 한(漢)나라 무제(武帝)가 평준법을 실시하여, 풍년에 물자를 저장하여 두던 창고.

평준 행용고 【平準行用庫】 명 《역》 중국 원(元)나라 때에 지폐를 발행하던 관서(官署).

평준-화 【平準化】 명 평준되게 함. ¶ 고등 학교 ~. ――-하다 타여불

평지[1] 명 《식》 [*Brassica rapa* var. *nippo-oleifera*] 겨잣과에 속하는 월년초(越年草). 높이 1m 내외. 근생엽(根生葉)은 위가 넓은 우상 복엽(羽狀複葉)인데, 때로는 분열(分裂)하지 않는 것도 있음. 표면은 선녹색이고, 뒷면은 백색을 띰. 윗부분의 잎은 무병(無柄)으로 줄기를 싸고 있음. 4월에 노란 사판화(四瓣花)가 총상(總狀) 화서로 피고, 열매는 원주형의 장각(長角)이며 씨는 작고 흑갈색임. 각지에서 재배하는데, 한국·중국·일본 홋카이도 등지에 분포함. 잎과 줄기는 식용, 씨는 기름을 짜서 식용함. 대개(薹芥). 운대(蕓薹). 유채(油菜). 한채(寒菜).

〈평지[1]〉

평지[2] 【平地】 명 바닥이 펀펀한 땅.

평지 낙상 【平地落傷】 명 ①평지에서 넘어져 다침. ②뜻밖에 불행한 일을 당함을 비유하는 말. ――-하다 자여불

평-지대 【平地帶】 명 평평하여 드넓은 지역.

평지 돌출 【平地突出】 명 ①평지에 산이 우뚝 솟음. ②한미(寒微)한 집안에서 돌봐 주는 사람 없이 출세함을 비유하는 말. ――-하다 자여불

평지-림 【平地林】 명 평지에 이루어진 수풀. ↔산악림(山岳林).

평지-목 【平地木】 명 《민》 육십 화갑자(六十花甲子)에서, 무술(戊戌)·기해(己亥)에 붙이는 납음(納音). 술(戌)은 들판이요, 해(亥)는 목(木)의 발생지(發生地)이니, 나무가 평지에서 움트고 자라난다는 말.

평-지붕 【平―】 명 《건》 지붕 형식의 하나. 물매가 매우 떠서 수평에 가까운 지붕.

평지-천 【平地泉】 명 《지》 '핑디취안'을 우리 음으로 읽은 이름.

평지 풍파 【平地風波】 명 뜻밖에 분쟁이 일어남을 비유하는 말. ¶ ~를 일으키다.

평직 【平織】 명 직물의 삼원 조직의 하나. 씨실과 날실이 한 가닥씩 서로 섞여 짜이는 방식. 또, 그렇게 짠 천. 질기고 실용적이어서 이용도가 많음. 광목·모시 따위. *능직(綾織)·수자직(繻子織). ②한 가지 실로만 짜는 방법. 또, 그렇게 짠 천. ↔교직(交織).

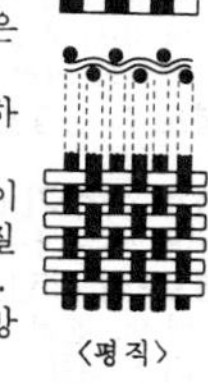

〈평직〉

평진 음전 【平珍音典】 명 《역》 신라의 관아(官衙) 이름.

평-집 【平―】 [―찝] 명 《건》 도리를 셋이나 넷을 얹어서 지은 집. 평가(平家).

평찌 명 나지막하고 평평하게 가는 화살.

평차 【平車】 명 수레의 한 가지. 소하물(小荷物) 운반용의 작은 수레.

평창 【平昌】 명 《지》 강원도 평창군의 군청 소재지로 읍(邑). 군의 남부, 한강 상류인 평창강(平昌江) 좌안에 위치함. 산간 벽촌으로 교통이 매우 불편하며 겨울에는 적설(積雪)로 인해 자주 교통이 두절됨. [11,324 명(1990)]

평창-강 【平昌江】 명 《지》 강원도 중부를 남류(南流)하는 한강(漢江)의 지류. 오대산(五臺山) 남서 계방산에서 발원하여 평창·영월(寧越)을 거쳐 한강에 합류함. 직선 거리 60 km를 220 km로 곡류(曲流)하는 것으로 유명함. [220 km]

평창-군 【平昌郡】 명 《지》 강원도의 한 군. 관내 1 읍 7면. 북은 홍천군(洪川郡), 동은 명주군(溟州郡)·정선군(旌善郡), 남은 영월군(寧越郡),

서는 횡성군(橫城郡)에 인접함. 농업이 주며, 옥수수·감자·잎담배·호프·표고·약초 등의 산출이 많으며 축산업도 성함. 명승 고적으로는 월정사(月精寺)·상원사(上院寺)·오대산사고(五臺山史庫)·응암굴(鷹巖窟)·청심대(淸心臺)·봉산 서원·용평 스키장 등이 있음. 군청 소재지는 평창. [1,460.05 km^2 : 53,257명(1990)]

평천【平泉】명〖지〗'핑취안'을 우리 음으로 읽은 이름.

평천-관【平天冠】명〖역〗임금이 쓰던 관의 한 가지. 위가 판판함.

평-천하【平天下】명 천하를 평정(平定)함. ——-하다 자여불

평철 렌즈【平凸—】[lens] 명〖물〗한 쪽 면은 평평하고 다른 한 쪽 면은 볼록한 렌즈. *렌즈.

평철-판【平凸版】명〖인쇄〗비획선부(非劃線部)를 부식(腐蝕)하여, 아주 작게 돌기(突起)시킨 평판(平版). 오프셋 인쇄기로 인쇄함.

평체【平體】명〖인쇄〗사진 식자(植字)의 변형(變形) 문자의 하나. 변형 보조(補助) 렌즈를 써서 세로를 10-30% 줄인 자체(字體).

평초【萍草】명〖식〗개구리밥.

평취【平吹】명 입김을 중간 정도의 세기로 전통 관악기에 불어넣어 소리를 내는 연주 기법. 세게 부는 역취(力吹)나 약하게 부는 저취(低吹)와는 구분(區分)됨. ——-하다 타여불

평-측【平仄】명 ①평(平)과 측(仄). 평자(平字)와 측자(仄字). ②〖언〗한문 글자의 음운(音韻)의 높낮이. 한시 작법에 있어 이 평측의 글자를 규칙에 따라 가려 씀. 높낮이.

칠언절구 (仄起受平者) (仄起受平者)
오언절구 (平起受仄者) (平起受仄者)
○은 평(平) ●은 측(仄)
◐은 평측 공통(平仄共通)

〈평측❷〉

평측-식【平仄式】명〖문〗한시(漢詩)의 평측에 관한 법식.

평측-자【平仄字】명 한자(漢字)의 사성(四聲)에 있어서의 평자(平字)와 측자(仄字). 고저자(高低字). 고하자(高下字).

평-치[1]【平—】명〈속〉평안도 사람을 낮게 일컫는 말.

평치[2]【平治】명 나라를 태평하게 다스림. ——-하다 타여불

평-치차【平齒車】명 스퍼 기어(spur gear).

평-타【平他】명 한자(漢字)의 사성(四聲). 평성(平聲)과 타성(他聲). 곧, 상성(上聲)·거성(去聲)·입성(入聲).

평탄【平坦】명 ①지면(地面)이 넓고 평평함. ¶~한 길. ②마음이 편하고 고요함. ③일이 순조롭게 되어 나아감. 평평 탄탄. ——-하다 형여불

평탄-부【平坦部】명 ①평평한 부분. ②〖지〗산지(山地)에서, 땅이 평평하게 되어 있는 부분.

평탄-지【平坦地】명 평탄한 땅.

평탄화 작용【平坦化作用】명〖지〗기준화 작용(基準化作用).

평-태양【平太陽】명〖천〗평균 태양(平均太陽).

평태양-일【平太陽日】명〖천〗평균 태양일(平均太陽日).

평택【平澤】명〖지〗경기도의 한 시(市). 1읍(邑) 8면(面) 14동(洞). 북쪽은 화성군(華城郡), 동쪽은 안성시(安城市), 남쪽은 충청 남도 아산시(牙山市), 서쪽은 아산만(牙山灣)을 건너서 당진군(唐津郡)에 접함. 농업 외에 소금·새우·조기 등의 수산업이 성함. 명승 고적으로는 농성(農城)·무성산(武城山)·심복사(深福寺)·만기사(萬奇寺)·평택 향교(鄕校)·영웅 바위·고잔(高棧) 저수지 등이 있음. [437.58 km^2 : 321,383명(1996)].

[평택이 무너지나 아산(牙山)이 깨어지나 해 보자] 끝까지 겨뤄 보자는 말.

평택-군【平澤郡】명〖지〗경기도에 속했던 군. 1995년 5월, 평택시·송탄시(松炭市)와 통합하여 시(市)로 개편됨.

평택 화:력 발전소【平澤火力發電所】[—쩐—] 명 경기도 평택시 포승면(浦升面)에 있는, 중유(重油)를 연료로 사용하는 화력 발전소. 1980년 10월에 준공. 시설 용량 70만 kW로, 아산(牙山) 공업 단지와 중부 일원의 전력 공급을 담당함.

평토【平土】명 관(棺)을 매장한 뒤에 흙을 쳐서 평평하게 함. ——-하다 자여불

평토 깍두기【平土—】명 짜게 담가 땅에 묻었다가 이듬해 여름에 꺼내 먹는 깍두기.

평토-장【平土葬】명 봉분을 만들지 않고 평평하게 매장함. 또, 그러한 매장. 흔히, 암장(暗葬)할 때 함. 준평장(平葬). ——-하다 타여불

평토-제【平土祭】명 ①평토를 한 후 지내는 제사. ②봉분제(封墳祭).

평판[1]【平板】명 ①평평한 판. 펀펀한 널조각. ②〖농〗씨를 뿌릴 때 땅을 고르게 하는 농구(農具). ③바르게 위에서 본 땅의 모양을 종이 위에 직접 재어 그리는 측량 기계(測量機械). ④시문(詩文)에 파란(波瀾)·변화가 없고 아취(雅趣)가 적음.

〈평판¹❷〉

평판[2]【平版】명〖인쇄〗판면(版面)에 거의 요철(凹凸)이 없고 화학적 작용에 의해서 제판(製版)되어 잉크의 지방(脂肪)과 물과의 반발성(反撥性)에 의해서 인쇄되는 인쇄판(印刷版).

평:판[3]【評判】명 ①비평하여 시비를 판정함. ②세간(世間)의 비평. 세상 사람의 비평. ¶~이 좋지 못하다. *소문(所聞). ——-하다 타여불

평판-기【平版機】명〖인쇄〗평면 연판(鉛版)이나 원판(原版)으로 하는 보통 인쇄 기계.

평판 배:양【平板培養】명 [plate culture]〖생〗한천(寒天)·젤라틴(gelatine) 등의 교상 고형 배지(膠狀固形培地)를 평판 모양으로 만들고 여기에 미생물이나 다세포(多細胞) 생물의 조직·기관(器官) 등을 배양하는 일. 보통 페트리(petri) 접시를 사용함. 세균학·발생학에 널리 응용되고 있음.

평판 인쇄【平版印刷】명〖인쇄〗평판(平版)을 써서 하는 인쇄의 총칭. 오프셋 인쇄·석판(石版) 인쇄 같은 것. ——-하다 타여불

평판 측량【平板測量】[—냥] 명〖토〗삼각가(三脚架) 위에 제도판을 얹어 수평을 유지하고 평판을 써서 땅 위의 모양을 평면 위에 나타내어 그리는 간이 측량(簡易測量). ——-하다 타여불

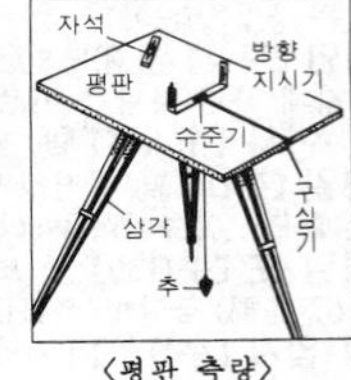

〈평판 측량〉

평편【平便】명 평평하여 편안함. ——-하다 형여불

평평【平平】명 ①높낮이가 없이 널찍하고 판판함. ②특별함이 없이 예사롭고 평범함. ——-하다 형여불. ——-히 부

평평 범범【平平凡凡】명 평범(平凡). ——-하다 형여불

평평 탄:탄【平平坦坦】명 평탄(平坦). ——-하다 형여불

평포【平鋪】명 편평하게 베풀어 놓음. ——-하다 타여불

평풍 명 ←병풍(屛風).

평풍ᄂᆞ몰 명〈옛〉병풍나물. ¶평풍ᄂᆞ몰 불휘(防風)《牛方 Ⅻ》.

평-피대【平皮帶】명 띠 모양으로 평평하고 넓은 피대.

평:필【評筆】명 평하는 글을 쓰는 붓. ¶~을 휘들다.

평:-하다【評—】타여불 ①↗비평(批評)하다. ②평론하다.

평해【平海】명〖지〗경상 북도 울진군(蔚珍郡)의 한 읍(邑). 군의 남쪽에 위치하여, 동쪽으로 동해에 면하고, 서쪽은 온정면(溫井面), 남쪽은 후포면(厚浦面), 북쪽은 기성면(箕城面)에 접함. [5,349명(1996)]

평행【平行】명 ①〖수〗같은 평면 상의 두 직선 또는 공간의 두 평면이나 한 직선과 한 평면이 아무리 연장(延長)하여도 서로 만나지 않음. ¶선을 ~으로 긋다. ②병행(並行). ③글씨를 쓰는데, 각 줄의 머릿자를 꼭 같은 높이로 씀. ——-하다 형여불

평행-각【平行角】명〖수〗로바체프스키(Lobachevskii, N.I.) 및 보여이(Bólyai, J.)의 비(非)유클리드 기하학의 용어. 이 기하학에서, 직선 AB 밖의 점 P에 대하여, 그것을 출발점으로 하는 반직선(半直線) PM, PN이 그 양측에 있어, 각(角) MPN은 2직각(二直角)을 이루지 아니하고 그 안쪽에 있는 반직선 PX는 반드시 직선 AB와 교차하나, PM, PN 자신은 AB와 교차하지 아니함. 이 때, 각 MPN의 반을 P의 AB에 대한 평행각이라 함.

평행 결정【平行結晶】[—쩡] 명 같은 정계(晶系)의 많은 결정이 평행으로 모여 한 덩이가 된 결정. 수정(水晶) 같은 것.

평행 곡선【平行曲線】명〖수〗평면 위의 하나의 곡선을 따라 공통(共通)의 법선(法線)을 갖는 곡선. 한 곡선의 모든 법선을 항상 직선으로 자르는 곡선.

평행 광선속【平行光線束】명 [flux of parallel rays]〖물〗광선이 어떤 물체를 향하여 평행하게 진행하는 광선속. *발산(發散) 광선속·수렴(收斂) 광선속.

평행-력【平行力】[—녁] 명 [parallel force]〖물〗힘의 방향이 어느 직선과 평행하는 힘.

평행-론【平行論】[—논] 명〖철〗병행론(並行論). 물심(物心) 평행론.

평행-맥【平行脈】명〖식〗나란히맥. ↔망상맥(網狀脈).

평행-면【平行面】명〖수〗↗평행 평면(平行平面).

평행-봉【平行棒】명 기계 체조 용구(用具)의 하나. 두 개의 평행한 가로대를 160cm 정도의 높이로 버티어 놓은 것으로, 높낮이를 자유 자재로 움직일 수 있도록 한 것도 있음. 횡목 위에서 흔들기·돌기·틀기·버티기·물구나무서기 등을 함. 수평봉(水平棒).

〈평행봉〉

평행 부정합【平行不整合】명 [disconformity]〖지〗두 개의 지층(地層)이 평행으로 겹쳐 있으나, 이 양자 사이에 시간적 차이는 있어도, 지각(地殼) 변동이나 퇴적 작용이 없는 일. 비정합(非整合). ↔사주(斜走) 부정합.

평행 사:변형【平行四邊形】명〖수〗서로 마주 대하는 두 쌍의 변이 각기 평행인 사변형. 평행형. 나란히꼴.

평행 사:변형의 법칙【平行四邊形—法則】[—/—에—] 명 [law of parallelogram]〖수〗벡터의 덧셈의 법칙. 두 개의 벡터의 합(合)은 이 두 개의 벡터를 두 변(邊)으로 하는 평행 사변형의 대각선(對角線)으로 나타냄.

평행 사영【平行射影】명 평면 a′ 위의 도형 F′에, 어떤 정한 방향에 평행한 평행 광선을 비추었을 때, 그것이 평면 a′ 위에 내려져 그림자 F′가 F를 a′ 위에 평행으로 비춘 그림자. 이 때 만일 정한 방향이 평면 a′에 수직(垂直)이면 F′는 F의 '정사영(正射影)'이라 함.

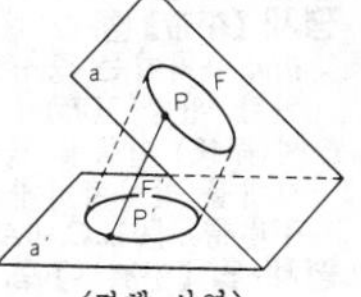

〈평행 사영〉

평행-선【平行線】명〖수〗↗평행 직선.

평행 연정【平行連晶】[—년—] 명 둘 이상의 동종 결정(同種結晶)이 서로 대응하는 결정축(結晶軸)과 평행하게 집합하거나, 이종 결정(異種結晶)이 결정축의 방향에 간단한 규칙적 관계로 집합하는 일.

평행 유도【平行誘導】명 [parallel induction]〖생〗외계의 영향이 곧 나타남과 동시에 자손에 유전하는 경우. 체세포(體細胞)와 생식(生殖)

세포가 평행적으로 영향을 받았다고 하여 이 현상을 일컫는 말.

평행 육면체【平行六面體】[—뉵—] [명] 〖수〗 세 쌍의 마주 대하는 면이 각기 평행한 육면체.

평행 이동【平行移動】[명] 〖수〗 물체나 도형(圖形)의 각 점(點)이 같은 방향으로, 같은 거리만큼 옮기는 운동. 병진(並進). 병진 운동(並進運動). ——-하다 [자][여불]

「브라운의 법칙(法則).

평행 이동의 법칙【平行移動—法則】[—/—에—] [명] 〖물〗 르 샤틀리에

평행-자【平行—】[명] 두 개의 긴 자로 구성되어 많은 평행선을 긋는 데 쓰는 자. 평행 정규(定規).

평행적 활동【平行的活動】[—똥] [명] 〔parallel activity〕〖심〗 몇 명의 유아(乳兒)에게 장난감을 주어 같은 방에서 놀게 하면, 각기 독립적으로 놀뿐, 상호 작용은 거의 나타나지 않는 상태. 유아의 사회적 행동(社會的行動)을 노는 장면에서 관찰하면, 대체로 두 살까지는 혼자 노는 경우가 많음.

평행 정:규【平行定規】[명] 평행자.

평행-조【平行調】[—쪼] [명] 〔도 Paralleltonarten〕〖악〗 관계조(關係調)의 하나. 같은 조표를 쓰는 장조(長調)와 단조(短調)를 이름. 이를테면 다 장조(長調)와 가 단조(短調)는 3도(度)로 평행하고 있으며, 서로 평행조의 관계에 있음. 나란한조(調). 병행조(並行調).

평행 좌:표【平行座標】[명] 〖수〗 평면 위의 한 점 O에서 만나는 두 직선 X′X, Y′Y를 기준으로 하여, 평면 위의 임의의 점 P를 지나고 두 직선에 평행인 직선이 X′X, Y′Y와 만나는 점을 A, B로 하고, 그 좌표를 각각 x, y로 나타낼 때에, 점 P의 위치는 (x, y)로 표시됨. 이 (x, y)를 P의 평행 좌표라고 함. 데카르트 좌표.

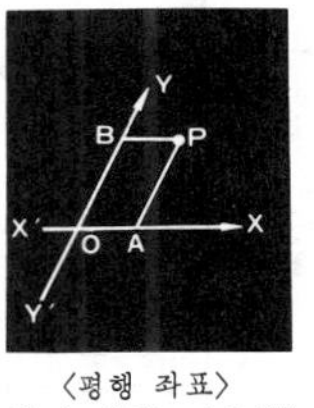

〈평행 좌표〉

평행 좌:표계【平行座標系】[명] 〖수〗 평행 좌표를 정하기 위한 기구(機構). 데카르트가 발견하였음.

평행 직선【平行直線】[명] 〖수〗 같은 평면 상에 있는 두 개 또는 그 이상의 서로 평행한 직선. 나란히금. [준]평행선(平行線).

평행 진:화【平行進化】[명] 〔parallel evolution〕〖생〗 공통의 조상(祖上)으로부터 갈라져 나온 자손(子孫)에게서, 진화에 관하여 같은 특징과 경향이 드러나는 일.

평행 키:【平行—】〔key〕[명] 〖기〗 축과 같이 회전하면서 축선 방향으로 미끄럼 운동을 하도록 된 키.

평행 투영【平行投影】[명] 〖수〗 평행 광선(平行光線)에 의한 투영. 정투영(正投影)과 사투영(斜投影)의 두 가지가 있음.

평행판 축전기【平行板蓄電器】[명] 〔parallel plate capacitor〕〖물〗 축전기의 하나. 두 장의 도체 평판(導體平板)을 양극판(兩極板)으로 마주 합쳐서 만든 축전기.

평행 평면【平行平面】[명] 〖수〗 같은 공간 상에 있는 두 개 또는 그 이상의 서로 평행한 평면. [준]평행면(平行面).

평행-형【平行形】[명] 〖수〗 평행 사변형.

평행-호【平行壕】[명] 〖군〗 전선(戰線)에 대하여 평행하게 구축한 참호(塹壕). 횡적 연락 및 사격에 쓰임.

평향【萍鄕】[명] 〖지〗 '핑샹'을 우리 음으로 읽은 이름.

평허【平虛】[명] 아무 걱정이 없이 마음이 편안함. ——-하다 [형][여불]

평형【平衡】[명] ①물체가 역학적으로 균형이 잡힌 상태에 있음. 전(轉)하여, 사물이 한 쪽으로 기울지 않고 안정(安定)함. ②절하는 법의 한 가지. 몸을 굽히어 머리와 허리가 저울대처럼 바르게 함. ③물건을 다는 데 저울대가 수평의 위치를 취하는 상태. ④균형(均衡). ¶ ~을 유지하다. ⑤〖물〗 물질의 상태가 변화하지 않고 일정한 상태를 유지함. ——-하다 [형][여불]

평형-각【平衡覺】[명] 〖생〗 평형 감각.

평형-간【平衡桿】[명] 〖충〗 파리 같은 곤충의 평형 기관. 뒷날개가 변화한 돌기(突起)로, 날개 밑 가까이에 있음.

평형 감:각【平衡感覺】[명] ①〖생〗 중력(重力)의 방향에 대한 몸의 위치나 균형을 아는 감각. 체위(體位)를 정상적으로 유지하는 역할을 하며 이는 평형 기관에 의하여 일어남. 평형각. ②〖심〗 외계(外界)에 대한 온 몸의 위치나 운동을 감수(感受)하는 감각.

평형 곡선【平衡曲線】[명] 〖지〗 현저한 침식(浸蝕)이나 퇴적(堆積)이 행하여지지 아니한, 장년기(壯年期) 이후의 하천(河川)의 종단면(縱斷面)에서 볼 수 있는 곡선.

평형-관【平型關】[명] 〖지〗 '핑싱관'을 우리 음으로 읽은 이름.

평형 교부금【平衡交付金】[명] 〖경〗 지방 자치 단체의 불균형한 재정을 도와, 국가가 지방 자치 단체에 교부하는 교부금.

평형-기【平衡器】[명] 〖생〗 평형 기관.

평형 기관【平衡器官】[명] 〖생〗 중력(重力) 및 동물체의 운동의 방향을 감수(感受)하는 기관. 속에 있는 고체나 액체가 중력이나 관성(慣性)에 의하여 활동하는 것을, 감각모(感覺毛)에 의하여 감수함. 가장 원시적(原始的)인 것은 평형낭(平衡囊)이고, 고등 척추 동물의 것은 반고리관임. 평형기.

평형 기능【平衡機能】[명] 〖생〗 평형 기관(器官)이 체위(體位)를 정상으로 유지하는 능력.

평형-낭【平衡囊】[명] 〖생〗 물에 사는 무척추 동물에서 볼 수 있는 평형 기관. 외배엽(外胚葉)이 함입하여 이룬 주머니로, 그 속에 감각모(感覺毛)가 있으며, 그 위쪽에 한 개 또는 한 덩어리의 평형석(平衡石)이 있음. 평형석이 특정의 감각모를 자극하면 평형 감각이 일어남. 척추 동물 내이(內耳)의 전정기(前庭器)와 같은 기능을 가진 기관으로 생각되고 있음. 평형포(胞).

평형-대【平衡臺】[명] 평균대(平均臺).

평형 밀도【平衡密度】[—또] [명] 〔orthobaric density〕〖화〗 액체 및 그 증기가 어떤 온도에서, 서로 열평형(熱平衡)을 유지할 때의 액체와 그 증기의 밀도.

평형 상수【平衡常數】[명] 〔equilibrium constant〕〖화〗 화학 반응이 평형에 이르렀을 때, 반응 물질의 농도곱과 생성 물질의 농도곱과의 비(比). 기체 반응의 경우에는 농도 대신 분압(分壓)을 써서 나타내기도 함. 평형 상수도 온도가 일정하면 변하지 않으나 온도가 변하면 변함.

평형-석【平衡石】[명] 〖생〗 무척추 동물의 평형포(平衡胞)와 척추 동물의 구형낭(球形囊)·난형낭(卵形囊) 속에 들어 있는 고형물(固形物). 척추 동물에서는 탄산 칼슘, 바늘해파리에서는 수산(蓚酸) 칼슘, 보리새우의 미지(尾肢)에서는 플루오르화(化) 칼슘으로, 새우·게에서는 물밑의 사립(砂粒)이 함유됨. 이들 평형석이 감각모(感覺毛)에 접촉함으로써 특정한 평형 감각이 발생함. 이석(耳石). 청석(聽石).

평형-세【平衡稅】[—쎄] [명] 〖경〗 조세(租稅) 부담의 균형을 꾀하기 위하여 부과하는 조세.

평형 시험기【平衡試驗機】[명] 기계의 회전부(回轉部)의 평형을 시험하는 기계. 고속 회전 기계의 진동 방지(振動防止) 등에 씀.

평형 전:위【平衡電位】[명] 〖전〗 전리 용압(電離溶壓).

평형 증류【平衡蒸溜】[—뉴] [명] 원액(原液)을 계속적으로 증발기(蒸發器)에 공급하여 액체의 일부를 증발시키고, 발생한 전체 증기와 증발하지 않은 액상(液相)과의 사이에 항상 평형이 성립되는 조건 밑에서 하는 증류.

평형-천【平衡川】[명] 〖지〗 평형 하천(河川).

평형 청:각기【平衡聽覺器】[명] 〖생〗 평형 감각과 청각을 감수(感受)하는 기관. 척추 동물에서는 평형 감각에 관계하는 반고리관과 전정(前庭)기관, 청각에 관계하는 달팽이관이 내이(內耳)에 있음.

평형-추【平衡錘】[명] 기계의 부분이 그 지점(支點) 또는 축(軸)에 대하여 평형을 잘 이루게 하는 추. 기관차의 동륜(動輪) 등에서 쓰임. 밸런스 웨이트(balance weight).

평형-키【平衡—】[명] 평형타(舵).

평형-타【平衡舵】[명] 타판(舵板)이 타축(舵軸)의 앞 부분에까지 뻗쳐 있는 키. 평형키.

평형 통풍【平衡通風】[명] 압입 통풍(押入通風)과 흡출(吸出) 통풍을 동시에 행하는 통풍 방법. 곧, 통풍로(通風路) 입구에서 통풍 가스를 불어 넣고 출구에서 빨아 내는 형식.

평형-포【平衡胞】[명] 〖생〗 평형낭(平衡囊).

평형 하천【平衡河川】[명] 〖지〗 하류의 침식 작용과 퇴적(堆積) 작용이 평형을 유지하고 있는 하천. 평형천.

평화[1]【平和】[명] ①평온하고 화목함. 화합하고 안온(安穩)함. ②전쟁이 없이 세상이 평온함. ¶세계 ~/~ 공세. ——-하다 [형][여불]

평화[2]【平話·評話】[명] ①중국에서 구어(口語)로 강설하던 야사(野史). ②중국에서 쓰이는 백화(白話). 곧, 구어(口語)의 문체(文體).

평화 감시 위원회【平和監視委員會】[명] 유엔 총회의 보조 기관의 하나. 국제적 긴장이 존재하는 지역의 정세를 감시·보고함을 목적으로 하는, 5대국을 포함한 14개국으로 구성된 위원회.

평화 공:세【平和攻勢】[명] 국제 관계가 냉전 하(冷戰下)에서 긴장·악화되었을 때 한 쪽 진영(陣營)에서 갑작스럽게 평화적 태도를 취하여 행하는 공세. 공산주의 국가의 평화 정책을 단지 선전 효과를 노린 전술적(戰術的)인 수단으로 생각하여 일컫는 말.

평화 공:존【平和共存】[명] 사회 체제가 다른 자본주의 국가와 사회주의 국가가 평화적으로 공존할 수 있다는 이론 및 정책. 소비에트 연방이 수립된 후 레닌이 주장하였는데, 소련 공산당 제20회 대회에서 흐루시초프가 소련 외교 노선으로 내놓았음. 평화적 공존.

평화-교【平化敎】[명] 〖종〗 동학(東學) 계통의 교의 하나. 수운(水雲) 최제우(崔濟愚)를 교조(敎祖)로 하며, 장봉준(張鳳俊)이 창설함.

평화 교:육【平和敎育】[명] 〖교〗 ①제국민 간의 상호 이해를 깊게 함으로써 세계 평화를 유지하는 데 기여(寄與)함을 목적으로 하는 교육 활동. 국제 이해의 교육(education for international understanding). ②평화를 위한 여러 조건을 부단히 형성하여 가는 태도와 능력을 양성함을 중심 목표로 삼는 국민 교육.

평화 기구【平和機構】[명] 국가 간의 평화 유지를 목적으로 조직된 기구. 그 대표적인 것은 유엔임.

평화 담판【平和談判】[명] 평화 조약을 맺기 위한 담판. 평화 협상.

평화-롭다【平和—】[형][ㅂ불] 평온하고 화목한 느낌이 있다. **평화-로이**【平和—】[부]

평화-리【平和裡】[명] 평화로운 가운데. 평화로운 상태.

평-화면【平畫面】[명] 〖수〗 정투영(正投影)에서 직교(直交)하는 두 개의 화면(畫面) 중 수평의 위치에 있는 화면. ↔입화면·측화면.

평화 민주당【平和民主黨】[명] 〖정〗 우리 나라의 정당의 하나. 1987년 11월 창당. 김대중(金大中)이 총재로 추대됨. 1991년 4월 신민주 연합당(新民主聯合黨)이 되었다가 1991년 7월 민주당과 합당, 민주당(民主黨)으로 새출발함으로써 해체됨. [준]평민당.

평화 방:송【平和放送】[명] 민간 방송의 하나. 종교의 생활화, 사회 교육의 고양을 목적으로 1990년 4월에 개국(開局)한 가톨릭계(系) 종교 방송. 호출 부호는 HLQP. 통상 명칭은 피 비 시(PBC).

평화 봉:사단【平和奉仕團】[명] 〔Peace Corps〕〖정〗 아시아·아프리카·중남미의 발전 도상국에 파견되어, 그 나라의 개발 원조나 기술 교육 자로서 헌신하는 미국의 대학 졸업생의 일단(一團). 케네디 대통령의 대통령 선거 공약(公約)에 따라 1961년 3월에 발족하여 미국 정부 내의 국제 청년 봉사 기관(International Youth Service Agency)의 관할 밑

에 놓임.

평화 산:업【平和産業】명 비군수적(非軍需的)인 상품의 생산을 목적으로 하는 산업. 농림 수산업·식료품 공업·서비스 산업 같은 것.

평화-상【平和賞】명 세계 평화를 위하여 다대한 공헌을 한 사람에게 주는 상. 노벨 평화상 같은 것.

평화-선【平和線】명〖정〗'이승만 라인'의 우리 나라에서의 호칭.

평화-스럽다【平和―】형ㅂ불 평화롭다. **평화-스레**【平和―】부

평화-시【平和時】명 평화로운 시기.

평화 시대【平和時代】명 전쟁이나 난리가 없이 평화로운 시대. ↔전쟁 시대(戰爭時代).

평화-신【平和神】명 평화를 수호(守護)하는 신.

평화 십원칙【平和十原則】명 '세계 평화와 협력의 증진에 관한 선언'에 담긴 기본적 인권 및 유엔 헌장의 원칙과 목적의 존중 등, 세계 평화를 위한 열 가지의 원칙. 1955년 4월, 반둥(Bandung)에서 열린 아시아 아프리카 회의에서 결의됨. 반둥 십원칙.

평화에 대한 죄:【平和―對―罪】명 전쟁 범죄의 하나. 침략적 전쟁 등 국제법에 위반하는 전쟁을 계획·준비·개시·실행하거나 그 목적으로 공동의 계획이나 모의에 참가하는 죄. 제2차 대전 후, 국제 군사 재판(國際軍事裁判)에서 '인도(人道)에 대한 죄'와 함께 새로운 전쟁 범죄(戰爭犯罪)로 추가됨.

평화 오:원칙【平和五原則】명 1954년 중국과 인도가 체결한 티베트·인도 사이의 통상·교통 협정 속에 제시된 중국·인도 국교(國交) 원칙. 영토 주권의 존중, 불가침, 불간섭, 호혜 평등, 평화적 공존의 다섯 가지. 그 후, 두 나라는 이것을 널리 세계 여러 나라와의 국교 확립을 위한 기초로 삼을 것을 주장하게 됨.

평화 운:동【平和運動】명 전쟁을 막고 세계 평화를 옹호하고자 전개(展開)하는 운동.

평화 유지군【平和維持軍】명 〔Peace Keeping Forces〕〖정〗국제 연합 안전 보장 이사회의 결의에 따라, 평화 유지 활동을 목적으로 분쟁 지역에 파견되는 가맹국(加盟國)의 군대. 자위용(自衛用)의 무기를 소지함. 한국도 UN의 요청으로 1993년 소말리아에 1개 대대 병력의 공병(工兵)부대를 파견했음. 1988년 노벨 평화상 수상. 피 케이 에프(PKF).

평화 유지 활동【平和維持活動】[―똥] 명 〔Peace Keeping Operations〕〖정〗분쟁의 확대 방지나 휴전 협정 이행 감시, 또는 선거 감시를 위해 UN 가맹국이 자발적으로 제공한 요원을 국제 연합이 편성하여 분쟁 지역에 파견하는 것. 비무장(非武裝)의 감시단과 경(輕)무장의 평화 유지군으로 대별(大別)됨. 국제 연합 헌장 제6장에 근거한 분쟁의 평화적 해결로도, 제7장에 근거한 강제 행동으로도 분류하기 힘들다는 뜻으로 '6장반(六章半) 활동'이라고도 불림. 피 케이 오(PKO).

평화 은행【平和銀行】명 시중 은행의 하나. 1992년 한국 노동 조합 총연맹 주도 하에, 근로자의 생활 안정 및 복지 증진을 위해 근로자에 대한 금융 지원을 원활히 할 목적으로 설립됨.

평화의 날【平和―】[―에―] 명〖천주교〗평화의 이념(理念)과 평화적 해결, 세계 평화를 위한 기도의 날. 교황 바오로 6세가 매년 1월 1일을 '평화의 날'로 정함.

평화 의:무【平和義務】명 노동 협약(勞動協約)의 당사자가 서로 노동 협약의 유효 기간 중에는 협약에 정해진 사항의 변경을 목적으로 하는 쟁의(爭議) 행위를 하지 아니하는 의무.

평화 의정서【平和議定書】명〖정〗국제 분쟁 처리에 관한 의정서. 특히, 1924년 국제 연맹 총회(國際聯盟總會)에서 작성한, 침략적 전쟁을 제거하고 일체의 국제 분쟁을 평화적으로 해결할 것을 규정한 문서. 주네브 의정서(Genève 議定書).

평화-적【平和的】명관 평화에 관한 것. 평화로운 모양.

평화적 공:존【平和的共存】명 〔peaceful co-existence〕 평화 공존(平和共存). *경쟁적 공존(競爭的共存).

평화 정신【平和精神】명 일체의 전쟁을 부정하며 평화를 사랑하고 이를 지키고자 하는 정신.

평화-제【平和祭】명〖종〗유태인이 하느님과 계약을 맺는 표로 드리는 제사. 모세의 제사 같은 것.

평화 조약【平和條約】명〖정〗①강화 조약(講和條約). ②헤이그 및 베르사유의 평화 회의에서 체결된 양(兩)조약의 통칭. ③1951년 샌프란시스코에서 일본에 대한 전쟁 상태 종결을 위하여 48개국에 의해 조인(調印)된 조약.

평화 조항【平和條項】명 노동 협약(勞動協約) 중에 제기되는 사항(事項)의 하나. 노사 분쟁(勞使紛爭)은 적당한 기관의 조정(調停)·알선(斡旋) 등을 거쳐 해결에 노력하지 않고서는 쟁의 행위(爭議行爲)에 호소하지 않을 것을 규정한 조항.

평화-주의【平和主義】[―/―이] 명 ①모든 전쟁을 반대하고 평화를 극력 주장하는 주의. ②국제 정치에서 평화를 이상으로 하여 처리하려는 입장.

평화 통:일【平和統一】명 무력을 사용한 전쟁에 의하지 않고 평화적인 방법으로 수행되는 통일.

평화 통:일 외:교 정책【平和統一外交政策】명 육이삼 선언(6·23宣言).

평화 통:일 정책 자문 회:의【平和統一政策諮問會議】[―/―이] 명 '민주 평화 통일 자문 회의'의 전신(前身).

평화 혁명【平和革命】명 무력을 행사하지 아니하고 평화적 수단으로써 수행되는 혁명. 무혈(無血) 혁명. ↔폭력(暴力) 혁명.

평화 협회【平和協會】명〖역〗대한 제국 말의 정치 계몽 단체. 융희(隆熙) 4년(1910) 심일택(沈日澤)·민영기(閔泳琦)·김윤식(金允植) 등이 설립함. 초대 회장에 남정철(南廷哲)이 선임되고 종실(宗室)인 완흥군(完興君)이 총재에 취임함. 한일 합방 후, 일제(日帝)의 탄압으로 해체됨. 「會議」.

평화 회:의【平和會議】[―/―이] 명〖정〗↗만국 평화 회의(萬國平和

평-활[1]【平―】명 연습할 때 쓰는 활.

평활[2]【平滑】명 평평하고 미끄러움. 또, 그 모양. ――하다 형여불

평활[3]【平闊】명 평평하고 넓음. 평탄하고 광활함. 또, 그 모양. ――하다 형여불

평활-근【平滑筋】명〖생〗민무늬근. ↔횡문근(橫紋筋).

평활-도【平滑度】[―또] 명〖인쇄〗지면(紙面)의 매끄러움의 정도. 인쇄 적성(印刷適性)을 표시하는 정도.

평활 회로【平滑回路】명〖전〗정류 회로(整流回路)에서 빼 낸 맥동적 직류(脈動的直流)를 평활한 직류(直流)로 고치기 위한 회로.

평:회【評會】명 비평하는 모임.

평흉-류【平胸類】[―뉴] 명〖조〗조류(鳥類) 분류 상의 한 그룹. 심흉류(深胸類)에 대(對)하는 것으로 흉골에 용골 돌기(龍骨突起)가 없음. 이 돌기의 유무로 현생(現生) 조류를 두 개로 대별(大別)하는 분류가 행하여졌으나 지금은 쓰이지 아니함. 그러나 타조·화식조(火食鳥) 등, 주조류(走鳥類)와 같은 새의 무리를 가리키므로 주조류의 동의어로서 지금도 쓰일 때가 있음.

평상거입【平上去入】명〈옛〉중국의 사성(四聲). 즉, 평성·상성·거성·입성. ¶諺語平上去入 如활爲弓而其聲平: 돌爲石而其聲上 갈爲刀而其聲去 붇爲筆而其聲入之類《訓例 合字解》.

평성【平聲】명〈옛〉평성. ¶平聲安而和春也 萬物舒泰《訓例 合字解》.

폐:[1]【肺】명〖생〗육서 동물(陸棲動物)의 호흡기(呼吸器)의 주요 부분. 수서(水棲) 동물의 아가미에 해당함. 사람에 있어서는 흉강(胸腔)의 양측, 횡격막(橫隔膜)의 상부(上部)에 좌우 한 개씩 있어 심장을 싸고 있음. 상단(上端)을 폐첨(肺尖), 내측 중앙의 혈관 및 기관지(氣管支) 등의 출입하는 부분을 폐문(肺門)이라 함. 각 기관(氣管)의 말단은 많은 폐포(肺胞)로 되어 이 부분에 모세관(毛細管)이 붙어서, 혈관·폐포의 벽을 통하여 혈액 중의 탄산 가스와 흡기(吸氣) 중의 산소를 교환함. 허파. 부아. 폐부(肺腑). 폐장(肺臟).

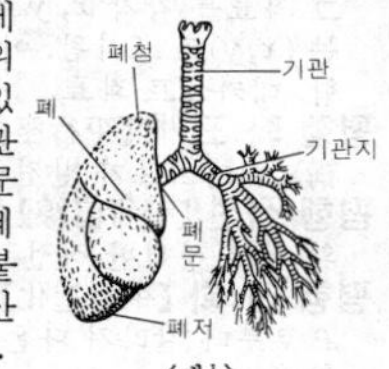

〈폐[1]〉

폐:[2]【弊】명 ①↗폐단(弊端). ②남에게 끼치는 괴로움. ¶～가 되다. 폐:(를) 끼치다 구 남에게 괴로움을 끼치다.

폐:-【弊】접 자기 것의 위에 붙이어 겸손한 뜻을 나타내는 말. ¶～사(社)/～교(校).

폐:가[1]【弊家】명 자기 집을 겸사하여 이르는 말.

폐:가[2]【廢家】명 ①버려 둬 낡아 빠진 집. ②호주(戶主)가 죽고 상속인(相續人)이 없어서 그 집의 뒤가 끊어지는 일. 또, 그 집. ③〖법〗호주가 타가(他家)에 입적(入籍)하기 위하여 스스로 그 일가(一家)를 폐하고 이를 소멸시키는 법률 행위. ――하다 자여불

폐:가-식【閉架式】명 폐가제(閉架制).

폐:가 입진【廢假立眞】명 가왕(假王)을 몰아 내고 진왕(眞王)을 세운다는 뜻으로, 고려 말에 이성계(李成桂) 등이 창왕(昌王)을 폐위시키고 공양왕을 세운 사건.

폐:가-제【閉架制】명 도서관에서 서고(書庫)를 열람자에게 자유롭게 공개하지 않고 일정한 절차에 의해 도서를 출납하는 제도. 폐가식.

폐:각[1]【閉殼】명 〔closed shell〕〖물〗파울리(Pauli)의 배타 원리(排他原理)에서 허용되는 최대한(最大限)의 개수(個數)의 전자(電子)를 수용한 전자각(電子殼). 전자 밀도는 구대칭(球對稱)이며, 전각 운동량(全角運動量)은 0이 되어 안정됨. 채워진 껍질.

폐:각[2]【廢脚】명 걷지 못하는 다리.

폐:각-근【閉殼筋】명 〔abductor muscle〕〖동〗연체 동물의 이매류(二枚貝類)에서, 좌우 두 장의 패각(貝殼)을 닫는 앞뒤 한 쌍의 근육. 전부(前部)를 전폐각근, 후부를 후폐각근이라 함. 폐각근은 각(殼)의 내면(內面)의 폐각근 흔(痕)에 부착하여, 그 수축에 의하여 각을 닫음. 속칭은 패주(貝柱). 조개관자.

폐:-간[1]【肺肝】명〖의〗폐와 간.

폐:간[2]【廢刊】명 신문·잡지 등의 정기 간행물의 간행을 폐지함. *정간(停刊). ――하다 타여불

폐:간-호【廢刊號】명 폐간되는 간행물의 마지막 호. ↔창간호.

폐:감【肺疳】명〖한의〗어린 아이의 폐경(肺經)에 일어나는 감병(疳病).

폐:강【閉講】명 하던 강좌(講座)나 강의 과목을 폐지함. ――하다 자여불

폐:객【弊客】명 ①남에게 폐를 끼치는 사람. ②찾아 다니며 귀찮게 구는 사람. 폐꾼.

폐:갱【廢坑】명 폐기된 광산(鑛山)이나 탄갱(炭坑).

폐:거[1]【閉居】명 집안에 들어박혀 있음. 칩거(蟄居). ――하다 자여불

폐:거[2]【弊居】명 폐가(弊家).

폐:건【敝件】[―껀] 명 옷·그릇 같은 것의 낡고 더러워져 못 쓰게 된 물건(物件).

폐:-결핵【肺結核】명〖의〗결핵균에 의해 폐에 생기는 만성의 전염병. 대개 잠행적(潛行的)으로 일어나 해소(咳嗽)·객담(喀痰)·객혈(喀血)·호흡 촉박·흉통(胸痛) 등의 국소 증상(局所症狀) 또는 권태(倦怠)·미열(微熱)·발한(發汗) 등의 일반 증상(一般症狀) 및 식욕 부진·빈맥(頻脈)·심계 항진(心悸亢進)·빈혈(貧血) 등의 증상을 나타냄. 노점(癆漸). 폐병. 폐질(肺疾). 폐환(肺患). 폐허(肺虛).

폐:결핵 환:자【肺結核患者】명 폐결핵을 앓는 환자.

폐:경【肺經】명〖한의〗폐에 딸린 경락(經絡).

폐:경-기【閉經期】명〖생〗↗월경 폐쇄기.

폐:-곡면【閉曲面】명〖수〗구면(球面) 또는 원환면(圓環面)과 같이 닫혀진 곡면. 경계가 없는 곡면. 닫힌 곡면.

폐:-곡선【閉曲線】명〔closed curve〕〖수〗곡선의 하나. 그 위를 한 점이 한 방향으로 움직였을 때, 다시 제 위치에 돌아오는 곡선. 양끝이 일치하고 있는 연속된 호(弧).

폐:공[1]【幣貢】명 공물(貢物).

폐:공[2]【蔽空】명 하늘을 가림. ──-하다 자여불

폐:공[3]【廢工】명 공부 또는 하던 일을 폐지함. ──-하다 타여불

폐:-공동【肺空洞】명〖의〗폐 실질(肺實質)에 생긴 결핵성의 결절(結節)이 치즈(cheese) 모양으로 변성(變性)하여, 마지막에는 액화(液化)하여 고름이 죽과 같이 되어, 일부는 흡수되고, 대부분은 가래와 함께 객출(喀出)되는데 그 자리에 생긴 공동.

폐:과[1]【閉果】명〔indehiscent fruit〕〖식〗건조과(乾燥果)의 하나. 익어도 껍질이 터지지 않는 열매. 볏과(科)의 영과(穎果), 단풍과의 시과(翅果), 참나뭇과의 견과(堅果), 국화과의 수과(瘦果) 등이 있음. ↔열과(裂果).

폐:과[2]【廢科】명〖역〗과거(科擧)를 보러 다니던 일을 폐지함. ──-하다 자여불

폐:관[1]【閉管】명〔closed pipe〕풍금관(風琴管)이나 클라리넷같이 한 쪽 끝이 닫히고 다른 쪽 끝이 열린 관. 관 안의 기주(氣柱)의 진동으로 소리를 냄. 짧은 관으로 저음을 얻을 수 있음.

폐:관[2]【閉館】명 시간이 되어 도서관·박물관 따위의 문을 닫음. ↔개관(開館). ──-하다 자타여불

폐:관[3]【閉關】명 ①문을 닫고 내객(來客)을 거절함. 세속(世俗)과의 교제를 끊음. ②외국과의 조약을 폐함. ──-하다 타여불

폐:-관[4]【弊館】명 자기 관(館)을 겸사하여 이르는 말. ↔귀관(貴館).

폐:관[5]【廢館】명 ①피폐한 관(館). ②영화관·학관 등의 관(館)을 폐쇄함. ↔개관(開館). ──-하다 자여불

폐:관 압력계【閉管壓力計】[─녁─] 명〖물〗유자관(U字管) 압력계의 한 가지. 수은 압력계(水銀壓力計) 등에 쓰임. 막힌 압력계.

폐:광【廢鑛】명〖광〗광산의 발굴을 폐지함. 또, 그 광산. ──-하다 자여불

폐:-괴저【肺壞疽】명〖의〗폐조직에 괴사(壞死)가 일어나 거기에 부패균(腐敗菌)이 작용하여 악취를 내는 질환. 병원균은 혐기성균(嫌氣性菌)·방추상균(紡錘狀菌)·스피로헤타·사상균(絲狀菌)·변형균(變形菌) 등임. 발열(發熱)·피로감(疲勞感)·식욕 부진·기침·흉통(胸痛) 등의 증상이 있음.

폐:교[1]【閉校】명 ①학교 문을 닫고 수업을 중지하고 쉼. ↔개교(開校). ②폐교(廢校). ──-하다 자여불

폐:-교[2]【弊校】명 자기 학교를 겸사하여 이르는 말. ↔귀교(貴校).

폐:교[3]【廢校】명 학교를 폐지함. 또, 그 학교. 폐교(閉校). ↔개교(開校). ──-하다 자여불

폐:구【閉口】명 입을 다묾. ──-하다 자여불

폐:-구간【閉區間】명〖수〗집합론(集合論)에서 구간(區間)의 양단(兩端)을 그 집합에 넣을 때의 구간. 곧, $a \leq x \leq b$를 만족시키는 모든 x의 집합. ↔개구간(開區間).

폐:-구역【肺區域】명〖의〗폐외과(肺外科)에 있어서의 폐의 해부학적 단위. 기관지는 폐엽(肺葉)에 따라 분지(分枝)한 다음 다시 구기관지(區氣管支)로 나뉨. 이 구기관지의 각각의 분포 영역을 폐구역이라고 함. 보통, 우폐(右肺)는 10, 좌폐는 8-9 구역으로 나눔.

폐:구-음【閉口音】명〖언〗입을 다물고 두 입술을 동글리지 아니하는 음. 한글의 'ㅡ'와 같은 것. *합구음(合口音).

폐:구-항【閉口港】명 조수의 간만의 차가 크기 때문에, 항구에 수문(水門) 또는 갑문(閘門)을 설치하여, 항내의 수심이 적절하게 유지되도록 만들어진 항구.

폐:국[1]【弊局】명 폐해가 많아 결딴나게 된 판국(版局).

폐:국[2]【弊國】명 자기 나라를 겸사(謙辭)히 이르는 말. 폐방(弊邦). ↔귀국(貴國).

폐:군[1]【廢君】명 폐위(廢位)된 군주(君主). 폐주(廢主).

폐:군[2]【廢郡】명 군(郡)을 폐함. 또, 그 군. ──-하다 자여불

폐:궁[1]【廢弓】명 궁술(弓術)을 그만둠. ──-하다 자여불

폐:궁[2]【廢宮】명 궁전(宮殿)을 폐함. 또, 그 궁전. ──-하다 자여불

폐기[1] 명〈방〉까닭(함남).

폐:기[2]【閉氣·肺氣】명 딸꾹질. ──-하다 자여불

폐:기[3]【廢氣】명 배기(排氣)❷.

폐:기[4]【廢棄】명 ①못 쓰게 된 것을 버림. 폐지하여 방기함. ¶ ~ 처분. ②조약(條約)을 당사자(當事者)의 의사(意思)에 의하여 효력을 잃게 함. ──-하다 타여불

폐:기관지 칸디다증【肺氣管支─症】〔라 candida〕[─쯩] 명〖의〗곰팡이의 일종인 칸디다가, 폐(肺)나 기관지에 번식하여 일어나는 병. 열이 나고 기침·가래가 나옴.

폐:기-량【肺氣量】명 폐활량(肺活量).

폐:기-물【廢棄物】명 쓸모가 없어져서 폐기한 물건. 쓰레기·분뇨 따위의 생활 폐기물, 폐유(廢油)·오니(汚泥)·광재(鑛滓) 따위의 산업 폐기물, 방사성 폐기물 따위. 환경 오염의 주요인으로 문제화되고 있음.

폐:기물 처:리 가스 발전【廢棄物處理─發電】〔gas〕[─쩐] 명 농가에서 기르는 소·돼지 등의 똥에서 발생하는 메탄 가스나 도시의 쓰레기·하수도 처리(下水道處理) 때에 발생하는 가스를 연료(燃料)로 하는 가스 엔진에 의한 발전 방식(發電方式).

폐:-기종【肺氣腫】명〖의〗폐포(肺胞)가 확대하여 폐가 지속적(持續的)으로 확장하고 있는 상태. 만성 기관지 카타르·천식(喘息) 등에 따라 일어나는데 호흡이 곤란해짐.

폐:기-판【廢氣瓣】명 배기판(排氣瓣).

폐:-꾼【弊─】명 폐객(弊客)❷.

폐:납【敝衲】명 해어진 승려(僧侶)의 옷.

폐:낭【肺囊】명〖동〗거미 종류의 일부 동물이 가지고 있는 특수한 호흡기. 복부(腹部)의 아래 쪽 전방에 기문(氣門)이 열려 있는데 주머니 모양이고, 얇은 주름이 많아서 그 모양이 꼭 책의 각 페이지가 겹쳐진 것 같아 '폐서(肺書)'라고도 함.

폐:농【廢農】명 농사를 그만 둠. 농사에 실패함. ──-하다 자여불

폐:-농양【肺膿瘍】명〖의〗국한성(局限性) 폐렴 형태의 폐화농증. 폐조직 가운데에 화농균이 농양(膿瘍)을 만든 것. 폐렴·폐종양(肺腫瘍)·폐경색(肺梗塞)에 속발(續發)되는 경우와, 패혈증(敗血症)에 의해 혈행성(血行性) 이전으로써 생기는 경우가 있음. 고열(高熱)에 고름 같은 가래가 나옴. 폐장 농양. 폐옹(肺癰).

폐:다 자 ↗펴이다.

폐:단【弊端】명 ①괴롭고 번거로운 일. 귀찮고 해로운 일. ②좋지 못하고 해로운 점. 준폐(弊).

폐:답【廢畓】명 농사를 짓지 않고 버려 둔 논.

폐:-당밀【廢糖蜜】명〔blackstrap molasses〕감자당(甘蔗糖)이나 감채당(甘菜糖)에서 사탕을 회수하고 남은 시럽상(syrup 狀)의 액. 부탄올·아세톤·에틸 알코올 등의 제조 원료로 쓰임.

〈폐동맥〉

폐:도【廢道】명 폐지된 길.

폐:동【廢洞】명 동(洞)을 폐하여 없앰. 또, 그 없어진 동네. ──-하다 자여불

폐:-동맥【肺動脈】명〖생〗심장에서 폐로 정맥혈(靜脈血)을 보내는 혈관. 허파동맥. ↔폐정맥.

폐:동맥 경화증【肺動脈硬化症】[─쯩] 명〖의〗폐동맥의 경화에 의한 병증. 주된 증상은 호흡 곤란·어질증·객혈(喀血)·심와부통(心窩部痛) 등임.

폐:동맥-판【肺動脈瓣】명〖생〗폐동맥이 우심실(右心室)에서 나오는 입구의 위치에 있는 판. 석 장의 반월형의 판막(瓣膜)으로 이루어지는데 폐동맥으로 나간 피가 심장으로 역류하는 것을 막음.

폐:동맥판 협착증【肺動脈瓣狹窄症】명〖의〗폐동맥에 협착이 일어나 있는 질병. 대개 선천성(先天性) 발육 장애의 결과 발생함. 흔히, 우심실의 피가 폐로 잘 보내지지 않아 우심 부전(右心不全)을 일으킴.

폐:등【廢燈】명 전등(電燈)을 아주 떼어서 없앰. 또, 그 전등. ──-하다 자타여불

폐:-디스토마【肺─】〔distoma〕명〖동〗[*Paragonimus westermanii*] 주포흡충과(住胞吸蟲科)에 속하는 디스토마의 하나. 몸길이 7-12 mm, 폭 4-8 mm의 홍갈색 달걀꼴의 흡충(吸蟲). 두 개의 흡반을 가지고 소기관지벽(小氣管支壁)에 기도(氣道)와 통하는 구멍을 만들어 기생함. 제 1 중간 숙주(宿主)는 다슬기, 제 2 중간 숙주는 게·가재·조개·민물고기 등이며 사람 및 개·고양이·돼지 등의 폐, 때로는 뇌(腦)에까지도 들어가 기생함. 폐디스토마증의 원인이 됨. 폐장 디스토마. 폐장 이구충. 폐흡충.

〈폐디스토마〉

폐:디스토마-증【肺─症】〔distoma〕[─쯩] 명〖의〗폐디스토마의 폐 침입에 의해 일어나는 일종의 풍토병(風土病). 혈담(血痰) 및 만성 기침이 주된 증상으로 발열(發熱) 및 객혈(喀血)이 드물어 폐결핵과 구별됨. 폐장 디스토마증. 허파 토질(土疾). *토질(土疾).

폐:량【肺量】명 폐활량(肺活量).

폐:량-기【肺量器】명 폐활량계(肺活量計).

폐:려【敝廬·弊廬】명 비제(鄙第).

폐:렴【肺炎】명〔pneumonia〕〖의〗[←폐염(肺炎)] 폐의 염증. 소엽성(小葉性), 곧 기관지(氣管支) 폐렴과 대엽성(大葉性), 곧 크루프성(croup 性) 폐렴의 두 가지가 있음. 폐렴균의 침입으로 일어나며, 오한이 나고 점차 발열(發熱)하여 가슴을 찌르는 아픔과 심한 기침 및 호흡곤란을 일으킴. 열도 없고 밭은 기침만 하는 비정형(非定型) 폐렴도 있음. 출혈성(出血性) 기관지 폐렴 등은 발병 후 세 주일쯤이 위험함.

폐:렴 간균【肺炎桿菌】명〖생〗1883년 프리들랜더(Friedlander)에 의하여 폐렴 환자로부터 분리된 그람 음성(陰性)의 짧은 간균. 폐렴 원인이 되는 수가 있음.

폐:렴 구균【肺炎球菌】명〖생〗폐렴 쌍구균(肺炎雙球菌).

폐:렴-균【肺炎菌】명〖생〗폐렴의 병원균의 총칭.

폐:렴 쌍구균【肺炎雙球菌】명〔Bacillus pneumoniae〕〖생〗대엽성(大葉性) 폐렴의 병원균. 1886년 독일의 의사 프랑켈(Frankel, A.; 1848-1916)이 폐렴 환자의 가래 속에서 발견하였음. 그람 양성(Gram 陽性)의 구균으로 보통 두 개씩 짝을 지어 배열함. 저항력이 약하고 죽기 쉬움. 폐렴 구균(肺炎球菌).

폐:로[1]【肺癆】명〖한의〗노점(癆漸). 폐결핵.

폐:로[2]【閉路】명 닫은 회로(回路). 전기의 회로인 경우에는 폐전로(閉電路), 자기(磁氣)인 경우에는 폐자기로(閉磁氣路)라 함.

폐:론【廢論】명 논의를 폐지함. ──-하다 자여불

폐:-롭다【弊─】형ㅂ불 ①성가시고 귀찮다. ②성미(性味)가 까다롭다. 폐:-로이【弊─】부

폐:륜【廢倫】명 혼인을 하지 아니하거나 또는 못함. ──-하다 자여불

폐:리【敝履】명 헌 신. 폐사(敝屣).

폐:립[1]【敝笠】명 파립(破笠).

폐:립[2]【廢立】명 ①임금을 폐하고 새로 다른 임금을 맞아 세움. ②신하가 마음대로 임금을 폐하거나 또는 옹립(擁立)함. ③존폐(存廢). 유무(有無). ──하다 타여불

폐:막[1]【肺膜】명〖생〗폐의 표면을 둘러싸고 있는 막.

폐:막[2]【閉幕】명 ①연극·음악회 등을 다 마치고 막을 내림. ↔개막(開幕). ②일반적으로, 어떤 일이 끝남을 비유하여 이르는 말. ↔개막. ──-하다 자여불

폐:막[3]【弊瘼】명 ①없애 버리기 어려운 폐단(弊端). ②못된 병통.

폐:막-식【閉幕式】명 행사 등을 끝내는 의식. ¶ 올림픽 ～. ↔개막식(開幕式).

폐:망【敝網】명 파망(破網).

폐:-매독【肺梅毒】명〖의〗제 3 기성 매독 때문에 기관지(氣管支)가 헐고, 폐에 고무종(腫)이 형성되는 병. 호흡 곤란·기관지 확장 등이 일어나기 쉬우며 해수(咳嗽) 및 혈담(血痰)이 나올 때가 있음. 유전(遺傳)에 의한 폐렴의 형식으로 발병할 때도 있음. 폐장 매독(肺臟梅毒).

폐:맹【廢盲】명 눈이 멀어 소경이 됨. ──-하다 자여불

폐:멸【廢滅】명 폐하여 멸망함. ──-하다 자여불

폐:-모음【閉母音】명〖언〗고모음(高母音).

폐:목[1]【閉目】명 눈을 감음. ──-하다 자여불

폐:목[2]【蔽目】명 눈을 가림. ──-하다 자여불

폐:목[3]【廢目】명 시력(視力)이 불완전한 눈. 폐안(廢眼).

폐:무【廢務】명 사무(事務)를 보지 아니함. 관청에서 정무(政務)를 행하지 아니함. ──-하다 자여불

폐:문[1]【肺門】명〖생〗폐의 출입구. 곧, 폐동맥·폐정맥·기관지(氣管支)가 출입하는 폐 내부의 부분. 많은 림프샘이 있음. 허파문.

폐:문[2]【閉門】명 문을 닫음. 폐호(閉戶). ¶ ～ 시간. ↔개문(開門). ──-하다 자여불

폐:문[3]【廢門】명 문을 없애 버림. ──-하다 자여불

폐:문 림프선【肺門一腺】〔lymph〕명〖생〗폐에 분포되어있는 림프관이 모여서 폐문부(肺門部)의 기관지 림프샘에 합치는 부위(部位). 폐결핵에 감염되면 제일 먼저 침범됨. 폐문 림프절(節).

〈폐문 림프선〉

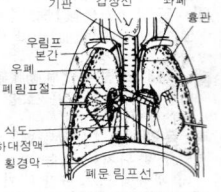

폐:문 림프선 결핵【肺門一腺結核】〔lymph〕명〖의〗폐문 림프선의 결핵. 폐결핵 감염의 초기에 일어남.

폐:문 림프선염【肺門一腺炎】〔lymph〕〔一념〕명〖의〗폐나 기관지에 염증이 일어났을 때 이에 속발하여 폐문 림프선이 붓는 질병.

폐:문 림프절【肺門一節】〔lymph〕명〖생〗폐문 림프선.

폐:물[1]【幣物】명 선사하는 물건. 선물(膳物).

폐:물[2]【廢物】명 못 쓰게 된 물건. 소용(所用)이 없이 된 물건. 폐품(廢品). ¶ ～ 수집. 「다 자여불

폐:물 이:용【廢物利用】〔一리一〕명 폐물을 효과 있게 이용함. ──-하

폐:박【幣一】명〈방〉폐백(幣帛).

폐:방[1]【閉房】명 방사(房事)를 단절(斷絶)함. ¶ 중국에서는 '나이 예순에 ～한다'는 옛말이 있다. ──-하다 자여불

폐:방[2]【弊邦·敝邦】명 폐국(弊國).

폐:방[3]【廢房】명 방을 쓰지 않고 버려 둠. 또, 그 방. ──-하다 자여불

폐:백【幣帛】명 ①신부가 처음으로 시부모를 뵐 때 큰 절을 하고 올리는 대추나 포 같은 것. ②혼인 때 신랑이 신부에게 주는 청단 홍단(靑緞紅緞) 같은 것. ③제자가 처음 뵙는 스승에게 올리는 예물. ④점잖은 사람을 만나러 갈 때 가지고 가는 물건.

폐:백-닭【幣帛一】〔一닥〕명 신부(新婦)가 시부모에게 폐백으로서 올리는 닭.

폐:백 대:추【幣帛一】명 신부가 폐백으로서 시부모에게 올리는 대추. 굵직하고 좋은 대추를 붉은 실에 꿰어서 그릇 위에 둥글게 쌓아 올림. 폐조(幣棗).

폐:백-반【幣帛盤】명 신부의 폐백을 담는 예반(禮盤).

폐:백-털기【幣帛一】명〖민〗구식 혼인에서 신랑집이 보낸 폐백을 신부집에서 받을 때, 신부네 이웃 젊은이들이 떼를 지어 몰려와 술과 음식을 강요하던 일. 타봉징(打封徵).

폐:병[1]【肺病】〔一뼝〕명〖의〗①폐(肺)에 관한 질병의 총칭. 폐환(肺患). 허파병. ②〈속〉폐결핵(肺結核).

폐:병[2]【廢兵】명 전쟁 중에 부상을 입어 불구자가 된 병사. ¶ ～원(院).

폐:부[1]【肺腑】명 ①〖생〗폐(肺). ②마음의 깊은 속. ¶ ～를 찌르다. ③일의 요긴한 점 또는 급소(急所).

폐:부를 찌르다 구 ㉠깊은 감명을 주다. ㉡급소를 찌르다.

폐:부에 새기다 구 깊이 명심하여 잊지 아니하다. ¶ 계낭의 말이 금석 갓흐니 맛당히 폐부에 삭이리라≪九雲夢 上 32≫.

폐:부[2]【斃仆】명 폐사(斃死). ──-하다 자여불

폐:부지-언【肺腑之言】명 마음 속에서 우러나오는 참된 말.

폐:부지-친【肺腑之親】명 왕실(王室)의 가까운 친족.

폐:불【廢佛】명〖역〗중국 북위(北魏)의 태무제, 북주(北周)의 무제 등이 불교를 탄압하던 일.

폐:비【廢妃】명 왕비(王妃)의 자리를 물러앉게 함. 또, 그 왕비. ──-하다 타여불

폐:비-성【閉鼻聲】명 비강(鼻腔)이 막혔을 때의 이상한 소리.

폐:빙【幣聘】명 예물을 갖추어 손님을 초빙함. ──-하다 타여불

폐:사[1]【吠舍】명〔범 vaisya〕인도 사성(四姓) 가운데 셋째의 계급. 농공상(農工商)의 직업에 종사하는 계급. *바라문(婆羅門)·찰제리(刹帝利)·수다라(首陀羅).

폐:사[2]【敝舍·弊舍】명 비제(鄙第).

폐:사[3]【敝社·弊社】명 자기 회사를 겸사하여 이르는 말.

폐:사[4]【廢寺】명 폐지해 버린 절. 폐지되어 중이 살지 아니하는 절.

폐:사[5]【敝屣·弊屣】명 폐리(敝履).

폐:사[6]【斃死】명 쓰러져 죽음. 폐부(斃仆). ──-하다 자여불

폐:사 자립【廢師自立】명 스승의 설(說)을 버리거나 부인(否認)하고 자설(自說)을 세우는 일.

폐:산【閉山】명 ①등산 기간(登山期間)을 마침. ②탄광 등을 폐쇄함. 또, 그 광산. ──-하다 자여불

폐:상【陛上】명〈궁중〉임금에 대한 존칭(尊稱).

폐:색【閉塞】명 ①닫아 막음. ②겨울에 천지(天地)가 얼어서 생기가 막힘. ③운수가 막힘. ④↗폐색기. ──-하다 자타여불

폐:색-기【閉塞器】명 폐색 장치. ㊟폐색.

폐:색-대【閉塞隊】명〖군〗적의 항구를 폐색하거나, 적 함대의 공격으로부터 아군의 항구를 수비하기 위해 파견되는 행동 부대.

폐색-석【閉塞石】명〖고고학〗막음돌.

폐:색-선【閉塞船】명〖군〗적의 항구를 폐색하거나, 적 함대의 침입을 막기 위하여, 적이나 아군의 항구 입구에 가라앉히는 배.

폐:색-식【閉塞式】명 블록 시스템❷.

폐:색 신:호기【閉塞信號機】명 폐색 구간(區間)에 들어오려는 열차(列車)에 대하여 신호하는 철도(鐵道) 신호기의 하나. *유도 신호기(誘導信號機).

폐:색 신:호 시스템【閉塞信號一】명〔block signal system〕열차(列車)·기관차·차량 등의 유무(有無)를 검지(檢知)하기 위하여 궤도(軌道)가 구분되어 각각 전기 회로(電氣回路)를 형성하는 자동 철도 운수 제어(制御) 시스템.

폐:색-음【閉塞音】명〔occlusive〕〖언〗파열음(破裂音).

폐:색 장치【閉塞裝置】명 철도에서, 폐색 구간에 하나의 열차가 있을 때에는 다른 열차를 그 구간에 진입(進入)시키지 아니하기 위한 장치. 자동 폐색 장치·연동(聯動) 폐색 장치·통표(通票) 폐색 장치로 분류됨. 폐색기.

폐:색 저:기압【閉塞低氣壓】명〔occluded cyclone〕〖기상〗폐색 전선을 수반하는 저기압.

폐:-색전[1]【肺塞栓】명〖의〗혈전(血栓)이나 이물(異物) 따위가 폐동맥에 들어가 폐동맥의 일부를 폐색(閉塞)하기 때문에 일어나는 질환. 전염병·산욕(産褥)·심장 질환 후에 발병하는 일이 많음. 심하면 급사하는 수도 있고, 흉통(胸痛)·발열(發熱)·호흡 곤란·쇼크 따위를 일으킴.

폐색-전[2]【閉塞塼】명〖고고학〗막음벽돌.

폐:색 전선【閉塞前線】명〔occluded front〕〖기상〗온대 저기압(溫帶低氣壓)이 발생 후 차차 발달할 때 중심에서 남서쪽으로 뻗은 한랭(寒冷) 전선이, 중심에서 남동쪽으로 뻗은 온난(溫暖) 전선에 쫓아간 부분.

〈폐색 전선〉

폐:색-제【閉塞劑】명〔plugging agent〕석유 공학의 용어. 유층(油層)에 있어 특정한 침투성 구역을 봉색(封塞)하는 화학 물질. 산처리(酸處理)를 할 때 비교적 치밀한 층에 직접 산을 작용시킴으로써 침투성(浸透性)이 좋은 부분을 막음.

폐:색-호【閉塞湖】명〖지〗큰 산이나 토사(土砂)의 붕괴 또는 화산의 폭발로 인하여 냇물이 막혀서 된 호수(湖水). 언지호(堰止湖). 언색호(堰塞湖).

폐:서【肺書】명〔lung-book〕〖동〗폐낭(肺囊).

폐:석【廢石】명 ①광산에서 채굴한 광석 가운데 쓸모없이 버린 돌. 미석(尾石). ②바둑에서 쓸모없게 된 돌. *요석(要石).

폐:선[1]【敝船·弊船】명 낡은 선박. 「린 배.

폐:선[2]【廢船】명 ①낡아서 사용할 수 없는 배. ②선적(船籍)에서 없애 버

폐:선 처:분【廢船處分】명 ①폐선에 관한 사후의 처리. ②폐선으로 취급하여 선적에서 제거 처분하는 일. ──하다 자타여불

폐:-섬유증【肺纖維症】〔一쯩〕명〖의〗폐의 섬유성 결체 조직(纖維性結締組織)이 이상 증식(異常增殖)하여 기침·가래·호흡 곤란 등이 일어나는 병.

폐:성-심【肺性心】명〖의〗폐순환계(系)의 저항이 증대하여져서 우심실(右心室)에 부하(負荷)가 가해진 상태. 우심실의 확장 비대(肥大)를 일으킴. 폐심증(肺心症).

폐:소 공:포【閉所恐怖】명〖의〗강박 신경증의 하나. 꼭 닫힌 곳에 있으면 공포에 빠지는 상태. 폐실 공포. *첨단(尖端) 공포·고소(高所) 공포·불결 공포(不潔恐怖).

폐:-소엽【肺小葉】명〖생〗폐의 내부를 이루고 있는 직경 1 cm 가량의 다수의 작은 부분.

폐:쇄【閉鎖】명 ①문을 닫고 자물쇠를 채움. ②기관이나 단체 등을 없애 버림. ③외부와 문화적·정신적 교류를 끊음. ¶ ～된 사회 / 문호(門戶)를 ～하다. ──-하다 타여불

폐:쇄-공【閉鎖孔】명〔obturator-foramen〕〖생〗골반(骨盤)에 뚫린 큰 구멍. 좌골과 치골(恥骨) 사이에 있음. 혈관·신경의 통로이며 섬유성의 폐쇄막(閉鎖膜)에 의하여 부분적으로 막혀 있음.

폐:쇄 관다발【閉鎖管一】〔一따一〕명〖식〗관다발형(型)의 하나. 중심주(柱) 내에 형성층(層)이 없고, 한번 관다발이 형성된 후, 2 차 비대성장을 하지 않는 것. 단자엽(單子葉) 식물이나 양치 식물에서 볼 수 있음.

폐:쇄-기【閉鎖機】명〖군〗탄약을 장전(裝塡)하기 위하여, 포신(砲身)의 약실(藥室) 뒤쪽을 여닫는 장치.

폐:쇄-성【閉鎖性】[―썽] 명 폐쇄적인 모양. ↔개방성(開放性).

폐:쇄성 결핵【閉鎖性結核】[―썽―] 명 〖의〗 ①폐쇄성 폐결핵(閉鎖性肺結核). ↔개방성 결핵. ②폐쇄성 신결핵(腎結核).

폐:쇄성 신:결핵【閉鎖性腎結核】[―썽―] 명 〖의〗 결핵성 변화 때문에, 신우(腎盂)와 요관(尿管)의 교통이 차단(遮斷)된 증상. 자연 치유(治癒)되는 경우가 많음.

폐:쇄성 폐:결핵【閉鎖性肺結核】[―썽―] 명 〖의〗 객담(喀痰) 속에 결핵균이 섞여 나오지 아니하는 폐결핵. 전염(傳染)할 위험이 없음. 폐쇄성 결핵.

폐:쇄 순환계【閉鎖循環系】 명 폐쇄 혈관계(閉鎖血管系).

폐:쇄 신경【閉鎖神經】 명 [obturator nerve] 〖생〗 요신경총(腰神經叢)에 생긴 혼합(混合) 신경. 신경 지배는 내전근(內轉筋)·박근(薄筋)·외폐쇄근(外閉鎖筋)·대퇴 하퇴(大腿下腿)의 내측면(內側面)의 피부와 슬육절(膝肉節).

폐:쇄-음【閉鎖音】 명 [implosive] 〖언〗 설근(舌根)과 연구개(軟口蓋) 사이가 폐쇄 상태로 정지되는 경우의 파열음(破裂音).

폐:쇄 조약【閉鎖條約】 명 조약 당사국 이외의 제삼국(第三國)의 가입을 허용치 않는, 특정국에 한정되어 있는 조약. 두 나라 사이의 조약 따위. ↔개방 조약.

폐:쇄 혈관계【閉鎖血管系】 명 〖동〗 환형(環形) 동물 및 척추(脊椎) 동물에 발달되어 있는 혈관계. 심장(心臟)·동맥(動脈)·모세 혈관(毛細血管)·정맥(靜脈)의 네 부분으로 구성되어 있음. 폐쇄 순환계. 닫힌 핏줄계. ↔개방(開放) 혈관계.

폐:쇄-화【閉鎖花】 명 〖식〗 화관(花冠)을 벌리지 아니하고, 자화 수정(自花受精)에 의하여 결실하는 꽃. 제비꽃과(科)에 많으며, 흔히 봄에 꽃을 피우고 여름에 다시 폐쇄화를 피우는 일이 있음. *폐화 수정(閉花受精).

폐:수【廢水】 명 사용하여 못 쓰게 된 물. 쓰고 난 뒤에 폐기한 물. ¶ 공장 ~.

폐:-수종【肺水腫】 명 〖의〗 폐정맥의 울혈(鬱血), 모세 혈관 벽(壁)의 이상(異常), 기타의 원인으로 폐포(肺胞) 속에 물이 잡혀 붓는 병. 극도의 호흡 곤란과 거품이 섞인 가래가 나오며 급속(急速)하고 높은 사망률(死亡率)을 보임. 심장(心臟) 강화·산소 흡입·사혈(瀉血) 등의 방법에 의하여 치료가 되는 경우도 있음.

폐:수 처:리【廢水處理】 명 공장 등에서 버린 폐수를 한 곳에 모아 약품 등으로, 중화(中和)시켜 독성(毒性)을 제거하여 내보내는 일. ――-하다 자 여불

폐:수 처:리장【斃獸處理場】 명 죽은 수축(獸畜)을 해체(解體)·매몰·소각(燒却)하기 위하여 설치된 시설.

폐:-순환【肺循環】 명 〖생〗 심장에 모인 피가 우심방(右心房)에서 우심실(右心室)로 가, 폐동맥에 의하여 모세 혈관으로 흘러 폐정맥을 통하여 좌심방(左心房)으로 들어가는 혈액 순환. 소순환(小循環). 허파 피돌기.

폐:-스럽다【弊―】 형 ㅂ불 폐가 되는 일이 있다. 폐:-스레【弊―】 부

폐:슬【蔽膝】 명 〖역〗 조복(朝服)·제복(祭服)을 입을 때에 가슴에 늘여 무릎을 가리는 헝겊.

폐:습【弊習】 명 ①폐해가 되는 습관. 나쁜 버릇. ②폐풍(弊風).

폐:시【閉市】 명 시장의 가게를 닫음. ↔개시(開市)❶. ――-하다 자 여불

폐:-시키다【弊―】 타 남에게 폐를 끼치다.

폐:식[1]【閉式】 명 의식(儀式)이나 식전(式典)이 끝남. ↔개식(開式). ――-하다 자 여불

폐:식[2]【廢食】 명 식사(食事)를 폐지함. ――-하다 자 여불

폐:식-사【閉式辭】 명 의식이 끝남을 알리는 인사말. ↔개식사(開式辭).

폐:신[1]【蔽身】 명 몸을 가림. ――-하다 자타 여불

폐:신[2]【嬖臣】 명 임금에게 아부하여 신임을 받는 신하.

폐:-신경총【肺神經叢】 명 [pulmonary plexus] 〖생〗 주로 미주 신경섬유(迷走神經纖維)로 된 신경총. 기관지의 전면(前面) 및 후면에 위치하여 폐조직 속까지 이름.

폐:실 공:포【閉室恐怖】 명 폐소 공포(閉所恐怖).

폐:심-증【肺心症】[―쯩] 명 〖의〗 폐성심(肺性心).

폐:안[1]【廢案】 명 토의하지 아니하고 버려 둔 의안(議案)이나 안건(案件).

폐:안[2]【廢眼】 명 폐목(廢目).

폐:암【肺癌】 명 〖의〗 폐에 생기는 암종(癌腫). 기관지 점막(氣管支粘膜)에서 생기는 원발성(原發性) 폐암과 다른 장기(臟器)에서 전이되는 전이암(轉移癌)이 있는데, 전자(前者)는 중년(中年) 남자에 많음. 담배·유독(有毒) 가스·광분(鑛粉)과의 관계가 중요시되고 있으며, 호흡 곤란·기침·혈담(血痰)·흉통(胸痛) 등이 일어나고, 중심부가 괴사(壞死)하여 연화(軟化)하기가 쉬움. 폐장암(肺臟癌).

폐:애【嬖愛】 명 남에게 아첨하여 받는 사랑. 폐행(嬖幸).

폐:액【廢液】 명 폐물(廢物)이 된 용액.

폐:야【蔽野】 명 들을 덮음. ――-하다 자 여불

폐:양-자【蔽陽子】 명 〖역〗 패랭이❶.

폐:어[1]【肺魚】 명 〖어〗 [Dipneusti] 경골어류(硬骨魚類) 폐어목(目)에 속하는 담수어의 총칭. 열대 지방에 살며, 아가미 외에 부레가 발달하여 육상 동물의 폐와 비슷한 조직으로 호흡하는 데서 붙여진 이름임. 몸길이 1-1.8 m 가량의 고대형(古代型)의 어류로, 화석(化石)으로서 많이 발견되며 현존(現存)하는 것으로는, 남아메리카의 아마존 강 유역에 사는 레피도시렌 파라독사(*Lepidosiren paradoxa*) (그림 위), 아프리카 중부(中部)에 사는 프로토프테루스 아네크텐스(*Protopterus annectens*) (그림 가운데), 오스트레일리아에 사는 에피케라토두스 포르스테리(*Epiceratodus forsteri*) (그림 아래) 등 6종이 알려져, '살아 있는 화석'으로 불림. 우기(雨期)에는 물 속에서 아가미로 호흡을 하지만 건조기(乾燥期)에는 모래펄에 기어들어 부레로 숨을 쉼.

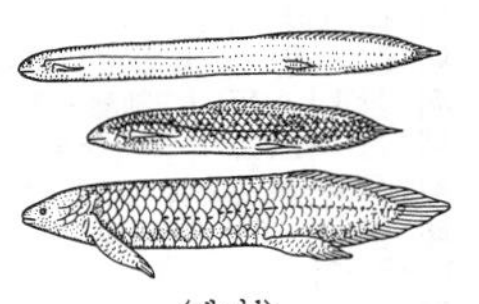
〈폐어[1]〉

폐:어[2]【廢語】 명 아주 오래 되어 낡아서, 현재는 전혀 쓰이지 않게 된 말. 사어(死語).

폐:업[1]【閉業】 명 ①문을 닫고 영업을 쉼. ②폐점(閉店)❶❷. ↔개업(開業). ――-하다 자 여불

폐:업[2]【廢業】 명 ①직업이나 영업을 그만둠. ②학업(學業)을 중도에서 폐함. 폐학(廢學). ――-하다 자 여불

폐:역【肺疫】 명 〖동〗 소의 전염병의 하나. 급성·만성의 늑막염(肋膜炎)·폐렴(肺炎)을 일으킴. 가축 전염병 예방법 상의 용어는 우(牛)폐역임.

폐:열[1]【肺熱】 명 〖한의〗 폐(肺)의 열기.

폐:열[2]【廢熱】 명 목적한 일에 쓰고 난 나머지 열. ¶ 발전소의 ~ 이용.

폐:열 보일러【廢熱―】 명 [waste-heat boiler] 화학 공정(化學工程)에서 생긴 높은 온도의 가스나 기름을 사용하는 열회수(熱回收) 장치. 보일러계(系)에서 증기(蒸氣)를 만드는 데 쓰임.

폐:염【肺炎】 명 〖의〗 →폐렴(肺炎).

폐:엽【肺葉】 명 〖생〗 포유류(哺乳類)의 폐를 형성하는 부분. 사람은 오른쪽에 상·중·하의 세 개, 왼쪽에 상·하 두 개의 폐엽이 있음.

폐:옥[1]【敝屋·弊屋】 명 비제(鄙第).

폐:옥[2]【廢屋】 명 낡고 허물어져 버려 둔 집. 폐가(廢家).

폐:옥[3]【蔽獄】 명 재판에서, 원고(原告)와 피고의 진술을 충분히 듣지 아니하고 또는 듣고서도 그것을 존중하지 아니하고서 부당한 판결을 내리는 일.

폐:옹【肺癰】 명 폐농양(肺膿瘍).

폐:왕【廢王】 명 폐위된 왕.

폐:-외과【肺外科】[―꽈] 명 〖의〗 폐를 대상(對象)으로 하는 의학의 한 과. 20세기에 들어서 인공 호흡·기관내(氣管內) 삽관(挿管)에 의한 마취법이 발달하고, 개흉(開胸) 수술이 안전하게 되자 급속히 발달함. 폐결핵·폐암·폐화농증(化膿症)·폐낭포증(肺囊胞症)·기관지 확장증을 대상으로 폐절제(肺切除)·공동(空洞) 절제·폐박피(肺剝皮)·흉곽 성형(胸廓成形) 등의 외과적 수술 요법으로 치료함. 폐장 외과.

폐:용【廢用】 명 ①〖사〗 설비가 물리적(物理的)으로는 사용할 수 있으나 유행이 달라졌기 때문에 그 설비에 의한 생산물이 잘 소비가 안 되거나, 새로 출현한 설비와 기계 및 생산 가격 등에서 경쟁을 하기가 불가능하게 되어, 현재의 설비나 기계가 경제적으로 사용 가치를 상실함. ②용도가 없어짐. ――-하다 자 여불

폐:-울혈【肺鬱血】 명 〖의〗 심장 특히 좌심(左心)의 쇠약으로 폐순환계통에 울혈이 생겨서 일어난 증상. 호흡이 곤란해지고 기침이 심하며, 담은 점액농성(粘液膿性)으로 작은 핏덩어리가 섞임.

폐:원[1]【閉院】 명 ①학원·병원 등에서 일을 보지 아니하고 문을 닫음. ②국회에서 회기를 마치어 문을 닫음. 1)·2):↔개원(開院). ――-하다 자타 여불

폐:원[2]【弊源】 명 폐해의 근원.

폐:원[3]【廢園·廢苑】 명 황폐한 정원(庭園).

폐:원-식【閉院式】 명 폐원할 때에 올리는 의식. ↔개원식(開院式).

폐:위[1]【肺痿】 명 〖의〗 폐결핵과 폐괴저(肺壞疽).

폐:위[2]【廢位】 명 왕위(王位)를 폐함. ――-하다 타 여불

폐:유【廢油】 명 폐물이 된 기름. 쓰고 난 뒤에 버려진 기름.

폐:유-괴【廢油塊】 명 탱커·화객선(貨客船)에서 배출된 기름, 해양에 버려진 폐유(廢油) 및 육상에서 증발하여 해상에 내린 기름 등이 해면 위에서 뭉쳐서 조수의 흐름에 따라 떠도는 기름덩이. 오일 볼(oil ball).

폐:-음절【閉音節】 명 [closed syllable] 〖언〗 자음으로 끝나는 음절. '갑'·'앞' 따위. ↔개음절(開音節).

폐:읍[1]【敝邑·弊邑】 명 ①폐습(弊習)이 많아 어지러운 고장. ②자기 고장을 겸사하여 이르는 말.

폐:읍[2]【廢邑】 명 ①없어진 읍. ②읍제(邑制)를 폐지함. ――-하다 자 여불

폐:의【敝衣】[―/―이] 명 해어진 옷. 낡은 옷. 순의(鶉衣).

폐:의 파:관【敝衣破冠】[―/―이―] 명 폐포 파립(敝袍破笠).

폐:의 파:립【敝衣破笠】[―/―이―] 명 폐포 파립(敝袍破笠).

폐:인[1]【嬖人】 명 남의 비위를 잘 맞추어 귀염을 받는 사람.

폐:인[2]【廢人】 명 ①병으로 몸을 망친 사람. ②남에게 버림을 받아 쓸모없이 된 사람. 기인(棄人).

폐:-일언【蔽一言】 명 한 마디 말로 휩싸서 말함. ¶ ~하고 내일 보자. ――-하다 타 여불

폐:잔【廢殘】 명 못 쓰게 되어 남아 있음. ――-하다 자 여불

폐:잔-물【廢殘物】 명 못 쓰게 되어 남아 있는 물건.

폐:장[1]【肺腸】 명 ①허파와 창자. ②마음. 마음 속.

폐:장[2]【肺臟】 명 〖생〗 폐(肺).

폐:장[3]【閉場】 명 ①회장(會場)·연희장(演戲場) 등 장(場)자 붙은 장소를 닫음. ¶ 오후 12 시 ~. ↔개장(開場)❶. ②증권 거래소·시장 등을 닫음. ↔개장(開場)❸. *납회(納會)❷. ――-하다 자 타 여불

폐:장[4]【閉藏】 명 ①드러나지 않게 닫아서 감춤. ②물건을 감추어 둠. ――-하다 타 여불

폐:장[5] 【廢庄】 명 버려 둔 채로 있는 논밭.
폐:장 농양 【肺臟膿瘍】 명 《의》 폐농양.
폐:장 디스토마 【肺臟—】 〔distoma〕 명 《동》 폐디스토마.
폐:장 디스토마증 【肺臟—症】 〔distoma〕 〔—쯩〕 명 《의》 폐디스토마증.
폐:장 매독 【肺臟梅毒】 명 《의》 폐매독.
폐:장-암 【肺臟癌】 명 《의》 폐암.
폐:장 외:과 【肺臟外科】 〔—꽈〕 명 《의》 폐외과.
폐:장 육종 【肺臟肉腫】 명 《의》 폐에 생기는 육종. 증상은 폐암과 비슷함.
폐:장 이:구충 【肺臟二口蟲】 명 《동》 폐디스토마.
폐:저 【肺底】 명 《생》 폐의 아래 바닥을 이루는 오목한 넓은 면. 횡격막(橫隔膜)과 접하고 있음. ↔폐첨(肺尖).
폐:적[1] 【閉糴】 명 쌀을 사들여 저장하는 것을 금함. ——-하다 타 여불
폐:적[2] 【廢嫡】 명 적자(嫡子)의 신분(身分)·상속권(相續權) 등을 폐함. ——-하다 타 여불
폐:전[1] 【廢典】 명 ①폐지된 법. ②의식(儀式)을 없앰. 또, 그 의식.
폐:전[2] 【廢詮】 명 《불교》 진여(眞如)는 언어로 표현할 수 없다고 주장하는 입장.
폐:전 담지 【廢詮談旨】 명 《불교》 사물의 본지(本旨)를 설명하여 나타내는 일. 진여(眞如)는 지혜에 의해서만 알려진다는 뜻.
폐:-전색 【肺栓塞】 명 《의》 유혈(流血) 중에 유리(遊離)된 혈전(血栓)의 파편이 폐의 혈관에 걸리어, 혈액 순환의 장애를 일으키는 병.
폐:절 【廢絶】 명 아주 허물어져 없어짐. 기울어져 끊어짐. ——-하다 자 여불
「진 집.
폐:절-가 【廢絶家】 명 《법》 상속인(相續人)이 없어서 가계(家系)가 끊어
폐:-절제 【肺切除】 〔—쩨〕 명 《의》 폐의 조직부의 일부 또는 한 쪽 폐 전체를 잘라 버리는 일. 폐외과(肺外科)의 중요한 수술로 폐결핵(肺結核)·폐종양·폐화농증(肺化膿症)·폐암 등의 치료에 쓰이며, 절제 부분에 따라 편폐 전절제(片肺全切除)·폐엽(肺葉) 절제·폐구역 절제 등으로 불림.
폐:점[1] 【閉店】 명 ①폐업(廢業)·도산(倒產) 등으로 점포를 폐쇄함. 폐업. ②그 날의 장사를 끝내고 가게를 닫음. 폐업(閉業). ↔개점❶❷. ——-하다 자 여불
폐:점[2] 【敝店·弊店】 명 자기 상점을 겸사하여 이르는 말.
폐:정[1] 【閉廷】 명 《법》 ①법정(法廷)을 닫음. ¶～을 선언하다. ②재판·심리 등을 마침. 1)·2):↔개정(開廷). ——-하다 자 여불
폐:정[2] 【弊政】 명 폐해(弊害)가 많은 정치. 악폐의 정치. 악정(惡政).
폐:정[3] 【廢井】 명 쓰지 않고 버려진 우물.
폐:-정맥 【肺靜脈】 명 《생》 폐에서 가스 교환(gas交換)을 마친 동맥혈을 심장으로 보내는 좌우 두 개의 혈관. 고등 척추 동물에서 볼 수 있음. 허파 정맥. ↔폐동맥.
폐:제[1] 【幣制】 명 ↗화폐 제도(貨幣制度).
폐:제[2] 【廢帝】 명 폐위된 황제. 안천자(贋天子).
폐:제[3] 【廢除】 명 ①폐지하여 없애 버림. ②《법》 일정한 법정 원인(法定原因)에 의거하여 또는 피상속인의 청구에 의하여 추정 호주 상속인(推定戶主相續人) 또는 추정 유산(推定遺產) 상속인의 자격을 법원의 판결에 의하여 상실하게 하는 일. ——-하다 타 여불
폐:조[1] 【幣棗】 명 폐백(幣帛) 대추.
폐:조[2] 【廢朝】 명 ①제왕이 조회(朝會)를 폐함. 철조(輟朝). ②폐군(廢君)의 시대. ——-하다 타 여불
폐:족 【廢族】 명 자손이 벼슬을 할 수 없는 형(刑)을 받고 죽은 사람의 족속(族屬).
폐:-졸중 【肺卒中】 〔—쭝〕 명 《의》 폐의 활동이 갑자기 멎어 죽게 되는 병증. 지방 전색 형성(脂肪栓塞形成)으로 폐동맥의 주지(主枝)가 폐색되어 발생하는 일이 많음.
폐:주 【廢主】 명 폐군(廢君).
폐:지[1] 【閉止】 명 작용·기능이 그침. 작용·기능을 그치게 함. ¶월경(月經) ～. ——-하다 자타 여불
폐:지[2] 【廢止】 명 실시하던 제도·법규 및 일을 치워서 그만 둠. 혁파(革罷). ¶구법을 ～하다. ——-하다 타 여불
폐:지[3] 【廢地】 명 쓸모 없는 토지.
폐:지[4] 【廢址】 명 건물을 헐고 난 뒤의 황폐한 터.
폐:지-법 【廢止法】 〔—뻡〕 명 《법》 ①현행법의 폐지를 목적으로 하는 법령. ②폐지된 법령.
폐:지-안 【廢止案】 명 실시되어 오던 제도·법규·일 등을 폐지하자는 의안(議案).
폐:직 【廢職】 명 관직(官職)이 폐지됨. 또, 그 관직. ——-하다 자 여불
폐:-진균증 【肺眞菌症】 〔—쯩〕 명 《의》 방선균(放線菌)·칸디다(candida)·아스페르길루스(Aspergillus) 따위의 여러 가지 곰팡이가 폐나 기관지에 번식하여 생기는 병. 기침·가래·미열 등이 나고, 식은땀·흉통(胸痛) 등 폐렴에 흡사한 증상을 일으킴.
폐:-진애증 【肺塵埃症】 〔—쯩〕 명 《의》 진폐(塵肺).
폐:질[1] 【肺疾】 명 폐결핵(肺結核).
폐:질[2] 【廢疾】 명 고칠 수 없는 병. 불치의 병으로, 폐인이 되는 병.
폐:질 보:험 【廢疾保險】 명 피보험자(被保險者)의 신체가 질병(疾病)·상해(傷害) 등의 원인으로, 활동력(活動力)을 잃었을 때에 일정한 보험금을 지급하는 보험.
폐:질-자 【廢疾者】 〔—짜〕 명 폐질에 걸린 사람.
폐:-집합 【閉集合】 명 〔closed set〕 《수》 위상 공간(位相空間)의 부분 집합으로 그 모든 집적점(集積點)을 포함하는 것. 그 보집합(補集合)은 개집합(開集合)이며 개집합의 보집합은 폐집합임. 닫힌 집합.

폐:차[1] 【廢車】 명 ①못 쓰게 된 차. 낡은 차. ②폐차 처분을 함. 또, 그 차. ——-하다 자 여불
폐:차[2] 【蔽遮】 명 보이지 않도록 가리워 막음. 차폐. ——-하다 타 여불
폐:차 처:분 【廢車處分】 명 ①낡은 차를 팔거나 차체(車體)를 분해하여 처분함. ②《법》 차량 등록(車輛登錄)을 취소(取消)하여 폐차함. ——-하다 자타 여불
폐:찰 【廢札】 명 통용(通用)이 폐지된 지폐.
폐:창[1] 【肺脹】 명 《의》 천식(喘息). 「——-하다 자 여불
폐:창[2] 【廢娼】 명 창녀(娼女)를 없앰. 공창 제도(公娼制度)를 철폐함.
폐:창-론 【廢娼論】 〔—논〕 명 공창(公娼) 제도를 폐지하려는 의견. 매춘(賣春) 제도를 폐지하려는 주장.
폐:창 운:동 【廢娼運動】 명 《사》 여권(女權) 운동의 한 가지. 공창(公娼) 제도를 철폐하려는 사회 운동.
폐:철 【廢撤】 명 폐지하고 철거함. 철폐(撤廢). ——-하다 타 여불
폐:첨 【肺尖】 명 《생》 폐의 위쪽 둥그스름한 첨단(尖端). 제1 늑골의 안쪽부터 위쪽 부분을 말함. ↔폐저(肺底).
폐:첨 가답아 【肺尖加答兒】 명 《의》 폐첨 카타르(肺尖 Katarrh).
폐:첨 카타르 【肺尖—】 〔도 Katarrh〕 명 《의》 폐결핵의 초기, 폐첨에 국한된 염증. 폐첨 가답아.
폐:첩 【嬖妾】 명 아양을 떨어 귀염을 받는 첩.
폐:총 【嬖寵】 명 총애를 받는 사람. 「강한 사람의 비유.
폐:추 【弊箒·敝箒】 명 닳아빠진 비. 전(轉)하여, 분수에 넘게 자만심이
폐:추 유고 【敝帚遺稿】 명 《책》 조선 현종(顯宗) 때 사람 폐추 임홍량(任弘亮)의 시문집. 고종(高宗) 5년(1868)에 6대손 임성모(任聖模)가 편집 간행함. 시(詩)·서(書)·잡저(雜著)·서(序)·발(跋)·상량문(上樑文)·제문(祭文) 등이 수록됨. 4권 2책.
폐:출 【廢黜】 명 벼슬을 떼고 내침. ——-하다 타 여불
폐:-출혈 【肺出血】 명 《의》 ①폐 조직의 손상·폐충혈·폐울혈(鬱血)·폐혈관의 침해·출혈성 소질 등의 원인으로 폐혈관에서 출혈하는 증상. ②객혈(喀血). 「등.
폐:충 【肺蟲】 명 《동》 폐장에 기생하는 흡충(吸蟲)의 총칭. 폐디스토마
폐:-충혈 【肺充血】 명 《의》 폐에 있어서 염증(炎症)으로 인한 충혈. 특히 섬유소성(纖維素性) 폐렴의 제1기에 나타나는 충혈을 말함. 폐에 피가 많아져서 무겁고 암갈색(暗褐色)이 되며, 폐포(肺胞)의 혈관은 충만(充滿)하고, 말기에 가서는 약간의 섬유소(纖維素)를 석출(析出)하 「게 됨.
폐:치[1] 【弊値】 명 헐값.
폐:치[2] 【廢置】 명 ①폐지하여 버려 둠. ②폐지와 설치. ——-하다 타 여불
폐:치 분합 【廢置分合】 명 《법》 지방 자치 단체의 법인격(法人格)의 변동을 수반하는 구역의 변경. 한 지방 자치 단체를 폐지하고 그 구역을 몇 개의 지방 자치 단체로 나누는 분할, 한 지방 자치 단체의 일부를 나누어 새로운 지방 자치 단체를 설립하는 분립, 둘 이상의 지방 자치 단체를 폐지하고 합해서 하나로 만드는 신설 합병(新設合併), 지방 자치 단체를 폐지하고 기존(旣存)의 딴 지방 자치 단체에 합병시키는 편입(編入)의 네 가지가 있음.
폐:침 【廢寢】 명 잠을 자지 않음. 잠도 잊고 일에 힘씀. *폐침 망찬(廢寢忘餐). ——-하다 자 여불
폐:침 망:찬 【廢寢忘餐】 명 침식을 잊고 일에 골몰하여 심력을 다함. ——-하다 자 여불
폐:-침윤 【肺浸潤】 명 폐에 결핵균이 침입했을 때, 방위 반응(防衛反應)으로 보이는 폐의 병소(病巢). 병소가 새로울 때에 혈액으로부터의 액성 침윤(液性浸潤)이 많으며, 엑스레이 사진 상에도 흐릿하고 경계(境界)가 불확실한 형태를 나타냄. 옛날에는 엑스레이 사진 상에 폐결핵 증상이 보이는 상태를 총칭하였음.
폐:칩[1] 【閉蟄】 명 동면(冬眠)을 함. 또, 그 때. 음력 10월 상순(上旬)경이 됨. ——-하다 자 여불
폐:칩[2] 【廢蟄】 명 외출을 전폐하고 집 안에 박혀 있음. *두문 불출. ——-하다 자 여불
폐:-칸디다증 【肺—症】 〔candida〕 〔—쯩〕 명 《의》 칸디다 알비칸스(Candida albicans)에 의한 폐질환. 균교체증(菌交替症)으로서 일어나는 일이 많음. 기침·가래·혈담(血痰)·미열·체중 감소 등 폐결핵과 비슷한 증상을 나타냄.
폐:타 【吠陀】 명 《불교》 베다(Veda)의 음역(音譯).
폐:퇴 【廢頹】 명 황폐하여 무너짐. ——-하다 형 여불
폐:파 【廢罷】 명 ①그만 둠. ②폐파 행위.
폐:파 소권 【廢罷訴權】 〔—꿘〕 명 《법》 채권자 취소권(債權者取消權)의 통속적 명칭. 직접 소권(直接訴權).
폐:파 행위 【廢罷行爲】 명 행정 행위를 취소하는 행위. 폐파.
폐:-페스트 【肺—】 〔pest〕 명 〔pneumonic plague〕 《의》 페스트균(pest菌)의 침입으로, 급격히 중독(重篤)의 출혈성 기관지 폐렴을 일으키며, 살 빛깔이 흑자색(黑紫色)으로 변해서 죽는 병. 사망률이 대단히 높은 전염병임. *선페스트(腺pest).
폐:포 【肺胞】 명 〔pulmonary alveolus〕 《생》 기관(氣管)이 폐문(肺門)으로부터 폐에 들어가 세분(細分)되어 최후로 작은 주머니 모양으로 된 부분. 그 주위에 모세 혈관(毛細血管)이 무수히 얽혀, 그 중 정맥혈은 폐포 속의 공기에서 산소를 취하고, 탄산 가스를 폐포로 돌려 동맥혈이 됨. 폐포의 지름은 0.15-0.3mm, 사람의 폐에 있는 폐포 총수는 444,000,000개, 호흡면(呼吸面)은 50m²이나, 보통 호흡시의 면적은 2배, 곧 100m²임. 기포(氣胞). 허파 꽈리.

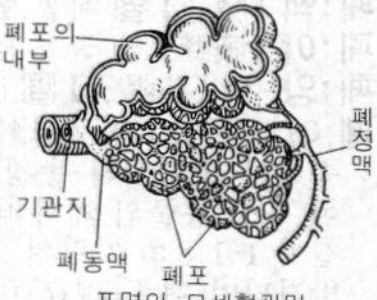

〈폐포〉

폐:포 모세관 블록 증후군【肺胞毛細管—症候群】〔block〕 명 〖의〗 폐포 모세 혈관 차단 증후군.

폐:포 모세 혈관 차:단 증후군【肺胞毛細血管遮斷症候群】 명 〔alveolar-capillary block syndrome〕 〖의〗 동맥 산소 결핍증. 폐포와 모세 혈관 사이에 있는 막(膜)의 기능 결함에 기인함.

폐:포-음【肺胞音】 명 〖의〗 건강한 폐에서 청진(聽診)되는 호흡음(呼吸音). 흡기에 의해서 폐포가 확장되기 때문에 소리가 남.

폐:포 파:립【敝袍破笠】 명 해진 옷과 부서진 갓. 곧, 너절하고 구차한 차림새. 폐의 파관(敝衣破冠). 폐의 파립(敝衣破笠).

폐:품【廢品】 명 쓸 수 없게 된 물품(物品). 소용 없게 된 물품. 폐물(廢物). ¶ ~ 수집.

폐:품 예:술【廢品藝術】 [—네—] 명 폐품을 모아 결합 구성하는 조형 예술(造形藝術). 1960년경부터 미국을 중심으로 많이 행하게 되었음.

폐:풍【弊風】 명 폐해가 되는 어지러운 풍습. 폐습(弊習). ¶ ~을 고치다.

폐:-풍우【蔽風雨】 명 비바람을 가리고 막음. ——-하다 자여불

폐:풍-창【肺風瘡】 명 〖한의〗 비사증(鼻齄症).

폐:-피복【閉被覆】 명 〔closed covering〕 〖수〗 위상 공간(位相空間) S의 피복 $M=\{Ma\}$에서 각 Ma가 S의 폐집합일 때 $M=\{Ma\}$를 S의 폐 피복이라 함.

폐:하【陛下】 명 황제나 황후에 대한 공대말.

폐:-하다【廢—】 타여불 ①있던 제도·법규(法規)·기관 등을 치워 없애다. ¶ 허례 허식을 ~. ②중도에서 그만두다. ¶ 학업을 ~. ③쓰지 않고 버려두다. ④어떤 지위에서 내치어 버리다. ¶ 왕을 ~.

폐:학【廢學】 명 ①학업을 중도에서 폐지함. ②학교를 중도에서 그만둠. 폐업(廢業). ——-하다 자여불

폐:학지-경【廢學之境】 명 학업을 중도에서 폐지할 형편.

폐:함【廢艦】 명 〖군〗 함적(艦籍)에서 없애 버림. 또, 그 군함. ——-하다 타여불

폐:함 처:분【廢艦處分】 명 〖군〗 ①폐함에 관한 사후의 처리. ②폐함으로 처리하여 함적(艦籍)에서 제거 처분하는 일.

폐:합【廢合】 명 ①어떤 것을 폐지하여 다른 것에다 병합함. ②폐지와 병합. ——-하다 타여불

폐:해【弊害】 명 폐단과 해악(害惡). 폐가 되는 나쁜 일. ¶ 대가족 제도의 ~.

폐:행【嬖幸】 명 남에게 아첨하여 굄을 받음. 폐애(嬖愛).

폐:허[1]【肺虛】 명 〖한의〗 노점(癆漸). 폐결핵.

폐:허[2]【廢墟】 명 건물이나 시가·성 등의 황폐된 터. 파괴를 당하여 아무 것도 없이 된 터. 쑥대밭.

폐:허-화【廢墟化】 명 폐허가 됨. 폐허로 바뀜. 폐허가 되게 함. ——-하다 자타여불

폐:현【陛見】 명 황제나 황후께 알현(謁見)하는 일. ——-하다 자여불

폐:혈【肺血】 명 객혈(喀血)로 인한 폐의 피.

폐:-혈관【肺血管】 명 〖생〗 폐동맥과 폐정맥 및 폐포와 얽혀 있는 많은 모세 혈관의 총칭.

폐:혈관 조:영법【肺血管造影法】 [—뻡] 명 〔pneumoangiography〕 〖의〗 조영제(造影劑)를 사용하여 X선 사진 위에 폐혈관의 모양을 관찰할 수 있게 하는 방법.

폐:형【閉形】 명 〖광〗 정팔면체와 같이 몇 개의 결정면(結晶面)에 의하여 공간을 둘러싸는 결정형(結晶形). ↔개형(開形).

폐:호[1]【閉戶】 명 폐문(閉門). ——-하다 자여불

폐:호[2]【蔽護】 명 비호(庇護). 옹호(擁護). ——-하다 타여불

폐:-호흡【肺呼吸】 명 고등 척추 동물이 폐로 하는 외호흡(外呼吸).

폐:화【廢貨】 명 폐지된 화폐. 통용되지 아니하는 화폐.

폐:화 수정【閉花受精】 명 〔cleistogamy〕 〖식〗 피자(被子) 식물에서 꽃이 피기 전 봉오리진 상태에서 행하는 자화(自花) 수정. ＊폐쇄화(閉鎖花).

폐:환[1]【肺患】 명 〖의〗 폐병(肺病).

폐:환[2]【閉環】 명 〖화〗 고리 닫힘. ↔개환(開環).

폐:환[3]【嬖宦】 명 〖역〗 환관(宦官).

폐:-환자【肺患者】 명 폐환에 걸린 사람. 폐를 앓는 환자.

폐:-활량【肺活量】 명 〖생〗 폐 속에 최대 한도로 공기를 빨아 들여 다시 배출(排出)하는 공기의 양. 곧, 보기(補氣)와 축기(蓄氣) 및 호흡기(呼吸氣)의 총량(總量)임. 신체의 건강 여부(健康與否)를 검사하는 방법의 하나로 쓰이며, 연령·체격 기타로 약간의 차는 있으나, 성년(成年)에 달한 동양인(東洋人) 남자는 평균 3,200 cm^3, 여자는 2,800 cm^3 가량임. 폐량(肺量). 허파 숨량. ＊보기(補氣)❷·축기(蓄氣)·호흡기(呼吸氣).

폐:활량-계【肺活量計】 명 〔spirometer〕 폐활량을 재기 위한 장치. 밑 빠진 원통(圓筒)을 줄로 활차(滑車)에 달아 물이 든 그릇 속에 늘여, 추(錘)로 균형을 잡아 놓고, 고무관으로 원통 속에 숨을 불어 넣으면, 원통 속의 공기가 많아져서 원통이 올라가게 되어 있음. 이 원통이 올라가는 눈금에 의하여 폐활량을 잼.

폐:회【閉會】 명 ①집회 또는 회의를 마침. ②〖법〗 국회의 폐회와 같이, 상설(常設)이 아닌 합의체의 기관이 의사(議事)의 종료(終了) 및 회기(會期)의 경과 등을 이유로 그 성립 상태를 해산하는 행위. 1)·2):↔개회(開會). ＊산회(散會). ——-하다 자여불

폐:-회로【閉回路】 명 〖전자〗 닫힌 회로.

폐:회로 텔레비전【閉回路—】 명 〔closed circuit television〕 동일 건물이나 특정 시설(特定施設) 안에서, 유선(有線) 텔레비전으로써 텔레비전 프로그램을 방영하는 방법. 시 시 티 브이(CCTV).

폐:회로 통신 시스템【閉回路通信—】 명 〔closed-circuit communication system〕 〖통신〗 그 자체로 완결되어 있어 다른 설비나 조직과 정보를 교환하지 않는 통신 시스템.

폐:회-사【閉會辭】 명 폐회를 선언하는 인사말. ↔개회사(開會辭).

폐:회-식【閉會式】 명 ①폐회하는 의식. ②〖법〗 국회의 경우와 같이 상설이 아닌 합의체의 기관이 폐회할 때에 올리는 의식. 1)·2):↔개회식(開會式).

폐:후【廢后】 명 폐위된 황후.

폐:휴【廢畦】 명 황폐한 밭. 묵정밭.

폐:-흉막【肺胸膜】 명 〖생〗 폐의 표면을 덮고 있는 흉막.

폐:-흡충【肺吸蟲】 명 폐디스토마.

포[1] 명 〈방〉 보[9](褓)(제주).

포[2] 명 〈방〉 표(票)(경상·함경·평북).

포[3]【包】 명 ①장기 짝의 한 가지. '包' 자를 새기었음. ②〖건〗 촛가지. ③파오(包). ④ ↗포대(包袋). ⑤〖역〗 동학(東學)의 교구(敎區). ＊접(接)·장(帳).

포[4]【包】 명 성(姓)의 하나. 현재 우리 나라에는 풍덕(豐德)·순천(順天) 등 두 개의 본관이 있음.

포[5]【苞】 명 〖식〗 꽃대의 밑 또는 꽃꼭지의 밑에 있는 비늘 모양의 잎. 보통은 녹색인데, 특별한 빛을 띤 꽃잎 모양의 것도 있음. 화포(花苞). 꽃턱잎.

포

〈포[5]〉

포[6]【胞】 명 생물체를 조직하는 미세(微細)한 원형질(原形質).

포[7]【炮】 명 〖한의〗 부자(附子) 같은 독한 약재를 끓는 물에 담가서 독기를 빼어 버리는 법. ——-하다 타여불

포[8]【砲】 명 ①화약(火藥)의 힘으로 탄환(彈丸)을 쏘아 내는 무기(武器). 총포(銃砲). ¶ 육혈(六穴)~. ②↗대포(大砲). ③옛적 무기의 한 가지. 돌멩이를 튀기어 내쏨.

포[9]【袍】 명 〖역〗 바지저고리 위에 입던 겉옷. 고려 때의 평상복인데 장유(長襦 : 긴저고리)가 길어진 것으로서 두루마기와 비슷했을 것으로 여겨짐.

포[10]【匏】 명 〖악〗 팔음(八音)의 한 가지. 생(笙)과 같은 종류의 관악기(管樂器). 생황(笙簧).

포[11]【浦】 명 〖역〗 고려 초기에 주요 해변과 강변에 있어 수로 교통(水路交通)의 요충지로 이용되었던 촌락.

포[12]【脯】 명 ①↗육포(肉脯). ②↗어포(魚脯). ¶ 대구~.

포[13]【鮑】 명 〖조개〗 전복(全鰒).

포:[14] 〔Poe, Edgar Allan〕 명 〖사람〗 미국의 시인·소설가·비평가. 천애의 고아로, 방랑 생활을 보내고 술과 아편에 빠져 극빈(極貧) 중에 종신하였음. 시작품(詩作品)으로서 《갈가마귀》·《헬렌(Helen)에게》 등이 유명하고, 단편에 뛰어나서 《괴기(怪奇) 단편집》·《단편집》에 수록된 《붉은 죽음의 가면》 등과 탐정 소설의 선구인 《검은 고양이》·《풍뎅이》 등은 상상 추리와 전율(戰慄)이 얽힌 문학사 상의 획기적 작품이며, 프랑스 상징파에 준 영향은 지대함. [1809-49]

포[15] 의명 〖인쇄〗 ↗포인트(point). ¶ 9~ 활자.

포[16] 타 〈옛〉 포개. 포개서. ¶ 요홀 포 쏠오 안즈며(累裀而坐)《三綱 孝子 子路負米》.

포- 두 '거듭'의 뜻. ¶ ~개다 / ~집다.

-포 미 해·달·날 등의 아래에 쓰이어 시간으로 얼마 동안을 나타내는 말. ¶ 달~나 못 만났다/해~나 되겠다.

포가【砲架】 명 〖군〗 포신(砲身)을 얹는 받침틀. 포구(砲口)를 임의의 목표에 돌리는 지점(支點)이 됨.

포가차로 〔Fogazzaro, Antonio〕 명 〖사람〗 이탈리아의 시인·소설가. 이탈리아 근대 소설의 개조(開祖)로, 순결한 연애·종교적 책임감·조국애 등을 그린 소설 《미란다(Miranda)》·《시인의 신비》 등이 있음. [1842-1911]

포:간【飽看】 명 싫도록 봄. ——-하다 타여불

포감【蒲甘】 명 〖지〗 파간(Pagan)의 음역.

포강[1]【砲腔】 명 포신(砲身) 내부의 공동(空洞) 부분.

포:강[2]【—江】〔Po〕 명 〖지〗 이탈리아 북부의 강. 알프스를 수원(水源)으로 하여 롬바르디아(Lombardia) 평원을 이루고 큰 삼각주를 만들며 아드리아 해(Adria海) 북부로 들어감. 이탈리아 산업의 주요한 지역을 유역으로 하여 발전(發電)과 수원의 편리를 제공함. [680 km]

포개다 타 〔근대 : 포기다〕 ①놓인 위에다 또 놓다. ¶ 이불을 포개어 얹다/발을 포개고 앉다. ②있는 위에 거듭하다.

포개-입다 타 〈방〉 껴입다(전남·경남).

포개-지다 자 포갠 상태로 되다.

포갤-꿍지점【—點】 명 세미콜론.

포갤-점【—點】 [—쩜] 명 콜론.

포갬-포갬 부 연하여 포개거나 포개져 있는 모양. ¶ 수택은 몇 번이고 뜰 광에 ~ 쌓아 논 볏섬을 바라보는 것이었다《李無影 : 흙의 노예》.

포:거【抛車】 명 옛날, 군중(軍中)에서 투석용(投石用)에 쓰이던 수레.

포건【布巾】 명 베로 만들어서 머리에 쓰는 건. 평안 남북도에서 씀.

포겐도르프 〔Poggendorff, Johann Christian〕 명 〖사람〗 독일의 물리학자·과학사가(科學史家). 베를린 대학 교수. 전자기(電磁氣)를 연구(研究). 1824년부터 '포겐도르프 물리학·화학 연보'를 창간 편집, 1857년부터 《정밀 과학자 사전(事典)》을 편집함. [1796-1877]

포겐도르프의 직선【—直線】〔Poggendorff〕 [—/—에—] 명 〖심〗 착시도(錯視圖)의 하나. 한 개의 직선을 비스듬히 긋고 그 위에 두 개의 직사각형을 중간이 뜨게 평행으로 세워 그린 것으로, 이 때에 직사각형 뒤를 지나간 직선은 동일한 직선이 아닌 것같이 보임.

포:겔 〔Fogel, Robert W.〕 명 〖사람〗 미국의 경제학자. 뉴욕 출생. 존스 홉킨스 대학에서 박사 학위를 딴 뒤 시카고 대학 교수가 됨. 계량적(計

量的)인 접근으로 경제 운용에 대한 이해를 증진시키고, 미국 경제에서 철도(鐵道)와 노예 제도의 역할을 규명하였음. '경제와 제도적 변화를 설명하기 위하여, 경제 이론과 계량적 수법(手法)을 응용함으로써 경제사 연구에 새로운 지평(地平)을 연' 데 대한 공로로 1993년, 더글러스 C. 노스(North)와 함께 노벨 경제학상을 수상함. [1926-]

포격【砲擊】명 대포에 의한 공격. ——-하다 타여불

포:경[1]【包莖】명 〖의〗 귀두(龜頭)가 껍질에 싸여 밖으로 노출되지 않은 자지. 우멍거지. ¶~ 수술.

포경[2]【砲徑】명 포의 구경(口徑).

포:경[3]【捕鯨】명 고래를 잡음. 고래잡이. ¶~선. ——-하다 자여불

포:경 모:선【捕鯨母船】명 모선식(母船式) 포경선단의 중심이 되어 포획한 고래의 처리·가공·저장 및 포경선에 대한 연료·식량 등의 보급을 담당하는 대형의 배. 1만-2만 톤 내외의 것이 많음.

포:경-선【捕鯨船】명 고래를 포획(捕獲)하기 위하여 특별한 장치를 설비한 배. 미국식·노르웨이식 두 가지가 있음. 고래잡이배. 경선(鯨船). 캐처 보트.

포:경 선단【捕鯨船團】명 모선식(母船式) 고래잡이를 하기 위하여 남빙양, 북양 등으로 원정하는 선단. 고래잡이 모선을 중심으로 여러 척의 배가 짝을 지어 조업(操業)을 하며, 냉동선·탱커·제품 운반선 등이 딸림.

포:경-업【捕鯨業】명 고래잡이를 하는 직업.

포:경 올림픽【捕鯨—】[olympic] 명 남빙양(南氷洋) 고래잡이에 있어서, 국제 포경 조약에서 결정된 기간 중 곧, 12월 12일부터 다음해 4월 7일까지, 각국의 배가 고래를 잡을 수 있는 한도(限度) 안에서 서로 다투어 잡는 일.

포:경-포【捕鯨砲】명 포경용(捕鯨用)의 포(砲). 포경선의 선수에 장비하여, 작살을 장비한 때에는 포신은 수평으로 되고, 발사시에는 포의 후부의 손잡이에 의하여 상하 좌우로 움직일 수 있음. 포는 후장식(後裝式), 포신의 구경은 대형선의 것이 90mm. 작살은 주강제(鑄鋼製)로 선단부(先端部)의 공동(空洞)에 화약이 들고, 명중하면 작살 끝이 열리며 점화(點火)됨.

포:계[1]【怖悸】명 두려워서 마음이 울렁거림.

포:계[2]【捕繫】명 잡아서 묶음. 포박(捕縛)하여 옥(獄) 속에 매어 둠. ——-하다 타여불

포계[3]【褒啓】명 〖역〗 각 도(道)의 관찰사(觀察使)나 또는 어사(御使)가 고을 원의 선정(善政)을 포장하는 계문(啓聞).

포:고[1]【布告·佈告】명 ①일반에게 널리 알림. ②정부에서 국민에게 널리 알림. ③국가의 결정적 의사 표시를 일반에게 발표하는 일. 또, 그 법령이나 명령. 정부가 내는 법령. ④국제법상, 한 나라가 상대국에 대하여 개전(開戰)의 통고를 하고 그 뜻을 내외(內外)에 알림. ¶선전 ~. ——-하다 타여불

포:고[2]【怖苦】명 고통을 두려워함. ——-하다 자여불

포:고[3]【捕告】명 죄인을 체포하여 관가에 고발함. *포고인. ——-하다 자여불

포:고-령【布告令】명 어떤 내용을 포고하는 명령이나 법령. ¶~ 위반.

포:고-문【布告文】명 널리 펴서 알리는 글.

포:고 발심【怖苦發心】[—씸] 명 〖불교〗 세상의 고통이 두려워서 진(眞)을 찾을 마음을 펴냄. ——-하다 자여불

포:고-인【捕告人】명 옛날, 죄인을 잡아서 관가에 고발하던 사람. 나라에서 후하게 상을 주었는데, 양인(良人)이면 벼슬로 상을 주고, 천인(賤人)이면 물건으로 상을 주었음. *포고(捕告).

포곡【布穀】명 〖조〗 뻐꾸기.

포곡-조【布穀鳥】명 〖조〗 뻐꾸기.

포곤포곤-하다 형 〈방〉 포근포근하다.

포곤-하다 형 〈방〉 포근하다. 포곤-히 부

포공【砲工】명 포장(砲匠).

포공-국【砲工局】명 〖역〗 대한 제국 때 병기(兵器)·탄약 등을 만들고 저장하는 사무를 맡아보던 군부(軍部)의 한 국(局). 고종(高宗) 32년(1895)에 베풀어서, 동 광무(光武) 8년(1904)에 폐지함.

포공-영【蒲公英】명 〖식〗 ①민들레. ②〖한의〗 민들레의 뿌리. 유종(乳腫)·결핵·나력(瘰癧) 등 외과(外科)의 약으로 씀.

포공-초【蒲公草】명 〖식〗 민들레.

포공회원-정【褒功懷遠旌】명 〖역〗 의장(儀仗)의 한 가지. 〈포공회원정〉

포:과[1]【包裹】명 물건을 꾸리어 쌈. ——-하다 타여불

포과[2]【胞果】명 [utricle] 〖식〗 삭과(蒴果)의 한 가지. 얇은 과피(果皮)에 싸인 씨가 하나인 과실. 성숙 후 불규칙으로 개열(開裂)함.

포과[3]【匏瓜】명 〖식〗 박.

포:과-지【包裹紙】명 물건을 꾸리어 싸는 종이.

포관【布棺】명 베를 여러 겹 배접(褙接)하여 만든 관.

포:괄【包括】명 있는 대로 온통 휩쓸어 쌈. ¶~적으로 말하다. ——-하다 타여불

포:괄 보:험 계:약【包括保險契約】명 창고업자가 개개의 보관 화물에 대하여 보험 계약을 맺지 아니하고, 재고 화물에 변동이 있건 없건 창고 전체에 대하여 포괄적으로 맺는 보험 계약.

포:괄 수유자【包括受遺者】명 〖법〗 포괄 유증(遺贈)을 받은 사람. 상속인과 동일한 권리 의무를 가짐. 포괄적 수유자.

포:괄 수입 허가제【包括輸入許可制】명 [open general license;OGL] 〖경〗 본디 영국을 비롯한 파운드 지역 안의 각국에서 채용한 수입 관리(輸入管理)의 한 방식. 일정 품목에 대하여 각각 특정한 지역과의 사이에 개별적인 승인이 없어도 무제한으로 수입을 인정, 자동적으로 환(換)을 할당하는 일. 유럽 각국에서도 명칭은 다르나 같은 방식을 채용하고 있음.

포:괄 승계【包括承繼】명 상속이나 회사의 합병 등에서, 타인의 권리 의무를 일괄하여 승계(繼承)하는 일. ↔특정 승계.

포:괄 승계인【包括承繼人】명 〖법〗 다른 사람의 권리 의무를 일괄(一括)하여 승계하는 사람. 상속(相續)·회사 합병(會社合併)에 따라서 상속인·합병 회사(合併會社)가 피상속인·합병전의 회사의 권리 의무를 승계하는 따위. ↔특정 승계인(特定承繼人).

포:괄 유증【包括遺贈】[—뉴—] 명 〖법〗 유산의 전체 또는 몇 분의 일이라는 분수적 부분(分數的部分)을 주는 유증. 그 객체(客體)는 소유권·채권(債權) 같은 적극적(積極的) 재산, 채무와 같은 소극적(消極的) 재산도 포함되는데 포괄 수유자(受遺者)는 재산 상속인과 같은 취급을 받음. 총괄(總括) 유증. ↔특정 유증(特定遺贈).

포:괄 이전【包括移轉】명 〖법〗 보험 회사가 그가 가지는 보험 계약의 전부 또는 일부를 일괄해서 다른 보험 회사에 이전하는 일.

포:괄 재산【包括財產】명 어떤 목적 하에 통일되어, 전체로서 권리의 객체로 되는 것과 같은 경우의 재산. 상속 재산 따위. ↔특정 재산.

포:괄-적【包括的】[—쩍] 명관 포괄하는 상태이거나 그러한 성질이 있는 모양. ¶~으로 말하다.

포:괄적 수유자【包括的受遺者】[—쩍—] 명 〖법〗 포괄 수유자.

포:괄 증자【包括增資】명 유상 증자와 무상 증자를 동시에 묶어서 하는 증자.

포:괄 출입항 허가【包括出入港許可】명 〖경〗 블랭킷 클리어런스(blanket clearance).

포괴【泡塊】명 액체의 면(面)에 떠 있어 그 액체의 껍질로 둘러싸인 기체(氣體)의 둥근 덩어리.

포:교[1]【布教】명 종교를 널리 폄. ¶~ 활동. ——-하다 타여불

포:교[2]【捕校】명 〖역〗 '포도 부장(捕盜部將)'의 별칭.

포:교-당【布教堂】명 〖종〗 종교를 널리 펴는 일을 맡아보는 곳.

포:교-사【布教師】명 〖불교〗 불교의 교리를 펴는 승려(僧侶).

포:교-지【布教地】명 〖천주교〗 인류 복음화 성성(人類福音化聖省)의 감독과 후원을 받는 지역.

포구[1] 명 〈방〉 포기[1](전북).

포구[2]【匍球】명 야구에서, 타자가 친 공이 굴러가는 일. 또, 그 공. 그라운더(grounder). 땅볼.

포구[3]【浦口】명 배가 드나드는 개의 어귀. 항구(港口).

포구[4]【砲口】명 화포(火砲)의 구부(口部). 포문(砲門). ↔포미(砲尾).

포:구[5]【捕球】명 공을 잡음. ——-하다 자여불

포:구-락【抛毬樂】명 〖악〗 정재(呈才) 때에 추는 춤의 이름. 고려 때에 시작한 것으로서, 당악(唐樂)·남녀악(男女樂)이 다 있으나 창사(唱詞)가 외연(外宴)에 맞지 아니하므로 남악(男樂)은 흔히 하지 아니함. 죽간자(竹竿子)가 나와 마주 서고, 여기(女妓) 하나는 꽃을 들고 포구문(抛毬門)의 동편에 서고, 또 하나는 붓을 들고 서편에 섬. 열 두 사람이 여섯 대(隊)에 나뉘어 제일 대 두 사람이 용알을 가지고 주악(奏樂)에 맞추어 사(詞)를 부르며 춤을 추다가 위로 던지어 구멍으로 나가게 함. 제일대가 춤추며 물러서면 차례로 제이대, 제삼대가 춤. 공을 구멍으로 넘기면 상으로 꽃 한 가지를 주고, 못 하면 벌로 얼굴에 먹점을 찍음.

〈포구락〉

포:구-문【抛毬門】명 〖악〗 포구락(抛毬樂) 춤의 공을 넘기는 문. 채색을 하였는데, 위의 한 가운데에 풍류안(風流眼), 곧 공을 넘기는 구멍이 있고, 그 아래에 비단 드림이 달렸고 문의 양쪽 기둥에 용의 알 한 개씩이 걸렸음. ㊟구문(毬門).

포:구-사【抛毬詞】명 〖악〗 정재(呈才) 때에 부르는 가사(歌詞)의 이름.

〈포구문〉

포구 장전【砲口裝塡】명 포구로부터 탄약을 장전함. ↔포미 장전(砲尾裝塡). ——-하다 타여불

포:국【布局】명 ①전체의 배치. ②바둑돌을 국면에 벌이어 놓음.

포군[1]【砲軍】명 〖군〗 포(砲)를 장비한 군. 총군(銃軍).

포군[2]【暴君】명 →폭군(暴君).

포궁【胞宮】명 〖생〗 자궁(子宮).

포-권척【布卷尺】명 권척(卷尺)의 한 가지. 너비 2cm 가량 되는 헝겊을 길이 50m 이하로 하여, 둥근 가죽갑 속에 넣어 풀었다 감았다 하게 된 자. *권척.

포귀 명 〈방〉 포기[1].

포근-포근 부 탄력성이 있고 보드라워서 솜에 살이 닿을 때와 같이 약간 따뜻하고 편안한 모양. <푸근푸근. ——-하다 형여불. ——-히 부

포근-하다 형여불 ①탄력성이 있고 보드라워서 솜 위에 살이 닿을 때와 같이, 약간 따뜻하고 편안한 느낌이 있다. ¶포근한 이불. ②겨울날이 바람이 없이 부드럽게 푹하다. ¶포근한 날씨. 1)·2):<푸근하다. 포근-히 부

포금[1]【布衾】명 무명 이불. 곧, 변변하지 않은 침구.

포금[2]【砲金】명 [gun metal] 청동(青銅)의 일종. 성분은 구리 90%, 주석 10% 정도이며, 주조(鑄造)하기 쉽고 마모(磨耗)·부식(腐蝕)에 강하나 항장력(抗張力)이 약함. 주로 포신(砲身)의 제조(製造)에 쓰임.

포기[1] 명 초목(草木)의 뿌리를 단위로 한 낱개. ¶풀 한 ~.

포:기²【抛棄】명 ①하던 일을 중도에 그만두어 버림. ②자기의 권리나 자격(資格)을 쓰지 아니함. ¶ 출전(出戰)을 ~하다. ——-하다 타여불

포기³【泡起】명 물거품과 같이 부풀어 오름. *발포(發泡). ——-하다 자여불

포:기⁴【暴棄】명 ↗자포 자기(自暴自棄). ——-하다 자여불

포기⁵【曝氣】명 물을 정화(淨化)할 때 여과(濾過) 전에 행하는 예비 조작(操作)의 하나. 많은 구멍으로 물을 떨어뜨리거나, 분수(噴水)로 하거나, 얇은 층으로 경사면을 흐르게 하거나 하여 될 수 있는 대로 공기와 접촉하게 하여 산소(酸素)의 흡수로 물 속의 유기물을 광물질(鑛物質)로 분해시키며, 물로부터 탄산 가스나 황화 수소 같은 것을 제거함.

포기-가름 명 포기나누기. ——-하다 타여불

포기-나누기 명 밑동에 나 있는 여러 개의 줄기나 싹 중에서 그 일부를 나누어 알맞은 곳에 따로 이식하는 일. 포기가름. 분주(分株). ——-하다 타여불

포:기 불고【抛棄不顧】명 내던져 버리고 돌보지 아니함. ——-하다 타여불

포깍-질 명 〈방〉 딸꾹질. ——-하다 자

포:끽【飽喫】명 포식(飽食). ——-하다 타여불

포나페 섬〔Ponape〕명〖지〗서태평양 캐롤라인 제도(Caroline諸島) 동부의 섬. 이 제도 중 가장 큰 섬이며 화산도(火山島)인데, 주위를 보초(堡礁)가 둘러싸고 있음. 선주민(先住民)의 유적(遺跡)이 많으며 코프라(copra)를 산출함. 미국 신탁 통치령의 포나페 지구의 중심지. [375 km²: 22,000 명(1980)]

포:난【飽暖】명 ↗포식 난의(飽食暖衣). ——-하다 자여불

포:난 생음욕【飽煖生淫慾】명 안일한 생활을 하면 자연히 음욕이 생김.

포납【布納】명〖역〗조선 시대에, 부역(賦役)을 가포(價布)로 대신 치르던 일. ——-하다 자여불

포:낭【包囊】명〔cyst membrane〕〖식〗박테리아·규조(珪藻)·황금조(黃金藻)·녹조(綠藻) 등에서 볼 수 있는 무성 생식 세포. 일정 기간 동안 휴면(休眠)한 후에 발아(發芽)하여 새 식물을 만들어 냄.

포:너〔fauna〕명〖동〗동물 분포의 상태.

포네틱 사인〔phonetic sign〕명 발음 기호(發音記號).

포네틱스〔phonetics〕명〖언〗음성학(音聲學).

포넴〔프 phonème〕명〖언〗포님(phoneme).

포:노그래프〔phonograph〕명 축음기(蓄音機).

포:노 모:터〔phono motor〕명 턴 테이블(turn table).

포:노스코:프〔phonoscope〕명 소리의 진동을 전기적(電氣的) 진동으로 바꾸어, 브라운관 위에 상(像)으로 나타나게 하는 기계. 사람의 목소리 등을 눈으로 볼 수 있게 하여 귀머거리·벙어리 등의 발성 훈련(發聲訓練)에 쓰임.

포:논〔phonon〕명〖물〗격자 진동(格子振動) 및 넓은 뜻의 음파(音波)를 양자화(量子化)한 준입자(準粒子). 저온(低溫)에서의 고체 비열(固體比熱)의 이상(異常)을 설명하기 위해 도입(導入)한 개념임.

포놀라이트〔phonolite〕명〖광〗향암(響岩). 향석.

포니〔pony〕명〖동〗몸이 작은 말의 일종. 강건(強健)하며 인내력이 강함. 영국산 셰틀랜드 포니(Shetland pony) 따위. 조랑말.

포니-테일〔pony-tail〕명〔그 모양이 망아지의 꼬리 같다는 데서〕긴 머리를 뒷머리 위쪽에서 리본 따위로 하나로 묶은 헤어 스타일.

포:님〔phoneme〕명〖언〗①언어음(言語音). ②음단위(音單位). 음소(音素). 소음(素音).

포다기 명 〈방〉 포대기.

포닥 부 새나 물고기가 날개나 꼬리를 가볍고도 재빨리 치는 소리. <푸덕. ——-하다 자타여불

포닥-거리다 자타 자꾸 포닥하다. 또, 자꾸 포닥 소리를 나게 하다. <푸덕거리다. 포닥-포닥 부. ——-하다 자타여불

포닥-대다 자타 포닥거리다.

포닥-이다 자 ①새 따위가, 날개를 가볍고 빠르게 쳐서 소리를 내다. ②물고기 따위가 꼬리를 쳐서 소리를 내다. 1)·2):<푸덕이다.

포단【蒲團】명 ①부들로 둥글게 틀어 만들어서 깔고 앉는 방석. 부들방석. ②이불.

포달¹ 명 암상이 나서 악을 쓰고 함부로 주워 대는 말.
포달(을) 부리다 구 포달스럽게 말을 하다. ¶ 박씨는 도리어 이것으로 해서 날마다 포달을 부리고 원망이 자심했다《朴鍾和:錦衫의 피》.

포:달²【布達】명〖역〗조선 시대 궁내부(宮內府)의 영달(令達).

포달-스럽다 형ㅂ불 야멸치고 암상스러운 데가 있다. ¶ "미쳤나? 무슨 짓이야" 하고 포달스럽게 말하였다《洪命憙:林巨正》. 포달-스레 부

포달-지다 형 말솜씨가 사납고 다라지다.

포대¹【布袋】명 베로 만든 자루. ¶ 쌀 ~.

포대²【布袋】명〖사람〗중국 후량(後梁)의 고승(高僧). 9-10세기 사이의 사람. 배가 나온 뚱뚱한 몸에 지팡이를 들고, 온갖 일용품을 담아 넣은 부대를 둘러메고 거리를 다니며, 길흉과 일기(日氣)를 점쳤다 함. 생몰년 미상.

포대³【布帶】명 베로 만든 띠.

포대⁴【包袋】명 부대(負袋). ¶ 밀가루 ~. 준포.

포-대⁵【袍帶】명 도포와 띠.

포대⁶【砲隊】명 포병 중대.

포대⁷【砲臺】명〖군〗해안 요새(海岸要塞)·야전(野戰) 따위의 포전(砲戰) 때에, 포수·포·탄환 등을 엄호하기 위하여 견고하게 구축된 화포 진지(火砲陣地). 포루(砲樓).

포대-경【砲臺鏡】명〖군〗적정(敵情)의 정찰(偵察)·목표 발견 등에 쓰는 군용 광학 기계(光學機械). 두 개의 각형(角型) 안경통(眼鏡筒)을 갖춘 쌍안경식(雙眼鏡式)의 큰 망원경.

포대경 사진기【砲臺鏡寫眞機】명〖군〗포대경에 장비한 사진 기계. 목표의 세부(細部) 정찰·사격도(射擊圖)의 제작 등에 사용됨.

포-대공【包臺工】명〖건〗대들보나 마룻보 위에 포작 형식(包作形式)으로 세운 기둥.

포대기 명 어린 아이의 이불. 깔기도 하고 업을 적에 둘러 대기도 함. 강보(襁褓).

포대-장【砲隊長】명 포병 중대장.

포:덕【布德】명〖천도교〗한울님의 덕을 세상에 편다는 뜻으로 천도교(天道敎)의 전도(傳道)를 일컫는 말.

포데기 명 〈방〉 포대기(전남).

포:도¹【捕盜】명 도둑을 잡음. ——-하다 자여불

포:도²【逋逃】명 죄를 저지르고 도망감. 둔도(遁逃). ——-하다 자여불

포:도³【逋徒】명 나라에서 도망친 사람.

포도⁴【葡萄】명〖식〗포도나무의 열매. ¶ ~주(酒)/~원(園).

포:도⁵【暴徒】명 →폭도(暴徒).

포도⁶【鋪道】명 포장(鋪裝)한 길. 포장 도로. 페이브먼트.

포도-경【葡萄莖】명 포도나무의 줄기.

포도-과【葡萄科】[-꽈] 명〖식〗[*Vitaceae*] 쌍자엽 식물 이판화류(離瓣花類)에 속하는 한 과. 전세계에 600여 종, 한국에는 개머루·담쟁이덩굴·새머루·왕머루·포도나무 등의 10여 종이 분포함.

포:도 군관【捕盜軍官】명〖역〗'포도 부장(捕盜部將)'의 별칭.

포:도 군사【捕盜軍士】명〖역〗조선 시대 포도청(捕盜廳)의 군졸(軍卒). 포졸(捕卒).
[포도 군사 은(銀)동곳 물어 뽑는다] 도둑이 붙잡혀서 하옥(下獄)되면서도 도벽(盜癖)을 못 버린다는 말.

포도-나무【葡萄-】명〖식〗[*Vitis vinifera*] 포도과에 속하는 낙엽 활엽 만목(蔓木). 덩굴은 길게 뻗고 퍼져 나가며, 권수(卷鬚)로 다른 것에 감아 붙음. 잎은 호생하고 장상 심렬(掌狀深裂)함. 첫여름에 담녹색의 오판화(五瓣花)가 원추(圓錐) 화서로 피고, 흑자색·적색·녹색 등의 둥글둥글한 장과(漿果)가 많이 열림. 서부 아시아의 원산으로 전세계의 온대 지방에서 재배함. 열매는 '포도'라 하고 포도당·비타민 등이 함유되어 생으로 먹거나 말려서 건포도(乾葡萄)로 또는 포도주를 빚어 먹음.

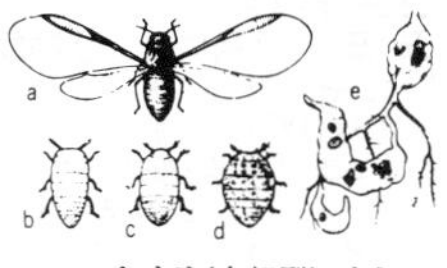

〈포도나무〉

포도나무뿌리-진딧물【葡萄-】명〖충〗[*Phylloxera vastatrix*] 진딧물과의 벌레. 몸길이 0.8-1.1 mm, 몸빛은 등황색 또는 황갈색. 생활형(生活型)에는 엽영형(葉癭型)과 근류형(根瘤型)이 있어, 전자는 수정란으로 후자는 유충으로 월년(越年)함. 단성 세대(單性世代)의 유충은 난생(卵生)으로 200여 개를 산란함. 양성 세대(兩性世代)의 암컷은 한 개의 수정란을 산란(產卵)함. 전세계에 분포함.

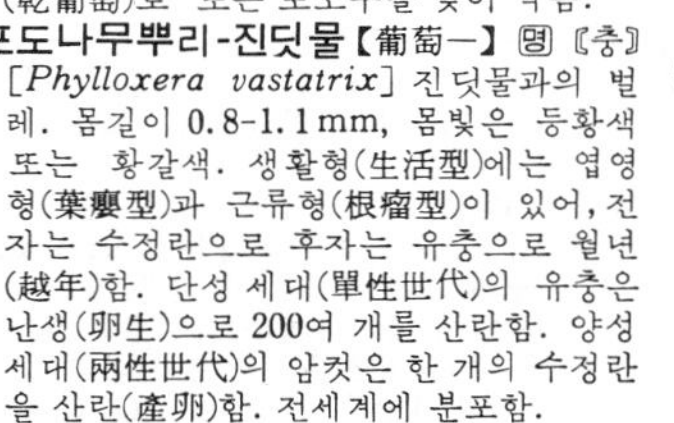

a. 유시형(有翅型) 성충
b. 근류형(根瘤型) 유충
c. 유성형(有性型) 성충
d. 근류형 성충 e. 근류
〈포도나무뿌리진딧물〉

포도나무-하늘소【葡萄-】[-쏘] 명〖충〗포도호랑하늘소.

포도-다【葡萄茶】명 포도와 배를 으깨어 즙(汁)을 낸 것과 강즙(薑汁)을 끓는 물에 넣어서 꿀을 탄 찻물.

포도-당【葡萄糖】명〔glucose〕〖화〗단당류(單糖類)의 하나. 백색 결정으로 감미(甘味)는 자당(蔗糖)보다 약함. 물에 녹기 쉽고 환원성(還元性)이 있음. 포도 열매·꿀 등 널리 생물계에 분포하며 인체의 혈액 속에는 약 1%가 포함되어 있음. 생물 조직 중의 것은 에너지원(源)으로 소비됨. 자연으로는 광합성(光合成)의 결과 생성되며, 공업적으로는 전분이나 셀룰로오스를 묽은 산으로 가수 분해하여 얻음. 알코올 발효의 원료, 의약품 따위에 이용됨. [$C_6H_{12}O_6$]

포도당-액【葡萄糖液】명〖약〗포도당의 5-50% 용액. 약으로서 심장 쇠약·중독증·허탈증(虛脫症) 등에 주사함.

포:도 대:장【捕盜大將】명〖역〗조선 시대 포도청의 주장(主將). 종이품(從二品). 준포장(捕將).

포도동 부 꿩 따위의 새가 갑자기 나는 때의 소리. <푸두둥. ——-하다 자여불

포도동-거리다 자 연해 포도동 소리를 내며 날다. <푸두둥거리다. 포도동-포도동 부. ——-하다 자여불

포도동-대다 자 포도동거리다.

포도련 배:추〔중 包頭蓮〕명 만생종(晚生種)의 결구(結球) 배추의 하나. 품질이 좋고 수량도 많으나, 성질은 지부(芝罘) 배추보다 약하고, 갈무리에도 약함.

포도막-염【葡萄膜炎】[-념] 명〖의〗포도막 곧 안구(眼球)의 맥락막(脈絡膜)·모양체(毛樣體)·홍채막(虹彩膜)에 생긴 염증.

포도-문【葡萄文】명 포도 넝쿨과 포도 송이를 문양화(文樣化)한 무늬. ¶ 백자 철화(白磁鐵畫) ~호(壺).

포도-박각시【葡萄-】명〖충〗[*Ampelophaga rubiginosa*] 박각싯과에 속하는 곤충. 편 날개의 길이 68 mm 내외이고, 몸빛은 다갈색(茶褐色)이며 배면(背面)에는 담홍색의 세로줄 무늬가 있고 앞날개 앞 끝은 돌출하였으며 각 횡선(橫線)은 암색(暗色), 뒷날개는 흑갈색임. 유충은 포도·사과 등의 해충으로, 한국에도 분포함.

포도-밭【葡萄-】명 포도를 재배하는 밭. 포도원(葡萄園).

포:도 부장【捕盜部將】명〖역〗조선 시대 포도청의 한 벼슬. 포교(捕校). 포도 군관(捕盜軍官).

포도-산【葡萄酸】명〖화〗l(D) 타르타르산과 d(L) 타르타르산의 등량(等量) 혼합물. 천연으로는 포도의 과즙(果汁) 속에 있을 때도 있음.

선광성(旋光性)이 없고 d(L) 타르타르산보다 물에 잘 녹지 아니함. 광학(光學) 이성체(異性體)에 관한 입체 화학 연구의 단서가 되었던 화합물임. 라세미산(rasemi 酸).

포도-상【葡萄狀】명 포도송이나 포도알 같은 모양.

포도상 구균【葡萄狀球菌】명〔생〕구형(球形) 세포가 다수 불규칙하게 모여 포도 송이같이 된 세균. 널리 분포되어 연쇄상(連鎖狀) 구균과 더불어 화농증(化膿症)의 병원(病原)이 됨. 보통 무해(無害)하지만 체내에 들어가면 병원성을 나타냄.

포도상 귀:태【葡萄狀鬼胎】명〔의〕난자(卵子)를 싸고 있는 외난막(外卵膜)의 표면에 있는 융모(絨毛)가 무수한 낭포(囊胞)로 변하여 포도 송이같이 되어 태아가 보통 사망 흡수(死亡吸收)되는 병. 임신 3-4개월에 유산(流產)됨. 「빛.

포도-색【葡萄色】명 포도와 같이 붉은 빛이 나는 자홍색(紫紅色). 포돗

포도-석【葡萄石】명〔광〕사방 정계(斜方晶系)의 광물. 판상(板狀) 또는 주상(柱狀)이며, 때로는 포도상을 이루기도 함. 색은 녹색·백색·무색 등. 화학 성분은 알루미늄과 칼슘의 함수 규산염(含水硅酸鹽)임.

포:도-수【逋逃藪】명 죄를 저지르고 도망 간 사람들이 숨어 있는 곳.

포도시 부〈방〉겨우(전라).

포도아【葡萄牙】명〔지〕'포르투갈(Portugal)'의 취음.

포도-원【葡萄園】명 포도를 재배하는 과수원. 포도밭.

포도잎말이-바구미【葡萄—】명〔충〕[*Aspidobyctiscus lacunipennis*] 바구밋과에 속하는 곤충. 몸길이 5-6 mm이고, 몸빛은 광택 있는 동갈색(銅褐色)에, 촉각은 흑색이며 시초(翅鞘)에는 깊은 구상(溝狀)의 점각(點刻)이 아홉 줄씩 있음. 암컷은 잎을 말아 요람을 만듦. 포도나무 따위의 눈·잎의 해충으로, 한국에도 분포함.

포:도 종사관【捕盜從事官】명〔역〕좌우 포도청(捕盜廳)의 종사관. 종육품(從六品)임.

포도-주【葡萄酒】명 포도즙(葡萄汁)에 정제당(精製糖)을 넣어 발효시켜 만든 술. 적(赤)포도주·백(白)포도주·생(生)포도주 등의 종별이 있으며, 쇠약자 및 병자의 흥분제로 쓰기도 함. 기독교에서는 예수의 피를 상징하여 성찬식(聖餐式) 때에 씀. 와인(wine).

포도주 효모균【葡萄酒酵母菌】명〔식〕진정(眞正) 효모균류의 하나. 성숙한 포도의 과피(果皮)에서 분리된 효모. 알코올 발효를 행하여 포도주 양조에 쓰임.

포도-즙【葡萄汁】명 포도를 짜서 만든 즙액(汁液).

포:도-청【捕盜廳】명〔역〕조선 시대 중기 이후 도둑 기타 범죄자를 잡기 위하여 설치한 관청. 좌우청(左右廳)의 둘이 있었으며, 고종(高宗) 31년(1894)에 폐지됨.

[포도청의 문고리 빼겠다] 겁이 없고 담이 큰 사람을 이르는 말.

포:도청 변 쓰듯 구 남이 알아듣지 못할 말을 툭툭 내뱉는 모양. ¶ 포도청 변 쓰듯이 대강 몇 마디만 하는데 그 중에 분명한 말은 충노에서 도적 맞었던 말과 당장에 돈 한푼 없이 있으니≪李人稙:鬼의 聲≫.

포도필로톡신〔podophyllotoxin〕명〔화〕질소를 함유하지 않은 식물독(植物毒)의 하나. 무색의 기둥 모양의 결정. 녹는점 106°-108°C. 보통 포도필린(podophyllin)이라고 불리는 하제(下劑)의 주성분을 이룸. 북미(北美) 원산의 매자나뭇과(科) 식물(*Podophyllum pettalum*), 인도산(產)의 포도필룸 에모디(*Podophyllum emodi*)의 근경(根莖)에 함유되어 있음. 종양(腫瘍)·사마귀 따위의 치료에 사용됨.

포도필룸〔라 podophyllum〕명〔식〕북미(北美) 원산의 매자나뭇과(科)에 속하는 다년초(多年草). 높이 30-45 cm에 달하며, 잎은 장병(長柄)으로 원상 순형(圓狀楯形)인데 5-9개로 얕게 찢어짐. 봄에 백색 육판화(六瓣花)가, 화경(花莖)끝의 두 잎 사이에서 하나가 밑을 향하여 피고, 꽃이 진 뒤 달걀꼴의 과실이 황색으로 익음. 근경(根莖)에서 수지(樹脂)를 채취하여 하제(下劑)로 쓰는데, 성분(成分)은 포도필린(podophyllin)임.

포도-호랑하늘소【葡萄虎狼—】[—쏘] 명〔충〕[*Xylotrechus pyrrhoderus*] 하늘솟과에 속하는 곤충. 몸길이 8-15 mm로 몸빛은 흑색에 전흉(前胸)과 소순판(小楯板)은 홍적색, 시초(翅鞘)에는 대황회색(帶黃灰色)의 횡대(橫帶)가 두 개 있으며, 양복판(兩腹板)은 적색, 그 외는 흑색임. 유충(幼蟲)은 포도나무의 해충. 한국 및 일본 등지에 분포함. 포도나무하늘소.

유충 성충

〈포도호랑하늘소〉

포돗-빛【葡萄—】명 포도색(葡萄色).

포동-포동 부 통통하게 살지고 보드라운 모양. ¶ ~ 한 볼. ㄴ보동보동. <푸둥푸둥. ——-하다 형여불

포두[1]【包頭】명〔지〕'바오터우'를 우리 음으로 읽은 이름.

포두[2]【鋪頭】명〔역〕①과시(科詩)의 넷째 구(句). ②과시(科試)의 부(賦)의 다섯째 구. 「다 자여불

포:두 서:찬【抱頭鼠竄】명 무서워서 몰골 사납게 얼른 숨음. ——-하

포:드[1]〔Ford〕명 포드 자동차 회사제의 자동차. 또, 그 상품명.

포:드[2]〔Ford, Gerald〕명〔사람〕미국의 정치가. 1935년 미시간 대학을 졸업하고, 49년 공화당 하원 의원, 65년 원내 총무를 역임, 73년 부통령이 되어 이듬해 닉슨 대통령 사임에 따라 제38대 대통령을 승계(承繼)하였으며, 76년 대통령 선거에 카터에게 패배함. [1913-]

포:드[3]〔Ford, Henry〕명〔사람〕미국의 기술자·대실업가(大實業家). 1902년 자동차의 조립(組立)에 성공하여, 1903년에 값싼 자동차 생산을 목적으로 하여 포드 자동차 회사를 창설(創設), 그의 독특한 경영 합리화·능률주의로 크게 성공하였음. [1863-1947]

포:드[4]〔Ford, John〕명〔사람〕영국의 극작가(劇作家). ≪상심(傷心)≫·≪연인(戀人)의 우울≫ 등 연애와 도덕의 갈등(葛藤)을 그린 작품 및 사극(史劇) ≪퍼킨 워벡(Perkin Warbeck)≫은 걸작(傑作)의 이름이 있음. [1586?-1639]

포:드[5]〔Ford, John〕명〔사람〕미국의 영화 감독. 주로, 서부극(西部劇)을 다룬 200여 편의 작품을 발표, 그 중 ≪역마차(驛馬車)≫·≪황야(荒野)의 결투(決鬪)≫·≪분노(憤怒)의 포도(葡萄)≫·≪아일랜드의 연풍(戀風)≫ 등이 알려졌음. [1895-1973]

포드고르니〔Podgorny, Nikolai Viktrovich〕명 소련의 정치가. 농업 기사 출신. 1956년 당 중앙 위원, 60년 당 중앙 간부 회원이 되고, 61년 제22회 당대회에서 말렌코프·가가노비치의 탄핵 연설을 행함. 65년 최고 회의 간부 회의 의장에 취임, 77년에 해임됨. [1903-83]

포드닥 부 날짐승이 날개를 가볍고 어지럽게 치는 소리. 또, 작은 물고기 따위가 생기있게 뛰며 어지럽게 꼬리를 치는 소리. <푸드덕. ——-하다 자여불

포드닥-거리다 자 연해 포드닥 소리를 내다. <푸드덕거리다. **포드닥-포드닥** 부. ——-하다 자여불

포드닥-대다 자 포드닥거리다.

포드득 부 탄탄하고 질기거나 반드러운 물건이 마찰할 때 나는 소리. 또, 무른 똥을 힘들이어 눌 때 되바라지게 나는 소리. ㄴ보드득. ㅃ뽀드득. >파드득. <푸드득. ——-하다 자타여불

포드득-거리다 자타 포드득 소리가 자꾸 나다. 또, 포드득 소리를 자꾸 내다. ㄴ보드득거리다. ㅃ뽀드득거리다. >파드득거리다. <푸드득거리다. **포드득-포드득** 부. ——-하다 자타여불

포드득-대다 자타 포드득거리다.

포드등 부☞ 포도동.

포드등-거리다 자타☞ 포도동거리다.

포:드 시스템〔Ford system〕명〔경〕포드(Ford, Henry)가 그 자동차 회사에서 실행한 경영 관리 방식. 목표는 경영 합리화를 철저히 한 대량 생산으로 원가를 가능한 한 인하함에 있었고, 그 수단으로서는, 제품의 단일화와, 벨트 콘베이어를 사용하는 일관 조립법(一貫組立法)을 썼으며, 그 결과로서 동시 관리(同時管理)를 실현했음. *테일러 시스템(Taylor system).

포:드 자동차 회:사【—自動車會社】명〔Ford Motor Co.〕제너럴 모터스에 버금가는 세계 제2위의 미국 자동차 회사. 1903년 헨리 포드가 세웠으며, 한때는 시장의 반 이상을 차지했었음.

포:드 재단【—財團】〔Ford〕명 헨리 포드 부자(父子)가 1936년에 설립한 공익 재단. 인류 복지의 증진을 위해 내외의 교육·연구 활동의 보조금을 교부하고 국제 교류 계획 등도 추진함. 본부는 뉴욕에 있음.

포드졸〔podzol〕명〔지〕타이거 지대(tiger 地帶)에 널리 분포하는 산성의 토양(土壤). 표면은 부식층(腐植層)으로, 그 밑에 침투수(浸透水)에 의해 표백된 회백색의 층과 그 아래쪽에 철·부식토 등이 쌓인 암적색(暗赤色)의 치밀한 층이 있음.

포:라〔poral〕명☞ 포럴.

포락[1]【包絡】명 ①온통 둥이거나 싸서 묶음. ②〔생〕염통을 싸고 있는 얇은 막. 심장막(心臟膜).

포락[2]【炮烙】명 ①불에 달구어 지짐. ②↗포락지형. ——-하다 타여불

포락[3]【浦落】명 강물이나 냇물에 논밭이 개먹어서 무너져 떨어짐. ——-하다 자여불

포락-선【包絡線】명〔수〕어느 일정한 조건에 따라서 존재하는 일군(一群)의 곡선(曲線)의 모든 것에 접하는 정곡선(定曲線). 한 정점(定點)으로부터의 수직 거리(垂直距離)가 일정한 직선군(直線群)의 포락선은 원(圓)임.

포락지-형【炮烙之刑】명 ①〔역〕중국 은(殷)나라 주왕(紂王)이 쓰던 혹독한 형벌. 기름칠한 구리 기둥을 숯불 위에 걸치어 놓고 죄인을 그리로 건너가게 하였다 함. ②뜨거운 쇠로 단근질하는 극형(極刑)의 속칭. 준포락(炮烙).

포:란【抱卵】명 암새가 알을 품어 따스하게 하는 일. ——-하다 자여불

포:란-기【抱卵期】명 조류(鳥類)의 암컷이 알을 품는 시기.

포래 명〈방〉〔식〕파래[1](전라·경남).

포랭이 명〈방〉〔충〕파리(경남).

포량-미【砲糧米】명〔역〕조선 고종(高宗) 때 제정된, 강화(江華) 진무영(鎭撫營)의 군수(軍需)로 징수하던 세미(稅米).

포:럴〔poral〕명 바탕에 기공(氣孔)이 많은 모직물. 여름 옷감으로 쓰임.

포:럼〔forum〕명 포룸(forum).

포:럼 디스커션〔forum discussion〕명 로마에서 행하여졌던 토의(討議)의 한 방식. 사회자(司會者)의 지도 아래 한 사람 또는 여러 사람이 연설을 하여, 청중(聽衆)이 이것에 대하여 질문하면서 토론을 진행하는 방법. 광장적 토의(廣場的討議). 토론회(討論會).

포레〔Fauré, Gabriel-Urbain〕명〔사람〕프랑스의 작곡가. 파리에서 배우고 교회의 오르가니스트(organist)로서 일하는 한편 작곡하여 세상에 알려지기는 비교적 늦어서임. 1905년 파리 음악원장이 되고 차츰 귀가 먹어 들리지 않게 됨. 그의 작품은 어느 고정된 형식에 구애되지 않고 자유롭고 내성적(內省的)이며, 프랑스풍의 세련된 감각으로써 드뷔시(Debussy) 이전의 프랑스 음악의 기초를 쌓았음. [1845-1924]

포렐〔Forel, François Alphonse〕명〔사람〕스위스의 호소(湖沼)학자. 로잔(Lausanne) 대학 교수. 호소학을 처음으로 체계화하였고, 물리학·지진학·생물학·고고학·빙하학 등 다방면의 연구를 함. 30년간에 걸쳐 호소지(湖沼誌) ≪레만 호(Leman湖)≫를 편집하였으며, 1901년 호소학(湖沼學) 교과서를 냄. [1841-1912]

포렐 표준색【—標準色】〔Forel〕명 물빛을 결정하는 기준색. 1888년 포렐(Forel, F.A.)이 남색액(藍色液)과 황색액(黃色液)을 만들고 이들

을 적절히 섞어 Ⅰ-Ⅺ의 로마 숫자(數字)로 빛의 단계를 나타냄. 이를테면 Ⅰ(100:0), Ⅱ(98:2), Ⅷ(65:35), Ⅺ(35:65) 등.

포렴【布簾】 명 복덕방이나 술집 등의 문에 늘인 베조각.

포:로[1]【捕虜】 명 ①전투에서 사로잡힌 적(敵)의 군사. ②〖법〗 적군의 권내(權內)에 들어간 전쟁 당사국 일방의 병력(兵力)에 속하는 전투원(戰鬪員)이나 또는 비전투원(非戰鬪員). 이들은 전시 범죄(戰時犯罪)를 범한 경우를 제외하고는 생명·신체·명예(名譽)의 안전이 보장됨. 부로(俘虜). 노수(虜囚). 군로(軍虜). 전로(戰虜). 수금(囚擒). ③어떤 것에 대하여 꼼짝 못하는 상태. ¶사랑의 ~가 되다.

포로[2]【匏蘆】 명 〖식〗 박❶.

포로[3]【蒲盧】 명 〖충〗 구멍벌.

포로[4]【蒲蘆】 명 〖식〗 호리병박.

포:로-감【哺露疳】 명 〖의〗 선병질(腺病質)의 어린애가 두개(頭蓋)의 여러 뼈의 봉합(縫合)이 잘 달라붙지 아니하는 병.

포:로 교환【捕虜交換】 명 교전 단체간에 중립국의 개입이나 자신들의 제의로 상호간의 포로를 교환하는 일. 일괄해서 전체의 포로를 교환하는 경우와 인원수를 계산해서 동수(同數)를 교환하는 경우가 있음. 휴전이 성립된 적성 국가나 단체간에도 행해짐.

포로 로마노 〔Foro Romano〕 명 〖역〗 로마의 카피톨리누스(Capitolinus)·팔라티누스(Palatinus) 등 네 개의 구릉(丘陵)에 둘러 싸인 평지에 베풀어졌던 포룸(forum). 바실리카(Basilica)의 출현으로 9세기 이후에 황폐되었음.

포:로-병【捕虜兵】 명 포로로 잡힌 적병(敵兵).

포:로 송:환【捕虜送還】 명 전쟁 상태의 종결로 포로를 석방하여 본국으로 송환하는 일.

포:로 수용소【捕虜收容所】 명 포로(捕虜)를 유치(留置)·거주(居住)시키는 시설(施設). 라거(Lager).

포:로 정보국【捕虜情報局】 명 포로(捕虜)에 관한 정보를 모아 서로 연락하는 기관(機關).

포:룡-환【抱龍丸】 명 〖한의〗 열로 인한 경풍(驚風)에 쓰는 환약.

포루【砲樓】 명 포대(砲臺).

포루-박 명 〈방〉 표주박.

포:룸 〔라 forum〕 명 〖역〗 〔광장(廣場)의 뜻〕 로마 시대의 도시의 광장. 주위에 주랑(柱廊)·바실리카 신전(Basilica神殿)·상점이 늘어서고 정치·경제의 중심을 이루었음. 포럼. *포로 로마노(Foro Romano).

포:류【蒲柳】 명 〖식〗 갯버들.

포:류-문【蒲柳文】 명 갯버들과 수금(水禽) 등의 새들을 소재로 한 무늬.

포:류-질【蒲柳質】 명 갯버들처럼 몸이 잔약(孱弱)하여 병에 걸리기 쉬운 체질.

포르 〔Fort, Paul〕 명 〖사람〗 프랑스의 시인. 상징파(象徵派)의 거장으로, ≪프랑스 가요집≫ 39권을 내어 시왕(詩王)이라 일컬어짐. 가장 위대한 프랑스 정신의 시인으로 알려져, 운문(韻文)과 산문(散文) 사이를 자유로이 내왕하는 새로운 스타일을 창조하여 천재적인 재질로 40여 권의 시집을 내었음. [1872-1953]

포르께-하다 형여불 ☞ 파르께하다.

포르노 명 ↗포르노그라피(pornography).

포르노그라피 〔pornography〕 명 인간의 성적(性的) 행위의 묘사를 주로한 소설·영화·사진·회화 등. 전통적인 호색 문학(好色文學)에 대하여 현대적·서양적인 것을 말함. 준포르노.

포르대대-하다 형여불 ☞ 파르대대하다.

포르댕댕-하다 형여불 ☞ 파르댕댕하다.

포르-드-프랑스 〔Fort-de-France〕 명 〖지〗 서(西)인도 제도 소앤틸리스 열도(小Antilles列島) 중앙부에 있는 마르티니크(Martinique) 섬 서안(西岸)의 항도. 이 섬의 주도(主都)로, 사탕·럼주(rum酒) 등을 수출함. [100,000명(1982)]

포르-라미 〔Fort Lamy〕 명 〖지〗 '은자메나(Ndjamena)'의 구칭.

포르르 부 ①적은 물이 좁은 면적으로 갑자기 끓어 오를 때 나는 소리. 또, 그 모양. ②배게 모인 나뭇 개비에 불이 타 오르는 모양. ③잎사귀 같은 것이 갑자기 가볍게 떠는 모양. 1)-3):스보르르. ④작은 새 같은 것이 제 자리에서 갑자기 냅뜨면서 날아 가는 소리. 1)-4):<푸르르. *파르르. ——-하다 자여불

포르말린 〔formalin〕 명 〖약〗 포름알데히드(formaldehyde)의 30-40% 수용액(水溶液). 환원성(還元性)이 강하여 사진·화학용 약품·합성 색소(合成色素)에 쓰이며, 또 살균제(殺菌劑)·소독제(消毒劑)·방부제(防腐劑)로서도 용도가 넓음.

포르무레-하다 형여불 ☞ 파르무레하다.

포르밀-기【一基】 명 〔formyl group〕 〖화〗 1가(價)의 기(基) -CHO의 일컬음. 포름산(酸)으로부터 유도(誘導)되는 아실기(acyl基). 카르보닐기(carbonyl基)에 수소 원자 한 개가 결합된 기. 알데히드기(aldehyde基). *카르보닐기(carbonyl基).

포르스름-하다 형 ☞ 파르스름하다.

포르스만 〔Forssmann, Werner〕 명 〖사람〗 독일의 의학자. 심장 카테터법(catheter法)을 고안하여 심장병의 진단과 심폐(心肺)의 병태(病態) 생리 연구에 이바지함. 1956년 노벨 생리 의학상 수상. [1904-79]

포르스만 항:원【一抗原】 명 〔Forssman's antigen〕 〖생〗 동물 기원(起源)의 지질(脂質) 항원의 하나. 기니아픽의 신장(腎臟)의 수추출액(水抽出液)으로서, 토끼를 면역(免疫)하였을 때에 생기는 항체(抗體)가 양(羊)의 적혈구에 용혈소(溶血素)로서 작용하는 그것을 포르스만 항체라 하고, 이것에 반응하는 항원(抗原)을 이름.

포르스트 〔Forst, Willy〕 명 〖사람〗 오스트리아의 영화 감독. 주요 작품에 ≪미완성 교향악≫·≪마주르카(mazurka)≫·≪부르크 극장(Burg劇場)≫ 등이 있음. [1903-]

포르-장티 〔Port Gentil〕 명 〖지〗 아프리카 가봉(Gabon)의 대서양안(大西洋岸)의 항도(港都). 공항(空港)이 있으며 망간·석유·우라늄·목재 등을 수출함. [30,000명(1970추계)]

포르족족-하다 형여불 ☞ 파르족족하다.

포르타 〔Porta, Giacomo della〕 명 〖사람〗 이탈리아의 건축가·조각가. 제노바(Genova) 태생으로 로마에서 미켈란젤로의 조수로 활약. 그 후 비뇰라(Vignola)를 따라 일 제스 성당(Il Gesù聖堂)을 완성, 산 피에트로 대성당(San Pietro大聖堂)의 건축 주임이 됨. 후기 르네상스와 바로크를 잇는 건축가로 중요한 자리를 차지함. [1541-1604]

포르타멘토 〔이 portamento〕 명 〖악〗 한 음(音)으로부터 다음 음으로 옮아갈 때, 극히 미끄럽게 부르거나 또는 연주하는 일.

포르탈레자 〔Fortaleza〕 명 〖지〗 남미 브라질 북동부 세아라 주(Ceará州)의 항구 도시. 대외 무역의 요지이며 사탕·커피·면화·가축·피혁(皮革) 등을 주로 수출함. [649,000명(1980)]

포르탱 청우계【一晴雨計】 〔Fortin〕 명 〖물〗 프랑스의 포르탱(Fortin; 1750-1831)이 만든 수은(水銀) 기압계의 한 가지.

〈포르탱 청우계〉

포르테 〔이 forte〕 명 〖악〗 '강하게'의 뜻. 강주(強奏). 약호는 'f'. ↔피아노[2](piano).

포르테냐 음악【一音樂】 명 〔스 música porteña〕 〖악〗 아르헨티나의 수도 부에노스아이레스를 중심으로 발달한 음악의 총칭. 탱고·밀롱가(milonga) 및 왈츠(waltz) 등을 포함함. 보통 바이올린·반도네온(Bandoneon)·피아노·베이스 등으로 편성된 악단에 의해서 연주되는 것이 특색임.

포르테 피아노 〔이 forte piano〕 명 〖악〗 '강하게 한 후 곧 약하게'의 뜻. 약호는 'fp'.

포르토-노보 〔Porto Novo〕 명 〖지〗 아프리카 중서부 기니 만(Guinea灣)에 면하는, 베냉 공화국(Benin共和國)의 수도. 야자유(椰子油)·면화·낙화생 등을 수출함. [160,000명(1995 추계)]

포르토-리슈 〔Porto-Riche, Georges de〕 명 〖사람〗 프랑스의 시인·극작가. '자유 극장(自由劇場)'에서 출발, 특히 여성의 애욕 심리를 냉정·우완(優婉)한 필치로 묘사하고, 전통적인 심리 분석에 재치가 있어 작품 ≪과거≫·≪정 깊은 여자≫ 등은 연애극의 걸작(傑作)으로 꼽힘. [1849-1930]

포르토리코 섬 〔Porto Rico〕 명 〖지〗 푸에르토리코(Puerto Rico)섬.

포르토-프랭스 〔Port-au-Prince〕 명 〖지〗 아이티(Haiti) 공화국의 수도. 히스파니올라(Hispaniola) 섬 서남안(西南岸)의 천연의 양항(良港)으로 설탕·커피·럼주(rum酒) 등을 수출함. 대학이 있으며 교통·통신의 중심지임. [1,300,000명(1995 추계)]

포르투 〔Porto〕 명 〖지〗 이베리아 반도 서안에 있는 포르투갈 제2의 도시. 포도주의 적출항이며 석유·피혁 등의 공업이 성함. 고딕 양식의 대성당·역사 민속 박물관 등이 있음. 영어명: 오포르토(Oporto). [347,300명(1986)]

포르투갈 〔Portugal〕 명 〖지〗 남유럽 이베리아 반도 서부에 있는 공화국. 중세 사라센(Saracen)의 침입을 받았으나 12세기에 현 판도(版圖)가 이룩되고 독립 왕국을 세워 근세 초에 해외로 발전하였음. 특히, 동양 무역으로 부강(富强)하게 되었음. 1580-1640년 스페인에 병합되었다가 다시 독립하였으며, 1807년에 나폴레옹 1세의 침입을 받음. 1820년의 입헌 혁명, 1908년의 공화제, 1919년의 왕정 복고를 거쳐 1926년 군부 쿠데타로 군사 독재 정권이 수립됨. 그 후 정국 혼란을 거쳐 1976년 신헌법이 채택되어 대통령 선거로 민정(民政)으로 됨. 주민은 셈계(Sem系)와 햄계(Ham系)의 혼혈족으로 대부분이 구교도임. 주산업은 농업이며 포도 등의 과실·코르크(cork)·보리 등을 산출, 남부에는 구리의 산출(產出)도 많음. 수도는 리스본(Lisbon). 포도아(葡萄牙). 정식 명칭은 포르투갈 공화국(Portuguese Republic)임. [92,389 km^2: 10,800,000명(1995 추계)]

포르투갈령 인도【一領印度】 〔Portugal〕 명 〖지〗 인도의 서해안 고아(Goa)·다마웅(Damão)·디우(Diu)의 세 지방과 소도(小島)를 일컫는 말. 1498년 항해가인 가마(Gama)가 발견함. 1505년 포르투갈령이 되었다가 1962년 인도에 반환됨.

포르투갈-어【一語】 〔Portugal〕 명 인도 유럽 어족(語族)의 이탈릭 어파(Italic語派)에 속하는 로맨스어(Romance語)의 하나. 이베리아 반도(Iberia半島) 서북부의 갈리시아(Galicia) 지방에서 남하(南下)함. 북(北)·중(中)·남(南)의 세 방언이 있으며 표준어는 남부 방언, 브라질에서도 쓰임. 스페인어(語)와는 가까운 관계에 있으나 비모음(鼻母音)이 있고 b와 v의 구별이 있는 등 상이점도 있음. 사용 인구는 본국 등 920만 명, 그 이외의 나라에 6,500만 명 정도임.

포르투나 〔Fortuna〕 명 〖신〗 로마 신화 중의 행복의 여신(女神). 인간의 행복·불행을 관장하는데, 풍요(豐饒)의 상징으로서 과실·꽃·곡식 등을 산양의 뿔에 얹어 가지고 있음.

포르투누스-과【一科】 〔Portunus〕 〔—꽈〕 명 〖동〗 갑각류(甲殼類)의 십각목(十脚目)에 속하는 단미류(短尾類)의 한 과(科). 꽃게 등이 이에 속함.

포르투-알레그레 〔Porto Alegre〕 명 〖지〗 남미 브라질 남부, 리우그란데두술 주(Rio Grande do Sul州)의 주도(主都)로, 브라질 거의 남단에서 해양으로 통하는 두스파투스 호(Dos Patos湖) 북단의 항구 도시. 부근에서는 석탄을 산출하며 온난한 기후와 상응하여 상업의 중심지를 이루고 있음. 금속·섬유·식품 공업이 행해지며 육류(肉類)·피혁·양모(羊毛) 등의 수출이 많음. [1,109,000명(1980)]

포르티시모 〔이 fortissimo〕 명 〖악〗 '아주 강하게'의 뜻. 약호는 'ff'.

↔피아니시모(pianissimo).

포르티시시모 〔이 fortississimo〕 명 〖악〗 '가장 강하게'의 뜻. 포르티시모보다 더욱 강함. 약호는 'fff'.

포르피린 〔porphyrin〕 명 〖화〗 네 개의 피롤환(pyrrole環)이 메틸기(基)-CH=로 환상 결합(環狀結合)된 구조를 갖는 물질. 포르피린은 안정된 일종의 다환 방향족(多環芳香族) 화합물에 속하며 생체내(生體內)에서는 보통 분자내 착염(分子內錯塩)을 만듦.

포름 〔프 forme〕 명 ①조형(造形) 예술에서 하나의 공간을 조형하는 시각적 요소의 하나. 형. 형태. ②미적 대상(美的對象)의 감각적·실재적인 현상으로서의 측면. 보통 내용의 대립 개념으로서 일컬어지는 형식.

포름-산 【一酸】 명 〔formic acid〕 〖화〗 개미나 벌 등의 체내에 있는 지방산(脂肪酸)의 한 가지. 유기산(有機酸) 중 가장 간단한 것으로 무색 투명하고 신 맛과 찌르는 듯한 냄새가 있으며, 피부에 닿으면 몹시 아프고 물거품이일어남. 공업 상으로는 가성 소다에 일산화 탄소를 작용시켜서 만들며, 수산(蓚酸) 제조·염료 공업(染料工業) 등에 씀. 개미산. [HCOOH]

포름산 부틸 【一酸一】 명 〔butyl formate〕 〖화〗 포름산과 부탄올의 에스테르. [$HCOOC_4H_9$]

포름산 에틸 【一酸一】 명 〔ethyl formate〕 〖화〗 무색의 액체. 용제(溶劑)·유충 구제제(幼蟲驅除劑)·향신료·수지·의약에 쓰임. [$HCOOC_2H_5$]

포름-알데히드 〔formaldehyde〕 명 〖화〗 가장 간단한 알데히드. 메탄올(methanol)을 산화하여 만듦. 자극적인 냄새가 나는 무색의 기체. 끓는점 −19.3℃. 물에 잘 녹으며 30-40 % 수용액은 포르말린(formalin)이라는 상품명으로서 살균 방부제로 쓰임. 환원성(還元性)이 강하며, 산화하면 포름산(酸)이 됨. 페놀 수지(phenol 樹脂) 등의 합성 수지 원료로 쓰이는데 발암성(發癌性)이 지적되고 있음. 메탄알(methanal). [HCHO]

포릇-포릇 부 〈방〉 파릇파릇. ——-하다 형

포리[1] 명 〈방〉 파리(전라·경상·함북).

포리[2] 명 〈방〉 팥(함북).

포:리[3] 【捕吏】 명 〖역〗 포도청 및 지방 관아에 딸려 죄인을 잡는 하리(下吏).

포:리[4] 【逋吏】 명 관물을 착복(着服)·포탈(逋脫)한 이속(吏屬).

포:리[5] 【暴吏】 명 포악한 관리. 사나운 벼슬아치.

포리[6] 〔Pori〕 명 〖지〗 핀란드 서남부, 보트니아 만(Bothnia 灣)에 면한 항구 도시. 동(銅)·니켈의 제련(製鍊), 제재, 펄프, 성냥 공업 등이 행해짐. [79,000 명(1981)]

포린 【苞鱗】 명 〔bract scale〕 〖식〗 소나무 같은 나자(裸子) 식물의 암꽃의 배주(胚珠)를 받치고 있는, 종린(種鱗)의 아래 쪽에 생기는 작은 돌기(突起). 피자(被子) 식물의 포(包)에 상당함.

포린 버:전 〔foreign version〕 명 ①외국어 번역문(外國語飜譯文). ②토키 영화(talkie映畫)의 외국판(外國版).

포린 어페어스 〔Foreign Affairs〕 명 미국의 외교 문제(外交問題) 전문지(專門誌). 1922년 창간. 그 평론은 때때로 세계적인 영향력을 갖는 권위가 있음. 계간(季刊).

포린트 〔forint〕 의명 헝가리의 통화 단위의 하나. 100필러(fillers)와 같음.

포립 【布笠】 명 베·모시 같은 것으로 싸개를 한 갓.

포마 【鋪馬】 명 〖역〗 역말[1].

포마드 〔pomade〕 명 머리털에 바르는 반고체(半固體)의 기름. 머리털에 광택과 방향(芳香)을 주고 또 정발(整髮)하는 데 쓰이는데, 식물성과 광물성이 있음. 주로 남자용임.

포마이카 〔Formica〕 명 가구나 벽(壁)널에 칠하는, 내약품성(耐藥品性)·내열성(耐熱性)의 합성 수지 도료(塗料)의 상표명. 호마이카.

포마토 〔pomato〕 명 〖식〗 감자와 토마토의 잡종(雜種). 1978년 독일의 막스 프랑크 생물학 연구소에서 개발(開發)한 것으로, 가지에는 토마토가 열리고, 뿌리에는 감자가 달림.

포막[1] 【包膜】 명 〔indusium〕 〖생〗 진정 양치류(眞正羊齒類)의 자낭군(子囊群)을 싸는 얇은 막(膜).

포막[2] 【鋪幕】 명 〖역〗 병정·순검(巡檢)이 파수 보는 막.

포:만[1] 【飽滿】 명 무엇이나 그 용량(容量)에 충분히 참. ¶ ~감. ——-하다 자형 여불 ①용량(容量)에 꽉 차다. ②→푸만하다.

포:만[2] 【暴慢】 명 난폭하고 교만함. 폭만(暴慢). 포횡(暴橫). ——-하다 형 여불

포:만-감 【飽滿感】 명 양껏 먹어서 배가 잔뜩 부른 느낌. 또, 충분히 차서 만족스런 느낌. ¶ 식후(食後)의 ~.

포:만 무례 【暴慢無禮】 명 하는 짓이 난폭하며 거만하고 무례함. ——-하다 형 여불

포말[1] 【布襪】 명 광중(壙中)을 다듬을 때, 사토장(莎土匠)이가 신는 버선.

포말[2] 【泡沫】 명 물거품. 전하여, 덧없는 것을 이름.

포말 감:염 【泡沫感染】 명 〖의〗 환자의 기침과 더불어 확산되는 병균으로 감염되는 일.

포말 소화기 【泡沫消火器】 명 소화기의 하나. 약제의 화합(化合)에 의하여 거품을 일게 하고, 그 거품을 연소물에 뿜어 공기를 차단하여 소화함. 기름으로 인한 화재나 화학 약품 화재의 소화에 적합함. 기포(氣泡) 소화기.

포말 소화제 【泡沫消火劑】 명 거품이 일게 하여 소화에 이용하는 혼합물. 이를테면 황산 알루미늄과 탄산 수소 나트륨을 혼합, 이산화(二酸化) 탄소를 발생시키고 거품으로 연소물과 공기와의 접촉을 차단하는 따위.

포말-욕 【泡沫浴】 명 목욕물 속에 공기를 분출시켜 아주 작은 거품을 일게 하는 목욕법. 거품이 피부를 자극, 마사지와 같은 효과를 냄.

포말하우트 〔Fomalhaut〕 명 〖천〗 남쪽 물고기자리의 알파성(星). 실시 광도(實視光度) 1.2등, 거리 22 광년이며 관측 적기는 10 월임. 중국명은 북락사문(北落師門).

포말 회:사 【泡沫會社】 명 별안간 생겼다가 없어지는 회사를 물거품에 비유한 말.

포망[1] 【布網】 명 상제(喪制)가 쓰는 베 망건.

〈포망¹〉

포:망[2] 【捕亡】 명 도망한 사람을 잡음. ——-하다 자 여불

포:망[3] 【逋亡】 명 달아남. ——-하다 자 여불

포:맷 〔format〕 명 ①형식. 체재. 판형(判型). ②라디오·텔레비전 프로 등의 전체 구성. 체재. ③〖컴퓨터〗 데이터나 데이터를 기록하는 매체에 설정되는 일정한 형식.

포:맹 【逋氓】 명 공금(公金)을 자기 사용(自己私用)에 써 버린 사람.

포:먼 〔foreman〕 명 현장(現場)에서 작업자를 직접 지휘 감독하는 제1선 감독자.

포:멀 드레스 〔formal dress〕 명 야회(夜會)나 방문 때에 입는 정식 의상(衣裳). 여성의 이브닝(evening)이나 애프터눈(afternoom), 남성의 연미복·턱시도(tuxedo) 등.

포:멀리스트 〔formalist〕 명 형식주의자. 형식 존중가(尊重家).

포:멀리즘 〔formalism〕 명 형식주의(形式主義). 형식론(形式論).

포메라니아 〔Pomerania〕 명 〖지〗 중부 유럽 발트 해(Balt 海) 남안의 지방. 구독일령으로 제2차 대전 후 오데르 강(Oder江) 이동은 폴란드령이 되었음. 독일령이었을 때는 슈테틴(Stettin)이 수도였음. 독일명은 포메른(Pommern).

포메라니안 〔Pomeranian〕 명 〖동〗 개의 한 품종. 독일 북부(北部)의 포메라니아 원산. 입은 짧고 뾰족하며 여우 비슷한 얼굴에 탐스러운 털이 전신을 덮음. 털빛은 흑색·갈색·백색·청색·주황색 등 여러 가지임. 애완견임.

포:메이션 〔formation〕 명 럭비·농구에서, 공격 또는 방어할 때의 선수의 배치나 동작의 형태.

포면 【布面】 명 피륙의 표면.

포:명 【佈明】 명 널리 펴서 두루 밝힘. ——-하다 타 여불

포:모:서 〔Formosa〕 명 〖지〗 대만(臺灣).

포목[1] 【布木】 명 베와 무명. 목포(木布). ¶ ~ 장수.

포:목[2] 【抱木】 명 〖식〗 떡갈나무.

포목-도 【鋪木道】 명 〔wood pavement〕 목재를 주재료(主材料)로 축조(築造)한 포도(鋪道).

포목-상 【布木商】 명 베와 무명 등을 파는 장사. 또, 그 장수.

포목-전 【布木廛】 명 포목을 파는 가게. 포목점.

포목-점 【布木店】 명 베와 무명 같은 피륙을 파는 상점. 옷감을 파는 상점. 포목전.

포문[1] 【胞門】 명 〖생〗 산문(産門).

포문[2] 【砲門】 명 화포(火砲)의 알이 나가는 아구리. 포구(砲口).

포문을 열:다 구 ㉠대포를 쏘다. ㉡상대방을 공격하는 발언을 시작하다.

포:문[3] 【飽聞】 명 썩 많이 들음. 싫도록 들음. ——-하다 타 여불

포:물면-경 【拋物面鏡】 명 〔parabolic mirror〕 〖물〗 회전 포물선면으로 이루어진 거울 주축에 평행으로 온 근축(近軸) 광선을 수차(收差) 없이 전부 초점에 모을 수 있는 반사경의 하나. 탐조등·헤드라이트 따위에 쓰임.

포:물면 안테나 【拋物面一】 〔antenna〕 명 〖물〗 파라볼라 안테나.

포:물-선 【拋物線】 〔一썬〕 명 〔parabola〕 〖수〗 원뿔 곡선의 하나. 기하학적(幾何學的)으로는 한 평면 상(平面上)에서 한 정점(定點) F와 한 정직선(定直線) 0y로부터의 거리가 같은 점 P(PP'=PF)의 궤적(軌跡). 직교 좌표(直交座標)를 사용하면 $y^2=4ax$(a는 상수(常數))로 표시되는 곡선. 진공(眞空) 중에서 물체를 던졌다고 하면, 물체는 포물선을 그리며 운동함.

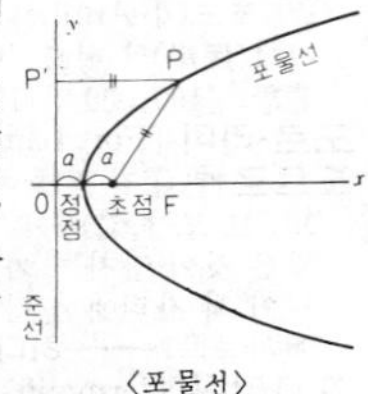

〈포물선〉

포:물선 궤:도 【拋物線軌道】 〔一썬一〕 명 〔parabolic orbit〕 〖천〗 포물선을 이루는 궤도. 이 궤도는 인력 중심 천체로부터의 탈출(脫出) 궤도 가운데 최소 이심율(離心率)을 갖는 것에 해당함.

포:물선-면 【拋物線面】 〔一썬一〕 명 〖수〗 이차 곡면(曲面)의 하나. ①직교 좌표를 사용하여, $by^2+cz^2=x$(b, c>0)로써 나타내어지는 곡면(曲面). ②협의로는 전항(前項)의 b와 c가 같은 경우, 곧 포물선 $y^2=4ax$를 x축의 둘레로 회전시켜 얻은 회전 포물선면.

포:물선 운:동 【拋物線運動】 〔一썬一〕 명 〔motion of projectile〕 〖물〗 포물선의 궤도 위를 움직이는 운동. 곧, 중력(重力)의 영향 때문에 지상에서 연직(鉛直) 이외의 방향으로 던진 물체가 밑을 향하여 $g=9.80$ m/sec²라고 하는 일정한 가속도(加速度)로 운동하는데, 그 궤도는 포물선이 됨.

포:물 주면 【拋物柱面】 명 〖수〗 도선(導線)이 포물선인 주면. *타원(楕圓) 주면.

포:물-체 【拋物體】 명 〔projectile〕 〖물〗 지상의 대기 중에 던져진 물체.

포:뮬러 카: 〔formular car〕 명 국제 자동차 연맹이 구조·중량·바퀴·안전성 등 세목(細目)을 규정한 경주용 자동차.

포:뮬러 플랜 〔formula plan〕 명 〖경〗 미리 일정한 계획을 세우고 이에 따라서 행하는 주식 투자(株式投資). 즉, 호재(好材)·악재(惡材)와 같은 재료나 환경 등의 변화도 무시하고 기계적·자동적으로 매매(賣買)함

으로써 성과(成果)를 올리려는 투자 방법.

포미【砲尾】명 화포(火砲)의 미부(尾部). ↔포구(砲口).

포미 장전【砲尾裝塡】명 포미로부터 탄약을 장전함. ↔포구(砲口) 장전. ——-하다 타여불

포민[1]【浦民】명 갯가에 사는 백성.

포:민[2]【逋民】명 납세(納稅)를 포탈하고 달아난 백성.

포바기 명 〈방〉 포배기.

포:박【捕縛】명 잡아서 묶음. ¶도둑을 ~하다. ——-하다 타여불

포박-자【抱朴子】명〖책〗중국의 도가서(道家書). 동진(東晉)의 갈홍(葛洪)이 건무(建武) 원년(317)에 지음. 협의(狹義)로는 내편(內篇)만을 가리키는데, 불로 장생(不老長生)의 선술(仙術)과 구체적인 이론을 실관적(實觀的) 지식에 의거해서 논하고, 아울러 경전(經典)과 계율(戒律)·금기(禁忌) 등을 기술하였음. 외편(外篇)은 유교적 정치론으로, 시정(時政)의 득실(得失), 인사(人事)의 선악 등을 논설함. 8 권. 내편 20 편(篇). 외편 52 편.

포반【鉋盤】명 대패의 역할을 하는 목공 기계. 수동(手動) 포반과 자동 포반이 있음.

포방【砲放】명 총포(銃砲)를 놓음. ——-하다 타여불

포배【胞胚】명〔blastula〕〖생〗동물 발생의 한 시기에 있어서 난할(卵割)이 진행되어, 세포가 구상(球狀)으로 표면에 늘어서 가운데에 공소(空所)가 생긴 것. 난할이 진행됨에 따라서 상과(桑果)·포배(胞胚)·낭배(囊胚) 등의 시기가 있음.

포배-강【胞胚腔】명〔blastocoel〕〖생〗다세포(多細胞) 동물의 포배내의 강소(腔所).

포-배기[1] 명 거듭하는 상태.

포배-기[2]【胞胚期】명〖동〗배엽 형성 과정의 하나로 상실기(桑實期)의 할구(割口)가 표면에 층을 만들어 배열하는 시기.

포배-장【包背裝】명 서적 장정(書籍裝幀)의 한 가지. 책장의 서사(書寫) 또는 인쇄된 면이 밖으로 오도록 복판에서 바르게 접어 중첩하고 그 책장의 단면(斷面)의 가까운 곳을 지노 또는 끈으로 하철(下綴)한 다음 한 장의 표지로 책의 앞면·등·뒷면을 덮어 싼 장정.

포백[1]【布帛】명 베 종류와 비단 종류.

포백[2]【曝白】명 마전[1]. *누움. ——-하다 타여불

포백-계【曝白契】명〖역〗베·무명 같은 것을 포백하여 바치던 계.

포백-장이【曝白匠―】명 〈방〉 마전장이.

포백-척【布帛尺】명 포백을 재는 데 쓰는 자, 곧 바느질자. 황종척(黃鐘尺)으로 1 척(尺) 3 촌(寸) 4 푼 8 리임.

포벌【褒罰】명 선량(善良)을 포상하고, 사악(邪惡)을 벌함. 상벌(賞罰).

포범【布帆】명 베로 만든 돛.

포벽【包壁】명〖건〗포(包)와 포 사이에 바른 벽.

포변【浦邊】명 갯가❶.

포:병[1]【抱病】명 병을 늘 지님. 몸에 늘 지닌 병. ——-하다 자여불

포병[2]【砲兵】명〖군〗육군 병과(兵科)의 하나. 화포(火砲)를 사용하여 적을 포격하고, 우군(友軍)의 전투를 유리하게 이끄는 군사. 야포병·중포병·고사포병 등이 있음.

포:병-객【抱病客】명 늘 병을 지니고 있는 사람. 포병지인(抱病之人). ㈜병객(病客).

포병-대【砲兵隊】명 ①〖역〗산포(山砲)·야포(野砲)로써 편제(編制)한 군대. 구한 말 광무(光武) 4년(1900)에 베풀어서 융희(隆熙) 원년(1907)에 폐지하였음. ②포병으로 조직된 군대.

포병 연대【砲兵聯隊】[―년―] 명 ①〖역〗조선말 건양(建陽) 1년(1896)부터 광무(光武) 6년(1902) 사이에 새로이 조직된 중앙 수호의 포병부대. ②육군의 편제(編制)에서 보병(步兵) 사단에 예속되어 있는 포병으로 편성된 연대.

포:병지-인【抱病之人】명 포병객(抱病客).

포병 학교【砲兵學校】명〖군〗↗육군 포병 학교.

포보[1]【布保】명〖역〗조선 시대에, 베로 받아들이는 보포(保布). *미보(米保).

포보[2]【砲保】명〖역〗군보(軍保)의 하나. 포군(砲軍) 네 사람 중에 한 사람은 군역(軍役)에 복무하고, 세 사람은 그 보(保)로 쌀·베를 바치던 일.

포보스〔Phobos〕명〖천〗화성(火星)의 제 1 위성. 반지름 약 11 km. 공전 주기는 화성의 자전 주기보다 짧아 약 7시간 39분임. 1877년 미국의 천문학자 홀(Hall)이 발견하였음. *다이모스(Deimos).

포:복[1]【怖伏】명 무서워 엎드림. ——-하다 자여불

포:복[2]【抱腹】명 아주 우스워서 배를 안음. ¶~ 절도하다. ——-하다 자여불

포복[3]【匍匐】명 ①배를 땅에 대고 김. ②〖군〗보병(步兵)이 적진(敵陣)에 접근하거나 철조망을 통과할 때의 낮은 자세(姿勢)의 하나. 적에게 발견됨을 막고 포화(砲火)의 피해를 덜기 위한 것임. ¶~ 전진하다. ③〖물〗크리프(creep). ——-하다 자여불

포:복[4]【飽腹】명 포식(飽食). ——-하다 타여불

포복-경【匍匐莖】명〖식〗땅 위를 길게 뻗어 가는 줄기. 고구마·낙화생·딸기 등의 줄기. 기는 줄기. 뒤엄줄기.

포:복 절도【抱腹絶倒】[―또] 명 몹시 우스워서 배를 안고 몸을 가누지 못할 만큼 웃음. 봉복 절도(捧腹絶倒). ㈜절도(絶倒). ¶~할 일이다. ——-하다 자여불

포:볼〔four+ball〕명 야구에서, 투수(投手)가 타자에게 스트라이크(strike)가 아닌 볼을 네 번 던지는 일. 사구(四球). 참고 미국에서는 '베이스 온 볼(base on balls)'이라 일컬음.

포:부[1]【抱負】명 마음 속에 지닌 생각이나 계획·희망·자신(自信). ¶~가 크다/~를 가져라.

포부[2]【匏部】명〖악〗국악기(國樂器)의 한 가지. 바가지를 재료로 한 생황(笙簧)이 있으며, 오늘날은 박통 대신 나무통을 써서 만듦.

포브〔프 fauve〕명 야수(野獸).

포브스【FOBS】명〔Fractional Orbital Bombardment System의 약칭〕위성 폭탄(衛星爆彈).

포비[1]【泡沸】명〖물〗고체를 용융할 때에 고체 자신이 부풀어 오르는 현상. ——-하다 자여불

포비[2]【脬痺】명〖한의〗방광(膀胱)에 나는 염증. 급성과 만성이 있는데, 앞엣 것은 오한·두통이 나면서 아랫배가 아프고 오줌이 잦으며, 오줌 눌 때 아픈 증세가 있고, 뒤엣 것은 앞엣 것보다 증세가 가볍고 오줌이 흐림. 방광염.

포비슴〔프 fauvisme〕명〖미술〗야수파(野獸派).

포사[1] 명 〈방〉 표주박.

포사[2]【布絲】명 베 실.

포사[3]【庖肆】명 푸주.

포사[4]【圃師】명 밭농사 짓는 사람.

포사[5]【砲士】명 총포(銃砲)를 가진 군사.

포사[6]【褒姒】명〖사람〗중국 주(周)나라 유왕(幽王)의 총비(寵妃). 유왕은 포사가 웃는 것을 보고자 여러 가지로 시험하였으나 웃지 아니하고, 거짓 봉수(烽燧)를 올리어 지방 제후(諸侯)들이 오는 것을 보고 비로소 웃었다는데, 그 뒤에 참 난리가 나서 봉화를 올렸으나 제후가 오지 아니하여 유왕이 망하였음.

포사[7]【褒賜】명 칭찬하여 물건을 하사함. ——-하다 타여불

포:사-선【拋射線】명 원뿔 곡선.

포-사수【砲射手】명 대포의 사수.

포:사이스〔Forsyth, Frederic〕명〖사람〗영국의 작가. 비아프라 취재 경험을 엮은 다큐멘터리 《비아프라 이야기》를 내고 작가 생활에 들어가, 《재칼의 날》로 일약 인기 작가가 됨. 주요 작품으로 《오데사 파일》·《전쟁의 개들》·《악마의 선택》 등이 있음. [1938—]

포:사-체【拋射體】명〖물〗포물체(拋物體).

포삭 부 부피가 크고 메마른 물건 따위가 약간 세게 바스러지면서 나는 소리. <푸석. ——-하다 ㊀ 자여불 부피가 크고 메마른 물건 따위가 약간 세게 바스러지는 소리가 나다. ㊁ 형여불 ①부피가 크고 메말라서 바스러지기가 쉽다. ②얼굴에 핏기가 없이 약간 부은 듯하고 까칠하다.

포삭-거리다 자 부피가 크고 메마른 물건 따위가 연해 약간 세게 바스러지는 소리가 나다. <푸석거리다. **포삭-포삭** 부 연해 포삭거리는 소리나 모양. ——-하다 ㊀ 자여불 포삭거리다. 포삭대다. ㊁ 형여불 ①바탕이 메마르고 부피가 큰 것이 몹시 바스러지기 쉽다. ②얼굴에 핏기가 없이 약간 부은 듯하고 좀 까칠하다. ㅅ보삭보삭하다. <푸석푸석하다.

포삭-대다 자 포삭거리다.

포산〔佛山〕명〖지〗중국 광둥 성(廣東省) 남부의 도시. 원래는 사대진(四大鎭)의 하나. 주장(珠江) 강 삼각주(三角洲)에 위치하는데, 상업이 성하고, 도자기·제지(製紙)·견직물·양조(釀造) 등의 공업이 발달되었음. 불산. [299,800 명(1984)]

포살[1]【布薩】명〔범 upavasatha〕①중이 서로 설계(說戒)하고 참회하는 의식. ②재가(在家)에서 일정한 날에 팔재계(八齋戒)를 베풀고 선(善)을 증장(增長)하는 일.

포살[2]【砲殺】명 총포로 쏘아 죽임. *총살(銃殺). ——-하다 타여불

포:살[3]【捕殺】명 잡아서 죽임. ——-하다 타여불

포-살미【包―】명〖건〗포를 차림. ——-하다 타여불

포삼[1]【包蔘】명〖역〗조선 시대, 포장(包裝)한 홍삼(紅蔘). 연행사(燕行使)의 사신·역관(譯官)에게 여비조로 지급함.

포삼[2]【圃蔘】명 삼포(蔘圃)에서 자란 인삼. ↔산삼(山蔘).

포삼 별장【包蔘別將】[―짱] 명〖역〗팔포(八包)의 관삼(官蔘)을 중국 책문(柵門)에 실어 내어서 무역하는 일을 맡아 보던 무역 별장(貿易別將)의 별칭(別稱).

포삼 장뇌【圃蔘長腦】명 인삼밭에서 인공적으로 재배한 산삼(山蔘).

포상[1]【布商】명 베 장수.

포상[2]【砲床】명〖군〗①대포(大砲) 사격을 하기 위하여 준비된 진지(陣地). ②포(砲)를 설치해 놓은 대(臺).

포상[3]【褒賞】명 포장(褒奬)하여 상을 줌. ——-하다 타여불

포상 난:포【胞狀卵胞】명〔vesicular follicle〕〖생〗난소(卵巢)의 난포 중에서 가장 발달한 것으로, 지름이 10-15 mm에 이름. 난포액(卵胞液)이 가득 찬 난포강(卵胞腔)을 지니며, 성숙한 알은 난포의 한쪽에 있는 난구(卵丘) 속에 있음. 난포액의 증가에 따라 깨져서 배란(排卵)을 일으킴. 그라프(Graaf) 난포.

포상-류【泡狀類】[―뉴] 명〖동〗다공류(多孔類).

포상-설【泡狀說】명〖생〗원형질(原形質)의 구성에 관한 오래된 학설. 주로 뷔츨리(Bütschli, O.; 1848-1920)에 의한 설로서 원형질은 서로 다른 두 종류의 액상체(液狀體)의 혼합에서 된다고 생각하는 설. *사상설(絲狀說).

포상 침식【布狀浸蝕】명〖지〗호우(豪雨) 때에 빗물이 경사면 전역(全域)에 넓고도 엷은 층(層)을 이루면서 흐르기 때문에 일어나는 침식 작용.

포상 홍수【布狀洪水】명〔sheet flood〕〖지〗건조지(乾燥地) 또는 반(半)건조지에서 계절적인 큰비로 인하여, 산기슭의 사면(斜面) 일대에 흘러 내리는 홍수.

포서[1]【布緖】명 일의 갈피를 잡아 나갈 실마리. ¶오늘 내일 양일간에 일이 ~만이라두 잡히는 걸 보구 갔으면 좋겠소《洪命憙 : 林巨正》.

포:서[2]【捕鼠】명 쥐를 잡음. ——-하다 자여불

포서[3]【鋪敍】명 〖역〗 ①과시(科詩)의 다섯째 구. ②과시(科試)의 부(賦)의 여섯째 구.

포:석[1]【布石】명 ①바둑에서의 초반전. 싸움이 일어날 때까지의 돌의 배치. ②일의 장래를 위하여 미리 손을 씀. 장래를 준비함. ¶다음 선거에 대비한 ~. ——-하다 자여불

포석[2]【蒲席】명 부들자리.

포석[3]【鋪石】명 까는 돌. 도로 포장(鋪裝)에 쓰이는 돌. ¶~을 깔다.

포:석정-터【鮑石亭―】명 〖지〗 경상 북도 월성군(月城郡) 내남면(內南面)에 있는 신라의 고적. 통일 신라 시대 이후 역대 왕공(王公)이 전복 모양으로 생긴 돌홈의 곡수(曲水)에 잔을 띄우고 시를 읊으며 놀이를 하던 곳으로, 927년 9월에 경애왕(景哀王)이 비빈(妃嬪)·궁녀를 비롯하여 여러 신하들과 같이 이곳에서 놀다가 견훤군(甄萱軍)의 습격으로 피살(被殺)된 곳으로 전함.

포선【布扇】명 상제(喪制)가 외출할 때, 얼굴을 가리기 위하여 가지는 물건. 직사각형의 베 조각에 대로 된 두 개의 자루가 붙었음. *상선(喪扇).

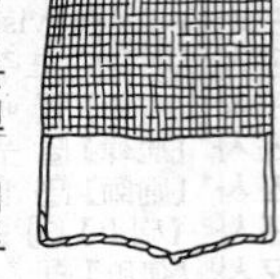
〈포선〉

포설[1]【鉋屑】명 대팻밥.

포설[2]【鋪設】명 펴서 베풂. ——-하다 타여불

포:섭【包攝】명 ①상대를 허용하여 받아 들임. 포괄하여 자기편에 가담시킴. ¶동조자를 ~하다. ②〔subsumption〕〖논〗 어떤 개념이 보다 일반적인 개념에 포괄(包括)되는 종속 관계. 이를테면 포유류와 척추 동물과의 종속 관계. ——-하다 타여불

포:섭-력【包攝力】〔―녁〕명 포섭하는 능력·힘.

포성[1]【布城】명 포장(布帳)을 친 곳.

포성[2]【砲聲】명 대포를 쏠 때 나는 소리. 포음(砲音).

포세[1]【布稅】명 〖역〗 피륙으로 물게 하던 조세.

포세[2]【浦稅】명 〖역〗 조선 시대 후기에 포구로 드나드는 화물에 과하던 세.

포:세[3]【逋稅】명 세금을 내지 않고 불법하게 면함. *탈세(脫稅). ——-하다 타여불

포세이돈〔Poseidon〕명 ①〖신〗 그리스 신화 중의 해신(海神)이며 지진·하천·말 등을 관장한 신(神). 백마(白馬)가 끄는 마차에 해령(海靈)들을 거느리고 바다 위를 달린다 하며, 로마의 네프투누스(Neptunus)에 해당함. ②〖군〗 미국의 다탄두(多彈頭) 잠수함 미사일. 1기(基)가 50 kt급 10-14개의 핵탄두(核彈頭)를 장착(裝着)함. 직경 1.08 m, 전장(全長) 10.36 m, 중량 29,500 kg, 사정 거리 4,630 km임. 포세이돈 잠수함에 적재함.

〈포세이돈❶〉

포세이돈 잠수함【―潛水艦】〔Poseidon〕명 〖군〗 해중에 잠수하여 포세이돈 미사일을 수중(水中) 발사할 수 있는 잠수함. 폴라리스(Polaris) 잠수함을 발전시킨 것으로, 1척(隻)에 미사일 16기(基)를 적재함.

포:션〔portion〕명 ①일부. 부분(部分). 구성(構成) 부분. ②몫.

포소[1]【包所】명 개성(開城)에서 홍삼을 만들던 곳.

포소[2]【浦所】명 개의 배를 대는 곳.

포속【布屬】명 베붙이.

포:손【抱孫】명 손자를 봄. 손자가 생김. ——-하다 자여불

포:손-례【抱孫禮】〔―네〕명 손자를 보았을 때 한턱 내는 일. ——-하다 자여불

포쇄【曝曬】명 젖거나 축축한 것을 바람을 쐬고 볕에 바램. ——-하다 타여불

포쇄-관【曝曬官】명 〖역〗 조선 시대에 사고(史庫)에서 서적을 점검(點檢)하고 거풍(擧風)을 시키던 사관(史官). 예문관(藝文館)의 검열(檢閱)이 이 직책을 맡았음.

포수[1]【泡水】명 헝겊이나 종이에 무슨 액체를 바르는 일. ¶아교 ~/풀 ~. ——-하다 자여불

포:수[2]【砲手】명 ①총으로 짐승을 잡는 사냥꾼. ②총군(銃軍).

포:수[3]【捕手】명 야구에서, 본루(本壘)를 지키며 투수가 던지는 공을 받는 선수. 캐처(catcher).

포수[4]【脯脩】명 포(脯).

포:수 광:산【砲手鑛山】명 〖지〗 함경 북도 길주군(吉州郡) 장백면(長白面) 대신리(大新里) 포수산 부근에 있는 운모(雲母) 광산.

포:수 비누【抱水―】명 〖화〗 염석(塩析)을 하지 않고 냉각 고화(冷却固化)한 비누. 물과 글리셀린을 함유함.

포:수-막【砲手幕】명 사냥꾼들이 쉬기 위해 지은 산막(山幕).

포:수-제【捕收劑】명 〖광〗 부유 선광(浮遊選鑛) 시약(試藥)의 하나. 광물 입자(鑛物粒子)의 현탁액(懸濁液)으로부터 분리하려는 특정한 광물이 기포(氣泡)에 선택적으로 흡착(吸着)하도록, 그 광물 입자의 표면에 탄화 수소 또는 그와 비슷한 성질의 소수성(疎水性) 막을 형성하기 위하여 광물 입자의 현탁액에 첨가하는 약품. 크레오소트(creosote)·경유(輕油) 등이 사용됨.

포:수-질【砲手―】명 포수 노릇을 하는 짓. ——-하다 자여불

포:수 클로랄【抱水―】〔chloral〕명 최면 진정제의 한 가지. 클로랄과 물과의 화합물로, 무색 투명의 판상 결정임. 녹는점 57°C, 끓는점 96°-98°C. 악취가 있고, 물에 잘 녹으며, 쓴 맛이 있음. 여기에 진한 황산(黃酸)을 가하여 증류하면 클로랄이 됨. [$CCl_3CHO \cdot H_2O$]

포:수 테르핀【抱水―】〔terpin〕명 〖화〗 테레빈유(油)에 알코올과 질산(窒酸)을 가해서 만든 무색의 능주상(稜柱狀)의 결정(結晶). 맛이 약간 씀. 거담제(祛痰劑)·이뇨제(利尿劑) 등에 쓰임. [$C_{10}H_{20}O_2 \cdot H_2O$]

포-숙아【鮑叔牙】명 〖사람〗 중국 춘추 시대 제(齊)나라의 어진 신하. 그의 친구인 관중(管仲)을 환공(桓公)에게 추천하여 재상(宰相)이 되게 하여 환공의 패업(霸業)을 달성시켰음. *관포지교(管鮑之交).

포술【砲術】명 대포(大砲)를 다루는 기술.

포술 교:관【砲術敎官】명 〖군〗 포술에 관한 교육을 맡은 교관.

포술 연:습함【砲術練習艦】〔―련―〕명 〖군〗 포술을 연습하기 위하여 특별히 마련된 군함.

포슈〔Foch, Ferdinand〕명 〖사람〗 프랑스의 군인. 육군 원수(元帥). 제1차 세계 대전 당시 프랑스에 있던 연합군의 총사령관을 지냄. 파리 강화 회의에는 프랑스 전권(全權)으로 참석, 독일의 군비 철폐, 라인란트(Rheinland) 영구 점령 등 강경책을 주장함. [1851-1929]

포:스[1]〔fourth〕명 볼링에서, 네 번 연속된 스트라이크.

포스[2]【POS】명 〔point of sales system〕 판매 시점(時點) 정보 관리 방식. 여러 판매장에서, 컴퓨터와 접속된 금전 등록기나 단말기에 상품을 팔 때마다 등록함으로써 현재 시점에서 전체 매장별·상품별로 판매고·재고 등을 파악할 수 있도록 한 온라인 체제.

포스겐〔phosgene〕명 〖화〗 무색의 건초(乾草) 냄새가 나는 무거운 기체. 녹는점 -128℃, 끓는점 8℃. 산화 탄소(酸化炭素)와 염소(塩素)가 햇빛에 의해 직접 작용되어 생김. 매우 독성(毒性)이 강하여 흡입하면 눈물·재채기·호흡 곤란 등의 증상을 일으키게 됨. 염화 카르보닐(塩化 carbonyl). 광기(光氣). [$COCl_2$]

포스버리 백 플롭〔Fosbury back flop〕명 미국의 포스버리가 고안한 높이뛰기의 폼. 몸을 뒤로 젖혀 등을 밑으로 하고 바(bar)를 넘음.

포:스-아웃〔force-out〕명 야구에서, 주자(走者)가 있는 경우, 타자(打者)의 타구(打球)를 야수(野手)가 잡아서 주자가 가야 할 다음 베이스에 던져 주자가 그 베이스에 도착하기 전에 아웃시키는 일. 봉살(封殺).

포스처〔posture〕명 자세(姿勢). 태도.

포:스터[1]〔Forster, Edward Morgan〕명 〖사람〗 영국의 소설가. 몰이해한 사회 속에 사는 인간의 비애를 미묘한 필치로 그려서 영국 소설 전통의 훌륭한 계승자로 일컬어짐. 대표작 《인도에의 길》·《기나긴 여로》·《조망(眺望)이 좋은 방》 등 외에 평론(評論)과 단편집도 있음. [1879-1970]

포스터[2]〔Foster, Stephen Collins〕명 〖사람〗 미국의 가곡(歌曲) 작곡가. 주로, 남부 흑인을 주제로 한 160편 이상의 민요곡을 작곡하였음. 《스와니 강(Swanee 江)》·《캔터키 옛집》·《올드 블랙 조(Old Black Joe)》·《금발의 제니》 등이 많이 불림. [1826-64]

포스터[3]〔poster〕명 광고나 선전을 위한 삐라나 내붙이는 도안.

포스터 밸류〔poster value〕명 선전 가치. 광고 효과(效果).

포스터 컬러〔poster colour〕명 포스터용의 그림 물감.

포스털 프랭커〔postal franker〕명 우편 요금 계기(郵便料金計器).

포스트〔post〕명 ①우편(郵便). 우체통(郵遞筒). ②지위(地位). 직책. 부서(部署). ③〔trading post〕〖경〗 증권 거래소의 입회장(立會場)에 있는 업종별(業種別) 입회 장소. ¶제3 ~/특별 ~.

포스트-〔post-〕 투 '그 이후'·'그 다음'의 뜻. ↔프레-.

포스트 매매【―賣買】〔post〕명 〖경〗 증권 거래소에서, 몇 개의 포스트에서 개별적인 주문(注文)에 따라, 가격과 수량이 맞는 주문을 서로 연결시켜 주어, 매매를 성립시키는 개별 경쟁 매매 방식.

포스트-모더니즘〔postmodernism〕명 모더니즘에 대한 반성(反省)·반동으로 생겨난 사상으로, 건축·디자인 부문에서 시작하여 예술 일반이나 패션·사상 영역으로 퍼짐. 모더니즘이 기능주의와 결합하여 비교적 단순한 요소로 이루어진 데 반하여 포스트모더니즘에서는 이질(異質) 요소를 복합시키거나 과거의 작품에서의 새로운 인용(引用) 등을 볼 수 있음.

포스트 스코어링〔post scoring〕명 〖연〗 텔레비전이나 영화에서, 화면을 촬영한 뒤에 음악이나 대사(臺詞)를 녹음하는 일. 애프터 레코딩(after recording). ↔프레스코어링(prescoring).

포스트아폴로 계:획【―計劃】〔post-apollo〕명 아폴로 계획 이후의 미국의 우주 개발 계획의 총칭. 우주의 과학 연구, 위성이나 우주선(宇宙船)의 실용적 이용, 달이나 행성의 무인 탐사(無人探査) 등 넓은 분야를 포함함.

포스트 카:드〔post card〕명 우편 엽서(郵便葉書).

포스트 플레이〔post play〕명 농구·축구 등에서 장신자(長身者)를 상대방 바스켓이나 골 앞에 세우고, 그를 중심으로 하여 공격하는 경기 운영.

포스파타아제〔도 Phosphatase〕명 〖화〗 유기 인산 에스테르(有機燐酸 ester)의 가수 분해(加水分解)에 쓰이는 일군(一群)의 효소(酵素)를 통틀어 말함. 거의 전체 생활 세포에 분포하며 특히 뼈·혈장(血漿)·적혈구·백혈구·간장(肝臟)·신장·비장(脾臟)·장점막(腸粘膜)·우유·효모(酵母)·곰팡이 등에 많음.

포스포릴라아제〔phosphorylase〕명 〖화〗 글리코시드(glycoside) 결합의 가역적(可逆的) 가인산(加燐酸) 분해를 촉매하는 산소의 총칭. 생체내의 배당체(配糖體)의 합성·분해에 관계하며, 녹말·글리코겐(Glykogen)을 분해하거나 다당류(多糖類)를 생성(生成)함.

포스포-모노에스테라아제〔phosphomonoesterase〕명 〖화〗 최대의 활성(活性)을 산성(酸性)에서 얻을 수 있는 비특이적(非特異的)인 포스파타아제의 총칭. 산(酸) 포스파타아제.

포스핀〔phosphine〕명 〖화〗 ①황린(黃燐)을 진한 수산화 칼륨(水酸化 Kalium) 용액과 함께 가열할 때 생기는 악취(惡臭) 있는 무색의 기체. 마그네슘 또는 칼슘의 인화물(燐化物)을 염산(塩酸)으로 가수 분해(加水分解)해도 생김. 극히 유독(有毒)함. 녹는점 -133℃, 끓는점 -87.7℃, 비중(比重) 0.74. 인화 수소(燐化水素). 수소화 인(水素化燐). [PH_3] *디포스핀. ②인화 수소의 수소 원자를 탄화수소기(炭化水素基)로 치환(置換)한 화합물의 총칭. ③아크리딘 유도체(acridine誘導體)에 속하는 황색의 염기성(塩基性) 물감. 피혁의 황염색(黃染色)에 쓰임.

포스핀-산【―酸】명 〔phosphinic acid〕〖화〗 '하이포아인산(燐酸)'의

관용명.

포스핀산 바륨【一酸一】(명)〔barium phosphinate〕〖화〗하이포아인산 바륨.

포스핀산-염【一酸塩】[―념] (명)〔phosphinate〕〖화〗하이포아인산염.

포슬-포슬 (부) 가루 같은 것이 물기가 적어서 잘 엉기지 못하는 모양. ㅗ보슬보슬. <푸슬푸슬. *파슬파슬. ――-하다 (형)(여불)

포:승[1]【捕繩】(명) 죄인을 잡아 묶는 노끈. 박승(縛繩). 누설(縲絏). 오라. 오랏줄. ¶～를 지우다/～를 받다.

포승[2]【跑乘】(명) 승마(乘馬)를 포족(跑足)으로 달리는 일. 승마의 걸음을 좀 빠르게 하며 타는 일. ――-하다 (자)(여불)

포:승-술【捕繩術】(명) 포승을 쓰는 여러 가지 방법.

포:시[1]【布施】(명)〖불교〗보시(布施).

포:시[2]【晡時】(명) 신시(申時). 지금의 오후 네 시.

포시블〔possible〕(명) 가능함. 실행 가능함. ――-하다 (형)(여불)

포시빌리티〔possibility〕(명) 가능성(可能性).

포시에트〔Pos'et〕(명)〖지〗러시아의 극동 지방, 동해(東海)에 면한 항구. 한반도(韓半島) 동북쪽 끝의 국경 가까이에 있으며, 겨울철에는 동결(凍結)하지만 소련의 해군 기지로 알려짐.

포시용〔Focillon, Henri〕(명)〖사람〗프랑스의 미술사가. 리용 대학·소르본 대학·콜레즈 드 프랑스 및 미국의 예일 대학 교수를 역임함. 주저(主著)는 ≪19-20세기 유럽 회화사(繪畫史)≫·≪형(形)의 생명(生命)≫ 등이 있음. [1881-1943]

포:식[1]【捕食】(명) 잡아서 먹음. ――-하다 (타)(여불)

포:식[2]【飽食】(명) 배부르게 먹음. 포끽(飽喫). ――-하다 (타)(여불)

포:식 난:의【飽食煖衣】[―/―이] (명) 배불리 먹고 따뜻이 입음. 곧, 의식(衣食)이 넉넉함을 가리키는 말. (준)포난(飽煖). ――-하다 (자)(여불)

포:식 당육【飽食當肉】[―뉵] (명) 배불리 먹은 후에 고기를 보는 것처럼 관심이나 흥미가 없다는 뜻.

포:식-완【捕食腕】(명)〖동〗포완(捕腕).

포:식-자【捕食者】(명)〔predator〕〖생〗식용원(食用源)으로 다른 동물을 먹이로 하는 동물. ↔피식자(被食者).

포:식-충【捕食蟲】(명) 육식충(肉食蟲).

포신【砲身】(명) 포(砲)의 몸통. ¶～의 길이.

포실-하다 (형)(여불) 살림이 넉넉하다. ¶동네가 크고 포실해 보여서 …동네 이름을 물어보니…≪洪命憙 : 林巨正≫. **포실-히** (부)

포심-채【匏心菜】(명) 박속나물.

포-쌈【脯一】(명) 쇠고기를 얇게 저미고 다져서 갖은 양념을 하고 실백을 소로 넣어 송편 모양으로 만들어 말린 음식. 쇠고기를 얇게 저며서 만든 것은 육포쌈, 쇠고기를 다져서 만든 것은 편포쌈.

포-씨름【布一】(명) 상품(賞品)으로 광목(廣木)이 걸려 있던 씨름. ――-하다 (자)(여불)

포아【匏蛾】(명)〖충〗박나방.

포아-풀〔그 poa〕(명)〖식〗〔포아는 풀의 뜻〕포아풀과(科) 포아풀속(屬)에 속하는 초본(草本)의 총칭. 새포아풀·실포아풀·왕포아풀·자주포아풀 등이 있음.

포아풀-과【一科】〔그 poa〕[―꽈] (명)〖식〗볏과(科).

포:악【暴惡】(명) 사납고 악함. ¶～한 임금. ――-하다 (형)(여불)

포:악(을) 부리다 (구) 포악한 말이나 짓을 하다.

포:악-성【暴惡性】(명) 포악스런 성질.

포:악-스럽다【暴惡一】(형)(ㅂ불) 보기에 포악하다. 포악-스레【暴惡一】(부)

포:악-질【暴惡一】(명) 사납고 악한 짓.

포안【砲眼】(명)〖군〗보루(堡壘)·함선(艦船)·장벽(障壁) 같은 것에 총을 쏘기 위하여 낸 구멍.

포압【浦鴨】(명)〖조〗황오리.

포양【褒揚】(명) 포장(褒奬). ――-하다 (타)(여불)

포:양-주【抱釀酒】(명) 술을 담가서 사람의 몸으로 안아 익힌 술.

포양호【一湖】【鄱陽】(명)〖지〗장시 성(江西省)에 있는 중국 최대의 호수. 잘룩한 부분을 경계로 북호(北湖)와 남호(南湖)로 나뉘며 북호는 양쯔 강과 통함. 남호는 푸수이(撫水)·신장(信江) 강 등, 여러 강을 받아들임. 수운(水運)과 관개에 이용되고, 호안(湖岸)은 일망 천리(一望千里)의 평야를 이룸. 수산물이 많음. 최대 깊이 16 m. 홍수기에는 면적이 5,050 km^2로 늚. 파양호. [3.976 km^2]

포어라:게〔도 Vorlage〕(명) 스키에서, 활강(滑降) 때에 앞으로 기울인 자세.

포어슈필〔도 Vorspiel〕(명)〖악〗전주곡(前奏曲).

포언【暴言】(명) →폭언(暴言). ――-하다 (자)(여불)

포-얼음【包一】(명) 얇은 폴리에틸렌 주머니에 살균(殺菌)한 물을 넣고 밀봉(密封)한 것으로 냉장고(冷藏庫)에서 얼리어 쓸 수 있게 만든 제품. 녹은 뒤에 다시 얼려서 몇 번이고 쓸 수 있음.

포에니 전:쟁【一戰爭】〔Poeni〕(명)〖역〗〔포에니는 페니키아 사람의 자손(子孫)인 카르타고 사람이란 뜻〕로마와 카르타고(Carthago) 사이의 전후 3차에 걸친 전쟁. 제1차 전쟁(기원전 264-241)은 시칠리아(Sicilia)를 전장(戰場)으로 하였고, 시칠리아는 로마의 속령(屬領)이 되었음. 제2차 전쟁(기원전 218-201)에서는 갈리아(Gallia) 및 알프스(Alps)를 통하여 침입한 하니발(Hannibal) 휘하의 카르타고군(軍)이 연전 연승을 하였으나, 로마군은 퇴세(頹勢)를 만회(挽回)하여 북아프리카·자마(Zama)에서 스키피오(Scipio)가 하니발을 격파하였음. 제3차 전쟁(기원전 149-146)에서는 로마의 원정군이 카르타고를 포위하여 이를 괴멸(壞滅)시켰음.

포에지〔프 poésie〕(명)〖문〗시정신(詩精神). 통속적으로는 산문(散文) 정신에 대한 시적 정신이라는 의미로 쓰임.

포에지 퓌르〔프 poésie pure〕(명)〖문〗순수시(純粹詩). 1925년경 발레리(Valéry)의 제창으로 프랑스 문단에서 활발히 논의된 것으로, 시에서 산문적 요소를 배제(排除)하고 순수하게 감동만을 전달함을 목적으로 하는 시.

포에틱 딕션〔poetic diction〕(명)〖문〗시적 용어법(詩的用語法). 시적 용어나 시적 감정(感情)이 부수(附隨)하는 어구(語句)는 한 시대에 사용되면, 다음 시대에도 사용되기 쉽기 때문에 표현이 고정화(固定化)되어 진부(陳腐)해지는 경향이 있는데, 이렇게 오랜 동안 사용되어 진부해진 것을 말함.

포에틱스〔poetics〕(명)〖문〗시론(詩論). 시학(詩學).

포엠〔프 poéme〕(명)〖문〗시(詩). 운문(韻文).

포엠 생포니크〔프 poéme symphonique〕(명)〖악〗심포닉 포엠(symphonic poem).

포역【暴逆】(명) 난폭하여 인도(人道)에 벗어남. 또, 그런 사람. ――-하다 (형)(여불)

포연[1]【砲煙】(명) 총포(銃砲)를 놓을 때에 나는 연기. ¶～이 하늘에 가득 차다.

포연[2]【酺宴】(명) ①천자(天子)가 백성에게 연회(宴會)를 허락하는 일. ②천자가 신하에게 하사(下賜)하는 술잔.

포연 탄:우【砲煙彈雨】(명) 총포(銃砲)의 연기와 비오듯하는 탄환(彈丸). 곧, 치열한 전투를 말함. ¶～ 속에서 살아남다.

포:열[1]【布列】(명) 포진(布陣). ――-하다 (자)(여불)

포열[2]【砲列】(명) 방렬(放列). ――-하다 (타)(여불)

포엽【苞葉】(명)〖식〗잎의 변태(變態)로, 봉오리를 싸 보호하는 잎.

포영[1]【泡影】(명) 물거품과 그림자. 사물의 덧없음을 이르는 말.

포영[2]【苞穎】(명)〔glume〕〖식〗방동사니과(科) 식물의 소수(小穗)의 밑동에 있는 몇 개의 잎.

포영-류【胞泳類】[―뉴] (명)〖동〗유포류(有胞類).

포:옥【抱玉】(명)〔옥을 안는다는 뜻〕마음 속에 지덕(知德)을 품음을 이르는 말. ――-하다 (자)(여불)

포:옹【抱擁】(명) 품에 껴안음. ――-하다 (타)(여불)

포:옹 반:사【抱擁反射】(명)〔clasping reflex〕〖동〗번식기(繁殖期)에 개구리의 수컷이 암컷의 앞발 바로 밑이나 가슴을 세게 껴안고 교미(交尾)하는 일종의 반사 운동. 암컷이 산란(産卵)하면 사정(射精)하여 수정(受精)을 일으킴.

포와【布哇】(명)〖지〗'하와이(Hawaii)'의 취음(取音).

포와-어【布哇語】(명) 하와이어(Hawaii 語).

포:완【捕腕】(명)〖동〗연체(軟體) 동물 두족류(頭足類) 오징어 무리의 다섯 쌍의 발 가운데 특히 긴 한 쌍의 발. 말단부의 안 쪽에만 흡반(吸盤)이 있는 것이 특징임. 기부(基部)에 있는 주머니 속으로 말려 들어 가게 되어 있어 포식(捕食)과 촉감각(觸感覺)을 맡고 있음. 포식완(捕食腕). *겸각(鉗脚).

포:외【怖畏】(명)〖불교〗두렵고 무서움. ――-하다 (형)(여불)

포:용【包容】(명) ①휩싸서 들임. ②도량(度量)이 넓어서, 남의 잘못을 이해하여 싸덮어 줌. ――-하다 (타)(여불)

포:용-력【包容力】[―녁] (명) ①마음씨가 너그러워 남의 잘못을 허용하고 이해하여 감싸 주는 힘. ②휩싸 들이는 힘.

포:용-성【包容性】[―썽] (명) 남을 감싸 덮어 용서하는 성질.

포:용-심【包容心】(명) 남을 감싸 용서하여 주는 마음.

포:워드〔forward〕(명) 농구·축구 등에서, 전위(前衛).

포:원[1]【抱寃】(명) 원한을 품음. ――-하다 (자)(여불)

포원[2]【砲員】(명) 대포를 부리거나 또는 그에 딸린 인원.

포월【蒲月】(명) 음력 5월의 딴이름.

포:위[1]【包圍】(명) 빙 둘러 에워쌈. ――-하다 (타)(여불)

포위[2]【褒慰】(명) 공(功)을 칭찬하고 그 노고(勞苦)를 위로함. ――-하다 (타)(여불)

포:위 공:격【包圍攻擊】(명) 적을 사방(四方)에서 둘러 싸고 침. ――-하다 (타)(여불)

포:위 관다발【包圍管一】[―따―] (명)〔concentric vascular bundle〕〖식〗물관부(管部)와 체관부(管部)의 한 쪽이 다른 쪽을 포위한 모양으로 된 관다발. 물관부가 체관부를 포위하는 외목(外木) 포위 관다발과 체관부가 물관부를 포위하는 외사(外篩) 포위 관다발이 있는데, 전자는 단자엽(單子葉) 식물의 땅속줄기에, 후자는 양치(羊齒)식물의 줄기에서 볼 수 있음. 포위 유관속(維管束).

포:위-군【包圍軍】(명) 주위를 둘러 싼 군사.

포:위-망【包圍網】(명) 치밀하게 싸인 포위의 비유. ¶적의 ～을 뚫다.

포:위 사격【包圍射擊】(명) 주위를 둘러싸고 총포(銃砲)를 쏨. ――-하다 (타)(여불)

포:위-선【包圍線】(명) 주위를 둘러싼 선(線).

포:위 전:법【包圍戰法】[―뻡] (명) 시즈 택틱스(siege tactics).

포:위-진【包圍陣】(명) 적을 포위한 진지.

포유[1]【包有】(명) 싸서 가지고 있음. ――-하다 (타)(여불)

포:유[2]【布諭】(명) 널리 펴서 유고(諭告)함. ――-하다 (타)(여불)

포:유[3]【哺乳】(명) 제 몸의 젖으로 새끼를 먹이어 기름. ――-하다 (타)(여불)

포:유-기【哺乳期】(명) 젖을 주식(主食)으로 하는 유아기(幼兒期). 곧 나서부터 이유(離乳)하기 까지의 기간. 포유 기간.

포:유 기간【哺乳期間】(명) 포유기.

포:유 동:물【哺乳動物】(명)〖동〗포유류(哺乳類)에 속하는 동물. 젖먹이 동물. 젖빨이 동물.

포:유-류【哺乳類】(명)〖동〗'짐승강(綱)'의 관용어.

포:유류 시대【哺乳類時代】(명)〖지〗포유류가 지구 상에서 번성하였고

또, 번성하고 있는 시대. 즉, 신생대(新生代). 젖먹이 동물 시대.

포:유-문【抱有文】명 『언』 주어(主語)와 서술어(敍述語)의 어울리는 관계가 두 번 이상이되, 성분절(成分節)을 가진 문장을 이름. ＊단문(單文)·혼문(混文).

포:유-병【哺乳瓶】명 젖병❷.

포:유-아【哺乳兒】명 젖먹이.

포:육[1]【哺育】명 젖이나 먹이를 먹이어 새끼를 기름. ──-하다 타여불

포육[2]【脯肉】명 얇게 저미어서 양념하여 말린 고기 조각. 육포. 준포(脯).

포:율【怖慄】명 두려워서 떪. ──-하다 자여불

포은[1]【包銀】명 『역』 조선 시대 후기에, 삼(蔘)의 수출을 금지한 후, 연행사(燕行使)에게 삼 대신 여비에 충당하게 한 은(銀). 삼 열근 대신에 은 2천 냥으로 쳤음.

포은[2]【圃隱】명 『사람』 정몽주(鄭夢周)의 호(號).

포은-집【圃隱集】명 『문』 포은 정몽주(鄭夢周)의 문집. 그의 아들 종성(宗誠)이 편집함. ≪포은 선생 시집≫ 4권과 ≪포은 선생집 속록≫ 3권으로 되어 있음.

포음【砲音】명 포성(砲聲).

포의[1]【布衣】[─/─이] 명 ①벼슬이 없는 선비. 백의(白衣). 백포(白布). ②베옷.

포:의[2]【抱義】[─/─이] 명 의로운 마음을 품음. ──-하다 타여불

포의[3]【胞衣】[─/─이] 명 태아(胎兒)를 싸고 있는 막(膜)과 태반(胎盤). 혼돈피(混沌皮). 혼원의(混元衣).

포의 불하증【胞衣不下症】[─쯩/─이─쯩] 명 『한의』 해산(解産)한 뒤에 태(胎)가 나오지 않는 병.

포의-수【胞衣水】[─/─이─] 명 『생』 모래집물. 양수(羊水).

포의지-교【布衣之交】[─/─이─] 명 선비 시절에 사귄 벗.

포의 한사【布衣寒士】[─/─이─] 명 벼슬이 없는 가난한 선비.

포이어만〔Feuermann, Emanuel〕 명 『사람』 오스트리아(Austria)의 첼로 연주가. 주로 실내악의 완전한 기교 및 현대적인 연주 스타일(style)로 이름이 있음. 나치스(Nazis)에 쫓겨 도미(渡美), 카잘스(Casals)에 다음가는 명성을 얻었음. [1902-42]

포이어바흐〔Feuerbach〕 명 『사람』 ①〔Ludwig Andreas F.〕 독일의 철학자. ❷의 아들. 1830년 익명으로 낸 ≪사(死) 및 불사(不死)에 관한 고찰≫로써 물의를 일으켜 교직(敎職)에서 쫓긴 후 ≪헤겔(Hegel) 철학 비판을 위해서≫를 위시하여 헤겔 철학의 비판에 착수, 헤겔 좌파(Hegel左派)의 대표자가 됨. 헤겔에 있어서의 존재(存在)는 실은 사고(思考)에 불과하며, 그의 현상학(現象學)도 실은 현상학적 논리학(現象學的論理學)이라고 지적하였음. 그 외 ≪기독교의 본질≫·≪장래 철학의 근본 문제≫ 등이 있음. [1804-72] ②〔Paul Johann Anselm F.〕 독일의 법학자. 예나(Jena) 대학 교수. 칸트(Kant) 철학의 연구에서 차츰 범죄 심리학·인종학적 법률학에 손을 대어 이른바 '심리 강제설(心理強制說)'을 주장하여, 후세 객관주의적 형법 체계의 기초를 세움으로써 근대 형법학(刑法學)의 비조(鼻祖)로 불림. 주저(主著)는 ≪형법 교과서≫. [1775-1833]

포이에시스〔그 poiesis〕 명 『철』 제작 활동(製作活動)을 의미하는 말. 흔히, 예술적 제작의 뜻으로 쓰여 왔으나, 원래는 예술·기술의 차별 없이 쌍방에 다 통함.

포이트리〔poetry〕 명 『문』 ①시(詩). ②운문(韻文).

포이히트방거〔Feuchtwanger, Lion〕 명 『사람』 독일의 소설가·극작가. 1933년 나치스(Nazis)에 의하여 국적(國籍)을 빼앗기고, 이후 미국·프랑스 등지를 방랑. 문필가로서 어느 전통적인, 민족적인 문학에 반대하고, 국제적·혁명적 성격이 강하며, 여러 곳에 나치스에 대한 풍자 및 시대 비평이 보임. 작품은 ≪추악(醜惡)한 공작 부인≫·≪대합실≫ 등. [1884-1958]

포인세티아〔poinsettia〕 명 『식』 [*Euphorbia pulcherrima*] 대극과(大戟科)에 속하는 낙엽 활엽 관목. 높이 2-3m이며, 12월에 홍색·백색·분홍색 등 아름다운 포엽(苞葉)이 줄기 꼭대기에 피고 원형(圓形)의 불완전화(不完全花)는 직경 5-6mm임. 줄기나 잎을 짜르면 백색 유액(乳液)을 분비함. 멕시코와 중미(中美) 원산임. 관상용·크리스마스 장식에 쓰임. 성성목(猩猩木).

〈포인세티아〉

포인터〔pointer〕 명 『동』 개의 한 품종. 어깨 높이 53-64cm. 스페인 원산으로, 영국·독일에서 개량된 것 외에도 여러 종류가 있음. 후각(嗅覺)·속력(速力)·지구력·지력(知力)이 뛰어나며, 육조용(陸鳥用)의 사냥개로 쓰임. 숨어 있는 새를 냄새로 찾아 내는 즉시 로 멈추어서, 코와 몸과 꼬리를 일직선으로 하거나 꼬리·뒷다리 등으로 포인트(point)하기 때문에 이런 이름이 있음.

〈포인터〉

포인트〔point〕 ⊟명 ①점(點). 처소(處所). 지위(地位). ②철도의 전철기(轉轍機). ③『인쇄』 ↗포인트 활자. ④『수』 소수점(小數點). ⑤요점(要點). 요지(要旨). ⑥득점(得點). ⊟의명 『인쇄』 포인트 활자의 사이즈(size)의 단위(單位). 1인치의 약 1/72.

포인트 맨〔point man〕 명 전철수(轉轍手).

포인트-배로:〔Point Barrow〕 명 『지』 배로 갑(Barrow 岬).

포인트 오브 뷰:〔point of view〕 명 관점(觀點). 입각점(立脚點).

포인트 포: 계:획【─計劃】명 〔Point Four Program〕 『정』 트루만(Truman) 전 미국 대통령이 1949년 1월의 취임 연설(就任演說)에서 발표한 정책(政策)의 네 번째인, 후진 지역(後進地域) 개발 계획. 1951년 대외 원조법(對外援助法)에 흡수되었음.

포인트 화장법【─化粧法】〔point〕[─뻡] 명 보통 화장법에 대하여, 눈이나 코 등에 중점을 둔 개성적인 화장법.

포인트 활자【─活字】〔point〕[─짜] 명 『인쇄』 활자의 한 계열(系列). 1포인트를 단위(單位)로 하여, 그 정수배(整數倍)로 크기를 정한 활자임. 8·9·10포인트는 서적·잡지의 본문(本文)에 주로 사용함. ＊호수(號數) 활자.

포일〔foil〕 명 박(箔). 금속 박편(金屬薄片). 특히, 포장이나 요리할 때에 쓰는 알루미늄박(aluminium 箔).

포일겐 반:응【─反應】〔Feulgen〕 명 『화』 디옥시리보 핵산(deoxyribo 核酸)의 조직 화학적 정색(呈色) 반응. 1924년 독일의 포일겐과 로젠베크에 의하여 고안된 방법. 디옥시리보 핵산을 산(酸)으로 가수(加水) 분해하면 디옥시리보스의 알데히드기(aldehyd 基)가 유리(遊離)하고, 이것에 시프 시액(Schiff 試液)을 작용시키면 적자색(赤紫色)으로 발색(發色)함.

포일겐 염:색법【─染色法】〔도 Feulgen〕 명 『화』 세포핵에 함유되는 디옥시리보 핵산(deoxyribo 核酸)의 조직 화학적 정색법(呈色法). 세포 화학상 중요한 염색 반응의 하나로, 이 방법으로 염색하면 세포핵의 염색사(染色絲)·염색체(染色體)가 특이하게 염색됨.

포임〔poem〕 명 『문』 포엠.

포자[1]【胞子】명 〔spore〕 ①『생』 균류(菌類)나 식물이 무성 생식(無性生殖)을 위해 형성하는 생식 세포. 일반적으로 두껍고 튼튼한 피막(被膜)을 가지며, 외계(外界)에 대한 저항력이 강함. 발아(發芽)에 의해 한 개체가 되는데 특정 세포에서 감수 분열(減數分裂)하는 것(진정(眞正) 포자), 몸체 일부가 분열하여 생기는 것(영양(營養) 포자), 크기가 다른 것(이형(異形) 포자), 형성 장소나 계절에 의한 것(내(內)·외(外)·동(冬)·하(夏) 포자), 다세포성인 것, 균사(菌絲)의 선단(先端)에 생기는 것, 무색(無色)·암색(暗色) 포자 등 많은 종류가 있음. 현화(顯花) 식물에서는 배낭(胚囊)과 화분(花粉)으로 분화하고 '종자(種子)'를 형성함. 아포(芽胞). 홀씨. ＊후막(厚膜) 포자·휴면(休眠) 포자·이형 포자. ②『동』 포자충류의 모체(母體)에서 떨어져 나와 포자충을 형성하는 개체의 세포. ＊포자충(胞子蟲).

포자[2]【胞子】명 『천』 글로뷸(globule).

포자[3]【炮煮】명 굽고 끓이는 일.

포자-경【胞子莖】명 『생』 포자가 달리는 줄기.

포자-군【胞子群】명 『생』 여러 개의 세포가 융합(融合)하여 이룬 포자의 뭉치.

포자-낭【胞子囊】명 〔sporangium〕 『생』 포자 형성에서 내부(內部)에 생기는 세포(細胞)를 싸고 있는 물질. 또, 그 조직(組織). 담자균류(擔子菌類)에서는 담자낭(擔子囊)이라고도 함. 홀씨 주머니. ＊자낭(子囊).

포자낭-군【胞子囊群】명 〔sorus〕 『식』 양치류의 식물에서, 잎의 뒷면이나 잎가에 포자낭이 많이 모인 것. 그 모양이나 위치 등은 분류학 상의 표지(標識)가 됨.

포자-류【胞子類】명 『동』 '포자충류(胞子蟲類)'의 관용어.

포-자반【脯佐飯】명 고기를 소금에 절여 말린 반찬.

포자-법【胞子法】[─뻡] 명 『생』 포자 생식.

포자 생식【胞子生殖】명 『생』 포자에 의하여 이루어지는 생식. 무성 생식의 한 형(型)으로서, 균류(菌類)·선태류(蘚苔類)·양치류(羊齒類)·원생 동물의 포자충 같은것에서 볼 수 있음. 현화 식물의 생식법도 이것이 진화한 것임. 포자법. 홀씨붙이. ↔영양 생식(營養生殖).

포자-수【胞子穗】명 『생』 포자낭(囊)을 밀집(密集)시켜 붙인 식물 생식기의 하나. 석송·쇠뜨기 따위에서 볼 수 있음.

포자 식물【胞子植物】명 〔spore-bearing plants〕 『식』 포자에 의하여 번식하는 식물. 양치류(羊齒類)·선태류(蘚苔類)·조류(藻類)·균류(菌類)의 총칭. ↔종자(種子) 식물.

포자-엽【胞子葉】명 〔sporophyll〕 『식』 포자가 생기는 잎. 넓은 뜻으로는 종자 식물의 수술·심피(心皮) 등도 이에 속하나, 좁은 뜻으로는 양치(羊齒) 식물로서 잎이 두 가지가 있을 경우에, 오로지 포자가 생기는 잎을 이름. 실엽(實葉). 아포엽(芽胞葉). 홀씨잎. ↔나엽(裸葉).

포자우네〔도 Posaune〕 명 『악』 트롬본(trombone).

포자-체【胞子體】명 〔sporophyte〕 『생』 포자를 만들어 생식(生殖)하는 세대(世代)의 생물체. 세대 교대(交代)를 하는 식물에서 유성(有性) 생식의 결과로 생긴 무성(無性) 세대의 식물체. 아포체(芽胞體). 조포체(造胞體). ＊배우체(配偶體).

포자-충【胞子蟲】명 포자충류에 속하는 원생(原生) 동물의 총칭. 포자를 만들어 번식하는데, 포자는 직경 1μ 가량이고, 원생 동물 중 최소형(最小形)으로 알려져 있음. 모든 생물체에 기생(寄生)하는 미생물로, 일시적으로 위족(僞足)·편모(鞭毛)를 갖는 시기가 있어 위족류·편모류와 유연(類緣) 관계가 있는 것으로 보임.

포자충-류【胞子蟲類】[─뉴] 명 『동』 〔Sporozoa〕 원생(原生) 동물 형주 아문(形走亞門)에 속하는 한 강(綱). 입·위족(僞足)·편모(鞭毛) 등 운동 기관(運動器官)이 없이 모두 동물에 기생(寄生)하는 미생물(微生物)로서 복잡한 분열법(分裂法)에 의해 번식하며, 주로 사람이나 가축의 병원체(病原體)로서 알려져 있는데, 말라리아 병원충(malaria病原蟲) 등이 가장 유명함. 포자류. ＊편모충류(鞭毛蟲類).

포자 환원【胞子還元】명 〔sporic reduction〕 『생』 생물의 생활환(生活環) 중에서, 포자 형성 시기에 감수 분열(減數分裂)이 이루어지는 일.

포작【包作】명 『건』 공포(貢包).

포작-선【鮑作船】명 민간의 작은 어선인데, 임진 왜란 때 임시로 징발하여 판옥선(板屋船)의 부속선으로 썼음.

포장[1]【布帳】명 베·무명 같은 것으로 만든 휘장(揮帳).

포장[2]【包裝】명 물건을 싸서 꾸림. ¶～용. ──-하다 타여불

포장[3]【包藏】명 물건을 겉으로 드러나지 않게 싸서 간직함. ──-하다 「타여불

포장⁴【泡匠】명〖역〗조선 시대에 대궐 안 조포소(造泡所)에서 두부를 만드는 사람.

포장⁵【砲匠】명 총포(銃砲)를 만드는 사람. 포공(砲工).

포:장⁶【捕將】명〖역〗↗포도 대장(捕盜大將).

포장⁷【圃場】명 밭. 농포(農圃).

포장⁸【褒章】명 포장(褒奬)하여 주는 휘장(徽章). 훈장에 다음가는 훈격(勳格)으로, 우리 나라에는 건국·국민·무공·근정(勤政)·보국(保國)·예비군·수교(修交)·산업·새마을·문화·체육 포장 등이 있음.

포장⁹【鋪裝】명 도로(道路) 표면(表面)의 내구력(耐久力)을 더하기 위하여 아스팔트·돌·콘크리트 같은 것을 깔아 단단하게 다지어 꾸미는 일. ¶도로 ～. ――-하다 타여불

포장¹⁰【褒獎】명 칭찬하여 장려(獎勵)함. 포양(褒揚). ――-하다 타여불

포장-기【包裝機】명 대량의 원료나 제품을 로프·금속 벨트·와이어 등을 사용해 큰 짐으로 꾸리는 기계.

포장 도:로【鋪裝道路】명 포장한 도로.

〈포장 마차❶〉

포장 마:차【布帳馬車】명 ①비바람·먼지·일광(日光) 등을 막기 위하여 포장을 둘러친 마차. 황마차(幌馬車). ②포장마차집.

포장마차-집【布帳馬車—】〔—찝〕명 저녁부터 밤에 걸쳐 한길 가나 공터에서, 리어카 같은 것에 네 기둥을 세우고 포장을 씌워, 국수·꼬치 안주·참새구이·소주 등을 파는 이동식의 간이 음식점. 포장 마차.

포장-비【包裝費】명 포장하는 데 소요되는 비용.

포장 수력【包藏水力】명 하천 유역(河川流域)에 있어서의 발전용 수자원(水資源)의 이용 가능량.

포장 시험【圃場試驗】명〖농〗논이나 밭의 조건 밑에서 하는 농작물의 재배 등에 관한 시험. 실험실에서의 실험을 실제 농업에 응용하는 전단계(前段階).

포장 용기 디자인【包裝容器—】〔design〕〔—농—〕명〖미술〗상품의 포장 용기를 설계·디자인하는 일. *패키징(packaging).

포장 용:지【包裝用紙】〔—농—〕명 포장지.

포장-지【包裝紙】명 포장에 쓰이는 종이. 일반적으로 질겨야 하며, 미관·내수성(耐水性)도 중요시됨. 포장 용지. 포지(包紙). 과지(裹紙).

포장 화:심【包藏禍心】명 남을 해칠 마음을 품음. ¶그 총각 놈은 신부의 부모가 허락지 않는 것을 어찌할 수는 없고 분한 마음을 이기지 못하여 ～을 하는데…《崔瓚植 : 春夢》. ――-하다 자여불

포:재¹【抱才】명 품은 재주.

포재²【庖宰】명 요리(料理)하는 사람. 요리인.

포저¹【苞苴】명 뇌물로 보내는 물건.

포저²【蒲菹】명 부들 김치.

포전¹【布廛】명〖역〗조선 시대에 서울에서 베를 주로 팔던 시전(市廛). 육주비전(六注比廛)의 하나로, 국역(國役) 오분(五分)을 담당하였음. 정조(正祖) 18년(1794)에 내어물전(內魚物廛)과 청포전(靑布廛)을 대신하여 한 주비(注比)로 되었다가 순조(純祖) 원년(1801)에 저포전(苧布廛)과 합쳤음. *육주비전(六注比廛).

포전²【布錢】명〖역〗중국 춘추 시대 후반서부터 전국 시대에 걸쳐 사용되었던 농구(農具)의 모양을 본뜬 청동 화폐. 도전(刀錢)보다 전에 나타난 것으로 후에 왕망(王莽)이 한 때, 이 포전을 부활한 일이 있음.

포전³【圃田】명 남새밭.

포전⁴【浦田】명 갯가에 있는 밭.

포전⁵【砲戰】명 대포(大砲)의 사격에 의한 전투.

포전⁶【匏腨】명 박지짐이.

포전⁷【鋪氈】명 모전(毛氈)을 깖. ――-하다 자여불

포절【蒲節】명 음력 5월 5일의 창포절(菖蒲節).

포:접【抱接】명〔amplexus〕〖동〗개구리·두꺼비 따위가 체외 수정(體外受精)을 하기 위하여, 암수가 생식기를 마주하여 껴안고 알에 정자(精子)를 뿌리는 행위. 교접(交接)과 구별함.

포정【庖丁】명 백장❶.

포:정-사【布政司】명〖역〗조선 시대에, 감사(監司)가 집무(執務)하던 관청.

포제¹【布製】명 베로 만드는 일. 또, 그 물건.

포제²【酺祭】명〖민〗제주도에서, 해마다 정월(正月) 첫 정일(丁日)에 지내는 동제(洞祭). 포제 동산에 제단(祭壇)을 베풀고, 유교식(儒敎式)으로 지냄.

포제³【褒題】〔—쩨〕명〖역〗조선 시대 때 각 도의 감사가 관하 수령(守令)의 치적을 고사(考査)하여 왕께 그 포폄(褒貶)을 상주하던 글.

포제기 명〈방〉보자기¹(제주).

포제-단【酺祭壇】명〖민〗포제 동산.

포제 동산【酺祭—】명〖민〗제주도에서, 포제(酺祭)를 지내는 마을 뒤의 동산.

포:젠〔Posen〕명〖지〗'포즈난(Poznań)'의 독일 이름.

포:조¹【捕鳥】명 새를 잡음. ――-하다 자여불

포:조²【逋租】명 바치지 아니한 구실. 미납한 조세. 보부(逋賦).

포족¹【跑足】명 마술 용어(馬術用語)로, 말이 약간 빨리 달림.

포:족²【飽足】명 ①배부르고 만족함. ②풍족함. ――-하다 형여불

포:졸【捕卒】명〖역〗조선 시대의 포도 군사(捕盜軍士).

포좌【砲座】명〖군〗대포를 올려 놓는 대좌(臺座).

포주¹【包主】명〖역〗조선 시대에, 동학(東學)의 교구(敎區)인 포(包)의 책임자. *장주(帳主)·접주(接主)·대접주(大接主).

포:주²【抱主】명 ①기둥서방❶. ②창기(娼妓)를 두고 영업을 하는 주인. *조방(助幇).

포주³【庖廚】명 →푸주.

포주⁴【鋪主】명 전당포(典當鋪)의 주인.

포:주-성【抱州城】명〖지〗압록강 동쪽에 있는 성. 내원성과 함께 고려(高麗) 때 개척하였으나, 한때 요(遼)의 지배하에 있었으며, 요·금(遼金)이 교대될 때에 고려의 영토로 되었음. 지금의 의주(義州) 지방.

포죽【匏粥】명 박죽.

포준【匏尊·匏樽】명 술을 담아 두는 뒤웅박. 바가지로 만든 술그릇.

포:즈¹〔중 包子〕명 파오즈.

포:즈²〔pause〕명 ①중지(中止). 휴지(休止). ②구절(句節). 구두(句讀). 단락(段落). ③〖악〗소리를 길게 빼기. 또, 그 기호(記號)인 '늘임표'의 딴이름. ――-하다 자여불

포:즈³〔pose〕①모습. 모양. 자세(姿勢). 특히 회화·조각·사진·무용 등에 표현되어 있는 인물의 자태. 또, 모델이 어떤 자세나 몸짓을 표현하는 일. 또, 그 자세나 몸짓. ②그럴듯하게, 점잔을 빼는 태도. 또 외관(外觀) 뿐인 태도. ¶그럴듯한 ～. ――-하다 타여불

포즈난〔Poznań〕명〖지〗폴란드 서부, 바르타 강(Warta江)에 면한 하항(河港) 도시. 상공업의 중심지로 기계·차량·화학·섬유·식품 가공 등의 공업이 행하여짐. 공과 대학이 있음. 한때 독일령이 되었다가 반환되었음. 독일명으로는 포젠(Posen). 〔563,000 명(1982)〕

포-증【包拯】명〖사람〗중국 북송(北宋) 인종(仁宗) 때의 명신. 루저우(盧州) 허페이(合肥) 사람. 진사(進士)에 합격하여, 여러 관직을 거치고, 추밀 부사(樞密副詞)에 이름. 성격이 강의 염직(剛毅廉直)하여, 관기 숙정(官紀肅正)에 힘썼음. 사후에 예부 상서(禮部尙書)로 추증(追贈)됨. 그의 주의(奏議)를 모은 《포숙공 주의(包肅公奏議)》 15 권이 남아 있음. 〔999-1062〕

포지¹【包紙】명 포장지(包裝紙).

포:지²【抱持】명 안아 일으킴. ――-하다 타여불

포지³ 명 ↗포지티브(positive)❷. ↔네가.

포지션〔position〕명 ①지위. 위치. 부서(部署). ②〖악〗화음(和音)의 위치. 화음을 구성하는 각 음은 저음(低音)이 됨에 따라 기본 위치 및 회전 위치가 있음. ③〖악〗현악기(絃樂器)의 지판(指板) 위의 손가락의 위치. ④〖악〗트롬본의 유자관(U字管)을 활주(滑走)시킬 때의 각종 위치. ⑤야구에서, 수비 위치.

포지션 페이퍼〔position paper〕명 자기의 입장을 설명한 문서란 뜻으로 '토킹 페이퍼(talking paper)'를 미국에서 이르는 말.

포지트로늄〔positronium〕명〖물〗한 쌍의 전자(電子)와 양전자(陽電子)가 결합한 것. 양전자를 원자핵으로 하는 일종의 원자(原子)라고도 생각되며, 양전자가 물질 중에 박히어 있을 때 형성됨. 1951년 도이치(Deutsch, M.)가 확인함.

포지트론〔positron〕명〖물〗양전자(陽電子).

포지티브〔positive〕명 ①적극적. 긍정적. 실증적(實證的). ②사진의 양화(陽畫). ③〖물〗전기의 양극(陽極). ④〖수〗플러스(plus). 양수(陽數). ㊀포지. 1)-4):↔네가티브(negative).

포지티브 리스트〔positive list〕명〖경〗원칙적으로 수입 제한 또는 금지책을 채용하고 있는 나라가, 특별히 자유화를 인정하는 상품을 표시한 품목표. 수입 승인(承認) 품목표. ↔네가티브(negative) 리스트.

포지티비즘〔positivism〕명〖철〗실증주의(實證主義). 실증론(論).

포:진¹【布陣】명 전쟁이나 경기를 하기 위하여 진(陣)을 침. ――-하다 자여불

포:진²【布陳】명 품평회나 상점의 창 안에 물건을 진열하여 늘어 놓음. ――-하다 타여불

포진³【疱疹】명〖의〗소수포(小水疱) 또는 소농포(小膿疱)가 무리를 이룬 상태. 비루스의 감염에 의한 피부병으로 단순성 포진과 대상(帶狀) 포진이 있음. 단순성 포진은 입술·음부(陰部) 등에 좁쌀 크기의 수포(水疱)가 생겨 가렵고 따끔따끔한데 단순성 포진 비루스에 의해 생김. 헤르페스(herpes).

포진⁴【鋪陳】명 ①바닥에 깔아 놓는 방석·요·돗자리 같은 것의 총칭. ②잔치 같은 때에 앉을 자리를 마련하여 깖. ――-하다 타여불

포진 장병【鋪陳障屛】명 요·방석·병풍 같은 것의 통칭.

포-진지【砲陣地】명〖군〗대포를 배열한 진지.

포:진 천물【暴殄天物】명 물건을 함부로 쓰고도 아까운 줄을 모르는 일.

포-집다 타 ①거듭 집다. ②그릇을 포개어 놓다.

포징【褒懲】명 포상(褒賞)함과 징계(懲戒)함. ――-하다 타여불

포-쪽【脯—】명 포(脯)의 조각.

포:차¹【拋車】명 옛날 군중(軍中)에서 투석용(投石用)으로 쓰던 차.

포차²【砲車】명 ①대포를 운반하기에 편리하도록 바퀴를 단 포가(砲架). ②대포를 끄는 견인(牽引) 자동차.

포:착【捕捉】명 ①꼭 붙잡음. 파착(把捉). ¶기회를 ～하다. ②사람의 마음이나 표현의 뜻 따위를 이해함. ③〔capture〕〖물〗원자 또는 원자핵이 다른 입자(粒子)를 빼앗는 일. 양(陽)이온에 의한 전자(電子) 포착, 원자핵에 의한 중성자 포착 따위. ――-하다 타여불

포:찬【逋竄】명 달아나 숨음. 도망(逃亡). ――-하다 자여불

포:참【捕斬】명 잡아서 벰. ――-하다 타여불

포:창¹【抱槍】명〖충〗물여우.

포창²【疱瘡】명〖의〗천연두.

포채【匏菜】명 박나물.

포척¹【布尺】명 베로 만든, 측량에 쓰는 자의 한 가지.

포:척²【拋擲】명 ①내던짐. ②내버려 둠. 그대로 둠. 방치(放置). ――-하다 타여불

포척³【鮑尺】명 물 속에 들어가서 전복을 따는 사람.

포:천[1]【抱川】 명 〖지〗 경기도 포천군의 군청 소재지로 읍(邑). 군의 중남부에 위치함. 예로부터 쇠장(場)으로 유명함. [21,951 명(1991)]
　포:천 소(疏) 까닭 구 자기가 정신 차리지 않고 남을 탓함의 비유.

포:천[2]【逋遷】 명 도망하여 다른 나라로 옮김. ──-하다 자여불

포:천-군【抱川郡】 명 〖지〗 경기도의 한 군. 관내 1읍 12면. 도의 동부에 위치하며, 북은 연천군(漣川郡)과 강원도 철원군(鐵原郡), 동은 가평군(加平郡), 남은 남양주군(南楊州郡)과 의정부시(議政府市), 서는 연천군과 양주군(楊州郡)에 인접함. 기후는 온난 다우(多雨)하고 농산과 밤·벌꿀·잣이 남. 명승 고적으로는 충목단(忠穆壇)·반월성(半月城)·용연 서원(龍淵書院)·영평 팔경(永平八景)·산정 호수(山井湖水) 등이 있음. 군청 소재지는 포천. [803.36 km²: 110,919 명(1991)]

포:철【拋撤】 명 던지어 여러 군데로 헤뜨림. ──-하다 타여불

포:철-객【哺啜客】 명 취식객(取食客).

포:청【捕廳】 명 〖역〗 ↗포도청(捕盜廳).

포:체【拋體】 명 한시(漢詩)를 지을 때 쓰는 말로서, 절구(絕句) 등의 기구(起句)의 제이자(第二字)가 평운(平韻)일 때는 전구(轉句)의 제이자는 측운(仄韻)이 오는 것이 원칙인데, 평운을 쓰는 일. 파격(破格)의 시체(詩體).

포-촉【脯燭】 명 ①제사에 쓰는 포육과 초. ②지방(地方)의 관리가 세말(歲末)에 중앙에 있는 벼슬아치나 친지(親知)에게 세찬(歲饌)으로 보내는 포육과 초.

포촌【浦村】 명 갯마을.

포촌-놈【浦村一】 명 갯가에 살면서 고기잡이 등으로 업을 삼는 무식한 사람. 포한(浦漢).

포총【砲銃】 명 총포(銃砲)❷.

포추【蒲槌】 명 포퇴(蒲槌)❶.

포:춘〔Fortune〕 명 미국의 월간 경제지. 1930년에 창간되었으며, 타임 라이프사(社)가 발행함. 주로 실업가(實業家)·경영자를 대상으로 하여 광범하고도 면밀한 조사에 바탕을 둔 기사로 정평이 있음.

포:충-낭【捕蟲囊】 명 〖식〗 포충엽의 하나. 식물의 잎이 낭상(囊狀)으로 변형하여 벌레를 잡을 수 있게 되었음. 통발 따위.

포:충-망【捕蟲網】 명 벌레를 잡는 데 쓰는 오구 모양의 그물. 곤충망(昆蟲網). 벌레 그물.

포:충-엽【捕蟲葉】 명 〖식〗 식충(食蟲) 식물에 있어서 날아 붙는 벌레를 잡아 소화시키는 잎. 흔히는 표면에 잔털이 있거나 주머니 모양으로 되어 있어 급히 닫아 잡음. 또는 진액(津液)을 분비하여 잡아먹는 것도 있음. 파리지옥풀·파리풀·끈끈이귀개 등에서 볼 수 있음.

포츠담〔Potsdam〕 명 〖지〗 독일 베를린 남서쪽에 있는 공업 도시. 하펠 강(Havel江) 수계(水系)의 호수와 삼림이 있으며 브란덴부르크 선제후(選帝侯)가 세운 상수시 궁전 외에 다수의 이궁·별장이 있음. 1945년에 포츠담 선언을 한 곳. 차량·섬유·화학·약품 공업이 발달함. [141,231(1987)]

포츠담 선언【一宣言】 명 〔Potsdam Declaration〕 〖정〗 1945년 7월 26일 포츠담에서 미국의 트루만(Truman), 영국의 처칠(Churchill), 중국의 장 제스(蔣介石)(뒤에 소련의 스탈린(Stalin)이 참가)가 회담하고, 일본에 대하여 전쟁 종결의 기회를 주고, 일본의 항복 조건(降伏條件)을 정하여 발표한 선언. 항복 조건은 제국주의적 지도 세력(指導勢力)을 없애고, 전쟁 범죄인의 엄벌, 연합국에 의한 점령, 일본 영토의 국한(局限), 일본의 철저한 민주화 등이며, 우리 나라의 해방과 독립이 약속되었음.

포츠담 협정【一協定】 명 〔Potsdam Agreement〕 〖정〗 1945년 7-8월에 미국·영국·소련의 세 원수(元首)가 포츠담에서 전후의 여러 가지 처리 문제에 관하여 맺은 협정. 5개국 외상 이사회(外相理事會)에 의한 강화 조약안(講和條約案)을 기초하고, 독일의 점령·관리·재건 등에 관하여 규정하였음. 그와 동시에 대일전(對日戰) 종결 문제도 협의하였음. *포츠담 선언·포츠담 회담.

포츠담 회:담【一會談】 〔Potsdam〕 명 〖정〗 1945년 7월 17일-8월 2일에 걸쳐 포츠담에서 미·영·소의 세 나라 원수가 모여, 2차 대전 전후의 유럽 처리 문제를 의제로 하여 연 회담. 이 회담에서 포츠담 협정이 체결되었음.

포:츠머스〔Portsmouth〕 명 〖지〗 ①영국 잉글랜드 남부의 항구 도시. 와이트 섬(I. of Wight) 전면의 스피트헤드 수로(Spithead 水路)에 임한 양만(良灣)을 차지한 영국 최대의 군항(軍港)임. 1540년 도크(dock)를 건설한 이래 발전했음. [179,000 명(1981)] ②미국 동해안 뉴햄프셔 주(New Hampshire州) 유일의 항구 도시로 미국 군항. 노일 전쟁(露日戰爭)의 강화 조약 체결지임. 피서지(避暑地)로 해수욕장이 있음. 신발·비료·목공품(木工品) 등의 공업이 발달하고, 원자력 잠수함이 건조(建造)되는 군사 도시로 알려짐. [26,000 명(1980)] ③미국 오하이오 주 남부의 공업 도시. 철강업·기계·벽돌 제조 등이 성함. [25,000 명(1980)]

포:츠머스 조약【一條約】 명 〔Treaty of Portsmouth〕 〖역〗 러일 전쟁(戰爭)의 강화(講和) 조약. 1905년 미국 대통령 루스벨트(Roosevelt)의 조정에 의하여, 일본의 수석 전권 고무라 주타로(小村寿太郎)와 러시아의 수석 전권 비테(Vitte)가 미국 포츠머스에서 체결하였음. 일본의 한국에 대한 우선권, 관동주(關東州)의 조차(租借), 남만주 철도의 양도, 사할린(Sakhalin) 남반의 할양(割讓), 연해이저우(沿海州)의 어업권 획득 등이 약정되었음.

포:치[1]【布置·鋪置】 명 배치(排置). ──-하다 타여불

포:치[2]【拋置】 명 던지어 버리어 둠. ──-하다 타여불

포:치[3]【捕治】 명 죄인을 잡아다가 다스림. ──-하다 타여불

포:치[4]〔porch〕 명 〖건〗 건물의 입구에 지붕을 갖추어 만든 구조물. 때로는 교회의 큰 문 앞을 말하기도 함. 영국에서는 이것을 문 앞의 대합실로 쓰기도 하며, 2층이 있는 것도 있음.

포칭【褒稱】 명 칭찬함. ──-하다 타여불

포:캐스트〔forecast〕 명 ①예상. 예측. ②경마(競馬)·경주의 1착이나 2착을 예상 투표함. ──-하다 자타여불

포:커〔poker〕 명 미국에서 일어난 카드 놀이의 한 가지. 드로 포커(draw poker)와 스텃 포커(stud poker)의 두 가지가 있음.

포:커스〔focus〕 명 〖물〗 초점(焦點).

포:커 페이스〔poker face〕 명 심중을 겉에 나타내지 않는 무표정한 얼굴. 포커를 할 때, 가진 카드의 좋고 나쁜 것이 상대에게 눈치채이지 않도록 표정을 바꾸지 않는데서 나온 말.

포:컬 플레인 셔터〔focal plane shutter〕 명 사진기의 셔터 방식의 하나. 초점면 바로 앞에 있는 차광막(遮光膜)의 개폐(開閉)에 의해서 노광(露光)을 함. 렌즈 셔터보다 효율이 좋으며, 고속도 조작이 가능함.

포켓〔pocket〕 명 양복 등에 달린 호주머니.

포켓 머니〔pocket money〕 명 용돈.

포켓 북〔pocket book〕 명 호주머니에 들어갈 만한 책 또는 수첩.

포켓 선량계【一線量計】〔pocket〕〔一설一〕 명 개인용 방사선(放射線) 감시 장치. 전리(電離) 상자에 사용 전에 미리 충전(充電)하여 두어, 방전의 비율로써 입사선량(入射線量)을 잴 수 있게 되어 있음.

포켓 카메라〔pocket camera〕 명 16밀리 필름의 카트리지(cartridge)를 사용하며, 화면 사이즈 13×17밀리, 무게 200그램 전후의 소형 카메라.

포켓-형【一型】〔pocket〕 명 포켓에 넣을 수 있는 정도의 형(型). 장부나 책 등에 대하여 이르는 말. ¶～ 사전(辭典).

포코〔이 poco〕 명 〖악〗 '조금'·'약간'의 뜻. ¶～ 피우 알레그로(piu allegro)(조금 빠르게, 약간 쾌활하게)/～ 라르고(largo)(조금 늦게, 약간 천천히).

포코 아 포코〔이 poco a poco〕 명 〖악〗 '조금씩'·'점점'·'차차'의 뜻. ¶～ 딤(dim)(조금씩 약하게, 점점 약하게)/～ 크레스크(cresc)(조금씩 강하게, 차차 강하게).

포:크[1]〔fork〕 명 ①양식(洋食)에서 고기나 생선 또는 과일을 찍어 먹는 식탁 용구(用具). 삼지창. ②〖농〗 두엄·풀무덤 등을 꿰어 푸거나 헤칠 때 쓰이는 농구. 서너 개의 쇠꼬챙이로 된 긴 날에 삽만한 자루를 맞추었음. 쇠스랑.

포:크[2]〔Polk, James Knox〕 명 〖사람〗 미국의 정치가. 민주당 출신으로 제11대 대통령. 적극적인 영토 확장논자(領土擴張論者)로, 텍사스를 병합, 오리건(Oregon) 지방을 영국과 분할하였으며, 멕시코와의 전쟁으로 캘리포니아와 뉴멕시코 지방을 획득하였음. [1795-1849]

포:크[3]〔pork〕 명 돼지 고기. ¶～ 커틀릿.

포:크너〔Faulkner, William Cuthbert〕 명 〖사람〗 미국의 소설가. 1차 대전 때, 영국 공군에 종군하여 부상, 제대 후 시집 ≪대리석의 목양신(牧羊神)≫을 발표하고, 셔우드 앤더슨(Sherwood Anderson)과 사귀어 귀환병(歸還兵)의 비극을 그린 ≪병사(兵士)의 보수≫를 냄. 그 후 고향 미시시피 주(州) 옥스퍼드에서 ≪음향과 분노≫·≪생크추어리(The Sanctuary)≫·≪압살롬, 압살롬≫·≪야성의 종려(棕櫚)≫·≪사토리스(Sartoris)≫ 등 주로 가공의 땅 요크나파트파 군(郡)을 무대로 하는 작품을 차례로 발표, 남부에 사는 사람들의 어두운 정념(情念)을 실험적인 수법으로 그림. 1949년 노벨 문학상을 받음. 만년의 ≪우화(寓話)≫ 등에는 자연에 대한 공감(共感)과 구원(救援)에 대한 소망이 짙게 나타나 있음. [1897-1962]

포:크 댄스〔folk dance〕 명 ①전통적인 민속 무용. 향토 무용. ②광의로는 국민 무용. 레크리에이션(recreation)의 하나로 학교·회사·공장 등에서 함. *스퀘어댄스.

포:크-로:〔folklore〕 명 민간 전승(民間傳承). 민속(民俗). 민속학(民俗學).

포:크-리프트〔forklift〕 명 차의 앞 부분에 포크형(fork型)의 두 개의 철판이 나와 있어 이것을 상하로 움직여 짐을 운반하거나 하역(荷役)하는 차. 지게차(車). *포크리프트 트럭.

포:크리프트 트럭〔forklift truck〕 명 포크리프트를 장치한 트럭. 앞쪽에 기둥이 있어 이것에 따라 포크를 상하시켜 짐의 하역(荷役)과 운반을 함. 주로, 창고·역·부두 등 하역 작업장에서 쓰임. *포크리프트.

포:크 볼:〔fork ball〕 명 야구에서, 투구(投球) 방법의 하나. 포크로 음식을 찌르는 모양으로 공을 쥐므로 생긴 말로서, 집게손가락과 가운데손가락으로 공을 끼어 던짐. 회전(回轉)이 거의 없으며, 타자(打者)의 바로 앞에서 갑자기 공이 낮아짐.

포:크 소테〔pork sauté〕 명 돼지 고기를 버터로 볶아 구운 음식.

포:크 송〔folk song〕 명 〖악〗 민요(民謠).

포:크 커틀릿〔pork cutlet〕 명 빵가루를 묻힌 돼지고기를 기름에 튀긴 서양 요리. 돈(豚)커틀릿. 돈까스.

포크트[1]〔Vogt, Johan Herman Lie〕 명 〖사람〗 노르웨이의 암석(岩石)·광상(鑛床) 학자. 광재(鑛滓)의 연구를 기초로, 마그마의 결정 작용에 관한 이론적 연구의 단서(端緒)를 제공했으며, 광상학의 연구도 있음. 저서 ≪규산염 융해물 용액≫ 2권. [1858-1932]

포크트[2]〔Vogt, Karl〕 명 〖사람〗 독일의 동물학자. 뒤에 제네바 대학 교수. 자연 과학적 유물론자로, 정신은 뇌(腦)의 산물이며 사유(思惟)의 뇌수(腦髓)에 대한 관계는 담즙(膽汁)의 간장(肝臟)에 대한 관계 및 뇨(尿)의 신장(腎臟)에 대한 관계와 같다고 주장했음. [1817-95]

포크트[3]〔Vogt, Walther〕 명 〖사람〗 독일의 동물 발생학자(動物發生學者). 뮌헨 대학 교수. 양서류(兩棲類)의 초기 발생의 실험적 연구로 알려짐. 특히 국소 생체 염색법(局所生體染色法)을 고안하여, 발생 초기의 원장(原腸) 형성을 중심으로 하여 일어나는 형태 형성 운동을 분석하여 원기 분포도(原基分布圖)를 작성하였음. [1888-1941]

포:클랜드 전:쟁【一戰爭】〔Falkland〕 명 1982년에 포클랜드 제도(諸島)의 귀속(歸屬)을 둘러싸고 영국과 아르헨티나 사이에 벌어진 전쟁.

포클랜드 섬에 진주(進駐)한 아르헨티나군이 본국으로부터 원정(遠征)한 영국군에게 항복(降服)함으로써 끝남.

포:클랜드 제도【—諸島】〔Falkland〕 명 《지》 남대서양 마젤란 해협의 동쪽에 있는 섬들. 동서(東西) 두 개의 포클랜드 섬을 주도(主島)로 하여 약 200개의 작은 섬으로 이루어지며, 냉량(冷涼)하여 목양(牧羊)이 행하여짐. 주산물은 양모(羊毛). 1833년 영국의 직할(直轄) 식민지가 됨. 주도는 스탠리(Stanley). [12,173 km² : 2,000 명(1995 추계)]

포:클랜드 해:전【—海戰】〔Falkland〕 명 《역》 제1차 대전(大戰) 초기인 1914년 포클랜드 제도 앞바다에서 벌어졌던 영국과 독일 간의 해전. 영국 함대가 독일의 동양 함대를 전멸시켰음.

포클레인〔프 Poclain〕 명 〔본디, 프랑스의 중기(重機) 제조 회사 이름〕 만능 굴착기 엑스커베이터(excavator)의 통칭.

포킨〔Fokine, Michel〕 명 《사람》 러시아 태생의 미국의 안무가. 러시아에서 ≪빈사의 백조≫를 추어 이름을 날리고, 1932년 미국에 귀화함. 1915년 런던 타임즈에 기고한 발레 개혁의 5개 원칙은 유명함. 주작품은 ≪불의 새≫·≪장미의 정(精)≫ 등. [1880-1942]

포타슘〔potassium〕 명 《화》 '칼륨(Kalium)'의 영어명(英語名).

포타스〔프 potasse〕 명 《화》 탄산 칼륨(炭酸 Kalium).

포타:주〔프 potage〕 명 수프(soup)의 한 가지. 체에 거른 야채·생선·고기·곡식 등 여러 가지 재료로 만듦. ↔콩소메(consommé).

포탄【砲彈】 명 《군》 화포(火砲)의 탄환. 끝이 뾰족한 원주체(圓柱體)를 이루며, 내강(內腔)에 폭약을 장전함. 폭발하면 탄체가 작렬하고, 파편이 파괴·살상의 작용을 함. 대포알. ¶ ~이 터지다.

포탄-깍지【砲彈—】 명 탄피(彈皮).

포탄-실【砲彈室】 명 포탄을 쌓아 두는 방.

포:탄 희량【抱炭希凉】〔—히—〕 명 〔불을 끼고 있으면서 선선하기를 바란다는 뜻으로〕 하는 일과 바라는 일이 일치하지 않음을 이르는 말.

포:탈【逋脫】 명 ①도망하여 면함. ②조세(租稅)를 피하여 면함. 포세(逋稅). 탈세(脫稅). ¶ 세금을 ~하다. ——-하다 타여불

포탈라-궁【—宮】〔Potala〕 명 포탈라 산(山)에 있는 달라이 라마의 궁전. 티베트에 있는 포탈라 산은 관음 보살이 사는 보타락산(普陀落山)을 가리키며, 달라이 라마가 관음의 화신(化身)이라는 데서 나온 이름. 7세기에 창건되었으며 티베트 제1의 신성한 사당인 동시에 정청(政廳)이기도 함.

포:탈-범【逋脫犯】 명 《법》 납세 의무자가 바쳐야 할 세금을 모면하거나 또는 부당하게 납부하지 않는 행위. 또, 그 범인.

포탑【砲塔】 명 〔turret〕 《군》 군함·요새(要塞) 같은 곳에서, 대포·포가(砲架)·병원(兵員)을 방호하기 위하여 두꺼운 강철로 둘러싼 장치.

포탑 선반【砲塔旋盤】 명 터릿 선반(turret 旋盤).

포탕【匏湯】 명 박국[1].

포태[1]【泡太】 명 두부를 만드는 데 쓰는 콩.

포태[2]【胞胎】 명 아이를 뱀. 임신(妊娠). ——-하다 자여불

포태-법[1]【胞胎法】〔—뻡〕 명 임신시키는 방법. ↔피임법(避姙法).

포태-법[2]【胞胎法】〔—뻡〕 명 《민》 수태(受胎)에서 입묘(入墓)까지의 사람의 일생을 절(絕)·태(胎)·양(養)·장생(長生)·목욕(沐浴)·관대(冠帶)·임관(臨官)·제왕(帝旺)·쇠(衰)·병(病)·사(死)·장(葬)의 12 단계로 구분하여 점술에 맞추어 길흉을 판단하는 방법.

포:터[1]〔porter〕 명 운반인(運搬人). 철도·호텔의 수화물 운반인.

포:터[2]〔Porter, Arthur Kingsley〕 명 《사람》 미국의 미술 사학자. 예일 대학·하버드 대학 등의 교수를 역임, 주로 조각 및 건축 연구에 종사함. 저서 ≪건축의 피안(彼岸)≫은 로마 예술을 부정(否定)했다 하여 논난(論難)을 일으킨 바 있고, 대저(大著) ≪순례로(巡禮路)의 로마네스크 조각(彫刻)≫ 10권은 미술사의 지지학적(地誌學的) 연구의 고전(古典)으로 꼽힘. [1883-1933]

포:터[3]〔Porter, Cole〕 명 《사람》 미국의 대중 음악 작곡가. 예일 대학 재학 때부터 작사·작곡을 시작, 하버드 대학에서 음악을 전공함. 1916년경부터 본격적인 작곡 활동을 시작, ≪파리≫·≪5백만 명의 프랑스인≫·≪쥐빌리≫·≪캉캉≫·≪비단 양말≫ 등 여러 히트곡을 냄. 그의 곡은 밝고 선율이 아름다운 것이 특징임. [1893-1964]

포:터[4]〔Porter, George〕 명 《사람》 영국의 물리 화학자. 케임브리지 대학을 졸업 후, 노리시(Norrish, R.) 밑에서 같은 대학의 물리 화학 차장을 지내다가 뒤에 셰필드(Sheffield) 대학 교수가 됨. '단시간 펄스(pulse)에 의한 평형 상태(平衡狀態)의 교란에서 나오는 초고속 화학 반응 연구'로써 노리시 및 아이겐(Eigen, M.)과 함께 1967년 노벨 화학상을 받음. [1920-]

포:터[5]〔Porter, Katherine Anne〕 명 《사람》 미국의 여류 작가. 수도원에서 자람. 지적인 문체로 인간의 내부에 파고드는 작풍(作風)으로 알려짐. 작품에 ≪멕시코 이야기≫·≪사탑(斜塔)≫·≪우자(愚者)의 배≫ 등이 있음. [1890-1980]

포:터[6]〔Porter, Rodney Robert〕 명 《사람》 영국의 생화학자. 옥스퍼드 대학 생화학 교수. 에델만(Edelman, G.M.)과 함께 항체(抗體)의 화학 구조에 관한 연구로 1972년도 노벨 생리 의학상을 받음. [1917-85]

포:터블〔portable〕 명 들고 다닐 수 있을 정도의 크기와 중량임. 또, 그런 물건. 특히, 라디오·전축·텔레비전·컴퓨터 등의 휴대용을 이름.

포:터블 라디오〔portable radio〕 명 휴대용 라디오 수신기(受信機). 전원(電源)은 건전지(乾電池)이며, 트랜지스터(transistor)의 진보에 따라 점차 소형화(小型化)하였음.

포:털 사이트〔portal site〕 명 《컴퓨터》 인터넷 사이트의 관문(關門)이라는 뜻으로 인터넷 정보 검색을 시작하는 주요 사이트. 세부 사이트로의 연결을 중개함.

포테이토〔potato〕 명 《식》 ①감자. ②↗스위트 포테이토(sweet potato).

포테이토 칩〔potato chip〕 명 얇게 썬 감자를 기름에 튀긴 식품. 썬 감자를 물에 담가 겉면의 녹말을 없앤 다음에 튀김.

포토〔photo〕 명 ↗포토그래프(photograph)

포토-그래프〔photograph〕 명 사진(寫眞)❷.

포토-그램〔photogram〕 명 카메라를 쓰지 않고, 감광지(感光紙) 위에 직접 물체를 놓고, 빛을 비추어 음영(陰影)을 만드는 사진의 기법(技法). 또, 그 사진.

포토-뉴:스〔photonews〕 명 사진 화보(寫眞畫報).

포토 레지스트〔photo resist〕 명 얇은 막(膜)으로 만들어 광선을 쐬면 화학 변화를 일으켜서 내약품성(耐藥品性)이 강한 불용성(不溶性)의 경질막(硬質膜)으로 변하기도 하고, 약품에 매우 잘 녹는 막으로 변하기도 하는 성질의 감광성(感光性) 재료. 앞의 것을 네거타입 포토 레지스트, 뒤의 것을 포지타입 포토 레지스트라 함. 아이 시(IC)는 실리콘 기판(基板) 위에 이 포토 레지스트를 바르고, 빛을 쐬어 회로(回路) 패턴을 밀착(密着)시켜, 현상(現像) 후에 부식액(腐蝕液)으로 처리해서 회로(回路)를 만듦.

포토-맵〔photo-map〕 명 공중 촬영에 의한 사진 지도(地圖).

포토맥 강【—江】〔Potomac〕 명 《지》 미국 동부의 강. 애팔래치아 산맥(Appalachia 山脈)에서 발원하여 동남쪽으로 흘러 워싱턴 시내를 거쳐 체서피크 만(Chesapeak 灣)에 흘러듦. 워싱턴까지 큰 배의 항행(航行)이 가능함. [462 km]

포토-몽타:주〔프 photomontage〕 명 여러 장의 다른 사진을 적당히 맞추어 한 장으로 합쳐 만든 사진. 합성 사진. 혼성(混成) 사진.

포토-셀〔photocell〕 명 《물》 광전지(光電池).

포토-스탯〔photostat〕 명 일종의 복사용(複寫用) 카메라. 건판(乾板)을 쓰지 않고 직접 브로마이드지(bromide 紙)에 찍는 사진.

포토 스토리〔photo story〕 명 삽화(揷畫) 대신에 스틸(still) 사진을 써서 만든 이야깃거리. 조성(組成) 사진에 일관된 해설을 붙여, 하나의 이야깃거리를 만듦.

포토-스튜디오〔photostudio〕 명 사진 촬영소. 사진관.

포토시〔Potosi〕 명 《지》 볼리비아의 남부, 포토시 주(州)의 주도. 유명한 은(銀) 생산지인 포토시 산(4,688 m) 기슭의 해발 4,170 m에 위치한 세계 최고도(最高度) 도시의 하나로 이 나라의 주요 공업 중심지임. 16-17세기에는 많은 은이 스페인을 통해 유럽으로 갔음. 대학 소재지. [103,182 명(1983)]

포토-에칭〔photoetching〕 명 사진 식각(寫眞蝕刻).

포토-오:더〔photoorder〕 명 양복점에서 양복을 맞출 때에 손님의 몸을 일일이 자로 재지 않고, 손님을 방안지(方眼紙) 앞에 세우고 사진을 찍어 이것으로 치수를 알아 양복을 마르는 법.

포토-제니〔프 photogénie〕 명 《예》 〔프랑스어 photo와 génie(특성)의 합성어〕 스크린 위에 하나의 영상으로서 영사되었을 때, 본질적인 미(美)가 나타나는 일. 사진으로서, 효과가 있는 특질을 가짐.

포토-제닉〔photogenic〕 명 사람·얼굴 따위가 사진발을 잘 받음. 예술 사진에 적합함. ¶ ~상(賞).

포토크로믹 유리【—琉璃】〔—뉴—〕 명 〔photochromic glass〕 빛이 닿으면 색(色)이 나타나고 빛을 떼면 본디의 투명한 상태로 되돌아가는 성질을 가진 유리. 유리 속에 가진 필름이나 감광제로 사용되는 할로겐화은(Halogen 化銀)을 녹여 넣어서 만듦. 안경에 널리 쓰임.

포토키나〔Photokina〕 명 독일의 쾰른(Köln)에서 열리는 사진·영화 관계의 국제 견본시(見本市). 1950년에 처음 개최된 후, 한 해 걸러 열림.

포토-타이프〔phototype〕 명 '콜로타이프(collotype)'의 이칭.

포토-트랜지스터〔photo-transistor〕 명 빛의 조사(照射)로 생긴 캐리어(carrier)로서, 전류를 증폭(增幅)하는 트랜지스터.

포토-플레이〔photoplay〕 명 《연》 극영화(劇映畫).

포토-플레이어〔photoplayer〕 명 《연》 영화 배우.

포톤〔photon〕 명 《물》 광양자(光量子).

포퇴【蒲槌】 명 ①부들의 꽃술. 포추(蒲槌). ②중국 꽃병의 한 가지. 모양이 부들꽃 비슷하게 생기었음.

포톰킨〔Potyomkin, Grigori Aleksandrovich〕 명 《사람》 제정(帝政) 러시아의 군인·정치가. 예카테리나(Ekaterina) 2세의 총신(寵臣). 푸가초프(Pugachyov)의 반란을 진압하고, 크리미아(Crimea)를 병합, 흑해 함대(黑海艦隊)를 창설하였으며 러터 전쟁(戰爭)의 총사령관을 역임함. [1739-91]

포톰킨호의 반:란【—號—叛亂】〔Potyomkin〕〔—발—/—에발—〕 명 1905년 제1차 러시아 혁명 때의 가장 중요한 사건의 하나. 흑해 함대 소속의 전함(戰艦) 포톰킨호(號)의 수병(水兵)들이 식량 문제로 일으킨 반란. 반란은 실패로 돌아갔으나 군대(軍隊)가 일으킨 최초의 대중적 행동으로서 차리즘(tsarism)에 일대 충격을 주었음.

포트[1]〔pot〕 명 항아리. 병. ¶ 커피 ~.

포:트[2]〔port〕 명 포트 와인(port wine).

포트[3]〔phot〕 의명 조도(照度)의 시 지 에스(CGS) 단위. 1루멘의 광속(光束)을 받은 1cm²의 표면 조도와 같음. 기호 Ph.

포:트-다:윈〔Port Darwin〕 명 《지》 '다윈[2](Darwin)'의 구칭.

포:트란【FORTRAN】 명 〔formula translation의 약칭〕 컴퓨터를 위한 프로그램 언어의 하나. 그 언어로 쓰인 컴파일러(compiler)를 포함하여 이르기도 함. 주로 과학 기술 계산에 쓰임. 1957년 IBM 사(社)에 의해 개발되어 개량을 거듭하여 옴.

포:트-랩〔port-lap〕 명 포트 와인(port wine)을 뜨거운 물에 타고 설탕을 친 음료(飮料).

포:트레이트〔portrait〕 명 초상(肖像). 초상화.

포:트-루이스〔Port Louis〕 명 《지》 모리셔스 공화국(Mauritius 共和

國)의 수도. 모리셔스 섬의 북안에 있는 항구 도시로 사탕수수를 수출하고, 제당·담배·조선 공업이 성함. [150,000 명(1995 추계)]

포:트-모르즈비 [Port Moresby] 명 〖지〗 뉴기니 섬 동남 해안의 항구 도시로 파푸아 뉴 기니(Papua New Guinea)의 수도(首都). 동섬 중에서 가장 비가 적어 비교적 살기가 좋음. 제 2 차 세계 대전 후 파푸아뉴기니의 행정 중심지가 되면서 급속히 발전함. 대학 소재지. [150,000 명(1995 추계)]

포:트-사이드 [Port Said] 명 〖지〗 이집트 북동부 수에즈 운하의 지중해쪽 입구에 있는 항만·공업 도시. 1859 년 운하 건설에 따라 항행 선박의 보급 기지로서 건설됨. 쌀·목화·소금의 적출항이며 석유 정제·화학·전기 기계·섬유 등의 공업이 있음 [364,000 명(1983)]

포:트-수단 [Port Sudan] 명 〖지〗 동북 아프리카 홍해(紅海) 연안의 중심부에 있는 도시로 수단의 문호항(門戶港)임. 이 나라 무역의 약 85 %를 차지하며 아라비아 고무·면화·상아 등을 수출함. 부근에는 제염(製塩)이 성함. [207,000 명(1983)]

포:트-아서 [Port Arthur] 명 〖지〗 ①북아메리카의 중부 슈피리어 호(Superior湖) 북서(北西) 호안(湖岸)에 있던 캐나다의 항구. 오대호(五大湖)의 중요한 적하항(積荷港)으로 밀·석탄이 여기에서 수운(水運)으로 대서양안(大西洋岸)에 보내졌음. 1970 년, 포트 윌리엄(Fort William)과 합병하여 선더 베이(Thunder Bay)로 되었음. ②미국 남부 텍사스 주(Texas州) 남동부 서빈 호(Sabine湖)에 임한 항구. 정유(精油)의 중심지이고 석유·면화·쌀 등을 적출하며, 조선소·철도 공장·화학 공장 등이 있음. [61,000 명(1980)] ③뤼순(旅順)의 영어 이름.

포:트-엘리자베스 [Port Elizabeth] 명 〖지〗 남아프리카 공화국, 케이프 주(Cape州) 동안의 항구 도시. 부근의 과실을 집산하는 외에 자동차·기계·화학·섬유·식품 가공 등의 공업이 행하여짐. [492,000 명(1980)]

포:트 오브 스페인 [Port of Spain] 명 서(西)인도 제도의 남동단(南東端), 트리니다드토바고(Trinidad and Tobago)의 서울로 항시(港市). 중남미(中南美)와 유럽 사이의 중계 무역항으로 석유, 천연 아스팔트를 수출함. 1818년에 세운 식물원이 유명함. [50,000 명(1995 추계)]

포:트 와인 [port wine] 명 포도주의 일종. 특히, 포르투갈의 오포르토항(Oporto港)으로부터 적출(積出)되는 암홍(暗紅)·암자색(暗紫色)의 포도주를 일컬음. 특이한 향내와 감미(甘味)가 있음.

포트-워:스 [Fort Worth] 명 〖지〗 미국 남부 텍사스 주 댈러스(Dallas) 서방에 있는 상공업 도시. 광대한 방목지(放牧地)·농지·유전 지대가 있으며, 식육(食肉) 가공·제분·정유(精油) 등의 공업이 성하고, 2차 세계 대전 후는 항공기 공업이 급속도로 발전함. 철도·도로·항공 교통의 중심임. [385,000 명(1980)]

포:트-웨인 [Fort Wayne] 명 〖지〗 미국 인디애나 주(州) 북동부의 상공업 도시. 농목업(農牧業)의 중심지이며 교통의 요지. 1830년대에 에리워배시(Erie-Wabash) 운하가 개통한 후로는 공업도 발전하여 농업 기계·전기 기계·면제품 등의 생산이 많음. [172,594 명(1967)]

포:트-윌리엄 [Fort William] 명 〖지〗 캐나다 온타리오 주(Ontario州) 서부의 도시. 슈피리어 호(Superier湖)의 북서쪽, 포트아서 시(市)와 인접하고 있으며, 선더 만(Thunder灣)에 임한 호항(湖港)으로 1970 년, 포트아서와 합쳐서 선더베이 시가 되었음.

포:트폴리오 [portfolio] 명 〖경〗 증권 투자에서, 투자가가 보유하는 주식이나 채권 등의 유가 증권 일람표. 투자 위험을 피하기 위해 다수 종목에 분산 투자할 때 이를 이용함. ¶ 대세 상승기를 겨냥하여 ~를 다시 짜다.

포:트폴리오 셀렉션 [portfolio selection] 명 〖경〗 자산 선택(資産選擇). 투자자의 자산을 가장 유리하게 투자 배분하는 방법에 관한 이론.

포:트-해밀턴 [Port Hamilton] 명 〖역·지〗 전라 남도 거문도(巨文島)를 서양 사람들이 부르던 이름. 조선 헌종(憲宗) 11년(1845)에 영국 군함이 전라도 서남 해안 일대를 측량하고 붙인 이름임. 고종(高宗) 22년(1885) 영국이 해군 요새로 착안, 무력으로 강점(強占)한 바 있음.

포:틀랜드 [Portland] 명 〖지〗 ①미국 서북부 오리건(Oregon) 주 북경(北境)에 있는 도시로 하항(河港). 풍부한 전력·임산 자원으로 조선·제재·제지 공업이 성함. 항양선(航洋船)의 착항이 가능하여 컬럼비아 강 유역의 물자 집산지. [364,000 명(1980)] ②미국 뉴잉글랜드 지방 메인 주(Maine州) 남동부 해안의 공업 항구 도시. 카스코 만(Casco灣)에 임함. [62,000 명(1980)]

포:틀랜드 섬 [Portland] 명 〖지〗 영국 잉글랜드 남안의 중부 도싯 주(Dorset州)의 섬. 사주(砂洲)로 연결되어 반도를 이룸. 건축용 석재(石材)의 산지이며 고성(古城)이 있음. 동쪽에는 1848년에 세워진 감옥(監獄)이 있음. [12 km^2: 12, 306 명(1971)]

포:틀랜드 시멘트 [Portland cement] 명 시멘트의 정식 명칭. 최초에 발명된 시멘트가 영국의 포틀랜드 섬에서 나는 석재(石材)와 비슷한 데서 생긴 말.

포판[1] 【砲板】 명 박격포 따위의 포신 밑에 받치는 넓은 판.

포판[2] 【鋪板】 명 배 위에 까는 판자.

포퍼 [Popper, Karl Raimund] 명 〖사람〗 현대의 지성을 대표하는 오스트리아 태생의 영국 철학자. 런던 대학 교수. 제 2 차 세계 대전후 냉전 시대에 마르크스주의를 비판하고 아울러 서유럽 민주주의의 한계를 논하여 점차적 사회 공학(社會工學)을 제창함. 주저 ≪역사주의의 빈곤≫ 등. [1902-94]

포폄 【褒貶】 명 ①시비(是非)·선악을 평정(評定)함. ②〖역〗 전최(殿最). ——-하다 타여불

포폄-법 【褒貶法】 [—뻡] 명 〖역〗 조선 시대에 관리들의 근무 성적을 포상과 처벌에 반영하던 인사 행정 제도.

포폐 【布幣】 명 〖역〗 옛날, 화폐로 사용하던 포목.

포포카테페틀 산 【—山】 [Popocatepetl] 명 〖지〗 멕시코의 수도인 멕시코시티(Mexico City) 남방에 솟아 있는 휴화산(休火山). 멕시코 제2의 고봉(高峰)임. [5, 452 m]

포포프 [Popov, Aleksandr Stepanovich] 명 〖사람〗 러시아의 물리학자. 헤르츠(Hertz)의 발진기(發振器), 브랑리(Branly)의 코히러(coherer)와 자기가 고안한 안테나를 사용하여 세계 최초의 무선 통신 실험에 성공, 무선 공학의 선구자로서 공헌했음. [1859-1905]

포:풍 착영 【捕風捉影】 명 [바람이나 그림자를 잡는다는 뜻] 허망한 언행을 이르는 말. ——-하다 자여불

포퓰러 [popular] 명 ①세상에 널리 알려져 인기가 있는 모양. 대중적(大衆的). 통속적(通俗的). ¶ ~ 송/~ 뮤직. ②↗포퓰러 송. ③↗포퓰러 뮤직. ——-하다 형여불

포퓰러 뮤:직 [popular music] 명 재즈·샹송·영화 음악 따위 오락적 성격을 띤 음악. 팝 뮤직(pop music). ㊀포퓰러.

포퓰러 송 [popular song] 명 통속적인 가요곡. 또, 특히 유럽의 유행가를 이름. 팝 송. 팝스(pops). ㊀포퓰러.

포:프[1] [pope] 명 〖천주교〗 교황(敎皇).

포:프[2] [Pope, Alexander] 명 〖사람〗 영국의 시인. 시집 ≪목시(牧詩)≫ 및 ≪비평론≫으로 유럽에까지 그 성가(聲價)가 알려지고, ≪인간론≫ 및 호머(Homer)의 ≪일리아스(Ilias)≫·≪오디세이아(Odysseia)≫ 등을 영역(英譯)하였음. [1688-1744]

포플러 [poplar] 명 〖식〗 미루나무.

포플러-잎벌 [poplar] 명 〖충〗 [*Trichiocampus populi*] 잎벌과에 속하는 곤충. 암컷의 몸길이는 9 mm 내외이고, 몸빛은 흑색에 어깨 부분의 바깥쪽은 황갈색, 두부(頭部)·흉부(胸部)에는 회백색의 짧은 털이 있음. 다리는 황백색이며 기절(基節)은 흑색이고, 퇴절(腿節)의 대부분은 암갈색임. 유충(幼蟲)은 포플러 잎의 해충(害蟲)으로, 한국·일본·사할린에 분포함.

포플린 [poplin] 명 직물(織物)의 한 가지. 날에 가는 생사(生絲)를, 씨에 굵은 소모사(梳毛絲)를 사용한 평직(平織)임. 현재는 인조견 등도 혼용하며, 무지(無地)·줄무늬·날염(捺染) 등 직조 방법에 따라 양복감·셔츠감·커튼감·장식용 등으로 쓰임.

포피[1] 【包皮】 명 ①표면을 싼 가죽. ②자지의 귀두부(龜頭部)를 싼 가죽.

포피[2] [poppy] 명 〖식〗 양귀비.

포피-염 【包皮炎】 명 〖의〗 귀두(龜頭)의 포피(包皮)에 생기는 염증.

포필 【布疋】 명 무명의 필.

포:학 【暴虐】 명 횡포(橫暴)하고 잔악함. ¶ ~한 군주. ——-하다 형여불

포:학 군주 【暴虐君主】 명 횡포하고 잔학한 군주. 폭군(暴君).

포:학 무도 【暴虐無道】 명 성질(性質)이 포학하고 도리(道理)에 어긋남. ——-하다 형여불

포:학 정치 【暴虐政治】 명 포학한 정치.

포:학 행위 【暴虐行爲】 명 횡포하고 잔학한 행위.

포:한[1] 【抱恨】 명 한을 품음. ——-하다 자여불

포한[2] 【庖漢】 명 백장❶.

포한[3] 【浦漢】 명 포촌놈.

포함[1] 명 〖민〗 무당이 귀신의 말을 받아서 호령(號令)하는 일. ——-하다 자여불

포함(을) 주다 구 무당이 귀신의 말을 받아서 호령하다.

포함[2] 【包含】 명 ①속에 싸이어 있음. ②함유(含有)함. ——-하다 자타여불

포함[3] 【包涵】 명 널리 휩쓸어 쌈. ——-하다 타여불

포함[4] 【砲艦】 명 ①대포를 실은 배. ②〖군〗 연안(沿岸)·하안(河岸)의 경비를 주무(主務)로 하는 소형의 경쾌한 군함. 비교적 구경(口徑)이 큰 포를 장비하는데, 오늘날에는 연안 포격용의 1,000 톤급 로켓 포함, 구잠정 비포(驅潛艇備砲)를 강화한 모터(mortar) 포함 등이 있음.

포함-량 【包含量】 [—냥] 명 포함하고 있는 양(量).

포함-률 【包含率】 [—뉼] 명 포함하고 있는 비율.

포함-제 【包含除】 명 〖수〗 어떤 수 안에 다른 수가 몇이나 포함되어 있는가를 구하기 위한 나눗셈. ↔등분제(等分除).

포:합 【抱合】 명 서로 껴안음. ——-하다 자타여불

포:합-어 【抱合語】 명 〖언〗 형태 상으로 본 세계 언어 분류의 하나. 동사를 중심으로 그 전후에 인칭을 나타내는 접사(接辭)나 목적을 나타내는 말이 결합 또는 삽입(挿入)되어서 한 말로서 한 문장과 같은 형태를 가지는 말. 아메리카의 토인(土人)의 말이나 아이누(Ainu) 말 같은 것.

포:합 주식 【抱合株式】 명 〖경〗 합병 법인(合併法人)이 합병 전에 취득한 피합병 법인(被合併法人)의 주식.

포-항[1] 【浦港】 명 포구와 항구.

포항[2] 【浦港】 명 〖역〗 '블라디보스톡'의 취음(取音).

포항[3] 【浦項】 명 〖지〗 경상 북도의 한 시(市). 4 읍(邑) 10 면(面) 25 동(洞). 북쪽은 영덕군(盈德郡)과 청송군(靑松郡), 동쪽은 영일만(迎日灣)과 동해, 남쪽은 경주시(慶州市), 서쪽은 영천시(永川市)에 접함. 주요 산물은 농산과 임산·축산·수산 따위이고, 명승 고적으로는 죽도(竹島)·운제사(雲梯寺)·일월지(日月池)·묘봉산(妙峰山)·미질부성(彌秩夫城)·구룡포 해수욕장 등이 있음. 포항 종합 제철 공장이 있으며, 6·25 전쟁의 격전지임. 1995년 1월 영일군과 통합, 개편됨. [1,126.46 km^2 : 262,184 명(1996)]

포-해태 【布海苔】 명 〖식〗 풀가사리.

포:-핸드 [forehand] 명 테니스 등에서 손바닥을 상대방 쪽에 향하게 하여 공을 치는, 정상적인 타구법(打球法). ↔백핸드.

포행[1] 【匍行】 명 〖지〗 지표(地表) 부근의 흙·표토(表土)나 응고하지 않은 퇴적물 같은 것의 속에서 일어나는 몹시 느리게 사면(斜面)을 미끄러져 내려오는 것 같은 운동.

포행[2] 【暴行】 명 →폭행(暴行). ——-하다 자여불

포향[1] 【砲響】 명 대포를 놓을 때 울리는 음향.

포:향[2] 【飽享】 명 흡족하게 누림. ——-하다 타여불

포현【褒顯】명 칭찬하여 널리 세상에 드러냄. ——-하다 타여불
포혈【砲穴】명 포를 쏠 수 있게 만든 참호나 성벽에 뚫은 구멍.
포-혜【脯醯】명 포육(脯肉)과 식혜.
포호【咆號】명 포효(咆哮). ——-하다 자여불
포호 빙하【暴虎馮河】명 범을 두드려 잡고 황하(黃河)를 도섭(徒涉)함. 용기는 있으나 무모함의 비유.
포호 함:포【咆虎陷浦】명 떠들기만 하고 성취함이 없다는 말.
포화[1]【布貨】명〖역〗화폐로 쓰이는 포목. 경국 대전(經國大典)에는 정포(正布) 한 필은 상포(常布) 두 필에, 상포 한 필은 저화(楮貨) 스무 장에, 저화 한 장은 쌀 한 되에 준하는 것으로 규정하고 있음.
포화[2]【布靴】명 헝겊신.
포화[3]【泡花】명 물거품.
포화[4]【枹化】명 코르크화(化).
포화[5]【砲火】명 총포(銃砲)를 발사(發射)할 때에 일어나는 불. ¶~를 퍼붓다.
포:화[6]【飽和】명〔saturation〕〖물·화〗①일정(一定)한 조건하에 있는 어떤 상태량(狀態量)의 변화에 따라서 다른 양(量)의 증가가 나타날 경우에, 뒷 것이 일정 한도에서 그치고, 그 이상 더 앞 것을 변화시켜도 하나의 극대(極大)를 넘지 않는 일. 이것을 포화 상태 또는 포화에 이르렀다고 함. ↔불(不)포화. ②일반으로 가장 큰 한도까지 무엇에 의하여 가득히 차 있는 상태. ③빛깔의 순수도를 나타내는 말. 백색·회색·흑색의 섞임이 적을수록 포화도(飽和度)가 큼.
포:화 공기【飽和空氣】명〖물〗습윤 공기 중의 수증기 분압(分壓)이 그 당시 온도의 포화 증기압과 같은 경우를 일컫는 말. *습윤 공기.
포:화-대【飽和帶】명〔zone of saturation〕〖물〗지하에서 물이 공극(空隙)을 채우고, 또 대기압(大氣壓)보다 높은 압력 하에 있는 부분.
포:화-도【飽和度】명 ①색조(色調)의 순수도의 정도. ②〖물〗습윤 공기의 습윤 정도를 나타내는 값. 절대 습도를 포화 공기의 비중량(比重量)으로 나눈 값임. *습윤 공기.
포:화 상태【飽和狀態】명 더할 수 없는 양(量)에 이른 상태. 더 받아들일 수 없는 상태. ¶~의 도시 인구.
포:화-색【飽和色】명 빛깔에 검정·회색·백색 따위가 섞이지 않은 색. 순색(純色).
포:화 압력【飽和壓力】[—녁] 명〖물〗포화 증기압(飽和蒸氣壓).
포:화 용액【飽和溶液】명〔saturated solution〕〖화〗일정 온도에서 일정량의 용매(溶媒)에 용해할 수 있는 용질(溶質)의 양이 극한(極限)에 이르렀을 때의 용액. ↔불(不)포화 용액.
포:화 인구【飽和人口】명 어느 지역의 수용력(收容力)이 극한(極限)에 달한 인구.
포:화 전:류【飽和電流】[—절—] 명〖물〗이극관(二極管)에 있어서 포화 상태에 이른 양극(陽極) 전류. 음극(陰極)의 온도를 일정하게 유지하고 양극 전압을 증가시키면 양극 전류도 증대하지만 양극 전압이 어느 값에 이르면 공간 전하(空間電荷)가 없어져, 음극에서 방출되는 전자(電子)는 직접 양극에 향하게 되어, 양극 전류는 더 이상 증대되지 않음. 이때의 양극 전류를 이름.
포:화-점【飽和點】[—쩜] 명 포화의 극한(極限), 포화의 상태를 나타내는 점.
포:화 증기【飽和蒸氣】명〔saturated vapor〕〖물〗포화 상태에 있는 증기. 곧, 일정한 공간에 있어서의 액체가 일정한 온도하에서 점차 증발하다가 어느 한도에 이르러서 그치게 된 때의 증기. 이 증기를 그때의 온도에 대하여 이르는 말. ↔불포화 증기.
포:화 증기압【飽和蒸氣壓】명〔saturated vapor pressure〕〖물〗최대 증기압(最大蒸氣壓).
포:화 탄:화 수소【飽和炭化水素】명〖화〗탄화 수소 중, 탄소 원자끼리 단일 결합으로 이루어진 것의 총칭. 알칸(alkane) 따위.
포:화 화합물【飽和化合物】명〔saturated compound〕〖화〗분자(分子) 안의 탄소 원자(炭素原子) 간에 이중 결합 또는 삼중 결합을 포함하지 않는 유기 화합물의 총칭. 사슬 모양으로 결합된 알칸(alkane), 고리 모양으로 결합된 시클로알칸(cycloalkane) 등이 있음. ↔불포효 화합물.
포환[1]【泡幻】명 물거품과 환상. 전하여, 덧없는 세상.
포환[2]【砲丸】명 ①대포의 탄알. ②투포환에 쓰이는 쇠로 만든 공. 중량은 남자용이 7.25kg이상, 여자용이 4kg이상, 남자 주니어용이 5.443kg 이상임.
포:환[3]【逋還】명 결손(缺損)이 난 환곡(還穀).
포환 던지기【砲丸—】명 투포환(投砲丸).
포황【蒲黃】명〖한의〗부들의 꽃가루. 지혈제(止血劑)로 씀.
포회[1]【包懷】명 ①싸서 품음. 소유함. ②마음 속에 간직함. 회포(懷抱). ——-하다 자여불
포:회[2]【抱懷】명 회포(懷抱).
포:획【捕獲】명 ①적병을 사로잡음. ②짐승이나 물고기를 잡음. ③〖법〗전시에 적(敵)의 선박 또는 중립 위반(中立違反)의 중립국 선박에 대하여 정지·임검·수색을 하고 나포하는 일. 포획 심판소의 심판을 받아 처분을 확정함. ——-하다 타여불
포:획 금:지구【捕獲禁止區】명 유용 수산 동식물의 보호 육성 및 증식(增殖)을 목적으로 어떤 동식물의 어획·채취를 금지하는 어장의 일정 구역. 금어구(禁漁區).
포:획-물【捕獲物】명 ①포획한 물건. ②〖법〗교전국(交戰國) 군함이 해상(海上)에서 나포(拿捕)하고 포획 심판소의 검정에 의해 획득(獲得)이 확정된 물건.
포:획 사:관【捕獲士官】명〖법〗전시에 교전국의 군함이 적선(敵船) 또는 중립선(中立船)을 나포(拿捕)한 경우에, 군함으로부터 나포된 선박에 승선(乘船)시키는 사관(士官). 포획 심판소가 있는 항구(港口)에 나포한 선박을 송치하는 일에 종사함.
포:획 사선【捕獲私船】명〖법〗포획을 행할 것을 특허 받은 사선(私船). 교전국 또는 중립국의 사선이 교전국의 일방으로부터 포획 특허장(特許狀)을 받고 적대 행위(敵對行爲)에 참가하며 특히 적의 상선(商船) 포획에 종사하였으나, 1856년의 파리 선언(宣言)에 의하여 정식으로 폐지되었음.
포:획 심:판소【捕獲審判所】명〖법〗교전국(交戰國)이 해상(海上)에 있어서의 포획의 효력을 확정하기 위하여 설치하는 특별한 법원(法院). 포획 재판소(捕獲裁判所).
포:획-암【捕獲岩】명〖지〗화성암 속에 둘러싸인 다른 암편(岩片).
포:획 재판소【捕獲裁判所】명〖법〗포획 심판소(捕獲審判所).
포:획 특허장【捕獲特許狀】[—짱] 명〖법〗포획 사선(捕獲私船)에 부여되는 특허장. 교전국 또는 중립국의 사선은 옛날에는 교전국으로부터 이것을 받고 적의 상선의 포획에 종사하였음.
포횡【暴橫】명 포만(暴慢). ——-하다 형여불
포효【咆哮】명 사납게 외침. 사나운 짐승이 소리를 지름. 포호(咆號). 효포(哮咆). 조효(潮哮). ——-하다 자여불
포:흠【逋欠】명 관물(官物)을 사사로 소비함. 흠포(欠逋). *거포(巨逋). ——-하다 타여불
포:흠(이) 나다 구 포흠이 생기다.
포:흠(을) 내:다 구 포흠나게 하다.
포:흠-질【逋欠—】명 관청의 물건을 사적으로 써버리는 짓. ——-하다 타여불
폭[1] 명〈방〉포기[1](경기·강원·충북·전라·경북).
폭[2]【幅】㊀명 ①물건의 옆의 한 끝에서 다른 한 끝까지의 거리. 너비. ②넓게 하나로 이으려고 길이가 같게 잘라 놓은 종이·피륙·널 따위의 조각. ¶치마의 ~을 마르다. ③지위·위세·인망이 미치는 세력 범위. ¶~ 넓은 교제. ④도량(度量)·포용성(包容性)의 다과(多寡). ¶~이 넓은 사람. ㊁의명 종이·피륙·널 같은 조각 또는 족자(簇子)를 셀 때에 쓰는 말. ¶한 ~의 그림 같다.
폭[3] 의명 어떠한 일에 대한 노력 또는 손해와 바꿀 수 있게 생각되는 셈. ¶날짜로 치면 이틀은 걸린 ~이다/그럼 내 속는 ~ 대구 말하마《朴花城 : 벼랑에 피는 꽃》.
폭[4] 부 ①아주 깊고 느긋하게. ¶한잠 ~ 들었다. ②힘 있게 냅다 깊게 찌르는 모양. ¶송곳을 ~ 박다. ③빈틈 없이 덮거나 싸는 모양. ¶아이를 ~ 싸다. ④함빡 익는 모양. ¶국이 ~ 끓었다. ⑤남김없이 죄다. ¶통째 ~ 쏟아서 주다. ⑥얕고 또렷하게 팬 모양. ¶땅이 ~ 패었다. ⑦수렁 같은 데에 단번에 빠지는 모양. ¶도랑에 ~ 빠지다. ⑧힘없이 단번에 고꾸라지는 모양. ¶~ 쓰러지다. ⑨기세가 매우 꺾이는 모양. ¶기가 ~ 죽다. ⑩↗폭삭❶. 1)-9): <푹.
폭[5] 부〈방〉퍽.
폭객【暴客】명 폭한(暴漢).
폭거【暴擧】명 난폭한 행동.
폭격【爆擊】명 비행기가 폭탄·소이탄 등을 투하하여 적의 전력(戰力)이나 국토를 파괴하는 일. ——-하다 타여불
폭격-기【爆擊機】명 폭탄을 싣고 가서, 적(敵)의 시설이나 진지를 폭격하는 것을 임무로 하는 대형 항공기. 전술(戰術) 및 전략 폭격기가 있는데, 기체의 크기와 행동 반경(行動半徑)에 따라 경(輕)·중(中)·중(重)폭격기로 나뉨. 약칭: 비(B).
폭격기-대【爆擊機隊】명 폭격기로 이루어진 편대(編隊).
폭격-대【爆擊隊】명 폭격기의 편대. 또, 그 부대.
폭격 병기【爆擊兵器】명 군용기에 장비하는 폭격용 병기. 곧, 폭탄·투하 장치·폭격 조준기 등.
폭격-수【爆擊手】명 폭격기에서 폭탄을 투하하는 사람.
폭격 조:준기【爆擊照準器】명〔bombsight〕목표를 명중(命中)시키기 위해 폭격기에서 폭탄을 투하(投下)하는 공중(空中)의 점을 결정하거나, 폭격수(爆擊手)가 그 점을 결정할 수 있도록 하는 장치.
폭관【爆管】명 탄환 속의 장약(裝藥)에 점화하는 장치. 충격 또는 전기로써 작용하는 것과 이 둘을 겸한 것이 있음.
폭관족-류【幅管足類】[—뉴] 명〖동〗[Actinopoda] 사손류(沙噀類)에 속하는 극피(棘皮) 동물의 한 목(目). 유족류(有足類).
폭광【幅廣】명 한 폭의 너비. 복광(幅廣).
폭군【暴君】명〔←포군(暴君)〕포악한 군주. 난군(亂君).
폭군-룡【暴君龍】[—농] 명〖동〗[*Tyrannosaurus*] 공룡류(類)에 속하는 화석 동물의 하나. 몸길이 10m 가량이고, 전지(前肢)는 퇴화 수축하고 꼬리가 몹시 큼. 최대의 육식(肉食) 공룡으로 강대하고 무장을 한 것처럼 되었음. 북미(北美)의 백악기(白堊紀)의 산출임. 티라노사우루스.

〈폭군룡〉

폭-넓다【幅—】[—널따] 형 어떤 사항이 두루 미쳐 영향을 끼치는 범위가 넓다. ¶폭넓은 지식/폭넓은 지지/폭넓은 체험.
폭도[1]【幅跳】명 넓이뛰기.
폭도[2]【暴徒】명〔←포도(暴徒)〕폭동을 일으켜 치안을 문란시키는 무리. 흉당(凶黨).
폭동【暴動】명 도당(徒黨)을 짜서 소동을 일으켜, 사회의 안녕을 어지럽게 하는 일. ¶~을 일으키다.
폭동 방:화죄【暴動放火罪】[—쬐] 명〖법〗폭동을 일으키고 방화한 죄.

폭동 살인죄【暴動殺人罪】[—죄] 명 〖법〗 폭동을 일으키고 살인한 죄.
폭동-죄【暴動罪】[—죄] 명 〖법〗 도당(徒黨)을 짜서 불법의 폭동을 일으키는 죄. 내란죄(內亂罪)와 소요죄(騷擾罪)의 병칭으로 또는 소요죄의 별칭으로 쓰임.
폭등【暴騰】 명 물가나 주가(株價) 따위가 갑자기 대폭으로 오름. ↔폭락(暴落). ——-하다 자여불
폭락【暴落】[—낙] 명 물가 따위가 갑자기 대폭 떨어짐. 붕락(崩落). ↔폭등(暴騰). ——-하다 자여불
폭려【暴戾】[—녀] 명 모질고 사나워서 그 행동이 인도(人道)에 벗어남. ——-하다 형여불
폭력【暴力】[—녁] 명 ①난폭한 힘. 완력. ②사람이 불법·부당한 방법으로 물리적인 강제력을 행사하는 일. ¶ ~을 행사(行使)하다.
폭력 교:실【暴力敎室】[—녁—] 명 학생이 선생을 구타(毆打)하는 사건이나, 불량 학생의 폭행 사건, 선생의 학생에 대한 폭력 행위 같은 것의 일컬음.
폭력-단【暴力團】[—녁—] 명 폭력에 호소하여 사적(私的) 목적을 달성하려는 반사회적(反社會的) 단체, 무법자의 단체, 갱단(gang團) 같은것. 테러단(terror團).
폭력-론【暴力論】[—녁논] 명 〖책〗 프랑스의 사회 사상가 소렐(Sorel, G.)의 저서. 바르게는 ≪폭력에 관한 고찰≫. 정당제(政黨制) 의회주의를 부정하고 생디카(syndicat)의 역할을 높이 평가, 생디카의 동맹 파업 속에는 폭력의 윤리성이 포함되어 있다고 주장함.
폭력-배【暴力輩】[—녁—] 명 폭력을 행사하는 무리. 싸움패나 깡패 같은 자들.
폭력-범【暴力犯】[—녁—] 명 강력범(強力犯).
폭력-적【暴力的】[—녁—] 명 관 폭력으로 문제를 해결하려고 하는 모양. 흉포(凶暴)한 모양.
폭력-주의【暴力主義】[—녁— / —녁—이] 명 테러리즘.
폭력주의-자【暴力主義者】[—녁— / —녁—이—] 명 테러리스트.
폭력 행위【暴力行爲】[—녁—] 명 난폭한 짓을 하거나 남을 위협하는 등 완력을 내세워 하는 행위. 직접 행동.
폭력 행위 등 처:벌에 관한 법률【暴力行爲等處罰—關—法律】[—녁—뉼] 명 〖법〗 집단적·상습적 또는 야간에 폭력 행위 등을 자행하는 자들을 처벌하기 위한 특별법.
폭력 혁명【暴力革命】[—녁—] 명 의회주의적인 평화 혁명에 대해 기존의 국가 권력 기관을 무력으로 넘어뜨려 국가 권력을 장악하려는 혁명. 레닌이 프롤레타리아 혁명에서 폭력 혁명을 주장했음. 무력 혁명.
폭렬【爆裂】[—녈] 명 폭발하여 파열(破裂)함. ——-하다 자여불
폭렬 신:호【爆裂信號】[—녈—] 명 〔detonating signal〕 선박에서 폭발물로 다른 배의 주의를 환기시키는 신호.
폭렬-약【爆裂藥】[—녈략] 명 폭발시키기 위해 사용되는 약품. 폭발약.
폭렬 유탄【爆裂榴彈】[—녈류—] 명 〖군〗 격렬한 파괴력을 가진 작약(炸藥)으로 된 유탄.
폭렬-탄【爆裂彈】[—녈—] 명 〖군〗 폭발탄(爆發彈). 폭탄.
폭렬 화:구【爆裂火口】[—녈—] 명 〖지〗 화산의 폭렬에 의해 산의 일부가 폭파되어 생긴 구덩이나 구멍.
폭로【暴露】[—노] 명 ①비바람에 직접 노출(露出)됨. 풍우에 드러남. ②남의 비밀·비행(非行) 따위를 파헤쳐서 남들 앞에 드러내 놓는 일. 쇼다운(showdown). ——-하다 자 타여불
폭로 문학【暴露文學】[—노—] 명 〖문〗 사실의 진상(眞相) 폭로를 주제(主題)로 하는 문학의 총칭. 형식보다 내용에 치중함. *폭로 소설.
폭로 소:설【暴露小說】[—노—] 명 〖문〗 정치나 사회의 암흑면(暗黑面)의 폭로를 주제로 한 소설. *폭로 문학.
폭로 시험【暴露試驗】[—노—] 명 〖공〗 재료를 자연 조건에 노출시켜서 내후성(耐候性)을 재는 시험.
폭로 전:술【暴露戰術】[—노—] 명 〖사〗 반대 당파 또는 반대자의 숨은 결함·부정(不正) 등을 사회에 폭로하여, 상대편을 궁지에 빠뜨리려는 투쟁 전술. 노동 쟁의·정쟁(政爭) 등에 씀.
폭론【暴論】[—논] 명 난폭한 언론.
폭뢰【爆雷】[—뇌] 명 〖군〗 잠수함 공격용 병기(兵器)의 한 가지. 비행기에서 투하하는 것과 함선(艦船)에서 발사(發射)하는 것이 있는데, 일정한 심도(深度)에 이르면 기계적 발화 장치(發火裝置)에 의하여 발화 폭발하는 일종의 폭탄임.
폭리[1]【暴吏】[—니] 명 도리(道理)에 어긋나는 일을 하는 관리.
폭리[2]【暴利】[—니] 명 부당(不當)한 이익. 한도(限度)를 넘는 이익. ¶ ~ 행위 단속. ↔박리(薄利).
폭리 행위【暴利行爲】[—니—] 명 〖법〗 상대자의 궁박·경솔·무경험 등에 편승, 지나치게 균형을 잃은 재산적 급부를 약속시키는 행위.
폭만【暴慢】 명 포만(暴慢). ——-하다 형여불
폭명【爆鳴】 명 폭발할 때 소리가 남. 또, 그 소리. 데토네이션. ——-하다 자여불
폭명 가스【爆鳴—】[gas] 명 〖화〗 폭발성 기체.
폭명-기【爆鳴氣】 명 〖화〗 폭발성 기체.
폭명 유성【爆鳴流星】[—뉴—] 명 〖천〗 지구의 대기 속으로 오는 도중에 파열하여 폭명을 수반하는 유성. *화구(火球).
폭민【暴民】 명 폭동(暴動)을 일으킨 민중.
폭민-화【暴民化】 명 민중이 폭민으로 화함. ——-하다 자여불
폭발[1]【暴發】 명 ①갑작스럽게 터짐. ¶ 감정이 ~하다. ②졸지(猝地)에 벌어짐. ——-하다 자여불
폭발[2]【爆發】 명 ①불이 일어나며 갑작스럽게 터짐. ②〖화〗 급속히 진행(進行)하는 화학 반응에 의하여 다량의 가스와 열량(熱量)이 발생하여 급격히 용적(容積)을 증대하며 폭명(爆鳴)·화염 및 파괴 작용을 일으키는 현상. 폭렬(爆裂). ¶ 폭탄이 ~하다. ——-하다 자여불
폭발 가:공【爆發加工】 명 〖공〗 금속 가공법의 하나. 화약(火藥)의 폭발 에너지를 이용함. 폭발 성형(成形)·압착(壓搾)·확관(擴管) 따위 가공에 쓰임.
폭발 가스【爆發—】[gas] 명 〖화〗 공기·산소와 혼합하여 어느 일정한 비율에 도달하였을 때 폭발하게 되는 가연성 가스(可燃性 gas). 광산의 갱내(坑內)에 발생하는 메탄 가스 등.
폭발-력【爆發力】 명 화약(火藥) 등의 폭발물에 의한 폭발 에너지나 효과(效果).
폭발-물【爆發物】 명 폭발성이 있는 물질의 통칭. 화약 같은 것.
폭발물 단속【爆發物團束】 명 〖법〗 폭발물이 일반 사회에 미치는 위험성을 미리 방지하기 위한 단속.
폭발물 처:리【爆發物處理】 명 〔explosive ordnance disposal〕 불발(不發)의 비상체(飛翔體)와 그 밖의 폭발물을 처리하거나 기폭 장치(起爆裝置)를 제거 또는 파괴하는 일.
폭발 반:응【爆發反應】 명 〖심〗 행동이 몹시 충동적인 데서 일어나는 반응. ↔인격 반응(人格反應).
폭발 범:위【爆發範圍】 명 〖화〗 폭발 한계(限界).
폭발 변:광성【爆發變光星】 명 〔eruptive variable star〕 〖천〗 빛의 광도(光度)가 급속(急速)하게 변화하는 별. 그 별에서 일어나는 물리학적 변화에 기인(起因)함. 섬광성(閃光星)·재귀 신성(再歸新星)·신성(新星)·초신성(超新星) 따위.
폭발-성[1]【爆發性】[—썽] 명 폭발하는 성질.
폭발-성[2]【爆發聲】 명 폭발하는 소리. 폭성(爆聲).
폭발성 기체【爆發性氣體】[—썽—] 명 〔detonating gas〕 〖화〗 수소 2 부피와 산소 1 부피의 혼합 기체. 점화하면 폭음을 내며 화합하여 물을 발생함. 이 때 다량의 열이 나옴. $2H_2+O_2 \rightarrow 2H_2O(g)+115.6$ kal. 또 수소 1 부피와 염소 1 부피의 혼합 기체(混合氣體)도 같은 모양으로 염화수소를 발생함. 폭명기(爆鳴氣). 폭명 가스.
폭발성 정신병질【爆發性精神病質】[—썽—뼝—] 명 〖의〗 자극에 대한 반응이 이상(異常)으로 커서, 폭발성 흥분이 잦은 정신병질의 한 유형. *정신병질·기분 이변성(氣分易變性) 정신병질.
폭발 성형【爆發成形】 명 금속 성형 가공을 물 속에서의 화학 폭발에 의한 충격파를 이용하여 하는 소성 가공법(塑性加工法). 극히 큰 에너지를 이용할 수 있기 때문에 어려운 가공재(加工材)나 대형 부품 등을 정밀하게 성형할 수 있음.
폭발 압접【爆發壓接】 명 〔explosive welding〕 화약(火藥)의 폭발을 이용하여 하는 용접. *압접(壓接).
폭발-약【爆發藥】[—략] 명 〖화〗 화약·작약(炸藥) 및 폭파약의 총칭. 폭렬약. ㊟폭약(爆藥).
폭발-음【爆發音】 명 폭음(爆音).
폭발 응회암【爆發凝灰岩】 명 〔explosion tuff〕 〖지〗 화산회(火山灰)의 입자(粒子)가 화산의 화도(火道)에서 방출된 후에 낙하(落下)한 곳에 퇴적한 응회암.
폭발-적【爆發的】[—쩍] 명관 일시에 파열하는 모양. 갑자기 대량으로 솟구치는 모양. 급격하게 널리 퍼지는 모양. ¶ ~ 인기.
폭발 절단【爆發切斷】[—딴] 명 〖공〗 금속 재료의 고(高)에너지 가공법의 하나. 금속판(板)의 절단선을 따라 화약을 배치하여 폭발시켜 절단하는 일.
폭발-제【爆發劑】[—쩨] 명 다른 물건을 넣어서 그 물건 전체가 폭발하게 하는 물질.
폭발-죄【爆發罪】[—죄] 명 〖법〗 폭발물을 고의로 폭발시킴으로써 성립되는 죄.
폭발 지진【爆發地震】 명 〖지〗 화산(火山)의 폭발적인 분화로 발생하는 지진.
폭발-탄【爆發彈】 명 〖군〗 폭탄(爆彈).
폭발-파【爆發波】 명 〔air blast wave, explosion wave〕 〖기상〗 화산의 대분화(大噴火), 핵폭발 실험, 다량의 화약의 폭발 등에 의하여 발생하는 기압파(氣壓波). 미(微)기압계 등으로 관측함. *기압파.
폭발 한:계【爆發限界】 명 〔explosion limit〕 〖화〗 수소·메탄 따위의 가연성(可燃性) 기체와 산소의 혼합물이 폭발을 일으키기 위한 조성(組成)의 한계. 가연성 기체의 최저 농도를 하한계(下限界), 최고 농도를 상한계(上限界)라 이름. 폭발 범위.
폭발 행정【爆發行程】 명 〖물〗 내연(內燃) 기관에서, 압축(壓縮) 행정에 이어 스파크(spark)에 의하여 혼합기(混合氣)가 점화(點火)되면 연소하고 실린더 안의 압력이 커지면서 피스톤을 아래로 내리 밀어 크랭크축(軸)을 회전시키는 동력이 되는 행정. 작용(作用) 행정. *배기(排氣) 행정·압축 행정.
폭발 홍염【爆發紅焰】 명 〖천〗 폭발한 것처럼 급속도로 상승(上昇)하여 수십만 km에 달하는 홍염의 한 가지. 분출상(噴出狀) 홍염. *정온 홍염(靜穩紅焰).
폭배【暴杯·暴盃】 명 술잔을 돌리지 아니하고 한 사람에게만 거듭 따라 줌. ——-하다 타여불
폭백【暴白】 명 ①분한 사정을 들어 함부로 성을 내어 말로 변백(辨白)함. ¶ 무슨 말을 하려고 입을 열기만 한다면 며칠 전부터 참고 참았던 ~이 터지고야 말 것 같았기 때문이다≪張德祚 : 喊聲≫. ②발명(發明) ❸. ——-하다 타여불
폭병【暴兵】 명 ①폭동을 일으키었거나, 폭동에 참가한 군사. ②난폭한 군사. ③병사를 노영(露營)시키는 일.
폭부【暴富】 명 벼락 부자. 졸부(猝富).
폭사[1]【暴死】 명 별안간 참혹하게 죽음. 폭졸(暴卒). ——-하다 자여불

폭사²【輻射】명〖물〗복사(輻射). ——-하다 자여불

폭사³【爆死】명 폭탄의 파열(破裂)로 인하여 죽음. ¶공습으로 ~하다. ——-하다 자여불

폭삭 부 ①온통 곯아서 썩은 모양. ¶달걀이 ~ 곯았다. 준폭. ②부피만 있고 엉성한 물건이 보드랍게 가라앉거나 쉽게 부서지는 모양. 또, 그 소리. ¶불에 탄 초가집이 ~ 내려앉았다. ③맥없이 주저앉는 모양. ¶의자에 ~ 주저앉다. ④늙어서 기력이 빨리 줄고 맥이 빠진 모양. ¶~ 늙어 주름진 얼굴. ⑤쌓인 먼지 따위가 갑자기 가볍게 일어나는 모양. ¶먼지가 ~ 일다. 1)-5) : <푹석. ⑥담기었던 물건이 모두 엎질러지는 모양. ¶떡을 시루째 ~ 엎어 놓다.

폭삭-폭삭 부 ①자꾸 폭삭 가라앉거나 부서지는 모양. 또, 그 소리. ②맥없이 자꾸 주저앉는 모양. ③먼지 따위가 자꾸 폭삭 일어나는 모양. 1)-3) : <푹석푹석. ——-하다 형여불

폭살【爆殺】명 폭탄·폭약 등을 폭발시켜서 죽임. ——-하다 타여불

폭서¹【暴暑】명 혹독하게 사나운 더위. 폭염(暴炎).

폭서²【曝書】명 서책(書冊)을 볕에 쬐고 바람에 쐬는 일. ——-하다 자여불

폭설¹【暴泄】명〖한의〗갑자기 몹시 나는 설사(泄瀉). 폭주(暴注). ——-하다 자여불

폭설²【暴雪】명 갑자기 많이 내리는 눈.

폭설³【暴說】명 난폭한 언설.

폭성【爆聲】명 폭발성(爆發聲).

폭소【爆笑】명 여럿이 폭발하듯 갑자기 웃는 웃음. ¶일제히 ~를 터뜨리다. ——-하다 자여불

폭쇠【暴衰】명 정력이 갑작스레 줆. ——-하다 자여불

폭스¹〔fox〕명 여우.

폭스²〔Fox, Charles James〕명〖사람〗영국의 정치가. 처음 토리당(Tory黨), 후에 당의 미국 식민 정책(植民政策)을 비판(批判)하고 휘그당(Whig黨) 내각에 참가함. 1783년 다시 토리당과 연립 내각을 조직하여, 지조가 없다는 비난(非難)을 받았으나 풍부한 고전적 교양과 웅변으로 영향력을 행사함. 프랑스 혁명에는 늘 동정적이었음. [1749-1806]

폭스³〔Fox, George〕명〖사람〗영국의 설교가(說教家). 종교의 외형(外形) 및 의식(儀式)에 반대하고 '내면의 빛'을 중시, 예수교의 퀘이커파(Quaker派)를 창시하였음. [1624-91]

폭스⁴〔Foxe, John〕명〖사람〗영국의 목사·역사가. ≪행전(行傳)과 사적(事蹟), 속칭 순교(殉教)의 서≫를 라틴어(Latin語)로 내어 이름이 남. [1516-87]

폭스 테리어〔fox terrier〕명〖동〗테리어종(terrier種)의 개. 영국 원산(原産)으로, 몸 높이는 약 40cm, 원래 여우 사냥용(用)이었으나 현재는 주로 애완용임. 보드라운 털이 난 스무스(smooth)와 빳빳한 털이 난 와이어헤어드(wire-haired) 폭스 테리어의 두 종류가 있음.

1. 보드라운 털
2. 빳빳한 털
〈폭스 테리어〉

폭스 트롯〔fox trot〕명 사교 댄스(社交dance)의 한 가지. 1912년 미국의 무용 교사 캐슬(Castle)이 시작한 춤으로, 세계 각국에 널리 보급됨. 2분의 2 또는 4분의 4 박자로 된 음악에 맞추어 춤.

폭식【暴食】명 ①음식을 한꺼번에 많이 먹음. ¶폭음 ~. ②가리지 아니하고 아무 것이나 많이 먹음. ——-하다 타여불

폭신-폭신 부 연해 폭신한 느낌이 있는 모양. ¶~한 이불. ——-하다 형여불

폭신-하다 형여불 보드라운 탄력성(彈力性)이 있고 따스한 느낌이 있다. <푹신하다. **폭신-히** 부

폭심【爆心】명 폭격·폭발 등의 중심점. ¶~지(地).

폭암【暴暗】명〖한의〗①갑자기 정신이 아뜩하여지는 어질증. ②눈이 별안간 잘 보이지 아니하는 병.

폭압【暴壓】명 폭력으로 하는 억압. ——-하다 타여불

폭약【爆藥】명〖화〗↗폭발약(爆發藥).

폭약용 산화제【爆藥用酸化劑】명〔explosive oxidizer〕연료 또는 다른 폭약 성분과 화합하는, 산소를 생성하는 물질. 질산염(窒酸塩)·염소산염(塩素酸塩)·과(過)염소산염 따위.

폭양【曝陽】명 ①뜨겁게 내리쬐는 볕. 뙤약볕. 염양(炎陽). 불볕. ②뜨거운 볕에 쬠. ——-하다 타여불

폭언【暴言】명〔←포언(暴言)〕난폭하게 하는 말. ——-하다 자여불

폭연¹【爆煙】명 폭발할 때에 나는 연기.

폭연²【爆燃】명〔deflagration〕〖화〗많은 열(熱)과 불길·불꽃·연소 입자(燃燒粒子)의 산란(散亂)이 따르는 화학 반응.

폭염【暴炎】명 폭서(暴暑). 혹염(酷炎).

폭우【暴雨】명 갑자기 많이 쏟아지는 비. 능우(凌雨·陵雨).

폭원【幅員·幅圓】명〔←복원(幅員·幅圓)〕땅의 넓이 또는 지역의 넓이.

폭위【暴威】명 거칠고 사나운 위세.

폭음¹【暴淫】명 방사(房事)를 지나치게 함. ——-하다 자여불

폭음²【暴飮】명 ①술을 한 차례에 아주 많이 마심. ②가리지 아니하고 함부로 많이 마심. ——-하다 타여불

폭음³【暴瘖】명〖한의〗갑자기 말을 못하고 벙어리가 됨.

폭음⁴【爆音】명 ①화약·화산 등이 폭발하는 소리. ②발동기의 가솔린이 기관(機關)에 공급되기 전에 기화(氣化)할 때의 소리. 특히, 비행기·오토바이의 엔진 소리.

폭일【暴溢】명 갑자기 넘침. ——-하다 자여불

폭장【曝葬】명 풍장(風葬).

폭정【暴政】명 포악한 정치. 가혹한 정치. 학정(虐政).

폭졸【暴卒】명 폭사(暴死). ——-하다 자여불

폭주¹【暴走】명 ①함부로 난폭하게 달림. 규칙이나 상궤(常軌)를 무시하고 달림. ¶~족(族). ②딴 사람의 생각이나 주위의 상황을 생각하지 않고 함부로 일을 추진하는 일. ③운전자가 없거나 운전자의 뜻에 반(反)하여 차가 멋대로 달리는일. ④야구에서, 아웃이 될 무모한 주루(走壘)를 하는 짓. ——-하다 자여불

폭주²【暴注】명 ①비가 갑작스럽게 많이 쏟아짐. ②〖한의〗폭설(暴泄). ——-하다 자여불

폭주³【暴酒】명 한 번에 많이 먹는 술.

폭주⁴【輻輳·輻湊】명 ①↗폭주 병진(輻輳幷臻). ¶기사(記事)가 ~하다. ②〔convergence〕〖생〗두 눈의 주시선(注視線)이 눈앞의 한 점으로 집중(集中)하는 일. ——-하다 자여불

폭주-각【輻湊角】명〖생〗두 눈의 주시선(注視線)이 마주치는 점을 P, 두 눈의 황반(黃斑)을 A·B라 할 때에 APB가 이루는 각. 비교적 가까운 점의 원근(遠近)은 각의 대소(大小)로 판단함.

폭주-론【輻輳論·輻湊論】명〔theory of traffic〕〖수〗수학(數學) 이론의 하나. 매표소·전화 교환실 등 선착순으로 서비스를 행하는 시스템을 확률론적(確率論的)으로 연구하려는 이론.

폭주 반:응【輻輳反應】명〖생〗극히 가까운 점을 주시할 때 눈의 폭주에 따라 동공(瞳孔)이 축소되는 현상.

폭주 병:진【輻輳幷臻】명〔← 복주 병진(輻輳幷臻)〕수레의 바퀴 통에 바큇살 모이듯 한다는 뜻으로, 한 곳으로 많이 몰려듦을 이르는 말. 준폭주(輻輳). ——-하다 자여불

폭주 인플레【暴走—】명〖경〗갤러핑 인플레이션(galloping inflation).

폭죽【爆竹】명 가는 대통에 불을 지르거나 또는 화약을 재어 터뜨려서 소리가 나게 하는 물건. ¶~을 터뜨리다. *딱총.

폭죽 놀이【爆竹—】명 폭죽을 터뜨리면서 노는 놀이.

폭죽-성【爆竹聲】명 폭죽이 터지는 소리.

폭지 명〈방〉포기¹(전남·경남).

폭질【暴疾】명 갑작스럽게 앓는 급한 병.

폭창【暴漲】명 ①갑자기 창일(漲溢)함. ②물가(物價)가 급히 뛰어오름. ——-하다 자여불

폭취【暴醉】명 술이 몹시 취함. ——-하다 자여불

폭-치마 명〈방〉풀치마.

폭침【爆沈】명 폭발시켜 가라앉힘. ¶적함(敵艦)을 ~시키다. ——-하다 타여불

폭탄【爆彈】명〔↗폭발탄〕〖군〗금속 용기(容器)에 폭약을 채워서 손으로 던지거나 또는 공중에서 투하하여 적을 살상하거나 적의 구조물을 파괴할 것을 목적으로 만든 병기의 일종. 보통, 항공기에서 낙하(落下)시키는 것을 이름.

폭탄 선언【爆彈宣言】명 어떤 국면(局面)이나 상태에 폭발적인 작용과 전기(轉機)·반향(反響)을 일으키는 결정적인 선언.

폭탄-적【爆彈的】명관 폭탄처럼 위력과 반향이 큰 모양. ¶~인 발언.

폭탄-주【爆彈酒】명〈속〉양주에 맥주를 섞어서 마시는 독주(毒酒).

폭탈【暴奪】명 폭력으로 억지로 빼앗음. ——-하다 타여불

폭투【暴投】명〔wild pitch〕야구 용어. 투수의 타자에 대한 투구(投球)로서 포수(捕手)가 보통의 수비 행위로서는 잡을 수 없는 경우를 이름. ——-하다 타여불

폭파【爆破】명 ①폭약(爆藥)을 폭발시킴. ②폭발시키어 파괴함. ¶~작업. ——-하다 타여불

폭파-수【爆破手】명 폭파하는 일을 전문으로 하는 사람.

폭파 압력【爆破壓力】〔—녁〕명〔blast pressure〕〖물〗폭발 때에 공중에 생기는 충격적인 압력.

폭파-약【爆破藥】명 다이너마이트·초안 폭약(硝安爆藥)·칼릿(carlit) 등 폭파하는 데 쓰는 화약의 총칭. *작약(炸藥).

폭파 해:체 공법【爆破解體工法】〔—뻡〕명 빌딩이나 고층 아파트 등 노후 건축 구조물을 화약을 이용하여 순식간에 해체시키는 공법.

폭평【暴評】명 난폭(亂暴)한 비평. ——-하다 타여불

폭포【瀑布】명 ↗폭포수(瀑布水).

폭포-선【瀑布線】명〔fall-line〕〖지〗침식에 대한 저항력이 강한 산지로부터 저항력이 약한 평야로 향하여 흐르는 하천의 침식력의 차에 따라서 그은 선. 이런 곳에 흔히 수력 발전소가 설치됨.

폭포선 도시【瀑布線都市】명〖지〗폭포선을 따라 발달된 수력 발전 공사에 의하여 또 그 수력을 이용하기 위하여 발달된 공업 도시. 미국 동부의 리치몬드·롤리·컬럼비아 등이 그 전형적인 보기임.

폭포-수【瀑布水】명 낭떠러지에서 흘러 떨어지는 물. 또, 암층(岩層)의 수직한 곳의 물의 흐름. 비천(飛泉). 현천(懸泉). 홍천(虹泉). 현단(懸湍). 준폭포(瀑布).

폭-폭 부 ①연해 깊이 찌르거나 쑤시는 모양. ②남김없이 죄다 썩어 들어가는 모양. ③속속들이 익도록 삶는 모양. ④눈 같은 것이 소복소복 내려 쌓이는 모양. ⑤암팡지게 연해 쏟거나 담는 모양. ¶쌀을 ~ 퍼담다. ⑥앞뒤를 가리지 않는 말씨로 거침없이 대들어 따지는 모양. ¶앙살을 ~ 떨며 대든다 / "꼴도 보기 싫어…" 하고 ~ 몰아 세며 이루 거두를 못하게 압박을 하고…≪崔瓚植 : 春夢≫. 1)-5) : <푹푹.

폭폭-이【幅幅—】부 폭마다.

폭폭-하다 형여불 억울하거나 분해서 가슴이 답답하고 안타깝다. ¶누명을 쓰고 발명할 길이 없으니 이 폭폭한 심정을 어디다 호소하리.

폭풍【暴風】명 ①몹시 세게 부는 바람. 부풍(扶風). 퇴풍(頹風). ②〖기상〗풍력 계급 11에 해당하는 바람. 왕바람. *풍력 계급(風力階級). ③큰 사건이나 소란의 비유. ¶~ 전야(前夜).

폭풍 전의 고요 구 무슨 변(變)이 터지기 전의 잠깐 동안의 불안스러운 정적(靜寂).

폭풍²【爆風】명 폭탄(爆彈) 등이 폭발할 때의 강렬한 공기의 압력. ¶~으로 유리창이 깨지다.

폭풍 경:보【暴風警報】명〖기상〗폭풍 또는 폭풍우(暴風雨)·폭풍설(暴風雪) 등이 불어 올 우려가 있음을 미리 알리는 경보. 평균 풍속이 육상 20 m, 해상 25 m 이상이 예상될 때 발함.

폭풍-권【暴風圈】[-꿘] 명〖기상〗①폭풍우가 부는 범위. ②남반구(南半球)의 편서풍대(偏西風帶). 해양이 대륙에 비하여 넓어서 편서풍이 잘 발달함.

폭풍-대【暴風帶】명〖기상〗강한 바람이 부는 지대. 예컨대 남반구(南半球)에서는 남위(南緯) 40° 부근의 해상 따위.

폭풍-뢰【暴風雷】[-뇌] 명 폭풍우와 함께 일어나는 우레.

폭풍-설【暴風雪】명 폭풍과 폭설. 폭풍과 함께 내리는 눈.

폭풍설 경:보【暴風雪警報】명 기상 경보의 하나. 평균 풍속이 매초(每秒) 20 m를 넘고 강설(降雪)을 동반하며 중대한 재해를 일으킬 우려가 있다고 예상될 때에 발표함.

폭풍-우【暴風雨】명 폭풍과 폭우. 사나운 비바람. ¶~를 무릅쓰고 출발하다.

폭풍우 경:보【暴風雨警報】명 기상 경보의 하나. 평균 풍속이 매초(每秒) 20 m를 넘고 강우(降雨)를 동반하며, 중대한 재해를 일으킬 우려가 있다고 예상될 때에 발표함.

폭풍우 주:의보【暴風雨注意報】[-/-이-] 명 기상 주의보의 하나. 폭풍 주의보를 기준한 폭풍에서, 시간마다의 강우량이 20 mm 이상으로 예상될 때에 풍향도 함께 발표함. ＊폭풍 주의보.

폭풍의 언덕【暴風-】[-/-에-] 명 [Wuthering Heights]〖문〗영국의 여류 작가 브론테(Brontë, E.J.)의 소설. 1847년 출판. 요크셔의 '폭풍의 언덕'이라 불리는 농가의 주인이 주워다 기른 부랑아 히스클리프(Heathcliff)를 중심으로, 그의 양부(養父)의 딸 캐서린(Catherine)에 대한 사랑의 갈등, 그들 자식들 간의 결혼 등 황량한 자연을 배경으로 긴박한 정열과 격렬한 애증(愛憎)을 그린 시적(詩的) 상상이 넘치는 작품임.

폭풍 주:의보【暴風注意報】[-/-이-] 명 기상 주의보의 하나. 평균 최대 풍속이 매초(每秒) 14-20 m이고 이 상태가 세 시간 이상 예상될 때에 풍향도 함께 발표함.

폭풍-치다【暴風-】자 폭풍이 몹시 불다. ¶폭풍치는 날.

폭풍 해:일【暴風海溢】명 고조(高潮)❸.

폭풍 해:일파【暴風海溢波】명 [hurricane wave]〖해〗태풍에 의해서 발생하는, 돌연한 해면 상승(海面上昇). 섬이나 해안에서 볼 수 있음.

폭-하다【曝-】타여불 ①볕에 쬐다. ②한데 두어 우로(雨露)를 맞게 하다.

폭한¹【暴寒】명 갑자기 닥치는 심한 추위.

폭한²【暴漢】명 함부로 사나운 짓을 하는 사람. 폭객(暴客). ¶~에게 습격당하다.

폭행【暴行】명 [←포행(暴行)] ①난폭한 행동. ②〖법〗타인에게 폭력을 가하는 일. ¶집단 ~. ③강간(強姦). ¶~ 치상(致傷). ——-하다 자여불

폭행 외:설죄【暴行猥褻罪】[-쬐] 명〖법〗남자나 여자에 대하여 폭행 또는 협박을 하여 외설 행위를 하거나 시킨 죄.

폭행-죄【暴行罪】[-쬐] 명〖법〗폭행을 남에게 가하였으되 상해를 입히지 않았을경우의 죄. ＊상해죄.

폰:¹ [phone] 명 ①음(音). 소리. ②텔레폰(telephone). 전화.

폰:² [phon] 의명 소리의 크기를 나타내는 단위. 소음(騷音)의 표시에 쓰임. 회화 소리는 40폰, 탄광의 착암기(鑿岩機)는 130폰임. 80폰 이상의 소음은 사람의 신경에 자극을 준다 함.

폰 노이만 [von Neumann, Johann Ludwig] 명〖사람〗헝가리 태생의 미국 수학자. 힐버트 공간(Hilbert空間)의 이론을 발전시켜 양자 역학의 수학적 기초를 세우고, 이와 관련시켜 연속(連續)기하학 및 작용소환(作用素環)의 심대한 이론을 수립하였음. 이 외에 게임 이론, 오퍼레이션 리서치(Operation Research) 및 수리(數理) 경제학의 창시에 공헌하였음. 컴퓨터 이론 개척자의 한 사람임. [1903-57]

폰 노이만형 컴퓨:터【-型-】명 [von Neumann computer] 폰 노이만이 제안한 원리에 기초한 컴퓨터. 소프트웨어를 메모리에 저장(貯藏)하는 프로그램 내장 방식(內藏方式)과 프로그램에서 명령을 순차적으로 읽어내어 실행하는 축차 제어(逐次制御) 방식이 특징임. 노이만형 컴퓨터. ＊비(非)폰 노이만형 컴퓨터.

폰더 [Fonda] 명〖사람〗①[Henry F.] 미국의 영화 배우. 무대 배우 출신으로, 1935년에 영화에 데뷔, 폭넓은 역으로 오랫동안 활약, 1982년 아카데미 남우 주연상(主演賞)을 탐. ≪분노의 포도(葡萄)≫·≪황야의 결투≫·≪미스터 로버츠≫ 등 70여 편의 영화에 출연했음. [1905-82] ②[Jane F.] 미국의 영화 배우❶의 딸. 모델과 잡지의 커버 걸로 일하다가 배우가 됨. 1971년과 78년에 ≪콜걸≫과 ≪귀향≫으로 두 차례 아카데미 주연 여우상 수상. 베트남 전쟁 반대와 여성 해방 운동의 투사로도 알려짐. [1937-]

폰: 미터 [phone meter] 명 전화의 통화 도수계(通話度數計).

폰: 뱅킹 [phone banking] 명〖경〗전화로 각종 조회·대금 결제·공과금 납부·자금 이체 등의 은행 업무를 처리하는 서비스.

폰 브라운 [von Braun, Werner] 명〖사람〗브라운².

폰스 [네 pons] 명 ①등자(橙子)를 짜서 만든 즙. ②포도주나 화주(火酒)에 우유·물 등을 섞고, 설탕·레몬(lemon)·향료(香料)로 맛을 붙인 음료(飮料). 보통 펀치 볼(punch bowl)을 혼합(混合)하여, 뜨거운 것을 마심. 펀치(punch).

폰타나 [Fontana, Lucio] 명〖사람〗아르헨티나 태생의 이탈리아 화가·조각가. 1939-46년 아르헨티나에서 전위 예술 운동을 조직, 1946년에는 '백(白)의 선언'을 발표함. 1947년 이후 밀라노에서 공간(空間)주의를 주창함. 일찍부터 네온·블랙라이트 등을 이용하고 캔버스를 찢은 작품도 있음. [1899-1968]

폰타네 [Fontane, Theodor] 명〖사람〗독일의 소설가. 약제사·신문 기자 생활을 하다가 59세에 최초의 장편 ≪폭풍 전(暴風前)≫을 발표. 시정의 작은 사건, 인물의 운명을 사실적으로 그리면서 작은 파문을 통해서 역사적 사건이나 사회적 문제의 본질을 정확하게 포착함. ≪미로(迷路)≫·≪브란덴부르크 기행≫ 등이 있음. [1819-98]

폰테인¹ [Fontaine, Joan] 명〖사람〗미국의 여배우. 도쿄(東京)에서 출생. 1937년 영화계에 데뷔, ≪단애(斷崖)≫에서 아카데미 주연상(主演賞)을 받음. ≪여수(旅愁)≫ 등에 출연함. [1918-]

폰테인² [Fonteyn, Margot] 명〖사람〗영국의 여류 무용가. 영국 발레단(ballet團)의 으뜸으로 세계적 명성을 얻음. [1919-91]

폰토르모 [Pontormo, Jacopo Carucci] 명〖사람〗이탈리아의 화가. 사르토(Sarto)에게 사사(師事), 또 미켈란젤로의 만년(晩年)의 양식을 흡수하여 마니에리스모(Manierismo) 양식을 형성. 종교화 외에 초상화에 걸작을 남김. 대표작 ≪마리아의 방문≫ 등. [1494-1557]

폰토스 [Pontos] 명 고대 소(小)아시아, 흑해 남안(黑海南岸)의 지역. 기원전 337년 미트리다테스(Mithridates) 1세가 폰토스 왕국을 건설, 기원전 1세기 전반(前半) 미트리다테스 6세 때에 성했으나 로마에 패망, 그 속주(屬州)가 됨.

폰토피단 [Pontoppidan, Henrik] 명〖사람〗덴마크의 자연주의 작가. 각지를 방랑 후 ≪교회의 배≫로 문단(文壇)에 나섰고, 주로 농민을 그린 ≪약속의 나라≫ 등 3부작으로 1917년 겔레루프(Gjellerup)와 함께 노벨 문학상을 받았음. [1857-1943]

폰트 [font] 명 구문 활자(歐文活字)에서 같은 형의 한 벌. 대문자·소문자·구두점(句讀點)·숫자(數字) 등을 포함함.

폰티아낙 [Pontianak] 명〖지〗인도네시아 보르네오(Borneo)섬 서(西)칼리만탄 주(州)의 주도이자 항만 도시. 카푸아스 강(Kapuas江)의 삼각주 북부에 위치하며 남중국해에 면함. 코프라·고무·임산물(林產物)의 집산지이자 수출항임. 1942-45년 일본군에 점령되었었음. [305,000명(1980추계)]

폰-팅 명 [←telephone＋meeting]〈속〉전화로 하는 남녀 간의 교제(交際).

폴¹ 명〈방〉팔(전남·경남·함북).

폴:² [fall] 명 레슬링에서, 선수의 양어깨가 매트(mat)에 닿는 일. ¶~승(勝).

폴:³ [pole] ⊟명 ①가늘고 긴 막대기 또는 장대높이뛰기에 쓰는 막대기. ②〖물〗전극(電極). ③전동차(電動車)의 집전(集電) 장치의 하나. 막대기 끝의 작은 바퀴를 가선(架線)에 접촉시켜 집전함. ⊟의명 길이의 단위. 5야드 반(半), 곧 5.0291 m를 1폴이라 함.

폴기 명〈방〉포기(경기).

폴다 타〈방〉팔다(경상).

폴:더¹ [folder] 명〖컴퓨터〗윈도에서, 서로 관련 있는 소프트웨어나 파일들을 묶어서 하나의 아이콘으로 나타낸 것.

폴:더² [polder] 명〖지〗네덜란드의 연안 지역에 발달한 간척지(干拓地). 해면(海面)보다 낮기 때문에 제방(堤防)으로 해수(海水)의 유입(流入)을 방지하고 풍차(風車)·전기 등에 의하여 배수 간척(排水干拓)함.

폴딱 부 힘을 모아 가볍게 뛰는 모양. <풀떡. ＊팔딱. ——-하다 자여불

폴딱-거리다 자 힘을 모아 연해 가볍게 뛰다. <풀떡거리다. ＊팔딱거리다. 폴딱-폴딱 부. ——-하다 자여불

폴딱-대다 자 폴딱거리다.

폴라로그래피 [polarography] 명〖화〗미소 전극(微小電極)에서의 전해(電解) 현상을 연구하는 전기 화학적 장치. 전해 전류 곡선(電流曲線)이 사진에 의하여 자동으로 기록되는 장치로, 분해 곤란한 비소(砒素)의 검출에 사용됨. 전기 분해 자기기(自記器).

폴라로이드 [Polaroid] 명 ①〖물〗인조 편광판(人造偏光板)의 상품명(商品名). ②천연(天然) 또는 인공의 편광성 결정(偏光性結晶).

폴라로이드 랜드 카메라 [Polaroid Land camera] 명 미국의 폴라로이드 회사의 창시자 랜드(Land, Edwin Herbert; 1909-91)가 고안(考案)한 인스턴트(instant) 카메라의 하나. 흑백 필름으로 10초, 컬러 필름이면 60초 안에 인화(印畫)를 얻을 수 있음. ㊀폴라로이드 카메라.

폴라로이드 카메라 [Polaroid camera] 명 ↗폴라로이드 랜드 카메라.

폴라리스 [라 Polaris] 명 ①〖천〗폴라리스성(星). 북극성. ②〖군〗원자력 잠수함이 장비하는 미해군의 중거리 탄도 미사일. A3형의 경우, 고체 연료 추진 2단 로케트, 발사 중량 13.5 t, 사정 4,700 km. 관성 유도(慣性誘導)임.

폴라리스-성【-星】[Polaris] 명〖천〗북극성(北極星). 폴라리스.

폴라리스 잠수함【-潛水艦】[Polaris] 명〖군〗해중에 잠수하여 폴라리스 탄도탄을 발사할 수 있는 잠수함.

폴락-거리다 자 바람에 날리어 아주 빠르게 나부끼다. <풀럭거리다. 폴락-폴락 부. ——-하다 자여불

폴락-대다 자 폴락거리다.

폴란드 [Poland] 명〖지〗동유럽 북부에 있는 공화국. 북쪽은 발트 해에 면하고 동쪽은 벨로루시·우크라이나, 남쪽은 체코와 슬로바키아, 서쪽은 독일과 접함. 18세기 말에 프로이센·러시아·오스트리아의 3국에 분할되었다가 제 1차 대전 후에 공화국으로서 재생함. 제 2차 대전시에는 소련과 독일에 분할 점령되는 등, 열강(列強)사이에 끼여 있어 영토의 변천이 극심했음. 비스툴라 강이 남북으로 관통하고 오데르 강이 서부와 남서부를 꿰뚫고 흐름. 국토의 절반 가량이 농경지인데, 밀·보리·귀리·호밀·감자·사탕수수·아마의 재배가 성하고, 조선·식품 등의 공업과 축산업도 발달했으며, 석탄·철·납·구리·니켈 등, 자원이 풍

부합. 주민은 슬라브 계의 폴란드인, 언어는 슬라브 계의 폴란드어, 종교는 가톨릭임. 수도는 바르샤바(Warszawa). 별칭 폴스카(Polska). 정식 명칭은 '폴란드 공화국(Polish Republic)'임. 파란(波蘭). [312,683 km²: 38,240,000 명(1993)]

폴란드 계:승 전:쟁【—繼承戰爭】〔Poland〕 명 《역》 1733-35년에 걸쳐 폴란드의 왕위 계승권을 둘러싸고 벌어진 전쟁(戰爭). 국왕 아우구스트 2세(August Ⅱ)의 사망 후, 러시아·오스트리아의 지지(支持)를 받는 작센(Sachsen)의 선제후(選帝侯) 아우구스트 3세와 스페인·프랑스가 지원하는 폴란드 귀족 스타니슬라프(Stanislaw)가 싸워 전화(戰火)는 유럽 각지에 번짐. 1738년 빈 조약의 결과 아우구스트가 정식으로 왕위를 승인받음.

폴란드 분할【—分割】〔Poland〕 명 《역》 프로이센·러시아·오스트리아 등 3국이 1772년, 93년, 95년의 3회에 걸쳐 폴란드를 분할하여 멸망시킨 사건. 폴란드는 제1차 세계 대전 후에 독립을 회복하였으나, 1939년, 제2차 대전초에도 독일·소련 양국에 의하여 분할이 행하여졌음.

폴란드-어【—語】〔Poland〕 명 인도 유럽 어족의 서(西)슬라브 어파(語派)에 속하는 언어. 폴란드 본국 외에 체코·러시아 등에서도 사용됨. 슬라브어(語) 가운데 러시아어(語)에 버금가는 유력한 언어로 14세기 이래의 문헌이 있음. 비모음(鼻母音)이 있고 어미(語尾)에서부터 두 번째 음절에 악센트가 있는 것 등이 특징임.

폴란드차이나-종【—種】〔Poland-China〕 명 돼지 품종의 하나. 미국 오하이오 주 원산의 돼지. 개량종에 버크셔종을 교배하였기 때문에 몸빛은 버크셔종과 같이 흑색이고, 코끝·사지 끝·꼬리 끝만이 백색인 이른바 육백(六白)인데 그 정도는 확실하지 않음. 몸무게는 수컷이 230 kg, 암컷이 180 kg 정도.

폴란드 회랑【—回廊】〔Poland〕 명 《지》 회랑 지대(回廊地帶).

폴:랑¹〔Paulhan, Jean〕 명 《사람》 프랑스의 소설가·언어학자. 제1차 대전의 기록인 ≪근면한 병사≫로 인정된 이래 문예지(文藝誌) '엔 에르 에프(NRF)'의 주필(主筆)로서 언어의 영상을 교묘히 구사한 작품을 내었고, 제2차 대전 후에는 비평가로도 활약함. [1884-1968]

폴랑² 부 바람에 날리어 한 번 가볍게 나부끼는 모양. <풀렁. *팔랑. ——-하다 자여불

폴랑-거리다 자 바람에 날리어 가볍게 나부끼다. <풀렁거리다. *팔랑거리다. 폴랑-폴랑 부. ——-하다 자여불

폴랑-대다 자 폴랑거리다.

폴:러 프론트〔polar front〕 명 《기상》 ①한랭한 주극풍(周極風)과 온난한 편서풍(偏西風)의 두 기류(氣流)의 경계에 생기는 불연속선. 기류가 수렴(收斂)하는 장소로, 온대 저기압의 발생 장소임. ②저온인 극풍과 고온인 편서풍의 경계선. 극전선(極前線). 한대 전선(寒帶前線).

폴레믹〔그 polemik〕 명 ①논전(論戰). 논쟁(論爭). ②논쟁에 뛰어난 사람. 논객(論客).

폴로:¹〔follow〕 명 당구 용어. 큐볼이 오브젝트볼을 밀어 제치고 계속해서 전진하도록 치는 방법. 큐볼 위쪽을 침.

폴:로²〔polo〕 명 마상(馬上) 경기의 한 가지. 한 팀 네 명으로 구성되어 스틱으로 공을 치며 승패는 골 득점과 반칙 감점의 합계차(差)로 결정함. 기원 전 페르시아에서 시작되어 티베트·인도를 거쳐, 지금은 영국·미국에서도 유행함.

〈폴로²〉

폴로네:즈〔프 polonaise〕 명 《악》 폴란드(Poland) 특유의 가곡(歌曲) 및 무용. 4분의 3 박자로, 2부(部) 또는 3부 형식이며 템포는 대체로 느림. 쇼팽(Chopin)의 피아노곡으로 유명하여졌음.

폴로늄〔polonium〕 명 《화》 〔발견자의 한 사람인 퀴리 부인의 고국 폴란드에 유래하여 명명한 이름〕 강력한 방사성 원소(元素)의 하나. 폴로늄의 동위 원소는 모두가 방사성(放射性)인데, 천연적(天然的)으로는 질량수(質量數) 218과 214인 우라늄계(系) 핵종(核種), 215와 211인 악티늄계(actinium 系) 핵종 외에 216과 212인 토륨계(thorium 系) 핵종이 존재함. 또 인공적으로는 20 종의 방사성 핵종이 알려지고 있음. 1898년 퀴리 부처(夫妻)가 우라늄광(鑛) 중에서 발견함. [84 번:Po]

폴:로 셔츠〔polo shirt〕 명 〔폴로(polo) 경기를 할 때 입은 데서 유래한 이름〕 풀오버(pull-over)의 반소매 셔츠.

〈폴로 셔츠〉

폴로: 스로:〔follow through〕 명 야구·테니스·골프 등에서, 타구(打球)의 효과를 더욱 올리기 위하여, 타구 후 스트로크(stroke)를 충분히 뻗치는 일.

폴로: 신:〔follow scene〕 명 《연》 영화에서, 이동 촬영(移動撮影)에 의하여 제작된 장면.

폴록〔Pollock, Jackson〕 명 《사람》 미국의 화가. 뉴욕에서 활약한 미국 현대 미술의 대표적 거장(巨匠). 액션 페인팅(action painting)을 창시하였음. [1912-56]

폴료트 위성【—衛星】〔러 polyot〕 명 〔polyot는 비행(飛行)의 뜻〕 소련의 무인(無人) 과학 위성. 궤도를 자동적으로 수정할 수 있음. 1963년 11월 1일에 1호 발사.

폴룩스〔Pollux〕 명 ①《신》 그리스 신화에서, 카스토르(Castor)와 더불어 제우스(Zeus)와 레다(Leda) 사이의 쌍둥이의 하나. 불사신(不死身)이었던 폴룩스는 천상(天上)의 신(神)으로서 지하(地下)의 형제인 카스토르와 하루씩 번갈아 가며 생활(生活)하였다고 함. 폴리데우케스(Polydeukes). ②《천》 쌍둥이자리의 베타성(β星)으로 1·2등성(等星)의 별. 거리는 35광년, 실광도(實光度)는 태양의 28배. *카스토르.

폴리가미〔polygamy〕 명 일부 다처(一夫多妻). 일부 다처주의.

폴리그노토스〔Polygnotos〕 명 《사람》 기원 전 5세기의 그리스 화가. 전고전기(前古典期)의 그리스 회화(繪畫)의 대성자(大成者)로 일컬어짐. 델포이(Delphoi)의 대회당(大會堂) 등에 벽화를 그렸다고 하나 전하지 않음.

폴리그래프〔polygraph〕 명 《심》 거짓말 탐지기.

폴리냑〔Polignac, Jules Armand de〕 명 《사람》 프랑스의 정치가. 나폴레옹 1세 암살 계획에 가담했다가 체포되었으나 후에 망명. 왕정 복고 후 1829년 외상(外相), 이어 수상(首相)이 됨. 반동(反動) 정책을 강행, 알제리아 원정에 성공했으나, 1830년 7월 혁명을 유발(誘發). 1836년까지 투옥됨. [1780-1847]

폴리네시아〔Polynesia〕 명 《지》 〔다도(多島)의 뜻〕 태평양 상에 산재하는 많은 섬들 중에서 하와이 제도·뉴질랜드·이스터 섬을 잇는 이른바 '폴리네시아의 삼각형' 속의 해역(海域)에 있는 섬들. 뉴질랜드·하와이·사모아(Samoa)·라인(Line)·프랑스령(領) 폴리네시아·쿡(Cook)·피닉스(Poenix)·엘리스(Ellice) 등의 제도(諸島)와 통가·이스터 섬 등을 포함함. 원주민은 폴리네시아인. 총면적 26,000 km²

폴리네시아 어:파【—語派】〔Polynesia〕 명 《언》 말레이 폴리네시아 어족(語族)의 한 어파(語派). 하와이어(語)·마오리어(Maori 語)·라파누이어(Rapa Nui語)·사모아어(語)·타히티어(語) 등이 이에 속함. 음운(音韻) 구조와 문법 구조가 비교적 간단함.

폴리네시아-인【—人】〔Polynesia〕 명 폴리네시아의 원주민으로 말라요폴리네시아 어족(語族)에 속함. 피부는 담갈색(淡褐色) 내지 농갈색(濃褐色), 키가 크고 흑색(黑色) 곱슬머리를 가짐. 지중해 인종과 몽골로이드(Mongoloid), 니그로이드(Negroid)의 혼혈(混血)을 나타냄. 계급 제도가 발달하고 양계 친족 조직(兩系親族組織)을 가짐.

폴리니〔Pollini, Maurizio〕 명 《사람》 이탈리아의 피아니스트. 밀라노 출생. 1960년 쇼팽 국제 피아노 콩쿠르에 1위 입상, 그후 A.B. 미켈란젤리와 루빈슈타인에게 배우고, 지휘법도 배움. 음역(音域)이 넓고, 단순미와 고요함, 폭발적인 힘과 섬세함이 어우러진 연주로 평가를 받음. 베토벤·쇼팽·슈베르트 등의 음악을 특기로 함. [1942-]

폴리 데스파:뉴〔프 folies d'Espagne〕 명 《악》 스페인에 있어서의 폴리아(Folia).

폴리데우케스〔Polydeukes〕 명 《신》 폴룩스(Pollux).

폴리돌〔도 Folidol〕 명 《약》 1943년 독일의 바이에르 회사에서 만든 유기인(有機燐)을 포함하는 파라티온(Parathion) 계의 살충제의 상품명. 농약임.

폴리-리듬〔polyrhythm〕 명 《악》 연주되는 한 곡(曲) 안에서 두드러지게 대조적(對照的)인 리듬이 동시에 연주되는 것.

폴리머〔polymer〕 명 《화》 중합체(重合體).

폴리미터〔polymeter〕 명 《물》 독일에서 만든 모발 습도계(毛髮濕度計)의 한 가지.

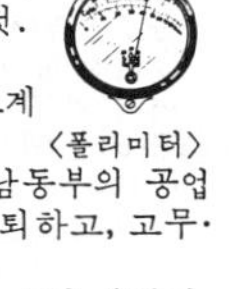
〈폴리미터〉

폴:-리버〔Fall River〕 명 《지》 미국 매사추세츠 주(州) 남동부의 공업도시. 미국 면공업(綿工業) 중심 도시의 하나였으나 쇠퇴하고, 고무·제지(製紙) 공업이 행해짐. [93,000 명(1980)]

폴리-베르제르〔Folies-Bergère〕 명 《악》 파리에서 가장 오랜 음악당. 1867년 설립. 레뷔(révue)·보드빌(vaudeville) 등을 전문으로 상연함.

폴리-부텐〔polybutene〕 명 《화》 이소부텐의 중합체(重合體). 유상(油狀)에서 고체까지의 여러 성질을 지니며, 분자량이 다른 여러 화합물이 있음. 윤활유(潤滑油) 첨가제·접착제·고무 제품에 쓰임.

폴리비닐 알코올〔polyvinyl alcohol〕 명 《화》 폴리아세트산비닐의 가수 분해에 의해 얻어지는 무색의 분말. 수용성 필름·도료(塗料)·접착제 등에 쓰이며, 비닐론의 원료가 됨.

폴리비오스〔Polybios〕 명 《사람》 고대 헬레니즘(Hellenism) 시대의 그리스 역사가. 로마의 정복 전쟁을 목격, 이의 지중해 제패의 과정을 내용으로 한 ≪역사≫ 40권을 내고, 또한 로마 정체의 변천에서 '정체 순환론(政體循環論)'을 주장하였음. [203?-120 B.C.]

폴리-비전〔polivision〕 명 《사》 텔레비전의 영향 아래 놓인 정치 상황.

폴리사리오 해:방 전:선【—解放戰線】 명 〔POLISARIO; Popular Front for the Liberation of Sequiet El Hamra and Rio de Oro〕 《정》 아프리카의 서(西)사하라 원주민의 민족 해방 조직. 1973년 5월 스페인에 대항하기 위하여 결성된 후 1976년 3월 사하라 아랍 민주 공화국의 수립을 선언하고, 사막의 게릴라전으로, 모로코·모리타니의 서(西)사하라 분할을 반대함.

폴리센트리즘〔polycentrism〕 명 《정》 국제 공산주의 운동은 소련 중심이 아니고, 각국의 공산당이 제휴하면서 각각 자주적으로 운동을 전개해야 한다는 주의. 1956년 이탈리아의 공산당 서기장(書記長) 톨리아티(Togliatti, P.; 1893-1964)의 주장에서 생긴 말.

폴리술폰 수지【—樹脂】 명 〔polysulfone resins〕 《화》 주쇄(主鎖)에 산소·황(黃)·벤젠핵(benzen 核)을 갖는 폴리머(polymer)로 된 합성 수지. 투명하고 내열(耐熱)·내약품성(耐藥品性)이 뛰어나고 기계적 강도(機械的強度)·규격 안정성(規格安定性)이 높아, 기계·전기 부품(電氣部品)에 쓰임. 1965년 미국의 유니온 카바이드사(社)에서 개발함.

폴리:스¹〔follies〕 명 레뷔(révue)를 중심으로 한 대중 오락. 또, 그 오락장(娛樂場).

폴리스²〔police〕 명 경찰. 경관. 순경.

폴리스³〔polis〕 명 〔도시의 뜻〕 도시 국가(都市國家). ¶아크로~.

폴리스 박스〔police box〕 명 파출소.

폴리-스티렌〔polystyrene〕 명 《화》 스티렌(styrene)의 중합체(重合體), 곧 스티롤 수지(樹脂)의 딴이름.

폴리스티렌 페이퍼〔polystyrene paper〕 명 《화》 스티롤 페이퍼.

폴리-스티롤〔도 Polystyrol〕 명 《화》 폴리스티렌(polystyrene).

폴리시〔policy〕 명 정책(政策). 정략(政略). 책략(策略). 술책(術策).

폴리시 리무:버 〔polish remover〕 명 윤기를 제거하는 액(液). 제광액(除光液).

폴리시 믹스 〔policy mix〕 명 《정》 경제의 안정과 성장을 동시에 실현(實現)시키는 등 복수(複數)의 정책 목표를 달성하기 위하여, 여러 가지 정책 수단을 적당히 짜맞추는 일.

폴리시:이즘 〔polytheism〕 명 다신교(多神敎). 다신론(論).

폴리아 〔스 Folia〕 명 《악》 원래는 포르투갈의 격렬한 율동의 춤곡. 4분의 3박자로, 17-18세기에 기악곡으로 채용(採用)되었음.

폴리-아미드 〔polyamide〕 명 《화》 분자(分子) 중에 아미드 결합(結合) -CO-NH-를 가지는 고분자(高分子) 화합물의 총칭. 합성(合成) 폴리아미드에는 나일론 등의 합성 섬유, 천연 폴리아미드에는 견피브로인(絹 fibroin), 양모 케라틴(羊毛 keratin) 등이 있음. 나일론 수지.

폴리아미드계 합성 섬유 【一系合成纖維】 〔polyamide〕 명 폴리아미드 수지(樹脂)를 용융 방사(溶融紡絲)하여 얻는 합성 섬유. 일반명은 나일론(nylon).

폴리아미드 수지 【一樹脂】 〔polyamide〕 명 《화》 폴리아미드로 되는 일련의 열가소성 수지(熱可塑性樹脂)의 총칭. 항장력(抗張力), 내충격성(耐衝擊性), 내마모성(耐磨耗性), 윤활성(潤滑性)이 플라스틱 가운데서 가장 뛰어남. 일반명 나일론.

폴리-아민 〔polyamine〕 명 2개 이상의 아미노기(amino基), 또는 치환(置換) 아미노기를 가진 유기 화합물의 총칭. RNA 합성이나 단백질 합성의 촉진 작용이 있음.

폴리-아세탈 〔polyacetal〕 명 《화》 포름알데히드(formaldehyde) 등과 같은 환상(環狀) 포름알데히드 화합물을 중합(重合)시켜서 얻는 열가소성 수지(熱可塑性樹脂). 투명하고 내열성(耐熱性)·내마모성(耐磨耗性)에 뛰어나 가정용품·톱니바퀴·축받이·콘베이어 등에 사용함. *델린(Delrin).

폴리-아크릴로니트릴 〔polyacrylonitrile〕 명 《화》 아크릴로니트릴(acrylonitrile)을 촉매(觸媒)로 써서 유화 중합(乳化重合)시켜서 얻는 열가소성 수지(熱可塑性樹脂). 공중합(共重合)시켜서 에이 에스 수지(AS樹脂), 에이 비 에스(ABS) 수지, 폴리아크릴로니트릴계(系) 합성 섬유를 만듦.

폴리아크릴로니트릴계 합성 섬유 【一系合成纖維】 〔polyacrylonitrile〕 명 《화》 아크릴계(系) 섬유.

폴리앤드리 〔polyandry〕 명 일처 다부(一妻多夫).

폴리-에스테르 〔polyester〕 명 《화》 다가(多價) 알코올과 다염기산(多塩基酸)의 에스테르화(ester化) 반응에 의해 얻어지는 고분자 화합물(高分子化合物)의 총칭. 대표적인 예로는 테토론·다크론 등의 상품명으로 알려진 합성 섬유가 있으며, 내약품성(耐藥品性)·내열성(耐熱性)이 뛰어나 가구·건재 등에 이용됨.

폴리에스테르계 합성 섬유 【一系合成纖維】 〔polyester〕 명 《화》 폴리에틸렌 테레프탈레이트를 용융 방사(溶融紡絲)하여 얻는 합성 섬유. 흡습성(吸濕性)이 적고 내산성(耐酸性), 내열성, 내광성(耐光性), 전기 절연성에 뛰어나 의류용, 절연(絶緣) 재료, 로프류(類) 등 공업적 용도가 큼. 상품명은 테릴렌(terylene)·테토론(tetoron) 등.

폴리에스테르 수지 【一樹脂】 명 〔polyester resin〕 《화》 폴리에스테르로 되는 합성 수지. 불포화(不飽和) 폴리에스테르 수지, 알키드(alkyd) 수지, 폴리에틸렌 테레프탈레이트 등.

폴리에스테르 액정 패널 【一液晶一】 명 〔polyester film liquid crystal display panel〕 액정(液晶)을 폴리에스테르 필름 속에 봉해 넣은 표시(表示) 패널. 0.5 mm 정도까지 얇아지고 가벼워졌으며, 깨지지도 않고 값도 싸며, 휘어서 쓸 수도 있게 됨.

폴리에스테르 필름 〔polyester film〕 명 폴리에스테르 수지(樹脂)로 만든 필름. 식품(食品)이나 그 밖의 제품의 포장에 쓰임.

폴리에:테르 섬유 【一纖維】 명 〔polyether fiber〕 《화》 알데히드류(aldehyde類)의 중합(重合)으로 만들어진 섬유. 강도(強度)가 셈. 또, 벤조산(benzoic acid)과 에틸렌 글리콜에서 만드는 폴리에스테르 에테르 섬유가 있는데 감촉이 비단에 가까움.

폴리-에틸렌 〔polyethylene〕 명 《화》 에틸렌(ethylene)을 중합(重合)시켜서 얻는 열가소성 수지(熱可塑性樹脂). 내수성(耐水性)·내산성(耐酸性)·전기 절연성에 뛰어나고, 특히 고주파(高周波) 절연성은 종래의 다른 어느 것보다 우수함. 고주파 절연물·일용 잡화·각종 용기·공업용 부품·전선 피복(被覆) 등 용도가 많음.

폴리에틸렌 테레프탈레이트 〔polyethylene terephthalate〕 명 텔레프탈산(telephthal酸) 디메틸(dimethyl)과 에틸렌 글리콜(ethylene glycol)과의 에스테르화(ester化) 반응에 의해서 얻어지는 열가소성 수지(熱可塑性樹脂). 폴리에스테르계(系) 합성 섬유의 원료가 되며 필름으로도 가공됨.

폴리엔 〔polyene〕 명 《화》 이중 결합(二重結合)을 여러 개 가지고 있는 유기 화합물의 총칭. 탄성(彈性) 고무 같은 것.

폴리엔 색소 【一色素】 〔polyene〕 명 《화》 카로티노이드(carotinoid).

폴리 염화 비닐 【一塩化一】 명 〔polyvinil chloride〕 《화》 염화 비닐의 중합체(重合體). 염화 비닐 수지(樹脂).

폴리 염화 비닐리딘 【一塩化一】 명 〔polyvinylidine chloride〕 《화》 염화 비닐리딘의 중합체(重合體). *염화 비닐리딘 수지(樹脂).

폴리오 〔polio〕 명 《의》 유행성 소아 마비.

폴리오-바이러스 〔poliovirus〕 명 《의》 소아 마비의 병원 바이러스. 지름 약 28 mμ의 구형 아르 엔 에이(球形RNA) 바이러스로, 경구(經口)·비말(飛沫) 감염에 의해 장관(腸管) 속이나 인두(咽頭)에 증식함. 혈청학적(血淸學的)으로 세 가지 형(型)으로 분류되며, 각 형(型)에 대응하는 생(生)백신을 투여(投與)하여 소아 마비를 예방함.

폴리-올레핀 〔polyolefin〕 명 《화》 올레핀의 중합(重合)으로 만들어지는 수지상(樹脂狀) 물질. 예컨대, 에틸렌에서 폴리에틸렌, 프로필렌에서 폴리프로필렌, 부틸렌에서 폴리부텐이 만들어짐.

폴리-우레탄 〔polyurethane〕 명 《화》 우레탄 결합(urethane結合), 곧 -NHCOO-를 주요 구성 요소로 가지고 있는 고리 모양 고분자(高分子) 화합물의 총칭. 열경화성 수지(熱硬化性樹脂)와 열가소성(熱可塑性) 수지가 있음. 탄성·강인성이 풍부하고 내열성·내노화성(耐老化性)·내유성(耐油性)·내용제성(耐溶劑性)이 뛰어남. 탄성 섬유·도료·접착제·합성 피혁 원료 등으로 쓰임.

폴리우레탄 발포체 【一發泡體】 명 〔polyurethane foam〕 다가(多價) 알코올과 디이소시아네이트(diisocyanate)로 만들어지는 스폰지 모양의 다공질(多孔質) 물질. 연질(軟質)의 것은 쿠션재(材)로, 경질(硬質)의 것은 주로 단열재(斷熱材)로 쓰임.

폴리이소프렌 고무 〔polyisoprene+프 gomme〕 명 《화》 천연 고무에 가장 가깝다고 하는 합성 고무. 이소프렌을 특수한 촉매(觸媒)로 중합(重合)하여 만듦. 스테레오(stereo) 고무의 일종.

폴리치아노 〔Poliziano, Angelo〕 명 《사람》 이탈리아의 인문주의자(人文主義者)·시인. 이탈리아 르네상스에 다대한 공헌을 하였음. 일리아스(Ilias)를 라틴어로 번역하였으며, 비극《오르페오담(Orfeo 譚)》, 서정시《마상 시합(馬上試合)》 등의 시작(詩作)이 있음. [1454-94]

폴리-카:보네이트 〔polycarbonate〕 명 《화》 탄산(炭酸)과 2가(價) 페놀(phenol) 또는 2가(價) 알코올의 에스테르 결합에 의한 중합체(重合體). 유기 용제(有機溶劑)에는 비교적 쉽게 녹으나, 충격에 아주 강하고, 내산성(耐酸性)·내열성(耐熱性)도 좋아 금속에 대신하는 수지(樹脂)로, 기계 부품·일용 잡화 등에 널리 쓰임. 폴리 탄산 에스테르라고도 함.

폴리클레이토스 〔Polykleitos〕 명 《사람》 기원전 5세기경 고대 그리스의 조각가. 도리스파(Doris派)의 수령으로, 청동(靑銅)으로 경기자상(競技者像)을 즐겨 묘사, 이외 예술 이론의 연구도 있어 특히 인체의 비례에 관한 《카논(Canon)》도 저술하였음.

폴리테크니즘 〔polytechnism〕 명 《교》 종합 기술 교육. 일반 교육과 생산 과정에 필요한 지식·기능을 습득시켜, 극도의 전문화(專門化)를 막고, 새로운 호모 파베르(Homo faber)를 육성하려는 것.

폴리트뷰로 〔러 Politburo〕 명 《정》 소련의 공산당 정치국. 행정 집행 위원회(行政執行委員會)와 대외 선전부(對外宣傳部)로 이루어졌는데 실질적으로 당을 지도하고 정책을 결정하던 기관임.

폴리티컬 머신: 〔political machine〕 명 《정》 미국의 정당 조직 내부에서, 보스(boss)에 의해 장악되고 있는 도당(徒黨)의 집단.

폴리티컬 애퍼시 〔political apathy〕 명 《정》 정치적 무관심.

폴리티컬 픽션 〔political fiction〕 명 《문》 정치·사회적 허구(虛構) 소설

폴리틱스 〔politics〕 명 《정》 정치학(政治學).

폴리-파:머시 〔poly-pharmacy〕 명 《약》 동일 환자가 동시에 많은 종류의 약제를 병용하는 일.

폴리페모스 〔Polyphemos〕 명 《신》 그리스 신화 중의 단안(單眼)의 거인(巨人). 오디세우스(Odysseus)의 부하를 죽인 까닭으로 오디세우스에게 눈을 찍혀 버렸음.

〈폴리페모스〉

폴리포니 〔polyphony〕 명 《악》 다성부(多聲部) 음악. 두 개 이상의 독립한 성부(聲部)의 조합에 의하는 음악으로, 대위법(對位法)을 기초로 함. 10세기경에 시작, 15-17세기에 완성되었음.

폴리-프로필렌 〔polypropylene〕 명 《화》 프로필렌을 중합(重合)시켜서 얻은 열가소성 수지(熱可塑性樹脂). 내수성(耐水性)·내산성(耐酸性)·고주파 절연성(高周波絶緣性)이 뛰어남. 한랭지용(寒冷地用) 수도 파이프·전선 피복(被覆)·고주파 절연물·일용 잡화 등에 이용됨.

폴리프로필렌 흡유재 【一吸油材】 〔polypropylene〕 명 《화》 유조선의 석유 유출(流出) 사고로 일어나는 해상에서의 오염유(汚染油)를 흡유(吸油) 처리하기 위한 부직포(不織布). 이 흡유재의 원료가 탄화 수소(炭化水素)이기 때문에, 탄화 수소인 석유와의 친화성(親和性)이 강하여 석유를 흡착(吸着)하는 힘이 강함. 흡유한 뒤에는 전용 소각로(燒却爐)에서 소각함.

폴립 〔polyp〕 명 ①《동》 히드라충류(hydra蟲類)에 속하는 강장(腔腸) 동물에서, 고착 생활(固着生活)을 하는 동물의 한 형체. 몸은 원통형에 그 주위에는 촉수(觸手)가 때로 수십 개 나란히 있고 위강(胃腔)이 있으며 항문(肛門)은 없고, 몸의 하단(下端)에는 족반(足盤)이 있어 타물(他物)에 부착함. 해산(海産)의 것은 군체(群體)를 이루어 수상(樹狀)이 된 것도 있음. 한천질(寒天質)·키틴질(質)·석회질의 부분이 있고, 유성(有性) 생식 또는 출아(出芽) 분열(分裂) 등도 함. ②《의》 피부 또는 점막(粘膜)의 표면으로부터 가는 줄기로 늘어져 있는 용상(茸狀)·구상(球狀)·타원형·난원형 등의 종류(腫瘤)의 총칭. 코·위장·자궁(子宮)·방광(膀胱) 등에 생기며 염증성(炎症性)과 종양성(腫瘍性)이 있음.

〈폴립❶〉

폴립-형 【一形】 〔polyp〕 명 《동》 강장(腔腸) 동물의 히드라류(hydra類)·산호충류(珊瑚蟲類)의 기본 체형의 하나. 원통(圓筒) 모양이며, 고착 생활을 함. 해파리는 수정하여 이 체형을 이루었다가 메두사형(medusa形)이 됨. *메두사형.

폴:링 〔Pauling, Linus Carl〕 명 《사람》 미국의 물리 화학자. 1931년 캘리포니아 공대 교수. 양성자론(陽性子論)의 화학에의 응용, 특히 양성자

역학적 공명(共鳴)이론이 이름 있으며, 1954년 화학 결합(化學結合)의 본성(本性)에 관한 연구, 특히 복잡한 분자 구조 연구로 노벨 화학상을 수상하고 또한 열렬한 평화주의자로서, 원수폭 금지 운동(原水爆禁止運動)의 세계적 지도자로 활약하여, 1962년에 노벨 평화상을 받음. [1901-94]

폴-모가지 명 〈방〉 팔모가지(전남·경남·함북).

폴: 사인제【一制】〔pole sign〕 명 주유소들이 광고·표시 상표 외의 다른 정유사(精油社) 제품을 팔지 못하게 하는 제도. 이 명칭은 주유소들이 주로 폴(기둥 간판)에 특정 정유사의 상호를 내건 데에 유래함. 주유소 상표 표시제.

폴-산【一酸】 명〔folic acid〕〖화〗 엽록 야채(葉綠野菜)나 간장(肝臟) 등에 포함되어 있는 비타민 B복합체(複合體)의 하나. 1941년 미첼(Mitchell, H. K.)이 발견한 이래 종래 비타민 M으로 알려져 있던 조혈 인자(造血因子)와 같은 것임이 판명(判明)되었음. 빈혈(貧血) 등에 특효가 있음. 엽산(葉酸). 프테로일글루탐산(酸). 비타민 엠(M).

폴섬 문화【一文化】〔Folsom〕 명 북아메리카 대륙에 있었던 기원 전 8천년경의 수렵민(狩獵民)의 문화. 부싯돌로 만든 유구 첨두기(有溝尖頭器)를 특징으로 하며, 로키 산맥의 동쪽 고원 지대에 유적이 분포함. 1926년 미국 뉴멕시코 주(州)의 폴섬에서 발견됨.

폴:스타프〔Falstaff〕 명 셰익스피어의 사극(史劇) ≪헨리 4세≫에 나오는, 크고 뚱뚱한 노기사(老騎士). 주색(酒色)을 좋아하며, 겁장이에 거짓말장이면서도 애교가 있는 인물. 엘리자베스 1세의 간청으로 셰익스피어는 ≪윈저(Windsor)의 쾌활한 여인들≫에 재등장시키고 있음. 베르디에 의해 오페라화(化)됨.

폴싹 부 연기나 먼지가 뭉키어서 한꺼번에 일어나는 모양. <풀썩. ＊팔싹. ——-하다 자 여불

폴싹-거리다 자 연기나 먼지가 뭉켜서 연달아 일어나다. <풀썩거리다. ＊팔싹팔싹. 폴싹-폴싹 부. ——-하다 자 여불

폴싹-대다 자 폴싹거리다.

폴써 부 〈방〉 벌써 ❶.

폴:아웃〔fallout〕 명 죽음의 재. 핵폭발 실험(核爆發實驗)으로 생성되는 방사성 낙진(落塵).

폴 에 비르지니〔Paul et Virginie〕 명〖책〗 프랑스의 작가 생 피에르(Saint-Pierre)가 1789년에 지은 소설. 프랑스(France) 섬의 아름다운 자연을 배경(背景)으로, 불행한 운명을 지닌 가련한 소년과 소녀의 애련(哀戀)에 관한 이야기임.

폴: 점프〔pole jump〕 명 장대높이뛰기.

폴짝 부 ①문을 갑작스레 열거나 닫는 모양. ②작은 것이 가볍고 힘있게 뛰어오르는 모양. <풀쩍. ——-하다 자타 여불

폴짝-거리다 자타 ①문을 연(連)해 갑작스레 여닫고 드나들다. ②작은 것이 자꾸 가볍게 뛰어오르다. <풀쩍거리다. 폴짝-폴짝 부. ——-하다 자타 여불

폴짝-대다 자타 폴짝거리다.

폴카〔polka〕 명〖악〗 4분의 2박자의 경쾌한 춤곡. 1830년 경에 보헤미아(Bohemia) 지방에서 일어난 민속 무곡(民俗舞曲)으로서, 전유럽에 퍼져 오늘날까지 유행하고 있음.

폴카 도트〔polka dot〕 명 방울 무늬. 또, 그 무늬를 염색한 천.

폴켈트〔Volkelt, Johannes〕 명〖사람〗 독일의 철학자·미학자. 지식을 분석하여 경험적 데이터(data)와 논리적 사고로 나누고, 이와 헤겔적 사변적(思辯的) 방법을 종합하고자 하였으며, 궁극적으로 절대자(絶對者)에 소급하였음. 저서 ≪경험과 사유(思惟)≫·≪확실성과 진리≫·≪미학 체계≫ 등. [1848-1930]

폴크스-바:겐〔도 Volkswagen〕 명 서독의 폴크스바겐 자동차 회사에서 생산하는 소형 4륜 승용(乘用) 자동차의 상품명. 1936년의 제1호차 이래, 거의 모델을 변경하지 않은 것으로 유명함.

폴크스바:겐 회:사【一會社】 명〔Volkswagenwerk A.G.〕 서독의 자동차 회사. 이 나라 자동차 생산의 반을 차지함. 1937년 국민차(國民車) 보급을 위한 국영 기업으로 발족함.

폴크스-뷔:네〔Volksbühne〕 명〖연〗 독일의 연극 감상자 단체 및 그 극장. 1890년 빌레(Wille, B.)가 싼 값으로 좋은 연극을 감상하게 한다는 취지 아래 창립한 베를린 자유 민중 무대 연맹이 그 기원임.

폴타바〔Poltava〕 명〖지〗 우크라이나 공화국 중앙부에 있는 도시. 하르코프(Kharkov)의 서남방, 보르스클라 강(Vorskla江)에 연하여 있음. 오랜 도시였으나 17세기 초에는 우크라이나 코작(Cossack)의 거점(據點)이 되고, 1709년에는 폴타바 싸움이 벌어졌음. 근래에는 기계·방적·식품 가공·제혁(製革) 등의 공업이 행하여지고 있음. [315,000 명(1989)]

폴타바 싸움〔Poltava〕 명〖역〗 북방(北方) 전쟁중인 1709년, 폴타바에서 러시아 황제 표트르 1세가 러시아에 침입한 스웨덴 왕 카를(Karl) 12세군(軍)을 격파한 싸움. 이 싸움의 결과 전국(戰局)은 러시아측(側)에 유리하게 전개됨.

폴:트〔fault〕 명 테니스·탁구·배구 등에서, 서브의 실패.

폴폴 부 ①열쌔게 자꾸 뛰거나 나는 모양. ②적은 물이 자꾸 끓어오르는 모양. ③눈·먼지 같은 것이 흩날리는 모양. 1)-3):<풀풀.

폼[1] 타 〈옛〉 '픈다[1]'의 명사형. 팜. ¶ 흐다가 포믈 因흐야 낡딘댄(若因鑿出)≪楞諺 Ⅲ:89≫.

폼:[2]〔form〕 명 형태. 자태(姿態).

폼:(을) 잡다 구 〈속〉 무엇을 시작하려는 자세(姿勢)·태세(態勢)를 취하다.

폼:(을) 재:다 구 〈속〉 으쓱거리고 뽐내는 티를 짐짓 겉으로 나타내다.

폼:[3] 명 ↗플랫폼(platform). ¶ 3번 ~.

폼: 러버〔foam rubber〕 명 기포(氣泡) 고무. 라텍스(latex)에 거품을 일으켜 가황(加黃)한 고무 제품. 침구 등의 쿠션 재료로 쓰임.

폼: 스탠드〔form stand〕 명 드레스 스탠드(dress stand).

폼페이〔Pompei〕 명〖지〗 이탈리아의 나폴리(Napoli) 동남 21 km에 있었던 고대 도시. 기원전 5세기경부터 번영하였으나 79년 베수비오 화산(Vesuvio 火山)의 폭발로 매몰되었음. 1755년부터 발굴(發掘)되기 시작하였음.

폼페이우스〔Pompeius, Magnus Gnaeus〕 명〖사람〗 고대 로마의 정치가·군인. 여러 차례의 원정에서 공을 세웠으나 원로원(元老院)의 냉대에 노하여 카이사르(Caesar) 등과 함께 제1회 삼두 정치(三頭政治)를 결성하였음. 뒤에 카이사르와 불화하여 원로원과 결탁하여 그를 탄핵코자 했으나 실패하고, 망명 중에 암살되었음. [106-48.B.C.]

폼페이 최:후의 날【一最後一】〔—/—에—〕 명〔The Last Days of Pompei〕〖책〗 영국의 리튼(Lytton, E. G.)이 1834년에 발표한 역사 소설. 베수비오(Vesuvio) 화산의 폭발과 당시의 화려한 폼페이를 배경으로, 절세의 미인 아이온(Ione)을 사이에 둔 요사(妖邪)한 성직자(聖職者) 아베시즈와 그리스의 귀족 글로커스(Glaucus)의 갈등(葛藤)을 그렸음.

폼포나치〔Pomponazzi, Pietro〕 명〖사람〗 이탈리아의 아리스토텔레스 학자. 자연주의적 입장에서 아베로에스(Averroes)와 토마스 아퀴나스(Thomas Aquinas)의 설에 반대하여 영혼의 불멸을 절대적으로 부정(否定)하고, 인간의 영혼은 그 이성적(理性的) 능력에 의하여 영원의 진리를 알 수 있는 한(限)에 있어서 불사성(不死性)을 얻을 수 있다고 함. 또한 신앙에 의한 계시적 진리와 논증에 의한 이성적 진리의 이중(二重) 진리설을 주장함. 저서 ≪영혼 불멸론≫·≪주술(呪術)에 관하여≫ 등. [1462-1524]

폼포소〔이 pomposo〕 명〖악〗 '장려(壯麗)하게·호탕하게'의 뜻.

폼프〔네 pomp〕 명 펌프(pump).

폼: 플라스틱〔foam plastic〕 명 내부에 기포(氣泡)가 들어 있는 플라스틱. 가볍고 단열성(斷熱性)·방음성(防音性)이 뛰어나서 쿠션재(cusion材)·단열재·방음재·포장용 패킹재(packing材) 등으로 쓰임.

폽 플라이〔pop fly〕 명 야구에서, 가볍게 치거나 잘 맞지 못한 공이 작은 플라이가 되어 날아가는 일.

폿 명 〈방〉 팥(전라·경남).

폿-가지 명 〈방〉〖건〗 촛가지.

폿-소리【砲一】 명 포성(砲聲).

폿-집【包一】 명〖건〗 전각(殿閣)이나 궁궐(宮闕)과 같이 포살미하여서 지은 집.

폿치 명 〈방〉 팥(함북).

퐁 부 ①물에 무엇이 빠지거나 작은 구멍이 뚫어지는 소리. ②세게 뀌는 방귓 소리. 1)·2):쓰뽕. <풍. ＊팡.

퐁당[1]〔프 fondant〕 명 입에 넣으면 곧 녹는 부드러운 당과(糖菓). 카스텔라의 장식용 등으로 쓰임.

퐁당[2] 부 작고 단단한 물건이 물에 떨어져 빠지는 소리. ¶ ~ 물에 빠지다. <풍덩. ——-하다 자 여불

퐁당-거리다 자타 잇따라 퐁당하는 소리가 나다. 또, 잇따라 퐁당 소리를 내며 물 속으로 들어가거나 들어가게 하다. <풍덩거리다. 퐁당-퐁당 부. ——-하다 자타 여불

퐁당-대다 자타 퐁당거리다.

퐁 드 곰 유적【一遺跡】〔Font de Gaume〕 명 프랑스의 도르도뉴 지방(Dordogne 地方)에 있는 동굴(洞窟) 유적. 구석기 시대 마들렌 문화기(Madeleine 文化期)의 벽화로 유명함.

퐁디셰리〔Pondicherry〕 명〖지〗 ①인도 남부, 마드래스(Madras) 남방의 동해안에 임한 항만 도시. 또, 그 주변(周邊)을 포함하는 인도 공화국의 연방 정부 직할령(直轄領). 코로만델(Coromandel) 해안을 차지하는 옛 프랑스 식민지. 행정권이 인도로 옮겨지기까지의 1814~1954년 간은 프랑스 령(領)이었음. [479 km²: 604,000 명(1981년)] ②퐁디셰리 직할령의 중심 도시. 마드라스의 남남서, 벵골 만에 면한 항만 도시로 교역지(交易地). 섬유 공업이 행해짐. 식민지 시대의 건물이 남아 있음. [251,420 명(1981년)]

퐁스〔Pons, Lily〕 명〖사람〗 프랑스 출생의 미국 소프라노 가수. 미모와 고음(高音)을 자재로 구사하는 훌륭한 기교로써 대중적 인기를 얻어 당대 유수의 가수가 됨. [1904-]

퐁키엘리〔Ponchielli, Amilcare〕 명〖사람〗 이탈리아의 작곡가. 크레모나(Cremona) 대성당의 오르간 주자(奏者)·악장을 지냈으며 기악의 역할을 중시한 오페라를 썼음. 대표작으로 '시간의 춤'으로 알려진 오페라 ≪라 조콘다≫가 있음. [1834-88]

퐁텐〔Fontaine, Pierre François Léonard〕 명〖사람〗 프랑스의 건축가. 나폴레옹 시대의 고전적 양식을 대표하는 사람의 하나. 대표작에 파리의 ≪카루젤(Carrousel) 개선문≫이 있음. 건축 이론과 디자인 관계의 저서도 많으며, 후세에 끼친 영향이 큼. [1762-1853]

퐁텐블로〔Fontainebleau〕 명〖지〗 프랑스 북중부, 파리에서 남동쪽으로 약 60 km 지점에 있는 마을. 16,855 헥타르나 되는 퐁텐블로의 숲이 있으며, 행락·보양지로서 유명함. 16세기에 프랑수아 1세가 세운 왕궁·수렵장이 있음. [17,000 명(1982)]

퐁텐블로-궁【一宮】〔Fontainebleau〕 명 파리 남동쪽 65 km 교외의 퐁텐블로시(市)에 건립된 궁전. 프랑수아 1세를 위해 16세기에 건조된 궁성인데, 앙리 4세, 루이 13세, 나폴레옹 1세와 3세에 의해 확장되고 장식됨. 특히, 실내 장식은 프랑스 르네상스기(期)의 걸작으로 손꼽힘.

퐁텐블로-파【一派】〔Fontainebleau〕 명〖미술〗 ①16세기에 퐁텐블로의 프랑수아 1세 궁정에서 활약한 일단의 화가(畫家). 마니에리즘(maniérism) 양식의 회화를 창시함. ②19세기의 바르비종파(Barbizon派)

의 별칭.

퐁트넬 〔Fontenelle, Bernard Le Bovier de〕 명 『사람』 프랑스의 철학자·문학자. 18세기 계몽사상의 선구자. 적극적 데카르트주의자로서 기계관적(機械觀的) 자연 철학을 주창, 합리주의·반(反)종교주의 입장에서 천문학에 대한 일반인의 무지를 계몽함. 주저(主著)에 ≪세계 다수 문답(多數問答)≫이 있음. [1657-1757]

퐁파두르 부인 【一夫人】 〔Pompadour〕 명 『사람』 프랑스 루이 15세의 애인. 본명은 Jeanne Antoinette Poisson. 남의 부인이었으나 미모와 재능으로 국왕에 접근, 칠년 전쟁(七年戰爭)을 계속하게 하는 등 정치에도 간섭하고 사치가 극심하여 그 폐해가 심하였음. [1721-64]

퐁-퐁 부 ①좁은 구멍으로 물이 쏟아지는 소리. ②작은 발동기에서 기화(氣化)하면서 나는 소리. 또, 방귀를 연해 세게 뀌는 소리. ㅆ뿡뿡. 1)·2): <풍풍.

퐁퐁-거리다 자타 연이어 퐁퐁 소리가 나다. 또, 연이어 퐁퐁 소리를 내다. ㄴ봉봉거리다. ㅆ뿡뿡거리다. <풍풍거리다.

퐁퐁-달:리아 〔pompon dahlia〕 명 『식』 달리아의 변종(變種). 소형의 꽃이 여러 개이고, 꽃잎은 통상(筒狀)을 이루며, 둥글게 열지어 화심(花心)을 감추고 있음.

퐁퐁-대다 자타 퐁퐁거리다.

퐁피두 〔Pompidou, Georges Jean Raymond〕 명 『사람』 프랑스의 정치가. 드골의 지우(知遇)로 정계에 들어가 1962년 수상이 됨. 68년의 '5월 혁명'을 잘 수습하고, 1969년 드골의 후계자로 대통령에 취임한 후, 74년 현직에 있으면서 병사함. [1911-1974]

푀 명 〈방〉 표(함경·평북·충청·강원).

푀기 명 〈방〉 포기¹(강원·충북·전북·경상).

푀양-당 【一黨】 명 〔Feuillants〕 『역』 프랑스 혁명기의 입헌 군주파. 1791년 자코뱅당(黨)에서 분열하여 푀양 수도원에서 결성됨. 자유주의 귀족과 상류층의 부르주아 지주(地主)들로 구성되어 입법 회의에서는 지롱드당(Gironde黨)과 대립하였음.

푄: 〔도 Föhn〕 명 『기상』 산을 넘어서 불어 내리는 돌풍적(突風的)인 건조(乾燥)한 열풍(熱風). 흔히, 산맥을 경계로 기압차(氣壓差)가 있을 때에 일어나는데, 로키 산맥·알프스 산맥에서 많이 볼 수 있음. 이로 인하여 생긴 이상 건조(異常乾燥)는 큰 불을 일으키는 원인이 됨. 풍염(風炎). ¶ ~ 현상.

표¹ 【杓】 명 『천』 두병(斗柄).

표² 【表】 명 ①위. 겉. 겉쪽. 바깥. 바깥쪽. ②표지(標識). ③『문』 소회(所懷)를 적어서 제왕(帝王)께 올리는 글. 경하(慶賀)에 흔히 씀. ¶하(賀)~. ④『역』 과문 육체(科文六體)의 하나. ⑤요항(要項)을 순서에 좇아 열기(列記)한 것. ¶시간~/통계~. ⑥↗표적(表迹).

표³ 【表】 명 성(姓)의 하나. 현재 우리 나라에는 본관(本貫)이 신창(新昌) 하나뿐임.

표⁴ 【票】 명 증거가 될 만한 쪽지. 곧, 차표(車票)·선표(船票)·비행기표·입장권(入場券) 같은 것.

표⁵ 【標】 명 ①증거가 될 만한 필적. ②준거가 되는 형적(形迹). 곧, 안표(眼標) 같은 것. ③두드러지게 나타나 보이는 특징. ④특징이 되게 하는 어떠한 지점(指點). ⑤↗표지(標紙). ——-하다 타여불 특징이 되게 하느라고 어떻게 지점(指點)하다.

표⁶ 【瓢】 명 바가지의 하나.

표가 【表價】 [一까] 명 화폐(貨幣)의 표면에 기록되어 있는 가격. 액면 가격(額面價格).

표가라 【驃一】 명 몸은 검고 갈기가 흰 말.

표객 【嫖客】 명 오입쟁이. ¶ 매월이 일찍이 음황이 자심한 ~ 몇을 경험하였으되…≪金周榮 : 客主≫.

표겁 【剽劫】 명 협박함. 공갈함. ——-하다 타여불

표격¹ 【標格】 명 목표로 할 만한 품격(品格). 높은 품격.

표격² 【標擊】 명 어떠한 사물(事物)을 침. ——-하다 타여불

표견 대:리 【表見代理】 명 『법』 표현 대리.

표결¹ 【表決】 명 『법』 의안(議案)에 대한 가부(可否)의 의사를 표시하여 결정하는 일. ——-하다 타여불

표결² 【票決】 명 투표로써 결정함. ¶ 가부를 ~에 부치다. ——-하다 타여불

표결-권 【表決權】 [一꿘] 명 『법』 회의에 참가하여 표결(表決)에 참여하는 권리. 각종 의회와 사단 법인(社團法人)의 경우에는 표결권은 평등하지만 주주(株主)의 경우에는 하나의 주(株)에 대해서 하나의 표결권을 가짐. 의결권(議決權).

표결-법 【表決法】 [一뻡] 명 표결하는 방법. 흔히, 거수·기립·투표·호명 표결 등이 있음.

표경 【剽輕】 명 ①몸이 가볍고 날램. ②경솔함. ③거칠고 경박(輕薄)함. ——-하다 형여불

표고¹ 명 『식』 [*Lentinus edodes*] 송이과(松栮科)에 속하는 비섯의 하나. 줄기는 굽고 짧으며 백색에 자흑색 또는 흑갈색 선두가 있음. 삿갓은 원형 또는 신장형인데 길이 5-13cm이고 육질(肉質)이며, 표면은 갈색 또는 회색에 인편(鱗片)이나 갈라진 틈이 많고 내면은 백색임. 봄에서 가을까지 밤나무·떡갈나무 등의 고목에 기생 또는 저절로 자라는데, 한국·중국·일본에 분포함. 비타민 D의 함유량이 많아 동양에서 절이거나 볶아서 요리에 널리 씀. 흔히 원목(原木)의 갈라진 틈에 균사(菌絲) 또는 포자(胞子)를 넣어 많이 재배하며, 외국에도 수출함. 인공적으로 번식시키기도 함. 마고(蘑菰). 추이(椎栮). 향심(香蕈). 표고버섯. 주의 '蔈古'로 씀은 취음(取音).

〈표고¹〉

표고² 【標高】 명 평균 해면(平均海面)에서 지표(地表)의 어느 지점에 이르는 수직의 거리. 해발 고도(海拔高度).

표고 나물 명 생표고를 살짝 데쳐서 소금·기름에 무친 나물. 마고채(蘑菰菜).

표고-버섯 명 『식』 '표고¹'를 분명히 일컫는 말. 추이(椎栮).

표고-식 【標高式】 명 『지』 지도에서 지표면의 고저(高低)를 표시하는 방식의 하나. 각 점(各點)의 옆에 미터를 기입하여 나타냄.

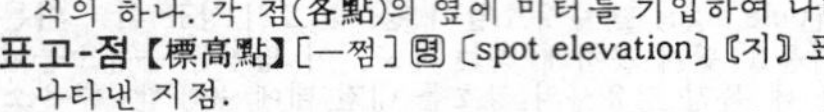

표고-점 【標高點】 [一쩜] 명 〔spot elevation〕 『지』 표고(標高)를 숫자로 나타낸 지점.

표고 조림 명 표고를 굵직하게 썰어서 간장과 기름을 치고 대강 조린 음식.

표공 【標空】 명 공중에 나타남. ——-하다 자여불

표교¹ 【僄狡】 명 ①가볍고 재빠름. ②경솔하고 교활함. ¶ ~한 언동. ——-하다 형여불

표교² 【剽狡】 명 표독스럽고 교활함. 또, 그런 사람. ——-하다 형여불

표구 【表具】 명 장황(粧潢). ——-하다 타여불

표구-사 【表具師】 명 장황(粧潢)을 업으로 삼는 사람.

표구-점 【表具店】 명 장황(粧潢)을 직업으로 하는 가게.

표권 화:폐 【表券貨幣】 [一꿘一] 명 『경』 신용 화폐(信用貨幣).

표금 【標金·驃金】 명 상해(上海)에서 통화(通貨)의 대용으로 쓰이던 직사각형의 금괴(金塊).

표급 【剽急】 명 가뿐하고 민첩함. ——-하다 형여불

표기¹ 【表記】 명 ①거죽에 표시하여 기록함. 또, 그런 기록. ②문자 및 음성 기호로 언어를 표시하는 일. ¶ 로마자(字) ~. ——-하다 타여불

표기² 【標記】 명 무슨 표로 기록함. 또, 그러한 부호. ——-하다 타여불

표기³ 【標旗】 명 ①목표로 세우는 기. ②『역』 병조(兵曹)의 주기(主旗).

표기 대:장군 【驃騎大將軍】 명 『역』 고려 때 종일품 무관(武官)의 품계. 성종(成宗) 14년(995)에 정함.

표기-법 【表記法】 [一뻡] 명 문자·부호를 사용하여 언어를 적어 나타내는 규칙의 총칭. 글자의 선정, 언어의 구성, 나누어 쓰기, 띄어 쓰기, 보조 부호의 사용법 등. 특히, 음운(音韻)에 중점을 두는 경우를 표기법, 언어 표현의 수단으로서의 문자에 중점을 두는 경우를 용자법(用字法)이라고 함.

표기 봉:지 【標旗奉持】 명 『역』 병조(兵曹)의 표기를 들던 금군(禁軍).

표-끊다 【票一】 [一끈타] 자 일정한 돈을 내고 표를 사다.

표-나다 【表一】 자 특별히 표될 만한 점이 나타나다. 두드러지다.

표내 【標內】 명 목표의 안.

표녀 【漂女】 명 빨래하는 여자.

표단 【瓢簞】 명 표주박.

표단-형 【瓢簞形】 명 표주박과 같은 모양.

표답 【表答】 명 ①결과로서 나타남. ②왕의 물음에 상주(上奏)하여 답함. ——-하다 자타여불

표-대 【表對】 [一때] 명 『문』 글을 짓는 데에 썩 잘 맞게 된 대구(對句).

표덕 【表德】 명 ①덕행(德行)·선행(善行)을 나타내는 일. ¶ ~비(碑). ②아호(雅號). 별호(別號). ——-하다 자여불

표도 【剽盜】 명 표략(剽掠). ——-하다 타여불

표독 【慓毒】 명 사납고 독살스러움. ¶ ~한 여자. ——-하다 형여불

표독-스럽다 【慓毒一】 형ㅂ불 보기에 표독한 데가 있다. ¶ 표독스러운 표정. 표독-스레 【慓毒一】 부

표동 【漂動】 명 물 위에 떠서 감돌아 움직임. 흔들리어 움직임. ——-하다 자여불

표등 【標燈】 명 무엇을 표하는 등불.

표-때기 【票一】 명 〈방〉 표(票)(전북).

표락 【飄落】 명 ①바람에 날리어 떨어짐. ②정처없이 흘러 떠돎. ③영락(零落)함. ——-하다 자여불

표랑 【漂浪】 명 ①떠돌아 다님. 떠돌아 헤맴. 표류(漂流). ②떠도는 큰 물결. ——-하다 자여불

표략 【剽掠】 명 협박하여 갈기어 빼앗음. 표도. 표탈(剽奪). ——-하다 타여불

표력 【漂礫】 명 『지』 직경 256mm 이상의 큰 자갈.

표력-토 【漂礫土】 명 『지』 빙하(氷河)에 의해 운반되었다가 빙하가 녹으면서 그대로 방치(放置)된 쇄설물(碎屑物). 그 전형적인 것은 점토(粘土)임. 현재의 곡(谷)빙하에서는 점토는 거의 없고 주로 양쪽의 산지에서 무너져 떨어진 암편(岩片)이 운반되고 있음.

표령¹ 【飄翎】 명 빼깃.

표령² 【飄零】 명 ①나뭇잎 같은 것이 나부끼어 떨어짐. ②신세가 딱하게 되어 이리 저리 떠돌아다님. ——-하다 자여불

표로¹ 【表露】 명 거죽에 나타남. 또, 나타냄. ——-하다 자타여불

표로² 【剽虜】 명 노략질하여 빼앗음. ——-하다 자여불

표류 【漂流】 명 ①물에 떠서 흘러 감. 표박(漂泊). ②정처 없이 돌아다님. 표랑(漂浪). ——-하다 자여불

표류-기 【漂流記】 명 표류한 경험이나 감상 등의 기록. ¶15 소년 ~.

표류-물 【漂流物】 명 『법』 사람의 점유를 떠나 물 위에 표류하는 물건. *유실물(遺失物).

표류-선 【漂流船】 명 기동성을 잃고 표류하는 배.

표류 수뢰 【漂流水雷】 명 조류(潮流)·하류(河流)의 흐름을 이용해서 목적물을 겨누고 띄워 명중하면 폭발하는 수뢰. 또, 계유견(繫維牽)이 끊겨 표류하는 수뢰.

표류 운반 【漂流運搬】 명 〔rafting〕 『지』 부류빙(浮流氷)이나 떠서 흘러가는 유기 물질, 곧 통나무 등이 물의 흐름으로는 도달하지 않는 장소까지 암석을 운반하는 일.

표류 카:드 【漂流一】 명 〔drift card〕 『해』 해류병(海流甁) 속에 넣어 사용하는 카드. 부이(buoy) 속이나 방수성 봉투에 넣어 방류함.

표륜【漂淪】명 여기저기 떠돎. 영락함. ——-하다 자여불
표-리【表裏】명 ①속과 겉. 안팎. 표면과 내심. 표면과 이면(裏面). ②〖역〗은사(恩賜)나 헌상(獻上)하는 옷의 겉감과 안집.
표리 부동【表裏不同】명 마음이 음충맞아서 겉과 속이 다름. ——-하다 형여불
표리 상응【表裏相應】명 밖에서와 안에서 서로 손이 맞음. ——-하다 자여불
표리 일체【表裏一體】명 안팎이 한 뭉치가 됨. ——-하다 자여불
표마【驃馬】명 표(驃)절따.
표막【表膜】명 표면을 싸고 있는 막(膜). 겉막.
표말【標抹】명 푯말.
표매【摽梅】명 〔잘 익어서 떨어진 매실(梅實)이라는 뜻〕 혼기(婚期)가 지난 여자.
표면【表面】명 거죽으로 드러난 면(面). 겉쪽. 면(面). 겉면.
표면 경계층【表面境界層】명 〖기상〗 대기층 중, 난류(亂流)에 의한 소용돌이 응력(應力)이 높이에는 관계 없이 거의 변화하지 않는 부분. 보통 지표면에서 높이 약 50 m 까지의 기층.
표면 경화【表面硬化】명 〔case hardening〕〖물〗 강철의 표면만을 경화(硬化)시키는 처리법. 내부는 인성(靭性)을 갖게 한 채로 표면의 내마모성(耐摩耗性)·내피로성(耐疲勞性)을 증가시킴. 침탄법(浸炭法)·질화법(窒化法)·금속 침투법(金屬浸透法) 등의 화학적 방법에 의하는 것과 고주파(高周波) 표면 경화법·화염(火炎) 표면 경화법·쇼트 피닝(Shot peening) 등의 물리적 방법이 있음.
표면 금리【表面金利】[—니] 명 〖경〗 금융 기관이 자금을 대출할 경우, 표면 상으로 공표하는 금리. 양건 예금(兩建預金)·담보 예금 등으로 채무자(債務者)의 실효 금리는 일반적으로 이것을 상회함. *실효 금리·양건 예금.
표면 난:할【表面卵割】명 〖생〗 곤충이나 새우·게 등의 절지(節肢) 동물의 알처럼 난황(卵黃)이 중심에 있고 그것을 둘러싸고 표면에 있는 세포질의 부분만 다수의 세포로 갈라지는 난할의 한 형(型). ㈜표할(表割). *반할(盤割)·부분할(部分割).
표면-력【表面力】[—녁] 명 〖물〗 고체의 표면에 있는 원자 또는 분자 간에 작용하는 힘이 평형(平衡)하지 않는 결과 바깥 쪽을 향하여 표면에 수직 방향으로 작용하는 힘.
표면 마찰【表面摩擦】명 〔skin friction〕〖물〗 고체에 접하여 유체(流體)가 흐를 때, 상호 간섭에 의해 일어나는 마찰력.
표면 마취【表面痲醉】명 〖의〗 점막(粘膜) 표면에 마취제를 작용시켜서 지각(知覺) 신경 말단을 마비시키는 국소 마취 방법. *한랭(寒冷) 마취·침윤 마취(浸潤痲醉).
표면 물리학【表面物理學】명 〔surface physics〕〖물〗 물성 물리학(物性物理學)의 한 분야. 물질 표면의 물성(物性)을 연구하는 학문.
표면 반:응【表面反應】명 〔surface reaction〕〖화〗 표면 부근에서 일어나는 반응. 핵(核)반응의 직접 반응은 거의 이것에 속함. 특히, 계면(界面) 반응 중 고상(固相)과 액상(液相) 또는 고상과 기상(氣相)의 계면에서 일어나는 것을 일컬음.
표면 배:양【表面培養】명 〔surface culture〕〖의〗 액체 배지(培地)의 표면에 사상균(絲狀菌)을 번식시키는 배양법. *심부 배양(深部培養).

균개(菌蓋) 솜마개
루병 페른바하병
액체배지(培地)
〈표면 배양〉

표면 배:향【表面配向】명 〔surface orientation〕〖물·화〗 액체의 표면 상에서, 분자의 특정 부분이 액체 쪽을 향하여 배열하는 일.
표면 복수기【表面復水器】명 〔surface condenser〕〖기〗 증기(蒸氣)를 물로 냉각하여 복수(復水)하는 경우에, 증기와 물을 섞지 않고 많은 전열면(傳熱面)을 통하여 복수하는 장치.
표면 분석계【表面分析計】명 〔surface analyzer〕〖공〗 표면의 불규칙한 요철(凹凸)을 측정 또는 기록하는 장치. 표면에 결정체(結晶體)의 픽업(pickup)이나 유사한 도구를 통과시켜, 얻어진 전압을 확대하여 지시계나 기록계에 보냄. 불규칙한 표면을 5만 배까지 확대·표시함.
표면 불활성【表面不活性】[—썽] 명 〖물〗 계면 불활성. ↔표면 활성.
표면-색【表面色】명 〔surface colour〕〖물〗 금·구리 등의 금속과 같이 광선이 조금도 흡수되지 아니하고 전부가 그대로 반사되어 나타나는 특유한 표면만의 빛깔. 반사색.
표면-압【表面壓】명 〔surface pressure〕〖물〗 물의 표면 장력(張力)과, 수면(水面)에 기름과 같은 막(膜)이 떠 있을 때의 표면 장력과의 차(差)를 그 막(膜)의 표면압이라 함. 곧, 수면에서 막의 분자가 퍼지려는 힘.
[표]면 연:마기【表面研磨機】명 〔surface grinder〕〖기〗 평면(平面)을 연[마]하는 공작 기계의 하나. 원판꼴로 된 숫돌바퀴의 외주(外周)를 쓰는 [것]과 접시 모양으로 된 숫돌바퀴의 단면(斷面)을 쓰는 것이 있음. 서피[스] 그라인더.
[표면] 연소【表面燃燒】명 〔surface combustion〕〖물〗 숯의 연소처럼 공[기가] 공급되는 액체 또는 고체의 표면에서만 일어나는 연소의 한 형태. [이] 때 불길은 일어나지 않음. *분해(分解) 연소·증발(蒸發) 연소.
[표면] 응축기【表面凝縮器】명 〔surface condenser〕〖물〗 증기와 냉매(冷[媒)가] 금속 표면을 통하여 간접적으로 접촉, 증기에서 냉매에로의 열[전도(]熱傳導)로 증기를 냉각 응축시키는 장치.
[표면 장]력【表面張力】[—녁] 명 〔surface tension〕〖물〗 액체의 표면이 [illegible] 수축하여 가능한 한, 작은 면적을 취하려는 힘. 표면에 연하여 작[용하며,] 액체의 표면을 이루는 분자층(分子層)에 의해 생김. 계면 장력[(界面張]力).
[표면 장력]파【表面張力波】[—녁—] 명 〔capillary wave〕〖물〗 수면의 물결 [illegible] 장(波長)이 1.7 c[illegible] (重力波).
표면 재:결합【表[面再結合]】[illegible] 체(半導體)의 표[면] [illegible] 합 과정.
표면-[적][1] [illegible]
표-면적[2]【表面的】명 [illegible]
표면 처:리【表面[處理]】[illegible] 화(硬化)·도금(鍍金)·방[식] [illegible] 이징.
표면 처:리 강판【[表面處理鋼板]】[illegible] 식적 효과의 향상 [illegible] 베푼 박강판(薄鋼板) [illegible] 酸塩)과 크롬산염(酸[illegible] 성 수지 피복(被覆) [illegible]
표면 침전 반:응【表[面沈澱反應]】명 〔su[illegible]〕〖화〗 상이한 물질이 접 [illegible] 작용에 의하여 침전이 [illegible] 때, 그 계면(界 [illegible] 에 막(膜)을 형성하는 경 [illegible] 거나 떼어내어도 액성(液性) [illegible] 과 새로운 막이 생긴 결과 [illegible]
표면-파【表面波】명 〔surfac[e] w[ave]〕 [illegible] 질의 경계면에 따라서 전파(傳播) [illegible] 표면을 전파하는 전자기파(電磁氣 [illegible]) 등 여러 가지임.
표면파 선로【表面波線路】[—설—] [illegible] 이크로파(波)를 보내는 선로. 쓰고 [illegible] 때문에 근거리 전송에 쓰임. 특히, 계 [illegible] 때 산정(山頂)의 안테나에서 이것을 [illegible] 이용함.
표면 퍼텐셜【表面—】명 〔suface potentia[l]〕 [illegible] 공기와의 사이의 계면 전위(界面電位). ② [illegible] 의 에너지대(帶)의 휘는 정도를 나타내는 양(. [illegible]
표면-화【表面化】명 표면에 드러남. ¶사건이 ~ [illegible]
표면 활성【表面活性】[—썽] 명 〔surface active〕 [illegible] 活性).
표면 활성제【表面活性劑】[—썽—] 명 계면 활성 [illegible]
표명【表明】명 드러내 보여서 명백히 함. ¶사의(辭意) [illegible] 하다 타여불
표모【漂母】명 빨래하는 노파.
표목[1]【標木】명 표를 하기 위하여 세운 나무. 푯말.
표목[2]【標目】명 ①표적. 목표. ②목록(目錄). 목차(目次).
표몰【漂沒】명 떴다 잠겼다 함. ——-하다 자여불
표묘【縹緲·縹渺】부 ①어렴풋하여 뚜렷하지 않은 모양. ②넓[고 아득하]는 모양. ——-하다 형여불
표문[1]【表文】명 임금께 표(表)로 올리던 글.
표문[2]【豹紋】명 표범 무늬.
표문-쥐치【豹紋—】명 〖어〗 [*Naso unicornis*] 양쥐돔과에 속하는 바[닷]물고기. 몸빛은 황갈색, 몸길이 40-50 cm, 달걀꼴로 측편(側扁)하고 머리는 길며 성어(成魚)에는 후두부에 길이 9 cm 정도의 각상 돌기(角狀突起)가 있음. 이는 크고 20개 정도, 몸에는 융모(絨毛) 같은 작은 비늘이 있고 꼬리자루 양쪽에 부동성(不動性)의 골성판(骨性板)이 있음. 우리 나라·일본·아프리카·오스트레일리아·하와이에 분포함.
표미-기【豹尾旗】명 〖역〗 조선 시대의 군기(軍旗)의 하나. 고초기(高招旗)처럼 외폭으로 하되 길이 일곱 자, 깃대 길이 아홉 자. 표범의 꼬리를 두 곱에 꺾어 그림. 영두(纓頭)·주락(珠絡)·장목이 있음. 이 기를 세워 놓은 곳에는 함부로 드나들지 못하고 아무도 얼씬 못하게 군법(軍法)으로 다스렸음.

〈표미번〉

표미-번【豹尾旛】명 〖역〗 의장(儀仗)의 한 가지. 고려 때 왕이 거둥할 때 금절(金節) 앞에 세우던 기. 표범의 꼬리를 이어서 만듦.
표미-창【豹尾槍】명 〖역〗 의장(儀仗)의 한 가지. 표범의 꼬리를 달았음.
표몰 명 〈옛〉 표마. 표절따. ¶표몰(銀鬃馬)《譯語 下 49》.
표박【漂泊】명 ①흘러 떠돎. 표류(漂流). ②일정한 주거나 생업(生業)이 없이 떠돌아다니며 지냄. 표우(漂寓). ——-하다 자여불
표박-류【漂泊類】[—뉴] 명 〖동〗 유행류(游行類).
표박 문학【漂泊文學】명 구비 문학(口碑文學).
표박-자【漂泊者】명 정처없이 떠돌며 지내는 사람.

〈표미창〉

표발【表發】명 발표(發表). ——-하다 타여불
표방【標榜】명 ①주의·주장 또는 처지(處地)를 어떠한 명목(名目)을 붙이어 앞에 내세움. ¶평화 통일을 ~하다. ②남의 선행(善行)을 칭찬 기록하여 여러 사람에게 보임. ——-하다 타여불
표밭【票—】명 선거 투표에서, 특정 출마자가 그 지역에서 그가 차지하는 인기가 특히 좋거나 선거 지반이 튼튼하여 집중적인 득표(得票)를 할 수 있는 구역.
표백[1]【表白】명 드러내어 밝히거나 나타내어 말함. ——-하다 타여불

표백

표백²【漂白】명 ①바래서 희게 함. ②화학 약품 … 하는 작용.
희게 함. ——-하다 타여불

표백-분【漂白粉】명 〔bleaching po…色)으로 … 갖가지의 섬유 … 또는 염색
(塩素)를 흡수시켜 만든 백색 … 환원제로는 … 제. 산화제로 … 아황산화황·아황산 수
제(消毒劑)로도 쓰임. … 가루·지방(脂肪) 유지(油脂) 및 그

표백 작용【漂白作用】명 방향족(芳香族)… 아실화(acyl化) 과산 … 화물질.

표백-제【漂白劑】명 〔bleaching assistant〕 과산화물과 같은 표백제의 침투성을 높
재료 속에 … 욕(浴)에 가하는 물… 인유(油)·붕사(硼砂)
는 표백능.

… 『동』 [*Felis pardus ori…*] 고양잇과에 속하는 맹
… 두동(頭胴) 1.5m, 꼬리 96… 랑하고 몸빛은 등은 담황색
…색이고, 온 몸에 원형(圓形… 달걀꼴의 흑색 반문이 있는
…의 정중선(正中線)에는 특히 … 꼬리가 매우 길고 그 끝에 네
… 불완전한 흑색 띠가 있음 … 암지(岩地)에 사는데 날쌔고 성
질이 포악하며 나무에 잘 오…)하고 … 작은
노루·원숭이·조류 등을 … 은 40 … 한 배
때로는 촌락의 개·소·새·한국 …
에 2-5마리의 새끼를 …
가량임. 동부 시베…

〈표범〉

지에 분포함. 돈… 큰표범나비.

표범-나비【豹…

표범-무늬【… 명 표범의 모피(毛皮)에 있는 무늬.

표범-장지… 『동』 [*Eremias argus*] 장지뱀과에 속하는 도
… 2cm 내외로 몸의 등 쪽은 담암(淡暗) 청갈색이
…輪)이 있는 황색 원형 반문이 정중선(正中線) 부
… 다리에 있고 복면(腹面)은 백색임. 한국에도 분포
마뱀의. 사마자(蛇麻子).

… 〔표범의 무늬가 가을이 되면 아름다워진다는 데서〕 ①
… 고쳐 착해짐. ②마음과 행동이 분명히 달라짐. ¶태도
——-하다 자여불

…명 〔tablature〕『악』 5선(線)의 악보(樂譜)가 아니고 문자(文
…(符號)로써 악기를 치는 장소를 표시한 악보.

…本】명 ①본보기가 되는 물건. 하나를 가지고 같은 종류의 물건
…준(標準)을 삼을 만한 물건. 표품(標品). ¶악(惡)의 ~. ②교구
…)의 하나. 사생이나 자연 같은 것의 학습에 쓰이는 실물 견본(見
…. ③『수』 다수의 통계 자료(統計資料)를 포함하는 집단(集團) 속에
… 그 일부를 집어내어 그것에 관하여 조사한 결과로 원래의 집단의 성질을 추측하는 통계 자료. ④『생』 생물의 몸 또는 그 일부에 적당한 처리를 가하여 보전될 수 있게 한 것. 건조 표본과 액침(液浸) 표본으로 대별함. ¶곤충 ~.

표본 공간【標本空間】명 통계학에서 일정한 모집단(母集團)으로부터 추출(抽出)된 일정한 개수(個數)의 표본의 집합(集合).

〈표본벌레〉

표본-벌레【標本—】명『충』[*Ptinus fur*] 표본벌렛과에 속하는 곤충. 몸길이 5mm 내외이며, 몸은 황갈 내지 흑갈색에 황갈색의 털이 밀생(密生)함. 시초(翅鞘)에는 아홉 줄의 점각 종렬(點刻縱列)이 있고, 각각 두 개의 백색 털의 사대(斜帶)가 있음. 곤충이나 동물의 표본 및 모피(毛皮)의 해충으로 유명한 세계 공통종임.

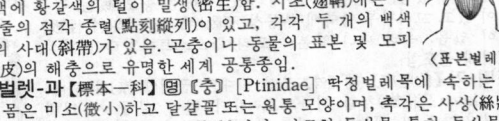

표본벌렛-과【標本—科】명『충』[Ptinidae] 딱정벌레목에 속하는 한 과. 몸은 미소(微小)하고 달걀꼴 또는 원통 모양이며, 촉각은 사상(絲狀) 또는 염주상(念珠狀)으로 보통 11절임. 건조한 동식물, 특히 동식물의 표본을 먹으며 개미류의 집에 서식하는 종류도 있음. 전세계에 550여 종이 분포함. 표본충과(標本蟲科).

표본-법【標本法】[—뻡] 명『사』 집단(集團)이나 사상(事象)에 대해 조사할 때 전체, 곧 모집단(母集團)을 잘 대표하는 부분을 표본으로 선정하고, 그것의 조사로써 전체에 대신하는 방법. 모집단으로부터 표본을 추출하는 표본 추출법(抽出法)의 이론을 도출(導出)한 것이 현대의 추측 통계학(推測統計學)이며, 임의 추출(任意抽出) 표본법·층화(層化) 표본법 등이 있음.

표본 분포【標本分布】명 통계학에서, 모집단(母集團)으로부터 추출된 일정한 개수의 표본의 분포 상태.

표본-실【標本室】명 표본을 보호하거나 진열해 놓은 방.

표본 조사【標本調査】명 통계적인 조사 또는 조사 방법의 하나. 모집단(母集團)으로부터 견본(見本)으로서 추출(抽出)된 자료에 관하여 조사하고 그 결과를 가지고 확률론(確率論)에 의하여 전체를 추측하는 일. 또, 그 방법. 임의 표본 조사(任意標本調査). ↔전수 조사(全數調査). *확률비 추출법(確率比抽出法).

표본-지【標本紙】명 식물의 표본을 붙이는 종이.

표본 추출【標本抽出】명 통계 상의 목적으로 모집단(母集團)에서 표본을 골라내는 일. 임의(任意) 추출법·층화(層化) 추출법·계통 추출법 따위가 있음. 샘플링(sampling).

표사【漂砂】명 ①물을 많이 머금고 있어서 유동하기 쉬운 모래. 토목 공사에서 굴을 팔 때 공사를 방해함. 유사(流砂). ②파랑(波浪)·조류(潮流) 등에 의해 유동하는 토사(土砂). 또는 그것이 유동하는 현상. 항구·… (埋積)하거나 해안을 침식시킴. ③〔quick sand〕『지』 반… 둥근 입자로 된 유동성 있는 가는 모래의 집합체. 서로 점착(粘着)하지 않으며, 표면의 무거운 물질을 빨아들이는 성질이 있음.

표사 광:상【漂砂鑛床】명『광』 유수(流水)나 파도 때문에 암석이 부서지고 그 속에 함유되었던 무거운 비중의 금속 광물이 부근에 모여서 모래와 섞이어 이루어진 사철(砂鐵)·사금(砂金)·사석(砂錫) 등의 광상. 천사(淺砂) 광상·심사(深砂) 광상·해빈사(海濱砂) 광상 등의 구별이 있음. 사력 광상(砂礫鑛床).

표사 유피【豹死留皮】명 표범은 죽어서 모피(毛皮)를 남긴다는 뜻에서, 사람은 죽어서 명예를 남겨야 함의 비유. 호사 유피(虎死留皮). *인사 유명.

표상【表象】명 ①상징(象徵). ②〔도 Vorstellung〕『철』 감각(感覺)을 요소로 하는 심적 복합체(心的複合體). 또, 어떤 대상(對象)을 뜻하는 직관적인 의식 내용. 곧, 지각(知覺) 표상·기억(記憶) 표상 등을 총괄하여 말함. 또는, 지각 표상 이외의 기억(記憶) 표상·상상 표상 등과 같은 재생 심상(再生心象)에 의한 대상 의식(對象意識)을 가리키기도 함.

표상-설【表象說】명 〔represantationalism〕『철』 지각(知覺)의 대상은 실재(實在)의 대상, 곧 물건 자체의 표상에 지나지 않는다는 학설.

표상-주의【表象主義】[—/—이] 명 상징주의(象徵主義).

표상-형【表像型】명 〔types of ideas〕『심』 기억이나 그 외의 사고 생활에 관하여 어떤 지각 양상(知覺樣相)이 가장 강하게 규정적(規定的)으로 작용하는가에 따라서 나눈 인간형(人間型). 시각형(視覺型)·청각형(聽覺型)·운동형(運動型) 및 혼합형(混合型)의 네 가지로 나눔. 기억형(記憶型).

표서【表書】명 거죽에 글씨를 씀. 또, 그 글씨. ——-하다 자여불

표석¹【表石】명 묘표(墓表).

표석²【漂石】명 ①『지』 빙하(氷河)의 작용으로 운반되었다가 빙하가 녹은 뒤에 그대로 남아 있는 바윗돌. ②『광』 풍화(風化) 작용에 의하여 노두(露頭)에서 떨어져 나가 시냇물에 흘러 내려가서 하류까지 운반된 광석의 파편(破片).

표석³【標石】명 푯돌.

표석 탐광【漂石探鑛】명 표석의 크기나 모진 정도를 조사하여 그 모체(母體)의 광상을 찾아내는 법. 광상(鑛床)에 가까울수록 모가 짐.

표선¹【漂船】명 바람에 불리어 정처없이 떠도는 배.

표선²【標線】명『화』 피펫(pipette)·뷰렛(burette) 등, 화학 실험에 쓰이는 용적계(容積計)에 새겨진 측정용의 선.

표설【漂說】명 부설(浮說).

표소【票所】명 ↗투표소(投票所).

표솔【表率】명 모범이 되는 것. 표본(標本).

표송【標松】명 나뭇갓에 베지 아니하고 몇 대만 표나게 남기어 둔 큰 소나무.

표-수【票數】[—쑤] 명 전표(傳票)나 투표(投票) 등의 수.

표수-층【表水層】명『생』 성층(成層)되어 있는 호소(湖沼)에서는 표층 가까이의 수온(水溫)의 연직 경도(鉛直傾度)가 작아 변수층(變水層)까지는 거의 등온(等溫)인데, 이 변수층 이상의 층을 일컫는 말. 이 층은 영양 염류가 고르게 분포하고 있고, 산소도 표층으로부터 충분히 녹아들어 있으며, 또 광조건(光條件)도 좋아 생물의 주된 생활 장소가 됨.

표숙【表叔】명 외숙(外叔). 외삼촌(外三寸).

표습【剽襲】명 조금도 변경하지 않고 그대로 모방함. 답습(踏襲). ——-하다 타여불

표시¹【表示】명 ①겉으로 드러내 보임. ②남에게 알리느라고 겉으로 드러내어 발표함. ¶감사의 ~. ——-하다 타여불

표시²【標示】명 표를 하여 외부에 드러내어 보임. ——-하다 타여불

표시-구【標時球】명 항만(港灣)의 선박 등에 정확한 시각, 흔히 정오를 알리기 위하여, 간두(桿頭)에서 낙하시키는 공.

표시-기¹【表示器】명 인디케이터❶.

표시-기²【標示器】명 교통 정리·방향 지시 등을 위하여 글자나 그림로 어떻게 하라는 뜻을 가리켜 보이느라고 세우는 푯대.

표시-등【表示燈】명 ①기계의 작동 상태·과정 등의 형편을 나타… 보여주는 작은 전등. ②수로(水路) 안내 선박에 다는 등불. 1)·… 일컫는 램프.

표시-법【表示法】[—뻡] 명 표시하는 방법.

표시-주의【表示主義】[—/—이] 명『법』 의사 표시에 있어… 나타난 행위의 표시를 중요하게 여기는 주의. *의사주의(…

표시 화:폐【表示貨幣】명『법』 증서에 표시된 화폐.

표식¹【表式】명 ①표시하는 일정한 법식. ②모범.

표식²【標式】명 고고학(考古學)에서, 하나의 형식(形式)… 낼 수 있는 전형적인 유적·유물을 말함.

표식³【標識】명 '표지(標識)'의 잘못.

표식 조사【表式調査】명 흔히 지방 사무소나 지방 … 면 지역의 통계 단위의 관찰 결과를 집계한 것이나 … 탠 수치를, 일정한 양식에 의한 조사표에 기입하…

표식 토기【標式土器】명 고고학에서, 토기(土器… 類上), 하나의 식(式)을 정확히 표시하는 토기…

표신【標信】명『역』 궁중에 급변(急變)을 전할 … 때에 표로 지니던 문표(門標).

표실【漂失】명 물에 떠돌다 없어짐. 떠내려…

표암【豹菴】명『사람』 강세황(姜世晃)의 호…

표양¹【表揚】명 드러내어 찬양함. 표창(表…

표양²【表樣】명 겉으로 드러난 표정이나…

표면 … 기… 이… 표면 … 媒)가… 전도(… 표면 장… 스스로… 용하며… (界面張… 표면 장력…

표양³【飄揚·飄颺】[명] 공중에 떠오름. 바람에 날려 떠오름. ——-하다 [자][여불]

표어【標語】[명] 주의(主義)·강령(綱領) 같은 것을 간결하게 표현한 짧은 어구. 슬로건. 모토.

표어 문자【表語文字】[—짜] [명] 〖언〗 단어(單語) 문자.

표연【飄然】[부] ①비바람에 가볍게 나부끼는 모양. ②홀쩍 나타나거나 떠나가는 모양. ——-하다 [형][여불]. ——-히 [부]

표요【飄颻·飄搖】[부] 표표(飄飄). ——-하다 [자][여불]

표용【剽勇】[명] 표독하고 용감함. 사납도록 용감함. ——-하다 [형][여불]

표우【漂寓】[명] 표박(漂泊)❷. ——-하다 [자][여불]

표원 [명] 〈옛〉 표범. ¶표원 표(豹)≪字會 上 18≫.

표음【表音】[명] 〖언〗 소리를 그대로 표시함. ——-하다 [자][여불]

표음 기호【表音記號】[명] 언어의 음성을 음성학적(音聲學的)으로 나타내는 기호. 현재 가장 대표적이고, 가장 유력한 것은 국제 음성학 협회(協會)가 제정한 것임.

표음 문자【表音文字】[—짜] [명] 〖언〗 사람의 말하는 소리를 그대로 기호로 나타내는 글자. 한글·로마 문자·아라비아 문자·일본의 가나 같은 것. 기음 문자(記音文字). 사음(寫音) 문자. 성음(聲音) 문자. 음표(音表) 문자. 소리 글자. [준]음자(音字). ↔표의(表意) 문자.

표음-주의【表音主義】[—/—이] [명] 〖언〗 철자법에 있어서, 낱말이 서로 다르게 발음되는 경우에는, 그것이 같은 낱말일지라도 그 경우마다 각각 소리나는 대로 적어야 한다는 주장.

표의¹【表衣】[—/—이] [명] 겉에 입는 옷. 곧, 웃옷 같은 것.

표의²【表意】[—/—이] [명] ①〖언〗 말의 뜻을 나타냄. ②의사를 나타냄. ——-하다 [자][여불]

표의 문자【表意文字】 [—짜/—이—짜] [명] 〖언〗 그림에 의하여서나, 사물의 형상(形象)을 그대로 베껴서 시각(視覺)에 의하여 사상을 전달하는 문자. 보통 상형(象形) 문자와 회화(繪畫) 문자의 두 가지가 있는데 '일(日)·월(月)·수(水)·자(子)'와 같은 한자(漢字)는 상형기원(象形起原)을 가짐. 뜻글자. [준]의자(意字). ↔표음 문자(表音文字).

표이【表異】[명] ①특별히 나타냄. 나타내어 특별히 취급함. ②특이한 점을 표명(表明)함. ——-하다 [타][여불]

표-이출지【表而出之】[—찌] [명] 겉으로 두드러지게 드러남. 표차롭게 내세움. ——-하다 [자][타][여불]

표일【飄逸】[명] 모든 것을 마음에 두지 않고 마음 내키는 대로 행동함. ——-하다 [자][여불]

표일-곡【飄逸曲】[명] 〖악〗 유머레스크(humoresque).

표자【瓢子】[명] 표주박.

표자-박【瓢子—】[명] 〈방〉 표주박.

표장¹【表章】[명] 표창(表彰). ——-하다 [타][여불]

표장²【表裝】[명] 장황(粧潢). ——-하다 [타][여불]

표장³【票莊】[명] 〖역〗 표호(票號).

표장⁴【標—】[명] 〈방〉 서표(書標).

표장⁵【標章】[명] 무슨 표로 보이는 부호. 휘장(徽章) 같은 것.

표재【俵災】[명] 흉년이 든 때에 구실을 감함. ——-하다 [타][여불]

표재-사【表才士】[명] 사륙문(四六文)을 민첩하게 잘 짓는 사람. 대구(對句)를 잘 맞추는 재주가 있는 사람.

표저¹【表著】[명] 현저(顯著). ——-하다 [형][여불]

표저²【瘭疽】[명] 손가락·발가락의 조하 조직(爪下組織)의 화농성 염증. 화농균(菌)의 침입에 의하여 일어나며, 동통(疼痛)이 심함. *생인발·생인손.

표적¹【表迹】[명] 겉으로 드러난 형적. [준]표(表).

표적²【剽賊】[명] 표절(剽竊). ——-하다 [타][여불]

표적³【標的】[명] 목표(目標)가 되는 물건. 표점(標點). 기표(記標). ¶～을 세우다.

표적-기【標的機】[명] 〖군〗 항공 전술의 연구와 훈련을 위하여 공중 전투 사격, 고사포의 대공(對空) 사격, 방공(防空) 유도탄 발사 등 실탄 사격의 표적으로 쓰이는 무인(無人) 글라이더나 무인 비행기.

표적 기관【標的器官】[명] 〖생〗 특정한 호르몬의 작용을 받는 특정한 기관. 곧, 하수체 전엽 호르몬(下垂體前葉 Hormon)인 부신 피질 자극 호르몬(副腎皮質刺戟 Hormon)의 표적 기관은 부신 피질(副腎皮質)임.

표적-물【標的物】[명] 목적물(目的物)❸.

표적-선【標的船】[명] 〖군〗 표적함(標的艦).

표적-함【標的艦】[명] 〖군〗 사격·뇌격(雷擊)·폭격 등의 훈련이나 실험에 사용되는 특무함(特務艦)의 하나. 선체(船體)의 주요부에 적당한 방어 장치를 베풀고, 사격에는 탄체(彈體)가 약한 특수한 연습탄을 사용하는데 사격을 받을 때에는 승무원은 딴 배로 피난하고 무선으로 조종됨. 표적선(標的船).

표전¹【表箋】[명] ①표문(表文)과 전문(箋文). ②왕가(王家)의 서한(書翰).

표전²【漂典】[명] 〖역〗 신라 때 왕실의 빨래를 맡은 관아의 이름.

표전³【飄轉】[명] 정처없이 굴러다님. ——-하다 [자][여불]

표절【剽竊】[명] 타인(他人)의 시가(詩歌)·문장 등의 설(說) 또는 글귀를 가져다가 자기의 것으로 발표하는 일. 양절(攘竊). 도작(盜作). ¶～ 작품. *슬갑 도적(膝甲盜賊). ——-하다 [타][여불]

표-절따【驃—】[명] 〖동〗 몸은 누른 바탕에 흰 털이 섞이고 갈기와 꼬리는 흰 말. 은종마(銀鬃馬). 표마(驃馬).

표점【標點】[—쩜] [명] 표적(標的).

표정¹【表情】[명] ①심중의 감정·정서를 외모에 드러내어 나타냄. 또, 그 변화. ②심중의 감정·정서의 외모에 나타난 표적. ——-하다 [타][여불]

표정²【表旌】[명] 충신(忠信)·효자(孝子)·열부(烈婦)를 표창하여 정문(旌門)을 세움. ——-하다 [타][여불]

표정³【標定】[명] ①〔standardization〕 〖물〗 표준액(標準液)으로 하기 위해, 용액의 역가(力價)를 정하는 조작(操作). 표준이 되는 물질의 일정량을 재어, 이를 표준액이 될 용액을 써서 적정(滴定)함. ②〔plot〕 〖군〗 표적물(標的物)의 위치를 도표(圖表) 또는 지도 상에 표시함. ——-하다 [타][여불]

표정-근【表情筋】[명] 〖생〗 안면(顏面) 신경에 의하여 지배되는 안면에 표정을 나타내는 근육.

표정 기호【表情記號】[명] 〖악〗 발상 기호(發想記號)의 하나. 연주할 때, 악곡 표현의 표정·느낌을 나타낸 보표(譜表) 상의 기호. 돌체(dolce)·마에스토소(maestoso) 등. *발상 기호(發想記號).

표정 만:방지곡【表正萬方之曲】[명] 〖악〗 삼현 영산 회상(三絃靈山會相)의 아명(雅名).

표정-선【杓庭扇】[명] 접부채의 한 가지. 다른 부채에 비하여 조금 작으며 속살은 낙죽(烙竹)의 얇은 껍질을 배맞춘 합죽(合竹)으로 되었고, 겉살은 마디 있는 도톰한 낙죽으로 하되, 사북을 박는 아래 끝의 부분은 검은 나무나 뿔을 붙이었음. 아담하고 아름다워서 모양이 좋음.

표정-술【表情術】[명] 면모(面貌)·동작(動作)·자태(姿態) 등에 사상·감정을 표현하는 술. 무대에서의 연기의 요소가 됨. 미믹(mimic).

표정 예:술【表情藝術】[—네—] [명] 무용·연극·영화(映畫) 등 표정을 쓰는 예술.

표-제¹【表題】[명] 〖문〗 표(表)를 짓는 글제.

표제²【標題·表題】[명] ①서책(書册)의 겉에 쓰인 그 책의 이름. 외제(外題). ②연설·담화(談話) 같은 것의 제목. ③연극 같은 것의 제목. ④서적·장부 중의 어떤 항목을 찾아 내기에 편리하도록 베푼 제목. ¶～를 붙이다. ⑤신문·잡지의 기사의 제목. ¶～로 내세우다.

표제-악【標題樂】[명] 〖악〗 표제 음악(標題音樂).

표제-어【標題語·表題語】[명] 표제가 되는 단어(單語).

표제 음악【標題音樂】[명] 〔program music〕 〖악〗 일정한 관념(觀念)이나 사물을 묘사하여 서술하기 위하여, 곡명(曲名)으로서 표제를 붙인 음악. 베토벤·베를리오즈(Berlioz)의 작곡에서 시작되어 19세기 낭만파(派) 음악에서 발달하였음. 표제악(表題樂). ↔절대 음악(絕對音樂).

표제지-건【標題之件】[—껀] [명] 수제지건(首題之件).

표조【漂鳥】[명] 〖조〗 철새. 후조(候鳥). 떠돌이새. ↔유조(留鳥).

표종【表從】[명] 외종 사촌(外從四寸).

표종-형【表從兄】[명] 외종 사촌형.

표주¹【表奏】[명] 군주(君主)에게 문서로 아뢺. 표문(表文)으로써 상주(上奏)함. ——-하다 [타][여불]

표주²【標主】[명] 남에게 빚을 쓰고 수표(手標)를 써 낸 사람.

표주³【標柱】[명] 푯대.

표주⁴【標註】[명] 서책(書册)의 난외(欄外)에 기록하는 주해(註解).

표주⁵【瓢舟】[명] 표주박 모양으로 만든 작은 배.

표주⁶【瓢酒】[명] 표주박에 든 술.

표주-박【瓢—】[명] 조롱박이나 혹은 둥근박을 반으로 쪼개어 만든 작은 바가지. 흔히, 물을 떠 먹는 데 씀. 표자(瓢子).

〈표주박〉

표주박-면【瓢—面】[명] 표주박처럼 오목하게 생긴 면.

표주박면 대:패【瓢—面—】[명] 표주박과 같이 반구형(半球形)의 면을 밀어 내는 대패.

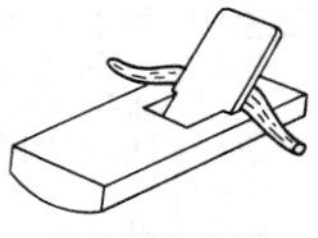

〈표주박면 대패〉

표준¹【標準·表準】[명] ①사물을 정하는 목표. 기준. ¶～ 치수/～형. ②타(他)의 규범(規範)이 되는 준칙(準則). 규격(規格). 준거(準據). ③〔standard〕 〖물〗 물리량(物理量) 측정을 위한 단위를 확립하기 위하여 쓰이는, 일반적으로 인정된 기준적(基準的) 시료(試料).

표준²【瓢樽】[명] 표주박.

표준 검:사【標準檢査】[명] 〔standard test〕 정신(精神) 검사 중에서, 통계학의 원리에 의하여 표준화되어 있는 것. 이를테면, 지능(知能) 검사는 그 대표적인 것으로서, 각 연령의 표준 성적이나 표준 편차량(偏差量)을 통계적으로 산출하여, 이른바 척도(尺度)를 설정하여 개개인의 지능 정도를 객관적으로 측정하게 되어 있음.

표준 게이지【標準—】〔gauge〕 [명] ①측정기(測定器)의 일종. 길이·두께·나비·지름의 표준으로 쓰이는 정밀한 게이지. 블록(block) 게이지·나사 게이지 등이 있음. ②표준 궤간(標準軌間).

표준 관측자【標準觀測者】[명] 〔standard observer〕 〖물〗 개인차를 평균화(平均化)한 시감도(視感度) 및 분광(分光) 감도를 지닌 관측자.

표준 광원【標準光源】[명] 〔standard illuminant〕 〖물〗 1931년 국제 조명 위원회가 규정한 색도(色度) 측정용의 A·B·C 세 가지 광원. A광원은 2,575°C의 색온도(色溫度) 필라멘트에서 발하는 빛. B광원과 C광원은 각각 한낮의 일광(日光)과 정상 주광(正常晝光)을 나타내는데, 엄밀하게 지정된 필터로 A광원의 분광 광도 분포를 조정하여 얻음.

표준 국제 무:역 분류【標準國際貿易分類】[—불—] [명] 〖경〗 에스 아이 티 시(S.I.T.C.).

표준 궤:간【標準軌間】[명] 철도 선로(線路)의 궤간(軌間)이 1,435 mm, 곧 4.85 피트의 것. 표준 게이지. *궤간.

표준 규격【標準規格】[명] 공업 통제상(工業統制上), 모든 물품의 모양·크기·성능(性能)·검사 방법 등을 나타내는 데 필요한 조건을 보이는 기술적인 규정을 어떤 표준에 따라 통일한 것.

표준 기압【標準氣壓】[명] 〖물〗 표준 압력(壓力).

표준 노동자【標準勞動者】[명] 〖사〗 임금(賃金) 인상이나 상여금(賞與金)의 평균 지급률을 결정할 때 평균적 기준으로 설정되는 계층의 노동자(勞動者).

표준 단극 전:위【標準單極電位】명 이온(ion)의 활량(活量)이 1일 때의 단극 전위. *단극 전위(單極電位).

표준 대:기【標準大氣】명〔standard atmosphere〕〖물〗항공 및 탄도(彈道) 계산을 목적으로, 높이에 따라 온도·기압·비중 등의 표준을 가정(假定)한 대기.

표준 대:도시 지역【標準大都市地域】명〔standard metropolitan statistical area:SMSA〕미국에서 대도시 지역으로 규정한 곳. 인구 밀도·나날의 통근(通勤)·통화(通話) 등에서 중심 도시와 밀접한 관계가 있는 영역을 포함함.

표준-량【標準量】[—냥] 명 다른 것의 표준이 되는 분량.

표준 렌즈【標準—】〔lens〕명 일반적인 용도(用途)에 쓰이는 사진 렌즈로서, 화각(畫角)이 약 50도인 것을 말함. 35밀리 판(判)에서는 초점 거리 50밀리 전후의 렌즈가 이에 해당함.

표준 마이크로폰:【標準—】명〔standard microphone〕〖전〗음압 레벨(音壓 level)의 기준이 되는 마이크로폰. 상호 교정하여 표준 음압이 정확하게 유지되어야 함.

표준-말【標準—】명〖언〗표준어(標準語). ↔사투리.

표준-물【標準物】명 표준이 되는 물건.

표준 물질【標準物質】[—찔] 명〖화〗화학종으로서의 표준이 되는 물질. 화학 분석·시험 등을 할 때, 그들의 결과로서 절대적 수치를 얻는 것이 불가능한 경우가 대부분이기 때문에 기준이 되는 물질과의 비교에 의한 상대적 수치를 결과로 함.

표준 방:송【標準放送】명 535-1,605 kHz의 주파수(周波數)를 사용하는 방송. 보통, 라디오 방송이라고 부르는 것은 이 방송임. 중파(中波) 방송.

표준 방식 변:환기【標準方式變換器】명〔system converter〕텔레비전 방송의 표준 방식이 서로 다른 나라들끼리 텔레비전 프로그램을 교환할 때, 이쪽 방식의 것을 상대국(相對國)의 표준 방식에 맞도록 변환시키는 장치.

표준 변:색표【標準變色表】명〖화〗수용액의 pH를 시험지로 측정할 경우에 사용하는 표준색의 표. 표준색과 비교해서 검액(檢液)의 pH를 판정함.

표준 비:시 감:도【標準比視感度】명 빛깔의 판정이나 빛의 밝기·강도(強度)를 육안(肉眼)으로 비교하는 일은 개인차가 커서 곤란하므로, 국제 조명(照明) 위원회가 기준으로 제정한, 표준 관측자(觀測者)의 눈의 감도.

표준 상태【標準狀態】명〔normal state〕〖물〗상태에 따라 변화하는 물질의 여러 성질을 표시하기 위한 기준으로 적당히 정한 상태. 가장 많이 쓰이는 것은, 기체에서 온도는 0°C, 기압은 1기압의 조건하에 있는 상태.

표준-색【標準色】명 빛깔을 취급할 때, 표준이 되는 빛깔. 과학적인 색의 배열법(配列法)에 따라 정하여짐. 그 설정(設定) 방법은 여러 가지 있음.

표준 생계비【標準生計費】명 어느 시대나 장소에서 표준적 생활 수준을 유지해 가는 데 필요한 비용. 표준 생활비.

표준 생활비【標準生活費】명 표준 생계비(生計費).

표준 세:율【標準稅率】명〖재정〗지방 자치 단체가 지방세(地方稅)를 부과할 경우, 통상 적용하여야 할 세율. 재정상 기타 특별한 사유가 있을 경우에는 이에 따르지 아니할 수도 있음.

표준-시【標準時】명〔standard time〕한 나라, 한 지방에서 공통으로 사용되는 지방 평균 태양시(太陽時). 한국에서는 그리니치 시간보다 9시간이 빠른 동경 135도를 표준시로 삼음.

표준 시계【標準時計】명 시각의 표준이 되는 정확한 시계. 수정(水晶) 시계와 원자(原子) 시계가 쓰임. 레귤레이터(regulator).

표준-식【標準食】명 건강을 유지하는 데에 필요한 각 영양소의 표준량을 함유한 식사. 보건식(保健食).

표준 신고율【標準申告率】명 장부 기장 능력이 부족한 영세 사업자, 곧 과세 특례자들이 부가 가치세 신고시에 전기(前期)보다 매출액을 얼마나 높여 신고해야 하는지를 알려주기 위해 국세청이 각종 경제 지표를 분석하여 지역별·업종별로 참고하도록 고시하는 신고 기준.

표준 신:호 발생기【標準信號發生器】[—쌩—] 명 통신 기계의 시험, 정밀(精密) 측정, 수신 전파의 강약(強弱)의 측정 등에 사용되는 측정 장치.

표준 암석 시:료【標準岩石試料】명〔standard rock〕암석 분석의 정확도를 추정(推定)하는 경우에 기준이 되는 조성(組成)을 알고 있는 암석 시료. 대표적인 표준 시료로서는 미국의 로드아일랜드 주(Rhode Island州)의 화강암, 센터빌산(Centerville產)의 조립 현무암(粗粒玄武岩) 등이 있음.

표준 압력【標準壓力】[—녁] 명〔standard pressure〕〖물〗1기압, 곧 기온 0°C 표준 중력(重力) 아래서 760 mm의 수은주가 그 밑면에 미치는 압력을 이름. 101.25 mb. 표준 기압(氣壓).

표준-액【標準液】명〖화〗노르말액(液).

표준-어【標準語】명〖언〗한 나라의 공용문(公用文)이나 학교·방송 등에서 쓰이는 규범으로서의 언어. 주로, 각국의 수도에서 쓰는 말을 기초로 하여 성립되며, 한국에서는 교양(教養) 있는 사람들이 두루 쓰는 현대 서울말로 정함. 표준말. ↔방언(方言).

표준 연장【標準—】명〖고고학〗일정(一定)한 특징(特徵)이 나타나 다른 연장과 뚜렷하게 구분(區分)되는 연장. 최초로 만들어진 표준 연장은 주먹도끼임.

표준 예:산【標準豫算】[—네—] 명 예산 편성의 편의상 기준으로 삼기 위하여 일차적으로 전년도(前年度) 예산을 바탕으로 하여 계산한 액수. 기준 예산.

표준 오:차【標準誤差】명 표준 편차(偏差).

표준 온도【標準溫度】명 물건의 길이나 부피 따위는 온도에 따라서 변화하므로, 온도를 정할 필요가 있을 경우에 명시(明示)하는 일정한 온도를 말함.

표준 온도계【標準溫度計】명〔normal thermometer〕〖물〗다른 온도계를 검정할 때 표준으로 사용하는 온도계.

표준 원가 계:산【標準原價計算】[—까—] 명〖경〗제품의 각 원가 요소(原價要素)에 따라 정해진 표준 원가와 실제 원가를 비교, 그 차이를 분석하여 원가 관리(管理)에 이용하는 원가 계산 방법. *실제 원가 계산(實際原價計算).

표준-음【標準音】명 ①〖언〗어떤 말의 표준이 되는 발음. 대중 소리. ②〖악〗합주나 악기를 조율(調律)할 때 기준으로서 제정된 음의 높이. 연주회용의 표준음으로서는 A음의 진동수(振動數)가 매초(每秒) 440으로 정해져 있음.

표준 인덕터【標準—】명〔standard inductor〕〖전〗인덕턴스의 값을 계산으로 정할 수 있고, 또 측정의 표준으로 쓰이는 장치.

표준 임:금【標準賃金】명 실제로 지급되고 있는 임금을 통계적으로 조사하여 산출한 평균 임금. 산업·학력·남녀·연령별 등으로 나뉨.

표준 자오선【標準子午線】명〖지〗표준시를 정하는 기준이 되는 자오선. 대개, 15°로 나누어 떨어지는 경도(經度)가 채택되고 있음.

표준 작업량【標準作業量】[—냥] 명 능률급(能率給)에서 임금 계산의 기준으로서 설정된 작업량의 표준.

표준-적【標準的】명관 기준이 되는 모양. 또, 아주 통상적인 모양.

표준 전:구【標準電球】명 광도·광속(光束)의 변화가 아주 적게 만들어진 전구. 빛의 표준의 대용(代用)으로 쓰임.

표준 전:극【標準電極】명〔normal electrode〕표준 전극 전위(電位)를 나타내는 전극을 말하나, 일반적으로는 전극 전위를 측정하는 데 기준이 되는 전극을 가리킴.

표준 전:극 전:위【標準電極電位】명 어떤 금속을 그 금속 이온을 포함하는 용액 속에 넣었을 때, 그 전극 전위 E는 $E=E_0-\frac{RT}{nF}\log_e a$로 표시됨. 이 식에서의 E_0를 표준 전극 전위라고 하는데, 온도가 일정하면 그 값도 일정함. 그런데, 이 식에 나오는 n은 전하수(電荷數), R는 기체 상수(氣體常數), T는 절대(絶對) 온도, F는 패러데이 정수, a는 이온의 활동도(活動度)임.

표준 전:지【標準電池】명〔standard cell〕〖물〗기전력(起電力)의 표준이 되는 전지. 섭씨 20도일 때 1.01864볼트의 기전력을 갖는 카드뮴 표준 전지가 쓰임.

표준 전:파【標準電波】명〔standard frequency broadcast (transmission)〕〖전〗주파수(周波數)의 표준으로서 발사(發射)되는 전파. 오차(誤差)는 $\pm 1\times 10^{-10}$ 이내.

표준 중:력【標準重力】[—녁] 명 ①위도(緯度)·적도(赤道)의 중력·적도 반경(半徑)·회전각 속도(回轉角速度)·편평도(偏平度) 등으로 표시되는 중력. 지구 타원체상(地球楕圓體上)의 중력에 해당함. ②기압을 측정할 때의 기준이 되는 중력(重力)값. 국제적으로, 980 cm/sec² 로 정하여져 있음.

표준 집단【標準集團】명 준거 집단(準據集團).

표준 체온【標準體溫】명〖생〗동물의 소화 기관이나 근육 등의 활동이 정지하고 동물이 가만히 휴식하고 있을 때의 체온.

표준 타:원체【標準楕圓體】명〖지〗한 지방의 측지(測地) 계통의 기준으로서, 실제의 지구와의 관계 위치를 지정한 지구(地球) 타원체. 같은 지구 타원체를 이용하는 경우에도 나라마다 지구에 대한 관계 위치가 다르기 때문에 지구 전면(全面)에 걸친 일치된 표준 타원체는 없음. 준거(準據) 타원체.

표준-틀【表準—】명〖건〗건축할 때에 벽심선(壁心線) 및 고저(高低) 등을 표시하는 장치.

표준 편차【標準偏差】명〔standard deviation〕〖수〗측정(測定)의 처리(處理)에 사용되는 통계학 용어. 각 측정치(値)와 산술(算術) 평균과의 차(差)의 제곱의 합(合)을 측정치의 개수(個數)로 나눈 분산(分散)의 정(正)의 평방근. S.D. 또는 σ로 나타냄. 표준 오차(誤差). *사분위 편차(四分位偏差)·평균 편차(平均偏差).

표준 품:질【標準品質】명 품질 관리를 실시하기 전에 매수인(買受人)의 요구와 제조자의 요구를 감안(勘案)하여, 작업 목표가 되는 재질(材質)·두께·길이·폭·강도(強度)·경도(硬度) 등을 정한 것.

표준 항성【標準恒星】명〖천〗천체를 관측할 때에 표준이 되는 항성.

표준 해:수【標準海水】명 염소량(塩素量)이 19.30—19.50 PPT에 ±0.01‰의 오차(誤差) 범위 안에서 정하여진 바닷물.

표준혈압【標準血壓】명 건강한 사람의 기준(基準)이 되는 혈압의 수치. 나이에 따라 차이를 두었으나, 현재는 최고 혈압 90-140 mmHg, 최저 혈압 90 mmHg 이하로 삼고 있음.

표준 혈청【標準血清】명〖의〗혈액형을 결정할 때, 표준으로 하는 혈청. 이것에 검사하는 혈구(血球)를 섞어 그 응집(凝集)하는 상태를 봄.

표준-형【標準形】명 ①표준이 되는 형. ②〖수〗도형(圖形)·함수(函數) 등을 식(式)으로 표시할 때에, 대표적인 형으로 정하여져 있는 것. 평면 상(平面上)의 포물선(抛物線)의 방정식을 $y^2=4px$ 또는 이차(二次) 함수를 $y=a(x-p)^2+q$라고 나타내는 것 등.

표준-화【標準化】명 관리(管理)의 능률 증진을 꾀하기 위하여 자재(資材) 등의 종류·규격을 제한·통일하는 일. 규격화(規格化). ¶~된 공산품(工產品). ——-하다 타여불

표준 화:석【標準化石】명〖지〗시대의 자연 환경이나 지층 퇴적 조건

등을 특히 잘 지시하는 화석. 현존하는 유사(類似) 생물의 생태로부터 유추(類推)하는 동시에, 화석 생물을 매장하고 있는 지층의 성질로, 그 화석이 침적(沈積)했던 당시의 지문적(地文的) 환경을 판단할 수 있음. 시준 화석(示準化石).

표증[1]【表症】명 『한의』 겉으로 드러나는 병의 증세(症勢). 곧, 오한(惡寒)·발열(發熱)·두통(頭痛)·지절통(肢節痛) 등이 있어서 땀을 내면 낫는 병.

표증[2]【表證】명 ①드러난 표적. ②증명.

표증[3]【皫蒸】명 부레찜.

표지[1]【表紙】명 ①책뚜껑. ¶가죽 ~/~를 붙이다. ②서표(書標).

표지[2]【標紙】명 증거의 표로 적은 글발의 종이. ㊂표(標).

표지[3]【標識】명 ①표. 표로서 베풂. 표치(標幟). ¶항로 ~/도로 ~. ②『철』 다른 대상과 구별하여 어떤 대상을 확정하고, 그것을 인식할 수 있도록 하는 표상적(表象的) 또는 개념적(概念的) 특성·성질. ③통계학에서, 모집단(母集團)의 각 요소에 그 속성(屬性)을 표시하기 위하여 붙이는 수치.

표지-등【標識燈】명 야간(夜間)에 항행 중이거나 계류(繫留) 중인 선박, 비행 중인 비행기 등이 그 위치를 표시하는 등화(燈火).

표지 방:류【標識放流】[―뉴] 명 어류(魚類)의 분포·이동·성장 등을 조사하기 위하여 지느러미의 일부를 자르거나 메달을 다는 등 표지를 하여 방류하는 일.

표지 분자【標識分子】명 〔tagged molecule〕 『화』 방사성 원자 또는 원자량이 다른 동위체(同位體) 한 개 이상을 함유하는 분자.

표지-색【標識色】명 『동』 동물의 색채가 생활 환경 속에서 특히 눈에 잘 뜨일 경우, 그 색채를 말함. 경계색·인식색(認識色)·위협색(威脅色) 등이 있으며, 이에 의하여 동종(同種)의 존재를 표시하거나 다른 동물에 공포나 경계심을 일으켜서 종족을 보호함.

표지 어음【表紙―】명 『경』 금융 기관이 어음을 받고 돈을 빌려 준 뒤 이 어음을 근거로 금융 기관 자신이 발행하는 별도의 어음《은행·종합 금융 회사·상호 신용 금고가 이 어음을 발행할 수 있음》.

표지-원【標識員】명 『법』 선박 직군(船舶職群) 등대 직렬(燈臺職列)에 속하는 기능 공무원의 하나. 8급·9급의 두 등급이 있음.

표지적 의:태【標識的擬態】명 『생』 동물 의태의 하나. 어떤 동물이 경계색(警戒色)을 가진 다른 동물과 닮은 색채와 형체를 갖는 경우. 독이 있거나 맛이 없는 동물을 닮기 때문에 포식(捕食)을 면하게 됨.

표지-조【標識鳥】명 철새의 이동(移動)을 조사할 목적으로, 발목에 나라 이름·번호를 새긴 알루미늄 고리를 끼워 날려 보내는 새.

표지-판【標識板】명 표지를 하거나 표지로서 쓰는 판자.

표직【豹直】명 오래도록 드는 번(番).

표징【表徵·標徵】명 ①겉으로 드러나는 표. 표지(標識). 징표(徵標). ②말로서 표현하기 어려운 일이나 기분 등을, 그것을 연상 상기(想起)시킬 수 있는 구체적인 사물 등으로 나타낸 것. 상징(象徵).

표차【表差】명 〔difference table〕 『수』 수표(數表)에서 서로 이웃에 있는 두 수치의 차.

표차-롭다【表―】형 ㅂ불 드러내 놓기에 면세(面勢)가 번듯하다. 남만 못지 않고 두드러지다. **표차-로이**【表―】부

표착【漂着】명 표류(漂流)하여 어떤 곳에 닿음. ¶배가 ~한 곳. ――-하다 자여불

표찰【標札】명 ①표로 쓴 종이. ②문패(門牌).

표창[1]【表彰】명 ①드러내어 밝힘. ②공로(功勞)·선행(善行)·학업 등을 널리 세상에 칭찬하여 알림. ¶~식/~을 받다. ――-하다 타여불

표창[2]【鏢槍】명 던져서 적을 공격하는 무기(武器). 창 대강이는 쇠로 하는데 첨단(尖端)을 호로(葫蘆) 모양으로 함. 길이 다섯 치, 무게 넉 냥쭝, 자루 길이 일곱 자인데, 대강이 지름 여섯 푼, 끝은 위에서 내려오며 차차 훑여서 지름이 두세 푼 되게 하여 창의 전체가 앞은 무겁고 뒤는 가볍게 하여 던져 맞히기에 편함.

〈표창[2]〉

표창-식【表彰式】명 표창하는 의식. ¶~ 거행.

표창-장【表彰狀】[―짱] 명 표창하는 문장을 적은 종이. ¶~을 수여하다.

표척【標尺】명 수준(水準) 측량에서 쓰는 자. 보통 두 개 한 조(組)로 쓰며 표척의 중간에 수준의(水準儀)를 놓고 수준 측량을 함.

표초【螵蛸】명 『한의』 ↗상표초(桑螵蛸).

표축【標軸】명 〔parameter〕 『광』 결정(結晶)의 중심으로부터 한 결정면(面)이 결정축(軸)을 자르는 점까지의 거리.

표출【表出】명 ①겉으로 나타냄. ¶감정(感情) ~. ②널리, 정신 활동에 수반되는 신체적인 변화. 호흡 운동·근육 운동·선분비(腺分泌)의 변화 같은 것. ③표현(表現)❷. ――-하다 타여불

표충【瓢蟲】명 『충』 무당벌레.

표충-사[1]【表忠寺】명 『지』 통도사(通度寺)의 말사(末寺)로, 경상 남도 밀양군(密陽郡) 단장면(丹場面) 구천리(九千里) 재약산(載藥山) 기슭에 있는 절. 신라 흥덕왕(興德王) 4년(829) 황면 선사(黃面禪師)가 창건함. 사명 대사(泗溟大師)를 모시는 절로, 사명 대사의 유물(遺物)을 많이 간직하고 있음.

표충-사[2]【表忠祠】명 『지』 서산 대사(西山大師)와 송운 대사(松雲大師)의 애국 운동을 길이 빛내기 위하여 경상 남도 밀양(密陽) 표충사(寺) 안에 건립한 사당.

표충사 청동 함은 향완【表忠寺青銅含銀香垸】명 표충사에 있는 향로. 고려 명종(明宗) 7년(1177)에 제작된 것으로 현존하는 최고(最古)의 고려 향로임. 1957년에 발견됨. 형태는 완형(盌形)의 몸체와 둥근 받침의 대좌(臺座)가 연결되어 있는데 높이 27.5cm, 구경(口徑) 26.1cm임. 국보 75호.

표층【表層】명 표면의 층(層). 겉켜. ¶~토(土).

표층 과립【表層顆粒】명 〔cortical granules〕 『생』 섭게의 성숙 미수정란(成熟未受精卵)의 표층에서 원형질막(原形質膜)에 접(接)하여 일층(一層)으로 줄지어 있는, 지름이 0.5μ의 과립. 당단백질(糖蛋白質)을 함유하며, 수정시(受精時)에 파괴되어 수정막(膜)을 만듦.

표층 눈:사태【表層―沙汰】명 적설(積雪)의 상층부(上層部)만 미끄러져 내리는 눈사태.

표층-립【表層粒】[―닙] 명 『생』 표층 과립(顆粒).

표층-수【表層水】명 해면(海面) 가까이 있는 해수(海水). 풍랑·강수(降水)·증발 등 외부로부터의 작용에 직접 영향을 받는 부분.

표층-어【表層魚】명 〔epipelagic fish〕 『어』 수면 가까이에서 생활하는 어류. 수심 200 m 이내에서 부유(浮遊) 또는 유영(遊泳)하는 어류를 말함. 표층어의 대부분은 50 m 이내에서 사는데, 일생 동안 표층에서 사는 것을 완전 표층어라 함. 정어리·청어·날치·전갱이·고등어·방어·꽁치·연어·송어·가다랑어·다랑어 등등이 표층어임.

표층-포【表層胞】명 『생』 어란(魚卵)의 미수정란(未受精卵)의 표층에 있는 당단백질(糖蛋白質)의 엷은 층. 교화체(膠化體)로 수정 때 파괴되며, 이로 인하여 난막(卵膜)이 분리하여 수정막을 만듦. 수정에 필요한 요소를 함유하며, 표층 과립(顆粒)과 같으나 과립이 크므로 구별하고 있음.

표층 해:류【表層海流】명 바다의 표층의 흐름. 보통, '해류'는 이 표층 해류를 이름. 표면(表面) 해류.

표치[1]【標致】명 ①취지(趣旨)를 드러내 보임. ②얼굴이 매우 아름다움. 또, 그러한 미인(美人).

표치[2]【標幟】명 표지(標識).

표친【表親】명 어머니 쪽의 친척.

표탈【剽奪】명 표략(剽掠). ――-하다 타여불

표탑【標塔】명 표지(標識)로 삼기 위하여 세운 탑.

표탕【飄蕩】명 ①홍수로 재산을 떠내려 보냄. ②정처 없이 헤매어 떠돎. 표박(漂泊). ――-하다 자여불

표토[1]【表土】명 ①『농』 작물 재배시에 갈아 일으킨 흙의 상층 부분. 겉흙. 경토(耕土). ②암반(岩盤)의 겉면을 덮고 있는, 미응고 퇴적물(未凝固堆積物)의 총칭. ③『고고학』 유적에 퇴적한 표면의 토층.

표토[2]【漂土】명 빙하(氷河) 때문에 이동한 작은 돌이나 모래가 부서지거나, 혹은 빙하가 지반(地盤)과 마찰하여 생긴 흙.

표통【表筒】명 『역』 중국 황제에 올리는 표문(表文)을 넣는 통.

표통-장【表筒匠】명 『역』 조선 시대에 표통을 만들던 장인(匠人).

표트르 대:제【―大帝】〔Pyotr〕 명 『사람』 러시아의 황제(皇帝). 도읍 페테르스부르크(Petersburg)를 건설, 발트 해(Balt 海)·카스피 해(Caspi 海) 연안에까지 영토를 확장하고, 안으로 재정 정리, 그리스 정교(正教)의 종주권(宗主權)을 빼앗고, 서구 문명의 이입(移入)에 노력하였음. 피터(Peter) 대제. [1672-1725]

표트르 대:제 만【―大帝灣】〔Pyotr〕 명 『지』 시베리아 남동단(南東端), 동해(東海)에 면한 큰 만. 북쪽 깊숙이, 블라디보스토크 항(Vladivostok 港)이 있음. 겨울철에 부빙(浮氷)이 나타나지만 항행(航行)이 가능하며, 청어·게·해삼 등이 잡힘.

표포-토【漂布土】명 산성 백토(酸性白土).

표폭【表幅】명 변폭(邊幅)❷.

표표[1]【表表】명 ①두드러져 눈에 뜀. ②훨씬 뛰어나게 나타남. ――-하다 형여불. ――-히 부

표표[2]【漂漂】명 ①높이 떠 있음. ②물에 둥둥 떠 있음. ――-하다 형여불. ――-히 부

표표[3]【飄飄】명 가볍게 나부낌. 표요(飄颻). ――-하다 형여불. ――-히 부. ¶소년의 웅지는 이루어지지 않았다. 서부 활극의 주인공처럼 ~ 떠나다가 스쳐 가는 것이다《洪性裕 : 사랑과 죽음의 세월》.

표표 정정【表表亭亭】명 눈에 띄도록 우뚝하여 두드러짐. ――-하다 형여불

표품【標品】명 ①표본(標本)❶. ②↗표품석(標品石).

표품-석【標品石】명 『광』 본보기나 또는 간색(看色)이 되는 광석(鑛石). ㊂표품.

표풍[1]【漂風】명 바람결에 떠서 흘러 감. ――-하다 자여불

표풍[2]【飄風】명 ①회오리바람. ②바람에 나부낌. ③『악』 신라 때 귀금(貴金) 선생이 지었다는 가야금 곡조. ――-하다 자여불

표피[1]【表皮】명 ①『식』 식물체 각부의 표면을 덮은 조각. 단층(單層)의 세포(細胞)로 이루어지는데 내부를 보호하며 대개는 기공(氣孔)이 있음. ¶나무의 ~. ②『동』 생물체의 외표면(外表面)을 덮은 세포층(層). 겉가죽. ¶~ 근세포(筋細胞).

표피[2]【豹皮】명 표범의 모피(毛皮).

표피-계【表皮系】명 〔epidermal system〕 『생』 조직계(組織系)의 하나. 생물체의 표면을 덮어 내부를 보호하는 조직의 집단. 표피와 표피의 변형물(變形物)인 기공(氣孔)·수공(水孔)·털 등으로 이루어짐. 주로 식물 조직학에서의 호칭임.

표피 섬유【表皮纖維】명 씨나 과실의 표피에 있는 섬유의 하나. 솜 같은 것. *인피(靭皮) 섬유.

표피 세:포【表皮細胞】명 〔epidermal cell〕 『생』 표피를 조정하는 세포. 식물에서는, 대개 일층(一層)으로, 기공 이외는 엽록소를 함유하지 아니함. 동물에서는, 일층 혹은 다층(多層)으로 이루어지며, 각질화(角質化)를 볼 수 있음. 겹겹질 세포.

표피 신경계【表皮神經系】명 〔epidermal nervous system〕 『생』 표피 속에 존재하는 신경계. 극피(棘皮) 동물의 신경계처럼 신경이 표피의

비후(肥厚)에 지나지 않아 아직 분리되지 않은 채 존재하거나 또는 분리되어 표피에 존재하는 신경.

표피 조직【表皮組織】명 『생』 상피 조직(上皮組織).

표피-창【豹皮槍】명 의장(儀仗)의 한 가지.

표피-층【表皮層】명 『생』 표피를 이루는 세포층. 겉질켜. 피층(皮層).

표피 효:과【表皮效果】명 〔skin effect〕『전』 고주파 전류(高周波電流) 또는 전자기장(電磁氣場)이 도체(導體)의 표면 가까이에 집중하여 흐르되 안으로 들어가지 않는 현상. 주파수가 높을수록 이 현상은 뚜렷해짐. *근접 효과(近接效果).

표하-군【標下軍】명 『역』 대장이나 각 장관(將官)에 딸린 수하병(手下兵). 표하병(標下兵).

표-하다¹【表一】타여불 나타내다. 드러내다. ¶감사의 뜻을 ∼/조의를 ∼.

표-하다²【標一】타여불 목표를 삼다. 안표(眼標)하다.

표하-병【標下兵】명 『역』 표하군(標下軍).

표하-보【標下保】명 『역』 표하군(標下軍)의 군보(軍保).

표한【剽悍·標悍·慓悍】명 날렵하고 사나움. 사납고 강한(強悍)함. ¶∼한 남자. ——-하다 형여불

표-한인【漂漢人】명 『역』 표류(漂流)해 온 중국인.

표할【表割】명 『생』 ↗표면 난할(表面卵割).

표해-록【漂海錄】명 『책』 ①조선 성종(成宗) 때의 문신 최보(崔溥)가 지은 수기(手記). 작자가 성종 19년(1488) 제주 추쇄 경차관(濟州推刷敬差官)으로 있다가 돌아오던 중, 풍랑을 만나 표류, 반년 만에 돌아왔는데, 이 동안의 경과를 기록함. ②장한철(張漢喆)이 자기의 체험을 쓴 기록물(記錄物). 작자는 제주도 출신으로 조선 영조(英祖) 46년(1770) 12월 25일 서울로 가는 과거길에 배가 풍랑을 만나 표류, 다음 해 정월 중순까지 표랑하면서 겪은 체험을 씀.

표해수층 군집【表海水層群集】명 바다 수면에서 깊이 200m까지의 표수층대(表水層帶)의 생물 군집(群集). 이 수층(水層)은 빛의 투입(透入)이 좋기 때문에 식물 플랑크톤(plankton)이 잘 자라고, 용존(溶存) 산소량도 크기 때문에 동물 플랑크톤의 생육에도 알맞음. 이에 따라 어류도 많음. 수산학상 중요한 군집임.

표현【表現】명 ①나타냄. 또는 나타난 형상(形象)이나 모양. ¶감정 ∼. ②〔도 Ausdruck〕『철』 내면적 과정(過程)의 감성(感性) 표시. 심적(心的) 상태·과정 또는 성격(性格)·지향(志向)·의미 등 모든 정신적·주체적(主體的)인 것이 외면적·감성적 형상(形象)으로 화하는 일. 또, 이 객관적·감성적 형상 그 자체. 곧, 표정·몸짓·언어·필적(筆跡)·작품(作品) 같은 것. 표출. ③작가(作家)가 감동(感動)을 예술로서 표출(表出)하는 일. ¶∼이 서투르다. ——-하다 타여불

표현 교:과【表現教科】〔—꽈〕명 지식의 이해를 주로 하는 교과에 대하여, 표현 활동을 주로 하는 미술·음악 등의 교과.

표현 대:리【表現代理】명 『법』 대리권이 없는 자가 대리인이라 칭하고 행위를 한 경우 중에서, 그 자와 본인과의 사이에 특수한 관계가 있기 때문에 민법이 본인에게 책임을 지워, 상대방을 보호하고자 하는 제도. 대리 제도의 운용(運用)의 원활과 거래(去來)의 안전을 도모하는 제도로서 중요함.

표현-도【表現度】명 〔expressivity〕『생』 유전학에서, 같은 유전자형(型)을 가지고 있는 개체의 표현형으로서 발현(發現)하는 정도. 보통, 표현형을 몇 가지의 클라스(class)로 나누어, 각 클라스의 빈도(頻度)에 따라 나타냄. 유전자·환경 인자(因子) 등의 상호 작용의 연구에 쓰임.

표현도 감:퇴【表現度減退】명 〔reduced expressivity〕『생』 어떤 유전자형(遺傳子型)을 가진 개체군(個體群) 중에서 유전자 발현(發現) 방법이 감퇴한 개체가 나타나는 일. 또, 한 무리의 개체 중에서 소수의 것에만 유전자 작용이 나타나는 일. *표현도.

표현-력【表現力】〔—녁〕명 표현하는 능력. ¶∼이 풍부하다.

표현-미【表現美】명 표현의 아름다움. ¶∼의 극치(極致).

표현-법【表現法】〔—뻡〕명 사상이나 감정 등을 드러내어 나타내는 방법. ¶∼의 미숙.

표현 심리학【表現心理學】〔—니—〕명 표현학(表現學).

표현 유전학【表現遺傳學】〔—뉴—〕명 〔phenogenetics〕『생』 유전 물질이 표현형으로 주어지는 작용을 연구하는 한 분야. 생리 유전학(physiological genetics)·발생 유전학(developmental genetics)을 포함하여 말할 때도 있음.

표현의 자유【表現—自由】〔—/—에—〕명 근대 민주주의의 기초를 이루는 시민적 자유 가운데, 언론·출판·통신 등의 자유.

표현적 입헌체【表現的立憲體】명 『정』 외견적(外見的) 입헌체.

표현-주의【表現主義】〔—/—이〕명 〔도 Expressionismus〕『문·미술』 제1차 세계 대전 후에 독일을 중심으로 한때 성한 예술 상의 한 주의. 인상주의(印象主義)에 대한 반동으로서, 작가(作家) 개인(個人)의 강력한 주관(主觀)을 통하여 단적(端的)으로 사상(事象)의 내부 생명(內部生命)을 나타내려는 것으로, 문학·조형 미술(造形美術)·음악·연극 등에 영향을 미쳤음.

표현 지역권【表現地役權】명 『법』 지역권의 하나. 권리 내용의 실현을 외부에서 인식할 수 있는 것. 지표(地表)의 용수(用水) 지역권이나 도로가 있는 통행 지역권 등.

표현 지체【表現遲滯】명 〔phenomic lag〕『생』 돌연 변이(突然變異)나 교잡(交雜)에 의하여 유전자형(遺傳子型)에 변화가 생겼을 때, 그 변화가 표현형으로서 나타날 때까지의 시간적인 지체.

표현-파【表現派】명 『문·미술』 표현주의(表現主義). 또, 그 주의의 예술가의 한 파.

표현-학【表現學】명 생물, 특히 인간의 소질(素質)·능력·성격·심적(心的) 과정 등을 그 감성적(感性的)·객관적 표현을 통하여 학문적으로 해명하려는 기도(企圖). 이러한 표현으로서는, 인상(人相)·골상(骨相)·수상(手相)·몸짓·손짓·음색(音色)·필적(筆跡) 등이 있음. 표현 심리학(表現心理學).

표현 한:계【表現限界】명 일정한 말로 의사·감정 등을 나타낼 수 있는 범위. ¶∼를 벗어나다.

표현-형【表現型】명 〔phenotype〕『생』 개체가 발생하는 동안에, 생물이 나타내는 형태적·생리적·행동적 성질. 보통 생물체에 나타난 개개의 형질(形質) 또는 그 집합을 말함. 표형(表型). 표현형 발현(發現). ↔유전자형(遺傳子型).

표현형 모사【表現型模寫】명 〔phenocopy〕『생』 어떤 유전자형(遺傳子型)을 가진 기본형에 환경 조건의 변화를 준 결과, 표현형이 다른 변종(變種)에 근사(近似)한 형태를 나타내는 현상.

표현형 발현【表現型發現】명 『생』 표현형(表現型).

표현 형식【表現形式】명 『문』 대상을 그려 내는 문예 상의 형식.

표현 활동【表現活動】〔—똥〕명 인간의 내면(內面)에 있는 정신적(精神的)·주체적(主體的)인 것을 형상(形象)으로서 표출(表出)하는 활동. 표정이나 몸짓을 비롯, 무용·회화(會話)·문장·회화(繪畫)·작곡과 같은 것도 포함됨.

표형【表型】명 『생』 표현형(表現型).

표형-병【瓢形甁】명 작은 박과 큰 박이 합쳐진 표주박 모양의 술병.

표형-분【瓢形墳】명 『고고학』 쌍무덤.

표형 주:자【瓢形注子】명 『역』 귀때와 손잡이가 달려 있는 표주박 형태의 술주전자. 고려 시대에 만들어짐.

표호¹【豹虎】명 표범과 호랑이. 강포(強暴)한 것의 비유.

표호²【票號】명 『역』 중국 청대(清代) 중기 이후, 특히 성하게 된 환업무(換業務)를 주로 한 상업 금융 기관. 산시 성(山西省) 출신의 상인이 경영한 산시 표호가 유명함. 표장(票莊).

표호³【標號】명 표제(表題).

표호⁴【瓢壺】명 ①바가지. ②표준(瓢樽).

표홀【飄忽】부 급히 얼씬하는 모양. ——-하다 형여불. ——-히 부

표훈¹【表訓】명 『사람』 신라 중기의 고승. 의상(義湘)의 십대 제자(十大弟子) 중의 한 사람. 문무왕(文武王) 10년(670)에 표훈사(表訓寺)를 창건(創建)함.

표훈²【表勳】명 훈장(勳章).

표훈-사¹【表訓寺】명 『지』 유점사(楡岾寺)의 말사(末寺). 금강산(金剛山)에 있음. 신라 때 중 표훈(表訓)이 지었다 함.

표훈-사²【表勳司】명 『역』 대한 제국 고종(高宗) 광무(光武) 8년(1904)에 표훈원(表勳院)을 고쳐 일컫은 관아.

표훈-원【表勳院】명 『역』 대한 제국 훈장(勳章)·기장(記章)·상여(賞與) 등의 일을 맡아 보던 관아. 고종(高宗) 31년(1894)에 충훈부(忠勳府)를 기공국(紀功局)이라 고쳐서 의정부(議政府)에 붙이고, 동 광무(光武) 3년(1899)에 표훈원(表勳院)을 베풀어서 독립하고, 동 8년에 표훈사(表勳司)로 고쳐서 다시 의정부(議政府)에 옮겼다가, 그 해에 다시 표훈원으로 독립하여 순종(純宗) 융희(隆熙) 4년(1910)까지 있었음.

푯-대【標—】명 목표로 세우는 대. 표주(標柱). ¶∼를 세우다.

푯-돌【標—】명 목표로 세우는 돌. 표석(標石). ¶∼을 세우다.

푯-말【標—】명 표로 박아 세우는 말뚝. 표말(標抹). 표목(標木). ¶∼을 박다.

푸: 부 ①입술을 모아 김을 내뿜는 소리. ②힘없이 뀌는 방귀 소리.

푸가〔이 fuga〕명 『악』 악곡(樂曲) 형식의 하나. 선행(先行)하는 일성부(一聲部)의 주제를 따라 타(他)성부가 대우 주제(對偶主題)를 일으켜, 다시 이것을 삼(三)성부·사(四)성부 등으로 전개하여 작곡한 대위법적(對位法的) 악곡. 둔주곡(遁走曲). 추복곡(追覆曲). 퓌그(fugue). *돌림노래·윤창(輪唱).

푸가초프〔Pugachyov, Emelyan Ivanovich〕명 『사람』 러시아의 농민 반란 지도자. 가난한 카자흐의 농가에 태어나 카자흐병(兵)으로 러터전쟁(戰爭)에 출진하였음. 귀국 후, 방랑 생활 끝에 1773년에 우랄(Ural) 지방에서 '표트르 3세'를 참칭(僭稱)하고 농민 반란을 일으켰으나, 정부군에게 패하여 모스크바로 압송(押送)되어 사지(四肢)가 찢기어 죽었음. [1742?-75]

푸가초프의 반:란【—叛亂】〔Pugachyov〕〔—발—/—에발—〕명 『역』 1773-75년의 러시아의 농민 전쟁. 푸가초프의 지도 아래, 카자흐 농민 3만여 명이 우랄 강(江) 유역 일대를 점령하고 토지와 자유를 쟁취하려 하였으나 정부군에게 패하고 주모자 푸가초프는 처형되었음. 푸슈킨의 미완성의 저작 ≪푸가초프 반란사(史)≫로 유명해졌음.

푸가토〔이 fugato〕명 『악』 푸가(fuga)의 제일부만으로 만들어져 많은 다른 형식의 도중에 삽입(插入)되어 사용되는 악곡.

푸거-가〔Fugger 家〕명 16세기에 번영한 독일 아우크스부르크(Augsburg)의 대상인(大商人)의 가명(家名). 면직물 업자로서 번영하고 다시 티롤(Tirol) 광산의 개발권을 독점하여 거부(巨富)가 되었음.

푸게타〔이 fughetta〕명 『악』 소형식(小形式)의 푸가(fuga). 두 부분을 가짐.

푸근-푸근 부 탄력성(彈力性)이 있고 부드러워서 솜 위에 살이 닿을 때와 같이 약간 따뜻하고 편안한 모양. >포근포근. ——-하다 형여불. ——-히 부

푸근-하다 형여불 ①탄력성이 있고 부드러워서 솜 위에 살이 닿을 때와 같이 약간 뜨뜻하고 편안한 느낌이 있다. *후끈하다. ②겨울날이 바람도 없이 부드럽게 푹하다. ¶푸근한 겨울 날씨. 1)·2):>포근하다. ③매우 넉넉하여 마음에 느긋하다. ¶푸근한 인정미. **푸근-히** 부

푸기 명 〈방〉 부기.

푸껏 명 〈방〉 학질(전남·경남).

푸께 명 〈방〉 파리(제주).

푸께기 명 〈방〉 파리(제주).

푸껫 섬 〔Puket〕 명 『지』 말레이 반도 서안에 있는 타이 최대(最大)의 섬. 예로부터 주석(朱錫)의 산출지로 알려져 있으며 이 나라 전산출량의 7할을 산출함. [800 km² : 76,000 명(1989 추계)]
푸끼발 명 〈방〉 귀얄(함남).
푸:나 〔Poona〕 명 『지』 인도 서부 마하라슈트라 주(Maharashtra州)의 도시. 18 세기에 마라타 왕국의 수도였으며, 피서지(避暑地)로 적당함. 철도·군사·교육의 중심지이며 공업으로서는 금은 세공(細工)·방적(紡績)·제분(製粉) 등이 있음. [1,686,109 명(1982)]
푸-나무 명 ①풀과 나무. ②☞풋나무.
푸나무-서리 명 풀과 나무가 우거진 사이.
푸나카 〔Punakha〕 명 『지』 남아시아 히말라야 산중 부탄 중서부의 도시. 옛 수도로 해발 1,560 m의 고지에 있음. 피혁류(皮革類)·농산물·임산물의 집산이 행하여짐.
푸냥-하다 형여불 생김새가 좀 두툼하다. 푸냥-히 부
푸너리 명 『악』 ↗푸너리 장단.
푸너리 장단 【—長短】 명 『악』 경상 남도 지방의 무악(巫樂) 장단의 하나. 각 굿거리의 첫머리에 쓰임. 2 분박(二分拍)의 4 박자로 구성됨. 잦은 푸너리와 민푸너리의 두 가지가 있음. ㊟푸너리. *수부채 장단.
푸네기 명 가까운 제살붙이. ¶이가네 ~/제 ~만 아는 사람.
푸네브레 〔이 funebre〕 명 『악』 '슬프게'의 뜻.
푸념 명 ①『민』 무당이 귀신의 뜻을 받아 옮기어 정성 들이는 사람을 꾸짖음함. ②마음에 품은 불평을 말함. ¶사정 없이 볶아치는 마누라의 ~/노인의 ~. ——-하다 자여불
푸뉴 산맥 【—山脈】 〔伏牛〕 명 『지』 중국 허난 성(河南省) 서부의 서북에서 동남으로 뻗은 작은 산맥. 중국을 남북으로 가르는 자연 경계의 하나이며 최고봉은 표고 2,383 m의 모톈링(摩天嶺). 루허(汝河) 강·바이허(白河) 강 등이 이 산맥에서 발원(發源)함. 복우 산맥.
푸는-체 명 〈방〉 키²(제주).
푸다¹ 자 〈옛〉 피다. ¶蓮ㅅ곳 품 곧 ᄒᆞ실식(如蓮華開)≪圓覺 上 一之二 37≫.
푸다² 타 〔중세 : 프다〕 ①물을 떠내다. ¶물을 ~. ②그릇 속에 담긴 곡식 등을 떠내다. ¶독에서 쌀을 ~.
푸닥-거리 명 『민』 무당이 간단하게 음식을 차려 놓고 잡귀를 풀어 먹이는 굿. ——-하다 자여불
푸닥-지다 형 적은 것을 많다고 비꼴 때에 '푸지다'의 뜻으로 쓰는 말.
푸달-지다 형 〈방〉 푸닥지다. ¶하다가 마침내 푸달진 월급자리나마 영영 떨어지고 나니… 빚밖에 남은 것이 없었다≪蔡萬植 : 濁流≫.
푸대 명 〈방〉 부대(경상·함경).
푸-대님 명 〈방〉 풀대님.
푸대이 명 〈방〉 포대기(경북).
푸-대접 【—待接】 명 관곡(款曲)한 맛이 없이 아무렇게나 하는 대접. 냉대(冷待). 냉우(冷遇). 부대접(不待接). 소대(疎待). 부대우(不待遇). 박대(薄待). 외대(外待). ¶외지(外地) 사람이라고 ~을 받다. ——-하다 타여불
푸대추-나무 명 『식』 까마귀베개.
푸덕 부 새나 물고기가 날개나 꼬리를 무겁고도 둔하게 치는 소리. >포닥. ——-하다 자타여불
푸덕-거리다 자타 자꾸 푸덕 소리가 나다. 또, 자꾸 푸덕 소리를 나게 하다. 푸덕-푸덕 부. ——-하다 자여불
푸덕-대다 자타 푸덕거리다.
푸덕-이다 자타 새나 물고기가 날개나 꼬리를 무겁고도 둔하게 치다.
푸돕킨 〔Pudovkin, Vsevolod〕 명 『사람』 소련의 영화 감독. 몽타주 이론의 주창자. ≪어머니≫는 그의 최고 걸작. 이 밖에 ≪성(聖)페테르부르크의 최후≫·≪아시아의 폭풍≫·≪바실리 포르토니코프의 귀환≫ 등이 있음. [1893-1953]
푸두둥 부 꿩 같은 것이 갑자기 날 때의 소리. >포도동. ——-하다 자여불
푸두둥-거리다 자 연해 푸두둥 소리를 내며 날다. <포도동거리다. 푸두둥-푸두둥 부. ——-하다 자여불
푸두둥-대다 자 푸두둥거리다.
푸둥-푸둥 부 퉁퉁하게 살지고 부드러운 모양. ㅅ부둥부둥. >포동포동. ——-하다 형여불
푸드 〔러 pud〕 의명 러시아의 중량의 단위. 16.38 kg.
푸드덕 부 날짐승이 날개를 무겁고 어지럽게 치는 소리. 또, 큰 물고기 따위가 생기 있게 뛰며 어지럽게 꼬리를 치는 소리. >포드닥. ——-하다 자여불
푸드덕-거리다 자 연해 푸드덕 소리를 내다. >포드닥거리다. 푸드덕-푸드덕 부. ——-하다 자여불
푸드덕-대다 자 푸드덕거리다.
푸드득 부 무른 똥을 힘들여 눌 때 거세고 야단스럽게 나는 소리. ㅅ부드득. ㅆ뿌드득. >파드득·포드득. ——-하다 자타여불
푸드득-거리다 자타 연해 푸드득 소리가 나다. 또, 연해 푸드득 소리를 나게 하다. ㅅ부드득거리다. ㅆ뿌드득거리다. >파드득거리다·포드득거리다. 푸드득-푸드득 부. ——-하다 자타여불
푸드득-대다 자타 푸드득거리다.
푸드둥 부 ☞푸두둥.
푸드둥-거리다 자 ☞푸두둥거리다.
푸:드 센터 〔food center〕 명 식료품 가게나 음식점을 한 자리에 모은 곳.
푸드 프로세서 〔food processor〕 명 식품 가공기로서, 특히 모터로 칼날을 회전시켜 조리 재료를 다지고, 잘게 썰고, 갈아 빻는 등의 일을 할 수 있는 전동 기구.
푸:들 〔poodle〕 명 『동』 애완용(愛玩用) 개의 한 품종. 유럽 원산으로 털이 길고 양털 모양이며, 아름다움. 백색·흑색·얼룩이 등이 있음.

〈푸들〉

푸딩 〔pudding〕 명 서양식의 연한 생과자. 곡분(穀粉)에 달걀·우유·크림·설탕·향료(香料) 등을 섞고, 과실·야채 등을 가하여 구운 것으로 디저트로 이용함.
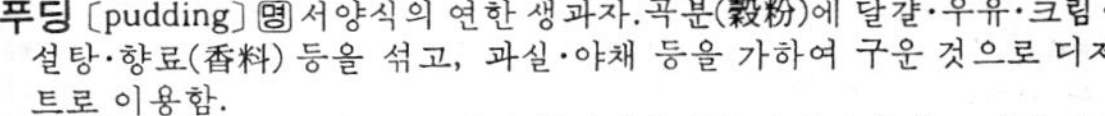
푸ᄃᆡ졉 명 〈옛〉 푸대접. ¶고제서 푸ᄃᆡ졉ᄒᆞ거든 닙헤셔나 자고 가쟈≪古時調≫.
푸뜩 부 〈방〉 퍼뜩.
푸뜩-푸뜩 부 이따금 띄엄띄엄 나타나는 모양. ——-하다 형여불
푸뜻-푸뜻 부 〈방〉 푸뜩푸뜩.
푸라나 〔Purana〕 명 『책』 고대 인도의 힌두교 성전군(聖典群). 기원전 4-3세기경부터 존재하게 되었는데 18종이 있음. 우주의 창조·우주의 파괴·건설, 신(神)·성(聖)·현(賢)의 계보(系譜)를 기술하였음.
푸란 〔Furan〕 명 『화』 클로로포름의 냄새가 나는 무색의 액체. 끓는점 32°C, 물에는 녹지 않으나 에탄올에 녹음. 무기산(無機酸)에 의한 중합(重合)으로 수지화(樹脂化)함. [C_4H_4O]
푸렁 명 푸른 빛깔이나 물감.
푸렁-이 명 ①푸른 빛의 물건. ②『식』 줄무늬 없이 온통 짙푸른 무등산(無等山) 특산의 수박의 별명.
푸렇다 형 〈방〉 퍼렇다.
푸렝-이 명 〈방〉 풀떼기.
푸루샤 〔Puruṣa〕 명 『신』 인도 베다교(Veda 教)의 원인(原人). 신(神)들이 희생으로 바치기 위해 푸루샤를 죽이니 그의 눈에서 태양, 심장에서 달, 숨에서 바람, 입에서 인드라(Indra)·아그니(Agni), 사지(四肢)에서 카스트(caste)의 사성(四姓)이 화생(化生)되었다 함.
푸룽켈 〔도 Furunkel〕 명 『의』 절양(癤瘍).
푸르께-하다 형여불 곱지도 짙지도 못하게 푸르다. <파르께하다.
푸르네롱 〔Fourneyron, Benoit〕 명 『사람』 프랑스의 기술자. 측량사의 아들로, 광산 학교를 나와 광산에서 일했음. 뷔르댕(Burdin) 등의 수력학에 관한 연구를 바탕으로 1832년 반동 수차(反動水車)를 완성했고, 개량을 거듭하여 실용 원동기로서의 수력 터빈(turbine)의 실용화에 이바지하였음. [1802-67]
푸르-누렇다 〔—러타〕 형ㅎ불 푸른빛을 조금 띠면서 누렇다.
푸르누레-지다 자 푸르누렇게 되다. ¶불그스레하게 좋던 안색이 푸르누레져 있었다≪韓戊淑 : 어둠에 갇힌 불꽃들≫.
푸르니에 〔Fournier, Pierre〕 명 『사람』 프랑스의 첼로 주자. 처음에는 피아노를 배우다가 소아 마비에 걸려 다리가 불편해져서 9세 때 첼로로 전향함. 윤기 있는 음색과 섬세한 표현으로 현대 첼로계(界)를 대표했음. [1906-86]
푸르다 형러불 〔중세 : 프르다, 프를다〕 ①하늘빛 같다. 청색이다. ②일반적으로 하늘빛·초록빛·쪽빛과 같은 빛이다. ¶푸른 하늘. ③세력의 서슬이 싱싱하다. ¶서슬이 ~.
　푸른 양:반 구 세덕(世德)이 싱싱하고 세력이 당당한 양반의 뜻.
푸르대-콩 명 『식』 콩의 한 가지. 열매의 껍질과 속살이 다 푸름. 청대두(青大豆). 청태(青太).
푸르뎅뎅-하다 형여불 〈방〉 푸르뎅뎅하다.
푸르데데-하다 형여불 천격스럽게 푸르스름하다. >파르대대하다.
푸르뎅뎅-하다 형여불 격에 어울리지 아니하게 푸르스름하다. >파르댕댕하다.
푸르디-푸르다 형러불 심히 푸르다.
푸르락-누르락 부 흥분하여 얼굴색이 푸르러졌다 누래졌다 하는 모양. ——-하다 자여불
푸르락-붉으락 〔—불그—〕 부 ☞붉으락푸르락.
푸르르 부 ①많은 물이 좁은 면적에서 갑자기 끓어 오를 때 나는 소리. 또, 그 모양. ②배게 모인 나뭇개비에 불이 거침없이 타 오르는 모양. ③잎사귀 같은 것이 갑자기 가볍게 떠는 모양. ㅆ뿌르르. 1)-3): ㅅ부르르. ④작은 새 같은 것이 제자리에서 갑자기 넙뜨면서 나는 소리. 1)-4): >포르르. *퍼르르. ——-하다 자여불
푸르무레-하다 형여불 태가 나지 아니하고 칙칙하고 엷게 푸르다. >파르무레하다. ¶담 너머로 내민 나뭇가지 때문에 그녀의 얼굴이 푸르무레하게 얼룩져보였다≪崔仁勳 : 颱風≫.
푸르숙숙-하다 형 〈방〉 푸르죽죽하다.
푸르스럼-하다 형 ☞푸르스름하다.
푸르스름-하다 형여불 약간 푸르다. >파르스름하다.
푸르죽죽-하다 형여불 빛깔이 고르지 못하고 칙칙하게 푸르스름하다. >파르족족하다.
푸르키녜 〔Purkinje, Johannes Evangelista von〕 명 『사람』 체코슬로바키아의 생리학자·조직학자. 푸르키녜 세포·푸르키녜 잔상(殘像)·푸르키녜 현상 등을 발견하는 등 많은 업적을 남김. [1787-1869]
푸르키녜 세:포 【—細胞】 〔도 Purkinje〕 명 『생』 소뇌 피질(小腦皮質)의 분자층과 과립층(顆立層)의 경계에 배열하는, 큰 배 모양의 신경 세포. 두 줄의 굵은 수지상(樹枝狀) 돌기가 분자층에 들어가, 분기(分岐)되어 표면에 이르고 있음.
푸르키녜 잔상 【—殘像】 〔도 Purkinje〕 명 『심』 광자극(光刺戟)으로 일어나며, 자극과 같은 성질의 명도(明度)를 가진 보색(補色)의 잔상.
푸르키녜 현:상 【—現象】 〔도 Purkinje〕 명 『심』 색채의 명도(明度)는 광원(光源)의 명도만으로 정하여지는 것이 아니고, 주위의 조도(照度)나 피검자(被檢者)의 순응 상태에 따라 정하여지는 현상. 즉, 저녁이 되면 청색이나 녹색이 적색이나 황색에 비해 잘 보이는 따위.
푸르퉁퉁-하다 형여불 산뜻하지 못하게 푸르다. ¶푸르퉁퉁한 얼굴.
푸르트벵글러 〔Furtwängler〕 명 『사람』 ①〔Adolf, F.〕 독일의 고고(考古)학자. 뮌헨 대학 교수·뮌헨 고대 박물관장. 1878-79년에 올림피아 발굴에 참가함. 고대 그리스 미술을 날카로운 감식안(鑑識眼)과 문헌

고증(文獻考證)으로 해명하였으며, 특히 기원전 5-4세기의 조각(彫刻) 연구에 공헌했음. [1853-1907] ②[Wilhelm, F.] 독일의 지휘자. ❶의 아들. 주로 베를린 필하모니 관현 악단을 지휘했고, 고전으로부터 현대에 이르는 광범위한 음악을 연주하였음. 현대 최고의 지휘자의 한 사람. [1886-1954]

푸르푸랄 [furfural] 명 『화』 식물 정유(植物精油)·푸젤유(fusel油) 등에 존재하는 무색의 액체. 나일론 원료·용제(溶劑)·살충제 등에 이용함. 독성이 있음. [$C_5H_4O_2$]

푸르 프랑드르 콩제 [프 pour prendre congé] 명 ①고별(告別) 인사의 말. 명함에 P.P.C.라고 약하여 씀. ②청가(請暇).

푸른-거북 명 『동』 바다거북.

푸른-곰팡이 명 『식』 [*Penicillium* spp.] 페니실륨속 균(菌) 가운데서, 균의 모임이 녹·황록·청록색을 띤 유(類)의 총칭. 빵·떡과 같은 유기물(有機物)이 많은 곳에 잘 생기며, 균사(菌絲) 위에 특별한 병(柄)이 생겨, 그 위가 방상(房狀)으로 갈라져서 구형(球形)의 분생자(分生子)가 염주(念珠) 모양으로 붙음. 이 속(屬)은 130여 종이 있으며, 부패 작용(腐敗作用) 또는 독성이 있는 것이 많으나, 페니실린 그 밖의 많은 항균 물질(抗菌物質)에 의하여 사람에게 유익한 것도 있음.

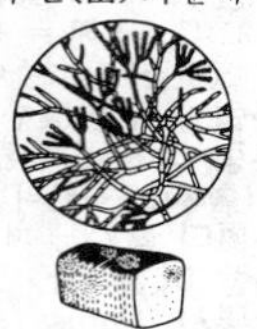
〈푸른곰팡이〉

푸른 꽃 명 [도 Heinrich von Ofterdingen] 『문』 독일의 낭만파 시인 노발리스(Novalis)작의 장편 소설. 1802년 간행. 13세기 초엽의 전설적인 기사 시인(騎士詩人)을 소재로, 주인공 하인리히가 꿈에 본 푸른 꽃을 구하는 편력(遍歷)을 그린 것임. 이후 '푸른 꽃'이란 말은 낭만주의의 상징으로서도 쓰이었음.

푸른-나물 명 청채(靑菜)❶.

푸른-도요 명 『조』 댕기물떼새.

푸른-똥 명 녹변(綠便). ¶ 아기가 ~을 싼다.

푸른-루핀 [lupin] 명 『식』 [*Lupinus hirsutus*] 남부 유럽 원산의 일년초. 키는 25-75 cm. 잎은 보통 장상 복엽(掌狀複葉)인데, 약간 흰 빛을 띰. 5-6월에 긴 꽃대가 나와 청(靑)·자(紫)·백색(白色)의 꽃이 총상 화서(總狀花序)로 핌.

푸른-박새 명 『식』 [*Veratrum dolichopetalum*] 백합과에 속하는 다년초. 줄기 높이 1.5 m 가량으로 직립하고 굵으며 원추형임. 잎은 호생하며 넓은 타원형이고 길이 30 cm, 폭 12 cm에 평행맥(平行脈)이 있음. 6-7월에 매화(梅花) 비슷한 담황백색의 육판화(六瓣花)가 줄기 끝에 원추상의 복총상(複總狀) 화서로 피고, 삭과(蒴果)는 달걀꼴의 타원형임. 깊은 산의 습지에 나는데, 한국·일본·중국에 분포함. 뿌리는 유독(有毒)하며 벼·보리 등의 살충제로 씀.

푸른-백로【一白鷺】[一노] 명 『조』 해오라기❷.

푸른-부전나비 명 『충』 [*Celastrina argiolus*] 부전나빗과에 속하는 곤충. 편 날개 36 mm 내외로 수컷의 날개는 담유리색(淡琉璃色)에 외연은 흑색이며, 암컷은 암색에 청남색 반문이 있고 뒷날개는 청백색이며, 외연의 문열(紋列)은 흑색인데 뒷면은 회백색에 흑색 문열이 있음. 한국·일본·중국 및 유럽 등지에 분포함.

〈푸른부전나비〉

푸른-빛 명 푸른 빛깔. 청(靑). 청색(靑色).

푸른 얼음 명 [blue ice] 커다란 단결정(單結晶)으로 이루어지는 순수한 얼음. 얼음 분자에 의한 빛의 산란(散亂)으로 푸른 빛깔을 띠는데, 얼음이 순수할수록 푸른 빛깔이 짙어짐.

푸른-칡범잠자리 [一칙一] 명 『충』 [*Nihonogomphus viridis*] 왕잠자릿과에 속하는 곤충. 복부 길이 38 mm, 뒷날개 38 mm 내외이고, 흉부(胸部)는 선녹색(鮮綠色), 중흉부의 전면 중앙과 앞날개의 기부(基部) 및 흉측(胸側)에 흑색의 조문(條紋)이 있음. 복부는 흑색에 제1-7절 배면(背面)에 녹색의 긴 무늬 한 줄과 짧은 무늬 두 개가 있음. 제8-9절은 폭이 넓고 반문이 있음. 한국·일본에 분포함.

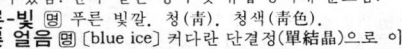

푸른-콩 명 『식』 ☞ 청대콩.

푸를청-부【一靑部】 명 한자 부수(部首)의 하나. '靖'이나 '靜' 등의 '靑'의 이름.

푸릇-푸릇 부 군데군데 푸르스름한 모양. >파릇파릇. ——-하다 형여불

푸리 [Puri] 명 『지』 인도 벵골 만(灣) 연안의 항구 도시. 힌두교(敎) 비시누파(派)의 성지(聖地)임. [101,000 명(1981)]

푸리기 명 〈방〉 ①풀떼기. ②풀보기.

푸리아 [Furia] 명 『신』 에리니에스(Erinyes).

푸리안트 [이 furiant] 명 『악』 왈츠곡 비슷한 3박자계(系)의 보헤미아 민속 무곡(民俗舞曲). 템포가 빠르며, 가끔 리듬이 변함.

푸리에¹ [Fourier, François Marie Charles] 명 『사람』 프랑스의 대표적인 공상적 사회주의자(空想的社會主義者). 상업의 허위를 몸소 체험하고, 리옹(Lyon)의 폭동에서 일종의 사회주의에 대한 암시를 얻어 인간의 형이상학적(形而上學的) 파악 및 역사의 변증법적(辨證法的) 이해에 바탕을 둔 인간의 자연적이고 영원한 이상(理想) 사회를 말하였음. [1772-1837]

푸리에² [Fourier, Jean Baptiste Joseph] 명 『사람』 프랑스의 수학자·물리학자. 어려서 고아(孤兒)였으나 자라서 수도원에서 수학을 독학, 혁명 후 파리의 에콜 노르말(Ecole normale)의 수학 교수가 됨. 나폴레옹과 루이(Louis) 18세를 번갈아 받들면서 '푸리에의 정리' 및 '푸리에 급수(級數)'를 발표하여 근대 편미분(偏微分) 방정식 등의 기초를 열었음. [1768-1830]

푸리오소 [이 furioso] 명 『악』 '열렬하게'의 뜻.

푸린 [purine] 명 『화』 헤테로 고리 화합물의 하나. 무색의 결정(結晶). 녹는점 216-217℃. 물·뜨거운 에탄올(ethanol)에 잘 녹음. 푸린핵(核)을 가진 화합물로서 염기성(塩基性)을 띤 것을 푸린 염기라고 함. 아데닌·구아닌·카페인 따위로, 핵산(核酸)이나 알칼로이드 구성 성분으로서 생화학적(生化學的)으로 중요한 것이 많음.

푸마 [Phouma, Souvanna] 명 『사람』 라오스의 정치가. 왕족(王族) 출신. 중립파(中立派)로서 1951년부터 수상을 지냈으며, 1975년 정부 고문에 취임함. [1910-84]

푸마르-산【一酸】 명 [fumaric acid] 『화』 무색의 결정(結晶). 녹는점 286-287°C. 물에 잘 녹지 않고 에탄올에 녹음. 생화학적으로는 생체 내의 주요 대사 중간체(代謝中間體)이며 숙신산(酸)의 탈수소(脫水素) 반응으로 생김.

푸만-하다 형여불 [←포만(飽滿)하다] 뱃 속이 그들먹하여 조금 거북하고 편하지 못한 느낌이 있다.

푸베스 [도 Pubes] 명 『생』 거웃. 음모(陰毛).

푸살 명 『민』 경기도 지방에서, 가족 중에 벼슬을 한 사람이 생겼을 때나 마을의 경사(慶事)가 있을 때 벌이던 굿.

푸상키 명 〈방〉 푸성귀(제주).

푸-상투 명 허투루 틀어 맨 상투. ¶ 모두가 자다가 그대로 끌려온지라 자리옷인 고의 적삼만 입고 있었고 머리도 모두가 ~다《李無影:農民》.

푸새¹ 명 옷 같은 데 풀을 먹이는 일. ¶ 옷에 ~하다/옥양목 저고리의 ~가 좀 세었던 모양인지 걷는 대로 와삭와삭 소리가 났다《朴花城:벼랑에 피는 꽃》. ——-하다 타여불

푸새² 명 [근대:푸새] 산과 들에 저절로 나서 자란 풀의 통칭.

푸:샨 [Pūṣan] 명 『신』 인도의 베다 신화(神話)에 나오는 신(神). 태양의 육성력(育成力)과 관계가 있는 신이었으나, 목축의 신, 나중에는 사자(死者)의 영혼을 천국으로 인도하는 신으로 되었음.

푸서 명 피륙을 베어 낸 자리에서 풀어지는 올.

푸서리 명 [중세:프서리, 프서리] 덩거칠게 잡풀이 무성한 땅.

푸석 부 메마르고 부피가 큰 물건 따위가 세게 부스러지면서 나는 소리. >포삭. ——-하다 ㊀ 자여불 메마르고 부피가 큰 물건 따위가 세게 부스러지는 소리가 나다. ㊁ 형여불 ①메마르고 부피가 커서 부스러지기가 쉽다. ②핏기가 없이 약간 부은 듯하고 꺼칠하다. 1)·2)부석하다. >포삭하다.

푸석-거리다 자 메마르고 부피가 큰 물건 따위가 세게 부스러지는 소리가 연해 나다. >포삭거리다. **푸석-푸석** 부 ①푸석푸석한 모양. ¶ 건드리기만 해도 ~ 부스러진다. ②푸석거리는 소리. ——-하다 ㊀ 자여불 푸석거리다. ㊁ 형여불 ①바탕이 메마르고 부피만 커서 몹시 부스러지기 쉽다. ②핏기가 없이 부은 듯하고 꺼칠해 보이다.

푸석-대다 자 푸석거리다.

푸석-돌 명 『광』 화강암(花崗岩)이나 화강 편마암(花崗片麻岩) 들과 같은 바윗돌이 풍화(風化)되어 취약(脆弱)해져서 푸석푸석하게 된 돌. ㊌ 석돌.

[푸석돌에 불난다] 잘 부서지는 푸석돌에 불이 날 리가 없으나 노력과 수단이 뛰어나면 무엇이든지 꼭 이룸의 비유.

푸석-살 명 무르고 푸석푸석한 살. ↔대살.

푸석이 명 ①거칠고 단단하지 못하여 부스러지기 쉬운 물건. ②옹골차지 못하고 아주 무르게 생긴 사람.

푸성가리 명 〈방〉 푸성귀(강원·충남·전라·경남).

푸성개 명 〈방〉 푸성귀(충남).

푸성거리 명 〈방〉 푸성귀(제주).

푸성구 명 〈방〉 푸성귀(강원·충북·전라·경남).

푸성귀 명 [중세:프성귀] 사람이 가꾸어 기르거나 또는 저절로 난 온갖 나물들을 통틀어 일컫는 말.

[푸성귀는 떡잎부터 알고 사람은 어렸을 때부터 안다] 장래 희망이 있는 자는 어렸을 적부터 알아본다는 말.

푸성기 명 〈방〉 푸성귀(경기·충남·전남·경북).

푸셔 바:지 [pusher barge] 명 거룻배를 푸셔 보트(pusher boat)로 밀어서 운항하는 방식의 배.

푸셰 [Foucher, Alfred] 명 『사람』 프랑스의 인도학자(印度學者). 하노이의 극동 학원장·파리 대학 교수 등을 역임. 1922-25년 아프가니스탄의 고고학적 조사에 종사하였는데, 그때 발굴한 미술품의 대부분은 기메 미술관(Guimet 美術館)에 수장되었음. 주저 《간다라(Gandhara)의 그리스적(的) 불교 미술》·《불교 미술의 기원》·《불타(佛陀)의 생애》 등. [1865-1952]

푸솜¹ 명 〈방〉 학질(경남).

푸-솜² 명 타지 않은 날솜.

푸수수 부 푸슬푸슬. ¶ ~하게 일어선 머리칼. ——-하다 형여불

푸순 [撫順] 명 『지』 중국 둥베이(東北) 지구 랴오닝 성(遼寧省) 동쪽에 있는 세계 유수의 탄광 도시. 선양(瀋陽)의 동쪽에 있음. 푸순 철도(撫順鐵道)·선지 철도(瀋吉鐵道)가 통함. 푸순 탄전은 중국 최대의 노천굴(露天掘) 탄광으로 연간 산탄량(産炭量) 1,200만 톤, 매장량은 140억 톤이라 함. 점결성(粘結性) 역청탄을 생산하고, 함유 셰일(含油 shale)에서 석유가 산출되며 제철·기계·화학·시멘트 약품 등의 공업도 성함. 무순. [1,290,000 명(1987)]

푸슈투-어【一語】 [Pushtu] 명 『언』 '파슈토어'의 이칭.

푸스터 [Puszta] 명 『지』 [헝가리어(語)로 초원의 뜻] 헝가리의 도나우 강(Donau江)과 그 지류(支流)인 티서 강(Tisza江) 유역에 펼쳐진 평원(平原). 삼림(森林)이 없는 초원으로 전에는 양을 길렀으나 현재는 밀·옥수수를 재배하고 소·돼지를 사육하며 포도·과수의 재배지가 되었음.

푸슬-푸슬 부 가루 같은 것이 물기가 적어서 잘 엉기지 못하는 모양. 푸수수. ㅅ부슬부슬. >포슬포슬. *퍼슬퍼슬. ——-하다 형여불

푸승개 명 〈방〉 허파(함북).

푸시 〔push〕 명 ①미는 일. 밀고 나가는 일. ②당구(撞球)의 반칙의 일종. 큐 볼(cue ball)이 표적구(標的球)에 맞을 때까지 큐를 큐 볼에서 떼지 않고 미는 일. ——하다 자여불

푸시기 명 〈방〉 푸성귀(경북).

푸시 로드 〔push rod〕 명 〖기〗 내연 기관에서 로커 암(rocker arm)과 더불어 캠(cam)의 운동을 밸브(valve)에 전하는 중간체(中間體). 막대의 하단은 캠에, 상단은 로커 암에 접촉시켜, 캠에 의해 상하 운동하고, 로커 암을 받침점의 주위에 움직이게 함.

푸시 로크 〔push lock〕 명 문(門)의 안쪽의 둥근 손잡이 한가운데에 버튼이 달려 있어, 그것을 누르면 문이 잠기게 된 자물쇠.

푸시 버튼 방식 【—方式】〔push button〕 명 〖전〗 전신(電信) 교환 방식의 하나. 수신 천공(受信穿孔) 테이프의 행선(行先)을 사람의 손으로 버튼을 눌러서 지시하는 방식.

푸시시[1] 부 털이 함초롬히 고르지 않고 거친 모양. 부스스. ¶ 자다가 일어난 ~한 머리털. ——-하다 형여불

푸시시[2] 부 불에 물을 부을 때 나는 소리. ——-하다 자여불

푸시킨 〔Pushkin, Aleksandr Sergeevich〕 명 〖사람〗 러시아의 시인·소설가·극작가. 러시아의 국민 문학과 현대 문장어의 확립자. 젊었을 때, 그 혁명적(革命的)인 시(詩) 때문에 유형(流刑)되었으며 평생토록 정부의 압박을 받음. 결투로 죽었음. 시극 《보리스 고두노프》, 시소설 《예브게니 오네긴》·《대위의 딸》 등이 있음. [1799-1837]

푸시-폰: 〔push+phone〕 명 버튼식(式) 전화기. 회전 다이얼 대신 버튼을 눌러 번호 선택 신호를 보냄.미국에서는 상품명으로 터치톤폰(Touch-Tone-Phone), 줄여서 터치폰이라고 함.

푸시풀 회로 【—回路】〔push-pull〕 명 〖전〗 두 개의 증폭기(增幅器)의 출력이 반대가 되게 접속시킨 회로. 전력 증폭기에 흔히 쓰임.

푸신 〔阜新〕 명 〖지〗 중국 둥베이(東北) 지구 남부, 랴오닝 성(遼寧省) 북서부에 있는 도시. 원래 몽고령이었으나 1901 년경부터 개간에 힘써 1911 년에 푸신 현(縣)의 현청 소재지가 됨. 이곳의 푸신 탄전(阜新炭田)은 쥐라기(Jura紀) 전기의 탄전으로서 대표적인 것임. 농산물의 집산지이며 근래 광공업(鑛工業)의 발달이 두드러짐. 부신. [653,200 명(1984)]

푸심 명 〈방〉 학질(경남).

푸싱 〔pushing〕 명 축구나 농구에서, 상대자를 밀어뜨리는 반칙 행동. ——-하다 자여불

푸시 명 〈옛〉 풀. 푸성귀. '푸'는 '풀'의 'ㅅ 소리 위에서의 ㄹ 탈락(脫落)', '시'는 '마른 풀'이니 '푸시'는 '풀'의 통칭으로 풀이됨. ¶아모리 푸시읫 즘싱인들 녀 죽을 줄 모르는다 《古時調 뭇노라 부나뷔》.

푸아 그라 〔프 foie gras〕 명 특수하게 사육한 거위의 간(肝). 세계적 진미(珍味)로 침. 프랑스의 스트라스부르(Strasburg)와 툴루즈(Toulouse)가 주산지(主產地).

푸아송 〔Poisson, Siméon Denis〕 명 〖사람〗 프랑스의 수학자·물리학자. 퍼텐셜(potential)에 관해 '푸아송의 방정식'을 창안하고 물리의 여러 현상의 실험에 '푸아송의 비(比)'를 도입했음. [1781-1840]

푸아송 분포 【—分布】 명 〔Poisson distribution〕 〖물〗 확률 분포(確率分布)의 하나. 일정한 기간 중에 일어나는 희현상(稀現象)의 발생수(數)로, 농도(濃度) 등의 분포를 말함. 프랑스의 푸아송(Poisson)이 제창(提唱)하였음.

푸아송의 비: 【—比】〔—/—에—〕 명 〔Poisson's ratio〕 〖물〗 탄성체(彈性體)에 외력(外力)을 가해 잡아 당겼을 때, 그 힘의 방향으로 늘어남과 수직 방향으로 줄어듦과의 비(比). 부피가 변하지 않을 때는 0.5, 금속에서는 약 0.3, 고무에서는 0.5에 가까움.

푸아죄유의 법칙 【—法則】〔—/—에—〕 명 〔Poiseuille's law〕 〖물〗 굵기가 고른 원관(圓管) 속의 점성 유체(粘性流體)의 흐름에 관한 법칙. 가는 원관을 통해 일정 시간 내에 흐르는 유체의 양은 관의 양끝의 압력차에 비례하고, 관의 반지름의 네 제곱에 비례하며 관의 길이에 반비례한다는 법칙. 1839 년 독일의 하천 공학자(河川工學者) 하겐(Hagen, Gotthilf; 1797-1884)이, 이듬해에 프랑스의 생리학자 푸아죄유(Poiseuille, Jean Léonard Marie; 1799-1869)가 각각 발견함. 하겐 푸아죄유의 법칙.

푸아즈 〔poise〕 의명 유체 점성률(流體粘性率)의 시 지 에스(C.G.S.) 단위. 유체내에 1 cm당 매초 1 cm의 속도 구배(勾配)가 있을 때, 그 구배의 방향과 수직면(垂直面)에 있어서 속도의 방향에 1 cm²당 1다인의 응력(應力)이 생길 때의 점성률(粘性率). 프랑스의 생리학자 푸아죄유(Poiseuille)의 이름에서 연유함. 기호:P.

푸아티에 싸움 〔Poitier〕 명 〖역〗 ①백년 전쟁 초기인 1356년, 서(西)프랑스의 푸아티에 부근에서 영국의 에드워드(Edward) 흑태자(黑太子)가 프랑스왕 장(Jean) 2세를 무찌르고 포로로 한 싸움. 그 결과 푸아티에는 영국령이 됨. ②투르 푸아티에(Tours Poitier)의 싸움.

푸앵카레 〔Poincaré〕 명 〖사람〗 ①〔Jules Henri P.〕 프랑스의 수학자·물리학자·천문학자. 수학에서는 보형 함수(保型函數)의 이론을 창시(創始)하고 수론(數論)·함수론(函數論)·미분 방정식론, 물리학에서는 상대성 이론·양자론 등을 널리 연구 하였으며 천문학의 삼체(三體) 문제를 논하였음. 과학을 위한 과학을 주장하고 규약(規約)의 중요성을 강조하였음. 저서 《과학과 가설(假說)》·《과학과 방법》·《천체 역학(天體力學)》 등. [1854-1912] ②〔Raymond P.〕 프랑스의 정치가. ❶의 종제(從弟). 공화파 우익(右翼)의 수뇌로 하원 의원을 거쳐 1912년에 수상에 취임, 1913년 대통령이 됨. 제1차 대전 직후의 국제 분쟁 처리에 진력하였으며, 프랑화(Franc貨)를 평가 절하(平價切下)하여 안정시켰음. 주저(主著)는 《정치사》. [1860-1934]

푸앵티이슴 〔프 pointillisme〕 명 〖미술〗 점묘(點描)하여 그리는 화법(畫法). 곧, 색(色)이나 선(線)으로 묘사하지 않고 점(點)으로 묘사하는 것으로, 프랑스의 인상파(印象派)가 사용한 화법임.

푸양 〔濮陽〕 명 〖지〗 중국 허난 성(河南省) 동북쪽의 도시. 성도(省都)인 정저우(鄭州)에서 동북 165 km에 있는 한대(漢代) 이래의 옛도시. 신샹(新鄕)에서 공로(公路)가 통하고 있음. 전욱(顓頊)의 묘(墓)가 있다고 함. 밀·고량수수·목화·땅콩의 재배가 활발함. 복양. 구칭 : 개주(開州). [50,000 명(1976)]

푸어 〔poor〕 명 가난함. 빈약(貧弱). 빈곤(貧困).

푸에룰루스 〔puerulus〕 명 〖동〗 절지(節肢) 동물 대하류(類)의 유생(幼生). 그 변태 중 필로소마(Phyllosoma) 다음으로 나타나는 시기로, 모양은 어미와 비슷하나, 어미보다 제1 촉각(觸角)이 훨씬 짧고, 그 표면에 가시가 없으며, 두흉갑(頭胸甲)에도 가시가 적음. 발은 짧고, 이 시기의 시초는 몸이 투명하여, 필로소마와 다름. 수면 가까이 부유하지 않고 언제나 해저에 살며, 7-9월경에 가장 많이 보임. 몸길이 16-22 mm 가량이며, 외양(外洋)에 면한, 따뜻하고 바위가 많은 곳이나 암석이 섞인 사니지(砂泥地)에 삶. *필로소마.

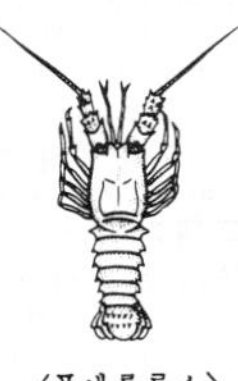
〈푸에룰루스〉

푸에르토-리코 〔Puerto Rico〕 명 〖지〗 서인도 제도의 대(大)앤틸리스 제도(Antilles 諸島) 동단에 있는 미국의 자치령. 마이애미의 남동쪽 1,600 km 해상에 위치하며 산이 많고 평야가 적음. 설탕 산출이 많고 엽궐련이 유명함. 16 세기부터 스페인의 식민지가 되었고, 1898 년 미서(美西)전쟁 결과 미국령이 됨. 1952 년 자치권을 획득함. 주민의 대부분은 스페인계(系) 백인인데 인구 과잉으로 미국 본토로의 이주자가 많음. 사탕수수·커피·담배·파인애플 등이 주요 작물임. 수도는 산환(San Juan). [8,897 km² : 3,522,037 명(1990)]

푸에르토리코 해:구 【—海溝】〔Puerto Rico〕 명 〖지〗 서인도 제도의 대앤틸리스(大Antilles) 제도 북동쪽에 있는 해구. 깊이 6,000 m 이상, 가장 깊은 곳은 1939년 발견된 밀워키 해연(Milwaukee 海淵)의 9,219 m가 알려져 있지만, 1955-56년의 미국 비마호(號)의 측심(測深)으로는 북위 19°38′, 서경(西經) 66°-68°30′ 의 8,385 m 임.

푸에르토-몬트 〔Puerto Montt〕 명 〖지〗 칠레 남부의 항구 도시. 칠레 종관 철도(縱貫鐵道)의 남단, 판아메리칸 하이웨이의 종점에 가까운 교통의 요지. 제분(製粉)·제재(製材)가 행하여짐. 1852년 독일 이민(移民)에 의해 창건됨. [81,353 명(1983)]

푸에르토-카베요 〔Puerto Cabello〕 명 〖지〗 베네수엘라 북부 카리브 해안(海岸)의 항구 도시. 이 나라 제2의 중요 항구로 조선·방적·제분·식물유·비누 등의 공업이 행하여짐. [72,000 명(1989)]

푸에르토-플라타 〔Puerto Plata〕 명 〖지〗 서인도 제도 도미니카 북부의 항구 도시. 농업 지대의 중심으로 담배·설탕·피혁·커피·카카오 등을 수출함. [45,000 명(1981)]

푸에블라 〔Puebla〕 명 〖지〗 멕시코시티의 동남방 140 km에 위치하는 멕시코 제 4 의 도시. 푸에블라 주(州)의 주도(州都)이며 멕시코 최고(最古)의 식민지로 스페인의 색채(色彩)가 강하게 남아 있음. 면직물(綿織物)·유리·도자기 등을 산출함. 1690 년에 건립된 산토 도밍고 교회(Santo Domingo 敎會) 등 많은 교회와 1537 년 창립된 대학이 있음. 정식 명칭 : 푸에블라 데 사라고사(Puebla de Zaragoza). [835,759 명(1980)]

푸에블라 데 사라고사 〔Puebla de Zaragoza〕 명 〖지〗 푸에블라의 정식 명칭.

푸에블라 선언 【—宣言】 명 〔Puebla declaration〕 1979년 1월 푸에블라에서 열린 제3회 라틴 아메리카 주교(主敎) 회의에서 교황 요한 바오로 2세가 행한 일종의 정교(政敎) 분리 선언. 교회의 임무는 인간의 영혼을 구제함에 있으며, 좌익 정치 활동에 기우는 것은 잘못이라고 말하였음.

푸에블로 〔Pueblo〕 명 〖지〗 미국 콜로라도 주(Colorado州)에 있는 공업 도시. 부근에 탄전(炭田)이 많아 제강업(製鋼業)이 성하고, 관개 농업 지대(灌漑農業地帶)의 중심지임. 1858년에 건설되었고, 1872년 철도가 개통되면서 급속히 발전함. [98,640 명(1990)]

푸에블로 문화 【—文化】〔Pueblo〕 명 〖역〗 미국의 푸에블로 인디언의 문화. 바스켓 메이커 문화 이후 700년 경에 출현하여 현대에 이름. 초기에는 토기를 쓰며 작은 촌락을 형성하여 살다가, 점차 채색 토기(彩色土器)를 쓰고 큰 촌락을 형성하였음. 그 후 유럽 문명의 침투를 받으면서도 고유(固有)의 생활 양식을 유지해 왔으나, 현대에 이르러서는 완전히 쇠퇴함.

푸에블로 인디언 〔Pueblo Indian〕 명 미국 애리조나·뉴멕시코 주(州) 등지에 분포하는 호피(Hopi)·아코마·주니(Zuni)·케레스·타노족(族) 등의 총칭. 돌과 흙으로 집을 짓고 살며 옥수수·호박 등을 재배하였음. 모계제(母系制)이고 기우제(祈雨祭) 등의 의식이 많으며, 개인보다 사회의 조화를 중시하여 아폴로적(Apollo的) 문화의 대표로 지칭됨.

푸에블로호 피:랍 사:건 【—號被拉事件】〔Pueblo〕〔—껀〕 명 1968년 1월 23일 한국의 원산(元山) 앞바다에서 미국 정보 수집함(情報蒐集艦) 푸에블로호가 제트 공군기의 엄호를 받은 북한 해군 초계정(哨戒艇)들에 의해 납치된 사건. 미국은 공해 상(公海上)에서의 함정 피랍에 격분하여 엔터프라이즈호를 한국 동해 상에 급파하는 등 실력 행사 태세를 보이면서 한편으론 판문점(板門店)에서 비밀 협상을 전개, 만 11개월 후인 1968년 12월 23일에 승무원 83 명(사망 1 명)만을 인수(引受)하였음.

푸예 〔Fouillée, Alfred〕 명 『사람』 프랑스의 철학자·사회학자. 당시 프랑스 사상계를 휩쓴 진화론과 대결, 소위 관념력(觀念力)에 의한 자유로운 정신적 진화를 말하여 '진화론적 형이상학(進化論的形而上學)'을 주장하였으며 관념론과 실증주의(實證主義)와의 결합을 중요시하여 뒤르켕류(Durkheim 流)의 사회학에 반대하였음. [1838-1912]

푸유마-족 【一族】〔Puyuma〕 명 대만에 있는 고사족(高砂族)의 하나. 대만 남동부에 살며, 그들의 가장 유력한 촌락(村落)인 비남사(卑南社: 자칭 푸유마)의 이름에서 이렇게 불림. 약 5천 명. 주로 농업을 경영, 조를 많이 심음. 촌락은 자립성이 강하며 연령 계층제(年齡階層制)에 의한 군사 조직을 가지고 있음.

푸이 〔溥儀〕 명 『사람』 중국 청조(清朝)의 선통제(宣統帝 ; 재위 1908-12)의 이름. 성은 아이신 줴뤄(愛新覺羅). 3세 미만에 즉위했다가 1911년, 민국 혁명이 일어난 다음해에 퇴위하여 평민이 됨. 다시 1934년 일본의 괴뢰로, 만주국(滿洲國)의 황제인 강덕제(康德帝 ; 재위 1934-45)가 됨. 제2차 대전 후 소련에 억류되었다가 1950년 중국에서 전범으로 재판을 받고 1959년 특사로 풀림. 저서 ≪나의 반생(半生)≫. 부의. [1906-67]

푸재기 명 〈방〉 포대기(경남).

푸쟁 명 모시·베 같은 옷감으로 호아서 지은 옷을 빤 뒤에, 풀을 먹여 발로 대강 밟거나 홍두깨에 올리어 반반하게 손질한 다음 다리미로 다리는 일. 이렇게 한 뒤에 다시 호아서 지음. ——-하다 타여불

푸저우[1] 〔涪州〕 명 『지』 중국 쓰촨 성(四川省) 동남부에 있는 도시. 청대(清代)의 아편(阿片) 재배의 대중심지였음. 아편 재배가 금지된 후로는 지방적 상업 도시로 발전했음. 부주. [약 10만명(1974)]

푸저우[2] 〔福州〕 명 『지』 중국 푸젠 성(福建省)의 성도(省都). 개항장(開港場)으로 정치 상의 중요지(重要地)임. 시가(市街)는 민장(閩江) 강을 따라가며 있고 차(茶)·목재·종이·피혁(皮革)·과일 등의 수출이 많으며 면제품(綿製品)·석유·설탕·해산물 등이 수입되고 명산(名產)으로는 칠기(漆器)가 있음. 1841년 난징 조약(南京條約)에 의해 개항한 중국 다섯 항구의 하나이며 해외 이민의 기지(基地)였음. 복주. [4,826,500명 중 시구(市區)는 1,164,800명(1984)]

푸저우[3] 〔撫州〕 명 『지』 중국 장시 성(江西省) 중부의 도시. 푸허(撫河) 강 중류 유역의 동안(東岸)에 위치하는데 푸저우 지구의 관공서 소재지임. 송대의 명재상 왕안석(王安石)의 출생지. 장시(江西)와 푸젠(福建) 양성(兩省)을 잇는 교통로의 요충이며, 쌀·대마(大麻) 등의 집산지임. 무주. [169,900명(1984)]

푸접 명 인정·붙임성·포용성 등을 이르는 말로, 흔히 '있다'·'없다' 등의 낱말을 붙여서 씀. 「접-스레 부

푸접-스럽다 형 ㅂ불 보매 붙임성이 없고 쌀쌀맞다. 살차고 매정하다. 푸

푸접-없다 [一업一] 형 남에게 대하여 포용성(包容性)·붙임성 또는 엉너

푸접-없이 [一업씨] 부 푸접없게. └리가 없고 쌀쌀하기만 하다.

푸젠 성 【一省】〔福建〕 명 『지』 중국 화난(華南) 지구 동부, 타이완 해협(臺灣海峽)에 면한 한 성(省). 대부분이 산악 지대로서 해안 굴곡(屈曲)이 심하며 섬·항구가 많음. 중국 삼대 삼림구(三大森林區)의 하나로서 장뇌(樟腦)·송향(松香)·차(茶)·설탕 등이 나고 도자기(陶瓷器) 등도 제조됨. 동쪽은 리아스식(Rias 式) 해안으로 양항(良港)이 많으며, 수산(水產)도 성하여 중요 어장(漁場)임. 주도(主都)는 푸저우(福州). 복건성. [123,100 km²; 26,770,000명(1984)]

푸-조기 명 조기의 한 가지. 보통 조기보다 머리가 작고 몸빛이 희며, 살이 단단하여 구워 먹기에 적당함.

푸조-나무 명 『식』 [*Homoioceltis aspera*] 느릅나뭇과에 속하는 낙엽 활엽 교목. 높이 20m 가량이고 잎은 달걀꼴 또는 타원형임. 자웅 일가(雌雄一家)로 5월에 수꽃이삭은 취산(聚繖) 화서로, 암꽃이삭은 한 두 개가 액생(腋生)하여 피고, 핵과(核果)는 난상 구형(卵狀球形)으로 10월에 검게 익음. 강가나 촌락 부근에 나는데, 전남·경남·대만·중국에 분포함. 과실은 식용하고 목재는 저울대·도끼 자루·그릇 등을 만드는 데 씀.

〈푸조나무〉

푸주 명 소나 돼지 같은 짐승을 잡아서 그 고기를 파는 가게. 고깃간. 푸줏간. 도사(屠肆). 포사(庖肆). 포주(庖廚). 육간(肉間). 찬포(饌庖). 정육점. ＊관(館).

푸주에 들어가는 소걸음 구 벌벌 떨며 무서워하는 모양.

푸주-한 【一漢】 명 푸주를 업으로 하는 사람.

푸-죽다 형 풀이 죽어서 기운이 없다. ¶푸죽은 얼굴로 쳐다보다.

푸줄리나 〔fusulina〕 명 『동』 석탄기(石炭紀)와 페름기(紀)에 번영하였다가 고생대(古生代)가 끝남과 함께 절멸한 유공충(有孔蟲)의 한 과. 해서 동물(海棲動物)인데, 표준 화석(標準化石)으로서 중요함. 모양은 방추상(紡錘狀)의 것이 많고, 원기둥꼴·구상(球狀)의 것도 있음.

푸줏-간 【一間】 명 푸주. 고깃간. └방추충(紡錘蟲).

푸줏간에 든 소 구 꼭 죽을 처지에 놓인 것의 비유. 독안에 든 쥐.

푸줏간에 들어가는 소걸음 구 '푸주에 들어가는 소걸음'과 같은 뜻.

푸줏-관 【一館】 명 ☞푸줏간.

푸지 명 〈방〉 푸새.

푸-지게 명 새사냥군이 자기 몸을 감추기 위해 풋나무로 엮어 만든 기구.

푸지개-꾼 명 푸지개를 치고 새사냥을 하는 사람.

푸지다 형 매우 많아서 넉넉하고 소담하다.

푸-지위 【一知委】 명 『역』 지위(知委)를 풂. 곧, 명령하였던 것을 뒤에 도로 거두어 중지시킴. ¶다시 신돈을 불러 마암 역사 중지한 것을 ~하고 싶었다≪朴鍾和 : 多情佛心≫. ——-하다 타여불

푸짐 명 〈방〉 학질(경남).

푸짐-하다 형여불 ①풍성하고 소담스럽다. ¶푸짐한 잔치. ②펑장하고 떠들썩하다. 푸짐-히 부

푸집개 명 병장기(兵杖器)를 덮는 물건.

푸짓-잇 [一닏] 명 〈궁중〉 이불잇.

푸ᄌᆞ 명 〈옛〉 전방. 상점(商店). ¶우리 푸ᄌᆞ에 혜아리라 가쟈(咱們鋪裏商量去來) ≪老乞 下 21≫.

푸 쭤이 〔傅作義〕 명 『사람』 중국의 군인·정치가. 쑤이위안 성(綏遠省)의 주석으로 항일전(抗日戰)에 참가하고, 제2차 대전 후에 화베이 초공(華北剿共) 총사령이 되었으나 공산측으로 전향, 중앙 인민 정부 위원·국방 위원회 부주석을 역임함. 부작의. [1893-1974]

푸추 명 〈방〉 부추.

푸치니 〔Puccini, Giacomo〕 명 『사람』 이탈리아의 가극 작곡가. 1893년 ≪마농 레스코(Manon Lescaut)≫의 성공으로 비로소 인정되어 이후 ≪라 보엠(La Bohéme)≫으로 이탈리아 가극계의 수위를 점하였고, 다시 ≪토스카(Tosca)≫·≪나비 부인≫ 등의 걸작을 발표함. 이탈리아 가극의 전통적 입장에서 특히 5도의 병행 화음(並行和音) 등 대담한 화성을 구성한 점에 특색이 있음. [1858-1924]

푸케 〔Fouquet, Jean〕 명 『사람』 프랑스의 초기 르네상스의 대표적 화가. 생애에 대해서는 잘 알려져 있지 않으나, 1443-47년 이탈리아에 가서 교황 에우게니우스 4세의 초상을 그리고, 뒤에 미니아튀르(miniature) 화가로서 활약하였음. 작품에 ≪에티엔 슈발리에의 시도서(時禱書)≫의 미니아튀르 및 ≪성모자(聖母子)≫·≪고대 유태 이야기≫ 등이 있음. [1420? -80?]

푸케트 섬 〔puket〕 명 『지』 푸껫 섬.

푸코 〔Foucault, Jean Bernard Léon〕 명 『사람』 프랑스의 물리학자. 수중(水中)에서의 회전경(回轉鏡)에 의한 광속도(光速度)의 측정법을 고안, 유명한 '푸코 진자(振子)'를 만들고, 나침반을 발명, '맴돌이 전류(電流)' 등을 발견하였음. [1819-68]

푸코 전:류 【一電流】 [一절一] 명 〔Foucault's current〕 『물』 맴돌이 전류.

푸코 진:자 【一振子】 명 〔Foucault's pendulum〕 『물』 푸코가 1851년에 처음으로 실험한 진자. 단진자(單振子)를 진동시켜 두면, 그 진동면이 지면에 대하여 회전하여 감. 지구의 자전이 절대적인 것을 입증하려고 한 것임.

〈푸코 진자〉

푸코크산틴 〔fucoxanthin〕 명 『식』 갈조소(褐藻素).

푸크시아 〔fuchsia〕 명 『식』 [*Fuchsia hybrida*] 바늘꽃과에 속하는 관목. 교배(交配)에 의한 종류이며 변화가 많음. 줄기는 직립(直立)하며 초본상(草本狀). 잎은 달걀꼴로 대생(對生)하며 길이 5-8cm. 잎가에 톱니가 있으며 꽃은 여름에 가지 끝의 엽맥(葉脈)에서 기름한 꽃자루를 내어 한 개가 피고 꽃받침은 아래로 늘어져 보랏빛·담홍색 또는 백색의 4판화가 핌. 온실에서 재배하며, 전 세계에 약 2,000 종이 있음. 대개 열대 아메리카에 분포하나, 더러는 뉴질랜드·타히티 섬에도 남.

푸퉈 산 【一山】〔普陀〕 명 『지』 중국 화둥 지구(華東地區) 동부, 저장 성(浙江省) 저우산 열도(舟山列島)에 있는 불교의 영지(靈地). 사관(寺觀)·동굴이 많고 풍경이 좋은 피서지임. 10세기에 개창(開創)된 관세음 보살의 영장(靈場)으로서 유명하며, 불교 삼대 영장의 하나로 일컬어짐. 보타산. 「의 몇의 기부(基部).

푸트[1] 〔foot〕 명 ①발. 걸음. ②'피트(feet)'의 단수(單數). ③요트(yacht)

푸:트[2] 〔Foote, Lucius Harwood〕 명 『사람』 미국의 외교관. 조선 고종(高宗) 19년(1882) 조선 주재 초대 공사로 부임, 전권 외무 독판(全權外務督辦) 민영목(閔泳穆)과 한미 수호 조규(韓美修好條規)를 비준·교환함. 갑신 정변(甲申政變)에는 한(韓)·일(日)·청(清) 세 나라 사이에서 변란의 조정에 힘씀. 한국명은 복덕(福德). [1826-?]

푸트-노:트 〔footnote〕 명 각주(脚註).

푸트-라이트 〔footlight〕 명 『연』 각광(脚光)❶.

푸틴 〔Putin, Vladimir Vladimirovich〕 명 『사람』 러시아의 정치가. 상트페테르부르크 대학을 졸업한 후 구 소련 국가 안보위원회(KGB)에 들어가 동독에서 첩보 활동을 하였으며, 1996년 총리실 부실장, 1998년 연방 보안국(FSB) 국장 등을 역임함. 1999년 옐친 대통령에 의해 총리로 임명되었으며, 동년 12월 31일 옐친이 전격 사임함에 따라 대통령 권한 대행이 되었고, 2000년 3월 선거에서 대통령으로 당선됨. [1952-]

푸팅 〔footing〕 명 『토』 초단(礎段).

푸:펜도르프 〔Pufendorf, Samuel Freiherr〕 명 『사람』 독일의 법학자·역사학자·정치가. 하이델베르크 대학 및 스웨덴의 룬드 대학 교수를 역임. 자연법적 국제법을 제창, 국가의 성립을 계약에 의하여 설명하였음. 주저(主著)에 ≪자연법과 국제법≫이 있음. [1632-94]

푸:푸 부 입김을 연해 내부는 소리. ——-하다 자여불

푸:푸-거리다 자 입김을 연해 푸푸 소리내어 내뿜다. 푸푸하다.

푸:푸-대다 자 푸푸거리다.

푸:프 덱 〔poop deck〕 명 선체(船體)의 후미(後尾)에 설치된, 상갑판(上甲板)보다 한 층이 더 높은 갑판부(甲板部).

푸:핀 〔Pupin, Michael Idvorsky〕 명 『사람』 미국의 물리학자·발명가. 컬럼비아 대학 교수. X선용 형광판(螢光板)을 발명, 다중 전신(多重電信)을 완성, 장하(裝荷) 코일을 발명하여 장거리 전화의 실용화에 공헌함. 자서전 ≪이민(移民)에서 발명가로≫로 퓰리처상 수상. [1858-1935]

푸:-하다 형여불 속이 부퍼서 불룩하게 내밀어 있다. 부풀어서 푸석하다.

푹 부 ①아주 깊고 느긋하게. ¶~ 잠이 들다. ②힘있게 깊이 찌르는 모양. ¶칼로 ~ 찌르다. ③빈틈없이 잘 덮거나 잘 싸는 모양. ¶이불을 ~ 덮어쓰다. ④흠뻑 끓어오른 모양. ¶~ 삶다. ⑤남김없이 죄다. ¶병째 ~ 붓다. ⑥깊게 뚜렷이 팬 모양. ¶마당이 ~ 패다. ⑦수렁 같은 데에 갑자기 빠지는 모양. ¶수렁에 ~ 빠지다. ⑧힘없이 단번에 쓰러지는 모양. ¶빈혈로 ~ 쓰러지다. ⑨↗푹석. ⑩힘없이 뀌는 방귓 소

리. 1)-9):>폭.

푹석 부 ①온통 곯아서 썩은 모양. 준푹. ②부피가 엉성하고 단단하지 아니한 물건이 잘 부스러지거나 가라앉는 모양. ③맥없이 주저앉는 모양. ④늙어서 기력이 줄고 맥이 빠진 모양. ⑤쌓인 먼지 따위가 갑자기 가볍게 일어나는 모양. >폭삭.

푹석-푹석 부 ①자꾸 푹석 가라앉거나 부서지는 모양. ②힘없이 자꾸 주저앉는 모양. ③먼지 따위가 자꾸 푹석 일어나는 모양. >폭삭폭삭. ——하다 형여불

푹스 〔Fuchs, Vivian Ernest〕 명 〖사람〗 영국의 지리학자. 1929년에 그린란드, 1930-38년에 아프리카를 탐험하고, 1957-58년에는 남극 대륙 횡단 탐험대를 지휘하였음. [1908-]

푹신 〔fuchsine〕 명 〖화〗 염기성(塩基性) 물감의 하나. 광택 나는 녹색 결정으로, 수용액은 적자색(赤紫色)임. 아닐린(aniline)과 오르토톨루이딘(ortho-toluidine) 및 파라톨루이딘(para-toluidine)과의 혼합물을 니트로벤젠으로 산화 축합(酸化縮合)하여 합성함. 섬유 등의 염색, 인쇄 잉크 제조, 알데히드의 검출(檢出) 등에 쓰임. 로자닐린(rosaniline). 마젠타(magenta). [$C_{20}H_{20}ClN_3$]

푹신-푹신 부 연해 푹신한 느낌이 있는 모양. ¶~한 이불. >폭신폭신. ——하다 형여불 「하다. **푹신-히** 부

푹신-하다 형여불 부드러운 탄력성이 있고 따스한 느낌이 있다. >폭신

푹:-푹 부 ①연해 깊이 찌르거나 쑤시는 모양. ¶칼로 호박을 ~ 찌르다. ②남김없이 죄다 썩어 들어가는 모양. ¶고구마가 ~ 썩다. ③속속들이 익도록 삶는 모양. ¶콩을 ~ 삶다. ④눈 같은 것이 소복소복 내려 쌓이는 모양. ⑤않팡지게 연해 쏟거나 담는 모양. ¶쌀을 ~ 퍼 담다. ⑥날이 찌는 듯이 더운 모양. ¶~ 찌는 삼복 더위. 1)-5):>폭폭.

푹푹-하다 형여불 종이·피륙 같은 것이 두툼하고 헤식어서 여리다.

푹-하다 형여불 겨울 날씨가 춥지 아니하고 따뜻하다.

푼[1] 의명 백에 대한 비율로, 할(割)의 10분의 1. *퍼센트(%).

푼:[2] 의명 ①옛날 엽전의 단위. 한 돈의 10분의 1. 돈 한 닢의 일컬음. ¶닷 냥 서 ~. ②적은 액수의 돈. ¶몇 ~ 안 되는 돈. ③무게의 단위. 한 돈의 10분의 1. ¶한 돈 닷 ~. ④길이의 단위. 한 치의 10분의 1. ¶두 치 닷 ~.

푼:-거리 명 땔나무를 작게 묶어서 몇 푼의 돈으로 매매하는 일.

푼:거리 나무 명 푼거리로 매매하는 땔나무. 준푼나무.

푼:거리-질 명 ①푼거리 나무를 사 때는 일. ②물품을 조금씩 조금씩 감질나게 사서 쓰는 일. ——하다 자여불

푼겐스-소나무 〔pungens〕 명 〖식〗 [*Pinus pungens*] 소나뭇과에 속하는 상록 침엽 교목. 잎은 두 잎이 속생(束生)하고, 자웅 일가(雌雄一家)로, 5월에 자색의 긴 수꽃이삭은 원주형으로, 암꽃이삭은 달걀꼴로 피며, 구과(毬果)는 이듬해 10월에 익음. 북미(北美)산이며 토양 깊은 비옥지(肥沃地)에 적당한데, 한국 각지에 분포함. 신탄재로 쓰고, 정원수 ㄴ(庭園樹)로 심음.

푼-꾼 명 〈방〉 풋내기❶❷.

푼:-끌 명 작은 끌. 날의 너비가 한 푼 또는 두 푼쯤 됨.

푼:-나무 명 ↗푼거리나무.

푼:-내기 명 ①노름에 몇 푼의 돈으로 하는 조그마한 내기. ② 푼거리.

푼:내기 흥정 명 푼돈으로 셈하는 잔 흥정. ——하다 자여불

푼더분-하다 형여불 ①얼굴이 두툼하여 탐스럽다. ¶여자들 중에서는 제일 푼더분하고 수수하게 생긴 노가다 노동욱 사장 옆의 아가씨가…《姜龍俊 : 사랑하는 그대》. ②약소하지 아니하고 두둑하다. ¶집터란 뭣보다두 턱이 푼더분해야 하는 법인데…《李無影 : 三年》. **푼더분-히** 부

푼:-돈 [—똔] 명 많지 아니한 몇 푼의 돈. 곧, 한 냥이 차지 못하는 돈. 분문(分文). ¶~깨나 만진다. ↔뭇돈·모갯돈. *잔돈.

푼:리 【—厘】 [풀—] 명 ←분리(分厘).

푼:-문 【—文】 명 〈방〉 푼돈.

푼:-물 명 대어 놓고 사는 물이 아니라, 때때로 한 지게 한 지게씩 사는 물.

푼:-빵 명 흙 파는 일 같은 것을 도급(都給)으로 주지 아니하고 한 짐씩에 대하여 삯을 주는 일.

푼사[1] 【—絲】 명 명주실의 한 가지. 고치를 켠 그대로 꼬지 아니한 실. 여러 가지 빛을 들이어 수 놓는 데 씀.

푼:사[2] 의명 돈을 몇 돈이라고 셀 때에 남는 몇 푼. ¶두 돈 ~/닷 돈 ~. *돈사[4].

푼사-실 【—絲—】 명 푼사로 된 실.

푼산 【—散】 명 〈방〉 풍산(風散).

푼샬 〔Funchal〕 명 〖지〗 대서양 동부, 포르투갈령(領) 마데이라(Madeira) 섬 동해안의 항구 도시. 포도주를 산출하며 관광·휴양지로 유명함. 15세기의 교회와 16-17세기의 성터가 있음. [119,000 명(1980)]

푼:수 【—數】 명 [←분수(分數)] ①얼마에 상당한 정도. ¶혼자서 세 사람 ~의 일을 한다. ②어떠한 꼴이나 셈판. ¶5만원쯤 빚이 있는 ~다. ③분수를 모르고 덤벙대는 짓. 또, 그런 짓을 예사로 하는 사람. ¶~를 떨다.

푼:수 떨:다 구 분수 없는 바보 같은 짓을 하다.

푼:수에 맞다 구 어떤 정도에 알맞다.

푼:-어치 명 푼돈으로 계산할 만한 물건. ¶~ 장사.

푼자 명 〈방〉 푼주.

푼:-장수 명 푼거리하는 사람. 푼거리 장수.

푼:전 【—錢】 명 ☞ 푼돈.

푼:전 입미 【—錢粒米】 명 ←분전 입미(分錢粒米).

푼:주 명 너부죽한 사그릇. 아래는 뾰족하고 위는 짝 바라졌음.

〈푼주〉

푼지-나무 명 〖식〗 [*Celastrus flagellaris*] 노박덩굴과에 속하는 낙엽 활엽 만목(蔓木). 잎은 원형 또는 넓은 달걀꼴이고, 5월에 녹황색의 꽃이 한두 개 액생(腋生)하며 삭과(蒴果)는 10월에 누렇게 익음. 산기슭 및 개울가의 숲 속에 나는데, 함북을 제외한 한국 각지 및 일본·중국·만주에 분포함. 어린 잎은 식용함.

〈푼지나무〉

푼:쭝 ㊀명 한 푼쯤 되는 무게. ¶~쯤 되는 금붙이. ㊁의명 한 푼쭝 되는 무게의 단위. ¶서 ~/닷 ~.

푼ᄌ 명 〈옛〉 풀가루. ¶또 푼ᄌ 머것고 질긔디 아니ᄒ니라(又有粉粧不牢壯)《老乞 下 23》.

푼ᄌ씌 명 〈옛〉 풀기. =픈ᄌ씌. ¶죠곰도 푼ᄌ씌 업고(沒些箇粉飾)《老乞 下 26》.

푼체 명 〈방〉 부채(제주). 「차이를 가리키는 말.

푼:-치 명 [길이의 '푼'과 '치'와의 사이를 이르는 뜻] 얼마 아니 되는

푼:침 【—針】 명 ☞ 분침(分針).

푼:칭 【—秤】 명 ←분칭(分秤).

푼타-델-에스테 〔Punta del Este〕 명 〖지〗 우루과이 남부의 관광 도시. 아름다운 해안과 온화한 기후 때문에 국제적인 관광지임. 현대적 설비를 갖춘 호텔이 있어 자주 국제 회의가 열림. 1961년 미주(美洲) 각료 회의에서 푼타델에스테 헌장이 채택되었고, 1986년 가트(GATT) 각료 회의에서는 국제간의 다각적 무역 협상, 즉 우루과이 라운드가 시작되었음. [10,000 명(1980)]

푼타-아레나스 〔Punta Arenas〕 명 〖지〗 남미 마젤란 해협(Magellan 海峽)에 면한 칠레(Chile)령의 항구 도시. 세계에서 가장 남쪽에 있는 도시로 양모(羊毛)·피혁(皮革)·목재(木材)·냉동육(冷凍肉)을 수출(輸出)하며 급탄(給炭)·급유지(給油地)로서 중요한 몫을 차지함. 구칭은 마가야네스(Magallanes). [111,724 명(1987)]

푼트 [러 funt] 의명 러시아에서 쓰이던 무게의 단위. 407.7g.

푼:푼-이 부 한 푼씩 한 푼씩. ¶~ 모은 돈.

푼푼-하다 형여불 모자람이 없이 넉넉하다. 잔졸하지 아니하고 활달하다. ¶푼푼치 못하게 생긴 얼굴을, 횟배를 앓는 사람처럼 잔뜩 찌푸리고 있다가…《沈熏 : 常綠樹》. **푼푼-히** 부

풀-소 명 여름에 생풀만 먹고 사는 소. 힘이 적어 부리기에 적당하지 아니함.

풂소 가죽 명 풂소의 가죽. 질기지 아니함.

풂소 고기 명 풂소의 고기. 맛이 적음.

풂-솜 명 '풀솜'의 잘못.

풀[1] 명 [중세 : 플] 쌀·밀가루 등의 녹말질(綠末質)에서 빼낸 접합제. 피륙에 먹이어 빳빳하게 하고, 물건을 붙이는 데 씀. ¶~을 쑤다. ——하다 자여불 피륙이나 옷에 풀먹이는 일을 하다.

[풀 먹은 개 나무라듯 한다] 혹독하게 나무라고 탓함의 비유. [풀 방구리 쥐 드나들듯 한다] 자주 드나듦을 이름. [풀 쑤어 개 좋은 일하다] 공들여 한 일이 자신에게는 이익이 없고 남에게 좋은 일이 되었다는 말.

풀[2] 명 [중세 : 플] ①초본 식물의 속칭. 지상경이 5m에 이르는 것도 있으나 목질(木質)의 발달이 불량하여 줄기는 연함. 1년생·2년생·다년생의 구별이 있음. ②〖농〗 ↗갈풀.

[풀 끝에 앉은 새 몸이라] 안정된 처지가 아님을 말함. [풀 베기 싫어하는 놈이 단수만 센다] 하던 일에 싫증이 나서 해 놓은 일의 성과(成果)만 헤아리고 있음을 비꼬는 말. [풀을 베면 뿌리를 없이 하라] ㉠무슨 일을 하거나 철저히 해야 한다는 말. ㉡나쁜 짓은 근본부터 없애 버려야 후환이 없다는 말.

풀 끝의 이슬 구 사람의 생애란 풀 끝에 맺힌 이슬처럼, 덧없고 허무하다는 말.

풀[3] 명 ↗풀기[2].

풀이 없:다 구 풀이 죽어 맥이 없다. ¶이 때 이 참판은 정숙을 생각하고 풀이 없이 우두커니 앉았다가 방가를 보고 온 연고를 묻는데《金教濟 : 牡丹花》.

풀[4] 명 〈방〉 〖생〗 팔(경남).

풀[5] 〔full〕 명 충분함. '온'·'전'의 뜻. ¶~ 가동(稼動)/~ 네임.

풀:[6] 〔pool〕 명 ①작은 못. ②헤엄을 칠 수 있게 물을 담아 놓은 시설. 수영장. ③자동차 등이 모이는 곳. ¶모터 ~. ④〖경〗 공동 계산(共同計算). 둘 이상의 기업체가 공동 판매·공동 구입·이윤 분배를 협정하여 수지 계산을 공동으로 하는 일. 또, 가격이 다른 구입품·상품의 가격 평균도 의미함. ¶~제(制). ⑤돈을 걸고 내기를 하는 당구(撞球)의 한 가지.

풀 가동 【—稼動】 〔full〕 명 공장 등에서, 인원·시설·설비 등 모든 것을 가동하여 작업함. 풀 조업(full 操業). ——하다 자타여불

풀-가루 [—까—] 명 풀을 쑤는 데 쓸 가루.

풀-가사리 [—까—] 명 〖식〗 [*Gloiopeltis furcata*] 홍조류(紅藻類)의 하나. 길이 6cm 가량이고, 댓줄기 모양이며 자라면 속이 비고 불규칙하게 가지가 벋어, 가지의 대목이 잘록함. 빛은 누르스름한데 거죽은 미끄럽고, 끈끈하며 광택이 남. 썰물의 경계선(境界線)에 있는 바윗돌에 붙어 번식함. 삶은 물로 명주나 비단 옷감에 풀을 함. 포해태(布海苔). 해라(海蘿). 준풀가시·가사리.

〈풀가사리〉

풀-가시 [—까—] 명 〖식〗 ↗풀가사리.

풀-각시 명 막대기나 수수깡의 한쪽 끝에 풀로 각시 머리를 만들고 머리털을 땋듯이 곱게 땋아서 만든 인형.

풀각시-놀이 [명] 여자아이들이 풀각시를 만들고 노는 놀이.
풀-감 [—깜] [명] ①풀을 쑬 거리. ②풀을 먹일 옷가지.
풀-갓¹ [명] 〖역〗 초립(草笠).
풀-갓² [—깓] [명] 풀·갈풀 같은 것을 가꾸는 말림갓.
풀-강충이 [명] 〖충〗 풀멸구❶.
풀-개:다 [자] 풀을 뭉개서 풀다.
풀-거름 [명] 풋거름.
풀-거미 [명] 〖동〗 들풀거미.
풀-거북꼬리 [명] 〖식〗 [*Duretia paraspicata*] 쐐기풀과에 속하는 다년초. 줄기는 가운데가 비었고, 높이는 1 m 가량이며 보통 홍색을 띰. 장병(長柄)의 잎이 대생(對生)하는데 형상은 능상 난형(稜狀卵形) 또는 난원형(卵圓形)임. 7-9월에 녹색 또는 백록색의 꽃이 수상(穗狀) 화서로 액출(腋出)하는데, 자웅 일가(雌雄一家)이고 과실은 수과(瘦果)임. 산지에 나는데 충북·경기·평북·함북 등지에 분포함. 어린 잎은 식용, 줄기는 섬유용(纖維用)임.
풀-게 [명] 〖동〗 [*Hemigrapsus penicillatus*] 바위겟과에 속하는 게. 물맞이게와 비슷한데 두흉갑(頭胸甲) 전측연(前側緣)에 안와 외연치(眼窩外緣齒)와 합하여 세 개의 이가 있고, 수컷의 집게발에는 적갈색 무늬가 있음. 황해 연안에 분포함. 털다리물맞이게.
풀: 계:산 【—計算】 [pool] [명] 〖경〗 여러 회사(會社)나 공장(工場)에서 각기 생산(生產)하는 같은 종류의 물품(物品)의 값을 한 데 통틀어 그 물품의 단가(單價)를 정하는 계산.
풀-고사리 [명] 〖식〗 [*Diplopterygium glaucum*] 풀고사릿과에 속하는 다년생의 상록 양치류(羊齒類). 근경(根莖)은 거칠고 큰 침선상(針線狀)으로 길게 옆으로 벋고 경질(硬質)이며, 적갈색 피침형(披針形)의 인편(鱗片)이 밀생(密生)함. 피침형의 잎이 소생(疎生)하는데 이회(二回) 우상 분열(羽狀分裂)하고, 포자낭(胞子囊)은 열편(裂片)의 아래쪽에 흩어져 있음. 따뜻한 산지에 나는데, 제주도·경남의 거제도에 분포함.

〈풀고사리〉

풀고사릿-과 【—科】 [명] 〖식〗 [Gleicheniaceae] 진정 양치류(眞正羊齒類)에 속하는 한 과. 열대와 온대에 28 종이 분포하나, 한국에는 발풀고사리·풀고사리 등 5종이 분포함. 흰고사릿과.
풀국-새 [명] 〈방〉 〖조〗 뻐꾸기(경남).
풀기¹ [명] 〈방〉 상치¹(강원).
풀-기² 【—氣】 [—끼] [명] ①풀을 먹이어 빳빳하게 된 기운. ②사람의 씩씩한 활기. ¶∼가 없다. [준]풀.
풀-기발 [명] 〈방〉 귀얄(경기).
풀-길이 [명] 풀의 길이. 초장(草長).
풀-깔 [명] 〈방〉 귀얄(충북).
풀-깨월 [명] 〈방〉 귀얄(경기).
풀-꺾다 [자] 〖농〗 모낼 논에 거름할 갈풀을 베다.
풀-꺾이 [명] 〖농〗 모낼 논에 거름할 갈풀을 꺾는 일. ——-하다 [자][여불]
풀-께발 [명] 〈방〉 귀얄(함북).
풀-껼 [명] 〈방〉 귀얄(충북).
풀-꼬발 [명] 〈방〉 귀얄(함북).
풀-꽃 [명] 풀에 피는 꽃. 초화(草花).
풀꾹-새: [명] 〈방〉 〖조〗 뻐꾸기(경상).
풀-꾼 [명] 꼴이나 풀을 베는 일꾼.
풀-뀌발 [명] 〈방〉 귀얄(경상·함남).
풀-뀌알 [명] 〈방〉 귀얄(강원·충남·전북·경북).
풀-끝 [명] 풀의 아주 적은 분량.
풀-끼발 [명] 〈방〉 귀얄(경남·함북).
풀-끼알 [명] 귀얄.
풀-내¹ [—래] [명] 옷에 새로 먹인 풀의 냄새. ¶ ∼가 상쾌하다.
풀-내² [—래] [명] 풀의 냄새. ¶풋풋한 ∼.
풀-넙치 [—럽—] [명] 〖어〗 [*Citharoides macrolepidotus*] 가자밋과에 속하는 바닷 물고기. 가자미의 한 종류로서 가자미와 비슷하며 등지느러미와 꼬리지느러미에 잔 점이 많음. 길이는 약 20 cm 임. 등지느러미와 뒷지느러미가 끝나는 꼬리 부분 양쪽에 뚜렷한 검은 점이 두 개 있음.
풀 네임 [full name] [명] 생략하지 않은, 사람의 성(姓)과 이름의 전부(全部). 회사·단체·조직 등의 생략하지 않은 이름.
풀 넬슨 [full nelson] [명] 레슬링에서, 목누르기의 일종으로 두 팔을 다 써서 하는 넬슨. 금지되어 있음. 더블 넬슨. *넬슨¹.
풀-노린재 [—로—] [명] 〖충〗 [*Nezara antennata*] 노린잿과에 속하는 곤충. 몸길이 14-16 mm, 몸빛은 광택 없는 선녹색(鮮綠色)이고 촉각에는 흑색부(黑色部)가 있으며, 두부(頭部)·전흉배(前胸背)의 각 전반부(前半部)가 갈색인 것, 또는 전체가 암황색으로 전흉배 등에 녹색 무늬가 있는 것 등, 변형이 있음. 한국·일본·중국·대만·티베트 등지에 분포하며, 콩·조·가지 등의 작물이나 과수(果樹)·채소의 해충임.

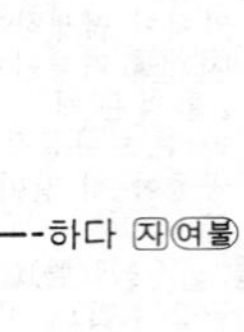
〈풀노린재〉

풀다 [타] [중세:플다] ①묶은 것이나 얽힌 것을 풀어지게 하다. ¶짐을 ∼/여장을 ∼. ②맺힌 원한을 씻어 버리다. ¶원한을 ∼. ③액체에 다른 액체나 또는 가루 같은 것을 타다. ¶물감을 ∼. ④생땅이나 밭을 논으로 만들다. ¶개펄에 논을 ∼. ⑤꿈이나 점괘(占卦)의 길흉을 판단하여 내다. ¶점괘를 ∼. ⑥금령(禁令)을 터 놓다. ¶통제를 ∼/포위를 ∼. ⑦깊은 이치나 어려운 문제를 궁구하여 밝히다. ¶암호문을 ∼. ⑧사람을 동원하다. ¶형사 끄나불을 풀어 놓다. ⑨↗몸풀다. ⑩코를 불어 밖으로 나오게 하다. ¶코를 ∼.
풀-다듬이 [명] 풀을 먹이고 하는 다듬이질. ¶이불잇을 삶아 빨아 ∼하다. ——-하다 [타][여불]
풀-단 [—딴] [명] 풀을 다발지어서 묶은 단. ¶∼을 풀다.
풀-대님 [—때—] [명] 바지나 고의를 입고 대님을 치지 아니하고 그대로 터 놓는 일. ¶담뱃대 장수는 덜미를 잡힌 채 ∼으로 끌려 들어왔다≪李無影 : 農民≫. ——-하다 [자][여불]
풀덜 인견사 【—人絹絲】 [full-dull] [명] 방사액(紡絲液)에 3-4 %의 이산화 티탄(二酸化 titanium)을 섞어 광택을 없앤 덜(dull) 인견사의 하나. ↔세미덜(semi-dull) 인견사.
풀-덤불 [명] 풀이 많이 우거진 덤불.
풀-독 【—毒】 [—똑] [명] 풀의 독기. 초독(草毒). ¶∼이 올라서 가렵다.
풀-둔덕 [명] 풀이 무성한 둔덕.
풀등에 [명] 〈방〉 잠방이.
풀등 [명] 강물 속에 모래가 모여 쌓이고 그 위에 풀이 수북하게 난 곳. 흔히, 하류(下流)에 많이 생김. 초서(草嶼).
풀때-죽 [명] 〈방〉 수제비(전남).
풀때-질 [명] 〈방〉 팔매질(경상). ——-하다 [자]
풀-떡¹ [명] ↗풀떼기.
풀떡² [부] 힘을 모아 가볍게 뛰는 모양. >폴딱. *팔딱. ——-하다 [자][여불]
풀떡-거리다 [자] 힘을 모아 연해 가볍게 뛰다. >폴딱거리다. *펄떡거리다. 풀떡-풀떡 [부]. ——-하다 [자][여불]
풀떡-대다 [자] 풀떡거리다.
풀떡-이다 [자] 힘을 모아 가볍게 뛰다. >폴딱이다.
풀-떨기 [명] 풀이 우거져서 이루어진 떨기.
풀떼기 [명] ①잡곡의 가루로 풀처럼 쑨 죽. ②잡곡의 날것을 매에 갈아 물을 짜 내어 다른 잡곡의 날것을 넣어 쑨 음식. 범벅보다 묽고 죽보다 됨. 1)·2) : [준]풀떡.
풀떼-죽 【—粥】 [명] 〈방〉 풀떼기.
풀또기 [명] 〖식〗 [*Prunus triloba*] 장미과에 속하는 낙엽 활엽 관목. 앵두나무와 비슷한데 잎은 거꿀달걀꼴 또는 긴 삼각형이고 봄에 봉숭앗빛의 꽃이 액생(腋生)하고, 핵과(核果)는 가을에 붉게 익음. 산기슭 양지에 나는데, 함북의 회령(會寧)·무산(茂山) 및 중국에 분포(分布)함. 신탄재(薪炭材)로 씀.
풀뚝 [명] 〈방〉 팔뚝(경상).
풀랭크 [Poulenc, Francis] [명] 〖사람〗 프랑스의 작곡가. 프랑스 '6인조'의 한 사람으로 미사곡(曲)·가곡(歌曲)·피아노곡·실내악곡 등을 만듦. 오페라 ≪카르멜 수녀의 대화≫가 대표작. [1899-1963]
풀럭-거리다 [자] 바람에 날리어 아주 빠르게 나부끼다. ¶깃발이 ∼. >폴락거리다. *펄럭거리다. 풀럭-풀럭 [부]. ——-하다 [자][여불]
풀럭-대다 [자] 풀럭거리다.
풀렁 [부] 바람에 날리어 한 번 무겁게 나부끼는 모양. >폴랑. *펄렁. ——-하다 [자][여불]
풀렁-거리다 [자] 바람에 날리어 무겁게 나부끼다. >폴랑거리다. 풀렁-풀렁 [부]. ——-하다 [자][여불]
풀렁-대다 [자] 풀렁거리다.
풀렁-이다 [一][자] 깃발 따위가 무겁고 세차게 나부끼다. [二][타] 깃발 따위를 무겁고 세차게 바람에 날리다. >폴랑이다.
풀-레인지 [fullrange] [명] 〖오디오〗 전음대용(全音帶用)의 스피커.
풀리 [pulley] [명] 〖기〗 도르래².
풀리다 [자] ①맨 것이나 옭힌 것이 끌러지다. ¶짐이 ∼/실이 ∼. ②맺힌 것이나 뭉킨 것이 풀어지다. ¶멍이 ∼. ③추워서 죄던 날이 누그러지다. ¶날씨가 ∼. ④의심(疑心)이나 오해(誤解)가 사라지다. ¶오해가 ∼/혐의(嫌疑)가 ∼. ⑤노염과 원망이 없어지다. ¶원한이 ∼. ⑥이치나 문제가 밝히어지다. ¶수수께끼가 ∼. ⑦액체(液體)에 다른 것이 잘 섞이다. ¶밀가루가 물에 ∼. ⑧금령(禁令) 따위가 터 놓아지다. ¶단속이 ∼.
풀림 [명] 〖야금〗 금속 또는 유리를 가공(加工)하기 전의 성질로 바꾸거나 또는 가공에 의해 생긴 변형력을 제거할 목적으로 하는 열처리(熱處理). 또, 단조(鍛造)·압연·용접 등의 가공을 한 재료를 다시 높은 온도로 가열하여 천천히 냉각(冷却)시켜 연화(軟化)시키는 작업. 어닐링(annealing).
풀림-새 [명] 실이 풀려나오는 정도.
풀-막 【—幕】 [명] 물가나 산기슭에 뜸집처럼 지은 막.
풀-망둑 [명] 〖어〗 [*Synechogobius hasta*] 망둑어과에 속하는 바닷물고기. 몸길이 39 cm 가량으로 문절망둑과 비슷하나 그보다 체고(體高)가 낮고 몸빛은 담회색임. 내해성(內海性) 어종으로 한국 서남 연해, 동해 남부 연해의 내만에 분포함. 말려서 식용함.
풀-망태 [명] 꼴망태.
풀매¹ [명] 풀쌀을 가는 작은 맷돌.
풀매² [명] 〈방〉 팔매(경상).
풀매³ [명] 〈방〉 풀무(경상).
풀-매기 [명] 잡초를 뽑아 없애는 일. ——-하다 [자][여불]
풀-매다 [자] 〈방〉 김매다(강원·전남·경상).
풀-매듭 [명] 풀기 쉽거나 저절로 풀릴 수 있게 매어진 매듭. ↔옭매듭.
풀-매미 [명] 〖충〗 [*Melampsalta pellosoma radiator*] 매밋과에 속하는 곤충. 배우 작은 매미로서 몸길이가 20 mm, 날개 끝까지는 30 mm 내외이고 몸빛은 흑색에 배면(背面)의 중앙에 암황색의 두 개의 잔 반점이 있음. 7월에 나타나서 10월 하순까지 얕은 나무나 풀숲에 앉아 '찍찍찍' 하고 욺. 한국·일본·중국·우수리 등지에 분포함. *노랑찍찌기.

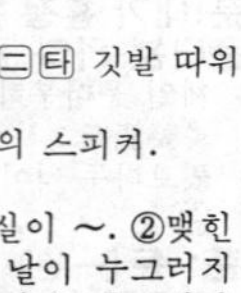
〈풀매미〉

풀-맷돌 명 결이 고운 돌로 작게 만든 맷돌. 밑짝은 매판에 붙여 둠.

풀-머리 명 풀어 헤쳐서 걷어 올리지 아니한 머리털. ――-하다 자여불

풀-먹이다 자 피륙이나 옷 같은 것을 빳빳하게 하기 위하여 묽게 갠 풀물에 넣고 주물러 풀이 배어 들어가게 하다. ¶ 풀먹인 광목.

풀-멸구 명 〖충〗 ① [*Saccharosydne procerus*] 멸굿과에 속하는 곤충. 몸길이 6 mm 내외이고, 몸빛은 엷은 녹색에 전흉부(前胸部)와 소순판(小楯板)에 각각 세 개의 세로 융기선(隆起線)이 있고, 날개는 엷은 녹색의 반투명체(半透明體)임. 벼의 해충으로 한국·일본·만주·대만 등지에 분포함. ②끝검은매미충.

풀-명자나무 명 〖식〗 [*Chaenomeles maulei*] 능금나뭇과에 속하는 낙엽 활엽 관목. 가시가 있고 잎은 거꿀달걀꼴임. 자웅 일가(雌雄一家)로, 초봄에 주홍 또는 백색의 꽃이 하나씩 달리거나 족생(簇生)하며, 이과(梨果)는 여름에 누렇게 익음. 산과 들에 나는데 전남·경남 및 일본에 분포함. 관상용으로 인가 부근에 심음.

풀-모 명 〖농〗 모풀로 거름한 못자리.

풀무 명 〔중세: 불무〕 불을 피울 적에 바람을 일으키는 제구. 골풀무·손풀무가 있음. 야로(冶爐). 풍상(風箱). 풍구.

풀무-질 명 풀무로 바람을 일으키는 일. ――-하다 자여불

〈풀명자나무〉

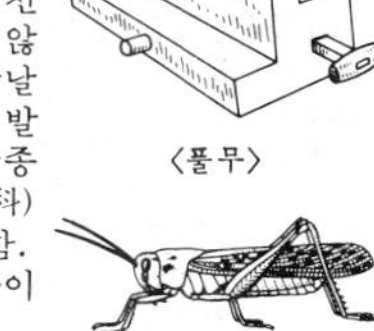

〈풀무〉

풀-무치 명 〖충〗 [*Locusta migratoria danica*] 메뚜깃과에 속하는 곤충. 누리와 비슷한데 몸길이 48-65 mm 이고, 몸빛은 황갈색 내지 녹색에 전흉배(前胸背)의 중앙 융기선(隆起線)은 높지 않고 한 개의 횡구(橫溝)에 의하여 절단되며 앞날개에 불규칙한 흑갈색 반문이 있음. 8-9월에 발생하여 양지바른 풀밭 또는 황지(荒地)에 각종 잡초를 먹으며 단독으로 서식하는데, 볏과(科) 식물의 해충임. 전세계에 공통종으로 분포함.

〈풀무치〉

풀-물 명 풀에서 나오는 녹색의 물. ¶ 손에 ～이 들다.

풀뭇-간 【―間】 명 〈방〉 대장간(강원).

풀미 명 〈방〉 풀무(경북).

풀미-깐 명 〈방〉 대장간(경북).

풀-미역치 명 〖어〗 [*Erisphex potti*] 미역칫과에 속하는 물고기. 몸길이 12 cm 가량으로 가늘고 길며 측편되어 있고, 아래턱이 위턱보다 김. 몸빛은 황회갈색으로 체측에 불규칙한 암갈색의 작은 반점이 산재함. 몸에는 비늘이 없거나 융모상의 피부 돌기가 밀생함. 한국 중남부 및 일본 중남부에 분포함. 먹지 못함.

〈풀미역치〉

풀미-쟁이 명 〈방〉 대장장이(전라·경북).

풀-반지 명 〖어〗 [*Thrissa hamiltoni*] 멸칫과에 속하는 바닷물고기. 몸은 반지와 비슷한데 배가 납작하고 능린(稜鱗)이 있음. 한국 서남해 및 동해 남부 연해에 분포함. 일본에는 없음. 뿔빤지.

풀-방석 【―方席】 명 풀을 엮어서 만든 방석.

풀방애 명 〈방〉 사마귀(강원).

풀-밭 명 잡풀이 많이 난 땅. ¶ ～에서 뒹굴다.

풀-백 [fullback] 명 축구에서, 수비진(守備陣)에 속하는 골키퍼 앞에 있는 두 선수.

풀-벌 명 풀이 많이 난 벌판. 초원(草原).

풀-벌레 명 풀밭에서 사는 작은 벌레들의 일컬음.

풀-베기 명 풀을 베는 일. 예초(刈草). ――-하다 자여불

풀 베이스 [full base] 명 야구에서, 베이스마다 주자가 있는 일. 만루.

풀-보기 명 〔응장 성식(凝粧盛飾)을 풀어 버리고, 간단한 예장(禮裝)으로 뵙는다는 뜻〕 새색시가 혼인 지낸 지 며칠 뒤에 시부모를 뵈러 가는 예식. 해현례(解見禮). ――-하다 자여불

풀보기-날 명 새색시가 혼인한 며칠 후에 시부모를 뵈러 가는 날.

풀: 보:험 【―保險】 [pool] 명 특정의 보험 계약자만을 한데 묶어 그룹을 만들고, 각 보험 회사가 공동으로 위험을 분담하도록 하는 보험.

풀브라이트 [Fulbright, James William] 명 〖사람〗 미국의 정치가. 여러 대학에서 법학을 강의, 1939년 아칸소 대학 총장, 1943년 민주당 하원 의원, 1945-74년 상원 의원을 지냄. 풀브라이트법(法) 제안으로 유명. 당내 진보파의 유력자로, 1959-74년 상원 외교 위원장을 역임. 극동 문제(極東問題) 논쟁에서 비둘기파 기수(旗手)역할. 월남 전쟁에 비판적(批判的)이었음. 1974년 아칸소 주(州) 상원 민주당 예선에서 패배(敗北)함. [1905-95]

풀브라이트-법 【―法】 [Fulbright] [―뻡] 명 미국의 잉여 물자(剩餘物資)를 외국에 불하(拂下)한 대금(代金)을 주요 기금(基金)으로 하여, 당해국과 미국간의 유학생을 받아들이거나, 교수 교환 등의 문화 교류를 행하기 위하여 제정된 법률. 상원 의원 풀브라이트에 의해 제안되어 1946년에 제정됨. 풀브라이트·헤이스법이라고도 함. *풀브라이트 위원회.

풀브라이트 위원회 【―委員會】 [Fulbright] 명 1946년, 미국의 민주당 상원 의원 풀브라이트의 제안에 의하여 설치된, 교환 유학생의 전형(銓衡)을 위한 위원회.

풀-비 [―삐] 명 ①귀얄 대신 쓰려고 짚 이삭으로 만든 작은 비. ②〈방〉 귀얄(경기·강원·충청·전라·경상·함경).

풀비늘-망둑 명 〖어〗 [*Eviota abax*] 구굴무칫과에 속하는 물고기. 몸길이 4.5 cm 가량의 작은 고기로 몹시 측편되어 있고 비늘이 큰데 머리에는 비늘이 없음. 좌우에 배지느러미가 떨어져 있으며, 흡반(吸盤)을 형성함. 몸빛은 엷은 회청색이며 머리에 흑갈색 점이 산재함. 제1 등지느러미의 끝이 실같이 생겼음. 한국 제주도·일본 중부에 분포함.

〈풀비늘망둑〉

풀-비짜리 명 〈방〉 귀얄(경남).

풀-비찌락 명 〈방〉 귀얄(전남).

풀-비차락 명 〈방〉 귀얄(제주).

풀-빛 [―삗] 명 풀색. 초색(草色).

풀-빼기 명 피륙을 다 짠 다음 날실에 먹였던 풀을 빼는 일.

풀-뿌리 명 풀의 뿌리. 초근(草根). ¶ 나무 껍질과 ～로 연명(延命)하다.

풀뿌리 민주주의 【―民主主義】 [―/―이] 명 〔grass-roots democracy〕 〖정〗 민중의 저변(底邊)에 파고 들어가 민중의 지지(支持)를 얻으며 구석구석까지 두루 미치는 대중적인 민주주의. 1935년 미국 공화당 대회에서 내세운 주장으로, 민중 각자의 자발성에 입각하여 자치(自治)·분권(分權)·직접 행동을 목표로 함. 시민 운동이나 주민(住民) 운동이, 공해 문제를 거론(擧論)하는 일 따위.

풀 사이즈 [full size] 명 ①보통의 크기. 일반적인 크기. ②인물·물체를 찍을 때의 카메라의 위치의 하나로서, 전체상(全體像)을 찍는 일.

풀-사초 【―莎草】 명 〖식〗 [*Carex kingiana*] 방동사닛과에 속하는 다년초. 줄기 높이 20 cm 가량이고, 선형(線形)의 잎이 줄기에서 다수 총생(叢生)함. 소수(小穗)는 3-4개이고 5-6월에 좁은 타원형의 수꽃이삭이 하나 정생(頂生)하며 긴 타원형의 암꽃이삭이 2-3개 측출(側出)하고, 과실은 수과(瘦果)임. 산이나 들에 나며, 제주도에 분포함.

풀-산딸나무 【―山―】 [―라―] 명 〖식〗 [*Chamaepericlymenum canadense*] 층층나뭇과의 상록 활엽 반관목(半灌木). 잎은 대생(對生) 또는 4-6개가 윤생(輪生)함. 여름에 백색의 꽃이 기산(岐繖) 화서로 정생(頂生)하여 피고 양성(兩性)임. 핵과(核果)는 가을에 주홍색으로 익음. 깊은 산의 나무 그늘에 나는데 함북·일본·사할린·만주·우수리·캄차카·캐나다에 분포함. 관상용으로 심음.

〈풀산딸나무〉

풀-살 [―쌀] 명 마소 따위가 풀을 먹고 오른 살. ¶ ～이 오르다.

풀-색 【―色】 [―쌕] 명 녹색에 노란 빛이 연하게 섞인 빛깔. 풀빛.

풀색-딱정벌레 【―色―】 [―쌕―] 명 〖충〗 [*Carabus insulicola*] 딱정벌렛과 딱정벌레속(屬)에 속하는 곤충의 하나. 몸길이 13 mm 내외이고 몸빛은 금녹색 내지 동적색에 광택이 나며 촉각은 실 모양이고 시초(翅鞘)는 유착(癒着)되었음. 야간에 다른 곤충을 포식하며 성충은 돌 밑·땅 속·썩은 나무 등에서 월동함. 한국·일본·중국·유럽·북미(北美) 등지에 분포함. 딱정벌레.

〈풀색딱정벌레〉

풀색-먼지벌레 【―色―】 [―쌕―] 명 〖충〗 [*Chlaenius pallipes*] 딱정벌렛과에 속하는 곤충. 몸길이 14 mm 내외이고 몸의 상면(上面)은 녹색, 하면(下面)은 흑색이며, 온 몸에 금빛의 짧은 털이 밀생(密生)함. 두부와 전배판(前背板)은 금록색(金綠色)이며 촉각 기부(基部)는 황색이고 제4절 이하는 적갈색임. 시초(翅鞘)는 긴 타원형으로 다섯 줄의 고랑이 있고, 발은 흑색임. 밭에나 강 기슭의 돌이나 먼지 밑에 서식하며 야간 활동성으로 곤충을 포식하며, 적의 공격에는 악취(惡臭)를 풍김. 한국·일본·만주·중국·시베리아 등지에 분포함. 청딱정이.

풀색-하늘소 【―色―】 [―쌕―쏘] 명 〖충〗 [*Chloridolum thaliodes*] 하늘솟과에 속하는 곤충. 몸길이 23-32 mm 이고, 몸빛은 금속 광택이 나는 암록색에 앞가슴은 다소 남색(藍色)을 띠고, 촉각과 다리는 흑람색(黑藍色)이며, 몸의 하면은 흑록색(黑綠色)에 황회색(黃灰色) 털이 있음. 유충(幼蟲)은 느릅나무·버드나무·황철나무 등의 해충(害蟲)으로 한국·일본·만주 등지에 분포함.

풀 샷 [full shot] 명 영화 촬영 기법의 하나. 인물의 전신상(全身像)을 화면 가득히 담는 일.

풀-서다 자 풀을 먹여 피륙이 빳빳하다.

풀섬-심그기 [―썸―] 명 〈방〉 풍계묻이. ――-하다 자

풀-섶 [―썹] 명 〈방〉 풀숲(함남).

풀 세트 [full set] 명 테니스·탁구 등에서, 승부(勝負)가 최종 세트까지 가는 일.

풀 세트 클럽 [full set club] 명 골프 경기 때, 선수는 클럽을 14개까지 지참할 수 있는데, 이때의 클럽 14개를 말함. 절반인 7개는 하프 세트 클럽(half set club)임.

풀-소 [―쏘] 명 ☞ 푼소.

풀소 가죽 [―쏘―] 명 ☞ 푼소 가죽.

풀소 고기 [―쏘―] 명 ☞ 푼소 고기.

풀-소바 명 〈방〉 수풀.

풀-솜 [―쏨] 명 고치를 늘여 만든 솜. 흔히, 허드렛 고치로 만들며, 하얗고 광택이 있고 가벼움. 설면자(雪綿子). ¶ ～ 이불.

[풀솜에 싸 길렀나] 허약하거나 기력 없는 사람의 비유.

풀솜-나물 [―쏨―] 명 〖식〗 [*Gnaphalium japonicum*] 국화과에 속하는 다년초. 줄기 높이 20-30 cm 이고, 근경(根莖)은 총생(叢生), 경엽(莖葉)은 호생하며 선상(線狀) 피침형임. 5-7월에 갈색의 두상화(頭狀花)가 줄기 끝에 밀착하여 피고, 과실은 수과(瘦果)임. 산이나 들에 나는데 제주도·전남의 거문도·부산·충남 등지에 분포함. 어린 잎은 식용함.

〈풀솜나물〉

풀-솜대 [—때] 명 〖식〗 [*Smilacina japonica*] 백합과에 속하는 다년초. 근경(根莖)은 땅 속으로 가로 뻗으며 곧게 선 줄기는 30-50 cm이고 잎과 함께 잔털이 있으며, 잎은 두 줄로 5-7개가 호생(互生)하고 단병(短柄)이며 달걀꼴의 타원형 또는 긴 타원형임. 5-7월에 흰 육판화(六瓣花)가 원추(圓錐) 화서로 정생하고, 직경 4-5 mm의 구형(球形)의 장과(漿果)가 붉게 익음. 산지의 그늘에 나는데 한국 각지 및 일본·중국 북부에 분포함.

〈풀솜대〉

풀솜-할머니 [—쏨—] 명 '외할머니'의 곁말. 외손(外孫)에게 대한 정이 두텁다는 뜻.

풀-솔 [—쏠] 명 풀을 쑤는 솔.

풀-숲 명 풀이 무성한 수풀. 초망(草莽).

풀스 [도 Puls] 명 맥박(脈搏).

풀 스위치 [pull switch] 명 달린 끈을 당겨서 회로(回路)를 개폐(開閉)시키는 스위치.

풀 스윙 [full swing] 명 야구·골프 등에서, 볼을 멀리 날리기 위해, 힘껏 길게 배트나 클럽을 휘두르는 일.

풀:스-캡 [foolscap] 명 〖인쇄〗 13×8 인치의 대판 양지(大判洋紙). 본디 어릿광대 모자의 원뿔 모양을 넣은 데서 생긴 이름임.

풀 스코어 [full score] 명 〖악〗 모든 성부 악기별(聲部樂器別)로 쓰여진 총보(總譜).

풀 스톱 [full stop] 명 종지부(終止符).

풀 스피:드 [full speed] 명 전속력(全速力). 최고 속도(最高速度). ¶ ~로 차를 몰다.

풀-시렁 명 건초(乾草)나 여물을 얹는 시렁.

풀-시비 【—是非】 [—씨—] 명 남의 말림갓에 침범했을 때의 시비. 풀싸움. ——-하다 자여불

풀 신: [full scene] 명 〖연〗 하나의 배경·무대면(舞臺面) 또는 세트(set)의 전체를 화면(畫面)에 넣어 촬영하는 일. 전경(全景).

풀심 명 〈방〉 학질(경남).

풀-싸리 명 〖식〗 [*Lespedeza intermedia*] 콩과에 속하는 낙엽 활엽 관목. 높이 1-1.5 m이고 잎은 삼출 복엽(三出複葉)이고, 장병(長柄)에 소엽(小葉)은 넓은 타원형 또는 둥근 달걀꼴임. 7월에 짙은 자색 또는 홍자색의 꽃이 총상(總狀) 화서로 피고, 협과(莢果)는 10월에 익음. 산기슭에 나는데 거의 한국 각지에 분포함. 가지와 줄기는 겨울에 전부 말라죽어 신탄재·잎은 사료(飼料)·나무 껍질은 섬유용임.

풀-싸움 명 ①여러 가지 풀을 뜯어다가 서로 비교(比較)하여 많이 뜯어온 아이가 이기는 장난. 투초(鬪草). ②거름 감이 되는 풀을 베는데 다른 동네에 속하는 풀밭을 침해(侵害)하여 일어나는 싸움. ㊟풀쌈. ——-하다 자여불

풀-싸자 명 〈방〉 귀얄(황해).

풀-싸지 명 〈방〉 귀얄(함남·평북·황해).

풀-쌀[1] 명 ①무리풀을 갈기 위하여 물에 불린 멥쌀. ②풀을 만들 멥쌀.

풀-쌀[2] 명 〈방〉 귀얄(황해).

풀-쌈 명 ↗풀싸움. ——-하다 자여불

풀썩 부 연기나 먼지가 뭉키어서 한꺼번에 일어나는 모양. ¶ 먼지가 ~ 나다 / 봉발의 사내는…어깨에 메었던 토끼를 내려놓고 바윗등걸에 ~ 걸터앉았다《金周榮 : 客主》. >폴싹. ——-하다 자여불

풀썩-거리다 자 연기나 먼지가 연해 뭉키어 일어나다. ¶ 먼지가 ~. >폴싹거리다. 풀썩-풀썩 부. ——-하다 자여불

풀썩-대다 자 풀썩거리다.

풀썩-이다 자 연기나 먼지 따위가 조금씩 뭉쳐서 일어나다. >폴싹이다.

풀쏠 명 〈방〉 귀얄(강원·충북·경북).

풀-쐐기 명 〖충〗 불나방의 유충. 작은 누에와 같고 빛이 검푸르며 거친 털이 온 몸에 밀생(密生)함. 잡초 잎을 갉아 먹음. 점시(蛅蟖). ㊟쐐기.

풀-쑤다 자 ①무리풀이나 밀가루를 물에 타서 불에 익히다. ②풀젓개로 풀을 쑤듯이 재산을 휘저어 버림의 비유.

풀쑥 부 ①갑자기 내미는 모양. ¶ ~ 손을 내밀다. ②느닷없이 말하는 모양. ¶ ~ 한다는 소리가. 1)·2):ㅅ불쑥.

풀-씨 명 풀의 씨.

풀-앝 명 〈방〉 풀밭.

풀어 내다 타 ①얽힌 것이나 얼크러진 것을 끌러 내다. ¶ 엉킨 실을 ~. ②깊은 이치나 어려운 문제를 궁구하여 밝히어 내다. ¶ 힘든 문제를 ~. ③〖민〗 풀어 먹이다❷.

풀어 놓다 [—노타] 타 ①맨 것을 끌러 주다. ¶ 죄수를 ~. ②무엇을 몰래 탐지하기 위하여 여러 사람을 널리 베풀어 놓다. ¶ 형사를 ~.

풀어 먹다 타 ①물 따위에 풀어서 먹다. ¶ 미숫가루를 찬물에 ~. ②풀어 내어 써먹다. ¶ 배운 것을 알뜰하게 ~.

풀어 먹이다 타 ①음식이나 재물을 여러 사람에게 분배하여 나누어 주다. ②〖민〗 귀책(鬼責)이 있는 병에, 죽을 쑤어 버리거나 무당이나 판수를 시켜 푸닥거리를 하여 풀다.

풀어-쓰기 명 〖언〗 한글의 현행 자형(字形)을 풀어 헤쳐, 초·중·종성을 그 차례대로 죽 늘어 놓아 쓰는 방식. 곧, '한글'을 'ㅎㅏㄴㄱㅡㄹ'과 같이 쓰는 일.

풀어 쓰다 타 〖언〗 가로세로 묶어서 쓰는 낱자들을 풀어서 가로로만, 또는 세로로만 나란히 써 내려가다.

풀어-지다 자 ①매거나 얽힌 것이 풀리게 되다. ¶ 옷솔기가 ~. ②뭉친 것이나 단단한 것이 엉길 힘이 없이 풀리다. ¶ 국수가 풀어져 맛이 없다. ③맺힌 감정이나 오해가 없어지게 되다. ¶ 원한이 ~. ④추위가 누그러지다. ¶ 날씨가 ~. ⑤이치나 문제가 해명이 되다. ¶ 의심이 ~. ⑥액체에 다른 것이 잘 타지다. ¶ 물에 풀쌀이 ~. ⑦금령(禁令) 따위가 터놓아지다. ¶ 규제가 어느 정도 풀어졌다. ⑧눈동자.

풀어 헤치다 타 ①옷의 앞자락을 풀어서 헤쳐 놓거나 벌리다. ¶ 앞가슴을 풀어 헤치고 주먹으로 탕탕 쳤다. ②싸매거나 묶었던 것을 끌러서 벌려 놓다. ¶ 선물 보따리를 ~. ③속마음을 숨김없이 털어 놓다. ¶ 가슴을 풀어 헤치고 이야기를 나누고 싶다.

풀 엔트리 [full entry] 명 규정(規定)에 정하여진 경기 참가 인원수(人員數) 만큼 전부 참가를 신청하는 일.

풀-오:버 [pull-over] 명 머리로부터 입는 소매 달린 스웨터(sweater).

〈풀오버〉

풀-유엽도 【—柳葉桃】 [—류—] 명 〖식〗 풀협죽도(夾竹桃).

풀이 명 알기 쉽게 쉬운 말로 밝히어 말함. ¶ 낱말을 ~하다. ——-하다 타여불 「~ / 성주~. ——-하다 자여불

-풀이 미 오해나 원한이나 살(煞) 같은 것을 풀어 버리는 일. ¶ 살~ / 한

풀-이름 명 풀의 이름.

풀이-마디 명 〖언〗 '술어절(述語節)'의 풀어 쓴 이름. ↔임자마디.

풀이-말 명 〖언〗 술어(述語). 용언(用言). 서술어(敍述語). 설명어(說明語).

풀이-씨 명 〖언〗 용언(用言).

풀이-자리 명 〖언〗 '서술격(敍述格)'의 풀어 쓴 이름. ↔임자자리.

풀이-조각 명 〖언〗 '술부(述部)'의 풀어 쓴 이름. ↔임자조각.

풀-잎 [—립] 명 풀의 잎.

풀잎 피리 [—립—] 명 두 입술 사이에 풀잎을 대거나 물고 부는 것. 초금(草琴). 초적(草笛). 호가(胡笳). ㊟풀피리.

풀-잠자리 명 〖충〗 ①풀잠자릿과에 속하는 곤충의 총칭. ②[*Chrysopa intima*] 풀잠자릿과에 속하는 곤충의 하나. 몸길이 10 mm, 편 날개 26-34 mm이고, 몸빛은 녹색에 얼굴에는 흑색의 'X'형 무늬가 있고, 후두(後頭)에는 네 개의 흑점이 있음. 날개는 투명하고 종맥(縱脈)은 녹색, 횡맥(橫脈)은 흑색으로 아름다움. 여름 밤에 등불을 찾아 모여드는데 냄새가 고약함. 진디·곤충 등을 먹는 육식(肉食) 곤충으로 농업상 익충(益蟲)임. 성충은 나무 그늘·풀숲에 서식하는데 한국·일본·사할린·시베리아 등지에 분포함. 초부유(草蜉蝣). 초청령(草蜻蛉).

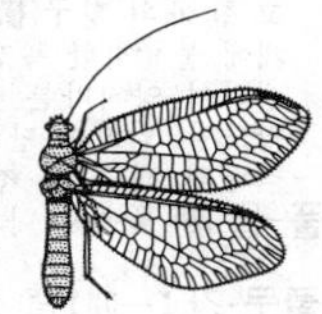

〈풀잠자리❷〉

풀잠자릿-과 【—科】 명 〖충〗 [Chrysopidae] 뿔잠자리목(目)에 속(屬)하는 한 과(科). 몸빛은 대황색·회색·녹색 등으로 곤충 중에서 가장 아름다움. 수피(樹皮) 등에 흰 구형(球形)의 잔 고치를 만들며, 진디물의 부근 또는 가옥(家屋) 안에 알을 엽상(葉狀)으로 낳으므로 옛날에는 식물(植物)로 잘못 알기도 했음. 한 마리의 유충이 300-400 마리의 진디물을 먹으며 여러 곤충의 유충도 포식함. 뉴질랜드를 제외한 전세계에 25 속 420여 종이 분포함. 애풀잠자리·칠성풀잠자리·풀잠자리 등이 이에 속함.

풀:-장 【—場】 [pool] 명 풀 시설(施設)을 해 놓은 곳. 수영장(水泳場).

풀-젓개 명 풀을 쑬 때에 휘젓는 막대.

풀:-제 【—制】 [pool] 명 〖경〗 생산·판매량(販賣量)의 결정, 가격·운임 등의 조절, 경영(經營)의 합리화, 그 외 특정한 공통 목적 수행을 위하여 동종(同種)의 기업이 협정을 맺어, 그 협정 범위 안의 수지(收支)를 공동의 것으로 하여 이것에 의하여 생기는 손익(損益)을 협정의 비례에 따라 분배하는 제도.

풀 조업 【—操業】 [full] 명 공장 등에서, 인원·시설·설비의 모든 것을 동원하여 생산하는 일. 풀 가동(full 稼動).

풀-종다리 명 〖충〗 [*Paratrigonidium bifasciatum*] 귀뚜라밋과에 속하는 곤충. 몸길이 7-8 mm이고, 몸빛은 담황갈색, 머리에는 갈색 횡대(橫帶)가 한 개 있음. 전흉배(前胸背)에는 백색 털이 밀생(密生)하고 수컷의 앞날개는 타원형에 흑색 무늬가 몇 개 있음. 8-9월에 '휘리리리' 하고 욺. 정원수(庭園樹)나 울타리에 서식하는데, 한국·중국·대만·일본 등지에 분포함.

〈풀종다리〉

풀-주머니 [—쭈—] 명 쑨 풀을 거르는 데 쓰는 주머니.

풀-죽다 자 ①풀기가 적어서 빳빳하지 못하게 되다. ②성하던 기세가 꺾이어 약해지다. ¶ 풀죽은 말.

풀-줄기 [—쭐—] 명 초본경(草本莖). 「하다 자여불

풀-질 명 무엇을 붙일 자리에 풀을 칠하는 일. ¶ 귀얄로 ~을 하다. ——

풀-집 [—찝] 명 입쌀 풀을 쑤어 덩이로 파는 집.

풀쩍 부 ①문을 갑작스럽게 열거나 닫는 모양. ②둔하고 힘있게 뛰어오르는 모양. >폴짝. ——-하다 자타여불

풀쩍-거리다 자타 문을 연해 갑작스레 여닫고 드나들다. ②둔하고 힘있게 자꾸 뛰어오르다. >폴짝거리다. 풀쩍-풀쩍 부. ——-하다 자타여불

풀쩍-대다 자타 풀쩍거리다.

풀-철지 명 〖충〗 [*Tettigonia viridissima*] 여칫과(科)에 속하는 곤충. 베짱이와 비슷하나 여치보다 가늘고 몸길이 43-48 mm이며, 몸빛은 녹색에 앞가슴 가운데에 담갈색의 굵은 세로줄이 있고, 그 뒤쪽은 황색이며 날개보다 긴 촉각이 있음. 한국·대만·일본 등지에 분포함. 중베짱이.

〈풀철지〉

풀쳐-생각 명 맺혔던 생각을 풀어 버리고 스스로 위로함. ¶ ~하고 너무 걱정 마시오. ——-하다 자여불

풀: 취:재 【—取材】 [pool] 명 취재를 희망하는 언론 각사 중에서 대표자

를 정하여 그가 취재한 성과를 각사가 공유하는 취재 방식. 평소에 백악관 행사의 취재 등에서 하며, 특히 전쟁 취재 등에서 하는 일이 많음. 합동 대표 취재.

풀치 [명] 갈치의 새끼.

풀치다 [타] 맺혔던 생각을 돌리어 너그럽게 용서하다. ¶생각을 ~.

풀-치마 [명] 좌우 쪽으로 선단이 있어 둘러 입게 된 치마. 끄리치마. ↔ 통치마.

풀-칠【一漆】[명] ①종이 같은 것을 붙이려고 무엇에 풀을 바르는 일. ¶도배지에 ~을 하다. ②겨우 끼니를 이어 가는 일. ¶입에 ~하는 게 고작이다. ——-하다 [자][여불]

풀 카운트 [full count] [명] ①야구에서, 타자의 카운트가 투 스트라이크, 스리 볼을 이름. ②권투에서, 녹다운하였을 때, 텐 카운트(ten count)까지 세는 일.

풀-칼 [명] 대오리나 혹은 얇은 나무오리로 칼 모양같이 만든 물건. 된 풀질을 하여 무엇을 붙이는 데 쓰임.

풀 코:스 [full course] [명] ①서양 요리의 정식(正式) 코스. 오르 되브르·수프로 시작하여 생선·육류·채소 등의 요리가 나온 후에 디저트·프루츠·커피로 끝남. ②골프에서, 전반(前半)에 도는 9홀과 후반에 도는 9홀의, 합계 18홀로 된 코스.

풀코스트 원칙【一原則】[명] [full-cost principle]〖경〗과점적(寡占的) 시장의 관리 가격 설정 방식을 나타내는 원칙. 생산 1단위당 평균 비용, 곧 임금 비용과 원자재 비용을 기초로 하여 여기에 고정 비용을 합산하고 관습적으로 정해진 이윤의 비율인 마크업(mark-up) 비율을 가산하여 산출하는 방식.

풀 타임 [full time] [명] 정해진 영업 시간이나 근무 시간의 모든 시간대(時間帶)를 근무하는 일. *파트 타임.

풀턴 [Fulton, Robert] [명]〖사람〗미국의 기계 기사(技師). 증기선(蒸氣船)의 완성에 진력, 1807년 뉴욕 시 허드슨 강(Hudson江)에서 시운전(試運轉)에 성공하였음. [1765-1815]

풀-판[1] [명]〈방〉덤불.

풀-판[2]【一板】[명] 풀을 개어 놓는 널조각. 이 널조각에 밥풀이나 또는 한매분(寒梅粉)을 개어 풀을 만들게 됨.

풀 패션 [full fashion] [명] 다리의 굵기에 따라 콧수를 증감하여 평평하게 짠 것을 뒷쪽에서 꿰메고 발바닥 부분을 짜서 만든 스타킹. 뒤에 솔기가 있는 것이 특징임.

풀: 평준제【一平準制】[pool] [명]〖경〗생산가(生產價)가 비싸서 제품을 비싸게 팔지 아니하면 수지가 맞지 않는 회사와, 생산가가 싸서 제품을 싸게 팔아도 충분히 수지가 맞는 회사가 판매 풀제(販賣pool制)를 조직하여, 이에 따라서 풀 전체의 제품 판매 가격을 적정한 평준점(平準點)에 두어 통일하도록 하는 제도.

풀-포수【一泡水】[명] 갈모·쌈지·유삼(油衫) 같은 것을 만드는 데 기름으로 결기 전에 묽은 풀을 먼저 바르는 일. 기름을 적게 들이기 위하여 하는 것. ——-하다 [자][여불]

풀: 포인트 시스템 [pool point system] [명]〖경〗부당한 운임 절하 경쟁(運賃切下競爭)을 방지할 목적으로 제정한 운임 공동 분배 방식. 곧, 항로(航路) 동맹에서 결정된 일정한 품목(品目)의 운임(運賃)을 항로 동맹의 기관에서 공동 계산하고, 어느 일정한 기간 뒤에 작정된 비율에 의해 동맹자 사이에 분배하는 제도.

풀푼-나게 [부]〈방〉불풍나게.

풀풀 [부] ① 열쌔고 기운차게 자꾸 뛰거나 나는 모양. ¶몸이 ~ 날다. ② 물이 자꾸 끓어 오르는 모양. ③눈·먼지 같은 것들이 흩날리는 모양. ¶먼지가 ~ 난다. 1)-3):>폴폴.

풀풀-하다 [형][여불] 참을성이 적고 괄괄하다.

풀품-나게 [부]〈방〉불풍나게.

풀프리히 [Pulfrich, Karl] [명]〖사람〗독일의 광학 기술자(光學技術者). 본 대학 강사(講師). 1890년부터 차이스 회사의 과학 고문(科學顧問)이 되어, 광학 기계의 연구 제작에 종사함. 그의 이름을 붙인 측광기(測光器)·굴절계(屈折計) 외에, 스테레오식 원측기(遠測機)를 완성하여 사진 측량의 기초를 열었음. [1858-1927]

〈풀프리히 굴절계〉

풀프리히 굴절계【一屈折計】[Pulfrich] [一쩔一] [명]〖물〗고체·액체의 굴절률을 측정하는 기계.

풀-피리 [명] ↗풀잎 피리.

풀핏 [pulpit] [명] 교회당 안의 교단(敎壇).

풀-하다[1] [자][여불] 풀을 먹이다.

풀-하다[2] [자][여불] ↗갈풀하다.

풀-함【一函】[명] 풀함지.

풀-함지 [명] 풀을 담아서 풀어 쓰는 운두가 낮은 함지. 풀함.

풀-해마【一海馬】[명]〖어〗[*Urocampus rikuzenius*] 실고깃과에 속하는 바닷물고기. 머리에 두 개의 가는 촉수가 있는 것이 특징인데 배의 정중선(正中線)에 까만 세로띠가 있고, 비늘의 가장자리에는 흰 점이 산재함. 내만의 해조(海藻) 사이에 사는데, 한국 남부해 및 일본 남부해에 분포함.

풀-협죽도【一夾竹桃】[명]〖식〗[*Phlox paniculata*] 꽃고빗과의 다년초. 북미 뉴욕 주·조지아 주·아칸소 주 원산임. 줄기는 직립, 무더기로 나고 단단하며 높이는 60-120cm. 잎은 대생(對生)하거나 간혹 세 개씩 윤생하며 얇고 긴 타원상 피침형임. 줄기 끝에 기왓장처럼 포개지고 밑부분은 통(筒)모양의 꽃이 원추 화서로 밀착함. 꽃빛은 원종은 선홍색이지만 원예품종에는 자색·홍색 등 여러 가지임. 개화기는 7-9월. 개화기가 길어서 화단·정원용으로 적당하며 점질 토양·알칼리성 토양에 잘 자람. 1732년 유럽에 소개. 1959년 한국에 도입. 풀유엽도.

풀-흙 [一흑] [명] 도자기 만들 때 쓰는 점토.

풀-흰나비 [一힌一] [명]〖충〗[*Pontia daplidice*] 흰나빗과에 속하는 곤충. 편 날개의 길이 42-56mm이고, 암컷은 뒷날개 표면의 무늬가 뚜렷하고, 날개 밑 부근에 흑색 가루가 많으며, 날개 뒷면의 무늬는 하형(夏型)은 황색을 띤 녹색이고 춘형(春型)은 흑록색임. 한국에도 분포함.

품[1] [명] ①윗도리 옷에 있어서 겨드랑이 밑의 너비. 곧 앞길과 섶과의 너비. 또는 뒷길의 너비. ¶살이 쪄서 ~을 늘리다. ②윗도리 옷을 입었을 때 가슴과 옷과의 틈. ¶~이 넓다. ③안거나 안기는 것으로서의 가슴. ¶어머님의 ~에 안기다. ④비유적으로, 따뜻이 맞아 들이거나 감싸 주는 곳. ¶자연의 ~/조국의 ~.

[품마다 사랑이 있다] 새 애인(愛人)을 만나면 또 다른 새 사랑이 생긴다는 말.

품[2] [명] 무슨 일에 드는 힘 또는 수고. ¶하루 ~이 들었다.

품:[3]【品】[명] ①↗품질(品質). ¶~이 낫다. ②↗물품(物品). ③품격(品格). 품위(品位). ④〖역〗↗직품(職品).

품:[4] [의명] 동사(動詞)의 어미인 '-ㄴ'·'는' 아래에 붙이어 그 동작이나 됨됨이를 표하는 말. 품새. ¶되어 가는 ~이 그럴 듯하다/생긴 ~이 말이 아니다.

품:[5]【品】[의명] ①〖역〗품계(品階)의 순위를 메기는 말. ¶정일(正一)~/종이(從二)~. ②프로 씨름에서, 준우승자부터 6위까지에만 주어지는 등급의 명칭. 준우승자를 1품, 3위를 2품, 4위를 3품, 5위를 4품, 6위를 5품이라 함.

품[6] [자]〈옛〉핌. '프다'의 명사형. ¶蓮ㅅ곳 품 곧ᄒᆞ실서(如蓮華開)≪圓覺 上 一之二 37≫.

품-갈이 [명] 남에게 고용되어 농사를 지음. ——-하다 [자][여불]

품-값 [一깝] [명] 노력(勞力)의 대가(代價). 품삯. ¶~이 비싸다.

품-갚다 [자] 자기가 앗았던 품의 갚음으로 상대자에게 품을 제공하다.

품-갚음 [명] 남에게 도움을 받은 것을 그대로 갚음. ——-하다 [자][여불]

품개 [명]〈방〉용두레.

품:건【品件】[一껀] [명] 상품(上品)의 물건.

품:격【品格】[一껵] [명] ①물건의 좋고 나쁨의 정도. ¶~이 떨어지다. ②품위(品位). 기품(氣品). ¶~이 있는 여성.

품:결【稟決】[명] 웃어른 또는 상사(上司)에 아뢰어 처결함. ——-하다 [타][여불]

품:계【品階】[명]〖역〗옛 벼슬아치의 직품(職品)과 관계(官階). 그 순위는 위로 정일품(正一品)부터 종구품(從九品)까지 있음. 품질(品秩). 관계(官階). 위계(位階). 등차(等差). [준]계(階).

품:고【稟告】[명] 웃어른이나 또는 상사(上司)에게 여쭘. 품달(稟達). 품신(稟申). ——-하다 [타][여불]

품:관[1]【品官】[명] ①〖역〗품계(品階)를 가진 벼슬아치의 총칭. ②동정직(同正職)·검교직(檢校職)·첨설직(添設職) 등에 의해서 관품(官品)을 받은 사람.

품:관[2]【品冠】[명]〖역〗벼슬 품계에 따라 쓰는 관(冠). 위관(位冠). *절풍건(折風巾).

품관 녹사【品官錄事】[명]〖역〗고려 말·조선 시대에, 8품-9품의 품계를 가진 녹사. ↔품외(品外) 녹사.

품:귀【品貴】[명] 물건이 귀함. ¶~ 상태. ——-하다 [형][여불]

품:귀-주【品貴株】[명] [rare stock]〖경〗주식 시장에서 유통되는 주수(株數)가 적은 주식. 자본금이나 부동주(浮動株)가 적어, 주가가 높은 종목이 많으며 시세 변동이 심하여 투기 대상이 되기 쉬움.

품:급【品級】[명] 벼슬의 등급(等級).

품-기다[1] [자] 품음을 당하다. ¶어미 가슴에 품긴 아기.

품기다[2] [자]〈옛〉풍기다. ¶너 품기다(熏)≪漢淸 X:51≫.

품-꾼 [명] ↗품팔이꾼.

품뉴 [명]〈옛〉풍류. ¶더줄 품뉴 ᄒᆞ고 거즛말 ᄒᆞᄂᆞᆫ 놈들로ᄒᆞ여(教那彈絃子的謊啞們)≪老乞 下 49≫.

품다[1] [一따] [타] [중세 : 품다] ①품 속에 넣거나 가슴에 대어 안다. ¶암탉이 알을 ~/아기를 가슴에 ~. ②남에게 보이지 않게 몸에 지니다. ¶단도를 ~. ③원한·슬픔·기쁨·생각 같은 것을 마음 속에 지니다. ¶의심을 ~/원한을 ~.

품다[2] [一따] [타] 괴어 있는 물을 계속적으로 많이 푸다.

품다[3] [一따] [타] 모시풀의 껍질을 품칼로 벗기다.

품:달【稟達】[명] 품고(稟告). ——-하다 [타][여불]

품:대【品帶】[명]〖역〗벼슬아치의 품등(品等)에 따라 갖추어 띠는 띠. 일품관(一品官)은 서대(犀帶), 정이품(正二品)은 조복·제복(祭服)·상복(常服)에는 삽금대(鈒金帶), 공복(公服)에는 여지금대(荔枝金帶), 종이품(從二品)은 조복·제복·상복에는 소금대(素金帶), 공복에는 여지금대, 정삼품(正三品)은 조복·제복·상복에는 삽은대(鈒銀帶), 공복에는 여지금대, 종삼품은 조복·제복·상복에는 소은대(素銀帶), 공복에는 흑각대, 정사품은 조복·제복·상복에는 소은대(素銀帶), 공복에는 흑각대, 오품 이하는 모두 흑각대를 띠었음. *학정금대(鶴頂金帶)·띳과.

품-돈 [一똔] [명] 품삯으로 받는 돈.

품-들이 [명]〈방〉품앗이(함북). ——-하다 [자]

품:등[1]【品等】[명] 품질(品質)과 등급. ¶~에 따라 값을 매기다.

품:등[2]【品燈】[一뜽] [명]〖역〗벼슬아치가 밤에 나들이할 때 들리고 다니는 사등롱(紗燈籠). 벼슬의 등급에 따라 그 빛깔이 다르며, 정·종일품관은 홍사등롱(紅紗燈籠), 정이품 이하 정삼품 당상관(堂上官)은 남색(藍色)의 청사등롱(青紗燈籠), 종삼품 이하 당하관은 황사등롱(黃紗燈籠)임.

품:등-법【品等法】[一뻡] [명] [order-of-merit method]〖심〗심리학상 시험의 한 방법. 많은 대상을 일정한 순서로 배열하고 각 대상의 평균

적인 위치와 그 산포도(散布度)를 계산하는 방법.
품:렬【品劣】[―녈] [명] 된 품이 낮음. ――하다 [형][여불]
품:령【稟令】[―녕] [명] [역] 왕세자(王世子)의 대리 섭정(代理攝政)때에 내리는 영지(令旨).
품:류【品類】[―뉴] [명] 물건의 갖가지 종류.
품:리【稟吏】[―니] [명] 상주문(上奏文)을 맡아 보는 관리.
품:마【品馬】[명] [역] 고려 때 군마(軍馬)를 조달하기 위하여 관리들의 말을 징수하던 제도. 원종(元宗) 13년(1272) 처음으로 실시함. 4품관 이상 1필(匹), 5·6등 품관은 2명이 1필을 바치도록 함.
품:명¹【品名】[명] 물품의 이름. 품종의 명칭.
품:명²【稟命】[명] 상관의 명령을 받음. ――하다 [자][여불]
품:목¹【品目】[명] 물품의 명목(名目). ¶수출품의 ～.
품:목²【稟目】[명] ①상관(上官)에게 여쭙는 글. ②[역] 서원(書院)·향교에서 그 지방의 수령(守令)에게 올리는 문서.
품:물【品物】[명] 형체를 갖춘 온갖 물건의 통칭.
품:미【品米】[명] [역] 고려 때 나라에 큰 일이 있을 때에 직품(職品)이 있는 사람에게 그 직품에 따라 거두어 들이는 쌀. 충렬왕(忠烈王) 14년(1288)부터 실시함. 우왕(禑王) 2년(1376)부터는 천민에게도 부과하였으며, 양의 다소에 따라 관직을 주기도 하였음.
품바-타:령【―打令】[명] '장타령'을, 후렴 귀를 따서 일컫는 말.
품-밖 [명] 품고 있는 범위의 바깥. ↔품안. 「차례.
품:반【品班】[명] [역] 대궐 안 정전(正殿) 앞뜰에 백관(百官)이 정렬하던
품-밥 [―빱] [명] 품을 사서 일을 시키며 내는 밥.
품:별【品別】[명] 물품의 구별. ――하다 [타][여불]
품:부【稟賦】[명] 천생으로 타고남. 선천적(先天的)으로 받음. 품수(稟受). ――하다 [타][여불]
품:사【品詞】[명] [언] 단어를 문법상 의미·형태·직능에 따라 분류한 종별. 우리 나라 학교 문법에서는 명사·대명사·동사·형용사·조사·감탄사·관형사·부사·수사의 9 품사인데, 학자에 따라 각기 조금씩 다름. 씨.
품:사-론【品詞論】[명] [언] 문장에 쓰이는 단어의 성질에 따라서 그 의미·형태·직능(職能) 같은 것을 연구하는 문법의 중요한 한 분야. 학자에 따라 품사 분류가 다름. 씨갈.
품:사 분류【品詞分類】[―불―] [명] [언] 문법을 기술하고 설명하기 위하여 수십 만에 이르는 단어를 문법적인 성질이 공통되는 몇 개의 부류로 구분하는 작업. 씨가름.
품:사 전:성【品詞轉成】[명] [언] 한 단어가 본래의 품사와는 다른 문법상 성질을 가져서 딴 품사로 되는 일. 이를테면 동사 '웃다'가 명사 '웃음'으로 바뀌는 따위. [준]전성(轉成).
품-삯 [―싹] [명] 품팔이에 대한 삯. 품값. 고가(雇價). 노임(勞賃). 용임(傭賃). 용전(傭錢). 고전(雇錢). 고임(雇賃). 웨이지(wage). ¶～을 주다.
품새¹ [명] 품세.
품:-새² [의명] 품⁴. ¶앉은 ～/상 차린 ～가 보잘것 없다.
품:석¹【品石】[명] [역] 대궐 안 정전(正殿) 앞뜰에 관계(官階) 품(品)을 새겨 세운 석표(石標). 두 줄로 되어 동서(東西) 양반(兩班)이 차례로 정렬하게 되었으며, 동반은 동쪽, 서반은 서쪽 자리에 정하여 있음.

〈품석1〉

품:석²【品席】[명] [역] 벼슬아치가 까는 방석. 벼슬의 순위에 따라 표피(豹皮)·호피(虎皮)·구피(狗皮)·양피(羊皮) 등의 종별이 있음.
품:석³【品釋】[명] [사람] 신라 선덕왕(善德王) 때의 무관. 성은 김씨(金氏). 대야성(大耶城) 도독(都督)으로 있으면서 부하 검일(黔日)의 처를 빼앗아 그의 원한을 샀는데, 검일은 대야성을 공격해 온 백제군 윤충(允忠)과 내통, 신라군은 전멸하고 품석은 자살하였음. [?-642]
품:성¹【品性】[명] 성품(性品). ¶～이 비열하다. 「람.
품:성²【稟性】[명] 천생으로 타고난 성품. 부성(賦性). ¶～이 뛰어난 사
품세 [명] 태권도 수련 방법의 한 가지. 혼자서 상대를 가상하여 공격과 방어의 기술을 연결한 연속 동작.
품-셈 [명] 인력(人力) 또는 기계로 무엇을 만드는 데 단위당(單位當) 소요되는 품, 곧 노력(勞力)과 능률 및 재료를 수량으로 표시한 것. 공사비(工事費)의 과정 산정(算定)에 필요함.
품-속 [―쏙] [명] 품의 속이나 품고 있는 그 깊은 속. ¶～에 간직한 돈.
품:수¹【品數】[―쑤] [명] 품(品)의 차례.
품:수²【稟受】[명] 품부(稟賦). ――하다 [타][여불] 「여불
품:식【品食】[명] [불교] 귀한 사람을 모시고 함께 식사함. ――하다 [자]
품:신【稟申】[명] 윗사람에게 여쭘. 아룀. ――하다 [타][여불]
품-안¹ [명] 품는 범위의 안. ¶어린애를 ～에 안다.
[품안에 있어야 자식이라] 자식이 어려서는 부모를 따르지만 장성하면 부모로부터 멀어진다는 말.
품:안²【品案】[명] [역] 품계를 가진 사람의 성명을 그 직품의 차례대로 기록한 부책(簿冊).
품-앗다 [자] 자기가 품을 제공한 갚음으로 상대의 품을 받다.
품-앗이 [명] 힘드는 일을 거들어 주어서 서로 품을 지고 갚고 하는 일. ¶～로 김을 매다. ――하다 [자][여불]
품앗이-꾼 [명] 품앗이 일을 다니는 일꾼.
품:외 녹사【品外錄事】[명] [역] 고려 말·조선 시대에, 품계(品階)를 가지지 못한 녹사(錄事). 하급 행정 사무를 담당함. ↔품관(品官) 녹사.
품:위【品位】[명] ①직품(職品)과 지위. ¶～를 높이다. ②사람이 갖추고 있는 기품이나 위엄. 또, 인격적 가치. 품격(品格). ¶～를 잃다/～ 없는 사람/～를 갖추다/～ 유지비. ③금은화(金銀貨)나 지금(地金)·지은(地銀)에 함유된 금 또는 은의 비율. ¶～ 증명. ④광석 중에 함유된 유용 광물(有用鑛物)의 실수량(實收量)을 바탕으로 사정(査定)하는 광석의 등급. 특히 다이아몬드의 품질을 나타내는 등급.
품:위 증명【品位證明】[명] 금·은의 지금(地金)의 품위를 조사하여 이것을 증명하는 일.
품:은【品銀】[명] [역] 고려 때 국가 재정의 적자(赤字)를 보충하기 위하여 관리들로부터 은(銀)을 징수하던 제도. 고종(高宗) 46년(1259) 4품 이상의 관원은 1근(斤), 5품 이하는 품포(品布)로 바치게 함. 뒤에 충렬왕(忠烈王) 1년(1275)에는 그 범위를 확대하여 종구품인 대정(隊正) 외 관직으로부터도 은을 징수하였음.
품:의【稟議】[―/―이] [명] 웃어른이나 또는 상사(上司)에게 글이나 말로 여쭈어 의논함. ¶～서(書). ――하다 [타][여불]
품:인【品人】[명] 품꾼.
품:일¹【品日】[명] [사람] 신라 무열왕(武烈王) 때의 장군. 관창(官昌)의 아버지. 나당(羅唐) 연합군이 백제를 칠 때 김유신(金庾信) 막하에서 아들 관창과 함께 출전하고, 후에 고구려를 칠 때도 귀당 총관(貴幢摠管)으로 참전하여 공을 세웠음. 생몰년 미상.
품:일²【品日】[명] [사람] 범일(梵日).
품:자【品字】[―짜] [명] 삼각(三角)으로 벌려 놓은 형상.
품:-자리 [―짜―] [명] 〈방〉 잠자리¹.
품:자 마:크【品字―】[mark] [―짜―] [명] 공업 진흥청(工業振興廳)이 공장(工場)의 품질 관리 수준과 실태를 검사하고 우수한 공장에 부여하는 마크. 오른쪽 가운데가 터진 동그라미에 한글로 '품'자를 썼음. 학용품이나 어린이 용품처럼 제조 업체가 난립돼 있는 상태에서 선택이 어려운 경우, 또는 소비자 보호를 위해 일정한 품질 수준을 유지시킬 필요가 있는 품목이 대상이 됨.
품:자 표시【品字表示】[―짜―] [명] 품자 마크.

〈품자 마크〉

품:작【品爵】[명] 직품과 작위.
품:재¹【品才】[명] 성품과 재질.
품:재²【稟才】[명] 타고난 재주.
품:절【品切】[명] 절품(切品). ¶종이가 ～되다. ――하다 [자][여불]
품:정¹【品定】[명] 우열이나 품질을 비판하고 판정함. 품평(品評). ――하다 [타][여불]
품:정²【品程】[명] 법(法). 법칙. 법도(法度).
품:정³【稟定】[명] 여쭈어 의논하여 결정함. ――하다 [타][여불]
품:제【品題】[명] ①제품(題品). ②[불교] 경(經)의 내용을 품(品)으로 나눈 편장(篇章)의 제목(題目).
품:종【品種】[명] ①물품의 종류. ②[농] 농학 상(農學上)의 분류 단위로서 작물 및 가축(家畜)의 여러 종류를 그 유전 형질에 의하여 다시 세분한 단위의 명칭. 곧, 작물의 재배 또는 가축의 사육, 혹은 그 이용상(利用上) 동일한 특성을 나타내어 동일한 단위로 취급함이 편리한 개체군(個體群)의 명칭임. ¶육용(肉用) ～. ③[생] 생물 분류학 상의 단위의 종(種)으로서, 그 이하로 세분한 아종(亞種)·변종(變種)·지방종(地方種) 또는 식물에서의 유전적 개량의 새로운 개체군(個體群)의 명칭. ¶～ 개량. *종(種).
품:종간 교배【品種間交配】[명] [생] 동일 품종 내의 이체간(異體間)의 교배. 잡종 강세(雜種強勢)를 이용한 일대(一代) 잡종의 작출(作出)에 사용됨.
품:종 개:량【品種改良】[명] [생] 이용 목적에 따라 품종을 순계 분리(純系分離)에 의하여 택하거나 교배에 의하여 만들어 내어, 현재의 것보다 더 좋은 것으로 하는 일. *육종(育種).
품:주¹【稟主】[명] [역] 신라 집사부(執事部)의 본이름. 최고 정무(政務) 기관으로, 진덕왕(眞德王) 5년(651)에 집사부로 고쳤다가 흥덕왕(興德王) 4년(829)에 다시 집사성(執事省)으로 고침. 조주(祖主).
품:주²【稟奏】[명] 임금께 상주(上奏)함. ――하다 [타][여불]
품:지【稟旨】[명] 울려 아뢰어서 무르와내는 군명(君命).
품직【品職】[명] 직품. ¶～을 주다.
품질¹ [명] 바다 낚시에서, 밑밥을 주는 일.
품:질²【品秩】[명] [역] 품계(品階).
품:질³【品質】[명] 물품의 성질. [준]품. ¶～이 좋다.
품:질⁴【稟質】[명] 품성(稟性).
품:질 관리【品質管理】[―괄―] [명] [quality control; QC] [경] 일정한 조건 밑에 최저 비용으로 가급적 최량(最良) 품질의 제품을 획득할 수 있도록 생산 활동을 통계 숫자에 의해서 관리·통제하는 경영 관리 방식의 하나. *자재(資材) 관리·설비 관리(設備管理).
품:질 보증【品質保證】[명] [quality assuarance ; QA] [경] 품질이 미리 정한 일정 조건에 이르고 있음을 보증하는 일.
품:질 표시【品質表示】[명] 공산품 품질 관리법에 의거하여, 제조업자 및 수입업자가 자사(自社) 상품에 대하여 공업 진흥청의 품질 검사나 사정(査定)을 받아 그 내용을 상품이나 광고에 표시하는 일. 또, 그 표시. 품질 검사에 합격하면 '검' 표시를, 품질 관리 등급 사정에 통과하면 '품' 표시를 함. *품자마크. ¶～ 상품.
품ᄌᆞ리 [명] 〈옛〉 잠자리. 남녀가 동침하는 자리. ¶人物 개ᄌᆞᄒᆞ고 품ᄌᆞ리 알ᄯᆞ리ᄒᆞᆫ 져믄 書房인가≪古時調≫.
품:처【稟處】[명] 상주하여 처리함. ――하다 [타][여불]
품:청【稟請】[명] 상신(上申)하여 청함. ――하다 [타][여불]
품-칼 [명] 모시풀의 껍질을 벗기는 데 쓰는 칼.
품-팔다 [자] 품삯을 받고 일하다.
품-팔이 [명] 품삯을 받고 남의 일을 하여 주는 것. 고공(雇工). ¶날～/～로 끼니를 잇다. ――하다 [자][여불]
품팔이-꾼 [명] 품팔이를 하여 살아 가는 사람. 용원(傭員). 고용인(雇傭人). [준]품꾼.

품:평【品評】명 품질에 대한 평정(評定). ——-하다 타여불

품:평-회【品評會】명 산물·제품(製品) 등을 모아 품평하는 모임.

품:포【品布】명〖역〗①조선 시대에 나라에 큰 일이 있을 때에 직품(職品)이 있는 사람에게 그 직품에 따라 거두어 들이는 포(布). ②고려 때 몽고에 세공(歲貢)·친조(親朝)를 할 경우 그 여비(旅費)와 군사비(軍事費)를 충당하기 위하여 징수하던 세포(稅布).

품:-하다【稟—】타여불 웃어른이나 상사(上司)에게 무슨 일의 가부(可否)를 얻기 위하여 말씀을 여쭙다.

품:행【品行】명 품성(品性)과 행실(行實). ¶ ~ 방정(方正).

품:휘【品彙】명 품류(品類).

풉-쌀 명〈방〉풀쌀.

풋- 튀 ①명사 앞에 붙어서, '새로운 것'이나, '덜 익은 것'을 나타내는 말. ¶ ~밤/~콩. ②'익숙하지 않은'의 뜻. ¶ ~내기 / ~장기. ③'깊지 않은'의 뜻. ¶ ~사랑 / ~잠.

풋-가지 명 ①풋나무의 가지. ②새로 난 만물 가지.

풋-감 명 빛이 퍼렇고 아직 익지 아니한 감.

풋-거름 명 ①〖농〗생풀이나 생나무의 잎으로 하는 거름. 녹비(綠肥). 초비(草肥). ②충분히 썩지 않은 거름.

풋거름 작물【—作物】명〖농〗풋거름으로 쓰기 위해 재배하는 비료 작물. 헤어리베치·자운영 따위. 녹비 작물(綠肥作物).

풋-것 명 ①그 해에 새로 익은 과실·곡식·나물붙이 들의 통틀어 일컬음. ②〈방〉푸성귀(전북·경남).

풋-게 명 초가을에 아직 장이 잘 들지 아니한 게.

풋-고추 명 빛이 푸르고 아직 익지 아니한 고추. 청고초(青苦草).
[풋고추 절이 김치] 절이 김치에 풋고추를 넣음이 당연한 데서 서로 친밀히 지내어 언제나 잘 어울려 다니는 사람의 조롱.

풋고추 간장【—醬】명 잔 풋고추를 온통으로 번철에 거뭇거뭇하게 볶아 사그릇에 담고 진장을 친 음식. 청고초장(青苦草醬).

풋고추 누름적【—炙】명 풋고추를 씨를 발라 내고 간장과 기름에 버무리어 꼬챙이에 꿰어서 밀가루와 달걀을 씌워 지진 음식. 청고초 향적(青苦草香炙).

풋고추 볶음 명 잔 풋고추를 볕에 정하게 말렸다가 기름을 붓고 바싹 볶아 내어 소금을 약간 뿌린 음식. 청고초초(青苦草炒).

풋고추 잡채【—雜菜】명 씨를 빼어 곱게 채친 풋고추를 돼지고기·목이버섯과 함께 기름에 볶은 중국식 잡채.

풋고추 장아찌 명 풋고추를 맹물에 넣어 무엇으로 꼭 눌러 두었다가 가을에 건져내어 짜서 간장에 넣고 고명을 한 음식.

풋고추 조림 명 풋고추를 간장에 넣고 설탕과 썬 파를 더하고 쇠고기나 돼지고기나 마른 어물(魚物) 들을 섞어서 조린 음식.

풋고추 찌개 명 풋고추를 씨를 발라 내어 쇠고기와 파를 썰어 섞고 기름과 후춧가루를 쳐서 끓인 찌개.

풋-곡【—穀】명 ↗풋곡식. ＊햇곡.

풋-곡식【—穀—】명 덜 익은 곡식. ㊟풋곡. ＊햇곡식.

풋-과실【—果實】명 아직 다 익지 않은 과실. 풋과일.

풋-과일【—果—】명 풋과실.

풋-군 명〈방〉풋내기❶❷.

풋-굿 명〖민·농〗'호미씻이'를, 풀밭에서 굿 행사같이 논다는 뜻에서 일컫는 이름.

풋-기운 명 힘이 몸에 깊숙이 배지 않은 젊은이의 발딱거리는 기운.

풋-김치 명 봄 가을에 새로 나온 어린 무나 배추로 담근 김치. 청저(青菹).

풋-나기 명 ☞ 풋내기.

풋-나무 명 새나무·갈잎나무·풋장을 통틀어 일컫는 말.

풋-나물 명 봄철에 새로 난 나무나 풀의 연한 싹으로 만든 나물. 청채(青菜).
풋나물 먹듯 ㊐ 아까운 줄 모르고 엄청나게 먹는 모양.

풋-내 명 새로 나온 푸성귀나 풋나물붙이로 만든 음식에서 나는 풀 냄새. 비유적으로도 씀. ¶ ~ 나는 의견.

풋-내기 명 ①젊고 경험이 없는 자. 백면 서생(白面書生). 햇병아리. ¶ ~ 의사. ②진중하지 못하고 툭하면 객기(客氣)를 부리는 사람.

풋-담배 명 ①퍼런 잎을 썰어 당장에 말린 담배. 청초(青草). ②배운 지 얼마 안 되어 맛도 모르고 피우는 담배질.

풋-대추 명 ①말리지 아니한 대추. ↔건조(乾棗). ②완전히 익지 아니한 대추.

풋-돈냥【—兩】명 한때 후림결에 생긴 약간의 돈.

풋-되다 형 덜 성숙하여 미숙하고 분별이 없다. ¶ 덩치만 크지 풋되고 어리다.

풋-마늘 명 여물지 않아서 뿌리와 잎을 다 먹을 수 있는 어린 마늘.

풋-머리 명 만물이나 햇것이 나오는 무렵. 또는 겨우 익어서 무르녹지 않을 무렵.

풋-머슴 명 ☞ 선머슴.

풋-바둑 명 배운 지 얼마 안 되는 서투른 바둑 솜씨.

풋-바심 명 채 익기 전의 벼나 보리를 지레 베어 떨거나 훑는 일. ㊟바심. ——-하다 타여불

풋-밤 명 채 다 익지 아니한 밤.

풋-밭 명 윷판의 도밭으로부터 윷밭까지의 밭.

풋-배 명 채 다 익지 아니한 배.

풋-베기 명〖농〗사료나 풋거름으로 쓰려고 성숙하기 전에 작물의 푸른 잎이나 줄기를 베는 일. ¶ ~ 사료. ——-하다 타여불

풋베기 작물【—作物】명〖농〗풋베기하여 사료(飼料)나 비료로 쓰는 작물. 주로 곡류로서 옥수수·콩류(類)·보리류와 메밀류 등.

풋 베이스볼〔foot baseball〕명 킥 볼(kick ball)❷.

풋-벼 명 채 다 익지 아니한 벼.

풋벼-바심 명 풋벼를 베어서 곧 타작하는 일. ——-하다 자여불

풋-보리 명 채 다 익지 않은 보리.

풋볼〔football〕명 ①축구(蹴球). ②특히, 미식(美式) 축구. ③축구에 쓰는 공.

풋-사과【—沙果】명 채 덜 익은 사과.

풋-사랑 명 ①정이 덜 들고 안정성이 없는 들뜬 사랑. ②어려서 깊이를 모르는 사랑.

풋-사위 명 윷놀이에 풋윷으로 나오는 큰 사위.

풋-소 명 '푿소'의 잘못.

풋-손 명〈방〉풋내기.

풋-솜 명〈방〉풀솜.

풋-솜씨 명 익숙하지 않은 솜씨.

풋-수【—手】명 바둑이나 장기 따위에서 배운 지 얼마 안 되어 아직 서투른 수.

풋-수염【—鬚髥】명 처음 나기 시작한 보송보송한 수염.

풋-술 명 맛도 모르고 먹는 술.

풋-실과【—實果】명 ☞ 풋과실.

풋심 명〈방〉학질(경남).

풋 업〔foot up〕〔푿—〕명 럭비에서, 후킹(hooking)하는 발을 규정보다 빨리 올리는 일.

풋-워:크〔footwork〕〔푿—〕명 ①구기(球技)·권투·댄스 따위에서 발 놀리는 법. ②프리 스케이팅(free skating)에서, 점프(jump)나 스핀(spin) 사이에 행하는 스케이팅.

풋-윷〔—늋〕명 익숙하지 못한 윷 솜씨.

풋-잠 명 갓 든 얕은 잠.

풋-장 명 가을에 억새·참나무·진달래 그 밖의 잡목 가지를 베어 말린 땔나무.

풋-장기【—將棊】명 배운 지 얼마 안 되는 서투른 장기 솜씨.

풋-정【—情】〔—쩡〕명 아직 깊어지지 않은 옅은 정.

풋-초【—草】명 ①파란 갈대. ②〈방〉풋담배❶.

풋-콩 명 깍지 속에 들어 채 다 익지 아니한 콩. ＊청대콩.

풋 투게더 룩〔put together look〕명 앙상블처럼 갖추어진 것이 아니라 갖고 있는 옷을 아무런 통일성 없이 입고 싶은 대로 차린 차림새.

풋-파운드〔foot-pound〕의명 일의 단위. 1파운드의 중량을 가진 것을 1피트 들어 올리는 일의 단위. 0.138 킬로그램 미터.

풋 폴:트〔foot fault〕명 ①테니스·배구에서, 서브할 때 발로 베이스 라인을 밟거나 베이스 라인 안으로 들어가는 일. 폴트가 됨. ②배드민턴에서, 서비스할 때 서버와 리시버가 정지 상태에서 규정된 코트 안의 바닥에 양 다리를 붙이지 않는 일. 폴트가 됨.

풋풋-하다 형여불 풋것처럼 푸르고 싱그럽다. ¶ 풋풋한 봄나물.

풋 프레스〔foot press〕명 동력을 쓰지 않고 발의 힘으로 페달(pedal)을 밟아 램(ram)을 하강(下降)시켜 가압(加壓)하는 프레스. ↔핸드(hand) 프레스.

풋-향기【—香氣】명 짙지 않으면서 싱그러운 향기.

풋-홀:드〔foothold〕명 암벽 등반(岩壁登攀) 등에서, 발디딜 자리. ＊핸드 홀드.

풍[1] 명〈방〉거짓말(경북).

풍[2]【風】명〔↗허풍〕허황하여 믿음성이 없는 말이나 행동을 가리키는 말. ¶ 밤낮 ~만 떨다/~이 세다. ＊바람[1].

풍[3]【風】명〖한의〗①정신 작용(精神作用)·근육 신축(筋肉伸縮)·감각(感覺) 등에 탈이 생긴 병. 전풍(顚風)·중풍(中風)·비풍(痺風) 등. ¶ ~에 걸리다. ②원인 불명의 살갗의 질환(疾患). 두풍(頭風)·피풍(皮風)·아장풍(鵝掌風) 등.

풍[4]【馮】명 성(姓)의 하나. 현재 우리 나라에는 본관(本貫)이 임구(臨朐) 하나뿐임.

풍[5]【楓】명 단풍잎이 그려진 화투짝. 10월이나 열 끗을 나타냄. ¶ ~약.

풍[6]【豐】명〖민〗↗풍괘(豐卦).

풍[7]【酆】명 성(姓)의 하나. 우리 나라에는 현존하지 아니함.

풍[8] 부 ①물에 무엇이 빠지거나 큰 구멍이 뚫어지는 소리. ②세게 뀌는 방귀 소리. 쓰뿡. >퐁. ——-하다 자타여불

-풍【風】미 명사 아래에 붙어서 '풍속(風俗)' 또는 '양식(樣式)'의 뜻을 나타내는 말. ¶ 동양(東洋)~ / 복고(復古)~의 실내 장식.

풍각【風角】명〖민〗사방(四方)과 네 모퉁이의 바람을 궁(宮)·상(商)·각(角)·치(徵)·우(羽)의 오음(五音)으로 감별(鑑別)하여서 길흉(吉凶)을 점치는 방술.

풍각-쟁이【風角—】명 ①집집으로 돌아다니면서 문 앞에 서서 풍악을 하며 돈을 구걸하는 사람. ②피리나 젓대를 부는 사람. 곧, 음악을 하는 사람.

풍간【諷諫】명 완곡한 표현으로 잘못을 고치도록 말함. ↔직간(直諫). ——-하다 타여불

풍감[1] 명〈방〉풍계묻이. ——-하다 자여불

풍감[2]【風疳】명〖한의〗선병질(腺病質)의 어린 아이에게 생기는 각막 질환(角膜疾患).

풍감[3]【風鑑】명 사람의 용모와 풍채로써, 그 사람의 성질을 감정(鑑定)하는 일. ——-하다 타여불

풍감-창【風疳瘡】명〖한의〗'옴'에 습진(濕疹)이 병발(併發)하여 온 몸으로 퍼지는 병.

풍개[1] 명〈방〉용두레.

풍개[2]【風槪】명 ①뛰어난 인품. 거룩한 인격. ②경치. 풍경.

풍개-나무 명〖식〗[*Celtis jessoensis*] 느릅나뭇과에 속하는 낙엽 활엽

교목. 자웅 잡가(雌雄雜家)로, 잎은 대란상(帶卵狀) 장타원형이고 5-6월에 꽃이 피는데, 수꽃은 기산(岐繖) 꽃차례, 암꽃은 액생(腋生)함. 과실은 핵과(核果)인데 구형(球形)이며 9월에 흑색으로 익음. 산기슭 및 골짜기 등 적윤지(適潤地)에 자람. 충북·평북을 제외한 전도에 야생하며 일본에도 분포함. 신탄재(薪炭材)·기구재로 쓰이며 과실은 식용.

풍개-채【風芥菜】명 겨자의 잎을 따서 소금에 절여 만든 음식.

풍객【風客】명 ①풍류객(風流客)❶. ②바람둥이.

풍건【風乾】명 바람에 쐬어 말림. ——-하다 타여불

풍걸【豐乞】명 풍년 거지.

풍-격【風格】[—껵] 명 풍채(風采)와 품격(品格). ¶ 선비다운 ~.

풍견-상【風犬傷】명〖한의〗광견병(狂犬病)을 한의학에서 일컫는 말.

풍겸【豐歉】명 풍흉(豐凶).

풍경¹【風景】명 ①경치(景致). 풍광(風光). 산수(山水). ¶ 전원(田園) ~. ②〖미술〗↗풍경화(風景畫).

풍경²【風磬】명 처마 끝에 다는 경쇠. 작은 종 모양으로 만들고 그 속에 쳇조각으로 붕어 모양을 만들어 달아서 바람이 부는대로 흔들리어 소리가 나게 되었음. 첨마(檐馬). ¶ 그윽한 ~ 소리.

〈풍경²〉

[풍경이 있으면 맑은 소리 울려 나고, 궁노루가 있으면 향 냄새가 풍기는 법] 곱고 젊은 과부가 있으면 소문이 안 날 리가 없다는 말.

풍경³【諷經】명 ①소리를 맞추어 경문을 읽는 일. ②선종(禪宗)에서, 부처 앞에 근행(勤行)하는 일. ——-하다 자여불

풍경-곡【豐慶曲】명〖악〗향당 교주(鄕唐交奏)❷.

풍경-궁【豐慶宮】명〖역〗조선 고종 때 평양에 지었던 이궁(離宮).

풍경-덩굴【風磬—】명〖식〗풍선덩굴.

풍경-치다【風磬—】자 풍경을 치듯이 자주 드나듦을 가리키는 말.

풍경-화【風景畫】명〖미술〗자연의 경치(景致)를 그린 그림. 페이자즈(paysage). 랜드스케이프(landscape). ¶ ~를 그리다. 준풍경(風景).

풍계¹【風系】명 풍향(風向)이 거의 같은 바람의 계통. 무역풍·편서풍·계절풍·해륙풍 등이 있음.

풍계²【風鷄】명〖동〗두꺼비.

풍계³【諷戒·諷誡】명 넌지시 말하여 훈계함. ——-하다 타여불

풍계-묻이 [—무지] 명 아이들 장난의 한 가지. 무슨 물건을 어떠한 곳에 감추고 서로 찾아 내는 내기. ——-하다 자여불

풍고-절【風高節】명 가을과 겨울의 계절의 일컬음.

풍고 풍하【風高風下】명 한 해 동안의 기후(氣候)의 일컬음. 봄·여름은 바람이 낮고, 가을·겨울은 바람이 높음.

풍곡【豐谷】명〖지〗강원도 삼척군 원덕읍(遠德邑)의 면산(綿山) 동쪽 기슭에 있는 탄광 소재지. 삼척 탄전의 일부를 이룸. 노천굴(露天掘)로 유명함.

풍골【風骨】명 풍채(風采)와 골격(骨格). ¶ 선인(仙人)의 ~을 지니다.

풍공【豐功】명 매우 큰 공훈(功勳).

풍곽【風廓】명〖생〗풍륜(風輪)❸.

풍관【風管】명 송풍관.

풍광¹【風光】명 경치(景致). ¶ ~이 아름답다.

풍광²【風狂】명 ①바람이 세차게 붊. ②풍광부(風狂夫). ——-하다 자여불

풍광 명미【風光明媚】명 산수(山水)의 경치(景致)가 맑고 아름다움. ——-하다 형여불

풍광-부【風狂夫】명 미친 사람. 광인(狂人).

풍-괘【豐卦】[—꽤] 명〖민〗육십 사괘(六十四卦)의 하나. 진괘(震卦)와 이괘(離卦)가 거듭된 것인데, 우뢰와 번개가 다 이름을 상징(象徵)함. 준풍(豐).

풍교【風敎】명 풍화(風化)².

풍구【風—】명 ①곡물로부터 쭉정이·겨·먼지 등을 제거하는 농구(農具). 한 쪽에 큰 바람 구멍이 있고, 큰 북 모양의 통 내부에 넓은 여러 개의 깃이 달린 바퀴를 장치하여, 이것을 돌려서 일으키는 풍력으로 위의 깔때기 모양의 아가리로부터 흘러 내리는 낟알과 잡물을 가려내는 장치. 곡물 선별기(穀物選別機). 풍차(風車). ②풀무.

〈풍구❶〉

풍구 당기다 자〈방〉드나들다(함북).

풍구대 명〈방〉풍구(경북).

풍구-질【風—】명 풍구로 곡식에 섞인 쭉정이·겨·먼지 등을 제거하는 짓. ——-하다 자여불

풍-국【楓菊】명 단풍과 국화.

풍-국장【馮國璋】명〈사람〉'펑 궈장'을 우리 음으로 읽은 이름.

풍귀【風鬼】명 ①바람의 신(神). ②〖불교〗이욕(利慾)·명예·고락(苦樂) 등이 사람의 마음을 동요하게 하여 정법(正法)에 안주(安住)시키지 아니함의 비유.

풍규【諷規·風規】명 ①풍습(風習)상의 규정. ②풍간(諷諫). ——-하다 타여불

풍금¹【風琴】명〖악〗오르간(organ)의 역어. 특히, 리드 오르간의 일컬음.

풍금²【風禽】명 ①바람의 일컬음. ②연(鳶).

풍금³【風襟】명 바람에 휘날리는 옷깃.

풍금-관【風琴管】명 [organ pipe]〖물〗위쪽이 열린 관(管)의 아래쪽 입으로부터 공기를 불어 넣어 진동판을 진동시키거나 도중의 가느다란 틈으로 유출시키어, 관속의 공기주(柱)에 고유(固有) 진동을 일으켜 소리를 내도록 되어 있는 것.

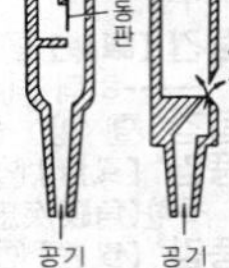

〈풍금관〉

풍급【風級】명 ↗풍력 계급(風力階級).

풍기¹ 명〈방〉풍구(강원).

풍기²【風紀】명 풍속·풍습(風習)에 대한 기율(紀律). 일상 생활의 규칙. 조신(操身). 특히 남녀간의 교제에서의 절도. ¶ ~ 문란.

풍기³【風氣】명 ①풍속. ②〖한의〗풍병(風病). ③풍도(風度)와 기상(氣象).

풍기⁴【風氣】[—끼] 명 '풍병(風病)'의 기미나 기운. ¶ ~가 있다.

풍기⁵【風期】명 임금과 신하 사이의 뜻이 서로 통함을 이르는 말.

풍기⁶【風旗】명〖역〗풍기죽(風旗竹)에 매달아 펄럭이는 꼴을 보고 바람 방향을 측정하는 긴 헝겊.

풍기⁷【豐基】명〖지〗경상 북도 영주시(榮州市)의 한 읍(邑). 시의 서부에 위치하며 부근은 큰 분지로, ≪정감록(鄭鑑錄)≫에서의 10승지(勝地)의 제일이라 일컫는 곳임. 인삼과 맛이 좋은 사과의 재배로 유명하며, 가내 공업으로 방직(紡織)이 성함. 명승 고적으로는 희방사(喜方寺)와 희방 폭포, 부근에 소수 서원(紹修書院)·부석사(浮石寺) 등이 있음. [17,747 명(1996)]

풍기다 자타 [중세: 풍기다] ①냄새·기미 따위가 퍼지다. 냄새·기운을 퍼뜨리다. ¶ 기름 냄새를 ~ / 험악한 인상이 ~. ②모여 있던 사람이나 짐승이 놀라서 흩어지다. 사람·짐승을 놀라 흩어지게 하다. ¶ 강아지가 병아리를 ~. ③곡식에 섞인 겨나 검불 들을 까불러서 날리다.

풍기-대【風旗臺】명〖역〗긴 천을 매단 풍기죽(風旗竹)을 꽂고 풍향(風向)을 측정한 돌받침. 조선 영조(英祖) 때에 만든 것이 서울 창경궁(昌慶宮)과 경복궁(景福宮)에 각각 하나씩 있음.

풍기 문:란【風紀紊亂】[—물—] 명 풍기가 서 있지 않고 어지러움. ——-하다 형여불

풍기미 명〈방〉푸성귀(경북).

풍기 위병【風紀衛兵】명〖군〗군대의 풍기·규율을 단속하는 위병.

풍기-죽【風旗竹】명〖역〗긴 천을 매달아 풍기대(風旗臺)에 꽂아 놓는 대나무.

풍기 퇴폐【風紀頹廢】명 풍기가 쇠잔해짐. ——-하다 자여불

풍난【風難】명 폭풍에 의한 재해(災害). 풍재(風災).

풍남-문【豐南門】명〖지〗전라 북도 전주시(全州市) 전동(殿洞)에 있는 문. 1768년에 건립하였음. 보물 308호.

풍년【豐年】명 곡식이 잘 되고도 잘 여무는 일. 또 그런 해. 영세(寧歲). 유년(有年). 숙세(熟歲). 세풍(歲風). 부세(富歲). 등세(登歲). 강년(康年). 풍세(豐歲). ↔흉년.

풍년(이) 들다 구 어느 해 어느 지방에 곡식이 잘 되다. ↔흉년 들다.

풍년-가【豐年歌】명〖악〗풍년을 구가한 노래. 가볍고 즐거운 노래로, 후렴마다 봄에 꽃놀이, 여름에 관등놀이, 가을에 단풍놀이, 겨울에 설경놀이를 달았음.

풍년 거:지【豐年—】명 ①뭇 사람이 다 이익을 보는데 자기 혼자만 빠진 것을 가리키는 말. ②한결 더 서러운 거지. 풍걸(豐乞).

[풍년 거지 더 섧다고] 모두가 다 보람이 있는데 유독 자기만 거기서 빠져 억울하고 섧을 때의 말. [풍년 거지 쪽박 깨뜨린 형상] 서러운 중에 다시 서러운 일이 겹쳐 낭패된 사람의 형용. [풍년 거지의 팔자라] '풍년 거지 더 섧다고'와 같은 뜻.

풍년 기근【豐年飢饉】명 풍년이 들었으나 곡가(穀價)가 생산비를 하회(下廻)할 만큼 폭락하여, 농민에게 타격이 심한 현상. 풍작 기근.

풍년-놀이【豐年—】명〖민〗①경상 북도 선산(善山) 지방에 전래되는 민속 놀이의 하나. 논의 김매기가 세 번 끝나면 머슴들이 그 해의 풍년을 빌면서 벌이는 놀이로, 이어서 주인집에 가 술과 음식 대접을 받으며 그 간의 노고에 대한 위로를 받게 됨. ②풍년이 들었음을 기뻐하며 즐기는 놀이.

풍년-병【豐年病】[—뼝] 명〈속〉작황(作況)이 좋을수록 많이 발생한다 하여 이르는 벼의 잎집무늬마름병(病).

풍년-우【豐年雨】명 풍년의 징조로 때 맞춰 내리는 비.

풍년 풀덩이【豐年—】[—떵—] 명 탐스러운 물건을 가리키는 말.

풍년 화자【豐年花子】명 풍년 거지.

풍념【豐稔】명 [←풍임] 풍요(豐饒)하게 곡식이 여묾. 풍양(豐穰). ——-하다 자여불

풍노 명〈방〉풀무(전남·경상).

풍농【豐農】명 농사가 잘 됨.

풍누 명〈방〉풀무(충북).

풍단【風丹】명〖한의〗단독(丹毒).

풍담¹【風痰】명〖한의〗풍증(風症)을 일으키는 담(痰). 또, 풍증으로 인하여 생기는 담.

풍담²【風談】명 풍류(風流)에 관한 이야기.

풍대【風大】명〖불교〗사대(四大)의 하나. 지대(地大)·수대(水大)·화대(火大)와 함께 만물을 구성하는 원소의 하나로, 물건을 증장(增長)함.

풍더분-하다 형여불〈방〉푼더분하다(충청).

풍덩 부 부프고 무거운 물건(物件)이 물에 떨어져 빠지는 소리. >퐁당². ——-하다 자여불

풍덩-거리다 자타 자꾸 풍덩 소리가 나다. 또, 자꾸 풍덩 소리를 내며 물 속으로 들어가거나 들어가게 하다. >퐁당거리다. **풍덩-풍덩** 부. ——-하다 자타여불

풍덩-대다 자타 풍덩거리다.

풍덩이 명〈방〉풍뎅이.

풍뎅이¹ 명 모양이 남바위와 같은 머리에 쓰는 방한구(防寒具)의 한 가지. 가에 좁은 모피(毛皮)를 꾸민 점이 다름.

풍뎅이² 명〖충〗①풍뎅잇과에 속하는 갑충(甲蟲)의 총칭. 금귀자(金龜子). 금귀충(金龜蟲). 황병(蟥蛢). ②[*Mimela splendens*] 풍뎅잇과에 속하는 곤충의 하나. 몸길이 17-20mm의 넓은 달걀꼴인데 광택 있는 짙은 녹색 또는 자홍색임. 촉각은 적갈색, 각 시초(翅鞘)에 선명치 않은 두 개의 세로 점선(點線)이 있음. 성충(成蟲)은 6-8월에 발생하여 각종 활엽수의 잎을 갉아 먹고, 유충(幼蟲)인 '근절충(根節蟲)'은 땅 속에서 농작물·나무의 뿌리를 갉아 먹음. 한국·중국·대만 및 일본의 중남부에 분포함.

〈풍뎅이²❷〉

풍뎅이-놀리기 명 아이들이 여름철에 풍뎅이를 잡아서 목을 비틀고 다리를 반씩 자르고는 뒤집어 놓고서 날개를 치게 하며 노는 놀이. 이 때

'앞마당 쓸어라, 뒷마당 쓸어라'하고 노래를 부름.

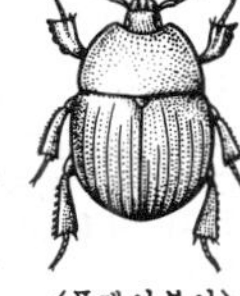
〈풍뎅이붙이〉

풍뎅이-붙이 [—부치] 명 〖충〗 [*Hister jekeli*] 풍뎅이붙잇과에 속하는 곤충. 풍뎅이 비슷한데 몸길이 9-12 mm, 몸빛은 광택 있는 흑색에 촉각은 적갈색, 그 기부(基部)는 흑갈색이며, 시초(翅鞘)에는 일곱 개의 종구(縱溝)가 있음. 썩은 동물질에 모이는 파리 등의 유충을 포식하는 익충으로, 한국·일본·중국 등지에 분포함.

풍뎅이붙잇-과 【—科】 [—부친—] 명 〖충〗 [Histeridae] 딱정벌레목(目)에 속하는 한 과. 몸은 미소 내지 중형 또는 원형인 단단한 갑충(甲蟲)임. 시초(翅鞘)의 말단은 절단상(切斷狀)이고 부절(跗節) 및 복부는 5절(節)씩임. 썩은 동물을 파먹는 파리·개미·흰개미 등의 집에 서식하면서, 곤충의 유충을 포식하며 대부분의 종류가 모래땅에 사는데, 전세계에 3,000여 종이 분포함.

풍뎅이-파리 명 〖충〗 [*Prosena sybarita*] 긴다리침파릿과에 속하는 곤충. 몸은 중형이고 몸빛은 회색에 복부 배면(背面)의 중앙에 한 개의 흑색 종대(縱帶)가 있고 그 양측은 담등색(淡橙色)이며 말단절(末端節)은 흑색이고 흉배(胸背)에는 네 개의 흑색 종선(縱線)이 있음. 풍뎅이의 유충에 기생하는데, 한국·일본·대만·중국·유럽 등지에 분포함.

풍뎅잇-과 【—科】 명 〖충〗 [Scarabaeidae] 딱정벌레목(目)에 속(屬)하는 한 과. 몸은 소형 또는 대형으로, 촉각은 7-11절이며 끝의 몇 마디는 새엽상(鰓葉狀)임. 대부분이 짐승의 똥에서 생활하며, 똥을 둥글게 뭉치어 땅 속 구멍에 운반 저장하여 암컷은 그 속에 한 개의 알을 낳고, 유충은 그것을 파먹고 자라남. 전세계에 28,000여 종이 분포함. 구리풍뎅이·땅풍뎅이·벚나무풍뎅이·쇠똥구리·참풍뎅이·청풍뎅이·팔맥풍뎅이·풍이 등이 있음.

풍도[1] 【風度】 명 풍채와 태도. ¶대인(大人)의 ~.

풍도[2] 【風道】 명 ①광산 같은 데서 바람을 불어 넣는 길. ②환기나 냉난방용(冷暖房用)의 공기를 보내거나 배출(排出)시키기 위해서, 건조물에 설치(設置)한 철판제(鐵板製) 또는 콘크리트로 된 관로(管路).

풍도[3] 【風濤】 명 바람과 큰 물결. 풍랑(風浪).

풍:-도[4] 【馮道】 명 〖사람〗 중국 오대(五代) 시대의 정치가. 영주(瀛州) 태생. 자는 가도(可道). 재상 등으로 오조 팔성 십일군(五朝八姓十一君)을 섬기면서 선정을 베풀었음. 그 동안 중국 최초의 조판 인서(彫板印書)에 의한 구경(九經)의 출판을 완성했음. [882-954]

풍-도[5] 【豐島】 명 〖지〗 인천 광역시(仁川廣域市) 옹진군(甕津郡) 대부면(大阜面) 풍도리(豐島里)에 위치한 섬. 대부도(大阜島)로부터 서남쪽으로 27 km 지점에 있음. [1.84 km²]

풍도[6] 【酆都】 명 〖종〗 도가(道家)에서 일컫는 지옥. 풍도옥(酆都獄).

풍도-고 【風刀苦】 명 〖불교〗 사람이 죽을 때의 고통.

풍도-목 【風倒木】 명 바람에 쓰러진 나무.

풍도-옥 【酆都獄】 명 풍도(酆都). ¶내 너를 잡아 ~에 보내어 ….

풍독[1] 【風毒】 명 〖한의〗 바람에 맞은 병독.

풍독[2] 【諷讀】 명 책을 외어 읽음. 암송(暗誦). ——-하다 타여불

풍동[1] 【風洞】 명 〔wind tunnel〕 〖물〗 인공적으로 공기의 흐름을 발생시키기 위한 터널형의 장치. 비행기 날개의 공기 역학적(空氣力學的)인 성질을 실험함.

풍동[2] 【風動】 명 ①바람이 붊. ②바람에 불려 물건이 움직이듯 쏠려 좇음. 감화(感化)됨. ——-하다 자여불

풍두 【豐頭】 명 〖민〗 처용(處容) 가면의 한 가지.

풍두-무 【豐頭舞】 명 〖민〗 풍두 탈을 쓰고 추는 춤.

풍-두선 【風頭旋】 명 체머리.

풍등 【豐登】 명 농사 지은 것이 썩 잘 됨. ——-하다 자여불

풍등-가 【豐登歌】 명 〖악〗 1937년경에 창수(唱手) 최정식(崔貞植)이 지은 경기 가요. 백곡(百穀)이 풍성함을 노래한 것으로, 장단은 6박 도들이임.

풍등-갈 【風藤葛】 명 〖식〗 바람등칡.

풍-떨다 【風—】 자 ↗허풍떨다. ¶풍 잘 떠는 허부렁이 마누라라, 보고 듣는 것이 모두 허풍뿐이니 ≪李相協:再逢春≫.

풍락 【豐樂】 [—낙] 명 재물이 많아 즐거움. ——-하다 형여불

풍락-목 【風落木】 [—낙—] 명 저절로 죽거나 바람에 꺾인 나무. 풍절목(風折木).

풍락-송 【風落松】 [—낙—] 명 바람에 꺾인 소나무.

풍락-초 【風落—】 [—낙—] 명 〔←風落棗〕 바람에 떨어진 대추.

〈풍란❶〉

풍란 【風蘭】 [—난] 명 ①〖식〗 [*Neofinetia falcata*] 난초과의 다년초. 줄기는 짧고 근경(根莖)은 굵으며 잎은 좌우 두 줄로 다소 근생(根生)하고 선형(線形)이며 두꺼운 경질(硬質)임. 7-8월에 백색 이판화(二瓣花)가 액생(腋生)한 긴 화병(花柄) 끝에 3-5개의 꽃이 피는데 뒤에 황색으로 변함. 산 속의 나무 위에 착생하는데, 제주도·전남의 거문도·경남 및 일본 등지에 분포함. 관상용으로 재배함. ②〖미술〗 바람에 쏠린 난초.

풍랑 【風浪】 [—낭] 명 ①바람과 물결. 풍도(風濤). ②해상(海上)에서 바람이 붊으로써 일어나는 물결. 물결의 꼭대기가 뾰족하고, 높이 2-5 m, 길이가 30-40 m의 것.

풍랑 계:급 【風浪階級】 [—낭—] 명 풍랑의 강도(強度)를 목측할 때의 기준이 되는 계급. 현재 쓰이고 있는 것은 국제적인 것으로서, 0에서 9까지의 10단계가 있음.

풍랑-몽 【風浪夢】 [—낭—] 명 ①고생스러운 꿈. ②갈팡질팡하는 꿈.

풍랭-통 【風冷痛】 [—냉—] 명 〖한의〗 충치(蟲齒)도 아니고 또 잇몸이 붓지도 않고 이가 아프며 흔들리는 병.

풍려[1] 【風厲】 [—녀] 명 부지런히 힘쓰고 게으름을 피우지 않음.

풍려[2] 【豐麗】 [—녀] 명 풍성하고 미려함. ¶~한 여인 / ~한 모란꽃. ——-하다 형여불

풍력 【風力】 [—녁] 명 〔wind-force〕 ①바람의 세력. 곧, 바람의 속도의 도수(度數). 그 속력을 매초 미터로 나타내거나 풍력 계급으로 나눠 나타내기도 함. 풍세(風勢). ＊보퍼트 풍력 계급(Beaufort 風力階級). ②사람의 위력. 풍릉(風稜).

풍력-계 【風力計】 [—녁—] 명 〖기상〗 풍속계(風速計).

풍력 계급 【風力階級】 [—녁—] 명 〖기상〗 눈어림으로 바람의 강약을 아는 방법. 육상용(陸上用)·해상용(海上用)의 두 가지가 있는데 육상용은 0-6의 7계급, 해상용은 0-12의 13계급으로 나뉨. 후자(後者)는 영국의 제독(提督) 보퍼트(Beaufort, F.)가 고안한 것으로 보퍼트 풍력 계급이라 함. 현재는 육상용에도 거의 이것이 쓰이어 일기도(日氣圖) 작성에 있어서는 풍속을 이 계급으로 기입함. ㊀풍급(風級). ＊큰센바람·산들바람·싹쓸바람·된바람·노대바람.

풍력계급	이 름	노트	m/sec	해설(解說)		파도의 높이(m) (최대파고)
				육 상(陸上)	해 상(海上)	
0	고 요	0-1	0.0-0.2	연기가 곧장 위로 올라감	해면은 잔잔하여 거울과 같음	—
1	실 바 람	1-3	0.3-1.5	연기가 약간 흔들리나 풍신기(風信器)에는 미치지 않음	물고기 비늘 모양의 잔물결이 일어남	0.1 (0.1)
2	남실바람	4-6	1.6-3.3	바람이 얼굴에 스침을 느끼며 나뭇잎이 흔들림. 풍신기도 움직이기 시작함	잔물결이 일어남을 뚜렷하게 볼 수 있음	0.2 (0.3)
3	산들바람	7-10	3.4-5.4	나뭇잎이나 작은 가지가 끊임없이 흔들리고 가벼운 깃발이 펴짐	잔물결이 일어나고 군데군데 흰 물결을 볼 수 있음	0.6(1)
4	건들바람	11-16	5.5-7.9	먼지가 일어나고 종잇장이 날림. 잔 가지가 흔들림	물결은 아직 높지는 않으나 해면의 거의 반이 흰 물결로 이루어짐	1(1.5)
5	흔들바람	17-21	8.0-10.7	무성한 관목(灌木)이 흔들리기 시작하고 못이나 호수에 잔물결이 일어남	해면이 거의 흰물결로 덮이고 때로는 물보라가 생김	2(2.5)
6	된 바 람	22-27	10.8-13.8	큰 가지가 흔들리며 전선에 소리가 나고 우산을 쓰기가 어렵게 됨	큰 물결이 일어나기 시작하며 물거품을 쓴 물마루가 여러 군데에 생기고 통상 물보라를 일으킴	3(4)
7	센 바 람	28-33	13.9-17.1	나무 전체가 흔들리고 바람을 향해서 걷기가 힘듦	파도는 점점 거칠어지고 물마루가 부서져 생긴 흰 거품이 바람의 방향으로 흘러 군데군데 길게 뻗침	4(5.5)
8	큰 바 람	34-40	17.2-20.7	잔 가지가 꺾어지고 바람을 향해서 보행할 수 없음	풍랑이 높아지고 물보라가 소용돌이가 되어 물마루의 상단(上端)이 부서져서 물보라가 일기 시작하고 거품은 뚜렷하게 바람을 따라 날림	5.5 (7.5)
9	큰센바람	41-47	20.8-24.4	건물에 약간의 손해를 입게 됨(굴뚝이 쓰러지고 기왓장이 벗겨짐)	풍랑이 한결 높아지고 물거품은 바람의 방향으로 꼬리를 내고 물마루는 소용돌이치기 시작함. 시정(視程)이 나빠짐.	7(10)
10	노대바람	48-55	24.5-28.4	육지 내부에서는 드묾. 나무뿌리가 송두리째 뽑히고 건물에 손해가 많음	풍랑이 한결 헝걸차게 높아가고 물거품이 겹쳐 꼬리를 내어 온 해면이 희게 보임	9 (12.5)
11	왕 바 람	56-63	28.5-32.6	거의 드묾. 건물에 큰 손해가 있음	산더미 같은 큰 파도가 일어나 중소선박(中小船舶)은 일순간(一瞬間) 보이지 않게 되는 때도 있음. 여러 군데에서 파동(波動)이 물보라가 되어 날리기 때문에 멀리 볼 수 없음	11.5 (16)
12	싹쓸바람	64이상	32.7 이상	건물에 한결 강렬한 손해가 있음	공중에는 물보라가 가득함. 해상은 물거품과 물보라로 덮여 완전히 희게 되며 선박의 침몰이 염려됨	14(—)

풍력 기호【風力記號】[—녁—] 명 〖기상〗 일기도에서, 풍력의 세기를 나타내는, 직선 또는 긴 삼각형으로 된 화살깃 모양의 기호.
풍력 발전【風力發電】[—녁—쩐] 명 〖전〗 풍력에 의하여 발전기를 돌려 발전하는 방법.
풍력 발전기【風力發電機】[—녁—쩐—] 명 ①〖물〗 비행기(飛行機)나 비행선(飛行船)에 사용하는, 풍력에 의하여 움직이는 프로펠러 발전기. ②[aerogenerator]〖전〗 풍력을 상용 규모(商用規模)로 이용하기 위해, 바람에 의해 구동(驅動)되는 발전기.
풍력 선:광【風力選鑛】[—녁—] 명 〖광〗 고체 입자(粒子)의 공기 중에서의 침강속도가 입자의 비중(比重)·입도(粒度)·형상 등에 따라 다름을 이용하여, 종류(種類)가 다른 광물 입자를 분리(分離)·선별(選別)하는 방법. 석탄·코크스·사금·석면 등의 선광에 이용됨. ⓒ공기(空氣) 선광.
풍련【風蓮】[—년] 명 〖건〗 당가(唐家) 등에 낙양처럼 단 넓은 장식판(裝飾板).
풍령【風鈴】[—녕] 명 풍경(風磬).
풍로¹【風爐】[—노] 명 ①화로의 한 가지. 흙으로 구운 것도 있고 쇠붙이로 만든 것도 있는데, 아래에 구멍이 있어서 바람이 통함. 양로(涼爐). ②숯 대신 전기나 석유를 이용한 취사용의 도구. ¶ 석유 ~ / 전기 ~.

〈풍로¹❶〉

풍로²【風露】[—노] 명 ①생량한 바람과 이슬. ②바람결에 빛나는 이슬.
풍롯-불【風爐—】[—녿—] 명 풍로에 피운 불.
풍뢰【風籟】[—뇌] 명 바람이 숲에 부딪쳐 나는 소리.
풍루【風淚】[—누] 명 ①바람을 받을 때에 흐르는 눈물. ②촛농.
풍류【風流】[—뉴] 명 ①속사를 떠나 풍치가 있고 멋들어지게 노는 일. 화조 풍월(花鳥風月). ¶ ~를 일삼다. ②운치스러운 일. ¶ ~를 이해하다. ③〖악〗 음악을 예스럽게 일컫는 말. ④〖악〗 정악(正樂) 가운데, 악기의 합주(合奏)의 일컬음. 중풍류와 대풍류가 있음. ＊정가(正歌).
풍류-가【風流家】[—뉴—] 명 풍류를 잘 하거나 좋아하는 사람.
풍류 가야금【風流伽倻琴】[—뉴—] 명 〖악〗 풍류에 쓰인다 하여 일컫는 법금(法琴)의 딴이름.
풍류-객【風流客】[—뉴—] 명 ①풍류를 즐기는 사람. 풍류인. 풍류가. 풍객(風客). ②풍류방(房)에 모여 풍류를 즐기던 음악 애호인.
풍류-굿【風流—】[—뉴—] 명 〖악〗 호남 지방의 농악(農樂)에서 쓰이는 장단(長短)의 하나. 속칭 외마치질굿.
풍류 남자【風流男子】[—뉴—] 명 풍치(風致)가 있고 멋들어진 남자.
풍류-놀이【風流—】[—뉴—] 명 시도 짓고, 노래도 하고, 술도 마시고, 춤도 추는 놀이.
풍류-도【風流徒】[—뉴—] 명 〖역〗 화랑도(花郞徒).
풍류-랑【風流郞】[—뉴—] 명 풍치가 있고 멋들어진 젊은 남자.
풍류-방【風流房】[—뉴빵] 명 예전에, 민간 상류 계층에서 중풍류나 대풍류를 연주하던 방. 율방(律房).
풍류-산【風流山】[—뉴—] 명 〖지〗 강원도 회양군(淮陽郡) 하북면(下北面)과 함경 남도 안변군(安邊郡) 위익면(衛益面) 사이에 있는 산. 태백 산맥 중에 솟아 있음. [1,024 m]
풍류-성【風流聲】[—뉴—] 명 풍류 소리.
풍류-스럽다【風流—】[—뉴—] 형 ㅂ불 멋스럽다.
풍류-안【風流眼】[—뉴—] 명 〖악〗 포구문(拋毬門) 위의 한가운데에 있는, 용알을 넘기는 구멍. ＊포구문(拋毬門).
풍류 운산【風流雲散】[—뉴—] 명 [바람이 불어 구름을 흩어버린다는 뜻] 자취 없이 사라짐의 비유.
풍류-인【風流人】[—뉴—] 명 소인(騷人). 풍류객.
풍류-장【風流場】[—뉴—] 명 풍류를 즐기기 위하여 모이는 판.
풍류 죄:과【風流罪過】[—뉴—] 명 ①법률 상의 허물이 아니되는 풍아한 죄. ②경미한 죄.
풍륜【風輪】[—뉸] 명 ①〖불교〗 수미산(須彌山)을 버티고 있다는 삼륜(三輪)의 하나로서 공륜(空輪)의 위, 수륜(水輪)의 아래에 있는 원륜(圓輪). ②바람을 맡은 신(神). 바람. ③〖생〗 각막(角膜)과 수정체(水晶體)와의 사이에 있는 검은 빛깔의 고리 모양과 같은 중격(中隔). 눈동자와 함께 광선(光線)에 대하여 넓어졌다 좁아졌다 하여 변하며 시력(視力)을 조절함. 풍곽(風廓).
풍륜-초【風輪草】[—뉸—] 명 〖식〗 앵초(櫻草).
풍릉【風稜】[—능] 명 풍력(風力)❷.
풍릉-도【風陵渡】[—능—] 명 〖지〗 '펑링두'를 우리 음으로 읽은 이름.
풍림¹【風林】[—님] 명 ①바람받이 숲. ②풍치 있는 숲.
풍림²【風霖】[—님] 명 바람과 비.
풍림³【楓林】[—님] 명 단풍나무 숲.
풍마【風磨】 명 바람에 갈림. ——-하다 자여불
풍마 구리【風磨—】 명 바람이 잘 통하는 곳에 두면 광택이 불처럼 이글거린다는 구리의 일종. 풍마동(銅).
풍마-동【風磨銅】 명 풍마 구리.
풍마우 불상급【風馬牛不相及】[—쌍—] 명 마소의 암수컷이 서로 짝을 찾으면서도, 미치지 못할 만큼 멀리 떨어져 있어, 전혀 무관계함의 뜻.
풍마 우:세【風磨雨洗】 명 비와 바람에 갈리고 씻김. ＊수침 화소(水浸火燒). ——-하다 자여불
풍만【豐滿】 명 ①풍족(豐足)하여 그득함. ②살집이 넉넉함. ¶ ~한 육체. ——-하다 형여불
풍망【風望】 명 풍채(風采)와 인망(人望).
풍매【風媒】 명 [wind pollination] 〖식〗 바람에 의한 수분(受粉)의 매개(媒介). ＊충매(蟲媒)·수매(水媒).
풍매-화【風媒花】 명 〖식〗 바람에 의해서 수분(受粉)하는 꽃. 대개 빛깔은 화려하지 않고 꽃가루는 가볍고 양이 풍부하며, 쉽게 바람에 날림. 꽃에는 꿀도 강한 향기도 없으며, 화피(花被)는 없으나 있어도 작은 모양으로 눈에 띄지 않음. 벼·소나무·뽕나무·은행나무 같은 것의 꽃. ＊충매화(蟲媒花)·수매화(水媒花).
풍모【風貌】 명 풍채와 용모. 풍재(風裁). ¶ 그럴듯한 ~.
풍목지-비【風木之悲】 명 풍수지탄(風樹之歎).
풍무 명 〈방〉 풀무(전남).
풍문¹【風紋】 명 바람 때문에 모래의 표면에 생기는 물결 모양의 무늬.
풍문²【風聞】 명 바람결에 들리는 소문. 실상 없이 떠도는 말. 풍설(風說). ¶ ~에 의하면.
풍물【風物】 명 ①경치(景致). ②어떤 지방이나 계절(季節) 특유의 구경거리나 산물(產物). ¶ ~시(詩). ③어떤 지방의 생활·행사(行事)에 관계가 있는 사물. ④〖악〗 농악에 쓰는 꽹과리·날라리·소고·북·장구·징 등의 일컬음. ⑤〖악〗 풍물을 치고 노는 농악(農樂)의 딴이름. ⑥〖민〗 남사당놀이의 여섯 종목 중, 첫번째 놀이.
[풍물을 갖추어도 춤이 짐작] 남이 재촉하더라도 자기가 짐작해서 알아 하라는 말.
풍물-굿【風物—】 명 〖민〗 풍물을 연주하고 춤을 추며 노는 굿.
풍물-꾼【風物—】 명 〖민〗 풍물굿에서 풍물을 연주하는 사람.
풍물-시【風物詩】 명 정감(情感)을 토대로 하여 어떤 지방의 자연·계절을 읊은 시.
풍물-잡이【風物—】 명 농악 따위에서, 풍물의 연주자. 풍물꾼.
풍물-장【風物匠】 명 풍물장이.
풍물-장이【風物—】 명 풍물(風物)을 만드는 공인(工人). 풍물장(匠).
풍물 차비【風物差備】 명 〖역〗 조선 후기, 장악원(掌樂院) 관장의 궁중 잔치 때 악기를 연주하던 여자 음악인.
풍물 치다【風物—】 자 농악을 연주하다.
풍미¹【風味】 명 ①음식의 고상한 맛. ¶ ~를 살린 음식. ②사람의 됨됨이가 멋들어지고 아름다움.
풍미²【風靡】 명 바람에 몰려 초목이 쓰러진다는 뜻에서 위세(威勢)에 딸리어 저절로 쏠림의 비유. ¶ 일세를 ~하다. ——-하다 자타여불
풍미³【豐味】 명 푸지고 아름다운 맛.
풍미⁴【豐美】 명 풍만하고 아름다움. 풍염(風豔). ——-하다 형여불
풍박【豐薄】 명 후박(厚薄)❶.
풍배【風杯】 명 〖기상〗 로빈슨(Robinson) 풍속계에서, 자유로이 회전하는 직립축(直立軸)의 가지에 달린 세 개 또는 네 개의 반구(半球)형으로 된 물체.
풍배-도【風配圖】 명 〖기상〗 바람장미.
풍백【風伯】 명 풍신(風神). 비렴(飛廉).
풍범【風範】 명 풍채 또는 모범이 될 만한 풍채.
풍범-선【風帆船】 명 돛을 달고 바람을 받아서 가게 되는 큰 배.
풍-병【風病】[—뼝] 명 〖한의〗 ①신경의 탈로 생기는 병의 총칭. 풍기(風氣). 풍증(風症). 풍질(風疾). ②문둥병.
풍봉【風丰】 명 살찌고 아름다운 용모.
풍부【豐富】 명 넉넉하고 많음. ¶ ~한 지하 자원. ——-하다 형여불 ——-히 부
풍비¹【風飛】 명 바람을 타고 날아 흩어짐. ——-하다 자여불
풍비²【風痱】 명 〖한의〗 몸의 한 쪽을 잘 쓰지 못하는 병.
풍비³【風痺】 명 〖한의〗 뇌척수(腦脊髓)의 탈로 인하여, 몸과 팔다리가 마비되고 감각과 동작에 장애가 있는 병.
풍비⁴【豐備】 명 풍부하게 갖춤. ——-하다 타여불
풍비 박산【風飛雹散】 명 사방으로 날아 흩어짐. ㊟풍산(風散). ——-하다 자여불
풍사¹【風砂·風沙】 명 바람에 날리는 모래.
풍사²【風師】 명 풍신(風神)의 별칭.
풍사³【風篩】 명 배갈이할 때 쌀과 쌀겨가 분리하듯이, 공기 중 고체 입자의 강하 속도의 차이(差異)를 이용하는 분리 조작(操作). 분체(粉體)의 비중이나 입경(粒徑)의 차이로 분리할 수 있음. 화학 공업·시멘트 공업에서 쓰임.
풍산¹【風散】 명 ↗풍비 박산(風飛雹散). ——-하다 자여불
풍산²【豐山】 명 〖지〗 ①함경 남도 풍산군의 군청 소재지. 군의 중앙에 위치하며 인구가 적고 교통이 불편하여 상거래도 부진함. ②경상 북도 안동시(安東市)의 한 읍(邑). 시(市)의 서쪽에 위치하며, 예천(醴泉)을 연결하는 요지로 남쪽은 낙동강을 끼고 있어 농업이 성함. [11,280 명(1996)]
풍산³【豐產】 명 풍부하게 남. 또, 그 산물. ——-하다 자여불
풍산-가문비【豐山—】 명 〖식〗 [*Picea pungsanensis*] 전나뭇과에 속하는 상록 침엽 교목. 잎은 바늘 모양의 사각형이고 6월에 자웅 이가(雌雄異家)의 꽃이 피는데 화수(花穗)는 타원형이며, 구과(毬果)는 10월에 익음. 고원의 습지에 나는데, 함남의 풍산(豐山) 및 함북의 경성(鏡城)에 분포함. 건축재·상자·널빤지·펄프재로 쓰임. 풍산종비.
풍산-개【豐山—】[—깨] 명 〖동〗 함경 남도 풍산군(豐山郡)의 특산 개 품종. 몸집이 중간 정도 크기에 흰 털이 빽빽함. 눈·코·발톱이 검은 것이 특징임. 성질이 용맹하고 인내력이 강하여 맹수 사냥에 적합함. 일정 때 천연 기념물로 지정됨.
풍산-군【豐山郡】 명 〖지〗 함경 남도의 한 군. 관내 6면. 도의 북반부에 위치하며 북은 삼수군(三水郡)과 갑산군(甲山郡), 동은 단천군(端川郡), 남은 북청군(北青郡)과 신흥군(新興郡), 서는 신흥군과 장진군(長津郡)에 인접함. 기온이 극히 낮고 강우량이 적음. 주요 산물로는 귀리·조·감자 등의 농산과 축산·임산·공산 등이 있음. 명승 고적으로는 백산(白山)이 있음. 군청 소재지는 풍산. [3,907 km²]
풍산-종비【豐山樅榧】 명 〖식〗 풍산가문비.
풍상¹【風尙】 명 ①거룩한 모습. ②여러 사람의 존중을 받는 일. 풍채(風采). 풍절(風節).

풍상[2] 【風箱】 명 풀무.
풍상[3] 【風霜】 명 ①바람과 서리. ②많이 겪은 세상의 어려움과 고생. ¶ 모진 ～.
 풍상을 겪다 구 세상의 어려움을 겪으면서 고생하다. ¶여러 해 타향에서 풍상을 겪고 있던 효험이 이제야 비로서 나타남인가 하오며 ≪趙重桓: 菊의 香≫.
풍상 우:로 【風霜雨露】 명 바람과 서리와 비와 이슬.
풍상지-임 【風霜之任】 명 엄엄하고 기강(氣強)한 임무. 어사(御史)나 사법관의 일컬음.
풍색 【風色】 명 남보기에 좋지 못한 기색.
풍생-암 【風生岩】 명 『지』 풍성암(風成岩).
풍생-층 【風生層】 명 『지』 풍성층(風成層).
풍서 【風絮】 명 바람에 날리는 버들개지.
풍-서란 【風一欄】 명 『건』 문지방의 아래위나 문의 양옆 선단에 바람을 막기 위하여 대는 좁은 나무 오리.
풍석[1] 명 〈방〉 풍구(강원).
풍석[2] 【風席】 명 ①돛을 만드는 돗자리. ②부뚜. ③펴 놓고 무엇을 널어 말리는 데 쓰는 거적·멍석·맷방석 같은 것의 총칭.
풍석[3] 【楓石】 명 『사람』 서유거(徐有榘)의 호(號).
풍석-질 【風席一】 명 부뚜질. ——-하다 타 여불
풍선[1] 【風扇】 명 ①빙빙 돌리거나 훌훌 부치어 바람을 일으키는 제구. 곧 선풍기 같은 것. ②농기(農器)의 한 가지. 곡식을 드릴 때에 바람을 내어 검불과 티끌을 날리는 제구. *풍구.
풍선[2] 【風船】 명 ①기구(氣球). ②↗고무 풍선·종이 풍선.
풍선[3] 【風選】 명 『농』 풍력을 이용하여 가볍고 불량한 종자는 날려 버리고 무거운 종자만 채취하는 법.
풍선[4] 【風癬】 명 『한의』 마른 버짐.
풍선-껌 【風船一】 〔gum〕 명 씹다가 입술과 혀로 바람을 불어 넣으면 풍선처럼 부풀어 오르게 할 수 있는 껌의 일종.
풍선-덩굴 【風船一】 명 『식』 [*Cardiospermum halicacabum*] 무환자나뭇과에 속하는 일년생 초본(草本). 북미 원산의 덩굴성으로 원래는 다년생임. 줄기는 가늘고 길어, 길이가 수 미터에 이르며 털은 없거나 있어도 극히 적음. 잎은 우상 복엽(羽狀複葉)으로 소엽(小葉)에는 작은 자루가 있으며 달걀꼴 또는 난상 피침형(卵狀披針形)을 이루고 날카로운 톱니가 있음. 여름에 잎보다 긴 액생(腋生)의 꽃자루 끝에 소수(少數)의 꽃이 핌. 흔히 뜰에 심음. 풍경덩굴.
풍선 위성 【風船衛星】 명 기구 위성(氣球衛星).
풍선해파리-목 【風船一目】 명 『동』 [Cydippidea] 유즐 동물(有櫛動物)에 속하는 한 목(目). 풍선과 같은데, 몸의 횡단면(橫斷面)은 원형에 가까우며, 자오수관(子午水管)과 구도(口道)는 분기(分岐)하지 않음. 가장 원시적인 빗살해파리 동물로서, 다른 모든 목(目)도 발생 도중은 이 형이며, 촉수는 잘 오그라 듦. *띠해파리목(目).
풍설[1] 【風泄】 명 『한의』 감기에 걸리어 급하게 설사(泄瀉)가 나는 병.
풍설[2] 【風屑】 명 비듬.
풍설[3] 【風雪】 명 눈바람[1].
풍설[4] 【風說】 명 실상이 없이 떠돌아다니는 말. 풍문(風聞). ¶～에 의하면/항간의 ～.
풍설-령 【風雪嶺】 명 『지』 평안 북도 자성군(慈城郡)에 있는 산. [1,021 m]
풍성[1] 【風成】 명 바람의 작용으로 되는 일.
풍성[2] 【風聲】 명 ①바람 소리. ②들리는 명성(名聲). ③풍화[2](風化). ④풍격(風格)과 성망(聲望).
풍성[3] 【豐盛】 명 넉넉하고 많음. ¶～한 살림/～한 자금. ——-하다 형 여불. ——-히 부
풍성 동거토 【風聖同居土】 명 『불교』 성자(聖者)와 범부(凡夫)가 함께 살고 있는 곳. 정예(淨穢)의 두 가지가 있으며 전자(前者)는 극락 등의 정토(淨土), 후자는 예토(穢土)로서 사바(娑婆)를 일컬음.
풍성-류 【風成流】 [一뉴] 명 『지』 취송류(吹送流).
풍성-스럽다 【豐盛一】 형 ㅂ불 보매 풍성하다. **풍성-스레** 【豐盛一】 부
풍성-암 【風成岩】 명 『지』 바람의 유동으로 말미암아 쌓인 흙과 모래로 이루어진 바위. 풍생암(風生岩). 바람에된바위.
풍성-층 【風成層】 명 『지』 바람의 작용으로 밀리어 모인 모래나 흙이 쌓이고 쌓이어 이루어진 지층(地層). 대개는 사막(沙漠)의 가에나, 그 부근 지방에 많음. 풍생층(風生層).
풍성-토 【風成土】 명 『지』 풍적토(風積土).
풍성-풍성 【豐盛豐盛】 부 매우 풍족(豐足)하고 은성(殷盛)한 모양. ¶～ 한 씀씀이. ——-하다 형 여불. ——-히 부
풍성 학려 【風聲鶴唳】 [一녀] 명 〔중국 전진(前秦) 때 진왕 부견(秦王苻堅)이 비수(淝水)에서 대패하고 바람 소리와 학의 울음을 듣고도 추병(追兵)이 아닌가 하고 놀랐다는 고사에서 나옴〕 겁을 집어 먹은 사람이 하찮은 일에도 놀라는 것을 가리키는 말.
풍성 해:류 【風成海流】 명 『지』 취송류(吹送流).
풍세[1] 【風勢】 명 바람의 기세. 곧, 바람의 강약(強弱). 풍력(風力). 바람세.
풍세[2] 【豐歲】 명 농사가 잘 된 해. 풍년.
풍세 대:작 【風勢大作】 명 바람의 기세가 크게 일어남. 바람이 사납게 붊. ——-하다 자 여불
풍소 【風騷】 명 ①시가(詩歌)·문장을 지음. 또, 그런 놀이. ②시문(詩文)을 지으며 노는 풍류(風流).
풍소-병 【風消餠】 명 찹쌀로 특별히 만든 떡의 한 가지. 고운 찹쌀 가루·술·흰엿 등을 재료로 만듦.
풍소-요 【諷笑謠】 명 『민』 아이를 놀리거나 남을 야유할 때 가락을 붙여 부르는 익살스런 동요. 이가 빠졌거나, 머리를 빡빡 깎았거나, 심하게 울거나 하는 아이 또는 양반·깍정이 등을 대상으로 함. 고무줄놀이 등의 집단 놀이에서 부르기도 함.
풍속[1] 【風俗】 명 ①옛적부터 사회에 행하여 온 의·식·주 그 밖의 모든 생활에 관한 습관. ¶～ 개량. ②세상의 시체(時體). 풍기(風氣).
풍속[2] 【風速】 명 『기상』 단위 시간에 공기가 이동한 거리. 보통 지상(地上) 10 m에서의 어떤 시각(時刻)의 앞 10 분 간의 평균 풍속을 그 시간의 풍속이라 함. m/s나 노트 따위의 단위로 나타내는 경우가 많음.
풍속 개:량 【風俗改良】 명 풍속을 좋게 고침.
풍속 경:찰 【風俗警察】 명 『법』 사회 공중(公衆)의 선량한 풍속에 유해(有害)한 영향을 미치는 행위의 단속·방지를 목적으로 하는 경찰. 미성년자의 음주나 매음(賣淫) 등의 단속 같은 것.
풍속-계 【風速計】 명 〔anemometer〕 『기상』 풍속을 측정하는 기계. 물체가 받는 풍압(風壓)으로 측정하는 풍압형 풍속계, 풍차나 프로펠러 따위의 회전 속도로 측정하는 회전형 풍속계, 전류로 데운 금속선(線)이 바람에 냉각되는 정도를 전위차로 측정하는 열선 풍속계 등이 있음.

〈풍속계〉

풍속 괴:란 【風俗壞亂】 명 사회 풍속을 파괴하고 혼란시키는 일.
풍속-기 【風俗記】 명 그 시대의 세정(世情)과 풍습에 관한 기록.
풍속-도 【風俗圖】 명 『미술』 그 시대의 세정(世情)과 풍습을 그린 그림. 풍속화(風俗畫). ¶세시(歲時) ～.
풍속-범 【風俗犯】 명 『법』 풍속 사범.
풍속 사:범 【風俗事犯】 명 『법』 미풍(美風) 양속(良俗) 내지 성도덕(性道德)에 위배되는 범죄. 풍속범(風俗犯).
풍속 소:설 【風俗小說】 명 세태(世態)·인정(人情)·풍속의 묘사를 주로 하는 소설. 사상성(思想性)이 없고 사회의 본질을 그려내지 않으며, 표면적·현상적(現象的)인 풍속 묘사를 주로 함.
풍속 영업 【風俗營業】 [一녕一] 명 노래·연주 또는 춤 등을 즐길 수 있는 극장 식당·룸 살롱·바·요정 등의 일반 유흥 접객업(接客業), 카바레·나이트 클럽·디스코 클럽 등의 무도(舞蹈) 유흥 접객업, 전자(電子) 유기장업(遊技場業), 만화 대여업 등의 총칭.
풍속-화 【風俗畫】 명 풍속도(風俗圖).
풍속 희극 【風俗喜劇】 [一히一] 명 〔comedy of manners〕 『연』 17 세기 말 영국에서 시작된 희극의 한 장르(genre). 몰리에르의 모방(模倣)으로부터 시작하여 거기에 영국식(英國式)의 풍자를 섞어, 상류 사교계의 풍속을 그린 희극임.
풍손 【風損】 명 풍재(風災)에 의한 손해(損害).
풍송 【諷誦】 명 글을 읽고 시를 읊음. ——-하다 타 여불
풍수[1] 【風水】 명 『민』 ①중국 후한(後漢) 말에 일어난 음양 오행설(陰陽五行說)에 기초하여, 집·무덤 같은 것의 방위·지형(地形) 등의 좋고 나쁨이 사람의 화복(禍福)에 절대적 관계를 갖는다는 한 가지 학설. 우리나라는 신라 말부터 여기에 심취하였음. ②지관(地官)❶.
풍수[2] 【風嗽】 명 『한의』 코가 막히고 목이 쉬며, 또 목이 마르고 목구멍이 가려우며 기침이 자주 나는 병.
풍수[3] 【豐水】 명 시기적으로, 수량(水量)이 풍부함. ¶～기(期). ↔갈수(渴水).
풍수-기 【豐水期】 명 시기적으로 수량이 풍부한 때. ↔갈수기(渴水期).
풍수-도 【風水圖】 명 지세(地勢)를 풍수설(說)에 의거하여 설명한 그림이나 또는 지도.
풍수-량 【豐水量】 명 『지』 하천(河川)의 유량(流量)을 나타내는 말. 1년을 통하여 95일은 보존되는 수량(水量). ↔갈수량(渴水量).
풍수력 기계 【風水力機械】 명 기체 또는 액체로부터 역학적 에너지를 얻거나, 또는 역학적 에너지를 주는 기계의 총칭. 펌프·압축기·송풍기(送風機)·양수기(揚水機) 등이 있는데, 발전소·광산·화학 공장·제철소 같은 데서 쓰임. *산업 기계.
풍수-령 【楓樹苓】 명 『한의』 저령(豬苓).
풍수-설 【風水說】 명 『민』 ①풍수에 관한 학설. ②풍수 지리설.
풍수-쟁이 【風水一】 명 지관(地官)의 속된 말.
풍수-증 【風水症】 [一쯩] 명 『한의』 심장병(心臟病)·신장병(腎臟病) 등으로 인하여 사지에 부증(浮症)이 생기는 병. 양의학의 급성(急性) 사구체 신염(絲球體腎炎)에 상당함.
풍수지-감 【風樹之感】 명 풍수지탄(風樹之歎).
풍수 지리 【風水地理】 명 『민』 풍수 지리설. 준지리(地理).
풍수 지리설 【風水地理說】 명 『민』 지형이나 방위(方位)의 길흉을 판단하여 죽은 사람을 매장하는 데 적당한 장소를 점쳐서 구하는 이론. 음양 오행(陰陽五行) 사상에 어버이의 유해(遺骸)를 평안히 모시려는 효도(孝道)의 사상이 합쳐서 된 것임. 풍수설.
풍수지-비 【風樹之悲】 명 풍수지탄.
풍수지-탄 【風樹之嘆】 명 효양(孝養)을 하려고 마음 먹었을 때는, 이미 부모는 죽고 효행을 다하지 못하는 슬픔. 풍목지비(風木之悲). 풍수지감(風樹之感). 풍수지비(風樹之悲).
풍수-학 【風水學】 명 『민』 풍수(風水)에 관한 학문.
풍수-해 【風水害】 명 바람과 물로 입은 해. 풍재(風災)와 수재(水災).
풍수해 대:책법 【風水害對策法】 명 『법』 국토와 국민의 생명·신체 및 재산을 풍수로 인한 재해로부터 보호하기 위하여, 방재(防災) 계획의 수립과 재해 예방·재해 응급(應急) 대책·재해 복구 기타 재해 대책에 관하여 필요한 사항을 규정한 법.
풍수해 보:험 【風水害保險】 명 『경』 주택·공장·창고·교사 등의 건축물이나 교량(橋梁) 또는 가재(家財)·기계(機械) 등 동산·부동산의 풍재·수재에 의한 손해를 전보(塡補)하는 보험.
풍숙 【豐熟】 명 곡물(穀物)이 잘 익음. 풍작(豐作). 풍양(豐穰).

풍습[1]【風習】명 ①기습(氣習). ②풍속과 습관. 관습.
풍습[2]【風濕】명〖한의〗습한 곳에서 사는 까닭으로 습기를 받아서 뼈마디가 저리고 아픈 병.
풍시【諷示】명 넌지시 가리킴. 암시(暗示)함. ──-하다 자여불
풍식[1]【風蝕】명〖지〗풍식 작용.
풍식[2]【豐殖】명 풍성하게 늚. 잘 번식함. ──-하다 자여불
풍식 작용【風蝕作用】명〔wind erosion〕〖지〗바람이 흙과 모래를 몰아쳐서 암석을 차차 깎아 마모시키는 작용. 이것은 풍력의 강약과 암석의 경연(硬軟)에 따라 상이(相異)한데, 가장 심한 곳은 사막 지대이며 고산(高山) 지대 및 바람이 강한 지방의 도서(島嶼)에서도 볼 수 있음. 이 결과로 생기는 것으로는 삼릉석(三稜石)·다릉석(多稜石)·봉소암(蜂巢岩) 등이 있음. 풍식.
풍신[1]【風信】명 ①바람의 방향. 풍향(風向). ②소식.
풍신[2]【風神】명 ①바람을 맡은 신. 풍백(風伯). 비렴(飛廉). ¶ ~ 우사(雨師). ②풍채(風采). ¶ ~이 좋다.
풍신[3]【楓宸】명〔중국 한(漢)나라의 궁전에 단풍나무가 많았던 데서〕임금의 거처(居處). 황거(皇居). 괴신(槐宸).
풍신-기[1]【風信旗】명 풍향(風向)을 표시하는 기(旗). 기폭의 빛깔로 구별함.
풍신-기[2]【風信器】명〖기상〗풍향계(風向計).
풍신-수길【豐臣秀吉】명〖사람〗'도요토미 히데요시'를 우리 음으로 읽은 이름.
풍신-제【風神祭】명〖민〗음력 2월 초하루부터 스무날까지의 사이에, 영등할머니에 지내는 제(祭). 집집마다 부엌이나 뒤뜰에 제단(祭壇)을 차리고, 그 무렵의 폭풍우의 피해를 면하게 하고, 집안 식구의 복을 내려 주기를 빎. *영등(靈登)할머니.
풍신-하다 형여불 옷의 품이 넉넉하다. ¶옷을 풍신하게 짓다.
풍심-통【風心痛】명〖한의〗감기로 양옆구리와 배가 켕기고 아픈 병.
풍아[1]【風雅】명 ①시경(詩經)의 풍(風)과 아(雅). 곧, 시(詩). ②풍류와 문아(文雅). ③고상하고 멋이 있음. ──-하다 형여불
풍아[2]【風雅】명〖책〗조선 철종(哲宗) 때의 경평군 이세보(慶平君李世輔)의 시조집(時調集). 저자의 시조 445수(首)가 실려 있음. 2권.
풍아-롭다【風雅─】형ㅂ불 보기에 풍아하다. **풍아-로이**【風雅─】부
풍아 별곡【風雅別曲】명〖문〗권익륭(權益隆)이 지은 6수로 된 연시조(聯時調).
풍아-스럽다【風雅─】형ㅂ불 풍아롭다. **풍아-스레**【風雅─】부
풍악[1]【風樂】명〖악〗우리 나라 고유의 옛 음악. ¶~을 울리다.
　풍악(을) 잡히다 구 풍악을 아뢰게 하다.
풍악[2]【楓嶽】명〖지〗↗풍악산(楓嶽山).
풍악-꾼【風樂─】명 풍악을 하는 사람.
풍악-산【楓嶽山】명〖지〗가을의 금강산(金剛山)의 별칭. 준풍악(楓嶽). *개골산(皆骨山).
풍안[1]【風眼】명 바람과 티끌을 막기 위하여 쓰는 안경.
풍안[2]【風眼】명〖한의〗눈시울과 결막(結膜)이 빨갛게 붓고 고름이 나오는 병.
풍-안경【風眼鏡】명〖역〗바람과 티끌이 심한 데서 싸울 때에 병졸(兵卒)들에게 씌우는 안경.
풍안지-악【豐安之樂】명〖악〗종묘 제례악(宗廟祭禮樂)의 하나. 흥안지악(興安之樂)과 같은 곡(曲)이되, 진찬(進饌)의 예(禮)를 거행하는 데 아뢸 적의 이름.
풍압【風壓】명〖물〗물체에 미치는 바람의 압력. 공기 밀도(空氣密度)와 풍속(風速)의 제곱에 비례하여 커짐.

자기드럼
물
〈풍압계〉

풍압-계【風壓計】명〖물〗풍압을 재는 기계.
풍약【楓約】명 화투 놀이에서 단풍 넉 장을 모아서 이루는 약(約).
풍-양[1]【風陽】명 바람과 볕. 풍일(風日).
풍양[2]【豐穰】명 풍념(豐稔). 풍숙(豐熟). ──-하다 자여불
풍어[1]【風魚】명 ①폭풍과 악어(鰐魚) 같은 못된 물고기. 해상(海上)에서 만나는 재해. 또, 바다에서 침입하는 구적(寇賊)의 비유. ②폭풍의 방향을 예지(豫知)한다는 물고기의 이름.
풍어[2]【豐漁】명 어획(魚獲)이 많음. 물고기가 풍부하게 잡힘. 대어(大漁). ↔흉어(凶漁).
풍어-기[1]【豐漁期】명 한 해 중에서 고기가 가장 많이 잡히는 철.
풍어-기[2]【豐漁旗】명 풍어를 알리거나 풍어에 감사하는 뜻으로 돛줄 등에 다는 기.
풍어-놀이【豐漁─】명〖민〗어촌(漁村)에서 음력 정월 초하루부터 보름날까지 행하는 놀이. 부락의 넓은 마당에 기(旗)와 등(燈)을 달고 장구에 맞추어 노래를 부르는 놀이. 사해 용왕(四海龍王)을 위안(慰安)하고 어민의 무사함과 풍어를 기원하기 위함임.
풍어-제【豐漁祭】명〖민〗어촌(漁村)에서 수신(水神)을 위안하고 어민의 무사함과 풍어를 비는 제사.
풍연[1]【風煙】명 멀리 보이는 공중에 서린 흐릿한 기운.
풍연[2]【風鳶】명 연(鳶).
풍연[3]【豐衍】명 넉넉하여 남음. ──-하다 형여불
풍열-통【風熱痛】명〖한의〗잇몸이 붓고 몹시 아프며 고름이 나는 잇병. 치근 골막염(齒根骨膜炎) 같은 것.
풍염[1]【風炎】명〖기상〗푄(Föhn).
풍염[2]【豐艶】명 얼굴 생김새가 도톰하고도 고움. ──-하다 형여불
풍영[1]【諷詠】명 시가(詩歌) 등을 읊조림. ──-하다 타여불
풍영[2]【豐盈】명 ①풍성하게 여묾. ②생김새가 풍만함. ──-하다 형여불
풍옥【豐沃】명 땅이 기름짐. 비옥(肥沃). ──-하다 형여불
풍-옥상【馮玉祥】명〖사람〗'펑 위샹'을 우리 음으로 읽은 이름.
풍요[1]【風謠】명 ①한 지방의 풍속을 읊은 노래. ②향가의 하나. 신라 선덕왕(善德王) 때 불린 4구체의 노래. 양지(良志)가 영묘사(靈廟寺)의 장육 존상(丈六尊像)을 조소(造塑)할 때, 만성(滿城)의 남녀가 진흙을 운반하면서 이 노래를 불렀다 함.
풍요[2]【豐饒】명 흠뻑 많아서 넉넉함. 풍유(豐裕). ¶~한 사회를 이룩하다. ──-하다 형여불
풍요-롭다【豐饒─】형ㅂ불 풍요한 느낌이 있다. ¶풍요로운 세상. **풍요-로이**【豐饒─】부
풍요 삼선【風謠三選】명〖책〗조선 철종(哲宗) 8년(1857) 유재건(劉在健)·최경흠(崔景欽) 등이 편찬한 시집. 19세기 전기에 활동하였던 위항 시인(委巷詩人)의 한시를 모은 것으로, ≪풍요 속선(風謠續選)≫의 속집으로서 간행됨. 7권 3책.
풍요 속선【風謠續選】명〖책〗조선 정조(正祖) 21년(1797) 역관(譯官) 출신의 시인 천수경(千壽慶)이 편찬한 시집. ≪소대 풍요(昭代風謠)≫가 나온 60년 뒤 그 속집으로서 위항 시인(委巷詩人) 3백여 명의 한시 7백여 수를 수록함.
풍요의 바다【豐饒─】[─/─에─]명〔라 Mare Fecunditatis〕〖천〗달의 표면 명칭의 하나. 지구에서 보아 표면의 서쪽남북 약 1000킬로미터, 동서 70킬로미터 정도의 평탄부(平坦部). '고요의 바다'의 남서쪽임.
풍-요통【風腰痛】명〖한의〗감기로 허리가 아픈 병증.
풍우【風雨】명 ①바람과 비. ②바람과 함께 내리는 비. ③〖기상〗풍속(風速) 10 m 이상 정도이며 비를 수반하는 바람.
풍우-계【風雨計】명〖물〗청우계(晴雨計).
풍우 대:작【風雨大作】명 바람이 몹시 불고 비가 많이 옴. ──-하다 자여불
풍우장-중【風雨場中】명 ①한참 바쁜 판. ②〖역〗바람 불고 비올 때에 치르는 과거의 장중(場中).
풍우-표【風雨表】명 전에, 기상대에서 풍우를 헤아리던 표.
풍운[1]【風雲】명 ①바람과 구름. ②용(龍)이 바람과 구름을 타고 하늘로 오르는 것처럼 영웅 호걸들이 세상에 두각을 나타내는 좋은 기운(機運). ③〖건〗운문(雲紋)의 하나. ④세상이 크게 변하려는 기운(氣運). ¶~이 감돌다 / ~이 급(急)을 고하다.
　풍운의 뜻 구 풍운(風雲)을 타고 큰 일을 이룩하려는 뜻. ¶~을 품다.
풍운[2]【風韻】명 풍류(風流)와 운치(韻致).
풍운-기【風雲記】명〖책〗조선 시대의 관상감(觀象監)의 관측 원부(原簿). 현존본은 영조(英祖) 16년(1740) 8월 3일부터 철종(哲宗) 12년(1861)에 이르는 121년간의 관측 기록이 실려 있음.
풍운 뇌우 산천 성황단【風雲雷雨山川城隍壇】명〖역〗비·바람·구름·우뢰를 맡은 천신(天神)을 제사 지내는 단(壇). 서울의 남교(南郊)에 있었음. 너비 24자 평방의 땅에 일곱 치 높이로 단을 모으고 네 녘으로 층계가 있으며, 야트막한 곡장(曲牆)이 있음. 풍운 뇌우(風雲雷雨)의 신좌(神座)가 한가운데, 산천(山川)이 왼편, 성황(城隍)이 오른편에 있으며, 모두 단의 북쪽에 있어 남향(南向)함.
풍운-아【風雲兒】명 좋은 기운을 타고 세상에 두각(頭角)을 나타낸 사람. ¶정계의 ~ / 시대의 ~.
풍운 월로【風雲月露】명 세도 인심(世道人心)에 조금도 유익하지 않은 화조 월석(花鳥月夕)만을 읊은 부화(浮華)한 시문(詩文).
풍운 조:화【風雲造化】명 바람이나 구름의 예측키 어려운 변화.
풍운지-회【風雲之會】명 ①용(龍)이 바람과 구름을 얻어서 기운을 얻는 것처럼, 영명(英明)한 군주와 현신(賢臣)이 서로 만나는 일. ②영웅 호걸이 시기(時機)를 타서 뜻을 이룰 좋은 기회.
풍월【風月】명 ①청풍(淸風)과 명월(明月). 아름다운 자연. ②바람과 달에 부쳐 시가(詩歌)를 지음. ③↗음풍 농월(吟風弄月). ──-하다 자여불
풍월 강산【風月江山】명〖악〗목을 풀기 위한 단가(短歌)의 하나. 대장부가 공명을 이룬 뒤에 풍월을 찾아 편력하며 산다는 내용으로, 중모리 장단에 맞추어 부름. 대관(大觀) 강산.
풍월-객【風月客】명 음풍 농월(吟風弄月)의 시가(詩歌)에 능한 사람.
풍월-도【風月徒】명〖역〗화랑도(花郞徒).
풍월 보:감【風月寶鑑】명〖문〗홍루몽(紅樓夢).
풍월 주인【風月主人】명 맑은 바람 밝은 달 따위 자연을 즐기는 사람.
풍월 향도【風月香徒】명〖역〗조선 선조(宣祖) 때 유희경(劉希慶)을 중심으로 활동한 시단(詩壇)의 이름. '향도(香徒)'는 상여꾼의 뜻으로, 유희경이 상제(喪制)에 밝았을 뿐 아니라 서류(庶類)와 시문(詩文)을 창수(唱酬)한 데서 일컬어진 이름임. 양반의 모임인 '송석원 시사(松石園詩社)'와는 달리 사대부 출신 문인(文人)도 참가했음. 이 시단의 영향으로 한시문(漢詩文)이 사대부 이하의 신분에까지 보급되어 '위항 문학(委巷文學)'이 대두됨.
풍위[1]【風位】명 바람이 불어오는 위치.
풍위[2]【風威】명 세게 부는 바람의 위력.
풍유[1]【諷諭·諷喩】명 슬며시 나무라는 뜻을 붙이어 가르쳐 타이름. ──-하다 타여불
풍유[2]【豐裕】명 풍요(豐饒). ──-하다 형여불
풍유-담【風喩譚】명 도덕적 교훈을 풍유로써 설명하는 짧은 이야기. 역사적 인물이나 사건을 풍유한 이야기인 현실(現實) 풍유담과, 덕·악덕·심성(心性)·성격 유형 등의 추상물을 의인화(擬人化)한 이야기인 관념 풍유담이 있음. ≪국순전(麴醇傳)≫·≪공방전(孔方傳)≫ 등은 관념 풍유담임.
풍유-법【諷喩法】[─뻡] 명〔allegory〕비유법 중에서 차원이 높은 것으로, 무엇을 무엇에 비유한다는 것을 드러내지 않고, 비유하는 말만을

들어 그 숨겨진 뜻을 알게 하는 방법. 속담·격언 등이 이에 속함. 우화법(偶話法).

풍유-적【諷諭的】[명][관] 넌지시 타이르는 모양.

풍의¹【風儀】[ㅡ/ㅡ이][명] 풍채(風采).

풍의²【風懿】[ㅡ/ㅡ이][명] 〖한의〗 뇌의 병으로 인하여 혀와 목구멍이 마비되고 말하는 데 고장이 생기는 증.

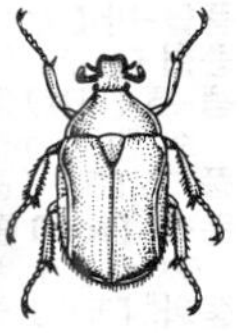
〈풍이¹〉

풍이¹ [명] 〖충〗 [*Rhomborrhina japonica*] 풍뎅잇과 풍이속(屬)에 속하는 곤충. 몸길이 24-25mm이고 몸은 편평한 직사각형이며, 청동색에 갈색의 에나멜 모양의 광택이 나고, 전배판(前背板) 중앙에 삼각형 무늬가 있으며, 촉각은 흑갈색임. 한여름에 출현하여 수액(樹液)·과실 등에 모이는데, 일본·한국·중국 등지에 분포함.

풍이²【風異】[명] 나무가 꺾어지고 집이 무너질 만큼 힘이 센 바람의 현상.

풍이³【馮夷】[명] 하백(河伯)의 이름. 빙이(氷夷).

풍인¹【風人】[명] ①문둥이. ②시부(詩賦)에 능한 사람. ③풍류(風流)를 좋아하는 사람. 풍류인.

풍인²【楓人】[명] 〔그 모양이 사람과 닮은 데서〕 단풍나무의 노목(老木)에 생기는 큰 혹.

풍일【風日】[명] 풍양(風陽).

풍임【豐稔】[명] 풍년(豐稔). ——-하다 [자][여불]

풍-입송【風入松】[명] 〖악〗 고려 시대에 연주되던 악장(樂章)의 하나. 작자·제작 연대 미상. 태평 성대를 기리는 송도(頌禱)의 뜻을 담음. ≪고려사≫ 악지(樂志)와 ≪악장 가사(樂章歌詞)≫에 전함.

풍자¹【風姿】[명] 풍채(風采).

풍자²【諷刺】[명] 〔satire〕 ①무엇에 빗대고 비유하는 뜻으로 슬며시 돌려서 남의 결점을 말함. ②돌려서 슬며시 사회·인물의 결함·죄악 같은 것을 조소적(嘲笑的)으로 쓰는 일. 또, 그 작품. ¶～극/～ 소설. ——-하다 [타][여불]

풍자-극【諷刺劇】[명] 〖연〗 사회의 죄악이나 인간의 불미(不美)한 점을 들어 비꼬아서 찌르는 내용의 연극. 또, 그런 희곡(戲曲).

풍자 문학【諷刺文學】[명] 〖문〗 사회·인물·시대의 모순·불합리·죄악·불미(不美)한 점 등을 풍자하는 내용의 문학.

풍자 소:설【諷刺小說】[명] 〖문〗 기지(機智)와 냉소(冷笑) 또는 그 밖의 방법으로 사회나 인생의 결함·죄악·모순 등을 풍자하는 소설.

풍자-시【諷刺詩】[명] 〖문〗 사회의 죄악상이나 불미스러운 점을 비꼬아 비난·비평하는 시.

풍자-적【諷刺的】[명][관] 풍자의 성질을 띤 상태나 모양.

풍-자진【馮子振】[명] 〖사람〗 중국 원대(元代)의 문인. 호(號)는 해율 도인(海栗道人). 관리로서 경사(經史)의 학문과 선(禪)에 조예가 깊었으며 황정견(黃庭堅)풍(風)의 글씨를 썼음. [1257-1315]

풍자-화【諷刺畫】[명] 〖미술〗 기지(機智)·냉소 등을 섞어 사회 또는 남의 실수·결함·죄악 등을 풍자함을 목적으로 한 그림. 사람이나 물건의 특징을 과장하는 표현법으로, 펜화(pen畫)나 담채(淡彩)의 약화(略畫)·판화(版畫) 등에 의할 때가 많음. 캐리커처(caricature).

풍작【豐作】[명] 풍년이 되어 모든 곡식이 잘 됨. 풍년이 든 농작(農作). ↔흉작(凶作).

풍작 기근【豐作飢饉】[명] 풍년 기근(豐年飢饉).

풍잠¹【風簪】[명] 망건(網巾)의 당 앞쪽에 꾸미는 물건. 쇠뿔·대모(玳瑁)·금패(錦貝) 같은 것으로 원산(遠山) 모양으로 만듦. 갓 모자가 걸리어 바람에 뒤쪽으로 넘어가지 못하게 하느라고 꾸미는 것임. 원산(遠山).

풍잠²【楓蠶】[명] 〖충〗 천잠(天蠶).

풍장¹ [명] 〖악〗 ①농악(農樂)에 쓰는 풍물(風物)을 민속적으로 일컫는 말. 흔히, 명절·경사·두레 때 치고 놂. ¶～을 치다. ②풍장을 치며 노는 농악(農樂)의 딴 이름.

풍장²【風葬】[명] ①화전민(火田民)만이 하는 원시적인 장식(葬式). 시체를 태워서 뼈를 추려 가루로 한 것을, 높은 곳에서 바람에 날려 버림. ②시체를 묻지 않고 들판·해변·동굴 등에서 비바람에 쐬어 저절로 풍화(風化)·소멸케 하는 장법(葬法). 폭장(曝葬).

풍-장이【風ㅡ】[명] 〈방〉 허풍선이(경상).

풍재¹【風災】[명] 농작물 등이 받는 바람의 재앙. 풍난(風難). 풍손(風損). 풍해(風害).

풍재²【風裁】[명] ①풍모(風貌). ②풍치(風致).

풍쟁¹ [명] 〖악〗 〈방〉 풍장¹.

풍쟁²【風箏】[명] 연(鳶).

풍저-창【豐儲倉】[명] 〖역〗 ①고려 때 대궐 안에서 쓰는 미곡(米穀)을 맡은 관아. 충렬왕(忠烈王) 34년(1308)에 우창(右倉)의 고친 이름. ②조선 시대 대궐 안에서 쓰는 쌀·콩·자리·종이 등을 맡은 관아. 태조(太祖) 원년(1392)에 베풀고 뒤에 장흥고(長興庫)에 합하였음.

풍적-토【風積土】[명] 〖지〗 암석이 풍화 작용을 받아 생긴 연한 모재(母材), 또는 다른 곳에서 생성된 토양이 바람에 의해 운반되어 딴 곳에 낙하·퇴적해서 생긴 토양. 중국 북쪽의 황토 같은 것. 풍성토(風成土). ↔충적토(沖積土).

풍전¹【風前】[명] 불어오는 바람의 앞. ¶～ 등화.

풍전²【風顚·瘋癲】[명] 후천적 정신병 중에서, 언행 착란(錯亂)·의식 혼탁(溷濁)·감정 격발(激發)이 현저한 것의 속칭.

풍전 등촉【風前燈燭】[명] 풍전 등화. [준]풍촉(風燭).

풍전 등화【風前燈火】[명] 〔바람 앞에 켠 등불이란 뜻〕 ①사물이 오래 견디지 못하고 매우 위급한 자리에 놓여 있음을 가리키는 말. ②사물이 덧없음을 가리키는 말. 풍전 등촉(風前燈燭).

풍전 병:원【瘋癲病院】[명] 정신 병원(精神病院).

풍전 세:류【風前細柳】[명] 바람 앞에 나부끼는 세버들의 뜻으로, 부드럽고 영리한 사람의 성격(性格)을 평(評)한 말. *청풍 명월(淸風明月).

풍전지-진【風前之塵】[명] 사물(事物)의 무상(無常)함을 가리키는 말.

풍절【風節】[명] 거룩한 몸체와 절개(節介). 풍채. 풍상(風尙).

풍절-목【風折木】[명] 풍락목(風落木).

풍정¹【風情】[명] 풍치가 있는 정회(情懷). 풍회(風懷).

풍정²【豐呈】[명] ①임금 내외에 경사가 있어서 경하할 때 무엇을 바치는 일. 이 때에 기생(妓生)·우인(優人) 들을 시켜 가무 잡희(歌舞雜戲)를 하게 함. ②여기 연예(女妓演藝)의 한 가지.

풍정 낭:식【風定浪息】[명] 들떠서 어수선하던 것이 가라앉음의 비유. ——-하다 [자][여불]

〈풍조¹〉

풍조¹【風鳥】[명] 〖조〗 [*Paradisea apoda*] 풍조과에 속하는 새. 날개 길이 22cm 가량이며, 꽁지깃 중 가운데의 두 개는 50-70cm에 달하고, 날개의 기부(基部)에는 긴 황등색 식우(飾羽)가 밀생하여 매우 아름다움. 몸빛은 암적갈색에 머리와 목덜미는 황색, 뺨과 목줄기는 녹색의 광택이 나는 흑색임. 섬의 바닷가의 밀림에 서식하는데, 뉴기니와 오스트레일리아에 분포함. 깃털은 장식용(裝飾用)이며 동물원·박물관 등에서 흔히 볼 수 있음. 극락조(極樂鳥).

풍조²【風潮】[명] ①바람과 조수(潮水). 또, 바람에 따라 흐르는 조수. ②시대에 따라 변하는 세태. ¶퇴폐 ～ 일소(一掃).

풍조³【風調】[명] ①아취(雅趣). 특히 시가(詩歌) 등의 아취. ②↗풍조 우순(風調雨順).

풍조⁴【風操】[명] 숭고(崇高)한 절조(節操).

풍조-과【風鳥科】[ㅡ꽈][명] 〖조〗 [Paradiseidae] 연작류(燕雀類)에 속하는 한 과. 여러 종류가 있는데, 깃털이 매우 아름다워 관상용·장식용으로 기름.

풍조 우:순【風調雨順】[명] 비바람이 순조로움. 우순 풍조. [준]풍조(風調). ——-하다 [자][여불]

풍조-좌【風鳥座】[명] 〖천〗 극락조자리.

풍족【豐足】[명] 매우 넉넉하여서 모자람이 없음. ¶～한 생활. ——-하다 [형][여불]. ——-히 [부]

풍준【豐蹲】[명] 경상 북도 풍기(豐基)에서 나는 준시(蹲柿). *준시(蹲柿).

풍증【風症】[ㅡ쯩][명] 〖한의〗 풍병(風病)❶.

풍지【風紙】[명] ↗문풍지(門風紙).

풍지 박산【風地雹散】[명] '풍비 박산'의 잘못.

풍진¹【風疹】[명] 〖의〗 바이러스에 의한 발진성(發疹性)의 급성 피부 전염병. 증세는 홍역(紅疫)과 비슷하며, 작고 둥근 담홍색 발진이 얼굴·머리에 이어 온몸에 났다가 2-3일 만에 나음. 어린이에게 많으며 잠복기는 20일 가량이고 종신 면역(終身免疫)을 얻게 됨. 임신 초기에 앓게 되면 기형아를 낳는 일이 있음.

풍진²【風塵】[명] ①바람에 날리는 티끌·먼지. ②세상의 속된 일. 또, 번거로운 세상. 속사(俗事). 속세간(俗世間). ③병진(兵塵). 전란(戰亂). ④관리(官吏)의 직(職). 관도(官途). ⑤경관(京官)에 대한 지방관(地方官).

풍진³【豐鎭】[명] 〖지〗 '펑전'을 우리 음으로 읽은 이름.

풍진 백신【風疹ㅡ】〔vaccine〕[명] 〖의〗 미국에서 1969년부터 사용하기 시작한 풍진 예방용 백신.

풍진 세:계【風塵世界】[명] 편안하지 못한 세상.

풍진 장애아【風疹障礙兒】[명] 〖의〗 임신 초기에 임부(姙婦)가 풍진에 걸렸기 때문에 그 바이러스가 원인이 된 선천성 장애아. 장애는 주로 난청(難聽)·백내장(白內障)·심장 질환·수두증(水頭症) 등인데, 이것들이 겹칠 경우도 있음.

풍진 표물【風塵表物】[명] 속세를 초월(超越)한 사람.

풍질【風疾】[명] 〖한의〗 풍병(風病)❶.

풍차¹【風車】[명] ①큰 바퀴 주위에 얇은 판으로 날개를 해 달고, 여기에 바람을 받아 회전시켜 그 회전력을 다른 기계에 전하는 장치. 정미(精米)·제분(製粉)·제재(製材)·양수(揚水)에 씀. 바람 바퀴. 윈드밀(windmill). ②풍구❶. ③팔랑개비. 도르래.

〈풍차²❶〉

풍차²【風遮】[명] ①토끼·여우·수달·곰 같은 것의 모피로 써 지은 방한용(防寒用) 두건(頭巾). 앞은 이마까지 오고, 옆은 귀를 덮게 되어 있으며, 뒤로 보면 삼각형임. 남자용은 이 위에 관·갓을 쓰며, 여자용은 여러 가지 치레를 하였음. ②어린 아이 바지나 고의의 마루폭에 좌우로 길게 대는 헝겊 조각. 저고리의 섶과 같이 된 것.

풍차 바지【風遮ㅡ】[명] 마루폭에 풍차를 단 어린 아이의 바지. 개구멍바지와 같은데, 뒤가 길게 터지고 그 터진 자리에 풍차를 댄 것이 마치 저고리에 섶을 댄 것과 같음.

풍찬 노:숙【風餐露宿】[명] 바람과 이슬을 무릅쓰고 한데에서 먹고 잠. ——-하다 [자][여불]

풍창【風窓】[명] 통풍하기 위하여 뚫어 놓은 창.

풍창-곡【諷唱曲】[명] 〔이 cavatina〕 〖악〗 오페라에 있어서의 서정적(抒情的)인 독창곡(獨唱曲).

풍창 파:벽【風窓破壁】[명] 〔뚫어진 창짝과 헐어진 담벼락〕 허술하고 가난한 집.

풍채¹ [명] 〈방〉 풍구(충북).

풍채²【風采】[명] 빛나서 드러나는 사람의 겉 모양. 풍신(風神). 풍의(風儀). 풍자(風姿). 풍표(風標). 자망(姿望). 풍절.

풍청【風聽】명 소문을 들음. 또, 그 소문. 풍문(風聞). ——-하다 자여불

풍촉【風燭】명 ↗풍전 등촉(風前燈燭).

풍취【風趣】명 ①풍경의 아취. 경치. ②풍치(風致). 정취(情趣).

풍치[1]【風致】명 시원스럽게 격에 맞는 멋. 풍재(風裁). 정치(情致). 운치(韻致). 풍취(風趣).

풍치[2]【風齒】명 〖한의〗 충치(蟲齒)가 아니고 풍병에 의하여 때때로 일어나는 치통(齒痛). 양의학의 치주염(齒周炎)에 상당함.

풍-치다【風—】자 ↗허풍치다. ¶이놈 풍치는 바람에 애꿎은 콩밭 하나만 결딴을 냈다≪金裕貞 : 金 따는 콩밭≫.

풍치-림【風致林】명 명승지(名勝地)·고속 도로변·공원·도시 주변 녹지 등에 정취(情趣)를 유지·조성하기 위하여 기르는 나무 숲.

풍치-목【風致木】명 경치가 멋있도록 심은 나무.

풍치 전:철【風馳電掣】명 바람이 쏜살같고 번개가 번쩍인다는 뜻으로 매우 빠름을 이름.

풍치 지구【風致地區】명 도시 안팎의 풍치 유지를 목적으로 도시 계획법에 의거 도시 계획 구역 내에서 토지의 상황에 따라 지정한 지구.

풍침【風枕】명 공기를 불어 넣어서 베는 베개. 흔히, 고무액(液)을 바른 헝겊으로 만듦. 공기침(空氣枕).

풍크〔Funk, Casimir〕명 〖사람〗 폴란드 출생의 미국 생화학자. 쌀겨에서 각기(脚氣)를 예방하는 물질을 추출하여 비타민이라고 명명, 비타민 연구의 계기를 마련함. 이 밖에 암세포의 당대사(糖代謝) 등의 연구도 있음. [1884-1967]

풍타 낭:타【風打浪打】명 일정한 주의 주장 없이 그저 대세에 따라 행동함을 가리키는 말. 풍타죽 낭타죽.

풍타죽 낭:타죽【風打竹浪打竹】명 풍타 낭타(風打浪打).

풍탁【風鐸】명 풍경(風磬).

풍토【風土】명 ①기후와 토지의 상태. ②〖지〗 자연 환경과 거의 동의(同義)로 쓰이는데, 인간 생활 그 자체를 포함하며 자연과 밀접한 관계를 가진 생활 전체를 말할 때도 있음.

풍토-기【風土記】명 지방별로 풍토·문화 기타를 적은 기록.

풍토-병【風土病】[—뼝] 명 어떠한 지방의 기후와 토질(土質)로 인하여 생기는 그 땅 특유(特有)의 병. 토질(土疾). 지방병(地方病).

풍토-색【風土色】명 풍토의 차이에서 생기는 각각의 특색.

풍토-성【風土性】[—썽] 명 그 풍토가 가진 독특한 성질.

풍토 순화【風土馴化】명 〖지〗 기후(氣候)나 또는 새로운 자연 환경 일반에 대하여 차차 그 환경에 적응하여 가는 일. 어클라이머타이제이션(acclimatization).

풍토 심리학【風土心理學】[—니—] 명 〔도 Geopsychologie〕 자연 지리학적 환경이 인간의 심리에 미치는 영향을 연구하는 학문.

풍파【風波】명 ①세찬 바람과 험한 물결. ¶사나운 ~. ②분란이나 분쟁. 특히, 인생·사회를 살아가는 데서 생기는 곤란이나 고통 따위. 파란(波瀾). ¶평지 ~를 일으키다.

풍판【風板】명 〖건〗 뱃집으로 지은 전각이나 신당(神堂)의 두 쪽 박공 아래에, 바람과 비를 막기 위하여 널조각을 길이로 연폭(連幅)하여 대는 물건.

풍편【風便】명 바람결. 풍설로 전하는 말편. ¶~에 들은 바로는.

풍평【風評】명 풍설(風說).

풍표【風標】명 풍채(風采).

풍-풍부 ①좋은 구멍으로 물이 쏟아지는 소리. ②막혀 있던 기체(氣體) 따위가 거푸 세게 뿜어 나오는 소리. 또, 방귀를 연해 되게 뀌는 소리. ㅅ붕붕. ㅆ뿡뿡. >퐁퐁. ——-하다 자타여불

풍풍-거리다 자타 자꾸 풍풍 소리가 나다. 또, 자꾸 풍풍 소리를 내다. ㅅ붕붕거리다. ㅆ뿡뿡거리다. >퐁퐁거리다.

풍풍-대다 자타 풍풍거리다.

풍하-절【風下節】명 봄과 여름 절후의 일컬음.

풍학[1]【風瘧】명 〖한의〗 고뿔에 걸리어 신열(身熱)이 나다가 얼마 안 되어 오슬오슬 추운 증이 생기는 병.

풍학[2]【風學】명 〔anemology〕〖기상〗 바람에 관한 과학적 연구.

풍한【風寒】명 감기. 고뿔.

풍-한-서-습【風寒暑濕】명 바람과 추위와 더위와 습기.

풍한-열【風寒熱】[—녈] 명 〖한의〗 어린 아이가 고뿔에 걸리어 몸이 더운 병.

풍한-천【風寒喘】명 〖한의〗 고뿔에 걸리어 숨이 차서 호흡이 곤란한 병.

풍해[1]【風害】명 풍재(風災).

풍해[2]【風解】명 〔efflorescence〕〖화〗 공기 중에 방치된, 결정수(結晶水)를 함유한 결정이나 수화물(水和物)이 결정수를 잃고 부서져서 가루 모양의 물질로 변하는 현상. 황산이나 탄산의 10수화물이 공기 중에서 분말이 되는 일 따위. 풍화(風化).

풍향[1]【風向】명 〖기상〗 바람이 부는 방향. 풍신(風信).

풍향[2]【豐享】명 ①풍정(豐呈)에 쓰는 연향(宴享). ②백성들이 하는 풍년의 예축(豫祝).

풍향-계【風向計】명 풍향을 관측하는 기계. 깃의 끝에 추(錐)를 달아서 수평으로 자유로이 회전시켜, 그 지주(支柱)의 회전을 자기(自記) 장치로 인도하여 풍향의 변화를 알 수 있게 됨. 바람개비. 풍신기(風信器).

〈풍향계〉

풍향-지【楓香脂】명 〖한의〗 백교향(白膠香).

풍향 풍속계【風向風速計】명 풍속계에 팔랑개비를 달아, 기계 하나로 풍향과 풍속을 함께 관측할 수 있게 된 기계.

풍헌【風憲】명 ①풍교(風教)와 헌장(憲章). ②〖역〗 조선 시대 향소직(鄕所職)의 하나. 면(面)이나 이(里)의 일을 맡아 봄.

풍혈【風穴】명 〖지〗 ①높은 산등성이나 산기슭에 있어 늘 시원한 바람이 불어 나오는 구멍이나 바위 틈. ②옛날 중국에서 북방에서 한풍(寒風)을 일으킨다고 상상하였던 곳. ③나무 그릇 같은 데 가으로 돌아가며 잘게 새겨 붙이는 꾸밈새.

풍혈-반【風穴盤】명 통 모양의 다리에 풍혈 장식을 베푼 두리반.

풍협【豐頰】명 포동포동하고 탐스러운 뺨.

풍-호【楓湖】명 〖지〗 강원도 명주군(溟州郡) 연곡면(連谷面)에 있는 호수. [0.4 km²]

풍-혹【楓—】명 단풍나무의 옹두리가 뭉쳐 커진 혹.

풍화[1]【風火】명 ①〖한의〗 병의 풍기(風氣)와 화기(火氣). ②〖불교〗 만물(萬物)을 구성하는 사대(四大) 중의 풍대(風大)와 화대(火大).

풍화[2]【風化】명 교육과 정치의 힘으로 풍습(風習)을 잘 교화시킴. 풍교(風教). 풍성(風聲). ¶아무리 윤기(倫紀)가 해이하고 ~가 강쇠하는 세상이기로 그런 법이 어디 있겠소?≪崔瓚植 : 桃花園≫.

풍화[3]【風化】명 ①〖지〗 풍화 작용. ②〖화〗 풍해(風解). ——-하다 자여불

풍화[4]【風和】명 바람이 그치고 파도가 잔잔함. ——-하다 형여불

풍화-물【風化物】명 풍화된 물질.

풍화 석회【風化石灰】명 공기 중에 오랫 동안 노출된 생석회(生石灰)가 공기 중의 수분을 흡수하여 부스러진 백색의 가루. 곧, 소석회(消石灰).

풍화 소:관【風化所關】명 정교(政教)에 관계되는 바.

풍화 작용【風化作用】명 〔weathering〕〖지〗 지표면에 노출된 암석이 원위치에서 풍우(風雨)를 맞아 차차 부서져 변질해 가는 과정. 또는 그러한 작용. 풍화(風化).

풍화 잔류 광:상【風化殘留鑛床】[—잘—] 명 〖광〗 암석 속에 조금 함유되었던 유용(有用) 성분이 암석의 풍화 작용의 결과 집중되어 이루어진 광상. 송림(松林)·개천(价川)의 철광상 같은 것. 노천화 잔류 광상(露天化殘留鑛床).

풍화-토【風化土】명 〖지〗 원적토(原積土).

풍회【風懷】명 풍정(風情).

풍후[1]【風候】명 ①바람의 상태·모양. ②시절(時節). 기후(氣候). ③풍향(風向)을 조사하는 기구. 풍향계.

풍후[2]【豐厚】명 ①얼굴이 살쪄서 두툼함. ②아주 넉넉하도록 많음. ——-하다 형여불

풍훈【風暈】명 〖한의〗 감기에 걸리어 어지럽고 오슬오슬 추우며 땀이 몹시 흐르는 병.

풍-흉【豐凶】명 풍년과 흉년. 풍겸(豐歉). 기양(飢穰).

풍흉 계:수【豐凶係數】명 〖농〗 평년의 작황(作況)에 대한 어떤 해의 작황의 비율. 작황 지수(作況指數).

풍흉 광조 시험【豐凶光照試驗】명 농업 시험장(農業試驗場)에서, 같은 조건 아래 벼를 재배하여, 그 해의 기후가 벼의 생육(生育)에 어떻게 영향을 주고 있나를 알아 보는 시험.

풍흉-술【豐胸術】명 〖의〗 약제를 주입하여 빈약한 유방을 크고 보기 좋게 성형하는 수술.

풍치 명 〈옛〉 풍채(風采). ¶풍칫날 봉(丰)≪字解 下 33≫.

퓌그〔프 fugue〕명 〖악〗 푸가(fuga).

퓌다 자 〈옛〉 피다. ¶그 고지 三同이 퓌거시아 有德ᄒᆞ신 님 여히ᄋᆞ와지이다≪樂詞 鄭石歌≫/블와 닙왜 퓌며 ≪月釋 Ⅶ:18≫.

퓌:러〔도 Führer〕명 지도자(指導者). 통솔자(統率者). 특히, 나치스 독일에서 히틀러를 부르던 말.

퓌레〔프 purée〕명 서양 요리에서 야채 등을 삶거나 데쳐서 으깨어 체로 걸러 농축시킨 식품. 매시(mash). ¶토마토 ~.

퓌리슴〔프 purisme〕명 세계 제1차 대전 후, 프랑스에서 오장팡(Ozenfant)에 의하여 창도(唱道)된 미술 운동. 큐비슴(cubism)을 한층 순화(醇化)시켜, 회화(繪畫)·건축을 장식성(裝飾性)을 제거한 순수한 기하학적 형태에 의하여 구성하려는 운동.

퓌비 드 샤반〔Puvis de Chavannes, Pierre〕명 〖사람〗 프랑스의 화가. 조용한 색조(色調)와 구도(構圖)로 벽화(壁畫)를 소르본 대학(Sorbonne 大學)·파리 시청(市廳) 등에 그리고, 특히 팡테옹(Panthéon)의 벽화는 걸작임. [1824-98]

퓌스텔 드 쿨랑주〔Fustel de Coulanges, Numa Denis〕명 〖사람〗 프랑스의 역사가. 고대 그리스 및 로마 도시들의 발달과 종교와의 관계를 밝히고, 또 고대 프랑스에 있어서의 봉건 제도·장원 제도의 게르만 기원설(起源說)을 부정하고 로마적 요소의 영향을 강조하였음. 저서로 ≪고대 도시≫·≪고대 프랑스 정치 제도사≫ 등이 있음. [1830-89]

퓌어 지히〔도 für sich〕명 〖철〗 헤겔 변증법(Hegel 辨證法)의 용어로서 대자(對自) 또는 향자(向自)라고 번역함. 다른 것과의 관계에 의해서 자기(自己)를 자각(自覺)하고, 자기 자신과 대립(對立)하는 일. 또, 그와 같은 존재(存在)의 상태를 이름. 안 지히(an sich)가 전개하여 취하는 다음 단계. ↔안 지히(an sich). *안 운트 퓌어 지히.

퓌우다 타 〈옛〉 피우다. ¶香 퓌우고 一句一偈 供養호매 니르러도≪月釋 XXI:122≫.

퓡퓡ᄒᆞ다 형 〈옛〉 핑핑하다. ¶퓡퓡홈이라(肨脹)≪無寃錄 Ⅰ:21≫.

퓨:너럴 마:치〔funeral march〕명 장송 행진곡(葬送行進曲).

퓨:덜리즘〔feudalism〕명 〖사〗 봉건 제도(封建制度).

퓨렉스-법【—法】[—뻡] 〔Purex〕명 핵연료(核燃料) 재처리법(再處理法)의 하나. 사용이 끝난 핵연료를 질산(窒酸)에 녹인 다음, 인산 트리부틸(燐酸 tributyl)과 접촉시켜 우라늄·플루토늄 등의 유용한 핵물질을 회수함.

퓨리터니즘〔Puritanism〕명 〖종〗 청교도주의. 청교파(清教派). 엄정주

의(嚴正主義).

퓨리턴 [Puritan] 명 〖종〗 ①청교도(淸敎徒). ②종교적으로 근엄하고 결벽(潔癖)한 사람.

퓨린 [purine] 명 〖화〗 푸린.

퓨:마 [puma] 명 〖동〗 [*Puma concolor*] 고양잇과에 속하는 짐승. 수컷의 두동(頭胴)의 길이는 1.6 m, 꼬리는 75 cm, 몸무게 90 kg 가량이고 암컷은 작음. 머리는 비교적 작고, 귀는 둥글고 크며, 뒷다리가 길고, 배면(背面)은 적갈색 내지 회갈색, 몸의 하면은 백색, 꼬리 끝은 흑갈색임. 나무에 잘 오르며, 나무 위나 바위 틈에 숨어서, 가까이 지나는 사슴류(類)·토끼 그 외의 작은 짐승에게 덤벼 포식(捕食)함. 보통 늦겨울에서 이른봄에 걸쳐 2-5마리의 새끼를 낳음. 미국 원산으로 북은 캐나다로부터 남은 파다고니아(Padagonia)에 걸쳐 널리 분포함. 아메리카사자.

〈퓨마〉

퓨어 [pure] 명 순수(純粹)함. 순결. ¶ ～골드(gold).

퓨어리즈 [Furies] 명 〖신〗 로마 신화에 나오는 복수(復讐)의 세 여신.

퓨어 컬러 [pure color] 명 동일 색상(色相) 중에서 가장 채도(彩度)가 높은 색. 순색(純色).

퓨얼 밸브 [fuel valve] 명 〖기〗 연료 밸브(燃料 valve).

퓨:전 [fusion] 명 〖경〗 다수의 회사가 경쟁을 피하기 위하여, 큰 회사에 합병(合併)하는 일. 기업 합동체(企業合同體).

퓨:전 뮤:직 [fusion music] 명 재즈·록·포퓰러 등의 요소(要素)와 스타일이 혼합·융화된 1970년대의 포퓰러 뮤직. 전기 악기·전자 악기에 의한 새로운 악기 음색(音色)의 도입이 특징임. 크로스오버 뮤직.

퓨:젓 만 【一灣】 [Puget] 명 〖지〗 미국 서부, 워싱턴 주 북서쪽에 있는 만. 빙하 지형(氷河地形)으로 굴곡이 심하고 대소(大小)의 섬이 많음. 수심(水深)은 180-270 m로 저지대에는 타코마(Tacoma)·시애틀(Seattle) 등의 양항(良港)과 대도시가 집중되어 있음. 만 안에서는 청어잡이·굴 양식을 함. 퓨젓 사운드.

퓨:젓 사운드 [Puget Sound] 명 〖지〗 퓨젓 만(灣).

퓨:젤-유 【一油】 [fusel] 명 〖화〗 알코올 발효 때에 생기는 아밀알코올을 주성분으로 하는 끓는점이 높은 여러 가지 고급 알코올의 혼합물. 휘발성이며 유독성이어서 술 마신 뒤의 두통의 원인이 됨.

퓨:즈 [fuse] 명 〖전〗 전기 회로(電氣回路)에 과대한 전류가 흐를 때, 곧 녹아 회로를 닫고, 미리 위험을 방지하는 데 쓰이는 금속물. 납과 주석의 합금임.

퓨:처 쇼크 [future shock] 명 [미국 저널리스트 앨빈 토플러가 만들어 낸 말] 미래 충격(未來衝擊).

퓨:터 [pewter] 명 납·안티몬 등을 함유하는 주석 합금(朱錫合金). 식기(食器)·장식품 등에 쓰임.

퓰:리처 [Pulitzer, Joseph] 명 〖사람〗 헝가리 출생의 미국 신문 경영자. 뉴욕의 ≪월드(World)≫지의 인계 발행을 위시하여 수 개 신문을 지배하고 사후 유언에 따라 신문인 양성 학교를 설치, 퓰리처상(Pulitzer賞)을 마련함. [1847-1911]

퓰:리처-상 【一賞】 [Pulitzer] 명 미국의 언론·문학상. 미국의 신문인 퓰리처의 유산에 의하여 제정되어 매년 저널리즘(journalism) 및 문학 부문에서 우수한 활동을 한 미국인에게 수여함.

프네우마 [그 pneuma] 명 프노이마.

프노이마 [도 Pneuma] 명 〖철〗 기(氣). 호흡(呼吸). 인간 생명의 원리(原理). 프네우마.

프놈펜 [Phnompenh] 명 캄보디아의 수도. 메콩 강(Mekong 江) 우안에 임한 하항(河港)으로 교통의 요지. 쌀·면화·피혁·건어(乾魚)의 거래가 성함. 9-19세기 크메르 왕국(Khmer王國)의 수도였으며 절·고고 박물관(考古博物館) 등이 있음. [800,000 명(1991 추계)]

프다[1] 자 〈옛〉 피다. ¶ 다섯 니피 프도다(開五葉)≪梵音集 5≫.

프다[2] 타 〈옛〉 풀다. 코풀다. ¶ 敢히 춤 받트며 코 프디 아니홀띠니라(不敢唾洟)≪小諺 Ⅱ:7≫. *플다.

프디 명 〈궁중〉 요(褥).

프라고나:르 [Fragonard, Jean Honoré] 명 〖사람〗 프랑스의 화가(畫家)·판화가(版畫家). 샤르댕(Chardin)·방로(Vanloo)에게 배운 뒤, 이탈리아에 유학하여 주로 뒤 바리 부인(du Barry夫人)의 청으로 루이 왕조(Louis 王朝) 말기의 궁정 풍속을 관능적인 작풍으로 묘사하였음. 작품 ≪목욕하는 여인들≫·≪연문(戀文)≫ 등. [1732-1806]

프라그 [Prague] 명 〖지〗 프라하(Praha)의 영어 이름.

프라도 미술관 【一美術館】 [Prado] 명 스페인 마드리드의 프라도 거리에 있는 국립 미술관. 1819년에 개관. 회화에서는 유럽 굴지의 소장을 자랑하는데, 초기 르네상스로부터 신고전주의에 이르는 5백 명의 화가의 작품을 망라함. 조각과 공예품도 수장(收藏)함.

프라디오마이신 [fradiomycin] 명 〖약〗 항생 물질의 하나. 각종 세균의 발육 저지 작용을 지님. 요도 감염(尿道感染)의 치료 및 장내 방부제(腸內防腐劑) 등으로 사용됨. 1948년에 발견됨. 네오마이신.

프라 바르톨롬메오 [Fra Bartolommeo, della Porta] 명 〖사람〗 이탈리아 피렌체파(Firenze派)의 화가. 페루지노(Perugino: 1450?-1523)의 제자로 출발하여, 초기에는 세속적인 작품이 많았으나 사보나롤라(Savonarola)의 영향을 받고 나서 종교화에 전념함. 단순 명쾌한 선묘(線描)와 인물의 장중(莊重)한 움직임이 특색이며, 미켈란젤로풍(風)의 힘찬 조소성(彫塑性)도 풍부함. 대표작은 ≪성카틸리나(聖Catilina)의 약혼≫ 등. [1472-1517]

프라사드 [Prasad, Rajendra] 명 〖사람〗 인도의 정치가. 캘커타 대학을 나와 변호사가 됨. 간디의 독립 투쟁을 지지하여 국민 회의파(國民會議派)에 참가, 여러 차례 투옥됨. 독립 후 1950년에 초대 대통령으로 선출되어 62년까지 그 지위에 있었음. [1884-1963]

프라세오디뮴 [praseodymium] 명 〖화〗 희토류(稀土類) 원소의 하나. 담황색이며 연성(延性)·전성(展性)이 풍부하고 아연보다 단단함. 열수(熱水)와 작용하여 수소를 발생하며 묽은 무기산에 잘 녹음. 프라제오딤(Praseodym). [59 번: Pr: 140.92]

프라스코 [포 frasco] 명 〖화〗 플라스크(flask).

프라시 [Frasch, Herman] 명 〖사람〗 독일 태생의 미국 화학자·발명가. 석유의 정유법(精油法)을 연구, 1885년 엠파이어 석유 회사를 창립, 원유(原油)의 탈황법(脫黃法)을 발견함으로써 캐나다와 오하이오산(產) 석유의 상용가(商用價)를 높임. 1891년 유황 추출의 열수(熱水) 용해 처리법을 창안해 냄. [1851?-1914]

프라 안젤리코 [Fra Angelico] 명 〖사람〗 이탈리아의 화가. 본명 Guido di Pietro. 1407년 도미니코회(會) 수도원에 들어가 각지의 성당에서 그림을 그려 초기 르네상스의 주요 화가의 한 사람이 됨. 고딕 취미를 살리면서 밝은 빛깔과 명쾌한 화면 구성으로, 경건한 종교적 감정이 넘친 종교화를 그림. 대표작에 ≪성모 대관(戴冠)≫·≪수태 고지(受胎告知)≫ 등. [1387-1455]

프라에토르 [praetor] 명 법무관(法務官). 고대 로마의 관직의 하나.

프라우 [도 Frau] 명 ①처(妻). ②부인(婦人).

프라우다 [러 Pravda] 명 [진리·진실의 뜻] 소련 공산당 중앙 위원회의 기관지. 1912년 페테르부르크(Peterburg)에서 창간(創刊)된 일간지(日刊紙)로, 1991년 공산당과 독립하여 일반 신문 체제로 일신함.

프라운호:퍼 [Fraunhofer, Joseph von] 명 〖사람〗 독일의 물리학자. 수종의 유리의 굴절률(屈折率)을 연구 중 나트륨 스펙트럼(spectrum)의 D선을 관찰하였고, 1814년에 태양의 스펙트럼에서 프라운호퍼선(Fraunhofer線)을 발견하였음. [1787-1826]

프라운호:퍼-선 【一線】 명 [Fraunhofer line] 〖물〗 태양의 광선을 분광기(分光器)로 분해한 스펙트럼 가운데에 나타나는 무수한 암선(暗線). 독일의 물리학자 프라운호퍼에 의하여 1814년에 발견되었음. 태양의 내부에서 생긴 빛이 태양의 외측(外側)의 대기(大氣) 중의 여러 원자(原子)에 의하여, 각각 특유(特有)한 선(線)만이 흡수되기 때문에 생긴다고 함.

프라이[1] [Frey, Dagobert] 명 〖사람〗 오스트리아의 미술사가. 드볼작의 제자로, 1925-31년, 1945-51년 빈의 미술사 연구소장, 1951년 이후 슈투트가르트(Stuttgart) 공과 대학 교수를 지냄. 주저(主著) ≪고딕과 르네상스≫·≪비교 예술학 기초론≫. [1883-1962]

프라이[2] [fry] 명 수육(獸肉) 또는 생선 같은 것을 밀가루를 무쳐 기름에 튀기는 일. 또, 그 음식. ¶ 달걀 ～ / 생선 ～. ──-하다 타 여불

프라이[3] [Fry, Christopher] 명 〖사람〗 영국의 극작가. 비극 ≪장자(長子)≫ 외에 「사계(四季)의 희극」이라고 불리는 시극(詩劇) 4부작 ≪불사조는 또 다시≫·≪분형(焚刑)을 면한 여자≫·≪금성 관측≫·≪어둠도 밝게≫로 전후 영국 연극에 큰 구실을 함. 아누이(Anouilh)와 지로두(Giraudoux)의 번역도 있으며 영화 각본 ≪벤허≫·≪발라바≫ 등도 있음. [1907-]

프라이드 [pride] 명 자랑. 자존심. 긍지(矜持).

프라이머리 [primary] 명 ①초급(初級). 초등(初等). ②↗프라이머리 글라이더.

프라이머리 글라이더 [primary glider] 명 초급 글라이더. 준프라이머리.

프라이머리 스쿨: [primary school] 명 초등 학교. 국민 학교.

프라이밍 [priming] 명 ①내연 기관을 시동(始動)시킬 때, 연료 펌프에 부속되어 있는 수동(手動) 펌프로, 연료 공급관 내에 기름을 가득 채워 펌프나 관 내에 남아 있는 공기를 공기 배출판(瓣)으로 배출하는 일. ②원심(遠心) 펌프 등을 기동(起動)시킬 때 내부에 물을 가득 채우는 일. ──-하다 자 여불

프라이버시 [privacy] 명 개인의 사생활이나 집안의 사적인 일. 또, 그것이 다른 개인이나 사회에 알려지지 않고 간섭받지 않는 권리.

프라이버시의 권리 【一權利】 [privacy] [一궐一 / 一에궐一] 명 사사로운 일, 사생활을 남에게 알리고 싶지 않은 권리.

프라이부르크 [Freiburg] 명 〖지〗 독일 남서부의 학술·관광 도시. 기계·화학·섬유 공업이 행해지고 목재·포도주의 거래가 성함. 1457년에 설립된 대학이 있음. [182,200 명(1985)]

프라이빗 [private] 명 ①개인적. 사적(私的). ②사영(私營). 사립(私立).

프라이빗 룸: [private room] 명 사실(私室).

프라이빗 브랜드 [private brand ; 약칭 PB] 명 〖경〗 도매업자·대형 소매업자가 독자적으로 만들어 사용하는 상표(商標). 상업자(商業者) 상표. 자가(自家) 상표.

프라이스 [price] 명 값. 가격(價格). 시세(時勢).

프라이스 라인 방식 【一方式】 [price line] 명 독립 전문점(獨立專門店)이 상품의 개성을 나타내기 위하여 고객의 요구를 여러 각도에서 추정(推定)하여 가격의 폭(幅)을 정하는 방식. 중심 가격 결정 방식(中心價格決定方式).

프라이스 리:더 [price leader] 명 어떤 산업 중에, 시장 가격의 설정·변경을 할 수 있는 지도적 기업.

프라이오리티 [priority] 명 우선. 우선 순위. 우선권. 선취득권(先取得權).

프라이즈 [prize] 명 상(賞). 경품(景品). 현상(懸賞).

프라이타:크 [Freytag, Gustav] 명 〖사람〗 독일의 소설가·극작가. 고타 공(Gotha公)의 지우(知遇)를 얻어 그의 추밀 고문관(樞密顧問官)으로 있으면서 작품을 발표하였는데, 그 중 희극 ≪신문 기자≫가 인기였으며, 다소 서정성(敍情性)이 부족(不足)하나 사실력(寫實力)과 유머에

찬 ≪대변(貸邊)과 차변(借邊)≫ 등 외에 특히 ≪희곡의 기교(技巧)≫에서 큰 이름을 얻었음. [1816-95]

프라이 팬 〔fry pan〕 명 프라이하는 데 쓰는 냄비. 자루가 달리고 번철처럼 운두가 얕으며 넓적함.

〈프라이 팬〉

프라임 레이트 〔prime rate〕 명 미국의 대(大)은행이 가장 신용도가 높은 일류 대기업에 대한 무담보 단기 사업 자금 대부에 적용하는 금리. *우대 금리.

프라임 타임 〔prime time〕 명 하루의 방송 가운데 시청률이 가장 높은 것으로 보이는 시청 시간대. '골든 아워'보다 약간 넓은 시간대로, 보통 오후 7시부터 11시까지를 가리킴.

프라제오딤 〔도 Praseodym〕 명 〖화〗 프라세오디뮴(praseodymium).

프라카스토로 〔Fracastoro, Girolamo〕 명 〖사람〗 이탈리아의 의사·자연 과학자·시인, 베로나(Verona)에서 개업, 의사로서 이름이 높았으며, 유명한 의학시(醫學詩) ≪시필리스 시베 모르부스 갈리쿠스(Syphilis sive morbus gallicus)≫의 작자. 이 시는 목자(牧者) 시필리스의 병의 증후와, 오늘날의 수은 요법을 시사하는 치료법을 기술한 것으로, 시필리스가 매독(梅毒)의 어원(語源)이 됨. 미생물 발견 훨씬 이전에 전염병은 어떤 미생물적인 것에 의하여 생긴다고 하였음. [1483-1553]

프라크리트 〔Prakrit〕 명 〖언〗 중세기 인도어(印度語)의 총칭. 산스크리트(Sanskrit)가 아어(雅語)·종교어인 데 대해 민간어(民間語)임. 팔리어(Pali語) 외에 많은 방언이 있음. 가장 오래된 문헌(文獻)은 기원전 3세기의 아쇼카 왕(王)의 비문(碑文)임.

프라페 〔프 frappé〕 명 ①얼음으로 차게 한 음료수. ②얼음 조각에 여러 가지 리큐어(liqueur)를 부은 음료수.

프라하 〔Praha〕 명 〖지〗 체코 공화국의 수도. 보헤미아 중부에 위치하며 몰다우 강을 따라 엘베 강과의 합류점에 가까움. 정치·경제·문화의 중심지로 기계·화학·섬유·식품 가공 따위의 공업이 행하여짐. 비교적(比較的) 따스해서 연평균(年平均) 기온 19.1°C임. 부근(附近)에서는 석탄을 산출하고 철제품(鐵製品)·면포를 산출함. 영어명(英語名)은 프라그(Prague). [1,210,000명(1991 추계)]

프라하 대학 【一大學】〔Praha〕 명 체코의 수도 프라하에 있는 대학. 1348년 카를 4세가 세움. 정식 명칭은 Universita Karlova. 파리 대학을 본떠 조직되었고, 14세기 말에 융성함. 1882년 체코 대학과 도이치 대학으로 갈라졌으나, 1945년, 도이치 대학은 폐교됨. 현재, 수학·물리·이학·의학·소아과·위생·철학·법학·교양·신문·체육·교육의 각 학부(學部)가 있음.

프라하 조약 【一條約】〔Praha〕 명 〖역〗 1866년 8월, 보오(普墺) 전쟁의 결과 성립한 조약. 독일 연방에서의 오스트리아의 배제, 슐레스비히홀슈타인(Schleswig-Holstein)의 프로이센에의 병합, 베네치아의 이탈리아에의 할양(割讓) 및 배상금을 정하였음. 이것에 의하여 독일 통일의 기초가 굳혀짐.

프락시스 〔그 praxis〕 명 실천(實踐)·실지(實地)에 임하여 하는 일.

프락시텔레스 〔Praxiteles〕 명 〖사람〗 고대 그리스의 조각가. 기원전 4세기경의 최대 조각가로, 신상(神像)의 준엄 숭고한 작품에서 탈피하여 인간의 우미한 자태를 표현함. 원작(原作)으로 지금 전하는 것으로는 ≪헤르메스(Hermes)≫ 하나뿐임. [370?-330?B.C.]

프락치 〔러 fraktsiya〕 명 〖정〗 정당(政黨)이 대중 단체의 내부에 조직하는 당원 조직(黨員組織). ¶국회 ～ 사건.

프락치 활동 【一活動】〔러 fraktsiya〕〔一똥〕 명 〖정〗 좌익 운동(左翼運動)에 쓰이는 세력 확장의 한 전술. 노동 단체(勞動團體) 같은 곳에 조직원을 보내어 좌익 블록을 만들어 활동하는 일.

프란센 〔Franzén, Frans Mikael〕 명 〖사람〗 핀란드의 시인. 1809년 조국 핀란드가 러시아에 합병당한 뒤 스웨덴에서 성직자로 활동, 하르노산드의 주교가 됨. 대표시 ≪셀마와 파니≫ 등. [1772-1847]

프란체스카 〔Francesca, Piero della〕 명 〖사람〗 이탈리아의 화가. 15세기 중부 이탈리아의 대표적 화가로, 원근법(遠近法)과 색채법(色彩法)을 연구, ≪회화의 원근법≫·≪다섯 개의 올바른 형체≫ 등의 저서가 있음. 작품으로는 ≪성십자가(聖十字架) 전설≫·≪제단화(祭壇畫)≫ 등이 있음. [1416-1492]

프란체스코 〔Francesco〕 명 〖사람〗 이탈리아의 수도사(修道士). 성인(聖人). 자신의 중병(重病) 경험에서 생활을 일변하여 오로지 기도와 빈자(貧者)를 위해 헌신키로 결심하였음. 종교적 탁발(托鉢)에 의한 생활을 하고 이의 회칙(會則)을 만들어, 1223년 교황의 인가를 얻어 프란체스코회(Francesco 會)를 창설하였음. 본명은 Giovanni Bernardone. [1182-1226]

프란체스코-회 【一會】〔Francesco〕 명 〖종〗 1223년 프란체스코가 세운 가톨릭교(Catholic 敎)의 수도회(修道會). 그리스도 애(Christ 愛)의 실천을 주지(主旨)로 하고, 가난한 사람, 병든 사람을 위로하며, 회색 옷을 입고 탁발(托鉢)함. 수사(修士)·수녀(修女)·평신도(平信徒)의 삼부(三部)가 있으며, 총회장(總會長)이 통솔함.

프란츠 〔Franz, Robert〕 명 〖사람〗 독일의 작곡가. 할레(Haale)에 태어나서 1843년 슈만의 인정을 받아 최초로 리트(Lied)를 출판한 후, 감동적인 약 350곡의 리트를 남김. [1815-92]

프란츠-요제프-란트 〔Franz Josep Land〕 명 〖지〗 '젬랴 프란차 이오시파(Zemlya Frantsa Iosifa)'의 독일 이름.

프란츠 요제프 일세 【一一世】〔Franz Joseph Ⅰ〕〔一쎄〕 명 〖사람〗 오스트리아 황제. 프로이센 오스트리아 전쟁에 패한 후, 1867년 오스트리아 헝가리 제국을 편성, 독일 제국(帝國)과는 우호 관계를 유지했으나, 세르비아와의 관계를 악화시킴으로써 사라예보 사건을 유발했음. [1830-1916]

프란츠 이:세 【一二世】〔Franz Ⅱ〕 명 〖사람〗 최후의 신성 로마 황제. 나폴레옹에 패하여 1806년 신성 로마 제국을 해체함. 1813년 이후 대불 대동맹(對佛大同盟)에 참가, 빈 회의를 주재하여 신성 동맹을 맺고 반동 정책을 수행함. [1768-1835]

프란츠 페르디난트 〔Franz Ferdinand〕 명 〖사람〗 오스트리아의 대공(大公). 프란츠 요제프 1세의 조카. 1896년 제위(帝位) 계승자가 됨. 1913년 육군 총감이 되어 군(軍)의 정비에 노력, 대독(對獨) 접근과 동시에 국내 슬라브 민족과의 융화를 꾀했으나 사라예보 방문 중에 암살당함. 이것이 제1차 세계 대전의 발단이 됨. [1863-1914]

프란틀 〔Prandtl, Ludwig〕 명 〖사람〗 독일의 응용 역학자. 하노버 공과 대학, 괴팅겐 대학 교수를 거쳐 카이저 빌헬름(Kaiser Wilhelm) 유체 연구소(流體硏究所) 창설 이래의 소장. 경계층(境界層)의 이론을 창시하여 현대 유체 역학의 기초를 만들고, 날개 이론을 전개하여 항공(航空) 역학의 기초를 다짐. 탄성론(彈性論)·소성론(塑性論)에도 많은 공헌이 있음. [1875-1953]

프랑 〔프 franc〕 의명 〖경〗 프랑스·스위스·벨기에 등의 화폐 단위.

프랑수아 일세 【一一世】〔François Ⅰ〕〔一쎄〕 명 〖사람〗 프랑스 국왕. 대내적으로는 왕권 강화에 노력하고, 대외적으로는 이탈리아 전쟁을 계속하여 신성 로마 황제 카를 5세에 대항함. 문예(文藝)를 보호 육성하여 '프랑스 르네상스의 아버지'로 불림. [1494-1547]

프랑슘 〔francium〕 명 〖화〗 1939년 프랑스의 페레(Perey)가 발견한 악티늄(actinium) 227이 α붕괴할 때 생성하는 방사성 원소(放射性元素). [87번:Fr:223]

프랑스[1] 〔France〕 명 〖지〗 서유럽의 공화국. 민족 대이동(民族大移動)의 결과 5세기에 프랑크 왕국(王國)이 성립하여 백년 전쟁(百年戰爭) 이후 왕권이 신장됨. 부르봉 왕조(Bourbon王朝)의 실정으로 1789년에 대혁명이 일어나 제일 공화제(第一共和制)를 수립하였으나 1804년 나폴레옹 일세(一世)가 즉위(卽位)하였으며, 1848년 제2 공화제를 수립하였으나 1852년에 나폴레옹 삼세(三世)가 즉위하였고 1870년에 다시 제3 공화제를 수립하여 자본주의 국가로서 근대 정치의 주도권을 장악하였음. 제2차 세계 대전에서 1940년 독일에게 패하여 페탱(Pétain, Henri Philippe)이 친독 정권(親獨政權)을 수립하였으나 전후(戰後)에 제4 공화제가 성립하였다가 1959년 다시 제5 공화제로 바뀜. 17-18세기에 유럽 대륙의 패권(覇權)을 쥐고, 아프리카·아시아에 많은 식민지(植民地)를 가졌었음. 주민(住民)은 구석기(舊石器) 시대 이래 복잡한 인종(人種)을 구성하며 언어는 프랑스어(語)임. 1905년까지 가톨릭교를 국교(國敎)로 하였으나 신교(新敎)도 성함. 기계·귀금속(貴金屬)·섬유·건축·화학 공업이 성하고 수도 파리는 유행(流行)의 원천지라고 함. 수도는 파리(Paris). 정식 명칭은 프랑스 공화국(French Republic). 불국(佛國). 불란서. ㊐불(佛). [551,500 km² : 56,640,000명 (1991 추계)]

프랑스[2] 〔France, Anatole〕 명 〖사람〗 프랑스의 소설가·비평가(批評家). 아카데미(Académie) 회원. 세련된 취미와 박학(博學)한 지식으로 문체는 명랑 적확(明朗適確), 풍부한 풍자미(諷刺味)로써 최고의 문예 작품을 만들었음. 처음 시집 ≪황금 시집(黃金詩集)≫ 등을 내고 소설에 전향하여 ≪실베스트르 보나르(Sylvestre Bonnard)의 죄≫·≪타이스(Thaïs)≫·≪신(神)들은 목마르다≫ 등을 내어 크게 문명을 떨치고 당대 제일의 명문가(名文家)로 꼽혔음. 1921년 노벨 문학상을 받음. 만년에는 차츰 사회주의에의 관심을 보였음. 본명은 Anatole François Thibault. [1844-1924]

프랑스 공:동체 【一共同體】 명 〔프 La Communauté Française〕 〖정〗 1958년의 제5 공화정 헌법에 의하여 제4 공화정 시대의 프랑스 연합을 개편(改編)한 것. 공화국 곧, 본국·해외 제현(諸縣)·해외 영토 및 마다가스카르(Madagascar)·세네갈(Senegal) 등 공화국과의 공존을 바라는 구(舊) 프랑스 식민지의 독립국으로 이룸. 구성국(構成國)의 독립성을 강화하기 위하여, 1960년 6월, 헌법이 다시 개정됨. 불란서 공동체.

프랑스 공:화력 【一共和曆】〔France〕 명 1793년 11월 24일부터 1805년 12월 31일까지 프랑스에서 사용된 달력. 공화제가 성립한 1792년 9월 22일을 달력의 제1년 첫날로 잡고, 1개월은 30일, 열흘씩 3순(旬)으로 나누며, 나머지 5일은 혁명 축제일(革命祝祭日)로 함.

프랑스 국민 도서관 【一國民圖書館】〔France〕 명 프랑스의 국립 도서관. 전신(前身)은 왕실 문고(王室文庫)로 16세기경부터 있었다고 하지만, 현재 이름의 국립 도서관이 된 것은 1789년 왕실의 재산이 혁명 정부에 몰수된 때부터임. 장서 약 600만 권.

프랑스 국민 연합 【一國民聯合】〔France〕〔一년一〕 명 1947년 드골이 결성한 정치 조직. 약칭 PRF. 프랑스를 정당 정치로부터 해방하여 강력한 대통령 정부를 세울 것을 목적으로 함. 51년 총선거로 제1당이 되었으나, 이듬해 정부 참가 시비로 분열, 드골이 정계에서 은퇴(隱退)하면서 소멸함.

프랑스 노동 총:연합 【一勞動總聯合】〔一년一〕 명 〔Confédération Générale du Travail; CGT〕 프랑스 최대의 전국 노동 조합 조직. 1895년 결성. 제1차 세계 대전 후 분열했다가 다시 합동. 제2차 대전 중 점령군 독일에 의해 해산되었다가 전후 다시 재건함. 공산당의 영향이 강해지자 우파는 1948년 '노동자의 힘'을 조직하여 갈라져 나감.

프랑스 대:혁명 【一大革命】〔France〕 명 프랑스 혁명. ㊐대혁명.

프랑스 동인도 회:사 【一東印度會社】〔France〕 명 프랑스가 인도 경영을 위해 1604년에 세운 특권적 무역 회사. 영국의 동인도 회사와 격렬한 경쟁을 벌임. 플래시(Plassey)의 싸움에 패한 후 쇠퇴하여, 1796년 해산함.

프랑스령 기아나 【一領一】 명 〔Guyane Française〕 〖지〗 남미(南美) 동북부, 수리남(Surinam) 동쪽에 있는 프랑스의 해외주(海外州). 주산물은 사탕·바나나·목재 등. 1815년부터 프랑스령(領), 1946년 본국의 주(州)로 승격함. 본국의 상·하원에 각각 1명의 대표를 파견함. 프랑스의 인공 위성 발사 기지가 있음. 주도는 카옌(Cayenne). [91,000 km²: 73,000 명(1982)]

프랑스령 서아프리카【一領西一】명 [French West Africa]〖지〗아프리카 대륙 중서부에 있던 프랑스의 옛 식민지. 1958 년의 기니 독립을 시작으로, 1960 년에 모리타니·세네갈·말리·부르키나파소·코트디부아르·니제르·베냉으로 각각 독립함. 불란서령 서아프리카.

프랑스령 인도【一領印度】명 [French India]〖지〗인도의 캘커타 지방의 샹데르나고르(Chandernagor) 동해안의 야나옹(Yanaon)·퐁디셰리(Pondichérry)·카리칼, 서해안의 마에(Mahé)의 다섯 프랑스령 식민지. 1956년에 모두 인도에 병합됨. 불란서령 인도.

프랑스령 인도차이나【一領印度一】[French Indochina] 명〖지〗인도차이나 반도 동부에 있었던 프랑스의 옛 식민지. 지금의 베트남·캄보디아·라오스가 여기에 속함. 불령 인도 지나.

프랑스령 적도 아프리카【一領赤道一】명 [French Equatorial Africa]〖지〗아프리카 중부에 있던 프랑스의 옛 식민지. 1980 년 8 월에 콩고·가봉·중앙 아프리카 공화국·차드의 4 개국으로 각각 독립함. 불란서령 적도 아프리카.

프랑스령 폴리네시아【一領一】명 [Polynésie Française]〖지〗남태평양 중앙에 산재하는 프랑스의 해외 영토. 소시에테(Société)·투아모투(Touamotou)·갬비어(Gambier)·마르키즈(Marquises) 등의 제도(諸島)로 이루어짐. 타히티 섬은 세계적 관광지이며 무루로아 환초(環礁)는 프랑스의 핵실험장임. 코프라·커피·바나나·진주 등을 산출함. 1769년 쿡(Cook, J.)이 발견, 1950년 불령 지역(佛領地域)으로 통합됨. 수도는 파페에테(Papeete). [3,941 km²: 165,000 명(1982)]

프랑스 민법【一民法】[France] [一뻡] 명 나폴레옹의 주재 아래 편찬되어 1804년에 공포된 프랑스의 민법전. 대륙법계(大陸法系)에 속하며, 통일 법전으로서 근대 성문 민법전의 최초의 것. 나폴레옹 법전.

프랑스 방:송 협회【一放送協會】명 [Office de Radiodiffusion Télévision Française] 독립 예산을 가지며 상업적 성격도 갖춘, 국내 방송 사업을 독점하는 프랑스의 국영 사업체. 1964년 정부 기관인 프랑스 국영 방송을 개편(改編)한 것임.

프랑스 백과 전서【一百科全書】[France] 명 영국의 체임버스(Chambers) 백과 사전에 자극을 받아, 디드로(Diderot)·달랑베르(D'Alembert) 등이 중심이 되어 편찬한 프랑스의 백과 사전. 볼테르·몽테스키외 등이 특별 기고하고, 루소 등 약 200명이 집필·기고·자료 제공을 함. 1751년 제1권 간행 이래, 정부의 탄압과 로마 교황의 단죄(斷罪)를 받으면서도, 1980년 색인을 마지막으로 전권 35권을 완료함. 프랑스 계몽 사상의 집대성이며, 혁명 전야의 프랑스 사회에 큰 영향을 줌.

프랑스-병【一病】[France] [一뼝] 명 '매독(梅毒)'을 독일 사람이 일컫는 말. 프랑스 사람은 나폴리병이라고 함.

프랑스 빵 명 [France+포 pao] 짠 맛을 낸, 껍질이 단단한 흰 빵. 보통, 주먹이나 굵은 막대 모양으로 하여 구움.

프랑스 사회당【一社會黨】명 [Section française de l'Internationale ouvrière; SFIO] 1905년 사회주의 여러 파가 합동해서 결성한 프랑스의 정당. 노동자들의 외면으로 대중적 정당이 되지 못함. 1920년 분열하여, 좌파는 프랑스 공산당을 결성함. 제2차 대전 후에는 중도 좌파의 노선을 걸으며 1950년대 중반까지 가끔 연립 내각 조직에 참여함. 그 뒤, 1981년 5월의 대통령 선거에서 승리하여 제5 공화국 성립 이래 처음으로 집권함. 약칭 : Parti Socialiste Français.

프랑스 수아르 [France Soir] 명 프랑스의 신문의 하나. 파리에서 발행되는 석간지(夕刊紙)로서, 1941년 창간됨. 보수계(保守系)의 대중지임.

프랑스식 데모【一式一】[France] 명 시위자들이 손을 맞잡고 길을 가득히 메우고 행진하는 데모.

프랑스-어【一語】[France] 명 인도 유럽어족 중 이탤릭 어파(語派) 로맨스어(Romance語)에 속하는 언어. 프랑스의 공용어 외에 스위스 북부, 벨기에 남부, 캐나다 특히 퀘벡 주(州), 룩셈부르크, 타히티에서도 공용어로 씀. 그 밖에 모리셔스 제도, 미국 루이지애나 주의 일부와 구(舊) 프랑스 식민지에서도 씀. 정치의 중심지인 파리 지방의 일드프랑스(Ile de France) 방언이 근대 프랑스 공통어의 기초가 되었음. 불어(佛語). 불란서어.

프랑스 연합【一聯合】[France] 명 1946년 프랑스 제4 공화정 아래 형성된 국가 형태. 영연방(英聯邦)을 본떠, 본국·구식민지·보호령을 평등한 권리와 의무 아래 통일한 연합체. 1958년 프랑스 공동체로 개편됨.

프랑스 요리【一料理】[France] 명 프랑스에서 발달한 전통적인 요리. 서양 요리의 대표적인 것으로, 세련된 맛으로 알려짐. 불란서 요리.

프랑스 은행【一銀行】명 [프 Banque de France] 프랑스의 중앙 은행(中央銀行). 1800년 창립. 총재(總裁)·부총재는 정부가 임명함. 은행권(銀行券)의 독점적 발행권(獨占的發行權)을 가짐. 1945년 국유화(國有化)됨. 불란서 은행.

프랑스 이탈리아 협상【一協商】[France Italia] 명〖역〗1900 년, 프랑스의 모로코에 대한 우선적 지위의 승인과 교환 조건으로, 이탈리아가 터키령 트리폴리(Tripoli)·키레나이카(Cyrenaica)에 대한 우월권의 승인을 얻은 협정. 1911 년의 이탈리아 터키 전쟁에서, 이탈리아는 두 땅의 합병을 선언했음. 불이(佛伊) 협상.

프랑스 인형【一人形】[France] 명 프랑스제의 인형. 또, 서양식 인형의 총칭.

프랑스 자:수【一刺繡】[France] 명 불란서 자수.

프랑스 장정【一裝幀】[France] 명〖인〗가제본(假製本)의 하나. 책장을 접은 채 절단하지 않고 종이 표지만 씌워 페이퍼 나이프로 가르면서 읽음. 애독자가 나중에 본(本)제본으로 할 것을 예상하여 생각해 냄.

프랑스 혁명【一革命】[France] 명〖역〗1789년 프랑스에서 부르봉 왕조(Bourbon王朝)의 절대주의적인 구제도를 타파하고 근대 시민 사회를 이룩한 전형적인 시민 혁명(市民革命). 부르봉 왕조의 여러 해에 걸친 실정(失政), 사회 계급의 현격한 격차, 혁명 문학의 영향 등이 원인이 되어 발단되었음. 혁명의 결과 국민 의회(國民議會)는 인권 선언(人權宣言)을 공포하고, 새로운 헌법을 정하여 공화제가 성립되었음. 매년 7월 14일을 기념일로 하여 온 국민이 지킴. 불란서 혁명.

프랑카드 명 플래카드(placard)의 잘못.

프랑켄슈타인 [Frankenstein] 명〖책〗영국의 시인 셸리의 아내인 메어리 셸리(Mary Shelley : 1797-1851)가 쓴 괴기 소설. 프랑켄슈타인 박사가 제작한 인조 인간이, 살육(殺戮)을 자행하다가 북극양(北極洋)에 그 자태를 감추기까지의 이야기. 1818 년 간행.

프랑켄 왕조【一王朝】[Franken] 명〖역〗잘리에르 왕조(Salier 王朝).

프랑코 [Franco, Francisco] 명〖사람〗스페인의 군인·정치가. 32세에 장군(將軍)이 되었으며 1931년의 공화 혁명(共和革命) 때에 용명을 떨침. 1936년 인민 전선(人民戰線) 내각에 의하여 좌천당하자 반란을 일으켜 스페인 내란이 시작됨. 독일·이탈리아의 파시스트(Fascist)의 원조로 인민 전선을 괴멸시키고 1939년 독재 정권을 수립, 1947년의 국민 투표로 종신 총통(終身總統)이 됨. [1892-1975]

프랑코칸타브리아 미술【一美術】[Franco-Cantabria] 명 프랑스 남부와 스페인 북부 지방에 남아 있는 구석기 시대 후기(後期)의 동굴(洞窟) 미술. 동굴 벽화와 돋을새김으로서, 프랑스의 라스코(Lascaux) 동굴의 것이 유명함.

프랑크[1] [Franck, César Auguste] 명〖사람〗벨기에 출생의 독일계 프랑스 오르간(organ) 연주가·작곡가. 어려서부터 피아노에 능하여 이후 교회의 오르가니스트 또는 교수(教授)로 종신하였음. 깊이 기독교에 귀의하여 시종 내면적인 음악을 썼으며, 바흐(Bach)에 경도(傾倒)하여 그의 다성적(多聲的) 수법을 취하여 반음계(半音階)를 흔히 쓴 근대 화성(和聲)에 의하여 작곡하였음. 프랑스 음악의 경박성에 깊은 정신성(精神性)을 가져온 그의 작품은 모두 걸작이며, 우수한 많은 제자를 길러 내었음. [1822-90]

프랑크[2] [Franck, James] 명〖사람〗독일 출신의 미국 물리학자. '프랑크·헤르츠(Franck Hertz)의 실험'으로 보어(Bohr)의 원자 구조론에 실험적 지주(支柱)를 제시하여 1925년 헤르츠(Hertz, G.)와 함께 노벨 물리학상을 받음. [1882-1964]

프랑크[3] [Frank, Il'ya Mikhailovich] 명〖사람〗소련의 물리학자. 모스크바 대학 교수. 탐(Tamm)과 협력하여 체렌코프 효과(Cherenkov効果)의 수학적 이론을 전개, 체렌코프·탐과 함께 1958년 노벨 물리학상을 받음. [1908-]

프랑크 왕국【一王國】[Frank] 명〖역〗프랑크족이 486 년에 갈리아(Gallia)에 세운 왕국. 752 년까지 메로빙거 왕조가 지배한 후, 이어 카롤링거 왕조가 지배했음. 카롤루스 대제(Carolus 大帝)는 서유럽의 반 이상을 경략, 800 년에 서(西)로마 황제의 칭호를 받았음. 843 년에 국토가 동서 프랑크와 이탈리아로 삼분되어 후에 프랑스·독일·이탈리아의 기원(起源)이 됨.

프랑크-족【一族】[Frank] 명 게르만 민족의 한 부족(部族). 라인 강 하류(下流) 지방에서 일어나 게르만족 대이동(大移動) 때에, 지금의 벨기에와 프랑스 북부에서 그 세력을 떨쳤으며 486년에 프랑크 왕국을 세웠음. *프랑크 왕국.

프랑크푸르터 알게마이네 차이퉁 [Frankfurter Allgemeine Zeitung] 독일에서 발간되는 보수계의 일간지. 1949년 창간. 정치적 중립을 지키며 고도(高度)의 기사 내용으로 정평이 있음.

프랑크푸르트 [Frankfurt] 명〖지〗①↗프랑크푸르트 암마인. ②↗프랑크푸르트 안데어오데르.

프랑크푸르트 국민 의회【一國民議會】[Frankfurt] 명〖역〗1848년 3월 혁명에 의하여 프랑크푸르트에서 열린 헌법 제정 의회(憲法制定議會). 전독일 연방 각국의 대표가 통일 독일의 건설을 논의하였는데, 대(大)독일주의와 소(小)독일주의가 충돌하여 의론 백출했음.

프랑크푸르트 선언【一宣言】명 [The Frankfurt Declaration] 1951년 7월 2일, 독일의 프랑크푸르트 암 마인에서 채택된 사회주의 인터내셔널의 강령(綱領). 히틀러와 스탈린의 전체주의 독재에 대항하는 민주 사회주의의 진로를 밝힌 선언임.

프랑크푸르트 소시지 [Frankfurt sausage] 명 소시지의 일종. 본고장인 독일의 프랑크푸르트식의 제법(製法)에 의함. 쇠고기·돼지고기를 혼합하여 만든 10cm 정도의 길이의 것으로, 핫도그 등에 쓰임.

프랑크푸르트 안데어오:데르 [Frankfurt an der Oder] 명〖지〗독일 동부의 폴란드 국경의 도시. 폴란드·러시아로 통하는 수륙(水陸) 교통의 요지로, 금속·가구·식품 공업이 행하여짐. 오데르 강 양안(兩岸)에 걸친 도시였으나, 우안(右岸) 지구는 1945년 폴란드령이 되었음. [81,000 명(1981)]

프랑크푸르트 암마인 [Frankfurt am Main] 명〖지〗독일의 서쪽 마인 강(Main江) 하류에 있는 상공업 도시. 독일의 경제·금융의 중심지이며 철도 교통의 요충(要衝)임. 유럽 상업의 일대 중심지로서 매년 각종 견본 시장(見本市場)이 열림. 교외에서는 화학·기계·식료품 등의 공업이 활발함. 1356 년부터 독일 황제의 선거, 1562-1806 년까지 황제의 대관식이 여기에서 거행되었음. 1914 년에 창립된 대학과 도서관·식물원·동물원 등, 문화 시설이 많음. 괴테의 출생지이기도 함. ㊀프랑크푸르트. [623,700 명(1989 추계)]

프랑크푸르트 조약【一條約】[Frankfurt] 명〖역〗보불(普佛) 전쟁의 결과, 1871 년 5 월, 프랑크푸르트 암 마인에서 체결된 프로이센(Preußen)과 프랑스 사이의 강화 조약. 프로이센은 이 조약으로 알사스로렌(Alsace Lorranine)과 50억 프랑의 배상금을 얻고, 국왕 빌헬름(Wilhelm) 1세는 독일 황제가 되고, 독일의 통일을 완성함.

프랑크 헤르츠의 실험【―實驗】[―/―에―] 명 〔Franck-Hertz's experiment〕〖물〗 프랑크(Franck, J.)와 헤르츠(Hertz, G.)가 1913년 이후 실시한 실험. 보어(Bohr, N.)가 가정(假定)한 원자의 불연속 에너지 준위(準位)의 존재를 확인함.

프랑클 〔Frankl, Victor Emil〕 명 〖사람〗 실존 분석을 창시한 오스트리아의 정신 의학자. 유태인으로서 아우슈비츠 수용소에 수용된 체험을 기록한 ≪밤과 안개≫가 세계적 반향을 일으킴. 저서는 이밖에 ≪사랑과 죽음≫·≪시대 정신의 병리학≫ 등이 있음. [1905-]

프래그머티즘 〔pragmatism〕 명 〖철〗 실용주의(實用主義).

프래그머티즘 법학【―法學】〔pragmatism〕 명 법은 사회 통제의 수단이라고 하는 실용주의 법학.

프래그먼트 〔fragment〕 명 파편(破片). 쇄편(碎片). 단편(斷片).

프랙션 〔fraction〕 명 〖정〗 프락치(fraktsiya).

프랙티컬 〔practical〕 명 실용적(實用的). 실제적. 실리적(實利的). ――하다 형 여불

프랜시스 수차【―水車】 명 〔Francis turbine〕 미국의 기술자 프랜시스(Francis, James Bicheno : 1815-92)가 고안한 수력 발전용 반동(反動) 수차. 50-55 m의 중간 정도의 낙차(落差)로서 유량(流量)이 많은 경우에 적합함. ＊펠턴(Pelton) 수차·프로펠러 수차.

프랜차이즈 〔franchise〕 명 ①선거권. 공민권(公民權). 시민권. ②야구 용어로서, 프로 야구의 홈 그라운드(home ground). 또, 그 곳에서의 흥행권(興行權).

프랜차이즈 체인 〔franchise chain〕 명 특권을 가진 총판업자가 연쇄점에 가입한 독립점(獨立店)에서 특약료(特約料)를 징수하는 따위의 체인. 계약 체인(契約 chain).

프랭클리나이트 〔franklinite〕 명 〖광〗 아연과 철의 산화(酸化)광물. 등축 정계(等軸晶系) 팔면체상(八面體狀)의 결정으로, 능각(稜角)은 약간 둥그스름하고 무르며, 아금속성(亞金屬性) 광택이 있고 검은 빛이 나는 철광. 아연철광(亞鉛鐵鑛). [$ZnFe_2O_4$]

프랭클린[1] 〔Franklin, Benjamin〕 명 〖사람〗 미국의 정치가·사상가·과학자. 가난한 가정 출신으로, 출판 인쇄업자로 성공. 독립 선언서의 기초 위원, 프랑스 대사 등을 역임하였음. 박학 다식한 두뇌로써 ≪자서전(自敍傳)≫을 저술하였는데 이것은 문학적으로도 높이 평가되며, 그 밖에 피뢰침(避雷針), 번개의 방전(放電) 현상의 증명 등 과학 분야와 도서관·고등 교육 기관의 창립 등 문화 사업에도 공헌함. [1706-90]

프랭클린[2] 〔Franklin, John Sir〕 명 〖사람〗 영국의 해군 군인·탐험가. 1818년 북극(北極)을 탐험하고, 1845년 북해(北海) 항로의 측량에 참가하였다가 동사(凍死)하였음. [1786-1847]

프랭클린-구【―區】〔Franklin〕 명 〖지〗 캐나다 노스웨스트 주(Northwest 州) 북부에 있는 한 지구. 북아메리카 최북단인 캐나다의 북극해 제도, 부시아(Boothia), 멜빌의 두 반도를 포함하며 1895년에 지구가 성립되었고 1918년에 경계가 확정, 오타와 연방 정부가 직할함. 주민은 소수의 에스키모뿐임. [1,422,500 km^2 : 약 7,000명] ＊북극해 제도.

프러디다 자 〈옛〉 풀어지다. ¶迷惑ㅁ수미 다 프러딜시(迷心頓釋)≪金剛 下 138≫.

프러스트레이션 〔frustration〕 명 〖심〗 외부로부터의 방해 또는 자기 마음 속의 금지로 인해 욕망을 채우지 못하고 있는 상태. 욕구 불만(欲求不滿).

프러시아 〔Prussia〕 명 〖지〗 ①프로이센(Preussen). ②프로이센 왕국.

프러시안 블루 〔Prussian blue〕 명 〖미술·화〗 청색의 안료(顔料). 페로시안화 칼륨 용액(溶液)에 제2철염 용액을 가해서 만듦. 베를린청(Berlin 靑). 감청(紺靑).

프러포:즈 〔propose〕 명 ①발의(發議)하는 일. 건의(建議)하는 일. 제안(提案)하는 일. ②구혼(求婚)하는 일. ――하다 자 타 여불

프런트 〔front〕 명 ①정면. 전면(前面). ②호텔 현관의 계산대. ③전선(前線). 전선(戰線).

프런트 글라스 〔front glass〕 명 자동차의 정면에 있는 유리창.

프런트 코:트 〔front court〕 명 농구에서, 경기장의 중앙에 그은 선으로부터 상대편 바스켓이 있는 쪽의 코트.

프런트 페이지 〔front page〕 명 제일면(第一面).

프런티어 〔frontier〕 명 국경 지방(國境地方)·변경(邊境)의 뜻으로, 특히 미국에서 개척지(開拓地)와 미(未)개척지의 경계선.

프런티어 스피릿 〔frontier spirit〕 명 ①진취적이고 적극적인 정신. ② ↗개척 정신(開拓精神).

프레:게 〔Frege, Gottlob〕 명 〖사람〗 독일의 수학자·논리학자. 기호 논리학의 개척자. 예나 대학 교수. 자연수론(自然數論)의 논리학적 정립에서 출발, 명제(命題) 논리와 술어(述語) 논리의 정식화에 성공하였음. 저서에 ≪산술의 기초≫·≪산술의 근본 법칙≫ 등. [1848-1925]

프레그넌스 〔pregnance〕 명 〖심〗 형태(形態) 심리학에서 말하는 형태 경향(形態傾向)을 지배하는 근본 법칙. 심적 현상은 체제화(體制化)한 통일적 전체로서 구상(具象)하나, 그 체제는 그 사태하(事態下)에서 허용되는 한, 균형이 잡혀, 단순하고 긴밀한 짜임을 갖춘 좋은 형태를 이룬다고 함.

프레:글 〔Pregl, Fritz〕 명 〖사람〗 오스트리아의 유기(有機) 화학자. 그라츠(Graz) 대학 교수. 미량 천칭(微量天秤)을 고안하여 유기물의 탄수소 미량 정량법을 창시, 1913년 원소 미량 분석법을 완성함. 1923년 노벨 화학상 수상. [1869-1930]

프레넬 〔Fresnel, Augustin Jean〕 명 〖사람〗 프랑스의 물리학자. 영(Young, T.; 1773-1829)과는 별도로 '파동의 간섭' 개념을 도입하여 빛의 회절(回折)·직진(直進)을 설명, 빛의 파동설을 확립하였음. 광학(光學) 현상에 대한 지구의 운동에 끼치는 영향을 연구하여 정지 에테르를 가정, 수반 계수(隨伴係數)를 도입함. 이 밖에 간섭 실험을 위하여 프레넬의 복경(複鏡)·복(複)프리즘 및 등대용 집광 렌즈로서의 프레넬 렌즈 등을 고안하였음. [1788-1827]

프레리 〔prairie〕 명 〖지〗 ①미국 중부에서 캐나다 일부에 걸쳐 미시시피 강을 중심으로 펼쳐진 광대한 초원과 그 분포 지역의 명칭. 옥수수·밀·목화 등의 큰 재배지이며 코요테(coyote)·프레리도그(prairie dog) 등의 특유한 동물이 삶. 프레리는 프랑스어로 '목장'의 뜻. ②넓은 뜻으로는 온대에서 아열대에 걸쳐, 대륙성 기후 아래 발달하는 초원. 대초원(大草原).

프레리-도그 〔prairie dog〕 명 〖동〗 다람쥣과 프레리도그속(屬)에 속하는 포유류의 총칭. 두동(頭胴)의 길이 30 cm, 꼬리 길이 9 cm 정도로 털빛은 회색 또는 갈색이고, 꼬리 끝은 검음. 집단으로 서식하며 지하에 복잡한 굴을 팜. 초식성(草食性)으로 울음 소리가 개와 비슷하고 북아메리카 프레리 지역을 중심으로 5종이 분포함. 짖는다람쥐.

프레미어 쇼: 〔premier show〕 명 일반 공개에 앞서, 관객(觀客)의 반응을 보기 위하여 극히 짧은 기간 동안 하는 유료 시사회(有料試寫會). 개봉 영화·연극 등의 피로 흥행(披露興行).

프레밍 〔Fremming, Walter〕 명 〖사람〗 독일의 세포학자(細胞學者). 세포의 염색법(染色法)을 개량, 세포 분열에 있어서 유사 분열(有絲分裂)이란 말을 처음으로 썼고, 세포 유전학의 기초를 닦음. 또, 원형질(原形質)의 섬유 구조설(纖維構造說)을 제창(提唱)하였고, '프레밍 고정액(Fremming固定液)'을 만들었음. [1843-1905]

프레베르 〔Prévert, Jacques〕 명 〖사람〗 프랑스의 시인. 쉬르레알리스트의 한 사람. 시집 ≪파롤≫로써 일약 민중 시인으로서의 인기를 얻음. J. 코스마에 의해 샹송으로 작곡된 ≪고엽(枯葉)≫이 유명함. ≪인생 유전(人生流轉)≫ 등 영화 시나리오도 있음. [1900-77]

프레베자의 해:전【―海戰】[―/―에―] 〔Préveza〕 명 〖역〗 1538년 9월 8일 오스만 제국(帝國)의 함대가 프레베자를 포위 공격 중인 베네치아·로마 교황군 등의 서유럽 연합 함대를 격파한 싸움. 프레베자는 그리스 서쪽 해안 아르타(Arta)만 입구의 도시. 이 결과 터키는 전 지중해의 제해권(制海權)을 획득했음.

프레보[1] 〔Prévost d'Exiles, Antoine François〕 명 〖사람〗 프랑스의 소설가. 통칭은 아베 프레보(Abbé Prévost). 파란 많은 생애의 경험을 그린 ≪어느 귀인(貴人)의 수기≫ 중 유명한 ≪마농 레스코(Manon Lescaut)≫는 제7권째에 들어 있음. [1697-1763]

프레보[2] 〔Prévost, Marcel〕 명 〖사람〗 프랑스의 소설가. 다분히 흥미로운 대중 작품을 썼음. 작품은 약 50편인데, 대표작으로 ≪반처녀(半處女)≫·≪여성의 편지≫·≪조프르 양(Joffre 孃)≫ 등이 있음. [1862-1941]

프레세페 성단【―星團】〔Praesepe〕 명 〖천〗 게자리의 중앙에서 육안으로 볼 수 있는 산개(散開) 성단. 거리 520광년. 약 100개의 미광성(微光星)이 밀집되어 있음.

프레셔 그룹 〔pressure group〕 명 압력 단체(壓力團體).

프레스[1] 〔press〕 명 ①인쇄. 출판. 신문. ¶～ 클럽. ②〖공〗 판금 기계(板金機械)의 한 가지. 잘라 내는 것과 눌러 짜는 것 등이 있으며, 성형 작업(成形作業)용의 기계임. 지렛대·나사·물의 압력 등을 이용하여 누름. ③〖공〗 압착하여 액즙(液汁)을 짜는 기계.

프레스[2] 〔Press, Frank〕 명 〖사람〗 미국의 지구 물리학자. 미해군·국방부·NASA 등과 협력, 지구 물리·지진·행성 과학 등의 연구에 종사함. 전미(全美) 과학 아카데미 총재도 지냄. [1924-]

프레스 가공【―加工】〔press〕 명 프레스에 의한 소성(塑性) 가공. 특히, 판금(板金) 가공을 말함.

프레스 디펜스 〔press defence〕 명 농구·핸드볼에서, 공격측 선수에게 밀착(密着)해서 움직임을 최대한으로 구속하는 수비. 강압 수비(強壓守備).

프레스부르크 〔Pressburg〕 명 〖지〗 브라티슬라바(Bratislava)의 독일 이름.

프레스부르크의 화약【―和約】〔Pressburg〕[―/―에―] 명 〖역〗 1805년 프레스부르크에서 프랑스와 오스트리아 사이에 맺어진 조약. 오스트리아는 북이탈리아·남독일에 있는 영지를 이탈리아·바이에른 등에 할양하고, 나폴레옹 1세의 지배를 승인함. 이로써 제3회 대(對)프랑스 동맹은 깨지고 신성 로마 제국도 해체하게 됨.

프레스 성형【―成型】〔press〕 명 〖공〗 압축 성형(壓縮成型).

프레스 센터 〔press center〕 명 ①신문사가 많이 모여 있는 지역. 정치·경제의 중심에 가깝고 교통이 편리한 것 등의 입지 조건이 있음. ②어떤 기획 또는 사건 등의 취재·보도에 편리하도록 설치된 기자(記者) 전용의 건물 또는 방.

프레스 카메라 〔press camera〕 명 신문·잡지 등의 보도 사진의 촬영에 사용할 목적으로 만들어진 카메라.

프레스 캠페인 〔press campaign〕 명 〖사〗 언론 기관이 지상(紙上)을 통하여 행하는 사회 개혁 운동. 곧, 신문이 어떤 특정한 문제를 적극적으로 채택하여 여론(輿論)을 환기시키는 일.

프레스코[1] 〔이 fresco〕 명 〖미술〗 회칠한 벽면이 완전히 마르기 전에 수채화를 그리는 벽화 기술. 또, 그 작품. ¶～화(畫).

프레스코[2] 〔presco〕 명 〖연〗 ↗프레스코어링(prescoring).

프레-스코어 〔prescore〕 명 〖연〗 ↗프레스코어링(prescoring).

프레-스코어링 〔prescoring〕 명 〖연〗 텔레비전이나 영화에서 화면을 촬영하기 전에, 음악이나 대사(臺詞)를 녹음하는 일. 사전 녹음(事前錄音). 준 프레스코·프레스코어. ↔포스트 스코어링(post scoring).

프레스 키트 〔press kit〕 명 〔키트는 도구 일습, 용구함(用具函) 등의 뜻〕 취재(取材) 참고 자료집. 국제 회의 따위에서 주최자측이 주로 외국 기자단 등에게 취재 상의 편의를 주기 위해 각종 자료를 모아 자료집으로 마련한 것. 영문(英文)이나 불문(佛文)으로 출석자(出席者)의 경력 등이 배포됨.

프레스터 존 〔Prester John〕 명 중세(中世)에, 아시아 및 아프리카에 걸쳐 강대한 기독교국을 건설했다고 하는 전설상의 왕.

프레스턴 〔Preston〕 명 『지』 영국 잉글랜드 북서부 랭커셔(Lancashire)의 주도(州都)로, 리블 강(Ribble江) 어귀 북안의 항구 도시. 북방과 남방에 운하를 통하며, 리버풀과 더불어 중요한 무역항임. 면공업이 성하며, 조선(造船)·기계 공업도 행하여짐. 〔126,000 명(1981)〕

프레스토 〔이 presto〕 명 『악』 '빠르게·급하게'의 뜻.

프레스티시모 〔이 prestissimo〕 명 『악』 '매우 빠르게·가장 빠르게'의 뜻.

프레스파 호 【一湖】 〔Prespa〕 명 『지』 알바니아·그리스·유고슬라비아 3국의 국경에 있는 호수. 평균 수심 18.5 m. 〔288 km²〕

프레슬리 〔Presley, Elvis〕 명 『사람』 미국의 가수·영화 배우. 미시시피 주 태생으로, 1953년 여름 트럭 운전사로 있을 때, 우연히 4달러를 들고 녹음실을 방문 노래를 취입한 것이 대가수로 성장할 수 있는 계기가 됨. 1950년대 중반 로큰롤 음악의 우상으로 세계적인 명성을 날렸으며, ≪러브 미 텐더≫ 등 1백만 장 이상의 판매를 올린 '골든 디스크'만도 30장 이상이 됨. 또, 많은 영화에도 주연함. 〔1935-77〕

프레시 〔fresh〕 명 신선함. ――-하다 형 여불

프레시-맨 〔freshman〕 명 ①신인(新人). 신진(新進). ②신입생(新入生). 특히, 대학의 1년생.

프레싱 〔pressing〕 명 의복이나 옷감 위에 젖은 헝겊을 대고 다림질하여 주름을 펴는 일. ――-하다 자 여불

프레온 〔Freon〕 명 플루오르와 탄소의 화합물인 플루오르카본(fluorocarbon)의 뒤퐁(Du Pont) 회사 상표명. 염소(塩素), 플루오르, 탄소의 화합물인 클로로플루오르카본(chlorofluorocarbon : CFC) 등도 포함됨. 무색 무취의 기체 또는 끓는점이 낮은 액체임. 무독(無毒)·불연성(不燃性)으로 열적(熱的)·화학적으로 안정하며 유지(油脂)를 잘 녹임. 냉장고·에어컨의 냉매(冷媒), 반도체 제품이나 정밀 기기의 세척제, 스프레이의 분무제, 우레탄폼(urethane foam)의 발포제(發泡劑) 등으로 쓰임. 약 20종이 양산(量産)되었는데 5종의 특정 프레온(표 중의 F-22는 제외)은 성층권에서 자외선에 의해 분해되어 염소를 방출하여 오존층을 파괴하므로, 국제적으로 2000년까지 그 사용을 전면 금지하기로 결정되었음.

명칭	분자식	끓는점(℃)
F-11	$CFCl_3$	23.8
F-12	CF_2Cl_2	−29.8
F-22	CHF_2Cl	−40.8
F-113	$C_2F_2Cl_3$	47.6
F-114	$C_2F_4Cl_2$	3.3
F-115	C_2F_5Cl	−39.1

프레온 가스 〔Freon gas〕 명 염소(塩素)와 플루오르가 화합된 저급(低級) 탄화 수소 화합물의 상표명. 기체 상태의 '프레온'을 말하며, 스프레이용, 냉방·냉장고 등의 냉매용(冷媒用)으로 쓰임.

프레-올림픽 〔pre-Olympic〕 명 올림픽이 개최되는 전년(前年)에, 그 개최 예정지에서 거행되는 국제적인 경기 대회(競技大會)의 속칭.

프레이르 〔Freyr〕 명 『신』 북유럽 신화 중의 신(神). 일광(日光)과 성숙(成熟)·농업의 신(神)임.

프레이밍 〔framing〕 명 『사진』 피사체(被寫體)를 파인더(finder)의 테두리 안에 적절히 배치하여 화면을 구성하는 일.

프레이야 〔Freyja〕 명 『신』 북유럽 신화 중의 신(神). 프레이르(Freyr)의 동생. 사랑과 미(美)의 여신(女神)임.

프레이저 〔Frazer, James George〕 명 『사람』 영국의 민족학자(民族學者). 동서 고금의 미개인에 관한 방대한 문헌·자료를 수집하여, 이를 미개인·고대인의 토테미즘(totemism)·주술(呪術)·터부(taboo) 및 성적(性的) 관계 등의 중요한 연구를 하였음. 저서로는 ≪금지편(金枝篇)≫ 13권이 있음. 〔1854-1942〕

프레이저 강 【一江】 〔Fraser〕 명 『지』 캐나다의 태평양 연안을 흐르는 강. 로키 산맥 속의 빙하호(氷河湖)에서 발원(發源)하여, 거의 남쪽으로 흘러 밴쿠버(Vancouver) 부근에서 조지아 해협에 흘러듦. 1957년, 하상(河床)에서 사금(沙金)이 발견됨. 〔1,360 km〕

프레이즈 〔phrase〕 명 ①구(句). 성구(成句). 숙어(熟語). ¶ 캐치 ~. ②『악』 악구(樂句).

프레이즈-반 【一盤】 〔fraise〕 명 『기』 밀링 머신(milling machine).

프레이트 라이너 〔freight liner〕 명 특정한 컨테이너 기지(container 基地) 사이에 직통하는 컨테이너 수송 전문의 화물 열차. 중간역(中間驛)이나 조차장(操車場)의 입환 작업 등으로 지체되던 화물 수송의 고속화를 꾀함.

프레임 〔frame〕 명 ①틀. 테두리. ②자동차·자전거 등의 틀·뼈대. ③온상(溫床). 묘상(苗床). ④볼링에서, 한 경기를 열로 나눈 한 하나. 두 번까지 공을 던질 수 있음.

프레임 안테나 〔frame antenna〕 명 루프 안테나(loop antenna).

프레임-업 〔frame-up〕 명 정치적 반대자를 대중으로부터 고립시켜 탄압·공격의 구실로 삼기 위해 일정한 기성(旣成) 사실을 왜곡·변조하여 이용하거나, 사건을 날조하는 일. 일반적으로 '조작(操作)'이라고 번역함.

프레젠테이션 〔presentation〕 명 광고 대리업자가 예상 광고주 및 광고 의뢰주에게 제출하는 광고 캠페인 계획서와 그 제시(提示)·설명 활동을 이름.

프레젠트 〔present〕 명 선사. 선물. ――-하다 타 여불

프레주디스 〔prejudice〕 명 편견(偏見). 선입관.

프레즈노 〔Fresno〕 명 『지』 미국 서부 캘리포니아 주의 산자스킨 계곡(San Jasquin溪谷)의 중심 도시. 부근(附近)은 세계적인 포도 산지임. 〔291,900 명(1987)〕

프레즈비티:리언 〔Presbyterian〕 명 『기독교』 장로파(長老派). 장로교(長老教).

프레지던트 〔president〕 명 대통령·총재(總裁)·의장(議長)·회장·총장·사장 등의 뜻.

프레타포르테 〔프 prét á porter〕 명 〔'즉시 입을 수 있도록 준비된'의 뜻〕 고급 기성복.

프레토리우스 〔Praetorius, Michael〕 명 『사람』 독일의 작곡가. 목사의 아들로 태어나 각지의 궁정 오르가니스트를 역임. 독일 바로크 음악을 대표하는 프로테스탄트 음악가의 한 사람임. 그의 저서 ≪음악 대전(音樂大全)≫은 초기의 음악 백과 사전으로 중요시됨. 〔1571-1621〕

프레파라:트 〔도 Präparat〕 명 『생』 현미경용(顯微鏡用)의 생물 및 광물의 표본. 보통, 슬라이드 글라스(slide glass)와 커버 글라스(cover glass) 사이에 적당한 액체를 매액(媒液)으로 재료와 함께 봉입(封入)하여 만듦. 프레퍼레이션.

프레퍼레이션 〔preparation〕 명 『생』 프레파라트.

프레-폴리머 〔prepolymer〕 명 『화』 플라스틱이나 수지(樹脂)의 중간체(中間體). 분자량은 출발 물질의 단위체(單位體)와 최종적으로 경화(硬化)한 중합체(重合體) 또는 수지의 중간임.

프렌드 〔friend〕 명 친구. ¶ 보이 ~.

프렌드-십 〔friendship〕 명 우정(友情). 우의(友誼).

프렌드-파 【一派】 〔Friend〕 명 『종』 〔신자들이 서로 부를 때에 미스터라 하지 않고 프렌드, 곧 친구라 호칭(呼稱)하므로〕 퀘이커파(Quakers派).

프렌들리 제도 【一諸島】 〔Friendly〕 명 『지』 통가(Tonga) 제도의 영어명.

프렌치 〔French〕 명 프랑스인. 프랑스 국민. 프랑스어.

프렌치 드레싱 〔French dressing〕 명 초·샐러드유(salad油)·후추·소금 등으로 만든 샐러드용의 조미료(調味料). 비네그레트 소스(binaigrette sauce).

프렌치 버:밀리언 〔French vermilion〕 명 안료(顏料)·그림 물감의 이름. 황화 수은(黃化水銀)을 주성분(主成分)으로 하는 붉은 색의 안료·그림 물감. 버밀리언보다는 약간 밝은 색을 띰.

프렌치 슬리:브 〔French sleeve〕 명 여성복에서, 소매를 따로 만들어 달지 않고, 옷의 길과 하나로 이어지게 만든 소매. 짧은 것으로부터 팔꿈치까지 오는 것까지 여러 가지가 있음.

프렌치인디언 전:쟁 【一戰爭】 〔French-Indian〕 명 7년 전쟁 중, 1754-63년에 걸쳐 영국과 프랑스의 두 나라가 북아메리카에서 싸운 전쟁. 프랑스가 인디언 여러 부족과 동맹하여 영령(英領) 식민지를 공격한 데서 연유한 명칭임. 영국은 캐나다를 정복하여 파리 조약으로 그 영유(領有)를 확정함.

프렌치 캉캉 〔French cancan〕 명 〔1830년경에 파리에서 유행했으므로〕 캉캉.

프렌치 토:스트 〔French toast〕 명 달걀·우유 등을 섞어 얇은 식빵 조각에 발라 살짝 구운 토스트.

프렌치 프라이 〔French fry〕 명 성냥개비처럼 가늘게 썬 감자 튀김.

프렌치 호른 〔French horn〕 명 『악』 호른(Horn).

프렐로그 〔Prelog, Vladimir〕 명 『사람』 스위스 화학자. 보스니아 헤르체고비나 태생. 콘포스(Cornforth, J.W.)와 함께 입체 화학 분야 연구에 대한 공로로 1975년도 노벨 화학상을 받음. 〔1906- 〕

프렐류:드 〔prelude〕 명 『악』 전주곡(前奏曲).

프렛 〔fret〕 명 『악』 만돌린·기타·밴조 등의 악기에서, 지판(指板)의 표면을 구획(區劃)하는 금속제의 돌기(突起).

프로[1] 명 ①↗프로그램. ¶ 방송 ~. ②↗프로덕션. ¶ 독립(獨立) ~. ③↗프로파간다. ¶ 아지 ~. ④↗프롤레타리아. ¶ ~ 독재(獨裁)/~ 문학. ⑤↗프로센토. ¶ 5 ~ 인상(引上).

프로[2] 〔pro〕 명 ↗프로페셔널(professional). ↔아마·논프로. ¶ ~ 야구/~ 권투 / ~급(級).

프로게스테론 〔progesterone〕 명 『화』 난소 황체(卵巢黃體)로부터 얻는 황체 호르몬의 일종. 임신중 자궁의 발육 성장을 지배함. 무월경, 절박성(切迫性) 및 습관성 유산 등의 치료에 쓰임. 황체 호르몬(黃體 hormone). *여성 호르몬.

프로 권:투 【一拳鬪】 명 직업 선수에 의해 흥행으로 벌어지는 권투. 국제적으로 W.B.A., W.B.C., I.B.F. 등의 조직이 있음. 프로 복싱.

프로그래머 〔programmer〕 명 ①프로그램을 작성하는 사람. 기획을 하는 사람. ②컴퓨터의 프로그래밍에 종사하는 사람.

프로그래밍 〔programming〕 명 실제로 컴퓨터를 작동시킬 프로그램을 작성(作成)하는 일. 또, 그 작성 과정.

프로그래밍 언어 【一言語】 〔programming〕 명 『컴퓨터』 실제로 프로그램을 작성할 때 사용되는 언어. 기계어와, 어셈블러에 의해 번역되는 어셈블리 언어, 컴파일러에 의해 번역되는 포트란·파스칼, 인터프리터에 의해 번역되는 베이식(BASIC) 등이 있음.

프로그램 〔program〕 명 ①목록. ②순서. ③예정(豫定). 계획. ④『연』 연극·영화·음악 등의 진행 순서표. 예제(藝題). 곡목(曲目). 준 프로. ⑤컴퓨터에 대하여, 어떤 절차로 정보를 처리할 것인가를, 기계가 해독(解讀)할 수 있는 특별한 언어 따위로 지시하는 것. 또, 그것을 작성하는 일. *프로그램 언어.

프로그램 디렉터 〔program director〕 명 방송 프로 제작에 있어서의 연출 담당자. 준 피 디(PD).

프로그램 뮤:직 〔program music〕 명 『악』 표제 음악(標題音樂). ↔앱

설루트 뮤직(absolute music).

프로그램 언어【―言語】〔program〕 명 컴퓨터에서 프로그래밍의 코딩(coding)에 쓰이는 언어. 기계어(機械語)·기호어(記號語)·컴파일러(compiler) 언어로 나뉨.

프로그램 테스트〔program test〕 명 컴퓨터에서, 작성된 프로그램의 동작이 계획대로 되는지의 여부를 확인하기 위하여 테스트 입력(入力)을 넣어서 프로그램을 움직여 동작 결과를 확인하는 일.

프로그램 픽처〔program picture〕 명 《연》 ①한 영화에 곁들인 단편 영화. ②연극에서 특작품(特作品)에 대한 보통 작품.

프로그램 학습【―學習】〔program〕 명 학습 방법의 하나. 세분화한 학습의 목표와 과정을 계열화하여 그 하나하나의 과정마다 학습자에게 개별적으로 학습하도록 하여 적극적인 반응을 강화시키면서 학습의 목표치(目標値)에 확실히 도달할 수 있도록 배려된 학습 형태. 미국에서는 1950년대에 본격화하여 학교·산업계에서 채용되고 있음.

프로그레시브〔progressive〕 명 ①진보적(進步的). ②진보주의자. ↔콘서버티브(conservative)❷. ――하다 형 여불

프로그레시브 록〔progressive rock〕 명 《악》 클래식이나 재즈의 요소를 가미하고, 신시사이저(synthesizer) 등의 전기적 악기를 이용한 전위적 록 음악. 1960년대 이후 영국을 비롯한 유럽에서 유행함.

프로그레시브 재즈〔progressive jazz〕 명 《악》 리드미컬하고 비선율적(非旋律的)이며 불협화음(不協和音)으로 이루어진 실험적인 재즈. 1940년에 성했음.

프로그레시비즘〔progressivism〕 명 《정》 정치 혁신과 민주 정치 실현을 기하여 공익을 위한 국가 임무의 확대를 인정하고, 자유 방임주의의 시정을 위한 정부 간섭의 필요를 주장한 일체의 사상 및 운동. 19세기 말에 미국에서 일어남. 진보주의. 혁신주의(革新主義).

프로그-맨〔frogman〕 명 고무제(製)의 수중복(水中服)을 착용하고, 산소 보급기를 등에 지고 장시간 물 속에 들어가서 구조·파괴·공작 따위를 하는 해군의 잠수 공작병(潛水工作兵).

프로덕션〔production〕 명 ①생산. 생산물. 작품. ¶매스～. ②《연》 영화의 제작 또는 제작소. 또는 예능 등을 기획·흥행하는 곳. ㊥프로. ③사업이나 계획을 수행하기 위해 인재(人材)를 모은 집합체. 또, 그것을 위해 설립한 기업. ¶～ 팀.

프로덕션 팀〔production team〕 명 《경》 한 상품의 판매를 확장하고 생산을 높이기 위해 협력 태세를 취하는 관련 기업의 팀.

프로덕트 디자인〔product design〕 명 산업 디자인. 수공예 디자인과 산업 디자인의 양자(兩者)를 포함하여 이름.

프로덕트 라이프 사이클〔product life cycle〕 명 제품이 개발되어 시판(市販)되고 시장에서 사라지기까지의 경제적 양상을 말함. 일반적으로, 도입기(導入期)·성장기(成長期)·경쟁기·성숙기·쇠퇴기로 나뉨. 어떤 제품이 경쟁기 또는 성숙기에 있을 동안 다음 제품이 개발되지 않으면 기업의 존속은 유지할 수 없음.

프로덕트 매니저 제:도【―制度】〔product manager〕 명 신제품의 개발과 상품화를 추진하는 전문 담당 제도. 제품마다 전담자가 있고, 설계에서 제조·판매까지의 각 부문의 연락·조정에 임하여 매력 있는 신제품이 시기에 맞게 생산되도록 하는 제도.

프로듀:서〔producer〕 명 《연》 ①연극·영화·방송 관계의 제작자. 피디(PD). ②무대 감독. 연출자. 미국에서는 연극·오페라 등의 흥행주(興行主)·경영자를 말함.

프로듀:서 시스템〔producer system〕 명 연극·영화의 제작·흥행의 한 형태. 프로듀서 곧, 제작자가 각본의 선정, 스탭·캐스트와의 교섭, 자금 조달부터 작품의 완성·선전까지 모두 맡아 함. 미국의 상업주의 연극에서 많이 하는 방법임.

프로 레슬링〔pro wrestling〕 명 흥행(興行)을 목적으로 하는 직업적인 레슬링. ¶～ 선수.

프로망탱〔Fromentin, Eugène〕 명 《사람》 프랑스의 화가·작가. 아프리카의 풍물화로 명성을 얻고, 《옛 거장(巨匠)들》 등 미술 비평도 씀. 반(半)자서전적 소설 《도미니크》는 연애 심리를 섬세한 문체로 그린 프랑스 심리 소설의 대표적 걸작의 하나임. 그 밖에 기행문《사하라의 여름》 등이 있음. [1820-76]

프로메테우스〔Prometheus〕 명 《신》 그리스 신화 중의 영웅. 천계(天界)에서 제우스(Zeus)를 속여 불을 훔쳐서 인류에게 준 까닭으로 제우스의 격노를 사서 카프카스 산의 큰 바위에 묶여 독수리에게 간장(肝臟)을 쪼이는 벌을 받게 되었으나 수천년 후에 헤르쿨레스(Hercules)에 의하여 구출되었음.

프로메튬〔promethium〕 명 《화》 희토류(稀土類) 원소의 하나. 1947년 우라늄의 핵(核)분열 기타의 핵(核)반응에 의하여 인공적으로 발견되었음. 열 두 가지 동위체(同位體)가 알려져 있으며, 가장 안전한 것은 ^{145}Pm이며 이는 반감기(半減期) 18년임. [61번:Pm:145]

프로메튬 백사:십 칠〔promethium-147〕 명 《화》 인공적으로 만들어진 희토류(稀土類) 원소의 하나. 우라늄 235가 분열할 때 생성됨.

프로모:터〔promoter〕 명 ①지지자(支持者). 후원자. 장려자. 주최자. 발기인. ②권투 등의 흥행주(興行主).

프로 문학【―文學】〔pro〕 명 《문》 ↗프롤레타리아 문학.

프로미넌스〔prominence〕 명 《천》 홍염(紅焰).

프로민〔promine〕 명 《화》 백색 무정계(無晶系)의 분말. 나병(癩病) 치료에 쓰임. 술파제(sulfa劑)의 일종. [$C_{24}H_{34}O_{18}N_2S_3Na_2$]

프로밀〔프 promille〕 명 천분율(千分率).

프로방스〔Provence〕 명 《지》 프랑스 남동부 이탈리아에 접하는 지중해 연안 지방. 내륙(內陸)은 기후가 건조하지만 해안 지방은 온난(溫暖)하고, 임업(林業)과 농업이 경영됨. 예로부터 동방 문화와의 접촉이 많고 프로방스어(語)라고 하는 특수한 프랑스어를 쓰고 있음. 해안지는 국제적인 보양지(保養地)임.

프로방스 문학【―文學】〔Provence〕 명 《문》 프로방스어로 쓰인 문학. 음유 시인(吟遊詩人)에 의한 서정시가 대표적 작품이며, 그 전성기는 12세기 중엽부터 13세기에 걸쳐서였음.

프로방스-어【―語】〔Provence〕 명 《언》 인도 유럽 어족(語族) 이탤릭 어파(語派)에 속하는 언어. 프로방스 지방의 방언으로, 19세기까지 남프랑스 전역(全域)의 언어는 이 명칭으로 불리었음.

프로버빌리티〔probability〕 명 ①있을 만한 일. 가망(可望). 개연성(蓋然性). ②《수》 확률(確率).

프로베니우스[1]〔Frobenius, Georg Ferdinand〕 명 《사람》 독일의 수학자. 1875년 취리히 대학, 1902년 베를린 대학 교수. 군(群)의 지표라는 개념을 도입, 유한군(有限群)의 표현론(表現論)을 세워 군론(群論)의 발전에 이바지함. 또, 대수적 정수론(代數的整數論)에서 프로베니우스 치환(置換)을 발견함. [1849-1917]

프로베니우스[2]〔Frobenius, Leo〕 명 《사람》 독일의 민족학자. 문화권설(文化圈說)을 제창. 어떤 특정한 문화 요소는 관련이 있는 다른 문화 요소와 더불어 복합적으로 전파함을 발견, 상관 관계에 있는 일군(一群)의 문화 요소의 분포 영역을 문화권이라고 규정함. 서(西)아프리카와 오세아니아에 걸치는 문화권을 지적했음. 저서에 《아프리카 문화의 기원》 등이 있음. [1873-1938]

프로보카토:르〔러 provokator〕 명 적대 조직(敵對組織)에 들어가 의식적으로 도발 행위(挑發行爲)를 하는 사람. 도발자(挑發者).

프로비던스〔Providence〕 명 《지》 미국 로드아일랜드 주(Rhode Island 州)의 주도. 프로비던스 강(江) 어귀에 있는 해항(海港)으로 뉴잉글랜드에서 둘째로 큰 도시임. 직물(織物)·기계 등의 공업이 성하고 보석(寶石)·은기(銀器)·장신구(裝身具) 등의 특산물을 냄. [160,728명(1990)]

프로비타민〔provitamin〕 명 생체 내의 반응이나 자외선 조사(照射)로 비타민으로 변화하는 물질. 프로비타민 에이(A)·프로비타민 디(D) 등.

프로빈셜리즘〔provincialism〕 명 ①시골풍(風). 조야(粗野). 편협. ②사투리. 방언(方言). ③지방적 감정. 시골 근성(根性).

프로빈키아〔provincia〕 명 일반적으로는 고대 로마의 속주(屬州). 원래는 고급 정무관(政務官)의 권한 영역이라는 뜻. 제1 포에니 전쟁 이후에 획득한 이탈리아 반도 이외의 해외 영토, 즉 로마의 관리가 절대적인 권한을 행사할 수 있었던 지역을 이름.

프로세르피나〔Proserpina〕 명 《신》 로마 신화에 나오는 명부(冥府)의 여왕. 그리스 신화의 페르세포네(Persephone)에 해당함.

프로세서〔processor〕 명 《컴퓨터》 ①자체의 명령어를 해독하여 프로그램을 수용하고 외부의 각종 장치를 제어(制御)할 능력이 있는 전자 회로. ②데이터를 처리할 능력이 있는 시스템이나 장치.

프로세스〔process〕 명 ①방법. 공정. ②과정. 절차. ③↗프로세스 평판.

프로세스 오:토메이션〔process automation〕 명 프로세스 제어.

프로세스 인쇄【―印刷】〔process〕 명 다색 인쇄 기법의 하나. 컬러 원고를 사진적(寫眞的) 기법에 의해, 황색·적색·감색·흑색의 4색으로 분해하고, 각 색을 평판(平版) 판재로 제판하여, 오프셋 인쇄 방식으로 인쇄하는 기법.

프로세스 제:어【―制御】〔process〕 명 화학 공업·석유 정제 등의 장치 공업(裝置工業)에 있어서의 자동 제어의 한 형태. 제조 공정(工程)과 계측(計測)·조절(調節)·조작(操作)의 각 주요 부문에 온도·압력·유량(流量) 등이 유기적으로 연결되고 자동화되며, 이들 공정의 각 부를 계측기로 계측하여 계획에 차질이 있으면 조절기에서 조작부에 신호를 보내 공정을 자동적으로 제어하게 되는데, 이 조작이 연속·자동적으로 행하여지는 경우를 말함.

프로세스 치:즈〔process cheese〕 명 천연 치즈(cheese)를 가열 용해(加熱溶解)하여 재성형(再成形)한 가공(加工) 치즈.

프로세스 평판【―平版】〔process〕 명 《인쇄》 금속 평판 중의 사진 제판법으로 제판하는 것. 특히, 다색(多色) 인쇄의 경우를 말하며 오프셋 인쇄기로 인쇄함. 잡지의 표지 등의 인쇄에 쓰임. ㊥프로세스.

프로센토〔포 procento〕 명 퍼센트(percent). ㊥프로.

프로슈:머〔prosumer〕 명 〔미국의 저널리스트 토플러의 조어(造語)로, producer(생산자)+consumer(소비자)〕 생산과 소비가 혼연 일치된 생활을 하게 될 미래의 인간.

프로스타글란딘〔prostaglandin〕 명 《약》 전립선(前立腺)·정낭(精囊) 등에서 만들어지는 호르몬 모양의 일군(一群)의 약제(藥劑). 1933-34년경에 자궁근(子宮筋) 추출 물질로서 분리(分離)·명명(命名)된 지용성(脂溶性)의 카르복시산(酸)으로, 1960년 스웨덴의 베르크스트룀에 의해서 결정화(結晶化)되고 구조(構造)가 결정됨. 임상적(臨床的)으로는 위액 분비 억제(胃液分泌抑制)·기관지근(筋) 이완(弛緩)·혈압 강하·진통 유발(誘發) 및 촉진(促進)·사후 피임약(事後避姙藥) 등으로 쓰임.

프로스트〔Frost, Robert Lee〕 명 《사람》 미국의 시인(詩人). 전원(田園) 생활에서 취재한 깊이있는 사실적 시를 써서 전후 4회의 퓰리처상(賞)을 받음. 시집 《보스톤의 북쪽》 등이 있음. [1874-1963]

프로시:니엄〔proscenium〕 명 《연》 ①고대 연극에서 배우가 연기를 하는 장소. 지금의 무대. 원래는 무대와 관객석과의 사이의 경계에 해당하는 부분을 말함. ② ↗프로시니엄 아치.

프로시:니엄 아:치〔proscenium arch〕 명 《연》 프로시니엄과 관객석 사이에 시설되어 있는 아치. 무대의 막(幕)과 아치가 무대와 관객석을 구별함. ㊥프로시니엄.

프로시마 켄타우리〔Proxima Centauri〕 명 《천》 켄타우루스(Centaurus)자리에 있는 실시 등급(實視等級) 11등의 항성(恒星). 거리 약 4.3광년의 적색 왜성(赤色矮星)으로서, 태양에 가장 가까움. 켄타우루스

자리의 알파성(α星)과 삼중 연성(三重連星)을 만들어, 때때로 증광(增光)하는 섬광성(閃光星)임.

프로시아 〔Prossia〕 명 『지』 프로이센(Preussen)의 라틴어.

프로 야:구 【—野球】〔pro〕 명 직업 선수에 의하여 흥행(興行)으로서 행하여지는 야구. 직업(職業) 야구. ¶ ~ 중계.

프로 예:술 【—藝術】〔pro〕 명 『예』↗ 프롤레타리아 예술.

프로이센 〔Preussen〕 명 『지』 독일 북부의 대부분을 차지하는 한 지방. 원래는 발트 해 연안, 슬라브 계통의 프로이센인이 거주한 지역의 이름으로 18세기초에 프로이센 왕국을 형성하고 독일의 최대 강국(強國)으로서 독일 통일의 핵심이 되었음. 제1차 세계 대전 후에는 독일 공화국을 구성하는 17개 주의 하나였고 나치스 시대에는 하나의 행정 구획(行政區劃)으로 되었다가 제2차 세계 대전 후에는 연합군 점령 지구로 되었음. 프러시아(Prussia). 보로서(普魯西).

프로이센 개혁 【—改革】〔Preussen〕 명 1807년 이후 나폴레옹 전쟁에 패하여 위기에 처한 프로이센에서 행해진 일련의 개혁. 국가 체제의 근대화를 비롯하여 교육 제도의 개혁, 군제 개혁 등을 이름. 이로써 프로이센은 절대주의 체제로부터 벗어나 민족적 자각이 높아져 근대 국가로의 재편성이 시작됨.

프로이센 오스트리아 전:쟁 【—戰爭】〔Preussen-Austria〕 명 『역』 1866년 6월 오스트리아가 가슈타인 협정을 위반하고 슐레스비히홀슈타인(Schleswig-Holstein) 점령을 꾀하여, 독일 통일의 주도권을 둘러싸고 프로이센과 오스트리아가 싸운 전쟁. 비스마르크의 교묘한 외교 수완과 몰트케(Moltke)의 작전, 그리고 나폴레옹 3세의 조정으로 그 해 8월 프라하 조약(Praha 條約)에 의해 7주간(週間)의 전쟁은 프로이센의 대승으로 끝을 맺었음. 그 결과 오스트리아는 독일 연방에서 물러나고 프로이센의 북독일 연방 조직이 승인되어 독일 통일의 기초가 잡혔으며, 프로이센은 사실상 독일의 핵심이 되었음. 칠주 전쟁. 보오 전쟁(普墺戰爭).

프로이센 왕국 【—王國】〔Preussen〕 명 『역』 브란덴부르크 선제후(選帝侯) 프리드리히 3세가 1701년 왕호를 허락받고 세운 나라. 이후, 오스트리아와 대항하는 강국(強國)으로 성장하여, 프로이센 프랑스 전쟁 후 독일 제국이 성립되었고, 프로이센 국왕 빌헬름 1세가 독일 황제로 즉위함. 제2차 대전 후에 국토는 대부분 독일과 폴란드로 분할됨.

프로이센 프랑스 전:쟁 【—戰爭】〔Preussen-France〕 명 1870-71년 프로이센과 프랑스 사이에 벌어진 전쟁. 스페인 국왕 선출 문제를 둘러싼 두 나라 사이의 분쟁이 직접적인 계기가 됨. 프로이센측이 압도적으로 우세하여 나폴레옹 3세는 세당(Sedan)의 싸움에서 패배하여 항복, 퇴위함. 프랑크푸르트 강화 조약에 의해 프랑스는 알사스로렌을 할양하고 배상금 50억 금(金)프랑을 지불했음. 보불 전쟁(普佛戰爭).

프로이트 〔Freud, Sigmund〕 명 『사람』 오스트리아의 심리학자·정신 분석학(精神分析學)의 창시자. 유태계(猶太系) 상인(商人) 출생으로, 주로, 빈(Wien) 대학에서 생리학·해부학에 관한 여러 업적을 올린 뒤 정신 의학(精神醫學), 특히 히스테리·신경질(神經質) 등을 연구하였음. 꿈의 판단·임의 연상(任意聯想) 등의 정신 분석적 방법에 의한 잠재 의식(潛在意識)을 일깨워, 이로써 신경 질환을 치료하는 방법을 발견하였음. 《꿈의 해석》·《정신 분석 입문》 등의 저서가 있음. [1856-1939]

프로이트-주의 【—主義】〔Freud〕〔—/—이〕 명 프로이트의 정신 분석 이론은 그 내용에 있어 억압·승화·대상(代償)이라는 심적 메커니즘에 관한 부분과 인간에게 보편적인 성적(性的) 충동으로 일체의 심적 현상을 설명하는 부분으로 대별(大別)되는데, 이 양자(兩者)를 모두 용인하는 입장을 프로이트주의라고 함. 「씨.

프로일라인 〔도 Fräulein〕 명 미혼 여성에 대한 경칭. 영양(令孃). 아가

프로자이크 〔프 prosaïque〕 명 산문적(散文的). 무미 건조(無味乾燥)한 것. 몰취미(沒趣味)한 것. ——하다 형 여불

프로젝터 〔projector〕 명 ①계획자·설계자. 발기인(發起人). ②영사기(映寫機).

프로젝트 〔project〕 명 ①『교』 학습자가 자기 활동을 선택·계획·방향을 설정해 가는 문제 해결의 학습. 학습을 현실 생활과 밀접히 관련시키는 방법임. 1900년대에 미국에서 많이 응용했음. ②연구(研究)·사업 등의 계획. ¶ 대형(大型) ~.

프로젝트-법 【—法】〔project〕〔—뻡〕 명 『교』 실제 상의 일의 계획과 수행을 목적으로 하여, 교육을 하는 방법. 구체 실행(具體實行)·작업·실생활·사회 생활의 요소·각 교과(教科)의 결합·목적의 의의·문제 해결의 과정 등에 중점을 둠. 구안 교수(構案教授). 구안법(構案法).

프로젝트 엔지니어링 〔project engineering〕 명 화학 공업 용어. 연속 장치 체계를 갖는 대규모의 복잡한 공장 플랜트를 건설하는 경우에, 화학·기계·전기·건축·자동 제어 등, 각종 전문 기술을 동원하고 이를 통합하여 가장 합리적이고 경제적으로 건설을 추진하는 총괄적 실무적인 기술 분야.

프로젝트 팀: 〔project team〕 명 신제품의 개발, 설비 투자 계획 등, 항시적(恒時的) 업무 이외의 특정한 계획을 실시할 때에 필요로 하는 능력의 소유자를 각 분야에서 모아 편성하는 조직.

프로젝티브 매스매틱스 〔projective mathematics〕 명 『수』 일종의 응용 수학. 어떤 행동을 하기 전에, 그 결과를 예측하여, 능률적인 준비를 하려면 어떻게 했으면 좋을까 등의 문제를 취급하는 수학. 가령 배선(配線)·색적(索敵)·도시 계획 또는 계량(計量)의 오차를 적게 하려면 어떤 측정법이 좋은가 하는 것 등.

프로젝티브-법 【—法】〔projective〕〔—뻡〕 명 『심』 교육적 임상 상담(臨床相談)의 진단 보조 기술. 구조화되지 않고 여러 뜻이 있는 불명료한 언어·도형 따위를 보여 뜻을 물을 때, 그 해석에 투사된 피검자의 성격·정신 상태를 살피는 방법. 투사법(投射法).

프로:즈 〔prose〕 명 『문』 산문(散文). 「하는 일.

프로:즌 〔frozen〕 명 당구에서, 큐 볼이 쿠션이나 다른 공과 밀착(密着)

프로짓 〔라 prosit〕 감 축배(祝杯)를 들 때에 쓰는 말로서, '축배를 듭시다'·'축하합니다'의 뜻.

프로카인 〔도 Procain〕 명 『약』 국소 마취제(局所痲醉劑) 노보카인(novocain)의 약전명(藥典名). 코카인(cocain) 대용약(代用藥) 중 가장 우수한 것으로, 무취·백색의 결정성 분말이며, 효력은 코카인에 못지 않으며 독성이 적음. 염산 프로카인 주사제(注射劑)로 사용됨.

프로코페프스크 〔Prokop'evsk〕 명 『지』 러시아 서(西)시베리아의 광공업 도서. 코크스용(用) 석탄의 산지(產地). 광산 기계·볼 베어링 등의 공업이 행해짐. 채탄(採炭)은 1918년에 개시됨. [266,000명(1980추계)]

프로코피예프 〔Prokofiev, Sergei Sergeevich〕 명 『사람』 소련의 작곡가·지휘자·피아니스트. 러시아 현대 음악의 대표자. 1914년 페테르부르크 음악원 졸업. 교향곡·협주곡을 비롯하여 발레 음악 《로미오와 줄리엣》, 동화(童話) 음악 《피터와 늑대》 등, 넓은 분야에서 활약함. 초기에는 신고전파적 경향을 띠었다가 후기에는 평이(平易)한 서정성(抒情性)을 띰. [1891-1953]

프로코피오스 〔Procopios〕 명 『사람』 6세기의 비잔틴 제국(Byzantin帝國)의 역사가. 외족(外族)과의 전쟁 기록인 《전사(戰史)》·《비사(祕史)》 및 《건축기(建築記)》 등을 남겼음. [490?-562?]

프로크루스테스 〔Prokroustes〕 명 『신』 그리스 신화에 나오는 메가라에서 아테네에 이르는 길목에 살았던 강도(強盜). 나그네를 잡아 침대에 뉘고 몸이 침대보다 크면 잘라내고, 침대보다 작으면 두들겨 늘여서 죽임. 테세우스(Theseus)에게 퇴치됨.

프로클로스 〔Proklos〕 명 『사람』 그리스의 철학자. 신(新)플라톤주의의 최후의 대표자. 그리스도교(教)에 반대하여 《신학 원론》·《플라톤 신학(神學)》 등으로 그리스 사상을 옹호함. 또, 유클리드의 《기하학 원본》을 주해(注解)함. [410?-485]

프로키온 〔Procyon〕 명 『천』 작은개자리의 알파성(星)으로 1등성(星). 늦은 겨울 저녁때, 남쪽 하늘에 은하를 사이로 시리우스성(Sirius 星)과 마주 봄. 지구로부터의 거리 11.3 광년.

프로타고라스 〔Protagoras〕 명 『사람』 고대 그리스 철학자. 최대의 소피스트(sophist)로, 주로 아테네에서 활동하였으며, 철저한 회의론자(懷疑論者)로 지식의 상대성을 주장하였음. [500?-430? B.C.]

프로타민 〔도 Protamin〕 명 단순(單純) 단백질에 속하는 1군(群)의 단백질의 총칭. 동물에만 있으며 단백질의 성분을 이루는 염기성(塩基性) 단백질로, 단백질 중에서 분자량이 작고 가장 간단한 것임. 어류의 정액(精液) 속에서 발견되며 질소 함유량이 많음.

프로타:주 〔프 frottage〕 명 회화 기법(繪畫技法)의 하나. 나뭇조각이나 나뭇잎·크세용·숯 등으로 문질러 거기에 베끼어지는 무늬나 효과 등을 응용한 것. 에른스트(Ernst, M.)가 1925년에 처음으로 시도하고, 이 후 쉬르레알리스트(surréaliste)가 즐기어 씀.

프로테 〔프 frotté〕 명 『미술』 화필(畫筆)에 물감을 묻히어, 화면에 문질러 바르는 기법(技法).

프로테스탄트 〔Protestant〕 명 『기독교』〔항의자의 뜻〕 16세기에 루터(Luther)·츠빙글리(Zwingli)·칼뱅(Calvin) 등의 종교 개혁의 결과 일어난 기독교의 여러 파(派)와 그 후에 일어난 같은 계통의 교파(教派)의 총칭. 개신교(改新教). 신교(新教). 신교도(新教徒). *종교 개혁.

프로테스탄트 감독 교:회 【—監督教會】〔Protestant〕 명 『기독교』 프로테스탄트 교회 중에, 교회를 통할(統轄) 교도(教導)하여 신도를 보호하는 감독을 두는 교회. 신교(新教) 감독 교회.

프로테스탄티즘 〔Protestantism〕 명 『기독교』 16세기 종교 개혁 운동에서 발단하여 이에서 성립되는 여러 교회의 신조(信條)를 기초로 하는 기독교의 여러 교의(教義)·교회의 총체. 신교(新教)라고도 불리며, 성서(聖書)를 신앙의 유일한 규범으로 하고, 복음(福音)으로의 신앙만을 구원(救援)으로 하는 경향이 강함.

프로테스트 〔protest〕 명 ①항의(抗議). 이의(異議). ②언명(言明). 성명(聲明). 단언(斷言).

프로테스트 송 〔protest song〕 명 사회나 체제에 대한 항의의 메시지를 가사에 담은 포크송(folk song).

프로테아제 〔protease〕 명 『생』 단백질(蛋白質)의 펩티드(peptide) 결합을 가수분해하는 효소의 총칭. 생체 안의 음식물·불필요한 단백질 등을 분해함. 단백질 분해 효소.

프로테오스 〔proteos〕 명 『화』 단백질을 효소·산·알칼리 등으로 부분적으로 가수 분해(加水分解)한 것. 미생물의 배양기(培養基)로 쓰임.

프로테우스[1] 〔Proteus〕 명 『신』 그리스 신화에 나오는 바다에 사는 늙은 해신(海神). 포세이돈의 종자(從者). 예언과 변신술(變身術)에 능하다고 함.

프로테우스[2] 〔Proteus〕 명 『생』 장내(腸內) 세균의 한 속(屬). 사람이나 동물의 장 속·분변(糞便)·하수(下水)·토양 등에 널리 분포하는 그람 음성(Gram 陰性)의 간균(桿菌). 대표종(代表種)인 프로테우스 불가리스(*Proteus vulgaris*)는 단백질의 분해력이 강하고 요소(尿素)를 분해하는 등 대사적(代謝的) 특징이 있어 동물의 시체를 부패시킴. 많은 편모(鞭毛)를 가지고 활발히 운동하며 배양액면에서 막상(膜狀)으로 자람.

프로테인-은 【—銀】〔protein〕 명 『화』 은과 알부민·펩톤 등과의 화합물. 대황색(帶黃色) 또는 갈색의 분말로 물에 녹여 그 강력한 살균력을 이용해서, 임질·요도염(尿道炎)·점안(點眼) 등에 사용함.

프로텍터 〔protector〕 명 ①보호자. 후원자. ②야구에서, 포수(捕手) 또는 심판이 가슴에 대는 가죽으로 된 보신구(保身具). ③권투에서, 방구

(防具).

프로토악티늄 〔protoactinium〕 명 《화》 프로트악티늄(protactinium)의 옛이름.

프로토케라톱스 〔Protoceratops〕 명 《동》 백악기(白堊期) 후기의 초식 공룡(草食恐龍). 네 발로 걸으며 뭍에서 삶. 길이 약 2 m, 체중 0.2 톤으로 추정됨. 앵무새와 같은 부리와 머리 뒤쪽의 주름이 특징임. 화석은 고비 사막에서 발견되었으며, 여러 가지 성장 시기의 개체(個體)와 알 외에 부화(孵化) 전의 골격까지 밝혀졌음.

프로토콜 〔protocol〕 명 ①의사록(議事錄). ②의정서(議定書). 원안(原案). ③의전(儀典). 외교 의례(外交儀禮). ④컴퓨터 시스템에서, 데이터 통신을 하기 위해 정해진 규약(規約). 정보 포맷(format)·교신 절차·오류 검출법(誤謬檢出法) 등을 정함.

프로토콜 명:제 【一命題】 〔Protocol〕 명 《철》 분석 철학의 용어. 직접적으로 경험할 수 있는 관찰·지각의 결과를 정식화(定式化)한 명제로, 경험적 검증(檢證)의 기초가 됨. 관찰적(觀察的) 명제. 직접적(直接的) 명제.

프로토타이프 〔prototype〕 명 원형(原形). 표준.

프로토플래스트 〔protoplast〕 명 《생》 원형질체(原形質體).

프로톤[1] 〔proton〕 명 《물·화》 양성자(陽性子).

프로톤[2] 〔Proton〕 명 ↗프로톤 위성(衛星).

프로톤 위성 【一衛星】 〔Proton〕 명 소련의 과학 위성. 1965년 쏘아 올림. 과학 우주 스테이션으로서, 1·2·3호는 모두 무게 12.2 톤, 원지점(遠地點) 약 630 km, 근(近)지점 약 190 km. 4호는 원지점 495 km, 근지점 255 km. ㊣프로톤.

프로톤 자속계 【一磁束計】 〔proton〕 명 《물》 양성자(陽性子)가 지닌 자기(磁氣) 모멘트(moment)를 이용한 핵자기 공명(核磁氣共鳴)에 의하여, 자기장(磁氣場)의 강도(強度)를 측정하는 장치.

프로튬 〔protium〕 명 《물》 가장 가벼운 수소(水素)의 동위 원소. 질량수 1, 단일(單一)의 양성자(陽性子)와 전자(電子)로 이루어짐.

프로트롬빈 〔도 Prothrombin〕 명 《화》 혈청(血淸) 단백질의 한 가지. 베타글로불린(β-Globulin)에 속하며, 혈액의 응고(凝固)에 중요한 역할을 함. 간장(肝臟) 중에서 비타민 K의 작용으로 생성(生成)됨. 트롬보겐(Thrombogen).

프로트악티늄 〔protactinium〕 명 《화》 천연 방사선(天然放射線) 원소의 하나. 우라늄광(鑛) 중에 미량(微量)이 존재함. α선을 방출하여 악티늄으로 변함. [91번 Pa:231]

프로트오스트레일리아-인 【一人】 〔Prot-Australia〕 명 와자크인(Wadjak 人).

프로파간다 〔propaganda〕 명 ①선전. 선전 운동. 확장 운동. ②《종》 전도(傳道). ㊣프로.

프로판 〔propane〕 명 《화》 파라핀 탄화 수소의 하나. 무색 가연성(無色可燃性)의 기체로, 순(純)물질은 무취(無臭). 녹는점 −187.69℃, 끓는점 −42.1℃, 비중 0.536. 천연 가스나 석유 정제(精製)의 폐(廢)가스에 함유됨. 가압 액화하여 가정용 또는 자동차 연료, 에어로졸(aerosol) 등에 사용함. 프로판 가스. [C_3H_8]

프로판 가스 〔propane gas〕 명 《화》 프로판.

프로판올 〔propanol〕 명 《화》 두 이성체(異性體)가 있음. ①방향(芳香)이 있는 무색 액체. 지방족(脂肪族) 탄화 수소의 산화(酸化)로 얻어짐. 비점(沸點) 97°C, 용제(溶劑)·화학 중간체(中間體)에 쓰임. 프로필 알콜(propyl alcohol). [CH_3CH_2OH] ②이소프로파놀(isopropanol). 프로필 알콜.

프로퍼 〔proper〕 명 ①본연(本然)의 것. 고유(固有). ②경영 용어로, 자사(自社) 제품의 선전·판매 확장 등을 담당하는 세일즈맨. 보통 세일즈맨과 다른 점은 경영 전반에 대한 깊은 지식과 특수 훈련이 필요한 점임. 의사에게 약품을 판매하는 프로퍼가 가장 대표적임.

프로퍼 웨이 〔proper way〕 명 《해》 키가 조종될 정도의 전진력(前進力)을 가지는 배의 속도.

프로퍼 코:스 〔proper course〕 명 요트(yacht) 경주중, 부근에 다른 요트가 있는 경우에 가능한 한 빨리 골(goal)에 들어가기 위하여 항행하려고 하는 임의(任意)의 코스.

프로페르티우스 〔Propertius, Sextus〕 명 《사람》 로마의 시인. 킨티아(Cynthia)라는 여성에의 사랑을 노래한 시가, 시집 4권의 태반을 차지하는데, 사랑의 여러 가지 형태를 정열적으로 묘사함. 신화 전설을 비유적으로 써서 난해(難解)한 시(詩)이나, 괴테를 비롯하여 후세에 준 영향은 큼. 작품으로 《엘레게이아 시집》 4권이 있음. [58- 15? B.C.]

프로페서 〔professor〕 명 교수(敎授).

프로페셔널 〔professional〕 명 전문적. 직업적. ㊣프로. ↔아마추어.

프로페셔널 스포츠 〔professional sports〕 명 직업으로 하는 스포츠. 즉 개성을 발휘하여 보다 고도한 플레이를 경쟁함으로써 사회에 서비스를 제공하고, 그 대가로 보수를 수득하는 스포츠. 이 스포츠의 경기자를 프로(프로페셔널) 선수라고 하는데, 프로페셔널 스포츠에는 스포츠를 오락으로 보여주는 '경기 프로'와 스포츠를 지도하여 보수를 받는 '지도 프로'의 2면이 있음.

프로페션 〔profession〕 명 직업. 본업(本業).

프로펠러 〔propeller〕 명 ①비행기에서 발동기의 회전력을 추진력으로 변화시키는 장치. 목제(木製)와 금속제가 있음. ¶ ~ 비행기. ②선박에서 원동기의 출력(出力)으로 회전시켜, 선박을 추진시키는 장치. 일반적으로 나선식(螺旋式)을 사용함. 추진기(推進機). 나선식 추진기.

프로펠러 브레이크 〔propeller break〕 명 비행기의 착륙(着陸) 접지(接地) 직후에 프로펠러를 역피치(逆 pitch)로 하여서 추력(推力)을 뒤쪽으로 향하게 하여 브레이크 효과(効果)를 일으키는 일. 가변(可變) 피치 프로펠러.

프로펠러-선 【一船】 〔propeller〕 명 갑판에 엔진을 장치하고 항공기처럼 프로펠러를 공중에서 회전시켜 나아가는 배. 얕은 수역(水域)의 항행에 편리함.

프로펠러 송:풍기 【一送風機】 〔propeller〕 명 축류(軸流) 송풍기.

프로펠러 수차 【一水車】 〔propeller〕 명 반동식(反動式) 수력(水力) 터빈(turbine)의 일종. 동익(動翼)의 모양이 선박용의 추진기와 비슷하며, 저락차(低落差)가 큰 유량(流量)에 적당함.

프로펠러 열차 【一列車】 〔propeller〕 명 열차의 두부(頭部)에 달린 프로펠러를 회전시켜 빠른 속도로 달리는 열차.

프로펠러-축 【一軸】 〔propeller〕 명 배·항공기 등에서 원동기로부터 프로펠러에 회전력을 전달하는 축. 추진축(推進軸).

프로펠러 펌프 〔propeller pump〕 명 배의 추진기 비슷한 익차(翼車)를 가진 펌프로, 물은 익차의 회전축과 같은 방향으로 흐름. 관개(灌漑)나 오수(汚水)·탁수(濁水)를 양수(揚水)하는 데 쓰임.

프로포:션 〔proportion〕 명 비(比). 비율(比率). 조화. 균형.

프로포:즈 〔propose〕 명 ☞프러포즈.

프로풀라이아 〔Propulaia〕 명 《건》 프로필라이온.

프로피온-산 【一酸】 명 〔propionic acid〕 《화》 포화 지방산의 하나. 자극적인 냄새가 나는 무색(無色)의 액체. 물과 섞이며 알코올·에테르에도 잘 녹음. 염석(塩析)하면 기름 모양으로 석출(析出)됨. 유제품(乳製品)에 함유되며, 유기(有機) 합성에 이용되고 염화 아연(塩化亞鉛)은 살균제로서 백선(白癬) 등의 피부병 치료약·반창고 등으로, 염류는 식품의 살균제·보존제로 쓰임. [C_2H_5COOH]

프로피온산-균 【一酸菌】 명 〔*Propionibacterium*〕 《생》 그람 양성(Gram 陽性) 간균(杆菌)의 하나. 탄수화물(炭水化物)·유기산(有機酸)을 발효시켜 프로피온산과 이산화 탄소를 생성함. 치즈의 숙성에 관련이 있는 세균임.

프로핀테른 〔러 Profintern〕 명 코민테른(Comintern) 지도 하의 적색(赤色) 노동 조합의 국제 조직. 사회주의 혁명의 수행, 계급 투쟁의 조직화, 국제적 노동자 계급의 투쟁 통일 등을 주장했음. 1921년에 조직되어, 본부를 모스크바에 두었으나, 1943년에 해체되었음. 적색 노동 조합 인터내셔널.

프로필 〔profile〕 명 ①인물의 약력. 인물 소개. 약평. 인물평. ¶ 작가의 ~. ②옆얼굴. 측면상(側面像). 실루에트(silhouette). ③측면관(側面觀).

프로필라이온 〔그 propylaeon〕 명 《건》 그리스 건축에 있어서, 신역(神域)의 입구에 세운 문. 아테네(Athine)의 아크로폴리스(akropolis)의 입구에 있는 문은 기원전 437-433년에 건립된 것임. 프로퓰라이아.

프로필렌 〔propylene〕 명 《화》 에틸렌계(系) 탄화 수소의 일종. 특이한 무색의 가연성 기체(可燃性氣體)로, 석유 정제 공정(精製工程) 때의 분해 가스 속에 많이 들어 있음. 프로판의 접촉 탈수소(接觸脫水素) 등에서도 얻어짐. 반응성(反應性)이 풍부하며, 중합(重合)되기 쉬움. 석유 화학 공업의 원료로서 매우 중요함. 녹는점 −185.2°C, 끓는점 −47.0°C. [$CH_3CH{=}CH_2$]

프로필렌 글리콜 〔propylene glycol〕 명 《화》 프로필렌을 원료로 하여 만들어지는 알코올의 일종. 무색·흡습성(吸濕性)의 액체로, 폴리에스테르 수지·가소제(加塑劑)·계면 활성제(界面活性劑)·용제(溶劑)·부동제(不凍劑)·윤활유·의약품·합성 원료 등에 쓰임. [$C_3H_8O_2$]

프로필리트 〔profilit〕 명 《건》 건축 자재의 하나. 두께 6-7 mm의 유리판을 홈을 파듯 성형(成形)하여 벽 등에 사용함. 풍압(風壓)에 강함.

프로필 알코올 〔propyl alcohol〕 명 《화》 프로판올(propanol).

프로호로프 〔Prokhorov, Aleksandr Mikhailovich〕 명 《사람》 소련의 물리학자. 레베데프(Lébedev) 연구소장·모스크바 대학 교수. 바소프(Basov, N.G.)와 함께 음온도(陰溫度) 상태·유도 방출 등에 관한 양자(量子) 이론을 전개, 메이저(maser)·레이저(laser) 개발의 이론적 바탕을 마련함. 1964년에 바소프, 타운스(Townes, C.)와 함께 노벨 물리학상을 수상함. [1916-]

〈프록 코트〉

프록 〔frock〕 명 ①↗프록 코트. ②여성 또는 여아(女兒)용의 흉부와 스커트가 한데 붙은 드레스.

프록 코:트 〔frock coat〕 명 남자용의 예복(禮服)의 하나. 보통 검은 색인데, 상의의 길이를 무릎까지 이르게 지었음. 지금은 거의 입지 아니함. ㊣프록.

프론토질 〔도 Prontosil〕 명 《약》 1935년 독일의 생화학자 도마크(Domagk, G.; 1895-1964)에 의하여 발견된 세균(細菌)에 대한 최초의 화학요법제(劑). 쓴 맛이 있는 적등색 결정(赤橙色結晶). 그 후에 이것을 개량하여 많은 술파제(sulfa 劑)가 생기었음. 패혈증(敗血症)·성홍열(猩紅熱) 등 광범위하게 특효가 있음. [$C_{12}H_{13}N_5O_2S \cdot HCl$] *술폰아미드제(sulfonamide 劑).

프롤라민 〔prolamin〕 명 《화》 식물의 배젖에 있는 단순 단백질의 총칭. 고농도(高濃度)의 알코올에 녹으며, 무수(無水) 알코올과 물에는 불용성(不溶性)임. 제인(zein) 따위.

프롤락틴 〔prolactin〕 명 《생》 뇌하수체(腦下垂體)에서 단리(單離), 결정화(結晶化)된 단백질. 유선(乳腺)을 발육시켜, 유즙(乳汁) 분비에 관여함. 최유(催乳) 호르몬.

프롤란 〔도 Prolan〕 명 《생》 뇌하수체(腦下垂體) 전엽(前葉)으로부터 분비(分泌)되는 생식선(生殖腺) 자극 호르몬. 엄밀한 의미로는 임부(妊婦)의 오줌으로부터 특정한 방법으로 추출(抽出)한 생식선 자극 호르몬을 말함.

프롤레타리아 〔프 prolétariat〕 명 《사》 ①자본주의 사회에서, 달리 생산 수단을 가지지 아니하고 자기의 노동력을 자본가에게 팔아 생활하는 노동자. 무산자(無產者). 임금 노동자. 무산(無產) 계급. 준프로. ↔부르주아(bourgeois). ②프롤레타리아트(Proletariat). 노동자 계급.

프롤레타리아 국가【一國家】〔프 prolétariat〕명 프롤레타리아, 곧 무산자(無產者)가 지배권을 가진 국가. ↔부르주아 국가.

프롤레타리아 국제주의【一國際主義】〔프 prolétariat〕〔—/—이〕명〖사〗각국의 노동자 계급이 그 해방을 목표로 단결하여, 저들의 소위 공통의 적인 자본주의와 싸우려는 국제적 연대(連帶)의 입장. 국제주의.

프롤레타리아 독재【一獨裁】〔프 prolétariat〕명〖사〗프롤레타리아트의 혁명에 의하여 획득한 권력을 유지·강화하기 위하여, 강제로 부르주아지(bourgeoisie)를 지배하는 일. 자본주의 사회에서 공산주의 사회로 이행(移行)하는 과도기(過渡期)의 정치 형태라고 함. 프롤레타리아 집권(執權).

프롤레타리아 레알리슴〔프 prolétariat réalisme〕명〖예〗주관적인 관념론으로써 해결짓는 것으로 만족하지 아니하고, 어디까지나 현실을 토대로 하여 늘 사물을 사회적으로 파악하고, 인간을 전체를 통하여 보려는 예술가의 창작 태도와 정의(定義).

프롤레타리아 문학【一文學】〔프 prolétariat〕명〖문〗프롤레타리아트의 생활에 근거를 두고, 그의 계급적 자각에 의하여, 현실을 사회주의 리얼리즘의 입장에서 묘사해 내는 문학. 제1차 대전 후부터 각국에 대두하였고, 특히 소련에서 개화(開花)하면서부터 더욱 활발하게 되었음. 사회주의 문학. 준프로 문학. *아지프로 문학·시민 문학.

프롤레타리아 연:극【一演劇】〔프 prolétariat〕명〖연〗프롤레타리아 혁명 운동의 하나로서 무산 계급의 해방, 사회주의 사회의 실현을 목적으로 하는 연극. 20세기 초부터 유럽 각국 및 미국에서 노동자 연극 단체 및 그의 국제적 동맹 조직을 기초로 하여 발달하였음.

프롤레타리아 예:술【一藝術】〔프 prolétariat〕명〖예〗프롤레타리아트의 사상을 표방(標榜)하는 예술. 준프로 예술.

프롤레타리아 집권【一執權】〔프 prolétariat〕명〖사〗프롤레타리아 「독재(獨裁).

프롤레타리아트〔도 Proletariat〕명〖사〗프롤레타리아의 계급(階級). 노동자 계급. 프롤레타리아. ↔부르주아지(bourgeoisie).

프롤레타리아 혁명【一革命】〔프 prolétariat〕명〖사〗모든 자본주의적 관계를 타도하고, 사회주의적인 모든 관계를 수립하는 사회 혁명. 프롤레타리아트의 영도하에 프롤레타리아트와 그의 동맹군이 부르주아지의 지배를 타파하고 정치 권력을 장악하여, 계급 제도가 없는 사회주의 사회의 건설을 목표로 함. 러시아의 11월 혁명은 그 전형적인 것임.

프롤로그[1]【PROLOG】명〔Programming in Logic의 약어〕〖컴퓨터〗프랑스·영국에서 개발·설계한 고급 프로그래밍 언어. 논리(論理)의 기술(記述)에 적합하여 인공 지능이나 제5세대 컴퓨터에 이용됨.

프롤로그[2]〔prologue〕명 ①〖연〗연극에서, 본(本)줄거리에 들어가기 전의 막(幕)으로, 주제(主題)를 암시하기 위한 짧은 장면이나 주제·내용 등을 설명하는 시(詩)나 대사(臺詞). 서막(序幕). ②시가(詩歌)·소설·오페라·음악 등에서, 그 주제를 암시하기 위한 서두(序頭) 부분. 서시(序詩)·서사(序詞)·서언(序言)·머리말·서장(序章)·서곡(序曲)·서주(序奏)·전주곡 등. ③사물의 시작. 발단(發端). 1)-3): ↔에필로그.

프롬[1]〔Fromm, Erich〕명〖사람〗독일 출신의 미국의 정신 분석학자·사회학자. 나치스의 탄압을 피하여 미국으로 망명·귀화함. 프로이트와 마르크스에 경도(傾倒)하여 정신 분석 이론을 발전시켜, 신(新)프로이트 학파 창시자의 한 사람이 됨. 현대 사회의 심리적 상황 분석으로 '사회적 성격'의 개념을 설정하고, '인간주의적 공동체(共同體) 사회주의' 사상으로도 널리 알려짐. 주저(主著)에 ≪자유로부터의 도피(逃避)≫ 등이 있음. [1900-80]

프롬[2]〔Prome〕명〖지〗미얀마 중부, 이라와디 강(Irrawaddy江)에 임한 고도(古都). 농산물 거래의 중심지로 생사(生絲)·칠기(漆器)를 산출하고 많은 불교 유적이 있음. [37,000명]

프롬나:드〔프 promenade〕명 ①산책(散策). 소요(逍遙). ②산책장(場).

프롬나:드 콘서:트〔promenade concert〕명 야외 음악당이나 산책장(散策場)에서, 청중이 부담 없이 거닐거나 서서, 가벼운 마음으로 들을 수 있는 연주회. 극장을 이용한 포퓰러 명곡의 연주회도 이름.

프롬프터〔prompter〕명〖연〗연극에서, 무대 뒤 관객에게 보이지 않는 위치에서 배우에게 대사나 위치를 그르치지 않도록 가르쳐 주거나 몸짓을 하여 보이는 역(役). *프롬프트·프롬프터 박스.

프롬프터 박스〔prompter box〕명〖연〗프롬프터가 들어 가도록 특별히 무대 전면에 만들어 놓은 조그마한 상자 모양의 방. *프롬프트.

프롬프턴 믹스처〔Prompton mixture〕명〖약〗〔런던의 프롬프턴 병원에서 처음 쓴 약이란 데서 생긴 이름〕말기(末期) 암(癌)환자용의 고통 완화제(苦痛緩和劑). 모르핀·항울제(抗鬱劑) 등을 배합한 것으로 90% 이상의 효력을 지님.

프롬프트〔prompt〕명 ①〖연〗연극에서, 관객에게 보이지 않는 곳에서 배우에게 대사나 위치·동작 등을 가르쳐 주는 일. *프롬프터. ②〖컴퓨터〗모니터 화면에 나타나는 표시로, 입력이 가능한 상태라는 것과 입력할 위치를 표시하는 기호나 문자열(文字列). A>·%·Enter name: 등.

프롱드의 난:【一亂】〔프 Fronde〕〔—/—에—〕명〖역〗〔프롱드는 새총 모양의 투석기(投石器)로, 새총으로 돌을 튀겨 내듯이 연속적으로 반란이 속출했으므로〕프랑스의 루이 14세의 치세 초기, 왕권의 신장에 반대하여 1648-53년에 있었던 귀족의 반란. 내부 분열(內部分裂)이 원인으로 실패하고, 이로 인해 프랑스 절대 왕정이 더욱 강고(強固)한 체제를 굳혔음.

프롱 포퓔레:르〔프 front populaire〕명〖사〗인민 전선(人民戰線).

프뢰딩〔Frōding, Gustat〕명〖사람〗스웨덴의 시인. 정신병을 앓다가 죽음. 유머러스하고 향토색 짙은 작품도 있으나, 어둡고 사색적(思索的)인 시가 많음. 시집 ≪기타와 아코디언≫, 새로운 시 ≪성배(聖杯)의 물방울≫ 등이 있음. [1860-1911]

프뢰벨〔Frōbel, Friedrich Wilhelm August〕명〖사람〗독일의 교육가. 루소(Rousseau)·페스탈로치(Pestalozzi)의 영향을 받아 진보적 교육 사상을 품고 교회나 정부의 박해를 받으며, 유명한 ≪인간 교육(人間教育)≫을 발간하였고, 아동의 내적인 신성(神性)을 자연물과의 친근성을 통하여 발현한다는 본지(本旨)에서, '자기 교수(自己教授)와 자기 교육(教育)으로 이끄는 직관(直觀) 교수의 학원'을 내어 유치원의 기초를 만들었음. [1782-1852]

프루동〔Proudhon, Pierre Joseph〕명〖사람〗프랑스의 사회주의 사상가·무정부주의자. 유명한 ≪재산이란 무엇인가≫에서 '소유권은 도둑질'이라고 하고, 일체의 사유 재산을 배격, 정치적 권위를 부인하고, 자유로운 개인의 계약에 의한 사회 조직의 실현을 역설하며 연합주의를 제창함. ≪빈곤의 철학≫은 마르크스의 ≪철학의 빈곤≫에 의하여 비판됨. 1848년 평화적인 사회 개혁을 시도하였으나 실패하여 투옥되었음. [1809-65]

프루:스트[1]〔Proust, Joseph Louis〕명〖사람〗프랑스의 화학자. 스페인의 마드리드 왕립 실험소장. 여러 가지 실험을 바탕으로 1799년 화학 반응에 있어서의 '정비례의 법칙'을 발견함. 화합물의 조성(組成)은 연속적으로 변화한다고 하는 베르톨레(Berthollet, Claude Louis; 1748-1822)와의 10년 가까운 논쟁은 유명함. [1754-1826]

프루:스트[2]〔Proust, Marcel〕명〖사람〗프랑스의 소설가. 청년 시절에는 사교계의 총아이었으나 지병(持病)인 천식(喘息)의 악화로 병상에서 창작에만 몰두함. 대표작인 ≪잃어버린 시간(時間)을 찾아서≫는 인간 의식(人間意識)을 사실의 기억을 더듬어 해명하고 시적으로 표현한 걸작으로서, 잠재 의식(潛在意識)의 추구는 근대 심리파의 조(祖)로 불리게 되었음. [1871-1922]

프루:트〔fruit〕명 과실(果實). 과일.

프루:트 비니거〔fruit vinegar〕명 양식(洋食)의 조미료의 하나. 과실(果實)로 만든 식초. 포도초·사과초 따위가 있음.

프루:트 시럽〔fruit syrup〕명 과실(果實) 시럽.

프루:트 젤리〔fruit jelly〕명 과실에 설탕물이나 과즙을 섞어서, 젤라틴으로 굳힌 젤리 과자.

프루:트 칵테일〔fruit cocktail〕명 몇 가지 과일을 잘게 썰고 셰리주(sherry酒) 등을 넣어 풍미(風味)를 낸 식품. 아페리티프(apéritif)로 씀.

프루:트-케이크〔fruitcake〕명 말린 과일이나 너트류(nut類)를 넣고 구운 과자. 또, 날과일을 장식으로 위에 얹은 과자.

프루:트 팔:러〔fruit parlour〕명 과일점을 겸한 찻집.

프루:트 펀치〔fruit punch〕명 여러 가지 과실을 잘게 썰어 과즙(果汁)·소다수나 얼음물에 섞은 음료(飲料). 양주(洋酒)나 향미료(香味料)를 가하는 수도 있음.

프루:프〔proof〕의명 증류주(蒸溜酒)의 알코올의 강도, 곧 농도를 표시하는 단위. 영국에서는 100 프루프를 표준 강도로 친 눈금으로 잰 알코올의 강도. 미국에서는 알코올 용량(容量) 퍼센트의 2배.

프루:프 스피릿〔proof spirit〕명 표준 강도(標準強度)의 알코올을 함유하는 알코올 음료. 미국에서는 비중이 0.93353이며 60°F에서 0.7939인 비중의 알코올을 50% 포함하는 술. 영국에서는 0.91984의 비중의 술.

프루:프 코인〔proof coin〕명 새로 발행되는 화폐(貨幣)로서 표면을 갈아 내거나 혹은 윤기를 없앤 각편(刻片)에, 잘 닦은 다이스형(dice型)으로 찍어 낸, 한정된 수(數)의 화폐. 앞의 것을 유광(有光) 프루프 코인, 뒤의 것을 무광(無光) 프루프 코인이라 함. 시주 화폐(試鑄貨幣).

프룩토오스〔fructose〕명〖화〗포도당과 함께 단 과일이나 꿀에 다량으로 함유(含有)되어 있는 육탄당(六炭糖)의 한 가지. 백색 분말(粉末)이며, 물·알코올에 녹음. 선광성(旋光性)이 있으므로 좌선당(左旋糖)이라고도 함. 발효하면 알코올이 됨. 과당(果糖).

프룬제〔Frunze〕명〖지〗'비슈케크(Bishkek)'의 전 이름.

프룸킨〔Frumkin, Aleksandr Naumovich〕명〖사람〗소련의 물리 화학자. 근대 전기 화학 이론(電氣化學理論)의 선구자. 계면 현상(界面現象)의 전문가로, 고체 표면(固體表面)의 기체 응결(氣體凝結)·점착(粘着) 작용의 연구 등에서 큰 업적을 남김. 과학 아카데미 전기 화학(電氣化學) 연구소장·모스크바 대학 교수를 역임. 1940년에 스탈린상(賞)을 탐. [1895-1976]

프뤼니에〔프 prunier〕명 프르니에.

프르니에〔프 prenier〕명 프랑스식 생선 요리. 또, 그 요리를 파는 전문 레스토랑. 프뤼니에.

프르다 형〈옛〉푸르다. ¶프른 ᄀᆞᄅᆞ미 힌 말와ᄆᆞᆯ ᄢᅴ 찻ᄂᆞ니(青江帶白蘋) ≪杜諺 XXI:3≫.

프른거긔 구〈옛〉푸른 것이. ¶紺ᄋᆞᆫ ᄀᆞ장 프른거긔 블근 겨치 잇ᄂᆞᆫ 비치라 ≪月釋 X:52≫. *거긔·프르다.

프리:〔free〕명 ①자유(自由). 해방적(解放的). ②무료(無料). ③프리 랜서(free lancer)❶.

프리가〔Frigga〕명〖신〗북유럽 신화 중의 대기(大氣)·대지(大地)의 여신(女神). 오딘(Odin)의 처(妻)임.

프리고진〔Prigogine, Ilya〕명〖사람〗소련 태생의 벨기에의 화학자. 벨기에 브뤼셀 자유 대학 교수. 전기 역학·자석의 성질이 서로 연관되는 과정 및 이에 따른 물질의 변화와 관련된 비평형(非平衡) 열역학 연구에 진력함. '소모 구조물 이론 등 비평형 열역학' 부문에 기여한

공으로, 1977년 노벨 화학상을 수상함. [1917-]

프리기아 [Phrygia] 명 『지』 기원전 2000년경, 인도 유럽 어족(語族)인 프리기아인이 소아시아 서부에 세운 왕국. 소아시아 전역(全域)을 말하는 경우도 있음.

프리기아-어 【—語】 [Phrygia] 명 기원전 8세기경에 번창하였던 소(小)아시아의 프리기아인(人)의 언어. 인도 유럽 어족(語族)에 속함. 기원전 7세기경의 약간의 비문(碑文)과 로마 시대의 80여 개의 비문이 있는데, 모두가 그리스 문자 또는 이와 비슷한 문자로 쓰여 있음.

프리깃 [frigate] 명 ①상하의 갑판에 28-60문의 대포를 장비한 중세기의 목조(木造)·쾌속 범선(帆船). ②『군』 ↗프리깃함(艦).

프리깃-함 【—艦】 [frigate] 명 ①미국 해군에서 구축함보다는 크고 순양함보다는 작은, 배수량 4,000-9,000 t의 군함. 주로 공격형 항공 모함의 호위를 맡음. ②영국·캐나다 해군에서 코르벳함(corvet艦)보다 크고 구축함보다 작은, 배수량 1,200-2,500 t의 군함.

프리놀로지 [phrenology] 명 골상학(骨相學).

프리:다이얼 [free dial] 명 수신자가 요금을 부담하는 광역 전화 서비스 방식. 기업 등에서 이용자에게 제공하는 것으로, 통신 판매·예약의 접수, 정보 서비스·긴급 통신 등에 이용됨.

프리델러 [predella] 명 예배당 제단의 계단 직립면(直立面) 위에나 또는 제단 뒤의 높은 시렁 위에 있는 회화(繪畫)나 조각.

프리:델 크래프츠 반:응 【—反應】 명 [Friedel-Crafts reaction] 『화』 염화(塩化) 알루미늄의 무수물(無水物) 등의 촉매 작용에 의해 방향족(芳香族) 화합물을 알킬화(alkyl化) 또는 아실화(acyl化)하는 반응. 이 반응을 이용하여 알킬 벤젠을 합성함. 1877년 프랑스의 화학자 프리델(Friedel, Charles ; 1832-99)과 미국의 화학자 크래프츠(Crafts, James Mason ; 1839-1917)가 발견함.

프리:드라이히-병 【—病】 [Friedreich] [—뼝] 명 『의』 [독일의 정신병 학자 프리드라이히(Friedreich, Nikolas ; 1825-82)에서 유래] 유전성 척수성(脊髓性) 운동 실조증(運動失調症). 청년기에 발병하여 만성으로 진행됨. 보행 장애·언어 장애, 발이나 척추의 변형 등을 일으키며 예후(豫後)는 나쁨.

프리:드리히 대:왕 【—大王】 [Friedrich] 명 『사람』 프로이센(Preussen)의 왕. 프리드리히 빌헬름 1세의 아들. 오스트리아 계승 전쟁, 7년 전쟁을 통하여 슐레지엔(Schlesien)을 획득하고, 폴란드를 분할해, 더욱 영토를 넓혀 국제적 지위를 높였음. 계몽 군주(啓蒙君主)로서 스스로 계몽 철학자들과 친하고 '짐(朕)은 국가 제일의 공복(公僕)'이라 한 말은 유명함. 프리드리히 2세. [1712-86 ; 재위 1740-86]

프리:드리히 빌헬름 [Friedrich Wilhelm] 명 『사람』 독일의 브란덴부르크 선제후(選帝侯). 대(大)선제후로 불림. 30년 전쟁으로 황폐한 국토를 부흥함. 교묘한 외교 정책으로 영토를 확장하고 폴란드의 종주권을 배제하여 후년의 프로이센 왕국의 기반을 쌓음. 국내에서는 관료제의 강화와 상비군의 정비로 절대주의의 선구자가 되었으며, 종교적으로는 신구 양파의 화해에 힘을 기울임. [1620-88 ; 재위 1640-88]

프리:드리히 빌헬름 사:세 【—四世】 [Friedrich Wilhelm Ⅳ] 명 『사람』 프로이센 국왕. 보수적 낭만주의자. 1848년의 3월 혁명에 즈음하여 헌법 제정과 독일 통일을 약속했으나, 프랑크푸르트 국민 의회가 바친 독일 황제위를 거절함. 그 후 소(小)독일주의적인 군주 동맹(君主同盟)을 계획하였다가 올뮈츠(Olmütz) 협약(協約)으로 계획을 포기함. [1795-1861 ; 재위 1840-61]

프리:드리히 빌헬름 삼세 【—三世】 [Friedrich Wilhelm Ⅲ] 명 『사람』 프로이센 개혁 시대의 국왕. 왕 자신은 개혁에 소극적이고, 특히 빈 회의(Wien 會議) 이후에는 반동적 성격을 더욱 굳힘. 1815년 헌법 발포를 약속했으나 이행하지 않음. [1770-1840 ; 재위 1797-1840]

프리:드리히 빌헬름 이:세 【—二世】 [Friedrich Wilhelm Ⅱ] 명 『사람』 프로이센 국왕. 프리드리히 대왕의 조카. 암군(暗君)으로, 신비 사상(神祕思想)에 젖어 계몽 사상(啓蒙思想)을 탄압함. 대불 대동맹(對佛大同盟)에 참가했으나 발미(Valmy)의 싸움에서 패배하여 전선을 이탈했으며, 폴란드 분할에 참가하여 영토를 동방으로 확대함. [1744-97 ; 재위 1786-97]

프리:드리히 빌헬름 일세 【—一世】 [—쎄] [Friedrich Wilhelm Ⅰ] 명 『사람』 프로이센 국왕. 프로이센 절대주의의 확립자. 프리드리히 대왕의 아버지. 프리드리히 1세의 아들. 군대왕(軍隊王)이라는 별명을 가지고 상비군(常備軍)의 증강(增強)과 국고(國庫)의 충실에 힘썼으며 관료 조직(官僚組織)을 확립함. [1688-1740 ; 재위 1713-40]

프리:드리히 삼세 【—三世】 [Friedrich Ⅲ] 명 『사람』 작센 선제후(選帝侯). 신성 로마 황제 카를(Karl) 5세 치하의 독일에서 최고 유력자였음. 종교 개혁(宗敎改革) 때는 루터를 보호하고, 멜란히톤(Melanchthon, P. S.)의 영향을 받아 신교(新敎)의 신앙(信仰)을 허가하고 현공(賢公)으로 불림. [1463-1525 ; 재위 1486-1525]

프리:드리히스하:펜 [Friedrichshafen] 명 『지』 독일 바덴뷔르템베르크 주(Baden-Württemberg 州)에 있는 도시. 철도 및 스위스와의 호상(湖上) 교통의 요지(要地). 차량·선박 등의 수리 공장이 있음. 체펠린(Zeppelin) 비행선의 제작소가 있었음. [51,300 명 (1985)]

프리:드리히 실러 대학 【—大學】 [Friedrich-Schiller] 명 예나(Jena) 대학.

프리:드리히 아우구스트 일세 【—一世】 [Friedrich August Ⅰ] [—쎄] 명 『사람』 독일의 작센 선제후(選帝侯). 폴란드 국왕(1697-1704)을 겸하여 아우구스트 2세라 칭함. 러시아의 원조로 스웨덴의 간섭을 배제(排除)하였으며, 프랑스 국왕 루이 14세의 전형적인 모방자로 불림. [1670-1733 ; 재위 1693-1733]

프리:드리히 이:세[1] 【—二世】 [Friedrich Ⅱ] 명 『사람』 신성 로마 황제. 교황 이노켄티우스 3세의 후견(後見)으로 이탈리아·시칠리아의 경영에 몰두함. 본국 독일을 잘 돌보지 않아 제방(諸邦) 분립을 초래하였고, 제6차 십자군을 일으켜 성지(聖地)를 점령하여 예루살렘 왕국을 세움. 성품(性品)이 개명(開明)한 점 등으로, '왕좌(王座) 위의 최초의 근대인'이라고 불림. [1194-1250 ; 재위 1215-50]

「왕(大王).

프리:드리히 이:세[2] 【—二世】 [Friedrich Ⅱ] 명 『사람』 프리드리히 대

프리:드리히 일세[1] 【—一世】 [Friedrich Ⅰ] [—쎄] 명 『사람』 신성 로마 황제. 봉건 관계를 이용해서 권력 집중을 꾀하고 숙적 하인리히 사자공(獅子公)을 실각시켰지만, 제국(帝國) 제후 신분의 성립을 자초(自招)하여 왕권 쇠퇴의 원인이 됨. 전후 여섯 차례의 이탈리아 원정에서 교황과 롬바르디아 도시 동맹의 저항을 받아 고전을 겪음. 제3차 십자군 원정중 소(小)아시아에서 물에 빠져 죽음. 기사의 전형으로 일컬어짐. [1123-90 ; 재위 1152-90]

프리:드리히 일세[2] 【—一世】 [Friedrich Ⅰ] [—쎄] 명 『사람』 초대 프로이센 국왕. 브란덴부르크 선제후(選帝侯)로서 프리드리히 3세라고 칭했는데, 스페인 계승(繼承) 전쟁 때 신성 로마 황제 레오폴드 1세를 도운 공으로 왕호(王號)가 허용되어 프로이센 국왕이 됨. 학예(學藝)의 보호·육성에 힘씀. [1657-1713 ; 재위 1701-13]

프리:드먼 [Friedman, Milton] 명 『사람』 미국의 경제학자. 소비 분석(消費分析), 화폐 금융 이론 및 경제 안정화 시책(施策)의 실증적(實證的) 연구로 1976년 노벨 경제학상을 받음. [1912-2006]

프리:드먼 반:응 【—反應】 명 [Friedman's test] 『의』 생물학적 견지에서 행하여지는 임신 조기(早期) 진단법. 암토끼의 귀 정맥(靜脈)에 검사하려는 여성의 오줌을 5-10 cc 주사한 다음, 24-48 시간 뒤에 토끼의 난소(卵巢)를 검사하는 방법임. 배란(排卵)에 기인(起因)한 출혈점(出血點)이나 황체(黃體)가 나타났을 경우에는 반응 양성(反應陽性)으로서 임신으로 진단됨. 1929년 미국의 생리학자(生理學者) 프리드먼(Friedman, Maurice H.; 1903-)이 발견함.

프리: 라디칼 [free radical] 명 『화』 자유 라디칼.

프리: 라디칼 추진제 【—推進劑】 [free radical] 명 자유 라디칼의 결합에 의한 거대한 에너지를 이용하는 로켓 추진제.

프리: 라이플 경:기 【—競技】 [free rifle] 명 라이플 사격 경기의 하나. 구경 8 mm 이내의 라이플총을 사용, 300 m 떨어진 고정 표적(固定標的)을 사격함.

프리: 랜서 [free lancer] 명 ①전속이 아닌, 자유 기고가(自由寄稿家). 자유 계약(契約)에 의한 고용자. 무소속자. 프리. ②전속이 아닌 배우나 가수. 프리 랜스.

프리: 랜스 [free lance] 명 ①중세의 유럽에서, 주군(主君)이 없이 자유 계약(自由契約)으로 제후(諸侯)에게 고용되었던 기사(騎士). ②프리 랜서(free lancer).

프리레코 명 『연』 '프리리코딩(prerecording)'이 줄어 변한 말. ↔아프레코.

프리-리코:딩 [prerecording] 명 『연』 프리스코어링(prescoring). ↔애프터 리코딩(after recording). *프리레코.

프리마 돈나 [이 prima donna] 명 『연』 가극단의 제1 여가수(女歌手). 또, 가극 중의 주역을 맡은 여가수. 퀸.

프리마 발레리나 [이 prima ballerina] 명 『연』 주역(主役)의 발레리나.

프리:맨틀[1] [Freemantl, Brian] 명 『사람』 영국의 소설가. 기자 생활을 하면서 스파이 소설을 발표, 영국을 대표하는 스파이 소설가라는 정평이 있음. 1973년에 발표한 ≪이별을 고하고 온 사나이≫는 베스트셀러. ≪CIA≫·≪KGB≫ 등 논픽션도 있음. [1936-]

프리맨틀[2] [Fremantle] 명 『지』 오스트레일리아의 인도양안(岸)에 있는 항도. 웨스턴오스트레일리아 주(Western Australia 州)의 주도(主都)인 퍼스(Perth)의 외항(外港)으로서 양모·밀·금 등을 수출함. 대륙 횡단 철도의 서쪽 끝에 위치하며, 화학·제분(製粉)·피혁(皮革) 공업이 행해짐. [22,000 명 (1981)]

프리:-메이슨 [Freemason] 명 1717년에 런던서 성립하여, 곧 전유럽에 퍼진 국제적 비밀 결사. 18세기의 계몽주의 정신에서 생긴 초인종적(超人種的)·초계급적(超階級的)·초국가적(超國家的)·상애적(相愛的)·평화적 인도주의를 받들어, 각국의 왕후(王侯)를 비롯하여 정치·학문·예술 상의 명사(名士)로서 회원이 된 사람이 많음. 기원은 중세의 석공 조합(石工組合)이라고 함.

프리모 [이 primo] 명 『악』 '처음의'·'제1부의' 등의 뜻.

프리모 데 리베라 [Primo de Rivera, y Orbaneja Miguel] 명 『사람』 스페인의 군인. 1923년 쿠데타에 성공하여 독재 정권을 세움. 왕당파(王黨派)·산업 자본가층을 배경으로 진보파를 탄압하고, 모로코의 민족 운동을 진압하였으나, 1930년 학생·노동자의 반독재 운동으로 실각함. [1870-1930]

프리모르스키 [러 Primorskii] 명 『지』 '연해주(沿海州)'의 러시아 이름.

프리모 우오모 [이 primo uomo] 명 『악』 가극에서의 제1 테너 가수. 주역 남성 가수.

프리뮬러 [primula] 명 『식』 앵초과(科) 식물의 총칭. 주로 북반구 온대 지방 원산으로, 세계적으로 약 550종이 발견되었음. 원예 식물로서 노지(露地)·온실 등에 많이 재배함. 앵초·설앵초·봄맞이꽃 등이 이에 속함. 프림로즈(primrose).

프리미엄 [premium] 명 ①입장권 등의 할증금(割增金). 액면 초과금. 웃돈. ②수수료. 보수(報酬). ③보험료. ④『경』 한 화폐가 다른 화폐에 비해서 가지는 초과 구매력(超過購買力). ⑤『경』 주식(株式)·공사채(公社債) 등의 매매 가격이 액면 가격을 초과하였을 때의 그 초과액. 타보(打步). ¶ ~이 붙다.

프리미엄 맥주【一麥酒】〔premium〕 명 일반 맥주보다 고급이고 값이 비싼 맥주.

프리미엄 환원【一還元】〔premium〕 명 『경』 기업이 시가 발행(時價發行)으로 조달(調達)한 자금 가운데, 액면분(額面分)을 상회하는 금액. 곧, 프리미엄에 대하여 주주(株主)에게 무상 교부(無償交付) 형식으로 이익을 환원하는 일.

프리미티브〔primitive〕 명 원시적(原始的). 태고적(太古的).

프리미티브 아:트〔primitive art〕 명 프리미티프.

프리미티프〔프 primitif〕 명 『미술』 ①미개 민족의 예술. ②14-15세기 또는 중세적 요소를 지니고 있는 화가. 또, 그 작품. ③근대에서는 루소(Rousseau, H.) 등 소박(素朴)한 화풍의 화가로 대표되는 치졸(稚拙)한 양식의 뜻으로 쓰임. 프리미티브 아트.

프리: 반:〔free barn〕 명 『농』 군방사식(群放飼式) 우사(牛舍). 개방식 우사의 일종으로, 소를 축사(畜舍)에 고정시키지 않고, 운동장·휴식장·급사장(給飼場)·착유실(搾乳室) 등을 연결시켜 자유롭게 개방한 사육 방식. 인력을 절약하고 생산성 향상을 꾀한 것임.

프리: 배기지 얼라우언스〔free baggage allowance〕 명 항공기 탑승객의 무료 수화물 허용량.

프리: 배팅〔free batting〕 명 야구에서, 자유(自由)로이 타격(打擊)을 연습하는 일.

프리부:르〔Fribourg〕 명 『지』 스위스 서부의 같은 이름의 주(州)의 주도. 초콜릿 제조·양조업(釀造業)이 행하여짐. 가톨릭 대학·초기 고딕식 성당 등이 있음. [37,000 명(1980)]

프리뷰:〔preview〕 명 영화를 개봉하기 전에, 관계자(關係者)만이 시사(試寫)를 보는 일.

프리빌로프 제도【一諸島】〔Pribilof〕 명 『지』 미국 알래스카 주에 속하는 화산 군도(群島). 북태평양 베링 해(Bering 海) 동남부에 위치하며, 세계의 물개의 80%는 이 곳에 모여 있다고 하는데 육상(陸上)에는 흰여우가 많음. 주도(主島)는 세인트폴(St. Paul) 섬과 세인트조지(St. George) 섬임.

프리: 섹스〔free sex〕 명 자유 성애(性愛).

프리셀링〔preselling〕 명 광고에서, 제품의 판매에 앞서 볼 수 있는 활동. 기업이나 상품의 지명도(知名度)·이해·이미지 따위를 높이고 나아가서는 상품 구입 의도(意圖)를 증대시키는 광고의 사전(事前) 판매 기능을 이름.

프리슈[1]〔Frisch, Karl von〕 명 『사람』 오스트리아의 동물 행동학자(行動學者). 1930년대부터 꿀벌의 습성(習性)과 사회 생활 연구로 유명함. 1950-58년 뮌헨 대학 교수를 지냄. 1973년 동물 행동학 개척의 공로로 노벨 생리 의학상을 수상함. [1886-1982]

프리슈[2]〔Frisch, Max〕 명 『사람』 스위스의 독어 작가. 처음에는 건축가로 성공했으나, 후에 고정 관념(固定觀念)을 거부하는 견해(見解)를 ≪일기(日記)≫에 밝히고, ≪호모 파베르(Homo faber)≫ · ≪슈틸러(Stiller)≫ 등 장편에서 고정으로부터의 탈출을 기도하는 현대인의 모습을 묘사함. ≪중국의 장성(長城)≫·≪안드라(Andrra)≫ 그 밖의 희곡은 관객에게 충격(衝擊)을 줄 것을 기도(企圖)한 것으로 성공적인 작품임. [1911-]

프리슈[3]〔Frisch, Ragnar Anton Kittil〕 명 『사람』 노르웨이의 경제학자. 오슬로 대학 교수. 계량 경제학(計量經濟學)의 창시자의 한 사람. 경제 이론·실증(實證) 분석·통계적 방법의 종합화 등 그의 업적은 광범위함. 1968년 최초의 노벨 경제학상을 수상함. 저서 ≪한계 효용의 신측정법≫ 등. [1895-1973]

프리:스〔Fries, Jakob Friedrich〕 명 『사람』 독일의 철학자. 심리주의(心理主義)의 대표자. 칸트 이후의 독일 관념론을 심리주의적 입장에서 반대함. 칸트 철학을 실험 심리학적으로 해석하여 칸트의 선천적 인식 형식은, 사실은 후천적 내적 경험에 의해 얻어지는 것이며, 칸트 철학의 성과는 새로 '심리적 인간학'에 바탕을 두지 않으면 안 된다고 함. 저서 ≪신(新)이성 비판≫ 등. [1773-1843]

프리: 스로:〔free throw〕 명 농구·핸드볼·수구(水球) 등에서, 상대편이 반칙을 범하였을 때, 일정한 지점·선에서 자유로이 공을 던지는 일. 자유투(自由投).

프리: 스로: 서:클〔free throw circle〕 명 농구 경기장의 프리 스로 라인의 중앙을 중심으로 하여 그은 원주(圓周).

프리스마〔도 Prisma〕 명 『물』 프리즘.

프리: 스케이팅〔free skating〕 명 피겨 스케이팅의 하나. 일정한 시간에 자유로운 구성(構成)으로 활주(滑走)하는 일.

프리-스코어링〔prescoring〕 명 『연』 텔레비전이나 영화에서 화면을 촬영하기 전에 음악이나 대사(臺詞)를 녹음하는 일. 프리레코딩(prerecording). ↔포스트스코어링(postscoring).

프리: 스타일〔free style〕 명 자유형(自由型)❶❷. ↔그레코로만(Greco-Roman).

프리:스타일 스키:〔freestyle ski〕 명 스키 경기의 하나. 자유롭고 곡예적인 연기를 겨룸. 비거리(飛距離) · 높이, 공중에서의 연기를 겨루는 에어리얼(aerial)과, 정해진 코스에서 음악에 맞추어 피겨 스케이팅처럼 활주하는 발레, 울퉁불퉁한 급경사 코스에서 턴 · 점프 · 스피드를 겨루는 모걸(mogul)의 3종목이 있음. 심판의 채점으로 순위가 정해짐.

프리스트레스트 콘크리:트〔prestressed concrete〕 명 피에스(PS) 콘크리트.

프리:스틀리[1]〔Priestley, John Boynton〕 명 『사람』 영국의 극작가. 평론 및 ≪좋은 친구들≫·≪천사의 가로(街路)≫ 등의 소설을 쓰고, 극작으로 ≪제니 빌리어스(Jenny Villiers)≫ 등 양식(良識)에 바탕을 둔 사회 정의를 절규하는 극작을 발표하였으며, 현재 가장 영국적인 작가로서 평가됨. [1894-1984]

프리:스틀리[2]〔Priestley, Joseph〕 명 『사람』 영국의 신학자·철학자·화학자·성직자(聖職者). 목사로 재직하면서 대학에서 문학을 강의하였으며, 화학 실험에 흥미를 느껴 산소·암모니아·염산 등을 발견하였고, 식물의 동화 작용에 관한 실험도 하였음. 저서 ≪교회사≫·≪전기학의 역사와 현상(現狀)≫ 등. [1733-1804]

프리아모스〔Priamos〕 명 『신』 그리스 신화에서, 트로이 전쟁 당시의 늙은 트로이의 왕(王). 50명의 아들을 가짐. 신앙심이 깊고, 따뜻하고 성실한 인품은 신(神)은 물론 적으로부터도 사랑을 받음. 트로이가 함락될 때 네오프톨레모스(Neoptolemos)에게 살해됨.

프리애니미즘〔preanimism〕 명 『종』 애니머티즘(animatism).

프리에네〔Priene〕 명 『지』 소(小)아시아 서안(西岸) 남부에 있던 고대 이오니아의 그리스 식민시(植民市). 이오니아 12 도시(都市)의 하나. 기원전 4세기에 재건됨. 고대 도시 가운데 가장 잘 정비되어 있었음이 유적으로 밝혀짐.

프리: 에어 라이플 경:기【一競技】〔free air rifle〕 명 라이플 사격 경기의 하나. 구경 4.5 mm·5 mm 또는 5.5 mm, 중량 8 kg 이하의 라이플 총을 사용하는 사격 경기.

프리:웨어〔freeware〕 명 『컴퓨터』 저작자가 무료로 배포하는 공개(公開) 소프트웨어.

프리:-웨이〔미 freeway〕 명 입체 교차(立體交叉)·방향 분리 · 중앙 분리대 등으로 교통 상의 장애를 없앤 다차선(多車線) 고속 도로.

프리: 이:지 룩〔free easy look〕 명 헤어 스타일(hair style)의 하나. 자유롭고 가벼운 것이 특징으로, 손질하기 쉬우며 여성답고 부드러운 분위기를 지님.

프리: 재즈〔free jazz〕 명 자유로운 형식의 재즈란 뜻으로, 전위(前衛) 재즈를 일컫는 말.

프리:저〔freezer〕 명 ①냉각기(冷却機). 냉동기(冷凍機). ②아이스 크림을 만드는 장치.

프리:즈〔frieze〕 명 ①이중직(二重織)으로 짠 표면에 거친 보풀이 있는 두터운 모직물. 외투감으로 쓰임. ②『건』 건축물의 벽면과 코니스(cornice)와의 사이에 있는 띠 모양의 부분. 부조(浮彫)로 장식하는 일이 많음. 또, 건축물의 외면이나 내면, 기구(器具)의 외면에 붙인 띠 모양의 장식물을 일컬음.

프리:즈드라이-법【一法】〔一뻡〕 명 〔freeze-drying〕 동결 건조(凍結乾燥).

프리즘〔prism〕 명 『물』 〔기둥의 뜻〕 광선의 굴절(屈折)·분산(分散) 등을 일으킬 때에 쓰는 유리 등으로 만든 삼각(三角) 기둥 또는 망원경 등에서 광선의 방향 전환에 쓰이는 여러 가지 모양으로 자른 유리 조각 등을 이용하여 만든 광학(光學) 부분품. 직각 프리즘·지붕 모양의 프리즘 등이 있음. 능경(稜鏡). 삼릉경(三稜鏡). 삼릉 파리(三稜玻璃). 삼릉 초자(三稜硝子).

프리즘 글라스〔prism glass〕 명 『물』 글라스 블록(glass block)의 하나. 두께 3-6 cm의 벽돌 모양으로, 한 면(面)이 프리즘이 되어 있어 산광(散光)하거나 빛의 방향을 굽힐 수 있음.

프리즘 분광기【一分光器】 명 〔prism spectroscope〕 『물』 프리즘을 사용한 분광기. 콜리메이터(colimator)와 프리즘과 망원경으로 구성되어 있음.

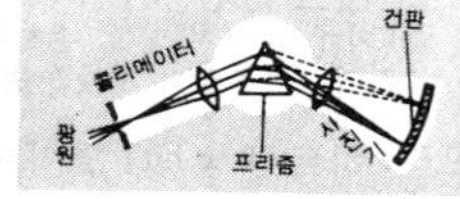

〈프리즘 분광기〉

프리즘 스펙트럼〔prism spectrum〕 명 『물』 프리즘 분광기(分光器)로 관측한 스펙트럼.

프리즘 쌍안경【一雙眼鏡】 명 〔prismatic binocular〕 『물』 대물(對物)·대안(對眼) 두 렌즈 사이에 두 개의 직각 프리즘을 끼워 넣어 네 번 전반사(全反射)시켜서 배율(倍率)을 크게 하고 영상(映像)을 바로 서게 한 쌍안경.

프리즘 컴퍼스 명 〔prismatic compass〕 프리즘을 장치한 소형의 컴퍼스. 프리즘을 통하여 목표를 시준(視準)하는 동시에 눈금을 읽도록 되어 있음.

프리지아 제:도【一諸島】〔Frisia〕 명 『지』 네덜란드 북서부로부터 덴마크 남서부에 이르는 북해안(北海岸)의 도서군(島嶼群).

프리:지어〔freesia〕 명 『식』 〔*Freesia refracta*〕 붓꽃과(科)에 속하는 다년초. 구경(球莖)은 달걀꼴이나 원추형이고 섬유질의 거친 피막에 덮여 있음. 잎이 날 무렵에 육판화(六瓣花)가 30 cm 가량의 꽃줄기 끝에 원추(圓錐) 꽃차례로 피는데, 보통 내부는 황색을 띠며 황색의 삼각형 반문(斑紋)이 있으나, 변종(變種)·개량종에서는 거의 순백색임. 최초에는 글라디올러스의 무리로 취급되었으나, 스웨덴의 은화(隱花) 식물학자 프리에스(Fries, Elias Magnus; 1794-1878)를 기념하여 이렇게 이름을 지었음. 남미 원산으로, 향기가 좋아 온실·온상에서 재배함.

〈프리지어〉

프리캉도〔프 fricandeau〕 명 다진 고기에 양파 등을 섞어서, 생선묵 모양으로 만들어 오븐(oven)에 구운 음식.

프리캐스트 콘크리:트〔precast concrete〕 명 공장에서 미리 성형(成形)·완성된 패널(panel)을 현장에서 조립하여 건물을 만드는 콘크리트 공법. 또, 그 콘크리트 부품.

프리쿡 라이스〔precook rice〕 명 끓는 물을 부은 후 3-5분이면 밥이 되게 가공한 쌀. 압력솥에 밥을 지어 물리적 방법으로 물을 잘 흡수하도록, 고른 다공질(多孔質)의 건조한 쌀로 환원시킴.

프리:크 아웃〔freak out〕 명 『사』 비뚤어진 기존(既存) 사회 체제로부터의 탈출. *드롭 아웃.

프리: 킥〔free kick〕 명 럭비나 축구에서, 상대편이 반칙을 범하였을 때에 그 지점에서 자유로이 공을 차는 일. *간접 프리 킥·직접 프리 킥.

프리:타운 [Freetown] 명 〖지〗 시에라리온(Sierra Leone)의 수도. 대서양안에 면한 항도로 커피·카카오·다이아몬드·야자핵(核)·철광을 수출함. 대학·박물관·공항(空港) 등이 있음. [500,000 명(1985 추계)]

프리탈룩스 [Fritalux] 명 [France·Italy·Benelux의 합성어] 프랑스·이탈리아·벨기에·네덜란드·룩셈부르크의 다섯 나라. 또, 다섯 나라가 체결한 경제 동맹.

프리터 [fritter] 명 밀가루에 달걀 노른자위를 넣고 우유 또는 물로 개어 거기에 거품을 낸 흰자위를 섞어서 고기·야채·과일 따위에 입혀 튀긴 음식.

프리토리아 [Pretoria] 명 〖지〗 남아프리카 공화국의 수도. 표고(標高) 약 1,500 m 고지에 있는 상공업 도시. 철강업이 성하며 화학·섬유 등의 공업도 행해짐. 대통령 관저·정부 종합 청사·대학 등이 있음. 보어인(Boer人) 대이동의 영웅 프리토리우스(Pretorius, Marthinus Wessels; 1819-1901)를 기념하여 명명됨. 1900년 영국에 점령되고, 1910년 남아프리카 연방 성립 후 행정 상의 수도가 됨. 주민의 약 반이 백인임. [528,000 명(1980)]

프리: 토:킹 [free talking] 명 자유스런 형식의 회화(會話). 원고 없이 하는 자유 토론.

프리:트 [Fried, Alfred Hermann] 명 〖사람〗 오스트리아의 평화주의자. 1891년 독일 최초의 반전(反戰) 평화 잡지를 창간·주재하고, 1892년 독일 평화 협회를 세움. 1911년 노벨 평화상 수상. [1864-1921]

프리패브 [prefab] 명 [prefabricated house의 약칭] 조립식 주택. 공장에서 생산된 부재(部材)를 현장에서 조립하며 가옥 등의 건축물을 만드는 방법. 또, 그 건축물. *조립 건축(組立建築).

프리패브 미학 【一美學】 [prefab] 명 〖미술〗 조형 예술 분야에서, 공업 제품 등 기성(旣成)의 재료를 소재(素材)로 써서 현대에 적합한 새로운 미(美)를 창조하려는 미술 사조(思潮). 1970년대에 미국에서 일어남.

프리: 패스 [free pass] 명 ①무임 승차(無賃乘車)나 무료 입장의 대우를 받는 일. 또, 무임 승차권(券). 무료 입장권. 패스(pass). ②심사나 검사를 거치지 않고 통과되는 일.

프리팩트 콘크리:트 [prepact concrete] 명 큰 자갈을 미리 철골 사이에 넣어 두고, 시멘트와 모래만의 모르타르를 그 속에 부어 넣은 콘크리트 공법(工法).

프리: 퍼니처 [free furniture] 명 유니트 가구(家具).

프리: 포:트 [free port] 명 자유항(自由港).

프리: 피스톤 가스 터:빈 [free piston gas turbine] 명 실린더 안에 한 쌍의 피스톤을 갖는 가스 발생기 속에서 디젤을 연소시키고, 거기에서 생긴 가스로 터빈을 움직이게 하는 내연 기관. 1934년 프랑스의 페스카라(Pescara, R.P.)가 발명함. 펌프·압축기의 구동(驅動) 등 공장에서 많이 쓰이며 배·발전용으로도 쓰임.

프리: 피스톨 경:기 【一競技】 [free pistol] 명 자유 권총 경기.

프리:핸드-법 【一法】 [freehand] [一뻡] 명 자·컴퍼스 등의 제도(製圖) 기구를 쓰지 않고 손으로 작도(作圖)하는 방법. 보통 삼각법으로 그리며, 정투상법(正投像法)이나 등각(等角) 투상법·경사(傾斜) 투상법이 쓰임.

프리: 히트 [free hit] 명 하키에서, 반칙이 있을 때 그 지점에 공을 정지하여 놓고 반칙한 상대편이 치는 일. 다른 선수는 공에서 5야드 이상 떨어져 있지 않으면 안 됨.

프린세스 [princess] 명 ①왕녀. 공주. 왕비. ②공작 부인(公爵夫人).

프린세스 라인 [princess line] 명 [영국의 에드워드(Edward) 7세의 왕비 알렉산드라가 황태자비(皇太子妃) 시절에 즐겨 입은 데서] 여성복으로 상반신(上半身)을 몸에 꼭 맞게 하고, 허리에서 아랫단을 향하여 퍼지게 만든 실루엣.

프린세스 코:트 [princess coat] 명 프린세스 라인의 코트. 앞길 네 조각, 뒷길 세 조각을 세로로 이어 꿰매고, 웨이스트(waist)는 따로 대지 않고 몸에 붙게 하며 옷자락은 풍신하게 만듦.

프린스[1] [prince] 명 ①왕자. 황자(皇子). 친왕(親王). ②제일인자(第一人者). ③공작(公爵).

프린스[2] [Prince, Morton] 명 〖사람〗 미국의 정신병학자. 병적인 정신 현상을 생리학·심리학적으로 설명함. 이상(異常) 심리학의 권위자였음. [1854-1929]

프린스-루퍼:트 [Prince Rupert] 명 〖지〗 캐나다 브리티시컬럼비아 주(British Columbia 州), 태평양안(太平洋岸)의 항도. 캐나다 국영 철도의 종점. 어류(魚類) 통조림 공장·냉동 공장이 있는 어항(漁港)이기도 함. [17,000 명(1982)]

프린스 멜론 [prince+melon] 명 〖식〗 뉴멜론과 참외를 교배시킨 멜론의 품종. 작고 둥근데, 겉은 회색이 도는 녹색. 살은 청색이며 닮.

프린스에드워:드 섬 [Prince Edward] 명 〖지〗 캐나다 동안(東岸) 세인트로렌스 만(St. Lawrence 灣) 남부의 섬으로 캐나다의 한 주(州)를 이룸. 여우의 모피(毛皮)는 유명하며, 남안(南岸)은 농업이 성하여 감자의 생산지로 알려지고 낙농도 발달됨. 어업은 왕새우가 전 어획고의 70%를 점하고 굴양식도 유명함. 북안(北岸)에는 국립 공원이 있고 여름철에 많은 피서객·해수욕객이 모임. 수도는 남해안에 있는 샬럿타운(Charlottetown)임. 1873년 캐나다 연방(聯邦)에 가입함. [5,656 km²: 123,000 명(1981)

프린스에드워:드 제도 【一諸島】 [Prince Edward] 명 〖지〗 인도양 남서쪽에 있는 제도. 남아프리카 공화국 영토. 프린스에드워드와 마리온(Marion)의 두 섬으로 됨. 1772년 발견. 마리온 섬에는 남극 관측 기지가 있음.

프린스 오브 웨일스 [Prince of Walse] 명 영국 황태자의 칭호. 영국왕 에드워드 1세가 웨일스를 정복한 후, 1301년 그의 장자, 곧 후의 에드워드 2세에게 이 칭호를 준 데서 시작됨.

프린스오브웨일스 섬 [Prince of Wales] 명 〖지〗 ①캐나다 북쪽의 프랭클린(Franklin) 지구에 있는 섬. 정주(定住) 인구는 없음. 1948년에 북자극(北磁極)이 위치하던 곳임. ②미국 알래스카 주 동남쪽의 알렉산더 제도에 있는 섬.

프린스턴 [Princeton] 명 〖지〗 미국 뉴저지 주(New Jersey 州) 중앙부의 학술 도시. 프린스턴 대학·프린스턴 고급 연구소·고등 교육 기관 등이 있음. 1696년 퀘이커(Quaker) 교도가 창건함. [12,000 명(1980)]

프린스턴 고급 연:구소 【一高級硏究所】 [Princeton] [一년一] 명 [Institute for Advanced Study] 미국의 프린스턴에 있는 연구소. 1933년 사업가 밤버거(Bamberger, Ludwig; 1823-99)와 그의 누이 동생 풀드(Fuld, F.) 부인의 기부금으로 개설됨. 사학(史學)을 비롯한 문학·법률·경제학과 수학을 비롯한 이론 물리학의 부문이 있으며, 세계 각지의 일선에 있는 학자를 모아 자유롭게 연구시킴. 소수의 종신(終身) 소원(所員) 이외에 수 개월에서 2년간 초대되는 객원(客員)으로 구성되어 총수는 100명 내외임.

프린스턴 대학 【一大學】 [Princeton] 명 미국의 프린스턴에 있는 저명한 사립 대학. 1746년 뉴저지 대학으로 세워졌다가 1896년 현재의 이름으로 바뀜. 비종파적(非宗派的) 대학으로 학생의 대부분은 기숙사 생활을 함. 칼리지 및 공(工), 건축, 사회·국제 문제의 각 학부와 대학원 등이 있음.

프린스해럴드 해:안 【一海岸】 [Prince Harald] 명 〖지〗 남극 대륙 동경(東經) 34°-39° 사이 인도양에 면한 해안 지역. 퀸모드랜드(Queen Maud Land)의 일부를 이룸. 1937년 노르웨이의 탐험대가 발견하고 명명(命名)함.

프린시펄 [principal] 명 ①지배자. 장관. ②사장. 회장. 교장. ③〖법〗 본인. 정범자(正犯者). 주물(主物).

프린시플 [principle] 명 ①원리(原理). 원칙(原則). 법칙(法則). 공리(公理). ②주의(主義).

프린지 [fringe] 명 숄(shawl)·스카프 등의 가장자리에 붙이는 술 장식.

프린켑스 [라 princeps] 명 고대 로마에서, 원로원의 제1인자와 시민 중의 제1인자의 일컬음. 전자는 원로원에서 첫번째로 발언할 수 있는 인물, 후자는 유력자의 사적(私的) 칭호였었는데, 기원 전 27년 옥타비아누스가 이 칭호를 공적인 것으로 하여 프린키파투스(principatus), 곧 원수정(元首政)을 시작함.

프린키파투스 [라 principatus] 명 로마 제정(帝政)의 전반기, 기원 전 1세기말 옥타비아누스 때부터 시작하여 3세기말 디오클레티아누스(Diocletianus, G.A.V.)의 전제 정치(專制政治) 성립에 이르기까지의 정치 형태. 원수정(元首政).

프린키피아 [라 Principia] 명 〖책〗 '자연 철학의 수학적 원리'의 통칭(通稱).

프린터 [printer] 명 〖인쇄〗 ①인쇄업자. 활판(活版) 직공. 식자공(植字工). ②인쇄 기계. ③사진의 인화(印畫) 기계. ④〖컴퓨터〗 정보를 출력 용지에 인쇄하는 장치. 라인(line) 프린터·페이지(page) 프린터·도트(dot) 프린터가 있음. 인쇄 장치. 인자기(印字機).

프린트 [print] 명 ①인쇄. ②강연이나 강의의 내용을 등사판(謄寫版)에 박은 것. 인쇄물. ③영화·사진에서, 주로 음화(陰畫)로부터 양화(陽畫)를 박아 내는 일. 또, 그 필름. ④날염(捺染). 날염지(地). ――-하다 자타여불

프린트 배:선 【一配線】 [print] 명 베이클라이트판 위에 철사 대신 금속의 박(箔) 따위로 전기 회로(回路)를 인쇄하는 일. 인쇄 배선.

프린트-법 【一法】 [print] [一뻡] 명 기계의 제도에서, 평면에 구멍이 있는 물체의 모양을 스케치할 때 쓰는 방법. 종이에 판화(版畫)를 찍듯이 하여 그리는데, 스케치하고자 하는 면에 사산화연(四酸化鉛)이나, 기름 등을 얇게 바른 다음 용지를 대고 눌러서 실형(實形)을 복사하고 필요한 선을 프리핸드(freehand)로 그려서 그림을 완성시킴.

프린트 합판 【一合板】 명 [printed plywood] 자연목과 흡사한 나뭇결을 인쇄한 종이를 발라 수지 가공(樹脂加工)한 베니어판. 벽면·천정 등의 내장재(內裝材)로 쓰임.

프린팅 [printing] 명 ①인쇄술. ②〖미술〗 자연물이나 인공물에 물감을 칠하여 종이 위에 옮기는 평면 구성의 한 방법.

프릴 [frill] 명 주름을 잡아 물결 모양으로 한 가장자리 장식. 여성복이나 아동복의 소매나 깃에 붙임.

프릴 팬츠 [frill pants] 명 물결 모양의 주름잡힌 가장자리 장식을 가랑이 끝에 단 팬츠.

프림로:즈 [primrose] 명 ①담녹황색(淡綠黃色). ②〖식〗 프리뮬러.

프사이 [psi] 의명 [pounds per square inch의 약어] 야드 파운드법(法)의 압력의 단위(單位). 1프사이는 1제곱 인치마다 1파운드의 힘이 가해질 때의 압력. 14.223 프사이가 1 cm² 당 1 kg에 상당함. 기호: psi, ϕ.

프사이그 [psig] 의명 〖물〗 [pound per square inch gage의 약어] 게이지 압력으로 1제곱 인치의 넓이에 작용하는 파운드 역량(力量).

프사이 입자 【Ψ粒子】 명 〖화〗 제이프사이 입자(J/Ψ粒子).

프서리 명 〈옛〉 푸서리. 풀이 많이 우거진 사이. ¶프서리예 곧 서로 迷路ᄒᆞ리로다(榛草卽相迷)≪初杜諺 Ⅶ:8≫.

프셰미실 [Przemyśl] 명 〖지〗 폴란드 남부의 도시. 제재(製材)·화학 공업·제분·의료(衣料)·금속 등의 공업이 행하여짐. 1차 대전 때, 오스트리아·러시아 양군의 격전지(激戰地)였음. [62,000 명(1981)]

프슬-프슬 부 ☞ 푸술푸술.

프시 [psi] 명 〖심〗 이 에스 피(E.S.P.)와 피 케이(P.K.)는 본질적으로 다르지 않은 현상이라는 인식에 의하여 두 현상을 총칭하는 말.

프시케 [Psyche] 명 〖신〗 그리스 신화 중의 인물. 사랑의 신(神) 에로스(Eros)의 아내로, 생명의 원리로서의 마음·영혼(靈魂)을 신격화(神格

化)한 것임. 사이키(Psyche).

프시코-라마르키슴 〔프 psycho-Lamarckisme〕 명 〖생〗 의욕에 의한 기관의 발달, 기억·인상의 유전 등의 심리적 요소를 진화 요인으로 하는 설. 라마르키슴(Lamarckisme)과는 직접적인 관계가 없음. 심리 라마르크주의(心理 Lamarck 主義).

프실로피톤 〔라 Psilophyton〕 명 〖식〗 솔잎란(蘭) 아문(亞門)(Psilopsida)에 속하는 화석 식물군(群). 고생대 실루리아기(紀) 말부터 데본기의 지층에서 발견된 원시적 양치 식물군임. 유럽과 아메리카 주의 각지에서 많이 발견되고 남아프리카·오스트레일리아에서도 발견됨. 잎은 없으며 뿌리는 미(未)발달 상태이고 줄기는 두 갈래로 갈라져 있고 포자낭은 타원체로 줄기 끝에 붙음. 최초의 육상 식물군으로 여겨짐.

프ᅀᅥ리 명 〈옛〉 푸서리. ¶나리 져므러 ᄒᆡ 디거늘 세분이 프ᅀᅥ리예셔 자시고 ≪月釋 Ⅷ:93≫.

프ᅀᅥᇰ귀 명 〈옛〉 푸성귀. ¶뫼콰 내콰 프ᅀᅥᇰ귀와 사ᄅᆞᆷ과 즁ᄉᆡᇰ괘(山川草芥人畜)≪楞嚴 Ⅱ:30≫.

프어리 명 〈옛〉 푸서리. ¶시놀 고텨 시녀 프른 프어리예 거로니(整履步青蕪) ≪重杜諺 Ⅲ:27≫. *프서리·프ᅀᅥ리.

프엉귀 명 〈옛〉 푸성귀. ¶너를 보ᄃᆡ 프엉귀 ᄀᆞ티 ᄒᆞ놋다(視汝如莠蒿)≪重杜諺 Ⅱ:61≫. *프ᅀᅥᇰ귀.

프타 〔Ptah〕 명 〖신〗 고대 이집트의 공예·기술의 신(神). 미이라의 모습으로 표현되는 고왕국(古王國) 시대의 수도 멤피스의 수호신(守護神).

〈프타〉

프탈-산 【一酸】 명 〔phthalic acid〕 〖화〗 무색 주상(無色柱狀)의 결정체(結晶體). 가열하면 용융(溶融)되어, 프탈산 무수물이 됨. 나프탈렌을 질산 또는 과망간산염으로 산화하여 만듦. 분석용 시약(試藥)으로 쓰이고 색소(色素)·가소제(可塑劑)·합성 수지의 원료로 쓰임. [$C_8H_6O_4$]

프탈산 디부틸 【一酸一】 명 〔dibutyl phthalate〕 〖화〗 부틸 알코올과 프탈산 무수물(無水物)의 에스테르화(ester 化) 반응에 의하여 얻어지는 약간 점조성(粘稠性)의 무색 액체. 비중 1.043, 녹는점 −35℃, 끓는점 340.7℃ (763 Torr). 염화 비닐 수지용 가소제(可塑劑)로서의 성능은 프탈산 디옥틸보다 떨어지지만 값이 싸므로 다량으로 쓰임. 약칭: 디 비 피(D.B.P.). [$C_{16}H_{22}O_4$]

프탈산 디옥틸 【一酸一】 명 〔dioctyl phthalate〕 〖화〗 옥틸(octyl) 알코올과 프탈산 무수물과의 에스테르화(化) 반응(反應)에 의해 얻을 수 있는 약간의 점조성(粘稠性)이 있는 무색(無色)액체. 비중 0.986, 녹는점 −46℃, 끓는점 231℃. 가장 대표적인 것은 염화(塩化) 비닐용 가소제(可塑劑). 약칭: 디 오 피(D.O.P.). [$C_{24}H_{38}O_4$]

프탈산 무수물 【一酸無水物】 명 〔phthalic anhydride〕 〖화〗 프탈산(酸)을 가열 탈수(脫水)하여 얻어지는 무색의 침상(針狀) 결정. 나프탈렌에서 직접 만들 수도 있음. 물·알코올에 녹음. 색소·물감·향료·살충제·합성 수지 등 용도가 매우 넓음. 무수 프탈산. [$C_8H_4O_3$]

프탈산 수지 【一酸樹脂】 〔phthal〕 명 〖화〗 투명한 담황색의 합성 수지의 한 가지. 프탈산과 글리세린을 가열하여 에스테르화(Ester 化)하여 만듦. 지방유(脂肪油)에 넣어 유성(油性) 니스로 사용함.

프탈산 에스테르 【一酸一】 명 〔ester phthalate〕 〖화〗 환경 호르몬의 하나. 고형체(固形體)인 플라스틱의 가소제(可塑劑)로 쓰이는 화학 물질. 플라스틱제 장난감 제조에 많이 쓰이므로 아이들이 이들 장난감을 빨거나 하면 이것이 체내에 들어가 환경 호르몬으로서 작용할 가능성이 커서 문제가 되고 있음.

프테라노돈 〔라 Pteranodon〕 명 〖동〗 익룡류(翼龍類)에 속하는 파충류의 하나. 백악기(白堊紀) 후기에 세계 각지에서 살았음. 날 수 있는데, 날개를 펴면 6～8 m는 되고 두골은 가늘고 길며, 길고 뾰족한 부리에는 이가 없음. 꼬리는 퇴화하고, 큰 날개는 제 4 지로 지탱하였음.

프테로닥틸루스 〔라 Pterodactylus〕 명 〖동〗 익룡류(翼龍類)에 속하는 파충류의 하나. 공중을 날 수 있으며, 전장 20 cm 내외. 앞다리 및 뻗은 제 4 지와 체측(體側)과의 사이에 박쥐와 같은 비막(飛膜)이 형성되어 있음. 쥐라기의 유럽에서부터 동아프리카에 걸쳐 서식했음.

프테로사우루스 〔라 Pterosaurus〕 명 〖동〗 쥐라기에서 백악기에 걸쳐 번성한 파충류의 한 목(目). 하늘을 날 수 있으며 앞다리 및 길게 뻗은 앞다리 제 4 지와 체측(體側)과의 사이에 박쥐와 같은 비막(飛膜)이 형성되어 있음. 쥐라기의 람포린쿠스(Rhamphorhyncus), 백악기의 프테라노돈(Pteranodon)이 대표적인 것임. 익룡류(翼龍類).

프테로일글루탐-산 【一酸】 명 〔pteroylglutamic acid〕 〖화〗 폴산(酸).

프토마인 〔ptomaine〕 명 〖생〗 단백질이나 동물의 시체 등이 미생물의 작용에 의하여 분해할 때 발생하는 염기성(塩基性) 함질소(含窒素) 화합물의 총칭. 여러 가지 디아민류(Diamin 類)가 있으며, 맹독성(猛毒性)인 것도 있음. *시독(屍毒).

프토마인 중독 【一中毒】 〔ptomaine〕 명 〖의〗 부패된 육류를 먹음으로써 생기는 식중독.

프톨레마이오스 〔Ptolemaios, Klaudios〕 명 〖사람〗 2세기 중엽 그리스의 천문학자·지리학자·수학자. 알렉산드리아(Alexandria)에서 활동함. 그의 저서 ≪알마게스트(Almagest)≫에서 지구는 구형(球形)이며 우주(宇宙)의 중심에 정지하고 있으며 태양·달·별 들이 타원 궤도로 지구 주위를 돌고 있다는 천동설(天動說)을 주장하였음. 톨레미(Ptolemy).

프톨레마이오스 왕조 【一王朝】 〔Ptolemaios〕 명 〖역〗 기원 전 305년 알렉산더 대왕(Alexander 大王)의 사후 그의 부하 중의 한 장군인 프톨레마이오스 1세가 연 이집트 왕가(Egypt 王家). 기원 전 30년 클레오파트라(Cleopatra)가 죽을 때까지 존속하였음. 수도(首都) 알렉산드리아(Alexandria)는 헬레니즘 문화(Hellenism 文化)의 중심지였음.

프톨레마이오스의 정:리 【一定理】 〔Ptolemaios〕 [一니/一에一니] 명 〖수〗 '원에 내접(內接)하는 사각형의 서로 상대하는 변의 곱의 합(合)은 대각선의 곱과 같다'는 정리. 톨레미(Ptolemy)의 정리.

프톨레마이오스 이:세 【一二世】 〔Ptolemaios Ⅱ〕 명 〖사람〗 이집트왕(王). 프톨레마이오스 1세의 아들. 왕국의 경제 기구(機構)를 정비하고 도서관·연구소를 건설, 학자를 초청하는 등 헬레니즘 문화 발전에 이바지함. [308-246 B.C.; 재위 285-246 B.C.]

프톨레마이오스 일세 【一一世】 〔Ptolemaics Ⅰ〕 [一쎄] 명 〖사람〗 이집트왕(王). 프톨레마이오스 왕조의 시조. 알렉산더 대왕의 부장(部將)으로 대왕이 죽은 후 이집트·리비아를 확보하고 에게 해(海)·소(小)아시아에도 진출함. 알렉산드리아를 수도로 정하여 친(親)그리스 정책을 취함. [367?-283 B.C.; 재위 323-285 B.C.]

프톨레마이오스-자리 〔Ptolemaios〕 명 〖천〗 그리스의 천문학자 프톨레마이오스가 그의 저서에 기재한 48개의 성좌. 모두 그리스·로마 신화에서 취재하여 이름을 지었음.

프티[1] 〔Petit, Alexis Thérèse〕 명 〖사람〗 프랑스의 물리학자(物理學者). 뒬롱(Dulong)과 협력하여 고체의 열팽창의 연구, 수은의 열팽창률을 측정함. 1819년 뒬롱 프티의 법칙을 발견. [1791-1820]

프티[2] 〔Petit, Roland〕 명 〖사람〗 프랑스의 무용가·안무사. 안무에 솜씨가 있어 자신이 조직한 샹젤리제 발레단(團)·파리 발레단 등에서 ≪젊은이와 죽음≫·≪카르멘≫·≪이리≫ 등의 걸작을 상연. [1924-]

프티-부르 명 ↗프티 부르주아(petit bourgeois).

프티부르 문학 【一文學】 명 〖문〗 소시민 계급의 생활과 감정을 표현한 문학.

프티 부르주아 〔프 petit bourgeois〕 명 소시민(小市民) 계급.

프티알린 〔ptyalin〕 명 〖생〗 동물성 아밀라아제(amylase)의 한 가지. 고등동물의 타액(唾液) 속에 함유되어 있으며, 녹말(綠末)을 분해하여 덱스트린(dextrine)·말토오스를 만듦.

프티파 〔Petipa, Marius〕 명 〖사람〗 프랑스의 무용가·안무사. 페테르부르크에 초청되어 ≪잠자는 숲 속의 미녀≫·≪백조의 호수≫ 등을 안무, 러시아에서의 발레의 황금기를 완성함. 고전 무용의 아버지라 일컬어짐. [1822-1910]

프티 팔레 미술관 【一美術館】 〔Petit Palais〕 명 파리에 있는 시립 미술관. 1900년 파리 만국 박람회 때 전시관으로 지은 것인데, 뒤에 미술관이 됨. 소장품은 특히 쿠르베(Courbet)를 중심으로 한 프랑스 근대 회화(繪畫)로 유명함.

픈ᄌᆞᄉᆡ 명 〈옛〉 풀기. ¶픈ᄌᆞᄉᆡ 업슨 직금(青水織金)≪老乞 下 25≫. *푼ᄌᆞᄉᆡ.

플[1] 명 〈옛〉 풀. ¶픐어미 ᄒᆞ마 퍼러히 나고(草芽既青出) ≪杜諺 XXII:2≫.

플[2] 명 〈옛〉 풀. ¶ᄡᆞᆯ플 강(糨), 밀플 호(糊)≪字會 中 12≫.

플긔 명 〈옛〉 풀기. =픗긔. ¶무리플긔 업시 다ᄃᆞ마 돌호로 미론 깁이니(白清水絹)≪朴解 上 43≫.

플다 타 〈옛〉 풀다. ¶ᄆᆞᅀᆞ미 正티 몯ᄒᆞ야 됴쿠주믈 묻그리ᄒᆞ야 種種 즁ᄉᆡᆼ 주겨 神靈ᄭᅴ 플며 ≪釋譜 Ⅸ:36≫.

플라나리아 〔planaria〕 명 〖동〗 ①플라나리아과(科)의 편형(扁形) 동물의 총칭. ②[*Planaria gonocephala*] 플라나리아과의 일종. 몸은 편평하고 머리는 삼각형이며 몸길이 20-35 mm, 몸폭 2.5-4 mm, 배면은 올리브 갈색. 무성 및 유성 생식을 하며 재생력·기아 내구력(飢餓耐久力)이 강하므로 여러 가지 실험에 쓰임. 8°-32°C의 하천·소택(沼澤)의 돌·나무 밑에서 포복 서식함.

〈플라나리아❷〉

플라네타륨 〔도 Planetarium〕 명 〖천〗 천구(天球)에 있어서의 천체(天體)의 운동을 설명하기 위한 장치. 강당(講堂)의 둥근 천정에 성공(星空)을 투영(投影)하여, 항성·행성·태양·달 등의 위치·운동의 모양을 정확히 나타냄. 천상의(天象儀).

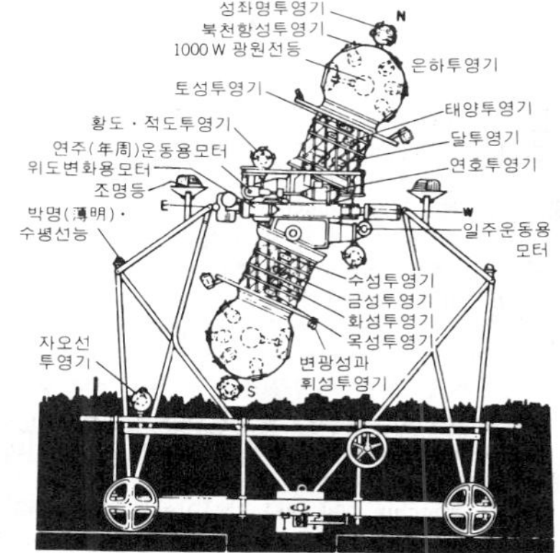

〈플라네타륨〉

플라노 〔flano〕 명 플란넬(flannel)의 양복(洋服)감.

플라눌라 〔planula〕 명 〖동〗 강장(腔腸) 동물 및 해면(海綿) 동물의 유생(幼生)의 총칭. 개체(個體) 발생상 원장배(原腸胚)에 해당함.

플라망-어 【一語】 〔Flamand〕 명 〖언〗 인도 유럽 어족(語族)의 서(西)게르만 어파(語派)에 속하는 언어. 벨기에의 북부 플랑드르(Flandre) 지방에서 쓰이며 남부의 프랑스어(語)와 함께 벨기에의 공용어. 본래 네덜란드어(語)의 한 방언이었음.

플라망-인 【一人】 〔Flamand〕 명 〖인류〗 벨기에의 플랑드르 지방과 프랑스 북부 지방에 분포하는 주민. 약 500만 명. 중세에는 덴마크 일대까지 독특한 문화권을 형성했음. 대부분 농민으로, 보수성(保守性)이 강하며 가톨릭을 믿음.

플라멩코 〔스 flamenco〕 명 『악』 스페인 남부, 안달루시아 지방의 집시 연예(演藝)에서 나온 노래와 춤. 기타로 반주(伴奏)함. 특히 그 춤은 캐스터네츠 소리에 맞추어 손뼉을 치거나 발을 구르거나 하는 격렬한 리듬과 동작이 특색임.

플라-모델 명 〔원래 상품명〕 ↗플라스틱 모델.

플라밍고 〔flamingo〕 명 『조』 ①백로목(白鷺目) 플라밍고과에 속하는 새의 총칭. 남아메리카·인도·아프리카 등지에 4-6 종이 분포함. ②[*Phoenicopterus roseus*] 플라밍고과에 속하는 새. 날개 길이 37-44 cm, 꽁지는 15 cm 정도이며, 목이 길고 주둥이는 중간쯤에서 급히 아래 쪽으로 꼬부라졌고 발에 물갈퀴가 있음. 머리는 희고 목·꽁지는 장밋빛이며 깃의 일부는 담홍, 다른 일부는 흑색을 이루며 주둥이와 다리는 담홍색. 물 속을 긴 다리로 왕래하며, 개구리·새우 등을 포식함. 유럽 남부·아프리카·아시아 남부에 분포하는데 집합성이 강함. 홍학(紅鶴).

〈플라밍고〉

플라밍고-꽃 〔Flamingo〕 명 『식』 홍학꽃.

플라보노이드 〔flavonoid〕 명 『화』 탄소 골격(炭素骨格)을 지닌 일군의 식물 색소의 총칭. 식물의 꽃·잎·줄기·종자 등에 분포하는데 플라본류(flavone類)가 대표적임. 레몬 등 감귤류의 껍질에 함유된 것은 혈압 강하 작용이 있는 외에 암·에이즈에도 효과가 있다는 설이 있음.

플라본 〔flavone〕 명 『화』 식물, 특히 고등 식물에 널리 분포하는 식물 색소의 한 가지. 무색(無色)의 침상 결정으로 물에는 거의 불용(不溶)이고 진한 황산 용액에서는 자색(紫色)의 형광(螢光)을 띰. 잎이나 과실의 표면에 백색 분말상의 피복물(被覆物)로 존재함. 옥시 유도체(oxy誘導體)는 황색 색소로서 식물체의 꽃·잎·뿌리의 세포액 중에 존재함. 자외선을 잘 흡수함. [$C_{15}H_{10}O_2$]

플라빈 〔flavin〕 명 『화』 동식물체에 존재하는 황색 색소의 일군(一群). 물에는 잘 녹으나 유기 용매에는 녹지 아니하고 빛이나 알칼리에 불안정(不安定)하며, 비타민 B_2의 작용이 있는 것이 특징임.

플라빈 효소 【一酵素】 명 〔flavin enzyme〕 『화』 색소 단백질(蛋白質)의 하나. 맥주 효모에서 최초로 발견됨. 황색을 띠므로 황색 효소라고도 함. 황색 효소.

플라세보 〔placebo〕 명 『의』 정신적 효과를 얻기 위해 환자에게 약효(藥效)가 있는 것처럼 믿게 하고 주는, 약리(藥理) 효과가 없는 약. 위약(僞藥). 가약(假藥).

플라세보 효:과 【一効果】 명 〔placebo effect〕 『의』 약효(藥効)는 없지만 환자(患者)에게는 있는 것처럼 믿게 하여 투여(投與)한 물질 또는 생체(生體)에 유효한 약제의 효과를 실험적 또는 임상적으로 시험할 때에 투여하는 약효 없는 물질에 대하여, 환자가 진짜 약으로 믿는 일.

플라스마 〔plasma〕 명 ①『생』 혈장(血漿). 원형질(原形質). ②『의』 건강한 사람에게서 뽑아 건조시킨 혈장. ③『물』 고도로 전리(電離)된 기체. 고온에서는 모든 원자가 전자와 양이온으로 전리하여 전기 전도성(傳導性)이 좋은 플라스마 상태가 됨. 플러스·마이너스의 전하(電荷)를 가지는 입자(粒子)가 거의 같은 밀도로 분포하여, 전체로서 전기적 중성(電氣的中性)을 지니는 입자 집단으로 태양 코로나(corona)·전리층·성간 물질(星間物質)이나 방전(放電) 중인 발광부(發光部)에서 볼 수 있으며 인공적으로도 만들어져 원자핵 융합의 실험 등에 이용됨. 또 플라스마는 높은 도전성(導電性)을 갖고, 내부에서 거의 전위차(電位差)가 없이, 특유한 소밀 진동(疎密振動)을 발생하는 등 기체·액체·고체 물질과 다른 물성(物性)을 나타내기 때문에 물질의 제4의 상태라고도 함.

플라스마 디스플레이 〔plasma display〕 명 『컴퓨터』 투명 전극(電極)을 프린트한 판상(板狀)의 유리관에, 네온 등의 방전 가스를 봉입(封入)한 디스플레이. 소비 전력이 적고 소형이므로 랩톱(laptop) 컴퓨터에 사용됨.

플라스마 로켓 〔plasma rocket〕 명 플라스마화(化)한 기체를 분출하는 로켓. 모형 실험 단계의 것으로 추력(推力)은 약하지만 비추력(比推力)이 커서 우주 공간 항행에 알맞을 것으로 여겨지고 있음.

플라스마 세:포 【一細胞】 명 〔plasma cell〕 『생』 항체 생산 세포의 하나. 지라나 림프절(節)을 비롯하여 온 몸의 결합 조직에 분포함. 이 세포질은 골지체(Golgi體)·소포체(小胞體)가 발달되어 있으므로 항체인 면역 글로불린(globulin)을 생산함. 형질 세포.

플라스마 제트 〔plasma jet〕 명 기체 방전(氣體放電)으로 생긴 플라스마를 냉각한 금속의 가는 구멍으로 분출시켜 만든 고온·고속의 가스 기류. 금속의 가공·용해, 특수 화합물의 제조 등에 이용됨.

플라스마진 〔plasmagene〕 명 『생』 세포질(細胞質) 안에 있어, 유전자(遺傳子)에 유사한 성질과 작용을 가진 물질. 세포질 유전에 있어서의 유력한 매개라고 함. 세포질 유전자.

플라스모힌 〔도 Plasmochin〕 명 『약』 말라리아 치료약의 하나. 선황색 분말로 잘 녹지 않고, 키니네가 무효인 열대 열원충의 생식체(生殖體)에 유효함.

플라스미드 〔plasmid〕 명 『생』 세균 세포(細菌細胞) 안에서 숙주(宿主)의 염색체와는 별개의 단위(單位)로서 증식(增殖)하고, 세포 분열에서 자손의 세포에 넘겨져 안정하게 유지되는 유전 인자(遺傳因子). 환상(環狀)의 디리보 핵산(核酸)으로 이루어져 있음. 대장균의 자웅(雌雄)을 결정하는 F인자, 약제(藥劑)에 저항하는 작용을 하는 R인자 등이 이에 속함. 세포질 유전자.

플라스크 〔flask〕 명 유리로 목이 길고 몸은 둥글게 만든 화학 실험용 병. 밑이 둥근 둥근바닥 플라스크와 밑이 편평한 넓적바닥 플라스크가있음. 프라스코(frasco).

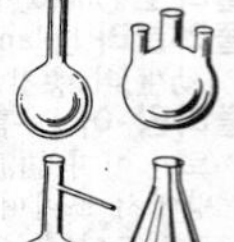

〈플라스크〉

플라스터 〔plaster〕 명 ①석고(石膏). 벽토(壁土). ②『약』 경고(硬膏). 고약(膏藥).

플라스터-보:드 〔plasterboard〕 명 석고(石膏) 보드.

플라스토머 〔plastomer〕 명 『화』 상온(常溫) 가까이에서 가소성(可塑性)을 나타내는 고분자(高分子) 물질의 총칭. ＊탄성 중합체(彈性重合體).

플라스토좀 〔plastosome〕 명 『생』 미토콘드리아(mitochondria).

플라스티시티 〔plasticity〕 명 『공』 고체가 외력(外力)을 받고 스스로 회복하지 못하고 변형(變形)하는 성질. 가소성(可塑性).

플라스틱 〔plastic〕 명 『화』 ①외력(外力) 또는 열에 의하여 변형(變形)된 채 원형(原形)으로 돌아가지 않는 성질을 가진 물질. ②천연(天然) 또는 인공으로 된 고분자(高分子) 물질. 합성 수지(合成樹脂)·셀룰로이드·셸락(shellac)·카제인(casein) 등과 같이 열가공(熱加工)이 용이한 재료. 보통 합성 수지를 지칭함. 소성체(塑性體). ＊염화 비닐 수지(塩化 vinyl 樹脂).

플라스틱 가공기 【一加工機】 〔plastic〕 명 『기』 플라스틱을 성형(成形)·가공하는 기계.

플라스틱 공해 【一公害】 〔plastic〕 명 플라스틱 폐기물의 누적과 그 처리 과정에서 일어나는 고열(高熱)·염소(塩素) 가스 등의 피해.

플라스틱 머니 〔plastic money〕 명 〔흔히, 플라스틱으로 만들어지므로〕 '크레디트 카드'의 딴이름.

플라스틱 모델 〔plastic model〕 명 플라스틱으로 만든 배·자동차·비행기 따위의 조립 모형(組立模型). ㊣플라모델.

플라스틱 반:도체 【一半導體】 명 〔plastic semiconductor〕 켤레 이중 결합 구조를 가진, 폴리아세틸렌과 같은 유기질(有機質)의 플라스틱.

플라스틱-밭 〔plastic〕 명 『농』 플라스틱 상자를 이용한 역경 재배(礫耕栽培). 길이 3 m, 폭 1.5 m의 플라스틱 상자에 크기 5 cm 정도의 자갈을 채워 여기에 벼를 심고 일정한 비율로 액체 비료를 자동 장치에 의하여 15 분간 흘려 보내고 45 분간 흡수시키는 방식.

플라스틱-판 【一版】 〔plastic〕 명 『인쇄』 복제판(複製版)의 하나. 철판(凸版)의 원판(原版)에 플라스틱을 재료로 한 판을 압착하여 요형(凹型)을 뜨고, 그 위에 염화(塩化) 비닐 수지 따위의 플라스틱 판재(版材)를 포개어 가열 압착하여 만듦. 가볍고 복제의 정도(精度)가 높으며 연판(鉛版)보다 내구력(耐久力)이 좋음.

플라스틱 폭탄 【一爆彈】 〔plastic〕 명 보통의 화약과 고무를 이겨 만든 것으로, 외관이 플라스틱과 비슷함. 진흙같이 변형이 자유롭고 신관(信管)이 없으면 비에 젖거나 떨어뜨려도 폭발하지 않고 주머니에 넣을 수 있음. 위력은 TNT와 같음. 2차 대전중 미군이 개발.

플라시 싸움 〔Plassey〕 명 『역』 인도 지배권을 둘러싸고 영국과 프랑스가 긴장하고 있던 1757년 영국의 동인도 회사 군대와 프랑스 벵골 토후 연합군이 캘커타 북쪽 플라시에서 벌인 싸움. 영국은 이 싸움의 승리로 인도지배의 기초를 굳힘.

플라:야 〔playa〕 명 『지』 건조 지역(乾燥地域)에 있는, 염류(塩類)를 함유하고 있는 점토원(粘土原). 미국 서부에 많음.

플라:어티 〔Flaherty, Robert Joseph〕 명 『사람』 미국의 영화 감독. 기록 영화의 창시자로 알려짐. 북극 지방을 탐험하고 1922년 ≪북극의 경이(驚異)≫를 발표. 영국에서 촬영한 ≪아란(Man of Aran)≫·≪토지(土地)≫는 그의 대표작으로, 영국 기록 영화의 기초를 이룩함. 유작에 ≪루이지애나 이야기(Louisiana Story)≫가 있음. [1884-1951]

플라우 〔plow, plough〕 명 『농』 경작용(耕作用)의 농기구. 쟁기와 비슷한 것으로 축력(畜力)·기계력을 이용하여 경운(耕耘)함.

플라우투스 〔Plautus, Titus Maccius〕 명 『사람』 고대 로마의 희극 작가. 기원전 224년경부터 총 130여 편의 작품을 썼다고 하나 현존하는 것은 21편임. 그 중 ≪황금의 항아리≫·≪뻥쟁이 무사≫ 등은 많은 모작(模作)까지도 생겼음. [251?-184? B.C.]

플라운스 〔flounce〕 명 스커트의 주름 장식. 스커트의 단에 주름을 잡은 가름한 장식.

플라워 디자인 〔flower design〕 명 생화 장식(生花裝飾)의 뜻. 복식(服飾)이나 실내의 꽃 등 여러 방면으로 이용됨.

플라워 박스 〔flower box〕 명 화분을 대신하여 꽃나무 따위를 심는 용구. 흔히 도시에서 창가·베란다·테라스 따위에 놓는데 폴리에틸렌 제품이 많음.

플라워 티: 〔flower tea〕 명 재스민·찔레나무 따위의 꽃이나 열매로 만든 녹차 비슷한 음료(飮料).

플라이 〔fly〕 명 ①야구에서, 타자(打者)가 하늘 높이 쳐 올린 공. 비구(飛球). ¶～ 아웃. ②『연』 무대의 장치나 설비를 무대 천장에 매달아 올려 관객이 보지 못하게 하는 일.

플라이-급 【一級】 〔fly〕 명 아마추어 권투에서 48-51 kg, 프로 권투에서 48-50.8 kg, 레슬링·역도에서는 52 kg 이하의 체중을 가진 체급(體級). 플라이웨이트(flyweight).

플라이스 〔flies〕 명 『연』 무대 천정(舞臺天井). 관객석(觀客席)에서 보이는 무대의 위쪽에 있는 공간(空間)으로, 무대 장치를 매달아 올리어 놓는 곳.

플라이스토-세 【一世】 명 〔Pleistocene epoch〕 『지』 홍적세(洪積世).

플라이 애시 〔fly ash〕 명 화력 발전소 등에서 미분탄(微粉炭)을 연소시킬 때 폐(廢)가스 중에 포함되는 석탄재. 연도(煙道)로부터 집진 장치(集塵裝置)로 모아 콘크리트의 혼합제로서 이용함. 입자(粒子)가 매끄러워 콘크리트의 유동성(流動性)을 개선(改善)시키고 강도(強度)·내구성(耐久性)·수밀성(水密性)을 증대시킴. 또, 플라이 애시 시멘트의 원료가 됨.

플라이 애시 시멘트 〔fly ash cement〕 명 포틀랜드 시멘트 클링커(portland cement clinker)에 플라이 애시를 첨가한 혼합 시멘트. 플라이 애시가 10 % 이하인 A종(種), 10-20 %인 B종, 20-30 %인 C종의 3 종으로 분류됨. 수화열(水和熱)이 낮고 장기 강도(長期強度)의 증진(增

進)이 있으며 화학 저항성이 풍부함. 일반 공사·댐 공사에 쓰임.

플라이어 〔plier〕 명 무엇을 잡거나 끼우는 데 쓰는 작업용 공구(工具). 집게를 말함.

플라이오-세【一世】명 〔Pliocene epoch〕〖지〗 지질 시대 구분의 하나. 신생대 제 3 기 최후의 시대. 약 5 만 년-1 만 8천 년 전의 시대로, 바닷속에는 유공충(有孔蟲)·부족류(斧足類)가 번영하고 육상에는 말·코끼리·코뿔소 등의 포유류가 진화했음. 구칭 : 선신세(鮮新世). ＊마이오세.

플라이우드 〔plywood〕 명 건축·세공(細工)·비행기 제조 등에 쓰이는 합판(合板).

플라이-웨이트 〔flyweight〕 명 플라이급(fly級).

플라이트 〔flight〕 명 ①비행(飛行). ②스키에서, 비약대(飛躍臺)에서 뛰어 내리는 일. ③육상 경기의 장애 경주에서, 허들(hurdle)을 뛰어 넘는 일. ——-하다 자여불

플라이트 넘버 〔flight number〕 명 여객기 등의 비행편의 번호.

플라이트 리코:더 〔flight recorder〕 명 항공기에 장치된, 비행 상태의 자동 기록 장치.

플라이트 시뮬레이터 〔flight simulator〕 명 비행 모의(模擬) 장치로서 항공기의 지상 조종 훈련 장치. 고정되어 있고 실물 항공기 장치가 갖추어져 있음. 계기(計器)의 작용도 실물과 같아서 이 속에서 계기 맹목(盲目) 비행 훈련을 실시함.

플라이-휠 〔flywheel〕 명〖기〗 관성(慣性) 바퀴.

플라잉 〔flying〕 명 ↗플라잉 스타트❶. ——-하다 자여불

플라잉 더치맨급【一級】〔flying dutchman〕 명 요트 경기 종목의 하나. 전장(全長) 6.05 m의 2인승 요트를 사용함. 국제 요트 경기 연맹 공인(公認)으로, 올림픽 경기 종목임.

플라잉 링 〔flying ring〕 명 링(ring)❺.

플라잉 메어 〔flying mare〕 명 레슬링에서, 상대편을 어깨로 메어 던지는 재주.

플라잉 스타:트 〔flying start〕 명 ①경주(競走)·경영(競泳)을 할 때, 출발 신호가 나기 전에 스타트(start)하는 일. 반칙(反則)임. 준플라잉. ②자전거 경기의 발주법(發走法)의 하나. 추진(推進) 발주를 이름. 발주원(發走員)이 밀어서 출발시킴. ③도움닫기를 하면서 뜀는 스타트.

플라잉 킥 〔flying kick〕 명 프로 레슬링에서, 양발을 나란히 하여 뛰어오르면서 상대의 가슴팍을 차는 재주.

플라잉 폴: 〔flying fall〕 명 레슬링에서, 상대편을 던진 순간에 그의 두 어깨가 매트(mat)에 닿는 경우.

플라자 〔스 plaza〕 명 〔사람이 많이 모이는 장소라는 뜻〕 광장. 시장.

플라지올레토 〔이 flagioletto〕 명〖악〗 ①관악기의 한 가지. 은으로 만들었으며 여섯 개의 구멍과 부리 모양의 주둥이가 있는 고음(高音)의 피리임. 주로 16-17세기에 사용되었음. 은적(銀笛). ②하모닉스(harmonics).

〈플라지올레토❶〉

플라코:드 〔placode〕 명〖생〗 주로 척추(脊椎) 동물의 발생(發生)에서 여러 가지 감각 기관(感覺器官), 어떤 종류의 신경절(神經節)의 기원(起原)이 되는 외배엽(外胚葉)의 비후(肥厚). 이것이 증식(增殖)·조형(造形) 과정을 거쳐 특수한 분화(分化)를 하게 됨.

플라:크 〔프 plaque〕 명〖의〗 치태(齒苔).

플라타너스 〔platanus〕 명〖식〗 ①〔*Platanus orientalis*〕 플라탄과에 속하는 낙엽 활엽 교목. 높이 20-30 m. 잎은 호생하고 장상(掌狀)에 3-5 조각으로 째지며, 수피(樹皮)는 큰 조각으로 터서 떨어짐. 봄철에 담황록색의 꽃이 피고, 자웅 동주(雌雄同株)이며, 과실은 직경 3 cm가량의 구형(球形)으로 3-4개씩 긴 꼭지에 달려 가을에 익음. 유럽 서남부·아시아 서부 원산(原産)으로 세계 각지에서 가로수(街路樹) 또는 관상용으로 널리 심음. 플라탄나무. 플라탄. ②〔*Platanus occidentalis*〕 플라탄과에 속하는 낙엽 활엽 교목. 높이 20-30 m이며, 잎은 호생하고 봄철에 꽃이 피는데 수피(樹皮)는 백색 반문(斑紋)이 있고 트는데 떨어지지 않고 과실이 긴 꼭지 끝에 한 개만 열리는 것이 유럽 원산종(原産種)과 다름. 북미(北美) 원산으로 가로수로서 널리 심음. 플라탄.

〈플라타너스❶〉

플라타이아이 싸움 〔Plataiai〕 명〖역〗 페르시아 전쟁 중의 결전. 살라미스 해전의 다음 해인 기원전 479년, 그리스의 보이오티아의 남부 플라타이아이에서 벌어진 페르시아 대(對) 그리스의 육상(陸上)에서의 결전. 스파르타의 명장(名將) 파우사니어스(Pausanias)가 거느린 아테네·스파르타 연합군의 대승으로 그리스의 페르시아 전쟁에 있어서의 승리가 결정적이 되었음. 플라타이아이는 플라테(Plataea)라고도 함. 플라테 전쟁. 플러티어 싸움.

플라탄 〔네 plataan〕 명〖식〗 플라타너스.

플라탄-과【一科】〔네 plataan〕〔一꽈〕 명〖식〗 〔Platanaceae〕 쌍자엽 식물 이판화류(離瓣花類)에 속하는 한 과. 유럽 원산과 북미 원산의 두 종과 그 중간종이 있음.

플라탄-나무 〔네 plataan〕 명〖식〗 플라타너스.

플라테 전:쟁【一戰爭】〔Plataea〕 명〖역〗 플라타이아이 싸움.

플라토 〔Plato〕 명〖사람〗 플라톤(Platon)의 영어식 이름.

플라토노프 〔Platonov, Andrei Platonovich〕 명〖사람〗 소련의 작가(作家). 1928년에 쓴 중편 ≪숨겨진 인간≫으로 문단에 진출하였으나, 반체제적 작품 때문에 불우(不遇)하였음. 스탈린 격하 후에 비로소 재평가되었으며, 중편 ≪장≫ 등에서 독자적인 인간관(人間觀)을 엿볼 수 있음. [1899-1951]

플라토니즘 〔Platonism〕 명〖철〗 플라톤 철학 또는 플라톤 철학의 정신을 말함. 그의 이데아설(idea說), 특히 이데아를 일상의 감성계(感性界)를 초월하는 영원의 진실재(眞實在)로 한 그의 이상주의(理想主義)를 가리킴.

플라토닉 〔platonic〕 명 ①플라톤적(Platon的). ②정신적(精神的).

플라토닉 러브 〔platonic love〕 명〖철〗 플라톤적(Platon的)인 사랑으로, 보통 남녀 간에 있어서 관능적(官能的)·육체적(肉體的)인 것을 포함하지 않은 정신적 사랑을 말함. 문학 작품에 있어서는 단테 (Dante)의 ≪신곡(神曲)≫ 등이 그 예임.

플라톤 〔Platon〕 명〖사람〗 고대 그리스의 철학자. 소크라테스(Sokrates)에게 배우고 아테네(Athene) 교외에 학교를 설치하여 아카데미아(academia) 학파를 창설하였음. 그에 의하면, 진실한 인식이란 개념적(槪念的) 지식이며, 개념적 지식은 항상 불변의 본질 곧 이데아(idea)를 갖추고 있으며, 이데아는 실체계(實體系)의 영원 불멸한 존재로 모든 개체의 원형(原型)을 이루고, 이의 최고의 단계에 선(善)의 이데아가 있다 하였음. 이 선의 실현이 곧 인간의 목적이며 이를 위해 정치 형태로서는 철인(哲人)에 의한 이상적 정치가 최선(最善)의 길이라 하였음. 저서에 ≪소크라테스의 변명(辯明)≫·≪향연(饗宴)≫·≪국가(國家)≫ 등 약 30 편의 대화편(對話編)이 있음. 플라토. [427-347 B.C.]

플라톤-주의【一主義】〔Platon〕〔一/一이〕 명〖철〗 플라톤의 이데아(idea)의 사상 및 그것을 계승하는 학설(學說). 플라토니즘.

플라티나이트 〔platinite〕 명〖광〗 니켈과 철의 합금. 니켈 40-50 %. 열팽창률이 극히 작고, 유리와 별로 다르지 않기 때문에 전구·진공관 등에서 유리에 봉입(封入)되는 전선으로 쓰임. 현재는 코발트를 첨가한 것이 많이 쓰임.

플라티노이드 〔platinoid〕 명 구리·아연·니켈의 합금(合金)에 소량(少量)의 텅스텐 또는 알루미늄을 가한 것으로, 장식품 또는 전기 저항선(電氣抵抗線)에 쓰임.

플란넬 〔flannel〕 명 평직(平織)으로 짠, 털이 보풀보풀 일어나 있는 부드러운 모직물. 네루.

플랑드르 〔Flandre〕 명〖지〗 벨기에의 서부를 중심으로 북(北)프랑스·남(南)네덜란드의 일부를 포함하는 지방. 주민의 대부분은 플라망인(Flamand 人)으로 플라망어(語)를 씀. 겐트(Gent)·이에페르(Ieper)·리르(Lier) 등의 도시가 있음. 12-13세기경부터 유럽의 상업 중심지가 되었으며 모직물업(毛織物業)도 발달함. 영어로는 플랜더스(Flanders).

플랑드르 미술【一美術】〔Flandre〕 명〖미술〗 14세기에서 17세기에 걸쳐 플랑드르 지방에서 번영했던 미술. 특히 회화가 중요하며 반 아이크(Van Eyck) 형제를 창시자로 하여 유화(油畫) 물감의 개량, 꼼꼼한 사실, 경험적 합리주의 정신 등이 특징. 브뤼겔·루벤스·반 다이크 등의 유명한 화가를 배출함. 플랑드르파(派).

플랑드르 악파【一樂派】〔Flandre〕 명〖악〗 15세기 중엽부터 17세기 초엽에 걸쳐 플랑드르 지방에서 성하던 악파. 오케겜(Okeghem)·조스캥 데 프레(Josquin des Prés; 1450?-1521) 등을 배출하였고 미사곡(曲)을 주로 하는 고전적인 성악(聲樂), 폴리포니(polyphony)의 수법을 확립하였음. 네덜란드 악파(樂派).

플랑드르-파【一派】〔Flandre〕 명 플랑드르 미술.

플랑부아양 양식【一樣式】〔프 flamboyant〕〔一냥一〕 명 〔플랑부아양은 '타오르는'의 뜻〕 프랑스 후기 고딕 건축에 특유한 양식. 트레이서리(tracery)의 장식이 화염(火焰)을 연상하게 하는 화려한 곡선을 나타내는 데서 이렇게 부름.

플랑셰트 〔프 planchette〕 명 두 개의 다리와 한 자루의 연필로써 받치고 있는 판. 이 판에 손을 올려 놓으면 그 사람의 의사를 연필이 자동적으로 기록한다 함. 심령(心靈) 연구에 쓰임.

플랑크 〔Planck, Max〕 명〖사람〗 독일의 이론 물리학자. 열복사(熱輻射)의 연구로 1918년 노벨 물리학상을 받았으며 후에 카이저 빌헬름(Keiser-Wilhelm) 연구소 회장이 되었음. 열복사의 이론적 근거로서 양자 가설(量子假說)을 도입, 양자론의 시초로서 신물리학의 길을 열었음. 과학론·물리학 기초론·인과율(因果律)·자유 의지·종교 등에 관한 철학적 사색(思索)도 있음. [1858-1947]

플랑크 상수【一常數】명 〔Planck's constant〕〖물〗 플랑크가 그의 열복사(熱輻射)의 이론에 도입한 상수(常數). 양자론(量子論)에 있어서 기본적인 역할을 하는 중요한 상수임. 미세 구조 상수(微細構造常數), 콤프턴 파장(Compton 波長) 등의 측정(測定)값으로부터 간접 산출함. 기호 h로 나타냄. 작용 양자(作用量子). ＊보편 상수(普遍常數).

플랑크의 양자설【一量子說】〔一/一에一〕 명 〔Planck's quantum theory〕〖물〗 열복사의 이론에 관하여 플랑크가 내세운 가설. 물체가 복사를 방출(放出) 또는 흡수할 때, 그 에너지는 요소적(要素的)인 양자의 정수배(整數倍)가 되어 있음을 주장하는 설로, 이것이 오늘날의 양자 역학(量子力學)의 기초가 되었음.

플랑크톤 〔plankton〕 명〖생〗 수중에서 운동 능력이 약하고 물결에 따라 부유(浮游)하는 미생물의 총칭. 대부분이 현미경에 의해서만 보이며 식물로는 규조(珪藻)·녹조(綠藻) 등이 있고, 동물로는 원생(原生) 동물 이외에 거의 모든 종류를 포함하나, 특히 갑각류(甲殼類)가 많음. 어류의 먹이로서 수산학상으로 중요한 의의가 있으나 적조(赤潮)를 일으키는 원인이 되기도 함. 부유 생물.

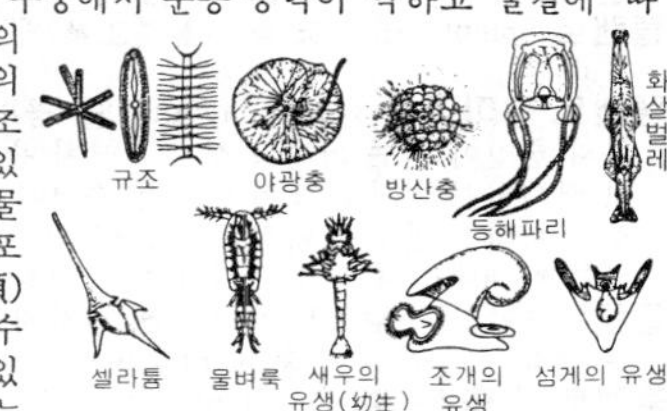

〈플랑크톤〉

플랑크톤 네트 〔plankton net〕 명 플랑크톤을 채집(採集)하는 데 쓰는

일종의 그물. 비단으로 원추형(圓錐形)으로 만들고 밑에 유리관(管)이 달렸음.

〈플랑크톤 네트〉

플래나간 〔Flanagan, Edward Joseph〕 명 『사람』 아일랜드 태생의 미국 가톨릭 신부. 청소년 지도에 전심하였으며 네브래스카 주(州)의 소맥 흉작에 의한 실업자 구제를 위해 노동자 호텔을 세웠고 이어서 고아·기아(棄兒) 등의 구호와 교육을 위해 1917년 미주리 주(州) 오마하 시(Omaha 市) 서부 교외에 '소년의 거리(Boys Town)'를 창설했음. 비행기 사고로 베를린에서 죽음. [1886-1948] *보이즈 타운.

플래너 〔planner〕 명 안(案)을 세우는 사람. 계획자(計劃者). 입안자(立案者).

플래니-미터 〔planimeter〕 명 『기』 일정한 축척(縮尺)으로 그린 부정형(不定形)의 도형(圖形)의 면적을 계산하는 기계. 주로 면적의 둘레의 곡선을 따라 일주(一周)하면 눈금이 달린 롤러가 회전하여 적분(積分)에 의해 얻어진 면적을 표시함. 면적계(面積計).

플래니터리-파 【一波】 명 〔planetary wave〕 『기상』 행성파(行星波).

플래닝 〔planning〕 명 계획 작성. 계획 입안(立案).

플래셔 〔flasher〕 명 ①광고 등의 자동 점멸(點滅) 장치. ②자동차의 점멸식 방향 지시 장치. *깜박이.

플래시 〔flash〕 명 ①↗플래시라이트(flashlight). ¶ ~를 켜다. ②↗플래시 파우더(flash powder). ③↗플래시 램프(flash lamp). ¶ ~를 터뜨리다. ④신문 용어. 큰 뉴스의 제일보(第一報). 대개는 간단한 사실뿐이므로, 이것을 받은 신문사에서는 제이보 이하의 속보를 대기함.

플래시 건 〔flash gun〕 명 사진 촬영용 조명 용구의 하나. 섬광(閃光) 전구의 발광기(發光器)를 이름.

플래시-라이트 〔flashlight〕 명 ①섬광(閃光). ②회중(懷中) 전등. ¶ ~를 켜다. ㊂플래시(flash).

플래시 램프 〔flash lamp〕 명 ①섬광등(閃光燈). ②사진용 섬광 전구(閃光電球). ㊂플래시.

플래시-백 〔flashback〕 명 영화·텔레비전에서, 장면의 순간적인 전환을 반복하는 수법. 긴장한 분위기나 감정의 고조(高潮) 등의 표현 또는 과거의 회상 장면으로의 전환에 쓰임.

플래시 벌브 〔flash bulb〕 명 사진 섬광 전구(寫眞閃光電球).

플래시 오:버 〔flash over〕 명 불이 나서 몇 분 후, 갑자기 방 안이 폭발하듯이 불길이 번지는 상태. 목재·플라스틱 따위 건축재의 가연성 물질이 열분해(熱分解)를 일으켜 폭발성 가스로 충만하기 때문에 일어나는 현상임.

플래시 전:구 【一電球】 〔flash〕 명 섬광 전구(閃光電球).

플래시 파우더 〔flash powder〕 명 밤에 또는 광선이 부족한 실내에서 사진을 촬영할 때 연소시켜 빛을 내게 하는 가루. 보통 마그네슘에 여러 가지 약품을 혼합하여 씀. 섬광분(閃光粉). ㊂플래시.

플래카:드 〔placard〕 명 슬로건(slogan)을 쓴 휴대용(携帶用)의 판(板)이나 천. 행사 또는 시위 행진을 할 때에 사용함.

플래토 〔plateau〕 명 『심』 어떤 작업을 연습할 때, 처음에는 진보가 빠르나, 어느 단계(段階)에 이르면 진보가 멈추고 그 후 다시 잠시 동안 연습을 계속하면 재차 진보하기 시작하는 상태.

플래티나 〔platina〕 명 『광』 백금(白金).

플래퍼 〔flapper〕 명 ①왈가닥. 말괄량이. ②멋쟁이 여자.

플랙 〔flag〕 명 기(旗). 국기(國旗).

플랙-캐리어 〔flag-carrier〕 명 한 나라를 대표하여 국제 노선에 정기 운항(運航)을 하는 항공 회사. 내셔널 플랙캐리어.

플랜 〔plan〕 명 ①계획. 설계. ¶ ~을 짜다. ②설계도(設計圖). 평면도(平面圖).

플랜더스 〔Flanders〕 명 『지』 '플랑드르(Flandre)'의 영어명.

플랜더스의 개: 〔Flanders〕 〔―/―에―〕 명 〔A Dog of Flanders〕 『문』 영국의 여류 작가 위다(Ouida ; 1839-1908)(본명은 Louise de la Ramée)가 1872년에 쓴 소년 소설. 벨기에의 한촌(寒村) 플랜더스를 무대로 애견(愛犬) 파트라슈와 가난한 노인 에한과 손자 네로의 사랑과 비극을 그린 것.

플랜지 〔flange〕 명 관(管)과 관 또는 관을 다른 기계 부분과 결합할 때 쓰이는 결합용 기계의 한 부분. 축 또는 관의 끝에 테처럼 끼우는 것으로 결합용의 구멍이 뚫려 있음.

〈플랜지〉

플랜태저넷 왕조 【一王朝】 〔Plantagenet〕 명 『역』 1154-1399년에 이르는 약 250년 동안의 영국 중세(中世)의 왕조. 시조(始祖)는 프랑스의 앙주가(Anjou家)의 헨리 2세로 프랑스에도 광대한 영토를 가지고 있었으나, 제3대 존(John)왕 때에 이것을 상실하였고 그 후 백년 전쟁(百年戰爭)등으로 왕권을 잃어 리처드 2세 때 멸망함.

플랜테이션 〔plantation〕 명 『지』 재식경(栽植耕).

플랜트 〔plant〕 명 제조 공업(製造工業)에 요하는 장치. 제조 공장. 생산 설비.

플랜트 레이아웃 〔plant layout〕 명 공장 생산에서 공정(工程) 합리화의 중심이 되는 기계나 설비의 배치 방법. 동종(同種)의 기계를 한 곳에 배치하는 기계별 배치와 공정 순서에 따라 그에 필요한 각종 기계를 배치하는 공정별 배치가 있으며 전문화된 제품을 계속 양산(量產)하는 현재에는 후자의 배치가 보다 합리적임.

플랜트 수입 【一輸入】 〔plant〕 명 생산재(生產材) 일식(一式)을 수입하는 방식. ↔플랜트 수출(plant 輸出).

플랜트 수출 【一輸出】 〔plant〕 명 공장 시설·철도·선박·통신·항만·차량·기술 등 일련(一連)의 생산 공정(工程)을 형성하는 생산재(生產材) 일식(一式)을 수출하는 방식. 계약에서 인도(引渡)까지 오랜 시일이 걸리고 가격도 비싸기 때문에 흔히 연불(延拂) 형식이 취해짐. ↔플랜트 수입(plant 輸入).

플램스티:드 〔Flamsteed, John〕 명 『사람』 영국의 천문학자. 그리니치 천문대의 창설에 힘썼고 1675년 초대 대장에 취임. 그의 방대한 관측 결과는 정밀한 성표(星表)와 성도(星圖)로 출판됨. [1646-1719]

플랩 〔flap〕 명 『항공』 비행기의 보조 날개. 이착륙 때 비행기의 양력(揚力)을 증대시키는 장치의 대표적인 것임.

플랩 포켓 〔flap pocket〕 명 뚜껑이 달린 포켓의 총칭.

플랫 〔flat〕 명 ①편평한 것. ②평면(平面). ③『악』 반음(半音) 내리는 기호. 악보에 '♭'로 표시함. 내림표. ↔샤프(sharp). ④『건』 건물의 층계. 마루 바닥. ⑤『건』 동일층(同一層)의 여러 방을 한 가족이 거주할 수 있도록 한 한 구획(區劃). ⑥경기의 기록에 있어서, 타임이 초(秒) 이하의 우수리가 붙지 아니하는 일. ¶십초 ~.

플랫 레이스 〔flat race〕 명 육상 경기에서, 허들경주와 장애물(障礙物) 경주를 제외한 보통의 트랙 경주.

플랫 스핀 〔flat spin〕 명 탁구의 셰이크 핸드 등에서 커트를 할 경우에 공을 낮게 떨어뜨려 라켓을 수평으로 하여서, 공에 전후(前後)의 회전이 생기게 하는 일.

플랫식 아파:트 【一式一】 명 〔flat apart〕 『건』 집단 주택의 한 형태. 각 층에 한 세대가 살게 지은 아파트.

플랫 칼라 〔flat collar〕 명 여성복에서 평평한 느낌을 주는 깃. ↔롤 칼라(roll collar).

플랫폼: 〔platform〕 명 ①정거장의 기차를 타고 내리는 곳. 승강장(昇降場). ②정당(政黨)의 정강(政綱)·강령(綱領). ③강단(講壇). 교단(敎壇). ④종파(宗派) 등의 주의(主義).

플러그 〔plug〕 명 ①전로(電路)를 쉽게 접속시키거나 혹은 절단시키는 데에 쓰이는 전기 기구. ¶ ~를 꽂다. ②점화전(點火栓).

플러그 게이지 〔plug gauge〕 명 『공』 공작품(工作品)의 구경(口徑)을 검사하고 또 측경기(測徑器)의 벌림을 정하는 데에 쓰이는 막대 모양의 계기(計器).

플러드라이트 〔floodlight〕 명 『연』 조명 기구의 하나. 렌즈를 쓰지 아니하고 크게 확산적(擴散的)으로 조명하게 만듦.

플러스 〔plus〕 명 ①『수』 보탬. 더함. ②잉여(剩餘). 부가(附加). 이익(利益). ③덧셈표. 곧, '＋'. ④『수』 양수(陽數)의 부호. 정호(正號). ⑤『의』 병의 화학적·세균학적 진단에서 병독이 있다는 반응. 양성. 양성 반응. ⑥『전』 양전기. 양극. 또, 그것을 나타내는 기호. 1)-6):↔마이너스(minus). ——-하다 타여불

플러스-극 【一極】 〔plus〕 명 양극(陽極).

플러스 나사못 【一螺絲一】 〔plus〕 명 머리의 홈통이 십자형(十字形)으로 패어 있는 나사못.

플러스 마이너스 〔plus minus〕 명 ①『수』 더하는 일과 빼는 일. 또, 그 최종 결과. 가감(加減). ②영(零). 제로(zero). ③한 쪽이 나으면 다른 쪽이 못하여 아무 소득이 없음. 쌍방이 모두 손득(損得)이 없음. 상쇄(相殺). ¶ ~ 제로가 되다. ④장점과 단점. 이점과 결점. ¶다수결제(制)의 ~. ——-하다 자여불

플러스 알파 〔plus＋alpha〕 명 〔＋x의 x를 α로 잘 못 읽은 것〕 얼마를 더하기. 또, 그 더한 것. 그것에 무엇을 더한 것. ¶고정 봉급 외에 ~가 있다.

플러시 〔plush〕 명 벨벳과 흡사하며, 길고 보드라운 보풀이 있는 비단 또는 무명의 옷감.

플러시 도어 〔flush door〕 명 『건』 밖에서 문틀이나 문(門)살이 보이지 않게 합판 등을 붙여 만든 문.

플러싱-메도: 〔Flushing Meadow〕 명 『지』 뉴욕 시 남동 롱(Long) 섬에 있는 촌(村). 2차 대전중 국제 연합 본부가 설치되었던 곳으로 알려져 있음.

플러티:어 싸움 〔Plataea〕 명 『역』 플라타이아이 싸움.

플럭스 〔flux〕 명 『화』 용제(熔劑).

플런저 〔plunger〕 명 『기』 유체(流體)를 압축하거나 내보내기 위해 왕복 운동을 하는 기계 부분의 총칭. 피스톤은 그 일종임.

플런저 펌프 〔plunger pump〕 명 『기』 왕복 운동 펌프의 한 가지. 실린더(cylinder) 안을 플런저가 왕복하며 송수(送水)하는 펌프로서 고압(高壓)에는 적당하나, 흡입(吸入)과 배출(排出)이 서로 교대로 행하여지므로 송수량(送水量)이 일정하지 않은 것이 결점임.

플럼 〔plum〕 명 ①오얏. 자두. ②요리용의 건포도.

플레밍[1] 〔Fleming, Alexander〕 명 『사람』 영국의 세균학자(細菌學者). 1922년 항생 물질 라이소자임(lysozyme)을 발견하였고, 1929년 포도상균(葡萄狀菌)의 배양에서 곰팡이로부터 페니실린(penicillin)을 추출하여 항생 물질 연구의 단서를 열었음. 1945년, 플로리·체인과 함께 노벨 생리 의학상을 받았음. [1881-1955]

플레밍[2] 〔Fleming, Ian〕 명 『사람』 영국의 추리 작가. 영국 비밀 첩보원 007호를 주인공으로 한 스파이 스릴러 시리즈로 유명함. [1908-64]

플레밍[3] 〔Fleming, John Ambrose〕 명 『사람』 영국의 물리학자·전기 공학자. 런던 대학 전기 공학 교수로 있으면서 에디슨 전등 회사의 고문(顧問)을 지냄. 1904년 이극(二極) 진공관을 발명하여 전화·전등·무선 기술에 많은 업적을 남김. 플레밍의 법칙도 그의 고안임. [1849-1945]

플레밍[4] 〔Flemming, Walther〕 명 『사람』 독일의 세포학자. 프라하 및 킬(Kiel) 대학 교수. 세포의 염색법을 개량해서 세포 유전학의 기초를 다짐. 또 원형질(原形質)의 섬유 구조설을 제창함. [1843-1905]

플레밍의 법칙 【一法則】 〔―/―에―〕 명 〔Fleming's law〕 『물』 플레밍의 오른손 법칙과 왼손 법칙의 총칭. 자기장 내(磁氣場內)에서 움직이는 도선(導線)에 발생하는 기전력(起電力)의 방향 또는 자기장이 전

류에 미치는 힘의 방향을 지시하는 법칙임.

플레밍의 오른손 법칙【—法則】〔—/—에—〕명〔Fleming's right-hand law〕〖물〗 오른손의 엄지손가락·집게손가락·가운뎃손가락을 각각 직각이 되게 뻗어 집게손가락을 자기장방향으로 향하게 하고, 이 자기장 내에서 엄지손가락의 방향으로 도선을 움직이면 도선에는 가운뎃손가락의 방향으로 전류가 흐른다는 법칙.

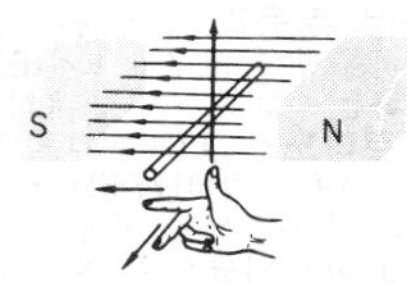

〈플레밍의 오른손 법칙〉

플레밍의 왼:손 법칙【—法則】〔—/—에—〕명〔Fleming's left-hand law〕〖물〗 왼손의 엄지손가락·집게손가락·가운뎃손가락을 서로 직각이 되게 하여, 집게손가락을 자기장의 방향으로 향하게 하고 그 자기장 중에서 가운뎃손가락의 방향으로 전류를 흐르게 하면 그 도선은 엄지손가락의 방향으로 힘을 받게 된다는 법칙.

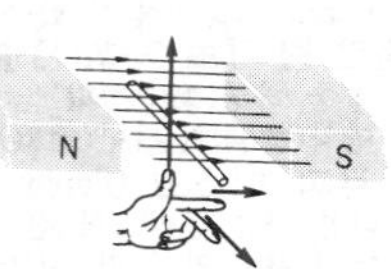

〈플레밍의 왼손 법칙〉

플레벤〔Pleven〕명〖지〗 불가리아 북부의 도시. 농업 지대의 중심으로 농업 기계·시멘트·식품·세라믹 공업이 성함. 1877년의 러시아 터키 전쟁의 격전지였음. [128,000 명(1980)]

플레브스〔plebs〕명〖역〗 고대 로마의 평민층. 관직 취임의 불가능, 귀족과의 통혼 금지 등 귀족과는 신분 상의 차이가 컸으나 오랜 투쟁의 결과 완전한 시민권을 획득하는데 성공하였음.

플레비사이트〔plebiscite〕명〖정〗 중대한 정치 문제를 결정할 때에 행하는 국민 투표(國民投票). 고대에는 로마 공화국의 민회(民會)에서 이를 시행하였고, 근대에 와서는 1933년 독일의 국제 연맹 탈퇴, 다음 해의 히틀러(Hitler)의 총통(總統) 취임, 1955년 자르(Saar)의 서부 유럽화(Europe化) 등이 이것으로 결정되었음.

플레 산【—山】〔Pelée〕명〖지〗 서인도 제도(諸島) 동부, 마르티니크(Martinique) 섬 북부의 화산. 1902년 대폭발을 일으켜 섬의 남서 산기슭에 있던 도시 생피에르(Saint Pierre)를 전멸시켜 약 3만 명의 사망자(死亡者)를 냈음. [1,463 m]

플레시〔Flesch, Karl〕명〖사람〗 헝가리의 바이올린 연주가. 베를린(Berlin)·암스테르담(Amsterdam) 등지에서 바이올린을 연주하였음. 현대 최고의 바이올린 명수의 하나로 꼽힘. [1873-1944]

플레시안트로푸스〔Plesianthropus〕명〖인류〗 1936-38년에 남아프리카 트란스발의 한 지방에서 발굴된 오스트랄로피테쿠스(Australopithecus)의 화석. 거의 완전한 어른의 두골(頭骨)이 복원되었고, 또 골반편(骨盤片)으로 미루어 직립 보행(直立步行)했음이 밝혀졌음.

플레시오사우루스〔라 plesiosaurus〕명〖동〗 중생대(中生代)의 쥐라기(Jura紀)에 바다에서 살던 파충류(爬蟲類). 도마뱀과 비슷하게 생겼는데 신장(身長)은 수십 피트이며, 네 발은 지느러미 모양으로 변하여서 헤엄을 잘 쳤음.

플레식 분:화【—式噴火】〔Pelée〕명〖지〗 화산 분화 형식의 하나. 1902년 마르티니크(Martinique) 섬에 있는 플레 화산의 폭발 때 처음 발견된 형. 점성(粘性)이 큰 용암이 용암 첨탑(尖塔) 등의 모양으로 분출하고 폭발과 동시에 열운(熱雲)이 산복(山腹)을 흘러 내림. 가장 위험한 형임. 열운 분화형.

플레어[1]〔flare〕명〖천〗 흑점 따위의 태양의 활동 영역에 갑자기 빛이 강한 부분이 나타나 수 분 내지 수 시간에 소멸하는 현상. 강도에 따라 1-4로 분류되며 이 때 엑스선(X線)·하전 입자(荷電粒子)를 방출하고 지상에 전파 장애·자기(磁氣) 폭풍을 일으킴. 특히 흑점이 많은 시기에 자주 나타나며 태양면 폭발, 혹은 채층(彩層) 폭발이라고도 함.

플레어[2]〔flare〕명 ①↗플레어스커트. ②스커트 같은 데에 장식으로 된 물결 모양의 주름.

플레어-별〔flare〕명〖천〗 섬광성(閃光星).

플레어-스커:트〔flare-skirt〕명 자연적으로 주름이 잡히게 된 밑이 확 퍼진 스커트. ㊟플레어.

플레이〔play〕명 ①유희(遊戲). 경기. ¶ 파인 ~. ②↗플레이 볼(play ball). ③연극. 희곡. 연주.

플레이 가이드〔play guide〕명 연극·영화·음악·스포츠 등 흥행물의 입장권 예매소.

플레이너〔planer〕명〖기〗 넓은 평면을 깎아 내는 데 쓰는 공작 기계의 하나. 수평으로 왕복하는 테이블 위에 공작물(工作物)을 고정시켜 놓고, 크로스 레일(cross rail) 위에서 테이블이 왕복할 때마다, 운동 방향에 직각이 되게 바이트를 내밀어서 절삭함. 평삭반(平削盤).

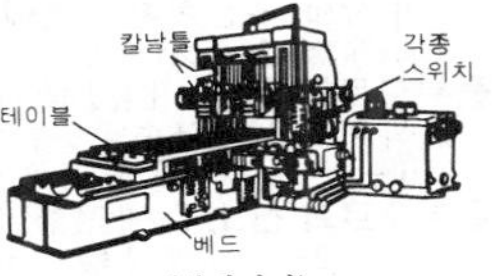

〈플레이너〉

플레이보이[1]〔playboy〕명 ①각계 각층의 여성을 매혹시키는 능력을 소유한 멋쟁이 남성. 한량(閑良). ②쾌활한 사나이·젊은이. ③〈속〉 호색한(好色漢).

플레이보이[2]〔Playboy〕명 1953년에 창간된 미국의 월간 잡지. 누드 사진을 많이 싣는 남성 취향의 잡지로, 세련된 읽을거리, 인터뷰·서평(書評) 등으로도 정평이 있음.

플레이 볼:〔play ball〕명 야구·정구 등의 구기(球技)에서, 심판자가 시합의 개시를 명령하는 말. ㊟플레이.

플레이스〔place〕명 야구·정구 등에서, 원하는 곳에 공을 겨누어 치는 일. ——-하다 자 여불

플레이 스컬프처〔play sculpture〕명 어린이 놀이터 등에 마련된 콘크리트로 만든 놀이 시설. 유희 조각(遊戲彫刻).

플레이스 킥〔place kick〕명 축구·럭비·미식 축구 따위에서, 공을 땅 위에 놓고 차는 일. ——-하다 자 여불

플레이스 히트〔place hit〕명 야구에서, 원하는 곳에 공을 겨누어 친 것이 명중하는 일. ——-하다 자 여불

플레이아데스〔그 Pleiades〕명〖신〗 아틀라스(Atlas)의 일곱 딸. 사냥꾼 오리온(Orion)에게 쫓기어 승천(昇天)하여, 칠요성(七曜星)이 되었다고 함.

플레이아데스 성단【—星團】〔Pleiades〕명〖천〗 황소자리에 있는 산개 성단(散開星團). 약 120개의 별로 구성되었으며 그 중 7-8개의 별은 육안(肉眼)으로 볼 수 있음. 거리는 약 410광년.

플레이아드〔프 pléiade〕명〖문〗 16세기 프랑스 시단(詩壇)의 롱사르(Ronsard)를 중심으로 한 일곱 사람의 시파(詩派). 프랑스말의 순화(純化)에 힘써 고대시(古代詩)에 못지 않은 새로운 시(詩)를 쓰자는 주창(主唱)을 함.

플레이어〔player〕명 ①경기자(競技者). 선수. ②연기자(演技者). 연주자(演奏者).

플레이 오프〔play off〕명 ①골프·축구에서, 동점(同點) 결승의 연장전(延長戰)을 이름. ②야구에서, 리그의 우승을 가리기 위한 결정전.

플레이쿠〔Pleiku〕명〖지〗 월남 중부 산악 지대 콘툼(Kontum) 고원에 있는 도시. 플레이쿠 성(省)의 주도(主都)이며 남중국(南中國) 해안의 퀴논(Qui Nhon)에서 고속 도로가 통하고 공항이 있음. 월남 전쟁 중의 격전지의 하나.

플레이트〔plate〕명 ①판(板). 금속판(金屬板). ②접시. ③〖물〗 라디오용(用) 진공관의 양극(陽極)으로 쓰이는 금속판. ④〖물〗 사진의 감광판(感光板). 건판(乾板). ⑤〖인쇄〗 금속판 또는 그것으로 인쇄한 판화(版畫). 도판(圖版). 또는 도판의 한 장씩으로 된 것. ⑥↗피처스 플레이트. ⑦↗홈 플레이트. ⑧〖지〗 지각(地殼)을 구성하는 두께 100 km 정도의 암판(岩板).

플레이트 전:류【—電流】〔—절—〕명〔plate current〕〖물〗 플레이트 회로(回路)를 흐르는 전류. 진공관 속의 양극에서 음극을 향하여 흐르는 전류. 양극 전류(陽極電流).

플레이트 텍토닉스〔plate tectonics〕명〖지〗 판구조론(板構造論).

플레이트 회로【—回路】명〔plate circuit〕〖물〗 양극 회로(陽極回路).

플레인〔plain〕명 평평함. 담박(淡泊)함. ——-하다 형 여불

플레인 소:다〔plain soda〕명 맛이 들지 아니한 소다수(soda水).

플레인 콘크리:트〔plain concrete〕명〖토〗 속에 철근(鐵筋)을 넣지 아니한 콘크리트.

플레처〔Fletcher, Horace〕명〖사람〗 미국의 영양 식료(營養食料) 연구가. 플레처리즘(Fletcherism)을 제창하였음. [1849-1919]

플레처리즘〔Fletcherism〕명〖생〗 감식주의(減食主義).

플레톤〔Pleton, Georgios Gemistos〕명〖사람〗 비잔틴 제국의 철학자·인문주의자. 르네상스기(期)의 플라톤 연구의 중심 인물임. 피렌체 공회의(公會議)에 요하네스 8세의 수행원으로 출석했을 때 메디치가(Medici家)를 설득해서 플라톤 아카데미를 세움. 종래의 플라톤에 대한 스콜라적 해석에 대해 그리스도교와의 관련을 분리하여 근원적인 형태로 플라톤 철학을 부흥시켜 아리스토텔레스 철학의 권위를 동요시켰음. [1355?-1452]

플레하노프〔Plekhanov, Georgi Valentinovich〕명〖사람〗 러시아의 마르크스주의 이론가. 처음 나로드니키(Narodniki)에 공명하여 차츰 공산주의 입장에 서서, 러시아 최초의 공산주의 단체인 '노동 해방단'을 조직하여 수정주의(修正主義)와 투쟁하였으나, 혁명 이후 레닌과 대립하고 멘셰비키(Mensheviki)를 지도하여 소비에트 정권을 부인하였음. 20세기초의 최대의 마르크스 이론가로 지칭되며 주저에 《사회주의와 정치 투쟁》·《사적(史的) 일원론》·《마르크스주의의 근본 문제》·《예술론》 등이 있음. [1857-1918]

플렉소그래피〔flexography〕명〖인쇄〗 아닐린 인쇄(anilin 印刷).

플렉스-타임〔flex-time〕명 누구나 공통으로 출근해서 근무해야 하는 코어 타임(core time) 이외에는, 1주일 안에 규정된 노동 시간을 지키는 한, 몇 시에 출근하여 몇 시에 퇴근해도 좋은 근무 제도.

플렉시블〔flexible〕명 ①휘기 쉬움. 유연함. ②융통성(融通性)이 있음. ——-하다 형 여불

플렉시블 디스크〔flexible disk〕명〖컴〗 플로피 디스크.

플렉트럼〔plectrum〕명〖악〗 만돌린(mandolin) 등의 발현(撥絃) 악기의 현을 튀기는 데 쓰이는 나무나 상아의 소편(小片).

플렌스부르크〔도 Flensburg〕명〖지〗 독일 북부 덴마크와의 국경 근처에 있는 도시. 발트 해(海)에 면한 항도로 조선·수산 가공이 행해짐.

플로:〔flow〕명〖경〗 일정 기간에 산출된 경제 수량. 거시(巨視)경제학에서는 국민 소득·국민 총생산, 미시(微視)경제학에서는 매출액·임금 등을 가리킴. ↔스톡(stock)[2]❹.

플로: 다이아그램〔flow diagram〕명〖경〗 플로 차트(flow chart).

플로라[1]〔Flora〕명〖신〗 로마 신화 중 꽃과 과실과 풍요·봄의 여신(女神). 화관(花冠)을 쓴 미녀(美女)로, 플로랄리아(Floralia) 곧, 4월 28일-5월 1일은 그의 제일(祭日)임.

〈플로라[1]〉

플로라[2]〔flora〕명〖식〗 식물 분포(分布)의 상태. 식물구계(植物區系). 식물상(植物相). 식물지(植物誌).

플로레스〔Flores, Juan José〕명〖사람〗 에콰도르의 군인·정치가. 볼리바르(Bolivar)를 따라 독립 전쟁에 참가. 대(大)컬럼비아 공화국으로

부터 분리되면서 대통령(1830-35, 1839-45)이 됨. 독재적 시정(施政)으로 국외로 추방당했다가 만년에 귀국함. [1800-64]

플로레스 섬 〔Flores〕 명 『지』 인도네시아 중남부, 소순다(小Sunda) 열도 중부에 있는 섬. 산이 많으며 표고(標高) 2,000 m 이상의 화산(火山)도 여러 개 있음. 수렵지로도 알려짐. 별갑(鱉甲)·코푸라·연소(燕巢) 등을 특산함. [17,150 km^2:803,000 명]

플로렌스 〔Florence〕 명 『지』 '피렌체(Firenze)'의 영어명.

플로리[1] 〔Florey, Howard Walter〕 명 『사람』 영국의 병리학자. 옥스퍼드 대학 교수. 페니실린의 성질·제조를 연구하고 그 임상적 응용에도 성공하여 1945년 플레밍·체인과 함께 노벨 생리 의학상을 수상함. [1898-1968]

플로리[2] 〔Flory, Paul John〕 명 미국 화학자. 코넬 대학 멜론(Mellon) 연구소·스탠퍼드 대학에서 연구. 고분자(高分子) 물리 화학(物理化學)의 이론, 실험 양면에 걸친 기본적인 업적으로 1974년 노벨 화학상을 수상함. [1910-85]

플로리겐 〔florigen〕 명 『식』 개화 호르몬(開花 hormon).

플로리다 반:도 【一半島】〔Florida〕 명 『지』 미국 남부, 플로리다 주(州)의 대부분을 차지하는 반도. 대서양과 멕시코 만을 가르고 있음. 소택 지대(沼澤地帶)가 넓게 퍼져 있는데, 동해안에는 마이애미·마이애미 비치 등의 관광 보양지가 많음. 서해안에는 케네디 우주 센터가 있으며, 지역적으로 익곡(溺谷)이 많아 들새의 보고(寶庫)를 이룸.

플로리다 주 【一州】〔Florida〕 명 『지』 미국 남동부에 있는 주. 북회귀선(北回歸線)에 가까우며 대부분이 플로리다 반도에 속하고 일부의 구릉지(丘陵地) 외는 저평(低平)한 해안 평야와 소택지(沼澤地)가 펼쳐짐. 아열대 기후로 미본국에서 가장 온난(溫暖)하며 과실 외에 아열대 산물이 많고 인광석(燐鑛石)의 산출은 전세계 산출량의 약 28%에 이름. 피한지(避寒地)로도 유명함. 공업은 농산 가공·임산 가공이 주이고, 펄프·제지·제당·담배·화학·조선 따위가 행하여짐. 주도(州都)는 탤러해시(Tallahasse). [140,256 km^2 : 12,937,926 명(1990)]

플로린 〔florin〕 ㊀명 유럽 각국에서 예로부터 유통(流通)된 여러 가지 금은화(金銀貨). ㊁의명 네덜란드의 화폐(貨幣) 단위. 굴덴(gulden). 길더(guilder).

플로베:르 〔Flaubert, Gustave〕 명 『사람』 프랑스의 소설가. 본시 법률을 뜻했으나 뜻을 바꾸어 여러 지방을 여행하고, 1851년 이래 주로 루앙(Rouen) 근교에 살면서 문우(文友)들과 문필 생활로 날을 보냄. 1847년 처음으로 《성 앙투안(聖 Antoine)의 유혹》으로 문필 생활을 시작, 이후 《보바리(Bovary) 부인》·《살람보(Salammbô)》 등으로 성공함. 관찰(觀察)·고증(考證)의 치밀성과 문체 및 형식의 미적 세련(美的洗練)이 특색임. 근대 사실주의 기초를 이루었고, 이후 자연주의 문학의 비조(鼻祖)로 일컬어짐. [1821-80]

플로브디브 〔Plovdiv〕 명 『지』 불가리아(Bulgaria) 중남부의 도시. 철도 교통의 요지이며, 야금·기계·섬유·제당·담배·피혁 공업 등이 행하여짐. 장미유(薔薇油)를 산출하고, 대학과 고고학 박물관(考古學博物館)이 있음. [356,596 명(1988 추계)]

플로: 시:트 〔flow sheet〕 명 플로 차트.

플로어 〔floor〕 명 마루. 층계. 층(層).

플로어링 〔flooring〕 명 마루를 까는 널빤지.

플로어 쇼: 〔floor show〕 명 높은 무대를 쓰지 않고 객석(客席)과 같은 마루에서 벌이는 흥행물(興行物).

플로어 스탠드 〔floor stand〕 명 바닥에 놓는 대형(大形)의 전기(電氣) 스탠드.

플로어 트레이더 〔floor trader〕 명 『경』 미국 증권 거래소 회원 업자의 일종. 입회장 내에서 자기 매매만을 함. 주가(株價)의 소폭적인 변동에도 매매를 하기 때문에 주가의 평준화(平準化)에도 기여하고 매매 주문을 원활하게 성립시키는 시장 기능적인 면도 있음. 룸 트레이더(room trader).

플로어 프라이스 〔floor price〕 명 어느 상품의 최저 가격. 바닥치(値).

플로이에슈티 〔Ploieşti〕 명 『지』 루마니아(Rumania) 남동부 프라호바 주(州)의 주도. 석유(石油) 산업의 중심지이며 정유 공업(精油工業)이 성함. 16세기에 창건되어, 러시아 터키 전쟁 때는 러시아군의 총사령부(總司令部)가 있었음. [234,886 명(1986) 추계]

플로: 인플레이션 〔flow inflation〕 명 『경』 비자산적(非資産的)인 일반적 상품의 물가 상승(上昇). ↔스톡 인플레이션.

플로지스톤 〔phlogiston〕 명 『화』 연소(燃燒)를 설명하기 위하여 상정(想定)되었던 물질. 18세기 초에 화학자 슈탈(Stahl, G. E.)이 이름을 붙였음. 연소에 의하여, 그 물질이 달아난다고 생각되었으나, 라부아지에(Lavoisier)에 의하여 부정됨. 연소(燃素).

플로: 차:트 〔flow chart〕 명 공정 경로(工程經路) 도표. 직무 명세서를 바탕으로 하나의 목적에 이르기까지의 작업 공정(工程)의 전단계(全段階)를 도표화한 것. 생산 공정의 분석이나 사무 분석에 쓰임. 일관 작업도. 생산 공정 일람표. 플로 시트. 플로 다이아그램(flow diagram).

플로터 〔plotter〕 명 『컴퓨터』 컴퓨터의 지령에 따라 종이 위에 그림을 그리는 장치. 펜을 움직여서 작도(作圖)하는 형식의 기계를 가리키는 경우가 많으며, 도트 프린터 방식을 포함하는 경우도 있음. 작도 장치.

플로토 〔Flotow, Friedrich von〕 명 『사람』 독일의 가극(歌劇) 작곡가. 주로 파리에서 활약하였으며 선율의 아름다움과 변화 있는 리듬으로 가극 《마르타(Martha)》 등을 남김. [1812-83]

플로:트 〔float〕 명 ①수상 비행기(水上飛行機)를 수상에 이착수(離着水)시키는 장치. 일종의 부주(浮舟)로 수상성(水上性)·내파성(耐波性)이 좋고 공중에서의 성능도 좋을 것을 요함. ②뗏목. ③아이스크림을 띄운 찬 음식(飮食)의 총칭.

플로:트 글라스 〔float glass〕 명 플로트 유리.

플로:트 스위치 〔float switch〕 명 액면(液面)에 뜨는 찌에 의하여 작동하는 스위치.

플로:트 유리 【一琉璃】〔float〕 명 『화』 녹은 주석(朱錫) 표면에 녹은 유리를 부어, 표면에 요철(凹凸)이 없는 유리를 만들어 사후에 연마(研磨)하는 수고를 덜게 한 유리. 플로트 글라스.

플로티노스 〔Plotinos〕 명 『사람』 이집트 태생의 고대 로마의 철학자. 신플라톤 학파(新 Platon 學派)의 대표자로, 로마에 학원을 세워 상하의 신망을 얻음. 세계는 하나의 근원적인 존재인 일자(一者)의 유출(流出)이라 하였으며, 후세 신비주의의 원천을 이루었고, 중세 스콜라 철학, 나아가 헤겔 철학에 큰 영향을 끼침. 저서(著書)로는 《에네아데스(Enneades)》 등이 있음. [204?-270?]

플로:팅 기초 【一基礎】 명 〔floating foundation〕 『건』 기둥으로부터의 집중 하중(集中荷重)을 분산(分散)시키기 위한 철근(鐵筋) 콘크리트. 연약(軟弱)한 지반(地盤) 위에서 사용됨.

플로피 디스크 〔floppy disk〕 명 『컴퓨터』 표면에 자성(磁性) 재료를 바른 얇은 플라스틱 원판. 네모난 종이 재킷에 들어 있음. 한 장의 기억 용량이 약 25만-50만 바이트가 되는 기억 매체로, 컴퓨터의 드라이브 장치에 삽입하여, 회전시켜서 데이터를 판독·기록함. 디스켓. 플렉시블 디스크.

플록스 〔phlox〕 명 『식』 꽃창포과에 속하는 화초의 한 가지.

플롯 〔plot〕 명 ①구상(構想). ②『문』 소설·희곡·각본 등의 스토리(story)를 형성하는 줄거리 또는 줄거리에 나오는 여러 가지 사건을 하나로 얽어 짜는 일과 그 수법. 흔히, 해설·유도(誘導)·클라이맥스·해결(解決)의 네 단계의 요소로 됨. 스토리(story). ¶소설의 ~. ③『군』 표정(標定).

플뢰레 〔프 fleuret〕 명 펜싱 경기에 쓰이는 검의 하나. 또, 그 검을 사용하여 행하는 경기의 한 종목. 펜싱 경기 중 제일 먼저 스포츠화한 것. 검은 전장(全長) 110 cm 이하, 전중량(全重量) 500 g 이하, 칼날의 길이 90 cm, 날밑의 최대 직경 12 cm임. 칼끝에 가죽을 댐. 공식 경기에는 전기 심판기(電氣審判器)를 사용하며, 선수는 전기 플뢰레를 사용하며, 남녀 같이 행하는 종목임.

플뢰트너 〔Flötner, Peter〕 명 『사람』 스위스 태생의 독일 실내 장식가·공예가. 이탈리아 르네상스의 영향을 받아 소조각(小彫刻) 외에 실내 장식과 가구 등의 장식 도안을 제작함. [1490?-1546]

플루랄리즘 〔pluralism〕 명 『미술』 갖가지 다양한 현대 예술의 주의 주장의 요소를 포함하면서도 이론보다 감각(感覺)을 우선한 미술을 지향하는 미국의 미술 사조(思潮). 1980년대에 비롯됨.

플루모수스 아스파라거스 〔plumosus asparagus〕 명 『식』 〔*Asparagus plumosus* var. *nanus*〕〔플루모수스는 깃털 모양의 뜻〕 백합과에 속하는 화초. 남아프리카 원산으로 온실 재배의 관엽(觀葉) 아스파라거스로서 가장 보편적으로 기르고 있는 것임. 5-9년 경과하면 수 개의 덩굴이 자라며, 줄기는 가는 원주형, 녹색 무모(無毛)의 가지는 깃털 모양으로 많이 갈라져 나와 위로 비슷이 퍼지며 매우 가늚. 잎은 가시털 모양이며 6-12 개가 나는데 선녹색(鮮綠色)이고 고사리 모양임.

플루오르 〔도 Fluor〕 명 『화』 할로겐족(halogen 族) 원소(元素)의 하나. 자극성의 냄새가 나는 담황록색의 기체인데, 반응력이 세고 질소(窒素) 이외의 모든 원소에 대하여 강한 친화력(親和力)을 가짐. 천연(天然)으로는 형석(螢石)·빙정석(氷晶石) 등으로서 산출되고, 인공적으로는 액상 플루오르화 수소(液狀 Fluor化水素)와 플루오르화 칼륨(Fluor化 Kalium)과의 혼합물을 저온(低溫)에서 전해(電解)하여 만듦. 각종 화합물로 도금(鍍金)·야금(冶金)·철강·유리·치과용 시멘트·유리 가공·접착제·방부제·살충제, 프레온 등의 냉매(冷媒)·플루오르 수지 등에 쓰이고 로켓 연료로서 산소 대신 쓰는 등 용도가 다양함. 녹는점 −219.6℃, 끓는점 −188.1℃. 불소(弗素). [9번 : F : 19.00]

플루오르 고무 〔도 Fluor+프 gomme〕 명 『화』 플루오르를 함유하는 합성 고무의 총칭. 내열(耐熱)·내한(耐寒)·내유(耐油)·내약품성(耐藥品性)이 우수함. 불소(弗素) 고무.

플루오르 수지 【一樹脂】 명 〔fluoroplastics〕 『화』 탄화 수소쇄(炭化水素鎖)에 플루오르가 치환(置換)한 중합물(重合物)의 총칭. 대표적인 상품명(商品名)으로는 테플론(Teflon)과 켈 에프(Kel-F)가 있는데, 고도의 열안정성(熱安定性), 약품에 견디는 성질, 전기 절연성(電氣絶緣性)이 좋아서 많이 이용됨. 불소 수지(弗素樹脂).

플루오르-화 【一化】 명 〔fluorination〕 『화』 어떤 물질이 플루오르와 화합(化合)함. 유기 화합물의 분자 안에 플루오르 원자를 도입하는 반응. 부가(付加) 혹은 치환(置換)에 의함. 할로겐화(Halogen化)의 하나. 불소화(弗素化). 불화(弗化).

플루오르화-물 【一化物】 명 〔fluoride〕 『화』 플루오르와 다른 원소(元素)와의 화합물. 금속의 플루오르화물은 잘 용해되나 알칼리 토류(Alkali 土類) 등은 물에 잘 녹지 않음. 불화물(弗化物).

플루오르화 산소 【一化酸素】〔도 Fluor〕 명 『화』 플루오르와 산소와의 화합물. 2% 수산화(水酸化) 나트륨 수용액(水溶液)에 플루오르의 미세(微細)한 거품을 서서히 통할 때 얻어짐. 액체 공기로 액화(液化)한 뒤 분류(分溜)하는, 고온(高溫)에서도 유리를 침식(侵蝕)하지 못하는 무색의 유독(有毒) 기체(氣體)를 이플루오르화 산소(二Fluor化酸素: OF_2)라고 하며, 산소와 플루오르의 등몰(等 mol) 혼합 기체를 액체 공기로 냉각(冷却)하면서 방전(放電)할 때 얻어지는, 산소가 플러스(+), 플루오르가 마이너스(−)의 원자가(原子價)를 가진, 적색의 액체 또는 황색의 고체(固體)의 것을 이플루오르화 이산소(O_2F_2)라고 함. 불화 산소(弗化酸素).

플루오르화 석회 【一化石灰】〔도 Fluor〕 명 『화』 플루오르화 칼슘.

플루오르화 수소 【一化水素】 명 〔hydrogen fluoride〕 『화』 형석(螢石)에 진한 황산(黃酸)을 부어 가열해서 얻는 기체(氣體). 무색(無色)이며 유독(有毒)한 자극성(刺戟性)의 냄새가 심하고, 물에 잘 녹으며 수용액(水溶液)은 유리를 녹이므로 글씨나 모양을 그리어 새기는 데 씀. 불화수소(弗化水素). [HF].

플루오르화 수소산【一化水素酸】 명 〔hydrofluoric acid〕 《화》 플루오르화 수소의 수용액(水溶液). 약산성(弱酸性)이며 공기 중에서 발연(發煙)함. 금·백금 이외의 거의 모든 금속을 부식(腐蝕)시키며, 유리 기구(器具)의 눈금을 새길 때 또는 광택(光澤)을 지우는 데 등에 쓰임. 보통 폴리에틸렌(polyethylen)의 병에 저장함. 유독 물질(有毒物質)임. 불화수소산(弗化水素酸). 불산(弗酸).

플루오르화 수은【一化水銀】 명 〔mercuric fluoride〕 《화》 유독성(有毒性)의 투명한 결정. 열(熱)을 더하면 분해하며, 알코올과 물에 서서히 녹음. 녹는점 645°C. 유기(有機) 플루오르화물의 합성(合成)에 쓰임. 불화(弗化) 수은. [HgF_2]

플루오르화-은【一化銀】 〔도 Fluor〕 명 《화》 플루오르화 수소에 은화합물(銀化合物)을 작용시킨 화합물. 물에 잘 녹고 안전함. 불화은(弗化銀). [AgF].

플루오르화 칼슘【一化一】 명 《화》 〔calcium fluoride〕 플루오르와 칼슘과의 혼합물. 천연(天然)으로는 형석(螢石)으로 산출됨. 잘 녹으며 융제(融劑)로 쓰이고 알루미늄 제조시에 수정석(水晶石)을 만드는 원료가 됨. 플루오르화 석회(石灰). 불화 석회(弗化石灰). 불화 칼슘(弗化 calcium). [C_2F_2]

플루오르화 탄:화 수소【一化炭化水素】 명 〔fluorocarbon〕 《화》 수소(水素) 원자의 일부 또는 전부가 플루오르 원자로 치환(置換)된 '프레온(Freon)'과 같은 탄화 수소. 불연성(不燃性)·열안전성(熱安定性)의 액체나 기체로, 냉매(冷媒)·에어로졸용의 분무제(噴霧劑)·용제(溶劑)로 쓰임. 불화(弗化) 탄화 수소.

플루:크 〔fluke〕 명 당구(撞球) 용어로, 공이 요행수로 맞는 일.

플루크보겐 〔도 Pflugbogen〕 명 스키에서, 플루크파렌의 자세로, 좌우 교차로 회전하는 방법. 전자동 회전(全自動回轉).

플루크파:렌 〔도 Pflugfahren〕 명 스키에서, 스키의 후단(後端)을 V자형으로 벌리고, 활강하는 방법.

플루타르코스 〔Plutarchos〕 명 《사람》 플루타르크(Plutarch)의 그리스어 이름.

플루타르크 〔Plutarch〕 명 《사람》 고대 그리스 플라톤 학파(Platon 學派)의 철학가·전기 작가(傳記作家). 박학 다식하여 로마·알렉산드리아(Alexandria) 등지를 다니며 강론하였음. 도덕적 일화(逸話)로 가득 찬 유명한 《영웅전》은 원제(原題) 《대비 열전(對比列傳)》으로서, 그리스와 로마의 정치가·철인들을 병렬식(並列式)으로 대조한 명작임. 플루타르코스. [46?-120?]

플루타르크 영웅전【一英雄傳】 〔Plutarch〕 명 《책》 그리스의 플루타르크가 지은 《대비 열전(對比列傳)》의 통칭. *플루타르크.

플루테우스 〔Pluteus〕 명 《동》 극피 동물(棘皮動物)에 속하는 유생(幼生). 1845년에 뮐러(Müller, J.)가 사미류(蛇尾類)의 유생에 플루테우스 파라독수스(Pluteus paradoxus)라고 명명(命名)한 것이 최초임. 몸은 등배 쪽으로 편평(扁平)한 도립 삼각형(倒立三角形)을 이루며, V자형으로 구부러진 소화관(消化管)을 포함한 몸의 주부(主部)에서 좌우 대칭적(左右對稱的)으로 일정수(一定數)의 돌기(突起)를 내밀고 있으며, 그 안에 칼슘성(calcium 性)의 골격을 가짐. 이것을 섬게류의 것은 에키노플루테우스(echinopluteus)라고 하며 거미 불가사리류(類)의 것은 오피오플루테우스(ophiopluteus)라고 함.

〈플루테우스〉

플루토 〔Pluto〕 명 ①《신》 그리스의 명계(冥界)의 왕. 플루톤(Plouton)의 영어명. ②《천》 명왕성(冥王星).

플루토늄 〔plutonium〕 명 《화》 우라늄(uranium)으로부터 핵변환(核變換)에 의하여 만들어지는 초(超)우라늄 원소의 하나. 인체에 가장 유해한 알파선(α線)을 함유함. 은백색의 금속으로 반응성이 크고 세편(細片)은 공기 속에서 발화(發火)함. 산에 녹으며 할로겐하고는 직접 반응함. 동위체(同位體)는 16종 있음. 반감기(半減期)는 2만 4천 년이고, 천연적으로는 극히 적은 양이 우라늄 원광(原鑛) 속에 존재함. 핵연료로써 원자로·원자 폭탄·수소 폭탄에 이용됨. 1940년 미국에서 발견됨. [94번:Pu:242]

플루토늄 리사이클 〔plutonium recycle〕 명 《화》 발전용 원자로에서 회수한 플루토늄을 연료로 하여 재이용하는 일.

플루토늄 이:백삼십구【一二百三十九】 〔plutonium〕 명 《화》 질량수(質量數) 239의 플루토늄. 방사선, 곧 알파선을 방사하며 원자로 안에서 우라늄 238이 중성자를 흡수, 베타 붕괴(β崩壞)하여 생산됨. 반감기(半減期)는 24,360년, 원자 폭탄·수소 폭탄에 쓰임.

플루토늄-증【一症】 〔一쯩〕 명 〔plutonism〕 《의》 플루토늄 피폭(被爆)에 의한 질환. 동물 실험으로는, 머리털이 회색(灰色)으로 변하고, 간장 변성(肝臟變性) 및 종양 형성(腫瘍形成)을 볼 수 있음.

플루토늄 폭탄【一爆彈】 명 〔plutonium bomb〕 원자 폭탄의 하나. 플루토늄 239의 핵분열을 이용함. 1945년, 일본 나가사키(長崎)에 투하되었으므로 나가사키 폭탄이라고도 부름.

플루:톤 〔그 Plouton〕 명 《신》 그리스 신화 중의 명부(冥府)의 왕(王). 그리스인은 하이데스(Haides), 로마인은 디스(Dis)와 동일시(同一視)함. 플루토(Pluto).

플루:트 〔flute〕 명 《악》 피리 비슷한 관악기(管樂器)의 하나. 옛날에는 나무로 만들었으나, 보통 금속제 관(管)에 여러 개의 구멍과 건(鍵)을 장치하였음. 3옥타브를 발음하고 부드럽고 청신한 음색(音色)을 가졌으며 관현악·실내악 중 중요한 자리를 차지함.

〈플루트〉

플루:티스트 〔flutist〕 명 플루트(flute)의 연주자.

플루:팅 〔fluting〕 명 《건》 기둥의 표면에 수직으로 조각된 얕은 원호상(圓弧狀)의 홈. 주로, 서양 고대 건축에서 볼 수 있음.

플뤼커 〔도 Plücker, Julius〕 명 《사람》 독일의 물리학자·수학자. 본 대학 교수 역임. 가이슬러관(Geissler 管)을 써서 진공 방전(眞空放電) 현상을 연구, 음극에 가까운 유리벽(壁)이 녹색(綠色)의 형광을 발하는 것을 발견함. 수학에서는 대수 기하학, 선형(線型) 기하학의 개척자의 한 사람임. [1801-68]

플리니우스 〔Plinius〕 명 《사람》 ①〔Gaius P. Secundus〕 로마 제정기(帝政期)의 장군·정치가·학자. 해외 영토의 총독(總督)을 역임하는 한편으로 다양한 연구와 저작 활동(著作活動)을 했으며, 그의 저작 《박물지(博物誌):Histria naturalis》 37권은 동물·식물·광물·지리·천문·의학·예술 등 2만 항목에 이르는 일종의 백과 전서였음. 대(大)플리니우스로 불림. [23-79] ②〔Gaius P.Caecilius Secundus〕 대(大)플리니우스의 조카의 양자(養子)로 로마 제정기(帝政期)의 정치가·문인(文人). 소(小)아시아의 비티니아(Bithynia) 총독을 지냈으며, 트라야누스 황제(Trajanus 皇帝)에 대한 《칭찬 연설》과 《서한집》 10권이 현존함. 소(小)플리니우스라고 불림. [62-113]

플리머스[1] 〔Plymouth〕 명 《지》 ①영국 잉글랜드 남서 연안에 있는 군항(軍港). 1620년의 최초의 이민선(移民船) 메이플라워호(Mayflower 號)의 출항지(出港地)임. 1914년 인접한 스톤하우스·데번포트(Devonport)의 2개 지구와 합병하여 지금에 이름. 제당(製糖)·화학 공업·조선(造船)·선박 수리 공업이 성하며 해양 생물 연구소(海洋生物硏究所)가 있음. [255,000명(1987)] ②미국 뉴잉글랜드의 매사추세츠(Massachusetts) 주의 해항(海港). 최초의 영국 이민(移民)을 실은 메이플라워호(號)의 도착지임. 철선(鐵線)·전선(電線) 등의 공업에 특색(特色)이 있음. [36,000명(1980)]

플리머스[2] 〔Plymouth〕 명 《동》 플리머스록(Plymouth Rock)❷.

플리머스-록 〔Plymouth Rock〕 명 ①《지》 미국 매사추세츠(Massachusetts) 주(州)의 플리머스 항(Plymouth港)에 있는 바위. 메이플라워호(Mayflower號)의 미국 도착 기념 사적지(史蹟地)임. ②《조》 미국에서 개량한 난육 겸용종(卵肉兼用種)의 닭. 몸이 비대하고 회백색 바탕에 흑색 가로 무늬가 가는 줄을 이루고 있음. 체질이 강하여 기후 변화에 잘 견디며 온화한 성질을 가져 새끼를 잘 기름. 고기는 연하고 맛이 좋으며 알도 많이 낳음. 플리머스.

〈플리머스록❷〉

플리:즈 〔please〕 감 〔'기쁘게 …하다'·'즐겁게 …하다'라는 뜻〕, '미안하지만 부디'·'제발' 등의 뜻으로 쓰이는 말.

플리:츠 〔pleats〕 명 아코디언(accordion)의 주름 상자 모양으로 잘게 모를 내어 스커트에 잡는 주름.

플리커 〔flicker〕 명 텔레비전 화면에 나타나는 반짝거리는 빛.

플리커 잽 〔flicker jab〕 명 권투에서, 잘게 연속적(連續的)으로 치는 재빠른 잽.

플리커 테스트 〔flicker test〕 명 피로 측정법의 하나. 눈의 기능 검사에 의해 중추 기능의 활동 수준을 조사하는 것으로, 주로 정신 피로와 주의력의 판정에 쓰임.

플릭텐 〔phlycten〕 명 《의》 결핵 알레르기에 의한, 결막(結膜) 및 각막(角膜)에 일어나는 발진(發疹). 삼눈.

플린더스 강【一江】 〔Flinders〕 명 《지》 오스트레일리아 북동부 퀸즐랜드 주(Queensland州)에 있는 강. 대분수(大分水) 산맥에서 발원하여 카펀테리아 만(Carpentaria灣)으로 흘러 들어감. [837 km]

플린더스 산맥【一山脈】 〔Flinders〕 명 《지》 오스트레일리아 남부 사우스오스트레일리아 주(州)에 있는 산맥으로, 우라늄·동·납 등의 광산 자원이 풍부함. 길이 약 400 km.

플린트[1] 〔flint〕 명 부싯돌. 라이터 돌.

플린트[2] 〔Flint〕 명 《지》 미국 미시간 주(州)의 공업 도시. 디트로이트(Detroit) 북서쪽에 있으며, 디트로이트를 중심으로 하는 거대(巨大)한 자동차 공업 지대의 일익(一翼)을 담당함. 조립(組立) 공장, 각종 부품(部品) 공장 외에 도료(塗料)·강재(鋼材)·시멘트 블록 등의 공장도 많음. [140,761명(1990)]

플린트 글라스 〔flint glass〕 명 플린트 유리.

플린트 유리【一琉璃】 명 〔flint glass〕 납을 함유한 유리. 주로 산화 나트륨·산화 칼륨·산화납·규산(硅酸)이 주성분임. 굴절률이 크고 광택이 다채로워 광학 유리·크리스털 유리·모조 보석 등에 쓰이며, 납성분이 많은 것은 방사선 방호 유리로 쓰임. 납유리. 연(鉛)유리. 연초자(鉛硝子). 플린트 글라스.

플립-플롭 〔flip-flop〕 명 《컴퓨터》 하나 이상의 입력(1과 0)에 대하여 항상 2개의 상태(1과 0) 중의 한 가지 상태의 출력을 발생시키고 또 다음의 새로운 입력이 주어질 때까지 그 상태를 안정적으로 유지하고 있는 회로. 컴퓨터의 집적 회로(集積回路) 속에서 기억 소자(記憶素子)로 쓰임.

플무 명 〈옛〉 풀무. ¶쇠 불리는 플무(放砂爐)《譯語 上 19》.

플소옴 명 〈옛〉 풀솜. ¶플소옴(綿子)《譯語 下 5》.

플젠 〔Plzeň〕 명 《지》 체코 공화국의 서부 보헤미아 지방에 있는 도시. 근교(近郊)에서 철과 석탄을 산출하여 철강업이 성해서 기계류·기관차를 생산하며, 특히 병기(兵器)공장은 유명함. 맥주 또한 세계적으로 유

명함. 제2차 대전 때 파괴되었으나 부흥(復興)했음. 필젠(Pilzen). [174,000명(1984)]

플티다 타 〈옛〉 '풀다'의 힘줌말. ¶ 銀河水 한 구비를 촌촌이 버혀내여 실ᄀᆞ티 플텨이셔 뵈ᄀᆞ티 거러시니≪松江 關東別曲≫.

픐뎌 명 〈옛〉 초금(草琴). ¶ 슬픈 픐뎌히 그ᅀᅳᆨᄒᆞ얫도다(隱悲笳)≪初杜諺 X:34≫. *픗뎌.

픔 명 〈옛〉 품. ¶ 보션 버셔 픔에 픔고 ≪永言≫.

픔다 명 〈옛〉 품다. ¶ 柚子ㅣ아니라도 픔엄즉 ᄒᆞ다마는 ≪永言≫.

픗긔 명 풀기. ¶ 무리 픗긔 업시 다ᄃᆞ마 돌호로 마론 깁이니(白淸水絹)≪朴集 上 12≫.

픗뎌 명 〈옛〉 초금(草琴). ¶ 시름ᄃᆞ윈 ᄠᅳ데 되 픗뎌 부는 나조히여(愁思胡笳夕)≪杜諺 V:5≫.

픗불휘 명 〈옛〉 풀 뿌리. ¶ 픗불휘예셔 이푸미 편티 아니ᄒᆞ시(草根吟不穩)≪初杜諺 XVII:37≫.

픗소옴 명 〈옛〉 풋솜. ¶ 픗소옴을 손가락의 가마 지버(綿裹指印搯)≪痘要 上 26≫.

픗좀 명 〈옛〉 풋잠. 얕이 든 잠. ¶ 松根을 베여누어 픗ᄌᆞᆷ을 얼풋 드니≪松江 關東別曲≫.

픠다 자 〈옛〉 피다. ¶ 곧 고ᄌᆞ로 히여 픠게 호ᄆᆞᆯ 아니한 더데 기피ᄒᆞ고(卽遣花開深造次)≪重杜諺 X:7≫.

픠오다 타 〈옛〉 피우다. ¶ 香픠오다(點香)≪譯語 上 13≫. *픠우다.

피[1] 명 〔중세 : 피〕 ①〖생〗 동물의 몸 안을 순환하여 흐르는 액체. 척추 동물은 헤모글로빈이 들어 있어서 붉게 보임. 혈액. ¶ 새발의 ~ / ~를 토하다 / ~를 보다 / ~를 뽑다 / ~가 나다. ②혈통(血統). ¶ ~를 나누다. / ~는 물보다 진하다. ③혈기(血氣). ¶ ~가 끓다. ④'희생'·'노력'의 비유. ¶ ~의 대가(代價) / ~와 땀의 결정.

[피는 물보다 진하다] 혈통은 속일 수 없어, 남보다도 집안간의 연결은 강렬하다.

피가 거꾸로 솟다 구 흥분하여 피가 머리로 모이다.

피가 끓다 구 ㉠흥분하다. 감정이 고조(高潮)되다. ㉡싸움이나 경기 등을 앞에 두고, 기분이 격앙(激昂)되고 용기가 넘치며, 온 몸에 긴장감이 넘치다. ㉢젊고 혈기가 왕성하다.

피가 되고 살이 되다 구 먹은 것이 제대로 소화되어 영양이 된다는 뜻으로, 배우거나 보고 들은 것이 잘 이해되어 자기 것이 되다. 피와 살이 되다.

피가 뜨겁다 구 정열적(情熱的)이다.

피가 마르다 구 몹시 괴롭거나 애가 타서 피가 마르는 것 같다.

피가 캥긴다 구 핏줄이 이어진 골육(骨肉) 사이에는 자기도 모르게 서로 당기는 친화력(親和力)이 있다.

피가 통하다 구 ㉠피가 흐르고 있다. 살아 있다. ㉡사무적·공식적이 아니고, 인간적인 감정이나 인정 등으로 연결되다.

피나게 울다 구 슬픔에 잠겨 매우 통절(痛切)하게 울다. ¶ 아무리 피나게 운들 대답이나 하더냐 ≪古時調 朴孝寬≫/피나게 우는 소리 이례도록 슬프도다≪古時調 金壽長≫.

피 나다 구 극심한 신고(辛苦)나 노력의 비유. ¶ 피 나게 번 돈.

피도 눈물도 없:다 구 인간적인 심정이 전혀 없다. 조금도 인정머리가 없다. 냉혹하고 비정하다.

피도 마르지 않다; 피도 안 마르다 구 아직 어리다.

피로 피를 씻는다 구 ㉠혈족끼리 서로 죽이고 다투다. ㉡악한 일을 처리하기 위하여 또 다시 악한 일을 거듭하다. ㉢살상(殺傷)에 대하여 살상으로 보복하다.

피를 긁다 구 남이 피땀 흘려 이룩한 노력의 결실을 가로채다. ¶ 요놈이 이렇게 잘 입은 비단옷도 모다 초산 백성의 피 긁은 것이니≪崔瓚植:秋月色≫.

피를 나누다 구 혈연 관계가 있다. 골육(骨肉)의 관계에 있다. 부모와 자식 또는 형제 사이이다.

피를 마시다 구 (옛날, 중국에서 맹세할 때 희생(犧牲)의 생혈(生血)을 마셨던 데서) 굳게 맹세하다.

피를 말리다 구 몹시 괴롭히다. 애가 타게 만들다.

피를 받다 구 조상·부모 등의 성격적·신체적 특질을 이어받다. 피를 계승하다.

피를 보다 구 ㉠싸움으로 피를 흘리는 사태가 빚어지다. 싸움이나 폭동 등으로 사상자를 내다. ㉡크게 봉변을 당하거나 곤욕을 치르다. ㉢크게 손해를 보다.

피를 빨다 구 ㉠피를 빨아 먹다. ㉡착취하다. ¶ 시골 백성의 피 빨아다가 무궁 행락 모다 하는 서울 양반 잘 만났다 ≪崔瓚植:金剛門≫/전일 평양 감사 시대에 백성의 피 빨아가지고 이곳에서 기생 데리고 ≪崔瓚植:秋月色≫.

피를 빨아마시다 구 ㉠생피를 빨아먹다. ¶ 서로 칼로 찔러 죽이고, 서로 피를 빨아 마시고, 서로 살을 깎아 먹으되 우리는 그렇지 않소 ≪安國善:禽獸會議錄≫. ㉡굳게 맹세하다. ㉢착취하다.

피를 흘리다 구 싸우거나 하여, 사상자(死傷者)가 나오다.

피에 울다 구 피를 토하며 울다. 몹시 슬피 울다.

피에 주리다 구 죽이거나 다치게 하려는 동물적인 욕망(慾望)이 끓어오르다.

피와 땀 구 대단한 인내와 노력의 비유. ¶ ~의 결정.

피와 살이 되다 구 피가 되고 살이 되다.

피[2] 명 〖식〗 [*Echinochloa frumentacea*] 벼과(科)에 속하는 일년초. '돌피'의 개량종으로, 높이 1m 내외이며, 잎은 폭이 2cm 가량인 선성(線狀) 피침형임. 8-9월에 담녹색 또는 자갈색의 꽃이 원추(圓錐) 화서로 정생(頂生)하며 거칠고 큼. 꽃이삭은 길이 10-20cm이고, 소수(小穗)는 길이 3mm의 넓은 달걀꼴, 영(穎)은 암자갈색의 막질(膜質)이며 가시랭이가 있음. 밭이나 습한 곳에 재배하는데, 한국 중부 이북의 각지에 분포함. 영과(穎果)는 식용 또는 사료(飼料)로 쓰임. 제패(稊稗). *돌피·피죽[2].

〈피[2]〉

[피 다 잡은 논 없고 도둑 다 잡은 나라 없다] 논의 피는 아무리 뽑아 버려도 또다시 나고, 도둑은 아무리 잡아 없애도 한없이 생겨난다는 말.

피[3] 【皮】 명 물건을 담거나 싸는, 가마니·마대·상자 따위를 통틀어 이르는 말.

피[4] 【皮】 명 성(姓)의 하나. 홍천(洪川)·단양(丹陽)·광주(廣州) 등의 본이 있음.

피[5] 【鈹】 명 〔matte〕〖광〗 동·니켈 등의 정련(精鍊) 또는 광석의 환원(還元) 때, 찌끼 밑에 생성(生成)되는 순도가 낮은 금속.

피:[6] 〔P, p〕 명 영어의 제16 자모(字母).

피:[7] 부 ①남을 비웃을 때에 내는 소리. ¶ ~ 웃다. ②고무 공 같은 것의 안에 들었던 공기가 나오는 소리. ——하다 자여불

피:-【被】 두 명사 앞에 붙어서 피동(被動)의 뜻을 나타내는 말. ¶ ~압박/~상속인/~선거권.

피-가래 명 피가 섞인 가래. 혈담(血痰).

피가로[1] 〔Figaro〕 명 프랑스의 작가 보마르셰(Beaumarchais)의 희곡(戲曲) ≪세빌랴(Sevilla)의 이발사≫·≪피가로의 결혼≫의 주인공.

피가로[2] 명 〔Le Figaro〕 1854년 창간된 프랑스 제3의 일간 신문. 처음 문예 평론의 주간지로 출발, 그 후 정치 보도지로서 20세기 프랑스 언론계의 지도적 위치를 차지함. 온건 보수적 경향을 띰.

피가로의 결혼 【—結婚】 [—/—에—] 명 ①〔프 Le Mariage de Figaro〕〖연〗 프랑스의 극작가 보마르셰(Beaumarchais, P.A.C. de)가 쓴 풍자 희극(諷刺喜劇). 5막(幕). 1784년에 상연되었음. ②〔이 La Nozze di Figaro〕〖악〗 전술(前述)한 희극에서 취재(取材)한 희가극(喜歌劇). 모차르트가 작곡하여 1786년 빈(Wien)에서 초연(初演)됨.

피:가-수 【被加數】 [—쑤] 명 〖수〗 가법(加法)에서 보탬을 당하는 수. 곧, 5+3=8에서의 5. 더하임수. ↔가수(加數)❷.

피각[1] 【皮角】 명 〖의〗 피부에 생기는 각질(角質)의 돌기물(突起物).

피각[2] 【被殼】 명 〖생〗 대뇌 반구(大腦半球)의 심부(深部)에 있는 회백질(灰白質)의 덩이. 의식하지 않고 행하는 운동의 통제(統制)를 맡음.

피:-각[3] 【P 殼】 명 〖물〗 피껍질.

피갈 〔Pigalle, Jean-Baptiste〕 명 〖사람〗 프랑스의 조각가. 로코코 조각에 고전주의적 요소를 가미, 18세기 프랑스의 대표적 조각가가 됨. 대표작 ≪샌들(sandal)의 끈을 매는 머큐리(Mercury)≫ 등. [1714-85]

피갈 회옥 【被褐懷玉】 명 거친 베옷을 입고 옥을 품음. 곧, 지덕(智德)을 갖추고도 세상에 알려지기를 원하지 아니함을 일컬음.

피:감-수 【被減數】 [—쑤] 명 〖수〗 감법(減法)에서 뺌을 당하는 수. 곧, 10−5=5에서의 10. 빼임수. ↔감수(減數)❶.

피갑[1] 【皮甲】 명 〖역〗 돼지 가죽으로 만든 갑옷. 날가죽으로 대략 두 치 평방의 미늘을 하여 검은 녹피(鹿皮)로 얽어 만듦.

피갑[2] 【被甲】 명 갑옷을 입음. ——하다 자여불

피갑[3] 【被甲】 명 〔armour〕〖생〗 윤충류(輪蟲類)의 동체(胴體) 표면을 덮고 있는 각피층(角皮層). 다른 체부(體部), 곧 두부(頭部)·다리의 각피층보다 두꺼움.

피:-검 【被檢】 명 ①검거(檢擧)됨. ¶ ~자(者). ②검사(檢査)를 받음. ——하다 자여불

피-검사 【—檢査】 명 〖의〗 혈액 검사. ——하다 자여불

피게[1] 명 〈방〉 암돼지(함북).

피게[2] 명 〈방〉 팔꿈질(평안).

피게-질 명 〈방〉 팔꿈질(경기).

피겨 〔figure〕 명 ①모양. 도형(圖形). ②도표(圖表)의 번호를 나타내는 데에 쓰는 말. Fig., fig.로 표기함. ③↗피겨 스케이팅. ④〖악〗 몇 개의 음(音)이 만들어 내는 선율적·화성적(和聲的)·율동적 따위 특징이 있는 형태.

피겨 스케이팅 〔figure skating〕 명 스케이트 경기의 한 가지. 링크 위를 질주하면서 연기를 펼치는 스케이팅. 올림픽 등의 정식 종목은 싱글·페어·아이스 댄스의 3종목이며, 이 밖에 그룹 댄싱이 있음. 싱글과 페어는 각각 규정 과제(規定課題)인 스쿨(school) 피겨와 자유 과제인 프리 스케이팅이 있는데, 싱글의 스쿨 피겨 이외에는 음악 반주가 수반됨. 기술 수준·독창성·예술성·안정성·난도(難度) 등이 채점의 기준이 됨.

피:격 【被擊】 명 습격(襲擊)·사격(射擊)을 받음. ¶ 불의(不意)의 ~으로 절명하다. ——하다 자여불

피견[1] 【披見】 명 헤쳐 봄. 열어 봄. ——하다 타여불

피:견[2] 【披肩】 명 난모(暖帽).

피:고 【被告】 명 〖법〗 민사 소송(民事訴訟)에서 소(訴)를 당한 측(側)의 당사자. 원고(原告)의 상대편. ↔원고(原告).

피-고개 명 추수기(秋收期) 전, 피도 아직 패지 않을 무렵, 농가의 식량 사정이 궁핍한 고비. 패령(稗嶺).

피-고름 명 피가 섞인 고름. 농혈(膿血).

피:고 사:건 【被告事件】 [—껀] 명 검사의 공소권(公訴權) 행사로 범죄로서 기소(起訴)된 사건.

피:고-인 【被告人】 명 〖법〗 형벌을 과하기 위해, 검사로부터 공소(公訴)의 제기(提起)를 당한 사람. 형사 피고인. ¶ ~석(席)에 앉다/~의 진술을 듣다.

피:고인 신문 【被告人訊問】 명 〖법〗 형사 소송(刑事訴訟)에서, 피고인의 진술(陳述)을 요구하는 신문. 재판관·검사·변호인 등은, 언제든지 필요한 사항에 관하여 피고인의 진술을 요구할 수 있으나 피고인에게는 진술의 의무가 없음.

피:고-장 【彼高章】 [—짱] 명 〖악〗 악장(樂章)의 이름.

피곡【皮穀】명 겉곡식.

피곤【疲困】명 몸이나 마음이 지치어 고달픔. ¶ ~한 기색. ——-하다 형여불

피-골[1]【皮骨】명 살가죽과 뼈. 막골(膜骨). ¶ ~이 상접(相接)하다.

피골[2]【皮骨】명〔dermal bone〕『생』척추 동물의 피부의 진피(眞皮) 속에 생기는 골질(骨質). 물고기의 비늘, 거북 종류의 갑(甲) 등.

피골 상련【皮骨相連】[—년]명 피골 상접(皮骨相接). *척골(瘠骨). ——-하다 형여불

피골 상접【皮骨相接】명 살가죽과 뼈가 맞붙을 정도로 몹시 마름. 피골 상련(皮骨相連). ——-하다 형여불

피공[1]【皮工】명 가죽으로 물건을 만드는 사람.

피공[2]【皮孔】명『식』피목(皮目).

피공-류【皮孔類】[—뉴]명『어』새공류(鰓孔類).

피:-교육자【被教育者】명 교육을 받는 사람.

피구[1]【皮裘】명 가죽으로 지은 옷. 갖옷.

피:구[2]【避球】명 도지볼(dodge ball).

피구[3]〔Pigou, Arthur Cecil〕명『사람』영국의 경제학자. 마셜(Marshall, A.)을 계승, 영국 케임브리지 학파의 중진으로 순수 경제학적 입장에서 '후생(厚生)' 경제학을 주창하였음. [1877-1957]

피구 효:과【—効果】명〔Pigou effect〕『경』소비(消費)는 소득(所得)뿐이 아니라 자산(資産)의 함수(函數)이며, 물가의 하락으로 자산의 실질 가치가 상승(上昇)할 때에는 소비 지출이 증가한다는 이론. 케인스의 소비 함수(消費函數) 이론을 비판하여, 피구가 제창한 것임.

피권【疲倦】명 피로하여 싫증이 남. ——-하다 자여불

피: 궤:도【P 軌道】명〔p orbital〕『물』궤도 각운동량(角運動量) 양자수(量子數) 1을 갖는 원자 안 전자(電子)의 궤도.

피그〔pig〕명 ①『물』방사성 물질을 운반하거나 저장하는 데 사용되는, 납으로 만든 용기(容器). ②돼지.

피그말리온〔Pygmalion〕명『신』그리스 신화에 나오는 키프로스의 왕. 상아(象牙)로 조각한 여인상을 사랑하여 아프로디테(Aphroditē)와 닮은 여인을 달라고 빌었더니 그 상(像)이 산 여인으로 바뀌었다고 함.

피그미[1]【PIGMI】명 파이 중간자(π 中間子)를 암치료(癌治療)에 이용하고자 하는 병원용의 소형(小型) 중간자 발생 장치.

피그미[2]〔Pygmy, Pigmy〕명『인류』니그로이드(Negroid)의 하나. 아프리카에서 오세아니아에 걸쳐 거주하는 신장 150 cm 이하의 아주 작은 종족. 피부는 암흑색이고 원시림에서 원시적인 수렵 및 채집 생활을 영위함. 아프리카의 수렵 피그미는 농경 니그로와 공존 관계(共存關係)에 있음.

피근【皮筋】명〔dermal muscle〕『생』편형(扁形) 동물의 체표(體表)의 표피(表皮) 밑에 배열한 종주근(縱走筋)·횡주근(橫走筋)·사주근(斜走筋)·환상근(環狀筋)의 총칭.

피근-피근 부 너무 고지식하여 남의 말을 잘 듣지 아니하는 모양. ——-하다 형여불

피금【皮金】명 금(金)을 입힌 얇은 양(羊) 가죽. 복식(服飾)에 쓰임.

피기[1] 명〈방〉포기[1](경상).

피기[2] 명〈옛·방〉딸꾹질. ¶ 피기얼(噦) ≪字會 上 29≫.

피:-기[3]【P機】명〔patrol plane〕『군』미공군(美空軍)의 초계기(哨戒機). 또, 그 기종 기호(機種記號).

피기백 방식【—方式】〔piggyback〕명 화물(貨物)을 실은 대형의 트레일러를 화차에 실어 철도 수송하는 방법. 화물을 옮겨 싣는 노고를 더는 것으로, 미국에서 발달함. 돼지가 새끼 돼지를 업은 모습과 같다 하여 생긴 이름.

피:-껍질【P—】명〔p shell〕『물』원자핵(原子核)을 둘러싼 전자(電子)의 여섯 번째 층(層). 주양자수(主量子數)가 6인 전자를 가짐. 피각(P殼) *케이(K)껍질·피전자(P電子)·전자껍질.

피께데기 명〈방〉딸꾹질(평북).

피끈 부〈방〉잠시.

피-나귀 명〈방〉『동』암탕나귀.

피나모 명〈옛〉피나무. ¶ 피나모(椵) ≪四聲 上 73≫/피나모 단(椴) ≪字會 上 10≫.

피-나무 명『식』〔*Tilia amurensis japonica*〕피나뭇과에 속하는 낙엽 활엽 교목. 잎은 호생(互生)하고 장병(長柄)이며, 거의 원형(圓形)에 끝이 뾰족하고, 잎 뒤에 잔 털이 났으며 가에는 톱니가 있음. 6-7월에 담황색의 오판화(五瓣花)가 산방상(繖房狀)으로 액생(腋生)하여 모여 피고, 과실은 직경 5 mm의 구형(球形) 또는 거꿀달걀꼴이며 10월에 익음. 산허리 및 골짜기에 나는데, 한국 각지 및 일본·중국에 분포함. 재목은 도구재(道具材), 수피(樹皮)는 섬유용·선박(船舶)의 밧줄·망(網)·끈 등을 만들고, 꽃은 꿀이 많고 향기가 높음. 단목(椴木). 가목(椵木).

〈피나무〉

피-나물 명『식』〔*Hylonecon vernale*〕양귀비꽃과에 속하는 다년초. 줄기 높이 30 cm 내외이고 황색의 유액(乳液)이 들어 있음. 근생엽(根生葉)은 장병(長柄)에 우상 복생(羽狀複生)하고 경엽(莖葉)은 단병(短柄)임. 4-5월에 황색의 꽃이 줄기 끝에 두세 송이씩 액생(腋生)하여 피고, 과실은 삭과(蒴果)임. 산지의 숲 밑에 나는데, 한국 각지에 분포함. 다소 유독(有毒)함.

피나뭇-과【—科】명『식』〔Tiliaceae〕쌍자엽 식물(雙子葉植物) 이판화류(離瓣花類)에 속하는 한 과(科). 달피나무·보리수·섬피나무·염주나무·장구밤나무·찰피나무·피나무 등이 이에 속함.

피:난【避難】명 재난을 피함. 재난을 피해 멀리 옮아감. ¶ 긴급 ~/~길에 오르다. *피란(避亂). ——-하다 자여불

피:난-꾼【避難—】명 재난을 피하는 사람.

피:난-민【避難民】명 천재 지변(天災地變)이나 전쟁이 있을 때, 피난한 이재민. *피란민(避亂民).

피:난-살이【避難—】명 피난하여 사는 살림살이. ¶ 고달픈 ~. ——-하다 자여불

피:난 설비【避難設備】명 소방 시설의 하나. 화재가 발생한 때에 피난하기 위하여 사용하는 설비. 미끄럼대·피난 사다리 따위.

피:난-소【避難所】명 피난처.

피:난-지【避難地】명 피난해 있는 지역. 난을 피할 만한 곳. 피난하여 갈 곳.

피:난-처【避難處】명 피난하여 거처하는 곳. 피난해 갈 곳. 피난소.

피:난-통【避難—】명 피난하는 판국. ¶ ~에 자식을 잃다.

피:난-항【避難港】명 ①배가 풍파 따위 해난(海難)을 피하기 위하여 임시로 입항할 수 있는 항구. ¶ ~으로 회항(回港)하다. ②소형 선박의 피난을 위해 정박하는 것을 주목적으로 하고, 통상(通常) 화물의 선적(船積)이나 하역(荷役), 여객의 승강용(乘降用)으로 제공되지 않는 항만.

피날【疲苶】명 피곤하여 몸이 나른함. ——-하다 형여불

피날레〔이 finale〕명 ①최종(最終). ②『악』종곡(終曲). ③『연』최후의 막(幕). ¶ ~를 장식하다.

피:낭[1]【被囊】명『동』①〔encyst〕세균이나 원생 동물이 외계의 조건이 나빠졌을 때에 막(膜)을 만들어 그 속에서 쉬는 주머니. ②〔tunica〕해초류(海鞘類)의 체표(體表)를 싸고 있는 주머니 모양의 조직.

피낭[2]〔Pinang〕명『지』말레이시아 서북부, 피낭 주(州)의 주도. 피낭섬 동북안(東北岸)의 항구 도시로, 주석·고무·코프라 등을 수출함. 화교(華僑)가 많음. 조지타운. 페낭(Penang). [800,000 명(1980 추계)]

피:낭-류【被囊類】[—뉴]명『동』〔Tunicata〕미삭류(尾索類).

피낭 섬〔Pinang〕명『지』말레이 반도 중부 서안(西岸)에 있는 작은 섬. 고무·쌀·주석 등을 산출함. 중심지는 동북안(東北岸)의 항구 도시 피낭. 1786년 말레이 반도 최초의 영령 식민지(英領植民地)로서 발전한 후, 지금은 말레이시아 피낭 주(州)에 속함. [279 km²]

피내【皮內】명 피부의 안. 진피(眞皮)의 안.

피내 반:응【皮內反應】명『의』항원(抗原)·알레르겐(allergen) 등의 피내 주사에 의해서 피부가 발적(發赤)·경결(硬結)하는 반응. 투베르쿨린 피내 반응 같은 것.

피내 봉합【皮內縫合】명『의』피하(皮下) 봉합.

피내 주:사【皮內注射】명『의』백신·혈청 또는 약액(藥液) 등을 피내에 주사하는 일. 치료를 위해서가 아니고 검사(檢査) 또는 감염증(感染症)의 예방 조치로서 함. 투베르쿨린 반응 주사 같은 것.

피:넛〔peanut〕명『식』땅콩.

피:넛 버터〔peanut butter〕명 땅콩을 볶아 으깨고 간을 하여 버터 모양으로 만든 식품. 식빵에 발라 먹음.

피네〔이 fine〕명『악』악곡의 끝을 나타내는 말. 마침.

피네로〔Pinero, Arthur Wing〕명『사람』영국의 극작가. 배우로부터 극작(劇作)으로 전향하여 사회 문제를 취급, 영국 근대극의 선구자로 불림. 극작(劇作) 기교에 뛰어남. 대표작 ≪탕아(蕩兒)≫ 등과 희극 ≪우레≫ 등의 작품이 있음.

피넨〔도 Pinen〕명『화』테르펜유(terpene 油)의 주성분을 이루는 물질로서 방향(芳香)이 있는 무색의 액체. 합성 장뇌(合成樟腦)·인공 향료(人工香料)의 원료, 살충제·비누의 향료 등에 쓰임. 식물의 정유(精油) 속에 널리 존재함. [$C_{10}H_{16}$]

피넬〔Pinel, Philippe〕명『사람』프랑스의 정신 의학자. 병원에 근무하면서 범죄자처럼 취급받던 정신병자를 해방, 의학적 치료를 받게 함. [1745-1826]

피노스 섬〔Pinos〕명『지』서(西)인도 제도 쿠바 서단(西端)에서 남쪽으로 약 50 km 지점에 있는 섬. 저평(低平)하고 비옥한 구릉지(丘陵地)를 이루어, 담배·파인애플·토마토 등의 재배가 성함. 1925년 이래 쿠바령(領). [2,119 km² : 30,000 명(1975)]

피노 우그리아 어:파【—語派】〔Finno-Ugria〕명『언』우랄 어족(Ural 語族)에 속하는 언어의 총칭. 핀란드에서 시베리아 동쪽에 걸쳐 분포함. 핀어(Finn 語)의 대표로는 핀란드어, 우그리아어(Ugria 語)의 대표로는 헝가리어가 있으며, 이 외에 랍어(Lapp語)·에스토니아어 등이 있으나, 앞의 두 대표어를 제외하고는 어느 것이나 미개 언어(未開言語)의 영역을 벗어나지 못하고 있음. 알타이 어족과 친근성이 많다는 설(說)이 유력함.

피노키오〔Pinocchio〕명 이탈리아의 작가 콜로디(Collodi, Carlo; 1826-90)가 저술한 ≪피노키오의 모험≫에 나오는 주인공(主人公). 나무로 만든 인형이 훌륭한 인간이 되기까지의 이야기임. 디즈니(Disney, W.)의 만화로 많이 알려짐.

피-눈물 명 몹시 슬프고 분통하여 나는 눈물. 혈루(血淚). 홍루(紅淚).

피눈물(이) 나다 구 몹시 슬프거나 분하여 피 맺힌 눈물이 흘러 나오다. ¶ 離別 ᄒᆞ던 날에 피눈물이 난지만지 鴨綠江 ᄂᆞ린 물이 프른 빗치 젼혀 업녀 비우희 허에 셴 沙工이 처음 보롸 ᄒᆞ드라 ≪洪瑞鳳≫.

피니스테레 갑【—岬】〔Finisterre〕명『지』이베리아 반도의 북서부 스페인의 최서단의 갑(岬). 기후는 온화하고 송어·정어리·새우 등의 어획이 많음.

피니시〔finish〕명 ①끝. 최종(最終). ②각종 운동이나 구기(球技)에서 운동 동작을 마무리 짓는 일. 경기의 결승(決勝). ¶ ~ 블로를 작렬(炸裂)시키다.

피니언〔pinion〕명『기』①두 개의 대소(大小) 톱니바퀴가 서로 돌고 있을 때, 작은 톱니바퀴를 이르는 말. ②일반으로 작은 톱니바퀴.

피:닉【避匿】명 피하여 숨는 일. ——-하다 자여불

피닉스[1] 〔phoenix〕 명 〖신〗 ①이집트 신화에 나오는 새. 아라비아 사막에 살며, 500-600년마다 스스로 향나무를 쌓아 불을 질러 그 불에 타 죽어서 재가 되었다가 다시 젊음을 찾아 되살아난다 함. 불사 영생(不死永生), 불굴의 정신 등으로 비유됨. 불사조(不死鳥). ②〖군〗 미국 해군의 공대공(空對空) 미사일의 일종. F 14 전투기에 탑재되는 전천후성(全天候性) 장거리 미사일로, 동시에 6기(機)를 공격할 수 있음. 사정(射程) 200 km.

피닉스[2] 〔Phoenix〕 명 〖지〗 미국 애리조나(Arizona) 주의 주도. 온난(溫暖)하고 건조한 기후로 동계 휴양지(冬季休養地)로 적당함. 부근에는 댐에 의한 관개 농원(灌漑農園)이 발달하고 면화·채소·과일·화훼(花卉)가 생산되며, 이들의 거래·가공의 중심지임. 알루미늄·전자 기기(電子機器)·항공 기기의 공업도 성함. 부근에 있는 인디언의 혈거적(穴居跡)은 유명함. [581,562 명(1970)]

피닉스[3] 〔Phoenix〕 명 〖식〗 야자과(椰子科) 피닉스 속(屬)에 속하는 관엽(觀葉) 식물의 총칭. 아시아·아프리카 등지에 여러 가지 원종(原種)이 분포하는데 대추 야자·카나리아 야자 등 약 15종이 알려져 있음. 줄기에 잎꼭지 자국이 있고 잎은 크며 우상 전열(羽狀全裂)로 줄기 끝에 모여 남. 난지(暖地)에서 정원수·가로수 등으로 심으며 온실 재배도 함.

피닉스 제도 【一諸島】 〔Phoenix〕 명 〖지〗 남태평양, 폴리네시아에 있는 키리바시(Kiribati)의 산호초 섬군(群). 캔튼(Canton)·엔더베리(Enderbury)·피닉스 등 여덟 개의 섬으로 이루어짐. 캔튼은 남태평양 항공로와 해저 전선의 중계지임. [28 km²: 약 300 명]

피다[1] 자 〔중세: 프다〕 ①꽃봉오리·잎 따위가 벌어지다. ¶꽃이 ~. ②사람이 살이 오르고 혈색이 좋아지다. ¶한창 필 나이. ③불이 일어서 번지다. ¶불이 ~. ④구름이나 연기·안개·솜 따위가 부풀어 일어나다. ¶물안개가 ~/파랗게 피어오르는 담배연기/종이가 ~. ⑤곰팡이·버짐 따위가 생기다. ⑥미소·웃음 따위가 드러나다. ¶웃음꽃이 ~. ⑦↗펴이다.

피:다[2] 타 ↗피우다. ¶불을 ~/냄새를 ~.

피다[3] 타 〈방〉 펴다(충청·전라·경상).

피단 【皮蛋】 명 송화단(松花蛋).

피대[1] 【皮俗】 명 짐승의 가죽으로 만든 손가방.

피대[2] 【皮帶】 명 벨트(belt)❷.

피대-바퀴 【皮帶一】 명 벨트 바퀴.

피대 전동 【皮帶傳動】 명 벨트 전동(belt傳動).

피대-지기 【皮俗一】 명 〖역〗 문서가 든 피대를 가지고 집리(執吏)를 따라다니는 관례(官隸). 피대직(皮俗直).

피대-직 【皮俗直】 명 〖역〗 피대지기.

피댓-줄 【皮帶一】 명 피대(皮帶)를 분명히 일컫는 말. ¶~이 벗겨지다.

피: 더블유 아:르 【PWR】 명 〔pressurized water reactor의 약칭〕 가압 수형 원자로(加壓水型原子爐).

피:더-선 【一線】 〔feeder〕 명 〖전〗 급전선(給電線).

피델리오 〔Fidelio〕 명 〖악〗 베토벤이 작곡한 단 하나의 오페라의 이름. 2막(幕). 1805년 초연(初演). 스페인 혁명가의 아내 레오노레(Leonore)가 피델리오로 남장(男裝)하여 남편을 구출한다는 내용임.

피덕 명 〈옛〉 적(敵). =피뎍. ¶사ᄅᆞ미 믜유믈 원수와 피덕 ᄀᆞ티 너기며(人疾之如讎敵)≪飜小 Ⅷ:30≫.

피도[1] 【被度】 명 〔covering〕 〖식〗 식물의 군집(群集)을 구성하는 각 종류가 지표면(地表面)을 차지하는 비율을 나타내는 양(量). 보통, 조사 면적 내에 있는 식물의 지상부(地上部)에 대한 투영(投影) 면적과 조사 면적의 비율로 표시함.

피:-도[2] 【避島】 명 〖지〗 ①평안 남도 용강군(龍岡郡)의 서해 상에 위치한 섬. [0.308 km²] ②함경 북도 경흥군(慶興郡)의 동해 상에 위치한 섬. [0.169 km²]

피:독 망:상 【被毒妄想】 명 〖의〗 망상의 하나. 미각이나 후각(嗅覺)의 환각(幻覺) 내지 착각(錯覺)과 결합하여, 독물에 의한 피해를 입게 된다고 생각하는 것. *피해(被害) 망상.

피:동 【被動】 명 ①남의 힘에 의하여 움직이는 일. ¶~적. ②〖언〗 주체(主體)가 다른 힘에 의하여 움직이는 동사성(動詞性)의 성질. 곧, '안기다'·'먹히다' 같은 동사. 1)·2):↔능동(能動). *수동(受動).

피:동-사 【被動詞】 명 〖언〗 동사의 하나. 본래 목적어의 지위에 있어야 할 말이 주어가 되어서, 그 앞의 주어로부터 받는 동작을 나타내는 동사. 흔히, 능동사(能動詞)에 '-이-·-히-·-리-·-기-'가 붙어서 됨. '보다·먹다·열다·안다'는 능동사이며, '보이다·먹히다·열리다·안기다'는 피동사임. 수동사(受動詞). ↔사동사(使動詞)·능동사.

피:동성 면:역 【被動性免疫】 〔一썽一〕 명 〖의〗 생물체가 자기 이외의 것에서 생긴 항체(抗體)를 받아들임으로써 면역의 상태가 되는 일. 사람 또는 동물에 흔히 예방(豫防)의 목적으로, 항혈청(抗血淸)을 주사하여 얻어진 면역 따위. ↔능(能)동성 면역.

피:동-적 【被動的】 명관 남의 힘에 의하여 움직이는 모양. ¶~으로만 행동한다.

피동-피동 부 〈방〉 피둥피둥. ──-하다 형

피:동-형 【被動形】 명 〖언〗 피동을 나타내는 낱말의 형태. 입음꼴.

피둔 【疲鈍】 명 피로하여 몸이 둔해짐. ──-하다 자 여불

피둥어 명 〈방〉 〖동〗 오징어.

피둥-피둥 부 ①보기 싫을 만큼 퉁퉁하게 살이 찐 모양. ＞패둥패둥. ②늙은이가 살이 찌고 거죽이 윤택하여 보이는 모양. ③말을 듣지 않고 체면없이 엇나가는 모양. ──-하다 형 여불

피드나 싸움 〔Pydna〕 명 〖역〗 기원전 168년, 제3 마케도니아 전쟁을 종결시킨 전투. 마케도니아의 도시 피드나에서 로마의 장군 아에밀리우스 파울루스가 마케도니아의 왕 페르세우스를 격파한 싸움. 이 싸움으로 마케도니아 왕국은 멸망하고 로마가 동지중해(東地中海)에서 우세하게 됨.

피:드먼트 지방 【一地方】 〔Piedmont〕 명 〖지〗 미국 동부 애팔래치아 산맥(Appalachia 山脈)과 해안 평야와의 사이를 이루는 지방. 폭선 도시군(瀑線都市群)에 의하여 면공업의 중요 지대를 이룸.

피:드-백 〔feedback〕 명 ①〖전〗 되먹임. ②〖사·심·교〗 어떤 방식을 보강 수정하기 위하여 일정한 행동을 마친 후, 그 결과의 반응을 보아 행동을 변화시키는 일.

피득 대:제 【彼得大帝】 명 〖사람〗 '표트르 대제'의 한자 표기.

피:들러[1] 〔Fiedler, Arthur〕 명 〖사람〗 미국의 지휘자. 베를린 왕립(王立) 음악 학교 졸업. 1927년 보스턴 팝스 관현악단을 결성하여 지휘자가 됨. [1894-1979]

피:들러[2] 〔Fiedler, Konrad〕 명 〖사람〗 독일의 예술학자. 미적(美的) 경험을 다루는 순미학(純美學)에 대해서 예술학의 독자성을 주장, 예술 작품의 내적 본질을 설명함. 근대 예술학의 선구가 됨. 저서에 ≪예술의 본질에 대하여≫·≪예술론집≫ 등이 있음. [1841-95]

피: 디: 【PD】 명 ①〔producer〕 방송계에서 프로듀서. ②〔program director〕 방송계에서 프로그램 디렉터.

피디아스 〔Phidias〕 명 〖사람〗 고대 그리스의 조각가. 그리스 최성기 신상(神像) 조각의 제일인자로, 파르테논(Parthenon)의 조각 장식을 위탁받았으며, 아테네 여신상(女神像) 및 올림피아의 제우스상(Zeus像)은 그 중 걸작임. [488?-443? B.C.]

피-딱지[1] 명 닥나무 껍질의 찌끼로 뜬 종이. 품질이 낮음. 피지(皮紙).

피-딱지[2] 명 피가 굳어서 된 딱지.

피-땀 명 ①피와 땀. ¶~의 결정. ②온갖 힘을 들여 일할 때 나는 진땀. 혈한(血汗).

피땀 흘리다 구 온갖 인내와 노력을 쏟아서 일하다.

피땀-어리다 자 피와 땀이 들어가다. 온갖 애를 다 쓰다. ¶피땀어린 정성.

피-땅콩 【皮一】 명 까지 않아서 겉껍질 속에 들어 있는 땅콩. ↔알땅콩.

피-똥 명 피가 섞이어 나오는 똥. 혈변(血便). 혈분(血糞).

피뜩 부 빨리 나타나거나 보였다 사라지는 모양. ──-하다 자 여불 ¶동네 사람들은 인동 할멈이 ~만 해도 이맛살을 찌푸린다≪李無影: 農民≫.

피뜩-거리다 자 어떤 모습·생각이 별안간 연해 나타나거나 떠오르다. 피뜩-피뜩 부. ¶가야의 눈과 표정이 ~ 머릿속에 떠오르자 몸부림이 나면서 사람들의 눈치조차 무시하고 목소리를 놓아 버렸다≪李孝石: 花粉≫. ──-하다 자 여불

피라노오스 〔pyranose〕 명 〖화〗 단당류(單糖類)의 환상 이성체(環狀異性體)의 일종. 5개의 탄소 원자(炭素原子)와 한 개의 산소 원자(酸素原子)로 된 환상 구조임.

피라니아 〔Piranha〕 명 〖어〗 ①경골어류 세라살무스속(Serrasalmus 屬) 카라신과(Characin科)에 속하는 민물고기의 총칭. ②〔*Serrasalmus nattereri*〕 카라신과에 속하는 민물고기의 하나. 몸길이는 자연 상태에서 30 cm 정도, 수조(水槽)에서는 10-15 cm로 자람. 몸은 둥근 달걀꼴이고 심하게 측편(側扁)하며 이는 날카로운 삼각형임. 육식성으로 이빨이 강하고 사나워서 강 속에 들어온 사람·동물을 습격하여 뜯어 먹음. 몸빛이 아름다워 관상용으로 사육함. 남아메리카 아마존 강·오리노코 강 등지에 분포함.

피라루쿠 〔pirarucu〕 명 〖어〗 〔*Arapaima gigas*〕 오스테오글로섬 목(Osteoglossum目)에 속하는 민물고기의 하나. 세계 최대급으로 몸길이 3 m, 기록에는 몸길이 5-7 m, 무게 400 kg의 것도 있음. 몸은 원통형이고 비늘은 암청은색(暗靑銀色)이며 후반부에 선명한 적색이 섞여 있음. 아마존 강·오리노코 강에 분포하는데 식용(食用)함.

피라미 명 ① 〖어〗 〔*Zacco platypus*〕 잉어과에 속하는 민물고기. 몸빛은 등 쪽이 청갈색, 측면과 배 쪽은 은색, 측면에 열 줄 이상의 불규칙한 암청색 가로띠가 있고, 몸길이 10-16 cm로 뒷지느러미가 매우 큼. 산란기(産卵期)가 되면 수컷은 현저한 혼인색(婚姻色)을 나타냄. 강의 조금 상류의 맑은 물에 사는데, 한국 서해안 및 남해안에 유입(流入)하는 각 하천 및 만주·중국·일본 등에 널리 분포됨. 흑조어(黑條魚). ②하찮은 존재의 비유. ¶~ 새끼.

〈피라미❶〉

피라미돈 〔도 Pyramidon〕 명 〖화〗 디메틸 아미노 안티피린(dimethyl amino antipyrine)의 상품명.

피라미드 〔Pyramid〕 명 돌이나 벽돌을 쌓아 만든 사각뿔 모양의 거대한 건조물. 기원전 2700년에서 기원전 2500년 사이에 이집트, 수단, 에티오피아, 라틴 아메리카 등지에서 건조되었으며 주로 왕이나 왕족의 무덤으로 만들어졌음. 현존하는 것 중 가장 큰 것은 이집트 기제(Gizeh)에 있는 3기이며, 기저(基底)가 13에이커, 높이가 146m임. 그의 각 모서리는 나침반의 동서 남북을 정확하게 가리킴. 외부의 북면(北面)으로부터 통로를 열고, 내부에는 석관실(石棺室)이 있으며, 환기·채광(採光)의 구멍이 있음. 금자탑(金字塔).

피라미드-맨드라미 〔Pyramid〕 명 〖식〗 〔*Celosia cristata* var. *plumosa*〕 비름과에 속하는 화초. 맨드라미의 한 변종(變種). 원산지는 열대 아시아. 꽃은 역(逆)삼각형 모양이며 줄기 끝에 달리고 꽃빛은 자주·백·적색 등이 있음.

피라미드식 판매 【一式販賣】 〔Pyramid〕 명 한 판매원이 2 사람 이상의 가입자를 소개·알선함으로써 차례로 판매 조직을 연쇄적(連鎖的)으로 확대시켜 나가는 판매 방식. 새로운 가입자가 내는 가맹금(加盟金)의 일부 또는 전부를 권유에 성공한 판매원에게 배분함. 이 상법(商法)은 말

단(末端) 조직원에게 재고(在庫)를 안기는 결과가 되어, 가맹자·소비자에게 피해가 적지 않으므로, 법에 의해 엄격히 규제됨.

피라미드-형【一形】〔pyramid〕 명 피라미드처럼 중앙부가 위를 향해 뾰족하고 아래로 갈수록 넓어지는 모양.

피라지나마이드〔pyrazinamide〕 명 〖약〗 결핵약의 한 가지. 이소니아지드와 전후하여 1952년 미국의 쿠시너(Kushner) 등이 발견하여 합성함. 이소니아지드와 병용(倂用)하면 효과가 큼.

피라칸타〔pyracantha〕 명 〖식〗 [*Pyracantha angustifolia*] 장미과에 속하는 상록 관목(灌木). 가지는 가늘고 길며 잘 뻗음. 잎은 길이 2-5 cm에 폭 1 cm 내외의 긴 타원형 또는 도피침형(倒披針形)인데, 짙은 녹색임. 5-6월에 백색 소형(小形)의 오판화(五瓣花)가 핌. 직경 7-8 mm의 주황색의 과실이 몰리어 맺는데 산울타리로 많이 심음. 중국 윈난 성(雲南省) 원산임.

〈피라칸타〉

피:란【避亂】 명 ①난리를 피함. ②난리를 피하여 있는 곳을 옮김. *피난(避難). ——-하다 자여불

피:란(을) 가다 구 피란하기 위해 옮겨 가다.

피:란-길【避亂一】[-낄] 명 난리를 피하여 가는 길.

피:란-꾼【避亂一】 명 난리를 피하는 사람.

피란델로〔Pirandello, Luigi〕 명 〖사람〗 이탈리아의 소설가·극작가. 자연주의의 영향 하에 출발하여 인생 사물의 모순·우연성(偶然性)·상대성을 추구하는 작품을 거쳐, 연극(演劇) 형식 자체를 파괴하는 작품에까지 도달함. 대표작 ≪작자를 찾는 6명의 등장 인물≫로 일약(一躍) 유럽 극단의 총아(寵兒)로 등장하여, 내면의 진리를 추구키 위해 심리의 가면을 벗김. 시집 6권, 소설 15권, 희곡(戱曲) 30여 편을 발표하였고 이탈리아 문학의 전통을 계승하는 20세기 전반기의 최대 문호로서 1934년 노벨 문학상을 받았음. [1867-1936]

피:란-민【避亂民】 명 피란하는 백성.

피:란-살이【避亂一】 명 피란하여 사는 살림살이. ¶고달픈 ~. ——-하다 자여불

피:란-지【避亂地】 명 ①형세가 난리를 피하여 살기에 알맞은 땅. ②피란하는 땅.

피:란-처【避亂處】 명 난리를 피하여 거처를 옮긴 곳.

피람【披覽】 명 책이나 문서(文書) 따위를 펼쳐 봄. 피견(披見). ——-하다 타여불

피:랍【被拉】 명 납치를 당함. ¶~되다.

피랑구 명 〈방〉 〖어〗 송사리(전남).

피래 명 〈방〉 피리(함남).

피래미 명 〈방〉 〖어〗 송사리(충북·경북).

피래미-새끼 명 〈방〉 〖어〗 송사리(충북·경북).

피랭이 명 〈방〉 〖역〗 패랭이❶.

피레네 반:도【一半島】〔Pyrénées〕 명 〖지〗 '이베리아 반도(Iberia 半島)'의 별칭.

피레네 산맥【一山脈】〔Pyrénées〕 명 〖지〗 이베리아 반도(Iberia 半島)의 프랑스와 스페인의 국경을 이루는, 연장 약 440 km의 고준(高峻)한 신기 습곡 산맥(新期褶曲山脈). 급류가 많고 빙식(氷蝕) 지형이 넓게 분포하며, 삼림(森林)이 잘 발달되어 있음. 최고봉은 3,404 m의 아네토(Aneto) 산.

피레네 조약【一條約】〔Pyrénées〕 명 1659년 프랑스와 스페인 사이에 체결된 평화 조약. 이 조약으로 30년 전쟁 이래의 양국의 대결이 일단 해결되었고, 스페인 국왕 펠리페(Felipe) 4세의 왕녀 마리아 테레사와 프랑스 국왕 루이 14세와의 결혼이 결정되어 아르트와(Artois) 지방 등이 프랑스에 정식으로 양도되었음.

피레노이드〔pyrenoid〕 명 〖생〗 조류(藻類) 등의 엽록체에 있는 소체(小體). 굴절률(屈折率)이 높은 핵(核) 모양의 구조로 되어 있으며, 단백질의 소립(小粒)을 둘러싸고, 전분립(粒)이 줄지어 있음. 전분핵(澱粉核).

피레에프스〔Piraiévs〕 명 〖지〗 아테네의 외항(外港). 그리스 제일의 항구로, 상공업의 중심지임. 기계·제분·조선(造船)·화학 비료의 제조가 성함. 고대 그리스 당시에는 번영하였으나, 그 후 황폐하여 1834년에 재건됨. 현재는 아테네와 병합됨. 피레우스(Piraeus). [187,458 명(1971)]

피레우스〔Piraeus〕 명 〖지〗 피레에프스.

피레트린〔pyrethrin〕 명 〖화〗 제충국(除蟲菊)의 살충 유효 성분. 강력한 살충력을 가지나 인축(人畜)에 대한 독성은 극히 낮음. 담황색의 차진 유상(油狀) 물질로 물에는 녹지 않고, 석유·알코올 등의 유기 용매(有機溶媒)에는 녹음. 곤충류에 대한 접촉독(接觸毒)의 일종으로 유제(乳劑)로서 사용됨. 잔효(殘効)가 약한 것이 결점임.

피렌〔Pirenne, Henri〕 명 〖사람〗 벨기에의 중세사가(中世史家). 겐트(Gent) 대학 교수. 실증주의적인 방법으로 대담하게 구설(舊說)을 비판하고, 8세기 이슬람의 진출에 의한 지중해적 서구 사회의 몰락과 11세기의 상업(商業) 부활에 의한 서구(西歐)의 새로운 발전을 주장했음. 주저(主著) ≪벨기에사(史)≫·≪중세 사회 경제사≫·≪마호메트와 샤를마뉴≫. [1862-1935]

피렌체〔Firenze〕 명 〖지〗 르네상스의 중심이 되었던 중부 이탈리아의 도시(都市). 아르노 강(Arno江)에 임한 철도의 요지로 역사 깊은 성당·수도원·미술관 등이 많아 예술 관광 도시(藝術觀光都市)이며 십자군 시대에 상공 도시로서 발달하였음. 모직·견직(絹織) 외에 공예품을 산출함. 플로렌스. [438,000 명(1984)]

피렌체-파【一派】〔Firenze〕 명 르네상스 시대에 피렌체를 중심으로 활약한 화가들을 이름. 조토(Giotto, di B.)를 비롯하여 안젤리코(Angelico, Fra G. da F.)·보티첼리(Botticelli, S.)로 이어져, 전성기 르네상스에서는 미켈란젤로·레오나르도 다 빈치 등이 배출되었음.

피력【披瀝】 명 평소에 숨겨 둔 생각을 모조리 털어내어 말함. ¶견해를 ~하다. ——-하다 타여불

피로[1]【披露】 명 ①문서(文書) 같은 것을 펴 보이는 일. ②일반에게 널리 공포함. ¶결혼 ~연. ——-하다 타여불

피로[2]【疲勞】 명 ①정신이나 육체의 지나친 활동으로 작업 능력이 감퇴한 상태. ¶~가 겹치다. ②[fatigue] 〖물〗 반복 하중(反復荷重)이나 동기 응력(同期應力)에서 생기는 틈·균열(龜裂)에 의한 재료의 파손(破損). ——-하다 형여불

피로[3]〔pyro〕 명 〖화〗 ↗피로갈롤.

피로-〔pyro-〕 두 그리스어의 불에 유래하는 접두어. 가열(加熱)에 의하여 생기는 현상(現象)이나 발열(發熱) 현상 따위에 쓰임. 화학 물질에서는 강열(強熱)한 결과로 인한 탈수(脫水) 또는 탈탄산(脫炭酸)에 의해 생기는 물질에 쓰임.

피로-갈롤〔pyrogallol〕 명 〖화〗 삼가 페놀(三價 phenol)의 하나로, 갈산(酸)을 가열하여 만드는 무색의 판상(板狀) 결정. 녹는점 133-134℃, 끓는점 309℃. 승화(昇華)하기 쉽고, 물·알코올·에테르에 잘 녹음. 강한 환원제로 사진의 현상액, 방부제, 분석용 시약 등으로 사용됨. 구칭 : 초성 몰식자산(焦性沒食子酸). 준피로(pyro). [$C_6H_3(OH)_3$]

피로 곤:비【疲勞困憊】 명 몹시 지쳐 괴롭고 나른함. ——-하다 형여불

피로니즘〔Pyrrhonism〕 명 〖철〗 그리스의 철학자 피론(Pyrrhon ; 365?-275? B.C.)을 시조로 하는 회의주의(懷疑主義)의 철학 및 정신을 말함. 판단 중지와 마음의 평정(平靜)을 도달점으로 함. 회의주의.

피로 물질【疲勞物質】[-찔] 명 〖생〗 피로의 원인이 혈액 또는 조직 속에 함유되는 화학 물질에 기인한다고 상정(想定)하였을 때의 물질. 근육이 피로할 때, 축적(蓄積)되는 젖산(酸)은 그 대표적인 것임.

피로-산【一酸】 명 〔pyro-acid〕 〖화〗 오르토산(ortho 酸) 두 분자에서 물 한 분자를 빼낸 꼴의 화학식을 갖는 산.

피로 시험【疲勞試驗】 명 〔fatigue test〕 〖물〗 재료 시험 방법의 하나. 곧, 시험편(試驗片)에 압축력과 견인력(牽引力)을 번갈아 가하여, 끝내 파괴될 때까지의 반복 횟수(回數)와 하중(荷重)과의 관계 수치를 구하는 따위.

피로-연【披露宴】 명 결혼·출생 같은 것을 일반에게 널리 알리는 뜻의 연회(宴會).

피로-인산【一燐酸】 명 〔pyrophosphoric acid〕 〖화〗 오르토인산(ortho 燐酸)을 200-300℃로 오래 가열하여 얻는 무기물(無機物). 큰 결정(結晶) 또는 유리 모양의 덩어리로 물·알코올·에테르 등에 잘 녹으며, 질산은의 작용으로 흰 빛의 수은염(水銀塩)이 침전함. 촉매·과산화물 안정제·세제 등으로 쓰임. 이인산(二燐酸). [$H_4P_2O_7$]

피로 전:기【一電氣】 명 초전기(焦電氣).

피로 한:도【疲勞限度】 명 〔fatigue limit〕 〖물〗 재료에 외력(外力)을 무한 반복하여 가해도 파괴되지 않는 응력 변동(應力變動)의 최대 범위, 곧 최대 응력 진폭(振幅). 이 값은 재질(材質), 반복 하중(反復荷重)의 종류, 물체의 형태·크기, 표면 상태(表面狀態) 등에 의하여 크게 달라짐.

피로:황산【一黃酸】 명 〔pyrosulfuric acid〕 〖화〗 삼산화황(三酸化黃)을 계산량의 황산에 가하면 석출(析出)되는 무색 투명의 결정. 산화제·탈수제·술폰화제(sulfone 化劑)로서 유기 화학 합성(有機化學合成)에 중요함. 이황산(二黃酸). [$H_2S_2O_7$]

피로-회【披露會】 명 결혼·출생 같은 것을 일반에게 널리 알리게 하기 위하여 모이는 모임.

피론〔그 Pyrrhon〕 명 〖사람〗 그리스의 철학자. 회의파(懷疑派)의 대표자. 사물의 본래의 성질은 인간에게 있어서 인식 불가능한 것이라고 주장하고, 판단 중지를 하고 마음의 평안을 얻어야 한다고 설파(說破)함. [360?-270?B.C.]

피롤〔pyrrole〕 명 〖화〗 방향(芳香)을 지닌 무색의 액체. 공기에 닿으면 착색(着色)되고 물에 녹지 않으며 산성의 경향이 있음. 골유(骨油)·콜타르(coal tar) 등에 함유됨. 숙신산(酸) 이미드(imide)를 아연 분말과 증류(蒸溜)하여 얻음. 아셀렌산(亞 selen 酸)·규산(硅酸)의 검출 시약(檢出試藥) 등에 쓰임. [C_4H_5N]

피:-롬【PROM】 명 〔programmable read only memory의 약칭〕 〖컴퓨터〗 전기적인 펄스 신호에 의해 원하는 데이터를 입력할 수 있는 반도체의 기억 장치. 한 번 데이터를 저장하면 다음부터는 판독만 할 수 있는 롬(ROM)이 됨. *롬·이피롬.

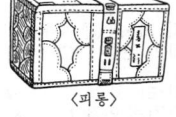

피롱【皮籠】 명 짐승의 가죽으로 만든 큰 함.

〈피롱〉

피:뢰【避雷】 명 낙뢰(落雷)를 피함. ——-하다 자여불

피:뢰-기【避雷器】 명 전기 회로에 일어나는 이상 고전압을 안전하게 방전(放電)시켜 회로(回路) 중의 기계류(機械類)의 파손을 예방하는 여러 가지 장치.

피:뢰-선【避雷線】 명 피뢰침의 쇠막대기 대신에 늘인 선(線).

피:뢰-주【避雷柱】 명 〖물〗 피뢰침(避雷針).

피:뢰-침【避雷針】 명 〖물〗 가옥·굴뚝 그 밖의 건조물에 벼락의 피해를 면케 하기 위하여 세우는, 끝이 뾰족한 금속제의 막대기. 도선(導線)으로 이것을 땅에 매몰한 금속판과 접속시켜 공중 전기를 땅속으로 흘려보냄. 피뢰주(避雷柱).

피루브-산【一酸】 명 〔pyruvic acid〕 〖화〗 타르타르산(酸)을 황산 수소 칼륨과 함께 가열하면 생기는 액체. 자극취(刺戟臭)가 있으며 환원하면 락트산(酸)이 됨. 생체 내에서는 물질 대사의 중간 화합물로서, 포도당이

분해해서 생성되며, 농도가 높아지면 유해(有害)함. 비타민 B_1에 의하여 분해됨. 초성 포도산(焦性葡萄酸). [$CH_3COCOOH$]

피루엣 〔프 pirouette〕 명 발레 용어. 한 발을 축(軸)으로 팽이처럼 도는 동작(動作). 발레의 기초 기법 가운데서 전형적인 파(pas)의 한 가지임.

피류【皮流】명 〔skin current〕 일시적인 바람에 의하여 바다 또는 호수의 표층(表層)에 생기는 일시적인 물의 흐름.

피륙 명 필로 된 베·무명·비단 같은 것의 총칭.

피륭【疲癃】명 〖한의〗 기운이 쇠약하여 생긴 노인의 병.

피:르 〔Pire, Dominique〕 명 〖사람〗 벨기에의 평화주의자. 신부(神父). 오랜 동안 영세민의 구제 사업에 종사, 제2차 대전 후에는 전쟁 고아 및 동(東)유럽으로부터의 난민(難民)을 위한 구제 운동을 벌임. 1958년에 노벨 평화상 수상. [1910-1969]

피르다우시 〔Firdausi〕 명 〖사람〗 페르시아의 시인. 나이 30세 때쯤부터 시작하여 20여년 걸려, 페르시아 건국으로부터 사산 왕조(王朝)까지의 이야기를 수록한 산문체(散文體)의 ≪샤 나메(Shāh Nāme)≫를 운문화(韻文化)하여, 페르시아 최대의 서사시인으로 지칭됨. 이 밖에 많은 연애시와 서정시를 남김. [935 ?-1025 ?]

피르미 명 〈방〉 피라미.

피르케 반:응【一反應】〔Pirquet〕 명 〖의〗 투베르쿨린 반응의 하나. 피부(皮膚)에 묽은 투베르쿨린액(液)을 떨어뜨리고, 가볍게 상처를 내어, 24-48시간 후에 그 부분이 발적 종창(發赤腫脹)을 나타내는 것을 양성(陽性)으로 함. 1907년, 오스트리아의 소아과(小兒科) 의사 피르케(Pirquet. C.; 1874-1929)가 발견함.

피르호: 〔Virchow, Rudolf〕 명 〖사람〗 독일의 병리학자. 세포(細胞)를 주로 하는 병리학을 제창, 모든 세포는 기존 세포에서 생겨짐을 주장하였음. 저서에 ≪세포 병리학≫이 있음. [1821-1902]

피른 〔도 Firn〕 명 만년설(萬年雪).

피:리[1] 명 〖악〗 ①국악에서, 구멍이 8개 있고 피리혀를 꽂아서 부는 관악기(管樂器)의 총칭. 향피리·당피리·세피리가 있음. 필률(觱篥). *적(笛). ②속이 빈 대에 구멍을 뚫고 불어서 소리를 내는 것의 총칭.

피리[2] 명 〈방〉 송사리(경남·전남).

피리[3]【皮履】명 혁리(革履).

피리독사민 〔pyridoxamine〕 명 〖화〗 비타민 B_6의 기능을 가진 천연 물질의 하나. 연쇄상 구균의 생육 인자(生育因子)로, 피리독살 인산(pyidoxal 燐酸)으로서 조효소(助酵素)가 됨.

피리독살 〔pyridoxal〕 명 〖화〗 비타민 B_6의 기능을 갖는 천연 물질의 하나. 미생물의 발육 인자(發育因子)로, 피리독살 인산 에스테르(ester)가 되어 각종 조효소(助酵素)로서 작용함.

피리독살 인산【一燐酸】명 〔pyridoxal phosphate〕 〖화〗 탈탄산(脫炭酸) 효소의 조효소(助酵素). 피리독살의 인산 에스테르(ester)·단백질임. 아미노산 대사(代謝)에 중요하며, 비타민 B_6의 작용이 있음.

피리독신 〔pyridoxine〕 명 〖화〗 비타민 B_6의 기능을 가진 물질. 쌀겨·효모·당밀(糖蜜) 등에 함유되며, 미생물의 생장 인자(生長因子)로서 독자적인 활성(活性)을 지님. 아데르민(adermine). [$C_6H_{11}O_3N$]

피리딘 〔pyridine〕 명 〖화〗 콜타르 또는 골유(骨油)에서 얻는 자극성(刺戟性)의 이취(異臭)가 있는 무색의 휘발성 액체. 알코올의 변성제(變性劑), 염기성(塩基性)의 용해제 등으로 쓰임. [C_5H_5N]

피리미딘 〔pyrimidine〕 명 〖화〗 마취성(痲醉性)의 취기(臭氣)를 지닌 결정(結晶). 물에 잘 녹으며, 수용액은 중성(中性)이지만 산(酸)과는 반응해서 염(塩)을 만듦. [$C_4H_4N_2$]

피리미딘 염기【一塩基】〔pyrimidine〕 명 〖화〗 피리미딘과 그 유도체(誘導體)의 총칭. 종류가 많으나, 생체(生體) 중에서는 핵산(核酸)의 구성분(構成分)으로서 존재하는 시토신(cytosine)·우라실(uracil)·티민(thymine) 등이 있음.

피:리 산:조【一散調】명 〖악〗 피리로 연주하는 산조. 향피리로 연주하는데, 피리 산조는 최근에 연주되기 시작했음.

피:리-새 명 〖조〗 멋쟁이새.

피리-새끼 명 〈방〉 송사리(전남·경북).

피:리약-부【一龠部】명 한자 부수(部首)의 하나. '龢'나 '龥' 등의 '龠'의 이름.

피리어드 〔period〕 명 ①시기(時期). 시대(時代). ¶ 페르미안 ~. ②〖언〗 온점. 종지점(終止點). 종지부. 풀 스톱. ③운동 경기에서, 경기 시간의 한 구분. 아이스 하키의 1피리어드는 20분임.

피:리-청 명 피리의 혀를 얇은 청이라는 뜻으로 일컫는 말.

피리 춘추【皮裏春秋】명 사람마다 마음 속에 각각 셈속과 분별력이 있음을 이름.

피:리-혀 명 〖악〗 혀[1]❷.

피린계 약제【一系藥劑】〔pyrine〕 명 〖약〗 해열제·진통제로서 쓰이는 의약품의 일군(一群). 감기약의 아미노피린·술피린(sulpyrine) 등.

피린-진【一疹】〔pyrine〕 명 〖의〗 피린계(pyrine系) 약제를 내복(內服)하거나 주사(注射)를 맞았을 때, 피부·구강(口腔)·점막(粘膜) 등에 생기는 발진(發疹).

피-림프 〔lymph〕 명 〖생〗 개방 혈관계(開放血管系)를 갖는 연체(軟體) 동물·절지(節肢) 동물에서, 동맥 중의 혈액이 직접으로 생체 조직의 혈체강(血體腔) 속으로 흘러들어 끊임없이 조직액과 혼합되어 있음의 일컬음. 척추 동물에서의 피와 림프(lymph)의 작용을 겸하고 있는 것으로 여겨진 데서 일컬어짐. 발생적(發生的)으로도 생리적(生理的)으로도 척추 동물(脊椎動物)에서의 혈액과 림프와 체액(體液)이 혼합한 것에 상당함. 혈임파(血淋巴).

피립【跛立】명 한 다리는 들고 한 다리만으로 섬. ――-하다 자 여불

피마[1]【一馬】명 성장한 암말. 빈마(牝馬). ↔상마. *암말[2].

피마[2]【蓖麻】명 〈방〉 〖식〗 피마자(경북).

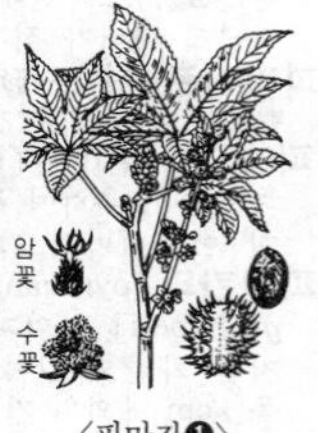

〈피마자❶〉

피마-자【蓖麻子】명 〖식〗 ①[*Ricinus communis*] 대극과에 속하는 1년초. 줄기는 원기둥이며, 높이는 2m 내외임. 잎은 장병(長柄)인데 막질(膜質)이며, 원형·장상(掌狀)으로 7-9 갈래로 갈라졌고, 열편(裂片)은 달걀꼴의 피침형임. 8-9월에 엷은 홍색의 꽃이 총상(總狀)화서로 피고, 과실은 삭과(蒴果)임. 인도·소(小)아시아 원산으로 각지에 재배하는 유용한 식물임. 아주까리. ②❶의 열매 속 알갱이. 아주까리씨.

피마자-유【蓖麻子油】명 아주까리씨로 짠 기름. 무색 내지 암녹색의 지방유(脂肪油)이며, 불건성유(不乾性油)임. 완하제(緩下劑)와 관장료(灌腸料)로 쓰이며, 등잔 기름, 머릿기름으로도 쓰임. 아주까리 기름.

피마-주【蓖麻一】명 ☞ 피마자.

피마지피 명 〈방〉 〖식〗 피마자(강원·전남·경상).

피마ᄌᆞ 명 〈옛〉 피마자. ¶ 피마ᄌᆞ 비(蓖)≪字會 上 15≫.

피막[1]【皮膜】명 ①겉껍질과 속껍질. ②피부와 점막. ③껍질 같은 얇은 막. 껍질막.

피:막[2]【避幕】명 예전에, 전염병 환자를 격리 수용하려고 마을에서 떨어진 곳에 지은 오두막. 환자가 죽으면 여기에서 장례를 치렀음.

〈피막이풀〉

피막이-풀 명 〖식〗 [*Hydrocotyle sibthorpioides*] 미나릿과에 속하는 다년생 상록초. 줄기는 땅위를 포복(匍匐)하며 마디에 수염뿌리가 나고 잎은 호생하며 신장형(腎臟形)에 얕게 째지고 장병(長柄)임. 7-9월에 백색 또는 자백색의 오판화(五瓣花)가 산형(繖形) 꽃차례로 액출(腋出)하여 피고, 과실은 달걀꼴임. 들이나 길가에 나는데, 제주·일본·대만 및 아시아 열대(熱帶)에 분포함. 잎은 으깨어 지혈제(止血劑)로 씀. 아불식초(鵝不食草). *선피막이·큰피막이.

피:막-지기【避幕一】명 피막을 지키는 사람.

피만지 명 〈방〉 피마자(제주).

피-말[1] 명 〈방〉 피마[1].

피말[2]【皮襪】명 다로기.

피말리 명 〈방〉 피마[1].

〈피망❷〉

피망 〔프 piment〕 명 〖식〗 ①맵지 않고 들척지근한 고추 품종의 총칭. 피멘토. ②[*Capsicum angulosum*] 가짓과에 속하는 1년생 초목. 맛이 단 고추의 하나. 높이 60cm 정도이며, 분지(分枝)는 적고, 잎은 커서 7-12cm 정도임. 화경(花莖)은 길어 약 3.5cm이며, 열매는 짧은 타원형으로 파리와 비슷한데 매운 맛이 없고 풋것은 고기 등과 함께 여러 가지로 조리함. 완전히 익어 적색인 것은 주로 향신료(香辛料)로 사용함. 서양 고추.

피매-말 명 〈방〉 피마(평안).

피맥【皮麥】명 겉보리❷.

피-맺히다 자 ①살가죽 안쪽에서 출혈하여 모이다. ②가슴에 피가 맺힐 정도로 한이 사무치다. ¶ 피맺힌 사연.

피먹이-박쥐 명 〖동〗 [*Desmodus rotundus*] 박쥐목(目)에 속하는 포유동물. 앞발의 길이 5-6cm, 몸길이 6.5-9cm로 꼬리가 없음. 앞니와 송곳니가 가위 모양이며 그 가장자리는 V자 모양으로 되어 동물의 피부를 절개하는 데 편리함. 귀는 뾰족하고 입은 불독 모양의 보기 흉한 동물인데 피를 주식으로 하는 관계로 식도는 짧고 위도 맹장(盲腸) 모양이며 가늚. 동굴이나 빈 나무둥지 같은 곳에 살며 동물의 피를 빨아먹고 사는데 남북 아메리카의 열대·아열대에 널리 분포함. 흡혈(吸血)에 의한 인축, 주로 가축의 피해도 크나, 보다 무서운 것은 세균 감염·광견병·가축 전염병을 옮기는 것임.

피-멍 명 멍[1]❶. ¶ ~이 들다.

피:면【避免】명 피하여 면함. ――-하다 타 여불

피:명【被命】명 명령을 받음. ――-하다 자 여불

피멘토: 〔pimiento〕 명 〖식〗 피망(piment) 가운데 다육 품종(多肉品種)의 특별한 일컬음. 과육(果肉)이 단단하고 선홍색(鮮紅色)임. 주로, 통조림·병조림의 원료로 사용함.

피모[1]【皮毛】명 ①가죽과 털. ②털가죽. 또, 그것으로 만든 옷.

피모[2]【被毛】명 몸을 덮은 털.

피모[3]【被帽】명 〖군〗 철갑탄(徹甲彈) 등의 침철 효과(侵鐵効果)를 높이기 위해 탄환의 위에 붙이는, 단조(鍛造)된 합금강(合金鋼).

피모로 명 〈옛〉 산 이름. ¶ 別號洪原其山鎭曰椵山 피모로 ≪龍歌 Ⅳ:21≫

피목【皮目】명 〔lentcell〕 〖식〗 식물 줄기의 단단한 부분이나 사과의 껍질 같은 데에 있는 작은 구멍. 수분을 증발시킴. 껍질눈. 피공(皮孔).

피-무늬 [一니] 명 피가 어리어 이루어진 무늬.

피물【皮物】명 짐승의 가죽.

피물-돈【皮物一】[一똔] 명 짐승의 가죽으로 갚기로 하고 내어 쓰는 돈. ¶ 너구리 굴 보고 ~ 내어 쓴다.

피물-전【皮物廛】명 짐승의 가죽을 파는 가게.

피미【披靡】명 ①무성한 나무나 풀이 바람에 불리어 쓰러지거나 쏠림. ②남의 위력이나 권세에 눌리어 여러 사람이 굴복함. ――-하다 자 여불

피미-연【披靡然】명 ①무성한 나무나 풀이 바람에 불리어 쓰러지거나

쏠리는 모양. ②남의 위력이나 권세에 눌리어 여러 사람이 굴복하는 모양. ——-하다 형여불. ——-히 부

피민【疲民】명 ①생활에 지친 백성. 피폐한 백성. ②백성을 괴롭힘. ——-하다 자여불

피뿔 명〈옛〉핍쌀. ¶피뿔(稗子)≪華語 46≫.

피-바다 명 사방에 온통 피가 낭자해 있는 모양. ¶온통 ～를 이루다.

피발【被髮】명 ①머리를 풀어 헤침. ②친상(親喪) 때에 머리를 풂. 수시(收屍)한 뒤부터 성복(成服)하기 전까지 함. ——-하다 자여불

피발 도선【被髮徒跣】명〖역〗부모가 돌아간 때 여자가 머리를 풀고 버선을 벗음. 수시(收屍)한 뒤부터 성복(成服)하기까지 함.

피발 좌:임【被髮左衽】명 머리를 풀고 좌임(左衽)한다는 뜻으로, 미개한 나라의 풍속을 가리키는 말.

피-밤【皮—】명〈방〉겉밤.

피-밥 명 피로 지은 밥. 패반(稗飯).

피밭다 타〈방〉뱉다(전남).

피:벌【被罰】명 벌을 받음. ——-하다 자여불

피-범벅 명 온 군데에 피가 묻어 뒤범벅이 됨.

피벗〔pivot〕명 ①마찰을 적게 하기 위하여, 선회 또는 회전하는 축(軸)의 지점(支點) 끝을 원추(圓錘) 또는 구형(球形)으로 한 것. ②농구·핸드볼·배드민턴 등의 구기(球技)나 댄스 등에서, 발굽 또는 발끝으로 회전하는 일. ③보트(boat)에서 클러치(clutch)로부터 노가 떨어지지 않게 붙여 둔 혁제(革製)의 고리. ④골프에서, 백스윙할 때 척추(脊柱)를 축(軸)으로 하여 허리와 상체(上體)를 비트는 일. ⑤클레이(clay) 사격에서, 앞발에 중심(重心)을 두는 사격 자세(射擊姿勢).

피:벡【PBEC】명〖경〗태평양 경제 협의회(太平洋經濟協議會)의 영어 약자.

피벽【跛躄】명 절뚝발이.

피변[1]【皮弁】명〖역〗녹(鹿)비로 둥글게 비죽이 만들고 끝에 꼭지를 단 관(冠). 벼슬아치가 조정(朝廷)에 출사(出仕)할 때에나 가관(加冠)의 예(禮)를 지낼 때 씀.

피:변[2]【彼邊】명 저쪽. 저편.

피병[1]【疲兵】명 피로한 병사.

피:병[2]【避病】명 병을 피하여 거처를 옮기는 일. ＊비접. ——-하다 자여불

〈피변¹〉

피:-병원【避病院】명 전염병 환자를 격리 수용하는 병원.

피:-보상자【被補償者】명〖법〗재산권·영업권 등에 대하여 입은 손해에 따른 대상(代償)을 받을 수 있는 권리자.

피:-보험【被保險】명 보험의 대상이 됨.

피:보험-물【被保險物】명 손해 보험 계약의 목적물.

피:보험 이:익【被保險利益】명〖법〗손해 보험 계약의 피보험자가 보험의 목적에 대하여 보험 사고가 발생하지 않으므로 인하여 손해를 받지 아니하게 되는 이익.

피:보험-자【被保險者】명〖법〗①손해 보험에서, 계약에 따라 손해의 전보(塡補)를 받을 수 있는 사람. ②생명 보험에서, 생명에 관하여 보험에 들어 있는 사람. ↔보험자.

피:보호-국【被保護國】명〖법〗보호하여 주는 국가와의 사이에 맺은 보호 조약(保護條約)에 의하여, 내정(內政)을 비롯하여 특히 외교(外交) 관계에 있어서 제한을 받는 국가.

피복[1]【被服】명 옷. 의복. 「포(被包). ——-하다 타여불

피:복[2]【被覆】명 ①거죽을 덮어 씌움. 또, 거죽을 덮어 씌운 물건. ②피

피복-고【被服庫】명 옷을 쌓아 둔 곳집.

피:복-골【被覆骨】명〖생〗부가골(附加骨).

피:복-력【被覆力】[—녁] 명〖화〗은폐력(隱蔽力).

피복-비【被服費】명 생활 필수품비의 하나. 가계부에서, 의류 일체·침구·세탁비·바느질 삯·신발·우비·장신품 등으로 쓰이는 비용.

피:복 사구【被覆砂丘】명〖지〗기반 지형(基盤地形)을 덮은 사구.

피복-상【被服商】명 옷을 매매하는 장사. 또, 그 장수.

피:복 상:피【被覆上皮】명〔covering epithelium〕〖생〗전형적인 상피(上皮)로, 동물의 체표(體表) 또는 체내의 강소(腔所)에 면하는 유리면(遊離面)을 덮음. 보호 역할도 하므로 보호(保護) 상피라고도 함.

피:복-선[1]【被覆船】명 해초·조가비 등이 붙어 배 밑을 더럽히거나 부식하는 것을 막기 위해 동판(銅板)을 입힌 배.

피:복-선[2]【被覆線】명 절연물(絕緣物)로 피복된 도전선(導電線). 절연물에는 고무·비닐·에나멜 등이 사용됨. 절연선(絕緣線).

피:복 유전자【被覆遺傳子】[—뉴] 명〔covering gene〕〖생〗어떤 하나의 유전자가 대립(對立) 유전자 이외의 유전자의 작용을 억제해 버릴 경우, 이 유전자를 말함. 피복 인자(因子).

피:복 음극【被覆陰極】명〔coated cathode〕〖전〗전자의 방출을 증가하도록 화합물(化合物)로 피복한 음극.

피:복-재【被覆材】명 다른 물체의 거죽을 덮어 싸는 데 쓰는 재료.

피복-창【被服廠】명 공공 기관 단체의 제복(制服) 같은 것을 만들거나 수선하여 보관하는 곳.

피-본 명〖생〗혈액형(血液型).

피봉【皮封】명 겉봉.

피부【皮膚】명〖생〗척추 동물의 몸의 겉을 싼 외피(外皮). 몸을 보호하고, 체온·수분 증발 같은 것을 조절하며 지각(知覺)과 피부 호흡을 맡음. 고등 척추 동물은 표피(表皮)·진피(眞皮)·피하 지방 조직(皮下脂肪組織)으로 형성됨. 이것이 변화한것으로 모발·손톱·발톱 등이 있고, 파충류(爬蟲類)의 비늘은 표피가, 어류(魚類)의 비늘은 진피가 변화한 것임. 살갗. ¶～이식/～가 거칠어지다. ＊살¹·모낭(毛囊).

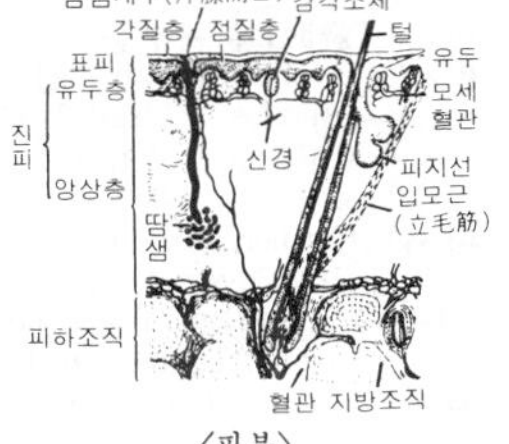

〈피부〉

피부-간【皮膚間】명 ①겉껍질과 속껍질의 사이. ②천박하여 깊지 못함을 이름.

피부 감:각【皮膚感覺】명〔cutaneous sense〕〖생〗피부 또는 그 하부(下部)에 있는 층(層)에 수용기(受容器)를 가지는 감각의 총칭. 촉감(觸感)·압박감·냉온감(冷溫感)·통감(痛感) 등이 있고 하등 동물에는 피부 광각(光覺) 같은 것이 있음. 살갗 감각.

피부 감:염【皮膚感染】[—념] 명〖의〗전염병 병원체의 감염 방법의 하나. 정상적인 피부를 통하여 병원체가 침입하는 것을 말하며, 상처로부터 침입하는 것, 물리거나 쏘여서 침입하는 것이 있음.

피부 결석【皮膚結石】[—썩] 명〖의〗피부의 일부에 석회가 침착(沈着)하여 생기는 단단한 결절(結節).

피부 결핵증【皮膚結核症】명〖의〗결핵균(結核菌)에 의하여 생기는 피부 또는 피하(皮下)의 만성 염증(炎症).

피부-과【皮膚科】[—꽈] 명〖의〗피부에 관한 모든 병을 연구·치료하는 일을 맡은 의학의 한 부문.

피부 광각【皮膚光覺】명〔dermatoptic sense〕〖생〗피부면(皮膚面)에 존재하는 광수용기(光受容器). 사물을 보는 눈처럼 특수화(特殊化)한 광수용기가 아니고, 체표면(體表面)에 산포(散布)하여 존재하는 단일 시세포(單一視細胞)에 의한 광수용기. 거머리류(類)·지렁이류(類) 등에서 볼 수 있음.

피부근-염【皮膚筋炎】[—념] 명〖의〗교원병(膠原病)의 한 가지. 안면이나 동체·사지(四肢)에 대칭성(對稱性)으로 담자색의 특유한 홍반이 생겨서 부종, 근력 저하, 근육의 자발통·압통을 동반하는 전신 질환. 성년 여성에 많으며 때로는 악성 종양(惡性腫瘍)을 합병함. 원인은 불명.

피부 기관【皮膚器官】명〔dermal organ〕〖의〗척추 동물의 피부의 형성물(形成物)로서 표피(表皮)가 변화한 표피성 기관을 이름. 비늘·우모(羽毛)·털·손톱·뿔 등.

피부 문화증【皮膚紋畫症】[—쯩] 명〖의〗혈관 운동 신경의 과민 상태(過敏狀態)를 나타내는 반응의 하나. 피부를 문지르면 먼저 빈혈성 변화를, 다음으로 충혈(充血), 그 다음으로 부종성 발진(浮腫性發疹)을 일으키는 증상.

피부 반:사【皮膚反射】명〖생〗척수(脊髓) 반사의 하나로 피부 자극에 의하여 유발되는 반사.

피부-병【皮膚病】[—뼝] 명〖의〗피부에 생기는 병의 총칭. 선천적인 점·사마귀로부터 감염증·염증·종양·습진·옴·백선 등 여러 원인의 것을 포함함. 살갗병.

피부-색【皮膚色】명 살빛.

피부 색소【皮膚色素】명〖동〗동물의 피부·모발 등의 세포에 함유된 흑색 또는 흑갈색의 색소.

피부 색조【皮膚色調】명 피부 빛깔. 인종 판별의 한 기준으로 표피(表皮)의 심층(深層)에 있는 멜라닌 색소(melanin 色素)의 양·질 및 카로틴양(carotin 量)과 표피의 두께 따위로 결정됨. 멜라닌 색소의 양이 많으면 흑-흑갈색, 중정도이면 황-황갈색, 소량이면 백색임.

피부 생균류【皮膚生菌類】[—뉴] 명〔dermatophytes〕〖생〗사람·동물의 피부·손발톱·털·수염 등에 기생하는 균으로 몸속으로 깊이 침입하지 않는 것. 이·무좀·백선(白癬) 등.

피부-선【皮膚腺】명〔dermal gland〕〖생〗피부에 분포한 외분비선(外分泌腺). 곧 피지선(皮脂腺)·땀샘·젖샘 등이며, 피부의 지탱·보호·체온 조절·물질의 대사(代謝) 등의 기능을 함. 양서류(兩棲類)에서는 점액선(粘液腺)·과립선(顆粒腺) 등임. 살갗샘. 피선(皮腺).

피부선-병【皮膚腺病】[—뼝] 명 결핵균에 의하여 피부에 무통성(無痛性)의 결절(結節)이나 궤양(潰瘍)이 생기는 병.

피부 소양증【皮膚瘙痒症】[—쯩] 명〖의〗피부가 발작적으로 몹시 가렵기만 하고 발진(發疹)이 없는 상태. 여러 가지 만성(慢性) 질환이나 성기(性器) 장애 등이 원인이 됨. 소양증.

피부 시험【皮膚試驗】명 피부 속이나 피부 아래에 시약(試藥)을 주입(注入)하여 면역(免疫) 상태를 평가하는 시험.

피부-암【皮膚癌】명〖의〗피부에 발생하는 암의 총칭. 유인(誘因)은 화상 반흔(火傷瘢痕)·자외선 및 방사선의 조사(照射) 등으로, 기저(基底) 세포암·유극(有棘) 세포암·피부 부속 세포암 등이 있음.

피부-약【皮膚藥】명 피부에 직접 발라서 치료(治療)가 되는 약. 외용약(外用藥).

피부-염【皮膚炎】명 외계(外界)로부터의 자극에 의한 피부의 염증. 동물이나 식물의 독(毒), 약품 따위에 의한 반응, 방사선·태양 광선이나 열·한랭(寒冷)에 의한 반응 따위가 있음.

피부 유두【皮膚乳頭】명〖생〗표피(表皮)의 내부로 파고 들어간 다수의 손가락 모양의 진피(眞皮)의 돌기(突起). 그 안에 모세 혈관이 발달하고 있음.

피부 융선【皮膚隆線】명〖생〗손바닥과 발바닥 피부 전면에 있는 가는 선상(線狀)의 융기(隆起). 손가락 끝의 융선은 지문(指紋)임.

피부 전:기 반:응【皮膚電氣反應】명〖심〗정신 전류적 반사.

피부 전:기 현:상【皮膚電氣現象】명〖의〗정신(精神) 전류적 반사.

피부 페스트【皮膚—】〔pest〕명〖의〗페스트균이 피부에 침범하여 피부에 농포(膿疱) 또는 큰 종기를 일으키는 질환. 선(腺)페스트.

피부 혈관【皮膚血管】명〖생〗피하 조직(皮下組織)과 진피(眞皮) 사이의 혈관. 살갗 핏줄.

피부 형성술【皮膚形成術】 명 〖의〗 피부를 절개(切開)하여 결손부(缺損部)를 메우거나 피부의 결손부·궤양(潰瘍) 등에서, 피부의 일부 또는 전층(全層)을 이식하는 형성 수술. 식피(植皮)에 쓰이는 피부 조각은 보통 환자 자신으로부터 채취함. *식피술.

피부 호흡【皮膚呼吸】 명 〔cutaneous respiration〕 〖동〗 피부를 통하여 하는 호흡. 체표(體表)가 각피(角皮) 등으로 두껍게 덮인 동물 등 외에는 모두 하는 호흡으로, 특별한 호흡 기관이 없는 동물은 주로 이 방법을 씀. 환형(環形) 동물의 지렁이는 전체 호흡량(全呼吸量)의 100%, 개구리는 50%를 점함.

피부 홍반량【皮膚紅斑量】 〔—냥〕 명 〖의〗 X선의 양을 측정하는 단위. 정상적인 피부에 X선을 조사(照射)하여 8일 후에 그 자리가 담홍색이 되고 3-4주일 후에 엷은 홍색을 띠게 되는 선량(線量)을 1피부 홍반량, 곧 500-600 뢴트겐이라고 하는데, 지금은 사용하지 않음.

피분 〔Phibun, Luang Songgram〕 명 〖사람〗 타이의 군인·정치가. 1932년 입헌 혁명(立憲革命) 때의 문관파 지도자. 1938년에 수상에 취임하여 제2차 대전중 일본에 협력하였고, 전후 한때 은퇴(隱退)하였다가 1947년 정계에 복귀함. 1948년 다시 수상이 된 뒤 1957년 실각, 일본에 망명 객사함. 〔1897-1964〕

피-붙이 〔—부치〕 명 살붙이❶.

피브로인 〔fibroin〕 명 곤충이나 거미의 견사선(絹絲腺)에서 분비되는 섬유성(纖維性)의 경단백질(硬蛋白質). 세리신(sericin)과 더불어 견사의 주성분으로 누에고치 성분의 70-80%를 점함.

피브리노겐 〔fibrinogen〕 명 〖화〗 혈장(血漿) 및 림프(lymph) 중에 있는 글로불린(globulin)의 한 가지. 섬유 효소로서 혈액의 응고물인 피브린이 됨. *피브린.

피브린 〔fibrin〕 명 〖생·화〗 혈액 응고(凝固)에 중요한 역할을 하는 단백질의 하나. 혈장(血漿) 중에 존재하는 피브리노겐(fibrinogen)이 트롬빈(Thrombin)의 작용에 의하여 고체로 된 것. 무색(無色) 또는 담황색으로 물에 잘 녹지 아니하며, 이것이 상처를 덮어 싸기 때문에 지혈(止血)이 됨. 섬유소(纖維素). 올실소(素).

피브릴 〔fibril〕 명 섬유를 구성하고 있는 미소 섬유(微小纖維).

피: 브이 시: 【PVC】 명 〖화〗 〔polyvinyl chloride의 약칭〕 염화 비닐 수지(塩化 vinyl 樹脂). 「선(vinyl線).

피: 브이 시:선 【PVC線】 명 〔PVC는 polyvinyl chloride의 약칭〕 비닐

피비[1] 【皮痺】 명 〖의〗 피부의 지각이 마비되는 증세.

피비[2] 【疲憊】 명 피로(疲勞). ——하다 형여불

피비게르 〔Fibiger, Johannes Andreas Grib〕 명 〖사람〗 덴마크의 병리학자. 코펜하겐 대학 교수. 어떤 종류의 선충(線蟲)을 오랫 동안 쥐에 먹이면 위암(胃癌)이 되는 것을 발견, 처음으로 암의 인공 발생에 성공함. 1926년 노벨 생리 의학상 수상. 〔1867-1928〕

피: 비: 리포:트 〔P.B. Report〕 명 〔Report of Publication Board〕 제2차 세계 대전 이후, 미국 및 영국의 기술 조사단이 독일·이탈리아·일본 등 점령지의 모든 분야의 과학과 기술을 조사한 결과를 미국 상무성(商務省) 출판 위원회에서 출판한 보고서. 독일의 고도로 발달된 과학의 비밀이 공개되어 있어 각국의 과학에 공헌한 바 큼.

피-비린내 명 ①선지피에서 풍기는 비린 냄새. ¶도살장에서 나는 ~. ②살상(殺傷) 등으로 인한 몹시 잔인하고 살벌한 상태.
　피비린내 나다 구 살상(殺傷) 등으로 몹시 잔인하고 살벌하다. ¶피비린내 나는 싸움.

피: 비: 시: 【PBC】 명 〔Pyonghwa Broadcasting Corporation의 약칭〕 '평화 방송(平和放送)'의 통칭.

피: 비: 아:르 【PBR】 명 〖경〗 주가 순자산 배율(株價純資産倍率).

피-비저 【皮鼻疽】 명 마비저(馬鼻疽).

피-빨강이 명 〖생〗 혈색소(血色素).

피뿌리-꽃 명 〖식〗 〔*Stellera rosea*〕 팥꽃나무과에 속하는 다년초. 근경(根莖)은 비대(肥大)하고 적색을 띠며, 지상경은 높이가 45cm에 달함. 잎은 호생하고 타원형 또는 피침형에 무병(無柄)임. 5-7월에 빨간 꽃이 두상(頭狀)으로 줄기 끝에 찬족(攢簇)하여 피고, 과실은 수과(瘦果)임. 산지에 나는데, 거의 한국 각지에 분포함. 잎줄기는 약재로 씀.

피-뿔고둥 명 〖조개〗 〔*Rapana thomasiana*〕 뿔소랏과에 속하는 고둥의 하나. 주먹 모양의 권패(卷貝)로 패각(貝殼) 높이 15-20cm, 직경 12cm 가량이고, 나층(螺層)은 다섯 개 내외이며 표면은 담갈색에 암갈색의 나상(螺狀) 띠무늬가 있고, 내면(內面)은 붉고 아름다움. 각구(殼口)는 크고 각질(角質)의 큰 뚜껑이 갖추어 있음. 5-8월에 산란하고 일 주일 만에 부화하며, 굴이나 다른 쌍각류(雙殼類)에 구멍을 뚫고 살을 파먹음. 담수(淡水)가 다소 혼입하는 연안의 깊이 3-10m의 얕은 모래땅 밑에 서식하는데, 한국·일본에 분포함. 살은 식용, 뚜껑은 향료(香料), 패각은 패세공(貝細工)에 쓰고 패회(貝灰)의 원료가 됨. 참고둥.

〈피뿔고둥〉

피쏭 명 〈옛〉 피똥. ¶血糞 血吡同 피쏭 《牛方 6》.

피사[1] 【詖辭】 명 편파적(偏頗的)인 말. 부정한 언론. 피언(詖言).

피사[2] 〔Pisa〕 명 〖지〗 이탈리아 서북부 토스카나(Toscana) 지방의 도시. 기원전 2세기부터 로마의 식민지로 번영한 항시(港市)였으나 지금은 쇠퇴하였음. 사탑(斜塔)·성당(聖堂) 및 고래로 유명한 대학이 있음. 면직물·기계·유리 공업이 성함. 갈릴레이의 출생지임. 〔104,000명(1981)〕

피사넬로 〔Pisanello, Antonio〕 명 〖사람〗 이탈리아 초기 르네상스의 화가. 고딕의 영향을 받으면서 거기에다 설화적(說話的)인 풍속 묘사와 확실한 자연 관찰 등 초기 르네상스의 특징을 나타냄. 우수한 메달 제작자로서도 알려짐. 〔1395?-1455〕

피사노[1] 〔Pisano, Andrea〕 명 〖사람〗 이탈리아 중세의 조각가·건축가. 주로 피렌체에서 활약하며, 피렌체 대성당 종탑 등의 건축에 종사하였음. 〔1290-1348〕

피사노[2] 〔Pisano〕 명 〖사람〗 ①〔Giovanni, P.〕 이탈리아의 조각가·건축가. ❷의 아들. 동시대의 대표적 작가. 시에나 대성당 정면을 설계한 외에 많은 설교단 조각에 있어서 사실(寫實)에 의거한 극적 표현을 완성하였음. 〔1250?-1314?〕 ②〔Nicola, P.〕 이탈리아 중세의 조각가. 피사 성당(聖堂)의 설교단을 비롯, 많은 설교단을 제작. 이탈리아 조각에 새로운 극적인 조형 표현(造形表現)을 선도(先導)하였음. 〔1220?-78?〕

피사로[1] 〔Pissarro, Camille〕 명 〖사람〗 프랑스의 화가. 코로(Corot)·모네(Monet)의 영향을 받아, 인상파(印象派)의 화가로서 주로 풍경을 그림. 대표작에 《붉은 지붕》 등이 이름. 〔1830-1903〕

피사로[2] 〔Pizarro, Francisco〕 명 〖사람〗 스페인 탐험가. 1509년 대서양(大西洋)을 건너가 태평양(太平洋)을 발견, 발보아(Balboa)의 뒤를 이어 파나마 시(市)를 건설함. 1532년 잉카 제국(Inca帝國)을 정복, 스페인의 지배 하에 두었음. *발보아(Balboa). 〔1470?-1541〕

피-사리[1] 명 〖농〗 농작물(農作物) 가운데에 섞여 난 피를 뽑아 내는 일. ——하다 자여불

피사-리[2] 【皮絲履】 명 가죽을 바닥에 대거나 실처럼 엮어서 댄 신.

피사 성:당 【—聖堂】 〔Pisa〕 명 이탈리아의 피사에 있는 성당. 1063년에 착공하여 1118년에 헌당(獻堂)한 라틴 십자 형식(十字形式)의 로마네스크 건물임. 내부에 있는 피사노 부자(父子)의 조각과 성당 정면의 사탑(斜塔)으로 유명함.

피사의 사탑 【—斜塔】 〔Pisa〕〔—/—에—〕 명 〖지〗 이탈리아 피사에 있는 피사 성당(聖堂)의 종각. 1350년에 건설. 높이 55m, 직경 17m인 미완성 7층의 탑으로, 건설 중에 지반(地盤)이 내려앉으면서 기울기 시작하여 차차 그 경사도가 심해져 간다 함.

피:-사체 【被寫體】 명 사진을 찍는 데에 그 대상이 되는 물건.

피-사초 【—莎草】 명 〖식〗 〔*Carex longerostreta*〕 방동사니과에 속하는 다년초. 줄기 높이 15cm이고, 잎은 호생하며 줄기보다 다소 짧은 선형(線形)임. 5-6월에 두세 개의 소수(小穗)가 피는데, 수술은 하나가 정생하고, 암술은 한두 개가 측생(側生)하며, 과낭(果囊)은 달걀꼴임. 산이나 들에 나는데, 제주·평북·함북에 분포함.

피:살[1] 【被殺】 명 살해를 당함. 죽임을 당함. ——하다 자여불

피:살[2] 【避煞】 명 사람을 해치는 살을 피하는 법.

피:살-자 【被殺者】 〔—짜〕 명 피살된 사람.

피상[1] 【皮相】 명 ①겉모양. ②진상을 추구하지 아니하고 표면만을 보고 내리는 판단.

피상[2] 【皮箱】 명 짐승의 가죽으로 만든 상자.

피상 관찰 【皮相觀察】 명 진상을 추구함이 없이 겉만 관찰하는 일.

피:상속-인 【被相續人】 명 〖법〗 상속의 목적을 이루는 법률 관계의 전 주체(前主體). 곧, 상속될 재산·권리의 전의 소유자. ↔상속인.

피-상자 【皮箱子】 명 가죽으로 겉을 씌운 상자.

피상-적 【皮相的】 명관 진상까지를 추구하지 아니하고 표면만을 취급하는 모양. ¶~인 관점(觀點)/~인 해석.

피새[1] 명 급하고 예민하여 화를 잘 내는 성질.
　피새(를) 내:다 구 사소한 일에 성을 잘 내다.
　피새(가) 여물다 구 피새를 잘 부리는 성질이 있다.

피새[2] 【皮鰓】 명 〔dermal branchia〕 〖생〗 호흡 기관의 하나. 불가사리류(類)의 체강 상피(體腔上皮)가 골판간(骨板間)보다 체표(體表)에 돌출한 지상물(指狀物). 내면에는 체강액을 채우고, 외면은 직접 해수(海水)에 접하여 호흡 작용을 영위함.

피새-나다 자 은밀한 내용이 발각되다.

피새-놓다 〔—노타〕 자 긴한 체하고 방해를 놓다.

피색-장 【皮色匠】 명 〖역〗 조선 시대에, 짐승의 가죽을 다루어 제품을 만들던 사람. ㊂피장(皮匠).

피색-전 【皮色廛】 명 짐승의 가죽을 취급하는 가게.

피-샘 명 〖생〗 혈선(血腺).

피:서[1] 【避暑】 명 선선한 곳으로 옮기어 더위를 피하는 일. 소하(消夏). ¶~객. ↔피한(避寒). ——하다 자여불

피:서[2] 〔piecer〕 명 방직 공장에서 자투리 실을 주워서 길게 잇는 일을 하는 소년공(少年工)·소녀공(少女工).

피:서-지 【避暑地】 명 피서하기에 적당한 고장.

피:석 【避席】 명 ①앉았던 자리에서 물러남. ②웃어른에게 공경을 표하기 위하여 모시던 자리에서 일어남. 피좌(避座). ——하다 자여불

피선[1] 【皮腺】 명 〖생〗 피부선.

피:선[2] 【被選】 명 선거로 뽑힘. ——하다 자여불

피:선거-권 【被選擧權】 〔—꿘〕 명 〖법〗 선거에 의하여 당선될 수 있는 권리. 당선이 되어 법률상 유효하게 당선을 수락할 수 있는 권리.

피:선거-인 【被選擧人】 명 〖법〗 선거에 의하여 당선이 되는 사람. 피선거권을 갖는 사람.

피:세 【避世】 명 세상을 피해 숨음. ——하다 자여불

피셔[1] 〔Fischer, Edwin〕 명 〖사람〗 스위스의 피아노 연주가·지휘자. 베를린에서 리스트(Liszt)의 제자로 크라우제(Krause)에 사사하였으며, 실내 관현악단도 조직하여 미국에서 연주하였음. 독일 고전 음악 해석의 최고 권위자의 한 사람임. 〔1886-1960〕

피셔[2] 〔Fischer, Emil〕 명 〖사람〗 독일의 유기 화학자(有機化學者). 스승 바이어(Beyer)를 따라 뮌헨(München) 등지의 교수를 역임하였으며, 당류(糖類) 및 푸린속(purine屬) 화합물의 연구로 1902년 노벨 화학상을 받았음. 〔1852-1919〕

피셔[3] 〔Fischer, Ernst Otto〕 명 〖사람〗 독일의 화학자. 뮌헨 대학·뮌헨 공대(工大) 교수 역임. 1973년 윌킨슨(Wilkinson, G.)과 함께 노벨 화

학상을 수상함. [1918-]

피셔[4]〔Fischer, Eugen〕 명 〖사람〗 독일의 해부학자·인류학자. 남서 아프리카의 현지 답사를 통해 혼혈(混血)을 연구, 유명해짐. 환경이 형질(形質)에 큰 영향을 준다고 지적함. [1874-1967]

피셔[5]〔Fischer, Franz〕 명 〖사람〗 독일의 화학자. 1913년 카이저 빌헬름 석탄 연구소장. 석탄 화학·석탄 이용에 관한 연구 끝에 1926년 인조 석유 합성법, 곧 피셔법을 발명함. [1877-1947]

피셔[6]〔Fischer, Hans〕 명 〖사람〗 독일의 유기 화학자. 뮌헨(München) 공업 대학 교수로 있으면서 피롤 유도체(Pyrrole 誘導體)의 연구로, 헤민(hemin)·클로로필(chlorophyll)의 구조를 결정·합성하여 1930년 노벨 화학상을 받았음. [1881-1945]

피셔[7]〔Fisher, Irving〕 명 〖사람〗 미국의 경제학자. 예일(Yale) 대학 교수. ≪화폐의 구매력(購買力)≫에서 유명한 '피셔의 화폐 수량 방정식(貨幣數量方程式)'을 발표하였고, 그 밖에도 수리(數理) 경제학의 고전의 하나인 ≪가치와 가격 이론의 수학적 연구≫ 및 지수론(指數論)·이자론·경기론에 관한 저서가 있음. [1867-1947]

피셔[8]〔Fisher, Ronald Aylmer〕 명 〖사람〗 영국의 추계(推計)학자. 케임브리지 대학 교수. 종래의 수리(數理) 통계학을 변혁, 소표본(小標本)으로부터 모집단(母集團)에 관한 지식을 추측하는 방법을 이론적으로 확립, 추계학을 창시하였음. [1890-1962]

피셔 디:스카우〔Fischer-Dieskau, Dietrich〕 명 〖사람〗 독일의 바리톤 가수. 베를린 태생. 1948년 베를린 시립 가극장 전속. 현대 최고의 바리톤 가수의 한 사람으로 오페라. 리트(Lied)에서 활약하여 명성을 얻음. [1925-]

피셔-법【一法】〔Fischer〕〔一뻡〕 명 〖화〗 일산화 탄소와 수소로부터 파라핀·알코올 따위를 합성하는 방법. 1926년 F. 피셔가 발명. 독일에서 발전한 석탄 화학 공업의 하나로 석탄으로부터 일산화 탄소와 수소를 거쳐 액체 연료를 제조하는 것을 목적으로 함. 「포 핵분열.

피션〔fission〕 명 ①열개(裂開). 분열. ②〖물〗 원자의 핵분열. ③〖생〗 세

피:소【被訴】 명 제소(提訴)를 당함. ――-하다 자여불

피소스티그민〔physostigmine〕 명 〖화〗 에세린(eserine).

피:송【被送】 명 보내어짐.

피:수【被囚】 명 옥(獄)에 갇힘. ――-하다 자여불

피:-수식어【被修飾語】 명 〖어〗 글의 성문(成文)의 하나로 수식어에 의하여 의미 상의 한정(限定)이 주어지는 말을 이름.

피숙[1] 명 〈방〉 핀잔.

피숙[2] 명 〈방〉 가축(함경).

피:스〔peace〕 명 ①평화(平和). ②강화(講和).

피:스 강【一江】〔Peace〕 명 〖지〗 캐나다 서부의 강. 록키 산맥에서 발원하여 동쪽으로 흘러, 슬레이브 강(Slave江)과 합류함. 상류의 골짜기는 밀·귀리의 산지임. [1,924 km] 「의 일.

피:스-워:크〔piecework〕 명 도급으로 맡아서 하는 일. 청부제(請負制)

피스카토르〔Piscator, Erwin〕 명 〖사람〗 독일의 연출가. 피스카토르 무대를 창설하였고, 구성주의(構成主義)와 정치적 색채를 융합하여 ≪군도(群盜)≫ 등 여러 화제작을 연출하였으며, 제2차 세계 대전중에는 미국에 망명하였음. [1895-1966]

피스컬 폴리시〔fiscal policy〕 명 〖경〗 재정(財政)에 의한 경기 정책(景氣政策). 그 방책으로는 불황기에 있어서는 재정에 의하여 적극적으로 유효 수요(有効需要)를 증대시키고, 호황(好況) 특히 인플레 때에는 반대로 수요를 억제함.

피:스 코:〔Peace Corps〕 명 평화 봉사단(平和奉仕團).

피스크〔Fiske, John〕 명 〖사람〗 미국의 역사가·철학자. 본명(本名)은 Edmond Fisk Green. 그의 저서 ≪우주 철학 대계(宇宙哲學大系)≫는 미국에 있어서의 진화론적 철학의 선구로서 저명함. [1842-1901]

피스턴〔Piston, Walter〕 명 〖사람〗 미국의 작곡가. 파리에서 배우고 하버드(Harvard) 대학에서 작곡을 교수하였음. 7개의 교향곡과 발레곡 ≪이상한 플루트 주자(奏者)≫ 등이 있어, 현대 미국 음악의 선구자 구실을 함. 제3 및 제7 교향곡으로 1947년과 1961년에 퓰리처상을 수상함. [1894-1976]

피스톤[1]〔piston〕 명 〖기〗 왕복동 기관(往復動機關)의 실린더 또는 왕복동 펌프(往復動 pump)의 실린더 안을 내벽(內壁)에 밀착시켜서 왕복 운동을 하는 편평형(扁平形) 또는 통형(筒形)의 부품. 실린더 내에 흡입된 유체(流體)의 압력으로 운동을 일으켜 그 힘을 외부에 전하거나 또는 반대로 외력(外力)에 의하여 운동하여 통내의 유체에 압력을 전하는 작용을 함. 때에 따라서는 피스톤 로드 또는 피스톤을 내장(內裝)하는 실린더를 포함해서도 일컬음. 활색(活塞).

피스톤[2]〔piston〕 명 〖악〗 밸브(valve)❸.

피스톤 로드〔piston rod〕 명 〖기〗 피스톤에 고정되어, 피스톤의 운동을 실린더 밖으로 전하는 작용을 하는 철봉(鐵棒). 피스톤간(桿).

피스톤 링〔piston ring〕 명 유체(流體)가 새는 것을 막기 위하여 피스톤 상부 주위(周圍) 홈에 끼우는 특수 주철제(鑄鐵製)의 테.

피스톤 수송【一輸送】〔piston〕 명 차량 선박이 두 지점을 쉴새 없이 왕복하면서 사람이나 물품을 연속적으로 수송하는 일.

피스톤 압력계【一壓力計】〔piston〕〔一녁一〕 명 〖기〗 압력칭(壓力秤).

피스톤 착암기【一鑿岩機】 명 〔piston drill〕 〖기〗 압축 공기를 이용하여 실린더(cylinder) 안의 피스톤을 전후로 급격하게 움직여서, 착암하는 날의 끝에 충격을 주어 광석 또는 암석에 구멍을 뚫는 기계.

피스톤 크랭크 기구【一機構】〔piston-crank〕 명 회전하는 크랭크와 왕복 운동을 하는 피스톤을 피스톤 로드로 연결한 기구.

피스톤-펌프〔piston-pump〕 명 〖기〗 왕복 펌프의 한 가지. 실린더 안을 피스톤이 왕복하여 송수(送水)하는 펌프의 총칭. 양배수용(揚排水用)으로 쓰이며 최근에는 원심(遠心) 펌프 따위 고속 소형(高速小形) 펌프로 대체되는 경향이 있음. 「가운데가 빈 둥근 관(管).

피스톤 핀〔piston pin〕 명 〖기〗 피스톤과 피스톤 로드의 위 끝을 맺는,

피스톨〔pistol〕 명 권총(拳銃).

피:습【被襲】 명 습격을 당함. ――-하다 자여불

피:승-수【被乘數】〔一쑤〕 명 〖수〗 곱셈에서 곱함을 당하는 수. 곧 10×2=20에서 10을 이름. 곱하임수. ↔승수(乘數).

피:시[1]【被弑】 명 임금이 신하에게 죽임을 당함. ――-하다 자여불

피: 시:[2]〔PC〕 명 〔pre-stressed concrete의 약칭〕 피 에스(PS) 콘크리트.

피: 시:[3]〔PC〕 명 〔personal computer의 약칭〕 개인용 컴퓨터.

피: 시:[4]〔pc〕 명 〖천〗 천문학상 거리의 단위인 '파섹(parsec)'의 기호.

피: 시:[5]〔PC〕 명 〖화〗 폴리카보네이트. ¶~ 식기(食器).

피: 시: 강선【PC鋼線】 명 PC강재(鋼材) 중에서 소선(素線)의 직경이 8mm 이하인 강선.

피: 시: 강재【PC鋼材】 명 PC 콘크리트에 쓰이는 고강도(高強度) 강재. PC 강선(鋼線)·PC 강봉(鋼棒)·꼬임 강선 등이 있음.

피시 밀:〔fish meal〕 명 물고기의 가루. 조미료로 쓰임. 어분(魚粉).

피: 시: 비:【PCB】 명 〖화〗 〔poly chlorinated biphenyl의 약칭〕 폴리염화 비페닐. 환경 호르몬의 하나. 전기 절연성이 좋고 불연성(不燃性)이 있어, 전기 기구의 트랜스·콘덴서·TV·형광등 및 재생 화장지 따위 제품에 널리 쓰였으나, 강한 독성과 광범한 오염 등으로 사용을 금지시키고 있음.

피시스〔physis〕 명 〖철〗 자연(自然)을 의미하는 말로, 그리스 철학에서 여러 가지 의미를 가진 중요한 개념(槪念)임. ↔노모스(nomos).

피: 시: 에스[1]【PCS】 명 펀치 카드 시스템.

피:-시:-에스[2]〔PCS〕 명 〔Personal Communication Service의 약칭〕 가정용 무선 전화기가 발전한 이동 전화 통신. 기존 휴대 전화기와 성능면에서 별 차이가 없으면서, 기지국 설계가 용이하고 단말기(端末機)의 소형화(小型化) 등이 가능하며, 간단한 데이터 전송(電送), 정지 화상(靜止畫像) 등 멀티미디어 정보까지 주고받을 수 있는 장점이 있음. 개인 휴대 통신.

피: 시: 엠【PCM】 명 〔pulse code modulation의 약칭〕 펄스 코드 변조(pulse code 變調). 「목.

피: 시: 침:목【PC枕木】 명 PC 콘크리트로 만든 침목. 콘크리트 침

피시카〔Physica〕 명 〖책〗 아리스토텔레스(Aristoteles)의 저서(著書). 제1권과 제2권은 자연의 원리에 대하여, 제3권은 운동과 무한(無限)에 대하여, 제4권은 장소·시간·공간에 대하여, 제5권 이하에서는 운동과 그 변화에 대하여 서술하였음. 모두 8권. 「에스(PS) 콘크리트.

피: 시: 콘크리:트〔PC concrete〕 명 〔pre-stressed concrete〕 〖화〗 피

피시 크로켓〔fish croquette〕 명 생선으로 만든 크로켓.

피:시: 통신【PC通信】 명 〖컴퓨터〗 개인용 컴퓨터를 전화 회선 등의 공중 통신망이나 전용 회선 및 모뎀에 접속하여 원격지의 컴퓨터와 정보를 주고받는 일.

피시-플레이트〔fishplate〕 명 〖공〗 레일의 결합 부분의 붙임판.

피: 시: 피:〔P.C.P.〕 명 '펜타클로로페놀(pentachlorophenol)'의 약칭.

피:식-자【被食者】 명 〖생〗 생물의 먹이 관계로 보아 잡아먹히는 생물. 일반적으로 포식자보다 몸이 작고 운동력도 작지만 개체수(個體數)는 많음. 먹이 연쇄(連鎖)의 단위의 일부. ↔포식자(捕食者).

피:식 혈액형【P式血液型】 명 〖의〗 혈액형의 하나. 1927년에 랜드스타이너(Landsteiner) 등에 의하여 발견된 항혈청(抗血清)으로, 이것은 사람의 혈청(血清) 중에도 있으나 응집소가(凝集素價)는 낮음. 이 값이 높은 것은 토끼의 혈청 중에서 발견됨. 이 항혈청은 낮은 온도에서 잘 반응하며 임상적(臨床的)으로는 중요하지 아니하나, 법의학(法醫學)·유전학·인류학 상으로 응용되며, P_1, P_2 등으로 분류함.

피:신【避身】 명 몸을 숨기어 피함. ――-하다 자여불

피:신-처【避身處】 명 피신하는 장소.

피:아【彼我】 명 그와 나. 저편과 우리편. ¶~의 이해 관계.

피:아-간【彼我間】 명 그와 나와의 사이. ¶~에 격전이 벌어지다.

피아-골 명 〖지〗 지리산의 주봉(主峰)의 하나인 반야봉(般若峰)에서 연곡사(鷰谷寺)에 이르는 계곡(溪谷). 단풍이 좋음. 한자로 직전(稷田)으로 표기되기도 함.

피아노[1]〔piano〕 명 〖악〗 〔pianoforte의 약칭〕 건반(鍵盤) 악기의 한 가지. 큰 공명 상자(共鳴箱子) 속에 있는 철골(鐵骨)에 85줄 이상의 금속현(金屬絃)을 치고, 타현(打絃) 장치를 하여, 건반을 손가락 끝으로 눌러서 약음(弱音)과 강음(強音)을 마음대로 낼 수 있게 되었음. 독주(獨奏)·반주(伴奏)에 쓰이고, 또 합주(合奏)에도 쓰임. 1709년에 이탈리아 사람 크리스토포리(Cristofori, B.)에 의하여 고안(考案)되었으며, 그랜드 피아노(grand piano)와 업라이트 피아노(upright piano)가 있음. 양금(洋琴). 강금(鋼琴). *풍금(風琴).

〈피아노[1]〉

피아노[2]〔이 piano〕 명 〖악〗 '약하게'의 뜻. 기호:p. ↔포르테(forte).

피아노 사:중주【一四重奏】 명 〔piano quartet〕 〖악〗 실내악(室內樂)의 하나. 피아노 하나, 바이올린 하나, 비올라 하나, 첼로 하나의 합주(合奏). 또, 그 곡(曲). 피아노 콰르텟.

피아노 삼중주【一三重奏】 명 〔piano trio〕 〖악〗 실내악의 하나. 피아노 하나, 바이올린 하나, 첼로 하나의 합주. 또, 그 곡. 피아노 트리오.

피아노-선【一線】 명 〔piano wire〕 〔원래 피아노현(絃)으로 사용한데서 이름〕 탄소(炭素) 함유량이 0.65~0.9% 정도의 고탄소강(高炭素鋼)을

재료로 하여, 여기에 특수한 열처리를 하고 냉간 발취 가공(冷間拔取加工)을 하여 만든 강선(鋼線). 피아노 기타의 현(絃) 외에 와이어로프, 용수철이나 기계·건축 재료 따위에도 쓰임.

피아노 소나타 [piano sonata] 명 『악』 피아노 독주를 위한 소나타. 하이든·모차르트·베토벤 등 빈(Wien) 고전 악파에 의하여 모음곡에서 발전, 완성됨. 피아노 주명곡(奏鳴曲).

피아노-스코어 [piano-score] 명 『악』 관현악곡(管絃樂曲)이나 실내악곡(室內樂曲) 등을 피아노용(用)으로 편곡(編曲)한 곡.

피아노 아코:디언 [piano accordion] 명 『악』 우수부(右手部)에 건반을 갖춘 아코디언. 버튼식(式)에 대(對)한 호칭임.

피아노 오:중주 【一五重奏】 명 [piano quintet] 『악』 실내악(室內樂)의 하나. 피아노 하나, 바이올린 둘, 비올라 하나, 첼로 하나의 합주. 또, 그 곡. 피아노 퀸텟.

피아노 쿼텟 [piano quartet] 명 『악』 피아노 사중주(四重奏).

피아노 퀸텟 [piano quintet] 명 『악』 피아노 오중주(五重奏).

피아노 트리오 [piano trio] 명 『악』 피아노 삼중주(三重奏).

피아노-포르테 [이 pianoforte] 명 『악』 ①악기(樂器). '피아노'의 본래 이름. 강약의 소리가 자유로이 나는 악기의 뜻. ②강약 기호의 하나. '처음은 약하게, 차츰 강하게'의 뜻. 기호:pf.

피아노 협주곡 【一協奏曲】 [piano] 명 『악』 협주곡의 하나. 독주(獨奏)악기(樂器)로서의 피아노와 관현악(管絃樂)에 의한 연주곡. 피아노 콘체르토.

피아놀라 [pianola] 명 『악』 자동(自動) 피아노.

피아니노 [이 pianino] 명 『악』 소형(小形) 피아노.

피아니스트 [pianist] 명 『악』 피아노의 연주자(演奏者). 피아노를 연주하는 음악가.

피아니시모 [이 pianissimo] 명 『악』 '피아노(piano)보다 약하게'의 뜻. 기호:pp. ↔포르티시모(fortissimo).

피아니시시모 [이 pianississimo] 명 『악』 '피아니시모보다 더 약하게'의 뜻. 기호:ppp.

피: 아:르 【P.R.】 명 [public relations의 약칭] 홍보(弘報)·공중(公衆) 관계라고 번역됨. 관청·기업체·단체 등이 그 사업 내용과 취지를 널리 대중에게 알리는 선전. 흔히 사업 시책·사업 내용·주의 주장(主義主張)·상품 따위에 관하여 선전하게 되는데, 때로는 자기 선전(自己宣傳)의 뜻으로도 쓰임. 피 아르 운동. ¶~ 활동.

피: 아:르 광:고 【P.R. 廣告】 명 생산 업자가 자기의 사업 내용·경영 방침·사회적 봉사 활동 등을 일반 대중에게 널리 알림으로써 호감과 지지를 얻는 것으로, 상품 광고와는 구별됨.

피: 아:르 영화 【P.R. 映畫】 명 [public relations film] 『연』 기업체가 종업원·주주·고객·은행 등을 포함한 일반 공중(公衆)에게 자가 선전을 효과적으로 하기 위하여 상품의 제조, 그 사용 방법 또는 경영체(經營體)의 사업 경과 등을 추려서 만든 영화.

피: 아:르 운:동 【P.R. 運動】 명 『사』 피 아르(P.R.).

피: 아:르 카: [P.R. car] 명 [public relations car의 약칭] 차내(車內)에 녹음기·확성기 등을 설비하여 놓고 도시·농촌을 이동하면서 선전하는 데 사용하는 자동차. 방송국 같은 데서 이용함.

피: 아:르 티: 【PRT】 명 [Personal Rapid Transit System의 약칭] 자동차의 혼잡·공해·사고 등 도시의 교통 위기 해결책으로서 자동차를 대신하는 새로운 도시 교통 시스템. 시 브이 에스(CVS)와 같이, 컴퓨터로 제어(制御)하여 도중 정거하지 아니하고 목적지까지 직접 수송하는 방식임. 개별용 고속 수송(個別用高速輸送) 시스템.

피아-말 명 〈방〉 피마.

피아스터 [piaster] ㊀ 의명 아라비아·이집트·터키·루마니아·베트남 등지의 화폐 단위. ㊁ 명 스페인·멕시코 등지의 옛 화폐.

피: 아이 피: 【PIP】 명 텔레비전의 본화면, 곧 주(主)화면 중에 작은 화면, 곧 부(副)화면이 한 귀퉁이에 동시에 비치는 방식. 두 가지 프로그램을 동시에 볼 수 있게 한 기법임. 픽처 인 픽처(picture in picture).

피아제 [Piaget, Jean] 명 『사람』 스위스의 심리학자·교육학자. 아동에 있어서의 언어, 갖가지 과학적 개념, 도덕성(道德性)의 발달 과정의 해명에 새로운 분야를 개척함. 로잔·제네바 각 대학의 교수 역임. 또, 유네스코를 통해 교육의 개혁과 보급에 진력(盡力)함. ≪아동의 언어와 사고≫·≪아동의 세계관≫ 등 다수의 저서가 있음. [1896-1980]

피아체타 [Piazzetta, Giovanni Battista] 명 『사람』 이탈리아의 화가. 베네치아의 후기 바로크 회화(繪畫)를 대표하는 화가로, 종교화 외에 풍속화·초상화도 잘 그렸음. 대표작에 ≪성(聖) 도미니쿠스의 승리≫·≪여자 예언자≫ 등이 있음. [1682-1754]

피아치 [Piazzi, Giuseppe] 명 『사람』 이탈리아의 천문학자. 1801년 소행성(小行星) 제1호 케레스(Ceres)를 발견, 7,646개의 항성(恒星)의 목록을 만들고 광행차 상수(光行差常數)·행성의 시차(視差)를 측정(測定)함. [1746-1826]

피아트 회:사 【一會社】 [FIAT] 명 이탈리아 자동차 생산의 90%를 차지하는 이 나라 최대의 민간 자동차 회사. 1899년 이탈리아 토리노 자동차 회사(Fabbrica Italiana Automobili Torino)로 출발하여 각종 자동차를 생산함. 항공기·철도 차량·각종 기계도 제작함.

피아티 [이 Piatti] 명 『악』 심벌즈(cymbals).

피아티고르스키 [Piatigorsky, Gregor] 명 『사람』 러시아 출생의 미국 첼로 연주가. 현대 굴지의 첼로 명수로서 1929년 도미하여 귀화하였고, 루빈슈타인(Rubinstein) 등과 함께 삼중주단을 조직하였음. 1956년 우리 나라에서도 공연한 바 있음. [1903-76]

피아프 [Piaf, Edith] 명 『사람』 프랑스의 여류 샹송 가수·영화 배우. 힘차고 정감이 넘치는 노래로 샹송계(界)의 제1인자가 됨. J. 콕토가 그를 위해 쓴 일인극 ≪냉담한 미남≫ 이래 여배우로서도 각광을 받음. '파담 파담'·'장밋빛 인생'·'사랑의 찬가' 등의 히트곡(曲)이 있음. [1915-63]

피:안 【彼岸】 명 [범 pāram] 『불교』 [생사의 경계를 차안(此岸)으로 하고, 번뇌를 중류(中流)로 하는 것에 상대되는 말] 이승의 번뇌를 해탈하여 열반(涅槃)의 세계에 도달하는 일. 또, 그 경지. ↔차안(此岸).

피-안다미조개 명 『조개』 피조개.

피암 명 〈방〉 파임[1].

피:-압박 【被壓迫】 명 압박을 당함.

피:압박 계급 【被壓迫階級】 명 지배 계급으로부터 압박을 받는 계급.

피:압박 민족 【被壓迫民族】 명 타민족으로부터 정치적 또는 경제적으로 압박을 받는 민족.

피:압 지하수 【被壓地下水】 명 자유 지하수보다 아래에 있으며 두 개 이상의 불투수층(不透水層) 사이의 투수층(透水層)에 괴어 있는 지하수. 대기압보다 큰 압력을 가지며 때로는 지상에 분출함.

피앙세[1] [프 fiancé] 명 남자인 약혼자(約婚者). 결혼을 약속한 남자.

피앙세[2] [프 fiancée] 명 여자인 약혼자. 결혼을 약속한 여자. 약혼녀(約婚女).

피어 [Pierre] 명 『지』 미국 사우스다코다 주(South Dakota 州)의 주도. 미주리 강(Missouri 江) 동안(東岸)에 위치하며, 지방 농산물·축산물의 집산지임. [12,906 명 (1990)]

피어 기초 【一基礎】 명 [pier foundation] 『토』 경질 기반(硬質基盤)이 건물의 기초보다 깊은 경우, 거기까지 건물의 하중(荷重)을 전달시켜 상부 구조물을 지탱하기 위하여 기초밑에 설치하는 우물통 모양의 기초. 철근 콘크리트로 만듦.

피어-나다 자 ①꺼져 가던 불이 다시 살아나다. ¶탄불이 ~. ②곤란한 형편이 차츰 풀리게 되다. ¶살림이 ~. ③ 거의 죽게 된 사람이 다시 깨어나다. ④꽃 따위가 피게 되다. ⑤성하여지거나 좋아지다. ¶활짝 피어나라 어린이들아.

피어리 [Peary, Robert Edwin] 명 『사람』 미국의 탐험가. 그린란드를 수차 탐험, 1909년 최초로 북극점(北極點)에 도달했음. [1856-1920]

피어슨[1] [Pearson, Karl] 명 『사람』 영국의 수리 통계학자·우생학자. 런던 대학 교수. 처음 응용 수학을 연구, 후에 우생학·생물 통계학을 연구함. 피어슨파(派) 수리 통계학을 창시하고, ≪과학의 문법≫으로 과학론을 전개하였음. [1857-1936]

피어슨[2] [Pearson, Lester Bowles] 명 『사람』 캐나다의 정치가·외교관. 1948년에 외상, 1952년 제7회 유엔 총회 의장을 역임하고, 1957년에 노벨 평화상을 받음. 1958년 자유당 당수가 되고, 1963년 수상(首相)이 됨. 주저(主著)에 ≪핵시대(核時代)의 외교≫가 있음. [1897-1972]

피언 【詖言】 명 피사(詖辭).

피에로 [프 pierrot] 명 ①『연』 고대 프랑스의 무언극(無言劇)에 나타난 어릿광대. 얼굴에 흰 분 또는 붉은 색을 칠하고, 이상야릇한 흰 옷을 입었으며 둥근 모자를 썼음. ②우스꽝스러운 말이나 동작으로 남을 웃기는 사람. 어릿광대.

피에로 델라 프란체스카 [Piero della Francesca] 명 『사람』 이탈리아의 화가. 초기 르네상스 회화의 대가(大家). 특히 선(線) 원근법 외에 공기(空氣) 원근법까지도 추구한 점에서 시대의 선구적 존재임. 화풍은 동감(動感)이 부족하나 장중(壯重)하고 모뉴멘털한 효과를 나타내고 있음. 대표작에 ≪성십자가 이야기≫·≪그리스도의 세례≫ 등이 있음. [1420 ? -92]

피에롱 [Piéron, Henri] 명 『사람』 프랑스의 심리학자. 고전적인 의식(意識) 심리학에 대하여 행동 심리학을 제창, 연구 범위가 매우 넓으며 특히 감각의 실험적 연구에 의한 공적이 큼. [1881-1964]

피에르네 [Pierné, Gabriel] 명 『사람』 프랑스의 지휘자·작곡가. 콜론(Colonne) 관현악단의 지휘자로서 활약. 작품에 ≪소년 십자군(少年十字軍)≫ 등이 있음. [1863-1937]

피: 에스[1] 【PS】 명 [도 Pferdestärke의 약칭] 마력(馬力).

피: 에스[2] 【P.S.】 명 [postscript의 약자] 추서(追書). 추신(追伸).

피: 에스 광:고 【PS 廣告】 명 [point of sales advertisement] 상품을 판매하는 시점(時點)·지점(地點)에서의 광고.

피: 에스 방식 【PS 方式】 명 [production-sharing system] 『경』 개발 수입 방식의 하나. 개발 도상국이나 미개발 지역에 개발 자재나 기술을 수출 또는 제공하고 그것에 의해 생산품을 수입하는 방식.

피: 에스 콘크리:트 [PS concrete] 명 [pre-stressed concrete] 장력(張力)의 강도(強度)를 보강한 철근 콘크리트 제품. 피아노선(piano 線)과 같은 강선(鋼線)을 양 끝에서 잡아당긴 채 콘크리트로 굳힌 것. 피 시(PC). 피 시 콘크리트. 프리스트레스트 콘크리트.

피: 에스 티: 【P.S.T.】 명 [Pacific Standard Time의 약칭] 태평양 표준시(標準時).

피: 에스 판 【PS 版】 명 [presensitized plate] 『인쇄』 감광액(感光液)이 미리 도포(塗布)되어 있는 판재(版材). 네가티브 또는 포지티브로부터 구워내면 즉시 인쇄판이 됨. 알루미늄판을 판재로 하여 오프셋 인쇄에, 아연판(亞鉛版)을 판재로 하여 철판(凸版) 인쇄에 이용됨.

피: 에이 【P.A.】 명 [purchase acknowledgement의 약칭] 구매 승인서(購買承認書).

피: 에이치 [pH, PH] 명 『화』 페하.

피: 에이치 티: 【P.H.T.】 명 [put husband through의 약칭] 직장 생활 등으로, 공부하는 남편의 학비를 부담하는 아내.

피에조 [piezo-] 관 『물』 압력(壓力)에 관계하는 현상에 관형적(冠形的)으로 쓰이는 말.

피에조 저:항 효:과 【一抵抗效果】 명 [piezoresistance effect] 『물』 압전(壓電) 효과.

피에조 전:기 【一電氣】 명 〔piezoelectricity〕 『물』 압전기(壓電氣).

피에조 전:기계 【一電氣計】 〔piezo〕 명 『물』 압전기계(壓電氣計).

피에타 〔이 Pietà〕 명 기독교(敎) 미술의 주제의 하나. 십자가에서 내린 그리스도의 시체를 무릎 위에 놓고 애도하는 마리아를 표현함. 중세기 말부터 르네상스기(期)의 조각·회화에서 많이 볼 수 있음. 바티칸의 산 피에트로 대성당의 미켈란젤로의 조각이 유명함.

피에토어 〔Viëtor, Wilhelm〕 명 『사람』 독일의 언어학자·음성학자. 마르부르크(Marburg) 대학의 영어 교수였으며, 저서로는 ≪음성학 원리≫가 있음. [1850-1910]

피: 에프 〔pf〕 명 〔piano forte〕 『악』 '여리게 그리고 곧 세게'의 뜻.

피: 엑스 【P.X.】 명 〔Post Exchange의 약칭〕 군매점(軍賣店).

피: 엔 데시벨 〔PN decibel〕 의명 감각 소음 데시벨.

피: 엔 시: 【PNC】 명 〔Palestine National Council의 약칭〕 팔레스타인 민족 평의회(民族評議會).

피: 엔 엘 【PNL】 명 〔perceived noise level의 약칭〕 감각 소음 기준(感覺騷音基準). *이 시 피 엔 엘(ECPNL).

피: 엔 접합 【pn接合】 명 『물』 하나의 반도체 단결정(單結晶)을 극히 얇은 층을 경계로 하여 한쪽을 p형, 다른 한쪽을 n형이 되도록 만들 때, 그 경계면에 나타나는 정류(整流) 현상 등의 특이(特異)한 움직임.

피: 엘 오: 【P.L.O.】 명 〔Palestine Liberation Organization의 약칭〕 팔레스타인 해방 기구.

피: 엠 【P.M.,p.m.】 명 〔라 post meridiem의 약칭을 영어 식으로 읽은 것〕 오후(午後). 예를 들면, 오후 3시는 '3P.M.', 오후 5시 30분은 '5:30P.M.' 처럼 적음. ↔에이 엠❶.

피:역 【避役】 명 『역』 ①노비가 역(役)을 피하여 도망함. ②입역(入役)해야 할 사람이 고의적으로 역을 피함. ——-하다 자여불

피연¹ 【疲軟】 명 기운이 없고 느른함. ——-하다 형여불

피연² 【被鉛】 명 전력 케이블(cable)·통신 케이블 등의 케이블을 기계적으로 보호하고 수분 등의 영향을 막기 위하여 납 또는 납의 합금으로 케이블을 싸는 일. 또, 그 납. ——-하다 타여불 「타여불

피열 【披閱】 명 서류 따위를 펴서 조사함. 펴서 샅샅이 봄. ——-하다

피열 연:골 【披閱軟骨】 〔一련一〕 명 『의』 후두(喉頭) 연골의 하나. 갑상(甲狀) 연골과 같이 성대(聲帶)의 부착점(附着點)이 되며 성문(聲門)의 개폐(開閉)에 관계함.

피: 오: 【P.O.】 명 『경』 〔private offering의 약칭〕 상장주(上場株)의 시세 격변을 피하려고 거래소(去來所)의 승인을 얻어 거래소 밖에서 시가(時價)를 기준으로 상장주(上場株)를 매매하는 일.

피: 오: 더블유 【P.O.W.】 명 〔Prisoner of War의 약칭〕 포로(捕虜).

피오르 〔노 fjord〕 명 『지』 육지 깊숙이 들어간 좁고 긴 만. 양쪽 기슭이 급경사지고 횡단면은 일반적으로 U자형을 이룸. 빙식곡(氷蝕谷)이 침강(沈降)한 것으로 간주되며, 스칸디나비아 반도·남아메리카 남단(南端) 등지에서 볼 수 있음. 협만(峽灣).

피오리아 〔Peoria〕 명 『지』 미국 일리노이 주(州) 중앙부의 도시. 일리노이 강(江)에 면한 교통의 요지로, 부근에 석탄의 산지가 있으며 농업 기계·식품 가공·화공 약품 등의 공업이 발달함. 또, 곡물·가축의 거래도 성함. [113,504명(1990)]

피: 오: 에스 【P.O.S.】 명 〔point of sales의 약칭〕 전자식 금전 등록기(電子式金錢登錄機)·정찰(正札) 판독 장치 등을 컴퓨터에 연동(連動)시켜, 상점에서 즉시로 상품 데이터를 관리하는 시스템. 이것에 의하여 판매장의 매상(賣上) 정보가 바로 파악되므로 재고 관리·상품 관리를 행할 수 있음.

피-오줌 명 『의』 혈뇨(血尿).

피: 오: 피: 【P.O.P.】 명 〔printing out paper의 약칭〕 사진 인화지(印畫紙)의 한 가지. 햇빛 또는 강한 전등으로 구워서 도금(鍍金)하여 만든 것으로 지금은 많이 쓰지 아니함.

피: 오: 피: 광:고 【P.O.P.廣告】 명 〔point of purchase advertising〕 광고 상품이 소비자에 의하여 최종적으로 구입되는 장소, 곧 소매상의 상점이나 그 주위에서의 일체의 광고를 말함. 옥외(屋外)의 간판·포스터 패널(poster panel), 상점 내의 진열장과 천장·선반 등에 달린 페넌트(pennant) 따위가 모두 포함됨.

피:왈 【彼曰】 명 『역』 신라 때 향직(鄕職)의 하나. 경위(京位)의 제16위인 소오(小烏)와 같은 외위직(外位職). 아척(阿尺)의 위. 피일(彼日). *외위(外位)·일벌(一伐).

피:용-자 【被傭者】 명 고용된 사람. 노동 계약에 따라 임금(賃金)을 받고 노동에 종사하는 사람. 피고용자.

피우 〔이 più〕 명 『악』 '더, 더욱'의 뜻.

피우다 타 ①피게 하다. ¶숯불을 ~/꽃을 ~. ②담배를 빨아 연기를 코나 입으로 내보내다. ¶담배를 ~. ③난봉·소란 따위 행동을 부리다. ¶말썽을 ~/난봉을 ~/어리광을 ~. ④수단·재주·계교 등을 나타내다. ¶재주를 ~. ⑤냄새나 먼지 따위를 퍼뜨리거나 일으키다. ¶향내를 ~. ㊂피다.

피우메 〔Fiume〕 명 『지』 '리예카(Rijeka)'의 이탈리아어명.

피우스 십세 【一十世】 〔Pius Ⅹ〕 명 『사람』 '비오 십세(Pio十世)'의 라틴어 이름.

피우스 십이세 【一十二世】 〔Pius Ⅻ〕 명 『사람』 '비오 십이세(Pio十二世)'의 라틴어 이름.

피우스 십일세 【一十一世】 〔Pius Ⅺ〕 〔一쎄〕 명 『사람』 '비오 십일세(Pio 十一世)'의 라틴어 이름.

피위 【被位】 명 『불교』 선종(禪宗)에서, 승당(僧堂) 안에서 운수(雲水)가 좌선(座禪)하는 좌석. 식사 때의 좌석인 발위(鉢位)에 대한 말임.

피:위: 골프 〔peewee golf〕 명 베이비 골프.

피육 【皮肉】 명 가죽과 살.

피육 불관 【皮肉不關】 명 아무런 관계가 없음. ——-하다 자여불

피율 【皮栗】 명 겉밤.

피읖 명 『언』 한글 자음 'ㅍ'의 이름.

피:의¹ 【被疑】 〔一/一이〕 명 의심을 받음. 혐의를 받음. ¶~ 사실.

피의² 【跛倚】 〔一/一이〕 명 한쪽 다리만으로 서서 몸을 다른 것에 기댐. ——-하다 자여불

피의 일요일 【一日曜日】 〔一/一에一〕 명 『역』 1905년 1월 22일, 러시아력으로 9일인 일요일, 러시아의 수도 페테르부르크에서 일어난 학살 사건. 가폰(Gapon, G.A.) 신부가 이끄는 노동자와 그 가족 14만 명이 생활고의 구제, 제헌 의회 소집(制憲議會召集) 등을 호소하는 청원서를 가지고 동궁(冬宮)으로 행진하던 도중, 대기하던 군대의 일제 사격으로 사망자 1,000명 이상, 부상자 2,000명 이상을 낸 사건. 제1차 러시아 혁명의 발단이 됨.

피:의-자 【被疑者】 〔一/一이一〕 명 『법』 범죄의 혐의는 받았으나 아직 기소(起訴)되지 아니한 사람. 용의자(容疑者).

피이다 타 〈방〉 피우다.

피: 이: 아:르 【PER】 명 〔price earning ratio의 약칭〕 『경』 주가 수익률(株價收益率).

피: 이: 아:르 티: 【PERT】 명 『경』 퍼트¹(PERT).

피익-목 【皮翼目】 명 『동』 〔Dermoptera〕 포유류에 속하는 한 목(目). 두동(頭胴)은 40cm 정도로 고양이만하고, 배면(背面)은 암회갈색(暗灰褐色)으로 불규칙한 흰 반점이 있음. 체측(體側)에 날다람쥐 같은 비막(飛膜)이 있어 나무와 나무 사이를 활공(滑空)함. 낮에는 네 발로 나무에 매달려 자다가 밤에 활동하며 나무열매나 잎을 먹음. 말레이박쥐원숭이와 필리핀박쥐원숭이의 2종이 있음.

피:인 【彼人】 명 ①저 사람. ②외국 사람.

피:일 【彼日】 명 『역』 피왈(彼曰).

피:일시 차일시 【彼一時此一時】 〔一씨 一씨〕 명 차일시 피일시(此一時彼一時). 일시 일시(一時一時).

피-일휴 【皮日休】 명 『사람』 중국 당대(唐代)의 시인. 후베이(湖北) 출생. 자는 습미(襲美). 867년 임관, 태상 박사(太常博士)에까지 올랐으나 황소(黃巢)의 난(亂) 때 붙들려서 죽음. 만당(晩唐)의 시인으로서 육구몽(陸龜蒙)과 더불어 피육(皮陸) 2대 시인이라 불리었음. 저서에 ≪피자 문수(皮子文藪)≫가 있음. [?-880]

피:임¹ 【被任】 명 어떤 자리에 임명됨. ¶교장에 ~되다. ——-하다 자여불

피:임² 【避妊】 명 인위적으로 임신(姙娠)을 피하는 조치를 하는 일. 대개 산아 조절(産兒調節) 또는 모체(母體)의 생명에 위험(危險)을 가져올 경우에 수정(受精)을 피하여 임신을 못 하게 함. ¶~약(藥). ——-하다 자여불

피:임-구 【避妊具】 명 피임을 위한 기구. 콘돔·페서리·피임 링 따위.

피:임 링 【避妊一】 〔ring〕 명 피임구의 하나. 월경 후 일 주일째쯤에 링을 자궁 안에 넣음. 피임 루프(loop).

피:임-법 【避妊法】 〔一뻡〕 명 피임하는 방법. *불임법(不姙法).

피:임 수술 【避妊手術】 명 불임(不姙) 수술.

피:임-약 【避妊藥】 〔一냑〕 명 피임제.

피:임-제 【避妊劑】 명 『의』 피임의 목적으로 사용하는 약제. 정자(精子)를 죽이는 약임. 피임약.

피자 〔이 pizza〕 명 밀가루 반죽 위에 토마토·치즈·피망·고기·향료 따위를 얹어 둥글넓적하게 구운 파이.

피:자극-성 【被刺戟性】 명 〔irritability〕 『생』 자극을 받아들이는 성질. 자극에 반응하여 흥분을 일으키는 성질. 모든 생활 세포가 지닌 일반적인 성질로서, 최근에는 세포막의 특이한 이온의 선택 투과성(透過性)에 의하여 표현되는 성질임이 알려짐. 조직에 따라 자극에 대한 역치(閾値)가 다름.

피:자극성 형체 【被刺戟性形體】 명 〔irritable structure〕 『생』 피자극성이 특히 발달된 조직 또는 기관(器官). 신경(神經)·근육(筋肉)·수용기(受容器) 따위를 가리킴.

피:자 식물 【被子植物】 명 『식』 속씨 식물. ↔나자(裸子) 식물.

피-잣: 명 〈방〉 겉잣.

피장¹ 【皮匠】 명 『역』 ↗피색장(皮色匠).

피장² 【皮張】 명 『역』 조선 시대에, 가죽이 붙은 채로의 사냥감의 일컬음.

피:장 봉호 【避獐逢虎】 명 〔노루를 피하다가 호랑이를 만났다는 뜻으로〕 작은 해를 피하려다가 큰 화를 당함의 비유.

피:장부 아:장부 【彼丈夫我丈夫】 명 〔그가 장부면 나도 장부라는 뜻으로〕 사람이 가지는 지능은 비슷하여 노력 여하에 따라서 훌륭하게 될 가능성이 있음을 이르는 말.

피:장 영양법 【避腸營養法】 〔一녕一뻡〕 명 『의』 소화관을 경유하지 않고 주로 주사 형식에 의하여 환자에게 영양을 보급하는 방식. 피하 주사로는 생리적 식염수·링게르액(液)·4-5% 포도당 용액 등을 한 번에 500-1,000cc씩 주입(注入)하며, 정맥 주사(靜脈注射)로는 혈액·플라스마 용액·20% 포도당 용액 등 농도(濃度)가 높은 것을 사용함. *경관(經管) 영양법.

피장-파장 명 상대편의 행동에 따라 그와 동등한 행동으로 맞서는 일을 일컫는 말. ¶~이다. *피차 일반.

피장-패장 명 〈방〉 피장파장.

피:재¹ 【被災】 명 재해를 입음. ——-하다 자여불

피:재² 【避災】 명 재해(災害)를 피함. ——-하다 자여불

피:재-지 【被災地】 명 지진·해일 등 재난을 당한 곳.

피:적분 함:수【被積分函數】[—쑤] 명 〖수〗 적분되는 함수. 정(定)적분 $\int_a^b f(x)dx$, 부정(不定) 적분 $\int f(x)dx$에 있어서의 $f(x)$.

피전[1] 명 ☞피천[1].

피전[2]【披展】명 개진(開陳)함. 편지 따위를 펴 봄. ——-하다 타여불

피:전[3]【避殿】명 〖역〗 나라에 재이(災異)가 있을 때 임금이 근신하는 뜻으로, 궁전(宮殿)을 떠나 행궁(行宮)이나 별서(別墅)에 옮겨 거처하던 일. ——-하다 자여불

피:-전자【P電子】명 〔P electron〕 원자핵(原子核)을 둘러싼 전자(電子)의 피(P)껍질 속의 전자. 주양자수(主量子數)가 6임. ＊케이(K) 전자·피(P)껍질.

피:점령-국【被占領國】[—녕—] 명 남의 나라에 의해서 자기 판도(版圖)를 점령 당한 나라. ↔점령국(占領國).

피:점령지 회전 기금【被占領地回轉基金】[—녕—] 명 〔Revolving Fund in Occupied Area〕〖역〗 1948년 미국 의회(議會)를 통과한 피점령지 회전 기금법에 의거한 기금. 미국 정부가 피점령 지역인 일본·독일 등에 잉여 농산물을 공급하여 이것을 가공해서 수출토록 하는 데 쓰였음. ㊢회전 기금.

피:접【避接】명 →비접. ¶동궁께옵서 환후 미류하시와 여염으로 ~을 납시었다 하니…《朴鍾和 : 錦衫의 피》. ——-하다 자여불

피:정【避靜】명 〖천주교〗 일상 생활의 모든 업무를 피(避)하여, 성당(聖堂)이나 수도원 같은 곳에 가서 조용히 장시간 동안 자신을 살피며, 기도하는 일. ——-하다 자여불

피:-정복【被征服】명 정복을 당함. ¶~ 민족.

피:제-수【被除數】[—쑤] 명 〖수〗 나눗셈에서 나눔을 당하는 수. 곧, 10÷5=2에서 10을 이름. 나뉨수. 실수(實數). ↔제수(除數)·나뭇수.

피조 〔Fizeau, Armand Hyppolyte Louis〕 명 〖사람〗 프랑스의 물리학자. 1849년 반사경(反射鏡)과 톱니바퀴를 이용하여 광속도(光速度)를 측정(測定)하고, 1851년 운동 물체(運動物體) 속의 광속도를 측정하는 한편 도플러 효과(効果)로부터 별의 시선(視線) 속도를 결정할 수 있음을 밝힘. [1819-96]

피-조개 명 〖조개〗 〔*Anadara broughtonii*〕 돌조갯과에 속하는 조개. 몸은 달걀꼴이며 길이 12cm, 높이 9cm, 나비 7.5cm 가량임. 각정(殼頂)에서 복연(腹緣)으로 42-43개의 융기(隆起)한 방사맥(放射脈)이 있으며, 각표(殼表)는 암갈색의 비늘 모양의 각피(殼皮)로 덮였고 내면은 백색이며, 각정부(殼頂部)의 선(線)은 일직선임. 6-9월에 산란(產卵)하며, 깊이 10-40m의 바다 진흙 속에 서식(棲息)하는데, 한국의 동남해와 일본 등지에 분포함. 피안다미조개. ＊새꼬막.

〈피조개〉

피:조-물【被造物】명 조물주(造物主)에 의해서 만들어진 모든 조물(造物). 우주(宇宙)의 삼라 만상(森羅萬象).

피:조언자 중심 요법【被助言者中心療法】[—뻡] 명 〖심〗 비지시적(非指示的) 요법.

피졷다 타 〈옛〉 자자 지르다. =피좃다. ¶安樂國의 ᄂᆞᄎᆞᆯ 피좃고 쫏ᄂᆞ니라《月釋 Ⅷ:9》.

피좃다 타 〈옛〉 자자 지르다. =피졷다. ¶피조ᄋᆞᆯ 경(黥)《字會 下 29》.

피:좌【避座】명 피석(避席)❷.

피:죄【被罪】명 죄를 입음. ——-하다 자여불

피-죽[1] 명 〈방〉 피부.

피-죽[2]【—粥】명 피로 쑨 죽.

피죽도 못 먹었나 구 굶은 사람처럼 맥이 없고 비슬거림을 나무라는 말.

피죽[3]【皮竹】명 ①대의 겉껍질. ②☞ 죽데기.

피죽 바람【—粥—】명 모낼 무렵 오랫동안 부는 아침 동풍과 저녁 서북풍. 이 바람이 불면 흉년이 들어 피죽도 먹기 어렵다 함.

피죽 상자【皮竹箱子】명 대의 겉껍질로 결어 만든 상자의 총칭.

피죽-새 명 〖조〗 지빠귀과에 속하는 밤찌꼬리의 한 종류.

피즈 〔fizz〕 명 ①샴페인·소다수 등의 발포성 음료(發泡性飮料). ②레몬즙(汁)·설탕·탄산수를 탄 알코올 음료. 진(gin) 피즈·카카오 피즈 등.

피지[1] 명 〈방〉 보늬(평북).

피지[2]【皮紙】명 피딱지[1].

피지[3]【皮脂】명 피지선(皮脂腺)에서 나오는 분비물. 지방(脂肪)·세포 잔설(細胞殘屑)·각소(角素) 따위로 이루어짐.

피:지[4]【彼地】명 저 땅.

피지[5] 〔Fiji〕 명 〖지〗 서남 태평양, 뉴질랜드 북쪽의 대소 320여 개의 섬으로 이루어진 공화국. 그 중 약 100개 섬에만 사람이 거주함. 인구의 대부분은 인도 사람과 피지 섬 사람. 설탕·바나나·커피·금 등을 산출함. 1970년 영령(英領)에서 독립함. 수도는 수바(Suva). 정식 명칭은 피지 공화국(Republic of Fiji). [18,272 km²: 730,000명(1990 추계)]

피:지도-자【被指導者】명 지도를 받는 사람.

피지-루【皮脂漏】명 〖의〗 피지선(皮脂腺)의 분비 과다(分泌過多) 증상. 지루(脂漏).

피:지배 계급【被支配階級】명 지배를 당하는 계급. ↔지배 계급.

피지-부존【皮之不存】명 본디부터 없음.

피지-선【皮脂腺】명 〔sebaceous gland〕〖생〗 진피(眞皮) 가운데 있는 작은 선(腺). 모낭(毛囊)의 옆에 있어, 지상물(脂狀物)을 분비하여 표피(表皮)·모발(毛髮)에 광택(光澤)·유연성(柔軟性)·탄력성(彈力性)을 줌. 손바닥과 발바닥 이외의 전신(全身)에 분포되어 있음. 지방선(脂肪腺). 지선(脂腺).

피지-어【—語】〔Fiji〕 명 〖어〗 말라요 폴리네시아 어족(Malayo Polynesia 語族) 멜라네시아 어파(Melanesia 語派)에 속하는 언어. 남태평양의 피지 제도에서 쓰임.

피지어크랫 〔physiocrat〕 명 〖경〗 중농주의자(重農主義者).

피지오크러시 〔physiocracy〕 명 〖경〗 중농주의(重農主義).

피지올러지 〔physiology〕 명 〖생〗 생리학(生理學).

피지컬 〔physical〕 명 ①물리학적(物理學的). ②물질적(物質的). ③육체적(肉體的). ④자연 그대로의 모양.

피직스 〔physics〕 명 〖물〗 물리학(物理學).

피진[1]【皮疹】명 피부에 나타나는 모든 발진(發疹)의 속칭.

피진[2]【披陳】명 생각을 숨기지 아니하고 말함. 사정을 피력 개진함. ——-하다 타여불

피진[3] 〔pidgin〕 명 〔pidgin은 business의 중국식 와음〕 두 개의 언어가 섞여서 된 보조적 언어. 중국의 상항(商港)에서 쓰이는 피진 잉글리시가 대표적임. 영어를 간략화(簡略化)하여 중국어의 문법(文法)을 바탕으로 이야기함.

피질【皮質】명 〖생〗 ①섬모류(纖毛類) 등의 원생 동물로부터 분비하는 한 물질. 몸을 보호하기 위한 포피(包被)를 형성함. ②섬모충(纖毛蟲) 등 원생 동물에서 볼 수 있는 외질(外質). ③조직의 표층부(表層部). 그 조직명을 앞에 붙여 부신(副腎) 피질·대뇌 피질 등으로 부름. ↔수질(髓質).

피질 감:각 실어증【皮質感覺失語症】[—쯩] 명 감각 실어증의 한 가지. 언어 이해의 장애와 함께 서자(書字) 언어의 장애가 있고, 착어(錯語)가 많은 실어증. 베르니케 중추(中樞)의 장애에 의함.

피질 운:동 실어증【皮質運動失語症】[—쯩] 명 운동 실어증의 한 가지. 말을 할 수 없고 언어 이해도 약간 장애되며 모방(模倣) 언어·서자(書字) 언어도 장애되는 실어증. ＊운동 실어증.

피질 최면제【皮質催眠劑】명 〖약〗 직접 대뇌 피질과 그에 관련되는 신경을 마비시키는 최면제. 소량을 복용하면 뇌수면(腦睡眠)만이 일어나고, 대량을 사용하여야만 비로소 체수면(體睡眠)이 일어남. ↔뇌간성(腦幹性) 최면제.

피질하 감:각 실어증【皮質下感覺失語症】[—쯩] 명 감각 실어증의 한 가지. 자발적(自發的) 담화·자발적 서자(書字)·독서 이해 등은 할 수 있으나 남의 언어를 이해하지 못하는 장애. 감각 언어 중추(中樞)와 청각(聽覺) 중추의 연락로(路)의 장애에 의함.

피질하 운:동 실어증【皮質下運動失語症】[—쯩] 명 순수 운동 실어증.

피질 호르몬【皮質—】〔hormone〕 명 〖생〗 코르틴(cortin).

피:집【被執】명 붙들림. 붙잡힘. ——-하다 자여불

피쯔워 〔貔子窩〕 명 〖지〗 중국 랴오둥(遼東) 반도 동안(東岸)에 있는 마을. 부근에 유적이 있는데, 채문 토기(彩文土器)·돌칼 등이 나온 신석기 시대의 분묘와 격(鬲), 곧 병 모양과 언(甗), 곧 시루 모양을 한 삼족(三足) 토기·한식(漢式) 토기·명도전(明刀錢) 등이 출토(出土)함. 비자와.

피:차【彼此】명부 ①저것과 이것. ②서로. ¶~ 마찬가지다.

피:차-간【彼此間】명부 저편과 이편의 사이.

피:차-없다【彼此—】[—업—] 형 두 편이 서로 낫고 못함을 따질 건더기가 없다.

피:차-없이【彼此—】[—업씨] 부 두 편이 서로 낫고 못함을 따질 건더기가 없게.

피:차 일반【彼此一般】명 두 편이 서로 같음. ¶괴로운 것은 ~이다/곤란하기는 ~이다.

피:착【被捉】명 피체(被逮). ——-하다 자여불

피:-착취【被搾取】명 착취를 당함.

피:창【彼蒼】명 하늘. 창천(蒼天).

피:처[1]【彼處】명 저기.

피:처[2] 〔feature〕 명 ①신문의 특집 기사. ②〖연〗 특작품(特作品).

피처[3] 〔pitcher〕 명 야구에서, 투수(投手). ↔캐처(catcher).

피:처 신디케이트 〔feature syndicate〕 명 기획물 기사(企劃物記事)로서, 소논문(小論文)·르포르타주(reportage)·만화 등을 신문사나 잡지사에 파는 통신사.

피처스 마운드 〔pitcher's mound〕 명 야구에서, 투수가 타자에 대한 투구를 하도록 정하여진 장소. 피처스 플레이트(plate)를 중심으로 조금 높게 되어 있음.

피처스 플레이트 〔pitcher's plate〕 명 야구에서, 피처(pitcher)가 공을 던질 때 밟는 판. 투수판(投手板).

피처 인 더 홀 〔pitcher in the hole〕 명 야구에서, 투수가 볼 카운트(ball count) 0-3, 1-3처럼 불리한 조건에 몰리는 일.

피:척【彼隻】명 소송(訴訟) 당사자가 상대편을 서로 이르는 말.

피천[1] 명 아주 적은 액수의 돈. 노린 동전.

[피천 한 잎 없다] 수중에 돈이 한 푼도 없다는 말.

피:천[2]【被薦】명 추천(推薦)을 받음. ——-하다 자여불

피:체【被逮】명 남에게 붙잡힘. 피착(被捉). ¶현장에서 일경(日警)에게 ~되었으나 그는 늠름하였다. ——-하다 자여불

피체티 〔Pizzetti Ildebrando〕 명 〖사람〗 이탈리아의 작곡가. 로마의 산타 체치리아 음악원에서 교육에 종사하며 전통적 양식에 의한 오페라 등을 씀. 대표작인 오페라 《페드라》 외에 관현악·실내악 등이 있음. [1880-1968]

피츠너 〔Pfitzner, Hans〕 명 〖사람〗 독일의 작곡가. 최후의 독일 낭만파로 일컬어지며, 오페라 《팔레스트리나(Palestrina)》 외에 가곡·관현악·실내악 등의 작품이 있음. [1879-1949]

피츠버:그 〔Pittsburgh〕 명 〖지〗 미국 펜실베이니아 주(Pennsylvania 州) 서남부 앨러게니 강(Allegheny 江) 상류에 있는 중공업 도시. 펜실베이니아 탄전의 중심에 위치하는 미국 굴지의 철강 도시이며, 이 밖에

틸로 에틸 벤젠을 얻는 반응 등.

피:-파[1]【P波】명〔P wave〕〖지〗〔제일차파(第一次波)의 뜻인 라틴어 undæ primæ의 약칭〕지진이 일어날 때, 암석(岩石)의 체적변화가 차례 차례로 지각(地殼) 안을 통과하여 전파되는 종파(縱波). 횡파(橫波)보다 빨라서 보통 관측 지점(觀測地點)에 최초로 도달되므로 제일차파(第一次波)라고도 함. 소밀파. ↔ 에스파(S 波).

피파[2]【FIFA】명〔프 Fédération Internationale de Football Association의 약칭〕국제 축구 연맹(國際蹴球聯盟). 1904 년에 창립. 1992 년 현재 가맹국은 178 개국. 4 년에 한 번 열리는 '월드컵 대회'에는 프로 선수도 참가하나, 올림픽 대회에는 아마추어만 참가함.

피파[3]〔pipa〕명〖동〗〔*Pipa americana*〕피파릿과에 속하는 개구리. 남아메리카 원산. 몸길이 약 20 cm, 머리는 삼각형으로 몹시 평평하며, 빛은 검은 갈색임. 특수한 산란 습성(產卵習性)이 있는데, 암컷의 등 피부는 산란기가 되면 스펀지와 같이 비후(肥厚)하며 암컷은 수컷의 도움으로 약 60 개의 알을 1 개씩 등에 파묻음. 암컷은 그 알이 작은 개구리가 될 때까지 등에서 보육함. 물 속에서 삶.

피-파랑이 명〖생〗헤모시아닌(hemocyanin).

피-파리 명〖충〗침파리❶.

피페라진〔piperazine〕명〖화〗흡습성이 있는 무색의 결정. 수용액은 알칼리성이며, 이산화 탄소를 잘 흡수함. 피라진(pirazine)을 나트륨과 알코올로 환원하면 얻을 수 있음. 녹는점 104°C, 끓는점 145°C. 요충·회충의 구충제로 쓰임. [$C_4H_{10}N_2$]

피페로날〔piperonal〕명〖화〗헬리오트로프(heliotrope)의 꽃향기가 나는 무색의 결정(結晶). 공업적으로는 사프롤(safrol)로부터 얻어짐. 특히, 비누의 향료로서 널리 쓰임. 헬리오트로핀(heliotropine). [$C_8H_6O_3$]

피펫〔pipette〕명〖화〗실험 기구의 하나. 일정한 용적(容積)의 액체를 정확히 재는 데에 쓰이는 흡액(吸液) 유리 관.

25ml 15°C

〈피펫〉

피편[1] 명〈옛〉적(敵)의 편. 상대편. ¶ 能히 피편을 制禦ᄒᆞ리오(能制敵敗) ㄴ《初杜諺 XXV:39》.

피편[2]【皮鞭】명 가죽 채찍.

피폐[1]【疲弊】명 지치고 쇠약하여짐. 파폐(罷弊). ¶ ~한 농촌 경제. ――-하다 자여불

피폐[2]【疲斃】명 기운이 지치어 죽음. ――-하다 자여불

피폐-상【疲弊相】명 낡고 쇠약해진 모습. ¶ 농촌의 ~.

피포【被包】명〔epiboly〕〖생〗주로 다세포 동물배(多細胞動物胚)의 발생 초기에, 배표(胚表)의 어떤 부위가 넓어지면서 배의 표면을 덮어 가는 과정. 피복(被覆). ｢자여불

피:폭[1]【被曝】명 방사선에 노출됨. 방사선에 쐬임. ¶ ~ 열량. ――-하다

피:폭[2]【被爆】명 ①폭격을 받음. ②원자탄·수소탄의 폭격을 받음. ¶ ~자(者). ――-하다 자여불

피:폭 열량【被曝熱量】[―녈―] 명 핵폭발(核爆發)이 진행되는 동안에 일정한 표면에 맞는 열방사량(熱放射量)의 수직 성분(垂直成分)의 총량.

피풍【皮風】명〖한의〗피부에 일어나는 풍병. 가려운 증세가 따름.

피프틴〔fifteen〕⊟명 ①정구에서, 제일 처음이나 두 번째의 타격 또는 상대방의 실수로 얻은 득점. 즉, 15 점. ②럭비에서, 한쪽 편. 즉, 15 명. ⊟수 열 다섯.

피:플〔People, The〕명 영국의 신문. 노동당을 지지하는 일요지(日曜紙).

피: 피: 가공【PP加工】명 ↗퍼머넌트 프레스 가공.

피: 피: 비:【ppb】의명〔parts per billion 의 약칭〕십억분율(十億分率). 피 피 엠(ppm)보다 적은 함유량을 표시할 때 씀.

피: 피: 비: 에스【PPBS】명〔planning programming budgeting system 의 약칭〕예산 편성 상의 의사 결정 과정(意思決定過程)에 도입되는 시스템화(化)된 선택의 방식. 1961년 맥나마라가 미국방성 예산 편성에 처음 채용하였음.

피: 피: 시:【PPC】명〔↗plain paper copier〕특수한 감광제(感光劑) 같은 것을 바른 특별한 용지가 아닌, 보통 종이로 복사할 수 있는 복사기(複寫機).

피:피:시: 문화【PPC 文化】명〔plain paper copier 의 약자〕보통 종이로 복사할 수 있는 복사기(複寫機)로 말미암은, 인쇄 문화(印刷文化)를 탈피한 미래 사회의 문화.

피: 피: 에이치 엠〔pphm〕의명〔parts per hundred million 의 약칭〕1 억분의 1 을 나타내는 단위. ppm 의 100 분의 1 에 해당함.

피: 피: 엠[1]【PPM】명〔product portfolio management〕〖경〗기업의 잠재력(潛在力)과 기업 제품의 수요(需要) 성쇠(盛衰)의 주기(週期)로써 기업 제품을 검토하여, 전환해야 할 것, 중점(重點) 투자 할 것, 또는 연구 개발(硏究開發)을 추진(推進)할 것 등을 판별(判別)하는 관리 방법(管理方法).

피:-피:-엠[2]【ppm】명 의명〔parts per million 의 약칭〕농도나 미소한 함유량 등을 나타내는 비율의 단위. 환경 오염 물질의 정도를 나타낼 때 씀. 백만분율. 1 ppm $=10^{-6}$.

피: 피: 유분【pp溜分】명〖화〗〔propane과 propylene 의 약칭〕액화 석유 중의 프로판(propane)·프로필렌(propylene). 유분 용제(溜分溶劑)·석유 화학 원료 등으로 쓰임.

피핀〔Pippin〕명〖사람〗①프랑크 왕국의 분왕국(分王國) 아우스트라시아(Austrasia)의 궁재(宮宰). 카롤링가(家)의 시조(始祖)로, 그 이후 프랑크의 궁재직을 세습(世襲)함. 대(大)피핀이라 칭함. [?-639]. ②프랑크 왕국의 궁재(宮宰). 대(大)피핀의 손자. 처음 프랑크 왕국의 분왕국 아우스트라시아의 궁재. 687년 분왕국 네우스트리아의 궁재 에브로인(Ebroin)을 패배시키고 이후 프랑크 왕국 전체의 궁재가 됨. 중(中)피핀이라 칭함. [?-714]. ③프랑크(Frank) 국왕. 카롤링 왕조(Karoling 王朝)의 시조(始祖). 중(中)피핀의 손자, 카를 대제(大帝)의 아버지. 아버지 카를 마르텔(Karl Martell)에 이어서 궁재(宮宰)가 된 후에, 메로빙(Meroving) 왕조의 힐데리히(Childerich) 3세를 폐하고 즉위, 랑고바르드족(Langobards 族)을 쳐서 라벤나 지방을 빼앗아, 로마 교황 자카리아스(Zacharias)에게 즉위(卽位)를 승인(承認)한 대상(代償)으로 바쳤는데 이것이 교황령(敎皇領)의 기원(起源)이 됨. 소(小)피핀이라 칭함. [714-768]

피핍【疲乏】명 피곤함. 노곤함. ――-하다 형여불

피하【皮下】명〖생〗살가죽의 밑. ¶ ~ 주사.

피하 결합 조직【皮下結合組織】명〖생〗포유류·조류(鳥類)의 진피(眞皮) 밑에 있으며, 근조직·골조직 사이에 있는 조직. 신경·혈관이나 림프관(lymph 管)이 주로 이곳을 지남.

피하 골절【皮下骨折】[―쩔] 명 피부에는 외상(外傷)이 없는 골절.

피하 기름【皮下―】명 피하 지방(皮下脂肪).

피하 기종【皮下氣腫】명〖의〗살가죽 밑에 공기 같은 것의 기체(氣體)가 들어가서 종기같이 된 상태.

피:-하다【避―】자타여불 ①몸을 숨기어 다른 곳으로 옮기다. ¶ 탄환을 ~. ②어떤 자리나 경우에 처하지 아니하도록 하다. ¶ 시선(視線)을 ~. ③행사에 불길한 날을 택하지 아니하다. 기(忌)하다. ¶ 손 있는 날을 ~. ④비·눈 같은 것을 맞지 아니할 곳으로 몸을 옮기다. ¶ 비를 ~.

피하 봉합【皮下縫合】명〖의〗외과(外科)의 봉합술의 한 가지. 상처가 남지 아니하도록 피하 조직으로 봉합하는 일. 얼굴 등 노출부의 봉합에 많이 쓰임. 피내(皮內) 봉합.

피하 수정【皮下受精】명〔hypodermic impregnation〕〖생〗한 개체가 음경(陰莖)으로 상대방 개체의 피부에 상처를 내고, 이 상처에 정자(精子)를 피하 주입(注入)시켜 알을 수정하게 하는 일. 편형(扁形) 동물 와충류(渦蟲類)의 무장목(無腸目)·다기장목(多岐腸目)의 대부분과 단장목(單腸目)·이장목(異腸目)의 소수(少數)에서 볼 수 있는 수정의 한 형태(形態)임.

피하 일혈【皮下溢血】명〔subcutaneous tissue〕〖의〗피하의 혈관이 터져 살가죽 밑에서 피가 나오는 일. 심한 타박(打撲) 등으로 일어남.

피하 조직【皮下組織】명〖생〗척추 동물의 피하(皮下)의 진피(眞皮) 아래에 있는 조직. 포유류·조류(鳥類)는 지방 조직(脂肪組織), 양서류는 림프낭(lymph 囊)임.

피하 주:사【皮下注射】명〖의〗피하에 놓는 주사. *근육 주사.

피하 지방【皮下脂肪】명〖생〗포유류의 피부의 피하 조직에 다량으로 포함되어 있는 지방 조직(組織). 영양분의 저장(貯藏), 체온의 보존(保存) 등의 기능(技能)을 맡음. 사람의 경우, 여성이 남성보다 훨씬 발달되어 있음. 피하 기름.

피하 출혈【皮下出血】명〖의〗내출혈(內出血).

피:학대 성:욕 도:착증【被虐待性慾倒錯症】명〖의〗마조히즘.

피:학대 음란증【被虐待淫亂症】[―난쯩] 명〖의〗마조히즘.

피한[1]【皮漢】명〈속〉피장(皮匠). ｢――-하다 자여불

피:한[2]【避寒】명 추위를 피하여 따뜻한 곳으로 옮김. ↔피서(避暑).

피:한-지【避寒地】명 피한하기에 알맞은 곳. 또, 피한하여 있는 곳. ¶ ~로의 여행.

피:-항법【避航法】[―뻡] 명 항로(航路)에 있는 위험물이나 장애물을 피하는 항법.

피:해[1]【被害】명 재산·명예·신체 상의 손해를 입음. ¶ ~자/~지/큰 ~를 입다. ↔가해(加害). ――-하다 자여불

피:해[2]【避害】명 재해(災害)를 피함. ――-하다 자여불

피:해 망:상【被害妄想】명〔delusion of persecution〕〖의〗남이 자기에게 해를 입힌다고 생각하는 일. 정신 분열이나 조울병(躁鬱病)의 억울(抑鬱) 상태에 있는 환자에게 자주 보임. 관계 없는 일을 자기에게 해를 입힌다고 생각하거나, 친절을 오히려 속인다고 생각하여, 그 사람을 적대시하고 심하면 무서운 역습(逆襲)으로 해를 가하게 됨. ¶ ~에서 벗어나다. *추적 망상(追跡妄想).

피:해-민【避害民】명 재해를 피하려는 백성.

피:해-액【被害額】명 해를 입은 액수. ¶ ~이 크다.

피:해-율【被害率】명 재해를 입은 비율.

피:해-자【被害者】명 ①해를 입은 사람. ②〖법〗불법 행위 또는 범죄에 의하여 권리 그 밖의 법익(法益)의 침해나 위협을 받은 자(者). 민법 상(民法上) 손해 배상 청구권을 가지며 형법 상(刑法上) 고소권을 가짐. ↔가해자(加害者).

피:해자 소추주의【被害者訴追主義】[―/―이] 명〖법〗형사 소송 절차(節次)가 피해자의 탄핵(彈劾)으로 인하여 비롯하는 주의. 곧, 피해자가 소추(訴追)하는 주의이며, 사인(私人) 소추주의의 하나임. *공중(公衆) 소추주의.

피:해-지【被害地】명 천재 지변(天災地變) 등의 해(害)를 입은 곳.

피:핵【被劾】명 탄핵(彈劾)을 당함. ――-하다 자여불

피행【詖行】명 편파적(偏頗的)인 행동.

피향-정【披香亭】명〖지〗전라 북도 정읍군(井邑郡) 태인면(泰仁面) 태창리(泰昌里)에 있는 호남 제일의 정자. 신라 정강왕(定康王) 때 최치원(崔致遠)이 세웠음. 보물 제289호.

피:험-자【被驗者】명 ①시험이나 실험 등의 대상이 되는 사람. ②〔subject〕〖심〗심리학 상 실험자에게 하나의 연구 대상으로서 시험을 당하는 사람. s. 또는 vp로 약기함.

피혁【皮革】명 날가죽과 무두질한 가죽의 총칭. 가죽.

피혁 공예【皮革工藝】명 피혁을 소재(素材)로 하는 공예 전반(工藝全般). 염색·부조(浮彫) 등의 가공법에 의하여 감상용(鑑賞用) 작품 외에, 장식품·가구·문방구 등 다방면에 걸침.

피혁-상【皮革商】명 가죽 또는 가죽 제품을 파는 장사. 또, 그 장수.

피혁-화【皮革靴】명 가죽 구두.

피혈-부【一血部】명 한자 부수(部首)의 하나. '衃'이나 '衄' 등의 '血'의 이름.

피:혐【避嫌】명 혐의를 피함. ——-하다 자여불

피:형 반:도체【p型半導體】명 〔p-type semiconductor〕〖물〗 불순물 반도체의 하나. 주로 정공(正孔)의 이동에 의하여 전기 전도(電氣傳導)가 행하여짐. 정공 밀도(正孔密度)가 전도 전자(傳導電子) 밀도보다 높음.

피-혹 명 혈종(血腫).

피혼-식【皮婚式】명 결혼 기념식(結婚記念式)의 하나. 결혼 12주년을 축하하여, 부부(夫婦)가 가죽 제품 선물을 주고받아 기념함. *수정혼식(水晶婚式)·동혼식(銅婚式).

피-홈 명〖고고학〗무기로 동물을 찔렀을 때 피가 빠져 나오도록 만든 홈.

피:화[1]【被禍】명 화를 당함. 화를 입음. ——-하다 자여불

피:화[2]【避禍】명 재화(災禍)를 피함. ¶외출했다가 운 좋게 ~하였네. ——-하다 자여불

피황-희【皮黃戲】〔—히〕명〖연〗중국 연극의 한 가지.

피:회【避廻】명 피하여 돌아다님. ——-하다 타여불

피:후견-인【被後見人】명〖법〗후견인이 붙여진 사람. 이를테면, 금치산자(禁治産者)나 친권(親權)을 이행할 사람이 없는 경우의 미성년자(未成年者).

피:휘【避諱】명 글에 선왕(先王)의 이름자가 나오면 획의 일부를 생략하거나 다른 글자로 대치하는 것. 획의 일부를 줄이는 것을 피휘 결획(缺畫) 또는 피휘 궐획(闕畫), 글자의 대치를 피휘 대자(代字)라 함.

피:흉 추길【避凶趨吉】명 흉한 일을 피하고 길한 일에 나아감. ——-하다 자여불

피:흡착-질【被吸着質】명 〔adsorbate〕〖화〗흡착제에 분자상(分子狀)·원자상(原子狀)·이온상으로 흡착되는 고체(固體)·액체(液體) 또는 기체(氣體).

피히테〔Fichte, Johann Gottlieb〕명〖사람〗독일의 철학자. 가난하여, 남의 후원을 받아 예나(Jena) 대학에서 배우고, 이후 가정 교사를 하면서 칸트(Kant) 철학을 배웠음. 1791년 칸트의 소개로 《계시 비판(啓示批判)》을 내어 명성을 얻고, 예나 대학 교수가 되었으며, 뒤에 베를린(Berlin) 대학의 창립에 참가하여 초대 총장이 됨. 1807년 프랑스군 점령 하의 베를린에서 행한 《독일 국민에게 고함》이란 강연으로 국민적 의식을 고조하였음. 그의 철학은 주로 칸트의 실천적 측면을 발전시켜 윤리적 색채가 강한 주관적 관념론임. 저서로는 《지식학》 등이 있음. [1762-1814]

픽[1]〔pick〕명〖악〗기타·만돌린과 같은 악기(樂器)를 켤 때에 사용하는 것으로 셀룰로이드 같은 것을 작은 삼각형이나 사각형으로 오려 낸 것임.

픽[2]〔pick〕명〖약〗살리실산(salicyl酸)을 섞은 황갈색의 경고(硬膏). 종기 등에 붙임.

픽[3] 부 ①힘없이 가볍게 쓰러지는 모양. >팩. ②'픽' 소리를 내면서 웃는 모양. ¶~하고 냉소를 지었다. ③증기나 공기가 한 번 터져 나오는 소리. ④썩은 새끼나 줄 같은 것이 힘없이 끊어지는 모양. >팩. ——-하다 자여불

픽뒤미디 코로나 관측소【一觀測所】〔Pic du Midi corona〕명 프랑스 남서부 필레네 산맥의 픽뒤미디 산정(山頂)에 있는 코로나 관측 시설. 1931년 일식(日蝕) 때 이외의 코로나 관측에 성공, 1938년 이래 코로나의 연속 관측이 행하여지고 있음.

픽서티브〔fixative〕명 목탄·콩테·파스텔 등으로 그린 그림의 표면에 뿜어, 화면(畫面)이 스쳤을 때 화상(畫像)이 손상(損傷)되지 않도록 하는 액체(液體). 보통, 송진·셸락(shellac) 등을 알코올로 녹인 것임. 정착액(定着液).

픽션〔fiction〕명 ①허구(虛構)❷. ②〖문〗현실적인 이야기가 아니고 작자의 상상력(想像力)에 의하여 창조한 가공적인 이야기나 소설. ↔논픽션.

픽스〔fix〕명 경주용 보트의 좌석을 고정시키는 장치.

픽스트 로:프〔fixed rope〕명 등산 용어로, 고정된 로프.

픽-업〔pickup〕명 ①골라냄. 여럿 중에서 특히 가려 뽑음. ¶가수로 ~하다. ② ↗ 픽업 트럭. ③방송실 밖에서 제작된 프로그램을 방송국에 연결시키는 장치. ④레코드 플레이어에서 바늘의 진동(振動)을 전류의 진동으로 변화시키는 장치. 카트리지와 톤 암(tone arm)으로 구성됨. ⑤럭비에서, 반칙의 하나. 스크럼 안의 공이나 다운된 공을 손으로 집어 올리는 일. ——-하다 타여불

픽업 트럭〔pickup truck〕명 무개(無蓋) 적재함이 설치된 소형(小型)의 화물 트럭. 적재함이 짧고 그 뒤쪽 측판(側板)이 열리게 되어 있음.

〈픽업 트럭〉

픽업 팀:〔pickup team〕명 각 팀 중에서 우수한 선수를 선발한 팀. 선발 팀.

픽 오프 플레이〔pick off play〕명 야구에서, 투수가 야수(野手) 또는 포수의 사인에 의하여, 베이스에 들어가는 야수에게 송구하여 주자를 잡는 일.

픽처〔picture〕명 ①그림. ②사진(寫眞). ③영화.

픽처 인 픽처〔picture in picture〕명 피 아이 피(PIP).

픽토그램〔pictogram〕명 그림 그래프.

픽-포켓〔pickpocket〕명 소매치기.

픽-픽 부 ①여럿이 연하여 힘없이 쓰러지는 모양. >팩팩. *퍽퍽. ②여러 번 픽 소리를 내면서 웃는 모양. ¶~ 웃다. ③썩은 줄 같은 것이 계속하여 힘없이 끊어지는 모양. >팩팩. ——-하다 자여불

픽픽-거리다 자 ①연해 픽픽 쓰러지다. ②연해 픽픽 끊어지다. ③연해 픽픽 터져 나오다. ④연해 픽픽 웃다.

픽픽-대다 자 픽픽거리다.

핀〔pin〕명 ①쇠붙이 등으로 못이나 바늘처럼 가늘게 만든 물건의 총칭. 바늘·옷핀·머리핀·안전핀·넥타이핀 따위. ②골프에서, 그린(green) 상의 깃대. ③볼링에서, 표적주(標的柱). ④기계의 굴대에 꿰는 가는 막대.

핀-급【一級】〔—끕〕명 〔finn class〕요트의 선급(船級)의 하나. 일인승(一人乘)으로 길이 4.5 m, 나비 1.5 m, 돛의 넓이 10.6 m².

핀다로스〔Pindaros〕명〖사람〗고대 그리스의 서정(抒情) 시인. 합창 서정곡(合唱抒情曲)의 완성자로 알려져 있으며, 승고 장엄한 경기 승리가 등 17권에 이르는 작품이 있었다 함. [522?-443? B.C.]

핀도스 산맥【一山脈】〔Pindhos〕명〖지〗그리스의 중앙부를 북북서(北北西)로부터 남남동(南南東)으로 달리는 산맥. 최고봉은 해발 2,637m의 스몰리카스 산(Smolikas 山).

핀 도트〔pin dot〕명 옷감의 작은 물방울 무늬.

핀둥-거리다 자 하는 일 없이 어칠비칠 놀고 있다. 스빈둥거리다. 쓰삔둥거리다. >팬둥거리다. 핀둥-핀둥 부. ——-하다 자여불

핀둥-대다 자 핀둥거리다.

핀둥이[1] 명 핀잔.

핀둥이 쓰이다 구 핀잔 먹다.

핀둥이(를) 주다 구 핀잔 주다.

핀둥이[2] 명〈방〉펑구.

핀들-거리다 자 하는 일이 없이 건들건들 놀고 있다. 스빈들거리다. 쓰삔들거리다. >팬들거리다. 핀들-핀들 부. ——-하다 자여불

핀들-대다 자 핀들거리다.

핀란드〔Finland〕명〖지〗북유럽 스칸디나비아 반도에 있는 공화국. 서는 스웨덴, 동은 러시아, 북은 노르웨이에 접함. 12세기 이래 스웨덴 치하에 있다가 1809년 이래 러시아의 대후국(大侯國)이었고 1920년에 독립하였음. 전토(全土)의 1할은 빙식호(氷蝕湖)이고, 3분의 1은 이탄(泥炭)의 소택지(沼澤地)임. 국토의 70%를 점하는 삼림(森林)을 배경으로 하는 제재(製材)·제지·펄프 공업이 성하며, 철강·조선(造船)·전기·섬유 등의 공업도 행하여짐. 주민의 8할이 핀족, 신교(新敎)를 국교로 하며, 구교·그리스 정교(正敎)·유태교·이슬람교도 신봉(信奉)함. 수도는 헬싱키(Helsinki). 정식 명칭은 핀란드 공화국(Republic of Finland). 분란(芬蘭). 수오미(Suomi). [338,127 km²: 5,000,000명(1991 추계)]

핀란드 만【一灣】〔Finland〕명〖지〗발트 해(海) 북동쪽, 핀란드와 에스토니아 사이에 있는 가느다란 만입(灣入). 수심은 평균 38m, 가장 깊은 곳은 115m, 동서의 길이는 약 400km임. 만의 입구 가까이에 헬싱키가 있으며, 만 깊숙이 레닌그라드가 있음.

핀란디아〔Finlandia〕명〖악〗시벨리우스(Sibelius)가 1899년에 작곡한 교향시(交響詩). 시벨리우스의 조국인 핀란드의 국가(國歌)라 할 수 있는 곡으로, 웅대(雄大)하고 또한 열정(熱情)에 넘쳐 있어서 그 나라 국민들뿐만 아니라 세계적(世界的)으로도 널리 알려진 현대의 명곡(名曲)의 하나로 꼽힘.

핀란드-어【一語】〔Finland〕명〖언〗핀란드 공화국의 국어인 핀어(Finn語). 피노 우그리아 어파에 속함.

핀레버 워치〔pin-lever watch〕명 보석(寶石) 대신, 강철 핀을 박은 손목 시계. 수명은 짧으나 값이 아주 싸서, 대중 소비 시대의 시계로 등장함.

핀 섬〔Fyn〕명〖지〗발트 해에 있는 덴마크령의 섬. 토지가 비옥하여 농업·목축이 성함. 중심 도시는 오덴세(Odense). [2,976 km²: 426,000명(1966 추계)]

핀센〔Finsen, Niels Ryberg〕명〖사람〗덴마크의 의학자. 코펜하겐의 광선 요법 연구소장. 두창(痘瘡)·낭창(狼瘡)에 대한 광선 요법의 성공으로, 1903년 노벨 생리 의학상을 수상함. [1860-1904]

핀셋〔프 pincette〕명 손으로 집기 어려운 물건을 집는 데 쓰는 쇠붙이로 만든 족집게 같은 기구. 의료 및 각종의 소세공(小細工)에 사용함.

〈핀셋〉

핀손〔Pinzón〕명〖사람〗①〔Martin Alonso, P.〕스페인의 항해가·조선업자(造船業者). 1492년 콜럼버스의 제1차 항해에 참가하여 핀타호(號)를 지휘하였으나 한때 이반(離反), 귀도(歸途)에도 폭풍 때문에 콜럼버스와 헤어졌다가 같은 날 팔로스에 입항(入港)함. [1440?-1493] ②〔Vicente Yáñez, P.〕스페인의 항해가. ❶의 아우. 콜럼버스의 제1차 항해 때 니냐호(Niña號)를 지휘함. 1500년 브라질을 발견, 중남미(中南美) 연안을 탐험함. [1460?-1524?]

핀수 명〈방〉대장장이(경상).

핀수-깐 명〈방〉대장간(경상).

핀 수영【一水泳】명 〔fin swimming〕〖체〗오리발을 신고 숨대롱을 통해 숨을 쉬면서 하는 수영.

핀스터아:어호른 산【一山】〔Finsteraarhorn〕명〖지〗스위스의 중남부에 있는 베르너 알프스의 최고봉. 북서·동·남의 세 방향에 빙하가 있음. [4,274 m]

핀시데르【FINSIDER】명 〔Società Finanziaria Siderurgica의 약칭〕이탈리아의 독점적 철강 기업. 이리(IRI)의 산하 기업으로 1937년에 설립됨. 시멘트·화성품(化成品) 등도 생산함.

핀-어【一語】〔Finn〕명〖언〗①좁은 뜻으로는 핀란드어(語)를 가리키지만, 넓은 뜻으로는 에스토니아어(語)·카렐리아어(Karelia語)·리브어(語) 등을 포함하는 발트 핀 제어(諸語)의 별칭. ②피노 우그리아 어파

(語派)의 한 갈래인 핀(Finn)어파 제어(諸語)의 총칭.

핀-업 〔pin-up〕 명 핀으로 벽에 꽂아 두는 미인 사진.

핀업 걸: 〔pin-up girl〕 명 핀업에 적당한 소녀나 미녀.

핀-인【一人】〔Finn〕 명 〖인류〗 유럽의 북부에서 핀란드를 중심으로 거주하고 있는 인종. 원래 아시아에 살던 민족으로, 신장이 크고 어깨가 넓고, 회청색의 눈과 밤색의 두발을 가졌음.

핀잔 명 〔근대 : 편잔〕 남을 쌀쌀하게 꾸짖는 일. 구두(口頭). ¶매일같이 ~만 듣지 말고 정신 좀 차려라. ——-하다 타여불

핀잔(을) 맞다 구 핀잔을 당하다. 핀잔을 듣다.

핀잔(을) 먹다 구 핀잔함을 당하다.

핀잔(을) 주다 구 핀잔을 하다.

핀잔젓다 형 〈옛〉 부끄럽다. ¶핀잔젓다(慙愧) ≪同文 上 20≫.

핀:지 명 〈방〉 편지(경북).

핀:지-장이 명 〈방〉 우편 집배원(경북).

핀치 〔pinch〕 명 ①궁지(窮地). 위급(危急). 위기(危機). ②야구에서, 수비 측의 위기.

핀치 러너 〔pinch runner〕 명 야구에서, 득점하기 좋은 기회가 왔을 때, 이미 출루(出壘)해 있는 주자(走者)와 교대한 사람. 대주자(代走者).

핀치-콕 〔pinchcock〕 명 고무관(管)에서 나오는 물의 양을 조절하기 위하여 끼우는 작은 클립(clip) 따위의 물건.

핀치 효:과【一效果】 명 〔pinch effect〕 〖물〗 플라스마(plasma) 가운데를 흐르는 전류에 의하여 만들어지는 자기장(磁氣場)과 플라스마와의 상호(相互) 작용에 의하여, 플라스마가 가느다란 끈 모양으로 수축(收縮)되는 현상. 플라스마를 작은 공간에 밀어 넣고, 더욱 고온(高溫)으로 하여 핵융합(核融合) 반응을 일으키는 데 응용됨.

핀치 히터 〔pinch hitter〕 명 ①야구에서, 득점하기 좋은 기회가 왔을 때 이미 나가 있는 타자와 교대한 타자. 대타자(代打者). *대타(代打). ②전(轉)하여, 대역(代役). 대신(代身).

핀 컬: 〔pin curl〕 명 머리에 웨이브를 내려고 머리를 클립에 말아 핀으로 꽂음. ——-하다 타여불

핀-쿠션 〔pincushion〕 명 바늘겨레.

핀 킬: 〔fin keel〕 명 요트의 정저 용골(艇底龍骨) 부분에 단 지느러미 모양의 중량물(重量物).

핀터 〔Pinter, Harold〕 명 〖사람〗 영국의 극작가. 배우에서 극작가로 전향. 단순한 회화·이상한 상황·폭력·공포·웃음을 특징으로 하는 영국 부조리(不條理) 연극의 제 1 인자. 작품에 ≪방≫·≪관리인≫·≪요리 운반용 승강기≫·≪애인≫·≪귀향≫ 등이 있고 방송극과 영화 대본도 있음. [1930-]

핀 턱 〔pin tuck〕 명 양재에서, 천을 일정한 간격으로 접어서 주름을 잡는 일. 턱 중에서 가장 가는 것임. 블라우스·원피스 등의 장식용.

핀퉁이 명 〈방〉 핀잔.

핀트 명 〔←네 brand punt〕 ①사진기나 안경 등의 렌즈 또는 눈의 초점(焦點). ¶~를 맞추다. ②사물의 중심점(中心點). 겨냥. 요점(要點). ¶~가 어긋나다.

핀트-글라스 〔glass〕 명 사진기의 어둠 상자(箱子)·주름 상자의 뒤쪽에 끼워 넣고, 피사체(被寫體)의 영상(影像)이 나타나게 하여 구도(構圖)를 정하기 위한 흐린 유리판. 초점(焦點) 유리.

핀-홀: 〔pinhole〕 명 작은 구멍. 바늘 구멍.

핀홀: 카메라 〔pinhole camera〕 명 〖물〗 렌즈를 쓰지 아니하고 빛의 직진성(直進性)을 이용하여 작은 구멍으로 피사체의 영상을 받아들여 촬영하게 된 카메라. 바늘구멍 사진기.

핀홀: 칼라 〔pinhole collar〕 명 와이셔츠의 깃 모양의 한 가지. 깃의 앞 끝에 구멍을 내어 핀을 건너질러 꽂을 수 있게 된 칼라.

필[1]【畢】 명 〖천〗 ↗필성(畢星).

필[2]【畢】 명 성(姓)의 하나. 우리 나라에는 현존하지 아니함.

필[3]【弼】 명 성(姓)의 하나. 현재 우리 나라에는 대흥(大興)·전주(全州) 등 두 개의 본관이 있음.

필:[4] 〔peel〕 명 레몬·오렌지의 껍질을 삶아, 설탕으로 바싹 조린 것. 주로 양과자의 재료로 씀.

필:[5] 〔Peel, Robert〕 명 〖사람〗 영국의 정치가. 1809년 이후 토리당(Tory黨) 하원 의원. 두 차례 내상(內相)이 되어 구교도 해방 등 국내 개혁을 추진함. 또, 두 차례 수상이 되어 토리당을 근대적인 보수 정당으로 육성 시키는 한편 곡물법(穀物法) 폐지를 실현하여 자유 무역의 기초를 닦았음. [1788-1850]

필[6] 〔pill〕 명 ①환약(丸藥). ②먹는 피임약(避姙藥)의 속칭. 배란(排卵)을 억제하며, 피임 효과 이외에 월경을 조절하는 데에도 쓰임. 경구(經口) 피임약.

필[7]【匹】 의명 마소를 세는 단위. 필(疋). ¶소 두 ~/말 백 ~.

필[8]【疋】 의명 ①일정한 길이로 짠 피륙을 하나치로 셀 때 쓰는 단위. 광목·옥양목은 특히 '통'이라 부름. ¶명주 천 ~. ②필(匹). ③어구(漁具)인 그물을 세는 단위.

필[9]【筆】 의명 논·밭·임야(林野) 같은 것의 구획(區劃)된 전부를 하나치로 하여 셀 때 쓰는 단위. 필지(筆地).

-필【畢】 미 '이미 마침'의 뜻으로 쓰이는 접미어. ¶지급~/대조 ~.

〈필가¹〉

필가[1]【筆架】 명 붓을 걸어 놓는 기구. 필격(筆格).

필가[2]【筆家】 명 글씨를 잘 쓰는 사람. 또, 그 일을 업으로 삼는 사람.

필간【筆諫】 명 붓으로 써서 간(諫)함. ——-하다 타여불

필갑【筆匣】 명 붓을 넣어 두는 갑.

필거【畢擧】 명 남기지 아니하고 모두 듦. ——-하다 타여불

필건【筆健】 명 시문(詩文)을 짓는 재능이 빼어남. ——-하다 형여불

필격【筆格】 명 필가(筆架).

필경[1]【筆耕】 명 ①직업으로 글씨를 쓰는 일. ②등사 원지(原紙)에 철필로 글씨를 쓰는 일. ¶~생(生). ——-하다 자여불

필경[2]【畢竟】 부 마침내. 결국에는. 그예. ¶~은 면직이 되고 말았다/그것과 이것은 ~ 같다.

필경-생【筆耕生】 명 필경을 직업으로 하는 사람.

필계【筆契】〔—계〕 명 〖역〗 관아에 붓을 공물로 바치던 계.

필공【筆工】 명 붓을 만드는 일로 업을 삼는 사람.

필관【筆管】 명 붓대.

필관-채【筆管菜】 명 〖식〗 약모밀.

필광【弼匡】 명 보필하여 바로잡음. ——-하다 타여불

필권【筆倦】 명 글을 쓰는 일에 싫증이 남. ——-하다 자여불

필그림 파:더스 〔Pilgrim Fathers〕 명 〖역〗 1620년 신앙의 자유를 찾아 최초의 뉴잉글랜드의 이민으로서 미대륙으로 떠난 102명의 청교도(清教徒)들. 180톤의 범선 메이플라워호를 이용하여 잉글랜드의 플리머스를 떠나 북미 뉴잉글랜드의 플리머스에 도착하여 식민지를 건설했음.

필기【筆記】 명 ①글씨를 씀. ②강의·연설 같은 것을 할 때 그 말을 받아 쓰는 일. 노트(note). ——-하다 타여불

필기-구【筆記具】 명 필기 도구.

필기 도:구【筆記道具】 명 글씨를 쓰는 데 사용하는 제구. 종이·먹·붓·펜·잉크·볼펜 따위. 필기구.

필기 시험【筆記試驗】 명 시험 답안을 글로 써서 치르는 시험. 필답 시험(筆答試驗).

필기-장【筆記帳】〔—짱〕 명 강의·연설 그 밖의 일을 적어 두는 공책. 공책(空冊).

필기-첩【筆記帖】 명 여러 가지 일을 적어 두는 수첩.

필기-체【筆記體】 명 활자가 아니고 손으로 쓰기용의 글씨체. ↔활자체(活字體).

필납[1]【必納】〔—랍〕 명 반드시 납부함. 또, 납부해야 함. ——-하다 타여불

필납[2]【畢納】〔—랍〕 명 납세나 납품 따위를 끝냄. ——-하다 타여불

〈필낭〉

필낭【筆囊】〔—랑〕 명 붓을 넣어서 차는 주머니.

필녕【弼寧】〔—령〕 명 보필하여 편하게 함. ——-하다 타여불

필-누비【匹—】〔—루—〕 명 누비 모양으로 짠 피륙. *손누비.

필단[1]【疋緞】〔—딴〕 명 필로 된 비단.

필단[2]【筆端】〔—딴〕 명 붓끝❶.

필담【筆談】〔—땀〕 명 말이 통하지 아니할 때에 글을 써서 서로 묻고 대답하는 일. 또, 그 문답. ——-하다 자타여불

필답【筆答】〔—땁〕 명 글로 써서 대답함. ↔구답(口答). ——-하다 자타여불

필답 시험【筆答試驗】〔—땁—〕 명 필기 시험(筆記試驗).

필대【匹對】〔—때〕 명 필적(匹敵). ——-하다 자타여불

필:더 〔fielder〕 명 야구에서, 외야수(外野手).

필도[1]【筆道】〔—또〕 명 서도(書道).

필도[2]【弼導】〔—또〕 명 보필하여 인도함. ——-하다 타여불

필도지【必闍赤】〔—또—〕 명 〖역〗 고려 때, 정방(政房)에서 서기(書記)의 일을 맡은 관원. 몽고(蒙古)에서 온 말인데, 최우(崔瑀)가 정권을 잡았을 때에 처음으로 두었음. 비도지(祕闍赤). 빗차지(必闍赤). →필자지(必者赤).

필도치【必闍赤】〔—또—〕 명 〖역〗 필도지.

필독[1]【必讀】〔—똑〕 명 반드시 읽어야 함. 꼭 한 번은 읽을 가치가 있음. ¶~서(書). ——-하다 타여불

필독[2]【畢讀】 명 책 읽기를 마침. ↔시독(始讀). ——-하다 자타여불

필두【筆頭】〔—뚜〕 명 ①붓의 끝. ②여럿이 이름을 순서대로 적었을 때의 맨 처음 사람. ③어떤 단체나 동아리의 주장되는 사람. 여럿을 들어 말할 때의 맨 처음 차례. ¶이장(里長)을 ~로 열 명이나 몰려 왔다.

필:드[1] 〔field〕 명 ①들. ②활동 범위. 영역. 연구 분야(分野). ¶~가 다르다. ③육상 경기장의 트랙 안쪽에 만들어진 넓은 경기장. ④야구에서, 내야(內野)·외야(外野)의 총칭. 때로는 외야만을 가리킬 때도 있음. ⑤장[22](場)❶. ⑥텔레비전에서, 주사선(走査線)을 한 줄 걸러 주사(走査)한 불완전한 화상(畫像). 다른 하나의 필드를 주사하면 완전한 화면을 이룸. ⑦〖컴퓨터〗 특정한 문자의 의미를 나타내고 있는 논리적 데이터의 최소 단위. 레코드의 각 항목에 해당됨. ⑧↗필드 워크.

필:드[2] 〔Field, Eugene〕 명 〖사람〗 미국의 시인·저널리스트. 여러 잡지(雜誌)의 해외 특파원(海外特派員)으로 종사함. 동요(童謠) 및 아동(兒童)을 위한 이야기들이 있으며, 저서에 ≪유익한 이야기≫·≪시집≫ 등이 있음. [1850-1895]

필:드 경:기【一競技】〔field〕 명 필드에서 행하는 도약(跳躍)·던지기 등의 경기.

필:드 골: 〔field goal〕 명 농구에서, 프리 스로 이외에 의한 득점.

필:드 글라스 〔field glass〕 명 쌍안경(雙眼鏡).

필:드 스로: 〔field throw〕 명 농구에서, 프리 스로(free throw) 이외의 슛. 야투(野投).

필:드 애슬레틱 〔field+athletic〕 명 자연의 지형이나 수목을 이용해서 만든 여러 장애물을 뛰어 넘어서 코스를 일주(一周)하는 경쟁.

필:드 오브 플레이 〔field of play〕 명 럭비에서, 경기장의 터치라인과 골라인으로 둘러싸인 직사각형의 지역.

필:드 워:크 〔field work〕 명 야외 작업(野外作業)·야외 조사 또는 채집.

필:드 하키 〔field hockey〕 명 11명씩의 두 팀이, 각기 스틱이라는 끝이 굽은 막대기를 가지고 무게 5온스의 공을 일정 시간내에 상대방의 골

에 많이 넣는 것으로 승패를 결정하는 단체 구기. 얼음 위에서 하는 아이스 하키와 룰은 같음. ㈜하키.

필득[1]【必得】[一뜩] 명 꼭 얻음. 꼭 자기의 물건이 됨.

필득[2]【必得】[一뜩] 명 〖책〗 과거(科擧)의 여러 문제를 편람(便覽)하게 하기 위하여 휴대용으로 만든 오경(五經)에 관한 책. 저자(著者) 미상. 주역(周易)에 관한 것 6 책, 서전(書傳)에 관한 것 2 책, 시경(詩經)에 관한 것 4 책, 삼례(三禮)에 관한 것 11 책, 악기(樂記)에 관한 것 1 책 등 모두 24 책임.

필:딩[1] 〔fielding〕 명 야구에서, 수비(守備).

필:딩[2] 〔Fielding, Henry〕 명 〖사람〗 영국의 소설가. 본직이 법학자로 실무에 종사하면서, 소설 ≪조지프 앤드루스(Joseph Andrews)의 모험≫·≪톰 존스(Tom Jones) 이야기≫ 등을 발표하였음. 특히, 그의 작품은 '산문(散文)에 의한 희극적 서사시(敍事詩)'라 일컬어지며, 영국 근대 소설의 비조(鼻祖)로 불림. [1707-54]

필라델피아 〔Philadelphia〕 명 〖지〗 미국 펜실베이니아 주(Pennsylvania州) 남동부에 있는 상공업(商工業) 도시. 무역항으로 금속·기계·조선(造船)·섬유(纖維)·식품 가공(食品加工)·화학(化學)·석유(石油)·인쇄(印刷) 등의 공업이 발달함. 1776년 인디펜던스 홀(Independence Hall)에서 독립 선언(獨立宣言)을 행하였고, 1790-1800년까지 합중국의 수도(首都)였음. 비부(費府). [1,585,577 명(1990)]

필라델피아 교향악단【一交響樂團】〔Philadelphia〕 명 〖악〗 미국 일류 관현악단의 하나. 1900년 셸(Scheel, F.; 1852-1907)에 의하여 창설되었음. 스토코프스키(Stokowski)·오르만디(Ormandy) 등 저명한 지휘자에 의하여 발전했음.

필라델피아 선언【一宣言】〔Philadelphia〕 명 정식 명칭은 국제 노동 기구(ILO)의 목적에 관한 선언. 1944년 ILO 총회에서 채택된 것으로 노동은 상품이 아니라는 등 네 개의 근본 원칙을 재확인하였음. *국제 노동 헌장(國際勞動憲章).

필라델피아 염:색체【一染色體】 명 〔Philadelphia chromosome〕 〖의〗 이상적(異常的)으로 작은 G군(群)의 염색체. 만성 과립구성(顆粒球性) 백혈병 환자의 조혈 세포에서 볼 수 있음.

필라리아 〔filaria〕 명 〖동〗 사상충과(絲狀蟲科)에 속하는 기생충(寄生蟲)의 총칭. 사람 또는 동물의 혈관내에 기생하여 필라리아(症)증·상피증(象皮症)을 일으킴.

필라리아-증【一症】〔filaria〕 [一쯩] 명 〖의〗 필라리아의 기생(寄生)으로 일어나는 병. 모기가 전염(傳染)하며, 보통 림프관(lymph管)·림프샘에 잠복(潛伏)하여 상피병(象皮病)·혈뇨(血尿)·유미뇨(乳糜尿)·빈혈 등을 일으킴.

필라멘트 〔filament〕 명 〖물〗 전구(電球)·진공관(眞空管)의 내부에 있어 전류를 통하게 하며 열전자(熱電子)를 방출하는 가는 선. 저항(抵抗)이 크고 녹는점(點)은 높아야 하므로 텅스텐선(tungsten線)이 많이 사용됨. 섬조(纖條). 선조(線條).

필라멘트 전:류【一電流】 [一절一] 명 〔filament current〕 〖전〗 가열(加熱)하기 위하여 전자관(電子管)의 필라멘트에 공급하는 전류.

필라멘트 전:압【一電壓】〔filament〕 명 〖물〗 필라멘트에 전류(電流)를 흐르게 하기 위하여 댄 전압.

필라스터 〔pilaster〕 명 〖건〗 벽면(壁面)에, 각주(角柱)의 모양을 부조(浮彫)하여 기둥의 모양을 나타낸 것. 붙임 기둥.

필라텔리스트 〔philatelist〕 명 우표 수집을 취미로 하는 사람.

필라토프[1] 〔Filatov, Dmitrii Petrovich〕 명 〖사람〗 소련의 동물학자. 모스크바 대학 교수. 렌즈·사지(四肢) 등의 실험 발생학적 연구를 하여, 비교 실험 발생학이라 할 수 있는 방법을 제창(提唱)함. [1876-1943]

필라토프[2] 〔Filatov, Vladimir Petrovich〕 명 〖사람〗 소련의 의학자. 오데사 의과 대학 교수. 그의 각막 이식(角膜移植) 연구는 조직 요법(組織療法) 이론으로 발전됨. [1875-1956]

필래 명 〈방〉 피리(전남).

필래프 〔pilaf〕 명 〔본디는 페르시아어〕 중근동식(中近東式)의 식품으로, 쌀을 버터로 볶다가 고기·새우·조개·양파·향신료를 넣고 지은 밥. ¶ 새우 ∼.

필:러 〔peeler〕 명 〖기〗 구근(球根)의 껍질을 벗기는 기계. 감자류(類)나 근채류의 껍질을 벗길 때 사용함.

〈필러〉

필레몬 〔Philemon〕 명 〖신〗 그리스 신화 중의 인물. 제우스(Zeus)와 헤르메스(Hermes)가 변장(變裝)하여 프리기아 지방(Phrygia地方)을 역방(歷訪)했을 때, 처(妻) 바우키스(Baukis)와 함께 구차한 살림에도 이들을 후대(厚待)하였으므로 소원대로 부부가 사기(死期)를 함께 하게 되었음.

필레몬에게 보낸 편:지 【一片紙】〔Philemon〕 명 〖성〗 빌레몬서(書).

필력【筆力】 명 ①글씨의 획에 드러난 힘. 필세(筆勢). 획력(畫力). ②글을 쓰는 능력. ¶ 아직도 ∼이 건재하다.

필력 강정【筆力扛鼎】 명 문장(文章)의 힘이 강전함을 이르는 말.

필련【匹練】 명 ①한 필의 누인 비단. ②폭포나 호수의 표면을 누인 비단에 형용하여 이르는 말.

필로[1]【筆勞】 명 ①글씨를 쓰고 난 뒤에 오는 피로. ②글씨를 쓰는 노력. ¶ 겨우 이게 ∼의 대가(代價)냐.

필로[2]【筆路】 명 ①글을 지을 때 나오는 사상. 문맥(文脈). ②붓의 운용(運用). ¶ ∼ 섬약(纖弱).

필로[3]【蹕路】 명 거둥 때에 왕가(王駕)가 지나는 길.

필로서퍼 〔philosopher〕 명 ①철학자(哲學者). ②철인(哲人). 이론가(理論家).

필로소마 〔phyllosoma〕 명 〖동〗 십각류(十脚類)에 속하는 새우·대하류(大蝦類)의 유생(幼生). 알이 부화한 것으로, 완전히 성장한 것과는 판이하게 달라서 몸은 편평·투명하고, 두부(頭部)는 폭이 넓고 얇으며, 긴 자루가 있는 눈이 한 쌍 있음. 다리는 길어, 해면 가까이를 부유함. 광선에는 둔함. 종류와 발육의 정도에 따라 크기가 다르나, 1-10mm쯤의 것이 많음.

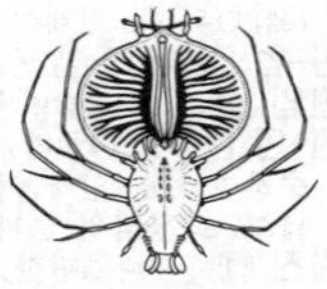

〈필로소마〉

필로소피 〔philosophy〕 명 〖철〗 철학(哲學). 철리(哲理).

필로카르핀 〔pilocarpine〕 명 〖약〗 운향과(芸香科)에 속하는 식물인 야보란디(jaborandi; *Pilocarpus pennatifolius*)의 잎에서 채취하는 알칼로이드. 흔히, 분비 촉진제(分泌促進劑) 또는 동공 축소약(瞳孔縮小藥)으로 쓰이며, 아트로핀(atropine)의 반대의 약리 작용(藥理作用)을 하는 독약으로 아트로핀 중독의 해독제(解毒劑) 또는 발한제(發汗劑)로도 쓰임.

필로크테테스 〔Philoktetes〕 명 〖신〗 그리스 신화에 나오는 트로이(Troy) 원정군의 용사. 뱀에 물린 상처가 곪아 병자가 되어 렘노스(Lemnos)섬에 버려졌다가, 10년 후 그가 가지고 있는 헤르쿨레스(Hercules)의 활과 살이 필요해진 그리스군(軍)에 의해 억지로 전열(戰列)에 복귀되어 병을 고친 다음, 파리스(Paris)를 죽여 트로이성(Troy城) 함락의 계기를 만들었음. 전쟁 후, 그는 남(南)이탈리아 지방을 방랑, 많은 도시를 건설하였음.

필로티 〔프 pilotis〕 명 〖건〗 〔건축의 기초를 받치는 말뚝의 뜻〕 2층 이상의 건물에서, 1층에는 간을 막아 방을 만들지 아니하고 기둥만이 들어선 공간을 말함. 르 코르뷔지에(Le Corbusier)가 제창한 이래 근대 건축의 기본적인 개념의 하나가 됨. 이런 건축 양식을 필로티식(式) 건축법이라 함.

필로폰 〔Philopon〕 명 〖약〗 히로뽕.

필로폰 중독【一中毒】〔Philopon〕 명 〖의〗 히로뽕 중독.

필론[1] 〔Philon ho Alexandreios〕 명 〖사람〗 유태인 철학자. 알렉산드리아의 부유한 성직자의 가정에 태어나 유태 사상을 체득(體得)하고, 또 플라톤설(說), 스토아설, 기타 그리스 철학에 정통하여, 이들에 의해 유태교(敎)의 신관(神觀)과 세계관을 합리화·체계화하려고 노력하고 많은 저작을 남김. 신(神)의 초월성을 강조함과 아울러 세계에의 신의 내재화를 설명하는 데 고심하였음. 중간 실재로서의 로고스설(logos說)은 이 고심의 결과임. [30 B.C.- A.D. 45]

필론[2] 〔Philon ho Larisseos〕 명 〖사람〗 그리스의 철학자. 제 4 아카데미아의 창립자. 처음에는 카르네아데스(Karneades; 214-126 B.C.)의 회의설(懷疑說)에 철저하였으나, 만년에 논적(論敵) 스토아파에 가까워져서 목전의 명백한 지식의 진리성을 주장하였음. [160?-80? B.C.]

필론[3] 〔pylon〕 명 〖건〗 ☞ 파일론.

필롤라오스 〔Philolaos〕 명 〖사람〗 고대 그리스의 피타고라스 학파(學派)의 수학자·천문학자. 기원 전 5세기경 사람으로, 지구·천체·지구 중심의 불 등에 대하여 일종의 지동설(地動說)·수론(數論)을 설명하였음. 피타고라스의 교의를 처음으로 발표한 사람이라고 알려짐.

필롤로지 〔philology〕 명 문헌학(文獻學). 언어학(言語學).

필롱 〔Pilon, Germain〕 명 〖사람〗 프랑스의 성기(盛期) 르네상스의 대표적 조각가. 왕비 카트린 드 메디시스(Catherine de Médicis)의 총애를 받아, 왕실을 위한 제작에 힘썼으며, 죽은 앙리 2세를 위하여 ≪3인의 아름다운 신(神)≫ 및 묘묘(墓廟)를 조각하였음. 기타 ≪그리스도의 부활≫ 등 종교적 작품도 많음. [1535-90]

필률【觱篥】 명 〖악〗 피리.

필름 〔film〕 명 ①얇은 막(膜). 셀로판 따위. ②사진 감광판(感光板)의 하나. 얇은 투명 합성 수지 막(膜) 위에 감광제(感光劑)를 칠한 물건 또는 이것을 노출(露出) 현상한 음화(陰畫). 종류가 많음. ③〖연〗 영화용의 음화·양화의 총칭. 그 규격에 따라, 35 밀리, 17.5 밀리, 16 밀리, 9.5 밀리, 8 밀리 등이 있음. ④영화(映畫).

필름 냉:각【一冷却】 명 〔film cooling〕 〖물〗 로켓 연소실의 내부 표면처럼 얇은 유체층을 유지함으로써 물체나 표면을 냉각하는 일.

필름 누아르 〔프 film noir〕 명 프랑스의 암흑가(暗黑街)를 다룬 영화. ≪현금(現金)에 손대지 마라≫·≪시실리언≫ 따위.

필름 라이브러리 〔film library〕 명 영화 필름·슬라이드 등을 보관하여 두고, 연구·조사·교육 등을 위하여 빌려 주는 시설. 영화 도서관.

필름 배지 〔film badge〕 명 방사선을 다루는 사람이 신체에 받는 방사선량을 기록하기 위하여 쓰는 기구(器具). 작은 케이스에 사진 필름을 넣어 배지처럼 가슴에 달아둠. 일정한 일수(日數)가 지난 뒤에 현상하여 피폭량(被曝量)을 알아서, 방사선 장애의 대책에 도움이 되게 함.

필름 송:상【一送像】〔film〕 명 영화 필름을 텔레비전에서 송상하는 방식. 필름의 매초(每秒) 프레임수(frame數)와 텔레비전의 매초 상수(像數)가 다르기 때문에 특수한 방식(方式)이 필요하며, 비디콘(vidicon)을 이용한 간헐식(間歇式)과 플라잉 스폿 스캐너를 이용한 연속식(連續式)이 있음.

필리그란 〔프 filigrane〕 명 금은 세공(金銀細工)의 일종. 금은을 치선상(縒線狀) 내지 입상(粒狀)으로 하여, 금·은·유리 그릇에 융착(融着)시켜 장식으로 하는 세공. 고대 미술(古代美術)·비잔틴(Byzantine) 미술 등에서 성하였음.

필리냑 〔러 Pil'nyak, Boris Andreevich〕 명 〖사람〗 소련의 작가. 본명은 Boris Vogau. 러시아 혁명을 반영한 최초의 산문 작품 ≪벌거벗은 해≫로 유명해졌으나 소비에트 정권에는 비판적인 태도를 견지하여 1937년 체포되어 옥사(獄死)함. 특이한 문체로 알려져 ≪지울 수 없는 달의 이야기≫·≪이반 모스크바≫·≪볼가는 카스피 해(海)로 흘

러 들어간다≫ 등이 있음. [1894-1945]

필리듐 [pilidium] [명] 〖동〗 이뉴충류(異紐蟲類)에 속하는 유형(紐形) 동물의 유생(幼生). 몸은 거의 3각형, 삿갓 부분이 있고, 그 양 가에 이상판(異狀瓣)이 늘어지고 그 사이에 입이, 몸 가장자리에는 섬모(纖毛)가 있음. 2주일 후 변태함. 바닷물에 헤엄쳐 다님.

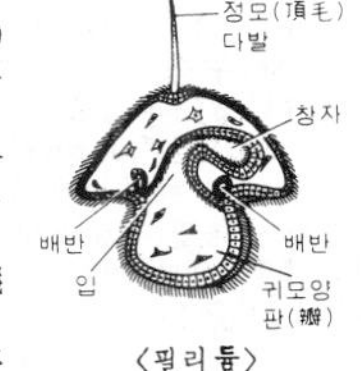

〈필리듐〉

필리버스터 [filibuster] [명] 〖정〗 의사 방해(議事妨害).

필리스틴 [philistine] [명] 속물(俗物). 속인(俗人). 실리(實利)주의자.

필리포스 이:세 【—二世】 [Philippos] [명] 〖사람〗 마케도니아의 왕. 알렉산드로스 대왕의 아버지. 즉위 후 마케도니아를 통일, 군제(軍制)를 개혁하고 그리스에 진출하여 인보 동맹(隣保同盟)의 실권을 쥐었음. 이어 코린트 동맹(Corinth 同盟)을 결성하여 맹주가 되어 아테네를 중심으로 한 그리스의 여러 도시를 지배함. 페르시아 원정 준비 중에 암살되었음. [382?-336 B.C.; 재위 359-336 B.C.]

필리프[1] [Philippe, Charles Louis] [명] 〖사람〗 프랑스의 소설가. 제화공(製靴工)의 아들로 태어나 서민층에 대한 동정심이 두터웠고, 도스토예프스키의 영향을 받았다고 하며 포퓔리슴(populisme)의 선구자로 일컬어짐. 작품에 ≪네 개의 슬픈 사랑의 이야기≫·≪선량한 마들렌과 가련한 마리≫ 등이 있음. [1874-1909]

필리프[2] [Philipe, Gérard] [명] 〖사람〗 프랑스의 영화 배우. 무대 수련(舞臺修鍊)을 거쳐 1944년 영화에 데뷔, 지적(知的)이고 섬세한 연기(演技)로 스타가 됨. ≪밤마다 미녀(美女)≫·≪위험한 관계≫ 등에 출연함. [1922-59]

필리프[3] [Philippe, le Hardi] [명] 〖사람〗 프랑스 왕 장 이세(Jean 二世)의 아들. 백년 전쟁 때 푸아티에(Poitiers)의 싸움에서 강용공(剛勇公)이름을 얻음. 부르고뉴공(Bourgogne 公)에 봉(封)해짐. 후에 프랑스 왕 샤를 육세(Charles 六世)의 섭정이 됨. [1342-1404; 재위 1363-1404]

필리프 사:세 【—四世】 [Philippe Ⅳ] [명] 〖사람〗 프랑스 국왕. 필립 3세의 아들로 단려왕(端麗王)이라고 불림. 즉위 후에 유능한 법률 고문을 두고 왕권 강화와 재정 증수(增收)에 노력하였음. 성직자(聖職者) 과세(課稅)를 둘러싸고 교황 보니파키우스(Bonifacius) 8세와 맞서 마침내 교황을 분사(憤死)시켰음. 최초로 삼부회(三部會)를 소집하고 템플 기사단(Temple 騎士團)을 해산시키는 등 근세 국가로의 기초를 다짐. [1268-1314; 재위 1285-1314]

필리프 삼세 【—三世】 [Philippe Ⅲ] [명] 〖사람〗 프랑스 카페(Capet) 왕조 제10대의 왕. 루이 9세의 아들로 대담왕(大膽王)이라고 불림. 학문이 없어 치세(治世)의 전반(前半)은 총신(寵臣)에 의하여 좌우(左右)되었음. 후년(後年)에 숙부와 교황의 부추김에 따라 아라곤 십자군(Aragon 十字軍)에 참가하여 카탈루냐를 공격하였으나 패퇴하여 병사함. [1245-85; 재위 1270-85]

필리프 육세 【—六世】 [Philippe Ⅵ] [명] 〖사람〗 프랑스 국왕. 발루아 왕조(Valois王朝)의 시조(始祖)이며, 그의 치세(治世) 중 왕위 계승권을 주장하는 에드워드(Edward) 3세와의 백년 전쟁이 일어났음. [1293-1350; 재위 1328-50]

필리프 이:세 【—二世】 [Philippe Ⅱ] [명] 〖사람〗 프랑스 국왕. 루이 7세의 아들로, 처음 영국왕과 함께 제3회 십자군에 참가하다가, 영국왕과의 불화(不和)로 귀국한 다음 프랑스내의 영국령을 둘러싸고 영국과 싸워 이겨, 노르망디 등을 획득하여 왕령(王領)을 확장하였음. 내정 정비에도 힘을 기울여 산업 진흥(産業振興)과 학예 보호(學藝保護)에 힘써서 봉건 왕정의 확립에 기여하였음. 존엄왕(尊嚴王)이라고 불림. [1165-1223; 재위 1180-1223]

필리핀 [Philippine] [명] 〖지〗 서태평양(西太平洋)상에 있는 7,109개의 섬을 포함하는 공화국. 주민은 니그리토(Negrito)·인도네시아·말라야족을 주로 하며 재류 외국인 중에는 화교(華僑)가 가장 많음. 루손(Luzon) 섬이 제일 크며 민다나오(Mindanao) 섬이 다음임. 1570년부터 스페인령, 1899년 미국령이 되었다가 1946년에 독립하였음. 산업은 농업이 주이며 설탕·파인애플·마닐라삼·코프라·연초가 주요 수출품(輸出品)임. 영어·타갈로그어·스페인어를 사용함. 수도는 마닐라(Manila). 정식 명칭은 필리핀 공화국(Republic of Philippines). 비율빈(比律賓). [299,404 km²; 70,270,000 명(1995 추계)]

필리핀 군도 【—群島】 [명] [Philippine Islands] 〖지〗 아시아 대륙의 남동방, 태평양의 서부에 있는 군도. 루손(Luzon) 섬·민다나오(Mindanao) 섬 등 대소 7천여의 섬들로 이루어짐. 비율빈 군도.

필리핀 해:구 【—海溝】 [Philippine] [명] 〖지〗 필리핀 군도의 동방에 접하는 세계 제2위의 깊은 해구. 엠덴(Emden) 해구(10,400 m)·케이프 존슨(Cape Johnson) 해구(10,497 m)·갈라테아(Galathea) 해구(10,265 m) 등이 알려짐.

필립비인들에게 보낸 편:지 【—人—片紙】 [Philippi] [명] 〖성〗 빌립보서(書).

필립스 [Phillips, Wendell] [명] 〖사람〗 미국의 사회 개혁가. 노예 폐지론자로 활약하고 남북 전쟁 후에는 금주(禁酒) 운동·사형 폐지 운동(死刑廢止運動)과 인디언·여성·노동자의 권리 옹호(權利擁護)에 노력하였음. [1811-1884]

필립스 곡선 【—曲線】 [명] [Phillips curve] 〖경〗 영국의 경제학자 A.W.H. 필립스가 생각한, 임금 상승률(賃金上昇率)과 실업률(失業率) 사이의 상관적(相關的) 관계를 그린 그래프. 실업률이 감소하여 완전 고용(完全雇傭)에 가까울수록 임금 상승률은 커짐.

필립스 전:기 회:사 【—電機會社】 [명] [N.V. Philips' Gloeilampenfabrieken] 유럽 최대의 종합 전기 기기(電氣器機) 제조 회사. 1891년 네덜란드에 전구(電球) 제조 회사로서 설립되었고 1920년에 재편(再編)됨. 조명 기구·오디오 제품·TV 등의 가전(家電) 제품과 통신 기기·소형 컴퓨터·산업 기기 등을 제조하며 방위 산업에도 진출했음. 세계 60여 개국에 자회사(子會社)와 관련 회사가 있음.

필릿 [fillet] [명] 소·돼지·양이나 물고기의 가죽·뼈·내장(內臟) 등을 제거하고 살만 발라 내어 토막치는 일. 또, 그 살 토막.

필:링[1] [feeling] [명] 감촉(感觸). 감각(感覺). 느낌. 정조(情操). 근래에는 예술 작품·연주(演奏) 등에서 받는 기분이나, 사람과의 교제(交際)에서 느끼는 미묘한 분위기의 뜻으로 많이 쓰임.

필링[2] [filling] [명] ①직물(織物)에서, 씨실. ②요리에서, 샌드위치 따위의 소.

필링[3] [pilling] [명] 작은 구상물(球狀物). 마찰에 의하여 천이나 뜨게질한 옷의 표면에 보풀이 생기는 현상. 합성 섬유에서 많이 볼 수 있음.

필마 【匹馬】 [명] 한 필의 말.

필마 단기 【匹馬單騎】 [명] 혼자 한 필의 말을 타고 감.

필마 단창 【匹馬單槍】 [명] 한 필의 말과 한 자루의 창이란 뜻으로, 혼자 간단한 무장을 하고 한 필의 말을 타고 감을 이름.

필망 내:이 【必亡乃已】 [명] 꼭 망하고야 맒. 패멸을 면할 길이 없음.

필머 [Filmer, Robert] [명] 〖사람〗 영국의 정치 사상가. 왕권 신수설의 대표적 주창자이며, 청교도 혁명에서는 국왕파로서 활약함. 그가 죽은 후에 간행된 ≪부권론(父權論)≫은 왕정 복고기에 높이 평가되었음. [1589-1653]

필멸 【必滅】 [명] 〖불교〗 반드시 멸망함. ¶ 생자(生者) ~/~의 운명(運命). ——-하다 [자][여불]

필명[1] 【畢命】 [명] 생명이 끝남. 또는 생명이 있는 한(限). 종신(終身). 필생(畢生).

필명[2] 【筆名】 [명] ①글씨를 잘 씀으로 인하여 떨치는 명예. ②글을 써서 발표할 때에 쓰는 본명 아닌 이름. 펜 네임.

필모그래프 [filmograph] [명] 필몬식(filmon 式) 축음기.

필-모시 【匹—】 [명] 베틀에서 짠 필로 된 모시.

필모폰 [filmophon] [명] 필몬(filmon)식 축음기.

필목 【疋木】 [명] 필로 된 무명·광목·당목 등의 총칭.

필몬 [filmon] [명] 원반식 레코드의 홈을 테이프에 새겨 소리가 나게 된 장치. 원반식보다 장시간을 계속해서 들을 수 있음.

필몬식 축음기 【—式蓄音機】 [filmon] [명] 레코드가 필몬(filmon)식으로 되어 있는 축음기. 필모그래프(filmograph). 필모폰(filmophon).

필-무시리 【必無是理】 [명] 결코 이러할 이치가 없음.

필-묵 【筆墨】 [명] 붓과 먹. 묵필(墨筆).

필-묵-지-연 【筆墨紙硯】 [명] 붓·먹·종이 그리고 벼루.

필문 【篳門·蓽門】 [명] 싸리 또는 대로 엮은 사립문. 빈자(貧者)의 주거(住居)를 이름.

필문 규두 【篳門圭竇】 [명] 빈자(貧者)의 주거(住居)를 형용하는 말.

필문 필답 【筆問筆答】 [—땁] [명] 질문을 글로 써서 보이고, 이것에 대하여 회답을 글로 써서 보이는 일. 구두(口頭)에 의하지 아니하고 글을 써서 문답하는 일. ——-하다 [자][여불]

필-반자 【匹—】 [명] ↗필반자지(紙).

필반자-지 【匹—紙】 [명] 필로 된 반자지. (준)필반자.

필발[1] 【蓽茇】 [명] ①〖식〗 [*Piper longum*] 후춧과에 속하는 풀. 높이 1 m 내외이고, 봄철에 흰 꽃이 피며 늦은 여름에 열매가 엶. 이란 원산임. ②〖한의〗 필발의 열매. 빛은 흑갈색으로 후추 냄새와 비슷하고, 기미(氣味)는 쓰며 온(溫)하고 독(毒)이 있음. 온중(溫中)·하기(下氣)의 약재(藥材)로 씀.

필발[2] 【觱發】 [명] 바람이 쌀쌀한 모양.

필:발-머리 【—發—】 [명] 한자 부수(部首)의 하나. '發'이나 '登' 등의 'ᆺ'의 이름.

필방 【筆房】 [명] 붓을 만들어 파는 가게.

필배 【畢杯】 [명] 종배(終杯).

필백 【疋帛】 [명] 비단 피륙. 명주.

필벌 【必罰】 [명] 죄 있는 자(者)는 반드시 벌을 줌. 반드시 처벌함. ¶ 신상(信賞) ~. ——-하다 [타][여불]

필법 【筆法】 [—뻡] [명] 글씨 쓰는 법. ¶ 춘추(春秋)의 ~/~을 배우다. ＊획법(畫法).

필봉[1] 【畢捧】 [명] 수봉(收捧)을 끝마침. 필쇄(畢刷). ——-하다 [형][여불]

필봉[2] 【筆鋒】 [명] ①붓끝. ②붓의 위세(威勢). 문장 또는 서화(書畫)의 위세. ¶ 날카로운 ~.

필봉 농악 【筆峰農樂】 [명] 〖민〗 전라 북도 임실군(任實郡) 강진면(江津面) 필봉리(筆峰里)에 전승되어 오는 좌도 농악(左道農樂)의 하나. 밤에 넓은 마당에 모닥불을 피우고, 길군악·일곱채굿·호호굿·영산굿·노래굿·수박치기 등 13가지 판굿을 벌임.

필부[1] 【匹夫】 [명] ①한 사람의 남자. ②신분이 낮은 사내. ¶ ~를 출세시키다.

필부[2] 【匹婦】 [명] ①한 사람의 여자. ②신분이 낮은 여자.

필부지-용 【匹夫之勇】 [명] 소인(小人)의 깊은 생각 없이 혈기만 믿고 냅다 치는 용기. 소인지용(小人之勇).

필부 필부 【匹夫匹婦】 [명] 평범한 남녀.

필사[1] 【必死】 [—싸] [명] ①꼭 죽음. 살 가망이 없음. ¶ ~의 운명. ②죽도록 힘을 씀. 죽음을 걸고 행함. ¶ ~적/~의 전법(戰法). ——-하다 [자][여불]

필사[2] 【筆師】 [—싸] [명] 붓을 만드는 사람.

필사[3] 【筆寫】 [—싸] [명] 베끼어 씀. ¶ ~본(本). ——-하다 [타][여불]

필사 내:이 【必死乃已】 [—싸—] [명] 틀림없이 죽고야 맒. 살아날 길이

없음.

필사-료【筆寫料】[—싸—] 명 필사하는 요금.

필사-본【筆寫本】[—싸—] 명 붓·펜 등의 필기구로 깁 또는 종이에 옮겨 쓴 책.

필사-생【筆寫生】[—싸—] 명 사자생(寫字生).

필사-원【筆寫員】[—싸—] 명 사자생(寫字生).

필사-적【必死的】[—싸—] 명관 죽기로 결심하고 하는 모양. ¶~인 항거.

필사-체【筆寫體】[—싸—] 명 〔script〕 로마자를 펜으로 쓸 때의 자체(字體)의 하나. 필기체(筆記體)와 달리, 붙여 쓰지 않고, 글자마다 따로 씀.

필삭【筆削】[—싹] 명 더 쓸 것은 쓰고 지울 것은 지워 버림. ——하다 타여불

필산[1]【筆山】[—싼] 명 '山'자 모양으로 만든 필가(筆架).

필산[2]【筆算】[—싼] 명 숫자(數字)를 써서 운산(運算)함. ¶주산보다 ~이 더 정확하다. ↔암산(暗算). ——하다 타여불

필살【必殺】[—쌀] 명 반드시 죽임. 또, 그런 마음 가짐. ¶견적(見敵)~/~의 일격. ——하다 타여불

필상【筆商】[—쌍] 명 붓장수.

필상-학【筆相學】[—쌍—] 명 필적학(筆跡學).

필새 명 〈방〉 거짓말(경북).

필생[1]【畢生】[—쌩] 명 일생(一生). 평생(平生). 필명(畢命). ¶~의 사업.

필생[2]【筆生】[—쌩] 명 ①사자생(寫字生). ②필경(筆耕)하는 사람.

필석【筆石】[—썩] 명 〖생〗 필석류의 하나로, 오르도비스기(紀)의 누층(累層) 속에서 발견되는, 탄화(炭化)된 가는 풀잎과 같은 부유(浮游) 동물의 화석(化石). 주요 표준 화석의 하나임.

〈필석〉

필석-류【筆石類】[—썩뉴] 명 〖생〗 [Graptolitoida] 고생대(古生代) 오르도비스기(紀)에서 실루리아기에 걸쳐 생존한 해생(海生) 화석 동물의 총칭. 반색(半索) 동물에 속하는 것으로 여겨지며, 키틴질(chitin質)의 경물질(硬物質)을 지닌 군체(群體)를 형성, 분지(分枝)로 개체가 발아(發芽)함. 부유 생활을 한 것으로 생각됨.

필선【弼善】[—썬] 명 〖역〗 조선 시대, 세자 시강원(世子侍講院)의 정사품(正四品) 벼슬.

필-설【筆舌】[—썰] 명 붓과 혀. 곧, 글과 말. ¶~로는 다할 수 없다.

필성[1]【畢星】[—썽] 명 〖천〗 이십 팔수(二十八宿)의 열 두째 별. 준필(畢).

필성[2]【弼成】[—썽] 명 도와서 이루게 함. ——하다 타여불

필성-기【畢星旗】[—썽—] 명 〖역〗 의장기(儀仗旗)의 한 가지. 황제의 노부(鹵簿)에 쓰였는데, 대가(大駕)·법가(法駕)가 나갈 때 뒤따랐음. 조선 고종 때 썼음.

〈필성기〉

필세[1]【畢世】[—쎄] 명 일생(一生). 필생(畢生).

필세[2]【筆洗】[—쎄] 명 붓을 빠는 그릇.

필세[3]【筆勢】[—쎄] 명 글씨의 획에 드러난 기세. 필력(筆力). ¶약동하는 ~.

필쇄【畢刷】[—쇄] 명 필봉(畢捧). ——하다 타여불

필수[1]【必修】[—쑤] 명 반드시 학습하여야 함. 꼭 이수(履修)해야 함.

필수[2]【必須】[—쑤] 명 꼭 필요로 함. 없어서는 아니 됨. ¶~ 아미노산/~ 조건.

필수[3]【必需】[—쑤] 명 반드시 없으면 안 됨. 반드시 쓰임. ¶생활 ~품.

필수[4]【筆受】[—쑤] 명 〖불교〗 역어(譯語)를 전수(傳受)하여 필기함.

필수-과【必須科】[—쑤꽈] 명 〖교〗 반드시 배워야하는 교과(敎科) 또는 학과(學科).

필수 과목【必須科目】[—쑤—] 명 필수 교과. ↔선택 과목·수의 과목(隨意科目)·교양 과목(敎養科目).

필수 교:과【必修敎科】[—쑤—꽈] 명 학교의 이수(履修) 과정 가운데, 전원이 이수하지 아니하면 안 되는 교과목(敎科目). ↔선택 교과.

필수 아미노산【必須—酸】[—쑤—] 명 〔essential amino acid〕 〖생〗 동물의 체내에서 합성되지 않거나 합성되기 곤란하여, 음식물로서 섭취하지 않으면 안 되는 불가결한 아미노산. 성인(成人)의 경우는 류신(leucine)·이소류신·발린(valine)·트레오닌(threonine)·리신(lysine)·메티오닌·페닐알라닌(phenylalanine)·트립토판(tryptophane)의 8종이며, 어린이의 경우는 히스티딘(histidine)이 추가됨. 쥐 따위는 별도로 아르기닌(arginine)을, 조류(鳥類)는 글리신(glycine)을 필요로 함. 식물은 필수 아미노산의 합성이 가능함. 불가결 아미노산.

필수-적【必須的】[—쑤—] 명관 꼭 필요로 하는 모양. 없어서는 아니 되는 모양. ¶등산에 ~인 장비.

필수적 제:약【必須的制約】[—쑤—] 명 불가결 조건(不可缺條件).

필수 지방산【必須脂肪酸】[—쑤—] 명 고등 동물(高等動物)의 성장 또는 건강 상태의 유지를 위하여 체외(體外)로부터 섭취하지 아니하면 안 되는 지방산. 여러 가지 천연(天然) 지방 속에 존재하는 리놀레산·리놀렌산·아라키돈산의 세 가지임. 불가결(不可缺) 지방산.

필수-품【必需品】[—쑤—] 명 일상 생활에 없어서는아니되는 물품(物品). ¶생활 ~.

필순【筆順】[—쑨] 명 글씨, 특히 한자(漢字)를 쓸 때에 붓을 놀리는 순서. ¶~이 틀리다.

필술【筆述】 명 생각하는 바를 글로 나타냄. 기술(記述). ——하다 타여불

필승【必勝】[—쑹] 명 꼭 이김. 반드시 이김. ¶~의 신념. ——하다 자여불

필시【必是】[—씨] 부 필연(必然). ¶그도 ~ 모를 것이다.

필야【必也】 부 필연(必然).

필야 사:무송【必也使無訟】 명 아무쪼록 말썽 없도록 함.

필업【畢業】 명 업을 마침. *졸업(卒業). ——하다 타여불

필 업 라이트〔fill up right〕 명 〖항공〗 국제선의 여객기가 국내 운항 구간에서 빈 자리가 있을 때, 국내만의 여객을 탑승시킬 수 있는 권리. 공석 충족권(空席充足權).

필역【畢役】 명 역사(役事)를 마침. 요역(了役). ——하다 타여불

필연[1]【必然】 一명 그리 되는 수밖에 다른 도리가 없음. 일정한 조건이 주어진 경우에 그리 되거나 그리 생각되는 이외에 달리 어찌 할 바가 없음. ¶~적 추세. ↔개연(蓋然)·우연(偶然). ——하다 형여불. 二부 꼭. 반드시. 틀림 없이. 필시(必是). 필야(必也).

필-연[2]【筆硯】 명 붓과 벼루.

필연-론【必然論】[—논] 명 〖철〗 결정론(決定論).

필연론-자【必然論者】[—논—] 명 결정론자.

필연-성【必然性】[—썽] 명 ①그렇게 될 수밖에 없는 성질. ②〖철〗 〔necessity : 도 Notwendigkeit〕 법칙·규범 등에 의해 불가피적으로 제약을 받고 있음. 자연적 필연성은 자연 현상이 합법칙적(合法則的)이며 도덕적 필연성은 도덕률에 의해 어떤 당위(當爲)가 요구되고 있음. 논리적 필연성은 주술(主述)이 반드시 그렇게 관계하고, 판단의 확실한 정도가 가장 강함. 또 공리(公理)로부터 연역적(演繹的)임. ↔우연성·개연성.

필연-적【必然的】 명관 사물(事物)의 그리 될 수밖에 없는 상태 또는 모양. ¶그것은 ~인 사실이다/자연의 ~ 법칙. ↔개연적.

필연적 조건【必然的條件】[—껀] 명 어떤 사물(事物)의 성립에 없어서는 아니되는 조건.

필연적 판단【必然的判斷】 명 〖철〗 주개념(主槪念)과 빈개념(賓槪念)의 결합(結合) 또는 분리(分離)의 관계가 필연적인 판단. 곧, 'S는 P가 아닐 수 없다'와 같은 것. ↔실연적 판단(實然的判斷)·개연적 판단(蓋然的判斷).

필연-코【必然—】 부 '필연(必然)'의 힘줌 말.

필요【必要】 명 꼭 소용이 됨. 없어서는 아니됨. 수요(須要). ¶~는 발명의 어머니/~ 불가결하다. ——하다 형여불

필요 경비【必要經費】 명 〖경〗 어떤 소득을 낳는 데 필요한 경비. 수입(收入) 금액에서 이것을 공제한 잔액이 소득세의 과세 표준이 됨.

필요-금【必要金】 명 꼭 소용되는 돈.

필요 노동 시간【必要勞動時間】 명 〖경〗 노동자가 노동하는 날 중에서, 노동력의 가치와 동등한 가치를 낳게 하는 데에 필요한 시간. 임금분(賃金分)의 시간.

필요-량【必要量】 명 필요로 하는 분량.

필요-비【必要費】 명 물건 또는 권리를 보존·관리하는 데에 필요한 비용. ↔유익비(有益費).

필요 사:무【必要事務】 명 〖법〗 지방 자치 단체(地方自治團體)가 법령상(法令上)의 의무로서 수행함을 요하는 공공 사무(公共事務). 고유(固有) 사무. ↔위임(委任) 사무.

필요-성【必要性】[—썽] 명 필요로 하는 성질. ¶꼭 가야 할 ~이 있겠는가.

필요-시【必要時】 명 필요할 때.

필요-악【必要惡】 명 없는 편이 바람직스럽지만, 조직 따위의 운영상, 또는 사회 생활상, 부득이 필요한 것으로 되어 있는 사물. ¶정치는 ~이다.

필요 원소【必要元素】 명 생물이 정상(正常)적인 생활·발육에 필요 불가결한 원소로, 외부에서 특히 섭취하지 아니하면 안 되는 원소. 주로 식물의 생육(生育)에 필요한 원소. 탄소(炭素)·수소(水素)·산소(酸素)·질소(窒素)·인(燐)·황(黃)·마그네슘·철(鐵)·나트륨·규소(珪素)·아연(亞鉛)·코발트·붕소(硼素)·칼슘 등.

필요적 공:동 소송【必要的共同訴訟】 명 〖법〗 어느 권리 관계에 관하여 판결을 구하는데 반드시 수인(數人)이 일체(一體)로서 원고(原告) 또는 피고(被告)로 되지 아니하면 아니되는 소송.

필요적 공:범【必要的共犯】 명 〖법〗 범죄가 성립함에는 반드시 두 사람 이상의 공동 행위(共同行爲)를 필요로 하는 공범. 이에는 행위가 동일한 목적을 위한 경우인 집합적 범죄(集合的犯罪)와 서로 대립되는 두 개의 의사 내용(意思內容)이 합치한 경우인 대립적 범죄(對立的犯罪)가 있음. ↔임의적 공범(任意的共犯).

필요적 변:론【必要的辯論】[—별—] 명 〖법〗 민·형사 소송에 있어서, 판결(判決)은 원칙적(原則的)으로 반드시 변론을 거쳐, 또 거기에 나타난 소송 자료(訴訟資料)만을 그 기초로 채용(採用)하여야 하는데, 이 경우의 변론을 말함.

필요적 변:호【必要的辯護】 명 〖법〗 피고 사건을 심리(審理)하기 위하여 필요 조건인 변호. 곧, 변호인이 없으면 공판(公判)을 개정(開廷)할 수 없는 경우를 말함. 강제 변호(強制辯護).

필요적 보:석【必要的保釋】 명 〖법〗 청구(請求)가 있으면 반드시 그것을 허가(許可)해야 하는 보석. 법에 특별히 열거(列擧)한 사항에 해당하는 경우 외에는 대부분 이에 해당함. 권리 보석(權利保釋). ↔재량(裁量) 보석.

필요 조건【必要條件】[—껀] 명 어떤 관계가 성립하는 데에 필요 불가결의 조건.

필요 충분 조건【必要充分條件】[—껀] 명 〖수〗 동등(同等)한 조건(條件)을 이름. 즉, 조건 P, Q에 대하여 두 개의 명제(命題) 'P이면 Q이다'와 'Q이면 P이다'가 모두 참일 때, P, Q를 서로 다른 필요 충분 조건이라 함.

필요-품【必要品】 명 필요한 물품.
필-욕감심【必欲甘心】 명 품은 원한을 기어코 풀고자 애씀. ——-하다 자여불
필용【必用】 명 필요하게 씀. ¶ ~품. ——-하다 타여불
필우【匹偶·匹耦】 명 ①배필(配匹). ②동류(同類). 한패. 동아리. ③부부가 됨. 결혼함. ——-하다 자여불
필운【弼雲】 명 『사람』 이항복(李恒福)의 호(號).
필원【筆苑】 명 ①문필가(文筆家)들의 사회(社會). ②옛적, 명필들의 이름을 집록한 책.
필원 잡기【筆苑雜記】 명 『책』 조선 세종·성종(成宗) 때의 학자 서거정(徐居正)이 지은 수필 문학집. 고대로부터 전하는 일화(逸話) 또는 한담(閑談)을 가려 모은 것으로, 그 내용이 모두 정확한 것은 아니나, 자료로서 많은 참고가 됨.
필위【必爲】 부 반드시.
필-유곡절【必有曲折】 명 반드시 무슨 까닭이 있음. 필유 사단(必有事端). ¶일이 ~인즉 자중(自重)하여라.
필-유사단【必有事端】 명 필유 곡절(必有曲折).
필자【筆者】 [—짜] 명 글 또는 글씨를 쓴 사람. 작자(作者). 라이터(writer). ¶ ~ 미상의 작품.
필자지【必者赤】 [—짜—] 명 『역』 ←필도지(必闍赤).
필장【筆匠】 [—짱] 명 『역』 붓을 매는 장인(匠人).
필재【筆才】 [—째] 명 글을 쓰는 재능. 글재주. 문재(文才). ¶ ~가 엿보이는 편지.
필적[1]【匹敵】 [—쩍] 명 ①능력(能力)·세력(勢力)이 서로 어슷비슷함. ②걸맞아서 견줄 만함. 필대(匹對). ¶그에 ~할 인물이 없다. ——-하다 자타여불
필적[2]【筆跡】 [—쩍] 명 글씨의 형적이나 그 솜씨. 서적(書跡). ¶ ~을 감정하다.
필적 감정【筆跡鑑定】 [—쩍—] 명 필적을 조사하여 그에 관한 어떤 판단·의견을 진술하는 일. 일반적으로 범죄 감식에 쓰이는 것을 말함. 발신인 불명의 협박 문서나 위조 문서의 필적이 용의자의 것인가의 여부를, 배자 형태(配字形態)·필세(筆勢)·필압(筆壓)·필순(筆順)·자획(字劃) 형태·자획 구성(構成) 등의 특성(特性)을 비교 대조(比較對照)하여 종합적으로 판정(判定)함.
필적-부【筆跡簿】 [—쩍—] 명 여러 사람의 필적을 모아서 엮어 놓은 장부.
필적-학【筆跡學】 [—쩍—] 명 글씨로, 쓴 사람의 성격이나 심리를 연구하는 학문. 필적 감정 등을 포함하여, 성격과 필적의 관계, 필적에 의한 심리 상태의 연구를 함.
필전[1]【必傳】 [—쩐] 명 후세(後世)에 꼭 전하여야 할 일.
필전[2]【筆戰】 [—쩐] 명 글로써 서로 옳고 그름을 겨룸. 문장(文章)의 우열(優劣)을 다툼. ——-하다 자여불
필점【筆占】 [—쩜] 명 필력(筆力)과 필세(筆勢)에 의하여 길흉을 점침. ——-하다 타여불
필정【必定】 [—쩡] 명 꼭 그리 됨.
필젠 〔Pilsen〕 명 『지』 '플젠(Plzeň)'의 독일명.
필조【匹鳥】 [—쪼] 명 『조』 원앙(鴛鴦).
필종-곡【必從谷】 [—쫑—] 명 『지』 최초에 지표면(地表面)의 경사진 방향으로 흐르는 하류(河流)에 의하여 생긴 골짜기.
필종-천【必從川】 [—쫑—] 명 『지』 육지의 경사(傾斜)를 따라서 흐르는 하천.
필주[1]【匹儔】 [—쭈] 명 ①필적(匹敵)함. 또, 그럴 만한 것. ②짝. 동류(同類).
필주[2]【筆誅】 [—쭈] 명 죄악·과실 따위를 글로 써서 책(責)함. ——-하다 타여불
필중【必中】 [—쭝] 명 반드시 명중(命中)함. ¶일발(一發) ~. ——-하다 자타여불
필:즈-상【—賞】 〔Fields〕 명 4년마다 열리는 국제 수학자 회의에서, 뛰어난 업적을 올린 2명의 수학자에게 수여하는 상. 토론토 대학 교수 J. C. 필즈의 기부금으로 창설되어 1936년에 처음 시상, 전시(戰時)에 중단되었다가 1950년 재개됨. 수학(數學)의 노벨상이라고 불림.
필지[1]【必至】 [—찌] 명 장차 반드시 이름. 필연적으로 그렇게 됨. ——-하다 자여불
필지[2]【必知】 [—찌] 명 반드시 앎.
필-지[3]【筆紙】 [—찌] 명 붓과 종이.
필지[4]【筆地】 [—찌] 의명 필[9](筆).
필지어-서【筆之於書】 [—찌—] 명 확인하거나 또는 잊어버리지 아니하기 위하여 글로 써 둠. ——-하다 타여불
필진【筆陣】 [—찐] 명 ①필전(筆戰)에 대응하는 포진(布陣). ¶당당한 ~을 펴다. ②정기 간행물(定期刊行物)의 집필(執筆) 진용. ¶ ~이 바뀌다.
필집【筆執】 [—찝] 명 증인으로서 증서를 쓴 사람.
필짱 나다 구 〈방〉 끝장 나다.
필짱 내다 구 〈방〉 끝장 내다.
필착【必着】 명 우편물 따위가 정해진 기일까지 틀림없이 도착함. ——-하다 자여불
필찰【筆札】 명 ①붓과 종이. 필지(筆紙). ②필적(筆跡). 전하여, 서법(書法).
필채[1] 명 종이로 만든 긴 노를 네 오리 이상 길게 드리고 한 끝을 매듭지어 돈을 꿰도록 만든 꿰미. *돈꿰미.
필채[2]【筆債】 명 『역』 이속(吏屬)이 백성의 원서(願書)를 필사(筆寫)한 삯으로 받는 돈.
필첩【筆帖】 명 ①옛 사람의 필적(筆跡)을 모아서 엮은 책. ②수첩(手帖).
필체【筆體】 명 글씨체(體).
필촉【筆觸】 명 그림에서, 붓놀림의 효과, 곧 색조·명암 등의 표현을 형성하는 붓의 작용. 터치(touch).
필축【筆軸】 명 붓대.
필치【筆致】 명 ①필세(筆勢)의 운치. ②글솜씨의 됨됨이.
필터 〔filter〕 명 ①박피(薄皮). 박막(薄膜). ②이물(異物)을 걸러 내는 장치. 여과(濾過) 장치. 여과기(濾過器). ¶정수기(淨水器) ~. ③어떤 빛을 투과(透過)·제한 또는 차단하기 위한 색유리. 사진 촬영·인쇄 제판·광학 실험 등에 쓰임. ④전기 통신 기계로, 특정 주파수의 진동 전류를 통과시키는 장치. ⑤담뱃진을 거르기 위하여 궐련 끝에 붙이어 입에 물게 된 부분. 미세한 섬유로 되어 있음. ¶ ~ 담배.
필터 여:광판【—濾光板】 〔filter〕 명 『물』 여광기(濾光器)❶.
필터 튜:브 〔filter tube〕 명 『화』 화학 실험에 사용하는 여과관(濾過管).
필터 페이퍼 〔filter paper〕 명 여과지(濾過紙).
필터 프레스 〔filter press〕 명 『기』 압려기(壓濾機).
필통【筆筒·筆筩】 명 ①붓을 꽂아두는 통. ②붓이나 연필 등을 넣어 가지고 다니는 기구.
필통 타:구【筆筒唾口】 명 필통 모양으로 만든 타구.
필트다운-인【—人】 〔Piltdown〕 명 『인 류』 [*Eoanthropus dawsoni*] 1911-15년 영국의 이스트서섹스 주(East Sussex州)의 필트다운에서 발견되었다고 하는 두개편(頭蓋片) 및 하악골(下顎骨) 파편. 50만 년 전의 화석 인류라는 감정이 있었으나 오랫 동안 논쟁 끝에 1949-53년의 플루오르(Fluor) 및 질소의 함유량 검정, X선 해석 등의 검사로 네안데르탈인(Neanderthal人)의 두골과 침팬지의 하악골을 맞춘 것으로 밝혀짐. 영국의 아마추어 지질학자 도슨(Dawson, Charles)이 명성을 얻기 위해 한 짓으로 판명됨. 이 화석에 관한 논쟁의 결과 화석 인류의 하나인 프레사피엔스(Presapiens)의 개념이 생겼음. 에오안트로푸스(Eoanthropus). 효인(曉人).
필패【必敗】 명 반드시 패함. ——-하다 자여불
필필-이【疋疋—】 부 ①필마다. ②여러 필로 연이어.
필하【筆下】 명 붓끝. 또, 붓으로 씀.
필-하다【畢—】 타여불 일을 마치다. 끝내다. ¶등기를 ~/대조를 ~/검사를 ~.
필하:모니 〔philharmony〕 명 〔그리스어의 phil(사랑하다)과 영어의 harmony가 합하여 된 말〕 교향 관현 악단(交響管絃樂團)의 명칭에 쓰이는 말. ¶베를린 ~ 관현 악단.
필하:모닉 〔philharmonic〕 명 ①교향악단. ②음악 애호가(愛好家).
필한【筆翰】 명 붓. 또, 문자·문장을 쓰는 일.
필해【筆海】 명 ①문자(文字)가 많이 모임. 곧, 시문(詩文). 문장(文章). ②필통(筆筒)❶.
필헬레니즘 〔philhellenism〕 명 친(親)그리스주의. 고대 그리스 문화를 찬미하고, 자유주의적 정신과 낭만주의적 정열로 뒷받침된 19세기 서구의 정신적 풍조(風潮).
필혼【畢婚】 명 아들 딸 중, 맨 마지막으로 시키는 혼인. ↔개혼(開婚). ——-하다 자여불
필화[1]【筆花】 명 '붓 끝에 피는 꽃'이라는 뜻으로, 매우 잘 지은 글을 이름. 미문(美文). 또, 아름다운 시가(詩歌).
필화[2]【筆華】 명 시가(詩歌)나 문장(文章)의 문채.
필화[3]【筆禍】 명 발표한 논설이나 기사 및 작품 따위가 사회나 관변(官邊)의 기휘(忌諱)를 건드려 법률상 또는 사회상의 제재를 받는 일. ¶ ~ 사건.
필획【筆畫】 명 자획(字畫).
필휴【必携】 명 늘 가지고 있어야 함. 꼭 휴대하여야 함. 또, 그러한 물건. ¶ ~의 서(書).
필흔【筆痕】 명 글씨의 흔적.
필흥【筆興】 명 글씨를 쓰거나 그림을 그릴 때에 일어나는 흥취.
필-히【必—】 부 꼭. 반드시.
필히너 〔Filchner, Wilhelm〕 명 『사람』 독일의 탐험가·지리학자. 여러 차례 중앙 아시아·티베트 등지를 탐험, 여러 곳에 지자기(地磁氣) 관측소를 세움. 1911-12년에 남극 탐험을 지휘하였음. [1877-1957]
핌 〔Pym, John〕 명 『사람』 영국의 정치가. 1614년 이후 30년간 하원 의원. 일관하여 튜더 왕조의 전제 정치를 공격함. 청교도 혁명이 발발한 후에는 의회파의 중심 인물로 지목되었으나 혁명 중에 병사(病死)하였음. [1584-1643]
핍궤【乏匱】 명 모자람. 물자가 떨어짐.
핍근【逼近】 명 매우 가까이 닥침. ——-하다 자여불
핍뇨【乏尿】 명 『의』 급성 신염(腎炎)이나 다량의 체내 수분의 상실 등의 원인으로 생리적 증감(增減)의 범위를 넘어서 오줌의 양이 현저하게 감소하는 질환(疾患).
핍박【逼迫】 명 ①형세가 매우 절박하도록 바싹 닥치어 옴. 최박(催迫). ②곤궁(困窮)함. 경제적인 면에서 여유가 없는 상태로 됨. ¶재정 ~. ——-하다 자타여불
핍색【逼塞】 명 꽉 막힘. 꽉 막히어 몹시 군색함. ——-하다 자타여불
핍소【乏少】 명 적음. 충분하지 못함. 식량 따위가 모자람. ——-하다 형여불
핍-쌀 명 겉피를 찧어 겉겨를 벗긴 쌀.
핍억【愊憶】 명 가슴이 답답함. ——-하다 형여불
핍월【乏月】 명 음력 4월의 별칭. 보릿 고개라는 뜻.
핍인【乏人】 명 인재(人材)가 절핍(絶乏)함. 핍재(乏材).
핍재[1]【乏材】 명 핍인(乏人).
핍재[2]【乏財】 명 재산이 절핍(絶乏)함. ——-하다 자여불
핍전【乏錢】 명 돈이 절핍(絶乏)함. ——-하다 자여불
핍절[1]【乏絶】 명 절핍(絶乏). ——-하다 자타여불

핍절[2]【逼切】명 핍진(逼眞)하고 절실함. ——-하다 형여불

핍진[1]【乏盡】명 죄다 없어짐. ——-하다 자여불

핍진[2]【逼眞】명 실물과 아주 비슷함. ——-하다 형여불

핍축【逼逐】명 ①핍박하여 쫓음. ②바싹 가까이 쫓음. ——-하다 타여불

핍탈【逼奪】명 ①협박하여 빼앗음. ②임금을 침범하여 그 지위를 빼앗음. ——-하다 타여불

핍-하다【乏—】형여불 ①없다. ②모자라다.

핍혈【乏血】명〖의〗혈액 전체량은 줄었으나 단위 용적 안의 헤모글로빈의 양이 줄지 아니한 상태. *빈혈(貧血).

핏-겨 명 밭에 나는 피의 껍질.
[핏겨 죽에 탕구(湯口)] 핏겨 죽에 열구자탕(悅口子湯)을 한다는 뜻으로, 격에 맞지 아니함을 이르는 말.

핏골-집 [—찝] 명 돼지의 창자 속에 피를 섞어서 삶아 만든 음식. 혈장탕(血臟湯). *순대.

핏-기【—氣】명 사람의 피부에 드러난 피의 빛깔. 혈색(血色). ¶~가 돌다/~가 없다.
핏기(가) 가시다 구 놀라거나 충격을 받아 창백하게 질리다.
핏기(를) 잃다 구 '핏기(가) 가시다'와 같은 뜻.

핏-대[1] 명 ①큰 혈관(血管). ②〈속〉골[2]. ¶네가 뭔데 나서서 ~야, ~가?≪金承鈺 : 육십년대식≫.
핏대(가) 서다 구 몹시 성을 내거나 열이 올라서 얼굴이 상기되다.
핏대(를) 세우다 구 '핏대(를) 올리다'와 같은 뜻.
핏대(를) 올리다 구 얼굴에 피가 올라 몰리어서 붉어지도록 성을 내다. ¶핏대 올리며 고함치다.

핏-대[2] 명 논밭에 나는 피의 줄기.

핏대-줄 명〖생〗혈관(血管).

핏-덩어리 명 ①피의 덩어리. 혈괴(血塊). ②아직 살이 굳지 아니하였다는 뜻으로, 갓난 아이를 일컫는 말. 준핏덩이.

핏-덩이 명 ↗핏덩어리.

핏무적 명〈옛〉핏덩어리. ¶머리 우희 블븓고 누니 핏무적 곧고 ≪釋譜 Ⅵ:33≫.

핏-발 명 생리적(生理的)인 이상(異常)으로 몸의 어느 부분이 충혈(充血)되어 생기는 결. ¶눈에 ~이 서다.
핏발(이) 삭다 구 핏발이 없어지다.
핏발(이) 서다 구 핏발이 생기다.

핏-빛 명 피와 같은 새빨간 빛.

핏-속 명 ①피의 속. ②혈통(血統).

핏-자국 명 어떤 것에 피가 닿아서 생긴 자리. ¶셔츠에 ~이 있다/~을 따라 추적하다.

핏-줄 명 ①혈관(血管). ②혈통(血統)으로 이어진 겨레붙이의 계통. 묘윤(苗胤). ¶~이 끊기다.
핏줄 쓰이다 구 혈연적(血緣的)인 친밀감을 느끼다.

핏-줄기 명 ①피의 줄기. 피가 흐를 적에 힘차게 뻗치는 줄기. ¶그의 가슴에서 내뿜는 ~에서 우리는 조국의 승리를 읽었다. ②혈통(血統).

핑 부 ①한 바퀴 힘차게 도는 모양. ②갑자기 정신이 어찔한 모양. ¶정신이 ~ 돌며 어지럽다. ③별안간 눈물이 어리는 모양. ¶눈물이 ~ 돌다. 1)·2): ㅅ빙. ㅆ삥. >팽.

핑갱이 명〈방〉팽이(경북).

핑거링 [fingering] 명〖악〗운지법(運指法).

핑거 볼: [finger bowl] 명 양식(洋食)을 먹는 중간에 손가락과 입을 씻기 위하여 물을 담아 내놓는 그릇. 흔히, 은(銀) 또는 놋쇠로 만듦.

핑거 페인팅 [finger painting] 명〖미술〗풀에 물감을 섞어서 손가락으로 문질러 그리는 그림.

핑거-프린트 [fingerprint] 명 지문(指紋).

핑계 명 [근대 : 핑계] ①다른 일을 방패막이로 내세움. ¶경제 불황을 ~로 감원하다. ②잘못 된 일에 다른 일의 탓으로 돌리어 말함. ¶~를 대다. ——-하다 타여불
[핑계가 좋아서 사돈네 집에 간다] 제 속으로는 어떤 일을 좋아하면서도 겉으로는 그렇지 아니하고, 또 다른 것이 좋은 듯이 핑계를 낸다는 말. [핑계 없는 무덤이 없다] 무슨 일에라도 반드시 핑계는 있다는 말. [핑계 핑계 도라지 캐러 간다] 적당히 핑계를 붙여 놀러 간다는 말.
핑계(를) 삼:다 구 핑계가 되게 하다. 핑계로 내세우다. ¶병을 핑계 삼아 게으름을 부리다.

핑고 명〈방〉핑구.

핑구 명 위에 꼭지가 달린 팽이.

핑그르르 부 ①물건이 미끄럽고 힘 있게 한 바퀴 도는 모양. ¶~ 돌고는 그만 어지러워 쓰러졌다. ㅅ빙그르르. ㅆ삥그르르. ②갑자기 정신이 아찔한 모양. ¶정신이 ~ 돌더라. ㅅ빙그르르. ㅆ삥그르르. ③갑자기 눈물이 어리는 모양. 1)-2): >팽그르르.

핑글-핑글 부 계속하여 미끄럽게 도는 모양. ㅅ빙글빙글. ㅆ삥글삥글. >팽글팽글.

핑기 명〈방〉팽이(경남).

핑당이 명〈방〉팽이(경북).

핑댕이 명〈방〉팽이(경상).

핑둥〔屛東〕명〖지〗타이완(臺灣) 남부 핑둥 평야(屛東平野)의 중심 도시로 가오슝(高雄)시의 동쪽에 있는 핑둥 현(屛東縣)의 현청 소재지. 순열대성 기후로 쌀·사탕수수·바나나·파파이아·파인애플 등의 산출이 많음. 타이완 종관 철도(縱貫鐵道)의 지선인 차오저우선(潮州線)이 통하여 교통도 편리함. 특히 제당(製糖) 공장과 축산 공장의 소재지로서 알려짐. 병동(屛東). [165,000 명(1970 추계)]

핑디 명〈방〉팽이(경북).

핑디취안〔平地泉〕명〖지〗'지닝(集寧)'의 구칭.

핑딩[1] 명〈방〉팽이(경북).

핑딩[2]〔平定〕명〖지〗중국 산시 성(陝西省) 동부의 도시. 스타이 철도(石太鐵道) 양취안 역(陽泉驛) 남방에 있음. 석탄·철을 산출함. 양취안의 근대적 제강 공업의 기초를 이루는데, 딩요(定窯)를 모방(模倣)한 도자기의 산지(產地)로도 유명함. 평정. [305,000 명(1982)]

핑딩이 명〈방〉팽이(경상).

핑량〔平涼〕명〖지〗중국 간쑤 성(甘肅省) 동부의 도시. 란저우(蘭州)·시안(西安) 간의 요지임. 부근은 농업·목축이 발달하고 광업·상업도 성함. 구위안(高原)·하이위안(海原) 일대의 모피의 집산지(集散地)임. 평량. [363,200 명(1984)]

핑러〔平樂〕명〖지〗중국 광시 성(廣西省) 동부의 도시. 구이린(桂林)·우저우(梧州) 간의 요지. 여름철에 구이장(桂江) 강 수량(水量)이 늘어나면 소형 선박이 드나들 수 있음. 구이장 상류의 물자를 우저우에 운반하는 중계지임. 평락. [345,000 명(1982)]

핑비 명〈방〉팽이(경남).

핑비이 명〈방〉팽이(경남).

핑빙이 명〈방〉팽이(경남).

핑샹〔萍鄕〕명〖지〗중국 화중(華中) 지구 남동부 장시 성(江西省) 서부의 탄광 도시. 석탄은 질이 좋아 코크스의 원료가 됨. 시내에 제철소가 있고, 제지·화학·기계·도자기·식품 가공 등의 공장이 있음. 평향. [1,270,400 명(1984)]

핑싱관〔平型關〕명〖지〗중국 산시 성(陝西省) 동북부 우타이 산(五臺山)의 북동쪽에 있는 고개. 물살이 빠른 협곡이 있으며 경치가 좋은 곳으로 알려짐. 고래로 군사 상의 요지로서 1937 년 가을 일본군이 팔로군에게 대패한 곳임. 평형관.

핑위안 성【—省】〔平原〕명〖지〗중공(中共)이 성립된 후 1949 년에 중국 북부에 신설했다가 1952 년 10 월에 폐지한 성(省)의 이름. 허난 성(河南省)의 황허(黃河) 강 이북의 허베이(河北)·산둥(山東) 두 성의 일부를 합친 것으로 성도(省都)는 신샹(新鄕)이었음. 평원성.

핑취안〔平泉〕명〖지〗중국 허베이 성(河北省) 북동부 청더(承德) 동쪽의 도시. 진구(錦古)철도변의 군사 상의 요지로, 농산물이 많고 은·석탄을 산출함. 평천. 별칭 : 바거우(八溝). [402,000 명(1982)]

핑크 [pink] 명 ①〖식〗패랭이꽃. ②담홍색(淡紅色). 석죽색(石竹色). 분홍색. ③색(色)에 관계되는 일을 가리키는 말. 주로, 복합어를 이루어 쓰임. ¶~ 무드.

핑킹 [pinking] 명 지그재그(zigzag)로 자를 수 있는 날을 가진 가위.

핑-퐁 [ping-pong] 명 탁구(卓球).

핑퐁 외:교【—外交】[ping-pong] 명 핑퐁이 도구(道具)로 사용된 외교. 1971년 일본의 나고야에서 열린 제31회 세계 탁구 선수권 대회를 계기로, 미국 탁구 팀과 기자단(記者團)이 중국을 방문, 미·중국 관계에 신기원을 수립한 데서 온 말.

핑-핑 부 ①계속하여 힘있게 도는 모양. ¶눈이 ~ 돌 정도의 속력. ㅅ빙빙. ㅆ삥삥. >팽팽. ②총알 따위가 공중으로 빠르게 지나는 소리. 또, 그 모양. ¶탄환이 머리 위로 ~ 날아간다. >팽팽.

핑핑-하다 형여불 ①잔뜩 켕겨 있다. ¶빨랫줄이 너무 높고 핑핑하구나. ②서로 어슷비슷하다. ¶실력이 서로 핑핑하겠는 걸. ③한껏 팽창해 있다. >팽팽하다[2]. 1)·2):>팽팽하다[1]. **핑핑-히** 부

ᄑᆞ가 명〈옛〉파개. ¶ᄑᆞ가(戽斗)≪四聲 上 41 戽字註≫.

ᄑᆞ개 명〈옛〉파개. =ᄑᆞ가. ¶ᄑᆞ개 호(戽)≪字會 中 25≫.

ᄑᆞ다[1] 타〈옛〉파다. ¶믯그러운 돌히 기우럿ᄂᆞ니 뉘 ᄑᆞ돗던고(滑石欹誰鑿)≪杜諺 Ⅰ:32≫.

ᄑᆞ다[2] 타〈옛〉①포개다. ¶요ᄒᆞᆯ ᄑᆞ 셜오 안ᄌᆞ며(累裀而坐)≪三綱 孝子 子路負米≫. ②거듭하다. ¶ᄒᆡ 다니며 ᄃᆞᆯ ᄑᆞ(經年累月)≪佛頂 中 7≫.

ᄑᆞ디 타〈옛〉팔지. 'ᄑᆞᆯ다'의 활용형. ¶나라해 出令호ᄃᆡ 됴ᄒᆞᆫ 고ᄌᆞ란 ᄑᆞ디 말오 다 王ᄭᅴ 가져 오라 ≪月解 Ⅰ:9≫.

ᄑᆞ라ᄂᆞᆯ 타〈옛〉팔거늘. 'ᄑᆞᆯ다'의 활용형. ¶太子ㅣ 구쳐 ᄑᆞ라ᄂᆞᆯ 須達이 깃거 ≪釋譜 Ⅵ:25≫. *'-아ᄂᆞᆯ'.

ᄑᆞ라ᄒᆞ다 형〈옛〉파랗다. ¶紺ᄋᆞᆫ 블가 ᄑᆞ라ᄒᆞᆯ 씨라 ≪妙蓮 Ⅱ:12≫.

ᄑᆞ람 명〈옛〉휘파람. ¶ᄒᆞ믈며 무덤우희 ᄌᆞᆫ나비 ᄑᆞ람 불제 뉘우ᄎᆞᆫᄃᆞᆯ 엇디리≪松江 將進酒辭≫.

ᄑᆞ래 명〈옛〉파래 박. ¶ᄑᆞ래 호(戽)≪倭解 下 18≫.

ᄑᆞ리 명〈옛〉파리. ¶ᄀᆞᅀᆞᆶ後에 ᄀᆞ장 ᄑᆞ리 하도다(秋後轉多蠅)≪杜諺 Ⅹ:28≫.

ᄑᆞᄅᆞ다 형〈옛〉푸르다. ¶ᄑᆞᄅᆞᆫ비치 柴門에 뮈놋다(碧色動柴門)≪杜諺 Ⅹ:6≫/ᄑᆞᄅᆞᆯ 벽(碧)≪字會 中 30≫.

ᄑᆞ이다 타〈옛〉파게 하다. ¶드듸여 ᄒᆞᆫ 구ᇜ올 ᄑᆞ이ᄃᆡ(遂令掘一坑)≪無冤錄 Ⅰ:42≫.

ᄑᆞᆯ[1] 명〈옛〉팔. ¶繼母 ᄑᆞᆯ히 ᄆᆡ엿던 구슬을 ᄇᆞ린대(繼母棄其繫臂珠)≪內訓 Ⅱ:30≫/ᄑᆞᆯ 굉(肱), ᄑᆞᆯ 비(臂)≪字會 上 26≫. *ᄇᆞᆯ.

ᄑᆞᆯ[2] 명〈옛〉파리. =ᄑᆞ리. ¶ᄑᆞᆯ爲蠅 ≪訓例≫.

ᄑᆞᆯ구브렁 명〈옛〉팔꿈치. ¶ᄑᆞᆯ구브렁 듀(肘) ≪字會 上 26≫.

ᄑᆞᆯ구비 명〈옛〉팔꿈치. =ᄑᆞᆯ구브렁. ¶ᄲᅧ 손과 ᄑᆞᆯ구비ᄅᆞᆯ 용납ᄒᆞ야 잡게 ᄒᆞ고(以容手肱執持)≪武藝諸譜 6≫.

ᄑᆞᆯ님자 명〈옛〉팔 임자. 파는 사람. ¶ᄯᅩ ᄑᆞᆯ님자도 셔디 아니ᄒᆞ야(也不向賣主)≪老乞 下 10≫.

ᄑᆞᆯ다 타〈옛〉팔다. ¶ᄇᆡᄑᆞᆯ리 잇건마ᄅᆞᆫ(有舡賣)≪杜諺 Ⅹ:4≫/ᄑᆞᆯ 매(賣), ᄑᆞᆯ 현(衒)≪字會 下 21≫.

ᄑᆞᆯ댱 명〈옛〉팔짱. ¶ᄑᆞᆯ댱 디ᄅᆞᄂᆞᆫ 거시 므슴 법고(叉手如何法) ≪語錄 39≫.

ᄑᆞᆯ뎡 명〈옛〉팔짱. ¶ᄑᆞᆯ뎡고줄공(拱)≪類合 下 16≫.

ᄑᆞᆯ득 명 〈옛〉 팔뚝. ¶왼녁 ᄑᆞᆯ독에 살마자 샹ᄒᆞ엿고(左肐膊上射傷)≪老乞 上 27≫/ᄑᆞᆯ독 박(膊)≪字會 上 25≫.
ᄑᆞᆯ라코져 타 〈옛〉 팔라하고자. ¶히여 아히돌홀 ᄑᆞᆯ라코져 컨마른(欲令鬻兒女)≪初杜諺 XXV:37≫.
ᄑᆞᆯ쇠 명 〈옛〉 팔목고리. ¶ᄑᆞᆯ쇠 쳔(釧)≪字會 中 24≫.
ᄑᆞᆯ왇 명 〈옛〉 묵은 밭. 화전(火田). ¶ᄑᆞᆯ왇 버후메 당당이 나ᄅᆞᆯ 虛費ᄒᆞ리로소니(斫畬應費日)≪初杜諺 Ⅶ:17≫.
ᄑᆞᆯ왓 명 〈옛〉 묵은 밭. 화전(火田). =ᄑᆞᆯ왇. ¶ᄑᆞᆯ왓ᄒᆞ야 븘 소리ᄅᆞᆯ 虛費ᄒᆞᄂᆞ다(畬田費火聲)≪重杜諺 Ⅲ:47≫/ᄑᆞᆯ왓 버후매 당당이 나ᄅᆞᆯ 虛費ᄒᆞ리소니(斫畬應費日)≪重杜諺 Ⅶ:17≫.
ᄑᆞᆯ지 명 〈옛〉 팔찌. ¶ᄑᆞᆯ지 한(韍) ᄑᆞᆯ지 구(韝)≪字會 中 30≫.
ᄑᆞᆯ히 〈옛〉 팔이. 'ᄑᆞᆯ'의 주격형(主格形). ¶ᄆᆞᆯᄀᆞᆫ 빗체 玉ᄀᆞᆮᄒᆞᆫ ᄑᆞᆯ히 서늘ᄒᆞ니라(清輝玉臂寒)≪重杜諺 Ⅻ:4≫.
ᄑᆞᆺ 명 〈옛〉 팥. ¶ᄑᆞᆺ爲小豆 ≪訓例≫/ᄑᆞᆺ 두(荳)≪字會 上 13≫.
ᄑᆞᆺ비리 부 〈옛〉 흔히. 많이. ¶鮮有ᄂᆞᆫ ᄑᆞᆺ비리 잇디 아니라 ᄒᆞ논ᄠᅳ디라(鮮有知出處始終)≪月序 2≫.
퓌다 타 〈옛〉 패다. ¶이삭 퓌다(發穗)≪譯語 下 8≫.
ㆄ (경피읖) 〈옛〉 'ㅍ' 소리를 내면서 입술을 조금 덜 닫고 내는 소리.

ㅎ[1] (히읗) ①한글 자모의 열넷째 글자. ②〖언〗 목청을 좁히어 숨을 내쉴 때에 그 가장자리를 마찰하여 나오는 맑은 소리. 받침으로 끝날 때에는 입천장을 막고 떼지 아니하므로 ㅅ받침의 경우와 같게 되며, ㄱ·ㄷ·ㅂ·ㅈ과 만나면 앞뒤를 가리지 아니하고 ㅋ·ㅌ·ㅍ·ㅊ의 소리로 바뀜. ¶ㅎ는 목소리니 虛헝ㆆ字ᄍᆞᆼ 처ᅀᅥᆷ 펴아 나는 소리 ᄀᆞᄐᆞ니 ᄀᆞᆯᄫᅡ쓰면 洪ᅘᅩᆼㄱ字ᄍᆞᆼ 처ᅀᅥᆷ 펴아 나는 소리 ᄀᆞᄐᆞ니라《訓例》. 주의 '히읗'의 받침 소리가 연음(連音)될 때 [히으시, 히으슬, 히으세] 등으로 발음함.

ㅎ[2] 준 〖언〗 접미사(接尾辭)의 어근(語根) '하'의 준말. ¶활발~게/이상~다.

ㅎ 받침 변:칙 【一變則】 [히읃一] 명 〖언〗 ㅎ 불규칙 활용.

ㅎ불규칙 용:언 【一不規則用言】 [히읃一뇽一] 명 〖언〗 ㅎ불규칙 활용을 하는 용언.

ㅎ불규칙 활용 【一不規則活用】 [히읃一] 명 〖언〗 일부 형용사에서 어간(語幹)의 끝 'ㅎ'이 어미 'ㄴ'이나 'ㅁ' 위에서 줄어서 활용되는 형식. 곧, '노랗다'가 '노라니'·'노라면' 등으로 되는 따위. ㅎ받침 변칙.

ㅎ종성 체언 【一終聲體言】 [히읃一] 명 〖언〗 중세 국어에서, 'ㅎ'을 말음(末音)으로 하는 체언. 모음으로 시작되는 조사 앞에서는 그대로 유지되고, 유기음화(有氣音化)할 수 있는 'ㄱ', 'ㄷ' 앞에서는 그와 결합하여 'ㅋ', 'ㅌ'을 만들며, 휴지(休止)나 관형격을 나타내는 'ㅅ', 'ㆆ' 앞에서는 탈락됨. ㅎ종성 체언은 80여개가 있는데, 이는 대부분 'ㅎ' 앞이 모음이거나 'ㄹ' 받침임. 갈ㅎ(칼)·겨ᅀᅳᆯㅎ(겨울)·ᄀᆞᄂᆞᆯㅎ(그늘)·길ㅎ(길)·돌ㅎ(돌)·나ㅎ(나이)·내ㅎ(내)·우ㅎ(위) 따위.

하:[1] 【下】 명 ①아래. 밑. 아래쪽. ②가치·등급·순위·정도 등이 아랫길임. ¶품질이 ~에 속한다/~치.

하[2] 【何】 명 성(姓)의 하나. 우리 나라에는 현존(現存)하지 아니함.

하[3] 【河】 명 성(姓)의 하나. 주요 본관은 진양(晋陽)·경주(慶州)·강화(江華) 등 10여개의 본관이 있음.

하:[4] 【夏】 명 〖역〗 ①중국 전설상의 최고(最古)의 왕조. 치수(治水)에 공로가 있는 우(禹)가 순제(舜帝)로부터 양위(讓位)를 받아서 세운 나라. 서울은 안읍(安邑). 폭군 걸왕(桀王)이 은(殷)의 탕왕(湯王)에게 망할 때까지 17세(世), 439년간을 누렸음. ②오호 십육국(五胡十六國)의 하나. ③서하(西夏).

하:[5] 【夏】 명 성(姓)의 하나. 본관은 달성(達城) 하나뿐임.

하[6] 【賀】 명 성(姓)의 하나. 우리 나라에는 현존(現存)하지 아니함.

하[7] [도 H] 명 〖악〗 음 이름의 하나. 영·미(英美) 음 이름 'B'로, 우리 나라 음 이름 '나'의 독일 음 이름.

하[8] 의명 〈옛〉 해. 것. ¶내하는 다 細絲官銀이라《老乞 下 13》/내하는 본디 사니라(我的是元買的)《老乞 下 14》.

하[9] 형 〈옛〉 많아. '하다[4]'의 활용형. ¶後人의 節略이 너무 하 六祖ㅅ 큰 오ᄋᆞᆫ ᄠᅳ들 보디 몯ᄒᆞ며(後人節略太多 不具六祖大全之旨)《六祖 序 7》.

하:[10] 【夏】 의명 〖불교〗 중이 된 뒤로부터의 나이를 셀 때에 쓰는 말. ¶대교사(大教師)는 법랍(法臘)이 20 ~ 이상이라야 함.

하[11] 부 '많이'·'크게'와 같은 뜻으로 쓰이는 말. ¶~ 추워 쉬오/~ 많아서 걱정이오.

[하 십십하여 길 군악(軍樂)이나 하지] 십십 파적으로 어떤 한가한 놀이를 할 때 이르는 말.

하[12] 부 마른 것을 축이거나 딱딱하게 굳은 것을 녹이기 위하여 입을 크게 벌리고 목구멍으로부터 더운 김을 내어 부는 소리. <허[3]. *호[13]. 후[9]. ——-하다 자여불

하:[13] 감 기쁨·상탄(賞嘆)·슬픔·걱정·노여움·한탄 등의 감정을 나타내는 소리. ¶~ 참 잘 되었다/~ 이젠 그만 두래두. <허[4].

하[14] 조 〈옛〉 시여. 이시여. ¶님금하 아ᄅᆞ쇼셔(嗣王覽此)《龍歌 125章》/世尊하 날 爲ᄒᆞ야 니ᄅᆞ쇼셔《月釋 I:17》.

-하 【下】 미 한자로 된 일부 명사 뒤에 붙어, '어떤 조건이나 환경 아래', '어떤 영향을 받는 범위' 등의 뜻을 나타냄. ¶지배~/인솔~/책임~.

하:가[1] 【下嫁】 명 〖역〗 공주(公主)나 옹주(翁主)가 귀족이나 신하에게로 시집감. 하강(下降). ——-하다 자여불

하가[2] 【何暇】 명 어느 때. 어느 겨를.

하:-가라 【下加羅】 명 〖역〗 금관 가야(金官伽倻).

하:가라-국 【下加羅國】 명 〖역〗 금관 가야(金官伽倻).

하:-가라도 【下加羅都】 명 〖악〗 신라 진흥왕 때 우륵(于勒)이 지은 가야금 12곡 중의 하나. 하가라도는 함안(咸安) 지방의 옛이름으로, 이 지방의 음악이었던 것으로 추측함.

하가마 명 〈방〉 화관(花冠).

하가-에 【何暇一】 부 어느 때에. 어느 겨를에. 해가(奚暇)에. ¶어느 ~ 그 책을 다 읽나.

하가우리 명 〈방〉 〖식〗 해바라기(평안).

하:각 작용 【下刻作用】 명 [downcutting] 〖지〗 강물이 하천의 바닥을 깊게 깎는 작용.

하간[1] 【何間】 명 어느 때.

하:간[2] 【夏間】 명 여름 동안.

하갈 [Hagar, Haghar] 명 〖성〗 아브라함의 처 사라(Sarah)의 여종. 사라가 임신하지 못하므로 아브라함의 첩이 되어 이스마엘(Ishmael)을 낳았으며, 사라의 질투로 아들과 함께 사막 지방으로 피했다 함.

하:-갈도 【下乫島】 [一또] 명 〖지〗 전라 남도의 서남해상, 진도군(珍島郡) 조도면(鳥島面)에 위치한 무인도(無人島). [0.04 km²]

하:갈 동구 【夏葛冬裘】 명 여름의 서늘한 베옷과 겨울의 따뜻한 옷. 곧, 격(格)에 맞음을 이르는 말.

하:감[1] 【下疳】 명 〖한의〗 음식창(陰蝕瘡).

하:감[2] 【下瞰】 명 위에서 내려다봄. ——-하다 타여불

하:감[3] 【下鑑】 명 아랫사람이 올린 글을 어른께서 봄. ——-하다 타여불

하:감-창 【下疳瘡】 명 〖한의〗 음식창(陰蝕瘡).

하:갑개 절제술 【下甲介切除術】 [一쩨一] 명 〖의〗 하비 갑개(下鼻甲介)가 팽창하였을 때 비강(鼻腔)의 기능을 개선하기 위하여 행하는 수술. 하갑개의 비대(肥大)한 점막(粘膜)만을 절제하는 것과, 하갑개골(骨)만을 절제하는 것의 두 가지가 있음.

하:강 【下降】 명 ①높은 데서 아래로 내려옴. 강하(降下). ↔상승(上昇). ②〖역〗 하가(下嫁). ③신선 또는 웃어른이 속계(俗界) 또는 아랫자리로 내려옴. ——-하다 자여불

하:강 기류 【下降氣流】 명 〖기상〗 상공에서 지표면으로 내리 흐르는 기류. 바람이 산을 따라 내리 불 때나 볕이 쨍쨍 비칠 때에 주위보다 비열(比熱)이 큰 물 위나 산림(山林) 같은 장소에 생기며, 고기압 내부(高氣壓內部)로부터 주위로 흘러 나간 공기를 메우기 위해 생김. ↔상승 기류(上昇氣流).

하:강-류 【下降流】 [一뉴] 명 〖지〗 침강류(沈降流).

하:강 비행 【下降飛行】 명 항공기 등이 고도를 낮추기 위하여 아래로 내려감. ↔상승 비행.

하:강-선 【下降線】 명 하강하는 선.

하:강 시간 【下降時間】 명 [fall time] 〖전〗 회로(回路)의 출력을 큰 값에서 적은 값으로 변화시키는 데 필요한 시간. 보통 1/2로 감소하는 시간을 척도로 함.

하:강 크로마토그래피 【下降一】 [chromatography] 명 거름종이 크로마토그래피 방법의 하나. 시료 전개 용제(試料展開溶劑)를 전개조(展開槽)의 맨 윗부분에 공급하여 아래쪽으로 전개 분리시킴.

하강키 명 〈방〉 까끄라기(충남).

하:객 【賀客】 명 축하하는 손님. ↔조객(弔客).

하:거[1] 【下去】 명 ①아래로 내려감. ②서울에서 시골로 내려감. ——-하다 자여불

하:거[2] 【下車】 명 〖역〗 ①수레에서 내림. ②고을 원이 도임(到任)함. ——-하다 자여불

하:거[3] 【下炬】 명 〖불교〗 시체를 태울 나무에 불을 붙임. 하화(下火). ——-하다 자여불

하-거[4] 【河渠】 명 강과 개천.

하거[5] 【爲去】 〈이두〉 하였느냐고. 하였는지.

하거겨늘 【爲去在乙】 〈이두〉 하였거늘. 하였는데. 하였으므로.

하거늘 【爲去乙】 〈이두〉 하거늘. 하는데.

하거니 【爲去乃】 〈이두〉 하거나.

하거되 【爲去矣】 〈이두〉 하지만. 하되.

하거든 【爲去等】 〈이두〉 하거든.

하거든사 【爲去等沙】 〈이두〉 하고서야.

하거든이내여 【爲去等易亦】 〈이두〉 하거든 곧. 하면 곧.

하거들로 【爲去等以】 〈이두〉 한 까닭에.

하:-거복중도 【下去伏中島】 명 〖지〗 전라 남도의 서해상, 신안군(新安郡) 증도면(曾島面)에 위치한 무인도(無人島). [0.004 km²]

하거사【爲去沙】〈이두〉 하여야. 하고서야.
하거앗들어【爲去向入】〈이두〉 하기로. 하려고.
하거온【爲去乎】〈이두〉 하므로. 하건대.
하거온견들로【爲去乎在等以】〈이두〉 하였으므로.
하거온들【爲去乎等】〈이두〉 하므로. 하였으므로. 하였더라도.
하거온일딴【爲去乎事段】〈이두〉 하는 일은. 한 일은.
하거을든【爲去乙等】〈이두〉 하였는데. 하는 것이므로. 하는데. 한 것이면.
하거을안【爲去乙良】〈이두〉 하면. 하였으면. 한 것을.
하거이시늘【爲去有乙】〈이두〉 하였거늘. 하였는데. 하였으므로.
하거이시아금【爲去有良尒】〈이두〉 하였다고. 하였으므로. 함으로써.
하거이신들【爲去有等】〈이두〉 한 것들. 한 것이라고.
하거이신들로【爲去有等以】〈이두〉 한 것이므로. 해야 하는 고로.
하거이신마리여【爲去有而亦】〈이두〉 한 것이더라도. 한 것이라도.
하거이신이여【爲去有亦】〈이두〉 한 것이기에. 한 것인데. 한 것이기 때문에.
하게-체【一體】 명 〖언〗 결어법(結語法)의 존비법(尊卑法)에 딸린 종결 어미의 한 체(體). 아랫사람에게 보통으로 낮추면서 조금 대접해 주는 뜻을 나타냄. '앉게' '보세' '들게나' 따위가 이에 속함.
하게-하다 자여불 상대자에게 쓰는 보통 낮춤의 말씨를 쓰다. '해라하다'보다 높게, '하소하다'보다 약간 낮게 쓰임. 이리 오게, 많이 먹게, 일찍 일어나게 같은 것. *해라하다·하오하다·합쇼하다.
하:겐〔Hagen〕 명 〖지〗 독일(獨逸)의 서쪽, 노르트라인 베스트팔렌 주(Nordrhein-Westfalen 州)의 공업 도시. 루르 공업 지대 안에 있으며 철강·기계·금속·전기·섬유 공업이 성함. [218,000 명(1981)]
하:겐베크〔Hagenbeck, Karl〕 명 〖사람〗 독일의 동물 사육가(飼育家). 환경의 응용에 의한 훈련 방안을 창안하여 전세계에서 동물을 수집, 함부르크에 세계적 동물원을 창설하였음. [1844-1913]
하:견[1]【下肩】 명 〖불교〗 ①선가(禪家)에서 자기보다 아랫자리의 사람을 일컫는 말. ②자기 몸의 오른쪽.
하:견[2]【夏繭】 명 여름 누에의 고치.
하:견[3]【荷肩】 명 〖악〗 보태평지무(保太平之舞)에서, 두 팔을 좌우 일직선으로 벌리는 춤사위.
하견[4]【爲在】〈이두〉 한. 한 것. 하는.
하견것을【爲在條乙】〈이두〉 한 것을.
하견과【爲在果】〈이두〉 하거니와.
하견나【爲在乃】〈이두〉 한 것이라도.
하견다해【爲在如中】〈이두〉 한 때에. 한 터에. 하였으므로.
하견들【爲在等】〈이두〉 하였더라도. 하였기로니.
하견들로【爲在等以】〈이두〉 하였으므로.
하견마리여【爲在而亦】〈이두〉 하였더라도. 하더라도. 한 것일지라도.
하견맛【爲在味】〈이두〉 한 뜻.
하견여아【爲在亦中】〈이두〉 한 짓에. 한 바에.
하견온일여견【爲在乎事亦在】〈이두〉 한 일이었는데. 말한 것인데.
하견온일이들로【爲在乎事易等以】〈이두〉 한 일이므로. 한 일인데.
하견으로【爲在以】〈이두〉 한 것으로써. 하였으므로.
하견은【爲在隱】〈이두〉 한 것은.
하견을【爲在乙】〈이두〉 한 것인데. 하였거늘.
하견을사【爲在乙沙】〈이두〉 한 것이야말로.
하견을쓰아【爲在乙用良】〈이두〉 한 것으로써.
하견을안【爲在乙良】〈이두〉 한 것을랑. 하였거든.
하견을안두【爲在乙良置】〈이두〉 한 것이더라도.
하견이【爲在是】〈이두〉 한 것이.
하견이과【爲在是果】〈이두〉 한 것과.
하견일을【爲在事乙】〈이두〉 한 일을.
하견일을안【爲在事乙良】〈이두〉 한 일을랑.
하:경[1]【下京】 명 서울에서 내려옴. ↔상경(上京). ——-하다 자여불
하:경[2]【夏耕】 명 농토를 여름에 갊. ——-하다 자여불
하:경[3]【夏景】 명 여름의 경치. 여름 풍경.
하:경[4]【賀慶】 명 경하(慶賀). ——-하다 타여불
하-경명【何景明】 명 〖사람〗 중국 명(明)나라의 시인. 자(字)는 중묵(仲默), 호는 대복(大復). 이몽양(李夢陽)과 함께 전칠자(前七子)의 중심 인물로서, 격조(格調)를 존중하는 복고설(復古說)을 주장했으나, 극단적인 모방을 반대하여 그 입장을 약간 달리했음. 시문집(詩文集) ≪하대복집(何大復集)≫이 있음. [1483-1521]
하:계[1]【下計】 명 가장 낮은 계책. 하책(下策). ↔상계(上計).
하:계[2]【下界】 명 ①천상계(天上界)에 대하여, 사람이 사는 이 세상을 일컫는 말. 하지(下地). ¶천상(天上)에서 ～를 굽어보니. ↔상계(上界). ②높은 곳에서 낮은 곳을 일컫는 말.
하계[3]【河系】 명 어떤 강의 본류(本流)와 모든 지류(支流)의 총칭.
하계[4]【河溪】 명 하천과 계곡.
하:계[5]【夏季】 명 하기(夏期).
하:계 대학【夏季大學】 명 하기 대학.
하:계 소:재【夏季小齋】 명 〖천주교〗 사계 소재의 하나로 하계에 지키던 금육재(禁肉齋).
하:계 양진【夏季痒疹】 명 〖의〗 해마다 여름철에는 악화하고 겨울철에 없어지는 헤브라(hebra) 양진의 한 가지.
하:계 여행【夏季旅行】 명 여름철의 여행.
하:계-열【夏季熱】 명 〖의〗 여름에 젖먹이나 어린애에게서 아무 증상·원인이 없이 38°-39°C를 오르내리는 열.
하:계 작물【夏季作物】 명 하기 작물.
하:계 학교【夏季學校】 명 하기 학교.
하:계 휴가【夏季休暇】 명 하기 휴가.
하고[1]【何故】 명 무슨 까닭.
하고[2]【河鼓】 명 〖천〗 견우성(牽牛星)❶.
하고[3]【蝦蛄】 명 〖동〗 갯가재.
하고[4] 조 ①'와' 또는 '과'와 같은 뜻으로 둘 이상의 체언을 나열할 때에 쓰는 접속 조사. ¶너～ 나～ 함께 먹자/토끼～ 거북이 경주를 했다. ②비교를 나타내는 부사격 조사. ¶동생은 형～ 많이 닮았었다. ③어떤 일을 함께 함을 나타내는 부사격 조사. ¶나～ 놀자/너～ 사는 여자. ④직접 인용을 나타내는 부사격 조사. ¶놀라 '앗'～ 소리를 질렀다.
하고[5]【爲遣·爲古】〈이두〉 하고.
하고-는 조 ①조사 '하고'와 '는'이 합쳐서 된 '하고'의 힘줌말. ¶저것～ 달라/개～ 못 산다. ②얕잡거나 못마땅해서 지적하는 대상임을 나타내는 보조사. ¶생긴 꼴～/촌구석～ 꽤 큰 장이 선다. 1)·2) ㊀하곤.
하고-많다〔一만타〕 형 많고 많다. ¶하고많은 젊은이가 쓰러졌다/하고많은 것 중에 왜 그걸 샀니.
하고사【爲遣沙】〈이두〉 하고야. ㊀고사(遣沙).
하고-성【河鼓星】 명 〖천〗 '견우성(牽牛星)'의 딴이름.
하:-고음【下高音】 명 〖악〗 테너(tenor).
하고자 하다 자타여불 하려고 하다.
하:고-초【夏枯草】 명 〖한의〗 제비꿀의 줄기와 잎. 쓴 맛이 있으며, 나력(瘰癧)·자궁병(子宮病)·월경 불순(月經不順)·눈병 등에 약재로 씀.
하고-하다 형여불 ☞하고많다.
하곡[1]【河谷】 명 하천이 흐르는 골짜기.
하:곡[2]【夏穀】 명 여름철에 익어서 거두는 곡식. 곧, 보리·밀과 같은 것. 맥곡(麥穀). ¶～ 수매(收買) 가격. ↔추곡(秋穀).
하곡[3]【荷谷】 명 〖사람〗 허봉(許篈)의 호(號).
하곡 조천기【荷谷朝天記】 명 〖책〗 조선 선조(宣祖) 7년(1574)에 중국 명(明)나라의 베이징(北京)에 갔던 허봉(許篈)이 지은 여행 일기. 3권 3책.
하곤[1] 조 ↗하고는. ¶그 사람～ 같이 공부를 못 하겠다.
하곤[2]【爲昆】〈이두〉 하니. 하기에. 하므로.
하공【河工】 명 하천(河川)에 관한 공사.
하:-공원【下公員】 명 〖역〗 조선 시대에, 육의전(六矣廛)의 도중(都中)의 하위 직원. 실무(實務)를 맡았음. 실임(實任)·의임(矣任)·서기(書記)·서사(書寫) 등으로 나뉨. ↔상공원(上公員).
하-공진【河拱辰】 명 〖사람〗 고려 8대 현종(顯宗) 때의 충신. 현종 원년(1010) 강조(康兆)의 난 때에 거란(契丹) 진영에 이르러 철군(撤軍)을 요구하다 볼모로 잡혀갔는데 많은 준마(駿馬)를 사 모아 귀국을 꾀하다가 잡혀 거란의 성종(聖宗)에게 피살됨. [?-1011]
하공-학【河工學】 명 하천(河川)에 관한 공사를 연구하는 공학.
하:과【夏課】 명 〖역〗 고려 때 선비들이 여름철인 오뉴월에 시작하여 오십 일을 한정하고 절에 들어가서 고문(古文)·고시(古詩)와 당송(唐宋)의 시를 외며 시부(詩賦)를 짓고 공부하던 일.
하:관[1]【下官】 명 ①아랫자리의 벼슬아치. ↔상관(上官). ②아랫자리의 벼슬아치가 상관에 대하여 자기를 낮추어 일컫는 말.
하:관[2]【下棺】 명 관(棺)을 광중(壙中)으로 내림. ——-하다 자여불
하:관[3]【下關】 명 〖지〗 '시모노세키'를 우리 음으로 읽은 이름.
하:관[4]【下顴】 명 얼굴의 아래 쪽. 곧, 위아래 턱의 부분(部分).
하:관(이) 빨다 구 얼굴 전체에 비하여 하관이 매우 좁다.
하관[5]【何關】 명 무슨 관계.
하:관[6]【夏官】 명 〖역〗 병조(兵曹)의 별칭.
하관 대:사【何關大事】 명 깊은 관계가 없음.
하:관-시【下棺時】 명 하관하는 시각. 또, 그 때.
하:관 아:문【夏官衙門】 명 〖역〗 병조(兵曹) 관아의 별칭.
하:관-정【夏官正】 명 〖역〗 고려 때 사천대(司天臺)의 종오품(從五品) 벼슬.
하:관 조약【下關條約】 명 〖역〗 '시모노세키 조약'을 우리 음으로 읽은 이름.
하:관-포【下棺布】 명 관(棺)의 네 귀에 거는 베. 관을 광중으로 들어 내리는 데 씀.
하:괘【下卦】 명 〖민〗 ①주역(周易)의 육효(六爻)의 두 괘 중 아래에 있는 괘. ②길하지 아니한 점괘(占卦). 흉한 괘. 1)·2):↔상괘(上卦).
하괴-성【河魁星】 명 〖민〗 음양가(陰陽家)에서 천선(天璇)을 일컫는 말. 장성(將星). ——-하다 자여불
하:교[1]【下交】 명 아랫사람과의 사귐. 귀한 사람이 천한 사람과 사귐.
하:교[2]【下校】 명 공부를 마치고 학교로부터 집으로 돌아감. 하학(下學). ¶～ 시간. ↔등교(登校). ——-하다 자여불
하:교[3]【下教】 명 ①윗사람이 아랫사람에게 가르치어 보임. ¶～를 바랍니다. ②〖역〗 전교(傳教). ——-하다 타여불
하:구[1]【下丘】 명 〔inferior colliculus〕〖생〗 중뇌 배측부(中腦背側部)에서 시작되는 뒤쪽 한 쌍의 둥근 돌기의 하나.
하:구[2]【下矩】 명 〖천〗 외행성(外行星)이 태양의 서쪽에 있어, 황경(黃經)의 차(差)가 90°일 때의 이름. 서구(西矩). ↔상구(上矩).

〈하구²〉

하구[3]【河口】 명 강물이 바다로 흘러 들어가는 어귀. 강어귀.
하구[4]【蝦灸】 명 새우구이.
하구-둑【河口一】 명 하구언(河口堰).
하:구려【下句驪】 명 중국 전한(前漢) 말기에 '고구려'를 낮추어 일컫던 말.

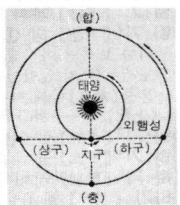

하:구룡-도【下九龍島】명〖지〗전라 남도의 남해상, 완도군(莞島郡) 노화읍(蘆花邑) 충도리(忠道里)에 위치한 섬. [0.02 km²]

하구 사:건【河口事件】[-껀] 명〖역〗허커우 사건.

하구-식【下口食】명〖불교〗사사명식(四邪命食)의 하나. 탁발(托鉢)로 생활해야 할 비구(比丘)가, 농사를 짓거나 약을 만드는 등의 일로 의식(衣食)을 꾸려 나가는 일.

하구-언【河口堰】명 강구(江口)의 넓이와 수심(水深)을 일정하게 유지하기 위하여, 혹은 해수(海水)가 침입하는 것을 막기 위하여 강어귀 부근에 쌓은 댐. 하구둑.

하:구자-도【下狗子島】명〖지〗전라 남도의 서남 해상 진도군(珍島郡) 의신면(義新面) 구자리(狗子里)에 위치한 섬. [0.14 km² : 54 명(1984)]

하구-항【河口港】명 강어귀에 있는 항구.

하구 해:양학【河口海洋學】명 [estuarine oceanography] 하구 부근의 화학적·물리적·지질적(地質的)인 연구를 하는 해양학의 한 분과.

하:국【夏菊】명〖식〗금불초(金佛草).

하:국-꽃【夏菊—】명〖식〗금불초(金佛草).

하:굴-조【下窟鳥】[—쪼] 명〖조〗물수리.

하:굽-맞다 자 화살이 과녁의 아래쪽에 맞다.

하:궁【下弓】명〖악〗내림활. ↔상궁(上弓).

하:권【下卷】명 두 권 또는 세 권으로 된 책의 맨 끝 권. *상권(上卷)·중권(中卷).

하:-규【夏珪】명〖사람〗중국 남송(南宋) 시대의 화가. 저장(浙江) 사람. 마원(馬遠)과 함께 남송원체(南宋院體) 산수화(山水畫)의 쌍벽을 이루었으며, 단려(端麗)한 필치로 알려졌음. 작품에 ≪계산 무진도(溪山無盡圖)≫ 등이 있음. 생몰년 미상.

하:그리:브스 [Hargreaves, James] 명〖사람〗영국의 발명가. 다축 방적기(多軸紡績機), 곧 제니(Jenny) 방적기를 발명, 공업의 근대화에 공헌하였음. [1745?-78]

하:-극상【下剋上】명 계급이나 신분이 낮은 사람이 윗사람을 꺾고 오름. ——하다 자여불

하:-극한【下極限】명〖수〗실수(實數)의 집합 S에 대하여, 하나의 실수 λ가 있고 임의의 양수(陽數) ε를 취하면 $\lambda-\varepsilon>x$가 되는 S의 원소는 고작 유한개(有限個)이고, $\lambda+\varepsilon>x$가 되는 S의 원소 x는 무한개(無限個)일 때 S에 대한 λ의 일컬음. 최소 극한. ↔상극한.

하:근[1]【下根】명〖불교〗기근(機根)이 열등한 사람. 도(道)를 닦을 힘이 적은 사람. 하등(下等)의 근성. *상근(上根)·중근(中根).

하근[2]【瑕瑾】명 ①허물. 결점. 단점(短點). ②치욕(恥辱).

하:급【下級】명 낮은 계급 또는 낮은 등급. ¶ ~ 관청. ↔상급(上級).

하:급 공무원【下級公務員】명 상급 공무원에 대해서 그의 지휘·감독을 받는 공무원. 국장·과장 등 역직(役職)을 갖는 공무원에 대하여 일반의 공무원을 이름.

하:급 관리【下級官吏】[—괄—] 명 상급 관리의 지휘·감독을 받는 관리. ↔상급 관리.

하:급 관청【下級官廳】명 윗관청의 지휘·감독 아래에 있는 아래 관청. ↔상급 관청.

하:급 기관【下級機關】명 상급 기관의 지휘·감독을 받는 기관. 정당에서 중앙당에 대한 지구당 따위. ↔상급 기관.

하:급 노동자【下級勞動者】명 기술 부문에 종사하지 아니하고 단순한 육체 노동에만 종사하는 노동자.

하:급-반【下級班】명 아랫반❶.

하:급 법원【下級法院】명〖법〗윗법원의 지휘 감독을 받는 법원. 곧 고등 법원에 대한 지방 법원, 대법원에 대한 고등 법원 등. 하급 재판소. ↔상급 법원.

하:급-생【下級生】명 학년이 낮은 학생. ↔상급생.

하:급 생물【下級生物】명 하등 식물.

하:급 선원【下級船員】명 선장, 항해사, 기관장, 사무장 등의 고급 선원에 대한 보통 선원의 호칭.

하:급-심【下級審】명〖법〗하급 법원의 심리(審理). ↔상급심.

하:급-재【下級財】명〖경〗소비자의 소득이 늘어남에 따라 수요가 줄어드는 재화(財貨). ↔상급재(上級財).

하:급 재판소【下級裁判所】명〖법〗하급 법원. ↔상급 재판소.

하:급 학교【下級學校】명 하급의 학교. 곧, 중학교에 대하여 국민학교, 고등 학교에 대하여 중학교, 전문 학교·대학교 등에 대하여 고등학교를 일컬음. ↔상급 학교.

하:급 학년【下級學年】명 아래 학년. ↔상급 학년.

하:급 학생【下級學生】명 아래 학년의 학생. ↔상급 학생.

하:기[1]【下技】명 익숙하지 못한 서투른 기술. 말기(末技).

하:기[2]【下記】명 ①돈 치른 것을 적은 장부. ¶"여기 ~를 닦아왔으니까 보시면 아시겠지만 가져간 상목은 역시 부비루 다 들어가구 올라올 노비두 남지 않았었습니다."≪洪命憙 : 林巨正≫. ②특히 알리기 위해 본문(本文) 아래 적음. 또, 그 기록. ¶ 상세한 것은 ~와 같음. ↔상기(上記). ——하다 타여불

하:기[3]【下氣】명〖한의〗①기운을 내리게 함. ②홍분을 가라앉힘. ——하다 자타여불

하:기[4]【下旗】명 기를 내림. ↔게양(揭揚).

하:기[5]【夏期】명 여름의 시기. 하계(夏季). ¶ ~ 방학. ↔동기(冬期).

하기[6]【遐棄】명 ①멀리 물리치고 돌보지 않음. 먼 곳에 내다 버림. ②스스로 그 자리를 떠남. ——하다 자타여불

하:기 강습회【夏期講習會】명 하기 강좌.

하:기 강:좌【夏期講座】명 여름철에 여는 강좌. 일반 성인을 대상(對象)으로 하는 것과 학생의 보충 교육(補充敎育)이나 공무원의 재(再)교육 등을 위해 하는 것이 있음. 서머 코스(summer course). *하기 학교·하기 대학.

하기까지【爲己只】〈이두〉하기까지.

하기는 부 '실상은'의 뜻으로, 결정된 일을 긍정할 때 쓰는 접속 부사. 딴은. ¶ ~ 그렇기도 하다. 준하긴.

하-기다야【何其多也】명 뜻밖에 많음을 가리키는 말.

하:기 대학【夏期大學】명 하기 휴가를 이용해서 열리는 임시 강좌(臨時講座). 일반 사회인을 대상으로 하여 전문적인 교양을 습득(習得)시키기 위하여 개최됨. 하계 대학.

하:기 방:학【夏期放學】명 여름철의 더운 때에 학교에서 어느 기간 수업을 쉬는 일. 여름 방학. ↔동기 방학.

하:기 시간【夏期時間】명 서머 타임(summer time).

하:기 시험【夏期試驗】명 학교에서, 여름철에 시행하는 시험.

하:기-식【下旗式】명 군대나 공공 기관·단체에서 국기를 내릴 때에 행하는 의식.

하기암【爲只爲】〈이두〉하기로. 하기에. 하도록. 하기 때문에.

하기암바리견【爲只爲使內在】〈이두〉하도록 시키는. 하도록 하는.

하기암이아금【爲只爲是良尒】〈이두〉하게 하기 때문에. 하게 하는 것이라고.

하기암행하안일【爲只爲行下向事】〈이두〉하게 시킬 일.

하기야 부 '실상 적당하게 평정(評定)하라면'의 뜻으로 아래에 어떠한 조건을 붙일 때에 쓰는 접속 부사. ¶ ~ 열심히 하면 될 수도 있지.

하:기 학교【夏期學校】명 여름 방학 기간을 이용하여 일정한 학과나 실습을 목적으로 열리는 학교. 교회 등에서 여는 성경(聖經) 학교 등. 서머 스쿨(summer school). 여름 학교. 하계 학교.

하:기 휴가【夏期休暇】명 학교·관청·회사 등에서, 여름철에 더위를 피하기 위하여 실시하는 휴가. 여름 휴가. 하계 휴가. ↔동기 휴가.

하:기 휴업【夏期休業】명 여름철에 더위 등으로 영업을 쉬는 일. ↔동기 휴업.

하긴 부 ↗하기는.

하깨-서【—書】[Haggai] 명〖성〗학개서(書).

하꼬-방【—房】[일 箱:はこ] 명 판자집.

하나[1] ㊀수 정수(整數)의 처음. 일(一). ¶ ~씩. ㊁명 ①오직 그것뿐. 유일(唯一). ¶단 ~뿐인 친구. ②일체(一體). ¶마음을 ~로 해서. ③같은 것. 한 쪽. ¶우리는 모두 ~다. ④(부사적으로 쓰이어) '전혀'·'조금도'·'도무지' 따위의 뜻을 나타내는 말. ¶잘못한 것이 ~도 없다. 참고 보통 '하나도'의 꼴로 쓰이며, 부정(否定)을 강조하는 뜻을 나타냄. 흔히, 하나도 안 덥다, 하나도 안 좋다, 하나도 크지 않다, 돈이 하나도 없다 등으로 쓰이고 있으나, 더위·감정·크기·돈 등은 하나 둘 셋 하고 셀 수 있는 말이 아니므로 '조금도'라고 표현하는 것이 적절함.

[하나는 열을 꾸려도 열은 하나를 못 꾸린다] ㉠한 사람이 잘 되면 여러 사람을 도울 수가 있으나, 많은 사람이 힘을 합해도 한 사람을 잘 살게 하기는 어렵다는 말. ㉡한 부모는 여러 자식을 거느릴 수 있어도, 열 자식은 한 부모를 모시고 살기가 어렵다는 말. [하나를 보고도 열을 안다] 일부만 보고도 전체를 미루어 안다는 말.

하나 가득 구 분량이나 수량이 정해진 한도에 가득하게. ¶물두멍에 ~ 채워라.

하나밖에 모르다 구 고지식하여 곁눈질하는 법 없이 한 가지 일에만 열중하다.

하나는 알:고 둘:은 모른다 구 한 쪽만을 알고 다른 쪽은 모른다. 좁은 견해를 가리키는 말.

하나에서 열:까지 구 '열'을 하나의 수(數)로 보고, 처음부터 끝까지. 전부. 모두.

하나[2] 부 ↗그러하나.

하나-같다 형 꼭 같다. 예외 없이 모두 같다.

하나-같이 [—가치] 부 하나 같게. ¶ ~ 예쁘다.

하나-님 명〖기독교〗'하느님'을 일컫는 말. *여호와.

하나님 아버지 명〖성〗'하느님 아버지'의 구용어.

하나님의 독생자【—獨生子】[—/—에—] 명〖기독교〗'하느님의 독생자'의 구용어.

하나님의 아들 [—/—에—] 명〖기독교〗'하느님의 아들'의 구용어.

하나님의 어린 양【—羊】[—/—에—] 명〖기독교〗'하느님의 어린 양'의 구용어.

하:-나라【夏—】명〖역〗중국의 '하(夏)'를 나라로서 똑똑히 일컫는 말. 주의 예전에는, '핫나라'로 발음했음.

하나버지 명〈방〉할아버지(전남).

하나부사 요시타다 [花房義質: はなぶさよしただ] 명〖사람〗일본의 외교관. 조선 고종 8년(1871) 공사관 서기생(公使館書記生)으로 조선에 와, 1880년 변리 공사(辨理公使)로 승진, 원산(元山)·인천(仁川)의 개항(開港)에 진력함. 임오 군란(壬午軍亂) 때 서울을 탈출, 귀국했다가 다시 와서 제물포 조약(濟物浦條約)을 맺고 돌아감. 뒤에, 일본 적십자 사장, 추밀원(樞密院) 고문이 됨. [1842-1917]

하나부지 명〈방〉할아버지(전남).

하나비 명〈옛〉할아비. ¶셴 하나비를 하늘히 브리시니(皤皤老父天之命兮)≪龍歌 19章≫.

하나씨 명〈방〉할아버지(전북).

하나 은행【—銀行】명 시중 은행의 하나. 1991년 금융 기관의 합병 및 전환에 관한 법률에 의거, 주식 회사 '한국 투자 금융'이 전환하여 설립됨.

하나치 명 '단위(單位)'의 풀어 쓴 말.

하나-하나 명부 ①하나씩. ¶ ~에 대하여. ②하나도 빠짐없이 모두. 일일이. ¶ ~ 열거(列擧)하다/물건을 ~ 세다.

하나한 관〈옛〉많고 많은. ¶군문에 하나한 천만 가짓 이를(閫外多幸千緖萬端)≪小諺 Ⅹ : 8≫.

하:-낙월도【下落月島】[—또] 명〖지〗전라 남도 서해상(西海上)의 안마 군도(鞍馬群島)에 속한 작은 섬. 영광군(靈光郡) 낙월면(落月面) 하낙월리(下落月里)에 위치하며 상낙월도와 함께 그냥 낙월도라고도 함.

[0.87 km² : 456 명(1984)]

하난지-유【何難之有】명 아주 쉬운 것. 썩 쉬운 것.

하날 명 ☞하늘.

하:남¹【下南】명〖지〗경상 남도 밀양시(密陽市)의 한 읍(邑). 시(市)의 남단, 낙동강 유역에 자리하여 농업이 발달함. [11,870 명(1996)]

하남²【河南】명〖지〗경기도의 한 시(市). 서울의 동남부와 접하고 있으며, 1989년 광주군(廣州郡) 동부읍(東部邑)과 서부면(西部面), 중부면 상산곡리(上山谷里)를 통합하여 시로 승격됨. 한강변인 미사동(渼沙洞)에는 조정(漕艇)·카누 경기장이 있는데, 1988년 서울 올림픽 때 이곳에서 경기가 치러졌음. [87.74 km² : 117,268 명(1996)]

하남³【河南】명〖지〗중국 주대(周代)의 고도(古都)인 뤄양(洛陽)의 별칭.

하남-성【河南省】명〖지〗'허난 성'을 우리 음으로 읽은 이름.

하남 위례성【河南慰禮城】명〖역〗백제 건국기의 제 2 도성(都城). 지금의 서울 특별시 강동구(江東區) 풍납동(風納洞) 몽촌 토성(夢村土城)과 경기도 하남시(河南市) 춘궁동(春宮洞) 이성산성(二聖山城) 등지로 추정됨. 위례성은 원래 한강 북쪽에 있었으나, 온조왕(溫祚王) 13 년(6 B.C.)에 이 곳으로 옮겨 왔다고 함. 그 후 5 세기 후반에 고구려에게서 대 타격을 받고 웅진(熊津), 곧 지금의 공주(公州)로 천도할 때까지 백제는 이 곳을 중심으로 하여 발전했었음. 「(軍糧米) 참고.

하:남-창【下南倉】명〖역〗조선 시대 때의 금위영(禁衛營) 소속 군량미

하:납【下納】명〖역〗나라에 상납(上納)하지 않고 자하(自下)로 지방 관아에 바침. ——하다 타여불

하:납-미【下納米】명〖역〗관왜(館倭)를 접제(接濟)하기 위하여 해마다 주던 쌀. 동래(東萊)·기장(機張)·울산(蔚山) 세 고을 대동(大同)을 정부에 상납하지 않고 자하(自下)로 부산창(釜山倉)에 들여서 쓰게 하였음.

하납씨 명〈방〉할아버지(전북).

하내¹ 명〈방〉할아버지(전남).

하내²【河內】명〖지〗'하노이(Hanoi)'의 취음.

하내-바람 명〈방〉하늬바람. 북풍(北風)(경기·강원).

하내비 명〈방〉할아버지(함북).

하:-냉면【夏冷麪】명 여름 냉면.

하냥 부 ①☞늘. 한결같이. 마냥. ¶모란이 지고 말면 그뿐 내 한 해는 다 가고 말아 삼백예순 날 ~ 섭섭해 우옵네다《金永郎 : 모란이 피기까지는》. ②〈방〉함께. 같이(충청).

하냥-다짐 명 일이 잘 되지 아니할 때에는 목 베는 형벌을 받겠다고 두는 다짐. ——하다 자여불

하널 명〈방〉하늘(경상).

하네 명〈방〉할아버지(전남).

하네다〔羽田:はねだ〕명〖지〗일본 도쿄 도(東京都) 다마(多摩) 강 하구(河口)의 북안에 있는 공업 지구. 옛날에는 어촌(漁村)으로 연안(沿岸) 어업 등이 활발했으나 매립지(埋立地)가 늘어나면서 소멸(消滅)함. 국제 공항(空港)이 있음.

하:네만〔Hahnemann, Samuel〕명〖사람〗독일의 의사. 말라리아에 퀴닌이 잘 듣는 것은 퀴닌이 말라리아와 유사한 증상을 일으키기 때문이라고 보고, 유사 요법(類似療法)을 제창하였음. [1775-1843]

하네소 명〈방〉〖충〗장수풍뎅이.

하:녀【下女】명 계집 하인.

하년¹【何年】명 어느 해.

하년²【遐年】명 긴 세월. 또, 오래 삶. 장수(長壽).

하년-초【一草】명〖식〗한련초(旱蓮草).

하년 하일【何年何日】명 어느 해 어느 날.

하:념【下念】명 윗사람의 아랫사람에 대한 염려. 하려(下慮). ¶~지덕(之德)으로. ——하다 타여불

하:-노대도【下老大島】명〖지〗경상 남도의 남해상, 통영시(統營市) 욕지면(欲知面) 노대리(老大里)에 위치한 섬. [0.45 km²]

하노버〔Hannover〕명〖지〗베저 강(Weser 江)의 지류 연변에 있는 독일 니더작센 주(Niedersachsen 州)의 주도(主都). 독일 서북부 교통의 중심지로 부근에 탄전(炭田)이 많아 여러 가지 공업이 성함. 옛 성과 도서관·미술관 기타 고건축물이 많음. [523,627 명(1993)]

하노버 왕조【一王朝】〔Hanover〕명 영국의 왕조. 현 윈저 왕가의 조상. 1714년 스튜어트(Stuart) 왕조의 앤 여왕(Anne 女王)이 죽은 뒤 후사(後嗣)가 없어, 제임스 1세의 증손인 독일의 하노버 선거후(選擧侯) 게오르크 일세(Georg 一世)가 즉위하여 하노버 왕조를 창시함. 빅토리아(Victoria) 여왕까지 육 대(六代)가 계속됨. [1714-1901] *윈저가(Windsor 家).

하노이〔Hanoi〕명〖지〗베트남의 수도. 송코이 강(Song Coi 江)의 하류 우안(下流右岸)에 위치하며 교통이 편리함. 외항(外港)으로 하이퐁(Haiphong)이 있음. 원래는 프랑스 총독의 주재지(駐在地)였음. 농산물의 대집산지(大集散地)로 쌀·목재·대나무·광산물의 거래가 성함. 하내(河內). [3,200,000 명(1995 추계)]

하농〔Hanon, Charles Louis〕명〖사람〗☞아농.

하누-님 명〈방〉하느님.

하누-바람 명〈방〉①하늬바람. 북풍(北風)(전북). ②서풍(西風)(강원).

하누-소 명〈방〉〖충〗하늘소

하누온【爲臥乎】〈이두〉하는.

하누온견이여【爲臥乎在亦】〈이두〉하는 것이기에. 하는 것이었는데.

하누온들【爲臥乎等】〈이두〉한들.

하누온들로쓰아【爲臥乎等以用良】〈이두〉함으로써. 하는 것으로써.

하누온들지즈로【爲臥乎等因于】〈이두〉함에 따라. 하는 것에 따라.

하누온딴【爲臥乎段】〈이두〉하는 것은. 함은.

하누온맛【爲臥乎味】〈이두〉한다고 하는 뜻.

하누온바【爲臥乎所】〈이두〉하는 바.

하누온바를쓰아【爲臥乎所乙用良】〈이두〉하는 바에 따라. 하는 바로써.

하누온바울지즈로【爲臥乎所乙仍于】〈이두〉하는 바에 따라.

하누온양으로【爲臥乎樣次】〈이두〉하는 양으로.

하누온여견【爲臥乎亦在】〈이두〉한다고 하는. 하는 것이어서.

하누온일【爲臥乎事】〈이두〉하는 일.

하누온일딴【爲臥乎事叱段】〈이두〉하는 일은.

하누온일이거든【爲臥乎事是去等】〈이두〉하는 일이거든. 하는 것이거든. 「데.

하누온일이아금【爲臥乎事是良尒】〈이두〉하는 일이기에. 하는 일인

하누온일하트다【爲臥乎事爲等如】〈이두〉하는 일을 모아.

하누온일하트러데로【爲臥乎事爲等良】〈이두〉하는 일을 모아.

하누온일하트로【爲臥乎事爲等以】〈이두〉하는 일을 모아. 하는 일들 때문에.

하누온지【爲臥乎喩】〈이두〉하는지.

하눌 명〈방〉하늘.

하눌-바람 명〈방〉하늬바람. 서풍(西風)(경북).

하눌-타리 명〖식〗[*Trichosanthes kirilowii*] 박과에 속하는 다년생 만초. 괴근(塊根)은 비대(肥大)하고 줄기는 일년생이며 자웅 이주(雌雄異株)이고 권수(卷鬚)는 세 갈래로 갈라짐. 잎은 호생하고 장상(掌狀)에 3-5 갈래로 째짐. 7-8월에 자색 꽃이 액출(腋出)하여 피는데, 암꽃은 한 개, 수꽃은 수상(穗狀) 화서로 피고, 과실은 타원형이며 등황색으로 익고, 종자는 흑색임. 산이나 밭둑에 나는데, 한국 중부 이남 및 일본·중국·대만 등지에 분포함. 과육(果肉)은 화장품 원료, 괴근의 전분은 식용, 씨는 '과루인(瓜蔞仁)', 뿌리는 '과루근(瓜蔞根)', 뿌리의 가루는 '천화분(天花粉)'이라 하여, 모두 한방(漢方) 약재로 씀. 과루(瓜蔞). 괄루(栝蔞). 천과(天瓜). 천원자(天圓子). 오과(烏瓜).

〈하눌타리〉

하:늄〔hahnium〕명〖화〗원소(元素) 105 의 이름으로 추천되었던 명칭. 1997년 IUPAC가 더브늄(dubnium)으로 결정함.

하느깨 명〈방〉그러께(평북).

하느-님 명〖종〗[←하늘님] ①종교적 신앙의 대상. 인간을 초월한 절대자로서 우주를 창조하고 주재(主宰)하며 불가사의(不可思議)한 능력으로써 선악을 판단하고 화복(禍福)을 내린다고 하는 범신론적(汎神論的)인 신(神). 기독교에서는 '하느님', 천도교에서는 '한울님', 대종교에서는 '한얼님', 민간에서는 '천신(天神)', '옥황제' 등으로 각각 일컬음. 상천(上天). 상제(上帝). 천공(天公). 천제(天帝). 황천(皇天). *한울님. ②[God] 가톨릭에서 신봉하는 유일신(唯一神). 천지를 만든 창조자로서 전지 전능하고, 영원하며 인류와 만물을 섭리(攝理)로써 다스림. '의(義)'와 '사랑'이 충만한 인격적 존재로 무소 부재(無所不在)하며 삼위 일체의 제1위임. 천주(天主). 성부(聖父). 신(神). 여호와. ↔마귀·사탄.

하느님 아버지 명〖성〗모든 사람의 아버지의 뜻으로 하느님을 이르는 말. 성부(聖父). 천부(天父).

하느님의 나라 [—/—에—] 명〖기독교〗하느님이 지배 통치하는 나라. 악과 불의(不義)가 없고 영원히 안락한 나라. 천국. 천당. 낙원.

하느님의 독생자【—獨生子】[—/—에—] 명〖기독교〗하느님의 외아들, 곧 예수 그리스도를 이르는 말.

하느님의 아들 [—/—에—] 명〖기독교〗예수 그리스도를 이르는 말.

하느님의 어린 양【—羊】[—냥/—에—냥] 명 [Lamb of God]〖기독교〗구주(救主)로서의 예수 그리스도를 이르는 말.

하느라지 명〈방〉입천장(평북).

하느-바람 명〈방〉하늬바람(평북).

하느작-거리다 자 가늘고 길고 부드러운 나뭇가지 같은 것이 계속하여 가볍고 멋있게 흔들리다. ¶지난 해의 갈대가 부러진 채 새로 돋은 풀 키 위에서 하느작거렸다《黃順元 : 갈대》. ㊟하늑거리다. <흐느적거리다. **하느작-하느작** 부. ——하다 자여불

하느작-대다 자 하느작거리다.

하느종개 명〈방〉미꾸라지(함남).

하늑-거리다 자 ↗하느작거리다. <흐늑거리다. **하늑-하늑** 부. ——하다 자여불

하늑-대다 자 하늑거리다.

하늑-이다 자 ①가늘고 긴 나뭇가지나 천오리 따위가 연하고 보드랍게 흔들리다. ②물건이 느슨하게 느즈러지다. 1)·2): <흐늑이다.

하늘 명 ①〖천〗지평선(地平線)으로 한정되어 아득히 높고 멀리 궁륭상(穹窿狀)을 이루는 시계(視界)의 공간. 지평선상으로 보이는 반구형(半球形)의 것만이 아니라 지평선 밑으로 있을 다른 반구형을 포함하는 무한대의 공간으로서 공기의 분자(分子) 및 대기(大氣) 속에 부유하는 잔 먼지에 의하여 일광이 산란(散亂)되기 때문에 푸르게 보임. 한울. 상천(上天). 천(天). 태허(太虛). 민천(旻天). ¶맑게 갠 푸른 ~. ②고대(古代)의 사상으로 천지 만물의 주재자(主宰者). 하느님. ¶~같이 믿다. ③〖종〗천공(天空)에 있어 신(神) 또는 천인(天人)·천사(天使)가 살며 청정무구(淸淨無垢)하다는 상상(想像)의 세계. 사람이 죽은 뒤 그 영혼이 올라가서 머무른다고 하는 곳. 천국(天國). 낙원(樂園). ¶~의 신(神)/~ 나라. ④자연의 이치(理致)·조화(造化)에 의하여 부여된 것으로서 인력으로써는 어찌할 수 없는 것. ⑤〖불교〗인간 이상의 것으로 삼승(三乘)의 과보(果報)를 얻은 성자(聖者). 곧, 모든 부처의 통칭.

[하늘 높은 줄은 모르고 땅 넓은 줄만 안다] 키는 작고 옆으로만 뚱뚱하게 퍼진 사람을 비아냥거리는 말. [하늘도 끝갈 날이 있다] 무엇에나

한계가 있다는 말. 【하늘로 올라가랴 땅 속으로 들어가랴】 꼼짝 없이 갇히어 아무 데도 숨을 곳이 없다는 말. 【하늘 무서운 말】 천벌(天罰)을 받을 만한 못된 말. 【하늘 밑의 벌레】 사람을 두고 이르는 말. 【하늘 보고 주먹질한다】 당치도 않은 일을 함을 비유하는 말. 【하늘 아래 첫 동네】 대단히 높은 지대에 있는 마을이라는 뜻. 【하늘에 방망이를 달겠다】 도저히 불가능한 일을 하려 한다는 말. 【하늘에서 떨어졌나 땅에서 솟았나】 ㉠전혀 기대하지 않았던 것이 홀연히 나타남을 이르는 말. ㉡부모와 조상을 몰라보는 자에게 근본을 알라고 깨우치는 말. 【하늘에 침뱉기】 하늘에 뱉은 침이 곧 자기 얼굴에 떨어진다는 뜻으로, 남을 해치려다 도리어 자기가 당함의 비유. 【하늘은 스스로 돕는 자를 돕는다】 하늘은 남의 도움을 받지 않고 스스로 노력하는 사람을 도와 성공하게 한다. 【하늘을 보아야 별을 따지】 동기(動機)가 있어야 결과가 생긴다는 말. 【하늘을 좇는 자는 살고, 하늘을 거스르는 자는 망한다】 천리(天理)에 따르는 자는 존속하고, 거기 거역하는 자는 멸망한다. 【하늘의 별 따기】 성취하기가 매우 어려움을 이르는 말. 【하늘이 돈짝만하다】 술에 취하거나 기고(氣高)해서 모든 일을 가소롭게 여김을 말함. 【하늘이 만든 화는 피할 수 있으나 제가 만든 화는 피할 수 없다】 사람은 제가 지은 잘못으로 반드시 그 후환을 입게 된다는 뜻. 【하늘이 무너져도 솟아날 구멍이 있다】 꼭 죽을 것만 같은 극히 어려운 경우에 부닥쳐도 살아날 길은 생긴다는 말.

하늘과 땅 ㉠ 두 사물 사이에 큰 차이나 큰 거리가 있음의 비유. ¶ ～처럼 벌어진 실력차.

하늘 높은 줄을 모른다 ㉠ ㉠출세를 거듭하여 자기 이외에는 사람이 없는 듯이 행동한다. ㉡물가(物價)가 천정 부지로 올라간다는 말.

하늘에 두: 해가 없:다 ㉠ 태양이 하나이듯이, 한 나라에 임금이 둘 있을 수 없다.

하늘에 맡기다 ㉠ 운명에 맡기다.

하늘을 도리질치다; 하늘을 쓰고 도리질하다 ㉠ 기세가 등등하여 두려울 것이 없는 듯이 행세하다.

하늘을 지붕 삼:다 ㉠ ㉠한데에서 기거(起居)하다. 노숙(露宿)하다. ㉡호방(豪放)하여 천지(天地)로 집을 삼는 활달한 의기가 있다. ㉢정처없이 떠돌아다니는 신세이다.

하늘을 찌르다 ㉠ ㉠하늘에 닿을 정도로 높다. 주로, 건물이 매우 높다. ㉡기세가 대단하다.

하늘이 노:랗다 ㉠ ㉠지나친 과로(過勞)나 상심(傷心)으로 몸에 기력(氣力)이 없어 푸른 하늘이 노랗게 보이다. ㉡사태가 절망 상태에 빠져 있음의 비유.

하늘이 두: 쪽이 나도 ㉠ 하늘이 무너져서 죽는 한이 있더라도. 무슨 일이 있어도. ¶ ～ 해 치우고 말겠다.

하늘이 캄캄하다 ㉠ ㉠큰 충격을 받아, 정신이 아찔해져서 앞이 보이지 않게 되다. ㉡절망 상태에 있다.

하늘-가 [—까] 명 하늘의 끝.

하늘-가재 명 『충』 ①사슴벌레❶. ②애사슴벌레.

하늘-같다 형 ①높이 우러러 받들거나 크게 은혜로운 느낌이 있다. ¶ 하늘같은 은덕. ②(희망·소원이) 대단히 높다.

하늘-같이 [—가치] 부 ①아주 높이 우러러거나 은혜를 크게 느끼는 모양. ¶ ～ 높은 은혜 / ～ 여기다. ②아주 든든하게, 또는 크게. ¶ ～ 믿는 남편.

하늘-거리다 자 매우 빠르고 가볍게 하느작거리다. <흐늘거리다. 하늘-하늘 부. ——하다¹ 자여불

하늘 궁전 【—宮殿】 명 『불교』 하늘에 있다고 하는 궁전. 천궁(天宮).

하늘 나라 [—라—] 명 『기독교』 천국(天國)❸.

하늘-나리 [—라—] 명 『식』 [*Lilium conoclor* var. *pulchellum*] 백합과에 속하는 다년초. 인경(鱗莖)은 넓은 타원형이며, 줄기는 직립(直立)하고 높이는 약 70 cm, 잎은 다수 호생(多數互生)하는데 선형(線形)에다 길이 약 10 cm 가량이며, 짙은 녹색을 띠고 끝이 날카로움. 꽃은 6-7월에 피는데, 붉은 빛의 꽃이 포(苞) 위에 1-5개의 꽃잎을 이루고 핌. 꽃뚜껑은 6 잎, 피침형(披針形)에 끝이 뭉뚝하며 길이 2-5 cm이고, 꽃의 안쪽에 자줏빛 반점(斑點)이 빽빽하게 있음. 열매는 삭과(蒴果)인데, 산이나 들에 나며, 우리 나라 각지와 중국·동부 시베리아·만주·아무르·일본 등지에 분포함. 관상용(觀賞用)임. 산단(山丹).

〈하늘나리〉

하늘나방-과 【—科】 [—라—꽈] 명 『충』 [Ceruridae] 나비목에 속하는 한 과. 몸은 중형 또는 대형이고 몸빛은 음침한 회색 또는 갈색이며, 수컷의 촉각은 실 모양 또는 빗살 모양임. 유충은 원통상(圓筒狀)임. 군서성(群棲性)·야간 활동성이며 각종 식물의 해충(害蟲)임. 전세계에 2,000여 종이 분포함.

하늘-눈 [—룬] 명 『불교』 육안(肉眼)으로는 볼 수 없는 것을 환하게 보는 신통(神通)한 심안(心眼).

하늘-다람쥐 명 『동』 [*Pteromys volans*] 날다람쥣과에 속하는 동물의 하나. 다람쥐 비슷하나 몸이 훨씬 크고 날다람쥐보다 작은데 몸길이 15-20 cm, 꼬리 9.5-14 cm이며, 꼬리와 뒷다리가 비교적 짧고 눈은 몹시 큼. 배면(背面)은 백색, 중앙은 엷은 포도색임. 앞다리와 뒷다리 사이의 피부가 늘어져서 된 비막(飛膜)으로 높은 나무에서 낮은 나무로 날아 뛰어다님. 밤에 나다니며 나무 열매·곤충·새순·새알 등을 먹고 사는데, 나무 위에 집을 짓고 4-10월에 한 배에 3-6 마리의 새끼를 낳음. 한국·러시아·시베리아·홋카이도·일본에 분포함.

〈하늘다람쥐〉

하늘-대다 자 하늘거리다.

하늘-땅 명 하늘과 땅. 천지(天地). 천양(天壤).

하늘 마군 【—魔君】 명 『불교』 사마(四魔)의 하나. 타화 자재천(他化自在天)의 천주(天主). 항상 바른 법을 해롭게 하여 지혜(智慧)와 선근(善根)을 잃어 버리는 마왕(魔王).

하늘 마음 명 『불교』 하늘처럼 맑고 밝고 넓고 고요한 마음. 천심(天心).

하늘바라기-논 명 물을 댈 시설이 없거나 끌어올 물이 없어서 하늘에서 비가 오기만을 기다려야 하는 논. 곧, 천수답(天水畓). 천둥지기. 봉천답.

하늘-바람 명 〈방〉 서풍(西風)(경북).

하늘-바램 명 〈방〉 서풍(西風)(경북).

하늘-박쥐 명 『동』 애기박쥐.

하늘-밥도둑 명 ①『충』 땅강아지. ②툭 붉어진 코를 이르는 말.

하늘-빛 [—삗] 명 맑은 하늘의 빛. 엷게 푸른 빛깔.

하늘-색 【—色】 명 하늘빛.

하늘-소 [—쏘] 명 『충』 하늘솟과에 속하는 갑충(甲蟲)의 총칭. 네눈박이하늘소·뽕나무하늘소·포도나무하늘소·삼하늘소·톱하늘소·참나무하늘소 등이 이에 속함. 천우(天牛). 저천우(楮天牛).

하늘소-붙이 [—쏘부치] 명 『충』 하늘소붙잇과에 속하는 곤충의 총칭. 어리하늘소.

하늘소붙잇-과 【—科】 [—쏘부친—] 명 『충』 [Oedemeridae] 딱정벌레목(目)에 속하는 한 과. 몸은 중형(中形)에 가늘고 길며 연약하고, 몸빛은 암색(暗色) 또는 선명색(鮮明色)임. 촉각은 길고 실 모양 또는 톱 모양이며, 앞다리 기절(基節)은 원추상(圓錐狀)이고, 좌우가 서로 접함. 성충은 꽃에 모이고, 여름에 등불에도 모이는데, 대개가 체액(體液) 중에 칸타리딘(cantharidin)의 독소(毒素)를 함유하여 인체(人體)에 닿으면 피부가 부어 오름. 청색하늘소붙이·잿빛하늘소붙이·노랑하늘소붙이 등이 이에 속하며, 전세계에 800 여 종이 분포함.

하늘솟-과 【—科】 명 『충』 [Cerambycidae] 딱정벌레목에 속하는 한 과. 이 과에 속하는 갑충은 5 mm 미만의 작은 것에서부터 100 mm가 넘는 큰 것도 있음. 날개는 딱딱하며 촉각은 매우 길고 복안(複眼)은 신장형(腎臟形)이며, 복부는 5 환절(環節)인데 부절(跗節) 아래에는 강한 흡반(吸盤)이 있음. 대부분의 종류는 전흉배(前胸背)의 표면과 중흉부(中胸部)의 뒤에 발음기(發音器)가 있음. 성충(成蟲)은 4-9월에 발생하여 꽃·수액(樹液)·썩은 나무 등을 먹음. 유충(幼蟲)은 '나무굼벵이'라 하는데 나무의 속을 파먹음. 전세계에 15,000여 종이 분포함. 한방(漢方) 약재로 씀.

하늘-염소 명 〈방〉 『동』 달팽이(경북).

하늘-지기 명 『식』 [*Fimbristylis dichotoma*] 방동사닛과에 속하는 일년초. 뿌리는 수근(鬚根)인데 총생(叢生)하고, 화경(花莖)도 총생하는데 높이 30 cm 가량임. 잎은 대생하며, 선형에 끝이 뾰족함. 8-9월에 다갈색 꽃이 산형(繖形) 화서로 화경(花梗) 끝에 복생(複生)하고 소수(小穗)는 달걀꼴임. 수과(瘦果)는 납작한 거꿀달걀꼴이고 길이 1 mm 가량임. 물가나 길가에 나는데, 거의 한국 각지 및 일본·열대 지방에 분포함.

〈하늘지기〉

하늘-천 【—天】 명 천자문(千字文)의 첫 글자. 천(天)의 음과 새김.

하늘천 따:지(地) ㉠ 천자문(千字文)의 첫 두 글자의 음훈(音訓). 전(轉)하여, 천자문의 일컬음.

하늘천 따:지하다 ㉠ 『천자문 네째 구(句) '진숙 열장(辰宿列張)'의 숙(宿)의 음훈 '잘숙'을 '잘숙거리다'에 빗대어서, 놀리는 말』 다리를 절다. 절름발이다.

하늘-코 명 건드리면 짐승의 목이나 다리를 옭아서 공중으로 달아 올리게 된 올무.

하늘하늘-하다² 형여불 너무 무르거나 성기어서 뭉크러질듯 하다. <흐늘흐늘하다².

하늬 [—니] 명 ↗하늬바람. 취음(取音): 한의(寒衣).

하늬-바람 [—니—] 명 농가나 어촌에서 서풍(西風)을 이르는 말. ㊟ 하늬.

하늬-쪽 [—니—] 명 '서쪽'을 사공들이 이르는 말.

하니 부 '그러하니·그리하니'의 뜻의 접속 부사.

하니까 부 '그러하니·그리하니까·그리 말하니까'의 뜻의 접속 부사.

하니듀: 멜론 [honeydew melon] 명 『식』 대형 멜론의 한 품종.

하니-바람 명 ☞ 하늬바람.

하니콤-재 【—材】 [honeycomb] 명 속을 벌집 모양으로 만든 금속·나무·종이 등의 판자.

하님 명 『역』 계집종들이 서로 존대해 부르는 말. 하전(下典).

하님 여령 【—女伶】 [—녀—] 명 『역』 정재(呈才) 때에 의장(儀杖)을 드는 비자(婢子). 각 궁(宮)의 비자로 시킴.

하ᄂᆞ래 〈옛〉 하늘에. '하ᄂᆞᆯ'의 처격형(處格形). ¶ 須達이 보니 여슷 하ᄂᆞ래 宮殿이 싁싁ᄒᆞ더라《釋譜 Ⅵ:35》. *하ᄂᆞᆯ.

하ᄂᆞ리 〈옛〉 하늘이. '하ᄂᆞᆯ'의 주격형(主格形). ¶ 須達이 무로ᄃᆡ 여슷 하ᄂᆞ리 어늬사 뭇됴ᄒᆞ니잇가《釋譜 Ⅵ:35》. *하ᄂᆞᆯ.

하ᄂᆞᆫ 〈옛〉 하늘은. '하ᄂᆞᆯ'의 절대격형(絶對格形). ¶ 여슷 하ᄂᆞᆫ 欲界 六天이라《釋譜 Ⅵ:35》. *하ᄂᆞᆯ.

하ᄂᆞᆯ 〈옛〉 하늘을. '하ᄂᆞᆯ'의 목적격형(目的格形). ¶ 善男子 善女人ᄃᆞᆯ히 죽ᄃᆞ록 녀나몬 하ᄂᆞᆯ 셤기디 아니코《釋譜 Ⅸ:25·月釋 Ⅸ:44》. *하ᄂᆞᆯ. 「《牛方 12》.

하ᄂᆞ타리 명 〈옛〉 『식』 하늘타리. =하놀타리. ¶ 하ᄂᆞ타리 불휘(括蔞)

하ᄂᆞᆶ 명 〈옛〉 하늘. ¶ 德源 올모샴도 하ᄂᆞᇙ ᄠᅳ디시니(德源之徙實是天啓)《龍歌 4章》/天子ᄂᆞᆫ 하ᄂᆞᆯ 아ᄃᆞ리니《月釋 Ⅱ:69》.

하ᄂᆞᆯ ᄃᆞ래 명 〈옛〉〖식〗 하눌타리. ¶하ᄂᆞᆯᄃᆞ래 괄(菰), 하ᄂᆞᆯᄃᆞ래 루(蔞)≪字會 上 9≫.

하ᄂᆞᆯ로 〈옛〉 하늘로. ¶오직 부ᄉᆞᆺ그려 하ᄂᆞᆯ로 올여 보내요ᄆᆞᆯ 기들오노라(唯待吹噓送上天)≪初杜諺 XXI:11≫. *하ᄂᆞᆯ.

하ᄂᆞᆯ와 〈옛〉 하늘과. '하ᄂᆞᆯ'의 공동격형(共同格形). =하ᄂᆞᆯ콰. ¶하ᄂᆞᆯ와 달옴 업스닌(與天無異)≪楞嚴 Ⅷ:131≫.

하ᄂᆞᆯ왓 〈옛〉 하늘과의. ¶사ᄅᆞᆷ과 하ᄂᆞᆯ왓 福ᄋᆡ 報ㅣ(人天福報)≪金三 Ⅲ:45≫. *하ᄂᆞᆯ.

하ᄂᆞᆯ콰 〈옛〉 하늘과. '하ᄂᆞᆯ'의 공동격형(共同格形). =하ᄂᆞᆯ와. ¶하ᄂᆞᆯ콰 ᄯᅡ콰 ᄉᆞᅀᅵ예 軍中엣 旗麾ㅣ ᄀᆞᄃᆞᆨᄒᆞ얏고(天地軍麾滿) ≪初杜諺 Ⅷ:47≫. *하ᄂᆞᆯ.

하ᄂᆞᆯ타리 명 〈옛〉 하눌타리. =하ᄂᆞ타리. ¶하ᄂᆞᆯ타리ᄡᅵ (瓜蔞仁)≪濟家≫.

하ᄂᆞᆯ해 〈옛〉 하늘에. '하ᄂᆞᆯ'의 처격형(處格形). ¶하ᄂᆞᆯ해 갯다가 ᄂᆞ려와 須達일 ᄃᆞ려 일오ᄃᆡ≪釋譜 Ⅵ:19≫. *하ᄂᆞᆯ.

하ᄂᆞᆯ흘 〈옛〉 하늘을. '하ᄂᆞᆯ'의 목적격형(目的格形). ¶주기ᄂᆞᆫ 소리 디ᄂᆞᆫ ᄒᆡ예 하ᄂᆞᆯ흘 두르혀ᄂᆞᆫ ᄃᆞᆺ도다(殺聲落日回蒼穹)≪重杜諺 Ⅴ:49≫. *하ᄂᆞᆯ.

하ᄂᆞᆯ히 〈옛〉 하늘이. '하ᄂᆞᆯ'의 주격형(主格形). ¶太子ᄅᆞᆯ 하ᄂᆞᆯ히 ᄀᆞᆯᄒᆡ샤(維周太子 維天擇兮)≪龍歌 8章≫.

하ᄂᆞᆯ흔 〈옛〉 하늘은. '하ᄂᆞᆯ'의 절대격형(絕對格形). ¶蜀ㅅ 하ᄂᆞᆯ흔 ᄆᆡᅀᅣᇰ 바ᄆᆡ 비 오ᄂᆞ니(蜀天常夜雨)≪初杜諺 Ⅶ:7≫. *하ᄂᆞᆯ.

하ᄂᆞᆯ흘 〈옛〉 하늘을. '하ᄂᆞᆯ'의 목적격형(目的格形). ¶ᄒᆡᄂᆞᆫ 하ᄂᆞᆯ흘 조차 오고(日從天來)≪楞嚴 Ⅲ:76≫. *하ᄂᆞᆯ.

하ᄂᆞᇗᄃᆞ래 명 〈옛〉〖식〗 하눌타리. ¶하ᄂᆞᇗᄃᆞ래(菰蔞)≪救簡 Ⅲ:28≫.

하ᄂᆞᇗ아ᄃᆞᆯ 명 〈옛〉 하느님의 아들. 천자(天子). ¶天子ᄂᆞᆫ 하ᄂᆞᇗ 아ᄃᆞ리니 東土애셔 皇帝ᄅᆞᆯ 天子ㅣ시다 ᄒᆞᄂᆞ니라≪月釋 Ⅱ:69≫.

하ᄂᆞᆺᄃᆞ래 명 〈옛〉〖식〗 하눌타리. ¶하ᄂᆞᆯᄃᆞ래(菰蘸天瓜)≪四聲 下 67 蘸字註≫. *하ᄂᆞᆯᄃᆞ래.

하다[1] 〔Hadda〕 명 〖지〗 아프가니스탄의 동부에 있는 고대(古代) 불교의 유적(遺跡). 3-5세기의 크고 작은 불탑(佛塔)·조각이 많음. 1923년부터 프랑스의 고고학자들이 발굴했음. 특히, 조각은 헬레니즘(Hellenism) 양식으로부터 인도 양식에 이르는 여러 가지 표현을 보여 주고 있음.

하다[2] ㊀ 타여불 ①의식적 또는 무의식적으로 무슨 목적을 위하여 움직이다. ¶산책을 ~/독서를 ~/재채기를 ~. ②다른 동사(動詞) 대용으로 쓰는 말. 곧, 점심을 '먹다'를 점심을 '하다'로 쓰는 따위. ¶한잔 ~. ③어떤 상태나 표정을 지어 나타내다. ¶웃는 얼굴을 ~/무서운 얼굴을 하고 나타나다. ④형용사 어미 '-게'나 조사 '로'·'으로' 등의 아래에 붙어서, '어떤 상태·지위가 되게 하다'의 뜻을 나타내는 말. ¶목표로 ~/회장을 구심점(求心點)으로 ~/얼굴을 벌겋게 ~/설명을 자세히 해 둘 필요가 있다. ⑤어떤 상태가 되도록 결정을 짓다. ¶이번에 유학을 떠나기로 ~/나는 오늘 점심은 냉면으로 한다. ⑥어떤 구실을 맡다. ¶형이 회장을 하고 아우가 사장을 한다/지금 뭘 하고 계십니까. ⑦처리하다. 처분하다. ¶남은 돈은 어떻게 할까. ⑧'-라고 하다'의 꼴로, '-라고 부르다'의 뜻을 나타내는 말. ¶그와 같은 사람을 천재라 한다. ㊁ 자여불 ①어떤 동작이나 행위를 실천하다. ¶남자가 하는데 여자가 못 할까/하는 일마다 실패다. ②어미 '-고' 아래에 붙어서 '그러한 상태이다'의 뜻을 나타내는 말. ¶기력도 빠지고 해서 기권했다/너무 크기도 하고 해서 그냥 내버려 두고 왔다. ③개략적인 시간을 나타내는 말 아래에 붙어서 '시간이 지나다, 시간이 경과하다'의 뜻을 나타내는 말. ¶한 일 주일쯤 하니 다 완쾌되었다. ④금액 등을 나타내는 말 아래에 붙어서 '얼마의 금액이다'의 뜻을 나타내는 말. ¶천 원 하는 책/얼마나 할까. ⑤인용하는 말 아래에 붙어서 '말하다'의 뜻을 나타내는 말. ¶가난이라고 하는 것은 죄가 아니다/춥다고 해서 외투를 입혔다/가장 오래 된 절이라 한다/싫다고는 하지 않겠다. ⑥윗말을 받아, '생각하다'의 뜻을 나타내는 말. ¶아직 자나 하여 깨우러 왔다. ⑦앞뒤 글을 연결하는 말. ¶고양이 목에 누가 방울을 달 것인가 하는 문제. ㊂ 보동여불 ①동사나 형용사 '있다'·'없다'·'계시다'·'안 계시다'의 어미 '-기도'의 아래에 쓰이어, '몹시 잦게'·'매우 많이' 등의 뜻이나, 원칙은 아니지만 '더러'·'이따금' 있는 동작을 힘주어 나타내는 말. ¶많이 먹기도 한다/약으로 쓰기도 한다. ②동사나 형용사 '있다'·'계시다'의 어미 '-려'·'-으려'·'-고자' 등의 아래에 쓰이어 위의 동작을 실현시키려는 욕망을 나타내는 말. ¶그 학교에 들어가고자 한다/극장에 가고자 하네. ③용언 어미 '-게'의 아래에 쓰이어 '시킴'을 나타내는 말. ¶그리로 가게 ~/아이들을 공부하게 ~. ④용언의 어미 '-면'·'-으면' 등의 아래에 붙어, 생각·소원을 나타내는 말. ¶너를 만났으면 한다/좀더 침착하면 하네. ⑤동사 어미 '-어야'·'-아야'·'-여야' 등의 아래에 붙어, 꼭 그렇게 해야 하는 당위성(當爲性)을 나타내는 말. ¶가야 한다/먹어야 한다. ⑥동사 어미 '-기'·'-고' 등에 '만·조차·까지·는' 등의 조사가 어울린 말 아래 쓰이어, 서술을 돕고 강조하는 말. ¶먹기만 한다/웃기까지 한다/다니곤 했다. ㊃ 보형여불 ①같은 형용사가 거듭하여 쓰일 경우에 그 아래에 거듭될 형용사를 줄이어 그 대신으로 쓰이어 '매우'·'몹시' 등의 뜻을 나타내는 말. ¶물이 맑기도 ~/꽃이 곱기도 ~. ②형용사 어미 '-어야'·'-아야'·'-여야' 등의 아래에 붙어, 꼭 그러하여야 함을 나타내는 말. ¶심지가 굳어야 한다/씩씩해야 한다. ③형용사 어미 '-기'·'-고' 등에 '만·조차·까지·는' 등의 조사가 어울린 말 아래에 쓰이어, 서술을 돕고 강조하는 말. ¶슬프기만 ~/늘 비좁곤 했다.

하던 지랄도 멍석 펴 놓으면 안 한다 구 일껏 하던 일도 남이 하기를 권하면 비싸고 안 한다.

할 일:이 없:으면 낮잠이나 자라 구 쓸데없이 남의 일에 참견하지 말고 비키라고 핀잔을 주는 말.

하다[3] 타 〈옛〉 ①참소(讒訴)하다. 헐뜯다. ¶垂象ᄋᆞ로 하ᅀᆞᄫᆞ니(讒用妖星)≪龍歌 71章≫. ②하소하다. ¶하논 배 므스 이리 완ᄃᆡ 샹녜 區區ᄒᆞᄂᆞ니오(所訴何事常區區)≪杜諺 XVII:5≫. *할다.

하다[4] 형 〈옛〉 많다. ¶곶 됴코 여름 하ᄂᆞ니(有灼其華 有實其實)≪龍歌 2章≫.

하다[5] 【爲如】〈이두〉 하다.

-하다 미여불 ①명사 아래에 쓰이어 동작을 나타내는 동사를 만드는 접미어(接尾語). ¶운동~/씨름~/당선~. *-되다. ②형용사의 어근(語根)에 붙어서 쓰이는 말. ¶까마득~/착~. ③부사(副詞)에 붙어서 동사나 형용사를 만드는 말. ¶번쩍번쩍~/시들시들~. ④부사형 어미 'ㅘ'·'ㅝ'·'ㅏ'·'ㅓ'에 붙어 동사를 만드는 말. ¶귀여워~/기뻐~/아파~. ⑤의존 명사 '체'·'듯' 등 아래에 쓰이어 조동사 또는 보조 형용사·보조 동사를 만드는 접미어. ¶체~/듯~/양~.

하다가[1] 부 어쩌다가. 더러. 간혹. ¶~는 착한 사람도 만나오.

하다가[2] 【爲如可·爲如加·爲多可·爲多加】〈이두〉 하다가. 준다가(如可).

하다-못해 부 ①있는 힘을 다해 애써 바라거나 하려다가 별 도리가 없어서. ¶~ 달아났다. ②정 할 수 없다면. ¶~ 지게를 진들 굶어 죽기야 하랴.

하다온 【爲如乎】〈이두〉 한다는. 하였는데.

하다온견이여 【爲如乎在亦】〈이두〉 한다는 것인데.

하다온들쓰아 【爲如乎等用良】〈이두〉 한다는 것임으로써.

하다온바를 【爲如乎所乙】〈이두〉 한다는 바를.

하다온일이두 【爲如乎事是置】〈이두〉 한다는 일이라도.

하다온지 【爲如乎喩】〈이두〉 한다는지.

하다온지위 【爲如乎節】〈이두〉 한다는 즈음에.

하다온차 【爲如乎次】〈이두〉 한다는 바. 한다는 때.

하다이산 【爲如敎】〈이두〉 라 하시는. 라 말씀하시는.

하:단[1] 【下段】 명 ①문장(文章)의 아래쪽 부분. 글의 끝의 단. ②여러 단으로 된 것의 아래의 단. ¶책꽂이의 ~. ↔상단(上段).

하:단[2] 【下端】 명 아래쪽의 끝. 아래쪽. ↔상단(上端).

하:단[3] 【下壇】 명 ①단에서 내려옴. 강단(降壇). ↔등단(登壇). ②아래의 단. ——-하다 자여불

하:단[4] 【夏斷】 명 〖불교〗 하안거(夏安居)를 하는 동안 부정한 음식을 먹지 아니하는 일.

하:-단전 【下丹田】 명 〖민〗 도가(道家)에서 말하는 삼단전(三丹田)의 하나. 배꼽 아래 한 치쯤 되는 곳. 기해(氣海). 단전(丹田).

하:달 【下達】 명 윗사람의 뜻이 아랫사람에게 미치어 이르거나 이르게 함. ¶상의(上意) ~. ↔상달(上達). ——-하다 타여불

하:달 지리 【下達地理】 명 아래로 지리에 밝음. ↔상통 천문(上通天文). ——-하다 자여불

하:담 【荷擔】 명 짐을 어깨에 걸어 등에 짐. ——-하다 타여불

하:담-인 【荷擔人】 명 짐을 지는 사람.

하:답[1] 【下畓】 명 품질이 낮은 논. ↔상답(上畓).

하:답[2] 【下答】 명 윗사람이 아랫사람에게 답함. ↔상답(上答). ——-하다 자여불

하:당[1] 【下堂】 명 ①방이나 마루에서 뜰로 내려옴. ②〖민〗 하회 별신굿놀이에서, 본놀이를 시작하기 전에 서낭당에서 신이 내린 서낭대와 성줏대를 받들고 농악을 올리며 다녀가는 곳의 하나. *삼신당. ——-하다 자여불

하:당[2] 【夏堂】 명 〖불교〗 하안거(夏安居)를 하는 당.

하:당-굿 【下堂—】〔—꾿〕 명 〖민〗 은산 별신(恩山別神)굿 절차에서 당상 강신굿에 이어 하당에 제상을 차리고 하는 굿.

하:당 영지 【下堂迎之】 명 반가워 마당으로 내려와서 맞음. ——-하다 타여불

하:당지-우 【下堂之憂】 명 낙상(落傷)하여 앓음.

하:대[1] 【下待】 명 ①낮게 대우함. ②상대자에게 낮은말을 씀. 1)·2):↔공대(恭待)·존대(尊待). ——-하다 타여불

하:대[2] 【下隊】 명 하떼.

하:대[3] 【夏臺】 명 〔중국 하왕조(夏王朝)의 감옥의 이름에서〕 감옥. 옥사(獄舍).

하:-대동맥 【下大動脈】 명 〖생〗 폐에서 상대동맥(上大動脈)을 거쳐 아래쪽으로 흐르는 대동맥. 아래 대동맥.

하-대명년 【何待明年】 명 '어찌 명년을 기다리랴'의 뜻으로, 기다리기가 매우 지루함을 일컫는 말.

하:-대부 【下大夫】 명 〖역〗 당하관(堂下官)인 대부. 곧, 정삼품(正三品) 통훈 대부(通訓大夫)부터 조봉 대부(朝奉大夫)에 이르는 사람. *사대부(士大夫).

하:-대석 【下臺石】 명 〖건〗 석등(石燈)의 밑에 받친 대석. 밑받침돌.

하:-대정맥 【下大靜脈】 명 〖생〗 척추 동물의 하반신(下半身)의 혈액이 모이는 본간(本幹)으로, 신정맥(腎靜脈)·간정맥(肝靜脈)을 모아 횡격막(橫隔膜)을 통해 우심방(右心房)에 이르는 정맥. 아래 대정맥. ↔상대동맥.

하:대정맥 증후군 【下大靜脈症候群】 명 〔inferior vena cava syndrome〕〖의〗 하대정맥의 폐색(閉塞)에 의한, 복부(腹部)나 발의 수종(水腫) 및 정맥 확대(擴大).

하데스 〔Hades〕 명 〖신〗 하이데스(Haides).

하:-도[1] 【下島】 명 〖지〗 경상 남도의 남해상(南海上), 통영시(統營市) 사량면(蛇梁面)에 위치한 섬. [13.97 km^2]

하:도[2] 【下道】 명 서울에서 떨어져 있는 충청도·전라도·경상도를 통틀어 일컫던 말.

하도[3] 【河道】 명 하천이 흐르는 길.

하도[4] 【河圖】 명 옛날 중국 복희씨(伏羲氏) 때 황허(黃河) 강에서 용마(龍馬)가 지고 나왔다는 쉰다섯 점의 그림. 낙서(洛書)와 함께 주역(周易)의 기본 이치가 됨. 용도(龍圖).

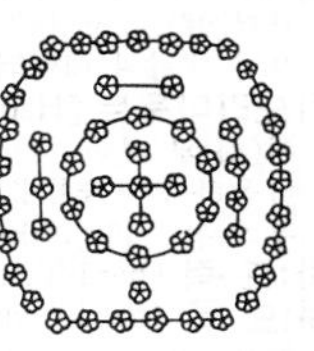

〈하도⁴〉

하:도[5]【夏道】명 등산 용어로, 적설기(積雪期) 아닌 시기의 등산길.

하-도[6]【蝦島】명〖지〗전라 북도의 서해상, 부안군(扶安郡) 변산면(邊山面) 마포리(馬浦里)에 위치한 섬. [0.05 km²]

하도[7] 부 '하[11]'를 강조하여 이르는 말. ¶ ~ 기가 막혀서.

하:-도감【下都監】명〖역〗조선 시대 훈련 도감(訓鍊都監)의 분영(分營).

하:-도급【下都給】명 남이 도급 맡은 일의 전부나 일부를 또 딴사람이 도급 맡는 일.

하:도급-자【下都給者】명 하도급을 맡아 하는 사람. 하수급인(下受給人).

하도 낙서【河圖洛書】명 하도(河圖)와 낙서(洛書).

하도롱-지【—紙】명 〔hard-rolled-paper, 도 Patronenpapier〕 화학 펄프를 사용한 다갈색의 질긴 종이. 포장지(包裝紙)·봉투 등으로 쓰임.

하도롱-판【—版】〔도 Patrone〕명 종이의 표준 치수의 하나. 재단한 하도롱지의 치수로서, 900 mm×1200 mm의 크기를 말함.

하:도 지시서【荷渡指示書】명〖법〗①선하 증권(船荷證券)이 발행되어 있는 운송물(運送物)에 관하여 그 인도(引渡)를 지시하는 증권. 선하 증권 소지인(所持人)이 발행하는 경우와 선박 소유자가 발행하는 경우가 있음. ②창고(倉庫)에 화물(貨物)을 기탁(寄託)한 자(者)가 창고 영업자에 대하여 기탁물을 지시서 소지인에게 인도하도록 지시한 서면(書面) 및 창고 영업자가 이행 보조자(履行補助者)에게 지정(指定)한 물건을 증서(證書)의 소지인에게 인도할 것을 지시한 서면.

하도할샤 형 〈옛〉 많기도 많아라. 많기도 많구나. '하다[4]'의 활용형. ¶ 日暮脩竹의 헴가림도 하도할샤 《松江 思美人曲》.

하돈【河豚】명〖어〗복[1].

하-돈-도【下一島】명〖지〗경상 남도의 남해상, 남해군(南海郡) 설천면(雪川面) 금음리(金音里)에 위치한 섬. [0.01 km²]

하돈 요리【河豚料理】[—뇨—] 명 복요리.

하돈 중독【河豚中毒】명 복중독.

하돈-증【河豚蒸】명 복찜.

하돈-탕【河豚湯】명 복국.

하돈-포【河豚脯】명 복포[1].

하동[1]【河東】명 ①강의 동쪽. ②〖지〗'허둥'을 우리 음으로 읽은 이름.

하동[2]【河東】명〖지〗경상 남도 하동군의 군청 소재지인 읍(邑). 군(郡)의 서부 섬진강(蟾津江) 하류에 위치하여 전라 남도 각지와의 육로 및 섬진강 수운(水運)의 요지(要地)이며 군내 농산물·수산물의 집산지임. [14,531 명(1996)]

하:-동[3]【夏冬】명 여름과 겨울. ↔춘추[1](春秋)❶.

하동-거리다 자 어떻게 할 줄을 몰라서 갈팡질팡하다. <허둥거리다. 하동-하동 부. ——-하다 자 여불

하동 광:산【河東鑛山】명〖지〗경상 남도 하동군 북천면(北川面)에 있는 동양 제일의 고령토(高嶺土) 광산. 1957년 휴광하였음.

하동-군【河東郡】명〖지〗경상 남도의 한 군. 관내 1읍 12면. 도의 남서부에 위치하며 북은 함양군(咸陽郡)과 산청군(山淸郡), 동은 산청군과 사천시(泗川市), 남은 바다를 건너 남해군(南海郡), 서는 전라 남도 광양시(光陽市), 구례군(求禮郡)과 전라 북도 남원시(南原市)에 인접함. 기후는 온난 다우함. 주요 산물은 농산, 김·우뭇가사리·고등어·삼치 등의 수산, 피륙 등의 공산 및 축산 등임. 명승 고적으로는 쌍계사(雙磎寺)·칠불암(七佛庵)·악양루(岳陽樓)·고소산(姑蘇山)·한산사(寒山寺) 등이 있음. 군청 소재지는 하동읍. [675.76 km² : 65,722 명(1996)]

하동-대다 자 하동거리다.

하동 분지【河東盆地】명〖지〗경상 남도 서남단, 전라 남도와의 경계에 있는 분지. 섬진강(蟾津江) 하류에 의하여 개석(開析)된 분지로, 중심지는 하동읍.

하동 사자후【河東獅子吼】명 황허(黃河) 강 동안(東岸)에서 사자가 으르렁거린다는 뜻으로, 아내가 사나워 남편에게 큰소리로 욕설을 함을 이름. 소동파(蘇東坡)의 벗 진조(陳慥)의 아내 유씨(柳氏)는 하동 사람으로서 성질이 포악하여 손님이 올 때마다 남편을 큰소리로 꾸짖었으므로 소동파가 이를 조롱하여 지은 시에서 쓴 말임.

하동-지동 부 다급하여 정신 차릴 수 없도록 몹시 하동거리는 모양. <허둥지둥. ——-하다 자 여불

하동-파【河東派】명 중국 명대(明代)의 주자학(朱子學)의 한 파(派). 설선(薛瑄)을 지도자로 하고, 궁행 복성(躬行復性)을 중히 여겨 요강파(姚江派)라 불리는 왕양명(王陽明) 일파와 대립하였음.

하동 포구【河東浦口】명〖지〗섬진강(蟾津江) 강어귀의 노량(露梁)에서 하동읍(河東邑)까지 80리(里)의 강변(江邊).

하되【爲矣·爲都】〈이두〉하되.

하두【爲置】〈이두〉한지라. 했다.

하두록【爲巴只】〈이두〉하도록.

하두이시아금【爲置有良尒】〈이두〉하였다고.

하두이신마리여【爲置有而亦】〈이두〉하였을지라도.

하두이온들쓰아【爲置是乎等用良】〈이두〉한 것이므로. 한 것이기 때문에.

하:드 디스크〔hard disk〕명〖컴퓨터〗외부 기억 장치의 하나. 자성체(磁性體)로 코팅된 알루미늄 디스크. 기억 매체(媒體)로 플로피 디스크보다 대량의 데이터를 고속으로 읽고 쓸 수 있음.

하드라마우트〔Hadhramaut〕명〖지〗아라비아 반도 남부, 아라비아해(海)에 면한 지방. 북부는 사막, 남부는 해안 산맥이 있으나 중부는 비옥하여 곡물류를 산출함. 1967년 남(南)예멘의 독립과 더불어 그 일부가 됨. [150,000 km²]

하:드-럭〔hard-luck〕명 불운(不運). 불행. 재난.

하:드 록〔hard rock〕명〖음〗1960년대 후반에 일어난 록 그룹의 연주 형식. 절규하는 듯한 노래와 전기 기타를 중심으로 한 격렬한 비트가 특징임.

하드론〔hadron〕명〖물〗강입자(強粒子).

하드리아누스〔Hadrianus, Publius Aelius〕명〖사람〗로마의 황제(皇帝). 오현제(五賢帝)의 한 사람. 트라야누스(Trajanus)에 이어 즉위, 성벽을 증축하고 《영원의 법》을 편찬하는 등 내치(內治)에 공이 있었음. [76-138 ; 재위 117-138]

하:드-보:드〔hardboard〕명 인공 목재의 하나. 펄프에 접착제를 가하여 고온(高溫)으로 압축한 판재(板材). 경질 섬유판(硬質纖維板).

하:드-보일드〔hard-boiled〕명〖문〗〔계란의 '완숙'을 의미하는 형용사에서 전와(轉訛)〕① 1930년경에 미국 문학에 등장한 사실주의의 수법. 감정의 표출(表出)을 극도로 억제하고 사건이나 행동만을 간결하게 표현·묘사하는 문체 및 양식을 가리키는 말임. 비정(非情)·비감상적·냉소적 등과 같은 뜻. 헤밍웨이의 《살인자들》(1927) 등이 이에 속함. ②추리 소설의 한 장르. ❶의 수법을 이용하여 행동적인 탐정(探偵)을 주인공으로 삼은 것. 미국의 해멧(Hammett, S.D.)이나 챈들러(Chandler, Raymond ; 1888-1959)의 작품이 대표적임.

하:드 비:치〔hard beach〕명 물 속에 굳은 표면이 퍼져 있는 해안(海岸) 부분. 계류(繫留)된 선박에서 화물(貨物)을 직접 수령(受領)·인도(引渡)할 목적으로 사용됨.

하:드 실크〔hard silk〕명 정련(精練)되지 않은 생사(生絲). 가용성(可溶性)의 단백질 세리신(sericin)을 함유함.

하:드-에지〔hard-edge〕명〖미〗1950년대 말에 미국에서 시작된, 기하학적 무늬를 선명한 색채로 구분하는 기하학적 추상화.

하:드-웨어〔hardware〕명 ①철물(鐵物). ②〖컴퓨터〗컴퓨터를 구성하고 있는 기계 장치의 총칭. 본체와 주변 장치로 나뉘며, 본체는 중앙 처리 장치와 주기억 장치로, 주변 장치는 입력 장치·출력 장치·보조 기억 장치로 구분됨. ↔소프트웨어.

하:드 카피〔hard copy〕명 ①〖컴퓨터〗프린터에 의해 종이에 인쇄된 것. ②브라운관이나 스크린 위의 영상(映像)을 종이 따위에 안정된 화상(畫像)으로 복사한 것.

하:드 코:트〔hard court〕명 테니스 코트에서, 잔디밭이 아닌 코트의 총칭.

하:드-톱〔hardtop〕명 승용차 차체(車體)의 한 형식. 플라스틱 또는 금속제의 센터필러가 없고, 떼었다 붙였다 할 수 있는 지붕을 가진 것.

하:드 트레이닝〔hard training〕명 맹연습(猛練習). 맹훈련.

하:드 헤드〔hardhead〕명〖공〗용융법(熔融法)으로써 주석(朱錫)을 정련(精鍊)할 때 생기는 굳은 백색의 녹지 않는 찌꺼기.

하:든[1]〔Harden, Arthur〕명〖사람〗영국의 효소 화학자. 알코올 발효를 연구, 조효소(助酵素)의 존재를 확인하고, 발효에 있어서의 인산(燐酸)의 역할을 해명함. 1929년 오일러 켈핀(Euler-Chelpin)과 함께 노벨 화학상을 받음. [1865-1940]

하든[2]【爲等】〈이두〉하든. 한들.

하:등[1]【下等】명 낮은 등급. 아랫등급. ¶ ~품(品). *고등(高等)·상등(上等).

하등[2]【何等】㊀명 '하등의'의 형태로 주로 부정하는 글에 쓰여 '아무런'의 뜻을 나타냄. ¶그는 ~의 과오도 없었다. ㊁관부 ①'얼마만큼, 어느 정도'의 뜻. ②'아무, 아무런'의 뜻. ¶ ~ 책임이 없다 / ~ 소용없다.

하:등[3]【夏等】명 ①춘(春)·하(夏)·추(秋)·동(冬)의 네 등급으로 나눈 것의 둘째 등급의 일컬음. ②〖역〗춘·하·추·동의 네 번에 걸쳐 내게 된 조세 제도에서 여름에 내는 조세.

하:등 감:각【下等感覺】명〖심〗미분화(未分化) 상태에 있어 고도로 체제화(體制化)한 지각을 형성할 수 없으며, 가까이 있는 사물의 파악 또는 체내(體內)의 느낌에 국한되어 있는 감각. 곧, 시각·청각을 제외한 후각(嗅覺)·미각(味覺)·피부 감각·운동 감각·평형(平衡) 감각·유기(有機) 감각 등이 이에 속함. ↔고등 감각.

하:등 동:물【下等動物】명〖동〗진화(進化)의 정도가 낮아서 체제(體制)가 간단한 원시적 동물. 열등 동물(劣等動物). *원생 동물(原生動物). ↔고등 동물.

하:등-맞다【下等—】자〖역〗벼슬아치가 도목 정사(都目政事)에 하등의 성적을 맞다. 이 등급은 축출당함. *중등(中等)맞다.

하:등 식물【下等植物】명〖식〗구조가 간단하고 진화가 낮은 균류(菌類)·조류(藻類)·세균류(細菌類) 식물의 총칭. ↔고등 식물.

하:등 통:회【下等痛悔】명〖천주교〗통회의 한 가지. 죄를 범한 결과로 자기 몸에 해가 미침으로 인하여 생기는 후회(後悔).

하:등-품【下等品】명 품질이 나쁜 물품. 하등에 속하는 물품. ↔상등품(上等品).

하:디[1]〔Hardie, James Keir〕명〖사람〗영국의 정치가. 어렸을 때부터 탄광에서 일하며 갱부의 노동 운동을 조직, 1892년 최초의 노동자 출신 하원 의원이 되어 독립 노동당을 창당함. 제1차 세계 대전 발발에 임해 반전(反戰) 총파업을 계획했으나 실패함. [1856-1915]

하:디[2]〔Hardy, Godfrey Harold〕명〖사람〗영국의 수학자. 옥스퍼드 대학·케임브리지 대학 교수. 해석적 정수론(解析的整數論)에서 업적이 두드러지고, 현대 수학을 영국에 수입(輸入)하기에 힘썼음. [1877-1947]

하:디[3]〔Hardy, Thomas〕명〖사람〗영국의 소설가·시인. 건축가의 도제(徒弟)로 일하면서 문학을 공부, 주로 고향인 웨섹스(Wessex)를 배경으로 한 20여 책의 작품을 씀. 페시미즘에 가까운 인생관 위에 능란한 필법으로 매력 있는 독자적 우울미(憂鬱美)를 창조한 점이 특징. 작품 《테스(Tess)》·《귀향(歸鄕)》 등이 유명함. [1840-1928]

하:디 바인베르크의 법칙【—法則】[—/—에—]〔Hardy-Weinberg〕명 집단 유전학(遺傳學)상의 법칙의 하나. 집단에서의 유전자 구성의 유지 또는 변화에 관한 이론. 임의 교배(任意交配) 아래에서는 각종 유전자형(遺傳子型)의 상대적 빈도(頻度)는 관여(關與)하는 대립(對立) 유전자의 빈도의 곱과 같음을 밝힌 것. 1908년 영국의 수학자 하디와 독일의 의사 바인베르크가 각기 독자적으로 발견하였음.

하디트〔아랍 Hadīth〕명 『이슬람』 성훈(聖訓). 마호메트의 언행(言行)을 수록한 책.

하딕ᄒᆞ다 타 〈옛〉 하직하다. ¶ 主人의게 하딕ᄒᆞ고(辭了主人家去來)≪老乞 上 34≫.

하:딩〔Harding, Warren Gamaliel〕명 『사람』 미국의 정치가. 제29대 대통령. '평상(平常)으로의 복귀'를 내세워 제1차 세계 대전에 지친 선거민의 지지를 얻어 당선함. 옛 친구인 악덕(惡德) 정치가를 요직(要職)에 기용했기 때문에 독직 사건이 연발하였음. 유세중(遊說中) 급병으로 죽음. [1865-1923]

하따 감 〈방〉 아따(경상).

하:-띠【下一】명 ①연전(揀箭)띠 내기할 때에 활을 쏘아 가장 적게 맞히거나 화살을 나중에 던지어 짠 띠. 하대(下隊). ↔상띠. ②화투 놀이에서 제일 끗수가 적은 띠.

하:띠 맞다 구 연전(揀箭)띠에서 활을 쏘아 가장 적게 맞히다.

하라레〔Harare〕명 『지』 아프리카 남동부, 짐바브웨(Zimbabwe)의 수도(首都). 농업 지대의 중심에 위치하고 있으며 부근에 금·크롬의 광산이 있음. 백인 인구가 25%를 차지하고 유럽풍(風)의 근대적 시가를 이루고 있음. 비료·담배·제당 공업(製糖工業)이 행하여지며 대학·음악 학교 등이 있음. 구칭:솔즈버리(Salisbury). [1,000,000 명(1991 추계)]

하라레 선언【一宣言】〔Harare〕명 『정』 1989 년 짐바브웨의 수도 하라레에서 채택된, 아프리카 통일 기구(OAU) 특별 위원회에 의한 선언. 아프리카 민족 회의(ANC)와 남아프리카 공화국 정부와의 교섭에 앞서 그 원칙과 조건 등을 다루었음.

하라르〔Harar〕명 『지』 하레르(Harer).

하라부지 명 〈방〉 할아버지(강원·전남·경남).

하라씨 명 〈방〉 할아버지(전라).

하라우수 호【一湖】〔Khara Usu〕명 『지』 몽고의 서쪽 변경 지역에 있는 호수. 호면 표고(湖面標高) 1,140 m이며, 코브도 강(Kobdo江)이 유입(流入)함. [약 272 km²]

하라-체【一體】명 『언』 결어법(結語法)의 존비법에 딸린 종결 어미의 한 체(體). 상대방이 특정 개인이 아닐 때, 존비(尊卑)가 중화(中和)된 느낌을 주는 말씨임. '보라'·'있는가' 등이 이에 속함. 광고문·연설문 등 주로 문장에 쓰임.

하라파〔Harappā〕명 파키스탄 동부, 펀자브 지방에 있는 인더스 문명의 유적. 기원전 2300-1750년경 번영한 도시의 유적으로 1921년 이후 발굴 조사되어, 주거·공동 작업장·창고 등의 건물 터 외에 청동기·채색 토기(彩色土器)·인장(印章) 등의 유물이 출토됨.

하라하고【爲良爲遣】〈이두〉 하라고 하고.

하:락【下落】명 ①값이 떨어짐. ¶ 물가 ~. ↔상등(上騰). ②등급이 떨어짐. ——-하다 자여불

하:락-세【下落勢】명 내림세. ↔상승세(上昇勢).

하란¹ 명 〈옛〉 땅 이름. ¶ 咸州以北哈闌하란 洪肯홍컨 參散之地 ≪龍歌 Ⅳ:21≫.

하:란²【下欄】명 아래의 난. ↔상란(上欄).

하:란³【夏卵】명 『생』 물벼룩 등이 여름철 전후에 낳는 알. 단성 생식(單性生殖)으로서 보통 암컷을 낳으나 가을철 직전에 낳는 것은 모양이 작고 수컷을 낳음.

하란⁴【蝦卵】명 새우알. ¶ ~젓.

하란뒤 명 〈옛〉 땅 이름. ¶ 咸興府五十八里許哈闌北 하란뒤 ≪龍歌 Ⅶ:25≫.

하:란산 산맥【賀蘭山山脈】명 『지』 허란산 산맥.

하란-젓【蝦卵一】명 새우알로 담근 젓.

하란 찌개【蝦卵一】명 새우알로 담근 젓을 젓국물에 약간 넣고 고기·파·두부 등을 넣어 끓인 반찬.

하랄〔아랍 ḥalāl〕명 『이슬람』 법에 의해 합법(合法)인 것으로 허용(許容)된 일.

하람〔아랍 ḥarām〕명 『이슬람』 금지(禁止). 알라의 명령으로 금지된 일. 예컨대, 돼지고기, 죽은 고기, 알코올 따위를 먹는 일. 이를 범하면 죄악시(罪惡視)됨.

하람-산【霞嵐山】명 『지』 평안 남도 양덕군(陽德郡)과 황해도 곡산군(谷山郡) 사이에 있는 산. 태백 산맥과 언진(彥眞) 산맥의 분기점에 있음. [1,468 m]

하:랍【夏臘】명 『불교』 중이 된 햇수. 하랍이 많은 중을 상랍(上臘), 적은 중을 하랍(下臘)이라고 함. 법랍(法臘).

하랍씨 명 〈방〉 할아버지(전북).

하래¹ 명 〈방〉 하루¹(전남).

하:래²【下來】명 ①높은 곳에서 낮은 곳으로 옴. ②서울에서 시골로 내려옴. ——-하다 자여불

하래-사리 명 〈방〉 ①『충』 하루살이(전남). ②하루거리(전남).

하랴고【爲要】〈이두〉 하려고.

하랴고하견을안【爲要爲在乙良】〈이두〉 하려고 하거들랑.

하:략【下略】명 글을 쓸 때에 중요하지 아니한 아랫부분을 줄이어 버림. ↔상략(上略)·중략(中略). ——-하다 타여불

하:량¹【下諒】명 윗사람이 아랫사람의 심정을 살피어 알아 줌. ¶ 사정을 ~하여 주소서. ——-하다 타여불

하량²【河梁】명 하천에 놓은 조그마한 다리.

하:량³【荷量】명 하물(荷物)의 분량.

하량-별【河梁別】명 강 근처에서 떠나는 사람을 전송한다는 뜻으로 '송별'을 일컫는 말.

하량으로【爲良以】〈이두〉 할 양으로.

하레 명 〈방〉 하루¹(전북).

하레르〔Harer〕명 『지』 에티오피아 동부에 있는 도시. 부근은 비옥(肥沃)한 농업 지대로 커피·면화(棉花)·피혁(皮革) 등의 거래 중심지임. [59,000 명(1978)]

하렘〔harem〕명 ①이슬람교국(敎國)의 부인들이 거처하는 방. ②규중(閨中). ③처첩(妻妾).

하:려【下慮】명 하념(下念). ——-하다 타여불

하:력【夏曆】명 중국 하(夏)나라 조정에서 썼다는 역법(曆法). 지금의 태음력(太陰曆)에 해당함.

하:련【下輦】명 『역』 임금이 연(輦)에서 내림. ——-하다 자여불

하:련-소【下輦所】명 『역』 임금이 하련하는 곳으로, 임시로 마련한 곳.

하:렬【下劣】명 →하열(下劣). ——-하다 형여불

하:렴【下簾】명 발을 내림. ——-하다 자여불

하:령¹【下令】명 ①명령을 내림. ②『역』 왕세자(王世子)가 영지(令旨)를 내림. ——-하다 타여불

하령²【遐齡】명 하수(遐壽). ——-하다 자여불

하:령-회【夏令會】명 『기독교』 각 교회의 대표자나 또는 독실한 교인이 친목과 수양의 목적으로 여름에 모이는 모임.

하:례¹【下隷】명 하인(下人).

하:례²【賀禮】명 축하하는 예식. 하의(賀儀). ——-하다 자여불

하:례-객【賀禮客】명 축하하기 위하여 찾아오는 손님.

하:례-배【下隷輩】명 하인배(下人輩).

하로¹ 명 〈방〉 하루¹(전남·경상).

하:로² 명 〈방〉 화로(전남·경남·함남).

하:로-교【下路橋】명 『토』 트러스(truss)의 하현(下弦) 위치에 통로(通路)를 만든 다리.

하:로 동선【夏爐冬扇】명 여름의 화로와 겨울의 부채. 곧, 격(格)이나 철에 맞지 않거나 쓸데없는 사물을 비유하는 말.

하로-사리 명 〈방〉 하루살이(경북).

하론-업【何論業】명 『역』 고려 때 잡과(雜科)의 한 과목(科目). 진서 주장(眞書奏狀)·끽산(喫算)·하론(何論)·효경(孝經)·곡례(曲禮)·율전 후질(律前後秩)을 가지고 시험함. 하론, 곧 하안 주 논어(何晏注論語)의 시험이 이 과목의 중심이 되었기 때문에 이 이름이 붙은 것임. *명산업(明算業).

하롬 타 〈옛〉 참소(讒訴)함. '할다'의 명사형. ¶ 하로미 ᄌᆞ모 ᄌᆞᆺ도다(謗何頻)≪杜諺 XVI:6≫.

하롱-거리다 자 언행(言行)을 진중(鎭重)히 하지 아니하고 가볍고 들뜨게 하다. ¶ 분수없이 하롱거리며 까불다. <허룽거리다. **하롱-하롱** 부. ——-하다 자여불

하롱-대다 자 하롱거리다.

하:료【下僚】명 ①아랫자리에 있는 동료(同僚). ②지위(地位)가 낮은 관리(官吏).

하:룜 타 〈옛〉 참소(讒訴)함. '하리다³'의 명사형. ¶ 하료ᄆᆞᆯ ᄆᆞᄎᆞ매 스스로 어드니라(讒毀竟自取)≪杜諺 Ⅱ:49≫.

하루¹ 명 ①한 날. 일일(一日). ¶ 십년을 ~같이/~도 어김 없이. ②해가 있는 동안. ¶ ~품. ③막연히 지칭(指稱)할 때의 어떤 날. ¶ ~는 이런 일이 있었다. ④↗하룻날.

[하루 굶은 것은 몰라도 헐벗은 것은 안다] 가난하더라도 옷차림이나마 남에게 궁하게 보이지 말라는 말. [하루 물림이 열흘 간다] 만사를 뒤로 미루지 말라고 경계하는 말. [하루 세끼 밥 먹듯] 극히 예사로운 일이라는 뜻. [하루 죽을 줄을 모르고 열흘 살 줄만 안다] 덧없는 세상에서 자기만 잘 살기 위해 남에게 인색하고 혹독하게 구는 사람을 이르는 말. [하루 화근은 식전 취한 술] 이른 아침부터 취하는 못된 짓을 경계하는 말.

하루가 멀:다하고 구 때를 가리지 않고 거의 매일같이. ¶ ~ 우리 집에 와서는, 큰 유공지인이나 되는 듯이 돈이 없으니 돈을 다고, 옷이 없으니 옷하여 다고 하여≪趙重桓 : 麴의 香≫.

하:루² 명 〈방〉 화로(충북·전남).

하루³【瑕累】명 흠(欠). 하자(瑕疵).

하루-갈이 명 하루 낮 동안에 갈 수 있는 밭의 넓이. 곳에 따라, 700평(坪)서부터 3,000 평까지를 이름.

하루-거리 명 『의』 하루씩 걸러서 앓는 학질. 간일학(間日瘧). 초학(初瘧). ¶ ~에 걸리다.

하루-건너 부 하루 걸러.

하루-걸러 부 하루씩 띄어서. 하루 건너.

하루-돌이 명 하루 걸러 한 번씩. ¶ ~로 태풍처럼 덮치는 토구질에도 잘 견디어 생명을 유지했던 것…≪李無影 : 흙의 노예≫.

하루똥이 명 〈방〉 화로(함남).

하루-바삐 부 하루라도 빠르게. 하루빨리. 하루속히.

하루방 명 〈방〉 할아버지(제주).

하루-빨리 부 하루바삐.

하루-사리 명 〈방〉 하루거리(전남).

하루-살이 명 ①『충』 부유류(蜉蝣類)에 속하는 곤충(昆蟲)의 총칭. 굽은꼬리하루살이·무늬하루살이·밀알락하루살이·별꼬리하루살이·병꼬리하루살이 등이 있음. 거략(蟝蝪). 부유(蜉蝣). 음생충(陰生蟲). ②『충』 [*Ephemera lineata*] 하루살잇과에 속하는 곤충의 하나. 몸길이 13-17 mm이고, 편 날개의 길이는 25-34 mm이며, 두부(頭部)는 황백색이고 전흉(前胸)은 황색이며, 중흉배(中胸背)는 회황색에 암갈색 반문(斑紋)이 있음. 복부(腹部)는 황백색인데 최후의 세 마디는 갈색이며, 날개는 투명하고 앞날개 중앙에 흑갈색 반문이 있고 거의 삼각형이며, 복안(複眼)은 발달하고 생식공(生殖孔)이 한 쌍으로 되어 특이함. 유충은 물속에 수년간 생활하다가 다소 탈피(脫皮)하고 불완전 변태(不完全變態)임. 성충(成蟲)은 여름 저녁에 공중에 떼지어 날아 다니는데, 이름

과 같이 하루만 살고 죽는 것이 아니라 그 수명(壽命)은 수일간으로 봄. ③생활(生活)이나 목숨의 덧없음을 비유하는 말. ¶～ 목숨/～ 인생(人生).

[하루살이 위에 파리가 있다] 위에는 또 위가 있다는 말.

유충 성충 〈하루살이❷〉

하루살이-목【一目】명〖충〗[Ephemeroptera] 유시류(有翅類)의 목. 성충의 몸길이는 5 mm 내외, 날개는 한 두 쌍에 무색 투명하고 복부에는 긴 꼬리털이 두세 개 있음. 구기(口器)는 퇴화하고 단안과 발달한 복안(複眼)이 있고 생식공(生殖孔)이 한 쌍으로 되어 특이함. 물 속에 산란하며 수명은 수일간임. 유충은 원통형이고, 괸 물·진흙·시냇물 등에 서식하며, 육식(肉食)을 하고 아가미로 호흡하는 원시(原始) 곤충으로, 수개 년간에 걸쳐 여러 번 탈피(脫皮)함. 불완전 변태(不完全變態)를 함. 어류(魚類)의 먹이로 중요한데, 하루살잇과(科)·알락하루살잇과 등이 이에 속함. 부유류(蜉蝣類).

하루살잇-과【一科】명〖충〗[Ephemeridae] 하루살이목(目)에 속하는 한 과. 유충은 다소 원통형(圓筒形)이고 큰 입술은 아상(牙狀)이며 촉각에는 연모(緣毛)가 있고 미사(尾絲) 곧, 꼬리털은 세 개임. 진흙 속에 서식(棲息)하며 성충(成蟲)의 뒷날개는 작고, 미사는 둘 또는 세 개이며, 수컷의 파악기(把握器)는 4 절임. 구북구(舊北區)·인도·오스트레일리아·신열대(新熱帶)·에티오피아(Ethiopia) 등지에 분포함.

하루-속히【一速一】부 하루바삐.

하루-아침 명 ①짧은 시간. ¶～에 해치우다. ②어떤 날 아침.

하루-장【一葬】명 죽은 당일에 지내는 장사. 일장(日葬).

하루 종일【一終日】명부 온종일.

하루-치 명 하루의 몫. 하루의 분량. ¶～를 배급타다.

하루-하루 명부 매일 매일. 그날 그날. ¶～ 달라지다.

하루-해 명 해가 떠 있는 하룻동안. 하루낮. ¶덧없이 ～가 저물었다.

하룬 알 라시드 [Harun-al-Rashid] 명〖사람〗아라비아 아바스 왕조(Abbas王朝) 5대 칼리프(Caliph). 현신(賢臣)들의 보좌로 선정을 베풀어 사라센 문명의 황금 시대를 이루었음. [763-809 ; 재위 786-809]

하룹-사리 명〈방〉〖충〗하루살이(경남).

하룻-강아지 명 [←하릅강아지] ①난 지 얼마 아니 되는 어린 강아지. ②재게 뛰어 돌아다니는 강아지. ③초보자(初步者). 신출나기.

[하룻강아지다; 하룻강아지 범 무서운 줄 모른다] 멋도 모르고 철없이 덤빔을 가리키는 말.

하룻-길 명 하루에 걸어서 갈 수 있는 거리.

하룻-날 명 한 달의 첫째날. 일일(一日). ㊕하루.

하룻-망아지 명 [←하릅망아지] 난 지 얼마 안 된 어린 망아지.

[하룻망아지 서울 다녀오듯] 아무것도 모르면서 무슨 일을 보거나 하거나 함을 비유하는 말.

하룻-밤 명 ①한 밤. ¶～ 유숙하다. ②어떤 날 밤. ¶～은 그가 찾아 왔었다.

[하룻밤을 자도 만리성을 쌓는다] 잠깐 사귀어도 정을 깊이 둔다는 말.

[하룻밤을 자도 헌 각시다] 여자의 정조(貞操)가 매우 중함을 강조하는 말.

하룻-비둘기 명 [←하릅비둘기] 난 지 얼마 안 된 어린 비둘기.

[하룻비둘기 재를 못 넘는다] 경험과 연륜이 없이는 큰일을 못 함의 비유.

하룻-저녁 명 ①하루의 저녁. 하룻밤. ②어떤 날 저녁.

[하룻저녁에 단속곳 셋씩 하는 여편네 속곳 벗고 산다] 솜씨 좋고 일을 많이 하는 사람이 정작 가난하게 삶의 비유.

하:류[1]【下流】명 ①하천(河川)의 아래편. ¶한강 ～. ②하등(下等)의 계급. 말류(末流). ¶～ 사회. ＊상류·중류.

하류[2]【河柳】명〖식〗냇버들.

하류[3]【河流】명 강하(江河)의 흐름. 강류(江流).

하:류 계급【下流階級】명 신분·생활 수준이 낮은 사람들의 계급. ＊상류 계급·중류 계급.

하:류 사회【下流社會】명 신분이나 생활 수준이 낮은 사람들의 사회. 하층 사회. ＊중류 사회·상류 사회.

하류 쟁탈【河流爭奪】명〖지〗인접한 두 하천 사이에 침식력(浸蝕力)의 차이가 있을 때 상호간에 유역의 쟁탈이 행해지는 현상.

하:류지-배【下流之輩】명 하류 사회(社會)에 속하는 사람을 천하게 이르는 말.

하:류-층【下流層】명 하류의 생활을 하고 있는 사회 계층. ＊상류층·중류층.

하:륙【下陸】명 배·화물차 또는 비행기 등에 실었던 짐을 땅으로 옮기어 내림. ＊상륙(上陸). ——-하다 자타여불

하르게이사 [Hargeisa] 명〖지〗소말리아(Somalia) 북부의 도시. 에티오피아(Ethiopia)와의 국경 근처에 있는데, 교통의 요지(要地)로 공항이 있음. 영국 식민지 때 소말리랜드의 수도였음. [70,000 명(1980 추계)]

하르나크 [Harnack, Adolf von] 명〖사람〗독일의 교회사가(教會史家)·신학자(神學者). 베를린 대학 교수. 자유주의·역사주의의 입장에서 교회사를 기술하고 나아가 그리스도교(教)의 윤리·사상에 관해서도 연구함. 많은 문하생(門下生)을 양성하였음. 주저(主著) ≪그리스도교의 본질≫·≪교리사 교본(教理史教本)≫. [1851-1930]

하르더:-샘 [라 glandula Harderiana] 〖생〗상어류(類)·무미 양서류(無尾兩棲類)·파충류(爬蟲類)·조류(鳥類) 등과 같이 순막(瞬膜)이 발달하고 있는 동물에서 순막 밑의 눈의 내각(內角)에 있는 샘. 눈물샘과 같이 액체를 분비하여 안구(眼球)의 표면을 적시고, 각막과 순막의 마찰을 부드럽게 함. 스위스의 해부학자 하르더(Harder, Johann Jacob ; 1656-1711)에서 유래된 이름.

하르덴베르크 [Hardenberg, Karl August von] 명〖사람〗프로이센의 정치가. 1810년 재상(宰相)이 되어 자유주의적인 개혁을 단행하면서 국력 회복을 꾀하는 한편으로, 열강과 동맹을 맺어 나폴레옹을 격파, 빈 회의(Wien會議)에서 영토 확장에 성공하였음. [1750-1822]

하르르 부 종이나 피륙 같은 것이 여리고 성기며 풀기가 없는 모양. ¶～한 옷감. <호르르. ——-하다 형여불

하르마탄 [Harmattan] 명 사하라 사막에 부는 북동 무역풍으로, 사막의 풍진(風塵)을 동반하는 열풍.

하르방 명 ①〈방〉 할아버지. ②↗돌하르방.

하르빈 [Harbin] 명〖지〗하얼빈(哈爾濱).

하르샤 왕【一王】[Harsha] 명〖사람〗인도의 왕. 619년경 대규모의 정복(征服)으로 인도 통일을 완성하고 바르다나 왕조(Vardhana王朝)를 창립, 불교를 옹호하고 문화를 발전시켜 고대 최후의 번영 시대를 이루었으며, 그 자신도 시와 극작에 능하였음. 유명한 중국 당(唐)나라의 중 현장 법사(玄奘法師)가 이 왕 때 다녀감. 역어: 희증왕(喜增王)·계일왕(戒日王). [590-647; 재위 605-647]

하르츠 산지【一山地】[Harz] 명〖지〗중부 독일에 있는 지루 산지(地壘山地). 높은 곳까지 잘 경지화(耕地化)되어 있으며 은·납 등의 광산도 있음. 관광·휴양지가 많음. 최고봉은 브로켄(Brocken)이며 브로켄 현상(現象)으로 유명함.

하르툼 [Khartoum] 명〖지〗수단(Sudan) 공화국의 수도. 또, 하르툼주(州)의 주도. 백(白)나일 강과 청(靑)나일 강의 합류점에 있으며 동국의 행정·경제·문화의 중심지임. 국제 공항이 있고 대학의 소재지임. [476,218 명(1983)]

하르툼-노:스 [Khartoum North] 명 나일 강(江)을 사이에 두고 하르툼과 다리로 연결된 도시. 상업의 중심지로 면화·밀·가축 등의 거래가 많음. [151,000명(1973)]

하르트만[1] [Hartmann, Karl Robert Eduard von] 명〖사람〗독일의 철학자. 일찍이 ≪무의식(無意識)의 철학≫을 지어 주목을 끌었고 세계의 형이상학적 기초를 '무의식자'에 두어 세계는 무(無)로 돌아간다는 비관적(悲觀的) 사상을 품었음. [1842-1906]

하르트만[2] [Hartmann, Nicolai] 명〖사람〗독일의 철학자. 마르부르크학파(Marburg學派)에서 출발, 인식(認識)을 인식 이전에 또한 인식에서 독립하여 존재하는 것의 파악이라 하여 신실재론(新實在論)에 전신(轉身), 후설(Husserl)에 가까운 형이상학을 전개하였음. 저서에 ≪인식의 형이상학 개요≫·≪가능성과 현실성≫·≪실재적(實在的) 세계의 구성≫ 등이 있음. [1882-1950]

하르트만[3] [Hartmann, von Aue] 명〖사람〗독일의 궁정(宮廷) 시인. 기사(騎士) 출신으로 원탁(圓卓) 이야기를 취재한 ≪에레크(Erec)≫, 성서 전설에 의한 ≪가련한 하인리히≫·≪그레고리우스(Gregorius)≫ 등은 유명함. [1165?-1215?]

하르트만 용액【一溶液】명 [Hartman's solution]〖화〗①[미국의 치과 의사 Hartman, LeRoy L.에서 유래] 티몰·에틸 알코올·황산 에테르의 혼합 용액. 치과(齒科)에서 둔마액(鈍痲液)으로 쓰임. ②[미국의 의사 Hartman, Alexis F.에서 유래] 수산화 나트륨(水酸化 Natrium)·젖산을 물에 탄 용액. 산독증(酸毒症)에 경구 투여(經口投與)함.

하를 명〈방〉 하루[1](제주).

하릅 명 한 살 된 소·말·개 등의 일컬음. 한습.

하릅 송아지 명 나이가 한 살이 된 송아지.

하리[1] 명〈방〉 화로(火爐)(전남·경상·강원·함경).

하리[2] 명〈방〉 하루[1](전라·경상).

하리[3] 명〈옛〉 참소(讒訴). 헐뜯음. ¶하리로 말이수 분돌(沮以讒說) ≪龍歌 26章≫/飛燕의 하리예 니르러(至於飛燕之讒)≪內訓 序 3≫.

하:리[4]【下吏】명〖역〗이서(吏胥).

하:리[5]【下里】명 위 아래로 나뉜 동리의 아랫마을. ↔상리(上里).

하:리[6]【下痢】명〖의〗이질(痢疾).

하리-거리 명〈방〉 하루거리(전남).

하리-놀다 타 윗사람에게 남을 헐뜯어 일러바치다. 참소(讒訴)하다.

하리다[1] 자 마음껏 사치하다.

하리다[2] 자〈옛〉 낫다. 덜하다. ¶님 그려 깁히 든 病을…三山十洲 不死藥을 아무만 먹은들 하릴소냐 ≪古時調 金時慶≫. ＊흐리다.

하리다[3] 타〈옛〉 참소(讒訴)하다. ¶하료믈 맛츠매 스스로 어드니라(讒毀竟自取)≪杜諺 Ⅱ:49≫.

하리다[4] 형 기억력(記憶力)·사리 판단 또는 하는 일이 똑똑하지 아니하다. 매우 아둔하다. <흐리다[2].

하리-들다 자 되어 가는 일의 중간에 방해가 생기다. ¶계획에 ～.

하리망당-하다 형여불 ①오래 되어서 기억이 아름아름하다. ②옳고 그름의 구별이나 하는 일이 흐릿하여 분명하지 아니하다. ③정신이 몽롱하다. ④귀에 들리는 것이 희미하다. 1)-4): <흐리멍덩하다. 하리망당-히 부

하리방 명〈방〉 할아버지(제주).

하리-사리 명〈방〉 하루살이(전남·경상).

하리아드랫-날 명〖민〗음력 2월 초하룻날의 일컬음. 이 날에, 음력 정월 열 사흗날부터 보름날까지 담과 지붕에 꽂아 둔 모조(模造) 무명·낟가릿대 등을 모두 헐어서 볼때어 콩도 볶고 떡도 만들며, 특히 이 날 낟가릿대 속의 곡식으로 만든 송편을 노비들에게도 골고루 나누어 주어서 그 나이 수대로 먹게 하였음. 노비일(奴婢日).

하리 야노스 [Háry János] 명 헝가리의 작곡가 코다이(Kodály, Z.)의 관현악 모음곡. 모두 6곡이며, 본디 ≪다섯 가지 모험≫이라는 오페라

의 음악임. 하리 야노스는 헝가리 민화(民話)의 주인공의 이름임.

하리-쟁이 [명] 하리놀기를 일삼는 사람.

하리-질 [명] 하리노는 짓. ——-하다 [자][여불]

하리코프 〔Khar'kov〕 [명]〖지〗 우크라이나 공화국 북동부 도네츠(Donetz)의 지류(支流)에 임한 대공업 도시(大工業都市). 남방에 도네츠 탄전(炭田)이 있어, 각종 기계 공업(機械工業)의 대중심지를 이룸. [1,611,000명(1989)]

하리타분-하다 [형][여불] ①사물이 똑똑하지 못하여 하리고 타분하다. ②성질이 하리고 타분하다. 1)·2): <흐리터분하다. **하리타분-히** [부]

하리통이 [명] 〈방〉 화로(함북).

하:릴-없다 [—업—] [형] ①어떻게 할 도리가 없다. ¶바보라는 말을 들어도 ~. ②조금도 틀림이 없다. 할일없다.

하:릴-없이 [—업씨] [부] 하릴없게. 할일없이. ¶~ 복종하다/~ 비난만 듣게 됐다/점점 정공의 기색이 엄절하여지니 ~ 복종하는 것같이 외면으로 대답하되…《李海朝 : 昭陽亭》.

하:림 【下臨】 [명] 강림(降臨). ——-하다 [자][여불]

하림-조 【河臨調】 [—쪼] [명]〖악〗 신라 진흥왕 때의 가얏고의 조이름의 하나. 전하는 악곡은 없음. 《악학궤범》 거문고조에는 최자조(嗺子調)의 속칭과 청풍체(淸風體)의 딴 이름이라고도 했으나 신라 때의 하림조와의 관계는 불분명함.

하ᄅᆞᆯ [명] 〈옛〉 하늘. ¶하ᄅᆞᆯ긔 브르며 울고 너비 약글 구ᄒᆞ더니(號泣于天廣求藥)《東國新續三綱 Ⅲ:88 尙仁封服》.

하마¹ [명] 〈방〉〖동〗 달팽이(경북).

하:마² 【下馬】 [명] 말에서 내림. ↔상마(上馬). ——-하다 [자][여불]

하마³ 【河馬】 [명]〖동〗 [*Hippopotamus amphibius*] 하마과에 속하는 짐승. 몸길이 4.2m, 꼬리 0.5m, 어깨 높이 1.5m, 몸무게 2-3톤에 달함. 몸은 거대(巨大)하며 머리와 목이 굉장히 크고 귀는 매우 작음. 콧구멍·눈·귀는 얼굴의 위쪽에 위치함. 견치(犬齒)는 강대하고 아래턱의 문치(門齒)는 거의 수평으로 앞쪽을 향했음. 네 다리는 극히 짧고 발가락은 네 개씩이며 피부는 두껍고 거의 나출(裸出)되어 있으며 적색의 점액(粘液)을 분비(分泌)함. 낮에는 물 속에서 눈·귀·콧구멍만 내어 놓고 있다가 밤에 나와 나무 뿌리·과실·풀 등을 먹음. 흔히 떼를 지어 다니는데 늙은 수컷은 혼자 삶. 임신 8개월 만에 새끼 한 마리를 낳는데 새끼는 물 속에서 낳고, 나면서 바로 헤엄을 치며 물 속에서 젖을 먹음. 사하라 사막(Sahara 沙漠) 이남의 아프리카에 분포함. 물뚱뚱이.

〈하마³〉

하마⁴ 【蝦蟆】 [명]〖동〗 청개구리.

하마⁵ 〔Hama〕 [명]〖지〗 시리아 북부, 오론테스 강안(Orontes 江岸)의 도시. 상업 도시이나 관개(灌漑) 농업의 중심지로 면화·곡물·과실이 수확됨. 군사(軍事) 도시로서도 중요한 몫을 하며 시내에는 성채(城砦)도 있음. [214,000명(1987)]

하마⁶ [부] 〈방〉 벌써. 이미(강원·충북·경상).

하마-고둥이 [명] 〈방〉〖동〗 달팽이(경상).

하마-고딩이 [명] 〈방〉〖동〗 달팽이(경북).

하마-고리 [명] 〈방〉〖동〗 달팽이.

하마-과 【河馬科】 [—꽈] [명]〖동〗 우제목(偶蹄目)에 속하는 한 과.

하마-나 [부] 〈방〉 ①벌써(경상). ②이제나저제나(경상). ¶~ ~ 하고 차가 나오기를 기다리고 있는데도…《李周洪 : 풍마》.

하마나 호 【—湖】 〔浜名:はまな〕 [명]〖지〗 일본 시즈오카 현(静岡縣)에 있는 기수호(汽水湖). 남부에서 호안(湖岸)이 절단되어 외해(外海)로 통함. 조개·뱀장어의 양식지임. [$72.04 km^2$]

하마다 고:사쿠 〔浜田耕作:はまだこうさく〕 [명]〖사람〗 일본의 고고학자(考古學者). 도쿄(東京) 대학 사학과를 졸업, 남만주(南滿洲)를 답사하여 일본 고고학의 체계를 세움. 1937년 교토 대학(京都大學) 총장이 됨. 조선·중국·일본의 많은 고적을 발굴하여, 고문화 해명에 기여함. 저서로 《경주(慶州)의 금관총(金冠塚)》·《동양 미술사 연구》 등이 있음. [1881-1938]

하마단 〔Hamadan〕 [명]〖지〗 이란 북서부의 도시. 페르시아의 고도(古都)로 옛이름은 에크바타나(Ecbatana). 테헤란(Teheran)과 바그다드(Baghdad)를 연하는 도로가 있으며, 해발 1,800m의 고지에 있음. 피혁(皮革) 제품·융단·견포(絹布) 등을 산출함. [272,499명(1986)]

하:-마도 【下馬島】 [명]〖지〗 전라 남도의 남해상, 해남군(海南郡) 화산면(花山面) 삼마리(三馬里)에 위치한 섬. [$0.16 km^2$]

하마마쓰 〔浜松:はままつ〕 [명]〖지〗 일본 시즈오카 현(静岡縣) 서부에 위치한 도시. 현내 최대의 상공업 도시. 원래 도쿠가와 이에야스(徳川家康)의 거성지(居城地)였음. 면사·면직물·악기 제조·제사·제모 등이 성행함. [545,863명(1992)]

하:마-비 【下馬碑】 [명]〖역〗 조선(朝鮮) 시대에, 누구든지 그 앞을 지날 때에 말에서 내리라는 뜻을 새긴 돌 비석. 궁가(宮家)·종묘(宗廟)·문묘(文廟) 등의 앞에 '大小人員皆下馬' 또는 '下馬碑'라 새겨 세움.

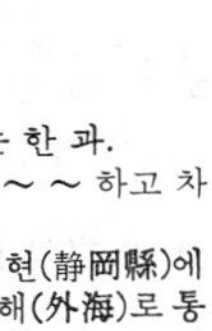

〈하마비〉

하:마-석 【下馬石】 [명] 노둣돌.

하마시욀드 〔Hammarskjöld, Dag〕 [명]〖사람〗 스웨덴의 정치가·외교관. 1953년 유엔 사무 총장이 된 이래, 중동(中東)의 휴전, 수에즈 운하 사건·헝가리 사건 등에 활약, 1961년 콩고 곧, 지금의 자이르 공화국과 카탕가(Katanga) 사이의 분쟁 해결을 위하여 진력중 비행기 사고로 죽음. 사후, 1961년 노벨 평화상이 수여됨. 함마숄드. [1905-61]

하:마-연 【下馬宴】 [명]〖역〗 옛날에, 외국 사신이 도착하였을 때 베풀던 연회. *상마연(上馬宴).

하마-온 【蝦蟆瘟】 [명]〖한의〗 귀의 앞뒤가 붓는 병.

하:마-찰 【下馬札】 [명] 하마할 것을 알리는 표찰.

하마터면 [부] '자칫 잘못하였더라면'의 뜻으로, 위험한 경우를 겨우 벗어났을 때 쓰는 말. ¶~ 죽을 뻔했다.

하마트문 [명] 〈방〉 하마터면(평남).

하:마-평 【下馬評】 [명] 어떠한 관직에 임명될 후보자에 관하여 세상에 떠도는 풍설.

하마-하마 [부] ①무슨 기회가 자꾸 닥치어 오는 모양. ¶~ 고기가 걸릴 듯하다. ② ☞ 하마터면.

하막¹ [명]〖동〗 무당개구리(제주).

하막² 【遐邈】 [명] 멂. 요원함. ——-하다 [형][여불]

하만¹ 【河灣】 [명] 큰 강의 하구(河口)가 선상(扇狀)으로 널리 벌어져 조석(潮汐)의 영향이 심한 곳.

하만² 〔Hamann, Johann Georg〕 [명]〖사람〗 독일의 철학자·종교 사상가. 칸트(Kant)·헤르더(Herder, J. G. von)·야코비(Jacobi, F. H.)와 교제하며, 당시의 계몽 사조(啓蒙思潮)에 반대하고 신비 사상(神祕思想)에 경도(傾倒)함. 야코비와 함께 기독교적인 감정 철학·경험 철학·신앙 철학을 주장함. 독일 낭만주의에도 영향을 끼침. 저서 《소크라테스 회상(回想)》 등. [1730-88]

하-만(:)리 【河萬里】 [—말—] [명]〖사람〗 조선 시대 중기의 학자. 호는 양진당(養眞堂). 진주 사람. 최온(崔蘊)의 문하생. 벼슬에 뜻을 두지 않고 학문에만 전심하였음. 저서 《종호 팔경시(鐘湖八景詩)》·《유거 십팔운(幽居十八韻)》 등. [1597-1671]

하매¹ [명] 〈방〉 달팽이(경북).

하매² [부] 〈방〉 벌써(경상).

하:맹삭-반사 【夏孟朔頒賜】 [명]〖역〗 조선 시대에 나라에서 4월에 모든 벼슬아치에게 여름 녹봉을 내려 주던 일.

하머¹ [명] 〈방〉 벌써(경상).

하머² [감] 〈방〉 아무렴.

하머 도법 【—圖法】 [—뻡] [명] 〔Hammer's projection〕〖지〗 세계 지도에 흔히 쓰이는 정적 투영법(正積投影法)의 하나. 적도에 접하는 평면에 일정한 기법을 써서 투영한 방위(方位) 도법의 일종으로, 가로축이 세로축의 2배의 길이로 된 타원 안에 세계 지도를 수록하였으며, 씨줄과 날줄이 모두 만곡되어, 등거리(等距離) 도법인 '아이토프(Aitoff) 도법'과 그 형태가 비슷함. 1892년 독일의 지리학자 하머(Hammer, E.)가 고안하였음.

하머 클라비어 〔도 Hammer Klavier〕 [명]〖악〗 ①하프시코드에 대한 '피아노'의 구칭(舊稱). 클라비어라고도 함. ②베토벤 작곡의 피아노 소나타 제29번 나 플랫 장조. 작품 106의 곡명. 1819년 작곡.

하멜 〔Hamel, Hendrik〕 [명]〖사람〗 네덜란드의 선원(船員). 동인도 회사 소속선으로 1653년 네덜란드를 출발, 대만을 거쳐 일본 나가사키(長崎)로 항행 중에 폭풍으로 파선하여 조선 효종(孝宗) 4년(1653)에 일행 30여 명과 함께 제주도에 표류하여, 서울로 압송, 여러 병영(兵營)에 14년 동안이나 억류되었으나 1666년에 탈출하고 1668년에 귀국하여 《표류기(漂流記)》·《조선국기(朝鮮國記)》를 지음으로써 조선 사정을 처음 유럽에 소개하였음. [?-1692]

하멜 표류기 【—漂流記】 〔Hamel〕 [명]〖책〗 하멜이 지은 《난선 제주도 난파기(蘭船濟州島難破記)》 및 그 부록 《조선국기(朝鮮國記)》. 하멜이 1653년 난파하여 제주도에 표류 이후 1668년 귀국할 때까지의 억류 생활 14년간의 견문 기록임. 조선국기에는 조선의 지리·풍속·산물·정치·군사·교육·교역(交易) 등을 비교적 정확히 기록하였음. 1668년 암스테르담에서 간행. 조선 사정을 유럽에 알린 최초의 문헌임.

하며¹ 【爲旀】 〈이두〉 하며.

하며² [조] 하고⁴❶. ¶떡~ 고기~, 별의별 음식이 다 있다.

하:면¹ 【下面】 [명] 아래쪽의 면. ↔상면(上面).

하:면² 【夏眠】 [명]〖동〗 동물이 여름철의 더위와 건조(乾燥)를 피하며 신진 대사를 절약하기 위하여 어느 기간 음식을 중지하고 잠을 자는 일. 도롱뇽·달팽이·악어 등이 함. 여름잠. ↔동면(冬眠). ——-하다 [자][여불]

하-면:목 【何面目】 [명] 무슨 면목. 곧, 볼 낯이 없는 터.

하:면 발효 【下面醱酵】 [명]〖생〗 천천히 이루어지는 알코올 발효의 하나. 효모 세포가 발효액의 밑부분에 모이는 것으로, 보통의 맥주나 알코올 함량이 적은 포도주의 발효 때 생김.

하:면 효모 【下面酵母】 [명]〖생〗 하층 효모.

하:명¹ 【下命】 [명] ①명령(命令)의 경칭(敬稱). ②명령을 내림. ¶~을 받다. ③↗하명 처분. ——-하다 [자][타][여불]

하명² 【嘏命】 [명] 대명(大命).

하:명 처:분 【下命處分】 [명]〖법〗 국민에게 대하여 특정의 작위(作爲)·부작위(不作爲)·급부(給付) 또는 수인(受忍)의 임무를 명령하는 행정 처분. [준]하명(下命).

하모¹ 【何某】 [인대] 아무.

하:모² 【夏毛】 [명]〖동〗 여름털❶. ↔동모(冬毛).

하:모늄 〔harmonium〕 [명]〖악〗 오르간과 같은 형식의 유건 악기(有鍵樂器). 공기의 조작이 오르간은 흡입(吸入)인데 반하여 내뿜는 것이어서 음색(音色)·표정력(表情力)이 오르간보다 명쾌함.

하:모니 〔harmony〕 [명] ①〖악〗 화성(和聲). ②조화(調和). 일치(一致). 원만(圓滿).

하:모니제이션 방식 【—方式】 [명] 〔harmonization system〕〖경〗 관세를 인하(引下)하는데, 높은 세율의 것은 대폭(大幅)으로, 낮은 세율의 것은 소폭(小幅)으로 인하하는 방식.

하:모니카 〔harmonica〕 명 『악』 작은 관악기의 하나. 나무로 된 직사각형의 틀에 조그마한 칸을 만들고 칸마다 금속제(金屬製)의 리드를 끼워 입에 대고 숨을 불어 넣거나 빨아 들여서 소리를 냄.

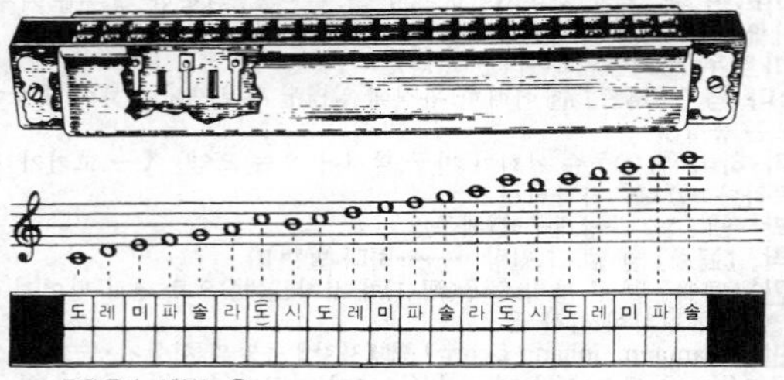

〈하모니카〉

하:모닉스 〔harmonics〕 명 ①『물』 배음(倍音). ②『악』 현악기에서 특수 주법으로 내는, 피리와 같은 음색을 가지는 배음.

하:모-류 【下毛類】 명 『동』 〔Hypotrichida〕 원생 동물문(門) 적충강(滴蟲綱) 섬모충 아강(纖毛蟲亞綱)의 한 목(目). 등과 배의 모양이 각기 판이(判異)하며, 배면(背面)은 융기(隆起)가 있고, 복면(腹面)은 평탄(平坦)함. 섬모의 유합(癒合)으로 이룬 약간의 가시 모양 또는 갈고리 모양의 돌기물이 있어서 다른 것의 위를 기어다님.

하목 【河目】 명 움폭 들어간 눈.

하:묘 【下錨】 명 닻을 내림. 배를 항구에 댐. ——하다 자타 여불

하무 명 『역』 조선 시대에, 군중(軍中)에서 군사들이 떠드는 것을 막기 위하여 입에 물리던 나무 막대기. ¶～를 물다.

하무뭇-하다 형 여불 매우 하뭇하다. <흐무뭇하다.

하무차 부 〈방〉 혼자(경남).

하:문1 【下文】 명 아래의 글. 다음의 문장. ＊후문(後文).

하:문2 【下門】 명 『생』 여자의 '보지'를 점잖게 일컫는 말. 비추(屄膫). 소문(小門). 여근(女根). 옥문(玉門). 음문(陰門). 음호(陰戶).

하:문3 【下問】 명 윗사람이 아랫사람에게 물음. ——하다 타 여불

하:문4 【廈門】 명 『지』 '샤먼(廈門)'을 우리 음으로 읽은 이름. 아모이(Amoy).

하:문 불치 【下問不恥】 명 아랫사람에게 묻는 것이 수치가 아니라는 뜻으로, 누구에게든지 물어서 식견을 넓히라는 말.

하문차 부 〈방〉 혼자(경남).

하물1 【何物】 명 무슨 물건. 어떠한 것. 어떤 존재. ¶천하 ～이라도.

하:물2 【荷物】 명 짐❶.

하물며1 부 '그 위에 더군다나'의 뜻의 접속 부사. 우황(又況). 하황(何況). 황(況). 황차(況且). ¶개도 은혜를 안다. ～ 인간에 있어서랴.

하물며2 【況旀】 부 〈이두〉 하물며1.

하:물 송:장 【荷物送狀】 〔—짱〕 명 『경』 인보이스(invoice).

하물-하물 부 푹 익어서 무르게 된 모양. <흐물흐물. ——하다 형 여불

하뭇-이 부 하뭇하게. <흐뭇이.

하뭇-하다 형 여불 마음이 흡족하다. <흐뭇하다.

하므차 부 〈방〉 혼자(경남).

하:미1 【下米】 명 품질이 낮은 쌀. ＊중미(中米)·상미(上米).

하미2 〔哈密〕 명 『지』 중국 신장웨이우얼(新疆維吾爾) 자치구 동부의 오아시스 도시. 한대(漢代) 이래 서역 교통의 요지(要地)였음. 수신(綏新)·감신(甘新)의 두 공로(公路)에 따라 중국의 중심부 간의 출입·하물(荷物)의 전운지(轉運地)이며 상업이 성함. 부근은 관개로 토지가 비옥하여 곡물·수박·과실을 산출하고, 양피·양모의 거래가 행하여짐. 합밀(哈密). 코물(Qomul). 구명은 이오(伊吾). 〔153,000 명(1988)〕

하:미-전 【下米廛】 명 『역』 조선 시대에, 서울의 동대문(東大門) 안 종로 4가 근처에 있던 싸전. ↔상미전(上米廛).

하:민 【下民】 명 범민(凡民).

하:-밀감 【夏蜜柑】 명 『식』 여름밀감.

하바꾹-서 【—書】 〔Habakkuk〕 명 『성』 하박국서(Habakkuk書).

하바네라 〔habanera〕 명 『악』 쿠바에서 생겨 스페인에서 유행한 민속 무곡(民俗舞曲). 또, 그 무용. 일반적으로 2-4 박자의 약동적인 리듬을 갖고 있어 탱고와 비슷함. 아바네라.

하바롭스크 〔Khabarovsk〕 명 『지』 러시아 연방 시베리아의 아무르강과 우수리 강(Ussuri江)의 합류점(合流點)에 위치하는 도시. 수륙 교통의 요지로 농산물·목재의 집산(集散)이 행하여지는 외에 군사·경제·정치의 요지(要地)임. 특히 중공업의 중심지로 기계 제조·조선·정유(精油)·목재 가공 등이 성함. 공과 대학·공항이 있음. 〔601,000 명(1989)〕

하:-바리 【下—】 명 ① ☞하치1. ②지위가 맨 아래길의 사람.

하:박1 【下拍】 명 『악』 '센박'의 구용어.

하:박2 【下膊】 명 『생』 상박골(上膊骨)과 완골(腕骨)과의 사이. 곧, 팔꿈치에서 손목까지의 부분. 전박(前膊).

하:박3 【下薄】 명 아랫사람에게 야박함. ¶상후 ～. ↔상후(上厚). ——하다 형 여불

하:박-골 【下膊骨】 명 『생』 하박(下膊)을 구성하는 뼈. 곧, 척골(尺骨) 및 요골(橈骨)의 총칭. 전박골(前膊骨).

하박국 〔Habakkuk〕 명 『성』 구약 시대의 사람. 기원 전 600년 전후의 시대에 이사야의 영향을 받고 '하박국서(書)'를 지었다 함.

하박국-서 【—書】 〔Habakkuk〕 명 『성』 구약 성서의 선지서(先知書) 중의 한 편. 하느님과의 대화 형식(對話形式)으로 쓰여진 예언서로, 하느님의 성취가 더딜지라도 조용히 기다려야 한다고 했음. 하박국의 저작이라 함.

하:-박석 【下薄石】 명 비(碑)·탑(塔) 등의 맨 아래에 까는 돌.

하박하박-하다 형 여불 익어서 오래된 과실 같은 것이 씹으면 푸슬푸슬 헤어지도록 물기가 적고 메지다. <허벅허벅하다.

하:반1 【下半】 명 둘로 나눈 아래쪽. ¶～신/～기(期). ↔상반(上半).

하:반2 【下盤】 명 『지』 ①단층면(斷層面)이 수평면과 이루는 각의 예각(銳角) 부분. ②광맥·광층(鑛層) 등의 아래쪽의 암반(岩盤). 1)·2):↔상반(上盤).

하반3 【河畔】 명 강가. 강 언덕. 강변(江邊).

하:반4 【夏半】 명 ①'음력 7월'의 딴이름. ②'음력 4월'의 딴이름.

하:반-각 【下反角】 명 비행기의 날개를 비행기의 앞에서 바라볼 때 수평선(水平線)보다 아래쪽으로 날개가 처져 보이는 그 각도(角度). 비행할 때 좌우(左右) 안정을 자동적으로 복원(復元)시키는 작용을 함. ↔상반각(上反角).

하:반-기 【下半期】 명 1년을 둘로 나눈 것의 나중 되는 기간. ¶～결산. ↔상반기(上半期).

하:-반발음 【下反撥音】 명 『악』 모르덴트(Mordent).

하:반-부 【下半部】 명 전체의 중간에서 아래쪽이 되는 부분. ↔상반부.

하:반-신 【下半身】 명 몸의 아래쪽 절반이 되는 부분. 곧, 허리부터 아래의 부분. 하반체. ↔상반신.

하:반 점토 【下盤粘土】 명 『지』 탄층(炭層)의 하반에 있는 점토층. 보통 백색(白色)·회백색(灰白色)인데 암갈색(暗褐色)을 띠고 있는 것도 있으며, 카올린질(Kaolin質) 점토를 주성분으로 함. 간혹 나무 뿌리나 식물 파편(植物破片)이 들어 있는 것을 볼 수 있음. 양질의 것은 규산(硅酸) 50-60 %, 알루미나(Alumina) 30-35 %, 내화도(耐火度) SK 28-32로, 내화물이나 도자기의 원료가 됨.

하:반-체 【下半體】 명 하반신.

하:-발 【下—】 명 ☞하바리.

하:발-이 【下—】 명 ☞하바리.

하:발-통 【下—】 명 ☞하바리.

하:방1 【下方】 명 아래쪽. 아래 방향. ↔상방.

하:방2 【下枋】 명 『건』 ↗하인방(下引枋).

하:방3 【下放】 명 『정』 하방 운동. ＊하향(下鄕) 운동.

하방4 【遐方】 명 서울에서 멀리 떨어진 지방. 하예(遐裔). 하추(遐陬). 하토(遐土). 하향(遐鄕). ¶내가 ～에 생장하여 배움 없는 까닭으로…《作者未詳：話中話》.

하:방-담 【下枋—】 명 『건』 건물의 아랫벽을 담을 쌓듯이 만든 것.

하:방-류 【下方流】 〔—뉴〕 명 『물』 뇌우(雷雨) 때의 바람 또는 광산의 통풍(通風)처럼, 아래쪽으로 이동하는 공기나 다른 기체의 흐름.

하:방 운:동 【下放運動】 명 중국에서, 당원이나 공무원의 관료화를 막기 위해 이들을 농촌이나 공장으로 보내어, 노동에 종사하게 한 운동. 1957년 정풍(整風) 운동 때 시작된 후 문화 대혁명 때도 실행됨. 하방(下放). ＊하향 운동(下鄕運動).

하:방 치:환 【下方置換】 명 『화』 치환의 하나. 화학 실험에서, 발생하는 가스를 관으로 직립 용기(容器)에 끌어 들여 공기와 바꾸어 포집(捕集)함. 공기보다 무겁고, 물에 잘 녹는 기체, 곧 이산화 탄소·염소(塩素)·염화 수소 등을 모을 때 쓰임. ↔상방(上方) 치환.

하:방 침식 【下方浸蝕】 명 〔undercutting〕 『지』 급사면(急斜面)·절벽 또는 노암(露岩)의 기부(基部)에서 일어나는 침식.

하:배1 【下拜】 명 당하(堂下)나 하좌(下座)에 내려가서 배례(拜禮)하는 일. ——하다 자타 여불

하:배2 【下輩】 명 ↗하인배(下人輩).

하백1 【河伯】 명 물을 맡은 신(神).

하백2 【河伯】 명 『사람』 고구려 시조 주몽(朱蒙)의 외조(外祖). 전설상의 인물로, 주몽의 어머니 유화(柳花)가 해모수(解慕漱)와 사통(私通)하자 태백산 남쪽 우발수(優渤水)로 내쫓아 버렸다고 함.

하:백3 【夏伯】 명 '우왕(禹王)'의 존칭(尊稱).

하백-녀 【河伯女】 명 『사람』 유화(柳花).

하버 〔Haber, Fritz〕 명 『사람』 독일의 화학자. 카이저 빌헤름 협회의 물리 화학·전기 화학 연구소 초대 소장 겸 베를린 대학 교수. 보슈(Bosch)와 함께 공중(空中) 질소 고정법(固定法)에 의한 암모니아 합성법을 발명함. 1918년 노벨 화학상 수상. 1933년 나치스에 의해 공직에서 추방됨. 〔1868-1934〕

하:버:드 〔Harvard, John〕 명 『사람』 영국 출생의 미국 선교사. 케임브리지 대학 졸업 후 도미(渡美)하여 선교 및 교육 사업에 종사함. 사후(死後) 그의 유언에 따라 재산의 일부와 모든 장서(藏書)로 대학을 건설, 하버드 대학의 기초를 이룸. 〔1607-38〕

하:버:드 대학 【—大學】 〔Harvard〕 명 『지』 미국 매사추세츠 주 케임브리지 시에 있는 미국 최고(最古)의 대학. 1636년 10월에 창립된 사립 대학으로 학생 수는 1만 6천 명인데 학부는 문(文)·이(理)를 주로 하고, 대학원은 문리과(文理科)·신학(神學)·법학·의학·치과학·공중 위생학·사무 관리학·설계학·교육학·행정학 등으로 나뉘고, 도서관·박물관 등도 완비되어 있음.

하버마스 〔Habermas, Jürgen〕 명 『사람』 독일의 철학자. 프랑크푸르트 학파의 전후 세대를 대표하는 사상가로 꼽힘. 주요 저작으로 《이론과 실천—사회철학 논집》·《이데올로기로서의 기술과 과학》 등이 있음. 〔1929- 〕

하버 보슈 법 【—法】 〔Haber-Bosch〕 〔—뻡〕 명 『화』 암모니아 합성법

의 하나. 질소와 수소를 고온(高溫)·고압(高壓) 밑에서 촉매제를 사용, 직접 반응시켜 암모니아를 얻음. 독일의 화학자 하버(Haber, F.)와 보슈(Bosch, K.)에 의하여 1908년에 완성된 방법임.

하:번【下番】명 ①순번(順番)이 아래인 사람. ②번이 갈리어 교대 근무를 마치고 나오는 사람. ↔상번(上番). ③〖역〗조선 시대에, 군영에서 돌림 차례를 마치고 나오는 번.

하:변[1]【下邊】명〖수〗'밑변'의 구용어.

하변[2]【河邊】명 강변. 하천 가.

하:복[1]【下服】명〖불교〗버선·개짐·걸레 같은 더러운 것.

하:복[2]【下腹】명 아랫배.

하:복[3]【夏服】명 여름철의 의복. 여름옷. ¶～지(地). ↔동복(冬服).

하:복-부【下腹部】명〖생〗척추 동물(脊椎動物)의 치골부(恥骨部)와 서혜부(鼠蹊部)를 합친 부분. 복부의 가장 밑 부분으로서 대퇴부(大腿部)와 닿는 곳.

하:복-통【下服桶】명〖불교〗하복을 세탁하는 그릇. 하복 대야.

하:부[1]【下付】명 ①관청에서 백성에게 증명·허가·인가·면허 등을 내려 줌. ¶서류를 ～하다. ②하송(下送). ——-하다 타 여불

하:부[2]【下府】명 하사(下司). ↔상부(上府).

하:부[3]【下部】명 아래쪽의 부분. ↔상부(上部).

하:부 구조【下部構造】명 ①하부의 조직. ②〔도 Unterbau〕〖사〗마르크스의 경제학에 있어서, 사회의 각기의 발전 단계에 있어서의 법제적(法制的)·정치적·사회적 의식 형태의 토대가 되는 경제적 구조. ↔상부 구조. *유물 사관.

하:부-금【下付金】명 관청에서 백성에게 내리는 돈.

하부다에〔일 羽二重: はぶたえ〕명 일본산(日本產)의 평직 견직물(平織絹織物). 부드럽고 가벼움.

하부레미 명〈방〉과부(함경).

하부레비 명〈방〉홀아비(함경).

하부:브〔Haboob〕명〖기상〗이집트·수단 지방에 부는 모래 폭풍. 거센 바람으로 그 기세는 가벼운 시가 전차(市街電車)를 전복시킨 일도 있을 정도임. 일반적으로 적도 전선(赤道前線)이 북진(北進)하는 데 따라 일어남. 연간 약 24회 정도이며 한 번 계속되는 시간은 약 3시간임.

하북【河北】명〖지〗'허베이(河北)'를 우리 음으로 읽은 이름.

하북-성【河北省】명〖지〗허베이 성.

하분-하분 부 물기가 조금 있고 매우 헤무른 모양. <허분허분. ——-하다 형 여불

하:-불소【下不少】[—쏘] 부 적어도.

하-불식육미【何不食肉糜】[—씽—] 명 부자가 가난한 사람에게 왜 고기를 안 먹느냐고 묻는다는 뜻. 곧, 남의 사정에 어두움을 이르는 말.

하:-불실【下不失】[—씰] 부 아무리 적어도 적은 그만한 정도의 희망은 있다는 말로, '적어도'의 뜻. 「못한다는 뜻.

하-불엄유【瑕不揜瑜】명 일부분의 흠으로 인하여 전체를 해(害)하지

하:-불하【下不下】부 소불하(少不下).

하붕이 명〈방〉할아버지(경남).

하뷔다 타〈방〉하비다.

하븨다 타〈방〉하비다.

하:비[1]【下邳】명〖지〗중국 장쑤 성(江蘇省) 북단에 있는 비현(邳縣)의 옛 이름. 한(漢)나라의 한신(韓信)이 초왕(楚王)이 되어 이 곳에 도읍을 정하였음.

하:비[2]【下批】명〖역〗①삼망(三望)을 갖추지 않고 한 사람만 적어 올려서 임금이 임명함. ②신하의 상주문(上奏文)을 재가(裁可)할 때에 임금이 그 글 끝에 쓴 의견문(意見文). ——-하다 자 여불

하:비[3]【下卑】명 비열하고 천함. ——-하다 형 여불

하:비[4]【下婢】명 하녀(下女).

하비다 타 ①손톱이나 발톱 같은 것으로 긁어 파다. ②남의 결점을 헐뜯다. 1)·2): <허비다. *호비다.

하비작-거리다 타 자꾸 하비어 헤치다. <허비적거리다. *호비작거리다. 하비작-하비작 부. ——-하다 타 여불

하비작-대다 타 하비작거리다.

하빗-거리다 타 자꾸 가볍게 하비다. <허빗거리다. 허빗대다. 하빗하빗하다. 하빗-하빗 부. ——-하다 타 여불

하빗-대다 타 하빗거리다.

하:-빠리 명〈방〉하바리(경북).

하뿔싸 감 무슨 일이 잘못되어 실망할 때나 또는 깜빡 잊어서 일을 그르칠 때에 놀라서 내는 소리. 스아뿔싸. <허뿔싸.

하:사[1]【下士】명 ①〖역〗대한 제국 때, 특무 정교(特務正校)·정교·부교(副校)·참교(參校)의 네 계급에 속하는 무관(武官). *정교(正校). ②〖군〗육·해·공군의 부사관(副士官)의 하나. 병장(兵長)의 위, 중사(中士)의 아래임.

하:사[2]【下四】명〖악〗오음 악보에서, 으뜸음 궁(宮)으로부터 아래로 넷째 음. 황종(黃鐘)이 으뜸음일 때 평조(平調)는 '태주', 계면조(界面調)는 '협종'이 됨.

하:사[3]【下司】명 하급의 관청. 하부(下府). ↔상사(上司).

하:사[4]【下賜】명 임금이 신하에게 물건을 내리어 줌. ——-하다 타 여불

하사[5]【何事】명 무슨 일. 어떠한 일.

하:사[6]【賀使】명 전날에, 경사를 축하하기 위해 보내던 사신(使臣).

하:사[7]【賀詞】명 축하의 말. ——-하다 자 여불

하:사[8]【嘏辭】명 제사를 지낼 때에, 신(神)이 제주(祭主)에게 내리는 축복의 말.

하사[9]【爲沙】〈이두〉하여야.

하:사-관【下士官】명〖군〗'부사관(副士官)'의 전 용어.

하:사-금【下賜金】명 임금이 내리는 돈.

하사남아【爲沙餘良】〈이두〉할 뿐만 아니라.

하:-사인【下舍人】명〖역〗신라의 사인(舍人) 가운데 직급이 아래인 관직.

하:-사-품[1]【下四品】명〖천주교〗구제도하의 성직 계열에서, 대품(大品) 아래의 네 소품(小品). 소품(小品). ↔상삼품(上三品). *칠품(七品).

하사-품[2]【下賜品】명 임금이 내리는 물건.

하:산【下山】명 산에서 내림. 산에서 내려 옴. ↔등산(登山)❶. ——-하다 자 여불

하:산지-세:【下山之勢】명 주판지세(走坂之勢).

하삽거나【爲白去乃】〈이두〉하옵거나.

하삽거늘【爲白去乙】〈이두〉하옵거늘.

하삽거든【爲白去等】〈이두〉하옵거든.

하삽거든사【爲白去等沙】〈이두〉하옵고서야.

하삽거온【爲白去乎】〈이두〉하오니. 하옵기 때문에.

하삽거온견이여【爲白去乎在亦】〈이두〉하온 것인데. 하온 것이니.

하삽거을든【爲白去乙等】〈이두〉하시었는데. 하옵거든.

하삽견【爲白在】〈이두〉하온.

하삽견과【爲白在果】〈이두〉하옵거니와. 하옵지만.

하삽견나【爲白在乃】〈이두〉하시었으나.

하삽견다해【爲白在如中】〈이두〉하온 때에.

하삽견들로【爲白在等以】〈이두〉하시었으므로.

하삽견마리여【爲白在而亦】〈이두〉하시었더라도.

하삽견여해【爲白在亦中】〈이두〉하시었는데.

하삽견을【爲白在乙】〈이두〉하시었거늘.

하삽견을사【爲白在乙沙】〈이두〉하시었으니까.

하삽고【爲白遣】〈이두〉하옵고.

하삽곤【爲白昆】〈이두〉하오니. 하옵기에. 하오므로.

하삽곤지위을안두【爲白昆節乙良置】〈이두〉하온 지위(知委)일지라도.

하삽기암【爲白只爲】〈이두〉하옵도록.

하삽기암바라삽거온【爲白只爲望良白去乎】〈이두〉하옵도록 바라오므로.

하삽누오며【爲白臥乎旀】〈이두〉하옵시며. 하오며.

하삽누온【爲白臥乎】〈이두〉하옵는.

하삽누온견이여【爲白臥乎在亦】〈이두〉하옵는 것이므로.

하삽누온들【爲白臥乎等】〈이두〉하옵는 줄.

하삽누온들로【爲白臥乎等以】〈이두〉하옵는 줄로. 하시었으므로.

하삽누온들쓰아【爲白臥乎等用良】〈이두〉하옵는 까닭에.

하삽누온맛【爲白臥乎味】〈이두〉하온다고. 하온다는 뜻.

하삽누온바【爲白臥乎所】〈이두〉하옵는 바.

하삽누온이아금【爲白臥乎是良尒】〈이두〉하옵는 것이라고. 하옵는 것이니.

하삽누온일【爲白臥乎事】〈이두〉하옵는 일.

하삽누온일이라든【爲白臥乎事是良等】〈이두〉하옵는 일이라 하면. 하옵는 일이지만.

하삽누온일이삽아금【爲白臥乎事是白良尒】〈이두〉하옵는 일이시므로. 하옵는 일이시라고.

하삽누온일이아금【爲白臥乎事是良尒】〈이두〉하옵시는 일이기로. 하옵시는 일이라고.

하삽누온지【爲白臥乎喩】〈이두〉하옵는지.

하삽누온차이견이여【爲白臥乎次是在亦】〈이두〉하옵는 때이므로.

하삽다가【爲白如可】〈이두〉하옵다가.

하삽다온【爲白如乎】〈이두〉하온다는. 하온다는데. 하시었는데.

하삽다온바【爲白如乎所】〈이두〉하시었다는 바.

하삽다온지【爲白如乎喩】〈이두〉하시었는지.

하삽다온지위【爲白如乎節】〈이두〉하시었던 때에.

하삽다이산【爲白如敎】〈이두〉하시었다 하신.

하삽더니【爲白等尼】〈이두〉하옵더니.

하삽두【爲白置】〈이두〉하시었다.

하삽두이신들로【爲白置有等以】〈이두〉하시었으므로.

하삽두이신이여【爲白置有亦】〈이두〉하온 것이기도 하나.

하삽든【爲白等】〈이두〉하오면. 하시었는데.

하삽든이내여【爲白等易亦】〈이두〉하오면 쉽게.

하삽며【爲白旀】〈이두〉하오며.

하삽바두【爲白所置】〈이두〉하온 바도. 하옵는 바도.

하삽빗거늘【爲白有去乙】〈이두〉하시었거늘. 하시었는데.

하삽빗거든【爲白有去等】〈이두〉하시었으면. 하시었는데.

하삽빗거온【爲白有去乎】〈이두〉하시었으므로. 하시었는데.

하삽빗견【爲白有在】〈이두〉하온. 하옵신.

하삽빗견과【爲白有在果】〈이두〉하시었거니와. 하시었으나.

하삽빗고【爲白有遣】〈이두〉하시었고.

하삽빗곤【爲白有昆】〈이두〉하시었으니. 하시었으므로. 하시었는데.

하삽빗곤지위을안두【爲白有昆節乙旀置】〈이두〉하온 지위(知委)일지라도.

하삽빗다가【爲白有如可】〈이두〉하시었다가.

하삽빗다온【爲白有如乎】〈이두〉하시었다는. 하시었다는데.

하삽빗다온일【爲白有如乎事】〈이두〉하시었다는 일.

하삽빗다해【爲白有如中】〈이두〉하신 경우에. 하시었으므로.

하삽빗두【爲白有置】〈이두〉하시었다.

하삽뿐안인지【爲白叱不喩】〈이두〉하올 뿐 아니라.

하삽사남아【爲白沙餘良】〈이두〉하올 뿐 아니라. 하와도.

하삽아【爲白良】〈이두〉하와.

하삽아견들【爲白良在等】〈이두〉하시었거든. 하시었으니.
하삽아견을【爲白良在乙】〈이두〉하온 것인데. 하시었거늘.
하삽아견을든【爲白良在乙等】〈이두〉하시었거든. 하시었으니.
하삽아금【爲白良尒】〈이두〉하옵다고. 하오므로.
하삽아두【爲白良置】〈이두〉하와도.
하삽아사【爲白良沙】〈이두〉하시어야.
하삽아사남아【爲白良沙餘良】〈이두〉하옵더라도.
하삽아저【爲白良結】〈이두〉하옵고자 한다.
하삽아저바라삽거온【爲白良結望良白去乎】〈이두〉하옵고자 바라 아뢰었으니. 하옵고자 바라 아뢰었는데.
하삽아저바라삽거온일이거잇견들로【爲白良結望白去乎事是去有在等以】〈이두〉하옵고자 바라서 아뢰는 것이었으니.
하삽아저삽거온【爲白良結白去乎】〈이두〉하옵고자 아뢰오니.
하삽아저하삽잇다온【爲白良結爲白有如乎】〈이두〉하옵고자 하오므로.
하삽안지【爲白良喩】〈이두〉하시었는지.
하삽양으로【爲白良以】〈이두〉하온 양으로.
하삽오나【爲白乎乃】〈이두〉하오나.
하삽오되【爲白乎矣】〈이두〉하옵되.
하삽오며【爲白乎旀】〈이두〉하옵시며.
하삽온【爲白乎】〈이두〉하온.
하삽온가【爲白乎去·爲白乎可】〈이두〉하온가.
하삽온견이여【爲白乎在亦】〈이두〉하시었는데. 하시었으므로.
하삽온다해【爲白乎如中】〈이두〉하시었을 때.
하삽온들【爲白乎等】〈이두〉하온들. 하시었으니.
하삽온들로【爲白乎等乙以】〈이두〉하시었으므로.
하삽온들로쓰아【爲白乎等以用良】〈이두〉하시었음으로써.
하삽온들쓰아【爲白乎等用良】〈이두〉하시었음으로써.
하삽온바【爲白乎所】〈이두〉하온 바.
하삽온바안인지【爲白乎所不喩】〈이두〉하온 바가 아닌지.
하삽온바하트다【爲白乎所爲等如】〈이두〉하온 바를 모두.
하삽온아해【爲白乎良中】〈이두〉하옵는 때에. 하온 때에.
하삽온안인지【爲白乎不喩】〈이두〉하옵는 것이 아닌지.
하삽온여해【爲白乎亦中】〈이두〉하온 때에.
하삽온일【爲白乎事】〈이두〉하온 일.
하삽온일이곤【爲白乎事是昆】〈이두〉하온 일이니. 하온 일이므로.
하삽온일이아금【爲白乎事是良尒】〈이두〉하온 일이라고. 하온 일이니.
하삽온제여해【爲白乎第亦中】〈이두〉하시었을 때에. 하옵는 때에.
하삽온즉【爲白乎則】〈이두〉하온 즉.
하삽온지【爲白乎喩】〈이두〉하시었는지.
하삽온지견과【爲白乎喩在果】〈이두〉하시었지만. 하시었거니와.
하삽온지나【爲白乎喩乃】〈이두〉하시었으나. 하시었지만.
하삽온지라두【爲白乎喩良置】〈이두〉하시었더라도.
하삽올가【爲白乎乙可】〈이두〉하올까.
하삽올바【爲白乎乙所】〈이두〉하올바.
하삽올뿐안인지【爲白乎叱分不喩】〈이두〉하올 뿐 아니라.
하삽올제다해【爲白乎第如中】〈이두〉하올 때에.
하삽올지【爲白乎乙喩】〈이두〉하올지.
하삽올지견과【爲白乎乙喩在果】〈이두〉하옵겠거니와. 하올 것이지만.
하삽올지라두【爲白乎乙喩良置】〈이두〉하올지라도.
하삽옵든【爲白內等】〈이두〉하온. 하오면.
하삽을지【爲白乙喩】〈이두〉하올지.
하삽음즉하삽오되【爲白良音可爲白乎矣】〈이두〉하옴직하시되.
하삽이거늘【爲白是去乙】〈이두〉하시었거늘.
하삽이거든【爲白是去等】〈이두〉하시었거든.
하삽이거을【爲白是去乙】〈이두〉하시었거늘.
하삽이사남아【爲白是沙餘良】〈이두〉하시었을 뿐 아니라.
하삽이시거나【爲白有去乃】〈이두〉하시었거나.
하삽이시거온바【爲白有去乎所】〈이두〉하시었을것인 바.
하삽이시견다해【爲白有在如中】〈이두〉하시었을 때에.
하삽이시나【爲白有乃】〈이두〉하시었으나.
하삽이시누온【爲白有臥乎】〈이두〉하온. 하시었으니.
하삽이시누온들쓰아【爲白有臥乎等用良】〈이두〉하시었으므로.
하삽이시누온바【爲白有臥乎所】〈이두〉하온 바.
하삽이시누온일이아금【爲白有臥乎事是良尒】〈이두〉하온 일이라고. 하온 일이므로.
하삽이시누온지【爲白有臥乎喩】〈이두〉하시었는지.
하삽이시며【爲白有旀】〈이두〉하시었으며.
하삽이시오되【爲白有乎矣】〈이두〉하시었으되.
하삽이시오며【爲白有乎旀】〈이두〉하시었으며.
하삽이시온【爲白有乎】〈이두〉하온.
하삽이시일지라두【爲白有是喩良置】〈이두〉하시었을지라도.
하삽이신이여【爲白有亦】〈이두〉하시었기에.
하삽일【爲白事】〈이두〉하옵는 일.
하삽잇거늘【爲白有去乙】〈이두〉하시었거늘.
하삽잇거늘든【爲白有去乙等】〈이두〉하시었거든. 하시었는데. 하옵더라도.
하삽잇거든【爲白有去等】〈이두〉하시었거든. 하시었는데. 하시었으니.
하삽잇거온【爲白有去乎】〈이두〉하온. 하시었으니. 하시었는데.
하삽잇견【爲白有在】〈이두〉하온.
하삽잇견과【爲白有在果】〈이두〉하시었거니와. 하시었는데.
하삽잇고【爲白有遣】〈이두〉하시었고.
하삽잇곤【爲白有昆】〈이두〉하시었으니.
하삽잇곤지위을안두【爲白有昆節乙良置】〈이두〉하온 지위(知委)라도.
하삽잇다가【爲白有如可】〈이두〉하시었다가.
하삽잇다온【爲白有如乎】〈이두〉하시었다는. 하시었다니. 하시었다는데.
하삽잇다온지위【爲白有如乎節】〈이두〉하온 경우. 하시었다는 때.
하삽잇다해【爲白有如中】〈이두〉하시었을 때에. 하시었기에.
하삽잇되【爲白有矣】〈이두〉하시었으되.
하삽잇두【爲白有置】〈이두〉하시었다.
하삽잇들로【爲白有等以】〈이두〉하시었으므로.
하삽잇제【爲白有齊】〈이두〉하시었다. 말씀하시었다.
하삽잇즉【爲白有則】〈이두〉하시었은즉.
하삽제【爲白齊】〈이두〉하울지어다.
하삽제견과【爲白齊在果】〈이두〉하온다지만.
하삽지라두【爲白喩良置】〈이두〉하온다 해도. 하시었더라도.
하삽지즈로【爲白乙仍于】〈이두〉하옵는 까닭에.
하:-삼도【下三道】명〖지〗'충청·전라·경상'의 3도를 이르는 말. 삼남(三南).
하:-삼삭【夏三朔】명 여름 석 달, 곧 음력 사·오·유월의 일컬음.
하:상[1]【下殤】명 8-13세 나이에 요사(夭死)함. 또, 그 사람.
하:상[2]【下霜】명 첫서리가 내림.
하상[3]【河上】명 ①하천의 위. ②하천의 위쪽.
하상[4]【河床】명 하천의 바닥.
하상[5]【遐想】명 ①멀리 떨어져 있는 사람을 생각함. ②원대한 생각. ——-하다 타여불
하상[6]【何嘗】부 ①'근본부터 캐어 본다면', '따지고 보면'의 뜻으로 부정(否定)의 뜻을 가진 말 위에 붙이어 쓰이는 말. ¶네가 ~ 무엇이기에 큰소리냐/그것이 ~ 얼마나 된다는 말이냐/내가 시집을 가고 안 가는 것이 그에게 ~ 대사일까?《玄鎭健: 無影塔》. ②〈방〉하필(何必).
하:-상갑【夏上甲】명 입하(立夏) 뒤 처음으로 드는 갑자일(甲子日). 이 날 비가 오면 그 해에 큰 장마가 진다고 함.
하상견지만야【何相見之晩也】구 서로 만남이 늦었음을 한탄(恨歎)하여 하는 말.
하상 계:수【河狀係數】명〔coefficient of river regime〕〖지〗하천의 상황을 나타내는 계수. 1년 중의 최대 우량과 최소 우량의 비(比). 이 계수가 1에 가까우면 하천 상황, 곧 하상이 큰 변화 없이 양호한 편이고, 이 계수가 클수록 유량 변화가 크며 치수(治水)하기 힘든 강임. 하황 계수(河況係數).
하상 기울기【河床一】명〖지〗상류에서 하류(下流)까지의 강바닥의 기울기.
하:상-품【下上品】명〖불교〗하품 상생(下品上生).
하:생[1]【下生】명 ①〖불교〗범부(凡夫)가 죽을 때에 염불하여 극락 정토에 왕생하는 이의 구품(九品) 중 상품 하생·중품 하생·하품 하생을 통틀어 일컫는 말. *상생. 중생. ②〖악〗십이율 산출에서, 양률(陽律)에서 음률을 이끌어냄을 일컬음. 이것은 모두 삼분 손일(三分損一)이 됨.
하:생[2]【下生】인대 ①어른에게 대하여 자기를 낮추어 일컫는 말. ②〖역〗정일품관(正一品官)이 서로 일컫던 자칭 대명사.
하:생 자방【下子房】명〖식〗하위 씨방.
하:서[1]【下書】명 윗어른이 주신 글월. ↔상서(上書).
하서[2]【河西】명 ①〖지〗'허시'를 우리 음으로 읽은 이름. ②〖역〗수(隋)·당(唐)나라 때의 군직(軍職)인 10 절도사(節度使) 중에서 당(唐) 예종(睿宗) 경운(景雲) 원년(710)에 우웨이(武威)에 배치된 절도사 관할의 진(鎭).
하서[3]【河西】명〖사람〗김인후(金麟厚)의 호(號).
하:서[4]【夏書】명〖불교〗여름 안거(安居)를 하는 동안에 경문을 씀. 그 때 쓴 경문. ——-하다 자여불
하:서[5]【賀書】명 축하하는 글.
하서-변【河西邊】명〖역〗신라 삼변 수당(三邊守幢)의 하나. 신문왕(神文王) 10년(690) 지금의 강릉(江陵) 땅에 둔 군대의 이름.
하서-정【河西停】명〖역〗신라 육정(六停)의 하나. 태종 무열왕(太宗武烈王) 5년(658)에 지금의 삼척(三陟) 땅에 있던 실직정(悉直停)을 강릉(江陵)에 옮겨서 베푼 군영(軍營).
하서-주【河西州】명〖역〗신라가 삼국 통일 직후에 완성한 지방 통치 기구인 구주(九州)의 하나.
하서주 궁척【河西州弓尺】명〖역〗신라의 군영(軍營)인 이궁(二弓)의 하나. 진평왕(眞平王) 20년(598)에 베풀었음. *한산주(漢山州) 궁척.
하서주-서【河西州誓】명〖역〗신라 오주서(五州誓)의 하나. 문무왕(文武王) 12년(672)에 지금의 강릉(江陵) 땅에 둔 군대의 이름.
하서-집【河西集】명〖책〗조선 중종(中宗) 때의 문신(文臣) 김인후(金麟厚)의 시문집(詩文集). 제자 조희문(趙希文) 등이 선조(宣祖) 원년(1568)에 유고(遺稿)를 편집하였는데, 초간(初刊) 연대는 확실하지 않으며, 숙종(肅宗) 12년(1686)에 중간(重刊), 순조(純祖) 2년(1802)에 개정 간행됨. 23권 8책.
하석【霞石】명〖광〗알칼리 화성암류(alkali 火成岩類)의 특유한 광물. 육방 정계(六方晶系)의 짧은 기둥 같은 결정. 나트륨·알루미늄·규소(珪素)·산소 등으로 이루어짐. 유리 또는 지방(脂肪) 같은 광택이 있으며 빛깔은 무색·백색·엷은 황색인데, 덩어리로 된 것은 암녹색·녹회색·적회색·적갈색 등 여러 가지가 있음. 유리·요업의 원료로 쓰임.
하:석 상:대【下石上臺】명 아랫돌 빼서 윗돌 괴고 윗돌 빼서 아랫돌 괴기. 곧, 임시 변통(變通)으로 이리저리 둘러 맞춤을 이름. ¶염치를 불

고하고 위선 이 돈으로 충수하여 바친 후에 ～로 영감께는 차차 변통을 하여 상환을 하오리다《崔瓚植 : 桃花園》. 상대 하석. *아랫돌.

하:선[1]【下船】명 배에서 내림. ¶～ 작업. ↔상선(上船)·승선(乘船). ——-하다 자여불

하선[2]【河船】명 하천을 항행하는 배. 강배.

하선[3]【荷船】명 짐 싣는 배. 짐배. *객선(客船).

하:선 동력【夏扇冬曆】[—녁] 명 여름의 부채와 겨울의 새해 책력. 곧 선사하는 물건이 철에 맞음을 이름.

하:선-장【下膳狀】[—짱] 명《역》왕이 신하에게 어물 같은 반찬, 선(膳)을 내리면서 발급하는 문서.

하:성【下誠】명 웃어른에 대하여 자기의 정성을 겸사하여 일컫는 말.

하:성 광:산【下聖鑛山】명《지》황해도 재령군(載寧郡) 하성면(下聖面)에 있는 철광산.

하성 단구【河成段丘】명《지》하안 단구(河岸段丘).

하:-성명【賀聖明】명 ①《악》조선 세종 원년(1419)에 변계량(卞季良)이 지은 악장. 사신들의 잔치 음악으로 쓰였음. ②《악》조선 세조(世祖) 초에 지은 당악(唐樂)에 딸린 궁중무의 하나. 하성영무.

하:성명-무【賀聖明舞】명《악》하성명❷.

하:성명-사【賀聖明詞】명《악》창사(唱詞)의 한 가지.

하:성-선【下聖線】명《지》황해도 사리원(沙里院)에서 하성(下聖)에 이르는 철도. 1944년 10월 1일 개통. [5.6 km]

하:-성절사【賀聖節使】[—싸] 명 천추사(千秋使).

하:-성조【賀聖朝】명《악》조선 시대 때의 궁중 연례악 수연장(壽延長)의 현악 위주 편성일 때의 딴이름. 또, 국악 협주곡인 '밑도드리'의 딴이름.

하:성조-장【賀聖朝章】[—짱] 명《악》악장(樂章)의 이름.

하성 충적토【河成冲積土】명《지》강물로 운반되어 와서 쌓인 모래·자갈 등으로 이루어진 흙. ㈜하성토.

하성-층【河成層】명《지》하류(河流)가 운반하여 온 모래·자갈 등이 그 유로(流路)에 침적(沈積)하여 이루어진 층. 선상지(扇狀地)·삼각주·충적 평야(冲積平野)·하안 단구(河岸段丘)는 이 층으로 이루어짐.

하성-토【河成土】명《지질》↗하성 충적토.

하세[1] [Hasse, Johann Adolf] 명《사람》독일의 작곡가. 가수에서 작곡가로 전향. 약 100곡의 오페라를 비롯하여 오르간곡(曲)·오라토리오·협주곡 등의 작품이 있음. [1699-1783]

하:세[2]【下世】명 기세(棄世). 별세(別世). ——-하다 자여불

하세가와 요시미치 [長谷川好道:はせがわよしみち] 명《사람》일본의 군인. 육군 대장(大將). 광무(光武) 10년(1906) 조선 주차군(駐箚軍) 사령관 겸 임시 통감 대리(統監代理)를 지내고, 1915년 제2대 조선 총독으로 부임, 3·1운동의 책임을 지고 물러날 때까지, 전임 총독 데라우치(寺內)의 무단(武斷) 정책을 답습함. 조선 임야 조사령(林野調査令)·조선 지세령(地稅令)을 공포함. [1850-1924]

하셀 [Hassel, Odd] 명《사람》노르웨이의 화학자. 시클로핵산 및 그 화합물의 연구에서, 이들 화학 구조가 입체 구조임을 생각하고, 또한 탄소 고리식(式) 화합물의 치환기(置換基)는 고리와 같은 면 위에서 결합하는 경우와 고리와 직각을 이루어 결합하는 경우가 있다고 하여 입체 배좌(立體配座)의 개념을 발전시킴. 1969년 영국의 바턴(Barton, D. H.)과 함께 노벨 화학상을 받음. [1897-1981]

하셰 [Hašek, Jaroslav] 명《사람》체코 출신(出身)의 작가·저널리스트. 날카로운 풍자·유머와 보기드문 낙관주의에 찬 미완성의 소설, ≪제1차 세계 대전에 있어서의 선량한 병사, 슈베이크의 운명≫으로 유명함. [1883-1923]

하소[1] 명 ↗하소연. ——-하다 타여불

하:소[2]【下消】명《한의》소갈증(消渴症)의 하나. 구갈(口渴)이 나고 심하면 안색이 까맣게 되며 오줌이 흐리어 기름처럼 되는 병증.

하소[3]【煆燒】명 물질을 공기 속에서 강열(強熱)하여 휘발성 성분을 없애고 재로 만드는 일. ——-하다 타여불

하 소기【何紹基】명《사람》중국 청대(淸代)의 학자. 후난 성(湖南省) 사람. 호는 동주(東洲) 또는 원수(蝯叟). 경술(經術)·사장(詞章)에 능하고 서(書)도 탁연(卓然)하여 일가를 이루었음. [1799-1873]

하소서-체【—體】명《언》결어법(結語法)의 존비법(尊卑法)에 딸린 종결 어미의 한 체(體). 상대방을 아주 높이는 뜻을 나타내며, 문어(文語)로 쓰임. '읽나이다'·'읽으소서'·'있으사이다' 따위가 이에 속함.

하소서-하다 자여불 상대방을 아주 높이어 말하다. *하게하다.

하:소연 명 원통한 일, 억울한 일, 잘못된 일, 딱한 사정 등을 간곡히 베풀어 말함. ¶억울함을 ～하다. ㈜하소. ——-하다 타여불

하소-체【—體】명《언》하오체.

하소-하다 자여불 '하게하다'보다 약간 대접하는 말씨를 쓰다.

하:속【下屬】명 하인배(下人輩).

하:속-배【下屬輩】명 하인배(下人輩).

하:속 삼화음【下屬三和音】명《악》'버금딸림화음'의 구용어.

하:속-음【下屬音】명《악》'버금딸림음'의 구용어.

하:속-조【下屬調】명《악》'버금딸림조'의 구용어.

하:속-화음【下屬和音】명《악》'버금딸림화음'의 한자 이름. *주화음(主和音)·속화음(屬和音).

하:솔【下率】명 하인배(下人輩).

하솟그리다 타〈옛〉참소(讒訴)하다. =하쇼쎠리다. ¶하솟그릴 참(讒), 하솟그릴 츰(譖)《字會 下 29》.

하:송[1]【下送】명 ①내려 보냄. ②윗사람이 아랫사람에게 물건을 보냄. 하부(下付). ——-하다 타여불

하:송[2]【賀頌】명 축하하며 칭송함. ——-하다 타여불

하송-인【荷送人】명 짐을 보내는 사람. 적송인(積送人).

하쇼쎠리다 타〈옛〉참소하다. =하솟그리다. ¶구의예 하쇼쎠리면 당일빅 ᄒᆞᄂᆞ니라(告訴則杖一百)《警民編 11》.

하쇽거리다 타〈옛〉참소하다. =하솟그리다. ¶하쇽거리다(挑唆)《漢淸 Ⅷ:40》.

하:수[1]【下水】명 빗물 또는 가정·공공 시설·공장 등에서 쓰다 버리는 더러운 물. ↔상수(上水).

하:수[2]【下手】명 낮은 솜씨. 또, 그 사람. 아랫수. ↔상수(上手).

하:수[3]【下手】명 ①착수(着手)❶. ②손을 대어 사람을 죽임. ¶～인. ——-하다 자타여불

하:수[4]【下垂】명 나뭇가지 등이 축 늘어짐. ——-하다 자여불

하:수[5]【下垂】명 ①나뭇가지 따위가 축 늘어짐. 내리 드리워지거나 처짐. ¶위(胃) ～. ②《춤》보태평지무(保太平之舞)에서 가슴에 붙인 손을 아래로 내리되 몸에서 약 40°쯤 옆으로 떼는 동작. ——-하다 자여불

하:수[6]【下壽】명 나이 예순 살, 혹은 여든 살. *상수(上壽)·중수(中壽).

하수[7]【河水】명 냇물. 강물.

하:수[8]【夏瘦】명 여름 더위에 지쳐서 몸이 여윔.

하:수[9]【賀壽】명 장수(長壽)를 축하함. ——-하다 자여불

하수[10]【遐壽】명 나이가 많도록 오래 삶. 하령(遐齡). ——-하다 자여불

하수-가【河水歌】명《악》①기자(箕子)가 지었다는 고대 가요. 후세 사람의 위작(僞作)인 듯한데, 그 한역가(漢譯歌)가 ≪청구 풍아(靑丘風雅)≫에 실려 있음. ②해가(海歌).

하:수 가스【下水—】[gas] 명 수챗물의 성분의 분해 작용으로 된 가스와 섞이어서 더러워진 수채통 안의 공기. 메탄(Methan)과 황화 수소(黃化水素)가 다량으로 있음.

하:수-거【下水渠】명 하수구(下水溝).

하:수 공사【下水工事】명《토》하수도(下水道)를 신설 또는 수리하는 공사.

하:수-관【下水管】명 수채통.

하:수 관거【下水管渠】명 하수를 내려보내는 관거. 적절한 기울기를 유지하며, 지체없이 하수 처리장(處理場)까지 하수를 보냄.

하:수-구【下水溝】명 하수가 흘러 내려 가도록 베푼 도랑. 하수거.

하:-수급인【下受給人】명《건》하도급 공사의 도급을 받은 건설업자(建設業者). 하도급자.

하수나 유적【—遺蹟】[Hassuna] 명 이라크 북부 고원 지대인 하수나 마을 근처에 있는 고대 메소포타미아의 농경(農耕) 유적. 채문(彩紋) 토기·새김 무늬 토기 등이 출토됨. 이라크 고고학자에 의해 1943 년에 발굴됨.

하:수-도【下水道】명 하수가 흘러내려 가도록 만든 도랑이나 그 설비. ↔상수도(上水道).

하:수도-법【下水道法】[—뻡] 명《법》하수도의 개량·정비를 위하여 그 설치 및 관리 기준 등을 정함으로써 도시의 건전한 발전과 공중 위생의 향상에 기여하려는 법.

하:수-량【下水量】명 하수의 분량.

하:수-연【賀壽宴·賀壽讌】명 수연(壽宴).

하수오【何首烏】명 ①《한의》새박뿌리. ②《식》[*Pleuropterus multiflorus*] 마디풀과에 속하는 무모(無毛)의 다년생 덩굴성(性) 약용 식물. 중국 원산으로 오랫동안 재배되어 왔으며, 야생하는 것도 있음. 뿌리는 땅 속을 옆으로 뻗어 때때로 둥근 덩이뿌리를 형성함. 잎은 유병(有柄)으로 호생(互生)하며 달걀꼴의 심장형(心臟形)으로 끝이 뾰족함. 꽃은 8-9 월에 백색으로 피며 가지 끝에 원추 화서를 이룸. 과실은 수과(瘦果)임. 덩이뿌리는 한방에서 강정(強精)·강장(強壯)·완화제(緩和劑) 등으로 쓰임.

하:수 운송【下受運送】명《경》순차 운송(順次運送)에서, 타인의 책임하에 운송하는 구간을 하급받아 운송함.

하:수-인【下手人】명 ①손을 대어 직접 사람을 죽인 사람. 하수자. ②남의 밑에서 졸개 노릇을 하는 사람. 또, 시키는 대로 나쁜 짓을 저지른 사람. 하수자.

하:수-자【下手者】명 하수인.

하:수 처:리【下水處理】명 하수를 인공적으로 정화(淨化)하는 일. 또, 그 조작(操作). 여과법(濾過法)·침전법(沈澱法)·세균적 청정법(細菌的淸淨法)·살균법(殺菌法)·활성 오니법(活性汚泥法)·표준 살수 여상법(標準撒水濾床法) 등이 있음. 하수 처분.

하:수 처:리장【下水處理場】명 화학적인 침전(沈澱)·여과(濾過) 및 세균 작용(細菌作用) 등 방법을 써서 하수 처리를 하는 토지·건물·설비의 총칭.

하:수 처:분【下水處分】명 하수 처리.

하:수-체【下垂體】명《생》뇌하수체(腦下垂體).

하:수체성 왜소 발육증【下垂體性矮小發育症】[—썽—] 명 [pituitary dwarfism]《의》성장 호르몬 결핍(缺乏)에 의한 발육 불량(發育不良). 임상적으로는 유약기(幼若期)에서는 발육 불량, 노년기에는 주름지고 늘어진 피부(皮膚)와 피하 지방(皮下脂肪) 부족 및 노화(老化)의 조발(早發) 등이 특징임.

하:수체 중엽 호르몬【下垂體中葉—】[도Hormon] 명 [intermedin]《생》어떤 동물의 뇌하수체 중엽에서 생성되는 호르몬 물질. 동물의 체색(體色) 변화에 영향을 끼침. 사람의 멜라닌 세포 자극 호르몬과 비슷함.

하:수-통【下水筩】명 수채통.

하:숙【下宿】명 ①방값과 식비(食費)를 내고 비교적 오랜 기간 남의 집의 방에 숙박함. 또, 그 집. 사관(舍館). ②값싼 여관. ——-하다 자여불

하:숙-료【下宿料】[—뇨] 명 하숙비.

하:숙-방【下宿房】명 하숙하고 있는 방. 하숙을 시키는 방.

하:숙-비【下宿費】명 하숙한 삯으로 내는 돈. ¶～가 밀리다.

하:숙-생【下宿生】명 하숙하고 있는 학생.

하:숙 생활【下宿生活】명 하숙하고 있는 생활. 하숙집에서의 생활.

하:숙-옥【下宿屋】명 하숙집.

하:숙-인【下宿人】명 하숙하는 사람.

하:숙-집【下宿一】명 ①하숙하고 있는 집. ②사람을 하숙시키는 것을 업으로 하는 집. 하숙옥(下宿屋). ③값싼 하급 여관집.

하:숙-촌【下宿村】명 하숙집이 많이 모여 있는 마을.

하:순[1]【下旬】명 그 달 21일부터 그믐날까지의 동안. 하완(下浣). 하한(下澣). *상순(上旬)·중순(中旬).

하:순[2]【下脣】명 아랫입술. ↔상순(上脣).

하:순[3]【下詢】명 임금이 신하에게 물음. 순문(詢問). 자순(諮詢). 자추(諮諏). ——-하다 타여불

하:순-수【下脣鬚】명 아랫입술 언저리에 난 수염.

하숫그리다 타〈옛〉참소하다. 하소연하다. ¶주우린 ᄃᆞ라민 藤草애 ᄃᆞ셔 하숫그리놋다(飢鼯訴落藤)≪杜諺 XX:24≫.

하슘〔Hassium〕명〖화〗8족(族)에 속하는 인공 방사성 원소의 하나. 1984년 독일 헤센 주(Hessen州)의 중이온(重ion) 연구소에서 생성함. 연구소 소재지인 헤센의 뜻인 라틴어 Hassias에서 유래함. [108번 : Hs : 269]

하스-돔 명〖어〗[*Pomadasys hasta*] 하스돔과에 속하는 바닷물고기. 몸길이 45cm 가량이고 측편하며 체고가 비교적 낮고 입이 아래를 향함. 몸빛은 등 쪽이 담회색, 배 쪽이 담색이며, 체측 상반부에 불연속적 흑문이 있음. 한국 중남부·남일본·동남 중국해·말레이·오스트레일리아·아프리카 동해안 및 홍해(紅海)에 분포함.

하스돔-과【一科】[一꽈] 명〖어〗[Pomadasyidae] 농어목(目)에 속하는 어류의 한 과. 이 과에 속하는 것으로는 하스돔·벤자리·얼음돔·청황돔·네동가리 등이 있음.

하스킬〔Haskil, Clara〕명〖사람〗루마니아의 여류 피아니스트. 파리 음악원 출신으로 카잘스 등과의 협연으로 명성을 얻음. 고전 작품을 잘 연주함. [1895-1960]

하스텔로이〔Hastelloy〕명 니켈을 주체로 하는 내산(耐酸)·내열(耐熱) 합금의 상품명. 화학 성분은 여러 가지이며 염산·황산 등에 강하여 펌프 밸브 기타 고온 재료(高溫材料)에 사용함.

하슬라 소:경【下瑟羅小京】명〖역〗지금의 강릉(江陵)에 있던 신라 소경의 하나. 선덕 여왕 8년(639)에 설치했다가 태종 무열왕 5년(658)에 파하고 주(州)로 고침.

하슬러〔Hassler, Hans Leo〕명〖사람〗독일의 작곡가. 교회 음악 외에 많은 세속적 다성 가곡(多聲歌曲)이 있음. [1564-1612]

하:습[1]【下習】명 하인들의 풍습. 하급 사회의 풍습.

하:습[2]【下濕】명 땅이 낮고 습기가 많음. ——-하다 형여불

하:승[1]【下僧】명 지위가 낮은 중.

하:승[2]【夏僧】명〖불교〗여름 안거(安居)를 하는 중.

하-승천【何承天】명〖사람〗중국 남조(南朝) 송(宋)나라의 역산가(曆算家). 그의 관측에 의거하여 편성한 '신력(新曆)'은 원가력(元嘉曆)으로서 시행됨. [370-447]

하:시[1]【下視】명 ①얕잡아 낮추 봄. 멸시함. ¶사람을 ~하다. ②아래를 「봄. ——-하다 타여불

하시[2]【何時】명 어느 때. 언제. ¶~라도 오시오.

하:시[3]【夏時】명 여름철.

하시-경【何時頃】명 어느 때쯤. 몇 시쯤.

하시디즘〔Hasidism〕명 18세기에 폴란드의 유대교도 사이에 일어난 신비주의적 경향의 신앙 부흥 운동.

하시미테 왕조【一王朝】〔Hashimite〕명 후세인 이븐 알리(Husein ibn Ali) 및 그 자손에 의하여 창설된 중동(中東)의 아랍 왕조(王朝).

하시미테 요르단〔Hashimite Jordan〕명〖지〗서(西)아시아에 있는 아랍인(Arab人)의 입헌 군주국, 곧 요르단 하시미테 왕국의 일컬음.

하식【河蝕】명〖지〗하천의 물이 땅을 침식하는 현상.

하식-애【河蝕崖】명〖지〗하식 작용으로 인하여 이루어진 언덕.

하식 윤회【河蝕輪廻】[一눈一] 명〖지〗하천(河川)의 침식 작용에 의한 지형(地形)의 계열적(系列的) 변화. 평탄한 원지형에 V자 모양의 골짜기가 생기는 유년기에서, 골짜기가 깊고 험준한 지형을 이루는 장년기, 기복이 적고 평평하게 되는 노년기에 이름. 침식 윤회.

하:식-일【下食日】명〖민〗음양가에서 천구성(天狗星)이 하계(下界)에 내려와서 먹이를 구한다는 날. 이 날 머리를 감으면 머리가 빠진다 함.

하:신[1]【下臣】명 신하(臣下)가 자기를 낮추어 하는 말.

하신[2]【河身】명 강줄기의 물이 흐르는 부분.

하신[3]【河神】명 하백(河伯).

하:신열-무【下辛熱舞】명〖악〗신라 시대의 가무의 하나. 금(琴)·가(歌)·무(舞)의 종합적인 연출로, 감(監) 4인, 금척(琴尺) 1인, 무척(舞尺) 2인, 가척(歌尺) 3인으로 구성됨.

하심【河心】명 강심(江心).

하ᅀᆞᆸ 타〈옛〉참소하와. ¶左右ㅣ 하ᅀᆞᄫᆞ 아바님 怒ᄒᆞ시니(左右訴止父皇則憤)≪龍歌 91章≫. *할다.

하ᅀᆞᄫᆞ니 타〈옛〉참소하오니. ¶垂象ᄋᆞ로 하ᅀᆞᄫᆞ니(諧用妖星)≪龍歌 71≫. *할다.

하:아【夏芽】명〖식〗여름눈. ↔동아(冬芽).

하:악【下顎】명 아래턱. ↔상악(上顎).

하:악-골【下顎骨】명〖생〗아래턱을 이루는 뼈. 말굽 모양으로 구부러지고, 다른 뼈와 떨어져 있으며 위에 이틀이 있음. 아래턱뼈. ↔상악골(上顎骨).

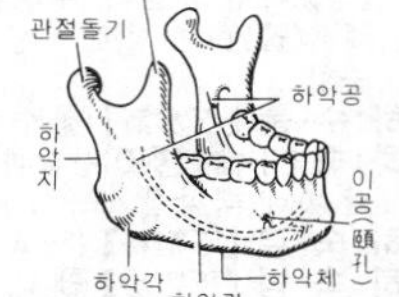

〈하악골〉

하:악 림프선염【下顎一腺炎】〔lymph〕[一념] 명 노자온(鸕鶿瘟).

하:악-부【下顎部】명〖생〗아래턱을 이루는 부분. ↔상악부.

하:악-수【上顎鬚】명〖생〗아래턱에 난 수염.

하:악 탈구【下顎脫臼】명〖의〗아래턱이 삐어져 벗어나는 일. 하품을 하거나 크게 웃거나 하여 입을 무리하게 벌린 때에 일어남. 악관절 탈구(顎關節脫臼).

하:악 호흡【下顎呼吸】명〖의〗임종(臨終)이 가까워 올 때, 아래턱을 아래위로 움직이면서 쉬는 호흡. 대개 수회(數回)로 그침. 이때 이미 의식은 소실되고 눈동자는 아직 개대(開大)하지 않고 오히려 축소하는 편임. 점두 호흡(點頭呼吸).

하 안[1]【何晏】명〖사람〗중국 삼국 시대의 위(魏)나라 학자. 자(字)는 평숙(平叔). 관직은 시중 상서(侍中尙書)에 이름. 청담(淸談)을 즐겨, 그 유행을 낳게 하였으나, 조상(曹爽)과 결탁한 죄로 사마의(司馬懿)에게 살해됨. 편저(編著)에 ≪논어 집해(論語集解)≫가 있음. [193?-249]

하안[2]【河岸】명 하천 양쪽의 둔덕.

하:-안거【夏安居】명〖불교〗중이 여름 장마 때 외출하지 아니하고 한 방에 모이어 수도하는 일. 보통 음력 사월 중순에서 칠월 중순 사이에 행함. 안거(安居). 일하(一夏) 안거. ↔동안거(冬安居). ——-하다 자여불

하안 단구【河岸段丘】명〔river terrace〕〖지〗하류(河流)에 좇아서 생기는 계단 모양의 지형. 지반 운동(地盤運動)이나 기후 변화 등에 의하여 생김. 하성 단구(河成段丘).

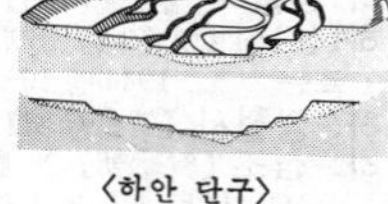
〈하안 단구〉

하:야[1]【下野】명 관직에서 물러나서 평민으로 돌아감. ¶이대통령의 ~ 성명. ——-하다 자여불

하:야[2]【夏夜】명 여름 밤.

하야[3]【爲良】〈이두〉하여.

하야감【爲良納】〈이두〉하고 싶다.

하야견다해【爲良在如中】〈이두〉하려는 터에. 하려 하는데.

하야견들【爲良在等】〈이두〉하였든들. 하였으니.

하야곰 부〈방〉하여금.

하야금[1] 부〈방〉하여금.

하야금[2]【爲良尒】〈이두〉하기로. 하는 것이라고.

하야다【爲良如】〈이두〉하였다. 하다. 한다고.

하야다이산【爲良如敎】〈이두〉하라 하신.

하야다이산이제【爲良如敎是齊】〈이두〉하라 하시었다.

하야다이산일이거이신들로【爲良如敎事是去有等以】〈이두〉하라고 하시었으므로.

하야다이산지나【爲良如敎喩乃】〈이두〉하라고 하시었으나.

하야두【爲良置】〈이두〉하여도.

하야디다 자〈옛〉해지다. ¶또 大廳 地衣도 놀가다 하야디시니≪新語 「Ⅱ:11≫.

하야라이산제【爲良敎齊】〈이두〉하라 하시었다.

하야로비 명〈옛〉〖조〗해오라기. ¶하야로비 누네셔미(鷺鷥立雪)≪金三 Ⅱ:50≫/하야로비 로(鷺)≪字會 上 17≫.

하야루비 명〈옛〉〖조〗해오라기. ¶힌 하야루비 바티 ᄂᆞ리니(白鷺下田)≪百聯解 12≫. *하야로비.

하야-말갛다〔一가타〕형ㅎ불 살빛이 탐스럽도록 매우 맑고 희다. <허 「여멀겋다.

하야말개-지다 자 하야말갛게 되다. <허여멀게지다.

하야-말쑥하다 형여불 살빛이 하얗고 맑게 깨끗하다. ¶얼굴이 ~. <허여멀쑥하다. 하야말쑥-히 부

하야무레-하다 형여불 엷게 하야스름하다.

하야ᄇᆞ리다 타〈옛〉부수어 버리다. ¶某의 ᄂᆞ출 주머괴로 텨 하야ᄇᆞ리되(於某面上用拳打破)≪朴解 下 54≫.

하야사【爲良沙】〈이두〉하여야.

하야-스레 부 하야스름하게. ——-하다 형여불

하야스름-하다 형여불 빛깔에 하얀 기운이 돌다.

하야시 곤스케【林權助:はやしごんすけ】명〖사람〗일본의 외교관. 구한말 고종(高宗) 26년(1889) 인천 주재 부영사(副領事)로 부임, 광무 3년(1899) 공사로 다시 부임, 노일 전쟁(露日戰爭)이 일어나자 제1차 한일 협약, 이듬해 을사 조약(乙巳條約)을 체결함. 뒤에 일본의 주영 대사·추밀원(樞密院) 고문관을 지냄. [1869-1939]

하야음즉【爲良音可】〈이두〉함직.

하야음즉하견【爲良音可爲在】〈이두〉함직한.

하야음즉하견을【爲良音可爲在乙】〈이두〉함직하거늘.

하야음즉하며【爲良音可爲旀】〈이두〉함직하며.

하야음즉하삽견과【爲良音可爲白在果】〈이두〉함직하옵거니와.

하야제【爲良齊】〈이두〉하다. 할지어다.

하야지【爲良喩】〈이두〉하여야지. 하는 것이.

하야하【爲良乙爲·爲良於爲·爲於爲】〈이두〉하려고 하여.

하야하신일【爲良爲敎事】〈이두〉하려고 하신 일. 하라고 하신 일.

하야하이산【爲良爲敎】〈이두〉하려고 하신.

하야하이시되【爲良於爲敎矣】〈이두〉하려고 하시되.

하야히 부〈옛〉하얗게. ¶靑溪옛 머릿터리 蕭蕭히 비세 하야히 비취옛더라 니ᄅᆞ디 말라(莫話靑溪髮蕭蕭白映梳)≪初杜諺 XX:45≫.

하야ᄒᆞ다 형〈옛〉하얗다. ¶物이 하야ᄒᆞ야 허믈 受ᄒᆞ믈 諱避ᄒᆞ고(物白諱受玷)≪杜諺 Ⅷ:53≫/사호는 ᄯᅡ햇 ᄲᅧ 하야ᄒᆞ도다(戰地骸骨白)≪初杜諺 XVI:73≫.

하:약【下藥】명〖약〗하제(下劑). 설사약.

하얌 명〈방〉하품[1](전남).

하얏【爲行】〈이두〉하는. 한.

하얏거늘【爲行去乙·爲良去乙】〈이두〉하였거늘.

하얏거든【爲良去等】〈이두〉 하였거든. 하였는데. 하였으니.
하얏견【爲良在】〈이두〉 한.
하얏견다해【爲良在如中】〈이두〉 하려한 경우에. 한 경우에. 하려는 때에.
하얏견을【爲良在乙】〈이두〉 하였거늘.
하얏견을안【爲良在乙良】〈이두〉 하였거들랑.
하얏기【爲良只】〈이두〉 하였기에. 하였기.
하얏누온다【爲行臥乎如】〈이두〉 하였다. 하였다고.
하얏누온바【爲行臥乎所】〈이두〉 한 바.
하얏누온일【爲行臥乎事】〈이두〉 한 일.
하얏다【爲行如】〈이두〉 하였다. 하였다고.
하얏다가【爲行如可】〈이두〉 하였다가.
하양[1] [명] ①흰 빛. ②하얀 것.
하양[2]【河陽】[명]〖지〗경상 북도 경산시(慶山市)의 한 읍. 시의 북부를 흐르는 금호강(琴湖江)가에 위치하며, 사과의 산출이 많음. [26,700 명(1996)]
하:양[3]【下揚】[명]〖악〗거문고 연주에서, 다섯째 줄인 괘하청(棵下淸)을, 술대로 뜯어 소리내는 법.
하양[4]【遐壤】[명] 멀리 떨어진 곳.
하양-창【河陽倉】[명]〖역〗현재의 충청남도 아산 사섭포(牙山使涉浦)에 있었던 고려 때의 12 조창(漕倉)의 하나.
하:얗다 [—야타] [형][ㅎ불] 매우 희다. 아주 희다. ¶머리가 ~. <허옇다.
하:얘-지다 [자] 하얗게 되다. ¶머리가 ~/얼굴이 ~. <허예지다.
하:어[1]【下語】[명]〖불교〗선종(禪宗)에서, 고측(古則)·공안(公案)·수시(垂示) 등의 법어에 대해 자기의 견해를 나타낼 때에 하는 말.
하어[2]【河魚】[명] 민물고기.
하어지-질【河魚之疾】[명] 복통(腹痛)의 딴이름.
하얼빈〔哈爾濱〕[명]〖지〗중국 북동부 헤이룽장 성(黑龍江省)의 성도(省都). 19세기 말에 러시아가 동방 경영의 책원지(策源地)로 건설한 북만(北滿)의 중심지임. 다섯 철도가 교차하며 쑹화 강(松花江)의 주운(舟運) 등 수륙 교통이 편리하고 콩·콩깻묵·콩기름·밀 등의 대집산지로 상업의 중심지이며, 정유(精油)·제분 등의 공업도 성함. 1909 년, 안중근(安重根) 의사가 이곳 역두(驛頭)에서 이토 히로부미(伊藤博文)를 저격한 역사적 고장임. 합이빈. 하르빈(Harbin). [2,595,100 명(1984)]
하여【何如】[부] 어떻게. 어찌. ¶왕사(往事)는 ~했던지 다시 이런 일 없이 재미있게 살아보자≪作者未詳 : 산천초목≫. ——-하다 [형][여불]
하여-가【何如歌】[명]〖문〗고려 말(末)에 이방원(李芳遠)이 지은 단가(短歌), '이런들 어떠하며 저런들 어떠하리 만수산 드렁츩이 얽어진들 긔 어떠리 우리도 이같이 얽어져 백년까지 누리리라'의 일컬음. 해동 악부(海東樂府)에는 한시(漢詩)로 수록되어 있음. 정몽주가 고려 왕실을 버리고 이성계에게 붙겠는가의 여부를 떠보기 위하여 지은 것이라고 함. *단심가(丹心歌).
하여-간【何如間】[부] 어쨌든지. 어찌하였든지. 하여간에. 하여튼. ¶~ 틀림은 없다.
하여간-에【何如間—】[부] 어쨌든지. 어찌하였든지. 하여간. 하여튼.
하여금 [부] '로'·'으로'의 조사 아래에 붙이어, '를(을) 시키어'의 뜻을 나타내는 말. ¶그로 ~ 집을 설계하게 하라/나로 ~ 말하게 한다면.
하여라【爲如良】〈이두〉 하여라.
하여커나【何如—】[부] 어찌되었든지. 하여튼. ¶~ 잘못은 그에게 있었다.
하여-튼【何如—】[부] 어쨌든. 아무튼. 어떻든. ¶~ 해보자.
하여-튼지【何如—】[부] 어쨌든지. ¶~ 가 보죠.
하여-하다【何如—】[형][여불] 어떠하다. ¶하여하오리이까?
하여ᄒᆞ다 [형] 〈옛〉 하얗다. ≒하야ᄒᆞ다. ¶서늘히 하여ᄒᆞᆫ 셴 머리터리 주붓ᄒᆞ야(飄蕭…素髮凜)≪杜諺 XVII:8≫.
하:역[1]【下役】[명] ①낮은 구실. ②부하인 이속(吏屬).
하:역[2]【荷役】[명] 짐을 싣고 부리는 일. ¶~업자.
하역[3]【遐域】[명] 먼 경계. 먼 나라.
하:역 기계【荷役機械】[명] 생산 공정(工程) 또는 운반 공정에 있어서 물품을 싣고 부리고 이동 운반하는 데 쓰이는 기계의 총칭.
하:역-부【荷役夫】[명] 하역(荷役)에 종사하는 인부(人夫).
하:역-업【荷役業】[명] 짐을 싣고 부리는 일을 맡아 하는 영업.
하:역 작업【荷役作業】[명] 하역을 하는 작업.
하:연[1]【下椽】[명]〖건〗들연.
하-연[2]【河演】[명]〖사람〗조선 세종 때의 상신(相臣). 호(號)는 경재(敬齋). 진주(晋州) 사람. 예문관 대제학을 거쳐 영의정이 됨. 문장이 전아(典雅)하며 고학(古學)을 좋아하였음. 시호는 문효(文孝). 문종(文宗) 묘정(廟庭)에 배향됨. [1376-1453]
하:연[3]【賀宴】[명] 축하하는 잔치.
하:열【下劣】[명] [←하렬] 천하고 비열(卑劣)함. ——-하다 [형][여불]
하염 [명] 〈방〉 하품[1](전남).
하염-없다 [—업—] [형] ①이렇다고 할 만한 아무 생각이 없다. ②끝맺는 데가 없다. ¶하염없는 나날.
하염-없이 [—업씨] [부] 하염없게. ¶~ 걸어가다/~ 울다.
하염직-하다 [형][여불] 할 만하다. 할 가치가 있다. ¶그의 행동은 칭찬 ~/하염직한 일이다.
하엽【荷葉】[명] 연잎.
하엽록-장【荷葉綠匠】[—녹—] [명]〖역〗초록색의 도료(塗料)를 만드는 장인(匠人).
하엽-좌【荷葉座】[명]〖불교〗연잎을 엎어 놓은 것과 같은 모양으로 만든, 불상(佛像)을 안치하는 대좌(臺座).
하:영【下營】[명] 군영(軍營)을 떠남. ——-하다 [자][여불]
하예【遐裔】[명] 하방(遐方).
하:오[1]【下五】[명]〖악〗오음 약보에서, 으뜸음 궁(宮)에서 아래로 다섯째 음. 황종(黃鐘)이 으뜸음일 때 평조(平調)나 계면조(界面調) 모두 한 옥타브 낮은 '황종'이 됨. *하사(下四)
하:오[2]【下午】[명] 오후(午後). ¶~ 5시. ↔상오(上午).
하오나【爲乎乃】〈이두〉 하나.
하오니【爲乎尼】〈이두〉 하니.
하오대【爲乎大】〈이두〉 하되.
하오되【爲乎矣】〈이두〉 하되.
하오든【爲乎等】〈이두〉 하면. *하온들(爲乎等).
하오며【爲內旀·爲乎旀】〈이두〉 하며.
하오-체【—體】[명]〖언〗결어법(結語法)의 존비법(尊卑法)에 딸린 종결어미의 한 체(體). 상대방을 예사로 높이는 뜻을 나타냄. '보오'·'있소'·'읽읍시다' 등이 이에 속함.
하오-하다 [자][여불] 상대자를 예사로 높이어 말하다. '합쇼하다'보다는 낮게, '하게하다'보다는 높게 쓰임. 무엇 하오, 어서 가오, 어서 말하오 등과 같은 것. 현대 구어(口語)로는 거의 쓰지 않음. *하게하다·합쇼하다·해라하다.
하오-하오〔중 好好〕[감] '좋다, 괜찮다'의 뜻.
하:옥[1]【下獄】[명] 죄인을 옥에 넣음. 입옥(入獄). ——-하다 [타][여불]
하옥[2]【荷屋】[명]〖사람〗김좌근(金左根)의 호(號).
하:옥[3]【廈屋】[명] 큰 집.
하온【爲乎】〈이두〉 한.
하온가【爲乎去】〈이두〉 한가.
하온견이여【爲乎在亦】〈이두〉 한 것인데.
하온곳【爲乎庫】〈이두〉 한 곳.
하온곳아해【爲乎庫良中】〈이두〉 한 곳에.
하온다해【爲乎如中】〈이두〉 하였을 때.
하온들【爲乎等】〈이두〉 하면. *하오든(爲乎等).
하온들로【爲乎等以】〈이두〉 한 까닭으로.
하온들쓰아【爲乎等用良】〈이두〉 하였으므로.
하온맛【爲乎味】〈이두〉 하는 뜻. 한다고.
하온맛맛치온들쓰아【爲乎味了乎等用良】〈이두〉 마치었다는 뜻임으로써.
하온바【爲乎所】〈이두〉 한 바.
하온바를【爲乎所乙】〈이두〉 한 바를.
하온바마기【爲乎所的只】〈이두〉 한 바가 확실함.
하온바안인견【爲乎所不喩在】〈이두〉 한 바가 아닌. 할 바가 아니었던.
하온바안인지【爲乎所不喩】〈이두〉 한 바가 아닌지. 하는 바 아닌.
하온바안인지거든【爲乎所不喩去等】〈이두〉 한 바가 아니거든.
하온바안인지이거든【爲乎所不喩是去等】〈이두〉 한 바가 아니라면. 하는 바가 아니면.
하온바안인지이온것【爲乎所不喩是乎條】〈이두〉 한 바는 아닌 것.
하온바안인지이온일【爲乎所不喩是乎事】〈이두〉 한 바 아닌 일.
하온바안인지이제【爲乎所不喩是齊】〈이두〉 한 바 아니다.
하온바알못질일이곤【爲乎所知不得事是昆】〈이두〉 한 바를 알지 못하는 일이니.
하온바업거든【爲乎所無去等】〈이두〉 한 바 없거든.
하온바을지즈로【爲乎所乙仍于】〈이두〉 한 바로 말미암아.
하온바이시거든【爲乎所有去等】〈이두〉 한 바거든. 한 바 있거든.
하온바하트다【爲乎所爲等如】〈이두〉 한 바를 모두.
하온삼【爲乎爲】〈이두〉 하려고.
하온안인지【爲乎不喩】〈이두〉 하지 말아야 할 것.
하온안인지아금【爲乎不喩良旀】〈이두〉 하지 말아야 할 것이라고. 하여서는 아니 되는 것이므로.
하온안인지이거이신들로【爲乎不喩是去有等以】〈이두〉 하지 못할 것이기로.
하온안인지이며【爲乎不喩是旀】〈이두〉 하지 못할 것이며.
하온양으로【爲乎良以·爲乎樣以】〈이두〉 한 체하고.
하온여【爲乎亦】〈이두〉 한 것인데. 한 것이니.
하온여해【爲乎亦中】〈이두〉 한 터에. 한 경우에.
하온일【爲乎事】〈이두〉 한 일.
하온일과【爲乎事果】〈이두〉 한 일과.
하온일딴【爲乎事段】〈이두〉 한 일은.
하온일을【爲乎事乙】〈이두〉 한 일을.
하온일이거든【爲乎事是去等】〈이두〉 한 일이거든.
하온일이견들로【爲乎事是在等以】〈이두〉 한 일이기 때문에.
하온일이곤【爲乎事是昆】〈이두〉 한 일이니.
하온일이아금【爲乎事是良尒】〈이두〉 한 일이라고. 한 일이므로.
하온일이여견을【爲乎事亦在乙】〈이두〉 한 일이거늘.
하온일이제【爲乎事是齊】〈이두〉 한 일일지어다. 해야할 일이다. 하는 일이다.
하온일잇거든【爲乎事有去等】〈이두〉 한 일이었거든.
하온제여해【爲乎第亦中】〈이두〉 한 경우에.
하온좃초【爲乎追于·爲乎追乎】〈이두〉 함에 따라.
하온즉【爲乎則】〈이두〉 한즉.
하온지【爲乎喩】〈이두〉 한지.
하온지거든【爲乎喩去等】〈이두〉 한 것이거든.
하온지견과【爲乎喩在果】〈이두〉 한 것이지만.
하온지나【爲乎喩乃】〈이두〉 한 것이나.
하올가【爲乎乙可·爲乎乙去】〈이두〉 할까.
하올견과【爲乎乙在果】〈이두〉 할 것이거니와.

하올곳【爲乎庫】〈이두〉 할 곳.
하올곳아해【爲乎庫良中】〈이두〉 할 곳에.
하올바【爲乎所·爲乎所】〈이두〉 할 바.
하올바를【爲乎所乙】〈이두〉 할 바를.
하올바알못질하며【爲乎乙所知不得爲旀】〈이두〉 할 바를 알지 못하며.
하올뿐안인지【爲乎叱分不喩】〈이두〉 할 뿐아니라.
하올아저【爲良結】〈이두〉 하고 싶다.
하올일【爲乎乙事·爲乎事】〈이두〉 할 일. 하는 일.
하올제다해【爲乎第如中】〈이두〉 할 때에. 하는 경우에.
하올제여해【爲乎第亦中】〈이두〉 할 때에. 하는 경우에.
하올지【爲乎乙喩】〈이두〉 할지.
하올지견과【爲乎乙喩在果】〈이두〉 할 것이거니와.
하올지라두【爲乎乙喩良置】〈이두〉 할지라도. 한다 하더라도.
하와〔그 Hawwāh〕 명 『성』 하느님이 아담의 갈빗대 하나를 뽑아 만든 최초의 여자. 뱀의 유혹으로 선악과를 따먹어 저주를 받았음. 영어 이름은 이브(Eve).
하와이〔Hawaii〕 명 『지』 ①하와이 섬. ②하와이 제도(諸島). ③하와이 「주(州).
하와이 병:합【—倂合】〔Hawaii〕 명 『역』 하와이의 미국으로의 병합. 1890년의 관세법 개정(關稅法改正)으로 타격을 받은 하와이의 사탕업자가 혁명을 일으켜 병합 운동을 촉진(促進)하여 1898년 미국과의 병합이 이루어짐.
하와이 섬〔Hawaii〕 명 『지』 하와이 제도 동남단(東南端)에 있는 이 제도의 주도(主島). 4205 m의 마우나케아(Mauna Kea), 4171 m의 마우나로아(Mauna Loa), 1247 m의 킬라우에아(Kilauea) 등의 화산(火山)이 높이 솟고, 해안에 감자밭이 많음. 사탕수수·커피 따위의 농업과, 서부에서의 축산 어업 외에 관광(觀光)이 중요 산업으로 되어 있음. 서해안에는 쿡(Cook, J.)의 상륙 기념비(記念碑)가 있음. 동해안의 힐로(Hilo)가 대표적인 항시(港市)이며, 부근의 파인애플 밭은 유명함. [10,414 km²: 92,000명 (1980)]
하와이식 분:화【—式噴火】〔Hawaii〕 명 『지』 화산의 분화 형식의 하나. 유동성(流動性)이 풍부한 현무암질(玄武岩質) 용암의 분출을 주로 하는 비교적 약한 폭발성의 분화.
하와이안 기타:〔Hawaiian guitar〕 명 『악』 스틸 기타의 하나. 하와이 음악의 중심 악기로, 전기 증폭기(電氣增幅器)를 응용하여 음량을 증대하고 음색을 변화시키는 전기 기타임. *우쿨렐레.

〈하와이안 기타〉

하와이안 음악【—音樂】 명 〔Hawaiian music〕 하와이 제도(諸島)에 사는 폴리네시아 계(Polynesia系) 주민에게 전승(傳承)하는 민족 음악 및 이를 미국의 포퓰러 음악풍(風)으로 통속화한 음악.
하와이-인【—人】〔Hawaii〕 명 하와이 제도(諸島)에 사는 폴리네시아인(Polynesia人)을 이름. 순혈종(純血種)이 점차 줄어드는 경향이 있으며 원주민은 카나카족(Kanaka族)으로, 아시아 여러 나라에서 온 이민(移民)의 자손이 많음.
하와이 제도【—諸島】〔Hawaii〕 명 『지』 태평양의 거의 중앙부에 있는 여덟 개의 화산도(火山島)와 그 부속 도서(附屬島嶼)로 이루어지는 제도. 열대(熱帶)이지만 기후는 해양성이며, 사탕수수·파인애플의 산출이 많음. 원주민은 감소되고, 주민의 대부분은 동부 아시아와 남유럽 등지에서의 이민(移民)임. 왕국(王國)·공화국을 거쳐서 1898년에 미국에 합병되어 준주(準州)가 되었다가 지금은 그 한 주가 되었음. 주도(主島)는 하와이 섬. 주도(州都)는 오아후(Oahu) 섬의 호놀룰루. 하와이. [16,640 km²: 994,000명 (1982)]
하와이-주【—州】〔Hawaii〕 명 『지』 1959년 북태평양 중앙부에 있는 하와이 제도 및 미드웨이(Midway) 섬·존스턴(Johnston) 섬 등으로 이루어진 미국의 50번째의 주. 주산물은 설탕·파인애플·커피 등이며, 상하(常夏)의 기후로 세계적인 관광지가 됨. 주도(州都)는 호놀룰루. [약 16,705km²: 994,000명 (1982)]
하:완[1]【下浣】 명 하순(下旬). ↔상완(上浣).
하:완[2]【下脘】 명 『생』 유문(幽門).
하:-왕등도【下旺嶝島】 명 『지』 전라 북도의 서해상(西海上), 부안군(扶安郡) 위도면(蝟島面) 하왕등리(下旺嶝里)에 위치한 섬. [0.74 km²: 27명 (1984)]
하외욤 명 〈옛〉 하품. ¶하외욤ᄒᆞ며 기지게ᄒᆞ며 기춤호ᄆᆞᆯ(欠伸謦咳)《金 「三 Ⅱ:11》/하외욤 흠(欠) 《字會 上 30》.
하우[1]【河右】 명 『지』 하서(河西).
하:우[2]【下雨】 명 비가 내림. ——-하다 자 여불
하:우[3]【下愚】 명 아주 어리석고 못남. 또, 그 사람.
하:우[4]【夏雨】 명 여름철에 내리는 비.
하우[5]〔Howe, Elias〕 명 『사람』 미국의 발명가. 재봉 기계를 연구하여 재봉틀의 원형을 만들어 1846년 특허를 받음. 후일 싱어(Singer, I.M.)에 의해 오늘날의 재봉틀로 개량됨. [1819-67]
하우라〔Howrah〕 명 『지』 인도 벵골 주의 도시. 후글리 강(Hooghly江)을 사이로 동쪽의 캘커타 시(市)와 대하며 대(大)캘커타 시의 일부를 이룸. 철도의 요지로서, 황마(黃麻)·제지·유리·면방직 등의 공업이 행해짐. [744,429명 (1981)]
하:우 불이【下愚不移】 명 아주 어리석고 못난 사람의 기질(氣質)은 변 「하지 아니함.
하우-사리 명 〈방〉 『충』 하루살이(전남).
하우사-어【—語】〔Hausa〕 명 하우사족(族)의 언어. 나이지리아 북부주(北部州)의 공용어이며 나이지리아 각지의 공통어이기도 함. 들라포스(Delafosse)의 분류로는 니제르 차드 어군(語群)에 속함.
하우사 왕국【—王國】〔Hausa〕 명 아프리카의 하우사족(族)이 만든 도시 국가군(都市國家群)의 총칭. 전승(傳承)에 의하면 10세기 말부터 11세기 초에 여왕(女王) 다우라마와 그의 일곱 아들이 만든 일곱개의 도시 국가로 형성되었다 함. 오늘날의 나이지리아 북부 고지(高地) 일대에 있었으며 일찍부터 북아프리카 지방과 교역하고 14세기에 들어 급속히 이슬람화(Islam化)함.
하우사-족【—族】〔Hausa〕 명 서아프리카의 한 종족. 인구 수백만으로 인종은 다양하지만 에티오피아형(型)과 흑인형(黑人型)이 주류임. 태반이 북나이지리아에 거주함.
하우스[1]〔house〕 명 ①집. 주택. ②『농』 비닐 하우스.
하우스[2]〔House, Edward Mandell〕 명 『사람』 미국의 정치가. 윌슨 대통령의 신임을 얻어 제1차 세계 대전의 화평 공작(和平工作)을 위해 활동함. 베르사유 조약 및 국제 연맹 규약을 기초(起草)함. [1858-1938]
하우스-드레스〔housedress〕 명 여자가 가정에서 입는, 몸에 착 붙지 아니하여 일하기 편한 옷. 홈 드레스.
하우스먼〔Housman, Alfred Edward〕 명 『사람』 영국의 시인(詩人). 고전 문학자로서도 뛰어남. 케임브리지 대학 교수. 시집 《시롭셔(Shropshire)의 젊은이》·《최후의 시집》이 유명함. [1859-1936]
하우스-병【—病】〔house〕〔—뼝〕 명 『의』 비닐 하우스 안에서 일하는 농민에게 특유한 일사병(日射病) 비슷한 병.
하우스-보이〔houseboy〕 명 가정에 고용되어 일하는 사람. 하인(下人).
하우스 빌〔house bill〕 명 동일 회사의 상점간에 발행하는 환어음.
하우스 에이전시〔house agency〕 명 광고 대리업의 특수한 형태로, 일반적으로 특정의 광고주에 의해 재정적으로 관리 소유되고 있는 일종의 전속 광고 대리업.
하우스 오:건〔house organ〕 명 정부 기관, 노동 조합 등이 선전·광고의 목적으로 발행하는 신문·잡지류.
하우스-와이프〔housewife〕 명 주부(主婦).
하우스 재:배【—栽培】〔house〕 명 『농』 비닐 또는 폴리에틸렌의 필름을 이용한 간이 온실(簡易溫室)을 이용해서 채소나 화초(花草) 등을 재배하는 일.
하우스-키:퍼〔housekeeper〕 명 ①가사 주재자(家事主宰者). 가정부(家政婦). ②주택 또는 사무소를 관리하는 사람. ③비합법적인 공산당 운동에서, 비밀 본부를 의장(擬裝)하기 위하여 외견상 보통 가정집의 주부(主婦)같이 보이게 하는 여당원(女黨員).
하우스-키:핑〔housekeeping〕 명 가정(家政).
하우스호퍼〔Haushofer, Karl〕 명 『사람』 독일의 지정학자(地政學者). 군인 출신으로 나치스의 외교 고문을 역임함. 일본 등지에 체재하였으며, 《일본 및 일본인》·《태평양의 지정학》 등의 저작이 있음. 자살함. [1869-1946]
하:우-씨【夏禹氏】 명 중국 하(夏)나라의 우(禹)임금을 이르는 말.
하우얼스〔Howells, William Dean〕 명 『사람』 미국의 소설가·비평가. 성격 묘사에 뛰어난 사실주의 소설을 씀과 동시에 평론 활동으로 작가 육성에 공헌함. 저서 《평범한 사건》 등이 있음. [1837-1920]
하우작-거리다 자 허우적거리다. 하우작-하우작 부. ——-하다 자 여불
하우저-식【—食】〔Hauser〕 명 미국의 영양학자(營養學者) 하우저가 제창한 일종의 영양 식사법. 식사 때마다 양조 효모·소맥 배아(小麥胚芽)·탈지유(脫脂乳)·요구르트·조당밀(粗糖蜜)의 다섯 가지 식품을 적당히 배합하여 먹으면 양질의 단백질과 비타민·미네랄의 보급이 되어 건강 장생(健康長生)할 수 있다고 주장함.
하우징〔housing〕 명 ①기계의, 부품이나 기구를 싸서 보호하는 상자형 부분. ②토지·가옥·가구·실내 장식 등을 종합적으로 다루는 주택 산업의 총칭.
하우트스미트〔Goudsmit, Samuel Abraham〕 명 『사람』 네덜란드 출신의 미국 물리학자. 미시간 대학 교수. 브르크헤븐 국립 연구소 연구원. 전자(電子)의 스핀 개념을 제창하였으며, 원자 구조에 관한 많은 연구가 있음. [1902-78]
하우프〔Hauff, Wilhelm〕 명 『사람』 독일의 작가. 역사 소설 등을 썼으나 동화 작가로 더 알려짐. 동화집 '대상(隊商)'과 역사 소설 '리히텐슈타인' 등이 있음. [1802-27]
하우프트만〔Hauptmann, Gerhard〕 명 『사람』 독일의 극작가·소설가. 입센(Ibsen)·졸라(Zola)에 경도(傾倒)하여 철저 자연주의(徹底自然主義)를 제창함. 희곡 《해뜨기 전》으로 성공하고, 이 후 《외로운 사람들》, 사회극으로 《직공(織工)》과 낭만적 상징극(象徵劇) 《침종(沈鐘)》으로 세계적인 지위를 얻음. 1912년 노벨 문학상을 받음. 이 밖에 소설과 서사시(敍事詩)도 있음. [1862-1946]
하:운【夏雲】 명 여름철의 구름.
하:운 기봉【夏雲奇峰】 명 산봉우리같이 기이하게 솟아 오른 여름철의 「구름.
하운드-독〔Hound Dog〕 명 『군』 미국 공군의 폭격기 장비용의 공대지(空對地) 수폭 탄두(水爆彈頭) 미사일. 제트 추진의 관성 유도 방식임.
하-운봉【夏雲峰】 명 『악』 '낙양춘(洛陽春)'의 딴이름.
하운스필드〔Hounsfield, Godfrey Newbold〕 명 『사람』 영국의 기술자. 컴퓨터를 이용한 X선 단층 촬영 기술과 장치를 개발하여, 미국의 코맥(Cormack. A.M. : 1924-)과 함께 1979년 노벨 생리 의학상을 받음. 뇌질환 진단 등에 공헌함. [1919-]
하울랜드 섬〔Howland〕 명 『지』 중부 태평양의 적도 가까이 있는 융기 환초(隆起環礁). 베이커(Baker) 섬과 더불어 19세기 후반부터 구아노(guano)의 채굴이 행하여짐. 1935년 이래 미국령임. [2.6 km²]
하울링〔howling〕 명 오디오 장치에서, 스피커에서 나온 소리를 마이크로폰이나 레코드 플레이어가 잡아서 발진을 일으켜 일어나는 소음.
하웁트먼〔Hauptman, Herbert Aaron〕 명 『사람』 미국의 화학자. 칼(Karle, J.)과 함께 물질의 '결정 구조(結晶構造)의 직접 측정 방법'을 개

발하여 1985년 노벨 화학상을 받음. [1917-]

하워드[1] [Howard, Roy Wilson] 명 『사람』 미국의 신문 경영자. 스포츠 기자로서 두각을 나타내어 여러 신문을 거쳐 UP 통신사의 총지배인·사장을 지냄. 1921년 이후 스크립스 하워드계(系) 신문 편집장·사장을 역임함. [1883-1964]

하워드[2] [Howard, Sidney Coe] 명 『사람』 미국의 극작가. ≪무엇을 원하는지 알고 있었다≫로 출세하고, 이래 ≪은실≫·≪황열병≫ 등을 발표함. 그 밖에, 각색극(脚色劇)도 있음. [1891-1939]

하워스 [Haworth, Walter Norman] 명 『사람』 영국의 유기(有機) 화학자. 탄수화물(炭水化物) 및 테르펜류(Terpen類)를 연구, 카러(Karrer, P.)와 더불어 비타민 C의 합성에 성공하여 1937년 노벨 화학상을 함께 받음. [1883-1950]

하:원[1] 【下元】 명 『민』 명일의 하나. 음력 10월 15일. *상원(上元)·중원.

하:원[2] 【下院】 명 『정』 양원제(兩院制) 의회 제도에서 국민의 직접 선거에 의하여 선출된 의원으로써 구성되는, 전국민의 이익을 대표하는 입법 기관(立法機關). 그러나, 현대 국가에 있어서는 상원(上院)도 국민의 직접 선거에 의한 의원으로 구성됨이 일반적 경향이므로 조직에 의한 양자의 구별은 명확하지 않게 되었음. 보통, 법률안·예산안의 선의권(先議權)을 인정한다든가, 의사 결정에 우월성을 인정한다든가, 불신임 결의의 제출권(提出權)을 전속(專屬)시키는 등 정치면이나 법률상 권한의 면에서 상원(上院)보다 우위(優位)에 두고 있음. 하의원(下議院). ↔상원(上院).

하원[3] 【河源】 명 하천의 수원(水源).

하원[4] 【遐遠】 명 멀어져서 매우 멂. ——하다 형여불

하:원-갑 【下元甲】 명 ①『천도교』 운이 다해서 망해가는 시대. ②『민』 ↗하원 갑자.

하:원 갑자 【下元甲子】 명 『민』 음양설(陰陽說)에서, 180년마다 시대가 크게 바뀌는 것으로 간주하고, 한 시대가 차츰 기울어지는 단계로 잡는 세 번째 갑자년부터의 60년. 준하원갑❷.

하:원-곡 【下院曲】 명 『악』 통일 신라 때 옥보고(玉寶高)가 지은 거문고 30곡 중의 하나.

하위[1] 명 〈속〉 화해(和解). ——-하다 자여불

하:위[2] 【下位】 명 낮은 지위. 아랫자리. ↔상위(上位).

하:위 개:념 【下位概念】 명 『논』 개념이 외연(外延)에 대하여 포괄(包括)·피포괄(被包括)의 관계에 있을 때의 피포괄의 개념. 인간은 동물에 대하여 하위 개념임. 저급 개념. ↔상위(上位) 개념.

하:위 문화 【下位文化】 명 [subculture] 사회의 정통적·전통적인 문화에 대하여 어떤 특정한 집단만이 가지는 문화적 가치나 행동 양식. 대중 문화, 여성 문화 따위.

하:위 분류 【下位分類】 [—불—] 명 일정한 기준에 의해서 종류별로 나눈 각 항을 다시 세분된 기준에 의해서 나누는 일. 또, 그러한 분류 방법.

하:위 씨방 【下位—房】 명 『식』 꽃받침·꽃잎·수술 등이 착생하는 자리보다 아래 쪽에 자리잡은 자방. 붓꽃·석산(石蒜)의 자방 같은 것. 하생(下生) 자방. 자방 하위. 하위 자방. 밑씨방. ↔상위(上位) 씨방.

하위염 명 〈방〉 하품[1](제주).

하:위 자방 【下位子房】 명 『식』 하위 씨방.

하:위-증 【夏痿症】 [—쯩] 명 『한의』 주하증(注夏症).

하-위지 【河緯地】 명 『사람』 조선 세종(世宗) 때의 정치가. 사육신(死六臣)의 한 사람. 자는 천장(天章)·중장(仲章), 호는 단계(丹溪)·연풍(延風). 집현전 교리(集賢殿校理)·직집현전(直集賢殿)을 거쳐 부제학(副提學)·예조 판서(禮曹判書)에 이름. 성삼문(成三問) 등과 단종 복위(端宗復位)를 꾀하다가 처형당함. ≪역대 병요(歷代兵要)≫ 편찬에 참여하고, ≪화원 악보(花源樂譜)≫에 시조 2수가 전함. 시호는 충렬(忠烈). [1387-1456]

하윗-술 명 〈속〉 화햇술.

하:유[1] 【下諭】 명 『역』 지방 관원에게 상경(上京)을 명하는 왕명.

하유[2] 【瑕瑜】 명 옥의 티와 빛. 전(轉)하여, 결점(缺點)과 미점(美點).

하:-유사 【下有司】 명 『역』 조선 시대에 사헌부(司憲府)의 감찰 가운데 셋째 감찰.

하:-유성 【下遊星】 명 『천』 하행성(下行星). 내유성(內遊星). ↔상유성(上遊星).

하:-육처자 【下育妻子】 명 아래로 처자를 기름. *앙사부모(仰事父母). ——-하다 자여불

하윤 【河潤】 명 은덕이 널리 미침을, 황허(黃河) 강이 땅을 윤택하게 함에 비유하여 일컫는 말.

하음 명 〈방〉 하품[1](전남).

하음즉 【爲音可】 〈이두〉 함직.

하음즉하견 【爲音可爲在】 〈이두〉 함직한. 함직한 것.

하음즉하삽견과 【爲音可爲白在果】 〈이두〉 함직 하옵거니와.

하음즉한일을 【爲音可事乙】 〈이두〉 함직한 일을.

하:응-봉 【下應峰】 명 『지』 함경 북도 명천군(明川郡) 하고면(下古面)과 상가면(上加面) 경계에 있는 산. 함경 산맥 중에 있음. *[1,047m]*

하:의[1] 【下衣】 [—/—이] 명 몸의 아랫도리에 입는 옷. 아래옷. 바지. ↔상의(上衣).

하:의[2] 【下意】 [—/—이] 명 ①아랫사람의 뜻. ¶～ 상달(上達). ②국민의 의사(意思). ↔상의(上意).

하:의[3] 【夏衣】 [—/—이] 명 하복(夏服). ↔동의(冬衣).

하:의[4] 【賀意】 [—/—이] 명 경하(慶賀)하는 뜻.

하:의[5] 【賀儀】 [—/—이] 명 하례(賀禮). ——-하다 자여불

하의-도 【荷衣島】 [—/—이—] 명 『지』 전라 남도의 서해상(西海上), 신안군(新安郡) 하의면(荷衣面)에 위치한 섬. [19.92km²: 5,120명(1984)]

하-의:사 【何意思】 명 '무슨 뜻'의 뜻. 남의 뜻을 헤아릴 수 없음을 이르는 말.

하:의 상:달 【下意上達】 … 아랫사람의 뜻을 윗사람에게 전달함. ↔상의 하달(上意下達).

하:-의식 【下意識】 [—/—이—] 명 … 의식이나 무의식 … 의식의 근저(根底)에 존재하는 잠재(潛在) … 명이나 의욕의 흐 … 인지적·의식적 정 … 본능적 생명이나 의욕을 말함. 의식은 이 … 저지(沮止)되었을 경우에 표면에 나타난다고 … 철 … 에서 이것을 강조 … 실재(實在)로 하는 철학에 대하여 생(生)의

하:의… 【下意語】 [— … 휘. … 語)라 … 다른 어휘보 … 다른 어휘보다 더 특수한 어 … 지만 '상 … 예컨대 '동 … 포괄적인 어휘를 상의어(上義 … 봉어' 등에 대해서는 … 에 대해서는 상의어 … (位語).

하:-의원 【下議院】 명 『정』 … (上議院).

하:이[1] 【下 … 명 『악』 오음 … 래로 둘째 … 의 명칭. 황종 … 뜸음인 궁(宮)에서 아 … 面調)가 모 … 임종(林鐘)이 … 평조(平調)와 계면조(界

하이[2] 【遐夷】 … 멀리 떨어져 …

하이[3] 【遐邇】 … 원근(遠近).

하이[4] [high] 관 … 높은 비싼. … 리지/～ 벨트/～ 텐션/～ 소 …

하이거늘 【爲是去乙】 〈이두〉 …

하이거든 【爲是去等】 〈이두〉 …

하이견들로 【爲是等以】 〈이 …

하이그로-마이신 [hygromycin … 性) 항생 물질. 비교적 넓은 유 … 인 스트렙토미세스 하이그로스코 … 의 균주(菌株)에 의하여 만들어진 …

하이난 섬 [海南] 명 『지』 중국 광 … 둘째로 큰 섬. 산지(山地)에 원주 … 치 주(州)를 구성함. 화난(華南)의 … 이고, 북부는 낮고 평평함. 열대성 … 源)이 풍부하고 어업이 성함. 제2차 … 주요 도시는 하이커우(海口)·충산(瓊 … 탕수수·코코아·고무·황마·커피·… 남도 충저우 섬(瓊州島). 해남. [2,900 …

하이네 [Heine, Heinrich] 명 『사람』 독일 … 파의 서정(抒情) 시인으로, 19세기 초두 … 의 지도자이며 근세 독일의 대표적 시인 … 인 풍격(風格)을 지녀 그의 산문은 경쾌하 … 음. 유대인으로서의 신산(辛酸)을 겪고 혁명 … 되어 파리에 망명, 그곳에서 죽었음. 작품 … 행(Harz紀行)≫ 등. [1797-1856]

하이네 메딘 병 【—病】 [Heine-Medin] [—뼝] … 가지. 소아의 전염성 신경병. 유행적으로 또는 … 여름과 가을에 특히 많으며 사지의 이완성 마비 … 는 것이 특징임. 1840년 독일인 의사 하이네가 … 스웨덴인 의사 메딘이 상세한 연구를 한 데서 붙 … 소아 마비(脊髓性小兒痲痺)라고도 함. … 1890년

하이 넥 [high neck] 명 목에 높이 올라온 옷깃. 척수성 … 니하는 형의 것. 모크 터틀넥.

하이넥 드레스 [high-neck dress] 명 로브 몽탕트(… 아

하이 다이빙 [high diving] 명 수영의 다이빙 경기의 … m 및 10 m 높이의 플랫폼에서 뛰어 수면에 도달하기 … 기를 함.

하이데거 [Heidegger, Martin] 명 『사람』 독일의 철학자 … 의 현상학(現象學)에서 출발하여 그 방법에 의한 실존 … (存在論)을 수립, 현존재(現存在)의 본질을 관심(關心)에 … 존(實存)에 있어서 불안(不安)으로 나타내짐을 말한 데 … 학'이라고도 불리는데, 야스퍼스(Jaspers)와 달리 '신(… 주의'로서 하나의 형(型)을 대표하게 되었음. 저서 ≪존 … ≪근거의 본질≫ 등. [1889-1976]

하이데라바:드 [Hyderabad] 명 『지』 ①인도 남동부, 안드 … 주(Andhra Pradesh 州)의 주도(主都). 무시 강(Musi江) 강변 … 성벽 도시로 교통·상업의 중심지. 면공업·제지 공업이 성하 … 수공예품도 산출함. 1948년까지는 하이데라바드 번왕국(藩王 … 도였으며, 왕궁·모스크·대학 등이 있음. 파키스탄의 동명(同 … 와 구별하여 하이데라바드 데칸이라고도 함. [2,150,580명(19 … 파키스탄 신드(Sind) 지방의 도시. 카라치(Karachi)의 북동에 … 인더스 강(江)의 좌안(左岸)에 임함. 밀 등의 농산물(農產物)의 … (集散地)이며 또 면포(綿布)·금은 세공·칠기(漆器) 등의 공업이 성 … 짐. [751,529명(1981)]

하이데스 [그 Haides] 명 『신』 ①그리스 신화 중의 명부(冥府)의 왕 … 흑의 마관(魔冠)을 쓰면 보이지 않는다 하며, 페르세포네(Persepho … 를 꾀어 명부에 데려갔음. ②하이데스가 사는 사계(死界). 죽은 자가 … 려가는 곳이라 하며, 입구에서 괴견(怪犬) 케르베로스(Kerberos)가 … 킨다 함.

하이델베르크 [Heidelberg] 명 『지』 독일 남부 바덴뷔르템베르크 주 (Baden-Württemberg 州)에 있는 도시. 인쇄·담배 등의 공업이 행해지고, 관광·교육 도시로 고성(古城)이 있음. 독일 최고(最古)의 하이델베르크 대학이 있음. 근래에 원시 인류의 화석골(化石骨)이 발굴되었음.

하이델베르크 교리 문답

[136,227명 (1987)]

하이델베르크 교:리 문:답【一教理問答】[Heidelberg] 명 『기독교』 ...나. 하이델베르크의 프로테스탄트의 고전적(古典的) 교리 문답서. 올레비아누스(Olevianus, K.)가 기 신학자 우르시누스(Ursinus, Z.)와 올레비... 1563년에 공표됨.

하이델베르크 대:학【一大學】[...Ruprecht-Karl-Universität. 13...] 명 하이델베르크에 있는 ... 팔츠(Pfalz) 교회 회의 ... 독일 최고(最古)의 대학. 현재, 신학·법학 ... 학의 각 학부가 있음. ...년에 창립.

하이델베르크-인【一人】[Homo heidelbergensis] 명 ... 하악(下顎)의 화석 ... 초(起草)하여, ...의 인류. 다부진 원시적 ...류』 1907년 독일의 ... 발견된 ... 骨)로 ... 을 가졌으므로.

... 히드라지드.

... 히드라진.

... 면·인조 섬유의 ... 또는 정방 ... 하는 방법. 품질(品質) 좋은 가는 ...

하이드라... [...graph] 명 수문 곡선(水文曲...). 「計).

하이드... [...ter] 명 『물』 ... 액체 비중... ②유속계(流速...

하... 【一芳香族化物】[hydro...] 명 『화』 히드로...

... [hydrosulfite] 명『화』 히드로... 파이트.

...트륨【一亞黃酸...】[hydro... natrium] 명 『화』 '하...트륨❶'의 오칭(...).

...[...dro...] 명『화』 하이퍼아(亞)황산 ...

...염【一亞黃酸塩】... 히드로... 염.

... [hydroquinone] 명 ...

... [hydropac] 명 『항해』 ...은 태평양(Pacific)의 뜻] 태평양 ...(航海上)의 위험 ...(事項)을 경고(警告)하는 긴급 수로 ...路告示). 해운(海運)... 인명(人命)의 위험 방지를 위해 미 ...국의 수로국(水路局)... 만들어 배포(配布)함.

... 선(水中翼船).

...포일 [hydrofoil] 명 ...

...폰: [hydrophone] 명 ... 청음기(水中聽音機).

...-플레이닝 [hydro...] ... 자동차가 빗속을 시속(時速) 70 ...상으로 달릴 때, 타... 바닥 사이의 물이 전후 좌우나 타이 ...홈으로 빠져 나가지 ... 핸들 조종(操縦)·제동(制動)이 불가 ...아지는 상태.

... 명 ①수상 비행기(水上飛行機). ②고속 ...

...드로-플레인 [hyd...] ... 주용임.

...활주정(滑走艇). 유람...

...이드롤라아제 [hyd...] 명『화』 히드롤라아제.

...이드롤라이트 [hy...] 명『화』 히드롤라이트.

하이드롤릭 점프 [...ump] 명 『기상』 강한 기류가 장애물에 부딪쳤을 때, 바람 ... 장애물 쪽에 상승 기류가 급히 생기는 현상.

하이드 파:크 [H...] 명 『지』 영국 런던의 중앙부에 있는 공원(公園). 동북쪽의 마블 아치(Marble Arch) 부근은 옛날부터 정치적 시위 운동(示威運...)의 ...는 곳으로 유명함. 원래 웨스트민스터 대성당(大聖堂) ... 왕실 수렵장이었으나 1670년 공원이 되었음. [약 1.38...]

하-이:득차 ... 뜻밖에 얻음을 가리키는 말. 하이위지(何以爲之).

하이든 [H... Joseph] 명 『사람』 오스트리아의 작곡가. 바로크(baroco)식 음악에서 출발, 오라토리오 ≪천지 창조(天地創...)≫, ≪사계(四季)≫로 세계적 명성(名聲)을 얻었음. 모차르트(... 협주곡(協奏曲)·기악곡(器樂曲)·실내악·오페라 등의 악곡가 ... 벗으로 하고, 베토벤을 제자로 삼은 고전파 작 ...현악의 악장(樂章) 배열의 기준을 세운 것은 그 ...1809]

하이... 곡 ... 슈피리(Spyri; 1827-1901)의 소설. ≪알프스의 소...의 ... 다운 자연 묘사와 함께 건강하고 선의에 넘치는 아 ...1880-81년 간행.

하이... 명 『지』 중국 둥베이(東北) 지구 헤이룽장 성(黑龍江...) ...맹(呼倫貝爾盟) 중부에 있는 도시. 빈저우(濱州) 철 ...베이얼멍의 정치·경제의 중심지임. 양모·육류(肉... 모피 등을 집산하며 제혁(製革) 공업도 함. 해납이. [173,100명 (1984)]

...[highlight] 명 ①광선이 가장 세게 닿는 부분. ②스포츠·...등에서 가장 정채(精彩)롭고 흥미 있는 부분이나 장면. ...쇄』 회화(繪畫)나 사진에서, 광선이 가장 세고, 따라 ...이는 부분. ④↗하이라이트판.

...치 [highlight sketch] 명 『미술』 흑색·녹색 등의 암 ..., 백색 등의 밝은 색으로 강한 광채가 닿는 부분을 강 ... 스케치.

...【一版】[highlight] 명 『인쇄』 철판(凸版)의 한 가지. 화 ...망점(網點)으로 나타내고 백지(白地) 부분의 망점을 제거 ...라이트.

...rax] 명 『동』 바위너구리.

...highland] 명 고원(高原). 고지(高地). 고원에 있는 별장용 ...地)·유원지(遊園地) 등의 이름의 일부로서 쓰는 일이 많음.

... [Highlands] 명 『지』 영국 스코틀랜드의 그램피아 고지(...高地) 북쪽의 지방.

하이 런 [high run] 명 당구에서, 한 큐(cue)로 낸 최고점(最高點).

하이-레벨 [high-level] 명 높은 수준. 수준이 높음.

하이룬 [海倫] 명 『지』 중국 헤이룽장 성(黑龍江省) 중남부의 도시. 빈베이(濱北) 철도에 의하여 하얼빈과 베이안(北安)에 연결됨. 밀·옥수수·콩·수수 등의 집산지. 해륜. [약 50,000명]

하이룽 [海龍] 명 『지』 중국 지린 성(吉林省) 서부의 소도시. 지하이(吉海)·선하이(瀋海) 양 철도가 만나는 곳임. 부근은 새로 개척된 농업 지대로, 목재·잡곡의 큰 집산지임. 해룡. [50,000명(1975)]

하이 릴리프 [high relief] 명 『미술』 고부조(高浮彫).

하이마:트 [도 Heimat] 명 고향. 향토.

하이마:트-쿤스트 [도 Heimatkunst] 명 향토 예술(鄕土藝術). 19세기 말에 독일에서 일어난 예술 운동.

하이만스 [Heymans, Corneille] 명 『사람』 벨기에의 생리학자. 헨트 대학(Ghent 大學) 교수. 경동맥(頸動脈)으로부터 혈관 운동 중추(中樞)로 가는 구심성 신경(求心性神經)을 발견함. 혈압·호흡 등을 제어(制御)하는 기구(機構)의 해명에 기여함. 1938년 노벨 생리 의학상을 수상함. [1892-1968]

하이 미스 [high+miss] 명 올드 미스.

하이버르 고개 [Khyber] 명 『지』 카이바르 고개.

하이 벨트 [High Velt] 명 『지』 남아프리카 연방 동북부 드라켄즈버그 산(Drakensberg 山)의 안쪽의 고원. 양·소·타조 등의 목축이 성함. 특히 양모의 산출은 세계 제3위임.

하이-볼: [highball] 명 위스키에 소다수(soda 水) 또는 물을 넣고 얼음을 띄운 음료(飮料).

하이-브라우 [highbrow] 명 학식 있는 사람. 교양 있는 사람. 또, 학식·교양을 자랑하는 사람. ↔로브라우(lowbrow).

하이브리드 [hybrid] 명 텔레비전·라디오 따위에서, 진공관(眞空管)과 트랜지스터·IC 등을 혼용(混用)하여 회로를 구성하는 방식. *솔리드 스테이트.

하이브리드 계:산기【一計算機】[hybrid] 명 정밀도가 높으나 계산 속도가 느린 디지털(digital) 계산기와 그 반대의 기능을 가진 아날로그(analogue) 계산기의 장점을 따서 만든 전자 계산기. 수치형(數值型) 계산기. 계수형(計數型) 계산기.

하이브리드 로켓 [hybrid rocket] 명 고체 연료와 액체 연료를 조합(調合)한 추진제(推進劑)를 사용하는 로켓. 예컨대 연소 제어가 어려운 고체 연료에 액체 산화제를 조합하여 산화제의 유량(流量) 조절로 제어를 가능하게 함. 구조는 복잡하나 용도에 따라서는 장점이 많음.

하이브리드 아이 시: [hybrid IC] 명 『전』 혼성 집적 회로(混成集積回路).

하이브리드 추진【一推進】명 [hybrid propulsion] 같은 로켓 엔진에 액체 추진약과 고체 추진약을 써서 추진하는 일.

하이브리드 카: [hybrid car] 명 자동차에서, 시내 주행(市內走行) 때는 전동 모터에 의하고 교외(郊外)에서는 내연 기관을 써서 차를 달리게 함과 아울러 배터리에 충전(充電)하여 시가지 주행에 대비하는 자동차.

하이브리드 통신망【一通信網】명 [hybrid network] 『통신』 서로 다른 성질을 갖는 몇 개의 신호 곧, 아날로그(analog) 신호와 디지털(digital) 신호 등을 취급하는 통신망.

하이브리드 회로【一回路】[hybrid] 『전』 혼성(混成) 회로의 뜻. 네 가닥의 가지를 가지고 서로 다른 회로간의 결합(結合)에 쓰이는 회로. 일반적으로는 진공관(眞空管)과 트랜지스터와 같이 서로 다른 것으로 꾸민 회로를 말함.

하이비스커스 [hibiscus] 명 『식』 부용(芙蓉) 비슷한 서양 화초. 하와이의 대표적인 꽃임.

하이 빔: [high beam] 명 주로, 시가지(市街地) 이외의 곳에서 자동차를 몰 때 멀리 비추도록 한 헤드라이트의 빛.

하이사남아【爲是沙餘良】〈이두〉 하였으나마. 하였을지라도.

하이 설퍼 원유【一原油】[high sulfur] 명 『경』 함유 황 성분이 중량비(重量比)로 2% 이상인 원유. *중술파(中 sulfur) 원유.

하이 소사이어티 [high society] 명 상류 사회. 상류 계급 사람들의 사교계(社交界). 「(knee socks).

하이 속스 [high socks] 명 무릎 밑에까지 올라오는 긴 양말. 니 속스

하이 스쿨: [high school] 명 『교』 미국의 중등 교육 기관. 주(州)에 따라 학제(學制)가 달라 수학 연수(修學年數)가 일정하지 아니하나, 8년제의 초등 교육에 이어 4년제의 것과, 6년제의 초등 교육에 이어지는 각기 3년제의 주니어(junior) 하이 스쿨과 시니어(senior) 하이 스쿨이 있음. 「시스템.

하이 스피:드 [high speed] 명 고속도(高速度). 고속(高速). ¶ ~의 작업

하이 스피:드 스틸: [high speed steel] 명 고속도강(高速度鋼).

하이시과【爲是果】〈이두〉 한 일이라고. 하였다고.

하이시과를【爲是果乙】〈이두〉 한 것과를.

하이시나【爲有乃】〈이두〉 하였으나.

하이시누온들로【爲有臥乎等乙以】〈이두〉 하였으므로.

하이시며【爲有旀】〈이두〉 하였으며.

하이시오되【爲有乎矣】〈이두〉 하였으되.

하이시오며【爲有乎旀】〈이두〉 하였으며.

하이시온들로【爲有乎等以】〈이두〉 한 고로.

하이시와【爲有乎】〈이두〉 한.

하이신들로【爲有等以】〈이두〉 하였으므로. 한 것으로.

하이신들쓰아【爲有等乙用良】〈이두〉 하였음으로써. 한 것으로써.

하이신이여【爲有亦】〈이두〉 하였으니. 하였는데.

하이신지라두【爲有喩良置】〈이두〉 하였을지라도.

하잇누온들쓰아【爲有臥乎等用良】〈이두〉 하였으므로.
하잇누온바【爲有臥乎所】〈이두〉 하였는 바.
하잇누온일하트다【爲有臥乎事爲等如】〈이두〉 한 일을 모두.
하잇누온지【爲有臥乎喩】〈이두〉 하였는지.
하잇다【爲有如】〈이두〉 하였다.
하잇다가【爲有如可】〈이두〉 하였다가.
하잇다온【爲有如乎】〈이두〉 하였다는.
하잇다온바【爲有如乎所】〈이두〉 하였다는 바.
하잇다온일【爲有如乎事】〈이두〉 하였다는 일.
하잇다온지【爲有如乎喩】〈이두〉 하였다는지.
하잇다온차【爲有如乎次】〈이두〉 한 때에.
하잇다해【爲有如中】〈이두〉 한 경우에.
하잇더니【爲有加尼】〈이두〉 하였더니.
하잇되【爲有矣】〈이두〉 하였으되.
하잇두【爲有置】〈이두〉 하였다.
하잇두온들로【爲有置乎等以】〈이두〉 하였으므로.
하잇두이신들로【爲有置有等以】〈이두〉 하였으므로. 한 것이므로.
하잇사남아【爲有沙餘良】〈이두〉 하였더라도.
하잇제【爲有齊】〈이두〉 하였다.
하잇즉【爲有則】〈이두〉 하였으니. 하였은즉.
하자[1]【何者】명 어떤 사람. 어떤 것.
하자[2]【瑕疵】명 ①흠. 결점. 자하(疵瑕). ②〖법〗 법률 또는 당사자가 예기(豫期)한 상태나 성질이 결여(缺如)되어 있는 일. ¶~ 있는 의사 표시(意思表示).
하자 담보【瑕疵擔保】명〖법〗 매매와 같은 유상 계약에 있어서 목적물 자체의 숨은 하자로 인하여 매주(賣主)가 지는 담보 책임.
하자르-인【—人】〔Khazar〕명 터키계(系)의 잡종이라는, 역사가 오랜 민족. 6세기 후반(後半)부터 11세기에 카스피 해(海)와 아조프 해(海), 볼가 강(江)과 돈 강(江)으로 둘러싸인 지대에 분포함. 사용 언어는 터키어(語)로 추정(推定)됨. 7세기초에 카프카스·크림을 중심으로 강대한 하자르 제국을 세워 비잔틴과 동맹, 동서 교섭의 요충을 점했음. 1016년 비잔틴과 러시아의 협격(挾擊)으로 멸망함.
하자 보:수 보:증금【瑕疵補修保證金】명 공사(工事)의 도급 계약(都給契約)에 있어서, 그 공사와 하자 보수를 보증하기 위하여 수급인(受給人)이 내는 돈.
하자 있는 의:사 표시【瑕疵—意思表示】명〖법〗 타인의 부당한 간섭으로 이루어진 의사 표시. 효과 의사(效果意思)는 있을지라도 그 의사 결정이 자유롭지 못했다는 점에서 의사의 흠결(欠缺)과 구별되며 취소할 수가 있음.
하작-거리다 타 자꾸 하작이다. <허적거리다. ＊해작거리다. **하작-하작** 부. ——-하다 타여불
하작-대다 타 하작거리다.
하작-이다 타 ①쌓인 물건의 속을 들추어 헤치다. <허적이다. ②계속하기 싫증이 나서 자꾸 헤치기만 하다.
하잘것-없다〔—껃업—〕형 시시하여 해 볼만한 것이 없다. 대수롭지 않다. ¶하잘것없는 일로 다투다. ＊보잘것없다.
하잘것-없이〔—껃업씨〕부 하잘것없게.
하:잠【夏蠶】명 칠월에 치는 누에. 여름 누에. ＊춘잠(春蠶)·추잠(秋蠶).
하:장[1]【下章】명 아랫장(章). 다음 장.
하:장[2]【下裝】명 가마나 상여 같은 것의 아랫부분.
하:장[3]【賀狀】명 경사를 축하하는 편지.
하:장[4]【賀章】명 경사를 축하하는 시문(詩文). 「음.
하:-장군【下將軍】명〖역〗 신라 때의 무관(武官). 상장군(上將軍)의 다
하:재[1]【下齋】명〖역〗 성균관의 동서 양재(兩齋)의 각 맨 아래쪽 2칸(間). 사학(四學) 승보생(陞補生)인 유학(幼學) 20명이 거처함. ↔상재(上齋).
하:재[2]【下材】명 ①낮은 품질의 재료. ②활을 만드는 재료로서, 무늬가 없고 품질이 낮은 검은 물소뿔.
하:재[3]【夏齋】명〖불교〗 하안거(夏安居)의 첫날인 결하(結夏)할 때에 마련하는 재식(齋食).
하:저[1]【下箸】명 음식을 먹음. ——-하다 자여불
하저[2]【河底】명 하천의 밑바닥.
하적【瑕跡】명 흠이 난 자리. 흠난 자취. ¶이것이 자식 점지하는 삼신 할머니의 잘못이거나 그렇지 않으면 가문 ~하는 세상 사람의 잘못이니까 내가 삼신 할머니를 탓하구 세상 사람을 미워할밖에≪洪命憙 : 林巨正≫. ——-하다 타여불
하적-호【河跡湖】명〖지〗 침식(浸蝕) 작용을 받아 하천(河川)이 변하여 된 호수. 보통, 좁고 길며 구부러짐.
하:전[1]【下田】명 질(質)이 좋지 아니한 하등(下等)의 전지(田地). ↔상전(上田).
하:전[2]【下典】명〖역〗 ①하님. ②고려 때 인리(人吏)에 대하여, 거관(去官)하여 품관(品官)으로 진급할 수 없는 장고(掌固) 따위의 하급 이속(吏屬).
하전[3]【荷電】〖물〗 ①물체가 전기(電氣)를 띠는 일. 대전(帶電). ②전하(電荷).
하:전[4]【夏氈】명〖역〗 ①임금이 거처하는 곳. ②경연청(經筵廳)의 별칭.
하전 입자【荷電粒子】명〔charged particle〕〖물〗 전하(電荷)가 0이 아닌 입자(粒子). $\pi^+ \cdot \Sigma^-$ 처럼 기호를 붙임. 대전 알갱이.
하전 입자 무:기【荷電粒子武器】명〖군〗 초대형 선형 가속기(線型加速器)로 전자빔(電子 beam)을 광속(光速)에 가까운 속도로 가속시켜, 여기에 양자(陽子)를 싣고 발사(發射)하여, 날아오는 적 미사일 탄두를 파괴하는 무기.
하전-하다 형여불 ①둘레에 막혀 있던 것이 없어져서 짜인 맛이 없는 느낌이 있다. ②무엇을 잃은 듯한 서운한 느낌이 있다. ③짐섬이 없어서 안정감이 없다. 1)-3): <허전하다.
하전하전-하다 형여불 ①다리에 힘이 없어 쓰러질 듯한 느낌이 있다. ②계속해서 하전한 느낌이 들다. 1)·2): <허전허전하다.
하:절【夏節】명 여름철.
하:정[1]【下丁】명〖민〗 음력 매달 하순(下旬)에 드는 정일(丁日). 흔히 이 날을 가리어 연제(練祭)·담제(禫祭) 같은 제사를 지냄. ＊상정(上丁)·중정(中丁).
하:정[2]【下情】명 자기의 심정을 윗사람에게 대해 겸사하여 일컫는 말. 하회(下懷). ↔상의(上意).
하:정[3]【賀正】명 새해를 축하함.
하:정례【賀正禮】〔—네〕명 ①신하들이 정전(正殿)에 모여 임금에게 드리던 의식. ②아랫사람이 윗사람에게 드리는 설날 인사.
하:정-배【下庭拜】명〖역〗 옛날 신분이 낮은 사람이 윗사람에게 뵐 때 뜰 아래에서 절함. ——-하다 자여불
하:정-사【賀正使】명〖역〗 조선 시대에, 정월 초하루를 축하하기 위하여 정기적으로 중국에 보낸 사절. 정조사(正朝使).
하:정조-사【賀正朝使】명 하정사(賀正使).
하:정 투석【下穽投石】명 낙정 하석(落穽下石).
하:제[1]【下祭】명〖불교〗 부처의 형상이나 큰스님의 진영(眞影) 등을 봉안하고 공양함.
하:제[2]【下第】명〖역〗 과거에 낙제함. 낙방. ↔급제(及第). ——-하다 자여불
하:제[3]【下劑】명〖약〗 설사가 나게 하는 약. 하약(下藥). 사하제(瀉下劑). ＊완하제(緩下劑).
하제[4]【河堤】명 하천에 만든 제방(堤防).
하제[5]【爲齊】〈이두〉 하다. 하라. 할지어다.
하제 석회【煆製石灰】명〖화〗 산화 칼슘.
하:젠클레:버〔Hasenclever, Walter〕명〖사람〗 독일의 극작가·시인. 표현주의의 대표적 작가로 활약했으며 후에 신비주의적 경향으로 기울었음. 나치스에 쫓겨 프랑스에 망명했으나 체포되어 자살함. 저서로는 희곡 ≪인간(人間)≫ 등이 있음. [1890-1940]
하:조[1]【下調】명〖악〗 조선 성종(成宗) 시대에, 당비파(唐琵琶)의 당악(唐樂) 연주에 쓰인 조(調)의 하나.
하조[2]【夏鳥】명 여름새. ↔동조(冬鳥).
하:-조도【下鳥島】명〖지〗 전라 남도의 서남해상(西南海上), 진도군(珍島郡) 조도면(鳥島面)에 위치한 섬. [10.89km²]
하:졸【下拙】명 하등이고 졸렬함. ——-하다 형여불
하:종[1]【下從】명 죽은 남편의 뒤를 따라 아내가 자결(自決)함. ——-하다 자여불
하:종[2]【下種】명 ①파종(播種). ②〖불교〗 부처·보살이 중생에게 성불(成佛)·득도(得道)의 씨를 내림. ——-하다 자여불
하:-종가【下終價】〔—까〕명〖경〗 증권 시장에서, 하루에 내릴 수 있는 최저 한도까지 내려간 주가(株價). ↔상종가.
하:종-녀【下種女】명 지체나 처신이 천한 여자. '여자'를 욕하는 말임.
하:종-복【下種腹】명 지체가 천한 여자의 소생(所生).
하:종 천인【下種賤人】명 극히 천한 사람.
하:좌[1]【下座】명 아래나 낮은 자리. 말좌(末座). 아랫자리. ↔상좌.
하:좌[2]【夏坐】명〖불교〗 하안거(夏安居). ——-하다 자여불
하죄【何罪】명 무슨 죄.
하:주[1]【下州】명〖역〗 신라 시대의 지방 행정 단위.
하주[2]【河舟】명 하천을 통항(通航)하는 배.
하주[3]【河州】명〖지〗 '임하(臨夏)'의 구명.
하주[4]【荷主】명 짐 임자. 화주(貨主). ＊선하주(船荷主).
하:-주불【下主佛】명〖불교〗 염주(念珠)의 위와 아래에 꿴 큰 구슬 가운데 아랫구슬. 미륵불을 나타냄. ＊주불.
하:주-정【下州停】명〖역〗 삼국 통일 이전의 신라 시대의 군부대로서 육정(六停)의 하나. '완산정(完山停)'의 처음 이름임.
하:-죽도【下竹島】명〖지〗 전라 남도의 서남해상(西南海上), 진도군(珍島郡) 조도면(鳥島面) 서거차도리(西巨次島里)에 위치한 섬. [0.17 km²]
하:중[1]【夏中】명〖불교〗 여름 안거(安居)를 행하는 동안.
하중[2]【荷重】명 ①짐의 무게. ②〔load〕〖물〗 물체에 작용하는 외력(外力). ¶다리의 ~/~을 지탱하다.
하중 검:사기【荷重檢査器】명 하물을 적재한 화차(貨車)나 자동차를 올려놓고 그 하물의 무게를 다는 기계(器械).
하중 시험【荷重試驗】명 물체에 하중을 가하여, 그 물체가 얼마만큼의 하중에 견디는가를 시험하는 일. 주로 다리·건물·항공기·철도 차량·자동차 등의 구조물이나 다리 기둥의 도리와 철골(鐵骨) 따위 구조 재료에 대해서 행함. 무게 시험.
하중 연:화【荷重軟化】명〖물〗 내화물(耐火物)이 압력을 받으면서 가열(加熱)되어 갈 적에 연화하는 현상. 「機).
하중 작동 브레이크【荷重作動—】〔brake〕명 자동 제동기(自動制動
하:-중품【下中品】명〖불교〗 하품 중생.
하즈〔아랍 Hajj〕명〖이슬람〗 메카 순례(巡禮). 이슬람력(曆) 12월 8일부터 10일에 메카의 성지(聖地)를 순례하여, 종교적 의례(儀禮)에 참가하는 일. 교도의 5대 의무의 하나로, 일생에 한 번은 하즈에 참가하여야 함.
하:지[1]【下地】명〖불교〗 ①낮은 지위. ②수행 도상에 있는 보살의 낮은 지위. ③하계(下界).
하:지[2]【下枝】명 밑에 있는 나뭇가지. 밑가지.

하:지[3]【下肢】 명 〖생〗 사지(四肢)를 가진 동물의 뒤 또는 밑의 다리. ↔상지(上肢).
하:지[4]【下智】 명 낮은 지혜. 뒤떨어진 지혜. ↔상지(上智).
하:지[5]【下漬】 명 겉절이.
하지[6]【何志】 명 어떠한 뜻. 무슨 뜻.
하:지[7]【夏至】 명 24 절기의 열째. 망종(芒種)과 소서(小暑) 사이에 드는데, 황경(黃經)이 90°인 때로, 양력 6월 21일경임. 태양이 하지점에 이르러, 북반구에서는 낮이 가장 길고 밤이 가장 짧으며, 남반구에서는 낮이 가장 짧고 밤이 가장 긴 현상이 일어남. 여름이 무르익어 가는 때임. ↔동지(冬至).
하지[8]〔아랍 Haji〕 명 〖이슬람〗 메카 순례(巡禮)를 마친 이에 대한 존칭.
하지-감자 명 〈방〉 감자[1](전라).
하:지-근【下肢筋】 명 〖생〗 하지를 이루는 근육(筋肉)의 총칭. 관부근(髖部筋)·대퇴근(大腿筋)·하퇴근(下腿筋)·족근(足筋)으로 구분됨. ↔상지근(上肢筋).
하:지-대【下肢帶】 명 〖생〗 대퇴골(大腿骨)과 구간골(軀幹骨)을 연결하는 뼈. 좌우 한 쌍으로 된 치골(恥骨)과 좌골(坐骨)·장골(腸骨)로 되어 있음. ↔상지대.
하지만 부 '그러나·그렇지만'의 뜻의 접속 부사. ¶고맙다. ~ 사양하겠다.
하:지-목【下地木】 명 품질이 가장 낮은 무명.
하:지-상【下之上】 명 품질의 하등의 것 가운데서의 윗길.
하:지-선【夏至線】 명 〖천〗 북회귀선(北回歸線).
하:지-점【夏至點】[—쩜] 명 〖천〗 황도(黃道) 위의 두 지점(至點)의 하나. 적도에서 북반구(北半球) 쪽으로 가장 먼 점. 춘분점(春分點)으로부터 황경(黃經) 90°에 해당함. 태양이 이 점에 이르면 하지가 됨. ↔동지점(冬至點).
하:지-중【下之中】 명 품질의 하등의 것 가운데서의 중등 길.
하:지-하【下之下】 명 품질의 하등의 것 가운데서의 아랫길.
하:직[1]【下直】 명 ①먼 길을 떠날 때에 웃어른께 작별을 고함. ¶~차(次) 찾아뵙다. ②〖역〗 서울을 떠나는 관원이 임금께 작별을 아뢰. 숙배(肅拜). ↔입래(入來). ③전(轉)하여, 작별을 고함. ¶세상을 ~하다. ——-하다 자여불
하:직[2]【下職】 명 낮고 천한 직업.
하진【河津】 명 ①하천 가에 있는 작은 항구. 강나루. ②도진(渡津).
하진 양:문록【河陳兩門錄】[—녹] 명 〖책〗 작자·창작 연대 미상의 고전 소설의 하나. 국문본. 30회의 장회(章回) 소설. 하씨(河氏)와 진씨(陳氏) 두 가문에 얽힌 애정을 주제로 함.
하:질【下秩】 명 ①하등의 품질이나 물건. 핫길. ②낮은 지위(地位). 하위(下位). ↔상질(上秩).
하짓-감자 명 〈방〉 감자[1](전라).
하:짓-날【夏至—】 명 하지가 드는 날.
하:차【下車】 명 차(車)에서 내림. 강차(降車). ¶도중 ~. ↔승차(乘車). ——-하다 자여불
하:차-놓다【下差—】[—노타] 명 〖역〗 조선 시대에 상무사(商務社) 총회에서 그 우두머리인 영감을 뽑다.
하차묵지-않다[—안타] 형 ①품질이 약간 좋다. ②성질이 약간 착하다.
하차투리안〔Khachaturian, Aram〕 명 〖사람〗 소련의 작곡가. 모스크바 음악원을 나옴. 피아노 협주곡·바이올린 협주곡으로 인정을 받고, 발레 음악·교향곡·영화 음악 등 많은 작품을 씀. 현대 소련 음악을 대표하는 작곡가였음. [1903-78]
하찮다[—찬타] 형 ↗하치않다. ¶하찮은 선물.
하:책【下策】 명 하계(下計). ↔상책(上策).
하:처[1]【下處】 명 →사처[1].
하처[2]【何處】 지대 어디. 어느 곳.
하:처-방【下處房】 명 →사첫방.
하:천[1]【下賤】 명 ↗하천인(下賤人).
하천[2]【河川】 명 내와 강. ¶~ 부지(敷地).
하천 개:량【河川改良】 명 자연 그대로 방치하여 기능이 저하(低下)된 하천에 선박의 항행, 치수(治水), 오염(汚染)의 경감(輕減) 따위 목적으로 개량 공사를 실시하는 일.
하천 공사【河川工事】 명 하천을 개량하기 위한 공사.
하천 공학【河川工學】 명 하천 및 하천의 유수(流水)를 연구 대상으로 하는 토목 공학의 한 분야.
하천 관측【河川觀測】 명 강의 수위(水位)·유량(流量)·유속(流速)·수질(水質)·하상(河床) 단면·하상 물질 및 홍수 등의 여러 사항에 대하여 측정하는 일.
하천 구역【河川區域】 명 〖법〗 하천법에서, 하천의 물이 계속 흐르는 토지와, 해마다 1회 이상 상당한 유속(流速)으로 흐른 형적이 있는 땅, 그리고 제외지(堤外地) 및 하천 부속물(河川附屬物)의 부지(敷地)를 포함하는 구역. 하천의 보호를 위하여 그 안에서의 일정한 행위가 금지됨.
하-천단【河千旦】 명 〖사람〗 고려 시대의 문인. 문장이 뛰어나 당시의 표전(表箋)이 대부분 그의 손에서 나왔음. 그의 시 몇 편이 ≪동문선(東文選)≫에 전함. [?-1259]
하:천-배【下賤輩】 명 신분이 낮은 사람의 무리. 하천지배.
하천-법【河川法】[—뻡] 명 〖법〗 하수(河水)로 인한 피해를 예방하고 하천 사용의 이익을 증진시키기 위하여, 하천의 지정·관리·사용 및 보전과 비용에 관한 사항을 규정한 법률.
하천 부:속물【河川附屬物】 명 하천 관리에 필요하여 하천에 부속하여 베푼 시설·공작물. 댐·하구(河口)둑·제방·호안(護岸)·보갑문(洑閘門)·수문·수로(水路) 터널 따위.
하천 부지【河川敷地】 명 하천 및 하천 부속물(河川附屬物)의 부지(敷地)인 토지.
하천 양:식【河川養殖】[—냥—] 명 은어나 송어의 유치어(幼稚魚)를 양식(養殖)하여 하천에 방류(放流)하는 일.
하천 어업【河川漁業】 명 강이나 호수에서 하는 어업.
하천 예:보【河川豫報】[—네—] 명 〔river forecast〕 하천의 한 군데 이상의 지점에서 특정 시각(時刻)에 있어서의 수위(水位)·유량(流量)을 예측하거나, 특정 시간 내의 총유출량(總流出量)을 예보하는 일.
하천용 레이더【河川用—】[—뇽—] 명 〔river radar〕 하천의 도선용(導船用)으로 설계된 선박용 수신기(受信機). 보통, 고분해능(高分解能)과 넓은 주파수 선택 범위를 특성으로 지님.
하:천-인【下賤人】 명 신분이 낮은 사람. 준하천(下賤).
하:천지-배【下賤之輩】 명 하천배(下賤輩).
하천-학【河川學】 명 하천의 자연적인 여러 가지 문제를 연구하는 육수학(陸水學)의 한 부문. 하천의 수위(水位)·유량(流量)·유속(流速)·수질(水質)·출수(出水)와 하수(河水)의 함양(涵養) 등을 이용하여 수해 방지(水害防止)·관개(灌漑)·수력 발전(水力發電)·상수도(上水道) 및 공업에 관련시켜서 연구함.
하:철-근【下掣筋】 명 〖생〗 뼈나 그 밖의 것을 아래로 내리는 작용을 하는 근육. ↔거근(擧筋).
하:첨【下籤】 명 〖민〗 신묘(神廟) 같은 곳에서 산가지로 길흉을 점칠 때에 나오는 가장 낮은 첨(籤).
하:첩【下帖】 명 〖역〗 하체(下帖). ——-하다 자여불
하:청[1]【下淸】 명 〖악〗 ①양금의 오른쪽 괘의 왼쪽 첫째줄인 황종(黃鐘)의 구음(口音). ＊상청(上淸)·중청(中淸). ②거문고의 '괘하청'의 준말.
하:청[2]【下請】 명 〖토〗 ↗하청부(下請負). ¶~ 공장/~을 맡다.
하:청[3]【下廳】 명 아래청(廳).
하청[4]【河淸】 명 황허(黃河) 강의 탁류가 맑아지는 일. 곧, 아무리 하려고 해도 실현되지 않음을 비유하는 말. ¶백년 ~을 기다리다.
하:청 공장【下請工場】 명 모회사(母會社)에서 일의 전부 또는 일부를 청부 맡아서 생산을 하는 공장.
하:청 기업【下請企業】 명 모회사(母會社)의 주문에 의하여 가공(加工)한 부품(部品)·재료 따위를 납품(納品)하는 기업. 기계 공업의 일반적인 형태로, 완성품 메이커인 모회사는 대기업이 많은 데 비하여 하청기업은 거의 중소 기업으로, 모회사에의 자금적·기술적 종속 관계(從屬關係)가 짙음.
하:-청부【下請負】 명 〖토〗 '하도급(下都給)'의 구칭. 준하청(下請).
하:청-인【下請人】 명 〖토〗 하청부를 맡아 일하는 사람.
하청-절【河淸節】 명 고려 의종(毅宗) 때에 정한 왕의 생일 이름.
하청-치다 자 〖불교〗 절에서 재(齋)가 끝날 때에 여흥(餘興)을 하다.
하:청 환입【下淸還入】 명 〖악〗 밑도드리.
하:체[1]【下帖】 명 〖역〗 지방관이 체문(帖文)을 내림. 하첩(下帖). ——-하다 자여불
하:체[2]【下體】 명 ①몸의 아랫도리. ↔상체. ②남녀의 음부(陰部).
하:초【下焦】 명 〖한의〗 삼초(三焦)의 하나. 방광(膀胱)의 상부에 해당되며, 배설 작용을 맡음. 흔히, 배꼽 아래의 배를 이름. ¶노마님이…마침 내 샘에 못 이기어 인두로 ~를 지지려고 들어 덤비신 일이 있다고 일러주고…≪金裕貞：산골≫. ＊상초(上焦)·중초(中焦).
하:초-열【下焦熱】 명 〖한의〗 하초에 열이 생겨 요폐(尿閉)나 변비·혈뇨(血尿)가 생기는 병.
하추【遐陬】 명 하방(遐方).
하:추-간【夏秋間】 명 여름과 가을 사이.
하:-추자도【下楸子島】 명 〖지〗 제주도의 북쪽, 북제주군(北濟州郡) 추자면(楸子面)에 위치한 섬. [3.52 km²]
하:추-잠【夏秋蠶】 명 하잠과 추잠.
하:취【夏臭】 명 고린내.
하:측【下側】 명 아래쪽. ↔상측(上側).
하:층【下層】 명 ①아래층. 밑층. ¶~운(雲). ②아래의 계급. 하급(下級). ↔상층(上層).
하:층 건:축【下層建築】 명 건물의 하부 구조. ↔상층 건축.
하:층 계급【下層階級】 명 생활 수준이 낮은 사람들로 이루어지는 사회 계급. ↔상층 계급.
하:층 대:기【下層大氣】 명 〔lower atmosphere〕 〖기상〗 ①대부분의 대기 현상이 일어나는 부분, 곧 대류권(對流圈)과 하부 성층권(成層圈). ②대략 약 3,000 m 이하의 대기(大氣)로서 바람이 지표(地表)의 마찰을 받는 범위 내를 말함.
하:층 사회【下層社會】 명 하류 사회. ↔상층 사회.
하:층-운【下層雲】 명 〖기상〗 2,000 m 이내의 공중에 있는 구름. 층적운(層積雲)·층운(層雲) 등. 밑턱구름. ＊상층운·중층운(中層雲).
하:층-토【下層土】 명 표토(表土)보다 아래에 있는 토양(土壤). 풍화(風化) 작용을 받는 일이 적으므로 토질이 단단하고 부식물(腐蝕物)을 그다지 함유하고 있지 아니함.
하:층 효모【下層酵母】 명 〔bottom yeast〕 〖생〗 당액(糖液) 중에서 알코올 발효를 할 때, 거의 가라앉거나 또는 초기(初期)의 왕성한 발효가 끝나면 기저(器底)에서 침사(沈渣)가 되는 효모. 하면(下面) 효모.
하:-치[1]【下—】 명 같은 종류의 물건 중에서 가장 품질이 낮은 물건. 하품(下品). ↔상치.
하:치[2]【下齒】 명 아랫니. ↔상치(上齒).
하치[3]【荷置】 명 화물(貨物)을 둠. ——-하다 타여불
하치다 자 〈방〉 배질하다(함북).

하치-않다 [一안타] 형 ①그다지 훌륭하지 아니하다. ②대수롭지 아니하다. ¶하치않은 일/하치않게 여기다. 준하찮다.

하치오:지 [八王子:はちおうじ] 명 〖지〗 일본 도쿄도(東京都) 남서부에 있는 상공업·주택 도시. 예로부터 방적 공업이 성하며, 전기·기계·식품(食品) 등의 공장도 많음. [507,808 명(1996)]

하:-치은 【下齒齦】 명 아랫잇몸. ↔상치은(上齒齦).

하치-장 【荷置場】 명 화물(貨物)을 보관하여 두는 장소.

하치조:섬 [八丈:はちじょう] 명 〖지〗 일본 이즈 제도(伊豆諸島) 남부의 화산도(火山島). 도쿄(東京) 남방 약 300 km의 해상에 있으며 도쿄도(東京都)에 속함. 열대성 기후로 원예 농업이 성함. 옛날에는 유배지였음. [68.22 km²]

하:침[1] 【下沈】 명 밑으로 가라앉음. ──-하다 자여불

하:침[2] 【下鍼】 명 침을 놓음. ──-하다 자여불

하카 [Hakka] 명 '객가(客家)'의 광둥계(廣東系) 어음(語音). ¶~말[語]/~방언.

하:켄 [도 Haken] 명 [↗마우어하켄(Mauerhaken)] 등산에서, 암벽(岩壁) 등반을 할 때, 바위 틈에 망치로 박아 손잡이·발디딤으로 쓰는 금속제의 못. 바위 틈의 모양에 따라 세로 하켄, 가로 하켄이 있고, 바위 틈의 너비에 따라 앵글형·봉봉형·러프 등이 쓰임. 피턴(piton). *아이스하켄.

〈하켄〉

하:켄-크로이츠 [도 Hakenkreuz] 명 [갈고리 십자(十字)의 뜻] 나치스 독일의 국기. 범어(梵語)의 만(卍)과 같은 기원이나 갈고리의 방향이 반대인 '卐'으로 유대인 배척의 뜻을 상징함.

하코다테 [函館:はこだて] 명 〖지〗 일본 홋카이도(北海道) 남단, 쓰가루 해협(津軽海峽) 북부 하코다테 만에 면한 항구 도시. 홋카이도 교통의 기점(起點)이자 원양(遠洋) 어업의 근거지임. 조선(造船)·제관(製罐)·선망구(船網具) 등의 공업이 성함. 세계 최장(最長)의 해저(海底) 철도 터널인 '세이칸(青函) 터널'의 홋카이도 쪽 기점. [297,520 명(1996)]

하크 [Haq, Muhammed Ziaul] 명 〖사람〗 파키스탄의 군인·정치가. 1977년 쿠데타를 일으켜 정권을 장악하여, 1978년 대통령이 되었으나 88년 8월 탑승기의 공중 폭발로 사망. [1924-1988]

하키 [hockey] 명 ①필드 하키. ②↗아이스하키.

하타 [Hatta, Mohammad] 명 〖사람〗 인도네시아의 정치가. 네덜란드에 유학할 때부터 독립 운동에 참가, 수카르노와 맞먹는 최고 지도자가 됨. 제2차 세계 대전 후 부통령이 되었으나 서구(西歐) 민주주의적 정치 이념을 주장하여 수카르노와 대립, 사임함. [1902-]

하:탁 【下託】 명 아랫사람에게 부탁함. ──-하다 타여불

하:탑 【下榻】 명 손님을 극진히 공손하게 대접함. ──-하다 타여불

하:탕 【下湯】 명 온천(溫泉) 가운데 가장 물이 덥지 아니한 곳. *중탕(中湯)·상탕(上湯).

하:태 【下台】 명 하태성(下台星)의 하나.

하:-태도 【下苔島】 명 〖지〗 전라 남도의 서해상(西海上), 신안군(新安郡) 흑산면(黑山面) 하태도리(下苔島里)에 위치한 섬. [2.33 km²]

하:태-성 【下台星】 명 〖천〗 삼태성(三台星)의 하나.

하택 【荷澤】 명 〖지〗 '허쩌(荷澤)'를 우리 음으로 읽은 이름.

하:토[1] 【下土】 명 ①〖농〗 농사짓기에 아주 나쁜 토박(土薄)한 땅. *상토(上土)·중토(中土). ②대지(大地). 하계(下界). ↔상천(上天). ③낮은 땅. 저지(低地).

하토[2] 【遐土】 명 하방(遐方).

하토르 [Hathor] 명 〖신〗 이집트 신화에서, 사랑·미(美)·기쁨 따위를 주관하는 신(神). 흔히, 암소의 머리나 귀의 모양을 하고 있음.

하:퇴 【下腿】 명 〖생〗 종아리.

하:퇴-골 【下腿骨】 명 〖생〗 정강이뼈와 종아리뼈의 총칭.

하:퇴 궤:양 【下腿潰瘍】 명 〖의〗 하퇴에 생기는 궤양. 하퇴는 심장으로부터 멀어서 혈행(血行)이 나빠지기 쉬우므로 궤양도 일어나기 쉬움. 단순성·정맥류성(靜脈瘤性)·매독성(梅毒性)·결핵성·암성(癌性) 등의 종류가 있음.

하:퇴-근 【下腿筋】 명 〖생〗 하퇴에 있는 근육의 총칭. 전면에 있는 전경골근(前脛骨筋), 장지신근(長指伸筋), 후면의 비복근(腓腹筋) 따위.

하:투 【下投】 명 더운 물을 먼저 다 붓고, 다음에 차를 넣는 전차(煎茶)의 방법. *상투(上投).

하:트[1] [Hart, Robert] 명 〖사람〗 영국의 재정가·외교관. 중국의 총세무사(總稅務使)로 세제 개혁에 공헌, 조선 고종(高宗) 19년(1882)에 이홍장(李鴻章)의 간섭 당시 조선의 세관을 감시하기 위하여 내한(來韓)하였음. [1834-1911]

〈하트²③〉

하:트[2] [heart] 명 ①심장(心臟). ②마음. 애정. ③카드놀이 패의 하나. 붉은 빛깔의 심장형이 그려져 있음.

하트다 【爲等如】 〈이두〉 함께. 모두. 같이.

하트라 [Hatra] 명 〖지〗 이라크의 북부 지방에 있었던 고대 도시. 셀레우코스(Seleukos) 왕조 시대부터 번창하여 파르티아(Parthia) 제국 치하에서는 처음에 상업 도시로, 나중에 로마군에 대비하는 방위 도시로 번영함. 원형의 이중(二重) 성벽이 있으며 석조의 신전·궁전 터에서 많은 신상(神像)·소상(塑像)이 발견됨.

하:트 라인 [heart line] 명 머리 모양을 하트형으로 올린 헤어 스타일. 결혼 적령기를 나타내는 머리형.

하트러 【爲等良】 〈이두〉 함께. 모두. 같이. 하트다(爲等如).

하:트-캠 [heart cam] 명 〖기〗 하트형을 한 캠. 이것을 등속(等速) 회전 운동을 시키면, 여기에 붙은 막대는 등속 왕복 운동을 하므로 회전 운동에서 등속 왕복 운동을 시키려는 경우에 씀.

하:트퍼드 [Hartford] 명 〖지〗 미국 동부 코네티컷 주(Connecticut 州)의 주도. 코네티컷 강에 연하여 있음. 식민지 시대부터 정치·경제의 중심지로 전국적인 보험업(保險業)이 발달하고, 또 권총·사무 기계 등의 각종 정밀 기계 공업도 성함. [141,180 명(1988)]

하:트-형 【一形】 [heart] 명 심장을 본뜬 모양.

하특 【何特】 부 어찌 특히. 해특(奚特).

하:틀라인 [Hartline, Haldan Keffer] 명 〖사람〗 미국의 생리학자. 록펠러 대학 교수. 개구리 등을 이용하여 시신경(視神經)으로부터 단일 섬유(單一纖維)를 분리하는 기술을 창안하여 시각 정보의 중추에의 전달 양식을 연구함. 1967년 노벨 생리 의학상을 수상함. [1903-83]

하:틀리 [Hartley, David] 명 〖사람〗 영국의 사상가·의사. 케임브리지 대학에서 수학(修學)하고, 런던 등지에서 개업. ≪인간의 관찰≫을 저술함. 심리 현상을 신경 진동(振動)의 가설(假說)로 생리학적으로 설명하였으며, 연상(聯想) 심리학의 선구자임. [1705-57]

하:틀리 발진기 【一發振器】 [一찐一] 명 [Hartley oscillator] 〖전〗 병렬 동조(並列同調) 탱크 회로(回路)를 그리드와 양극(陽極) 사이에 접속시킨 진공관 발진기(眞空管發振器).

하:틀리 회로 【一回路】 [Hartley] 명 〖물〗 미국의 무전 기술자 하틀리가 고안한 진공관 발진 회로(發振回路). 구조가 간단하고 조정하기가 쉬워 널리 쓰임.

하티 [Hatti] 명 히타이트족(Hittite 族)에 의해 정복될 때까지 소(小)아시아 지방 중부에 살던 민족. *히타이트.

하:-판[1] 【下一】 명 마지막 판. ↔상판.

하:판[2] 【下版】 명 ①〖불교〗 절의 큰방의 아랫목. 항두(桁頭). ↔상판(上版). ②〖인쇄〗 교료(校了)된 조판을 인쇄 또는 지형(紙型)을 뜨기 위하여, 다음 공정(工程)으로 옮김. 강판(降版).

하:퍼스 [Harper's] 명 미국의 월간 고급 종합지(綜合誌). 1850년 출판업자 하퍼 형제에 의해서 창간됨. 정치·외교면의 평론이 특색임.

하:편 【下篇】 명 상·하 또는 상·중·하로 된 책의 맨 아래 편. *상편(上篇)·중편(中篇).

하펌 명 〈방〉 하품(함남).

하:평 【下平】 명 한자의 운(韻) 사성(四聲) 중의 평성(平聲) 서른 운을 상하로 양분한 그 아래의 반(半). 곧, 선(先)·소(蕭)·효(肴)·호(豪)·가(歌)·마(麻)·양(陽)·경(庚)·청(青)·증(蒸)·우(尤)·침(侵)·담(覃)·염(塩)·함(咸)의 열 다섯 운(韻). 현대 중국의 발음에서는, 처음이 낮고 이윽고 높아져서 지속되며, 음의 길이가 상평(上平)보다도 긴 것. 하평성(下平聲). ↔상평(上平).

하:-평성 【下平聲】 명 〖언〗 하평(下平). ↔상평성(上平聲).

하포[1] 명 ☞화포(花布).

하:포[2] 【下浦】 명 〖지〗 함경 남도, 영흥군(永興郡)에 있는 석호(潟湖). [4.4 km²]

하:폭[1] 【下幅】 명 아래쪽 나비. 아랫나비.

하폭[2] 【河幅】 명 하천의 너비.

하:표 【賀表】 명 〖역〗 나라 또는 조정(朝廷)에 경사가 있을 때나 새해에 신하가 임금에게 바치던 축하하는 글.

하:푼: [Harpoon] 명 〖군〗 미해군(美海軍)의 대함(對艦) 유도탄. 함정 및 항공기에 탑재(搭載)가 가능하며, 속도는 마하 0.85, 전장(全長) 4.58 m, 사정 거리(射程距離) 90 km 이상, 터보제트(turbojet)와 부스터(booster)로 추진(推進)함.

하품[1] 명 고단하거나 심심하거나 배가 부르거나 졸리거나 할 때에 불수의적(不隨意的)으로 일어나는 호흡 운동(呼吸運動). 느리게 입이 저절로 크게 벌어지면서 길게 숨을 들이마시었다가 좀 짧게 내쉼. ──-하다 자여불

[하품에 딸꾹질] ㉠어려운 일이 겹쳤다는 뜻. ㉡공교롭게도 일이 잘 안된다는 뜻.

하품만 하고 있다 구 경기(景氣)가 없거나 할 일이 없음을 이르는 말.

하:품[2] 【下品】 명 ①하치. ②낮은 품격(品格). ③〖불교〗 구품 정토(九品淨土)의 하위(下位)의 세 품. *상품·중품.

하:품[3] 【下品】 명 〖악〗 조선 순조(純祖) 때 소개된 서양 음악의 낮은 음자리표의 이름.

하:품 상:생 【下品上生】 명 〖불교〗 구품왕생(九品往生)의 하나. 악업을 지은 범부가 죽을 때 염불하여 50억겁(億劫) 동안 생사에 윤회할 죄를 덜고, 화불(化佛)·화보살의 내영(來迎)을 받아 정토에 왕생하여 법문을 듣고 발심(發心)함. 하상품(下上品). *하품 중생·하품하생.

하:품-염주 【下品念珠】 명 〖불교〗 구슬알이 27개인 염주.

하:품 중생 【下品中生】 명 〖불교〗 구품 왕생(九品往生)의 하나. 5계·8계·구족계 등을 범하고, 승물(僧物)을 훔치는 등 나쁜 일을 한 사람이 죽을 때 아미타불의 공덕(功德)을 듣고 80억겁(億劫) 동안 생사에 윤회할 죄를 덜고, 화불(化佛)의 내영(來迎)을 받아 정토에 왕생하여 법문을 듣고 발심함. 하중품(下中品). *하품 상생·하품하생.

하:품 하:생 【下品下生】 명 〖불교〗 구품 왕생(九品往生)의 하나. 5역(逆)·10악(惡)의 큰 죄를 짓고 갖가지 악한 짓을 한 범부가 죽을 때 염불하여 80억겁(億劫) 동안 생사에 윤회할 죄를 덜고, 정토에 왕생하여 12대겁(大劫)을 지낸 후 법문을 듣고 발심함. 하하품(下下品). *하품 상생·하품 중생.

하품흠-변 【一欠邊】 명 한자 부수(部首)의 하나. '欲'이나 '歌' 등의 '欠'의 이름.

하풍[1] 명 〈방〉 서풍(西風)(강원).

하:풍[2] 【下風】 명 사람이나 사물의 질이 낮음.

하:프¹ 〔half〕 [명] ①반(半). ②↗하프백(halfback). ③축구 등에서, 중위(中衛). ④혼혈아(混血兒).

하:프² 〔harp〕 [명] 『악』 발현 악기(撥絃樂器)의 하나. 만곡(彎曲)된 틀에 다수의 현(絃)을 세로로 평행하게 걸었으며 두 손으로 줄을 튕겨 연주함. 음색은 높고 우아(優雅)함. 독주·반주·관현악 등에 쓰임. 수금(竪琴). 아르파(arpa).

〈하프²〉

하프너 교향곡 【一交響曲】 〔Haffner〕 [명] 『악』 모차르트의 교향곡 제 35 번. 라장조 K. 385. 1783 년 빈에서 초연(初演)되었음.

하:프 넬슨 〔half nelson〕 [명] 한 팔만을 써서 하는 넬슨. *넬슨.

하프늄 〔hafnium〕 [명] 『화』 지르코늄(zirconium)에 유사한 금속 원소. 회색의 금속으로, 녹는점(點) 2,207°C, 끓는점(點) 3,200°C 이상. 육방 정계(六方晶系) 지르콘 광석(zircon 鑛石) 속에 있음. 1923년에 발견됨. [72번 : Hf : 178.49]

하:프 라인 〔half line〕 [명] 구기(球技)에서, 경기장의 중앙선을 관례적으로 이르는 말. 정식으로는 농구·배구에서는 센터 라인, 축구와 럭비에서는 하프웨이 라인(halfway line)이라 함.

하:프-메이드 〔half-made〕 [명] 반기성품 양복. 가봉(假縫)까지는 거의 되어 있어서, 주문에 응하여 치수를 맞추어 완성하는 옷. *레디 메이드(ready made).

하:프 미러 〔half mirror〕 [명] 반투명경(半透明鏡).

하:프-발리 〔half-volley〕 [명] 정구에서, 튄 직후의 공을 치는 일. 곧, 쇼트바운드(short-bound)로 쳐 보내는 타법(打法).

하:프-백 〔halfback〕 [명] 축구·하키 등에서, 전위(前衛)의 후방의 위치. 또, 그 위치에 있는 세 사람의 경기자. 중위(中衛). [준]하프(half).

하:프 부:츠 〔half boots〕 [명] 장딴지의 중간 정도까지의 길이의 부츠. *앵클 부츠.

하:프 사이즈 〔half size〕 [명] 『사진』 ①↗하프 사이즈 카메라. ②하프 사이즈 카메라로 찍은 네거티브(negative)나 밀착 인화(密着印畫).

하:프 사이즈 카메라 〔half size camera〕 [명] 하프판(判) 카메라. 35 mm 판(判)의 필름을 사용하여 라이카판의 2분의 1인 24 mm×18 mm 화면을 찍는 카메라. [준]하프 사이즈·하프 카메라.

하:프 센터 〔half center〕 [명] 축구·배구에서, 중위(中衛)의 중앙 위치. 또, 그 사람. 센터 하프.

하:프 스윙 〔half swing〕 [명] 야구에서, 타자(打者)가 배트를 휘두르다가 중도에서 멈추는 행위. ¶구심(球審)은 ~을 선언하고 볼로 판정했다.

하:프시코:드 〔harpsichord〕 [명] 『악』 건반(鍵盤) 악기의 한 가지. 오늘날의 피아노의 전신(前身). 구조상으로 피아노와 약간의 차이가 있음. 18세기초 피아노 발명 후에는 쓰이지 않았으나 최근 음색의 매력과 고전 연주를 하기 위하여 부활되고 있음. 클라브생(clavecin). 쳄발로(cembalo).

〈하프시코드〉

하:프 카메라 〔half camera〕 [명] ↗하프 사이즈 카메라.

하:프 코:트 〔half coat〕 [명] 길이가 허리쯤까지 내려오는 여성용 외투. 반코트(半 coat).

하:프 코:트 테니스 〔half court tennis〕 [명] 오스트레일리아에서 창안(創案)된 미니 테니스. 코트는 15.2 m×7.5 m로 보통것의 약 3분의 1, 네트 높이 87 cm, 라켓의 길이도 짧음.

하:프 타임 〔half time〕 [명] ①축구·농구 등의 경기에서, 경기 시간을 둘로 나누어, 그 사이에 쉬는 시간. ②제한된 시간의 반.

하:프 톤: 〔half tone〕 [명] ①반조색(半調色). 그림·사진 등에서, 가장 밝은 색조와 어두운 색조의 중간 색조. ②『악』 반음(半音). ③『인쇄』 망점(網點)으로 농담(濃淡)을 나타내는 인쇄 방법. 또, 그 인쇄물. 망점 볼록판.

하:프-트랙 〔half-track〕 [명] 앞에는 차륜(車輪), 뒤에는 무한 궤도가 달린 군용 차량. 화포(火砲)의 견인용(牽引用)으로 쓰는 경(輕)장갑차로 쓰임.

하:프-팀버 〔half-timber〕 [명] 『건』 〔반목조(半木造)의 뜻〕 토대(土臺)·기둥·보 등은 나무로 하되, 그 사이사이에 돌·벽돌 등을 채워 메우는 건축 구조(建築構造).

하픔 [명] 〈방〉 하품.

하피옴 [명] 〈옛〉 하품. ¶하피옴(呵欠) ≪譯語 上 37≫/하피옴ᄒᆞ다(打欱) ≪同文 上 19≫.

하:피¹ 【下皮】 [명] ①『동』 절지 동물(節肢動物)이나 어떤 종류의 무척추(無脊椎) 동물의 표피 세포층(表皮細胞層). ②『식』 식물체(植物體)의 피층(皮層)의 가장 바깥 쪽의 세포층.

하피² 【霞帔】 [명] 『역』 조선 시대의 비·빈(妃嬪)의 법복인 적의(翟衣)에 딸린 옷.

하:피즈 〔Ḥāfiz〕 [명] 『사람』 페르시아의 대표적 시인. 정정(政情)이 불안한 시대에 신비주의적 서정시를 남겨, 유럽 문학에도 영향을 줌. 이란 남부의 시라즈(Shīrāz) 태생으로 생애를 고향에서 보냄. 그의 친구 굴란담(Gulandām)에 의해 ≪하피즈 시집≫이 펴졌는데, 괴테가 이 시집에서 감명(感銘)을 받고 ≪동서 시편(東西詩編)≫을 지은 것은 유명함. [1326-89]

하:필¹ 【下筆】 [명] 시문(詩文)을 지음. ――하다 [자][여불]

하필² 【何必】 [부] 다른 방도도 있겠건만 어찌 반드시. 하고 많은 중에 어찌하여서. 해필(奚必). ¶~ 일요일에 비가 오다니.

하필이면 [구] 다른 수도 있겠는데 하필.

하:필 성장 【下筆成章】 [명] 붓만 대면 문장이 된다는 뜻으로, 글을 짓는 것이 빠름을 이르는 말.

하:하¹ 【夏河】 [명] 『지』 '샤허(夏河)'를 우리 음으로 읽은 이름.

하하² [부][감] ①기뻐서 입을 크게 벌리어 웃는 소리. ②기가 막히어 탄식하여 내는 소리. ¶~, 이거 큰일났군. ③무엇을 처음으로 깨달았을 때 내는 소리. ¶~, 그렇구나. 1)-3): <허허¹·². ――하다 [자][여불]

하하-거리다 [자] 연해 하하 웃다. <허허거리다.

하하-대다 [자] 하하거리다.

하:-하품 【下下品】 [명] 『불교』 하품 하생(下品下生).

하:학 【下學】 [명] 학교에서 그 날의 과정(課程)을 마침. 하교. ¶~ 시간. ↔상학(上學). ――하다 [자][여불]

하:학 상:달 【下學上達】 [명] 아래를 배워서 위에 달함. 낮고 쉬운 것을 배워 깊고 어려운 것을 깨달음. 곧, 인사(人事)를 깨달아 천리(天理)에 통한다는 말. ――하다 [자][여불]

하:학 시간 【下學時間】 [명] 하학하는 시간. ↔상학 시간.

하:학-종 【下學鐘】 [명] 하학 시간을 알리는 종. ↔상학종.

하:한¹ 【下限】 [명] 아래 또는 끝 쪽의 한계. ¶~선(線). ↔상한(上限).

하:한² 【下澣】 [명] 하순(下旬). *상한(上澣)·중한(中澣).

하한³ 【河漢】 [명] ①『천』 은하(銀河). ②중국의 황허(黃河) 강과 한수이(漢水) 강.

하:한-가 【下限價】 [명] 하종가(下終價).

하:한-기 【夏閑期】 [명] 여름에 시장·가게·사업 등이 경기가 떨어져 한가해지는 철. ¶~의 서점가.

하:한-선 【下限線】 [명] 더 이상 내려갈 수 없는 한계선. ¶시세는 ~까지 내려갔다.

하:합¹ 【下合】 [명] 『천』 내합(內合). ↔상합(上合).

하합² 【呀呷】 [명] 입을 벌림. 입을 벌리어 꾸짖음. ――하다 [자][타][여불]

하항 【河港】 [명] 강안(江岸)에 있는 항구. ¶남포(南浦)는 대동강의 ~이다. ↔해항(海港).

하해¹ 【河海】 [명] 큰 강과 바다. 강해(江海). ¶~ 같은 은혜.

하:해² 【夏海】 [명] 큰 바다.

하해³ 【蝦醢】 [명] 새우젓.

하해지-택 【河海之澤】 [명] 하해와 같이 크고 넓은 은혜.

하:행¹ 【下行】 [명] ①아래쪽으로 내려감. ②서울에서 지방으로 내려감. ③↗하행 열차(下行列車). 1)-3): ↔상행(上行). ――하다 [자][여불]

하:행² 【夏行】 [명] 『불교』 안거(安居)❷.

하:-행성 【下行星】 [명] 『천』 내(內)행성. ↔상행성(上行星).

하:행 열차 【下行列車】 [ㅡ녈ㅡ] [명] 서울에서 지방으로 내려가는 열차. 서울의 반대 방향으로 가는 열차. [준]하행(下行). ↔상행 열차.

하:행-차 【下行車】 [명] 내려가는 차. ↔상행차(上行車).

하:향¹ 【下向】 [명] ①아래로 향함. ②쇠퇴하여 감. ③물가(物價)가 떨어짐. ¶~세(勢). ――하다 [자][여불]

하:향² 【下鄕】 [명] ①도시에서 시골로 내려감. ②고향으로 내려감. ¶관직을 그만두고 ~하다. ――하다 [자][여불]

하향³ 【遐鄕】 [명] 하방(遐方).

하:향 운:동 【下鄕運動】 [명] 『역』 중국에서, 도시의 학생이나 지식인이 농촌에 내려가서 농촌 대중과 더불어 행하던, 대중을 위한 문화 운동. 1919년 항일(抗日) 전쟁 시대에 본격화하였음. *하방(下放) 운동.

하:향-적 【下向的】 [명][관] 〔basipetal〕 『식』 어떤 현상이나 성질이 위에서 밑으로 향하고 있는 모양. 어떤 종류의 꽃이 위로부터 아래로 내리 피는 따위. ↔상향적.

하허-인 【何許人】 [명] 어떠한 사람. 그 누구.

하:현 【下弦】 [명] ①『천』 음력 매월 22-23일경에 뜨는 달. 만월(滿月)과 다음 신월(新月)과의 중간에 뜨는, 활의 현(弦)을 엎어 놓은 것 같은 모양의 달. ¶~달. ↔상현(上弦). ② 〔lower chord〕 『토』 트러스(truss)의 밴 아래쪽에 있는 부재(部材).

하:-현궁 【下玄宮】 [명] 『역』 왕의 자궁(梓宮)을 현궁(玄宮)에 내림. ――하다 [타][여불]

하:현-달 【下弦ㅡ】 [ㅡ딸] [명] 하현(下弦) 때의 반월형의 달. ↔상현달.

하:현-도드리 【下絃ㅡ】 [명] 『악』 영산 회상의 여섯째 곡. 삼현도드리의 변주곡으로서, 거문고 연주 때 삼현도드리는 7 괘에서 타고, 이 곡은 4 괘에서 타는 데서 '하현'이라고 함. *삼현도드리.

하:혈 【下血】 [명] 항문(肛門) 또는 하문(下門)에서 피가 나옴. ↔상혈(上血). ――하다 [자][여불]

하협 【河峽】 [명] 강 양쪽으로부터 벼랑이 바싹 닥쳐 좁고 길게 된 부분.

하:호 【下戶】 [명] 가난한 백성.

하:화¹ 【下火】 [명] 『불교』 하거³(下炬). ――하다 [자][여불]

하:화² 【夏花】 [명] ①여름에 피는 꽃. ②『불교』 여름 안거(安居)를 행하는 동안 부처에게 바치는 꽃.

하화³ 【荷花】 [명] 연꽃.

하:-화도 【下花島】 [명] 『지』 ①전라 남도의 남해안(南海岸), 고흥군(高興郡) 도양읍(道陽邑) 봉암리(鳳岩里)에 위치한 섬. [0.06 km²] ②전라 남도의 남해안(南海岸), 여수시(麗水市) 화정면(華井面) 하화리(下花里)에 위치한 섬. [0.59 km²]

하:화 명암 【下化冥闇】 [명] 『불교』 하화 중생.

하:화 중:생 【下化衆生】 [명] 『불교』 아래로 중생을 교화 제도(濟度)함. 하화 명암. ↔상구 보리(上求菩提).

하:-활 【下ㅡ】 [명] 돛의 맨 밑에 댄 활죽.

하황 【何況】 [부] 하물며.

하황은 【荷皇恩】 [명] 『악』 하황은지악.

하황은-무 【荷皇恩舞】 [명] 정재(呈才) 때에 추는 춤의 이름.

하황은-사 【荷皇恩詞】 [명] 『악』 창사(唱詞)의 이름.

하황은지-악 【荷皇恩之樂】 [명] 『악』 조선 제4대 세종(世宗) 때에 지은 아악(雅樂) 곡조. 24박이며 가사에 맞추어 네 번 반복함. 동지(冬至)와 정조(正朝)에 등가(登歌)에서 아뢰었음.

하:회[1]【下回】명 ①다음 차례. 차회(次回). ②윗사람이 아랫사람에게 내리는 회답. ¶ ~를 기다리다.

하:회[2]【下廻】명 어떤 표준보다 밑돎. ¶평년작을 ~하다. ↔상회(上廻). └──-하다 자여불

하:회[3]【下懷】명 하정(下情).

하회[4]【河淮】명〖지〗중국의 황허(黃河) 강과 화이수이(淮水) 강의 우리 음을 합하여 부르는 말.

하회 별신굿【河回別神―】[―씬꾿] 명〖민〗가면극의 일종. 경상 북도 안동시(安東市) 풍천면(豐川面) 하회리(河回里)에서, 음력 섣달 보름날부터 정월 보름까지, 농민들의 무병(無病)과 안녕을 위해 서낭신(神)을 위안하는 부락제를 끝낸 후 행하던 가면극임. 이 극은 약 500년 전부터 전승되어 오는데, 파계승(破戒僧)과 양반(兩班)에 대한 풍자(諷刺)·모욕, 상민(常民)들의 빈궁상을 보여주는 민중극임. 이는 한국 가면극의 최고(最古)의 형태를 보여 주며, 사용되는 가면도 가장 우수품(優秀品)인 것이 특색임. 하회 별신굿놀이.

하회 별신굿놀이【河回別神―】[―씬꾿―] 명〖민〗하회 별신굿.

하회옴 명〈옛〉하품. ¶난장의 하회옴은 긔운이 기디 아니타 ᄒᆞᄂᆞ니라(矮子呵欠氣兒不長)《朴解 中 51》/그 中에 ᄒᆞᆫ 達達이 그저 ᄉᆞ리여 하회옴 ᄒᆞ다가(內中一箇達達只管呵欠)《朴解 下 9》.

하회-탈【河回―】명〖민〗경상 북도 안동시(安東市) 풍천면(豐川面) 하회(河回) 마을에서 하회 별신굿을 할 때 쓰던 목조(木造) 탈. 우리 나라 최고(最古)의 탈놀이 가면이며 고려 말엽이나 조선 시대 초기에 만든 것으로 추정됨. 제작 기술이 가장 우수한 것으로 평가되며, 모두 12개였으나 현재 9개만 전함. 병산(屛山)탈 2개와 더불어 하회 마을에 보존(保存)됨. 국보 제121호.

하:후【夏侯】명 성(姓)의 하나. 우리 나라에는 현존하지 아니함.

하:후 상:박【下厚上薄】명 아랫사람에게 후하고 윗사람에게 박함. ↔상후 하박. ──-하다 형여불

하후 하박【何厚何薄】명 한 쪽은 후하게 하고 한 쪽은 박하게 함. 곧, 차별하여 대우함을 이르는 말. ¶김 포장이 ~으로 이 순경사에게만 말을 하고 자기에게는 말을 안 한 데 심사가 틀려서…《洪命熹 : 林巨正》. ──-하다 자여불

하 휴【何休】명〖사람〗중국 후한말(後漢末)의 사상가. 자(字)는 소공(邵公). 《춘추 공양전 해고(春秋公羊傳解詁)》를 저술, 그 속에서 자기의 사회·정치 사상을 설명하여 먼 후세인 청조(淸朝)에 와서 공양학파(公羊學派)가 일어나는 기초가 되었음. [129-182]

하:휼【下恤】명 아랫사람을 불쌍히 여기어 도와 줌. ──-하다 자여불

학[1] 명〈방〉흙(황해·평남·제주).

학[2] 명〈방〉돌확(충남).

학[3]【郝】명 성(姓)의 하나.

학[4]【學】명 ①[science, 도 Wissenschaft] 철학 또는 전문적인 여러 과학을 포함하는 지식의 조직체(組織體). 곧, 현실의 전체 또는 그 특수한 영역 및 측면(側面)에 관하여 체계화(體系化)된 지식의 계통적 인식. ②↗학문.

학[5]【鶴】명〖조〗두루미.
[학 다리 구멍을 들여다보듯 한다] 어떤 사물을 매우 조심하여 보는 일을 두고 하는 말. [학도 아니고 봉도 아니고] 아무것도 아니라는 뜻. 행동이 모호하거나 사람이 뚜렷하지 못함을 비웃는 말. [학이 곡곡 하고 우니 황새도 곡곡 하고 운다] 멋도 모르고 남이 하는 대로 따라 한다는 말.

학[6] 부 토하는 소리. ──-하다 자여불

-학【學】미 어떤 명사 밑에 붙어서 학문의 한 부문을 일컫는 말. ¶천문~/지리~/기상~/고고~/주자(朱子)~/양명(陽明)~.

학가【鶴駕】명〖역〗왕세자(王世子)의 행계(行啓).

학가-산【鶴駕山】명〖지〗경상 북도(慶尙北道) 안동시(安東市)의 북후면(北後面)·서후면(西後面)과 예천군(醴泉郡) 보문면(普門面) 사이에 있는 산. [882 m]

학각 명〈방〉합각(合閣).

학감【學監】명〖교〗전에, 학교장의 지휘 아래 학무(學務) 및 학생을 감독하던 직원.

학갑 명〈방〉벽장(壁欌)(평북).

학개-서【―書】[Haggai] 명〖성〗구약 성서 중의 예언서의 하나. 저자는 학개. 포로의 몸으로부터 귀환한 후 중단되어 있던 성전 재건을 권고한 내용임. 전 2 장.

학경-칭【鶴頸秤】명 거중기(擧重機).

학계[1]【學界】명 학문의 세계. 학자의 사회. 학술계. ¶ ~의 동정/~ 소식.

학계[2]【學契】명 교육 또는 학비 조달(學費調達)을 목적으로 하는 계.

학계[3]【學階】명〖불교〗각 종파별(宗派別)로 자기네 종파 승려에게 그 학식에 따라 주는 강사(講師)·학사(學師)·법사(法師) 등의 위계(位階).

학계-녀【學戒女】명 식차마나.

학고 명〈방〉학교(學校)(경상).

학곡【壑谷】명 ①구렁. ②지하실.

학과[1]【學科】명〖교〗교수(敎授) 및 연구(硏究)의 편의를 위하여 구분한 학술의 과목(科目).

학과[2]【學課】명〖교〗학문의 과정(課程). 학교의 과정. 공과(功課).

학과 과정【學科課程】명〖교〗커리큘럼(curriculum). ㊟과정(科程).

학과-목【學科目】명〖교〗학문의 과목. 교수상 세분(細分)한 학과 과정의 한 단위.

학과 배:당표【學科配當表】명〖교〗학과목과 시간수(時間數)를 배당하여 짠 도표. 과정표(課程表).

학과 시간표【學科時間表】명〖교〗학과목을 교수하는 시간을 짠 도표. 보통, 하루에 몇 시간으로 나누어 1 주일치를 짜서 반복함.

학관[1]【學官】명〖역〗①↗이문 학관(吏文學官). ②〖역〗교수(敎授)·훈도(訓導) 등의 일컬음.

학관[2]【學館】명〖교〗①'학교'의 이칭. ②학교의 명칭을 붙일 조건을 갖추지 못한 사립 교육 기관. ¶영수(英數) ~.

학괴 명〈방〉학교(學校)(전라·강원·황해·함경).

학교[1]【學校】명〖교〗①일정한 목적(目的)·설비·제도 및 규칙에 의거(依據)하여, 교사가 계속적으로 피교육자(被敎育者)에게 교육을 실시하는 영속적 기관(永續的機關). 또, 그 장소·건물 및 제도(制度). 국립·공립·사립(私立)의 구별이 있고, 한국에는 초등 학교와 중학교·고등 학교·대학 및 특수 학교가 있음. 학당(學堂). 스쿨(school). ②〈속〉'교도소(矯導所)'의 변말.

학-교[2]【學敎】명 학문과 교육.

학교 경영【學校經營】명 학교를 관리하고 운영하는 일.

학교 공개【學校公開】명〖교〗학교와 지역 사회의 유대를 강화하여 교육 효과를 높일 목적으로 학교의 교육 활동을 공개하는 일.

학교 관리【學校管理】[―괄―] 명〖교〗학교의 교육 활동을 가장 유효 적절하게 하기 위하여, 시설 및 운영을 효과적으로 관리하는 일.

학교 교:련【學校敎鍊】명〖군〗중등 정도 이상의 각급 학교에서, 학생에게 군사학을 습득시키고 군사 교련을 실시하는 일. 흔히, 현역 및 예비역 배속 장교에 의하여 실시됨.

학교 교:육【學校敎育】명〖교〗교육 형태의 하나. 가정 교육이나 사회 교육 등에 대하여 학교에서 받는 교육. 일정한 교과 과정에 의하여 교사(敎師)가 계획적·계속적·계단적 및 집단적으로 실시함이 특징임. ↔가정 교육.

학교 교:육법【學校敎育法】명〖법〗교육법.

학교군 제:도【學校群制度】명〖교〗중·고등 학교의 통학구(通學區)를 지정, 학교 격차를 완화하기 위해 채택된 제도. 각 학구 안의 몇 개 교를 합쳐 한 단위로서 입학 지원자에게 배정시킴. ㊟학군 제도.

학교-극【學校劇】명〖교〗학교에서 행하는, 교육적인 의의를 가진 연극. 고등 학교나 대학에서 행하는 학생 연극과는 구별되며, 일종의 과외 활동으로 행하여짐. *아동극(兒童劇).

학교 근:시【學校近視】명〖의〗13세 전후의 아동이나 학생에게 발생 또는 진행되는 근시. 안축(眼軸)과 수정체(水晶體)의 굴절력(屈折力)과의 상관에 의하나 흔히 독서할 때의 책과 눈의 접근으로 생김. 가성(假性) 근시.

학교 급식【學校給食】명〖교〗학교 관리하에 집단적으로 국민 학교 아동들에게 식사를 주는 일. 우리 나라에서는 1981 년 학교 급식법이 제정되어 의무 교육 대상 학교·특수 학교·근로 청소년을 위한 특별 학급 및 산업체 부설 학교 등에서 실시하고 있음.

학교 도서관【學校圖書館】명〖교〗학생 및 교사들의 학습·조사·연구 등을 위하여 학교 안에 부설한 도서관.

학교 도시【學校都市】명〖지〗학교가 비교적 많은 도시. 교육 도시. 학술 도시.

학교-림【學校林】명 학교에서 시험·실습·연구를 목적으로 하거나, 재단 등기물인 임야(林野).

학교-명【學校名】명 학교 이름. ㊟교명(校名).

학교 문법【學校文法】[―뻡] 명〖언〗중·고등 학교에서 학생들을 교육시키기 위해 체계화한 문법. 규범 문법(規範文法).

학교 방:송【學校放送】명〖교〗①교육법에 의해 각급 학교의 교육 과정과 직접·간접으로 관련이 있는 내용을 학교의 아동이나 학생을 대상으로 하여 하는 텔레비전 또는 라디오 방송. ②학교 내에서 연락이나 자주 활동을 위해 교직원·학생이 하는 방송. 교내 방송.

학교 배:속 장:교【學校配屬將校】명〖군〗학교 교련을 실시하기 위하여 배속되는, 현역 또는 예비역 장교. *배속 장교.

학교 법인【學校法人】명〖법〗비영리 법인(非營利法人)의 한 가지. 사립(私立) 학교의 설치를 목적으로 설립한 법인.

학교-병【學校病】[―뼝] 명〖의〗학생들 사이에 특히 많이 발생하거나 전염하는 병. 근시안(近視眼)·뇌신경 쇠약·척추 만곡(脊椎彎曲)·폐결핵·백일해·유행성 감기·트라코마(trachoma) 등.

학교 보:건【學校保健】명〖교〗학교의 학생과 교직원의 건강의 보호와 증진을 위한 보건 위생. 학교 보건법이 있음. *학교 위생.

학교 보:건법【學校保健法】[―뻡] 명〖법〗학교의 보건 관리와 환경 위생의 정화에 필요한 사항을 규정하여, 학생 및 교직원의 건강을 보호·증진시킴으로써 학교 교육의 능률화를 기함을 목적으로 하는 법률.

학교-비【學校費】명 ①공공 단체에서 받는 학교의 운영비. ②교비(校費).

학교 생활【學校生活】명〖교〗①학교에서 급우(級友)·교사와 하는 생활. ②학교에 학적을 가지고 공부하는 생활. 학창 생활.

학교 설치 기준【學校設置基準】명〖교〗각급 학교를 설치하는 데 필요한 법적인 최저 기준. 학급 편성이나 교직원의 조직 또는 시설·설비·교구(敎具) 등에 관하여 구체적으로 정해져 있음.

학-교수【學敎授】명〖역〗사학(四學)의 교수.

학교 시절【學校時節】명 학교 생활을 하는 시절. 학생 시절. 학창 시절.

학교 신문【學校新聞】명〖교〗학교내에서 학생이 교사의 지도·협력을 받아 편집·인쇄·배포하는 신문. 교내의 소식과 교육적인 기사(記事)를 내용으로 하며, 학생의 자치적 발표력과 민주 생활의 기초적인 신문(新聞) 역할을 이해시키는 데 목적을 둠. 교지(校紙). *학보(學報).

학교-원【學校園】명〖교〗환경의 미화(美化) 및 자연 과학의 연구 기타 정서(情緖) 교육·근로 체득(勤勞體得) 등을 목적으로, 학교내에 설치하는 정원(庭園)이나 논밭. ㊟학원(學園).

학교 위생【學校衛生】명〖교〗학교의 학생·교사에 대한 보건 위생. *학교 보건.

학교-의【學校醫】[—/—이] 명〖교〗위탁을 받고, 그 학교의 위생 사무 및 학생의 신체 검사를 맡아 보는 의사. ㊟교의(校醫).

학교-장[1]【學校長】명〖교〗교무(敎務)를 통할하고, 소속 직원을 감독하는 학교의 장. ㊟교장(校長).

학교-장[2]【學校葬】명 학교가 주재하여 지내는 장례식. ㊟교장(校葬).

학교 조사【學校調査】명〖교〗교육 조사의 하나로, 학교 교육을 대상으로 한 과학적인 조사.

학교-차【學校差】명 제도상 동종(同種)의 학교에 있어서 주로 아동·학생의 학력이나 교원의 질의 차를 말함.

학교 행사【學校行事】명 학교 교육의 목표를 달성(達成)하기 위하여 학교가 계획하고 실시하는, 교과 학습(敎科學習) 이외의 교육 활동의 하나. 의식·학예적 행사·보건(保健) 체육적 행사·소풍 여행 등을 가리킴.

학교 확장【學校擴張】명〖교〗공개 강좌(公開講座)·성인(成人) 학급·통신 교육·야간 교육 등의 수단에 의하여, 학교의 교육 활동을 학교 내외로 연장시키는 일.

학구[1]【學究】명 ①오로지 학문 연구에만 몰두하는 일. ¶~적인 사람. ②학문에만 열중하여 세상 일을 모르는 사람. ③글방의 선생. 학궁(學窮). 동홍 선생(冬烘先生). 학장(學長). 훈장(訓長).

학구[2]【學區】명〖교〗의무(義務) 교육 행정상의 필요로, 아동이 취학할 학교를 지정하여 갈라 놓은 구역. 「하는 말로 쓰임.

학구[3]【鶴龜】명 학과 거북. 모두 수명이 길어서 흔히 장수(長壽)를 비유

학구-열【學究熱】명 학문 연구에 몰두하는 정열.

학구-적【學究的】명관 학문 연구에 몰두하는 모양. ¶~ 저작.

학구-제【學區制】명〖교〗의무 교육 행정상 학구를 설정하여 그 학구내의 아동이나 학생을 일정한 학교에 취학시키는 제도. ¶~ 위반.

학군【學群】명〖교〗입시 제도의 개편에 따라, 지역별로 나누어 설정한 몇 개의 중학교·고등 학교의 무리. ¶공동 ~.

학군-단【學軍團】명 ↗ 학생 군사 교육단.

학군 제:도【學群制度】명〖교〗↗학교군 제도.

학궁[1]【學宮】명〖역〗성균관(成均館)·향교(鄕校)의 별칭.

학궁[2]【學窮】명 ①학구(學究)❸. ②학자의 곤궁(困窮). ③어리석은 학자. ④학자가 자기를 겸손하게 일컫는 말.

학규【學規】명〖교〗①학과(學課)의 규칙. ②교칙(校則). 교규(校規).

학극【謔劇】명 학랑(謔浪).

학금[1]【鶴琴】명 [중국에서 고대(古代)에 거문고의 명인(名人)이었던 사광(師曠)이 연주할 때 현학(玄鶴)이 모여들었다는 한비자(韓非子)의 고사(故事)에서] 거문고를 타는 일. 또, 그 때에 부르는 노래.

학금[2]【鶴禁】명〖역〗왕세자(王世子)의 궁전.

학급【學級】명〖교〗학교 교육이 실제로 행하여지는 아동 및 학생의 집단으로, 교과(敎科) 지도 및 생활 지도 등의 교육 활동이 집중적으로 실시되는 학교 교육 행정상의 단위. 보통, 같은 학년으로 편성되나 벽지(僻地)의 소규모 학교에서는 학년을 무시한 복식(複式) 학급이 편성될 때도 있음. 학반(學班). 클래스(class).

학급 경영【學級經營】명〖교〗학급의 교육 활동을 가장 유효 적절히 실시하기 위하여, 학급내의 여러 가지 일을 운영하는 일.

학급 담임【學級擔任】명〖교〗학급의 관리 및 학급에 속하는 개개 학생의 생활 전체를 맡아 지도하는 학급 담당 교사. 학과 담임에 대하여 쓰는 말임. 「아 둔 곳.

학급 문고【學級文庫】명〖교〗학급에 비치해 둔 도서. 또, 그 도서를 모

학급-비【學級費】명〖교〗학급 경영의 합리화를 위한 비용. 흔히, 학급 자치회에서 징수·소비하는데, 주로 학급내의 환경 미화, 학급 문고의 구입, 학급 신문의 경비, 위문금 등으로 씀.

학급 신문【學級新聞】명〖교〗학급내에서 발간하는 신문. 담임 교사의 지도 밑에서 학생들의 작품·의사(意思), 교내와 학급의 소식 등을 주된 내용으로 함.

학급 일지【學級日誌】[—찌] 명〖교〗학급에서 일어난 중요한 사건의 내용 및 학생의 출결석·동향 등을 기록하는 일지.

학급 편성【學級編成】명〖교〗피교육자의 성장 발달과 성적·체력·성별(性別) 및 진학·취직 등 일정한 표준 아래 학급을 편성하는 일.

학기[1]【瘧氣】명〖한의〗학질(瘧疾) 기운.

학기[2]【學期】명〖교〗한 학년 동안을 구분한 기간. 우리 나라에서는 한 학년을 3-8월과 9-2월의 두 학기로 구분함. ¶신~/~말.

학기[3]【鶴企】명 학망(鶴望). ——하다 타여불

학기-금【學期金】명〖교〗한 번에 내는 한 학기분의 수업료.

학기-말【學期末】명 한 학기의 끝 무렵.

학기말 고사【學期末考査】명〖교〗학기말 시험.

학기말 시험【學期末試驗】명〖교〗한 학기 동안의 수업 성적을 알기 위하여, 그 학기가 끝날 무렵에 치르는 시험. 학기말 고사. ㊟학기 시

학기 시험【學期試驗】명〖교〗↗학기말 시험. 「험.

학기-초【學期初】명 한 학기의 시작 무렵.

학깽이 명〈방〉재채기(제주).

학-꽁치【鶴—】명〖어〗[*Hemiramphus sajori*] 학꽁칫과에 속하는 바닷물고기. 몸은 가늘고 긴데 40cm 내외가 되며, 눈은 좀 크고 아래턱이 길게 바늘처럼 돌출하고 등빛은 청록색, 배 쪽은 은백색임. 수면(水面) 위를 나는 듯이 뛰는 습성이 있음. 한국·일본·중국 및 대만에 분포함. 겨울 이외의 철에 맛이 좋음. 공어(公魚). 침어(針魚). 침구어(針口魚). 침취어(針嘴魚). 공미리.

〈학꽁치〉

「한 과. 학꽁치가 이에 속함.

학꽁칫-과【鶴—科】명〖어〗[Hemiramphidae] 동치목(目)에 속하는

학내【學內】명 대학의 내부. ¶~ 사정.

학년【學年】명〖교〗①교육법에서 규정(規定)한 1년간의 학습 과정의 단위(單位). 한국에서는 3월에 시작하여 다음 해 2월에 끝남. ②1년간의 수업하는 학과의 정도에 따라 구분(區分)한 학교의 단계(段階). ¶일~/삼~.

학년-도【學年度】명〖교〗한 학년의 과정을 학습하는 기간. 우리 나라에서는 보통 3월 초부터 이듬해 2월 말까지가 한 학년도임.

학년-말【學年末】명 한 학년의 끝 무렵.

학년말 고사【學年末考査】명〖교〗학년말 시험.

학년말 시험【學年末試驗】명〖교〗한 학년 동안의 수업 성적을 알기 위하여, 그 학년이 끝날 무렵에 치르는 시험. 학년말 고사. ㊟학년 시험·연말(年末) 시험.

학년 시험【學年試驗】명〖교〗↗학년말 시험.

학년-제【學年制】명〖교〗한 학년을 단위로 한 교육 제도.

학년 주임【學年主任】명〖교〗①한 학년을 담임 지도하는 교사. ②여러 학급의 한 학년을 총할 지도하는 교사. 각 학급 담임을 통솔하고 학년회를 주관함.

학년-초【學年初】명 한 학년의 시작 무렵.

학년-회【學年會】명〖교〗①같은 학년의 학생이 모이는 회. ②교내(校內) 또는 한 지역(地域)의 같은 학년의 담임 교사가 모이는 회.

학눌【學訥】명〖사람〗승려. 호는 효봉(曉峰). 속명은 이찬형(李燦亨). 평양 출신. 일본 와세다(早稻田) 대학 법과를 졸업, 판사가 됨. 1914년 어느 죄수에게 사형 선고를 내린 것이 오판으로 밝혀져 가책과 회오로 고민하다가, 1925년 금강산 신계사(神溪寺)에서 중이 되고, 1941년 대종사(大宗師), 1958년 조계종 종정으로서 불교의 통합에 노력함. 1962년 통합 종단의 초대 종정(宗正)에 취임함. [1888-1966]

학당【學堂】명 ①글방. ②〖교〗학교. ③〖역〗고려 말기부터 지방의 향교(鄕校)에 대하여 중앙에 두었던 학교. 고려 원종(元宗) 2년(1261) 동·서의 두 학당을 처음으로 설치하였으며, 뒤에 개경(開京) 각 부(部)에 설치하여 오부(五部) 학당으로 정비 강화하였음. 조선 시대에 들어와서 고려의 제도를 답습하여 동·서·중·남·북의 오부 학당을 두었으나 세종(世宗) 27-28년(1445-46)경에 북부 학당을 폐지하여 사부(四部) 학당만이 존속함. 사학(四學). 「다. ——-하다 타여불

학대[1]【虐待】명 몹시 굶. 가혹하게 대우함. 학우(虐遇). ¶포로를 ~하

학대[2]【學大】명〖역〗↗학부 대신(學部大臣).

학대[3]【鶴帶】명〖역〗조선 시대에 문관이 띠던, 학을 수놓은 허리띠.

학대 성:욕 도착증【虐待性慾倒錯症】명〖심〗사디슴(sadisme).

학대 음란증【虐待淫亂症】[—난쯩] 명〖심〗사디슴(sadisme).

학덕【學德】명 학문과 덕행(德行). ¶~ 겸비(兼備).

학도[1]【學徒】명 ①학생. 생도(生徒). ¶~ 군사 훈련. ②학문을 닦는 사람. ¶공(工)~/문(文)~.

학도[2]【學都】명 학문의 중심이 되는 도시. *학교 도시.

학-도[3]【鶴島】명〖지〗경상 남도 사천시(泗川市) 늑도동(勒島洞)에 위치하는 무인도(無人島). 겨울에 눈이 덮이면 하얀 학의 날개처럼 보임. 봄에 백로와 왜가리가 날아와 천연 기념물 제208호로 지정(指定)됨. 학섬. [$0.01km^2$]

학도-대【學徒隊】명 ①〖역〗대한 제국 말에 무관(武官) 학교와 연성(研成) 학교의 생도로 조직한 대오(隊伍). ②↗학도 의용대(學徒義勇隊). ③↗학도 호국대(學徒護國隊).

학도-병【學徒兵】명 ①학도로 조직된 군대. 또, 그 군인. ②학도 의용병. ㊟학병(學兵).

학-도요【鶴—】명〖조〗[*Totanus erythropus*] 도욧과에 속하는 새. 머리·목·몸의 하면은 흑색이고 배면(背面)은 흑갈색에 백색의 반점(斑點)이 있음. 겨울에는 배면은 담회갈색으로 변하고 하면은 백색으로 변함. 날개 길이 약 160mm. 북부 아시아·유럽에서 번식하고 남부와 아프리카 등지에서 월동함.

학도 의:용대【學徒義勇隊】명 학도 의용병으로 조직된 군대. ㊟학도대.

학도 의:용병【學徒義勇兵】명 학교에 재적중인 학도의 신분으로 지원에 의하여 군대에 복무하는 병사. 학도병.

학도 호:국단【學徒護國團】명 학생의 과외 활동을 통하여 개성의 발전을 조장(助長)하고 자치 능력을 배양하며, 학도의 애국 운동을 통일 지도하여 사회 봉사의 실행을 기함을 목적으로 하는, 중등 학교 이상의 학생 단체. 1951년 8월 24일 발족, 1960년 5월에 폐지되었다가, 1975년에 고등 학교 이상에 다시 부활되었으나 1985년에 다시 폐지되었음. 학도 호국대. ㊟호국단.

학도 호:국대【學徒護國隊】명 학도 호국단. ㊟학도대.

학-독 명〈방〉돌확(충남·전라).

학-돌 명〈방〉돌확(전라·경북).

학동【學童】명 ①학문을 닦는 아동. 서동(書童). ②국민 학교에서 배우는 아동. 아동(兒童).

학랑【謔浪】[—낭] 명 실없는 말로 희롱하고 익살을 부림. 학극(謔劇). ——하다 자여불

학려[1]【學侶】[—녀] 명 ①〖불교〗학문에만 전심(專心)하는 승려. ②〖불교〗학료(學寮)의 승려. ③학우(學友).

학려[2]【鶴唳】[—녀] 명 ①학이 욺. 학의 울음 소리. ②학의 울음 소리가 처량하고 맑게 들리는 데서, 전(轉)하여 문장(文章)이나 말이 가엾고 처량한 것을 이름.

학력[1]【學力】[—녁] 명 학문의 실력. 학문을 쌓은 정도. ¶~ 검사/기초 ~.

학력[1]【學歷】[—녁] 명 수학(修學)한 이력. ¶고졸 또는 동등 이상의 ~.

학력 검:사【學力檢査】[—녁—] 명 [achievement test]〖교〗그 학과의 학습 결과 및 효과를 측정 평가하는 일. 객관적 방법으로는 진위법

다섯째 자, 오언(五言)에서 셋째 자에 측성(仄聲)을 쓰는 일. ②〖문〗 작시상(作詩上) 팔병(八病)의 한 가지. 오언시(五言詩)의 제1구의 제5자와, 제3구의 제5자를 동성(同聲)의 글자로 쓰는 일. ③〖한의〗↗학슬풍. ④두 다리의 가운데를 접었다 폈다 할 수 있는 안경 다리. ⑤〖악〗 거문고 6 줄 중에서 유현(遊絃)·대현(大絃)·괘상청(棵上淸)의 3 줄이 부들과 접한 부분. 학의 다리 모양과 비슷함.

학슬 안:경【鶴膝眼鏡】명 안경 다리 가운데를 둘로 폈다 접었다 할 수 있는 안경.

학슬-초【鶴蝨草】명〖한의〗여우오줌풀의 열매. 맛이 쓰고 살충력이 있어, 각종 기생충 특히 회충약으로 쓰임. ㊀학슬(鶴蝨).

학슬-풍【鶴膝風】명〖한의〗무릎이 붓고 아프며 다리가 빼빼 말라서 잘 펴지도 오그리지도 못하게 되는 병. 양의학의 관절 수종(關節水腫)에 상당함. ㊀학슬(鶴膝).

학습【學習】명 ①배워서 익힘. 습학(習學). ②〔learning〕〖교〗일정한 지식의 획득, 이해의 발달, 인식의 발전, 감정의 심화(深化), 습관의 형성 등의 목표를 향하여 노력하는 행동. 곧, 기능이나 지식을 의식적으로 습득하는 행동. *교육(教育)·교수(教授). ③〖심〗이왕에 겪었거나, 아직 겪지 않은 상태에 적응하는 능력을 습득하는 과정. ④〖심〗경험을 토대로 하여, 반응 경향 위에 정당히 내리는 수정(修正) 또는 상기(想起)를 용이하게 하기 위하여, 기억의 내용을 정리하는 일. ⑤〖심〗형태 심리학에서, 어떤 상태에의 통찰(洞察)을 얻는 과정. ⑥〖기독교〗입교(入教)한 신자에게 세례를 받기 전에 행하는 의식의 한 가지. 대개 6개월 동안 교회에 나온 평신자에게 학습 문답(問答)을 마친 후 베풂. ——-하다 타여불

학습 곡선【學習曲線】명〖교〗학습에 의한 행동의 향상을 도표로 표시한 곡선. 시간을 가로축에, 학습으로 얻은 결과를 세로축에 표시하여 학습의 과정을 표시하고 향상 상황을 나타냄. 곡선의 모양으로 여러 가지 종류의 형태로 분류됨. 연습(練習) 곡선.

학습 단원【學習單元】명〔learning unit〕〖교〗학습 지도상 계획·예정되어 있는 일정한 학습 활동의 총괄(總括). 합리적으로 학습 활동의 분야를 한정한, 커리큘럼 구성(curriculum 構成)의 단위. 지식의 논리적 계열에 따라 구성하는 교재 단원과, 문제 해결을 위한 활동 및 경험으로써 구성하는 경험 단원이 있음.

학습-무【學習巫】명〖민〗경문(經文)·점서(占書) 등을 공부하고 외어서 된 무당. *강신무(降神巫)·세습무(世襲巫).

학습 발표회【學習發表會】명〖교〗학생들의 예능 발표 및 학예품 전시(展示)를 주로 한 특별 교육 활동의 한 가지. 극이나 노래 및 무용(舞踊)·운동회 등을 공개하여 구경시키는 행사로서, 학생의 학습 과정이나 결과(結果)·능력을 공개(公開) 발표하여 학부모(學父母)·교사 및 학생이 혼연 일치된 경지에서, 교육적인 효과를 거두는 데 목적이 있음. 학예회(學藝會). 온습회(溫習會).

학습 사회【學習社會】명 인간이 한평생에 걸쳐 학습하는 사회. 학력 편중(學力偏重)의 경향을 시정하고, 사람이 평생을 통해서 자기 향상을 꾀하는 노력을 존중하며, 또 그것을 정당하게 평가하는 방향으로 나아가는 사회를 이름.

학습-서【學習書】명〖교〗아동이나 학생의 학습 활동을 돕는 참고 서적. 교과서에 의거한 것과, 널리 학습 자료를 부여하도록 편찬된 것 등 여러 종류가 있음.

학습-설【學習說】명〖심〗학습의 법칙·구조 등에 관한 모든 이론의 총칭. 여러 가지 이론이 있으나 특히 자극 반응설(刺戟反應說)과 장이론설(場理論說)의 두 가지로 대별됨.

학습 심리학【學習心理學】[—니—] 명〖교〗학습 과정에 관한 가설을 세우고 이를 실험에 의해서 검증(檢證)하는 일을 시도하는 심리학 영역(領域)의 하나. 조건 반사에 의한 자극과 반응과의 연결을 중시하는 자극·반응 이론과 통찰이나 의미의 이해를 강조하는 인지(認知) 이론의 두 계통이 있음.

학습-원【學習園】명 학습 자료로 쓰기 위해 동식물·광물 따위를 갖추어 놓은 정원.

학습 이:론【學習理論】명〖교〗학습에 관한 여러 현상을 종합·정리하여 세운 이론. 학습설.

학습-장【學習帳】명〖교〗①〔work book〕아동이나 학생의 학습 작업에 도움이 되도록 편집하여, 교과서와 병행해서 또는 교과서 대신으로 쓸 수 있게 만든 책. 방학책·수련장 같은 것. ②학습에 필요한 사항을 적는 공책. ¶~ 검사.

학습 지도【學習指導】명〖교〗생활 지도에 대해서, 아동이나 학생의 학습 활동을 지도하는 일. 교육 목표를 달성하기 위하여, 학습 활동을 유효 적절하게 조력(助力) 지도하는 일임. 교과 지도(教科指導). ㊀지도(指導). *교수(教授)·가이던스.

학습 지도안【學習指導案】명〖교〗일반적으로 교과(教科) 지도를 위한 계획을 미리 짜 놓은 안(案). 교재(教材) 학습에 관한 순서·구분·시간 배당·학습 활동 등을 정하며, 연월일(年月日)에 따라 단원(單元)에 의한 세안(細案)을 짜서 교사로서 사전 계획(事前計劃)과 준비를 강조함. 생활 지도안. 교안(教案). ㊀지도안.

학습 지도 요령【學習指導要領】명〖교〗교육 과정·교과 내용 및 그 취급의 기준(基準) 또는 학습 활동 전개의 기준에 대해 각 학년의 배당·단원의 배열 등을 세밀히 지시한 것. 국민 학교·중·고등 학교 등을 통하여, 일반편(一般篇) 및 각 교과마다 만들어져 있음. 교과서도 이것을 기준으로 만들어짐. *커리큘럼.

학습 참고서【學習參考書】명 학생들의 학습을 보조하고 더욱 잘하게 하기 위해 만들어진 책. 참고서. 학습서.

학습 활동【學習活動】[—똥] 명〖교〗학습의 목적을 달성하기 위한 아동이나 학생의 활동. 새 교육에 있어서 학습 활동의 종류 및 내용은 다양(多樣)하고 광범위하여, 생활 교육의 이상을 살려서 인간 및 사회 생활의 온갖 영역(領域)에 다 관련되어 있음.

학승【學僧】명〖불교〗①불학(佛學)이나 속학(俗學) 등에 조예가 깊은 중. ②수학(修學)중인 중.

학식[1]【學式】명 고려 인종(仁宗) 때 식목 도감(式目都監)에서 제정한 국자감(國子監)·향학(鄕學)의 학칙. 「자여불

학식[2]【學殖】명 ①학문을 쌓음. ②학문에 대한 소양(素養). ——-하다

학식[3]【學識】명 ①학문(學問)으로 얻은 지식. ②학문과 식견(識見). 학문. ¶~이 풍부한 사람.

학안【學案】명〖책〗학파(學派)의 원류(源流) 및 학설(學說)을 기술(記述)하고, 논단(論斷)을 가(加)한 책. 명(明)나라 황종희(黃宗羲)의 《송원(宋元) 학안》·《명유(明儒) 학안》 따위.

학안-록【學顏錄】[—녹] 명〖책〗조선 인조 때의 문신(文臣) 박길응(朴吉應)이 편찬한, 안자(顏子)의 언행과 이에 대한 제유(諸儒)의 평주(評註)를 모은 책. 책머리에 그의 스승 장현광(張顯光)의 우주 요괄(宇宙要括) 10 조(條)와 표제 요어(標題要語) 등을 실었음.

학업【學業】명 ①학문을 수업하는 일. ¶~ 성적/~에 열중하다. ②학문.

학업 부진아【學業不進兒】명〖심〗학업 성적이 불량하고 그 성과가 늦은 아동. 지진아(遲進兒).

학업 성적【學業成績】명 아동·학생이 학교에서 학습하고 몸에 익힌 성과. 보통 성적표 등에 표시된 성적을 말함.

학역-재【學易齋】명〖사람〗정인지(鄭麟趾)의 호(號).

학연【學緣】명 출신 학교에 따른 연고 관계.

학열【瘧熱】[—녈] 명〖한의〗학질 따위에서, 매일 또는 격일로 열과 한축(寒縮)이 나는 병증.

학예【學藝】명 ①문장과 기예(技藝). ②학문과 예능(藝能).

학예 도시【學藝都市】명〖지〗학술 도시.

학예-란【學藝欄】명 신문 등에서 학예에 관계되는 기사(記事) 및 작품(作品)을 싣는 난.

학예-면【學藝面】명 ①학예란. ②학예에 관한 방면.

학예-부【學藝部】명 각급 학교의 자치회 등에서 학문과 예능 방면에 관한 일을 연구·수업하는 과외 활동의 한 부.

학예 부:흥【學藝復興】명〖역〗문예 부흥.

학예 연:구관【學藝研究官】명 연구직 국가 공무원 직급 명칭의 하나. 학예 직군(職群)의 학예 연구 직렬(職列)에 속함.

학예 연:구사【學藝研究士】명 연구직 국가 공무원 직급 명칭의 하나. 학예 직군(職群)의 학예 연구 직렬(職列)에 속함.

학예-품【學藝品】명 아동이나 학생들의 습자·미술·작문·공작·가사 등의 작품의 총칭.

학예-회【學藝會】명〖교〗학습 발표회(學習發表會).

학-용【學庸】명 대학(大學)과 중용(中庸)을 겹치어 일컫는 말.

학용-품【學用品】명 연필·노트(note) 등 학습에 필요한 온갖 물품.

학용 환:자【學用患者】명〖의〗의학(醫學) 연구용으로 필요한 절차(節次)를 밟은 환자.

학우[1]【虐遇】명 잔학(殘虐)한 대우. 학대. ——-하다 타여불

학우[2]【學友】명 ①한 학교에서 같이 공부하는 벗. ②학문상의 벗. 글동무. 학려(學侶).

학우-회【學友會】명 같은 학교나 같은 고장의 학우들로 조직한 모임.

학원[1]【學員】명 공부하는 인원(人員).

학원[2]【學院】명 ①학교. ②학교 설치 기준의 여러 조건을 구비(具備)하지 못한 사립 교육 기관. 직업·기술 및 취직의 실제 교육 과정(教育課程)을 내용으로 하는 것과 입시(入試) 및 검정 시험(檢定試驗)을 준비하기 위한 과정이 있는데, 간소(簡素)한 설비를 하여 비교적 단기(短期)의 수업 기한을 가짐. ¶자동차 기술 ~/요리 ~/고시(考試) ~/영수(英數) ~. 「②↗학교원(學校園).

학원[3]【學園】명 ①학교 및 기타 교육 기관의 총칭. 배움터. ¶~의 자유.

학위【學位】명〖교〗어떤 부문의 학술을 전문적으로 연구하여 파악한, 심오(深奧)한 진리를 발표한 사람에게 그 자격을 인정하기 위하여, 법률이 정하는 과정 및 절차를 거쳐 수여하는 칭호. 학사(學士)·석사(碩士)·박사(博士)·명예(名譽) 박사 등이 있음. 대학의 총장 또는 학장이 수여하되, 박사와 명예 박사에 한하여서는 교육부 장관의 승인을 필요로 함. ¶~ 수여식.

학위 논문【學位論文】명 법률이 정하는 바에 의한, 각종 학위를 획득하기 위하여 제출하는 학술 논문.

학위-전【學位田】명〖역〗학전(學田).

학유【學諭】명〖역〗①고려 때 국자감(國子監)·국학(國學)·성균관(成均館)의 종구품(從九品) 벼슬. *직학(直學). ②조선 시대 때 성균관의 종구품 벼슬. 정원은 3 명. *학록(學錄).

학-의행【郝懿行】명〖사람〗중국 청(淸)나라 때의 학자. 자는 순구(恂九). 산동 성(山東省) 사람. 경학(經學)·지리학(地理學)·사학(史學)·농학(農學)에 밝았으며 《이아 의소(爾雅義疏)》·《순자 보주(荀子補注)》·《산해경 전소(山海經箋疏)》·《보송서 형법지(補宋書刑法志)》 등을 저술함. 또 벌과 제비의 생태를 관찰·연구한 책도 있음. [1757-1825]

학-이지지【學而知之】명 배워서 앎. 학지(學知). ——-하다 타여불

학익【鶴翼】명 ①학의 날개. ②〖군〗학익진(鶴翼陣). ↔어린(魚鱗)❷.

학익-진【鶴翼陣】명〖군〗학의 날개를 펴듯이 치는 진. 양익(兩翼)에 총포대를 배치하여 적을 포위함. 학익(鶴翼). ↔어린진(魚鱗陣).

〈학익진〉

학인【學人】명 ①배우는 사람. 흔히 학자나 문필가(文筆家)가 아호(雅號)로 쓰는 말. ¶남산 ~/동해 ~. ②〖불교〗학습중인 승려를 이르는 말.

학자[1]【學者】명 ①학문에 통달하거나 학문을 연구하는 사람. 학문인. ②경학(經學)이나 예학(禮學)에 능란한 사람. ③〖성〗'모세의 율법' 곧, 성경에 능통하고 종교 생활을 지도할 수 있는 사람. 학사(學士).

학자[2]【學資】명 학비(學費).

학자-금【學資金】명 학비로 쓰는 돈. 학비금(學費金).

학자금 융자【學資金融資】[ㅡ늉ㅡ] 명 은행에서 대학 재학생에게 등록금(登錄金)의 일부를 신용 대출(信用貸出)해 주는 일.

학자 문학【學者文學】명〖문〗예술가가 아닌 학자들이 쓴, 문세(文勢)가 거센 수필 등의 작품.

학자 보:험【學資保險】명 학자금의 준비를 목적으로 하는 생존(生存) 보험의 하나. *교육 보험.

학자-적【學者的】명관 학자로서의 갖출 바를 다 갖춘 모양. ¶~ 양심.

학장[1]【學匠】명 ①학자(學者). ②〖불교〗불도를 닦아 스승이 될 자격을 갖춘 중.

학장[2]【學長】명 ①〖교〗단과 대학의 장(長). *총장(總長). ②서당(書堂)의 선생. 학구(學究).

학재【學才】명 학문에 대한 재능.

학적[1]【學的】명관 ①학문에 관한 모양. ②학문으로서의 요건(要件)에 적합한 모양. 체계적·조직적·합리적 등을 의미함.

학적[2]【學績】명 ①학문상의 공적. ②학업 성적.

학적[3]【學籍】명〖교〗①학생의 성명·생년월일·성별·본적·주소·성적·입학·퇴학·졸업·보호자·보증인·환경 기타에 관한 자세한 기록. ②학생으로서의 적.

학적-부【學籍簿】명〖교〗생활 기록부(生活記錄簿)의 전 이름.

학전【學田】명〖역〗고려·조선 시대 때에 각 교육 기관의 경비를 충당하기 위하여 설정된 토지. 고려 성종(成宗) 11년(992) 국자감(國子監)을 세우고 여기에 전장(田庄)을 지급한 것이 시초이며, 뒤에 국학(國學)에 양현고(養賢庫)를 설치하여 장학(奬學)에 힘썼음. 조선 시대에는 대체로 고려의 제도를 답습하였는데 성균관(成均館), 사학(四學), 주(州)·부(府)의 향교(鄕校), 사액 서원(賜額書院)에 학전을 지급하였음. 학위전(學位田).

학-절구 명〈방〉돌확(충남).

학점【學點】명〖교〗대학과 대학원 학생들의 학과 이수(履修)를 계산하는 단위. 원칙적으로 매주 한 시간씩 한 학기 동안 강의를 받고 소정 시험에 합격함으로써 학점을 따게 됨.

학점-제【學點制】명〖교〗학점을 단위로 계산하여 졸업하게 되는 제도. *단위제(單位制).

학정[1]【虐政】명 포학(暴虐)한 정치. 폭정(暴政). 패정(悖政).

학정[2]【學正】명〖역〗①고려 때 국자감(國子監)·국학(國學)·성균관(成均館)의 정구품(正九品) 벼슬. ②조선 시대 때 성균관의 정팔품(正八品) 벼슬. *학록(學錄).

학정[3]【學政】명〖교〗교육 행정.

학정[4]【學程】명 학문의 정도.

학정[5]【鶴頂】명 탕건(宕巾)의 윗이마.

학정 금대【鶴頂金帶】명〖역〗조선 시대 품대(品帶)의 하나. 종이품(從二品)의 벼슬아치가 띠던, 가장자리에는 황금으로 하고 가운데는 붉은 장식물을 붙인 띠. *품대(品帶).

학제[1]【學制】명〖교〗학교 또는 교육에 관한 제도. ¶~ 개편.

학제[2]【學製】명〖역〗↗사학 합제(四學合製).

학제[3]【學際】명〔interdisciplinary〕몇 개의 학문 분야가 관계되어 있는 일. ¶~적 협력.

학조【學祖】명〖사람〗조선 시대 초(初)의 중. 호는 등곡(燈谷)·황악 산인(黃岳山人). 세조 때 여러 고승들과 함께 불경을 국역하여 간행하였으며, 해인사(海印寺)를 중수하였음. 연산군 때 신비(愼妃)의 명을 받아 대장경(大藏經) 3부를 간인(刊印)하고 스스로 발문(跋文)을 썼음. 또, 남명집(南明集)을 언해(諺解)하였음. 학조 대사(大師).

학조 대:사【學祖大師】명〖사람〗학조를 높이어 부르는 이름.

학죠 명〈방〉학교(學校)(경상).

학중【學衆】명〖불교〗학문을 연구하는 대중.

학지[1]【學地】명〖불교〗불경을 배우는 곳.

학지[2]【學知】명 삼지(三知)의 하나. 배워서 앎. 학이지지(學而知之).

학질【瘧疾】명〖의〗말라리아(malaria).

학질(을) 떼:다 구 ㉠학질을 고치다. ㉡간신히 괴롭거나 귀찮은 일을 벗어나다. 몹시 혼나다.

학질-모기【瘧疾ㅡ】명〖충〗①파리목(目) 모깃과(科) 아노펠레스속(屬)에 속하는 모기의 총칭. 전세계에 수백 종이 분포되어 있으며 학질을 매개함. 보통 모기와 다른 점은 성충의 날개에 흑백(黑白)의 반문이 있고 유충(幼蟲)은 호흡관(呼吸管)이 없고 수면(水面)에 평행하게 떠다니며 정지(靜止)할 때는 몸의 뒤를 올리고 머리를 숙이는 점으로 구별함. 아노펠레스. 말라리아모기. *진학질모기. ②[*Anopheles hyrcanus sinensis*] 모기과 학질모기속(屬)에 속하는 모기의 하나. 암컷의 몸길이 5.8mm, 날개 길이 5.1mm이고, 날개는 갈흑·황백색의 인편(鱗片)으로 된 반문을 이루고 전연맥의 후반부(後半部)에는 두 개의 백색 반문, 둔부(臀部)의 시맥(翅脈)에는 두 개의 흑색 반문이 있음. 학질의 병원충을 매개하는 야간 흡혈성(吸血性) 곤충으로, 무논·연못·습지·개울 가에 발생하는데, 동양(東洋) 일대에 분포함. 시반문(翅斑蚊).

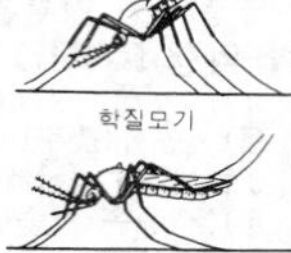

〈학질모기❷〉

학창【學窓】명 학생으로서 학교(學校)에서 공부하는 교실이나 또는 학교의 일컬음. 형창(螢窓). ¶~을 떠나다.

학창 생활【學窓生活】명 학교에서 학생(學生)으로서 공부하는 생활. 학교 생활.

학창 시절【學窓時節】명 학교에서 학생(學生)으로서 공부하는 시절. 학교 시절.

학-창의【鶴氅衣】[ㅡ/ㅡ이] 명〖역〗웃옷의 한 가지. 흰 창의에 가를 돌아가며 검은 헝겊으로 넓게 꾸밈.

학채【學債】명〖역〗강미(講米).

학처【學處】명〖불교〗〔'배울 만한 곳'이란 뜻〕계율(戒律)의 뜻.

학철 부:어【涸轍鮒魚】명 →학철 부어(涸轍鮒魚).

학-체【鶴體】명〖춤〗승무에서, 장삼 소매를 뒤에서 위로 들쳐 올리어 학이 날개를 펴는 것처럼 보이게 하는 춤사위.

〈학춤〉

학-춤【鶴ㅡ】명〖역〗정재(呈才) 때나 구나(驅儺)한 뒤에 향악(鄕樂)에 맞추어 추는 춤. 주악(奏樂)하고 여러 여기(女妓)가 창사(唱詞)하면 청학(靑鶴)·백학의 탈을 쓴 두 무동(舞童)이 지당판(池塘板) 앞에 뛰어나와서 북향하고 동서로 나눠 서서 춤을 춤. 학무(鶴舞).

학춤을 추이다 구 남의 팔이나 덜미를 붙잡아 치켜들고 욕을 보이다.

학취【鶴觜】명 ①학의 부리. ②〖약〗학의 부리와 사슴뿔을 태워서 황랍·송진·백랍을 섞어 끓인 풀. 생황의 백동혀나 놋쇠혀를 붙이는 데 씀.

학취형 석기【鶴觜形石器】명〖고고학〗쪼으개.

학치 명〈속〉정강이.

학치 패:다 구〈속〉종아리를 때리다.

학치-뼈 명〈속〉정강이뼈.

학칙【學則】명〖교〗학교의 학과(學科) 및 편제(編制)에 관한 규칙. 교칙(校則). ¶~ 개정(改正).

학통【學統】명 학문의 계통.

학파【學派】명 학문상의 유파(流派). 곧, 학문상의 주장을 달리하여 각각 갈라져 나간 갈래. 학류(學流). ¶헤겔 ~.

학풍【學風】명 ①학문상의 경향. ¶율곡(栗谷)의 ~. ②학교의 기풍(氣風). 교풍(校風). ¶아카데믹한 ~.

학학【翯翯】명부 새가 아주 흼. 또, 그 모양.

학항-초【鶴項草】명〖식〗명아주.

학해【學海】명 ①학문의 길이 바다와 같이 한없이 넓음을 이르는 말. 또, 그 학문의 세계. ②냇물이 쉬지 않고 흘러서 바다로 들어간다는 뜻으로, 꾸준히 학문에 힘써서 끝내 성취함을 이름.

학행【學行】명 ①학문과 덕행. 학문과 실행. ②학문 및 불도(佛道)의 수행(修行).

학행 음란증【虐行淫亂症】[ㅡ난쯩] 명〖심〗사디슴.

학행 일치【學行一致】명 학문(學問)과 행동(行動)이 어긋남이 없이 일치함. *언행 일치.

학협【學協】명〖역〗↗학부 협판(學部協辦).

학형【學兄】명 학우(學友)를 존대하여 일컫는 말.

학회【學會】명 ①학술의 연구·장려를 목적으로 조직된 단체. ¶한글 ~/정치 ~. ②〖불교〗불학(佛學)을 닦는 사람들이 모이는 곳.

학회-령【學會令】명〖역〗1908년에 일제 통감부(統監部)가 한국인들이 세운 학회에 대해 반포한 통제령.

학훈-단【學訓團】명 '아르 오 티 시(R.O.T.C.)' 곧 학군단(學軍團)의 전의 통칭.

학-흉배【鶴胸背】명〖역〗학을 수놓은 흉배의 한 가지. 문관으로 당상관(堂上官)은 쌍학배(雙鶴背), 당하관(堂下官)은 단학배(單鶴背)로 되었음. ↔호흉배(虎胸背). *학반(鶴班).

〈학흉배〉

한[1] 명〈옛〉환. ¶한(木丸)≪同文 下 16≫/한(木毬)≪漢淸 Ⅹ:35≫.

한[2] 명〈옛〉큰 것. 존칭(尊稱)을 나타내는 말. ¶李齊賢曰 新羅時 其君稱麻立干 其臣稱 阿干 至於鄕里之人 例 以干連其名而呼之蓋相尊之辭也 采按我國方言 干音汗 如謂種蔬者 爲園頭干漁採者爲 漁天干 造泡者爲豆腐干之類 大抵 方言以 大者爲汗 故謂天爲汗 亦此也≪芝峰類說 卷十六 語言部 方言≫.

한[3]【干】명〖역〗간[3](干)❷.

한[4]【干·汗·翰·韓】명〖역〗우리 나라 고조선(古朝鮮) 때에 군장(君長)을 일컫던 말.

한:[5]【汗】명 칸(Khan).

한:[6]【限】㊀명 ①넘지 못하게 정하거나 또는 이미 정하여진 정도나 범위. 한도(限度). ¶기쁘기 ~이 없다. ②↗계한(界限). ③기한(期限). ④↗제한. ¶입장자는 여자에 ~한다. ──-하다 타여불 ㊁의명 '-ㄴ'·'-는'으로 활용한 용언 밑에 붙어, '까지'·'범위'·'한도'의 뜻으로 쓰는 말. ¶죽는 ~이 있어도/될 수 있는 ~.

한:[7]【恨】명 ①한민족이 겪은 삶과 역사 속에서 응어리진 분노·체념·원망·슬픔 등이 섞인 고유의 정서. ¶~이 맺히다/~ 많은 일생을 보내다. ②↗원한(怨恨). ¶천추의 ~. ③↗한탄(恨歎). ──-하다 타여불

한:[8]【漢】명 ①〖역〗중국 고대의 나라 이름. 모두 여섯 한(漢), 곧 전한(前漢)·후한(後漢)·촉한(蜀漢)·성한(成漢)·북한·남한이 있었으나, 보통 전한과 후한을 이름. 전한, 곧 서한(西漢)은 진(秦)나라의 뒤를 이어 고조(高祖) 유방(劉邦)이 장안(長安)에 도읍(都邑)하여 14대 200여 년간(202 B.C.-A.D. 8) 이어오다가 외척 왕망(王莽)에게 15년 동안 찬탈되었음. 7대 무제(武帝) 때에는, 특히 군현(郡縣) 제도를 강화하여 중앙집권제를 공고히 하고, 화폐를 개주하며 전매제를 강행하였으며, 숙적 흉노를 쳐서 서역 도호(西域都護)를 두고 월남(越南)을 평정하고 쓰찬

그 공급의 최초의 부분에 있어서 가장 크고, 점차로 줄어 최종의 부분에 이르러 가장 적어지는 그 때의 효용을 이름. 최종 효용. 최소 효용.

한:계 효:용 균등의 법칙 【限界效用均等—法則】 [—/—에—] 명 〔law of equimarginal utility〕 〖경〗 일정한 소득으로 여러 종류의 재(財)를 구입코자 할 때, 각 재(財)의 한계 효용을 각각 제 가격(價格)으로 나눈 값이 같아지도록 구입하면, 각 재(財)의 한계 효용은 균등하게 되어 최대의 효용을 얻을 수 있다는 법칙. 독일의 경제학자 고센(Gossen, Hermann Heinrich; 1810-58)이 처음으로 밝혀 낸 데서, 고센의 제 2 법칙이라고도 함. 준 효용 균등의 법칙. ＊소비자 선택의 이론.

한:계 효:용설 【限界效用說】 명 〖경〗 한계 효용에 의하여 경제 행위를 설명하고자 하는 경제 학설.

한:계 효:용 체감의 법칙 【限界效用遞減—法則】 [—/—에—] 명 〖경〗 일정한 기간에 소비되는 재화(財貨)의 수량이 증가함에 따라 그 추가분에서 얻을 수 있는 한계 효용은 점차 감소한다는 법칙. 독일의 경제학자 고센(Gossen, Hermann Heinrich; 1810-58)이 처음으로 밝혀 낸 데서 고센의 제 1 법칙이라고도 함. ＊효용 체감의 법칙.

한:계 효:용 학설 【限界效用學說】 명 〖경〗 재화의 가치·가격은 한계 효용의 대소에 의하여 결정된다고 하는 학설.

한:계 효:용 학파 【限界效用學派】 명 〖경〗 오스트리아 학파(Austria 學派).

한-계(:)희 【韓繼禧】 [—히] 명 〖사람〗 조선 세조 때의 문신. 자(字)는 자순(子順). 청주(淸州) 사람. 훈구파(勳舊派)에 속하는 유학자(儒學者)로 최항(崔恒)과 함께 ≪경국 대전(經國大典)≫을 편찬하고, ≪의방 유취(醫方類聚)≫의 인본(印本) 간행을 주관하였음. 벼슬은 좌찬성(左贊成)을 지냄. 시호는 문정(文靖). [1423-82]

한:고[1] 【罕古】 명 옛적부터 드묾. ——-하다 형 여불

한고[2] 【寒苦】 명 추위로 말미암은 괴로움. 추위로 인하여 받는 고생. ↔ 서고(暑苦).

한-고비 명 가장 중요하거나 긴요한 때. 바로 최고조에 다다른 판. ¶ 병이 ～를 넘기다/추위도 이젠 ～ 지났다.

한고-조[1] 【寒苦鳥】 명 〖불교〗 인도 대설산(大雪山)에 산다는 상상의 새. 밤이 깊으면 추위에 떨어 '밤이 새면 집을 짓겠다고 울다가도 해가 뜨면 다 잊고서 무상한 이 몸에 집 지어 무엇하리' 하고 그대로 지냈다고 함. 불경에서 이 새를 중생이 게을러 빠져 성도(成道)를 구하지 아니함에 비유함.

한:-고조[2] 【漢高祖】 명 〖역〗 중국의 한(漢)나라의 고조(高祖) 유방(劉邦)을 다른 왕조의 고조와 구별하여 일컫는 말. 주의 예전에는, '한:꼬조'로 발음했음.

한:곡 【旱穀】 명 가뭄에 견디는 곡식.

한-골 【—骨】 명 〔신라 때 임금과 동성의 귀족을 일컫던 유속(遺俗)에서 나온 말〕 썩 좋고 귀한 지체나 문벌.

한골 나가다 구 썩 좋은 지체를 드러내다. ¶ 한골 나가는 양반같이 보이는 사람들이 종종 찾아오는 까닭으로…≪洪命憙: 林巨正≫.

한:공[1] 【汗孔】 명 땀구멍.

한공[2] 【寒空】 명 겨울철의 차갑게 맑은 하늘.

한-공의 【韓公義】 [—/—이] 명 〖사람〗 고려 때의 무신. 자는 의지(宜之). 청주(淸州) 사람. 음보(蔭補)로 벼슬에 나가 충혜왕의 신임으로 호군(護軍)에 특진, 뒤에 대호군 삼사 우윤(大護軍三司右尹)에 올랐다가 전주(全州) 목사로 좌천되어 선정을 베풂. 공민왕(恭愍王) 13년(1364) 밀직 부사(密直副使)로 정조사(正朝使)가 되어 원나라에 다녀온 후 청성군(淸城君)에 봉해짐. 생몰년 미상.

한-공중 【—空中】 명 하늘의 한복판.

한과[1] 【閑窠·閒窠】 명 한가한 벼슬자리.

한:과[2] 【漢菓】 명 유밀과의 한 가지. 밀가루를 꿀이나 설탕에 반죽하여 납작하고 네모지게 만들어서, 기름에 튀겨 물들인 과자. 혼인 잔치나 소대상(小大祥) 제사에 씀.

한:과[3] 【韓菓】 명 한국 고유의 전통 과자. 떡·강정·유밀과·산자·약과·다식 등 다양하며, ≪음식지미방(飮食知味方)≫·≪규합총서(閨合叢書)≫ 등에 소개되어 있음.

한관 【閑官·閒官】 명 한가한 벼슬. 또, 그 벼슬자리에 있는 사람.

한광 【閑曠·閒曠】 명 사람이 살거나 개간하지 아니하여서, 놀고 있는 땅이 넓음. ——-하다 형 여불

한-광조 【韓光肇】 명 〖사람〗 조선 영조(英祖) 때의 문신. 자(字)는 자시(子始), 호는 남정(南庭)·남애(南厓). 청주(淸州) 사람. 영조 19년(1743)에 등제, 수찬(修撰)·승지 등을 거쳐 대사헌·참판을 역임함. 일찍이 장헌(莊獻) 세자를 죽이려 할 때 이를 반대하다가 유배됨. 시호는 충정(忠貞). [1715-68]

한-괘 【—棵】 명 〖악〗 거문고의 제일 큰 첫째 괘. 대괘(大棵).

한:교[1] 【韓僑】 명 해외에 거류(居留)하는 한국 교포(僑胞).

한-교[2] 【韓嶠】 명 〖사람〗 조선 선조 때의 문신·학자. 자는 자앙(子仰), 호는 동담(東潭). 청주(淸州) 사람. 선조(宣祖) 25년(1592) 임진 왜란 때 의병을 일으켜 공을 세우고 인조 반정(仁祖反正)을 도와 정사(靖社) 공신 3등으로 서원군(西原君)에 봉해짐. 벼슬은 첨절제사(僉節制使)를 거쳐 참판에 이름. 이이(李珥)·성혼(成渾)의 문인으로 성리학에 밝고 병학(兵學)에도 조예가 깊었음. 생몰년 미상.

한-교[3] 【韓皦】 명 〖사람〗 고려 명종(明宗) 때의 효자. 호는 회묵재(晦默齋). 청주(淸州) 사람. 보문각 직제학(寶文閣直提學)으로 금계군(錦溪君)에 봉(封)해짐. 시호는 문충(文忠). [1217-41]

한구[1] 【閑具·閒具】 명 불필요한 도구. 없어도 지장(支障)이 없는 도구.

한:구[2] 【漢口】 명 〖지〗 '한커우(漢口)'를 우리 음으로 읽은 이름.

한-구[3] 【韓構】 명 〖사람〗 조선 숙종(肅宗) 때의 문신. 자(字)는 긍세(肯世), 호는 안소당(安素堂). 청주 사람. 숙종 원년(1675) 증광 문과(增廣文科) 갑과(甲科)로 급제, 정언(正言)·헌납(獻納) 등을 거쳐 승지로 발탁됨. 기사 환국(己巳換局) 후 민비(閔妃) 복위 운동에 연루되어 유배되었다가 풀림. 정조(正祖) 6년(1782), 평안도 관찰사 서호수(徐好修)가 왕명으로 그의 글씨를 자본(字本)으로 하여 새로운 활자를 만들어 '한구자(韓構字)'라 이름붙임. [1636-?]

한구-관 〔函谷關〕 명 〖지〗 중국 허난 성(河南省) 북서쪽에 있으며 웨이수이(渭水) 강으로부터 동쪽의 중위안 평야(中原平野)로 통하는 요지. 고관(古關)은 링바오 현(靈寶縣) 남쪽에 있고, 신관(新關)은 기원전 114년에 설치된 곳으로 신안 현(新安縣) 동쪽에 해당함. 함곡관.

한-구석 명 한쪽으로 치우쳐 구석진 곳. 한쪽 구석. ¶ ～으로 몰아 놓아라.

한구-자 【韓構字】 [—짜] 명 〖인쇄〗 활자체의 하나. 한구(韓構)의 필체를 본보기로 하여 조선 정조(正祖) 6년(1782)에 주조(鑄造)한 구리 활자.

한:국[1] 【汗國】 명 〖역〗 칸(Khan)이 통치한 나라. 새외(塞外) 민족의 군장(君長)이 통치한 나라. 칸(Khan)은 터키·몽골·위구르(Uigur) 족속의 임금을 일컬음. ¶ 오고타이 ～/킵차크 ～.

한:국[2] 【限局】 명 국한(局限). ——-하다 자 타 여불

한국[3] 【寒國】 명 매우 추운 나라.

한국[4] 【寒菊】 명 〖식〗 [*Chrysanthemum indicum* var. *hibernum*] 국화과에 속하는 재배(栽培) 식물의 하나. 잎은 잘고 우상(羽狀)으로 째졌는데, 11월에 황색 꽃이 피며 총포(總苞)가 깊. 줄기의 하부는 땅에 깔림. 한국·중국·일본에 분포함. 동국(冬菊).

한:국[5] 【韓國】 명 ①〖지〗 아시아 주(洲) 동부에 돌출한 반도(半島)에 위치한 국가. 남북으로 길쭉한데, 동은 동해(東海), 서는 황해(黃海)에 면하고 남은 대한 해협을 건너 일본, 북은 압록강·두만강을 경계로 만주와 시베리아에 접하였으며, 제주도·울릉도 등 3,300 개의 섬들을 포함함. 국토 총면적의 약 8할을 산지(山地)가 차지하며 북부에 백두산(白頭山)·개마(蓋馬) 고원·낭림(狼林) 산맥이 있고, 중부 이남에는 동안(東岸)에 치우친 척량(脊梁) 산맥인 태백(太白) 산맥에서 갈라진 소백(小白) 산맥·차령(車嶺) 산맥이 있음. 동쪽은 급경사(急傾斜)를 이루나 서·남쪽은 대동강(大同江)·한강(漢江)·금강(錦江)·영산강(榮山江)·낙동강(洛東江) 등 하류에 비옥한 평야를 형성함. 기후는 사철의 변화가 뚜렷한 온대(溫帶) 내지 냉온대 지역(冷溫帶地域)에 속하여, 북부는 한서(寒暑)의 차가 심하나 삼한 사온(三寒四溫)이 있음. 쌀·보리·콩·목화·담배·인삼 등이 산출되고, 조기·명태·오징어·김 등의 각종 수산(水產)과, 금·무연탄·철·텅스텐·흑연 등의 광물이 산출됨. 1960 년대 이후 방적·제분·제당업·합판·철강·시멘트·화학 공업·조선 공업·전자 공업·자동차 공업·무역 등이 급격히 발달하였으며 관광업도 활발하게 행하여지고 있음. 주민은 황색 인종인 한민족(韓民族)이며, 언어는 알타이 어족(語族)에 속하는 한국어인데, 이두(吏讀)와 한자(漢字)를 쓰다가 1446년 이후 표음 문자인 '한글'을 사용함. 종교(宗教)로는 민간 신앙(民間信仰) 외에 유교(儒教)·천도교·대종교·불교 및 기독교 등이 있음. 일찍이 북쪽에 고조선(古朝鮮)이 자리를 잡고 남쪽에는 삼한(三韓)이 정립하더니 4세기경에는 고구려·백제·신라의 삼국(三國)이 정립하고 7세기경에 신라가 삼국을 통일하매 비로소 한민족의 통일이 이루어짐. 그 후 고려(高麗)·조선(朝鮮)·대한 제국(大韓帝國)의 여러 왕조(王朝)를 거쳐 1910년에 일본의 침략으로 36년간의 일제 강점기를 거쳤음. 제2차 세계 대전 종결로 해방된 후 1948년에 독립을 선언하여 '대한 민국'이 수립됨. 전국이 1특별시, 5직할시, 14도(道)로 구분됨. 수도는 서울. 조선(朝鮮). 코리아(Korea). 준 (韓). ＊계림(鷄林)·고려(高麗)·동국(東國)·제잠(鯷岑)·청구(青丘)·해동(海東). [221,125 km² (남한 99,274 km²) : (남한) 43,520,199 명(1990)] ②〖역〗 ↗대한 제국. ③↗대한 민국.

한:국 가스 공사 【韓國—公社】 〔gas〕 명 가스를 장기적으로 안정되게 공급할 수 있는 기반을 마련하기 위해 설립된 특수 법인. 천연 가스의 제조·공급과 그 부산물의 정제·판매, 천연 가스의 개발 및 수출입, 천연 가스의 인수 기지 및 공급망의 건설·운영, 액화 석유 가스의 개발 및 수출입 등의 사업을 함.

한:국 가정 법률 상담소 【韓國家庭法律相談所】 [—뉼—] 명 가난하거나 법을 모르는 사회적 약자들을, 법률을 통해서 돕는, 무료 법률 부조 기관.

한:국 감정원 【韓國鑑定院】 명 자산(資產)의 경제적 값어치를 정확히 감정·평가하기 위해 설립된 정부 출연 기관.

한:국 개발 연:구원 【韓國開發研究院】 [—련—] 명 〔Korea Development Institute〕 〖법〗 한국 개발 연구원법에 의하여 국민 경제의 발전 및 이와 관련된 여러 부문의 과제를 현실적 체계적으로 연구·분석하고, 국제화를 위한 전문 인력을 양성함으로써 국가의 경제 정책의 수립과 경제 발전에 기여토록 하기 위하여 설립한 특수 법인(特殊法人). 케이 디 아이(KDI).

한:국 걸: 스카우트 연맹 【韓國—聯盟】 〔Girl Scouts〕 명 소녀들에게 사회 교육을 실시하여 유능한 공민(公民)을 양성하고 국제 친선을 도모하려는 목적 아래 조직된 단체. 1946년 발족하고 1951년 사단 법인체가 된 '대한 소녀단'을 1969년 개칭(改稱)한 것으로, 교육부 산하의 사단 법인체이며, 걸 스카우트 국제 연맹에 가입되어 있음. 구칭: 대한 소녀단.

한:국 경제 신문 【韓國經濟新聞】 명 서울에서 발간되는 일간(日刊) 경제 신문. 현대 경제 일보(現代經濟日報)가 1980년 11월 26일부터 현재의 이름으로 바뀜.

한:국 경제 연:구원 【韓國經濟研究院】 명 전국 경제인 연합회(全國經濟人聯合會)에 부설(附設)된 민간 경제 연구 기관. 1981년에 설립됨.

한:국-계 【韓國系】 명 ①한국 사람의 핏줄을 이어받음. 또, 그런 사람. ¶

～ 미국인. ②한국인이 관계하고 있는 일이나 조직. ¶～ 회사 / ～ 자본.

한:국 공업 규격【韓國工業規格】 명 '한국 산업 규격'의 구칭.

한:국 공항 공단【韓國空港公團】 명 공항 시설의 건설과 이의 효율적인 관리·운영을 통하여 항공 수송의 원활화를 도모하고, 항공의 종합적인 발달에 기여하게 할 목적으로 설립한 특수 법인.

한:국 과자【韓國菓子】 명 한과(韓菓).

한:국 과학 기술 대학【韓國科學技術大學】 명 과학 기술처 산하의 특수 대학. 1985년 6월에 설립됨. 고도 산업 사회가 요구하는 과학 기술 인력을 양성하고, 연구를 통하여 새로운 과학 기술 이론을 창출함과 아울러 국내 과학 기술 교육의 질적인 향상을 도모할 목적으로 설립되었으며, 1989년 7월에 한국 과학 기술원에 흡수 통합됨. 과기대(科技大).

한:국 과학 기술 연:구소【韓國科學技術研究所】[—련—] 명 '한국 과학 기술 연구원'의 전신(前身).

한:국 과학 기술 연:구원【韓國科學技術研究院】[—련—] 명 〔Korea Institute of Science and Technology〕 한국 과학 기술원 연구 부문의 목적 및 기능을 이어 받아, 창조적 원천 기술의 연구 개발, 기초·응용 과학의 연구, 국내외 연구 기관·학계·산업계와의 협동 연구, 정부가 위임하는 연구 개발 사업의 기획·평가 및 관리 업무를 수행하는 재단 법인. 서울 특별시 성북구 하월곡동(下月谷洞)에 위치함. 키스트(KIST).

한:국 과학 기술원【韓國科學技術院】 명 〔Korea Advanced Institute of Science and Technology〕 과학 기술 분야에 관한 심오한 이론과 실제적인 응용력을 갖춘 고급 과학 기술 인재 양성과, 국책적(國策的) 중·장기(中長期) 연구 개발 및 국가 과학 기술 저력 배양을 위한 기초·응용 연구와, 다른 기관이나 산업계 등에 대한 연구 지원을 하는 특수 법인. 주로 교육 부문을 담당하고, 연구 분야는 재단 법인 한국 과학 기술 연구원에서 수행하고 있음.

한:국 과학 기술 진:흥 재단【韓國科學技術振興財團】 명 과학 기술 연구 능력의 함양과 과학 교육의 진흥 및 과학 기술의 국제 교류를 증진시킴으로써 과학 기술의 창달·진흥에 이바지하게 하기 위해 설립한 특수 법인체. 자체 사업으로 기금을 마련하고 있음.

한:국 과학원【韓國科學院】 명 산업 발전을 위하여 필요한 과학 기술 분야의 심오한 이론과 실제적인 응용력을 갖춘 사람을 양성하던 기관. 1981년에 한국 과학 기술 연구소와 통합하여 한국 과학 기술원이 됨.

한:국 과학 재단【韓國科學財團】 명 과학 기술 연구 능력의 배양과 과학 교육의 진흥 및 과학 기술의 국제 교류를 증진하게 함으로써 과학 기술의 창달·진흥에 기여하게 하기 위하여 설립된 정부 출연(出捐)의 특수 법인.

한:국 관광 공사【韓國觀光公社】 명 국제 관광 진흥 사업, 국민 관광 진흥 사업, 관광 자원 개발 사업, 관광 산업의 연구·개발 사업, 관광 요원 양성과 훈련에 관한 사업 등을 수행하기 위하여 설립된 특수 법인. 1962년 '국제 관광 공사'로 발족, 1982년 현재의 명칭으로 바뀜.

한:국 관광 협회【韓國觀光協會】 명 관광 사업자를 회원으로 하는 법인. 관광 사업(觀光事業)의 발전과 관광 사업자의 이익을 꾀하며, 관광 사업 진흥에 관한 조사·연구·홍보 등의 사업을 행함.

한:국 광복군【韓國光復軍】 명 〖역〗 1940년, 대한 민국 임시 정부 주석 김구(金九)와 지청천(池青天) 등이 조국의 독립을 쟁취하기 위해 중국의 충칭(重慶)에서 조직한 한국인의 군대.

한:국 교:원 단체 총:연합회【韓國教員團體總聯合會】[—년—] 명 교원의 지위 향상, 교권의 옹호, 교직의 전문성 확립 등을 통하여 민주 교육 발전에 이바지할 것을 목적으로 설립된 사단 법인체. 1947년 11월에 '대한 교육 연합회'로 설립, 1990년 1월 지금의 명칭으로 바꾸었음. 《새 교육》·《새한 신문》을 발간함.

한:국 교:원 대학교【韓國教員大學校】 명 국립 대학교의 하나. 유치원·초등 학교·중학교·고등 학교 등의 교원 양성, 교원의 교육 및 교육 연구 기능에 관한 사항을 담당함. 단과 대학으로 제 1 대학, 제 2 대학 및 제 3 대학을 둠. 1984년 충청 북도 청원군 내에 설치함.

한:국 교:육 개발원【韓國教育開發院】 명 교육의 목적·방법 등의 개발에 관한 조사·연구와 그 성과의 보급·활용을 위한 교육 방송을 하기 위하여 국가의 출연금(出捐金)으로 1972년에 설립된 재단 법인. 교육부 장관의 감독을 받음.

한:국 국방 연:구원【韓國國防研究院】 명 〖법〗 국방에 관한 정책의 대안(代案) 개발과 자원 관리 등에 관련된 각종 정보와 분석 기법을 수집·조사·연구하는 기관. 국방부 장관의 감독을 받음.

한:국 국제 협력단【韓國國際協力團】[—녁—] 명 대한 민국과 특정 협력 대상 지역과의 우호 협력 관계 및 상호 교류를 증진시키고 이들 지역의 경제·사회 발전을 지원하기 위하여 설립한 특수 법인. 각종 국제 협력 사업 및 해외 인력 협력 사업을 수행함.

한:국 군사 정전 위원회【韓國軍事停戰委員會】 명 1953년 7월 27일 설립된 '한국 군사 정전에 관한 협정'의 실시를 감독하고 동 협정에 대한 모든 위반 사건(違反事件)을 협의 처리하기 위하여 설치된 기구. 양측(유엔군 사령관과 이른바 조선 인민군 사령관 및 중공 인민 지원군 사령관)이 각각 5명씩 임명하는 10명의 고급 장교로 구성됨. 이 위원회는 행정 사무를 처리하기 위하여 비서처를 설치하여 운영하며, 기록 등은 영어·한국어·중국어로 작성하여 모두 효력을 지니도록 되어 있음. 본부는 판문점(板門店) 부근에 설치하며 쌍방 수석 위원(首席委員)의 합의(合議)에 따라 비무장 지대내에 이설(移設)할 수 있도록 되어 있음.

한:국 기계 연:구소【韓國機械研究所】 명 기계·금속·조선(造船) 등의 분야에 대한 기술 개발 및 기술 지도·기술 도입을 담당하는 정부 출연(出捐) 연구 기관의 하나. 서울 구로 공단(九老工團) 제1 단지(團地)에 위치함.

한:국 기술 개발 주식 회:사【韓國技術開發株式會社】 명 기업의 기술 개발을 촉진함으로써 산업 구조를 고도화(高度化)하고, 국제 경쟁력을 강화하여 국민 경제 발전에 기여하게 할 목적으로 설립된 회사. 자본금을 1,500억원으로 하고, 기술 개발비의 융자, 기술 도입 및 도입 기술의 소화·개량비의 융자, 기업에 대한 경영 및 기술 지도 업무 등을 함.

한:국 기원【韓國棋院】 명 전문 기사의 기력·지위 향상과 바둑의 보급을 목적으로 설립된 단체. 8·15 광복 후 바둑 애호인에 의해 '한성(漢城) 기원'이 설립되었고, 조선(朝鮮) 기원이 되었다가 1948년 정부 수립 후 '한국 기원'이 됨. 1967년 7월부터 월간 《바둑》을 발행했고, 89년 7월에는 월간 《바둑 생활》을 창간했음. 1990년 현재 9단 5명을 비롯하여 전문 기사 102명, 전국에 23개 지원(支院)이 있음.

한:국 남극 세:종 기지【韓國南極世宗基地】 명 남극 대륙의 부존 자원과 자연 환경을 조사·연구·개발하기 위해 1988년 2월 남극의 킹조지섬에 설치한 한국의 과학 기지.

한:국 노동 교:육원【韓國勞動教育院】 명 중립적이고 공신력(公信力) 있는 교육을 실시하여 민주적 노사 관계를 정립하고 산업 평화를 이룩함으로써 노사 공존 공영의 이념을 구현하고 국민 경제 발전에 기여하게 하기 위하여 설립한 특수 법인.

한:국 노동 연:구원【韓國勞動研究院】[—년—] 명 노동 관계의 여러 문제를 체계적으로 연구·분석함으로써 합리적인 노동 정책 개발과 노동 문제에 관한 국민 일반의 인식을 높이기 위해서 설립한 특수 법인.

한:국 노동 조합 총:연맹【韓國勞動組合總聯盟】[—년—] 명 노동자의 권익 옹호와 균등 사회 건설을 위하여 조직된 한국 노동 조합의 총결합체. 1946년 발족한 대한 노동 조합 총연맹이 5·16 군사 혁명으로 해체되었다가 그 해 8월 재조직되어 단일 연합체가 됨.

한:국 농촌 경제 연:구원【韓國農村經濟研究院】 명 〖법〗 농림(農林)·수산 경제(水産經濟) 및 농어촌 사회 개발(農漁村社會開發)에 관한 정책 수단을 조사·연구하기 위하여 정부의 출연(出捐)으로 조성된 기금에 의해 설립된 재단 법인.

한:국 담:배 인삼 공사【韓國—人蔘公社】 명 한국 담배 인삼 공사법에 의하여, 담배·인삼 사업의 건전한 발전을 위하여 설립된 특수 법인. 재정 경제부 장관의 지도·감독을 받음. 잎담배 및 수삼(水蔘)의 수매(收買), 담배와 홍삼 및 홍삼 제품의 제조, 그리고 판매와 수출입 등의 업무를 맡아봄.

한:국 도:로 공사【韓國道路公社】 명 유료(有料) 도로의 설치와 관리를 하게 함으로써 도로의 정비(整備)를 촉진하고 도로 교통의 발달에 기여(寄與)하게 하기 위하여 설립한 특수 법인(特殊法人). 유료 도로의 신설·개축(改築) 및 유지·수선에 관한 공사의 시행과 관리 등의 일을 함. ㊟도로 공사.

한:국 도서 잡지 윤리 위원회【韓國圖書雜誌倫理委員會】[—율—] 명 도서·잡지의 사회적 책임과 공정성(公正性)을 유지하기 위하여 설치된 자율적 기관. 법정 단체임.

한:국 독립당【韓國獨立黨】[—닙—] 명 〖역〗 1928년 중국 상하이(上海)에서 조직된 독립 운동 단체. 공상주의자를 배제하고 민족 진영(民族陣營)만으로 조직됨. 이동녕(李東寧)·이시영(李始榮)·김구(金九)·조소앙(趙素昻)·안창호(安昌浩) 등이 그 주요 간부임. 기관지로는 '한보(韓報)', '한성(韓聲)' 등을 발간하였음. ㊟한독당(韓獨黨).

한:국 동:란【韓國動亂】[—난] 명 육이오 전쟁.

한:국 마:사회【韓國馬事會】 명 경마(競馬)의 공정한 시행과 원활한 보급을 통하여 마사(馬事)의 진흥 및 축산의 발전에 이바지하기 위한 사업을 효율적으로 하기 위해 설립된 공법인.

한:국-말【韓國—】 명 한국어(韓國語).

한:국 매듭【韓國—】 명 우리 나라에 예로부터 전해 내려오는 기법으로 끈목을 매고 죄어서 만드는 매듭. 입체적으로 짜는데 명주실을 소재로 하며 색감과 조형미(造形美)에서 특이한 예술성이 발견됨.

한:국 무:역 협회【韓國貿易協會】 명 〔Korea Foreign Trade Association : KFTA〕 무역 업체를 회원으로 하는 민간 경제 단체. 1946년 7월 31일, 무역 진흥을 위해 사단 법인으로 설립, 현재에 이르렀음.

한:국 문화 예:술 진:흥원【韓國文化藝術振興院】 명 우리 나라의 문화 예술의 진흥을 위한 사업과 활동을 지원(支援)하기 위하여 1973년에 설립된 특수 법인. ㊟문화 예술 진흥원.

한:국-미[1]【韓國米】 명 한국에서 산출되는 쌀. 품질이 우수함.

한:국-미[2]【韓國美】 명 한국의 미(美). 한국적인 아름다움.

한:국 민속촌【韓國民俗村】 명 경기도 용인시 기흥읍 보라리(器興邑甫羅里)에 위치한 한국 고유의 야외 민속 박물관. 1974년 10월에 준공·개관했음. 1990년 7월 현재 16만 8,000평의 대지에 275동 4,409평의 건물이 이건(移建) 또는 복원되어 있음.

한:국 반:공 연맹【韓國反共聯盟】[—년—] 명 '한국 자유 총연맹'의 전신(前身).

한:국 방:송 공사【韓國放送公社】 명 방송 문화의 발전과 공공 복지(公共福祉)의 향상에 이바지함을 목적으로 설립된 특수 법인(特殊法人). 1926년에 발족(發足)한 경성 방송국을 모체(母體)로 하며 1973년 3월 대한 민국 중앙 방송국을 한국 방송 공사로 개칭함. 전국적인 방송망이 조직되어 있고, 국내에서의 라디오·텔레비전 방송 외에 해외 방송도 하고 있음. 통칭, 케이 비 에스(K.B.S.)

한:국 방:송 광:고 공사【韓國放送廣告公社】 명 〖법〗 공공(公共)에 봉사하는 방송 광고 질서를 정립(定立)하고 방송 광고 영업의 대행(代行)에 의한 방송 광고 수입의 일부를 재원으로 하여 방송과 문화·예술의 진흥 사업을 지원하게 하여 국민의 문화 생활과 방송 문화의 발전 및 방송 광고 진흥에 이바지하게 할 목적으로 설립한 무자본의 특수 법인.

한:국 방:송 통신 대학교【韓國放送通信大學校】명 대학에 진학하지 못한 사람에게 대학 교육의 기회를 주기 위해, 교재(敎材)와 방송 강의 및 협력 대학에 출석 수업을 하는 등의 방법으로 교육하는 국립(國立) 교육 기관. 수업 연한은 전문 대학 과정은 2년, 학사 과정은 4년임. 준 방송 대학·방송 통신 대학·방통대(放通大).

한:국 법전【韓國法典】명〖역〗↗현행 한국 법전.

한:국 법제 연:구원【韓國法制硏究院】명 국가의 입법 정책 수립의 지원 및 법령 정보의 신속·정확한 보급과 법률 문화의 향상을 위하여, 법령 정보를 체계적으로 수집·관리하고 법제(法制)에 관하여 전문적으로 조사·연구하는 기관. 특수 법인임.

한:국 보:건 사회 연:구원【韓國保健社會硏究院】명 국민 보건·의료·사회 보장과 인구 문제 및 이와 관련된 보건 사회 관계 여러 부문의 과제를 현실적이고 체계적으로 연구·분석하기 위해 설립된 특수 법인.

한:국 보이 스카우트 연맹【韓國—聯盟】〔Boy Scouts〕명 소년들에게 사회 교육을 실시하여 유능한 공민을 양성하고 국제 친선을 도모하려는 목적 아래 조직된 단체. 1922년 발족하여 1937년 일제(日帝)의 탄압으로 해산되었다가 1946년 재발족한 '대한 소년단'을 개칭한 것으로, 교육부 산하의 사단 법인체이며, 1953년 보이 스카우트 국제 연맹에 가입함.

한:국 보:험 공사【韓國保險公社】명〖경〗1989년 '보험 감독원'으로 바뀜.

한:국 보:훈 복지 공단【韓國報勳福祉公團】명〖법〗국가 유공자 예우 등에 관한 법률 및 월남 귀순(越南歸順) 용사 특별 보상법의 적용 대상자에 대한 진료와, 중상이자(重傷痍者)에 대한 의학적·정신적 재활(再活) 및 직업 재활 교육을 하는 국가 보훈처 산하의 특수 법인. 공단에 보훈 병원을 둠.

한:국 복식【韓國服飾】명 한국 민족의 고유의 복색(服色). 한민족 고유 복식의 기본형은 대체로 유(襦)·고(袴)·상(裳)·포(袍)를 중심으로 하고, 여기에 관모(冠帽)·대(帶)·화(靴) 또는 이(履)가 첨부된 것인데, 한대성(寒帶性) 의복, 즉 북방 호복(胡服) 계통의 의복에 속했었음. 신라 통일 이후 한국은, 당대(唐代)·원대(元代)·명대(明代)의 관복(冠服) 제도를 차례로 들여와 습용하기도 했으나, 차츰 한국 고유의 복식과 조화시키면서 발전시켜 현재의 한국 복식으로 완성되었음.

한:국 부인회【韓國婦人會】명 국가·사회를 위한 봉사, 여성의 지위 향상 등을 모도하기 위하여 1948년에 조직된 여성 단체의 하나.

한:국 산:업 규격【韓國産業規格】명 산업 표준화법에 따라 제정된 광공업품의 종류·형상·치수·안전도·내구도 등과 그 생산·설계·제도·운용 방법과 광공업의 기술에 관련되는 용어·기호·표준수 또는 단위 등에 관한 규격. 중소 기업청장의 허가를 받아 제품이나 가공 기술의 규격에 맞는다는 표시를 할 수 있음.

한:국 산:업 안전공단【韓國産業安全公團】명 근로자의 안전과 보건을 유지·증진하고 사업주의 재해 예방 활동을 촉진시키기 위해 산업 재해 예방 기술의 연구·개발과 보급, 산업 안전 보건 기술 지도 및 교육, 유해(有害) 위험 설비의 진단 및 검사 등 산업 재해 예방에 관한 사업을 수행하게 할 목적으로 설립한 특수 법인.

한:국 산:업 은행【韓國産業銀行】명〖경〗특수 은행의 하나. 산업의 개발과 국민 경제의 발전을 촉진하기 위한 중요 산업 자금의 공급·관리를 그 주요 목적으로 함. 자본금은 5조(兆)원으로 정부가 전액 출자함.

한:국 산:업 인력 관리 공단【韓國産業人力管理公團】[—일—괄—] 명 직업 훈련의 실시, 기술 자격 검정, 기능 장려 사업 및 이에 관한 연구·개발 업무를 수행함으로써 산업 인력의 양성 및 수급(需給)의 효율화를 도모하기 위해 설립한 특수 법인.

한:국 상업 은행【韓國商業銀行】명〖경〗일반 은행법에 의하여 설립된 시중 은행의 하나. 대한 제국 때 세워진 한국 최초의 금융 기관인 대한 천일(天一) 은행의 후신임. 준상업 은행.

한:국 생산 기술 사:업단【韓國生産技術事業團】명〖법〗기계 공업에 대한 생산 기술의 개발과 지도를 전담하는 특수 법인(特殊法人).

한:국 생산성 본부【韓國生産性本部】[—썽—] 명 기업의 생산성 향상을 효율적이고 체계적으로 추진하기 위하여 설립된 법인체. 생산성 향상을 위하여 경영 진단 및 지도 사업, 교육 훈련 사업, 조사 연구 사업, 기술 개발 및 보급 사업 등을 함.

한:국 서지【韓國書誌】명〖책〗프랑스의 동양학자 쿠랑(Courant, M.) 교수가 1890년부터 1년 6개월 동안 주한 프랑스 공사관에 근무할 때 역대의 문헌을 연구 조사하여 편찬한 프랑스어로 된 한국 서지 목록. 소개된 문헌은 약 3,821종이며, 4권으로 되어 있음.

한:국 석유 개발 공사【韓國石油開發公社】명〖법〗특수 법인의 하나. 석유 자원의 탐사·개발, 원유 및 석유 제품의 수출입·비축·수송·판매, 석유 비축 시설의 건설·관리·운영 및 대여, 에너지 및 자원 관련 사업을 하는 법인에 대한 투자·융자·채무 보증 및 자재 대여 등의 사업을 함.

한:국성 공:피증【限局性鞏皮症】[—쯩] 명〖의〗공피증의 하나. 가슴·궁둥이·사지 등의 작은 부분의 피부가 엽전 내지 손바닥만한 크기로 굳어지는 것으로 처음에 붉어졌다가 후에 경화(硬化)하여 위축 함요(萎縮陷凹)함. ↔범발성(汎發性) 공피증.

한:국성 외:이도염【限局性外耳道炎】명〖의〗외이도의 피지선(皮脂腺)·이구선(耳垢腺)에 화농균이 감염하여 일어나는 염증. 귀이개로 긁거나 물이 들어가거나 그 밖에 각종 약·귀지·고름 등이 유인(誘因)이 됨. 이통(耳痛)이 주증후(主症候)이며 페니실린이 잘 들음. *미란성 외이도염.

한:국성 장염【限局性腸炎】[—넘] 명〖의〗대장(大腸)에서만 국부적(局部的)으로 볼 수 있는 궤양(潰瘍)의 특징을 지닌 병. 난치병(難治病)의 하나로, 만성적 설사·점액 혈변(粘液血便)·복통·발열(發熱) 등을 수반함.

한:국-소【韓國—】명〖동〗소의 품종. 우리 나라 재래종으로, 몸빛은 붉은 갈색이며 체질이 강인함. 높이 110-120 cm, 체중은 암소가 약 240 kg, 황소가 350 kg임. 고기 [illegible] 좋으며 역용(役用)으로도 호평을 받고 있음. 조선소. 한우(韓牛).

한:국 수자원 공사【韓國水資源公社】[illegible] 자원을 종합적으로 개발·관리하여 생활 용수(用水) 등의 공급을 [illegible]게 하고 수질(水質)을 개선하기 위하여 설립된 특수 법인.

한:국 수출입 은행【韓國輸出入銀行】[illegible](輸出入)과 해외 투자 및 해외 자원 개발에 필요한 금융을 공[illegible]으로 설립된 특수 은행. 출자(出資)는 정부·한국 은행·한국 외환 은행 등의 금융 기관, 수출업자의 단체와 국제 금융 [illegible] 함.

한:국 신문 윤리 위원회【韓國新聞倫理委[illegible]】명 신문의 공정성과 자율적인 윤리 기강을 확립하기 위[illegible] 단체. 신문 윤리 강령(新聞倫理綱領)과 그 실천 요강(要綱)으로 하여, 보도의 공정성과 품위를 지키고, 신문 내용의 [illegible] 여부를 심의·판정함.

한:국 신:탁 은행【韓國信託銀行】명 일반 은행 업[illegible] 탁(金錢信託)·부동산 신탁·유가(有價) 증권 신탁 등 [illegible] 기성(中長期性) 산업 자금의 조달(調達) 및 증권 시장 [illegible]로 한 특수 은행의 하나. 1976년 7월 서울 은행과 더불[illegible]으로 합병되었음.

한:국-쌀【韓國—】명 한국미(米).

한:국-어【韓國語】명〔Korean〕〖언〗한민족이 쓰는 언어. [illegible] 착어(膠着語)이며, 알타이 어족(語族)에 속함. 모음 조화[illegible] 저하고, 품사의 서열(序列)은 주어(主語)·술어·수식어 [illegible] 어가 오며, 또 주요한 말 밑에 조사·조동사가 붙음. 대체[illegible] 른 언어와 같이 이지적인 표현이 약하고, 의성어·의태어·[illegible] 사 등의 감각적 및 감정적인 표현이 풍부하여 그 미묘한 뉘앙[illegible] 를 특징으로 함. 중국 문화의 다대한 영향을 받아 그 언어적 [illegible] 지 아니함. 또, 고대(古代)에는 한자(漢字)를 차용(借用)하였다[illegible] 28년(1446)에 훈민 정음, 곧 '한글'이 창제된 후 국자(國字)로써 하고 있음. 어휘(語彙)는 순수한 한국어, 곧 사람·바람·떡·하늘·다[illegible] 등과 한자에서 온 인간(人間)·학교(學校)·국가(國家)·군대(軍隊) 등과 포켓(pocket)·펜(pen) 등의 외래어(外來語) 및 고어(古語)·이두(吏讀)·방언(方言) 등이 포함됨. 조선어(朝鮮語). 국어(國語). 준한어(韓語).

한:국 언론 연:구원【韓國言論硏究院】[—얼—넌—] 명 언론 기본법(基本法)에 따라 언론인의 자질 향상 교육과 기초 자료 조사·연구 및 언론인의 국제 교류(國際交流)와 출판 등의 업무를 담당하는 사단 법인(社團法人). 1981년에 설립됨.

한:국 여성 개발원【韓國女性開發院】명 여성에 관련된 문제에 대한 조사·연구, 여성의 능력 개발을 위한 교육 훈련 및 여성 활동에 대한 지원 등의 업무를 하도록 설립한 특수 법인. 여성의 사회 참여 및 복지 증진을 목적으로 함.

한:국 올림픽 위원회【韓國—委員會】〔Olympic〕명 올림픽 대회에 관계되는 사항의 집무를 목적으로 구성된 위원회. 1946년 7월 15일, 제14회 런던 올림픽 대회를 앞두고, '조선 올림픽 위원회'로 결성 발족되었으며, 정부 수립과 함께 현재의 이름으로 개칭되었음. 약칭은 케이 오 시(KOC).

한:국-옷【韓國—】명 한복(韓服). 조선옷.

한:국 외:국어 대학교【韓國外國語大學校】명 사립(私立) 대학교의 하나. 1954년, 재단 법인 한국 육영회(育英會)의 기금으로 개교, 1957년에 서울 특별시 동대문구 이문동(里門洞)에 있는 현재의 교사로 이전함. 1981년에 종합 대학교로 승격됨.

한:국 외:환 은행【韓國外換銀行】명 특수 은행의 하나. 외국환(外國換) 거래와 무역 금융의 원할을 기하기 위하여 1966년에 설립됨. 정부 및 한국 은행 공동 출자로 일반 은행의 여·수신 업무(與受信業務)를 비롯하여 외국과의 화폐 거래, 경제 개발에 따르는 외국 자본 도입의 지급 보증 등에 관한 일을 맡아봄. 1991년 주식을 일반인에게 공개하여 보통 은행이 됨.

한:국 요리【韓國料理】[—뇨—] 명 한국에 발달한 고유하고도 전통적인 요리. 쇠고기 및 채소를 기본 재료로 하며 자극성이 있는 조미료를 많이 쓰는 것이 특징임. 한식(韓食).

한:국 원자력 연:구소【韓國原子力硏究所】[—년—] 명 에너지 자원 중 원자력의 연구·개발을 종합적으로 시행하여 학술의 진보·발전과 원자력의 생산·이용을 촉진하기 위하여 설립한 특수 법인. 과학 기술처 장관의 감독을 받음. 한국 에너지 연구소의 후신(後身)임. 준원자력 연구소.

한:국 은행【韓國銀行】명〔The Bank of Korea〕〖경〗한국의 중앙 은행. 1950년 5월에 한국 은행법에 의하여 설치됨. 국고금의 취급, 은행권의 발행 등을 비롯하여 경제·금융의 중추 기관으로서 금융 기관의 예금과 예금 지급 준비, 은행 업무에 대한 특별 통제, 금융 기관에 대한 대출, 공개 시장에서의 증권 매매 및 통화 신용 정책 등의 중요한 활동을 함. 무자본(無資本)의 특수 법인임. 준한은(韓銀).

한:국 음식【韓國飮食】명 한국 요리(韓國料理). 준한식(韓食).

한:국 음악【韓國音樂】명〖악〗①한국에서 발달한 한국 고유의 음악. ②국악(國樂)❷.

한:국-인【韓國人】명 한국의 국적(國籍)을 가진 사람. *한족(韓族).

한:국 일보【韓國日報】명 일간 신문의 하나. '태양 신문'의 후신으로

1954년 6월에 창간한 조간지(朝刊紙). 자매지로 '코리아 타임스'·'서울 경제 신문' 등이 있음. 서울에서 ·행됨.

한:국 자원 재:생 공사【韓國資源再生公社】[명]〖법〗한국 자원 재생 공사법에 따라 설립된 무자본(無資本) 특수 법인(特殊法人). 재활용 가능 자원의 수입·매입(買入)과 유 ·상 공급, 폐기물 재활용 시설의 설치·운영, 폐기물 발생 억제와 ·촉진을 위한 기술의 개발·보급, 재활용 산업에 대한 지원 ·업을 함.

한:국 자유 총:연맹【韓·總聯盟】[—년—] [명] 대한 민국의 자유 민주주의를 항구적으로 ·선시키고 이와 관련된 민간 단체들에 대한 협조와 세계 자유 ·유대를 다지는 것을 목적으로 결성된 기구. 사단 법인체로서 ·부를 두고, 서울 및 각 직할시, 각 도청 소재지에 분사무·칭 : 한국 반공 연맹.

한:국 장:학·會】[명] 국가 및 사회가 필요로 하는 인재를 육성하기 위·학생으로서 경제적 이유로 학업이 곤란한 자에 대하여 학·하고 기숙사를 제공하기 위해 설립한 특수 법인. 장학금·학자금·무이자 대여 장학금·이자부(利子附) 대여

·韓國再建團】[명]〖정〗운크라(UNKRA).

·행【韓國貯蓄銀行】[명]〖경〗제일 은행의 전신(前身).

·적的)】[명][관] 한국에 관한 모양. 한국다운 모양. ¶ ~ 생활 관한 양식.

·안전 공사【韓國電氣安全公社】[명] 전기로 인한 위해(危害) ·기 위하여 전기 안전에 관한 조사·연구·기술 개발 및 홍보 ·전기 설비에 대한 검사·점검 업무를 수행하기 위하여 설립된 법

·전:기 통신 공사【韓國電氣通信公社】[명] 공중(公衆) 전기 통신 사·의 합리적 경영과 전기 통신 기술의 진흥을 도모할 목적으로 설립된 ·수 법인. 자본금은 5조 원으로 하되, 정부가 100분의 51 이상을 출·함. [준]전기 통신 공사·한국 통신.

·:국 전:력 공사【韓國電力公社】[—절—] [명] 1980년 '한국 전력 주식회사'가 개편된 특수 법인. 전원 개발(電源開發)의 촉진과 전기 사업의 합리적 운영을 기함으로써 전력 수급의 안정을 도모함을 목적으로 함. [준]한전(韓電).

한:국 전:력 주식 회:사【韓國電力株式會社】[—절—] [명] 한국 전력 공사. [준]한전(韓電).

한:국 전매 공사【韓國專賣公社】[명] 전매 사업을 효율적으로 경영하여 재정 수입을 확보함을 목적으로 하여 설립된 특수 법인. 1987년 전매청을 폐지하고 새로 발족한 기관인데, 다시 1989년 한국 담배 인삼 공사로 바뀜. [준]전매 공사.

한:국 전:자 기술 연:구소【韓國電子技術研究所】[—련—] [명] 반도체 산업(半導體産業)의 육성, 기술 개발, 컴퓨터 시스템의 국산화 등을 주 업무로 하는 정부 출연(出捐) 연구 기관의 하나. 1985년 한국 전자 통신 연구소에 흡수되었음.

한:국 전:자 통신 연:구소【韓國電子通信研究所】[명] 정부 출연 연구 기관의 하나. 통신·전자 공업, 정보 산업 및 우주 과학에 관련된 분야의 발전을 목적으로 함. 1985년 한국 전자 기술 연구소와 한국 전기 통신 연구소가 통폐합하여 설립됨. 본소는 대덕(大德) 연구 단지에 있음.

한:국 정밀 기기 센터【韓國精密機器—】[center] [명]〖법〗정부와 국제 연합이 공동으로 설립한 재단 법인. 정밀 공업 및 전자 공업 발전에 기여하게 할 목적으로 설립됨.

한:국 정신 문화 연:구원【韓國精神文化研究院】[명]〖법〗우리 문화의 정수(精髓)를 연구하여 주체적 역사관(歷史觀)과 가치관(價値觀)을 정립(定立)하기 위해 정부 출연(出捐) 기금으로 설립된 재단 법인. 1978년 설립.

한:국 조세 연:구원【韓國租稅研究院】[명]〖법〗국가의 조세 정책 수립을 지원하고 국민 경제의 발전에 이바지하도록 하려고 설립한 재무부 산하의 특수 법인. 조세 제도 및 조세 행정에 관한 사항을 조사·연구·분석함.

한:국 조:폐 공사【韓國造幣公社】[명] 화폐·은행권·국채·공채·각종 유가 증권 및 정부·지방 자치 단체 등이 사용할 특수 제품의 제조 업무를 수행하게 하기 위하여 설립한 특수 법인. 자본금은 전액(全額) 정부 출자이고, 재정 경제부 장관의 지도와 감독을 받음. [준]조폐 공사.

한:국 주:택 은행【韓國住宅銀行】[명] 서민 주택·아파트 등의 건립 자금의 조성을 촉진하고, 주택 자금의 공급과 관리를 목적으로 설립된 특수 은행. 자본금은 1조(兆) 원으로 주식으로 분할함. [준]주택 은행.

한:국 증권 거:래소【韓國證券去來所】[—꿘—] [명] 유가 증권의 공정한 가격 형성과 안정 및 유통의 원활을 기하는 데 필요한 시장을 개설하는 것을 목적으로, 증권 거래법에 따라 설립된 회원 조직의 사단 법인. [준]증권 거래소.

한:국 청소년 연맹【韓國青少年聯盟】[—년—] [명]〖법〗청소년에게 전인 교육(全人敎育)과 훈련을 시켜 민족 주체(主體) 세력으로 양성(養成)하기 위해 결성한 사단 법인. 각 시도 단위로 유치원서 대학생까지의 학생 및 근로 청소년의 희망자로 조직하여, 정신 교육·집체 훈련(集體訓練)·국토 순례·야영(野營) 훈련·해양(海洋) 훈련 등을 실시함. 1981년에 설립(設立)됨.

한:국 측량사 총:연맹【韓國測量士總聯盟】[—냥—년—] [명] 대한 지적 공사(大韓地籍公社)와 대한 측량 협회(測量協會)의 연합체(聯合體).

한:국 토지 공사【韓國土地公社】[명]〖법〗특수 법인의 하나. 토지의 취득·개발·비축(備蓄)·관리·공급 및 임대, 토지의 매입(買入), 간척 및 매립 사업, 택지 개발 사업, 관광지 조성 사업, 토지 채권의 발행, 토지의 매매·관리의 수탁(受託) 등의 업무를 수행함.

한:국 통:감부【韓國統監府】[명]〖역〗일본이 한국을 보호국(保護國)으로 만든 후, 한국을 보호한다는 미명(美名) 아래 1906년에 서울에 설치하였던 관청.

한:국 통신【韓國通信】[명] ↗한국 전기 통신 공사.

한:국 펜 클럽【韓國—】[P.E.N. club] [명] 국제 펜 클럽의 한국 지부(支部). 1954년 10월 21일에 창립(創立)되고, 이듬해 국제 펜 클럽에 가입하였음. 펜 클럽.

한:국 표준 과학 연:구원【韓國標準科學研究院】[—년—] [명] 국제 표준 제도(國際標準制度)와 일치하는 국가 표준 제도의 제정, 국가 표준의 보급(普及) 등을 주업무로 하는 정부 출연(出捐) 연구 기관의 하나. 대전 직할시 대덕구(大德區)에 있음.

한:국 표준 산:업 분류【韓國標準産業分類】[—불—] [명] 1962년 10월에 완성된 우리 나라의 산업 분류. 국제 연합의 국제 표준 산업 분류에 준거하고, 십진 분류법을 사용하였음. 각종 통계는 이에 의하여 나타냄.

한:국 프로 야:구【韓國—野球】[pro] [명] 한국의 직업 야구. 1981년 12월 6개 구단으로 창립, 현재는 8개팀임.

한:국 프로 야:구 위원회【韓國—野球委員會】[pro] [명] 한국의 직업 야구에 관한 문제들을 심의·결정하는 의결·입법 기관. 리그 회장과 각 구단의 대표 임원으로 구성됨.

한:국 학술 진:흥 재단【韓國學術振興財團】[명]〖법〗학술 활동을 지원 육성하기 위하여 학술 진흥법에 따라 설립한 공법상의 법인. 학술 연구 보조금(補助金)의 지급, 학술에 관한 국내외의 교류, 학술에 관한 정보(情報)의 관리 등을 담당하며, 정부의 출연금(出捐金)으로 조성된 기금(基金)으로 운용됨.

한:국 한:의학 연:구소【韓國韓醫學研究所】[—년—/—이—년—] [명] 한방(韓方) 의료의 육성·발전에 관한 사항을 전문적·체계적으로 연구하기 위하여 설립된 특수 법인. 전래(傳來) 한의학 관련 문헌 및 한방 이론에 관한 연구·분석, 한약의 규격화 및 한약 제제(製劑) 개발에 관한 연구, 침구학(鍼灸學) 발전에 관한 조사·연구, 한의학 연구에 관한 국제 교류 사업 등을 함.

한:국 항:공 대학【韓國航空大學】[명] 항공 분야에 관한 특수 교육을 담당하는 대학. 1952년 부산에서 교통 고등 학교 특설 항공과(2년제)로 발족, 1953년 3년제의 국립 항공 학교로 분리, 같은 해에 서울로 이전함과 동시에 4년제의 국립 항공 대학으로 개편함. 경기도 고양시(高陽市) 신도동(神道洞)에 있음. [준]항공 대학·항대.

한:국 해:양 대학【韓國海洋大學】[명] 국립 단과 대학의 하나. 1945년 진해(鎭海)에서 창립, 인천·군산 등지로 전전하다가 1955년에 부산 직할시 영도(影島)에 자리잡음. 교과 과정은 3년간의 학과 공부와 1년간의 승선 실습 교육을 받음. 수업료·피복·식사 등이 모두 관급되고 전원 기숙사 생활을 함. [준]해양 대학.

한:국 해:양 소:년단 연맹【韓國海洋少年團聯盟】[—년—] [명] 소년 및 소녀의 해양에 관한 교육 훈련을 통하여 해양 사상을 고취하고 투철한 국가관과 진취적인 기상을 함양하기 위하여 설립된 조직체.

한:국 해:외 개발 공사【韓國海外開發公社】[명] 1991년 '한국 국제 협력단'의 설립으로 해산됨.

한:국 해:운 조합【韓國海運組合】[명] 해운업자의 협동 조직을 촉진하여 그 경제적 사회적 지위를 향상시켜 해운업의 발전을 도모하기 위하여 설립한 법인체. [준]해운 조합.

한:국 행정 연:구원【韓國行政研究院】[명] 국가 행정 체제의 발전 및 행정 제도의 개선 등에 관한 사항을 전문적·체계적으로 연구하는 기관. 특수 법인임.

한:국-형【韓國型】[명] 한국에 적합하거나 한국의 특성을 나타내는 규범이 되는 방식·유형·형태. ¶ ~ 전차(戰車) / ~ 미사일 / ~ 영농법.

한:국 형사 정책 연:구원【韓國刑事政策研究院】[명]〖법〗국가의 형사 정책 수립과 범죄 방지를 목적으로, 범죄의 실태와 원인 및 대책을 종합적·체계적으로 분석·연구하는 기관. 법무부 산하 기관으로 특수 법인임.

한:국-화【韓國畫】[명] 우리 나라 사람이 독특한 화법으로 그린 동양화(東洋畫)를 중국·일본의 그것과 구별하여 이르는 말.

한:국 화:재 보:험 협회【韓國火災保險協會】[명] 특수 건물에 대한 화재 예방 및 소화 시설의 안전 점검과 이에 관한 계몽·연구·시설 개선 건의 등의 사업을 목적으로 1973년에 손해 보험 회사가 설립한 사단 법인체. [준]화재 보험 협회.

한:국 화학 연:구소【韓國化學研究所】[—년—] [명] 농약·의학·물감·향료(香料)·각종 첨가물(添加物)에 대한 개발·연구를 담당하는 정부 출연(出捐) 연구 기관의 하나. 대전 직할시 대덕구(大德區)에 있음.

한:국 휴전선【韓國休戰線】[명] 휴전선❷.

한:국 휴전 중립국 감시 위원단【韓國休戰中立國監視委員團】[—닙—] [명] 1953년 휴전 성립 후 휴전 협정에 의한 휴전을 감시하기 위하여 구성된 위원단. 4명의 중립국 고급 장교로 구성되어 있는데, 유엔측에서 임명한 스웨덴·스위스 장교 2명과 북한 및 중국 측에서 임명한 폴란드·체코슬로바키아 장교 2명이 있음. 주요 임무는 휴전 협정에 규정된 감독·감시·시찰 및 조사의 결과를 군사 정전 위원회(軍事停戰委員會)에 보고하는 데 있음.

한:국 휴전 협정【韓國休戰協定】[명]〖정〗6·25 전쟁 이후 3년여에 걸친 전투 행위를 중지하고 휴전을 맺은 협정. 군사 분계선, 비무장 지대의 확정, 정화(停火) 및 정전(停戰)의 구체적 조치, 전쟁 포로에 관한 조치 등을 내용으로 함. 한국 정부의 동의를 얻지 못하고 UN군측과 공산측 간에 1953년 7월 27일에 조인됨. 5개조 63개 항목.

한-군데 [명] ①어떤 일정한 곳. ¶책을 ~ 쌓다. ②하나의 곳. ¶형제가 ~에 산다.

한:권【翰圈】[명]〖역〗↗한림 권점(翰林圈點).

24년 사림원(詞林院)으로, 동 34년 춘추관(春秋館)과 합하여 예문(藝文) 춘추관으로 고치었다가 공민왕(恭愍王) 5년(1356)에서 동 11년까지와 동 18년에서 21년까지 이 이름으로 일컬었음. *문한서(文翰署)·사림원(詞林院)·예문 춘추관·예문관. ②조선 시대 때 예문관(藝文館)의 별칭. ③중국 당나라 초기에 황제에 대한 자문(諮問)을 맡았던 관아. 학자·문인·중·도사(道士)·기술자를 모아 한림 학사의 칭호를 주었음. 현종(玄宗) 때부터 상주문에 대한 황제의 회답이나 조칙(詔勅)을 기초하게 되었으며, 송나라 때는 황제의 고문 역할을 하여 원(元)·명(明)·청대(淸代)에 이르렀음. ㊟한림. ④아카데미❸.

한:림 주인【翰林主人】[할—] 명 〖역〗 한림 학사❷.

한:림 탕:건【翰林宕巾】[할—] 명 탕건의 한 가지. 위는 그물 모양, 아래는 빗살 모양으로 떴음.

한:림 풍월【翰林風月】[할—] 명 황해도 해주(海州)에서 나는 먹의 하나. ¶~이 남포석 벼룻돌 위로 오르락내리락 갈려질 때마다≪朴鍾和: 錦衫의 피≫.

한:림 학사【翰林學士】[할—] 명 〖역〗 ①고려 때 학사원(學士院)·한림원(翰林院)의 학사(學士). 정사품의 관직. ②중국의 당나라 때 한림원에 속하여 주로 조칙(詔勅)의 기초(起草)를 맡았던 관리. 당·송대에는 천자(天子) 독재제를 지탱하기 위하여 실권을 쥐었고, 여기에서 재상(宰相)이 나오기도 했음. 한림 주인(主人). 한림 박사(博士). ㊟한림.

한:마[1]【汗馬】 명 ①줄곧 달려서 등에 땀이 밴 말. ②준마(駿馬).

한:마[2]【悍馬】 명 성질이 사나운 말.

한마니 명 〈방〉 할머니.

한-마디 명 짧은 이야기. 간단한 말. ¶~ 해야겠다/~로 말하면.

한-마루 명 〖농〗 쟁기의 성에와 술을 꿰뚫어 곧게 선 긴 나무.

한마루 공사【—公事】 명 일의 처리를 전례(前例)와 다름 없이 하여 나가는 일.

한마르-꼬챙이 명 〈방〉 〖농〗 좀생이막대.

한-마음 명 ①〖불교〗 우주는 오직 마음 하나로 되었다는 뜻. 곧, 모든 사물은 마음이 모인 덩어리란 말. ②하나로 합친 마음. ¶모두가 ~이 되어 일을 했다. ㊟한맘.

한마음 한뜻 구 모든 사람이 똑같은 생각을 가짐. ¶~이 되어 노력하다. ㊟한맘 한뜻.

한:마지-로【汗馬之勞】 명 ①말을 달려 싸움터에서 역전(力戰)한 공로(功勞). 곧, 전공(戰功). ②말이 땀을 흘리게 하는 운반(運搬) 등의 노역(勞役).

한:만[1]【汗漫】 명 되어 가는 대로 내버려 두고 등한함. ——-하다 형여불

한:만[2]【限滿】 명 기한이 참. ——-하다 자여불

한만[3]【閑慢·閒漫】 명 아주 한가(閑暇)하고 느긋함. ¶지가 어디라구 ~히 동리엘 들어 오겠는가!≪李無影: 農民≫. ——-하다 형여불. ——-히 부

한:-만[4]【韓滿】 명 한국과 만주. ¶~ 국경(國境).

한만-스럽다【閑漫—】 형ㅂ불 아주 한가하고 느긋한 데가 있다. 한만-스레【閑漫—】 부

한:말【韓末】 명 대한 제국의 말기. ¶~의 풍운아(風雲兒).

한맘 한뜻 명 ↗한마음 한뜻.

한-맛 명 〖불교〗 부처의 설법은 근기(根機)에 따라 각각 다르나 그 근본 취지는 결국 같다는 말.

한맛-비 명 〖불교〗 부처의 설법(說法)이 모든 중생(衆生)에게 고루 끼쳐 주는 것이, 마치 비가 온갖 초목을 골고루 윤택하게 하는 것과 같다는 비유.

한:망[1]【罕罔】 명 그물.

한망[2]【閑忙·閒忙】 명 한가한 일과 바쁜 일.

한매【寒梅】 명 겨울에 피는 매화.

한:명[1]【限命】 명 하늘이 정한 목숨. 한정된 수명(壽命).

한:명[2]【漢名】 명 한문으로 된 이름.

한-명련【韓明璉】[—년] 명 〖사람〗 조선 시대 중기의 무장. 황해도 문화(文化) 출신. 정유 재란 때에 도원수(都元帥) 권율(權慄)의 휘하에서 공을 세웠으며, 오위장(五衛將)·방어사(防禦使)를 거쳐 인조(仁祖) 초 구성 순변사(龜城巡邊使)에 이름. 이괄(李适)의 난이 일어나자 무고(誣告)로 체포되어 압송 도중 이괄이 구원, 그의 선봉장(先鋒將)이 되어 싸우다가 패배, 이천(伊川)에서 죽음. 임진란(壬辰亂) 때부터의 명장(名將)이었으나 무고로 처벌(處罰)받게 되자 부득이 이괄에게 가담한 것으로 알려짐. [?-1624]

한-명회【韓明澮】 명 〖사람〗 조선 세조(世祖) 때의 공신. 자는 자준(子濬), 호는 구정(鷗亭). 청주 사람. 수양 대군(首陽大君)을 도와 김종서(金宗瑞) 등 고명(顧命) 대신을 차례로 제거하였고, 단종(端宗)을 몰아내는 데 크게 획책하였음. 사육신(死六臣) 등의 처형(處刑) 후, 이조 판서(吏曹判書)를, 뒤에 영의정(領議政)을 지냈음. 시호는 충성(忠成). [1415-87]

한:모【翰毛】 명 붓의 털.

한-모란【寒牡丹】 명 〖식〗 동(冬)모란.

한-목 부 한꺼번에 다. 한 차례에 죄다. ¶~에 넘겨 주다.

한-목숨 명 '목숨'을 더 힘주어 이르는 말.

한-몫 [—목] 명 한 사람 앞에 돌아가는 분량. ¶~ 타다.

한몫 끼다 구 같은 자격으로 그 일에 참여하다.

한몫 보다, 한몫 잡다 구 단단히 이득을 보다.

한-몽(:)린【韓夢麟】[—닌] 명 〖사람〗 조선 시대 중기의 학자. 자는 태서(泰瑞), 호는 봉암(鳳巖). 청주 사람. 대과(大科)에 낙방 후 벼슬을 포기하고 학문에 전심함. 경전(經典)·전례(典禮)·상수(象數) 등에 정통하였으며, 후진 양성에 전심(專心)함. [1684-1762]

한-몽(:)삼【韓夢參】 명 〖사람〗 조선 시대 중기의 학자. 자는 자변(子變), 호는 조은(釣隱). 청주(淸州) 사람. 박제인(朴濟仁)·정구(鄭逑)·장현광(張顯光)의 문인으로 대군 사부(大君師傅)를 지냄. 병자 호란(丙子胡亂)이 일어나자 의병장이 되었으나 화의가 성립되어 해산하고 함안(咸安)에 은거함. 학문이 깊고 문명(文名)이 높았음. [1589-1662]

한-뫼 명 〖사람〗 이윤재(李允宰)의 호(號).

한-무날 명 무수기를 볼 때 열흘과 스무 닷새를 일컫는 말.

한무릎 공부【—工夫】 명 한동안 착실히 하는 공부.

한:묵【翰墨】 명 문한(文翰)과 필묵(筆墨).

한:묵-장【翰墨場】 명 한묵을 가지고 노는 자리. 또, 그 벗. 곧, 문단(文壇)을 일컬음.

한문[1]【寒門】 명 구차하고 문벌이 없는 집안. 한족(寒族). 한호(寒戶).

한:문[2]【漢文】 명 ①중국 고래의 문장이나 문학. ②한자만으로 쓰인 문장이나 문학. ③〈속〉 중국 문자, 곧 한자(漢字).

한:문 글자【漢文—字】[—짜] 명 〈속〉 한자(漢字).

한:문 도감【漢文都監】 명 〖역〗 조선 시대 사역원(司譯院)의 별칭.

한:문 소:설【漢文小說】 명 〖문〗 고전 소설 가운데 한문으로 창작되고 읽히던 소설.

한-문자[1]【閑文字·閒文字】[—짜] 명 필요 없는 문자.

한:-문자[2]【漢文字】[—짜] 명 한자(漢字). 당문자(唐文字).

한:-문전【漢文典】 명 한문의 문법. 또, 그 책.

한:문 직역체【漢文直譯體】 명 한문을 그대로 국문으로 번역한 문체.

한:문-체【漢文體】 명 한문의 문체.

한:문-학【漢文學】 명 ①중국의 고문학. 경서(經書)·사서(史書)·시문(詩文) 따위. ②한문을 연구하는 학문. ③중국의 고전(古典)의 형식을 답습한 한국 사람의 한문 문학. ¶한국 ~사(史).

한물 명 채소나 어물 같은 것이 한창 성한 때.

한물 가다, 한물 지나다 구 한창때가 지나서 시세가 없다. ¶수박은 이제 한물 지났다.

한물 지다 구 한물이 들어 막 쏟아져 나오다. 한물이 되다.

한믈 명 〈옛〉 큰물. 홍수(洪水). ¶半旬을 한믈 어더 이쇼몰 아도다(半旬獲浩溔)≪杜諺 1:58≫. 「35≫.

한믈디다 자 〈옛〉 큰물지다. 물이 잔뜩 붇다. ¶한믈딜 탕(漲)≪字會 下

한미[1]【寒微】 명 구차하고 지체가 변변하지 못함. ——-하다 형여불

한:-미[2]【韓美】 명 ①한국과 미국. ②한국어와 미국어.

한:미 군사 위원회【韓美軍事委員會】 명 〖군〗 한국군과 주한 미군(駐韓美軍)에 대한 군사 지휘(軍事指揮)를 협의하는 합의 기관. 한국·미국 두 나라의 합동 참모 회의 의장·미국 태평양 지구 사령관·한미 연합 사령관으로 구성함.

한:미 사전【韓美辭典】 명 한국어의 단어·숙어를 미국어로 풀이한 사전.

한:미 상호 방위 조약【韓美相互防衛條約】 명 〖정〗 1953년 10월 1일 한미간에 조인된 조약. 평화 안전의 유지와 집단적 방위를 목적으로 함. 전문 6조. 기한은 무기한이나, 당사국 또는 기타 당사국에 통고한 후 1년 뒤에 종지(終止)시킬 수 있게 되어 있음.

한:미 수호 통상 조약【韓美修好通商條約】 명 조미(朝美) 수호 통상 조약.

한:미 연합 사령관【韓美聯合司令官】 명 〖군〗 한미 연합 사령부의 장(長). 주한 미군 사령관(駐韓美軍司令官)이 겸임(兼任)함.

한:미 연합 사령부【韓美聯合司令部】 명 〖군〗 한국군과 주한 미군(駐韓美軍)에 대한 작전 통제권(作戰統制權)을 가지는 통합 사령부. 한미 군사 위원회(韓美軍事委員會)를 통해 두 나라의 대통령 및 군사 지휘 기구(軍事指揮機構)의 작전 지침(作戰指針) 및 전략 지시(戰略指示)를 받으며, 산하에 지상군 구성군(地上軍構成軍)·해군(海軍) 구성군·공군(空軍) 구성군의 세 구성군을 가지며, 본부에 인사(人事)·정보(情報)·작전(作戰)·군수(軍需)·통신(通信)·기획(企劃) 등의 참모부(參謀部)를 둠. 사령관(司令官) 외의 각 참모(參謀)는 한국군과 미군이 같은 수로 참여하여, 정부(正副)로 나누어 맡음. 1978년에 창설(創設)되어, 본부를 서울에 둠.

한:미 은행【韓美銀行】 명 시중 은행의 하나. 1981년 대한 상공 회의소가 중심이 되어 설립한 한미 금융 주식 회사가, 1983년에 그 상호(商號)를 변경하여 새로 발족하였음.

한:미 합동 경제 위원회【韓美合同經濟委員會】 명 〔Combined Economic Board〕 1952년 5월 24일, 부산에서 우리 나라와 미국 사이에 체결된 한미 경제 조정 협정에 의하여 설립된 경제 조정 기관. 유엔군 사령부의 군사 병력의 지원을 보장하고, 한국의 건전한 경제를 수립·유지하기 위하여 경제 문제를 조정할 것을 목적으로 함. 1961년 이래, 사실상 이 위원회는 거의 개최(開催)되지 않았음. *경제 조정관(經濟調整官).

한:미 행정 협정【韓美行政協定】 명 〖법〗 한미 상호 방위 조약(韓美相互防衛條約) 제4조에 의거하여 1966년 7월 서울에서 맺은 행정 협정. 주한 미군(駐韓美軍)이 사용하는 시설·구역의 제공·반환·유지 및 미군과 그 가족의 출입국·관세(關稅)·외환 관리·형사 재판 등 주한 미군의 지위에 관하여 규정함.

한민【閑民·閒民】 명 ①직업이 없는 백성. ②한가한 사람.

한:-민족[1]【漢民族】 명 〖인류〗 한족(漢族).

한:-민족[2]【韓民族】 명 〖인류〗 한족(韓族). ¶~의 긍지를 높이다.

한:민족 체육 대회【韓民族體育大會】 명 500만 해외 동포가 같은 민족임을 재인식하고, 동포 간의 친목·유대를 강화하기 위하여 개최되는 체육 대회. 1989년 서울에서 제1회 대회가 열렸음. 2년마다 한번씩 열림.

한-밑천 명 일을 이루는 데 힘이 될 만한 제법 많은 돈. ¶~ 잡다.

한바【爲所·爲所】〈이두〉 한 바.

한-바다 명 난바다.

한-바닥 명 번화한 곳의 복판이 되는 땅. ¶종로 ~.

한바업거사【爲所無去沙】〈이두〉 한 바 없고야.
한바을쓰아【爲所乙用良】〈이두〉 한 바로써.
한-바퀴 명 한 둘레. 일주(一周). ¶～ 돌다.
한-바탕 명부 한 번 일이 크게 벌어진 판. 일장(一場). 일진(一陣). ¶～ 싸움을 하다/～ 소동이 벌어지다.
한박꽃 명〈옛〉 함박꽃. ¶芍藥 鄕名 大朴花≪月令 二月≫.
한반[1] 명 돌·나무 따위에 먹줄을 놓을 때, 가운데를 질러서 나간 자리.
한:반[2]【汗斑】명〖한의〗 어루러기. 전풍(癜風).
한:-반도【韓半島】명 한국 반도. ¶～ 문제.
한반-먹 명 한반에 친 먹줄.
한:발【旱魃】명 ①가뭄을 맡고 있다는 귀신. ②가뭄. ¶～ 대책.
한밝-메 [—발—] 명〖대종교〗 한배검이 한울에서 내려와 참결, 곧 말씀을 편 곳. 대종교의 성지(聖地)로서 백두산(白頭山)을 일컬음.
한밝 사상【—思想】[—발—] 명 대일 광명(大一光明)을 의미하는 한민족 고유의 사상. '한'과 '밝'은 우리 민족 사상의 온상이자 문화의 원천으로서 구실을 해 내려온 것임.
한-밤 명 ①하룻밤. ②한밤중.
한-밤중【—中】[—쭝] 명 밤 열두 시쯤의 때. 야밤중. 반소(半宵). 반야(半夜). 중소(中宵). 중야(中夜). 한밤.
한-밥[1] 명 누에의 마지막 잡힌 밥.
한:-밥[2] 명 끼니때가 지난 뒤에 차리는 밥. ¶～ 차리지 않게 제때에 오너라. 「컷.
한-방[1]【—放】명 ①일발(一發). ¶～ 쏘다/～ 놓다. ②사진 필름의 한
한-방[2]【—房】명 ①같은 방. ¶～을 쓰다. ②온 방. ¶사람이 ～ 가득하다.
한:방[3]【漢方】명〖한의〗 ①중국에서 발달하여 동양 여러 나라에 퍼진 의술. ②한의(漢醫)의 처방.
한:방[4]【韓方】명〖한의〗 ①중국에서 우리 나라에 전래되어 발달한 의술. ②한의(韓醫)의 처방.
한:방 병원【韓方病院】명〖한의〗 한방(韓方)으로 의료 행위를 하는 병원. 한의사가 의료를 하는 곳으로 환자 20인 이상을 수용할 수 있는 시설을 갖춘 의료 기관임.
한:방-약[1]【韓方藥】[—냑] 명 ①〖한의〗 한방(韓方) 의학에서 쓰는 약물의 총칭. ②한방에 의한 처방 및 그 약.
한:방-약[2]【漢方藥】[—냑] 명〖한의〗한방에서 쓰는 의약. 주로 초근 목피(草根木皮)를 탕(湯)·음(飮)·전(煎)·주(酒)·산(散)·환(丸)·정(錠)·단(丹)·채(菜)·고(膏)·교(膠) 등으로 조제하여 씀. 당약(唐藥). ㊀한약.
한-방언【韓邦彦】명〖사람〗 고려 말기의 무신(武臣). 공민왕(恭愍王) 10년(1361)의 홍건적(紅巾賊)의 난 때 공을 세웠고, 벼슬을 거듭하여 우왕(禑王) 4년(1378)에는 문하 평리(門下評理)로 양광 전라 경상도 조전 원수(楊廣全羅慶尙道助戰元帥)가 되어, 영광(靈光)·광주(光州) 등지의 왜구를 무찌름. 뒤에 상원수(上元帥)가 되어 북변(北邊)에 대비하는 한편, 여러 번 쳐들어 온 왜구를 격퇴하였음. 생몰년 미상.
한:방-의[1]【漢方醫】[—/—이] 명〖한의〗 ①한방의 의원(醫員). 한의사. ②한방의 의술. ㊀한의(漢醫).
한:방-의[2]【韓方醫】[—/—이] 명〖한의〗 ①한방(韓方)의 의사. 한의사(韓醫師). ②한방의 의술. ㊀한의.
한:방 의학【韓方醫學】명〖한의〗 고대 중국에서 발달한 의학이 한국에 전래되어 한국의 풍토 속에서 동화·발전한 의학의 총칭. ㊀한의학.
한-밭 명〖지〗 대전(大田)'의 구칭(舊稱).
한-배[1] 명 ①한 태(胎)에서 태어나거나, 한 때에 여러 알에서 깬 새끼. ¶～의 강아지. ↔각배. ②〈속〉 동복(同腹). ¶～ 형제.
한:-배[2] 명 ①〖악〗 국악에서, 한 장단의 첫 박자에서 끝 박자까지의 한 주기(週期). ②쏜 화살이 미치는 한도.
한:배[3]【汗背】명 ↗한출 첨배(汗出沾背). ——-하다 자여불
한배-검 명〖대종교〗 대종교 신도들이, 단군(檀君)을 공대하여 부르는 이름. 대황신(大皇神).
한-백겸【韓百謙】명〖사람〗 조선 시대 중기의 학자. 자는 명길(鳴吉), 호는 구암(久菴). 청주(淸州) 사람. 민순(閔純)의 문인. 선조(宣祖) 18년(1585) 교정청(校正廳)이 설치되자 정 구(鄭逑) 등과 함께 교정 낭청(郎廳)이 되어 ≪경서 훈해(經書訓解)≫를 교정함. 한때 정여립(鄭汝立)의 모반 때 연루되어 귀양을 갔다가 임진 왜란으로 풀려 나옴. 뒤에 강원도 안무사(按撫使)·파주 목사(坡州牧使) 등을 지냈음. 역학(易學)에 밝아 ≪주역 전의(周易傳義)≫를 교정하였고, ≪동국 지리지(東國地理志)≫를 저술하여 실학(實學)의 선구적 역할을 함. [1552-1615]
한:-백미【韓白米】명 ①모래와 잡것을 고르지 아니한 보통의 좋은 쌀. ②한국에서 나는 백미.
한-번【—番】㊀명 ①한 돌림. 한 차례. 일회. 일차(一次). ¶～ 해 보다. ②지나간 한 때. 전날의 어떤 때. ¶～은 산길을 걷고 있는데…. ㊁부 ①아주 썩. 참 잘. ¶돈 ～ 많다/발 ～ 크다/얼굴 ～ 곱다 ②일단. ¶～ 한다 하면 한다/～ 해병대는 영원한 해병대.
【한번 걷어채인 돌에 다시는 채이지 않는다】 같은 실수를 거듭하지는 않는다. 【한번 검으면 휠 줄 모른다】 좋지 못한 행동이 습관이 되면 좀처럼 고치기 어렵다는 말. 【한번 속지 두 번은 속지 않는다】 어쩌다 한 번은 속지만 두 번부터는 조심하므로 속지 않는다. 【한번 실수는 병가(兵家)의 상사(常事)】 실수는 누구에게나 다 있다는 뜻으로, 처음의 실수를 위로하는 말. 【한번 엎지른 물은 다시 주워 담지 못한다】 일단 저지른 일은 다시 회복하지 못한다는 말.
한번 쥐:면 펼 줄 모르다 [—쭐—] 구 아주 인색하거나 융통성이 없고 완고하다. ¶형님은 한번 쥐면 펼 줄은 모르십니다. 혼인부터는 사람의 대사인데. ≪崔瓚植:金剛門≫.
한벌-대【—臺】[—때] 명〖건〗 장댓돌 한 켜로 쌓아서 만든 지대(地臺). 애벌대(臺).
한벌루 부〈방〉 함부로(함남).
한벽-처【閒僻處·閑僻處】명 한적(閑寂)하고 궁벽한 곳.
한-별[1] 명〖사람〗 권덕규(權悳奎)의 호(號).
한:별[2]【恨別】명 이별을 한함. 또, 그 이별. ——-하다 자여불
한:별-곡【恨別曲】명〖문〗 규방 가사(閨房歌辭)의 하나. 작자·제작 연대 미상. 이별한 연인을 그리다 못해 원망도 하며 체념에 빠지고 마는 여인의 애절한 심정을 읊음. 「다 자여불
한보【閑步·閒步】명 한가(閑暇)롭게 걸음. 한가한 산보(散步). ——-하
한복【韓服】명 한국의 고유(固有)한 의복. 남자는 명대(明代), 여자는 원대(元代)의 복제(服制)를, 신라 이전의 고유한 복제와 여말(麗末) 이후의 것을 조화(調和)한 것임. 짧은 저고리에 남자는 풍성한 바지를 입으며, 아래쪽을 대님으로 묶고, 여자는 여러 가지 치마를 입음. 출입시나 예복(禮服)으로 두루마기를 덧입으며 버선을 신음. 주로 흰 빛의 비단·명주·무명·베 등을 사용함. 조선옷. ¶～ 차림. ↔양복.
한복-감【韓服—】명 한복을 지을 옷감. 한복용의 옷감.
한복-집【韓服—】명 전문적으로 한복을 짓는 옷집. ↔양복집.
한-복판 명 복판 중에서도 가장 중심이 되는 가운데. ¶바다 ～.
한:부[1]【悍婦】명 사나운 여자. 성질이 고약하고 행동이 거친 여자.
한:부[2]【漢符】명〖역〗 문감(門鑑)의 하나. 궁중에 출입하는 관비(官婢)가 몸에 차는 나무로 만든 작은 패(牌). 해마다 그 모양을 바꾸는데, 인(寅)·오(午)·술(戌)의 해에는 사각형, 해(亥)·묘(卯)·미(未)의 해에는 원형(圓形), 신(申)·자(子)·진(辰)의 해에는 곡형(曲形), 사(巳)·유(酉)·축(丑)의 해에는 직형(直形)으로 만든 것을 썼음.
한:북【漢北】명 한강을 경계로 그 이북의 땅.
한:북 정:맥【漢北正脈】명〖지〗 13 정맥(正脈)의 하나. 백두대간(白頭大幹)의 추가령(秋哥嶺)에서 갈라져, 남쪽으로 한강과 임진강(臨津江)의 어귀까지 이어져서 동서로 한강 북쪽 유역과 임진강 유역을 가르는 산줄기의 조선 시대의 옛이름. 백암산(白巖山)·백운산(白雲山)·국망봉(國望峰)·장명산(長命山) 등이 이에 속함.
한:분【恨憤】명 한탄하고 분개함. ——-하다 자여불
한:-불【韓佛】명 ①한국과 불란서(佛蘭西). 곧, 한국과 프랑스. ②한국어와 프랑스어(語).
한:불 사전【韓佛辭典】명 우리 말의 단어·숙어·구(句) 등을 프랑스어로 번역하여 만든 사서(辭書). ↔불한 사전. 「약.
한:불 수호 통상 조약【韓佛修好通商條約】명〖역〗 조불 수호 통상 조
한:-불조도【恨不早圖】명 시기(時期)를 놓친 것을 뉘우침. ——-하다 타여불 「——-하다 타여불
한:-불조지【恨不早知】명 일의 기틀을 일찍 알지 못한 것을 뉘우침.
한비[1] 명〈옛〉 큰 비. 장마. ¶한비를 아니 그치샤(不止霖雨)≪龍歌 68章≫/虛空애셔 金輪우희 한비와 므리 ᄀᆞᄃᆞᆨᄒᆞ고≪月釋 1:40≫.
한비[2]【寒肥】명 겨울에 주는 비료.
한:비[3]【翰飛】명 하늘 높이 낢. ——-하다 자여불
한:-비[4]【韓比】명 한국과 비율빈. 곧, 한국과 필리핀.
한:-비[5]【韓非】명〖사람〗 중국 춘추 시대 말기의 법치주의자. 한(韓)나라의 공자(公子)로 형명법술(刑名法術)을 즐겨 순자(荀子)의 성악설(性惡說), 노장(老莊)의 무위 자연설(無爲自然說)을 받아들여 법가(法家)의 학설을 대성(大成)함. 저서에 ≪한비자(韓非子)≫ 20 권이 있음. 한비자(韓非子)라고 높여 부르기도 함.
한비-자【韓非子】명 ①〖사람〗 한비(韓非)의 경칭. ②〖책〗 중국 춘추 시대 말기의 한비(韓非)가 찬(撰)한 책. 20 권 55 편(編)임. 형명 사상(刑名思想)과 신상 필벌(信賞必罰)을 주창(主唱)하였고, 그 문장은 교묘한 우화(寓話)와 논리로 유명함. 원이름은 한자(韓子)이나, 후세에 당(唐)나라의 한유(韓愈)를 한자(韓子)라 부르는 것과 구별하기 위하여 일컫게 된 것임. 한자(韓子).
한빈【寒貧】명 곤궁하고 가난함. 썩 가난함. ——-하다 형여불
한-뿔 명 ☞ 날도. 「하다 타여불
한:사[1]【限死】명 목숨을 걸고 일을 함. 죽기를 각오함. 결사(決死). ——
한:사[2]【恨死】명 원통한 죽음. 한많은 죽음. 억울하게 죽음. ——-하다
한:사[3]【恨事】명 한스러운 일. 원통한 일. 「자여불
한사[4]【閑事·閒事】명 쓸데없는 일.
한사[5]【寒士】명 가난한 선비. 세력 없는 선비.
한사[6]【韓舍】명〖역〗 대사(大舍). 「자여불
한:사 결단【限死決斷】[—딴] 명 죽기를 각오하고 결단함. ——-하다
한:-사군【漢四郡】명〖역〗 중국 한 무제(漢武帝)가 기원전 108년에 위만 조선(衛滿朝鮮)을 없애고 그 옛 땅에 설치한 네 군(郡). 원조선(原朝鮮) 곧 지금의 청천강(淸川江)이남 황해도 자비령(慈悲嶺) 이북 땅에 낙랑군(樂浪郡), 구진번(舊眞蕃) 곧 지금의 자비령 이남 한강 이북 땅에 진번군(眞蕃郡), 구임둔(舊臨屯) 곧 지금의 함경 남도 땅에 임둔군(臨屯郡), 동가강(佟佳江) 곧 지금의 훈하(渾河) 유역에 현도군(玄菟郡)의 네 군을 두었는데, 그 뒤 여러 차례의 폐합을 거듭하다가 미천왕(美川王) 14년(313)에 낙랑군이, 광개토(廣開土) 대왕 때 현도군이 고구려에 병합됨으로써 소멸되었음. 사군(四郡).
한-사리 명 음력 매달 보름과 그믐날에, 조수(潮水)가 가장 높이 들어오는 때. 대기(大起). 대조(大潮). ㊀사리.
한사 만:직【閒司漫職】명 일이 많지 아니하고 한가로운 벼슬자리.
한-사업【閑事業·閒事業】명 ①급하지 아니한 사업. ②필요하지 아니한 사업. 「말리다.
한:사-코【限死—】부 기어이. 몹시 고집하여 심하게. ¶～ 우기다/～
한산[1]【寒山】명〖사람〗 중국 당(唐)나라 때의 중. 텐타이 산(天台山) 국청사(國淸寺)의 풍간 선사(豐干禪師)의 제자. 선도(禪道)에 오입(悟入)

고 바그너 등의 표제 음악을 비난하였음. 주저(主著)에 ≪음악미론(音樂美論)≫이 있음. [1825-1904]

한습¹ 명 마소의 한 살. 하릅.

한습²【寒濕】명〖한의〗습랭(濕冷).

한-시¹【一時】명 ①같은 시각. ¶한날 ～에 죽다. ②잠깐 동안. ¶～ 반시도 못 잊다.

[한시를 참으면 백날이 편하다] 몹시 격분하더라도 잠시 참으면 뒷날에 탈이 없다.

한시가 바쁘다 구 시간을 다툴 만큼 몹시 급하다.

한:시²【漢詩】명〖문〗①중국 한대(漢代)의 시. ②한문으로 된 시. 중국 현대의 백화체(白話體)로 된 시 이외의, 문언(文言)으로 된 정형시(定型詩)를 가리킴. 곧, 한 구(句)가 4·5 내지 7언(言)이 보통으로, 평측(平仄)·운각(韻脚) 등의 율격(律格)이 있고, 고체시(古體詩)·악부(樂府)와 절구(絕句)·율(律)·배율(排律) 등 새로운 형식의 근체시(近體詩)가 있음. 시(詩).

한-시각【韓時覺】명〖사람〗조선 시대 중기의 화가. 자는 자유(子裕), 호는 설탄(雪灘). 청주(淸州) 사람. 도화서(圖畫署) 교수(敎授)를 지냈으며, 효종(孝宗) 6년(1655) 통신사 조연(趙珩)을 따라 일본에 가서 화죽(畫竹) 두 폭을 그렸고, 숙종(肅宗) 8년(1682) 송시열(宋時烈)의 초상화를 그림. 현재 괴산(槐山)의 송시열의 초상화는 그의 그림을 모사(模寫)한 것으로 추측되고 있음. [1621-?]

한-시름 명 한 가지 시름. 한 걱정. ¶과년한 딸의 혼사(婚事)가 정해졌으니 ～ 덜었어요.

한시름 놓다 [―노타] 구 일단 안심하다. 한 가지 걱정은 덜린 것으로 생각하고 조금 마음을 놓다.

한시리 명〈심마니〉땀.

한시-바삐【一時―】부 한시라도 빨리. ¶～ 달려오너라 / 바다를 보자 몹시 초조한 맘이 들며 ～ 지애가 보고 싶었다≪金東里 : 人間動議≫.

한:시-법【限時法】[―뻡] 명〖법〗유효 기간이 명기되어 있는 법률이나 명령. 임시 응급 처치로 설치되며, 위반에 대한 벌칙이 규정되어, 이 법률의 유효 기간 중에 위반 행위가 있으면 법률 폐지 후에도 처벌할 수 있음. 시한 입법. ＊임시법(臨時法).

한:시 택시【限時―】[taxi] 명 시한부(時限附) 면허를 받아 개별적으로 운행되던 택시. 택시 회사에 묶여 있던 영세 차주(零細車主)를 구제하는 목적으로 1978년에 생긴 것임.

한:식¹【旰食】명〔←간식(旰食)〕임금이 정사(政事)에 골몰하여 날이 저문 뒤에야 식사하는 일. ＊소의(宵衣).

한식²【寒食】명 동지로부터 105일째 되는 날. 4월 5-6일쯤임. 이 날 나라에서는 종묘(宗廟)와 각 능원(陵園)에 제향을 지내고, 민간에서도 성묘를 함. 한식의 유래에는, 중국 고속(古俗)에 이 날은 풍우(風雨)가 심하여 불을 금하고 찬밥을 먹은 습관에서 왔다는 설과, 중국 진(晉)나라의 현인(賢人) 개자추(介子推)가 이 날 산에서 불에 타 죽었으므로, 그를 애도(哀悼)하는 뜻에서 이 날은 불을 금하고 찬 음식을 먹는다는 설 등이 있음. ＊물한식.

[한식에 죽으나 청명(淸明)에 죽으나] 한식과 청명은 하루 사이니, 곧 하루 먼저 죽으나 뒤에 죽으나 같다는 말.

한:식³【韓式】명 한국식. 한국의 양식. ¶～ 가옥 /～ 요리.

한:식⁴【韓食】명 한국식의 음식·식사. 한국 요리. ¶～집.

한-식경【一食頃】명 한 차례 음식을 먹을 만한 동안. 일식경(一食頃).

한:식 기와【韓式―】명〖건〗조선 기와.

한식-면【寒食麪】명 한식날에 먹는 국수. 흔히 메밀로 만듦.

한식 사리【寒食―】명 한식 무렵에 잡는 조기.

한식 성묘【寒食省墓】명〖민〗한식날에 하는 성묘.

한:식-집¹【韓式―】명 전통적인 한국식의 집. 한옥.

한:식-집²【韓食―】명 한국식의 음식을 만들어 파는 음식점.

한-신【韓信】명〖사람〗중국 한(漢)나라 고조(高祖)의 장신(將臣)으로 한나라 창업 삼걸(三傑)의 하나. 회음(淮陰) 사람. 고조의 통일 대업을 도와서, 초왕(楚王)에 봉함을 받았으나, 후에 열후 억멸책(列侯抑滅策)에 의하여 피살되었음. [?-196 B.C.]

한실【閑室·閒室】명 ①조용한 방. 한적한 방. ②필요하지 아니한 방.

한심【閑心·閒心】명 한가한 마음.

한심-스럽다【寒心―】형 ㅂ불 한심하게 보이다. 한심하게 여겨지다. 한심-스레【寒心―】부

한심-하다【寒心―】형 여불 정도에 지나치거나 모자라서 가엾고 딱하다. 마음에 언짢아 기가 막히다. ¶하는 양이 한심하기 짝이 없다.

한삼 명〈옛〉한삼덩굴. ¶한삼녀출(葎草蔓)≪四聲 上 70≫.

한숨 명〈옛〉한숨. 탄식(歎息). ¶嗚呼ᄂᆞᆫ 한숨디ᄂᆞᆫ 겨치라(月序 23)≫ / 눈물디며 한숨디흐샤(垂淚歎息)≪內訓 Ⅱ:65≫.

한아¹【閑雅·閒雅】명 ①한가롭고 아담함. ②조용하고 품위 있음. ¶윤숙의의 ～한 뒷모양은 한 폭 절묘한 산 그림이다≪朴鍾和 : 錦衫의 피≫. ――-하다 형 여불

한아²【寒鴉】명〖조〗까마귀❶.

한아바님 명〈옛〉할아버님. ¶내 한아바님 棺을 메ᅀᆞᄫᆞ지이다 ≪月釋 X:10≫.

한-아버지 명〈방〉할아버지.

한-아범 명〈방〉할아범(함경).

한아비 명〈옛〉할아버지. 할아비. ¶한아비(父之父)≪才物譜 夏之二≫ / 世를 嗟歎ᄒᆞ요믄 鹿皮니븐 한아비로다(歎世鹿皮翁)≪杜諺 Ⅲ:54≫.

한아비 〈옛〉할아비의. '한아비'의 소유격형. ¶우리 한아비 그리 녯 사ᄅᆞ미게 爲頭ᄒᆞ더니(吾祖詩冠古)≪杜諺 XVI:3≫.

한아-스럽다【閑雅―】형 ㅂ불 한가롭고 아담하게 보이다. 한아-스레【閑雅―】부

한:악【悍惡】명 성질이 사납고 악함. ――-하다 형 여불

한:악-스럽다【悍惡―】형 ㅂ불 성질이 사납고 악하게 보이다. 한:악-스레【悍惡―】부

한:안【汗顏】명 ①땀이 난 얼굴. ②썩 부끄러워하는 얼굴.

한야【寒夜】명 몹시 추운 겨울 밤.

한:야평 매철 공사【漢冶萍煤鐵公司】명 한예핑 메이테 공사.

한:약¹【漢藥】명 ↗한방약(漢方藥). ↔양약(洋藥).

한약²【韓藥】명 ↗한방약(韓方藥).

한:약-국¹【漢藥局】명 한약을 지어 파는 약국. 한약방(漢藥房). ↔양약국(洋藥局).

한:약-국²【韓藥局】명 한약을 지어 파는 약국.

한:약-방¹【漢藥房】명 한약국(漢藥局).

한:약-방²【韓藥房】명 한약국(韓藥局).

한:약-사【韓藥師】명 한약(韓藥) 및 한약 제제(製劑)에 관한 일을 맡아보는 사람으로서 보건 복지부 장관의 면허를 받은 사람.

한:약업-사【韓藥業士】명〖법〗한약업사 시험에 합격하여, 허가된 지역 안에서, 환자의 요구가 있을 때 기존(既存) 한의서(韓醫書)의 처방이나 한의사(韓醫師)의 처방에 의하여 한약을 조제(調製) 판매하는 사람. ＊한약종상(韓藥種商).

한:약-재¹【漢藥材】명 한약의 재료.

한:약-재²【韓藥材】명 한약(韓藥)의 재료.

한:약종-상【韓藥種商】명 한약종상 시험에 합격하여, 허가된 지역 안에서, 한약을 조제 판매하는 사람. 또, 그 장사. 1986년에 한약업사(韓藥業士)로 이름이 바뀜. ＊매약상(賣藥商)·약종상.

한양¹【寒羊】명〖동〗솟과에 속하는 양의 하나. 양(羊)과 비슷한데 몸무게는 암컷은 40-70 kg, 수컷은 20-50 kg이고, 암수 모두 뿔이 없으며, 귀는 커서 앞으로 축 늘어짐. 한 배에 2-3마리씩 낳음. 월동(越冬)을 위하여 꼬리에 지방(脂肪)을 저장하는 것이 특징임. 중국의 황허(黃河) 강 중류(中流) 유역 및 그 인접 지역에 분포함. 모피와 특히 송치의 가죽은 진중(珍重)히 여김.

한양²【閑養·閒養】명 한가로이 몸을 정양(靜養)함. ¶여러 날 길에서 휘지신 몸을 ～하실 틈도 없이 곧 몸소 정사를 보살피옵셔서…≪朴鍾和 : 多情佛心≫. ――-하다 자 여불

한:양³【漢陽】명〖지〗서울의 구칭.

한:양⁴【漢陽】명〖지〗중국 화중 지구(華中地區) 북부, 후베이 성 동부, 우한 시(武漢市) 남서부의 지구. 창장(長江) 강과 한수이(漢水) 강과의 합류점 남안에 위치하며 대안에 우창(武昌)·한커우(漢口)와 마주보고 고래로 군사 상의 요충임. 청조(淸朝) 말기부터 제강소·병기창이 설치되어 다예(大冶)의 철, 핑샹(萍鄕)의 석탄 등을 이용하는 대규모의 근대 공업으로서 유명함. 중화 인민 공화국이 된 후, 한커우·우창과 합병, 우한 시(武漢市)가 됨으로써 그 일부가 됨. 1958년 근대적인 한양 강철 콤비나트가 완성됨. ＊우한(武漢)·우한 삼진.

한:양-가【漢陽歌】명〖문〗①조선 시대의 문물 제도, 서울의 승경(勝景)·지세(地勢), 왕의 행차, 과거(科擧) 등을 칭송해 읊은 장편 가사(長篇歌辭). 정확하지는 아니하나, 조선 제24대 헌종(憲宗) 때에 한산 거사(漢山居士)라는 이가 지었다 함. ②조선 시대 말엽 광무(光武) 9년(1905)에 최남선(崔南善)이 지은 창가(唱歌).

한:양 대학교【漢陽大學校】명 사립 대학교의 하나. 서울 특별시 성동구 행당동(杏堂洞)에 있으며, 1939년 설립(設立)된 동아 공과 학원(東亞工科學院)의 후신(後身)으로 1949년에 한양 공과 대학으로 발족(發足), 1959년 종합 대학교로 승격됨. 이부(二部) 대학과 대학원, 의과 대학 부속 병원이 있음.

한양으로【爲樣次】〈이두〉한 양으로.

한:양-조【漢陽朝】명〖역〗조선 왕조.

한:양 풍물놀이【漢陽風物―】[―롤―] 명〖민〗서울 동대문 밖, 지금의 숭인동(崇仁洞)·용두동(龍頭洞) 일대에 전해졌던 농민의 농악(農樂)놀이. 풍년을 기원하여, 굿거리 가락에 홍두깨춤·무동춤·나비춤·꼽추춤을 춤.

한양-피【寒羊皮】명 한양의 가죽.

한:어¹【扞禦】명 방어(防禦). ――-하다 타 여불

한:어²【漢語】명 ①한자음으로 된 말. ②중국인이 쓰는 말. 중국의 표준어(標準語). 중국어.

한:어³【韓語】명 ↗한국어.

한어미 명〈옛〉할미. ¶姑曰漢了彌 ≪鷄類≫.

한:어 병:음 자모【漢語拼音字母】명 중국에서, 한자(漢字)를 로마자로 표기하는 철자(綴字). 1958년에 제정됨.

한:어 음운학【漢語音韻學】명 중국 음운학.

한:어 학교【漢語學校】명〖역〗1897년에 개교한 중국 어문학을 가르친 학교. 베이징(北京)에서 교사를 초빙, 중국어 통역관을 양성하고 중국 문학을 연구하게 함. 1907년에 '관립 한성 외국어 학교'에 통합됨.

한:언¹【罕言】명 말이 드묾. ――-하다 형 여불

한언²【閑言·閒言】명 ①조용하고 천천히 하는 말. ②쓸데없는 말.

한얼 명〖대종교〗['한'은 '큰', '얼은 '혼(魂)'의 뜻] 우주(宇宙)의 뜻.

한얼-님 [―림] 명〖대종교〗하느님. 곧, 우주를 주재(主宰)하는 신의 뜻으로 단군(檀君)의 경칭.

한:-없다【限―】[―업―] 형 끝이 없다. ¶욕심은 ～다.

한:-없이【限―】[―업씨] 부 끝없이. 무한히. ¶～ 기뻐하다 /～ 걸어가다.

한-여름 [―녀―] 명 ①여름의 한창 더운 때. 성하(盛夏). ¶～의 더위. ②여름 한 철. ¶～도 잠깐 가다.

한여름밤의 꿈 [―녀―빰―/―녀―빰에―] 명 ①[A Midsummer Night's Dream]〖문〗셰익스피어가 지은 희극. 5막. 아마존 여왕 히포리다의 혼례(婚禮)의 밤에 아테네 교외의 숲에서 네 쌍의 결혼애(結婚愛)가 성립된다는 환상적(幻想的)인 이야기. 1595년에 초연(初演)됨. ②〖악〗멘델스존(Mendelssohn)이 작곡한 관현악곡(管絃樂曲). 셰익스피어가 지은 같은 이름의 작품에 붙인 곡이며, ≪결혼 행진곡≫은 그 한 부분임.

한-여(:)유【韓汝愈】명〖사람〗조선 시대 중기의 학자. 자는 상보(尙甫),

호는 둔옹(遁翁). 청주(淸州) 사람. 서경덕(徐敬德)·송시열(宋時烈)의 문인. 상수(象數)·병진(兵陣)·성률(聲律)에 밝았음. 어릴 때 어머니가 이자(利子)를 놓아 생활하는 것을 보고 권하여 갚지 못하는 자의 차용 증서(借用證書)를 없애버렸다고 함. 저서에 ≪둔옹집(集)≫ 등이 있음. [1642-1709]

한-여해【韓如海】명〖사람〗조선 시대 중기의 학자. 자는 호호(浩浩), 호는 회헌(晦軒). 청주(淸州) 사람. 병자 호란(丙子胡亂) 때 조정에서 청(淸)나라에 항복하는 것을 보고 벼슬할 뜻을 버리고 학문에 전심함. 효종(孝宗) 10년(1659) 학행(學行)으로 추천되어 참봉(參奉)이 되고 현감·좌랑(佐郞) 등에 임명되었으나 모두 사양함. 학문이 뛰어나 송시열(宋時烈)·송준길(宋浚吉) 등의 찬탄을 받았음. 생몰년 미상.

한여흘 명〈옛〉땅 이름. ¶楊根君爲大灘한여흘 爲蛇浦 ᄇᆡ얌개≪龍歌 Ⅲ:13≫/至痲田縣南爲大灘 한여흘≪龍歌 Ⅴ:27≫.

한:역¹【漢譯】명 한문으로 번역함. 또, 그 책. ¶～판. ──-하다 타 여불

한:역²【韓譯】명 한국어로 번역함. 또, 그 책. 국역(國譯). ¶영문 ～. ──-하다 타 여불

한연【寒煙·寒烟】명 쓸쓸히 올라가는 연기. 집이 가난함을 비유함.

한:열¹【旱熱】명 가물 때의 심한 더위.

한열²【寒熱】명〖한의〗오한(惡寒)과 신열(身熱). ¶～이 왕래하다.

한열 상박【寒熱相搏】명〖한의〗한기(寒氣)와 열기(熱氣)가 서로 마주침. 곧, 오한·신열이 병발하는 증세. ──-하다 자 여불

한열 왕:래【寒熱往來】[-내] 명〖한의〗병중에 한기(寒氣)와 열기(熱氣)가 번갈아 일어남. ──-하다 자 여불

한:염【旱炎】명 가물 때의 아주 심한 불 같은 더위.

한:-영【韓英】명 ①한국과 영국. ②한국어와 영어. ↔영한(英韓).

한:영 대:자전【韓英大字典】명〔The Unabridged Korean-English Dictionary〕〖책〗1923년 조선 야소교 서회(朝鮮耶蘇敎書會)가 출판한 게일편(Gale編)의 대자전. 1896년 일본에서 게일(Gale, James S.)이 편집한 ≪한영 자전(Korean-English Dictionary)≫의 판권을 양도받아 증보(增補) 출판한 것으로, 모두 7만 5천 어를 수록하여, 당시로서는 최대의 것이었고, 통속어의 수집을 위시하여 가나다순(順)으로 배열, 한자(漢字)를 달고 음(音)과 훈(訓)을 함께 단 다음 영역(英譯)한 것이 특색임. 국판으로 1,781면.

한:영 사전【韓英辭典】명 한국어를 영어로 번역하여 만든 사전. ↔영한사전.

한:영 수호 통상 조약【韓英修好通商條約】명〖역〗조영(朝英) 수호 통상 조약.

한-엽[-녑] 명 한 모퉁이. 한 구석. 한갓진 곳. ¶～으로 비켜 서다.

한예핑 매철 공사【一煤鐵公司】〔漢冶萍〕명 중국 우한(武漢)의 한양 철창(漢陽鐵廠), 후베이 성(湖北省) 다예 철산(大冶鐵山), 장시 성(江西省)의 핑샹 탄광(萍鄕炭鑛)을 통합 경영한 회사. 기원은 모두 19세기 말임. 청(淸)나라 말기인 1908년에 성선회(盛宣懷)가 민간 기업으로 통합. 1954년 이후에 국유화되었음. 원료에서 각종 강재(鋼材)까지 일관 생산하는 우한(武漢) 철강 콤비나트(combinat)가 형성됨. 한야평 매철 공사.

한-오금 명 활의 밭은 오금의 다음. ㊕오금.

한 오백년【一五百年】명〖악〗강원도 민요의 하나. 후렴에 '한 오백 년 사자는데 웬 성화요'라는 구절이 나옴.

한:오 수호 통상 조약【韓墺修好通商條約】명〖역〗조오 수호 통상 조약.

한:-오채【漢五彩】명〖공〗중국 한대(漢代)의 도자기(陶瓷器)의 한 가지. 와기(瓦器) 바탕에 청·황·녹·적·백 다섯 가지 빛깔을 띠었음.

한:옥【韓屋】명 우리 나라 고유의 재래식(在來式) 집. 목조(木造)에 조선 기와·이엉 등으로 지붕을 임. 조선집. 한식집. ↔양옥(洋屋).

한온【寒溫】명 날씨의 차고 따뜻함. 곧, 주객(主客)이 만나서 인사를 하고 수작하는 말.

한와¹【閑臥·閒臥】명 ①한가하게 누워 있음. ②속세에서 뜻을 버리고 안일(安逸)하게 묻혀서 삶. ──-하다 자 여불

한:와²【韓瓦】명〖공〗조선 기와.

한:외【限外】명 한정한 밖. 한도 이상. 기한 밖.

한:외 마약【限外痲藥】명 어떤 마약이 혼합되어 있되 그 마약의 재제(再製)가 불가능하고 그 사용에 의하여 습관성(習慣性)이 나타나지 아니하는 약품.

한:외 발행【限外發行】명〖경〗지폐를 발행하는 은행에서 금융 사정에 의하여, 정화(正貨) 준비나 보장(保障) 준비의 한도 이상으로 지폐를 발행하는 일. 제한외(制限外) 발행. ──-하다 타 여불

한:외 여:과【限外濾過】명〔ultrafiltration〕〖화〗보통의 여과법(濾過法)으로는 분리하기 곤란한 콜로이드 입자(colloid 粒子)나 분자를 황산지(黃酸紙)·방광막(膀胱膜)·콜로디온(collodion) 등을 이용하여 투석(透析)을 써서 압력을 가하여 여과하는 방법.

한:외 원:심기【限外遠心器】명〔ultracentrifuge〕〖물〗스웨덴의 화학자 스베드베리(Svedbery)가 발명한, 극히 강력한 원심기. 교질 용액(膠質溶液)의 침강(沈降)·평형(平衡) 등을 원심 운동 중에 직접 사진 촬영에 의하여 관찰할 수 있는 기능을 가졌음. 초(超)원심기.

한:외 현:미경【限外顯微鏡】명〔ultramicroscope〕〖물〗보통의 현미경으로는 보이지 아니하는 미세(微細)한 콜로이드 입자(colloid粒子)·편모(鞭毛) 등을 보기 위하여, 틴들 현상(Tyndall 現象)을 이용한 현미경. 곧, 투과 광선을 이용하지 아니하고 반사 광선을 이용하여, 프리즘으로부터 광선이 가운데로 모여 어두운 속에서 대상만이 빛나 보이게 하였음. 암시야(暗視野) 현미경. *암시야 장치(裝置).

한-요통【寒腰痛】명〖한의〗감기로 인하여 허리가 아픈 병.

한:용【悍勇】명 사납고 용맹스러움. ──-하다 형 여불

한:용-스럽다【悍勇─】형 ㅂ불 보기에 사납고 용맹스럽다. 한:용-스레【悍勇─】부

한-용운【韓龍雲】명〖사람〗3·1 운동 때의 민족 대표 33인 중의 한 사람. 시인. 이름은 봉완(奉玩), 용운은 법명(法名)임. 호는 만해(萬海). 충남 홍성(洪城) 출생. 1905년 인제(麟蹄)의 백담사(百潭寺)에서 중이 됨. 삼일 운동 때 불교계를 대표하였으며, 옥중에서 쓴 ≪조선 독립의 서≫는 후세에 남긴 민족의 대문장임. 시와 소설도 썼으며, 시집 ≪님의 침묵≫이 유명함. 저서에 ≪조선 불교 유신론(朝鮮佛敎維新論)≫·≪불교 대전(佛敎大典)≫ 등이 있음. [1879-1944]

한:우¹【汗疣】명〖한의〗땀띠.

한우²【寒雨】명 ①찬 비. ②겨울에 오는 비.

한우³【寒雨】명〖사람〗조선 선조(宣祖) 때의 평양(平壤) 기생. 임제(林悌)와 교제가 있었음. 임제의 ≪한우가≫에 화답한 것이라는 시조 한 수(首)가 ≪해동 가요(海東歌謠)≫에 전함. 생몰년 미상.

한:우⁴【韓牛】명 한국 소.

한-우종【韓禹宗】명〖사람〗독립 운동가. 평북 의주(義州) 출신. 1919년 동지 등과 함께 의주에서 보합단(普合團)을 조직, 선천(宣川)·철산(鐵山)·용천(龍川) 등지에서 관공서 습격·밀정 암살 등 항일 투쟁을 벌임. 뒤에 선천 내산사(內山寺)에서 일본 경찰의 습격을 받아 교전 끝에 왜경 2명을 사살, 5명에게 중상을 입히고 전사함. [?-1920]

한:우 충동【汗牛充棟】명〔실으면 소가 땀을 흘리고, 쌓으면 들보에까지 가득 찰 만큼 많다는 뜻〕썩 많은 장서(藏書)를 가리키는 말.

한욱【寒燠】명 추위와 더위. 한서(寒暑).

한:운¹【旱雲】명 한발(旱魃) 때 뜨는 구름. 가물 때의 구름.

한운²【閑雲·閒雲】명 하늘에 한가히 떠 다니는 구름.

한운³【寒雲】명 겨울 하늘에 뜬 구름.

한운 야:학【閑雲野鶴】[-냐-] 명 하늘에 한가히 떠도는 구름과 들에 절로 노는 학. 곧, 아무 구속 없이 한가한 생활로 유유 자적(悠悠自適)하는 경지를 일컫는 말.

한울 명〖천도교〗①〔'한'은 '큰', '울'은 '우리'의 준말로, '큰 나·온 세상'이라는 뜻〕우주(宇宙)의 본체를 가리키는 말. ②하늘.

한울-님 명〖천도교〗천도교에서의 신앙 대상. 우주(宇宙)를 주재(主宰)·섭리한다 하며, 우주의 대정신을 인격화한 것으로 한국의 민족신(民族神)으로도 여김. 하느님. *한울.

한웅 명〖대종교〗가르침을 맡은 한얼님.

한:원【翰苑】명〖역〗한림원(翰林院)·예문관(藝文館)의 별칭.

한-원진【韓元震】명〖사람〗조선 영조(英祖) 때의 학자. 자(字)는 덕소(德昭), 호는 남당(南塘). 청주(淸州) 사람. 권상하(權尙夏)의 문인으로 고제(高弟)들인 강문 팔학사(江門八學士) 중에서도 이간(李柬)과 함께 가장 뛰어난 학자였음. 심성론(心性論) 논쟁에서 이간의 주장을 반대, 인(人)·물(物)의 성(性)이 부동(不同)함을 주장함. 뒤에 권상하가 그의 학설을 지지하매 기호학파(畿湖學派)가 양분되었고, 그를 따르는 파를 호론(湖論)이라 하고 이간을 따르는 자들을 낙론(洛論)이라 부르게 됨. 그의 많은 저서 중 영조 17년(1741)에 저술한 ≪주서 동이고(朱書同異考)≫는 송시열(宋時烈)이 착수한 것을 50년 만에 완성한, 유학사상 빛나는 거작임. 천문·지리·병학(兵學)·산수(算數)에도 통달하였음. 시호는 문순(文純). [1682-1751]

한월¹【寒月】명 겨울의 달. 차가워 보이는 달.

한월²【閑月·閒月】명 농사일이 없어 한가한 달. ↔망월(忙月).

한:월³【漢月】명 천한(天漢)과 명월(明月).

한:위¹【汗位】명 한(汗)의 지위. 곧, 수장(首長).

한위²【寒威】명 추위의 위세(威勢). 위세를 떨치는 대단한 추위. ↔서위(暑威). *동장군(冬將軍).

한:위 총서【漢魏叢書】명 중국 한위 육조(六朝)의 군서(群書)를 경(經)·사(史)·자(子)·집(集)의 사부(四部)로 분류한 것. 명(明)나라 하당(何鏜)의 찬(撰). 뒤에 청(淸)나라 왕모(王謨) 등이 보충한 것이 있음.

한:유¹【罕有】명 드물게 있음. ──-하다 형 여불

한유²【閑裕·閒裕】명 한가하고 여유가 있음. ──-하다 형 여불

한유³【閑遊】명 한가히 노닒. ──-하다 자 여불

한-유⁴【韓愈】명〖사람〗중국 당(唐)나라 덕종(德宗) 때의 문학자. 자는 퇴지(退之). 창리(昌黎) 사람. 정치적으로는 불우하였으나 문단에 있어서는 당송(唐宋) 팔대가(八大家)의 한 사람으로 꼽힘. 같은 시대의 유종원(柳宗元)과 함께 고문(古文)의 대가(大家)이며, 중국 근세(近世) 문장의 조(祖)로서 유명함. 시문집(詩文集)에 ≪창려 선생집(昌黎先生集)≫ 등이 있음. 한자(韓子). [768-824]

한육【一肉】명 '쇠고기'의 딴이름. *한쇠.

한-은¹【韓泓】명〖사람〗조선 시대 중기의 학자. 자는 중징(仲澄), 호는 만은(漫隱). 청주(淸州) 사람. 허후(許厚)·허목(許穆)의 문하에서 경전(經典)을 연구, ≪중용(中庸)≫에 특히 주력하였음. 효행(孝行)과 학행(學行)으로 참봉(參奉)·지평(持平)·집의(執義) 등으로 6 차례나 천거되었으나 모두 사퇴하고 학문에만 전심함. [1619-88]

한:은²【韓銀】명 ↗한국 은행.

한:은 특융【韓銀特融】명〖경〗한국 은행이 일반 은행에 대출해 주는 자금 중 특별한 목적을 위한 매우 이자가 싼 자금. 통화와 은행업의 안정이 위협받는 중대한 긴급시에 특융을 지원할 수 있고, 금리는 금융 통화 운영 위원회가 정함.

한음¹【閑吟·閒吟】명 한가로이 시가(詩歌)를 읊음. 조용하고 천천히 시가를 읊음. ──-하다 타 여불

한:음²【漢音】명 한자의 본음(本音). 곧, 한자의 중국 음(音).

한:음³【漢陰】명〖사람〗이덕형(李德馨)의 호(號).

한:-음식【一飮食】명 끼니 때 외에 차린 음식.

한-응(:)성【韓應聖】명〖사람〗조선 선조(宣祖) 때의 의병(義兵). 자

는 경기(景期), 호는 귀와(龜窩). 청주(淸州) 사람. 조헌(趙憲)의 문인. 임진 왜란 때 스승을 따라 의거(義擧), 금산(錦山) 싸움에서 선봉이 되어 용전(勇戰) 하다가 7백 의사(義士)와 함께 전사함. [?-1592]

한-응(:)인【韓應寅】[명]〖사람〗조선 시대 중기의 문신. 자는 춘경(春卿), 호는 백졸재(百拙齋)·유촌(柳村). 청주(淸州) 사람. 정여립(鄭汝立)의 모반을 고변한 공으로 평난 공신(平難功臣)에 책록되었으며, 종계 변무(宗系辨誣)의 공으로 광국(光國) 공신이 됨. 임진 왜란 때 팔도 순찰사(八道巡察使)로 공을 세웠으며, 서울 수복 후 호조 판서가 됨. 선조(宣祖)가 위독하게 되자 유교 칠신(遺敎七臣)의 한 사람이 되어 영창대군(永昌大君)의 보호를 부탁받았다가 광해군(光海君) 5년(1613) 계축옥사에 연루되어 관작을 삭탈당함. 시호는 충정(忠靖). [1554-1614]

한:의[1]【汗衣】[—/—이] [명] ①땀이 밴 옷. ②땀받이. 한삼(汗衫).

한의[2]【寒衣】[—/—이] [명] 하늬의 취음(取音).

한:의[3]【漢醫】[—/—이] [명]〖한의〗①한방(漢方)의 의술. ②↗한의사·한방의(漢方醫). 1)·2): ↔양의(洋醫).

한:의[4]【澣衣】[—/—이] [명] 완의(浣衣).

한:의[5]【韓醫】[—/—이] [명] ①한방(韓方)의 의술. ②한방 의사. ↔양의(洋醫).

한의-도【寒衣島】[—/—이—] [명]〖지〗전라 남도의 서해상, 진도군(珍島郡) 군내면(郡內面)에 있는 섬. [0.52 km²]

한:-의사[1]【漢醫師】[명] 한방(漢方) 의술을 전문으로 하는 사람. 한방의(漢方醫). [준]한의(漢醫).

한:-의사[2]【韓醫師】[명]〖한의〗한방 의술을 전문으로 하는 사람. 한방의(韓方醫). [준]한의(韓醫). ↔양의사.

한의 예:과【韓醫豫科】[—꽈/—이—꽈] [명]〖교〗대학에서, 한의과 교과 과정의 예비 지식을 교수하는 예과 과정. 수업 연한은 2년임.

한:-의원[1]【漢醫院】[명]〖법〗한의사가 한의업을 하는 처소.

한:-의원[2]【韓醫院】[명]〖한의〗한의사가 의료(醫療) 행위를 하는 곳.

한:의-학【韓醫學】[—/—이—] [명] 한국에서 고대부터 발달해 내려 온 의약이 중국·일본 등 한자 문화권(漢字文化圈) 지역의 의약과 교류되면서 연구·전승·발전되어 온 의학.

한-이레 [—니—] [명] '첫이레'의 딴이름.

한:이 우호 통상 조약【韓伊友好通商條約】[명]〖역〗조이(朝伊) 우호 통상 조약.

한-익상【韓益相】[명]〖사람〗조선 시대 후기의 문신. 초명은 매권(邁權), 자는 치문(稚文), 호는 자오(自娛)·백졸(百拙). 청주 사람. 순조(純祖) 7년(1807) 과거에 급제, 부호군(副護軍)·우부승지 등을 역임함. 헌종(憲宗) 2년(1836) 강원도 지방에 기근이 심하고 탐관(貪官)이 발호할 때 관찰사로 나가 탐관을 적발하고 선정을 베풀어 청백리(淸白吏)에 녹선(錄選)됨. [1767-1846]

한:인[1]【恨人】[명] ①다정 다한(多情多恨)한 사람. 상심(傷心)하기 쉽고 동정심이 많은 사람. ②한이 많은 사람.

한인[2]【閑人·閒人】[명] ①한가한 사람. ②일 없는 사람. ③〖역〗고려 시대의 신분 계층의 하나. 육품(六品) 이하의 하위 관리의 자제로서 벼슬하지 않고 한거(閑居)하는 사람. 한인전(閑人田)이 지급되고, 군액(軍額) 보충 때 징발 대상이 됨. 한량(閑良).

한:인[3]【漢人】[명] ①한족(漢族)에 속하는 사람. ②중국인.

한:인[4]【韓人】[명] 한국 사람.

한-인급【韓仁及】[명]〖사람〗조선 시대 중기의 문신. 자는 원지(元之), 호는, 현석(玄石)·서석(瑞石). 청주 사람. 응인(應寅)의 아들. 광해조(光海朝) 초에 등과, 수찬(修撰)·정언(正言)등 벼슬을 지냈으나 계축 옥사(癸丑獄事) 때 사직함. 인조 반정(仁祖反正) 후 재등용되어 형조 판서 등 여러 벼슬을 거친 다음 지돈령부사(知敦寧府事)까지 오름. 서예에 뛰어나 팔법(八法)에 능했음. [1583-1644]

한인 물입【閑人勿入】[명] 일 없는 사람은 들어오지 말라는 뜻. ——-하다 [자][여불]

한:인 아병【漢人牙兵】[명]〖역〗조선 제17대 효종(孝宗) 시대에, 중국 명(明)나라 사람으로서 우리 나라에 귀화(歸化)하여 아병이 된 사람. 황모(黃帽)를 쓰고 한강(漢江)에서 고기잡이를 하여 생선을 나라에 진상(進上)하는 일에 종사하였음.

한인-전【閑人田】[명]〖역〗고려 시대에, 전시과(田柴科) 제도에 따라 한인(閑人)에게 지급되는 전지(田地). 전(田) 17결(結)을 지급하되, 벼슬을 하면 국가에 반납함.

한:인-지【韓人池】[명]〖역〗예전에 백제(百濟) 사람들이 일본에 건너가 백제의 발달된 농사법(農事法)을 가르칠 때 만든 저수지(貯水池)를 일본 사람들이 일컫던 이름.

한:일[1]【限日】[명] 기한이 되는 날.

한일[2]【閑日·閒日】[명] 한가한 날.

한일[3]【閑逸】[명] 조용하고 편안함. ——-하다 [형][여불]

한:일[4]【韓日】[명] ①한국과 일본. ¶ ~ 회담(會談). ②한국어와 일본어. *일한(日韓).

한:일 기본 조약【韓日基本條約】[명] 한국과 일본 양국의 일반적 국교 관계를 규정한 조약. 1965년 2월 20일 서울에서 가조인(假調印)되고, 같은 해 6월 22일, 일본 도쿄에서 정식 조인되었음. 한일 합병 조약 등 구 조약의 실효(失效)를 규정하고, 한국 정부가 한반도에서 유일한 합법 정부임을 인정한다는 등 전문 7개 조항으로 이루어짐. 이와 함께 어업(漁業)·청구권 문제, 재일 한국인의 법적 지위 문제, 문화재 반환 등 4개 협정도 아울러 조인됨.

한:-일모【限日暮】[명][부] 한종일(限終日). ——-하다 [자][여불]

한-일부【—一部】[명] 한자 부수의 하나. '不'·'上' 등의 '一'의 이름.

한:일 사전【韓日辭典】[명] 우리 말의 단어·숙어·구(句) 등을 일본어로 번역하여 만든 사전. ↔일한 사전.

한:일 신협약【韓日新協約】[명]〖역〗헤이그 밀사 사건(密使事件) 뒤에 일본의 강압으로 고종(高宗)이 퇴위하고 순종(純宗)이 즉위하던 때인 융희(隆熙) 원년(1907)에 통감(統監) 이토 히로부미(伊藤博文)의 사실(私室)에서 일본과 맺은 조약. 전문 7조로 되어 있는데 법령의 제정, 중요한 행정상의 처분을 비롯하여 모든 사법·행정 사무를 통감의 감독·승인 아래 행할 것을 규정한 것으로, 사실상 합병과 다름없는 결과를 현출하였음. 정미 칠조약(丁未七條約). 칠조약(七條約).

한-일월【閑日月·閒日月】[명] ①한가(閑暇)한 세월. ②여유 있는 마음. ¶영웅 ~.

한:일 은행【韓一銀行】[명] ①대한 제국 때의 은행. 실업계 및 지주 출신의 인사 30여 명의 발기로 1906년 5월에 발족. ②시중 은행의 하나. 1932년에 설립된 조선 신탁 주식 회사가 1946년 4월 조선 신탁 은행이 되고, 1950년 4월 한국 신탁 은행, 1954년 10월 한국 상공 은행과 합병하여 한국 흥업 은행이 되었다가 다시 1960년 1월 한일 은행으로 상호를 변경하여 오늘에 이름.

한:일 의정서【韓日議政書】[명]〖역〗고종 광무(光武) 8년(1904) 2월에 러일 전쟁을 일으킨 일본의 강압으로 서울에서 맺은 조약. 일본은 대한제국(大韓帝國)의 독립과 영토를 보전(保全)할 것과 대한 제국이 일본의 전쟁 수행에 협력할 것 등 몇 가지를 규정했는데, 우리 주권의 침해가 막심했음.

한일자-로【—一字—】[—짜—] [부] 한수자(漢數字)의 '일(一)'자와 같은 모양으로. ¶ ~ 굳게 다문 입.

한:일 합방【韓日合邦】[명]〖역〗1910년 8월 29일의 '경술 국치(庚戌國恥)'를 전에 일컫던 말.

한:일 합병【韓日合倂】[명]〖역〗한일 합방.

한:일 합병 조약【韓日合倂條約】[명]〖역〗대한 제국 융희(隆熙) 4년(1910) 8월 22일 조인되고 29일 공포된 한국과 일본의 합병 조약. 한국 통치권(韓國統治權)의 양여(讓與) 및 황족·귀족 등의 우우(優遇)를 골자로 한, 8개조로 된 망국(亡國)의 비통한 조약. 내각(內閣) 총리 대신 이완용(李完用)과 일본 통감(統監) 데라우치 마사타케(寺內正毅) 사이에 조인(調印)되었음.

한:일 협약【韓日協約】[명]〖역〗①제1차 한일 협약. ②제2차 한일 협약.

한:일 회:담【韓日會談】[명] 1951년의 예비 회담부터 1965년 6월까지 6차에 걸쳐 개최되었던 한일간의 국교(國交) 정상화를 위한 외교 교섭. 한일 기본 조약을 조인(調印)하고 양국은 국교를 재개(再開)하였음. * 한일 기본 조약.

한-입 [—닙] [명] ①하나의 입. 한 사람의 입. ②한 번 벌린 입. ¶ ~에 욱여넣다.

[한 입으로 두 말 하기] 일구 이언(一口二言). [한 입으로 온 까마귀질 한다] 말이 이랬다 저랬다 하는 사람을 두고 이르는 말.

한 입 건너고 두 입 건너다 [구] 소문(所聞)이 자꾸 퍼져 나감을 이르는 말. ¶ 광고 삼아 늘어놓은 말이야 오죽 널리 전파되리요. 한 입 건너고 두 입 건너 차차 퍼져 나갈수록 한 말 두 말 점점 보태어 ≪崔瓚植: 金剛門≫. 「하다 [자][여불]

한:-입골수【恨入骨髓】[—쑤] [명] 원한(怨恨)이 골수에 사무침. ——-

한:자[1]【漢子】[명] 남자(男子)의 낮은말.

한:자[2]【漢字】[—짜] [명] 중국어를 표기하는 중국 고유의 문자. 그 기원은 명확하지 않으나 기원전 10수 세기의 은(殷)나라 때 이미 사용되었음. 상형(象形)·지사(指事)·회의(會意)·해성(諧聲)·전주(轉注) 문자 등으로 발달한 표의적(表意的) 음절(音節) 문자로, 표음(表音)문자도 많으며, 총수는 5만이 넘는다 하나 실용 자수는 1만 내외임. 자형(字形)에도 고대(古代)의 과두(蝌蚪) 문자, 대전(大篆)·소전(小篆) 등의 전서(篆書), 예서(隸書) 등에서 해서(楷書)로 발전하여 행서(行書)·초서(草書)로까지 발달하고, 또 많은 약자(略字)·속자(俗字)도 있음. 현대 중국에서는 많은 간체자(簡體字)를 씀. 한문 글자. 한문자(漢文字).

한-자[3]【韓子】[명] ①〖사람〗당대(唐代)의 문호(文豪) 한유(韓愈)의 경칭. ②〖책〗한비자(韓非子)❷.

한:자 교:육【漢字敎育】[—짜—] [명] 문자로서의 한자와 한자로 쓰인 한문을 가르치는 일.

한자 동맹【—同盟】[Hansa] [명] [Hanseatic League]〖역〗[한자는 중세 유럽 도시의 상인 조합(商人組合)] 13세기에서 15세기에 걸쳐 해상 교통의 안전 보장·공동 방호(防護)·상권(商權) 확장 등을 목적으로 독일 북부 연안의 여러 도시와 발트 해(海) 연안의 여러 도시 사이에 이루어진 유력한 도시 연맹.

한-자리 [명] ①같은 자리. ¶ ~에 모인 가족. ②한 몫. 한 직위(職位). ¶ 벼슬 ~ 못 하고 무얼 하고 있나. ③수를 십진법(十進法)으로 나타내었을 때의 자리 하나. ¶ 소수점을 ~ 올려서 찍다.

한자릿-수【—數】[명] 자릿수가 하나인 수. 1에서 9까지. ¶ 올해의 물가 억제 목표는 ~다.

한:자-말【漢字—】[—짜—] [명] 한자로써 된 말. 한자어(漢字語).

한:자-어【漢字語】[—짜—] [명] 한자말.

한-잔【—盞】[명] ①잔에 가득 찬 분량. ②간단하게 마시는 술.

한잔 걸:치다 [구] 간단하게 술을 들이켜다.

한잔 내:다 [구] 술자리를 베풀어 대접하다.

한잔 먹다 [구] 술을 한 차례 마시다.

한잔 하다 [구] 간단하게 술을 마시다.

한잔-술【—盞—】[—쑬] [명] 술잔 하나의 술.

[한잔술에 눈물 난다] 사소한 일에 원한이 생기는 것이니 사람을 대접할 때 공평하게 하라는 말.

한-잠 [명] ①매우 깊이 든 잠. ¶ ~이 들다. ②잠시 자는 잠. ¶ 낮잠을

～ 자다.

한-잡인【閑雜人·閒雜人】명 일에 관련 없고 한가한 사람. 한인과 잡인.

한장[1]〔漢江〕명『지』한수이(漢水).

한장[2]〔韓江〕명『지』중국 광둥 성(廣東省) 동부를 흐르는 강. 원류는 우이 산맥(武夷山脈)에서 발원하는 팅장(汀江) 강과 롄화 산(蓮花山)에서 발원하는 메이장(梅江) 강이며, 다부 현(大埔縣)의 싼허(三河) 강에서 합류한 지점부터 한장 강이라 하는데, 산터우 시(汕頭市)에서 남중국해(南中國海)로 흘러듦. [410 km]

한장군 놀이【韓將軍一】명『민』경상 북도 경산군 자인면 지역에서 단오에 벌이던 단오굿의 일컬음. 중요 무형 문화재 제 44 호. 한장군은 이 단오굿의 중심 행사인 여원무(女圓舞)에 등장하는 주인공 이름.

한-장석【韓章錫】명『사람』조선 시대 후기의 문신. 자는 치수(穉綏)·치유(穉由), 호는 미산(眉山)·경향(經香). 청주 사람. 유신환(兪莘煥)의 문인. 고종(高宗) 9년(1872) 정시 문과(庭試文科)에 급제, 대제학(大提學)·함경도 관찰사(咸鏡道觀察使) 등을 지냄. 김윤식(金允植)·민태호(閔台鎬)와 함께 당대의 문장가로 이름을 떨쳤음. 시호는 문간(文簡). [1832-94]

한-장정【一壯丁】명 한다 하는 장정.

한장-치 명 누에씨를 받아 붙인 종이 한 장분이라는 말. 누에씨 한 장을 치면 고치가 대개 10-13말 나옴.

한:재[1]【旱災】명 가물로 인하여 곡식에 미치는 재앙(災殃). 재한(災旱). *한해(旱害).

한:재[2]【漢才】명 한학(漢學)에 대한 재주. ↔양재(洋才).

한-재(:)렴【韓在濂】명『사람』조선 시대의 학자. 자는 제원(霽園), 호는 심원당(心遠堂). 청주(淸州) 사람. 일찍부터 고체시(古體詩)에 뛰어나, 박지원(朴趾源)·정약용(丁若鏞)·신위(申緯) 등 문인·학자들과 교유(交遊)함. 순조(純祖) 즉위 후 무고로 순천(順天)에 유배되어 5년 동안 후진 양성에 힘씀. [1775-1818]

한:재-민【旱災民】명 한재를 입은 백성.

한:-저녁 명 끼니 때가 지난 뒤에 간단히 차린 저녁. *한점심.

한-적[1] 명〈방〉한때.

한적[2]【閑寂·閒寂】명 한가하고 고요함. ¶～한 생활. ――하다 형여불. ――히 부

한적[3]【閑適·閒適】명 한가하여 자적(自適)함. ――하다 형여불. ――히 부

한:적[4]【漢籍】명 한서[3](漢書)❷.

한:전[1] 명〈방〉한둔. ――하다 자

한:전[2]【旱田】명 밭. ↔수전(水田).

한:전[3]【限前】명 기한이 되기 이전.

한전[4]【寒戰·寒顫】명『한의』오한(惡寒)이 심하여 몸이 떨리는 증세.
한전 나다 구 한전이 일어나다. 병으로 춥고 몸이 떨리다.

한:전[5]【韓電】명 ①'한국 전력 주식 회사'의 약칭(略稱). ②'한국 전력 공사'의 약칭.

한:전-론【限田論】[一논] 명 조선 시대에 전답의 개인 소유를 한정하려던 주장.

한:전-설【限田說】명 한전론.

한:절[1]【限節】명 한 마디 또는 한 구절씩 나누어서 한정함. ――하다 타여불

한절[2]【寒節】명 추운 겨울철. 한천(寒天). ¶북풍(北風) ～.

한:점[1]【限點】[一쩜] 명 제한하는 점. 어떤 사물을 한정하는 기준점.

한점[2]【寒點】[一쩜] 명『생』냉점(冷點).

한:-점심【一點心】명 끼니 때가 지난 뒤의 점심. *한저녁.

한:정[1]【限定】명 ①제한하여 정함. ¶인원수를 ～하다. ②〔determination〕『논』일반 개념에 종차(種差)를 더하여 종개념(種槪念)을 만드는 일. 곧, 내포(內包)를 넓혀 외연(外延)을 좁히는 일. 예를 들면, 인종이라는 일반 개념에, 황색이라는 종차를 더하여 내포를 넓혀서, 황색 인종이라는 종개념을 만드는 일 등임. 규정(規定). 제한(制限). ↔개괄(槪括). ――하다 타여불

한정[2]【閒丁】명 국역(國役)에 나가지 아니하는 장정(壯丁).

한정[3]【閑庭·閒庭】명 조용한 뜰. 한적한 정원.

한정[4]【閑靜·閒靜】명 한가하고 고요함. 평화로움. ――하다 형여불. ――히 부

한정[5]【寒庭】명 겨울빛이 가득 차서 쓸쓸해 보이는 뜰.

한:정 감사【限定監査】명 제한(制限) 감사.

한:정 능력【限定能力】[一녁] 명『법』법률에 의하여 한정된 사람의 행위(行爲) 능력. 민법에서 무능력자의 행위 능력은 모두 이에 속함.

한:정 능력자【限定能力者】[一녁一] 명『법』행위력(行爲力)이 법률에 의하여 제한된 사람. 민법의 무능력자는 규정상 모두 이에 속함.

한-정동【韓晶東】명『사람』아동 문학가. 호는 서학 산인(棲鶴山人). 평남 강서(江西) 출신. 평양 고보(平壤高普)를 졸업, 문관 시험에 합격하여 국민 학교 교사를 지냄. 1950년 월남(越南)하여 고등 학교 교직에 종사함. 동요 ≪따오기≫·≪어머니 생각≫·≪소금쟁이≫ 등이 유명함. [1894-1976]

한:정-량【限定量】[一냥] 명 한정된 분량·수량.

한:정 상속【限定相續】명『법』한정 승인(承認)에 있어서의 상속.

한:정 승인【限定承認】명『법』상속인이, 피상속인의 채무 및 유증(遺贈)에 관하여, 상속받은 재산을 한도로 하는 책임을 지는 것을 유보(留保)해서 행하는 상속의 승인. 곧, 상속 재산이 부채 초과(負債超過)의 염려가 있을 때에, 그것을 청산(淸算)하여도 채무가 남으면 책임을 지지 아니하고, 적극 재산(積極財產)이 남으면 그것을 상속한다는 제도임. ↔단순(單純) 승인.

한:정-어【限定語】명『언』부사어(副詞語).

한:정적 판단력【限定的判斷力】[一력] 명『철』규정적 판단력(規定的判斷力).

한:정 전:쟁【限定戰爭】명 국지 전쟁(局地戰爭).

한정-지【閒靜地】명 한가롭고 조용한 곳.

한:정 치산【限定治產】명『법』심신 박약(心身薄弱) 또는 낭비벽(浪費癖) 때문에, 자기 스스로 재산을 관리할 능력이 없는 자를 보호하기 위하여, 그 행위 능력을 제한하는 제도. 구칭:준금치산(準禁治產).

한:정 치산자【限定治產者】명『법』심신 박약자 또는 낭비자(浪費者)로, 가정 법원으로부터 한정 치산의 선고를 받은 사람. 본인·배우자·사촌(四寸) 이내의 친족·호주·후견인 또는 검사의 청구에 의하여 선고됨. 후견인(後見人)이 붙여지고, 중요한 재산상의 거래 행위를 하는 경우, 그의 동의를 얻어야 함. 구칭:준금치산자(準禁治產者).

한:정-판【限定版】명〔limited edition〕부수(部數)를 제한하여 발간하는 출판물. 흔히 수요(需要)가 적은 책을 출판할 때에 함.

한:정 판매【限定販賣】명 판매 기간이나 상품의 양을 한정하여 판매하는 일.

한:정 해:석【限定解釋】명『법』축소(縮小) 해석.

한:제[1]【旱祭】명 기우제(祈雨祭).

한:제[2]【限制】명 제한(制限). ――하다 타여불

한제[3]【寒劑】명〔refrigerant〕『물』혼합에 의하여 저온을 얻기 위한 재료. 용액의 응고점(凝固點)이 용매(溶媒)만의 응고점보다 낮은 것을 이용한 것임. 예를 들면, 얼음에 소금을 섞으면 얼음의 일부가 융해(融解)하여 융해열(熱)을 흡수하고, 이 융해한 물에 소금이 용해(溶解)할 때에 외부로부터 용해열을 빼앗아 섭씨 영하 22도까지 온도가 내려감. 냉동제(冷凍劑). 기한제(起寒劑).

한:제[4]【韓製】명 한국제(韓國製). 한국산이라는 뜻. *국산(國產).

한조[1]【寒鳥】명 ①겨울새. 동조(冬鳥). ②까마귀❶.

한:조[2]【漢朝】명 ①중국 한(漢)나라 조정. 한나라 시대. ②중국.

한:조[3]【翰藻】명 시가(詩歌) 또는 문장(文章).

한족[1]【寒族】명 한문(寒門).

한:-족[2]【漢族】명『인류』중국 본토 재래(在來)의 종족. 그 발생 및 이동에 대해서는 알려져 있지 아니하나, 약 4,000-5,000년 전에 황허(黃河) 강 중류에 농경 민족(農耕民族)으로서 나타난 황색 인종으로, 중국어를 사용함. 만주·화북·화남·화중·내륙형 등 그 형질은 여러 가지이나 중국 본토 전역에 분포하며, 11억 이상의 인구 중 90%를 차지하며, 세계 각지에서 활약하고 있는 1,300만 명의 화교(華僑)를 합치면 세계 유수(有數)의 대민족을 이룸. 약 5,000년 전에 황하 문명(黃河文明)을 꽃피워 근세까지도 동양사(東洋史)의 주도자(主導者)로 주위의 민족에 큰 영향을 끼쳤음. 한민족.

한:-족[3]【韓族】명『인류』한반도(韓半島)를 중심으로 중국의 남만주 일부와 제주도 등 부속 도서(附屬島嶼)에 거주하는 민족. 퉁구스계의 몽고 종족으로, 중국 북부를 통과하여 동쪽으로 이동해 온 것으로 추정되며, 한반도와 남만주를 중심으로 약 5,000년 전부터 농경(農耕)을 주로 하고 수렵과 어업을 종(從)으로 하며 정착(定着)하여 옴. 현재, 정치적으로 '대한 민국'을 형성하며 한글과 한국어를 사용하는데, 신장은 중키에 모발·동공(瞳孔)은 암색(暗色), 눈이 길게 째지고, 머리는 납작한 편이며, 성격은 담박(淡泊)·강직(剛直)함. 문화·종교 등 많은 면에서 한족(漢族)의 영향이 크며, 일본에 많은 영향을 줌. 총수 약 6,000만 명. 한민족(韓民族). 배달 민족.

한:족-회【韓族會】명 1919년 4월에 조직된 독립 운동 단체. 3·1 운동 이후 남만주(南滿洲)에 흩어져 있던 각 기관이 단합의 필요를 느끼고 부민단(扶民團)을 중심으로 자신계(自新契)·교육회(敎育會)의 세 단체가 통합하여 조직함.

한-종락【韓宗樂】[一낙] 명『사람』조선 후기의 서예가. 청주 사람. 벼슬은 개성(開城) 분교관(分敎官)을 지냄. 진체(晉體)로 이름 높은 아버지 명상(命相)의 필법을 이어받아, 더욱 연마하여 안진경(顔眞卿)의 정수(精粹)를 터득함. 같은 순조(純祖) 때의 임경한(林景翰)과 더불어 서예로 이름을 떨침. 생몰년 미상.

한:-종신【限終身】㊀명 몸이 죽기를 한정함. ㊁부 죽을 때까지. 한기신(限己身). ――하다 자여불

한-종유[1]【韓宗愈】명『사람』고려의 문신. 자는 사고(師古), 호는 복재(復齋). 충숙왕(忠肅王)·충혜왕(忠惠王) 등 약화된 왕권을 보호하기 위하여 내치(內治)와 대원 외교(對元外交)를 통하여 힘씀. 후일 공신이 되어 한양군(漢陽君)에 봉해지고, 관직은 좌정승(左政丞)에 오름. ≪동문선(東文選)≫에 그의 시 ≪한양 촌장(漢陽村莊)≫ 등 3편이 전함. [1287-1354]

한-종유[2]【韓宗裕】명『사람』조선 시대 중기의 화가. 청주(淸州) 사람. 도화서(圖畫署) 화원(畫員)으로서 감목관(監牧官)에 이르렀음. 오래된 김응하(金應河)의 초상을 왕명으로 모사(模寫)하였고, 정조(正祖) 5년(1781) 신한평(申漢枰)·김홍도(金弘道)와 함께 왕의 초상을 그림. 생몰년 미상.

한:-종일【限終日】㊀명 날이 저물기를 한정함. ㊁부 해가 질 때까지. 한일모(限日暮). ――하다 자여불

한:주[1]【漢州】명『역』신라 구주(九州)의 하나. 경덕왕(景德王) 때에 한산주(漢山州)를 고친 이름. 중원경(中原京)과 28 군(郡) 49 현(縣)을 관할하였음. 지금의 광주(廣州).

한:주[2]【翰注】명『역』한림(翰林)과 주서(注書).

한:주-국종체【漢主國從體】명 한문이 주(主)가 되고 국문이 보조적으로 쓰여진 문체.

한죽【寒竹】명『식』자죽(紫竹).

한준[1]【寒畯】명 가난하나 문벌(門閥)은 좋은 선비.

한-준[2]【韓準】명『사람』조선 선조(宣祖) 때의 문신. 자(字)는 공칙(公則), 호는 남강(南岡). 청주 사람. 선조 22년(1589) 정여립(鄭汝立)의 모반을 고변하여 평난 공신(平難功臣)이 되었으며, 임진 왜란 때는 호

조 판서로 순화군(順和君)을 호위하고 강원도로 피란, 이듬해 한성부 판윤(漢城府判尹)이 됨. 사은사(謝恩使) 및 주청사(奏請使)로 두 차례 명(明)나라에 다녀옴. 글씨를 잘 써서 사자관(寫字官)을 지냄. 시호는 정익(靖翼). [1542-1601]

한-준(:)겸【韓浚謙】명〖사람〗조선 중기의 문신. 자는 익지(益之), 호는 유천(柳川). 청주(淸州) 사람. 선조(宣祖) 17년(1586) 별시 문과(別試文科)에 급제하고 동 20년 사가 독서(賜暇讀書)를 함. 여러 벼슬을 거쳐 동 38년 호조 판서에 올랐고, 선조로부터 유교 칠신(遺敎七臣)의 한 사람으로 영창 대군(永昌大君)의 보필을 부탁받음. 뒤에 계축 옥사(癸丑獄事)에 연루되어 충주(忠州) 등지에 부처(付處)됨. 광해군(光海君) 13년(1621) 오랑캐 침입을 계기로 오도 도원수(五道都元帥)가 되어 국경 수비에 임했음. 인조 반정(仁祖反正)으로 딸이 왕비가 되매 서원 부원군(西原府院君)으로 봉해짐. 시호는 문익(文翼). [1557-1627]

한-줄기 명 ①한 계통. 한 바탕. ②한 가닥. ¶～의 희망.

한-줌 명 한 주먹. 한 주먹으로 쥘 만한 분량. ¶～의 모래/～도 안 되는 특권층.

한중[1]【閑中·閒中】명 한가한 동안. 한가한 사이.

한중[2]【寒中】명 ①소한(小寒)부터 대한(大寒)까지의 사이. ②가장 추운 계절. ③〖한의〗속에 한기(寒氣)가 서리어 여름에도 설사(泄瀉)를 잘 하는 병.

한:-중[3]【韓中】명 한국과 중국. 한화(韓華). ¶～ 무역.

한중[4]〔漢中〕명〖지〗중국 산시 성(陝西省)의 서남쪽 한장(漢江) 강 북안(北岸)의 땅. 쓰촨(四川)·후베이(湖北) 두 성에 걸친 요충지임. 한(漢)의 고조(高祖)가 항우(項羽)로부터 봉(封)함을 받아 한왕(漢王)이라고 칭한 곳임.

한-중간【一中間】명 한가운데. 한복판.

한:중-록[1]【恨中錄】[-녹] 명〖책〗한중록(閑中錄).

한중-록[2]【閑中錄】[-녹] 명〖책〗조선 21대 영조(英祖)의 둘째 아들인 사도 세자(思悼世子)의 빈(嬪) 혜경궁 홍씨(惠慶宮洪氏)가 지은 내간체(內簡體)의 책. 영조가 사도 세자를 뒤주 속에 가두어 굶겨 죽인 실재의 참사(慘事)를 중심으로, 홍씨가 말년에 자기의 일생을 회고한 만록(漫錄) 및 사실의 기록임. 한글로 씌어졌으며, 원본(原本)은 전하지 아니하고 사본(寫本)만이 있는데, ≪인현 왕후전(仁顯王后傳)≫과 함께 궁중 문학(宮中文學)의 백미(白眉)임.

한중-망【閑中忙】명 한가한 중에도 바쁨. ↔망중한(忙中閑).

한중 분지【一盆地】〔漢中〕명〖지〗중국 친링(秦嶺)·다바(大巴) 산맥 사이의 분지. 한장(漢江) 강 상류의 중요 지대임. 중심 도시는 난정(南鄭).

한중-에【閑中一】부 한가한 가운데. 한가한 동안에.

한중 진미【閑中眞味】명 한가한 가운데 깃들이는 참다운 맛.

한즉 부 ↗그러한즉·그리한즉.

한:즉자주 수즉자거【旱則資舟水則資車】구 가물 때에는 배를, 장마 때에는 수레를 사 둔다는 뜻으로 물건을 사 두었다가 값이 오르기를 기다려 이익을 꾀함의 비유.

한:증[1]【汗蒸】명 불을 때서 뜨겁게 단 한증막(汗蒸幕)에 들어앉아, 땀을 내어서 병을 다스리는 일. *찜질. ——-하다 자여불

한증[2]【寒症】[-쯩] 명 한기(寒氣)❷.

한:증 가마【汗蒸一】명 ①한증하기 위하여 만든 큰 가마. ②한증막(幕)에 불을 때고 더운 김을 공급하기 위하여 설치한 가마.

한:증-막【汗蒸幕】명 한증하는 곳. 담을 둘러 쳐서 굴처럼 만들고 불을 땜.

한:증-탕【汗蒸湯】명 한증을 하기 위해 목욕탕같이 만든 설비.

한:지[1]【限地】명 지역을 한정함. ——-하다 자여불

한지[2]【寒地】명 추운 지방. 한랭(寒冷)한 곳. ↔난지(暖地).

한지[3]【閑地·閒地】명 ①조용하고 한가한 지방. ②한가한 지위(地位).

한:지[4]【漢紙】명 중국에서 나는 종이. 105년 후한(後漢)의 화제(和帝) 때의 채륜(蔡倫)이 세계에서 가장 먼저 발명하였음.

한:지[5]【翰池】명 먹통 또는 먹물을 넣는 병.

한:지[6]【韓紙】명 닥나무 따위의 섬유를 원료로 하여 한국 고래(古來)의 제법으로 뜬 종이. 창호지(窓戶紙). 조선 종이.

한지[7]【爲隱·爲喩】〈이두〉한지.

한:지 공무원【限地公務員】명〖법〗읍면(邑面) 등 일정한 지역 안의 연고자(緣故者)를 특별 채용하여 그 읍면 등의 기관에 배치한 공무원. 5년 동안 연고지(地) 이외의 지역에 전보(轉補)할 수 없음.

한지 농업【寒地農業】명〖농〗기후가 한랭(寒冷)한 지방에서 하는 농업. 토질(土質)을 잘 이용하여 수분(水分)의 증발을 방지하고 한지성 작물(寒地性作物)의 품종을 잘 선택하는 일이 긴요함. 미국의 서부·북만주·시베리아 기타 사막 지대 같은 곳에서 성행함.

한지성 작물【寒地性作物】[-썽-] 명〖농〗한지 농업에 적합한 농작물. 보리·밀·귀리·옥수수·조 등.

한지 식물【寒地植物】명〖식〗한대(寒帶) 또는 고산대 기후(高山帶氣候) 조건에 적합한 식물.

한:지-의【限地醫】[-/-이] 명 ①↗한지 의사. ②↗한지 의생(醫生).

한:지 의사【限地醫師】명〖법〗일정한 지역 안에서만 개업하도록 허가된 의사. 무의촌(無醫村) 문제를 해결하기 위한 보건 정책의 일환으로 특정 지역에 대해 실시함. 준한지의.

한:지 의생【限地醫生】명〖법〗일정한 지역 안에서만 개업하도록 허가된 한의사(韓醫師). 준한지의.

한:지 전:쟁【限地戰爭】명〖군〗국지(局地) 전쟁.

한:지-제【扞止堤】명〖토〗광산에서 광석으로부터 금속 성분을 추출(抽出)한 잔류물(殘留物)을 처리하기 위하여 마련한 둑.

한:직[1]【限職】명〖역〗한품(限品). ——-하다 타여불

한직[2]【閑職】명 바쁘지 않고 늘 한가한 벼슬자리. 중요하지 않은 직위나 직무. ¶～으로 좌천되다.

한:진【汗疹】명〖한의〗땀띠.

한질【寒疾】명〖의〗추위를 느끼는 병. 감기(感氣).

한-집 명 ①한 채의 집. 같은 집. ②↗한집안.
[한집 살아 보고 한배 타 보아야 속 안다] 사람의 마음은 같이 오래 지내 보아야 알 수 있으며, 특히 역경(逆境)에서 지내 보아야 안다는 말. [한 집에 감투장이 셋이 변] 앞장설 사람이 많으면 도리어 병탈이 생길 수가 있다는 말. [한집에 늙은이가 둘 있으면 서로 죽으라고 민다] 일할 사람이 많으면 서로 떠밀기만 해서 일이 잘 진척되지 않는다. [한집에 살아도 시어미 성도 모른다] 워낙 가까이서 임의롭게 지내다 보면 무심하게 지나치는 탓에 도리어 잘 모른다는 말.

한집-꽃 명〖식〗일가화(一家花).

한-집안 명 ①한집에서 사는 가족. ¶～ 식구. ②같은 일가 친척.
[한집안에 김 별감(金別監) 성을 모른다] 자세히 살펴보지 아니하고 대강 보아 넘김을 비유하는 말. 가유 명사 삼십년 부지(家有名士三十年不知).

한집안-간【一間】명 일가 친척 관계를 친근하게 이르는 말.

한집안 식구【一食口】명 한집에서 침식(寢食)을 같이하는 사람을 친근하게 이르는 말. ¶～나 다름없다.

한:징[1]【旱徵】명 가뭄의 징조.

한:-징[2]【韓澄】명〖사람〗국어학자. 호는 효창(曉蒼). 서울 출생. '시대 일보(時代日報)'·'중앙 일보(中央日報)' 등의 기자를 역임함. 1930년 이윤재(李允宰) 등과 함께 조선어 학회의 사전 편찬 위원·표준말 사정 위원으로 종사중, 1942년 조선어 학회 사건에 피검되어 1944년 함흥 형무소에서 옥사함. [1886-1944]

-한째 미 열·스물·백·천 등의 수사(數詞)와 어울려, 열째·스무째·백째·천째 등의 다음 첫자리를 일컫는 말.

한-쪽 명 ①여러 조각으로 쪼갠 하나의 쪽. ②여러 갈래 또는 둘 이상의 사물의 하나의 쪽. 일방(一方). 일변(一邊). 편측(片側). ¶～ 말만 듣고는 모른다/～ 눈이 멀다.

한-차례 명 한 바퀴 또는 한 돌림의 차례. 한바탕. ¶소나기가 ～ 퍼붓다.

한:찬[1]【漢讚】명 ①불교를 찬송한, 범어(梵語)로 된 운문(韻文)을 한문으로 번역한 찬가(讚歌). ②중국·한국·일본 등지에서 한문으로 지은 불교를 찬송하는 시가. ↔범찬(梵讚).

한:찬[2]【韓粲】명 고려 태조(太祖) 때 신라의 관제를 본떠서 정한 문무(文武) 구품 관등(九品官等)의 여섯째 등급.

한:찰【翰札】명 편지(便紙).

한-참 ⊟명 ①두 역참(驛站) 사이의 노정(路程). ②일을 하거나 쉬는 동안의 한 차례. ¶또 ～ 쉬었다가 하세. ⊟부 한동안. 잠시. ¶～ 있다가 대답하다.

한창[1] ⊟명 가장 성하고 활기가 있을 때. ¶꽃이 ～이다. ⊟부 가장 활기 있게. 활기 있는 모양. ¶～ 일할 나이.

한:창[2]【汗瘡】명〖한의〗①땀띠. ②여름에 땀을 많이 흘리고 씻지 않을 때에, 여드름 모양으로 피부에 생기는 병. 비대(肥大)한 사람에게 많음.

한창[3]【寒窓】명 객지(客地). 객창(客窓).

한창[4]【寒脹】명〖한의〗배가 부어 오르고 토사(吐瀉)가 심하면서 팔다리가 싸늘하게 식는 병.

한창[5]【寒瘡】명〖한의〗한기(寒氣)로 말미암아 비장(脾臟)의 경락(經絡)이 응결(凝結)하여 얼굴 및 편신(遍身)에 가렵고 아픈, 고양이 눈알 같은 종기(腫氣)가 무수히 생기는 병.

한창 나이 명 기운이 한창 성(盛)한 젊은 나이. ¶～에 죽다니/～의 여자.

한창-때 명 원기가 가장 왕성한 때. ¶～의 젊은이.

한:채[1] 부〈방〉혼자(경상·제주).

한:채[2]【莧菜】명〖식〗비름.

한채[3]【寒菜】명〖식〗유채(油菜). 평지.

한척【澣滌】명 한탁(澣濯). ——-하다 타여불

한:천[1]【汗喘】명 땀을 흘리며 헐떡거림. ——-하다 자여불

한:천[2]【旱天】명 가문 날씨. 가문 여름 하늘. ¶～의 감우(甘雨).

한천[3]【寒天】명 우뭇가사리의 점장(粘漿)을 동결(凍結)·건조한 젤라틴 투명막(gelatine透明膜). 끓여서 해교(解膠)한 후, 물에 식히어 식용 또는 공업용으로 씀. 우무. 아가(agar).

한천[4]【寒天】명 한절(寒節).

한천[5]【寒泉】명 찬물이 솟는 샘.

한천[6]【寒泉】명〖사람〗이재(李縡)의 호(號).

한천[7]【寒賤】명 빈한하고 비천함. 또, 그런 신분. ——-하다 형여불

한:-천명【限天明】⊟명 날이 밝기를 한정함. ⊟부 날이 밝을 때까지. ——-하다 자여불

한천 배:양기【寒天培養基】명〖생〗한천에, 육즙(肉汁) 기타의 양분을 섞어서 응결시킨 반투명의 세균 배양기. 한천 배지(培地).

한천 배:지【寒天培地】명 한천 배양기(培養基).

한천 식물【寒天植物】명〔agarophyte〕〖식〗한천의 재료(材料)가 되는 해조(海藻). 우무 식물.

한천-지【寒天紙】명 한천을 얇게 펴서 종이처럼 만든 것. 직물(織物)을 윤이 나게 할 때 또는 여자들의 머리에 장식으로 쓰임. 우무 종이.

한천-판【寒天版】명〔hectograph〕〖인쇄〗인쇄판의 한 가지. 우무에 글리세롤 등을 섞어 쪄서 평평하게 응고시켜, 짙은 자주빛 잉크로 인쇄하려는 글자 등을 쓴 종이를 붙였다가 한참만에 떼어 내고 백지를 얹어서 날염(捺染)함. 우무판. 곤약판(菎蒻版).

한-철 명 ①봄·여름·가을·겨울 중의 한 계절. ¶가을 ～. ②한때. ¶유행

도 ~이다/메뚜기도 ~.

한:청【汗靑】명 한간(汗簡).

한:청 문감【漢淸文鑑】명 〖책〗 조선 시대 때의 역관(譯官) 이수(李洙)가 편찬한 한어(漢語)·만주어 사전. 정조(正祖) 3년(1779)경 간행. 목판(木版). 15권.

한:초[1]【旱草】명 가뭄을 잘 견디는 풀.

한:초[2]【漢椒】명 〖한의〗 천초(川椒)❷.

한촌[1]【閑村·閒村】명 한가한 마을.

한촌[2]【寒村】명 가난하고 쓸쓸한 마을.

한-추위 명 한창 심한 추위.

한축【寒縮】명 추워서 몸이 오그라 듦. ¶~이 나다. ──-하다 자여불

한:출 첨배【汗出沾背】명 부끄럽거나 무서워서 땀이 흘러 등을 적심. 준한배(汗背). ──-하다 자여불

한출 편사【閑出便射】명 〖역〗 구역의 분별 없이 갑사정(甲射亭)과 을사정(乙射亭)이 각기 한량과(閑良科) 출신으로 편성하여 활쏘기를 다투는 편사. *한량(閑良) 편사. ──-하다 자여불

한-충【韓忠】명 〖사람〗 조선 시대 중기의 문신. 자는 서경(恕卿), 호는 송재(松齋). 청주(淸州) 사람. 중종(中宗) 8년(1513) 별시 문과(別試文科)에 장원, 전적(典籍)을 거쳐 응교(應敎) 등을 역임함. 동 13년 종계변무(宗系辨誣)를 위한 주청사(奏請使) 남곤(南袞)의 서장관(書狀官)으로 중국 명(明)나라에 다녀왔으나 의견 충돌로 남곤의 미움을 삼. 동 14년 기묘 사화(己卯士禍)에 조광조(趙光祖)와 교유가 있다 하여 거제도에 유배되고, 동 16년 신사 무옥(辛巳誣獄)에 연루되어 장살(杖殺)당함. 율려(律呂)·음양(陰陽)·천문(天文)·지리·복서(卜筮)에 모두 능했음. 뒤에 신원(伸寃)됨. 시호는 문정(文貞). [1486-1521]

한:충-향【漢冲香】명 온갖 향과 약가루를 섞어 반죽하여 금실로 엮어, 흰 말총으로 만든 집에 넣어 선추(扇錘) 또는 장신구(裝身具)로 쓰는 여자들의 노리개. 곽란(癨亂) 같은 급한 병의 구급약(救急藥)으로도 쓰임. *금사향(金絲香)·발향·박쥐향.

한취【寒醉】명 추위로 인하여 굴곡(屈曲)·취면(就眠)·감촉(感觸) 등의 여러 운동이 정지되는 일.

한-층【一層】㊀명 한 층계. 맨 처음 층계. ㊁부 한결. 더욱. ¶~ 부드럽다/~ 수월하다.

한-치[1] 명 ①한 자의 십분의 일의 길이. 3.03 센티미터. ②매우 가까운 거리를 이르는 말. ¶~ 앞도 모른다. ③아주 작은 차이. ¶~의 오차가 있어서도 안 된다. ④겨레붙이의 일촌(一寸)의 촌수(寸數) *촌(寸). [한치 앞이 어둡다] 사람의 일은 예측할 수 없다는 말.

한치 건너 두:치 구 촌수가 멀어질수록 친척 사이도 멀어진다는 말.

한치를 못: 본다 구 시력(視力)이 좋지 못하거나 식견(識見)이 얕음의 비유.

한치[2] 명 〖어〗 '화살오징어'의 통칭. ¶~회.

한-치(:)원【韓致元】명 〖사람〗 조선 시대 말기의 무신. 자와 호는 동랑(冬郞). 청주(淸州) 사람. 무과(武科)에 급제하고, 여러 벼슬을 거쳐 부호군(副護軍)에 이르렀음. 고문(古文)과 시서에도 능했음. [1821-81]

한-치(:)윤【韓致奫】명 〖사람〗 조선 영조(英祖) 때의 고증학자(考證學者). 자는 대연(大淵), 호는 옥유당(玉蕤堂). 청주(淸州) 사람. 정조(正祖) 때에 진사시(進士試)에 합격하였으나, 출사(出仕)하지 않았음. 《해동 역사(海東繹史)》 71 권을 편찬하였음. [1765-1814]

한-치(:)응【韓致應】명 〖사람〗 조선 정조(正祖)·순조(純祖) 때의 문신. 자는 혜보(徯甫), 호는 병산(甹山). 청주(淸州) 사람. 정조 8년(1784) 정시 문과(庭試文科)에 급제, 관동(關東) 암행 어사·교리(校理)·집의(執義) 등을 역임함. 순조 6년(1806) 채제공(蔡濟恭)의 신원(伸寃)을 상소한 사건에 관련되어 삭출(削黜), 뒤에 재등용되어 대사성·한성부 판윤·병조 판서 등을 지냈음. 시문(詩文)에 탁월하여 이름을 떨쳤으며, 이유수(李儒修)·정약전(丁若銓) 등과 교유하며 죽란 시사(竹欄詩社)라는 모임을 가졌음. 저서 《병산집》. [1760-1824]

한:-치장【汗致匠】명 〖역〗 공장(工匠)의 하나. 여름철에 쓰는 안장을 만드는 공인(工人).

한-치(:)형【韓致亨】명 〖사람〗 조선 성종(成宗)·연산군(燕山君) 때의 문신. 훈구파 대신으로 연산군 5년(1498) 좌의정이 되어 무오 사화(戊午史禍)에 김일손(金馹孫) 등을 처형케 함. 동 7년 영의정이 되었으나 연산군의 폭정을 충간(忠諫)하여 미움을 샀고, 이로 인해 갑자 사화(甲子士禍) 때 부관 참시(剖棺斬屍)되고 일가(一家)가 몰살됨. 시호는 질경(質景). [1434-1502]

한칩【寒蟄】명 추위를 타서 밖에 나가지 않고 집 안에만 엎드려 있음. ──-하다 자여불

한-카래 명 ↗한카래꾼.

한카래-꾼 명 가래질할 때에, 한 가래에 쓰이는 세 사람의 한 패. 준한카래.

한카 호【一湖】〔Khanka〕명 〖지〗 '싱카이 호'(興凱湖)의 러시아 이름.

한-칼 명 ①한 번 휘둘러서 치는 칼질. ¶~에 쓰러뜨리다. ②한 번 베어 낸 고깃덩이. ¶직업이라고 얻어서 결혼을 한 후도 고기 ~ 떳떳이 사먹어 보지 못한 그였다《李無影 : 第一課第一章》.

한커우〔漢口〕명 〖지〗 중국 후베이성(湖北省) 우한 시(武漢市)의 일부. 원래는 독립시(獨立市)였으나 1949 년 우창(武昌)·한양(漢陽)·한커우(漢口)의 세 도시가 합병하여 우한 시로 중앙 직할시(直轄市), 이어 1954년 성(省)직할시가 되었음. 한구. *우한(武漢)·우한 삼진.

한:탁【澣濯】명 때 묻은 옷을 빠는 일. 세탁. ──-하다 타여불

한:탄【恨歎】명 원통한 일이나 뉘우침이 있을 때에 한숨짓는 탄식(歎息). ¶자식이 없음을 ~하다. 준한(恨). ──-하다 타여불

한:탄-강【漢灘江】명 〖지〗 강원도 평강군(平康郡)에서 발원하여 철원군(鐵原郡)을 지나 철원군과 연천군(漣川郡)의 경계에서 서쪽으로 흘러 임진강(臨津江)에 합류되는 임진강의 지류. [136 km]

한-탕 명 〈속〉 '한 바탕'의 뜻으로, '한 행보, 한 왕복(往復), 한 건(件)'을 가리키는 말. ¶운전대를 잡고 ~ 뛰다/~ 하고 손을 뗀다는 핑계.

한탕 치다 구 〈속〉 부정 행위나 범죄 행위 같은 못된 짓을 한 바탕 무분별하게 내질러 하다.

한탕-주의【一主義】[一/一이] 명 한 번의 투기로 일확 천금(一攫千金)을 노리려는 생각. 또, 그 태도.

한:태[1] 명 〖농〗 쟁기나 극젱이 등의 봇줄을 잡아매는 줄. 왼편 봇줄에 매어 소 등을 넘겨 오른쪽 봇줄에 맴.

한태[2] 조 〈방〉 한테.

한-태동【韓泰東】명 〖사람〗 조선 시대 중기의 문신. 자는 노첨(魯瞻), 호는 시와(是窩). 청주(淸州) 사람. 숙종(肅宗) 8년(1682) 교리(校理)로서 서인(西人)의 김익훈(金益勳)·김석주(金錫胄) 등이 남인(南人)을 몰아내기 위해 역모설을 조작하자 같은 서인으로서 조지겸(趙持謙) 등 소장파와 함께 그 흉계를 폭로하고 처형을 주장함. 이를 계기로 서인은 김익훈 등을 옹호하는 노론(老論)과 그의 처벌을 주장하는 소론(少論)으로 갈라졌음. [1646-87]

한택【閑宅·閒宅】명 조용하고 한가한 주택.

한-터 명 넓은 빈터. ¶대문 앞에는 당나무 한 그루가 서 있는 ~가 있었다《金周榮 : 客主》.

한-턱 명 남에게 한바탕 음식을 대접하는 일. ¶술을 ~사다. ──-하다 자여불

한턱 내:다 구 남에게 한 바탕 음식을 대접하다. 한턱하다. ¶내가 한턱 내겠다.

한턱 먹다 구 한바탕 음식 대접을 받다.

한턱 쓰다 구 한바탕 음식 대접을 하다.

한턱-거리 명 한턱 대접할 만한 거리.

한테 조 '에게'의 뜻으로 쓰이는 부사격 조사. '에게'보다 구어적 표현임. ¶형~ 보낼 물건/형님~ 얻어맞았다.

한테-로 조 '에게로'의 뜻으로 쓰이는 부사격 조사. '에게로'보다 구어적 표현임. ¶돈은 누이~ 보내졌다.

한테-서 조 '에게서'의 뜻으로 쓰이는 부사격 조사. '에게서'보다 구어적 표현임. ¶누이~ 받았다.

한텡그리 산【一山】〔Khan Tengri〕명 〖지〗 중국 톈산 산맥(天山山脈)의 고봉으로 신장웨이우얼 자치구(新疆維吾爾自治區)의 서쪽 끝, 러시아와의 국경(國境)에 있음. 포베다 산(Pobeda山)이 발견(發見)되기 전까지는 톈산 산맥 중 최고봉(最高峰)으로 쳤음. 한등격리봉(汗騰格里峰). [6,995 m]

한토[1]【寒土】명 쓸쓸한 곳. 추운 곳. 벽지(僻地).

한:토[2]【漢土】명 ①한(漢)나라. ②중국 땅.

한:토[3]【韓土】명 ①한국과 터키. ②한국 땅.

한:-토하【汗吐下】명 〖한의〗 병을 다스리기 위하여 땀을 내거나, 토하거나, 설사를 시키는 일. ──-하다 자여불

한통[1] 명 활의 한가운데.

한-통[2] 명 ↗한통속. ¶~이 되어 사람을 속인다.

한통[3]【寒痛】명 〖한의〗 한기(寒氣)에 다쳐서 두통이 나며 일어나는 치통(齒痛). ~이다. 준한통.

한-통속 [一쏙] 명 같이 모이는 한 동아리. 한패. ¶저 놈은 그 놈들과

한통-치다 타 나누지 아니하고 한데 합치다. ¶한통쳐서 셈하다.

한퇴【寒退】명 한기(寒氣)가 물러남. ──-하다 자여불

한티-어【一語】〔Khanty〕명 〖언〗 오스탸크어(Ostyak 語).

한티-족【一族】〔Khanty〕명 〖인류〗 오스탸크족(Ostyak 族).

한파【寒波】명 〔cold wave〕 〖기상〗 겨울철에 저기압에 따른 한랭 전선(寒冷前線)이 급속히 이동하여, 고기압의 매우 찬 공기가 파상(波狀)으로 뒤따라와 기온이 급강하(急降下)하는 현상. 미국에서는 규정된 기온 강하량(降下量)과 최저 기온에 도달한 경우를 말하며, 우리 나라에서는 24시간 이내에 10℃ 이상의 기온 하강이 예상되면 한파 주의보를 말함. ¶~가 내습(來襲)하다. ↔온파(溫波)·난파(暖波).

한파 경:보【寒波警報】명 〖기상〗 기상 경보의 하나. 겨울철에, 24 시간 이내에 15℃ 이상의 기온 하강이 예상될 때 발표함.

한파 주:의보【寒波注意報】[一/一이一] 명 〖기상〗 기상 주의보의 하나. 겨울철 시베리아 고기압의 영향으로 24시간 이내에 10℃ 이상의 기온 하강이 예상될 때 발표함.

한-판 명 ①내기 따위에서의 한 차례. ¶~에 지고 말다. ②유도(柔道)에서, 판정승(判定勝)의 하나. 상대의 기술을 비킨 세찬 힘이나 탄력(彈力)으로 상대를 메치거나, '누르기'가 선언된 후 30초간 굳혀 이김.

한판 승부【一勝負】명 단 한 판으로 승부를 결정함. 단판 승부. 단판걸이. *삼판 양승.

한판-씨름 명 〈방〉 단판씨름.

한팔-접이 명 한 팔을 쓰지 아니하여도 능히 상대할 수 있다는 뜻. 씨름이나 팔씨름 기타의 경기나 내기에서 힘이나 기술이 부족한 사람을 가리키는 말.

한-패 명 같은 동아리 또는 같은 패. 일군(一群). ¶~가 짜고 속인다.

한:팍【狠愎】명 한려(狠戾). ──-하다 형여불

한-편【一便】㊀명 ①한쪽. 일방(一方). ¶길의 ~을 걷다. ②한 짝. 같은 동아리. ¶~이 되다. ㊁부 한쪽으로는. 반면에. ¶~ 놀랍고 ~ 기쁘다. [한편 말만 듣고 송사 못한다] 한편 말만 들어서는 시비를 판단하기 어렵다는 말.

한편에는 해가 돋고 한편에는 달이 돋았다 구 태양같이 찬란한 광채와 보름달같이 그윽한 아름다움을 지닌 미인의 형용.

한편-짝【一便一】명 한편을 이룬 짝.

한편-쪽【一便一】명 한편을 이룬 쪽. ¶~ 말만 듣고 야단이다.

한-평생[1]【一平生】명 살아 있는 동안. 일(一)평생. 만년(萬年). ¶~ 독신으로 지내련다.

한:-평생[2] 【限平生】 부 살아 있는 동안까지. 한생전(限生前).

한:포[1] 【一布】 명 파초(芭蕉)의 섬유로 짠 날이 굵은 베.

한:포[2] 【汗疱】 명 〖의〗 무좀.

한:-포[3] 【汗浦】 명 〖지〗 황해도 평산군(平山郡)에 있는 교통 취락. 군의 동남 예성강(禮成江)과 구역천(九淵川)의 합류점에 가까워 예성강 하운(河運)의 소항점(溯航點)이 되고, 또 경의선(京義線)에 연하여 수륙 교통의 요충으로 군의 문호를 이룸. 군내의 쌀·잡곡·고치·신탄(薪炭)·소 등을 모아 인천(仁川) 방면으로 수송하는 이출항(移出港)이었음.

한:포국-하다 타여불 흐뭇하게 가지다.

한-푼 명 적은 돈. 돈 한 잎. ¶ ~없는 빈털터리.

[한푼 돈에 살인 난다] 많지도 않은 돈에 얽힌 시비가 끝내는 살인 사건으로까지 확대되는 경우도 있다는 말. [한푼 돈을 우습게 여기면 한푼 돈에 울게 된다] 아무리 적은 돈이라도 업신여기지 말라는 뜻. [한푼 아끼다 백 냥 잃는다] 적은 것을 아끼다 큰 손해를 본다는 뜻. [한푼짜리 푸닥거리에 두부가 오푼] 주된 일보다 부수적인 것에 비용이 더 들었다는 뜻.

한-풀 명 기운·의기(意氣)·끈기·투지 등의 한 부분.

한풀 꺾이다 구 예기(銳氣)가 꺾이다. 기운 또는 투지(鬪志)의 일부분이 없어지다. 한풀 죽다. ¶ 아버지가 돌아가셔서 한풀 꺾인 셈이다/입학 시험에 떨어져서 한풀 꺾였다.

한풀 죽다 구 한풀 꺾이다.

한:-풀다 【恨一】 자르불 응어리진 분노·슬픔 따위의 감정을 삭히거나 이루지 못한 것을 이루다.

한:-풀이 【恨一】 명 원한을 풀어 버리는 일. ——-하다 자여불

한:품 【限品】 명 〖역〗 신분(身分)이 떨어지는 사람이 일정한 관품(官品) 이상으로 올라가지 못하게 제한(制限)하는 일. 한직(限職). ——-하다 타여불

한:품 서:용 【限品敍用】 명 〖역〗 조선 시대에, 서자(庶子)나 신분이 떨어지는 사람을 관원(官員)으로 쓰거나, 죄로 인하여 면관(免官)된 사람을 다시 쓸 때, 일정한 관품(官品) 이상으로 올라가지 못하도록 제한(制限)하던 일.

한풍 【寒風】 명 찬바람.

한-풍류 【一風流】 [一뉴] 명 〖대종교〗 대종교의 첫째 도사교(都司教) 나홍암(羅弘巖)이 지은, 단군(檀君)의 송덕가(頌德歌). 천악(天樂).

한필 【閑筆】 명 한가한 마음으로 여유 있게 쓴 글씨나 글.

한-필호 【韓弼昊】 명 〖사람〗 독립 운동가. 황해도 안악(安岳) 출신. 최용권(崔龍權) 등과 안악에 양산(楊山) 중학교를 설립, 애국 사상을 고취함. 뒤에 신민회(新民會)에 가입, 구국 운동을 함. 1911년 105인 사건으로 투옥되어 고문을 받다가 죽음. [?-1911]

한:-하다[1] 【限一】 자타여불 ①기한을 한정하다. ②어떤 범위 안에 한정하거나 제한하다. ¶ 성인(成人)에 한하여 입장이 가능함/죽기를 한하고 재도전(再挑戰)했다.

한:-하다[2] 【恨一】 타여불 ①원통히 여기다. ②불평을 품다.

한-하운 【韓何雲】 명 〖사람〗 시인. 본명은 태영(泰永). 함경 남도 함주(咸州) 출생. 중국 베이징 대학(北京大學)을 졸업, 나병의 재발로 방랑 생활을 하면서 《전라도 길》·《보리 피리》 등을 발표, 나병 환자로서의 병고·저주·비통을 읊었으며, 나환자 구제 운동에 헌신하였음. 작품에 《한하운 시집》·《나의 슬픈 반생기》 등이 있음. [1920-75]

한:학 【漢學】 명 ①↗한문학. ¶ ~의 대가. ②한어(漢語) 또는 중국의 학술·제도·사상 및 중국의 자체에 대한 학문 총칭. ↔양학(洋學). ③중국에서, 송·명(宋明) 시대의 성리학(性理學)에 대하여 한·당(漢唐) 시대의 훈고학(訓詁學)을 일컫는 말. 청(清)나라의 혜동(惠棟)·대진(戴震) 등이 주창하여 고증학(考證學)의 기초가 되었음.

한:학-강 【漢學講】 명 〖역〗 조선 시대에, 한학에 관한 어학 서책을 강독(講讀)하게 하는 잡과(雜科)의 시험.

한:학 교:수 【漢學教授】 명 〖역〗 조선 시대에, 사역원(司譯院)의 종육품(從六品) 벼슬.

한:학 문신 전:강 【漢學文臣殿講】 명 〖역〗 임금 앞에서 문관(文官)에게 보이던 한어(漢語)의 시험.

한:학 사:대가 【漢學四大家】 명 〖역〗 조선 선조(宣祖) 때에 한학에 조예(造詣)가 깊던, 네 사람의 대가. 곧, 이정구(李廷龜)·신흠(申欽)·장유(張維)·이식(李植)을 일컬음. 일명 이들의 호(號)를 취하여 상월계택(象月谿澤)이라 칭하기도 함.

한:학 상태 【漢學商兌】 명 〖책〗 중국 청대(清代)에 융성(隆盛)하였던 한학, 즉 훈고학(訓詁學)의 오류를 비난하고 성리학(性理學)의 중요성을 역설(力說)하기 위하여 청대(清代) 중기의 문인 방동수(方東樹)가 쓴 책. 1824년에 완성하여, 1831년에 간행됨. 4권.

한:학 상:통사 【漢學上通事】 명 〖역〗 사역원(司譯院)에 속하던 한어 통역의 하나.

한:학-자 【漢學者】 명 한학을 연구하는 사람. 한학에 조예(造詣)가 깊은 사람.

한:학-파 【漢學派】 명 중국 청(清)나라 때 융성한 학파의 하나. 한(漢)나라의 유자(儒者)의 주석(注釋)을 고구(考究)하던 학파.

한:학 훈:도 【漢學訓導】 명 〖역〗 조선 시대의 사역원(司譯院)의 정구품 벼슬.

한한 【閑閑】 명 ①수레가 흔들리는 모양. ②남녀의 구별 없이 왕래하는 모양. ③넓고 큰 모양. ④조용하고 침착한 모양. ——-하다 형여불

한:한 자전 【漢韓字典】 명 한자(漢字)와 한자어의 한국에서 읽혀지는 음(音)을 밝히고, 그 뜻 및 용법 등을 한국말로 해설한 사전(辭典)의 하나.

한할마님 명 〈옛〉 증조모. ¶ 한할마님(曾祖王母) 《小諺 IX:29》.

한:해[1] 【旱害】 명 가뭄으로 인하여 입은 피해. ¶ ~ 대책. *한재(旱災).

한해[2] 【寒害】 명 〖농〗 겨울에 혹심한 기온의 강하(降下)로 농작물이 입은 손해. ¶ ~를 입다.

한해[3] 【寒海】 명 한대 지방의 바다. 추운 바다. ↔난해. ¶ ~성 어종.

한:해 대:책 위원회 【旱害對策委員會】 명 한해로 인한 농작물 피해의 예방과 구제, 피해 지구 이재민의 구호 및 식수(食水)와 공업용수, 기타 한해에 관한 사항을 심의하는 국무 총리 소속하의 위원회.

한해-살이 명 〖식〗 일년생. ↔여러해살이.

한해살이-뿌리 명 〖식〗 일년생(一年生)의 뿌리. 일년생근(一年生根). ↔여러해살이 뿌리.

한해살이-풀 명 〖식〗 일년생(一年生)의 초본(草本). 일년초(草). ↔여러해살이풀.

한행[1] 【寒行】 명 〖불교〗 소한(小寒)·대한(大寒)의 추위 속에서 하는 고행(苦行).

한행[2] 【閑行·閒行】 명 한가한 걸음. 느린 걸음. 한보(閑步). ——-하다 자여불

한향 【寒鄉】 명 ①쓸쓸한 시골. ②자기가 살고 있는 시골을 낮추어 일컫는 말.

한-허리 명 길이의 한중간. 큰 허리. 긴 허리. 허리 한가운데. ¶ ~를 꺾다/冬至ㅅ돌 기나긴 바믈 한허리 둘헤 내여 《古時調 黃眞伊》.

한:혈 【汗血】 명 ①피와 땀. 피땀. ②피와 같은 땀. 귀중한 땀.

한:혈-마 【汗血馬】 명 ①중국 전한(前漢)의 장군 이광리(李廣利)가 대완(大宛)을 치고 얻었다는 명마(名馬). 하루 천리를 달리고 피 같은 땀을 흘렸다고 함. ②준마(駿馬).

한-형윤 【韓亨允】 명 〖사람〗 조선 시대 중기의 문신·서예가. 자는 신경(信卿). 청주 사람. 성종(成宗) 때 과거에 급제하고 여러 벼슬을 지냈으나, 연산군(燕山君) 때는 갑자 사화(甲子士禍) 등으로 여러 번 귀양을 감. 중종 반정(中宗反正) 후 재등용되어 첨지중추부사(僉知中樞府事)로 명(明)나라에 다녀왔으며, 경상·경기 관찰사, 형조 판서 등을 역임함. 청백리(清白吏)에 녹선(錄選)되었고, 초서(草書)·예서(隷書)에 능하여 당대의 명필로 이름을 떨쳤음. 시호 효헌(孝憲). [1470-1532]

한호[1] 【寒戶】 명 가난한 집. 한문(寒門).

한:-호[2] 【韓濠】 명 한국과 오스트레일리아.

한-호[3] 【韓濩】 명 〖사람〗 조선 선조(宣祖) 때의 명필. 자(字)는 경홍(景洪), 호는 석봉(石峰)·청사(清沙). 삼화(三和) 사람. 어려서부터 어머니의 격려로 서예(書藝)에 정진하여 왕희지(王羲之)·안진경(顏眞卿)의 필법을 익혀, 해서(楷書)·행서(行書)·초서(草書) 등의 각 체에 모두 정묘(精妙)하지 않은 것이 없었으며, 그 이름은 중국에까지 알려져서 외국 사신들은 모두 그의 글씨를 구하여 갔다 함. 후기의 김정희(金正喜)와 함께 조선 서예계의 쌍벽을 이루고 있음. 보통, 호(號)로써 한석봉으로 더 알려짐. 유저에 《석봉 천자문》 등이 있음. [1543-1604]

한-호(:)성 【韓好誠】 명 〖사람〗 조선 선조(宣祖) 때의 의병(義兵). 자는 경보(敬甫), 호는 계촌(桂村). 청주 사람. 선조 30년(1597) 정유 재란(丁酉再亂) 때 이익(李翼) 등 여러 의사(義士)들과 함께 의거(義擧)하여 전남 구례(求禮) 석주(石柱)에서 수십 명의 적을 사살, 강을 피로 물들여 후세에 이 강이 혈천(血川;피아골)으로 불리었음. 후에 적의 원군을 만나 격전 끝에 전사함. 지평(持平)에 추증(追贈)되고 남전사(藍田祠)에 배향(配享)됨. [?-1597]

한호-충 【寒號蟲】 명 〖동〗 산박쥐.

한-홍매 【寒紅梅】 명 〖식〗 매화나무의 원예 변종(園藝變種). 꽃은 천엽(千葉)으로 붉고 한겨울에 핌.

한화[1] 【寒花】 명 늦가을과 겨울에 피는 꽃.

한화[2] 【閑話·閒話】 명 한담(閑談). ——-하다 자여불

한:-화[3] 【漢和】 명 ①한자와 일본 글. ¶ ~ 자전(字典). ②중국과 일본.

한:화[4] 【漢畫】 명 ①중국 한(漢)나라 때의 회화(繪畫). ②중국의 회화의 총칭(總稱).

한:화[5] 【韓貨】 명 한국의 화폐. 한국의 돈. ↔외화(外貨).

한:-화[6] 【韓華】 명 한국과 중국. 한중(韓中).

한화 휴제 【閑話休題】 명 쓸데없는 이야기는 그만두라는 뜻.

한-확 【韓確】 명 〖사람〗 조선 시대 초기의 문신. 자는 자유(子柔), 호는 간이재(簡易齋). 청주(清州) 사람. 누이가 중국 명(明)나라 성조(成祖)의 비(妃)로 뽑히어 명나라의 광록시 소경(光祿寺少卿) 벼슬을 받음. 사은사(謝恩使) 등이 되어 여러 번 명나라에 다녀왔으며, 단종(端宗) 1년(1453) 좌찬성(左贊成)으로 계유 정난(癸酉靖難)에 수양 대군(首陽大君)에 가담하여 정난 공신이 되어 우의정이 됨. 뒤에 세조(世祖)의 왕위 찬탈을 양위(讓位)로 명분을 세워 명나라를 설득하고 귀국 도중 객사함. [1403-56]

한:황 【旱荒】 명 한발로 인하여 땅이 거칠어짐. ——-하다 자여불

한-효(:)순 【韓孝純】 명 〖사람〗 조선 시대 중기의 문신. 자는 면숙(勉叔), 호는 월탄(月灘). 청주 사람. 임진 왜란 때 영해 부사(寧海府使)로 왜군을 격파하고 경상 좌도(慶尙左道) 관찰사에 특진하여, 군량미 조달에 공을 세웠음. 여러 벼슬을 거쳐 광해군(光海君) 8년(1616) 좌의정에 올랐고, 이듬해 폐모론(廢母論)을 발의(發議), 이를 반대하는 이항복(李恒福)·기자헌(奇自獻) 등을 탄핵 유배케 하고 폐모를 실현함. 인조 반정 후 관직이 추탈됨. [1543-1621]

한-훈 【韓焄】 명 〖사람〗 독립 운동가. 충남 청양(青陽) 출신. 융희(隆熙) 1년(1907) 의병장 민종식(閔宗植) 휘하에서 소모장(召募將)이 되어 직산(稷山) 군수를 사살하고 만주로 망명함. 1914년 귀국하여 광복회(光復會)를 조직 전라도 오성(烏城)의 일본 헌병대를 습격하고 다시 만주로 망명함. 1919년 지린 성(吉林省)에서 조선 독립 군정서(軍政署)에 가입하였고, 1920년 미국 의원단(議員團) 내한(來韓)을 계기로 김상옥(金相玉) 등의 암살단(暗殺團)과 협의중 체포되어 19년 6개월 만에 출옥함. [1890-1950]

한훤 【寒暄】 명 ①일기의 춥고 더움. ②↗한훤문(寒暄問). ¶ ~을 마친 후 오래 만나지 못한 회포를 말씀할 새…《具然學: 雪中梅》.

한훤당【寒暄堂】명〖사람〗김굉필(金宏弼)의 호(號).

한훤-문【寒暄問】명 춥고 더움을 물음. 곧, 편지의 허두(虛頭)에 쓰는 절후(節候)의 문안(問安). 준한훤.

한훤지-례【寒暄之禮】명 서로 만나 안부를 물으며 인사하는 예.

한-흑구【韓黑鷗】명〖사람〗영문학자·수필가. 본명은 한세광(韓世光). 평양 출신. 보성 전문(普成專門) 상과를 거쳐, 1935년 미국 템플 대학 신문학과를 수료함. 수필집 ≪동해 산문(東海散文)≫, 역시집 ≪현대 미국 시선(詩選)≫ 등이 있음. [1909-79]

한-흥【韓興】명〖사람〗독립 운동가·사회 사업가. 함남 함흥(咸興) 출신. 1911년 보성(普成) 전문 학교를 수료하고 만주 간도(間島)로 망명, 강사(講師)·신문사의 통신원을 지냈음. 1920년 임시 정부의 지령으로 군자금 조달차 귀국했다가 체포되어 5년간 복역함. 출옥 후 다시 베이징으로 망명, 원세훈(元世勳) 등과 항일 운동을 계속하다가 귀국, 1929년 함흥 중앙 학원 및 유치원을 창립했고, 1931년 경성(京城) 여자 상업 학교를 세워 대표 및 부교장에 취임함. 1938년, 다시 함흥에 대흥(大興) 상업 학원을 설립하고, 대흥 학원장·숙명(淑明) 여자 실업 학원장 등을 역임하는 등 육영 사업에 힘씀. [1888-1959]

한-흥일【韓興一】명〖사람〗조선 시대 중기의 문신. 자는 진보(振甫), 호는 유시(柳市). 청주(淸州) 사람. 백겸(百謙)의 아들. 인조(仁祖) 2년(1624) 과거에 급제, 사간(司諫) 등을 지냈으며, 인조 14년 병자 호란(丙子胡亂)이 일어나자 동부승지(同副承旨)로 신주(神主)와 빈궁(嬪宮)들을 강화(江華)에 호위(扈衛)함. 그 후 전주 부윤(全州府尹)·우승지(右承旨) 등을 역임, 봉림 대군(鳳林大君)이 볼모로 청(淸)나라에 잡혀갈 때 대군 호행 재신(大君護行宰臣)으로 배종(陪從)함. 귀국 후 여러 벼슬을 거쳐 우의정에까지 오름. 시호 정온(靖溫). [1587-1651]

핟니블 명〈옛〉핫이불. ¶핟니블(緜衾)≪救簡 I:65≫.

핟옷 명〈옛〉핫옷. 솜옷. ¶져근 핟오새 곳다온 프를 繡ᄒᆞ얏더니(小褥繡芳蓀)≪杜諺 Ⅷ:6≫.

할[1]【劼】명 성(姓)의 하나. 우리 나라에는 현존하지 아니함.

할[2]【喝】감〖불교〗①선가(禪家)에서 말이나 글로 표현할 수 없는 도리를 표시하는 소리. ②사견(邪見)·망상을 꾸짖어 반성하게 하는 소리.

할[3]【割】의명 어떤 수나 수량을 십등분하여, 그 몇을 나타내는 말을 이름. ¶일 ~/삼 ~ 할인/십분의 칠은 칠 ~이다.

할[4] 형〈옛〉많을. 많은. '하다[5]'의 활용형. ¶多는 할씨라≪訓諺≫/할다(多)≪石千 24≫.

할가【爲乙可·爲乙去】〈이두〉할까.

할가-이 부 할갑게. ¶구멍에 ~ 드나든다.

할갑다 형ㅂ불 낄 물건보다 끼일 자리가 크다. ¶이 쐐기로는 할가워서 안 되겠다. <헐겁다.

할강【割腔】명〔blastocoele〕〖생〗동물의 수정란(受精卵)이 속에서 분할(分割)하여 세포가 증가하고 구상(球狀)으로 벌어어 한가운데에 형성한 빈 자리.

할강-액【割腔液】명〖생〗할강에 차 있는 액체(液體). 단백질(蛋白質)을 함유함.

할거[1]【割去】명 베어 버림. 찢어 버림. ——-하다 타여불

할거[2]【割據】명 토지나 국토를 분할(分割)하여 웅거(雄據)함. ¶군웅 ~. ——-하다 자여불

할거-주의【割據主義】[—/—이] 명 섹셔널리즘(sectionalism).

할검【割劍】명〖춤〗정대업지무(定大業之舞)에서, 칼든 오른손이 위로 가게 하여 두 손을 가슴에 엇거는 춤사위.

할게 명 ☞ 홀게.

할경[1] 명 ①말로써 남을 업신여기는 뜻을 나타냄. ¶이 사람, 남을 그렇게 ~하여 말을 말게≪李海朝 : 花의血≫. ②남의 떳떳하지 못한 근본을 폭로하는 말. ——-하다 타여불

할경[2]【割耕】명 이웃한 남의 논밭을 침범하여 경작(耕作)함. ——-하다 타여불

할계【鶡鷄】명〖조〗멧닭.

할고【割股】명 허벅지의 살을 베어 냄. ——-하다 자여불

할고충복【割股充腹】명〔공복(空腹)을 채우기 위하여 허벅지를 베어 먹는다는 뜻〕한때만 면하려는 어리석은 잔꾀. ——-하다 자여불

할구【割球】명〖생〗다세포 동물(多細胞動物)의 발생 초기(發生初期)에 수정(受精)에 연이어서 일어나는 일련의 세포 분열(分裂)에 의하여 생기는 세포. 따라서, 수정 후 제1회의 세포 분열로 최초(最初)의 두 개의 할구가 생김.

할권【割拳】명〖춤〗정대업지무에서, 왼손이 위로 가게 하여 두 손을 가슴에 엇거는 춤사위.

할근-거리다 자 숨이 가빠서 몹시 할딱거리며 그르렁거리다. <헐근거리다. 할근-할근 부. ——-하다 자여불

할근-대다 자 할근거리다.

할금 부 남의 눈을 피하여 빨리 한 번 곁눈질하는 모양. ¶~ 쳐다보고 돌아선다. ㅆ할끔. >홀금.

할금-거리다 타 남의 눈치를 살피려고 연해 곁눈질로 할겨 보다. ¶도둑 고양이 모양으로 늘 옆사람을 할금거리는 버릇이 있다. ㅆ할끔거리다. <홀금거리다. 할금-할금 부. ¶별로 놀라는 기색도 없이 부친의 얼굴만 ~ 쳐다볼 뿐이라≪李相協 : 눈물≫/ 눈알을 회게 해 가지고 멀리서 ~ 바라볼 뿐이었다≪李孝石 : 幕≫. ——-하다 타여불

할금-대다 타 할금거리다.

할긋 부 ①눈에 얼씬 보이는 모양. ¶작은 그림자는 ~ 보이고는 사라졌다. ②한번 눈동자를 빨리 옆으로 돌려 할겨 보는 모양. ¶~ 쳐다보고는 고개를 돌렸다. 1)·2):ㅆ할끗. <홀긋. ——-하다 타여불

할긋-거리다 타 자꾸만 슬쩍슬쩍 할겨 보다. ㅆ할끗거리다. <홀긋거리다. 할긋-할긋 부. ——-하다 타여불

할긋-대다 타 할긋거리다.

할긔다 타〈옛〉흘기다. ¶웃는 양은 니쌔듸도 됴코 할긔는 양은 눈씨 더욱 곱다≪古詩調≫.

할기 명〈방〉흙(함북).

할기다 타 눈을 옆으로 돌려 못마땅하게 노려보다. 가볍게 흘기어 보다. <흘기다. ¶시쁜 듯 한번 할겨보고 나서 고개를 떨구었다.

할기시 부 ☞ 할깃이.

할기족 부 눈을 할기고 잠시 쳐다보는 모양. ¶~ 쏘아보고 나서 눈을 깔았다. <흘기죽. ——-하다 타여불

할기족-거리다 타 못마땅한 듯 연해 눈을 할기어 쳐다보다. ¶눈을 치뜨고 할기족거리고 있었다. <흘기죽거리다. 할기족-할기족 부. ——-하다 자여불

할기족-대다 타 할기족거리다. <흘기죽대다.

할기-족족 부 흘겨 보는 눈에 못마땅하거나 성난 빛이 드러나는 모양. <흘기죽죽. ——-하다 형여불

할기죽 부 ☞ 할기족.

할길-없이 [—낄업씨] 부 하릴없이. ¶이 교리는 ~ 무인지경인 산골에서 그날 밤을 지새는데…≪洪命憙 : 林巨正≫.

할깃 부 가볍게 눈을 치뜨고 할겨 보는 모양. ¶눈을 ~ 흘기었다. ㅆ할낏. <흘깃 ——-하다 타여불

할깃-거리다 타 눈을 곁눈질하듯이 놀리며 계속해서 할기다. ㅆ할낏거리다. <흘깃거리다. 할깃-할깃 부. ——-하다 타여불

할깃-대다 타 할깃거리다.

할깃-이 부 할깃하게.

할깃-흘깃 부 눈을 할겼다 흘겼다 하는 모양. ——-하다 타여불

할끔 부 남의 눈을 피하여 빨리 한 번 곁눈질하는 모양. ¶~ 쳐다보고 돌아서다. ㅅ할금. <흘끔. ——-하다[1] 타여불

할끔-거리다 타 남의 눈치를 살피려고 연해 곁눈질로 보다. ¶삽짝을 들어서는 위인을 ~가 알 만한 처지였는지 우선 외짝바라지부터 닫았다≪金周榮 : 客主≫. ㅅ할금거리다. <흘끔거리다. 할끔-할끔 부. ——-하다 타여불

할끔-대다 타 할끔거리다.

할끔-하다[2] 형여불 몸이 매우 고단하거나 불편해서 눈이 때꾼하다. <흘끔하다.

할끗 부 ①눈에 얼씬 보이는 모양. ②한 번 눈동자를 빨리 굴려 할겨 보는 모양. 1)·2):ㅅ할긋. <흘끗. ——-하다 타여불

할끗-거리다 타 자꾸만 할끗하다. ㅅ할긋거리다. <흘끗거리다. 할끗-할끗 부. ——-하다 자타여불

할끗-대다 타 할끗거리다.

할낏 부 가볍게 흘겨 보는 꼴. ¶아내는 남편에게 눈을 ~ 흘겼다.

할낏-거리다 타 눈을 곁눈질하듯이 또는 치뜨고 내려뜨고 얄밉게 놀리면서 자꾸만 흘기다. ㅅ할깃거리다. <흘낏거리다. 할낏-할낏 부. ¶~ 뒤를 돌려다보다. ——-하다 타여불

할낏-대다 타 할낏거리다.

할-날 [—랄] 명 하루의 날.

할놋다 타〈옛〉헐뜯는구나. '할ᄒᆞ다'의 활용형. ¶憍慢ᄒᆞᆫ ᄆᆞᅀᆞᆷ ᄇᆞ려 ᄯᅩ무딋 우희 겨를 구버 할놋다 ᄒᆞ거늘≪月釋 Ⅸ:71≫/憍慢을 ᄇᆞ려 ᄯᅩ무딋 우희 주구려셔 겨를 구버 할놋다 네 이 念을 뒷던다 아니 뒷던다≪月釋 Ⅸ:35 下≫.

할다 타〈예〉참소(讒訴)하다. 헐뜯다. =할아다. ¶開國臣을 할어늘(讒開國臣)≪龍歌 104章≫ / 겨지비 하라놀 尼樓ㅣ 나가시니 ≪月印 Ⅰ: 39≫/眞宰ㅣ 하놀해 올아가 할오 당당이 울리로다(眞宰上訴天應泣)≪杜諺 ⅩⅥ:30≫/할 소(訴)≪字會下 29≫.

할단[1]【割斷】[—딴] 명 베어서 끊음. ——-하다 타여불

할단[2]【鶡鴠】[—딴] 명〖동〗산박쥐.

할당【割當】[—땅] 명 몫을 갈라 분배함. 몫을 정함. 또, 그 분량. ¶일을 ~하다. ——-하다 타여불

할당 관세【割當關稅】[—땅—] 명〖경〗특정한 수입 물품에 대하여 일정 기간 동안 정해진 물량까지는 정책 목적상 기본 관세율보다 인상 또는 인하된 관세율을 적용함을 이름. 그 기간 동안에라도 수입량이 할당량을 넘으면 다시 기본 관세율이 적용됨.

할당-량【割當量】[—땅냥] 명 할당한 양. ¶~이 많다.

할당-액【割當額】[—땅—] 명 할당된 액수.

할당-제【割當制】[—땅—] 명 몫을 갈라 배급하거나 책임을 지우는 제도. ¶수출 ~.

할당 주파수【割當周波數】[—땅—] 명〖전〗무선국에 할당된 주파수 대(帶)의 중앙 주파수.

할당 카르텔【割當—】〔도 Kartel〕[—땅—] 명〖경〗보다 완전한 독점(獨占)을 목표로 하여, 가맹 기업(加盟企業)에 대하여 할당을 하는 중앙 기관을 가지는 카르텔. 이윤(利潤) 할당 카르텔·주문(注文) 할당 카르텔·생산(生産) 할당 카르텔 등이 있음. *합리화(合理化) 카르텔·제한(制限) 카르텔.

할듯-할듯 [—듣—듣] 부 무엇을 하려고 잇따라 내색을 하거나 움직이려고 하는 모양. ¶말을 ~ 하다가 안 한다. ——-하다 타여불

할딱-거리다 자타 계속(繼續)해서 할딱이다. <헐떡거리다. 할딱-할딱 부. ——-하다 자타여불

할딱-대다 자타 할딱거리다.

할딱-이다 자타 ①숨을 가쁘게 쉬어 숨이 막혔다 터졌다 하다. ¶숨을 ~. ②신이 할가워서 벗어졌다 신겨졌다 하다. 1)·2):<헐떡이다.

할딱-하다 형여불 심한 고생이나 병으로 얼굴이 야위고 핏기가 없다. 또, 몹시 지쳐서 눈이 깔딱하다. <헐떡하다.

할똥-말똥 부 일을 다잡아 하지 않는 모양. 할것도 같고 아니할 것도 같은 모양. ——-하다 타여불

할똥이 명〈방〉화로(함남).

할라파-근【—根】〔스 jalapa〕명〖약〗동부 멕시코 원산(原産)인 메꽃과(科) 감자속(屬)에 속하는 할라파의 구형(球形)의 뿌리. 말려서 하제(下劑)로 사용함.

할라프 유적【一遺跡】〔Halaf〕 명 시리아 동북부, 터키와의 국경에 가까운 텔할라프(Tell Halaf)에 있는 초기 농경 유적. 보리의 재배, 소·양 등 가축의 사육, 장식품으로서 구리를 쓰기 시작한 것이 특징이며, 기하(幾何) 무늬의 채문(彩文) 토기가 발견됨. 이 유적을 바탕으로 할라프 문화가 설정됨.

할랑-거리다 자 ①몹시 할가워서 자꾸 흔들리다. ②삼가지 아니하고 경망(輕妄)한 행동(行動)을 계속하다. 1)·2): <헐렁거리다. **할랑-할랑** 부. ——-하다[1] 자 여불

할랑-대다 자 할랑거리다.

할랑-이다 자 ①할갑게 간들간들 움직이다. ②가볍고 헐렁하게 행동하다. 경박하게 굴다. 1)·2) : <헐렁이다. 「하다.

할랑-하다 형 여불 따로따로 놀 정도로 약간 할갑다. ¶옷이 ~. <헐렁

할랑할랑-하다[2] 형 여불 ①매우 할가운 듯한 느낌이 있다. ②하는 짓이 들뜨고 실답지 아니하다. ¶할랑할랑한 사람. 1)·2): <헐렁헐렁하다.

할래 조 〈방〉 까지❸.

할래-발딱 부 급(急)하게 걸어서 숨이 가빠 가슴이 발딱거리는 모양. <헐레벌떡. ——-하다 자 여불

할래발딱-거리다 자 자꾸 할래발딱하다. <헐레벌떡거리다. **할래발딱-할래발딱** 부. ——-하다 자 여불

할래발딱-대다 자 할래발딱거리다.

할랭이 명 〈방〉 멋쟁이(함남).

할러 〔Haller, Albrecht von〕 명 〖사람〗 스위스의 해부·생리학자. 괴팅겐 대학 교수. 자극(刺戟) 생리학을 창시하고, ≪인체 생리 요강(人體生理要綱)≫ 등 생리·해부학의 교과서를 저술함. [1708-77]

할레[1] 명 〈방〉 하루(평안).

할레[2] 〔Halle〕 명 〖지〗 독일 동남부의 잘레 강(Saale 江) 동안(東岸)의 도시. 부근의 암염(岩塩)은 옛날부터 발굴되어 왔으며 근대에 와서는 석탄을 발굴함. 철도 차량·기계·제당(製糖) 등의 공업이 성함. 1694 년에 창설된 종합 대학과 고딕 양식의 교회당·고성(古城) 등이 있음. 작곡가 헨델이 태어난 곳임. [235,858 명(1985)]

할레-비텐베르크 대학【一大學】 명 〔Martin-Luther-Universität Halle-Wittenberg〕 독일 할레 시(市)에 있는 명문 대학. 1694 년 브란덴부르크 선제후 (選帝侯) 프리드리히 3 세에 의해 설립된 프로테스탄트계(系)의 할레 대학과 1502 년 작센 선제후 프리드리히 3 세가 비텐베르크 시에 세운 비텐베르크 대학이 1817 년에 합병하여 1933 년 현재의 명칭으로 됨.

할레르 〔haler〕 의명 체코슬로바키아의 통화 단위의 하나. 코루나의 100 분의 1

할렌키르헤 〔도 Hallenkirche〕 명 보통, 세 개의 제단(祭壇)의 높이가 같은 고딕식 교회당 건축의 한 형식. 프랑스에서 시작되었다고 하나, 14-15 세기에 특히 독일에 보급됨.

할렐루-야 〔히 hallelujah〕 명 〔헤브루어 hallēlū(찬미하다)와 jah(신(神)을)의 복합어〕 구약 성서 시편(詩篇)에 있는 말로서, 기쁨 또는 감사를 나타내는 말. 기독교의 찬송가에 사용되고 있음. 알렐루야.

할:렘 〔Harlem〕 명 〖지〗 미국 뉴욕시 맨해턴 북동부에 있는 슬럼가(街). 할렘 강과 센트럴 공원 사이에 있음. 제 2 차 세계 대전 전후부터 흑인과 푸에르토리코인이 많이 거주하고 있는데, 빈민가(貧民街)로서 범죄 발생률이 높음.

할려-금【割戾金】 명 일단 받았던 금액 중에서, 얼마간 도로 주는 돈.

할례【割禮】 명 〔circumcision〕 〖종〗 유태인들 사이에서 옛날부터 행하던 관습적 의식의 한 가지. 곧, 남자가 태어난 지 여드레 만에 자지 끝의 살가죽을 조금씩 끊어 내는 풍습. 이집트인·아라비아인 기타의 원시 민족 사이에 성행하였음. 유태인은 이것을 신이 이 민족에게 명한 신성한 행위이며 선민(選民)으로서의 특징으로 여겼음. *할손례.

할로【黠虜】 명 교활한 외국인. 미개의 만인(蠻人).

할로겐 〔도 Halogen〕 명 〖화〗 ↗할로겐족 원소.

할로겐-산【一酸】〔도 Halogen〕 명 〖화〗 염소산(塩素酸)·요오드산(酸)·브롬산의 총칭.

할로겐 원소【一元素】〔도 Halogen〕 명 할로겐족(族) 원소.

할로겐 이온 〔halogen ion〕 명 〖화〗 할로겐 원소의 이온. 가장 일반적인 이온은 플루오르 이온·염소 이온·브롬 이온·요오드 이온의 일가(一價)의 음(陰)이온.

할로겐족 원소【一族元素】〔도 Halogen〕 명 〖화〗 원소 주기율표(元素周期律表)에서 제7족에 속하는 염소(塩素)·브롬(Brom)·요오드(Jod)·플루오르(Fluor)·아스타틴(astatine)의 다섯 원소의 총칭(總稱). 화학적으로 활성(活性)이며, 다른 원소와 화합물(化合物)을 이루기 쉬움. 준할로겐.

할로겐-화【一化】〔Halogen〕 명 〖화〗 첨가 반응 또는 치환 반응에 의해 유기 화합물 중에 할로겐을 도입하는 반응.

할로겐화 고무【一化一】〔도 Halogen; 프 gomme〕 명 염소·플루오르 등을 반응시킨 고무. 불연성(不燃性)으로, 내약품성(耐藥品性)이 높고 방식 피막(防蝕皮膜)에 이용함.

할로겐화 마그네슘【一化一】 명 〔magnesium halide〕 〖화〗 금속 마그네슘과 할로겐으로 된 화합물. 브롬화(化) 마그네슘 따위.

할로겐화-물【一化物】 명 〔halogenide〕 〖화〗 할로겐과 이것보다 전기 음성도(電氣陰性度)가 작은 원소와의 이원(二元) 화합물. 원소 대신 기(基), 특히 유기기(有機基)의 경우도 있음. 브롬화물(Brom 化物)·플루오르화물(Fluor 化物)·염화물(塩化物)·요오드화물(Jod 化物) 및 아스타틴화물(astatin 化物)의 총칭임.

할로겐화 반:응【一化反應】 명 〔halogenation〕 〖화〗 할로겐 원자를 물질 중에 도입(導入)하는 화학 과정. 또, 그 반응.

할로겐화 수소【一化水素】〔도 Halogen〕 명 〖화〗 할로겐과 수소의 화합물. 화학식은 보통 HX 로 표시함. 플루오르화(化) 수소·염화 수소·브롬화(化) 수소·요오드화(化) 수소가 있음.

할로겐화 알루미늄 【一化一】〔도 Halogen〕 명 〔aluminium halide〕 〖화〗 알루미늄과 할로겐 원소의 화합물. 염화 알루미늄 따위.

할로겐화-은【一化銀】 명 〔silver halogenide〕 〖화〗 할로겐과 은의 화합물. 화학식에서는 보통 AgX 로 나타냄. 플루오르화은(化銀)·염화은·브롬화은(化銀)·요오드화은(化銀)이 있음. 플루오르화은을 제외하면 모두 감광성(感光性)이 있으며, 사진 유제용(乳劑用)으로 중요함.

할로겐화 탄:화 수소【一化炭化水素】〔도 Halogen〕 명 〖화〗 탄화 수소의 수소 원자를 할로겐 원자로 치환(置換)하여 얻을 수 있는 화합물의 총칭. 요오드포름(Jodform)·염화 비닐·파라디클로로벤젠(paradichlorobezene) 등.

할루시네이션 〔hallucination〕 명 실제는 존재하지 아니하는 형상(形象)이 지각 표상(知覺表象)에 의하여 나타나는 환상(幻想). 환시(幻視)·환청(幻聽)·환미(幻味)·환취(幻嗅)·체감 환각(體感幻覺) 등이 있음.

할률-석【割栗石】〔一썩〕 명 〖토〗 밤자갈.

할리【黠吏】 명 부정한 관리. 간리(奸吏).

할리다 자 〈옛〉 참소를 입다. 참소당하다. ¶ᄂᆞ믜게 할려 주글 죄로 가티게 ᄒᆞ얏거늘(爲仇家陷於死罪)≪二倫 22. 德珪死獄≫/네 후한나라 딘원이 제 어믜 할림배 되여늘(昔後漢陳元 爲母訴訟)≪警民編 30≫.

할리시테스 〔halysites〕 명 〖동〗 고생대 실루리아기(Siluria 紀)에 산출되는 산호과(珊瑚科)의 화석 강장(腔腸) 동물. 충관(蟲管)이 그물과 같이 군체(群體)를 이루고 전체로서 고리 모양이며, 그 안쪽에 여러 개의 상판(床板)과 12 개의 종격벽(縱隔壁)이 발달되었음. 세계 각처에서 산출되는 중요한 표준 화석임.

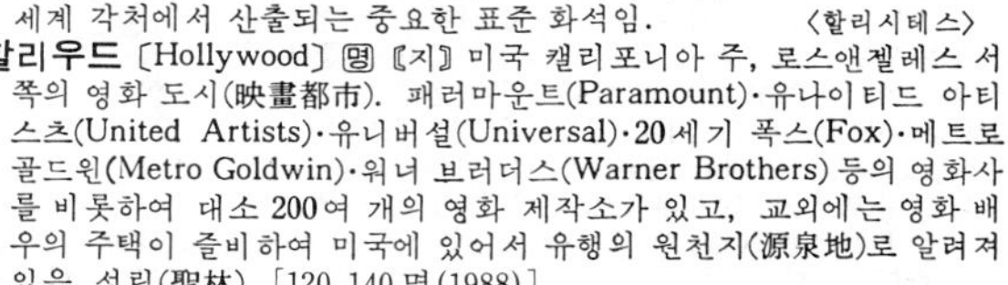

〈할리시테스〉

할리우드 〔Hollywood〕 명 〖지〗 미국 캘리포니아 주, 로스앤젤레스 서쪽의 영화 도시(映畫都市). 패러마운트(Paramount)·유나이티드 아티스츠(United Artists)·유니버설(Universal)·20 세기 폭스(Fox)·메트로 골드윈(Metro Goldwin)·워너 브러더스(Warner Brothers) 등의 영화사를 비롯하여 대소 200 여 개의 영화 제작소가 있고, 교외에는 영화 배우의 주택이 즐비하여 미국에 있어서 유행의 원천지(源泉地)로 알려져 있음. 성림(聖林). [120,140 명(1988)]

할:리퀸 〔harlequin〕 명 〖연〗 아를캥.

할리파 〔아랍 khalifa〕 명 〖종〗 칼리프(caliph).

할마-고동 명 〈방〉 달팽이(경남).

할마-고딩이 명 〈방〉 달팽이(경남).

할마니 명 〈방〉 할머니(전남).

할마-님 명 제주도에서, 고사 지낼 때에 무당이 일러 바치고 섬기는 여신.

할마-마:마【一媽媽】 명 〖역〗 왕이나 왕비 또는 왕의 자손이 그 할머니를 부르는 말. *할바마마.

할마씨 명 〈방〉 할미(경상).

할마이 명 〈방〉 할머니(전북·함남·황해·경상).

할마헤라 섬 〔Halmahera〕 명 〖지〗 인도네시아 몰루카 군도(群島) 중 세람(Ceram) 섬과 함께 군도의 중심을 이루는 큰 섬. 대부분이 밀림(密林)으로 덮인 산지로, 적도 직하(赤道直下)의 기후와 교통 불편 등으로 거의 개척이 안 되어 있음. [18,130 km²: 97,133 명(1957 추계)]

할만 명 〈방〉 할머니(평남).

할만-님 명 〈방〉 할머니.

할-말 명 하고 싶은 말. 해야 할 말. 의논하려는 말. ¶~이 있으면 털어놓으시오/~ 다 하다.

할말-없다 〔一업一〕 형 면목이 없다. 변명할 여지가 없다. ¶더는 ~.

할말-없이 〔一업씨〕 부 면목이 없게. 변명할 여지가 없게. ¶~ 되었네.

할망 명 〈방〉 할머니(제주).

할망구 명 늙은 여자의 낮춤말. *영감태기.

할망이 명 〈방〉 할머니(강원·전남).

할망탕구 명 〈방〉 할망구(경상).

할매 명 〈방〉 할머니(경상·전라).

할매-고동이 명 〈방〉 달팽이(경북).

할맥【割麥】 명 보리를 세로 2등분한 뒤 쌀처럼 다듬어 정제한 보리쌀.

할머니 명 ①아버지의 어머니. 왕모(王母). 조모(祖母). ②늙은 여자의 존칭. ③부모의 어머니와 한 항렬(行列)에 있는 여자의 통칭.
[할머니 뱃가죽 같다] 시들시들하고 쭈글쭈글한 것의 비유.

할머-님 명 '할머니'의 높임말. 조모(祖母)님.

할먼-네 명 〈소아〉 할머니네 집. ¶~ 강아지.

할멈 명 ①신분이 낮은 늙은 여자. ②신분이 낮은 사람의 할머니. ③제 할머니를 겸사(謙辭)해서 일컫는 말. ④자기 집에서 부리는 늙은 여자. 노파(老婆). 노고(老姑). 노구(老嫗).

할메 명 〈방〉 할미(전남·경상·충북).

할명【割名】 명 제명(除名). ——-하다 타 여불

할몽이 명 〈방〉 할머니(경상).

할무니 명 〈방〉 할머니(전남·경남).

할무대 명 〈방〉 〖식〗 할미꽃(경북).

할무이 명 〈방〉 할머니(경남·전남).

할미 명 ①할머니나 할멈을 하대(下待)하는 말. ②늙은 여자. 노고(老姑). ¶늘근 할미 히미 비록 衰殘ᄒᆞ나(老嫗力雖衰)≪杜諺 Ⅳ:8≫/할미 파(婆), 할미 마(媽)≪字會 上 31≫.

할미-고댕이 명 〈방〉 〖동〗 달팽이(경북).

할미-고딩 명〈방〉〖동〗달팽이(경북).

할미-고딩이 명〈방〉〖동〗달팽이(경상).

할미-광대 명〖민〗오광대 놀이나 강령 탈춤에서 할미 역을 연희하는 광대.

할미광대-탈 명〖민〗오광대 놀이에서 할미광대가 쓰는 탈.

할미-꽃 명〖식〗[*Pulsatilla koreana*] 미나리아재빗과에 속하는 다년초. 온 몸에 긴 털이 밀포하며 줄기 높이 40cm 내외임. 잎은 뿌리에서 총생(叢生)하며 장병(長柄)인데 이회 우상 복엽(二回羽狀複葉)이며 열편(裂片)은 다시 2-3회 깊게 째어짐. 총포엽(總苞葉)은 줄기 끝에 서너 조각이 달리며 무병(無柄)임. 4-5월에 적자색의 꽃이 포엽(苞葉)의 중심에서 나온 장경(長梗)의 끝에 한 송이씩 핌. 꽃이 진 뒤에도 화경(花梗)은 자라서 길고 흰 털이 많이 남. 긴 달걀꼴의 수과(瘦果)는 둥글게 모이는데 모두 백색의 긴 털이 있음. 산이나 들의 양지에 남. 거의 한국 각지에 야생하며, 유독하고 뿌리를 약용하며 관상용으로 심음. 흔히 백발(白髮)의 노인에 비유함. 노고초(老姑草). 백두옹(白頭翁).

〈할미꽃〉

할미-새 명〖조〗할미샛과에 속하는 조류 중의 검은등할미새·검은턱할미새·긴발톱할미새·노랑할미새·백할미새·알락할미새·시베리아할미새의 총칭. 옹거(雝渠·雝鶏). 척령(鶺鴒).

할미새-사:촌【一四寸】명〖조〗[*Pericrocotus roseus*] 할미새사촌과에 속하는 새. 날개 길이는 9.5-10cm, 꽁지 길이는 10cm 가량되며 얼굴과 몸의 하면(下面)은 백색이고, 배면(背面)은 회색, 머리와 꽁지 깃은 흑색이며 바깥 쪽의 끝은 백색임. 암놈은 머리가 회색임. 작은 곤충을 잡아먹고 5-6월에 4-5개의 알을 낳음. 나뭇가지나 전선(電線)에 앉아 꼬리를 흔들면서 우는데, 흔히 나무 위에서 생활하고 땅위를 걷는 일은 없음. 인도 이동(以東)의 아시아 중부 지방에서 번식하고 마닐라 지방에서 월동함.

할미새사:촌-과【一四寸科】[一꽈] 명〖조〗[Campephagidae] 참새목(目)에 속하는 한 과. 중형(中形)의 조류로서 색채는 대체로 배면(背面)이 흑색 또는 회색이고 복면(腹面)은 적색·황색·백색 등임. 주로 삼림(森林)에서 군서(群棲) 생활을 하며 나뭇가지에 접시 모양의 둥지를 짓고 한배에 5-6개의 갈색 반문(斑紋)이 있는 알을 낳음. 동반구(東半球)의 열대 지방에 분포함.

〈할미새사촌〉

할미샛-과【一科】명〖조〗[Motacillidae] 참새목(目)에 속(屬)하는 한 과(科). 소형의 조류로서, 몸과 부리는 대체로 가늘고 길며 윗부리의 선단에 극히 가는 결각(缺刻)이 있음. 부척(跗蹠)은 가늘고 길며 발톱은 구부러졌음. 물가의 지상(地上)에 서식(棲息)하고 지상 또는 풀 사이에 둥지를 지음. 잡식성(雜食性)인데 한 배에 4-6개의 알을 낳음. 할미새·논종다리·물레새 등이 이에 속하고, 전(全)세계에 110여 종이 분포함.

할미-씨깨비 명〖식〗일본할미꽃.

할미-쟁이 명 할미를 아주 하대(下待)하는 말.

할미-질빵 명〖식〗[*Clematis trichotoma*] 미나리아재빗과에 속하는 낙엽 활엽 만목(蔓木). 잎은 삼출 복엽(三出複葉) 장병(長柄)이며, 소엽(小葉)은 달걀꼴이고 가에 거친 톱니가 있음. 꽃은 여름에 취산(聚繖)꽃차례로 액생(腋生)하여 피고, 과실은 수과(瘦果)이며 미상체(尾狀體)에는 깃 모양의 백색 털이 있고 가을에 익음. 산기슭의 숲 속에 나는데, 전남·평북·경남을 제외한 한국 각지에 분포함. 어린 잎은 식용함.

할미-춤 명〖민〗탈놀이 춤사위의 하나. '봉산 탈춤'이나 '고성 오광대' 등의 탈놀이에서 할미 역의 사위춤으로 추어짐.

할믜〈옛〉할미의. '할미❷'의 소유격형. ¶할믜 젹삼 비러 할믜 나ᄒᆞᆯ 절ᄒᆞ도다(借婆衫子 拜婆年)《金三 Ⅲ:12》.

할바-마:마【一媽媽】명〖역〗왕이나 왕비 또는 왕의 자손이 그 할아버지를 부르는 말. *할마마마.

할바씨 명〈방〉할아버지(경남).

할바이 명〈방〉할아버지(경북·함남).

할박【割剝】명 ①가죽을 벗기고 살을 베어 냄. ②탐관 오리(貪官汚吏)가 백성의 재물(財物)을 약탈(掠奪)하는 짓을 가리키는 말. 박할(剝割). ——하다 타여불

할박지-정【割剝之政】명 고을 원이, 백성의 재물을 긁어들이는 나쁜 정사(政事).

할반【割半】명 반으로 나누어서 벰. 반을 베어 냄. ——하다 타여불

할반지-통【割半之痛】명 몸의 반쪽을 베어 내는 고통. 곧, 형제 자매가 죽은 슬픔을 이르는 말.

할방이 명〈방〉할아버지(경상).

할방탕구 명〈방〉할아비❷(경상).

할배 명〈방〉할아버지(경상).

할뱅이 명〈방〉할아버지(경북).

할베 명〈방〉할아버지(경상).

할보【割譜】명 족보(族譜)에서 이름을 말살(抹殺)하여 친족 관계를 끊음. ——하다 타여불

할복【割腹】명 ①배를 가름. ②배를 칼로 째서 죽음. ¶~ 자살(自殺). ——하다 자여불

할복 자살【割腹自殺】명 칼로 배를 째서 자살하는 일. ——하다 자여불

할봉【割封】명〖역〗시관(試官)이 과거 답안지(答案紙)의 봉내(封內)를 뜯음. ——하다 타여불

할부【割賦】명 ①분할(分割)하여 배당(配當)함. ②지급(支給)할 금액을 여러 번으로 나누어 줌. 드림셈. ¶~ 판매. ——하다 타여불

할부-금【割賦金】명 ①배당금(配當金). ②분할하여 주는 돈. 드림셈.

할부 상환【割賦償還】명〖경〗부채(負債)의 원리(元利)를 부금(賦金)으로 청산하는 상환.

할부지 명〈방〉할아버지(경상).

할부 판매【割賦販賣】명〖경〗①고객의 매입 대금을 장기에 분할하여 불입하게 하는 판매 방식. ¶냉장고 ~. ②유가(有價) 증권의 판매 방법의 하나. 고객에게 매입(買入) 대금을 장기(長期)에 분할하여 불입하게 하고 여러 고객의 주문을 일괄 매입하여 계산상으로 각 고객의 몫을 산출하는 방식. *적립(積立) 판매·월부 판매.

할-사리 명〈방〉하루살이(경북).

할삼-혼【割衫婚】명 적삼의 동정을 둘로 나누어 약혼한 양가(兩家)에서 그 하나를 증거로서 보존하는 데서, '지복혼(指腹婚)'을 일컫는 말.

할상-부르다 [一쌍一] 형〈방〉할 것 같다.

할생【割牲】[一쌩] 명 전날, 제사에 쓸 짐승을 잡아서 찬구에 담기에 알맞게 각을 뜨던 일. ——하다 자여불

할석【割席】[一썩] 명 ①자리를 달리함. ②절교함. ——하다 자여불

할석 분좌【割席分坐】[一썩一] 명 교분(交分)을 끊고 한 자리에 앉지 아니함. ——하다 자여불

할선【割線】[一썬] 명〖수〗원(圓)과 직선이 두 개의 점(點)을 공유(共有)할 때의 직선. 곧, 원둘레나 곡선을 둘 또는 둘 이상의 점에서 자르는 직선. 가름선.

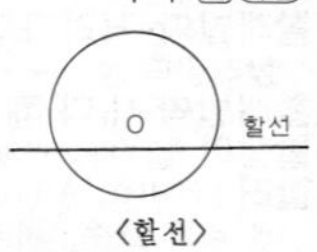

〈할선〉

할손-례【割損禮】[一쏜녜] 명〖천주교〗이스라엘(Israel) 민족이 그들의 선민 의식(選民意識)에 의하여, 남자가 나면 육체의 일부분을 수술하여 도려 내는 고교(古敎)의 한 예식. *할례(割禮).

할 수 없:다 [一쑤업一] 구 어찌할 도리가 없다. 하는 도리가 없다. ¶정 그렇다면 할 수 없지 않느냐.

할 수 없:이 [一쑤업씨] 구 어찌할 도리 없이. ¶~ 집을 떠맡았다.

할슈타인 [Hallstein, Walter] 명〖사람〗독일의 법학자. 1946년 프랑크푸르트 대학 총장, 1950년 관방 장관(官房長官)을 역임. 1951년 외무 차관으로 할슈타인 원칙을 입안(立案)함. 1958-62년 유럽 공동 시장(EEC) 위원장을 지냄. [1901-82]

할슈타인 원칙【一原則】[Hallstein]〖정〗동서독 통일 이전인 1955년, 동독 정부를 승인하는 나라와는 외교 관계를 맺지 않는다는 서독의 외교 원칙. 당시의 서독 외무 차관 할슈타인의 이름에서 연유함. 그러나 당초부터 소련은 예외였으며 1967년 루마니아와의 국교 정상화로 사실상 공문화(空文化)함.

할슈타트 문화【一文化】[Hallstatt] 명〖역〗프랑스 동부로부터 헝가리 서부에 걸쳐서 기원전 1000-500년 경에 번영했던 초기 철기(鐵器) 시대 문화. 오스트리아의 할슈타트 호반(湖畔)의 분묘군(墳墓群)을 표준 유적으로 침. 켈트계(Kelt 系) 민족의 문화로 생각되며 기마(騎馬) 민족적 요소를 지님.

할스 [Hals, Frans] 명〖사람〗네덜란드의 화가. 이탈리아풍(風)에 치우친 네덜란드 회화(繪畫)를 진정한 국민적인 화풍으로 되살려, 일반 시민의 풍속·초상을 그림. 날카로운 개성 표현에 의한 초상화로 유럽의 제1인자로 일컬어짐. 대표작(代表作)에 《집시(gypsy) 여인》 등이 있음. [1580?-1666]

할쑥-하다 형여불 얼굴에 핏기가 없고 파리하다. <헐쑥하다. *할쭉하다.

할아다 타〈옛〉참소하다. 헐뜯다. =할다. ¶할아디 아니ᄒᆞ며 辱ᄒᆞ디 아니ᄒᆞ며(不毁不辱)《金剛 36》/ᄂᆡ구븐 저를 기리고 ᄂᆞᄆᆞᆯ 할아디 아니호미오(七不自讚毁他)《圓覺 上 二之二 15》.

할아반 명〈방〉할아버지.

할아버-님 명 할아버지의 높임말.

할아버지 명 [←한아버지] ①아버지의 아버지. 조부(祖父). 왕부(王父). ②부모의 아버지와 같은 항렬에 있는 늙은 남자. ③나이 많은 남자를 대접하여 일컫는 말. ¶복덕방 ~.
[할아버지 감투를 손자가 쓴 것 같다] 크기가 맞지 않아 보기에 우습다는 말.

할아범 명 ①신분이 낮은 사람의 할아버지. ②지체가 낮은 늙은 남자. ③윗사람에게 대하여 제 할아버지를 일컫는 말.

할아비 명 ①할아버지의 낮춤말. ②할아범의 낮춤말. ③〈옛〉할아버지. ¶할아비 사오나온 병 어더거늘(祖父得惡疾)《東國新續三綱 Ⅳ:67 有今斷指》.

할아비-새: 명〈방〉〖조〗할미새.

할안【爲乙良】〈이두〉하면.

할암 명〈옛〉험구(險口). ¶할암과 기롬과 일ᄏᆞ롬과 구지좀과 苦와 樂괘라《圓覺 上 二之一 12》.

할압시 명〈방〉할아버지(전남).

할애【割愛】명 아깝게 생각하는 것을 선뜻 내어 줌. 아쉬운 생각을 끊고 고루 나누어 줌. ¶바쁜 시간을 ~하다. ——하다 타여불

할애비 명〈방〉할아비(경기·경상·충청)

할양【割讓】명 ①물건의 일부를 베어서 남에게 넘겨 줌. 할여(割與). ②〖정〗상호국(相互國)의 조약에 따라 자국 영토의 일부분을 다른 나라에 이전(移轉)함. ¶영토를 ~하다. ——하다 타여불

할어미 명〈방〉할머니(경기).

할어비이 명〈옛〉조부모. ¶할어비이 나히 저믄주를 어엿비 너겨(祖父母憐其年少)《東國新續三綱 烈女圖 孫氏守志》.

할여【割與】명 베어 줌. 떼어 줌. 할양(割讓). ——하다 타여불

할옷 명〈방〉활옷(경상).

할와티다 타〈옛〉참소하다. 헐뜯다. ¶ᄌᆞ조 할와티시(數譖之)《飜小 Ⅸ:

세(治世)의 번영이 증명되어, 후대에 '고전 시대(古典時代)'로 불림. [?-? : 재위 1728?-1686? B.C.]

함무라비 법전【一法典】 명 〔The Code of Hammurabi〕 기원전 1700년경에 바빌로니아의 함무라비 왕이 편찬한 세계 최고(最古)의 성문법(成文法). 1901년 프랑스의 발굴대에 의하여 페르시아의 고도(古都) 수사(Susa)에서 발견됨. 모두 282조(條)의 쐐기 문자(楔形文字)의 법임. 사법(私法)을 중심으로 하여 광범한 규정을 만들고, 복수(復讐) 형벌이나 형벌의 신분적(身分的) 차이는 있으나, 생활 필수품의 압류(押留) 금지 등 국민의 복지에 유의하고 있음. 약 2.25 m의 원기둥형 현무암(玄武岩)에 조각되었음.

함묵[1]【含默】 명 입을 다물고 잠잠히 있음. ――-하다 자 여불

함묵[2]【緘默】 명 함구(緘口). ――-하다 자 여불

함묵-아【緘默兒】 명 『의』 심인성(心因性)에 의한 정서 장애아. 넓은 뜻으로는 말을 하지 않는 아이를 이름. 특히, 문제가 되는 것은 가정에서 가족들과 얘기할 때는 정상(正常)이나 밖에 나가서는 입을 열지 않는 아이로, 이것을 선택성 또는 장면(場面) 함묵아라 일컬음. 원인은 분명치 않으나 정신 요법을 필요로 함.

함묵-증【緘默症】 명 『의』 언어(言語)에 나타나는 거절증(拒絶症)의 증세(症勢). 정신 분열병(精神分裂病)에 가끔 나타나는 정신 운동 장애(障礙)의 하나. 입을 꼭 다물고 말을 전혀 하지 아니하는 상태. 함구증. *거식증(拒食症)·거절증(拒絶症)·자폐증(自閉症).

함미[1]【鹹味】 명 짠 맛.

함:미[2]【艦尾】 명 군함의 고물. ↔함수(艦首).

함:미-포【艦尾砲】 명 『군』 군함의 뒤 끝에 장치한 대포(大砲). 흔히, 속사포(速射砲)를 장치함. ↔함수포(艦首砲).

함밀-당【含蜜糖】 [一땅] 명 백하당(白下糖)·적사탕(赤砂糖)·흑사탕(黑砂糖) 등의 총칭.

함밀-병【餡蜜餠】 명 시루떡의 한 가지.

함바기 명 『식』 [*Stephania japonica*] 새모래덩굴과에 속하는 낙엽 활엽 만목(蔓木). 잎은 호생하고 방패 모양의 넓은 달걀꼴이며 엽병(葉柄)이 길고 가에 톱니가 없음. 여름에 잘고 엷은 녹색의 꽃이 자웅 동가(雌雄同家)의 복산형(複繖形)꽃차례로 액생(腋生)하여 피고 핵과(核果)는 조금 둥글며, 종자는 환상(環狀)인데 가을에 흑색으로 익음. 해변의 산록에 나는데, 제주도·일본·대만·중국·필리핀·인도에 분포함. 줄기로 광주리 등을 만듦.

〈함바기〉

함박[1] 명 ↗함지박.
[함박 시키면 바가지 시키고 바가지 시키면 쪽박 시킨다] 윗사람이 아랫사람에게 일을 시키면, 그 사람은 또 그 아랫사람에게 일을 시킨다는 말.

함박[2] 명 『식』 ↗함박꽃.

함박곳불휘 명 〈옛〉 함박꽃 뿌리. ¶함박곳 불휘(白芍)《方藥 9》.

함박-꽃 명 『식』 ①함박꽃나무의 꽃. ②작약(芍藥)의 꽃. 작약화(芍藥花). 준함박.

함박꽃-나무 명 『식』 [*Magnolia sieboldii*] 목련과에 속하는 낙엽 활엽의 교목. 잎은 호생하고 타원형 또는 거꿀달걀꼴의 긴 타원형에 두꺼운 막질(膜質)이며, 상면(上面)은 반들하고 하면(下面)은 백록색을 띰. 5-6월에 향기 있는 백색의 큰 꽃이 아래 또는 옆으로 향해 피는데, 화판(花瓣)은 보통 6개 또는 9개이고 수술이 담홍색이므로 아름다움. 골돌과(蓇葖果)의 과총(果叢)은 길이 3-6cm이며, 9월에 익음. 깊은 산의 산중턱이나 골짜기에 나는데, 함북을 제외한 한국 각지 및 일본·중국에 분포함. 관상용으로 재배함. 산목련(山木蓮).

〈함박꽃나무〉

함박-눈 명 함박꽃송이처럼 굵고 탐스럽게 많이 오는 눈. ↔가루눈.

함박-덕【咸朴德】 명 『지』 함경 북도 성진시(城津市)와 함경 남도 단천군(端川郡) 사이에 있는 산. [1,359 m]

함박-만하다 형 여불 뚫린 구멍이 함지박만큼 크다. ¶좋아서 입이 함박만하게 벌어지더군.

함박 삭모【一槊毛】 명 말의 머리를 꾸미는 삭모. 붉은 물을 들인 털로 함박꽃송이처럼 탐스럽게 만듦.

함박-살 명 〈방〉 허벅살.

함박-송이 명 ①함박꽃의 송이. ②더부룩한 술삭모.

함박-조개 명 『조개』 [*Mactra sachalinensis*] 개량조갯과에 속하는 바닷물조개. 패각(貝殼)의 길이 95 mm, 폭 53 mm 가량이고, 표면은 백색에 더러운 황갈색의 더께가 있는 쌍패류(雙貝類)의 하나로 함지박 모양임. 6-7월에 산란하고, 강(江) 어귀의 수심(水深) 10 m 가량 되는 모래땅에 서식하는데, 한국 동해안·남해 및 홋카이도·일본에 분포함. 겨울부터 봄에 걸쳐 잡는데, 살이 많고 맛이 좋아서 통조림 등을 만들고 식용함.

〈함박조개〉

함백-산【咸白山】 명 『지』 강원도 삼척군(三陟郡) 상장면(上長面)과 정선군(旌善郡) 동면(東面) 사이에 있는 산. [1,573 m]

함백-선【咸白線】 명 『지』 강원도 정선군(旌善郡) 신동읍(新東邑) 예미(禮美)에서 함백(咸白)에 이르는 철도. 1957년 3월 9일 개통. [5.2 km]

함백 탄:광【咸白炭鑛】 명 『지』 강원도 정선군(旌善郡) 신동읍(新東邑)에 있는 무연탄광. 함백선의 개통으로 개발이 촉진되었음.

함:-보【函褓】 [一뽀] 명 함을 싸는 보자기.

함복-상어 명 『어』 괭이상어.

함봉【緘封】 명 편지 따위의 겉봉을 봉함. ¶입을 ～하다. ――-하다 타 「여불

함부로 부 ①생각함이 없이 마구. 사리를 분별하지 아니하고. ¶～ 말하다/침을 ～ 뱉다. ②정도에 지나치게 되는 대로. 이것 저것 닥치는 대로. ¶일을 ～ 하다. ③버릇없이. ¶～ 까불다.

함부로-덤부로 부 '함부로'를 강조하여 쓰는 말.

함부루 부 〈방〉 함부로.

함부르크 〔Hamburg〕 명 『지』 독일 북서부 엘베 강(Elbe江) 하류에 있는 무역항. 강어귀의 쿡스하펜(Cuxhaven)을 보조항(補助港)으로 함. 조선업(造船業) 외에 수입 원료의 가공업이 성함. 엘베 강 횡단 터널과 근교(近郊)의 하겐벡 동물원은 유명함. 시(市)는 아름다운 정원 도시(庭園都市)임. 1241년 뤼벡과 방위 동맹(防衛同盟)을 체결하여 한자 동맹(Hansa同盟)의 기초를 이루었음. [1,571,267명(1987)]

함부르크-종【一種】 〔hamburg〕 명 닭의 난용종(卵用種)의 하나. 독일 원산(原產)인데 영국에서 개량한 것임. 몸은 작고 아름다움.

함북【咸北】 명 『지』 ↗함경 북도.

함북-선【咸北線】 명 『지』 함경 북도 고무산(古茂山)과 무산(茂山) 간의 철도. 무산 철산 개발의 촉진에 기여하는 바 큼. [60.4 km]

함북 탄:전【咸北炭田】 명 『지』 함경 북도 회령(會寧)에서 웅기(雄基) 부근에 이르는 두만강 연안에 산재하는 탄전. 석탄은 갈탄(褐炭)이며, 매장량은 290,000,000 t 임. 전국 갈탄 총매장량의 60 %에 해당하며, 그 중심부는 회령 및 아오지(阿吾地) 지방임. 그 중 회령군의 회령·봉의(鳳儀)·유선(遊仙)·궁심(弓心)·계림(鷄林), 온성군(穩城郡)의 훈융(訓戎), 경원군의 승량(承良)·고건원(古乾原), 경흥군(慶興郡)의 아오지·청학(靑鶴) 등의 탄광이 중요함.

함분【含憤】 명 분한 마음을 품음. ――-하다 자 여불

함분 축원【含憤蓄怨】 명 분함과 원망을 품음.

함-빙정【含氷晶】 명 〔cryohydrate〕 『화』 공정 혼합물(共晶混合物)의 하나. 물과 염류(塩類)를 혼합한 그 성분계(成分系)를 냉각시켜서 빙정점(氷晶點)에 달하면, 용액 중에 염류 결정(塩類結晶)과 얼음이 일정한 비례로 동시에 석출(析出)되어 나옴. 빙정(氷晶). *빙정점(氷晶點).

함빡 부 ①모자람이 없이 아주 넉넉하게. 꽉 차고도 남도록 흡족하게. ②흐뭇이 온통. 에누리 없이 죄다. ¶비를 ～ 맞았다. 1)·2): <흠뻑.

함사[1]【含沙】 명 『충』 물여우.

함사[2]【緘辭】 명 『역』 관(官)의 신문을 받는 경우에 직접 출두하지 않고 서면으로 내는 진술서(陳述書). 함답(緘答).

함사-역【含沙蜮】 명 〔중국 남쪽에 있다고 전하는 괴물(怪物). 모래를 머금고 사람의 그림자를 쏘면 그 사람은 영락없이 병이 나서 죽는다는 전설에서 나온 말〕 소인이 음험(陰險)한 수단으로 남을 해치는 것을 가리키는 말.

함:상【艦上】 명 군함의 위.

함:상-기【艦上機】 명 『군』 함재기(艦載機).

함서【緘書】 명 봉서(封書).

함석 명 〔근대 : 함셕〕 ①『광』 아연(亞鉛). ②겉에 아연을 올린 양철. 지붕을 이거나 양동이·대야 등을 만드는 데 씀. 아연철(亞鉛鐵). 백철(白鐵). 토탄판(板). 토탄. ¶～ 지붕. *서양철.

함석-공【一工】 명 주로 금속판·함석·양철 등을 다루는 기능공. 함석장이. 양철공(洋鐵工).

함석-꽃 명 놋쇠를 녹일 때에 도가니에서 연기 비슷한 기운이 나가서 굴뚝 같은 데 서려 붙은 물건. 약으로 씀. 연화분(鉛華粉).

함석-담 명 함석판(板)으로 두른 담.

함석 도:금【一鍍金】 명 아연(亞鉛) 도금.

함석-장이【一匠一】 명 함석공.

함석 지붕 명 함석으로 인 지붕.

함석-집 명 함석으로 지붕을 인 집.

함석-철【一鐵】 명 함석으로 된 철판.

함석-판【一板】 명 함석으로 된 판.

함-석헌【咸錫憲】 명 『사람』 사상가·사회 운동가. 평안 북도 용천(龍川) 출생. 평양 고등 보통 학교를 졸업하고 도일(渡日), 1928년 도쿄 고등 사범 학교 문과를 졸업. 10년간 오산(五山) 중학 교사를 지냈고, 1960년 잡지 사상계(思想界)와 관련된 필화 사건으로 44일간 단식, 자유당 정권과 다투었으며, 5·16군사 혁명 후에는 종교인으로서 사회 운동에 참여. 70년 월간(月刊) '씨알의 소리'를 창간, 사회 개혁을 위한 숱한 글을 썼음. 제1회 인촌상(仁村賞) 수상. 저서에 《뜻으로 본 한국 역사》·《인간 혁명》·《죽을 때까지 이 걸음으로》·《역사와 민족》 등 다수. [1901-1989]

함:선【艦船】 명 ①군함(軍艦)과 선박(船舶). ②함정(艦艇)과 특무 함정(特務艦艇) 등의 총칭.

함:성[1]【陷城】 명 성(城)을 쳐서 함락함. ――-하다 자 여불

함:성[2]【喊聲】 명 여러 사람이 함께 지르는 고함(高喊) 소리. ¶～을 지르다.

함성-절【咸成節】 명 『역』 고려 신종(神宗) 때, 임금의 탄일(誕日)을 기념하여 정한 명일.

함-세(:)덕【咸世德】 명 『사람』 극작가. 경기도 강화(江華) 출생. 선린(善隣) 상업 학교 졸업. 유치진(柳致眞)의 지도를 받아 희곡을 쓰기 시작하여 1936년 《산허구리》로 문단에 등장. 《해연(海燕)》·《동승(童僧)》 등 서정미 있는 작품을 발표했으며, 해방 후 경향성(傾向性)의 작품을 쓰기 시작함. 월북하여 인민군 종군 작가로 참전하여 폭사(爆死)함. [1915-50]

함셈 어:족【一語族】 명 『언』 〔Hamito-Semitic language〕 아라비아 반도에서 북아프리카에 걸친 지역에서 함어와 셈어를 사용하는 어족. 함

어에는 이집트어·베르베르어 등이 포함되고 셈어에는 헤브루어·아라비아어·에티오피아어 등이 포함됨. 셈함 어족.

함소【含笑】명 ①웃음을 머금음. 웃는 빛을 띰. ②꽃이 피기 시작함. ——-하다 자여불

함:-속【函—】명 함 속에 넣는 물건.

함수[1]【含水】명 물을 포함함.

함수[2]【含羞】명 부끄러운 기색을 띰. ——-하다 자여불

함수[3]【含漱】명 양치질을 함. ——-하다 자여불

함:수[4]【函數】[—쑤] 명 〔function〕『수』근세 수학에 있어서의 기초적 중심 개념의 하나. 두 개의 변수(變數) x와 y사이에서 한쪽 변수 x가 어떤 정해진 값을 가질 때 다른 쪽의 변수 곧 y의 값이 이에 대응하여 정해지는 경우에 이 두 변수 사이에 있는 관계 또는 전자(前者)에 대한 후자의 일컬음. 변수 y가 변수 x의 함수인 것을 나타내는 기호(記號)로서 $y=f(x)$, $y=g(x)$ 등이 쓰임. 함수의 형태에는 여러 가지가 있음. 따름수.

함수[5]【鹹水】명 ①짠물. ②바닷물. 1)·2): ↔담수(淡水).

함:수[6]【艦首】명 군함의 이물. ↔함미(艦尾).

함수 결정【含水結晶】[—쩡] 명『화』물을 함유하고 있는 결정.

함:수 공간【函數空間】[—쑤—] 명 〔function space〕『수』일정(一定)한 구간(區間)에서 정의(定義)된 연속 함수 전체의 집합. 이 집합의 원(元)에 대하여 합(合)과 상수배(常數倍)를 다음과 같이 정의할 수 있음. $(f+g)(x)=f(x)+g(x)$, $(af)(x)=a(f(x))$. 또, 다변수(多變數) 함수를 원으로 하는 것도 생각할 수 있으며 또한 보다 일반화하여 하나의 집합으로부터 다른 집합으로의 어떤 종류의 사상(寫像) 전체의 집합을 말할 수도 있음.

함:수 관계【函數關係】[—쑤—] 명『수』두 개의 양(量) 사이의 관계의 하나. 한쪽 양이 다른 쪽 양의 함수가 되어 있을 때 이 두 개의 양의 관계를 말함.

함:수 눈금【函數—】[—쑤—끔] 명『수』하나의 함수 $f(x)$가 있을 때, 수직선(垂直線) 위에서 그 좌표가 $f(x)$인 점에 x의 값을 나타내는 눈금. 함수자의 눈금.

함수-량【含水量】명 〔water content〕 눈 또는 토양 시료(試料) 속에 있는 수분(水分)의 양. 보통, 중량(重量) 퍼센트로 나타냄.

함:수-론【函數論】[—쑤—] 명『수』수학의 한 분과. 복소 변수(複素變數)의 복소 수치 함수를 연구(研究) 대상으로 함. 19세기 프랑스의 코시(Cauchy), 독일의 리만(Riemann) 등에 의하여 창시됨. 복소 해석. 복소수 함수론.

함:수 모눈종이【函數—】[—쑤—] 명『수』세로축(軸)과 가로축의 양쪽 또는 한쪽에 함수 눈금을 그린 모눈종이. 로그(log) 모눈종이, 사인 로그(sine log) 모눈종이, 확률 모눈종이 따위가 있음.

함:수 방안지【函數方眼紙】[—쑤—] 명『수』'함수 모눈종이'의 구용어.

함:수 방정식【函數方程式】[—쑤—] 명『수』미지(未知) 함수를 포함하는 방정식.

함수 산화철【含水酸化鐵】명『화』갈철(褐鐵).

함수-약【含漱藥】명 함수제(含漱劑).

함수-어【鹹水魚】명 염분이 많은 물 속에 사는 고기. 바닷물고기. 짠물고기. 해어(海魚). ↔담수어(淡水魚).

함수 어업【鹹水漁業】명 염분(塩分)을 포함한 수역(水域)을 대상으로 하는 어업.

함수 요법【含嗽療法】[—뻡] 명『의』온천 요법의 한 가지. 여러 가지 화학 성분이 들어 있는 온천물로 양치질하는 치료법. 구내염(口內炎)이나 인후염(咽喉炎) 환자에 응용됨.

함수-율【含水率】명 물을 머금은 비율.

함:수의 그래프【函數—】〔graph〕[—쑤—/—쑤에—] 명『수』함수의 도표에 의한 표현. 함수 $y=f(x)$에 대하여 평면상에 x, $f(x)$라는 모양의 좌표를 가진 점(點) 전체의 집합.

함:수의 극한【函數—極限】[—쑤—/—쑤에—] 명『수』함수$f(x)$에 있어서 변수 x의 값이 한없이 일정한 값에 가까워졌을 때 거기에 따라 $f(x)$의 무한히 가까워지는 값.

함:수-자【函數—】[—쑤—] 명『수』자의 하나. 하나의 함수 $f(x)$가 있을 때, 수직선상(數直線上)의 좌표가 $f(x)$가 되는 점에 x의 눈금을 매긴 것. 특히, $f(x)$가 x^2일 때는 제곱자, $\log x$일 때는 로그(log)자라고 함. 수치 계산이나 계산 도표 작성에 쓰임.

함수-제【含漱劑】명『약』입안이나 목구멍의 세균의 발육을 막고 또 염증(炎症)을 치료하는 데 쓰는 약제. 수렴성(收斂性)과 방부성(防腐性)이 있음. 붕산수(硼酸水)·염소산 칼륨의 용액·과산화 수소수·중조수(重曹水) 등의 용액 같은 것. 함수약.

함:수-족【函數族】[—쑤—] 명『수』함수를 원(元)으로 하는 집합.

함:수-척【函數尺】[—쑤—] 명『수』'함수자'의 구용어.

함수-초【含羞草】명『식』미모사(mimosa).

함수-층【含水層】명 물이 밑으로 새어 내려가지 않고 함유되어 있는 지층.

함수 탄:소【含水炭素】명『화』탄수화물(炭水化物).

함:수-포【艦首砲】명『군』군함의 뱃머리에 장치한 대포(大砲). ↔함미포(艦尾砲).

함수 포도당【含水葡萄糖】명『화』해독(解毒)·항독제(抗毒劑) 등으로 쓰이는 당류(糖類)의 하나. 영양적 강심(強心)·혈압 증진·간글리코겐(肝 glykogen)의 축적 방지·이뇨(利尿) 등에 효력이 큼. 무색·무취의 결정체 또는 백색의 결정성, 혹은 과립상(顆粒狀) 분말로 맛은 닮. 조제 포도당은 과자·합성주(合成酒) 등의 원료가 되며, 60°C에서는 풍화(風化)함.

함수 폭약【含水爆藥】명 슬러리(slurry) 폭약.

함:수-표【函數表】[—쑤—] 명『수』한 가지나 또는 몇 가지의 함수에 관하여 그 독립 변수(獨立變數)의 여러 가지의 값에 대한 함수의 값을 열기(列記)하여 실지 계산에 쓰도록 만든 표. 로그표·삼각표(三角表) 같은 것.

함:수 해:석학【函數解析學】[—쑤—] 명『수』위상(位相) 해석학.

함수 헤르니아【含水—】〔Hernia〕명『의』고환(睾丸)과 이를 싸고 있는 막(膜) 사이에 물이 괴는 질환. 흔히, 고환이나 부고환(副睾丸)의 병이 원인임. 음낭 수종(陰囊水腫).

함수-호【鹹水湖】명 〔salt lake〕『지』염분(塩分)이 많이 들어 있어 맛이 짠 호수. 강우량(降雨量)이 적은 건조한 지방에 많이 있는데, 흔히 물이 흘러 나가는 출구(出口)가 없음. 카스피 해·사해(死海) 같은 것. 염호(塩湖). 짠물 호수. 준함호(鹹湖). ↔담수호(淡水湖). *반함수호.

함수 화합물【含水化合物】명『화』수화물(水化物).

함순〔Hamsun, Knut〕명『사람』노르웨이의 소설가(小說家). 소설≪기아(飢餓)≫로 인정받아, 신낭만주의의 대표자로 등장(登場), 강렬한 작풍(作風) 및 개아(個我)의 강조가 특색으로 1920년 ≪흙의 혜택≫으로 노벨 문학상을 받았음. 국민 작가로서 존경을 받았으나 그의 농본주의적(農本主義的) 경향과 영미 자본주의에 대한 반발(反撥)로 나치스에 동조(同調)하여, 제2차 세계 대전 후 전범(戰犯)으로서 재판을 받음. [1859-1952]

함:실 명 부넘기가 없이 불길이 곧바로 고래로 들어가게 된 아궁이.

함:실 구들 [—꾸—] 명 함실로 된 구들.

함:실-방【—房】[—빵] 명 함실 구들을 놓은 방.

함:실 아궁이 명 함실로 된 아궁이.

함실-장 [—짱] 명 함실 아궁이 위에 놓는 두껍고 넓적한 구들장.

함:실-코 명 코가 두려빠져서 입천장과 맞뚫린 코.

함실-함실 부 삶은 물건이 푹 익어서 물크러질 정도로 된 모양. <흠실흠실. ——-하다 형여불

함싹 부 〈방〉함씬.

함씨[1] 명 〈방〉할머니(전남).

함씨[2]【咸氏】명 남의 조카의 경칭. 영질(令姪).

함씬 부 정도가 꽉 차고도 남을 만큼 넉넉하게. ¶～ 무르다. <흠씬.

함씬-함씬 부 ①매우 함씬. ②각각 모두 다 함씬. 1)·2) <흠씬흠씬.

함안【咸安】명『지』경상 남도 함안군의 한 면(面)으로 옛 군청 소재지. 군의 남부에 위치하는 지방 중심지임. [4,129명(1996)]

함안 광:산【咸安鑛山】명『지』경상 남도 함안군에 있는 구리 광산(鑛山). 전기석 동맥(電氣石銅脈)과 전기석을 함유하지 않은 함황동 광맥(含黃銅鑛脈)이 있음.

함안-군【咸安郡】명『지』경상 남도의 한 군. 관내 1읍 9면. 도의 중남부에 있으며 북은 창녕군(昌寧郡)과 의령군(宜寧郡), 동은 창원시(昌原市), 남은 마산시와 진주시(晋州市), 서는 의령군과 진주시에 인접함. 기후는 온난하고 우량이 많음. 진주선(晋州線)이 중앙을 통과하며, 농산과 축산 및 광산(鑛產)이 풍부함. 명승 고적(名勝古蹟)으로는 장춘사(長春寺)·원효암(元曉庵)·삼봉산성지(三峰山城址)·가야 고분(伽倻古墳)·고려 석견(高麗石犬)·불탑(佛塔) 등이 있음. 군청 소재지는 가야읍(伽倻邑). [416.74km²: 67,867명(1996)]

함안 분지【咸安盆地】명『지』경상 남도 남부 마산(馬山)과 진주(晋州) 사이에 있는 분지. 중심지 가야(伽倻)는 진주선(晋州線)의 요역이며, 부근 농산물의 집산지임.

함양[1]【咸陽】명『지』경상 남도 함양군의 군청 소재지. 군의 중앙에 위치하는 읍(邑)으로 군내(郡內) 물산의 집산지임. [19,780명(1996)]

함양[2]【咸陽】명『지』'셴양'을 우리 음으로 읽은 이름.

함양[3]【涵養】명 ①서서히 양성(養成)함. 저절로 물드는 것같이 차차 길러 냄. 함육(涵育). ¶민족 정신을 ～하다. ②학문과 식견을 넓히어서 심성(心性)을 닦음. 함육(涵育). ¶도덕심을 ～하다. ③〔recharge〕『물』포화대(飽和帶)에 물을 보급하는 여러 과정(過程). ——-하다 타여불

함:양[4]【檻羊】명 우리 안에 갇힌 양이란 뜻으로 자유롭지 못함의 비유.

함양-군【咸陽郡】명『지』경상 남도의 한 군. 관내 1읍 10면. 도의 서부에 위치하며 북은 거창군(居昌郡), 동은 거창군과 산청군(山淸郡), 남은 산청군과 하동군(河東郡), 서는 전라 북도 남원시(南原市)와 장수군(長水郡)에 인접함. 산지(山地)에 위치하여, 산지의 초지(草地)를 이용(利用)한 소 등의 축산과 임산·농산 등이 있음. 명승 고적(名勝古蹟)으로는 상림(上林)·용추사(龍湫寺)와 용추 폭포·벽송사(碧松寺)·농월정(弄月亭)·거연정(居然亭)·사근 산성(沙斤山城)·남계 서원(藍溪書院) 등이 있음. 군청 소재지는 함양읍(邑). [724.95km²: 51,111명(1996)]

함양-량【涵養量】[—냥] 명『물』포화대(飽和帶)에 합류(合流)하거나 흡수되거나 하는 물의 양(量).

함양-징【咸陽—】명 경상 남도 함양(咸陽)에서 생산되는 징.

함양 훈도【涵養薰陶】명 사람을 교도(教導)하여 재덕을 이루게 함.

함어【鹹魚】명 소금에 절인 어물(魚物).

함-어족【—語族】명 〔Hamitic languages〕『언』고대 이집트어 및 콥트어, 북아프리카의 베르베르어 및 리비아어, 에티오피아어를 중심으로 하여 그 주변에 분포하는 쿠시 제어(諸語) 등을 통틀어 일컫는 말. 근년에는 여기에 하우사어(語)가 대표격인 차드 제어(諸語)가 포함되기도 함.

함열【咸悅】명『지』전라 북도 익산시(益山市)의 한 읍(邑). 시의 중서부에 위치함. [10,858명(1996)]

함영[1]【咸營】명『역』북영(北營)❸.

함영[2]【涵泳】명 무자맥질.

함:영[3]【艦影】명 군함의 모습.

함옥【含玉】명 물리개.

함우【銜—】[명]〈방〉하무.
함원【含怨】[명] 원한을 품음. ¶일부(一婦) ~. ——-하다 [자][여불]
함유[1]【含有】[명] 물질이 어떤 성분(成分)을 포함하고 있음. ¶~ 성분. ——-하다 [타][여불]
함유[2]【含油】[명] 석유를 함유(含有)함. ——-하다 [자][여불]
함유-량【含有量】[명] 함유하고 있는 분량. [준]함량(含量).
함유-율【含油率】[명] 기름을 함유(含有)하는 비율.
함유 셰일【含油—】〔shale〕[명]〖광〗석유 혈암(石油頁岩). 유모 혈암(油母頁岩). 함유 혈암. 오일 셰일. 유혈암.
함유-층【含油層】[명]〖광〗석유를 함유하고 있는 지층(地層). 대략 제삼기(第三紀)의 해성 수성암(海成水成岩)인데 사암(砂岩) 또는 응회질 사암(凝灰質砂岩)으로 이루어지고 셰일(shale)에 덮여 있음.
함유 혈암【含油頁岩】[명]〖광〗석유 혈암(石油頁岩).
함육【涵育】[명] 함양(涵養)❶❷. ——-하다 [타][여불]
함음【酣飮】[명] 감음(酣飮). ——-하다 [타][여불]
함읍【銜泣】[명] 소리를 내지 아니하고 욺. ——-하다 [자][여불]
함인【含忍】[명] 마음 속에 눌러 두어 참고 견딤. ——-하다 [타][여불]
함:입【陷入】[명] ①빠져 들어감. ②〖생〗표면에 위치하고 있는 세포층(細胞層)의 일부가 안쪽으로 빠져 들어가서 거기에 새로운 층을 만드는 현상. ——-하다 [자][여불]
함:입-문【陷入吻】[명]〔introvert〕〖동〗동물체(動物體)의 앞쪽에 입을 싸고 있는 부분이, 몸의 안팎으로 출입할 수 있게 된 구조(構造). 별벌레 등에서 볼 수 있음.
함자[1] [명]〈방〉혼자(황해·평북·경남).
함자[2]【銜字】〔—짜〕[명] 남의 이름을 한문투로 높여 일컫는 말. ¶~를 말씀해 주십시오.
함:장[1]【函丈】[명] 스승.
함:장[2]【艦長】[명] 군함(軍艦)의 우두머리. 승무원(乘務員)을 지휘 통솔함. 캡틴(captain).
함:장[3]【艦檣】[명] 군함의 돛대.
함장-장【含章章】〔—짱〕[명]〖악〗악장(樂章)의 이름.
함:재【艦載】[명] 군함에 실음. ——-하다 [타][여불]
함:재-기【艦載機】[명]〖군〗항공 모함 이외의 함정에 적재하여, 캐터펄트로 발함(發艦)하는 항공기의 총칭. 항공 모함에 적재되는 함상기(艦上機)도 포함하여 일컫기도 함. 함상기(艦上機).
함:재기-대【艦載機隊】[명]〖군〗함재기로써 편성된 항공 부대.
함-재(:)운【咸在韻】[명]〖사람〗국악인(國樂人). 자는 치관(致寬), 호는 겸와(謙窩). 서울 출신. 어려서 거문고를 배워 일가(一家)를 이룸. 악리(樂理)와 궁중 연례(宮中宴禮)에 밝았으며, 구한문보(舊漢文譜)를 현행 음조(音調)로 번역함. 아악사장(雅樂師長)으로 재직(在職)중 세상을 떠남. [1854-1916]
함:적【艦籍】[명] 군함이 소속하는 적(籍).
함점 [명]〈방〉함혐(含嫌). ——-하다 [타][여불]
함:정[1]【陷穽·檻穽】[명] ①짐승을 잡기 위하여 파놓은 구덩이. 허방다리. 허정(虛穽). ¶~을 만들다. ②빠져 나올 수 없는 곤경이나 남을 해치기 위한 계략의 비유. ¶~에 빠지다.
함:정에 든 범: [구] 마지막 운명(運命)만 기다리는 처지(處地)의 비유(比喩). ¶저 여인 궤문닫고 쇠 채우니 함정에 든 범이요, 우물에 든 고기로다《裵裨將傳》.
함:정에서 뛰어나온 범: [구] 매우 위급한 궁지에서 빠져나와 다시 살게 된 경우.
함:정[2]【艦艇】[명] 전함·구축함·잠수함·어뢰정·구잠정(驅潛艇)·소해정(掃海艇) 등의 총칭.
함:정 사냥【陷穽—】[명] 길목에 만든 허방다리에 빠지게 해서 짐승을 사로잡는 방법.
함:정 수사【陷穽搜査】[명] 범죄 수사 당국이 함정을 만들어 놓고, 거기에 빠져든 범인을 검거하는 수사 방법. ＊유도 신문.
함정 [명]〈옛〉함정. ¶함정 정(穽)《字會 中 9》.
함-족【—族】〔Ham〕[명] 노아(Noah)의 아들 함(Ham)의 자손(子孫)이라고 전하여지는 민족. 셈족·아리안족과 더불어 유럽 삼대 인종(三大人種)의 하나. 아프리카의 동부·북부에 사는 에티오피아인 등은 이에 속함. ＊셈족(Sem族).
함종-률【咸從栗】〔—뉼〕[명] 평안 남도 강서군(江西郡) 함종(咸從) 지방에서 나는 약밤나무의 열매. 껍데기와 보늬가 얇고 맛이 퍽 닮. 평양률(平壤栗)이라고도 함.
함종-약밤나무【咸從藥—】[명]〖식〗평안 남도의 낮은 지대와 중간 지대에 퍼진 밤나무로 밤알이 썩 작은 늦품종인데 나무도 더디 자람. 밤은 함종률 또는 평양률(平壤栗)이라 하며 맛이 매우 좋음.
함주 [명]〖광〗〈방〉함지[1]❸.
함주-군【咸州郡】[명]〖지〗함경 남도의 한 군. 관내 14면. 도의 중남부에 위치하며 북은 신흥군(新興郡)과 장진군(長津郡), 동은 홍원군(洪原郡)과 동해, 남은 정평군(定平郡)과 동해, 서는 평안 남도 영원군(寧遠郡)과 정평군에 인접함. 수륙 교통이 모두 편리하며, 주요 산물로는 쌀·조·콩·피·채소·사과·고치 등의 농산과 소·돼지 등의 축산, 명태·청어·정어리 등의 수산 및 금광이 있음. 명승 고적은 이 태조(李太祖)의 출신지로 본궁(本宮)·정화릉(定和陵)·의릉(義陵)·경흥전(慶興殿)·이태조 전승비(戰勝碑) 등과 덕산성(德山城)·서천 마고성(西川麻姑城)·귀주사(歸州寺)·용흥사(龍興寺)·광흥사(廣興寺)·진흥왕의 황초령 순수비(眞興王黃草嶺巡狩碑) 등이 있음. 군청 소재지는 함흥시(咸興市). [1,450 km^2]
함주-질 [명]〈방〉함지질. ——-하다 [자]
함주질-꾼 [명]〈방〉함지질꾼.
함주-탕 [명]〈방〉함지탕.
함:중【陷中】[명] 망인(亡人)의 성명·별호·관직 등을 기록하기 위하여 신주(神主) 뒤쪽의 전면(前面)을 직사각형으로 우묵하게 깎아 파낸 부분.
함중-교【含中敎】[명]〖불교〗천태(天台) 4교 가운데 '통교(通敎)'를 이르는 말. 통교는 중도(中道)의 이치를 포함하고 있다 하여 하는 말임.
함지[1] [명] ①나무로 네모지게 짜서 만든 그릇. 운두가 좀 높으며 밑은 좁고 위가 넓음. ②↗함지박. ③〖광〗복새나 감흙을 물에 일어서 금을 잡는 그릇. 모양이 함지박 비슷함.

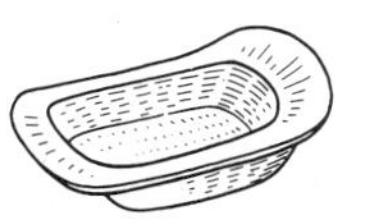
〈함지[1]❶〉

함지[2]【咸池】[명] ①해가 진다고 하는 큰 못. ②중국 요(堯)임금 때의 음악의 이름. ③오곡(五穀)을 주관하는 별 이름. ④천신(天神).
함:지[3]【陷地】[명] 평지보다 움푹 꺼져 들어간 땅.
함지-령【咸指嶺】[명]〖지〗함경 남도 고원군(高原郡) 운곡면(雲谷面)과 평안 남도 양덕군(陽德郡) 오강면(五江面) 사이에 위치(位置)하고 있는 산. [1,116 m]
함지-박 [명] 통나무의 속을 파서, 전이 없이 큰 바가지같이 만든 그릇. 귀와 전이 달린 것도 있음. 함지[1]. [준]함박.
함지-밭 [명]〈방〉함지(陷地)(평북).
함:지 사:지【陷之死地】[명] 아주 위험(危險)한 곳에 빠뜨림. ——-하다 [타][여불]
함지-질 [명]〖광〗함지로 복새나 감흙을 일어서 금을 잡는 짓. ——-하다 [자][여불]
함지질-꾼 [명]〖광〗함지질을 하는 일꾼.
함지-탕 [명]〖광〗방아로 쇳돌을 빻아서 함지로 인 복대기.
함:진-아비【函—】[명] 혼인 전날 밤에나 혼인날 신랑측에서 신부측에 보내는 함을 지고 가는 사람.
함질 황산【含窒黃酸】[명]〖화〗질산식 황산 제조법(窒酸式黃酸製造法) 중 게이뤼삭탑(Gay-Lussac塔)으로부터 배출되어 순환하는 질소 산화물을 흡수한 진한 황산.
함쪽 [부]〈방〉함씬.
함:차[1]【檻車】[명] 함거(檻車).
함차[2] [부]〈방〉혼자(황해).
함찰[1]【咸察】[명]〖역〗함경 남도 관찰사(觀察使)를 줄여 이르는 말.
함찰[2]【緘札】[명] 봉한 편지. 함서(緘書). 봉서(封書).
함창[1]【咸昌】[명]〖지〗경상 북도 상주시(尙州市)의 한 읍(邑). 시의 동북경(東北境)에 가깝고 경북선(慶北線)에 연한 분지의 중심으로 농산물의 집산지이고, 재래식의 인견 직조(人絹織造)로 이름이 있음. 1914년 전까지는 구함창군의 군청 소재지였음. 증촌리(曾村里)에는 보물로 지정된 석불 입상(石佛立像)·석불 좌상·삼층 석탑(石塔) 등이 있으며, 부근 명승지로는 황령산(黃嶺山)·속리산(俗離山)·함녕루(咸寧樓) 등이 있음. [10,647명(1996)]
함:창[2]【檻倉】[명] 감옥. 영창.
함창 광:산【咸昌鑛山】[명]〖지〗경상 북도 상주시(尙州市) 모서면(牟西面)에 있는 토상 흑연 광산(土狀黑鉛鑛山). 1909년에 개광하였음.
함채【鹹菜】[명] 소금에 절인 채소.
함:척【函尺】[명]〖토〗수준 측량(水準測量)을 할 때, 시준선(視準線)을 재는 자. 나무나 쇠붙이로 만드는데, 길이는 약 2-5 m 가량임.
함천【鹹泉】[명] 짠물 샘.
함철【含鐵】[명] 철을 함유함. ——-하다 [자][여불]
함철-률【含鐵率】[명] 철을 함유하고 있는 비율.
함초롬-하다 [형][여불] 가지런하고 곱다. 차분하고 고르다. ¶털이 함초롬한 말. 함초롬-히 [부]. ¶~ 이마를 적시고 있는 송이땀을 씻어 주고 싶은 충동을 억제하고 있었다《朴花城 : 고개를 넘으면》.
함축【含蓄】[명] ①깊이 간직하여 드러나지 아니함. 마음속 깊이 품고서 쌓아 둠. ②내용이 풍부함. 의미가 심장(深長)함. ¶~성 있는 내용. ——-하다 [타][여불]
함축-미【含蓄美】[명] 겉에 드러내지 아니하고 속에 지니고 있는 아름다움.
함축-성【含蓄性】[명] 말이나 글 중에 어떤 뜻이 함축되어 있는 성질(性質). ¶~ 있게 말하다.
함축-적【含蓄的】[명][관]〔implicit〕①어떤 내용이나 요소를 함축하고 있는 모양. ②〖철〗신학(神學)에서의 주요 개념(主要槪念)의 하나. 어떤 요소(要素)나 성질(性質)이 존재(存在)나 개념 속에 함축되어 있는 것. 이러한 존재의 전개(展開)나 또는 개념의 분석(分析)에 의해 비로소 그 성질이나 요소가 현현적(顯現的)으로 됨. ↔현현적.
함춘-원【含春苑】[명] 서울 창경궁(昌慶宮) 동쪽에 있는 동산.
함치르르 [부] 깨끗하고도 윤이 반들반들 나는 모양. ¶~ 윤이 나는 머릿단/물에 빠진 생쥐처럼 ~하게 젖은 규홍이의 얼굴은 그나마도 젖은 머리가 내려 덮쳐서 잘 알아볼 수는 없으나…《李無影 : 三年》. <흠치르르. ——-하다 [형][여불]
함침【含浸】[명]〖화〗다공성(多孔性) 물체에 가스상(gas狀) 또는 액상(液狀) 물질을 침투시켜 그 물체의 특성을 사용 목적에 따라 개선하는 일. 방부(防腐)·방습(防濕)·염색(染色) 및 가연성(可燃性)의 감소, 강성(剛性)의 증대, 유전율(誘電率)의 증가, 절연 내력(絶緣耐力)의 증대 등을 목적으로 함.
함침-제【含浸劑】[명]〖화〗함침에 쓰이는 약제. 포르말린(formalin)·암모늄·파라핀(paraffin)·아스팔트·크레오소트(creosote)·왁스·색소(色素) 등이 있음.
함탁【啗啄】[명] ①알이 깨려고 할 때 어미가 밖에서 껍질을 쪼아 줌. ②〖불교〗종사(宗師)가 학인(學人)을 망상의 껍데기에서 벗어나 깨닫도록 여러 가지 수단을 씀.
함탄【含炭】[명] 석탄을 함유함. ——-하다 [자][여불]
함탄-제【含炭劑】[명] 고체·액체 또는 기체 상태의 탄소(炭素)를 함유하는 물질.
함-태영【咸台永】[명]〖사람〗독립 운동가·정치가·종교인. 함북(咸北) 무산(茂山) 출신. 대한 제국 때 법관 양성소를 나와 한성 재판소 판사로 재직시(在職時) 1898년의 독립 협회 사건에 관련해 이상재(李商在) 등의 무죄를 선고하고 파면당함. 그 후 대심원·복심 법원의 판사를 거쳐 1919년 3·1운동 때 민족 대표 48인의 한 사람으로 3년형을 받고 출옥 후, 평양 신학교를 나와 목사가 됨. 1949년 제2대 심계원장(審計院長), 1952년 부통령에 당선됨. 1962년 건국 공로 훈장(建國功勞勳章) 단장(單章)을 받음. [1873-1963]

함토【含吐】명 혹은 입 속에 넣고 혹은 뱉음. 자유 자재(自由自在)로 출입시킴. ——-하다 자여불

함평【咸平】명〖지〗전라 남도 함평군의 군청 소재지로 읍(邑). 군의 남서부에 위치함. [15,571명(1990)]

함평-군【咸平郡】명〖지〗전라 남도의 한 군. 관내 1읍 8면. 도의 서부에 위치하며 북은 장성군(長城郡)과 영광군(靈光郡), 동은 장성군과 나주군(羅州郡), 남은 나주군과 무안군(務安郡), 서는 바다에 인접함. 기후는 온난 다우(溫暖多雨)임. 주요 산물로는 쌀·보리·콩·팥·목화 등의 농산과 축산·임산 등이 있음. 명승 고적으로는 기산 영수(箕山穎水)·용화사(龍華寺)·약마등(躍馬嶝)·주포(酒浦) 해수욕장 등이 있음. 군청 소재지는 함평(咸平). [387.7 km² : 69,728 명(1990)]

함평 농요【咸平農謠】명〖민〗전라 남도 함평군(咸平郡) 일대에 전승(傳承)되어 오는 농요. 모심기소리·김매기소리 등의 들노래와, 개상치는 소리·도리깨질소리 등 가을 노래로 구성됨.

함평-선【咸平線】명〖지〗호남선 학교역(鶴橋驛)에서 분기(分岐)하여 함평(咸平)에 이르는 단선 철도. 1927년에 전기 궤도(電氣軌道)로 개통하였으나 1963년에 철거됨.

함:포【艦砲】명 군함에 장비한 대포. 주포(主砲)·부포(副砲)·고각포(高角砲) 등의 구별이 있음. ¶~ 사격. ↔지상포(地上砲).

함포 고복【含哺鼓腹】명 잔뜩 먹어서 배를 두드리며 즐김. ——-하다 자여불

함:포 사격【艦砲射擊】명〖군〗함포로 쏘아대는 사격.

함풍【咸豐】명〖역〗중국 청(淸)나라 문종 때의 연호(年號). 서기 1851-1861년.

함하【頷下】명 턱의 밑.

함:-하다【陷—】형여불 ①땅바닥이 우묵하다. ②기운이 까라져 있다.

함하-물【頷下物】명 남이 먹고 남은 물건. 곧, 턱찌끼.

함함【顄頷】명 주림에 견디지 못함. 굶고 주려 어찌 할 바를 모름. ——-하다¹ 형여불. ——-히 부

함함-하다² 형여불 ①털이 부드럽고 번지르르하다. ¶속담에 고슴도치도 제 자식을 ~고 한댔지마는…≪李海朝 : 昭陽亭≫. ②아늑하고 탐스럽다. 함함-히 부

함:해【陷害】명 남을 못된 재해(災害)에 빠뜨림. 남을 모함(謀陷)하여 해를 입힘. ——-하다 타여불

함허 대:사【涵虛大師】명〖사람〗조선 세종(世宗) 때의 고승(高僧). 이름은 수이(守伊), 호는 득통(得通). 21세에 중이 되어 무학 왕사(無學王師)를 스승으로 하여 배움. 저서 ≪반야 설의(般若說誼)≫ 등.

함혐【含嫌】명 ①혐의를 품음. ②염오(厭惡)하는 마음을 먹음. ——-하다 타여불

함:형【艦型】명 군함의 형태.

함호¹【含糊】명 ①입 안에 풀칠한 것처럼, 말을 모호하고 분명치 않게 함. ¶저같이 성심으로 묻는 터에 일향 ~하면 그 성심을 저버림이니…≪作者未詳 : 恨月≫. ②뚜렷한 태도 없이 우물우물하고 결단을 내리지 못함. ——-하다 자여불

함호²【鹹湖】명〖지〗↗함수호(鹹水湖).

함-화진【咸和鎭】명〖사람〗국악인(國樂人). 서울 출생. 초명(初名)은 화진(華鎭), 자는 순중(舜重), 호는 오당(梧堂). 거문고의 명수 함재운(咸在韻)의 아들. 아악사장(雅樂師長)을 역임. 이화 여자 전문 학교에서 국악을 최초로 가르쳤음. 광복(光復) 후 대한 국악원을 창설, 초대 원장이 됨. 저서 ≪조선 음악 통론≫·≪증보 가곡 원류(增補歌曲源流)≫ 등이 있음. [1884-1949]

함황 고무【含黃—】〔프 gomme〕명 가황(加黃) 고무.

함훤 수작【喊喧酬酌】명 큰 소리로 외치며 떠들썩하게 서로 주고받는 수작. ——-하다 자여불

함흥【咸興】명〖지〗함경 남도의 한 시. 도청 소재지임. 도의 중부에서 좀 남쪽에 위치함. 북방에 반룡산(盤龍山)이 솟고 남서는 성천강(城川江), 남동 일대는 함흥 평야(平野)가 전개되어 동해에 임함. 동쪽에 서호진항(西湖津港)이 있음. 교통의 요지로 송흥선(松興線)·장진선(長津線)의 기점임. 명승 고적으로는 함흥성지(咸興城址)·귀주사(歸州寺)·정화릉(定和陵)·의릉(義陵)·순릉(純陵)·진흥왕 황초령 순수비(眞興王黃草嶺巡狩碑) 등이 있음.

함흥 냉:면【咸興冷麪】명 국물 없이 생선회를 곁들여 맵게 비벼 먹는 함흥식의 냉면. 국수를 만들 때 고구마 녹말을 첨가하는 것이 특색임. 회(膾)냉면. *평양 냉면.

함흥-만【咸興灣】명〖지〗함경 남도 중부 동대한만(東大韓灣) 안의 만. 북동쪽에 함흥이 있음.

함흥 차사【咸興差使】명〔조선의 태조(太祖)가 선위(禪位)하고 함흥에 은퇴하고 있을 때, 태종(太宗)이 보낸 사신을 혹은 죽이고 혹은 잡아 가두어 돌려보내지 아니한 고사(故事)에서 나온 말〕한번 가기만 하면 깜깜 소식이란 뜻으로, 심부름꾼이 가서 소식이 아주 없거나 회답이 더디 올 때에 쓰는 말. ¶한번 가더니 ~다. *강원도 포수.

함흥 평야【咸興平野】명〖지〗함경 남도 남동부 함주군(咸州郡)·정평군(定平郡)·영흥군(永興郡) 남동부에 걸친 평야. 성천강(城川江)·금진천(金津川) 하류 유역 일대에 전개되었고 대체로 기후가 온화하며 함경 남도 유일의 곡창임.

합¹【合】㊀명 ①〖수〗여럿을 한데 모음. 또, 둘 이상의 수(數)를 합하여 얻은 수치(數値). 화(和). ②〔conjunction〕〖천〗행성(行星)과 태양이 황경(黃經)을 같이할 때. ↔충(衝). *내합(內合)·외합(外合). ③〖불교〗인도 논리학(印度論理學), 곧 인명(因明)의 술어(術語). 삼단 논법의 소전제(小前提)에 해당함. ④〖철〗종합(綜合)❷. ㊁의명 →홉². ——-하다 타여불

합²【合】명 성(姓)의 하나. 우리 나라에는 현존(現存)하지 아니함.

합³【盒】명 음식을 담는 놋그릇의 한 가지. 운두가 과히 높지 아니하고 둥글며 넓적한 것으로 뚜껑이 있음. 큰합·중합·작은 합·알합 등 여러 가지가 있음. 합자(盒子).

〈합³〉

합가¹【合家】명 전가(全家).

합가²【闔家】명 한 집안. 온 가족.

합각¹【合刻】명 둘 이상의 책을 한 책으로 합하여 간행하는 일. ——-하다 타여불

합각²【合閣】명〖건〗지붕 위쪽의 양 옆에 박공(牔栱)으로 '∧'자 모양을 이룬 각.

합각³【蛤殼】명 ①조가비. 조개 껍데기. ②자개.

합각 마루【合閣—】명〖건〗박공(牔栱) 위에 있는 마루.

합각 머리【合閣—】명〖건〗합각이 있는 지붕의 측면. 이 부분에는 가지가지 장식으로 꾸밈.

합각-벽【合閣壁】명〖건〗박공(牔栱) 머리의 삼각형으로 된 벽.

합각 지붕【合閣—】명〖건〗팔작(八作) 지붕.

합강정-가【合江亭歌】명〖문〗조선 시대 후기의 가사(歌辭). 정조(正祖) 16년(1792) 제작으로 추정됨. 작자 미상. 전라 북도 순창군(淳昌郡) 합강정에서 전라 감사(監司)를 비롯한 여러 관원(官員)들이 모여 뱃놀이하는 모습과 조선 후기 사회의 모순(矛盾)을 고발한 작품. 합강정 선유가(船遊歌).

합강정 선유가【合江亭船遊歌】명〖문〗합강정가.

합개【蛤蚧】명〖동〗〔*Phrynosoma cornutum*〕도마뱀의 한 가지. 전장 12cm 정도. 몸바탕은 회갈색(灰褐色), 등에 담녹색(淡綠色) 띠를 두른 검은 무늬가 가로 널줄 있음. 모래 속에 20-30개의 알을 낳음. 벌레를 잡아먹음. 한방(韓方)에서 기침·폐(肺)·사기(邪氣) 등의 병(病)에 씀. 선섬(仙蟾). 합해(蛤蟹).

〈합개〉

합격【合格】명 ①어떤 조건이나 격식에 적합함. ②채용 및 자격 시험 등에 급제(及第)함. 패스(pass). ¶~ 여부/시험에 ~하다. ↔불합격. ——-하다 자여불

합격-권【合格圈】명 합격되는 범위. ¶~에 들다.

합격-률【合格率】〔—뉼〕명 합격자 수의 지원자(志願者) 수에 대한 비율. ¶~ 일위(一位).

합격-선【合格線】명 합격과 낙제의 경계가 되는 선. ¶ 102점이 금년의 ~이다.

합격-자【合格者】명 합격한 사람. ¶~ 명단.

합격-증【合格證】명 합격을 증명하는 문서. ¶~ 교부.

합격-품【合格品】명 검사에 통과한 물품. 곧, 조건·격식·규격 등에 어긋나지 아니한 물품.

합경¹【合慶】명 경사스러운 일이 거듭함. ——-하다 자여불

합경²【闔境】명 지경(地境) 안의 온통. 구역 안의 전부.

합계¹【合計】명 많은 수나 양을 합하여 셈함. 또, 그 수효. 합산(合算). ——-하다 타여불

합계²【合啓】명〖역〗조선 시대에, 사간원(司諫院)·사헌부(司憲府)·홍문관(弘文館) 중 두 군데나 세 군데에서 연명(連名)하여 올리는 계사(啓辭). ——-하다 타여불

합계-란【合計欄】명 금전이나 물품의 출납 관계를 기록하는 장부의 합계를 기입하는 난.

합계 시:산표【合計試算表】명〖경〗시산표의 하나. 부기에서 총계정 원장(總計定元帳)의 각 계정 계좌의 차변(借邊) 및 대변(貸邊)의 각 합계 금액으로 작성됨.

합계-액【合計額】명 합계한 금액. 모두 합한 액수.

합계-표【合計表】명 금전이나 물품 기타의 합계를 표시한 도표.

합곡¹【合曲】명 합주(合奏). ——-하다 타여불

합곡²【合谷】명〖한의〗침 놓는 자리의 하나. 엄지손가락과 집게손가락과의 사이.

합과 교:수【合科敎授】명〖교〗각 교과를 따로따로 그 과정표에 따라서 교수하는 것이 아니라 학생들의 경험의 통합을 목적으로 하여 교과를 종합적으로 교수하는 일. 주로, 저학년(低學年)에서 행해짐. 종합(綜合) 교수.

합구식 옹:관【合口式甕棺】명〖고고학〗이음독무덤.

합구-음【合口音】명〖언〗중국 음운학(音韻學)의 용어. 입술을 둥글게 하여 발음하는 소리. ↔개구음(開口音). *폐구음(閉口音).

합국¹【合局】명〖민〗혈(穴)과 사(砂)가 합하여서 이루어진, 썩 좋은 묏자리나 집터.

합국²【闔國】명 전국(全國). 거국(擧國).

합군【合郡】명 여러 고을을 합쳐서 한 고을을 만드는 일. ——-하다 자타여불

합-굿【合—】명 두 마을 이상의 농악단이 같이 어울려 노는 굿. ¶~을 벌이다.

합궁【合宮】명 부부간의 방사(房事). 남녀간의 성교(性交). 합금(合衾). ——-하다 자여불

합근[1]【合巹】명 ①구식 혼례식의 절차의 한 가지. 신랑 신부가 잔을 주고 받는 일. ②혼례식을 거행함. ——-하다 자여불

합근[2]【合根】명 합궁(合宮). ——-하다 자여불

합근-례【合巹禮】[—네] 명 구식 결혼식에서의 대례(大禮) 절차의 하나. 교배례(交拜禮) 다음에 신랑·신부가 술잔을 주고 받는 절차.

합근지-례【合巹之禮】명 합근례.

합금[1]【合金】명〔alloy〕〘물·화〙두 가지 이상의 금속을 물리적으로 혼합하여 만든 금속. 원래의 금속과는 다른 특성을 가짐. 놋쇠는 구리와 아연, 강(鋼)은 철과 탄소와의 합금임. 합성금(合成金). 얼로이.

합금[2]【合衾】명 ①남녀가 한 이불 속에서 자는 일. ②합궁(合宮). ——-하다 자여불

합금-강【合金鋼】명 철(鐵)과 탄소 이외의 원소를 첨가한 강(鋼). 특수강(特殊鋼).

합금 접합 트랜지스터【合金接合—】〔transistor〕명 합금에 의해 PN 접합이 만들어지는 트랜지스터. 게르마늄(germanium) 트랜지스터에 많음.

합금 주:철【合金鑄鐵】명 물리·화학적 성질, 기계적 성질의 개량을 목적으로, 특별히 합금 원소를 첨가한 주철. 니켈·크롬·몰리브덴·구리 등을 적당히 조합(調合) 첨가함으로써, 고장력(高張力)·내마모성(耐磨耗性)·내열성(耐熱性) 등의 특성을 갖는 주철을 얻을 수 있음. *다이캐스팅(die casting).

합금-학【合金學】명 금속 조직학이나 금속 물리학을 기초로 하여 실용(實用) 합금에 관한 지식을 계통적으로 정리하는 공학. 물리 야금학의 응용 부분임.

합금-화【合金化】명 합금으로 만드는 일. 즉, 금속·합금에 다른 금속·합금을 첨가하여 다른 합금으로 만드는 일. ——-하다 타여불

합-기덕【合其德】명 천도교(天道教)에서, 종교적인 수양에 의해 이를 수 있는 높은 경지.

합기-도【合氣道】명 상대를 먼저 공격하지 않고, 공격해오는 상대의 힘을 이용하여 제압하는 맨손 호신 무술. 술기(術技)의 원리는 원(圓)·유(流)·염력(念力)의 세 가지이고, 술기의 종류로는 꺾기·던지기·치기·찌르기·차기 등이 있음.

합내【閤內】명 남의 가족을 공대하여 일컫는 말. 합절(閤節). ¶ ~ 제절(諸節)이 안녕하신지요.

합내악-류【合內顎類】[—뉴] 명〘어〙[Synentognathi] 동치목(目).

합다 감〈방〉아따.

합다리-나무 명〘식〙[*Meliosma oldhami*] 나도밤나뭇과에 속하는 낙엽 활엽의 작은 교목. 잎은 기수(奇數)로 우상 복생(羽狀複生)하며 소엽(小葉)은 달걀꼴 또는 타원형인데 끝이 빨고 가에 톱니가 있으며 앞뒤쪽에 잔털이 있음. 7월에 잘고 많은 꽃이 원추(圓錐)꽃차례로 정생(頂生)하고, 핵과(核果)는 9월에 익음. 산록 양지에 나는데, 한국 중부 이남 및 일본에 분포함.

합당[1]【合當】명 꼭 알맞음. 적당(適當). ¶ ~한 처사. ——-하다 형여불

합당[2]【合黨】명 당을 합침. ——-하다 자타여불

합덕【合德】명〘지〙충청 남도 당진군(唐津郡)의 고읍(古邑). 교통의 요충이고, 부근 일대의 농산물의 집산지임. 1914년까지는 구합덕군의 군청 소재지였음. [18,327 명(1990)]

[합덕 방죽에 줄남생이 늘어 앉듯] 여러 물건이 줄지어 늘어 앉은 모양.

합덕-지【合德池】명〘지〙충청 남도 당진군(唐津郡) 합덕면(合德面)에 있는 못. [1.1 km²]

합독【合櫝】명 부부의 신주(神主)를 한 독(櫝) 안에 넣는 일. 또, 그 독. ↔외독(櫝). ——-하다 타여불

합동[1]【合同】명 ①둘 이상을 하나로 함. 둘 이상이 하나가 됨. ¶ ~ 결혼식/~ 선거 연설. ②〘수〙기하(幾何)에서 둘 이상의 도형(圖形)이 모양과 크기가 전혀 똑같아 하나로 일치하여 겹쳐지는 것. 그리고 정수론(整數論)에서는 두 정수 a와 b의 차(差)가 정수 m으로 나누어질 때 a와 b는 m을 제수로 하여 합동한다고 함. ——-하다 자타여불

합동[2]【合洞】명 여러 동네를 합쳐서 한 동네를 만드는 일. ↔분동(分洞). ——-하다 자타여불

합동 결혼식【合同結婚式】명 한 자리에서 한 사람의 주례(主禮)에 의하여 합동으로 진행되는 결혼식. 공동(共同) 결혼식. ¶ ~을 거행하다.

합동 고백【合同告白】명〘천주교〙신자들이 죄를 합동으로 고백하는 일.

합동 고해【合同告解】명〘천주교〙'합동 고백'의 구용어.

합동 미사【合同彌撒】명〘천주교〙① 두 사람 이상의 사제가 공동으로 집전(執典)하는 미사. ②두 사람 이상을 위해 바치는 생(生)미사나 연(煉)미사.

합동 법률 사:무소【合同法律事務所】[—뉼—] 명 법무부 장관의 인가(認可)를 얻어, 대법원 소재지에서는 5인 이상, 기타 법원 소재지에서는 3인 이상의 변호사가 합동하여 설립한 법률 사무소. 공증(公證)업무도 취급할 수 있음.

합동 변:환【合同變換】명〘물〙유클리드 공간의 두 점간의 거리를 바꾸지 않는 변환. 평행(平行) 이동·회전(回轉) 이동·대칭(對稱) 이동 등을 이름.

합동 작전【合同作戰】명〘군〙여러 부대가 합동하여 행하는 작전. ¶ 한미(韓美) ~.

합동 참모 본부【合同參謀本部】명〘군〙각군(各軍)의 전투를 주임무로 하는 작전 부대에 대한 작전 지휘·감독과 합동 및 연합 작전의 수행을 위하여 국방부에 둔 기관. 합동 참모 의장을 장으로 하고, 군(軍)을 달리하는 3인 이내의 합동 참모 차장과 필요한 참모 부서를 둠. 준합참.

합동 참모 의장【合同參謀議長】명〘군〙합동 참모 본부의 장. 군령(軍令)에 관하여 국방부 장관을 보좌하고, 국방부 장관의 명을 받아 전투를 주임무로 하는 각군(各軍)의 작전 부대를 작전 지휘·감독하며 합동 작전을 위해 설치된 합동 부대를 지휘·감독함. 준합참 의장.

합동 참모 차장【合同參謀次長】명〘군〙합동 참모 의장을 보좌하는 직위. 또, 그 사람. 합동 참모 의장이 사고가 있을 때 그 직무를 대행(代行)함. 군(軍)을 달리하는 3명 이내의 차장을 두며, 의장 직무 대행을 서열순으로 함.

합동 참모 회:의【合同參謀會議】[—/—이] 명〘군〙군령(軍令)에 관하여 국방부 장관을 보좌하며, 주요 군사 사항을 심의하기 위하여 합동 참모 본부에 둔 기관. 합동 참모 의장과 각군(各軍) 참모 총장으로 구성하며, 합동 참모 의장이 그 의장이 됨.

합동 통신【合同通信】명 서울에 본사를 둔 일간 통신사(通信社)의 하나. 1945년 12월 20일 창설되어, 1980년 12월 언론사 통폐합 때 연합 통신으로 흡수됨.

합동 행위【合同行爲】명〘법〙두 사람 이상의 의사 표시가, 같은 뜻을 가지고 결합하여 성립하는 행위. 의사 표시가 대립하여 결합하는 계약 행위와는 다름. 사단 법인이나 회사 설립과 같은 행위.

합-뚜껑【盒—】명 쇠살쭈의 은어(隱語)로, 돈머리의 장반(半)을 일컫는 말. 장반이 쟁반(錚盤)이 되고, 다시 합의 뚜껑으로 변한 것.

합-뜨리다【合—】타 결정적으로 합치다. 아주 합쳐 버리다. ¶ 습격에 참가하는 소두목은 원징회를 합뜨려 셋이었다《劉賢鍾 : 들꽃》.

합랄화림【哈喇和林】[—날—] 명〘지〙'카라코룸(Karakorum)'의 한자 이름.

합량【合梁】[—냥] 명〘건〙두 개 이상의 재목을 볼트로 죄어 합친 들보.

합려【闔廬·闔閭】[—녀] 명 ①집. 가옥(家屋). ②중국 춘추 시대의 오(吳)나라 왕. 이름은 광(光). 기원전 515년, 오왕(吳王) 요(僚)를 죽이고 즉위함. 초(楚)나라를 쳐서 위세를 중원(中原)에까지 떨쳤으나, 뒤에 월왕(越王) 구천(句踐)에게 패하여 죽음. 부차(夫差)의 아버지. [?-496 B.C. 재위 515-496 B.C]

합력【合力】[—녁] 명 ①흩어진 힘을 한데 모음. ②〘경〙협업(協業). ③〔resultant force〕〘물〙동시에 작용하는 둘 이상의 힘과 동일한 효과를 갖는 하나의 힘을 전자(前者)의 합력이라고 함. 합성력. ↔분력(分力).

합례【合禮】[—네] 명 ①신랑 신부가 합금(合衾)하여 첫날밤을 치르는 일. 정례(正禮). ②예절에 맞음. ——-하다 자여불

합로【合路】[—노] 명 둘 이상의 길이 한데 합침. ——-하다 자여불

합류【合流】[—뉴] 명 ①둘 이상의 강물이 합하여 흐르는 일. 또, 그 흐름. 합수(合水). ¶ 두 강이 ~하다. ②대동(大同) 단결 및 공동 보조를 위하여, 어떤 단체나 당파가 다른 단체나 당파와 같은 방향으로 제휴(提携)하는 일. ¶ 본대(本隊)에 ~하다. ——-하다 자여불

합류식 하:수도【合流式下水道】[—뉴—] 명 우수(雨水)나 하수(下水)를 모두 같은 하수관(下水管)으로 배제(排除)하는 하수도.

합류-점【合流點】[—뉴쩜] 명 ①둘 이상의 강물이 합류하는 곳. 합수머리. ②어떤 단체나 당파가 다른 단체나 당파와 합류하게 되는 경위나 계기(契機). ¶ ~에 도달하다.

합률 비:례【合率比例】[—뉼—] 명〘수〙복비례(複比例).

합리[1]【合理】[—니] 명 ①이치에 합당함. ¶ ~성/~적. ②〘논〙〔도 Rationalität〕논리적(論理的)인 필연성(必然性)에 의하여 지배(支配)되는 일. ——-하다 형여불

합리[2]【蛤蜊】[—니] 명〘조개〙바지락조개.

합리-론【合理論】[—니—] 명〘철〙오성론(悟性論). 이성론(理性論).

합리-설【合理說】[—니—] 명 ①〘기독교〙성서(聖書) 중에서 합리적인 사실만을 믿는 기독교의 한 파의 주장. ②도덕(道德)의 근본(根本)을 이성(理性)에 둔 설. 이성에 꼭 맞는 것만을 인정(認定)하고 그와 같이 생활하려는 생각.

합리-성【合理性】[—니썽] 명 이치에 맞는 성질을 지니고 있음. ¶ ~이 결여되다. ↔불합리성.

합리 신학【合理神學】[—니—] 명〔rational theology〕〘종〙일체의 종교 사실을 합리적으로 연구하려는 신학. 합리설에 기초를 두고 성서를 연구하는 신학.

합리-적【合理的】[—니—] 명관〔rational〕①이치에 맞는 모양. 인습 따위에 매이지 않는 모양. ¶ ~인 생각. ②목적에 맞고 무리가 없는 모양. ¶ ~인 작업 절차.

합리적 심리학【合理的心理學】[—니--니—] 명〘심〙유리적(唯理的) 심리학.

합리적 자애【合理的自愛】[—니—] 명〘철〙이성(理性)을 세계관 내지 인생관의 중추로 하여, 전제(前提)로서의 자아(自我)를, 영속적인 만족의 추구(追求) 속에 두는 일.

합리-주의【合理主義】[—니—/—니—이] 명〔rationalism〕〘철〙비합리와 우연적인 것을 배척하고, 도리(道理)와 이성(理性)과 논리(論理)가 일체를 지배한다고 보는 주의. 유리론(唯理論). 이성주의(理性主義). ↔정서주의(情緒主義).

합리주의-자【合理主義者】[—니—/—니—이—] 명 합리주의를 신봉·실천하는 사람. 유리론자(唯理論者). 이성주의자.

합리-해【蛤蜊醢】[—니—] 명 바지락젓.

합리-화【合理化】[—니—] 명 ①〔rationalization〕〘철〙어떤 대상을 과학적으로 분석하여, 어떤 과학적인 인식을 조성하는 일. 곧, 일체의 우연을 배척하고 논리적인 필연성에 의하여 대상을 구성하는 일. ②도로(徒勞)를 지양(止揚)하고, 목적을 이상적으로 달성하기 위하여 합리적으로 체재(體裁)를 개선하는 일. ¶ 산업 ~ 운동. ③그럴 듯한 이유

를 붙이는 일. 래셔널리제이션. ——-하다 자타여불

합리화 카르텔【合理化—】〔도 Kartell〕[—니—] 명 〖경〗 불황기(不況期)에 같은 업종(業種)의 생산업자가 원가(原價)의 절감(節減), 기술의 향상, 품질의 개선 등 생산의 합리화를 도모하기 위하여 생산 품종의 제한, 원재료나 제품의 보관, 운송(運送) 시설의 공동 사용 등에 관하여 협정하는 카르텔. 할당(割當) 카르텔.

합리화 투자【合理化投資】[—니—] 명 〖경〗 코스트를 내리기 위하여 행해지는 설비 투자(設備投資).

합립【蛤笠】[—닙] 명 〖악〗 정재(呈才) 때에, 동기(童妓)가 연화대(蓮花臺) 춤을 출 때에 쓰던 갓.

〈합립〉

합명【合名】 명 ①이름을 모아서 씀. ②공동으로 책임을 지기 위해 이름을 같이 씀. 연명(連名). ¶~ 회사. ——-하다 자타여불

합명 사채【合名社債】 명 〖경〗 둘 또는 그 이상의 회사가 합동으로 발행하는 사채. 수개 회사가 공동으로 사업을 벌이고 그 자본을 공동으로 조달하고자 할 때 발행함.

합명 회:사【合名會社】 명 〔partnership〕 〖경〗 사원이 회사의 채권(債權) 및 채무에 대하여, 연대 무한(連帶無限)의 책임(責任)을 지는 회사. 원칙적으로 전사원이 회사의 업무를 집행·대표함. 전사원이 열성적으로 재능 및 수완(手腕)을 발휘(發揮)하여 경영상(經營上)의 능률을 향상(向上)시킬 수 있는 반면에, 대자본(大資本)을 요하는 대기업체와 다소 모험적이고 항구적(恒久的)인 사업의 경영에는 부적당함.

합목【合木】 명 세공물(細工物) 등을 만들 때에, 나뭇조각을 모아 붙임. ——-하다 자여불

합-목적【合目的】 명 목적에 적합함. ¶~성.

합목적-성【合目的性】 명 〔fitness, finality, 도 Zweckmäßigkeit〕 〖철〗 어떤 목적의 실현(實現)에 가장 적합한 구조나 행위. 목적을 의식하고 있다는 뜻을 포함하지 아니하고 우리가 존재하는 의의(意義)를 반성하여 그렇게 판정하는 원리. 자연에 있어서는 생물의 자기 유지의 견지(見地)에서 보아, 그 목적에 적합한 유기적(有機的) 형태 또는 구조. 예를 들면, 생물의 환경과의 조화 등임. 칸트(Kant)에 의하여 여러 가지 각도로 정의(定義)되었음.

합목적-적【合目的的】 명관 목적에 적합한 모양.

합문[1]【閤門】 명 ①편전(便殿)의 앞문. ②〖역〗 고려 때 조회(朝會)의 의례(儀禮)를 맡은 관아. 충렬왕(忠烈王) 원년(1275)에 통례문(通禮門)으로, 동 24년에 본이름으로 회복하였다가 곧 다시 통례문으로, 동 34년에 중문(中門)으로, 뒤에 다시 통례문으로, 공민왕(恭愍王) 5년(1356)에 본이름으로, 동 11년에 다시 통례문으로, 동 18년에 본이름으로, 동 21년에 또다시 통례문으로 여러 번 이름이 바뀌었음. ③〖역〗 통례원(通禮院)의 조선 시대 국초 때의 일컬음. 태조(太祖) 원년(1392)에 베풀어서 태종(太宗) 때에 통례문으로, 세조(世祖) 12년(1466)에 통례원으로 고침. 각문(閣門).

합문[2]【闔門】 명 ①거가(擧家). ②제사 때에, 유식(侑食)하는 차례에서 문을 닫거나 병풍으로 가리어 막는 일. ——-하다 자여불

합문 대:령【閤門待令】 명 〖역〗 편전(便殿)의 문 밖에서 명령을 기다림. ——-하다 자여불

합문 부:사【閤門副使】 명 〖역〗 고려 때 합문(閤門)의 정육품 벼슬.

합문-사【閤門使】 명 〖역〗 고려 때 합문(閤門)의 정오품 벼슬.

합밀【哈密】 명 〖지〗 '하미'를 우리 음으로 읽은 이름.

합반[1]【合班】 명 두 학급(學級) 이상을 합함. 또, 그 합친 반. ¶~수업. ——-하다 자여불

합반[2]【蛤飯】 명 조개밥.

합반-주【合半酒】 명 →합환주(合歡酒).

합방[1]【合邦】 명 둘 이상의 나라를 병합(倂合)하여 한 나라를 만드는 일. 또, 그렇게 해서 성립한 나라. 합병(合倂). ——-하다 자타여불

합방[2]【合房】 명 성인 남녀가 함께 잠을 자기 위하여 한방에 듦. 또, 그 일. ——-하다 자여불

합배【合排】 명 〖역〗 옛날에, 큰 산골짜기에 살며 우역(郵驛)일을 보던 백성. 가꿀 땅이 없이 역마(驛馬)를 세워야 했기 때문에 요역(徭役)을 면제하는 등, 특전이 있었음.

합-배뚜리 명 〖공〗 덮개가 있는 바탱이.

합백【合百】 명 거래소(去來所) 근처에서 하는 사설(私設) 거래.

합번【合番】 명 〖역〗 큰 일이 있을 때에 관원(官員)이 모여서 숙직하는 일. 합직(合直). ——-하다 자여불

합법【合法】 명 법령이나 규범(規範)에 맞음. 여법(如法). ¶ ~을 가장하다. ↔불법(不法). *적법(適法).

합법-성【合法性】 명 행위가 현행 법질서, 특히 실정법(實定法)에 맞는 상태 또는 성질.

합법 운:동【合法運動】 명 〖사〗 법률에 저촉되지 않는 범위 안에서, 당국의 허락을 얻어 합법적으로 하는 사회 운동. ¶~을 벌이다.

합법-적【合法的】 명관 법령이나 규범(規範)에 적합한 모양. ¶~ 시위(示威). ↔비합법적.

합법적 지배【合法的支配】 명 독일의 사회학자 베버(Weber, M.)가 주장한, 지배 형식 3개 유형(類型)의 하나. 지배 권력의 합법적인 것이 피지배자의 복종에 대한 정당한 이유가 된다는 것인데, 관료적 지배가 그 전형(典型)임.

합법-주의【合法主義】 [—/—이] 명 ①〖법〗 검사가 범죄에 관한 증거를 충분히 파악했을 때는, 반드시 공소(公訴)할 의무가 있다고 하는 주의. ②〖정〗 현행법에 저촉되지 아니하는 범위 안에서, 사회를 개혁하려는 주의. ③〖사〗 현행법에 저촉되지 아니하는 범위 안에서, 합법적인 수단에 의하여 노동 운동이나 사회 운동을 하려는 주의.

합법칙-성【合法則性】 명 ①합법성. ②객관적인 사회 법칙을 전제로 하여, 합법적으로 수행되는 행위 평가.

합법-화【合法化】 명 어떤 행위가 현행 실정법에 맞음. 또, 맞게 함. ——-하다 자타여불

합벽[1]【合壁】 명 맞벽.

합벽[2]【闔闢·闔捭】 명 열고 닫음. ——-하다 타여불

합벽 수단【闔闢手段】 명 사람을 교묘하게 농락하는 수단.

합변【合變】 명 합하여 바꿈. ——-하다 타여불

합병[1]【合兵】 명 ①병력을 합쳐 1개 부대로 편성함. ②장기에서, 병(兵) 또는 졸(卒)을 한데 몰아 붙임. 합졸(合卒). ——-하다 자여불

합병[2]【合倂】 명 ①둘 이상의 단체나 조직, 국가 등을 합쳐서 하나로 만듦. 병합(倂合). ¶기업 ~. ——-하다 자타여불

합병 계:약【合倂契約】 명 〖법〗 둘 이상의 회사가 합쳐서 한 회사로 합병하는 취지의 계약. ¶~을 체결하다.

합병 계:약서【合倂契約書】 명 〖법〗 합병 계약의 내용을 기재한 서면. 합병 조건, 신설 회사 또는 존속 회사의 정관(定款)의 내용, 각 회사의 합병 결의에 관한 총회의 기일, 합병 기일 등을 기재하도록 되어 있음. ¶~에 서명하다.

합병 선:거【合倂選擧】 명 〖법〗 둘 이상의 선거를 하나의 선거에 합병하여 시행하는 일. 둘 이상의 선거를 동시에 시행하는 동시 선거와는 달라서 법률이 정하는 경우에만 허용됨. 소(小)선거구제를 피하고 소수 대표의 취지를 실천하는 효과가 있음.

합병-증【合倂症】 [—쯩] 명 〖의〗 한 질환에 관련하여 일어나는 다른 질환. 여병(餘病). 여증(餘症). 객증(客症). ¶~을 일으키다.

합병 집합【合倂集合】 명 〖수〗 합집합(合集合).

합병 차익【合倂差益】 명 〖경〗 기업(企業)이 합병할 때 합병 회사가 수납한 실지 재산이 피합병(被合倂) 회사에 대한 발행 주식의 액면액 또는 자본금에 계상한 금액을 초과하는 차익(差益).

합병형 면:역 부전증【合倂型免疫不全症】 [—쯩] 명 〔combined immunological deficiency disease〕 〖의〗 이식편(移植片)의 거부 반응이나 바이러스에 대한 방어 작용을 하는 티세포(T細胞)의 결여(缺如)와 글로불린 및 항체(抗體)를 산출(產出)하는 비(B)세포의 결여가 합병하여 일어나는 중도(重度)의 질환인데 치명적임.

합보【合褓】 명 안쪽 면에는 식지(食紙)를 대고 시친, 밥상을 덮는 겹보자기.

합-보시기【盒—】 명 〖공〗 뚜껑이 달린 보시기. 합보아(盒甫兒).

합-보아【盒甫兒】 명 〖공〗 합보시기.

합본[1]【合本】 명 여러 권(卷)을 함께 매어 제본(製本)함. 또, 그 책. 합책. ¶월간지 일 년분의 ~. ——-하다 타여불

합본[2]【合本】 명 〖경〗 합자(合資). ——-하다 자여불

합본 취:리【合本取利】 명 합자(合資)하여서 이익을 도모함. ——-하다 자여불

합본 회:사【合本會社】 명 '주식 회사(株式會社)'의 구칭(舊稱).

합부【合祔】 명 합장(合葬). ——-하다 타여불

합-부인【閤夫人】 명 남의 아내를 공대하여 일컫는 말.

합비【合肥】 명 〖지〗 '허페이'를 우리 음으로 읽은 이름.

합비의 이:【合比—理】 [—/—에—] 명 가비(加比)의 이(理).

합빙【合氷】 명 강물이 건너지피어 얼어 붙음. ——-하다 자여불

합사[1]【合沙】 명 삼포(蔘圃)에서, 어린 삼(蔘)을 기르는 약토(藥土)와 황토(黃土)를 섞는 일. ——-하다 타여불

합사[2]【合祀】 명 둘 이상의 죽은 사람의 혼을 한 곳에 모아 제사하는 일. ——-하다 타여불

합사[3]【合絲】 명 ①실을 겹쳐서 드림. 또, 그 실. ②꼰 실. ——-하다 타여불

합사[4]【閤司】 명 〖역〗 ①모든 관사(管事). ②옛날에, 왕에게 극간(極諫)할 때에 사헌부(司憲府)와 사간원(司諫院)의 모든 관원이 다 나가던 일. ——-하다 자여불

합사-기【合絲機】 명 〖공〗 여러 가닥의 실을 겹쳐서 드리어, 탄력성이 있고 강하게 만드는 방적(紡績) 기계의 한 가지.

합사-묘【合祀廟】 명 ①합사하는 묘당(廟堂). ②문묘(文廟).

합-사발【盒沙鉢】 명 〖공〗 뚜껑이 있는 사발.

합사-법【合絲法】 [—뻡] 명 〖악〗 거문고·가야금의 줄을 꼬는 방법.

합사-장【合絲匠】 명 〖역〗 상의원(尙衣院)에 딸리어 실을 드리던 장인(匠人).

합사-제【合祀祭】 명 합사할 때에 지내는 제향(祭享).

합-사주[1]【合四柱】 명 혼인하기 전에, 신랑과 신부의 사주를 맞추어 봄. ——-하다 자여불

합사-주[2]【合絲紬】 명 명주실과 무명실의 합사로 짠 비단.

합삭【合朔】 명 해와 지구 사이에 달이 들어가 일직선(一直線)으로 될 때, 달이 전연 반사(反射)하지 않아 안 보이며, 흔히 일식(日蝕)이 생김. ㊀삭(朔).

합산【合算】 명 합하여 계산(計算)함. 합계(合計). 가산(加算). ——-하다 타여불

합산 신고【合算申告】 명 동거하고 있는 가족의 소득을 합산하여 납세(納稅) 신고를 하는 일.

합-산적【合散炙】 명 닭·꿩의 살과 잔뼈, 쇠고기 등을 함께 난도질하여, 파·소금·깨소금·후춧가루 등을 치고 주물러서 반대기를 지어 구운 산적.

합살-머리 명 소의 양(䑋)의 벌의집 위에 붙은, 횟감으로 쓰는 고기.

합삼【合三】 명 〖역〗 경사(京司)의 벼슬아치가 상관(上官)에게 석 장의 사장(辭狀)을 한꺼번에 드림.

합새-류【鰕類】 명 〖어〗 두렁허리목(目).

합생 씨방【合生—房】 명 〖생〗 한 개 또는 여러 개의 심피의 가장자리가 서로 붙어 있어 겉에서 보아 하나로 보이는 씨방.

합생 웅예【合生雄蘂】 명 〖식〗 여러 개가 붙어서 한 덩이를 이룬 수꽃

합의-제【合議制】[—/—이—] 명 ①합의에 의하여 의사를 정하는 제도. ②〖법〗 행정 기관의 의사가 복수(複數)의 구성원의 합의에 의하여 결정되는 제도. ③〖법〗 재판 사건 심리(審理)의 신중(愼重)·적정(適正)을 기하기 위하여, 합의체에 의하여 재판하는 제도. ↔단독제(單獨制).

합의제 관청【合議制官廳】[—/—이—] 명 합의제에 의한 관청. 우리 나라에서는 국무 회의·감사원 및 각종 행정 위원회가 이에 해당함.

합의제 법원【合議制法院】[—/—이—] 명〖법〗3명 이상의 법관으로 구성되는 합의제의 법원. 대법원·고등 법원이 심리(審理) 재판을 할 때와 지방 법원 및 지원(支院)에서 특수한 경우에 합의제를 취함. 대법원에서는 5명, 그 외의 법원은 3명으로 구성됨. 대법원의 연합 심판에서는 대법관 전원으로 구성됨. ↔단독 법원(單獨法院).

합의-체【合議體】[—/—이—] 명〖법〗복수(複數)의 법관으로 구성하는 재판 기관. 단독제(單獨制)가 범하기 쉬운 독단(獨斷)의 위험성을 보충하기 위한 합의제의 주체(主體).

합의 해:제【合議解除】[—/—이—] 명〖법〗계약 당사자 양편이 합의하여 계약을 해제함.

합이빈【哈爾賓】명〖지〗'하얼빈'을 우리 음으로 읽은 이름.

합인[1]【合刃】명 교전(交戰)❶. ——-하다 자여불

합인[2]【合印】명 합표(合標). ——-하다 자여불

합인[3]【蛤刃】명〖고고학〗조갯날.

합일【合一】명 여럿이 합(合)하여 하나가 됨. 하나로 합(合)침. ——-하다 자타여불

합일 문자【合一文字】[—짜] 명 모노그램.

합일의 의례【合——儀禮】[—/—에—] 명 [Communion] 미개(未開) 사회의 토테미즘(totemism)에 있어서 어느 집단이 그 토템과의 공생감(共生感)을 강하게 하기 위하여 행하는 의례. 또, 일반적으로 신(神)과 사람과의 융합(融合)을 목적으로 하는 의례. 종교 의례의 중핵(中核)을 이룸.

합일 정:산【合一定算】명〖수〗정합산(定合算).

합자[1]【合字】명 둘 이상의 글자를 합하여 한 글자를 만듦. 또, 그 글자. ——-하다 타여불

합자[2]【合資】명 두 사람 이상의 자본을 한데 합침. 합본(合本). ¶ ~ 회사. ——-하다 타여불

합자[3]【盒子】명 합(盒).

합자[4]【蛤子】명 홍합과 섭조개를 말린 어물.

합자-보【合字譜】명〖악〗거문고·비파·가야고 등의 손짚는 법. 줄과 괘의 차례 따위의 부호를 약자로 만들어 한데 모아 만든 악보. *육보(肉譜).

합자-산【合資算】명〖경〗합자하여 경영한 사업에서 생기는 이익 배당이나, 손실 분담의 액수를 계산하는 일. 출자액(出資額)만으로 산출하는 단(單)합자산과 출자액 및 출자 기간의 양자에 의하여 산출하는 복(複)합자산의 두 종류가 있음.

합자-해【合字解】명 ①〖언〗'해례본(解例本) 훈민 정음'에서 보인 해례의 하나로, 초·중·종성이 합쳐 완전한 글자가 되는 데에 대한 여러 규정을 내림. ②합자를 풀이하는 일. 또, 그 책.

합자 회:사【合資會社】명〖경〗무한 책임 사원(無限責任社員)과 유한(有限) 책임 사원으로 조직되는 회사. 유한 책임 사원이 있는 점을 제외하면 합명(合名) 회사와 흡사(恰似)하며, 유한 책임 사원은 금전(金錢) 기타의 재산에 대한 한정된 권한과 감독권만을 가지고, 업무 집행(業務執行)의 권리 및 의무는 일체 무한 책임 사원에 속함.

합작【合作】명 ①힘을 합하여 만드는 일. ②공동 목표를 달성하기 위하여 여러 사람 또는 단체가 한데 뭉쳐 협력하는 일. ¶양당 ~. ③〖경〗둘 이상의 기업체가 공동 출자(出資)하여 기업을 경영하는 일. ④〖문〗두 사람 이상이 합심하여 한 작품을 저작(著作)함. 합저(合著). ——-하다 타여불

합작-사【合作社】명〖사〗중국의 국민당(國民黨) 정부에서 채택하였던 협동 조합. 신용(信用)·구매(購買)·판매(販賣)·소비(消費)·생산(生產) 등의 부분으로 나뉘어 운영되었음. 중화 인민 공화국 성립 후에는 인민 공사(人民公社)에 흡수됨.

합작 영화【合作映畫】[—녕—] 명〖연〗①둘 이상의 제작자 또는 제작 회사가 공동으로 제작하는 영화. ②두 나라 이상의 제작자가 공동으로 제작하는 영화. ¶한미 ~.

합작 회:사【合作會社】명 특정한 사업 목적을 위하여 복수 기업이 공동 출자하는 회사. 출자자가 타국적(他國籍)인 경우와 동국적(同國籍)인 경우 또는 회사를 신설하는 경우와 기존 회사에 자본 참가하는 경우 등이 있으나, 보통 타국적의 출자자가 신회사 설립에 참가하는 경우를 가리킴. 기술·자본이 우세한 기업의 타국 진출의 유력한 수단이며, 성장(成長) 산업에 그 예가 많음. *조인트 벤처.

합장[1]【合杖】명〖악〗합장단.

합장[2]【合掌】명 ①두 손바닥을 마주 합침. 합수(合手). ②〖불교〗부처에게 절할 때에 두 손바닥을 마주 합침. 원래 인도(印度)에서 하던 예법(禮法)이었음. ¶ ~ 배례(拜禮). ——-하다 자여불

합장[3]【合葬】명 부부의 시체를 한 무덤 안에 장사하는 일. 부장(附葬). 합부(合祔). 합폄(合窆). ↔각장(各葬). ——-하다 타여불

합-장단【合—】명〖악〗장구의 북편과 채편을 한꺼번에 치는 일. 합고(合鼓). 합장(合杖).

합장 매듭【合掌—】명 매듭의 기본형(基本型)의 하나. 두 개의 가닥이 아래위로 엇물린 모양의 매듭.

합장-묘【合葬墓】명〖고고학〗어울무덤.

합장 배:례【合掌拜禮】명〖불교〗두 손바닥을 마주 대고 절함. ¶불상에게 ~하다. ——-하다 자여불

합장-심【合掌心】명〖불교〗남을 공경하는 마음. 자비스러운 마음.

합장-천장【合掌天—】명〖고고학〗빗천장.

합-재떨이【盒—】명 뚜껑이 합 속으로 들어가게 된 재떨이.

합저【合著】명 합작(合作)❹. ——-하다 타여불

합전【合戰】명 접전(接戰). ——-하다 자여불

합-전유어【蛤煎油魚】명 조개 저냐.

합절【閤節】명 합내(閤內).

합점【合點】명 ①[chalaze]〖식〗밑씨와 씨눈자루의 합일(合一)한 부위에 해당하는 조직의 부착점. 배병(胚柄). ②점수를 합함. 또, 합한 점수. ——-하다 자여불

합점 수정【合點受精】명 [chalazogamy]〖식〗식물의 수정의 한 양식. 화분관(花粉管)이 배낭(胚囊)의 기부(基部)를 통해서 배낭에 이름으로써 이루어지는 수정. 기점(基點) 수정. *주공(珠孔) 수정·중점(中點) 수정.

합접[1]【合接】명〖논〗논리곱.

합접[2]【合椄】명〖농〗맞접. ——-하다 타여불

합정-질【蛤精疾】명〖한의〗발뒤꿈치가 붓고 아픈 병.

합제[1]【合製】명〖역〗↗사학 합제(四學合製).

합제[2]【合劑】명 ①〖약〗두 가지 이상의 약을 조합(調合)한 약제. ②불용성(不溶性) 물질을 용매(溶媒)에 넣어 만든 액제(液劑). 보통, 현탁 액제(懸濁液劑)를 병용(倂用)함.

합조[1]【合調】명 라디오 수신기를 조정하여 방송국의 파장과 맞추는 일. ——-하다 자여불

합조[2]【合操】명〖역〗각 영문(營門)의 군사를 한데 모아 조련(調練)함. ——-하다 자여불

합졸【合卒】명 장기(將棋)를 둘 때에, 졸(卒)을 가로 쓸어 나란히 모으는 일. 합병(合兵). ——-하다 자여불

합종【合從·合縱】명 ①〖역〗↗합종설(合縱說). ↔연횡(連衡). ②굳게 맹세하여 서로 응함. ——-하다 타여불

합종-설【合縱說】명〖역〗중국 전국 시대(戰國時代)에 소진(蘇秦)에 의하여 주창된 외교 정책의 하나. 곧, 서쪽의 강대한 진(秦)나라에 대하여 한(韓)·위(魏)·조(趙)·연(燕)·제(齊)·초(楚)의 여섯 나라가 동맹하여 대항해야 한다는 일종의 공수 동맹(攻守同盟). 준합종(合縱). ↔연횡설(連衡說).

합종 연횡【合縱連衡】[—년—] 명〖역〗소진(蘇秦)의 합종설과 장의(張儀)의 연횡설.

합종-책【合縱策】명〖역〗합종설에 의거한 합종의 정책.

합좌【合坐】명〖역〗당상관(堂上官)들이 모여 큰 일을 의논함. ——-하다 자여불

합주[1]【合奏】명 [프 ensemble]〖악〗두 개 이상의 악기(樂器)로 동시에 연주하는 일. 합곡(合曲). 협주(協奏). ↔독주(獨奏). ——-하다 자타여불

합주[2]【合酒】명 찹쌀로 담근, 여름에 먹는 막걸리의 한 가지. 누룩가루를 체에 걸러 찹쌀밥과 빚어서, 하룻밤을 넘기고 꿀이나 설탕을 타서 마심.

합주-곡【合奏曲】명〖악〗합주를 할 수 있도록 작곡한 곡. ↔독주곡(獨奏曲).

합주-단【合奏團】명〖악〗두 사람 이상으로 조직된 합주 단체.

합주 협주곡【合奏協奏曲】명〖악〗콘체르토 그로소(concerto grosso).

합주-회【合奏會】명〖악〗합주를 주체로 한 음악 연주회.

합죽【合竹】명 얇은 댓조각을 맞붙임. ¶~선(扇). ——-하다 자여불

합죽-거리다 타 이가 빠져서 입술이나 볼이 우므러진 사람이 계속해서 입과 볼을 움직이다. 합죽-합죽 부. ——-하다 타여불

합죽-대【合竹—】명 얇은 댓조각을 맞붙여서 만든 견지 낚싯대.

합죽-대다 타 합죽거리다.

합죽-선【合竹扇】명 얇게 깎은 겉대를 맞붙여서 살을 만든 쥘부채.

〈합죽선〉

합죽-이 명 이가 빠져서 입과 볼이 합죽한 사람.

합죽-하다 형여불 이가 빠져서 입과 볼이 우므러져 있다. ¶이가 빠져서 합죽하게 다문 입은 열릴 것 같지도 않다≪玄鎭健: 無影塔≫.

합죽-할미 명 아래윗니가 다 빠져서 입과 볼이 안으로 우므러진 늙은 할미.

합준【合蹲】명 두어 개의 준시(蹲柿)를 모아 붙여 크게 만든 마른 감.

합중【合衆】명 많은 사람이나 물건이 모여서 하나가 되는 일. 연합(聯合)하는 일.

합중-국【合衆國】명 ①〖정〗둘 이상의 국가 또는 주(州)가 동일 주권(同一主權) 밑에 연합하여서 생긴 단일의 국가. 또, 민주제(民主制) 국가 혹은 공화국도 가리켜 이름. 연합국. ②〖지〗↗아메리카 합중국.

합-중력【合衆力】[—녁] 명 여러 사람의 힘을 한데 합침. ——-하다 자여불

합-중방【合中枋】명〖건〗통머름.

합중 왕국【合衆王國】명〖정〗[United Kingdom: 국왕의 통치 하에 있는 연합국의 뜻] 합성(合成) 국가의 통치권이, 왕(王)에게 있는 국가. 영국이 그 대표적 예임.

합중 정치【合衆政治】명 국가의 주권자인 국민 전체의 합의에 의한 정치. 민주 정치.

합지【合止】명〖악〗음악의 시작과 끝. *합지 축어.

합지-증【合指症】[—쯩] 명 [syndactyl]〖생〗손가락이나 발가락의 일부 또는 전부가 붙어 있는 기형(畸形). 우성 유전(優性遺傳)을 함. 지지 유착증(指趾癒着症).

합지 축어【合止柷敔】명〖악〗음악이 축으로 시작하고 어로써 끝난다는 뜻.

합직【合直】명 합번(合番). ——-하다 자여불

합집[1]【合執】명〖역〗유산 상속에서, 다른 상속권자와 분할 상속하지 아

니하고 혼자서 차지하는 일. ──-하다 타 여불

합집²【合集】명 합쳐서 모임. ──-하다 자타 여불

합-집합【合集合】명〔sum of sets〕〖수〗집합 A의 원소와 집합 B의 원소를 모두 갖는 집합. A∪B로 나타내고 A union B로 읽음. 합병집합. 구용어:화집합(和集合).

합착【合着】명 한데 합쳐서 붙음. ──-하다 자 여불

합참【合參】명 ↗합동 참모 본부. ¶～ 의장.

합참 본부【合參本部】명〖군〗↗합동 참모 본부.

합창¹【合唱】명 ①〔chorus〕〖악〗많은 사람의 소리가, 서로 화음(和音)을 이루면서 2부·3부·4부 등으로 나뉘어 각각 다른 선율(旋律)로 노래하는 일. 혼성(混聲) 합창·동성(同聲) 합창 등이 있음. ¶이부(二部) ～. ②여러 사람이 목소리를 맞추어 노래함. 코러스(chorus). ↔독창(獨唱). ──-하다 타 여불

합창²【合瘡】명 종기(腫氣)나 상처에 새살이 차서 아무는 일. ──-하다 자 여불

합창-곡【合唱曲】명〖악〗합창을 할 수 있도록 작곡한 곡. 마드리갈(madrigal).

합창-단【合唱團】명〔chorus〕〖악〗직업적인 합창 단체. 또, 합창을 주로 하는 음악의 연구 및 연구 단체.

합창-대【合唱隊】명〖악〗학교·종교 단체·기타의 기관 단체에 소속하여 합창을 위주로 하는 부서.

합책【合冊】명 합본(合本). ──-하다 자 여불

합천【陜川】명〖지〗경상 남도 합천군의 군청 소재지로 읍(邑). 군의 중앙부에 위치하여 황강(黃江)에 임함. 명소(名所)로 함벽루(涵碧樓)가 있음. [12,865명(1990)]

합천-군【陜川郡】명〖지〗경상 남도의 한 군. 관내 1읍 16면. 도의 북서부에 위치하며 북은 경상 북도 성주군(星州郡)과 고령군(高靈郡), 동은 창녕군(昌寧郡)과 경상 북도 고령군, 남은 산청군(山淸郡)·진양군(晉陽郡)·의령군(宜寧郡), 서는 거창군(居昌郡)과 산청군에 접함. 금을 산출함. 명승 고적으로 해인사(海印寺)·청량사(淸凉寺)·월광사지(月光寺址)·황계 폭포(黃溪瀑布)·함벽루(涵碧樓) 등이 있음. 군청 소재지는 합천. [983.71 km² : 72,661 명(1991)]

합체【合體】①둘 이상의 것이 합쳐서 하나가 됨. ②〔copulation〕〖생〗원생(原生) 동물에서는, 일반적으로 두 개의 생식 세포 또는 개체가 합일(合一)하는 일. 접착(接着)한 두 개체 또는 배우자(配偶子)는 핵(核)과 세포질(細胞質)이 완전 융합하여 하나의 개체, 곧 접합자(接合子)가 됨. 후생(後生) 동물의 수정(受精)에 대비되는 현상. 융합(融合). ↔접합(接合)❺. ③두 사람 이상이 마음을 합쳐서 한 덩어리가 됨. ④〖물〗입자(粒子)·기체·액체 따위가 결합하여 하나의 물체로 성장해 가는 일. ──-하다 자 여불

합취【合聚】명 한데 모여서 합함. ──-하다 타 여불

합치【合致】명 ①의견(意見)·치수 등이 꼭 일치(一致)함. ¶사실과 ～하다. ②〔concordance〕〖생〗쌍둥이가 외관상(外觀上) 하나 이상의 특징에 유사점(類似點)을 갖는 일. ──-하다 자 여불

합치 감:정【合致感情】명〔feeling of agreement〕〖심〗비교(比較) 작용이나 판단 작용 등에 있어서, 두 표상(表象)이 동화(同化)할 때에 일어나는 지적 감정(知的感情)의 한 가지.

합-치다【合─】자타 '합(合)하다'의 힘줌말. ¶두 반(班)을 ～ / 힘을 ～ / 냇물이 합치는 곳.

합치-법【合致法】[─뻡] 명 두 선(線)의 공간(空間)에 있어서의 합치, 두 음(音)이 생기는 시각(時刻)의 합치, 두 숫자(數字)의 합치 등을 관측하여서 어떤 양(量)을 정밀하게 측정하는 방법. 가령 거리계(距離計)에 있어서 두 상(像)이 합치하게끔 조절하여서 재는 방법 같은 것은 이 것임.

합치-점【合致點】[─쩜] 명 둘 이상의 것이 서로 합치하는 점. 일치점(一致點).

합텐〔hapten〕명〖의〗단독으로는 생체(生體)에 항체(抗體)를 만들 수 없으나 단백질과 혼합하여 주사하면 항체 생산 능력을 가지는 물질의 총칭. 인공 항원(人工抗原)으로 쓰이며, 단순한 화합물에서부터 핵산·당질(糖質) 또는 저분자(低分子) 펩티드 따위까지 있음. 부착체(附着體). 불완전 항원.

합-트리다【合─】타 합뜨리다.

합판¹【合判】명 ①판화(版畫)의 크기의 하나. 세로 33 cm, 가로 23 cm의 크기. ②노트에 쓰이는 종이 치수의 하나. 세로 21 cm, 가로 15 cm의 크기. ③사진 건판(乾板)에서 소판(少判)과 중판(中判)과의 사이의 크기. 세로 12.7 cm, 가로 10 cm임.

합판²【合板】명〔plywood〕여러 장을 붙여서 만든 널빤지. ＊베니어 합판(veneer 合板).

합판³【合版】명 둘 이상의 사람이 합동하여 책을 출판(出版)함. ──-하다 타 여불

합판⁴【合辦】명 ①사업을 공동으로 경영함. ②〖경〗둘 이상의 기업체가 공동 자본으로 기업을 경영하는 일. ──-하다 타 여불

합판 기계【合板機械】명〖기〗베니어(veneer) 기계.

합판-선【合板船】명 합판으로 건조(建造)한 배.

합판 유리【合板琉璃】[─뉴─] 명〔laminated glass〕두 장의 판유리를 맞붙여서 만든 유리. 두 장의 유리 사이에 한 장의 투명한 수지상 물질(樹脂狀物質)을 삽입하여 함께 가열(加熱), 압력(壓力)을 가하면서 성형(成形)함. 깨져도 파편(破片)이 튀지 않음. ＊안전 유리.

합판-화【合瓣花】명〖식〗진달래나 벚꽃 등과 같이, 꽃잎이 서로 붙어서 한 개의 화판(花瓣)을 이루는 꽃. 화판이 다섯 개인 것은 오판화(五瓣花), 네 개인 것은 사판화라고 함. 통꽃. ↔이판화(離瓣花).

합판화-관【合瓣花冠】명〖식〗나팔꽃·도라지꽃 등과 같이, 꽃잎의 일부나 전부가 서로 붙어 있는 화관. 통꽃부리. ↔이판화관(離瓣花冠).

합판화-구【合瓣花區】명〖식〗합판화류. 통꽃무리. ↔이판화구(離瓣花區).

합판화-류【合瓣花類】명〖식〗쌍자엽 식물(雙子葉植物)에 속하는 한 아강(亞綱). 현화(顯花) 식물에서 합판화관을 갖춤. 철쭉꽃과·감나무과·국화과 등의 식물. 합판화구. 통꽃무리. ↔이판화류(離瓣花類).

합판화-악【合瓣花萼】명〖식〗진달래나 나팔꽃 따위와 같이 각 꽃잎이 서로 붙은 꽃받침. 통꽃받침. ↔이판화악(離瓣花萼).

합편【合編】명 두 편 이상의 글이나 책을 합쳐서 엮음. 또, 그 책. ──-하다 타 여불

합폄【合窆】명 합장(合葬). ──-하다 타 여불

합평【合評】명 여러 사람이 모여서 같은 문제나 작품을 가지고, 서로의 견을 주고받으며 비평하는 일. ──-하다 타 여불

합평-회【合評會】명 합평하는 모임.

합포-령【合浦嶺】명〖지〗함경 남도(咸鏡南道) 신흥군(新興郡)에 있는 재. [1,858 m]

합포-체【合胞體】명〖생〗하나의 세포에 핵(核)이 두 개 이상인 세포체. 곧, 처음에 하나씩의 핵을 가진 몇 개의 세포가 서로 융합(融合)하여 다핵(多核)으로 된 세포체.

합표【合標】명 확실히 하기 위하여, 종이나 피륙의 끊은 자리에 표를 하여 두는 일. 또, 그 표. 합인(合印). ──-하다 자 여불 「하다 타 여불

합필【合筆】명 몇 필(筆)의 땅을 합쳐 한 필로 함. ↔분필(分筆). ──-

합하【閤下】명〖역〗정일품(正一品) 벼슬아치에 대한 높임말.

합-하다【合─】㊀자 여불 ①여럿이 하나가 되다. ¶두 반(班)이 ～. ②마음에 들어맞다. ㊁타 여불 ①여럿을 하나로 만들다. ¶마음을 ～. ②뒤섞다.

합해¹【蛤醢】명 조개젓.

합해²【蛤蟹】명〖동〗합개(蛤蚧).

합핵【合核】명〔synkaryon〕〖생〗식물의 접합(接合)이나 수정(受精), 후생 동물(後生動物)의 수정, 원생(原生) 동물의 합체(合體) 및 접합 때에 난핵(卵核)과 정자핵(精子核), 양배우자(兩配偶子)의 핵 또는 양접합 개체(兩接合個體)의 정지핵(靜止核)과 이동핵(移動核)이 합일(合一)·융합(融合)한 것. 배수(倍數)의 염색체(染色體)를 가지며, 양(兩)배우자의 유전자(遺傳子)를 아울러 가짐.

합헌【合憲】명 헌법에 위배되지 아니함. ↔위헌(違憲).

합헌-성【合憲性】[─썽] 명 어떤 법적 행위가 헌법 정신에 합치함. ↔비(非)합헌성·위헌성(違憲性).

합혈【合血】명 피가 서로 합함. 옛날에 아버지와 아들의 피를 물에 떨어뜨리면 반드시 서로 합한다고 하여 재판에 있어 정말 부자간(父子間)인가 아닌가를 검사할 때에 썼음. ──-하다 자타 여불

합혼-목【合昏木】명〖식〗자귀나무.

합-홍저【蛤紅菹】명 조개깍두기.

합화【合和】명 한데 합하여 잘 어울림. 화동(和同). ──-하다 자 여불

합환¹【合歡】명 ①기쁨을 같이함. ②남녀가 합금(合衾)하여 즐김. ¶～주(酒). ──-하다 자 여불

합환²【閤患】명 남의 아내의 병환(病患)을 공대하는 말.

합환-목【合歡木】명〖식〗자귀나무.

합환-주【合歡酒】명 ①혼례(婚禮) 때에 신랑 신부가 서로 바꾸어 마시는 술. ②합환하기 전에 남녀가 마시는 술.

합환-피【合歡皮】명〖한의〗야합피(夜合皮).

합-회【蛤膾】명 조개 회.

합훈【合訓】명 ↗합숙 훈련.

합흉【合胸】명〖춤〗보태평지무(保太平之舞)에서, 윗몸을 45 도로 굽히고 오른손으로 왼손을 덮어 가슴 중간에다 붙이는 사위.

핫- 무 ①옷이나 이불 등의 말 위에 써서 솜을 둔 것이라는 뜻을 나타내는 말. ¶～옷/～이불. ②배우자(配偶者)를 갖추어 있음을 나타내는 말. ¶～어미/～아비.

핫-것 명 솜을 두고 만든 옷이나 이불의 총칭.

핫-금【─衾】명〈궁중〉솜이불.

핫:-길【下─】명 하등(下等)의 품질. 또, 그 물건. ↔상(上)길.

핫 뉴:스〔hot news〕명 아주 새로운 보도(報道). 최신의 소식. 또, 그 기사.

핫 도그〔hot dog〕명 겨자 기름이나 버터를 바른 길쭉한 빵 속에 뜨거운 소시지를 넣은 음식.

핫-두루마기 명 솜을 두고 지은 두루마기.

핫 라인〔hot line〕명 사고(事故)·오산(誤算) 등에 의한 전쟁의 발발 위험을 피하기 위해, 워싱턴의 백악관(白堊館)과 모스크바의 크레믈린 사이에 개설한 직통 텔레타이프 통신선의 일컬음. 그 밖에 동맹국 사이의 직통 통신선도 일컫게 됨.

핫 래버러토리〔hot laboratory〕명〖물〗고방사성(高放射性) 물질을 취급할 수 있는 시설을 갖춘 실험실. 차폐(遮蔽)·원격 조작·환기·모니터 등 방사선 방호(防護)와 감시를 위한 설비 및 방사선 물질 처리의 설비 등을 갖춤. 고(高)방사선 취급 실험실.

핫 머니〔hot money〕명〖경〗국제 금융 시장을 돌아다니는 투기적인 단기 자금. 한 나라에 정치·경제 상의 불안이 발생하면 그곳에 있던 자금은 안정된 국가로 급격히 유출되어, 자본 유출국에서는 국제 수지의 악화와 환시세 하락을 가져오고, 유입국에서는 인플레이션 압력과 환시세 상승 압력을 증대시킴.

핫-바지 명 ①솜을 두고 지은 바지. ＊홑바지. ②〈속〉시골 사람. 무식하고 어리석은 사람. ¶사람을 ～로 알다. ③〈방〉고쟁이(함남).

핫-반 명 두 겹으로 된 솜반.

핫 벨트〔hot belt〕명〖기상〗지구 표면을 둘러싼, 연평균(年平均) 기온 20℃ 이상의 온난대(溫暖帶).

해-소수 명 한 해가 좀 지나는 동안. ¶떠난 지 ~나 되어서. 「여불
해-소일【一消日】명 쓸데없는 일로 날만 보냄. 날소일. ——-하다 자
해속[1]【駭俗】명 사람들이 놀랄 만큼 풍속이 해괴함. ——-하다 형 여불
해속[2]【醢屬】명 젓갈붙이.
해:손[1]【害損】명 손해(損害).
해:손[2]【海損】명〖경〗해난(海難)으로 인하여 발생한 손해. ¶~ 화물.
해:손 계:약서【海損契約書】명〖법〗화주(貨主)가 공동 해손(共同海損)이 일어난 경우에, 부담액을 지급하기를 승낙한 계약서.
해:손 공:탁금【海損供託金】명〖법〗공동 해손(共同海損) 분담액(分擔額)의 지급을 담보하기 위하여 선주(船主)가 그 관계자들에게 공탁하는 돈.
해:손 조항【海損條項】명〖법〗해손에 관한 상법상(商法上)의 조항.
해:송[1]【海松】명〖식〗①바닷가에 나는 소나무의 총칭. ②[*Pinus thunbergii*] 소나뭇과에 속하는 상록 침엽 교목. 높이 30m 가량이고, 잎은 두 잎씩 붙어 남. 자웅 일가(雌雄一家)로 5월에 황색 꽃이 피는데 수꽃이삭은 긴 타원형이고 암꽃이삭은 달걀꼴임. 과실은 구과(毬果)로 달걀 모양의 원추형인데 다음 해 9월에 익음. 해변의 산지·제방 등의 조풍(潮風)을 받는 곳에 적당함. 한국 중부 이남 및 일본·중국에 분포함. 재목은 건축·도구·신탄재로 쓰며 수피(樹皮) 및 화분(花粉)은 식용, 수지(樹脂)는 약용 및 공업용임. 곰솔. 흑송(黑松). ③잣나무.

〈해송[1] ❷〉

해:송[2]【解訟】명 해소(解訴). ——-하다 타 여불
해:송-자【海松子】명 ①잣[2]. ②〖한의〗한약제로서의 잣. 성질은 온(溫)한데 영양을 도우며 대변을 순하게 함.
해:송자-유【海松子油】명 잣기름.
해:송자-죽【海松子粥】명 잣죽.
해:송-판【海松板】명 잣나무를 켜서 만든 널.
해수[1]【咳嗽】명〖의〗기침. 수해(嗽咳). ¶~병/~증. →해소(咳嗽).
해:수[2]【海水】명 바닷물. ↔육수(陸水).
해:수[3]【海獸】명〖동〗바다에 사는 포유 동물(哺乳動物)의 총칭. 몸 모양은 방추형(紡錘形)이고 사지(四肢)는 지느러미 모양으로 변화하여 헤엄치기에 적당함. 고래·물개·해우(海牛)·강치 등. 바닷짐승.
해:수 관음 보살 입상【海水觀音菩薩立像】명〖불교〗강원도 양양군(襄陽郡) 강현면(降峴面) 낙산사(洛山寺) 근처의 신선봉(神仙峯) 기슭에 남향으로 세워진 관음 보살 석상(石像). 좌대(座臺) 높이 2m 80cm, 입상 높이 16m의 동양 최대의 불상임. 1977년 건립됨.
해:수 담:수화【海水淡水化】명 바닷물로, 음료수·공업 용수·농업 용수로 쓸 담수를 만드는 일.
해:수-면【海水面】명 바닷물의 표면.
해수-병【咳嗽病】[—뼝] 명〖한의〗기침병.
해:수 비누【海水—】명〖공〗야자유(椰子油)와 펌핵(perm 核) 기름을 원료로 하여 염석(塩析)을 행하지 아니하고, 경수(硬水)의 연화제(軟化劑)가 되는 물유리·탄산 나트륨 등을 가해 만든 비누. 바닷물이나 경수(硬水)에서도 거품이 잘 일. 해용(海用) 비누.
해:수-어【海水魚】명〖동〗바닷물고기.
해:수 엽선【海獸獵船】명 고래를 제외한 바닷개·해다리·바다표범 등, 바다에 사는 포유 동물(哺乳動物)을 잡는 어선.
해:수-욕【海水浴】명 피서·위생·치료·운동 등의 목적으로 바닷물에서 목욕하거나 수영하는 일. 조욕(潮浴). ——-하다 자 여불
해:수욕-복【海水浴服】명 수영복.
해:수욕-장【海水浴場】명 해수욕하기에 알맞은 환경과 설비가 되어 있는 곳.
해:수 우라늄 채:취【海水—採取】명 [uranium extraction from seawater] 특수한 흡착(吸着) 물질을 사용하여 바닷물 속에 극히 소량이 함유되어 있는 우라늄을 뽑아내는 방법.
해:수 착색 표지【海水着色標識】명 물감을 풀어서 해면(海面)의 한 곳에 물을 들이는 일. 조난(遭難) 구조기에 조난한 곳을 알리는 데 따위에 씀.
해:수 포도경【海獸葡萄鏡】명 거울 뒷면 전면(全面)에 포도문(葡萄文)을 넣고, 그 사이에 짐승 모양을 몇 마리 배열한 거울. 중국 당대(唐代)에 성행함.

〈해수 포도경〉

해:시[1]【亥時】명〖민〗①십이시(十二時)의 열두째 시간. 곧, 오후 9시부터 11시 바로 전까지의 동안. ②24시의 스물셋째 시간. 곧, 오후 9시 반부터 10시 반까지의 동안. ㊌해(亥).
해:시[2]【海市】명 신기루(蜃氣樓)❶.
해:시[3]【解屍】명 시체를 해부함. ——-하다 자 여불
해시[4] [hash] 명 아주 잘게 썬 고기의 요리.
해-시계【—時計】명〖천〗일주 운동(日周運動)을 이용하여 대략의 시각을 아는 장치. 지축(地軸)의 방향을 가리키는 지침(指針)을 시간의 눈금을 그린 수평면상(水平面上)에 고정(固定)시키고 그 그림자의 방향에 의하여 시각을 알아내도록 만든 것. *별시계·불시계.

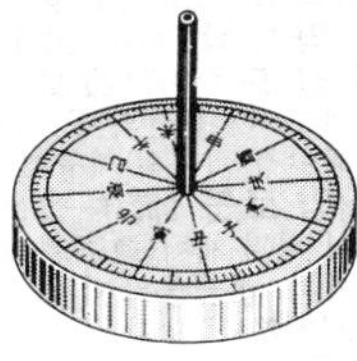
〈해시계〉

해시 라이스 [hashed rice] 명 양파·쇠고기 따위를 기름에 볶은 다음 밀가루를 물에 풀어서 끓여 쌀밥에 부어 얹은 요리.
해시시 [hashish] 명 마약으로 쓰는, 인도산 대마(大麻)의 이삭·잎을 말린 것. 하시시. 마리화나.
해:시지-와【亥豕之譌】명 글자가 서로 비슷하므로, 쓸 때에 잘못 써서 다른 뜻으로 그릇 전하게 됨을 일컫는 말.
해:식[1]【海蝕】명〖지〗해수(海水)에 의한 침식 작용(浸蝕作用).
해:식[2]【解式】명〖수〗운산(運算)의 순서를 일정한 기호와 방법에 의하여 기록하는 식.
해:식-굴【海蝕窟】명〖지〗해식으로 해식애(海蝕崖) 밑 부분의 연약한 암석이 깎여서 생긴 동혈(洞穴). 해식동(海蝕洞).
해:식 단구【海蝕段丘】명〖지〗해식에 의해서 이루어진 평탄면(平坦面)이 융기(隆起)하여서 된 해안 단구의 한 가지.
해:식-대【海蝕臺】명〖지〗해식 작용에 의해서 해안선이 후퇴한 자리, 곧 해안선에 생긴 평탄(平坦)한 지형. 완만한 경사를 이루며, 난바다에 암석의 파편으로 된 퇴적(堆積) 대지를 형성함.

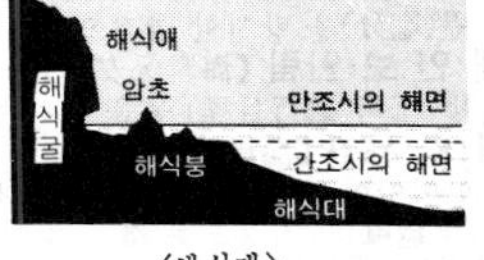

〈해식대〉

해:식 대지【海蝕臺地】명〖지〗파식(波蝕) 대지.
해:식-동【海蝕洞】명〖지〗해식굴.
해:식-붕【海蝕棚】명〖지〗해안선에 따라 해식의 작용으로 절벽 아래에 바다 쪽으로 넓고 평탄하게 생긴 땅.
해:식-애【海蝕崖】명〖지〗파도의 침식(浸蝕) 작용과 해면상의 암석에 행하여지는 풍화(風化) 작용으로 말미암아 해안에 이루어진 낭떠러지.
해:신[1]【海神】명 바다를 주장(主掌)하는 신령.
해:신[2]【解信】명〖불교〗불교의 이치를 연구 해득(解得)한 뒤 그를 믿음.
해신[3]【駭神】명 마음을 놀라게 함. ——-하다 타 여불
해:신-당【海神堂】명〖민〗제주도에서, 어부와 해녀(海女)의 수호신인 바다의 신을 모신 신당(神堂).
해심[1]【垓心】명 경계(境界)의 한가운데.
해:심[2]【害心】명 해하고자 하는 마음. 적심(賊心).
해:심[3]【海心】명 바다의 한가운데.
해:심[4]【海深】명 바다의 깊이. ¶~을 재다.
해:심밀-경【解深密經】명〖불교〗불교 경전의 하나. 중국 당(唐)나라의 현장(玄奘)이 번역한 것으로 법상종(法相宗)의 경전인데, 유식(唯識)의 사상에 대하여 경(境)·행(行)·과(果)를 8품(品)으로 설명하였음. 신라의 원측(圓測)은 이 경전 연구에 깊은 조예를 보인 학자임.
해:심밀경-소【解深密經疏】명〖불교〗신라 때의 중 원측 법사(圓測法師)가 《해심밀경》을 연구하여 쓴 책. 신라의 유식(唯識)에 대한 독자성을 볼 수 있음. 10권 5책. 인본(印本). 1992년 중국 허난 대(河南大) 도서관에서 그 진본이 발견됨.
해-쌀 명〈방〉햅쌀.
해-쑥 명 그 해에 새로 자란 쑥.
해쓱-하다 형 여불 얼굴에 핏기가 없어 파르께하다. 안면(顔面)이 창백(蒼白)하다. ¶얼굴이 해쓱해지다. 해쓱-히 부
해-씨【該氏】명 그 분. 그 양반.
해아[1]【孩兒】명 어린아이.
해:아[2]【海牙】명〖지〗'헤이그(Hague)'의 음역.
해아-다【孩兒茶】명〖한의〗중국에서 산출되는 약재의 한 가지. 차(茶) 가루를 대통에 넣고 단단히 봉하여 진흙 속에 두어 해 동안 묻어 두었다가 꺼내어 볶아서 씀.
해:아 밀사 사:건【海牙密使事件】[—싸—껀] 명〖역〗'헤이그 밀사 사건'의 음역.
해:악[1]【害惡】명 ①해로움과 악함. ②해가 되는 나쁜 일.
해:-악[2]【海嶽】명 바다와 산악(山嶽).
해악[3]【駭愕】명 몹시 놀람. ——-하다 자 여불 「~선.
해:안[1]【海岸】명 바다와 육지가 서로 닿은 지대. 바닷가. 해서(海澨). ¶
해:안[2]【解顔】명 얼굴을 부드럽게 풀고 웃음. ——-하다 자 여불
해:안-각【蟹眼刻】명〖건〗박공(牔栱)널이나 추녀 끝에 와상(渦狀)을 새김질하여 장식한 것.
해:안-갯지네【海岸—】명〖동〗[*Perinereis nuntia*] 갯지넷과의 동물. 몸은 가늘고 긴데, 환절수(環節數)는 95-135개, 길이는 75-109mm, 폭은 4.5-5mm임. 등의 앞쪽만 청흑색이고 그 밖은 갈색인데 네 쌍의 더듬이를 가짐. 해안에 서식함. 검갯지렁이.
해:안 경:비【海岸警備】명 바닷가의 경비. 해안 방비.
해:안 경:비대【海岸警備隊】명 1946년에 창설된 우리 나라 해군의 모체(母體). ㊌해경.
해:안 경:비법【海岸警備法】[—뻡] 명〖법〗해군 형사법(海軍刑事法)으로서 실체법(實體法)과 절차법(節次法)을 포함하는 법률. 각각 군형법(軍刑法)과 군법 회의법에 의하여 폐지됨.
해:안-국【海岸局】명〖해〗항행 안전을 위한 각종의 통보나 공중 전보, 어황(漁況)의 연락·지시 등 선박에 대한 통신만을 목적으로 육상(陸上)에 설치된 무선국.
해:안 기후【海岸氣候】명〖기상〗해안 또는 호반(湖畔) 지방에서 볼 수 있는, 습윤(濕潤)·온화(溫和)한 기후. 해양성 기후와 대륙성 기후의 중간형이나 조금 해양성 기후에 가까움. 해륙풍(海陸風)이 발달되고 일(日)변화 또는 연(年)변화가 적고, 자외선(紫外線)이 많아 건강에 좋으므로 피서(避暑)·피한(避寒)에 적합하나 열대 지방에서의 이 기후는 고온 다습하여 건강에 좋지 않음.

해:안 단구【海岸段丘】[명]〔coastal terrace〕〖지〗해안에 따라 생긴 가늘고 긴 띠 모양의 대지(臺地). 바다 밑에 형성된 해식면(海蝕面)이나 퇴적면(堆積面)이 융기(隆起)하여 생기는데, 이 융기가 되풀이하면 계단(階段) 모양의 지형으로 됨. *해안 사구(砂丘)·해식대(海蝕臺).

해:안-도[1]【海岸島】[명]〖지〗대륙(大陸)의 일부분이 떨어져서 이루어진 섬.

해:안-도[2]【海岸圖】[명] 해안 근처를 항해하는 선박을 위해 만들어진 해도(海圖).

해:안 도서족【海岸島嶼族】[명] 태평양과 인도양 연안 또는 대양(大洋)의 섬 속에 살고 있는 종족(種族)의 통칭. 이들 상호간에는 외모상(外貌上) 공통성이 없으므로 이들을 합치어 무슨 인종이라고는 칭할 수 없음. 세계 총인구의 7% 정도임. 말레이족이라고도 함.

해:안-메꽃【海岸—】[명]〖식〗갯메꽃.

해:안 방비【海岸防備】[명] 해안 경비.

해:안 방풍림【海岸防風林】[—님] [명] 조풍(潮風) 및 그에 포함되는 염분(塩分)을 방지할 목적으로 이룬 해안의 숲. *방조림(防潮林).

해:안 보:안림【海岸保安林】[—님] [명] 조해(潮害) 방지·방풍(防風)·항행 목표(航行目標) 등을 위하여 해안에 조성한 보안림.

해:안 사구【海岸砂丘】[명]〖지〗해안에서 해류 또는 하안류(河岸流)로 말미암아 운반된 모래가 파도에 의해 육지로 밀려 올라온 후, 탁월풍(卓越風)의 작용으로 겹쳐 쌓여서 이루어진 모래 둔덕. *해안 단구.

해:안 사막 기후【海岸沙漠氣候】[명]〖기상〗사막이 직접 바다에 임(臨)하여 비가 매우 적은데도 불구하고, 일반적으로 안개가 많이 끼고 습도(濕度)가 높은 기후 현상. 원인은 위도(緯度) 이외로 연안(沿岸)을 흐르는 한류(寒流)나 심해(深海)로부터 한랭(寒冷)한 물덩이가 솟아오르기 때문이라고 추측되는데, 사하라(Sahara) 사막의 서부, 홍해(紅海)의 연안, 오스트레일리아의 서안(西岸) 등은 이 해안 사막 기후 지대임.

해:안 사방【海岸砂防】[명] 해안의 모래가 바람 따위에 의해서 날아가거나 이동하는 것을 막기 위한 공사. 또, 그 축조물. 제방(堤防)·방책(防柵)·조림(造林) 따위.

해:안-선【海岸線】[명]〖지〗① 바다와 육지가 서로 맞닿아서 길게 뻗친 선. 연해선(沿海線). ②해안에 좇아서 부설된 철도 선로. 연안선.

해:안선 윤회【海岸線輪廻】[명]〔shoreline cycle〕〖지〗바닷물이 침입하여 침식이 시작되어서부터 끝나기까지의 동안에, 해안의 특징이 차차 형성되어가는 변화의 윤회.

해:안 식물대【海岸植物帶】[명] 식물의 수직 분포의 하나. 우리 나라에서는 해안에서 높이 약 50 m까지의 사이로, 갯완두와 갯메꽃 등의 해안 식물들이 자람.

해:안-싸리【海岸—】[명]〖식〗[*Lespedeza uyekii*] 콩과에 속하는 낙엽 활엽 관목. 잎은 긴 타원형 또는 타원형이고 가에 톱니가 없으며 표면에 윤이 나고 잎 뒤에는 짧은 털이 남. 10월에 홍자색의 꽃이 단총상화서(單總狀花序)로 액생(腋生)하여 핌. 과실은 협과(莢果)임. 서울에서는 익지 아니함. 해변의 산기슭에 남. 전라 남도의 목포(木浦)·보길도(甫吉島), 부산(釜山) 지방에 야생함. 재목은 신탄재(薪炭材), 수피(樹皮)는 섬유용임.

해:안 요새【海岸要塞】[—뇨—] [명]〖군〗해안의 요소에다 설치한 요새. 해안에 포대(砲臺)나 해보(海堡)를 쌓고 적함(敵艦) 또는 상륙군(上陸軍)에 대한 저항 설비 및 육지 요새의 설비를 아울러 갖춘 곳.

해:안 종단면【海岸縱斷面】[명]〖지〗해안선(海岸線)에 직각(直角)의 방향으로 자른, 육상으로부터 해저(海底)에 걸친 지형 단면. 장소에 따라서 여러 가지 모양을 이룸.

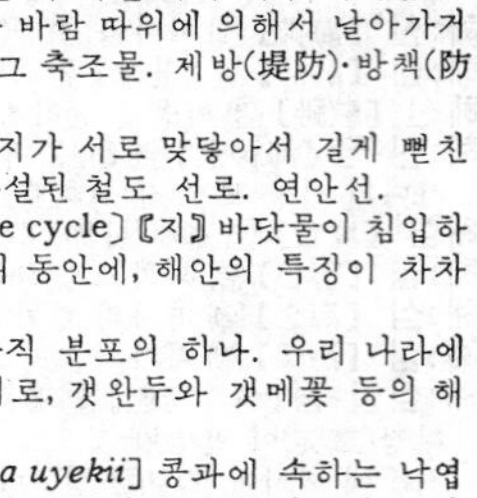

〈해안 종단면〉

해:안 지형【海岸地形】[명]〖지〗직접 또는 간접으로 바다의 작용을 받아서 이루어진 지형. 지반(地盤) 운동의 성질이나 기후의 조건 등으로 말미암아 지역적으로 변화가 심하며 기묘한 모양의 해안선이 많음.

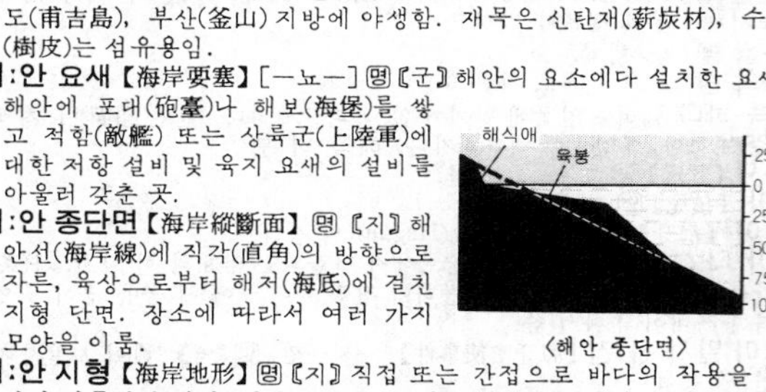

〈해안 지형〉

해:안 침식【海岸浸蝕】[명]〖지〗파도·조류(潮流) 등에 의한 해안의 침식. 해식(海蝕).

해:안-태【海岸太】[명] 주로 동해안(東海岸) 등 연안(沿岸)에서 잡히는 명태. *원양태(遠洋太).

해:안 탱크【海岸—】[명]〔shore tank〕탱커에서 내려놓은 석유 제품을 저장하기 위해, 해안에 부설(敷設)한 탱크.

해:안 평야【海岸平野】[명]〖지〗보통, 삼각주(三角洲)·선상지(扇狀地)·간석지(干潟地) 등 해안에 퍼진 평야를 말하나, 지형학(地形學)에서는 해저 퇴적면(海底堆積面)이 융기(隆起)하여 육화(陸化)된 지형을 말함. 일반적으로 진흙이나 모래 같은 비교적 작은 퇴적물로 이루어졌음. *내륙 평야(內陸平野).

해:안-포【海岸砲】[명]〖군〗해안 요새에 설치한 여러 가지 화포(火砲).

해:안 포대【海岸砲臺】[명]〖군〗해안 경비를 위하여 설치한 포대.

해:안 표지【海岸標識】[명] 연안(沿岸)을 항행하는 선박에 대하여 암초(岩礁)의 위치를 알리는 등화(燈火)·부표(浮標)·전자(電子) 장치 따위.

해:안 효:과【海岸効果】[명] 해안선(海岸線) 부근의 해면(海面) 위를 진행하는 전파(電波)가 해안선 방향으로 굽어 드는 일. 땅 위를 진행하는 속도보다도 해면 위를 진행하는 속도가 약간 빠르기 때문에 일어나며, 이 영향으로 무선(無線) 방위 측정기의 지시에 오차(誤差)가 생김.

해:암【海岩】[명] 해변이나 섬의 바위.

해-암탉[—탁] [명] 그 해에 새로 깬 암탉.

해:애【海艾】[명] 바다 가운데의 섬에서 나는 쑥.

해:액【解厄】[명]〖민〗액막이.

해야디다 [자]〈옛〉해어지다. 닳아서 떨어지다. ¶다 뎐염ᄒᆞ여 해야디리로다(都染的壞了)≪老乞 下 17≫.

해야로비 [명]〈옛〉해오라기. ¶자던 해야로비ᄂᆞᆫ 두려운 몰애예셔 니ᄂᆞ다(宿鷺起圓沙)≪初杜諺 Ⅶ:7≫.

해야ᄇᆞ리다 [타]〈옛〉해뜨리다. 헐어 버리다. ¶水門을 다가 다딜러 해야ᄇᆞ리고(把水門都衝壞了)≪朴解 上 10≫.

해야ᄒᆞ다 [형]〈옛〉하얗다. ¶ᄂᆞᄂᆞᆫ 벼른 므레 디나 해야ᄒᆞ고(飛星過水白)≪杜諺 Ⅺ:47≫.

해:약[1]【解約】[명] ①파약(破約). ②〖법〗'해지(解止)'에 해당하는 구민법상의 용어. ——하다 [타][여불]

해:약[2]【解藥】[명]〖약〗↗해독약(解毒藥).

해얀 [형]〈옛〉하얀. 흰. ¶해얀 ᄆᆞᄅᆞ매 고기ᄂᆞᆫ 차바내 드러 오ᄂᆞ다(白白江魚入饌來)≪杜諺 ⅩⅩⅢ:31≫.

해:양【海洋】[명] 큰 바다.

해:양 감시 위성【海洋監視衛星】[명] 피아(彼我)의 함선 및 해양에 관한 정보를 얻을 목적으로 바다를 감시하는 위성. 군사 목적을 가진 위성의 하나.

해:양 개발【海洋開發】[명] 해양에서의 자원 개발, 공간 이용의 고도화(高度化)와 그를 위해 필요한 해양 관측 조사 및 기기(器機)·시설의 기술 개발과 생산 활동을 일컬음.

해:양 개발 산:업【海洋開發産業】[명] 해양의 과학적 조사와 해양 기기(器機)·엔지니어링의 발달을 바탕으로 아직 이용되지 않고 있는 해양 자원의 개발 및 공간 이용을 목표로 하는 산업 활동.

해:양 경:찰청【海洋警察廳】[명] 해상 경비·해난 구조(海難救助)와 해양 오염 방지 등, 해양 경찰에 관한 사무를 관장하는 해양 수산부 소속의 관청.

해:양 경:찰청장【海洋警察廳長】[명] 해양 경찰청의 장(長). 치안 정감(治安正監)으로 보(補)함.

해:양 공학【海洋工學】[명]〔ocean engineering〕해양, 특히 해양 개발에 관련되는 공학의 총칭.

해:양 과학 조사【海洋科學調査】[명] 평화적 목적으로, 해양의 자연 현상을 구명(究明)하기 위하여 해저면(海底面)·하층토(下層土)·상부 수역(水域) 및 인접 대기(隣接大氣)를 대상으로 하는 조사 또는 탐사.

해:양 관측【海洋觀測】[명]〔oceanographic observations〕해양의 현상이나 상태를 조사하기 위해서 하는 관측의 총칭. 일반적으로, 해수 온도·용존(溶存) 염분·용존 산소량·영양 염류·pH와 같은 화학량의 관측, 해류·파랑(波浪)·조석(潮汐)과 같은 물리 현상의 관측, 각종 플랑크톤·저서(底棲)동물·수생 식물 등, 해중에 서식하는 생물의 관측, 해저 지질 관측, 해양 기상 관측 등이 포함됨.

해:양 관측선【海洋觀測船】[명] 해양 관측을 목적으로 하는 전용선(專用船).

해:양-국【海洋國】[명] 국토의 대부분이 바다로 에워싸인 나라.

해:양 국제법【海洋國際法】[—뻡] [명] 영해(領海)와 그 접속 수역, 공해(公海)와 공해의 생물 자원 보전, 대륙붕 등 해양에 관한 국제 법규.

해:양 굴착【海洋掘鑿】[명] 바다 속의 석유 등, 지하 자원을 채취하기 위하여 행하는 보링(boring).

해:양 기단【海洋氣團】[명] 해양 상에서 발생한 기단. 해면으로부터의 증발에 의해서 기단 하층에 다량의 습기를 포함함. 해양성 기단.

해:양 기상【海洋氣象】[명]〔maritime weather〕해양 상에서의 날씨·기후·바람의 강도 등, 대기의 상태나 현상. 해양은 지구 표면적의 70.8%를 차지하고, 해수는 또 육지를 형성하는 암석이나 토양과 성질이 달라서 기상·기후에 끼치는 영향이 엄청나게 큰 터임.

해:양 기상대【海洋氣象臺】[명]〖기상〗해양 기상·해류(海流)·조석(潮汐) 그 밖의 해양에 있어서의 물리적 현상 및 선박에 대한 폭풍우 경계 등을 행하는 기상대.

해:양 기상학【海洋氣象學】[명] 해양 상의 기상을 연구하는 학문. 기상학의 한 분과로서의 해상 기상이나 풍랑 따위 해면(海面)의 해양학을 포함하며 어업 기상·해운 기상 등에 응용됨.

해:양 기후【海洋氣候】[명]〖지〗해양성 기후. ↔내륙 기후.

해:양 대:순환【海洋大循環】[명]〖지〗대양(大洋) 대순환.

해:양 대학【海洋大學】[명]〖교〗↗한국 해양 대학. [준]해대(海大).

해:양-도【海洋度】[명] 지구 표면 상의 지점(地點)이 받는 바다의 영향의 정도. 이 특성의 척도(尺度)의 하나는 대륙성 기단(大陸性氣團)에 대한 해양성 기단의 비율로 나타냄. ↔대륙도(大陸度).

해:양 로봇【海洋—】〔robot〕[명] 바다 위의 조작실(操作室)에서 사람이 원격 제어(遠隔制御)하는 대로, 사람 대신 바다 속에서 작업을 하는 기계. 대륙붕의 탐사, 해저(海底) 물체의 회수(回收), 해양 계측 기기(計測機器)의 교환 등의 일을 하는 것들이 있음.

해:양 목장【海洋牧場】[명] 만(灣) 같은 수역(水域)을 이용해서 어류를 방

사(放飼)하는 곳. 양식 어업(養殖漁業)의 일종으로 울타리를 설비하지 않고 일정한 장소에 정착하는 어류의 습성을 이용해서 번식시키는 데 특징이 있음.
해:양 문학【海洋文學】명〖문〗해양을 주제로 한 문학.
해:양 물리학【海洋物理學】명 해양학의 한 분과. 해수의 운동이나 물성(物性), 해안의 침식, 해저(海底) 퇴적물(堆積物)의 이동 등 해양의 물리적 문제를 연구함.
해:양 미생물【海洋微生物】명〔marine microorganism〕〖생〗해양에서 생존(生存)·발육·증식(增殖)할 수 있는 원생(原生) 생물. 심해(深海)에서는 해양 세균이 주체를 이루고, 천해(淺海)에서는 그 외에 바이러스류(類)·진균류(眞菌類)·미소 조류(微小藻類)·원생 동물 등이 포함되며, 전(全) 해양의 생물체량(生物體量)의 거의 대부분을 차지함.
해:양 박물관【海洋博物館】명 해양학 관계의 관측용 측기(測器)·표본·기타의 자료를 전시하는 박물관.
해:양-법【海洋法】[—뻡] 명 영해·통항권·해중 자원·해양 환경 보전·해저 개발 등에 관한, 국제적인 규정.
해:양법 조약【海洋法條約】[—뻡—] 명 해양에 관한 종래의 관습법의 법전화(法典化)와, 최근의 신사태(新事態)에 대응하는 새로운 입법을 내용으로 한, 1958년의 제네바 해양법 국제 회의에서 채택된 4개의 조약. 즉 영해 및 접속(接續) 수역에 관한 조약(1962 발효), 공해(公海)에 관한 조약(1964 발효), 어업 및 공해의 생산 자원의 보전에 관한 조약(1966 발효), 대륙붕에 관한 조약(1964 발효) 등.
해:양 봉쇄【海洋封鎖】명 국가가 일정한 해양을 영유하고, 필요에 따라 봉쇄할 수 있는 일. 또, 그러한 설(說). 영국의 셀던(Selden) 등이 제창함. ↔해양 자유(海洋自由). ——-하다 자여불
해:양 사목【海洋司牧】명〖기독교〗바다에서 활동하는 선원들과 그 가족을 대상으로 하는 사목 활동.
해:양 생물【海洋生物】명 해양에 서식하는 생물의 총칭. 약 30억 년 전에 따뜻하고 얕은 해저(海底) 퇴적물 속에서 최초의 생물이 생겨났다고 함.
해:양-성【海洋性】[—썽] 명 해양의 성질 또는 해양에 특유한 성질. ↔「대륙성(大陸性).
해:양성 공기【海洋性空氣】[—썽—] 명 넓은 해수면(海水面)에서 발달하여 적어도 하층(下層)에서는 높은 습도(濕度)를 지닌, 해양성적 특징이 있는 공기.
해:양성 기단【海洋性氣團】[—썽—] 명〔maritime airmass〕해양 상에서 발현(發現)되는 기단. 기단의 하층이 다습한 것이 특징임.
해:양성 기후【海洋性氣候】[—썽—] 명〔oceanic climate〕〖지〗기후형(氣候型)의 하나. 해양 상의 섬이나 해양에서 바람이 불어오는 육지 등 해양의 영향을 크게 받는 지방에서 볼 수 있음. 기온 연교차(年較差)와 일교차(日較差)가 작고, 일년 중 온난(溫暖)하여 습도가 높은 것이 특징임. 운량(雲量)이 크고 흐린 날이 많음. 대양적(大洋的) 기후. 해양기후. 해양적 기후. ↔대륙성 기후.
해:양성 원소【海洋性元素】[—썽—] 명 보통의 육수(陸水)보다 해수(海水) 속에 상대적으로 많이 함유된 원소. 나트륨이나 염소(塩素) 등.
해:양 소:년단【海洋少年團】명 청소년에게 해양 과학(海洋科學)의 지식과 기술을 체득하게 하고, 해양 스포츠를 통한 심신 단련으로 바다를 개척할 수 있는 힘을 길러 줌을 목적으로 하는 소년단의 하나. 우리나라에서는 1980년 한국 해양 소년단 연맹이 창단(創團)됨.
해:양 수산부【海洋水産部】명 행정 각부의 하나. 수산, 해운, 항만, 해양 환경 보전, 해양 조사, 해양 자원 개발, 해양 과학 기술 연구·개발 및 해난 심판(海難審判)에 관한 사무를 관장함. 「위원.
해:양 수산부 장:관【海洋水産部長官】명 해양 수산부의 장(長)인 국무
해:양 식물【海洋植物】명 수생 식물(水生植物) 가운데서 해양에 생육하는 식물. 모자반·우뭇가사리 등.
해:양 어업【海洋漁業】명 해양에서 행하여지는 어업의 총칭.
해:양 연:구소【海洋研究所】[—년—] 명 해양학 연구 기관. 세계에 150개 이상이 있으며, 각국마다 국립 또는 대학의 부속 시설로 설치함. 해양의 기초적 종합적인 과학적 연구를 하는 것과 수산(水産)을 포함한 응용면의 연구를 하는 것으로 나뉨.
해:양 열류【海洋熱流】명〔oceanic heat flow〕바다밑을 통해서, 지구로부터 유출(流出)되는 단위 면적(單位面積)·단위 시간당(當)의 열량.
해:양 예:보【海洋豫報】[—녜—] 명〔marine forecast〕바람·시정(視程)·일반 일기 개황·폭풍우 경보 등을 포함하는, 특히 해상 교통에 관련이 있는 날씨 요소(要素)에 반하여, 특정한 해역(海域)이나 연안 지방을 대상으로 행하는 예보.
해:양 오:염【海洋汚染】명〔marine pollution〕오염 물질이 자연 정화력(自然淨化力)의 한계 이상으로 해수에 계속 유입되어 물리·화학적인 변화를 일으켜 해양 생물 자원에 피해를 주고 동시에 해수의 이용 가치를 저하시키는 현상.
해:양 오:염 방지법【海洋汚染防止法】[—뻡] 명〖법〗선박 및 해양 시설 등에서 해양에 배출(排出)하는 기름 또는 폐기물(廢棄物)을 규제하고, 해양의 오염 물질을 제거하여, 해양 환경을 보전하기 위하여 제정된 법. 「온도차를 이용한 발전.
해:양 온도차 발전【海洋溫度差發電】[—쩐] 명 해면 가까이와 심해의
해:양 자원【海洋資源】명 해양 생물·해수의 성분을 비롯하여 해저에 부존된 석유·천연 가스·고체 광물 자원과 각종 에너지 자원.
해:양 자유【海洋自由】명 해양이 어떠한 국가에도 속하지 않는 일. 또, 그러한 설(說). 네덜란드의 그로티우스(Grotius) 등이 제창함. 오늘날 국제법상 확립되어 있는 것으로, 항행(航行)과 어획 등의 해양 사용의 자유를 포함함. 자유 해양(自由海洋). ↔해양 봉쇄(海洋封鎖).
해:양-저【海洋底】명 해양 또는 바다의 가장 깊은 곳. 대양저(大洋底).
해:양 정치학【海洋政治學】명〔oceanopolitics〕〖정〗해양·영해(領海)·국제 해협을 둘러싼 국제 관계, 남극·북극을 포함한 바다의 해중(海中)·해저(海底) 자원 개발에 관한 경쟁 및 이 문제를 둘러싼 군사적 측면 등을 연구하는 학문.
해:양 조사선【海洋調査船】명 해양에 관한 갖가지 조사를 하기 위한 선박. 해양 관측선·잠수 조사선·수로 측량선·어업 조사선·해저 광물 자원 탐사선·수질 조사선·방사능 조사선 등이 이에 속함.
해:양 주권【海洋主權】[—꿘] 명〔ocean sovereignty〕해양에 대한 나라의 주권. 영해(領海)의 관할은 물론, 연안 해역(沿岸海域)·해상(海床)·해저(海底)의 천연 자원을 지배하는 권리도 포함됨.
해:양 지각【海洋地殼】명 해양 지역의, 특히 심해부(深海部)의 지각. 그 두께는 해수층(海水層)을 제외하면 어디서나 거의 한결같이 6 km 정도밖에 안됨.
해:양 지진【海洋地震】명〔seaquake〕〖지〗해양의 밑바닥에 진원(震源)을 갖는 지진. 진원 부근의 배에서 감지(感知)할 수 있음.
해:양 초계기【海洋哨戒機】명 해양을 순찰·관측하고 구난 수색 등을 하는 항공기. 엠 피 에이(MPA).
해:양 탐사【海洋探査】명 기름의 부존 가능성이 있는 지층(地層)을 탐색하기 위하여 대륙붕 수역에서 행하는 지구 물리학적 지진 탐사법.
해:양 투기【海洋投棄】명〔sea dumping〕주로 저(低)레벨의 방사성 폐기물을 아스팔트나 유리 따위로 고화(固化)시켜 드럼통에 담아 해양에 버리는 일. 1972년의 런던 조약으로 심해에만 투기할 수 있었음. 그러나 1983년의 런던 조약으로 해양 투기를 일시 정지할 것을 결의하였고 1985년에는 그 계속이 결의되었음.
해:양-판【海洋板】명〔oceanic plate〕〖지〗지구의 표면을 이루는 십여 개의 견고하고 큰 플레이트 중에서 바다밑에 있는 것. 대양저(大洋底)의 해령(海嶺)에서 솟아 널리 펴져 있음.
해:양-학【海洋學】명〔oceanography〕해양에서 일어나는 여러 가지 현상을 연구하는 학문. 해양 물리학·해양 생물학·해양 화학·해양 지질학 등의 분야가 있음. 「지질학과.
해:양학-과【海洋學科】명〖교〗대학에서, 해양학을 전공하는 학과. ＊
해:양 회유성【海洋回游性】[—썽] 명 어류가 해양 중을 이동하는 일.
해:양 효모【海洋酵母】명〔marine yeast〕〖생〗해양에 서식하는 효모.
해:어[1]【海魚】명 바닷물고기.
해:어[2]【解語】명 말의 뜻을 이해함. ——-하다 자여불
해어[3]【諧語】명 ①농. 익살. ②환담(歡談).
해어-뜨리다 타 닳아서 떨어지게 하다. ¶옷을 ~. 준해뜨리다.
해어-지다 자 닳아서 떨어지다. ¶옷이 ~. 준해지다.
해어-트리다 타 해어뜨리다.
해:어-화【解語花】명 말을 아는 꽃. 곧, 미인(美人)을 일컫는 말.
해:언【海堰】명 바닷가를 따라 조수(潮水)가 들어오는 것을 막기 위하여 쌓은 둑.
해:엄【解嚴】명 경계(警戒)를 풂. ——-하다 자여불
해엠 명〈방〉헤엄(경남).
해여디다 자〈옛〉해어지다. ¶혼가지로 모진 사르미 조차 해여디니라(同惡隨蕩析)≪杜諺 I:9≫.
해여ᄇ리다 타〈옛〉찢어 버리다. ¶免帖 내여 해여ᄇ리고(將出免帖來毁了)≪老乞 上 4≫. ＊히야ᄇ리다.
해역[1]【咳逆】명〖한의〗횡격막(橫隔膜)이 갑자기 줄어들면서 목구멍이 막히어 숨을 들이쉴 때 소리가 나는 병. 위병(胃病)·히스테리 등으로 인하여 흔히 생김.
해:역[2]【海域】명 바다 위의 구역. 어떤 범위 안의 바다.
해:역 사령관【海域司令官】명〖군〗해역 사령부의 장관(長官).
해:역 사령부【海域司令部】명〖군〗해군의 작전 기지에 둔 사령부.
해연[1]【垓埏】명 땅의 가장자리.
해:연[2]【海淵】명〖지〗해구(海溝) 가운데 특히 움푹 팬 곳. 필리핀 해구의 엠덴(Emden) 해연(깊이 10,400 m)이 특히 유명함. ＊해구(海溝).
해:연[3]【海燕】명 ①〖동〗〔*Clypeaster japonicus*〕왜형류(歪形類)에 속하는 동물. 껍데기는 길쭉하고 둔한 오각형으로 되었고, 상면(上面)은 조금 원추상(圓錐狀)으로 솟아 오판화(五瓣花) 모양의 무늬가 있으며 하면(下面)은 입이 오목하게 되었음. 전면(全面)에 가시가 촘촘히 나고 빛은 갈색임. 장경(長徑) 11 cm, 단경(短徑) 9.5 cm, 높이 3.5 cm 가량임. 얕은 바다 속의 모래 바닥에서 삶. 한국·일본에 분포함. ②〖조〗바다제비.

〈해연[3]❶〉

해연[4]【駭然】명 몹시 이상스러워서 놀라는 모양. ¶이 학사가 막쇠의 이야기를 들으니 ~한 생각이 나서 눈물이 비오듯 하며…≪作者未詳:金菊花≫. ——-하다 형여불. ——-히 부
해:-연풍【海軟風】명〖지〗낮에 바다에서 육지로 부는 해륙풍(海陸風)의 한 가지. ↔육연풍(陸軟風). ＊해륙풍(海陸風).
해:열【解熱】명〖의〗몸의 열을 풀어 내림. 소열(消熱). ——-하다 자여불
해:열-약【解熱藥】[—략] 명〖약〗해열제.
해:열-제【解熱劑】[—쩨] 명〖약〗해열하는 데 쓰는 약. 아스피린·아미노피린·페나세틴 같은 것. 해열약. 소열제(消熱劑).
해:열 진:통제【解熱鎭痛劑】명 열을 내리게 하고 아픔을 진정시키는 약제. 아스피린 등.
해염[1] 명〈방〉헤엄(경남).
해:염[2]【海塩】명 바닷물로 만든 소금. ↔산염(山塩).
해영[1]【孩嬰】명 젖먹이.
해:영[2]【海營】명〖역〗황해도 감영(監營)의 일컬음.

해:오【解悟】명〖불교〗미(迷)를 풀고 진리를 깨달음. ——-하다 자여불

해오라기 명〖조〗①백로(白鷺). 사금(絲禽). 준해오리. ②[*Nycticorax nycticorax*] 백로과에 속하는 새. 날개 길이 26-29 cm의 중형(中型)의 새로, 백로와 비슷하나, 머리에서 등은 녹흑색(綠黑色)이고 날개와 꽁지는 회색이며 배는 흰 빛임. 목의 위쪽에 두서너 개의 흰 깃이 있으며, 설 때는 등을 둥글게 함. 저녁 때부터 아침까지 못이나 무논에서 물고기나 고둥·게·개구리 등을 포식하며, 나무 위에 집을 지어 7-8월에 3-6개의 청록색 알을 낳음. 아시아 전역과 유럽·아메리카·아프리카 등지에 널리 분포함. 벽로(碧鷺). 푸른 백로. 교청(鵁鶄).

〈해오라기❷〉

해오라기-난초【—蘭草】명〖식〗[*Pecteilis radiata*] 난초과에 속하는 다년초. 뿌리는 타원형인데, 괴상근(塊狀根)과 가는 수근(鬚根)과 또 끝에 작은 알맹이가 달린 긴 가지가 있음. 줄기는 30-40 cm, 잎은 호생하며, 넓은 선형임. 7-8월에 흰 꽃이 줄기 끝에 1-4개가 착생하여 피는데, 가장자리가 잘게 째어져서 마치 해오라기가 날아가는 모양과 흡사함. 산야의 습지에 절로 나며, 금강산·난곡(蘭谷)에 분포함. 관상용으로 심음.

〈해오라기난초〉

해오라비 명〈방〉해오라기(경상).

해오라지 명〈방〉해오라기(전남).

해오래기 명〈방〉해오라기(전북·경남).

해오래비 명〈방〉해오라기(경상).

해오리 명〖조〗↗해오라기.

해:옥【解玉】명〖경〗증권 거래소 용어. 해합(解合)에 의해서 건옥(建玉)으로 된 것을 무(無)로 돌리는 일.

해:완【解緩】명 해만(怠慢). ——-하다 형여불

해왕【偕往】명 함께 감. ——-하다 자여불

해:왕-성【海王星】명〔Neptune〕〖천〗태양계에서 가장 멀리 떨어져 있는 행성(行星). 태양계(太陽系)를 회전하는 여덟 번째의 행성으로서 영국의 애덤스(Adams, J.C.)와 프랑스의 르베리에(Leverrier, U.J.J.)의 추산에 의하여 독일의 갈레(Galle, J.G.)가 1846년 9월 2일에 발견하였음. 태양에서의 평균 거리는 약 44억 9,700만 km, 체적은 지구의 약 60배, 질량(質量)은 지구의 17.26배, 광도(光度)는 7.9등(等), 표면 중력(表面重力)은 지구의 1.13배, 항성(恒星)에 대한 공전 주기율은 164.8년이며, 2개의 위성을 가지고 있음.

해:외【海外】명 ①바다 밖. 해방(海方). ↔해내(海內). ②바다를 사이에 둔 다른 나라. 또, 그 고장. ¶~에서 이름을 떨치다/~ 통신.

해:외 건:설 공사【海外建設工事】명 해외에서 시행(施行)되는 토목·건축·전기·산업 설비와 철강 구조물·전기 통신 등의 공사.

해:외 건:설 공사 보:험【海外建設工事保險】명〖법〗수출 보험의 하나. 해외 건설업자가 행한 해외 건설 공사·건설 용역(用役)에 대하여, 외국에서의 환거래(換去來)의 제한·금지나 당해국(當該國)의 전쟁·내란·정변 등으로 그 대가(代價)를 회수할 수 없을 때의 손실을 보상하기 위한 보험.

해:외 건:설업【海外建設業】명 해외 건설 공사나 해외 건설 용역을 도급받는 영업.

해:외 건:설 용:역【海外建設用役】명 해외 건설 공사의 조사·계획·설계·감리(監理)·평가·자문 등의 용역.

해:외 건:설 협회【海外建設協會】명〖법〗해외 건설 촉진법에 따라, 해외 건설업자를 회원으로 하는 법인. 해외 건설업자의 해외 활동(海外活動)의 자율적 규제(自律的規制)와 권익 보호(權益保護) 및 해외 건설의 효율적인 수행을 목적으로 함.

해:외 경제 협력 기금【海外經濟協力基金】[—녁—] 명 아시아·아프리카 및 중미(中美)의 개발 도상국에 대한 개발 투자 자금의 공급을 목적으로 설립한 일본의 융자 기관으로서 1961년에 설립한 특수 법인. 또, 그 기금.

해:외 공보관【海外公報館】명〖법〗공보처 장관에 속하여, 국가 시책과 국가 발전상 및 민족 문화를 국외에 홍보 선전하는 일을 관장하는 기관.

해:외 공보처【海外公報處】명 ↗미국 해외 공보처.

해:외 광:고 보:험【海外廣告保險】명〖경〗수출품의 생산자가 수출 증가를 위하여 해외에서 광고비를 지출하였을 때, 그 후 수출 증가가 예정대로 안되어 광고비가 회수(回收)되지 아니할경우의 손실을 전보(塡補)하는 수출 보험의 하나. *위탁 판매 수출 보험·수출 금융 보험.

해:외 기지【海外基地】명 해외에 설치한 활동의 근거지.

해:외 무:역【海外貿易】명〖경〗외국 무역. ↔연안(沿岸) 무역.

해:외 방:송【海外放送】명 국제 방송.

해:외 사:정【海外事情】명 외국에서 일어나는 여러 가지 사정.

해:외 시:장【海外市場】명 나라 밖에 있는 시장. 곧, 국제 무역의 입장에서 다른 나라를 시장으로 여기어 일컫는 말.

해:외 시:찰【海外視察】명 관청이나 회사의 명령으로 외국의 제반 사정을 실지로 가서 살피는 일.

해:외 시:황【海外市況】명〖경〗주식·공채(公債)·환(換)·상품 등의 해외 주요 시장의 상황.

해:외 식민지【海外植民地】명 해외에 있는 식민지(植民地).

해:외 신문【海外新聞】명 해외에서 발행되는 외국 신문.

해:외 여행【海外旅行】명 다른 나라로 여행하는 일.

해:외 여행권【海外旅行券】[—꿘] 명 해외로 여행하는 사람이 가져야 하는 여행권. 여행자의 신분·국적을 증명하고 그 보호를 의뢰하는 문서. 본인의 신청에 의하여 외무부 장관이 발급함. 여권.

해:외 은행【海外銀行】명〖경〗해외에서 경영하는 은행.

해:외 이민【海外移民】명 해외 이주(海外移住). 또, 해외에 이주한 이민(移民).

해:외 이주【海外移住】명 이민(移民)❶.

해:외 이주법【海外移住法】[—뻡] 명〖법〗국민의 해외 진출을 장려함으로써 인구 정책의 적정과 국민 경제의 안정을 기함과 동시에 국위를 선양함을 목적으로 하는 법률.

해:외 자원 개발 기금【海外資源開發基金】명 해외 자원 개발 사업법에 의거, 정부 출연금(政府出捐金) 등으로 조성하여 대한 광업 진흥 공사·한국 석유 개발 공사·농업 진흥 공사 등 정부 투자 기관에 설치한 기금. 해외 자원 탐사·개발에 소요되는 자금을 융자함.

해:외 저:금【海外貯金】명〖경〗해외에 거주하는 사람을 위하여 금전 출납의 편법(便法)을 베푼 우편 저금.

해:외 전:보【海外電報】명 자기 나라와 외국 사이에 발신·수신되는 전보. 국제 전기 통신 조약·국제 통신 협정에 의하여 행하여짐. 외국 전보. 준외전(外電).

해:외 전환 사채【海外轉換社債】명〔convertible bond〕〖경〗초기에는 사채로 발행되나 일정 기간 후에는 발행 당시 정해진 조건에 따라 사채권자가 자유롭게 발행 회사의 주식으로 바꿀 수 있는 권리가 부여된 사채로, 해외 증권 시장을 통하여 발행되는 것. 전환 청구는 통상 발행 후 2-3개월부터 만기까지이며 발행 금리는 일반 사채보다 낮음. 시 비(CB).

해:외 제국【海外諸國】명 해외의 여러 나라.

해:외 주:재 공무원【海外駐在公務員】명〖법〗재외 공관(在外公館)에 둔 경제 협력·상무(商務)·노무(勞務)·홍보(弘報) 등에 관한 전문직 공무원. 업무 분야에 관련된 원(院)·부(部)·처(處)·청(廳)의 소속 공무원 중에서 임용함.

해:외 취:업【海外就業】명 외국에 나가 있는 국내 업체나 외국 업체에 취업하거나, 또는 개별적인 취업 등으로 해외에 나가서 직업을 갖는 일.

해:외 통신【海外通信】명 해외로부터 보내 오는 논조(論調)·뉴스 등. 외신(外信).

해:외 투매【海外投賣】명〖경〗덤핑(dumping).

해:외 투자 보:험【海外投資保險】명〖경〗수출 보험의 하나. 해외 투자자가 입는 손해를 보상하는 보험. 해외에 투자한 주식·채권·사채의 원금·이자·배당금을 회수할 수 없거나 부동산의 권리, 산업 재산권, 원자재의 손해를 입었을 때 보전(補塡)함.

해:외 파병【海外派兵】명 자기 나라의 군대·군함·군용기를 다른 나라의 영토·영해·영공에 파견하는 일.

해:요-어【海鰩魚】명〖어〗가오리❶.

해:요-체【—體】명〖언〗결어법(結語法)의 존비법에 딸린 종결 어미의 한 체(體). 상대방을 높이되 부드러운 느낌을 주는 말씨임. '가셔요·아름다워요' 따위가 이에 속함.

해:요-하다 자여불 상대방을 높이되 부드러운 느낌을 가미하여 '가셔요·아름다워요' 따위로 말하다.

해:용[1]【海容】명 바다와 같은 넓은 마음으로 용납(容納)함. *해서(海恕). ——-하다 타여불

해:용[2]【解傭】명 해고(解雇). ——-하다 타여불

해:-용왕【海龍王】명 바다 속에 사는 용왕.

해우[1] 명〈방〉김[1](전라).

해:우[2]【海牛】명〖동〗①바다소. ②연체 동물 후새류(後鰓類)에 속하는 중간종(中間種)의 총칭. 각(殼)이 없는 것이 많음. 몸은 무르며 모양은 타원형이고 빛은 홍색 또는 벽색(碧色)인데 아름다움. 배면(背面)에는 두 개의 촉각과 꽃 모양을 한 아가미가 있고 아가미 속에 항문(肛門)이 있음. 얕은 바다의 바위 위에 서식(棲息)하는데 많은 종류가 있음.

해:우[3]【海宇】명 한 나라 안.

해:우[4]【海隅】명 바다의 한 모퉁이.

해:우[5]【解憂】명 근심이 풀림. 또, 근심을 풂. ——-하다 자타여불

해우래기 명〈방〉〖조〗해오라기(함남).

해:우-류【海牛類】명〖동〗바다소목(目).

해우스름:-하다 형〈방〉해읍스름하다.

해우-차 명 ☞해웃값.

해-운[1]【—運】명 그 해의 운수. 연운(年運). ¶올해는 ~이 나쁘다.

해:운[2]【海雲】명 바다 위에 뜬 구름.

해:운[3]【海運】명 ↗해상 운송. ↔육운(陸運)·공운(空運).

해:운 거:래소【海運去來所】명〔shipping exchange〕〖경〗선주(船主)·선박 대리인·선박 중개인·해상 보험업자·금융업자·하주(荷主) 그 밖의 해운 관계자가 모여 선복(船腹)에 관한 거래를 행하는 곳. 세계 각지에 있으나, 가장 유명한 것은 런던(London)의 거래소인데, 이곳에서는 매일 용선(傭船) 및 대량 화물의 매매(賣買)가 국제적으로 거래되고 있음.

해:운-대【海雲臺】명〖지〗부산 광역시 해운대구(海雲臺區) 동남쪽 해변에 있는 명승지. 부산역에서 18 km 떨어져 있는데, 온천장(溫泉場)과 해수욕장으로 유명함.

해:운 대:리점업【海運代理店業】명 해운업의 하나. 해상 여객 운송 사업 또는 해상 화물 운송 사업을 하는 사람을 위해 통상 그 사업에 속하는 거래의 대리를 하는 사업.

해:운대 온천【海雲臺溫泉】명〖지〗부산 광역시 해운대구 해운대에 있는 온천. 알칼리성 단순 식염천(食塩泉)으로 위장병·부인병·피부병 등에 특효가 있음. 해수욕장을 겸한 보양지(保養地)임.

해:운 동맹【海運同盟】명〖해〗해운업자가 상호간의 경쟁을 피하기 위하여 운임(運賃)·운송 조건(運送條件) 기타 영업상의 여러 사항을 협정(協定)하는 동맹.

해:태[3]【解怠】명 ①게으름. 해타(懈惰). ②〖천주교〗 칠죄종(七罪宗)의 하나. 선행(善行)에 있어서의 게으름. '태만(怠慢)'의 구용어. ③〖법〗 어떤 법률 행위를 하여야 할 기일을 이유 없이 넘기어 책임을 다하지 아니하는 일. ——-하다 형여불

해:태-관【一冠】명 해치관(獬豸冠).

해:택【海澤】명 간석지(干潟地).

해:토【解土】명 얼었던 흙이 녹아서 풀림. ——-하다 자여불

해:토-머리【解土一】명 얼었던 땅이 녹아서 풀리기 시작할 때. ¶ 그렇다면 시방이야 ~나 하니 꽃이 필 적이면 더욱 좋지 않겠습니까《金周榮:客主》. *따지기.

해:퇴【海退】명〖지〗 지질 시대(地質時代)에 육지가 융기(隆起)하거나 해면(海面)이 침강(沈降)하여 바다가 물러나고 육지가 넓어지는 현상. ↔해진(海進).

해트〔hat〕명 중절 모자(中折帽子).

해트 트릭〔hat trick〕명〔본디, 영국의 크리켓 경기에서 연속 3명의 타자(打者)를 아웃시킨 투수(投手)에게 모자를 선사한 데서 생긴 말〕 축구에서, 한 사람의 선수가 한 게임에서 세 골을 올리는 일. 아이스하키에서도 쓰이는데, 미국에서는 야구 선수가 한 게임에서 2루타·3루타, 본루타를 쳤을 경우에도 쓰임.

해특【奚特】부 하특(何特).

해:파【海波】명 바다의 파도.

해파래 명〈방〉 해파리(전남).

해파랭이 명〈방〉 해파리(경북).

해:파리 명〖동〗 ①해파릿과(科)에 속하는 강장(腔腸) 동물의 총칭. 수모(水母). ② [*Rhopilema esculenta*] 해파릿과에 속하는 강장 동물의 하나. 모양은 갓 비슷하게 생겼으며 갓 밑에는 많은 촉수(觸手)가 있고, 뒷면 한가운데에 늘어진 자루의 끄트머리에 입이 있어 갓같이 생긴 부분의 중앙에 있는 밥통에 통함. 갓은 반구상(半球狀)으로 지름 50 cm 가량임. 몸빛은 담청흑색(淡靑黑色)이며 촉수는 유백색(乳白色)임. 한천질(寒天質)은 두껍고 단단하며 감각기(感覺器)가 여덟 개 있음. 유생(幼生)은 '에피라'임. 5-9월에 일본의 규슈(九州)·한국의 남해 목포(木浦) 연안 등에 분포함. 갓은 식용함. 수모(水母). 무럼생선. 해월(海月).

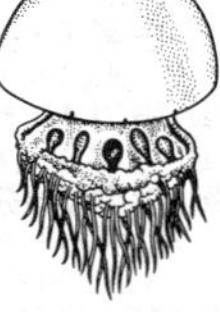
〈해파리❷〉

해:파리-강【一綱】명〖동〗 [Scyphozoa] 강장 동물(腔腸動物)에 속하는 한 강(綱). 히드로충(hydro蟲)과 산호충(珊瑚蟲)의 중간으로 수모형(水母型) 또는 폴립형(polyp型) 세대(世代)를 거쳐 발생함. 구도(口道)와 격막(隔膜)이 있고 생식 세포는 내배엽 기생(內胚葉起生)임. 십자(十字)해파리목·모해파리목·갓해파리목·기폭입해파리목·뿌리입해파리목의 5목(目)으로 구분함. 진정 수모류(眞正水母類).

해:파리 냉채【一冷菜】명 해파리에 겨자초를 넣고 무친 중국식 냉채 요리의 하나.

해:파릿-과【一科】명〖동〗 해파리강(綱)에 속하는 강장(腔腸) 동물의 한 과. 거품해파리·해파리·히무릇해파리 등이 이에 속함. *감투해파릿과.

해:판【解版】명〖인쇄〗 조판하여 쓴 활판(活版)을 낱낱의 활자로 풀어서 헤침. ——-하다 타여불

해패【駭悖】명 몹시 패악(悖惡)함. ——-하다 형여불

해:팽【海膨】명〔rise〕〖지〗 대양(大洋) 밑바닥의 가늘고 길며 도도록한 부분. 그 측면은 느리게 경사를 이루고 있음. *해대(海臺).

해팽이 명〈방〉 해파리(강원).

해:폐【海蜌】명〖조개〗 홍합(紅蛤).

해-포[1] 명 한 해 가량의 동안. *날포·달포.

해:포[2]【蟹脯】명 게포(脯).

해포래 명〈방〉 해파리(전라).

해포리 명〈방〉 해파리(전남·경남).

해:포-석【海泡石】명〖광〗 치밀(緻密)한 흙 또는 점토(粘土) 모양의 광물. 화학 성분은 고토(苦土)·규산(珪酸)·결정수(結晶水)임. 백색 또는 회백색으로 다공질(多孔質)이며, 가볍고 불투명(不透明)한데 건조하면 물에 뜸. 궐련의 파이프 제조에 쓰임. 메르샤움.

해:표[1]【海表】명 바다의 밖. 바다의 저쪽.

해:표[2]【海豹】명〖동〗 바다표범.

해:표-유【海豹油】명〔seal oil〕 바다표범의 지방(脂肪)에서 얻는 누르께한 지방유. 에테르와 클로로포름에 녹으며, 녹는점(點)은 22-33°C. 비누 제조·가죽의 무두질·윤활제(潤滑劑) 따위로 쓰임.

해:표지-증【海豹肢症】[一쯩] 명〔phocomelus〕〖의〗 사지(四肢)의 뼈가 없거나, 극단적으로 짧게 발육하여 손발이 직접 동체(胴體)에 붙어 있는 기형(畸形). 모양이 바다표범같아 이 이름이 붙어 있음. 극단적인 경우는 무지증(無肢症)이 됨.

해:-표초【海鰾蛸】명〖한의〗 오징어의 뼈. 인산 칼슘·탄산 칼슘·콜로이드 등으로 되어 있으며, 빛은 희며 바탕은 단단하고 두꺼운데, 잔구멍이 송송 많이 나 있음. 눈병 또는 칼로 벤 상처의 지혈(止血) 등에 약제(藥劑)로 쓰임.

해:표-피【海豹皮】명 바다표범의 가죽. 방한용(防寒用)으로 쓰임.

해품 명〈방〉 하품[1](충남).

해풍[1] 명〈방〉 해파리(경북).

해:풍[2]【海風】명 바다에서 불어 오는 바람. 바닷바람. 조풍(潮風). ↔육풍(陸風).

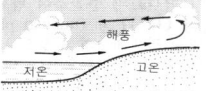

해풍
저온
고온
〈해풍²〉

해풍댕이 명〈방〉〖동〗 해파리(전남).

해:풍 전선【海風前線】명〖기상〗 태풍이 육지 내부에 침입하였을 때, 육지 내부의 난풍(暖風)과의 경계에 형성되는 전선. 이 전선의 통과에 따라서 소나기가 오고, 돌풍(突風)이 불며, 기온이 갑자기 낮아지는 경우가 있음.

해프닝〔happening〕명 ①예상 밖의 사건. 우발적 사건. ②예술 양식의 하나. 연극·미술·음악 따위 많은 분야에서 쓰이며, 예술을 창작하는 측과 감상하는 측과의 사이에 우발적이고 유희적인 행위를 연출하여 감상자를 예술 활동 속으로 끌려 들게 하려는 기도.

해피 명〈방〉 해파리(경남).

해피 스모:크〔happy smoke〕명 마약(痲藥)의 하나. 마리화나로 만든 담배.

해피 엔드 명〔happy ending〕 문예(文藝)·연극(演劇)·영화 등에서 행복하게 끝맺는 일. ¶ ~로 끝나다.

해필【奚必】부 하필(何必).

해하[1]【垓下】명〖지〗 '가이샤'를 우리 음으로 읽은 이름.

해:-하[2]【海河】명〖지〗 '하이허'를 우리 음으로 읽은 이름.

해:하[3]【海蝦】명〖동〗 대하(大蝦).

해:하[4]【解夏】명〖불교〗 여름의 안거(安居)를 마침.

해:-하다[1] 자 좋아서 입을 해 벌리고 웃다. <헤하다·히하다.

해:-하다[2]【害一】타여불 남에게 해가 되게 하다. ¶ 남을 ~.

해하라비 명〈방〉〖조〗 해오라기.

해:학[1]【海壑】명 ①바다와 구렁텅이. ②전(轉)하여, 은혜가 넓고 깊음.

해학[2]【痎瘧】명〖한의〗 이틀거리.

해학[3]【諧謔】명 익살스럽고도 멋이 있는 농담. 배회(俳詼). 호해. 회해(詼諧). 유머(humor).

해학-가【諧謔家】명 해학을 썩 잘하는 사람.

해학-곡【諧謔曲】명〖악〗 스케르초(scherzo).

해학-극【諧謔劇】명〖연〗 벌레스크(burlesque).

해학 문학【諧謔文學】명〖문〗 해학적인 내용이 담긴 문학. 유머 문학(humor 文學).

해학 소:설【諧謔小說】명〖문〗 해학적 내용을 담은 소설. 유머 소설(humor 小說).

해학-적【諧謔的】명관 익살스럽고 풍자적인 모양. ¶ ~인 그림.

해:합【解合】명〖경〗 거래소(去來所)에서 불시의 사변이나 매점(買占) 등으로 시세가 급변(急變)한 경우, 그로 인한 혼란을 방지하기 위하여, 매매의 쌍방 당사자가 협의 타협하여 일정한 값을 정하고 매매 계약을 해제하는 일. ——-하다 타여불

해:합-분【海蛤粉】명〖한의〗 바다 조개 껍데기로 만든 가루. 담(痰)·대하증(帶下症) 등에 약으로 씀. 준해분(海粉).

해:항[1]【海航】명 항해(航海). ——-하다 자여불

해:항[2]【海港】명 ①해안(海岸)에 있는 항구. ↔하항(河港). ②외국 무역에 쓰이는 항구. 공항(空港)에 상대하여 이름.

해:항 검:역【海港檢疫】명 전염병을 예방하기 위하여, 해외 여러 나라에서 오는 선박에 대하여 항구에서 검역하는 일.

해:항 검:역소【海港檢疫所】명〖법〗 전염병의 국내와 국외 전파를 방지하기 위하여 항구에 설치한 검역소.

해:해[1]【蟹醢】명 게젓.

해해[2] 부 해낙낙하여 까불거리며 웃는 소리. <헤헤·히히. ——-하다 자여불

해해-거리다 자 해해하고 자꾸 웃다. <헤헤거리다·히히거리다.

해해-대다 자 해해거리다.

해:행[1]【偕行】명 ①함께 감. ②여럿이 잇달아 줄지어 감. ——-하다 자

해:행[2]【解行】명〖불교〗 ①불교의 진리를 연구하며 수행함. ②신앙과 행장(行狀). ——-하다 타여불

해:행[3]【蟹行】명 게처럼 옆으로 걸어감. ——-하다 자여불

해:행-문【蟹行文】명 가로로 써 나가는 서양 글자의 일컬음.

해:행 총재【海行摠載】명〖책〗 여러 통신사(通信使)의 사신 행차(使臣行次) 일기를 수집한 책. 정몽주(鄭夢周)의 봉사시작(奉使時作)을 비롯한 17명의 기록을 실었음.

해:현-례【解見禮】[一녜] 명 풀보기. ——-하다 자여불

해혈【咳血】명〖의〗 가래에 피가 섞이어 나오는 병증. 흔히 폐결핵(肺結核)에서 생김.

해:협【海峽】명〖지〗 육지와 육지 또는 섬과 섬 사이에 끼여 있는 바다의 좁은 부분. 수도(水道). ¶ 대한 ~.

해:협 문:제【海峽問題】명〖역〗 18세기 초 이래로 시작된, 다르다넬스(Dardanelles) 해협과 보스포루스(Bosphorus) 해협의 통항권(通航權), 또는 지브롤터(Gibraltar) 해협과 말라카(Malacca) 해협의 지배권을 싸고 도는 국제 분쟁(紛爭) 문제.

해:협 식민지【海峽植民地】명 ①해협 지역에 있는 식민지. ②〖지〗 동남 아시아 말라카 해협(Malacca 海峽)에 면한 구(舊) 영국 직할 식민지. 싱가포르(Singapore)·페낭(Penang)·말라카(Malacca)와 부속 도서(附屬島嶼)로 구성되었음. 1946년 싱가포르는 분리되었고 기타는 말레이시아 연방(聯邦)에 편입되었음.

해:협-항【海峽港】명〖지〗 해협을 이용하여 축설(築設)한 항구. 영국의 도버, 스페인 남쪽 끝의 지브롤터 항(Gibraltar 港), 일본의 모지(門司)·시모노세키(下関) 따위가 이에 속함.

해:혹【解惑】명 파혹(破惑). ——-하다 자여불

해:홍-나물【海紅一】명〖식〗 [*Suaeda maritima*] 명아주과에 속하는 일년초. 줄기 높이 60 cm에 달함. 잎은 호생(互生) 무병(無柄)이며 다수 밀생하고 수선형(瘦線形)임. 7-8월에 극황색의 꽃이 잔 가지의 엽액(葉腋)에 3-5개씩 족생(簇生)하여 핌. 과실은 포과(胞果)이고 조금 가는 달걀꼴인데, 해변에 남. 중부 이남에 야생하며 어린 잎은 식용함. 해홍채(海紅菜).

〈해홍나물〉

해:홍-채【海紅菜】[명]〖식〗해홍나물.

해화【諧和】[명] ①조화(調和). ②〖악〗음악의 곡조가 서로 잘 어울림. ——-하다 [형][여불]

해:화-석【海花石】[명]〖동〗[*Favia speciosa*] 석산호류(石珊瑚類)에 속하는 산호의 하나. 군체(群體)는 괴상(塊狀) 또는 만두형(饅頭形)을 이루고 있는데 표면에 국화 모양의 무늬가 있고 빛깔은 보통 녹갈색임. 큰 것은 지름이 약 3m가량 되는데 바위 같은 데에 착 달라붙어 있음. 난해(暖海)에서 나는데 가루로 하여 해독제(解毒劑)로 씀. 국명석(菊銘石). 아관석(鵝管石).

〈해화석〉

해:황[1]【海況】[명] 바다의 현상과 정세. 해수의 수온·비중·염분·파도·조류의 유향(流向)·유속(流速) 등, 주로 해양의 물리적 상황을 이름. ＊해황 요소.

해:황[2]【蟹黃】[명] 게의 뱃속에 있는 누른 장. 게장. 장.

해:황 요소【海況要素】[명]〖해〗바다의 상황을 결정하는 여러 요소. 수온(水溫)·염분(塩分)·가스·영양염(營養塩)·물빛·투명도(透明度)·해빙(海氷) 등의 정적(靜的) 요소를 비롯하여 해류(海流)·조류(潮流)·간만(干滿)·파도 등의 동적(動的) 요소, 플랑크톤·박테리아 등의 생물학적 요소 등이 있음.

해:후【邂逅】[명] ↗해후 상봉. ——-하다 [자][여불]

해:후 상봉【邂逅相逢】[명] 우연히 서로 만남. ¶옛친구와 ～하다. [준]해후(邂逅). ——-하다 [자][여불]

핵【核】[명] ①사물이나 현상(現象)의 중심이 되는 것. ②〖생〗세포핵(細胞核). ③〖식〗과실의 내과피(內果皮)가 굳어져서 속의 종자를 보호하고 있는 단단한 부분. 곧, 핵과의 씨. 복숭아씨 따위. ④원자핵(原子核). ¶～폭발. ⑤↗핵무기. ¶～전쟁. ⑥〖지〗지표(地表)로부터 약 2,900 km 이상의 깊이 밑의 지구의 중심부. 지핵(地核). 코어(core). ⑦〖화〗착물(錯物)의 중심이 되는 원자. 중심 원자라고도 하며, 보통 1개이나 복수인 경우도 있음. ⑧〖화〗유기(有機) 고리 모양 화합물의 고리를 말함. 벤젠핵·피리딘핵 따위.

핵-가족【核家族】[명] 한 쌍의 부부와 미혼의 자녀만으로 구성되는 적은 가족. 소가족(小家族). ↔확대 가족(擴大家族).

핵간 거:리【核間距離】[명] [internuclear distance]〖물·화〗분자 중에 결합을 이루고 있는 두 핵 사이의 거리.

핵-갈이 [hack] [명]〖농〗목제(木製)의 원시적 가래인 핵을 써서 밭을 가는 농사. 아프리카·동남 아시아의 원주민이 사용함.

핵강【核腔】[명]〖식〗핵막(核膜)으로 둘러싸인 강소(腔所). 곧, 핵이 가득 차 있는 부분.

핵개 [명]〈방〉학교(전남·경북).

핵-겨울【核—】[명] [nuclear winter] 핵전쟁이 일어날 경우, 숱한 핵무기가 폭발하고 큰 화재가 발생, 다량의 매연·먼지가 대기권으로 날아올라가 태양으로부터의 광선을 흡수하여 지구 전체의 기상에 영향을 미쳐, 내륙부(內陸部)의 넓은 지역에서는 장기간에 걸쳐 이상적 저온 현상이 나타나 겨울과 같이 빙점(氷點) 이하로 내려간다는 현상.

핵고 [명]〈방〉학교(전라·경상·함경·평안).

핵-공학【核工學】[명] [nucleonics] 원자로(原子爐), 방사성(放射性) 동위 원소와 방사선의 각종 응용, 입자 가속기(粒子加速器), 방사선 검출 장치를 포함하는 방사능·핵분열·핵융합 등의 원자핵의 현상(現象)에 기초를 둔 공학.

핵과【核果】[명]〖식〗다육과(多肉果)의 하나. 씨가 단단한 핵으로 싸이어 있는 열매. 복숭아·살구·앵두 따위.

핵과-류【核果類】[명]〖식〗외과피(外果皮)가 얇고, 중과피(中果皮)는 살이 많고 수분(水分)이 많으며, 핵은 내과피(內果皮)가 경화(硬化)된 과실의 총칭. 곧, 장미과 벚나무속(屬)에 속하는 과수의 복숭아·매실(梅實)·살구·앵두 등. ＊각과류(殼果類).

핵-과열【核過熱】[명] [nuclear superheating]〖물〗원자로(原子爐)에서 생성된 증기를 원자로의 열로 더욱 과열시키는 일. 두 가지 방법이 있는데, 처음 생성된 같은 노심(爐心)에 증기를 재순환(再循環)시키는 것과, 증기를 제2의 다른 원자로로 보내는 것이 있음.

핵광전 효:과【核光電効果】[명]〖물〗①넓은 뜻으로는, 파장(波長)이 짧은 빛인 감마선(γ線)에 의하여 생기는 원자핵의 변환(變換). 광분해(光分解). 광반응(光反應). ②좁은 뜻으로는, 이 중에서 원자핵의 전기 모멘트(moment)와 입사 전자장(入射電磁場)과의 상호 작용에 의하여 생기는 변환.

핵구 [명]〈방〉학교(경남).

핵-군축【核軍縮】[명] 핵무기의 제조·저장 및 배치를 축소하는 일.

핵-군확【核軍擴】[명] 핵무기의 질 및 양에 걸친 증대화(增大化).

핵금【核禁】[명] '핵실험 금지·핵무기 금지'의 준말.

핵-단백질【核蛋白質】[명]〖생〗염색체 및 바이러스(virus)의 구성 물질로, 핵산(核酸)과 단백질의 결합물. 세포의 발육 증식(增殖)에 없어서는 아니 될 물질임.

핵도【核桃】[명]〖식〗호두.

핵득【覈得】[명] 사건(事件)의 실상(實狀)을 조사하여 사실을 알아냄. ——-하다 [타][여불]

핵력【核力】[—녁] [명] [nuclear force]〖물〗극히 가까운 핵자(核子) 상호 간에 작용하는 강한 힘. 핵자가 반지름 10^{-13}-10^{-12} cm의 좁은 영역 안에서 원자핵을 구성하는 것은 이 힘에 의한 것임. ＊강력[2](強力)·강(強)한 상호 작용.

핵론【劾論】[—논] [명] 허물을 들어 논박함. ——-하다 [타][여불]

핵막【核膜】[명]〖생〗세포(細胞)의 핵을 싸고 있는 얇은 껍질.

핵망【核網】[명] [nuclear reticulum]〖생〗핵 속에 염색체가 그물 모양으로 얽힌 물질.

핵-무기【核武器】[명]〖군〗핵에너지를 이용한 여러 가지 무기. 원자 폭탄·수소 폭탄·원자포·핵탄두를 장착한 미사일 따위. 전략(戰略) 핵무기와 전술(戰術) 핵무기로 대별(大別)함. 원자 무기.

핵-무장【核武裝】[명]〖군〗핵무기를 장비하거나 배치(配置)하는 일.

핵문【核文】[명]〖언〗초기의 변형 생성 문법 이론(變形生成文法理論)에서, 구구조(句構造) 규칙과 필수 단순 변형(單純變形)만을 거쳐 유도된 문장.

핵-물리학【核物理學】[명] [nuclear physics]〖물〗원자핵(原子核)의 구조 및 그 구성 소립자(素粒子) 사이의 상호 작용 등을 연구하는 학문. 원자핵을 파괴하기 위한, 거대한 가속기(加速器) 등을 이용함. 제2차 세계 대전 후에 일어난 가장 새로운 부문의 물리학임. 원자핵(原子核) 물리학.

핵-미사일【核—】[missile] [명]〖군〗핵탄두의 탑재를 할 수 있는 미사일의 총칭.

핵-반경【核半徑】[명] [nuclear radius] 원자핵의 크기를 나타내는 양(量). 원자핵의 모양은 구형(球形)에 가깝지만 조금 비뚤어진 것도 있음. 극히 적은 질량수의 것을 제외하면, 질량수 A인 원자핵의 반경 R는 가장 근사(近似)한 것으로 다음 식이 적용됨. $R=r_0A^{1/3}$(cm). r_0은 $1.2\times10^{-13}-1.4\times10^{-13}$임.

핵-반응【核反應】[명] [nuclear reaction]〖물〗원자핵(原子核)이 중성자(中性子) 또는 다른 원자핵이나 소립자(素粒子)와 충돌하여 다른 원자핵으로 변화하는 일. 원자핵 반응.

핵변【覈辨】[명] 실상을 조사하여 변명함. ¶아버지와 삼촌을 변정 도감으로 불러다가 ～시킬 도리도 없는 노릇이지마는…《朴鍾和: 多情佛心》. ——-하다 [타][여불]

핵-변환【核變換】[명] ①〖물〗원자핵이 핵반응 또는 붕괴로 인하여 별종(別種)의 핵으로 변화하는 일. 원자핵 변환. ②핵반응(核反應).

핵-병기【核兵器】[명]〖군〗핵무기(核武器).

핵-보유국【核保有國】[명] 특히 핵무기를 보유한 나라.

핵-분열【核分裂】[명] ①[karyokinesis]〖생〗세포 분열의 경우, 세포질의 분열에 앞서 핵이 분열하는 일. 세포핵(細胞核) 분열. ②[fission]〖물〗↗원자핵 분열.

핵분열 물질【核分裂物質】[—찔] [명]〖물〗속도가 느린 열(熱) 중성자를 흡수(吸收)해서 핵분열(核分裂)을 일으키는 원자핵. 우라늄 235, 플루토늄 239 따위.

핵분열 반:응【核分裂反應】[명]〖물〗우라늄의 원자핵(原子核)에 중성자(中性子)가 들어가서 바륨(barium)과 크립톤(krypton)의 두 개의 원자핵으로 반반씩 갈라지는 현상. ↔핵융합 반응.

핵분열 생성물【核分裂生成物】[명] [fission product]〖물〗핵분열 반응의 결과로 생성되는 가벼운 원자핵. 우라늄 235, 플루토늄 239의 핵분열 반응에서 볼 수 있으며 강력(強力)한 방사능(放射能)을 가져 이른바 '죽음의 재'를 형성함.

핵분열의 역치【核分裂—閾値】[—/—에—] [명] [fission threshold]〖물〗중성자(中性子)나 양성자(陽性子), 기타의 입자(粒子) 흡수에 의해서, 핵분열이 일어나는 데 필요한 최소한(最少限)의 입사(入射) 에너지.

핵분열 파:편【核分裂破片】[명] [fission fragments]〖물〗우라늄 238이나 플루토늄 239와 같은 원자가 핵분열을 했을 때에 최초로 생성되는 핵종(核種).

핵-붕괴【核崩壞】[명] [nuclear decay]〖물〗하나의 원자핵이 방사선을 방출하며 다른 원자핵으로 변환하는 현상. 알파(α) 붕괴·베타(β) 붕괴·감마(γ) 붕괴 등이 있음. 원자핵 붕괴. ＊방사성 붕괴.

핵사[1]【核絲】[명]〖생〗염색사(染色絲).

핵사[2]【覈査】[명] 밝히어 조사함. ——-하다 [타][여불]

핵사데센 [hexadecen] [명]〖화〗세텐(cetene).

핵사데칸 [hexadecane] [명]〖화〗세탄(Cetan).

핵-사찰【核査察】[명] 원자력 발전 연료로 쓰이는 농축 우라늄이나 플루토늄 등 핵물질의 군사 이용을 막기 위해 국제 원자력 기구(IAEA)가 하는 사찰. 대상국은 핵무기 확산 방지 조약 가맹의 비(非) 핵보유국으로, 핵사찰 수용을 포함하는 보장 조치 협정을 IAEA와 맺고 있는 나라임.

핵산【核酸】[명] [nucleic acid]〖화〗아데닌·구아닌·시토신·티민(또는 우라실)의 네 가지 함질소 염기(含窒素塩基)·당(糖)·인산(燐酸)이 규칙적으로 결합된 고분자(高分子) 유기 화합물(有機化合物). 당(糖)이, 디옥시리보오스냐 리보오스냐에 따라 각각 DNA(디옥시리보 핵산)와 RNA(리보 핵산)로 크게 나뉨. 세포나 바이러스의 유전 물질(遺傳物質)로서 둘이 다 생명 현상(生命現象)에 중요한 역할을 함.

핵산계 조미료【核酸系調味料】[명] 이노신산(酸) 나트륨이나 구아닐산(酸) 나트륨 따위와 같이, 핵산(核酸) 관련 성분을 주체(主體)로 하는 화학 조미료. 글루탐산(酸) 나트륨과 병용(倂用)하면 상승(相乘) 효과를 내며, 더욱 복잡하고 풍성한 맛을 줌. ＊복합 화학 조미료.

핵-산란【核散亂】[—살—] [명] [nuclear scattering]〖물〗입자(粒子)가 핵(核)과 충돌하여 방향을 바꾸는 일.

핵상【核相】[명] [nuclear phase]〖생〗유성(有性)생식을 하는 생물의 상태를 염색체수의 구성으로 표현한 것. 한 조(組)의 염색체를 가진 상태(감수 분열에서 수정(受精)까지)를 단상(單相), 두 조의 염색체를 가진 상태(수정에서 감수 분열까지)를 복상(複相)이라 함.

핵상 교번【核相交番】[명]〖생〗유성 생식(有性生殖)을 영위하는 생물의 생활환(生活環) 속에, 염색체수(染色體數)의 변화가 규칙적으로 교체되어 나타나는 일. 생물이 가지는 염색체수는 감수 분열(減數分裂)에 의하여 반감(半減)되어서 생물은 단상(單相)의 세대(世代)가 되고, 수정(受精)에 의하여 본디로 돌아가서 복상(複相)의 세대가 됨.

핵-생성【核生成】명〔nucleation〕〖화〗결정화(結晶化) 과정에서, 과포화(過飽和) 용액 속에 새로운 결정이 생성되는 일.

핵-셸터【核—】명〔nuclear shelter〕핵공격에 대비한 대피호. 완벽한 핵셸터는 견고한 외벽으로 외부와 차단된 기밀실(氣密室)로 구성되어야 하고, 실내 압력을 외기 압력보다 약간 높게 유지하여, 여과된 청정 공기를 제공토록 고려되어야 하며, 2중으로 된 견고한 방호 도어를 설치하여 외기가 직접 들어오지 못하도록 되어 있어야 하며, 2～3주 간의 생활이 기능하고 구급 시설이 갖추어져 있어야 함.

핵-스펙트럼【核—】〔spectrum〕명 원자핵이 흡수 또는 방출하는 감마(γ)선의 스펙트럼. 원자핵에 γ선을 조사(照射)하면 불연속적인 진동수의 스펙트럼이 흡수되거나, 연속적이라 하여도 진동수에 따라 다른 방법으로 흡수됨. 전자를 선 스펙트럼, 후자를 연속 스펙트럼이라고 함.

핵 스핀【核—】명〔nuclear spin〕〖물〗원자핵의 전각 운동량(全角運動量). 전핵자(全核子)의 스핀과 궤도(軌道) 각운동량의 결합으로 이루어짐. I로 표기함. 「명.

핵 스핀 공:명【核—共鳴】명〔nuclear spin resonance〕〖물〗핵자기 공

핵실【覈實】명 사건의 실상을 조사함. ——-하다 타여불

핵-실험【核實驗】명 핵분열이나 핵융합의 실험. 특히, 원자 폭탄이나 수소 폭탄 등을 실제로 폭발시켜서 성능·파괴력 등을 확인하는 실험.

핵실험 탐지【核實驗探知】명 음향 파동(音響波動)·지진(地震) 파동·전자 방사(電子放射)·방사능 등의 측정으로 핵실험의 유무(有無)를 탐지하는 일.

핵심【核心】명 사물(事物)의 중심이 되는 가장 요긴한 부분. 알맹이. 알속. 중핵(中核). ¶ ～ 인물 / ～을 찌르다.

핵심 교:육 과정【核心敎育課程】명〖교〗코어 커리큘럼.

핵심-적【核心的】명관 사물의 핵심이 되는 모양.

핵심 지역【核心地域】명〖지〗국가 활동의 핵심이 되는 지역. 곧 우리나라의 서울 분지(盆地), 미국의 오대호안(五大湖岸), 프랑스의 파리 분지 등과 같은 곳.

핵심-체【核心體】명 ①핵심이 되는 부분. ②〖물〗연료 원자핵(燃料原子核) 등이 분열(分裂)하여 에너지를 방출(放出)하는 원자로(原子爐)의 중심부(中心部).

핵-알맹이【核—】명 열매나 씨의 알맹이.

핵액【核液】명〖생〗세포의 핵을 채우는 액. 생세포에서는 투명 균일하고, 일반적으로 졸(Sol) 상태이며 광학적(光學的)으로 등방성(等方性)을 보임. 입상(粒狀)·사상(絲狀)·망상(網狀)의 구조이며 화학적 조성(組成)은 불명하나 저분자(低分子) 단백질·지질(脂質) 따위가 포함되어 있고 핵산(核酸)은 없는 것으로 되어 있음.

핵억지 이:론【核抑止理論】명〔nuclear deterrent theory〕핵무기의 위력으로 상대국이 위협감을 느껴 공격 의도를 포기케 하려는 이론.

핵-에너지【核—】명〔nuclear energy〕〖물〗분열·융합 등의 핵반응에서 방출되는 에너지. 원자력.

핵-연료【核燃料】[—열—] 명 핵반응을 일으켜서 고에너지(高 energy)를 방출하는 물질. 일반적으로 플루토늄·천연 우라늄·농축 우라늄 등 핵분열 물질을 말하며, 광의로 중(重)수소·삼중 수소·리튬(lithium) 등 핵융합 물질도 포함시킴. 원자 연료.

핵연료 순환【核燃料循環】[—열—] 명〔nuclear fuel cycle〕〖물〗핵연료의 성형(成型) 가공·연소(燃燒)·재처리, 다시 성형 가공의 순환 과정, 핵연료 물질의 채광·제련·농축 및 재처리에서 얻어지는 생성물의 비축·처분 등을 포함하는 핵연료의 순환을 이름. 다른 에너지 계통에서는 볼 수 없는 원자력에 독특한 것임.

핵연료 재:처리【核燃料再處理】[—열—] 명〔nuclear fuel reprocessing〕원자력 발전소에서 연소시킨 핵연료의 찌꺼기를 처리하여 그 속에 남아 있는 우라늄이나 새로 생긴 플루토늄을 채취, 새로운 핵연료로 만드는 가공 과정. 강한 방사능 폐기물이 나옴.

핵연료 파:크【核燃料—】[—열—] 명〔nuclear fuel cycle park〕핵연료 처리 공동 시설. 1976년에 미국과 국제 원자력 기구(國際原子力機構)가 제창한 구상(構想)으로, 일정한 부지(敷地) 안에 재처리(再處理)시설, 연료 가공 공장, 재처리 시설에서 나오는 고방사성(高放射性) 폐기물의 일시(一時) 저장 시설, 사용필(使用畢) 핵연료의 저장 시설을 한데 묶어 마련하자는 것.

핵연쇄 반:응【核連鎖反應】명〔nuclear chain reaction〕〖물〗핵분열의 반응이 차례차례 각 세대(世代)에 걸쳐 계속되어 나아가는 일. 제 n 세대의 핵분열로 생긴 중성자가 제 $n+1$ 세대의 핵분열성 핵종 ^{233}U·^{235}U·^{239}Pu를 분열시키는 따위.

핵-완화【核緩和】명〔nuclear relaxation〕〖물〗핵스핀계(核 spin 系)가 외부 자기장(外部磁氣場)에 의해 일어난 변화에 이어, 새로운 정상 상태(定常狀態) 또는 평형(平衡) 상태에 접근하는 과정(過程).

핵외 유전【核外遺傳】명〖생〗세포질 유전.

핵외 유전자【核外遺傳子】명〖생〗세포 내에서, 엽록체나 미토콘드리아에 존재하는 유전자. 핵내(核內) 염색체 유전자와 달리, 주로 자성(雌性) 배우자(配偶子)로부터 전해짐.

핵외 전:자【核外電子】명〖물〗원자 속에서 원자핵의 주변을 돌고 있는 전자. 어느 원자의 중성 원자에는 그 원자 번호와 같은 수의 핵외 전자가 있으며, 궤도의 형태나 수의 과부족(過不足) 등으로 화학적·자기적(磁氣的)·고체내(固體內) 결합의 성질을 달리함. 일정한 궤도상에 배치되어 있는 데서 '궤도 전자'라고도 함.

핵-우산【核雨傘】명 국가의 안전 보장을 확보하기 위하여 비핵보유국(非核保有國)이 의존하는, 다른 핵무기 보유국의 핵전력(核戰力).

핵-유제【核乳劑】명 사진 유제의 한 가지. 빛뿐 아니라 하전 입자(荷電粒子)의 비적(飛跡)도 나타낼 수 있는 유제. 보통의 감광(感光) 재료로서의 유제와 다른 점은 젤라틴(gelatin)에 대한 할로겐은(Halogen銀)의 비율이 현저히 높고, 입자(粒子)가 가늘면서도 크기가 가지런하며, 유제층이 매우 두꺼워, 1mm에 이르는 것이 있는 것 등임. 생물체나 광물 속의 방사성(放射性) 물질을 검출(檢出)하는 오토라디오그래프(autoradiograph)나 우주선(宇宙線)의 연구에 없어서는 안 될 연구 수단으로 되어 있음. 원자핵 유제.

핵-융합【核融合】[—늉—] 명〔nuclear fusion〕①〖물〗수소·중수소 등, 가벼운 원자핵이 하나로 융합하여 무거운 원자핵을 만드는 현상. 이때 중성자 등과 함께 다량의 에너지를 방출함. 항성(恒星)의 에너지원(源)이나 수소 폭탄은 이것에 의한 것임. 융합 반응(融合反應). 원자핵 융합. 열핵(熱核) 반응. ②〖생〗세포 융합 후 핵이 합치는 현상. 특히, 후생(後生) 동물의 수정(受精) 때 일어나는 두 배우자(配偶子)의, 핵의 합일(合一).

핵융합 반:응【核融合反應】[—늉—] 명〖물〗가벼운 원자핵이 융합하여 무거운 원자핵이 되면서 막대한 에너지를 방출하는 반응.

핵-융해【核融解】[—늉—]〖생〗명〔karyorrhexis〕핵이 세포질 속에 단편(斷片)으로 산재(散在)하는 일.

핵-응용학【核應用學】명〖교〗물리학·화학·천문학·생물학·공업 기타 각 분야에서의 핵과학 및 그 기술의 응용에 관한 학문.

핵-의학【核醫學】명〔nuclear medicine〕〖의〗방사성 동위 원소(radioisotope : RI)를 사용하여 질병의 진단·치료 및 그 연구를 하는 의학의 한 분야. 「는 일.

핵-이성【核異性】명〔nuclear isomerism〕이성핵(異性核)이 나타나

핵-이성질체【核異性質體】명〖물〗질량수(質量數)·원자 번호 등은 안정된 원자핵과 같으나, 스핀(spin) 등 그 이외의 성질이 다른 원자핵.

핵-이식【核移植】명〖생〗미리 핵을 불활성화시킨 세포에 다른 세포로부터 빼낸 활성있는 핵을 이식하는 일.

핵자【核子】명 ①알맹이. ②〔nucleon〕〖물〗원자핵(原子核)을 구성하는 양성자(陽性子)와 중성자(中性子)의 총칭.

핵-자기【核磁氣】명〖물〗원자핵이 나타내는 자기적 현상 및 그 근원인 자기(磁氣) 모멘트(moment).

핵자기 공:명【核磁氣共鳴】명〔nuclear magnetic resonance〕〖물〗원자핵 스핀을 가진 물질을 자기장(磁氣場) 안에 넣으면, 스핀의 에너지 준위(準位)가 분열되는데 이 에너지차(差)에 같은 주파수를 가진 전자파를 가하면 준위 사이에 전이(轉移)가 일어남. 이 현상을 이용하여 물질 중의 원자 배열, 전자 구조를 알 수 있으며, 최근 의학에서는 NMR-CT 즉 단층 촬영에 의한 진단·진료법이 발전되었음. 엔 엠 아르(NMR).

핵자기 공:명 장치【核磁氣共鳴裝置】명〖물〗핵자기 공명 현상(現象)을 이용한 화학 분석 장치. 미량(微量)·비파괴적 화학 분석을 할 수 있고 보통의 화학 분석으로는 불가능한 동위 원소의 분석까지 할 수 있는 장점이 있음. 「양자역학적 단위.

핵-자자【核磁子】명〔nuclear magneton〕명 원자핵의 자기 모멘트의

핵장【劾狀】명 탄핵(彈劾)하는 글.

핵-전략【核戰略】[—절—] 명 핵무기가 사용되는 전쟁을 위한, 한 국가의 군사적·정치적 기본 방침. 상대방의 제1격을 받고도 상대방에게 결정적인 타격을 줄 수 있는 보복력으로서 핵무기를 갖춘다는 전략.

핵-전력【核戰力】[—절—] 명〖군〗핵무기를 장비한 전력. 전면 핵전쟁용 무기를 갖춘 전략(戰略) 핵전력과 국부(局部) 핵전쟁용 전술(戰術) 핵전력으로 대별됨.

핵-전쟁【核戰爭】명 핵무기를 장비한 병력으로 싸우는 전쟁. 전면전(全面戰)과 국부전(局部戰)이 있을 수 있음.

핵-접합【核接合】명〔karyogamy〕〖생〗배우자핵(配偶子核)이 수정(受精)할 때 등에 융합하는 일.

핵정【劾情】명 정상을 조사하여 따짐. ——-하다 타여불

핵종【核種】명〔nuclide〕〖물〗고유(固有)의 원자 번호는 같고 질량수가 다른 동위 원소의 하나하나를 가리키는 말. 수소에서, 수소·중(重)수소·삼중 수소가 그 예이며 약 1,250종이 알려져 있으나 안정된 핵종으로서 천연적으로 존재하는 것은 약 300종임. *동위 원소.

핵죠 명〈방〉학교(경남). 「——-하다 타여불

핵주【劾奏】명 관원(官員)의 죄를 탄핵하여 임금이나 상관에게 아룀.

핵질【核質】명〔karyoplasm〕〖생〗세포핵의 핵막에 싸인 원형질의 총칭. 염색질·인(仁)·소과립(小顆粒)·핵액(核液)으로 이루어져 있음. 핵원형질이라고도 함.

핵-질량【核質量】명 흔히 원자 질량 단위로 나타내는 원자핵의 질량. 그 구성 성분인 양성자(陽性子)와 중성자(中性子)의 질량의 합보다 결합 에너지를 광속(光速)의 제곱으로 나눈 양(量)만큼 적음.

핵추진 위성【核推進衛星】명 원자력을 에너지원(源)으로 이용한 인공위성. 방사성 동위 원소로부터 나오는 열(熱)을 전기로 바꾸도록 설계된 원자력 전지(電池)를 사용하는 방식과, 소형 원자로를 직접 실어, 여기서 만들어지는 고열(高熱)로 열전쌍(熱電雙)이나 증기 터빈에 의해 발전하는 방식의 두 가지가 있음.

핵-충격【核衝擊】명〖물〗원자의 분열 또는 새로운 원소를 형성케 하기 위하여 핵체(核體)에다 원자 방사물(原子放射物)을 발사하는 일.

핵-클럽【核—】〔Club〕명 핵무기를 보유하고 있는 국가를 일컫는 말. 곧 미국·영국·러시아·프랑스·중국을 가리키는 말.

핵-탄두【核彈頭】명〔nuclear warhead〕〖군〗미사일 등의 탄두부(彈頭部)에 핵폭발 장치를 장착(裝着)한 것.

핵-포획【核捕獲】명〔nuclear capture〕〖물〗중성자·양성자(陽性子)·전자·중간자 또는 α입자 등의 입자가 원자핵과 결합하는 일.

핵-폭발【核爆發】명 핵반응에 의해서 일어나는 폭발. 원자 폭탄·수소 폭탄의 폭발은 그 예임.

핵학【核學】명〖생〗세포학의 한 분과로 핵의 구조와 기능을 연구하는 학문. 주로 핵분열과 염색체의 구조를 연구 대상으로 함.

핵-항성계【核恒星系】명〖천〗은하계 중심부의 밀집한 항성군(群). 태양에서 약 2만 7천 광년의 거리에 있고 궁수자리 쪽에 위치함. 지름은 약 2만 광년. 두께는 약 1만 7천 광년으로 여겨지며 질량(質量)은 은하계 전체의 약 반(半)으로 추정되고 있음.

핵형【核型】명〔karyotype〕〖생〗각각의 생물에 있어서, 종(種)·속(屬) 기타의 분류에 특유(特有)한 크기·형(型)·수(數)를 가진 염색체(染色體)의 정상 상태.

핵-화학【核化學】명〖화〗방사성 동위 원소·핵반응·핵분열 및 핵융합과 그 생성물(生成物)을 대상으로 하는 화학의 한 분야. 원자핵 화학(原子核化學).

핵-확산【核擴散】명 핵무기의 보유가 세계로 퍼져나가는 일 ¶ ~방지 조약.

핵확산 방지 조약【核擴散防止條約】명〖정〗비핵보유국(非核保有國)이 새로 핵무기를 보유하는 일과 보유국이 비보유국에 대하여 핵무기를 인도(引度)하는 일을 동시에 금지하는 조약. 1968년 유엔 군축 위원회에서 미·소 공동의 조약안이 이루어졌고 많은 나라가 이에 조인함. 1970년 3월에 발효되었음.

핵-황달【核黃疸】명〔kernicterus〕〖의〗중추 신경계(中樞神經系)의 회백질(灰白質), 특히 기저(基底) 신경절의 빌리루빈(bilirubin)이 이상적으로 뇌 속에 침착(沈着)됨으로써 일어나는 질병. 신경 세포의 파괴를 일으킴.

핸 조〈옛〉엔. 에는. ㅎ 첨용어(添用語)에 쓰임. ¶ 쁜 짜핸 다매 누됴ㅎ노니(所用皆鷹騰)≪杜諺 I:8≫.

핸드〔hand〕명 ①손. ②↗핸들링(handling)❶.

핸드 드릴〔hand drill〕명〖기〗손으로 핸들(handle)을 돌려 톱니바퀴나 래칫(ratchet)의 작용으로 송곳이 구멍을 뚫게 만든 공구.

〈핸드 드릴〉

핸드 머니〔hand money〕명 ①보증금. 계약금. ②여성의 용돈.

핸드 메이드〔hand made〕명 수제(手製).

핸드 바이스〔hand vice〕명〖공〗세공(細工)할 작은 물건을 고정하려고 나사를 돌려 꽉 끼어 움직이지 않게 하는 소형의 바이스.

핸드-백〔handbag〕명 여성들의 손가방.

〈핸드백〉

핸드-볼:〔handball〕명 구기(球技)의 하나. 한 팀 7명씩 두 팀으로 갈리어, 공을 손으로 패스하거나 드리블하면서 상대방 골에 던져 넣는 경기. 일정한 시간에 많은 골을 얻는 쪽이 이김. 11인제 경기도 있음. 송구(送球).

핸드-북〔handbook〕명 ①편람(便覽). ②강요(綱要). ③안내기(案內記).

핸드 브레이커〔hand breaker〕명 콘크리트·벽돌·암석 등 견고한 것을 분쇄하는 수동 기계.

핸드 브레이크〔hand brake〕명 손으로 레버를 당겨서 제동(制動)하는 자동차의 브레이크. 풋브레이크 외에 모든 차에는 한 계통의 핸드브레이크가 설비되어 있는데, 레버를 당기면 보통 와이어를 통해 뒷 바퀴에 작동함. 주로 주차용으로 쓰여 파킹브레이크라고도 하며, 비탈길의 발진에도 쓰임. 수동식 제동기(手動式制動機).

핸드 오르간〔hand organ〕명 ①아코디언(accordion). ②구조와 음색(音色)이 오르골(orgel) 비슷한 고전적 자동(自動) 오르간의 하나.

핸드-오프〔hand-off〕명 럭비에서, 상대의 태클을 손으로 막는 기술.

핸드-카:〔handcar〕명 철도에서 쓰는, 선로(線路) 보수용의 소형 수동차(手動車). 재료·작업원을 운반함.

핸드 크림:〔hand cream〕명 손이 트는 것을 예방하거나 치료하기 위한 크림.

핸드 트랙터〔hand tractor〕명 두 바퀴 또는 외바퀴가 달린 보행용 소형 트랙터. 경운기(耕耘機)로도 이용됨.

핸드 트럭〔hand truck〕명 창고 등에서 가벼운 짐을 단거리 운반하는 데 쓰는 손수레.

핸드-폰:〔hand+phone〕명 휴대 전화.

핸드-프레스〔handpress〕명 수동식 프레스 기계. ↔풋프레스.

핸드헬드 컴퓨:터〔handheld computer〕명〖컴퓨터〗전지로 작동하는 휴대용 컴퓨터. 주머니에 넣을 수 있는 크기의 것부터 노트북 컴퓨터에 이르기까지 여러 종류가 있음. 성능도 단순한 계산 기능만 갖춘 것부터 데스크톱 컴퓨터 수준의 것까지 다양함.

핸드-홀:드〔handhold〕명 등산 따위에서, 암벽 등반 때 손을 잡을 곳. *풋홀드.

핸들〔handle〕명 ①손잡이. ②기계 기구(機械機構)를 움직일 목적으로 설비된 손잡이. ③자전거·자동차·선박·비행기 등의 운전대에 장치된 방향을 조종하는 손잡이.

핸들링〔handling〕명 ①축구에서, 팔 또는 손에 공을 대는 일. 골 키퍼 이외에는 반칙이 됨. ㊌핸드. ②럭비·핸드볼·농구·수구(水球)에서, 볼을 다루는 일. ③아이스 하키에서, 반칙의 하나. 팩(pack) 위를 손으로 덮거나 팩을 손으로 쥐거나 하는 일. ④핸들을 조작하는 일.

핸디[1]〔handy〕명 간단(簡單)하고 편리함. 손으로 들어 나를 수 있는 모양. ¶ ~한 사전. ——-하다 형여불

핸디[2] 명 ↗핸디캡❶.

핸디캡〔handicap〕명 ①운동 경기 등에서, 우열(優劣)을 평균하기 위하여 우세한 사람에게 지우는 부담(負擔). 골프에서, 평균 타수(打數)와 파(par)와의 차이를 고려하여 점수의 평균화를 꾀하거나, 경마에서 부담 중량을 과하는 따위. ㊌핸디. ②불리한 조건.

핸디캡 레이스〔handicap race〕명 우열(優劣)을 평균하기 위해 우세한 사람에게 불리한 조건을 붙여 행하는 경기.

핸디-크래프트〔handicraft〕명 수공(手工)에 의하여 공예품을 만드는 일. 또, 그 공예품.

핸디-토:키〔Handie-Talkie〕명〖군〗휴대용 소형 무선 송수신기(送受信機)의 상표 이름.

핸섬〔handsome〕명 풍채(風采)가 좋거나 말쑥함. 미남자임. ¶ ~ 보이. ——-하다 형여불

핸슨[1]〔Hansen, Alvin Harvey〕명〖사람〗미국의 케인스파(Keynes派)의 대표적 경제학자. 하버드 대학 명예 교수. 1930년대말에 장기 정체론(長期停滯論)을 제창하고 이를 극복하기 위하여 공공 투자에 의한 혼합(混合) 경제의 필요성을 강조하여 뉴 딜(New Deal) 정책의 이론적 기초를 확립함. 주저에 ≪재정 정책과 경기 순환≫이 있음. [1887-1975]

핸슨[2]〔Hanson, Howard〕명〖사람〗미국의 작곡가. 오페라 ≪즐거운 산(山)≫ 외에 교향곡 등의 작품이 있음. [1896-1981]

핼금 부 경망스럽게 살짝 곁눈질하여 쳐다보는 모양. ㅆ핼끔. <힐금. ——-하다 자타여불

핼금-거리다 자타 방정맞게 눈동자를 옆으로 돌려 연해 살짝살짝 쳐다보다. ㅆ핼끔거리다. <힐금거리다. 핼금-핼금 부. ——-하다 자타여불

핼금-대다 자타 핼금거리다.

핼긋 부 한 번 가볍게 슬쩍 흘겨 보는 모양. ¶ ~ 쳐다보다. ㅆ핼끗. <힐긋. ——-하다 자타여불

핼긋-거리다 자타 가볍게 슬쩍슬쩍 할겨 보다. ㅆ핼끗거리다. <힐긋거리다. 핼긋-핼긋 부. ——-하다 자타여불

핼긋-대다 자타 핼긋거리다.

핼기동이 명〈방〉먼산바라기.

핼끔 부 경망스럽게 눈동자를 옆으로 돌리며 살짝 쳐다보는 모양. ㅅ핼금. <힐끔. ——-하다 자타여불

핼끔-거리다 자타 경망스럽게 눈동자를 옆으로 돌리며 살짝살짝 쳐다보다. ㅅ핼금거리다. <힐끔거리다. 핼끔-핼끔 부. ¶ 뱃전으로 다가온 여인은 ~ 주형 쪽을 쳐다보더니… ≪洪性裕 : 사랑과 죽음의 세월≫. ——-하다 자타여불

핼끔-대다 자타 핼끔거리다.

핼끗 부 살짝 한 번 흘겨 보다. ㅅ핼긋. <힐끗. ——-하다 자타여불

핼끗-거리다 자타 살짝살짝 연해 할겨 보다. ㅅ핼긋거리다. <힐끗거리다. 핼끗-핼끗 부. ——-하다 자타여불

핼끗-대다 자타 핼끗거리다.

핼로:〔hallo〕감 여보. 여보세요.

핼리〔Halley, Edmund〕명〖사람〗영국의 천문학자. 341개의 항성의 위치를 측정하고 수성(水星)의 경과를 관측함. 1682년 핼리 혜성을 관측하고 주기(週期) 혜성의 존재를 확인했으며, 1718년에는 항성의 고유(固有) 운동을 발견하고 항성 불변의 개념을 깨는 등 근세 천문학에 많은 기여를 함. [1656-1742]

핼리팩스〔Halifax〕명〖지〗①영국 잉글랜드 북부 웨스트요크셔 주 중서부의 공업 도시. 양모(羊毛) 공업을 중심으로 면(綿)·기계·화학 등의 공업이 행하여짐. [87,000명(1981)] ②캐나다 노바스코샤 동안(東岸)의 상업 도시. 노바스코샤 주(州)의 주도. 대서양에 면한 천연의 양항으로 부동항. 중계항·피난항(避難港)·어항으로서의 기능도 가짐. [115,000명(1981)]

핼리 혜:성〔一彗星〕〔Halley〕명〖천〗〔영국의 천문학자 핼리(Halley, Edmund; 1656-1742)의 이름에서〕긴 꼬리를 가진 해왕성속(海王星屬)의 주기(週期) 대혜성. 1682년 영국의 핼리가 처음으로 그 궤도를 계산하였음. 기원 전 466년 이래 1910년까지 29회나 출현이 기록되었고 1910년도에 출현하였는데 주기 74.7년으로 타원 궤도를 공전(公轉)함. 최근에 근일점을 통과한 것은 1986년 2월 9일이었음.

핼머〔halma〕명 서양 장기(將棊)의 한 가지. 네 빛깔의 말과 판을 사용하는데, 판은 직사각형(直四角形)으로 가로 세로 17줄의 눈금이 있으며, 두 사람 또는 네 사람이 각자 자기 말을 상대편 진영(陣營)에 먼저 갖다 놓는 편이 이김.

핼쑥-하다 형여불 얼굴에 핏기가 없고 파리하다. 창백하다. *할쑥하다.

햄:[1] 명〈방〉반찬(함북).

햄:[2] 명〈방〉헤엄(경남).

햄[3]〔ham〕명 돼지고기를 소금에 절이어 훈제(燻製)한 식품(食品). 원래는 넓적다리 고기를 썼으나, 지금은 그 외의 부분도 사용함.

햄[4]〔ham〕명 아마추어 무선사(無線士).

햄-라이스〔ham rice〕명 햄·양파 등을 넣어 기름에 지지고, 토마토 케첩·소금·후추로 양념한 밥.

햄릿〔Hamlet〕명〖책〗셰익스피어작의 4대 비극의 하나. 1600년 초에 초연(初演). 덴마크의 왕자 햄릿이 부왕을 독살한 숙부와 불륜(不倫)의 어머니에 대한 복수를 부왕의 망령(亡靈)에게 맹세하나, 사색적이고 소극적인 성격 때문에 애인 오필리어마저 버리고 고민하다가 끝내 원수를 갚고 죽는다는 줄거리.

햄릿-형【一型】〔Hamlet〕명〖심〗사색(思索)·회의(懷疑)의 경향이 세고 결단(決斷)·실행력이 약한 성격형. *돈키호테형.

햄버거〔hamburger〕명 ①햄버그 스테이크. ②햄버그 스테이크를 둥근 빵에 끼운 식품.

햄버그〔hamburg〕명 햄버그 스테이크.

稅)·통행세 같은 것.
행위-시【行爲時】명 행위를 할 때.
행위시법-주의【行爲時法主義】[—뻡—/—뻡—이] 명〖법〗행위시와 재판시와의 사이에 형벌 법규의 변경이 있는 경우에는, 행위시법을 적용해야 한다는 주의. ↔재판시법주의(裁判時法主義).
행위-지【行爲地】명〖법〗형사 소송법상 어떤 행위가 행하여진 곳.
행위지-법【行爲地法】[—뻡] 명〖법〗법률 행위가 행하여진 곳의 법률. 국제 사법상(國際私法上)의 준거법(準據法)으로 인정됨.
행-유여력【行有餘力】명 일을 다 하고도 오히려 힘이 남음.
행음[1]【行吟】명 ①거닐면서 글을 읊음. ②귀양살이에서 글을 읊음. ——-하다 타여불
행음[2]【行淫】명 행간(行姦). ——-하다 자여불
행:의[1]【行衣】[—/—이] 명〖역〗유생(儒生)이 입는 웃옷. 소매가 넓은 두루마기에 검은 천으로 가를 꾸몄음.
행의[2]【行義】[—/—이] 명 의(義)를 행함. ——-하다 자여불
행의[3]【行誼】[—/—이] 명 ①행실이 올바름. ②바른 길을 취하여 행함. ③품행과 도의(道誼).
행의[4]【行醫】[—/—이] 명 의술(醫術)로써 행세(行世)함. ——-하다 자여불
행이[1] 명〈방〉형(兄)(경남).
행이[2]【行移】명 ↗행문 이첩(行文移牒).
행:-이득면【倖而得免】명 요행으로 벗어남. 행탈(倖脫). ㊟행면(倖免). ——-하다 타여불
행인[1]【行人】명 ①길 가는 사람. ¶~이 드문 오솔길. ②사자(使者). ③〖불교〗불법(佛法)을 수행(修行)하는 사람. 주문(呪文)을 외우는 사람. 부처님의 계행(戒行)을 닦는 중.
행인[2]【行印】명 은행(銀行)의 도장.
행:인[3]【杏仁】명〖한의〗살구씨의 껍데기 속의 알맹이. 기침·변비(便祕)에 약재로 씀.
행:인[4]【幸人】명 행복한 사람.
행:인-공【杏仁孔】명 [amygdule]〖지〗용암류(熔岩流)의 기포(氣泡) 속에서 만들어져 그 속을 메우고 있는 광물. 옥수(玉髓)·단백석(蛋白石)·방해석(方解石)·녹니석(綠泥石)·포도석(葡萄石) 따위.
행:인-당【杏仁糖】명 살구씨를 설탕에 조리어 말린 과자.
행:인-수【杏仁水】명〖약〗행인에서 뽑아 낸 물약. 휘발성의 투명한 액체로서 살구씨의 향내가 남. 기침과 담을 삭이는 데 씀.
행:인-유【杏仁油】[—뉴] 명 행인(杏仁)을 압착하여 짜낸 지방유(脂肪油). 노란 빛깔로, 거의 냄새가 없으며 맛이 부드러움. 용도와 효용은 편도유(扁桃油)와 같음.
행:인 정:과【杏仁正果】명 살구씨로 만든 정과.
행:인-죽【杏仁粥】명 살구씨를 약간 데치어 껍질을 벗기고 멥쌀과 분반(分半)하여 함께 물에 담갔다가 매에 갈고 체에 걸러서 죽을 쑤어 꿀을 탄 죽.
행:-인지불행【幸人之不幸】명 남의 불행을 기뻐함. ——-하다 자여불
행자[1] 명〈방〉행주[1](경상).
행자[2]【行者】명 ①〖역〗장례(葬禮) 때에 상제(喪制)를 모시고 따라가는 사내 하인. ②〖불교〗속인(俗人)으로서 절에 들어가 불도(佛道)를 닦는 사람. 상좌(上佐). ③길을 떠나는 사람.
행자[3]【行資】명 노자(路資).
행:자[4]【杏子】명 ↗행자목(杏子木).
행자 곡비【行者哭婢】명〖역〗행자(行者)와 곡비(哭婢).
행:자-목【杏子木】명 은행나무의 목재. ㊟행자(杏子).
행:자-반【杏子盤】명 ①은행나무의 목재로 만든 소반. 품이 썩 좋고 가벼움. ②윗면을 은행나무 판자로 대어 만든 바둑판.
행자-수【行字數】명 행격(行格).
행자 유:신【行者有贐】명 떠나는 사람에게 선물로 돈이나 물건을 줌.
행자-치마 명〈방〉행주치마.
행:자-판【杏子板】명 은행나무로 된 널조각.
행작[1]【行作】명 행동. ——-하다 자여불
행작[2]【行爵】명 보작(步爵). ——-하다 자여불
행장[1]【行狀】명〖역〗①조선 시대 때, 주로 행상(行商)에게 발급한 거주지 관청의 여행 증명서. 여행자의 이력(履歷)·증명(證明)을 기입함. ②조선 초기에, 왜인(倭人)이 조선에 내왕(來往)할 때 소지(所持)하게 한, 쓰시마 도주(対馬島主) 발행의 여행 증명서. 문인(文引)의 실시로 효력이 약화(弱化)됨. *호조(護照).
행:장[2]【行狀】명 ①사람이 죽은 뒤에 그 평생에 지낸 일을 기록한 글. ②교도소에서 수감자의 언행에 대하여 매긴 성적. 1-4급(級) 또는 우·량·가·보통으로 매김. *행상(行狀).
행장[3]【行長】명 ↗은행장(銀行長).
행장[4]【行裝】명 여행할 때에 쓰는 제구. 행구(行具). 행리(行李). ¶~을 챙기다.
행장[5]【行障】명〖역〗왕후(王后)의 장례 때에 굵은 베의 긴 휘장(麾帳)에 대략 한 칸 거리마다 장대를 꿰매 붙여서 여러 사람이 들고 가는 물건.
행:장-기【行狀記】명 일생의 행장을 적은 기록.
행재-소【行在所】명 임금이 멀리 거둥할 때에 일시 머무는 곳.
행적[1]【行寂】명〖사람〗'낭공 국사(郎空國師)'의 법명(法名).
행:적[2]【行績·行蹟·行跡】명 ①행위의 실적(實績)이나 자취. ¶~을 남기다. ②평생에 한 일. ¶위대한 ~을 쌓다.

행전[1]【行錢】명 노름판에서 돈질을 함. ——-하다 자타여불
행전[2]【行纏】명 바지·고의를 입을 때 정강이에 꿰어 무릎 아래에 매는 물건. 웅구바지가 되지 아니하고 가든하게 하고자 발회목에서 장딴지까지 바지 위에 눌러 치는 것으로, 번듯한 헝겊으로 소맷부리처럼 만들고 위쪽에 끈 둘을 달아서 돌라 매게 되어 있음. 근래는 흔히 상복(喪服)에 착용함. 행등(行縢).

〈행전[2]〉

행정[1]【行政】명 ①정치를 행함. ②〖법〗국가의 통치 작용 중 입법(立法) 작용 및 사법(司法) 작용을 제외한 국가 작용. 곧, 법률에 입각(立脚)하여 국가 의사를 형성하고 그것을 집행하는 목적을 가지는 작용. *사법(司法)·입법(立法). ③〖법〗국가 기관·공공(公共) 단체 등이 법률·법령 기타 법규에 따라 행하는 정무(政務). ¶~력/~ 구역. ④〖군〗전술(戰術)과 전략(戰略)을 제외한 모든 군사 사항을 관리·운용하는 일. 보급·후송(後送)·위생·숙영(宿營)·인사·계엄령·정비·수송·군정(軍政)·검열 등을 포함함.
행정[2]【行程】명 ①멀리 가는 길. 또, 그 길의 이수(里數). ¶하루의 ~. ②[stroke]〖기〗실린더 속에서, 피스톤의 앞뒤 방향으로의 직선 운동. 충정(衝程).
행정 각부【行政各部】명〖법〗중앙의 행정 사무를 분장하는 국가 기관인 각 부(部). 외무부·내무부·법무부 따위. 각부(各部).
행정 각부 장:관【行政各部長官】명 행정 각부의 장(長)인 국무 위원(國務委員). 국무 총리의 제청(提請)으로 대통령이 임명함. ㊟각부 장관.
행정 간소화【行政簡素化】명 복잡화(複雜化)한 행정 기구(機構)를 정리(整理)·통합(統合)함. ¶~ 작업.
행정 감독【行政監督】명〖법〗국가에 의한 행정 관청에 대한 감독. 특히 상급 행정 관청이 하급 행정 관청의 행정 사무 집행상의 과오(過誤)를 예방·시정하고 또한 행정 관청 상호간의 질서를 유지하기 위하여 행하는 감독.
행정 감사【行政監査】명〖법〗각급 행정 기관이, 당해 기관 또는 그 하급 기관의 업무 운영 실태를 파악하여 정부 시책의 모든 단계에서의 적정 운영 여부와 공무원의 기강 위배 사항을 검토·분석하고 그에 대한 시정 또는 개선 방안을 마련하는 작용. '종합 감사·부분 감사·기강 감사'의 세 종류가 있음.
행정 감시【行政監視】명 모든 업종의 사업 활동을 대상으로 하여, 일정한 기준을 설정하고, 그 기준이 지켜지고 있는지의 여부를 감시함으로써 위반 등을 적발하여 개선을 요구하는 행정 활동. 공정 거래 위원회, 근로 기준 감독 관청의 업무나 소비자 보호 행정 따위.
행정 감찰【行政監察】명 행정 감독상의 입장에서 조사하거나 검사하는 일. 조사나 검사의 목적은 공무원의 범죄·비위(非違) 또는 사고에 관한 것이 보통임.
행정 개:혁【行政改革】명 복잡한 행정 기구를 개선하는 일. 행정 기관의 통폐합, 예산의 삭감, 공무원의 감소, 권한의 감축 등을 내용으로 함.
행정 개:혁 위원회【行政改革委員會】명〖법〗기획 예산 위원회에 딸린 보좌 기관의 하나. 행정 개혁 기본 계획의 수립, 정부의 조직·기능 조정에 관한 기본 방침, 정부와 지방 자치 단체 간의 기능과 역할 재정립, 정부 산하 기관의 합리적 개편 등을 연구·심의함.
행정 경:찰【行政警察】명〖법〗①행정권의 작용으로서의 경찰. 곧, 행정권 본래의 작용으로서 각 행정 법규에 의하여 규율되는 국가 작용을 맡은 경찰. *사법(司法) 경찰. ②행정상의 경찰 작용 중 각 부문의 행정에 수반하여 생기는 공공질서에 대한 장애의 예방·제거를 목적으로 행하여지는 경찰 작용. 위생 경찰·교통 경찰·산림(山林) 경찰 등과 같음. ↔사법(司法) 경찰. *보안(保安) 경찰.
행정 계:약【行政契約】명〖법〗국가 또는 공공 단체와 한 사인(私人)과의 합의에 의하여 공법상(公法上)의 법률 관계를 발생시키는 계약. 곧, 임관(任官)·귀화(歸化)의 허가 같은 것. 때로는 '공법상의 계약'이라고도 함.
행정 고등 고시【行政高等考試】명 외무 고등 고시·기술 고등 고시와 함께 5급 공무원 공개 경쟁 채용 시험의 하나. 공안직(公安職)·행정직에 종사할 공무원 임용(任用)에 실시함. *고등 고시.
행정 공무원【行政公務員】명 ①넓은 뜻으로, 국가 행정 사무를 담당하는 공무원의 총칭. ②좁은 뜻으로, 행정부의 공무원.
행정 공채【行政公債】명〖경〗우편 저금이나 공탁금(供託金)처럼 재정(財政) 이외의 활동에 수반하여 발생하는 채무. 정무 공채(政務公債). ↔재정 공채.
행:-정과【杏正果】명 살구 정과.
행정 과목【行政科目】명 예산 집행상의 편의와 비도(費途)·편성의 근거를 명시(明示)하기 위하여 만든 예산의 세부 과목.
행정 과학【行政科學】명 행정에 관한 과학. 이는 다시 행정의 사실을 대상으로 하는 행정학과 행정 정책을 대상으로 하는 행정 정책학 및 행정에 관한 법을 대상으로 하는 행정 법학으로 나누어짐.
행정-관【行政官】명〖법〗국가의 행정 사무를 집행하는 공무원의 총칭. ↔사법관(司法官).
행정 관리【行政管理】[—괄—] 명 [administrative management] 행정 기관이 일정한 행정상의 목적 또는 목표를 설정하고 그것을 달성하기 위하여 필요한 사항을 계획·조직하고 지도·지시하며 조정·통제하는 일. 일종의 기술 관리(技術管理)이며 경제성의 원칙이 적용되도록 하여 국민에게 최대의 봉사를 이룩하는 데 궁극의 목표가 있음.
행정 관청【行政官廳】명〖법〗행정에 관한 국가의 의사를 결정하고, 그 의사를 표시·집행하는 권한을 가지는 국가 기관. 그 권한이 전국에 미치는 것을 중앙 행정 관청, 특정 지역에 한정(限定)되는 것을 지방 행정 관청이라 함. ↔사법 관청(司法官廳). *행정청(行政廳).

행정 광:고【行政廣告】명〖사〗행정 기구(行政機構)가 행하는 사회 광고의 하나.

행정-구【行政區】명〖정〗지방 자치법상 특별시·광역시가 아닌 인구 50만 이상의 시(市)의 관할 구역에 설치되는 행정 구역. 자치 단체가 그 사무 처리의 편의를 도모하기 위해 설치함.

행정 구역【行政區域】명 행정 기관의 권한이 미치는 범위로 정하여진 지역적(地域的)인 구획.

행정 구:제【行政救濟】명 행정 작용에 의해서 국민의 권리와 자유가 침해된 경우, 국민이 그 작용의 취소나 변경을 요구하고 그 작용에 의하여 받은 재산상의 손해의 전보(塡補)를 요구하는 일.

행정 국가【行政國家】명〖법〗법체계에 사법 체계(私法體系)와 공법(公法) 체계를 구별하고 이 구별에 따라 사법(司法) 재판소 외에 독립된 행정 재판소를 설치하여, 공법상의 법률 관계에 관한 소(訴), 특히 행정 처분의 취소(取消) 또는 변경을 구하는 소(訴) 등 행정권에 대한 국민의 구제(救濟)를 행정 재판소의 권한으로 하고 있는 국가. ↔사법 국가(司法國家).

행정-권【行政權】[―꿘] 명 국가가 통치권을 바탕으로 하여 일반 행정을 행하는 권능. 입법권·사법권과 더불어 삼권(三權)의 하나임. *사법권·입법권.

행정 규칙【行政規則】명〖법〗행정 기관이 행정 목적을 달성하기 위하여 그 권한내(權限內)에서 발하는 규칙. 법률의 성질을 갖지 않은 고시(告示)·훈령(訓令)·사무 규정 등과 같은 것.

행정 기관【行政機關】명〖법〗행정 사무를 맡은 국가의 기관. 그 취급 사무에 따라 국가 행정 기관 또는 관치(官治) 행정 기관과 자치 행정 기관으로, 그 법적 성격에 따라 행정 관청·의결(議決) 기관 또는 자문(諮問) 기관·감사(監査) 기관·집행(執行) 기관·보조(補助) 기관 등으로 분류됨.

행정 단위 부대【行政單位部隊】명〖군〗행정의 목적에서 별개의 독립적인 부대로 간주되는 단위 부대. 중대·연대·사단·군단(軍團)·군(軍)과 같은 것.

행정 대:서【行政代書】명 남의 위촉을 받아 관서(官署)에 제출할 서류 등을 작성하는 일. ↔사법 대서(司法代書).

행정 대:집행법【行政代執行法】[―뻡] 명〖법〗행정상 강제 집행의 수단으로서의 대집행의 일반적 근거 및 절차를 규정한 법률. *대집행.

행정 대학원【行政大學院】명〖교〗대학원의 하나. 고급 행정 공무원의 양성과 행정의 심오한 이론을 연구하기 위한 교육 기관임.

행정-리【行政里】[―니] 명〖법〗행정 구역의 단위의 하나. 행정의 말단 조직을 형성하고 있음.

행정-면【行政面】명 행정에 관계되는 방면. 행정의 분야(分野).

행정 명:령【行政命令】[―녕] 명 ①〖법〗행정 기관이 행정 목적을 위해 직권으로 발하는 법규 아닌 명령. ↔법규 명령. ②〖군〗교통·보급·후송·인사 및 작전상 또는 그 밖의 행정 세목에 관한 명령. 보통 사단 이상의 부대가 내림.

행정-벌【行政罰】명 행정법상의 의무 위반자에게 제재(制裁)로서 과하여지는 벌. 질서벌(秩序罰).

행정-범【行政犯】명 행정 목적을 위한 단속 법규에 위반하는 행위. 도로 교통법 위반·출입국 관리법 위반 등의 죄 같은 것. 법정범(法定犯). ↔형사범.

행정-법【行政法】[―뻡] 명 ①행정 기관의 조직 및 행정권의 작용에 관한 법의 총칭. 특히 행정권의 주체로서의 국가 또는 지방 공공 단체와 주민과의 관계를 규정한 법규의 총칭. ②↗행정법학.

행정 법원【行政法院】명 주로 행정 소송법에서 정한 행정 사건을 심판하는 제1심의 법원. 신설 법원으로 1998년 3월 1일부터 시행.

행정법-학【行政法學】[―뻡―] 명〖법〗행정학의 한 분야. 행정에 관한 법령을 계통적으로 연구·해석하는 학문. 준행정법.

행정-부【行政府】명〖법〗삼권 분립(三權分立)에 의한 국가 기관의 하나. 행정을 맡아 보는 국가 기관. 단순히 정부(政府)라고도 함. *입법부·사법부.

행정 부피【行程―】명〖기〗내연 기관 등의 피스톤이 상사점(上死點)에서 하사점(下死點)까지 이동하는 행정에서, 실린더 안에 흡입되는 혼합기의 양을 말함. 행정 체적.

행정 분석【行政分析】명 [administrative analysis] 행정 관리(管理)의 합리화·능률화를 기하기 위해 취하여지는 방법. 그 직접 목표는 행정 활동을 그 관리적 측면에서 분석·개선하는 데에 두며, 주된 대상 영역(領域)은 운영 관리·조직 관리·인사 관리·재무 관리·사무 관리·물적(物的) 설비 관리임.

행정-비【行政費】명〖법〗①행정 기관의 운영과 교육·보건·경찰, 그 밖의 일반 행정 사무의 집행에 소요되는 일체의 경비. ②사업비·교부금(交付金) 등을 제외한 행정 기관의 관리 운영에 필요한 직접적인 인건비와 사무비.

행정-사【行政士】명 행정사법의 규정에 의한 소정의 자격을 가지고, 타인의 위촉에 의하여 수수료를 받고 행정 기관에 제출하는 서류와 주민의 권리 의무나 사실 증명에 관한 서류의 작성을 업으로 하는 사람. 소관 업무에 따라 일반·기술 및 외국어 번역 행정사로 구분함. 구칭 : 행정 서사.

행정 사:건【行政事件】[―껀] 명 행정 관청이 행하는 위법한 처분의 취소·변경 또는 공법상(公法上)의 법률 관계에 관한 소송 사건.

행정 사:무【行政事務】명〖법〗행정권의 발동으로서 행하는 국가의 사무. 정무(政務).

행정 사:무관【行政事務官】명 행정직 국가 공무원 직급 명칭의 하나. 행정 직렬(職列)에 속하며, 행정 주사·세무 주사·관세 주사·운수 주사의 위, 서기관의 아래로 5급 공무원임.

행정상 입법 행위【行政上立法行爲】명〖법〗국가나 공공 단체와 같은 행정 주체(主體)가 일반적·추상적(抽象的)인 규정을 정립(定立)하는 작용을 학문상으로 이르는 말. 이에는 '국가 행정권에 의한 입법'과 '자치 입법'이 포함됨. 전자에는 법규 명령과 행정 규칙이 있고, 후자에는 현행법상 지방 자치 단체의 조례(條例)와 규칙이 있음. 행정 입법.

행정 서기【行政書記】명 행정직 국가 공무원 직급 명칭의 하나. 행정 직렬(職列)에 속하며, 행정 서기보의 위, 행정 주사보의 아래로 8급 공무원임.

행정 서기보【行政書記補】명 행정직 국가 공무원 직급 명칭의 하나. 행정 직렬(職列)에 속하며, 행정 서기의 아래로 9급 공무원임.

행정 서사【行政書士】명 '행정사'의 구칭.

행정 소송【行政訴訟】명〖법〗행정 관청의 위법 처분에 의하여 권리를 침해당한 자가 관할 고등 법원에 대하여 그 처분의 취소 또는 변경을 요구하는 소송. 준행소(行訴).

행정 소송법【行政訴訟法】[―뻡] 명〖법〗행정 소송 절차를 통하여 행정청의 위법한 처분, 그 밖에 공권력의 행사·불행사 등으로 인한 국민의 권리 또는 이익의 침해를 구제하고, 공법 상의 권리 관계, 또는 법 적용에 관한 다툼을 적정하게 해결할 것을 목적으로 하는 법.

행정 쇄:신 위원회【行政刷新委員會】명 대통령의 자문 기관의 하나. 국민 편의 증진을 위한 행정 형태·관행의 개선, 행정 규제 완화와 정부 조직의 합리적 개편 등에 관한 종합적 추진 방안을 연구·심의하여 건의함.

행정 수수료【行政手數料】명 국가·공공 단체 또는 그 기관이 징수하는 수수료 가운데서, 행정 기관이 징수하는 조세 등의 가산금(加算金), 각종 인가 또는 면허의 수수료.

행정 심:판【行政審判】명 행정청(行政廳)의 위법 또는 부당한 처분, 그 밖의 공권력의 행사·불행사로 권리 또는 이익의 침해를 받은 사람이 제기하는 불복 심판 청구에 대해서 하는 심판. '취소 심판·무효 등 확인 심판·의무 이행 심판'의 세 종류가 있음.

행정 심:판 위원회【行政審判委員會】명 행정 심판의 청구를 심리·의결하기 위해 권한 있는 행정 기관에 설치하는 기관.

행정 위원회【行政委員會】명 ①[administrative commission, administrative board)] 일반 행정 기관으로부터 실질적으로 독립하여 특정한 행정권을 행사함과 아울러 때로는 규칙을 제정하는 준(準)입법권과, 재결(裁決)을 행하는 준사법권도 행사하는 합의 기관(合議機關). 미국에서 발달한 독립 규제(獨立規制) 위원회를 본떠서 여러 나라에서 채용하고 있는데, 의회 정치에 부수되는 정당 세력의 행정에의 개입을 막으며 행정의 공정·중립을 지키는 것을 목적으로 함. 선거 관리 위원회·교육 위원회·금융 통화 운영 위원회·노동 위원회·행정 개혁 위원회 또는 외국의 공안(公安) 위원회 등. ②전에, 국회 상임 위원회의 하나. 국무 총리실·총무처·공정 거래 위원회 소관 사항을 심의하였음. 1998년, 정부 조직 개편에 따라 정무(政務) 위원회로 이름을 바꿈.

행정 입법【行政立法】[―립―] 명〖법〗행정상 입법 행위.

행정 자치부【行政自治部】명 행정 각부의 하나. 국무 회의의 서무, 법령 및 조약의 공포, 공무원의 인사 관리 및 후생 복지(厚生福祉), 상훈(賞勳), 정부 조직의 정원(定員) 관리, 지방 자치 제도, 지방 자치 단체에 대한 사무 지원, 지방 단체간의 분쟁 조정, 선거, 민방위, 재난(災難) 관리, 정부 청사 관리 등 사무를 맡아봄. 산하에 경찰청을 둠. 1998년, 전 내무부와 총무처를 통합, 개편한 기관임.

행정 자치 위원회【行政自治委員會】명 국회 상임 위원회의 하나. 행정 자치부의 소관 사항을 심의함.

행정 작용【行政作用】명〖법〗행정 주체가 행정 목적의 실현을 위하여 행하는 일체의 작용. *행정권.

행정 재산【行政財産】명〖법〗국유 재산 구분의 하나. 행정 목적에 공여(供與)되며, 그 관리 처분에 대하여 특별한 규정이 있는 국유 재산. 공용 재산·공공용 재산·기업용 재산의 세 종류가 있음.

행정 재판【行政裁判】명〖법〗행정 소송 사건에 대한 재판. ↔사법(司法) 재판.

행정 쟁송【行政爭訟】명 넓은 뜻으로는, 행정상의 법률 관계에 분쟁 또는 의문이 있는 경우, 이해 관계자로부터의 신청에 의하여 일정한 판단 기관이 이를 심판하는 절차. 좁은 뜻으로는, 행정권 내부의 기관에 의한 쟁송 재단(爭訟裁斷)의 절차를 말함.

행정-적【行政的】명관 행정에 관한 성질을 띤 모양. 행정에 관한 모양.

행정 전:산망【行政電算網】명 정부가 행정 기관들에 컴퓨터를 설치해 놓고, 이 컴퓨터를 서로 연결하여 나라 살림과 국민 서비스에 필요한 각종 행정 정보를 신속하게 교환하는 정보 통신망.

행정 절차【行政節次】명 ①행정 기관이 규칙의 제정, 쟁송(爭訟)의 재결(裁決), 결정 기타의 행정 행위를 할 경우에 준거(準據)할 절차. ¶～법. ②행정 기관에 의한 심판. ↔사법 절차. *준사법(準司法) 절차.

행정 정:리【行政整理】[―니] 명〖법〗행정 각부의 기구(機構)를 축소하고 경비를 절약하기 위하여 실시하는 공무원의 인원 정리.

행정 제:도【行政制度】명 [프 régime administratif]〖법〗사법권에 대하여 특히 행정권의 지위를 보장하여 그 자율을 인정하는 제도. 곧, 행정권에 대한 사법권의 간섭을 배제하기 위하여 행정 재판소의 운영을 중심으로 하여 행정권에 자력 집행권(自力執行權)을 부여·인정하고, 관리의 지위에 일정한 보호를 하는 등의 내용으로 되어 있음.

행정 조사【行政調査】명 행정에 관한 사회 조사. 행정학에 대하여 방법적 규준(規準)을 부여하는 역할을 함. 이는 정부 기관의 목적·권한·구조·기능에 관한 자료 수집, 자료에 따른 분석 및 이에 의한 기술적 규준의 확립이라고 하는 점이 특색임. 뉴욕 시정(市政) 조사회에 의하여 처음 시작됨.

행정 조정실【行政調整室】명 각 중앙 행정 기관 및 서울 특별시에 대한 행정의 지휘·조정·감독을 담당하는 국무 총리의 보좌 기관. 제1·제2·제3·제4·제5 행정 조정관을 둠.

행정 조직【行政組織】명〖법〗국가와 지방 자치 단체 등 행정 기관의 모든 조직. 국가 행정 조직·자치(自治) 행정 조직 및 위임(委任) 행정 조직 등이 있음.

행정 조합【行政組合】명〖법〗공공 조합(公共組合).

행정 주사【行政主事】명 행정직 국가 공무원 직급 명칭의 하나. 행정 직렬(職列)에 속하며, 행정 주사보의 위, 행정 사무관의 아래로 6급 공무원임.

행정 주사보【行政主事補】명 행정직 국가 공무원 직급 명칭의 하나. 행정 직렬에 속하며, 행정 서기(行政書記)의 위, 행정 주사의 아래로 7급 공무원임.

행정 주체【行政主體】명 공권력(公權力)의 담당자. 원칙적으로는 국가와 공공 단체이지만 때로는 사인(私人)일 때도 있음. 국가나 공공 단체가 행정 활동을 하기 위하여, 그 의사를 결정 표시하거나 또는 그 의사를 집행하는 행정 기관과 구별하여야 함. ＊행정 기관.

행정 지도【行政指導】명 행정 관청이 반드시 법령의 근거에 의하지 않더라도, 그 소관 사무에 관하여 업계(業界)나 하급 행정 기관에 대하여 지도·조언·권고 등의 수단으로 일정한 정책 목적을 달성하려는 작용.

행정-직【行政職】명 일반직 공무원의 직군(職群)에 의한 분류의 하나. 일반 행정·재경(財經)·홍보(弘報) 등의 직류(職類)로 된 행정과 세무·운수·전산(電算)·통계·감사(監査)·사서(司書)의 직렬(職列)로 구분됨. ¶～ 국가 공무원.

행정 참모 부:장【行政參謀副長】명 참모 총장에 대하여 행정 부문의 보좌를 담당하는 사람. 육해공군 본부에 둠.

행정 책임【行政責任】명 행정 상의 행위가 사람·자연 등에 손해나 피해를 주고, 그것이 법적·사회적 준칙에 비추어 허용될 수 없는 경우에, 그 행위에 대하여 지는 책임.

행정 처:분【行政處分】명〖법〗행정 기관이 법규에 의거하여, 특정 사건에 관하여 권리를 설정(設定)하고 의무를 명하며 또는 그 밖의 법률상의 효과 발생을 목적으로 하는 행정 행위. 영업 허가나 공기업(公企業)의 특허, 조세 부과 등임. 또, 행정청(行政廳)이 행하는 처벌의 뜻으로도 쓰임. ↔사법 처분.

행정-청【行政廳】명〖법〗나라의 행정 관청 외에, 공공 단체, 특히 지방 자치 단체의 기관을 포함하여 일컫는 말.

행정 체적【行程體積】명〖기〗행정 부피.

행정-학【行政學】명〖법〗넓은 뜻으로는, 현행(現行) 행정 제도의 이해(利害)·득실을 고찰하여 어느 이상에 비추어 이것에 적합한 개선을 연구하는 학문. 행정 정책·행정법학 등의 분야를 포괄함. 좁은 뜻으로는, 행정의 변천·기능 등을 연구하여 일반적 법칙을 발견하는 학문.

행정 해:부【行政解剖】명〖의·법〗행정상의 목적으로, 범죄에 관계 없는 변시체의 사망 원인을 밝히기 위한 법의 해부(法醫解剖). ↔사법 해부(司法解剖).

행정 해:석【行政解釋】명 행정 기관에 의한 법의 해석. 유권(有權) 해석의 한 형태로, 법을 집행함에 있어서 행정 기관은 독자적으로 법을 해석하고 그 해석을 기술한 문서를 내는 일이 많음. 행정 해석은 우선(于先)은 유효하지만 최종적인 구속력은 없음.

행정 행위【行政行爲】명 행정 기관이 행하는 공법상(公法上)의 행위. 행정 기관의 행위 가운데서, 사실(事實) 행위, 사법상(私法上)의 행위, 입법 행위를 제외한 것으로, 실정법상(實定法上)으로는 허가·인가·면허·특허·금지 등의 행정 처분이라는 용어(用語)에 상당함. 넓은 뜻으로는 행정 기관이 하는 모든 행위를 이름.

행정 협의회【行政協議會】[─/─이─] 명 2개 이상의 지방 자치 단체에 관련된 사무의 일부를 공동으로 관리·처리하기 위하여 관계 지방 자치 단체 간에 설치하는 협의회.

행정 협정【行政協定】명 행정부에 의하여 체결(締結)된 국가간의 협정. 국회의 비준(批准)을 필요로 하지 않음. 정부간(政府間) 협정. ¶한미(韓美) ～.

행정 형벌【行政刑罰】명〖법〗행정벌(行政罰) 중 형법(刑法)에 형명(刑名)이 정해져 있는 형벌. 곧, 사형·징역·금고·벌금·구류·과료에 과(科)해질 형벌.

행종 도감【行從都監】명〖역〗고려 후기에 왕의 원(元)나라 행차 때에 거기 따른 사무를 담당하던 임시 관청.

행주[1] 명 그릇을 훔치고 씻을 때, 또 밥상을 훔칠 때에 정하게 쓰는 헝겊.
 행주(를) 치다 구 ↗행주질 치다.

행주[2]【行酒】명 잔에 술을 부어 돌림. 행배(行杯). ──-하다 자여불

행주[3]【行廚】명 ①음식을 다른 곳으로 옮김. ②〖역〗거둥 때에 왕의 음식을 맡은 임시의 주방(廚房).

行:주 대:교【幸州大橋】명〖지〗경기도 고양시(高陽市) 행주동(幸州洞)과 서울 특별시 강서구 개화동(開花洞)을 연결하는 다리. 단순 장대 교량으로 1975년 7월 착공하여 78년 8월 준공 개통되었음. 한강 횡단 교량으로 10번째 다리임. 김포(金浦) 대교. [너비 10m, 길이 1,400m]

行:주 대:첩【幸州大捷】명〖역〗임진 왜란(壬辰倭亂) 때의 삼대 전첩(三大戰捷)의 하나. 조선 시대 선조(宣祖) 26년(1593) 2월, 서한강변(西漢江邊)의 행주산성(幸州山城)에서 당시의 전라도 순찰사(巡察使) 권율(權慄)이 1만여의 병사로써, 서울에 집결하였다가 쳐들어오는 왜병(倭兵) 3만여를 무찔러서 대파시킨 싸움.

行:주산-성【幸州山城】명〖지〗경기도 고양시(高陽市) 행주동(幸州洞)에 있는 임진 왜란 때의 고전장(古戰場). 조선 시대 선조 26년(1593) 도원수 권율(權慄)의 공로를 표창하기 위하여 대첩비(大捷碑)를 건립하였고 헌종 8년(1842) 승전봉 남쪽에 기공사(紀功祠)를 건립하였음.

행주 좌:와【行住坐臥】명〖불교〗일상의 기거 동작인 네 가지 위의(威儀). 곧, 행(行)·주(住)·좌(坐)·와(臥).

행주-질 명 행주로 그릇이나 밥상 같은 것을 훔치는 일. ──-하다 타여불
 행주질(을) 치다 구 행주로 그릇이나 상·솥 같은 것을 훔치다. 준행주치다.

행주-치마 명 여자들이 부엌일을 할 때에 치마를 더럽히지 아니하고자 그 위에 덧입는 작은 치마.

행줏-감 명 행주로 쓸 천조각.

행중[1]【行中】명 동행하는 모든 사람.

행중[2]【行衆】명 남사당패의 한 놀이 집단. 꼭두쇠를 비롯하여 등짐꾼에 이르기까지 보통 50여 명으로 이루어짐.

행지[1] 명〈방〉행주[1](평북).

행지[2]【行止】명 ↗행동 거지(行動擧止).

행지[3]【行持】명〖불교〗불도(佛道)를 닦아 지님.

행지 수:건【─手巾】명〈방〉행주[1].

행지-증【行遲症】[─쯩] 명〖한의〗각연증(脚軟症).

행지푸 명〈방〉행주[1](경남).

행직[1]【行直】명 성질이 굳세고 곧음. ──-하다 형여불

행직[2]【行職】명〖역〗품계(品階)는 높으나 임직(任職)은 낮은 벼슬아치의 일컬음. 이럴 경우 그 직함(職銜) 앞에 '行' 자를 붙이므로 이 이름이 있음. ↔수직(守職). ＊행[6](行).

행진[1]【行陣】명 행군(行軍). ──-하다 자여불

행진[2]【行進】명 ①앞으로 걸어 나아감. ②여러 사람이 대오(隊伍)를 지어서 걸어 나아감. ¶시위 ～. ──-하다 자여불

행진-곡【行進曲】명〖악〗행진할 때에 취주하는 악곡. 마치(march).

행진 무:용【行進舞踊】명〖춤〗농악에서 여러 가지 대형으로 행진하며 추는 춤.

행진 운:동【行進運動】명 줄지어서 발맞추어 앞으로 나아가는 운동.

행진 유희【行進遊戱】[─뉴히] 명 행진하면서 하는 온갖 유희.

행:짜 명 심술을 부리어 남을 해치는 행위. ¶서슬 퍼런 봉삼의 눈빛에 진작부터 기가 질린 과천과 용인 처소 동무들은 당장 ～를 놓지는 못하고 핑계만 노리고 서 있었다≪金周榮 : 客主≫.

행차【行次】명 웃어른이 길 가는 것을 공경하여 일컫는 말. ¶어떤 분의 ～인가. ──-하다 자여불
 [행차 뒤에 나팔] 일이 다 끝난 다음의 쓸데없는 언행(言行)을 이름. ＊뒷북 치다.

행차 명정【行次銘旌】명 장례(葬禮) 때에 상여 앞에 들고 가는 명정. 관직(官職)·성씨(姓氏) 같은 것을 씀. ＊관상 명정(棺上銘旌).

행-차모지【行且謀之】명 일을 처리하여 가면서 적당한 수단(手段)을 씀. ──-하다 타여불

행차-소【行次所】명 웃어른이 여행할 때에 머무는 곳.

행차-칼【行次─】명〖역〗형구(刑具)의 하나. 보통의 칼보다 짧으나 폭은 넓고, 죄인을 다른 곳으로 옮길 때에 씌움. 도리칼. 행가(行枷).

행찬【行饌】명 여행할 때에 가지고 가는 반찬.

행창【行娼】명 공공연(公公然)하게 창기(娼妓) 노릇을 함. ──-하다 자여불

행체【行體】명〖미술〗수묵화(水墨畫)에 있어서 해체(楷體)와 초체(草體)의 중간 서체. ＊삼체(三體).

행초[1]【行草】명 여행할 때에 가지고 가는 담배.

행-초[2]【行草】명 행서(行書)와 초서(草書).

행:촌【杏村】명〖사람〗이암(李嵒)의 호(號).

행치[1] 명 [←行廁] '걸어다니는 뒷간'의 뜻으로서 '더러운 몸'의 비유.

행:-치[2]【杏峙】명〖지〗충청 북도 음성군(陰城郡)에 있는 재. [198m]

행커치:프〔handkerchief〕명 네모진 손수건.

행키 드레스〔hanky dress〕명〔행키는 행커치프의 구어(口語)〕행커치프 드레스라고도 함. 옷단을 손수건의 귀퉁이를 늘어뜨린 것처럼 만든 드레스. 몇 장씩 겹쳐서 늘어뜨린 느낌이 나게 한 것, 또는 층층이 늘어뜨려 꽃잎처럼 느끼게 하는 것 등이 있음.

행탁【行橐】명 여행시에 노자를 넣는 주머니. 행장을 넣는 자루.

행:탈【倖脫】명 행이득면(倖而得免). ──-하다 타여불

행탕이 명〖광〗광산 구덩이 속에 괸 물 밑에 가라앉은 철분(鐵分)·흙·모래 등의 엉긴 물건.

행태【行態】명 행동하는 양태. ¶～가 야비하다.

행:투 명〈방〉행티. ¶어디 사내가 없어서 제 애비 제자만 돌아가며 ～를 낸단 말이냐≪玄鎭健 : 無影塔≫.

행:-티 명 행짜를 부리는 버릇. ¶문지기의 거만한 ～가 밉살스럽다/목자의 얼굴은 잠깐 보아도 한 가지 ～는 있어 보이는 사람이니…≪趙重桓 : 菊의 香≫.
 행:티(를) 부리다 구 짐짓 행짜를 부리다.

행판【行販】명 행상(行商). ──-하다 자여불

행패【行悖】명 체면에 어그러지도록 버릇없는 짓을 함. ¶～를 부리다. ──-하다 자여불

행포[1]【行暴】명 난폭한 행위. 함부로 사납게 구는 짓. ──-하다 자여불

행:포[2]【杏炮】명 살구를 설탕물에 조리어 만든 과자.

행필【行筆】명 운필(運筆). ──-하다 자여불

행-필성실【行必誠實】명 행하되 반드시 성실하게 함.

행하【行下】명 ①경사가 있을 때에 주인이 자기 하인에게 내리어 주는 금품. ②품삯 이외에 더 주는 돈. 술값. ③놀이나 놀음이 끝난 뒤에 기

생이나 광대에게 주는 보수. ¶～를 후히 내리다.
행하-건【行下件】[-껀] 명 등급이 낮은 물건.
행-하다【行一】 타여불 작정한 대로 하여 나가다. ¶기적을 ～/의무를 ～/혼례를 ～.
행하아이산일【行下向敎是事】〈이두〉말씀하시는 일. 명령하시는 일.
행하업스로【行下無亦】〈이두〉명령 없이.
행하이시거든【行下敎是去等】〈이두〉명령이시거든.
행하-조【行下調】[-쪼] 명 말막음으로 하는 일.
행-학[1]【行學】명 수행(修行)과 학문.
행:학[2]【幸學】명〖역〗임금이 학교에 거둥하는 일. ——-하다 자여불
행행[1]【行幸】명〖역〗임금이 궁궐 밖으로 거둥함. 행어(幸御). 유행(遊幸). ——-하다 자여불
행:행[2]【悻悻】부 성이 발끈 나서 그 자리를 박차고 떠나는 모양.
행:행연-하다【悻悻然一】형여불 성이 발끈 나서 그 자리를 떠나는 태도가 쌀쌀하다.
행향【行香】명〖불교〗①법회(法會) 때 모인 중들에게 향을 나누어 주는 일. 또, 그 사람. ②분향(焚香). ——-하다 자여불
행:혀 부〈방〉행여.
행:혀나 부〈방〉행여나.
행혈【行血】명〖한의〗약의 힘으로 피를 잘 돌게 함. ——-하다 자여불
행형【行刑】명 형(刑)의 선고를 받은 사람에게 그 형을 집행함. ——-하다 타여불
행형-법【行刑法】[-뻡] 명 수형자(受刑者)에 대한 교정(矯正)·보호와 미결(未決) 수용자의 수용에 관한 사항을 규정한 법률.
행형 실무【行刑實務】명〖법〗행형에 관한 사항을 실제(實際)로 맡아 보는 사무.
행형-학【行刑學】명〖법〗행형에 관한 학문. 행형의 제도, 교도소의 조직·관리, 수형자(受刑者)의 지위·보안 처분(保安處分), 피석방자(被釋放者)의 보호·복권(復權) 등으로부터 나아가서는 행형 개혁(改革)의 문제를 포함하는 행형에 관한 모든 사항을 대상으로 함. 이전 명칭은 감옥학(監獄學).
행-호령【行號令】명 ↗행호 시령(行號施令). ——-하다 자여불
행호 시:령【行號施令】명 호령(號令)을 내림. ㊀행호령(行號令). ——-하다 자여불
행화[1]【行化】명〖불교〗자기의 수행(修行)과 타인의 교화(敎化)를 한꺼번에 하는 일.
행:화[2]【杏花】명 살구꽃.
행:화-촌【杏花村】명 살구꽃이 많이 피는 마을.
행회【行會】명 조정(朝廷)의 지시 명령을 관청의 장이 그 부하들에게 알리고, 또한 그 실행 방법을 논정(論定)하기 위한 모임. ——-하다 자여불
행흉【行凶】명 사람을 죽임. ——-하다 자여불
행:희【幸姬】[-히] 명 특별히 사랑을 받는 여자. ＊총희(寵姬).
햐ᄀᆞᆫ 형〈옛〉작은. '햑다'의 활용형. ¶ᄆᆞ장 햐ᄀᆞᆫ 이리라도(至微細事)≪飜小 IX:6≫. ＊혀근.
햐암 명〈옛〉향암(鄕闇). 시골 백성. ¶어리고 햐암의 뜻의는 내分인가 ᄒᆞ노라≪古時調 尹善道≫.
햐처〔ᄌᆞ 下處〕명 사처.
햐처-방〔ᄌᆞ 下處房〕명 사첫방.
햐처ᄒᆞ다 자〈옛〉숙소(宿所)를 정하다. ¶햐처ᄒᆞ다(住下處)≪同文 上「29≫.
햐쳐 명〈옛〉하처(下處). 숙소(宿所). ¶初虞란 햐쳐ᄒᆞ연ᄂᆞ뎌셔 行ᄒᆞ라≪家禮 IX:1≫.
햑다 형〈옛〉작다. 가늘다. ¶ᄆᆞ장 햐ᄀᆞᆫ 이리라도(至微細事)≪飜小 IX:「6≫. ＊혁다.
향:[1]【向】명〖민〗묏자리나 집터 등이 자리잡은 위치의 전면. ↔좌(坐).
향[2]【香】명 ①향내를 풍기는 물건. 향내가 나는 온갖 물건을 가루를 내어 반죽하여 여러 가지 모양으로 만들어 노리개로 몸에 지님. ②제전(祭奠)에 피우는 향내가 나는 물건. 향나무를 깎은 부스러기나 또는 가루를 반죽하여 여러 가지 모양으로 만든 것. ¶～을 피우다.
향[3]【香】명 성(姓)의 하나. 우리 나라에는 현존(現存)하지 아니함.
향[4]【鄕】명〖역〗① 고대 중국이나 신라·고려의 부곡(部曲)의 하나. ② 중국의 주대(周代)에 있었던 행정상의 한 구역. 곧 일만 이천 오백 호가 있는 땅의 일컬음.
향가【鄕歌】명〖악〗신라 중엽(中葉)에서 고려 초기까지에 걸쳐서 민간에 널리 유행하던 우리 나라 고유의 시가(詩歌). 모두 향찰(鄕札)로 기록되어 있는 바, 그 내용은 불교적 색채를 띤 것도 있으나 자연과 인생에 대한 소박한 감정, 깊은 체념과 달관 또는 안민 이세(安民理世)의 높은 이념까지 내포하고 있음. 현재 남아 전하는 것은 ≪삼국 유사(三國遺事)≫에 14수(首)와 ≪균여전(均如傳)≫에 11수로, 도합 25수임. 형식은 4구체·8구체·10구체의 세 가지가 있음.
향가 문학【鄕歌文學】명 향가로 이루어진 문학.
향가-집【鄕歌集】명 여러 향가를 한데 모은 책. 신라 때의 향가를 집대성(集大成)한 삼대목(三代目) 같은 것.
향각【香閣】명〖불교〗노전(爐殿).
향간【鄕間】명 적(敵)의 고을 사람을 이용하는 간첩(間諜).
향갈-탕【香葛湯】명〖한의〗감기·독감으로 인한 두통·신열을 다스릴 때 먹는 한방의 하나.
향-갑【香匣】[-깝] 명 향을 담는 갑, 또는 작은 상자. 향집. 향궤.
향객【鄕客】명 시골에서 온 손님.
향:경[1]【向鏡】명 거울을 향하여 비치어 봄. ——-하다 자여불
향:경[2]【饗慶】명 경사를 받음. ——-하다 자여불
향-고양【香一養】명〖불교〗〔←향공양(香供養)〕①다섯 공양의 하나. 부처 앞에 향을 피우는 일. ②절간에서 담배를 피우는 것을 이르는 말.
향곡[1]【鄕曲】명 향(鄕)과 곡(曲). 곧, 시골. 시골 구석.
향:곡[2]【餉穀】명〖역〗군량(軍糧)으로 쓰는 곡식.
향:골성 물질【向骨性物質】[-썽-찔] 명〔bone seeker〕〖물〗체내(體內)에 들어가면 뼈에 축적하는 경향이 있는 방사성 동위 원소. 동위 원소 스트론튬 90은 화학적으로 칼슘과 같은 작용을 함.
향공【鄕貢】명〖역〗고려 때, 과거의 삼공(三貢)의 하나. 지방에서 실시한 제1차 시험에 합격한 사람. ＊빈공(賓貢).
향-공양【香供養】명〖불교〗→향고양.
향:관[1]【享官】명 제관(祭官)❶.
향관[2]【鄕貫】명 관향(貫鄕).
향관[3]【鄕管】명〖악〗향피리.
향관[4]【鄕關】명 고향의 관문(關門). 곧 고향의 지경. 「원.
향:관[5]【餉官】명〖역〗대한 제국 때에 육군의 회계 사무를 맡아 보던 관
향:관-청【享官廳】명〖역〗문묘(文廟) 향사(享祀) 때 헌관(獻官) 및 집사들이 거처하며 심신을 청재(淸齋)하는 곳.
향:광-성【向光性】[-썽] 명〖식〗식물체가 광선이 강한 쪽을 향하여 굴곡(屈曲)하는 성질. ↔배광성(背光性). ＊향일성(向日性).
향교【鄕校】명 고려·조선 시대에, 시골에 있는 문묘(文廟)와 거기에 부속된 관립(官立) 학교. 고려 인종(仁宗) 5년(1127)에 처음 설치, 조선 시대에는 주(州)·부(府)·군(郡)·현(縣)에 하나씩 설치함. ＊부(府)·대도호부(大都護府)·목(牧)은 각 90명, 도호부는 70명, 군(郡)은 50명, 현(縣)은 30명의 학생을 수용함. ＊교궁(校宮)·재궁(齋宮).
향교-안【鄕校案】명〖역〗조선 시대에, 향교에 있는 유생(儒生)의 명부. ＊청금록(靑衿錄).
향교-전【鄕校田】명〖역〗향교의 경비에 충당하기 위하여 설정된 학전(學田)의 하나. 군현(郡縣)의 크기에 따라 7-5결(結)을 지급함.
향국【鄕國】명 고국(故國) 또는 고향(故鄕).
향:국지-성【向國之誠】명 나라를 향하여 품은 정성.
향군【鄕軍】명 ①↗재향 군인(在鄕軍人). ②↗향토 예비군. ③〖역〗조선 시대에, 지방에서 선상(選上)한 군병(軍兵).
향궤[1]【香櫃】[-궤] 명 향을 담는 궤. 향갑. 향집.
향:궤[2]【餉饋】명 군사가 먹을 양식. 군량(軍糧).
향규【鄕規】명〖역〗조선 시대에 유향소(留鄕所)나 향안(鄕案)에 오른 향원(鄕員)들의 비리를 규제하기 위한 규식(規式).
향금【鄕禁】명 그 지방의 금제(禁制).
향긋-하다 형여불 얼마간 향기롭다. 조금 향기로운 느낌이 있다. ¶향긋한 냄새. 향긋-이 부
향기【香氣】명 향냄새. 방기(芳氣). ¶～ 높은 꽃.
[향기 나는 미끼 아래 반드시 죽는 고기 있다] 누구나 좋은 물건을 보면, 그것을 얻기 위하여 위험을 무릅쓰고 덤벼든다는 뜻. ¶옛말에 향기나는 미끼 아래 반드시 죽는 고기가 있고, 중상 아래 반드시 날랜 사람이 있다 하더니≪李人稙:銀世界≫.
향기-롭다【香氣一】형ㅂ불 향기가 있다. ¶향기로운 냄새. **향기-로이**【香氣一】부
향기-문【香氣紋】명 향기가 서린 것을 형상화하여 그린 무늬.
향-기사【鄕騎士】명 조선 시대에 지방에서 뽑히어 금위영(禁衛營)·어영청(御營廳) 등에서 근무하던 기사.
향:기-성【向氣性】[-썽] 명〖식〗굴기성(屈氣性).
향기향-부【香氣香部】명 한자 부수의 하나. '馥'·'馨' 등의 '香'의 이름.
향-꽂이【香一】명 향을 피워 꽂아 놓는 기구.
향-나무【香一】명〖식〗[*Sabina chinensis*] 향나뭇과에 속하는 상록 침엽 교목. 키는 15m, 껍질은 적갈색이며 잎은 대생(對生)하는데, 비늘 모양의 잎은 묵은 가지에 나고 송곳 모양의 잎은 새로 나온 가지에 남. 꽃은 자웅 일가(雌雄一家) 단성화(單性花)로 4월에 핌. 장질(漿質)의 구과(毬果)는 콩알만한 흑자색인데 다음해 10월에 익음. 산록 및 평지의 토양 깊은 곳에 적당함. 일본·중국·만주 및 한국 중남부에 분포하는데, 특히 울릉도는 중요한 산지로 천연 기념물로 보존됨. 정원수. 재목은 조각재·가구재·향료·약용으로 쓰임. 향목(香木).

〈향꽂이〉
〈향나무〉

향나뭇-과【香一科】명〖식〗[Juniperaceae] 나자(裸子) 식물에 속하는 한 과. 곱향나무·노간주나무·연필향나무·향나무 등이 이에 속함.
향:남【向南】명 남쪽으로 향함. ——-하다 자여불
향낭【香囊】명 향을 넣어 차고 다니는 말총으로 짠 주머니.
향낭 단작【香囊單作】명 향주머니를 꾸미는데 쓰는 노리개.
향낭 삼작【香囊三作】명 향낭과 향갑 및 침통을 갖춘 노리개.
향-내【香一】명 ↗향냄새.
향내-봉【香內峰】명〖지〗평안 북도 후창군(厚昌郡) 후창면(厚昌面)에 있는 산. [1,365m]
향-냄새【香一】명 향기로운 냄새. 좋은 느낌을 주는 냄새. 향기(香氣). 향취(香臭). ㊀향내.
향:년【享年】명 한평생을 살아 누린 나이. ¶～ 90세.
향:념【向念】명 향의(向意). ¶나는 이손께 별다른 ～이 늘 있지마는 이손께서야 나 같은 위인을 어디 친구로 아셔야지≪玄鎭健:無影塔≫. ——-하다 자여불
향다【香茶】명 향기로운 차.
향단【香壇】명 신불에게 향을 피워 올리는 단.
향담【鄕談】명 우리 말로 이야기함. ——-하다 자여불

허문[2] 【許門】 (명) 옛날에, 아무나 관아에 드나들던 문.
허문[3] 【虛文】 (명) 겉만 꾸미고 실속이 없는 글·예의 또는 법제(法制).
허문[4] 【虛聞】 (명) ①헛소문. ↔실문(實聞). ②허명(虛名).
허문-거리 【許門—】 (명) 허문이 있는 쪽으로 난 거리.
허물[1] (명) ①살갗에서 일어나는 꺼풀. ¶~이 벗겨지다. ②뱀·매미 등이 벗는 껍질. ¶뱀이 ~을 벗다. ③흉❶. ¶~이 지다.
[허물이 커야 고름이 많다] 물건이 커야 속에 든 것이 많다는 뜻.
허물(을) 벗다[1] (구) ㉠살갗의 꺼풀이 벗어지다. ㉡뱀·매미 등이 탈피(脫皮)하다.
허물[2] (명) 〔중세 : 허믈〕 ①그릇된 실수. 소실(所失). 과실(過失). 건과(愆過). ¶~이 없는 사람은 없다. ②흉❷. ¶흉~.
[허물 모르는 게 내외] 부부 사이에는 숨기는 것이 없어 피차 허물이 없다는 말.
허물(을) 벗다[2] (구) 죄명·누명 등을 씻다.
허물다[1] (자) 헌데가 생기다.
허물다[2] (타) 헐어서 무너뜨리다. ¶축대를 ~.
허물-리다 (피동) 허묾을 당하다. ¶집이 허물린 자리에 길이 생겼다.
허물어-대다 (타) 마구 허물어뜨리다.
허물어-뜨리다 (타) 허물어지게 하다. ¶담을 ~.
허물어-지다 (자) 쌓이거나 짜인 물건이 흩어져 무너지다. ¶집이 ~.
허물어-트리다 (타) 허물어뜨리다.
허물-없다 〔—업—〕 (형) 썩 친하여 서로 체면을 돌보지 아니하다. ¶허물없는 사이.
허물-없이 〔—업씨〕 (부) 허물없게. ¶나와 고향이 같으므로 ~ 말하였더니 ≪玉樓夢≫.
허물-하다 (타)(여불) 허물을 들어 꾸짖다. ¶이미 끝난 일을 허물한들 무슨 소용 있으랴.
허믈[1] (명) 〈옛〉 허물. 과실(過失). ¶허믈 여희며 외욤 그츄슬(唯過絕非) ≪楞嚴 Ⅳ:122≫.
허믈[2] (명) 〈옛〉 허물. 흠(欠). ¶안팟기 ᄉᆞᆷᄆᆞᆺ 몰가 허므리 업고 ≪月釋 Ⅸ:15≫/허믈 반(瘢), 허믈 흔(痕), 허믈 파(疤), 허믈 ᄌᆞ(疵) ≪字會 中 35≫.
허믈니ᄅᆞ다 (자) 〈옛〉 허물을 말하다. 허물을 들추어 내다. ¶허믈니ᄅᆞᆯ 알(訐 攻發人陰私之過) ≪字會 下 28≫.
허믈다 (자) 〈옛〉 헐다. 헌데가 생기다. 허물다. ¶허믈 반(瘢), 허믈 흔(痕) ≪字會 中 35≫.
허믈ᄒᆞ다 (타) 〈옛〉 허물하다. 꾸짖다. ¶허믈ᄒᆞᆯ 견(譴) ≪字會 下 29≫.
허미 (명) 〈방〉 호미(강원).
허밍 〔humming〕 (명) 〖악〗 입을 다물고 코로 소리를 내는 창법(唱法). 합창 등에 많이 쓰임. ¶~ 코러스.
허바-허바 〔hubba-hubba〕 (명) 파푸아 토인(Papua土人)의 토어로, '빨리 빨리'의 뜻.
허박 【虛薄】 (명) 허약(虛弱). ——-하다 (형)(여불)
허-반 【許磐】 (명) 〖사람〗 조선 성종(成宗) 때의 문신(文臣). 자는 문병(文炳). 양천(陽川) 사람. 김종직(金宗直)의 문인. 연산군 4년(1498), 식년 문과(式年文科)에 병과(丙科)로 급제, 이해 사관(史官) 김일손(金馹孫)의 사초(史草) 가운데 김종직의 조의제문(弔義帝文)이 수록되어 있음이 밝혀져 무오 사화(戊午史禍)가 일자 김일손·이목(李穆)·권오복(權五福)·권경유(權景裕) 등과 함께 참형을 당함. 무오 사화 오현(五賢)의 한 사람으로 일컬어짐. [?-1498]
허발[1] (명) 몹시 주리거나 궁하여 체면(體面)없이 함부로 덤비거나 먹는 일. ——-하다 (형)(여불)
허발(이) 들리다 (구) 걸신(乞神)(이) 들리다. ＊걸신.
허발[2] 【虛發】 (명) ①헛되이 발사함. 쏘아서 맞히지 못함. ②목적을 이루지 못하고 공연한 짓을 함. ——-하다 (자)(여불)
허발(을) 치다 (구) 목적을 이루지 못하고 헛걸음하다.
허발-장이 (명) 〈방〉 걸신(乞神)쟁이.
허방 (명) 움푹 패어 빠지기 쉬운 땅. ¶~을 딛다.
허방(을) 짚다 (구) 잘못 예산하거나 그릇 알아서 실패하다. 잘못 짚다.
허방(을) 치다 (구) 바라던 일이 실패로 돌아가다.
허방-다리 (명) 함정(陷穽)❶.
허배 【虛拜】 (명) 신위(神位)에 절함. ——-하다 (자)(여불)
허배-일 【虛拜日】 (명) 허배하는 날. 곧, 음력 매달 초하루·보름·명절·죽은 이의 생일 등임.
허백-당 【虛白堂】 (명) 〖사람〗 성현(成俔)의 호(號).
허-백련 【許百鍊】 〔—년〕 (명) 〖사람〗 한국 화가. 호는 의재(毅齋). 전남 진도(珍島) 출신. 일본의 메이지(明治) 대학에서 수학. 1922년 최초의 개인전을 엶. 화풍(畫風)은 전통적인 남화 산수(南畫山水). 생동(生動)하는 필획(筆畫)과 초연한 기풍을 보임. 대표작에 ≪모추(暮秋)≫·≪설경 산수(雪景山水)≫·≪하경(夏景) 산수≫ 등이 있음. [1893-1977]
허:버트 〔Herbert〕 (명) 〖사람〗 ①〔Edward H.〕 영국의 군인·외교관·역사가·철학자. ≪진리론(眞理論)≫ 등의 저작으로 이신론(理神論)의 시조로 불림. 스토아 학파의 '공통 관념(共通觀念)'설을 실마리로 보편적 이성에 의한 자연 종교를 주장하여, 초이성적(超理性的) 계시를 배척함. [1583-1648] ②〔George H.〕 영국의 시인·목사. ❶의 아우. 형이상학적(形而上學的)인 시풍(詩風)의 전아(典雅)한 종교시로서 알려짐. 그의 시집 ≪성당(聖堂)≫은 만년(晚年) 3년 동안의 종교 생활의 결정(結晶) 160편을 모은 대표작임. [1593-1633]
허벅 (명) 〈방〉 제주도의 물항아리 이름.
허벅-다리 (명) ①넓적다리의 위쪽 부분. ②〈방〉 넓적다리.
허벅-살 (명) 허벅지의 살. 함박살.
허벅 장단 【—長短】 (명) 제주도에서, 허벅을 박자를 맞추어 치는 장단. 허베기 장단.
허벅지 (명) 허벅다리의 안쪽 살 깊은 곳.
허벅-춤 (명) 〖민〗 제주도에서, 부녀자들이 허벅을 쳐서 장단을 맞추며 추는 춤.
허벅-허벅 (부) 과일·삶은 호박 따위가, 흠씬 물러 연하면서 끈기없이 푸석푸석한 모양. ¶너무 익어 ~한 바나나. >하박하박. ——-하다 (형)(여불)
허번 【虛煩】 (명) 〖한의〗 기력이 쇠약하여져서 양기가 부족하고 신경이 날카로워져서 가슴이 뛰는 병.
허법 【虛法】 〔—뻡〕 (명) 실속없이 명목(名目)뿐인 법.
허베기 장단 【—長短】 (명) 허벅 장단.
허베이 〔河北〕 (명) 〖지〗 중국 황허(黃河) 강 북방 지역의 총칭. 하북(河北).
허베이 성 【—省】 〔河北〕 (명) 〖지〗 중국 북부의 한 성(省). 중국 문화의 모체가 된 지역으로 역사적으로도 중추(中樞) 지역임. 성도(省都)는 톈진 시(天津市). 서북은 산지(山地)이나 기타는 허베이 평야로 수륙 교통이 편리하고 철도도 잘 발달해 있음. 베이징(北京)이 그 중심에 있고, 면화·쌀·고량 등 농산물이 풍부하며 석탄·소금의 산출도 많음. 제철·유리·방직·도자기·피혁 따위의 공업이 성함. 하북성. [약 19만km^2 : 53,005,875명(1982)]
허병[1] 【虛屛】 (명) 널리 터져 있는 큰 병문(屛門).
허병[2] 【虛病】 (명) 꾀병.
허보 【虛報】 (명) 허위의 보고·보도. ——-하다 (타)(여불)
허복[1] 【許卜】 (명) 〖역〗 추천된 후보자 중에서 의정(議政)을 임명함. ——-하다 (타)(여불)
허복[2] 【虛卜】 (명) 〖역〗 땅은 없이 공연히 무는 조세(租稅). 허결(虛結).
허-복량 【許復良】 〔—냥〕 (명) 〖사람〗 조선 인조 때의 순국 지사. 호는 낙암(洛菴). 김해 사람. 여러 벼슬을 거쳐 부총관(副摠管)에 이름. 인조 14년(1636) 병자 호란 때 종형(從兄) 득량(得良)과 함께 광주 쌍령(廣州雙嶺)에서 청군(淸軍)과 싸우다 전사함. [?-1636]
허-봉[1] 【許篈】 (명) 〖사람〗 조선 선조(宣祖) 때의 당인(黨人). 호(號)는 하곡(荷谷). 양천(陽川) 사람. 엽(曄)의 둘째 아들, 균(筠)의 형. 부사(府使)까지 지냈으며 서사(書史)에 밝은 문장가임. 저서로는 ≪하곡 조천기(荷谷朝天記)≫·≪이산 잡술(伊山雜述)≫·≪해동 야언(海東野言)≫ 등이 있음. [1551-88]
허봉[2] 【虛封】 (명) 〖역〗 중국에서 영예(榮譽)로만 내려 주던 식봉(食封). 식봉에 대한 조(租)를 취득할 수 없음. ↔실봉(實封). ＊식봉(食封).
허부[1] 【許否】 (명) 허락함과 아니함.
허부[2] 【許副】 (명) 〖역〗 의정(議政)의 사임(辭任)을 허락함. ——-하다 (타)(여불)
허부기 (명) 〈방〉 허파(함북).
허부덕-거리다 (자)(타) 〈방〉 허우적거리다(함경).
허부렁:-하다 (형) 〈방〉 서부렁하다.
허부수수-하다 (형) 〈방〉 에부수수하다.
허부적-거리다 (자)(타) 〈방〉 허우적거리다. 허부적-허부적 (부). ——-하다 (자)(타)(여불)
허북-다리 (명) 〈방〉 허벅다리(경상).
허분-하다 (형) 〈방〉 느슨하다(평안).
허분-허분 (부) 잘 익은 사과 등과 같이, 물기가 조금 있고 헤무른 모양. ¶사과가 ~ 씹히다. >하분하분. ——-하다 (형)(여불)
허뷔다 (타) 〈방〉 허비다.
허브-운 【—雲】 〔hub〕 (명) 〖기상〗 태풍(颱風)의 눈 속에 존재하는 둥근 지붕 모양의 구름.
허블[1] 〔Hubel, David〕 (명) 〖사람〗 캐나다 출신의 미국 의학자. 존스 홉킨스 대학 등에서 연구하고, 1959년 하버드 의대로 옮겨, 뇌의 표피(表皮)가 눈의 망막(網膜)으로부터 전달되는 정보를 분석하는 방법을 연구, 동료인 비셀(Wiesel, T.)과 함께 1981년 노벨 생리 의학상을 수상함. [1926-]
허블[2] 〔Hubble, Edwin Powell〕 (명) 〖사람〗 미국의 천문학자. 윌슨 산 천문대원(Wilson山天文臺員). '허블의 법칙' 발견자. 은하계외 성운(銀河系外星雲) 연구의 제1인자로, 현대의 우주론은 그가 관측적 기초를 쌓았다고 해도 과언이 아님. [1889-1953]
허블 우:주 망:원경 【—宇宙望遠鏡】 (명) 〔Hubble Space Telescope ; HST〕 고도 약 610 km의 궤도에서 우주를 관측하는 미국 항공 우주국(NASA)의 광학 반사 망원경. 우주의 팽창을 밝힌 천문학자 허블의 이름을 땄음. 구경 2.4 m인데 대기의 영향을 받지 않아 관측 능력은 지상의 것의 10배 이상임. 최근 은하 안의 블랙홀로 여겨지는 부분이나 백억 광년 전으로 여겨지는 은하를 촬영하는 등 성과를 올리고 있음.
허블의 법칙 【—法則】 〔—/—에—〕 (명) 〔Hubble's law〕 〖천〗 은하계외 성운(銀河系外星雲)의 스펙트럼선은 멀리 있는 것일수록 적색(赤色)의 방향으로 크게 벗어나 있다는 설. 곧, 먼 곳에 있는 은하는 멀수록 빨리 멀어져 가는 관계에 있다는 설. 1929년 미국의 허블이 발견함. 속도 거리 관계라고도 하며, 우주 팽창설에 근거를 주었음.
허비[1] 【虛費】 (명) 헛되이 써 버림. 또, 그 비용. ¶~된 시간/노력의 ~가 많다. ——-하다 (타)(여불)
허비[2] 【虛憊】 (명) 피곤하여 기운이 없음. 곤비(困憊). ——-하다 (형)(여불)
허비다 (타) ①손톱이나 발톱 또는 예리(銳利)한 도구로 긁어서 파다. ②남의 결점을 헐뜯다. 1)·2):>하비다. ＊후비다.
허비적-거리다 (타) 계속해서 허비어 헤치다. <하비작거리다. ＊후비적거리다. 허비적-허비적 (부). ——-하다 (타)(여불)
허비적-대다 (타) ①허비적거리다. ②〈방〉 허우적대다. ¶현재의 경우에서 제 손으로 헤어나려고 허비적대는 그 심보가 취할 점이요…≪廉想涉 : 萬歲前≫.
허빗-거리다 (타) 연해 가볍게 허비다. >하빗거리다. 허빗-허빗 (부).

——-하다 타 여불
허빗-대다 타 허빗거리다.
허빙【許聘】명 허혼(許婚). ——-하다 자 여불
허뿔싸 감 잘못한 일을 생각해 내거나 깜빡 잊고 실수했을 때 따위에 내는 소리. 또, 미치지 못하여 이루지 못했을 때에 내는 소리. ¶～깜박 잊었구나. ㄷ어뿔싸. ＞하뿔싸.
허사[1]【虛士】명 실속은 없고 허명(虛名)만 가진 인사(人士).
허사[2]【虛事】명 헛일. 도사(徒事). ¶모두 ～가 되다.
허사[3]【虛辭】명 ①〖언〗조사(助詞)나 어미(語尾) 등과 같이 홀로 어떠한 뜻을 나타내지 못하는 말. ↔실사(實辭). *허자(虛字). ②허언(虛言).
허사-도【許沙島】명〖지〗전라 남도 목포시의 앞바다 충무동(忠武洞)에 있는 섬. [0.57 km²: 196 명(1985)]
허사비 명 ↗허수아비.
허상[1]【許上】명 지위가 높고 귀한 자리에 있는 사람에게 무엇을 바치는 일.
허상[2]【虛想】명 헛된 생각. 부질없는 생각.
허상[3]【虛像】명 ①〔virtual image〕〖물〗광선이 광학계(光學系)에서 반사·굴절한 후 발산(發散)하는 경우에, 그것을 거꾸로 연장시킬 때 이루어지는 상(像). 곧, 발산 광속(光束)이 마치 어떤 하나의 상에서 나온 것처럼 보일 때에, 이 상을 처음 물체의 허상이라 함. 평면경·오목 렌즈 등에 의하여 생기는 상임. 허영상(虛影像). ②헛된 거짓상. 거짓상. 1)·2): ↔실상(實像).

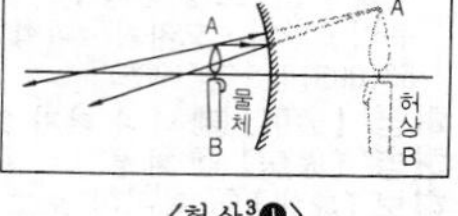

〈허상[3]❶〉

허새비 명 〈방〉 허수아비(충청).
허생-전【許生傳】명〖문〗①연암(燕巖) 박지원(朴趾源)이 지은 한문 소설. 허생의 상행위(商行爲)를 통하여 우리 나라의 자연 경제를 타파할 것을 주장하고 무위 도식(無爲徒食)하는 양반들의 무능을 풍자함. 그의 ≪옥갑 야화(玉匣夜話)≫에 수록되어 있음. ②이희준(李羲準)의 ≪계서 야담(溪西野談)≫에 수록되어 있는 소설.
허설[1]【虛泄】명〖한의〗기력이 쇠(衰)하여 음식을 먹으면 복통(腹痛)도 없이 바로 설사가 나는 병. *허리(虛痢).
허설[2]【虛說】명 헛된 말. 거짓말. 허담(虛談).
허설쑤로 부 〈방〉 허허실실(虛虛實實)로.
허섭-스레기 명 좋은 것을 고르고 난 뒤의 찌꺼기 물건.
허-성[1]【許筬】명〖사람〗조선 선조(宣祖) 때의 문신. 자(字)는 공언(功彥), 호는 악록(岳麓). 양천(陽川) 사람. 엽(曄)의 맏아들로, 봉(篈)·균(筠)의 이복형. 이조 참의(吏曹參議)·대사간·부제학을 거쳐 예조·병조·이조 판서를 역임함. 1590년 통신사 황윤길(黃允吉)을 따라 서장관(書狀官)으로 일본에 다녀와서 부사(副使) 김성일(金誠一)과는 같은 동인(東人)임에도 불구하고 서인(西人)인 정사(正使)의 의견대로 일본의 침략 가능성이 있음을 직고(直告)했음. [1548-1612]
허성[2]【虛星】명〖천〗이십팔수의 열한째 별. 허수(虛宿). 준허.
허성[3]【虛聲】명 ①헛소리. ②허명(虛名). ③터무니없는 소문(所聞).

〈허성기〉

허성-기【虛星旗】명〖역〗의장기(儀仗旗)의 한 가지.
허세【虛勢】명 실상이 없는 기세(氣勢). 허위(虛威). ¶～를 부리다.
허:셜〔Herschel〕명〖사람〗①〔Frederick William H.〕독일 출생의 영국 천문학자. 반사경(反射鏡)을 만들어 2,500여 개의 성운(星雲), 800여 개의 이중성(二重星)을 발견하고, 1781년에 천왕성(天王星)도 발견하였음. [1738-1822] ②〔John Frederick William H.〕❶의 아들. 천문학자. 남(南)아프리카에서 남천(南天)을 관측, 이 외에도 사진의 발전에 공헌하였음. [1792-1871]
허소【虛疎】명 허술함. 허전함. 허루(虛漏). ——-하다 형 여불
허손【虛損】명〖한의〗노점(癆漸).
허손-하다【虛損—】자 여불 사물에 대한 탐욕이 심히 많아서 주는 것을 기다리지 못하고 가지고자 덤비다.
허송【虛送】명 헛되이 보냄. 허도(虛度). ——-하다 타 여불
허송 세:월【虛送歲月】명 하는 일 없이 세월만 헛되이 보냄. 허도 세월(虛度歲月). ——-하다 자타 여불
허수[1]【虛受】명 ①역량이 없는 자가 헛되이 관직을 맡음. ②빈 마음으로 다른 사람의 말을 들음. ¶군자(君子) ～. ——-하다[1] 타 여불
허수[2]【虛宿】명〖천〗허성(虛星).
허수[3]【虛數】명〔imaginary number〕〖수〗실수(實數)로는 나타낼 수 없는 이차 방정식의 근(根)을 나타내기 위해, 수의 개념을 확장하여 제곱이 '−1'이 되는 수 i, 곧 허수 단위를 도입하고, i끼리 또는 i와 실수 사이의 운산 사칙(運算四則)을 실수의 경우와 같이 정의하여 실수와 i와의 기호적(記號的)인 곱을 '허수'라 함. 모든 부수의 제곱근은 허수로 나타내짐. 허수와 실수와의 기호적인 합(合)을 복소수(複素數)라 함. ↔실수(實數).
허수 단위【虛數單位】명〖수〗제곱하여 마이너스 1이 되는 수. i로 표시함.
허수-롭다 형 ㅂ불 ☞ 허술하다. ¶흥선 대원군은 주상 전하의 생친이시매 허수로이 대접은 못할 것이로되…≪金東仁: 雲峴宮의 봄≫.
허수룩-하다 형 여불 ☞ ①허룩하다. ②헙수룩하다.
허수 부분【虛數部分】명〖수〗복소수 $x+iy$에 대한 실수(實數) y.
허수아비 명 ①막대기와 짚 등으로 사람 형상을 만들어 헌 삿갓 같은 것을 씌워서 만든 물건. 논밭에 세워 참새 등을 못 오게 함. ②쓸데없는 사람이나 실권 없는 사람. 괴뢰(傀儡). ¶～ 정권/～ 사장. ③주관(主觀) 없이 행동하는 사람. 로봇(robot). 준허사비·허아비.
허-수양수【虛垂揚手】명 헛수양수(垂揚手).
허수-청【一廳】명〖역〗'헐소청(歇所廳)'의 별칭.
허수-축【虛數軸】명〖수〗$x=0$인 복소수 $x+iy$의 전체. 복소 평면(複素平面)에 있어서의 종축(縱軸). 허축(虛軸).
허수-하다[2] 형 여불 모르는 사이에 무엇이 없어져, 빈 자리가 난 것이 서운하고 허전하다. 공허감(空虛感)을 느끼다. ¶정다운 얼굴들이 보이지 않아 ～/아들도 없는 두 늙은이가 어린 그것을 어느새 떼어 보내 놓고 앉이 허수하고 마음이 놓이지 아니하여… ≪李海朝: 花世界≫. 허수-히 부
허-숙【許俶】명〖사람〗조선 숙종(肅宗) 때의 화가. 자(字)는 화경(和敬). 양천(陽川) 사람. 도화서(圖畫署)의 화원(畫員)으로서 사과(司果)를 지냄. 숙종 38년(1712) 동지사(冬至使) 김창집(金昌集)의 수원(隨員)으로 청(淸)나라에 가서 휘종(徽宗)의 ≪백응도(白鷹圖)≫를 모사(模寫)함. [1688- ?]
허순-하다 형 여불 ① ☞ 느슨하다. ② ☞ 허전하다. ¶한평생 처음으로 어마마마의 무덤을 나와 뵈오니 어제 그저께 새로이 어마마마를 잃으신 듯 허순하고 쓸쓸하다≪朴鍾和: 錦衫의 피≫. 허순-히 부
허술-하다 형 여불 〔근대: 허솔ㅎ다〕①낡고 헐어서 허름하다. ¶허술한 오두막으로 안내되었다. ②짜임새가 야무지지 않고 엉성하거나 성기다. ¶경비가 ～/집의 구조가 ～. ③무심하거나 소홀하다. ¶스승의 말을 허술하게 여기는 놈. 허술-히 부
허숭아비 명 〈방〉 허수아비.
허스키〔husky〕명 목소리가 쉬고 맑지 않음. 또, 그런 목소리나 그런 사람. ——-하다 형 여불
허스키 보이스〔husky voice〕명 저음(低音)이면서 쉰 듯한, 목소리. ¶～의 가수.
허:스트〔Hearst, William Randolph〕명〖사람〗미국의 실업가·저널리스트. 전국 13 도시에서 20여 종의 허스트계(系) 신문을 경영, 대신문 기업으로 발전시켰으며, 소위 옐로 저널리즘(yellow journalism)의 전형적 경영으로 유명함. [1863-1951]
허슬〔hustle〕명 ①일 따위를 척척 해치움. 정력적으로 활동함. ②야구에서, 힘차고 기민하게 플레이함. ——-하다 형 여불
허시[1]【許施】명 ①청하는 대로 시행함. ②달라는 대로 줌. 허급(許給). ——-하다 타 여불
허시[2]〔河西〕명〖지〗간쑤 성(甘肅省)의 황허(黃河) 강 서쪽의 땅. 내몽고의 사막과 난산 산맥(南山山脈) 사이의 오아시스 지대임. 치롄(祁連) 산맥의 북동록(北東麓)에 우웨이(武威)·장예(張掖)·주취안(酒泉) 등의 오아시스 도시가 있으며 예로부터 실크로드의 동단을 이루는 동서 교통의 요충이었음. 신중국(新中國) 성립 후, 철도와 자동차 도로의 건설 정비로 중국 본토와 신장(新疆) 방면과의 연락이 극히 양호해졌음. 별칭, 허시 쪼우랑(河西走廊)·간쑤 후이랑(甘肅回廊). 하서(河西).
허:시[3]〔Hershey, Alfred Day〕명〖사람〗미국의 생화학자. 카네기 연구소 유전학 부문 주임. 1952년 세균 내에 들어간 박테리오파지(bacteriophage)의 DNA만으로 파지의 증식이 일어나는 데서 DNA가 유전 물질임을 증명함. 1969년 노벨 생리 의학상 수상. [1908-]
허:시[4]〔Hersey, John〕명〖사람〗미국의 소설가·저널리스트. 2차 대전에 종군, ≪계곡으로≫·≪히로시마≫ 등을 발표하였으며, ≪아다노(Adano)의 종(鐘)≫으로 퓰리처상(Pulitzer賞)을 받음. [1914-]
허시깨비 명 〈방〉 허수아비(황해).
허:시백〔Hershback, Dudley〕명〖사람〗미국의 물리학자. 화학 반응의 정밀한 상태와 방출 에너지 등의 관찰·해석 방법을 개발한 업적으로 1986년 노벨 화학상을 수상함. [1932-]
허시아비 명 〈방〉 허수아비.
허식【虛飾】명 실속은 없이 외관(外觀)만 치레함. 헛치레. ¶허례 ～. *겉치레. ——-하다 자 여불
허신[1]【許身】명 여자가 몸을 허락하여 내맡김. ——-하다 자 여불
허-신[2]【許愼】명〖사람〗중국 후한(後漢)의 정치가. 자는 숙중(叔重). 국자 좨주(國子祭酒) 등을 역임. 어릴 때부터 경서(經書)를 배워 육서(六書)를 구명(究明)하였고, 저서로는 ≪설문 해자(說文解字)≫·≪오경 이의(五經異義)≫ 등이 있는데, 설문 해자는 후세의 문자학(文字學)의 선구(先驅)가 됨. 생몰년 미상.
허실[1]【虛失】명 헛된 손실. 또, 헛되이 잃음. ¶～이 없도록 돈을 아껴 쓰다. ——-하다 타 여불
허-실[2]【虛實】명 ①공허(空虛)와 충실(充實). ②거짓과 참. 실부(實否). ¶～을 밝히다. ③준비가 되어 있음과 안 되어 있음. ④〖한의〗허증(虛症)과 실증(實症).
허실 난변【虛實難辨】[—란—] 명 허실을 판별하기 어려움. ——-하다 형 여불
허실 상몽【虛實相蒙】명 허실이 분명하지 아니함. 허실이 서로 다름. ——-하다 형 여불
허심[1]【許心】명 마음을 허락함. ——-하다 자 여불
허심[2]【虛心】명 ①마음 속에 아무 생각이나 거리낌이 없음. ②남의 말을 잘 받아들임. ——-하다 형 자 여불. ——-히 부
허심-자【虛心者】명 마음에 잡생각이나 아무 거리낌이 없는 사람. 마음이 평정(平靜)한 사람.
허심 탄:회【虛心坦懷】명 마음에 아무런 사념(邪念)이 없이 평정(平靜)하고 탄평(坦平)함. ¶～하게 서로 이야기하다. ——-하다 형 여불
허:쑹한지고 구 ←허허 흉한지고.
허아비 명 ↗허수아비.
허약[1]【許約】명 허락하여 약속함. ——-하다 타 여불

허약[2]【虛弱】명 ①기력이 약함. 허박(虛薄). 허(虛). ¶ ~아(兒)/~한 체질. ②방비(防備)·세력이 약함. ――-하다 형여불

허약-아【虛弱兒】명〖의〗신체가 허약한 아이.

허약-자【虛弱者】명 몸이 약한 사람.

허양[1] 명〈방〉근방. 가까운 곳(함남).

허양[2]【虛陽】명〖한의〗허약한 남자에게 일어나는 성적 충동.

허어【虛語】명 허언(虛言). ――-하다 자여불

허언【虛言】명 거짓말. 실상이 없는 빈 말. 허담(虛談). 위언(僞言). 허사(虛辭). 허어(虛語). 공언(空言). ――-하다 자여불

허업【虛業】명 겉으로만 꾸며 놓고 실속이 없는 사업.

허엇-숭한지고 구 ← 허허 흉한지고.

허여【許與】명 허락하여 줌. 마음 속으로 허락함. ――-하다 타여불

허여디다 자〈옛〉헤어지다. ¶거의 긔졀ᄒᆞ게 되니 종들히 다 허여디거놀(幾絶奴僕盡散)≪東國新續三綱 烈女圖 Ⅳ:52 沈氏刺項≫.

허여-멀겋다 [―거타] 형ㅎ불 살빛이 탐스럽게 희고 말갛다. >하야말갛다.

허여멀게-지다 자 허여멀겋게 되다. >하야말개지다.

허여-멀쑥하다 형여불 허여멀겋고 깨끗하다. ¶얼굴이 ~. >하야말쑥하다. 허여멀쑥-히 부

허여 문기【許與文記】명〖역〗재산 상속 문서의 하나. 관부(官府)의 입안(立案), 공증(公證)을 받지 않으면 뒷날 분쟁의 소지가 있었음.

허여스레-하다 형여불 조금 허여스름하다. >하야스레하다.

허여스름-하다 형여불 빛깔이 조금 허연 듯하다. >하야스름하다.

허여ᄒᆞ다 형〈옛〉허옇다. ¶머리 허여혼(皓首)≪杜諺 XII:7≫/서리엣 염괴 허여호ᄆᆞᆯ 甚히 듣노니(甚聞霜薤白)≪杜諺 Ⅶ:40≫.

허열【虛熱】명〖한의〗발한(發汗)·발열(發熱)이 심하고 식욕(食慾)이 감퇴하여 기력이 아주 쇠약해지는 병. 허화(虛火).

허염 명〈방〉헤엄(경기·충남).

허-엽【許曄】명〖사람〗조선 명종(明宗) 때의 문신. 자(字)는 태휘(太輝), 호는 초당(草堂). 성(筬)·봉(篈)·균(筠)·난설헌(蘭雪軒) 등의 아버지. 양천(陽川) 사람. 부교리·대사성을 거쳐 대사간에 이름. 선조(宣祖) 1년(1568)에 진하 부사(進賀副使)로 명(明)나라에 다녀와 향약(鄕約)의 시행을 건의함. ≪삼강 이륜 행실(三綱二倫行實)≫의 편찬에 참여함. 개성(開城) 화곡 서원(花谷書院)에 제향(祭享)됨. 저서 ≪초당집(草堂集)≫·≪전언 왕행록(前言往行錄)≫. 청백리(淸白吏)에 녹선됨. [1517-1580]

허엽스레:-하다 형〈방〉헙수룩하다.

허영【虛榮】명 ①자기 정도에 넘치는 외관(外觀)상의 영화(榮華). ②필요 이상의 겉치레. ¶ ~에 들뜬 여심(女心).

허영가릐 명〈옛〉헝가래. ¶일변 놀부를 수족을 쓰며 허영가릐를 치니≪興夫傳≫.

허영-거리다 자 ①앓고 난 뒤의 걸음과 같이 기운이 없어 곧 쓰러질 듯이 비슬거리다. ¶허영거리는 걸음. ②속이 아주 빈 것처럼 몹시 허한 느낌이 자꾸 들다. 허영-허영 부. ――-하다 자여불

허영-대다 자 허영거리다.

허-영상【虛影像】명〖물〗허상(虛像)❶.

허영-심【虛榮心】명 허영을 좇아 들뜬 마음.

허영 주머니【虛榮―】[―쭈―] 명 허영심이 많은 사람을 조롱하는 말.

허영-청【虛影廳】명 실제의 소재(所在)가 분명하지 못함을 가리키는 말. 준허청(虛廳).

[허영청에 단자(單子) 걸기] 어떤 일에 대한 똑똑한 계획이나 목적 없이, 덮어놓고 하는 어리석음을 이르는 말.

허:옇다 [―여타] 형ㅎ불 진하지 않게 희다. ¶머리가 ~/허연 속살이 드러나다. >하얗다.

허예【虛譽】명 실상이 없는 명예. 허명(虛名).

허:예-지다 자 ①허옇게 되다. >하얘지다. ②무슨 일이 틀려서 무색해지다.

허욕【虛慾】명 헛된 욕심. 당치 아니한 욕심. ¶ ~을 부리다.

[허욕이 패가(敗家)라] 욕심이 지나쳐 헛되이 횡재만 바라다가는 반드시 패가 망신하게 된다는 뜻.

허용【許容】명 허락하여 용납함. 용허(容許). ¶ ~량/2루타를 ~하다. ――-하다 타여불

허용 가속도【許容加速度】명〖공〗인간 또는 장치가 견딜 수 있는 가속도의 크기.

허용 내:력【許容內力】명〖토〗허용 응력(許容應力).

허용-량【許容量】[―냥] 명 방사선·유해(有害) 물질 등에 대해, 그 이하이면 인체에 지장이 없다고 허용할 수 있는 한계량. ¶ ~을 초과하다. *허용 선량(線量).

허용 법규【許容法規】명〖법〗명령이나 확정(確定)을 내용으로 하지 않고 허용을 내용으로 하는 법규. 곧, '할 수 있다', '할 수도 있다' 등으로 규정한 법규.

허용 변:형력【許容變形力】[―녁] 명 허용 응력(許容應力).

허용 선량【許容線量】[―설―] 명 방사선 조사(照射)를 받는 정도에 대한 허용량. 국제 방사선 방어 위원회(ICRP)의 권고치에 의하면, 방사선 관계의 직업에 종사하는 사람은 허용 선량이 대체로 3개월 간에 3렘(rem), 일반인의 그것은 연간 0.5렘이라고 함. 방사선 허용 선량(線量).

허용 유속【許容流速】[―뉴―] 명〖토〗물이 관로(管路)나 암거(暗渠) 속을 흐를 때, 파손하지 않는 범위에서 허용된 최고 유속.

허용 응:력【許容應力】[―녁] 명 (allowable stress)〖물〗어떤 재료에 외력(外力)의 중량을 가하여 사용할 경우, 그 중량에 의하여 재료가 파괴되지 않고 충분히 견딜 만하다고 인정되어, 중량을 가하도록 허용되어 있는 변형력의 최대값. 허용 내력(許容內力). 사용 내력(使用內力). *소성 설계(塑性設計). 허용 변형력(許容變形力).

허용 전:류【許容電流】[―절―] 명 (allowable current)〖물〗전선(電線)이 전기적(電氣的)인 성능 열화(劣化)나 손상 등을 일으키지 않는 범위 내에서, 안전하게 계속적으로 흘려 보낼 수 있는 상한(上限)의 전류치(電流值).

허용-차【許容差】명 (allowable error)〖전〗규정(規定)된 기준치(基準値)와 규정된 한계치(限界值)와의 차(差). 설계치(設計值)와 실물(實物)과의 치수차, 규정량과 실제량과의 차 등과 같이, 치수나 중량에 대하여 말함. 허용 오차(許容誤差).

허용 하중【許容荷重】명〖물〗고체(固體)가 안전하게 유지될 수 있는 또는 적절한 조절 장치에 의해 견딜 수 있는 최대의 하중.

허우대 명 풍채가 있는 몸집. 덩치. ¶ ~만 컸지 주변은 없다.

허우-도【許牛島】명〖지〗전라 남도의 남해상, 완도군(莞島郡) 금일면(金日面) 허우리(許牛里)에 위치한 섬. [0.7km²: 58명(1984)]

허우룩-하다 형여불 썩 가까운 사람과 헤어져 마음이 텅 빈 것같이 서운하고 허전하다. 허확(虛廓)하다. ¶어린애를 기하는 곽오주가 좋아하고 홀아비로 지내는 김산이가 심상할 뿐이지, 그 외의 다른 두령들은 모두 불편도 하고 허우룩도 하였다≪洪命憙: 林巨正≫.

허우적-거리다[1] 자타 어렵거나 위험한 처지에서 벗어나려고 자꾸 손발을 내두르며 몸부림치다. ¶물에 빠져서~. 허우적-허우적[1] 부. ――-하다[1] 자타여불

허우적-거리다[2] 자 무거운 발걸음으로 힘들게 걷다. 허우적-허우적[2] 부. ――-하다[2] 자여불

허우적-대다 자타 허우적거리다[1·2].

허욱-다리 명〈방〉허벅다리(경북).

허울[1] 명 겉 모양. 실속 없는 겉치레. ¶ ~만 번드르르하다.

[허울 좋은 과부] 보기만 좋았지 아무 실속이 없다는 뜻. [허울 좋은 도둑놈] 겉으로는 인사 체면이 제법 멀쩡하나, 하는 것이 흉악한 사람을 가리키는 말. [허울 좋은 하눌타리] 겉으로는 훌륭하나 속은 보잘 것 없는 사람이나 물건을 일컫는 말.

허울 좋:다 구 실속은 없이, 겉으로 보기에만 번지르르하다. 명분(名分)은 그럴싸하나, 실상은 그와 반대이다. ¶허울 좋은 개살구.

허울[2] 명〈방〉허물[1](평북).

허원【許願】명〖천주교〗그것을 궐(闕)하면 죄가 됨을 자각하면서 무슨 선행(善行)을 하기로 천주에게 굳게 약속하는 일. 공식 허원·사적(私的) 허원의 두 가지가 있음. '서원(誓願)'으로 바뀜. ――-하다 타여불

허원 미사【許願彌撒】명〖천주교〗'서원(誓願) 미사'의 구용어.

허위[1]【虛位】명 ①실권이 없는 지위. ②빈 자리. 공위(空位).

허위[2]【虛威】명 실상이 없이 겉으로만 꾸민 위세(威勢). 허세(虛勢).

허위[3]【虛僞】명 ①거짓. 와위(訛僞). ¶ ~ 증언/~ 보도/~ 선전. ②〖논〗그릇된 사고로 인하여 외관 상은 정당하게 보이나 실은 어떤 점에서 논리적 원리나 규칙에 저촉되는 일. 오류(誤謬). 논과(論過). ③〖윤〗자기가 진실이라고 믿지 않는 일을 타인에게 진실인 것처럼 믿게 하는 고의적인 언행.

허위 거:래【虛僞去來】명〖경〗거래소에서, 투기업자(投機業者)가 두 사람의 중매인을 써서 자기가 바라는 시세(時勢)로 매매시켜서 인위적으로 시세를 조작하여 다른 투기업자를 농락하는 일.

허위 경:매【虛僞競賣】명〖경〗경매할 때에, 경매인이 공모자(共謀者)를 입찰자(入札者) 속에 휩쓸어 넣어 고의로 고가(高價)를 부르게 하여 입찰자를 선동시켜서 고가로 낙찰시키는 일.

허위-넘다 [―따] 타 높은 곳을 허위단심 넘어가다.

허위다 자〈옛〉허우적거리다. 파 헤치다. ¶勞度差ㅣ 또 ᄒᆞᆫ 쇼ᄅᆞᆯ 지ᅀᅥ내니 모미 ᄆᆞ장 크고 다리 굵고 ᄲᅳᆯ 놀캅더니 ᄯᅡ 허위며 소리 ᄒᆞ고 도라오거늘≪釋譜 Ⅵ:32≫.

허위-단심 ㊀명 허우적거리고 무척 애를 씀. ¶ ~을 하고 왔더니 없군/구절 죽장을 탁탁 내어 짚으며 푸른 산 저문 연기 속으로 ~으로 들어가는데…≪李海朝: 花世界≫. ㊁부 허위허위 애를 써서 어느 곳에 가거나 이르는 모양. 숨이 턱에 닿게 애를 쓰는 모양. ¶ ~ 달려가다. ――-하다 자여불

허위대 명 ☞ 허우대.

허위 문자【虛僞文字】[―짜] 명 사실에 없는 일을 마치 있는 것처럼 시문(詩文)이나 기타의 방법으로 적어 놓은 글.

허위 배설【虛位排設】명 신위(神位) 없이 제사(祭祀)를 베푸는 일. ――-하다 타여불

허위-성【虛僞性】[―썽] 명 거짓으로 꾸미는 경향이나 성질. ¶ ~이 드러나다.

허위적-거리다 자타 ☞ 허우적거리다. 허위적-허위적 부. ――-하다 자타여불

허위적-대다 자타 ☞ 허우적대다.

허위-튿다 타〈방〉잡아 뜯다(제주).

허위 표시【虛僞表示】명〖법〗진의(眞意)가 아닌 것을 인식하면서 행하는 의사 표시. 단독 허위 표시와 통모(通謀) 허위 표시로 나뉘는데, 보통 통모 허위 표시만을 가리키며, 단독 허위 표시는 심리 유보(心理留保)라 일컬음. 곧, 상대방과 통모하여 행한 진의(眞意) 아닌 의사 표시. 채권자의 압류를 면할 목적으로 채무자가 자기 재산을 친척에게 매각한 것처럼 꾸미는 것과 같은 일. 통첩(通牒) 허위 표시.

허위 행위【虛僞行爲】명〖법〗허위 표시로써 성립하는 법률 행위.

허위-허위 부 힘에 겨워 무거운 발걸음으로 걷는 모양. ¶비탈진 산길을 ~ 오르다/다급한 소식에 ~ 서울까지 달려왔다/하늘의 달도 파아랗게 질려서 ~ 나를 따르는 것이었습니다≪崔貞熙: 인맥≫.

허유[1]【許由】명 말미를 허락함. 또, 그 말미. ――-하다 자여불

허-유[2]【許由】명〖사람〗고대 중국의 전설 상의 인물. 초세속적 사상을

가진 높은 선비로서, 요(堯) 임금이 왕위를 물려 주려 하였으나 받지 않고 도리어 자기의 귀가 더러워졌다고 하여 영천(潁川)의 물에 귀를 씻고 기산(箕山)에 들어가 숨었다고 함. *허유 소보.

허-유[3]【許維】명『사람』조선 시대 후기의 화가. 자는 마힐(摩詰), 호는 소치(小癡). 양천(陽川) 사람. 진도(珍島) 출신으로 뒤에 연(鍊)으로 개명함. 벼슬이 지중추부사(知中樞府事)에 이름. 글·그림·글씨를 모두 잘하여 삼절(三絶)이라 일컬음. 작품으로는 묵죽(墨竹)보다 묵모란(墨牧丹)이 많이 전하며, 창윤 고아(蒼潤古雅)한 담채 산수(淡彩山水)가 전함. 작품에 ≪하경 산수도(夏景山水圖)≫·≪추강 만교도(秋江晩橋圖)≫ 등이 있음. [1809-92]

허유-권【虛有權】[—꿘] 명 지상권(地上權)·지역권(地役權) 등의 용익 물권(用益物權)이 설정되어 공허하게 된 소유권.

허유 소보【許由巢父】명 ①허유와 소보. 중국 고대의 두 사람의 전형적인 은사(隱士). 요(堯) 임금이 허유에게 천하(天下)를 양여(讓與)하려 하니, 더러운 말을 들었다 하여 영천(潁川)에서 귀를 씻었고, 소를 끌고 온 소보는 이를 보고, 그렇게 더러워진 물은 소에게도 먹일 수 없다 하고 돌아갔다 함. ②『미술』동양화의 화제(畫題)의 한 가지. 흔히, 냇가에서 허유(許由)가 귀를 씻고 그 옆에 소보(巢父)가 소의 고삐를 잡고 있는 그림임.

허의【虛儀】[—/—이] 명 겉으로만 꾸미는 의식.

허일【虛日】명 아무 일도 없는 날. 일거리가 없는 날. 헛날.

허-임【許任】명『사람』조선 선조(宣祖)·광해군(光海君) 때의 침구가(鍼灸家). 해동(海東) 제1의 침가(鍼家)의 종(宗)으로 알려졌고, ≪침구 경험방(鍼灸經驗方)≫의 간행, 그 밖에 ≪사의 경험방(四醫經驗方)≫의 유저가 있음. 생몰년 미상.

허입【許入】명 들어옴을 허락함. ——-하다 타여불

허-자[1]【許磁】명『사람』조선 중종(中宗) 때의 문신. 자(字)는 남중(南仲), 호는 동애(東厓). 벼슬이 양근 군수(楊根郡守)·황주 목사(黃州牧使)를 거쳐 예조 판서(禮曹判書)에 이름. 후에 영의정에 추증됨. 저서로는 ≪동애 유고(東厓遺稿)≫가 전하고, 시조(時調) 2수(首)가 수록되어 있음. [1496-1551]

허자[2]【虛字】[—짜] 명 한문에서 실자(實字)·조자 이외의 문자로 대개, 행(行)·귀(歸)·고(高)·저(低)와 같은 동사·형용사에 쓰이는 문자. 실자·허자의 두 가지로 나눌 때는 조자(助字)도 포함함. ↔실자(實字). *허사(虛辭).

허잘것-없:다 형 〈방〉 하잘것없다(평북).

허장[1]【許狀】[—짱] 명 ①면허장. ②허가장.

허장[2]【許葬】명 시체의 매장을 땅주인이 허락함. ——-하다 자여불

허장[3]【虛葬】명 ①남의 땅에 거짓 장사하여 땅임자의 거동을 살핌. ②『민』병이 낫는다는 미신에 의하여 병자를 죽은 사람같이 꾸미어 거짓 장사하는 일. *산영장. ③종적(蹤跡)이 없어진 사람을 죽은 사람같이 꾸며 거짓 장사함. ——-하다 타여불

허장 성세【虛張聲勢】명 실속은 없이 헛소문과 허세(虛勢)만 떠벌림. ——-하다 자여불

허장 실지【虛掌實指】[—찌] 명 서도(書道)에서 손바닥을 넓게 펴고 손가락에 힘을 주어 붓을 잡는 일.

허장-지【許葬地】명 주인이 시체의 매장(埋葬)을 허락한 땅.

허재비 명〈방〉 허수아비(함남·평북·전남·경상·황해).

허재비-굿 명『민』결혼 적령기에 죽은 남녀 망인(亡人)의 사후(死後) 혼례식의 굿거리. 망인의 허수아비를 만들어 혼인을 시키는데, 혼인 생활을 했어도 결혼식을 올리지 못하고 죽은 사령(死靈)에게도 치러 줌.

허적[1]【虛寂】명 텅비어 적적함. ——-하다 형여불

허-적[2]【許積】명『사람』조선 숙종(肅宗) 때의 상신(相臣). 자(字)는 여차(汝車), 호는 묵재(默齋). 양천(陽川) 사람. 남인(南人)의 거두로 집권, 영의정에 올랐으며 재정의 고갈을 막기 위해 상평 통보(常平通寶)를 주조(鑄造)하였음. 그의 서자(庶子)인 견(堅)의 삼복 사건(三福事件)에 연루, 사사(賜死)되었음. [1610-80]

허적-거리다 타 계속해서 허적이다. ¶금반지를 찾으려고 장농 속 옷가지를 ~. >하작거리다. 허적-허적 부. ——-하다 타여불

허적-대다 타 허적거리다.

허적-이다 타 쌓인 물건을 들추어서 헤치다. ¶신짝을 찾느라고 북더기를 ~. >하작이다.

허전【虛傳】명 거짓 전함. 또, 그 말. ——-하다 타여불

허전-거리다 자 ①다리에 힘이 빠져서 쓰러질 듯이 걷다. ¶발이 ~. ②자꾸 허전한 느낌이 나다.

허전 관령【虛傳官令】[—괄—] 명 ①관청의 명령을 거짓 꾸며서 전함. ②상사(上司)의 명령을 거짓 전함. ——-하다 자여불

허전-대다 자 허전거리다.

허전 장:령【虛傳將令】[—녕] 명 ①장수의 명령을 거짓 꾸며서 전함. ②윗사람의 명령을 거짓 전함을 비유하는 말. ——-하다 자여불

허전-하다 형여불 ①주위에 아무 것도 없어서 공허한 느낌이 있다. ②무엇을 잃은 것같이 서운한 느낌이 있다. ¶친구가 가고 나니 ~. ③의지할 데가 없어서 안정감(安定感)이 없다. 1)-3):>하전하다.

허전허전-하다 ㊀형여불 ①다리에 힘이 빠져서 쓰러질 듯한 느낌이 있다. ②계속해서 허전한 느낌이 강렬하게 일어나다. 1)·2):>하전하전하다. ㊁자여불 허전거리다.

허점【虛點】[—쩜] 명 허술한 구석. 불충분한 점. 약점(弱點). ¶~을 드러내다/~을 노리다.

허접【許接】명『역』도망친 죄수나 노비 등을 숨기어 묵게 함. ——-하다 타여불

허접-쓰레기 명 허섭스레기.

허-젓다 타스불 ☞ 휘젓다. ¶손을 ~.

허정[1] 명 겉으로는 알뜰하게 보이나 실상은 충실하지 못함. ¶~한 물건. ——-하다 형여불

허-정[2]【許政】명『사람』정치가. 호는 우양(友洋). 3·1 운동에 참가한 후 중국으로 망명, 임시 정부에 참여. 3·15 부정 선거에 책임을 지고 물러난 대통령 이승만의 뒤를 이어 과도 내각 수반(過渡內閣首班)에 취임. 저서에≪내일을 위한 증언≫·≪자서전≫ 등이 있음. [1896-1988]

허-정[3]【許珽】명『사람』조선 시대 중기의 문인. 자는 중옥(仲玉), 호는 송호(松湖). 관직은 성천 부사(成川府使)·승지(承旨)·부윤(府尹) 등을 역임. 창곡(唱曲)에 뛰어났으며, ≪해동 가요(海東歌謠)≫·≪청구 영언(青丘永言)≫에 시조 3수가 전함.

허정[4]【虛穽】명 함정(陷穽).

허정[5]【虛靜】명 마음이 고요하고 침착함. ——-하다 형여불

허정-거리다 자 병으로 기력이 쇠약하여져서 걸음이 잘 걸리지 않고 비틀비틀하다. ㅆ허청거리다. 허정-허정 부. ——-하다 자여불

허정-대다 자 허정거리다.

허제【許題】명『역』관부(官府)에서 백성의 소장(訴狀)이나 원서(願書)에 관결·명령 등 제사(題辭)로써 허용함. ——-하다 자여불

허제비 명 〈방〉 허수아비(평안).

허족【虛足】명『생』위족(僞足).

허종【許從】명 귀양가는 죄수에게 식구가 따라가기를 허락함. ——-하다 자여불

허주[1] 명『민』무속(巫俗)에서, 무당이 될 사람에게 씌는 허깨비. ¶~가 씌다.

허주[2]【虛舟】명 짐을 싣지 않은 빈 배.

허-준【許浚】명『사람』조선 선조(宣祖) 때의 명의(名醫). 자(字)는 청원(淸源). 호는 구암(龜岩). 양천(陽川) 사람. 전의(典醫)로 있으면서 선조의 명을 받아 의서(醫書)를 편찬하였으며, 의서(醫書)의 국역(國譯)에도 업적이 큼. 저서에 ≪동의 보감(東醫寶鑑)≫ 등이 있음. [?-1615]

허줄-하다 형여불 ①배가 조금 고프다. 조금 출출하다. ㅆ허출하다. ② ☞ 허술하다❷. ¶식구들 대신 허줄한 옷들만이 바람벽에 쓸쓸히 걸려 있었다≪吳有權 : 방앗골 혁명≫.

허줏-굿 명『민』무당이 되려고 할 때에 처음으로 신(神)을 맞아들이기 위하여 하는 굿. ——-하다 자여불

허즈번드〔husband〕명 남편(男便). ↔와이프(wife).

허-즉실【虛則實】명 ①보기에 허하되 속은 충실함. ②병법에서 말하는 용병(用兵) 및 적정(敵情) 판단의 한 가지. 곧, 아무 방비가 없는 듯한 곳에 복병(伏兵)이 있음. ↔실즉허(實則虛). ——-하다 형여불

허증【虛症】[—쯩] 명『한의』기력이나 혈액 부족으로 몸이 쇠약해진 병의 총칭. 폐결핵·신경 쇠약 등임.

허지기다 타 〈방〉 헤적이다.

허지르다 타 〈방〉 휘지르다.

허지-버리다 타 〈방〉 헤쳐거리다.

허집【虛執】명『역』조선 시대 말, 재해를 입은 땅에 아전들이 농간을 부려 원결(元結)대로 부정하게 매기던 조세(租稅).

허쩌〔荷澤〕명『지』중국 산둥 성(山東省) 서부의 소도시. 구명은 차오저우(曹州). 부근 농산물의 집산지이며 상업의 중심지임. 동쪽에는 량산포(梁山泊)가 있음. 하택(荷澤). [50,000 명(1975 추계)]

허참【許參】명『역』허참례. ——-하다 자여불

허참-례【許參禮】[—녜] 명『역』옛날 새로 출사(出仕)하는 관원이 구관원에게 음식을 차려 대접하던 예. 이로부터 서로 상종(相從)을 허락한다는 뜻인데, 신(新)관원의 오만(傲慢)을 없애려는 풍습이며, 다시 열 며칠 뒤에 면신례(免新禮)를 행하여야 비로소 구관원과 동석(同席)할 수 있었음. 허참. *면신례(免新禮). ——-하다 자여불

허창【許昌】명『지』'쉬창(許昌)'을 우리 음으로 읽은 이름.

허채【許採】명『광』①광주(鑛主)가 덕대(德大)에게 채광(採鑛)할 것을 승낙함. ②↗허채증(許採證). ——-하다 타여불

허채 기한【許採期限】명『광』허채하는 기한. 보통 다섯 달이지만, 일정하지 않음.

허채-증【許採證】[—쯩] 명『광』덕대(德大)에게 교부하는, 허채를 증명하는 증서. ㊀허채.

허챙이 명 〈방〉 언청이(경기·충북·경북).

허천-강【虛川江】명『지』압록강의 지류. 함경 남도 풍산군(豐山郡) 안수면(安水面)에서 발원(發源)하여 풍산·삼수(三水)·갑산(甲山) 등지를 지나서 압록강으로 들어감. 댐으로 역류(逆流)시켜 수력 발전에 이용함. [216 km]

허천강 발전소【虛川江發電所】[—쩐—] 명『지』함경 남도 갑산군(甲山郡) 허천강 중류에 있는 수력 발전소. 북쪽으로 흐르는 허천강의 급류를 막아 저수지를 만들고 그 낙차(落差)를 이용하여 발전함. 발전량 최대 출력 354,000 kW, 평균 출력 273,000 kW.

허천-굿 명『민』하회 별신굿놀이에서, 마지막 날인 보름날 마을 앞 길에 제물을 차려 놓고 하는 굿. 거리굿.

허천(이) 들리다 구 ☞ 허발(이) 들리다. ¶자연, 허천들린 뱃속처럼 항상 뒤가 헛헛하던 것입니다≪蔡萬植 : 太平天下≫. *허발.

허청【虛廳】명 ①헛청. ②↗허영청(虛影廳).

허청-거리다 자 병으로 기력이 쇠약하여져서 걸음이 걸리지 아니하고, 몹시 비틀비틀하다. ㄴ허정거리다. ¶김 여사는 허청거리는 걸음으로 천천히 걸어 내려오고 있었다≪李範宣 : 밤에 핀 해바라기≫. 허청-허청 부. ——-하다 자여불

허청-대고 부 어떤 확실한 계획 없이 마구. ¶일을 ~ 시작하다.

허청-대다 자 허청거리다.

허체【許遞】명 특지(特旨)를 내려 벼슬을 갈아 줌. ——-하다 타여불

허쳉이 명〈방〉언청이(충북·강원).

허-초점【虛焦點】[—쩜] 명 [virtual focal point]〖물〗평행 광선이 볼록 면경(面鏡)에서 반사하거나 오목 렌즈에서 굴절하여 발산할 때에 그 광선의 연장선이 렌즈나 거울의 뒷면에서 모이는 가상적인 초점. 평행 광선이 렌즈나 거울을 통과할 때는 마치 이 초점에서 발산하는 것 같은 방향을 취함. 분산점(分散點).

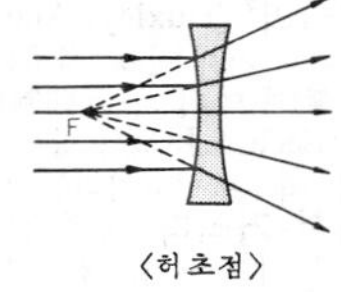

〈허초점〉

허최-악【虛催樂】명〖악〗풍악의 이름.

허축【虛軸】명 허수축(虛數軸).

허출-하다 형여불 배가 제법 고프다. 허기(虛飢)지고 출출하다. ¶속이 ～ / 허출한 김에 술집에 들를 터이니 먼저 들어가라는 분부였다≪李孝石 : 花粉≫. ㅅ허출하다.

허치자-굿 명〖민〗전라 좌도굿에서, 구경꾼들이 돌아가라고 마지막으로 치는 농악. '허치자'는 '헤어지자'의 방언.

허치자-놀이 명〖민〗경상 남도 삼천포 농악 판굿에서, 마지막으로 구경꾼들이 흩어져 돌아가라고 치는 농악.

허치슨〔Hutcheson, Francis〕명〖사람〗영국 계몽기의 사상가. 인간에게는 행위나 태도의 아름다움을 판단하는 도덕 감각이 있다고 주창, 후의 공리주의자에게 영향을 주었음. 저서에 ≪미(美)와 덕(德)의 관념의 기원(起源)≫이 있음. [1694-1746]

허친스〔Hutchins, Robert Maynard〕명〖사람〗미국의 교육가. 30세에 시카고 대학 총장. 진정한 자유인의 양성(養成)을 목표로 고전주의적 입장에서 당시의 미국 교육계의 실용주의적(實用主義的) 경향을 비판함. 저서 ≪위대한 대화≫는 그가 강조한 일반 교양의 내용을 나타냄. [1899-1977]

허친슨〔Hutchinson, Sir Jonathan〕명〖사람〗영국의 의학자. 런던 병원 외과의(外科醫)·왕립 외과 대학 교수 등을 역임함. 선천성 매독(先天性梅毒)의 징후(徵候)를 명백히 하여 '허친슨 치형(齒型)'·'허친슨 삼징후(三徵候)' 등으로 유명함. [1828-1913]

허친슨 삼징후【—三徵候】〔Hutchinson〕명〖의〗지발성(遲發性) 선천 매독에서 볼 수 있는 세 가지 징후(徵候). 곧, '허친슨 치형(齒型)'·'각막 실질염(角膜實質炎)'·'내이성(內耳性) 난청(難聽)'.

허친슨 치형【—齒型】〔Hutchinson〕명〖의〗지발성(遲發性) 선천 매독(先天梅毒)의 증세의 하나. 영구치(永久齒)의 상내문치(上內門齒)가 짧고 저작(咀嚼)면이 반달 모양의 결손부(缺損部)를 형성함.

허-침【許琛】명〖사람〗조선 연산군(燕山君) 때의 상신. 자(字)는 헌지(獻之), 호는 이헌(頤軒). 벼슬은 직제학(直提學)·대사헌·이조 판서를 거쳐 좌의정에 이름. 성종(成宗) 때 윤비(尹妃) 폐위(廢位)에 반대하였으므로 갑자 사화(甲子士禍)를 면함. 시호는 문정(文貞). [1444-1505]

허캐 명〈방〉서캐.

허커우 사:건【—事件】〔河口〕[—껀] 명〖역〗1908년 4월 말에 중국 혁명 동맹회의 한 파가 윈난(雲南) 철도를 따라 베트남과 중국의 국경의 요지인 허커우에서 일으킨 사건. 황밍탕(黃明堂)의 혁명군이 허커우 일대를 점령하고 윈난을 지배하려 하였으나, 군자금 결핍 등으로 베트남으로 철수하였다가 쑨 원(孫文)을 비롯하여 동맹회 전원이 베트남에서 퇴거당했음. 하구 사건.

허:큘리스〔Hercules〕명 '헤르쿨레스'의 영어명.

허크러-지다 자〈방〉헝클어지다.

허클베리 핀의 모:험【—冒險】[—/—에—] 명〔The Adventures of Huckleberry Finn〕〖문〗마크 트웨인(Mark Twain)의 소설. ≪톰 소여의 모험≫의 속편. 허클베리 핀 소년의 눈을 통해서 사회를 이야기하고 자유와 자연을 찬미함. 1884년에 간행되었음.

허탄【虛誕】명 허망(虛妄). ——-하다 형여불

허탈【虛脫】명 ①정신이 멍하여 일이 손에 잡히지 아니하는 몽롱한 상태. ¶～ 상태. ②〔collapse〕〖의〗심장 쇠약과 함께 혈액 순환(血液循環)의 장애(障礙)로 전신의 힘이 쭉 빠져서 빈사(瀕死)의 지경에 이르는 상태. 급격한 맥박의 증가와 불규칙, 냉한(冷汗) 및 체온·혈압의 강하 등으로, 호흡 촉박·창백(蒼白)·의식 몽롱(意識朦朧) 등의 증세가 나타남. ——-하다 형여불

허탈-감【虛脫感】명 정신이 멍하여 일이 손에 잡히지 아니하고 등신같이 몽롱한 감정. 허탈한 듯한 느낌.

허탈-열【虛脫熱】[—렬] 명〖의〗정상적인 체온(體溫)보다 낮은 체온. 곧, 36°C 이하의 체온. 흔히 혈압 강하(血壓降下)와 더불어 허탈의 한 증세(症勢)로 일어나기 쉬움.

허탈 요법【虛脫療法】[—료뻡] 명〖의〗주로 폐결핵증(肺結核症)의 경우에 폐(肺)를 허탈시키어 국소적 안정(局所的安定)과 특별히 공동(空洞)의 축소(縮小)·폐쇄(閉鎖)를 목적으로 하는 요법.

허탕[1] 명 아무 소득이 없는 일. ¶아무리 찾아도 ～이었다.
허탕(을) 짚다 구 아무 소득 없는 일을 잘못 판단하여 하게 되다.
허탕(을) 치다 구 아무런 소득이 없이 되다. ¶만나러 갔다가 ～.

허탕[2]【虛蕩】명 ↗허랑 방탕(虛浪放蕩). ——-하다 형여불

허턱-대고 부 ☞허청대고.

허텅-지거리 명 일정한 상대자 없이 들떼 놓고 하는 말. '네기'·'제기' 같은 말.

허텐〔和闐〕명〖지〗중국 신장 웨이우얼(新疆維吾爾) 자치구의 도시. 이 자치구 남서쪽에 있는 동명(同名) 현(縣)의 현청 소재지로, 농축산물의 집산지임. 융단(絨緞)·견직물·금·은·초석(硝石)·보옥(寶玉) 등이 산출됨. 당대(唐代)의 불교 유적이 많음. 화전(和闐). [약 180,000명(1979 추계)]

허토【—土】명 장사를 지낼 때 상제들이 봉분(封墳)하기에 앞서 흙 한 줌을 관 위에 뿌리는 일. ——-하다 자여불

허통【許通】명 지위가 비슷하지 않아 교통(交通)하지 않다가, 서로 교통을 허(許)함. ——-하다 자여불

허툇비 명〈옛〉장딴지. 종아리. =허튓비·허퇴빗. ¶허툇비(腓腸)≪四聲 下 11 腨字註≫.

허투【虛套】명 남을 농락(籠絡)하기 위하여 꾸미는 겉치레.

허투루 부 ①대수롭지 아니하게. ¶～ 볼 수 없는 사람이다 / 그래서야 어디 ～ 얘길 들려 줄 수 있나? ≪鮮于煇 : 깃발 없는 旗手≫. ②아무렇게나. 헐후(歇后)하게. ¶물건을 ～ 다루다.

허투루-마투루 부 되는 대로 마구. 앞뒤 가리지 않고 무질서하게. 아무렇게나. ¶물건을 ～ 써버리다.

허튀 명〈옛〉다리. 종아리. 장딴지. =허틔. ¶허튀와 볼콰 근ᄒᆞ니(猶股肱也)≪內訓 Ⅱ:28≫/허튀 비(腓), 허튀 긔(踦)≪字會 上 26≫.

허튓녑 명〈옛〉종아리의 양옆. ¶허튓녑 련(臁)≪字會 上 26≫.

허튓ᄆᆞᄅᆞ 명〈옛〉정강이. ¶허튓ᄆᆞᄅᆞ(脚脛)≪四聲 下 56 脛字註≫.

허튓비 명〈옛〉장딴지. 종아리. =허툇비·허퇴빗. ¶허튓비예 五色光이 나샤 부텻 긔 닐굽 볼 버므ᄉᆞ바≪月釋 Ⅶ:38≫/허튓비 천(腨)≪字會 上 26≫.

허튓뼈 명〈옛〉종아리 뼈. ¶허튓뼈 형(脛), 허튓뼈 ᄒᆡᆼ(胻)≪字會 上 26≫.

허트러-지다 자〈방〉흐트러지다(경상).

허튼[1]〔Hutton, James〕명〖사람〗영국의 지질학자. 화성암(火成岩)의 성인(成因)에 관하여 수성설(水成說)에 반대하고 화성설(火成說)을 주장. 근대 지질학 창설자의 한 사람으로 꼽힘. [1726-97]

허튼[2] 관 명사 위에 써서 '헤프게·함부로·쓸데없이' 등의 뜻을 나타내는 말. ¶～ 소리/～ 수작.

허튼 계:집 명 정조(貞操) 관념이 희박(稀薄)하여 몸가짐이 헤픈 여자.

허튼-고래 명 불길이 이리저리 서로 통하여 들어가도록, 굄돌을 불규칙하게 흩어서 놓은 방고래.

허튼-구들 명 골을 켜지 않고 잔돌로 괴어 놓은 구들. ↔연좌 구들.

허튼-굿 명〖악〗농악 십이차(十二次) 가운데 사방으로 흩어지며 치는 놀이. ＊허튼채.

허튼 맹세 명 함부로 헤프게 하는 맹세.

허튼-모 명〖농〗줄을 따라 심지 않고 손짐작대로 이리저리 심는 모. 산식(散植). ↔줄모.

허튼-목 명 평탄하여, 짐승들이 달아날 방향이 일정치 않은 곳을 사냥꾼들이 이르는 말.

허튼 무리 명 허튼 사람들의 무리.

허튼-발 명 짐승이 다치든가 해서 정확히 떼어 놓지 않은 발자취를 사냥꾼들이 일컫는 말.

허튼-뱅이 명〈속〉허튼 사람.

허튼 사:람 명 허랑하고 실속이 없는 사람. 낭객(浪客).

허튼 소리 명 대중없이 함부로 지껄이는 말. ¶술에 취해서 ～를 뇌까리다/～ 좀 작작 해라.

허튼 수작【—酬酌】명 대중없이 함부로 하는 수작.

허튼-시침 명 주름이 잡혀 있기나 하게 대충 시치는 일.

허튼-양상치기 명〖민〗경기 농악 판굿에서, 버꾸잡이들이 덩더꿍이 가락에 맞추어 모두 갈짓자 걸음으로 이리 왔다 저리 갔다 하는 놀이.

허튼-채 명〖악〗농악 십이차(十二次) 가운데 사방으로 흩어지며 치는 가락. ＊허튼굿.

허튼-춤 명〖민〗일정한 양식 없이 자유로이 추는 흐트러진 춤. 여럿이 어울려 추되, 각자가 흥과 멋에 겨워 춤.

허튼-타:령【—打令】명〖악〗타령 장단을 빨리 모는, 반주 음악의 하나.

허튼-톱 명 톱니의 생김새가 동가리톱과 내릴톱의 중간쯤 되어 나무를 켜기도 하고 자르기도 할 수 있는 톱.

허틔 명〈옛〉다리. 종아리. 장딴지. =허튀. ¶남ᄀᆞ로 괴와 미요미 볼셔 허틔예 잇도다(枝撑已在脚)≪重杜諺 Ⅱ:70≫.

허틧비 명〈옛〉장딴지. 종아리. =허툇비·허퇴빗. ¶허틧비(腓)≪四聲 上 17≫.

허파 명〖생〗폐(肺).
허파에 바람이 들다 구 실없이 행동하거나 웃는 것을 이름.
허팟줄이 끊어졌다 구 시시덕이를 두고 조롱하는 말.

허파 꼬리 명〖생〗허파의 끝쪽 부분.

허파 꽈:리 명〖생〗폐포(肺胞).

허파 동:맥【—動脈】명〖생〗폐동맥(肺動脈).

허파 디스토마〔distoma〕명〖의〗폐(肺)디스토마.

허파-문【—門】명〖생〗폐문(肺門).

허파-병【—病】[—뼝] 명〖의〗폐병(肺病).

허파숨-양【—量】[—냥] 명〖생〗폐활량(肺活量).

허파 정맥【—靜脈】명〖생〗폐정맥(肺靜脈).

허파 토질【—土疾】명〖의〗폐 디스토마증(肺 distoma 症).

허파-피돌기 명〖생〗폐순환(肺循環).

허팡-소리 명〈방〉거짓말(평남).

허패 명〈방〉허파(전라·경상·충북·강원·경기·황해·함경).

허페 명〈방〉허파(전북·경상·강원·함남).

허페이〔合肥〕명〖지〗중국 안후이 성(安徽省) 중부에 있는 도시. 한대(漢代) 이래의 요충(要衝)으로 현재 화이난(淮南) 철도와 페이수이(淝水)·차오후 수운(巢湖水運)의 연락 지점을 이룸. 수전(水田) 지대로서 농산물의 집산지. 그 밖에, 농기구·광산 기계·자동차 등 제조 공업도 성함. 합비(合肥). [약 100만명(1975)]

허폐 명〈방〉허파(전남·경북·함남).

허푸수수-하다 형〈방〉 에푸수수하다.
허풍【虛風】명 실상보다 너무 지나치게 과장(誇張)하여 믿음성이 적은 언동. ⓟ풍(風).
허풍(을) 떨:다 구 허풍을 계속해서 마구 치다. ⓟ풍떨다.
허풍(을) 치다 구 실상과는 달리 너무 과장하여 말하다. ⓟ풍치다.
허풍이 세:다 구 허풍을 심하게 치다. 허풍이 대단하다.
허풍생이 명〈방〉 풍구(경북).
허풍-선【虛風扇】명 ①숯불을 불어서 피우는 손풀무의 한 가지. 손풍금(風琴)같이 생긴 풀무의 손잡이를 잡고 폈다 오므렸다 하여 바람을 일으킴. 여러 가지 모양이 있음. ②허풍선이.
허풍선-이【虛風扇―】명 허풍을 많이 떠는 사람. 허풍선(虛風扇).
허피 명〈방〉 허파(함남).
허핍【虛乏】명 굶주려서 아주 기운이 없음. ――-하다 형여불
허-하다[1]【許―】타여불 ①허가하다. ②요구를 들어 주다. 허락하다.
허-하다[2]【虛―】형여불 ①옹골차지 못하다. ¶몸이 몹시 ～. ②속이 비다. ¶속이 ～. ③담력이 없다. ④〖한의〗 원기가 부실하다. ¶기가 ～.
허한【虛汗】명〖한의〗 원기가 부실하여서 나는 땀.
허행【虛行】명 헛걸음. ¶그가 없어서 ～했다. ――-하다 자여불
허허[1] 부 거리낌없이 크게 웃는 소리. ＞하하[2]. ――-하다 자여불
[허허해도 빚이 열 닷 냥(兩)] 겉으로 쾌활하고 낙천적인 것처럼 보이는 사람도, 말 못할 딱한 사정이 있다는 말.
허허[2] 감 ①슬프거나 기막힌 일을 당할 때에 탄식하여 내는 소리. ¶～, 그가 죽다니. ②일이 마땅치 않아졌을 때에 내는 소리. ¶～, 이거 큰일났네. ＞하하[2].
허허-거리다 자 계속해서 허허 웃다. ＞하하거리다.
허허 공공【虛虛空空】명 ①허공같이 한없이 넓고 큼. ②아무것도 없음. ――-하다 형여불
허허-대다 자 허허거리다.
허허-바다 명 끝없이 넓고 큰 바다.
허허-벌판 명 끝없이 넓고 큰 벌판.
허허-실실【虛虛實實】[―씰] 명 허실의 계책(計策)을 써서 싸움. ¶～의 싸움이다.
허허실실-로【虛虛實實―】[―실씰―] 부 잘 되고 못 되고를 되어가는 대로 맡겨 버리는 모양. 되어가는 대로.
허허-이루후어 감〖역〗 창방(唱榜) 뒤에 신은(新恩)을 뒤따르는 별배(別陪)들이 자주 잇대어 높이 부르는 소리.
허허 탄:식【歔歔歎息】명 몹시 탄식함. ――-하다 자여불
허허-흥한지고 구 몹시 심한 일을 당했을 때에 탄식하는 소리. →허쑹한지고.
허현-성【虛絃聲】명〖악〗 산성[3](散聲).
허혈【虛血】명〖의〗 조직의 국부적(局部的) 빈혈 상태. 혈관의 폐색·연축(攣縮)에 의함.
허혈성 괴:사【虛血性壞死】[―썽―] 명〖의〗 혈액 공급의 장애로 인한 국부적인 조직의 괴사.
허혈성 신경증【虛血性神經症】[―썽―쯩] 명〖의〗 신경에 대한 혈액 공급 장애로 인한 신경 장애. 저리고 쑤시며, 장애 영역의 지각(知覺) 상실, 운동 마비 등이 수반됨.
허혈성 심질환【虛血性心疾患】[―썽―] 명〖의〗 혈관의 협착(狹窄)·폐색 때문에 심근(心筋)으로의 혈액 공급이 부족하여 흉통·부정맥·심부전 등의 증상을 나타내는 심장 질환의 총칭.
허혜【虛惠】명 겉치레뿐이고 실속이 없는 은혜.
허호【虛戶】명 실제로 있지 아니한 호수(戶數).
허혼【許婚】명 혼인을 허락함. 허빙(許聘). ――-하다 자여불
허화[1]【虛火】명〖한의〗 허열(虛熱).
허화[2]【虛華】명 헛되고 실속 없는 영화(榮華). 겉으로만 화려(華麗)함. ――-하다 형여불
허확【虛廓】명 마음이 허우룩함. 허곽(虛廓). ――-하다 형여불
허황【虛荒】명 사람됨이 들떠서 황당함. ――-하다 형여불
허황-되다【虛荒―】[―뙤―] 형 허황(虛荒)하다. ¶허황된 꿈.
허황지-설【虛荒之說】명 허황한 이야기. 황당하여 미덥지 않은 말.
허훈【虛暈】명〖한의〗 원기가 몹시 부실하여 일어나는 현기증.
허희【歔欷】[―히] 명 한숨지음. ――-하다 자여불
허희 유체【歔欷流涕】[―히―] 명 길게 한숨짓고 눈물 흘리며 욺. ――-하다 자여불
허희 자탄【歔欷自歎】[―히―] 명 한숨지으며 스스로 탄식함.
허희 탄:식【歔欷歎息】[―히―] 명 한숨짓고 탄식함. 매우 탄식함. ――-하다 자여불
헉[1] 명〈방〉 흙(경남).
헉[2] 부 ①갑자기 마음에 드는 일이 있을 때나 탐욕이 나서 덤비는 모양. ②몹시 지쳐서 물러서거나 자빠지는 모양. ③몹시 놀라거나 겁에 질려 숨을 들이마셔 호흡을 중지하는 소리나 모양. ――-하다 자여불
헉껭이 명〈방〉 재채기(제주).
헉손 명〈방〉 흙손(경남).
헉슬리[1] [Huxley] 명〖사람〗 ①[Aldous Leonard H.] 영국의 소설가·평론가. ❸의 손자. 신체시(新體詩) 운동에 참가, ≪리다(Leda)≫로 주목을 끌고, 이후 회의적인 지적(知的) 소설 ≪연애 대위법(戀愛對位法)≫·≪멋있는 신세계≫·≪가자(Gaza)에서 눈멀다≫ 등을 발표, 현대 문명과 지식인의 불안을 그려 영문단(英文壇)의 대표적 존재가 되었음. [1894-1963] ②[Julian Sorell H.] 영국의 생물학자. ❶의 형. '상대 성장(相對成長)'에 관한 연구로 저명하며, 초대 유네스코(UNESCO) 사무 총장을 지냄. [1887-1975] ③[Thomas Henry H.] 영국의 자연 과학자. 다윈(Darwin, C.)의 친구로, 진화론(進化論)을 보급, 인간의 원류(猿類) 기원설을 확립하였고, 인식론적으로는 불가지론(不可知論)을 주장하였음. [1825-95]
헉슬리[2] [Huxley, Andrew Fielding] 명〖사람〗 영국의 생리학자. 오징어의 거대 신경 섬유(巨大神經纖維)를 이용하여 신경 세포의 흥분(興奮)과 억제 기구(抑制機構)를 밝힘. 호지킨(Hodgkin, A.L.) 및 에클스(Eccles, J.C.)와 함께 1963년 노벨 생리 의학상을 받음. [1917-]
헉-헉 부 헉헉거리는 모양이나 소리. ――-하다 자여불
헉헉-거리다 자 ①숨이 차서 몹시 가쁘게 호흡을 하다. ¶겨우 백 미터를 뛰고 ～니. ②몹시 허덕이다.
헌:[1] [Hearn, Lafcadio] 명〖사람〗 영국의 문학가. 미국의 신문 기자였는데, 1891년 일본(日本)에 귀화하여 고이즈미 야쿠모(小泉八雲)로 이름을 고치고 영어 영문학을 교수하는 한편, ≪일본 별견(瞥見)≫ 등의 작품을 썼음. [1850-1904]
헌:[2] 관 명사 위에 붙어 '성하지 않은'·'낡은' 등의 뜻을 나타냄. ¶～ 구두/～ 옷.
[헌 갓 쓰고 똥누기] 이미 체면은 구겼으니, 좀 염치 없는 짓을 해도 상관없다는 말. [헌 고리도 짝이 있다; 헌 짚신도 짝이 있다] 못난 사람에게도 배필은 있는 법이다. [헌 누더기 속에 쌍동자 섰다] 겉보기에는 허술해도 속은 의뭉스럽다. [헌 배에 물 푸기] 근본적인 해결이 없이 겉에 나타난 문제만 가지고 손을 쓰다가는 끝이 없다는 말. [헌 분지 깨고 새 요강 물어 준다] 하찮은 실수로 큰 소해를 보게 되었음을 이르는 말. [헌 섬이 곡식이 더 든다] 늙은 사람이 더 먹는다는 말. [헌 옷이 있어야 새 옷이 있다] 헌 것이 있어야 새 것 좋은 줄을 안다는 말.
헌: 바자에 개:대가리 나오듯 구 무엇이 불쑥불쑥 나타나는 모양.
헌:신 같이 버린다 구 아낌없이 내버리고 돌보지 않다. ¶도련님은 귀공자요 소녀는 천기오니 지금은 아직 일시 정욕으로 그리저리 하였다가 사또 체귀하실 때에 미장가전 도련님이 헌 신 벗듯 버리시면 소녀의 팔자 돌아보오≪古本 春香傳≫.
헌: 체로 술 거르듯 구 말을 막힘 없이 술술 하는 모양.
헌가[1]【軒架】명 ①악기의 종(鐘)이나 북, 경(磬) 따위를 거는 시렁. ②시렁과 같은 높은 곳에 겲. ③〖악〗 헌가악(軒架樂).
헌가[2]【軒駕】명 임금의 유행(遊行).
헌:가락지-조개 명〖조개〗 퇴조개.
헌가-악【軒架樂】명〖악〗 아악(雅樂) 편성의 하나. 대례(大禮)나 대제(大祭) 때에 대청 아래에서 아뢰는 풍악. 종고(鐘鼓)를 시렁에 걸어 놓고, 관현(管絃)을 갖추어서 침. 헌가. 당하악(堂下樂). ↔등가악(登歌樂).
헌:강-왕【憲康王】명〖사람〗 신라 제49대 왕. 성은 김(金), 휘(諱)는 정(晸). 경문왕의 아들. 재위 중에, 처용무(處容舞)가 크게 유행하였으며, 서울의 민가는 모두 기와로 덮고 숯으로 밥을 짓는 등, 사치와 환락에 흘러, 신라의 쇠퇴기에 듦. [?-886;재위 875-886]
헌거【軒擧】명 풍채와 의기가 당당하고 너그러워 인색하지 않음. 헌앙(軒昻). ――-하다 형여불
헌거-롭다【軒擧―】형ㅂ불 풍채가 좋고 의기(意氣)가 당당해 보이다. ¶그 헌거롭던 자태가 이제는 하릴없는 등신의 행진이었다≪李孝石:幕≫. 헌거-로이【軒擧―】부
헌-거치 명〈방〉 헝겊(함북).
헌걸-스럽다 형ㅂ불 헌거롭게 보이다. 헌걸-스레 부
헌걸-차다 형 매우 헌거롭다. 늠름하고 씩씩해 보이다. ¶성정이 헌걸차고 호방하다.
헌것[1] 명〈옛〉 헝겊. ¶이윽ᄒᆞ야 술로 ᄢᅧ 헌것 우희 볼라(良久用匙攤在一片帛上貼)≪救簡 Ⅰ:22≫.
헌:-것[2] 명 낡아 빠진 물건. 오래 되어 허름한 물건.
헌겊 명 ☞헝겊.
헌:게【掀揭】명 ①번쩍 들어 올림. ②높이 올려 매다는 일. ――-하다 타여불
헌:-계집 명 ①이미 시집 갔던 여자. 처녀(處女)가 아닌 여자. ②행실이 부정한 여자를 얕잡아 하는 말. ¶～과 놀아나다.
헌:공【獻供】명 물건을 바침. 헌납(獻納). ――-하다 타여불
헌:관【獻官】명〖역〗 나라에서 제사를 지낼 때에 임시로 임명하는 제관(祭官).
헌:괵지-례【獻馘之禮】명 적과 싸워 이겨서 베어온 적장의 수급(首級)을 임금께 바치던 예식.
헌:근【獻芹】명 변변치 못한 미나리를 바친다는 뜻으로, 남에게 물건을 선사할 때나 의견을 적어 보낼 때에 겸사로 쓰는 말.
헌:근지-성【獻芹之誠】명 정성을 다하여 올리는 마음. 옛날에 미나리를 임금에게 바쳤다는 데서 유래함.
헌:근지-의【獻芹之意】[―/―이] 명 정성을 다해서 올리는 뜻.
헌:금【獻金】명 ①돈을 바침. 또, 그 돈. ¶～을 모으다. *성금(誠金). ②〖기독교〗 주일(主日)이나 어떤 일을 맞이하여 교회 곧 하느님 앞에 바치는 돈. 주일 헌금·월정(月定) 헌금·감사 헌금·특별 헌금 등으로 구분함. 연보(捐補). ¶～함(函). ――-하다 자타여불
헌-기【軒騎】명 차를 타는 일과 말을 타는 일. 또, 그 차와 말. ――-하다 자여불
헌:납【獻納】명 ①금품을 바침. 헌공(獻供). 납헌(納獻). ②〖역〗 고려 때 도첨의사사(都僉議使司)·도첨의부(都僉議府)·문하부(門下府)의 정오품 낭사(郎舍) 벼슬. 보궐(補闕)의 후신으로 좌·우 한 사람씩 있었는데, 충렬왕(忠烈王) 34년(1308)에 사간(司諫)을 고쳐서 공민왕(恭愍王) 5년(1356)까지, 동 11년에서 18년까지, 동 21년에서 공양왕(恭讓王) 때까지의 일컬음. ③〖역〗 조선 시대에 사간원(司諫院)의 정오품 벼슬. 정언(正言)의 위, 사간(司諫)의 아래임. 태종(太宗) 원년(1401)에 보궐(補闕)의 고친 이름. 처음에 좌·우 두 사람을 두었다가 뒤에 한 사람으로 줄였음. ――-하다 타여불

헌:납-금【獻納金】명 헌납하는 돈.
헌:납-품【獻納品】명 헌납하는 물품.
헌:다【獻茶】명 신불께 차를 올림. ——-하다 자여불
헌다-한 관〈방〉한다한.
헌:답【獻畓】명〖불교〗절에 조상의 제사를 맡긴 대신 부처님 앞에 논을 바침. 또, 그 논. ——-하다 자여불
헌:답 시:주【獻畓施主】명〖불교〗절에 논을 바친 사람.
헌:당【獻堂】명〖기독교〗교회당을 신축하여 하느님에게 바침. ——-하다 자여불
헌:당-식【獻堂式】명〖기독교〗교회당을 신축하여 하느님에게 바치는 의식. 헌당제.
헌:당-제【獻堂祭】명〖기독교〗헌당식.
헌:대[1] 명〈방〉헌데(평북).
헌:대[2]【憲臺】명〖역〗조선 시대 사헌부(司憲府)의 별칭.
헌:덕-왕【憲德王】명〖사람〗신라 제41대 왕. 성은 김(金), 휘(諱)는 언승(彥昇). 조카인 애장왕(哀莊王)을 죽이고 즉위, 친당(親唐) 정책을 씀. 김헌창(金憲昌)과 그의 아들 범문(梵文)의 반란으로 나라가 혼란에 빠졌음. [?-826: 재위 809-826]
헌:-데 명 피부가 헐어서 상한 자리. 부스럼. ¶~가 도지다.
헌:도-탁[1]【獻桃卓】명〖악〗선도탁(仙桃卓).
헌:도-탁[2]【獻圖卓】명〖악〗정재(呈才) 때에 경풍도(慶豐圖)를 드리는 기구. 선도탁(仙桃卓) 비슷하게 만듦.
헌:동 일세【掀動一世】[—쎄] 명 →흔동 일세(掀動一世).
헌등[1]【軒燈】명 처마에 다는 등.
헌:등[2]【獻燈】명 신불(神佛)에게 바치는 등.
헌듸 명〈옛〉헌데. =헌딕. ¶아무란 헌듼동 몰래라(不知甚麼瘡)≪朴解 上 13≫.
헌:디 명〈방〉헌데(평북·함남·경상).
헌딩이 명〈방〉부스럼(경남).
헌딕 명〈옛〉헌데. =헌듸. ¶헌딕로 ᄇᆞᄅᆞᆷ드러 거두혀며 뷔트리혀미 이시락 업스락 ᄒᆞ거든(破損傷風搐搦潮作)≪救簡 1:7≫.
헌:량【憲量】[헐—] 명 도량(度量)이 매우 크고 넓음. ——-하다 형여불
헌:령【憲令】[헐—] 명 나라의 규칙(規則).
헌:-릉【獻陵】[헐—] 명〖지〗조선 시대 태종(太宗)과 태종비 원경 왕후(元敬王后)의 능. 서울 특별시 강남구 내곡동에 있음.
헌:-머리 명 헌데가 난 머리.
헌:머리에 이 모이듯 구 이익(利益)이 있는 곳으로 떼를 지어 모임을 이르는 말.
헌:머리에 이 박이듯 구 많은 사람이나 물건이 이름 저름에 끼어 있음을 이르는 말.
헌:머리에 이 잡듯 구 일을 꼼꼼하게 함의 비유.
헌면【軒冕】명〖역〗①고관(高官)이 타던 초헌(軺軒)과 머리에 쓰던 관(冠). ②고관의 통칭(通稱).
헌:무【獻舞】명 신, 또는 좋은 일 등을 기리어 추는 춤.
헌:물【獻物】명 헌상하는 물품.
헌:미【獻米】명 ①신불(神佛)에게 올리는 쌀. ②〖기독교〗신자(信者)들이 일용(日用)하는 쌀의 얼마를 주일(主日)날에 바치는 일. 또, 그 쌀. 성미(誠米).
헌:-민수【獻民數】[—쑤] 명〖역〗조선 시대 한성부(漢城府)에서 3년마다 전국의 호구(戶口)를 조사하여 임금에게 상주하던 일.
헌:-반도【獻蟠桃】명〖악〗서경(西京) 악부(樂府) 열두 가지 춤의 한 가지. 정재(呈才)의 헌선도(獻仙桃)와 같음.
헌:배【獻盃】명 술잔을 드림. ——-하다 자여불
헌:법【憲法】[—뻡] 명 [constitution law] 국가 존립의 기본적 조건을 규정하는 근본법. 국가의 조직·구성·작용의 대원칙을 정한 기초법. 다른 법률·명령으로써 변경할 수 없는 한 국가의 최고의 법. 형식에 따라 성문(成文) 헌법·불문(不文) 헌법, 제정자에 따라 흠정(欽定) 헌법·민정(民定) 헌법·협정(協定) 헌법 등으로 분류함. 근대적 성문 헌법은 1776년 미국 버지니아주(州) 헌법을 효시로 하며, 우리 나라는 1948년 공포(公布)된 이래 4 차례 개정(改定)이 있었음.
헌:법 개:정【憲法改正】[—뻡—] 명〖법〗동일성(同一性)을 파괴하지 않는 한도 안에서 헌법의 일부 조항을 수정·삭제·증보하는 일. 우리 나라 헌법의 개정은 국회 재적 의원 과반수 또는 대통령의 발의로 제안되고, 국회 재적 의원 3분의 2 이상의 찬성을 얻어, 이를 국민 투표에 부쳐 그 과반수의 찬성을 얻어야 함. 개헌(改憲).
헌:법 개:정안【憲法改正案】[—뻡—] 명 헌법을 고치고자 하는 사항을 조목조목 초안한 문서. 개헌안.
헌:법 기관【憲法機關】[—뻡—] 명〖법〗직접적으로 헌법 규정에 의거하여 설치된 국가의 기관. 곧, 대통령·국무 위원·국회·법원 등의 총칭.
헌:법-비【憲法費】[—뻡—] 명〖경〗국권(國權)의 조직에 관한 경비. 곧, 원수(元首)에 관한 경비·국회비·법원비 등.
헌:법 사:항【憲法事項】[—뻡—] 명〖법〗헌법에 규정한 사항. 헌법으로 규정하여야 할 사항. 주권, 국민의 기본적 권리·의무, 통치 기관의 조직 및 권한 등에 관한 큰 원칙 등.
헌:법 소원【憲法訴願】[—뻡—] 명 법을 어긴 공권력의 발동으로 헌법에 보장된 기본권을 침해당한 국민이 그 권리를 구제받기 위하여 헌법 재판소에 내는 소원.
헌:법 위반【憲法違反】[—뻡—] 명〖법〗법률·명령·규칙·행정 처분 등이 헌법의 규정에 위반되는 일. 위헌(違憲).
헌:법 위원회【憲法委員會】[—뻡—] 명〖법〗'헌법 재판소'의 전신(前身).
헌:법 재판소【憲法裁判所】[—뻡—] 명〖법〗헌법 기관의 하나. 법원의 제청에 의한 법률의 위헌 여부, 탄핵, 정당의 해산, 국가 기관 상호 간 또는 국가 기관과 지방 자치 단체 간 및 지방 자치 단체 상호 간의 권한 쟁의, 헌법 소원(訴願)에 관한 심판을 함.
헌:법 쟁의【憲法爭議】[—뻡—/—뻡—이] 명〖법〗헌법의 해석에 관한 쟁의. 곧, 정부와 국회 사이에 벌어지는 쟁의 같은 것.
헌:법-적【憲法的】[—뻡—] 명관 헌법에 관한 모양.
헌:법-학【憲法學】[—뻡—] 명〖법〗법학의 한 부문. 헌법 및 헌법 상의 제현상을 연구 대상으로 함.
헌별【軒別】명 호별(戶別).
헌:병[1]【憲兵】명〖군〗군기 확립·군사 경찰 업무를 수행하는 군대 병과의 하나. 또, 그 군인.
헌:병[2]【獻餠】명〖천주교〗미사 때에 성반(聖盤)에 담은 제병(祭餠)을 제대(祭臺) 위에 봉헌하는 일. *헌작. ——-하다 자여불
헌:병-감【憲兵監】명〖군〗헌병감실의 장.
헌:병감-실【憲兵監室】명〖군〗군(軍)의 풍기 유지·범죄 수사 기타 군 경찰에 관한 사항을 분장하는 한 부서(部署). 육군 본부, 해군 본부 및 공군 본부에 둠.
헌:병-대【憲兵隊】명〖군〗헌병들로 이루어진 군대. ¶~장.
헌:병-부【憲兵部】명〖군〗헌병 참모부의 속칭.
헌:병 사령부【憲兵司令部】명 ①〖역〗조선 고종(高宗) 광무(光武) 4년(1900)에 설치한 군부 관청. 군사상의 행정과 사법 경찰을 맡았음. ②〖군〗헌병에 관한 사무를 통할하기 위하여 국방부 본부에 둔 기관. 지금은 폐지됨.
헌:병 헌:작【獻餠獻爵】명〖천주교〗헌병과 헌작. 곧, 미사 드릴 때에 밀가루 떡과 포도주를 받들어 드림. ——-하다 자여불
헌:본【獻本】명 책을 바침. 또, 그 책. 출판사 등에서 기증하는 서적. 헌서(獻書). ——-하다 자여불
헌:부[1]【憲府】명〖역〗↗사헌부(司憲府).
헌:부[2]【獻俘】명 전쟁에 이기고 돌아와서 포로를 바쳐 조상의 영묘(靈廟)에 성공을 고함. ——-하다 자여불
헌:사【獻詞·獻辭】명 저자나 발행자가 그 책을 다른 이에게 헌정(獻呈)하는 취지를 기록한 글. 헌제(獻題).
헌:상【獻上】명 임금께 바침. 물건을 삼가 올림. 헌진(獻進). ——-하다 타여불
헌:상-물【獻上物】명 헌상하는 물품.
헌:생【獻牲】명 신께 희생을 바침. ——-하다 자여불
헌:서【獻書】명 헌본(獻本). ——-하다 자여불
헌:-선도【獻仙桃】명〖악〗↗헌선도무(獻仙桃舞).
헌:선도-무【獻仙桃舞】명〖악〗정재(呈才) 때에 추는 춤과 악(樂)의 이름. 당악(唐樂)으로, 남악(男樂)과 여악(女樂)이 있음. 죽간자(竹竿子) 두 사람 외에 대여섯 사람이 주악에 맞추어 춤. 장면이 바뀔 때마다 부르는 사(詞)가 있음. 준헌선도(獻仙桃).

〈헌선도무〉

헌:성【獻誠】명 정성을 다하여 바침. ——-하다 자여불
헌:-소리 명 조리에 맞지 않는 말. *허튼 소리. ——-하다 자여불
헌:-솜 명 옷이나 이불 등에서 빼어낸 묵은 솜. 파면자(破綿子).
헌:-쇠 명 오래 되어 못쓰게 된 쇠붙이. 고철(古鐵). 설철(屑鐵).
헌:수[1]【獻酬】명 잔을 주고받는 일. ——-하다 자여불
헌:수[2]【獻壽】명 회갑 잔치 등에서, 장수(長壽)를 비는 뜻으로 술잔을 올림. 상수(上壽). 칭굉(稱觥). 칭상(稱觴). ——-하다 자여불
헌:시【獻詩】명 시를 바침. 또, 그 시. ——-하다 자여불
헌:식【獻食】명〖불교〗문 앞 따위의 시식(施食)돌에 음식을 차려 잡귀(雜鬼)에게 베풀어 줌. ——-하다 자여불
헌:식-돌【獻食—】명〖불교〗시식(施食)돌.
헌:신【獻身】명 몸을 바쳐 있는 힘을 다함. 위신(委身). ——-하다 자여불
헌:신-적【獻身的】명관 헌신하는 정신으로 일하는 모양. ¶~ 노력.
헌:-신짝 명 오래 신어서 낡아빠진 신짝.
헌:신짝 버리듯 하다 구 긴하게 쓰고 난 뒤에는 아무 거리낌 없이 내버리다.
헌:신짝-같다 형 값어치가 없다. 버려도 아까울 것이 없다.
헌:신짝-같이 [—가치] 부 헌신짝 같게.
헌ᄉᆞᄒᆞ다 자〈옛〉야단스럽게 떠들다. 시끄럽게 떠들다. ¶어와 造化翁이 헌ᄉᆞ토 헌ᄉᆞᄒᆞ샤 ≪松江 關東別曲≫.
헌악【軒樂】명〖악〗헌가의 음악. 곧 대뜰 아래서 연주하는 음악.
헌:안-왕【憲安王】명〖사람〗신라 제47대 왕. 성은 김(金), 휘(諱)는 의정(誼靖)·우정(祐靖). 제방을 쌓아 농사를 장려하였음. 후사(後嗣)가 없어 왕족 응렴(膺廉)을 맏사위로 삼아 왕위(王位: 경문왕)를 물려주었음. [?-861: 재위 857-861]
헌앙【軒昂】명 ①헌거(軒擧). ②기운이 참. 의기가 왕성함. ¶의기 ~. ——-하다 형여불
헌:애 왕후【獻哀王后】명〖사람〗고려 경종(景宗)의 왕후. 목종(穆宗)의 생모. 대종(戴宗)의 딸. 목종이 즉위하자 천추궁(千秋宮)에서 섭정(攝政)하며 김치양(金致陽)과 통정(通情)하고 아들을 낳음. 이후 이 아들로 인하여 강조(康兆)의 정변(政變)이 일어나 목종과 김치양은 죽고 왕후는 벽지에서 여생을 보냄. [964-1029]
헌:언【獻言】명 의견을 말씀 드림. ——-하다 자여불
헌:언-장【獻言章】[—짱] 명〖악〗악장(樂章)의 이름.
헌연【軒然】명 의기(意氣)가 높고 당당한 모양. ——-하다 형여불
헌영[1]【軒楹】명 마루의 기둥.
헌:영[2]【獻詠】명 신불께 시가를 읊어 바침. ——-하다 자여불
헌:의【獻議】[—/—이] 명 윗사람에게 의견을 드림. ——-하다 자여불
헌:의-서【獻議書】[—/—이—] 명〖역〗임금의 정사(政事)에 관한 물음에 대하여 의견(意見)을 올리는 글.

헌:의 육조【獻議六條】[―/―이―] 명 『역』 1896년 7월 2일 독립 협회가 창립된 이후 나라의 개혁을 위해 관민 공동회를 열고 결의한 6조항의 개혁안.

헌:자【獻資】 명 자금·자재 등을 헌납함. ――-하다 자여불

헌:작¹【獻酌】 명 헌작(獻爵)❶. ――-하다 자여불

헌:작²【獻爵】 명 ①제사 때 술잔을 올림. 진작(進爵). ②『천주교』 미사 때, 예수의 성혈(聖血)로 성변화(聖變化)될 포도주를 담은 잔을 사제(司祭)가 두 손으로 받들어 높이 올리는 일. ――-하다 자여불

헌:장【憲章】 명 『법』 ①헌법의 전장(典章). ②법칙. 법률. ③국가 따위가 이상(理想)으로서 정한 원칙(原則). ¶어린이 ~/국민 교육 ~/UN ~.

헌:정¹【憲政】 명 『정』 헌법에 의해서 행하는 정치. 근대적 의회 제도에 의한 정치. 입헌 정치. ¶~을 문란케 하다.

헌:정²【獻呈】 명 물품을 올림. ――-하다 타여불

헌:정-국【憲政國】 명 『정』 입헌국(立憲國).

헌:정-사【憲政史】 명 헌정의 역사.

헌:정 연:구회【憲政硏究會】[―년―] 명 『역』 조선 고종(高宗) 42년(1905) 5월에 이준(李儁)·양한묵(梁漢默)·윤효정(尹孝定) 등이 조직한 정치적 계몽 단체. 이듬해 장지연(張志淵)·윤효정 등에 의하여 '대한 자강회(大韓自强會)'로 발전됨. *대한 자강회.

헌:정 왕후【獻貞王后】 명 『사람』 고려 경종(景宗)의 비(妃). 대종(戴宗)의 딸. 헌애 왕후(獻哀王后)와 친형제로 함께 경종의 비가 되었음. 경종이 죽은 뒤 대종의 동생 욱(郁)과 정을 통하여 현종(顯宗)을 낳았음. 생몰년 미상(生沒年未詳).

헌:제¹【憲制】 명 나라의 제도. 국가의 법. 국법(國法).

헌:제²【獻題】 명 헌사(獻詞).

헌:종¹【憲宗】 명 『사람』 중국 당(唐)나라의 제11대 황제. 안사(安史)의 난 이래의 여러 번진(藩鎭)의 횡포를 다스려 조정의 위신을 크게 높여 당나라 중흥(中興)의 영주(英主)로 일컬어짐. [778-820: 재위 805-820]

헌:종²【憲宗】 명 『사람』 몽고 제국의 제4대 황제. 1253년 쿠빌라이 등 동생들로 하여금 고려와 페르시아 방면 및 남부 중국 등을 공격하게 하여 외정(外征)에 큰 성과를 올림. [1208-59: 재위 1251-59]

헌:종³【憲宗】 명 『사람』 중국 명(明)나라 제8대 황제. 북방의 외적(外敵) 침입, 국내 유적(流賊)의 반란 등으로 나라가 어지러워지자 이를 바로잡고자 현신(賢臣)을 등용하였으나 별반 효과를 못 보고 명나라는 쇠망해 갔음. [1447-87: 재위 1464-87]

헌:종⁴【憲宗】 명 『사람』 조선 시대 제24대 왕. 휘(諱)는 환(奐), 호는 원헌(元軒). 순조(純祖)의 손자. 8세에 즉위함. 왕 5년(1839)에 천주교를 탄압하는 기해 박해(己亥迫害)가 일어났음. [1827-49: 재위 1834-49]

헌:종⁵【獻宗】 명 『사람』 고려 제14대 왕. 휘(諱)는 욱(昱). 서화(書畫)에 능하였으며, 즉위하자 이자의(李資義)의 난을 평정하고, 다음해 신병으로 숙부 희(熙)에게 양위(讓位)하였음. [1084-97: 재위 1094-95]

헌:종 실록【憲宗實錄】 명 『책』 조선 제24대 왕 헌종 재위(在位) 15년간의 실록. 철종(哲宗) 2년(1851)에 조인영(趙寅永)의 주재(主宰) 아래 실록청(實錄廳)에서 편집 간행함. 16권 9책.

헌:주【獻奏】 명 신에게 주악을 올림. ――-하다 자여불

헌:지붕-조개 명 『조개』 [*Trapezium japonicum*] 헌지붕조개과에 속하는 조개의 하나. 패각(貝殼)은 길이 35mm, 높이 18mm, 폭 13mm 가량의 직사각형이고 복연(腹緣) 중앙부는 쑥 들어갔으며 윤맥(輪脈)은 가늘고 거칢. 각표(殼表)는 황색을 띤 암회색이고 자갈색의 방사체(放射體)가 있음. 정선(汀線) 부근의 진흙, 깊은 암초(暗礁) 사이에 고착 생활을 하는데, 한국·일본 등지에 분포함. 돌고부지.

헌:진【獻進】 명 헌상(獻上). ――-하다 타여불

헌:집 고치기 명 한 군데 고치려고 손을 대면 여기저기 여러 군데 잇따라 고칠 데가 생기게 됨을 이르는 말.

헌:-짚신 명 헐어서 못 쓰게 된 짚신.
[헌 짚신도 짝이 있다] 아무리 못나고 가난한 사람이라도 배필이 있다는 말. ¶짐승도 쌍이 있고 길버러지도 짝이 있고 헌 고리도 짝이 있고 헌 짚신도 짝이 있네《古本 春香傳》.

헌:찬【獻饌】 명 제사 지내기 위하여 제물(祭物)을 차려 놓음. ↔철찬(撤饌).

헌:-책¹【一冊】 명 ①누가 일차로 쓴 책. ¶언니의 ~을 물려받다. ②낡고 오래 된 책. 고본(古本). 고서(古書). ↔새책.

헌:책²【獻策】 명 일에 대한 방책을 드림. 건책(建策). ――-하다 타여불

헌:-책사【一冊肆】 명 헌책을 사고 파는 가게.

헌:천 동:지【掀天動地】 명 →흔천 동지(掀天動地).

헌:천-수【獻天壽】 명 『악』 긴 염불.

헌:천수-사【獻天壽詞】 명 『악』 창사(唱詞)의 이름. 헌선도무(獻仙桃舞)에 부름.

헌:-천화【獻天花】 명 ↗헌천화무(獻天花舞).

헌:천화-무【獻天花舞】 명 정재(呈才) 때에 추는 춤의 이름. 조선 순조(純祖) 28년(1828)에 예제(叡製)한 당악(唐樂)으로, 남녀악(男女樂)이 있음. 헌화탁(獻花卓)을 놓고 여기(女妓) 두 사람이 동서로 나누어 서고, 이어 선모(仙母)가 꽃병을 들고 나오며 뒤에 좌우협(左右挾)이 따르고 북향하여 주악에 맞추어 춤. 꽃병을 드릴 때에 선모와 좌우협이 사(詞)를 병창(並唱)함. ㊀헌천화(獻天花).

〈헌천화무〉

헌:천화-병【獻天花甁】 명 헌천화무에 쓰는, 가화(假花)를 꽂는 병.

〈헌천화병〉

헌:체【獻替】 명 임금을 보좌하여 선(善)을 권하고 악(惡)을 못하게 함. ――-하다 자타여불

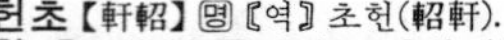

헌초【軒貂】 명 『역』 초헌(軺軒).

헌:춘【獻春】 명 첫봄. 초춘(初春).

헌출-하다 형여불 ☞헌칠하다.

헌:충【獻忠】 명 자기의 충성됨을 상대에게 나타내 보임. ――-하다 자여불

헌츠먼 [Huntsman, Benjamin] 명 『사람』 영국의 발명가·시계 기사(技師). 시계의 태엽을 위한 순도(純度) 높은 강(鋼)의 제조를 연구하고, 도가니 주강(鑄鋼)을 발명하여 이를 기업화함. [1704-76]

헌칠민틋-하다 형여불 헌칠하고도 민틋하다. 헌칠민틋-이 부

헌칠-하다 형여불 키나 몸집이 크고 늘씬하다. ¶허우대가 ~. 헌칠-히 부

헌터¹ [hunter] 명 ①사냥꾼. ②탐색자. 탐구자(探究者).

헌터² [Hunter, John] 명 『사람』 영국의 외과의(外科醫). 육군 군의 총감. 해부학·병리학·외과학 등에 관한 표본의 수집으로 알려짐. 제너(Jenner, E.)의 스승임. [1728-93]

헌터³ [Hunter, Walter Samuel] 명 『사람』 미국의 심리학자. 시카고 대학에서 학위를 획득. 캔자스 대학·클라크 대학 등에서 교수. 기능(機能) 심리학에서 출발한 행동주의 심리학자인데, 지연 반응(遲延反應)이나 시간식 미로(時間式迷路)를 연구하여 동물 학습에 있어서의 기호 및 시간적 요인을 분명히 하였음. [1889-1954]

헌터 러셀 증후군【―症候群】 명 [Hunter-Russel Syndrome] 『의』 1940년 헌터·러셀·봄퍼드(Bomford) 등이 보고한 유기 수은 중독 증상(有機水銀中毒症狀). 주된 병변(病變)은 뇌신경에 나타나며, 중심성 시야 협착(中心性視野狹窄)·난청(難聽)·언어 장애·운동 실조(運動失調)·지각(知覺) 장애 등이 일어남.

헌:털-뱅이 명 '헌것'을 천하게 일컫는 말. ¶~ 옷을 꿰고/~ 다 된 벙거지.

헌테 조 〈방〉 한테.

헌트¹ [Hunt, James Henry Leigh] 명 『사람』 영국의 저널리스트·비평가. 많은 신진 시인(新進詩人)을 소개하고 수개 신문을 창간함. 그 밖에 극시(劇詩) 《리미니(Rimini) 이야기》 및 단시(短詩) 《어본 벤 애드헴(Abon Ben Adhem)》 등이 유명함. [1784-1859]

헌트² [Hunt, John] 명 『사람』 영국의 군인·등산가(登山家). 1953년 제9차 에베레스트 산(Everest 山)의 등정(登頂) 대장으로서 대원(隊員) 힐러리(Hilary)·텐징(Tenzing)으로 하여금 세계 최초의 에베레스트 정복을 성공시켜, 작위(爵位)를 받았음. 후에, 알파인 클럽 회장(會長)이 됨. [1910-]

헌트³ [Hunt, William Holman] 명 『사람』 영국의 화가. 1848년 밀레(Millais)·로세티(Rossetti) 등과 라파엘 전파(前派)를 창립하고, 치밀한 사실성과 중세적인 상징주의(象徵主義)가 혼합된 종교화(宗敎畫)를 남김. 대표작에 《세상의 빛》 등이 있음. [1827-1910]

헌팅 [hunting] 명 ①사냥. 수렵. ②↗헌팅캡.

헌팅-캡 [hunting cap] 명 운두가 없고 넓적하게 간단히 만든 모자. 사냥할 때 많이 씀. ㊀헌팅.

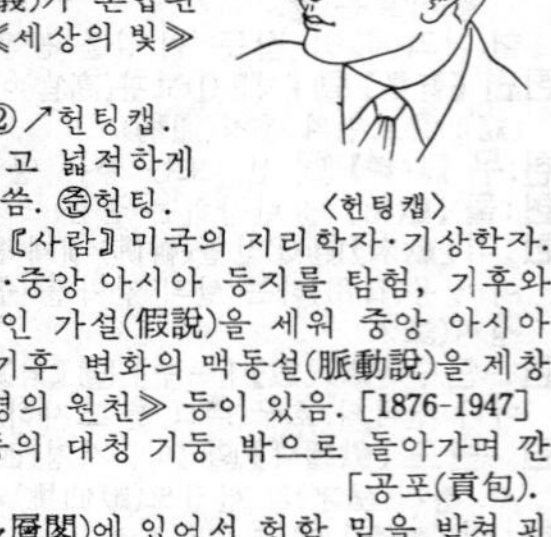

〈헌팅캡〉

헌팅턴 [Huntington, Ellsworth] 명 『사람』 미국의 지리학자·기상학자. 예일 대학 교수. 유프라테스 강(江)·중앙 아시아 등지를 탐험, 기후와 문명의 관련에 대한 환경 결정론적인 가설(假說)을 세워 중앙 아시아의 기후 건조화(乾燥化)에 관련된 기후 변화의 맥동설(脈動說)을 제창함. 저서에 《기후와 문명》·《문명의 원천》 등이 있음. [1876-1947]

헌함【軒檻】 명 『건』 건넌방·누각 등의 대청 기둥 밖으로 돌아가며 깐 난간 있는 좁은 마루.

헌함-포【軒檻包】 명 『건』 다층각(多層閣)에 있어서 헌함 밑을 받쳐 괸 공포(貢包).

헌:향【獻香】 명 신불께 향을 올림. ――-하다 자여불

헌헌【軒軒】 명 ①춤추는 모양. ②득의(得意)한 모양. ③풍채가 당당하고 인물이 뛰어난 모양. ¶~ 장부/무예청 별감들의 ~한 사나이가 모두 다 눈물을 뿌려 울지 않을 수 없었다《朴鍾和 : 錦衫의 피》. ――-하다 형여불. ――-히 부

헌헌 장:부【軒軒丈夫】 명 외모가 준수하고 헌거로운 사내.

헌현【軒懸】 명 『악』 옛 악기 편성에서, 왕(王)·제후(諸侯)인 경우에 헌가(軒架) 악기를 베풀던 방법.

헌:혈【獻血】 명 건강한 사람이 자기의 피를 남의 수혈용으로 무료 제공하는 일. ¶~ 운동. *매혈(賣血). ――-하다 자여불

헌:혈-자【獻血者】[―짜] 명 공혈자(供血者) 중에서 자기의 피를 무상(無償)으로 혈액원에 제공하는 사람.

헌:혈 환부 적립금【獻血還付積立金】[―닙―] 명 『법』 혈액 관리법에 따라 헌혈을 받은 혈액원(院)이 보건 사회부 장관의 위임을 받은 대한 혈액 관리 협회에 납부하는 적립금. 헌혈자에게 피를 되돌려 주거나 헌혈 사업에 사용될 자금으로 쓰임.

헌호【軒號】 명 『불교』 남의 당호를 높이어 일컫는 말.

헌:화【獻花】 명 꽃을 바침. ――-하다 자여불

헌:화-가【獻花歌】 명 『문』 향가의 하나. 신라 성덕왕(聖德王) 때 지었다는 사구체(四句體) 노래. 순정공(純貞公)이 강릉 태수(江陵太守)로 부임하러 가는 도중, 길 옆 벼랑에 철쭉꽃이 피어 있는 것을 보고 공의 아내 수로 부인(水路夫人)이 꽃을 꺾어 달라고 하니 소를 몰고 가던 노옹(老翁)이 꽃을 꺾어다가 부인에게 바치며 이 노래를 불렀다고 함.

헌:화-탁【獻花卓】 명 『악』 헌천화병(獻天花甁)을 올려 놓는 탁자.

헌활【軒豁】 명 훤히 터져 높고 넓은 모양. ――-하다 형여불

헌다 자 〈옛〉 흐트러지다. ¶머리 터리 ᄆᆞ족ᄒᆞ샤 어즈럽디 아니ᄒᆞ시고 또 헌디 아니ᄒᆞ샤미《妙蓮 Ⅱ:17》.

헐¹ 명 〈방〉 흙(경상).

헐² [Hull] 명 『지』 영국 북잉글랜드의 동부, 요크셔의 험버(Humber) 하

구로부터 35km 지점에 있는 항구 도시. 정식 명칭은 킹스턴어펀헐(Kingston-upon-Hull). 조선·제철 등 공업이 성하고 요크셔 공업 지대를 배후지로 하여 북해(北海)의 주요한 상항(商港)을 이룸. 대학·박물관·미술관 등 문화 시설도 많음. [271,100명(1982)]

헐[3] [Hull, Clark Leonard] 명 『사람』 미국의 심리학자. 신행동주의(新行動主義)의 입장에서 학습 이론을 체계화, ≪가설 연역법(假說演繹法)≫을 써서 행동 이론을 수리화(數理化)했음. [1884-1952]

헐[4] [Hull, Cordell] 명 『사람』 미국의 정치가. 1933년 루스벨트(Roosevelt) 행정부의 국무 장관에 취임, 피침략국을 돕고, 국제 연합 창설에 공헌하여 1945년 노벨 평화상을 받음. [1871-1955]

헐가【歇價】[—까] 명 헐값. ¶ ~로 팔다. 「다 타 여불

헐가 방:매【歇價放賣】[—까—] 명 싼값으로 마구 팔아 버림. ——-하

헐각【歇脚】 명 잠시 다리를 쉼. ——-하다 자 여불

헐간【歇看】 명 탐탁지 않게 보아 넘김. ——-하다 타 여불

헐-값【歇—】[—깝] 명 그 물건이 지니는 값어치보다 썩 싼 값. 헐가(歇價). 폐치(弊値). ¶ ~에 팔아 치우다.

헐개 명 〈방〉 훌게. ¶ 요사이 그 무언가 ~ 빠진 선비라는 사람들 가운데는 흔히 조정 대신들을 우정 능멸하는 일이 있어서…≪張德祚 : 狂風≫.

헐개(가) 늦다 구 〈방〉 훌게(가) 늦다.

헐객【歇客】 명 허랑방탕한 사람을 일컫는 말.

헐거우- 간 '헐겁다'의 변칙 어간. ¶ ~ㄴ/~니/~면. <할가우-.

헐겁다 형 ㅂ불 끼울 물건보다 끼일 자리가 넓어 헐렁헐렁하다. ¶ 병마개가 ~. >할갑다.

헐겁지 명 〈옛〉 깍지[2]. ¶ 헐겁지 결(抉), 헐겁지 셥(韘)≪字會 中 28≫.

헐게 명 〈방〉 훌게.

헐게(가) 늦다 구 〈방〉 훌게(가) 늦다.

헐공【歇工】 명 『악』 '쉬는 악공'이라는 뜻. 악기를 쳐도 성운(聲韻)이 없이 그저 현가에 편성되기만 하기 때문에 '부(缶)를 치는 악공'을 이르는 말.

헐근-거리다 자 숨이 차서 헐떡헐떡하며 그르렁거리다. >할근거리다. 헐근-헐근 부. ——-하다 자 여불

헐근-대다 자 헐근거리다.

헐-끈 명 ①↗허리끈. ②〈방〉 허리띠(전남·경상).

헐:다[1] ㊀자 부스럼이나 상처가 나서 살이 짓무르다. ¶ 입 안이 ~. ㊁형 물건 따위가 오래 되거나 많이 써서 낡아지다. ¶ 집이 헐었다.

헐:다[2] 타 ①집 따위 축조물(築造物)이나 쌓아 놓은 물건을 무너뜨리다. ¶ 낡은 집을 헐고 새 집을 짓다/담을 헐어 없애다. ②일정한 액수의 돈이나 또는 일정한 양의 물건 따위를 꺼내거나, 쓰기 시작하다. ¶ 만 원 짜리를 ~/사과 상자를 ~. ③남의 단점을 쳐들어서 험담을 하다. ¶ 왜 남을 헐고 다니느냐.

헐떠기-약풀【—藥—】 명 『식』 [*Tiarella polyphylla*] 범의귓과에 속하는 다년초. 화경(花莖)은 높이 25cm 가량이고, 근생엽(根生葉)은 족생(簇生), 장병(長柄)이며, 경엽(莖葉)은 호생하고 단병(短柄)에 심장형임. 5-6월에 백색 오판화(五瓣花)가 총상(總狀) 꽃차례로 정생(頂生)하여 피고, 삭과(蒴果)는 두 개의 과피(果皮)로 싸임. 깊은 산의 나무 그늘에 나는데, 경북·울릉도 등지에 분포함. 잎은 약용함.

〈헐떠기약풀〉

헐떡-거리다[1] 타 숨이 가빠서 연해 숨을 거칠게 쉬다. ¶ 숨을 ~. >할딱거리다. 헐떡-헐떡[1] 부. ——-하다[1] 타 여불

헐떡-거리다[2] 자 신발 따위가 너무 커서 헐렁거리며 연해 벗겨지다. >할딱거리다. 헐떡-헐떡[2] 부. ——-하다[2] 자 여불

헐떡-대다 자 타 헐떡거리다[1·2].

헐떡-이다 ㊀타 숨이 가빠서 숨을 거칠게 쉬다. ¶ 어깨를 들썩거리며 숨을 ~. ㊁자 신발 따위가 너무 커서 헐렁거리며 자꾸 벗겨지다. ㊀·㊁: >할딱이다.

헐떡-증【—症】 명 숨이 가쁘면서 헐떡거려지는 증세.

헐떡-하다 형 여불 ①얼굴이 여위고 핏기가 없다. >할딱하다. ②몹시 지치어 눈이 껄떡하다.

헐:-뜯다 타 남의 흠을 잡아 내어 말하다. 남을 공연히 해쳐서 말하다. ¶ 공연히 남을 헐뜯지 마라.

헐-띠 명 ↗허리띠.

헐띠-끈 명 〈방〉 허리띠(경북).

헐랭-이 명 〈방〉 헐렁이.

헐:러 더:비 [hurler derby] 명 야구에서, 리그전 때 그 시즌의 공식전 중 투수(投手)의 승리 다툼 또는 승률(勝率) 다툼.

헐렁-개비 명 〈방〉 헐렁이.

헐렁-거리다 자 ①너무 헐거워서 이리저리 자꾸 흔들리다. ¶ 신이 ~. ②신중함이 없이 들떠서 자꾸 허랑한 짓을 하다. 1)·2):>할랑거리다.

헐렁-헐렁 부. ——-하다[1] 자 여불

헐렁-대다 자 헐렁거리다.

헐렁-이 명 들떠서 허랑스러운 사람을 얕잡아 일컫는 말.

헐렁-이다 자 ①헐겁게 헐떡헐떡 움직이다. ②허황한데다 실답지 않게 행동하다. 1)·2) : >할랑이다.

헐렁-하다 형 여불 규격이 맞지 않아 따로따로 놀 정도로 헐겁다. ¶ 옷이 ~. >할랑하다.

헐렁헐렁-하다[2] 형 여불 ①매우 헐거운 듯한 느낌이 있다. ¶ 옷이 ~. ②하는 짓이 들뜨고 실답지 아니하다. ¶ 사람이 ~. 1)·2):>할랑할랑하다.

헐레 명 〈방〉 훌레(경상). ——-하다 자

헐레-벌떡 부 숨이 가빠 헐떡헐떡 쉬는 모양. ¶ ~ 달려왔다. >할래발딱. ——-하다 자 타 여불

헐레벌떡-거리다 자 타 자꾸 헐레벌떡하다. >할래발딱거리다. 헐레벌떡-헐레벌떡 부. ——-하다 자 타 여불

헐레벌떡-대다 자 타 헐레벌떡거리다.

헐레벌떡-이다 자 타 숨을 헐떡헐떡하며 거칠게 쉬다. >할래발딱이다.

헐레이션 [halation] 명 사진 용어로서, 강한 빛이 필름 또는 건판에 닿았을 때 필름면이나 건판의 유리면에서 반사된 빛이 다시 유제(乳劑)에 닿아 감광(感光)되는 현상. 황색 또는 편광 필터를 써서 방지함. 훈영(暈影).

헐레이션 방지 건판【—防止乾板】 [halation] 명 헐레이션을 막기 위하여 빛을 흡수하는 방지층(防止層)이 있는 건판.

헐루시네이션 [hallucination] 명 환각(幻覺). 환시(幻視). 환청(幻聽).

헐리다 피동 헒을 당하다. ¶ 집이 ~.

헐므숨 자 〈옛〉 헒. '헐믓다'의 명사형. ¶ 헐므수므로 親히 사홈 븓ᄂᆞ니(瘡痍親接戰)≪初杜諺 XXIII:3≫.

헐므움 자 〈옛〉 헒. '헐믓다'의 명사형. ¶ 人民의 헐므우믈 묻는ᄃᆞᆺ디 아니ᄒᆞ도다(不似問瘡痍)≪重杜諺 III:4≫.

헐므으다 자 〈옛〉 헐다. ¶ 하ᄂᆞᆯ콰 ᄯᅡ쾌 헐므은 사ᄅᆞᄆᆞᆯ 숨ᄀᆞ얏ᄂᆞ니(乾坤含瘡痍)≪重杜諺 I:2≫.

헐믓다 자 〈옛〉 헐다[1]. ¶ 헐믓디 아니ᄒᆞ며(不瘡胗)≪妙蓮 VI:13≫.

헐믔다 자 〈옛〉 헐다[1]. ¶ 헐므서 피 흐르린 업도다(瘡痍無血流)≪杜諺 XXIII:14≫/헐므슬 챵(瘡)≪字會 中 34≫.

헐믜으다 피동 〈옛〉 헒을 당하다. ¶ 해헐믜으니(多被傷)≪重杜諺 I:2≫.

헐미 명 〈방〉 헌데.

헐박【歇泊】 명 쉬고 묵음. 헐숙(歇宿). ——-하다 자 여불

헐박-악【歇拍樂】 명 『악』 풍악의 이름.

헐버:트 [Hulbert, Homer Bezaleel] 명 『사람』 미국의 선교사. 대한 제국 때 내한(來韓)하여 육영 공원(育英公院)에서 외국어를 가르쳤으며, 저서로 ≪사민 필지(士民必知)≫·≪한국사≫ 등이 있어서, 계몽 사업(啓蒙事業)에 공로가 큼. 1949년에 재차(再次) 내한하여 서울에서 병사함. [1863-1949]

헐:-벗기다 타 ①헐벗게 하다. 옷을 해 입히지 않다. ¶ 없이 사느라고 자식을 헐벗겨 길렀다. ②산에 나무가 없는 채로 두다. ¶ 한국의 산은 왜인들에게 헐벗기어 벌거숭이로 광복을 맞았다.

헐:-벗다 ㊀자 떨어져 해진 누더기를 걸치다. ¶ 헐벗고 굶주리다. ㊁형 나무가 없어서 산이 맨바닥을 드러내다. ¶ 헐벗은 산에 나무를 심자.

헐변【歇邊】 명 싸게 매긴 이자(利子). 경변(輕邊). 저변(低邊). 저리(低利).

헐보 명 〈방〉 헐객.

헐복【歇福】 명 어지간히 복이 없음. ——-하다 형 여불

[헐복한 놈은 달걀에도 뼈가 있다] 재수가 없는 사람은 제대로 되는 일이 없다.

헐쓰리다 타 〈옛〉 훌뿌리다. 헐뜯다. ¶ 헐ᄡᅳ릴 산(訕)≪字會 下 28≫/헐ᄡᅳ릴 방(謗), 헐ᄡᅳ릴 독(讟)≪字會 下 28≫/구챠히 헐ᄡᅳ리디 아니ᄒᆞ며(不苟訾)≪小諺 II:11≫.

헐소-청【歇所廳】[—쏘—] 명 『역』 높은 벼슬아치의 집 대문 안에 있는 방. 그 벼슬아치를 뵈러 온 사람이 잠깐 들어 쉬게 되었음. 헐숙청(歇宿廳). 개복청. 허수청.

헐손 명 〈방〉 흙손(경남).

헐수할수-없다 [—쑤—쑤업—] 형 ①이리도 저리도 어떻게 할 수가 없다. ②아주 구차하여 살아갈 길이 막연하다.

헐수할수-없이 [—쑤—쑤업씨] 부 어찌할 수 없어서. ¶ ~ 이 짓을 하고 산다네.

헐숙【歇宿】[—쑥] 명 헐박(歇泊). 지숙(止宿). ——-하다 자 여불

헐숙-청【歇宿廳】[—쑥—] 명 『역』 헐소청(歇所廳).

헐스 [Hulse, Russell A.] 명 『사람』 미국의 물리학자. 매사추세츠 대학에서 박사 학위를 취득하여 프린스턴 대학 교수가 됨. 1974년 스승인 테일러(Taylor Jr. Joseph)와 함께 푸에르토리코에 있는 직경 300m의 전파 망원경(電波望遠鏡)을 사용하여 쌍성 펄서(雙星 pulsar)를 발견, 중력(重力) 연구에 새로운 가능성을 연 공로로 1993년에 노벨 물리학상을 테일러와 공동 수상함. [1950-]

헐식【歇息】[—씩] 명 쉼. 휴식함. ——-하다 자 여불

헐쑥-하다 형 여불 얼굴이 파리하고 핏기가 없다. >할쑥하다.

헐씨근-거리다 자 연해 헐근거리고 씨근거리다. 헐씨근-헐씨근 부. ——-하다 자 여불

헐어【歇語】 명 마땅찮거나 정신이 없을 때에 하는 부실한 말.

헐어-지다 자 헐리게 되다.

헐에 자 〈옛〉 헐게. '헐다'의 부사형. ¶ 歲月이 늣고 ᄇᆞᄅᆞ미 ᄉᆞᆯᄒᆞᆯ 헐에 부ᄂᆞ니(歲晏風破肉)≪杜諺 IX:29≫.

헐에디다 자 〈옛〉 헐어지다. 해어지다. 지쳐지다. ¶ 그 ᄲᅮ리 듣고 ᄡᅡ해 모미 다 헐에디여 ᄂᆞ미 ᄢᅥ드러 오라거ᅀᅡ ᄢᅢ야≪月釋 XXI:22≫.

헐오다 사동 〈옛〉 헐게 하다. ¶ ᄯᅩ 부리롤 침으로 헐오고 보툐미 더 됴ᄒᆞ니라(或針破頭封上更佳)≪救簡 III:15≫.

헐우다 사동 〈옛〉 헐게 하다. ¶ 疥瘡을 글거 헐우고 뎌 약을 ᄇᆞᆯ라(撓破了疥瘡搽那藥)≪朴解 下 7≫.

헐이다 사동 〈옛〉 헐게 하다. ¶ 毒이 害티 몯ᄒᆞ며 ᄂᆞᆯ히 헐이디 몯ᄒᆞ며≪月釋 X:70≫.

헐일없다 형 〈옛〉 하릴없다. ¶ 눈어둡고 귀 먹으니 망녕이라 흙을 보고 구석구석 웃는 모양 絶痛하고 애닯은들 헐일없고 헐일없다 紅顔白髮 늙었으니 다시 젊든 못하리라≪西山大師:回心曲≫.

헐-잡다【歇—】 타 헐하게 어림을 치다. ¶남의 물건을 헐잡아 후려 깎다.

헐장【歇杖】[—짱] 명 〖역〗장형(杖刑)에서 때리는 시늉만 하는 매질. ——-하다 타여불

헐쭉-하다 형여불 살이 빠져서 썩 여위다. >할쭉하다.

헐찍-하다 형여불 값이 많이 싼 듯하다. ¶헐찍하게 물건값을 부르다. 헐찍-이 부

헐-차비【歇差備】 명 〖악〗 명색만 악공(樂工)일 뿐 실제로 연주는 하지 못하던 사람.

헐챙이 명 〈방〉 언청이(충남·전남).

헐치[1]【歇治】 명 ①가볍게 벌(罰)함. ②병을 가볍게 보고 치료를 소홀히 함. ——-하다 타여불

헐치[2]【歇齒】 명 닳아서 제대로 잘 맞지 않는 기계 톱니바퀴의 이.

헐-치다 타 ①가볍게 하다. ②허름하게 하다. ③〈방〉 쉬다. ④〈방〉 설치다.

헐-하다【歇—】 형여불 ①값이 시세보다 싸다. ②일이 생각한 것보다 힘이 덜 들다. ¶헐한 일. ③엄(嚴)하지 아니하고 만만하다. ¶헐한 벌/수옥이 너도 마음이 그리 헐해서 안 되겠다≪朴景利 : 波市≫. 1)-3): 준헗다.

헐-하우스〔Hull House〕 명 〖사〗 1889년 시카고에 애덤스(Addams, Jane)가 처음 만든 미국에서 가장 오래 되고 가장 주목할 만한 사회 복지관(社會福祉館).

헐헐 부 숨이 몹시 차서 고르지 못하게 쉬는 모양. >할할. ——-하다 자여불

헐후[1]【歇后】 명 대수롭지 아니함. 주의하지 아니함. ¶영중추 대감 분부시니까 영감께서두 ~히 아실 리 없겠지요≪洪命憙 : 林巨正≫. ——-하다 형여불. ——-히 부

헐후[2]【歇後】 명 어떤 성어(成語)의 끝을 생략하고 그 윗부분만으로 전부의 뜻을 갖게 하는 일종의 은어(隱語). '우우 형제(友于兄弟)'라는 말의 뜻을 '우우(友于)'만으로 나타내는 따위.

헐ᄒᆞ다 자 〈옛〉 덜리다. ¶님 그린 ᄂᆡ 病이 헐홀 법도 잇ᄂᆞ니 ≪古詩調鄭澈≫.

헗다 형 ↗헐하다.

험:[1] 명 ←흠(欠).

험[2]〔hum〕 명 〖전〗 라디오 따위에서, 진공관(眞空管)의 전원(電源)으로 교류(交流)를 쓸 때 생기는 '붕'하는 잡음.

험:간【險艱】 명 험하여 오르기 어려움. ——-하다 형여불

험:객【險客】 명 ①성질이 험악한 사람. ②험구가(險口家).

험:결【驗決】 명 조사하여 결정함. ——-하다 타여불

험:고【險固】 명 지형이 험하고 수비가 견고함. ——-하다 형여불

험:괴【險怪】 명 험하고 괴상함. 기괴하고 이상함. ——-하다 형여불

험:구【險口】 명 남의 흠을 들추어 내어 말하거나 욕을 잘 퍼부어 대는 입. 또, 그런 사람. 악구(惡口). ——-하다 타여불

험:구-가【險口家】 명 험구하기를 좋아하는 사람. 험객(險客). *독설가(毒舌家).

험:-궂다【險—】 형 험하고 거칠다. ¶험궂은 산 막지르면 돌아서 가고…….

험:기【驗氣】 명 병이 나아가는 기미.

험:-기특【驗奇特】 명 현기특(現奇特).

험:난【險難】 명 위험하고 어려움. 고생이 됨. 난험(難險). ¶전도가 ~하다. ——-하다 형여불

험년 명 〈옛〉 ①흉년(凶年). ②검소(儉素). ③배부르지 아니함. ④적음. ¶험년 겸(歉 一穀不升曰歉又食不飽), 험년 검(儉 歲歉又不奢侈又少也)≪字會 下 19≫.

험:담【險談】 명 남을 헐어서 하는 말. 흠구덕. 험언(險言). ¶~가(家). ——-하다 타여불

험:덕【驗德】 명 험득(驗得). ——-하다 타여불

험:득【驗得】 명 〖불교〗 가지(加持)·기도 등의 영검을 제 몸에 느끼는 일. 험덕(驗德). ——-하다 타여불

험:랑【嶮浪】[—낭] 명 사납고 험한 파도.

험:-래과【驗來果】[—내—] 명 〖불교〗 죽는 모양에 따라 그의 내세(來世)에서의 과보(果報)를 미리 증험(證驗)하는 일.

험:력【驗力】[—녁] 명 인력을 조사함.

험:령【險嶺】[—녕] 명 험준한 재.

험:로【險路】[—노] 명 험난한 길. 준로(峻路).

험벅-눈: 명 〈방〉 함박눈.

험벅-살 명 〈방〉 허벅살.

험:봉【險峰】 명 가파르고 험한 봉우리.

험:불【驗佛】 명 〖불교〗 영검이 현저한 부처.

험블〔humble〕 명 겸허한 모양. 겸손하는 모양. 또, 소박한 모양. ——-하다 형여불

험:산[1]【險山】 명 가파르고 험악한 산. ¶~이 중첩하다.

험:산[2]【驗算】 명 〖수〗 계산한 결과의 정부(正否)를 알기 위하여 따로 하는 계산. 검산(檢算). ——-하다 타여불

험:상[1]【險狀】 명 험악한 모양. 거칠고 모진 상태. ——-하다 형여불

험:상[2]【險相】 명 험상스러운 인상(人相).

험:상[3]【險像】 명 험상스러운 인상(人像).

험:상-궂다【險狀—】 형 몰골이 사납고 험하다. ¶험상궂은 인상.

험:상-스럽다【險狀—】 형ㅂ불 생김새가 험상궂게 보인다. ¶험상스러운 얼굴. 험:상-스레【險狀—】 부

험:새【險塞】 명 험악한 지세를 이용하여 구축한 요새.

험:소【險所·嶮所】 명 지형이 험한 곳.

험:수-콕【驗水—】〔cock〕 명 〖기〗 증기관(蒸氣罐)의 물이 규정 이외로 감소(減少)되는 것을 막고, 또한 물의 유무를 검사하고자 관의 전면에 붙인 마개.

험:승【驗僧】 명 〖불교〗 행법(行法)의 효험이 현저한 중.

험:시-의【驗時儀】[—/—이] 명 서양 선교사들이 17세기 이래 한국에 들여온 자명종 시계. 곧 이어 국내에서 제작되기 시작했음.

험:악【險惡】 명 ①길·지세(地勢)·천후(天候) 및 형세 따위가 험난(險難)함. ¶날씨가 ~하다/길이 ~하다/형세가 ~하다/공기가 ~하다. ②성질이나 인심이 흉악함. ¶~한 세상. ——-하다 형여불

험:악-스럽다【險惡—】 형ㅂ불 생김새가 험악하게 보인다. 험:악-스레【險惡—】 부

험:악-화【險惡化】 명 차츰 험악하게 됨. ——-하다 자타여불

험:애【險隘】 명 험조(險阻). ——-하다 형여불

험:액【險阨】 명 지형이 험하고 좁음. ——-하다 형여불

험:어【險語】 명 이해하기 어려운 말. 난해(難解)한 말. 난어(難語).

험:언【險言】 명 험담(險談). ——-하다 자타여불

험:요【險要】 명 지세가 험하고 중요함. 또, 그러한 곳. ¶~지(地).

험:운【險韻】 명 난운(難韻). ——-하다 형여불

험:원【險遠】 명 길이나 일이 험하고도 멂. ——-하다 형여불

험윤【玁狁·獫狁】 명 〖역〗 [←엄윤] 중국 주(周)나라 때 흉노(匈奴)를 일컫던 말. *훈육(獯鬻).

험:-이【險夷·險易】 명 ①험난함과 평탄함. ②어려움과 쉬움.

험:자【驗者】 명 〖불교〗 비법(祕法)을 사용하며 가지(加持)·기도를 하여 영검을 나타내는 행자(行者).

험:전-기【驗電器】 명 검전기(檢電器).

험:절【險絕】 명 매우 험준함. ——-하다 형여불

험:조【險阻】 명 ①지세가 가파르고 험하여 막힘. ②사람이 살아 나가는 동안에 부닥치게 되는 어려운 일. 험애(險隘). ——-하다 형여불

험:좌【驗左】 명 증거. 증인.

험:준【險峻】 명 지세가 썩 높고도 가파름. 준조(峻阻). 초준(峭峻). ¶~한 산악. ——-하다 형여불

험:지【險地】 명 험난한 땅. 또, 그러한 곳.

험:진【險津】 명 위험한 나루터.

험:집[—찝] 명 ☞흠집.

험:측【險側】 명 〖역〗 삼한 시대(三韓時代)의 군장(君長)의 한 칭호. 신지(臣智)의 다음 가는 군장.

험:탄【險灘】 명 험난한 여울.

험:판【嶮阪·險坂】 명 험준한 고개.

험프〔hump〕 명 ①화차 조차장(貨車操車場)의 방향별 구분선(方向別區分線)의 한쪽에 설치된 작은 언덕. ②해안의 돌출부(突出部).

험프 조차장【—操車場】〔hump〕 명 화차 조차장의 하나. 험프가 설치되어 있는 조차장. 입환(入換) 기관차로 험프에 화차를 밀어 올려 떼어 내고, 화차의 중량을 이용하여 방향별 구분선(區分線)에 굴러가게 하여 화차를 구분함.

험:피【險詖】 명 사람됨이 음험하고 바르지 못함. ——-하다 형여불

험-하다【險—】 형여불 ①땅의 생긴 형세가 평탄하지 않아 발 붙이기 어렵다. ¶험한 지세(地勢)/험한 산줄기. ②생김새나 나타난 모양이 보기 싫게 험상스럽다. ¶험한 얼굴. ③어떤 상태나 형세가 매우 사납고 위태롭다. ¶험한 분위기. ④말이나 행동 따위가 막되다. ¶말이 너무 험하지 않소. ⑤먹는 것이나 입는 것이 너무나도 수준 이하이다. ¶험한 꼴/험한 음식. ⑥매우 거칠고 힘에 겹다. ¶네가 땅을 파다니, 그 험한 일을 어떻게 해 냈니. 험-히【險—】 부

험:행【險行】 명 위험한 행동.

험화【鹼化】 명 〖화〗 '감화(鹼化)'의 잘못.

헙다 감 〈방〉 어뻐❶.

헙수룩-하다 형여불 ①머리털이나 수염이 텁수룩하다. ②옷차림이 허름하다. ¶옷이 ~. 헙수룩-히 부

헙신-헙신 부 허분허분하고 물씬물씬한 모양. ——-하다 형여불

헙헙-하다 형여불 ①융통성이 있어 활발하다. ②규모는 없으나 인색하지 아니하다. ③어이없으리만큼 허망하다. ¶돈을 너무 헙헙하게 쓰다/계집들의 얕은 꾀에 내가 헙헙하게 곤경으로 빠질 인사 같은가? ≪金周榮 : 客主≫. 헙헙-히 부

헛- 두 ①'쓸데 없는'·'보람·실속이 없는' 등의 뜻. ¶~고생/~구역/~농사/~공론. ②'잘못'의 뜻. ¶~듣다/~디디다/~보다/~방. ③'아무렇게나'·'되는 대로'·'마구'의 뜻. ¶~놓다.

헛-가게 명 수시로 벌였다 거두었다 하는 가게.

헛-가비 명 〈방〉 허깨비.

헛-간【—間】 명 문짝이 없는 광. 공청(空廳).

헛간-채【—間—】 명 재나 거름 따위를 두는 헛간으로 된 집채.

헛-갈리다 자 마구 뒤섞이어 분간할 수가 없다. 헷갈리다.

헛-걸음 명 헛되이 돌아오거나, 가는 일. 공행(空行). 허행(虛行). ¶만나러 갔으나 못 만나고 ~만 했다. ——-하다 자여불

헛걸음-질 명 헛되이 다리품만 팔고 오거나 가는 짓. ¶남에게 ~만 시키다. ——-하다 자여불

헛걸음질-치다 자 헛걸음질하다.

헛걸음-치다 자 헛걸음하다.

헛-것 명 ①〈방〉 허깨비. ②허사(虛事). ¶말짱 ~이다.

헛-고생【—苦生】 명 아무런 보람도 없는 고생. ¶종일토록 ~만 했다. ——-하다 자여불

헛-공론【—公論】[—논] 명 쓸데없는 공론. 보람없이 떠들어대는 공론. ——-하다 자여불

헛-구역【一嘔逆】명 게울 것도 없이 나는 욕지기. 건구역(乾嘔逆).

헛구역-질【一嘔逆一】명 게울 것도 없이 욕지기를 하는 짓. ——-하다 자여불

헛-글 명 ①읽는 사람에게 보람을 못 주는 글. ②배워서 값지게 쓰지도 못하는 글.

헛글다 자 〈옛〉 흐트러지다. ¶헛글고 싯근 文書 다 주어 후리티고 ≪古時調 金光煜≫.

헛-기르다 타르불 헛되이 기르다.

헛-기침 명 인기척을 내려고 일부러 하는 기침. ——-하다 자여불

헛-길 명 목적을 달성하지 못하고 걷는 길.

헛-김 명 딴 데로 새어 나가는 김.

헛김(이) 나다 구 ㉠기운이 딴 곳으로 새어 나오다. ㉡일에 실패하거나 하여 기운이 꺾이다. 맥빠지다.

헛-끌 명 맞뚫는 구멍의 끌밥을 쳐내는 데 쓰는 연장. 모양은 날이 부러진 끌과 같음.

헛-나이 명 헛되이 먹은 나이. ¶~만 잔뜩 먹다.

헛-노릇 명 아무 보람도 없는 헛된 일. 헛일. ——-하다 자여불

헛-농사【一農事】명 수확·소득이 없는 헛된 농사.

헛-놓다 [—노타] 타 무엇을 아무렇게나 허투루 놓다.

헛-늙다 [—늑—] 자 헛되이 나이만 먹어 늙다.

헛다리-짚다 자 잘못되어 기대한 바에 어긋나다. 일이 성과 없이 끝나다. ¶상대를 잘못 정하여 헛다리짚었네.

헛다-방【一放】명 〈속〉 '헛방'의 힘준 말.

헛-돈 명 헛되이 써 내버리는 돈. ¶~만 쓰고 소득이 없다.

헛-돌다 자 바퀴 따위가 헛되이 돌다. 공전(空轉)하다. ¶수레바퀴가 ~.

헛-동자【一童子】명 농장(籠欌) 따위에서 서랍과 서랍 사이에 앞만 동자목처럼 세운 얇은 나무.

헛-되다 형 ①아무 보람이 없다. ¶헛된 노력/헛된 세상. ②허황하여 믿기가 어렵다. ¶헛된 이야기/헛된 소문.

헛-되이 부 헛되게. ¶일생을 ~ 보내다/돈을 ~ 쓰다.

헛된-말 명 황당(荒唐)하여 믿기 어려운 말.

헛-듣다 타ㄷ불 ①잘못 듣다. ②기억에 남지 않게 예사로 들어 넘기다.

헛-들리다 자 청각(聽覺)에 이상이 생겨, 실제와 어긋나게 들리다.

헛-디디다 타 발을 잘못 디디다. ¶발을 ~.

헛-막【一膜】명 〖생〗 위막(僞膜).

헛-말 명 〈방〉 빈말(경상·전라·충청).

헛-맞다 자 겨눈 데를 맞히지 못하고 딴데에 맞다.

헛-맹세 명 거짓 맹세. 효과 없는 맹세. ——-하다 자여불

헛-물 명 꼭 될 줄로 알고 애쓴 일이 보람없이 끝나는 것. ＊허탕·헛일.

헛물 켜다 구 꼭 되리라 믿고 애쓴 일이 헛일이 되다.

헛-물관【一管】명 〔tracheid〕〖식〗 겉씨 식물이나 양치(羊齒) 식물 및 몇몇 쌍자엽(雙子葉) 식물의 관다발의 목부(木部)에 있어서 즙액(汁液)을 운반하는 관. 세포가 방추형(紡錘形)이며, 세포 사이의 격벽(隔壁)에 구멍이 없어 물관(管)과 구별됨. 가도관(假導管).

헛물-켜다 자 아무 보람없이 한갓 애만 쓰다.

헛-발 명 ①잘못 디디거나 내찬 발. ②〖동〗 위족(僞足).

헛발-질 명 겨냥이 안 맞아 빗나간 발길질. ——-하다 자여불

헛-방[1]【一房】명 허드레 세간을 넣어 두는 방.

헛-방[2]【一放】명 ①쏘아서 표적을 맞히지 못한 총질. ②실탄(實彈)이 없는 총탄. ③보람없는 말. 미덥지 아니한 말.

헛방(을) 놓다 구 ㉠맞히지 못하는 총을 놓다. ㉡공포(空砲)를 쏘다. ㉢쓸데 없는 말을 하다. 미덥지 아니한 말을 하다.

헛-방귀 명 배탈 등으로 소리도 냄새도 거의 없이 뀌는 방귀.

헛-배 명 음식을 먹지 아니하고도 부른 배. 소화 불량 등이 이유임.

헛배(가) 부르다 구 ㉠음식을 먹지 아니하고도 배가 부르다. ㉡실속은 없고 마음에만 느긋하다. ㉢실현성이 없고 생각만 그득하다.

헛-보다 타 잘못 보다. 제 실상과 어긋나게 보다.

헛-보이다 자 시각(視覺)의 이상으로 인하여 실제와 어긋나게 보이다.

헛-부엌 명 평소에는 쓰지 아니하는 부엌. ＊한뎃부엌·한데 아궁이.

헛-불 명 사냥할 때 짐승을 맞히지 못한 총질.

헛불(을) 놓다 구 헛방(을) 놓다.

헛불-질 명 ☞헛총질. ——-하다 자여불

헛-뿌리 명 〖식〗 실뿌리같이 생겨, 수분(水分)을 섭취하고 식물을 고착시키는 역할을 하는 기관. 복잡한 분화(分化)가 없는 뿌리 모양의 조직으로, 관다발이 없고 그 본성이 뿌리와는 다름. 하등 식물인 선태류(蘚苔類)의 뿌리에서 볼 수 있음. 가근(假根).

헛-삶이 [—살미] 명 〖농〗 모내기를 위한 것이 아니고 그냥 논을 갈아서 써레질 하여 두는 일. ——-하다 타여불

헛-생각 명 헛된 생각. 결과가 없이 끝난 생각.

헛-소리 명 ①앓는 사람이 정신을 잃고 중얼거리는 소리. 섬어(譫語). ②미덥지 아니한 말. 실속 없는 말. 군소리. ——-하다 자여불

헛소리-꾼 명 유난히 헛소리를 잘 하는 사람.

헛-소문【一所聞】명 헛되이 떠도는 소문. 뜬소문. ¶~이 돌다.

헛-손질 명 ①앓는 사람이 정신 없이 손을 휘젓는 짓. ②쓸데없이 손을 대어 매만지는 짓. ③손의 겨냥이 빗나가 잘못 잡거나 때리는 짓. ——-하다 자여불

헛-솥 명 헛부엌에 걸고 쓰는 솥.

헛솥-자리 명 〈방〉 한뎃 부엌.

헛-수【一手】명 ①바둑이나 장기에서, 헛되이 두는 수. ¶~를 두다. ②실패한 계책.

헛-수고 명 아무 보람이 없는 수고. ¶공연한 ~ 하지 말게. ——-하다 자여불

헛-수술 명 〖식〗 수술이 꽃잎 모양으로 변하여 꽃밥이 발달하지 않고 흔적만 남은 수술. 난초과의 꽃에서 볼 수 있음. 가웅예(假雄蕊).

헛-수양수【一垂揚手】명 수양수의 한 가지. 장시(杖匙)에 공을 담지 아니하고 치는 수양수. 허수양수(虛垂揚手).

헛-심 명 〔←헛힘〕 쓸데없는 힘. 보람없이 써지는 힘. 공력(空力).

헛-아궁이 [헏—] 명 헛부엌의 아궁이.

헛-애 [헏—] 명 보람 없이 쓰는 애. ¶~만 썼다.

헛-약다 [—냑—] 형 약아보이나, 실상은 약지 못하고 어리석다. ¶헛약은 녀석이 제털 뽑아 제구멍에 박는다.

헛-열매 [—녈—] 명 〖식〗 꽃받기나 꽃받침의 부분이 씨방과 함께 자라서 여문 열매. 배·사과·무화과 따위. 부과(副果). 가과(假果). 위과(僞果). ↔참열매.

a.자방이 성장한 부분
b.꽃받기의 수(髓)
c.꽃받기와 꽃받침이 성장한 부분
d.꽃받침 조각, 수술, 암술의 끝이 남아 있는 부분

〈헛열매〉

헛-웃음 [헏—] 명 마음에 없이 겉으로만 웃는 웃음.

헛-인물【一人物】[—닌—] 명 지어 낸 인물(人物). ¶작품 안에 나오는 인물은 ~인 것이 보통이다. ＊가공 인물(架空人物).

헛-일 [—닐] 명 ①쓸모없는 일. 실상이 없는 일. 허사(虛事). 공사(空事). ¶이때까지 ~만 했다. ②헛노릇. ——-하다 자여불

헛-잎 [—닙] 명 〖식〗 잎꼭지가 본디 모양이 변하여 편평하게 된 잎. 잎의 변태(變態)의 한 가지로 아카시아 같은 식물에서 볼 수 있음. 위엽(僞葉), 가엽(假葉).

헛-자라기 명 〖식〗 도장(徒長).

헛-잠 명 ①거짓으로 자는 체하는 잠. ②잔둥 만 둥 한 잠.

헛-잡다 타 잘못 잡다. ¶찻잔을 헛잡아 떨어뜨리다.

헛-잡히다 피동 잘못 잡히다.

헛-장[1] 명 풍을 치며 떠벌리는 큰소리.

헛장(을) 치다 구 풍을 치며 큰소리를 치다.

1. 정상적인 잎몸
2. 잎꼭지가 편평하게 된 잎
3. 헛잎

〈헛잎〉

헛장[2] 명 책에서, 겉장과 속겉장 사이에 있는 책장.

헛-장담【一壯談】명 헛된 장담. 불확실한 단언(斷言). ——-하다 타여불

헛-제삿밥【一祭祀一】명 경상도 지방의 향토 음식. 제삿날이 아닌 여느 날에 제삿밥처럼 차린 밥과 반찬. 주로 비빔밥으로 비벼서 먹음.

헛-집 명 ①지붕 물매를 고르게 하기 위하여 우그러진 곳에 이어 짓는 덧집. 허가(虛家). ②임시로 꾸민 집. ③지붕만 이고 벽·바닥·천장 등을 하지 않은 집.

헛-짓 명 헛된 짓. ¶저물도록 ~만 하고 돌아오다.

헛-짚다 타 잘못 짚다. ¶지팡이로 계단을 헛짚고 넘어지다.

헛창이 명 〈방〉 언청이(경기·황해·함남).

헛채이 명 〈방〉 언청이(황해).

헛챙이 명 〈방〉 언청이(황해).

헛-청【一廳】명 헛간으로 된 집채. 허청(虛廳).

헛-총【一銃】명 탄알을 재지 아니하고 놓는 총. 공포(空砲).

헛총(을) 놓다 구 탄알을 재지 않고서 소리만 나게 총을 놓다. 공포(空砲) 놓다.

헛총-질【一銃一】명 헛총을 놓는 짓. ——-하다 자여불

헛-치레 명 실속이 없는 쓸데없는 치레. 허식(虛飾). ——-하다 자여불

헛-코 명 자는 체하느라고 일부러 고는 코.

헛코(를) 골:다 구 자는 체하느라고 거짓으로 코를 골다.

헛-턱 명 실상이 없는 빈 턱.

헛턱-대고 부 ☞허청대고.

헛헛-증【一症】명 헛헛한 증세. 공복감(空腹感). 복공증(腹空症).

헛헛-하다 형여불 속이 비어 배고픈 느낌이 있다. 몹시 출출해서 자꾸 먹고 싶다. ¶식대 외에 뱃속이 헛헛하여 요기하기 좋은 것은 떡이오 ≪作者未詳 : 天中佳節≫.

헛-힘 명 →헛심.

헝 명 〈방〉 형(兄)(경기·경상).

헝가리 〔Hungary〕 명 〖지〗 유럽의 중앙부, 도나우 강 유역의 분지(盆地)에 있는 공화국. 주민의 대다수는 아시아계(系)의 마자르인(Magyar 人)으로 약 60%가 가톨릭 교도임. 11세기에 봉건 국가를 건설, 17세기 말에서 제1차 세계 대전까지 오스트리아의 합스부르크가(Habsburg 家)의 지배를 받음. 1919년 3월, 헝가리 소비에트 공화국이 성립했으나 수 개월로 붕괴, 그 뒤 파시스트의 독재 국가가 되고 제2차 세계 대전에는 추축측(樞軸側)에 참가함. 1945년 소련군이 진주하여 1949년 인민 공화국이 성립했으나 1956년 반공 의거가 발생함. 밀·옥수수가 주요 농산물인데 감자·사탕무·포도의 산출도 많음. 기계·화학 공업의 발전이 현저하며, 차량·전기 기계·화학 비료(化學肥料)의 제조(製造)가 성함. 도나우 강의 수운(水運)과 발라톤 호(Balaton湖)의 수산(水産)은 내륙국(內陸國)의 결점을 잘 보충함. 1989년 공산당 일당 지배 체제를 청산하고, 서구식 사회민주주의를 추구하는 공화국이 성립되었음. 남북한 동시 수교국임. 수도(首都)는 부다페스트(Budapest). 정식 명칭은 '헝가리 공화국(Republic of Hungary)'. 흉아리(洪牙利). 흉아리(匈牙利). [93,032 km² : 10,220,000 명(1995 추계)]

헝가리 광시곡【一狂詩曲】〔Hungary〕 명 〖악〗 헝가리안 랩소디.

헝가리 반:공 의:거【一反共義擧】〔Hungary〕 명 공산권에 있어서 스

탈린 격하 움직임을 배경으로 일어난 사건. 1956년 10월 부다페스트에서 일어난 학생들의 반정부 데모는 전국으로 파급, 반소(反蘇) 폭동화함. 소련군의 개입으로 나지 정권(Nagy 政權)은 붕괴, 반소·반정부 운동은 진압됨.

헝가리안 랩소디 명 〔도 Ungarische Rhapsodien〕〖악〗 리스트(Liszt)가 1839-85년에 지은 피아노 독주곡. 헝가리 민요의 리듬을 따 넣은 것으로 19곡으로 되어 있음. 관현악곡으로도 편곡(編曲)되어 있음. 헝가리 광시곡(狂詩曲).

헝가리-어 【一語】〔Hungary〕 명 〖언〗 우랄 어족(Ural 語族) 핀우고르 어파(Finn-Ugor 語派)에 속하는 언어. 헝가리 이외에 루마니아·유고슬라비아·체코슬로바키아 등의 일부 지방(一部地方)에서 사용됨. 마자르어(Magyar 語).

헝거-스트라이크 〔hunger-strike〕 명 〖사〗 항의나 요구의 관철을 위하여 단식(斷食)을 수단으로 시위하는 일.

헝:겁[1] 명 〈방〉 헝겊(경기·강원·충북).

헝겁[2] 부 ↗헝겁지겁. ——-하다 자여불

헝겁-때기 명 〈방〉 헝겊(경기). 「——-하다 자여불

헝겁-지겁 부 너무 좋아서 정신을 차리지 못하고 덤비는 모양. 준헝겁.

헝:겊 명 피륙의 조각. ¶ ~ 조각.

헝:겊-신 명 헝겊으로 울을 돌려서 만든 신. 포화(布靴).

헝산[1] 〔恒山〕 명 〖지〗 중국 오악(五嶽)의 하나. 산시 성(山西省) 링추 현(靈邱縣)의 남쪽에 있는 산. 기슭에 북악묘(北嶽廟)가 있음. 상산(常山). 항산. [2,017 m]

헝산[2] 〔衡山〕 명 〖지〗 중국 오악(五嶽)의 하나인 남악(南嶽). 후난 성(湖南省) 둥팅 호(洞庭湖) 남쪽에 있음. 형산(衡山).

헝양 〔衡陽〕 명 〖지〗 중국 후난 성(湖南省) 남부의 도시. 수(隋)·당(唐)·송(宋) 때에는 형주(衡州), 원(元) 때에는 형주로(衡州路), 명(明)·청(淸) 때에는 형주부(衡州府)의 주도(主都)였음. 민국 때에는 부(府)를 폐하고, 헝양과 칭취안(淸泉)의 두 현을 합병하여 헝양 현으로 했으나 그후 중공(中共)은 시역(市域)을 승격하여 성할시(省轄市)로 했음. 수륙 교통의 요지이며, 금속·기계·시멘트·화학 비료·방직 등의 공업이 발달함. 거래품은 곡류·삼·재목·그물·면사 등이며, 지하 자원으로 고령토가 있음. 형양(衡陽). [431,480명(1987)]

헝우리 명 〈방〉 허울(함남).

헝클다 타 일이나 물건 같은 것을 서로 마구 흐트러뜨려 갈피를 잡을 수 없게 만들다. ¶ 실꾸리를 헝클어 놓다. 스엉클다.

헝클리다 피동 헝큶을 당하다. 스엉클리다.

헝클어-뜨리다 타 헝클어지게 하다. 스엉클어뜨리다.

헝클어-지다 자 일이나 물건 같은 것이 서로 얽히어 갈피를 잡을 수 없게 되다. ¶ 머리카락이 마구 ~. 스엉클어지다.

헝클어-트리다 타 헝클어뜨리다.

헝클-이다 타 헝클어지게 하다.

헝것 명 〈옛〉 헝겊. ¶ 헝것 완(帵)≪字會 中 17≫.

헝울 명 〈옛〉 허물. ¶ 蛻는 헝울 바슬 씨라 ≪楞嚴 Ⅳ:28≫/헝울 예(蛻), 헝울 공(蚣)≪字會 下 9≫.

헏다 타 〈옛·방〉 흩다(경상). ¶ 들면 머리 허트며 양ᄌᆞ 골 업시ᄒᆞ고(入則亂髮壞形)≪內訓 Ⅱ 上 12≫.

헏어-지다 자 〈방〉 흩어지다(경상).

헏이다 〔허치一〕 피동 〈방〉 흩이다(경상).

헤[1] 명 〈방〉 혀(경북·황해·평안·전남).

헤[2] 명 〈방〉 해[1].

헤:[3] 명 〈방〉 회(膾)(충남·전남·경남).

헤:[4] 부 힘없이 싱겁게 입을 벌리는 모양. >해[13]. ——-하다 자여불

헤:[5] 부감 입을 반쯤 벌리고 속 없이 빙그레 웃는 모양. 또, 그 소리. ¶ ~ 하고 웃다. >해[14]. ——-하다 자여불

헤[6] 조 〈옛〉 에. ¶ 드르헤 龍이 싸호아(龍鬪野中)≪龍歌 69章≫.

헤갈 명 헤뜨러져 어지러운 상태. ¶ 방도 치우지 않고 마루에는 음식상이 ~이 된 채 널려 있고…≪廉想涉 : 新婚記≫.

헤게모니 〔도 Hegemonie〕 명 ①지도적·지배적인 입장. 또, 그 권력. 주도권(主導權). ¶ ~ 쟁탈전. ②지도적 지위에 선 사람.

헤:겔 〔Hegel, Georg Wilhelm Friedrich〕 명 〖사람〗 독일의 철학자. 독일 관념론 철학 최후의 대표자로, 철학 체계의 근간(根幹)으로 '정(正)·반(反)·합(合)'의 변증법(辨證法)을 전개, 세계는 이데에(Idee)의 변증법적 자기 발전이며 철학의 과제는 이를 반성하는 데 있다 하였음. 이데에의 그 즉자 존재(卽自存在; An-sich-sein)에서의 고찰이 논리학(論理學), 타존재(他存在; Anders-sein)에서의 고찰이 자연 철학, 즉자대자 존재(卽且對自存在; An-und-für-sich-sein)에서의 고찰이 정신 철학이라 하며, 정신은 주관적 정신에서부터 객관적 정신으로서의 인륜(人倫)의 최고 단계인 국가(國家), 다시 절대적 정신(絶對的精神)에 발전하여 이 단계에서 절대적 정신은 예술·종교·철학으로 자기를 실현한다 하였음. 주저에 ≪정신 현상학(精神現象學)≫·≪논리학≫·≪법철학 강요(法哲學綱要)≫ 등이 있음. [1770-1831]

헤:겔-주의 【一主義】〔Hegel〕〔一/一이〕 명 〖철〗 헤겔 철학의 근본 사상. 곧, 변증법·합리주의·범신론(汎神論)·유화주의(宥和主義)·현실주의(現實主義)가 그 근본 사상임.

헤:겔 학파 【一學派】〔Hegel〕 명 〖철〗 변증법·범리론(汎理論)·절대적 관념론(觀念論)을 중핵으로 하는 헤겔 철학을 여러 방향으로 발전시킨 사람들. 헤겔이 죽은 후, 학파는 종교적으로는 정통파적, 철학적으로는 사변적(思辨的), 정치적으로는 보수적인 우파(右派), 곧 노(老)헤겔 학파와 무신론적·유물론적·급진적인 좌파(左派), 곧 소장(少壯) 헤겔 학파와 중간파의 세 경향으로 나뉘었음.

헤근-거리다 자 꼭 끼이지 아니한 물건이 어근버근 흔들거리다. 헤근-헤근 부. ¶ 사개가 ~ 놀다. ——-하다 자여불

헤근-대다 자 헤근거리다.

헤기 명 〈심마니〉 눈[5].

헤기다 타 〈방〉 뚱기다.

헤까래 명 〈방〉 서까래(경북).

헤깨비 명 〈방〉 허깨비.

헤:-나다 타 ↗헤어나다.

헤너 〔henna〕 명 〖식〗 [*Lauesonia inermis*] 부처꽃과에 속하는 관목. 높이는 6 m에 달하고, 가지에 가시가 있음. 잎은 타원형이고, 일년 내 향기 좋은 백색 또는 담홍·담록색의 사판화(四瓣花)가 핌. 이란·이집트·인도가 원산(原産)인데, 고래로 황색 염료 또는 안료로서 유명함.

헤:너-가 【一價】〔Hehner〕〔一까〕 명 〖화〗 지방(脂肪) 또는 기름에 포함되어 있는 물에 녹지 않는 지방산(脂肪酸)의 총량을, 그 지방 또는 기름의 전량(全量)에 대한 백분율로 나타낸 수. 지방 또는 기름을 비누화(化)하고 생성되는 비누를 무기산(無機酸)으로 처리했을 때 분리되는 지방산의 양.

헤너시이즘 〔henotheism〕 명 〖종〗 단일신교(單一神敎).

헤너킨-삼 〔henequen〕 명 경질(硬質)의 식물성 섬유의 하나. 미국산(產) 용설란(龍舌蘭)이나 그 외에 다른 용설란의 잎에서 얻음. 로프·연사(撚絲) 등의 제조에 쓰임.

헤노포디-유 【一油】〔도 Chenopodi〕 명 명아주에서 뽑은 황색의 기름. 회충·십이지장충의 구충제로 쓰임. 「51≫.

헤다[1] 자 〈옛〉 헤다[2]❶. ¶ ᄆᆞ른 헤는 龍 곧ᄒᆞ며(馬如游龍)≪內訓 Ⅱ 上

헤:다[2] 자 ①팔다리를 놀리어 물을 헤치고 앞으로 나아가다. ②어려운 고비를 벗어나다. 「다.

헤:다[3] 자 ①마음대로 행하다. ②여럿 가운데서 가장 잘난 체하고 휩쓸

헤다[4] 타 〈옛〉 생각하다. ¶ 님이 헤오시매 나는 전혀 미덧더니 ≪古時調

헤다[5] 타 〈방〉 세다(함북). 宋時烈≫.

헤:다[6] 타 ↗헹구다.

헤다 가블러 〔Hedda Gabler〕 명 〖책〗 1890년에 지은 입센(Ibsen, H.)의 희곡. 애정 없이 결혼한 가블러 장군의 외딸 헤다가 자살하기까지의 근대 여성의 병적 성격(病的性格)을 그린 사실적 작품(寫實的作品).

헤다히다 자 〈옛〉 헤매어 다니다. ¶ 이제 내 和애 達타 듣고 病을 추마 床이 누려 낫바미 두 셔 百里 밧긔 헤다혀 오니≪上院寺 勸善文≫. *헤대혀지다.

헤-대다 자 공연히 바쁘게 왔다갔다하다.

헤대혀지다 자 〈옛〉 두루 돌아다니다. ¶ 골희 가 노니며 현의 가 헤다혀져(遊州獵縣)≪誡初心學人文 11≫.

헤더 〔header〕 명 ①〖전〗 절연된 단자(端子) 또는 도선(導線)을, 밀봉된 계전기(繼電器)·변압기·트랜지스터·전자관(電子管) 따위에서 끌어내기 위하여 부착한 판(板). ②〖기〗 나사·리벳(rivet)·볼트(bolt)의 대가리를 제거하거나 압축하는 기계.

헤-덤비다 자 ①헤매며 덤비다. ②공연히 바쁘게 서두르다.

헤도닉-선 【一腺】 명 〔hedonic gland〕 〖동〗 어떤 종류의 유미류(有尾類)나 파충류(爬蟲類)에서 취선(臭腺)을 이르는 말. 구애 표현(求愛表現)의 작용을 한다고 생각됨.

헤드 〔head〕 명 ①머리. ②조직·단체의 우두머리. 책임자. 지배자. ③사물의 돌출(突出)한 선단(先端) 부분. ④〖오디오〗 전류(電流)를 자기(磁氣)로 바꾸고, 자기(磁氣)를 전류로 바꾸는 변환(變換) 장치. 테이프의 녹음 재생(錄音再生)과 말소(抹消)에 쓰임. 일반적으로 금속 심(芯)에 코일을 감은 것임.

헤드-기어 〔headgear〕 명 권투·레슬링 등에서, 연습 때 두부(頭部)를 보호하기 위하여 쓰는 방비(防備) 덮개.

헤드-라이트 〔headlight〕 명 ①열차·전차·자동차 따위의 앞에 단 등. 전조등(前照燈). 전등(前燈). 장등(檣燈). 준라이트. ¶ ~를 켜다. ↔테일라이트(taillight). ②기선의 돛대 끝에 단 흰 빛의 등.

헤드-라인 〔headline〕 명 신문·잡지 들의 표제(標題). 특히, 독자의 주의를 끌기 위하여 활자 따위를 돋보이게 한 것.

헤드 램프 〔head lamp〕 명 머리 부분에 붙여서 켜는 등. 탄광부(炭鑛夫)·공원(工員)·등산가(登山家) 등이 사용함.

헤드-록 〔headlock〕 명 레슬링에서, 상대편의 목을 두 팔로 움직이지 못하게 하고 폴(fall)시키려는 재간.

〈헤드록〉

헤드룸 형 〈옛〉 낭자(狼藉)함. 흩어져 어지러움. '헤듣다'의 명사형(名詞形). ¶ 쎄와 고기왜 헤드루믄 法倒를 가줄비시니(狼藉譬法倒也)≪妙蓮 Ⅱ:11≫. 「잘 쓰임.

헤드 보이스 〔head voice〕 명 〖악〗 높게 울리는 소리. 소프라노·테너에

헤드 셸 〔head shell〕 명 하이파이 장치에서, 카트리지(cartridge)를 암(arm)에 고정시키기 위한 부품.

헤드-스톡 〔headstock〕 명 주축대(主軸臺).

헤드 슬라이딩 〔head sliding〕 명 야구에서, 베이스를 목표로 손부터 먼저 미끄러져 들어가는 슬라이딩.

헤드 시저스 〔head scissors〕 명 레슬링에서, 발을 가위처럼 하여 상대편의 목을 끼워서 폴(fall)시키려고 하는 재주.

헤드-업 〔head up〕 명 야구나 골프에서, 타자(打者)가 배트를 스윙(swing)할 때 턱이 올라가고 눈이 공에서 떨어지는 일.

헤드-워:크 〔headwork〕 명 ①정신 노동(精神勞動). 두뇌 노동. ②인사이드 워크(inside work).

헤드 코:치 〔head coach〕 명 팀의 으뜸되는 코치. 수석 코치.

헤드쿼:터스 〔headquarters〕 명 본사(本社). 사령부. 본부.

헤드-폰: 〔headphone〕 명 ①밴드(band)로 머리에 걸고 귀에 고정시키는 전화 수신기(受信器). 귀걸이 수화기. ②라디오·스테레오 등을 들을 때, 또 방송·녹음할 때 모니터로 쓰는 두 귀를 덮는 소형 스피커.

헤드폰:스테레오 〔headphone+stereo〕 명 헤드폰을 이용하여 듣는, 스피커를 내장하지 않은 소형 휴대용 스테레오.

헤듣다 형 〈옛〉 낭자(狼藉)하다. 흩어져 어지럽다. ¶뼈와 고기왜 헤드랫거든(骨肉狼藉)≪法華 Ⅱ:110≫.

헤들레이-광 【一鑛】 명 〔hedleyite〕 『광』 비스무트(bismuth)와 텔루르(Tellur)와의 합금(合金)으로 된 광물.

헤디르다 자타 〈옛〉 ①헤쳐 찌르다. ¶믌겨를 헤딜어 삿를 들오 드놋다(撑突波濤挺叉入)≪重杜諺XⅥ:64≫. ②숨을 가쁘게 몰아 쉬다. ¶그 겨집이 물게 오르며 죵ᄒᆞ나흘 견마를 잡혀 두어 빅보는 나아가셔 믄득 겨집 서녀히 헤딜러 ᄃᆞ라오는 비치 이셔(美人上馬 一僕控之而前 纔數百步 忽見女奴 三數人 哆口坌息 踉蹌)≪太平 1:17≫.

헤디ᄅᆞ다 자 〈옛〉 날뛰다. ¶극히 열ᄒᆞ여 미쳐 헤디ᄅᆞ는 증을 고티ᄂᆞ니(大熱狂走)≪辟瘟新方 7≫.

헤딘 〔Hedin, Sven Anders〕 명 『사람』 스웨덴의 지리학자·중앙 아시아 탐험가. 네 차례에 걸쳐 동서(東西) 투르키스탄, 티베트 등을 탐험함. 그 사이에 누란(樓蘭)의 유적, 트랜스히말라야 산맥을 발견하고 로브노르 호(Lob Nor湖)의 주기적 이동을 밝히는 등 큰 업적을 남김. 과학적·계몽적인 많은 저서가 있음. [1865-1952]

헤딜어 타 〈옛〉 헤쳐 찔러. '헤디르다'의 활용형. ¶믌겨를 헤딜어 삿를 들오 드놋다(撑突波濤挺叉入)≪初杜諺 XⅥ:63≫.

헤딩 〔heading〕 명 ①표제(標題). ②축구에서, 공중에 뜬 공을 머리로 받아 치는 짓. ——-하다 타여불

헤ᄃᆞ롤시 구 〈옛〉 헤매어 다닐새. 헤매어 다니므로. ¶ᄯᅩ 이 兩頭에 헤ᄃᆞ롤시(又是走殺兩頭故)≪龜鑑 下 57≫.

헤ᄃᆞ니다 자 〈옛〉 헤매어 다니다. =헤ᄃᆞᆮ다. ¶갓가온 일란 ᄇᆞ리고 먼 일에 헤ᄃᆞ니며(捨近而趨遠)≪飜小 Ⅸ:19≫.

헤ᄃᆞᆮ다 자 〈옛〉 헤매어 다니다. ¶귓것시 헤ᄃᆞ라(鬼物撇捩)≪杜諺 XⅥ:55≫.

헤때기 명 〈방〉 혀¹(평안).

헤떼기 명 〈방〉 혀¹(황해).

헤뜨다 자 ①자다가 놀라다. ②〈방〉 덤벙거리다.

헤뜨러-지다 자 ①헤뜨림을 당하다. ②모아진 물건이 흩어지다. ¶그 날을 위하여 헤뜨러진 조그마한 관심들을 하나하나 주워 모을 거예요≪柳周鉉 : 강 건너 정인들≫.

헤-뜨리다 타 ①흩어지게 하다. ¶닭이 모이를 ～. ②어수선하게 늘어놓다. ¶방에 지스러기를 ～.

헤라 〔Hēra〕 명 『신』 그리스 신화의 최고 여신. 제우스의 비(妃). 긴 옷, 왕관(王冠)에 왕홀(王笏)을 가짐. 여성의 보호신이며 결혼·출산을 관장함. 질투심이 강하여 남편 제우스의 애인과 그 자식들을 박해했음. 로마 신화의 주노(Juno)에 해당함.

〈헤라〉

헤라클레스 〔Hēraklēs〕 명 '헤르쿨레스(Hercules)'의 그리스어 이름.

헤라클레이데스 〔Hērakleidēs〕 명 『사람』 그리스의 천문학자·철학자. 플라톤에 사사함. 지구가 24시간에 한 번 자전하고, 수성과 금성이 태양의 주위를 돈다고 시사(示唆)함. [388?-315? B.C.]

헤라클레이토스 〔Hērakleitos〕 명 『사람』 고대 그리스의 철학가. 사상의 특색과 난해(難解)로 '어두운 사람' 또는 '우는 철학자'로 불림. 만물(萬物)의 원질(原質)은 불이며, 모든 사물은 불이 변성(變成)된 것으로 '싸움은 만물의 아버지'라 하였음. 저서 ≪만물에 대하여≫·≪정치학≫. [540?-? B.C.]

헤라클리우스 일세 【一一世】 〔Hēraclius Ⅰ〕 〔一쎄〕 명 『사람』 헤라클리우스 왕조의 초대 비잔틴(Byzantine) 황제. 폭정(暴政)을 일삼는 황제 포커스(Phocas)를 폐하고 스스로 황제에 즉위함. 초기에 페르시아(Persia)에게 동방(東方) 영토를 빼앗겼으나 대원정(大遠征)으로 이를 회복함. 만년에 이슬람 세력의 진출로 다시 동방 영토를 잃음. [575?-641; 재위 610-641]

헤라클릿-주의 【一主義】 〔一/一이〕 명 〔도 Heraklitismus〕 『철』 만물유전(萬物流轉)을 주장하고 정적(靜的) 존재(存在)를 인정치 않는 헤라클레이토스(Hērakleitos)의 철학설.

헤라트 〔Herat〕 명 『지』 서(西)아시아에 있는 아프가니스탄 제2의 도시. 헤라트 주의 주도. 이란으로부터 육로(陸路)로 인도에 이르는 통로에 있어 군사 교통의 요지임. 토지가 비옥하여 농산물의 집산지이며 견포(絹布)·융단(絨緞) 등 전통적 공예 직물은 유명함. 알렉산더 대왕 때 아리아(Aria)라는 이름으로 알려졌으며, 성벽(城壁)과 모스크 등의 유적이 있음. [177,300 명(1988 추계)]

헤레스-데-라-프론테라 〔Jérez de la Frontera〕 명 『지』 스페인 남서부, 안달루시아(Andalusia)의 상공업 도시. 셰리주(sherry 酒)의 거래로 유명함. [176,238 명(1981)]

헤로데스 〔라 Herodes〕 명 『성』 헤롯.

헤로도토스 〔Hērodotos〕 명 『사람』 고대 그리스의 역사가. 흑해 북안(黑海北岸)·이집트·바빌론 등을 여행하여 견문(見聞)을 넓힘. 페르시아 전쟁(Persia 戰爭)을 중심으로 동방 제국(諸國)의 역사·전설 및 그리스 여러 도시의 역사를 서술(敍述)하여 '역사(歷史)의 아버지'로 불림. [484?-425? B.C.]

헤로스 〔Hērōs〕 명 고대 그리스인(人)의 신앙적 대상으로 초인적 존재. 신(神)과 인간 사이에서 태어나 죽어서 신령이 되었다고 믿어지며, 그 대부분이 서사시 속의 영웅으로 묘사됨.

헤로이즘 〔heroism〕 명 영웅주의(英雄主義).

헤로인¹ 〔heroin〕 명 『약』 습관성(習慣性)이 강한 마약(痲藥)의 하나. 모르핀(Morphin)을 아세틸화(acetyl 化)하여 만듦. 진통·마취 작용은 모르핀보다 우수하나 습관성·중독성(中毒性) 때문에 현재는 의료용으로 쓰이지 않음. [$C_{12}H_{23}O_5N$]

헤로인² 〔heroine〕 명 ①소설·연극 등의 여주인공(女主人公). ↔히어로(hero)❷. ②여장부(女丈夫). 여걸(女傑).

헤로인 중독 【一中毒】 〔heroin〕 명 『약』 마약 중독의 하나. 헤로인을 습관적으로 사용함으로써 일어나는 중독 현상. 여러 가지 정신 신체 증상을 나타냄.

헤로필로스 〔Herophilos〕 명 『사람』 기원전 300년경에 활약한 알렉산드리아(Alexandria)의 의학자. 인체를 해부하여 뇌를 신경의 중추라고 인정하는 외에 혈관·내장(內臟)·눈 따위를 기재(記載), 계통적 해부학의 기초를 다짐. [300?-? B.C.]

헤론 〔Heron〕 명 『사람』 기원전 1세기경의 그리스의 수학자·물리학자. '헤론의 공식' 등 물리·역학(力學) 등의 저서 외에 헤론의 분수기(噴水器)·기력구(氣力球) 등을 발명하였다 함. 생몰년 미상.

헤론의 공식 【一公式】 〔一/一에一〕 명 〔Heron's formula〕 『수』 삼각형의 면적 S를 세 변의 길이 a, b, c로 나타내는 공식. $2s=a+b+c$ 라고 하면 $S=\sqrt{s(s-a)(s-b)(s-c)}$.

헤롯 〔Herod〕 명 『성』 ①기원전 1세기의 후반 이후 약 100년 동안 로마 치하의 팔레스티나(Palestina) 지방을 지배하던 왕가(王家)의 창시자. 유태의 왕으로, 장기간 전제 정치를 행하였으며, 포학(暴虐)하여 자기의 일족을 사형에 처함. 예수의 탄생을 두려워하여 베들레헴의 아기들을 살해했다고 전하여짐. 헤롯 대왕(大王)으로 불림. [73?-4 B.C.; 재위 37-4 B.C.] ②〔안디바 헤롯(Antipas Herod)〕 ❶의 둘째 아들로 갈릴리(Galilee)의 분봉왕(分封王). 세례 요한(洗禮 John)을 죽이고 예수를 심문하였음. ③〔헤롯 빌립(Herod Phillippos)〕 ❶의 셋째 아들로 이두래(Ituraea)와 드라고닛(Trachonitis)의 분봉왕(分封王). 성격이 온화하였다 함. [재위 4 B.C.-A.D. 34]

헤롯-당 【一黨】 〔Herod〕 명 『성』 헤롯가의 지배(支配)를 좋아하고 로마에 호의(好意)를 보이며 유태의 민족주의에 만족하지 아니한 사람들. 예수 그리스도의 반대자.

헤룽-거리다 자 ☞ 희룽거리다. 헤룽-헤룽 부. ——-하다 자여불

헤르네 〔Herne〕 명 『지』 독일 루르(Ruhr) 지방의 공업 도시. 19세기에 탄전(炭田)의 개발과 더불어 급속도로 발전하여 제철·화학 공업이 성함. 17세기의 르네상스식(式) 궁전이 있음. [172,300 명(1985)]

헤르니아 〔라 hernia〕 명 『의』 탈장(脫腸). *감돈 탈장.

헤르니아 감돈 【一嵌頓】 〔라 hernia〕 명 『의』 감돈(嵌頓).

헤르니아-대 【一帶】 〔라 hernia〕 명 『의』 탈장(脫腸)을 막기 위하여, 사용하는 가죽으로 된 띠. 주로, 유아용(乳兒用)임.

헤르더 〔Herder, Johann Gottfried von〕 명 『사람』 독일의 철학자·문학자. 신비주의의 색채가 짙은 민족적 정신 문화의 깊은 이해자이며, 체계적인 철학은 없었으나 독일의 역사 철학, 특히 괴테(Goethe)에 끼친 바 영향이 큼. [1744-1803]

헤르더 백과 사전 【一百科事典】 명 〔도 Der Große Herder〕 『책』 독일의 프라이부르크(Freiburg)에 있는 헤르더사(社)에서 간행되고 있는 백과 사전. 소항목식(小項目式)으로 가톨릭 사상을 배경으로 하고 있음이 특색임. 1952-62년에 ≪대(大)헤르더≫, 1965-68년에 ≪신(新)헤르더≫가 나옴.

헤르마프로디토스 〔Hermaphroditos〕 명 『신』 그리스 신화에서, 양성(兩性)을 갖춘 신(神). 헤르메스(Hermes)와 아프로디테(Aphrodite)의 합성어. 이 이름에 따라 남녀추니를 헤르마프로디티즘(hermaphroditism)이라고 함.

헤르만과 도로테:아 명 〔도 Herman und Dorothea〕 『문』 1787년에 괴테가 지은 육각운(六脚韻)의 서사시. 1797년에 완성됨. 프랑스 피난민의 여자 도로테아를 처로 하여 새롭고 평화스러운 생활을 건설하려는 헤르만의 몽상(夢想)을 그렸음.

헤르메스 〔Hermes〕 명 『신』 그리스 신화 중의 목축·상업·여행·음악·경기·행운·웅변의 신(神). 날개가 있는 모자·신을 신고 뱀을 감은 단장을 짚으며, 신들의 사절로 사자(死者)를 명부(冥府)로 인도함. 로마(Roma) 신화의 메르쿠리우스(Mercurius)에 해당함.

〈헤르메스〉

헤르메스-성 【一星】 〔Hermes〕 명 『천』 1937년에 발견된 특이 소행성(特異小行星)의 하나. 에로스 집단(集團)에 속함.

헤르메스 주상 【一柱像】 〔Hermes〕 명 서양 고대에 있어서의 조상(彫像)의 한 형식. 네모진 기둥에 두부(頭部) 또는 성기(性器)를 붙인 조상. 원래는 헤르메스 신(神)을 표시한 데서 유래한 명칭.

헤르바르트 〔Herbart, Johann Friedrich〕 명 『사람』 독일의 철학자·교육학자. 철학을 명석(明晳)과 판명(判明)을 과제로 하는 개념의 수정(修正)으로, 논리학·형이상학·미학의 세 부분으로 나누며, 심리학과 윤리학을 기초로 하는 체계적인 교육학을 수립하였음. 주저(主著)에 ≪일반 교육학≫이 있음. [1776-1841]

헤르손 〔Kherson〕 명 『지』 우크라이나 공화국의 남부(南部), 드네프르

강(江) 하구 부근의 항도. 조선(造船)·농업 기계·면직물·통조림 공업, 어업 콤비나트가 있음. [355,000명(1989 추계)]

헤르체고비나 [Herzegovina] 명 『지』 보스니아 헤르체고비나 공화국을 구성하는 지방명. 디나르 알프스(Dinar Alps)의 산지(山地)로부터 달마티아 해안(Dalmatia 海岸)에까지 이르는 땅을 차지함.

헤르초:크[1] [도 Herzog] 명 독일 및 게르만 제국(諸國)에서의 작위(爵位). 공작(公爵)으로 번역됨. 본디 전시에 부족 회의에서 선출되는 군(軍)사령관을 가리키는 말이었으나 관직화(官職化)하여 끝내는 귀족의 최고위(最高位)로 정착(定着)함.

헤르초:크[2] [Herzog, Werner] 명 『사람』 독일의 영화 감독. 뉴 저먼 시네마를 대표하는 감독으로 지목됨. 1967년부터 감독으로 나섬. 주요 작품 ≪노스페라투≫·≪피츠카랄도≫ 등이 있음. [1942-]

헤르츠[1] [Hertz] 명 『사람』 ①[Gustav Ludwig H.] 독일의 물리학자. ❷의 조카. 프랑크(Franck, J.)와 함께 원자(原子)에 대한 전자 충돌(電子衝突)의 실험으로 양자론(量子論)의 실험적 기초를 제공하여, 공동으로 1925년 노벨 물리학상을 받음. 1932년에 동위 원소(同位元素)의 분리법(分離法)을 개발(開發)하여, 뒤에 이를 이용해서 소련에서 우라늄 235를 분리함. [1887-1975] ②[Heinrich Rudolf H.] 독일의 물리학자. 전기 진동(電氣振動)의 실험으로 전자기파(電磁氣波)의 존재를 확인하고 또 이것이 반사·굴절(屈折) 등에서 완전히 광파(光波)와 같은 성질을 가졌음을 실증(實證)하여 맥스웰(Maxwell, C.)의 전자(電磁) 이론의 실험적 근거를 만들었음. 또, 역학(力學)의 기초 원리에 대해서도 주목할 만한 연구가 있음. [1857-94]

헤르츠[2] [도 Hertz] 의명 『물』 [헤르츠(Hertz, H.R.)의 이름에서 유래] 진동수(振動數)의 단위. 1초간 n회의 진동을 n헤르츠라 함. Hz로 표시하며 사이클과 같음.

헤르츠베르크 [Herzberg, Gerhard] 명 『사람』 독일 태생의 캐나다의 물리학자. 분자 분광학(分子分光學)의 세계적 권위로, 원자 및 분자 구조(構造)의 연구, 특히 전자(電子) 구조와 분자 기하학(分子幾何學)의 자유기(自由基)에서의 연구에 대하여 1971년 노벨 화학상이 주어짐. [1904-]

헤르츠슈프룽 [Hertzsprung, Ejnar] 명 『사람』 덴마크의 천문학자(天文學者). 1935-45년 라이덴(Leiden) 천문대장. 항성(恒星)의 스펙트럼형(spectrum 型)과 절대 등급의 관계를 연구, 거성(巨星)과 왜성(矮星)의 2군(群)이 있음을 알아내고 에이치아르 도(H-R圖)의 기초를 만듦. 그 밖에 고유 운동·시차(視差)·변광성(變光星)·쌍성(雙星) 등을 연구함. [1873-1967]

헤르츠슈프룽 러셀도 【—圖】 [Hertzsprung-Russell] 명 『천』 에이치아르 도(H-R圖).

헤르츠 안테나 [Hertz antenna] 명 접지(接地)되지 않은 반파장(半波長) 안테나.

헤르츠-파 【—波】 명 [Hertzian wave] 『물』 [헤르츠(Hertz, H.R.)의 이름에서 유래] 전자기파(電磁氣波), 특히 그 파장(波長)이 적어도 수(數) 센티미터의 것을 가리킴.

헤르츠 효:과 【—効果】 명 [Hertz effect] 『전』 스파크 갭(spark gap)이 자외선(紫外線)에 의해 조사(照射)되었을 때, 갭 속의 스파크의 길이가 증가하는 효과.

헤르츨 [Herzl, Theodor] 명 『사람』 헝가리 출생의 오스트리아 작가. 유태인(猶太人)으로 ≪유태국(猶太國)≫을 발간, 시오니슴(Zionism) 운동을 창시하고, 이를 지도하였음. [1860-1904]

헤르쿨라네움 [Herculaneum] 명 이탈리아의 베수비오 산(Vesuvio 山) 기슭에 있었던 고대 도시. 기원전 6세기에 그리스의 식민시(植民市)로 건설된 후 로마령(領)이 되었다가 79년의 베수비오 산의 대분화로 폼페이와 함께 괴멸(壞滅)함. 1927년 이래로 조직적인 발굴이 개시되어 공공 건물과 주택의 자리가 발견됨.

헤르쿨레스 [Hercules] 명 『신』 그리스 신화 중 최대의 영웅. 제우스(Zeus)의 사생자(私生子)로서, 헤라(Hera)에게 미움을 받아 두 번 발광(發狂)하였고, 아르고스 왕(Argos 王)을 섬겨 괴견(怪犬) 케르베로스(Kerberos)의 퇴치 등 열두 가지 큰 위업을 성취하였다 함. 헤라클레스. 허큘리스.

헤르쿨레스-자리 [Hercules] 명 『천』 북천(北天)의 별자리. 거문고자리의 서쪽에 있으며 8월 초순경 저녁에 보임.

헤르트비히 [Hertwig, Oskar] 명 『사람』 독일의 동물학자. 유럽 각지에서 해산(海産) 동물을 연구, 그 후 베를린 대학 교수를 지냄. 수정(受精) 때에 알에 정자(精子)가 진입(進入)하여 정핵(精核)과 난핵(卵核)이 합치하는 것과 생식 세포가 만들어질 때 염색체(染色體)가 반감(半減)됨을 발견함. 또, 아우(Richard, H. ; 1850-1937)와 함께 체강(體腔)은 원장(原腸)의 벽(壁)이 부풀어서 되었다는 체강설(體腔說)을 주장함. [1849-1922]

헤르페스 [라 herpes] 명 『의』 포진(疱疹).

헤르프스트 [Herbst, Curt] 명 『사람』 독일의 동물학자. 하이델베르크 대학 동물학 교수. 성게의 발생과 외계(外界)와의 관계를 연구, 리튬(Lithium)으로 인한 식물극화(植物極化), 탈칼슘 해수(脫 calcium 海水)로 인한 할구(割球)의 분리 등을 발견함. [1866-1946]

헤리티지 재단 【—財團】 [Heritage] 명 미국 보수파(保守派)의 정책 연구 단체.

헤리퍼:드-종 【—種】 [Hereford] 명 육용(肉用) 소의 한 품종. 전형적인 육용 소의 체형(體型)을 하고 있으며 털빛은 붉은 바탕에 얼굴·앞가슴·아랫배·네 다리 끝이 흼. 암컷 675kg, 수컷 990kg이 표준임. 미국에서는 뿔이 없는 변종(變種)을 많이 사육함.

헤릭[1] [Herrick, Robert] 명 『사람』 영국의 시인. 왕당파 서정 시인의 한 사람. 그의 시는 시집 ≪헤스페리디스(Hesperides)≫에 남아 있는데, 대부분이 단시(短詩)로 자연과 인생, 신(神)과 사람에 관한 모든 주제(主題)를 다루고 있음. 그의 시의 최대의 특징은 각고(刻苦)의 소산인 세련(洗練)된 용어와 미묘한 음률(音律)이 낳는 형식미(形式美)에 있음. [1591-1674]

헤릭[2] [Herrick, Robert] 명 『사람』 미국의 작가. 시카고 대학에서 영문학을 가르치면서 ≪승리하는 사나이≫·≪공유지(共有地)≫·≪여관 주인≫ 등 물질 문명 아래서의 개인의 자유와 도덕적 책임을 강조한 작품을 씀. [1868-1938]

헤링 [Hering, Karl Ewald Konstantin] 명 『사람』 독일의 생리학자·심리학자. 눈의 생리학(生理學)·전기(電氣) 생리학·색각(色覺)·광각(光覺) 등에 관한 연구가 있음. [1834-1918]

〈헤링본〉

헤링-본: [herringbone] 명 화살의 오늬 같은 모양을 여러 개 짜 맞춘 무늬. 또, 그렇게 짠 능직(綾織).

헤링본: 스티치 [herringbone stitch] 명 프랑스 자수에서, 화살의 오늬 모양의 수로, 단을 처리할 때 또는 나뭇잎·솔방울·꽃잎 등을 수놓을 때에 쓰임.

헤링 색감론 【—色感論】 [—논] 명 [Hering theory] 『생』 [독일의 생리학자 헤링(Hering, K.E.K.)의 이름에서] 색감의 이론. 시각계(視覺系)에 질적으로 다른 세 개의 요인이 존재하며, 그것은 각각 다른 두 개의 역(逆)의 반응을 하는 능력이 있다고 가정(假定)함.

헤마-놓다 자 〈방〉 자경마 들다.

헤마토크롬 [hematochrome] 명 『생』 녹조류(綠藻類)에 존재하는 적색 색소(色素). 특히, 공기가 희박한 생식지(生息地)에서 강한 광선을 받을 때 많이 볼 수 있음.

헤마토크릿 [hematocrit] 명 혈구(血球) 한 개(個)마다의 용적(容積) 또는 혈구와 혈청(血淸)의 용적비(容積比)의 측정에 사용되는 장치. 길이 35mm, 지름 3-4mm의 모세(毛細) 유리관으로 백등분한 눈금이 있음. 여기에 응고를 방지한 혈액을 넣어, 원심 분리기(遠心分離器)로 침강시킨 후, 혈구와 혈청의 원(圓)기둥의 높이를 잼. 이때에 혈구수(數)를 알고 있으면 이것으로 혈구 원기둥의 용적을 제하고 한 개의 혈구의 대강의 용적을 산출함.

헤-매다 ㊀자 [근대 : 헤미다] ①목적하는 것을 찾으려고 이리저리 돌아다니다. ¶길을 찾아 ~. ②마음이 갈피를 잡지 못하고 여러 생각을 굴리다. ¶현실과 이상 사이를 ~. ③벗어나지 못하고 방황하다. ¶꿈속에서 ~. ㊁타 어디를 이리저리 방황하다. ¶거리를 ~ / 일자리를 찾아 헤매는 군상들.

헤-먹다 형 구멍이 헐거워서 어울리지 아니하다. ¶그러나 제호는 초봉이의 그러한 단순한 마음이야 몰랐고, 너무 쉽사리 제 뜻에 응하는 것이 도리어 헤먹고 싱거운 맛도 없지 않았다≪蔡萬植 : 濁流≫.

헤멀끔-하다 형여불 〈방〉 희멀쑥하다.

헤멀쑥-하다 형여불 〈방〉 희멀쑥하다.

헤모글로빈 [hemoglobin] 명 『생』 적혈구(赤血球) 중에 있으며, 철을 함유하는 색소와 단백질의 화합물. 용이하게 산소와 결합하며, 주로 척추 동물의 호흡에서 산소의 운반자로서 중요한 일을 함. 산화(酸化)된 것은 선홍색, 환원(還元)된 것은 암적색임. 이것의 혈액 속의 농도는 빈혈의 한 표시가 됨. 혈색소(血色素). 혈적소(血赤素). 혈홍소(血紅素).

헤모글로빈 에이 [hemoglobin A] 명 『화』 정상적인 어른의 핏속에서 발견되는 헤모글로빈. 전기 이동(電氣移動)에 의하여 단일 성분으로서 이동함. 농(濃)알칼리에 더욱 빨리 변성함.

헤모시아닌 [hemocyanin] 명 『화』 색소 단백질의 하나. 연체 동물·갑각류(甲殼類) 등의 혈장(血漿) 중에 있으며, 산소를 결합하여 운반함. 척추 동물의 헤모글로빈에 해당하는 것으로 구리를 함유하고 있으며 산화된 것은 청색, 환원된 것은 무색임. 혈청소(血靑素). 피파랑이.

헤모지데린 [hemosiderin] 명 『생』 많은 조직, 특히 간(肝) 안에서 볼 수 있는 철을 함유하는 당단백질(糖蛋白質).

헤모지데린 침착증 【—沈着症】 [hemosiderin] 명 『생』 체내에 철분이 증가하여, 조직이 기능 장애를 받지 않고 조직 안에 헤모지데린이 침착(沈着)하는 일.

헤모코니아 [hemoconia] 명 『생』 원형 또는 아령형(亞鈴形)의 편광성(偏光性)의 무색 미립자(微粒子). 혈장(血漿) 속에서 볼 수 있음.

헤모트로페 [hemotrophe] 명 태생 동물(胎生動物)의 태아에게 태반(胎盤)을 통하여 공급하는 영양 물질. 혈액 영양 물질이라고 함.

헤-무르다 형르불 헤식고 여무지지 못하다.

헤물장-치다 자 애기 씨름판이나 기타 승부를 가리는 장소에서 연전 연승(連勝)하다.

헤-묽다 [—묵—] 형 헤식고 묽다.

헤미 명 〈방〉 헤엄(전남).

헤밍웨이 [Hemingway, Ernest] 명 『사람』 미국의 소설가. 수다한 직업에 종사, 제1차 세계 대전의 종군 경험(從軍經驗)을 토대로 ≪해는 또다시 뜬다≫·≪무기여 잘 있거라≫ 등을 발표, 남성적이고 거친 터치(touch)로 일가를 이룸. 이후 ≪누구를 위하여 종은 울리나≫ 등에서 현대 미국 리얼리즘의 거장으로 확고한 자리를 차지하고 다시 ≪노인과 바다≫로 1954년 노벨 문학상을 받음. 엽총 자살함. [1899-1961]

헤쁘다 자 〈옛〉 허둥거리다. 허둥대며 날뛰다. 황황하다. ¶헤쁘는 양이라(皇皇)≪小諺 Ⅳ:26≫.

헤:방 명 〈방〉 훼방(毁謗)(경상). ——-하다 타

헤번덕-거리다 타 희번덕거리다.

헤번드르르-하다 형여불 희번드르르하다.

헤번들-하다 형여불 휘번들하다.

헤-벌리다 동 모양 없게 크게 벌리다. ¶입을 헤벌리고 자다.

헤벌어-지다 ㊀자 어울리지 않도록 넓게 벌어지다. ¶ 입구가 ~. ＞해바라지다. ㊁형 모양없이 넓다. ＞해바라지다.

헤벌쭉 부 ①아가리나 구멍 같은 것이 헤벌어져 벌쭉한 모양. ②입을 반쯤 열고 벙긋이 웃는 모양. ¶소리없이 ~ 웃고 있다. 1)·2): ＞해발쭉. ——하다 형여불

헤벌쭉-이 부 헤벌쭉하게. ＞해발쭉이.

헤벌쭉-헤벌쭉 부 여럿이 모두 헤벌쭉한 모양. ¶다들 속없이 ~ 웃고 있다 ＞해발쭉해발쭉. ——하다 형여불

〈헤베〉

헤베 〔Hēbē〕 명〖신〗그리스 신화 중의 청춘(青春)의 여신(女神). 제우스(Zeus)와 헤라(Hera)의 딸로, 신들의 술잔을 시중들었음.

헤베시 〔Hevesy, Georg von〕 명〖사람〗헝가리의 물리학자. 프라이부르크(Freiburg) 대학 교수. 1923년 네덜란드의 코스터(Coster, D.)와 함께 하프늄(Hafnium)을 발견함. 방사선 동위 원소를 화학 반응 등의 트레이서(tracer)로서 이용하는 것을 고안하고, X선 분석의 응용, 고체의 전기 전도율(電氣傳導率) 등의 연구도 함. 1943년 노벨 화학상을 수상함. [1885-1966]

헤벨 〔Hebbel, Christian Friedrich〕 명〖사람〗독일의 극작가. 독일 비극의 전통을 지킨 사실주의를 완성, 강렬한 자아 의식으로 남녀 양성의 심각한 심리 갈등을 전개하여 근대 개인주의극의 선구를 이룸. 작품으로는 ≪유디트(Judith)≫·≪니벨룽겐(Niebelungen) 이야기≫ 등이 있음. [1813-63]

헤부치다 자타 〈옛〉 헤쳐 부치다. 불어 헤치다. ¶헤부치는 ᄇᆞᄅᆞᆷ(闌風) 「≪杜諺 XII:14≫.

헤불다 자 〈옛〉 헤쳐 불다 ¶ᄇᆞᄅᆞ미 치운 ᄆᆞᄅᆞᆯ 헤부루믈 더듸ᄒᆞ놋다(風破寒江遲)≪初杜諺 XIX:25≫.

헤브라이 〔그 Hebrai〕 명〖역〗서남 아시아에 있었던 고대 왕국의 하나. 기원전 1,000년에 사울(Saul)이 세운 나라로, 예루살렘을 그 수도로 정하고, 영역은 남쪽으로는 홍해(紅海)·유프라테스 강까지 달했으며 다윗(David)을 거쳐 그의 아들 솔로몬 때에 크게 번영하였음. 그가 죽은 후 유다(Judah)와 이스라엘의 두 왕국으로 분열되었음. 히브리. 헤브루(Hebrew).

헤브라이 문자【一文字】〔Hebrai〕〔一짜〕 명 헤브라이어(語)를 표기하는 문자. 페니키아 문자와 같은 계통임. 22개의 자음자로 이루어지며 오른쪽에서 왼쪽으로 횡서(橫書)함. 기원전 1400년경 헤브라이인(人)이 가나안의 땅에 들어와서부터 만들어짐. 헤브라이어가 종교어(宗教語)가 된 다음부터 모음 기호가 만들어져 자음에 덧붙이게 됨.

헤브라이-법【一法】〔Hebrai〕〔一뻡〕 명 헤브라이에서 시행된 법의 총칭. 그 주요 법원(法源)은 구약 성서에서 찾을 수 있음. 강한 종교적 색채, 도덕과 미분화(未分化), 계약의 미발달(未發達) 등이 특징임. 성서를 통하여 중세 서구(中世西歐)의 법에 영향을 끼침.

헤브라이-어【一語】〔Hebrai〕 명〖언〗셈어계(Sem語系)에 속하는 중앙 셈어의 하나. 구약 성서 및 외전(外典)의 대부분에 씌었음.

헤브라이-인【一人】〔Hebrai〕 명 가나안에 살며 농업·목축을 생업으로 하는 셈계(系) 유목민의 집단. 이스라엘인(人)의 별명. 원래는 단일 민족을 가리키는 것이 아니라 사회층(社會層)을 가리키는 명칭임. 후대의 이스라엘인이라는 이름은 주로 종교적인 자칭(自稱)으로 쓰이며 헤브라이인이라는 이름은 세속적인 민족명(民族名)으로서 다른 민족에 의해 쓰임.

헤브라이즘 〔Hebraism〕 명〖문〗헬레니즘과 함께 서양 문화의 2대 조류를 형성하는 헤브루 민족의 사상. 곧, 헤브루 민족들 사이에서 일어난 유태교 및 그에서 출발한 종교적이고 금욕적인 기독교적 세계관을 문화사적 입장에서 일컫는 말.

헤브론 〔Hebron〕 명〖성·지〗예루살렘 남방 55리쯤 되는 곳에 있는, 세계 최고(最古)의 도시. 아브라함·이삭·야곱이 살던 곳임.

헤브루 〔그 Hebrew〕 명〖역〗헤브라이(Hebrai).

헤브리디스 제도【一諸島】〔Hebrides〕 명〖지〗영국 스코틀랜드 북부에 산재하는 약 500개의 섬. 민츠 해협(Minch 海峽)을 사이로 본토와 떨어져 있으며 가장 북쪽에 있는 루이스(Lewis)섬이 가장 큼. 빙하기의 복잡한 침식만(浸蝕灣)과 호소(湖沼) 등이 있어 경치가 좋음. 농경(農耕)이 부적당하여 주민은 주로 어업과 소·양의 목축업에 종사함. 본토로부터 관광 공로(觀光空路)가 통함. 1266년 스코틀랜드에 편입될 때까지 노르웨이 영토였음. 수도는 스토노웨이(Stornoway). [7,510 km²: 44,000 명]

헤비 〔heavy〕 명 무거움. ↔라이트.

헤비-급【一級】〔heavy〕〔一끕〕 명 중량별 경기의 체급의 하나. 가장 무거운 체급으로, 아마추어 복싱에서는 81 kg 이상, 프로 복싱에서는 86.18 kg 이상, 레슬링에서는 87 kg 이상, 역도에서는 90 kg 이상임. 헤비웨이트(heavyweight).

헤비 나프타 〔heavy naphtha〕 명 암호박색(暗琥珀色) 내지 적색의 액체. 크실렌과 동족체(同族體)의 혼합물. 가연성 물질로 아스팔트의 용제(溶劑)나 쿠마론 수지(coumarone 樹脂)의 제조에 쓰임.

헤비듀티 카: 〔heavy-duty car〕 명〖기〗12-30 마력(馬力)의 기관(機關)으로 구동(驅動)되는 자중(自重) 1400 lb 곤, 635 kg 이상의 철도용 구동차. 중량물(重量物)의 견인(牽引)이나 조작장용(操作場用)으로 설계되었음.

헤비 메탈 〔heavy metal〕 명〖악〗하드록이 국부 비대(局部肥大)해진 것 같은 음악. 전자 장치에 의한 금속음과 무거운 비트, 금속적인 기타의 일그러진 소리와 부르짖는 듯한 보컬, 스윙감(感) 없는 리듬 등이 특징이며, 1960년대 말에 대두하여 80년대에 들어와 록 음악의 일대 조류가 됨.

헤비사이드 〔Heaviside, Oliver〕 명〖사람〗영국의 전기학자. 맥스웰(Maxwell, J.C.)의 전자기(電磁氣) 이론을 연구하고 전자기파 전파(傳播)에 관한 수학적 업적을 남김. 1902년 케넬리(Kennelly, A.E.)와는 따로 전리층(電離層)의 존재를 예언함. 또한 미분 방정식을 푸는 헤비사이드 연산자법(演算子法)을 창시(創始)함. [1850-1925]

헤비사이드-층【一層】 명 〔Heaviside layer〕〖물〗전리층(電離層).

헤비 스모:커 〔heavy smoker〕 명 담배를 대단히 많이 피우는 사람.

헤비-웨이트 〔heavyweight〕 명 헤비급(heavy 級).

헤비 트럭 〔heavy truck〕 명 중하물용의 트럭. 덮개를 한 적재함(積載函)이 따로 붙어 있으나, 트레일러 트럭처럼 따로 뗄 수 없음.

〈헤비 트럭〉

헤비 합금【一合金】 명 〔heavy alloy〕〖야금〗중합금(重合金).

헤쓰다 자 〈옛〉 허둥거리다. 허둥대며 날뛰다. ¶오ᄅᆞ며 ᄂᆞ리며 헤ᄡᅳ며 비자니니≪松江 續美人曲≫.

헤:살 명 남의 일을 짓궂게 훼방하는 짓. ——하다 타여불

헤:살(을) 놓다 구 남의 일에 헤살하는 짓을 하다. 훼방놓다. ¶남의 일에 ~.

헤:살(을) 부리다 구 남의 일에 굳이 헤살을 놓다.

헤:살-꾼 명 헤살을 놓는 사람.

헤:살-질 명 헤살을 놓는 짓. ——하다 자타여불

헤세[1] 〔Hesse, Hermann〕 명〖사람〗독일의 소설가·시인. 시에서 출발하여 애절하고 체념에 찬 기조(基調)의 소설 ≪페터 카멘친트(Peter Camenzind)≫로 일약 문명을 얻고, 이래 ≪수레바퀴 밑에서≫·≪데미안(Demian)≫·≪내면(內面)에의 길≫·≪황야의 이리≫ 및 장편 ≪나르시스(Narzis)와 골트문트(Goldmund)≫·≪유리알 유희≫ 등을 발표, 현대 '독일의 양심'을 대표하는 작가로 유럽 문화의 몰락 의식과 동양적인 신비에의 동경이 저류(底流)에 흐르고 있음. 1923년 이래 스위스에 영주하였음. 1946년 노벨 문학상·괴테상(Goethe 賞)을 받았음. [1877-1962]

헤세[2] 〔Hesse, Richard〕 명〖사람〗독일의 동물학자. 베를린 대학 동물학 교수. 동물의 시각 생리학(視覺生理學)·생태학(生態學)·진화론·동물 지리학 연구에 공헌하였으며, 특히 진화와 적응(適應)과의 관점에서 생태학을 지리학으로 연결시킨 공이 큼. [1868-1944]

헤세의 표준형【一標準型】〔Hesse〕〔一/一에一〕 명〖수〗직선의 방정식에 관한 표현 형식의 하나. $x\cos\theta+y\sin\theta=p$라는 형식. θ는 그 직선이 x와 이루는 각(角), p는 원점(原點)과 그 직선과의 거리임. 독일의 수학자 헤세(Hesse, L.O.; 1811-74)에 의하여 제출됨.

헤센 〔Hessen〕 명〖지〗독일(獨逸) 중동부의 주명(州名). 타우누스(Taunus)·포겔(Vogel)·오덴발트(Odenwald) 등의 산지 구릉(山地丘陵)과 마인(Main) 강 하류의 평야(平野)로 이루어졌으며, 농업·광업이 성하고 온천(溫泉)이 많음. 북부의 카셀(Kassel)에서는 기계·차량 공업, 남부의 마인 강 하류 지대에서는 자동차·화학·고무·피혁 공업이 행하여짐. 주도는 비스바덴(Wiesbaden). 영어식 명칭은 헤스(Hess)임. [21,114 km²: 5,543,700 명 (1987)]

헤스[1] 〔Hess, Germain Henri〕 명〖사람〗스위스의 의학자·화학자. 1840년 '헤스의 법칙'을 발견함. 1850년 페테르스부르크 대학 화학 교수로 재직중 사망함. [1802-50]

헤스[2] 〔Hess, Rudolf〕 명〖사람〗나치스 독일의 지도자의 한 사람. 히틀러의 비서로 출발, 여러 요직(要職)을 거쳐 후계자 물망(物望)에까지 올랐으나 1941년에 영국으로 도망, 종전 후 군사 재판에서 종신형(終身刑)을 선고받음. [1894-1987]

헤스[3] 〔Hess, Victor Franz〕 명〖사람〗오스트리아 출생의 미국 물리학자. 방사능(放射能) 및 대기(大氣) 전기의 연구에 공헌, 다시 우주선(宇宙線)의 발견으로 앤더슨(Anderson, C.D.)과 함께 1936년 노벨 물리학상을 받음. [1883-1964]

헤스[4] 〔Hess, Walter Rudolf〕 명〖사람〗스위스의 생리학자. 혈액 역학(血液力學), 호흡 조절, 자율 신경의 내장 기관에 대한 지배 등을 연구함. 1949년 간뇌(間腦)의 기능에 관한 업적으로 노벨 생리 의학상을 받음. [1881-1973]

헤스의 법칙【一法則】〔一/一에一〕 명 〔Hess's law〕〖화〗1840년 스위스의 화학자 헤스(Hess, G.H.)가 발견한 열화학에 관한 기본 법칙, 일련의 화학 반응에서 생기는 총열량은, 반응의 처음과 종말에서의 물질 및 상태가 같으면 도중의 어떠한 영향에도 관계 없이 일정하다는 법칙. 열총량 보존의 법칙.

〈헤스티아〉

헤스턴 〔Heston, Charlton〕 명〖사람〗미국의 영화 배우. 노스웨스턴 대학 졸업 후 1950년 ≪다크 시티≫에서 영화에 데뷔. 출연 작품으로 ≪지상 최대의 쇼≫·≪십계(十戒)≫, 아카데미 주연상을 획득한 ≪벤허≫·≪위대한 생애의 이야기≫ 등이 있음. [1924-]

헤스티아 〔Hestia〕 명〖신〗그리스 신화 중의 난로·불의 여신(女神). 처녀신(處女神)으로 가정 생활·행복의 지지자이며, 로마 신화의 베스타(Vesta)에 상당함.

헤스페로르니스 〔Hesperornis〕 명〖동〗백악기(白堊紀) 후기의 화석 조류(鳥類). 길이 1-2 m 되는 수륙 양서(水陸兩棲)의 물새. 날 수 없

으며, 날카로운 발톱과 물갈퀴가 있는 뒷다리를 가짐.

헤스페리데스 [Hesperides] 명 《신》 그리스 신화 중 서쪽 아틀라스(Atlas) 산맥 근처에 산다는 님프(nymph)들. 가이아(Gaia)가 헤라(Hera)에게 결혼 선물로 준 황금의 사과를 지킨다 함.

〈헤스페리데스〉

헤시언 클로스 [Hessian cloth] 명 황마(黃麻)를 재료로 한 거친 평직(平織)의 피륙.

헤시오도스 [Hesiodos] 명 《사람》 기원전 8세기경의 그리스의 서사시인. 그리스 문학사상 처음으로 정의(正義)의 사상을 읊은 작품 ≪일과 나날≫·≪신통기(神統記)≫가 현존함. 생몰년 미상.

헤:-식다 형 ①바탕이 단단하지 못하여 푸슬푸슬 헤지기 쉽다. ¶헤식은 쌀. ②사람됨이 맺힌 데가 없고 어설프다. ¶헤식은 사람 / 병호는 헤식은 웃음을 띠며 대답했다≪朴榮濬 : 靑春病室≫.

헤실-바실 부 ①모르는 사이에 흐지부지 없어지는 모양. ②일이 시원찮게 흐지부지 되어가는 모양. ――하다 형 여불

헤싱-헤싱 부 치밀하지 못하고 허전한 느낌이 있는 모양. ――하다 형 여불

헤:아리다 타 ①수량을 세다. ¶돈을 ～. ②짐작으로 가늠하여 따지고 살피다. 미루어 생각하다. ¶남의 고충을 ～.

헤아비 명 〈방〉 허수아비.

헤어 [hair] 명 머리. 머리털.

헤어-나다 타 헤치고 벗어나다. 준 헤나다. ¶꿈속이지만 수렁에서 헤어날 길이 없었다.

헤어-네트 [hairnet] 명 여자들이 머리 위에 쓰는 그물. 준 네트.

헤어-다이 [hairdye] 명 염모법(染毛法)의 일종. 복장(服裝)에 맞추거나, 피부색에 맞추어 두발을 좋아하는 색으로 물들이는 일.

헤어 드라이어 [hair dryer] 명 두발(頭髮)의 건조나 정발(整髮)에 쓰는 작은 전기 기구. 히터로 가열한 공기를 모터로 내어보내는 것으로, 핸드 드라이어와 후드(hood)형이 있음.

헤어 드레스 [hair dress] 명 양발(洋髮)의 가발.

헤어 래커 [hair lacquer] 명 알코올에 합성 수지와 향료를 넣어 만든 에어러솔(aerosol)로, 세트한 머리에 분무(噴霧)하여 머리형이 흐트러지는 것을 막는 점착성(粘着性) 정발제(整髮劑). 헤어 스프레이(hair spray).

헤어-로:션 [hair lotion] 명 두발용(頭髮用) 화장수. 머리 손질이나 비듬·가려움·탈모의 예방에 쓰임.

헤어리-베치 [hairy vetch] 명 《식》 [*Vicia villosa*] 콩과에 속하는 일년생 또는 이년생의 만초(蔓草). 아시아 서남부 및 지중해 동부의 원산으로, 줄기는 가늘고 길며, 5-6개의 가는 가지가 있고, 길이는 1.5-2m에 달함. 잎은 6-10쌍의 잔 잎으로, 우상(羽狀) 복엽이며, 끝은 덩굴손으로 되었음. 5월경에 약 30개의 나비 모양의 작은 꽃이 총상(總狀)으로 핌. 논·밭에 녹비(綠肥)·사료(飼料)로 쓰기 위하여 많이 심음.

헤어 리퀴드 [hair liquid] 명 남성용 액체 정발제(整髮劑).

헤어 밴드 [hair band] 명 머리 앞 부분에, 장식용 또는 실용적으로 사용되는 띠. 젊음을 강조하고 분위기를 바꾸는 효과가 있음.

헤어-브러시 [hairbrush] 명 머리 손질에 쓰는 브러시. 머릿솔.

헤어-스타일 [hair style] 명 머리를 매만져 꾸민 형. 머리형. ¶～을 바꾸다.

헤어-스톤 [hairstone] 명 《지질》 금홍석(金紅石)·양기석(陽起石), 기타 광물의 모발상(毛髮狀) 결정이 밀집(密集)해 있는 석영(石英).

헤어 스프레이 [hair spray] 명 헤어 래커(hair lacquer).

헤어 아이론 [hair iron] 명 머리털을 지져서 다듬을 때 쓰는 쇠붙이로 된 기구. 고데.

헤어-지다 자 ①모여 있던 것이 흩어지다. ¶흙덩이가 푸슬푸슬 ～. ②모였던 사람이 갈라지다. 이별(離別)하다. ¶아내와 ～. ③살갗이 터져서 갈라지다. ¶입술이 ～.

헤어 코:드 [hair cord] 명 면직물의 하나. 평직(平織)과 발이 가늘게 비스듬히 짜는 형식을 혼합하여 짠 것으로, 바슬바슬한 촉감이 있음. 여성용 하복(夏服)·아동복·셔츠 감으로 쓰임.

헤어 크랙 [hair cracks] 명 도료(塗料)·유약(釉藥) 기타 피복재(被覆材)의 맨 위층에 생긴 가늘고 불규칙한 금.

헤어 크림 [hair cream] 명 정발용(整髮用) 유성(油性) 크림. 향유(香油) 대신 나온 것으로, 머리에 영양과 윤기를 줌. 침투력이 강하고 끈적거리지 않는 것이 특징임.

헤어-클로:스 [haircloth] 명 ①세로로 면사(綿絲), 가로로 말총을 넣어 짠 직물. 양복 깃의 심으로 쓰임. ②토브랄코(tobralco).

헤어-토닉 [hair tonic] 명 두발용의 양모제(養毛劑).

헤어-피:스 [hairpiece] 명 짧은 머리를 길게 보이게 하거나, 다른 모양·색깔로 액세서리적 효과를 내는 데 쓰는 다리.

헤어-핀 [hairpin] 명 여자들이 머리를 단정하게 고정하는 데 사용하는 「핀.

헤어핀 커:브 [hairpin curve] 명 헤어핀처럼 급각도로 커브진 도로. 특히 카 레이스(car race)의 주로(走路)를 이름.

헤엄 명 사람·동물 등이 손발이나 지느러미를 움직여서 수중·수면(水面)을 이동하는 짓. 수영(水泳). 유영(游泳). ¶바다에서 ～을 치다. 준 헴. ――하다 자 여불

[헤엄 잘 치는 놈 물에 빠져 죽고, 나무에 잘 오르는 놈 나무에서 떨어져 죽는다] 아무리 기술이나 재주가 능해도 한 번 실수는 있다는 말.

헤엄(을) 치다 구 손발을 놀려 물 위를 떠 가다.

헤엄 헤:다 구 〈방〉 헤엄(을) 치다.

헤엄 기관 【一器官】 명 유영 기관(游泳器官).

헤엄 다리 명 《동》 헤엄 동물에 있어서 그 몸을 물에 떠 가게 하는 다리. 바다 짐승의 다리 따위. 유영각(游泳脚).

헤엄 동:물 【一動物】 명 《동》 유영 동물(游泳動物).

헤엄-발 명 《동》 헤엄 동물에 있어서 그 몸을 물에 떠 가게 하는 발. 바닷집승의 앞발, 고래의 앞지느러미 따위. 유영족(游泳足).

헤엠 명 〈방〉 헤엄(경남).

헤여디다 자 〈옛〉 헤어지다. ¶손 밠 언 瘡이 브스며 헤여디닐 고툐디(治手足凍瘡腫爛)≪救方 上 6≫.

헤여ᄒᆞ다 형 〈옛〉 허옇다. =허여ᄒᆞ다. ¶비ᄂᆞᆫ 긴 ᄀᆞᄅᆞᆷ 머거 헤여ᄒᆞ도다(雨含長江白)≪重杜諺 Ⅻ:13≫.

헤염 명 〈방〉 헤엄(경기·강원·충청·전북·경상·제주).

헤영 명 〈옛〉 헤엄. ¶헤영(游)≪才物譜 卷一 地譜≫.

헤오리-바람 명 〈방〉 회오리바람(전남·경남).

헤왇다 타 〈옛〉 헤치다. 풀다. =헤왓다. ¶우리 시르믈 슬우며 답답호믈 헤와토미 엇더ᄒᆞ뇨(咱們消息愁解悶如何)≪朴解 上 1≫.

헤왓다 타 〈옛〉 해갈(解渴)하다. 헤치다. =헤왇다. ¶목 ᄆᆞ른ᄃᆡ 헤왓고(解渴)≪老乞 上 56≫.

헤욤 명 〈옛〉 헤엄. ¶헤욤 슈(泅), 헤욤 유(游)≪字會 中 2≫.

헤음 명 〈방〉 세음(細音).

헤이[1] [Hay, John M.] 명 《사람》 미국의 정치가. 1898-1905년 국무 장관. 1899년에 중국에 관한 문호 개방 원칙을 제창, 1900년에는 중국의 영토적(領土的)·행정적 보전(行政的保全)의 원칙을 주장하여 미국의 극동 정책(極東政策)의 기본 원칙을 세움. [1838-1905]

헤이[2] [hey] 감 '야' 하고 사람을 부르는 소리.

헤이그[1] [Hague] 명 《지》 네덜란드 서쪽, 북해안(北海岸)에 있는 도시. 남홀란드 주(南 Holland 州)의 주도(州都). 왕궁·국회·정부 기관·외국 공관 등이 있어서 사실상의 수도이며, 평화궁(平和宮) 안에 국제 사법 재판소(國際司法裁判所)가 있음. 금속·인쇄 공업이 행하여짐. 1899년과 1907년에 만국 평화 회의가 개최(開催)된 곳. 홀란드 백작(Holland 伯爵)의 소령(所領)으로 13세기에 성(城)이 이루어졌고, 16세기 후반에 네덜란드 연방 공화국의 의회 소재지가 됨. 해아 밀사 사건으로 우리 나라와 인연이 깊은 곳임. 취음: 해아(海牙). [444,313 명 (1988)]

헤이그[2] [Haig, Alexander Meigs] 명 《사람》 미국의 군인·정치가. 육군 사관 학교 졸업 후, 조지타운 대학에서 수학(修學), 1970년 닉슨(Nixon) 대통령 보좌관 대리로 대장(大將)에 승진, 1973년 포드(Ford) 대통령 수석 보좌관, 1974년 나토(NATO) 사령관을 역임하고, 1981년 레이건(Reagan) 행정부의 국무 장관에 취임하였다가, 1982년 국무 장관직을 사임함. [1924-]

헤이그 만:국 평화 회:의 【一萬國平和會議】 [Hague] [―/―이] 명 만국 평화 회의.

헤이그 특사 사:건 【一特使事件】 [Hague] [―껀] 명 《역》 비밀리에 이루어진 헤이그 특사(特使) 파견 사건. 해아(海牙) 밀사 사건.

헤이그 특사 파:견 【一特使派遣】 [Hague] 명 《역》 대한 제국 말기, 광무(光武) 11년(1907)에 고종(高宗) 황제의 밀조(密詔)를 받은 이상설(李相卨)·이준(李儁)·이위종(李瑋鐘) 3인을 네덜란드 헤이그에서 열린 제2회 만국 평화 회의(萬國平和會議)에 특파한 사건. 앞서 일본과 맺은 을사 오조약(乙巳五條約)이 전적으로 일본의 강박에 의한 것임을 주장하려 한 것이나, 일본과 영국의 훼방으로 결국 회의에 참석하지 못하고, 이준 열사는 분사(憤死)하였음. 이 사건으로, 일본의 강박에 고종 황제는 선위(禪位)하게 되었음.

헤이덴스탐 [Heidenstam, Verner von] 명 《사람》 스웨덴의 시인·소설가. 서정시와 장편 소설을 발표, 과작(寡作)이나 시집 ≪순례(巡禮)와 방랑(放浪) 시대≫ 등으로 1916년 노벨 문학상을 받았음. [1859-1940]

헤이로프스키 [Heyrovský, Jaroslav] 명 《사람》 체코슬로바키아의 물리 화학자. 프라하 대학 교수. 수은 적하 전극(水銀滴下電極)을 발명하고, 1925년 미량 전해 분석 장치(微量電解分析裝置)를 완성함. 폴라로그래피(polarography)의 이론 및 그 발명으로 1959년 노벨 화학상을 수상함. [1890-1967]

헤이룽 강 【一江】 [黑龍] 명 《지》 만주 북쪽·시베리아의 남동부를 동쪽으로 흘러, 타타르 해협(Tatar 海峽)으로 들어가는 강. 야블로노비 산맥(Yablonovyi 山脈) 및 몽골 고원 동부에서 발원(發源)함. 그 지류에 쑹화 강(松花江)과 우수리 강(Ussuri 江)이 있음. 아무르 강(Amur 江). 흑룡강. [4,354 km]

헤이룽장 성 【一省】 [黑龍江] 명 《지》 중국 북동부, 헤이룽 강을 사이에 두고 소련과 접한 성. 몽골인·솔론(Solon)·오로촌(Orochon) 등의 소수 민족이 거주함. 중앙은 소(小)싱안링 산지(山地)로 목재·모피·약재(藥材)를 산출하고, 남부의 넌장(嫩江) 강·후란 강(呼蘭河) 평야는 동북의 대곡창(大穀倉)으로 밀·콩·고량·쌀 등을 산출함. 광산(鑛産)으로는 금·철·석탄 등이 있음. 중창(中長)·빈베이(濱北)·치베이(齊北)·핑치(平齊)·닝넌(寧嫩) 등의 여러 철도가 있음. 1954 년에 쑹장 성(松江省)을 병합(倂合)했음. 성도는 하얼빈(哈爾濱). 흑룡강성(黑龍江省). [46,600 km²: 33,320,000 명(1987)]

헤이비어스 코:퍼스 [habeas corpus] 명 《법》 [인신 제출(人身提出)의 뜻] 인신 보호 영장(令狀). 인신 자유 보호를 위하여 강력한 구제(救濟) 수단으로, 구속 이유가 부당하면 법원은 구속자의 석방을 명함. 역사적으로는 영국에서 발달하여 1679년 인신 보호율(保護律)이 제정되기에 이르렀음.

헤이세이 [일 平成 : へいせい] 명 일본의 연호(年號). 쇼와(昭和) 천황이 죽고 현 천황 아키히토(明仁)가 즉위하면서 1989년부터 사용함.

헤이스[1] [Hayes, Helen] 명 《사람》 미국의 영화 여배우. 사실적 건실한 연기로 1936년 최우수 여우(女優)상을 받았고, 이래 ≪애로스미스(Arrowsmith)≫·≪무기여 잘 있거라≫ 등에서 호연(好演). 미국 영화

계의 원로로 침. [1900-]

헤이스[2] [Hayes, Rutherford Birchard] 명 《사람》 미국의 정치가. 제19대 대통령. 공화당 하원 의원, 오하이오 주(州) 지사를 역임(歷任). 대통령으로서 남부 전쟁 후의 처리에 진력(盡力)함. 감시를 위해 남부에 주류(駐留)시켰던 군대를 철수시키고 이른바 남부 재건 시대에 종지부를 찍음. [1822-93]

헤이스팅스[1] [Hastings] 명 《지》 ①영국 잉글랜드 남동 해안에 있는 항구 도시. 영국 해협에 면함. 시(市)의 북서쪽 약 10km 지점인 배틀(Battle)에 옛 싸움터가 있음. [76,500명(1989)] ②뉴질랜드 북도(北島)의 남동쪽에 있는 항만 도시. [38,200명(1985)]

헤이스팅스[2] [Hastings, Francis Rawdon] 명 《사람》 영국의 군인·정치가. 미국 독립 전쟁에서 본국군(本國軍)으로 활약한 후, 인도 총독 겸 총사령관을 지냈으며 싱가포르를 매수(買收)하는 등, 인도·동남 아시아 지배 강화에 공헌(貢獻)하였음. [1754-1826]

헤이스팅스[3] [Hastings, Warren] 명 《사람》 영국의 정치가. 1773-82년 초대 벵골 총독. 식민지 행정의 정리·개혁에 노력하고 무력(武力)에 의한 영토 확장으로 인도 지배의 기반을 굳힘. 귀국 후, 재임 중의 학정(虐政)과 부패로 의회에서 탄핵됨. [1732-1818]

헤이스팅스 싸움 [Hastings] 명 《역》 1066년 잉글랜드의 에드워드 참회왕(懺悔王)이 죽자, 노르망디공(公) 윌리엄이 왕위를 요구하며 침입하여 영국 남동쪽의 항구 도시 헤이스팅스에서 영국왕 해롤드를 패사(敗死)시킨 싸움.

헤이워:드 [Hayward, Susan] 명 《사람》 미국의 영화 여배우. 모델에서 진출, 50편 이상의 영화에 출연함. 정열적인 연기(演技)로 ≪내일 울련다≫에서 호연(好演), 1956년도 칸(Cannes) 국제 영화제 주연 여우(女優)상을 탔으며, ≪나는 살고 싶다≫로 1959년도 아카데미 주연 여우상을 탐. [1919-75]

헤이워:스 [Hayworth, Rita] 명 《사람》 미국의 영화 여배우. 댄서에서 영화에 데뷔, 강렬한 성적 매력으로 인기를 얻었음. 출연 작품 ≪살로메(Salomé)≫ 등. [1918-87]

헤이즐 사암 【—砂岩】 명 [hazel sandstone] 《지질》 선캄브리아계(先Cambria系)로부터 산출되는 아르코스질(arkose質)의 함철(含鐵) 적색층 사암(赤色層砂岩). 텍사스 주(Texas州)에서 볼 수 있음.

헤이 큐:브 [hay cube] 명 건초(乾草)를 입방체(立方體)로 압축 성형(成形)한 목초(牧草). 원료는 자주개자리. 미국 캘리포니아에서 처음으로 생산됨.

헤이 테더 [hay tedder] 명 목초(牧草)를 널어 말리는 기계.

헤일 [Hale, George Ellery] 명 《사람》 미국의 천문학자. 윌슨 산(Wilson山) 천문대를 창설, 스펙트로헬리오그래프(spectroheliograph)를 발명하였음. [1868-1938]

헤일로: [halo] 명 ①해나 달의 무리. ②후광(後光). 광륜(光輪).

헤일로테스 [그 Heílōtes] 명 라코니아·메세니아(Messenia) 지방에 살다가 스파르타인(人)에게 정복된 고대 그리스의 선주민(先住民). 농사에 종사했던 노예 신분으로 반란을 자주 일으켰으나 헬레니즘 시대에 소멸함. 헬롯(Helot).

헤일로: 효:과 【—効果】 [halo] 명 ①촬상관(撮像管)으로 상(像)을 찍었을 때에, 강하고 밝은 부분을 둘러싸고 그 바깥쪽의 조금 떨어진 곳에 흰 무리가 생기는 현상. ②어떤 방면에서 빼어난 특질을 가진 이를 다른 점에서도 높이 평가하는 일. *후광(後光) 효과.

헤일리 [Haley, Alex] 명 《사람》 미국의 흑인 작가. 뉴욕 주 출신. 대학 2년 중퇴. 1965년 ≪맬컴 X 자서전≫으로 주목을 받았고, 76년 자신의 외가쪽 계보를 더듬은 소설 ≪뿌리: 한 미국 가정의 계보 소설≫을 발표하여 세계적으로 알려졌음. 이듬해에 그것으로 퓰리처 특별상을 받음. [1923-92]

헤일 천문대 【—天文臺】 명 [Hale Observatories] 《천》 윌슨 산(山) 천문대와 팔로마 산(山) 천문대를 합쳐 부르는 이름. 1948년 헤일 망원경이라는 구경 508cm의 망원경을 설치하여 은하·항성 스펙트럼 등을 연구하고 있음. 현재 캘리포니아 공과 대학에 소속되어 있음. *윌슨 산 천문대·팔로마 산 천문대.

헤잊다 타 〈옛〉 헤치다. ¶모로매 이 ᄇᆞᄅᆞᆷ 헤이즐 毛質이 잇ᄂᆞ니라(會是排風有毛質)≪杜諺 Ⅷ:31≫.

헤자즈 [Hejaz] 명 《지》 서아시아의 아라비아 반도 북서쪽의 지방. 아라비아인(人)에 의하여 세워진 헤자즈 왕국이 있던 곳으로, 1927년 네지드(Nejd)와 더불어 사우디아라비아를 구성함. 주민은 아랍족을 주로 하며, 대추야자 및 기타 과실·꿀·피혁·버터·양모·고무 등을 산출함. 주요 도시는 메카(Mecca)를 비롯하여 메디나(Medina)·지다 등이 있으며, 메카와 메디나는 회교도의 성지(聖地)임. [300,000km²: 2,000,000명(1975)]

헤재비 명 〈방〉 허수아비(함북·평안).

헤적-거리다[1] 자 활갯짓을 하며 가볍게 걷다. >해작거리다[1]. **헤적-헤적**[1] 부. ——**-하다**[1] 자여불

헤적-거리다[2] 타 탐탁지 않은 태도로 연해 들추거나 헤적이다. >해작거리다. *허적거리다. **헤적-헤적**[2] 부. ——**-하다**[2] 타여불

헤적-대다 자타 헤적거리다[1·2].

헤적-이다 타 무엇을 들추거나 헤치며 뒤적이다. ¶ 밥을 먹지는 않고 헤적이고만 있다. >해작이다.

헤적-질 명 자꾸 헤적이는 짓. >해작질. ——**-하다** 자여불

헤젓다 타 〈옛〉 휘젓다. ¶밥을 헤젓디 말며(毋揚飯)≪小諺 Ⅲ:23≫.

헤죽-거리다 ㊀자 팔을 휘저어 활갯짓을 하며 걷다. >해죽거리다[1]. ㊁타 가볍게 활갯짓을 하며 연해 팔을 내젓다. **헤죽-헤죽** 부. ——**-하다** 자타여불

헤죽-대다 자타 헤죽거리다.

헤지 거:래 【—去來】 명 [hedge trading] 《경》 헤징.

헤:-지다 자 ↗헤어지다.

헤지라 [Hegira] 명 [출발·이주(移住)의 뜻] ①622년 7월 15일(정확히는 9월 20일) 마호메트가 메카(Mecca) 시민의 박해(迫害)를 피해 메디나로 도망한 일. 이 해를 회교(回敎) 기원 원년으로 함. ②회교 기원(紀元)의 뜻.

헤지르다 자 〈옛〉 헤매다. 쏘다니다. ¶네 엇던 사ᄅᆞᆷ을 찾고져 ᄒᆞ야 뎌리 헤지르다 ≪水滸志≫.

헤지 펀드 [hedge fund] 명 《경》 국제 증권 및 외환 시장에 투자하여 단기 이익을 올리는 민간 투자 기금. 위험성은 높으나 많은 이익을 기대할 수 있는 금융 상품으로 운영하는 것이 특징임.

헤집다 타 헤쳐서 파다. 후비어 파서 벌리다. ¶상처를 ~/닭이 흙을 ~.

헤징 [hedging] 명 《경》 현물(現物)의 시세 하락(時勢下落)에 의한 손해를 방지하기 위하여 선물(先物)로 팔아 치우는 일. 헤지 거래.

헤쳉이 명 〈방〉 언청이(강원·경북).

헤쳐 명 제식 교련(制式敎鍊)에서 구령(口令)의 하나. 대오(隊伍)를 떠나라는 명령. 다음 집합을 위해 가까운 곳에 있어야 함. '차려' 자세에서 명령을 내림.

헤치다 타 ①속에 든 물건을 드러나게 하려고 거죽을 파거나 깨뜨려 잡아 제치다. ¶무덤을 파 ~. ②흩어져 가게 하다. ¶모인 사람을 ~. ③옷자락을 벌리다. ¶앞가슴을 풀어 ~. ④앞에 걸리는 것을 좌우로 물리치다. ¶우거진 수풀을 헤치고 나아가다. ⑤가난·고난 따위를 이겨 나가다. ¶고난의 가시밭길을 헤치고.

헤칭이 명 〈방〉 도깨비(경남).

헤카베 [Hekabe] 명 《신》 그리스 신화에 나오는 트로야의 왕 프리아모스(Priamos)의 아내. 트로야가 망하여 모든 것을 잃은 그녀는 적(敵) 오디세이의 노예로 정해지자 통곡한 끝에 개가 되어 죽음.

헤카타이오스 [Hekataios] 명 《사람》 기원전 500년경에 활약한 그리스의 역사가·지지 작가(地誌作家). 여러 곳을 여행하여 페르시아·이집트 등의 지지(地誌)·습관·전설 등을 기록한 ≪세계 여행≫, 그리스 신화에 의문을 제기한 ≪계보(系譜)≫등의 저서가 있음. 이오니아인(人)의 페르시아에 대한 반란에도 관계함.

헤카테 [Hekate] 명 《신》 그리스 신화 중의 한 여신(女神). 제우스(Zeus)와 권력을 나누어 천지(天地)와 바다에 그 위력(威力)을 떨치며 밤·달·출산(出産)·주법(呪法)·죽음·풍년·어업(漁業)·싸움의 승리 및 그 외의 복운(福運)을 맡아보며, 마법(魔法)과 요괴(妖怪)의 여신으로도 침. 등을 같이 붙인 삼체(三體)가 각각 횃불·칼귀·뱀을 손에 잡고 섰음.

〈헤카테〉

헤켈 [Haeckel, Ernst Heinrich] 명 《사람》 독일의 생물학자·철학자. 동물학 상으로 방산충(放散蟲)·해면(海綿) 동물·강장(腔腸) 동물 등에 대한 연구가 있으며, 진화론(進化論)의 입장에서 유물론적(唯物論的) 일원론(一元論)을 창도함. 저서 ≪세계의 수수께끼≫·≪생명의 경이(驚異)≫ 등은 널리 읽힘. [1834-1919]

「髮梳」≪朴解 上 40≫.

헤켜다 타 〈옛〉 헤치다. =혀혀다. ¶머리터럭을 헤켜고 빗기되(撒開頭

헤타이리아 필리케 [그 hetairia philike] 명 그리스의 자유와 해방, 독립을 위한 비밀 결사(秘密結社). 프랑스 혁명 후의 자유주의·민족주의 풍조(風潮)에 자극되어 러시아의 오데사(Odessa)에서 결성된 후, 지중해·흑해 연안·그리스로 확대하여 그리스 독립 전쟁의 계기(契機)가 됨.

헤테로 [hetero] 명 《생》 [그리스어 heteros에서 온 말] 이질(異質). 이종(異種). 이형(異型). ↔호모(homo).

헤테로 고리 화합물 【—化合物】 명 [heterocyclic compound] 《화》 복소(複素)고리 화합물.

헤테로다인 [heterodyne] 명 《전》 지속 전파(持續電波)를 수신할 때, 수신 전파의 주파수와 조금 다른 주파수를 갖는 지속 진동 전류(持續振動電流)를 국부적으로 발생시켜, 이것을 수신 전파에 의하여 생기는 진동 전류에 중합(重合)하여 수신하는 방법. 무선 수신기·주파수계(周波數計) 따위에 응용됨.

헤테로시스 [heterosis] 명 《생》 일대 잡종(一代雜種).

헤테로옥:신 [heteroauxin] 명 《화》 식물의 성장·발근(發根)을 촉진시키는 작용을 갖는 식물 호르몬. 인뇨(人尿)·효모·각종 곰팡이류에서 추출됨. 합성하기 쉬우므로 농약으로 많이 쓰임.

헤테로 응집소 【—凝集素】 명 [hetero agglutinin] 《생》 정상 혈청 내(內)에서, 이종 입자(異種粒子)나 타종의 적혈구를 응집하는 능력이 있는 항체(抗體). 「↔호모(homo) 접합체.

헤테로 접합체 【—接合體】 명 [heterozygote] 《생》 이형(異形) 접합체.

헤테로-카리온 [heterokaryon] 명 유전적으로 다르게 발생한 두 개의 핵(核)을 지닌, 특히 균의 균사체(菌絲體)에 있어서의 세포.

헤테로 표현도 【—表現度】 명 [heterozygous expressivity] 《생》 유전자형(遺傳子型)이 헤테로인 개체에서, 우성 형질(優性形質)이 표현형으로 나타나는 정도.

헤테롤라이트 [hetaerolite] 명 《광》 흑색(黑色)의 광물. 아연 망간 산화물로 이루어지며, 칼코파나이트(chalcophanite)와 함께 산출됨. 아연 흑망간광.

헤튬 타 〈옛〉 헤침. 깨뜨림. '헤티다'의 명사형. ¶彼敵 헤튜믄 살 가미 ᄲᆞᆯ오미라와 더으니라(破敵過箭疾)≪杜諺 Ⅰ:8≫.

헤트려-쌓기 [—싸키] 명 《건》 크고 작은 돌을 마구 섞어서 한데 쌓는 일.

헤티다 타 〈옛〉 헤치다. 깨뜨리다. ¶고래 히미 바로므를 헤티는 ᄃᆞᆺ ᄒᆞ도

다(鯨力破滄溟)≪杜諺 XXI:8≫.

헤파람 명 〈방〉 휘파람(함북).

헤파린 〔도 Heparin〕 명 〖화〗 동물의 조직(組織), 특히 간(肝)·폐(肺)에 많이 있는 항응혈성(抗凝血性) 물질. 등분자(等分子)의 글루코사민(glucosamine)·글루쿠론산(glucuron 酸)으로 이루어지며 황산기(黃酸基)를 함유함. 수술 후의 혈전(血栓)을 방지하는 데 쓰임.

〈헤파이스토스〉

헤파이스토스 〔Hephaistos〕 명 〖신〗 그리스 신화 중의 불·대장장이의 신(神). 아프로디테(Aphrodite)의 남편으로, 로마의 불카누스(Vulcanus)에 해당함.

헤파토ː마 〔hepatoma〕 명 〖의〗 간세포암(肝細胞癌).

헤파토톡신 〔hepatotoxin〕 명 〖생〗 간장 내에서 만들어진 독물(毒物)이나 유해(有害) 물질.

헤퍼디다 형 〈옛〉 헤퍼지다. ¶藹은 헤퍼딜 씨라 ≪楞嚴 Ⅰ:62≫.

헤ː푸다 형 ☞헤프다.

헤프너-촉 【一燭】 〔Hefner〕 명 〖물〗 1940년 이전에 독일에서 쓰던 광도(光度)의 단위. 초산 아밀(醋酸 amyl)을 연료로 하는 불꽃등(燈), 곧 독일의 공학자 헤프너(Hefner-Alteneck, Friedrich von; 1845-1904)가 고안한 헤프너등의 불꽃의 폭 8 mm, 높이 4 cm로 연소할 때의 광도를 1 촉광이라 함. 국제 광도의 0.9 배임.

헤ː프다 형 〔중세 : 헤프다〕 ①물건이 마디지 않고 쉽게 닳거나 없어지다. 분한(分限)없다. ¶비누가 ~. ↔마디다. ②아낌없이 함부로 쓰는 버릇이 있다. ¶돈을 헤프게 쓴다. ③말이나 행동을 조심하지 않고 함부로 하는 경향이 있다. ¶말이 ~ / 웃음이 ~ / 몸가짐이 ~ / 저 사람은 입이 좀 ~.

헤프워ː스 〔Hepworth, Barbara〕 명 〖사람〗 영국의 여류 조각가(彫刻家). 런던 왕립 미술 학교를 나와, 로마에 유학(留學), 1931년부터 돌을 도려낸 조각(彫刻)을 제작하기 시작하였으며, 남편 니콜슨과 함께 영국의 추상(抽象) 예술의 추진(推進)을 위해 활약함. 1950년 이후 각지의 비엔날레에서 수상(受賞)을 거듭하여, 1965년에는 남자의 나이트에 상당하는 데임(Dame) 칭호를 영국 왕실로부터 받음. [1903-75]

헤ː피 부 헤프게. ¶돈을 ~ 쓰지 마라.

헤ː-하다 자여불 입을 헤 벌리거나 헤 웃다. <히하다. >해하다.

헤-헤 부 입을 반쯤 벌리고 헤식게 웃는 모양이나 소리. <히히. >해해². ――하다 자여불

헤헤-거리다 자 연해 헤헤하고 웃거나 입을 벌리다. >해해거리다. <히히거리다.

헤헤-대다 자 헤헤거리다.

헤혀다 타 〈옛〉 헤치다. ¶榛草를 헤혀 ᄀᆞᄂᆞᆫ 길흘 어두라(披榛得微路) ≪杜諺 Ⅸ:13≫.

헤혐홈 타 〈옛〉 헤침. '헤혀다'의 명사형. ¶오직 옷 가슴 헤혐호ᄆᆞᆯ 니기ᄒᆞ고(只作披衣慣)≪杜諺 Ⅹ:5≫.

헤히트의 실 〔도 Hecht〕 〔一/一에一〕 명 〔발견자 헤히트(Hecht, K.)의 이름에서〕 식물 세포가 원형질 분리(原形質分離)를 일으켰을 때, 세포벽과 수축된 원형질체(體)와의 사이에서 볼 수 있는 원형질의 가는 실.

헥사- 〔그 hexa-〕 두 '육(六)'의 뜻의 접두어. ¶~ 비타민.

헥사데센 〔hexadecen〕 명 〖화〗 세텐(cetene).

헥사데칸 〔hexadecane〕 명 〖화〗 세탄(cetane).

헥사메틸렌디아민 〔hexamethylenediamine〕 명 〖화〗 나일론의 합성 원료. 흡습성 결정(吸濕性結晶)으로 물에 녹음. 녹는점 42°C, 끓는점 100°C. [$NH_2(CH_2)_6NH_2$]

헥사메틸렌테트라민 〔hexamethylenetetramine〕 명 〖화〗 무취(無臭)의 결정성 분말. 약 263°C에서 승화(昇華)하며, 물·에탄올에 녹음. 페놀 수지(Phenol 樹脂)의 경화 촉진제(硬化促進劑), 고무의 가황(加黃) 촉진제, 요로(尿路)의 전염성 질환의 치료약 등에 쓰임. 상품명은 우로트로핀(Urotropin).

헥사클로로-백금산 【一白金酸】 명 〔hexachloroplatinic acid〕 〖화〗 헥사클로로백금(Ⅳ)산. 염화 백금산❸.

헥사클로로벤젠 〔hexachlorobenzene〕 명 〖화〗 벤젠의 여섯 개의 수소(水素)를 모두 염소(塩素)로 치환(置換)한 화합물로 무색의 침상(針狀) 결정. 녹는점 230℃, 끓는점 322.2℃. [C_6Cl_6]

헥사클로로펜 〔hexachlorophene〕 명 〖약〗 외용(外用) 살균 소독제로 GH라고도 함. 손가락·피부 소독에 쓰이며 약용 비누·화장품 따위에 배합(配合)됨. 젖먹이의 목욕용으로는 금지됨.

헥사페닐에탄 〔hexaphenylethane〕 명 〖화〗 무색(無色)의 결정(結晶)으로 용액은 황색. 상온(常溫)에서도 해리(解離)하여 안정한 유리기(遊離基) 트리페닐메틸(triphenylmethyl)이 생기기 때문에 반응성이 강하며, 할로겐(halogen) 또는 산소(酸素)와 결합(結合)하기 쉬움. 녹는점(點) 143℃. [$(C_6H_5)_3C \cdot C\ (C_6H_5)_3$]

헥산 〔hexane〕 명 〖화〗 파라핀계 탄화 수소(paraffin系炭化水素)의 하나로 다섯 가지 이성체(異性體)가 있으며, 가솔린의 저비점(低沸點) 부분이나 석유 에테르 등에 함유되어 있음. [C_6H_{14}]

헥산-산 【一酸】 명 〔hexanoic acid〕 〖화〗 무색 액체상(液體狀)의 지방산, 유지(油脂)·동물성 지방에 존재함. 약제(藥劑)나 향미료의 합성에 쓰임. [$CH_3(CH_2)_4COOH$]

헥소오스 〔hexose〕 명 〖화〗 6개의 탄소 원자(原子)를 가진 단당류(單糖類)의 총칭. 알도헥소오스(aldohexose)와 케토헥소오스(ketohexose)로 대별(大別)됨. 단당류 중 가장 많이 동식물계에 분포하고 있으며, 유리(遊離) 상태로도 존재하나 이당류(二糖類)·다당류(多糖類) 또는 배당체(配糖體)의 성분으로서 산출되는 양(量)이 많음. 육탄당(六炭糖). [$C_6H_{12}O_6$] ＊헵토오스(heptose).

헥시톨 〔hexitol〕 명 〖화〗 당(糖)알코올의 일종으로, 헥소오스의 환원으로 얻어지는 6가(價) 알코올의 총칭. 네 쌍의 광학 이성체(光學異性體)와 두 종의 메소형(meso形) 등 10종의 입체(立體) 이성체가 있음. 모두 무색의 결정으로 단맛이 있음. 헥시트. [$CH_2OH(CHOH)_4CH_2OH$]

헥시트 〔도 Hexit〕 명 〖화〗 헥시톨.

헥실레조르신 〔hexylresorcin〕 명 〖약〗 백색의 침상(針狀) 결정의 회충(蛔蟲) 구제약. 효과는 산토닌보다 강하나 점막(粘膜)을 자극하는 국소(局所) 작용이 강하므로 당의(糖衣)를 입힘.

헥타ː르 〔hectare〕 의명 미터법의 토지 면적의 단위. 100 아르(are). 즉, 10,000 m². 기호는 ha로 표시함.

헥토- 〔그 hecto-〕 두 100의 뜻으로, 미터법의 단위 위에 붙어 100배를 의미함. 기호는 h.

헥토-그램 〔hectogram〕 의명 100 그램을 단위로 일컫는 말.

헥토르 〔Hektor〕 명 〖신〗 그리스 신화의 트로야의 왕 프리아모스(Priamos)와 헤카베(Hekabe)의 장남이며 안드로마케(Andromache)의 남편. 트로야 전쟁에서 활약한 트로야 최강(最強)의 영웅임. 아킬레스(Achilles)와는 대조적으로 온화하고 고결한 사람으로 호메로스의 영웅시 ≪일리아드≫에 등장함. 선전(善戰)의 보람 없이 아킬레스에게 살해되어 그 시체가 여기저기 끌려 다니자 프리아모스는 많은 돈을 내고 시체를 거두어 들였다 함.

헥토-리터 〔hectoliter〕 의명 100 리터를 단위로 일컫는 말.

헥토-미ː터 〔hectometer〕 의명 100 미터를 단위로 일컫는 말.

헥토미ː터-파 【一波】 명 〔hectometer wave〕 〖전〗 중파(中波).

헥토-파스칼 〔hectopascal〕 의명 〖기상〗 압력의 단위로 100 파스칼의 일컬음. 종전의 밀리바와 같은 값. 우리 나라에서는 1993년 1월 1일부터 밀리바 대신 헥토파스칼을 사용함. 기호는 hPa. ＊파스칼.

헨 조 〈옛〉 에는. 엔. ¶둘헨 내 成佛ᄒᆞ야… 열헨 내 成佛ᄒᆞ야 ≪月釋 Ⅷ:61≫.

헨더슨 〔Henderson, Arthur〕 명 〖사람〗 영국의 정치가. 1903년 하원 의원, 제1차 대전 중에는 노동당을 영도함. 1915년에 입각하여 전쟁에 협력, 1917년에 사임하고 당(黨)의 재건과 조직 확대에 활약함. 노동당 내각에서 내상·외상을 역임. 1932년 제네바 군축 회의 의장(議長)을 지냄. 1934년 노벨 평화상을 수상함. [1863-1935]

헨델 〔Händel, Georg Friedrich〕 명 〖사람〗 독일의 작곡가. 함부르크 등지에서 바이올린·오르간 등을 연주하였음. 이탈리아에 여행 후 영국에 건너가 주로 그 곳에서 활동하고 종신(終身)하였음. 이탈리아의 세속 음악(世俗音樂)의 영향이 짙고, 이에 바젤(Basel)의 국민 가극(國民歌劇)과 프랑스의 다채로운 요소를 가미한 작풍(作風)이 영국 국민의 환영을 받았고, 바흐에 비하여 화성적(和聲的)이고 단순·명쾌함. 작품 중에서 ≪메시아(Messiah)≫ 등의 오라토리오가 걸출(傑出)함. [1685-1759]

헨둥-하다 형 〈방〉 현저하다. 빤하다(평안·함남).

헨레 〔Henle, Friedrich Gustav Jacob〕 명 〖사람〗 독일의 병리학자·해부학자. 하이델베르크 대학의 해부·생리·병리학 교수. 유선(乳腺)의 구조·동물 체내의 상피(上皮) 조직 분포·신세뇨관(腎細尿管)의 구조, 기타 혈관·눈·손발톱·중추 신경계 등을 연구하여 조직학에 많은 업적을 남김. [1809-85]

헨리¹ 〔Henry, Joseph〕 명 〖사람〗 미국의 물리학자. 프린스턴 대학 교수. 스미스소니언(Smithsonian) 협회 초대 회장. 1830년 패러데이(Faraday, M.)와는 별도로 전자 유도(電磁誘導)를 발견하였고, 뒤이어 강력한 전자석(石)을 제작. 또, 모스(Morse)에 앞서 전자(電磁) 방식의 전신기를 고안했고, 1832년에는 자기(自己) 유도를 발견함. 또, 기상 통보를 조직화하여 천기도·과학적 일기 예보 방식을 창시했고, 태양 흑점의 열방사(熱放射)도 관측했음. [1797-1878]

헨리² 〔Henry, Patrick〕 명 〖사람〗 미국의 독립 혁명 지도자. 인지 조례(印紙條例) 반대의 급선봉(急先鋒)이 되어 대륙 회의(會議) 등에서 활약, 1775년 유명한 ≪자유 아니면 죽음을≫의 연설을 하였으며, 버지니아의 초대 지사에 임명되었음. [1736-99]

헨리³ 〔Henry, William〕 명 〖사람〗 영국의 화학자. 에든버러 대학에서 의학을 수학하고 부친이 설립한 화학 공장을 경영함. 1803년 친구 돌턴과 함께 '헨리의 법칙'을 발견함. [1775-1836]

헨리⁴ 〔henry〕 의명 〖물〗 〔미국의 물리학자 헨리의 이름에서 유래〕 인덕턴스(inductance)의 엠 케이 에이 에스(MKAS) 단위. 전류가 매초 1 암페어의 비율로 변화할 때, 자기(自己) 또는 상호 유도(相互誘導)에 의하여 1볼트의 기전력(起電力)이 발생하는 회로의 인덕턴스. 1 헨리는 10^9 cgs 전자(電磁) 단위. H로 표시함.

헨리 레가타 〔Henley Regatta〕 명 1839년 이래, 영국의 템스 강 상류에서 거행되고 있는 세계의 대표적 레가타.

헨리 사ː세 【一四世】 〔Henry Ⅳ〕 명 ①〖사람〗 영국 왕. 랭카스터조(Lancaster朝) 초대의 왕. 백년 전쟁(百年戰爭)을 계속하는 한편, 국내의 반란 진정에 진력함. [1367-1413; 재위 1399-1413] ②〖책〗 셰익스피어 작(作)의 희곡. 2부 10막. 1597-98년에 초연(初演). 15세기 초두, 헨리 4세를 에워싼 내란과 그 왕자 헨리, 무뢰한 폴스타프(Falstaff) 등의 갈등을 그림.

헨리 삼세 【一三世】 〔Henry Ⅲ〕 명 〖사람〗 영국 왕. 실지왕(失地王) 존(John)의 아들. 외국인 총신(寵臣)을 중용하고, 중세(重稅)를 과하였기 때문에 제후(諸侯)·승려의 반항을 초래하여 1258년 옥스퍼드 조례를 승인, 1265년 영국 최초의 의회를 소집하였음. [1207-72; 재위 1216-72]

헨리 오ː세 【一五世】 〔Henry Ⅴ〕 명 〖사람〗 영국 왕. 롤러드(Lollard) 운동을 억압하여 국내 치안을 확보함. 백년 전쟁을 재개하여 1415년 아

쟁쿠르(Agincourt)의 싸움에서 이기고, 트르와(Troyes)의 화의(和議)에서 프랑스 왕위 계승권을 얻었으나 파리 교외에서 진몰(陣沒)함. 중세 기사(騎士)의 전형(典型)으로 꼽힘. [1387-1422; 재위 1413-22]

헨리 육세【一六世】〔Henry Ⅵ〕 명 〖사람〗 영국 왕. 헨리 5세의 아들. 치세(治世) 중 백년 전쟁이 종결되고 장미 전쟁이 시작됨. 1461년 요크가(York家)의 에드워드 4세에게 왕위를 빼앗기고 런던탑에 유폐됨. 1470년에 복위되었으나 이듬해 살해됨. [1421-71; 재위 1422-61]

헨리의 법칙【一法則】〔Henry〕〔一/一에一〕〖화〗 일정 온도에서 액체에 녹는 기체의 양은 그 액체와 평형 상태(平衡狀態)에 있는 그 기체의 분압(分壓)에 비례한다는 법칙. 1803년 헨리(Henry, W.)가 발견함.

헨리 이:세【一二世】〔Henry Ⅱ〕 명 〖사람〗 영국 왕. 원래 프랑스의 앙주백(Anjou伯)으로, 헨리 1세의 손자이어서 영국 왕이 되어 플랜태지넛 왕조(Plantagenet王朝)의 시조(始祖)가 됨. 프랑스에 넓은 영토를 갖고, 군제 개혁(軍制改革) 등으로 왕권(王權)을 크게 강화함. 캔터베리 대주교(大主教)인 베켓(Becket, T.)과 다툰 끝에 그를 살해하였음. [1133-89; 재위 1154-89]

헨리 일세【一一世】〔Henry Ⅰ〕〔一쎄〕 명 〖사람〗 영국 왕. 윌리엄(William) 1세의 아들. 왕위를 에워싸고 형인 로베르(Robert)와 싸워서 노르망디(Normandie)를 병합, 순회 재판 제도와 재정에 힘쓰는 등으로 왕권을 신장하였고, 캔터베리 대주교 안셀무스(Anselmus)와 화해하여 교회의 지지도 얻음. 사후(死後)에 왕위를 에워싸고 내란이 발생했음. [1068-1135; 재위 1100-35]

헨리 칠세【一七世】〔Henry Ⅶ〕〔一쎄〕 명 〖사람〗 영국 왕. 랭카스터(Lancaster) 출신. 장미 전쟁에서 리처드 3세를 격파하고 즉위함. 튜더 왕조(Tudor王朝)의 시조. 절대 군주 국가의 기반을 닦았음. [1457-1509; 재위 1485-1509]

헨리 팔세【一八世】〔Henry Ⅷ〕〔一쎄〕 명 〖사람〗 영국 왕. 헨리 7세의 아들. 독실한 가톨릭이었으나 앤 볼린(Anne Boleyn)과의 연애와 왕비와의 이혼 문제 등으로 교황과 대립함. 1534년 수장령(首長令)을 발포(發布)하여 스스로 영국 교회의 수장이 되고, 로마 교회에서 이탈하여 수도원을 해산, 재산을 몰수함. 왕비를 6명이나 바꾸고 측근의 많은 사람을 처형하는 등 성격은 잔인했으나, 영국 절대주의의 확립에 기여함. [1491-1547; 재위 1509-47]

헨리 항:해왕【一航海王】〔Henry〕 명 〖사람〗 엔리케 항해왕.

헨젠〔Hensen, Victor Andreas Christian〕 명 〖사람〗 독일의 생리학자·수산학자. 처음에 발생학과 감각 기관(感覺器官), 특히 청각(聽覺) 기관의 해부학 및 생리학을 연구하고, 후에 해양 생물학의 연구로 전향하여 플랑크톤의 정량법(定量法), 부유 어란(浮遊魚卵)의 계산법을 고안해 냄. 플랑크톤은 그가 만든 말임. [1835-1924]

헨젠 결절【一結節】〔一쩔〕 명 〔Hensen's node〕〖동〗〔발견자인 헨젠(Hensen, V.A.C.)의 이름에서〕 양막류(羊膜類)의 초기 발생에서 원조(原條)의 선단(先端)에 나타나는 절상(節狀)의 부분.

헨치〔Hench, Philip Showalter〕 명 〖사람〗 미국의 의학자. 부신(副腎) 호르몬을 발견, 이의 구조·생물학적 효과에 관한 연구로 1950년 켄들(Kendall, E.C.)·라이히슈타인(Reichstein, T.)과 함께 노벨 의학상을 받았음. [1896-1965]

헨 카이 판〔그 hen kai pan〕 명 〖철〗〔'하나이자 전부'의 뜻〕 하나와 많음, 부분과 전체의 분별이나 대립을 초월한 하나가, 곧 전부임을 실재의 진상(眞相)으로 하는 범신론(汎神論)의 사상을 단적으로 나타내는 말. 그리스의 철학자 크세노파네스(Xenophanes)가 처음으로 씀.

헨트〔Gent〕 명 〖지〗 겐트.

헬〔Hel〕 명 〖신〗 북유럽 신화 중의 명부(冥府)의 여왕(女王). 로키(Loki)와 여거인(女巨人)의 딸로, 극한(極寒) 세계의 지옥에서 사자(死者)를 지배한다 함. *니플헤임(Niflheim).

헬골란트 섬〔Helgoland〕 명 〖지〗 독일 북부, 슐레스비히 홀슈타인 주(Schleswig-Holstein州)에 속하는 북해(北海)의 작은 섬. 어업이 행하여지고, 해양 생물 연구소·후조(候鳥) 관측소가 있으며 관광지임. 1714년 덴마크령(領), 1807년 영국령, 1890년에 독일령이 되어 요새화(要塞化)됨. 헬리골랜드(Heligoland). [0.9km²:2,312명(1971)]

헬-기【一機】 명 '헬리콥터'의 약칭.

헬 다이브〔hell dive〕 명 〖군〗 급강하 폭격(急降下爆擊).

헬드 볼:〔held ball〕 명 농구에서, 양편 두 선수가 공을 동시에 쥐고 놓지 않는 일. 점프 볼을 하여 경기를 계속함.

헬라 세:포【一細胞】 명 〔HeLa cell〕〖생〗 힐러 세포.

헬라스〔그 Hellas〕 명 〖역〗 고대 그리스인이 자기 나라를 부르던 이름.

헬러 시험【一試驗】 명 〔Heller's test〕〖병리〗 오줌 속의 알부민의 검출 시험. 피검액(被檢液)과 질산(窒酸) 용액과의 접촉면에 흰색의 고리가 생기면 알부민이 존재하는 것임.

헬레네〔Helene〕 명 〖신〗 그리스 신화 중의 미녀(美女). 제우스(Zeus)의 딸로, 어머니는 스파르타의 여왕 레다(Leda). 스파르타 왕 메넬라오스(Menelaos)의 왕비(王妃)이었으나 트로야(Troja)의 왕자 파리스(Paris)에게 유괴되어 트로야 전쟁의 발단을 이루었음.

헬레네스〔그 Hellenes〕 명 고대(古代) 그리스인(人)의 자칭(自稱). 데우칼리온(Deukalion)의 아들 헬렌(Hellen)의 자손이라는 뜻. 본디 한 부족(部族)의 명칭이었는데, 전(全)그리스인의 뜻으로 쓰이게 됨. ↔바르바로이(Barbaroi).

헬레니즘〔Hellenism〕 명 〖역〗 알렉산더 대왕으로부터 아우구스투스제(Augustus帝)까지, 곧 기원전 323-30년 사이에 걸쳐 그리스 고유의 문화가 지중해 연안·시리아·이집트·페르시아 등지에 전파되어 오리엔트 문화와 융합·형성한 새롭고 세계적 성격을 띤 문화. 헤브라이즘(Hebraism)과 함께 서양 문화의 2대 조류(潮流)가 되며, 코스모폴리타니즘의 형성을 특징으로 함. 넓은 의미의 헬레니즘은 그리스 문화 전체를 포함하며 기독교 사상과 대조됨.

헬렐레 부 ①몸가짐이나 마음의 자세가 몹시 흐트러지고 풀려 있는 모양. ②술이 곤드레만드레 취하여 몸을 가누지 못하는 모양. ¶술이 취해서 ~하고 있다. **——-하다** 형자여불

헬롯〔Helot〕 명 헤일로테스(Heilotes).

헬륨〔helium〕 명 〖화〗 공기 중에 아주 적은 분량으로 함유되어 있는 희가스류 원소(稀gas類元素). 무색 무취로 다른 원소와 전혀 화합하지 않으며 수소 다음으로 가벼움. 끓는점(點)이 낮으므로 극저온용(極低溫用) 냉각제로, 또 불연성(不燃性)이므로 기구용(氣球用) 가스 따위로 쓰임. [2번:He:4.00260]

헬륨 냉:동기【一冷凍機】 명 〔helium refrigerator〕 액체 헬륨을 사용하는 냉동기. 물질을 영하 269°C 이하의 온도로 냉각하는 데 쓰임.

헬륨 연소 반:응【一燃燒反應】 명 〔helium burning reaction〕〖물〗 헬륨 원자핵 ^{4}He의 핵융합(核融合)으로 탄소(炭素) ^{12}C가 만들어지는 핵반응. 중심 온도가 오른, 진화(進化)한 항성(恒星)의 에너지원(源)임. *수소 융합 반응.

헬름스-상【一賞】〔Helms〕 명 미국의 로스앤젤레스에 있는 헬름스 경기 재단(競技財團)이 매년 세계의 6대주에서 한 사람씩 세계적 선수를 뽑아 표창하는 상.

헬름홀츠〔Helmholtz, Hermann Ludwig Ferdinand von〕 명 〖사람〗 독일의 생리학자·물리학자. 생리 광학(生理光學), 근육의 열(熱) 발생, 청각의 공명설(共鳴說) 및 에너지 보전의 법칙, 이 밖에 전기 역학·열역학·기하학 등의 광범위한 영역에 걸쳐 연구함. 주저(主著)에 ≪생리 광학 전서(生理光學全書)≫·≪음감설(音感說)≫이 있음. [1821-94]

헬름홀츠-파【一波】 명 〔Helmholtz wave〕〖물〗 밀도가 다른 유체(流體)의 경계면에 나타나는 파동. 파장(波長)과 전반 속도(傳搬速度), 파동의 안정·불안정은 양쪽 유체의 밀도와 유속(流速)에 따라 정하여지고 대기 중에서 파장은 수 km 이하임. 헬름홀츠가 규명함. 파상운(波狀雲)은 헬름홀츠파에 의하여 생긴다고 함.

헬리골랜드〔Heligoland〕 명 〖지〗 헬골란트 섬. 「대.

헬리본: 부대【一部隊】〔heliborne〕 명 〖군〗 헬리본 작전을 담당하는 부

헬리본: 작전【一作戰】〔heliborne〕 명 〖군〗 지상 부대가 헬리콥터로 목표 지점에 착륙하여 공격에 참가하거나, 반대로 지상 부대를 적의 포위로부터 탈출시키는 공중 기동(機動) 작전.

헬리시티〔helicity〕 명 〖물〗 소립자(素粒子)의 운동 방향의 스핀 성분(spin 成分)의 값.

헬:리안트〔도 Heliand〕 명 〔구세주의 뜻〕 독일 문학 최초의 구세주 이야기. 830년경 루트비히 경건왕(敬虔王)이 기독교 전파를 위해 만들게 한 것인데, 저지(低地) 독일어의 고형(古形)인 고작센어(古Sachsen語)로 그리스도의 생애를 그린 6천 행의 두운 서사시(頭韻敍事詩)임.

헬리오그래프〔heliograph〕 명 태양 광선을 거울로 반사(反射)시켜서 전신 신호(電信信號)를 보내는 장치.

헬리오미터〔heliometer〕 명 〖천〗 태양의(太陽儀).

헬리오스〔Helios〕 명 〖신〗 그리스 신화 중의 태양신(太陽神). 매일 아침 네 마리의 말이 끄는 마차로 동쪽 궁전을 나와 저녁에 서쪽 궁전으로 들어가며, 황금의 배로 다시 동쪽으로 돌아감.

〈헬리오스〉

헬리오스코:프〔helioscope〕 명 〖천〗 태양경(太陽鏡).

헬리오스탯〔heliostat〕 명 〖물〗 광학 실험을 목적으로 태양 광선을 반사경으로 반사시켜 일정한 방향으로 보내는 장치. 일광 반사경(日光反射鏡). 회광경(回光鏡). *시데로스탯.

헬리오타이프〔heliotype〕 명 〖인쇄〗 콜로타이프(collotype).

헬리오트로:프〔heliotrope〕 명 ①〖식〗〔*Heliotropium arborescens*〕 지칫과(科)에 속하는 다년생(多年生)의 풀. 페루 원산으로, 잎은 긴 타원형임. 여름과 가을에 황자색(黃紫色)의 꽃이 수상(穗狀)으로 피고 방향(芳香)이 있음. 관상용(觀賞用)으로, 온실에서 키움. ②헬리오트로프의 꽃에서 딴 향료 또는 그와 동일한 향취(香臭)가 있는 합성 향료.

헬리오트로핀〔heliotropin〕 명 〖화〗 피페로날(piperonal).

헬리컬 기어〔helical gear〕 명 톱니바퀴의 하나. 톱니가 비스듬히 구부러지게 새겨진 것. 톱니가 튼튼하고 톱니의 물림이 원활하여 소음이나 진동이 작은 반면, 회전할 때 축 방향으로 미는 힘이 생기며, 제작하기가 힘듦.

헬리코루빈〔helicorubin〕 명 〖생〗 달팽이의 소화관(消化管)에서 발견된 휘적색(輝赤色)의 색소. 연체(軟體) 동물에 널리 분포하며 때로는 다른 동물군(群)에도 존재함. 치토크롬(cytochrome)과 비슷하나 작용은 분명하지 않음.

헬리콘〔helicon〕 명 ①〖악〗 관악기(管樂器)의 하나. 군악대 등에서 어깨에 메고 부는 대형의 저음(低音) 나팔. ②〖물〗 자장(磁場) 중의 고체 플라스마(固體 plasma)를 전반(傳搬)하는 전자파(電磁波).

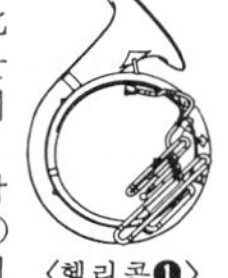
〈헬리콘❶〉

헬리콥터〔helicopter〕 명 주익(主翼) 대신에, 활주(滑走)하지 않아도 떠오르는 힘을 갖는 큰 회전익(回轉翼)을 수직으로 붙여, 이것을 엔진으로 회전시키는 항공기(航空機). 속도는 느리나 수직으로 이착륙(離着陸)할 수 있으며, 공중에서 정지(靜止)할 수도 있음. 회전익의 각도를 변경함으로써 전진(前進)·후진(後進)·횡진(橫進)할 수 있음. 잠자리 비행기. *오토자이로(autogyro).

헬리콥터 농법【一農法】〔helicopter〕〔一뻡〕 명 〖농〗 헬리콥터를 이용하여 농약의 공중 살포, 볍씨의 직파(直播) 등을 행하는 방법. 미국 등

넓은 지역에서 단일(單一) 작물 재배에 널리 사용되고 있음.

헬리콥터 모:함 【一母艦】〔helicopter〕 명 헬리콥터 발착 갑판(發着甲板)을 갖추고 다수의 헬리콥터를 적재하는 군함. 상륙 작전용의 항공 모함형과 대(對)잠수함 초계용(哨戒用) 등의 순양함형·특무(特務)함형 등이 있음. ㊣모함(母艦).

헬리-포:트 〔heliport〕 명 〔helicopter port의 준말〕 헬리콥터의 이착륙(離着陸) 설비가 되어 있는 곳.

헬만드 강 【一江】〔Helmand〕 명 『지』 아프가니스탄에서 가장 긴 강. 카불(Kabul)의 서쪽에서 발원(發源)하여 레기스탄(Registan) 건조 분지를 관통, 이란과의 국경에 있는 헬만드 호(湖)로 들어감. 아프가니스탄 정부는 헬만드 개발 계획을 세워 관개(灌漑) 경지의 확장에 노력 중임.

헬맹이 명 〈방〉 질신(전남).

헬멧 〔helmet〕 명 ①쇠나 플라스틱으로 만든, 충격으로부터 머리를 보호하기 위한 투구형의 모자. 군인들이 철모 밑에 받치어 쓰거나, 공사장의 근로자 등이 씀. 안전모(安全帽). ②서양식의 투구형 모자. 주로 여름철이나 더운 지방에 여행할 때 많이 씀.

〈헬멧〉

헬몬트 〔Helmont, Jan Baptista van〕 명 『사람』 벨기에 태생의 네덜란드의 화학자·의사. 자연 과학·의학·법률학을 수학하였으며, 파라켈수스(Paracelsus)의 영향을 받아 의화학파(醫化學派)의 한 사람이 됨. 횡격막(橫隔膜)에 근섬유(筋纖維)가 없는 건중심(腱中心)이 있다는 것을 발견하였음. [1577-1644]

헬스 클럽 〔health club〕 명 옥내 운동 시설 등을 활용, 건강·미용 등을 증진하면서 휴양과 오락도 도모하는 민간 클럽.

헬싱보리 〔Hälsingborg〕 명 『지』 스웨덴 남부의 항구 도시. 좁은 해협을 끼고 마주 대하는 덴마크의 헬싱게르(Helsingör)와의 사이에 철도 연락선이 통함. 조선(造船)·화학 공업이 행해지고 상업의 중심지이기도 함. 한자 동맹(Hansa 同盟) 시대의 건조물이 남아 있음. [107,443명(1989)]

헬싱키 〔Helsinki〕 명 『지』 핀란드의 수도. 북위 60° 가까이에 있으며, 1월-5월에 결빙(結氷)함. 유럽 최대의 도자기 공장이 있으며, 조선(造船)·섬유·기계·식품 가공 등의 공업도 행해짐. 핀란드 만안(灣岸)에 위치한 이 나라 최대의 무역항으로, 철도·항공망의 중심이기도 함. 국회 의사당·국민 극장 등 훌륭한 현대 건축이 많고 러시아 지배 시대 이래의 니콜라이 성당·러시아 총독 관저 등도 남아 있음. 헬싱키 대학·올림픽 스타디움·어린이의 성(城)이라고 하는 소아 복지(小兒福祉) 병원 등도 유명함. 헬싱포르스. [491,811명(1989)]

헬싱키 정신 【一精神】〔Helsinki〕 명 1975년 7월 헬싱키에서 열린 유럽 안보 협력 회의의 정신. 유럽의 안전 보장과 협력을 바탕으로 함.

헬싱포르스 〔Helsingfors〕 명 『지』 '헬싱키(Helsinki)'의 스웨덴 이름.

헬퍼 바이러스 〔영 helper＋virus〕 명 『생』 단독으로 세포에 감염(感染)되었을 때는 증식 능력(增殖能力)이 결여(缺如)되나, 어떤 종류와 동시에 감염시키면 증식을 볼 수 있는 결손(缺損) 바이러스. 이때에 전자를 헬퍼 감수성(感受性) 결손 바이러스, 후자를 헬퍼 바이러스라고 함.

헴[1] 명 〈방〉 셈(함북·평북). ——-하다 타

헴:[2] 명 ①↗헤엄. ②〈방〉 헤엄(경기·강원·전북·경상).

헴[3] 〔haem〕 명 『화』 포르피린(porphyrin)에 2가(價)의 철이온(鐵 ion)을 배위(配位)한 착(錯) 화합물. 암자색(暗紫色)을 띤 갈색의 침상(針狀) 결정. 공기에 노출되면 철은 산화되고 헤마틴(hematine)이 됨. 산소 분자와 결합하여 체내의 여러 기관(器官)에 산소를 운반하는 역할을 함.

헴[4] 감 점잔을 빼거나 또는 습관적으로 내는 작은 기침 소리.

헴록 〔hemlock〕 명 『식』 [*Conium maculatum*] 미나릿과(科)에 속하는 월년초(越年草). 유럽 원산인데, 지하에 순무 모양의 근경(根莖)이 있고 줄기는 관상(管狀)으로 표면에 보랏빛 반점(斑點)이 있으며, 잎은 우상복엽(羽狀複葉)임. 여름에 줄기 끝에 흰 빛의 작은 꽃을 피움. 전체에 맹렬한 독이 있어서 예로부터 유럽에서 사약(賜藥)으로 쓰였으며, 소크라테스의 예는 유명함.

헴-스티치 〔hemstitch〕 명 옷·수건·책상보·이불 등의 가장자리에, 천의 씨실을 몇 가닥씩 뽑고 날실을 몇 가닥씩 묶어서 만든 장식.

〈헴스티치〉

헴판 명 〈옛〉 주판(籌板). ¶ 헴판(籌盤)《漢淸 X:19》.

헵번[1] 〔Hepburn, Audrey〕 명 『사람』 미국의 영화 여배우. 《로마의 휴일》에서 호평을 받은 이래 이색적(異色的)인 청초(淸楚)한 미모와 감성적(感性的) 연기로 대(大)스타가 되어, 《전쟁과 평화》·《티파니에서 아침을》 등에 주연하였음. [1929-93]

헵번[2] 〔Hepburn, Katharine〕 명 『사람』 미국의 영화 여배우. 심리학 박사로, 무대에서 《사랑의 오열(嗚咽)》로 영화계에 등장함. 지성적이며 강렬한 개성을 보이는 폭넓은 연기로서 《여정(旅情)》 등에 출연, 독특한 화술(話術)과 정확한 연기로도 이름 있음. [1909-]

헵번 스타일 〔Hepburn style〕 명 미국 영화 《로마의 휴일》에 나오는 헵번(Hepburn, A.)의 머리 모양. 앞머리를 가볍게 밑으로 내리고, 옆머리는 뒤쪽으로 짝 붙여 넘기며, 뒷머리는 목덜미 길이로 짧게 커트함.

헵쓰다 자 〈옛〉 헤치고 날뛰다. ¶ 百萬陣中에 헵ᄯᅳᄂᆞ니 子龍이로다《永言》. ＊헤ᄯᅳ다.

헵탄 〔heptane〕 명 『화』 탄소(炭素) 7개를 함유한 메탄계(系)의 탄화 수소. 9종(種)의 이성체(異性體)가 있으며, 끓는점(點)은 79°-98°C. 무색의 액체이며 석유 속에 존재하는데, 화학적 반응성은 적음.

헵토오스 〔heptose〕 명 『화』 탄소 원자가 7개 있는 단당류(單糖類). 알도오제(Aldose)와 케토오스(ketose)가 있음. 이론상 16쌍의 광학 이성체가 가능함. 칠탄당(七炭糖). [$C_7H_{14}O_7$] ＊헥소오스(hexose).

헷 관 〈방〉 헛.

헷-갈리다 자 ①정신을 차리지 못하다. ¶ 정신이 ～. ②뒤섞여서 갈피를 잡을 수가 없다. ¶ 두 글자의 뜻이 ～.

헷-바닥 명 〈방〉 혓바닥(경북).

헷창이 명 〈방〉 언청이(황해·함남·평북).

헷챙 명 〈방〉 언청이(함경).

헷챙이 명 〈방〉 언청이.

헹[1] 명 〈방〉 형[1](兄)(전북·경남).

헹[2] 부 힘을 주어 야무지게 코를 푸는 소리. ——-하다 자 여불

헹-가래 명 『민』 기쁘고 좋은 일을 당한 사람을 치하하거나 과실(過失)이 있는 사람을 벌주는 뜻으로, 여러 사람이 그 사람의 네 활개를 번쩍 들어, 계속해서 내밀었다 들이키었다 하거나, 던져올렸다 받았다 하는 짓.

헹가래(를) 치다 구 한 사람의 네 활개를 여럿이 쳐들고, 내밀었다 들이키었다 하거나 던져올렸다 받았다 하다. ¶ 우승을 하고 감독을 ～

헹가래-질 명 헹가래를 치는 것. ——-하다 자 타 여불

헹구다 타 빤 빨래 따위를 다시 깨끗한 물에 넣어서 흔들어 빨아 더럼이 빠지게 하다. ¶ 빨래를 ～/머리 감은 뒤에는 잘 헹궈서 비눗기를 말끔히 없애야 한다. ㊣헤다.

헹글-헹글 부 입거나 끼우는 물건이 몸에 비해 너무 커서 몹시 헐거운 모양. ——-하다 형 여불

헹기다 타 〈방〉 헹구다.

헹텡-이 명 〈방〉 언청이.

혀[1] 명 ①동물의 입 안 아래쪽에 붙어 있는 기관. 운동이 자유로운 근육(筋肉)의 집합체로, 사람에는 네 개의 고유한 설근(舌筋), 즉 상종(上縱) 설근·횡(橫)설근·하종(下縱) 설근·연직(鉛直) 설근 및 세 개의 다른 부분으로부터 온 설근과 인접 근육으로 이루어지며, 이것을 설체(舌體)·설근(舌根)·설첨(舌尖)·설배(舌背)·측연(側緣)·하면(下面)으로 나누는데, 설근에는 설근 편도선(扁桃腺)이 있음. 미각(味覺)·저작(咀嚼)·연하(嚥下) 및 발음(發音) 등의 여러 작용을 함. 설(舌). ②『악』 피리 같은 목관(木管) 악기의 부리에 끼워 소리내는, 대나 쇠붙이로 만든 얇고 갸름한 조각. 그것의 진동으로 악음(樂音)을 냄. 황(簧). 황엽(簧葉). 피리혀. 리드(reed). ③『건』 널빤지의 한쪽을 깎아 다른 널빤지의 홈에 물려 끼우는 돌기.

[혀는 짧아도 침은 길게 뱉는다] 가진 것도 없으면서 제 분수에 넘치게 있는 체를 한다는 말. 혓바닥은 짧아도 침발은 길다. [혀를 빼 물었다] 일이 몹시 힘듦을 이르는 말. [혀 밑에 죽을 말도 있다] 말을 잘못 하면 죽을 수도 있으니 말조심하라는 말. [혀 아래 도끼 들었다] 말을 잘못하면 재앙(災殃)을 받게 되니 말을 삼가라는 뜻.

혀가 굳다 구 혀가 마음대로 움직이지 않다.

혀(가) 꼬부라지다 구 병이 나거나 술이 취해서, 혀가 굳어져 말하는 것이 불명료하다.

혀가 돌아가다 구 거침없이 지껄이다. 발음 따위를 또박또박 정확하게 내어서 말하다.

혀(가) 빠:지게 ; 혀(가) 빠:지도록 구 몹시 힘들여. 죽을 힘을 다해서. ¶ 혀빠지게 벌어서 노름으로 다 날리다.

혀가 짧다 [一짤따] 구 혀가 잘 돌지 않아, 말하는 것이 불명료하다. 또, 말을 더듬다.

혀를 굴:리다 구 ㉠혀를 놀리다. ㉡'ㄹ' 소리를 내다.

혀를 내:두르다 구 놀라거나, 두렵거나, 또는 감탄해서 말을 못 하는 모양을 이르는 말.

혀를 내:밀다 구 ㉠뒷구멍으로 남을 비웃거나 비방(誹謗)하는 동작을 이르는 말. ㉡자기의 실패를 부끄럽게 여김을 나타내는 동작을 이르는 말.

혀를 놀리다 구 무심코 입 밖에 내다. 무심코 입을 놀리다.

혀를 차다 구 마음에 언짢을 때 혀끝으로 입천장을 쳐서 소리를 내다.

혀[2] 명 〈옛〉 서까래. ¶ 혀 연(椽)《類合 上 23》.

혀[3] 명 〈옛〉 서캐. ¶ 혀 긔(蟣)《字會 上 23》.

혀가다 타 〈옛〉 끌어가다. ¶ 仙山애 비롤 혀가노라(仙山引舟航)《杜諺 ㄴI:56》.

혀구 명 〈방〉 석유[1](石油)(경북).

혀근 형 〈옛〉 '혁다'의 관형사형. 작은. ¶ 小王은 혀근 王이니《月釋 I:20》.

혀기 형 〈옛〉 '혁다'의 전성 부사(轉成副詞). 적게. 작게. ¶ 혀기 머거 ᄡᅵ리 숨씨며(小飯而亟之)《內訓 I:8》.

혀까래 명 〈방〉 서까래.

혀-꼬부랑이 명 혀가 꼬부라져서 말을 반벙어리처럼 하는 사람.

혀-꼴 명 혀처럼 생긴 꼴. 곧 국화 꽃잎처럼 양끝이 무딘 긴둥근꼴. 설상(舌狀).

혀-꽃 명 『식』 설상화(舌狀花). 사출화(射出花).

혀-꽃부리 명 『식』 혀 모양으로 생긴 꽃부리. 설상 화관(舌狀花冠).

혀-끝 명 혀의 끝. 설단(舌端). 설두(舌頭). 설첨(舌尖). ¶ 그런 소린 ～에도 내지 말라.

혀끝에 오르내리다 구 남의 입에 화제(話題)로 오르다. ¶ 얼굴 반반한 여학생은 그런 악소년의 혀끝에 아니 오르내리는 사람이 없는 고로《崔瓚植:金剛門》.

혀끝-소리 명 『언』 혀끝과 윗잇몸 사이에서 나는 소리. 곧, 'ㄴ·ㄷ·ㄸ·ㄹ·ㅅ·ㅆ·ㅌ' 등. 설단음(舌端音). 치조음(齒槽音). 치경음(齒莖音).

혀나믄 관 〈옛〉 몇몇. 여러. ¶ 돌 볼근 五禮城에 혀나믄 벗이 안자 《古時調 朴啓賢》.

혀다[1] 타 〈옛〉 켜다. ¶燃은 블혈 씨라 ≪月釋 I:8≫.
혀다[2] 타 〈옛〉 켜다❹. ¶남지는 穀食을 엇고 겨지븐 실 혀고 둗녀셔 또 놀애 브르려뇨(男穀女絲行復歌)≪杜諺 Ⅳ:29≫.
혀다[3] 타 〈옛〉 타다. 켜다[1]. ¶사ᄉᆞ미 짒대예 올아셔 奚琴을 혀거를 드로라 ≪樂詞 靑山別曲≫.
혀다[4] 타 〈옛〉 세다. ¶若干은 一定티 아니훈 數ㅣ니 몯 니르혈씨라≪釋譜 ⅩⅢ:8≫. *헤다.
혀다[5] 타 〈옛〉 켜다❸. ¶톱으로 혀 죽이니(鋸解之死)≪五倫 Ⅱ:35≫.
혀다[6] 타 〈옛〉 끌다. 잡아당기다. ¶흐르는 므를 혀다가 漑灌호ᄆᆞᆯ 더으놋다(引溜加漑灌)≪杜諺 Ⅶ:36≫.
혀다기 명 〈옛〉 비장(脾臟). ¶혀다기 비(脾)≪字會 上 27 脾字註≫.
혀더틀다 자 〈옛〉 말더듬다. ¶혀더틀 걸(吃)≪字會 下 28≫.
혀디나가다 자 〈옛〉 끌고 지나가다. 데리고 지나가다. ¶蛟龍은 삿기롤 혀디나가고(蛟龍引子過)≪杜諺 Ⅶ:8≫.
혀모양 습윤역 【一模樣濕潤域】[-녁] 명 〔wet tongue, moisture tongue〕〖기상〗일기도에서 수증기를 많이 함유한 기류가 혀모양으로 침입한 지역. 여름철에 열대 기단을 따라 침입하며, 이 지역에는 흔히, 집중 호우가 발생함. 습설(濕舌). 습윤혀.
혀밑-샘 명〖생〗설하선(舌下腺).
혀밑 신경【一神經】명〖생〗설하 신경(舌下神經).
혀밑 신경 마비【一神經痲痺】명〖의〗설하(舌下) 신경 마비.
혀보다 타 〈옛〉 데려다 보다. 불러다가 보다. ¶샹녜 혀보시니(常引見)∟≪初杜諺 ⅩⅥ:26≫.
혀-빠닥 명 〈방〉 혀[1](전남).
혀-뿌리 명 설근(舌根).
혀설-변【一舌邊】명 한자 부수(部首)의 하나. '舐'나 '舒' 등의 '舌'의 이름.
혀쏘리 명 〈옛〉 혓소리. 설음(舌音). ¶ㄷ는 혀쏘리니, ㄹ는 혀쏘리니, ㄴ는 혀쏘리니≪訓諺≫.
혀여보다 타 〈옛〉 세어 보다. ¶戶와 牖왜 볼가 可히 혀여 보리로다(戶牖粲可數)≪杜諺 I:20≫.
혀염 명 〈방〉 헤엄(전라).
혀옆 소리 명〖언〗설측음(舌側音). ——-하다 자여불
혀이다 사동 〈옛〉 켜게 하다. ¶小先生이 앏퓌와 블혀이거놀(小先生到前面教點燈)≪朴解 下 19≫.
혀-짜래기 명 ↗혀짤배기.
혀짜래기 소리 명 ↗혀짤배기 소리.
혀-짤배기 명 혀가 짧아서 'ㄹ'받침 소리를 잘 내지 못하는 사람. 준 혀짜래기.
혀짤배기 소리 명 혀가 짧아 'ㄹ'받침 소리를 잘 내지 못하는 말소리. 준혀짜래기 소리. ——-하다 자여불
혀짧은 소리 [-짤븐-] 명 혀짤배기 소리. ——-하다 자여불
혀-쪽매 명〖건〗널빤지 옆에 혀를 내서 물리게 된 쪽매. 제혀쪽매·딴혀쪽매가 있음. 개탕쪽매.
혀후 명 〈옛〉 수궁(守宮). 도마뱀. ¶혀후(蝘蜓守宮)≪四聲 下 2蝘字註≫.
혁[1]【革】명 ①↗말혁. ¶몰이 놀라거늘 혁 잡고 굽어보니≪古時調≫. ②〖악〗팔음(八音)의 한 가지. 북처럼 짐승의 가죽을 발라서 만든 타악∟기(打樂器).
혁[2]【革】명〖민〗↗혁괘(革卦).
혁[3]【赫】명 성(姓)의 하나. 우리 나라에는 현존(現存)하지 아니함.
혁갑【革甲】명 갑옷.
혁개【革改】명 개혁(改革). ——-하다 타여불
혁거[1]【革去】명 묵은 법(法)의 폐해(弊害)를 혁제(革除)함. 개혁(改革). ——-하다 타여불
혁거[2]【革車】명 가죽으로 장비(裝備)한 병거(兵車). 혁로(革輅).
혁거세【赫居世】명〖사람〗혁거세 거서간.
혁거세 거서간【赫居世居西干】명〖사람〗신라의 시조. 왕호는 거서간(居西干). 기원전 57년 13세에 왕위에 올랐음. 재위 17년(41 B.C.)에 6부를 순무(巡撫)하여 농상(農桑)을 장려하였으며, 21년에는 수도를 금성(金城)이라 하고 궁성을 쌓아 국가의 기초를 세웠음. 박혁거세. 혁거세. [재위 57 B.C.-A.D.3]
혁경【革更】명 고침. ——-하다 타여불
혁고【革故】명 묵은 것을 고침. ——-하다 타여불
혁고 정:신【革故鼎新】명 묵은 것을 고치고 새로운 것을 취함. ——-하다 자여불
혁공【革工】명 혁세공(革細工).
혁-괘【革卦】명〖민〗육십 사괘(卦)의 하나. 태괘(兌卦)와 이괘(離卦)가 거듭된 것인데 못 가운데에 불이 붙어 있음을 나타냄. 준혁(革).
혁기【奕棊】명 바둑.
혁낭【革囊】명 가죽으로 만든 주머니.
혁노【赫怒】명 버럭 성을 냄. ——-하다 자여불
혁뉴【革紐】명 가죽 끈.
혁다 형 〈옛〉 작다. ¶굳그면 六塵엣 業이오 혁그면 二乘法이라 ≪釋譜 ⅩⅢ:38≫. *혁근.
혁답【革鞜】명 혁리(革履).
혁대[1]【革代】명 혁세(革世). ——-하다 자여불
혁대[2]【革帶】명 가죽으로 만든 띠. 가죽띠.
혁대-노래기【革帶一】명〖동〗[*Epanerchodus orientalis orientalis*] 혁대노래깃과(科)에 속하는 절지(節肢) 동물의 하나. 몸길이 30mm 내외이고, 몸빛은 암갈색에 몸통은 20절(節)이며 촉각은 길고 선단(先端)은 뭉툭함. 몸통의 각 마디에는 세 개의 가로줄로 된 혹 모양의 돌기(突起)가 있음. 부패물(腐敗物)이 있는 풀숲·습지에 사는데, 한국·일본 등지에 분포함.
혁대 장식【革帶裝飾】명 혁대의 한 끝에 붙여, 혁대의 다른 한 끝을 꿰어 겹쳐 죄어서 고정시키는 쇠장식. 모양이 여러 가지임.
혁련【赫連】[-년] 명 성(姓)의 하나. 본관(本貫) 미상.
혁련-대【赫連臺】[-년-] 명 중국 닝샤(寧夏) 회족(回族) 자치구의 수도 인촨(銀川) 동남, 황허(黃河) 강을 바라보는 곳에 있었던 누각. 5호(胡) 16국의 하나인 대하국(大夏國)을 세운 혁련 발발(赫連勃勃)이 지음.
혁련 발발【赫連勃勃】[-년-] 명〖사람〗중국 5호(胡) 16국의 하(夏)나라의 세조(世祖). 흉노의 우현왕(右賢王) 거비(去卑)의 자손. 407년 후진(後秦)으로부터 독립하여 천왕(天王) 대선우(大單于)라 칭하고 오르도스(Ordos: 鄂爾多斯) 지방에 건국하였음. 그 후 진(晉)나라로부터 장안(長安)을 빼앗고 남도(南都)를 두고서 북위(北魏)와 대립(對立)하였음. [381-425]
혁련-정【赫連挺】[-년-] 명〖사람〗고려 때의 학자. 문종(文宗) 29년(1075)에 광종 때의 고승인 균여(均如)의 전기(傳記)를 씀. 예종(睿宗) 즉위년(1106)에 장락전 학사(長樂殿學士)·판제학원사(判諸學院事)가 됨. 저서로 ≪균여전(均如傳)≫이 있음. 생몰년 미상.
혁렬【赫烈】[-녈] 명 몹시 빛나는 모양. 또, 성한 모양. ——-하다 형여불
혁로【革輅】[-노] 명 혁거(革車).
혁롱【革籠】[-농] 명 가죽으로 만든 새장.
혁리【革履】[-니] 명 가죽으로 만든 운두가 낮은 신. 가죽신. 혁답(革鞜). 피리(皮履).
혁면【革面】명 ①근본적인 변혁(變革)이 아니고, 표면만 고침. 또, 표면만 고쳐짐. ②가죽의 겉면. ——-하다 자여불
혁명【革命】명 ①급격한 변혁. 어떤 상태가 급격하게 발전·변동하는 일. ¶산업 ~. ②이전의 왕통(王統)을 뒤집고 다른 왕통이 대신하여 통치자가 되는 일. 옛날 중국에서는 주권자는 천명(天命)에 의하여 한 나라를 주재(主宰)하는 것으로 믿어, 천명을 거역하여 악정(惡政)을 베풀 때는 천명이 바뀌어 새로운 통치자가 나서는 것으로 믿었음. 역성 혁명(易姓革命). ③〔revolution〕〖정·사〗비합법적 수단으로 국체(國體) 또는 정체(政體)를 변혁하는 일. 실질적으로는 반국법적(反國法的) 수단에 의해서 국가 권력이 한 계급으로부터 다른 계급 또는 정체(政體)로 옮기어지는 일로서, 경제 제도의 필연적인 변혁을 가져옴. 레벌루션. ¶~ 정부. *쿠데타. ④종래의 권위(權威)나 방식(方式)을 단번에 뒤집어 엎는 일. ——-하다 자타여불
혁명-가[1]【革命家】명 혁명의 실현(實現)을 뜻하는 사람. 혁명 운동에 오로지 종사하는 사람.
혁명-가[2]【革命歌】명 혁명의 기상(氣象)을 고무(鼓舞)할 목적으로 지은 노래. 또, 혁명중에 생긴 노래.
혁명 검:찰부【革命檢察部】명〖역〗1961년 7월, 5·16 후 '국가 재건 비상 조치법'에 의거하여 설치되었던 특별 검찰 기관. 준혁검(革檢).
혁명-군【革命軍】명 혁명을 지지하고, 혁명에 반대하는 세력과 싸우는 군대.
혁명-권【革命權】[-꿘] 명 17-18세기 시민 사회(市民社會) 성립의 초기, 특히 로크(Locke, J.)에 의하여 명확히 정식화(定式化)된 사상. 어떠한 형태의 정부라 할지라도 생명·자유·행복을 추구하는 권리 확보를 파괴할 때는, 인민은 이를 개폐(改廢)하고 그들의 안전과 행복을 가져올 수 있다고 인정되는 원칙을 기초로 하여, 권력을 조직화하는 새로운 정부를 창설하는 권리를 가진다고 하는 사상. 미국의 독립에 큰 영향을 주었음.
혁명-당【革命黨】명〖정〗혁명을 일으킬 목적으로 조직된 정당.
혁명 독재【革命獨裁】명〖정〗새로운 사회 체제(社會體制)를 만들어 냄을 목적으로 하는 독재. 프랑스나 러시아 혁명 때의 독재 따위. ↔질서 독재(秩序獨裁).
혁명-력【革命曆】[-녁] 명〖역〗공화력(共和曆).
혁명 문학【革命文學】명〖문〗무산 계급(無產階級)의 이상이나 고민을 묘사함을 사명으로 하는 문학. 또, 혁명 사상을 고취하거나 혁명을 묘사한 문학.
혁명-사【革命史】명 혁명의 과정을 적은 역사.
혁명-성【革命性】[-썽] 명 혁명을 지향하거나 거기에 동조·지지하는 성향. ¶~이 약하다.
혁명 예:술【革命藝術】[-네-] 명 ①모든 정치적 내지 사회적 혁명을 유치(誘致)한 예술 작품. 또는 프랑스 대혁명의 도화선이 된 소위 계몽 문학(啓蒙文學). ②프롤레타리아의 혁명적 내지 전투적 의식을 고취하려는 예술.
혁명 운:동【革命運動】명〖정〗혁명 사상을 고취하여 대중이 움직이도록 하는 모든 행위.
혁명 재판【革命裁判】명 반혁명자(反革命者)들을 상대로 혁명 정부나 혁명군(革命軍)이 행하는 재판.
혁명 재판소【革命裁判所】명〖역〗①1793년 3월 프랑스 대혁명 때, 혁명 반대자를 심문(審問)할 목적으로, 국민 의회가 파리에 설치했던 재판소. 피고의 신분 공개는 금지되었으며, 형은 사형에 한정되어, 1794년 6월부터 폐지될 때까지 약 50일간에 1,300건 이상의 사형 선고를 내렸는데, 전(全)혁명기를 통하여 처형자의 수가 16,594명이라는 통계가 나왔음. ② 1961년 7월, 5·16 직후에 '국가 재건 비상조치법'에 의거하여 설치되었던 특별 재판소. 준혁재(革裁).
혁명-적【革命的】명관 ①혁명의 실현을 뜻하는 모양. ②결단성 있는 혁신을 뜻하는 모양. ③변화가 대단히 심한 모양.
혁명-전【革命戰】명 혁명 전쟁(戰爭).
혁명 전:쟁【革命戰爭】명 혁명을 목적으로 일으킨 전쟁. 혁명전(戰).

혁명 정권【革命政權】[—꿘] 명 혁명을 일으킨 계급이나 집단 등에서 장악(掌握)한 정권.
혁명 정부【革命政府】명 〖정〗 혁명을 일으킨 주체자(主體者)들로 구성한 정부. ㊈혁정(革政).
혁바 명 〈옛〉 고삐. 바. ¶ 革轡曰 韁革 東語直謂之革方言曰 혁바≪雅言 「卷二≫.
혁부【革部】명 〖악〗 국악기의 분류에서, 가죽으로 메워 만든 악기들. 진고·뇌고·영고·노고·뇌도·영도·노도·건고·삭고·응고·절고·대고·소고·교방고·장고 등이 여기에 딸림.
혁상[1]【革狀】명 가죽처럼 빳빳한 모양. ＊혁질(革質).
혁상[2]【鬩傷】명 죽음을 슬퍼하며 아까워함. ——-하다 타여불
혁석【奕舃】명 오래 영화(榮華)로움. ——-하다 자여불
혁선【革船】명 가죽을 꿰매어 만든 배.
혁세[1]【革世】명 나라의 왕조(王朝)가 바뀜. 혁대(革代). 역성(易姓). ——-하다 자여불
혁세[2]【奕世】명 누대(累代). 여러 대(代).
혁세[3]【赫世】명 ①↗혁세 공경(赫世公卿). ②누대(累代).
혁-세공【革細工】명 가죽으로 물건을 만드는 수공(手工). 혁공(革工).
혁세 공경【赫世公卿】명 대대(代代)로 지내는 높은 벼슬. ㊈혁세(赫世).
혁송【鬩訟】명 다툼. 말다툼함. ——-하다 자여불
혁시-류【革翅類】명 〖충〗 집게벌레목(目).
혁신【革新】명 묵은 조직(組織)·방법 등을 바꾸어 새롭게 하는 일. 구습(舊習)을 버리고 새롭게 함. 정신(鼎新). 개신(改新). ¶～ 정당. ↔보수(保守). ——-하다 타여불
혁신-단【革新團】명 종래의 제도·조직·권위·방식 따위를 근본적으로 고쳐 새로운 사회를 세우고자 하는 단체.
혁신-당【革新黨】명 혁신 정당(政黨). ↔보수당(保守黨).
혁신 세:력【革新勢力】명 종래의 정치 조직·사회 조직을 혁신하려는 정치 세력.
혁신-적【革新的】명관 묵은 조직이나 제도·관습·방법 등을 바꾸어 새롭게 하는 모양. 혁신의 성격을 띠고 있는 모양.
혁신 정당【革新政黨】명 〖정〗 종래의 권력 조직이나 사회 조직을 근본적으로 고쳐서 새로운 사회를 이룩하려는 정당. 혁신당(黨). ↔보수(保守) 정당.
혁신-주의【革新主義】[—/—이] 명 지금까지의 조직·관습·방법 등을 바꾸고 새로운 방향을 향해서 나아가려는 입장이나 사고 방식. 특히, 19세기 말의 미국에 있어서 정치의 혁신과 경제에 대한 정부의 간섭의 필요성을 강조한 사람들의 입장을 가리킴. 프로그레시비즘(progressivism). ↔보수주의(保守主義).
혁신주의-자【革新主義者】[—/—이—] 명 혁신주의를 주장하는 사람. ↔ 보수(保守)주의자.
혁신-파【革新派】명 종래의 사회 조직을 바꾸어 새로운 것으로 만들려는 파. 혁신을 주장하는 사람들. ↔보수파(保守派).
혁심【革心】명 마음을 고쳐 바꿈. ——-하다 자여불
혁안【革鞍】명 가죽으로 만든 안장.
혁업【赫業】명 빛나는 업적.
혁역【革易】명 고치어 바꿈. 변역(變易). 개역(改易). ——-하다 타여불
혁연【赫然】명부 ①벌컥 성낸 모양. ②놀라 움직이게 하는 모양. ③빛나서 성한 모양. 분명한 모양. ——-하다 형여불
혁엽【奕葉】명 여러 대를 이어서 영화(榮華)스러움.
혁용【革容】명 모양을 고침. ——-하다 자여불
혁우-곡【赫佑曲】명 〖악〗 경모궁(敬慕宮) 제례 때에, 진찬(進饌)에서 아뢰던 곡의 하나.
혁음【革音】명 북소리.
혁작【赫灼】명 빛나고 반짝임. ——-하다 형여불
혁장【鬩牆】명 형제 사이의 다툼질. ——-하다 자여불
혁쟁【鬩爭】명 원망하여 다툼. ——-하다 자여불
혁정[1]【革正】명 바르게 고침. 개혁(改革). ——-하다 타여불
혁정[2]【革政】명 ①정치를 개혁함. 또, 개혁한 정치. ②중국 고대의 역법 사상(曆法思想)에서, 세성(歲星)이 묘유(卯酉)에 해당되어 정치의 변혁이 많다고 하여 꺼리던 해. ③↗혁명 정부. ——-하다 자여불
혁정-장【赫整章】[—짱] 명 〖악〗 악장(樂章)의 이름. 정대업(定大業) 춤에 아룀.
혁제[1]【革制】명 제도를 개혁함. ——-하다 자여불
혁제[2]【革除】명 ①바람직하지 못한 것을 제거(除去)함. ②면관(免官)함. ③고침. ——-하다 자타여불
혁제 공행【赫蹄公行】명 〖역〗 조선 시대에, 과거(科擧) 제도의 팔폐(八弊)의 하나. 시험 문제를 사전에 누설하는 일.
혁조【革造】명 고치어 만듦. ——-하다 자여불
혁지【革砥】명 숫돌처럼 쓰는 가죽 띠. 가죽 숫돌.
혁직【革職】명 면직(免職). 치직(褫職). ——-하다 타여불
혁진【革進】명 묵은 습관·제도 따위를 고치고 새로 나아감. ——-하다 자여불
혁질【革質】명 ①가죽의 본바탕. ②식물의 표피층(表皮層) 등에서 볼 수 있는, 가죽같이 단단하고 질긴 성질. ＊혁상(革狀).
혁추【革追】명 직책을 박탈하여 추방함. ——-하다 타여불
혁출【革黜】명 파면함. 면직함. ——-하다 타여불
혁퇴【革退】명 직책을 박탈함. 면직함. ——-하다 타여불
혁투【鬩鬪】명 싸움. 다툼. ——-하다 자여불
혁파【革罷】명 낡아서 못 쓰게 된 것을 개혁하여 없앰. 폐지(廢止). ——-하다 타여불
혁편【革鞭】명 형구(刑具)의 한 가지. 가죽으로 만든 채찍.
혁폐【革弊】명 폐단을 고쳐 없앰. ——-하다 자여불
혁포【革袍】명 가죽으로 만든 가방.
혁-표지【革表紙】명 가죽으로 만든 표지.
혁필-화【革筆畫】명 '문자도(文字圖)'의 딴이름.
혁-하다【革—】자타여불 ①↗변혁하다. ②'극(革)하다'의 잘못.
혁혁[1]【奕奕】부 ①큰 모양. ②아름다운 모양. ③근심하는 모양. ④빛나는 모양. ⑤춤추는 모양. ⑥날쌘한 모양. ——-하다 형여불. ——-히 부
혁혁[2]【赫奕】명 빛나는 모양. 매우 성한 모양. ——-하다 형여불
혁혁[3]【赫赫】부 빛나는 모양. 성한 모양. ¶～한 공적. ——-하다 형여불. ——-히 부
혁혁-장【赫赫章】명 〖악〗 악장(樂章)의 이름.
혁현【赫顯】명 빛나며 나타남. 현저히 나타남. ——-하다 자여불
현[1] 명관 〈옛〉 몇. ¶不解甲이 현 나리신돌 알리(幾日不解甲)≪龍歌 112章≫.
현[2]【玄】명 성(姓)의 하나. 현재 우리 나라에는 연주(延州)·창원(昌原)·성주(星州)·천령(川寧) 등 4본이 있음.
현[3]【弦】명 ①활시위. ②〖악〗 현(絃). ③〖천〗 음력 칠팔일께와 이십 이삼일께 사이의 반달. 먼젓 것을 상현(上弦), 나중 것을 하현(下弦)이라 함. ④〖수〗 원 또는 곡선의 호(弧)의 두 끝을 잇는 선분(線分). 활줄. ⑤〖수〗 직각 삼각형의 사변(斜邊). ＊구고현(勾股弦). ⑥한뒤들이 됫박의 위에 돌린, 쇠로 만든 테두리. ⑦줄[1]❻. ⑧〔chord〕〖수〗 그 양끝에서 곡선(曲線) 및 곡면(曲面)과 교차하는 선분(線分). ⑨〔string〕〖역학〗 길이가 직경보다 몇 배나 크고 강성(鋼性)이 없는 물체.
현[4]【絃】명 〖악〗 ①현악기(絃樂器)에 켕겨 맨 줄. ②↗현악기.
현[5]【現】명 ①목전(目前)에 나타나 있음. 또, 그 일. 실재(實在)함. 또, 그 일. ②↗현세(現世).
현[6]【舷】명 뱃전. ¶우(右)～. 「히 씀.
현[7]【賢】명 아랫사람을 대우하여 일컫는 말. '자네'의 뜻으로 편지에 흔
현:[8]【縣】명 ①〖역〗 예전 지방 행정 구획의 하나. ②일본의 지방 행정 구획의 하나. 한국의 도(道)에 상당함.
현:-【現】두 명사 위에 얹혀 '현재의'·'지금의'의 뜻을 나타내는 말. ¶～시점(時點)/～대통령.
현가[1]【絃歌】명 거문고 등과 함께 어울러서 하는 노래.
현:가[2]【現價】[—까] 명 ①현재의 가격. 시가(時價). ②장래의 어느 때 지불할 일정한 금액의 현재에 있어서의 가격. 지불 날짜까지의 이자를 공제한 현재의 가격.
현:가[3]【顯加】명 〖불교〗 눈으로 보고 귀로 들을 수 있는, 부처가 중생에게 베푸는 가호(加護).
현가[4]【懸枷】명 〖역〗 죄인의 목에 칼을 씌움. ——-하다 자여불
현가 장치【懸架裝置】명 차량 따위의 차대(車臺)의 프레임에 차륜을 고정함과 아울러 노면(路面)에서의 진동이 직접 차체에 닿지 아니하도록 하는 완충 장치.
현:각-군【顯角群】명 〔Gymnocerata〕〖생〗 반시류(半翅類)의 이시 아목(異翅亞目) 곤충 중에서 육생(陸生)의 방귀벌레·빈대·소금쟁이 등의 무리.
현각 법어【賢閣法語】명 〖책〗 조선 시대 제22대 왕 정조(正祖)가, 어렸을 때부터의 강연(講筵)에서 그를 지도한 스승들의 훈계를 기록하여 영조(英祖) 50년(1774)에 편찬한 책. 1책.
현간【玄間】명 공간(空間). 천공(天空).
현감[1]【玄鑑】명 현묘한 거울. 전하여, 사람의 마음을 이름.
현:감[2]【縣監】명 〖역〗 고려 및 조선 시대 때 작은 현(縣)의 원. 종육품. ＊현령(縣令).
현:거[1]【現居】명 현재 거주함. 또, 그 곳. ——-하다 자여불
현거[2]【懸車】명 ①관직을 은퇴함. 치사(致仕)하고 물러남. 한(漢)나라의 설광덕(薛廣德)이 관직을 사하고 은거할 때 임금이 내린 안거(安車)를 매달아 놓고 자손에게 전하여 행영(幸榮)을 보인 고사에서 유래함. 현여(懸輿). ②나이 일흔 살을 일컫는 말. ③황혼(黃昏).
현거지-년【懸車之年】명 치사(致仕)의 해. 일흔 살을 이름.
현:겁[1]【現劫】명 〖불교〗 현겁[2].
현겁[2]【賢劫】명 〖불교〗 삼대겁(三大劫)의 하나. 현세의 대겁.
현:격【懸隔】명 썩 동떨어짐. ¶～한 차이점. ——-하다 형여불. ——-히 부
현경【懸磬】명 ①그릇 속이 빈 모양. ②집안이 몹시 가난하여 아무것도 없음을 비유하는 말. 현연(懸然).
현:계[1]【現計】명 ①현존하는 것의 계산. ②어느 시일에서의 금전이나 물품의 수지 또는 재고의 계산.
현계[2]【懸繫】명 걸어 이음. ——-하다 타여불
현:계[3]【顯界】명 현세(現世). ↔유계(幽界).
현:고[1]【現庫】명 현재의 재고. 현재의 수량.
현고[2]【懸高】명 높이 떨어져 있음. 또, 그 모양. ——-하다 형여불
현고[3]【懸鼓】명 매달아 놓은 북.
현:고[4]【顯考】명 돌아간 아버지의 신주(神主) 첫머리에 쓰는 말. ＊고(考).
현:-고조고【顯高祖考】명 돌아간 고조 할아버지의 신주(神主) 첫머리에 쓰는 말. 「쓰는 말.
현:-고조비【顯高祖妣】명 돌아간 고조 할머니의 신주(神主) 첫머리에
현곡【懸谷】명 〖지〗 걸린곡(谷).
현곤【玄袞】명 임금이 입는 검은 빛깔의 곤룡포(袞龍袍).
현공[1]【玄功】명 ①고대(高大)한 공(功). ②천자의 공적(功績).
현공[2]【懸空】명 공중에 걸침. 가공(架空). ——-하다 타여불

현:공3【顯功】명 현저한 공. 두드러진 공로. 또, 공로를 세상에 드러냄.

현:공 교:위【顯功校尉】명〖역〗조선 시대에, 종육품 잡직(雜職) 무관의 품계 이름. 수임(修任) 교위의 아래. *적공(迪功) 교위.

현:과1【現果】명〖불교〗과거의 업인(業因)에 의하여 현세에서 받는 과보(果報).

현과2【懸果】명〖식〗현수과(懸瘦果).

현관1【玄關】명 ①양식(洋式)·일본식 집채의 정면(正面)에 낸 문간. ②〖불교〗현묘(玄妙)한 길로 나갈 어귀란 뜻으로, 선학(禪學)으로 들어가는 관문(關門). ③〖불교〗선사(禪寺)의 작은 문.

현:관2【現官】명 현직(現職)에 있는 관리.

현관3【絃管】명〖악〗현악기와 관악기의 총칭.

현:관4【顯官】명 ①널리 알려진 벼슬. 높은 벼슬. 현환(顯宦). ¶ ~ 대작(大爵). ②〖역〗문무 양반만이 하는 벼슬. 실직(實職).

현관-문【玄關門】명 현관으로 들어가는 문.

현관-방【玄關房】[一빵] 명 현관에 딸린 방.

현광1【玄光】명〖사람〗신라 진흥왕(眞興王) 때의 고승. 웅주(熊州) 사람. 중국 진(陳)나라에 가서 법화 삼매(法華三昧)를 증득(證得)하고 귀국하여 웅주 옹산(翁山)에 절을 짓고 법화를 전하여 우리 나라에 법화종(法華宗)을 창시하였음.

현광2【玄曠】명 오묘하고 공허함. ——-하다 형여불

현:광3【顯光】명 ①빛을 나타냄. 곧, 덕을 나타냄을 이름. ②밝은 빛. 곧, 밝은 덕.

현괘【懸掛】명 겺. 내겺. ——-하다 타여불

현교1【玄教】명 심오한 노장(老莊)의 가르침.

현:교2【祆教】명〖종〗조로아스터교를 중국에서 일컫던 말.

현교3【懸橋】명 적교(吊橋).

현:교4【顯教】명〖불교〗①사량(思量)할 수 있으며, 설명할 수 있으며, 해석할 수 있는 경전(經典). ②밀교에서, 밀교 이외의 교파를 이르는 말. ↔밀교❶❷.

현:-구고【見舅姑】명 신부가 예물을 가지고 처음으로 시부모를 뵙는 일. ——-하다 자여불

현구 기사【玄駒記事】명〖책〗〔현은 십간(十干)의 임(壬), 구는 말로서 오(午)를 뜻하므로 현구는 곧 사도(思悼) 세자가 죽은 임오년(壬午年)을 뜻함〕조선 영조(英祖) 38년 (1762)에 일어난 사도 세자의 조난 전말기(遭難顚末記). 정조(正祖) 때 박종겸(朴宗謙)이 지음. 세자의 출생으로부터 복잡했던 궁중 내부 사정, 노소론(老少論)의 각축(角逐), 조난 당시의 사정, 정조가 왕위를 계승하기까지의 기록임.

현군1【賢君】명 현명한 임금. 어진 임금.

현군2【縣君】명〖역〗고려 때 외명부(外命婦)의 정육품의 봉작(封爵).

현군3【懸軍】명 본대(本隊)를 떠나서 깊이 적지(敵地)에 들어감. 또, 그 군대. ¶ ~ 만리(萬里).

현군 고투【懸軍孤鬪】명 후방과의 연락도 없는 군대가 멀리 적지(敵地)에 들어가서 외롭게 싸움. ——-하다 자여불

현군 만:리【懸軍萬里】[一말一] 명 만리나 떨어진 먼 곳에 군대(軍隊)를 내보냄. ——-하다 타여불

현군-장【賢君章】[一짱] 명〖악〗용비 어천가 제46장의 이름.

현군 장:구【懸軍長驅】명 먼 적지(敵地)에 군병(軍兵)을 깊이 진격시킴. ——-하다 자타여불

현궁【玄宮】명〖역〗임금의 관(棺)을 묻은 광중(壙中). *현실(玄室).

현:귀【顯貴】명 지위가 드러나게 높고 귀함. 귀현. ——-하다 형여불

현금1【玄琴】명〖악〗거문고.

현금2【弦琴】명 ①거문고. ②거문고를 탐. ——-하다 자여불

현:금3【現今】명부 지금. 이제. 오늘날. 목하(目下).

현:금4【現金】명 ①현재 가지고 있는 돈. ②〖경〗부기상에서, 어음·채권 등에 대하여 통용하는 화폐 및 즉시 화폐로 교환할 수 있는 보증 수표, 은행 발행의 송금 수표, 우편환 증서 따위의 총칭. ③금전을 그 자리에서 주고받는 일. 또, 그 돈. 맞돈. ④증서(證書)·어음·채권(債權) 등에 상대하여, 실지로 통용되는 화폐의 일컬음. 현찰(現札).

현금5【懸金】명 현상금(懸賞金).

현금6【懸金】명〖역〗망건에 금관자(金貫子)를 붙임. *현옥(懸玉). ——-하다 자여불

현:금-가【現金價】[一까] 명 현금으로 거래할 때의 값.

현:금 거:래【現金去來】명 상품의 매매에서, 맞돈으로 사고 파는 거래. 맞돈 거래. *외상(外上) 거래.

현:금 계:정【現金計定】명〖경〗부기에서, 그 날 그 날의 현금의 수지(收支)를 처리하는 계정 과목.

현:금 과:부족 계:정【現金過不足計定】명〖경〗대조 결과, 장부상 현금 잔고와 실제의 현금 잔고가 틀리고 원인도 불명할 경우, 일시적으로 현금의 과부족을 처리하는 계정.

현:금 급여【現金給與】명 통화(通貨)로 지급(支給)되는 급여.

현:금 매매【現金賣買】명 맞돈으로 매매하는 일. ——-하다 타여불

현:금-불【現金拂】명 맞돈으로 지불함.

현:금 비:율【現金比率】명〖경〗유동 부채(流動負債)에 대한 현금·예금의 합계액의 비율.

현:금 소:득【現金所得】명 현금으로 취득한 소득.

현:금 손님【現金一】명 현금으로 물건을 사는 손님.

현:금 수송【現金輸送】명〖경〗현송(現送)❷.

현금연-호【絃琴烟湖】명〖지〗함경 남도 북청군(北靑郡) 속후면(俗厚面)에 있는 못. [2.22 km²]

현:금 인:출기【現金引出機】명〔cash dispenser〕은행이 자체 점포(店舗)나 백화점·역·버스 터미널 등에 설치하여, 은행에서 발행 지급하는 현금 인출 카드를 넣으면, 원하는 액수와 권종(券種)의 현금이 나오게 된 자동식 기계. *현금 자동 지급기(自動支給機).

현:금 인:출 카:드【現金引出一】〔card〕명 현금 인출기에 넣으면 원하는 액수의 돈을 자기 계좌(計座)에서 꺼내 쓸 수 있게 된 카드. 은행에서 발급(發給)해 줌. 캐시카드(cashcard).

현:금 자동 지급기【現金自動支給機】명 '현금 인출기(現金引出機)'를 은행(銀行)의 입장에서 일컫는 이름.

현:금 잔고 수:량설【現金殘高數量說】명〖경〗화폐 수량설의 하나. 주로 케임브리지 학파 사람들에 의해서 전개된 것으로, R를 사회의 실질 소득, K를 그 중 화폐의 형태로 보유하고자 하는 비율, M을 화폐량, P를 물가 수준이라 하면 $P=\frac{M}{KR}$이라는 관계가 성립된다고 함. 주로 현금 잔고 보유의 분석에 중점을 두고 있다는 특징에서 생긴 호칭임.

현:금-주의【現金主義】[一/一이] 명 ①〖경〗회계 처리의 한 원칙. 수익(收益)과 지출의 인식의 기준을 현금의 수입과 지출에 구하여, 그 기장(記帳)을 현금 수납시에 행하는 주의. ↔발생(發生)주의. ②외상이 아닌 현금으로 물건을 사는 일. ③목전의 이익만을 탐하는 주의.

현:금주의-자【現金主義者】[一/一이一] 명 매사에 이익만 탐하는 사람.

현:금주의 회:계【現金主義會計】[一/一이一] 명〖경〗현금 수지(收支)의 움직임을 기준으로 하여, 수익(收益)·비용(費用)을 계상하는 회계.

현:금 출납부【現金出納簿】[一랍一] 명 현금의 출납을 기록하는 장부. 금전 출납부. 현금 출납장(現金出納帳).

현:금 출납장【現金出納帳】[一랍一] 명 현금 출납부(現金出納簿).

현:금 출납 전표【現金出納傳票】[一랍一] 명〖경〗현금의 수지 명세를 기록하여, 현금 출납장에의 기장(記帳) 자료, 출납계원의 책임 명시(明示), 현금 수지의 증거, 관계 부문에의 전달 등의 수단이 되는 전표.

현:금 통화【現金通貨】명〖경〗통화의 기본적인 한 형태. 주화(鑄貨)·정부 지폐·은행권 등의 현금으로서의 통화. ↔예금 통화.

현금포-곡【玄琴抱曲】명〖문〗신라 경문왕(景文王) 때 화랑인 요원랑(邀元郞)·예흔랑(譽昕郞)·숙종랑(叔宗郞) 등이 나라를 다스리는 길을 노래한 가사의 하나. 가사는 전하지 아니함. *삼가(三歌).

현:금 할인【現金割引】명 외상 판매 등에서 판매된 상품 대금을 소정 기한보다 일찍 현금으로 지불하는 매주(買主)에 대해 그 대금의 일부를 할인하는 일.

현:금-화【現金化】명 현금으로 바꿈. ——-하다 자타여불

현기1【玄機】명 현묘한 이치.

현:기2【衒氣】명 자긍(自肯)하는 마음. 뽐내는 마음.

현:기3【眩氣】명 어지로운 기운. 어지럼.

현기4【弦妓·絃妓】명 예기(藝妓).

현기5【懸崎】명 깎아지른 듯한 벼랑.

현:기-광【現起光】명〖불교〗부처가 중생을 교화할 때에 특별히 내는 빛. *상광3.

현:기-증【眩氣症】[一쯩] 명 현기가 나는 증세. 어질증. 어지럼증. ¶ ~이 나다/~을 느끼다.

현:-기특【現奇特】명 목전에 나타나는 신기한 효험(効驗). 험기특(驗奇特).

현날 명〈옛〉몇 날. ¶현나리신돌(幾日)《龍歌 112章》.

현:남【縣男】명〖역〗고려 때 오등작(五等爵)의 끝. 종오품으로, 식읍(食邑) 300 호(戶)를 줌.

현:내-봉【峴內峰】명〖지〗황해도 곡산군(谷山郡)에 있는 산. [1,088m]

현녀1【玄女】명 중국 상고(上古) 때, 황제(黃帝)가 치우(蚩尤)와 싸울 적에 병법(兵法)을 가르쳐 주었다는 신녀(神女). 육임 둔갑(六任遁甲)의 모든 방서(方書)는 현녀가 전하여 준 것이라고 함.

현녀2【賢女】명 어진 여자. 현명한 여자.

현념【懸念】명 늘 마음에 걸려 불안하게 생각함. 걱정. 개의(介意). ——-하다 타여불

현뇌【懸餒】명 가난하여 굶주림.

현:능1【衒能】명 제 재능을 드러내어 자랑함. ——-하다 자여불

현능2【賢能】명 어질고도 재간이 있음. 또, 그 사람. ——-하다 형여불

현능-석【玄能石】명〖광〗제 3 기 또는 중생대(中生代)의 혈암(頁岩)·이회암(泥灰岩) 및 사암(砂岩) 중에 나는 방해석(方解石)의 가정(假晶). 담갈색으로 그 외관(外觀)은 단사 정계(單斜晶系)의 추체(錐體)를 이루고 있으나, 면각(面角)은 측정하기 어려움.

현단1【懸湍】명 폭포(瀑布). 현종(懸淙).

현단2【懸斷】명 아무 근거 없이 억단(臆斷)함. ——-하다 자여불

현:-단계【現段階】명 현재의 단계. 일이 진행되어 나아가는 현재의 과정. ¶ ~로서는 무어라 말할 수가 없다.

현달1【玄達】명 이목(耳目)이 총명함. ——-하다 형여불

현달2【賢達】명 현명하고 사물의 이치에 통하여 있는 일. 또 그런 사람.

현:달3【顯達】명 벼슬·이름·덕망이 높아서 세상에 드러남. 입신 출세(立身出世)함. 영달(榮達). ——-하다 자여불

현담【玄談】명 ①심오(深奧)한 이치를 말함. 또, 그 이야기. 특히, 노장(老莊)의 도(道)에 관한 담화(談話). ②〖불교〗경론(經論)을 강하기 전에 먼저 그 제호(題號)·저자(著者)·대의(大意) 따위를 풀이하는 일. 현의(玄義). 또, 그런 책.

현담-지【玄潭地】명〖지〗함경 북도 경흥군(慶興郡) 노서면(蘆西面)에 있는 못. [1.12 km²]

현답【賢答】명 현명한 대답. ¶ 우문(愚問) ~.

현:당【現當】명〖불교〗현재와 미래. 현세와 내세.

현:당 이:세【現當二世】명〖불교〗현세와 내세의 두 세상.

현:대【現代】명 ①오늘날의 시대. 근대. 세기(世紀). 차시대(此時代). 현시대. ↔고대(古代). ②〖역〗역사 편찬의 편의(便宜)를 위한 시대의 구

분. 우리 나라 역사에서는 고종(高宗)·순종(純宗) 시대에서 현재까지, 동양사에서는 청일(淸日) 전쟁 이후 현재까지, 서양사에서는 대개 제1차 세계 대전 종결 후(後)를 말함. ¶～사(史). ③〖책〗 1920년대에, 도쿄(東京) 유학생들이 발간한 월간 잡지. 재일(在日) 조선 기독교 청년회(基督敎靑年會)에서 기관지 격으로 발간한 것인데, 시·소설·평론(評論) 등 주로 문학 작품이 발표되었음. 편집인 겸 발행인은 백남훈(白南薰)임.

현:대 건:축【現代建築】 명 근대 건축을 계승하여 현대에 형성된 건축. 대체로 제2차 세계 대전 이후의 건축을 이름.

현:대 공업【現代工業】 명 고도로 발달한 과학 기술을 응용, 원료·재료를 가공함으로써 유용 가치를 높여 생활에 필요한 물건을 공업적으로 대량 생산 공급하는 일.

현:대 국어【現代國語】 명 20세기에 들어서서부터 오늘날에 이르기까지의 국어. 이 시기 초에 언문 일치(言文一致) 운동이 일어나고 공·사문서(公私文書), 신문 잡지 등의 인쇄물이 대량 증대되면서 공통어가 형성되었는데, 여기에 지역 방언·계층어·전문어 등이 폭넓게 합류하여 국민 모두의 의사 소통이 가능한 현대적 공통어가 이룩되어 현대 국어가 됨.

현:대-극【現代劇】 명 ①현대의 사회나 생활에 있는 문제를 주제(主題)로 한 연극. 또는 현대인의 취향(趣向)에 맞추기 위하여 상연(上演)되는 신극. ②근대극 이후의 연극. 특히 제1차 세계 대전 이후 현대에 이르기까지에 일어난 세계 각국의 연극의 총칭. 현대 연극. ↔시대극(時代劇).

현:대 대:수학【現代代數學】 명 〔modern algebra〕〖수〗 군(群)·환(環)·가군(加群)·체(體) 등의 대수적 계(代數的系)를 연구하는 대수학.

현:대-류【顯帶類】 명〖동〗〔Phanerozonia〕 불가사리류에 속하는 한 목(目). 몸의 등과 배 양쪽의 경계는 뚜렷하고, 연판(緣板)은 크며 보대판(步帶板)은 넓고, 피새(皮鰓)는 등 쪽에만 있음.

현:대-문【現代文】 명〖문〗 현대의 말을 바탕으로 하여 쓴 문장. 곧, 현대적인 글투의 문장. 현대에 쓰인 문장. 시문(時文). *고문(古文).

현:대 문학【現代文學】 명 ①〖문〗 근대 문학을 계승하여 현대에 형성된 문학. ②〖책〗 한국의 대표적 월간 문예지의 하나. 1955년 1월 조연현(趙演鉉) 주간으로 창간됨. 우리 나라 순문예지의 최장수(最長壽) 발행 기록을 세우고 있으며 많은 신인을 배출하고 있음.

현:대 문학 신인 문학상【現代文學新人文學賞】 명 문학상의 하나. 현대 문학사(現代文學社)에서 제정 수여하는 것으로, 문단 데뷔 후 5-10년 사이에 작품 활동을 한 문학인에게 주어지며, 매년 소설·시·평론 등 3개 부문에 상금과 상패가 주어짐.

현:대-물【現代物】 명 현대 사회의 사건이나 풍속 따위를 묘사한 소설 또는 희곡(戱曲) 등. ↔시대물.

현:대 물리학【現代物理學】 명〖물〗 소립자(素粒子) 물리학·물성(物性) 물리학·우주(宇宙) 물리학·생물(生物) 물리학·초고층(超高層) 물리학·인공 두뇌학(人工頭腦學) 등에 미치는 물리학의 총칭.

현:대-미【現代美】 명 현대의 생활 및 문화 속에서 싹튼 미. 현대적인 감각에 알맞은 미. ↔고전미(古典美).

현:대 미술【現代美術】 명〖미술〗 큐비즘(cubism) 이후의 미술. 한국에서는 제2차 세계 대전 이후의 미술을 이름. 고도로 발달한 산업·공업 기술·복잡한 사회적 상황 등을 반영하여 변화가 많은 양상(樣相)을 보이고 있음.

현:대 미술 초대전【現代美術招待展】 명 기성 작가(旣成作家)를 대상으로 하는 미술 전람회. 1982년에 대한 민국 미술 전람회의 개편(改編)에 따라, 국립 현대 미술관이 주관(主管)하여 해마다 개최하기로 됨. *대한 민국 미술 대전(大展).

현:대 발레【現代—】〔ballet〕 명 모던 발레.

현:대-병【現代病】〔—뼝〕 명 현대 사회가 지나치게 복잡화·다양화·기능화되는 데에서 오는 병. 정신병·공해병·성인병·직업병 등.

현:대-사【現代史】 명 일반적으로 제2차 세계 대전 이후의 역사.

현:대 사:상【現代思想】 명 현대의 풍조(風潮)·경향을 내면에서 좌우하는 우주관·국가관·인생 사회관 등 전체적인 사상.

현:대 사조【現代思潮】 명 현대 사상의 추세(趨勢).

현:대 사진【現代寫眞】 명 회화(繪畫)를 뒤좇아 가는 사진의 경향에 따라서, 사진의 메카니즘에 기조(基調)를 구하고 그 가능성을 전개하려고 하는 사진. 1920년대부터 싹텄음.

현:대-성【現代性】〔—썽〕 명 현대에 걸맞는 성향이나 기질.

현:대 시조【現代時調】 명〖문〗 고시조(古時調)에 대비(對比)되는 용어. 곧, 1919년 전후부터의 시조 작품을 말하며, 고시조의 율격인 77·77·8(9)7조의 정격을 기준으로 하여 현대어·현대 감각 및 현대 생활 등을 표사 표현한 시조를 이름. 매 편마다 제목이 붙는 것이 보통임.

현:대-식【現代式】 명 현대에 알맞은 형식(形式)이나 방식(方式). 현대의 유행. 현대의 관습.

현:대 신학【現代神學】 명 19세기 중엽, 크라우제(Krause, K.C.F.)·헤겔(Hegel, G.W.F.)의 영향을 받아 네덜란드에서 일어난 자유주의적 신학. 과거의 비합리적 교리(敎理)를 부정하고 발전된 사상에 의하여 종교와 그 역사의 해석을 시도(試圖)한 피어슨(Pierson, A.)·숄텐(Scholten, J.H.)·퀴넨(Kūnen, A.)등에 의하여 일어나 뤼첼러(Lūtzeler, H.)·헤르만(Herman, W.)·트뢸치(Trōltsch, E.)에 이르러 절정을 이루었음.

현:대-어【現代語】 명 과거의 언어, 즉 고어에 대하여 현대인이 쓰는 언어. 대체로 20세기 이후 오늘날까지의 언어를 그 범위로 함. 넓은 뜻으로는 공통어·방언·계층적 특수어·전문어 등을 포함하며, 좁은 뜻으로는 국민 상호간의 의사 소통에 널리 쓰이는 서울 방언을 기반으로 한 표준어·공통어를 가리킴.

현:대 연:극【現代演劇】 명 현대극.

현:대 유물론【現代唯物論】 명〖철〗 마르크스·엥겔스에 의하여 주창되고 레닌·스탈린·마오 쩌둥(毛澤東)에 의해 발전된 변증법적(辨證法的) 유물론 및 사적(史的) 유물론. 마르크스주의의 이론적 기초를 이루는데, 모든 사물을 연관(聯關)과 발전의 두 측면에서 고찰하고 모든 사물의 변화·발전의 원천을 첫째로 그 사물의 내부 모순에 구함. *변증법적 유물론.

현:대 음악【現代音樂】 명 ①현대의 음악. ②〖악〗 인상파(印象派) 이후 오늘날까지의 음악의 총칭.

현:대의 영웅【現代—英雄】〔—/—에—〕 명〔러 Geroi nashego vermeni〕〖책〗 러시아의 작가 레르몬토프(Lermontov)의 장편 소설. 풍부한 재능과 정열을 가지고 있으면서도 명확한 목표를 찾지 못한 채, 주위를 냉소하고 있는 주인공은 당시의 러시아 지식 계급의 비극을 상징한다고 할 수 있음. 아름다운 문장과 주제의 근대성은 불멸의 생명을 보증하고 있음. 1840년 발표.

현:대-인【現代人】 명 ①현대에 살고 있는 사람. ②현대적인 교양을 쌓아 현대식 생활을 하는 사람.

현:대 자본주의【現代資本主義】〔—/—이〕 명〔modern capitalism〕〖경〗 제2차 대전 후, 미국을 비롯한 자본주의 제국(諸國)이 몇 차례의 경기 후퇴를 겪으면서도 전전(戰前)과 같은 심각한 공황(恐慌)에 직면하지 않고 비교적 순조롭게 부흥과 발전의 길을 더듬어 온 경제 제도에 대한 통칭(通稱). 그 특징은, 공황의 규모 또는 형(型)이 전전(戰前)과는 그 양상이 크게 다르며, 독점 혹은 과점(寡占)이 현저하게 발전함으로써 기술 혁신이 강력하게 추진되었고, 국가의 경제에 대한 역할이 현저하게 증대하였으며, 노동자 계급의 세력이 강대해지고, 민주주의의 발전에 따라 소득(所得)의 불평등이 차츰 해소되어 이른바 소득 혁명이 두드러지게 나타났으며, 자본가의 지배 대신에 경영자 혁명(經營者革命)이 이루어진 점 등임.

현:대-적【現代的】 명관 현대에 적합한 모양. 현대의 유행이나 풍조 등에 관계가 있는 모양. ¶～ 감각.

현:대-전【現代戰】 명 고도(高度)로 발달된 과학 병기(科學兵器)를 써서 하는 현대의 전쟁.

현:대-주의【現代主義】〔—/—이〕 명 ①〖철〗 현대의 사조(思潮)나 문화·학술에 순응하려는 사상 및 운동. ②근대주의❶.

현:대-판【現代版】 명 고전의 주인공이나 옛날에 있었던 유명한 사건을 오늘날에 재현(再現)했다고 해도 좋은 것. ¶햄릿의 ～.

현:대-풍【現代風】 명 현대적임. 또, 그런 모양. ¶～의 스타일.

현:대-화【現代化】 명 현대에 적합하게 됨. 또, 되게 함. ¶장비(裝備)의 ～. ——-하다 자타여불

현덕[1]【玄德】 명 ①현묘(玄妙)한 덕. 심원(深遠)한 덕. ②천덕(天德). ③천지의 현묘한 이치.

현덕[2]【玄德】 명〖사람〗 유비(劉備)의 자(字).

현덕[3]【賢德】 명 어진 덕행.

현:덕[4]【顯德】 명 ①환한 덕. 또, 덕을 밝게 함. ②〖불교〗 조계종(曹溪宗)에서, 비구니(比丘尼) 법계(法階)의 3급 1호. 명덕(明德)의 아래, 혜덕(慧德)의 위.

현-덕수【玄德秀】 명〖사람〗 고려 명종(明宗) 때의 장군. 조위총(趙位寵)의 난이 일어나매 아버지와 더불어 연주(延州)를 끝까지 지킴. 청렴 현명하였음. 뒤에 전중감(殿中監)을 거쳐 병부 상서(兵部尙書)에 이름. [?-1215]

현:덕 왕후【顯德王后】 명〖사람〗 조선 시대 단종(端宗)의 어머니. 성은 권씨(權氏). 안동(安東) 사람. 화산 부원군(花山府院君) 권전(權專)의 딸. 세종(世宗) 19년(1437) 세자빈(世子嬪)에 책봉되었으나 가례(嘉禮)를 행하지 못하고 죽었음. [1418-41]

현도[1]【玄道】 명〖불교〗 오묘한 도란 뜻으로, 불도(佛道)를 일컫는 말.

현:도[2]【顯道】 명 ①환한 도(道). ②도를 분명히 함. ——-하다 자여불

현도-군【玄菟郡】 명〖역〗 한사군(漢四郡)의 하나. 동가강(佟佳江) 곧, 지금의 훈허(渾河) 유역에 둠. 기원 전 108년에 베풀어져서 그 뒤 여러 번 변천을 거듭하다가 광개토대왕(廣開土大王) 때에 고구려에 완전히 병합되었음.

현도-산【玄島山】 명〖지〗 평안 북도 후창군(厚昌郡) 남신면(南新面)과 자성군(慈城郡) 이평면(梨坪面) 사이에 있는 산. [1,067 m]

현:도-일【顯道日】 명〖천도교〗 1905년에 천도교(天道敎)의 삼세(三世) 교주 손 병희(孫秉熙)가 동학(東學)을 천도교로 개명(改命)한 일을 기념하는 날. 해마다 12월 1일.

현동[1]【玄冬】 명 겨울의 딴이름.

현동[2]【玄同】 명 피아(彼我)의 차별을 짓지 않고 속세간(俗世間)과 일체(一體)가 됨. 화광 동진(和光同塵). ——-하다 형여불

현동 소:설【玄冬素雪】 명 겨울과 흰 눈. 눈이 쌓인 겨울. 엄동 설한의 비유.

현동-자【玄洞子】 명〖사람〗 안견(安堅)의 호(號).

현두[1]【舷頭】 명 뱃머리.

현두[2]【懸頭】 명 고학(苦學)함의 비유. 중국 초(楚)나라의 손경(孫敬)이 경문을 베낄 때 새끼줄로 상투를 대들보에 걸어 매고 졸음을 쫓은 고사에서 유래함. 현량(懸梁). ¶～ 자고(刺股).

현등[1]【舷燈】 명〖해〗 항해 중인 선박(船舶)이 야간에 그 진로(進路)를 다른 선박에 알리기 위하여 양쪽 뱃전에 다는 등. 오른 쪽은 녹색, 왼쪽은 홍색임.

현등[2]【懸燈】 명 ①등불을 높이 매닮. ②〖역〗 밤에 행군(行軍)할 때에 깃대에 매달던 등. ——-하다 자여불

현등[3]【懸藤】 명 축축 늘어진 등나무. 수등(垂藤).

현등-사【懸燈寺】[명] 〖지〗 경기도 가평군(加平郡)에 있는 절. 양주(楊州) 봉선사(奉先寺)의 말사(末寺). 고려 때 보조 국사(普照國師)가 창건(創建)하였음. 신라 법흥왕(法興王) 때 지었다고도 하나 믿기 어려움. 조선 태종(太宗) 11년(1411)에 함허 조사(涵虛祖師)가 중수(重修)하였음.

현:등-서【懸燈書】[명] 등상(凳床)을 달아 올려 높은 곳에 글자를 쓰는 일.

현:란1【眩亂】[혈—] [명] 정신이 헷갈려 어수선함. ——-하다 [형][여불]

현:란2【絢爛】[혈—] [명] ①눈이 부시도록 찬란함. ②시나 글에 수식을 하여 찬란함. ——-하다 [형][여불]

현란3【懸欄】[혈—] [명] 〖건〗 소란반자.

현람1【玄覽】[혈—] [명] 사물의 진상(眞相)을 통견(洞見)함. ——-하다 [타][여불]

현람2【賢覽】[혈—] [명] 남의 관람 또는 열람을 높이어 일컫는 말. 고람(高覽).

현:량1【見量】[혈—] [명] 〖불교〗 삼량(三量)의 하나. 비판하고 분별함이 없이 외계의 사상을 그대로 받아들임.

현량2【現糧】[혈—] [명] 현재 가진 양식.

현량3【賢良】[혈—] [명] ①어질고 착함. ②어진 이와 착한 이. ——-하다 [형][여불]

현량4【懸梁】[혈—] [명] 현두(懸頭).

현량-과【賢良科】[혈—꽈] [명] 〖역〗 조선 중종(中宗) 13·14년에 조광조(趙光祖) 등의 주청으로 보인 과거. 한(漢)나라 현량 방정과(賢良方正科)를 본떠 경학(經學)에 밝고 덕행(德行)이 높은 사람을 천거(薦擧)케 하여 대책(對策)만으로 시험하여 뽑았음. 기묘 천과(己卯薦科).

현량 방정【賢良方正】[혈—] [명] 현량하고 방정함. ——-하다 [형][여불]

현량 방정지사【賢良方正之士】[혈—] [명] 현량하고 방정한 사람.

현려1【玄慮】[혈—] [명] 깊은 사려. 심려(深慮).

현려2【賢慮】[혈—] [명] ①현명한 생각. ②남의 사려(思慮)를 높이어 일컫는 말.

현:려3【顯麗】[혈—] [명] 뛰어나게 고움. ——-하다 [형][여불]

현렴【懸簾】[혈—] [명] ①발을 늘어뜨림. ②전구(戰具)의 이름. 적의 화살 따위를 막기 위하여 성 위에서 늘어뜨리는, 발처럼 만든 방비물.

현:령1【縣令】[혈—] [명] 〖역〗 ①신라 때 현(縣)의 으뜸 벼슬. ②고려 때 큰 현의 으뜸 벼슬. ③조선 시대에 종오품 외직(外職) 문관으로 큰 고을 현의 으뜸 벼슬. 관찰사(觀察使) 밑에서 관내를 다스림. *현감(縣監).

현령2【懸鈴】[혈—] [명] ①방울을 닮. ¶이(耳)～ 비(鼻)～. ②→설렁. ③〖역〗 옛날의 지급 통신.

현:령3【顯靈】[혈—] [명] 신령이 형상을 나타냄. ——-하다 [자][여불]

현령-줄【懸鈴—】[혈—쭐] [명] 설렁줄.

현:로1【現露】[혈—] [명] 탄로(綻露). ——-하다 [자][타][여불]

현로2【賢勞】[혈—] [명] 여러 사람 중에서 유독 홀로 힘써 수고함. 또, 그 사람. ——-하다 [자][여불]

현:로3【顯露】[혈—] [명] 노현(露顯). ——-하다 [자][여불]

현록【懸錄】[혈—] [명] 장부에 기록함. 치부책에 올려 적음. ——-하다 [타][여불]

현:록 대:부【顯祿大夫】[혈—] [명] 〖역〗 조선 시대에 정일품 종친(宗親)의 품계. 흥록 대부(興祿大夫)의 위임.

현:륙【顯戮】[혈—] [명] 〖고제〗 죄인을 죽여 그 시체를 공중(公衆)에게 보이던 일.

현:륭-원【顯隆園】[혈—] [명] 〖역〗 조선 정조(正祖)의 생부(生父)인 사도 세자(思悼世子)의 묘. 경기도 화성군(華城郡)에 있음. 뒤에 사도 세자를 장조(莊祖)로 추존(追尊)하면서 융릉(隆陵)이 됨. *화산1(華山).

현:-릉【顯陵】[혈—] [명] 동구릉(東九陵)의 하나. 조선 시대 문종(文宗)과 문종비(文宗妃) 현덕 왕후(顯德王后)의 능. 건원릉(健元陵)의 동쪽 언덕에 있음.

현리1【玄理】[혈—] [명] ①현묘한 이치. ②노자(老子)·장자(莊子)의 도(道).

현:리2【現利】[혈—] [명] 현재의 이익. 목전의 이익.

현리3【賢吏】[혈—] [명] 현명한 관리.

현리4【縣吏】[혈—] [명] 현의 아전(衙前).

현마1 [부] 〈옛〉 얼마. ¶金剛은 쇠예셔 난 못 구든 거시니 현마 소라도 슬이디 아니ᄒᆞ고≪月釋 Ⅱ:28≫.

현마2 [부] 〈옛〉 설마. ¶어제 감던 머리 현마 오늘 다 셀소냐≪永言≫/ 엿던 님이 현마 그 덧에 니젓시랴≪永言≫.

현:막【懸邈】[명] 동떨어져 멂. ——-하다 [형][여불]

현맛 [관] 〈옛〉 얼마의. ¶현맛 벌에 비느를 ᄲᅡ라뇨≪月釋 Ⅱ:47≫.

현맥1【玄麥】[명] 씁지 아니한 보리.

현맥2【弦脈】[명] 〖한의〗 아래위로 뛰는 파동이 적고, 활줄에 닿는 것처럼 팽팽한 맥(脈).

현명1【玄冥】[명] ①심오(深奧)하고 유현(幽玄)함. 또, 진리가 심오한 모양. ②'겨울'의 이칭.

현명2【賢明】[명] 어질고 사리(事理)에 밝음. ¶～한 처사. ——-하다 [형][여불]. ——-히 [부]

현명3【賢命】[명] 윗사람이나 남의 명령을 높이어 일컫는 말.

현명4【懸命】[명] 죽기를 결단함. 목숨을 내걺. ——-하다 [자][여불]

현:명5【顯名】[명] 이름이 세상에 드러남. 널리 알려진 명성. ——-하다 [자][여불]

현:명6【顯明】[명] 분명함. 분명히 나타냄. ——-하다 [형][타][여불]

현:명7【顯命】[명] 명백한 명령. 천명(天命).

현명-분【玄明粉】[명] 〖한의〗 박초(朴硝)와 무를 함께 달이어 사기 단지에 넣어 졸이어서 만든 약. 빛이 희고 반투명(半透明)이며 성질은 찬데 담(痰)·적취(積聚)를 다스리는 데 씀.

현명 악기【絃鳴樂器】[명] 〖악〗 악기 분류의 하나. 고정된 위치에 매인 줄의 진동에 의해서 소리를 내는 악기. 줄을 퉁기거나, 비비거나, 두들겨서 소리를 냄. 바이올린·피아노·하프·기타·호궁(胡弓)·거문고·가야금 따위의 현악기. *기명(氣鳴) 악기·막명(膜鳴) 악기.

현:명-주의【顯名主義】[—/—이] [명] 〖법〗 대리인(代理人)이 대리 행위를 함에는 당사자를 위한 것임을 표시하여, 행위의 효과가 귀속될 사람을 상대방에게 표시하여야 한다는 주의.

현모1【賢母】[명] 어진 어머니.

현모2【賢髦】[명] 준수하고 뛰어난 사람. 현준(賢俊).

현모 양처【賢母良妻】[명] 어진 어머니인 동시에 착한 아내. 양처 현모.

현목1【玄木】[명] 바래지 아니하여 빛깔이 누르거무스름한 무명.

현:목2【眩目】[명] 눈이 부심. 눈이 빙빙 돎. ——-하다 [형][여불]

현:몰【顯沒】[명] 나타남과 숨음.

현:몽【現夢】[명] 망인(亡人)이나 신령이 꿈에 나타남. ——-하다 [자][여불]

현묘【玄妙】[명] 유현(幽玄)하고 미묘(微妙)함. ¶～한 사상. ——-하다 [형][여불]

현무1【玄武】[명] ①〖천〗 북쪽 일곱 별인 두(斗)·우(牛)·여(女)·허(虛)·위(危)·실(室)·벽(壁)의 통칭. ②〖민〗 북쪽 방위의 수(水) 기운을 맡은 태음신(太陰神)을 상징한 짐승. 거북으로 상징하는데 옛날에는 무덤 속의 뒷벽과 관(棺)의 뒤 쪽에 그렸음. ↔주작(朱雀).

현:무2【現務】[명] 현재의 사무.

현무 각섬석【玄武角閃石】[명] 〖광〗 제2철을 많이 함유한 탓으로 수산기(水酸基)에 대하여 산소량이 많은 각섬석. 화산암 중에 함유되어 있으며 철분이 많아 흑갈색을 띰.

현무-기【玄武旗】[명] 〖역〗 ①대오방기(大五方旗)의 하나. 진영의 후문에 세워서 후군(後軍)·후영(後營) 또는 후위(後衛)를 지휘함. 기면(旗面)은 다섯 자 평방인데, 검은 바탕에 거북과 운기(雲氣)를 그리고 가장자리와 화염(火焰)은 흰 빛, 깃대 길이 열다섯 자이며 영두(纓頭)·주락(珠絡)·장목이 있음. *대오방기(大五方旗). ②의장기(儀仗旗)의 한 가지.

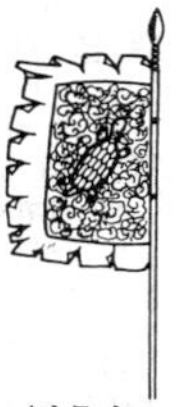
〈현무기 ❶〉

현무-문【玄武門】[명] 〖지〗 평양(平壤) 북쪽에 있는 성문(城門).

현무-암【玄武岩】[명] 〖광〗 흑색 또는 암회색의 세립 치밀(細粒緻密)한 암석으로, 염기성 분출암(塩基性噴出岩)의 일종. 사장석(斜長石)·휘석(輝石)·감람석(橄欖石)·자철광(磁鐵鑛) 등을 성분으로 하는데, 감람석을 10% 전후 수반하는 것을 감람석 현무암, 그 이상 함유하는 것은 피크라이트질(picrite質) 현무암이라 불러 구별하며, 상당히 많은 알칼리 장석을 함유하는 것을 알칼리 현무암이라고 함. 바탕이 단단하며, 기둥 모양으로 쪼개지는 것이 특징임. 건축 재료로 쓰임.

현무암질 마그마【玄武岩質—】[magma] [명] 〖광〗 굳어지면 현무암질 화성암이 되는 염기성 마그마. 오산화 규소·마그네슘·철·칼슘 따위가 주성분임. 고체화 온도가 높으며 맨틀 상부의 50-200 km 깊이에서 생기는 것으로 추측됨.

현무암질 용암【玄武岩質溶岩】[명] 〖광〗 현무암질 마그마가 화산 활동에 의하여 지표에 분출한 것. 일반적으로 2산화 규소가 적어서 검은 빛을 띠며 온도도 높음. 또, 점성(粘性)이 얕아서 유동(流動)하기 쉬움. 가스의 방출(放出)도 완만(緩慢)하고 용암의 분포 면적(分布面積)이 넓어 멀리까지 미침.

현무암-층【玄武岩層】[명] 〖지〗 지각(地殼)의 하부(下部)에 있는 층. 현무암질(玄武岩質)의 암석(岩石)으로 되어 있다고 생각되는 층으로, 지표(地表)로부터 10-30 km 정도의 깊이에 있으며 20-30 km 정도의 두께로 퍼져 있음.

현무-장【玄武章】[—짱] [명] 〖악〗 용비 어천가 제43장(章)의 이름.

현무 주산【玄武主山】[명] 〖민〗 북쪽에 위치하는 주산(主山). 서울의 북악산(北岳山) 따위.

현묵1【玄默】[명] 조용히 침묵함. 우아하여 함부로 말하지 아니함. ——-하다 [자][여불]

현:묵2【顯默】[명] 밝음과 어두움. 세상에 나타남과 숨음.

현문1【玄文】[명] 〖불교〗 ①유현(幽玄)한 문서. ②법화 현의(法華玄義).

현문2【玄門】[명] ①〖불교〗 현묘(玄妙)한 법문(法門). ②도교(道敎).

현문3【舷門】[명] ①선박의 현측(舷側)에 설비한 출입구. 현계(舷階)를 놓고 오르내림. ②극장·강당 등의 좌석 사이의 통로.

현문4【賢問】[명] 현명한 질문. ↔우문(愚問).

현문5【懸門】[명] 아래위로 여닫게 되어 있는 문.

현:문6【顯聞】[명] 분명하게 들림. ——-하다 [자][여불]

현문 우답【賢問愚答】[명] 현명한 물음에 대한 어리석은 대답. ↔우문 현답(愚問賢答).

현:물【現物】[명] ①지금 있는 물품. 실제(實際)의 물품. ②금전에 대하여 물품(物品)을 일컫는 말. ¶～ 급여(給與)/～세(稅). ③〖경〗 주식(株式)·공채(公債)·쌀·면사(綿絲)·생사(生絲) 같은 현품(現品). 실물(實物). ↔선물(先物). ④〖경〗 ↗현물 거래(現物去來).

현:물 가격【現物價格】[—까—] [명] 〖경〗 실제의 물건을 받을 수 있는 상품의 값.

현:물 거:래【現物去來】[명] 매매 계약의 성립과 함께 일정 기한까지 현품과 대금의 결제(決濟)를 하는 거래. 실물 거래. 현물 매매. [준]현물(現物). ↔선물(先物) 거래. ——-하다 [자][여불]

현:물 경제【現物經濟】[명] 〖경〗 화폐를 배개(媒介)로 하지 않고 단순히 물물 교환으로 이루어지는 경제. 자연 경제.

현:물 급여【現物給與】[명] 보수(報酬)·반대 이행(反對履行)·보상(補償)

등에서 일부 또는 전부를 금전(金錢)이 아닌 어떤 현물로 내어 주는 일. 실물 임금.

현:물-납【現物納】[—랍] 명 소작인이 소작료(小作料)를 현물(現物)로 바치는 일.

현:물 매매【現物賣買】명〖경〗상품의 실물을 그 자리에서 사고 파는 일. 계약 성립과 동시에 현품과 현금을 서로 바꾸어 주고받음. 이 매매에 있어서는 특정의 수수료(手數料)나 구전(口錢)은 없음. 현물 거래. ——-하다 자여불

현:물-상【現物商】[—쌍] 명〖경〗주식이나 채권 등의 현물을 매매하는 사람.

현:물-세【現物稅】[—쎄] 명 현물로 내는 세. 실물세(實物稅).

현:물 소:득【現物所得】명 금전이 아닌 현물로 얻는 근로 소득.

현:물 시:장【現物市場】명〖경〗장기 계약에 의하지 않고 이루어지는 변칙적인 원유(原油) 거래 시장.

현:물 임:금【現物賃金】명〖경〗현물로 지급(支給)되는 임금. ↔화폐(貨幣) 임금❶.

현:물-주【現物株】[—쭈] 명〖경〗원칙적으로 신용 거래를 할 수 없는 주식(株式).

현:물 중개인【現物仲介人】명〖경〗현물 거래만을 취급하는 중개인.

현:물 지대【現物地代】명〖사〗생산물 지대(生産物地代).

현:물 출자【現物出資】[—짜] 명〖경〗주주(株主)가 금전 이외의 현물, 곧 동산(動産)·부동산·채권(債權)·특허권·영업권 같은 것을 출자하는 일. 금전 출자의 원칙에 대한 예외임.

현:물-환【現物換】명〖경〗외국 무역에 있어서, 상품의 매매 계약과 동시에 혹은 수일내에 자국 화폐와 외국 화폐를 교환하여 환결제(換決濟)를 하는 일.

현:물환 거:래【現物換去來】명〖경〗외국환(外國換) 매매 계약과 동시에 외환을 인도(引渡)하는 거래. 여기서 '동시'는 즉일(卽日), 또는 구미에서는 2 영업일 후에 인도하는 것을 뜻하며 한국에서도 구미(歐美)와 같이 2 영업일 후에 인도함. 현물환 거래에 적용되는 것이 현물환 시세, 선물환(先物換) 거래에 적용되는 것이 선물환 시세임. ↔선물환 거래.

현미¹【玄米】명 벼의 껍질만 벗기고 쓿지 않은 쌀. 이것을 쓿어서 등겨를 내면 백미(白米)가 됨. 매조미쌀. ¶ ~밥. ↔백미(白米). *반도미(半搗米).

현미²【玄微】명 현묘(玄妙). ——-하다 형여불

현:-미³【現未】명 현재와 미래.

현:미⁴【現米】명 그 자리에 있는 쌀. 현재 가지고 있는 쌀. 실물미(實物米). 정미(正米).

현:미⁵【顯美】명 ①드러나 아름다움. ②〖악〗조선 세조(世祖) 때의 보태평지악(保太平之樂) 11 곡 중 일곱째 곡 이름. ——-하다 형여불

현:미⁶【顯微】명 ①나타나 있음과 희미함. ②미소한 물체를 드러내어 명백히 함. ——-하다 형타여불

현:미 간섭계【顯微干涉計】명〖물〗금속 표면 따위의 미세한 요철(凹凸)을 검사하기 위하여 그 요철에 의하여 생긴 간섭 무늬를 현미경으로 확대하여 보도록 한 간섭계.

현:미-경【顯微鏡】명〔microscope〕〖물〗아주 작은 물체를 확대하여 보는 장치. 곧, 초점 거리(焦點距離)가 짧은 대물(對物) 렌즈와 대안(對眼) 렌즈의 두 짝의 볼록 렌즈를 금속성 원통(圓筒)의 양단에 삽입하여 양자의 거리를 다소 변경할 수 있도록 장치하고 대물 렌즈의 앞의 주초점(主焦點) 밖에 물체를 놓고 그것의 확대된 실상(實像)을 만들어 새로 이것을 확대하여 보는 장치. 특수한 것으로는 금속 현미경·위상차(位相差) 현미경·편광(偏光) 현미경·간섭(干涉) 현미경·전자(電子) 현미경·자외선(紫外線) 현미경·쌍안(雙眼) 현미경·해부(解剖) 현미경 등이 있음.

〈현미경〉

현:미경-법【顯微鏡法】[—뻡] 명〔microscopy〕〖광〗육안으로는 보이지 않는 물질의 연구에 현미경을 쓰는 일.

현:미경 분석【顯微鏡分析】명〔chemical microscopy〕〖화〗현미경 밑에서 화학 반응을 시켜 관찰하는 분석법.

현:미경 사진【顯微鏡寫眞】명〖물〗현미경으로 극히 작은 물체를 확대하여 찍은 사진. 생물학·의학·범죄 감식 등에 응용함.

현:미경 암석학【顯微鏡岩石學】명〔microlithology〕〖광〗암석의 특징을 현미경으로써 연구하는 암석학의 한 분야.

현:미경-자리【顯微鏡—】명〔라 Microscopium〕〖천〗염소자리의 남쪽에 자리잡은 별자리의 하나. 초가을의 저녁녘에 남중(南中)함.

현:미경-적【顯微鏡的】명관 현미경을 사용하지 않으면 보이지 않을 정도로 극히 미세한 모양. ¶ ~ 존재.

현:미경적 해:부학【顯微鏡的解剖學】명〖동〗기관 조직학(器官組織學).

현:미 굴절률 측정법【顯微屈折率測定法】[—쩔—뻡] 명〔microrefractometry〕〖광〗현미경적 물체의 굴절률을 측정하는 일. 물체를 단계적으로 굴절률이 다른 일련의 매질(媒質) 속에 넣어서 물체가 위상차(位相差) 현미경으로 안 보이게 되었을 때, 물체의 굴절률과 매질의 굴절률이 같다는 것에 의해서 측정됨.

현미-기【玄米機】명 벼를 왕겨와 현미로 분리하는 기계. 회전하는 두 개의 고무제 롤러 사이에 벼를 넣어서 왕겨를 벗기는 장치.

현:미 무간【顯微無間】명 나타나 있는 것과 희미한 것 사이에는, 아무런 구별이 없음. 현상계(現象界)와 본체계(本體界) 사이에는 불리(不離)의 관계가 있음을 이름.

현미-밥【玄米—】명 건강을 위해 현미로 지은 밥. 여반(糲飯).

현:미 분광기【顯微分光器】명〔microspectroscope〕〖물〗살아 있는 세포와 같은 현미경적 물체의 스펙트럼을 해석(解析)하는 기기.

현:미 분광 사진기【顯微分光寫眞器】명〔microspectrophotometer〕스펙트럼을 기록하기 위하여 카메라나 기타 장치를 갖춘 현미 분광기.

현:미 분광 측도법【顯微分光測度法】[—뻡] 명 광학 현미경을 이용하여 미소한 부분에서의 어떤 파장(波長)의 빛의 흡광도(吸光度)를 재고, 흡광 물질의 종류 및 양을 측정하는 방법. 생물학에서 세포 내의 물질 분포의 연구, 특히 핵산(核酸)의 비교 정량(比較定量) 측정 따위에 이용됨.

현미-빵【玄米—】[포 pão] 명 현미(玄米) 가루로 만든 빵.

현미 수정【顯微授精】명〖의〗정자(精子)는 난자(卵子)를 싸고 있는 투명대(透明帶)라는 층을 뚫고 난세포에 들어가서 수정되는데, 정자가 적거나 활발치 못한 부부를 위하여, 현미경을 사용한 조작으로 이 투명대에 구멍을 뚫거나 하여 인공적으로 정자를 투명대 안의 난세포에 보내는 수정법.

현:미음-기【顯微音器】명〖물〗도체(導體)의 접촉부(接觸部)의 저항을 변경하여 그것을 통과하는 전류의 강도를 바꾸어 수화기(受話器)에 소리가 나게 하는 장치.

현:미-장【顯美章】[—짱] 명〖악〗종묘 제향(宗廟祭享) 때 초헌(初獻)에 쓰는 악장의 하나.

현:미 조작【顯微操作】명〔micromanipulation〕〖생〗현미 해부·현미 생체 해부·현미 단리(顯微單離) 및 현미 주입(顯微注入)의 수법과 실제(實際).

현:미 조작법【顯微操作法】명〔micrurgy〕확대된 시계(視界)에서 미소한 기구를 쓰는 과학이나 기술.

현:미 해:부【顯微解剖】명〖생〗살아 있는 세포 또는 조직의 일부를 현미경으로 관찰하면서 하는 해부 또는 색소(色素) 주사. 이 때에는 현미경 해부기라는 특수한 장치를 이용함.

현:미 화학【顯微化學】명〖생〗생물의 세포 조직 안에 포함되는 여러 가지 물질의 종류 및 성질을 밝히기 위하여, 조직의 조각에 각종 시약(試藥)을 작용시켜 발색 반응(發色反應) 혹은 결정(結晶)을 만드는 등의 조작을 하는 화학. 조직(組織) 화학.

현:-밀【顯密】명 ①뚜렷함과 은밀함. ②〖불교〗현교(顯教)와 밀교(密教).

현반【懸盤】명〖건〗→선반.

현발¹【玄髮】명 검은 머리. 소년 시절을 이름.

현:발²【現發】명 발현(發現). ——-하다 자타여불

현-밤 명〈방〉아닌밤중.

현방【懸房】명 조선 시대 후기(後期)에, 왕실(王室)·귀족(貴族)·각 관아(官衙)·군문(軍門)에 고기를 공급하던, 주로 백정 등 천민(賤民)경영의 가게. 관(館).

현:백¹【縣伯】명〖역〗고려 오등작(五等爵)의 셋째. 정오품으로, 식읍(食邑) 700 호(戶)를 주었음.

현:백²【顯白】명 환하게 함. 분명히 함. ——-하다 타여불

현번 명〈옛〉몇 번. ¶현버늘 딘돌(雖則屢蹶)≪龍歌 31章≫.

현벌【懸罰】명〖역〗궁중에서 죄과(罪過) 있는 사람을 벌하기 위하여 두 손을 묶어 나무에 달던 형벌.

현법【懸法】명 법규(法規)를 게시(揭示)함. ——-하다 자여불

현벽【痃癖】명〖한의〗양쪽 옆구리 사이와 배꼽 근처의 근육(筋肉)이 당기고 아픈 병.

현병【懸病】명 병으로 결석할 때에 그 뜻을 기록함. ——-하다 자여불

현:보¹【現報】명〖불교〗현세(現世)의 업인(業因)으로 현세에서 그 갚음을 받는 일.

현보²【賢輔】명 현명한 보좌(輔佐). 현좌(賢佐). ——-하다 타여불

현보³【懸保】명〖역〗보증인의 이름을 올리어 적음. ——-하다 자여불

현:보⁴【顯保】명 보증(保證)을 함. ——-하다 타여불

현:보⁵【顯報】명 분명한 보답. 나타난 보답.

현복【袨服】명 ①아름다운 나들이옷. ②검은 옷.

현:봉¹【現俸】명 현재의 봉급.

현봉²【懸峯】명 하늘에 높이 걸린 듯이 우뚝 솟은 산봉우리.

현:부¹【現付】명 명부·대장 등에 등록함. ——-하다 타여불

현부²【賢父】명 현명한 아버지. 남의 아버지의 경칭.

현부³【賢否】명 현우(賢愚).

현부⁴【賢婦】명 ①어진 며느리. 자기 며느리나 남의 며느리를 대접하여 이르는 말. ②현명한 부인. 현부인.

현:부⁵【顯否】명 ①나타남과 나타나지 아니함. ②출세와 불우(不遇). 입신과 영락(零落). 영고(榮枯). 궁달(窮達).

현:-부인¹【現夫人】명 현재의 부인.

현-부인²【賢夫人】명 ①어진 부인. 현부(賢婦). ②남의 부인을 높이어 일컫는 말.

현:-부인³【縣夫人】명〖역〗조선 시대에 정·종이품(正從二品)의 종친(宗親)의 아내의 봉작(封爵). 군부인(郡夫人)의 아래 신부인(愼夫人)의 위 봉작임.

현-부형【賢父兄】명 어진 아버지와 형.

현-불초【賢不肖】명 어진 사람과 불초한 사람.

현블 명〈옛〉켠 불. ¶미레 현브리 스라가놋다(蠟炬殘)≪杜諺 Ⅵ:15≫.

현비¹【賢妃】명〖역〗①어진 왕비(王妃). ②고려 때 내명부(內命婦)의 정일품의 봉작(封爵).

현:비[2] 【顯妣】 명 돌아간 어머니의 신주 첫머리에 쓰는 말.

현빙 【懸氷】 명 고드름. 빙주(氷柱).

현삐 명 〈옛〉 몇 끼. ¶ 현뻐신돌 알리(知幾時)≪龍歌 113章≫.

현볼 명 〈옛〉 몇 벌. ¶ 御衣 현볼 내시며(出御衣若干襲) ≪上院寺 勸善文≫.

현:사[1] 【現事】 명 현재의 일.

현사[2] 【賢士】 명 어진 선비.

현사[3] 【賢師】 명 어진 스승.

현사[4] 【縣舍】 명 〖역〗 호장(戶長)이 사무를 보던 곳.

현:사[5] 【懸師】 명 멀리 나가 있는 군대. 군대를 밖에 주둔시킴.

현:사[6] 【顯士】 명 이름이 들날린 선비. 유명한 인물. 명사(名士).

현:사[7] 【顯仕】 명 높은 벼슬.

현:-사당 【見祠堂】 명 신부(新婦)가 처음으로 시집의 사당(祠堂)에 절하는 일. ——-하다 자여불

현:사-법 【現寫法】 [—뻡] 명 〖문〗 현재법(現在法).

현삭 【絃索】 명 가야금·거문고 등의 줄.

현삼 【玄蔘】 명 [*Scrophularia buergeriana*] 현삼과에 속하는 다년초. 줄기는 방형(方形)이고 높이 1-1.5m 가량이며 잎은 대생하고 유병(有柄)에 긴 달걀꼴 또는 난상 피침형임. 8-9월에 담황록색의 꽃이 줄기 끝 잎 사이에 원추(圓錐) 화서로 피고, 화관(花冠)은 병 모양의 순형(脣形)이며 삭과(蒴果)는 달걀꼴이고 두 각편(殼片)으로 째짐. 산지와 원포(園圃)에 자생 또는 재배하는데, 한국·중국·일본 등지에 분포함. 뿌리는 성질이 차고, 보음(補陰)하며 열을 내리므로 폐결핵의 번조(煩燥)와 골증(骨蒸)의 약제 또는 도포약(塗布藥)으로 씀. 원삼(元蔘).

〈현삼〉

현삼-과 【玄蔘科】 [—꽈] 명 〖식〗 [Rhinanthaceae] 쌍자엽문(雙子葉門)에 속하는 한 과. 전세계의 열대 및 한대 지방에 250 속(屬) 2,600여 종, 한국에는 자생종(自生種)과 재배종이 30 속 100여 종이 분포하는데, 개불알풀·개현삼·꼬리풀·등에풀·며느리밥풀·송이풀·외풀·좁쌀풀·토현삼·투구꽃·해란초·현삼 등이 이에 속함.

현상[1] 【玄象】 명 하늘. 하늘의 물상(物象). 일월 성신(日月星辰) 등.

현상[2] 【玄裳】 명 [현(玄)은 검음의 뜻] 검은 치마.

현:상[3] 【現狀】 명 현재의 상태. 지금의 형편. 현황. ¶ ~ 유지.

현:상[4] 【現象】 명 [phenomenon] ①관찰할 수 있는 사물의 형상. ¶ 자연 ~. ②〖철〗 스스로를 숨김 없이 나타내고 있는 한에 있어서의 사실. 곧, 그 배후(背後)에 본체(本體)라든가 본질 등을 생각하지 않음. ↔ 본체(本體)·실체(實體). ③〖철〗 본질(本質)과의 상관적(相關的)인 개념으로서의 본질의 외면적(外面的)인 상(象). ↔본질. ④〖철〗 칸트의 용법(用法)에서는 시간(時間)·공간(空間)이나 범주적(範疇的) 여러 관계에 규정되어 나타나 있는 것. 이것은 주관(主觀)의 구성에 의한 것으로서 그 배후의 본체인 물자체(物自體)는 인식될 수 없다고 하였음. 사체(事體). ↔물자체(物自體).

현:상[5] 【現想】 명 보고 듣는 데 관련하여 일어나는 생각.

현:상[6] 【現像】 명 ①형상을 나타냄. 또, 그 형상. ② [development] 〖물〗 노출(露出)한 필름에 생긴 잠상(潛像)을 적당한 환원제(還元劑)로써 처리하여 가시(可視)의 상(像)을 만드는 일. ¶ 사진 ~. ——-하다 타여불

현상[7] 【賢相】 명 ①양상(良相). ②↗현재상(賢宰相).

현상[8] 【懸象】 명 천상(天上)에 걸린 현상(現象). 특히 일월(日月). 천상(天象). 천문(天文).

현상[9] 【懸賞】 명 모집(募集)·구득(求得)·심인(尋人) 등에서 상을 겂. 또 그 상. ¶ ~ 모집. ——-하다 타여불

현:상[10] 【顯賞】 명 공로(功勞)를 나타내어 표창함. 아주 융숭한 상사(賞賜). ——-하다 타여불

현:상-계 【現象界】 명 〖철〗 경험(經驗)의 세계. 형이하(形而下)의 세계. 객체계(客體界). 감각계. 현상 세계.

현:상 공간 【現象空間】 명 〖철〗 물리적 공간과 달라 객관적이 아니고 주관적으로 심리적 활동자인 개인에게 파악되는 공간.

현:상 과:도 【現像過度】 명 [overdevelopment] 사진 필름이나 건판(乾板)의 현상 시간(現像時間)이 길었다든가 너무 진한 현상액(液)을 쓰든가 하는 일.

현상 광:고 【懸賞廣告】 명 ①광고문 중에 어떤 과제(課題)를 설정하여 해답을 구하고 그에 의하여 광고 효과를 기대하고자 하는 광고 방법. ②〖법〗 지정된 행위를 한 사람에게 보수(報酬)를 주겠다는 취지의 뜻을 표시한 광고.

현상-금 【懸賞金】 명 현상으로 내건 돈. 현금(懸金).

현:상-론 【現象論】 [—논] 명 ①[phenomenalism] 〖철〗 물(物)의 본체는 인식할 수 없는 것이라 하여 주어진 현상만으로 만족하거나 또는 현상의 배후의 본체라는 생각마저도 부정하고 의식에 주어진 것만을 곧 실재(實在)라고 주장하는 이론적 입장. 유상론(唯象論). ↔본체론(本體論). ②현상만이 실재(實在)라고 생각하는 입장. ③사물의 표면에 나타난 현상만을 근거로 하는 논의(論議).

현:상론적 물리 화학 【現象論的物理化學】 [—논쩍—] 명 〖물〗 화학 물질의 열적(熱的) 성질, 고체·기체·액체의 성질, 화학 평형(平衡) 문제 등 물질 전체로서의 성질을 취급하는 물리 화학의 한 분야. ＊구조(構造) 화학·분자(分子) 통계학.

현상 모집 【懸賞募集】 명 상을 걸고 모집함. ——-하다 타여불

현상 무변 【懸象無變】 명 천문(天文)에 이상(異常)이 없음. 비유적으로 세상에 이변이 없음.

현상 문예 【懸賞文藝】 명 상금·상품을 걸거나 하여 신인(新人)의 등단, 문예 활동의 장려 등을 목적으로 모집하는 문예 작품.

현:상 부족 【現像不足】 명 [underdevelopment] 사진의 인화 현상이 불충분한 일. 적정 농도보다 한 단계 낮은 농도의 현상임.

현:상성의 명:제 【現象性—命題】 [—썽— / —썽에—] 명 [도 Satz der Phänomenalität] 〖철〗 딜타이(Dilthey)가 명명(命名)한 유심론(唯心論)의 근본 명제. 나에 대하여 존재하는 것은 모두가 먼저 나의 의식(意識)의 사실(事實) 즉 현상(現象)이라고 함.

현:상 세:계 【現象世界】 명 〖철〗 현상계.

현상 소:설 【懸賞小說】 명 상을 걸고 모집하는 소설.

현상 수사 【懸賞搜査】 명 상품·상금을 내건 범인의 수사.

현:상-액 【現像液】 명 [developer] 〖물〗 사진 현상에 쓰는 액체. 현상약과 아황산(亞黃酸) 나트륨·탄산 나트륨 등의 알칼리를 혼합한 수용액.

현:상-약 【現像藥】 [—냑] 명 현상에 쓰는 환원제(還元劑). 벤졸 또는 나프탈렌의 유도체(誘導體)로서 메톨·아미돌·히드로키논·피로갈롤(pyrogallol) 등이 있음. 현상 주약(主藥). 현상제(劑).

현상 양좌 【賢相良佐】 [—냥—] 명 어질고 유능하여 보필(輔弼)을 잘하는 신하.

현:상 유지 【現狀維持】 [—뉴—] 명 지금의 상태를 그대로 지탱하여 변혁(變革)하지 않음. 곧, 현상태를 지탱함. ——-하다 타여불

현-상윤 【玄相允】 명 〖사람〗 사학자·교육가. 평북 정주(定州) 출생. 일본 와세다 대학(早稻田大學) 졸업. 삼일 운동 때 민족 대표 48인의 한 사람으로 복역, 출옥과 함께 중앙 고등 보통 학교 교장에 취임, 해방 후 고려 대학교 초대 총장이 되고 6·25 전쟁 때 납북되었음. 저서에 ≪조선 유학사≫가 있음. [1893-?]

현:상-제 【現像劑】 명 현상약(現像藥).

현:상 주약 【現像主藥】 명 현상약(現像藥).

현:상-지 【現像紙】 명 인화지.

현:상 타:파 【現狀打破】 명 현재의 상태를 깨뜨려 버림. ——-하다 자여불

현상 판매 【懸賞販賣】 명 상을 걸고 상품을 판매하는 일. 판매 촉진이나 신제품의 소개 등에 쓰임. ——-하다 타여불

현:상-학 【現象學】 명 [도 Phänomenologie] 〖철〗 ①칸트(Kant)에서는, 본체(本體)·물자체(物自體)에 관한 학문에 대하여, 경험적 현상을 다루는 학문. ②헤겔(Hegel)이 정신 현상학(現象學)에서 쓴 개념. 정신은 자기 자신을 현현(顯現)하고 현상(現象)하는 정신이며 현상함이 없는 정신은 정신이 아님. 정신이 감성적 경험(感性的經驗)으로부터 초감성적(超感性的) 절대지(絶對知)에 이르기까지 '의식의 경험'으로서 자각(自覺)을 깊이 해 나가는 도정(道程)을 고찰(考察)하는 것이 정신 현상학임. ③후설(Husserl)의 선험적 현상학(先驗的現象學)의 뜻으로서의 학문. 선험적 환원(還元)을 거쳐서 얻어진 순수 의식(純粹意識)을 그 본질(本質)에서 연구 기술(硏究記述)하는 학문. 후설에 있어서는 본체에 대한 현상이라는 형이상학(形而上學) 전통의 뜻은 전연 없으며 나에 대하여 존재하는 것은 모두가 나의 의식의 사실이라는 것이 현상의 근본적 뜻을 이루고 있음. ④후설의 현상학적 처지를 윤리·문화·사회·종교 등의 영역(領域)으로 구체화시켜, 근본학으로서의 '철학적 인간학'을 수립(樹立)하고, 한편 하이데거(Heidegger)·후설의 현상학에 있어서의 초월적(超越的)인 것을 불식(拂拭)하여 순현상학적 뜻으로의 인간적 실존의 해석학(解釋學)에 도달한 셸러(Scheler, Max)의 입장.

현:상학적 사회학 【現象學的社會學】 명 〖사〗 후설의 현상학을 사회학적 영역에 적용한 사회학설. 사회 현상을 비교적 소수의 원현상(原現象)으로 환원시켜, 이를 토대로 하여 사회의 구조를 직관적(直觀的)으로 파악하려 함.

현:상학적 환원 【現象學的還元】 명 [도 phänomenologische Reduktion] 후설(Husserl)의 현상학 용어. 현상학을 수행하기 위하여 필요한 방법적 조작(操作)이며, 넓은 뜻으로는 형상적 환원(形相的還元)과 선험적(先驗的) 환원을 합쳐서 일컬으나, 좁은 뜻으로는 뒷 것만을 뜻함. 이것은 일상적 곧, 후설의 소위 자연적 태도를 정지하고 곧 외적(外的) 경험계의 소박한 실재성(實在性)을 믿는 태도를 중성화하여 이것을 순수(純粹) 의식의 세계에 환원하는 조작임.

현:상-형 【現象型】 명 〖생〗 생물의 표면상의 형질. 유전 및 환경 때문에 생김. 표현형(表現型). 표형(表型). ↔유전형.

현상 호의 【玄裳縞衣】 [—/—이] 명 검은 치마와 흰 저고리. 전하여, 학(鶴)을 비유하여 이르는 말.

현색[1] 【紘索】 명 '현삭(絃索)'의 잘못.

현:색[2] 【顯色】 명 〖불교〗 명확히 드러나 뵈는 색깔. 청(靑)·황(黃)·적(赤)·백(白)의 4 본색과 이것이 변해서 된 구름·연기·티끌·안개·그림자·햇빛·밝음·어둠의 8 가지.

현:색-법 【顯色法】 명 염색 합성(染色合成)의 최종(最終) 단계를 섬유에서 행하는 염색법. 나프톨(Naphthol) 물감에 의한 것이 대표적임.

현:색 염:료 【顯色染料】 [—념뇨] 명 목면용(木綿用) 직접 물감의 일종. 일단 물감으로 물들인 후 섬유에다 디아조화(Diazo 化) 및 커플링(coupling)을 하여 색조를 짙게 하고 견뢰도(堅牢度)를 증가시킬 수 있는 물감의 일군(一群)을 말함. 현색법에 적합한 염료임. 나프톨(Naphthol) 염료.

현:색-제 【顯色劑】 명 〖화〗 나프톨 염료로 염색할 때, 애벌 물감으로 처리한 천이나 섬유를 다른 액체에 넣어 발색(發色)시킬 때 쓰이는 약제. 각종 디아조늄염(Diazonium 塩)이 쓰이며 애벌 물감의 성분과 커플링 반응(coupling 反應)을 일으킴.

현:생 【現生】 명 〖불교〗 이승에서의 생애(生涯).

현:생-대 【顯生代】 명 〖지〗 생물의 유물(遺物)이 많이 출토(出土)되는 고생대 캄브리아기(古生代 Cambria紀) 이후의 지질 시대(地質時代). 생물의 흔적이 별로 없는 은생대(隱生代), 즉 전(前)캄브리아기에 대

한 말임.

현:생 인류【現生人類】[—일—] 명 현세 인류.

현서【賢婿】명 어진 사위라는 뜻으로, 사위를 대접하여 이르는 말.

현석[1]【玄石】명 ①자석(磁石)❶. ②검은 돌.

현석[2]【玄石】명〖사람〗①박세채(朴世采)의 호(號). ②현제명(玄濟明)의 호.

현-석문【玄錫文】명〖사람〗조선 후기의 천주교 순교자. 헌종(憲宗) 2년(1836) 의주(義州)에 가서 앵베르(Imbert) 주교를 맞아들이고, 샤스탕(Chastan) 신부를 도와 전도에 힘써 한양 회장(漢陽會長)이 됨. 기해 박해(己亥迫害)에 아내와 누이가 순교(殉教), 1842년 조선 천주교 순교자 열전(列傳)인 ≪기해 일기(己亥日記)≫를 지음. 헌종 11년(1845) 김대건(金大建) 신부와 함께 상하이로 가서 페레올 주교를 안내해 입국, 다음 해 9월에 새남터 형장(刑場)에서 순교함. 1925년 시복(諡福)됨. [1799-1846]

현선[1]【絃線·弦線】명 ①거문고·가야금 등 현악기의 현으로 친 줄. ②양 따위의 창자로 만든 줄. 흔히 라켓(racket) 등의 그물을 만드는 데 씀.

현:선[2]【顯善】명 선(善)을 나타냄. ——-하다 자여불

현:선 거:래【現先去來】명〖경〗공사채(公社債)의 매매 거래의 한 가지. 일정 기간 곧, 보통 6개월 이내 뒤에 미리 정한 가격으로 환매(還賣)하거나, 환매(還買)하는 것을 조건으로 매매하는 일.

현성[1]【玄聖】명 ①가장 뛰어난 성인. ②'공자(孔子)' 또는 '노자(老子)'의 존칭. ③선인. 신선.

현:성[2]【現成】명〖불교〗조작(造作)된 것이 아니고 자연 그대로 이루어짐. 견성(見成). ——-하다 자여불

현성[3]【絃聲·弦聲】명 가야금·거문고 등 현악기의 소리.

현성[4]【賢聖】명 ①현인과 성인. ②〖불교〗불도(佛道)를 닦은 어진 중.

현:성[5]【顯性】명〖생〗우성(優性). ↔잠성(潛性).

현:성[6]【顯聖】명 현귀(顯貴)한 사람의 신령이 나타남. ——-하다 자여불

현:성 감:염【顯性感染】명〖의〗미생물(微生物)의 감염을 받았을 적에 어떠한 증상이 나타나는 일.

현:성 공안【現成公案】명〖불교〗있는 그대로나 임시 변통으로 만든 공안.

현:-성용【顯聖容】명 ①성스러운 형용을 나타내는 일. ②〖천주교〗예수가 팔레스타인의 다볼산 위에서 자기의 천상 형용(天上形容)을 나타낸 일. ——-하다 자여불

현:성 유전【顯性遺傳】명〖생〗우성 유전(優性遺傳).

현성지-군【賢聖之君】명 어질고 현명하며 거룩한 임금.

현:세[1]【現世】명 ①지금 세상. 이 세상. 현계(顯界). 속세계(俗世界). 현재세. ㈜현(現). ↔내세(來世)·미래세(未來世). ②신생대 제4기(紀)의 갱신세(更新世)에 이은 지질 시대의 최후의 세상. 완신세(完新世), 충적세(沖積世)라고도 불리나 일반으로 그 말기를 가리킴. 지금부터 약 1-1.5만 년 전이므로, 인류의 역사에 의한 구분에서는 거의 신석기 시대에 해당함. 조산 운동(造山運動)·화산 활동·빙하 현상(氷河現象) 등의 흔적이 있음. *충적세.

현:세[2]【現勢】명 현재의 정세·정도 또는 세력.

현:-세기【現世紀】명 현재의 세기.

현:-세대【現世代】명 현재의 세대.

현:세 유전【現世遺傳】명〖생〗직접 유전(直接遺傳).

현:세 인류【現世人類】[—일—] 명 현재의 인류. 인류의 진화사상 원인(猿人)·원인(原人)·구인(舊人)에 이어서 나타난 화석 현생 인류. 곧 신인(新人). 또, 신인을 직접의 조상으로 하는 현생의 인류. 호모사피엔스(Homosapiens). 사피엔스. 현생 인류.

현:세-적【現世的】명관 언론·사상의 범위가 현세에 그치고 현세를 초월한 경지에는 미치지 못하는 모양.

현:세-주의【現世主義】[—/—이] 명〖철〗현세만을 중요시하고 과거세(過去世)·내세(來世)의 존재를 부정하며, 또 그 존부(存否)에 관하여 관심을 갖지 않는 사고 방식.

현소【玄素】명 흑과 백. '이별'의 비유.

현손【玄孫】명 손자의 손자. 고손(高孫). 고손자(高孫子).

현손-녀【玄孫女】명 손자의 손녀. 고손녀.

현손-부【玄孫婦】명 손자의 손자 며느리. 고손부(高孫婦).

현손-서【玄孫婿】명 현손녀의 남편.

현:송[1]【現送】명 ①현물을 보냄. ②〖경〗현금 또는 정화(正貨)를 보냄. 현금 수송. ↔환송금(換送金). ——-하다 타여불

현송[2]【絃誦】명 거문고를 타고 시(詩)를 읊음. 전하여, 교양을 쌓음. 공부함. ——-하다 자여불

현:송-점【現送點】[—쩜] 명〖경〗↗정화(正貨) 현송점.

현송지-성【絃誦之聲】명 거문고를 타고 시를 읊는 소리.

현수[1]【玄水】명〖불교〗곡차(麯茶).

현:수[2]【現收】명 현재의 수입.

현:수[3]【現壽】명〖불교〗현세의 수명.

현:수[4]【現數】명 현재의 수효. 현재수.

현수[5]【絃首】명〖역〗코머리.

현수[6]【賢首】명〖불교〗'비구(比丘)'를 높이어 일컫는 말.

현수[7]【懸水】명 폭포.

현수[8]【懸垂】명 ①아래로 꼿꼿하게 달려 드리워짐. ②↗현수 운동.

현수[9]【懸首】명 죄인을 죽여 그 목을 걸어 놓음. 또, 그 목. 효수(梟首). ——-하다 자여불

현:수[10]【懸殊】명 현격(懸隔)하게 다름. ¶종형제 간에 어쩌면 저같이 청탁이 ~한고?≪李海朝：驅魔劍≫. ——-하다 형여불. ——-히 부

현-수과【懸瘦果】명〖식〗수 개의 실(室)이 있으며, 성숙한 후 각 포(胞)는 중축(中軸)으로부터 갈라지며 꼭지 끝에서부터 거꾸로 달리는 열매. 미나리·인삼 등의 열매. 현과(懸果).

현수-교【懸垂橋】명 모양으로 구분한 다리의 하나. 상판의 양쪽 끝에 탑을 올리고 탑과 탑 사이에 적당히 케이블을 늘어뜨린 것. 양쪽 탑 사이에 교각을 못 놓을 만큼 강이나 바다가 깊을 때에 이용함. 한국의 남해대교, 미국 뉴욕의 베라자노내로스 교(1,298 m)와 샌프란시스코의 금문교(金門橋) 등이 이것임. 적교(吊橋). 줄다리.

현수-막【懸垂幕】명 ①방이나 극장 같은 데에 드리운 막. ②선전문·구호문(口號文) 같은 것을 적어 드리운 막.

현:수 무비락【現受無比樂】명〖불교〗아미타불(阿彌陀佛)을 믿는 자가 현세에서 받는 비할 것 없는 즐거움.

현수문-전【玄壽文傳】명〖책〗작자·창작 연대 미상의 고전 소설의 하나. 국문본. 23회의 장회(章回) 소설. 배경은 중국 송(宋) 나라 신종(神宗) 때, 주인공 현수문의 기구한 운명과 그의 영웅적 무용담.

현수 빙하【懸垂氷河】명〖지〗낭떠러지 또는 험한 산비탈에 있는 빙하. 빙하가 전진하면 빙하가 분리하여 얼음 사태를 빚음.

현수-선【懸垂線】명 [catenary]〖수〗실의 양쪽 끝을 고정하고 중간을 자유로 늘어뜨렸을 때 실이 이루는 곡선. 수곡선(垂曲線).

현수-식【懸垂式】명 매달아서 하는 방식.

현수식 모노레일【懸垂式—】[monorail] 명 차체가 차륜에 의하여 주행 궤조(走行軌條)에 현수(懸垂)하는 방식의 모노레일. 건설에 있어 지형적 제약이 적은 것이 이점(利點)임.

현수 애자【懸垂碍子】명〖전〗초고압 송전 선로나 전차 선로 등에 쓰는 특별 고압용 애자.

현수 운:동【懸垂運動】명 체조 경기에서, 상체의 근육·뼈·관절의 향상 발달을 위하여 철봉(鐵棒)·평행봉(平行棒) 그 밖의 여러 가지 기계에 수직으로 매달려서 팔의 힘으로 몸을 끌어 올리는 기계 체조. ㈜현수(懸垂).

현수 재인【絃首才人】명〖악〗잡희를 놀던 무속(巫俗) 음악인.

현수-증【玄水症】[—쯩] 명〖한의〗얼굴부터 붓기 시작하는 병증. 신장병(腎臟病)의 부종(浮腫) 따위.

현수 철도【懸垂鐵道】[—또] 명 ① 20-30 m 간격으로 세운 지주(支柱) 사이에 가로대를 걸치고 거기에 부설한 레일(rail)에 차량을 달아서 운전하는 철도. 단궤식(單軌式)과 복궤식(複軌式)의 두 가지가 있음. 수송력이 작은 것이 결점임. *모노레일. ②케이블카.

현수 하:강【懸垂下降】명〖등산〗압자일렌(Abseilen).

현숙【賢淑】명 여자의 마음이 어질고 깨끗함. 현명하고 정숙함. ——-하다 형여불

현순【懸鶉】명 노닥노닥 기운 옷.

현순 백결【懸鶉百結】명 가난하여 입은 옷이 갈가리 찢어진 것을 가리키는 말.

현:시[1]【現示】명 ①계시(啓示). ②열차 또는 차량에 대하여 현재 나타내 보이는 신호의 지시를 이름. ¶정지 신호 ~. ——-하다 타여불

현:시[2]【現時】명 현재의 때. 지금.

현:시[3]【顯示】명 나타내 보임. ——-하다 타여불

현:-시기【現時期】명 지금의 시기.

현:-시대【現時代】명 오늘날의 시대. 현대(現代).

현:시적 교:수【現示的教授】명 사물 혹은 모형 등을 직접 아동에게 관찰시켜 교수하는 형식.

현:시적 유희【現示的遊戲】[—히] 명 경쟁을 주로 하지 않고, 어떤 동작을 하며 또는 어떤 형을 조립하는 데 흥미가 있게 하는 유희.

현:-시점【現時點】[—쩜] 명 지금의 이 시점(時點). ¶~에서 과거와 미래를 생각하다.

현:시 지평【現視地平】명〖천〗눈에서 지구의 표면으로 그은 모든 접선(切線)이 이루는 바닥. 보통 고깔 모양의 원뿔면(面)을 이룸.

현식【賢息】명 남의 자식을 높이어 일컫는 말.

현:신[1]【現身】명 ①지체가 낮은 사람이 높은 사람에게 처음으로 뵘. ②현세에 처한 몸. ③〖불교〗부처가 중생을 제도하기 위하여 시현(示現)하는 일. 응화신(應化身). ——-하다 자여불

현신[2]【賢臣】명 어진 신하. 현명한 신하.

현신 교:위【賢信校尉】명〖역〗조선 시대에 종오품 무관의 품계. 충의(忠毅) 교위의 아래임. *창신(彰信) 교위

현-신(:)규【玄信圭】명〖사람〗임학자(林學者). 농학 박사. 평남 안주(安州) 출신. 일본 규슈(九州) 대학 임학과(林學科) 졸업. 서울 대학교 농과 대학 교수 및 육종(育種)학회장·농업 과학 협회장 등을 지내면서 농업 부문, 특히 육종 부문에 큰 공을 세움. 학술원 회원·원로 회원을 지내고 국민 훈장 무궁화장을 받음. [1911-86]

현:신-불【現身佛】명〖불교〗육신(肉身)을 이 세상에 나타낸 부처. 곧, 석가(釋迦)가 그 예임. 응신불(應身佛).

현실[1]【玄室】명 ①〖역〗왕세자(王世子)의 재실(梓室)을 묻은 광중(壙中). *현궁(玄宮). ②〖고고학〗'널방'의 구용어.

현:실[2]【現實】명 ①현재 사실로서 존재하고 있는 상태·상황. ↔이상(理想). ②〖철〗사유(思惟)의 대상인 객관적 구체적 존재. ③〖철〗가능적 존재에 대한 현재적(顯在的) 존재. ④〖철〗주체와 객체와의 상호 매개적(媒介的)·주체적 통일.

현:실 가격【現實價格】[—까—] 명〖경〗시장 가격.

현:실-감【現實感】명 현실다운 느낌.

현:실감 상실【現實感喪失】명 [derealization]〖심〗외계(外界)의 사람이나 사물에 대한 감각을 잃는 일.

현:실-계【現實界】명〖철〗현실의 세계. 경험의 세계.

현:실-관【現實觀】명〖철〗현실을 보는 눈 또는 태도.

현:실 도피【現實逃避】명 ①사상으로나 또는 실천면(實踐面)에서 현실

과 맞서기를 회피함. ②소극적이며 퇴폐적인 처세 태도.

현:실 매매【現實賣買】명〖법〗계약과 동시에 목적물(目的物)과 대금(代金)을 교환하는 매매. 이 매매도 매매 계약의 일종으로 오직 계약상의 채무 이행이 계약 성립과 동시에 행하여지는 점에 특색이 있을 뿐임. 즉시(卽時) 매매.

현실-문【玄室門】명 무덤에 들어가는 문. 널문.

현:실-미【現實味】명 현실감이 드는 맛.

현:실-설【現實說】[—썰] 명〔actuality theory〕〖철〗세계는 실체적(實體的)·정지적(靜止的)인 존재가 아니라 항상 활동·변화·생성(生成)하는 것이라고 하는 학설.

현:실-성【現實性】[—썽] 명〖철〗①실제로 일어날 수 있는 가능성. ②현실이 될 수 있는 성질. 사실다운 모양. 실재성(實在性). ¶ ~이 없는 계획. ↔이상성(理想性). *가능성.

현:실-시【現實視】[—씨] 명 현실로 봄. ——-하다 타여불

현:실 신경증【現實神經症】[—쯩] 명〖의〗프로이트가 제창한 정신 분석학의 용어. 신체적 영향, 곧 성기능(性機能)의 금압(禁壓)이나 남용(濫用)에 의한 신진 대사의 장애가 주요한 원인이 되어 증상이 발생하는 불안 신경증(不安神經症)·신경 쇠약·히포콘드리(hypochondrie) 등의 총칭. ↔정신 신경증(精神神經症).

현:실 원리【現實原理】[—월—] 명〖심〗현실 원칙.

현:실 원칙【現實原則】명〖심〗프로이트가 제창한 정신 분석의 용어로, 현실 생활에 적응하기 위하여, 쾌감을 구하는 원시적 본능적 욕구를 사회적(社會的)·윤리적(倫理的) 그 밖의 배려(配慮)에 의하여 연기하거나, 참거나, 단념하는 자아(自我)의 활동. 현실 원리(現實原理). ↔쾌감 원칙(快感原則).

현:실 재단【現實財團】명〖법〗실재 재단(實在財團).

현:실-적【現實的】[—쩍] 명관 ①현실과 관계가 있는 모양. ¶ ~인 계획. ②실제적인 이해(利害)에만 약삭빠른 모양. 실제적(實際的).

현:실적 지속【現實的持續】[—쩍—] 명〖철〗순수 지속(純粹持續).

현:실 정치가【現實政治家】명〖정〗정치적 이상이 없이 다만 눈앞에 보이는 사실을 좇아서 일을 처리하는 정치가.

현:실-주의【現實主義】[—/—이] 명〔realism〕①현실적인 것을 제일의적(第一義的)으로 중시(重視)하는 입장. ②주의·이상에 구애됨이 없이 현실의 사태에 즉응하여 일을 처리하는 태도. 실제적인 이해 타산(利害打算)에 빠른 태도. 리얼리즘. ↔이상주의❶.

현:실주의-자【現實主義者】[—/—이—] 명 현실주의의 입장을 취하는 사람. 리얼리스트.

현:실 직시【現實直視】명 현실을 있는 그대로 똑바로 바라봄. ¶ ~의 태도가 아쉽다.

현:실 타:개【現實打開】명 지금 나타나 있는 일 또는 상태를 잘 처리하여 나아갈 길을 엶.

현:실-파【現實派】명〖철〗실제의 사실에서 학설을 세우고, 일을 해 나가는 파. ↔이상파(理想派).

현:실 폭로【現實暴露】[—노] 명 이면에 존재하는 달갑지 않은 사실을 폭로하여 표면에 나타내는 일.

현:실-화【現實化】명 실현함. 변하여 현실로 됨. 또, 현실로 되게 함. ¶ 요금의 ~/금리(金利)의 ~. ——-하다 자타여불

현심【懸心】명 마음에 걸림. 현현(懸懸). ——-하다 자여불

현악【絃樂·弦樂】명〖악〗바이올린·첼로·비올라 따위와 같은 현악기로 연주하는 음악. 곧, 현악기를 타는 음악. ↔관악(管樂).

현악-기【絃樂器】명 현(絃)을 발음체로 하는 악기. 가야금·거문고·바이올린·기타 따위. 찰현(擦絃)·발현(撥絃)·타현(打絃)의 세 종류가 있음. 탄주 악기(彈奏樂器). ↔관악기(管樂器).

현악-대【絃樂隊】명 현악을 탄주(彈奏)하는 악대.

현악-보【絃樂譜】명〖악〗현악의 악보.

현악 보:허자【絃樂步虛子】명〖악〗거문고·가야고·양금 등의 현악기로 연주하는 보허자.

현악 사:중주【絃樂四重奏】명〔string quartet〕〖악〗제1·제2 바이올린과 비올라·첼로의 조합(組合)에 의하여 행하는 사중주(四重奏). 실내악(室內樂) 중 가장 중요한 것임. 스트링 쿼텟.

현악 삼중주【絃樂三重奏】명〖악〗현악 트리오.

현악 영산 회:상【絃樂靈山會相】명〖악〗영산 회상의 하나. 현악기를 위주로 하고 관악기의 조주(助奏)를 곁들인, 우아하고 섬세한 방중악(房中樂)임. 상영산(上靈山)·중영산(中靈山)·세영산(細靈山)·가락덜이·삼현(三絃) 도드리·하현(下絃) 도드리·염불(念佛) 도드리·타령·군악(軍樂)의 아홉 대목으로 구성됨. 거문고 회상. *중광지곡(重光之曲).

현악 오:중주【絃樂五重奏】명〔string quintet〕〖악〗다섯 개의 바이올린속(屬)의 현악기만으로 파트를 가진 실내악(室內樂) 중주. 편성(編成)은 주로 두 개의 바이올린과 두 개의 비올라, 한 개의 첼로로 하는 합주. 혹은 비올라 한 개에, 콘트라베이스를 넣거나 첼로를 두 개로 하는 경우도 있음.

현악 트리오【絃樂—】명〔string trio〕〖악〗현악기만의 삼중주(三重奏). 또, 그 곡(曲). 흔히, 바이올린·비올라 및 첼로로 구성됨. 현악 삼중주.

현악 합주【絃樂合奏】명〔string orchestra〕〖악〗현악기로 하는 합주. 악기는 제1·제2 바이올린·비올라·첼로·콘트라베이스 등이며, 어떤 악기나 모두 2 명 이상의 연주자를 필요로 함. 콘트라베이스는 일반적으로 첼로의 성부(聲部)를 옥타브 낮게 연주함.

현안[1]【賢顔】명 현명하게 생긴 얼굴.

현안[2]【懸案】명 해결되지 아니한 채 남아 있는 문제 또는 의안(議案). ¶ 어업 문제는 한일간의 ~으로 남겨 두다.

현:알【見謁】명 알현(謁見). ——-하다 타여불

현애【懸崖】명 ①낭떠러지. ②분재(盆栽)에서, 줄기와 가지가 뿌리보다도 낮게 처지도록 가꾸는 일. 또, 그 분재. 흔히 국화 같은 것을 이렇게 가꿈. ¶ ~ 국화(菊花).

현:액【現額】명 현재의 액수.

현야【玄夜】명 어두운 밤. 암야(暗夜).

현야-월【弦夜月】명 반달, 즉 상현(上弦)이나 하현 달.

현:양【顯揚】명 이름과 지위를 세상에 드러냄. ¶ 국위(國威)의 ~. ——-하다 타여불

현어[1]【玄魚】명〖동〗올챙이.

현:어[2]【懸魚】명〖건〗맞배지붕이나 팔작지붕의 합각머리의 박공판(牔栱板) 위쪽에 다는 장식물. 물고기나 초화 문형(草花文形) 등의 조각물임.

현언【衒言】명 자만(自慢)하는 말. 뽐내는 말.

현:업【現業】명 ①현재 종사하고 있는 업무 또는 영업. 실지의 업무. ¶ ~ 종사원. ②국가 또는 지방 자치 단체가 행하는 업무 중, 생산·판매 등 경제적 성격을 가지며 비권력적(非權力的)인 사업 부문. 체신·철도·전매·조폐(造幣)·수도·전기·가스 사업 등. ↔비현업(非現業).

현:업-원【現業員】명 현업에 종사하고 있는 사람.

현:업-청【現業廳】명 현업을 관장하는 관청(官廳). 철도청·체신청·전매청 따위.

현여【懸輿】명 현거(懸車).

현:역【現役】명 ①〖군〗병역(兵役)의 하나. 현재 각 소속 부대에 편입되어 군무에 복무하고 있는 병역. 또, 그 군사. ↔예비역(豫備役). *보충역(補充役). ②현재 어떤 직무에 종사하고 있는 사람. ¶ ~ 작가.

현:역 면:제【現役免除】명〖군〗군대의 현역에 복무하는 것을 면제함. 질병·정신병 및 본인이 없으면 가계(家計)를 유지할 수 없는 경우 등의 조건으로 면제함.

현:역-병【現役兵】명〖군〗현역에 복무하고 있는 병사.

현:역-함【現役艦】명〖군〗현재 군무(軍務)에 종사하고 있는 군함.

현연[1]【玄淵】명 심오(深奧)한 곳.

현연[2]【泫然】명 눈물이 줄줄 흐르는 모양. 또, 눈물을 흘리며 우는 모양. ——-하다 형여불. ——-히 부

현:연[3]【眩然】명 눈이 캄캄한 모양. 눈부신 모양. ——-하다 형여불. ——-히 부

현:연[4]【現然】명 눈앞에 똑똑히 나타남. ——-하다 형여불

현연[5]【懸然】명 ①아득히 먼 모양. ②가난하여 아무것도 없는 모양. ——-하다 형여불

현:연[6]【顯然】명 환히 나타남. ¶ 왕의 얼굴엔 괴로움과 우울한 표정이 ~히 드러난다《朴鍾和 : 多情佛心》. ——-하다 형여불. ——-히 부

현:-연도【現年度】[—년—] 명 현재의 회계 연도 또는 사업 연도.

현:열[1]【顯列】명 높은 지위(地位).

현:열[2]【顯熱】명 물질의 상태를 바꾸지 않고 온도를 변화시키기 때문에 소비되는 열량(熱量). ↔잠열(潛熱).

현영[1]【玄英】명 겨울의 이칭(異稱).

현영[2]【弦影】명 반달의 모양. 또, 그 빛.

현:영[3]【現影】명 현형(現形). ¶ 아무려나 박 서방 주선만 믿고 우리는 얼마간 ~을 아니하리다《李海朝 : 巢鶴嶺》. ——-하다 자여불

현영[4]【賢英】명 어질고 뛰어난 사람.

현:영[5]【顯榮】명 현달(顯達)하고 영화로움. 영현(榮顯). ——-하다 형여불

현:예[1]【顯裔】명 화주(華胄).

현:예[2]【顯譽】명 세상에 드러난 명예. 현저한 영예.

현오【玄奧】명 학문이나 기예 등이 심오함. ——-하다 형여불

현옥【懸玉】명〖역〗망건에 옥관자(玉貫子)를 붙임. 통정 대부의 품계 표시임. *현금(懸金). ——-하다 자여불

현옹[1]【玄翁】명〖사람〗신흠(申欽)의 호(號).

현옹[2]【懸癰】명〖생〗목젖.

현옹[3]【懸癰】명〖한의〗항문(肛門)과 음부(陰部) 사이에 나는 헌데.

현옹-수【懸壅垂】명〖생〗목젖.

현옹수-음【懸壅垂音】명〔uvular〕〖언〗목젖과 후설면(後舌面) 사이에서 조음(調音)되는 음. 구개수음(口蓋垂音).

현완-법【懸腕法】[—뻡] 명 현완 직필.

현완 직필【懸腕直筆】명 운필법(運筆法)의 하나. 붓글씨를 쓸 때 팔을 바닥에 붙이지 아니하고 붓을 곧게 쥐고 쓰는 자세(姿勢). 현완법. 제완(提腕).

현완 침:완【懸腕枕腕】명 운필법(運筆法)의 하나. 현완과 침완. 침완은 왼손을 베개로 삼아서 쓰는 법.

현:왕[1]【現王】명 현재 왕위에 있는 임금. 금상(今上). ↔선왕(先王).

현왕[2]【賢王】명 어진 임금.

현:왕-재【現往齋】명 선왕재(善往齋)의 이칭(異稱).

[현왕재(現往齋) 지내고 지벌 입는다] 세력 있는 사람에게 뇌물을 바치거나 또는 타인에게 선공(善功)을 하고서도 도리어 그 손에 해(害)를 입음을 일컫는 말.

현:왕 탱화【現王幀畫】명〖불교〗사람이 죽은 지 3 일 만에 받는 심판을 주재하는 현왕 여래(現王如來)를 중심으로 묘사한 불화(佛畫).

현:요[1]【炫耀】명 빛남. ——-하다 자여불

현:요[2]【眩耀】명 눈부시게 빛남. 찬란하게 빛남. 또, 눈부시게 빛나게 함. ——-하다 자타여불

현요[3]【衒耀】명 명예(名譽)를 얻기 위하여 거짓 뽐내는 일. ——-하다 자여불

현:요[4]【顯要】명 ①현관(顯官)과 요직(要職). ②현귀(顯貴)하고 중요(重要)함. ——-하다 형여불

현:요[5]【顯曜】명 나타나 빛남. 매우 빛남. 또, 드러내어 빛나게 함. ——-하다 자타여불

현:용[1]【現用】명 현재 씀. 현재 쓰고 있음. ──-하다 타여불

현:용[2]【顯用】명 현직(顯職)에 등용함. ──-하다 타여불

현우[1]【賢友】명 어진 벗. 「부(賢否).

현우[2]【賢愚】명 ①어짊과 어리석음. ②어진 사람과 어리석은 사람. 현

현우[3]【懸疣】명 ①사마귀. ②쓸데 없는 것.

현욱【玄昱】명〖사람〗구산(九山)의 하나인 경남 창원(昌原)의 봉림산(鳳林山)을 개산(開山)한 조사(祖師)의 이름.

현운[1]【玄雲】명 검은 구름.

현운[2]【玄運】명 하늘의 운행. 또, 하늘에서 내려진 명운(命運).

현:운[3]【眩暈】명〖한의〗→현훈(眩暈).

현:운-증【眩暈症】[─쯩] 명〖한의〗→현훈증.

현원[1]【玄遠】명 속이 깊숙하고 멂. 언론(言論) 등이 천박(淺薄)하지 아니함. ──-하다 형여불

현:원[2]【現員】명 현재의 인원. 현재원.

현월[1]【玄月】명 음력 구월의 이칭(異稱).

현월[2]【弦月】명 초승달. 언월(偃月).

현월-형【弦月形】명 초승달과 같은 모양.

현:위【顯位】명 높은 지위. 현달한 지위.

현:유[1]【現有】명 현재 가지고 있음. ──-하다 자여불

현:유[2]【顯幽】명 나타났다 숨었다 함. ──-하다 자여불

현:유 재단【現有財團】명〖법〗실재(實在) 재단.

현:윤【顯允】명 덕이 밝고 성의가 있음. ──-하다 형여불

현은【玄銀】명 80%의 순분(純分)이 들어 있는 은(銀). 팔성은(八成銀).

현음-기【弦音器】명〖충〗쌍시류(雙翅類)·인시류(鱗翅類)·막시류(膜翅類)·갑충류(甲蟲類) 등의 어떤 것의 성충이나 유충의 체강(體腔) 속에 존재하는 청각 기관. 한 쪽 끝은 피부에, 한 끝은 체내에 붙어 있는 일종의 현(弦)과 같은 형상의 장치인데, 그 일부가 신경과 연락되어 있음. 현음 기관. *고막기(鼓膜器).

현음 기관【弦音器官】명〖충〗현음기.

현응[1]【玄應】명 유현(幽玄)한 감응. 신불의 감응.

현응[2]【玄應】명〖사람〗중국 당나라 초기의 중. 장안의 대자은사(大慈恩寺)에서 현장(玄奘)의 경전 한역(漢譯)에 참가함. 음운 문자학(音韻文字學)에 정통하여 ≪일체경 음의(一切經音義)≫, 곧 ≪현응 음의(玄應音義)≫를 저술함. 생몰년 미상.

현응 음의【玄應音義】[─/─이] 명〖책〗중국 당초(唐初)의 현응 편저의 ≪일체경(一切經) 음의≫. 649년에 현응이 대승(大乘) 및 소승(小乘)의 전적(典籍) 449부에서 난해(難解)한 자구를 발췌하여 산스크리트음(Sanskrit音)을 참조하면서 이에 주석을 단 것. 25권.

현의[1]【玄義】[─/─이] 명 현묘(玄妙)한 뜻. 또, 깊은 교의(敎義). 현담(玄談).

현:의[2]【顯懿】[─/─이] 명 환하고 아름다운 덕.

현:의-장【顯猗章】[─짱/─이짱] 명〖악〗악장(樂章)의 이름.

현이【賢異】명 성품이 어질고 재주가 뛰어남. ──-하다 형여불

현익[1]【玄黓】명〖민〗고갑자(古甲子)에서 십간(十干) 중의 임(壬).

현:익[2]【現益】명 ①현재의 이익. ②〖불교〗현세에서 받는 이익.

현인[1]【賢人】명 어질고 총명하여 성인 다음가는 사람. 현자(賢者).

현:인[2]【顯人】명 덕이 현저히 나타난 사람.

현인 군자【賢人君子】명 ①현인과 군자. ②어진 사람의 일컬음.

현:-인안:목【眩人眼目】명 남의 눈을 어지럽고 아뜩하게 함. ──-하다 자여불

현:임【現任】명 ①현재의 직임. 시임(時任). ②↗현지 임관.

현자[1]【賢者】명 현인(賢人). ↔우자(愚者).

현:자[2]【顯者】명 세상에 이름이 드러난 사람. 부귀한 사람.

현자의 돌:【賢者─】[─/─에─] 명 〔philosopher's stone〕〖철〗중세(中世) 서양의 연금술사(鍊金術師)들이, 일체의 병을 치료하고 일체의 물질을 황금화(黃金化)하는 신비한 힘을 가졌다고 믿어 찾아 헤맸던 물질. 철학자의 돌.

현:자-지【現字紙】명 테이프(tape).

현자 총통【玄字銃筒】명〖역〗임진 왜란 때 쓰던 작은 대포의 한 가지. 차대전(次大箭)이란 화살 끝에 화약 주머니를 매달아 쏨.

현:작【顯爵】명 영작(榮爵).

현장[1]【玄奘】명〖사람〗당(唐)나라 초기의 중. 속성(俗姓)은 진(陳). 중국 법상종(法相宗)·구사종(俱舍宗)의 개조. 중국, 고금 4대 번역가의 제일인자. 허난(河南) 천류(陳留) 사람. 역경(譯經)에 뜻을 두어 17년간 인도에 유학한 후 경전 657부를 가지고 귀국. 경론(經論) 75부 1,338권을 번역, 견문기 ≪대당 서역기(大唐西域記)≫ 12권을 써서 태종(太宗)에게 바침. 문하에 삼천 제자가 있었음. [602-664]

현장[2]【弦長】명 비행기 날개의 앞뒤 방향의 길이. ↔익폭(翼幅).

현:장[3]【現場】명 ①사물이 현재 있는 곳. 실지(實地). ②일이 생긴 그 자리. ¶사건 ~. ③작업이나 토목·건축 등을 하고 있는 자리. ¶~ 감독. ↔ 사무실.

현장[4]【舷牆】명 뱃전에 마련한 강판(鋼板)의 장벽(牆壁). 파도·바람으로부터 여객·선원을 보호하기 위한 것임.

현장[5]【賢將】명 ①현명한 장수. 뛰어난 장수. ②어진 장수.

현장[6]【懸章】명〖군〗육해공군(陸海空軍)의 주번 사령(週番司令)·주번 사관·순찰 군인(巡察軍人) 들이 오른쪽 어깨에서 왼쪽 겨드랑이에 걸쳐서 엇메는 식장(飾章).

현:장[7]【顯章】명 현창(顯彰). ──-하다 자타여불

현:장 감독【現場監督】명 작업·공사가 계획과 설계(設計)대로 실시(實施)되도록 작업이나 토목·건축 공사의 현장(現場)을 감독하는 일. 또, 그 사람.

현:장 거:래【現場去來】명〖경〗거래 시장에서, 계약 성립일부터 약정한 날짜까지 수수(授受)하는 매매 거래. 직접 거래.

현:장 검:증【現場檢證】명 판사·검사 등이 사건 현장에 출장하여 직접 그 감각(感覺) 작용에 의하여 사물의 성상(性狀)을 검열하고 증거 자료를 수집하는 일. 실지 검증(實地檢證). ㈜검증.

현:장-도【現場渡】명〖경〗매매 계약이 성립한 장소 혹은 거래 상품의 소재지에서 상품을 인도하는 일.

현:장 매매【現場賣買】명 상품이 있는 현장에서 하는 매매.

현:장 부재 증명【現場不在證明】명〖법〗알리바이(alibi).

현:장 중계【現場中繼】명 뉴스성(性)이 있는 일을 그 현장에서 방송국을 중계점으로 하여 라디오나 텔레비전으로 보내는 일.

현:장 학습【現場學習】명〖교〗학습(學習)에 필요한 자료(資料)가 있는 현장(現場)에서 하는 학습.

현재[1]【玄齋】명〖사람〗심사정(沈師正)의 호(號).

현:재[2]【現在】명 ①이제. 지금. 금천(今天). 시재(時在). ¶~까지. ②이 세상(世上). 이승. ③현장에 있음. ④어느 시점(時點). ¶1월 1일 ~. ⑤〖철〗시간상의 여러 구별의 하나. 과거와 미래와의 경계. ⑥〖언〗동사의 시제(時制)의 하나. 현시(現時)의 동작이나 상태를 나타내는 어법(語法). 보편적인 진리나 되풀이되는 습관 등도 나타냄. 또, 과거의 사실을 눈앞에 보는 것과 같이 기술(記述)하는 데도 쓰임. ¶~ 완료형. ↔과거·미래.

현재[3]【賢才】명 현명한 재지(才知). 뛰어난 재능. 또, 그 사람.

현재[4]【賢材】명 재지(才知)가 뛰어난 인물.

현재[5]【賢宰】명 ↗현재상(賢宰相).

현:재[6]【顯在】명 눈에 보이는 확실한 형태를 지니고 나타나 있음. ↔잠재(潛在). ──-하다 자여불

현:재-값【現在─】[─깝] 명 현재의 가격.

현:재-법【現在法】[─뻡] 명〖문〗수사법의 하나. 과거·미래 또는 목전(目前)에 없는 사실을 마치 목전에 있는 것과 같이 표현하는 방법. 과거·미래를 나타내는 동사 대신에 현재를 나타내는 동사를 씀. 현사법(現寫法).

현:재 분사【現在分詞】명〖언〗유럽어(語)에 있어서의 동사 변화형의 하나. 형용사적으로도 쓰임.

현:재-불【現在佛】명〖불교〗현재 나타나 있는 부처.

현-재상【賢宰相】명 어진 재상. ㈜현재(賢宰)·현상(賢相).

현:재-세【現在世】명〖불교〗현세(現世).

현:재 시:장【顯在市場】명〖경〗이미 개척되어 수요가 확실히 예측되는 현실의 시장.

현:재-액【現在額】명 현재의 금액. 현재의 액수.

현:재 예:정【現在豫定】명〖언〗동사의 예정상(豫定相)의 하나. 앞으로 그렇게 될 것이 현시점에서 단정적으로 예상되는 상황을 나타내는 어법. '글을 읽게 된다' 따위.

현:재 완료【現在完了】[─왈─] 명〖언〗영문법 따위에서의 시제(時制)의 하나. 과거에 시작된 동작·상태가 현재까지 계속되고 있거나, 또는 그 동작·상태가 이미 끝났음을 현재에 중점을 두고 표현하는 것.

현:재-원【現在員】명 ①현재 그 곳에 있거나 재적하고 있는 인원수. 현원(現員). ②〖군〗일일 병력(日日兵力).

현:재 원:시【現在遠視】명〖의〗잠복(潛伏)하여 있지 아니하고, 현재 나타나 있는 원시. ↔잠복 원시.

현:재 유전【現在遺傳】명〖생〗직접 유전. ↔잠복(潛伏) 유전.

현:재 인구【現在人口】명 인구 정태(人口靜態)의 한 가지. 조사 시점(調査時點)에 각 개인의 현재지에 있어서의 인구수를 집계(集計)한 것임. 상주(常住) 인구보다도 비교적 용이하게 또는 정확하게 조사할 수 있기 때문에 최근의 국세 조사(國勢調査)는 대개 이 방법을 쓰고 있으나 조사 시점에 일시적으로 있는 사람이나 부재자(不在者)가 많은 지역(地域)에서는 인구의 상태를 파악(把握)할 수 없는 결점이 있음.

현:재-적【顯在的】명관 분명히 표면에 나타나 있는 모양. ↔잠재적.

현:재적 실업【顯在的失業】명 현실적으로 실업하여 전혀 수입의 길이 없고 생활도 곤궁한 현상의 실업. ↔잠재적(潛在的) 실업.

현:재-지【現在地】명 현재 존재해 있는 땅. 현재 있는 곳.

현:재 진:행【現在進行】명〖언〗동사의 진행상(相)의 하나. 현재 동작이 진행 중임을 나타내는 어법. '-고 있다' '-고 있는 중이다' 등으로 표현됨.

현:재 현겁불【現在賢劫佛】명〖불교〗삼천불(三千佛)의 하나. 석가모니·가섭(迦葉)·누지불(樓至佛) 등의 천불(千佛)을 말함.

현:저[1]【顯詆】명 분명하게 꾸짖어 창피를 줌. ──-하다 타여불

현:저[2]【顯著】명 뚜렷이 드러남. 표저(表著). ¶~한 공적. ──-하다 형여불 ──-히 부

현:저 지진【顯著地震】명〖지〗지진원(地震源) 지점으로부터의 유감 거리(有感距離)가 300km 이상에 달하는 대규모 지진. 매그니튜드(magnitude) 6 이상의 것.

현적[1]【玄寂】명 깊숙하고 고요함. ──-하다 형여불

현적[2]【玄籍】명〖불교〗불교의 경전이나 교법. 현묘한 전적이라는 뜻임.

현적[3]【痃積】명〖한의〗배꼽 좌우 쪽의 근육에 경련(痙攣)이 일어나는 병증.

현:적[4]【顯迹】명 나타난 자취. 선행(善行)의 자취.

현적 배:양【懸滴培養】명 한 개의 미생물을 한 방울의 물에서 증식(增殖)시키는 배양 방법. 흔히, 현적 장치가 된 현미경으로 검경(檢鏡)하면서 배양하는 방법.

현적 장치【懸滴裝置】명 배양액의 작은 물방울 속에 띄운 미생물 따위를 현미경으로 관찰하는 장치. 흔히, 중앙이 우묵하게 팬 슬라이드

유리를 씀.
현적 표본【懸滴標本】명 목적물의 자연 그대로의 형태나 운동성을 현미경으로 조사하기 위하여 무염색(無染色) 그대로 액체 속에 부유시킨 목적물.
현:전【現前】명 ①눈앞. ②앞에 나타나 있음.
현:절【懸絶】명 두드러지게 다름. 현격(懸隔). ——-하다 형여불
현:점【現點】명〖역〗관청의 관리나 아전들이, 출두하여 차사원(差使員)의 점검(點檢)을 받던 일.
현정[1]【玄靜】명 고요함. ——-하다 형여불
현:정[2]【顯正】명〖불교〗올바른 법리(法理)를 나타내어 보임. ——-하다 자여불
현정[3]【懸旌】명 ①바람에 나부끼는 기(旗). 마음이 동요하여 안정되지 않음의 비유. 현패(懸旆). ②멀리 출군(出軍)하는 일.
현:-정권【現政權】[—꿘] 명 현재 집권(執權)하고 있는 정권.
현:-정부【現政府】명 현재 집권하고 있는 정부.
현정-석【玄精石】명〖광〗간수가 땅속에 스며 오래 되어 이루어진 돌. 흰 빛에 푸른 기가 돌며 반듯하고 뾰족뾰족한 조각이 귀갑(龜甲) 같은 무늬로 되어 있음. 한방(韓方)에서 약으로 쓰는데 짜고 성질이 따뜻한 것으로, 풍(風)·냉(冷)·사기(邪氣)에 유효함.
현:정-질【顯晶質】명〖광〗입도(粒度)에 의한 석리(石理) 분석의 한 가지. 암석을 구성하는 광물의 입자의 크기나 결정(結晶)이 육안이나 확대경으로써 볼 수 있을 정도로 큰 암석의 질. 심성암(深成岩)의 전부와 반(半)심성암의 일부가 이에 해당됨. ↔비현정질.
현제[1]【玄帝】명 천제(天帝).
현:제[2]【現制】명 현행(現行)의 제도.
현제[3]【舷梯】명 승선·하선(下船) 때 현측(舷側)에 설치하는 사다리.
현제[4]【賢弟】명 아우 뻘이 되는 사람을 공경(恭敬)하여 일컫는 말. ¶ 우형(愚兄) ~.
현제[5]【懸梯】명 사닥다리.
현제[6]【懸蹄】명 밤눈[1].
현제[7]【懸題】명〖역〗과거(科擧)에서 글제를 내겂. ——-하다 자여불
현-제(:)명【玄濟明】명〖사람〗테너 가수·작곡가. 호는 현석(玄石). 대구 출생. 숭실(崇實) 전문 학교를 졸업하여, 테너로 활약하고, 미국 시카고 음악 대학에서 수학(修學)함. 연희 전문 학교 교수, 서울 대학교 음악 대학장을 역임함. 가곡 ≪춘향전≫·≪왕자 호동≫, 가곡 ≪고향 생각≫·≪희망의 나라≫ 등을 작곡하였음. [1902-60]
현제-판【懸題板】명〖역〗과거 때 글제를 내거는 널빤지.
현조[1]【玄祖】명 오대조(五代祖).
현조[2]【玄鳥】명〖조〗제비[3]❷.
현조[3]【懸吊】명 매달림.
현:조[4]【顯祖】명 이름이 높이 드러난 조상.
현:조[5]【顯朝】명 그 당시의 조정(朝廷)의 경칭.
현:-조고【顯祖考】명 돌아간 할아버지의 신주(神主)·축문 첫머리에 쓰는 말.
현:-조비【顯祖妣】명 돌아간 할머니의 신주·축문 첫머리에 쓰는 말.
현:존【現存】명 눈앞에 있음. 현재 살아 있음. 현재 존재함. 실존(實存). ¶ ~ 작가. ——-하다 자여불
현:-존재【現存在】명〔도 Dasein〕〖철〗①하이데거의 실존(實存) 철학의 용어. '세상(世上)에 있는' 주체(主體)로서의 인간을 뜻하며, '세상 사람'으로 퇴락할 가능성을 포함함과 동시에 본래의 자기, 자유로운 실존(實存)으로 연결되는 존재를 말함. ②야스퍼스의 실존 철학 용어. 현존재와 실존은 명확히 구별되어 실존이 본래적(本來的) 자기를 가리키는 것은 하이데거와 동일하나, 현존재는 세계 속에서 만족하고, 오직 그의 유지·보존(保存)·확대에 관심을 걸고 있는 인간을 가리킴. 이 현존재에 매달린 물질·생명·마음·정신의 전체를 '세계(世界)'라고 부르고 이 세계를 구명(究明)하는 철학은 세계 정위(世界定位)로서 실존 철학과 구별됨.
현종[1]【玄宗】명〖불교〗현묘(玄妙)한 종지(宗旨) 또는 종문(宗門).
현종[2]【玄宗】명〖사람〗중국 당(唐)나라의 제6대 황제. 휘(諱)는 융기(隆基). 초년에 정사를 바로잡아 성당 시대(盛唐時代)를 이루었으나 만년에 양귀비(楊貴妃)에게 빠져서 정치를 돌보지 아니하다가 '안 녹산(安祿山)의 난'을 만났음. [685-762; 재위 712-756]
현종[3]【懸淙】명 폭포(瀑布). 현단(懸湍).
현:종[4]【顯宗】명〖사람〗고려 제8대 왕. 휘는 순(詢). 초년에 목종(穆宗)의 시역(弑逆)을 구실로 한 거란(契丹)의 침입으로 혼란하였으나, 현종 13년(1022)에는 거란과 강화하여 국내가 안정되고 문화가 발달하였음. [992-1031; 재위 1007-31]
현:종[5]【顯宗】명〖사람〗조선 시대 제18대 왕. 휘는 연(棩). 즉위초부터 조대비(趙大妃)의 복상(服喪) 문제로 당론(黨論)이 분분하여 많은 유신(儒臣)들이 희생되었음. 내치(內治)로는 현종 원년(1660)에 대동법(大同法)을 전라도에 실시, 1668년 동철제(銅鐵製) 활자 10만여 자(字)를 주조, 1669년 훈련 별대(別隊)를 신설함. [1641-74; 재위 1660-74]
현:종[6]【顯宗】명〖불교〗현교(顯教)의 종지(宗旨). 진언종(眞言宗) 이외의 모든 종파를 말함. ↔밀종(密宗).
현:종 실록【顯宗實錄】명〖책〗조선 시대 제18대 현종 재위(在位) 15년간의 실록. 22권 23책.
현좌【賢佐】명 현명한 보좌. 현보(賢輔).
현주[1]【玄酒】명 제사 때 술 대신 쓰는 냉수. 무술.
현주[2]【玄珠】명 검은 주옥(珠玉). 도가(道家)에서, 유현(幽玄)한 진리(眞理)의 비유.
현:주[3]【現住】명 ①지금 머물러 삶. ②↗현주소. ——-하다 자여불
현:주[4]【現株】명 실주(實株).
현주[5]【賢主】명 현명한 군주. 현군(賢君).
현:주[6]【縣主】명〖역〗왕세자(王世子)의 서녀(庶女)인 외명부(外命婦)의 품계 이름. 정삼품임.
현주[7]【懸肘】명 운필법(運筆法)의 하나. 팔꿈치를 책상에 대지 않고 글씨를 쓰는 일.
현주[8]【懸珠】명 매단 구슬처럼 아름답게 빛남. 아름다운 눈길 등의 비유.
현주[9]【懸註】명 주해(註解)를 닮. ——-하다 타여불
현:-주소【現住所】명 현재 거주하고 있는 곳의 주소. ↔본적지(本籍地)·원주소(原住所). ㊕현주(現住).
현주 의망【懸注擬望】명〖역〗그 사유(事由)를 따로 적어 올리는 단망(單望).
현:주 일구【懸珠日晷】명 조선 세종 20년(1438)에 정초(鄭招)·이천(李蕆)·장영실(蔣英實) 등이 왕명으로 제작한 휴대용 해시계의 하나.
현:-주지【現住地】명 현재 거주하고 있는 곳. ↔원주지(原住地).
현준【賢俊】명 현명하고 준수(俊秀)함. 또, 그런 사람. 현모(賢髦). ——-하다 형여불
현:중【顯重】명 ①나타내어 존중함. ②지위가 드러나 높고 중함. ——-하다 타형여불
현:증[1]【現症】명 겉에 드러나는 병의 증세.
현:증[2]【顯證】명 현저한 증거.
현:-증조고【顯曾祖考】명 돌아간 증조부(曾祖父)의 신주(神主)·축문 첫머리에 쓰는 말.
현:-증조비【顯曾祖妣】명 돌아간 증조모(曾祖母)의 신주(神主) 첫머리에 쓰는 말.
현지[1]【玄旨】명 현묘(玄妙)한 취지.
현지[2]【玄地】명 머나먼 곳. 깊숙한 벽지(僻地).
현:지[3]【現地】명 ①어떤 일이 벌어진 바로 그 곳. 사건이 생긴 그 곳. ¶ ~ 사정 / ~ 조달. ②현장(現場).
현지[4]【賢智】명 어질고 슬기로움. ——-하다 형여불
현:지 금융【現地金融】[— / —늉] 명 해외에 진출한 국내 기업이나 국내 기업의 해외 지사·현지 법인 등이 해외에서의 영업 활동을 위해 국내 외국환 은행의 국외 지점 또는 외국 은행으로부터 차입하는 금융.
현:지 답사【現地踏査】명 현지에 직접 가서 조사하는 일. 실지(實地) 답사.
현:지 대:부【現地貸付】명〖금융〗해외에 나가 있는 금융 기관이 현지에서 본국의 기업에 자금을 대부하는 일.
현:지 로케【現地—】명〖연〗↗현지 로케이션.
현:지 로케이션【現地—】〔location〕명〖연〗현지에 가서 하는 야외 촬영(野外撮影).
현:지 법인【現地法人】명〖법〗우리 나라의 자본만으로 외국법에 의거하여 외국에 설립된 외국적(外國籍)의 회사 법인. 기업의 해외 진출에서, 현지의 협력을 얻기 위한 수단으로 설립됨. 해외 법인(海外法人).
현:지 보:고【現地報告】명 현지에서 하는 실정의 보고.
현:지 보:호【現地保護】명〖법〗외국에 거주하는 거류민에게 그 나라의 내란 등으로 인하여 위험이 미칠 경우 그 곳에서 그대로 보호하는 일. ——-하다 타여불
현:지 생산【現地生産】명 공업 제품 등이 판매되는 현지 시장국(市場國)에서 그 제품을 생산하는 일.
현:지-성【現地性】[—썽] 명〖지〗광역(廣域)에 걸쳐 습곡(褶曲)되거나 단층(斷層)이 생기었더라도, 본래의 위치에서 비교적 가까운 곳에 있는 지층의 성질.
현:지성-탄【現地性炭】[—썽—] 명〖광〗식물이 예전에 생육하던 곳에 퇴적하여 되었다고 생각되는 석탄.
현:지성 화:석【現地性化石】[—썽—] 명〔autochthonous fossil〕〖생〗생물이 예전에 생존하던 곳에 보존되었다가 발견된 화석.
현:지 언어학【現地言語學】명〖언〗실지로 언어 자료를 수집하여 언어 현상을 연구하는 방법에 의한 언어학.
현:지 임:관【現地任官】명〖군〗임용 자격이 인정된 자를 임관에 필요한 소정의 교육을 생략하고 근무 또는 배속 부대에서 무관(武官)의 신분으로 계급을 부여하는 일. ㊕현임.
현:지 입대【現地入隊】명〖군〗문관이나 노무자 등이 근무하고 있는 부대에서 바로 현역(現役)으로 편입되는 일.
현:지 조달【現地調達】명 현재 있는 곳에서 필요한 물품을 대어 씀.
현:지-처【現地妻】명 외지(外地)에 나가 있는 남자가 현지에서 얻어 그 곳에 있을 동안 데리고 사는 아내.
현:지 탄:층【現地炭層】명〖광〗근원이 되는 식물이 무성했던 그 자리에 침적(沈積)한 탄층. 일반적으로 규모가 크고 구조도 비교적 고름. ↔유적(流積) 탄층.
현:직[1]【現職】명 현재의 직업 또는 직임. ¶ ~ 장관.
현:직[2]【顯職】명 ①고귀한 벼슬. 현요(顯要)한 직임(職任). ②〖역〗실직(實職)❶.
현:직 교:육【現職教育】명〖교〗현직무를 수행하는 데 필요하거나 그 직(職)에서 지위의 승진 또는 자격을 얻는 데 필요한 지식과 기능을 습득시키기 위해서 또는 사기(士氣)의 앙양 등을 위하여 행하는 교육.
현진[1]【懸進】명 적진(敵地) 깊숙이 들어감. ——-하다 자여불
현:진[2]【顯進】명 나타나 나아감. 분명히 나아가게 함. ——-하다 자타여불
현-진(:)건【玄鎭健】명〖사람〗소설가·신문인. 호는 빙허(憑虛). 대구 출생. ≪희생자≫·≪빈처(貧妻)≫ 등으로 문단에 등장, 사실주의 문학의 대표 작가로서 단편 소설의 개척에 힘썼음. 대표작에 ≪술을 권하는 사

회≫·≪불≫ 등이 있음. [1900-43]

현질[1]【賢姪】(명) 어진 조카란 뜻으로, 조카를 대접하여 일컫는 말.

현:질[2]【顯秩】(명) 높은 벼슬.

현:찰[1]【現札】(명) 현금(現金). ¶수표를 ~로 바꾸다/~ 판매.

현찰[2]【賢察】(명) 타인의 추찰(推察)을 높이어 일컫는 말. ¶~있으시기 바랍니다. ——-하다 (타)(여불)

현:찰 계:수기【現札計數機】(명)〖기〗은행 같은 데에서 지폐를 자동적으로 세는 기계.

현창[1]【舷窓】(명) 채광(採光)·통풍(通風)을 위하여 선복(船腹)에 낸 창.

현:창[2]【顯彰】(명) 밝게 나타남. 또, 나타냄. 현장(顯章). ——-하다 (자)(타)(여불)

현-채[1]【玄采】(명)〖사람〗조선 말기의 서도가(書道家). 호는 백당(白堂). 안 노공(顏魯公)의 체를 잘 썼음. 저서에 ≪동국 사략(東國史略)≫ 등이 있음. [1856-1925]

현:채[2]【眩彩】(명) 적에게 발견되는 것을 방지하기 위하여 주위의 빛깔과 같이 채색하는 일. 특히, 함선의 경우에 이름.

현책[1]【玄冊】(명)〖역〗조선 시대에 임진 왜란 이전까지, 성균관의 정록청(正錄廳)에서 입직관(入直官)이 시정(時政)의 중요한 사항을 정록(正錄)하여 보관하던 기록.

현책[2]【賢策】(명) 현명한 계책.

현처【賢妻】(명) 어진 아내. 양처(良妻). ¶~ 양모(良母).

현:척【現尺】(명) 있는 그대로 나타낸 척수. ↔축척(縮尺).

현천[1]【玄天】(명) ①북쪽에 있는 하늘. 또, 하늘 및 하늘에 있는 태양·달·별을 이름. ②자연의 길. 무위(無爲) 자연의 묘리(妙理).

현천[2]【懸泉】(명) 폭포수(瀑布水).

현:천-현【俔天俔】(명)〖악〗악장(樂章)의 이름. 조선 시대 선조(宣祖)의 둘째 왕비 인목 왕후(仁穆王后)의 존호(尊號)를 올릴 때에 지었음.

현철【賢哲】(명) ①현인과 철인. ②어질고 사리에 밝음. 또, 그 사람. ——-하다 (형)(여불)

현:첨【懸籤】(명) 부전(付箋)을 닮. ——-하다 (자)(여불)

현초[1]【玄草】(명)〖약〗이질풀의 여름철 줄기·잎을 말린 생약으로서, 주로 타닌 성분이 들어 있으며, 수렴 지사제(收斂止瀉劑)·이뇨제(利尿劑)·완하제(緩下劑) 등으로 쓰임.

현:초[2]【懸草】(명)〖역〗조선 시대에, 비빈(妃嬪)이 해산할 때 깔았던 거적자리를, 산후(産後) 이레 동안 길(吉)한 방향의 궁중 대문에 붉은 끈으로 매달아 두는 일. *권초례(捲草禮).

현촉【玄燭】(명) ①심오한 빛. 위대한 덕을 이름. ②'달'의 이칭(異稱).

현:출[1]【現出】(명) ①드러나 나옴. 나타남. ②〖천〗가린 것이 걷히어, 보이지 아니하던 천체(天體)가 다시 드러남. ——-하다 (자)(여불)

현:출[2]【顯出】(명) 두드러지게 드러남. 또, 드러냄. ——-하다 (자)(타)(여불)

현:충【顯忠】(명) ①두드러진 충렬. ②충렬을 높이 드러냄. ——-하다 (자)(여불)

현:충-문【顯忠門】(명) 나라를 지키기 위해 싸우다 숨진 사람들의 충성을 기념하기 위하여 세운 문.

현:충-사【顯忠祠】(명) ①충절을 추모·기념하기 위하여 세운 사당. ②〖지〗충무공 이순신(忠武公李舜臣) 장군의 충절을 추모하기 위하여 세운 사당. 충청 남도 아산군(牙山郡) 백암(白巖)에 있음. 조선 시대 19대 왕 숙종 30년(1704)에 충청도 유생(儒生)들이 건립하였는데 3년 뒤인 1707년에 사액(賜額)을 받았음. 그 뒤 일제의 민족 말살 정책에 따라 사당이 퇴락했으나, 1932년에 민족의 성금(誠金)으로 사당이 다시 세워지고, 1967년 사적으로 지정되었으며, 1969년에 크게 중건(重建)됨.

현:충-일【顯忠日】(명) 호국 영령의 명복을 빌고 순국 선열 및 전몰 장병의 숭고한 호국 정신과 위훈(偉勳)을 추모하는 날. 매년 6월 6일.

현:충-탑【顯忠塔】(명) 나라를 지키기 위하여 싸우다 숨진 사람들의 충성을 기리려고 세운 탑.

현취【玄趣】(명) 현묘(玄妙)한 취지 또는 취의(趣意).

현측【舷側】(명) 배의 측면. 뱃전.

현측-도【舷側渡】(명)〖경〗에프 에이 에스(FAS).

현측 포대【舷側砲臺】(명)〖군〗군함의 갑판 현측에 장치한 포대.

현침[1]【絃枕】(명)〖악〗현악기의 줄의 머리를 걸치는 침목(枕木)이라는 뜻으로 일컫는 담괘(擔棵)의 딴이름.

현침[2]【懸針】(명) ①〖동〗올챙이. ②필법(筆法)의 하나. 내리긋는 획(畫)의 끝을 바늘끝처럼 뾰족하게 하는 일. ↔수로(垂露).

현침-전【懸針篆】(명) 소전(小篆)의 일종. 중국 후한(後漢)의 장제(章帝) 때 조희(曹喜)가 만든 것.

현칭【現稱】(명) 지금 일컫는 이름. 현재의 칭호. ↔구칭(舊稱).

현탁-액【懸濁液】(명) 육안(肉眼) 또는 현미경으로 보일 정도의 고체 미립자가 분산(分散)하여 흐려 있는 액체. 물 속에 탄소 입자(炭素粒子)가 분산하여 있는 묵즙(墨汁), 물 속에 점토(粘土) 분자가 분산하여 있는 이수(泥水) 따위.

현탁 중합【懸濁重合】(명) 수중(水中)에 단체량(單體量)을 분산시키고, 단체량에 가용(可溶)의 촉매(觸媒)를 사용하는 중합 방법. 중합물(重合物)이 입상(粒狀)을 이루므로 입상 중합이라고도 이름. 분산을 쉽게 하기 위해 폴리비닐알코올(polyvinylalcohol) 따위 현탁 안정제를 첨가하는 일이 많음. 중합열(熱)의 제거가 용이하고 순도도 높으며, 중합 속도도 큼. 염화 비닐 수지(塩化 vinyle 樹脂) 등의 제조에 쓰임.

현탁 콜로이드【懸濁—】〔colloid〕(명) 액체 중에 고체의 콜로이드 분자가 분산되어 있는 상태. 또, 그 것. 금·수산화은(水酸化銀)·황 따위의 졸(Sol)이 그 예임.

현:탈[1]【現頉】(명) 일에 병통이 생김. 일에 탈이 남. ——-하다 (자)(여불)

현탈[2]【懸頉】(명) 사고로 참여하지 못함을 기록함. ——-하다 (타)(여불)

현탑【懸榻】(명)〔중국 후한(後漢)의 진번(陳蕃)이 귀한 손님이 오면 걸상에 앉혀 대접하고, 그 손님이 떠나면 매달아 놓고 쓰지 않은 고사에서 유래〕손님을 극진히 대접(待接)함을 이름. 전(轉)하여, 진객(珍客)의 일컬음.

현태[1]【見汰】(명) 관직에서 물러나게 됨. ——-하다 (자)(여불)

현:태[2]【現態】(명) 현재의 상태. ↔구태(舊態).

현택[1]【玄宅】(명) 황천(黃泉).

현택[2]【玄澤】(명) 천자의 은택(恩澤). 성은(聖恩).

현토[1]【玄兎】(명) '달'의 이칭(異稱). 「(여불)

현토[2]【懸吐】(명) ①구결(口訣). ②한문 구절 끝에 토를 닮. ——-하다 (자)

현:파-기【現波機】(명)〖기〗해저(海底) 전신 등에서 모스 부호(Morse 符號)에 상당하며 방향이 틀리는 파형(波形) 전류를 보냈을 때 그 파형을 테이프 위에 그려 내는 장치.

현:파 부호【現波符號】(명) 양음(陽陰)의 전류로 나타낸 모스(Morse) 부호. 단점은 양전류(陽電流), 장점은 음전류(陰電流), 간격은 무전류(無電流)로 함. 장거리 해저 전신과 같은 대정전 용량(大靜電容量)을 포함하는 회선(回線)에서는 종래의 장단(長短)의 부호로는 파형(波形)이 무너져서 불명확하기 쉬우나 이 방법은 양음(陽陰)이 역방향이므로 부호가 명확히 전달됨.

현:파-지【現波紙】(명) 현파기에 나타나는 파상(波狀)의 전신 부호를 기록하는 종이.

현:판[1]【現版】(명)〖인쇄〗지형(紙型)에 부어 낸 연판(鉛版)이 아니고, 활자판으로 직접 박아 내는 인쇄판.

현판[2]【懸板】(명) 글자나 그림을 새기어서 문 위의 벽에 거는 편액(扁額).

〈현판〉

현판-식【懸板式】(명) 관청·회사·단체 등의 간판을 처음으로 거는 의식(儀式).

현패【懸旆】(명) 현정(懸旌).

현:폄【顯貶】(명) 분명히 벌하여 물러나게 함. ——-하다 (타)(여불)

현포【玄圃·懸圃】(명) 중국 곤륜산(崑崙山) 꼭대기의 선인(仙人)이 산다는 전설상의 곳.

현폭【懸瀑】(명) 매우 높은 곳에서 떨어지는 폭포. 현천(懸泉).

현:품【現品】(명) 현재 있는 물품. 실제의 물품. 현물(現物). ¶~이 없다.

현:품 매매【現品賣買】(명)〖경〗매주(買主)가 상품의 품질 등을 점검하고 음미(吟味)해 보고 그 결과에 따라 매주(賣主)로부터의 구매 여부를 결정하는 일.

현풍【玄風】(명) 유현(幽玄)한 풍취.

현:하[1]【現下】(명) 현재의 형편 아래. 지금. ¶~의 정세(情勢).

현하[2]【懸河】(명) ①급한 경사를 세차게 흐르는 하천. ②구변(口辯)이 거침없음을 비유하여 이르는 말. ¶~의 변(辯).

현하 구:변【懸河口辯】(명) 현하와 같이 거침없이 잘 하는 말. 현하 웅변. 현하지변.

현하 웅변【懸河雄辯】(명) 현하 구변.

현하지-변【懸河之辯】(명) 현하 구변.

현학[1]【玄學】(명) ①심오(深奧)한 학문. ②노장(老莊)의 학문. 전(轉)하여, 학문을 닦는 사람.

현학[2]【玄鶴】(명) 검은 빛깔의 학. 늙은 학.

현:학[3]【衒學】(명) 학문이 있음을 자랑함. 학식(學識)이 있음을 뽐내어 보임. ¶~적인 사람. ——-하다 (자)(여불)

현:학[4]【顯學】(명) 세상에 이름 높은 학문·학파. 세력이 있는 학문·학파. 또, 유명한 학자.

현학-금【玄鶴琴】(명) 거문고.

현:학 문학【衒學文學】(명)〖문〗예술적 개성·창조성보다 학식과 지식의 많음을 뽐내기 위하여 갖은 기교를 부려 쓴 작품. 또, 그 문학.

현:학-자【衒學者】(명) 학문·지식을 뽐내는 자. 학자인 체하는 사람. 페던트.

현:학-적【衒學的】(명)(관) 학식의 두드러짐을 자랑하는 모양.

현합【賢閤】(명) 남의 아내를 공경(恭敬)하여 일컫는 말. 영실(令室). 영부인(令夫人).

현합-곡【玄合曲】(명)〖악〗신라 때에 옥보고(玉寶高)가 지은 거문고곡 30곡 중의 하나.

현해【懸解·縣解】(명) 거꾸로 매달린 것이 풀림. 전(轉)하여, 생사의 우락(憂樂)을 초월함. 또, 고통이 없어짐.

현해-탄【玄海灘】(명)〖지〗'겐카이나다'를 우리 음으로 읽은 이름.

현:행[1]【現行】(명) ①현재 행함. 또, 행하여짐. 특히, 법률 등이 현재 시행되고 있는 일. ¶~ 법규. ②범죄를 목전(目前)에서 행하는 일. ¶~범. ——-하다 (자)(타)(여불)

현:행[2]【顯行】(명) 신불(神佛) 등이 그 모습을 나타내는 일. ——-하다 (자)(여불)

현:행-범【現行犯】(명)〖법〗①실행 중이거나 실행 직후에 발각된 범죄. ②↗현행 범인.

현:행 범:인【現行犯人】(명)〖법〗범죄가 실행 중이거나 실행한 직후에 잡힌 범인. 누구든지 영장(令狀) 없이 체포하여 사법 관리에게 인계할 수 있음. (준)현행범.

현:행-법【現行法】〔—뻡〕(명)〖법〗현재 시행되어 효력(効力)이 있는 법률. ¶~을 개정하다.

현:행 법전【現行法典】(명) 현재 시행되고 있는 법률을 모은 책.

현:행 조약【現行條約】(명)〖법〗현재 이행되며 효력이 있는 조약.

현:행 한국 법전【現行韓國法典】(명)〖역〗조선 시대 말인 융희(隆熙) 4년(1910) 6월 15일 현재 한국에서 시행되던 법령을 망라한 법전. 15편

78장 72절로 나뉨. (준)한국 법전.

현허【玄虛】명 현묘한 모양. 또, 그 이치. 노장(老莊)의 허무의 학(學)을 일컬음.

현:험【顯驗】명 분명한 조짐. 명험(明驗). 「여불

현:혁【顯赫】명 높이 드러나 빛남. 조금도 숨김이 없음. ——-하다 형

현현[1]【玄玄】명 현묘하고 심오(深奧)함. ——-하다 형여불

현현[2]【玄玄】명 『사람』 박영효(朴泳孝)의 호(號).

현현[3]【泫泫】부 ①눈물이 줄줄 흐르는 모양. ②이슬이 뚝뚝 떨어지는 모양. ——-하다 형여불. ——-히 부

현:현[4]【顯現】명 명백하게 나타남. 또, 나타냄. ——-하다 자타여불

현현[5]【懸懸】명 ①마음이 동요하는 모양. ②마음에 걸림. 현심(懸心). ——-하다 자여불

현:현[6]【顯顯】명 환한 모양. 명백한 모양. ——-하다 형여불. ——-히 부

현:현-적【顯現的】명관 〔explicit〕『철』 어떤 존재 또는 개념의 성질이나 요소(要素)가 그 존재 또는 개념의 전개(展開)나 분석(分析)에 의해서 분명히 드러나고 있는 것을 이름.

현:형[1]【現形】명 형체를 눈 앞에 드러냄. 또, 그 형체. 현영(現影). ——-하다 자여불

현형[2]【賢兄】명 친구를 높이어 일컫는 말.

현:형[3]【顯型】명 『생』 생물이 양친으로부터 유전으로 이어받은 형질(形質) 중에서, 외부에 나타나는 형(型). *원형(元型).

현형[4]【懸衡】명 ①저울에 닮. ②법도(法度)를 게시함. ③경중(輕重)이 같음. 전하여, 세력이 비등함. ——-하다 자여불

현호[1]【弦弧】명 『수』 현과 호.

현호[2]【弦壺】명 『공』 활등 모양의 손잡이가 있는 항아리.

현호[3]【舷弧】명 배의 이물과 고물 사이의 뱃전의 곡선 각도.

현호[4]【賢豪】명 현명하고 뛰어남. 또, 그러한 사람. ——-하다 형여불

현:호[5]【顯號】명 아름다운 명호(名號). 세상에 뚜렷이 나타난 명호.

현호-색【玄胡索】명 『식』 [*Corydalis turtschaninovii*] 양꽃주머닛과에 속하는 다년초. 괴경(塊莖)은 둥근데 지름은 1cm 가량이고 줄기는 높이 20cm 내외이며, 잎은 호생하고 유병(有柄)에 두 번 째어지며, 달걀꼴 또는 타원형이고, 뒷면은 분백색임. 4월에 엷은 홍자색 꽃이 총상(總狀) 화서로 줄기 끝이나 가지 끝에 정생(頂生)하여 피고, 삭과(蒴果)는 양끝이 뾰족함. 산이나 들에 나는데, 전남·전북·강원·경기·함남·함북 등지에 분포함. 괴경은 한방(漢方)에서 월경 불순·혈징(血癥)·산후 복통(腹痛)에 씀. 연호색(延胡索).

〈현호색〉

현:혹【眩惑】명 어지러워져 홀림. 어지럽게 하여 홀리게 함. ¶눈을 ~시키다. ——-하다 자타여불 「여불

현화[1]【玄化】명 덕으로 교화함. 천자에 의한 덕화(德化). ——-하다 자

현:화[2]【現化】명 ①현실로 나타남. ②신불 등이 형체를 바꾸어 세상에 나타남. ——-하다 자여불

현화-사【玄化寺】명 『지』 경기도 개풍군(開豐郡) 영남면(嶺南面) 현화리(玄化里)에 있는 고려 시대의 절. 1017년에 창건하였음. 석비(石碑)·당간 지석(幢竿支石)이 남아 있고 석등(石燈)은 경복궁(景福宮)에 옮겨졌음.

현:화 식물【顯花植物】명 『식』 [Phanerogamae] 꽃으로 생식 기관을 삼고 있는 점으로 구분한 재래식 분류법에서 종자 식물(種子植物)을 일컫는 말. 식물계 중에서 가장 고등의 분류군(分類群)임. ↔은화(隱花) 식물.

현:환【顯宦】명 현관(顯官).

현황[1]【玄黃】명 ①검은 하늘빛과 누른 땅빛. ②하늘과 땅. ¶천지(天地) ~. ③검은 빛과 누른 빛의 폐백(幣帛). ④중앙의 제왕(帝王). ⑤〔검은 말이 병들면 누른 빛이 된다는 뜻에서〕 병든 말.

현:황[2]【眩慌·炫煌】명 ①빛이 밝음. ②정신이 어지럽고 황홀함. ——-하다 형여불

현:황[3]【現況】명 현재의 상황. 지금의 형편. ¶~표(表)/~ 보고(報告).

현황-단【玄黃丹】명 홍경단(紅景丹).

현:회【顯晦】명 나타남과 숨음. 세상 사람에게 알려짐과 알려지지 아니함.

현:효[1]【現效】명 효험이 나타남. ——-하다 자여불

현:효[2]【顯效】명 두드러진 보람. 현저한 효험.

현:후【縣侯】명 『역』 고려 때 오등작(五等爵)의 둘째. 정오품으로 식읍(食邑) 1,000호(戶)를 주었음.

현훈[1]【玄訓】명 심오(深奧)한 가르침.

현훈[2]【玄纁】명 장사 지낼 때에 산신(山神)에게 드리는, 검은 것과 붉은 것의 두 조각 폐백. 나중에 광중(壙中)에 묻음.

현:훈[3]【眩暈】명 『한의』 〔←현운(眩暈)〕 정신이 어뜩어뜩하여 어지러움. ——-하다 형여불

현:훈-증【眩暈症】〔—쯩〕명 『한의』 〔←현운증(眩暈症)〕 어질증.

현:휴【顯休】명 『악』 조선 세종 때 지은 무곡(舞曲) 발상의 11곡 중 여섯째 곡 이름.

혈【穴】명 ①『민』 풍수 지리(風水地理)의 용맥(龍脈)의 정기(精氣)가 모인 자리. 공혈(孔穴). ②『한의』 침(鍼)을 놓을 때의 올바른 자리. 경혈(經穴).

혈가【血瘕】명 『한의』 월경(月經)이 그치고 배가 몹시 아픈 병. 혈괴(血塊).

혈갈【血竭】명 『한의』 기린갈(麒麟竭)❷.

혈강【血腔】명 『동』 혈체강(血體腔).

혈거【穴居】명 자연 또는 인공으로 된 동혈(洞穴) 속에서 사는 일. 또, 그 주거(住居). 선사(先史) 시대의 원시인들이 살았는데, 북경인(北京人)·크로마뇽인(Cromagnon人) 등이 산 유적이 있고, 현대에도 북(北)아프리카·중국 서북부의 건조 지대(乾燥地帶)에 볼 수 있음. 혈처(穴處). ¶~ 동물. ——-하다 자여불

혈거 시대【穴居時代】명 『역』 인류가 자연 또는 인조의 동혈(洞穴) 속에서 거주하던 선사(先史) 시대.

혈거 야:처【穴居野處】명 흙이나 바위의 굴 속에서 살거나 한데에서 삶. ——-하다 자여불

혈거피 명 〈옛〉 깍지[2]. 각지(角指). ¶네 나를 혈거피를 빌려주고려(你借饋我包指麼)≪朴解 上 49≫.

혈검【血檢】명 ↗ 혈액 검사.

혈견【穴見】명 좁은 식견. 관견(管見).

혈견 소:유【穴見小儒】명 견식이 좁은 학자.

혈견-수【血見愁】명 『식』 땅빈대.

혈고【血枯】명 『한의』 월경할 나이에 있는 여자의 월경이 그치는 병. 혈폐(血閉).

혈관【血管】명 〔blood vessel〕『생』 혈액을 체내에 유통시키는 관(管). 심장을 가진 척추 동물에서는 동맥·정맥·모세 혈관(毛細血管)의 구별이 있음. 핏줄. 맥관. 혈맥. 핏대줄. 동혈맥(動血脈). 맥도(脈道).

혈관-계【血管系】명 혈액의 통로가 되는 한 계통의 맥관계(脈管系). 척추 동물 따위의 폐쇄 혈관계에서는, 동맥계·정맥계·모세관계의 구별이 있으며 심장에서 시작되는 대동맥은 주행(走行) 과정에서 많은 가지로 갈라져 모세 혈관이 되고, 이것이 다시 합하여 정맥이 되어 심장으로 돌아감. 절지(節肢) 동물·연체(軟體) 동물에서 보이는 개방(開放) 혈관계에서는, 모세 혈관이 결여되고 동맥계·정맥계의 말단은 개방되어 그 사이의 혈액은 조직의 빈 틈 사이를 흐름.

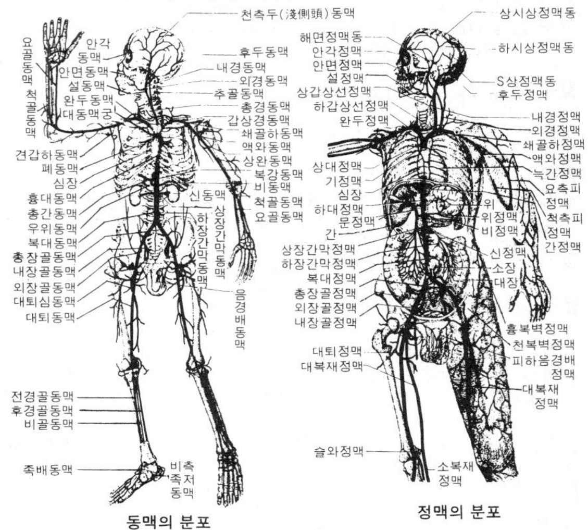

동맥의 분포 정맥의 분포

〈혈관계〉

혈관-선【血管腺】명 『생』 갑상선(甲狀腺)·비장(脾臟) 등과 같이 배설관(排泄管)은 가지지 아니하고 많은 혈관만을 가진 선(腺). 핏줄샘.

혈관성 모:반【血管性母斑】〔—썽—〕명 〔vascular nevus〕『의』 발육 이상 또는 생후의 혈관성 양성(良性) 신생물로서 생기는 점.

혈관 수축제【血管收縮劑】명 『약』 혈관을 수축시켜 혈관벽의 긴장을 높이는 약제. 아드레날린·에페드린(ephedrine) 등이 있음.

혈관 신경【血管神經】명 『생』 척추 동물의 말초 혈관, 특히 가는 동맥의 관벽의 근육을 지배하고 혈관의 수축·확대를 맡는 신경. 교감(交感) 신경에 속하는 혈관 수축 신경과 부교감(副交感) 신경에 속하는 혈관 확대 신경으로 되어 연수(延髓)에 반사 중추(反射中樞)를 가짐. 혈관 운동(運動) 신경.

혈관 심장 촬영법【血管心臟撮影法】〔—뻡〕명 『의』 혈관, 주로 동맥에 주사기(注射器)나 카테테르(Katheter)로 조영제(造影劑)를 급속히 주입(注入)하여 혈관이나 심장을 엑스선(X線)으로 촬영하는 방법. 뇌혈관(腦血管)의 주행(走行)의 이상(異常) 발견, 종양(腫瘍)·동맥류(動脈瘤) 등의 위치·크기의 확정(確定), 심장(心臟)이나 혈관의 이상을 진단(診斷)하는 데 응용됨.

혈관 운:동【血管運動】명 『생』 혈관 수축 또는 혈관 확장에 의한 혈관의 안지름의 변화. 혈관벽에는 민무늬근(筋)이 있어, 그 수축·이완(弛緩)에 의해 혈관의 안지름이 변하여 순환을 조절함.

혈관 운:동 신경【血管運動神經】명 『생』 혈관 신경.

혈관 운:동 중추【血管運動中樞】명 〔vasomotor center〕『생』 혈관의 수축(收縮)과 확장(擴張)을 관장하며 혈압 반사(血壓反射)의 중추를 이루는 신경 중추.

혈관 이식【血管移植】명 『의』 상해(傷害)된 혈관을 제거하고 대신 다른 혈관을 이식해서 혈행(血行)을 원래의 상태로 유지하는 수술.

혈관 잡음【血管雜音】명 『생』 혈관 내의 혈류(血流) 속도의 증대, 혈액 점도(粘度)의 감소, 혈관벽의 변화 등에 의해 일어나는 잡음.

혈관 조:영법【血管造影法】[―뻡] 명 〖의〗 의료 검사의 한 가지. 요오드 화합물 등의 조영제(造影劑)를 혈관 안에 주입하여 X선으로 촬영하는 방법. 혈관 병변(血管病變)이나 악성 종양(惡性腫瘍) 등의 진단에 쓰임.

혈관-종【血管腫】명 〖의〗 혈관, 특히 모세관(毛細管)이 증식(增殖)하여 한 덩어리가 된 종기. 얼굴에 많이 생김.

혈관 주:사【血管注射】명 〖의〗 혈관에 놓는 주사. ↔피하(皮下) 주사.

혈관 주:입법【血管注入法】명 [angiostomy technique] 〖생〗 혈관에 구멍을 뚫고 동맥으로부터 직접 기관(器官)에 시료(試料)를 주입하여 정맥에서 대사(代謝)된 물질을 채취하도록 하는 방법. 중간 대사(中間代謝)의 연구에 이용됨.

혈관 확장제【血管擴張劑】명 〖약〗 혈관을 확장시키는 작용을 가진 약제. 심장의 영양 동맥(營養動脈)의 수축에 의해서 일어나는 협심증(狹心症)에 주로 쓰이는 것으로 아질산염(亞窒酸鹽)·테오필린(theophylline) 등이 있음.

혈괴【血塊】명 〖한의〗 ①혈가(血瘕). ②몸 안에서 피가 혈관 밖으로 나와 그 곳에 뭉치어진 핏덩어리. 자궁(子宮) 안에 출혈(出血)이 되어 생기는 자궁 혈종(子宮血腫) 등.

혈구【血球】명 [blood corpuscle] 〖생〗 피의 고체(固體) 성분으로서 혈장(血漿) 속에 부유(浮游)하는 세포. 사람의 경우는 백혈구(白血球)·적혈구(赤血球)·혈소판(血小板) 따위가 있음. 전혈액의 45%로, 나머지는 혈장이 점함. 끊임없이 붕괴와 보급이 반복되고 있으나 수량은 일정량을 유지함. 피톨.

혈구-계【血球計】명 〖의〗 격자 눈금이 있는 슬라이드 유리판. 현미경을 사용하여, 적혈구·백혈구를 셀 수 있도록 되어 있음.

혈구 기생충【血球寄生蟲】명 혈구(血球) 속에 기생하는 벌레. 말라리아 병원체류(malaria病原體類) 등.

혈구-소【血球素】명 〖생〗 헤모글로빈(hemoglobin).

혈구 응집【血球凝集】명 [hemagglutination] 〖생〗 혈액 속에서는 본래 서로 유리(遊離)되어 있는 혈구, 특히 적혈구가 모여서 응집을 일으키는 현상.

혈구지-도【絜矩之道】명 자기를 척도(尺度)로 삼아 남을 생각하고 살펴서 바른 길로 향하게 하는 도덕상의 길.

혈궐【孑孓】명 〖충〗 장구벌레.

혈규【穴竅】명 구멍.

혈극【穴隙】명 극혈(隙穴).

혈기【血氣】명 ①혈액과 기식(氣息). 또, 그것을 가진 것, 곧 살아 있는 것. ②목숨을 유지하는 체력. 곧, 피와 기운. ③격동하기 쉬운 의기. 왕성(旺盛)한 의기. 피. ¶젊은 ∼.

혈기 방장【血氣方壯】명 혈기가 한창 성함. ¶∼한 젊은 무리의 예기를 꺾다. ――-하다 형 여불

혈기 왕:성【血氣旺盛】명 의기가 왕성함. ¶∼한 나이. ――-하다 형 여불

혈기지-분【血氣之憤】명 혈기 탓으로 일어나는 분.

혈기지-용【血氣之勇】명 혈기에 찬 기운으로 불끈 뽐내는 용맹.

혈낭【血囊】[―랑] 명 [haematodocha] 〖동〗 거미의 수컷의 촉수(觸手)에 있는 주머니로, 이 곳에 피림프(lymph)를 채우고 교접(交接) 때 팽창시킴.

혈농[1]【穴農】[―롱] 명 구메농사❶.

혈농[2]【血膿】[―롱] 명 〖의〗 피고름.

혈뇨【血尿·血溺】[―료] 명 ①〖의〗 요혈(尿血). ②피가 섞인 오줌.

혈담【血痰】[―땀] 명 피가 섞이어 나오는 가래.

혈당[1]【血糖】[―땅] 명 [blood sugar] 〖생〗 혈액 속에 포함되어 있는 당류(糖類). 주로 포도당(葡萄糖)인데 정상인(正常人)은 일정량이 유지되며 혈액 100cc 중에 100밀리그램 정도 존재함. 이것이 각 조직(組織)에 공급되고 산화(酸化)되어서 에너지를 발생함.

혈당[2]【血黨】[―땅] 명 생사를 같이하는 도당(徒黨).

혈당 감:소증【血糖減少症】[―땅―쯩] 명 〖의〗 저혈당증(低血糖症).

혈당-값【血糖―】[―땅―] 명 〖생〗 혈액 1dl 속에 포함되는 당(糖)의 양. mg으로 계산되며, 저혈당증(低血糖症) 등의 증세 때 혈당의 양을 측정하는 데 쓰임. 혈당치.

혈당 과:다증【血糖過多症】[―땅―쯩] 명 〖의〗 고혈당증(高血糖症).

혈당-치【血糖値】[―땅―] 명 〖생〗 혈당값.

혈-도[1]【穴島】[―또] 명 〖지〗 전라 남도의 서남해상(西南海上), 진도군(珍島郡) 조도면(鳥島面) 독거도리(獨巨島里)에 위치한 섬. [$0.10km^2$: 22명(1984)]

혈도[2]【血島】[―또] 명 〖생〗 난황낭(卵黃囊)의 표면에 생기는 혈액 빛을 띤 무수한 반점(斑點). 발생학(發生學)적으로 적혈구(赤血球)가 최초로 만들어지는 장소임.

혈도[3]【血途】명 〖불교〗 삼악도(三惡道)의 하나. 곧, 축생도(畜生道). *화도(火途)·도도(刀途).

혈동【血洞】[―똥] 명 〖생〗 혈관계(血管系)의 일부가 외부로 불룩해져서, 움푹 들어간 부분. 척추 동물의 심장 부근의 정맥(靜脈)에서 볼 수 있는 정맥동(靜脈洞) 따위. 혈맥동(血脈洞).

혈동-모【血洞毛】[―똥―] 명 [sinus hair] 〖동〗 포유류(哺乳類)의 상악(上顎)에 난 수염이나 눈 위에 있는 털처럼, 주로 안면에 분포하고 있는 강모(剛毛).

혈두【血豆】[―뚜] 명 멍.

혈로【血路】명 포위망이나 위태로운 경우를 가까스로 벗어나는 어려운 고비의 길. ¶∼를 열다.

혈록-소【血綠素】명 [chlorocruorin] 〖생〗 다모류(多毛類)의 혈장(血漿) 속에서 발견되는 진귀(珍貴)한 혈액 색소. 진하면 붉으나, 묽게 하면 녹색을 나타냄.

혈루[1]【血淚】명 피눈물.

혈루[2]【血漏】명 〖한의〗 여자의 음부(陰部)에서 때때로 피가 나오는 병. 출혈성(出血性) 자궁 내막염(子宮內膜炎)이나 자궁암(子宮癌) 들로 말미암아 생김.

혈류[1]【血流】명 피의 흐름.

혈류[2]【血瘤】명 〖한의〗 혈(血)혹.

혈류-계【血流計】명 [blood flowmeter] 〖생〗 혈관을 흐르고 있는 혈액의 유속(流速) 또는 유량(流量)을 측정하는 장치.

혈륜【血輪】명 눈의 두 끝의 시울.

혈리【血痢】명 〖의〗 적리(赤痢).

혈림【血痳·血淋】명 〖의〗 오줌에 피가 섞이어 나오는 임질(痳疾).

혈립【孑立】명 외따로 홀로 섬. 고립(孤立). ――-하다 자 여불

혈마 부 〈옛〉 설마. ¶계돌 혈마 이즐소냐 ≪永言≫.

혈맥【血脈】명 ①〖생〗 동물의 몸 안에서 피가 도는 맥관. 혈관(血管). 준 맥(脈). ②혈통(血統). ¶∼을 잇다. ③〖불교〗 조사(祖師)로부터 이어져 내려온 종지(宗旨).

혈맥 관:통【血脈貫通】명 혈맥 상통(血脈相通).

혈맥-낭【血脈囊】명 〖어〗 물고기류의 골밑샘 뒤쪽에 있으며 혈맥에 많은, 물의 깊이를 아는 주머니 모양의 기관.

혈맥-동【血脈洞】명 〖생〗 혈동(血洞).

혈맥 상승【血脈相承】명 〖불교〗 조상(祖上)의 혈통이 자손에게 전하여지는 것과 같이 서로 계승하여 법통(法統)을 전하는 일.

혈맥 상통【血脈相通】명 혈통(血統)이 서로 통함. 곧, 골육(骨肉)의 관계가 있음. 혈맥 관통.

혈맹【血盟】명 혈판(血判)을 찍어 굳게 맹약함. ――-하다 자 여불

혈-물 명 〈방〉 썰물.

혈믈 명 〈옛〉 썰물. ¶밀믈의 西湖ㅣ오 혈믈의 東湖 가쟈 ≪古時調 尹善道≫.

혈반【血斑】명 〖의〗 피부 또는 점막(粘膜) 같은 데에 자홍색의 반점(斑點)으로 나타나는 일혈(溢血).

혈반-병【血斑病】[―뼝] 명 말에 생기는 전염병. 피부 또는 점막(粘膜)에 혈반과 열이 생기고 부음.

혈-반토【血反吐】명 위(胃)에서 토하는 피. 혈토(血吐).

혈변【血便】명 피가 섞인 대변. 위장의 궤양(潰瘍)·암(癌)·적리(赤痢)·급성 장염(急性腸炎)·치핵(痔核) 등에서 보임. 출혈이 적어 육안으로는 판별 안 되는 것은 잠혈변(潛血便)이라 하여 잠혈 반응(潛血反應)에 의하여 판정함. 피똥. 변혈(便血).

혈병【血餠】명 ①응고된 피. ②[blood clot] 〖생〗 응고한 혈액 하부에 섬유소(纖維素)가 혈구(血球)를 싸고 이루어지는 것으로서 암적색(暗赤色) 병상(餠狀)의 혈괴(血塊).

혈분[1]【血分】명 〖생〗 피의 영양적 분량.

혈분[2]【血粉】명 도살한 가축의 피를 말려 굳힌 질소 비료. 혈비(血肥).

혈분[3]【血糞】명 피똥.

혈붕【血崩】명 〖한의〗 해산(解産)한 뒤에 피가 자꾸 나와서 그치지 아니하는 병.

혈비【血肥】명 혈분(血粉).

혈사[1]【血師】[―싸] 명 〖광〗 대자석(代赭石).

혈사[2]【血嗣】[―싸] 명 혈손(血孫).

혈-사경【血寫經】[―싸―] 명 〖불교〗 피로 쓴 사경(寫經).

혈산【血疝】[―싼] 명 〖한의〗 변옹(便癰).

혈상【血相】[―쌍] 명 얼굴에 나타나는 혈색(血色)의 상격(相格).

혈색【血色】[―쌕] 명 ①살가죽에 보이는 핏기. ¶∼이 좋다. ②핏빛.

혈색-소【血色素】[―쌕―] 명 〖생〗 헤모글로빈. 피빨강이. 혈홍소(血紅素).

혈색소-뇨【血色素尿】[―쌕―] 명 〖의〗 혈색소 및 메토헤모글로빈이 섞이어 나와서 검붉게 된 오줌. 여러 가지의 중독·전염병, 수혈 후 등의 경우에 일어남.

혈색소뇨-증【血色素尿症】[―쌕―쯩] 명 〖의〗 오줌에 혈색소가 섞여 있는 상태. 체내에서 파괴된 적혈구의 혈색소가 유리하여 오줌에 섞이는 것으로 괴혈병(壞血病)·자반병(紫斑病)·패혈병(敗血病)·말라리아 등의 경우나, 약물 중독(藥物中毒)의 경우에 나타남. *혈색소뇨·혈뇨(血尿).

혈서【血書】[―써] 명 제 몸의 피로 글씨를 씀. 또, 그 글자나 글발. ¶∼로 탄원하다.

혈석【血石】[―썩] 명 ①[blood stone] 〖광〗 녹석영(綠石英) 또는 녹옥수(綠玉髓)에 산화철(酸化鐵)의 붉은 점이 산재하여 있는 옥수(玉髓)의 한 가지. 장식품으로 쓰이며, 3월의 탄생석(誕生石)임. 블러드 스톤. ②치석(齒石).

혈선【血腺】[―썬] 명 〖생〗 혈액의 신성(新成)·붕괴(崩壞)·분해(分解)를 행하는 샘. 비장(脾臟)·경동맥선(頸動脈腺) 등.

혈성[1]【血性】[―썽] 명 ①의협심(義俠心)과 혈기(血氣)가 있는 성질. ②〖의〗 혈액이 관여되어 있는 성질. ¶∼ 침염(浸染).

혈성[2]【血誠】[―썽] 명 진심에서 나오는 정성. 혈심(血心). 혈침(血忱).

혈성 남자【血誠男子】[―썽―] 명 용감하고 의기(義氣)가 있어 죽기를 두려워하지 아니하는 사나이.

혈세[1]【血洗】[―쎄] 명 〖천주교〗 영세(領洗)를 받지 못한 사람이 신앙 때문에 목숨을 바치는 순교. 영세받은 것과 마찬가지 은총을 받음. *화세(火洗).

혈세[2]【血稅】[―쎄] 명 가혹한 조세. ¶국민의 ∼.

혈-소판【血小板】[―쏘―] 명 [blood platelet] 〖생〗 혈액의 고형 성분(固形成分)의 하나. 크기는 2-3μ 정도이며 핵(核)이 없는 불규칙한 모양으로, 골수(骨髓)에 있는 거대 핵세포(巨大核細胞)에서 만들어짐. 사

람의 혈액 1 mm³ 가운데에 20만-80만이 존재함. 혈액의 응고(凝固)에 없지 못할 효소(酵素)를 함유하고 있음. 작은피티. 피티.

혈소판 감:소증【血小板減少症】[—쏘—쯩] 명〖의〗혈소판의 감소로 인하여 일어나는 출혈성 소질(出血性素質).

혈소판 무력증【血小板無力症】[—쏘—] 명〖의〗혈소판의 기능 저하(低下)로 인하여 일어나는 출혈성 소질(出血性素質).

혈속¹【血速】[—쏙] 명 피가 혈관 안에서 순환하는 속도.

혈속²【血屬】[—쏙] 명 혈통을 이어 가는 살붙이.

혈손【血孫】[—쏜] 명 혈통을 이어 가는 자손. 혈사(血嗣).

혈송【血松】[—쏭] 명〖식〗눈잣나무.

혈수¹【血嗽】[—쑤] 명〖한의〗기침하는 데 따라서 피가 나오는 증세.

혈수²【血讐】[—쑤] 명 죽기를 결심하고 갚으려는 원수.

혈-수³【血髓】[—쑤] 명 피와 골수(骨髓). 몸의 중요한 부분의 비유.

혈식【血食】[—씩] 명 ①[혈(血)은 제사에 바치는 '생(牲)'의 뜻] 국전(國典)으로 제사를 지냄. ¶이 두 선생은 다 문묘에 배향이 되어 천추에 ~을 받으며 뒷세상 선비의 추도를 받는 풋대가 되니…《朴鍾和: 錦衫의 피》. ②나라를 보존함. ——-하다 자여불

혈식 천추【血食千秋】[—씩—] 명 국전(國典)으로 지내는 제사가 오래도록 끊이지 아니함. ——-하다 자여불

혈실【穴室】[—씰] 명 굴 속에 만든 방.

혈심¹【穴深】[—씸] 명 무덤 구덩이의 깊이.

혈심²【血心】[—씸] 명 혈성(血誠).

혈심 고독【血心苦篤】[—씸—] 명 정성을 다하여 일을 하여 감. ——-하다 자여불

혈안【血眼】명 ①기를 쓰고 덤벼 충혈된 눈. ②열중하여 분주히 돌아치는 모양. ¶군비 확장에 ~이 되다.

혈안이 되다 구 어떤 일에 광분(狂奔)하다.

혈암【頁岩】명 [shale]〖광〗수성암(水成岩)의 하나로 점토(粘土)가 응결하여 된 암석. 대개 박층(薄層)으로 되어 박리성(剝離性)이 많음. 빛은 담회(淡灰)·암회(暗灰)·흑갈색이며 유연(柔軟)한 성질로, 석회암(石灰岩)·사암(砂岩) 등과 겹쳐져 있어 중생층(中生層)·제3기층(紀層) 등의 지층을 이루고 있음. 이판암(泥板岩). 셰일.

혈암-유【頁岩油】[—뉴] 명 혈암을 증류하여 만든 기름. 성질은 중유(重油)와 같음.

혈압【血壓】명 [blood pressure]〖생〗혈액이 혈관 내를 흐르고 있을 때에 나타내는 압력. 심장의 수축력(收縮力), 혈관벽(血管壁)의 탄성(彈性), 혈액의 양(量) 등의 요인으로 그 강도(強度)가 정하여짐. 동맥 혈압·정맥 혈압·모세관 혈압 등이 있는데 일반적으로는 동맥 혈압을 가리킴. 대개 상완(上腕)의 동맥을 잼. 정상치(正常値)에 대하여, 종래에는 최고 혈압이 연령에 90을 더한 수라고 일컬어졌으나 최근에는 연령에 관계가 없이 최고 혈압은 100-150, 최저 혈압은 90 이하라고 함.

〈혈압계〉

혈압 강:하제【血壓降下劑】명 병적인 고혈압을 혈관 확장에 의하여 내리게 하는 의약품의 총칭.

혈압-계【血壓計】명〖의〗혈관에 일정한 압력을 가하여 혈압을 재는 계기. 완대(腕帶)·압력계·송기 펌프(送氣 pump)로 이루어짐. 맥압계(脈壓計).

혈압 항:진증【血壓亢進症】[—쯩] 명〖의〗혈압이 대단히 항진하는 증세. 본태성(本態性)과 신장성(腎臟性)이 있음. 모두 흥분·현훈(眩暈)·불면(不眠)·피로·심계 항진(心悸亢進)·호흡 곤란·출혈 경향 등으로 시작하여 끝내는 뇌일혈·심장 쇠약·요독증(尿毒症) 등을 일으켜 흔히 죽게 됨. 고혈압증.

혈액【血液】명 [blood]〖생〗동물의 혈관 안을 순환하는 체액(體液). 척추 동물에서는 헤모글로빈이라는 색소를 함유하여 빨갛게 보이며, 연체 동물(軟體動物)·절지 동물(節肢動物) 등의 무척추 동물의 경우는 담청색(淡青色)을 띰. 조직에 효소(酵素)·영양 물질·호르몬 등을 공급하고, 이산화 탄소·노폐물 등의 배출물을 운반하여 제거함. 또, 면역 항체를 함유하여 체내에 들어온 병원균을 죽이는 등 병해(病害)에서 동물을 보호함. 척추 동물의 경우는 액상(液狀)의 혈장(血漿)과 고형(固形)의 혈구(血球)로써 형성됨. 피.

혈액 가스【血液—】[gas] 명〖생〗생체의 혈액 중에 함유된 산소·이산화 탄소·질소 등의 기체의 총칭. 사람에게는 산소의 대부분은 헤모글로빈과 결합(結合)해 있고, 이산화 탄소의 거의는 중탄산염(重炭酸塩)으로서 존재함.

혈액 검:사【血液檢査】명 혈액을 뽑아서 행하는 검사법의 총칭. 혈액형 판정, 적혈구·백혈구 수의 계산 및 그 질적 판단, 혈청을 사용하는 면역학적 검사 등을 함. 피검사. 준혈검(血檢).

혈액 공:포증【血液恐怖症】[—쯩] 명 [hemophobia]〖심〗피를 보는 것을 이상하리만큼 무서워하는 상태.

혈액 기생충【血液寄生蟲】명〖동〗혈액 속에 사는 기생충. 한 생활환(生活環) 중의 무성 세대(無性世代)를 척추 동물의 혈액 속에서 지내는 원생 동물(原生動物)을 이르는데, 말라리아 병원체류(病原體類) 따위의 포자충류(胞子蟲類)는 종충(種蟲)이 적혈구 가운데에 들어가면 무성적(無性的)으로 불어나서 얼마 안 있어 그것이 혈장(血漿) 가운데에 유리(遊離)됨. 이것이 모기·진드기 등에 빨리면 이번에는 왕성하게 유성 생식(有性生殖)을 반복하게 됨. 또, 원생 동물 편모충류(鞭毛蟲類)의 트리파노소마류(Trypanosoma 類)도 사람·쥐·소·개·개구리·담수어(淡水魚)의 혈액 속에 살면서 혈액 가운데의 영양을 흡수하거나 여러 가지 병을 일으킴.

혈액 농축【血液濃縮】명〖의〗혈구 농도(血球濃度)의 상승. 혈류(血流)에서 혈장(血漿) 또는 수분이 소실(消失)되는 것이 원인임.

혈액 대:용제【血液代用劑】명〖약〗몸 안에 주사하여 혈액을 대신하는 약제. 혈액의 삼투압(滲透壓)을 유지하며, 혈액의 양이나 혈장(血漿)을 늘리는 데 쓰이는 생리 식염수(生理食塩水)·링거액·혈장·혈청(血清)·알부민 등이 있음.

혈액 도핑【血液—】[doping] 명 운동 선수의 체력을 일시적으로 증강하는 방법. 선수의 몸에서 약 5분의 1의 피를 뽑아, 냉동(冷凍) 보존했다가, 5 주일 후에 다시 체내에 되돌림. 선수의 운동 능력이 20 % 정도 향상됨이 실험에 의해 밝혀졌음.

혈액-독【血液毒】명 혈액 속의 적혈구를 파괴하는 작용이 있는 독물(毒物). 뱀의 독, 벌의 독, 버섯독과 벤졸계 약품, 피린제(劑), 술파제(劑) 따위. 출혈독(出血毒).

혈액 동:역학【血液動力學】[—녁—] 명 [hemodinamics]〖생〗혈액학(血液學)의 한 분과(分科). 혈액 순환 현상을 대상으로 함. 이것을 다시 심장 동역학(心臟動力學)과 혈관 동역학(血管動力學)으로 나눔. 전자(前者)는 심장의 주기(周期)·심장의 내압(內壓)·심장 박동(搏動)·심전도(心電圖)·심장이 하는 일·심장의 박출량(搏出量)을 연구의 대상으로 하며, 후자(後者)는 혈관 내에 있어서의 혈액의 운동·혈압(血壓)·동맥압(動脈壓)의 승강(昇降)·정맥 맥박·혈류(血流)의 속도 따위를 연구의 대상으로 함.

혈액-병【血液病】명〖의〗혈액의 성분, 즉 적혈구·백혈구·혈소판·혈장 단백(血漿蛋白)의 어느 하나 또는 둘 이상의 것의 이상 증가나 이상 감소 또는 질적인 변화를 보임으로써 일어나는 질환의 총칭. 빈혈·백혈병·적혈병·이단백증(異蛋白症) 따위.

혈액 병:리학【血液病理學】[—니—] 명 [hemopathology, hematopathology]〖의〗혈액병에 관한 의학의 한 분야.

혈액 비:중【血液比重】명〖의〗황산구리 용액의 표면에 혈액을 떨어뜨려 그 부침(浮沈)으로 비중을 측정하는 방법. 헌혈(獻血)의 검사 등에 쓰임.

혈액-상【血液像】명〖의〗혈색소량을 측정하고 적혈구·백혈구 및 혈소판의 수를 계산하며 도포 염색 표본(塗布染色標本)을 검경(檢鏡)하여 각종 혈구의 성상(性狀)을 관찰하거나 백혈구의 백분비(百分比)를 측정한 성적(成績). 혈액 소견(所見).

혈액 색소【血液色素】명 [blood pigment]〖의〗동물의 혈액 속에 있어서 산소를 나르는 색소. 철·구리 따위 금속 원자를 함유하는 단백질로서 호흡에 중요한 역할을 함. 척추 동물에서는 헤모글로빈(hemoglobin), 무척추 동물에서는 헤모시아닌(hemocyanin)·에리스로크루오린(erythrocruorin) 따위가 있음.

혈액 소:견【血液所見】명〖의〗혈액상(血液像).

혈액 순환【血液循環】명 [circulation of blood]〖생〗동물체내에서의 피의 순환. 보통은 심장 또는 유사 기관(類似器官)의 박동(搏動)에 의해서 행하여지는데, 산소 및 이산화 탄소를 위시(爲始)해 영양분·노폐물(老廢物)·호르몬 등의 운반(運搬) 역할을 함. 포유류(哺乳類)에서는 심장→동맥→모세 혈관→정맥→심장→폐→심장의 차례로 순환함. 피돌기. 준순환.

혈액 순환의 원리【血液循環—原理】[—월—/—에월—] 명〖책〗하비(Harvey, William)의 저서. 1628 년 간행. 정확한 표제는 '동물에 있어서의 심장과 혈액의 운동에 관한 해부학적 연구'. 각종 동물의 생체 해부(生體解剖), 심장의 박동(搏動), 그 판막(瓣膜)의 해부학적 연구, 혈관 내의 액체 주입 등으로, 대순환(大循環)과 소순환(小循環)을 실증적(實證的)으로 밝히고 있음. 72 페이지의 소책자이나, 근대 의학에로의 제일보(第一步)를 내디딘 획기적인 저서임.

혈액-원【血液院】명 수혈 또는 혈액 제제(製劑)에 필요한 혈액을 채혈·조작(操作)·보존·공급하는 기관. 의료법의 규정에 의한 종합 병원과 보건 사회부 장관의 허가를 받은 자가 개설(開設)함.

혈액 은행【血液銀行】명 [blood bank]〖의〗'혈액원'의 통칭(通稱).

혈액 응고【血液凝固】명〖생〗혈관 밖으로 나온 피가 응고하는 일. 혈장(血漿) 가운데의 특수한 단백질이 변화하여 피브린(fibrin)이라는 고형체(固形體)로 되기 때문에 일어나는 현상임. 고등 동물의 혈액에서 볼 수 있음. 지혈(止血)의 효과를 나타냄.

혈액 응고 시간【血液凝固時間】명〖생〗혈관 밖으로 나온 피가 응고하는 데 필요한 시간.

혈액 응고 저:지제【血液凝固沮止劑】명〖약〗혈액의 응고를 억제(抑制) 또는 저지(沮止)하기 위한 약. 헤파린·구마린 유도체 따위. 항응혈제(抗凝血劑).

혈액 응고 촉진제【血液凝固促進劑】명〖약〗적극적으로 혈액을 응고시켜 출혈을 정지시키는 약. 비타민 K·칼슘 등.

혈액 응집 반:응【血液凝集反應】명〖의〗적혈구의 응집 반응. 다른 사람의 피를 수혈받았을 때 혈구(血球)의 덩어리가 생기는 현상. 어떤 사람의 혈구에는 응집원(凝集原), 곧 항원(抗原)이 있고 이를 받는 사람의 혈청에는 이에 대응하는 응집소(凝集素), 곧 항체(抗體)가 있는 경우에 생김. 이 반응이 생길 때에는 수혈을 못함.

혈액 응착【血液凝着】명〖의〗두 가지 이상의 혈액이 섞임으로써 덩어리를 만드는 일. 종류가 다른 동물의 혈액을 섞거나 동종(同種)의 다른 개체(個體)의 혈액을 섞었을 때에도 생김.

혈액 제:제【血液製劑】명 혈액을 원료로 하여 성분별로 갈라서 제조한 의약품. 악성 종양 등에 수혈하는 적혈구, 백혈병·자반병(紫斑病)의 출혈을 멎게 하는 혈소판(血小板), 화상(火傷) 등에 쓰는 혈장(血漿), 산

후 출혈(産後出血)에 좋은 피브리노겐(fibrinogen) 등이 있음. 액상(液狀)의 것, 동결(凍結) 건조시킨 분말상(粉末狀)의 것이 있는데 유효 기간(有効期間)은 1년 정도임.

혈액 투석【血液透析】명〖의〗신부전(腎不全)이나 약물 중독의 치료법의 하나. 혈액을 일단 몸 밖으로 내어 혈액 속의 노폐물이나 독물(毒物)을 투석액(液) 속에서 제거하고, 전해질(電解質)과 산(酸)알칼리의 균형을 바로잡은 다음 다시 몸 안으로 되돌리는 방법.

혈액-학【血液學】명〖생〗생리학의 한 분과. 혈액 및 조혈(造血) 기관의 본태(本態)·기능·병리 등을 연구하는 학문.

혈액 한천 배:지【血液寒天培地】명〖의〗세균의 배양에 쓰이는 배지(培地)의 일종. 흔히, 한천 배지에 혈액을 넣어서 만듦. 세균의 용혈 작용(溶血作用)을 조사하기 위하여 쓰임.

혈액-형【血液型】명 〔blood group〕〖생〗①적혈구(赤血球)와 혈청(血淸)과의 응집 반응(凝集反應)을 기초로 한 혈액의 분류형. 적혈구 속에 응집원(凝集原)이 있고, 혈청 속에는 응집소(凝集素)가 있어서 해당하는 응집원과 응집소가 만나면 적혈구의 응집 반응이 일어남. 분류 방식은 ABO식, MN식, Rh식, S식 등 30개 이상의 방식이 있음. 가장 일반적이고 중요한 것은 ABO 식인데, O형이 제일 많아서 45 %, A형이 40 %, B형이 10 %, AB형이 5 %임. MN식은 M, MN, N으로 나누며, Rh식은 Rh(+), Rh(−)로 나눔. 혈액형은 유전적으로 결정되는 것이며, 법의학(法醫學)상 중요하고, 수혈(輸血)하는 데는 될 수 있으면 같은 형이나 O형의 피를 선택(選擇)해야 함. ②↗에이 비 오식 혈액형(ABO式血液型).

혈액형 부적합【血液型不適合】명〖의〗이질(異質) 혈액형의 혈액이 생체내에서 일으키는 질환. 수혈(輸血)에 즈음하여 잘못하여 다른 형의 혈액을 주사하는 경우와, 어머니의 혈액형이 Rh 마이너스로 태아가 Rh 플러스 때에 일어나는 것이 있음.

혈여【血餘】명〖한의〗약재로서, 사람의 머리털·수염 따위. 맛은 쓰고, 성질은 따뜻하고 독이 없음. 해수·임질·어린아이의 경간(驚癎) 등에 살라서 재를 만들어 씀.

혈연[1]【孑然】명 고독한 모양. 고립해 있는 모양. 혈혈(孑孑). ——-하다 형여불

혈연[2]【血緣】명 ①같은 핏줄에 의해서 연결된 인연. ¶~ 관계. ②친족(親族). 혈족(血族). ↔지연(地緣).

혈연 계:수【血緣係數】명〖생〗두 개체의 유전 구성(遺傳構成)의 유사성(類似性)을 상대적으로 나타낸 지수. 가축(家畜)이나 실험 동물의 품종이나 품종 내의 계통에 있어서, 개체 간의 혈연 관계의 정도를 나타내는 경우에 쓰임.

혈연 관계【血緣關係】명 친자(親子)·형제 자매를 기본으로 하는 혈연자(血緣者)의 관계 및 양자(養子) 등을 포함한 관계.

혈연 단체【血緣團體】명〖사〗혈연 집단. ↔지연(地緣) 단체.

혈연 도태【血緣淘汰】명 근연(近緣) 개체 사이에 공통인 어떤 유전 형질(遺傳形質)이, 직계(直系) 자손 이외의 근연자의 생존·번식에 대하여 유리하게 또는 불리하게 작용하는 진화의 과정. 생식 능력은 없이 애벌레 돌보기에 전념하는 일벌이나 일개미의 이타(利他) 행동의 발현은 이 과정에 의하여 진화된 것임.

혈연 사회【血緣社會】명〖사〗성립의 기초가 혈연에 있고, 혈족(血族)인 사실 및 의식을 유대(紐帶)로 하고 있는 협동체. 엄밀한 의미에서는 가족·씨족, 넓은 의미에서는 민족도 포함됨. 미개 시대(未開時代)에는 이 형태의 사회가 지배적(支配的)이었으나 발달함에 따라 지연 사회(地緣社會)로 이행(移行)함.

혈연-적【血緣的】명관 혈연으로 맺어진 모양.

혈연 집단【血緣集團】명〖사〗혈연 관계에 의하여 구성되는 집단. 가족·씨족·부족 등이 있는데, 넓은 뜻으로는 인족(姻族)도 포함한 친족 집단을 이름. 혈연 단체. ↔지연(地緣) 집단.

혈영【血癭】명〖한의〗혈혹.

혈예【血裔】명 혈윤(血胤).

혈온【血溫】명 피의 온도(溫度).

혈우【血雨】명 살상(殺傷)으로 인한 심한 유혈(流血). ¶혈풍(血風)~.

혈우-병【血友病】[—뼝] 명〖의〗선천적으로 출혈하기 쉬운 소질을 보여, 경미한 상처에서도 지혈(止血)이 곤란한 질환. 반성 열성(伴性劣性) 유전에 의한 것이 많고, 여자에 의해서 유전되어 남자에게 나타나는 것이 대부분임. 항혈우병 인자(抗血友病因子)의 결핍에 의해 혈액 응고에 불가결한 트롬보플라스틴(thromboplastin)의 출현이 부족한 것을 고전적(古典的) 혈우병 또는 혈우병 A라 하며 전체의 85 %를 점함. 이 외에 혈우병 B와 혈우병 C가 있음.

혈우병성 관절염【血友病性關節炎】[—뼝썽—렴] 명〖의〗혈우병의 한 증상으로서 관절강(關節腔) 내에 출혈(出血)을 초래하는 질환. 우성 유전(優性遺傳)이며 무릎의 관절에 가장 많이 일어나고 남자에게만 나타남.

혈원 골수【血怨骨髓】[—쑤] 명 뼈에 사무치는 깊은 원수.

혈유【孑遺】명 약간의 나머지. 단 하나 남은 것. 잔여(殘餘).

혈유 생령【孑遺生靈】[—녕] 명 간신히 남아 있는 목숨.

혈육【血肉】명 ①피와 살. ②자기 소생의 자녀. ¶일점(一點) ~. ③부모·자식·형제·자매 들. 골육. ¶~지간.

혈육을 나누다 구 피와 살을 나누다. 골육간(骨肉間)이다. ¶아무리 가난한 신세이기로 돈 백 원으로 하여서 혈육을 나눈 그 딸로 하여금 전당 물건이 되게 함은 부모의 정으로 차마 못할 일이로다 ≪趙重桓:菊의 香≫.

혈육-애【血肉愛】명 혈육에 대한 사랑.

혈육지-신【血肉之身】명 피와 살을 가진 몸. 혈육.

혈육지-친【血肉之親】명 골육지친(骨肉之親).

혈윤【血胤】명 ①핏줄. ②핏줄을 받은 자손. 혈족(血族). 혈예(血裔).

혈의 누【血—淚】[—/—에—] 명〖책〗이인직(李人稙)이 1906년에 지은 한국 최초의 신소설. 1894년 청일 전쟁의 전화가 평양 일대를 휩쓸었을 때, 일곱살 난 여주인공 옥련(玉蓮)이 피난길에 부모를 잃고 부상하였으나 일본의 한 군의(軍醫)의 호의로 일본에 건너가 학교에 다니다 청년 구완서를 만나 함께 도미(渡美)하여 워싱턴에 유학, 그곳에서 뜻밖에도 부친을 만나고 구완서와는 약혼을 하고, 평양의 어머니와도 편지로 연락이 된다는 줄거리로서, 신교육·여권 신장 등을 바탕으로 특히 자유 결혼을 주제로 한 작품임.

혈-임파【血淋巴】명〖생〗피림프(lymph).

혈장[1]【血漿】[—짱] 명 〔blood plasma〕〖생〗생체(生體)의 혈액의 액상 성분(液狀成分). 곧, 신선한 전혈(全血)에서 적혈구 및 그 밖의 세포 성분을 제외한 부분에 해당함. 여러 가지 단백질(蛋白質)이나 유지체(類脂體)·무기 염류(無機塩類) 특히 식염(食塩) 같은 것을 함유하는데, 세포의 삼투압(滲透壓)과 수소(水素) 이온을 일정하게 유지하는 일을 하며 출혈(出血)하였을 때 혈소판(血小板)과 함께 혈액을 응고시키는 역할을 함.

혈장[2]【穴藏】[—짱] 명 구멍 속에 숨음. 구멍 속에 삶. ——-하다 자여불

혈장 교환【血漿交換】[—짱—] 명〖의〗체내의 혈장을 신선한 것으로 교환하는 치료법의 하나. 극증 간염(劇症肝炎) 등에 이용됨.

혈장 단:백 이:상증【血漿蛋白異常症】[—짱—쯩] 명〖의〗혈장 중의 단백질에 양적·질적으로 이상이 일어나는 병. 대개는 여러 가지 병의 이차적(二次的) 현상임.

혈장-탕【血臟湯】[—짱—] 명 핏골집.

혈쟁【血爭】[—쨍] 명 생사(生死)를 헤아리지 아니하고 다툼. 혈투(血鬪). ——-하다 자여불

혈적[1]【血積】[—쩍] 명〖한의〗피가 울결(鬱結)하여 되는 적병(積病). 얼굴은 누렇고 똥은 검은 빛을 띰.

혈적[2]【血蹟】[—쩍] 명 피로 쓴 글씨. ＊혈서(血書).

혈적-소【血赤素】[—쩍—] 명 헤모글로빈.

혈전[1]【血栓】[—쩐] 명〖생〗생물체의 혈관 속에서 혈액이 굳어져서 된 응혈괴(凝血塊).

혈전[2]【血戰】[—쩐] 명 생사를 헤아리지 아니하고 싸움. 피투성이가 되어 치열하게 싸움. ¶~을 벌이다. ——-하다 자여불

혈전-기【血戰記】[—쩐—] 명 혈전의 기록. 또, 그 책.

혈전성 색전증【血栓性塞栓症】[—쩐썽—쯩] 명〖의〗혈전(血栓)의 파편(破片)으로 인한 색전증. ＊지방(脂肪) 색전증·색소 색전증.

혈제【血祭】[—쩨] 명 ①희생의 피를 바치고 지내는 제사. ②〖천주교〗유혈제(流血祭).

혈조【血漕】[—쪼] 명 칼날에 내놓은 홈.

혈족【血族】[—쪽] 명 ①혈통의 관계가 있는 겨레붙이. 곧, 같은 선조(先祖)로부터 갈리어 혈통이 계속된 겨레붙이. 계족(系族). ②〖법〗혈통이 연속된 친족(親族) 또는 양자(養子)의 경우와 같이 법률이 그와 동시(同視)한 사람.

혈족 결혼【血族結婚】[—쪽—] 명 같은 혈족의 남녀 사이에 맺는 혼인. 우생학상 불건전한 자식을 낳는 수가 있다 하여, 민법(民法)은 동성 동본(同姓同本)의 혈족 사이에는 결혼할 수 없게 규정하였으며, 미개인의 사회에서도 근친 상간(近親相姦)은 터부(tabu)로서 엄격히 금지되고 있음.

혈족 관계【血族關係】[—쪽—] 명 혈통이 서로 걸리어 있는 관계.

혈족 단체【血族團體】[—쪽—] 명〖사〗혈연 단체(血緣團體).

혈족 상속인【血族相續人】[—쪽—] 명〖법〗직계 비속(直系卑屬)·직계 존속(尊屬)·형제 자매 등의 혈연 관계에 있는 상속인. ＊배우(配偶) 상속인.

혈족-애【血族愛】[—쪽—] 명 혈족에 대한 사랑.

혈족-친【血族親】[—쪽—] 명〖법〗육촌(六寸) 이내의 혈족.

혈족-혼【血族婚】[—쪽—] 명 혈족 결혼.

혈종[1]【血腫】[—쫑] 명〖의〗출혈로 인하여 혈액이 한 곳에 모이어 혹과 같이 부어 오른 것. 두피(頭皮) 혈종·두개(頭蓋) 혈종·피하(皮下) 혈종·관절내 혈종 등이 있음.

혈종[2]【血種】[—쫑] 명〖동〗말의 분류 상의 구분의 하나. 혈통에 의한 분류로, 온혈종(溫血種)·냉혈종(冷血種)의 분류 및 순혈종(純血種)·반혈종(半血種)의 분류는 이에 해당함.

혈주【血珠】[—쭈] 명 핏빛의 산호주(珊瑚珠).

혈중 농도【血中濃度】[—쭝—] 명〖의〗혈액 속에 들어간 어떤 성분의 양의 비율. ¶항균제의 ~.

혈중 알코올 농도【血中—濃度】[alcohol] [—쭝—] 명〖의〗혈액 속에 포함된 에탄올의 양(量). 음주(飮酒)에 따라 증가하는데, 보통은 혈액 100 cc 중 50 mg 정도에서 사람이 얼근하게 취하고, 200 mg 이상이면 만취가 됨.

혈증【血症】[—쯩] 명〖한의〗①피에 관계되는 온갖 병의 총칭. ②육혈(衄血)·토혈(吐血)·객혈(喀血)·변혈(便血)·요혈(尿血) 등의 실혈증(失血症)의 총칭.

혈지[1]【血池】[—찌] 명 지옥(地獄)에 피가 괴어 있다고 전해 오는 못.

혈지[2]【血舐】[—찌] 명 상처 따위의 피를 핥음. ——-하다 자여불

혈징【血癥】[—찡] 명〖한의〗뱃 속의 피가 한 곳에 단단히 뭉친 병.

혈처【穴處】명 혈거(穴居). ——-하다 자여불

혈철-소【血鐵素】[—쏘] 명〖생〗혈색소(血色素)에 유래하는, 철을 함유하는 색소. 간(肝)·비장(脾臟)·골수(骨髓)·신장 상피 세포(腎臟上皮細胞) 등의 조직이 침착(沈着)하여, 체내의 저장철(貯藏鐵)의 일부로서

다시 이용됨.

혈철-증【血鐵症】[—쯩] 명 〖의〗 혈철소가 특히 많이 장기(臟器)나 조직(組織)에 침착(沈着)한 상태. 체내에서 많은 적혈구가 붕괴(崩壞)되는 경우에 나타남.

혈청【血清】명 〔serum〕〖의〗 피가 엉기어 굳을 때에, 혈병(血餠)에서 분리하는 황색 투명한 액체. 혈장(血漿)에서 피브리노겐을 빼낸 것으로서, 알부민(albumin)·글로불린(globulin) 등의 단백질·면역 항체(免疫抗體) 따위가 들어 있음. 혈청 진단이나 혈청 요법에 쓰임. 피말갛이. ¶ ~ 주사.

혈청 간:염【血清肝炎】명 〖의〗 바이러스성(性) 간염의 하나. 주로 수혈(輸血)이나 주삿바늘에 의해 감염됨. 경구(經口) 감염을 주로 하는 A형 간염과는 다르며 잠복기가 2-6개월이나 되고, 또 중증(重症)이 되는 수가 적지 아니함. 두통(頭痛)·근육통(筋肉痛)·전신 권태감(全身倦怠感) 등 감기와 유사한 증상으로 식욕 부진(食慾不振)·간종대(肝腫大)·오심(惡心)·구토·황달(黃疸) 등이 나타나며 간기능의 장애를 초래함. 수혈 간염(輸血肝炎). 비형(B型) 간염.

혈청 검:사【血清檢査】명 〖의〗 사람의 건강 상태를 검사하기 위하여 혈청을 검사하는 일. 에이 비 오식(ABO式)의 혈액형이나 매독의 바서만 반응(Wassermann反應) 등을 조사하는 외에 미생물의 감염에 의해 생체 내에 만들어진 항체를 검사함. 항독소(抗毒素)가 생기는 것은 신진 대사의 이상(異常)에 기인한다는 원리에 의한 것임.

혈청 글로불린【血清—】〔globulin〕명 〖의〗 글로불린에 속하는 단백질 중 혈청에 함유되는 것의 총칭. 면역(免疫) 따위 생체의 방어(防禦)에 중요한 인자(因子)가 됨. 알파 글로불린·베타 글로불린·감마 글로불린 등이 있음. *감마 글로불린·면역 글로불린.

혈청-병【血清病】[—뼝] 명 〔serum disease〕〖의〗 사람 몸에 이종족(異種族) 혈청을 주사하였을 때 나타나는 병적 현상. 동물의 혈청을 주사하였을 때에 일어나는 알레르기 현상. 발열(發熱)·발진(發疹)·림프절종(lymph節腫)·관절통(關節痛)·부종(浮腫)·호흡 곤란 등의 증세를 일으켜 사망하는 수도 있음.

혈청성 쇼크【血清性—】[—썽—] 명 〔serum shock〕〖의〗 아나필락시성(性) 반응의 하나. 감작(感作) 개체 속으로 이종(異種) 혈청을 주입(注入)함으로써 일어남.

혈청-소【血靑素】명 〖화〗 헤모시아닌(haemocyanin).

혈청 알부민【血清—】〔albumin〕명 〖화〗 혈청·림프(lymph) 등에 다량으로 함유되어 있는 알부민.

혈청 요법【血清療法】[—뇨뻡] 명 〖의〗 전염병 등의 환자에게 면역(免疫) 혈청을 주사하여 병독을 중화시켜 질병을 치료하는 방법. 항독소(抗毒素) 혈청 요법, 항균(抗菌) 혈청 요법의 두 가지가 있음. 1890년 독일 사람 베링(Behring)이 창시하였음.

혈청 은행【血清銀行】명 〖의〗 전국 각지에서 혈청을 모아 거기에 포함되어 있는 항체(抗體)의 유무를 조사해서 전염병에 관한 유행 예측(流行豫測) 등에 활용하는, 전염병 데이터 은행. 작성된 데이터를 기초로 하여 전염병의 면역도(免疫度) 등을 지역별·연령별로 조사 분류하며, 방역 체제의 정비·개선을 위한 참고 자료로 삼음.

혈청 주:사【血清注射】명 〖의〗 면역체(免疫體)를 많이 함유하는 동물의 혈청의 주사. 독사 등에 물렸을 때 치료나 전염병의 치료·예방의 목적으로 행하여짐.

혈청-진【血清疹】명 〖의〗 치료의 목적으로 혈청을 주사한 수일 후에 주사 부위(部位)나 전신에 생기는 홍반(紅斑). 열이 나며 관절통(關節痛)·선종(腺腫)·구토 등 혈청병의 여러 증상이 나타남.

혈청 진:단【血清診斷】명 〖의〗 환자의 혈청을 검사하여 그 병의 상태를 진단하는 일. 매독의 바서만 반응(Wassermann反應), 티푸스의 비달 반응(Widal反應) 등.

혈청 치료【血清治療】명 〖의〗 면역(免疫)이 생긴 사람이나 동물의 혈청을 주사하여 병을 치료·예방하는 일.

혈청-학【血清學】명 항원 항체 반응(抗原抗體反應)을 연구의 대상으로 하는 학문. *면역학.

혈-체강【血體腔】명 〖동〗 절지(節肢) 동물에서 모든 내장을 포유(包有)하는 체내강(體內腔). 피림프가 차 있음. 혈강(血腔).

혈충【血忠】명 정성을 다하는 충성.

혈치【血痔】명 〖한의〗 우치(疣痔).

혈침[1]【血忱】명 혈성(血誠).

혈침[2]【血沈】명 〖의〗 ↗적혈구 침강 속도.

혈침 반:응【血沈反應】명 〖생〗 혈장(血漿) 중에 부유하는 적혈구가 혈액을 정치(靜置)한 경우 아래 쪽으로 침강(沈降)하는 현상.

혈탄【血炭】명 〖공〗 수탄(獸炭)의 한 가지. 동물의 혈액으로 만든 다공질(多孔質)의 활성탄(活性炭). 혈액을 탄산 나트륨과 함께 공기를 통하지 않고 작열(灼熱)·탄화(炭化)하여 만듦. 화학 공장에서 각종 용액의 정제(精製), 탈색용(脫色用) 등에 이용(利用)하였으나 지금은 활탄(活炭)을 대용(代用)함.

혈토【血吐】명 혈반토(血反吐).

혈통【血統】명 골육의 관계. 같은 핏줄을 타고 난 겨레붙이의 계통. 혈맥(血脈). 핏줄기. ¶ 왕가(王家)의 ~.

혈통 등록【血統登錄】[—녹] 명 가축의 혈통을 그 품종의 등록 협회에 등록하는 일. 우량 품종(優良品種)의 유지·품종 향상(向上)을 위해 18세기에 영국에서 시작하였음.

혈통-서【血統書】명 가축의 혈통을 적은 문서. 흔히, 혈통 등록에 의해 발행된 것을 이름. 혈통증(血統證).

혈통-주의【血統主義】[—/—이] 명 〖법〗 출생(出生)으로 인한 국적 취득에 관한 한 주의로서, 출생시의 부모의 국적에 따라 국적을 결정하는 원칙. 속인주의(屬人主義).

혈통-증【血統證】[—쯩] 명 혈통서.

혈투【血鬪】명 생사를 불고하고 투쟁함. 또, 그 싸움. 혈쟁(血爭). ¶ 양자간의 ~. ——-하다 자여불

혈-판[1]【穴—】명 〖민〗 무덤 자리에 혈(穴)이 잡히어 광(壙)을 파기에 마땅한 곳.

혈판[2]【血判】명 단지(斷指)하여 그 피로 손도장을 찍음. 또, 그 손도장. ¶ ~장(狀). ——-하다 자여불

혈판-장【血判狀】[—짱] 명 혈판(血判)을 찍은 서장(書狀).

혈폐【血閉】명 〖한의〗 혈고(血枯).

혈풍-초【血風草】명 〖식〗 땅빈대.

혈풍 혈우【血風血雨】명 피바람과 피비, 곧 격심한 혈전(血戰)을 비유하는 말.

혈하-희【絜河戲】[—히] 명 〖민〗 줄다리기.

혈한【血汗】명 피땀.

혈한-증【血汗症】[—쯩] 명 〔hematidrosis〕〖의〗 땀샘 분비물 속에, 혈액이나 혈액 산물(產物)이 섞여 있는 일.

혈한-하【血汗下】명 〖한의〗 열병(熱病)에 열(熱)이 풀리려고 코피가 나거나, 땀을 흘리거나 또는 똥을 싸는 증(症).

혈합【穴盒】명 '서랍'의 취음.

혈행【血行】명 〖생〗 피의 운행(運行). 혈액의 순환. 피돌기. ¶ ~을 돕다.

혈행 감:염【血行感染】명 〖의〗 전염성 질환에서, 하나의 병소(病巢)로부터 유리(遊離)한 미생물이 혈류(血流) 속에 침입하여 다른 장기(臟器)나 조직에 이르러 새로운 병변(病變)을 일으키는 현상. *혈행 전염.

혈행-기【血行器】명 〖생〗 피가 순환하는 기관, 곧 심장과 혈관. 순환기(循環器).

혈행 장애【血行障礙】명 〖의〗 넓은 뜻으로는 동정맥(動靜脈)·모세 혈관의 혈류(血流) 장애, 좁은 뜻으로는 동맥의 협착(狹窄)·연축(攣縮) 등에 의해 혈류가 장애를 받아 맥박의 강약, 피부 창백·동통(疼痛)·마비·괴사(壞死) 등이 일어나는 일.

혈행 전염【血行傳染】명 〖의〗 혈액(血液) 속에 세균이 들어가 병을 일으키는 전염. *혈행 감염.

혈허【血虛】명 〖한의〗 혈분(血分)이 쇠하여 부족함. 대개 영양이 불량해서 생김. 양의학의 빈혈증(貧血症)에 상당함. ——-하다 형여불

혈혈【孑孑】명 ①우뚝하게 외로이 선 모양. ②아주 홋홋하여 외로운 모양. ¶ ~ 단신. ③아주 작은 모양. ——-하다 형여불. ——-히 부

혈혈 고종【孑孑孤蹤】명 객지에서 아주 외로운 나그네의 종적(蹤迹).

혈혈 단신【孑孑單身】명 의지가지 없는 외로운 홑몸.

혈혈 무의【孑孑無依】[—/—이] 명 홑몸으로 외로워서 의지가지 없음. ——-하다 형여불

혈형【血型】명 혈액형.

혈-호【穴湖】명 〖지〗 함경 북도 부령군(富寧郡) 부거면(富居面)에 있는 호수. [0.13 km²]

혈-혹【血—】명 〖한의〗 피가 한 곳에 뭉치어서 된 혹. 혈류(血瘤). 혈영(血癭).

혈홍【血紅】명 ↗혈홍색(血紅色).

혈홍-색【血紅色】명 핏빛과 같은 빨간색. 준혈홍(血紅).

혈홍-소【血紅素】명 〖생〗 헤모글로빈. 혈색소(血色素).

혈훈【血暈】명 〖한의〗 해산(解產)한 뒤나 또는 그 밖에 다른 증세로 인하여 피가 많이 나와서 정신이 흐리고 어지러운 병.

혈흉【血胸】명 〖의〗 흉강(胸腔) 안에 혈액이 괸 상태. 심장·폐·대혈관의 손상에 의한 경우가 많음. 흉통(胸痛)·호흡 곤란·쇼크를 일으킴.

혈흔【血痕】명 피가 묻은 흔적.

혈흔 검:사【血痕檢査】명 〖법〗 주로 범죄의 현장(現場)·흉기(凶器)·피해자의 의류(衣類) 등에 묻은 혈흔 유사(血痕類似)의 반흔(斑痕)에 관하여, 혈흔 여부와 그 밖의 이에 관련된 여러 가지 사항을 조사하는 일. 법의학(法醫學)의 물체(物體) 검사 중 대표적인 것으로, 루미놀(luminol) 시험이 유명함.

혐가【嫌家】명 서로 꺼리고 원망을 품은 집안.

혐고【嫌辜】명 무고한 죄에 처해지는 것을 꺼림. ——-하다 타여불

혐극【嫌隙】명 서로 싫어서 생기는 틈.

혐기[1]【嫌忌】명 싫어서 꺼림. ——-하다 타여불

혐기[2]【嫌氣】명 공기, 특히 산소를 싫어함. ——-하다 자여불

혐기[3]【嫌棄】명 싫어서 버림. ——-하다 타여불

혐기 생활【嫌氣生活】명 〔anaerobiosis〕〖생〗 분자상(分子狀) 산소가 없는 상태에서 영위되는 생활의 형태. ↔호기(好氣) 생활.

혐기-성【嫌氣性】[—썽] 명 〖생〗 세균 같은 것이, 산소를 싫어하여 공기 속에서는 잘 생육(生育)하지 아니하는 성질. 또, 그 상태. ↔호기성(好氣性).

혐기성 생물【嫌氣性生物】[—썽—] 명 〖생〗 산소(酸素)를 싫어하는 성질의 생물. 곧, 산소가 없는 상태에서 정상적인 생활을 지속하는 생물. 주로 세균류에 많아 혐기성 세균이라고 하는 경우가 많음. 무기성(無氣性) 생물. ↔호기성(好氣性) 생물.

혐기성 세:균【嫌氣性細菌】[—썽—] 명 〖생〗 산소가 없는 조건 하에서 생육(生育)하는 세균. 클로스트리디움·메탄 세균 따위. ↔호기성(好氣性) 세균.

혐기성 프로세스【嫌氣性—】[—썽—] 명 〔analrobic process〕 공기(空氣)나 또는 화학적으로 결합하지 않은 산소를 제거(除去)하고 행하는 프로세스.

혐기 호흡【嫌氣呼吸】명 〖생〗 무기 호흡(無氣呼吸).

혐난【嫌難】명 꺼리어 방해함. ——-하다 타여불

혐노【嫌怒】명 싫어하여서 성냄. ——-하다 자여불

혐만【嫌慢】명 미워하여 깔봄. ——-하다 타여불

혐명【嫌名】명 임금 이름자를 백성이 피하고 쓰지 아니하던 일. 고려 중기(中期)에 시작하였음. ——-하다 자여불

혐문【嫌文】명 존비간(尊卑間)·남녀간 등에 통하여 쓰지 못할 글귀. 곧, 꺼려서 피해야 할 글.

혐방【嫌謗】명 싫어하여 훼방함. ——-하다 타여불

혐사【嫌似】명 의심쩍음.

혐석회 식물【嫌石灰植物】명 〔calciphobous plant〕〖식〗흙 속에 칼슘분(分), 특히 탄산 칼슘이 많으면 생육(生育)에 장애가 되어, 언뜻 보기에는 칼슘의 존재를 싫어하는 것 같은 식물.

혐시【嫌猜】명 혐기(嫌忌)와 시의(猜疑). ——-하다 타여불

혐연-권【嫌煙權】[—꿘] 명 담배를 안 피우는 사람이 공공(公共)의 장소에서 담배 연기를 거부할 수 있는 권리.

혐염【嫌厭】명 미워서 싫어함. 혐질(嫌嫉). ——-하다 타여불

혐오[1]【嫌惡】명 미워하고 꺼림. ——-하다 타여불

혐오[2]【嫌惡】명 싫어하고 미워함. ——-하다 타여불

혐오-감【嫌惡感】명 싫어하고 미워하는 느낌. ¶~을 느끼다.

혐외【嫌畏】명 꺼리며 겁냄. ——-하다 타여불

혐원【嫌怨】명 싫어하고 원망함. ——-하다 타여불

혐의【嫌疑】[—/—이] 명 ①꺼리고 싫어함. ¶그 집에서는 우리 집을 ~를 보아 사오대 격면(隔面)으로 지내는 터에…《李海朝: 鬢鬣圖》. ②의심스러움. 미심쩍음. ③〖법〗범죄를 저지른 사실이 있으리라는 의심. 단순히 판단자의 주관적(主觀的)인 범죄 사실의 존재 가능성에 대한 판단이 아니라 객관적 증거에 의한 의심. ¶~를 받다/살인 ~. ——-하다 자타여불

혐의-스럽다【嫌疑—】[—/—이—] 형ㅂ불 혐의쩍다. 혐의-스레 〔【嫌疑—】 부

혐의-자【嫌疑者】[—/—이—] 명 혐의를 받는 사람.

혐의-쩍다【嫌疑—】[—/—이—] 형 혐의할 만한 점이 있다. 혐의스럽다.

혐의-형【嫌疑刑】[—/—이—] 명〖법〗범죄는 없으나 단순히 범죄의 혐의만으로 과하는 형벌. 봉건적인 형벌을 비난하여 일컫는 말.

혐점【嫌點】[—쩜] 명 혐의를 받을 만한 점(點).

혐질【嫌嫉】명 혐염(嫌厭). ——-하다 타여불

혐탄【嫌憚】명 싫어하여 꺼림. ——-하다 타여불

혐투【嫌妬】명 시기함. ——-하다 타여불

혐피【嫌避】명 꺼리고 싫어서 서로 피함. ——-하다 타여불

혐핍【嫌逼】명 몹시 혐의쩍어함. ——-하다 타여불

혐한【嫌恨】명 미워하며 원망함. ——-하다 타여불

협[1]【劦】명 백제의 팔대성(八大姓)의 하나.

협[2]【俠】명 성(姓)의 하나. 우리 나라에는 현존하지 아니함.

협[3]【峽】명 두메.

협[4]【挾】명〖악〗↗협무(挾舞).

협[5]【脅】명〖불교〗열 째 조사(祖師)의 이름. 복타밀다(伏駄密多)의 전발(傳鉢)을 받은 제십세 존자(第十世尊者). 중인도(中印度) 사람. 어머니 태중(胎中)에 60년을 있다가 나왔으므로 이름을 난생(難生)이라 하였음. 늦이어 협존자(脅尊者)라 일컬음.

협[6]【莢】명〖식〗꼬투리❷.

협각[1]【夾角】명〖수〗'끼인각(角)'의 구용어. 교각(交角).

협각[2]【鋏脚】명 가위 다리.

협간[1]【夾間】명〖건〗정간(正間)의 좌우 양쪽에 있는 방.

협간[2]【峽間】명 골짜기.

협갈【脅喝】명 위협함. 공갈함. ——-하다 타여불

협감[1]【挾感】명 감기에 걸림. ——-하다 자여불

협감[2]【挾憾】명 함감(含憾). ——-하다 자여불

협갑-류【狹甲類】[—뉴] 명〖동〗[Leptostraca] 절지 동물(節肢動物) 연갑류(軟甲類)에 속하는 한 목(目). 원시적인 갑각류로서 몸은 엽상(葉狀)으로 된 소형의 새우 비슷하고 겉껍데기는 박질(薄質)로 좌우 두 쪽이 있고 체절(體節)은 21개인 것이 특징임. 전세계에 분포하는데, 잎새우가 이에 속함.

협객【俠客】명 협기가 있는 사람. 협사(俠士). 협자(俠者). 유협(遊俠).

협검-두【挾劍豆】명〖식〗작두콩.

협격【挾擊】명 ①협공(挾攻). ②야구에서, 베이스와 베이스 사이에서 주자(走者)를 몰아 죽게 하는 일. ——-하다 타여불

협견【狹見】명 좁은 소견·견해.

협견 첨소【脅肩諂笑】명 몸을 옹송그리고 아양을 부려 웃음. ——-하다 자여불

협곡【峽谷】명 ①험하고 좁은 골짜기. ②〖지〗하천 하부의 심한 침식(浸蝕)으로 인하여 생기는 좁고 갸름하고 깊은 골짜기.

협곡-풍【峽谷風】명〖기상〗산골 바람.

협골[1]【俠骨】명 장부다운 기골. 호협(豪俠)한 기골.

협골[2]【頰骨】명〖생〗뺨의 뼈. 관골(顴骨). 광대뼈.

협-골반【狹骨盤】명〖의〗소골반(小骨盤) 입구의 경선(徑線)의 하나 또는 여러 개가 정상치(正常値)보다 짧아, 보통 크기의 성숙아(成熟兒)의 분만(分娩)에 지장을 초래하는 골반. 정도에 따라 4종으로 분류하는데, 1도(度)는 9cm 이상, 2도는 7cm 이상 9cm 미만, 3도는 5cm 이상 7cm 미만, 4도는 5cm 미만임. 장애(障礙)로서는 조기 파수(早期破水), 진통 미약(陣痛微弱), 자궁 파열(子宮破裂) 따위가 일어남. 3-4도는 제왕 절개(帝王切開) 수술을 요함.

협공【挾攻】명 양쪽으로 끼고 들이침. 협격(挾擊). ¶~ 작전. ——-하다 타여불

협과【莢果】명〖식〗열과(裂果)의 한 가지. 꼬투리로 여는 열매. 콩·팥·쥐엄나무 열매 등. 꼬투리.

〈협과〉

협괴【俠魁】명 협객(俠客)의 두목.

협궤【狹軌】명〖토〗철도의 궤조(軌條) 사이의 거리가 1.435m 이하인 궤도. ¶~선. ↔광궤(廣軌).

협궤 철도【狹軌鐵道】[—또] 명 궤조(軌條)의 넓이가 표준 궤간(軌間)인 1.435m보다 좁은 철도. ↔광궤(廣軌) 철도.

협귀【挾貴】명 자기신분이 귀함을 믿고 남에게 뽐냄. ——-하다 자여불

협근【頰筋】명〖생〗위아래의 두 악골(顎骨)에서 시작하여 위아래의 두 입술에 붙은 근육.

협금-혜【挾金鞋】명〖역〗조선 시대에, 문무 당상관(堂上官)이 상복(常服)에 신던, 울이 낮은 신. 협금화(挾金靴).

협기[1]【俠氣】명 호협한 기상. 남자다운 기상. 의협심. 기협(氣俠). ¶~를 부리다.

협기[2]【頰鰭】명〖어〗가슴지느러미.

협-남아【俠男兒】명 협기 있는 사내.

협낭[1]【夾囊】명 →염낭.

협낭[2]【頰囊】명〖동〗다람쥐나 원숭이 등의 볼에 먹이를 많이 저장할 수 있는 주머니 모양의 부분.

협녀【俠女】명 협기(俠氣) 있는 여자. 협부(俠婦).

협농【峽農】명 두메에서 짓는 농사.

협대【夾袋】명 귀중품을 넣어 두는 자그마한 전대.

협대역 주파수 변:조【狹帶域周波數變調】명 비교적 주파수가 밀집하여 있는 전파(電波)의 주파수대(帶)에서도 지장 없이 사용될 수 있도록 대역폭(帶域幅)을 좁게 잡은 주파수 변조 방식의 하나.

협도[1]【夾刀·挾刀】명〖역〗①무기(武器)의 한 가지. 전체의 길이 일곱자, 무게 너 근인데 칼날의 길이는 석 자임. 끝이 조금 뒤로 젖혀져서 장검(長劍)처럼 눈썹 모양이고, 칼등에 상모가 달렸는데, 둥근 코등이가 있음. 자루에 붉은 칠을 하고 물미를 맞추었음. ②십팔기(十八技) 또는 이십사반 무예(二十四般武藝)의 한 가지. 보졸(步卒)이 하는 여러 가지 검술 가운데의 하나임.

협도[2]【俠盜】명 의협심이 있는 도둑.

협도[3]【鋏刀】명 ①약재(藥材)를 써는 연장. 아랫날은 '冂'형으로 되었는데, 두 끝을 조붓한 널판에 박고, 윗날은 작두와 비슷한데, 긴 자루가 있으며 두 날을 겹쳐 대고 고두쇠를 질렀음. ②가위[1].

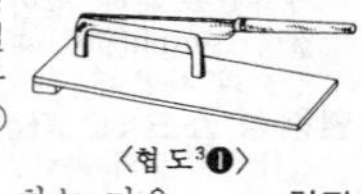

〈협도[3]❶〉

협동【協同】명 마음을 같이하고 힘을 합함. ¶~하는 마을. ——-하다 자여불

협동 기업【協同企業】명〖경〗여러 기업가들이 법률 상의 합동이 아니라, 내부적인 계약에 의하여 연합하여 경영하는 공동 기업의 한 가지.

협동 동:작【協同動作】명 공동 동작(共同動作).

협동-력【協同力】[—녁] 명 협동하는 힘.

협동 방공 훈:련【協同防共訓鍊】[—훌—] 명 지대공(地對空) 미사일·고사포(高射砲)·전투기(戰鬪機) 등이 합동으로 실시하는 방공 훈련.

협동 생활【協同生活】명 마음과 힘을 같이하여 하는 생활.

협동-성【協同性】[—썽] 명 협동하는 성격 또는 성질.

협동 연대【協同連帶】명 협동하고 연합하여 책임을 부담하는 일.

협동 운:동【協同運動】명〖생〗여러 가지 근육이 신경계(神經系)로부터 적당히 흥분을 받은 결과, 서로 협조하여 행하는 운동.

협동 일치【協同一致】명 모두 협동하여 한 마음이 되는 일. ——-하다 자여불

협동 일관 수송【協同一貫輸送】명 철도·선박·항공·자동차 등의 이종(異種) 교통 기관을 두 개 이상 합쳐서 일관 수송하는 방식. 컨테이너 등의 수송 용구를 써서 신속하게 옮겨 실어 수송하는 방식과, 자동차와 철도를 잇는 피기백(piggyback), 자동차와 해운(海運)을 잇는 카 페리(car ferry)와 같은 복합 수송 방식이 있음.

협동 작전【協同作戰】명〖군〗두 개 이상의 군대 혹은 육해공군이 합세하는 작전. 공동(共同) 작전.

협동 전:선【協同戰線】명〖사〗두 개 이상의 단체가 당면한 공통 목적을 위하여 펴는 협력 태세 또는 조직. 공동 전선.

협동 정신【協同精神】명 마음과 힘을 합하여 일해 나가는 정신. 공동(共同) 정신.

협동 조합【協同組合】명 〔cooperative society〕〖사〗자본주의적 경영에 대항하여 노동자·농민·중소 기업가가 각각 자기들의 경제적 목적을 달성하기 위하여 만든 협력 체제(體制)의 총칭. 소비(消費) 조합·구매(購買) 조합·신용(信用) 조합·판매(販賣) 조합·농업 협동 조합·수산업 협동 조합 등이 있음.

협동 조합주의【協同組合主義】[—/—이] 명〖사〗협동 조합으로써 자본주의 사회의 모순을 지양(止揚)하는 것이라 하여 자급 자족과 협동 공영을 근간(根幹)으로 하는 협동체의 건설을 목표로 하여 협동 사회주의 체제(體制)에로의 사회 변혁을 부르짖는 사상.

협동-체【協同體】명 공동 사회(共同社會). 공동체(共同體).

협동 현:상【協同現象】명〖물〗물질을 구성하는 요소의 상호 작용의 결과로서 일어나는 상전이(相轉移) 등의 현저한 상태 변화의 현상. 응축(凝縮), 고체의 융해(融解), 강자성(強磁性)의 출현, 합금(合金)에서의 규칙 격자(格子)의 생멸(生滅) 현상 등.

협두-증【狹頭症】[—쯩] 명 〔craniostenosis〕〖의〗두개 봉합부(頭蓋縫合部)의 조기 폐쇄(두개 조기 유합증)로 말미암아 두 개의 앞뒤 지름과 좌우 지름, 때로는 이 양자가 모두 좁아지는 질환.

협량【狹量】[—냥] 명 좁은 국량(局量). 사람을 받아들이는 마음이 좁음.

협력【協力】[—녁] 명 ①힘을 모아 서로 도움. ②〖경〗한 가지 일을 이루기 위하여 여러 사람이 공동으로 노력함. ¶경제 ~. ——-하다 자여불

협력-근【協力筋】[-녁-] 명〖생〗동일 관절 운동(關節運動)의 굴근군(屈筋群) 또는 신근군(伸筋群)과 같이, 협력하여 같은 작용을 하는 근육. ↔길항근(拮抗筋).

협력-자【協力者】[-녁-] 명 협력하는 사람.

협련-군【挾輦軍】[-년-] 명〖역〗조선 시대에 훈련 도감(訓鍊都監)에 딸려 거둥 때에 연(輦)을 호위하던 군사.

협로[1]【夾路】[-노] 명 큰 길에서 갈라진 좁은 길.

협로[2]【峽路】[-노] 명 산 속의 길. 두멧길.

협로[3]【狹路】[-노] 명 소로(小路).

협록【夾錄】[-녹] 명 협지(夾紙)에 적은 글.

협률【協律】[-뉼] 명〖문〗고대에 중국의 시(詩)를 음악적 반주(伴奏)에 맞추던 일.

협률 대:성【協律大成】[-뉼-] 명〖악〗엮은이·지은 때가 알려지지 않은 노래책의 하나. 여민락(與民樂), 평조 영산 회상(平調靈山會相), 가곡의 우조(羽調)와 계면조(界面調), 여창 가곡(女唱歌曲), 어부사(漁夫詞)와 명기가(名妓歌) 등 8 편의 가사가 실렸는데, 가곡에 828 수(首)의 시조가 소개되었고, 가사 옆에 연음표(발음표)가 붙어 있는 점에서 '가곡 원류(歌曲源流)'와 함께 귀한 노래집의 하나임.

협률-랑【協律郞】[-뉼-] 명〖역〗나라의 제향(祭享)이나 진연(進宴) 때에 풍류를 아뢰는 일을 맡은 벼슬. 장악원(掌樂院) 관원 중에서 임시로 임명하였음.

협률-사【協律社】[-뉼-] 명 광무(光武) 6 년(1902)에 기녀(妓女)들을 모아 설립한 단체. 뒷날의 기생 조합(妓生組合), 또는 권번(券番)과 같은 조직체였음.

협륵【脅勒】[-늑] 명 협박하여 우겨댐. ——-하다 타여불

협막【莢膜】명〖생〗균체(菌體) 주위에 있는 막상(膜狀) 구조.

협만【峽灣】명〖지〗피오르(fjord).

협맹【峽氓】명 두메에서 농사를 짓는 백성.

협무【挾舞】명 춤을 출 때에 주연자(主演者) 옆에서 함께 추는 사람. ㊟협(挾).

협문【夾門】명 ①삼문(三門)의 좌우(左右)에 있는 문. 동협문(東夾門)·서협문(西夾門)의 구별이 있음. ②〖건〗정문(正門) 옆에 있는 작은 문. 곁문. 액문(掖門).

협박[1]【脅迫】명 ①으르고 다잡음. 위박(威迫). 박협(迫脅). ②〖법〗광의(廣義)로는, 사람을 공포에 빠지게 할 목적으로 해악(害惡)을 끼칠 뜻을 통고(通告)하는 일. 협박죄에 있어서의 협박이 이에 해당함. 협의(狹義)로는, 상대방의 반항을 억압할 정도로 강력하게 다잡는 일. 강도죄(強盜罪)의 협박이 이에 해당함. ¶~ 편지. ——-하다 타여불

협박[2]【狹薄】명 땅이 좁고 메마름. ——-하다 형여불

협박-장【脅迫狀】명 협박하는 내용을 적은 글. ¶~이 날아들다.

협박 장애【脅迫障礙】명〖천주교〗혼인 장애(婚姻障礙)의 하나. 곧 결혼 당사자의 자유로운 동의 없이 일방적인 협박에 따라 이루어진 혼인의 경우.

협박-죄【脅迫罪】명〖법〗특정한 사람이나 그 친족의 생명·신체·자유·명예 또는 재산에 해를 끼칠 것을 협박하여 타인의 권리와 의무를 침해함으로써 성립하는 죄.

협방【夾房】명 곁방.

협범【狹範】명〖기〗기계 공작물이 일정한 규격(規格)을 갖추고 있는가 아닌가를 검사하는 요자형(凹字形)의 기구.

협보【挾輔】명 붙들어 보좌함. ——-하다 타여불

협부[1]【協扶】명 힘을 모아 도와 줌. ——-하다 타여불

협부[2]【挾扶】명 곁에서 부축하여 지지(支持)함. ——-하다 타여불

협부[3]【俠婦】명 협녀(俠女).

협부 태반【狹部胎盤】명〖생〗전치 태반(前置胎盤).

협비-류【狹鼻類】명〖동〗원후류(猿猴類)를 형태상으로 분류한 한 유. 콧구멍이 다가붙었으며 아래 쪽을 향하여 뚫려 있는 것이 특징인데, 하등의 것에는 볼주머니와 볼기혹이 있는 것이 있음. 동반구(東半球)에 사는 원숭이의 무리로, 일본원숭이·비비(狒狒)·유인원(類人猿) 등이 포함됨. ↔광비류(廣鼻類).

협사[1]【俠士】명 협객(俠客).

협사[2]【挾私】명 사정(私情)을 둠. ——-하다 자여불

협사[3]【挾詐】명 속으로 간사한 생각을 품음. ——-하다 자여불

협사[4]【脇士】명 좌우에서 가까이 모시는 사람. 협시(脇侍).

협사[5]【篋笥】명 버들개지·대 따위로 상자처럼 결어 만든 작은 직사각형의 손그릇.

협살【挾殺】명 야구에서, 야수(野手)들이 주자(走者)를 협격하여 아웃시키는 일. ——-하다 타여불

협상[1]【協商】명 ①협의하여 계획함. ②협의(協議). ③[프 entente]〖정〗약식 조약(略式條約)의 한 가지. 두 나라 이상의 사이에 통첩(通牒)·서한(書翰) 등의 외교 문서를 교환하여 어떤 일을 약속하는 일. 조약과 달라 원수(元首) 또는 국회의 비준(批准)을 필요로 하지 아니하며, 목적은 주로 특정 지역에서의 친화적(親和的) 국제 관계를 맺는 데 있음. 제1차 세계 대전 전의 영불 협상, 영·불·노(英佛露) 삼국 협상 등이 유명함. ——-하다 타여불

협상[2]【鋏狀】명 가위 모양.

협상 가격차【鋏狀價格差】명〖경〗농산물(農產物)의 가격과 공업 제품(工業製品)의 가격과의 차. 자본주의 사회에서는 전자(前者)가 후자보다 낮아서 마치 가위를 벌려 놓은 것 같음에서 나온 명칭. 물가의 변동(變動)에 관해서도 오를 때에는 농산물 가격이 뒤늦게 약간 오르며, 내릴 때에는 먼저 대폭적(大幅的)으로 떨어진다고 함. 가위다리값차. 셰레(Schere).

협상-운【莢狀雲】명〖기상〗렌즈 구름.

협상 조약【協商條約】명 협상하여 조약을 맺음. 또, 그 조약. ¶~을 체결하다. ㊟협약(協約). ——-하다 자여불

협서[1]【夾書】명 글줄 옆에 끼어서 글을 적음 또, 그 글. ——-하다 타여불

협서[2]【挾書】명 과장(科場) 안에 중요로운 책을 넌지시 끼고 감. ——-하다 자여불 「다 타여불

협서[3]【脇書】명 본문(本文) 옆에 따로 글을 기록함. 또, 그 글. ——-하다 타여불

협서-율【挾書律】명〖역〗중국에서, 기원전 213년 진시황(秦始皇)이 민간에 대하여 의약(醫藥)·복서(卜筮) 이외의 서적 소유(書籍所有)를 금지한 율. 이를 어긴 자는 멸족(滅族)하였음. 한(漢)나라 초기인 기원전 191년에 풀렸음.

협선【挾船】명〖역〗조선 중기·후기에 활용된 소형정(小型艇)의 하나. 명종 10 년(1555), 대형 전투함인 판옥선(板屋船)이 개발된 후 그 부속선으로 등장, 임진 왜란 때 많이 활약하였음. ＊사후선(伺候船).

협선-성【協線性】명〖수〗몇 개의 점(點)이 같은 직선 위에 있음.

협성【協成】명 힘을 모아 일을 이룸. ——-하다 타여불

협세[1]【協勢】명 합세(合勢) ——-하다 자여불

협세[2]【挾勢】명 남의 위세를 빙자함. ——-하다 자여불

협소【狹小】명 좁고 작음. 착소(窄小). 편협(偏狹). ¶집이 ~하다. ——-하다 형여불

협수【夾袖】명〖역〗동달이[1].

협순【挾旬·浹旬】명 열흘 동안.

협시[1]【夾侍】명〖역〗임금을 가까이 모시는 내시(內侍).

협시[2]【脇侍】명 좌우(左右)에서 가까이 모심. 또, 그 사람. 협사(脇士). ——-하다 타여불

협-시계【狹視界】명 안개·눈 등으로 시계(視界)가 좁음.

협식[1]【挾食】명 협체(挾滯). ——-하다 자여불

협식[2]【脅息】명 몹시 두려워서 숨을 죽임. ——-하다 자여불

협식 상한【挾食傷寒】명〖한의〗위병(胃病)이 겹쳐 된 상한(傷寒).

협식-성【狹食性】명〖동〗먹이의 선택 범위가 좁은 동물의 식성. 가령, 곡물만 먹는 경우 따위. 극단으로 한정된 경우는 단식성(單食性)이라 함. ↔광식성(廣食性).

협실【夾室】명 안방에 달려 붙은 방. 곁방. 협방(夾房).

협심[1]【協心】명 여러 사람이 마음을 한가지로 합함. 합심. ¶~해서 일하다. ——-하다 자여불

협심[2]【俠心】명 강한 자를 누르고 약한 자를 돕는 마음. 의협심(義俠心).

협심[3]【狹心】명 좁은 마음.

협심-증【狹心症】[-쯩] 명〖의〗심장벽(心臟壁)의 혈관의 경련·경화(硬化)·폐색(閉塞) 등에 의하여 일어나는 격렬한 동통 발작(疼痛發作)의 증세. 동통은 흔히 왼쪽 팔에 흩어져 퍼지며, 때로는 급성 심장 마비의 원인이 됨.

협-쓸리다 자〈방〉휩쓸리다.

협애【狹隘】명 ①지세(地勢)가 매우 좁음. ②마음씨가 너그럽지 못하고 아주 좁음. ¶그러나 채란이는 성미가 조금 ~한데 소위 나의 내자와 다투지나 아니하였는지…《李海朝: 鳳仙花》. ——-하다 형여불

협애-성【狹隘性】[-썽] 명 협애한 성질·성향.

협약[1]【協約】명〖법〗①단체와 개인, 또는 단체 상호간(相互間)에 체결(締結)되는 협정. 근로(勤勞) 협약·단체 협약 같은 것. ¶신사 ~/노동 ~. ②[convention]〖정〗광의(廣義)의 조약의 한 가지. 협의(狹義)의 조약과 본질상 다르지 않고 효력도 같음. 이 명칭은 협의의 조약과 같이 비교적 중요한 것에 쓰이고, 특히 문화적 내용의 것이나 입법적(立法的)인 것에 붙이는 일이 많음. ③↗협상 조약. ¶~을 맺다. ——-하다 타여불

협약[2]【脅弱】명 약한 자를 을러 다잡음. ——-하다 자여불

협약 능력【協約能力】[-녁] 명 노동 협약의 당사자가 될 수 있는 능력.

협약 헌:법【協約憲法】[-뻡] 명〖법〗협정 헌법(協定憲法).

협업【協業】명〖경〗많은 노동자들이 협력하여 계획적으로 노동하는 일. 생산력을 높이는 방법의 하나인데, 협업의 결과는 개개 노동의 생산력의 총합(總合)보다 큼. 단순히 같은 또는 같은 종류의 노동을 행하는 수공업적(手工業的) 노동자를 한 작업장에서 계획적으로 협력하게 하는 것과, 분업(分業)에 의한 협업의 두 가지가 있음. 합력(合力). ＊분업(分業)❷. ——-하다 자여불

협연【協演】명〖악〗한 독주자(獨奏者)가 다른 독주자나 악단(樂團) 등과 함께 한 악곡(樂曲)을 연주(演奏)함. ——-하다 자여불

협염-성【狹塩性】[-썽] 명〖생〗염도(塩度) 변화에 견디는 능력이 적은 해양 생물이, 일정한 염분의 수준에서만 사는 성질.

협영역 항:생 물질【狹領域抗生物質】[-찔] 명 [narrow-spectrum antibiotic]〖생〗한정(限定)된 미생물(微生物)에 대해 효력(効力)을 갖는 항생 물질.

협와【頰窩】명 짐승들의 뺨에 우묵하게 들어간 자리.

협용【俠勇】명 의협(義俠)있는 용기. 협기(俠氣)있고 용감함. ——-하다 형여불

협우【峽雨】명 골짜기에 내리는 비.

협위【脅威】명 위협(威脅). ——-하다 타여불

협읍【峽邑】명 산읍(山邑).

협의[1]【協議】[-/-이] 명 여러 사람이 모여 서로 의논함. ¶~ 기관/~ 사항(事項). ——-하다 타여불

협의[2]【俠義】[-/-이] 명 의협(義俠).

협의[3]【狹義】[-/-이] 명 좁은 뜻. ¶~로 해석(解釋)하다. ↔광의(廣義). 「형여불

협의[4]【愜意】[-/-이] 명 생각한 바와 같이 아주 맞갖음. ——-하다

협의상 파:양【協議上罷養】[―/―이―] 명〖법〗양친(養親)·양자의 합의에 의하여 파양하는 일.

협의-안【協議案】[―/―이―] 명 협의의 대상(對象)이 되는 안건(案件). 협의하여 정한 안건.

협의-원【協議員】[―/―이―] 명 협의에 참여하는 사람.

협의 이혼【協議離婚】[―/―이―] 명〖법〗부부가 합의하여 하는 이혼. 법원의 판결을 요하지 않으며, 시·읍·면장에게 신고함으로써 효력이 발생함. *조정(調停) 이혼.

협의 조항【協議條項】[―/―이―] 명〖사〗노동 협약(勞動協約) 가운데, 협약 내용을 구체적으로 규정하지 않고, 문제가 발생했을 때 쌍방이 협의하기로 한 조항.

협의 풍월전【俠義風月傳】[―/―이―] 명〖책〗호구전(好逑傳).

협의-회【協議會】[―/―이―] 명 협의하기 위하여 여는 회합. ¶당정(黨政) ～.

협의회-원【協議會員】[―/―이―] 명 협의회에 참여하는 회원.

협익【協翼】명 협력하여 도움. ――-하다 타여불

협자【俠者】명 협기(俠氣) 있는 사람. 협객(俠客).

협잡【挾雜】명 옳지 않은 것으로 남을 속이는 일. ¶회삿돈을 ～해 먹다. ――-하다 타여불

협잡-꾼【挾雜―】명 협잡질을 하는 사람. ¶～의 손에 걸려들다.

협잡-물【挾雜物】명 ①잡(雜)것이 섞여 순수하지 않은 물건. ②협잡질로 얻은 물건.

협잡-배【挾雜輩】명 협잡질을 하는 무리. ¶～가 득실거리는 사회.

협잡-성【挾雜性】명 협잡질을 하는 성질·성향.

협잡-질【挾雜―】명 협잡을 하는 짓. ¶～을 일삼다. ――-하다 자여불

협장[1]【挾藏】명 간수하여 둠. ――-하다 타여불

협장[2]【脇杖】명 다리 불구자(不具者)가 걸음을 걸을 때 겨드랑이에 대고 짚게 된 지팡이. 'Y'자 모양이나 'T'자 모양으로 되어 있음. 목다리. 목발. *좌장(坐杖).

협장[3]【狹長】명 좁고 길. ――-하다 형여불

협접【蛺蝶】명〖충〗나비[2].

협접투화-세【蛺蝶偸花勢】명〖악〗거문고 연주에서, 손놀리기를 '범나비가 꽃을 좇듯이 하는 기세'로 하라는 뜻.

협정【協定】명 ①협의(協議)하여 결정함. 또, 그 결정. ¶가격 ～. ②〖법〗상법(商法)에 있어서 특별 청산(特別淸算)중인 회사와 채권자(債權者) 사이에 성립하는 특별한 화의(和議). 특별 청산 상태에 있는 회사와 채권자가 호양 협조(互讓協調)하여, 특히 청산 절차(淸算節次)를 종결시키는 방법의 하나임. ③[agreement]〖정〗국제법(國際法)에 있어서 광의(廣義)의 조약의 한 가지. 정문 작성(正文作成)에 엄중한 형식을 취하지 아니함. ¶휴전 ～. ――-하다 타여불

협정 가격【協定價格】[―까―] 명〖경〗①국제간(國際間)에 협정한 무역품(貿易品)의 가격. ②동업자 사이에서 협정한 상품(商品)의 가격.

협정 관세【協定關稅】명〖경〗통상 항해 조약이나 관세 조약에 의하여 정해진 관세. ↔국정(國定) 관세.

협정 관세 제:도【協定關稅制度】명〖법〗관세(關稅)를 협정하여 정하는 제도.

협정 무:역【協定貿易】명〖경〗두 나라 사이 또는 다수 국가간에 무역거래에 관한 협정을 맺고, 그 조항에 좇아서 하는 무역.

협정-문【協定文】명 협정의 내용을 적은 문서. ¶～의 교환.

협정 세:계시【協定世界時】명 [universal time convention; UTC] 세슘 시계(時計) 등에 의한 원자 진동(原子振動)을 기초로 한 원자시(原子時)의 초(秒)를 새겨, 지구 자전(地球自轉)에 따른 세계시(世界時)의 시각을 나타내기 위한 인공적인 시계(時系). 12월, 6월, 3월, 9월 등 필요에 따라 1초(秒)의 윤초(閏秒)를 설정(設定)함. 국제 시보국(國際時報局)에서 주관(主管)함.

협정 세:율【協定稅率】명〖법〗조약에 의하여 특별히 협정된 관세율(關稅率). 협정 세율이 있는 화물(貨物)에 관하여는 국정(國定) 세율의 적용은 없고 협정 세율이 적용됨.

협정 행위【協定行爲】명〖법〗여러 사람이 공동의 목적을 위하여 표시한 의사의 합치(合致)에 의하여 법률상 유효한 하나의 의사로 간주되는 법률 행위. 회사의 설립 같은 것.

협정 헌:법【協定憲法】[―뻡] 명〖법〗군주(君主)와 국민 또는 국민의 대표자와의 합의(合議)에 의하여 또는 그의 동의를 얻어서 제정된 헌법. 의정 헌법(議定憲法). 협약 헌법(協約憲法). ↔흠정 헌법(欽定憲法)·민정(民定) 헌법.

협제【脅制】명 으르대고 견제함. ――-하다 타여불

협조[1]【協助】명 힘을 보태어 서로 도움. ――-하다 타여불

협조[2]【協調】명 ①힘을 다하여 서로 조화(調和)함. ¶～ 체제. ②이해(利害)가 대립하는 쌍방이 평온하게 상호간(相互間)의 문제를 협력하여 해결하려고 하는 일. 특히, 노사(勞使)의 대립에 대하여 이름. ¶노사(勞使)간의 ～. ――-하다 타여불

협조-심【協調心】명 협조하는 마음.

협조 융자【協調融資】명〖경〗둘 이상의 은행이 동일한 기업에 대하여 동일 목적을 위한 융자를 분담하여 경쟁의 회피, 융자의 거액화에 따른 위험 분산 등을 위해서임. *공동 융자(共同融資).

협조-자【協助者】명 협조하는 사람.

협조-적【協調的】관명 협조하는 성질이나 상태에 관한 모양. ¶～ 태도.

협조 조합【協調組合】명〖사〗지주(地主)와 소작인(小作人) 사이의 협조를 목적으로 조직되는 조합. 소작 쟁의(爭議)의 방지와 해결이 주목적이며 아울러 토지 개량도 도모함.

협조-회【協調會】명〖사〗사업주(事業主)와 노무자(勞務者)와의 협동 조화(調和)를 꾀하여 사회 시설(社會施設)의 조사 연구를 목적으로 하는 모임.

협종[1]【夾鐘】명〖악〗십이율(十二律)의 하나인 음려(陰呂). 방위(方位)로는 묘(卯)이고, 절후(節候)로는 음력 2월에 속함. 여월(如月).

협종[2]【脅從】명 남의 위협에 눌리어 복종함. ――-하다 자여불

협종-궁【夾鐘宮】명 조선 세종(世宗) 때에 원(元)나라 임우(林宇)의 대성악보(大成樂譜)에서 채택하여, 문묘 제례악(文廟祭禮樂)으로 전해 오는 협종(夾鐘)을 으뜸음으로 한 곡.

협주[1]【夾註】명 본문보다 잔 글자로, 또는 괄호로 묶어서 본문 속에 끼워 넣는 주해(註解).

협주[2]【協奏】명〖악〗두 개 이상의 악기로써 동시에 연주하는 일. 합주(合奏). ――-하다 자여불

협주-곡【協奏曲】명 [이 concerto]〖악〗①두 가지 이상의 악기에 의하여 합주하는 곡. ②어느 독주 악기를 관현악(管絃樂)의 반주로 연주하는 곡. 콘체르토. ¶피아노 ～.

협주-서【夾注書】명 본문(本文) 안에 주(注)를 넣은 책(冊).

협죽-도【夾竹桃】명〖식〗[*Nerium indicum*] 협죽도과에 속하는 상록 관목. 마삭나무 비슷한데 높이 3-4 m, 잎은 혁질(革質)로 두껍고, 흔히 세 개씩 윤생(輪生)함. 여름철에 홍색의 꽃이 가지 끝에 취산 화서(聚繖花序)로 피고 간혹 황색·백색의 품종도 있으며 향기가 좋음. 과실은 길이 10cm 정도의 꼬투리에 싸여 있는데, 째어지면 양끝에 긴 털이 있는 씨가 튀어 나감. 잎은 댓잎 같고, 꽃은 복사꽃 비슷한 데서 이름지어짐. 동인도 원산으로, 한국·일본·중국 등지에 분포함. 관상용. 유엽도(柳葉桃). 유도화(柳桃花).

〈협죽도〉

협중【峽中】명 두메.

협중-집【峽中集】명〖책〗중국 당(唐)나라의 원결(元結)이 찬(撰)한 시집. 심천운(沈千運)·왕계우(王季友)·우적(于逖)·맹운경(孟雲卿)·장표(張彪)·조미명(趙微明)·원이천(元李川) 등 7인의 시를 모음. 모두 24수(首)이며 순고 담박(淳古淡泊)한 취향(趣向)이 짙음. 1권.

협지[1]【夾紙】명 편지 속에 따로 적어 넣는 쪽지.

협지[2]【挾持】명 ①옆에서 부축함. ②마음 속에 품음. ③물건을 휴대(携帶)함. ――-하다 타여불

협진【浹辰】명 십간(十干)의 자(子)부터 해(亥)에 이르는 날짜. 곧, 12일간(日間).

협차【夾叉】명〖군〗포격(砲擊)에서 목표물을 가운데에 두고 전후(前後) 또는 좌우(左右)를 번갈아 사격하면서 목표물을 맞히는 일. ――-하다 자타여불

협착【狹窄】명 공간(空間)이 몹시 좁음. ¶유문(幽門) ～. ――-하다 형여불

협착 사격【狹窄射擊】명〖군〗실내(室內)나 좁은 곳에서 하는 사격. 장약(裝藥)을 적게 하여 협착 사격용(用)으로 만들어진 협착탄(彈)을 사용함.

협착 사격장【狹窄射擊場】명〖군〗협착 사격을 하는 사격장.

협착-증【狹窄症】명〖의〗심장 또는 혈관의 판(瓣)이나 관(管)이 좁아지는 증상.

협착-탄【狹窄彈】명〖군〗협착 사격에 쓰는 모의탄(模擬彈).

협찬【協贊】명 힘을 합하여 도움. ――-하다 자여불

협창【挾娼】명 창녀(娼女)를 끼고 놂. ――-하다 자여불

협채【夾彩】명〖미술〗채지(彩地)에 채화(彩花)를 그림. 또, 경채(硬彩)와 연채(軟彩)를 한데 아울러서 씀. ――-하다 자타여불

협천자 이:령제후【挾天子以令諸侯】명 천자를 끼고 제후를 호령한다는 뜻으로, 권문(權門)에 의지하여 권위를 남용함을 말함.

협체【挾滯】명〖한의〗체증(滯症)이 생긴 위에 다른 병이 겹쳐서 생김. 협식(挾食). ――-하다 자여불

협촌【峽村】명 두메 마을.

협충【鋏蟲】명〖충〗집게벌레.

협-탄층【夾炭層】명〖지〗석탄을 함유한 지층.

협탈【脅奪】명 으르대어 빼앗음. 겁탈(劫奪). ――-하다 타여불

협태산 이:초북해【挾泰山以超北海】명 태산을 끼고 북해(北海)를 뛰어 넘는다는 뜻으로, 용력(勇力)이 극히 장대함의 비유.

협통【脇痛】명〖한의〗갈빗대 있는 곳이 결리고 아픈 병.

협판[1]【夾板】명 ①〖악〗중국의 근대 악기(樂器)의 하나. 여섯 장 또는 아홉 장의 널조각을 겹치어 손가락 사이에 끼고 손을 흔들어 소리를 냄. 박자(拍子)를 칠 때 사용하는 악기임. ②중국에서, 책 또는 짐을 끼어 두는 널빤지.

협판[2]【協辦】명〖역〗①조선 시대 말, 통리 군국 사무 아문(統理軍國事務衙門)과 통리 교섭 통상 사무 아문(交涉通商事務衙門)의 한 벼슬. ②대한 제국 때 궁내부(府)와 각 부(部)의 차관(次官). 칙임관(勅任官)임.

협판 교섭 통상 사:무【協辦交涉通商事務】명〖역〗통리 교섭 통상 사무 아문(統理交涉通商事務衙門)의 버금 벼슬. 외무(外務) 협판. *독판(督辦) 교섭 통상 사무.

협포[1]【狹布】명 폭(幅)이 좁은 베.

협포[2]【脅鉋】명 변탕(邊鐋).

협하【脅嚇】명 으름장. 위협(威脅). 협혁(脅嚇). ――-하다 타여불

협-하다【狹―】형여불 ①지대가 좁다. ②성정(性情)이 관대하지 못하고 아주 좁다.

협합【協合】명 협화(協和)❶. ――-하다 자여불

협해 계:약【協諧契約】명〖법〗현행 파산법(破產法)의 강제 화의(強制

和議)에 해당하는 구파산법상의 제도. ＊강제 화의(強制和議).

협행【俠行】명 협기(俠氣) 있는 행동.

협혁【脅嚇】명 ☞ 협하(脅嚇).

협호[1]【夾戶·狹戶·挾戶】명 정당(正堂)과 따로 떨어져 있어서 딴 살림을 하게 된 집채. ＊곁방.

협호[2]【峽湖】명〖지〗빙식호(氷蝕湖).

협호[3]【莢蒿】명〖식〗절국대.

협호 살림【夾戶—·狹戶—·挾戶—】명 남의 집 협호를 빌어서 사는 살림. ——하다 자여불

협호-살이【夾戶—·狹戶—·挾戶—】명 협호살림. ——하다 자여불

협화【協和】명 ①마음을 합하여 화합(和合)함. 협합(協合). ②〖악〗여러 개의 소리가 한 번에 잘 어울리어 나는 현상. ¶ ～음(音). ——하다 자여불

협화-음【協和音】명〖악〗'어울림음'의 한자 이름. ↔불협화음. ＊속화음(屬和音).

협화 음정【協和音程】명〖악〗어울림 음정.

협회【協會】명〔society〕단일체로서의 존재와 기능을 가진, 사람 또는 재산의 집합체. 흔히, 단체와 같은 뜻으로 쓰임. ¶ 저작가 ～.

협흡【協洽】명〖민〗지지(地支) '미(未)'의 고갑자(古甲子) 이름.

협힐【夾纈】명 울퉁불퉁한 무늬를 새긴 얇은 판자 두 장 사이에 원사(原絲)나 포면(布綿)을 단단히 끼워 염료(染料)를 칠하여 무늬를 올리는 방법. 또, 그렇게 한 천.

혓가래 명〈옛〉서까래. ¶ 혓가래 굴긔예 네오리 노흐로(椽子鹿的四條繩)《朴解 下 46》.

혓눈 타 켠. 점화(點火)한. '혀다[5]'의 활용형. ¶ 房 안희 혓눈 쵸불 눌과 離別ᄒᆞ엿관ᄃᆡ《古時調 李塏》.

혓마 부〈옛〉설마. ¶ 주려죽으려고 首陽山에 드럿거니 혓마 고사리를 먹으려 ᄒᆞ엿시랴《海謠》.

혓-밑 명 →섯밑

혓-바늘 명 혓바닥에 좁쌀같이 돋아 오르는 붉은 것. 흔히, 열성 병(熱性病)으로 인하여 생김. ¶ ～이 돋다.

혓-바닥 명 ①혀의 입천장으로 향한 면(面). 설면(舌面). ¶ ～으로 핥다. ②〈속〉혀.

혓바닥-소리 명〖언〗설면음(舌面音).

혓-소리 명〖언〗설음(舌音).

혓-줄기 명 혀의 밑동.

혓-줄때기 명〈속〉혓줄기.

형[1]【兄】㊀명 동기(同氣)나 또는 같은 항렬(行列)에서 사내나 여자의 같은 편의 자기보다 나이가 많은 사람. ↔아우. ㊁인대 친구 사이에 상대자를 높여 부르는 말.
[형 미칠 아우 없고 아비 미칠 아들 없다] 아우가 잘났어도 형만할 수는 없고, 아들이 잘났어도 아비만할 수는 없다. [형만한 아우 없다] 아우가 형만 못하다는 말. [형 보니 아우] 형을 보면 그 아우도 짐작할 수 있다는 말.

형[2]【刑】명 ↗형벌(刑罰)❶. ¶ ～의 집행.

형[3]【刑】명 성(姓)의 하나. 우리 나라에는 현존(現存)하지 아니함.

형[4]【邢】명 성(姓)의 하나. 본관(本貫)은 반성(班城)·진주(晋州)·장흥(長興) 등이 있음.

형[5]【形】명 ①↗형상(形狀). ②〖언〗↗활용형(活用形).

형[6]【型】명 ①거푸집❸. ②골[3]. ③어떠한 특징을 형성하는 형태. 본. 타이프. ¶ 머리의 ～/축구화의 ～.

형[7]【荊】명 성(姓)의 하나. 우리 나라에는 현존(現存)하지 아니함.

형[8]【桁】명 집이나 또는 다리를 세울 때 기둥 위에 건너질러 위의 물체를 받치는 나무. 도리.

-형[1]【形】미 도형의 모양을 일컫는 접미사. ¶ 타원～ / 오각～.

-형[2]【型】미 본보기나 틀·본·골 등의 뜻. ¶ 최신～ / 햄릿～ / 돈 키호테～.

형가[1]【刑家】명 형을 받은 사람의 집. 범죄자의 계통.

형가[2]【亨嘉】명〖악〗현행 종묘 제례악 중 초헌의 헌례(獻禮)에 연주되는 보태평지악(保太平之樂)의 네 번째 곡으로 제 3 변(第三變).

형가-장【亨嘉章】[—짱] 명〖악〗악장(樂章)의 이름.

형각【形殼】명 드러내 보이는 형체와 그 겉모양.

형강[1]【形鋼】명 끊은 면(面)이 일정한 형상으로 된 압연 강철재(壓延鋼鐵材). '아이 빔'·'앵글' 같은 것이 있음.

형-강[2]【荊江】명〖지〗'징장(荊江)'을 우리 음으로 읽은 이름.

형개【荊芥】명 ①〖식〗[*Schizonepeta tenuifolia* var. *japonica*] 명아주과에 속하는 일년초. 줄기는 사각형으로 높이는 50-60 cm. 잎은 우상(羽狀)으로 분열함. 여름에 가지 위쪽에 길게 드문드문 꽃술이 나고 작은 담홍색 심장형 꽃이 핌. 중국 북부 원산인데 약용으로 재배함. 줄기·잎 따위는 한약재로 씀. 정가. ②〖한의〗형개의 잎·줄기. 성질은 온(溫)하고, 상한외감(傷寒外感)을 다스리는 데 땀이 나게 하거나 호흡을 순하게 하고, 피를 깨끗이 다스리므로 산후(産後)나 발한제(發汗劑)·구풍제(驅風劑)로 쓰임. 1)·2) : 가소(假蘇).

형개-수【荊芥穗】명〖한의〗정가의 꽃이 달린 이삭. 풍병(風病)·혈증(血症)·창병(瘡病) 및 산전(産前)·산후(産後)에 약재로 씀.

형격【形格】명 체격(體格).

형격 세:금【形格勢禁】명 행동의 자유를 구속함을 이르는 말.

형결【刑決】명 형사 사건의 판결.

형계【刑械】명 죄인의 수족에 끼워 자유를 속박하는 형구(刑具). 수가(手枷)나 족쇄(足鎖) 따위.

형과【刑科】명 형벌의 조항. 율법(律法).

형관[1]【刑官】명〖역〗고려 때 육관(六官)의 하나. 태조(太祖)가 태봉(泰封)의 의형대(義刑臺)를 잠시 그대로 두었다가 뒤에 이 이름으로 고치고, 성종(成宗) 14년(1483)에 다시 상서 형부(尚書刑部)로 고쳤음. ＊상서 육부(尚書六部)·상서 형부(尚書刑部).

형관[2]【荊冠】명〖기독교〗가시 면류관(冕旒冠).

형광[1]【亨光】명〖악〗조선 세종(世宗) 때 회례악(會禮樂)으로 창작된 보태평지악(保太平之樂) 중 네 번째 곡으로 제 3 변(第三變).

형:광[2]【螢光】명 ①반딧불. ②[fluorescence]〖물〗어느 물질에 광선이나 방사선 등을 조사(照射)하였을 때 그 물질이 조사된 광선과는 전혀 다른 고유한 빛깔의 광선을 방사하는 현상. 조사를 그치면 곧 그 발광도 없어짐. ¶ ～ 물질.

형:광 도료【螢光塗料】명 형광 물질이 들어 있어, 광선이나 전자선·α선(線) 등을 받으면 빛을 발하는 도료. 형광등의 관벽(管壁)이나 표지판 등에 쓰임. 발광 도료.

형:광-등【螢光燈】명 ①형광 방전등(放電燈). ②〈속〉센스(sense)가 느린 사람. 아둔하고 반응(反應)이 느린 사람.

형:광 램프【螢光—】[lamp] 명 형광 방전등.

형:광 물감【螢光—】[—깜] 명 형광 염료(染料).

형:광 물질【螢光物質】[—찔] 명 [fluorescent substance]〖물〗형광을 발하는 물질의 총칭. 아연·카드뮴(cadmium) 등의 산화물·황화물·백금 시안 착염(白金 cyan 錯塩)·아닐린(Anilin) 외에 많은 화합물이 있음. 형광등·형광 도료·브라운관·야광 도료 등에 쓰임. 형광체.

형:광 방:전등【螢光放電燈】명 [fluorescent lamp]〖물〗관벽(管壁)에 형광 물질(物質)을 발라 관 안의 방전에 의하여 생기는 자외선(紫外線)을 가시 광선(可視光線)으로 바꾸어 조명(照明)하는 방전등. 형광 램프. ㊟형광등(螢光燈).

형:광 분석【螢光分析】명 [fluorometric analysis]〖화〗화학 분석법의 하나. 시료(試料)에 단일 파장의 빛을 조사(照射)하여 흡수시키면, 시료는 약 10^{-9}초간 동일 파장 또는 약간 긴 파장의 빛을 방출(放出)하는데, 이 방출광의 강도는 시료 중의 형광 물질의 농도(濃度)와 비례(比例)함.

형:광 사진【螢光寫眞】명 [fluorography] 형광판 위에 나타난 상(像)을 촬영한 사진.

형:광 안료【螢光顏料】[—안—] 명 가시(可視) 범위의 형광을 내는 안료의 총칭. 빛에 의한 자극이 있을 때만 발광하는 유기질(有機質)의 것과 빛에 의한 자극이 멎은 뒤에도 얼마 동안 발광이 계속되는 무기질(無機質)의 것이 있음.

형:광 염:료【螢光染料】[—념뇨] 명 [fluorescent dye] ①형광 표백제(螢光漂白劑). ②가시(可視)·자외부(紫外部)의 전자 방사선(電磁放射線)으로 형광을 나타내는 물감. 형광 물감.

형:광 염:색【螢光染色】[—념—] 명〖생〗염색체 따위 특이한 세포 내 소기관(小器官)을 검출하기 위하여 형광 물감을 사용하는 일.

형:광 잉크【螢光—】[ink] 명 형광 안료(顏料)가 들어 있는 인쇄용 잉크. 산뜻한 인쇄물이 만들어지므로 포스터·광고 등에 많이 쓰임.

형:광 작용【螢光作用】명 어떤 종류의 물질에 빛이나 방사선(放射線)을 조사(照射)했을 때, 고유한 파장의 방광(放光)을 볼 수 있는 일.

형:광-제【螢光劑】명 형광 표백제(漂白劑).

형:광 증백【螢光增白】명 형광 표백제로 섬유(纖維)를 처리하여, 누르스름한 기운을 없애고 보기에 더 희어 보이도록 하는 방법.

형:광-체【螢光體】명 [fluorescent body]〖물〗형광 물질.

형:광 케미컬 램프【螢光—】[chemical lamp] 명〖물〗형광성의 물질을 바른 판. 자외선(紫外線)·X선·방사선(放射線) 등이 닿으면 눈에 보이는 빛을 내므로, X선의 투과(透過) 여부 등을 검사하는 데 쓰임.

형:광 투시법【螢光透視法】[—뻡] 명 [fluoroscopy] 엑스선(X 線) 검사를 위해 형광 투시경(鏡)을 이용하는 방법.

형:광-판【螢光板】명 [fluorescent screen]〖물〗형광성(螢光性)의 물질을 바른 판(板). 보통 시안화 백금 바륨(cyan 化白金 barium)을 바른 두꺼운 종이나 또는 목재를 씀. 물체를 투과(透過)한 X선을 이것에 통과시키면 형광을 내어 투명하여지므로 투과의 정도를 알 수 있음. 인체의 내부 질환의 관찰에 쓰이는 의료용 형광판 외에, 전자 현미경용 형광판·적외선용 형광판 등이 있음.

형:광 표백제【螢光漂白劑】명 물에 녹아 섬유(纖維)에 배서, 자외선(紫外線)을 흡수하여 푸른 형광을 발하는 물질. 이 푸른 형광 때문에 천의 누른 빛이 없어져서 희게 보임. 형광 염료(染料). 형광제.

형:광 항:체법【螢光抗體法】[—뻡] 명〖물〗형광 색소를 지표(指標)로 하여 항원 항체 결합물(抗原抗體結合物)을 추적하여 항원 물질의 결정(決定), 존재 부위(存在部位)의 검색(檢索)을 하는 방법. 의학·생물학의 연구·진단에 사용됨.

형:광 현:미경【螢光顯微鏡】명 주로, 세균학(細菌學)의 영역(領域)에 쓰이는 현미경의 하나. 주요 부분은 광원(光源)으로서의 자외선(紫外線) 발생 장치와 필터(filter)로 되어 있으며, 이것을 보통의 광학(光學) 현미경과 함께 사용함.

형괴【型塊】명 형강(形鋼) 등 일정한 모양으로 만든 금속 덩어리.

형교[1]【刑敎】명 법률과 도덕. 형벌과 교육.

형교[2]【桁橋】명 [beam bridge]〖토〗교체(橋體)가 형(桁)으로 된 다리.

형구[1]【刑具】명 형벌(刑罰)이나 고문(拷問)하는 데에 쓰이는 제구(諸具). 옥구(獄具). 형기(刑器).

형구[2]【形軀】명 체구(體軀).

형국[1]【亨國】명 왕이 즉위하여 나라를 계승함. ——하다 자여불

형국[2]【形局】명 ①〖민〗관상(觀相)이나 풍수 지리(風水地理)에서 보는 얼굴이나 집터·묏자리 등의 형각(形殼)과 국소(局所)의 생김새. 체국

(體局). ②형세와 국면(局面).

형권【衡圈】명〖역〗후임 대제학(大提學)을 뽑을 때 전임 대제학이 자기 마음에 드는 사람의 이름에 찍는 권점(圈點).

형극【荊棘】명 ①나무의 온갖 가시. ②장애가 되는 것의 비유. 고난(苦難). ¶～의 길.

형금【刑禁】명 법률. 율법(律法).

형기[1]【刑期】명〖법〗형벌의 집행 기간. ¶～를 마치다.

형기[2]【刑器】명 형구(刑具).

형기[3]【形氣】명 형상과 기운.

형기[4]【衡器】명 물건의 무게를 다는 기구. 대체로 곡물·쇠붙이를 다는 대칭(大秤), 솜 같은 것을 다는 중칭(中秤), 금·은·약제(藥劑) 등을 다는 소칭(小秤)이 있음.

형난 공:신【亨難功臣】명〖역〗조선 광해군(光海君) 5년(1613)에 김직재(金直哉)의 무옥(誣獄)에 세운 공(功)으로, 신율(申慄) 등 24인에게 내린 훈호(勳號). 뒤에 1623년 인조 반정(仁祖反正)으로 훈적(勳籍)에서 삭제(削除)됨.

형노【刑奴】명〖역〗궁가(宮家) 같은 데서 하속(下屬)에게 형벌하는 일을 맡은 하인(下人).

형-님【兄—】명 ①형(兄)의 존칭(尊稱). ②손위 시누이·동서를 이르는 말. *아가씨.

형단【刑斷】명 죄인을 재판함. 단옥(斷獄). ——-하다 타여불

형단 영:척【形單影隻】명 의지할 곳 없이 몹시 외로움을 일컫는 말.

형-단조【型鍛造】명 금형(金型) 등 일정한 틀에다 대고 하는 단조(鍛造) 작업.

형대【邢臺】명〖지〗'싱타이(邢臺)'를 우리 음으로 읽은 이름.

형덕【刑德】명 ①형벌과 덕화(德化). ②형벌과 은상(恩賞). ③오행(五行)의 상생 상극(相生相克)을 이름. 형을 음(陰), 덕을 양(陽)으로 봄. ④음과 양과의 성질. ⑤십이진(十二辰)과 십일(十日).

형도[1]【刑徒】명 형을 받은 사람.

형도[2]【衡度】명 저울과 자.

형-도[3]【衡島】명〖지〗경기도의 서해상(西海上), 화성군(華城郡) 송산면(松山面) 독지리(禿旨里)에 위치한 섬. [0.64 km²: 120 명(1985)]

형랍【型蠟】[—납] 명〖미술〗조각할 때에 먼저 그 형상을 본뜨는 데 사용되는 재료인, 밀랍(蜜蠟)·백랍(白蠟)·송진(松津) 같은 것.

형랑【兄郞】[—낭] 명 형부(兄夫).

형량【刑量】[—냥] 명〖법〗국가가 범죄자에게 과하는 형벌의 종류와 분량.

형례【刑例】[—녜] 명 형벌에 관한 규정.

형로【荊路】[—노] 명 가시밭길.

형론【刑論】[—논] 명 형벌에 관한 이론.

형륙【刑戮】[—뉵] 명 죄지은 사람을 형벌에 의하여 죽임. 형벽(刑辟). ——-하다 타여불

형률【刑律】[—뉼] 명 형법(刑法)❷.

형리[1]【刑吏】[—니] 명〖역〗지방 관아의 형방(刑房) 아전.

형리[2]【刑理】[—니] 명 형법의 이론.

형만【荊蠻】명 옛날 중국에서, 한족(漢族)의 문명을 아직 받지 못한 민족들이 살던 양쯔 강(揚子江) 이남의 땅을 이름.

형망【刑網】명 법망(法網).

형망 제:급【兄亡弟及】명 만형이 죽고 그 아들이 없는 경우에 다음 아우가 형 대신 계통을 이음.

형명[1]【刑名】명〖법〗①형(刑)의 이름. 곧, 사형·징역·금고(禁錮)·구류·과료·벌금 등. ②옛날 중국에서, 명칭(名稱)과 그 실상(實相)이 부합(符合)하는지 여부를 따지는 명실론(名實論)을 법(法)의 적용(適用)에 응용하려던 일종의 법률학.

형명[2]【形名】명〖역〗기폭과 북을 울려서 군대의 여러 가지 행동을 호령하던 옛날 군대의 신호법.

형명-가【刑名家】명 형명학을 주장하는 사람. 형명학파(學派).

형명 법술【刑名法術】명 형명으로써 나라를 다스려 가는 일.

형명-학【刑名學】명 형명으로써 나라를 다스리는 벼리를 삼는 학문. 중국 전국(戰國) 시대에 신불해(申不害)·상앙(商鞅)·한비자(韓非子) 등이 제창하였음.

형모【形貌】명 ①생긴 모양. ②얼굴 모양. 용모(容貌).

형무【刑務】명 행형(行刑)에 관한 사무나 업무.

형무-관【刑務官】명 '교도관(矯導官)'의 구칭.

형무관 학교【刑務官學校】명 '교도관(矯導官) 학교'의 구칭.

형무-소【刑務所】명〖법〗'교도소(矯導所)'의 구칭.

형문[1]【刑問】명〖역〗①형장(刑杖)으로 죄인을 때림. ②죄인을 때리며 캐어 물음. 형신(刑訊). 형추(刑推). ——-하다 타여불

형문[2]【荊門】명 가시나무로 만든 문.

형문[3]【衡門】명 두 기둥에다 한 개의 횡목(橫木)을 질러 만든 허술한 대문. 또, 누추(陋醜)한 문.

형물【形物】명 ①형체가 있는 물건. ②사리(事理). 조리.

형-물질【型物質】[—찔] 명〖의〗혈구(血球)·장기(臟器) 그 밖의 구성물로서 존재하며, 그 개체의 혈액형(血液型)을 규정하는 구실을 하는 물질. 보통은 에이 비 오식(ABO式)의 혈액형에 관계되는 것을 말함. 이 물질이 정제(精製)된 것은 인체의 면역(免疫)·수혈(輸血)·치료 등에 사용됨.

형민【刑民】명 형을 받은 백성. 형인(刑人).

형방【刑房】명〖역〗①승정원(承政院)의 육방(六房)의 하나. 형전(刑典)에 관한 사무를 맡아 보는데 우부승지(右副承旨)가 맡음. ②지방 관아(官衙)의 육방의 하나. 곧, 형전에 관한 사무를 맡은 향리(鄕吏)의 직소(職所)의 하나. ③형방 아전.

형방 승지【刑房承旨】명〖역〗승정원(承政院)의 형방을 맡아 보던 승지인 우부승지(右副承旨).

형방 아:전【刑房衙前】명〖역〗조선 시대에 지방 관아에 딸리어 형전(刑典)을 맡은 아전. 형방(刑房).

형배【刑配】명〖역〗죄인을 때려 귀양 보냄. ——-하다 타여불

형벌【刑罰】명〖법〗범죄를 행한 자에게 국가 권력이 과하는 제재(制裁). 형옥(刑獄). ¶～을 가하다. ㊂형(刑).

형벌-권【刑罰權】[—꿘] 명〖법〗법인에 대하여 형벌을 가하는 국가의 권능(權能) 또는 구체적인 권리.

형벌 능력【刑罰能力】[—녁] 명〖법〗형벌을 받을 수 있는 자격(資格) 내지 능력. ↔범죄(犯罪) 능력.

형벌 불소급의 원칙【刑罰不遡及—原則】[—쏘—/—쏘—에—] 명〖법〗사후법(事後法)의 금지(禁止).

형벌 응:보주의【刑罰應報主義】[—/—이] 명〖법〗응보형(應報刑)주의. 응보형론(應報刑論).

형범【刑範】명 모범(模範).

형법【刑法】[—뻡] 명〖법〗①공법(公法)의 하나. 범죄와 형벌에 관한 법률 체계. 어떠한 행위가 처벌되고, 그 처벌은 어느 정도이며 어떤 종류의 것인가를 규정한 법규. ②형벌의 법칙. 형률(刑律).

형법 대:전【刑法大典】[—뻡—] 명〖역〗조선 시대 말기의 형법전(刑法典). 광무(光武) 7년(1903) 4월에 편찬, 그 해 5월 29일에 공포(公布)함. 한자와 한글을 병용(並用)하고, 서구식 근대 형법전 편찬 방식을 크게 따랐으나, 관리법(官吏法)·민사법(民事法)·민사 소송법·형사 소송법 등에 관한 규정(規程)도 많이 포함하여 명률적(明律的) 내용을 담고, 규정이 680조(條)로 번쇄(煩瑣)하며, 형벌이 일반적으로 준엄(峻嚴)한 것이 결점임.

형법 이:론【刑法理論】[—뻡—] 명〖법〗범죄 및 형벌의 본질·근거·목적에 관한 일반적인 이론. 객관주의와 주관주의의 조류가 있는데, 앞의 것은 형벌의 목적을 범죄 행위에 대한 보복적(報復的) 해악이라 하여, 형의 경중(輕重)은 오로지 범죄의 대소와 균형(均衡)을 유지해야 한다고 주장하며, 뒷것은 범죄를 행위자(行爲者)의 위험성의 표현이라 하고, 형벌을 범인으로부터 그 위험성을 제거하기 위한 교육 수단(敎育手段)이라 하여 그것에 의해 사회를 범죄로부터 방위(防衛)하려 하는 입장임.

형법-학【刑法學】[—뻡—] 명〖법〗형법의 이론과 응용에 관계되는 연구를 하는 학문. ¶～ 개론(槪論).

형벽【刑辟】명 형륙(刑戮). ——-하다 타여불

형:별【迥別】명 아주 동뜨게 다름. ——-하다 형여불

형병【刑柄】명 사람을 단죄(斷罪)하는 권력(權力).

형부[1]【兄夫】명 언니의 남편. 형랑(兄郞).

형부[2]【刑部】명〖역〗↗상서(尙書) 형부.

형부[3]【荊婦】명 형처(荊妻).

형비【荊扉】명 ①가시나무로 짜 만든 사립짝. ②몹시 구차한 살림.

형사[1]【刑死】명 형을 받아 죽음. ——-하다 자여불

형사[2]【刑事】명 ①〖법〗형벌 법규의 적용에 관한 일. ¶～ 문제/～ 책임. ↔민사(民事). ②사복(私服)으로 수사·정보·외사(外事)를 담당하는 경찰관의 통칭. ¶민완(敏腕) ～.

형사[3]【形似】명 형체가 서로 유사함. ——-하다 형여불

형사[4]【形寫】명 모양을 본따서 베낌. ——-하다 타여불

형사 경:찰【刑事警察】명〖법〗국민의 생명·재산 또는 공공의 안전과 질서가 침해된 경우의 조치에 관한 경찰 활동. 범죄의 수사, 피의자(被疑者)의 체포 따위. 광의로는, 범죄의 예방을 위한 경찰 활동을 포함함. 사법(司法) 경찰.

형사-국【刑事局】명〖역〗대한 제국 때 형사(刑事)·검찰(檢察)·감옥과 은사(恩赦)에 관한 일을 맡은 법부(法部)의 한 국(局). 고종(高宗) 31년(1894)에 법무 아문(法務衙門)에 베풀어서 이듬해에 법부로 옮기고, 동 광무(光武) 3년(1899)에 폐하였다가, 9년에 다시 베풀어서 순종(純宗) 융희(隆熙) 3년(1909)에 폐하였음.

형사 금:치산자【刑事禁治產者】명〖법〗구제(舊制)에서 형사상 금치산의 부가형(附加刑)을 받은 사람.

형사 미:성년자【刑事未成年者】명〖법〗14세가 되지 않음으로써, 형법상 책임 능력이 없는 것으로 의제(擬制)되는 사람. 형벌 법규에 저촉되는 행위를 해도 처벌되지 아니함.

형사-벌【刑事罰】명〖법〗사회 공동 생활을 침해하는 반(反)도덕적·반사회적인 범죄에 과하여지는 제재.

형사-범【刑事犯】명〖법〗사회의 일반 도의심(一般道義心)이 범죄라고 인정하는 반사회적 행위. 소위 자연범(自然犯)의 개념과 범주를 같이 함. 형법에 규정하고 있는 범죄는 원칙적으로 형사범임. 자연범. ↔민사범(民事犯).

형사-법【刑事法】[—뻡] 명〖법〗국가의 형벌권(刑罰權)의 행사를 규율하는 법. 형법 기타의 실체법(實體法), 형사 소송법 기타의 절차법(節次法) 및 행형법(行刑法)을 포함함. ↔민사법(民事法).

형사 보:상【刑事補償】명〖법〗형사 소송법에 의한 일반 절차 또는 재심(再審)에서 무죄의 재판을 받은 사람이, 미결 구금(未決拘禁) 또는 형의 집행에 대한 보상을 국가에 청구하는 일.

형사 보:상법【刑事補償法】[—뻡] 명〖법〗형사 보상에 관한 법률(法律). *국가 배상법(國家賠償法).

형사 보:상 청구권【刑事補償請求權】[—꿘] 명〖법〗형사 피의자나 피고인으로 구금되었던 자가 불기소 처분이나 무죄 선고를 받은 경우 그가 입은 손실을 보상해 주도록 국가에 청구할 수 있는 권리.

형사-부【刑事部】명〖법〗합의부(合議部) 법원에서 형사 사건을 담당하는 곳. ↔민사부.
형사 사:건【刑事事件】[─껀] 명〖법〗형법의 적용을 받는 사건. ¶～을 담당하다. ↔민사 사건.
형사 사회학【刑事社會學】명 범죄 사회학.
형사 사회학파【刑事社會學派】명〖법〗범죄의 원인으로서의 사회적 요소를 중요시하며, 그것에 의하여 형벌 기타의 범죄 대책을 연구하려는 학파.
형사 섭외 사:건【刑事涉外事件】[─껀] 명 자국 또는 자국민과 외국 또는 외국인과의 사이에 발생한 형사 사건의 총칭. 자국 영토 내에서의 외국인의 범죄 따위.
형사 소송【刑事訴訟】명〖법〗형벌 법규를 위반한 사람에게 형벌을 과하기 위한 재판 절차. 유죄의 판결을 요구하는 검사와 방어하는 입장의 피고인이 대립하고, 제3자인 법원이 판단함. ㊀형소(刑訴). ↔민사(民事) 소송.
형사 소송법【刑事訴訟法】[─뻡] 명〖법〗절차법(節次法)의 한 가지. 형사 소송을 규율하는 법률. ㊀형소법(刑訴法). ↔민사 소송법.
형사 소송 비용법【刑事訴訟費用法】[─뻡] 명〖법〗형사 소송상의 여러 가지 비용에 관하여 규율한 법률.
형사 소추【刑事訴追】명〖법〗검사가 피고인을 기소하여 그 형사 책임을 추궁하는 일. 소추(訴追).
형사 시효【刑事時效】명〖법〗형사에 관한 시효. 일정 기간의 경과에 따라 공소권(公訴權)이 소멸(消滅)되는 '공소(公訴) 시효'와 형의 집행권이 소멸되는 '형(刑)의 시효'로 나누어짐.
형사 심리학【刑事心理學】[─니─] 명 [criminal psychology]〖심〗심리학의 한 분과. 범죄자, 특히 상습 범죄자의 심리적 특질(特質)이나 행동 등을 연구하는 학문.
형사 인류학파【刑事人類學派】[─일─] 명〖법〗범죄의 원인을 주로 인류학적 요소 속에서 구하려는 학파.
형사-자【刑死者】명 형사(刑死)한 사람. 사형당한 사람.
형사 재판【刑事裁判】명〖법〗형사 사건에 관한 재판. 범죄자에게 형벌을 과하기 위해 형사 소송법이 정하는 절차에 따라 행함. ↔민사 재판. ㊀형재.
형사 재판권【刑事裁判權】[─꿘] 명〖법〗형사 사건에 관한 재판권. 국내(國內)에 있는 모든 자에게 미치고, 국외(國外)에 있는 자에게는 미치지 않음. ¶～을 행사하다. ↔민사 재판권.
형사 재판소【刑事裁判所】명〖법〗'형사 법원(法院)'을 이르는 말.
형사 정책【刑事政策】명〖법〗범죄의 예방(豫防)과 또는 진압(鎭壓) 및 형벌(刑罰)의 집행(執行), 범죄자의 처우(處遇) 등의 개선(改善)을 도모하는 정책.
형사 제:재【刑事制裁】명〖법〗국가가 형법 상의 범법을 한 자에게 과하는 벌. 또, 그러한 자에게 벌을 과하는 일. ↔민사 제재.
형사-지【兄事之】명 나이가 조금 많은 사람을 형처럼 섬김. ──-하다 타여불
형사 지방 법원【刑事地方法院】명 형사 사건만을 관할하는 지방 법원. ↔민사(民事) 지방 법원.
형사 직권법【刑事職權法】[─뻡] 명〖법〗형벌을 적용하는 국가의 권한을 규제(規制)하는 법. 법원 조직법 따위.
형사 책임【刑事責任】명〖법〗어떠한 불법 행위에 의하여 형벌을 받아야 할 법률 상의 책임. 범죄의 구성 요건(構成要件)에 해당하는 위법 및 유책 행위(有責行爲)에 대하여서만 형사 책임이 인정됨. ¶～을 묻다. ↔민사 책임.
형사 처:분【刑事處分】명 범죄를 이유로 하여 형벌(刑罰)을 가하는 처분. ¶～을 받다.
형사 특별법【刑事特別法】[─뻡] 명〖법〗형법과 형사 소송법에 관한 특별법. 국가 보안법·경범죄(輕犯罪) 처벌법 등이 있음. 또, 대한 민국과 미합중국 간의 상호 방위 조약에 의한 시설과 구역 및 우리 나라에서의 미국 군대의 지위에 관한 협정의 시행에 관한 형사 특별법을 이름. ↔민사 특별법.
형사 판결【刑事判決】명〖법〗형사 소송 사건(刑事訴訟事件)에서 법원(法院)이 내리는 판결.
형사 피:고인【刑事被告人】명〖법〗형사 사건에 관하여 검사(檢事)로부터 공소(公訴)가 제기되어 법원의 심리(審理)를 받고 있는 사람.
형사-학【刑事學】명 [criminology]〖법〗범죄와 형벌(刑罰)에 관한 사항을 연구하는 학문. 광의(廣義)로는 범죄에 관한 경험적(經驗的)인 사실, 곧, 범죄인·범죄 행위·수사·검찰(檢察)·재판·행형(行刑)·보안(保安) 처분 등을 연구하는 학문적 분야를 총칭하고, 협의(狹義)로는 범죄 원인론, 곧 범죄 현상(現象)을 관찰하여 범죄 원인을 탐구(探究)하는 부문만을 가리킴.
형삭-반【形削盤】명〖기〗소형 공작물(工作物)을 평면으로 깎거나 홈을 내는 공작 기계. 칼날이 왕복하며 고정시킨 재료를 깎음. 셰이퍼(shaper).

〈형삭반〉

형-산[1]【荊山】명〖지〗'징산(荊山)'을 우리 음으로 읽은 이름.
형-산[2]【衡山】명〖지〗'헝산(衡山)'을 우리 음으로 읽은 이름.
형산-강【兄山江】명〖지〗울산 광역시 울주구(蔚州區) 두서면(斗西面)에서 발원하여, 울산시와 경상 북도 경주시(慶州市)·포항시(浦項市) 등지를 지나서 동해로 들어가는 강. 서천(西川)·남천(南川) 및 동천(東川)의 세 지류가 있는데, 동천과 합하는 곳 가까이에 경주 평야(慶州平野) 가 있음. [67.2 km]
형산강 지구대【兄山江地溝帶】명〖지〗형산강 유역, 태백 산맥(太白山脈)의 끝 동쪽 기슭의 경주 분지(慶州盆地). 신라 문화의 개화지임(開花地)임.
형산강 평야【兄山江平野】명〖지〗형산강 유역에 전개된 평야. 울산만(蔚山灣)에서 영일만(迎日灣)에 이르는 소위 지구(地溝) 평야로, 동해안의 유일한 농업 지역을 이루어 쌀·보리·콩 등을 산출함. 지대가 낮아 예로부터 교통로로 이용되었고, 근년에는 경부 고속 도로(京釜高速道路)의 개통으로 더욱 활기를 띠게 되었음.
형산 백옥【荊山白玉】명〔중국 형산에서 나는 백옥이란 뜻〕'보물로 전해 오는 흰 옥돌'을 이르는 말. 뜻이 바뀌어, 어질고 착한 사람의 비유. 형산지옥(荊山之玉).
형산지-옥【荊山之玉】명 형산 백옥(白玉).
형살【刑殺】명 사형을 집행함. ──-하다 타여불
형-삼릉【荊三稜】[─능] 명〖식〗매자기.
형-상[1]【刑賞】명 형벌과 상여(賞與).
형상[2]【形狀·形相】명 ①물건이나 사람의 생김새와 상태. 형상(形象). ㊀형(形). ②〖철〗에이도스(eidos). ↔질료(質料).
형상[3]【形象】명 ①형상(形相). ②〔도 Bild〕감각으로 포착한 것이나 심중(心中)의 관념(觀念) 등을 예술가가 어떤 표현 수단에 의하여 구상화(具象化)하는 일. 또, 표현되는 바탕이나 작품으로서 나타난 것. 그 표현 형식(表現形式)도 이름. ③모양을 지음. 형용함. ¶죽음을 ～한 고대인의 도형. ──-하다 타여불
형상[4]【形像】명 형상화하여 만든 상(像).
형상 기억 합금【形狀記憶合金】명 저온에서 소성(塑性) 변형시켜 이를 고온으로 높이면 소성 변형 전의 모양으로 되돌아가고, 다시 저온으로 되돌리면 본디의 변형된 모양이 되는 합금. 티타늄 니켈 합금·구리 아연 알루미늄 합금 따위.
형상-령【形像靈】[─녕] 명 음영령(陰影靈).
형상 문자【形象文字】[─짜] 명〖언〗상형 문자(象形文字).
형상-물【形象物】명 어떤 모양을 한 물체.
형상 신:호【形象信號】명〖해〗원뿔꼴·구형(球形)·고형(鼓形)의 세 가지 형상으로 하는 선박의 신호. 원거리 신호.
형상 예:술【形象藝術】[─네─] 명〖예〗형태를 갖춘, 곧 시각적(視覺的)인 외형을 가진 예술. 조각·회화 같은 것.
형상-인【形相因】명〔라 Causa formalis〕〖철〗아리스토텔레스가 말한 네 가지 원인의 하나. 예컨대, 가옥(家屋)이 되는 원인 가운데, 대목(大木)의 머리 속에 그려져 있는 가옥의 설계 같은 것.
형상적 인식【形相的認識】명〔도 eidetische Erkenntnis〕〖철〗사실·현상의 인식에 대하여 본질을 인식함을 말함. 후설(Husserl)의 현상학(現象學)에서는 본질 체시(本質諦視)에 있어서의 본질적, 곧 대상의 자발적 직관을 가리킴. *형상적 환원(形相的還元).
형상적 환원【形相的還元】명〔도 eidetische Reduktion〕〖철〗후설(Hasserl)의 현상학의 용어(用語). 경험적 사실(經驗的事實)이 착용(着用)하고 있는 우연적인 경험적 사실성을 제거하여 본질(本質)의 세계에 도달하는 방법적 조작(方法的操作). 이것으로써 형상적 인식(形相的認識), 곧 본질적 인식을 얻어 사실학(事實學)으로부터 형상학(形相學)에 들어간다고 함.
형상-학【形相學】명〖철〗본질학(本質學).
형상-화【形象化】명 형체로서는 분명히 나타나 있지 않는 것을, 일정한 방법과 매체(媒體)에 의하여 명확한 형체(形體)로서 표현(表現)하는 일. ──-하다 자타여불
형색【形色】명 ①형상과 빛깔. ②몸매와 얼굴의 생김새. 또, 안색(顔色). 표정(表情).
형서【刑書】명 형벌(刑罰)에 대한 규정을 적은 책. ≪대명률(大明律)≫·≪무원록≫·≪경국 대전≫ 등.
형:석【螢石】명〖광〗유리빛이 나는 무르고 약한 결정(結晶). 경도(硬度)는 4°쯤임. 고운 가루를 만들어, 황산과 함께 백금 그릇이나 납그릇 속에서 가열(加熱)하면 플루오르화(Fluor 化) 수소가 생김. 유리 공업·광학(光學) 기계 같은 데 씀.
형:석-채【螢石彩】명〖공〗도자기(陶瓷器)의 홍채(紅彩)가 나는 잿물.
형:설【螢雪】명〔중국 진(晉)나라 차윤(車胤)이 반딧불로 글을 읽고 손강(孫康)이 눈빛으로 글을 읽었다는 고사에서〕갖은 고생을 하며 학문을 닦음을 이르는 말. 차형 손설(車螢孫雪). ¶～의 공(功)을 쌓다. *손강 영설(孫康映雪)·차윤 취형(車胤聚螢).
형:설지-공【螢雪之功】명 고생을 하면서 공부하여 얻은 보람. 고학한 성과.
형성[1]【形成】명 어떠한 모양을 이룸. 또, 어떠한 모양으로 이루어짐. ¶인간 ～. ──-하다 자타여불
형성[2]【形性】명 ①몸과 천성(天性). ②모양과 성질.
형성[3]【形聲】명 육서(六書)의 하나. 뜻을 나타내는 부분과 음(音)을 나타내는 부분을 합쳐서 새로운 한자(漢字)를 만드는 방법. '목(木)'과 '주(主)'가 합하여 '주(柱)'가 되는 따위. 해성(諧聲). ¶～ 문자. *전주(轉注).
형성 가격【形成價格】[─까─] 명〖경〗원료·임금·운임·보험료 등의 가격 구성의 각 요소의 합에 이윤을 더하여 인위적(人爲的)으로 국가가 형성한 가격.
형성-권【形成權】[─꿘] 명〖법〗권리자(權利者)의 일방적 의사 표시(意思表示)에 의하여 일정한 법률 관계의 변동을 형성하는 권리. 채무 면제(債務免除)·취소권(取消權)·추인권(追認權)·해제권(解除權) 따위. 가능권(可能權).

형성-기【形成期】명 어떤 사물(事物)이 형성되는 기간(期間). 또는 시기. ¶성격 ~.

형성-력【形成力】[—녁] 명 ①형성하는 힘. ②〖법〗형성 판결(形成判決)이 가지는 법률 상태 변경을 낳게 하는 효력. 창설력(創設力).

형성 외:과【形成外科】[—꽈] 명〖의〗성형 외과.

형성의 소【形成—訴】[—/—에—] 명〖법〗기존 법률 관계의 변경, 혹은 새로운 법률 관계의 창설을 선언하는 판결의 청구. 혼인의 취소나 상속인의 폐제(廢除), 회사 설립의 무효의 소 따위.

형성-자【形聲字】[—짜] 명 한자에서, 형성(形聲)에 의해 만들어진 글자.

형성-죄【形成罪】[—쬐] 명〖천주교〗악(惡)임을 알고서 범(犯)한 죄. ↔질료죄(質料罪).

형성-체【形成體】명〖생〗초기의 발생 단계에 있는 척추 동물의 원구(原口)의 바로 위쪽 부분. 이 부분이 함입(陷入)하여 원장(原腸)의 벽을 구성하며, 그 바깥 쪽의 외배엽(外胚葉)에 작용하여 척색(脊索)·뇌척추(腦脊椎) 기타 신경 기관의 형성을 촉진함. 곧, 척추 동물로서의 특징적인 여러 기관을 형성하는 원동력이 됨. 편성체(編成體). 오거나이저(organizer).

형성-층【形成層】명 [cambium]〖식〗후성 분성 조직(後成分成組織)의 하나. 쌍자엽 식물(雙子葉植物)의 줄기·뿌리의 체관부와 물관부 사이에 있는 얇은 조직. 이것을 조직하는 세포는 분열 증식(分裂增殖)이 왕성한 편평 장형(扁平長形)의 세포인데 바깥 쪽에 인피부를, 안 쪽에 목질부를 형성함. 형성층의 작용으로 봄으로부터 여름에 걸쳐서는 막(膜)이 두꺼운 큰 목질 세포가 형성되고, 여름에서 가을까지에는 막이 얇은 소형의 세포가 생기어 그 경계에 태가 생기는데, 이것이 연륜(年輪)임. 부름켜.

형성층

〈형성층〉

형성 판결【形成判決】명〖법〗민사 사건에서 법률 관계를 형성하는 판결로, 형성의 소(訴)로써 원고(原告)의 청구를 인용(認容)한 판결. 이혼의 판결, 결의 취소의 판결 등. 창설(創設) 판결. 권리 변경 판결.

형성-학【形成學】명〖철〗본질학(本質學).

형성 행위【形成行爲】명〖법〗권리·권리 능력 등을 설정·변경하거나 하는 행위. 행정 관청이 행하는 공무원의 임명이나 공법인의 설립, 사법상의 형성권을 행사하는 행위 따위.

형세【形勢】명 ①살림살이의 경제적인 형편. ¶~가 곤궁하다. ②정세(情勢). 기세(氣勢). 형편(形便). ¶~가 불리하다. ③〖민〗풍수 지리(風水地理)에서 산형(山形)과 지세를 이르는 말.

형세-도【形勢圖】명 형세나 정세를 표시한 그림 또는 지도.

형소【刑訴】명〖법〗①형벌과 소송. ②↗형사 소송(刑事訴訟).

형소-법【刑訴法】[—뻡] 명〖법〗↗형사 소송법(刑事訴訟法).

형수【兄嫂】명 형의 아내. 친형수가 아닐 때에는 '육촌 형수·사촌 형수·이종 형수·고종 형수' 따위와 같이 촌수를 따져 부름. 장부(長婦). *계수(季嫂).

형승【形勝】명 ①지세나 풍경(風景)이 뛰어남. 또, 그러한 땅. 경승(景勝). ②지세(地勢)·지리(地利)가 좋음. ——-하다 형여불

형승지-국【形勝之國】명 지세(地勢)가 좋아서 승리할 만한 자리에 있는 나라.

형승지-지【形勝之地】명 경치가 매우 아름다운 땅.

형식[1]【形式】명 ①겉 모습. 격식(格式). ¶~상/~을 갖추다/~에 흐르다/~에 치우치다. ②일정한 상태. 고정된 성질. ¶~적. ③[form]〖철〗질료(質料) 또는 내용에 상대하는 말로서 다(多)와 다양(多樣)과를 총괄(總括)하는 통일 원리(統一原理). 따라서, 사물의 본질(本質)을 이루는 것으로 해석됨. 또, 현대의 인식론(認識論)에서는 시간(時間)·공간(空間) 혹은 범주(範疇) 등과 경험을 성립시키는 형식적 조건을 가리킴. 질료(質料). 1)·3):↔내용.

형식[2]【型式】명 자동차·기구(器具) 등의 구조(構造)·외형(外形) 따위의 특정한 형(型). 모델.

형식 과학【形式科學】명 분트(Wundt)의 용어. 경험이나 경험적 개념을 대상으로 하지 않는 과학. 형식 논리학 같은 것이 이에 속함. 선험적(先驗的) 과학. ↔경험 과학.

형식 논리【形式論理】[—놀—] 명〖논〗①사고(思考)의 내용과는 관계없이 단지 추상적(推象的)인 추론 형식(推論形式)만으로 논하여지는 논법. ②형식 논리학.

형식 논리학【形式論理學】[—놀—] 명 [formal logic]〖논〗올바른 논리의 형식적 구조를 연구하는 학문. 경험이나 사실의 내용에는 관지(關知)함이 없이 오직 사유(思惟)의 형식에만 관여(關與)하기 때문에 형식 논리학이라고 함. 형식 논리성(論理性)은 주로 논증(論證)을 지배하는 것으로서, 따라서 추론(推論)이 형식 논리학의 중심을 이룬 아리스토텔레스에서 이것이 정비(整備)되었음. 형식 논리. ↔인식론적(認識論的) 논리학.

형식 도야【形式陶冶】명〖교〗교육 방법의 한 가지. 교수는 교과나 교재의 내용보다도 사고력(思考力)·상상력·의지(意志) 따위의 정신적 능력(能力)의 훈련에 중점을 두어야 한다는 사고. 고전어(古典語)나 수학(數學) 등 특정 교과에서도 일반적 능력을 도야(陶冶)할 수 있다고 하는 교수상의 목적 및 방법의 원리. ↔실질적 도야.

형식-론【形式論】[—논] 명 형식에 관한 이론.

형식 명사【形式名詞】명〖언〗'의존 명사(依存名詞)'의 구용어.

형식-미【形式美】명〖미술〗사물·예술 작품에 있어서의 미(美)의 형식적 측면(側面), 감정적(感情的) 미 등의 존재 형식에 있어서의 미 또는 작용(作用) 형식에 있어서의 미. 곧, 조화·균형·율동(律動) 등에 관한 미를 말함. ↔내용미.

형식 미학【形式美學】명 예술에 있어서의 미학상의 입장(立場)의 하나. 예술상의 미(美)는 오로지 작품의 감각적(感覺的) 형식에 있다고 하는 것과 감각적 소재의 상호 관계(相互關係)에 있다고 하는 것의 두 가지가 있음.

형식-범【形式犯】명〖법〗거동범(擧動犯). ↔실질범(實質犯).

형식-법【形式法】명〖법〗권리·의무를 운용하는 절차를 규정한 법률. 민사 소송법·형사 소송법 같은 것. 절차법. *실체법·실질법.

형식 불변의 원리【形式不變—原理】[—월—/—에월—] 명〖수〗자연수(自然數)에서 정수(整數)·유리수(有理數)·실수(實數)·복소수(複素數)로 수를 확장하여 나갈 경우의 원리. 자연수로 성립되는 결합(結合) 법칙·교환(交換) 법칙·분배(分配) 법칙이 보존되도록 하여 나아간다는 것.

형식 사회학【形式社會學】명 [formal sociology]〖사〗지멜(Simmel, G.)이 주창하여 주로 독일에서 발전한 사회학설. 사회학을 독자적 과학으로 하기 위하여 사회를 형식과 내용과의 두 개의 범주(範疇)로 관망(觀望)하여 이 중 형식을 심적(心的) 상호 작용으로 하여 사회학 고유의 대상을 여기에서 구하였음.

형식 시험【形式試驗】명 새로 개발(開發)한 항공기용 발동기(發動機)의 최초의 시작품(試作品)에 대하여 행하는 종합적(綜合的) 시험. 이에 합격하면 대량 생산용의 원형(原型) 발동기의 자격을 얻음.

형식-어【形式語】명〖언〗실질적인 의미를 갖는 말의 보조로서, 오로지 추상적인 관계나 문법적 기능을 나타내는 말. 조사(助詞)·조동사 따위임. 또한 형식 명사·보조 용언 등을 말할 때도 있음.

형식 원리【形式原理】[—월—] 명 예술 작품의 형식 상의 미감(美感)을 형성하는 원리 및 법칙. 예를 들어, 다양(多樣)에 있어서의 통일·균형·균제(均齊)·조화(調和)·율동(律動) 등, 미적(美的) 형식 원리.

형식-적【形式的】명관 ①형식에 관한 모양. ¶~ 법률. ②형식을 주로 하는 모양. 내용이나 실질(實質)이 수반되어 있지 않음을 강조하고 비난하는 경우가 많음. ¶~으로 물어 보았을 뿐이다. ↔실질적·내용적(內容的).

형식적 민사 소:송【形式的民事訴訟】명〖법〗성질상 행정 사건인 것을 민사 소송의 형식과 절차에 의하여 처리하는 경우의 소송.

형식적 법률【形式的法律】[—뉼] 명 헌법에 규정된 절차를 거쳐 제정된 법률.

형식적 재판【形式的裁判】명〖법〗①형사 소송법상, 소송 조건이 결여되어 있는 때에, 공소(公訴)를 부적법(不適法)한 것이라 하여, 사건의 실체(實體)에 관하여 판단하지 않고, 형식적으로 소송을 종료하는 재판. ②민사 소송법상, 본안의 재판에 대하여 신청을 부적법한 것으로서 각하하는 소송 판결.

형식적 조작기【形式的操作期】명〖심〗11-12 세 이후의 지적(知的) 발달 시기. 구체물(具體物)을 떠나서 언어·기호 등의 형식적이고 이론적인 사고 조작을 할 수 있음. 스위스의 심리학자 피아제(Piaget, J.)의 용어임. *감각적 운동기(感覺的運動期)·구체적 조작기.

형식적 증거력【形式的證據力】명〖법〗문서(文書)가 작성 명의인(作成名義人)의 의사에 의하여 진정하게 성립된 사실을 증명하는 일.

형식적 진리【形式的眞理】[—질—] 명 의미 내용에 관계 없이 명제(命題)의 구조로서 항상 진(眞)인 것. 예를 들면, '고양이는 동물이거나, 동물이 아닌 어느 한쪽이다'·'고양이는 동물이며, 또한 동물이 아닌 경우는 없다' 따위. 논리적 진리. ↔실질적 진리.

형식적 추리【形式的推理】명 [formal inference]〖철〗주어진 판단 또는 판단의 결합으로부터 그 안에 직접·간접으로 포함되어 있는 판단을 도출하는 추리.

형식적 확정력【形式的確定力】[—녁] 명〖법〗소송법상, 당해 소송 절차 내에서 보통의 불복 신청 수단(不服申請手段)에 의해 취소될 가능성이 없는 확정 판결의 성질. 기판력(旣判力)·집행력(執行力) 등은 이에 의해서 발생함. 외부적 확정력(外部的確定力).

형식 전:하【形式電荷】명 [formal charge]〖물·화〗화합물 중의 원소(元素)의 겉보기의 전하를 이르는 말. 곧, MgO 에서 마그네슘은 +2의 형식 전하를 가지며, 산소는 −2의 전하를 가짐.

형식 정원【形式庭園】명 자연식(自然式)·풍경식(風景式) 정원에 대하여, 원(圓)·타원(楕圓)·직사각형 따위의 기하학적 도형에 따라 수목·화단 따위가 정연히 배열된 인공 정원. 기하학적 정원. 건축식 정원.

형식-주의【形式主義】[—/—이] 명 ①내용·실질보다 형식을 중시하는 주의. ②〖철〗인식의 보편 타당성을 오로지 인식의 형식이라는 측면에서만 음미하는 칸트의 비판적 관념론의 입장을 평하는 말. 그러나 칸트는 의식으로부터 독립된 대상의 존재를 일단 인정하고 그 대상의 수용성(受容性)으로서의 감성(感性)이 오성(悟性)과 아주 동일한 권리를 가진 것을 강조하기 때문에 인식의 질료(質料)를 전혀 무시하였다고는 말할 수 없고 신칸트주의의 입장이 오히려 타당하다고 볼 수 있음. ③〖윤〗인식의 보편 타당성의 근거를 실천 이성(實踐理性)의 순수 형식적인 도덕 법칙(정언 명령(定言命令))에서 찾는 것과 같은 칸트의 윤리학의 입장. ④〖미술〗미적 대상이 되는 예술 작품의 내용 그 자체의 관념적(觀念的)인 파악보다도 감각적(感覺的)인 측면을 중요시하여 표현상의 미적 원리(美的原理)나 통일 작용(統一作用)에서 가치를 찾으려 하는 미학(美學)적 입장. *관념주의. ⑤〖수〗수학 기초론의 입장의 하나. 수학의 이론(理論)이란 어떤 종류의 기호(記號)의 열(列)을 일정한 규칙에 따라 변형(變形)함으로써 얻어지는 기호의 열(列)의 총체에 불과하다고 하는 독일의 수학자 힐베르트(Hilbert, D.)의 입장.

형식 증명【型式證明】명 교통부 장관이, 항공기를 비롯하여 교통에 쓰이는 기기가 기준에 적합함을 증명하는 것. 교통·수송용 기기(機器)는

안전을 확보하기 위해 세밀한 설계 기준이 정해져 있으며, 그 조항이 충족되지 않는 한 사용할 수 없음.

형식 지역【形式地域】명〖지〗국경·행정 구획 등 편의상으로 그어진 선에 의하여 규정된 지역. ↔실질(實質) 지역.

형식-학【型式學】명〖고고학〗유물을 형태에 따라 비교·분류하는 연구 분야. 유형학(類型學).

형식 헌:법【形式憲法】[—뻡] 명〖법〗성문(成文) 헌법.

형식 형태소【形式形態素】명〖언〗실질 형태소에 붙어, 말과 말 사이의 문법적 관계를 표시하는 형태소. 조사·어미 따위. 허사(虛辭). ↔실질(實質) 형태소.

형식-혼【形式婚】명 일정한 형식을 갖출 것을 성립 요건으로 하는 결혼. 신고 따위의 법률적 형식을 필요로 하는 법률혼, 종교적인 형식을 필요로 하는 의식혼(儀式婚) 따위가 있음. 요식혼(要式婚). ↔사실혼.

형식혼-주의【形式婚主義】[—/—이] 명〖법〗혼인의 성립이 일정한 형식을 요건으로 하는 입법(立法)주의. 법률적 형식을 갖추게 하는 법률혼주의와 종교적 의식을 요하는 종교혼(宗教婚)주의가 있음. ↔사실혼주의(事實婚主義).

형식-화【形式化】명 형식적으로 됨. 형식적으로 만듦. ——-하다 자타「여불」

형신[1]【刑臣】명 궁형(宮刑)을 받은 신하. 또, 환관(宦官)을 이름.

형신[2]【刑訊】명〖역〗형문(刑問)❷. ——-하다 타여불

형신[3]【形神】명 육체와 정신. 몸과 마음.

형:심【炯心】명 광명(光明)한 마음.

형안[1]【形顔】명 몸과 얼굴 모양.

형:안[2]【炯眼】명 ①반짝반짝 빛나는 눈. 날카로운 눈매. ②본질을 꿰뚫어 보는 날카로운 안식(眼識). 사물(事物)의 관찰력이 뛰어난 사람. ¶ ~지사(之士).

형:안[3]【螢案】명 공부하는 책상.

형:암【炯菴】명〖사람〗이덕무(李德懋)의 호(號).

형애【荊艾】명 가시나무와 쑥. 잡초의 뜻으로 쓰임.

형-애긍【形哀矜】명〖천주교〗애긍(哀矜)의 한 가지. 식기(食飢)·음갈(飲渴)·의탈(衣脫)·고병수(顧病囚)·숙려(宿旅)·속로(贖虜)·장사(葬死)의 일곱 가지가 있음.

형양【衡陽】명〖지〗'헝양(衡陽)'을 우리 음으로 읽은 이름.

형어【形語】명 손짓으로 의사를 나타내는 일.

형언【形言】명 형용하여 말함. ¶ ~하기 힘들다. ——-하다 타여불

형여【刑餘】명 지난날 형벌을 받은 일이 있음. 또, 그 사람. 전과(前科). ¶ ~자(者).

형역【形役】명 마음이 육체의 부리는 바가 됨. 곧, 정신이 물질의 지배를 받는다는 말.

형:연【炯然】명 빛나는 모양. ——-하다 형여불

형영【形影】명 형체(形體)와 그림자. 항상 서로 떨어지지 않음을 이름.

형영 상동【形影相同】명 형상의 굽고 곧음에 따라서 그림자도 굽고 곧다는 뜻으로, 마음 먹은 것이 그대로 밖으로 행동화된다는 말.

형영 상조【形影相弔】명 자기의 몸과 그림자가 서로 불쌍히 여긴다는 뜻으로, 몹시 외로움을 가리키는 말. ——-하다 형여불

형옥【刑獄】명 형벌과 감옥.

형왕 영:곡【形枉影曲】명 물건의 형체가 굽으면 그 그림자도 반드시 굽는다는 뜻으로, 원인과 결과가 서로 떨어지지 않음의 비유.

형용【形容】명 ①사물의 생긴 모양. 형상(形狀). ②사물이 어떠함을 말·글·형상 등으로 나타냄. ¶ ~할 수 없는 설움. ——-하다 타여불

형용-구【形容句】명〖언〗형용사와 같은 역할을 하는 구(句).

형용 모순【形容矛盾】명〔라 contradictio in adjecto〕〖논〗형용하는 말이 형용을 받는 말과 모순됨을 이름. 가령, '둥근 사각형'·'유리제(製)의 철기' 따위.

형용-사【形容詞】명〖언〗품사의 하나. 사물의 상태·성질이 어떠함을 설명하는 말. 곧, 가볍다·곱다·서늘하다·얕다·희다 등인데, 쓰이는 법에 따라 자립(自立) 형용사·의존(依存) 형용사로 구분(區分)함. 그림씨. 어떻씨.

형용사-구【形容詞句】명 문장에서, 형용사처럼 서술어 구실을 하는 구.

형용사-문【形容詞文】명〖언〗서술어가 형용사인 문장. '하늘이 맑다' 따위.

형우 제:공【兄友弟恭】명 형제가 서로 우애를 다함. ——-하다 자여불

형의【形儀】명 얼굴과 자태. 용의(容儀). 용자(容姿).

형의 면:제【刑—免除】[—/—에—] 명〖법〗유죄(有罪)인 경우에 그 과형(科刑)을 면제하는 일. 법률상 규정이 있는 경우에 한하며, 면제 사유에는 의무적인 것(친족 간의 범행)과 임의적인 것(중지범·불능범)이 있음. 형의 선고는 판결로써 선고하며, 이 때에는 형의 선고를 받지 않은 것과 같이 되므로 재차 범죄하여도 누범(累犯)이 되지 않음.

형의 소멸【刑—消滅】[—/—에—] 명〖법〗형의 선고의 판결이 확정함으로써 발생한 형벌권(刑罰權)이 소멸하는 일. 범죄 성립 후에도 일정한 사유가 발생하면 형이 소멸함. 형의 소멸 사유는 형의 집행 종료, 집행 유예의 기간 만료, 가석방 기간의 만료, 범인의 사망이나 사면(赦免), 형의 시효(時效)의 완성(完成) 등임.

형의 시효【刑—時效】[—/—에—] 명〖법〗형(刑)의 선고를 받은 후 일정 기간이 지남으로써 그 집행(執行)을 면제하는 일. 그 기간은 사형(死刑)에서는 30년, 무기(無期)의 자유형(自由刑)에서는 20년, 10년 이상의 유기(有期) 자유형이면 15년 등임.

형이-상【形而上】명 ①형식(形式)을 떠난 것. 모양을 초월한 것. 정신적인 것. 무형(無形). ②〔the metaphysical〕〖철〗시간·공간의 감성(感性) 형식을 취하는 경험적 현상으로서 존재하는 일이 없이, 그 자신 초자연적이고, 다만 이성적 사유(思惟)나 또는 독특한 직관(直觀)에 의하여 포착되는 궁극적인 것. ↔형이하.

형이상-적【形而上的】명관〖철〗이성(理性)적인 사유(思惟)나 직관(直觀)에 의하여서만 얻을 수 있는 성질을 가지고 있는 모양. 형이상에 속해 있는 것.

형이상적 악【形而上的惡】명〔라 malum metaphysicum〕〖철〗형이상적 세계에 근원을 둔 악. 즉, 도덕적인 악이나 일반적 해악은 형이하(形而下)의 세계에 나타나는 것이나 그것이 유래(由來)하는 근원을 형이상의 세계에까지 추구하여 이 곳에 악의 근원을 인정할 때를 말함. 라이프니츠(Leibniz)는 인간이나 피조물(被造物)의 유한성(有限性)에 이것을 인정하였는데, 이러한 경우는 유한 존재(有限存在)의 유한성이 형이상적 악이 됨.

형이상적 요구【形而上的要求】명〔도 metaphysisches Bedürfnis〕〖철〗쇼펜하워의 용어. 형이상적 세계를 동경(憧憬)하여 형이상학을 요구하는 인간의 영성적(靈性的) 갈망. 시간적 존재(時間的存在)가 영원(永遠)을 구하고 유한(有限)한 인간이 무한을 구하는 근본적(根本的) 요구를 표현한 것임.

형이상-하【形而上下】명 형이상과 형이하.

형이상-학【形而上學】명〔metaphysics〕〖철〗형이상의 존재를 연구하는 철학의 부문. 철학의 여러 부문 중 가장 근본적·원리적인 것으로 취급(取扱)되어 왔음. 이 말은 원래 아리스토텔레스의 사후(死後) 그의 저작(著作)을 편집할 때, 제일 철학(第一哲學)의 부(部)를 자연학(自然學)의 뒤에 놓은 데서부터 기원하였는데, 아리스토텔레스 자신은 제일 철학이라고 하고, 이것을 신(神)의 학(學)이라는 뜻에서 '신학(神學)'이라고도 하였음. 헤겔은 반변증법적 사고(反辨證法的思考)를 형이상학적이라 일컬었음. 존재론(存在論). 무형학(無形學). ↔형이하학(形而下學). *순정(純正) 철학.

형이상학 서:설【形而上學敍說】명〖책〗독일의 철학자 라이프니츠(Leibniz)가 자기의 형이상학의 체계를 처음으로 조직적으로 서술한 책. 1686년에 저술한 것으로 의론(議論)의 대상으로는 신(神)의 개념, 기적(奇跡)의 본성, 죄나 악의 원인, 정신이나 관념의 본성 등 형이상학 전반에 걸쳐 있음.

형이상학-적【形而上學的】명관 형이상학에 관한 모양.

형이상학적 결정론【形而上學的決定論】[—쩡논] 명〖철〗의지 및 행위의 규정자를 초경험적인 실재라고 하는 결정론의 한 가지.

형이상학적 논리학【形而上學的論理學】[—놀—] 명〔metaphysical logic〕〖논〗그 사유(思惟)의 형식은 동시에 실재(實在)의 형식이라고 보는 논리학.

형이상학적 사고 방법【形而上學的思考方法】명〖철〗마르크스주의 용어의 하나. 비변증법적(非辨證法的) 사고 방법임. 이런 사고 방법에서는 사물과 묘사(描寫)된 개념이 고정되고 경화되고 분열된 채 고찰된다고 함.

형이상학적 사유 방법【形而上學的思惟方法】명〖철〗비변증법적(非辨證法的)인 사유 방법.

형이상학적 유물론【形而上學的唯物論】명〖철〗그리스 초기의 자연 발생적인 변증법적 유물론 및 마르크스의 변증법적 유물론을 제외한 모든 유물론. 변증법적 전개를 무시하고 자연 현상을 단순한 기계적인 운동으로 보고, 또, 사회 현상을 자연 현상으로 환원하는 입장을 취함. 비(非)변증법적 유물론.

형이상학적 유심론【形而上學的唯心論】[—논] 명〖철〗객체(客體)는 주체의 작용에 의해 생긴다는 입장에서 막연히 세계의 일체를 관념(觀念)이라고 하는 이론.

형이상학적 자유【形而上學的自由】명〖철〗내적 자유(內的自由).

형이상 회:화【形而上繪畫】명〖미술〗서양화의 화파의 하나. 시간과 공간의 도착(倒錯)이나 사물의 부동성(不動性)을 환상적으로 그린 그림. 1915년경 이탈리아의 화가 키리코(Chirico, G. di)를 중심으로 발전하였음. 메타피직 회화(Metaphysik 繪畫).

형이전적 세:계【形而前的世界】[—쩍—] 명〔도 prophysische Welt〕〖철〗실재적 존재(實在的存在)와 비(非)실재적 타당(妥當)이 주관의 평가 작용에서 근원적(根源的)으로 합일(合一)하여 아직 나누어지지 않은 영역(領域)을 이름. 형이상학의 세계가 후세계(後世界)임에 대하여 이것은 전세계임.

형이-하【形而下】명 ①모양을 갖춘 것. 물질적인 것. 유형(有形). ②〔the physical〕〖철〗자연 일반·감성적 현상, 곧 시간·공간 가운데 모양을 갖추고 나타나 있는 것의 뜻. ↔형이상.

형이하-적【形而下的】명관〖철〗정신적인 것이 아닌, 물질적·구상적(具象的)인 모양.

형이하-학【形而下學】명〔physical science〕〖철〗일반적으로 유형물(有形物)을 대상으로 하는 학문. 물리학·동물학·식물학 따위. 콘크리트 사이언스. ↔형이상학.

형인【刑人】명 ①형벌을 받은 사람. 형을 받아 불구(不具)가 된 사람. 형민(刑民). ②사람에게 형을 가함. 또, 살륙(殺戮)함. ③종. ——-하다 자여불

형자【兄姊】명 형과 누나.

형:작【螢爝】명 반딧불.

형잠【形蠶】명〖충〗무늬누에.

형장[1]【刑杖】명〖역〗죄인을 신문할 때 쓰는 몽둥이. 신장(訊杖).

형장[2]【刑場】명 사형(死刑)을 집행하는 장소. 법장(法場).

형장의 이슬로 사라지다 구 형의 처벌(處罰)을 받고 죽다.

형장[3]【兄丈】인대 나이가 엇비슷한 친구 사이에 상대방을 높이어 호칭(呼稱)하는 말.

형장-가【刑杖歌】명〖악〗경기 십이 잡가(京畿十二雜歌)의 하나. 판소리 춘향가(春香歌)에서, 춘향의 옥중 생활을 따온 것임.

형재【刑裁】명〖법〗↗형사 재판(刑事裁判). ↔민재(民裁).

형적【形迹·形跡】명 남은 흔적. 형상과 자취. 영적(影迹).

형전【刑典】[명]〔역〕육전(六典)의 하나. 형조(刑曹)의 소관 사항을 규정한 법전(法典).

형정【刑政】[명] ①죄인을 처벌하는 법. 형법의 적용. ②형벌과 정치. ③〔법〕형사(刑事)에 관한 행정. 곧, 범죄 예방에 관한 일반적 방책을 연구 시행하는 행정.

형제[1]【兄弟】[명] ①형과 아우. 숙백(叔伯). 곤계(昆季). 곤제(昆弟). ¶~간. ②동기(同氣). ③〔성〕하느님을 믿는 신도(信徒)들이 스스로를 일컫는 말. 하느님은 아버지, 교회는 그들의 집이라고 함.

형제[2]【刑制】[명] 형법. 벌칙(罰則).

형제 각소【兄弟各所】[명] 동시에 형제가 과거에 응시했을 때에 각각 딴 시험장에서 과거를 보이던 일.

형제-간【兄弟間】[명] 형과 아우의 사이.

형제-궁【兄弟宮】[명]〔민〕십이궁(十二宮)의 하나. 형제에 관한 운수를 점치는 기본 자리. *십이궁(十二宮).

형제-도【兄弟島】[명]〔지〕전라 남도의 남해안(南海岸), 고흥군(高興郡) 금산면(錦山面) 어전리(於田里)에 위치한 섬. [0.04 km²]

형제 무루【兄弟一】[명]〈심마니〉젓가락.

형제물-산【兄弟物山】[一싼] [명]〔지〕함경 남도 장진군(長津郡) 개마고원(蓋馬高原)에 있는 산. [1,722 m]

형제변-장【兄弟變章】[一짱] [명]〔악〕악장(樂章)의 이름.

형제-봉【兄弟峰】[명]〔지〕①충북 단양군(丹陽郡)과 경북 영주시(榮州市) 사이에 있는 산. [1,178 m] ②경남(慶南) 하동군(河東郡)에 있는 산. [1,115 m]

형제-애【兄弟愛】[명] 형제간의 사랑.

형제 역연혼【兄弟逆緣婚】[명] 과부(寡婦)가, 죽은 남편의 형제와 결혼하는 관습. 레비레이트(revirate). *자매(姉妹) 역연혼.

형제 위수족【兄弟爲手足】[명] 형제는 수족과 같아서 한 번 잃으면 두 번 얻을 수 없다는 말.

형제-율【兄弟律】[명]〔악〕양금에서 음높이가 같은 왼쪽 괘 오른쪽 첫줄인 황종(黃鐘)과 왼쪽 괘 왼쪽의 첫줄인 임종(林鐘)을 가리키는 말. 즉, 안당의 황종과 밭당의 임종을 말함.

형제 자매【兄弟姉妹】[명] 형제와 자매. 연지(連枝). *동기(同氣).

형제-장【兄弟章】[一짱] [명]〔악〕①용비 어천가(龍飛御天歌) 제90장의 이름. ②용비 어천가 제119장의 이름.

형제 주인어멈【兄弟主人一】[명] ☞ 쌍동 중매(雙童中媒).

형제지-국【兄弟之國】[명] 사이가 아주 친밀하고 가깝게 지내는 나라. 또, 서로 혼인 관계를 이룬 나라.

형제지-의【兄弟之誼】[一/一이] [명] 형제 간의 우애처럼 지내는 정다운 친구의 정의(情誼).

형제 혁장【兄弟鬩墻】[명] 형제가 담 안에서 싸운다는 뜻으로 동족 상쟁을 이르는 말.

형조[1]【刑曹】[명]〔역〕①고려 때 육조(六曹)의 하나. 법률·소송·형옥(刑獄)에 관한 일을 맡음. 충렬왕(忠烈王) 24년(1298)의 잠시 동안과 공양왕(恭讓王) 원년 이후의 일컬음. ②조선 시대 때 육조의 하나. 법률·소송·형옥·노예(奴隷) 등에 관한 일을 맡음. *육조(六曹).

형조[2]【刑措】[명] ↗형조 불용.

형조 도관【刑曹都官】[명]〔역〕①고려 때 형부(刑部)에 딸려서 노비의 부적(簿籍)과 결송(決訟)을 맡은 관아. ②조선 시대 초기의 형조(刑曹)의 속아문(屬衙門). 사무 분장(分掌)은 고려 때와 같음. 태조(太祖) 원년(1392)에 베풀어서 세조(世祖) 12년(1466)에 변정원(辨定院)으로 고치어 독립 아문(獨立衙門)이 되고, 이듬해에 다시 장례원(掌隷院)으로 고치었음.

형조 불용【刑措不用】[명] 형벌을 폐하여 쓰지 않는다는 뜻으로, 나라가 잘 다스려져 죄지은 사람이 없어짐을 이름. [준]형조(刑措).

형조 판서【刑曹判書】[명]〔역〕조선 시대 형조(刑曹)의 정이품 으뜸 벼슬. [준]형판(刑判). *대사구(大司寇).

형조 팔방【刑曹八房】[명]〔역〕형조에 딸린 8개의 낭청(郎廳). 상복사(祥覆司) 1·2방(房), 고율사(考律司) 1·2방, 장금사(掌禁司) 1·2방, 도관사(都官司) 1·2방을 말함.

형죄【刑罪】[명] 형벌. 형벌과 죄.

형주[1]【兄主】[명] 형(兄)을 높이어 일컫는 말.

형주[2]【刑誅】[명] 형벌에 의하여 사형에 처함. ——-하다 [타][여불]

형주 동:물【形走動物】[명]〔동〕[Plasmodroma] 원생(原生) 동물에 속하는 한 아문(亞門). 위족(僞足)이나 편모(鞭毛)로써 운동하며 한 개 또는 몇 개의 포상(胞狀)을 이룬 핵(核)이 있고, 접합(接合)은 같은 형(型) 또는 다른 형으로서 전연 합일(合一)하며 또는 포자(胞子)를 두는 것이 적지 아니함.

형지[1]【形止】[명] ①사실의 전말(顚末). ②일이 되어 가는 형편.

형지[2]【形址】[명] 엉터리❸.

형지[3]【型紙】[명] 어떤 본을 떠서 만든 종이. 양재·수예·염색 등에 씀.

형지-기【形止記】[명]〔역〕형지안(形止案).

형지-안【形止案】[명]〔역〕①조사한 상황(狀況) 또는 전말(顚末)을 기록한 부책(簿册). 형지기(形止記). ¶오층탑 조성(五層塔造成) ~/실록각(實錄閣) 수개(修改) ~. ②조선 시대에, 각 사(司) 소속의 공노비(公奴婢)를 정사(精査)한 정안(正案)과 속안(續案)의 통칭. ③특히, 역노비(驛奴婢)의 원적부(原籍簿)를, 선두안(宣頭案)에 대하여 일컫는 말.

형진【荊榛】[명] 가시나무와 개암나무. 또, 그런 것이 무성한 곳. 잡목림(雜木林)을 이름.

형질【形質】[명] ①형태와 성질. 생긴 모양과 그 바탕. ②〔characteristics〕〔생〕동물의 육체나 정신, 식물의 여러 기관의 모양·크기·성질 등의 특질의 총칭. 유전적(遺傳的)인 것과 유전하지 않는 것이 있음.

형질 도:입【形質導入】[명]〔생〕박테리오파지(bacteriophage)에 의하여 매개(媒介)되는 형질 전환을 말함. 박테리오파지가 지금까지 있었던 기주(寄主)의 세균을 파괴하고 나올 때, 세균의 디 엔 에이(DNA)의 일부를 자신의 DNA에 집어넣어, 다음에 세균에 감염될 때, 자신의 DNA와 함께 먼저 세균의 DNA도 균체(菌體) 안에 보내기 때문에 일어남. 형질 도입도 DNA가 유전 형질을 지배한다는 것을 나타냄. 박테리오파지와 세균의 유전자(遺傳子) 분석에 이용됨.

형질 발현【形質發現】[명]〔phenotypic expression〕〔생〕유전자(遺傳子)에 의하여 결정되고 있는 형질(形質)이 표현형(表現型)으로 나타나게 되는 일. 디 엔 에이(DNA)상의 뉴클레오티드 배열 순서에 따라 만들어진 단백질이 생체(生體) 반응을 촉매(觸媒)하거나 구조체를 형성하여 특정의 표현형을 나타냄. 유전 정보 발현. 표현형 발현.

형질 세:포【形質細胞】[명]〔생〕플라스마(plasma) 세포.

형질 인류학【形質人類學】[一일一] [명] 자연 인류학(自然人類學).

형질 전:환【形質轉換】[명]〔생〕외부로부터 주어진 디 엔 에이(DNA)에 의해, 개체(個體) 혹은 세포의 형질이 유전적으로 변화하는 일. 돌연변이(突然變異)와는 다르며 주어진 유전 정보(遺傳情報)에 따라 변화는 정하여진 방향으로 나아감.

형질 전:환 물질【形質轉換物質】[一찔] [명]〔transforming principle〕〔생〕세균 세포의 형질 전환을 일으키는 물질.

형-집행장【刑執行狀】[一짱] [명] 형(刑)을 집행하기 위한 소환(召喚)에 불응할 때 검찰관이 발행하는 구인(拘引) 명령서. 군법 회의에서 사형·징역·금고 또는 구류(拘留)의 선고를 받은 자가 구금(拘禁)되지 않았을 때 발행함.

형집행 정지 처:분【刑執行停止處分】[명]〔법〕법정(法定)의 원인이 존재하는 경우에 형의 목적 이외의 불이익을 수형자(受刑者)에게 입히지 않기 위해 그 집행을 일시 정지하는 처분. 사형 및 자유형에 관하여 인정됨.

형징【刑懲】[명] 형벌을 주어서 징계함. ——-하다 [타][여불]

형:차-장【詗此章】[一짱] [명]〔악〕용비 어천가 제35장의 이름.

형찰[1]【刑察】[명] 죄를 잘 살펴 분명히 함. ——-하다 [타][여불]

형:찰[2]【詗察】[명] 넌지시 염탐함. ——-하다 [타][여불]

형:창【螢窓】[명] ①공부하는 방의 창. ②학문을 닦는 곳. 학창(學窓).

형처【荊妻】[명] 남에게 대하여 자기의 아내를 낮추어 일컫는 말. 형부(荊婦). 과처(寡妻). *우처(愚妻).

형:철【瑩徹】[명] ①환하게 비쳐 보이도록 맑음. ②지혜·사고력 등이 밝고 투철함. ——-하다 [형][여불]

형체【形體】[명] 물건의 생김새와 그 바탕 되는 몸. 물건의 외형. 또, 사람의 몸매에 대하여 이르기도 함. ¶~를 갖추다.

형초 세:시기【荊楚歲時記】[명]〔책〕중국의 양쯔 강 중류 유역을 중심으로 한 연중 행사기(年中行事記). 양(梁)나라의 종늠(宗懍)의 원저(原著) ≪형초기(荊楚記)≫를 수(隋)나라의 두공섬(杜公贍)이 7세기 초에 개변 증보(改變增補)하여 주(註)를 붙인 책으로, 1·2·4·6권이 전함.

형초 학파【荊楚學派】[명]〔형(荊)은 장자(莊子)의, 초(楚)는 노자(老子)의 출생지〕'노장 학파(老莊學派)'의 별칭(別稱).

형:촉【熒燭】[명] 반짝반짝하는 작은 촛불.

형촌 유적【荊村遺蹟】[一뉴一] [명]〔지〕징촌 유적.

형추【刑推】[명]〔역〕형문(刑問)❷. ——-하다 [타][여불]

형추-장【兄墜章】[一짱] [명]〔악〕용비 어천가 제36장의 이름.

형:탐【詗探】[명] 가만히 엿보아 가며 샅샅이 찾음. ——-하다 [타][여불]

형태【形態】[명] ①사물의 생김새. ②형상과 태도. ③〔도 Gestalt〕〔심〕형태 심리학의 기초 개념. 부분(部分) 및 그 관계로부터는 이끌어 낼 수 없는 특수한 성질을 가진, 유기적(有機的)으로 복합(複合)된 단위. 또, 부분의 총합(總合)이 아닌 각 부의 통합(統合)의 뜻으로도 해석됨. 지각에 있어서의 직접 경험(直接經驗)의 전체성(全體性)의 설명으로부터 출발함. 게슈탈트(Gestalt).

형태-론【形態論】[명]〔언〕단어(單語)의 어형 변화(語形變化)를 취급하는 문법학의 한 부분. 보통, 문법학은 문론(文論)과 형태론의 병칭(倂稱)임. 형태학.

형태 모사【形態模寫】[명] 새·동물이나 특정 인물의 동작 등을 교묘하고 재미있게 흉내내어 보이는 재주. 팬터마임의 변형임.

형태-성【形態性】[一썽] [명]〔심〕형태질❶.

형태-소【形態素】[명]〔프 morphème〕〔언〕일정한 뜻을 가진 가장 작은, 말의 단위. 자립성의 유무에 따라 자립(自立) 형태소와 의존(依存) 형태소, 내용의 허실에 따라 실질(實質) 형태소와 형식(形式) 형태소로 나뉨. '나-는/넓-은/바다-를/보-았-다.'라는 문장에서, '나·바다'는 자립 형태소, '는·넓-·-은·를·보-·-았-·-다'는 의존 형태소이고, '나·넓-·바다·보-'는 실질 형태소, '는·-은·를·-았-·-다'는 형식 형태소임.

형태 심리학【形態心理學】[一니一] [명]〔도 Gestaltpsychologie〕〔심〕정신 현상은 감각 등과 같은 요소로써 구성되는 것이 아니라, 그 자체가 전체로써 파악되어야 할 형태라고 하는 심리학의 한 파. 게슈탈트 심리학.

형태 윤회【形態輪廻】[명]〔cyclomorphosis〕〔생〕물벼룩·윤형 동물 등의 외형이 환경 조건의 변화에 따라 뚜렷한 변이를 나타내고, 특히 계절에 따른 수온(水溫)·산소 용존량(溶存量)·pH의 변동과 함께 1년을 주기로 형태 변화를 나타내는 현상.

형태 음소론【形態音素論】[명]〔morphophonemics〕〔언〕형태소의 구체적 실현으로서의 이형태(異形態; allomorph)들에서 보이는 음소 교체(交替)의 현상을 연구하는 언어학의 한 분야.

형태 음운론【形態音韻論】[一논] [명]〔언〕언어학의 한 부문. 언어 단위를 이루는 음운(音韻)의 특성과 그 언어 단위의 문법적 기능과의 관련에 대하여 논함.

형태 인자【形態因子】(명) [form factor]〖물〗①입자의 내부 구조를 기술(記述)하는 함수. 구조를 몰라도 계산을 가능하게 함. ②원자·원자핵·소립자(素粒子)에 의한 전자(電子)나 방사의 산란을 연구하는 데 쓰이는 표현.

형태 조절【形態調節】(명) [morphallaxis]〖생〗재생의 한 형식. 어떤 재생 부역(再生部域)이, 증식(增殖)보다도 오히려 조직편(組織片)의 재편성(再編成)에 의해서 다른 것으로 변형(變形)하는 재생 현상.

형태-주의【形態主義】[—/—이] (명) 형태를 중요시하여 으뜸으로 치는 주의.

형태 지역제【形態地域制】(명) 도시(都市)내의 각 부분의 성질에 알맞은 건축물의 합리적인 형태를 유지·보존하기 위하여, 필요한 형태에 대한 기준을 부여하는 제도.

형태-질【形態質】(명) ①〖도 Gestaltqualität〗〖심〗에렌펠스(Ehrenfels)의 용어. 요소(要素)를 초월하여 생기는 의식의 적극적 또는 구상적(具象的)인 표상 내용(表象內容). 형태가 가지는 질(質). 요소적 기초(基礎)에 내재(內在)하지 않고, 직접적으로 경험되는 전체(全體)로서의 성질. 형태성(形態性). ②〖언〗형태소(形態素).

형태-학【形態學】(명) [morphology] ①〖생〗생물학의 한 부문. 생물 전체 또는 그 일부의 형태·구조·발생 등을 대상으로 하는 학문. 각종 생물의 체제·계통·형태와 기능(機能) 사이의 연관 등을 대상으로 하는 것을 비교(比較) 형태학이라 함. 대상(對象)의 목적에 따라 조직학·세포학·해부학·발생학·분류학으로 나눔. ②〖광〗결정(結晶)의 기하학적(幾何學的) 성질을 연구하는 결정학(結晶學)의 한 분과. ③〖언〗형태론(形態論).

형태 형성【形態形成】(명) [morphogenesis]〖생〗생물의 발생에 있어서의 모양 형성의 과정. 즉 각종 조직·기관(器官)의 모양, 크기, 상호 배열 등이 새로 생겨나는 복합적인 과정임. 단백질 분자 따위가 집합하여 바이러스 알갱이를 구성하는 과정이라고도 함. 형태 생성.

형통【亨通】(명) 온갖 일이 잘 통하여 뜻과 같이 되어 감. ¶만사 ~. ——-하다 (자)(여불)

형-틀[1]【刑—】(명) ①죄인을 신문할 때에 쓰는 형구(刑具). ②〖역〗옛날에 죄인을 얽매어 앉히고 신문하던 의자.

〈형틀❷〉

[형틀 지고 와서 볼기 맞는다] 스스로 화를 자초해서 고초를 겪는다.

형-틀[2]【型—】(명) 물건을 만들 때 그 형태의 바탕으로 삼는 것. 틀. 판(版).

형판[1]【刑判】(명)〖역〗↗형조 판서(刑曹判書).

형판[2]【形板】(명) 석공(石工) 등이 어떤 모양을 만들 때 이용하는 모형을 새긴 널빤지.

형판[3]【型板】(명) 무늬를 새기어 날염(捺染)할 때 쓰는, 얇은 아연이나 구리로 만든 금속판.

형판 유리【型板琉璃】[—뉴—] (명) 한쪽 면이나 양면에 각종 무늬를 새긴 판유리. 시선을 차단하는 용도로 쓰임.

형편[1]【刑鞭】(명) 죄인을 매질하는 채찍.

형편[2]【形便】(명) ①일이 되어 가는 모양이나 경로 또는 결과. ②살림살이의 형세. ¶~이 딱하다. ③형세(形勢)❶❷.

형편-없다【形便—】[—업—] (형) ①일의 경과·결과 등이 대단히 좋지 못하다. ¶솜씨가 ~. ②모양이나 내용(內容)에 전혀 취할 바가 없다. ¶형편없는 물건.

형편-없이【形便—】[—업씨] (부) 형편없게. ¶~ 고생하다 / ~ 지다.

형평【衡平】(명) 수평(水平)❶. ¶~의 원칙.

형평-법【衡平法】[—뻡] (명) [law of equity]〖법〗영국에서 1875년에 재판소 구성법이 제정될 때까지 챈서리 재판소(Chancery 裁判所)에서 적용되었던 일련(一連)의 판례법(判例法). 신탁(信託)·저당권(抵當權)·처(妻)의 능력의 발달에 지대한 공헌을 하였음.

형평-사【衡平社】(명)〖사〗천민 계급(賤民階級), 특히 백장의 사회적 지위를 향상하기 위한 정치적 투쟁을 목적으로, 일본의 수평사(水平社) 운동에 자극을 받아 1923년 경상 남도 진주(晋州)에서 창립된 정치 결사(結社). 관헌(官憲)의 탄압을 받자 1936년에는 대동사(大同社)로 개칭, 피혁(皮革) 회사를 조직하여 그들의 복리를 꾀하였음.

형평 운:동【衡平運動】(명)〖사〗형평사를 중심으로 한 천민(賤民) 계급, 특히 백장들의 혁신적 사회 운동. 수평(水平) 운동.

형:학【螢學】(명) 반딧불빛으로 공부(工夫)한다는 말로, 곧 애써 공부함. *고학(苦學). ——-하다 (자)(여불)

형한 양:사【刑漢兩司】[—냥—] (명)〖역〗형조(刑曹)와 한성부(漢城府)의 두 법사(法司).

형해【形骸】(명) ①사람의 몸과 뼈. ②어떤 구조물의 뼈대를 이루는 부분. ③송장. 시체.

형해지-내【形骸之內】(명) 육체의 내면. 마음·정신·도덕을 이름.

형해지-외【形骸之外】(명) 육체의 외면.

형향【馨香】(명) 꽃다운 향기.

형헌【刑憲】(명) 법률. 규칙. 규범.

형:형[1]【炯炯】(부) 반짝반짝 빛나는 모양. ¶~한 안광(眼光). ——-하다 (형)(여불). ——-히 (부)

형:형[2]【熒熒】(부) 광선이 연해 반짝거리는 모양. ——-하다 (형)(여불). ——-히 (부)

형형 색색【形形色色】(명) 형상과 종류의 가지가지. 가지 각색. ¶~의 옷차림.

형-호【荊浩】(명)〖사람〗중국 당말 오대(唐末五代)의 화가. 허난(河南) 사람. 자는 호연(浩然). 난세(亂世)를 피해 관도(官途)에 나가지 않고, 타이항 산(太行山)의 홍구(洪谷)에 은서(隱棲)하여 홍곡자(洪谷子)라 호(號)함. 박학(博學)하며, 문장에도 빼어났고, 그림에서는 수묵(水墨)의 산수화를 잘 그림. ≪산수결(山水訣)≫은 후보(後補)되어 ≪필법기(筆法記)≫로 남음. 생몰년 미상.

형혹【熒惑】(명) ①화성(火星). ②현혹되게 함. ——-하다 (타)(여불)

형:혹-성【熒惑星】(명)〖천〗화성(火星).

형:화【螢火】(명) 반딧불.

형:황【熒煌】(명) 불빛이 번쩍이는 모양. ——-하다 (형)(여불)

혜[1]【鞋】(명) 신목이 짧은 신. 신발의 일반적·본래적 의미를 지닌 신의 일종임.

혜:[2]【慧】(명)〖불교〗사리에 통달하여 의념(疑念)을 끊어 버리는 슬기. 사리를 분명하게 분별하는 지혜.

혜[3] 〈옛〉①혀이. '혀[1]'의 서술격형(敍述格形). ¶廣長舌은 넙고 기르신 혜라≪釋譜 XIX:38≫. ②혀가. '혀[1]'의 주격형(主格形). ¶훤흔 그 혜 勇猛호 믌겨리 能히 노ᄑᆞ며 ᄂᆞᆽ갑도다(快然其舌勇浪能爲高下)≪金三 Ⅱ:44≫.

혜:가【慧可】(명)〖사람〗중국 선종(禪宗)의 제2조(祖). 남북조 시대의 북위인(北魏人). 무라오(武牢) 사람. 달마(達磨)에게 의발(衣鉢)을 받고 최상승(最上乘)의 법을 받음. 능가경(楞伽經)을 포교했고, 참소로 처형됨. 혜가 대사. [487-593]

혜:가 단:비【慧可斷臂】(명) 혜가가 달마에게 입실(入室)을 빌었으나 허가되지 않으매 적심(赤心)을 보이려 왼쪽 팔을 절단하고 다시 빌어서 허가된 것을 이름.

혜:감【惠鑑】(명) 자기의 저서(著書)나 작품을 남에게 보낼 때 '잘 보아 주십시오'의 뜻으로 상대방 이름 밑에 쓰는 말. 혜존(惠存).

혜:강[1]【惠岡】(명)〖사람〗최한기(崔漢綺)의 호(號).

혜-강[2]【嵇康】(명)〖사람〗중국 삼국 시대 위(魏)나라의 사상가. 자는 숙야(叔夜). 죽림(竹林) 칠현(七賢)의 한 사람. 자유 분방한 성격으로 정계(政界)를 피하고 일민(逸民)이 되어, 노장(老莊)과 신선(神仙)에 경도(傾倒), 완적(阮籍)과 친교를 맺음. 여안(呂安) 사건에 연좌(連坐)되어 형수와 간통(姦通)했다는 무고(誣告)를 받아 형사(刑死)함. 거문고 타기와 대장일을 좋아했음. 저서에 ≪금부(琴賦)≫·≪양생론(養生論)≫ 등이 있음. [223-262]

혜:거 국사【惠居國師】(명)〖사람〗고려 때의 명승. 속성은 박씨(朴氏). 이름은 지회(智回). 정종(定宗) 2년(947)에 왕사(王師), 광종(光宗) 19년(968)에는 국사(國師)가 되어 왕의 고문(顧問)이 됨. [?- 974]

혜건대 (타) 〈옛〉생각하건대. '혜다'의 활용형. ¶長沙王 賈太傅ᄂᆞᆫ 혜건대 우읍고야≪古時調 鄭澈≫.

혜:검【慧劍】(명)〖불교〗지혜가 번뇌(煩惱)를 끊어 버리는 것을 날카로운 칼이 물건을 끊어 버리는 데 비유한 말.

혜:경궁 홍씨【惠慶宮洪氏】(명)〖사람〗조선 시대 때, 사도 세자(思悼世子)의 빈(嬪). 서울 출생. 정조(正祖)의 어머니. 홍봉한(洪鳳漢)의 딸. 영조(英祖) 38년(1762)에 부군(夫君) 사도 세자(思悼世子)가 참변(慘變)을 당하였는데, 그 후 당시의 일을 회고(懷古)하여 지은 ≪한중록≫은 궁중 문학(宮中文學)으로 유명함. 광무(光武) 3년(1899) 사도 세자가 장조(莊祖)로 추존(追尊)됨에 따라, 경의 왕후(敬懿王后)로 추존됨. [1734-1815]

혜:고[1]【惠顧】(명) ①남이 나를 찾아 줌을 높이어 일컫는 말. 왕림(枉臨). 혜래(惠來). 혜림(惠臨). 혜왕(惠枉). ②잘 돌보아 줌. ——-하다 (자)(타)(여불)

혜:고[2]【蟪蛄】(명)〖충〗여치.

혜:고-성【蟪蛄聲】(명) 여치 우는 소리.

혜:공【惠空】(명)〖사람〗신라 진평왕(眞平王)·선덕 여왕(善德女王) 때의 신승(神僧). 술과 춤을 좋아하여 장판에 다니며 삼태기를 짊어지고 춤을 추는 까닭에 부궤 화상(負簣和尙)이라 불렸음. 신라 십성(十聖)의 한 사람임. 생몰년 미상.

혜:공-왕【惠恭王】(명)〖사람〗신라 36대 왕. 태종 무열왕(太宗武烈王)의 직계손으로서, 신라 황금 시대 최후의 왕임. 말년에 여색(女色)에 빠져, 국사를 돌보지 아니하다가 나중에는 김양상(金良相) 등에게 피살되었음. [758-780; 재위 765-780]

혜:관【慧灌】(명)〖사람〗고구려 때의 중. 중국 수(隋)나라에 들어가서 삼론(三論)을 배우고 일본에 건너가서 공종(空宗)과 삼론을 강의하여, 일본 삼론종(三論宗) 발전의 기초를 이루었음.

혜:교[1]【慧巧】(명) 밝은 슬기와 묘한 기교.

혜:교[2]【惠敎】(명) 자혜를 베풀어 가르침. ——-하다 (타)(여불)

혜:군【惠君】(명) 자비로운 임금.

혜:근[1]【惠勤】(명)〖사람〗고려 말기(末期)의 중. 속성(俗姓)은 아(牙). 법호(法號)는 나옹(懶翁)·선각 왕사(禪覺王師). 20세 때 출가(出家)하여, 후에 중국 원(元)나라에 들어가 지공(指空)에게 배우고, 공민왕(恭愍王)의 왕사(王師)가 됨. 지공·무학(無學)과 함께 삼대 화상(三大和尙)으로 일컬어졌음. [1320-76]

혜:근[2]【慧根】(명)〖불교〗지혜를 닦아 진리를 깨닫는 힘의 바탕.

혜기 (자)(타) 〈옛〉헤아리기. '혜다'의 명사형. ¶나는 님 혜기를 嚴冬雪寒의 孟嘗君의 狐白裘 밋듯≪古時調≫.

혜:념【惠念】(명) 돌보아 주는 생각이란 뜻으로 남의 생각을 높이어 일컫는 말. 흔히 편지에 씀. ——-하다 (자)(여불)

혜:능【慧能】(명)〖사람〗중국 선종(禪宗)의 제6조(祖). 속성(俗姓)은 노씨(盧氏). 신주(新州) 사람. 홍인(弘忍)을 찾아 밤에만 전법(傳法)을 받고 수제자가 됨. 문하에 제자가 많았음. 그 파(派)를 남선종(南禪宗)이라고 부르며, 돈오(頓悟)를 주장했음. 그 언행(言行)을 후세에 기록한 것에 ≪육조단경(六祖壇經)≫ 1권이 있음. 육조 대사(六祖大師). 조계(曹溪) 대사. [638-713]

혜다 자타 〈옛〉 ①혜아리다. 생각하다. ¶無量은 몯내 혤씨라 ≪釋譜 序 1≫. ②세다. ¶혤 산(算)≪字會 中 2≫.

혜:당【惠堂】명〖역〗↗선혜 당상(宣惠堂上).

혜:덕【慧德】명〖불교〗조계종(曹溪宗)에서 비구니(比丘尼) 법계(法階)의 3급 2호. 현덕(賢德)의 아래, 정덕(定德)의 위.

혜:동【惠棟】명〖사람〗중국 청대(淸代)의 학자. 자는 정우(定宇). 호는 송애(松崖). 경사(經史)·제자(諸子)에 밝고, 특히 역학 연구에 전념함. ≪고문 상서(古文尙書)≫가 위서(僞書)임을 밝히고, 고증학(考證學)의 기초를 만듦. 저서에 ≪주역술(周易述)≫·≪역한학(易漢學)≫ 등이 있음. [1697-1758]

혜:두【慧竇】명 슬기가 우러나오는 구멍.

혜:등【慧燈·惠燈】명〖불교〗불법(佛法)이 중생(衆生)을 밝게 비춤을 등불에 비유한 말.

혜돋다 자 헤메어 다니다. ¶모딘 귀써신가 너겨 두리여 혜돋다가 노폰 바회예 떠디거나 ≪釋譜 XI:35≫.

혜:란【蕙蘭】명〖식〗난초과에 속하는 다년초. 난초의 일종인데, 잎이 난초보다 길고 빳빳하며 꽃은 늦은 봄에 한 줄기에 열 개 가량씩 핌. 빛깔이 조금 부옇고 향내가 난초만 못함.

혜:래【惠來】명 혜고(惠顧)❶. ——-하다 자타 여불

혜:량【惠諒】명 편지 등에서, '살피어 이해함'이란 뜻으로 쓰는 말. ——-하다 타 여불

혜:려【惠慮】명 남의 염려를 높이어 일컫는 말.

혜:력【慧力】명 지혜의 힘.

혜:-릉【惠陵】명〖지〗동구릉(東九陵)의 하나. 경종 원비(景宗元妃) 단의(端懿) 왕후의 능. 숭릉(崇陵)의 왼쪽 언덕에 있음.

혜:리【惠利】명 은혜를 베풀어 이롭게 하여 줌. ——-하다 타 여불

혜:림[1]【惠臨】명 혜고(惠顧)❶. ——-하다 자타 여불

혜:림[2]【慧琳】명〖사람〗중국 당대(唐代)의 승려. 서역(西域)의 소륵국(疎勒國) 태생. 인도의 '성명(聲明)'을 배우고 중국 고전(古典)의 훈고(訓詁)·음운(音韻)을 연구하여 ≪일체경 음의(一切經音義)≫를 저술하였음. ＊혜림 음의. [737-820]

혜:림 음의【慧琳音義】[—/—이] 명〖책〗혜림이 저술한 ≪일체경 음의(一切經音義)≫의 이칭(異稱). 783-807년에 걸쳐 쓰인 것으로, 1300부(部)의 삼장(三藏)에 걸친 불전(佛典)의 난해한 자구(字句)에 대한 주해 사전(注解辭典)임. 100권.

혜말【鞋韈】명 신과 버선. 또, 이것들에 준한 물건.

혜:망【彗芒】명〖천〗혜성(彗星) 뒤에 꼬리같이 길게 끌리는 광망(光芒). 혜성의 핵(核)에서 반사되는 고열 가스(高熱 gas)가 일광의 광압(光壓)으로 인하여 날려서 흩어진 것.

혜:명【慧命】명〔범 āyuṣmat〕〖불교〗불법(佛法)의 명맥(命脈), 곧 불법의 명맥을 맡아 이어가는 비구(比丘).

혜:무【惠撫】명 은혜를 베풀어 어루만지어 줌. ——-하다 타 여불

혜:민【慧敏】명 슬기롭고 민첩함. 혜오(慧悟). ——-하다 형 여불

혜:민-국【惠民局】명〖역〗①고려 때 백성의 질병을 고치던 관아. 예종(睿宗) 때에 베풀어, 충렬왕 때에 사의서(司醫署)의 관할로 하였다가, 공양왕 3년(1391)에 혜민 전약국(惠民典藥局)으로 고침. ②조선 시대 초기에 백성의 질병을 고치던 관아. 태조 원년(1392)에 베풀어, 세조 12년(1466)에 혜민서(惠民署)로 고침.

혜:민-서【惠民署】명〖역〗조선 시대 때 구차한 백성에게 시료(施療)하는 일을 맡은 관아. 태조(太祖) 원년(1392)에 베풀었던 혜민국(惠民局)을 세조(世祖) 12년(1466)에 서(署)로 올렸고, 고종(高宗) 19년(1882)에 폐하였음.

혜:민-원【惠民院】명〖역〗대한 제국 때 가난한 백성에게 시료(施療)하는 일을 맡았던 관아. 고종 광무(光武) 5년(1901)에 베풀어서 동 7년에 폐하였음.

혜:민 전:약국【惠民典藥局】명〖역〗고려 공양왕(恭讓王) 3년(1391)에 혜민국(惠民局)의 고친 이름.

혜:복【惠福】명 은혜로운 복.

혜:분 난비【蕙焚蘭悲】명〔혜란(蕙蘭)이 불에 타니, 난초가 슬퍼한다는 뜻〕벗의 불행을 슬퍼함의 비유. ＊송무 백열(松茂柏悅).

혜쓰리다 타 〈옛〉 흉보다. 비방하다. ¶혼가지로 우으며 혜쓰리는 배(所共嗤詆)≪小諺 V:108≫.

혜:사[1]【惠思】명 은혜로 사랑하여 생각함. ——-하다 타 여불

혜:사[2]【惠赦】명 은총으로 용서함. 또, 그 일. ——-하다 타 여불

혜:사[3]【惠賜】명 은혜로 무엇을 줌. 혜여(惠與). 혜증(惠贈). 혜황(惠貺). ——-하다 타 여불

혜:산【惠山】명〖지〗함남 혜산군의 군청 소재지. 군의 서부, 압록강 상류에 위치함. 만주의 장백(長白)과 대하는 국경 도시로 혜산선(線)의 종점임. 부근은 압록강 대산림 지대이며 뗏목의 시발지임. 겨울은 영하 40°C 내외의 혹한으로 강이 얼어 차마의 교통이 자유로움. 1945년까지 '혜산진(惠山鎭)'으로 불렸음.

혜:산-군【惠山郡】명〖지〗함경 남도의 한 군. 관내 1읍 5면. 도의 북동부에 있으며, 북은 함경 북도 무산군(茂山郡)과 중국 안동성(安東省), 동은 무산군과 길주군(吉州郡), 남은 갑산군(甲山郡)과 단천군(端川郡), 서는 삼수군(三水郡)에 인접함. 기후는 한서의 차가 격심하고 특히 겨울은 혹한이며, 우량이 적음. 귀리·감자·수수·옥수수 등의 농산물, 소·돼지 등의 축산물, 목재·숯 등의 임산물을 산출함. 군청 소재지는 혜산(惠山). [2,200 km²]

혜:산-선【惠山線】명〖지〗함경 북도 길주(吉州)에서 시발(始發)하여 백암(白巖)을 거쳐 혜산(惠山)에 이르는 단선 철도. 길주에서 함경선(咸鏡線), 백암에서 백무선(白茂線)과 연락됨. 내륙(內陸) 목재 수송을 촉진함. 1937년 11월 1일에 개통됨. [141.7 km]

혜:산-진【惠山鎭】명〖지〗'혜산(惠山)'의 일제(日帝) 때 이름.

혜:상 공국【惠商公局】명〖역〗조선 시대 말기 고종 20년(1883)에, 보상(褓商)과 부상(負商)을 통합하여 베푼 관청. 통리 군국 사무 아문(統理軍國事務衙門)에 속하여, 전국의 보부상을 관검(管檢)하고 무뢰배(無賴輩)의 혼잡을 단속함. 고종 22년(1885)에 상리국(商理局)으로 개칭, 부상(負商)을 좌단(左團), 보상(褓商)을 우단(右團)이라 하였으며, 1894년 농상 아문(農商衙門)에 소속되고, 광무(光武) 1년(1897)에 황국 중앙 총상회(皇國中央總商會)로, 다시 황국 협회(皇國協會)로, 광무 3년에 상무사(商務社)로 개칭됨.

혜:서【惠書】명 남이 준 편지를 공경하여 일컫는 말. 혜음(惠音). 혜찰(惠札). 혜한(惠翰). 혜함(惠函). 고찰(高札).

혜:성[1]【彗星】명 ①〔comet〕〖천〗빛나는 긴 꼬리를 끌고 해를 초점으로 하여 가늘고 긴 타원(楕圓)이나 포물선(拋物線) 또는 포물선에 가까운 쌍곡선(雙曲線)의 궤도를 운행하는 천체. 꼬리가 원형인 것도 있음. 빛이 제일 밝은 곳을 핵(核)이라 함. 질량(質量)이나 밀도(密度)는 보잘것 없지만 해에 가까이 오면 몸이 작아지고 빛이 매우 밝아짐. 옛날 우리나라·일본·중국 등지에서는 요성(妖星)이라 하여 이 별이 나타나는 것을 불길(不吉)의 징조라 하였음. 꼬리별. 미성(尾星). 살별. 장성(長星). 추성(箒星). 혜패(彗孛). ②어떤 분야에 갑자기 나타나 두각을 나타냄을 비유하는 말. ¶~과 같이 나타나다.

혜:성[2]【慧性】명 민첩하고 총명(聰明)한 성질.

혜:성[3]【慧聖】명 뛰어나게 슬기로움. 또, 그러한 사람.

혜:성-가【彗星歌】명〖문〗향가의 하나. 신라 진평왕(眞平王) 때 융천사(融天師)가 지은 10구체 향가. 세 사람의 화랑이 풍악(楓岳)에 놀러 가려고 할 즈음 갑자기 혜성이 심대성(心大星)을 범하므로 낭도들이 떠나기를 중지하자고 하자, 작자가 이 노래를 지어 불렀더니 그 괴변이 없어지고, 한편 침노하였던 왜구(倭寇)도 물러갔다 함. ≪삼국 유사≫에 전함.

혜:성 수색경【彗星搜索鏡】명〔comet seeker〕〖천〗혜성을 찾기 위한 망원경. 구경비(口徑比)가 작아서 밝고 시야가 넓은 렌즈를 사용함.

혜:성-적【彗星的】명관 갑자기 뚜렷이 나타나는 모양. ¶~ 존재.

혜:성-족【彗星族】명〖천〗단주기(短周期) 혜성으로서, 원일점(遠日點) 부근의 행성(行星)의 이름을 붙여서 부르는 일종의 분류법. 목성족·토성족·해왕성족 등.

혜:소[1]【彗掃】명 비로 깨끗이 청소함. ——-하다 타 여불

혜:소[2]【惠素】명〖사람〗고려 인종(仁宗) 때의 고승. 대각 국사(大覺國師)의 제자. 내외(內外)의 경전(經典)에 통달하고 더욱 시에 능하였음. 김부식(金富軾)과 자주 어울리어 도담(道談)을 나누었으며, 혜소가 시를 지으면 부식이 화답하니 듣는 이가 또한 화답하여 천여 편이 되었다고 함. 생몰년 미상.

혜:송【惠送】명 보내어 주심. ——-하다 타 여불

혜:숙【惠宿】명〖사람〗신라의 신승(神僧). 처음에는 화랑(花郞). 진평왕(眞平王) 22년(600) 안함(安含)과 함께 중국 당(唐)나라에 가려다 풍랑을 만나 되돌아옴. 많은 기적을 행한 것으로 전함. 생몰년 미상.

혜:술【惠術】명 은혜를 베푸는 방법.

혜:시[1]【惠示】명 남에게 알려 달라고 부탁하는 말. 흔히, 편지(片紙)에 씀. ——-하다 타 여불

혜:시[2]【惠施】명 은혜로 무엇을 베풀어 줌. ——-하다 타 여불

혜:심[1]【慧心】명 슬기로운 마음. 총명한 마음.

혜:심[2]【蕙心】명 미인의 고운 마음씨.

혜ᅀᆞᄫᆞᆯ 타 〈옛〉 세올. '혜다'의 활용형. ¶그지 업서 몯내 혜ᅀᆞᄫᆞᆯ 功과 德괘 ≪釋譜 序 1≫.

혜아룜 명 〈옛〉 헤아림. 생각. 근심. ¶眞實人性ㅅ 根源이 ᄆᆞᆯᄀᆞ며 괴외ᄒᆞ야 혜아룜과 일훔괘 업서≪月釋 Ⅱ:53≫.

혜아리다 타 〈옛〉 헤아리다. 생각하다. ¶닐어 혜아리디 몯ᄒᆞ리라(不可稱量)≪佛頂 上 4≫.

혜:악【惠渥】명 은혜가 두터움. 또, 두터운 은혜.

혜:안【慧眼】명 ①총명한 기운이 서린 눈. ②〖불교〗차별·망집(妄執)의 생각을 버리고 진리를 통찰(洞察)하는 안식(眼識).

혜:애【惠愛】명 은혜로 사랑함. ——-하다 타 여불

혜:양【惠養】명 은혜를 베풀어 기름. 또, 그 일. ——-하다 타 여불

혜어ᄒᆞ다 자타 〈옛〉 생각하다. 헤아리다. ¶누어 싱각ᄒᆞ고 니러 안자 혜어ᄒᆞ니≪松江 續美人曲≫.

혜:언【惠言】명 자비스러운 말.

혜:업【惠業】명〖사람〗신라 선덕 여왕 때의 명승. 중국 당(唐)나라에 들어가 불법을 배우고, 중인도(中印度)의 나란타사(那蘭陀寺)에서 정명경(淨名經), 곧 유마경(維摩經)을 온전히 종지(宗旨)로 하다가 세상을 떠남. 생몰년 미상.

혜에 타 〈옛〉 헤아리게. 세게. '혜다'의 활용형. ¶衆生 濟渡호ᄆᆞᆯ 몯내 혜에ᄒᆞ시고≪月釋 Ⅰ:19≫.

혜:여【惠與】명 혜사. 혜사(惠賜). ——-하다 타 여불

혜여ᄒᆞ다 타 〈옛〉 생각하다. 헤아리다. ¶萬古人物을 거ᄉᆞ리 혜여ᄒᆞ니 ≪松江 星山別曲≫. ＊혜어ᄒᆞ다.

혜:영【惠永】명〖사람〗고려 충렬왕(忠烈王) 때의 중. 속성(俗姓)은 김(金). 문경(聞慶) 출신. 시호는 홍진(弘眞), 탑호는 진응(眞應). 17세에 승과(僧科)에 급제하여 승통(僧統)이 되었으며, 충렬왕 16년(1290) 중국 원(元)나라에 유학하여 장경(藏經)을 베껴 오니 왕이 국존(國尊)으로 봉함. [1228-94]

혜:오【慧悟】명 혜민(慧敏). ——-하다 형 여불

혜옴 명 〈옛〉 생각. 셈. 계산(計算). ¶내 혜옴은 예순 냥이오(我算的該

六十兩)≪老乞 下 10≫.

혜:-왕[1]【惠王】명〖사람〗백제 제28대 왕. 휘(諱)는 계(季). 위덕왕(威德王)의 뒤를 이어 즉위, 별다른 업적은 남기지 못하고 이듬해에 죽음. [?-599: 재위 598-599]

혜:왕[2]【惠枉】명 혜고(惠顧)❶. ——-하다 자타여불

혜욤 명〈옛〉생각. =혜윰. ¶緣ᄒᆞ야 혜요믄 닐오ᄃᆡ 八識이 다 能히 제 分ㅅ 境을 緣ᄒᆞ야 혜는 전치오(緣慮名心謂八識俱能緣慮自分境故)≪圓覺 上 二之一 27≫.

혜:우【惠雨】명 ①임금의 은혜. ②자우(慈雨).

혜:원[1]【慧遠】명〖사람〗중국 남북조의 불승(佛僧). 장시 성(江西省)의 여산(廬山)에 들어가 살았으므로 '여산(廬山)의 혜원'이라 일컬어짐. 속성(俗姓)은 가씨(賈氏). 도안(道安)을 따라 불도에 들어가, 무량수불상(無量壽佛像)을 예배하고, 관상 염불(觀想念佛)을 배운 다음, 백련사(白蓮社)라고 하는 염불 결사를 만들고 중국 정토종(淨土宗)의 초조(初祖)가 됨. 저서에 ≪광산집(匡山集)≫이 있음. [334-416]

혜:원[2]【慧遠】명〖사람〗중국 남북조 시대의 불승(佛僧). 둔황(敦煌) 출신. 속성(俗姓) 이씨(李氏). 만년에 장안(長安)의 정영사(淨影寺)에서 살았으므로 '정영사의 혜원'이라 함. 지론종 남도파(地論宗南道派)에 속하며, 해석학의 제일인자임. 578년 북주(北周) 무제(武帝) 폐불(廢佛)에 오직 홀로 반대하여, 불법을 지켰음. 저서 ≪대승 의장(大乘義章)≫ 28권은 남북조 시대 불교학의 집대성임. [523-592]

혜:원[3]【蕙園】명〖사람〗신윤복(申潤福)의 호(號).

혜:원 풍속도【蕙園風俗圖】명 18-19세기의 조선 시대에, 혜원 신윤복(申潤福)이 그린 풍속화. 서민 사회의 생태(生態), 특히 풍류 남아(風流男兒)들과 기녀(妓女), 주인과 여비(女婢), 양가(良家)의 부녀(婦女)와 승려(僧侶)에 이르는 넓은 분야에 걸친 당시인들의 사랑과 색정(色情)의 세계를 삼십면(三十面)에 나누어 그림. 국보 제135호.

혜:육【惠育】명 은혜를 베풀어서 기름. ——-하다 타여불

혜:윤【惠潤】명 은혜를 베풀어 혜택을 줌. 또, 그 은혜.

혜윰 명〈옛〉생각. 셈. =혜욤. ¶네 게을어 도라올 혜유미 업고(汝儒歸無計)≪初杜諺 Ⅷ:36≫.

혜:은【惠恩】명 은혜. 자애(慈愛).

혜:음【惠音】명 혜서(惠書).

혜:의【惠義】명 은의(恩義). 은혜.

혜:인【惠人】명〖역〗조선 시대에, 정·종사품 종친(宗親)의 처(妻)의 품계 이름. 온인(溫人)의 위, 신인(愼人)의 아래 품계임.

혜:일【慧日】명〖불교〗부처의 지혜를 햇빛에 비유한 말.

혜:자【惠慈】명〖사람〗고구려 영양왕 때의 중. 영양왕 6년(595), 일본에 건너가 당시 섭정(攝政)으로 있던 쇼토쿠 태자(聖德太子)의 스승이 되었고, 백제승 혜총(惠聰)과 함께 호코사(法興寺)에서 포교(布敎)에 힘썼음. [?-622]

혜:장[1]【惠藏】명〖사람〗조선 시대 정조 때의 중. 속성은 김(金). 자는 무진(無盡), 호는 연파(蓮坡). 천묵(天默)에게서 외전(外典)을, 유일(有一)과 정일(鼎馹)에게서 내전(內典)을 배운 뒤 즉원(卽圓)의 법을 이어받았으며, 변려문(駢儷文)을 잘 하였음. [1772-1811]

혜장[2]【鞋匠】명 갖바치.

혜:재【惠齋】명〖사람〗어윤적(魚允迪)의 호(號).

혜저-어【鞋底魚】명〖어〗서대기.

혜:전[1]【惠展】명 '어서 펴 보십시오'의 뜻으로, 편지 겉봉의 가에 써서 경의(敬意)를 표하는 말.

혜전[2]【鞋廛】명 신전[1].

혜:정【惠政】명 자비스러운 정치.

혜:제-고【惠濟庫】명〖역〗고려 때에 빈민 구호를 맡았던 관아.

혜:조【慧鳥】명〖조〗'앵무새'의 이명(異名).

혜:존【惠存】명 자기의 저서(著書)나 작품을 남에게 드릴 때 '받아 간직해 주십사'의 뜻으로, 상대방의 이름 옆에 쓰는 말. 혜감(惠鑑).

혜:종【惠宗】명〖사람〗고려 제2대 왕. 휘(諱)는 무(武). 자는 승건(承乾). 태조의 맏아들. 후백제를 쳐서 공을 세웠으나, 후사(後嗣) 문제로 외척인 대광(大匡) 왕규(王規)로부터 위협을 받고도 처형하지 못하고 병사함. [912-945: 재위 943-945]

혜:주【惠主】명 자비스러운 군주.

혜:주 사:건【惠州事件】[—껀] 명〖역〗후이저우 사건.

혜:증【惠贈】명 혜사(惠賜). ——-하다 타여불

혜:지【慧智】명 총명한 슬기.

혜:지-계【慧智界】명〖철〗총명한 슬기의 세계.

혜:질【蕙質】명 좋은 성질. 미인의 체질.

혜:찰【惠札】명 혜서(惠書).

혜:척【惠擲】명 혜투(惠投). ——-하다 타여불

혜:철[1]【惠徹·惠哲】명〖사람〗신라 문성왕(文聖王) 때의 중. 속성은 박씨(朴氏). 자는 체공(體空). 중국 당(唐)나라에 가서 서당 지장(西堂智藏)의 법(法)을 이어 받아 귀국하여, 구산(九山)의 하나인 동리산(桐裏山)을 개산(開山)함. *구산 조사(九山祖師). [785-861]

혜:철[2]【慧哲】명 슬기롭고 명철함. ——-하다 형여불

혜:청【惠廳】명〖역〗↗선혜청(宣惠廳).

혜:초[1]【慧超·惠超】명〖사람〗신라 경덕왕(景德王) 때의 고승. 일찍이 바다로 남양(南洋)을 거쳐 인도 성지(聖地)를 순례하고 서역(西域)을 돌아 중국 당(唐)나라로 갔는데, 그의 여행기≪왕오천축국전(往五天竺國傳)≫은 세계적으로 유명함. [704-787]

혜:초[2]【蕙草】명〖식〗영릉향(零陵香).

혜:총【惠聰】명〖사람〗백제 위덕왕(威德王) 때의 중. 위덕왕 42년(595), 일본에 건너가서 고구려 중 혜자(惠慈)와 함께 일본 불교계의 중진이 되어 호코사(法興寺)에 있었음. 생몰년 미상.

혜:택【惠澤】명 은혜와 덕택. 은의(恩義). ¶자연의 ~으로.

혜:통【惠通】명〖사람〗신라 문무왕(文武王) 때의 명승. 중국 당(唐)나라에 가서 무외 삼장(無畏三藏)에게 밀교(密敎)의 법을 배우고 문무왕 5년(665)에 귀국하여, 신인 진언종(神印眞言宗)을 세웠음. 신라 최초의 국사(國師). 생몰년 미상.

혜:투【惠投】명 남이 보내 줌을 존경하여 일컫는 말. 혜척(惠擲). ——-하다 타여불

혜:패【彗孛】명〖천〗혜성(彗星)❶.

혜:풍[1]【惠風】명 ①화창하게 부는 봄바람. ②음력(陰曆) 삼월의 일컬음.

혜:풍[2]【蕙風】명 향기로운 냄새를 전하는 바람.

혜:하【惠下】명 아랫사람에게 은혜를 베풂. ——-하다 타여불

혜:한【惠翰】명 혜서(惠書).

혜:할【慧黠】명 약음. 교활함. 또, 그런 사람. ——-하다 형여불

혜:함【惠函】명 혜서(惠書).

혜:해【慧解】명〖불교〗지혜로 사리를 잘 해득함. ——-하다 타여불

혜:향【蕙香】명 향초(香草)의 냄새.

혜:현【惠現】명〖사람〗백제 삼론종(三論宗)의 고승. 백제의 북부 수덕사(修德寺)에서 살았음. 외국에 유학한 적은 없으나 이름은 해외에까지 알려졌음. [570-627]

혜:호-배【醯蝴杯】명〖역〗조선 시대 명종(明宗) 때 독서당(讀書堂)에 하사(下賜)하였던 혜호(醯蝴)를 새긴 술잔. 혜호는 벌레의 이름인데 이 벌레는 술을 마시면 곧 죽는 까닭에 술 마시기를 경계하라는 뜻으로 하사하였음. *선도배(仙桃杯).

혜:화【惠化】명 은혜를 베풀어 교화함. 은화(恩化). ——-하다 타여불

혜:화-문【惠化門】명〖지〗서울 '동소문(東小門)'의 정식 이름. 원이름은 홍화문(弘化門)인데, 조선 시대 성종 14년(1483)에 세운 창경궁(昌慶宮) 동문(東門)을 홍화문이라 명명하였으므로 중종(中宗) 6년(1511)에 혜화문으로 고침. 순조(純祖) 16년(1816)에 중수(重修)하였으나, 일제가 1930년 서울 시가(市街) 확장을 이유로 헐어 없앴는데, 1993년에 복원(復元)함.

혜:황【惠貺】명 혜사(惠賜). ——-하다 타여불

혜:훈【惠訓】명 자혜로 가르침. 또, 자비스러운 교훈. ——-하다 타여불

혜:휼【惠恤】명 자비심으로 어루만져 돌보아 줌. ——-하다 타여불

혜:힐【慧黠】명 '혜할(慧黠)'의 속음.

혬 명〈옛〉헤아림. 생각. ¶말ᄉᆞᆷᄒᆞ며 혬 혜ᄂᆞᆫ 안해 겨샤ᄃᆡ ≪月釋 Ⅸ:13≫.

혬가림 명〈옛〉헤아림. 사려(思慮). 분별(分別). ¶日暮脩竹에 혬가림도 하도할샤≪松江 思美人曲≫. 「≪杜諺 Ⅷ:9≫. *혀다[1].

혯다 타〈옛〉켰다. ¶올히와 그려기왜 혯ᄂᆞᆫ 블비체셔 자더라(鳧鴈宿張燈)

호:[1]【戶】⊟명 ①행정상 사회 조직의 단위인 집. 곧, 호적상의 가족으로 구성된 집. ②칠사(七祀)의 하나. 출입을 맡은 궁문(宮門)의 작은 신(神). ⊟의명 집의 수효를 나타내는 말. ¶50 ~ 되는 마을.

호:[2]【戶】명 성(姓)의 하나. 우리 나라에는 현존하지 아니함.

호:[3]【好】명 성(姓)의 하나. 우리 나라에는 현존(現存)하지 아니함.

호[4]【胡】명 중국에서 이적(夷狄)을 일컫던 말. 진(秦)·한(漢) 시대에는 흉노를, 당(唐) 때에는 널리 서역의 여러 민족을 일컬었음.

호[5]【胡】명 성(姓)의 하나. 본관(本貫)은 파릉(巴陵)·아산(牙山) 등 7-8개가 있음.

호[6]【弧】명〖수〗원주(圓周) 또는 기타 곡선상(曲線上)의 두 점에 의하여 한정된 부분. 원호(圓弧).

호[7]【毫】⊟명 모필(毛筆)의 털끝. ⊟수 소수(小數)의 단위의 하나. 이(釐)의 십분의 일, 사(絲)의 십배, 곧 10^{-3}. *모(毛). ⊟의명 무게 또는 길이의 단위. 곧, 이(釐)의 1/10.

호:[8]【扈】명 성(姓)의 하나. 본관은 보안(保安)·나주(羅州)·배천(白川)·전주(全州) 등 20여 본이 있음.

호[9]【湖】명 ↗호수(湖水). ¶미시간 ~.

호:[10]【號】⊟명 본명이나 자(字) 이외에 쓰는 아명(雅名). 특히, 학자·문인·화가 등 명사들이 즐겨 씀. 별호(別號). ¶~를 짓다. ⊟의명 ①차례를 나타내는 데 쓰는 말. ¶일~/삼~. ②같은 번지(番地)의 집들이 여럿이 있을 경우에, 다시 순서를 매기어 붙여 쓰는 말. ¶35번지 3~. ③신문·잡지 등 정기 간행물에서, 발행 순서·발행월(月)·발행 계절·종별 등의 뒤에 붙여 그 종류를 나타내는 말. ¶1월~/임시 증간~. ④〖인쇄〗활자의 크기를 표시할 때 수사(數詞) 뒤에 붙여 쓰는 말. 초호(初號)부터 시작하며 숫자가 커질수록 활자가 작아짐. ¶5~ 활자. ⑤〖미술〗회화(繪畫)에서, 화포(畫布)의 크기를 나타낼 때 숫자 뒤에 붙여 쓰는 말. 1호부터 시작하여 숫자가 커질수록 커짐.

호가 나다 구 세상에 널리 알려지다. ¶그 곳의 쇠전머리라 하면 가근방에선 거의가 알 만큼 호가 난 터로…≪金周榮 : 客主≫.

호[11]【壕】명〖군〗↗참호(塹壕).

호[12]【濠】명 ①성벽(城壁) 바깥을 도랑처럼 파서 물이 괴게 한 곳. 해자(垓字). ②호수(湖水). ③↗호주(濠洲).

호:[13] 부 입을 약간 오므리고 입김을 많이 불어 내는 소리. <후[9]. ——-하다 타여불

호:[14] 감 뜻밖이어서 놀라거나 감탄하여 내는 소리. ¶~, 놀랐는걸.

호:-【好】접두 명사 위에 붙어서 '좋은'의 뜻을 나타내는 말. ¶~시절(時節)/~경기(景氣).

-호:【號】접미 비행기·배·기차 등의 이름에 붙여 쓰는 말. ¶통일~.

호:가[1]【好價】[—까] 명 좋은 값.

호가[2]【呼價】[—까] 명 ①팔거나 사려는 물건의 값을 부름. ②〖경〗증권 시장의 입회장(立會場)에서, 매도(賣渡) 또는 매수하려는 사람이 표시하는 가격. ——-하다 타여불

호가[3]【胡笳】명 ①호인(胡人)이 갈잎을 말아서 부는 피리. ②〖악〗옛 중국의 관악기. 길이 2자 4치의 나무 관(管)에, 소릿구멍이 셋 있고, 양 끝에 뿔을 댔는데, 아래 끝은 굵고 위로 높이 들렸음.

호가[4]【胡歌】명 호인(胡人)의 노래.

호:가[5]【浩歌】명 목소리를 크게 질러 노래 부름. 또, 그 노래. ——-하다 자여불

호가[6]【豪家】[명] ①부유한 집. 권세가 당당한 집. ②호족.
호:가[7]【扈駕】[명]〖역〗거가(車駕)를 호종(扈從)함. ──-하다 [자][여불]
호가-가【胡笳歌】[명] 호가에 맞추어 부르는 노래.
호-가마우지【胡一】[명]〖조〗[*Phalacrocorax urile*] 가마우짓과에 속하는 새. 날개 길이는 27-29cm이며, 머리는 암녹청색이고, 목은 동청색(銅靑色)에 자줏빛의 광택이 남. 머리에는 우관(羽冠)이 있고, 머리와 목에 길고 흰 털과 허리에 크고 흰 무늬가 있음. 이마와 눈 위에는 털이 없는데 빛은 등황색(橙黃色)임. 한국 북부와 만주(滿洲) 등지에 서식(棲息)함.
호:-가사【好家舍】[명] 화려하게 잘 지은 집.
호가:스〔Hogarth, William〕[명]〖사람〗영국의 화가·동판(銅版) 화가. 영국 근대 회화 창시자의 한 사람. 처음 동판 화가로 출발하였는데 후에 유화(油畫)로 전향하여 네덜란드의 풍속화에 신랄한 사회 풍자를 가미한 독자적 화풍을 이룩함. ≪당세풍(當世風)의 결혼≫ 등 풍자적인 풍속화 외에 초상화에도 걸작이 있음. 또, 영국 만화의 개조(開祖)로 불림. [1697-1764]
호가 십팔박【胡笳十八拍】[명]〖악〗중국의 악부(樂府) 18곡의 하나. 후한(後漢)의 채염(蔡琰)이 전란으로 흉노(匈奴)에게 잡혀 가자, 그 재능을 아낀 위(魏)나라 조조(曹操)가 돈을 내어 귀향시킨 이야기를 18곡의 운문(韻文)으로 읊은 것.
호-가호위【狐假虎威】[명] 남의 권세를 빌려 위세(威勢)를 부림의 비유. ──-하다 [자][여불]
호:각[1]【互角】[명]〔쇠뿔의 양쪽이 서로 길이나 크기가 같다는 데서 나온 말〕서로 우열(優劣)이 없음. 역량(力量)이 같음.
호각[2]【胡角】[명] 호인(胡人)이 부는 뿔피리.
호:각[3]【號角】[명] 불어서 소리를 내어 신호용(信號用)으로 쓰는 물건. 옛날에는 뿔로 만들었으나, 요새는 쇠붙이 또는 플라스틱으로 만듦. 휘슬(whistle). ¶～을 불다. *호루라기.
호각[4]【蠔殼】[명] 굴껍데기.
호:각-반【虎脚盤】[명] 호족반(虎足盤).
호:각지-세【互角之勢】[명] 서로 비슷비슷한 위세.
호:감【好感】[명] ↗호감정(好感情). 호정(好情). ¶서로 ～을 갖다. ↔악감(惡感).
호-감자【胡一】[명]〈방〉고구마(황해·경기).
호-감재【胡一】[명]〈방〉고구마(황해·평남).
호:-감정【好感情】[명] ①좋게 여기는 감정. ②좋아하는 마음. 호정(好情). [준]호감(好感). 1)·2):↔악감정(惡感情).
호감-질 [명]〈방〉흠질. ──-하다 [타][여불]
호강[1] [명] 영화를 누림. 호화롭고 편안한 삶을 누림. ──-하다 [자][여불]
호강[2]【豪強】[명] 뛰어나게 굳셈. ──-하다 [형][여불]
호강-살이 [명] 호강스러운 생활. ──-하다 [자][여불]
호강-스럽다 [형][ㅂ불] 호화롭고 팔자 좋은 삶을 누리는 듯하다. ¶호강스러운 살림. **호강-스레** [부]
호강 작첩【一作妾】[명] 호강으로 첩을 얻음. 또, 그 첩. ──-하다 [자][여불]
호강-첩【一妾】[명] 호강하는 첩. 부유(富裕)한 사람을 만나 호강스럽게 지내는 첩.
호-개비 [명]〈방〉호주머니(전남).
호객【豪客】[명] ①호탕한 사람. ②기운을 뽐내는 사람.
호갬-질 [명]〈방〉흠질. ──-하다 [타][여불]
호:거[1]【好居】[명] 살림이 넉넉하여 잘 삶. ──-하다 [자][여불]
호:거[2]【虎踞】[명] ①범같이 무릎을 세우고 앉음. ②지세(地勢)가 웅장함을 일컫는 말. ③괴석(怪石)의 형용. ──-하다 [자][여불]
호거[3]【豪擧】[명] ①장한 거사(擧事). ②호협(豪俠)한 행동.
호:거 용반【虎踞龍盤】[명] 용반 호거(龍盤虎踞).
호:건[1]【好件】[―껀] [명] 좋은 물건.
호:건[2]【虎巾】[명]〖역〗명절이나 돌·생일 등에 두루마기 위에 전복을 입고 복건(幞巾) 대신 썼던, 5, 6세까지의 사내 아이의 건(巾)의 하나. 어린애가 씩씩해지기를 빌어 호랑이 눈썹·눈·수염·이빨·귀 따위를 이마 부분에 수놓음.
호건[3]【豪健】[명] 뛰어나게 건장(健壯)함. 세차고 굳셈. 항건(伉健). ──-하다 [형][여불]
호걸【豪傑】[명] 지용(智勇)이 뛰어나고 기개(氣槪)·풍도(風度)가 있는 사람. ¶영웅 ～.
호걸 남자【豪傑男子】[―람―] [명] 호걸의 성품을 지닌 남자.
호걸-스럽다【豪傑―】[형][ㅂ불] 지용(智勇)·기개(氣槪)가 뛰어나 보이다. 호걸의 성품이 있어 보이다. **호걸-스레**【豪傑―】[부]
호걸-웃음【豪傑―】[명] 호걸다운 호탕한 웃음.
호걸-풍【豪傑風】[명] 호걸의 기풍(氣風)이나 풍모(風貌). ¶～의 사나이.
호게 [명]〈방〉회계(會計). 셈(강원·평북).
호격【呼格】[―껵] [명]〖언〗① ↗호격 조사(呼格助詞). ②〔vocative case〕인구 어족(印歐語族)의 격(格)의 한 가지. 호칭(呼稱)을 나타내는 형식. 그리스어·라틴어 등에는 특수한 어형(語形)이 있으나, 대개는 주격(主格)과 같은 형임. 부름자리.
호격 조:사【呼格助詞】[―껵―] [명]〖언〗독립격 조사(獨立格助詞). [준]호격.
호:-결과【好結果】[명] 좋은 결과. 호과(好果).
호:경[1]【好景】[명] 좋은 경치.
호경[2]【鎬京】[명]〖지〗중국 산시 성(陝西省) 장안 현(長安縣) 남서부의 유적. 주(周)나라 무왕(武王)이 도읍하여 동천(東遷)할 때까지의 왕도(王都)였음.
호:-경골【虎脛骨】[명]〖한의〗범의 앞 정강이뼈. 다리에 힘을 돋구기 위한 보약(補藥)으로 씀.
호:-경기【好景氣】[명] ①좋은 경기. ¶근래에 드문 ～. ②〖경〗모든 기업체의 활동이 정상 이상(正常以上)에 있을 때의 경제계 활동의 형태. 1)·2):↔불경기.
호-경(:)재【胡敬齋】[명]〖사람〗중국 명나라의 유학자. 이름은 거인(居仁). 자는 숙심(叔心), 호는 경재. 장시 성(江西省) 라오저우위간(饒州餘干) 사람. 오강재(吳康齋)에게서 배우고 각지를 유력(遊歷)하면서 백록동(白鹿洞) 등의 여러 서원에서 강의함. 명대(明代)의 주자학(朱子學)에 있어 설경헌(薛敬軒)과 쌍벽을 이룸. [1434-84]
호:계【虎溪】[명]〖지〗'후시'를 우리 음으로 읽은 이름.
호-계(:)립【胡啓立】[명]〖사람〗'후 치리'를 우리 음으로 읽은 이름.
호:계 삼소【虎溪三笑】[명]〖미술〗동양화의 화제(畫題). 중국 진(晉)나라의 혜원 법사(慧遠法師)가 루산(廬山) 산의 동림사(東林寺)에 은거, 호계를 건너지 아니하기로 했으나 찾아온 도연명(陶淵明)·육수정(陸修靜)을 배웅할 때 무심코 여기를 건너 버려 세 사람이 크게 웃었다는 고사(故事)를 바탕으로 그린 것. 삼소(三笑).
호:고[1]【好古】[명] 옛 도(道) 또는 옛 것을 좋아함. ──-하다 [자][여불]
호고[2]【胡考】[명] 장수(長壽). 오래 삶. 또, 늙은이.
호-고추【胡一】[명] 중국 만주(滿洲)에서 생산되는 고추.
호:곡【號哭】[명] 목놓아 슬피 욺. ──-하다 [자][여불]
호곡-선【弧曲線】[명]〖수〗트랙트릭스(tractrix).
호:곡-성【號哭聲】[명] 목놓아 슬피 우는 울음 소리.
호:골【虎骨】[명]〖한의〗범의 뼈. 성질이 따스하여 근골(筋骨)을 튼튼하게 하는 약제로 쓰임. 역절풍(歷節風)·경계증(驚悸症) 등에도 쓰임.
호:골-고【虎骨膏】[명]〖한의〗범의 뼈를 고아서 만든 고(膏). 위장병·골통(骨痛) 및 보약(補藥) 등으로 쓰임.
호-골무꽃【胡一】[명]〖식〗[*Scutellaria dentata*] 꿀풀과에 속하는 다년초. 줄기는 방형(方形), 높이는 20cm 내외로 잎은 대생하고 다소 장병(長柄)에 달걀꼴 또는 둥근 달걀꼴임. 8-9월에 백색에 자색을 띤 꽃이 총상(總狀) 화서로 정생하는데 화관(花冠)은 긴 통상 순형(筒狀脣形)임. 깊은 산에 나는데, 평북·함북의 백두산에 분포함.
호:골-주【虎骨酒】[―쭈] [명]〖한의〗호경골(虎脛骨)을 누렇게 구워 빻아서 누룩·쌀 등과 버무려 담근 술. 또는 호경골을 우려낸 술. 역절풍(歷節風)·견비통(肩臂痛)·신허(腎虛)·방광 한통(膀胱寒痛) 등을 다스림.
호공 [명]〈방〉회공.
호공-되다 [자]〈방〉회공되다.
호:과[1]【好果】[명] 좋은 결과. 호결과(好結果).
호과[2]【胡瓜】[명]〖식〗오이.
호과[3]【瓠果】[명]〖식〗박과(科)에 딸린 식물의 열매. 장과(漿果)와 비슷하나 겉가죽이 단단함. 수박·참외 등.
호:관【好官】[명] 미관(美官).
호관-묘【壺棺墓】[명]〖역〗삼국 시대 말기에 백제에서 쓰인 옹관 묘제(甕棺墓制)의 하나. 토광(土壙)이나 석곽(石槨) 속에 경질 토기(硬質土器) 항아리를 가로 뉘어 놓고 뚜껑으로 막음. 높이가 1m 미만이므로 신전장(伸展葬)에 부적당하여, 2차장으로 보임.
호광【弧光】[명]〖전〗호상(弧狀)의 빛. 아크 방전(arc放電)의 빛. 아크.
호-광대수염【胡一鬚髯】[명]〖식〗[*Lamium cuspidatum*] 꿀풀과에 속하는 다년초. 줄기는 방형(方形)이며 높이가 50cm 가량이고 잎은 대생(對生)하며 장병(長柄)에 긴 달걀꼴 또는 달걀꼴의 피침형임. 7-8월에 담홍자색의 꽃이 줄기 위 엽액(葉腋)에 윤상(輪狀) 화서로 밀착하여 피고, 화관(花冠)은 통상 순형(筒狀脣形), 열매는 수과(瘦果), 씨는 사면형(四面形)임. 산이나 들에 나는데, 함남의 부전 고원(赴戰高原) 등지에 분포함.
호광-등【弧光燈】[명]〖전〗아크등(arc燈).
호광-로【弧光爐】[―노] [명] 전극 사이 또는 전극과 피열체(被熱體) 사이에 호광(弧光)을 만들어 그 열로 직접 또는 간접으로 가열하는 전기로의 하나. 전호로(電弧爐). *저항로(抵抗爐)·유도로(誘導爐).
호광 평야【湖廣平野】[명]〖지〗후광(湖廣) 평야.
호:교-론【護敎論】[명]〖종〗호교학.
호:교-학【護敎學】[명]〔apologetics〕〖종〗종교의 비합리성(非合理性)·비과학성을 지적하여 비난(非難)하는 사람들에 대하여, 종교는 초이성(超理性)인 것이지 반이성(反理性)인 것은 아니라고 주장하는 신학의 한 분야. 또는 종교·계시(啓示) 및 기독교의 기초를 이성에 의하여 설명하는 학문. 호교론(護敎論). 변증론(辨證論). 기초 신학.
호구[1] [명] ☞ 괴통.
호:구[2]【戶口】[명] ①〖역〗별급 호적(別給戶籍). ②호수(戶數)와 식구수(食口數). ¶～ 조사.
호:구[3]【虎口】[명] ①매우 위험한 지경이나 경우. ¶～를 벗어나다. ②바둑에서, 상대편 바둑 석 점이 이미 싸고 있는 그 속. ¶～를 치다.
호구[4]【狐裘】[명] 여우의 흰 털로 만든 옷. ──-하다 [자][여불]
호구[5]【糊口·餬口】[명] 입에 풀칠함. 곧, 겨우 먹고 사는 일. ¶～지책.
호:구[6]【護具】[명] 검도(劍道)나 펜싱 등에서 얼굴·몸통·팔 등을 가려 상대의 공격을 막아 보호하는 용구(用具).
호:구 단자【戶口單子】[명]〖역〗조선 시대 때, 3년마다의 호구 조사에, 각 호(戶)의 가장이 지방 수령(守令)에게 신고하는, 호적 등본과 같은 문서. 거지(居地)·직역(職役)·성명·연갑(年甲)·본관(本貫)·사조(四祖), 처(妻) 및 처의 연갑·본관·사조, 솔거 자녀(率居子女)·노비(奴婢)와 그 연갑 등을 적음.
호:구 대:감【戶口大監】[명]〖민〗별성 마마.
호:구 만:명【戶口萬明】[명]〖민〗천연두로 죽은 사람의 귀신을 가리키는 말.

호:구-별【戶口別】[명] 호구에 따라 가른 구별.

호:구 별성【戶口別星】[—썽] [명] 〖민〗 집집이 찾아 다니며 천연두를 앓게 한다는 여신(女神). 강남(江南)으로부터 특별한 사명을 띠고 거의 주기적으로 찾아 와서 두창(痘瘡)을 치르게 한다는 객성(客星). 호귀 별성(胡鬼別星). 두신(痘神). 역신(疫神). [준]별성(別星).

호:구-식【戶口式】[명] 〖역〗 조선 시대 때, 식년(式年)마다 호주(戶主)가 작성하여 호적색(戶籍色)에 제출하는 호적 단자(單子)의 양식. *준호구식(准戶口式).

호:구 여생【虎口餘生】[명] 구사 일생(九死一生)으로 살아 남은 목숨.

호:구-전【好逑傳】[명] 〖책〗 중국 명대(明代)의 문어체(文語體)의 재자 가인 소설(才子佳人小說). 18회로 되어 있으며, 작자는 미상(未詳)임. 문재(文才)에 뛰어나고 미남자인 철중옥(鐵中玉)이 산동(山東)에 유학 중(遊學中), 재색(才色)을 겸비한 수빙심(水氷心)이라는 여자가 과기조(過其祖)로부터 결혼을 강요당하여 곤란한 처지에 있는 것을 구해 준 것이 인연이 되어 약혼하자, 이에 질투한 과기조가 두 사람을 사통자(私通者)로서 천자(天子)에게 고소하여 황후가 수빙심의 신체 검사를 했으나, 처녀임이 판명되어 과기조는 무고(誣告)로 벌을 받은 반면, 두 사람은 결혼을 하고 천자로부터 은상(恩賞)을 받았다는 이야기. 협의 풍월전(俠義風月傳).

호:구 조사【戶口調査】[명] ①호수(戶數) 및 인구를 조사하는 일. ②집집이 다니며 가족의 동태를 조사하는 일. ——-하다 [자][여불]

호구지-계【糊口之計】[명] 호구지책.

호구지-방【糊口之方】[명] 호구지책.

호구지-책【糊口之策】[명] 그저 먹고 살아 가는 방책. 호구지계. 호구지방. 구식지계(口食之計). [준]호구책.

호구-책【糊口策】[명] ↗호구지책.

호국¹【胡國】[명] ①미개한 야만인의 나라. ②북방의 오랑캐 나라.

호:국²【護國】[명] 나라를 수호(守護)함. ¶~의 영령. ——-하다 [자][여불]

호:국-군【護國軍】[명] 〖역〗 1948년 8월 15일 대한 민국 정부 수립 직후부터 1949년 8월까지의 동안, 지원자로서 편성하여 창설되었던 육군의 예비군. 거주지의 현역 연대(聯隊)에 소속되어 생업에 종사하면서 필요한 군사 훈련을 받음.

호:국-단【護國團】[명] ①학도 호국단. ②호국을 위하여 뭉친 단체.

호:국-백【護國伯】[명] 〖민〗 조선 태조(太祖) 때 지리산(智異山)·무등산(無等山)·금성산(錦城山)·계룡산(鷄龍山)·감악산(紺岳山)·삼각산(三角山)·백악(白岳)들과 진주(晉州)에 있는 서낭에 붙인 이름.

호:국 보:훈의 달【護國報勳—】[—/—에—] [명] 국토 방위에 목숨을 바친 영령(英靈)들의 명복을 빌고 호국 정신을 되새기기 위하여 정한 달. 현충일(顯忠日)이 들어 있는 매년 6월.

호:국 삼경【護國三經】[명] 〖불교〗 법화경(法華經)·금광명경(金光明經)·인왕경(仁王經)의 세 불경. 이 경전을 읽고 많은 사람들이 그대로 수행(修行)하면 그 나라가 선신(善神)의 가호(加護)를 받는다 함.

호군¹【犒軍】[명] 호궤(犒饋). ——-하다 [타][여불]

호:군²【護軍】[명] 〖역〗 ①고려 공민왕(恭愍王) 때 장군(將軍)의 고친 이름. 정사품. ②조선 시대 때 오위(五衛)의 정사품 무관 벼슬.

호:군-방【護軍房】[명] 〖역〗 조선 시대 때 호군 이상이 모여서 군사(軍事)를 의논(議論)하던 곳. 고려 중방(重房)의 후신(後身)으로 태종(太宗) 6년(1406)에 장군방(將軍房)을 고친 이름.

호:굴【虎窟】[명] 범이 사는 굴. 곧, 가장 위험한 곳. 범굴. 호혈(虎穴).

호궁【胡弓】[명] 〖악〗 동양에서, 활로 연주하는 현악기(絃樂器)의 총칭. 중국의 호금(胡琴), 우리 나라의 해금(奚琴) 따위가 이에 속함.

호궤【犒饋·犒饋】[명] 음식물(飮食物)을 베풀어서 군사(軍士)들을 위로(慰勞)함. 호군(犒軍). 호석(犒錫). ——-하다 [타][여불]

호귀 별성【胡鬼別星】[—썽] [명] 〖민〗 호구 별성(戶口別星).

호:균【虎菌】[명] 〖의〗 콜레라균(cholera 菌).

호그벤 [Hogben, Lancelot] [명] 〖사람〗 영국의 생리학자·저술가. 버밍검(Birmingham) 대학 동물학 및 의학 통계학 교수. ≪백만인의 수학≫·≪시민의 과학≫ 등 많은 과학 계몽 서적으로 알려지고, 확률·통계에 관한 저서도 있음. [1895-1975]

호그-위:드 [hogweed] [명] 〖식〗 돼지풀.

호금【胡琴】[명] 〖악〗 ①중국 당(唐)나라 때에 호인(胡人)의 현악기란 뜻으로 비파(琵琶)를 일컫던 말. ②중국(中國)의 호궁(胡弓). 원(元)나라 때에 비롯되어 명(明)나라·청(淸)나라 때에 크게 쓰이어, 특히 경극(京劇)에서는 주요 악기를 이룸. 원통 모양의 통에 뱀 가죽을 메우고, 줄을 두 줄 매어, 말총으로 만든 활로 켬.

〈호금❷〉

호금-조【胡錦鳥】[명] 〖조〗 [*Poephila gouldiae*] 베틀샛과(科)에 속하는 매우 화려하고 고운 새. 참새만한 크기로, 날개길이 6.5cm, 꽁지는 끝이 뾰족하고 길어 6cm 가량. 수컷은 몸이 녹색이며 꽁지가 검고, 머리와 얼굴은 진홍색, 가슴은 보랏빛, 그 아래는 노란 빛, 부리와 다리는 담갈색임. 암컷은 빛이 약간 칙칙하고 꽁지가 좀 짧음. 오스트레일리아의 북부와 북서부의 초원(草原)에 한 쌍 또는 떼지어 살며, 잡초의 씨를 먹음. 잘 번식하므로 널리 사육되며, 보통, 십자매(十姉妹)에게 알을 품게 함. 머리가 온통 검거나 노란, 검은머리호금조·노랑머리호금조 등의 변종(變種)이 있음.

〈호금조〉

호:급 둔:전【戶給屯田】[명] 〖역〗 여말 선초(麗末鮮初)에 실시되었던 둔전의 하나. 경작을 군인에게 한(限)하지 않고 일반 민호(民戶)에도 일정한 토지를 주어 경작하게 하고 추수(秋收) 때 조세(租稅)를 거두어 군자(軍資)에 충당하였음. 폐단이 많아 여러 번 중지하였었음.

호:기¹【好奇】[명] 신기한 것을 좋아함. ——-하다 [자][여불]

호:기²【好期】[명] 좋은 때. 좋은 시기. 호시기(好時期).

호:기³【好機】[명] 좋은 기회. 호기회(好機會). ¶물실(勿失) ~.

호기⁴【呼氣】[명] 폐(肺)로부터 몸 밖으로 내쉬는 숨. 숨을 내 뿜는 일. 애기(噫氣). ↔흡기(吸氣).

호기⁵【呼旗】[명] 〖민〗 ①고려 말 조선 초의 옛날 풍속의 하나. 음력 사월 파일 며칠 전에, 어린 아이들이 대나무 가지에 종이를 달아 깃발을 만들고 성 안의 거리를 두루 다니며 등잔불 켜는 씀씀이를 달라고 비는 일. ②사월 초파일 며칠 전에, 등(燈)대 끝에 꿩의 꼬리털을 꽂고 다는, 물들인 비단 기(旗). 여기에 줄을 매어 등(燈)을 닮.

호기⁶【胡騎】[명] 오랑캐의 기병(騎兵).

호:기⁷【浩氣】[명] 호연(浩然)한 기운. 정대(正大)한 기운. 호연지기(浩然之氣).

호:기⁸【號旗】[명] 신호를 하기 위하여 사용하는 기.

호기⁹【豪氣】[명] ①씩씩하고 호방(豪放)한 기상. ②호걸스럽고 장한 의기. ③꺼드럭거리는 기운.

호기(를) 부리다 [구] 호기 만발한 태도를 나타내다.

호기-롭다【豪氣—】[형][ㅂ불] ①의기 양양하다. ②꺼드럭거리며 뽐내는 기운이 있다. **호기-로이**【豪氣—】[부]

호기 만:발【豪氣滿發】[명] 호기(豪氣)로운 기운이 온 몸에 차서 드러남. ——-하다 [형][여불]

호기-상【呼氣像】[명] 찬 유리나 운모(雲母) 등의 표면에 입김을 쐴 때 그 표면에 입김이 응결(凝結)하여 나타나는 상(像).

호:기 생활【好氣生活】[명] [aerobiosis] 〖생〗 산소(酸素) 호흡을 하는 생활. ↔혐기(嫌氣) 생활.

호:기-성【好氣性】[—썽] [명] 세균 등이, 산소가 들어 있는 공기를 좋아하여 그런 환경 속에서 잘 생육하는 성질. ↔혐기성(嫌氣性).

호:기성-균【好氣性菌】[—썽—] [명] 〖생〗 호기성 세균.

호:기성 생물【好氣性生物】[—썽—] [명] 〖생〗 정상적인 생활에 산소를 필요로 하는 생물. ↔혐기성 생물(嫌氣性生物).

호:기성 세:균【好氣性細菌】[—썽—] [명] [aerobic bacteria] 〖식〗 산소가 있는 곳에서 생육(生育) 번식하는 세균. 호기성균. ↔혐기성(嫌氣性) 세균. *편성(偏性) 호기성 세균.

호:기성 혐기성 계:면【好氣性嫌氣性界面】[—썽—썽—] [명] [aerobic-anaerobic interface] 〖생〗 하수 오니(下水汚泥)나 퇴비(堆肥) 속에서 박테리아가 작용할 때, 호기성 미생물과 혐기성 미생물 양자가 작용하여, 더 이상 분해가 이루어지지 않게 된 점.

호기-스럽다【豪氣—】[형][ㅂ불] 호기로운 태도가 있다. 호기로워 보이다. **호기-스레**【豪氣—】[부]

호:기-심【好奇心】[명] 신기한 것을 좋아하거나 모르는 일을 알고 싶어 하는 마음. 특수한 일을 좋아하는 마음. ¶~에 이끌리다.

호기-음【呼氣音】[명] 호기로 인해 나는 소리. 보통의 말소리임. 호식음(呼息音). ↔흡기음(吸氣音).

호:기적 발효【好氣的醱酵】[명] 〖화〗 아세트산(酸) 발효 등과 같이, 유리 산소(遊離酸素)의 존재에 의하여 진행되는 발효.

호:-기회【好機會】[명] 호기(好機).

호ᄀᆞᆫ [형] 〈옛〉 작은. '혹다'의 활용형. =효ᄀᆞᆫ. ¶또 호ᄀᆞᆫ 돌ᄒᆞᆯ 봇가 븕게 ᄒᆞ야(又將石沙炒令赤色)≪救方 上 33≫.

호깨 [부] 〈방〉 퍽⁴(평안).

호깨-나무 [명] 〖식〗 [*Hovenia dulcis*] 갈매나뭇과에 속하는 낙엽 활엽 교목. 높이 10m 가량, 잎은 넓은 달걀꼴이며 두 개의 줄기 엽맥(葉脈)이 있음. 7월에 흰 오판화(五瓣花)가 취산(聚繖) 화서로 액생(腋生) 또는 정생(頂生)하고, 갈색의 둥근 과실이 10월에 익는데 씨는 세 개이고 화경(花梗)은 육질(肉質)임. 산복(山腹) 이하의 숲 속에 나며, 한국 중부 이남 및 일본·중국에 분포함. 줄기로는 가구(家具)·악기 등을 만들며, 과실은 단맛이 있어 식용함. 기구(枳椇). 목밀(木蜜). 목산호(木珊瑚). 허깨나무.

〈호깨나무〉

호께 [부] 〈방〉 퍽²(평안).

호-나복【胡蘿蔔】[명] 〖식〗 당근.

호남【湖南】[명] 〖지〗 전라 북도·전라 남도를 일컫는 말.

호남-가【湖南歌】[명] 〖악〗 신재효(申在孝)가 지은 단가(短歌). 호남 일대의 지명에 따른 풍경을 엮은 노래.

호남 고속 도:로【湖南高速道路】[명] 〖지〗 대전(大田) 회덕(懷德) 분기점(分岐點)에서 전라 남도 순천을 잇는 고속 도로. 1973년 11월에 개통되었음. [251.8km]

호남 방언【湖南方言】[명] 서남 방언.

호남-벌【湖南—】[—뻘] [명] 호남 평야(湖南平野)를 중심으로 펼쳐진 너른 전라도 벌판.

호남 병:자 창:의록【湖南丙子倡義錄】[—/—이—] [명] 〖책〗 병자 호란(丙子胡亂) 창의록.

호남 삼호【湖南三湖】[명] 〖역〗 호남 지방의 옛 저수지인 익산(益山)의 황등제(黃登堤), 김제(金堤)의 벽골제(碧骨堤) 및 고부(古阜)의 눌제(訥堤)의 일컬음.

호남-선【湖南線】[명] 〖지〗 대전(大田)에서 시발하여 논산(論山)·강경(江景)·이리(裡里)·송정(松汀)을 거쳐 목포(木浦)에 이르는 철도. 호서·호남 평야의 농산물을 수송함. 1914년 1월 11일 개통. [261.1km]

호남-성【湖南省】[명] 〖지〗 후난 성.

호:-남아【好男兒】[명] ①씩씩하고 쾌활한 남자. ②미남자(美男子).

호:-남자【好男子】[형] 미남자(美男子). 호남아.

호남 정:맥【湖南正脈】[명] 〖지〗 13정맥(正脈)의 하나. 금남 호남 정맥

(錦南湖南正脈)의 끝인 주화산(珠華山)에서 시작되어 서남쪽의 내장산(內藏山)에 이르고, 다시 남해안의 장흥(長興)으로 뻗어 영산강(榮山江) 유역과 섬진강(蟾津江) 유역을 갈라 놓은 다음, 남쪽 해안 지방과 보성강(寶城江) 유역을 가름하고 있는 호남 지방의 큰 산줄기의 조선 시대 이름. 무등산(無等山)·사자산(獅子山)·조계산(曹溪山)·가야산(伽倻山)·백운산(白雲山) 등이 이에 속함.

호남 평야【湖南平野】명〖지〗전라 남도 서반부와 전라 북도의 일부를 차지하는 우리 나라 최대의 평야. 전주(全州)·군산(群山)·정읍(井邑)·김제(金堤)·익산(益山) 등 시(市)와 부안(扶安)·고창(高敞)·영광(靈光)·완주(完州)의 각 군(郡)에 걸친 평야. 금강(錦江)·만경강(萬頃江)을 비롯한 해안 일대로 형성되었음. 토질이 비옥하고, 기후가 온화하며 관개 시설이 우수하여 한국 제일의 곡창(穀倉)을 이룸. [3,500 km²]

호:냉-균【好冷菌】명〔low temperature bacteria〕〖의〗널리 대기 중(大氣中)이나 수중(水中)의 온도가 낮은 장소에 존재하는 비병원성(非病原性)의 균.

호네커〔Honecker, Erich〕명〖사람〗동독(東獨)의 정치가. 1935-45년 반(反)나치스로 투옥되었으며, 1956년 모스크바에 유학(留學)하고, 1958년 사회주의 통일당 정치국원, 1971년 당 제1 서기를 역임함. 1976년부터는 국가 평의회(國家評議會) 의장을 겸임하다가, 독일의 통일로 실각함. [1912-]

호녀【胡女】명 만주(滿洲) 여자.

호-년【呼一】명 '이 년'·'저 년' 하고 여자(女子)를 '년'자(字)를 붙여 부름. ¶~하고 싸우다 / 같은 상것들인 주제에 누굴 보고 ~이우?《金周榮 : 客主》. ——하다 자 여불

호:념【護念】명〖불교〗부처나 보살(菩薩)을 마음에 잊지 않고 염송(念頌)하는 일. 섭수(攝受).

호:녕 철도【滬寧鐵道】[—또] 명〖지〗후닝 철도.

호-노루발【胡—】명〖식〗[*Pyrola dahurica*] 노루발과에 속하는 상록 다년초. 꽃줄기는 높이 23cm 내외이고 잎은 근생(根生)하며 장병(長柄)에 다소 원형임. 6-7월에 황백색 꽃이 총상(總狀) 화서로 정생하고, 과실은 삭과(蒴果)임. 산지에 나는데, 함경도 부전(赴戰) 고원에 분포함.

호노리우스〔Honorius, Flavius〕명〖사람〗서(西)로마 황제. 아버지인 테오도시우스(Theodosius) 1세의 사후 로마 제국을 형 아르카디우스(Arcadius)와 양분(兩分)하여 서쪽의 황제가 됨. [384-423; 재위 395-423]

호노 자식【胡奴子息】명 호래아들.

호노 한:복【豪奴悍僕】명 고분고분한 데가 없고 몹시 사나운 종.

호노호-하【瑚努呼河】명〖지〗혼하(渾河).

호놀룰루〔Honolulu〕명〖지〗미국 하와이 주의 주도. 태평양 횡단 항로(航路)·공로(空路)가 집중하는 교통의 요지임. 해양성의 온화한 기후로 북서쪽의 펄하버(Pearl Harbor) 곧, 진주만(眞珠灣)에는 군사 기지가 있으며, 다이아몬드헤드·와이키키 등 관광지로서도 유명함. 제당(製糖)·파인애플 통조림 등의 식품 가공이 주(主)공업임. 하와이 대학·비숍(Bishop) 박물관·이오라니 궁전이 있음. [838,660 명 (1988)]

호농【豪農】명 많은 땅을 가지고 짓는 농사. 또, 그 집. 대농(大農).

호누-대:다 타〈방〉혼내다.

호니아라〔Honiara〕명〖지〗솔로몬 제도(諸島)의 수도. 멜라네시아의 과달카날(Guadalcanal) 섬 북안(北岸)에 위치하며 동쪽 교외에 헨더슨 국제 공항이 있음. 벼농사의 기계화가 진행되고 있음. [41,000 명 (1995)]

호니크만 방식【—方式】명〔Honigmann process〕〖광〗함수사(含水砂)에 수갱(竪坑)을 파내려가는 방법. 수갱은 단계(段階)마다 구멍이 뚫리며, 대개 지름이 4 피트의 선진공(先進孔)에서 최종적인 크기까지 차차 크게 넓혀짐.

호:닝〔horning〕명〖공〗원통상(圓筒狀)의 물건을 기계적으로 완성하는 최후 단계에서 사용되는 공작법. 곧, 숫돌로 갈아 반질반질하게 하는 방법.

호놀 타〈옛〉하는 것을. 'ᄒᆞ다¹'의 활용형. ¶德으란 곰비예 받즙고 福으란 림비예 받즙고 德이여 福이라 ᄒᆞ놀 나ᅀᆞ라 오소이다《樂範 動動》.

호:다¹ 타 헝겊을 겹치어 성기게 꿰매다. ¶솔기를 ~.

호다² 보동〈옛〉하다. =ᄒᆞ다². ¶어린 百姓이 니르고져 홇배 이셔도《訓諺》.

-호다 미〈옛〉-하다. =-ᄒᆞ다. ¶世亂울 救ᄒᆞ려나샤(世亂將救)《龍歌 29章》.

호단【毫端】명 붓끝.

호:담¹【虎毯】명 ↗호담자.

호:담²【虎膽】명〖한의〗범의 쓸개. 식욕 부진·이뇨 통변(利尿通便) 및 아이들 경풍(驚風) 등에 약재로 쓰임.

호담³【豪談】명 호언(豪言)과 장담(壯談). ——하다 자 여불

호담⁴【豪膽】명 매우 담대함. ——하다 형 여불

호:-담자【虎毯子】명 범의 가죽 무늬를 그린 담요. 가장자리는 붉고 범의 가죽 부분은 누른 반점(斑點), 안은 검은 빛임. 옛날 상류 사회에서 혼례식(婚禮式) 같은 의식에 흔히 깔았음. ㈜호담. *호탄자.

호:당¹【戶當】명 한집 몫. 집마다 배당된 몫. ¶~ 천 원씩.

호당²【湖堂】명〖역〗문관 중에 특히 문학에 뛰어난 사람에게 사가(賜暇)하여 오로지 학업을 닦게 하던 서재(書齋). 또, 여기에 뽑히어 공부를 더 하던 사람. 문형(文衡)의 추천으로 왕명(王命)에 의하여 들어갔으며 여기를 거치면 문관으로서의 장래가 보장되었었음. 조선 시대 세종(世宗) 8년(1426)에 사가 독서(賜暇讀書)의 제도를 두고 연산군(燕山君) 때에는 한때 폐지되기도 하였으나 성종(成宗) 23년(1492)에 지금의 구용산(舊龍山)에 있던 폐사(廢寺)를 수리하여 처음으로 독서당을 베풀어서 정조(正祖) 때에 규장각(奎章閣)의 기구를 넓히어 이를 폐하였음. 별칭: 독서당(讀書堂).

호:대¹【戶大】명 술을 많이 먹는 사람. 주량(酒量)이 큰 사람. 술고래.

호:대²【浩大】명 썩 넓고 큼. ¶~한 국고를 기울이고 수천 백성을 부역 들여 화사한 능침을 모시어 놓았으나…《朴鍾和 : 錦衫의 피》. ——하다 형 여불

호:대 당백전【戶大當百錢】명〖역〗'당백전(當百錢)'의 정식 이름.

호-대황【胡大黃】명〖식〗[*Rumex gmelini*] 마디풀과에 속하는 다년초. 줄기는 높이 1m 가량이고, 잎은 호생하며 장병(長柄)에 삼각형 또는 달걀꼴 타원형임. 7-8월에 녹색 꽃이 원뿔 화서로 윤생(輪生)하여 피며, 과실은 수과(瘦果)임. 깊은 산의 습지에 나는데, 함남에 분포함.

호데이다〔Hodeida〕명〖지〗예멘 공화국의 서부 홍해(紅海) 연안의 항구 도시. 직물·염색 등의 수공업(手工業)이 행하여지며, 커피·피혁·대추야자 등을 수출함. 1849년에 터키가, 제1차 세계 대전 후에는 영국이 점령. 1921년에 예멘 아랍 공화국에 귀속함. [155,110 명 (1986)]

호:덴〔도 Hoden〕명 고환(睾丸).

호도¹ 명〈방〉태두(太豆).

호:도²【好道】명 ↗호도리(好道理).

호:-도³【虎島】명〖지〗경상 남도의 남해상(南海上), 남해군(南海郡) 미조면(彌助面) 미조(彌助) 3리에 위치한 섬. 범섬. [0.138 km² : 112 명 (1984)]

호:도⁴【虎圖】명 호랑이를 그린 영모화(翎毛畫) 화제(畫題) 중의 하나.

호도⁵【胡桃】명 →호두⁴.

호-도⁶【狐島】명〖지〗충청 남도의 서해상(西海上), 보령시(保寧市) 오천면(鰲川面) 녹도리(鹿島里)에 위치한 섬. [1.3 km² : 226 명 (1984)]

호도⁷【湖島】명 호수 가운데에 있는 섬.

호도⁸【糊塗】명 ①성정(性情)이 어둡고 흐리터분함. ②명확히 결말을 내지 아니함. 우물쭈물하여 덮어 버림. ¶~지책(策)/~ 미봉책(彌縫策). ——하다 형 타 여불

호도⁹【弧度】의명〖수〗'라디안(radian)'의 구용어.

호도그래프〔hodograph〕명〖물〗속도(速度) 벡터(vector)의 시점(始點)을 고정(固定)하였을 때 벡터의 선단(先端)이 그리는 도형. 질점(質點)과 강체 운동(剛體運動)의 해석(解析)에 쓰임.

호도깝-스럽다 형 ㅂ불 언행(言行)이 경망(輕妄)하고 조급(躁急)하다.
호도깝-스레 부

호도-나무【胡桃—】명〖식〗☞ 호두나무.

호도-당【胡桃糖】명 ①후두엿. ②호두의 속살에 설탕을 쳐서 만든 당속(糖屬).

호도독-거리다 자〈방〉호드득거리다.

호:-도리【好道理】명 좋은 도리. 앞으로 잘해 나갈 방도(方途). ㈜호도(好道).

호:도 반:도【虎島半島】명〖지〗함경 남도 영흥만(永興灣) 안에 있는 송전만(松田灣)을 둘러 싸서 방파제의 역할을 하는 쇠발 모양의 반도. 남단에 등대가 있음.

호도-법【弧度法】[—뻡] 명〔circular method〕〖수〗라디안(radian)을 단위로 하여 중심각을 재는 방법.

호도스코:프〔hodoscope〕명〖물〗카운터 호도스코프(counter hodoscope).

호도애 명〖조〗멧비둘기❶.

호도-옴【胡桃—】명 호두옴.

호도-유【胡桃油】명 호두 속살에서 짜 낸 기름.

호도-잠【胡桃簪】명 호두잠.

호도 장아찌【胡桃—】명 호두 장아찌.

호도-주【胡桃酒】명 호두주.

호도-죽【胡桃粥】명 호두죽.

호도 튀김【胡桃—】명 호두 튀김.

호돌로지〔hodology〕명〖심〗독일의 심리학자 레빈(Lewin, Kurt; 1890-1947)이 호도그래프를 심리학에 응용한 것으로, 생활 공간(生活空間) 내에서 이행(移行)하는 통로의 방향 또는 두 개 이상의 방향 사이의 관계·거리 등을 취급한 개념의 일종의 기하학적 체계.

호:돌-이【虎乭—】명 상모 달린 전립(戰笠)을 쓴 수호랑이 인형. 88 서울 올림픽의 마스코트임.

호:동¹【好童】명〖사람〗고구려 대무신왕(大武神王)의 아들. 갈사왕(曷思王)의 손녀인 차비(次妃)의 소생. 대무신왕 15년(32) 낙랑 태수(樂浪太守) 최리(崔理)의 딸인 공주와 혼약을 맺은 후, 공주로 하여금 낙랑의 신기(神器)라는 자명고(自鳴鼓)를 찢게 하여 고구려는 낙랑을 기습 공략(攻略)하였으나, 호동이 태자(太子)가 될까봐 시기하던 원비(元妃)의 무고(誣告)로 부왕(父王)의 분노를 사서 자살(自殺)함. [?-32]

호동²【胡桐】명〖식〗[*Calophyllum inophyllum*] 물레나뭇과에 속하는 상록 교목. 높이 20m 이상이고, 잎은 대생(對生)하며 타원형 또는 긴 타원형인데 잎꼭지가 있고 윤택함. 백색 사판화(四瓣花)는 긴 화경(花梗)이 있으며 총상(總狀) 화서로 핌. 목재(木材)는 건축·그릇 만드는 데 쓰이고, 씨는 기름을 짜며, 진은 '호동루(胡桐淚)'라 하여 약에 쓰임. 동인도(東印度) 원산임.

〈호동²〉

호동-루【胡桐淚】[—누] 명〖한의〗호동(胡桐)의 나무 진. 성질이 차고 치통(齒痛)·목병 등의 외용약(外用藥)으로 쓰임. 호동률(胡桐律).

호동-률【胡桐律】[—뉼] 명〖한의〗호동루(胡桐淚).

호:동 설화【好童說話】명〖설화〗고구려 대무신왕(大武神王)의 왕자 호동에 관한 설화. 호동의 일생과 낙랑 태수(樂浪太守) 최리(崔理)의 딸과의 사랑 이야기. 《삼국 사기》 고구려 본기(本紀)에 전함.

호되다 형 ①매우 심하다. ¶호되게 꾸짖다/호된 비평. ②혹독(酷毒)스럽게 되다.

호두[1] 명 〈방〉 오디(경상).

호:두[2]【戶頭】명 호주(戶主).

호두[3]【㪷斗】명 〖농〗 용두레.

호두[4]【胡一】명 [←호도(胡桃)] 호두나무의 열매. 성질이 온(溫)하여, 피부를 윤택하게 함. 한방(漢方)에서 변비(便祕)·기침 및 구리 독(毒)의 해독(解毒) 등의 약재로 쓰임. 강도(羌桃). 당추자(唐楸子). 핵도(核桃).

호:두-각【虎頭閣】명 〖역〗 의금부(義禁府)에서 죄인(罪人)을 심문하던 곳. 정당(正堂) 앞에 쑥 내민 집채.

호:두각 대:청(大廳) 구 웅숭깊고 속을 알 수 없음의 비유. ¶방자놈 마음이 엽초청 굴뚝이요, 호두각 대청이라 ≪春香傳≫.

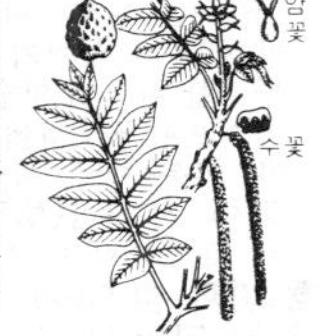
〈호두각집〉

호:두각-집【虎頭閣一】명 〖건〗 대문 지붕이 가로되지 않고, 의금부(義禁府)의 호두각(虎頭閣) 모양을 본떠서, 용마루의 머리빼기 밑에 문을 낸 집.

호두 과자【胡一菓子】명 호두의 속살을 갈아 밀가루에 섞어서 호두알 모양으로 둥글게 구운 방울떡. 충청 남도 천안(天安)의 명물임.

호두기 명 〈방〉 호드기.

호두까기 인형【胡一人形】명 〖악〗 러시아의 차이콥스키 작곡의 발레 음악. 호프만(Hoffmann, E. T. A.)의 동화를 2막(幕)으로 각색한 모음곡으로, 1892년의 작품임. 모두 15곡인데, 이 중 8곡을 발췌하여 연주용으로 편곡, 자주 연주되고 있음.

호두-나무【胡一】명 〖식〗 [*Juglans sinensis*] 호두나뭇과에 속하는 낙엽 활엽 교목. 수피(樹皮)는 회갈색이고 굵은 가지가 많이 나며 잎은 우상 복엽(羽狀複葉)으로 호생함. 소엽(小葉)은 3-7개이고 넓은 타원형. 5월에 자웅 동가(雌雄同家)의 꽃이 피는데 수꽃이삭은 액생(腋生)하고 늘어지며 암꽃이삭은 1-3개가 정생(頂生)함. 핵과(核果)는 구상(球狀)의 넓은 달걀꼴로 10월에 익고, 내부는 사실(四室)임. 촌락 부근에 심는데, 한국의 황해도 이남, 일본·중국·유럽 남동부·아시아 서부 등에 분포함. 껍질 속의 종자는 식용하거나 제유(製油)·피부의 약용제·칠 등에 쓰고, 재목은 기구재(器具材)로 씀.

〈호두나무〉

호두나뭇-과【胡一科】명 〖식〗 [Juglandaceae] 쌍자엽(雙子葉) 식물 이판화류(離瓣花類)에 속하는 한 과. 북반구의 온대에 40여 종, 한국에는 호두나무·굴피나무·가래나무 등의 3종이 분포함.

호두락-바람 명 〈방〉 회오리바람(경상).

호두래기 명 〈방〉 회오리바람(경상).

호두리-바람 명 〈방〉 회오리바람(경남).

호두-엿【胡一】명 호두의 속살을 넣어서 만든 엿. 호도당(胡桃糖).

호두-옴【胡一】명 피부병의 하나. 호두의 진이 살갗에 묻거나 했을 때 그 독(毒)으로 인하여 생김. 호도(胡桃)옴.

호두-잠【胡一簪】명 대가리를 호두 모양으로 새겨서 만든 옥비녀의 한 가지. 호도잠(胡桃簪).

호두-장【胡一醬】명 속껍질을 벗긴 호두 속살을 기름에 볶아서 간장에 넣은 음식. 호도장(胡桃醬).

호두 장아찌【胡一】명 속껍질을 벗긴 호두 속살에 진장을 묻힌 다음 실고추와 깨소금을 뿌린 음식. 호도(胡桃) 장아찌.

호두-조개【胡一】명 〖조개〗 [*Acila divaricate*] 애호두조갯과(科)에 속하는 조개. 패각(貝殼)은 길이 35 mm, 높이 27 mm, 폭 18 mm 정도의 달걀꼴이며 앞 끝은 길고 복배연(腹背緣)은 만곡(灣曲)하였음. 각표(殼表)는 희며 은빛의 진주층이 있으며 황록색의 각피(殼皮)가 덮여 있고, 각정(殼頂)은 구부러져서 후방으로 향함. 한국·일본·중국에 분포함. 말호두조개.

호두-주【一酒】명 호두의 속살을 짓이겨서 술 밑에 넣어 빚은 술.

호두-죽【胡一粥】명 속껍질을 벗긴 호두 속살을 멥쌀과 함께 물에 불려, 맷돌에 갈아서 쑨 죽. 호도죽(胡桃粥).

호두-칼잎벌【胡一】[一립一] 명 〖충〗 [*Megaxyela gigantea*] 칼잎벌과에 속하는 벌의 한 가지. 암컷은 몸길이 14 mm 내외이고, 두부(頭部)와 흉부(胸部)는 황갈색, 복부의 배면(背面)은 흑색이고 제2-4절과 제7-8절 양측 및 복면(腹面)의 대부분은 백색, 촉각은 흑색, 제1절 및 제3절의 하면은 황갈색임. 유충은 호두나무 잎의 해충으로, 한국·일본·중국·시베리아에 분포함.

호두 튀김【胡一】명 호두의 껍데기를 벗기고 속살에 녹말을 씌워 기름에 볶아낸 음식. 호도(胡桃) 튀김.

호둣-속【胡一】[一쏙] 명 ①호두 껍데기의 안쪽 부분. ②뒤숭숭하거나 복잡한 사물을 비유하는 말.

[호둣속 같다] 일이 복잡하여 갈피를 잡을 수 없음을 비유하는 말.

호드기 명 물오른 버들 가지를 비틀어 뽑은 통껍질이나 짤막한 밀짚 토막 등으로 만든 피리의 한 가지.

호드득 부 ①깨·콩 따위를 볶을 때 튀면서 나는 작은 소리. ②멀리서 총포·딱총 등이 부산하게 터지며 나는 소리. ③잔 나뭇 가지나 검불 따위가 타 들어가며 나는 소리. 1)-3): <후드득.

호드득-거리다 자 ①경망(輕妄)스럽게 연해 방정을 떨다. ②콩이나 깨 등을 볶을 때 튀는 소리가 연해 나다. ③총포(銃砲)나 딱총 등이 연해 터지며 소리가 나다. ④작은 나뭇 가지나 마른 검불 따위가 기세 좋게 타면서 연해 호드득 소리를 내다. 1)-4): <후드득거리다. 호드득-호드득 부. ——-하다 자여불

호드득-대다 자 호드득거리다.

호드락-바람 명 〈방〉 회오리바람(경북).

호들갑 명 경망스럽고 야단스러운 언행. 방정맞은 언행.

호들갑(을) 떨:다 구 야단스럽게 방정을 떨다.

호들갑-스럽다 형ㅂ불 야단스럽고 방정맞다. ¶호들갑스럽기 한량없다. 호들갑-스레 부

호들러 [Hodler, Ferdinand] 명 〖사람〗 스위스의 화가. 처음 장식(裝飾) 화가로 출발, 독자적인 우의화(寓意畫)를 전개해 나갔으며, 인상파(印象派)와 대립하면서 표현주의(表現主義) 양식에 도달하였음. 형식을 존중, 정신적인 것의 형상화(形像化)에 성공하였음. [1853-1918]

호듯-하다 형여불 ①☞가냘프다. ②☞예쁘다.

호등【弧燈】명 〖물〗 아크등(arc燈).

호디 명 〈방〉 오디(강원·경상).

-호듸 어미 〈옛〉 -하되. ¶내 역적을 혼 입에 숩키고져 호듸 힘이 굴홀 ㄴ엿노라 ≪五倫 Ⅱ:30≫.

호때기 명 〈방〉 호드기.

호-떡【胡一】명 중국식 떡의 한 가지. 밀가루 반죽을 둥글넓적하게 만들어 설탕이나 팥소 따위를 넣고 빚어 구워 냄. 고병(餻餠).

호떡집에 불 난 것 같다 구 왁자지껄하게 떠드는 모양을 이르는 말.

-호라 어미 〈옛〉 -하노라. -노라. ¶물어뎌 지여셔 조오라 셔디 몯호라 [(頹倚睡未醒) ≪杜諺 1:50≫.

호라망이 명 〈방〉 홀어미(경남).

호라방 명 〈방〉 홀아비(제주).

호라방이 명 〈방〉 홀아비(경북).

호라배 명 〈방〉 홀아비(전남).

호라범 명 〈방〉 홀아비(전남).

호-라복【胡蘿蔔】명 〖식〗 '호나복(胡蘿蔔)'의 잘못.

호라비 명 〈방〉 홀아비(경상).

〈호라이〉

호라이 [그 Horai] 명 〖신〗 그리스 신화에 나오는 계절(季節)과 때의 여신. 천후(天候)를 감시하며, 식물의 성장·개화(開花)·결실(結實)을 원활하게 하고 정의·질서·율법·평화의 직능을 가졌다 함.

호라지-좆 명 〖식〗 [*Asparagus lucidus*] 천문동과에 속하는 다년생의 만초(蔓草). 괴근(塊根)은 방추형(紡錘形)이고, 다수 총생(叢生)하며 줄기는 만성(蔓性)이고 길이는 2 m 이상임. 잎은 인편상(鱗片狀)이고 작은데 두세 개씩 붙어 나며 엽액(葉腋)에 굽은 바늘 같은 푸른 빛의 작은 가시가 있어 얼른 보기에 잎과 같음. 5-6월에 작은 담황색의 꽃이 두세 개씩 뭉키어 액생(腋生)하여 피고, 장과(漿果)는 적색임. 괴근은 한방(漢方)에서 '천문동(天門冬)'이라 하여 약재로 쓰고, 또 당속(糖屬)을 만드는 데도 씀. 바닷가 산기슭에 저절로 나는데, 전남·경북의 울릉도 등에 분포함.

〈호라지좆〉

호라티우스 [Horatius, Flaccus Quintus] 명 〖사람〗 고대 로마의 시인. 황제 아우구스투스(Augustus)의 사랑을 받아 계관 시인(桂冠詩人)의 지위를 획득하였음. 경쾌한 ≪풍시(諷詩)≫와 ≪시론(詩論)≫ 및 유명한 ≪가요(歌謠)≫와 서정시집 등 4권이 전함. [65-8 B.C.]

호:락[1]【虎落】명 ①외번(外蕃)의 이름. ②범의 침입을 막는 울타리.

호락[2]【瓠落】명 겉보기는 커도 쓸데없이 됨. ——-하다 자여불

호락 논쟁【湖洛論爭】명 〖철〗 조선 성리학에서, 인성(人性)과 물성(物性)을 같은 것으로 보는가 다른 것으로 보는가 하는 문제를 놓고, 호론(湖論)의 인물성 상이론(人物性相異論)과 낙론(洛論)의 인물성 구동론(人物性俱同論) 사이에 벌어진 논쟁.

호락-바람 명 〈방〉 회오리바람(경남).

호락-질 명 〖농〗 남의 힘을 빌지 아니하고 혼자 힘으로 농사를 짓는 일. 남을 얻지 아니하고 가족끼리 농사 짓는 일. ——-하다 자여불

호락-호락 부 [←홀약홀약(忽弱忽弱)] ①수월하게. 쉽사리. ¶~ 넘어가지 않는다. ②성격이 만만하고 능력이 없는 모양. ¶여간 ~한 성품이라야지. ——-하다 형여불

호란[1]【呼蘭】명 〖지〗 '후란'을 우리 음으로 읽은 음.

호란[2]【胡亂】명 뒤섞여서 어수선함. 착잡(錯雜)하여 분간하기 어려움. ——-하다 형여불

호란[3]【胡亂】명 ①호인(胡人)들로 인하여 야기(惹起)되는 병란(兵亂). ② [〖역〗↗병자 호란(丙子胡亂).

호란-좌【胡亂座】명 〖불교〗 선사(禪寺)의 법회 등에서, 중이 석차(席次)에 따르지 않고, 난잡하게 자리를 잡는 일.

호람의 옥【胡藍一獄】[一/一에一] 명 〖역〗 중국 명(明)초 호유용(胡惟庸)과 남옥(藍玉)을 주인물로 하는 두 개의 큰 옥사(獄事)의 병칭. 곧, 명나라 태조(太祖)가, 모반(謀叛)을 기도하였다는 혐의로, 개국(開國) 공신인 호유용·남옥·이선장(李善長) 등을 비롯하여 이에 연좌(連座)한 신하 45,000여 명을 주살(誅殺)한 사건. 이로 말미암아 태조와 생사고락을 같이하여 온 공신(功臣)과 노장(老將)은 거의 죽고, 황제의 독재 권력이 확립됨.

호랍씨 명 〈방〉 홀아비(전남).

호랑[1] 명 〈방〉 호주머니(충남·전남).

호:랑[2]【虎狼】명 ①범과 이리. ②욕심 많고 잔인한 사람의 비유. ③〈방〉 호랑이(경북).

호:랑-가시나무【虎狼一】명 〖식〗 [*Ilex cornuta*] 감탕나뭇과에 속하는 상록 활엽의 작은 교목. 잎은 달걀꼴 또는 넓은 타원형으로, 가시 모양의 톱니가 다섯 개 있고 단단한 혁질(革質)로 광택이 있음. 여름에 백색의 꽃이 엽액(葉腋)에 족생(簇生)하고, 핵과(核果)는 가을에 적색으로 익음. 산기슭의 양지 및 개울 가에 나는데, 전라 남도 및 중국에 분포함. 관상용·크리스마스 때의 장식용임. 묘아자(猫兒刺)가시나무.

〈호랑가시나무〉

호:랑-감투 【虎狼—】 명 〈방〉 호령관(冠).

호:랑-거미 【虎狼—】 명 〖충〗 [*Argiope amoena*] 호랑거밋과에 속하는 절지(節肢) 동물의 하나. 암컷은 몸길이 25mm 내외인 큰 거미로 황갈색 바탕의 복부 배면(腹部背面)에 세 줄기의 선명한 황색 횡대(橫帶)가 있으며 보각(步脚)도 앞의 두 쌍은 황갈색과 흑색의 무늬를 이루고 있음. 복부 복면(腹面)의 방적 돌기(紡績突起)의 주위는 적색을 띰. 흔히 잡목 숲이나 처마 밑에 수직으로 집을 짓고, 그 중앙에 자리잡아 보각을 두 개씩 가지런히 대고 뻗어 X자 모양이 됨. 수컷은 작아 8mm 쯤인데 암컷은 8월에 녹색(綠色)의 알을 낳고, 9월에 죽음. 한국·일본·대만 등지에 분포함.

호:랑꼬리-여우원숭이 【虎狼—】 명 〖동〗 [*Lemur catta*] 여우원숭잇과에 속하는 동물의 하나. 몸길이 30-45cm로, 온몸의 털이 두툼한데, 등은 회갈색, 배는 흼. 코에는 털이 없고 검으며, 손발도 검음. 몸보다 긴 꼬리는 검고 흰 고리를 이루고, 털이 북슬북슬함. 코가 뾰족히 내밀어 여우같이 생겼으며, 눈은 금빛임. 5-20마리의 작은 떼를 이루어, 낮에 활동하는데, 바위 많은 마른 땅에서 삶. 걸을 때 긴 꼬리를 세우고 깡총깡총 뜀. 과실·바나나 등 식물성 먹이 외에 곤충도 잡아먹음. 마다가스카르 섬의 특산(特産)으로, 성질이 온순하고 귀여우므로 애완용으로 기르기도 함.

호:랑-나비 【虎狼—】 명 〖충〗 ①호랑나빗과에 속하는 나비의 총칭. ② [*Papilio xuthus*] 호랑나빗과에 속하는 곤충의 하나. 편 날개의 길이 80-120mm이고 날개는 담녹황색 내지 암황색에 흑색 조선(條線)과 반문(斑紋)이 있음. 외연부(外緣部)와 시맥(翅脈)은 흑색이고 외연부에는 청색 반문이 있으며 뒷날개 내연각(內緣角)에 등황색 무늬가 있음. 유충은 '호랑나비벌레'라고 하며 한 해에 수회(數回) 발생하고 번데기로 월동하는데 건드리면 두정(頭頂)에 악취가 나는 육각(肉角)을 내어 세움. 감·귤 등의 과수(果樹)의 해충. 한국·일본·중국에 분포함. 범나비. 귀거(鬼車). 봉접(鳳蝶).

〈호랑나비②〉

호:랑나비-벌레 【虎狼—】 명 〖충〗 호랑나비의 유충. 건드리면 악취가 남. 범나비벌레.

호:랑나빗-과 【虎狼—科】 명 〖충〗 [*Papilionidae*] 나비목(目)에 속(屬)하는 한 과(科). 생물계(生物界)에서 가장 아름다운 몸빛을 가진 종류로서 대체로 흑색·암갈색 또는 청동색에 선명한 황색·적색·남색 등의 반문(斑紋)이 있음. 암수와 계절에 따라 여러 종류가 있음. 전경절(前脛節)에 부속물이 있고 뒷날개가 꼬리 모양을 하고 길게 뻗친 것도 있음. 호랑나비·이른봄애호랑이 등 전세계에 850여 종이 분포(分布)함. 범나비과.

호:랑-버들 【虎狼—】 명 〖식〗 [*Salix hultein*] 버들과에 속하는 낙엽 활엽의 작은 교목. 잎은 넓은 타원형 또는 넓은 달걀꼴인데, 뒤쪽에 융모(絨毛)가 밀포함. 4월에 자웅 이가(雌雄異家)로 된 꽃이 유제(葇荑) 화서로 피는데, 수꽃이삭은 구형 또는 타원형이고 수술은 두 개, 암꽃이삭은 긴 타원형이며, 삭과(蒴果)는 5월에 익음. 산록(山麓) 및 산복(山腹)의 습지에 나는데, 한국 각지 및 일본·사할린·만주·시베리아에 분포함. 관상용으로 심음.

호:랑-연 【虎狼鳶】 [—년] 명 '虎'자 모양으로 만든 지연(紙鳶).

호:랑-요 【虎狼褥】 [—뇨] 명 〈방〉 호탄자.

호:랑-이 【虎狼—】 명 〖동〗 ① [*Felis tigris coreensis*] 고양잇과에 속하는 최대의 맹수(猛獸). 표범과 비슷한데 몸길이 1.8-2.5m, 몸무게 200-300kg 내외이고, 배면(背面)은 갈색 내지 황갈색 바탕에 불규칙한 흑색·황색 반문이, 눈·빰 및 몸의 하면(下面)에는 순백색에 뚜렷한 흑색 무늬가 얼룩얼룩하게 있고, 꼬리에는 보통 여덟 개의 흑색 윤문(輪紋)이 있음. 깊은 산 속에 사는데, 흔히 한 배에 2-6마리의 새끼를 낳음. 성질이 흉포(兇暴)하여 사슴·토끼 등을 잡아먹으며 가축·사람을 해치기도 함. 아시아의 특종(特種)으로, 한국·중국·만주·아무르·인도차이나·인도·자바 등지에 분포하나, 거의 멸종(滅種) 위기에 있음. 모피(毛皮)는 방한용(防寒用)·장식용, 살과 뼈는 약용함. 대충(大蟲). 산군(山君). 범. ②몹시 사납고 무서운 사람의 비유. ¶ ~ 감독.

〈호랑이①〉

[호랑이가 굶으면 환관(宦官)도 먹는다] 굶으면 좋고 나쁜 것을 가리지 않는다는 말. [호랑이 개 물어간이만 하다] 걸리고 꺼림칙하던 것이 없어져 매우 시원하다는 말. [호랑이굴에 가야 호랑이 새끼를 잡는다] 뜻하는 성과를 얻으려면 반드시 그에 마땅한 일을 하고 기다려야 한다는 말. [호랑이 날고기 먹는 줄은 다 안다] 그런 일을 함이 차라리 당연한 경우에, 그것을 짐짓 숨기고 않는 체 할 것이 없다는 말. [호랑이는 죽어서 가죽을 남기고, 사람은 죽어 이름을 남긴다] '호사 유피(虎死留皮) 인사 유명(人死留名)'을 풀이한 말. [호랑이더러 날고기 봐 달란다] 소중한 물건을 염치도 예의도 모르고 믿을 수 없는 사람에게 지켜 달라고 하면 도리어 더 크게 잃게 될 뿐이라는 말. [호랑이도 곤하면 잔다] ㉠일이 잘 안 되고 실패만 거듭할 때에는 차라리 아무것도 하지 아니하고 기회를 기다리는 것이 좋다는 말. ㉡누구나 곤할 때는 쉬어야 한다는 말. [호랑이도 새끼가 열이면 스라소니를 낳는다] 자식을 많이 낳으면 그중에 사람 구실을 제대로 못하는 자식도 낳게 된다는 말. [호랑이도 쏘아 놓고 나면 불쌍하다] 아무리 밉던 사람도 그가 죽게 되었을 때는 측은하게 여겨진다는 말. [호랑이도 자식 난 골에는 두남둔다] 호랑이도 제 새끼는 사랑하고 중히 여기는데 하물며 사람에 있어서야 말할 것도 없다는 말. [호랑이도 제 말 하면 온다] 제 삼자에 관한 이야기를 한 때에, 공교롭게 그 사람이 찾아 온다는 말. [호랑이 새끼는 자라면 사람을 물고야 만다] 무엇이나 어떤 단계에 이르면 반드시 종국적인 결과가 나타나고야 만다는 말. [호랑이에게 개를 꾸어준다] 도저히 되찾을 가망이 없는 자리에 재물을 꾸어 준다는 말. [호랑이에게 고기 달란다] 받으려고 하는 사람에게 도리어 달라고 한다는 말. [호랑이에게 물려가도 정신만 차리면 산다] 위급한 중에도 신중을 기해서 처사하면 헤어날 방편이 생긴다는 말. [호랑이에게 물려갈 줄 알면 누가 산에 갈까] 처음부터 위험할 줄 알면 아무도 모험을 하지는 않는다는 말. [호랑이 코빼기에 붙은 것도 떼어 먹는다] ㉠위험을 무릅쓰고 이익을 추구함을 이르는 말. ㉡눈앞에 당한 일이 당장에 급하여 위험한 일이라도 하지 아니하면 안되게 되었다는 말.

호:랑이 개: 어르듯 구 속에서는 딴 생각을 하고 제 잇속만 찾으면서 당장은 가장 좋은 낯으로 상대방(相對方)을 슬슬 달래어 환심을 사두려고 한다는 말.

호:랑이 담:배 먹던 시절 구 옛날 이야기에 호랑이가 담배를 피우던, 아주 까마득한 옛날.

호:랑이 담:배 먹을 적 구 '호랑이 담배 먹던 시절'의 뜻.

호:랑이 보고 창구멍 막기 구 위험이 눈앞에 닥쳐야 창황(倉皇)히 나댐을 이름.

호:랑이-날 【虎狼—】 명 상인일(上寅日).

호:랑이-띠 【虎狼—】 명 범띠.

호:랑-지빠귀 【虎狼—】 명 〖조〗 [*Turdus aureus*] 지빠귓과에 속하는 새. 날개 길이 15-16.5cm, 꽁지 길이 9-11.5cm이며, 부리는 3cm 가량임. 자웅 동색(雌雄同色)으로 몸의 상면(上面)은 황갈색이고 하면(下面)은 황색이며 상하 날개에 모두 반달 모양의 흑색 무늬가 있는데, 다른 지빠귀와 달라 뚜렷한 비늘 모양을 이룸. 곤충·지렁이 등을 잡아먹으며 5-7월에 3-5개의 알을 낳음. 시베리아 동부·한국 제주도 및 몽고·일본·홋카이도 등지에서 번식(繁殖)하고 겨울에는 아시아 남부·유럽 등지에서 월동(越冬)함. 금렵조(禁獵鳥)임. 호랑티티.

〈호랑지빠귀〉

호:랑지-심 【虎狼之心】 명 거칠고 사납고 인자하지 아니한 마음.

호:랑-티티 【虎狼—】 명 〖조〗 호랑지빠귀.

호:랑-하늘소 【虎狼—】 [—쏘] 명 〖충〗 [*Xylotrechus chinensis*] 하늘솟과에 속하는 곤충. 몸길이 15-18mm, 촉각 7-14mm임. 몸빛은 황갈색이며 전흉(前胸) 중앙의 흑색 횡조(橫條)와 후연(後緣)의 흑색부 사이에 하나의 적갈색 띠가 있음. 흉부 하면과 시초(翅鞘)에 있는 세 개의 횡조(橫條)는 흑색이고, 두정(頭頂)은 'V'자 모양으로 갈라짐. 유충은 뽕나무의 수간(樹幹)을 파먹는 해충임. 성충은 7-8월에 출현하고, 정지한 상태는 언뜻 보기에 벌과 비슷하여 '의태(擬態)'의 좋은 예임. 한국·일본·대만·중국 등지에 분포함. 범하늘소.

〈호랑하늘소〉

호래비 명 〈방〉 홀아비(경기·강원·충청·전라·경상).

호래비-꽃대 명 〖식〗 ☞ 홀아비꽃대.

호래비-좆 명 〖농〗 ☞ 홀아비좆.

호래-아들 명 [←홀의아들] 배운 데 없이 제풀로 자라 교양이 없는 놈. 버릇없는 놈. 호래자식. 호노 자식(胡奴子息). <후레아들.

호래-아비 명 〈방〉 홀아비(경남).

호:래-이 명 〈방〉 호랑이(전남·경상).

호래-자식 【—子息】 명 호래아들.

호래 척거 【呼來斥去】 명 사람을 오라고 불러 놓고 다시 곧 쫓아 버림. ——-하다 타 여불

호래 초거 【呼來招去】 명 불러오고 불러 감.

호:랭-이 명 〈방〉 호랑이(경기·강원·충청·전라·경상·제주).

호러멍 명 〈방〉 홀어미(제주).

호럼씨 명 〈방〉 홀어미(전남).

호레미 명 〈방〉 홀어미(경기·강원·충청·전라·경북).

호:레-이 명 〈방〉 호랑이(경남).

호레즘 [Khorezm] 명 〖지〗 우즈베크 공화국 서부에 있는 주(州). 아무다리아 강(Amudar'ya江) 좌안에 위치하며, 사막의 평지이나 관개(灌漑)가 발달하여 중앙 아시아에서 면화(棉花) 재배의 중심지임. 포도 재배와 쌀·양잠·축산도 행해지며 식품·섬유 공업이 발달함. 1873년 러시아의 속국이 되었으나 러시아 혁명 후 호레즘 공화국을 이루었다가 1938년 우즈베크 공화국의 한 주가 되었음. 주도는 우르겐치. 호라즘. 코라즘. [4,480km²: 840,000명(1983)]

호:렝-이 명 〈방〉 호랑이(경북).

-호려 미 〈옛〉 -하려. '-ᄒᆞ다'의 활용형. ¶世亂을 救호려 나샤(世亂將救)≪龍歌 29章≫.

호련 【瑚璉】 명 ①오곡(五穀)을 담아 신께 바치던 제기(祭器). 중국 고대, 하(夏)나라에서는 '호(瑚)'라 하고 은(殷)나라에서는 '연(璉)'이라 했는데, 제기 중에서 귀한 것의 하나임. ②공자(孔子)가 자공(子貢)의 인물됨을 평하여 '호련'이라 한 데서, 고귀한 인격(人物)이나 인재(人材)의 비유.

호:련-대 【扈輦隊】 명 〖역〗 조선 시대 때 용호영(龍虎營)에 속하던 한 대(隊). 정련배(正輦陪)·부련배(副輦陪)·옥련배(玉輦陪) 및 의장(儀仗)을 봉지(奉持)하는 사람 들로 조직되었음.

호:렴[1] 【戶斂】 명 〖역〗 집집마다 물리던 각종 조세.

호렴[2] 【胡—】 명 [←호염(胡塩)] ①중국에서 나는 굵고 거친 소금. ②알이 굵고 거친 천일염(天日塩)을 일컫는 말.

호렵-도 【胡獵圖】 명 〖미술〗 오랑캐가 사냥하는 장면을 그린 그림.

호령[1] 【湖嶺】 명 〖역〗 조선 시대 이후, 충청도와 경상도의 합칭. '호'는 제

천(堤川)의 의림지(義林池), '영'은 문경(聞慶)의 조령(鳥嶺)을 이름.
호:령²【號令】[명] ①지휘하여 명령함. 또, 그 명령. ②큰 소리로 꾸짖음. ¶불 같은 ~이 떨어지다. ③구령(口令). ——-하다 [타][여불]
호:령-관【一冠】[명] 대님을 끄르지 못하게 하고 바지를 뒤집어 벗겨서, 머리로부터 상반신(上半身)을 바지 속으로 집어 넣는 아이들 장난의 한 가지.
호:령-바람【號令一】[一빠一] [명] 큰 소리로 꾸짖는 서슬. ¶~에 달아나고 말았다.
호:령-조【號令調】[一쪼] [명]〖악〗판소리 등에서, '우조(羽調)'를 웅장·호탕한 남성적인 소리라는 뜻에서 일컫는 말.
호:령-질【號令一】[명] 큰 소리로 꾸짖는 짓. ——-하다 [자][여불]
호:령-호:령【號令號令】[명] 정신 차릴 틈을 주지 않고 연달아 큰 소리로 꾸짖음. ——-하다 [타][여불]
호:례【好例】[명] 좋은 예. 알맞은 예.
호로¹ [명] 분합문 아래에 박는 쇠 장식의 한 가지.
호로²【胡虜】[명] ①중국 북방의 이민족인 흉노(匈奴)를 이르는 말. ②외국인을 얕잡아 이르는 말.
호로³【胡盧】[명] 사람의 웃는 소리. 또, 남의 웃음거리가 되는 일.
호로⁴【葫蘆·壺蘆】[명] ①〖식〗호리병박. ②〖역〗정재(呈才) 때 무애무(無㝵舞)를 추는 데 쓰던 제구의 한 가지. 양끝에 술이 달린 끈. 허리에 잡아 매어 좌우로 늘어지게 함.
호로⁵【犒勞】[명] 음식을 주어 수고를 위로함. ——-하다 [타][여불]
호로-도【葫蘆島】[명]〖지〗'후루다오'를 우리 음으로 읽은 이름.
호로-딸기【葫蘆一】[명]〖식〗[*Rubus chamaerorus*] 장미과에 속하는 다년초. 줄기 높이 5-25cm이고, 잎은 호생하며 장병(長柄)에 심장상 달걀꼴, 탁엽(托葉)은 타원형임. 7-8월에 백색 오판화(五瓣花)가 자웅이가(雌雄異家)로 정생하고, 과실은 수과(瘦果)임. 함남의 부전(赴戰) 고원에 분포함.
호로래 ᄇᆞ람 [명]〈옛〉회오리바람. ¶沙石 놀리ᄂᆞᆫ 호로래 ᄇᆞ람(羊角風)《譯語 上 1》.
호로로 [부] ①호루라기나 호각(號角) 등을 부는 소리. ②☞호르르. 1)·2):<후루루. ——-하다 [자][타][여불]
호로로기 [명]〈방〉호루라기.
호로록 [부] ①날짐승이 날개를 가볍게 치며 갑자기 나는 소리. ¶참새가 ~ 날아가다. ②더운 물이나 묽은 죽 등을 들이마시는 소리나 모양. [준]호록. 1)-2):<후루룩. ——-하다 [자][타][여불]
호로록-거리다 [자][타] ①날짐승이 연달아 호로록 날다. ②더운 물이나 묽은 죽 등을 계속해서 들이마시다. [준]호록거리다. 1)-2:<후루룩거리다. 호로록-호로록 [부]. ——-하다 [자][타][여불]
호로록-대다 [자][타] 호로록거리다.
호로-박【葫蘆一】[명]〈방〉〖식〗호리병박.
호로-병【葫蘆瓶】[명] →호리병.
호로비츠〔Horowitz, Vladmir〕[명]〖사람〗러시아 태생의 미국 피아니스트. 토스카니니(Toscanini, A.)의 사위. 현세(現世) 최고 연주가의 한 사람으로 꼽히었음. [1904-89]
호로-생【葫蘆笙】[명]〖악〗끝이 호로병같이 생긴 생황(笙簧).
호로-자식【一子息】[명]〈방〉호래아들.
호로-파【葫蘆巴】[명]〖식〗[*Trigonella faenum-graecum*] 콩과에 속하는 일년초. 높이는 70-100cm임. 꽃은 나비 모양인데 누른 빛으로 여름에 핌. 중국에서 남. 씨는 성질이 따뜻하여 한방에서 하초 허랭(下焦虛冷)·산증(疝症)·각기(脚氣) 등에 쓰고 열매도 약재임.
호록¹【胡簶·箶簶】[명] 전통(箭筒). 전동.
호록² [부] ↗호로록. <후룩. ——-하다 [자][타][여불]
호록-거리다 [자][타] ↗호로록거리다. <후룩거리다. 호록-호록 [부]. ——-하다 [자][타][여불]
호록-대다 [자][타] 호록거리다.
호론【湖論】[명]〖역〗조선 시대 후기 성리학파(性理學派) 가운데 기호학파(畿湖學派)의 한 파. 권상하(權尙夏)의 문인(門人) 이간(李柬)과 한원진(韓元震)이 심성론(心性論)에 있어서 인물성 동이(人物性同異) 문제를 두고 서로 논쟁을 벌였는데, 호서(湖西) 곧 충청도에 살던 한원진 일파를 일컬음. 한원진은 성(性)을 단순한 이(理)로 보지 않고 일정한 기(氣)에 혼합된 생물 각 종류의 상이한 특질로 이해하여 인물의 성이 다르다고 주장하였음. 이 논쟁으로 기호학파는 호론·낙론(洛論)으로 양분됨. ↔낙론(洛論).
호롱 [명] 석유등(石油燈)의 석유를 담는 그릇. 사기·유리·양철 등으로 작은 병같이 만들었음.
호롱-불 [一뿔] [명] 호롱에 켠 불. *등잔불.
-호롸 [미]〈옛〉-하노라. ¶어딘 사ᄅᆞᆷ 주기거늘 ᄒᆞᆫ 갈홀 구죵ᄒᆞ야 혜티디 몯호롸(殺賢良不叱刃散)《杜諺 Ⅱ:51》.
호:롱-봉【虎龍峰】[명]〖지〗강원도 고성군(高城郡)과 회양군(淮陽郡) 사이에 있는 산. [1,403m]
호:롱 순위사【虎龍巡衛司】[명]〖역〗조선 시대 태조(太祖) 4년(1395)에 의흥 친군(義興親軍)의 십위(十衛)의 하나인 감문위(監門衛)를 고친 이름. 문종(文宗) 원년(1451)에 오위(五衛)를 두면서 파하였음.
호루라기 [명] ①살구씨의 양쪽 한가운데에 구멍을 뚫고 속을 파 내어 호각 모양으로 부는 것. ②호각이나 우레 등의 통칭.
호루루 [부] ☞호로로❶.
호루루기 [명] ☞ 호루라기.
호루스〔Horus〕[명]〖신〗이집트 신화 중의 태양신(太陽神). 사람 형상에 매의 머리를 하고, 아버지의 원수 세드(Seth)와 싸워 이겼음.

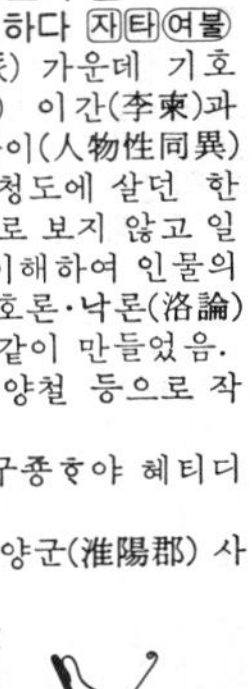
〈호루스〉

호:류【互流】[명] 서로 바꿈. 서로 교류(交流)함. ——-하다 [타][여불]
호:류:-사【一寺】〔法隆: ほうりゅう〕[명]〖지〗일본 나라(奈良)에 있는 법상종(法相宗)의 대본산(大本山). 607년에 창건(創建)된 목조(木造) 건축물로서, 금당(金堂)·오중탑(五重塔) 등이 있음. 백제(百濟) 사람들의 솜씨라 하며, 벽에는 고구려의 승려 담징(曇徵)이 그린 벽화(壁畫)가 있는데, 1949년 실화(失火)로 손괴(損壞)되었다가 복원(復元)되었음. 법륭사(法隆寺).
호:륜 레일【護輪一】[명]〔guardrail〕열차의 커브길이나 위험 장소에서 열차의 탈선(脫線)을 막기 위해 레일 안쪽에 덧붙인 보조(補助) 레일.
호르라기 [명] ☞호루라기.
호르르 [부] ①날짐승이 나는 소리. ¶새가 ~ 날아가다. ②얇은 종이 같은 것이 타오르는 모양. ¶~ 타버리다. 1)·2):<후르르. ——-하다 [자][여불]
호르몬〔hormone〕[명]〖생〗내분비선(內分泌腺)으로부터 분비되어, 체액(體液)과 같이 체내를 순환(循環)하며, 화학적으로 모든 기관에 여러 가지 중요한 작용을 행하는 물질의 총칭. 갑상선(甲狀腺) 호르몬·고환(睾丸) 호르몬·곤충의 변태 호르몬 등 십 수종이 있음. 각성소(覺醒素). *성(性)호르몬.

내분기 기관 (內分泌器官)	호르몬 또는 그 작용을 갖는 물질명	작용(作用)
뇌하수체 전엽 (腦下垂體前葉)	생장 호르몬 생식선 자극(生殖腺刺戟)호르몬 1) 여포(濾胞) 자극 호르몬 2) 황체 형성(黃體形成)호르몬 갑상선(甲狀腺) 자극 호르몬 젖분비(分泌) 자극 호르몬 젖샘 발육(發育) 호르몬 부신 피질(副腎皮質) 자극 호르몬	생장을 촉진 난소 여포의 발육 발달을 촉진 황체의 형성·에스트로겐 분비를 항진 갑상선의 발육과 작용을 조절 젖의 분비(分泌) 젖샘의 발육을 촉진 부신 피질의 자극과 기능의 조절
뇌하수체 중엽	색소포(色素胞) 자극 호르몬	색소 세포(色素細胞)의 활동을 조절
뇌하수체 후엽	혈압 상승(血壓上昇) 호르몬(옥시토신) 자궁 수축(子宮收縮) 호르몬(바소프레신)	혈압 상승과 수분(水分)의 조절 자궁 평활근의 수축
갑상선(甲狀腺)	갑상선 호르몬(티록신(thyroxin))	물질(物質) 대사의 조절
부갑상선(副甲狀腺)	부갑상선 호르몬	혈중(血中) 칼슘의 조절
부신 피질(副腎皮質)	부신 피질 호르몬(코르티코스테론(corticosterone))	염류·수분·탄수화물의 대사. 당질(糖質)의 대사. 생명의 유지
부신 수질(副腎髓質)	부신 수질 호르몬(아드레날린)	혈압(血壓)·혈당치(血糖値) 상승 작용
췌장(膵臟)	췌장 호르몬(인슐린(insulin))	혈당(血糖) 저하
생식선(生殖腺)	웅성 호르몬(테스토스테론(testosterone)) 발정(發情) 호르몬(에스트라디올) 황체(黃體) 호르몬(프로게스테론)	웅성 기관(雄性器官)의 발달. 이차 성징(二次性徵)의 발현 자성 기관(雌性器官)의 발달. 자성 성징(雌性性徵)의 발현 임신(妊娠). 여성의 특별한 성기능에 관계
태반(胎盤)	발정 호르몬 황체 호르몬 생식선 자극 호르몬	위와 같음
시누스(sinus)샘	시누스샘 호르몬	갑각류의 색소 세포의 활동. 탈피 등의 조절
알라타체(體)	알라타체 호르몬	곤충의 탈피(脫皮)·변태(變態)에 관계
전흉선(前胸腺)	전흉선 호르몬(엑티손)	변태에 관계

호르몬-선【一腺】〔도 Hormon〕[명]〖생〗내분비선(內分泌腺).
호르몬 요법【一療法】〔도 Hormon〕[一뇨뻡] [명] 호르몬제(劑)를 사용하는 치료법.
호르몬-제【一劑】〔도 Hormon〕[명]〖약〗장기 제제(臟器製劑)의 하나. 동물의 내분비·장기의 엑스트랙트(extract) 등을 원료로 하거나, 또는 합성법으로 제조한 약제.
호르몬-탄【一彈】〔도 Hormon〕[명]〖군〗식물을 말려 죽이는 약제인 트리클로로페녹시 아세트산(酸) 등을 이용하여 채소·곡물을 말려 죽이

는 생물학 병기의 하나.

호르무즈 〔Hormuz〕 명 『지』 페르시아 만의 입구 호르무즈 해협 북쪽에 있는 작은 섬. 13세기부터 동양 무역항으로서 번영하였음. 15-16세기에 포르투갈에 점령되었으나 현재는 이란령(領). 오르머즈(Ormuz).

호르무즈 해:협【一海峽】〔Hormuz〕 명 『지』 페르시아 만(Persia 灣)과 오만 만(Oman 灣)을 연결하는 해협. 너비 약 50km. 최대 수심 190m. 북쪽에 해저 전선 중계 기지인 키심(Qeshm) 섬과 철과 암염(岩塩)을 산출하는 호르무즈 섬이 있으며 둘 다 이란령(領). 오르머즈(Ormuz) 해협.

호르슈트만 〔Horstmann, August Friedrich〕 명 『사람』 독일의 물리 화학자. 처음으로 화학적 현상의 설명에 열역학을 적용했고, 열해리(熱解離) 현상을 설명했으며, 질량 작용의 법칙을 유도했음. [1842-1929]

호르터 〔Gorter, Cornelius Jacobus〕 명 『사람』 네덜란드의 물리학자. 1940-46년 암스테르담 대학의 물리학 교수 및 제만(Zeeman) 연구소 소장. 1946년 라이덴 대학 교수 및 카메를링오네스 연구소 소장이 되어 저온(低溫) 물리학 연구의 전통을 계승함. 상자성염(常磁性塩)의 완화(緩和) 현상을 발견함. [1907-80]

호르텐시우스-법【一法】〔Hortensius〕〔一뻡〕 명 기원전 287년 호르텐시우스의 제안으로 제정된 고대 로마의 법률. 이 법률로 인해 평민회(平民會)도 독자적으로 입법권을 행사하게 되어 귀족과 평민간의 계급 투쟁에 일단 종지부를 찍게 됨.

호륵【豪勒】 명 매우 사납고 세참. ——하다 형 여불

호른 〔horn〕 명 『악』 금관 악기(金管樂器)의 하나. 활짝 핀 나팔꽃 모양이며, 음색은 목관과 비슷하여 부드럽고 윤택이 있음. 관현악·합주악에 씀. 혼. 프렌치 호른. 코르. 코르노.

〈호른〉

호리[1] 명 소 한 마리가 끄는 쟁기. ↔겨리.

호:리[2]【戶裏】 명 집뒤. 뒤란.

호-리[3]【狐狸】 명 여우와 살쾡이. ¶ ~ 요괴(妖怪)의 짓.

호리[4]【毫釐】 명 ①자 또는 저울 눈의 호(毫)와 이(釐). ②매우 적은 분량. 이호(釐毫). ¶ ~의 차이(差異) / 아들과 어머니 사이의 지극한 은의를 ~만큼도 인정해 주지 않으시던 대왕 대비…《朴鍾和 : 錦衫의 피》.

호리가시-허리노린재 명 『충』 [*Cletus trigonus*] 허리노린잿과에 속하는 곤충(昆蟲). 몸길이 9-11mm이고 몸빛은 일률적(一律的)으로 황갈색이며, 촉각은 황갈색 내지 적갈색이고 전흉배(前胸背)의 측각은 침상(針狀)임. 몸의 하면(下面)과 다리는 황백색 내지 담황갈색임. 벼의 해충으로, 한국에도 분포함.

호리개 명 〈방〉 『조』 소리개(전북).

호리 건곤【壺裏乾坤】 명 항상 술에 취하여 있음을 가리키는 말.

호리기 명 〈방〉 『조』 소리개.

호리꼬마-구멍벌 명 『충』 [*Stigmus filippovi*] 구멍벌과에 속하는 벌. 암컷은 몸길이 7mm 내외이고 몸빛은 흑색인데 광택이 나며 털은 적음. 촉각·입의 주위·다리·견판(肩板) 등은 담갈색임. 날개는 투명하고 다소 황색을 띠며 연문(緣紋)은 크고 흑갈색임. 진딧물을 잡아먹는데, 한국·일본에 분포함.

호리다 타 ①유혹하다. ②그럴 듯한 말로 속여서 끌어 내다. ③매력으로 남의 정신을 흐리게 하여 빼앗다. <후리다.

-호리라 미 〈옛〉 -하리라. '호다'의 활용형. ¶ 다시 모티 안조디 端正히 호리라(更要坐得端正) 《蒙法 2》.

호리모토 레이조: 〔堀本礼造: ほりもとれいぞう〕 명 『사람』 일본의 군인. 공병 중위(工兵中尉)로, 일본 공사관 무관으로서 조선에 와서, 고종(高宗) 18년(1881) 무위청(武威廳) 별기군(別技軍)에서 신식 훈련을 가르치다가, 이듬해 임오 군란(壬午軍亂) 때 일본 공사관을 습격한 구식(舊式) 군인에 의해 살해됨. [?-1882]

호리무늬-배벌 〔一니一〕 명 『충』 [*Scolia tokyoensis*] 배벌과의 벌. 암컷은 몸길이 20-25mm이고, 몸빛은 흑색인데 자감색(紫紺色) 광택이 나며, 복부 제1-4절의 후연(後緣) 좌우에 한 쌍의 황색 반문(斑紋)이 있고, 몸에는 회백색의 잔털이 있음. 국화과(菊花科) 식물의 꽃에 모이는데, 한국·일본에 분포함.

호리미 명 〈방〉 홀어미(경북).

호리-반날개【一半一】 명 『충』 [*Otthius rufipennis*] 반날갯과(科)에 속하는 곤충. 몸길이 10mm 내외이고 두부와 전배판(前背板)은 광택 있는 흑색이며 시초(翅鞘)는 적색이고 복부는 흑갈색임. 촉각 기부(觸角基部)는 적갈색이고 담색이며, 다리는 적갈색이고 부절(跗節)은 담색임. 한국·일본·사할린에 분포함.

호리벌-과【一科】〔一꽈〕 명 『충』 [Evaniidae] 벌목(目)에 속하는 한 과. 촉각은 13-14절이고, 날개는 원시적인 시맥(翅脈)을 하고, 앞날개에는 뚜렷한 전연실(前緣室)이 있으며, 복부에는 가는 병부(柄部)가 있음. 유충은 바퀴·사마귀 등의 알이나 송곳벌의 유충에 기생함. 바퀴살이호리벌 등이 이에 속함.

호리-병【葫一甁】 명 〔←호로병(葫蘆甁)〕 호리병박 모양으로 만든 병. 흔히, 술이나 약을 휴대하는 데 쓰임.

〈호리병〉

호리병-박【葫一甁一】 명 『식』 [*Lagenaria siceraria* var. *gourda*] 박과에 속하는 일년생 만초(蔓草). 줄기는 길게 뻗는데 권수(卷鬚)가 있으며, 잎은 호생(互生)하고 심장형 원형(心臟形圓形)인데 끝이 뾰고 줄기와 함께 털이 많으며, 7월에 백색의 단성(單性) 오판화(五瓣花)가 자웅 동주(雌雄同株)로 피고, 장과(漿果)는 길쭉하며, 가운데가 잘록하게 들어가 '호리병' 같음. 먹지는 못하나 껍질이 단단하여 말려서 술그릇 같은 것은 만듦. 인가(人家) 근처에서 재배함. 고포(苦匏). 고호(苦瓠). 고호로(苦葫蘆). 포로(蒲蘆). 호로(葫蘆). 호로박.

〈호리병박〉

호리병박-나무【葫一甁一】 명 『식』 호리병박.

호리병-벌【葫一甁一】 명 『충』 [*Eumenes decoratus*] 말벌과에 속하는 벌. 수컷은 몸길이 25-30mm이고 몸빛은 흑색이며 전흉배판(前胸背板)의 대부분과 중(中)흉배판의 한 무늬와 후(後)흉배판의 횡선(橫線)과 복부(腹部) 제1절 및 2절(節) 후연(後緣)의 띠 무늬는 황갈색이고, 다리는 흑갈색임. 한국·일본에 분포함. 목조롱벌.

〈호리병벌〉

호리병 삼작【葫一甁三作】 명 나비 모양의 밑에 다시 호리병을 단 삼작노리개.

호리 불차【毫釐不差】 명 조금도 틀림이 없음.

호리지-차【毫釐之差】 명 조금의 틀림. 근소한 차이.

호리-질 명 호리로 논밭을 가는 일. ——하다 타 여불

호리 천리【毫釐千里】〔一철一〕 명 처음에는 근소한 차이지만, 나중에는 대단한 차이가 생긴다는 말.

호리촌트 〔도 Horizont〕 명 『연』 근대 연극에서 무대의 후방에 설치해 놓은 벽. 조명(照明)의 기교에 의하여, 하늘 기타의 배경을 효과적으로 손쉽게 표현할 수 있는데, 고정식과 이동식이 있음.

호리촌트 라이트 〔Horizont＋light〕 명 『연』 창공(蒼空)의 분위기를 내기 위하여, 호리촌트를 전용으로 비치는 최후부(最後部)의 조명.

〈호리촌트 라이트〉

호리호리-하다 형 여불 〔근대 : 호리호리ᄒᆞ다〕 몸피가 가늘고 키가 커서 날씬하다. ¶ 호리호리한 여자. <후리후리하다.

호림 명 호리는 일. 호리는 수단. ¶ 기생의 ~에 넘어갔다. <후림.

호링이다 타 〈옛〉 할 것입니다. ¶ 아돌이 ᄂᆞᆯ오되 그리호링이다…敢히 命을 넛디 아니호링이다(子曰諸다…不敢忘命호링이다) 《小諺 Ⅱ:46》.

호:마[1]【虎麻】 명 『한의』 고삼(苦蔘)❷.

호마[2]【胡馬】 명 만주(滿洲)나 중국 북방에서 나는 말.

호마[3]【胡麻】 명 『식』 참깨와 검은깨의 총칭. 유마(油麻). 지마(芝麻·脂麻).

호:마[4]【護摩】 명 『불교』 〔범 homa: 화제(火祭)의 뜻〕 밀교(密敎)에서 화로를 놓고 호마목(護摩木)을 태워 부처에게 비는 일. 지혜의 불로 번뇌의 섶을 태워, 진리의 성화로 마해(魔害)를 불살라 없애는 표지임. 부동존(不動尊)으로써 본존(本尊)을 삼아, 그 앞에 설단(設壇)하여 행함. 식재(息災)·증복(增福)·항복(降服)·구소(鉤召)·경애(敬愛)의 다섯 가지가 있음.

호:-마노【縞瑪瑙】 명 『광』 줄마노(瑪瑙).

호마니 명 〈방〉 호미[1].

호:마-단【護摩壇】 명 『불교』 호마를 닦기 위하여 화로를 만드는 단(壇). 땅을 파고 쇠똥을 발라 크게 만든 대단(大壇)과 물로 땅을 씻어 급하게 만든 수단(水壇) 및 나무로 만든 목단(木壇)의 세 가지가 있음.

호마 망:북【胡馬望北】 명 호마의북풍(胡馬依北風).

호:마-목【護摩木】 명 『불교』 밀교(密敎)에서 호마(護摩)를 태울 때에 연료(燃料)로 쓰는 나무.

호마-병【胡麻餠】 명 깨떡.

호마-유【胡麻油】 명 참기름.

호마-의북풍【胡馬依北風】 명 호(胡)나라의 말은 북풍이 불 때마다 고향을 그리워한다는 뜻으로, 몹시 고향을 그림을 비유하는 말. 호마 망북(望北).

호마이카 〔Formica〕 명 ☞ 포마이커.

호마-인【胡麻仁】 명 『한의』 참깨나 검은깨의 한약명. 종창(腫瘡)을 다스리고 보재(補材)로 씀.

호마-주【胡麻酒】 명 거승주(巨勝酒).

호마-죽【胡麻粥】 명 깨죽.

호마-초【胡麻酢】 명 참깨나 검은깨를 쪄서 빻은 후 간장·소금·설탕 등을 섞어 만든 초.

호마-탕【胡麻湯】 명 연한 들깨의 잎과 줄기를 토장(土醬)과 같이 넣어서 끓인 국.

호마:테 〔도 Homate〕 명 『지』 구상 화산(臼狀火山).

호막【糊膜】 명 점막(粘膜).

호:만 궤:도【一軌道】 명 〔Hohmann trajectory〕 우주 로켓을 발사하여 태양계 안의 행성(行星)에 도달시키는데 가장 경제적인 비행 경로(飛行經路). 지구의 공전(公轉)을 이용, 지구 궤도에 가깝게 출발하여 태양 주위를 반주(半周)하고 목적하는 행성의 궤도에 돌입하는 코스. 초속(初速) 약 11.5km로 금성에는 146일, 화성에는 259일 걸림. 독일의 건축가 호만이 1925년 제안함.

호말【毫末】 명 털끝만한 일. 썩 작은 사물의 일컬음. 호발(毫髮).

호말지-리【毫末之利】〔一찌一〕 명 썩 작은 이익. 털끝만한 이익.

호:망[1]【虎網】 명 범의 침입을 막기 위하여 집 근처에 쳐 놓는, 올이 굵은 그물.

호망[2]【呼望】 명 『역』 벼슬아치의 출입을 소리쳐서 알리는 일.

호망[3]【狐網】 명 여우를 잡기 위하여 치는 그물.

호매[1] 명 〈방〉 호미[1](경남).

호매[2]【豪邁】 명 호탕하고 영매(英邁)함. ¶ ~한 기상. ——하다 형 여불

호매이 명 〈방〉 호미[1](전남·경상).

호매-하다 형 〈방〉 회매하다.

호맥【胡麥】 명 호밀.

호맹이 명 〈방〉 호미[1](전라·경상·충청·강원).

호:머[1] 〔Homer〕 명 『사람』 호메로스(Homeros)의 영어명.

호:머[2] 〔homer〕 명 홈런.

호머님 〔homonym〕 명 『언』 어떤 언어에 있어서, 서로 똑 같이 발음되면서, 그 뜻이 다른 단어. 곧, pole(장대)과 pole(극) 또는 meet(만나다)

와 meat(고기) 같은 것.

호:먼 징후【一徵候】 명 〔Homan's sign〕〖의〗〔미국의 의사 John Homan의 이름에서〕다리를 뒤쪽으로 구부리면 장딴지와 슬와부(膝窩部)에 아픔을 느끼는 일. 장딴지의 심부 정맥 혈전증(深部靜脈血栓症)을 암시(暗示)함.

호메로스 〔Homeros〕 명 〖사람〗 고대 그리스의 서사시인(敍事詩人). 기원전 8세기경의 사람으로 추정됨. 또한 실재 인물인가 의문시되었으나 그리스 최고(最古)의 서사시인 ≪일리아드(Iliad)≫·≪오디세이(Odyssey)≫의 작자로 유명함. 호머(Homer).

호메오스타시스 〔homeostasis〕 명 〖생〗 생물체의 체내 여러 기관(器官)이 기온·습기 등의 외적 환경의 변화와 자세·운동 등 육체적 변동에 대하여 어떤 범위의 균형 상태를 유지하는 일.

호메오파티: 〔도 Homeopathie〕 명 〖약〗 과량(過量)의 극독약(劇毒藥)을 사용하면 중독증을 일으키나, 그 극독약의 극미량(極微量)을 사용하면 병의 증상을 경감시킨다는 입장에서, 모든 병에 극미량의 극독약을 처방하는 치료법. 독일에서 성행하였음.

호메이 명 〈방〉 호미[1](경상).

호메이니 〔Khomeini, Ayatollah Ruhollah〕 명 〖사람〗 이란의 종교·정치 지도자. 1927년부터 회교(回敎) 교당(敎堂)에서 철학을 강의하였으며, 1963년에 반왕정(反王政) 운동 주도 혐의로 구속되어, 터키·이라크·파리 등지로 망명, 1979년에 귀국하여 이란 혁명을 주도하고 실권을 장악함. [1900-89]

호-멧돼지【胡一】 명 〖동〗 대륙멧돼지.

호멩이 명 〈방〉 호미[1](경남).

호면[1]【胡綿】 명 품질이 썩 좋은 풀솜.

호면[2]【胡麪】 명 당면(唐麪).

호면[3]【湖面】 명 호수의 수면.

호:면[4]【護面】 명 검도(劍道)에서, 호구(護具)의 하나. 얼굴을 다치지 않도록 머리에 뒤집어씀. 얼굴 부위는 가는 쇠로 세로 창살 모양으로 만들고, 솜을 둔 천을 머리 부위에 댐.

호:명[1]【好名】 명 이름 나기를 좋아함. 명성(名聲)을 좋아함. ——하다 자여불

호명[2]【呼名】 명 이름을 부름. 창명(唱名). ——하다 자여불

호명[3]【糊名】 명 〖역〗 과거(科擧) 때 응시자의 이름을 풀칠하여 봉(封)하는 일.

호모[1]【呼母】 명 '어머니'라고 부름. ——하다 타여불

호모[2]【毫毛】 명 ①가는 털. ②전(轉)하여, 근소함. 미소함.

호모[3]【護謨】 명 '고무'의 취음.

호모[4] 〔라 Homo〕 명 종(種)으로서의 사람. 인간.

호모[5] 〔homo〕 명 ①〖생〗〔homozygote〕 유전학(遺傳學)에서, 잡종(雜種)이 아니고 유전자형(型)이 순수(純粹)하고 등질(等質)인 것. 동형(同型). ¶~ 사피엔스. ↔헤테로(hetero). ②〔homosexual의 약칭〕 동성애(同性愛). 보통, 남자끼리의 것을 가리킴. 또, 그것을 즐기는 사람. 호모섹슈얼. ↔레스비언.

호모겐홀츠 〔도 Homogenholz〕 명 목재(木材)를 잘게 하여 건조시킨 후 합성 수지의 접착제를 뿜어 열압(熱壓)해서 형성한 판자(板子)의 상품명. 강도(強度)의 방향성(方向性)이 없음. 실내 건축·가구·건축 자재로 쓰임.

호모다인 수신【一受信】 명 〔homodyne reception〕〖전〗 무선 전화의 억압 반송파(抑壓搬送波) 방식에 쓰이는 무선 수신 시스템. 수신기(受信機)는 본래의 반송파(搬送波) 주파수를 지닌 전압을 발생시키고, 그것을 도래 신호(到來信號)와 결합시킴.

호모 모:벤스 〔라 Homo movence〕 명 〖사〗 교통·통신의 발달, 도시화(都市化)의 진전의 결과 장래의 사회는 이동성·유동성(流動性)이 현저할 것으로 보고, 이러한 사회 속에서 새로운 가치와 정보를 찾아 이동(移動)하는 인간을 일컬음. 이동 인간.

호모 부가【毫毛斧柯】 명 〔호모 불철 장성부가(毫毛不掇將成斧柯)에서〕 어린 싹을 뽑아 버리지 않으면 마침내 큰 나무가 된다는 뜻으로, 화근(禍根)은 크기 전에 없애야 함. 또, 나쁜 버릇은 어릴 때 교정해야 함의 비유.

호모 사피엔스 〔*Homo sapiens*〕 명 〔지혜 있는 사람의 뜻〕 ①〖인류〗 현세 인류(現世人類)의 학명(學名). 구인(舊人)인 네안데르탈 인(Neanderthal 人)과 신인(新人)인 크로마뇽인 (Cro-Magnon 人) 등으로 나뉨. ② 18 세기 스웨덴의 식물학자 린네(Linné, C. von)의 용어. 명확한 언어 능력·추상적인 추리 능력을 가진 현세 인류. 20 세기 독일의 철학자, 셸러(Scheler, M.)에 의하면, 이성력(理性力)으로 세계를 형성, 이상을 실현해 나가는 인간을 가리킴. 지성인(知性人).

호모섹슈얼 〔homosexual〕 명 호모[5]❷.

호모-수【護謨樹】 명 〖식〗 고무나무.

호모시스테인 〔homocysteine〕 명 〖화〗 동물 체내(動物體內)에서 메티오닌의 탈(脫)메틸화(化)에 의해 생성(生成)되는 아미노산. [$C_4H_9O_2NS$]

호모시스틴뇨-증【一尿症】〔一쯩〕 명 〔homocystinuria〕〖의〗 오줌 속에 호모시스테인이 나타나는 유전성 대사 장애(遺傳性代謝障礙). 시스타티오닌(cystathionine) 합성 효소(合成酵素) 활성의 결실(缺失)이 원인임. 수정체(水晶體)의 위치 이상(位置異常) 및 정신 지체(精神遲滯)가 나타남.

호모 에렉투스 〔*Homo erectus*〕 명 〔직립원인(直立原人)의 뜻〕〖인류〗 원인(猿人)에 이은 30 만-70 만년 전의 화석 인류(化石人類). 뇌용량(腦容量)은 800-1200 cm³이고 양미간(兩眉間)에 차양과 같은 것이 돌출한 외에 원시적 특징을 나타냄. 자바 원인(原人)·베이징 원인(北京原人) 등이 있으며, 특히 베이징 원인은 석기(石器)를 만들고 불을 사용했다고 생각됨. 원인(原人). 직립 원인(直立原人).

호모-에로티즘 〔homoerotism〕 명 〖심〗 동성(同性)에 향하는 성적 욕망(性的慾望). 흔히, 승화(昇華)되어 겉에 나타나지 않음.

호모 에코노미쿠스 〔라 Homo economicus〕 명 〖경〗 경제인(經濟人). 흔히, 타산적·공리적인 인간을 말함.

호모 우유【一牛乳】 〔homo〕 명 〔호모는 고르게 분산시킨다는 뜻의 homogenized에서〕 압력을 가하여 지방구(脂肪球)를 분쇄, 균질화한 우유. 균질유(均質乳).

호모-인【護謨印】 명 고무 도장.

호모 접합체【一接合體】 〔homo〕 명 〖생〗 동형(同型) 접합체. ↔헤테로(hetero) 접합체.

호모-종【護謨腫】 명 〖의〗 고무종(腫).

호모지나이저 〔homogenizer〕 명 불용성 물질(不溶性物質)을 미립화(微粒化)하여 액(液) 속에 고루 분산시키는 장치. 식품·화학 공업에 사용함.

호모-초【護謨草】 명 〖식〗 〔*Corispermum stauntoni*〕 명아줏과에 속하는 일년초. 줄기 높이 30 cm 이상이고 잎은 호생하며 다소 육질(肉質)임. 7-8월에 녹황색의 꽃이 액출(腋出)하여 피고, 씨는 달걀꼴에 회록색임. 들에 나는데, 인천(仁川), 평안 남도 온창(溫倉), 함경 남도 함흥(咸興) 등지에 분포함. 어린잎은 식용함.

호모 파:베르 〔라 Homo faber〕 명 〖철〗 공작인(工作人)의 뜻. 인간이 동물과 틀리는 특질을, 도구를 만들며 그것을 사용하는 공작성·기술성에 둔 인간관을 나타내는 말.

호모포니 〔homophony〕 명 〖악〗 본래는 '동음(同音)'이란 뜻이었으나, 오늘에 와서는 주성부(主聲部)의 선율에 대한 간단한 반주를 붙인 작법(作法)을 말함. 단선율(單旋律).

호모 하빌리스 〔라 Homo habilis〕 명 '능력 있는 사람'의 뜻의 화석(化石) 인류. 1964년 동아프리카의 탕가니카(Tanganyika)에서 발견한, 홍적세(洪積世) 초두 약 150 만 년쯤 전의 것임.

호모-호【護謨糊】 명 고무풀.

호모-화【護謨靴】 명 고무신.

호목【瓠木】 명 〖문〗 고려 고종(高宗) 때 불리던 것으로, 백성의 괴로운 생활을 저주하는 내용의 동요(童謠). 전하여지지 않음.

호:묘【浩渺】 명 호양(浩洋). ——하다 형여불

호무[1] 명 〈방〉 호미[1](전남·충청·강원·평북).

호무[2]【毫無】 명 조금도 없음. 전혀 없음. ¶나를 미워할 리 ~하다. ——하다 형여불

호:문【虎吻】 명 호랑이의 입. 전(轉)하여, 사람을 해칠 생김새. 또, 위험함을 이르는 말.

호문-댕이 명 〈방〉 합죽이(평안).

호:물【好物】 명 ①훌륭한 물건. ②즐기는 물건.

호물-때기 명 〈방〉 합죽이(평안).

호미[1] 명 〖농〗 김 매는 데에 쓰는 농구의 한 가지. 대개 3각형의 날과 가는 목을 휘어 꼬부리고 자루를 낌.

[호미로 막을 것을 가래로 막는다] 일이 작을 때에 처리하지 않다가 필경에는 큰 힘을 들이게 됨을 이르는 말.

〈호미[1]〉

호:미[2]【虎尾】 명 범의 꼬리.

호미[3]【胡米】 명 중국에서 나는 쌀.

호미[4]【狐媚】 명 아양을 떨고 아첨(阿諂)하는 일.

호미-거리 명 〈방〉 호미씻이.

호미-걸이 명 씨름 재간의 하나. 상대방을 들어서 놓는 순간, 상대방의 발이 땅에 닿기 전에 발뒤꿈치로 상대방의 오른쪽 발목을 안으로 걸어 당겨 제치면서 상대방의 상체를 왼쪽으로 밀어 넘어뜨림.

호미걸이 소리 명 〖민〗 경기도 고양시(高陽市) 일대에 전승되어 오는 김매기 소리의 하나.

호:미 난방【虎尾難放】 명 쥐었던 범의 꼬리를 놓기가 어려움. 곧, 위험한 일에 손댔다가 이럴 수도 저럴 수도 없는 경우를 이르는 말.

호미-모 명 물기가 적어 흙이 부드럽지 못한 논이나 모랫논 등지에 호미로 흙을 파면서 심는 강모의 한 가지.

호미-밥 명 〖농〗 호미로 떠 놓은 흙이란 뜻으로, 적은 분량의 흙의 일컬음.

호미-씨새 명 〈방〉 호미씻이.

호미-씻이 명 〖농·민〗 농가(農家)에서 농사일, 특히 논매기의 만물을 끝낸 음력 7월쯤에, 잠시 쉬며 즐겨 노는 일. 세서연(洗鋤宴). 풋굿. ——하다 자여불

호미이 명 〈방〉 호미[1](경북).

호미-자락 명 호미의 끝 부분. 또, 그 길이. 빗물이 땅 속에 스며든 깊이를 재어 볼 때에 쓰는 말.

호미 타:령【一打鈴】 명 〖악〗 함경도·평안도 지방에서 김맬 때 부르는 농요(農謠)의 하나.

호민【豪民】 명 재물이 넉넉하고 세력이 있는 백성.

호:민-관【護民官】 명 〔라 tribunus plebis〕〖역〗 고대 로마에서 평민(平民)의 권익(權益)을 보호하기 위하여, 기원전 493년경에 설치된 관직. 평민회(平民會)만에 의하여 선출되어, 평민회를 소집하고 안건(案件)을 제출하는 권한, 관리나 귀족측의 결정에 대한 거부권(拒否權), 원로원(元老院) 소집권(召集權) 및 불가침권(不可侵權)을 향유하였음. 처음에는 두 사람이었으나 뒤에는 열 사람까지 늘었음.

호-밀【胡一】 명 〖식〗 〔*Secale cereale*〕 볏과(科)에 속하는 일년 또는 이년초로 밀의 한 가지. 밀과 비슷하나 줄기 높이 1.3-2 m에 달하고, 5-6 마디가 있으며, 잎은 밀보다 작고 짙은 녹색임. 꽃은 5-6월에 수상(穗狀) 화서로 피고, 소수(小穗)는 꽃이 세 개이며, 그 중 한 꽃은 결실하지 못함. 뿌리가 잘 발달하고, 내한성(耐寒性)이 강하며, 자가 불실성(自家不實性)이 현저하고, 비료의 흡수력(吸收力)이 강함. 유럽 남동부와 중앙 아시아 원산으로 유럽 각지와 시베리아·미국·아르헨티나·아시아 대륙 등지에서 재배함. 빵·국수 등의 식용, 양조용(釀造用)·사료(飼料)로 씀. 호맥(胡麥). 라이(rye) 보리.

〈호밀〉

호밀-짚 【胡—】 [—찝] [명] 호밀의 대.

호:밍 [homing] [명] ①자동적으로 목표를 추미(追尾)하는 미사일 유도(誘導) 방식. 비행기가 내는 열·빛·전파, 함선이 내는 음파·항적파(航跡波)를 자동적으로 추미시켜 목표를 정확히 포착함. ②전서구(傳書鳩) 등이 갖는 귀소성(歸巢性)·회귀성(回歸性).

호:밍 비:컨 [homing beacon] [명] 항공로·비행장 등을 나타내는 무선 표지. 각 표지국(標識局)에서 발신하는 일정한 파장의 전파를 항공기 상에서 수신, 양자의 관계 위치를 알아냄. ＊무지향성(無志向性) 무선 표지.

호:밍 어뢰 【—魚雷】 [명] [homing torpedo] 〖군〗 목표를 자동적으로 추적하여 명중하는 어뢰. 주로 잠수함 공격에 쓰임. 목표에서 나오는 음향(音響)을 추적하는 청음식(聽音式), 초음파(超音波)를 발사하여 그 반사원(反射源)을 추적하는 탐신식(探信式), 유선 유도식(有線誘導式) 등이 있음.

호:밍 유도 【—誘導】 [—뉴—] [명] [homing guidance] 〖군〗 미사일의 유도 방식. 목표의 어떤 특성에 따라, 미사일에 실은 장치가 작용하여 미사일을 목표에 인도함.

호:밍 장치 【—裝置】 [명] [homing device] 〖공〗 유도(誘導) 미사일 따위에 장착(裝着)되어, 목표를 지향(指向)하도록 작용하는 장치.

호미 [명] 〈옛〉 호미¹. ¶ᄀᆞᄂᆞᆫ 비예 호미 메오 셔니(細雨荷鋤立) ≪杜諺 Ⅶ:15≫. 「Ⅵ:2≫.

호미ᄒᆞ다 [형] 〈옛〉 아리땁고 얌전하다. ¶몸씨 호미ᄒᆞ다(藐窕) ≪漢淸

호바 [ㄱ Hobah] [명] 〖성〗 다메섹(Dammeseg) 북쪽으로 200 리 되는 곳에 있는 성(城). 아브라함(Abraham)이 소돔(Sodom)과 그 동맹자(同盟者)를 쫓아 여기까지 왔었음.

〈호바늘꽃〉

호-바늘꽃 【胡—】 [명] 〖식〗 [*Epilobium amurense*] 바늘꽃과에 속하는 다년초. 줄기 높이 30cm 내외이고 잎은 대생(對生)하는데, 줄기 꼭대기에서는 호생(互生)하며 긴 타원형 또는 달걀꼴 피침형임. 7-8월에 홍자색의 작은 꽃이 줄기 끝에 액생(腋生)하고, 과실은 삭과(蒴果)임. 산지에 나며, 함남 부전 고원(赴戰高原)에 분포함.

호바:트 [Hobart] [명] 〖지〗 오스트레일리아 남동부, 태즈메이니아(Tasmania) 섬 남안(南岸)의 항도(港都). 태즈메이니아 주(州)의 주도. 야금(冶金)·시멘트·제분(製粉)·고기 통조림 등의 공업이 발달함. 대학·미술관·박물관 등 문화 시설도 많음. [180,000 명(1987 추계)]

호:박¹ [명] ①〖식〗 [*Cucurbita moschata*] 박과에 속하는 일년생 만초(蔓草). 줄기는 오릉형(五稜形), 때로는 원통형으로 거친 털이 있고, 잎은 둥근 심장형인데 다섯 갈래로 얕게 째짐. 자웅 동주(雌雄同株)로 여름에 노란 꽃이 피는데, 수꽃은 단생(單生) 또는 군생(群生)하고, 열매는 크며, 보통 구형(球形)·긴 타원형 등이고 담황색으로 익음. 씨는 둥글고 두꺼우며, 회백색이나 마르면 백색이 됨. 동인도 원산으로 오래 전부터 각지에서 널리 재배함. 여러 가지 품종이 있는데, 과실은 '호박'이라 하며, 장과(漿果) 식물로서 중요하고 잎과 순도 식용이 됨. 어린 것을 '애호박', 익어서 잘 굳은 것을 '청둥호박'이라 함. 남과(南瓜). ②잘 생기지 못한 여자를 조롱하는 말. ¶～ 같은 얼굴.
[호박 나물에 힘쓴다] ㉠공연한 일에 혼자 기를 쓰고 화를 냄을 이름. ㉡기골이 매우 약한 사람이 가벼운 것을 들고도 못 이겨 쩔쩔맨다는 뜻. [호박을 쓰고 도투굴(窟)로 들어가다] [도투는 돼지의 사투리] 아무런 방비(防備) 없이 무모하게 위험에 뛰어들다. [호박이 굴렀다] 뜻밖에 좋은 물건을 얻거나 큰 수가 생겼을 때 이르는 말. [호박이 넝쿨째로 굴러 떨어졌다] '호박이 굴렀다'와 같은 뜻. [호박이 떨어졌다] '호박이 굴렀다'와 같은 뜻.
호:박 덩굴이 뻗을 적 같아서야 [구] 한창 흥할 때라고 함부로 세도 부릴 것이 아니라는 말.
호:박에 말뚝 박기 [구] ㉠심술궂고 잔혹한 짓을 이르는 말. ㉡'호박에 침주기'의 뜻.
호:박에 침주기 [구] ㉠아무 반응이 없음을 이르는 말. ㉡아주 쉬운 일의 비유.

호:박² [명] 〖불교〗 쇠고기의 변말. 흔히, 땡추중들이 씀.

호:박³ [명] 〈방〉 확(경상·강원·함경).

호:박⁴ 【浩博】 [명] 크고 넓음. ——하다 [형][여불]

호:박⁵ 【琥珀】 [명] 〖광〗 지질 시대(地質時代)의 수지(樹脂)가 땅 속에 파묻혀서 수소·산소·탄소 등과 화합하여 돌처럼 굳어진 광물. 누른 빛에, 투명(透明) 또는 반(半)투명이며 광택(光澤)이 많음. 불에 타기 쉽고 마찰시키면 전기가 생김. 장식 공예품·보석·절연재(絶緣材) 등으로 쓰임. 별칭은 강주(江珠)·돈모(頓牟).

호:박-개 [명] 〖동〗 뼈대가 굵고 털이 북실북실하게 난 개. 중국에서 많이 남.

호:박-고누 [명] 아래위 두 줄 사이의 타원형(楕圓形)을 열 십(十)자로 연결한 말밭에서, 각각 세 개의 말을 놓고 노는 고누의 한 가지. ＊사발고누.

호:박-고지 [명] 애호박을 얇게 썰어서 말린 찬거리. 물에 불려 볶아서 나물을 무쳐 먹음. 오가리.

호:박-광 【琥珀光】 [명] 술의 맑고 아름다운 누른 빛을 가리키는 말.

호:박-구슬우렁이 [명] 〖조개〗 구슬우렁이.

호:박-금 【琥珀金】 [명] 금과 은(銀)의 합금.

호:박 김치 [명] 애호박과 호박순을 썰고 온갖 고명을 쳐서 담근 김치.

호:박 김치 찌개 [명] 푹 익은 호박 김치로 만든 김치 찌개.

호:박-꽃 [명] ①〖식〗 호박의 꽃. 오렌지 빛의 대형 합판화(大型合瓣花). 수꽃과 암꽃이 있음. ②아름답지 못한 여자의 비유.
[호박꽃도 꽃이냐] 여자는 모름지기 예뻐야 위주라는 말.

호:박-단 【琥珀緞】 [명] 평직(平織)으로 짠 견직(絹織) 비단의 한 가지. 여자들의 저고리·치마 감 등으로 많이 쓰임. 태피터(taffeta).

호:박-당 【琥珀糖】 [명] 끓인 우무에 설탕·울금분(鬱金粉)을 섞어서 찐 다음 레몬 또는 등피유(橙皮油)를 섞어서 식혀 응고시킨 과자.

호:박-돌 [명] ①〖건〗 지름 20-30cm 정도의 둥근 돌. 기둥 밑에 앉히어 기초로도 삼고, 골재(骨材)로 쓰이기도 함. ②〈방〉 돌확(경남).

호:박-돔 【琥珀—】 [명] 〖어〗 [*Choerodon azurio*] 양놀래깃과에 속하는 바닷물고기. 길이 40cm 남짓한데 체고(體高)가 높고 주둥이 끝이 무딤. 몸빛은 황적색으로 체측(體側)에 폭 넓은 암녹색 띠가 있고, 꼬리지느러미는 암갈색, 딴 지느러미는 황색임. 한국 중남 연해(沿海), 일본 중부 이남, 동중국해 및 대만 연해에 분포함. 식용함.

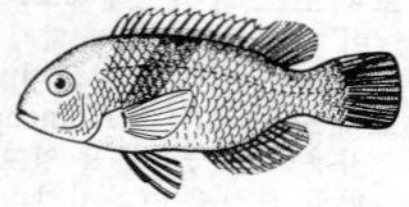
〈호박돔〉

호:박-떡 [명] 오가리나 청둥호박을 얇게 썰어 넣고 만든 시루떡.

호:박 무늬 【琥珀—】 [—니] [명] 호박단의 무늬.

호:박-무름 [명] 애호박을 길이로 세 골을 째고, 양념한 쇠고기를 짓이겨 그 틈에 끼워 쪄낸 뒤, 버섯·알고명 등을 썰어 얹은 음식.

호:박-벌 [명] 〖충〗 ①[*Bombus ignitus*] 꿀벌과에 속하는 벌. 뒝벌과 비슷한데 몸길이 18mm 가량이고, 몸빛은 암펄·일벌이 모두 흑색에 복단(腹端) 3 절은 적갈색이고, 흰 띠가 없음. 온몸이 검고 긴 털이 밀생하였으며 가을에 출현하여 땅속·나무 구멍 등에 집을 짓고 꽃에도 모임. 아시아·유럽 대륙의 중북부·북아메리카 등에 분포함. 봉방(蜂房)과 애벌레는 약재로 씀. 먹뒝벌. ②어리호박벌. [준]박벌.

호:박-범벅 [명] 청둥호박과 찹쌀 가루를 버무려서 찐 음식.

호:박-산 【琥珀酸】 [명] 〖화〗 숙신산(酸).

호:박-색 【琥珀色】 [명] 호박의 빛깔. 호박 같은 누른 색.

호:박-선 【—膳】 [명] 호박을 에어 소를 넣고 익힌 찜.

호:박-설 【琥珀屑】 [명] 〖한의〗 호박의 가루. 이뇨(利尿)·안질(眼疾)·혈적(血積)·경계(驚悸) 등의 약재로 쓰임.

호:박-순 【—筍】 [명] 호박 줄기에서 돋아나는 연한 줄기. 찬거리로 쓰임.

호:박순 지짐이 【—筍—】 [명] 호박순과 잎·꽃맺이·꽃봉오리 등을 된장이나 고추장에 넣어 만든 지짐이.

호:박-씨 [명] 호박의 씨.
[호박씨 까서 한입에 털어 넣는다] 애써서 푼푼이 모은 것을 한꺼번에 털어 없앰의 비유.

호:박-엿 [—녇] [명] ①울릉도 특산인 후박엿의 와전(訛傳). ②호박을 고아 만든 엿.

호:박-옥 【琥珀玉】 [명] ①호박으로 만든 구슬. 호박색의 보석. ②잘 익은 살구 등을 형용하는 말.

호:박-유 【琥珀油】 [—뉴] [명] [amber oil] 〖화〗 호박을 건류(乾溜)하여서 만드는 기름. 담황색이며 불쾌한 냄새가 있는 휘발성의 액체. 공기 중에서 꺼멓게 변함. 랙(lac) 제조에 쓰임.

호:박-이 [명] 〈방〉 호박개.

호:박-잎 [—닙] [명] 호박의 잎사귀. 부드러운 것은 찬거리로 쓰임.
[호박잎에 청개구리 뛰어 오르듯] 연소자가 버릇 없이 연장자를 함부로 희롱함의 비유.

호:박잎-쌈 [—닙—] [명] 연한 호박잎을 약간 데친 쌈.

호:박-잠 【琥珀簪】 [명] 호박으로 만든 비녀.

호:박 저:냐 [명] ☞ 호박전(煎).

호:박-전 【—煎】 [명] 애호박을 통으로 얇게 썰어 밀가루와 달걀을 씌워서 지진 음식.

호:박 주추 【—柱—】 [명] 〖건〗 원주형으로 다듬어 만든 주추. 둥근 기둥 밑에 받침. 호박 주춧돌.

호:박 주춧돌 【—柱—】 [명] 〖건〗 호박 주추.

호:박-죽 【—粥】 [명] ①토장국에 쌀과 쇠고기를 이겨 넣고 끓이다가 애호박을 썰어 넣고 쑨 죽. ②잘 익은 호박을 삶아서 짓이겨 팥을 넣고 쌀가루를 풀어서 쑨 죽.

호:박-지 [명] 씨를 뺀 청둥호박으로 담근 김치. 김장 때 담가서, 주로 찌개나 국을 끓여서 먹음. 황해도와 경기도 북부, 충청도의 향토 음식임.

호:박 지짐이 [명] 애호박을 얇게 저미고 파를 썰어 넣어 된장이나 고추장을 풀어서 만든 지짐이.

호:박지 찌개 [명] 호박 김치로 끓인 찌개.

호:박-찜 [명] 쇠고기·파를 짓이겨 기름·깨소금·후춧가루 등을 친 다음, 아주 어린 애호박의 배를 두세 골로 째고 그 틈에 끼워서 쪄 온갖 고명을 얹은 음식.

호:박 풀떼기 [명] 늙은 호박과 잡곡을 푹 끓여 풀처럼 되게 쑨 죽. 주로 가을철에 먹음.

호:박 풍잠 【琥珀風簪】 [명] 호박으로 만든 풍잠.

호:반¹ 【虎班】 [명] 〖역〗 무반(武班). 무열(武烈). ↔학반(鶴班).

호반² 【湖畔】 [명] 호수의 가. 못 언저리. ¶～의 별장.

호:반³ 【皓礬】 [명] 〖화〗 '황산 아연(黃酸亞鉛)'의 속칭.

호반-새 【湖畔—】 [명] 〖조〗 [*Halcyon coromanda*] 물총샛과에 속하는 물새. 날개 길이 12cm, 부리 5.5cm 가량이고 몸빛은 상면(上面)의 등 아래 쪽·허리는 백색이고 담청색 또는 담자색을 띠며, 그 외는 밤색에 자색의 광택이 나고 하면(下面)의 목과 복부(腹部)는 황갈색이고 허리는 청자색의 환채(幻彩)를 띤 백색이므로 매우 아름다움. 부리는 홍적색이고 다리는 적갈색임. 5월경에 도래(渡來)하여 9월에 날아가는데,

〈호반새〉

산·개울 가·호반(湖畔)·밀림(密林)에 서식하며, 개구리·작은 물고기·곤충 등을 포식하고, 6-7 월경에 나무 구멍·낭떠러지 구멍에 5-6개의 흰 알을 낳음. '비르르 비르르' 하고 울. 양어(養魚)에 해로움. 만주·한국·일본 등지에서 번식(繁殖)하고 중국 남부·대만·필리핀 등에서 월동(越冬)함. 적비취(赤翡翠).

호:반-석【虎斑石】명〖광〗바탕이 검은 데다가 흰점이 아롱진 돌. 벼루 만드는 석재(石材)로 쓰임.

호반 시인【湖畔詩人】명〔the lake poets〕〖문〗18세기 말에서부터 19세기 초엽에 걸쳐 잉글랜드의 북부의 컴벌랜드 주(Cumberland 州)와 웨스트몰랜드 주(Westmorland 州)의 호수 지방에 살면서 대자연의 소박(素朴)함 가운데 영감(靈感)을 구하여 명상적인 시를 짓던 시인. 워즈워스(Wordsworth)·콜리지(Coleridge)·사우디(Southey) 등의 일파. 특히 워즈워스는 호수 지방의 풍물을 시 속에 살린 대표적인 호반 시인이었음. 호반파(派).

호:반-유【虎斑釉】〔-뉴〕명〖미술〗도자기에 호피(虎皮)와 같은 무늬를 내는 데에 쓰이는 잿물.

호반-파【湖畔派】명〖문〗호반 시인.

호발【毫髮】명 자디잔 털. 곧, 아주 작은 물건(物件)을 가리키는 말. 호말(毫末).

호발 부동【毫髮不動】명 꿈쩍도 아니함. 조금도 움직이지 아니함. ——-하다 자여불

호방[1] 명〈방〉돌확(경북).

호방[2] 명〈방〉허방.

호:방[3]【戶房】명〖역〗①조선 시대 때 호전(戶典)에 관한 일을 맡은, 승정원(承政院)의 육방(六房)의 하나. 좌승지(左承旨)가 맡음. ②조선 시대 때 지방 관아(地方官衙)에서, 호전의 일을 맡은 향리(鄕吏)의 직소(職所)의 하나.

호방[4]【豪放】명 기개(氣槪)가 장하여 작은 일에 거리끼지 아니함. 호종(豪縱). ¶~ 뇌락(磊落). ——-하다 형여불

호:배[1]【戶排】명 집집이 나누어 줌. ——-하다 타여불

호:배[2]【好配】명 ①서로 알맞은 배필. ②좋은 배합(配合).

호배기 명〈방〉돌확(경남·함경).

호-배추【胡一】명〖식〗①만주나 중국 종의 배추. ②재래종에 대하여 개량 결구(結球) 배추의 속칭.

호백[1] 명〈방〉돌확(경북).

호:백[2]【皓白】명 매우 흼. ——-하다 형여불

호백-구【狐白裘】명 여우의 겨드랑이의 흰 털이 있는 부분의 가죽으로만 만든 갖옷.

호버크라:프트〔Hovercraft〕명 지표면(地表面)을 향하여 고압 공기를 분출하여, 지표면과의 사이에 고압부(部)를 만듦으로써 부양(浮揚)하여 나아가는 에어 쿠션선(air cushion 船)의 상품명. 지상(地上)에서도 수상(水上)에서도 운항할 수 있음.

호:번【浩繁】명 넓고 큼직하며 번다(繁多)함. ¶크게 장사를 하는 터인고로 각처 시장에 금전 거래가 대단히 ~한 터이라…≪作者未詳 : 訪花隨柳亭≫. ——-하다 형여불

호-범꼬리【胡一】명〖식〗〔*Bistorta ochotensis*〕마디풀과에 속하는 다년초. 줄기는 1m 이상이며, 각엽(脚葉)은 장병(長柄)이고 경엽(莖葉)은 무병(無柄)이며 엽초(葉鞘)는 막질(膜質)인데 길이 1-2cm 가량임. 7-8월에 엷은 홍색 꽃이 수상(穗狀) 화서로 정생(頂生)하고, 과실은 수과(瘦果)임. 깊은 산의 초원에 나는데, 함경 남도의 부전 고원(赴戰高原)에 분포함.

호:법【護法】명 ①법률을 옹호함. 법을 수호함. ②〖불교〗불법을 보호하는 일. 염불 기도에 의하여 요괴(妖怪)나 질병을 조복(調伏)하는 일. 또, 그 법력(法力). ——-하다 자여불

호:법 동:자【護法童子】명〖불교〗호법 천동(天童).

호:법-신【護法神】명〖불교〗불법을 수호하는 신(神). 범천(梵天)·제석천(帝釋天)·사천왕(四天王)·십이 신장(十二神將)·십육 선신(十六善神)·이십팔 부중(二十八部衆) 등임.

호:법 천동【護法天童】명〖불교〗불법을 수호하는 동자(童子) 차림의 귀신. 호법 동자(童子).

호베마〔Hobbema, Meindert〕명〖사람〗네덜란드의 화가. 암스테르담 태생. 뢰이스달(Ruysdael, V. J.)의 제자. 숲의 풍경을 주제로 정확한 데생(dessin)과 자유로운 구도, 조화 있는 색채로 친밀감을 깊게 표현(表現)하였음. 대표작은 ≪미델하르니스(Middelharnis)의 가로숫길≫. 〔1638-1709〕

호베야노스〔Jovellanos, Gaspar Melchor de〕명〖사람〗스페인의 정치가·저술가. 마드리드 형사 재판소장·법상(法相)을 역임함. 1801년 정적(政敵)에 의해 투옥되었으나 프랑스군(軍)의 침입으로 석방됨. 프랑스의 지배에 저항하여 반도 전쟁(半島戰爭)에서 혁명 의회의 중심 인물로 활약하였으며, 교육 개혁·토지 개혁·경제 부흥을 추진한 계몽 정치가로 알려짐. 〔1744-1811〕

호벼 넣:다〔-너타〕구 ↗호비어 넣다. ㅅ오벼 넣다. ＜후벼 넣다.

호벼 파다 구 ↗호비어 파다. ㅅ오벼 파다. ＜후벼 파다.

호:변[1]【互變】명〔enantiotropy〕〖화〗동일 물질(同一物質)의 결정형(結晶形) 관계에서, 한쪽 결정형은 전이점(轉移點) 이상에서 안정하고, 다른 한쪽은 그 이하에서 안정하는 현상. 이 경우 결정형은 전이점(轉移點) 전후에서 한쪽에서 다른 쪽으로 가역적(可逆的)으로 전환함. 서로 바뀜 현상(現象). 호변 이형(二形).

호:변[2]【好辯】명 말을 썩 잘함. 훌륭한 말솜씨. 능변(能辯).

호:변[3]【虎變】명 호피(虎皮)의 어룽진 무늬처럼 곱게 변하여 아름답다는 뜻.

호:변-객【好辯客】명 말솜씨가 능란한 사람. 능변가(能辯家).

호:변 이:성【互變異性】명〖화〗토토머화(化) 현상(現象).

호:변 이:성질체【互變異性質體】명〖화〗토토머(tautomer).

호:변 이:형【互變二形】명〖화〗호변(互變).

호:별【戶別】명 집집마다. 헌별(軒別).

호:별 방문【戶別訪問】명 집집마다 찾아 다니는 일. ——-하다 자여불

호:별-세【戶別稅】〔-쎄〕명 구제(舊制)에서 살림살이를 하는 집을 표준으로 하여, 집집마다 징수하던 지방세(地方稅)의 한 가지. 준호세(戶稅). *주민세.

호:병[1]【虎兵】명 매우 용맹스러운 병사. *호장(虎將).

호병[2]【胡兵】명 외국의 병정. 오랑캐의 병정.

호:보[1]【虎步】명 걸음걸이가 힘참. 보무(步武) 당당히 나아감. ——-하다 자여불

호:보[2]【扈保】명〖역〗호위영(扈衛營)의 군보(軍保).

호보래비 명〈방〉홀아비(경상).

호복[1]【胡服】명 호인(胡人)의 옷. 야만인의 복제(服制).

호복[2]【胡福】명 큰 행복.

호봉[1]【胡蜂】명〖충〗말벌❶.

호:봉[2]【號俸】명 직계(職階)·연공(年功) 등을 기초로 하여 정해진, 그 급여(給與) 체계 안에서의 등급. ¶4급 2~.

호:부[1]【戶部】명〖역〗↗상서(尙書) 호부.

호:-부[2]【好否】명 좋음과 좋지 아니함. 호불호(好不好). ¶~ 간에.

호부[3]【呼父】명 '아버지'라 부름. 아버지로 모심. ↔호모(呼母). ——-하다 타여불

호:부[4]【虎符】명〖역〗옛 중국에서, 구리로 범의 모양을 본떠 만든 징병(徵兵)의 표지(標識). 동호부(銅虎符).

〈호부[4]〉

호부[5]【豪富】명 세력 있는 부자.

호:부[6]【護符】명〔talisman〕가지고 다님으로써 신비적인 힘을 얻어 신명(身命)의 위해(危害)를 방지할 수 있다고 믿고 있는 물건. 기석(奇石)·뼈·머리털·나뭇잎·나뭇가지 등 여러 가지를 씀.

호:부 견자【虎父犬子】명 아버지는 잘났는데 아들은 못나고 어리석다는 말. *호부 무견자(虎父無犬子).

호부라비 명〈방〉홀아비(경상).

호부래미 명〈방〉홀어미(경북).

호부래비 명〈방〉홀아비(경상).

호부러망이 명〈방〉홀어미(경상).

호부러머이 명〈방〉홀어미(경북).

호부레미 명〈방〉홀어미(경상).

호:부 무견자【虎父無犬子】명 잘난 아버지 밑에 못난 아들은 없다는 말. *호부 견자(虎父犬子).

호:부 은행【戶部銀行】명〖역〗1905년에 설립된 중국 최초의 국립 은행. 관민(官民) 쌍방의 출자(出資)로 자본금은 400만 냥(兩)이었으며, 베이징(北京)에 본점을 두고 상하이(上海)·톈진(天津)에 지점을 두어 발족하였는데, 1908년 자본금 1,000만 냥으로 증자하여 '중국 은행'의 전신이 된 '대청(大淸) 은행'으로 개칭하였음.

호부-장【糊付裝】명 제본(製本)할 때, 철사(鐵絲)를 써서 책·잡지 등을 매고 표지를 씌운 다음, 표지째 마무리 재단하는 일. *양장(洋裝).

호부찌 명〈방〉홑옷(함경).

호-부추【胡一】명 중국종(中國種)의 부추. 재래종의 우리 나라 부추보다 굵고, 연한 연둣빛임.

호부 호모【呼父呼母】명 아버지·어머니라고 부름. 부모(父母)로 모심. ——-하다 타여불

호부 호형【呼父呼兄】명 아버지라고 부르고 형이라고 부름.

호북【湖北】명〖지〗'후베이'를 우리 음으로 읽은 이름.

호북-성【湖北省】명〖지〗후베이 성(湖北省).

호:분[1]【虎賁】명 날래다는 뜻으로, 천자(天子)를 호위하는 군사 또는 용사를 이름.

호분[2]【胡粉】명 ①〖화〗화장용(化粧用)의 흰 가루. 백분(白粉). ②백악(白堊)❶.

호:분-군【虎賁軍】명〖역〗고려 충선왕(忠宣王) 때에 용호군(龍虎軍)의 고친 이름.

호분 누석【毫分縷析】명 썩 잘게 분석함. ——-하다 타여불

호분-립【糊粉粒】〔-닙〕명〔aleurone grain〕〖식〗아주까리·호두 따위 지방이 많은 종자(種子)의 세포 속에 있는 단백질(蛋白質)을 저장하고 있는 공포(空胞). 단백립(蛋白粒).

호:분-사【虎賁司】명〖역〗조선 태종(太宗) 18년(1418)에 호분 시위사(虎賁侍衛司)를 고친 이름. 세조(世祖) 3년(1451)에 다시 호분위(虎賁衛)로 고치었음.

호:분 순위사【虎賁巡衛司】명〖역〗조선 시대 태조(太祖) 4년(1395)에 의흥 친군(義興親軍)의 십위(十衛)의 하나인 비순위(備巡衛)를 고친 이름. 문종(文宗) 원년(1451)에 오위(五衛)를 두면서 혁파하였음.

호:분 시:위사【虎賁侍衛司】명〖역〗조선 태종(太宗) 9년(1409)에 호분 순위사(虎賁巡衛司)를 고친 이름. 태종 18년에 다시 호분사(虎賁司)로 고치었음.

호:분-위【虎賁衛】명〖역〗조선 시대 때 오위(五衛) 가운데의 우위(右衛). 문종(文宗) 원년(1451)에 베풀었는데, 족친위(族親衛)·친군위(親軍衛)·팽배(彭排)가 이에 속하여 중(中)·좌(左)·우(右)·전(前)·후(後)의 다섯 부(部)로 나뉘고 평안도의 각 진(鎭)에 군대가 분속되어 있었음. 임진 왜란(壬辰倭亂) 뒤에 오위 병제(五衛兵制)가 무너지면서 명목만 남

아 있다가 고종(高宗) 19년(1882)에 혁파됨.

호분자 (명) 〈방〉 혼자(경남).

호분-지【胡粉地】(명) ①호분으로 만든 조각·건축 등의 기초. ②호분을 칠한 화폭(畫幅).

호분-층【糊粉層】(명)〔aleurone layer〕〖생〗 호분립(糊粉粒)을 다량으로 함유한 세포층(細胞層). 벼과(科)·대나뭇과의 종피(種皮)의 안쪽에서 볼 수 있음. 배유 주변부(胚乳周邊部)의 세포로부터 분화(分化)함. 양분(養分) 저장 외에 아밀라아제 기타의 효소(酵素)를 분비하여 배유 내(胚乳內)의 저장 물질을 가용성(可溶性) 성분으로 하여 배(胚)에 공급하는 작용을 영위함.

호분-화【胡粉畫】(명)〖미술〗 바탕에 호분을 칠하고 그 위에다 먹이나, 황토·녹청(綠靑)·단사(丹砂) 등으로 그린 그림.

호불-아바이 (명) 〈방〉 홀아비(경북).

호:-불호【好不好】(명) 호부(好否).

호브드〔Hovd〕(명)〖지〗 몽골 서부(西部) 하라우수 호(Khara Usu湖) 서쪽에 있는 도시. 1731년 청조(淸朝)에 의하여 건설됨. 서북쪽은 시베리아, 동쪽은 수도 울란바토르로 통하는 도로 교통의 간선 상(幹線上)에 위치하며 교역(交易)이 성함. 코브도(Kobdo). 과포다(科布多). 구칭 : 지르갈란투(Dzhirgalantu). [14,000명(1970)]

호비다 (타) ①구멍이나 틈 속을 긁어 파내다. ②일의 내막(內幕)을 깊이 파다. 1)·2):⊿오비다. <후비다.

호비래비 (명) 〈방〉 홀아비(경남).

호-비수리【胡一】(명)〖식〗[*Lespedeza daurica*] 콩과에 속하는 다년초. 반관목상(半灌木狀)으로 전체에 견모(絹毛)가 나고 줄기는 직립하며 높이 1m 이상임. 잎은 호생하고 유병(有柄)이며 삼출 복엽(三出複葉)에 소엽(小葉)은 긴 타원상 피침형(披針形) 또는 선상(線狀) 피침형임. 7-8월에 황백색의 꽃이 총상 화서(總狀花序)로 액출(腋出)하여 피고, 협과(莢果)는 다소 구형(球形)임. 들에 나는데, 경북·경기·황해·함북 등지에 분포함.

호비어 넣:다 (타) [一너타] (타) 속을 헤치어 호벼 가면서 무엇을 욱이어 밀어 넣다. (준)호벼 넣다. ⊿오비어 넣다. <후비어 넣다.

호비어 파다 (타) ①속속들이 파 내다. ②일의 내막을 자세히 캐다. 1)·2): (준)호벼 파다. ⊿오비어 파다. <후비어 파다.

호비작-거리다 (타) 계속해서 호비어 파 내다. ⊿오비작거리다. <후비적거리다. **호비작-호비작** (부). ——-하다 (타)(여불)

호비작-대다 (타) 호비작거리다.

호비-칼 (명) 나막신의 쿳속 같은 곳을 호비어 파 내는 칼. 몸이 바짝 굽고 날이 양쪽으로 났음. ¶삼베등거리 바람으로 미루나무 나막신 뒤축에 ~질을 하고 있던 늙은 사공은…≪金周榮 : 客主≫.

〈호비칼〉

호빈 작주【一賓作主】(명) ←회빈 작주(回賓作主).

호:사[1]【好士】(명) 훌륭한 사람. 문아(文雅)한 사람.

호:사[2]【好事】(명) ①좋은 일. ¶~ 다마(多魔). ②일을 벌여서 하기를 좋아함. ¶~가(家). ——-하다 (자)(여불)

호:사[3]【好詞】(명) 좋은 시가(詩歌). 좋은 글귀.

호사[4]【胡使】(명) 호차(胡差).

호사[5]【豪士】(명) 호매(豪邁)한 인사(人士).

호사[6]【豪奢】(명) 호화(豪華)롭고 사치(奢侈)함. 대단한 사치. ——-하다 (자)(타)(여불)

호:사-가【好事家】(명) 호사자(好事者).

호사 난:량【胡思亂量】[一날一] (명) 호사 난상(亂想). ——-하다 (타)(여불)

호사 난:상【胡思亂想】(명) 매우 엉클려 어수선하게 생각함. 또, 그 생각. 호사 난량(亂量). ——-하다 (타)(여불)

호:사 다마【好事多魔】(명) 좋은 일에는 흔히 마장(魔障)이 들기 쉬움. 시어 다골(鰣魚多骨). ——-하다 (형)(여불)

호사-도요【豪奢一】(명)〖조〗[*Rostratula benghalensis benghalensis*] 도욧과에 속하는 새. 날개 길이 13cm, 부리 5cm 가량이고 두부(頭部)는 흑갈색인데, 몸의 상면(上面)은 회색에 갈색 가로무늬가 있고, 날개에는 황색의 둥근 반점이 있으며, 암컷은 얼굴이 갈색임. 수컷은 배면(背面)에 황색 반문(斑紋)이 있고 복면(腹面)은 백색인데, 특히 포란(抱卵)·육추(育雛)를 함. 호숫가·습지(濕地)의 풀밭에 서식(棲息)하며 곤충·지렁이·풀씨 등을 먹음. 한국 중부·아프리카·중국·대만·일본·필리핀 등지에 분포(分布)함.

〈호사도요〉

호사-바치【豪奢一】(명) 몸 치장을 호사하게 하는 사람.

호:사 불출문【好事不出門】(명) 좋은 일은 좀처럼 세상에 알려지지 않는다는 말.

호사 수구【狐死首丘】(명) ①여우가 죽을 때는 머리를 제가 살던 굴이 있는 언덕으로 돌린다는 뜻. 곧, 죽을 때에도 근본을 잊지 아니한다는 말. ②고향을 그리워함을 일컫는 말.

호사-스럽다【豪奢一】(형)(ㅂ불) 호사하는 태도가 있다. 호사하게 보이다. ¶호사스러운 생활. **호사-스레**【豪奢一】(부)

호:사 유피【虎死留皮】(명) 표사(豹死) 유피. ¶~ 인사 유명(人死留名).

호:사-자【好事者】(명) 일을 벌이기를 좋아하는 사람. 호사가(好事家).

호사 토비【狐死兎悲】(명) 호사 토읍.

호사 토읍【狐死兎泣】(명) 동류(同類)의 불행을 슬퍼함을 비유하는 말. 호사 토비(狐死兎悲).

호사-품【豪奢品】(명) 사치품.

호산[1]【狐疝】(명)〖한의〗 배가 몹시 아픈 산증(疝症)의 한 가지.

호산[2]【胡算】(명) 수효를 기록하는 중국 특유의 부호. 치부(置簿)하는 데에 쓰며 로마 숫자와 비슷함. 丨·〓·〣·〤·〥·〦·〧·〨·〩·十 등.

호산[3]【胡蒜】(명)〖식〗 마늘.

호:산-구【好酸球】(명)〖생〗 에오신(eosine) 같은 산성 색소(酸性色素)에 진하게 물드는 조대(粗大)한 과립(顆粒)을 많이 가진 백혈구(白血球)의 한 가지. 백혈구 전체의 2-4% 정도인데, 기생충(寄生蟲)이 있을 때나 병(病)이 있을 경우에는 그 수(數)가 현저히 증가(增加)함. 산호성(酸好性) 백혈구.

호산구 증가증【好酸球增加症】[一쯩] (명)〔eosinophilia〕〖의〗 순환혈(循環血) 속의 호산구의 수가 평균수 이상으로 증가하는 병.

호산나〔hosanna〕(명)〖성〗 신약 성서에 나오는 말로 '이제 구하옵소서'의 뜻을 가진 히브리의 고어(古語). 예수가 예루살렘에 마지막으로 입성(入城)할 때에 군중이 '호산나'라고 외쳤음.

호:산-성【好酸性】[一썽] (명)〔acidophil〕〖생〗 산성 색소(酸性色素)에 잘 물드는 성질.

호:산-청【護産廳】(명)〖역〗 빈(嬪)이나 내명부(內命婦)가 해산할 때 베푸는 관아.

호산-춘【壺山春】(명)〔호산은 전라 북도 익산군(益山郡) 여산(礪山)의 별칭〕 찹쌀과 멥쌀로 빚은 청주(淸酒)의 하나. 전라 북도 여산(礪山)의 특주(特酒)임.

호:상[1]【互相】(명) 상호(相互).

호:상[2]【好喪】(명) 장수(長壽)하고 복력(福力)이 좋은 사람이 죽은 상사(喪事).

호상[3]【弧狀】(명) 활등처럼 굽은 모양.

호상[4]【胡牀】(명) 중국식 걸상의 한 가지.

호상[5]【胡商】(명) 호지(胡地)의 장사치. 중국 상인.

호상[6]【湖上】(명) 호수의 위. ¶~ 주거(住居).

호상[7]【壺狀】(명) 병·항아리·단지처럼 배가 불룩하고 목이 짧고 아가리가 벌어진 모양.

호상[8]【壺觴】(명) 술병과 술잔.

호상[9]【豪商】(명) 규모가 썩 큰 상인. 돈이 썩 많은 상인. 승상(勝商). 부고(富賈).

호상[10]【豪爽】(명) 호탕하고 시원시원함. ——-하다 (형)(여불)

호:상[11]【護喪】(명) ①장사에 관한 온갖 일을 주장하여 보살핌. ¶~소(所). ②↗호상 차지(護喪次知). ——-하다 (자)(여불)

호:상 감:응【互相感應】(명)〔mutual inductance〕〖전〗 상호 유도(誘導).

호:상-객【護喪客】(명) 장례(葬禮)에 참석하여 상여(喪輿) 뒤를 따라가는 손.

호:상 동화【互相同化】(명) 상호 동화(相互同化).

호상-등【弧狀燈】(명)〖물〗 아크등(arc燈).

호:상-소【護喪所】(명) 초상(初喪)을 치르는 데에 관한 온갖 일을 맡아 보는 곳.

호:상 연결【互相聯結】[一년一] (명) 상호간(相互間)에 서로 이어서 맺음. ——-하다 (타)(여불)

호:상 연락【互相聯絡】[一널一] (명) 서로 관계를 끊지 않고 연락함. ——-하다 (타)(여불)

호상 열도【弧狀列島】[一녈또] (명)〔festoon islands〕〖지〗 원호상(圓弧狀)이나 궁형(弓形)으로 배열되어 있는 열도. 일본 열도·쿠릴(Kuril) 열도·류큐(琉球) 열도 같은 것. 화채(花綵) 열도.

호:상 왕:래【互相往來】[一내] (명) 서로 오고 감. ——-하다 (자)(여불)

호상의 미인【湖上一美人】[一/一에一] (명)〔The Lady of the Lake〕〖책〗 스콧(Scott) 작의 서사시(敍事詩). 모두 6편. 1810년에 출간. 스코틀랜드의 캐스린(Kathrine) 호반을 배경으로, 미인 엘렌(Ellen)을 둘러싼 정사(情事)와 무용(武勇)을 그린 시.

호:상 입장【互相入葬】(명) ①친족을 같은 묘지에 장사함. ②주인 없는 산판(山坂)에, 아무나 마음대로 장사 지냄. ——-하다 (자)(여불)

호상 점토【縞狀粘土】(명)〖지〗 빙호(氷縞) 점토.

호상 주:거【湖上住居】(명) 호안(湖岸)의 습지에 세운 주거로서, 형식은 항상 가옥(杭上家屋)에 속함. 신석기 시대로부터 청동기 시대에 걸친 스위스를 중심으로 알프스 고지의 호소(湖沼) 지대의 호상 주거가 알려져 있음. 바닥 밑의 말뚝은 가옥의 침강(沈降)을 막기 위하여 깊이 박혀 있으며, 바닥은 목조·토제(土製), 그밖에 수피(樹皮) 등을 사용하기도 했음. 화로(火爐)가 있는 바닥은 공통적으로 토제임.

호:상 차지【護喪次知】(명) 호상소(護喪所)에서, 상사(喪事)에 관한 온갖 일을 주장하여 맡은 사람. (준)호상(護喪).

호상 화관【壺狀花冠】(명)〖식〗 병꼴 꽃부리.

호:색【好色】(명) 여색(女色)을 좋아함. 탐색(貪色). ¶~한. ——-하다 (자)(여불)

호:색-가【好色家】(명) 색골(色骨).

호:색-꾼【好色一】(명) 색골(色骨).

호:색 문학【好色文學】(명)〖문〗 문학 작품의 한 양식. 남녀의 애욕(愛慾)을 묘사함에 있어서 정사(情事)의 장면에 중점을 둔 것이 그 특색임. *성문학(性文學).

호:색지-도【好色之徒】(명) 여색을 특히 좋아하는 무리.

호:색-한【好色漢】(명) 여색을 특히 좋아하는 사내. 호색가(好色家). 색한(色漢).

호:생【互生】(명)〔alternate〕〖식〗 식물의 잎이 마디마디 하나씩 어긋매껴 나는 엽서(葉序)의 한 가지. 벚나무·버드나무·나팔꽃·봉숭아 등의 잎. 어긋나기. 호생 엽서(葉序). *엽서(葉序)·대생(對生)·윤생(輪生). ——-하다 (자)(여불)

〈호생〉

호:생-아【互生芽】(명)〖식〗 식물 줄기의 마디마디 눈이 어긋매껴 돋는

측아(側芽)의 한 가지. 나팔꽃의 눈 같은 것. 어긋나기눈. *대생아(對生芽).

호:생-엽【互生葉】명〖식〗호생하는 잎. 어긋나기잎. *대생엽(對生葉).

호:생 엽서【互生葉序】명 〔alternate phyllotaxis〕〖식〗호생.

호:생 오:사【好生惡死】명 생물이 살기를 좋아하고 죽기를 싫어하는 일. ——-하다 자여불

호:생지-덕【好生之德】명 사형(死刑)에 처할 죄인을 특사하여, 목숨을 살려 주는 제왕(帝王)의 덕.

호:생지-물【好生之物】명 아무렇게나 굴려도 죽지 아니하고 잘 사는 식물.

호서1【湖西】명〖지〗충청 남북도의 일컬음. 호강(湖江) 곧, 금강(錦江) 이서(以西)의 지역이라는 뜻. ¶~ 지방.

호서2【瓠犀】명 ①박의 속과 씨. ②전(轉)하여, 박속같이 희고 아름다운 미인의 치아(齒牙)의 일컬음.

호서 대학교【湖西大學校】명 사립 종합 대학교의 하나. 1979년에 창설된 천원 공업 전문 대학(天原工業專門大學)의 후신으로, 80년 호서 대학(湖西大學)으로 개편되었다가 89년에 종합 대학교로 승격함. 소재지는 충청 남도 천안시(天安市).

호서-미【湖西米】명 호서 지방에서 나는 쌀.

호서-배【狐鼠輩】명 간사하고 못된 무리.

호서-청【湖西廳】명〖역〗조선 시대의, 선혜청(宣惠廳)의 분청(分廳). 17대 효종(孝宗) 3년(1652) 호서 지방에 설치함. 대동미(大同米)·포(布)·전(錢)의 출납 등에 관한 일을 맡아 보았음. *선혜청.

호서 평야【湖西平野】명〖지〗내포(內浦) 평야.

호:석1【虎石】명 능원(陵園)에 세우는 범 형상의 돌. 석호(石虎). *양석(羊石).

호석2【犒錫】명〖군〗호궤(犒饋). ——-하다 자여불

호:석3【護石】명 둘레돌.

호:선1【互先】명 바둑의 치수(置數)의 하나. 기력(棋力)의 우열의 차가 없는 사람끼리, 교대로 선수(先手)를 잡는 일. 맞바둑. ¶~으로 두다. ↔정선(定先).

호:선2【互選】명 특정한 사람들이 그 범위 안의 사람들끼리 서로 행하는 선거. ¶위원장은 ~한다. ——-하다 타여불

호선3【胡仙】명 호선(狐仙).

호선4【胡船】명 호인(胡人)의 배.

호선5【狐仙】명 중국의 민간 신앙(民間信仰)에 있어서, 선술(仙術)을 깨달아 신통력(神通力)을 체득하였다고 하는 여우. 만능의 신, 특히 재록신(財祿神)으로서 신앙되어 상가(商家)나 주점(酒店) 또는 도박장 같은 곳에서 흔히 사당(祠堂)을 만들고 그 신주를 모시어 둔다 함. 중국에서도 특히 화베이(華北) 및 둥베이(東北) 지방에서 많이 행하여짐. 호선(胡仙). 호신(胡神).

호선6【弧線】명 호상(弧狀)의 선. 반원형(半圓形)의 선.

호선-무【胡旋舞】명〖역〗고구려 때 행하던 춤의 일종. 둥그런 큰 공을 만들고 그 위에 사람이 올라서서 이를 굴리면서 놀던 춤. 이 춤에 붙인 백낙천(白樂天)의 시가 전함.

호선-문【弧線文】명〖고고학〗활무늬.

호설1【胡說】명 함부로 마구 지껄이는 말.

호:설2【皓雪】명 흰 눈. 백설(白雪).

호성1【呼聲】명 부르는 소리.

호성2【豪姓】명 어느 지방에서 세력을 잡고 있는 사람들의 성(姓). *호족(豪族).

호:성 공신【扈聖功臣】명〖역〗조선 선조(宣祖) 37년(1604) 임진 왜란 때, 선조의 파천(播遷)에 호종(扈從)한 공으로 이항복(李恒福) 등 86인에게 내린 훈호(勳號).

호:성 마:마【戶星媽媽】명〖역〗별성 마마(別星媽媽).

호:성-조【好聲鳥】명〖불교〗가릉 빈가(迦陵頻伽).

호성-토【湖成土】명 〔lacustrine soil〕〖지〗소멸한 호수의 퇴적물로 된 토양.

호:세1【戶稅】명〖법〗↗호별세(戶別稅).

호:세2【怙勢】명 권세를 믿음. ——-하다 자여불

호세3【豪勢】명 강대한 세력.

호세미 명 〈방〉 무당(함남).

호세아 〔Hosea〕명〖성〗①기원전 8세기경의 이스라엘 선지자(先知者). 구약(舊約) 중의 호세아서(Hosea書)를 기록하였음. ②이스라엘의 마지막 왕(王). 아수르에 조공을 아니하였기 때문에 그 침입을 받아 멸망하였음. [재위 733-722 B.C.]

호세아-서【一書】〔Hosea〕명〖성〗구약 성서 중의 한 권. 소선지서의 첫 권으로 호세아의 가정적 비극, 이스라엘 백성의 여호와에 대한 부정(不貞)·죄악, 하느님의 인자와 회개한 자에 대한 속죄의 약속을 내용으로 함.

호소1【呼訴】명 제 사정을 관부(官府)나 남에게 하소연함. ¶국민에게 ~하다. ——-하다 타여불

호:소2【虎嘯】명 ①〔범의 휘파람이란 뜻〕범의 울음 소리를 이르는 말. ②영웅(英雄)이 세력을 떨치어 크게 활약함의 비유.

호소3【湖沼】명 호수와 늪. 소호(沼湖).

호:소4【縞素】명 ①흰옷. 상복. ②흰 빛깔의 비단.

호소-국【湖沼國】명 유별나게 호소(湖沼)가 많은 나라.

호소-력【呼訴力】명 강한 인상(印象)을 줄 수 있는 힘. 마음을 사로잡을 수 있는 힘.

호:소 망:상【好訴妄想】명 망상의 하나. 광신적(狂信的) 성격의 소유자가 소송을 되풀이하고 권리를 주장하는 것.

호소 모식【湖沼模式】명 호소 표식.

호소 무처【呼訴無處】명 원통한 사정을 호소할 곳이 없음.

호소-문【呼訴文】명 딱한 사정을 하소연하는 글.

호소 생산력【湖沼生產力】[―녁] 명〖생〗호소 식물에 의하여 만들어지는 유기물(有機物)의 총량. 유기물의 생산에는 태양광(太陽光)과 온도, 영양 염류(營養塩類)의 양이 관계됨. 같은 면적의 호수에서는 얕은 쪽이 깊은 호수보다 단위 용적당(單位容積當)의 생산량이 큼.

호소 성층【湖沼成層】명〖지〗호수의 성층. 온대호(溫帶湖)에 있어서, 여름과 겨울의 정체기(停滯期)에 수온·화학 성분 따위가 상하층이 현저하게 달라서 생기는 성층. 가을이 되면 표면이 냉각함에 따라서 점차 깊은 곳까지 순환되어 드디어는 전체의 층이 같은 수온으로 됨. 순환은 밑바닥까지 행하여지게 되어 호수 전체가 4°C로 될 때까지 똑같이 식어감.

호:-소식【好消息】명 좋은 소식.

호소 식물【湖沼植物】명 호수·늪 따위의 물 속이나 부근의 습지에 나서 자라는 식물.

호소 어업【湖沼漁業】명 호수나 늪에서 행하여지는 어업.

호소 퇴적물【湖沼堆積物】명 〔lacustrine sediment〕〖생〗호소 밑에 퇴적한 것. 현재는 호소 밑에 존재하여도, 호소 이외의 상태였을 때 퇴적한 것은 포함시키지 않음. 호소 속에 생육하는 생물의 유해(遺骸)로 되는 자생성(自生性) 퇴적물과, 호소의 밖으로부터 바람·물·얼음 등에 의해 호소 속으로 운반되어 온 무기물(無機物), 곧 모래·화산재·우주진(宇宙塵) 따위나 유기물인 생물체·사해(死骸)·이탄(泥炭) 등의 타생성(他生性) 퇴적물로 나뉨.

호소 표식【湖沼標式】명〖지〗호소를 분류하는 방식. 호소는 여러 가지 성질에 따라서 분류되는데, 최근에는 주로 생물 군집(生物群集)과 생물 환경의 견지(見地)에서 종합적으로 유형(類型)이 정하여짐. 조화형(調和型)·부조화형(不調和型)·부영양형(富營養型)·빈영양형(貧營養型)의 구별이 있음. 호소형(湖沼型). 호소 모식(模式).

호소-학【湖沼學】명〖지〗하천학(河川學)·지하수학(地下水學) 등과 더불어 육수학(陸水學)의 한 분과. 호소의 물리 화학적 및 생물학적 현상을 종합적으로 연구하는 학문.

호소-형【湖沼型】명〖지〗호소 표식(湖沼標式).

호손1【猢猻】명〖동〗원숭이❷.

호:손2 〔Hawthorne, Nathaniel〕명〖사람〗미국의 소설가. 세관(稅關)에 다니면서 소설 ≪트와이스톨드 테일스(Twice-told Tales)≫를 발표, 문단(文壇)의 인정을 받고, 이어 ≪주홍(朱紅)글씨≫로써 크게 성공하였음. 청교도적(淸敎徒的)인 전통에서 죄악면을 집요(執拗)하게 추구, 미국 문단의 개척자로 알려짐. 앞서의 작품 외에도 많은 단편(短篇)을 남겼음. [1804-64]

호손-강【胡猻薑】명〖식〗넉줄고사리.

호:손 실험【一實驗】명 〔Hawthorne experiment〕〖심〗미국의 웨스턴 일렉트릭 회사에 속해 있는 시카고의 호손 공장에서 1927년부터 5개년간에 걸쳐 행하여진 사회 심리학적인 일련(一連)의 실험. 이 실험에서 공장에서의 생산을 규제(規制)하는 것은 결코 조명(照明)이나 휴게 등의 물리적인 노동 조건이 아니고 작업자 집단에 작용하는 사회적·심리적 요인(要因)이라는 결론을 얻었음.

호:송1【互送】명 피차에 서로 보냄. ——-하다 타여불

호:송2【護送】명 ①보호하여 목적지로 보냄. ¶포로 ~/국보급 전시품의 ~. ②〖군〗전시에 군함이 상선의 항행을 비호(庇護)함. ¶~ 선단. ③〖법〗죄수나 형사 피고인을 감시하여 이감(移監)·송치(送致)함. 압송(押送). ¶죄인을 ~하다. ——-하다 타여불

호:송-대【護送隊】명 호송의 임무를 띤 부대.

호:송-병【護送兵】명 호송의 임무를 맡은 병사. ¶열차 ~/포로 ~.

호:송-선【護送船】명 호송하는 데 쓰이는 배.

호:송-원【護送員】명 호송의 임무를 맡은 사람.

호:수1【戶首】명〖역〗땅 여덟 결(結)을 한 단위로 하여 공부(貢賦)를 바치는 책임을 지게 한 사람.

호:수2【戶首】명〖역〗호적 상의 호주(戶主). 조선 시대에는 호수가 3년마다 호적 단자(戶籍單子)를 작성하여 이임(里任)·면임(面任) 등의 확인을 거쳐 주군(州郡)에 제출하면 이를 참고하여 호적을 작성했음.

호:수3【戶數】[―쑤] 명 ①집의 수효. ②호적상의 집 수.

호:수4【好手】명 ①기술이 뛰어남. 또, 그 사람. ②바둑·장기 등에서, 잘 두는 수.

호:수5【好守】명 야구·축구 등에서, 잘 지킴. 훌륭한 수비. ¶~ 호타(好打). ——-하다 자여불

호:수6【虎鬚】명 ①범의 수염. ②거친 수염. ③〖역〗옛 무장(武裝)의 한 가지. 주립(朱笠)의 모자 전후·좌우에 장식으로 꽂는 흰 빛깔의 털.

호수

〈호수6❸〉

호수7【胡壽】명 장수(長壽).

호수8【湖水】명〖지〗육지가 우묵하게 패고 물이 괸 곳. 못이나 늪보다 훨씬 크고 깊음. 중앙부는 연안 식물(沿岸植物)의 침입(侵入)이 허용되지 아니하는 5-10m 이상의 깊이를 가짐. 적수(積水). 레이크1(lake). 준호(湖).

호:수9【皓首】명 흰 머리. 노인의 뜻. 백수(白首).

호:수10【號數】[―쑤] 명 ①번호의 수효. 차례의 수효. ¶~를 거듭하다. ②〔format〕〖미술〗그림 작품의 크기를 나타내는 숫자.

호수-가자미【湖水―】명〖어〗[*Liopsetta pinnifasciata*] 봉넙칫과에 속하는 바닷물고기. 지느러미는 감성가자미와 비슷하고 측선(側線)은 가슴지느러미의 위쪽에 있어서 약간 구부러졌으나 거의 직선형임. 등지느러미는 44-57 연조(軟條)이고, 꼬리지느러미는 39-40 연조임. 우

리 나라 북동부 연해 및 사할린 등지에 분포하는데 때로는 바닷가의 호수에서도 발견됨.

호수-군【湖水群】명 많은 호수의 무리.

호수 기선【湖水汽船】명〔lake steamer〕북아메리카의 오대호(五大湖) 지방의 특수형 기선. 화물 운반용이며, 고물에 기관실, 이물에 항해 선교(航海船橋)가 있고, 그 사이는 거의 전부가 상자 모양의 화물창(貨物艙)임. 외관상의 특색은 길이가 높이의 18배 가량이나 긴 점임.

호:수-립【虎鬚笠】명〖역〗호수를 꽂아 장식한 주립(朱笠)의 한 가지.

호수성 교질【好水性膠質】〔一썽一〕명 친수 콜로이드(親水 colloid).

호:수 천신【護守天神】명〖천주교〗'수호 천사(守護天使)'의 구용어.

호:수 활자【號數活字】〔一쑤一짜〕명〖인쇄〗호수(號數)에 의하여 크기를 규정한 활자. 초호(初號) 및 1호에서 8호에 이르기까지의 9종류임. *포인트 활자.

호:스〔hose〕명 고무나 비닐 등으로 만들어, 액체(液體)를 이송(移送)하는 데 쓰는 관(管).

호스텔〔hostel〕명〔본래는, 영국에서 감독자가 있는 합숙소·기숙사의 뜻〕자전거·도보(徒步) 등으로 여행하는 청소년을 위한 숙박(宿泊) 시설. ¶유스(youth) ~.

호스트〔host〕명 ①주인. 주인역(役). ②↗호스트 컴퓨터.

호스트 컴퓨:터〔host computer〕명〖컴퓨터〗주 컴퓨터 또는 전체 컴퓨터를 제어하며 데이터의 흐름을 규제하는 소프트웨어를 가지고 있는 컴퓨터.

호스티스〔hostess〕명 ①여주인. ②여급. 접대부. ③에어 걸(air girl).

호스피:스 명〔Hospital of peace의 약어 ; 종교 단체의 숙박소의 뜻〕〖의〗암(癌) 따위 말기 환자의 신체적 고통을 덜어 주고, 남은 시간을 충실하게 살 수 있도록 해주어 마음 편히 죽음을 맞이하도록 폭넓은 간호를 베푸는 시설. 또 그와 같은 활동. 가족도 호스피스에 포함시킴. *존엄사(尊嚴死).

호스피털리즘〔hospitalism〕명〖심〗오랜 요양소(療養所) 생활에서 생기는, 본디의 질환(疾患)에 의한 증상과는 또다른 정신적(精神的)·신체적 증상.

호스피털 정보 시스템【一情報一】명〔hospital information system〕환자에 대한 정보의 수집(蒐集)·평가·확인·기억(記憶)·수정(修正)을 행하는 시스템.

호습다 형ㅂ불 탈것이나 무엇을 탔을 때, 기분이 좋고 진동이 짜릿하게 느껴지다. ¶자갈길을 가는 달구지를 타면 ~.

호:승[1]【好勝】명 승벽(勝癖)이 몹시 강함. 경쟁심이 매우 왕성(旺盛)함. ——-하다 형여불

호승[2]【胡僧】명〖불교〗①호국(胡國)의 중. ②외국의 승려(僧侶).

호:승지-벽【好勝之癖】명 남과 겨루어서 꼭 이기기를 남달리 즐기는 성벽(性癖). 준승벽(勝癖).

호:시[1]【互市】명 외국과의 교역(交易). 무역(貿易).

호시[2]【弧矢】명 나무로 만든 활과 화살.

호:시[3]【怙恃】명〔믿고 의지한다는 뜻으로〕부모를 일컫는 말.

호:시[4]【虎視】명 범과 같이 날카로운 눈초리로 사방을 둘러 봄. ¶~탐탐(眈眈). ——-하다 타여불

호시[5]【楛矢】명 광대싸리로 만든 화살.

호:시[6]【嚆矢】명 '효시(嚆矢)'의 잘못.

호:-시기【好時期】명 호기(好期).

호시-성【弧矢星】명〖천〗용골(龍骨)자리의 카노푸스성(Canopus 星) 북쪽에 있어서 화살을 시위에 먹인 형상을 이룬 별자리 아홉 별.

호시-어미 명〈방〉무당(함경).

호:-시장【互市場】명 교역이 허가된 곳.

호:-시절【好時節】명 좋은 시절.

호:시 탐탐【虎視眈眈】명 ①범이 먹이를 노리어 눈을 부릅뜨고 노려봄. ②기회를 노리고 가만히 정세(情勢)를 관망(觀望)함의 비유. ——-하다 타여불

호:식[1]【好食】명 ①좋은 음식. 또, 좋은 음식을 먹음. ¶호의(好衣) ~. ↔악식(惡食). ②음식을 좋아함. 유달리 잘 먹음. ——-하다 자여불

호:식[2]【虎食】명 사람이 범에게 잡아먹힘.

호:식-가【好食家】명 남달리 호식을 즐기는 사람.

호식-근【呼息筋】명〖생〗호흡근의 한 가지. 흉강(胸腔)을 좁히어 숨을 내쉬는 운동을 일으키는 근육. ↔흡식근(吸息筋).

호식-바람 명〈방〉회오리바람(경남).

호식-음【呼息音】명〖언〗호기음(呼氣音).

호:신[1]【虎臣】명 용맹한 신하.

호신[2]【弧辰】명 수신(晬辰).

호신[3]【胡神】명 호선(狐仙).

호신[4]【豪臣】명 세력이 있는 신하.

호:신[5]【護身】명 몸을 보호함. ¶~술. ——-하다 자여불

호:신 가지【護身加持】명〖불교〗호신을 위하여 행하는 가지.

호:신-도【護身刀】명 몸을 보호하기 위하여 지니는 칼.

호:신-법【護身法】〔一뻡〕명 ①몸을 보호하기 위한 온갖 방법. ②〖불교〗진언종(眞言宗)에서 행법(行法)을 닦기 전에 자기의 심신(心身)을 호지(護持)하고 견고하게 하는 법. 인(印)을 맺고 다라니(陀羅尼)를 욈.

호:신-부【護身符】명〖불교〗몸을 보호(保護)하기 위하여 몸에 지니는 부적(符籍).

호:신-불【護身佛】명〖불교〗재해(災害)로부터 몸을 보호하고자 모시는 부처.

호:신-술【護身術】명 자기의 몸을 방호(防護)하기 위한 체기(體技). 곧, 태권(跆拳)·권투(拳鬪)·유도(柔道)·씨름·레슬링(wrestling) 등의 기술. 보신술(保身術).

호:신-용【護身用】〔一뇽〕명 몸을 보호하는 데 쓰임. 보신용(保身用). ¶~권총.

호:실【號室】명 병원·여관 등에서 일정한 호수가 매겨진 방. ¶몇 ~에 들었지요?

호심[1] 명〈방〉해녀(海女).

호심[2]【湖心】명 호수(湖水)의 한가운데.

호:심-경【護心鏡】명〖역〗갑옷의 가슴 쪽에 호신(護身)의 하나로 붙이는 구릿조각.

호사 부〈옛〉혼자. =ᄒᆞ오사. ¶叔咸이 호사셔 侍病ᄒᆞ며 어미 大便을 맛보니(叔咸獨侍藥嘗母糞)《續三綱. 孝子圖. 叔咸侍藥》/有文이 호사 거상을 禮로 ᄆᆞ장 삼가ᄒᆞ더니(有文獨守喪執禮)《續三綱. 孝子圖. 有文服喪》.

호:아【虎牙】명 ①호랑이의 이. ②용사·장수(將帥)의 이칭.

호아-곡【呼兒曲】명〖문〗조선 선조(宣祖) 때, 조존성(趙存性)이 지은 시조. 4장 1편으로 된 연시조(聯時調)인데, 매장마다 초장 첫머리에 '아희야'라고 불렀기 때문에 '호아곡(呼兒曲)'이라 함. 자연 속에 묻혀 한가한 농부의 생활을 하는 즐거움을 읊은 것으로 《해동 가요(海東歌謠)》에 실려 있음.

호아빈 문화【一文化】〔Hoa Binh〕명 동남 아시아의 석기 시대 문화. 베트남의 하노이 남서쪽 약 60 km 지점에 있는 호아빈 지방 동굴 유적에서 명명(命名)함. 타제(打製) 석기뿐이고 토기(土器)는 없음. 박손(Bac-son) 문화보다 오랜 문화로서, 인도차이나 외에 말레이·필리핀·수마트라에도 분포함.

호악[1] 명〈방〉확.

호악[2]【胡樂】명 중국 음악.

호악-돌 명〈방〉돌확(전북).

호:안[1]【好顏】명 기뻐하는 빛을 띤 얼굴. 호안색(好顏色).

호안[2]【胡雁】명 북쪽의 오랑캐 땅에서 오는 기러기.

호안[3]【湖岸】명 호수(湖水)의 기슭.

호:안[4]【護岸】명 해안·강안(江岸) 및 제방(堤防)을 보호하는 일.

호:안 공사【護岸工事】명〖토〗해안·강안·제방(堤防) 등의 보호를 위하여 베푸는 토목 공사.

호:-안색【好顏色】명 호안(好顏).

호:안-석【虎眼石】명〖광〗푸른 석면이 풍화(風化) 변질하여 된 돌. 황갈색에 명주 같은 광택이 있으며, 닦으면 호랑이 눈과 같은 빛이 나므로 장식용으로 쓰임. 태양석(太陽石).

호암【湖岩】명〖사람〗문일평(文一平)의 호(號).

호:암-산【虎岩山】명〖지〗①함경 남도 정평군(定平郡) 광덕면(廣德面)과 장원면(長原面) 사이에 있는 산. [333 m]. ②경상 남도 밀양군(密陽郡) 청도면(淸道面)에 있는 산. [612 m] ③강원도 평강군(平康郡) 평강읍(平康邑)에 있는 산. [574 m] ④평안 북도 희천군(熙川郡)에 있는 산. [1,227 m]

호:압성 생물【好壓性生物】명〔barophile〕〖생〗500 기압 이상의 고압력 조건하에서 생장하는 생물.

호:액【護腋】명〖역〗↗호액갑.

호:액-갑【護腋甲】명〖역〗갑옷 양편 겨드랑이에 대는 쇠. 준호액.

〈호액갑〉

호:양【互讓】명 서로 사양함. 피차가 양보함. 교양(交讓). ¶~ 정신. ——-하다 타여불

호:양-산【虎養山】명〖지〗①평안 북도 위원군(渭原郡)에 있는 산. 강남 산맥(江南山脈) 중에 솟아 있음. [1,098 m] ②평안 북도 강계군(江界郡)에 있는 산. [1,181 m]

호:양-왕【好讓王】명〖사람〗미천왕(美川王).

호:어[1]【好語】명 호언(好言).

호어[2]【呼語】명〖언〗사람이나 물건을 부르는 말. '어머니'·'달아'·'무궁화여' 따위. 부름말.

호어[3]【豪語】명 호언(豪言).

호:언[1]【好言】명 친절하고 좋은 말. 호어(好語).

호언[2]【豪言】명 호기스러운 말. 의기 양양하게 하는 말. 호어(豪語). 큰소리. ¶~ 장담. ——-하다 자여불

호에 명〈방〉〖어〗가오리(함북).

호:에타우에른 산맥【一山脈】〔Hohe Tauern〕명〖지〗오스트리아 남쪽에 있는 알프스의 한 지맥(支脈). 연장(延長) 약 100 km. 최고봉 그로스글로크너(Grossglockner)를 비롯하여 표고(標高) 3,000 m 이상의 봉우리가 많으며 정상부(頂上部)에는 빙하가 있음.

호:엔로:에〔Hohenlohe-Schillingsfürst, Chlodwig Karl Viktor, Fürst zu〕명〖사람〗독일의 정치가. 1866-70년 바이에른(Bayern) 수상으로 독일 통일에 진력(盡力), 그 후에도 비스마르크에 협력함. 1894-1900년에 독일 재상(宰相)이 되었으나 정치적으로는 무력하여 빌헬름 2세 등 대외(對外) 적극론자들을 억제하지 못하였음. 사후(死後)에 출판된 《회상록》은 정계(政界)의 사정을 폭로하게 되어 물의를 일으켰음. [1819-1901]

호:엔슈타우펜-가【一家】〔도 Hohenstaufen〕명〖역〗독일의 제상 왕가(王家). 슈바비안 선제후(Swabian 選帝侯)를 시조로 하여 1138년에 독일 왕, 1152-54년에는 신성 로마 황제를 배출하였음. 교황권에 대항하여 여러 차례 이탈리아에 원정, 그 사이에 독일의 영방(領邦) 세력을 확장하여 제국 최대의 번성기를 이루었음.

호:엔촐레른-가【一家】〔Hohenzollern〕명〖역〗독일 제국의 왕가. 9세기 초에 촐레른 성(Zollern 城) 출신의 타실로(Thassilo)를 조상으로 하여 1618년 프러시아 공을 겸하고 1701년으로부터는 프러시아 왕, 1871년의 독일 통일에 기여한 빌헬름 1세는 독일 황제로 선출되었음.

제1차 세계 대전 말기의 혁명으로 1918년에 제위(帝位)를 상실함.

호역[1] 명 〈방〉 홍역(紅疫)(강원·경북·함경).

호:역[2] 【戶役】 명 집집이 다 나서서 하는 부역(賦役).

호:역[3] 【戶疫】 명 천연두(天然痘).

호:역[4] 【虎疫】 명 〖의〗 콜레라(cholera).

호:연[1] 【好演】 명 매우 훌륭한 연기·연주.

호연[2] 【弧宴】 명 생일 잔치.

호연[3] 【胡燕】 명 〖조〗 명매기.

호:연[4] 【浩然】 명 ①물이 끊임없이 흐르는 모양. ②크고도 왕성한 모양. 넓고도 성대(盛大)한 모양. ③마음이 넓고 뜻이 아주 큰 모양. ――-하다 형여불

호:연[5] 【皓然】 부 ①썩 흰 모양. ②아주 명백한 모양. ――-하다 형여불

호-연지 【胡臙脂】 명 중국에서 나는 연지.

호:연지-기 【浩然之氣】 명 ①하늘과 땅 사이에 넘치게 가득 찬, 넓고도 큰 원기. ②도의(道義)에 뿌리를 박고 공명 정대(公明正大)하여 조금도 부끄러울 바 없는 도덕적 용기. ③사물에서 해방되어 자유스럽고 유쾌한 마음. 호기(浩氣).

호:열성 생물 【好熱性生物】 [―썽―] 명 고온성 생물.

호:열성 세:균 【好熱性細菌】 [―썽―] 명 고온균(高溫菌).

호:열자 【虎列刺】 [―짜] 명 〖의〗 '콜레라(cholera)'의 음역(音譯).

호:열자-균 【虎列刺菌】 [―짜―] 명 〖의〗 콜레라균(cholera 菌).

호염[1] 명 〈방〉 헤엄(경기).

호:염[2] 【虎髥】 명 ①범의 수염. ②무인(武人)들의 무섭게 뵈는 수염. 빳빳한 구레나룻.

호염[3] 【胡塩】 명 ①→호렴[2]❶❷. ②〖화〗 청염(靑塩).

호염[4] 【胡髥】 명 턱수염.

호:염-균 【好塩菌】 명 〖의〗 어떤 농도 이상의 식염이 있는 곳에서 비로소 발육 번식하는 세균. 식중독의 원인이 됨. 호염 세균. 호염성 세균.

호:염균 식중독 【好塩菌食中毒】 명 〖의〗 장염(腸炎) 비브리오 식중독.

호:염기-성 【好塩基性】 [―썽] 명 〖생〗 ①〔basophile〕 염기성 물감에 대한 친화성(親和性). ②〔basophilous〕 알칼리성 토양에서 가장 잘 자라는 식물(植物)의 성질.

호:염기성 반점 【好塩基性斑點】 [―썽―쩜] 명 〔basophilia〕 〖의〗 호염기성 과립(顆粒)에 의한 적혈구의 반점. 중도 빈혈(重度貧血)·백혈병(白血病)·말라리아·납 중독, 그 외의 중독 증상에서 볼 수 있는 것처럼 변형 상태(變形狀態)를 나타냄.

호:염성 생물 【好塩性生物】 [―썽―] 명 성장과 생명 유지를 위하여 고농도의 식염을 필요로 하는 생물.

호:염성 세:균 【好塩性細菌】 [―썽―] 명 호염균(好塩菌).

호:염 세:균 【好塩細菌】 명 호염균(好塩菌).

호:-영향 【好影響】 명 좋은 영향. ↔악영향(惡影響).

호:오 【好惡】 명 좋아함과 싫어함. ¶～의 감정.

호오야 부 〈옛〉 홀로. 혼자. =ᄒᆞᄫᅡ. ¶호오야 셔셔 힌 니예 내놋다(獨立發皓齒) ≪重杜諺 XVI:50≫.

호:온-성 【好溫性】 [―썽] 명 더운 것을 좋아하는 습성.

호온자 부 〈옛〉 혼자. =ᄒᆞᄫᅡ. ¶허지 호온자 슈묘ᄒᆞ야셔(孜獨守墓所) ≪重三綱 許孜≫/강산이 호온자 잇더니(獨絳山) ≪重三綱 絳山≫.

호온차 부 〈옛〉 혼자. =ᄒᆞᄫᅡ. ¶호온차 가는 客이로다(獨歸客) ≪重杜諺 IV:33≫.

호올겨집 명 〈옛〉 과부(寡婦). 홀로된 계집. =ᄒᆞ올어미. ¶ᄒᆞᆫ둘 늘근 호올겨지비로다(一二老寡妻) ≪杜諺 IV:11≫.

호올로 부 〈옛〉 홀로. ¶菊花ㅣ 호올로 가지예 ᄀᆞᄃᆞᆨᄒᆞ얏도다(菊蘂獨盈枝) ≪重杜諺 XI:28≫/호올로 寐ᄒᆞ고 寤ᄒᆞ야셔(獨寐寤) ≪詩諺 Ⅲ:15≫.

호왁 명 〈옛〉 절구의 확. ¶프른 뫼ᄒᆞ로 百里를 드러오니 비레 그츠니 방하고와 호왁과 ᄀᆞᆮ도다(蒼山入百里 崖斷如杵臼) ≪杜諺 Ⅵ:2≫.

호:완 【護腕】 명 검도(劍道)에서, 호구(護具)의 하나. 팔과 손을 보호하기 위해서 손끝에서 팔꿈치까지 끼움. 손바닥과 손가락 부위는 가죽으로, 손등·팔 부위는 솜을 두고 누빈 천으로 만듦.

호:-왈백만 【號曰百萬】 구 말로는 백만을 일컬으나 실상은 얼마 안 됨. *허장 성세(虛張聲勢).

호왕 사:자 【胡王使者】 명 〖식〗 할미씨깨비.

호:외[1] 【戶外】 명 집의 바깥. 집 밖. ¶～ 운동.

호:외[2] 【號外】 명 ①정한 호수(號數) 이외에 급하고 중대한 사건이 있을 때 임시로 발행하는 신문이나 잡지. ¶～ 발행. ②일정한 수나 번호 밖의 것.

호:외 운:동 【戶外運動】 명 호외에서 행하는 운동. 옥외(屋外) 운동. ↔실내(室內) 운동.

호:외 유희 【戶外遊戲】 [―히] 명 호외에서 행하는 유희. ↔실내 유희.

호-요방 【胡耀邦】 명 〖사람〗 '후 야오방'을 우리 음으로 읽은 이름.

호:용[1] 【互用】 명 서로 넘나들며 씀. 교대(交代)로 이쪽 저쪽 씀. ――-하다 타여불

호용[2] 【豪勇】 명 썩 용감함. 호담한 용기. ――-하다 형여불

호:용-리 【互用犁】 [―니] 명 〖농〗 서양식의 보습. 볏을 좌우 양쪽에 붙이어 이들을 교대로 사용함.

호:우[1] 【好友】 명 좋은 벗.

호:우[2] 【好雨】 명 때를 맞추어 알맞게 오는 비. 영우(靈雨).

호우[3] 【豪右】 명 세력이 강함. 또, 그러한 사람. ――-하다 형여불

호우[4] 【豪雨】 명 줄기차게 내리 퍼붓는 비. 큰비. 심우(甚雨). ¶집중 ～. ↔소우(小雨).

호우 경:보 【豪雨警報】 명 기상 경보의 하나. 24시간의 강우량이 150 mm 이상의 호우와 이로 인한 피해가 클 것이 예상될 때에 내림.

호:우 식물 【好雨植物】 명 〔ombrophilous plant〕 〖식〗 건조에는 약하나 오랜 강우에도 잘 자라는 식물. 열대 강우림(熱帶降雨林)이나 아열대 강우림 따위에 많음.

호우 주:의보 【豪雨注意報】 [―/―이―] 명 기상 주의보의 하나. 24시간의 강우량이 80 mm 이상의 호우와 이로 인한 피해가 얼마간 있을 것이 예상될 때에 내림.

호우-총 【壺杅塚】 명 〖지〗 경주시(慶州市) 노서동(路西洞)에 있는 신라 고분(古墳). 수혈(竪穴) 안에 직사각형의 목실(木室)을 둘로 쌓고, 그 위에 높게 봉토(封土)를 함. 부장품 중에 '乙卯年國上廣開土地好太王壺杅十'이란 명문(銘文)이 새겨진 호우(壺杅)가 출토됨.

호:운 【好運】 명 좋은 운수. 행운. ↔악운(惡運)❶.

호웅 【豪雄】 명 호걸과 영웅.

호원 【呼寃】 명 원통함을 호소함. 칭원(稱寃). ――-하다 자여불

호월[1] 【胡越】 명 중국 북쪽의 호(胡)나라와 남쪽의 월(越)나라. 곧, 서로 사이가 멀리 떨어져 있음을 가리키는 말.

호:월[2] 【皓月】 명 썩 맑고 밝게 비치는 달.

호월[3] 【湖月】 명 호수에 비친 달.

호월-의 【胡越意】 [―/―이] 명 소원(疎遠)함을 비유하는 말.

호월 일가 【胡越一家】 [―릴―] 명 온 천하가 한 집안과 같음을 뜻하는 말.

호:위[1] 【虎威】 명 권세가의 위력(威力)을 범의 그것에 비유한 말.

호-위[2] 【胡渭】 명 〖사람〗 중국 청(淸)나라의 학자. 자(字)는 비명(朏明), 호(號)는 동초(東樵). 여지학(輿地學)에 정통하고, 서건학(徐乾學)을 따라 ≪청일통지(淸一統志)≫의 편수에 참여함. 저서에 ≪우공 추지(禹貢錐指)≫ 20권이 있음. [1633-1714]

호:위[3] 【扈衛】 명 궁궐(宮闕)을 경호함. ――-하다 타여불

호:위[4] 【護衛】 명 따라다니며 지켜 보호함. 위호(衛護). ――-하다 타여불

호:위-국 【護衛局】 명 〖역〗 대한 제국 때 궁중 호위(宮中護衛)의 일을 맡은 주전원(主殿院)의 한 국(局). 고종 광무(光武) 9년(1905)에 베풀어서 순종(純宗) 융희(隆熙) 원년(1907)에 폐하였음.

호:위-군 【護衛軍】 명 호위의 임무를 띤 군사.

호:위 군관 【扈衛軍官】 명 〖역〗 조선 시대 때 호위청(扈衛廳)에 딸린 군관.

호:위-대 【扈衛隊】 명 〖역〗 대한 제국 때 협련(挾輦)·협여(挾輿)에 수종하는 일을 맡은 군대. 고종 광무(光武) 원년(1897)에 궁내부(宮內府)의 소속으로 베풀어서 동 9년에 호위국(扈衛局)이라 고치어 주전원(主殿院)에 붙이었음.

호:위 대:장 【扈衛大將】 명 〖역〗 조선 시대 때 호위청(扈衛廳)의 주장(主將). 정일품. 원임 대신(原任大臣)·시임 대신(時任大臣)·국구(國舅) 중에서 임명하였음.

호:위-병 【護衛兵】 명 곁에 따라다니며 호위하는 병사. 병위(兵衛).

호:위-선 【護衛船】 명 선박이나 선단(船團)을 호위하기 위하여 함께 따르는 배.

호:위-청 【扈衛廳】 명 〖역〗 조선 인조(仁祖) 원년(1623)에 임금을 호위(扈衛)하기 위하여 베푼 군영(軍營). 고종(高宗) 18년(1881)에 폐하였다가 19년에 다시 베풀고, 20년에 또 폐하고, 29년에 다시 베풀어 31년에 또 폐하였음.

호:위-함 【護衛艦】 명 〖군〗 적의 잠수함(潛水艦)·항공기(航空機)로부터 선단(船團)이나 항공 모함(航空母艦)을 호위하는 것을 임무로 하는 군함(軍艦). 장비로는 대함(對艦)·대공(對空) 미사일 등, 첨단(尖端) 병기를 갖추고 있음.

호-위호 【胡爲乎】 부 어찌하여서.

호:유[1] 【互有】 명 서로 가지고 있음. 공동으로 소유함. ――-하다 타여불

호유[2] 【胡荽】 명 〖식〗 고수.

호유[3] 【豪遊】 명 호화롭게 놂. *쾌유(快遊). ――-하다 자여불

호유 강회 【胡荽江膾】 명 '고수 강회'의 한자 이름.

호:유-권 【互有權】 [―꿘] 명 〖법〗 경계선 위에 베푼 계표(界標)·위장(圍障)·장벽(牆壁) 및 구거(溝渠) 등에 대하여 상린자(相隣者)가 서로 가지는 일종의 공유권(共有權).

호-유미 【狐濡尾】 명 여우가 물을 건너려다 꼬리만 적시고 마침내 건너지 못했다는 뜻에서, 일이 중단됨을 일컫는 말.

호유-실 【胡荽實】 명 〖한의〗 고수풀의 열매. 특이한 향내가 있으며 거담·구풍·건위제로 쓰임.

호:-유장단 【互有長短】 명 서로 장처(長處)와 단처(短處)가 있음.

호유-저 【胡荽菹】 명 고수 김치.

호은자 부 〈옛〉 혼자. ¶내 호은자 쏘아도 이긔요리라(我獨自箇射時也贏的) ≪朴解 上 55≫.

호을아비 명 〈옛〉 홀아비. ¶호을아비 환(鰥) ≪字會 上 33≫.

호을어미 명 〈옛〉 홀어미. 과부. ¶호을어미 과(寡) ≪字會 上 33≫.

호:음[1] 【好音】 명 ①기쁜 소식. 좋은 음신(音信). ②듣기에 좋은 소리나 음성(音聲).

호:음[2] 【號音】 명 신호로 내는 소리.

호음[3] 【豪飮】 명 술을 썩 많이 마심. ――-하다 자여불

호:음-성 【好陰性】 [―썽] 명 〔photophygous〕 〖생〗 그늘을 좋아하고 그늘에서 증식(增殖)하는 성질.

호음 잡고 【湖陰雜稿】 명 〖책〗 조선 명종(明宗) 때의 대제학(大提學) 호음 정사룡(鄭士龍)의 시문집. 많은 시작(詩作) 중 몇 편을 빼고는 모두 근체시(近體詩)들임. 8권 8책.

호:음-조 【好音鳥】 명 〖불교〗 가릉빈가(迦陵頻伽).

호:읍 【號泣】 명 목놓아 소리내어 욺. ――-하다 자여불

호응 【呼應】 명 ①부름에 따라 대답함. ②서로 기맥(氣脈)이 상통함. ③

위에 어떤 말이 있을 때, 아래에 이에 응하는 말이 따르는 일. 부정의 호응·가정의 호응·의문의 호응·금지의 호응 따위가 있음. ——-하다 (자)(여불)

호:의[1]【好衣】[—/—이] 명 좋은 옷. ¶~ 호식. ↔악의(惡衣).

호:의[2]【好意】[—/—이] 명 좋은 마음씨. 남에게 보이는 친절한 마음. 선의(善意). ¶~를 갖다/~를 보이다. ↔악의(惡意).

호:의[3]【好誼】[—/—이] 명 좋은 정의(情誼). 가까운 정분(情分).

호의[4]【狐疑】[—/—이] 명 여우가 의심이 많다는 뜻에서 깊이 의심함을 이름.

호:의[5]【縞衣】[—/—이] 명 희고 고운 명주 옷.

호:의[6]【號衣】[—/—이] 명〖역〗더그레❶.

호의[7]【豪毅】[—/—이] 명 썩 굳세고 의젓함. 호걸스럽고 강의(剛毅)함. ——-하다 (형)(여불)

호:의 어음【好意—】[—/—이—] 명〖경〗단순히 남에게 신용을 주기 위하여 발행·배서(背書) 또는 인수되는 어음. 융통 어음. 금융 어음.

호:의-적【好意的】[—/—이—] 명 관 그 사람의 입장이나 생각을 존중하여 그 사람에게 도움이 되도록 배려하는 모양. ¶~인 반응.

호:의적 중립【好意的中立】[—닙/—이—닙] 명〖정〗전시에 국제법으로 지워진 중립국 의무의 범위 내에서, 외교상·경제상 또는 그 밖의 방법에 의하여 간접적으로 교전국(交戰國)의 일방(一方)에 이익을 부여하는 중립국의 태도. *엄정 중립(嚴正中立).

호:의 현상【縞衣玄裳】[—/—이—] 명 ①흰 옷과 검은 치마. ②두루미의 깨끗하고 아름다운의 비유.

호:의 호:식【好衣好食】[—/—이—] 명 ①좋은 옷과 좋은 음식. ②잘 입고 잘 먹음. 1)·2):↔악의 악식(惡衣惡食). ——-하다 (자)(여불)

호읫옷 명〈옛〉홑옷. ¶호읫옷 단(襌)≪字會 中 24≫.

호이[1] 명〈방〉회[6](膾)(충남).

호:이[2]【好餌】명 ①좋은 먹이. 좋은 미끼. ②손쉽게 욕망의 희생이 되는 물건. ③남을 유혹하는 수단.

호이겐스〔Huygens, Christian〕명〖사람〗네덜란드의 수학자·물리학자·천문학자. 빛의 파동설(波動說)을 창시, '호이겐스의 원리'를 주창하였고, 이 외에도 토성(土星)의 환(環)을 발견하였으며, 진동 시계도 제작하였음. [1629-95]

호이겐스의 원리【—原理】[—원—/—에원—] 명〔Huygens' principle〕〖물〗호이겐스가 1678년에 발표한 빛의 파동설에서, 광파(光波)의 진행 상태를 작도(作圖)하는 데 사용한 원리. 즉, 파동이 전파(傳播)될 때에는 하나의 파면(波面) 상의 모든 점이 새 활동의 중심이 되어 각각 2차 파동을 내어, 이것들의 중첩(重疊)에 의하여 다음 순간에서의 파면이 만들어진다는 것. *이차 파동.

호이스〔Heuss, Theodor〕명〖사람〗독일 현대의 정치가. 신문 기자 출신으로, 제2차 대전 후 자유 민주당의 당수(黨首)로 활약, 1949년 독일 연방 공화국의 초대 대통령에 당선되었고, 1954년 재선, 1959년에 은퇴하였음. [1884-1963]

호이스트〔hoist〕명〖기〗경편(輕便)한 기중기의 하나. 가벼운 물품을 올려 운반하는 장치.

호이스트 과:속 방지 장치【—過速防止裝置】명〔hoist overspeed device〕〖기〗호이스트의 조작 속도가 소정(所定)의 속도를 초과했을 때, 비상(非常) 브레이크를 작동(作動)시켜서 감속(減速)하고, 소정의 속도를 초과하지 않도록 하는 장치.

호이슬러 합금【—合金】명〖화〗〔Heusler alloy; 발견자인 19세기의 독일인 광산 기사·화학자 호이슬러(Heusler, Conrad 의) 이름에서 유래〕구리 60%, 망간 25%, 알루미늄 15%로 된 자성(磁性)이 강한 합금.

호이옌〔Goyen, Jan van〕명〖사람〗고이옌(Goyen).

호이징가〔Huizinga, Johan〕명〖사람〗네덜란드의 역사가. 그로닌겐(Groningen)·라이덴(Leiden)의 각 대학 교수를 역임. 역사를 법칙화하는 데 반대하고, 역사에 있어서의 비합리적 요소(非合理的要素)를 중요시하여 문화사·정신사에 관한 독특한 업적을 남김. 주저(主著)≪중세(中世)의 가을≫·≪나의 역사의 길≫·≪문화사의 과제(課題)≫ 등이 있음. [1872-1945]

호:이-초【虎耳草】명〖식〗범의귀.

호:익 순위사【虎翼巡衛司】명〖역〗조선 왕조 태조(太祖) 4년(1395)에 의흥친군(義興親軍)의 십위(十衛)의 하나인 천우위(千牛衛)를 고친 이름. 문종(文宗) 원년(1451)에 오위(五衛)를 두면서 파하였음.

호:익-위【虎翼衛】명〖역〗조선 세조 5년(1459)에 한량(閑良)을 위해 설치했던 군대. 호분위(虎賁衛)에 소속되어, 상경(上京)하여 숙위(宿衛)하는 책임을 맡음. 같은 해 평로위(平虜衛)로 고쳐 부름.

호:인[1]【好人】명 좋은 사람. 호인물(好人物). ¶그는 참으로 ~이다. ↔악인(惡人).

호인[2]【胡人】명 ①만주 사람. 야만인(野蠻人). ②외국인.

호:인[3]【護刃】명〖군〗군도(軍刀)의 칼날 슴베의 위. 곧, 날을 휩싸서 덴 덧쇠. 흔히 구리로 함.

호:-인물【好人物】명 호인(好人).

호-인절병【蒿引絶餠】명 쑥인절미.

호:일【好日】명 좋은 날.

-호이다 미〈옛〉-하오이다. -하옵니다. ¶아디 못호이다 ≪內訓 Ⅱ:20≫.

호:자[1] 명〈방〉효자[1](孝子)(경상·황해·함북·평안).

호:자[2]【好字】[—짜] 명 좋은 글자.

호:자[3]【虎子】명 범의 새끼.

호자[4]〔Hoxha, Enver〕명〖사람〗알바니아의 정치가. 제2차 대전 중에 국민 해방군을 이끌고 대독 항전(對獨抗戰)을 하면서 1941년 알바니아 공산당을 결성함. 1946년 이후 수상·외상·국방군 사령관을 겸직, 독재권을 쥠. 반(反)소·친중공(親中共) 노선을 추구함. [1908-85]

호자[5] 부〈옛·방〉혼자(전남). ¶시냇ᄀᆞ의 호자 안자 ≪不憂軒集 卷二 賞春曲≫.

호:자-나무【虎刺—】명〖식〗〔*Damnacanthus indicum*〕꼭두서닛과에 속하는 상록 활엽의 작은 관목. 잔가지와 가시가 많으며 높이 70cm 가량이고 잎은 달걀꼴 또는 타원상의 달걀꼴인데 혁질(革質)이고 광택이 있음. 초여름에 흰 깔때기 모양의 꽃이 가지 끝에 액생(腋生)하고, 핵과(核果)는 작은 구형이며 가을에 붉게 익고 다음 해까지 붙어 있음. 산지의 나무 그늘에 나는데, 제주도·일본 남부·중국 남부·동인도에 분포함. 관상용임. 복우화(伏牛花).

〈호자나무〉

호:자-덩굴【虎刺—】명〖식〗〔*Mitchella undulata*〕꼭두서닛과에 속하는 상록 다년초. 줄기는 땅 위에 가로 뻗으며 마디에서 뿌리가 나옴. 잎은 대생하고 유병(有柄)이며, 달걀꼴 또는 세모의 달걀꼴임. 7-8월에 백색에 담홍색의 꽃이 가지끝에 두 개씩 나란히 자웅 일가(雌雄一家)로 피는데 화관(花冠)은 깔때기 모양을 이루고 장과(漿果)는 구형(球形)임. 산지에 나는데, 제주·전남·경북 등지에 분포함.

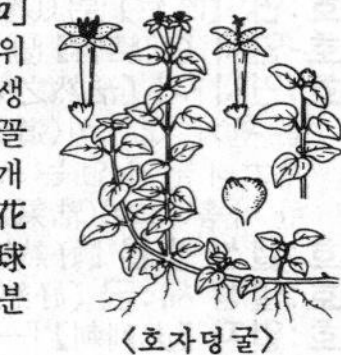

〈호자덩굴〉

호작【蒿雀】명〖조〗촉새.

호-작약【胡芍藥】명〖식〗〔*Paeonia albiflora* var. *hirta*〕작약과에 속하는 다년초. 줄기 높이 60cm 내외이고 잎은 호생하며 장병(長柄)임. 6월에 백색 꽃이 줄기 끝에 정생하고, 과실은 골돌(蓇葖)임. 산지에 나는데, 평북 의주(義州)에 분포함. 뿌리는 약용. *참작약.

호작-질 명〈방〉손장난. ——-하다 (자)

호장[1]【—裝】명 '회장(回裝)'의 잘못.

호:장[2]【戶長】명〖역〗향리(鄕吏)의 으뜸 벼슬. 신라 시대에는 촌주(村主), 고려 초에는 당대등(堂大等)이라 일컫다가, 고려 성종(成宗) 2년(983)에 이 이름으로 고쳐서 조선 시대 때까지 일컬음. [호장 댁네 죽은 데는 가도 호장 죽은 데는 가지 않는다] '원의 종이 죽으면 조객이 많아도 원이 죽으면 조객이 없다'와 같은 뜻.

호:장[3]【戶長】명〖사람〗신재효(申在孝)의 호(號).

호:장[4]【虎將】명 범같이 무섭고 용맹스러운 장수. *호병(虎兵).

호:장[5]【虎掌】명 ①〖식〗천남성(天南星). ②〖한의〗누람자(漏藍子).

호장[6]【壺漿】명 단지 안에 든 간장이란 뜻으로, 곧 보잘 것 없이 맛없는 반찬을 가리키는 말. *단사 호장(簞食壺漿).

호장[7]【豪壯】명 ①호화롭고 장쾌(壯快)함. ②세력이 강하고 왕성함. ③호탕하고 씩씩함. ¶~한 성품. ——-하다 (형)(여불)

호:장[8]【護葬】명 행상(行喪)을 호위함. ——-하다 (자)(여불)

호:장근[1]【虎杖根】명〖식〗〔*Reynoutria elliptica*〕마디풀과의 다년초. 줄기 높이 1.5m에 달하며 어릴 때 줄기면에 홍자색의 점이 산포되어 있음. 잎은 호생하고 유병(有柄)이며 넓은 달걀꼴 또는 달걀꼴의 타원형이고, 초상 탁엽(鞘狀托葉)은 짧고 막질(膜質)임. 자웅 이가(雌雄異家)인데 6-8월에 백색꽃이 복총상(複總狀) 화서로 정생(頂生) 또는 액생(腋生)하여 모여 피고, 과실은 수과(瘦果)임. 산이나 들에 나는데, 거의 한국 각지에 분포함. 어린 줄기는 식용함. 감제풀. 고장(苦杖). 산장(酸杖). 반장(斑杖).

〈호장[4]〉

호:장-근[2]【虎杖根】명〖한의〗호장(虎杖)의 뿌리. 이수도(利水道)·파혈제(破血劑)임. 임질(痳疾)·경통(經痛) 등의 외과(外科)에 쓰고, 달인 물을 물감으로 씀.

호:재【好材】명 ↗호재료(好材料). ↔악재(惡材).

호:-재료【好材料】명 ①좋은 재료. ②거래에서, 시세를 등귀시키는 원인이 되는 조건(條件). 1)·2):↔악재료(惡材料).

호:쟁-자【好爭者】명〖심〗정신 건강자와 정신병자의 중간에 위치하는 심리형(心理型). 성미(性味)가 급하고 노하기 쉬우며 작은 일에도 불평불만(不平不滿)을 품고 참을성이 없어 곧 남과 싸우기 쉬운 경향을 가진 것이 그 특색임. 지능(知能)은 보통이나 기억력은 좋으며 이기적(利己的)·자기 중심적 경향이 강하고 남의 결점에 대하여 대단히 민감하여 이를 곧 지적함.

호:저[1]【好著】명 좋은 저서(著書).

호저[2]【瓠菹】명 박김치.

호저[3]【豪豬】명〖동〗〔*Hystrix cristata*〕호저과에 속하는 동물. 몸길이 90cm, 무게 27kg 가량이며, 몸에는 부드러운 털과 빳빳한 털과 날카롭게 뾰족한 가시털이 밀생하고, 머리에는 길고 빳빳한 털의 갈기가 있는 것도 있음. 꼬리는 짧고 가시털이 났으며 위험이 닥치면 고슴도치처럼 몸을 동그렇게 움츠림. 낮에는 굴속에 숨었다가 밤에 나와 식물의 뿌리·나무껍질·과실·곡물(穀物)·채소 등을 먹고 한배에 1-3 마리 새끼를 낳음. 삼림이나 황지(荒地)·초원(草原) 등지에서 서식하는데, 남유럽·북아프리카에 분포함. 아프리카바늘두더지.

〈호저[3]〉

호저-과【豪豬科】[—꽈] 명〖동〗〔Hystricidae〕설치류(齧齒類)에 속하는 한 과.

호:저온성 생물【好低溫性生物】[—썽—] 명〔psychrophile〕〖생〗저온에서 생육(生育)·증식(增殖)하는 생물.

호저 평야【湖底平野】명〖지〗호수의 물이 배수(排水)되어 호수 바닥이 육상으로 드러나서 이루어진 평야. *내륙 평야·용암(熔岩) 평야.

멍. 상어류에서는 호흡에 거의 소용되지 않으나, 가오릿과에 있어서는 호흡에 필요한 물을 몸 안으로 끌어들임. 광의(廣義)로는 새공(鰓孔)을 이름. 호흡구(呼吸口)라고도 함. 분수공(噴水孔).

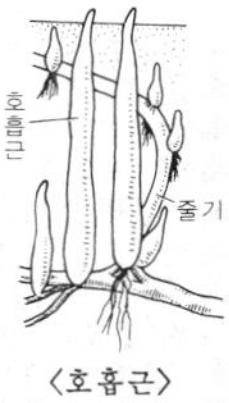

〈호흡근〉

호흡-근[1]【呼吸根】[명]〔respiratory root〕〖식〗 진흙 또는 수생(水生) 식물 등에서, 호흡 작용을 하기 위하여 발생한 뿌리. 흔히 해면(海綿) 모양인데, 늪가·못가의 흙 속·물 속에는 공기가 부족하므로 수직으로 공중에 뻗어 나와 신선한 공기를 물 속의 부분으로 공급하는 작용을 함. 물금매 등의 뿌리.

호흡-근[2]【呼吸筋】[명]〔respiratory muscle〕〖생〗 호흡 운동을 맡은 근육. 곧, 호흡할 때, 흉곽(胸廓)의 확대·수축을 행함. 숨근.

호흡-기[1]【呼吸氣】[명]〖생〗 안정시(安靜時)의 호흡량(量). 보통 500 cc. ＊보기(補氣)·축기(蓄氣)·잔기(殘氣).

호흡-기[2]【呼吸器】[명]〖생〗 호흡 기관.

호흡 기관【呼吸器官】[명]〔respiratory organ〕〖생〗 호흡 작용, 특히 외호흡(外呼吸)을 맡은 기관(器官). 고등 동물의 폐, 어류의 아가미, 거미류(類)의 폐낭(肺囊), 곤충류의 기관(氣管) 및 많은 동물들의 피부 등. 호흡기. 숨틀.

호흡기 계:통【呼吸器系統】[명]〔respiratory system〕〖생〗 외호흡(外呼吸)에 관계하는 기관계. 사람에서는 비강·인두·후두·기관(氣管)·기관지·폐로 되어 있음. 숨쉬기 계통.

호흡기-병【呼吸器病】[—뼝] [명]〖의〗 호흡기 계통에 생기는 질환. 곧, 비강·인두(咽頭)·후두(喉頭)·기관(氣管)·기관지(氣管支)·늑막(肋膜) 및 폐(肺) 등의 병.

호흡-률【呼吸率】[—뉼] [명]〔respiratory quotient; RQ〕〖생〗 동물의 호흡에서, 일정 시간 내에 배출하는 이산화 탄소의 양과 들이쉬는 산소량의 비(比). 호흡 물질로서의 영양소에 따라 다름. 탄수화물(炭水化物)의 경우는 1에 가깝고, 지방이나 단백질의 경우에는 1보다 작음. 호흡 계수. 호흡비.

호흡 보:조기【呼吸補助器】[명]〔breathing apparatus〕〖공〗 질식성(窒息性)·유독성의 가스나 액체 속에서 인간이 활동할 수 있도록 만든 장치. 산소 공급 장치와 배출된 이산화 탄소를 제거하는 재생(再生) 장치로 되어 있음.

호흡 보:호기【呼吸保護器】[명] 마스크[1]❶.

호흡 불통【呼吸不通】[명] 어떤 자극을 받아 호흡이 막히고 잠시 통하지 아니함. ——-하다 [자][여불]

호흡-비【呼吸比】[명]〖생〗 호흡률.

호흡 빈삭【呼吸頻數】[명]〖의〗 호흡수(呼吸數)가 많아지는 일.

호흡 상:피【呼吸上皮】[명]〖생〗 폐포(肺胞)의 내면(內面)을 덮고 있는 얇은 상피.

호흡 색소【呼吸色素】[명]〔respiratory pigment〕〖생〗 동물의 혈액 속에 있어서 산소를 운반하는 색소 화합물(色素化合物)의 총칭. 보통 혈액 색소(血液色素)와 거의 같은 뜻으로 쓰이며, 헤모글로빈·헤모시아닌 등이 있음.

호흡성 격정 경련【呼吸性激情痙攣】[—넌] [명]〖의〗 강한 감정의 격동으로 호흡 정지의 발작을 일으키는 질환. 유아(乳兒) 또는 2-5세의 아동에게 많이 있음. 분노 경련(憤怒痙攣).

호흡성 부정맥【呼吸性不整脈】[명]〖생〗 숨을 들이쉴 때에는 빠르고 작게, 내쉴 때에는 느리고 크게 뛰는 맥박. 숨을 들이쉴 때의 맥박이 내쉴 때의 두 배(倍)가 되면 병적인 것으로 인정되는데, 어린 아이에게 특히 많으며, 흔히 수막염(髓膜炎)·뇌종양(腦腫瘍)·신경증·충심 각기(衝心脚氣)·열병의 회복기 등에 나타남.

호흡-수[1]【呼吸樹】[명]〖생〗 수폐(水肺).

호흡-수[2]【呼吸數】[명] 일정한 시간의 호흡의 횟수(回數). 보통 성인은 1분간에 12 내지 16 또는 24를 헤아리고 평균 맥박 사박(四搏)에 호흡 일지(一至)의 비례를 나타냄. 어린이는 이보다 훨씬 많음.

호흡-식【呼吸式】[명]〔type of respiration〕〖생〗 호흡 운동의 양식. 흉식(胸式)·복식(腹式) 및 흉복식(胸腹式)이 있음.

호흡-열【呼吸熱】[—녈] [명]〖생〗 생물이 산소를 흡수하여 체내에서 산화(酸化)시킬 때에 나는 열. 사람의 체온은 이 열에 의함. 열량은 종류나 생체의 조직·활동량 등에 따라 다름. 동물에서는 체온을 높이는 작용을 함. 식물에서는 발생 열량이 적으나, 개화(開花)·발아(發芽) 때에는 현저하게 나타남.

호흡 운:동【呼吸運動】[명] ①〖생〗 동물이 호흡기에 접하는 공기나 물을 항상 새롭게 하려고 행하는 운동. 고등 척추 동물에 있어서는 늑골이나 횡격막(橫隔膜)의 상하 운동에 의하여 흉강(胸腔)을 확대·수축하여 폐에 공기를 보냄. ②체조의 한 가지. 팔을 올렸다 내렸다 하여 크게 깊은 호흡을 하는 운동. 숨쉬기. 숨운동.

호흡-음【呼吸音】[명] 호흡할 때에 나는 소리.

호흡 중추【呼吸中樞】[명]〔respiratory center〕〖생〗 호흡 운동을 맡은 신경 중추. 호흡 운동을 조정(調整)하는데, 척추 동물은 연수(延髓)에 있으며, 상위(上位)의 뇌(腦)의 영향도 받음. 숨줏대.

호흡 촉박【呼吸促迫】[명]〖의〗 호흡 곤란(困難)과 호흡 빈삭(頻數)이 합친 증세.

호흡 항:진【呼吸亢進】[명]〖의〗 호흡의 깊이의 이상 증가(異常增加)를 말함. 혈액 성분(血液成分) 중의 산소가 부족하여 이산화 탄소의 축적(蓄積)이 일어나면 호흡 중추(中樞)를 자극하여 호흡이 깊어지나 고통은 느끼지 않음.

호흡 효소【呼吸酵素】[명]〔respiration ferment〕〖생〗 생체(生體)의 조직 안에서 호흡 작용에 관계하는 효소의 총칭. 수소를 빼앗아 물질의 산화(酸化)를 돕는 탈수(脫水) 효소와 산소를 공급하여 산화시키는 산화 효소로 대별(大別)되며, 각각 많은 종류가 있음.

호흡 흥분제【呼吸興奮劑】[명]〖약〗 호흡 중추(中樞)의 기능이 쇠(衰)하였을 때, 이를 흥분시키는 약. 곧, 장뇌(樟腦)·카페인(caffeine)·코라민(coramine)·카르디아졸(cardiazol) 등.

혹[1] [명] [중세 : 혹] ①병적인 원인에 의하여, 근육이 굳어지거나 피가 모여, 피부의 국부가 기형적으로 불거진 군더더기 살덩이. 영류(癭瘤). ②타박상(打撲傷)으로 근육이 부어 오른 것. ③물건의 거죽에 불룩하게 내민 부분. ④균류·세균·곤충 등의 기생 생물(寄生生物)이 침입하여, 식물 조직에 만들어낸 큰 덩어리. ⑤방해물. 짐스런 물건이나 일. [혹 떼러 갔다 혹 붙여 온다] 이익을 얻으려다 오히려 손해(損害)를 본다는 말.

혹[2]【惑】[명]〖불교〗 정도(正道)의 장애가 되는 일.

혹[3] [부] ①액체를 단숨에 들이마실 때에 나는 소리. ②입을 오므리고 입김을 세게 내부는 소리. 1)·2): <훅. ——-하다 [타][여불]

혹[4]【或】[부] ↗혹시(或是)·혹자(或者). ¶～ 비가 내릴지도 모르니 우산을 준비해 가거라.

혹가 혹불가【或可或不可】[명] 옳다 하기도 하고 그르다 하기도 하여 가부(可否)를 질정(質定)할 수 없음.

혹간【或間】[부] 간혹(間或).

혹-고니 [명]〖조〗〔*Cygnus olor*〕 오릿과에 속하는 새. 날개 길이 58 cm 가량이고, 온몸은 희고 부리의 기부(基部)에 흑색의 큰 혹 모양의 돌기(突起)가 있음. 떼지어 바다나 연못 등에 날아 오는데, 유럽 및 동부 시베리아에 분포함. 동물원 등에서 사육하나 유럽에서는 반가금(半家禽)의 하나임. 혹백조. ＊백조(白鳥).

혹기【惑嗜】[명] 어떤 것을 매우 즐김. 편기(偏嗜). ——-하다 [타][여불]

혹닉【惑溺】[명] ①몹시 반하여 제 정신을 잃고 빠짐. ②미혹(迷惑)되어 탐닉(耽溺)함. ——-하다 [자][여불]

혹다 [형] 〈옛〉 작다. ¶호고 마놀 혼되를 사ᄒᆞ라(又方小蒜一升㕮咀)≪救方 上 33≫.

혹-대패 [명]〖공〗 뒤대패.

혹도【惑道】[명]〖불교〗 삼도(三道)의 하나. 우주의 진리와 낱낱의 사물의 진상을 알지 못하는 데서 일어나는 망심(妄心). 곧, 번뇌(煩惱).

혹-도미 [명]〖어〗〔*Semicossyphus reticulatus*〕 양놀래깃과에 속하는 바닷물고기. 몸은 길이 60 cm로 길쭉한 타원형이고 주둥이가 뾰족하며 꼬리 자루가 높음. 몸빛은 암갈색인데 어릴 때에는 체측 중앙에 폭 넓은 흰 세로띠가 있으며 입 아래에 검은 띠가 둘리고 지느러미에 검은 반점이 있음. 성장한 물고기, 특히 수컷에는 앞머리 부분에 혹이 생김. 온대성 어족으로 한국 남부·제주도 연해·일본 및 동중국해에 분포함. 여름철에 맛이 좋음. [준]혹돔.

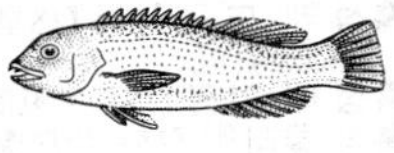
〈혹도미〉

혹독【酷毒】[명] ①몹시 심함. ¶～한 비평. ②마음씨나 하는 짓이 매우 심악스러움. ——-하다 [형][여불]. ——-히 [부]

혹돌-뼈 [명] 〈방〉 복사뼈(전북).

혹-돔 [명]〖어〗 ↗혹도미.

혹-들명나방【—螟—】[명]〖충〗〔*Cnaphalocrocis medinalis*〕 명나방과에 속하는 벼의 해충. 몸길이 10 mm, 편 날개 길이 17 mm 가량이고 몸빛은 황갈색이며 날개의 외연(外緣)은 암갈색인데 앞날개에 두 줄, 뒷날개에 한 줄의 흑색 선문(線紋)이 있음. 유충은 원통형에 몸길이 16 mm 가량이고 흉배(胸背)에 아홉 개의 흑문(黑紋)이 있는데 한해에 2-4회 발생하며 벼의 잎을 돌돌 말아 그 안에 들어 앉아서 엽육(葉肉)을 갉아 먹으므로 벼가 하얗게 말라 죽음. 8-9월에 피해가 심함. 일본·한국·중국·인도·오스트레일리아에 분포함. 벼꼬마명나방.

〈혹들명나방〉

혹등-고래 [명]〖동〗〔*Megaptera novaeangliae*〕 큰고랫과에 속하는 고래의 하나. 등이 활 모양으로 굽었음. 몸길이 12-17 m이며, 배부(背部)는 회흑색, 복측(腹側)은 전부 흑색 또는 전부 백색의 것 등이 있음. 등지느러미에 낙타 등처럼 혹이 있으며, 앞발의 변형(變形)인 가슴지느러미는 몸길이의 3분의 1이나 되게 크고 가장자리가 물결 모양을 이룸. 머리의 턱 위에도 수많은 혹이 있음. 양쪽의 흑색 수염에는 각각 400개 가량의 날카로운 털이 있음. 턱에서 배꼽까지 14-20줄의 고랑이 깊게 뻗쳐 있음. 조개삿갓·삼각굴 같은 것이 기생(寄生)하며, 잡식성이고 임신은 11개월 간임. 성질이 활발하면서도 느리어 포경선(捕鯨船)이 접근하여도 잠만 자고 또 오히려 배의 주위를 빙빙 돌기도 함. 난해(暖海)에 서식하는데 때로 극해(極海)까지 감. 혹고래.

〈혹등고래〉

혹란【惑亂】[—난] [명] 미혹(迷惑)되어 어지러움. ——-하다 [형][여불]

혹렬【酷烈】[—녈] [명] ①매우 혹독하고 심함. 참렬(慘烈). ②냄새가 지독함. ——-하다 [형][여불]

혹령【酷令】[—녕] [명] 까다롭고 힘드는 명령. 가혹한 명령.

혹리【酷吏】[—니] [명] ①혹독(酷毒)하고 까다로운 관리(官吏). ②'혹서(酷暑)'의 비유(比喩).

혹마디꼬리-맵시벌 [명]〖충〗〔*Ephialtes huhurculatus*〕 맵시벌과에 속하는 곤충. 암컷의 몸길이 약 17 mm. 몸빛은 흑색에 광택이 남. 다리는 적갈색, 각 기절(基節)은 흑색이며, 제1 복절 중앙에 종구(縱溝)가 있고, 복부 각절에 요철부(凹凸部)가 있음. 하늘소·바구미류의 유충에 기생하며, 한국·일본·사할린 등에 분포함.

혹-몰라【或一】부 일이 어찌 될지 모르거나, 일의 내용을 단언하기 어려운 경우에, 의문을 붙이어 쓰는 말. ¶ ~ 맛이 있을지.
혹-바구미 명〖충〗[*Episomus turritus*] 바구밋과에 속하는 곤충. 몸길이 15-17mm이고, 몸빛은 흑색이나 온 몸이 회백색의 비늘로 덮여 회백색으로 보임. 배상(背上)은 거의 암갈색이고 각 시초(翅鞘)에 10줄의 점각(點刻)이 있으며, 제 2·4·6 열(列) 간실(間室)에 작은 혹 모양의 돌기가 있음. 한국·일본 등에 분포함.
혹박【酷薄】명 모질고 박정함. 무자비(無慈悲). ——-하다 형여불
혹밥 장난 명〈방〉소꿉 장난(제주).
혹-백조【一白鳥】명〖조〗혹고니.
혹벌-과【一科】[一꽈] 명〖충〗[*Cynipidae*] 벌목(目)에 속하는 한 과. 몸길이 1-6mm이고, 몸빛은 흑색·갈색이며, 대체로 광택이 남. 촉각은 11-16절이고, 전흉배판(前胸背板)과 중흉배판은 보드랍고 날개는 흔적만 있는 것도 있음. 양성(兩性) 또는 단성 생식(單性生殖)으로 참나무·장미·국화과 식물에 알을 슬어 혹 모양의 충영(蟲癭)을 이루어 유충을 기생시킴. 주로 신구(新舊) 양북구에 900여 종이 분포함. *어리상수리혹벌.
혹법【酷法】명 ①가혹한 규율. 엄격한 법률. 엄법(嚴法). ②법의 시행이 지나치게 엄격함. ——-하다 형여불
혹-부리 명 얼굴에 혹이 달린 사람의 별명.
혹사[1]【酷似】명 서로 같다고 할 만큼 매우 닮음. ——-하다 형여불. ——-히 부
혹사[2]【酷使】명 혹독하게 부림. 고사(苦使). ¶ 두뇌를 ~하다. ——-하다 타여불
혹-살 명 소의 볼기 복판에 붙은 기름기 많은 살. 국거리로 많이 쓰임.
혹서【酷暑】명 몹시 심한 더위. 지독한 더위. 극서(劇暑). 농서(濃暑). 혹열(酷熱). 혹염(酷炎). 엄서(嚴暑). 염서(炎暑).
혹설[1]【或說】명 어떠한 사람의 말이나 학설(學說).
혹설[2]【惑說】명 여러 사람을 미혹(迷惑)시키는 말이나 주장.
혹성【惑星】명 [planet]〖천〗행성(行星).
혹성간 공간 관측 위성【惑星間空間觀測衛星】명 행성간 공간 관측 위성(行星間空間觀測衛星).
혹성간 이행 궤:도【惑星間移行軌道】명〖항공〗행성간 이행 궤도(行星間移行軌道).
혹성 공간【惑星空間】명 행성 공간(行星空間).
혹성 광행차【惑星光行差】명〖천〗행성 광행차(行星光行差).
혹성 궤:도【惑星軌道】명〖천〗행성 궤도(行星軌道).
혹성 궤:도 경사각【惑星軌道傾斜角】명〖천〗행성 궤도 경사각(行星軌道傾斜角).
혹성 대:기권【惑星大氣圈】[一꿘] 명〖천〗행성 대기권(行星大氣圈).
혹성 물리학【惑星物理學】명〖천〗행성 물리학(行星物理學).
혹성 비행【惑星飛行】명〖항공〗행성 비행(行星飛行).
혹성상 성운【惑星狀星雲】명〖천〗행성상 성운(行星狀星雲).
혹성 섭동【惑星攝動】명〖천〗행성 섭동(行星攝動).
혹성 세:차【惑星歲差】명〖천〗행성 세차(行星歲差).
혹성 전:파【惑星電波】명〖천〗행성 전파(行星電波).
혹성 집결【惑星集結】명〖천〗행성 집결(行星集結).
혹세[1]【惑世】명 ①어지러운 세상. ②세상을 어지럽고 문란(紊亂)하게 함. ——-하다 자여불
혹세[2]【酷稅】명 과중한 조세(租稅). 가혹한 세금.
혹세 무:민【惑世誣民】명 사람을 속여 미혹(迷惑)시키고 세상을 어지럽힘. ——-하다 자여불
혹속 혹지【或速或遲】명 혹 빠르기도 하고, 혹 더디기도 함. ——-하다 형여불
혹술【惑術】명 사람을 미혹(迷惑)시키는 술책.
혹시[1]【或是】부 ①'만일에, 행여나'의 뜻의 접속 부사. ②'어떠한 경우에, 혹시나'의 뜻의 접속 부사. 혹야(或也). 혹여(或如). 혹자(或者). 준 혹(或).
혹시[2]【或時】부 어떤 때에. 간혹(間或).
혹시-나【或是一】부 행여나. 혹시(或是). ¶ ~ 하고.
혹시 혹비【或是或非】명 ①어째 옳기도 하고 어째 그르기도 하여, 시비를 질정(質定)할 수 없음. ②어떤 것은 옳고 어떤 것은 그름. ③어떤 이는 옳다 하고 어떤 이는 그르다 함.
혹식 부〈옛〉혹시(或是). ¶ 혹식 돈 더니 ᄒᆞ며(或是博錢)《朴解 上 18》.
혹신【惑信】명 미혹(迷惑)하여 믿음. 아주 반하여 믿음. ——-하다 타여불
혹심【酷甚】명 너무 지나침. 가혹하도록 심함. ——-하다 형여불
혹-쐐기풀 명〖식〗[*Laportea bulbifera*] 쐐기풀과에 속하는 다년초. 높이 30-60cm이고 뿌리는 수근(鬚根)과 여러 줄기의 방추상 괴근(塊根)임. 잎은 호생하고 장병(長柄)이며 긴 달걀꼴의 또는 달걀꼴 피침형인데 끝에 거친 톱니가 있으며 줄기와 같이 잔털이 있음. 자웅 일가(雌雄一家) 또는 이가(二家)인데 8-9월에 녹색 꽃이 피고, 과실은 수과(瘦果)임. 숲속에 나는데, 제주·강원·경기·평북 등지에 분포함.

〈혹쐐기풀〉

혹악【酷惡】명 잔인하고 포악함. ——-하다 형여불
혹애【惑愛】명 몹시 사랑함. 익애(溺愛). ——-하다 타여불
혹야【或也】부 혹시(或是).
혹양【酷陽】명 ①쨍쨍 내려 쪼이는 태양. ②몹시 심한 더위.
혹-어후처【惑於後妻】명 후처에게 반함. 후처(後妻)에게 미혹(迷惑)됨. ——-하다 자여불
혹여【或如】부 혹시(或是).
혹열【酷熱】[一녈] 명 혹서(酷暑).
혹염【酷炎】명 혹서(酷暑).
혹왈【或曰】구 어떤 이가 말하는 바. 혹운(或云). 혹위(或謂).
혹우【酷遇】명 혹독한 대우. 가혹한 대접. ——-하다 타여불
혹운【或云】구 혹왈(或曰).
혹-위[1]【一胃】명〖동〗유위(瘤胃).
혹위[2]【或謂】구 혹왈(或曰).
혹-은【或一】부 '그렇지 않으면, 또는'의 뜻의 접속 부사.
혹자【或者】一명 어떠한 사람. ¶ ~는 말하기를. 二부 '혹시(或是)'의 뜻의 접속 부사. 준 혹(或).
혹장【酷杖】명 혹심한 장형(杖刑).
혹전 혹후【或前或後】명 어떤 때에는 앞서고 어떤 때에는 뒤서기도 함.
혹정【酷政】명 혹독한 정치. 가혹한 정치. 독정(毒政).
혹중 혹부중【或中或不中】명 ①예언(豫言)이나 점괘(占卦) 같은 것이 혹은 맞고 혹은 맞지 아니함. ②화살이나 탄환이, 목표에 맞는 것도 있고 맞지 않는 것도 있음.
혹-집게벌레 명〖충〗좀집게벌레.
혹초【酷肖】명 자손이 부조(父祖)의 용모나 성질을 빼낸 것같이 아주 닮음. ——-하다 형여불
혹취【酷臭】명 지독히 고약한 냄새. 혹심(酷甚)한 냄새.
혹평【酷評】명 가혹한 비평. ——-하다 타여불
혹-하다【惑一】자여불 마음에 들어 아주 반하다. 빠져서 정신을 못차리다. ¶ 미녀에 ~.
혹학【酷虐】명 몹시 학대함. ——-하다 타여불
혹한【酷寒】명 혹독한 추위. 호한(冱寒). 고한(苦寒).
혹해【酷害】명 혹심한 재해(災害).
혹형【酷刑】명 가혹한 형벌. 심형(深刑). ——-하다 타여불
혹호【酷好】명 매우 좋아함. ——-하다 타여불
혹-혹 부 ①액체를 조금씩 계속해서 들이마실 때에 나는 소리. ②입을 오므리고 계속해서 입김을 세게 내부는 소리. 1)·2): <훅훅. ——-하다 타여불
혹화【酷禍】명 혹심한 재화(災禍).
혼[1] 명 ↗혼동[1].
혼[2]【魂】명 넋. 얼. 정신. 영혼(靈魂).
혼:[3] [horn] 명 호른(Horn).
혼가[1]【婚家】명 혼인집.
혼가[2]【婚嫁】명 혼인(婚姻). ——-하다 자여불
혼:가[3]【渾家】명 한집안의 온 식구(食口). 전가(全家). 혼권(渾眷). 혼솔(渾率). 혼실(渾室).
혼간[1]【婚簡】명 혼인 때 사주 단자(四柱單子)와 택일 단자(擇日單子)로 쓰는 간지(簡紙).
혼:간[2]【混姦】명 ①윤간(輪姦). ②혼음(混淫). ——-하다 타여불
혼개 일구【渾蓋日晷】명〖천〗조선 후기 정조(正祖) 9년(1785)에 만든 해시계의 하나. 세종 대왕 기념관 소장. 보물 제 841호.
혼:거【混居】명 잡거(雜居). ——-하다 자여불
혼건지기-굿【魂一】명〖민〗넋건지기굿.
혼겁【魂怯】명 혼이 빠지도록 겁을 냄. ——-하다 자여불
혼계【昏季】명 아주 젊고 어리석음. ——-하다 형여불
혼:-계영【混繼泳】명 혼합 계영.
혼고【昏鼓】명〖불교〗해질 무렵에 치는 북.
혼곤【昏困】명 정신이 흐릿하고 맥이 풀려 고달픔. ¶ ~히 잠이 들다. ——-하다 형여불. ——-히 부
혼:공【渾恐】명 모두 꺼림. 모두 저어함. ——-하다 타여불
혼: 곶【一串】명 [Cape Horn]〖지〗남아메리카 남단(南端)의 혼(Horn)섬에 있는 곶.
혼교【魂轎】명 장사(葬事) 때에, 생전에 입던 옷이나 갓을 담아 가는 교자(轎子).
혼구[1]【婚具】명 혼인 때에 쓰는 여러 가지 제구.
혼구[2]【婚媾】명 혼인(婚姻). ——-하다 자여불
혼:구[3]【混丘】명〖사람〗고려의 고승. 속성(俗姓)은 김(金). 구명은 청분(淸玢). 자는 구을(丘乙), 호는 무극(無極). 10세 때 중이 되어 일연 선사(一然禪師)에게서 배우고 일연의 선석(禪席)을 물려받음. 충렬왕(忠烈王)은 대선사(大禪師)로 삼았고, 충선왕(忠宣王)은 양가 도승통(兩街都僧統), 충숙왕(忠肅王)은 왕사(王師)로 삼았음. 시호는 보감 국사(寶鑑國師). [1251-1322]
혼군【昏君】명 어둡고 어리석은 임금. 암군(暗君).
혼궁【魂宮】명〖역〗태자나 세자(世子)의 국장(國葬) 뒤 3년 동안 신위(神位)를 모시던 궁전.
혼:권【渾眷】명 혼가(渾家).
혼금【閽禁】명 관청에서 잡인(雜人)의 출입을 금지하는 일. ——-하다 타여불
혼기[1]【婚期】명 혼인하기에 적당한 나이. ¶ ~를 놓치다. *혼령(婚齡)·가기(嫁期).
혼기[2]【魂氣】명 영혼의 기운. 정신.
혼꾸녁 내:다【魂一】구〈방〉혼구멍 내다(충남). *혼구멍.
혼꾸멍-나다【魂一】자〈속〉호되게 혼나다.
혼꾸멍-내다【魂一】타〈속〉호되게 혼내다.
혼-나다【魂一】자 ①매우 놀라거나 무서워서 혼이 나갈 지경에 이르다. 혼쫄나다. ¶ 밤길을 걷는데 무서워서 혼났다. ②호되게 꾸지람을 듣거나 벌을 받다. ¶ 수업 시간에 떠들다가 선생님께 혼났다. ③어떤 일을

하거나 견디기에 몹시 힘이 들다. ¶ 기침을 참느라 혼났다.
혼-내다【魂―】타 혼나게 하다. ¶이 녀석을 단단히 혼내 줘야지.
혼녁 명 〈방〉 홍역(紅疫)(강원·황해).
혼노【惛怓】명 마음이 어수선함. ――-하다 형여불
혼:농-림【混農林】[―님] 명〖농〗한 곳에서 임업과 농업을 동시에 경영하는 삼림(森林). *혼목림(混牧林).
혼담[1]【婚談】명 혼인에 대하여 혼인 전에 오가는 말. 연담(緣談). ¶ ～이 오가다/～을 꺼내다.
혼-담[2]【魂膽】명 혼백(魂魄)과 간담(肝膽). 넋.
혼:당【混堂】명 목욕탕. 욕실(浴室).
혼대【婚對】명 배우자.
혼도【昏倒】명 정신이 아뜩하여 넘어짐. ――-하다 자여불
혼:돈[1]【混沌·渾沌】명 ①천지 개벽 초에 하늘과 땅이 아직 나뉘지 아니한 상태. ②사물의 구별이 판연(判然)하지 않고 모호한 상태. 혼륜(混淪). ¶ ～ 상태. ――-하다 형여불
혼돈[2]【餛飩】명 밀가루나 쌀가루 반죽을 둥글게 빚어, 그 속에 소를 넣어서 찐 떡.
혼돈-반【餛飩飯】명 멥쌀이나 찹쌀에다가 붉은 팥과 밤·대추·곶감 등을 넣어서 지은 밥.
혼돈-병【餛飩餠】명 꿀물에 밀가루를 타서 죽을 쑤어, 항아리에 담아 겻불에 묻어 익힌 음식.
혼:돈 세:계【混沌世界】명 ①천지 개벽(開闢)할 때에 사물의 구별이 판연(判然)하지 아니한 판. ②아무 분개(分槪)가 없는 판을 비유하는 말. 혼돈 천지(天地). 홍몽(鴻濛) 세계. 「비유.
혼:돈-씨【混沌氏】명 정신이 흐리멍덩하거나 하는 짓이 모호한 사람의
혼돈-자【餛飩餈】명 소금물에 반죽한 밀가루를 조금씩 떼어 펴서 굳은 뒤에, 돼지 고기·파·생강·후춧가루를 간장에 버무린 소를 넣고 빚어서 끓인 음식.
혼:돈-주【混沌酒】명 여러 가지를 섞은 술. 막걸리에 소주를 섞은 술.
혼:돈 천지【混沌天地】명 혼돈 세계(混沌世界).
혼:돈-탕【混沌湯】명 갖가지 음식을 뒤섞어서 끓인 국.
혼:돈-피【混沌皮】명〖생〗포의(胞衣). 혼원의(混元衣).
혼돌림-하다 타여불 겁을 주어 혼내다. ¶ 최가를 혼돌림하던 수교와 사령 두 놈이 그 참에 이르러서야…《金周榮 : 客主》.
혼-동[1] 명 윷놀이에서, 말이 하나만 감을 이름. ㊥혼.
혼:동[2]【混同】명 ①섞이어 하나가 됨. 뒤섞음. ②뒤섞어 보거나 잘못 판단함. ③〖법〗대립(對立)하는 두 개의 법률적 지위가 동일인에 귀속하는 일. 예를 들면 채권과 채무가 동일인에게 귀속하는 경우임. 물권(物權) 혼동과 채권 혼동이 있어, 다 같이 권리 소멸(消滅)의 원인이 됨. ――-하다 타여불
혼:동 농법【混同農法】[―뻡] 명〖농〗농경(農耕)과 목축(牧畜)을 겸하는 농업 경영의 방법.
혼:동-시【混同視】명 혼동하여 봄. 혼동하여 생각함. 잘못 봄. ――-하다 타여불
혼:동 작축【混同作軸】명〖역〗과거의 시(詩)와 부(賦)를 한데 몰아서 된 작축(作軸). ――-하다 타여불
혼돼기 명 〈방〉 홍역(紅疫)(황해·평안).
혼두까지 명 〈방〉 소꿉질. ――-하다 자
혼두깨미 명 〈방〉 소꿉질. ――-하다 자
혼두깨미 노리 명 〈방〉 소꿉 장난(경북).
혼두깨비 명 〈방〉 소꿉질(경북). ――-하다 자
혼듀러스 [Honduras] 명〖지〗'온두라스'의 영어명.
혼-뜨검【魂―】명 되게 혼나는 일. ¶ 이 년이 여우구나. 한번 ～을 내줄까《洪命憙 : 林巨正》. ――-하다 자여불
혼-뜨다【魂―】자 몹시 놀라거나 무서워서, 혼이 떠서 나갈 지경에 이르다.
혼뜨임-하다【魂―】타여불 ☞혼뜸하다.
혼-띄다【魂―】[―띠―] 타 혼뜨게 하다.
혼-뜸【魂―】[―뜸] 명 혼내 줌. ¶ 당장 ～을 하여 다시 그런 버르장이를 못하게 하였으면…《李海朝 : 花의 血》. ――-하다 타여불
혼란[1]【昏亂】[홀―] 명 마음이 어둡고 어지러움. 분별(分別)이 없고 도리를 모름. ――-하다 형여불
혼:란[2]【混亂·溷亂】[홀―] 명 ①뒤섞여서 어지러움. ②뒤죽박죽이 되어 질서가 없음. 혼잡. 혼효(混淆). 효란(淆亂). ――-하다 형여불
혼:란[3]【焜爛】[홀―] 명 어른어른하게 번쩍거림. 찬란하고 훌륭함. ――-하다 형여불
혼:란-기【混亂期】[홀―] 명 어지럽고 질서가 문란한 시기.
혼:란-상【混亂相】[홀―] 명 어지럽고 질서가 문란한 모양. 혼란한 세상(世相).
혼:란-스럽다【焜爛―】[홀―] 형ㅂ불 혼란(焜爛)하게 보이다. **혼:란-스레**【焜爛―】부
혼련【魂輦】[홀―] 명 신련(神輦).
혼령[1]【婚齡】[홀―] 명 혼인할 나이. *혼기(婚期).
혼령[2]【魂靈】[홀―] 명 영혼(靈魂)❶.
혼례【婚禮】[홀―] 명 ①혼인의 예절. 근례(巹禮). 빙례(聘禮). 혼의(婚儀). 가취지례(嫁娶之禮). 취례(娶禮). ②↗혼례식(婚禮式).
혼례-꽃【婚禮―】[홀―] 명 결혼식 때에, 신부가 손에 들거나 신랑·주례(主禮)·양가(兩家)의 부모들이 윗옷에 다는 꽃.
혼례-복【婚禮服】[홀―] 명 혼례식에 신랑과 신부가 입는 옷.
혼례-석【婚禮席】[홀―] 명 혼례를 베푸는 자리.
혼례-식【婚禮式】[홀―] 명 혼인의 예식(禮式). 결혼식(結婚式). ¶ ～을 올리다. ㊥혼례(婚禮).
혼:류【混流】[홀―] 명 ①함께 흐름. 섞이어 흐름. ②[mixed flow] 가스·탄화 수소(炭化水素) 및 물처럼, 두 상(相) 또는 그 이상의 상으로 존재하는 흐름. ――-하다 자여불
혼:륜【渾淪】[홀―] 명 혼돈(混沌)❶❷.
혼:림【混林】[홀―] 명 여러 가지 종류의 나무가 뒤섞여 있는 수풀. 잡목림(雜木林).
혼마【魂馬】명 반혼 의식(返魂儀式) 가운데의 한 차림. 영여(靈輿) 앞에 서서 안장을 갖추고 가는 말.
혼망【昏忘】명 정신이 혼미하여 잘 잊음. ――-하다 형여불
혼-맞이【魂―】명〖민〗①죽은 사람의 넋을 맞이하는 굿. ②진도 씻김굿에서, 객사(客死)한 영혼을 맞이하는 굿. 초저녁에 대문 밖이나 마을 어귀에서 함.
혼매【昏昧】명 어리석어서 사리에 어둡고 아무 것도 모름. ――-하다 형여불
혼맹【昏盲】명 어두움. 사리에 어두움. ――-하다 형여불
혼면[1]【昏眠】명〖의〗혼수(昏睡)에 이르는 의식 변화에서 그 중등(中等) 정도의 단계에 있는 상태. 매우 강한 자극을 주기 전에는 주의를 환기시킬 수 없는 강도(強度)의 무관심 상태인데, 망연하여 정신 내계(內界)의 체험이 공허한 것이 그 특징임. *혼황(昏恍)·혼수(昏睡).
혼:면[2]【混綿】명 면사 방적 공정에서, 각종 목화를 섞음. ――-하다 자여불
혼명[1]【昏明】명 어둠과 밝음.
혼명[2]【昏冥】명 어두움. 캄캄함. ――-하다 형여불
혼모[1]【昏耗】명 늙어서 정신이 흐리고 기력이 쇠약함. ――-하다 형여불
혼모[2]【昏耄】명 늙어 정신이 흐림. 또, 그 사람. ――-하다 형여불
혼모[3]【昏暮】명 황혼(黃昏). 「(混農林).
혼:목-림【混牧林】[―님] 명 임업과 목축을 함께 하는 삼림. *혼농림
혼몽【昏懜】명 정신이 아뜩하여 가물가물함. ¶ 시장했다가 갑자기 밥을 먹을 때처럼 머리가 ～해져 무슨 말을 해야 할지 몰랐다《朴榮濬 : 颱風地帶》. ――-하다 형여불
혼:문【混文】명〖언〗중문(重文)과 복문(複文) 즉, 종속절(從屬節)과 대등절(對等節)을 가진 글. 혼성문(混成文). *단문(單文).
혼물[1]【婚物】명 혼수(婚需)❶.
혼:물[2]【混物】명 혼합물(混合物).
혼미【昏迷】명 마음이 흐리고 사리(事理)에 어두움. ¶정신이 ～해지다. ――-하다 형여불
혼반【婚班】명 서로 혼인을 맺을 만한 지체.
혼:방【混紡】명 성질이 다른 섬유(纖維)를 두 가지 이상 섞어서 잣는 방적(紡績). ――-하다 타여불
혼:방-사【混紡絲】명 면사(綿絲)와 모사(毛絲), 견사(絹絲)와 면사, 면사와 아크릴사(絲) 등 서로 다른 섬유를 혼합하여 드린 실.
혼:방 서:지【混紡―】[serge] 명 소모사(梳毛絲)에 면사(綿絲)나, 견사(絹絲)·인견사(人絹絲) 또는 나일론사(nylon絲)를 혼방하여 능직(綾織)으로 짠 복지(服地). 무지(無地)의 감색(紺色)·검은 색 등이 많음.
혼배【婚配】명〖천주교〗↗혼배 성사.
혼배 공시【婚配公示】명〖천주교〗혼배자(婚配者)가 있을 때에, 조당(阻擋)의 유무(有無)를 알기 위하여, 교당(敎堂)에 공시하는 일.
혼배 미사【婚配彌撒】명〖천주교〗'혼인 미사'의 구용어.
혼배 성:사【婚配聖事】명〖천주교〗'혼인 성사'의 구용어. ㊥혼배.
혼배 조당【婚配阻擋】명〖천주교〗혼인 장애.
혼백[1]【魂帛】명 신주(神主)를 만들기 전에 명주를 접어서 만드는 임시적인 신주. 초상 중에만 씀.
혼백[2]【魂魄】명 넋❶.
[혼백이 상처했다] 혼절(昏絶)하여 실신한 사람을 이름.
혼백-상【魂魄床】명 망인(亡人)의 혼백을 살았을 때처럼 3년동안 모시는 상. *상식상.
혼백 상자【魂帛箱子】명 혼백을 담는 상자. 두꺼운 종이를 직사각형으로 접어, 위아래 두 짝을 만듦. ㊥혼상(魂箱).

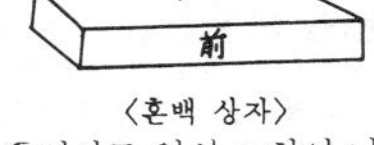

〈혼백 상자〉

혼-불부체【魂不附體】명 혼비 백산(魂飛魄散). ¶ 진사도 역시 ～하여 나는 듯이 한걸음에 뛰어나가…《作者未詳 : 貨水盆》. ――-하다 자여불
혼비[1]【婚費】명 혼인에 드는 비용. 혼수(婚需).
혼:비[2] [Hornby, Albert Sidney] 명〖사람〗영국의 영어 사전 편찬자. 1923년 런던 대학을 졸업하고, 이듬해 일본에 가서 일본 영어 교육계에 종사, 제2차 대전 후에는 세계 각지에서 영어 교수법(敎授法)의 개선에 기여하였음. 많은 교과서·참고서 외에, 외국인을 위한 영어 사전 편찬으로 정평(定評)을 얻음. [1898-1978]
혼비 백산【魂飛魄散】명 혼백이 흩어짐. 곧, 몹시 놀라 어쩔 줄 모르는 형편을 가리키는 말. 혼불부체(魂不附體). ¶ ～하여 달아나다. ――-하다 자여불
혼비 중천【魂飛中天】명 ①혼(魂)이 중천(中天)에 떴다는 말로, 정신없이 허둥거림을 이르는 말. ②〖민〗죽은 사람의 혼이 공중에 떠돌아다님.
혼사【婚事】명 혼인에 관한 일.
[혼사 말하는 데 장사(葬事) 말한다] 화제(話題)와는 아무 관련이 없는 엉뚱한 말을 한다는 뜻.
혼:사-기【混砂機】명〖기〗거푸집의 모래를 뒤저어 흙물·여물 등을 섞는 기계. 사혼기(砂混機). 샌드믹서(sand-mixer).
혼사-처【婚事處】명 혼처(婚處).
혼삿-길【婚事―】명 혼인(婚姻)길. ¶ ～이 막히다.
혼삿-말【婚事―】명 혼담[1](婚談).
혼상[1]【婚喪】명 혼사(婚事)와 상사(喪事).

혼상[2]【渾象】 명 〖천〗 조선 초기에 간의대(簡儀臺)에 부설되었던 관측 기계로, 일종의 천구의(天球儀).
혼상[3]【魂箱】 명 ↗혼백 상자(魂帛箱子).
혼상-계【婚喪契】[―꼐] 명 혼사와 상사를 서로 돕기 위해서 조직하는 계.
혼:색【混色】 명 두 가지 이상의 색(色)이 뒤섞임. 또, 그 색. 혼합색. ――-하다 타여불
혼:생 광:물【混生鑛物】 명 〔synantectic mineral〕 〖광〗 두 종의 다른 광물들이 반응하여 형성한 또 다른 광물.
혼서【婚書】 명 혼인 때에, 신랑 집에서 예단(禮緞)에 붙여 신부 집으로 보내는 서간(書簡). 두꺼운 종이를 말아 간지(簡紙) 모양으로 접어서 씀. 예서(禮書). 예장(禮狀).
혼서-지【婚書紙】 명 혼서를 쓰는 종이.
혼서지-보【婚書紙褓】[―뽀] 명 혼서를 싸는 보자기.
혼선[1]【婚扇】 명 혼례식 때에 신부의 얼굴을 가리는 데 쓰는 둥근 부채.
혼:선[2]【混線】 명 ①전선(電線) 상호 간의 유도 작용 또는 접착(接着)에 의하여 전신이나 전화의 신호·통화 등이 얼크러지는 일. ②언행이 맥락(脈絡)이 없어 종잡을 수 없음. ¶～을 빚다. ――-하다 자여불
혼:선-로【混銑爐】[―노] 명 〖공〗 고로(高爐)에서 생산되는 녹은 선철을 저장하고, 그 온도와 성분을 균일하게 하는 노(爐). 원통형의 철판 안쪽에 형석(螢石) 벽돌을 깐 것인데 보온(保溫) 연료로서는 코크스로(爐) 가스·고로(高爐) 가스 또는 중유(重油)를 사용함.
혼:성[1]【混成】 명 ①혼합하여 이루어짐. ②한데 섞어서 만듦. ¶～주(酒)/～ 팀. ③〖언〗 의미와 어형이 비슷한 두 개의 단어 또는 어구, 때로는 구문이 서로 유추적(類推的)인 변화를 일으켜 하나의 새로운 단어나 어구·구문 등을 만드는 일. 혼효(混淆). 교착(交錯). ――-하다 자타여불
혼:성[2]【混聲】 명 ①뒤섞인 소리. ②〖악〗 남성(男聲)과 여성(女聲)을 서로 합함. ¶～ 합창. ↔단성(單聲).
혼:성 가스【混成―】〔gas〕 명 건류(乾溜) 가스와 수성(水性) 가스의 혼합물. 석탄을 건류통이 붙은 수성 가스 발생로(發生爐)에서 연료 가스로 할 때 얻어짐. 전에는 도시 가스용으로 많이 사용되었지만, 현재는 거의 만들지 않음. 발열량 3,000-4,000 kcal/m³.
혼:성 결정【混成結晶】[―쩡] 명 혼정(混晶).
혼:성 경:기【混成競技】 명 오종(五種) 경기나 십종(十種) 경기 등과 같이 두 가지 이상의 경기 종목을 합하여, 한 가지로 한 경기. 혼합 경기.
혼:성-곡【混成曲】 명 〖악〗 몇 가지의 다른 곡으로 섞어 이루어진 악곡.
혼:성-림【混成林】[―님] 명 혼효림(混淆林).
혼:성-문【混成文】 명 〖언〗 혼문(混文).
혼:성 방파제【混成防波堤】 명 〖토〗 밑바닥은 잡석(雜石)을 섞어서 둑 모양으로 쌓고, 위는 벽 모양으로 만드는 방파제.
혼:성 부대【混成部隊】 명 〖군〗 ①보병(步兵)을 주력으로 하여 여러 병과(兵科)의 병사를 섞어서 편성한 부대. ②두 나라 이상의 병사로 구성된 단일 부대.
혼:성 분자【混成分子】 명 〔hybrid molecule〕 〖생〗 이형 접합체(異型接合體)에 특유한 하나의 분자. 보통, 단백질임. 두 개의 다른 대립(對立) 유전자에 의하여 결정되는 두 개의 구조적으로 다른 폴리펩티드형(型)을 포함함.
혼:성 비행단【混成飛行團】 명 〖군〗 전투·폭격·연습 비행단으로 혼성된 비행단.
혼:성 사:부 합창【混聲四部合唱】 명 〖악〗 혼성 합창(混聲合唱).
혼:성 사진【混成寫眞】 명 포토몽타주.
혼:성-암【混成岩】 명 〔migmatite〕 〖광〗 퇴적암이나 변성암이 화성암(火成岩)과 뒤섞이어 된 암석. 화강암과 그 주위의 변성암으로 되는 수가 많고 조산대(造山帶)의 중심부에서 볼 수 있음. 미그마타이트.
혼:성 여단【混成旅團】[―녀―] 명 〖군〗 보병 1개 여단에, 필요한 다른 병종(兵種)을 더하여 편성한 독립 부대.
혼:성 작용【混成作用】 명 〔migmatization〕 〖광〗 마그마와 주위의 암석이 섞여 새로운 암석을 형성하는 작용. 암편(岩片)이나 마그마(magma)의 성분, 마그마의 온도나 압력 등의 차(差)에 의해, 새로운 암석의 조성(組成)이나 성분이 틀림.
혼:성 재배【混成栽培】 명 〖농〗 한 밭에 동시에 두 가지 이상의 곡식이나 과목(果木)을 섞어서 심어 재배하는 일. 예를 들면, 땅콩을 심은 사잇골에 참깨나 녹두를 심는다든가, 과목과 과목 사이의 공지에 강낭콩을 심는 일 등. 혼식(混植). 혼작(混作). ――-하다 타여불
혼:성-주【混成酒】 명 한 가지의 주정(酒精)을 주성분으로 하여 향료·완화제(緩和劑) 등의 여러 가지 재료를 섞어서 만든 술 또는 두 가지 이상의 술을 적당히 배합한 술. 혼합주. ＊재제주(再製酒).
혼:성 중창【混聲重唱】 명 〖악〗 남성(男聲)과 여성(女聲)이 어울려서 하는 중창(重唱).
혼:성 중합【混成重合】 명 〔copolymerization〕 〖화〗 두 가지 이상의 서로 다른 단위체(單位體)가 중합하여 각 성분을 함유하는 중합체를 생성하는 반응. 공중합(共重合).
혼:성 집적 회로【混成集積回路】 명 〖전〗 반도체 기술과 박막(薄膜) 기술을 병용(倂用)한 집적 회로. 또는, 기판(基板) 위에 박막이나 후막(厚膜)으로 저항·도체 등을 만들고, 트랜지스터 따위를 겉에 부착하는 혼성 초소형 구조(混成超小形構造)를 가리키는 경우도 많음. 후막을 사용한 것은 주로 라디오·텔레비전의 각종 회로에 쓰임. 하이브리드 아이 시(hybrid IC). ＊막(膜) 집적 회로.
혼:성-체【混成體】 명 두 가지 이상의 재료나 요소가 합하여 이루어진 사물.
혼:성 팀:【混成―】〔team〕 명 두 개 이상의 팀에서 선발된 선수들로 이룬 팀.
혼:성 합창【混聲合唱】 명 〔mixed chorus〕 〖악〗 남성(男聲)과 여성(女聲)이 혼합하여 행해지는 가장 대표적인 합창. 보통, 여성을 소프라노와 알토, 남성을 테너와 베이스로 나누어 사부 합창(四部合唱)으로 함. 혼성 사부 합창(混聲四部合唱). ↔단성(單聲) 합창. ＊남성 합창.
혼소【魂銷】 명 ①넋이 스러짐. 곧, 생기가 없어져 정신을 못차림. ②몹시 놀람. ――-하다 자여불
혼:솔[1] 명 홈질한 옷의 솔기.
혼:솔[2]【渾率】 명 혼가(渾家). ¶자기 집으로 반이비를 내보내어 그 처와 아우더러 어린 자식을 데리고 ～이 떠나 들어오라 하고…≪李海朝 : 巢鶴嶺≫.
혼수[1]【昏睡】 명 ①정신없이 혼혼하여 잠이 듦. ②〔coma〕 〖의〗 의식 장애 가운데서 의식 혼탁(意識混濁)이 가장 강한 상태. 부르거나 뒤흔들어 깨워도 눈을 뜨고 정신을 차릴 수 없음. 뇌(腦) 및 수막 질환(髓膜疾患), 전염병과 열사병 기타의 중독이 원인임. 혼수병. ＊혼면(昏眠)·혼황(昏恍). ――-하다 자여불
혼수[2]【婚需】 명 ①혼인에 드는 물품. 혼물(婚物). ¶～를 장만하다. ②혼비(婚費).
혼:수[3]【混數】 명 〖수〗 대분수(帶分數).
혼수-병【昏睡病】[―뼝] 명 〖의〗 혼수(昏睡)❷.
혼수 상태【昏睡狀態】 명 완전히 의식을 잃고 눈을 떠서 정신을 차릴 수 없는 상태. 인사 불성(人事不省)이 된 상태.
혼:수-성【混數性】[―썽] 명 〔mixoploidy〕 〖생〗 같은 개체에서 전수성 조직(全數性組織)과 비(非)전수성 조직이 혼재(混在)하는 현상.
혼:숙【混宿】 명 남녀(男女)가 한 숙소(宿所)에 뒤섞여 함께 자는 일. ――-하다 자여불
혼:순환 소:수【混循環小數】 명 〔mixed recurring decimal〕 〖수〗 순환소수(循環小數). ↔순순환 소수.
혼숫-감【婚需―】 명 혼수로 쓰이는 물건.
혼슈〔本州:ほんしゅう〕 명 〖지〗 일본 열도의 본간(本幹)이 되는 가장 큰 섬. 남쪽과 북쪽이 대륙 쪽으로 꼬부라져 호상(弧狀)을 이루며 대체로 조산 운동(造山運動)이 심한 산지(山地)로 된 섬임. 동은 태평양, 서는 동해, 북은 쓰가루(津輕)해협을 사이에 두고 홋카이도(北海道), 남은 세토나이카이(瀨戶內海)를 사이에 두고 시코쿠(四國) 및 규슈(九州)와 맞서며, 간토(關東)·도호쿠(東北)·주부(中部)·긴키(近畿)·주코쿠(中國)의 다섯 지방으로 나뉘어 있음. [228,000 km²]
혼승 백강【魂昇魄降】 명 죽은 이의 넋은 하늘로 올라가고, 몸뚱이는 땅속으로 들어간다는 말. ――-하다 자여불
혼시【閽寺】 명 〖역〗 내시(內侍).
혼:식[1]【混食】 명 ①여러 가지 음식을 이것저것 섞어서 먹음. ②쌀에 잡곡을 섞어서 먹음. ¶～ 장려. ――-하다 자여불
혼:식[2]【混植】 명 ①〖농〗 혼성 재배(混成栽培). ②두 가지 이상을 섞어서 심음. ――-하다 타여불
혼:신[1]【混信】 명 전신(電信)·방송 등을 수신할 때, 다른 발신국(發信局)의 송신도 섞여 수신되는 일. ――-하다 자여불
혼:신[2]【渾身】 명 온 몸. 전신(全身). ¶～의 힘을 다하다.
혼:신 결혼【混信結婚】 명 신봉하는 종교가 다른 사람끼리의 결혼.
혼:신 제:거【混信除去】 명 〖전〗 전력선(電力線)·무선 수신기·번개 등에 의하여 생기는 혼신을, 전기 필터(電氣filter)를 사용(使用)하여 제거하는 일.
혼:신 필터【混信―】〔filter〕 명 〖전〗 전력선(電力線)을 통하여 수신기에 들어오는 인공적인 혼신을 감쇠(減衰)시키기 위한 필터.
혼:실【渾室】 명 혼가(渾家).
혼: 실버〔horn silver〕 명 〖광〗 각은광(角銀鑛).
혼아[1]【昏鴉】 명 황혼에 우는 까마귀. 황혼에 나는 까마귀.
혼:아[2]【混芽】 명 〖식〗 혼합눈. ↔엽아(葉芽)·화아(花芽).
혼: 안테나〔horn antenna〕 명 〖전〗 마이크로파(micro波) 안테나의 하나. 원형 또는 직사각형의 도파관(導波管)의 끝을 나팔 모양으로 넓힌 것으로서, 공간에 전파를 직접 방사(放射)하기 위하여 씀.
혼암[1]【昏暗】 명 ①혼흑(昏黑). ②혼암(昏闇). ――-하다 형여불
혼암[2]【昏闇】 명 어리석어서 사리(事理)에 아주 어두움. 혼암(昏暗). 혼잔(昏孱). ――-하다 형여불
혼야[1]【昏夜】 명 밤. 모야(暮夜).
혼야[2]【婚夜】 명 혼인한 날의 밤. 첫날밤.
혼야 애걸【昏夜哀乞】 명 깊은 밤, 사람 없는 틈을 타서 권세 있는 사람에게 애걸하는 일. ――-하다 자여불
혼약【婚約】 명 ①약혼. 가약(佳約). ②↗혼인 예약(婚姻豫約).
혼약-자【婚約者】 명 약혼자.
혼역 명 〈방〉 홍역(紅疫)(경기·강원·충청·전라·경북·황해).
혼:연【渾然】 부 ①조금도 다른 것이 섞이지 않은 모양. ②구별이나 차별이 없는 모양. ③규각(圭角)이나 결점(缺點)이 없는 모양. ――-하다 형여불. ――-히 부
혼:연 일체【渾然一體】 명 조그만 차별이나 작은 균열(龜裂)도 없이 한 몸이 됨. ¶군·관·민이 ～가 되어.
혼:연 일치【渾然一致】 명 차별이나 구별 없이 한 가지로 합치(合致)함. ――-하다 자여불
혼:연 천성【渾然天成】 명 아주 쉽게 저절로 이루어짐. ――-하다 자여불
혼:영【混泳】 명 수영에서, 경영(競泳) 종목의 하나. 일정한 거리를 몇 개의 구간으로 나누어 한 사람이 여러 가지 방법으로 헤엄침. ＊메들리 레이스(medley race).

혼외 정사【婚外情事】 명 배우자가 아닌 다른 이성(異性)과 벌이는 정사(情事).

혼요[1]【婚擾】 명 혼인 때에 소란한 일.

혼:요[2]【焜燿】 명 빛을 냄. 빛남. 또, 빛을 내게 함. ——-하다 자타 여불

혼:욕【混浴】 명 같은 욕탕(浴湯) 안에서 남녀(男女)가 함께 목욕하는 일. ——-하다 자 여불

혼:용【混用】 명 섞어서 씀. ¶한글과 한자(漢字)를 ~하다. ——-하다 타 여불

혼:용-선【混用船】 명 화물이나 승객을 두루 실을 수 있는 배.

혼:용-체【混用體】 명 두 가지 이상의 문자나 말을 혼용하는 문체(文體). ¶국한문(國漢文) ~.

혼우【昏愚】 명 아무 것도 모르고 아주 어리석음. ——-하다 형 여불

혼:원[1]【混元】 명 천지나 우주를 가리키는 말.

혼:원[2]【混元】 명 〖사람〗 고려의 고승. 속성(俗性)은 이(李). 수안(遂安) 사람. 13세에 중이 되어 선선(禪選)에 뽑혔으며, 조계(曹溪)의 무의자(無衣子) 청진(淸眞) 국사 등 밑에서 수도하여 진수(眞髓)를 얻음. 뒤에 조계산(曹溪山)에 가서 조계종(曹溪宗)의 제4대 종사(宗師)가 되었고, 고종(高宗) 46년(1259) 왕사(王師)가 됨. 시호는 진명 국사(眞明國師). [1191-1271]

혼:원[3]【渾圓】 명 ①아주 원만함. ②아주 둥긂. ——-하다 형 여불

혼:원-구【渾圓球】 명 ①둥근 공. ②지구.

혼:원-대【混元代】 명 천지 개벽의 시대. 곧, 창세기.

혼:원-의【混元衣】 [—/—이] 명 〖생〗 포의(胞衣).

혼유-석【魂遊石】 명 ①상석(床石) 뒤 무덤 앞에 놓는 직사각형의 돌. ②능원(陵園)의 봉분(封墳) 앞에 놓는 직사각형의 돌. 영혼이 나와 놀게 설치한 것이라 함. 석상(石床).

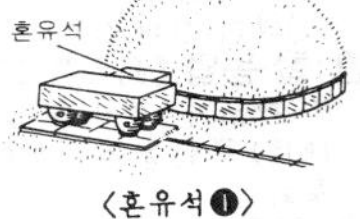

〈혼유석❶〉

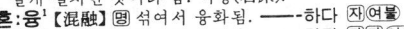

혼:융[1]【混融】 명 섞여서 융화됨. ——-하다 자 여불

혼:융[2]【渾融】 명 완전히 융합함. ——-하다 자타 여불

혼:융 시험【混融試驗】 명 〖화〗 두 가지 물질의 동일 여부를 조사하는 방법. 동일 물질이면 어떻게 혼합하여도 변하지 않으나, 다른 물질이면 융점(融點)이 같아도 혼합물의 융점은 틀림. 유기(有機) 화합물의 확인에 쓰임.

혼:음[1]【混淫】 명 몇 쌍의 남녀가 뒤섞여서 간음(姦淫)함. 혼간(混姦). ——-하다 자 여불

혼:음[2]【混飮】 명 종류(種類)가 다른 여러 가지 술을 섞어서 마심. 짬뽕. ——-하다 타 여불

혼:응-토【混凝土】 명 〖토〗 공굴. 콘크리트.

혼의[1]【婚衣】 [—/—이] 명 〖조〗 번식기(繁殖期) 바로 전에 빛이 변한 조류의 수컷의 깃. *혼인색.

혼의[2]【婚儀】 [—/—이] 명 혼인의 의식. 혼례(婚禮).

혼:의[3]【渾儀】 [—/—이] 명 〖천〗 혼천의(渾天儀).

혼의[4]【魂衣】 [—/—이] 명 혼련(魂輦)이나 혼교(魂轎)에 담는 생전시의 의복.

혼:의-기【渾儀器】 [—/—이—] 명 〖천〗 혼천의(渾天儀).

혼인[1]【婚姻】 명 ①장가들고 시집가는 일. 곧, 남녀가 부부가 되는 일. ②〔matrimony〕〖사〗 성(性)의 결합을 기초로 하는 계속적인 남녀 관계. 연혁상(沿革上), 원시 시대의 난혼(亂婚)·군혼(群婚)에서 일부 다처(一夫多妻)·일처 다부(一妻多夫)의 형태를 거쳐, 일부 일처(一夫一妻)의 단혼(單婚)으로 옮겨 왔고, 그 형식상, 친족혼(親族婚)·비친족혼(非親族婚)·약탈혼(掠奪婚)·매매혼(賣買婚)·증여혼(贈與婚)·이상혼(異常婚) 등이 있음. ③〔marriage〕〖법〗 종생적(終生的)인 가정 생활의 창설을 목적으로 남녀의 합의에 의하여 실행되는 성적(性的) 결합 관계 또는 이 관계에 들어가는 법률 행위. 혼인 적령(適齡)에 도달한 남녀가 각기 부모의 동의를 얻어, 혼인 신고를 함으로써 성립함. 혼가(婚嫁). 혼구(婚媾). 혼취(婚娶). 결혼(結婚). 가취(嫁娶). ——-하다 자 여불

[혼인과 물길은 끌어대기에 달렸다] 혼인은 중매서는 데 따라 이루어진다는 말.

혼인[2]【閽人】 명 문지기.

혼인-계[1]【婚姻屆】 명 〖법〗 '혼인 신고(婚姻申告)'의 구용어(舊用語). ——-하다 자 여불

혼인-계[2]【婚姻契】 [—계] 명 혼비(婚費)의 조달(調達)을 목적으로 모은 계.

혼인-길【婚姻—】 [—낄] 명 혼인할 기회나 자리. ¶누구 ~ 막으려고 그러십니까.

혼인-날【婚姻—】 명 혼인하는 날. 혼일(婚日).

[혼인날 똥 쌌다] 일이 공교롭게 되어 치신이 사납게 된 경우를 두고 하는 말.

혼인 미사【婚姻—】 〔라 Missa〕 명 〖천주교〗 혼인하는 부부에게 천주의 강복(降福)을 비는 특별한 기도문이 포함되어 있는 미사. 혼배 미사.

혼인 비행【婚姻飛行】 명 〔nuptial flight〕〖충〗 교미(交尾)를 위해서, 곤충의 암컷·수컷이 한데 섞여서 공중을 나는 일.

혼인 빈도【婚姻頻度】 명 혼인 통계의 자료(資料)에 의하여, 연령별(年齡別)·남녀별 혼인수와 그 각기의 연령별·남녀별 미혼(未婚) 인구와의 대비(對比)를 계산한 혼인율(婚姻率). 이에 의하여 혼인 가능한 미혼 인구가 그 연령을 달리함에 따라서 어느 정도의 혼인 성향(性向)을 가지는가를 판별(判別)할 수 있음. *보통 혼인율·특수 혼인율.

혼인 빙자 간음죄【婚姻憑藉姦淫罪】 [—쬐] 명 혼인을 빙자하거나 기타 위계(僞計)로써 음행의 상습(常習)이 없는 부녀(婦女)를 기망(欺罔)하여 간음한 죄. 친고죄(親告罪)임.

혼인 사:건【婚姻事件】 [—껀] 명 〖법〗 민사 소송 절차법에서 규정하는, 혼인의 무효·취소·이혼 및 그 취소의 소송.

혼인-색【婚姻色】 명 〖동〗 양서류(兩棲類)·조류·어류(魚類) 등의 동물이 번식기(繁殖期)에 변색(變色)하는 피부의 빛깔. 주로 수컷의 정소(精巢)에서 나오는 웅성(雄性) 호르몬에 기인함. 영원(蠑螈)은 꼬리가 남빛으로, 황어나 망성어는 머리와 배 부분이 새빨갛게 됨. *혼의(婚衣).

혼인 성:사【婚姻聖事】 명 〖천주교〗 칠성사(七聖事)의 하나. 교회법이 허용(許容)하는 일남 일녀가 혼인하는 성사. 혼배 성사.

혼인-식【婚姻式】 명 결혼식(結婚式).

혼인 신고【婚姻申告】 명 〖법〗 결혼한 사유(事由) 및 사실을 혼인 신고서에 기입하여, 소할 관청(所轄官廳)에 신고하는 일. 구칭: 혼인계(婚姻屆). ——-하다 자 여불

혼인 예:약【婚姻豫約】 명 장래에 결혼할 것을 약속하는 계약. 혼인 예약으로 혼인을 강제할 수는 없으나, 손해 배상·위자료·선물 반환 등은 청구할 수 있음. 판례(判例)에 의하면 신고가 없는 사실상의 혼인, 곧 내연(內緣) 관계도 혼인 예약으로 개념을 구성하고 있으나, 근본적인 의의는 다름. ㊌혼약(婚約).

혼인 장애【婚姻障礙】 명 ①〖법〗 혼인을 인정할 수 없거나, 혼인을 못하게 하는 사유(事由). ②〖천주교〗 하느님의 법으로나 교회법으로 결혼을 못 하거나 인정할 수 없는 장애(障礙). 절대 장애(絶對障礙)와 방해 장애(妨害障礙)의 두 가지로 나뉘는데, 방해 장애는 교회의 허락을 받으면 혼인이 이뤄질 수 있음. 혼인 조당.

혼인 적령【婚姻適齡】 [—녕] 명 〖법〗 법률상 유효하게 혼인할 수 있는 연령. 나라에 따라 약간의 차이가 있음. 우리 나라에서는 남자 만 18세 이상, 여자 만 16세 이상으로 되어 있음.

혼인 조:당【婚姻阻擋】 명 〖천주교〗 혼인 장애.

혼인-집【婚姻—】 [—찝] 명 혼례(婚禮)를 지내고 잔치를 베푸는 집. 혼가(婚家).

[혼인집에서 신랑 잃어버렸다] 가장 요긴(要緊)한 것을 잃었을 때에 이르는 말.

혼인 통:계【婚姻統計】 명 1년 동안에 신고(申告)된 법률상의 혼인의 총수(總數) 및 혼인 연령별로 남녀의 혼인수를 밝히는 통계.

혼:일[1]【混一】 명 섞어서 하나로 만드는 일. 한데로 몰아서 섞음. ——-하다 타 여불

혼일[2]【婚日】 명 혼인날.

혼:일 역대 국도 강리 지도【混一歷代國都疆理地圖】 [—니—] 명 〖역〗 조선 태종 2년(1402)에 이회(李薈)가 그린 지도. 현존하는 동양 최고(最古)의 세계 지도임.

혼:입【混入】 명 한데 섞이어 들어감. 한데 섞음. ——-하다 자타 여불

혼자 부 명 〔중세: ᄒᆞᄫᆞᅀᅡ, ᄒᆞ오사, 혼자〕 단독으로. 자기 한몸. ¶~ 살다/나는 ~ 몸이 아니요/~ 할 수 있겠느냐.

혼자-되다 자 홀로 되다.

혼:작【混作】 명 〖농〗 동일한 땅에 동시에 두 가지 이상의 작물(作物)을 심어서 가꾸는 일. 혼식(混植). 혼성 재배(混成栽培). *단작(單作). ——-하다 타 여불

혼:작-식【混作式】 명 〖농〗 혼작하는 농경(農耕) 방식.

혼잔【昏孱】 명 혼암(昏闇). ——-하다 형 여불

혼잡[1] 명 〈방〉 소꿉질.

혼:잡[2]【混雜】 명 ①한데 뒤섞이어 분잡함. ②혼란(混亂)❷. ③잡답(雜沓). ——-하다 형 여불

혼:잡-스럽다【混雜—】 형 ㅂ불 보기에 혼잡하다. **혼:잡-스레**【混雜—】 부

혼:잡-시【混雜時】 명 ①혼잡한 때. ②러시 아워(rush hour).

혼잣-말 명 혼자서 하는 말. 혼자서 중얼거림. 혼잣소리. 독어(獨語). 독언(獨言). ——-하다 자 여불

혼잣-몸 명 〈방〉 홑몸.

혼잣-소리 명 혼잣말. ——-하다 자 여불

혼잣-손 명 혼자서만 일을 하거나 살림을 꾸려 나가는 처지. 단손.

혼재[1]【婚材】 명 혼인하기에 적당한 남자와 여자.

혼재[2] 부 〈방〉 혼자(경상).

혼저 명 〈방〉 혼자(충남·강원).

혼:적【混積】 명 섞어서 쌓거나 실음. ——-하다 타 여불

혼전[1]【婚前】 명 ↗결혼 전.

혼:전[2]【混戰】 명 ①두 편이 뒤섞이어 싸움. 마구 뒤섞이어 어지럽게 싸움. 난전(亂戰). ②리그전(戰) 등에서, 승패를 가름할 수 없는 치열한 싸움. ¶이번 춘계 리그에서는 ~이 예상된다. ——-하다 자 여불

혼전[3]【魂殿】 명 〖역〗 임금이나 왕비(王妃)의 국장(國葬) 뒤에 3년 동안 신위(神位)를 모시던 전각. *혼궁(魂宮).

혼전 성:교【婚前性交】 명 결혼 전에 행하는 성교.

혼전우【魂箭羽】 명 〖식〗 화살나무.

혼절【昏絶】 명 정신이 혼혼하여 까무러침. ——-하다 자 여불

혼:점【混點】 [—쩜] 명 〖미술〗 한국화에서 나뭇가지나 잎사귀가 밀생(密生)하고 있는 모양을 타원형의 점을 찍어 그리는 화법(畫法).

혼정[1]【昏定】 명 밤에 잘 때에 부모의 침소(寢所)에 가서 밤새 안녕하시기를 여쭙는 일. 정혼(定昏). ↔신성(晨省). ——-하다 자 여불

혼:정[2]【混晶】 명 ①〖화〗 두 가지 이상의 성분으로 된 혼합물이라고 생각할 수 있는 균일(均一)한 결정. 고용체(固溶體). ②〔mixed crystal〕〖광〗 두 개 이상의 이온이나 화합물 분자에 의하여 격자 부위(格子部位)가 불규칙하게 된 결정. 혼성 결정.

혼:정[3]【混睛】 명 〖한의〗 눈알에 푸른 빛이 나는 병.

혼정 신성【昏定晨省】 명 혼정과 신성. 곧, 조석(朝夕)으로 부모의 안부를 물어서 살핌. ㊌정성(定省). ——-하다 자 여불

혼조초ᄒᆞ다 [자] 〈옛〉 하온 대로 하다. 하고 싶은 대로 하다. ¶네 盟誓를 호ᄃᆡ 世世예 난 ᄯᅡ마다 나리히며 자시며 子息이며 내 몸 니르리 布施ᄒᆞ야도 그 ᄠᅳᆮ 혼조초ᄒᆞ야 뉘읏븐 ᄆᆞᅀᆞᄆᆞᆯ 아니호리라 ᄒᆞ더니《釋譜 Ⅵ:8》. *조초·조초ᄒᆞ다.

혼종【昏鐘】[명] 저녁 때에 치는 종.

혼:종-어【混種語】[명]〖언〗한 단어가 서로 다른 언어에서 유래한 요소의 결합에 의하여 이루어진 언어.

혼-중성【昏中星】[명]〖천〗해가 지고 어두워 올 무렵의 중성. *단중성(旦中星).

혼지 [명] 〈방〉 혼동.

혼:직【混織】[명] 두 가지 이상의 실을 섞어서 짜는 일. 또, 그 짜는 방식이나 짠 물건. ——-하다 [타][여불]

혼질【昏窒】[명] 정신을 잃을 정도로 질식(窒息)됨. 혼미(昏迷)하여 질식함. ——-하다 [자][여불]

혼쭐 나다【魂—】[—라—] [자] ①매우 혼뜽하여 정신이 흐릴 지경이 되다. ¶다행히 허 부령을 만나 그 양녀로 보내어 혼쭐나는 양반이 참서와 혼인을 하였더라《李相協 : 再逢春》. ②몹시 혼나다.

혼-찌검【魂—】[명] ☞혼뜨검.

혼차 [명] 〈방〉 혼자(전라·충청·강원·함경·경상·경기·제주).

혼처【婚處】[명] 혼인할 자리. 혼인하기에 합당한 자리. 혼사처(婚事處). ¶적당한 ~가 나서다.

혼척【婚戚】[명] 인척(姻戚).

혼:천-설【渾天說】[명]〖천〗개천설(蓋天說)과 더불어 중국의 대표적 우주관(宇宙觀)의 한 가지. 천지를 계란에 비유하여 하늘은 밖에서 난황(卵黃)에 해당하는 땅을 싸고 있으면서 일주(日周) 운동을 행하고 난각(卵殼)의 표면에는 끝이라고 할 만한 것이 없다고 함. 이 설의 기원(起源)은 혼천의(儀)의 출현(出現)과 밀접한 관계가 있는 것으로 생각됨. 개천설보다는 좀 진보된 간단한 천동설(天動說)임.

혼:천 시계【渾天時計】[명] 조선 현종 10년(1669)에 송이영(宋以穎)이 서양의 자명종 원리를 이용하여 만든 천문 시계. 나무 상자의 왼쪽에 혼천의(渾天儀)를, 오른쪽에 추(錘)시계를 장치한 천문 기구의 하나임.

혼:천-의【渾天儀】[—/—이] [명]〖천〗천체의 운행과 위치를 관측하던 기계. 구형(球形)의 겉쪽에 해·달·별 등의 천상(天象)을 그렸음. 사각(四脚)의 틀위에 올려 놓고 회전시키면서 관측하였음. 선기 옥형(璇璣玉衡). 혼의(渾儀). 혼의기(渾儀器).

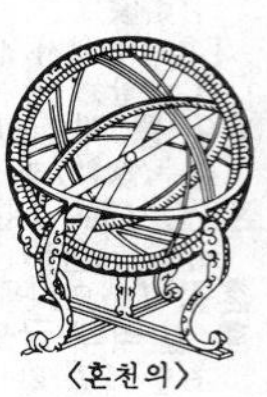
〈혼천의〉

혼:천 전도【渾天全圖】[명] 조선 후기에 제작된 천문도의 목판본.

혼춘【琿春】[명]〖지〗'훈춘'을 우리 음으로 읽은 이름.

혼춘 사:건【琿春事件】[—껀] [명]〖역〗훈춘 사건.

혼취¹【昏醉】[명] 정신(精神)이 없도록 술이 취하여 곤드레만드레가 됨. ——-하다 [자][여불]

혼취²【婚娶】[명] 혼인(婚姻). ——-하다 [자][여불]

[혼취에 재물을 말함은 오랑캐 짓] 인륜 대사인 혼인에는 예(禮)를 위주로 할 것이지, 재물을 개입(介入)시켜서는 안 된다는 말.

혼:측【溷廁】[명] 뒷간.

혼침【昏沈】[명] 정신이 아주 혼미(昏迷)해짐. ——-하다 [자][여불]

혼:칭【混稱】[명] 서로 혼동하여 일컬음. 또, 그 명칭. ——-하다 [타][여불]

혼타【昏惰】[명] 도리에 어둡고 일을 게을리함. 혼태(昏怠).

혼:타면-기【混打綿機】[명] 면방직에 있어, 각종 원면을 혼합하여 면괴(綿塊)를 풀고 불순물을 제거하는 기계.

혼:탁【混濁·溷濁·渾濁】[명] 맑지 아니함. 흐림. ——-하다 [형][여불]

혼:탁-계【混濁計】[명] 비탁계(比濁計).

혼:탁-뇨【混濁尿】[명] 고름이나 피 또는 림프액(液) 등이 섞이어 탁하게 흐린 오줌.

혼:탁-도【混濁度】[명]〖화〗탁도(濁度).

혼:탁-류【混濁流】[—뉴] [명]〖지〗난니류(亂泥流).

혼:탁 종:창【混濁腫脹】[명] [cloudy swelling]〖의〗단백질의 대사 장애(代謝障礙)로 말미암은 세포의 변성 현상(變性現象)의 하나. 간세포·신장(腎臟)의 세뇨관 상피(細尿管上皮)·근섬유(筋纖維) 등의 실질 세포에서 볼 수 있음.

혼:탕【混湯】[명] 남녀의 구별 없이 함께 드는 목욕탕.

혼태【昏怠】[명] 혼타(昏惰).

혼택【婚擇】[명] 혼인(婚姻)할 날을 가림. 곧, 혼인의 택일(擇日). ——-하다 [자][여불]

혼:파【混播】[명]〖농〗두 가지 이상의 곡식의 종자를 미리 섞어서 밭에 뿌림. ——-하다 [타][여불]

혼:-파이프 [hornpipe] [명]〖악〗옛날 영국의 무곡(舞曲). 선원(船員)들 간에 유행되었음. 4분의 4박자.

혼패【閽牌】[명]〖역〗궁전 문의 출입을 허가하는 패.

혼:펠스 [hornfels] [명]〖지〗점판암(粘板岩)이 마그마(magma)의 관입(貫入)을 받아 고열로 인하여 변질한 접촉(接觸) 변성암. 광의로는 재결정(再結晶) 작용이 완전히 행하여진 접촉 변성암(變成岩)으로서 입상(粒狀) 조직을 나타내는 것을 말함. 이 경우에는 혈암(頁岩)·사암(砂岩) 등의 변질(變質)한 것도 포함함. 접촉 광물(接觸鑛物)을 포함하고 있는 것이 특징임.

혼포【昏暴】[명] 이치에 어둡고 사나움. ——-하다 [형][여불]

혼:-하【渾河】[명]〖지〗'훈허'를 우리 음으로 읽은 이름.

혼한【昏漢】[명] 어리석은 남자. 사리(事理)에 어두운 남자.

혼:합【混合】[명] ①뒤섞이어서 한데 합함. ②〖화〗두 가지 이상의 물질이 혼화(混和)하는 일. 곧, 화학적인 결합을 하지 않고 섞이는 일. *화합(化合). ——-하다 [자][타][여불]

혼:합 간장【混合—醬】[명] 개량(改良) 간장을 소금물로 희석(稀釋)한 다음, 화학(化學) 간장을 섞고 색소(色素)를 첨가한 간장.

혼:합 감:염【混合感染】[명]〖의〗어떤 감염증(感染症)에 있어서 두 개 이상의 미생물(微生物)이 관여되어 있는 경우의 감염. 이 때 대부분은 하나의 균이 다른 균의 감염의 토대가 되어 있음.

혼:합 경:기【混合競技】[명] 혼성 경기(混成競技).

혼:합 경제【混合經濟】[명]〖경〗이중(二重) 경제.

혼:합 계:영【混合繼泳】[명] 경영(競泳) 종목의 하나. 정해진 거리를 4명의 영자(泳者)가 배영(背泳)·평영(平泳)·접영(蝶泳)·자유형(自由形)의 차례로 헤엄침. 각 50m씩의 계영인 200m와 100m씩의 계영인 400m가 있음. 혼계영(混繼泳). 메들리 릴레이(medley relay).

혼:합 계:정【混合計定】[명]〖경〗자산(資產) 및 부채(負債)의 증감(增減)을 나타내는 요소와 수익(收益) 및 비용 발생을 나타내는 요소를 합쳐서 계산 정리한 회계 기록.

혼:합 관세【混合關稅】[명]〖경〗관세의 과세에 있어 동일 품목에 대하여 종가세(從價稅)와 종량세(從量稅)를 병용하는 일. 양자를 단순히 병과하는 것과 양세율을 정해 놓고 높은 쪽을 적용하는 등의 방식이 있음. 복합 관세. [준]혼합세.

혼:합 광:석【混合鑛石】[명] 산화(酸化) 광물과 비산화 광물의 양쪽을 모두 함유하는 광석.

혼:합 기체【混合氣體】[명] ①두 가지 이상이 혼합된 기체. ②〖화〗내연 기관(內燃機關)에서 내뿜어진 연료(燃料)가 공기와 혼합되어 흡입(吸入)되기 전의 상태.

혼:합 농업【混合農業】[명] [mixed farming]〖농〗곡물 경작(耕作)과 목축(牧畜)을 겸하는 집약(集約) 농업의 한 가지. 보통, 식용과 사료용(飼料用) 곡물을 재배하여 곡물은 자급(自給)하고 사료로 가축을 길러 상품화함.

혼:합-눈【混合—】[명]〖농〗잎과 꽃을 가지고 있어, 새 가지가 돋아나와서 꽃이 피는 눈. 혼합아(混合芽).

혼:합 더블스【混合—】[doubles] [명] 혼합 복식.

혼:합-림【混合林】[—님] [명]〖지〗혼효림(混淆林).

혼:합 모:음【混合母音】[명]〖언〗중설 모음(中舌母音).

혼:합-물【混合物】[명] ①여러 가지가 뒤섞여서 이루어진 물건. 혼물(混物). ②[mixture]〖화〗두 가지 이상의 물질이 각각 제 성질을 지니면서 화학 결합(化學結合)을 하지 않고 뒤섞이어서 일체(一體)가 되어 있는 것. *화합물.

혼:합-미【混合美】[명] 공간미(空間美)와 시간미(時間美)가 합친 아름다움.

혼:합 박자【混合拍子】[명]〖악〗복합 박자.

혼:합 백신【混合—】[vaccine] [명] 두 가지 이상의 것을 동시에 주사하여 면역이 생기게 되는 백신. 그 개개의 백신의 효과에 영향은 없음. 디프테리아·백일해·파상풍의 3종 혼합 백신이 대표적임.

혼:합-법【混合法】[명] ①〖법〗국제 사법(國際私法) 상의 한 학설인 법칙 구별설에서 말하는 바, 법의 관할 구역(管轄區域)이 다름으로써 생기는 법규의 저촉(抵觸)이 있을 경우 속지적(屬地的)으로 모든 사람 및 모든 사물에 적용토록 한 법. *인법(人法)·물법(物法). ②〖수〗특수한 응용 문제(應用問題)를 푸는 셈법. 품질이 다른 같은 종류의 것을 섞을 때에 쓰임. 혼화법(混和法)과 화교법(和較法)의 두 가지가 있음. 혼합비례(混合比例).

혼:합 보:험【混合保險】[명]〖경〗사망(死亡) 보험과 생명(生命) 보험을 결합한 보험의 한 가지. 사망 및 생존을 다같이 보험 사고로 간주(看做)함. 양로(養老) 보험 등이 있음.

혼:합 복식【混合複式】[명] 테니스·탁구·배드민턴 등에서, 양쪽이 남녀 1명씩의 두 조(組)가 벌이는 경기. 믹스트 더블스. 혼합 더블스.

혼:합-비【混合比】[명] ①두 종류 이상의 이질(異質)의 물질을 혼합하는 비율. ②〖화〗내연 기관에서 연료(燃料)와 공기가 혼합하여 혼합 기체를 이루는 비율. ③〖기상〗대기(大氣) 속에 공존(共存)하는 수증기와 건조(乾燥) 공기와의 질량비(質量比).

혼:합 비:례【混合比例】[명]〖수〗혼합법(混合法)❷.

혼:합 비:료【混合肥料】[명] 배합(配合) 비료.

혼:합-산【混合算】[명] 덧셈, 뺄셈, 곱셈, 나눗셈 등이 섞여 있는 계산.

혼:합 산화물 연료【混合酸化物燃料】[—열—] [명] [mixed oxide fuel]〖화〗혼합 핵연료.

혼:합-색【混合色】[명] 두 가지 이상이 혼합된 색. 혼색(混色). 합성색.

혼:합 선:거구제【混合選擧區制】[명] 하나의 선거에 소(小)선거구와 중선거구 또는 대선거구가 함께 있는 제도. 한 선거구에서 대표 1명을 뽑는 선거구는 소선거구, 일정수의 인구 초과시마다 1인씩 추가 선출되도록 하는 선거구는 중선거구 또는 대선거구가 됨.

혼:합-세【混合稅】[명] ↗혼합 관세.

혼:합 시멘트【混合—】[cement] [명] 성질을 개량하고 가격을 인하하기 위하여 포틀랜드 시멘트(Portland cement)에 적당한 혼합재를 섞은 시멘트.

혼:합 신경【混合神經】[명] 지각성(知覺性)과 운동성(運動性)의 양자를 갖는 신경.

혼:합-아【混合芽】[명]〖농〗혼합(混合)눈.

혼:합-액【混合液】[명] 두 가지 이상의 약품을 탄 물.

혼:합-약【混合藥】[—냑] [명]〖화〗①혼합 화약(火藥). ②여러 가지를 뒤섞은 약.

혼:합 양식【混合樣式】[—냥—] [명]〖건〗콤퍼짓 오더(composite order).

혼:합 연료【混合燃料】[―녈―] 명 연료와 산화제(酸化劑)로 된 고형 화학 연료(固形化學燃料)의 일반적 이름. 로켓 추진제로 쓰임.

혼:합-열【混合熱】[―녈] 명〖화〗두 가지의 다른 물질이 혼합할 때 발생하거나 흡수되는 열. 용해열(溶解熱)과 구별하여, 액체와 액체, 기체와 기체가 혼합할 때 생기는 열을 이름.

혼:합 열차【混合列車】[―녈―] 명 화차·객차를 혼합하여 편성한 열차. 혼합차.

혼:합 영양【混合營養】[―녕―] 명 식물이 독립 영양과 종속(從屬) 영양의 두 가지를 행하는 영양 형식. 기생목(寄生木) 따위 반기생(半寄生) 식물이나 끈끈이주걱 등의 식충(食蟲) 식물에서 볼 수 있음.

혼:합 영양법【混合營養法】[―녕―뻡] 명〖의〗모유(母乳)와 짐승의 젖, 곧 우유 또는 그 대용품을 병용(倂用)하는 유아(乳兒)의 영양법.

혼:합-운【混合雲】명 물방울과 빙정(氷晶)의 양쪽으로 이루어진 구름.

혼:합 재판소【混合裁判所】명〖법〗영사(領事) 재판에 있어서, 피고와 원고의 양쪽 국가에서 재판관을 차출하여 구성한 재판소. 오늘날은 일반적으로 영사 재판이 폐지되었기 때문에 이 재판소는 존재하지 않음.

혼:합 정신병【混合精神病】[―뼝] 명〖의〗정신 분열병(分裂病)과 조울병(躁鬱病)과의 유전 인자(遺傳因子)가 혼합된 혼합 소질(素質)을 가지고 있는 사람이 일으키는 정신병. *변질성 정신병.

혼:합 종:양【混合腫瘍】명〖의〗두 종류 이상의 조직으로 이루어진 종양. 연골(軟骨)·뼈·근육으로 되거나 또는 선(腺)·결합 조직·혈관(血管)으로 되는 단순한 것도 있음. 고환(睾丸)이나 난소(卵巢)가 가장 잘 발생하는 부분이며 이하선(耳下腺)이나 신장 또는 복강(腹腔)의 뒤 쪽, 흉강(胸腔)의 중앙부에도 발생함.

혼:합-주¹【混合株】명〖경〗이익 배당(利益配當)에서는 다른 주보다 우선권(優先權)을 가지나 잔여 재산(殘餘財產) 분배에서는 열후(劣後)하는 일과 같이, 어떤 경우에는 우선적이고 어떤 경우에는 열후인 내용을 가지는 주.

혼:합-주²【混合酒】명 혼성주(混成酒). 칵테일.

혼:합 중재 재판소【混合仲裁裁判所】명 제1차 세계 대전 후, 독일이 전승국(戰勝國) 국민에 준 손해에 대하여 배상(賠償) 요구 등을 처리할 수 있도록 설치했던 재판소. 국제 재판소가 소송하는 권리를 국가에게만 인정하고 있는 데 대하여, 개인에게 국제법 주체(主體)의 지위를 인정한 점이 다름.

혼:합-차【混合車】명 ①한 객차(客車)를 여러 칸으로 나누어, 등급을 다르게 한 차. ②혼합 열차(混合列車).

혼:합 차:관【混合借款】명 [mixed credit] 융자(融資)와 원조(援助)를 혼합한 수출 신용(輸出信用).

혼:합-체【混合體】명 둘 이상이 모여 한 덩이가 된 물질이나 홑원소 물질.

혼:합 포:너【混合―】명 [mixed fauna]〖동〗서로 다른 서식 조건(棲息條件)을 가진 각종 동물이, 죽은 뒤에 같은 장소에 퇴적(堆積)된 화석군(化石群).

혼:합 하:감【混合下疳】명〖의〗불결한 성교(性交)로 매독의 병원균과 함께 연성(軟性) 하감균이 감염되어, 남녀의 외음(外陰)에 궤양(潰瘍)이 생겨서 경성(硬性) 하감으로 변하여 가는 하감. *경성 하감.

혼:합 핵연료【混合核燃料】[―열―] 명 천연 우라늄과 이를 산화시킨 이산화 우라늄에 플루토늄을 첨가한 혼합 화합물. 핵분열을 일으키는 연료가 됨. 정확한 명칭은 혼합 산화물 연료(混合酸化物燃料).

혼:합-형【混合型】명 혼합으로 이루어진 형(型).

혼:합 화:약【混合火藥】명 두 가지 이상의 물질의 혼합물로 된 화약. 단일 물질만으로는 폭발하지 않거나 폭발성이 약한 물질에 다른 물질을 혼합하여 폭발성을 갖게 한 것. 혼합약(混合藥). *화성 화약(化成火藥).

혼행【婚行】명 혼인할 때에, 신랑이 신부 집으로 가거나, 신부가 신랑 집으로 감. 신행(新行). ――-하다 자여불

혼행-길【婚行―】[―낄] 명 혼행하는 길.

혼:혈【混血】명 ①다른 종족(種族)과 통혼(通婚)하여 두 계통의 특징이 섞임. 또, 그 혈통(血統). 잡혈(雜血). ↔순혈(純血). ②↗혼혈아(混血兒). ――-하다 자여불

혼:혈-아【混血兒】명 튀기❶. 준혼혈.

혼:혈-인【混血人】명 혼혈아.

혼혐【婚嫌】명 파혼(破婚)하거나 또는 혼인(婚姻)이 잘 어울리지 아니하는 혐의.

혼혹【昏惑】명 사리에 어둡고 분별을 가리지 못함.

혼혼【昏昏】부 ①어두운 모양. ②도리(道理)에 어둡고 마음이 흐린 모양. ③정신이 아뜩하여 희미한 모양. ――-하다 형여불. ――-히 부

혼:홍-법【混汞法】[―뻡] 명〖화〗아말감법(amalgam 法).

혼:화¹【混化】명 ①뒤섞이어 딴 물건이 됨. ②[도 Komplikation]〖심〗분트(Wunt)의 심리학 용어. 융합(融合)·동화(同化)와 같이 동시 연합의 한 가지. 동화 및 이화(異化)가 같은 감관(感管)에 한정되어 있는 데 대하여, 다른 감관이 하나로 결합하는 일. 광의(廣義)로는, 각종의 감각·감정, 기타의 의식 경험이 결합하여, 한 개의 복합(複合)된 경험을 형성하는 일. ――-하다 자여불

혼:화²【混和】명 ①한데 섞어서 융화(融和)함. 또, 섞이어 융화됨. ¶이민족(異民族)이 ~하기란 어렵다. ②〖법〗소유주를 달리하는 두 종류 이상의 고형물이 혼합하거나, 유동물(流動物)이 융화하여, 판별할 수 없게 되는 일. 혼화한 물건 중의 주된 물(物)의 소유자가 소유권을 취득하고, 주종(主從)의 구별이 곤란할 때는 물의 원가 비율에 의하여 그 혼화물을 공유함. 곡물(穀物)이나 석탄이 혼합하고, 술이나 간장이 융화하는 등의 일임. ――-하다 자타여불

혼:화³【渾和】명 혼연한 화기(和氣). 혼연하게 화합(和合)함. ――-하다 자여불

혼:화-법【混和法】[―뻡] 명〖수〗혼합법(混合法)의 한 가지. 섞을 물건들의 품질을 알고 섞여 나오는 것의 값을 셈쳐 내는 법.

혼:화-성【混和性】[―썽] 명〖화〗두 가지 이상의 액체가 균일 혼합물이 되는 성질. 곧, 서로 용해하는 성질이나 능력.

혼:화-제【混和劑】명〖약〗두 가지 이상의 재료를 혼화한 약제.

혼황【昏怳】명〖의〗혼수(昏睡)에 이르는 단계로서, 그 의식의 변화가 얕은 상태. 외계(外界)의 지각(知覺)이나 심내(心內)의 체험이 모두 불분명하고 모든 정신적 과정의 진행이 늦은 상태인데, 환자는 무관심이고 망연하여 조금도 자발적(自發的)인 욕구(欲求)는 없으며, 눈은 뜬 채이고 졸지는 않음. *혼면(昏眠)·혼수.

혼회【昏晦】명 해가 져서 어두움. ――-하다 형여불

혼:효【混淆】명 ①뒤섞음. 뒤섞임. 혼란(混亂). ¶옥석(玉石) ~. ②〖언〗혼성(混成)❸. ――-하다 자타여불

혼:효-림【混淆林】명 두 가지 이상의 나무로 이루어진 숲. 단순림(單純林)보다 충해(蟲害) 및 풍해(風害)에 강하고, 목재 생산고가 많음. 침엽수(針葉樹)와 낙엽 활엽수와의 혼효림이 가장 적당함. 혼성림(混成林). 혼합림(混合林). ↔단순림(單純林).

혼:후【渾厚】명 화기(和氣) 있고 인정이 두터움. ――-하다 형여불. ――-히 부

혼흑【昏黑】명 어두워서 아주 캄캄함. 혼암. ――-하다 형여불

홀¹【笏】명〖역〗①조선 시대에, 벼슬아치가 조현(朝見)할 때에 조복(朝服)에 갖추어 손에 쥐는 물건. 길이 한 자 가량, 넓이 두 치 가량이며 얄팍하고 길쭉이 되었고, 그 신분에 따라 일품부터 사품까지의 벼슬아치는 상아(象牙), 오품 이하는 나무로 만듦. 수판(手板). ②↗홀기(笏記).

〈홀¹❶〉

홀:²[hall] 명 ①식당(食堂). ②회관(會館). ③↗댄스 홀(dance hall).

홀:³[Hall, Charles Martin] 명〖사람〗미국의 야금(冶金)학자. 1886년 알루미늄의 전해 야금법(電解冶金法)을 발명함. 에루(Héroult, P.)와 더불어 알루미늄 공업 개척자의 한 사람임. [1863-1914]

홀:⁴[Hall, Edwin Herbert] 명〖사람〗미국의 물리학자. 1895년 하버드 대학의 물리학 교수가 됨. 1879년과 1880년에 걸쳐 전류 자기 효과, 곧 '홀 효과(Hall 効果)'를 발견함. [1855-1938]

홀:⁵[Hall, Granville Stanley] 명〖사람〗미국의 심리학자. 미국 최초의 심리학회 회장으로, 기관지 '미국 심리학보'를 창간함. 청년·노인 심리학의 선구자임. [1846-1924]

홀:⁶[hole] 명 ①〖물〗정공(正孔). ②골프에서, 티잉 그라운드(teeing ground)에서 그린(green)까지 한 코스 전체의 명칭. 1번 홀, 2번 홀 하는 따위. ③골프에서, 그린 위에 마련된 구멍. 지름 4.25인치(약 10.8 cm), 깊이 4인치(10.16 cm) 이상. 이 안에 컵을 설치하는데, 타구(打球)가 여기 들어가면 홀 아웃(hole out)이 됨.

홀⁷【忽】수〖수〗소수(小數)의 단위(單位)의 하나. 사(絲)의 십 분의 일, 미(微)의 십 배, 곧 10^{-5}.

홀- 부 짝이 없고 하나뿐이라는 뜻을 나타내는 말. ¶~아비.

홀가분-하다 형여불 ①가뿐하고 산뜻하다. ②복잡하지 않다. ③딸린 것이 없고 가뜬하다. ¶짐을 벗으니 ~. *가든하다. ④대수로운 적수(敵手)가 아니다. **홀가분-히** 부

홀개 명〈방〉〖조〗소리개(전북).

홀개미¹ 명〈방〉〖조〗소리개(경기).

홀개미² 명〈방〉올가미(경북).

홀갱이 명〈방〉올가미(경남).

홀-과:수【―寡守】명〈방〉홀어미.

홀기【笏記】명〖역〗의식(儀式)의 순서를 적은 글. 준홀(笏).

홀까닥 부 적은 양의 물 따위를 목구멍으로 날름 삼킬 때 나는 소리. 또, 그 모양.

홀깍 부 물 따위를 좁은 목구멍으로 조금씩 가볍게 삼킬 때 나는 소리. 또, 그 모양.

홀깨 명〈방〉벼훑이(경상).

홀깨기 명〈방〉올가미(경남).

홀깽이 명〈방〉올가미(경남).

홀껭 명〈방〉올가미(경북).

홀-꽃노루발 명〖식〗[*Pyrola uniflora*] 노루발과에 속하는 다년초. 줄기 높이 10cm 가량, 잎은 막질(膜質)인데, 흔히 근생(根生)하며 장병(長柄)에 원형임. 7월에 흰 꽃이 줄기 끝에 하나씩 피며, 과실은 삭과(蒴果)임. 산지에 나는데, 평북·함북에 분포함.

홀끼 명〈방〉올가미(경남).

홀-나무【笏―】[―라―] 명〖역〗조선 시대에 홀(笏)을 만드는 데 쓰는 나무. 결이 곱고 빛이 흼.

홀대【忽待】[―때] 명 탐탁하지 않은 대접. 소홀히 대접함. ――-하다 타여불

홀:더[holder] 명 ①펜대. ②소유자. 보유자. ③받치는 대.

홀데인[Haldane] 명〖사람〗①[John Burdon Sanderson H.] 영국의 생리학자·유전학자. ❷의 아들. 런던 대학 유전학 교수. 효소(酵素)의 연구, 집단 유전학 연구 등 여러 방면에 걸친 연구를 함. [1892-1964] ②[John Scott H.] 영국의 생리학자. 광산(鑛山) 내에서의 생리 위생, 특히 혈액 속의 이산화 탄소 장력(二酸化炭素張力)이 호흡 중추에 미치는 영향 등을 연구하여 공장 위생의 개선에 기여함. 환경과 생물을 일체로 보는 전체론적 생명관을 주장함. [1860-1936]

홀데인의 법칙【―法則】[―/―에―] 명 [Haldane's rule; 홀데인(Haldane, J.B.S.)의 이름에서 유래]〖생〗잡종 제1대에서 암수 어느 쪽의 성(性)이 적거나, 전혀 나타나지 않거나, 또는 불임(不妊)일 때, 그 성에 관해서 성(性) 염색체는 헤테로(hetero)라고 하는 설.

홀:드[hold] 명 ①등산에서, 암벽을 올라갈 때 손으로 잡을 수 있는 곳.

②레슬링에서, 상대편을 덮어 누르는 재간.
홀:드-업 [holdup] 감 '손들어'하고 명령하여, 저항하지 않음을 나타내게 하는 말.
홀:딩 [holding] 명 ①축구·농구 등에서, 상대편의 경기자를 손으로나 몸으로 방해하는 반칙(反則). ②배구에서, 공을 잠깐 동안이라도 손 또는 몸의 일부에 머물러 있게 하거나 손바닥으로 치는 반칙. 홀딩 더 볼(holding the ball). ③권투에서, 상대편이 잘 쓰는 쪽의 팔을 밀어 붙이는 반칙.
홀:딩 더 볼: [holding the ball] 명 홀딩(holding)❷.
홀딱 부 ①몹시 반하거나 여지없이 속는 모양. ¶ ~ 반할 만한 미인. ②죄다. ¶ ~ 날리다. ③옷을 벗거나 벗은 모양. 활딱. ④뒤집거나 뒤집히는 모양. 활딱. ⑤힘차게 뛰어 넘는 모양. 3)-5): <훌떡.
홀딱-거리다 자 ①신이 헐거워서 자꾸 벗어지려 하다. ②헐거워서 가만히 붙어 있지 않고 자꾸 움직이다. 1)·2): <훌떡거리다. 홀딱-홀딱[1] 부. ——-하다 자여불
홀딱-대다 자 홀딱거리다.
홀딱-홀딱[2] 부 ①계속해서 옷을 벗는 모양. ②계속해서 뛰어 넘는 모양. 1)·2): <훌떡훌떡[2].
홀때기 명 〈방〉 호드기.
홀:때이-바람 명 〈방〉 회오리바람(경남).
홀라 감 〈방〉 훌라.
홀라당 부 ①속의 것이 한꺼번에 드러나도록 할갑게 벗어지거나 벗거나 뒤집히는 모양. ②조금 가지고 있던 돈 따위를 다 날려 버리는 모양.
홀라-들이다 타 ①되는 대로 마구 쑤시거나 훑다. ②자주 드나들게 하다. 1)·2): <훌라들이다.
홀란드 [Holland] 명 ①〖지〗'네덜란드(Netherland)'의 영어명. ②〖역〗중세기 북해 연안에 있던 신성 로마 제국의 한 나라. 현재는 네덜란드의 주(州)로, 남홀란드 주와 북홀란드 주로 되어 있음.
홀란드-미나리 [Holland] 명 〖식〗 파슬리(parsley).
홀랑 부 ①죄다 드러나는 모양. ¶ ~ 벗다. ②가볍게 벗어지거나 벗은 모양. ③들어갈 물건이 구멍보다 작아서 헐겁게 들어가는 모양. ④미끄럽게 뒤집히는 모양. 1)-4): <훌렁.
홀랑개 명 〈방〉 매듭(전남).
홀랑-거리다 자 구멍이 넓어서 헐겁게 자꾸 드나들다. ¶ 말하다 말고 나가기는 왜 홀랑거리고 나가는고?≪李光洙 : 사랑≫. <훌렁거리다. 홀랑-홀랑[1] 부. ——-하다 자여불
홀랑-대다 자 홀랑거리다.
홀랑이-질 명 계속해서 홀라들이는 것. <훌렁이질. ——-하다 자여불
홀랑이-치다 타 홀랑이질을 계속하다. <훌렁이치다.
홀랑-하다 형여불 들어갈 물건이 구멍보다 작고 짧다. <훌렁하다.
홀랑-홀랑[2] 부 계속해서 벗거나 뒤집히는 모양. ¶옷을 ~ 벗어 던지다. <훌렁훌렁[2].
홀략 [忽略] 명 소홀(疎忽)하고 간략함. ——-하다 형여불. ——-히 부
홀로 부 저 혼자서만. 외롭게. ¶ ~ 살아가는 나날.
홀로그래피 [holography] 명 물체에 레이저 광 등을 쐬어 거기에서 얻은 빛과 본디 빛과의 간섭(干涉) 패턴을 감광(感光) 재료에 기록하고, 이에 다른 빛을 쐬어서 물체의 입체상(立體像)을 재현하는 방법 및 이를 이용한 광학 기술(光學技術)의 총칭.
홀로-되다 자 짝을 잃다. 과부가 되다. 혼자 되다.
홀로-말 명 〖언〗 독립어(獨立語).
홀로: 백 [hollow back] 명 제본에 있어서 표지 붙이는 방식의 하나. 표지의 등과 책 알맹이의 등이 밀착(密着)하지 않고, 책을 펴면 빈틈이 생기는 것.
홀로-서다 자 얽매임이나 규제에서 벗어나 혼자 힘으로 따로 서다. 독립(獨立)하다. ¶ 홀로서기.
홀로-이름씨 명 〖언〗 홀이름씨. ↔두루이름씨.
홀루 부 〈방〉 홀로.
홀룽개 명 〈방〉 올가미(전북).
홀륜 [囫圇] 명 물건이 이지러지거나 모자람이 없이 이루어진 덩어리. 완전한 모양의 덩어리. 둥글둥글함. ——-하다 형여불
홀륜 탄:조 [囫圇呑棗] 명 대추를 통으로 삼키면 맛을 모른다는 뜻. 곧, 자세히 모르는 일을 우물쭈물하여 넘긴다는 말.
홀름스크 [Kholmsk] 명 〖지〗 러시아 연방 사할린(Sakhalin)의 서남부, 태평양안(太平洋岸)의 항구 도시. 펄프·생선 통조림·선박 수리 등의 공장 외에 항해 학교가 있음. [37,000명(1989 추계)]
홀리 [Holley, Robert] 명 〖사람〗 미국의 생화학자. 일리노이 대학을 졸업하고, 1948년 코넬 대학 교수. 세포 내 리보 핵산(核酸)의 알라닌(alanine) 전달 규명에 대한 연구를 통해 유전자 복제(遺傳子複製)의 초기 단계를 처음으로 설명하여, 1968년 노벨 생리 의학상을 수상함. [1922-93]
홀리다 자 ①아주 반하다. ②현혹되거나 유혹에 빠져 정신을 차리지 못하다.
홀리데이 [holiday] 명 휴일(休日). 축제일(祝祭日).
홀매 명 〈방〉 매듭(전라).
홀매침 명 〈방〉 매듭(경남).
홀-맺다 타 풀 수 없도록 옭아서 단단히 맺다.
홀-몸 명 형제나 배우자가 없는 사람. 척신(隻身). 경단(輕單). 독신(獨身). ＊홑몸.
홀뮴 [holmium] 명 〖화〗 희토류(稀土類)에 속하는 금속 원소의 하나. 녹는점(點) 1,461°C, 끓는점(點) 약 2,600°C, 비중 8.803. 미량으로 존재하여 순수하게는 얻기 어려움. [67번:Ho:164.93]
홀미 [忽微] 명 아주 가늘고 작음. 아주 미미(微微)함. ——-하다 형여불
홀바인 [Holbein, Hans] 명 〖사람〗 독일의 화가. 영국왕 헨리 8세(Henry Ⅷ)의 궁정 화가로, 특히 초상화에 능하며 신성한 것과 세속적(世俗的)인 것이 동등히 그려진 종교적인 기풍 등 독일 최대의 화가로 이름이 있음. 대표작 ≪에라스무스(Erasmus)의 죽음≫·≪죽음의 무도≫ 등. 부친 및 형 암브로시우스(Ambrosius)도 화가임. [1497-1543]
홀-박자 [一拍子] 명 〖악〗 단순 박자(單純拍子).
홀변 [忽變] 명 갑자기 달라짐. ＊돌변(突變). ——-하다 자여불
홀보드르르-하다 형여불 피륙 등이 썩 가볍고 보들보들하다. <훌부드르르하다. 준홀보들하다.
홀보들-하다 형여불 ↗홀보드르르하다. <훌부들하다.
홀본 [忽本] 명 〖역〗 졸본(卒本).
홀-뿔 명 〖역〗 단사각(單紗角)의 속칭. ＊겹뿔.
홀-살풀이 명 〖악〗 살풀이제 장단의 하나.
홀:-상수 [一常數] [一쑤] 명 [Hall constant] 〖전〗 [미국의 물리학자 홀(Hall, E.H.)의 이름에서] '홀 효과(Hall 効果)'의 척도. 횡방향 전계(横方向電界), 곧 홀 전계(Hall 電界)를 전류 밀도와 자기장(磁氣場)의 세기와의 곱으로 나눈 것과 같음.
홀-성 [一性] [一썽] 명 〖생〗 단성(單性).
홀성-꽃 [一性一] [一썽一] 명 〖식〗 단성화(單性花).
홀성-불이 [一性一] [一썽一] 명 〖식〗 단성 생식(單性生殖).
홀-소리[1] [一쏘一] 명 〖언〗 모음(母音). ↔닿소리.
홀-소리[2] 명 〖악〗 좌수영(左水營) 어방놀이의 첫째 마당 내방 소리 가운데, 큰 줄을 꼴 때 부르는 소리.
홀소리-고름 [一쏘一] 명 〖언〗 모음 조화(母音調和).
홀소리-어울림 [一쏘一] 명 〖언〗 모음 조화(母音調和).
홀-수 [一數] [一쑤] 명 [odd number] 둘로 나누어 나머지가 생기는 수. 곧, 짝이 맞지 않고 남는 1·3·5·7·9 따위. 기수(奇數). ↔짝수.
홀수-깃꼴겹잎 [一數一] [一쑤一닙] 명 〖식〗 기수 우상 복엽(奇數羽狀複葉). ↔짝수깃꼴겹잎.
홀-순열 [一順列] 명 〖수〗 기준 순열로부터 홀수회의 호환(互換)에 의하여 얻어지는 순열. 기순열(奇順列). ↔짝순열.
홀숫-날 [一數一] [一쑨一] 명 〖민〗 기일(奇日).
홀슈타인 [Holstein] 명 〖지〗 독일의 북부에 있는 슐레스비히홀슈타인 주(SchleswigHolstein 州)의 남부 지방. 서쪽은 저습지(低濕地), 동쪽은 낮은 구릉(丘陵)으로 호소(湖沼)가 많음. 킬(Kiel)·뤼베크(Lübeck) 등의 양항(良港)이 있음. ＊슐레스비히.

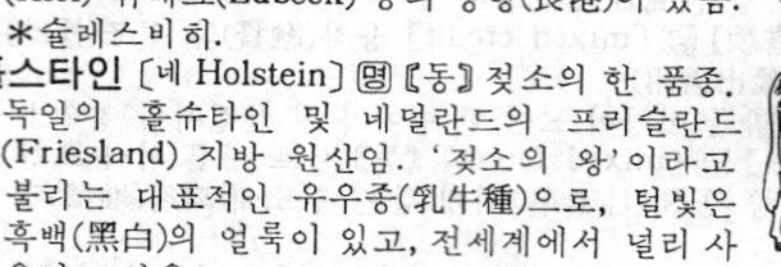

홀스타인 [네 Holstein] 명 〖동〗 젖소의 한 품종. 독일의 홀슈타인 및 네덜란드의 프리슬란드(Friesland) 지방 원산임. '젖소의 왕'이라고 불리는 대표적인 유우종(乳牛種)으로, 털빛은 흑백(黑白)의 얼룩이 있고, 전세계에서 널리 사육되고 있음.
〈홀스타인〉
홀시 [忽視] [一씨] 명 ①눈여겨 보지 아니 하고 슬쩍 보아 넘김. ②깔봄. ——-하다 타여불
홀-시아버지 [一媤一] 명 홀아비로 지내는 시아버지.
홀-시어머니 [一媤一] 명 홀로 된 시어머니.
홀-시할머니 [一媤一] 명 홀로 된 시할머니.
홀-시할아버지 [一媤一] 명 홀아비로 지내는 시할아버지.
홀싹 부 〈방〉 활짝.
홀-씨 명 〖식〗 포자(胞子).
홀씨 기관 [一器官] 명 〖식〗 자실체(子實體).
홀씨-법 [一法] [一뻡] 명 〖생〗 포자법(胞子法).
홀씨-불이 명 〖식〗 포자 생식(胞子生殖).
홀씨 식물 [一植物] 명 〖식〗 포자 식물(胞子植物).
홀씨-잎 명 〖식〗 포자엽(胞子葉).
홀씨-주머니 명 〖식〗 포자낭(胞子囊).
홀-아방 명 〈방〉 홀아비.
홀-아버니 명 홀아비의 공대말.
홀-아버지 명 홀로 된 아버지. ¶ ~를 모시다.
홀-아비 명 상처(喪妻)하고 홀로 지내는 사내. 광부(曠夫). 환부(鰥夫). ↔핫아비·홀어미.
[홀아비는 이가 서 말이고 홀어미는 은이 서 말이다] 과부는 알뜰하여 살아 가지만, 홀아비는 헤퍼서 살아 갈 수 없다는 말 또는 과부는 살 수 있지만, 홀아비는 군색해진다는 말. [홀아비 자식 동네마다 있다] 버릇없이 자라 못된 놈은 어디에나 있다는 말. [홀아비 집 앞은 길이 보얗고 홀어미 집 앞은 큰 길이 난다] 홀아비는 찾는 사람이 적지만, 홀어미에게는 사람이 많이 찾아 든다는 말.
홀아비 법사(法事) 끌: 듯 구 훗날로 자꾸 미루어 감을 이르는 말.
홀아비-김치 명 무나 배추 한 가지로만 담근 김치. 환저(鰥菹).
홀아비-꽃대 명 〖식〗 [*Tricercandra japonica*] 홀아비꽃댓과에 속하는 다년초. 근경(根莖)은 마디가 많고 더러는 괴상(塊狀)이며, 수근(鬚根)이 많음. 줄기는 장질(漿質)로 자색(紫色)이며, 3-4마디로 되고 각 마디마다 두 개의 인편(鱗片)이 대생(對生)하는데 높이는 25cm 내외임. 잎은 줄기 끝에 네 잎이 접근·대생하여 윤생상(輪生狀)을 이룸. 6월에 백색 꽃이 수상(穗狀) 화서로 하나씩 정생(頂生)하여 피고, 삭과(蒴果)는 거꿀달걀꼴 구형(球形)임. 산지의 숲 속에 나는데, 거의 한국 각지에 분포함. 호래비꽃대.

〈홀아비꽃대〉

홀아비꽃댓-과 [一科] 명 〖식〗 [Chloranthaceae] 쌍자엽 식물 이판화

류(離瓣花類)에 속하는 한 과. 전세계에 약 30여 종, 한국에는 홀아비꽃대 등 2 종이 분포함. 호래비꽃댓과.

홀아비-바람꽃 명 〖식〗 [*Anemone koraiensis*] 미나리아재빗과에 속하는 다년초. 줄기는 포복(匍匐)하는 근경(根莖)에서 나오는데, 연약하고 높이 7cm 내외임. 잎은 근생(根生)하고 장병(長柄)이며 2-3회 삼출(三出)하는데, 소엽(小葉)은 2-3갈래로 얕게 째어졌음. 4-5월에 황색 꽃이 포엽(苞葉) 속에서 나와, 화경(花莖) 끝에 하나씩 달리며, 과실은 수과(瘦果)임. 산지의 습지에 나는데, 강원도의 세포(洗浦) 등지에 분포함.

홀아비 살림 명 ①홀아비의 적막하고 군색한 살림. ②주책없이 되는 대로 사는 살림을 두고 하는 말.

홀아비-젖 명 〈방〉 〖농〗 홀아비좆.

홀아비-좆 명 〖농〗 쟁기의 한마루의 위 멍엣줄이 닿는 곳에 가로 꿰어, 아래 덧방을 누르는 작은 나무.

홀: 아웃 [hole out] 명 골프에서, 타구(打球)를 홀 안에 넣는 일. 한 홀의 플레이를 마친 뜻으로도 쓰임.

홀-알 명 무정란(無精卵).

홀-앗이 명 살림살이를 혼자서 맡아 처리하는 처지.

홀앗이 살림 명 식구가 단출하여 홋홋한 살림.

홀약-홀약 【忽弱忽弱】 부 →호락호락.

홀-어망이 명 〈방〉 홀어미(경상).

홀-어머니 명 홀어미의 공대말.

홀-어미 명 남편이 죽고 홀로 된 여자. 과녀(寡女). 과부(寡婦). 과수(寡守). 원녀(怨女). 미망인(未亡人). ↔홀아비·핫어미.

홀-어버이 명 아버지, 어머니 중 어느 한 쪽이 없는 어버이. 편친(偏親).

홀언 【忽焉】 부 홀연(忽然).

홀-엄씨 명 〈방〉 홀어미(전라).

홀여 【忽如】 부 홀연(忽然).

홀연 【忽然】 부 ①뜻밖에 얼씬 나타나는 모양. ②갑자기 사라지는 모양. 홀언(忽焉). 홀여(忽如). ——-하다 형여불. ——-히 부. ¶ ~ 자취를 감추다.

홀: 오브 페임 [Hall of Fame] 명 '명예의 전당(殿堂)'이라 번역되는, 미국 뉴욕 시의 쿠퍼스타운(Cooperstown)에 있는 야구 박물관. 야구의 창시자인 애브너 더블데이(Abner Doubleday)를 비롯, 야구 기자 선고(選考) 위원회가 선발한 야구 발전의 공로자·명감독·명선수 등의 초상(肖像)을 게시하여 야구인의 최고 영예로 찬양함. 야구의 전당.

홀왕 홀래 【忽往忽來】 명 홀연히 가고 홀연히 옴. ——-하다 자여불

홀의-아들 [—/—에—] 명 →호래아들.

홀:-이동도 【—移動度】 명 [Hall mobility] 〖물〗 [미국의 물리학자 홀(Hall, E.H.)의 이름에서] 도체(導體)나 반도체(半導體)에 있어서 전도도(傳導度)와 홀 상수(常數)의 곱. 반도체 중의 전자나 공공(空孔)의 이동도의 척도(尺度)임.

홀-이름씨 [—리—] 명 〖언〗 고유 명사(固有名詞). 홀로이름씨.

홀: 인 [hole in] 명 골프에서, 그린(green) 위에 얹어 놓은 공을 퍼터(putter)로 홀 안에 넣는 일.

홀: 인 원 [hole in one] 명 골프에서, 티 샷(tee shot)이 그대로 홀 인하는 일. 에이스(ace).

홀저 【忽諸】 [—쩌] ㊀ 명 ①갑자기 사라짐. ②소홀함. ㊁ 부 홀저(忽諸)에. ¶ 왕은 ~ 비창한 듯 눈물이 글썽글썽 속눈썹을 적신다《朴鍾和: 多情佛心》. ——-하다 형여불

홀저-에 【忽諸—】 [—쩌—] 부 급작스럽게. 갑자기. 홀저(忽諸). ¶ ~ 사처 잡기가 지난하시면 외람되나마 선네의 집에서 침식을 보시지요《金周榮: 客主》.

홀지[1] 【忽只·忽赤】 [—찌] 명 〖역〗 위사(衛士)를 일컫는 몽고(蒙古) 말. 고려 충렬왕(忠烈王)이 태자(太子)로서 원(元)나라에 가 있을 때에 뚤루게(tuluge)가 되었던 사람에게 처음으로 붙여진 이름인데, 그 뒤 충렬왕이 즉위하여 번(番)을 짜서 숙위(宿衛)하게 하였음. 화아지(火兒赤).

홀지[2] 【忽地】 [—찌] 명 ①갑자기 됨. ②갑자기 변하는 판.

홀-지느러미 명 〖어〗 등지느러미·뒷지느러미·꼬리지느러미 등과 같이 홑수로 된 지느러미. 기기(奇鰭). ↔짝지느러미.

홀지-에 【忽地—】 [—찌—] 부 갑작스럽게. ¶ 서양 풍속을 ~ 행코자 하면 피차의 생각이 같지 아니하여…《具然學: 雪中梅》.

홀지 풍파 【忽地風波】 [—찌—] 명 갑자기 이는 풍파.

홀-짝[1] 명 ①홀수와 짝수. ②주먹에 쥔 구슬·딱지 그 밖의 물건의 수가 홀수인가 짝수인가를 알아 맞히는 아이들의 장난. 주먹을 펴서 세어 볼 때, 수(數)로 세지 않고, 차례로 홀, 짝이라 외며 따져 나감.

홀짝[2] 부 ①적은 분량의 액체를 단번에 들이마시는 모양. ②단번에 가볍게 뛰거나 날아 오르는 모양. ¶ 날 듯이 ~ 뛰어오르다. ③콧물을 들이마시는 모양. 1)-3): <훌쩍[1].

홀짝-거리다 타 계속해서 홀짝이다. <훌쩍거리다. 홀짝-홀짝 부. ——-하다 타여불

홀짝-대다 타 홀짝거리다.

홀짝-술 명 술을 홀짝거리며 조금 마신다는 뜻으로, 아주 적은 주량(酒量)을 말함.

홀짝-이다 타 ①적은 분량의 액체를 들이마시다. ②콧물을 들이마시며 느껴 울다. ③거침없이 가볍게 날아오르다. 1)-3): <훌쩍이다.

홀쪽-이 명 ☞ 홀쭉이.

홀쪽-하다 형여불 ☞ 홀쭉하다.

홀쭉-이 명 몸이 호리호리하고 가냘픈 사람. 볼에 살이 빠져 바싹 여윈 사람. ↔뚱뚱이.

홀쭉-하다 형여불 ①몸피가 가늘고 길다. ②끝이 뾰족하고 길다. ③앓거나 지쳐서 살이 빠지고 몸이 야위다. 1)-3): <훌쭉하다. 홀쭉-히 부

홀쭉-홀쭉 부 여럿이 다 홀쭉한 모양. <훌쭉훌쭉. ——-하다 형여불

홀채[1] 명 〈방〉 〖동〗 올챙이(경북).

홀채[2] 명 〈방〉 매듭(전북).

홀채이 명 〈방〉 〖동〗 올챙이(경남).

홀출 【忽出】 명 갑자기 나타남. ——-하다 자여불

홀츠 [Holz, Arno] 명 〖사람〗 독일의 문학 이론가·시인. 슐라프(Schlaf; 1862-1941)와 같이 쓴 단편집 《파파 햄릿(Papa Hamlet)》, 희곡 《젤리케 일가(Die Familie Selicke)》를 발표하여 문단에 신경향을 가져 왔는데, 이것을 '철저 자연주의(徹底自然主義)'라고 하였음. 이 이론을 추구(追究)한 평론으로 《예술, 그 본질과 법칙》·《서정시(敍情詩)의 혁명》이 있음. [1863-1929]

홀치 【忽赤】 명 〖역〗 홀지(忽只).

홀치기[1] 명 〈방〉 올가미(경남).

홀치기[2] 명 ↗홀치기 염색(染色).

홀치기 염:색 【—染色】 명 천을 군데군데 홀쳐매어 여러 가지 무늬를 나타내는 염색법. 준홀치기.

홀치다 ㊀ 타 벗어나거나 풀리지 못하도록 조처하거나 동이다. 세차게 홀라들이다. <훌치다. ㊁ 자 ☞ 홅이다.

홀치어-매다 타 풀리지 않도록 단단히 잡아 매다.

홀태[1] 명 ①뱃속에 알이나 이리가 들지 아니하고 홀쭉한 생선. ②넓적하고 좁은 물건.

홀태[2] 명 〈방〉 벼훑이.

홀태-바지 명 통이 썩 좁은 바지.

홀태-버선 명 볼이 좁은 버선.

홀태-부리 명 홀쭉하게 생긴 물건의 앞부리.

홀태 소매 명 통이 홀쭉하게 생긴 소매.

홀태-질 명 벼·보리 등 곡식을 훑어서 떠는 일. ——-하다 타여불

홀:터 네크라인 [halter neckline] 명 [홀터는 말고삐의 뜻] 끈이나 길에 이어진 천으로 목에 걸어 내리도록 되어 있는 네크라인. 등과 팔이 노출되어 있으므로 이브닝 드레스나 해수욕복에 많음.

홀:터 브래지어 [halter brassiere] 명 목에 매다는 홀터형의 브래지어.

홀통 명 〈방〉 호통.

홀트 아:동 복지회 【—兒童福祉會】 [Holt] 명 입양(入養), 미혼모(未婚母) 상담, 위탁 양육 등의 사업을 벌이는 아동 복지 위주의 사회 복지 기관. 1955 년 미국의 홀트(Holt, H.)가 한국 전쟁에 의한 혼혈(混血) 고아 8 명을 입양(入養)한 것이 계기가 됨. 서울에 본부를 둠.

홀포 【忽布】 명 〖식〗 홉(hop).

홀필렬 【忽必烈】 명 〖사람〗 '쿠빌라이(Khubilai)'의 한자 표기.

홀-하다 【忽—】 형여불 조심성이 적어서 행동이 거칠고 가볍다.

홀한-해 【忽汗海】 명 〖지〗 '경박호(鏡泊湖)'의 구명.

홀-함수 【—函數】 [—쑤] 명 〖수〗 기함수(奇函數).

홀현 홀몰 【忽顯忽沒】 명 문득 나타났다 홀연(忽然)히 없어짐. ——-하다 자여불

홀:홀[1] 부 ①날짐승이 날개를 자주 치며 가볍게 나는 모양. ②가볍게 움직여 날 듯이 뛰는 모양. ③작고 가벼운 물건을 연해 멀리 던지는 모양. ④먼지 등을 연해 가볍게 떠는 모양. ⑤물이나 묽은 죽 등을 조금씩 들이마시는 모양. ⑥불이 조금씩 일어나는 모양. ⑦옷을 가볍게 벗어 버리는 모양. 1)-7): <훌훌.

홀홀[2] 【忽忽】 부 ①일을 소홀히 하는 모양. ¶ 워낙 성질이 깐깐한 사람이어서 ~히 넘길 사람은 아닌 김 사무관이…《李浩哲: 深淺圖》. ②세월 등이 빨리 흘러가는 모양. ③실신(失神)한 모양. ④실의(失意)한 모양. ⑤미세한 모양. 작은 모양. ⑥갑자기. 홀연(忽然). ——-하다[1] 형여불. ——-히 부

홀홀-하다[2] 형여불 죽이나 미음 같은 것이 알맞게 퍼져서 마시기에 부드럽고 묽은 감촉이 있다. <훌훌하다.

홀:-효과 【—効果】 명 [Hall effect] 〖물〗 가느다란 도체(導體)나 반도체판(半導體板)에 전류 I를 흐르게 하고, 전류에 직각 방향으로 자기장(磁氣場) H를 가하면, 전류·자기장의 양쪽에 직각 방향으로 기전력(起電力) E가 생기는 현상. 이 효과를 이용한 반도체 소자(素子)는 자기장의 검출·측정에 이용됨. 1879년 미국의 홀 (Hall, E.H.)이 발견함.

홅개 명 〈방〉 벼훑이(경상).

홅다[1] [홀따] 타 ①물건을 무슨 틈에 끼워 잡아당기다. ②겉에 붙은 것을 홀라 들이어 떼어 내다. ③속에 붙은 것을 부시어 내다. <훑다[1].

홅다[2] 타 〈방〉 핥다(경상).

홅대 명 〈방〉 벼훑이.

홅이다 [홀치—] ㊀ 자 ①부풋하고 많던 것이 다 빠져서 졸아들다. ②홅힘을 당하여 헝클어지다. 1)·2): <훑이다. ㊁ 피동 홅음을 당하다. <훑이다.

홇배 구 〈옛〉 할 바가. 하는 바가. ¶ 어린 百姓이 니르고져 홇배 이셔도《訓諺》. *ᄒᆞ다.

홈[1] 명 [중세: 홈] 물체(物體)에 오목하고 길게 패어진 고랑의 줄.

홈:[2] [home] 명 ①가정. 집. ②고향. 본국. 고국(故國). ③↗홈 베이스(home base).

홈[3] 자타 〈옛〉 [↗ᄒᆞ옴] 함. 'ᄒᆞ다'의 명사형. ¶ 오직 ᄒᆞ니거나 ᄆᆞ마니 잇거나 호매(但動中靜中)《蒙法 4》.

홈: 게임 [home game] 명 홈 경기. ↔어웨이 게임·로드 게임.

홈: 경:기 【—競技】 [home] 명 프로 야구에서, 상대 팀을 자기 팀의 본거지, 곧 홈 그라운드로 불러서 하는 경기. 홈 게임. ↔원정 경기.

홈 그라운드 [home ground] 명 ①근거지(根據地). ②야구·축구 등의 경기에서, 그 팀의 소재지에 있는 그라운드.

홈-끌 명 속에 홈이 패어진 끌. 조각하는 데 씀.

홈날 도:구 【—道具】 명 〖고고학〗 홈날 석기.

홈날 석기 【—石器】 명 〖고고학〗 석기의 날에 홈떼기를 베풀어 나뭇가

지나 뼈를 자르기 좋게 만든 연모. 오목날의 일종이나 폭이 좁은 것이 특징임. 홈날 도구.

홈-대 [一때] [명] 〈방〉 홈통.

홈-대패 [명] 〖공〗 개탕 대패.

홈:-드라마 [home+drama] [명] 가정의 일상 생활을 주제로 한 극이나 영화. 가정극.

홈: 드레스 [home dress] [명] 실용적이고 간편한 여성용의 원피스. 가정복(家庭服). 하우스 드레스.

홈-떼기 [명] 〖고고학〗 석기의 날에 폭이 좁은 오목날 모양의 홈을 떼는 수법.

홈: 런 [home run] [명] ↗홈런 히트(home-run hit).

홈:런 더:비 [home-run derby] [명] 야구에서, 한 시즌 중의 홈런 히트를 경쟁하는 일.

홈:런-왕 【一王】 [home run] [명] 야구에서, 한 시즌을 통하여 가장 많은 홈런을 친 타자에게 주는 칭호.

홈:런 히트 [home-run hit] [명] 야구에서, 본루타(本壘打). 호머. [준]홈런.

홈: 룸: [home room] [명] 〖교〗 학과의 선택제(選擇制)를 취하고 있는 중·고등 학교에서, 교육상 특히 학생 지도상 특별히 베풀어지는 조직. 보통 학급 조직보다 약간 적은 수의 학생이 이에 할당되어, 여기서 관리 사무 외에 교사의 지도 밑에 가정적 분위기를 이루어 여러 가지 자치 활동이 행하여짐. ＊생활 지도.

홈맹이 [명] 〈방〉 호미¹(경남).

홈: 메이드 [home made] [명] ①자기 손으로 만든 것. 수제(手製). 자가제(自家製). ②자국제(自國製). 국산(國産).

홈미 [명] 〈방〉 호미(함북).

홈:-바: [home+bar] [명] 집 안에 만든 바(bar).

홈: 뱅킹 [home banking] [명] 가정에 설치된 단말기(端末機)와 은행의 컴퓨터를 연결하여, 집에 앉아 있는 채로 여러 가지 은행 서비스를 받을 수 있는 시스템.

홈: 베이스 [home base] [명] 야구에서, 본루(本壘). 홈 플레이트. [준]홈(home).

홈빡 [부] 〈방〉 함빡.

홈-빨다 [타] 〈방〉 흠빨다.

홈: 섹션 [home section] [명] 신문·잡지 등에서, 가정란(欄).

홈-송:곳 [명] 〈방〉 통송곳.

홈: 쇼핑 [home shopping] [명] 집에 앉아 있는 채로 물건을 살 수 있는 방식. 통신 판매·카탈로그 판매·방문 판매 등.

홈:스¹ [Holmes, Oliver Wendell] [명] 〖사람〗 ①미국의 의학자·문필가. 생리학 교수로 있으면서 수필집 《아침 식탁의 독재자》와 이의 속편 2권을 내어 문명을 얻음. [1809-94] ②❶의 아들. 법학자. 남북 전쟁에 종군, 변호사로 《코몬 로(Common Law)》를 저술, 1902년 대법원 판사에 임명되어 철학적 회의적 자유주의의 입장에서, 많은 진보적 반대 의견을 내어 '위대한 반대론자'의 이름을 들음. [1841-1935]

홈:스² [Holmes, Sherlock] [명] 영국의 탐정 소설가 도일(Doyle, Sir Arther Conan)의 탐정 소설내의 주인공으로 아마추어 탐정.

홈:스³ [Homs] [명] 〖지〗 리비아 북서부, 지중해안(地中海岸)의 항구 도시. 상업·관광의 중심지임. 고대 페니키아(Phoenicia)의 항구로 알려지고, 로마 시대에도 번창하여 당시의 사원(寺院)·극장 등의 유적이 있음. [67,000명(1973)]

홈:스⁴ [Homs] [명] 〖지〗 시리아 서부, 다마스쿠스 북쪽 160 km 지점에 있는 도시. 지중해성 기후로 시리아 서부 농업 지대의 중심지이며 주변에 포도원이 많음. 견직물·보석 가공의 수공업도 행해짐. 알레포(Aleppo)·베이루트(Beirut)·다마스쿠스 등으로 통하는 철도의 요지. [431,000명(1987)]

홈: 스위:트 홈: [Home, Sweet Home] [명] 〖악〗 영국 비숍(Bishop)이 작곡한 가요(歌謠) 이름. 우리 말로는 '즐거운 우리 집'.

홈:-스트레치 [homestretch] [명] 경마(競馬)·육상(陸上) 경기 용어로, 결승점이 있는 쪽의 직선 코스.

홈: 스틸 [home steal] [명] 야구에서, 홈 베이스로의 도루(盜壘).

홈:-스펀 [homespun] [명] 씨와 날을 굵은 수방 모사(手紡毛絲)를 써서 손으로 짠 모직물 또는 그와 비슷하게 기계 방적사(機械紡績絲)로 짠 것. 양복지로 씀.

홈: 시큐어리티 시스템 [home security system] [명] 가스 누출·화재·도난 등, 가정 내의 위험을 방지하고, 안전을 유지하기 위한 시스템. 검지기(檢知器)가 작동하여, 자동적으로 긴급 연락처로 통보하는 방식이 일반적임.

홈: 식 [home sick] [명] 회향병(懷鄕病). 향수병(鄕愁病). 노스탤지어.

홈싸다기 [명] 〈방〉 홈타기.

홈싹 [부] 〈방〉 함씬.

홈써기 [부] 〈방〉 함빡.

홈: 앤드 어웨이 [home and away] [명] 축구·야구 등에서 자기 팀과 상대 팀의 본거지에서 번갈아 시합을 하는 방식.

홈: 오:토메이션 [home automation] [명] 주택 내에 각종 정보 처리 기기를 도입하여 냉난방 관리에서 방재(防災)·방범(防犯), 그리고 가사(家事)까지, 다양한 기능을 다하는 시스템. 에이치 에이(HA).

홈: 웨어 [home wear] [명] 집에서 입는 평상복(平常服).

홈: 인 [home in] [명] 야구에서, 주자(走者)가 본루에 살아 돌아오는 일. 세이프 인. ——하다 [자][여불]

홈자 [부] 〈방〉 혼자(경기).

홈-자귀 [명] 〖고고학〗 몸체 한 쪽에 홈이 있어, 자루를 날과 직각되게 끈으로 묶어 쓰게 된 돌 자귀. 청동기 시대 중기 이후, 목재를 가공하는 데 쓰였음.

홈자ㅅ말 [명] 〈옛〉 혼잣말. ¶홈자ㅅ말(自言自語)《同文 上 24》.

홈자ㅎ다 [타] 〈옛〉 혼자 하다. 독천(獨擅)하다. ¶홈자ㅎ다(專擅)《同文 上 32》.

홈:-질 [명] 바늘 땀을 위아래로 드문드문 호는 바느질의 한 가지. ——하다 [타][여불]

홈차 [부] 〈방〉 혼자(황해).

홈착-거리다 [타] ①보이지 않는 곳에 있는 것을 찾으려고 계속해서 더듬어 뒤지다. ②흐르는 눈물을 이리저리 씻다. 1)·2): <훔척거리다. **홈착-홈착** [부]. ——하다 [타][여불]

홈착-대다 [타] 홈착거리다.

홈챙이 [명] 〈방〉 웅덩이.

홈쳐 때리다 [타] 덤벼들어서 야무지게 때리다. 홈치다. <훔쳐 때리다.

홈쳐 주다 [타] 〈방〉 홈쳐 때리다.

홈추리 [명] 〈방〉 홈타기.

홈치다 [타] ①물기나 때가 묻은 것을 깨끗이 닦아 없애다. ②남의 물건을 슬그머니 휘몰아 가지다. ③손으로 보이지 않는 곳을 더듬어 만지다. ④홈쳐 때리다. 1)-4): <훔치다.

홈치작-거리다 [타] 느릿느릿하게 홈착거리다. <훔치적거리다. **홈치작-홈치작** [부]. ——하다 [타][여불]

홈치작-대다 [타] 홈치작거리다.

홈켜-잡다 [타] 빠르게 단단히 움켜 잡다. ㅅ옴켜잡다. <훔켜잡다.

홈켜-쥐다 [타] 빠르게 단단히 움켜 쥐다. ㅅ옴켜쥐다. <훔켜쥐다.

홈타구니 [명] 〈방〉 홈타기.

홈타기 [명] 물건이 갈라지는 오금.

홈태기 [명] 〈방〉 홈타기.

홈-터:미널 [home-terminal] [명] 가정에 설치된 컴퓨터의 단말기(端末機). 이것을 조작하여 각종 정보(情報) 서비스를 받게 됨.

홈-통 【一桶】 [명] ①나무·대·쇠붙이 등을 반원형(半圓型)으로 골을 파거나, 원주형(圓柱型)으로 길게 구멍을 뚫어 물을 이끄는 데에 쓰는 물건. ②창틀·장지 등의 위아래를 '凹'자 모양으로 파 낸 줄. 창짝이나 장지 짝이 드나듦.

홈:통-바위 【一桶一】 [명] 가늘고 긴 세로 홈통 모양으로 깊게 골이 파져 있는 바위.

홈: 트레이딩 [home trading] [명] 증권 회사의 컴퓨터와 가정의 퍼스널 컴퓨터 등을 연결하여, 집에 앉은 채로 투자 결정을 위한 정보를 받아, 증권의 매매 주문을 할 수 있는 시스템.

홈: 팀: [home team] [명] 야구·축구·배구 등의 운동 경기에서, 다른 팀을 맞아들여 대전하는 주인격의 팀. 외국 팀에 대한 국내 팀 같은 것.

홈-파기 [명] 〖고고학〗 격지나 돌날의 옆날에 간단히 떼기를 베풀어 홈을 만드는 수법. 홈집내기.

홈-파다 [타] 좁고 깊이 파들어가다. ㅅ옴파다. <훔파다.

홈-패다 [자] 좁고 깊게 파지다. ㅅ옴패다. <훔패다.

홈: 페이지 [home page] [명] 〖컴퓨터〗 웹 사용자가 각각의 웹 사이트에 들어갈 때 처음 나타나는 문서. 주로 웹 서버를 구축한 기관이나 개인에 대한 소개가 실려 있음.

홈: 프로젝트 [home project] [명] 〖교〗 프로젝트법(project法)에 의한 가정 실습.

홈: 플레이트 [home plate] [명] 홈 베이스.

홈홈-하다 [형][여불] 얼굴에 만족한 표정을 띠다. <훔훔하다.

〈홉¹〉

홉¹ [hop] [명] 〖식〗 [*Humulus lupulus*] 뽕나뭇과에 속하는 다년생의 만초(蔓草). 가지와 잎꼭지에 가시가 있으며, 잎은 달걀꼴에 세 갈래로 째졌음. 여름에 황록색의 꽃이 피고 타원형 또는 넓은 달걀꼴의 과실이 열림. 방향과 고미(苦味)가 있으며 건위제(健胃劑)·맥주의 향미제(香味劑)로 쓰임. 홀포(忽布).

홉² 【合】 [의명] [←합¹(合)] 용량 단위(容量單位)의 한 가지. 한 되의 10분의 1.

-홉다 [미] 〈옛〉 -스럽다. -스럽구나. =훕다. ¶ 스랑홉다(可愛)《漢淸 Ⅶ:20》.

홉-되 【合一】 [명] 홉의 용량을 되는 그릇.

홉-뜨다 [타] 눈알을 굴리어 눈시울을 위로 치뜨다. ¶길소개는 …눈썹 한 번 깜빡하지 않는 궐너를 홉떠 보았다《金周榮 : 客主》.

홉-바지 [명] 〈방〉 고쟁이(함남).

홉박 [부] 〈방〉 함씬.

홉사 【合勺】 [명] ①한 홉과 한 사(勺). ②되나 저울로 단위를 삼아 셀 때에 남는 분량(分量).

홉스 [Hobbes, Thomas] [명] 〖사람〗 영국의 철학자·법학자. 경험론적 입장에 서서 대륙의 자연 과학을 도입하여 유물론에 접근, 공화주의에의 혁명 와중에 《법학 요론(法學要論)》을 내어 국가 계약설을 지지하고 반혁명에 기울어졌음. 저서 《레바이아단(Leviathan)》·《인간론》 등. [1588-1679]

홉 스텝 앤드 점프 [hop step and jump] [명] 세단뛰기.

홉신 [부] 〈방〉 함씬.

홉킨스¹ [Hopkins, Frederick Gowland] [명] 〖사람〗 영국의 생화학자. 요산(尿酸)의 정량법(定量法)을 창시. 1906년 지금의 비타민에 해당하는 부영양소(副營養素)의 연구를 시작하여 1929년 이의 업적으로 노벨 생리 의학상을 받았음. [1861-1947]

홉킨스² [Hopkins, Gerard Manley] [명] 〖사람〗 영국의 가톨릭 시인. 생전에 작품 한 편도 발표치 않았으나 1918년 간행된 《납의 반향》·《황금의 반향》의 단시는 그 독특한 리듬, 강렬한 종교적 정열로 깊은 시사(示唆)를 주었음. [1844-89]

홉하우스 [Hobhouse, Leonard Trelawney] 명 『사람』 영국의 철학자·사회학자. 진화(進化)를 생존 투쟁면에서 설명하는 입장을 비판하여 진화란 정신·물리적 생(生)의 교호(交互) 작용을 통하여 우주(宇宙)의 근저(根底)에 있는 합목적적(合目的的) 정신 원리로 실현하는 과정이라고 주장함. 저서에 《진화에 있어서의 정신(精神)》·《진화에 있어서의 도덕》·《국가의 형이상학적 이론》 등이 있음. [1864-1929]

홋 명 〈옛·방〉 홑. =ᄒᆞᆫ옷. ¶홋 츰 뵈옷슬 반ᄃᆞ시 表ᄒᆞ야 내더시다(袗絺綌必表而出之)《宣祖版 小解 Ⅲ:21》.

홋잎-나무 [—닙—] 명 〈방〉 화살나무.

홋-창 【—窓】 명 〈방〉 홑창.

홋-처마 명 〈방〉 홑처마.

홋카이도: [北海道:ほっかいどう] 명 『지』 일본의 가장 북쪽을 차지하는 지방 자치 구획의 하나. 홋카이도 본도(本島) 및 여러 속도(屬島)로 이루어졌음. 서는 일본해, 동북은 오호츠크 해, 남은 태평양에 면하고 북은 사할린에 대면함. 본도는 일본 제2의 섬임. 원주민은 아이누(Ainu). 기후는 한랭하고 근해에는 한류(寒流)와 난류(暖流)가 흐름. 세계적 어장(漁場)의 하나이며 농업(農業)·임업(林業)·광업(鑛業)도 성함. 도청 소재지는 삿포로(札幌). 북해도. [83,514 km^2: 5,679,000 명 (1989)]

홋홋-이 부 홋홋하게. <홋홋이.

홋홋-하다 형 여불 딸린 사람이 적어서 아주 홀가분하다. ¶빌딩 3층 홋홋한 한 칸 사무실.

홍[1] 【弘】 명 성(姓)의 하나. 우리 나라에는 현존하지 아니함.

홍[2] 【洪】 명 『지』 ↗홍아리(洪牙利).

홍[3] 【洪】 명 성(姓)의 하나. 남양(南陽)·풍산(豐山)·개령(開寧) 등 아홉 곳의 주요 본관이 있음.
[홍 감사네 뫼 근방이라] 그 근방에는 어리대지도 못하게 한다는 말.

홍[4] 【紅】 명 ↗홍색(紅色).

홍가슴-개미 【紅—】 명 『충』 [*Camponotus herculeanus obscuripes*] 개밋과에 속하는 곤충. 일개미의 몸길이 8-12 mm이고, 몸빛은 흑색에 흉부(胸部)·복면(腹面)과 복부 제1절 전연(前緣)의 대부분은 암적색이며 복부 각 절(節) 후연(後緣)은 갈색임. 수컷은 흉부(胸部) 및 복부 기부(基部)가 암적색을 띠고, 암컷은 온몸이 흑색임. 주로 건축물의 목재 속에 영소(營巢)하는데, 한국·일본에 분포함. 붉은가슴개미.

홍-가(:)신 【洪可臣】 명 『사람』 조선 선조 때의 공신. 자는 흥도(興道), 호는 만전당(晩全堂). 남양(南陽) 사람. 홍주 목사(洪州牧使)로 부임, 이몽학(李夢鶴)의 난을 평정, 청난 공신(淸難功臣)이 되고 형조 판서에 이르러 치사(致仕)하였음. [1541-1615]

홍-가자미 【紅—】 명 『어』 [*Hippoglossoides dubius*] 붕넙칫과에 속하는 바닷물고기. 몸길이 40 cm 남짓한데 입이 크며 눈이 오른 쪽에 붙었음. 몸빛은 오른 쪽이 암갈색이고 그 반대 쪽이 흼. 한국 동해안·연해주·일본 북부 연해에 분포함.

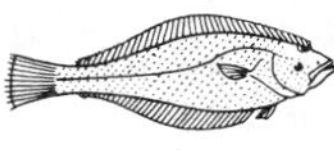
〈홍가자미〉

홍각[1] 【弘覺】 명 『사람』 신라 때의 중. 서사(書史)에 해박하고 경전(經典)을 송독(誦讀)하였으며 영산(靈山)을 두루 찾아 선석(禪席)마다 참석하여 문도(門徒)가 운집하였음.

홍각[2] 【紅殼】 명 건축재의 도료(塗料)로 쓰는 붉은 채색(彩色)의 한 가지.

홍간 【紅簡】 명 왕비(王妃)의 사신(私信).

홍-갈색 【紅褐色】 [—쌕] 명 붉은 빛을 띤 갈색.

홍-갈치 【紅—】 명 『어』 [*Cepola schlegeli*] 홍갈칫과에 속하는 바닷물고기. 몸길이 50 cm 가량. 먹점홍갈치와 비슷하나 몸 뒤쪽이 가늘고 길며, 등지느러미에 흑점이 없는 것으로 구별됨. 옆줄 비늘 수 약 300이고, 심해성 어종으로 한국의 남동부와 일본 남부 등지에 분포함.

홍-감펭 【紅—】 명 『어』 [*Helicolenus dactylopterus*] 양볼락과에 속하는 바닷물고기. 몸길이 30 cm 가량인데 빗비늘로 덮이고 부레가 없음. 몸빛은 주홍색인데 체측에 넉 줄 가량의 부정형의 흑갈색 가로띠가 있음. 한국 심해에 많으며 일본에도 분포함.

홍 강 【—江】 [Hong] 명 『지』 베트남 북부의 큰 강. 중국 윈난 성(雲南省) 중부에서 발원하여 남동으로 흘러 통킹 만(東京灣)에 들어감. 지류(支流)에 헤이허(黑河) 강·칭장(淸江) 강 등이 있음. 북부 베트남의 세계적 쌀 생산 지역을 관수(灌水)하며, 연안에 하노이(Hanoi)가 있음. 송꼬이 강(Sonkoi 江). 중국 이름은 훙허(紅河). 홍하(紅河). [805 km]

홍-강정 【紅—】 명 색(色)강정의 한 가지. 멥쌀을 불려 붉은 물을 들인 뒤에 가루를 만들어 묻힘. 주의 '紅羌飣'으로 씀은 취음(取音).

홍개 【紅蓋】 명 『역』 의장(儀仗)의 한 가지. 붉은 사(紗)로 싼 개(蓋). 문과 장원(文科壯元)에게 풍류와 함께 내리며 유가(遊街)할 때 앞세우고 다니는 특전(特典)이 있음.

홍-개똥벌레 【紅—】 명 『충』 홍반디.

홍개똥벌렛-과 【紅—科】 명 『충』 홍반딧과.

홍-개미 【紅—】 명 『충』 [*Formica rufa*] 개밋과에 속하는 곤충. 일개미의 몸길이는 8 mm 내외이고, 몸빛은 홍갈색(紅褐色)에 복부는 암갈색, 각절 후연(後緣)은 황갈색, 복병(腹柄) 및 제2절 양측은 적갈색임. 암컷은 두부·흉부에 흑갈색부가 있고 복절 후연과 미절(尾節)은 적갈색임. 한국·일본·중국·유럽 등지에 분포함.

홍건-적 【紅巾賊】 명 『역』 [표지(標識)로 붉은 수건을 쓴 까닭에 이 이름이 있음] 원말(元末)의 순제(順帝) 지정(至正) 11년(1351)에 허베이(河北)의 한산동(韓山童)을 두목으로 하여 일어난 도적의 무리. 고려 말에 2차에 걸쳐 한국에도 침범하였음. 홍두적(紅頭賊).

홍게이 [Hongay] 명 『지』 베트남 북부, 통킹 만(灣)에 면한 항구 도시. 부근에는 유명한 홍게이 탄갱(Hongay 炭坑)이 있어 우량한 무연탄을 산출하며 인도지나 전산출량(全産出量)의 반 이상을 차지함.

홍견 【紅絹】 명 붉은 빛깔의 비단.

홍경[1] 【弘經】 명 『불교』 불경(佛經)을 세상에 널리 퍼뜨리는 일.

홍경[2] 【洪慶】 명 『사람』 신라 경순왕(敬順王) 때의 이름난 중. 중국 당나라에 가서 대장경(大藏經)의 일부를 가져왔음.

홍경[3] 【紅鏡】 명 홍색으로 빛나는 거울. 곧, 솟는 해의 비유.

홍경-단 【紅景丹】 명 옛날 단약(丹藥) 이름. 현황단(玄黃丹).

홍경 대:사 【弘經大師】 명 『불교』 불경을 널리 전파하는 법사.

홍-경(:)래 【洪景來】 [—내] 명 『사람』 조선 순조 때의 혁명가. 평안도 용강(龍岡) 사람. 웅기(雄氣)와 지혜가 있고, 문재(文才)에 뛰어났으며 무예에 능했음. 정조(正祖) 22년(1798)에 평양의 향시에 합격, 과거에 응하러 상경하였는데 지방 차별의 폐습으로 과거에 낙방하자 부패한 국정에 불만을 품고, 순조 11년(1811)에 평북 가산(嘉山)에서 군사를 일으켜 혁명을 꾀하다가 그 이듬해 정주(定州)에서 패사(敗死)하였음. [1780-1812]

홍경래의 난: 【洪景來—亂】 [—내—/—내에—] 명 『역』 조선 순조 때 홍경래가 일으킨 반란 사건. 평북 가산군 다복동(嘉山郡多福洞)을 근거지로 하여 김사용(金士用)·우군칙(禹君則)·이희저(李禧著)·김창시(金昌始) 등과 더불어 군기 조달·동지 규합을 하여 오다가 순조 11년(1811) 12월에 자칭 평서 대원수(平西大元帥)라 칭하고 기병(起兵), 순식간에 가산·선천(宣川) 등 8 읍을 점령하였으나 관군의 진주로 정주에서 오랜 공방전을 벌이다가 마침내 함락되어 그 이듬해 홍경래는 전사하고 난은 평정되었음. 가산난(嘉山亂).

홍-경(:)주 【洪景舟】 명 『사람』 조선 중종(中宗) 때의 문신. 자(字)는 제옹(濟翁). 남양(南陽) 사람. 중종 반정(反正)에 참가하여 정국 공신(靖國功臣) 1등이 됨. 벼슬은 이조 판서·좌찬성을 지냈으며, 중종의 신임을 믿고 남곤(南袞)·심정(沈貞) 등과 더불어 기묘 사화(己卯士禍)를 일으킴. [?-1521]

홍계[1] 【弘戒】 명 『불교』 계단(戒壇)을 베풀고 널리 설계(說戒)하는 일.

홍계[2] 【紅契】 명 『역』 중국에서 계세(契稅) 절차를 밟아 관인이 찍힌 매매 증서. ↔백계(白契).

홍-계(:)영 【洪啓英】 명 『사람』 조선 숙종(肅宗) 때의 천재 문필가. 자는 여호(汝豪). 호는 관수재(觀水齋). 어려서부터 조숙한 문채(文彩)로 칭찬을 받았으나, 19세에 병사함. 문집으로 《관수재 유고》가 있으며, 가사 《희설(喜雪)》이 실려 있음. [1687-1705]

홍계월-전 【洪桂月傳】 명 『책』 작자·창작 연대 미상의 고전 소설의 하나. 7회의 장회(章回) 소설로, 시대 배경은 중국 명(明)나라. 무남 독녀로 태어난 계월(桂月)의 기구한 고행담(苦行譚)과 영웅적 무용담을 소재로 한 내용임. 국문본.

홍-계(:)적 【洪啓迪】 명 『사람』 조선 경종 때의 명신. 자(字)는 혜백(惠伯), 호는 수허재(守虛齋). 남양(南陽) 사람. 대사헌으로 세제(世弟)의 대리 청정(代理聽政)을 주장하다가 신임 사화(辛壬士禍)로 흑산도에 유배, 옥사(獄死)하였음. 시호는 충간(忠簡). [1680-1722]

홍-계(:)훈 【洪啓薰】 명 『사람』 조선 고종(高宗) 때의 무장. 동학 혁명(東學革命) 때 양호 초토사(兩湖招討使)가 되고, 그 후 을미 사변(乙未事變) 때 훈련 대장(訓鍊大將)으로 광화문을 지키다가 순직함. 시호는 충의(忠毅). [?-1895]

홍-계(:)희 【洪啓禧】 [—히] 명 『사람』 조선 영조 때의 문신. 자는 순보(純甫), 호는 담와(淡窩). 남양(南陽) 사람. 병조 판서로 균역법(均役法) 마련에 노력하고 《열성지(列聖誌)》를 증수하였으며, 왕명으로 《해동악(海東樂)》을 지었음. [?-1771]

홍-고랑 【紅姑娘】 명 『식』 꽈리.

홍-고추 【紅—】 명 익어서 빨갛게 된 고추.

홍-고치벌 【紅—】 명 『충』 [*Iphiaulax impostor*] 고치벌과에 속하는 곤충. 암컷은 몸길이 9 mm 가량, 두부 촉각은 검으며, 흉복부는 적색, 날개는 흑갈색임. 뽕나무하늘소의 유충에 기생하는데, 한국·일본·유럽에 분포함.

홍곡[1] 【紅穀】 명 중국에서 나는 붉은 빛깔로 법제(法製)한 쌀. 백소주(白燒酒)에 담가 붉은 빛깔이 우러나서 홍소주(紅燒酒)가 되게 하는 데 씀. *홍국(紅麴).

홍곡[2] 【鴻鵠】 명 [←홍혹(鴻鵠)] 큰 기러기와 고니. 곧, 큰 인물의 비유.

홍곡-주 【紅穀酒】 명 홍곡으로 붉은 빛이 우러나게 만든 술.

홍곡지-수 【鴻鵠之壽】 명 큰 기러기나 고니와 같은 긴 수명.

홍곡지-지 【鴻鵠之志】 명 원대한 포부의 뜻. 곡지(鵠志).

홍공 【鴻功】 명 크나큰 공로.

홍-관 【洪灌】 명 『사람』 고려 문종(文宗) 때의 명필. 자는 무당(無黨). 당성(唐城) 사람. 글씨는 신라 김생(金生)의 필법을 배웠음. 중국 송나라에 들어가 김생의 행초(行草) 1권을 한림 양구(楊球)에게 보였다 함.

홍관-조 【紅冠鳥】 명 『조』 [*Paroaria cucullata*] 참샛과(科)에 속하는 작은 새. 몸길이 약 18 cm. 암수 모두 진홍색. 뿔털이 있으며, 머리에서 목에 걸쳐 진홍색, 등은 청회색, 배는 희며, 꽁지는 검음. 브라질·아르헨티나 등지의 원산인데, 울음 소리가 아름다워 널리 사육함.

홍광-제 【弘光帝】 명 『사람』 명조(明朝) 회복(回復)을 위하여 난징(南京)에서 옹립(擁立)된 복왕(福王)을 연호(年號)로써 일컫는 제호(帝號).

홍-괴불나무 【紅—】 [—라—] 명 『식』 [*Lonicera sachalinensis*] 인동과의 낙엽 활엽 관목. 수(髓)는 백색이고, 잎은 달걀꼴 또는 넓은 피침형인데 양끝이 뾰족하고 뒤 쪽에 잔털이 있음. 여름에 홍색의 꽃이 액생(腋生)하여 피고, 장과(漿果)는 거의 구형인데, 가을에 홍색으로 익음. 깊은 산의 산허리 및 습지에 나는데, 전남북·경남북·강원·평남북 및 일본·사할린·만주에 분포함.

홍-교[1] 【紅教】 명 『종』 라마교의 구파(舊派). 8세기 중엽, 인도로부터 티베트에 전래됨. 최초는 진공(眞空)의 지혜의 명상을 요결(要訣)하였으나, 후에는 기타 여러 수험도(修驗道)와 혼합됨. 교도는 붉은 옷에 붉은 모자를 씀. 홍모교(紅帽敎). *황교(黃敎)·사캬사(Sakya寺).

홍교²【虹橋】 명 홍예 다리.

홍구 공원 사:건【虹口公園事件】[-껀] 명 《역》 홍커우 공원 사건.

홍구래비 명 〈방〉 메뚜기(경북).

홍국【紅麴】 명 ①누룩의 한 가지. 멥쌀로 밥을 지어 누룩 가루를 섞고 덮게 뜬 다음에 더운 기운을 빼고 볕에 말림. 약술을 담그는 데에 씀. ② ☞ 홍곡(紅穀).

홍-국영【洪國榮】 명 《사람》 조선 시대 후기의 문신. 자(字)는 덕로(德老). 영조(英祖) 48년(1771) 병과(丙科)로 급제, 세자 시강원 설서(世子侍講院說書)가 되어, 세손(世孫)을 즉위(卽位)시켜, 정조(正祖) 밑에서 숙위 대장(宿衛大將)과 도승지(都承旨)에 올라 세도 정치를 폄. 대제학(大提學)·대사헌(大司憲)을 역임하고, 왕비(王妃) 살해 음모가 탄로나 방축(放逐)되어 강릉(江陵)에서 죽음. [1748-81]

홍국-주【紅麴酒】 명 《한의》 홍국(紅麴)으로 담근 술. 산모(産母)의 어혈(瘀血)에 약으로 씀.

홍군¹【紅軍】 명 ①경기(競技)에서, 두 편으로 갈라 백(白)과 홍(紅)으로 구별할 때의 붉은 표의 편. ↔백군(白軍). ②중국 공산군의 일컬음. *적군(赤軍).

홍군²【紅裙】 명 붉은 빛깔의 치마란 뜻으로, 미인(美人)이나 예기(藝妓)의 뜻.

홍귀【鴻歸】 명 홍안(鴻雁)이 돌아옴.

홍-귀(:)달【洪貴達】 명 《사람》 조선 연산군(燕山君) 때에 문형(文衡)을 지낸 문신. 자는 겸선(兼善), 호는 허백당(虛白堂) 또는 함허정(涵虛亭). 벼슬이 대제학·이조 판서·좌참찬에 이름. 무오 사화(戊午士禍) 때 왕에게 간(諫)하다가 미움을 사 좌천되었다가 뒤에 경기 감사가 되었으나 다시 갑자(甲子) 사화가 일어나자 모함으로 연좌되어 죽음. 시호는 문광(文匡). [1438-1504]

홍규¹【紅閨】 명 ①미인(美人)의 침실(寢室). ②기루(妓樓).

홍규²【洪規】 명 큰 꾀. 대계(大計).

홍귤-나무【紅橘-】[-라-] 명 《식》 [*Citrus deliciosa*] 운향과에 속하는 상록 활엽의 작은 교목. 잎은 긴 타원형이고 가에 톱니가 있음. 6월에 백색꽃이 피고, 장과(漿果)는 납작한 구형인데, 등황색으로 익음. 촌락 부근에 심는데, 제주도에 분포함. 감자(柑子)나무.

〈홍귤나무〉

홍금【紅錦】 명 홍색의 명주.

홍금-포【紅錦袍】 명 홍금으로 만든 웃옷.

홍기¹【弘基·鴻基】 명 큰 사업을 이루는 기초.

홍기²【紅旗】 명 ①붉은 빛깔의 기. ②《정》 중국 공산당 중앙 위원회 편집의 당 기관지. 전신(前身)은 당 이론지(理論誌)였던 '학습(學習)'.

홍-기조【洪基兆】 명 《사람》 삼일 독립 선언 민족 대표 33인의 하나. 호는 유암(遊庵). 평남 용강(龍岡) 출생. 동학(東學)에 입교하여 황해도·평안도 대접주(大接主)로 동학 혁명에 가담하였으며, 1919년 3월 천도교 대표로 독립 선언에 참가하여 2년 형을 받았음. 출옥 후 고향에 돌아가 청년들에게 민족 정신을 고취, 천도교(天道敎)의 도사(道師)·장로(長老)를 역임함. [1865-1938]

홍-길동【洪吉童】[-똥] 명 허균(許筠)의 소설 《홍길동전》의 주인공으로, 신출 귀몰한 재주를 가진 의적(義賊)의 괴수.

[홍길동이 합천 해인사(海印寺) 떨어먹듯] 대식(大食)하거나 대약탈(大掠奪)을 함의 비유.

홍길동-전【洪吉童傳】[-똥-] 명 《책》 조선 광해군(光海君) 때 허균(許筠)이 지은 소설. 홍길동이 정승의 아들로 인물·학식·재주가 절륜(絶倫)하되, 한갓 첩의 소생(所生)인 탓으로 천대가 심하여 집을 나와 활빈당(活貧黨)을 조직하고, 의적(義賊)의 괴수가 되어 양반 계급을 괴롭혀 복수하다가 류큐국(琉球國)의 왕이 된다는 줄거리. 당시 사회 제도의 결함, 특히 적서(嫡庶)의 신분 차이의 타파와 정치의 부패를 통격한 작품으로서, 형식·내용상 근대 소설의 선구가 되었음.

홍-꼭지【紅-】 명 붉은 종이로 둥근 꼭지를 만들어 붙인 연(鳶).

홍-나복【紅蘿蔔】 명 《식》 당근.

홍-난파【洪蘭坡】 명 《사람》 작곡가·바이올리니스트. 수원(水原) 출생. 조선 정악 전습소(正樂傳習所) 양악부를 마치고, 일본·미국 유학 후 귀국하여 경성 보육 학교(京城保育學校) 교수, 경성 중앙 방송국 양악부 책임자 등을 역임, 서양 음악 보급에 선구적 공로가 다대함. 작곡으로 《봉선화》·《성불사(成佛寺)의 밤》·《낮에 나온 반달》 등이 유명함. [1898-1941]

홍날개【紅-】 명 《충》 [*Pseudopyrochrea rufula*] 홍날갯과에 속하는 곤충. 몸길이 12.5-17 mm이고, 몸빛은 흑색, 홍색 시초(翅鞘)에는 보통은 홍색 털이 밀생하며, 촉각은 빗살 모양임. 6-7월에 꽃에 모이는데, 한국·일본·사할린에 분포함.

홍날개-메뚜기【紅-】 명 《충》 [*Celes akitana*] 메뚜깃과(科)에 속하는 곤충. 몸길이 37-40 mm이고, 몸빛은 암갈색 또는 적갈색임. 앞날개에는 암갈색 반문(斑紋)이 불규칙하게 있고 뒷날개는 홍색, 그 후반(後半)은 무색(無色), 후경절(後脛節)에 세 개의 암남색 윤환(輪環)이 있음. 한국·일본에 분포함.

홍날개-썩덩벌레【紅-】 명 《충》 [*Hymenalia rufipennis*] 썩덩벌렛과에 속하는 곤충. 몸길이 5 mm 내외이고, 몸은 흑색에 시초(翅鞘)는 적색이고 촉각·다리 등은 암적갈색임. 몸에는 짧은 털이 있고 각 시초에는 아홉 개의 점각렬(點刻列)이 있음. 한국·일본·대만·시베리아에 분포함.

홍날개-연새【紅-連-】 명 《조》 홍여새.

홍날갯-과【紅-科】 명 《충》 [Pyrochroidae] 딱정벌레목(目)에 속하는 한 과. 몸의 크기는 중형으로 편평(扁平)하며, 몸빛은 대부분이 암색(暗色) 또는 홍색임. 촉각은 11절(節)인데 보통은 톱 모양 또는 빗살 모양이고, 전·중각(前中脚) 기절(基節)은 원추상, 후각 기절은 횡형(橫形)이며, 복판(腹板)은 5-6절임. 나무 껍질 밑이나 꽃에 모이는데, 주로 신구북구(新舊北區)에 100여 종이 분포함.

홍-낭자【紅娘子】 명 ①《식》 파리. ②《충》 베짱이.

홍농【弘農】 명 《지》 전라 남도 영광군(靈光郡)의 한 읍(邑). 군의 북쪽에 있으며, 1985년 홍농면(弘農面)이 읍으로 승격하였음. [10,482명(1996)]

홍다【紅茶】 명 홍차(紅茶).

홍다리-꽃등에【紅-】 명 《충》 [*Zelima sapporensis*] 꽃등엣과에 속하는 곤충. 긴허리꽃등에와 비슷하나 몸길이 15-17 mm이고, 촉각 제2-3절(節)과 전중 양지(前中兩肢)(전절(前節)과 기절(基節)은 제외) 및 후퇴절(後腿節)의 기부(基部)가 등황색(橙黃色)인 것으로 구별함. 한국·일본·사할린 등지에 분포함.

홍다리-사슴벌레【紅-】 명 《충》 [*Macrodorcus rubrofemoratus*] 사슴벌렛과에 속하는 곤충. 몸길이 25 mm 내외, 몸빛은 흑색에 시초(翅鞘)는 갈색을 띰. 수컷의 대시(大顋) 말단에 서너 개의 소치(小齒)가 있음. 유충은 사과나무·앵두나무 등의 고목 속에 살고 성충은 수액(樹液)을 먹음. 한국·일본·대만 등지에 분포함. 홍다리하늘가재.

홍다리-하늘가재【紅-】 명 《충》 홍다리사슴벌레.

홍단【紅短】 명 화투에서 솔·매화·벚의 띠 석 장이 짝이 되어 이루는 단(短). *청단(靑短).

홍당【紅糖】 명 붉은 빛깔의 설탕. 홍탕(紅糖).

홍-당무¹【紅唐-】 명 ①《식》 무의 한 가지. 보통 무와 비슷한데 꽃이 붉고 뿌리의 껍질은 곱게 붉으나 살은 흼. ②《식》 당근(唐根). ③수줍거나 무안하여 얼굴이 붉어진 모양. *적면(赤面).

홍당무가 되다 ㊀ 술에 취하거나 부끄러워 얼굴이 붉어지다.

홍-당무²【紅唐-】 명 〔Poil de Carotte〕 《책》 프랑스의 작가 르나르(Renard)가 1894년에 쓴 소설. 머리털이 붉고 주근깨가 많은 소년 '홍당무'가, 가정에 무관심한 부친과 히스테리칼한 모친 사이에 끼어, 변하여 가는 미묘한 심리를 그린 작품. 후에 작자 스스로 일막극(一幕劇)으로 각색하여 1900년에 초연(初演)하였음.

홍-당지【紅唐紙】 명 《역》 〈속〉 홍패(紅牌).

홍대¹ 명 '횡대(橫帶)'를 잘못 이르는 말.

홍대²【弘大】 명 범위가 넓고도 큼. ——하다 형 여불

홍대³【洪大·鴻大】 명 ①썩 큼. ②《한의》 맥(脈)이 보통 이상으로 크게 뜀. ——하다 형 여불

홍대⁴【紅黛】 명 연지와 눈썹을 그리는 먹.

홍-대둑【紅大纛】 명 《역》 둑(纛)의 한 가지. 붉은 삭모(槊毛)를 달았는데 둑 중에서 가장 큼.

홍-대(:)연【洪大淵】 명 《사람》 조선 시대의 화가. 자는 계선(繼善), 호는 화은(花隱). 남양 사람. 평소 산수(山水)와 꽃을 좋아하여 이들을 잘 그렸음. 작품에 《쌍로 담소도(雙老談笑圖)》·《현폭도(懸瀑圖)》 등이 있음. 생몰년 미상.

홍-대(:)용【洪大容】 명 《사람》 조선 영조(英祖) 때의 실학파 학자. 자는 덕보(德保), 호는 담헌(湛軒). 남양(南陽) 사람. 숙부 홍억(洪檍)의 군관(軍官)으로 베이징(北京)에 갔다 옴. 율력(律曆)을 잘 알아 혼천의(渾天儀)를 만들고, 지구의 일일 일전(一日一轉)을 논하였음. 저서에 《담헌집(湛軒集)》·《주해 수용(籌解需用)》 등이 있음. [1731-83]

홍-대촉【紅大燭】 명 붉은 물을 들인, 밀랍으로 만든 큰 초. 삼국 시대나 고려 시대에 궁중에서 사용하였음.

홍-대치【紅-】 명 《어》 [*Fistularia petimba*] 대칫과에 속하는 바닷물고기. 몸길이 1.5 m에 달하는데, 청대치와 비슷하나 주둥이가 길고, 몸빛은 회색을 띤 붉은 빛임. 피부가 거칠어 상어 껍질과 같음. 난바다에 사는데, 한국 남부 연해·일본 중부 이남·인도양에 널리 분포함. 청대치보다 맛이 좋음. 민간에서는 말려서 신장병(腎臟病)의 약으로 씀.

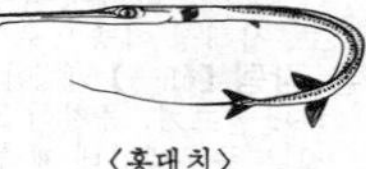
〈홍대치〉

홍덕【鴻德】 명 큰 덕. 대덕(大德).

홍도¹【弘道】 명 도(道)를 널리 펴는 일.

홍도²【紅桃】 명 ①↗홍도화(紅桃花). ②《식》↗홍도나무.

홍-도³【紅島】 명 《지》 전라 남도의 서해상, 신안군(新安郡) 흑산면(黑山面) 홍도리(紅島里)에 위치한 섬. 홍갈색(紅褐色) 바위산의 경관(景觀)과 풍란(風蘭)을 비롯한 희귀한 식물들로 천연(天然)의 공원(公園)을 이루고 있음. 매가도(梅加島). [6.47 km²]

홍도⁴【洪濤】 명 홍파(洪波).

홍-도⁵【鴻島】 명 《지》 경상 남도의 남해상, 통영시(統營市) 한산면(閑山面) 매죽리(每竹里)에 위치한 섬. [0.09 km²]

홍도⁶【鴻圖】 명 넓고 큰 계획. 임금의 계획. 홍유(鴻猷).

홍도⁷【紅陶】 명 《고고학》 붉은 간토기.

홍도 간화【紅桃間花】 명 가화(假花)의 한 가지.

홍도 건:화【紅桃健花】 명 가화(假花)의 한 가지.

홍도-나무【紅桃-】 명 《식》 복숭아나무의 한 가지. 천엽(千葉)이 가장 아름다운데 빛깔은 짙은 홍색임. 열매는 없고, 관상용으로 심음. ㊌홍도(紅桃).

홍도리-긴노린재【紅-】 명 《충》 [*Arocatus sericans*] 긴노린잿과에 속하는 곤충. 몸길이 7 mm 내외이고, 몸빛은 흑갈색에 연한 털이 밀생함. 두부는 주홍색이고 그 중앙에 흑색 무늬가 있으며, 전흉배(前胸背) 소순판(小楯板)의 정중선(正中線)과 몸의 가장자리는 전부 주홍색임. 한국·일본·중국에 분포함.

홍도리긴노린재-붙이【紅-】[-부치] 명 《충》 흰무늬참노린재.

홍도 별간화【紅桃別間花】 명 가화(假花)의 한 가지.

홍도 별건화【紅桃別健花】명 가화(假花)의 한 가지.
홍도 삼지화【紅桃三枝花】명 가화(假花)의 한 가지.
홍도아덕-산【紅桃兒德山】명〖지〗평안 북도 자성군(慈城郡) 자성면(慈城面)과 삼풍면(三豐面) 사이에 있는 산. [1,089 m]
홍도-음【紅桃飮】명〖역〗조선 시대에, 봄철에 교서관(校書館) 관원들이 가지는 회음(會飮). 태종(太宗) 2년(1402)에 왕이 홍도를 상으로 내리고 연회를 베푼 데 비롯하여, 3년마다 한 번씩 열림. *장미음(薔薇飮)·벽송음(碧松飮).
홍도 이:지화【紅桃二枝花】명 가화(假花)의 한 가지.
홍도-화【紅桃花】명 홍도나무의 꽃. ㊌홍도(紅桃).
홍동[1]【哄動】명 여러 사람이 지껄이며 떠듦. ——-하다 자여불
홍동[2]【紅童】명 옷을 홍일색(紅一色)으로 입은 어린 아이.
홍동[3]【紅銅】명〖광〗적동(赤銅).
홍:동[4]【澒洞】명 ①넓고 공허함. ②끝없이 연이은 모양.
홍동 백서【紅東白西】명 제사의 제물(祭物)을 진설할 때, 붉은 과실은 동쪽에, 흰 과실은 서쪽에 차리는 격식.
홍-동지【洪同知】명〖민〗꼭두각시 놀음에 등장하는 인물의 하나. 힘이 세고 안하 무인의 무뢰한으로, 주인공 박첨지의 조카임. 빨간 알몸을 드러내므로 붉을 홍(紅) 자(字)와 음이 같은 홍가(洪哥)가 되었음.
홍동지-놀음【洪同知—】명〖민〗①꼭두각시 놀음. ②온 몸이 붉은 알몸인 인형 홍동지가 등장하는 꼭두각시놀음의 한 가지.
홍두[1]【紅豆】명 붉은 팥.
홍두[2]【紅荳】명〖식〗[*Abrus precatorius*] 콩과에 속하는 만목(蔓木). 높이 2.5cm 가량. 잎은 우수 우상 복엽(偶數羽狀複葉)인데, 소엽(小葉)은 촘촘히 줄지어 8-15쌍 있으며, 길이 1.5cm의 타원형임. 홍색·자색 또는 백색 꽃이 총상(總狀) 화서로 핌. 큰 협과(莢果) 안의 달걀꼴의 씨는 검은 바탕에 붉은 점이 있음. 아프리카 원산(原產)의 열대 식물임. 잎은 식용(食用), 열매는 독이 있으므로 열대 지방에서 독시(毒矢)의 원료가 되며, 또 씨는 약용 및 장식용으로 쓰임. 씨는 맛이 쓰고 약간 독이 있는데, 한방(漢方)에서, 심복통(心腹痛)·두통(頭痛)·충독(蟲毒)을 제(除)하는 약재로 씀. 상사자(相思子).

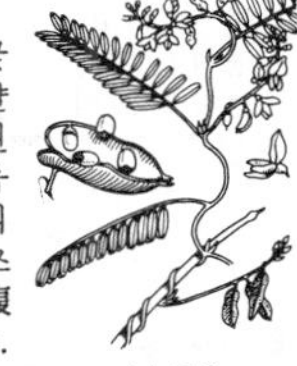
〈홍두[2]〉

홍-두구【紅豆蔲】명〖한의〗고양강(高良薑)의 씨. 건위(健胃) 약재로 씀.
홍두깨 명〔근대 : 홍돗개〕①다듬잇감을 감아 다듬는 제구. 길고 굵직한 둥근 몽둥이임. ②소의 볼기에 붙은 고기의 한 가지. 산적에 씀. 홍두깨살. ③〖농〗쟁기질이 서툴러 갈리지 않은 거웃 사이의 흙.
[홍두깨로 소를 몬다] 무리한 일을 억지로 함의 비유. [홍두깨에 꽃이 핀다] 가난하고 궁하던 사람이 좋은 운을 만났을 때와 같은 경우의 말. [홍두깨 세 번 맞아 담 안 뛰어넘는 소가 없다] 아무리 진중하고 참을성이 많은 사람도, 혹심한 처우에는 저항을 하고 뛰쳐나가게 마련이라는 말.
홍두깨 다듬이 명 홍두깨에 감아서 하는 다듬이. ↔넓다듬이. ——-하다 타여불
홍두깨-떡 명 홍두깨처럼 굵게 빼낸 가래떡.
홍두깨-살 명 홍두깨❷.
홍두깨 생갈이 명〖농〗쟁기질이 서투른 사람이 잘 갈리지 않은 거웃 사이를 억지로 가는 일. ㊌생갈이. ——-하다 타여불
홍두깨-양알 명〈방〉〖농〗홍두깨 생갈이.
홍두깨-질 명 홍두깨에 감아 하는 다듬이질. ——-하다 자타여불
홍두깨-틀 명 다듬이를 할 때에 홍두깨를 걸쳐 놓게 된 나무틀.
홍두깨-흙[—흑] 명〖건〗기와를 이을 때에 수키와가 붙어 있도록 그 밑에 괴는 반죽한 흙.
홍두념-시【紅頭念詩】명〖악〗창사(唱詞)의 이름.
홍두-서【紅頭嶼】명〖지〗'홍터우위'를 우리 음으로 읽은 이름.
홍두-적【紅頭賊】명 홍건적(紅巾賊).
홍드깨 명〈방〉홍두깨❶.
홍-득구【洪得龜】명〖사람〗조선 시대 중기의 문신·화가. 자는 자징(子徵), 호는 창곡(蒼谷). 남양 사람. 벼슬은 목사(牧使)에 이름. 산수화(山水畫)에 뛰어났으며, 특히 편폭 소경(片幅小景)을 즐겨 그렸음. 작품에 ≪수하 어옹도(樹下漁翁圖)≫ 등이 있음. [1653-?]
홍등【紅燈】명 붉은 등불.
홍등-가【紅燈街】명 붉은 등(燈)이 켜져 있는 거리라는 뜻으로, 유곽(遊廓)이나 화류계(花柳界)를 이르는 말. 주사 청루(酒肆青樓).
홍등 녹주【紅燈綠酒】명 붉은 등불과 푸른 술. 화류계(花柳界)를 이름.
홍-등롱【紅燈籠】[—농] 명〖역〗↗홍사 등롱(紅紗燈籠).
홍-때까치【紅—】명〖조〗[*Lanius cristatus cristatus*] 때까칫과에 속하는 새. 날개의 길이와 꽁지의 길이가 모두 86 mm 가량임. 앞이마는 담회백색(淡灰白色)이고 두부·배면·꽁지에는 모두 회색 바탕에 암적갈색이 섞여 있음. 과안선(過眼線)은 흑색임. 몸의 하부는 약간 회황색을 띠었고, 복부와 목의 중간은 백색임. 산에 사는데, 동부 시베리아·한국·만주 등지에 분포함. 되개고마리. 되때까치.
홍-띠【紅—】명 붉은 빛깔의 띠.
홍띠-수시렁이【紅—】명〖충〗[*Dermestes vorax*] 수시렁잇과에 속하는 곤충. 몸길이 7-8 mm이고, 흑색 시초(翅鞘)의 기부(基部) 약 3분의 1은 붉은 털로 덮여 가로띠를 이루며, 그 속에 각각 네 개의 흑색 원문(圓紋)이 있고 촉각은 흑갈색임. 한국·일본·시베리아·만주에 분포함.
홍띠윤-구멍벌【紅—】명〖충〗[*Lorra amplipennis*] 구멍벌과에 속하는 곤충. 암컷의 몸길이는 16-18 mm이고, 몸에는 회색 잔털이 있는데 복부 배면에는 드묾. 두부와 흉부는 흑색이고, 복부 제1-3절은 적갈색 내지 암적색이며 제3절 이하는 점점 흑갈색으로 되고, 말단은 흑색임. 한국·일본에 분포함.
홍란[1]【紅蘭】[—난] 명 붉은 꽃이 피는 난.
홍란[2]【紅欄】[—난] 명 붉은 단청을 한 난간.
홍란 장옥 반자【紅卵長玉—】[—난—] 명 둥근 옥판(玉板)에 진주(眞珠)를 물린 멀잠(簪).
홍람-화【紅藍花】[—남—] 명〖식〗잇. 잇꽃.
홍-랑【洪娘】[—낭] 명〖사람〗조선 선조 때의 홍원(洪原)의 명기(名妓). 최경창(崔慶昌)이 북평사(北評事)로 경성(鏡城)에 있을 때 그 막중(幕中)에 머물렀으며 시조(時調)를 잘하였음.
홍량[1]【弘量·洪量】[—냥] 명 ①넓은 도량. ②술 같은 것의 많은 양. 다량의 술.
홍량[2]【洪亮】[—냥] 명 소리가 맑고 큼. ——-하다 형여불
홍련【紅蓮】[—년] 명 붉은 빛의 연꽃.
홍련 지옥【紅蓮地獄】[—년—] 명〖불교〗팔한 지옥(八寒地獄)의 하나. 몹시 찬 바람에 살가죽이 터지어 붉은 빛깔의 연꽃과 같이 된다고 하는 지옥.
홍렬【鴻烈】[—녈] 명 커다란 공훈. 위훈(偉勳).
홍렴-석【紅簾石】[—념—] 명〖광〗철·망간·알루미늄의 함수 규산염. 단사 정계(單斜晶系). 담홍색 또는 농홍색(濃紅色). 규질(珪質)의 결정 편암(片岩)이나 유문암(流紋岩) 속에서 산출됨.
홍렴 편:암【紅簾片岩】[—념—] 명〖광〗홍렴석·백운모(白雲母) 및 석영(石英)으로 이루어지며 암자색 또는 심홍색(深紅色)을 띠는 아름다운 광석.
홍로[1]【紅爐】[—노] 명 빨갛게 달아오른 화로.
홍로[2]【鴻臚】[—노] 명〈속〉〖역〗[←홍려(鴻臚)] ①중추부(中樞府). ②통례원(通禮院).
홍로상 일점설【紅爐上一點雪】[—노—쩜—] 명 ①홍로(紅爐) 위에 눈을 뿌리면 순식간에 녹듯이, 사욕이나 의혹(疑惑)이 일시에 꺼져 없어짐을 뜻하는 말. ②큰 일을 함에 있어 힘이 비교할 수 없을 만큼 적어 아무런 보람도 얻을 수 없음의 비유. ㊌홍로 점설.
홍로-원【鴻臚院】[—노—] 명〖역〗[←홍려원(鴻臚院)] 통례원(通禮院)의 별칭.
홍로 점설【紅爐點雪】[—노—] 명 ↗홍로상 일점설(紅爐上一點雪).
홍록 색맹【紅綠色盲】[—녹—] 명〖생〗홍색과 녹색의 구별을 할 수 없는 색맹. 남자의 4.5%는 이에 해당함. 적록 색맹(赤綠色盲).
홍료[1]【紅料】[—뇨] 명〖조〗양진새.
홍료[2]【紅蓼】[—뇨] 명 단풍이 들어 빨갛게 된 여뀌.
홍룡-포【紅龍袍】[—농—] 명〖역〗홍색의 곤룡포(袞龍袍). *황룡포(黃龍袍).
홍루[1]【紅淚】[—누] 명 ①피눈물. 비탄의 눈물을 비유해서 이르는 말. ②미인(美人)의 눈물.
홍루[2]【紅樓】[—누] 명 ①붉은 칠을 한 고루(高樓). ②부잣집 여자의 주거(住居)를 뜻하는 말. 또는 여자의 거처를 이름. ③기루(妓樓). 기생집.
홍루-몽【紅樓夢】[—누—] 명〖책〗청나라 건륭(乾隆) 때의 소설. 모두 120회(回)로 되었는데, 전(前) 80회는 조설근(曹雪芹)의 작, 후 40회는 고악(高鶚)의 속작(續作)이라고 전함. 상류 귀족 사회를 중심으로 하여 재자(才子) 가인(佳人)의 정사(情事)와 영국(榮國)·영국(寧國) 두 부(府)의 성쇠(盛衰)를 그렸음. 원명은 석두기(石頭記), 이명은 정승록(情僧錄)·금릉 십이차(金陵十二釵)·금옥연(金玉緣)·풍월보감(風月寶鑑).
홍-릉[1]【弘陵】[—능] 명〖지〗서오릉(西五陵)의 하나. 조선 시대 영조 원비(英祖元妃) 정성 왕후(貞聖王后)의 능. 경기도 고양시(高陽市) 용두동(龍頭洞)에 있고, 창릉(昌陵)의 왼쪽 언덕에 있음.
홍-릉[2]【洪陵】[—능] 명〖지〗①조선 고종 황제와 명성(明成) 황후 민(閔)씨의 능. 경기도 남양주군(南楊州郡) 미금시(渼金市) 금곡동(金谷洞)에 있음. ②〈속〉홍릉터.
홍릉-터【洪陵—】[—능—] 명〖지〗서울 특별시 동대문구 청량리동(淸凉里洞)에 있는, 조선 고종의 황후 명성 황후(明成皇后)의 능터. 명성 황후가 을미 사변(乙未事變)으로 시해(弑害)되자, 이 곳에 의관장(衣冠葬)으로 모시고 홍릉(洪陵)이라 일컫다가, 1919년에 경기도 남양주군의 금곡(金谷)에다 고종과 합장(合葬)하였음. 속칭 홍릉(洪陵).
홍린【紅燐】[—닌] 명〖화〗인(燐)의 동소체(同素體)의 하나. 황린(黃燐)을 삼브롬화인(三 Brom 化燐)과 함께 끓이면 심홍색의 가루로서 침전함. 화학 작용은 적린(赤燐)보다 강하며 공기 중에서 발화(發火)하지 아니함. 독(毒)은 없음.
홍마【紅馬】명 붉은 칠을 한 장기·쌍륙(雙六) 등의 말. ↔청마(靑馬).
홍-마노【紅瑪瑙】명 사도닉스(sardonyx).
홍-마목【紅馬木】명 궁문(宮門) 밖 좌우에 세워 있던 마목.
홍만-교【紅卍教】명〖종〗중국의 비밀 결사적 종교. 1920년 산둥 성(山東省)의 홍 제궁(洪解空)·류 푸위안(劉福緣) 등이 지난(濟南)에 도원(道院)을 설치하여 토속 신앙과 유교·도교·불교·회교 등의 여러 종교를 절충 혼합하여 교의를 세우고 교세를 확장하였음. 순수한 종교 운동보다도 오히려 사회 사업을 많이 하였음. *홍만자회.
홍-만병초【紅萬病草】명〖식〗[*Rhododendron fauriei* var. *roseum*] 철쭉과에 속하는 상록 활엽 관목. 잎은 타원형이며 잎밑이 오목 들어갔고 끝은 둥글며 톱니가 없고 후질(厚質)임. 꽃은 방상 화서(房狀花序)로 가지 끝에 정생하며, 짙은 홍색이고 7월에 핌. 과실은 삭과이며 9월에 갈색으로 익음. 고산 숲 속에 나는데, 울릉도에 야생함. 잎은 약

재로 씀. 관상용.

홍-만(:)선【洪萬選】명〖사람〗조선 시대 숙종(肅宗) 때의 학자. 호는 유암(流巖). 벼슬은 장악정(掌樂正)에 이름. 저서 ≪산림 경제(山林經濟)≫ 4권. [1643-1715]

홍-만(:)식【洪萬植】명〖사람〗대한 제국의 문신. 자는 백헌(伯憲), 호는 호운(湖雲). 남양 사람. 영식(英植)의 형. 갑신 정변(甲申政變) 때 투옥되었다가 이듬해에 석방되어 동지중추부사(同知中樞府事)·춘천 관찰사(春川觀察使)·해주(海州) 관찰사 등을 지냄. 광무(光武) 9년(1905) 을사 조약(乙巳條約)이 체결되자 격분하여 음독 자살함. 시호는 충정(忠貞). [1842-1905]

홍만자-회【紅卍字會】[一짜一] 명 홍만교(紅卍教)의 자매 기관(姉妹機關)인 자선 단체(慈善團體). 자선 사업을 제창하여 고아원·학교·의식(衣食) 등의 구빈(救貧) 사업, 전쟁·천재(天災)시의 난민 구제(難民救濟) 등을 행하였으나, 2차 대전 후는 지주(地主)와 상인의 몰락으로 그 의의를 잃었다고 함. ＊홍만교(紅卍教).

홍-만(:)종【洪萬宗】명〖사람〗조선 현종(顯宗)·숙종(肅宗) 때의 문인. 자는 우해(于海). 호는 현묵자(玄默子). 문학에 뜻을 두어 시화집(詩話集) 등 수종의 저서를 남기었음. 역대의 시화를 수집 편찬한 ≪시화 총림(詩話叢林)≫이 있고, 시와 시인을 중심으로 쓴 ≪소화 시평(小華詩評)≫, 시화를 곁들인 필기로 ≪순오지(旬五志)≫, 민담 야설(民譚野說)을 모아서 기록한 ≪명엽 지해(蓂葉志諧)≫ 등이 있음. [1643-1725]

홍매【紅梅】명 붉은 빛깔의 매화(梅花).

홍머리-동이【紅一】명 머리에 붉은 종이를 붙인 연.

홍머리-오리【紅一】명〖조〗[*Anas penelope*] 오릿과에 속하는 물새. 물오리만한데 머리는 붉은 밤색이고 수컷의 머리 위는 황백색임. 한국에는 9-10월에 날아옴. 유럽·아시아 중북부·북미(北美) 동부·중국·일본·사할린 등지에 분포함. 고기 맛이 좋음.

홍명[1]【鴻名】명 큰 명예. 명성.

홍명[2]【鴻明】명 더없이 분명함. ——-하다 형여불

홍명[3]【鴻溟】명 큰 바다. 대해(大海).

홍-명(:)구【洪命耉】명〖사람〗조선 중기의 문신. 자(字)는 원로(元老), 호는 나재(懶齋). 남양 사람. 평안도 관찰사로 있을 때 병자 호란(丙子胡亂)이 일어나, 적군이 평양을 지나 남한산성을 포위하였다는 말을 듣고 분격하여 이를 쫓다가 김화(金化)에서 전사함. 시호는 충렬(忠烈). [1596-1637]

홍-명(:)하【洪命夏】명〖사람〗조선 시대 효종(孝宗) 때의 문신. 자는 대이(大而), 호는 기천(沂川). 남양 사람. 성리학(性理學)에 조예가 깊었으며 특히 효종의 신임이 두터워 왕을 도와 북벌(北伐) 계획을 적극 추진했고, 박세채(朴世采) 등 명신을 천거함. 벼슬은 예조·병조 판서를 거쳐 영의정에까지 이름. 시호는 문간(文簡). [1608-68]

홍모[1]【紅毛】명 붉은 빛깔의 머리털.

홍모[2]【鴻毛】명 [기러기의 털의 뜻] 극히 가벼운 사물의 비유.

홍모[3]【鴻謨】명 큰 모계(謀計).

홍모-교【紅帽教】명〖종〗홍교(紅教).

홍-모기【紅一】명〖충〗[*Culex pipiens pallens*] 모깃과에 속하는 곤충. 흔히 볼 수 있는 보통의 모기로, 몸길이 5.6mm 가량이고, 암컷의 날개 길이는 4.8mm 가량임. 몸빛은 적갈색에 홍색(紅色) 반문이 있는데 흉배(胸背)에는 적갈색의 협곡린(狹曲鱗)이 밀생하고 복배(腹背)는 흑색이며, 제2-7절(節)의 기부(基部)에는 황색린(黃色鱗)의 가로띠와 백색린의 3각형 측반(側斑)이 있음. 유충은 웅덩이·개울·시궁창에서 자람. 여름철 해질 무렵이면 풀밭 등에서 나와 활동하며 암컷의 성충은 사람·짐승의 피를 빨아 먹고 뇌염(腦炎) 등을 매개(媒介)함. 한국·일본·중국 북부·홋카이도에 분포함. 집모기. ＊좀홍모기.

〈홍모기〉

홍모-인【紅毛人】명 머리털이 붉은 사람이란 뜻으로, 서양 사람을 경멸하는 말.

홍모-파【紅帽派】명 라마교의 구파(舊派)인 홍교(紅教)의 교파(教派).

홍목 당혜【紅目唐鞋】명〖역〗푸른 바탕에 붉게 눈을 수 놓은 가죽신의 한 가지. 젊은 여자나 아이들이 신음.

홍몽【鴻濛】명 ①하늘과 땅이 아직 갈리지 아니한 모양. ②천지 자연의 원기(元氣).

홍-몽둥이【紅一】명〖역〗〈속〉주장(朱杖).

홍몽 세:계【鴻濛世界】명 혼돈 세계(混沌世界).

홍무 정:운【洪武正韻】명〖책〗중국 명(明)나라 태조 때, 악소봉(樂韶鳳) 등이 왕명으로 편찬한 운서(韻書). 종래 사용되어 오던 사성(四聲)의 체계를 모두 베이징(北京) 음운을 표준으로 하여 개정한 것으로, 후세에 많은 영향을 주었음.

홍무 정:운 역훈【洪武正韻譯訓】명〖책〗중국 운서(韻書)인 홍무 정운의 한자(漢字) 밑에 한글로 정(正)·속음(俗音)을 단 책. 조선 시대의 성삼문(成三問)·조변안(曺變安)·김증(金曾)·손수산(孫壽山)·신숙주(申叔舟) 등이 편찬하여 단종(端宗) 3년(1455)에 간행됨. 당시 중국음의 변천이 심해 중국의 학자 황찬(黃瓚)·사신 예겸(倪謙) 등의 질정(質正)을 거쳐 8년 만에 간행되었음. 활자본으로 16권 8책이었으나, 현재 1·2권이 없는 14권 7책 1질이 전해짐.

홍무-제【洪武帝】명〖사람〗주원장(朱元璋)을 연호(年號)로써 일컫는 제호(帝號).

홍문[1]【肛門】명 '항문(肛門)'의 잘못.

홍문[2]【紅門】명 ①↗홍살문. ②정문(旌門). ③〖역〗구문(毬門)❶.

홍문공-도【弘文公徒】명〖역〗[홍문은 정배걸(鄭倍傑)의 시호(諡號)] 고려 사학(私學) 십이도(十二徒)의 하나. 문종(文宗) 때 예부 상서(禮部尙書) 정배걸(鄭倍傑)이 세웠음. 웅천도(熊川徒).

홍문-관【弘文館】명〖역〗①고려 때 제관전(諸館殿)의 하나. 성종(成宗) 14년(995)에 숭문관(崇文館)의 고친 이름. 충렬왕 원년(1275)에 폐하고, 동 24년에 다시 두었다가 얼마 뒤에 또 폐하였음. ②조선 시대의 '삼사(三司)'의 하나. 내부(內府)의 경적(經籍) 및 문한(文翰)과 왕의 자문(諮問)을 맡은 관아. 관원(官員)이 모두 경연관(經筵官)을 겸함. 세조(世祖) 2년(1456)에 집현전(集賢殿)을 없애고, 동 9년에 장서각(藏書閣)을 고치어 홍문관을 둠. 성종 즉위년(1470)에 예문관(藝文館)에 전임관(專任官)을 두어 그 전의 집현전의 구실을 하도록 베풀었고, 성종(成宗) 9년(1478)에 집현전 구실을 홍문관에 이양케 함으로써 언론 삼사로서의 홍문관이 성립됨. 연산군 10년(1504)에 진독청(進讀廳)이라 고치고, 중종 초년(1506)에 복구하고 고종 31년(1894)에 경연청(經筵廳)과 합병하여 이듬해에 경연원(經筵院)이라 고치고, 그 해에 다시 홍문관으로 고쳐서 궁내부에 붙였다가 순종 융희(隆熙) 원년(1907)에 폐함. 문원(文苑). 옥당(玉堂). 옥서(玉署). 서서원(瑞書院). 영각(瀛閣).

홍문관-지【弘文館志】명〖책〗홍문관의 연혁(沿革)을 적은 책. 조선 시대 정조(正祖) 8년(1784)에 이노춘(李魯春)이 왕명으로 구본(舊本)을 개찬하고 예각(藝閣)에서 출판함. 건치(建置)·직관(職官)·진강(進講)·관규(館規)·서적(書籍)·사실(事實)의 육부문(六部門)으로 나뉨.

홍문-록【弘文錄】[一녹] 명〖역〗홍문관(弘文館)의 교리(校理)·수찬(修撰)을 선거 임명하는 기록. 교리·수찬의 선거는 먼저 칠품 이하의 홍문관원이 뽑힐 만한 사람의 명단을 만들면 홍문관 부제학(副提學) 이하 여러 사람이 모여 의중의 사람 이름 위에 권점(圈點)을 찍는데, 이것을 기록하는 것을 홍문록이라고 함. 이것은 다시 의정(議政)·참찬(參贊)·대제학(大提學)·이조 판서·이조 참판·이조 참의(吏曹參議) 등이 행하는 도당록(都堂錄)을 거쳐서 임금에 올리면 차점(次點) 이상의 득점자를 교리 또는 수찬에 임명하였음. 관록(館錄). 본관록(本館錄).

홍문연-가【鴻門宴歌】명〖악〗판소리 광대가 소리하기 전에 목청을 다듬기 위해 부르는 단가(短歌)의 하나. 중국 초(楚)나라 항우(項羽)가 한(漢)나라 유방(劉邦)을 잡기 위해 홍문(鴻門)에서 잔치를 베푼 사실을 사연으로 하는 것으로 중모리 장단의 호탕한 노래임. 천하가(天下歌). 천하 태평(天下泰平).

홍문의 회【鴻門一會】[一/一에一] 명〖역〗기원전 206년에 한(漢)나라의 고조(高祖) 유방(劉邦)이 초왕(楚王) 항우(項羽)와 홍문에서 만났던 일. 항우는 범증(范增)의 권고로 유방을 죽이려 했으나 유방은 장량(張良)의 꾀로 번쾌(樊噲)의 도움을 받아 무사히 도망쳤음.

홍문 제학【弘文提學】명〖역〗조선 시대에, 홍문관에 둔 종이품의 벼슬. 또, 그 관원. 정원은 1명.

홍-바리【紅一】명〖어〗[*Epinephelus fasciatus*] 농어과에 속하는 바닷물고기. 몸길이 30cm 내외로 몸빛이 고운 주홍빛인데 몸 양쪽에 4-5줄의 시뻘건 세로띠가 있고 그와 나란히 유백색의 점이 한 줄 있으며 등지느러미 가는 흑색임. 열대성 어종으로 한국 남부·일본 중부 이남·중국·대만·필리핀·홍해(紅海) 등에 분포함. 식용함.

〈홍바리〉

홍박[1]【紅舶】명〖역〗조선 시대 후기에 홍모인(紅毛人), 곧 서양 사람의 배. 특히 군함의 일컬음.

홍박[2]【洪博】명 넓고도 넓음. ——-하다 형여불

홍박[3]【鴻博】명 학식이 깊고 넓음. 박람 다식(博覽多識)함. ——-하다 형「여불

홍반【紅斑】명 ①붉은 빛깔의 반문(斑紋). ②〖의〗피부의 유두체(乳頭體)의 혈관이 충혈하여 생기는 붉은 반점(斑點).

홍-반달【紅半一】명 연머리에 붉은 종이를 반달처럼 만들어 붙인 연(鳶).

홍-반디【紅一】명〖충〗[*Lycostomus modestus*] 홍반딧과에 속하는 갑충(甲蟲)의 하나. 몸길이 9-14 mm이고, 몸빛은 흑색이며 시초(翅鞘)는 암적색에 홍색 털이 밀생했음. 몸은 부드럽고 납작하며 시초에는 망목상(網目狀)의 주름살이 많고 촉각의 제 5-10 절은 톱날 모양임. 반딧불이류에 가까우나 발광기가 전혀 없고 성충은 8월에 출현하여 꽃에 모이고 유충은 주로 썩은 나무에 서식하는데 한국·중국·일본 등지에 분포함. 홍개똥벌레.

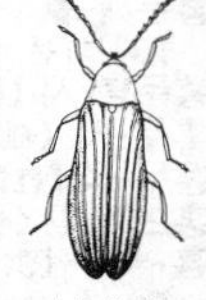

〈홍반디〉

홍반딧-과【紅一科】명〖충〗[Lycidae] 딱정벌레목(目)에 속하는 한 과. 몸 크기는 소형 내지 중형이고 시초(翅鞘)에는 망목상(網目狀)의 주름살이 있으며 촉각은 톱 또는 빗살 모양이고 중각(中脚)의 기절(基節)은 좌우가 떨어져 있음. 전 세계에 500 여종이 분포함. 홍개똥벌렛과.

홍반성 낭:창【紅斑性狼瘡】[一썽一] 명〖의〗급성(急性)·아급성(亞急性)의 유열성 교원병(有熱性膠原病). 뺨의 나비 모양 홍반, 혀 주위의 홍반이 특징임. ＊교원병.

홍반성 동:상【紅斑性凍傷】[一썽一] 명〖의〗정도가 가벼운 동상. 처음에 빈혈을 일으키고 이어 혈액이 울적하여 보랏빛으로 변하며 피부가 종창(腫脹)하여 몹시 가려움. ＊수포성(水疱性) 동상·회저성(壞疽性) 동상.

홍방【紅幇】명 중국 청(淸)나라 말기의 하층 유민(下層遊民) 사회의 상호 부조(相互扶助) 결사의 하나. 태평천국(太平天國) 멸망 후, 양쯔 강(揚子江) 하류 유역(流域)의 유민 사이에 홍방·청방(青幇)이라 불리는 결사가 생겨나, 사염(私塩)의 밀매매(密賣買) 조직 등 반사회적 활동을 전개하였고, 손문(孫文)의 신해(辛亥) 혁명에는 힘이 되기도 했으나 차차 도박·강도·협박을 업으로 하는 범죄 단체로 변했음.

홍-방산【紅方繖】명〖역〗붉은 빛깔의 방산(方繖).

〈홍방산〉

홍-방울새【紅一】[一쌔] 명〖조〗[*Carduelis flammea flammea*] 참샛과에 속하는 새. 날개 길이 75-80mm이고, 꽁지는 49-60mm. 이마에서 머리 위까지는 붉은 색이고, 뒷머리에서 등 쪽까지는 암갈색임. 날개에는 두 개의 백색 띠가 있으며, 가슴은 장미색, 복부는 백색, 부리는 갈색, 그 기부(基部)는 황색임. 동반구(東半球)의 북반부에서 번식하고, 그 이남에서 월동함. 소자(蘇子)를 잘 먹으므로 '소작(蘇雀)'이라고도 함.

홍-백【紅白】명 ①↗홍백색(紅白色). ②운동 경기에서, 홍군(紅軍)과 백군(白軍).

홍백-가【紅白哥】명〖민〗꼭두각시 놀음에 나오는 붉고 흰 양면 얼굴에 희고 붉은 양면 저고리를 입은 인형. 외상 술값을 떼어먹은 사람으로 등장함.

홍백-색【紅白色】명 홍색(紅色)과 백색. ㈜홍백(紅白).

홍백 시합【紅白試合】명 홍백의 두 패로 갈라서 하는 시합.

홍백 양:반【紅白兩班】[一냥一] 명〖민〗경상도 고성(固城), 통영(統營) 등지의 오광대 놀이에서 반은 붉고 반은 흰 탈을 쓰고 나오는 양반. 또, 그 탈.

홍백-전【紅白戰】명 여흥(餘興)·운동 경기 등에서, 홍군(紅軍)과 백군(白軍)으로 편을 갈라 겨루는 싸움.

홍백화-전【洪白花傳】명〖문〗작자·창작 연대 미상의 한문 소설의 하나. 중국을 배경으로 한 9회의 장회(章回) 소설. 남자 주인공 계일지(桂一枝)와 여주인공 순직소(荀織素) 사이의 사랑을 그림.

홍범[1]【弘範】명〖대종교〗대종교(大倧教)에서 시행되는 규범의 총칙(總則).

홍범[2]【洪範】명 모범이 되는 큰 규범.

홍범[3]【洪範】명〖책〗≪서경(書經)≫의 한 편(篇). 기자(箕子)가 천지(天地)의 대법(大法)을 베풀어서 주(周) 무왕(武王)에게 준 것.

홍범 구주【洪範九疇】명 ≪서경(書經)≫의 홍범에 기록되어 있는, 우(禹)가 정한 정치 도덕의 아홉 원칙. ㈜구주(九疇).

홍-범도【洪範圖】명〖사람〗독립 운동가. 평북 자성(慈城) 출신. 융희(隆熙) 1년(1907) 함경 북도 북청(北青) 후치령(厚峙嶺)에서 의병(義兵)을 일으키고, 1910년 간도(間島)로 건너가, 1919년 대한 독립군 총사령(總司令)이 되어, 만포진(滿浦鎭)·봉오동(鳳梧洞)에서 일본군을 격파하였으며, 청산리(青山里) 전투 후 독립 운동 단체가 헤이룽 강(黑龍江) 변에 집결하자, 대한 독립군단(大韓獨立軍團)을 조직하여 김좌진(金佐鎭)과 함께 부총재가 됨. 1921년 시베리아로 이동, 고려 혁명 군관 학교(高麗革命軍官學校)를 설립함. [1868-1943]

홍-범식【洪範植】명〖사람〗대한 제국의 순국 열사. 자는 성방(聖訪), 호는 일완(一阮). 풍산(豐山) 사람. 1910년 금산 군수로 있을 때 한일 합방의 비보를 듣고 스스로 목숨을 끊고 순국함. [?-1910]

홍범 십사조【洪範十四條】명〖역〗조선 시대 고종(高宗) 31년(1894) 12월 12일 고종이 백관(百官)을 거느리고 종묘(宗廟)에 나가 서고(誓告)·공포한 정치 혁신을 위한 14개 조목의 강령(綱領). 곧, 자주 독립, 후빈(后嬪)·종척(宗戚)의 불간정(不干政), 예산 편성·지방 관제 개혁·입법·인재 등용 등을 그 내용으로 함.

홍법【弘法】명〖불교〗불도(佛道)를 널리 펴는 일.

홍벽【紅甓】명 붉은 빛깔의 벽돌.

홍-벽도【紅碧桃】명〖식〗복숭아나무의 한 변종. 홍도나무와 벽도나무를 접붙이어 만든 종류. 천엽(千葉)의 아름다운 꽃이 피는데, 빛깔은 분홍이고 열매는 없음.

홍-병(:)기【洪秉箕】명〖사람〗3·1 독립 선언 민족 대표 33인 중의 한 사람. 호는 인암(仁菴). 경기도 여주 출생. 1894년 동학 운동에 가담. 1919년 3월 1일 천도교 대표로 독립 선언에 참가. 1926년 만주 지린(吉林)에서 고려 혁명당을 조직하였음. [1874-1949]

홍보[1]【弘報】명 널리 알림. 또, 그 보도. ¶～ 활동의 강화. ——하다 타여불

홍보[2]【紅褓】명 붉은 빛깔의 보자기.

홍보[3]【鴻寶】명 큰 보물.

홍-보석【紅寶石】명〖광〗루비(ruby)❶.

홍-보옥【紅寶玉】명〖광〗홍보석(紅寶石).

홍복【洪福】명 큰 행복. 썩 큰 복력(福力).

홍-봉(:)한【洪鳳漢】명〖사람〗조선 후기의 문신. 자(字)는 익여(翼汝), 호는 익익재(翼翼齋). 사도 세자(思悼世子)의 장인. 을과(乙科)로 급제, 어영 대장(御營大將)·구관 당상(勾管堂上)·평안도 관찰사 등을 역임, 영의정에 오름. 영조(英祖)를 도와, 당쟁(黨爭)의 폐해 근절, 환곡(還穀)의 작폐 엄금, 은결(隱結)의 조사 등 업적이 많음. 시호는 익정(翼靖). [1713-78]

홍분[1]【汞粉】명〖한의〗경분(輕粉).

홍분[2]【紅粉】명 ①연지와 분. ②화장(化粧)❶.

홍분-방【紅粉榜】명〖역〗분홍방(粉紅榜).

홍-불감장【紅不甘醬】명 ①빛깔은 붉으나 맛이 쓴 간장. ②겉으로는 좋아도 속은 신통찮은 것의 비유.

홍비【紅匪】명 중공군의 비칭.

홍사【紅絲】명 ①홍실. ②오라[1]. ③붉은 발.

홍사-대【紅絲帶】명〖역〗홍조아(紅絛兒).

홍사 등롱【紅紗燈籠】[一농] 명〖역〗①붉은 운문사(雲紋紗)로 둘러치고, 푸른 운문사로 위아래에 동을 달아서 의(衣)를 한 등롱(燈籠). ②조선 시대 때의 품등(品燈)의 하나. 붉은 운문사로 의를 한 등롱으로, 정·종일품의 벼슬아치가 밤에 드나들 때 들리고 다님. ㈜홍등롱·홍사롱.

홍-사롱【紅紗籠】명〖역〗↗홍사 등롱.

홍사-마【紅紗馬】명〖동〗적부루마.

홍사-면【紅絲麪】명 국수의 한 가지. 큰 새우를 짓이겨 삶아서 메밀가루·밀가루·녹말 등을 섞어 한데 반죽하고, 다시 쌀가루를 묻혀 가며 방망이로 밀어 잘게 썰어서 만듦. 익혀서 먹을 때에 돼지 고기는 대기(大忌)임.

홍-사용【洪思容】명〖사람〗시인. 호는 노작(露雀). 경기도 수원 출생. 휘문 의숙(徽文義塾)을 나와 1921년 '백조(白潮)' 동인에 참가하였으며, 또한 신극 단체인 '토월회(土月會)'의 동인이었음. '백조'를 통하여 ≪나는 왕이로소이다≫ 등의 감상적인 서정시를 많이 발표하였음. [1900-47]

홍사-정【紅絲疔】명〖한의〗붉은 핏발이 실처럼 뻗치는 병. 가장 악성의 정(疔)임.

홍사-창【紅絲瘡】명〖한의〗단독(丹毒).

홍산 대:첩【鴻山大捷】명 고려 우왕(禑王) 2년(1376)에 최영(崔瑩)이 충청 남도 부여군(扶餘郡)의 홍산(鴻山)에서 왜구(倭寇)를 크게 무찌른 싸움.

홍살-문【紅一門】명 능(陵)·원(園)·묘(廟)·궁전·관아 등의 정면 입로(入路)에 세우는 붉은 칠을 한 문. 둥근 기둥 두 개를 세우고 지붕이 없이 붉은 살을 죽 박았음. 홍전문(紅箭門). ㈜홍문(紅門).

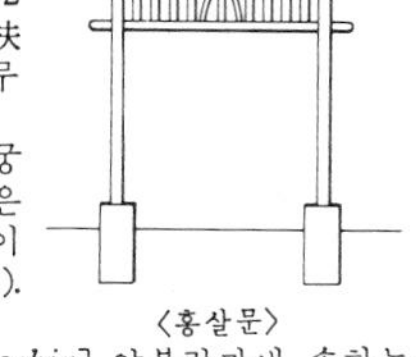
〈홍살문〉

홍-살치【紅一】명〖어〗[*Sebastolobus macrochir*] 양볼락과에 속하는 바닷물고기. 몸길이 30cm 남짓한데 아가미 딱지 전골(前骨)에 다섯 개의 가시가 있음. 몸빛은 고운 주홍빛인데 등지느러미에 커다란 흑색 반문이 하나 있음. 난태생(卵胎生)으로 봄철에 무수한 새끼를 낳음. 300-400m의 심해에 사는데, 한국 동해·일본 북부·사할린에 분포함. 식용함.

〈홍살치〉

홍삼[1]【紅衫】명〖역〗조복(朝服)에 딸린 웃옷. 붉은 빛깔의 바탕에 검은 선(線)을 두름.

홍-삼[2]【紅蔘】명 수삼(水蔘)을 쪄서 말린 붉은 빛깔의 인삼. 약효가 썩 좋음. ↔백삼(白蔘).

홍삼-정【紅蔘精】명 홍삼을 원료로 하여 용매로써 추출 제조한 것.

홍삼 정:과【紅蔘正果】명 홍삼을 꿀에 버무려 삭힌 정과.

홍삼 제:품【紅蔘製品】명 홍삼정·홍삼 분말·홍삼차·홍삼정 분말과 기타 이를 원료로 하여 제조·가공한 것.

홍삼-차【紅蔘茶】명 홍삼 분말이나 또는 홍삼의 성분을 추출한 것으로 끓인 차.

홍상【紅裳】명 ①여자가 입는 붉은 빛깔의 치마. 다홍치마. ②〖역〗조복(朝服)에 딸린 아래옷. 붉은 빛깔의 바탕에 검은 선(線)을 두름.

홍색【紅色】명 ①붉은 빛깔. ㈜홍(紅). ②↗홍색짜리.

홍색 광합성 세:균류【紅色光合成細菌類】[一뉴] 명 광합성(光合成) 세균의 한 무리. 세균 엽록소 c와 d를 가짐. 적색 또는 갈색이며, 모양과 크기는 다양함. 습한 지표(地表)에서 흔히 볼 수 있음. ＊녹색(綠色) 광합성 세균류.

홍색-근【紅色筋】명 다랑어·가다랑어 따위 회유어류(廻游魚類)에서 볼 수 있는 붉은 빛의 근육. 백색근(白色筋)에 비하여 수축(收縮)이 완만하고 피로(疲勞)가 더딤.

홍색 백어해【紅色白魚醢】명 어리뱅어젓.

홍색 세:균류【紅色細菌類】[一뉴] 명 [purple bacteria]〖생〗홍색 광합성 세균류.

홍색 식물【紅色植物】명〖식〗홍조(紅藻)류.

홍색 음선【紅色陰癬】명〖의〗사상균(絲狀菌)의 기생(寄生)에 의하여 발생하는 만성 피부병. 하복부(下腹部)·샅·겨드랑이·항문(肛門) 부근에 발생하는데, 환부(患部)에는 담홍색 또는 황갈색의 원반(圓斑)이 생기며 가려움.

홍색 인종【紅色人種】명 얼굴 빛이 붉은 인종. 아메리카 본토의 인종. 아메리카 인디언. ㈜홍인종.

홍색-조【紅色藻】명 홍조(紅藻).

홍색 조류【紅色藻類】명〖식〗홍조류(紅藻類).

홍색-짜리【紅色一】명〖민〗큰 낭자에 족두리를 쓰고 다홍 치마를 입은, 갓 시집간 새색시. ㈜홍색(紅色). ↔남색짜리.

홍색 황세균【紅色黃細菌】명 [purple sulfer bacteria]〖생〗각종 혐기성(嫌氣性)·광합성(光合成) 홍색 세균의 총칭. 수소원(水素源)으로는 황화 수소(黃化水素)나 무기 황화물(無機黃化物), 탄소원(炭素源)으로는 일산화 탄소를 이용함.

홍색 황세균과【紅色黃細菌科】[一꽈] 명〖생〗[Thiorhodaceae] 홍색 세균목에 속하는 한 과. 홍색·적색·오렌지색·갈색의 황 세균(黃細菌)이 포함됨. 거의 모두 편성 혐기성(偏性嫌氣性)으로, 황화 수소(黃化水素)를 산화하고, 체내에 황의 작은 구체(球體)를 저장하고 있음.

홍서[1]【弘誓】명〖불교〗중생을 제도하여 불과(佛果)를 얻게 하려는 불·보살의 큰 서원.

홍서[2]【鴻緖】명 제왕가(帝王家)의 계통.

홍-서(:)봉【洪瑞鳳】명〖사람〗조선 인조(仁祖) 때의 문신. 자(字)는 휘세(輝世), 호는 학곡(鶴谷). 남양 사람. 광해군(光海君) 4년(1612) 김직재(金直哉)의 무옥(誣獄) 때 파직되어 은거하다가 인조 반정(仁祖反正) 때 공을 세워 정사 공신(靖社功臣)이 됨. 병자 호란(丙子胡亂) 때 좌의정으로 최명길(崔鳴吉)과 함께 화의를 주장하였음. 인조 23년(1645) 소현 세자(昭顯世子)가 급사하자 봉림 대군(鳳林大君)의 세자 책봉을 반대함. 시호는 문정(文靖). [1572-1645]

홍석【虹石】명〖건〗홍예 중앙 마루에 있는 홍예석(虹蜺石).

홍-석구【洪錫龜】명〖사람〗조선 숙종(肅宗) 때의 학자. 자(字)는 국보(國寶), 호는 동호(東湖)·구곡 산인(九曲山人). 남양(南陽) 사람. 어려서부터 글씨를 잘 써서 편액(扁額)을 썼으며, 독서에 힘써 천문학의 이치

에 정통, 나무로 혼천의(渾天儀)를 만듦. [1621-79]

홍-석모【洪錫謨】명《사람》조선 정조·순조 때의 학자. 자(字)는 경부(敬敷), 호는 도애(陶厓). 음사(蔭仕)로 부사(府使)를 지냄. 《동국 세시기(東國歲時記)》를 지음. 생몰년 미상.

홍-석영【紅石英】명《광》붉은 석영(石英). 붉은 차돌.

홍-석주【洪奭周】명《사람》조선 시대 순조 때의 상신(相臣). 풍산(豐山) 사람. 호는 연천(淵泉). 순조 34년(1834)에 좌의정이 됨. 경학(經學)에 밝았으며 성명 이기(性命理氣)·천문·산수에 정통함. 저서 《풍산 세고(豐山世稿)》, 문집 《연천집(淵泉集)》 외에, 《동사 세가(東史世家)》·《학강 산필(鶴岡散筆)》 등이 있음. [1774-1842]

홍-석화해【紅石花醢】명 어리굴젓.

홍선【弘宣】명《불교》불교를 강설(講說)하여 유통케 함. ──-하다 타여불

홍-섬[1]【洪暹】명《사람》조선 시대 중기의 문신. 자는 퇴지(退之), 호는 인재(忍齋). 남양 사람. 중종(中宗) 30년(1535) 김안로(金安老)의 전횡(專橫)을 탄핵하고 유배되었으며, 김안로가 죽은 다음 풀려 나옴. 이때 자신의 심경을 읊은 원분가(寃憤歌)를 지었음. 명종(明宗) 7년(1552) 청백리(淸白吏)에 녹선(錄選)되었으며, 벼슬은 영의정에 이름. 시호는 경헌(景憲). [1504-85]

홍섬[2]【洪纖】명 넓고 큰 것과 가늘고 작은 것.

홍성[1]【洪城】명《지》충청 남도 홍성군의 읍(邑). 장항선(長項線)의 중요역이며, 부근 산물의 집산지임. 군청 소재지로 군내 행정·교통의 중심지임. [34,249명(1996)]

홍성[2]【鴻聲】명 큰 기러기의 우는 소리.

홍성-군【洪城郡】명《지》충청 남도의 한 군. 관내 2읍 9면. 도의 서부에 위치하며, 북은 서산시(瑞山市)와 예산군(禮山郡), 동은 예산군, 남은 청양군(靑陽郡)과 보령시(保寧市), 서는 천수만(淺水灣)에 접해 있음. 중앙을 장항선(長項線)이 통과하고 도로망이 발달하여 교통이 편리함. 각종 농산물과 축산·수산 및 금 등의 광산이 있음. 명승 고적에 월산(月山)·봉수산(鳳首山) 등이 있음. 군청 소재지는 홍성읍(洪城邑). [422.63 km² : 101,423명(1996)]

홍성 분지【洪城盆地】명《지》충청 남도 서부 지방 삽교천(揷橋川)의 지류 곡교천(曲橋川) 상류에 의하여 개석된 분지. 중심지인 홍성과 그 부근의 당진(唐津) 평야에서 쌀·금·석면 등이 산출됨.

홍성-쌀【洪城一】명 충청 남도 홍성(洪城) 일대에서 나는 쌀. 질이 좋음.

홍세【洪細】명 큰 것과 작은 것. 홍섬(洪纖). 거세(巨細).

홍-세(:)태【洪世泰】명《사람》조선 숙종(肅宗) 때의 시인. 자(字)는 도장(道長), 호는 유하(柳下)·창랑(滄浪). 서리(胥吏) 출신으로, 이문 학관(吏文學官)·울산 감목관(蔚山監牧官) 등 하급 직위에서 그침. 《유하집(柳下集)》(14권)을 저술(著述)하고, 《해동 유주(海東遺珠)》를 엮음. [1653-1725]

홍소【哄笑】명 크게 입을 벌리고 웃음. 떠들썩하게 웃어댐. ──-하다 자여불

홍-소주【紅燒酒】명 홍곡(紅穀)을 우리어 붉게 만든 소주. ↔백소주(白燒酒).

홍송【紅松】명《식》소나무의 한 가지. 몸이 무르고 결이 매우 고움. 재목으로 씀.

홍-송어【紅松魚】명《어》[*Salverinus leucomaenis*] 연어과에 속하는 물고기. 곤들매기와 비슷하나 좀 크며, 짙은 빛은 농회색이고 배 쪽은 희며 옆줄의 아래위에 뚜렷한 흰 점이 산재함. 강해성(降海性) 어종으로, 함경 북도의 하천과 강(江)어귀 및 연해·일본 중부 이북·사할린 등지에 분포함.

홍수[1]【紅一】명〈방〉홍시(紅柹).

홍수[2]【洪水】명 ①큰물. 대수(大水). 물. 시위. 출수(出水). ¶~기(期). ②넘쳐 흐를 정도로 많은 사물의 비유. ¶외래품의 ~.

홍수를 이루다 구 한꺼번에 많이 쏟아져 나와 넘쳐 흐를 정도가 되다.

홍수[3]【紅袖】명《역》①옛 군복의 붉은 소매. ②궁녀의 별칭.

홍수[4]【紅樹】명《식》[*Kandelia candel*] 홍수과에 속하는 상록 교목. 높이 4m 가량이고, 잎은 엽병이 길며 대생하고 길이 6-15cm의 타원형 또는 거꿀달걀꼴 타원형의 육질(肉質)을 이루며 반들반들함. 흰 오판화(五瓣花)가 취산(聚繖) 화서로 피며 악(萼)은 붉고, 열매는 산치자(山梔子) 비슷한데 붉게 익으며, 나무에 달린 채 씨에서 싹과 뿌리가 나서 10cm 가량 자란 뒤에 떨어지므로, 태생(胎生) 식물로서 유명함. 줄기 밑에서 기근(氣根)을 내려 서로 얽힘. 바닷가 진흙 속에 나는데, 일본의 규슈(九州)·류큐(琉球)·대만·중국 남부·말레이시아·인도 등에 분포함. 홍수림(紅樹林)을 이루는데, 방조 호안림(防潮護岸林)으로 심고, 수피에서 홍색 물감을 채취함.

〈홍수[4]〉

홍수 경:보【洪水警報】명《기상》장마나 폭우등으로, 어느 지역에 홍수가 일 것을 미리 알아서 경계시키는 기상 경보.

홍수-과【紅樹科】[-꽈] 명《식》[Rhigophoraceae] 이판화류(二瓣花類)에 속하는 한 과. 이 과의 식물은 15속(屬) 60종인데, 대개 열대 지방에 나며 종자는 그 나무에서 발아하여 홍수림(紅樹林)을 이룸.

홍수-량【洪水量】명 홍수 때에, 평상시(平常時)보다 증가한 하천(河川)의 유량(流量).

홍수-림【紅樹林】명 아열대(亞熱帶)나 열대의 해안·하구(河口) 등 해수가 밀려드는 진흙땅에 자라는 교목 또는 관목의 숲. 보통 홍수과의 식물들로 이루어지는데, 조수에 따라 물 속에 잠기기도 하고 나오기도 하는 기관(奇觀)을 보임. 맹그로브.

홍수-막이[1]【一數一】명《민》←횡수막이. ──-하다 자타여불

홍수-막이[2]【洪水一】명 홍수를 막기 위해 미리 사방 공사를 함.

홍수-벽【洪水壁】명 [floodwall] 홍수의 범람을 막기 위하여 설치한 콘크리트 방벽(防壁).

홍수 신화【洪水神話】명 옛날 세상에 대홍수가 있어 사멸(死滅)에 직면하였다는 설화. 호우(豪雨) 때문이었다는 노아의 홍수, 해수(海水)의 범람을 이야기하는 남양 제도인(南洋諸島人)의 그것 등, 세계에 널리 그 예가 보임. 홍수가 신의 노여움, 사령(邪靈)의 호기심, 단순한 자연 현상 등, 홍수 신화의 발생 원인에 대한 여러 설(說)이 있으나 근년에는 대홍수의 설화적 회상(說話的回想)이라는 설이 유력함.

홍수 예:보【洪水豫報】명 상류(上流)의 강우량을 측정하여 하류에 홍수의 정도나 그 시각 등을 미리 통고하는 일.

홍수-위【洪水位】명 하천(河川)의 수위의 하나. 일년에 한두 번 있는 최고의 수위. 또는 출수(出水)가 수년 내지 수십 년에 한 번 정도로 있는 수위.

홍-수전【洪秀全】명《사람》중국 장발적의 두목. 멸만 흥한(滅滿興漢)을 표방, 1850년에 천주교도를 이끌고 거병함. 1851년에 태평 천국(太平天國)을 세우고 자칭 천왕(天王)이라 하였으나, 뒤에 세력이 꺾이자 자살함. [1813-64]

홍수 전:술【洪水戰術】명《군》하천이나 운하를 터 놓아 그 물의 홍수로 적군을 막아 내는 전술.

홍수 조절【洪水調節】명 제방·벽·저수지·방수로(放水路) 등을 이용하여 홍수로부터 토지를 보호하는 일.

홍수 조절지【洪水調節池】[-찌] 명《토》하류로 큰 물이 흘러내리는 양을 조절하기 위하여 썩 크게 만든 저수지.

홍-수주【洪受疇】명《사람》조선 숙종(肅宗) 때의 문신·화가. 자(字)는 구언(九言), 호는 호은(壺隱). 남양(南陽) 사람. 숙종 8년(1682) 문과에 급제, 벼슬이 형조 참판에 이름. 시문(詩文)을 잘하고, 서화(書畫)에 뛰어나 특히, 매죽 포도(梅竹葡萄)를 잘 그림. 작품에 《포도도(葡萄圖)》가 있음. [1642-1704]

홍수지-옥【紅袖之獄】명《역》조선 시대 숙종 1년(1675)에, 숙종의 당숙(堂叔)되는 복창군(福昌君)·복평군(福平君)이 궁중에 드나들며 궁녀들과 간통하여 각각 영암(靈巖)·무안(務安)으로 귀양간 사건.

홍수-터【洪水一】명 홍수 때에 저수로(低水路)를 넘쳐 물이 흐르는 부분.

홍수 통:제소【洪水統制所】명 건설 교통부에 소속된 기관의 하나. 건설 교통부 장관의 소관 사무인, 하천 유역에 대한 홍수 예보·경보 등 홍수 통제에 관한 일을 분장(分掌)하여 수행함. 한강·낙동강·금강·섬진강·영산강 홍수 통제소가 있음.

홍수-파【洪水波】명 홍수 때, 상류에서 하류로 파상(波狀)으로 전해지는 최고 수위의 변화. 전면의 상승 각도는 급하고, 후면의 하강 각도는 완만함. 전파 속도는 매시 수km에서 수십 km정도이고, 평균 유속(流速)의 약 1.2-1.5배임.

홍수-피【紅樹皮】명 홍수의 껍질. 빛이 붉고 타닌산이 많아서 붉은 물감 또는 가죽 정제용의 재료. 설사약으로 씀. 단각(丹殼).

홍수 황문【紅袖黃門】명《역》궁녀(宮女)와 환관(宦官)의 일컬음.

홍순【紅脣】명 ①여자의 붉은 입술. ②반쯤 핀 꽃송이의 비유.

홍-순시기【紅巡視旗】명《역》붉은 빛깔의 순시기. 붉은 바탕에 '巡視' 두 자를 남빛으로 새겨 붙였음. *순시기(巡視旗).

홍-순학【洪淳學】명《사람》조선 말기의 문장가. 자(字)는 덕오(德五). 고종 3년(1866)에 서장관(書狀官)이 되어 중국 청나라에 다녀옴. 뒤에 대사헌(大司憲)·대사간(大司諫)·예조 참의(禮曹參議)·인천 부사(仁川府使) 등을 역임함. 청나라의 기행 가사(紀行歌辭)로서 《연행가(燕行歌)》가 전함. [1842-92]

홍-스란치마【紅一】명 스란을 댄 붉은 치마.

홍승【紅繩】명《악》편경(編磬) 틀에 경(磬)돌을 매다는 붉은 노끈.

홍시【紅柹】명 흠뻑 익어 붉고 말랑말랑한 감. 연감.

[홍시 떨어지면 먹으려고 감나무 밑에 가서 입 벌리고 누웠다] 불로소득을 바라고 있다는 뜻.

홍시-죽【紅柹粥】명 홍시를 체에 걸러 찹쌀 뜨물에 쑨 죽. 꿀을 타서 먹음.

홍-신기【紅神旗】명《역》중오방기(中五方旗)의 하나. 남방(南方)에 세움. 기면(旗面)은 다섯 자 평방. 바탕은 붉고 가장자리와 화염(火焰)은 남빛인데, 관원수(關元帥)라 하는 군신(軍神)의 화상과 운기(雲氣)를 그리었음. 깃대 길이 열다섯 자. 영두(纓頭)·주락(珠絡)·장목이 있음. *신기(神旗)·중오방기(中五方旗).

홍-실【紅一】명 붉은 빛깔의 실. 홍사(紅絲). *청(靑)실.

홍십자-회【紅十字會】명 중화 민국의 적십자사(赤十字社).

홍아리【洪牙利】명《지》'헝가리(Hungary)'의 취음(取音). 준홍(洪).

홍-아연광【紅亞鉛鑛】명《광》산화 아연(酸化亞鉛)에 약간의 망간이 섞여 있는 광물. 육방 정계(六方晶系)에 속하며 심홍색(深紅色) 또는 등황색(橙黃色)으로 산(酸)에 녹음. 중요한 아연 광석으로 쓰이며 광석 검파기 및 무선 통신기의 부품으로 사용됨.

홍안[1]【紅顔】명 젊어 혈색이 좋은 얼굴. 주안(朱顔). ¶~의 미소년(美少年).

홍안[2]【鴻雁】명 큰 기러기와 작은 기러기.

홍안 박명【紅顔薄命】명 얼굴에 도홍색을 띤, 곧 썩 예쁜 여자는 팔자가 사납다는 뜻으로 이르는 말. 미인 박명(美人薄命).

홍안 백발【紅顔白髮】명 늙어서 머리는 세었으나 얼굴은 붉고 윤이 난다는 말.

홍안 비자【紅顔婢子】명 나이가 젊고 얼굴이 곱게 생긴 계집 종.

홍안지-례【鴻雁之禮】명 혼인 때에 전안(奠雁)하는 의식.

홍암【弘巖】명《사람》나철(羅喆)의 호(號).

홍-양산【紅陽傘·紅陽繖】명《역》붉은 빛깔의 양산.

홍-양호【洪良浩】[-냥-] 명《사람》조선 시대 영조·정조 때의 문신·학자. 초명(初名)은 양한(良漢). 자는 한사(漢師), 호는 이계(耳溪). 여러 벼슬을 거쳐, 사헌부 대사헌(大司憲), 공조·형조·이조의 판서 등 화려한 관력(官歷)을 거침. 《영조 실록(英祖實錄)》·《국조 보감(國朝寶鑑)》 등 편찬 사업에 참여하였으며, 필치(筆致)와 시문에 뛰어나 문

명(文名)이 중국에까지 떨쳤음. 외직(外職)에 있을 때 유민 사업(裕民事業)에도 큰 업적을 남겼음. 저술로는 그의 시문 총집인 ≪이계집≫ 외에도 ≪해동 명장전(海東名將傳)≫·≪목민 대방(牧民大方)≫ 등 수다한 저서(著書)가 있음. 시호는 문헌(文獻). [1724-1802]

홍어【洪魚·魟魚】 명 〖어〗 [*Raja kenojei*] 가오릿과에 속하는 바닷물고기. 몸길이 1.5 m 가량, 마름모꼴을 이루어 가오리와 비슷하나, 좀 더 둥글고 가로 퍼졌으며, 머리가 작고 주둥이도 작음. 몸빛은 등 쪽이 갈색, 배는 흼. 제2 등지느러미는 작은 꼬리지느러미에 연속되고, 뒷지느러미는 없음. 한국 연해 및 일본 중남부 근해에 많음. 여름철에 맛이 좋음. 고동무치. *가오리.

〈홍어〉

홍어-국【洪魚—】 [—꾹] 명 홍어를 간장이나 고추장에 끓인 국. 홍어탕.

홍어리 명 〈방〉 부리망.

홍어 백숙【洪魚白熟】 명 홍어를 찌거나 백탕에 곤 음식.

홍어 어채【洪魚魚菜】 명 홍어를 토막쳐서 녹말을 묻힌 뒤에 끓는 물에 데치어 만든 어채. 준 홍어채(洪魚菜).

홍어-채【洪魚菜】 명 ↗홍어 어채(洪魚魚菜).

홍어-탕【洪魚湯】 명 홍어국.

홍-어파배【紅魚粑杯】 명 중국 명(明)나라 때, 선덕요(宣德窯)에서 만든 술잔. 물고기 형상의 무늬를 넣고, 손잡이가 달렸음.

홍어-회【洪魚膾】 명 홍어를 회쳐, 파·마늘·깨소금·참기름·고추장에 무친 음식.

홍-언필【洪彦弼】 명 〖사람〗 조선 시대 중기의 문신. 자는 자미(子美), 호는 묵재(默齋). 남양(南陽) 사람. 갑자 사화(甲子士禍) 때 유배되어 중종 반정(中宗反正) 때 풀려 나와, 지평(持平) 등 벼슬을 지낸 후, 우부승지(右副承旨)가 됨. 기묘(己卯) 사화 때 투옥되었으나, 영의정 조광필(趙光弼)의 변호로 풀려 나와 여섯 번이나 대사헌(大司憲)을 역임하고 이조·호조·병조·형조 판서를 거쳐, 중종 39년(1544) 영의정이 됨. 시호는 문희(文僖). [1476-1549]

홍업【洪業·鴻業】 명 나라를 세우는 큰 사업. 비구(丕構). 비업(丕業). 홍적(鴻積). 대업(大業).

홍-여새 【紅—】 명 〖조〗 [*Bombycilla japonica*] 여샛과에 속하는 새. 날개 길이 약 11 cm, 머리에 긴 우관(羽冠)이 있음. 배면(背面)은 포도갈색인데, 꽁지의 끝은 홍색이고 날개에 홍색부와 흑색부가 있으며, 그 끝에는 초 같은 부속물이 있음. 동남 시베리아에서 번식하고, 한국·중국·일본에서 월동함. 홍날개연새.

〈홍여새〉

홍-여(:)순【洪汝諄】 명 〖사람〗 조선 중기의 문신. 자(字)는 사신(士信). 남양 사람. 호조 판서로 있을 때 임진 왜란이 일어나자 지중추부사(知中樞府事)로 북도 순찰사(北道巡察使)를 지냄. 전쟁이 끝난 후 북인(北人)으로서 정권을 잡기 위하여 유성룡(柳成龍) 등을 몰아냈으며, 그의 대사헌 임명을 같은 북인 남이공(南以恭)이 반대하자 북인에서 분당(分黨), 이이첨(李爾瞻) 등과 대북(大北)을 이룸. 남이공의 소북(小北)과 당쟁을 벌이다 죽음. [1547-1609]

홍역【紅疫】 명 [도 Masern] 〖한의〗 여과성(濾過性) 병원체에 의하여 일어나는 급성 발진성 전염병. 주로 1-6살 어린이에 전염되고 봄철에 많으며, 종생(終生) 면역됨. 처음 3-4일간은 발열·기침·콧물·눈곱이 끼다가 얼굴·목·가슴·몸통의 순서로 온몸에 붉은 발진이 생김. 3-4일부터 해열이 됨. 안정·보온(保溫)을 필요로 함. 마진(痲疹). 홍진(紅疹). 진양(疹恙).

[홍역은 평생에 안 걸리면 무덤에서라도 앓는다] 홍역은 누구나 한 번은 꼭 치러야 하는 병이라는 말.

홍역(을) 치르다 구 몹시 애먹거나 어려운 일을 겪다.

홍연[1]【哄然】 명 큰 웃음을 터뜨리는 모양.

홍연[2]【洪淵】 명 광연(廣淵).

홍연[3]【紅煙】 명 아침 햇빛이나 석양(夕陽)을 받아 붉게 보이는 연기.

홍연[4]【紅鉛】 명 첫 월경(月經). 민간에서 약으로 씀. 초조(初潮). 초경(初經).

홍연[5]【鴻淵】 명 큰 못.

홍연-광【紅鉛鑛】 명 〖광〗 단사 정계(單斜晶系)에 속하며 주상(柱狀) 또는 침상(針狀)의 결정(結晶)으로서 산출(産出)되는 크롬산연(chrome酸塩)의 광물. 심홍색(深紅色) 내지 황홍색(黃紅色)으로 반(半)투명임. 가루로 만들어 채료(彩料)·안료(顏料) 등으로 씀.

홍연 대:소【哄然大笑】 명 크게 껄껄 웃음. 가가 대소(呵呵大笑). ——-하다 자 여불

홍염[1]【紅染】 명 ①잇꽃·단목(丹木)·꼭두서니 등을 이용하여 홍색으로 염색함. ②잇꽃으로 염색한 홍색. ——-하다 타 여불

홍염[2]【紅焰】 명 ①붉은 불꽃. ②〖천〗 태양의 채층(彩層)에서 분출(噴出)하고 있는 심홍색의 불꽃. 일식 때에는 망원경으로, 평시에는 분광기(分光器)로 볼 수 있음. 높이 수만(數萬) 내지 수십만 킬로미터에 미침. 프로미넌스(prominence).

홍염[3]【紅髥】 명 ①붉은 수염. ②서양 사람의 수염. 또, 서양 사람. ③'새우'의 이칭.

홍염[4]【紅艷】 명 화색이 붉게 돌고 탐스러움. ——-하다 형 여불

홍엽【紅葉】 명 ①단풍 든 나뭇잎. ②단풍나무의 붉어진 잎.

홍영【紅纓】 명 붉은 빛의 가슴걸이.

홍-영기【紅令旗】 [—녕끼] 명 〖역〗 붉은 빛의 영기(令旗). 남빛의 '令' 자를 붙였음. 열세 쌍을 가전(駕前)에 세워서 군령(軍令)을 행함. *영기(令旗).

홍-영식【洪英植】 명 〖사람〗 대한 제국의 혁명가. 자는 중육(仲育), 호는 금석(琴石). 남양 사람. 1883년에 전권 부대신(全權副大臣)으로 미국에 다녀와서 이듬해 병조 참판이 됨. 우정국(郵政局) 낙성식에 총판(總辦)의 자격으로 육조 판서와 대관을 초청, 이 개국연(開局宴)을 계기로 김옥균(金玉均)·박영효(朴泳孝) 등과 함께 갑신 정변(甲申政變)을 일으켜 혁신 내각의 우의정이 되었다가 대역 죄인(大逆罪人)으로 처형됨. [1855-84]

홍-영조【紅栘棗】 [—녕—] 명 고욤.

홍예【虹霓·虹蜺】 명 ①무지개. ②〖건〗 ↗홍예문(虹霓門).

홍예(를) 틀다 구 〖건〗 문(門) 같은 것을 홍예 모양으로 만들다.

홍예-교【虹霓橋】 명 홍예 다리.

홍예 높이【虹霓—·虹蜺—】 명 〖건〗 홍예밑과 홍예머리와의 연직 거리(鉛直距離).

홍예 다리【虹霓—·虹蜺—】 명 〖토〗 양끝은 처지고 가운데는 무지개처럼 둥글고 높이 솟게 놓은 다리. 홍교(虹橋). 홍예교.

홍예 머리【虹霓—·虹蜺—】 명 〖건〗 홍예문의 내만곡선(內彎曲線)의 정점.

홍예-문【虹霓門·虹蜺門】 명 〖건〗 문얼굴의 윗머리가 무지개같이 반원형(半圓形)이 되게 만든 문. 아치. 준 홍예(虹霓).

홍예-밑【虹霓—·虹蜺—】 명 〖건〗 홍예문의 내만곡선(內彎曲線)의 기점(起點).

홍예머리 장구무사석 종석 무사석 홍예석 홍예밑 선단석 홍예받침대

〈홍예문〉

홍예 받침대【虹霓—·虹蜺—】 [—때] 명 〖건〗 홍예문 양쪽 끝을 받친 큰 방각석(方角石).

홍예-벽【虹霓甓·虹蜺甓】 명 홍예문을 쌓는 데 쓰이는 쐐기 모양의 벽돌. 곧, 위가 둥글넓적하게 퍼지고 밑동이 조붓함. 홍예 벽돌.

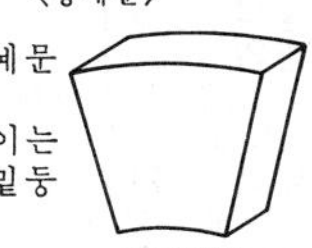

〈홍예벽〉

홍예 벽돌【虹霓甓—·虹蜺甓—】 명 홍예벽(虹霓甓).

홍예-보【虹霓—·虹蜺—】 명 〖건〗 아치형(arch形)으로 장식된 보.

홍예-석【虹霓石·虹蜺石】 명 〖건〗 홍예문을 트는 데 쓰는 쐐기 모양의 석재(石材).

홍옥【紅玉】 명 ①강옥(鋼玉)의 한 변종(變種). 붉은 빛깔의 투명 또는 투명에 가까운 보석. 루비. *백옥(白玉). ②미인의 안색이나 피부색 등의 윤이 나고 아름다움의 비유. ③사과의 한 품종. 겉껍질은 아주 붉고, 과육(果肉)은 엷은 크림 빛이며 신 맛이 있음.

홍-옥수【紅玉髓】 명 〖광〗 반투명의 갈색·적갈색 또는 짙은 등적색(橙赤色)의 옥수의 일종.

홍-옥치【紅玉—】 명 〖어〗 [*Priacanthus hamruhr*] 뿔돔과에 속하는 바닷물고기. 몸길이 30 cm 안팎, 몸은 물레가락 모양이고 머리 길이와 몸높이의 길이가 같음. 몸빛은 선명한 홍색이며 복부는 연한 빛임. 각 지느러미는 흑색 또는 암색임. 입은 수직에 가깝게 위로 향해 있으며, 눈이 크고 홍채(紅彩)는 황색임. 우리 나라 남부와 일본 중부 이남·필리핀·홍해·동인도 제도 등지에 분포함.

홍우[1]【紅友】 명 '술'의 별칭.

홍우[2]【紅雨】 명 붉은 꽃잎이 비오듯 떨어짐의 비유.

홍우단-풍뎅이【紅羽緞—】 명 〖충〗 [*Autoserica japonica*] 풍뎅잇과에 속하는 곤충. 몸길이 9 mm 가량, 몸빛은 적갈색이며, 겉날개는 조금 붉음. 다리, 촉각, 몸의 아랫부분은 적갈색인데, 온 몸이 털로 된 것 같아 광채가 남. 한국·일본·대만 등지에 분포함.

홍운【紅雲】 명 붉은 구름.

홍운-타【紅雲朶】 명 〖식〗 빛이 붉고도 두꺼운 국화(菊花).

홍원[1]【弘遠】 명 넓고도 멂. ——-하다 형 여불

홍원[2]【弘願】 명 〖불교〗 넓고 큰 서원(誓願).

홍원[3]【洪原】 명 〖지〗 함경 남도 홍원군의 읍(邑)이며 군청 소재지. 함경선(咸鏡線)의 중요 역이며 남동 1 km쯤에 외항 전진(前津)을 끼고 수륙 교통의 요지임. 백사 청송(白砂靑松)의 해변을 끼고 있어 원산(元山) 다음가는 해수욕장이 있음.

홍원-군【洪原郡】 명 〖지〗 함경 남도의 한 군. 관내 1읍 6면. 도의 중부에 위치하며 북은 신흥군(新興郡)과 북청군(北靑郡), 동은 북청군, 남은 동해, 서는 신흥군과 함주군(咸州郡)에 인접함. 기후는 동해 해류의 영향으로 온난한 편임. 함경선(咸鏡線)이 해안선을 달리고 운포·삼호 등의 작은 항구가 있음. 주요 산물로는 농산과 명태·정어리 등의 수산 및 임산·축산·공산이 있음. 명승 고적으로는 송도(松島)·절부암(節婦巖)·은적사(隱寂寺)·향파암(香破巖)·조포산(照浦山)·함관령 고전적(咸關嶺古戰蹟) 등이 있음. 군청 소재지는 홍원. [1,094 km^2]

홍원-문【弘願門】 명 〖불교〗 아미타불(阿彌陀佛) 사십팔 본원(本願) 가운데, 가장 중요한 제십팔원(第十八願)에 서원(誓願)한 염불 왕생(念佛往生)의 교(教).

홍-원식【洪元植】 명 〖사람〗 항일 독립 투사. 경기도 화성(華城) 출신. 대한 제국 군인으로 융희(隆熙)1년(1907) 군대 해산 때 이를 반대하여 일본군에 항전하다가 부상당했으나 각처로 전전하며 의병 활동을 계속함. 3·1운동 때 고향에서 만세 시위를 벌이다가 체포되어, 제암리 교회 대학살(堤岩里教會大虐殺) 때 살해됨. [?-1919]

홍-월귤【紅月橘】 명 〖식〗 [*Arctous ruber*] 진달랫과에 속하는 낙엽 활엽 관목. 원줄기가 땅 속으로 기면서 벋으며, 지상(地上)으로 나온 줄기는 지의류(地衣類) 사이에서 갈라져 가지 끝이 잎의 밑부분에 싸여 있음. 5-6월에 푸르스름한 연노랑 꽃이 두세 개씩 달려 핌. 8-9월에 빨간 구과(球果)가 열림. 과육(果肉)은 달고 십. 백두산과 설악산에 나는 특산종임.

홍위-병【紅衛兵】 명 1966년에 본격화한 중국의 문화 혁명의 한 추진력이 된 학생 조직. ≪마오 쩌둥 어록≫을 한 손에 들고 조반 유리(造反有理), 파구 입신(破舊立新)의 슬로건을 걸고 활약한, 마오 쩌둥을 지지한 학생 조직.

홍유[1]【鴻猷】 명 큰 계략. 홍도(鴻圖).

홍유[2]【鴻儒】 명 거유(巨儒).

홍유-록【鴻猷錄】 명 〖책〗 중국 명대(明代)의 사서(史書). 기사 본말체

(紀事本末體)로 쓰여졌는데 명나라 사람 고대(高岱)의 찬(撰). 1352년 명나라 홍무제(洪武帝)의 기병(起兵)으로부터 1552년 구란(仇鸞) 사건에 이르기까지 200 년간의 국정(國政)의 대사(大事)를 60 항목에 나누어 기재한 것임. 16 권. 「시명(諡名).

홍유-후【弘儒侯】명 설총(薛聰)에게 고려 현종(顯宗)이 추증(追贈)한

홍육-재【紅肉材】명 수심(樹心)에 가까운, 붉은 빛이 도는 부분에서 켜낸 목재. 「하다 형여불

홍윤【紅潤】명 불그레한 윤기가 돎. 화색(和色)이 돌고 보드라움. ——-

홍-윤(:)성【洪允成】명〖사람〗조선 시대 중기의 무신. 초명은 우성(禹成), 자는 수옹(守翁). 회인(懷仁) 사람. 수양 대군(首陽大君)을 도와 김종서(金宗瑞) 등을 제거하는 데 공을 세움. 세조(世祖) 6년(1460) 모련위(毛憐衛)의 야인(野人)들이 반란을 일으키자 신숙주(申叔舟)의 부장(副將)이 되어 이를 토벌함. 뒤에 우의정·좌의정을 거쳐 영의정이 됨. 시호는 위평(威平). [1425-75]

홍윤성-전【洪允成傳】명〖문〗작자·창작 연대 미상의 고전 소설의 하나. 국문본. 조선 시대 세조(世祖) 때의 장군 홍윤성의 실기인데 중국 소설 ≪수호전(水滸傳)≫ 일부가 삽입되어 있음.

홍은【鴻恩】명 넓고 큰 은혜. 대은(大恩). 홍자(鴻慈). 고은(高恩).

홍의[1]【弘毅】[—/—이] 명 뜻이 넓고 굳셈. ——-하다 형여불

홍의[2]【紅衣】[—/—이] 명 ①붉은 빛깔의 옷. ②〖역〗각 전(殿)의 별감(別監)과 묘사(廟社)·전궁(殿宮)·능원(陵園)의 수복(守僕)이 입는 붉은 빛깔의 웃옷.

홍의 동:자【紅衣童子】[—/—이—] 명 붉은 옷을 입은 동자(童子). 곧, 곱게 차린 어린 아이.

홍의 장:군【紅衣將軍】[—/—이—] 명〖사람〗곽재우(郭再祐).

홍의 주교【紅衣主教】[—/—이—] 명〖천주교〗추기경(樞機卿)을 일컫는 말. 그 옷빛이 홍색임.

홍-이(:)섭【洪以燮】명〖사람〗사학자. 서울 출생. 연희 전문 학교 졸업. 고려 대학교 부교수를 거쳐, 1964년 연세 대학교 문과 대학장을 역임함. 삼사 문학(三四文學) 동인으로 ≪가을의 마음≫ 등의 시도 발표하였음. 저서 ≪정약용(丁若鏞)의 정치·경제 사상 연구≫·≪한국사의 방법≫·≪조선 과학사(科學史)≫ 등이 있음. [1914-74]

홍익[1]【弘益】명 ①큰 이익. ②널리 이롭게 함. ——-하다 타여불

홍익[2]【鴻益】명 매우 큰 이익.

홍익 대학교【弘益大學校】명 사립 종합 대학교의 하나. 1946년 홍익 대학관으로 발족, 1949년 홍익 대학으로, 1971년 종합 대학으로 승격함. 서울과 조치원(鳥致院)에 캠퍼스를 두고, 1993 년 현재 7 개 대학에 45 개 학과(學科)를 개설함. 그 밖에 대학원과 4 개 특수 대학원, 각급(各級) 부설 학교가 있음. 각급(各級) 부설 학교가 있음.

홍익 인간【弘益人間】명 널리 인간 세계를 이롭게 한다는 뜻. 국조(國祖) 단군(檀君)의 건국 이념(建國理念)으로서, 고조선 개국(開國) 이래 우리 나라 정교(政教)의 최고 정신임.

홍-익한【洪翼漢】명〖사람〗조선 시대 인조(仁祖) 때의 척화신(斥和臣). 삼학사(三學士)의 한 사람. 자는 백승(伯升), 호는 화포(花浦). 남양(南陽) 사람. 병자 호란(丙子胡亂)에 주전론(主戰論)을 주장하여 뒤에 청국에 붙들려 갔으나 굽히지 않고 절사(節死)하니, 그들도 감탄하여 '삼한 삼두(三韓三斗)'의 비(碑)를 세웠음. 시호는 충정(忠正). [1586-1637]

홍인 대:사【弘忍大師】명〖사람〗중국 당나라의 명승. 치저우(蘄州) 사람. 사조(四祖) 도신 대사(道信大師)에게 도를 배워, 전법(傳法)을 맡아 오조(五祖)가 되었음. 시호는 대만 선사(大滿禪師).

홍-인종【紅人種】명 ↗홍색 인종(紅色人種).

홍-인한【洪麟漢】명〖사람〗조선 영조(英祖) 때의 상신. 자(字)는 정여(定汝). 풍산(豐山) 사람. 봉한(鳳漢)의 아우. 영조 29년(1753) 등제, 도승지·이조 판서 등을 역임하고 좌의정에 이름. 세손(世孫) 곧, 후의 정조(正祖)와 사이가 나빠, 벽파(僻派)에 가담하여 세손의 즉위를 반대하다가 1776년 정조가 즉위하자 유배되어 사사(賜死)되었음. [1722-76]

홍일【紅日】명 붉은 빛을 띤 해. 곧, 새벽에 막 떠오르는 붉은 해.

홍-일산【紅日傘】[—싼] 명〖역〗의장(儀仗)의 하나로, 붉은 빛의 일산(日傘).

홍-일점【紅一點】[—쩜] 명〔왕안석(王安石)의 영석류시(詠石榴詩) '만록총중 홍일점(萬綠叢中紅一點)'에서 나온 말〕①푸른 잎 가운데 한 송이의 붉은 꽃이 피어 있는 것. ②여럿 속에서 오직 하나 이채(異彩)를 띄우는 것. ③많은 남자들 사이에 끼어 있는 한 사람의 여자를 가리키는 말. 일점홍(一點紅).

홍자[1]【紅孜】명〖지〗'홍쯔'를 우리 음으로 읽은 이름.

홍자[2]【紅紫】명 붉은 빛깔과 보랏빛. 아름다운 빛깔의 비유.

홍자[3]【鴻慈】명 큰 은혜. 홍은(鴻恩).

홍잔【虹棧】명 무지개처럼 굽은 다리.

홍장[1]【紅帳】명 ①붉은 빛깔의 휘장. ②〖역〗과거를 보일 때, 어제(御題)를 붙인 판을 매다는 뒤 쪽의 장막.

홍장[2]【紅粧】명 ①연지 등으로 붉게 하는 화장(化粧). ②미인(美人)의 화장을 형용하는 말. ③꽃이 붉게 피어 있는 것의 비유.

홍장[3]【紅欌】명 주칠(朱漆)을 한 붉은 빛의 장(欌).

홍재【弘齋】명〖사람〗조선 시대 정조(正祖)의 호(號).

홍재기 명〈방〉홍역(紅疫)(경기·황해).

홍재 전서【弘齋全書】명〖책〗조선 시대 정조(正祖)의 시문(詩文)·윤음(綸音)·교지(教旨) 등을 모은 전집(全集). 모두 184 권 100 책(册).

홍쟁【訌爭】명 내분(內粉). 내홍(內訌).

홍저【紅菹】명 깍두기.

홍적【鴻績】명 큰 사업. 홍업(鴻業).

홍적-기【洪積期】명〖지〗홍적세(洪積世).

홍적 대지【洪積臺地】명〖지〗홍적층(層)으로 덮여 있는 대지.

홍적-세【洪積世】명〔Pleistocene epoch〕〖지〗지질(地質) 시대의 하나. 신생대(新生代) 제사기(第四紀)에서 최근의 1 만년을 제외한 약 170 만 년전부터 약 1 만 년 전까지의 시대. 빙기(氷期)와 간빙기(間氷期)가 되풀이된 빙하 시대로 매머드 같은 코끼리류(類)와 그 밖에 대포유류(大哺乳類)가 많이 살았었고, 또 이 시대에 원인(原人) 및 진정 인류(眞正人類)가 나타났다고 함. 홍적기(洪積期). 구칭 : 갱신세(更新世). ＊제사기(第四紀).

홍적세 인류【洪積世人類】[—일—] 명〖인류〗홍적세(洪積世)에 거주하고 있던 인류라고 일컫는 화석 인류(化石人類)의 딴이름.

홍적-층【洪積層】명〖지〗홍적세(洪積世)에 침적(沈積)하여 생긴 지층(地層). 해성층(海成層)·담수 성층(淡水成層)·빙하층(氷河層)으로 이루어졌으며, 빙하층은 특히 북반구에 현저함.

홍적-토【洪積土】명 홍적층을 이루고 있는 퇴적물(堆積物).

홍전[1]【紅典】명〖역〗신라 때의 관아 이름.

홍전[2]【紅箭】명 투호(投壺)에 쓰는 붉은 화살.

홍전[3]【紅氈】명 붉은 빛깔의 전(氈).

홍-전립【紅氈笠】[—절—] 명〖역〗붉은 전립. 군뢰(軍牢) 복다기.

홍전-문【紅箭門】명 홍살문.

홍점-알락나비【紅點—】명〖충〗[*Hestina assimilis*] 네발나빗과에 속하는 곤충. 암컷은 수컷보다 큰데, 편 날개의 길이는 46-110 mm 내외이고, 날개는 흑색이며 줄무늬는 청백색임. 뒷날개의 제1실(室)에서 제5실까지 각각 한 개씩의 주홍색 무늬가 있는데, 제5실의 것이 가장 작음. 한국·만주·중국 등지에 분포함.

홍점-줄나비【紅點—】[—라—] 명〖충〗[*Limenitis pratti eximia*] 네발나빗과에 속하는 곤충. 편 날개의 길이는 66-70 mm이고, 날개 표면은 흑색임. 앞날개의 한 점은 작고 외연(外緣) 가까이의 점렬(點列)은 분명치 않으며, 뒷날개의 중앙에는 백색 띠와 붉은 점이 있음. 한국 특산종임.

홍점지-익【鴻漸之翼】명〔큰 기러기의 날개는 한 번 홰쳐서 천리를 날아갈 수 있을 만큼 강력한 것이라는 뜻에서〕뛰어난 재능. 위대한 능력. 또, 그런 재능을 가진 사람.

홍정[1]【紅晶】명 홍색의 수정(水晶).

홍정[2]【紅鞓】명〖역〗붉은 빛깔의 가죽띠.

홍-정(:)하【洪正夏】명〖사람〗조선 숙종·영조 때의 중인(中人) 출신의 산학자(算學者). 자(字)는 여광(汝匡). 남양(南陽) 사람. 벼슬은 교수(教授)를 지냄. 저서에 ≪구일집(九一集)≫이 있음. [1684-?]

홍제【弘濟】명〖역〗신라의 다년호(大年號). 진흥왕(眞興王) 33년(572)에 비롯하여 진평왕(眞平王) 5년(583)에 이름.

홍제-원【弘濟院】명〖역〗조선 시대에, 지금의 서울 서대문구(西大門區) 홍제동(弘濟洞)에 있던 원(院)의 하나. 중국 사신(使臣)이 성(城) 안에 들어오기 전에 이곳에서 쉬며 예복으로 갈아입음. 「양.

[홍제원 나무 장사 잔디 뿌리 뜯듯] 무엇을 바드득바드득 쥐어뜯는 모

홍조[1]【紅潮】명 ①아침 햇빛에 비치어 붉게 보이는 해조(海潮). ②부끄러워서 갑작스레 붉어지는 얼굴 빛. ¶얼굴에 살짝 ～를 띄다. ③취하여 붉게 달아오른 얼굴 빛. ④'월경(月經)'을 점잖게 이르는 말.

홍조[2]【紅糟】명〖불교〗총림(叢林)에서 섣달 초여드렛날 아침에 먹는 팥죽. 석가가 성도(成道) 직전에 목녀(牧女)에게서 받은 유미죽(乳糜粥)에서 유래.

〈홍조 근정 훈장〉

〈홍조 소성 훈장〉

홍조[3]【紅藻】명〖식〗홍조 식물. 홍색조. 붉은말.

홍조[4]【鴻爪】명 ①기러기가 눈이나 진흙 위에 남기는 발자국. ②〔기러기가 남쪽으로 갈 때에 훗날의 표적으로 눈 위에 발자국을 남기나, 다시 돌아올 때는 이미 눈과 함께 흔적도 없이 사라진다는 뜻에서〕행적(行跡)이 묘연하거나 형적이 남지 않는 일. 운니(雲泥) 홍조.

홍조 근정 훈장【紅條勤政勳章】명 제3 등급의 근정 훈장. 수(綬)는 중수(中綬)이며, 주황색 바탕에 적색 줄이 여섯 줄 있음. ＊근정 훈장.

홍조-류【紅藻類】명〖식〗홍조(紅藻) 식물.

홍조-소【紅藻素】명 홍조류(紅藻類)의 색소체(色素體) 안에, 엽록소와 함께 들어 있는 붉은 색소(色素). 조홍소(藻紅素).

홍조 소:성 훈장【紅條素星勳章】명 제3 등급의 소성 훈장. 수(綬)는 소수(小綬)이며, 황색줄이 두 줄, 청색줄이 두 줄, 홍색줄이 두 줄, 중앙에 백색줄이 한 줄 있음. 홍조 근정(勤政) 훈장으로 바뀌었음.

홍조 식물【紅藻植物】명〖식〗[Rhodophyceae] 조류(藻類) 식물의 한 문(門). 엽록소(葉綠素) 외에 홍조소(紅藻素)를 함유하고 있으며 몸빛은 홍색 또는 자색을 띰. 뿌리·줄기·잎의 구별이 분명치 아니한 사상(絲狀)·우상(羽狀)·엽상(葉狀)을 이룸. 무성 생식(無性生殖)으로 사분 포자(四分胞子)를 만들거나, 유성(有性) 생식으로 번식함. 민물에도 있으나 흔히 바다의 비교적 깊은 곳에 착생함. 김·우뭇가사리·해인초 등. 홍색조류. 홍조(紅藻). 규조(硅藻) 식물. 「실 띠.

홍-조아【紅條兒】명〖역〗삼품 이상의 관원이 사복(私服)에 매는 붉은

홍-종우【洪鍾宇】명〖사람〗대한 제국 수구파(守舊派)의 앞잡이로 자객(刺客). 프랑스 유학 후, 김옥균(金玉均)을 중국 상하이로 유인, 저격 살해함. 본국(本國)의 교섭으로 풀려나와 귀국하여 그 공으로 교리(校理)가 됨. 독립 협회가 만민 공동회(萬民共同會)를 개최하여 개혁을 주장하자, 이기동(李基東) 등과 함께 황국 협회(皇國協會)를 조직, 보부상(褓負商)을 동원하여 독립 협회의 활동을 방해함. [1854-?]

홍주【紅酒】명 전라 남도 진도(珍島)의 명주(銘酒). 고리에서 내린 술을

지초(芝草) 뿌리를 통과시켜서 새빨간 빛과 독특한 향기를 낸 것임.

홍주-석【紅柱石】명〖광〗사방 정계(斜方晶系) 장주상(長柱狀)의 규산(珪酸) 알루미나의 광물. 경도(硬度)가 높고 광택이 있으며 장미색·육홍색(肉紅色) 등을 나타냄. 혼펠스(hornfels)·운모 편암(雲母片岩) 등에 포함되어 있는데, 급내화물(急耐火物)로 쓰임. 한국 특산으로 경기·평남·평북·전북 등지에서 남. [Al_2SiO_5]

홍주-성【洪州城】명〖역〗사적(史蹟)의 하나. 충청 남도 홍성군(洪城郡) 홍성읍(邑)에 있는 옛 성. 지금의 성은 조선 시대 문종(文宗) 원년(1451)에 수축한 것으로, 동(東)에 조양문(朝陽門), 서(西)에 경의문(景義門), 북(北)에 망화문(望華門)이 있음. 사적(史蹟) 제231호.

홍죽【紅竹】명〖식〗[*Cordyline terminalis*] 용설란과(龍舌蘭科)에 속하는 상록 관목. 높이 1-3m, 줄기는 드물게 가지가 지며, 줄기 끝에 잎이 무더기로 남. 잎은 길이 30-70cm, 폭 10cm 가량의 타원꼴 피침형을 이루는데, 자줏빛을 띤 홍색 또는 녹색이며, 노랑색·자줏빛 등의 줄무늬가 있음. 여름에 줄기 꼭대기에 길이 1-1.5cm의 통꽃이 많이 피는데, 빛은 백색·담자색·적색 등 여러 빛이 있음. 중국·오스트레일리아·동부 히말라야·인도의 원산이나, 관엽(觀葉) 식물로서 많은 품종이 재배되고 있음.

홍-줄【紅—】명 오라[1].

홍줄-노린재【紅—】[—로—] 명〖충〗[*Graphosoma rubrolineatum*] 노린잿과에 속하는 곤충. 몸길이 10-12mm, 몸의 윗면은 검으며 전흉배(前胸背)에는 5줄, 복배(腹背) 중앙에는 세 줄의 붉은 줄무늬가 있고, 제3-6 결합판(結合板)에는 각 한 개씩의 삼각형 홍색 무늬가 있음. 아랫면은 적색이고, 여덟 개의 흑점 종렬(縱列)이 있음. 산형과(繖形科) 식물의 해충으로 한국·일본 등지에 분포함.

〈홍줄노린재〉

홍중【紅中】명 마작 용어로서, 홍색으로 중(中)이라고 쓴 패(牌).

홍지[1]【弘之】명〖사람〗홍대용(洪大容)의 호(號).

홍지[2]【鴻志】명 대지(大志).

홍지-문【弘智門】명〖지〗조선 시대의 문루(門樓). 숙종 41년(1715)에 세운 것으로, 서울 종로구 홍지동에 있음. 한때 허물어졌던 것을 1977년에 복원(復元)했음.

홍진[1]【紅疹】명〖한의〗마진(痲疹).

홍진[2]【紅塵】명 ①햇빛에 비치어 벌겋게 일어나는 티끌. ②속세의 티끌. 번거롭고 속된 세상.

홍-진[3]【洪震】명〖사람〗독립 운동가. 본명은 면희(冕熹), 호는 만오(晩晤). 서울 출신. 대한 제국 때 한성 평리원 검사(漢城平理院檢事)·충청 검찰청 검사를 지냄. 3·1 운동 후 중국 상하이(上海)로 망명, 임시 정부 법무 총장(法務總長)·내무 총장·의정원(議政院) 의장·국무령(國務領)을 역임함. 한편, 김구(金九)·이동녕(李東寧) 등과 한국 독립당을 조직함. [1877-1946]

홍진 만:장【紅塵萬丈】명 홍진이 솟아오름.

홍진 세:계【紅塵世界】명 어지럽고 속된 세상을 가리키는 말.

홍차【紅茶】명 제차(製茶)의 한 가지. 차나무의 어린 잎을 발효(醱酵)시키어 말린 찻감. 달인 물은 맑은 홍색을 띠고 향기가 있음. 주로, 중국·일본·스리랑카에 남. 홍다(紅茶). *녹차(綠茶).

홍-창【紅—】명 도토리나무·박달나무 등에서 뽑은 액으로 무두질하여 만든 불그스름한 구두창. 습기에 강함. ↔청창.

홍창-회【紅槍會】명〖역〗[창(槍)에 붉은 술을 달아 이 이름이 있음] 백련교(白蓮敎)의 한 분파로, 중국 허난(河南)·산둥(山東)에 있었던 비밀 결사. 1920년 군벌(軍閥)·토비(土匪)의 압박과 착취에 반항하여 조직되었는데, 종교적·미신적 신념으로 결합된 농민의 무장 자위단(武裝自衛團)이었음.

홍채【虹彩】명 [iris]〖생〗안구(眼球)의 각막(角膜)과 수정체(水晶體) 사이에 있으며, 중앙에 동공(瞳孔)을 가진 원반상의 얇은 막(膜). 동공을 둘러싼 부분에 있는 괄약근(括約筋)과 방사상(放射狀)으로 늘어선 근육에 의하여 동공(瞳孔)을 여닫아 빛의 양(量)을 조절하며 또 영상(映像)을 선명하게 함. 인종(人種)에 따라 색소(色素)가 다른데 한국인은 다갈색, 서양인은 대록색(帶綠色)임. 눈조리개. *눈·안구(眼球).

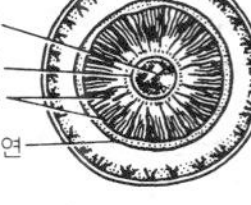

〈홍채〉

홍채-염【虹彩炎】명〖의〗홍채에 일어나는 염증. 결핵·매독·류머티즘·외상(外傷) 등의 원인으로 발생하는데, 흔히 모양체염(毛様體炎)을 병발함. 자각적(自覺的)으로는 충혈(充血)·수명(羞明)·눈물·이물감(異物感)·동통(疼痛)이 있고, 타각적(他覺的)으로는 모양 충혈(毛様充血), 전방(前房)의 혼탁(混濁)·각막 후면 및 수정체 전면의 침착물(沈着物), 축동(縮瞳)·동공 부정(瞳孔不正)·홍채의 종창(腫脹) 등이 있음.

홍채-유【紅彩釉】명 유약(釉藥)의 하나. 유리·도자기용으로 그림 물감의 재료로 쓰임. 금속의 수지산염(樹脂酸塩)을 용재(用材)에 녹인 것으로 열환원(熱還元)하여 금속막(膜)을 만듦.

홍채 이:색증【虹彩異色症】명 [heterochromia iridia]〖의〗두 개의 홍채가 다른 빛깔을 지닌 상태. 또는 하나의 홍채가 두 가지 빛깔을 지닌 상태.

홍척【洪陟】명〖사람〗신라의 중. 실상산(實相山)을 개산(開山)한 조사(祖師). 헌덕왕(憲德王) 때 입당(入唐)하여 법을 서당(西堂)에게 받고, 흥덕왕(興德王) 때 귀국함. 지리산에 실상사(實相寺)를 짓고 선풍(禪風)을 앙양하여, 선종(禪宗) 구산(九山)의 하나인 실상산파(實相山派)를 이룩하였음. 생몰년 미상.

홍천[1]【洪川】명〖지〗강원도 홍천군의 군청 소재지로 읍(邑). 군의 중서부, 홍천강(洪川江) 좌안(左岸)에 위치함. [31,150명(1996)]

홍천[2]【虹泉】명 폭포(瀑布).

홍천-강【洪川江】명〖지〗강원도 중부에서 북서쪽으로 흐르는 한강(漢江)의 지류. 홍천군 응봉산에서 발원하여, 성산·홍천을 거쳐 백양 남쪽에서 북한강에 합류함. [136km]

홍천-군【洪川郡】명〖지〗강원도의 한 군. 관내 1읍 9면. 도의 중서부에 위치하며 북은 춘성군(春城郡)과 양구군(楊口郡), 동은 인제군(麟蹄郡)과 평창군(平昌郡), 남은 횡성군(横城郡), 서는 경기도 양평군(楊平郡)에 인접함. 주요 산물로는 미곡·목화 등의 농산, 금·은·구리·납·사금·사철(砂鐵) 등의 광산, 임산 등이 있음. 명승 고적으로는 희망리 삼층 석탑(希望里三層石塔)·당간 지주 등이 있음. 군청 소재지는 홍천. [1,818 km^2 : 75,916명(1996)]

홍-철릭【紅—】명〖역〗무관의 공복(公服)의 한 가지. 당하관(堂下官)이 입었음. *철릭.

홍-초[1]【紅—】명 붉은 물감을 들인 밀초. 홍촉(紅燭).

홍초[2]【紅—】명 연머리 외에는 전체가 붉은 연.

홍초[3]【紅草】명 불경이.

홍초[4]【紅蕉】명〖식〗[*Musa coccinea*] 파초과에 속하는 다년초. 파초(芭蕉)와 비슷한데, 잎이 조금 작으며 엽신(葉身)의 길이는 1-2m이고, 긴 잎꼭지가 있음. 여름에 다홍색이나 황색의 포(苞)를 가진, 고운 꽃이 수상(穗狀) 화서로 핌. 중국 남부 및 안남 등지의 원산으로 관상용임.

〈홍초[4]〉

홍-초삼【紅綃衫】명〖악〗아악(雅樂) 등가(登歌)에서 악장(樂章)을 노래하는 도창 악사(導唱樂師)가 입던 붉은 빛깔의 예복.

홍촉【紅燭】명 붉은 물감을 들인 밀초. 홍초.

홍-치【紅—】명〖어〗[*Priacanthus macracanthus*] 뿔뽈돔과에 속하는 바닷물고기. 몸길이 30cm 가량으로 몸빛이 빨갛고 아주 고움. 등지느러미·배지느러미의 막(膜)에는 갈색의 둥근 점이 박혔음. 한국 중부 이남·일본 남부·대만·오스트레일리아 등지에 널리 분포함. 맛은 좋지 않음.

〈홍치〉

홍-치마【紅—】명 ↗다홍 치마.

홍칠【紅漆】명 붉은 빛깔의 칠.

홍콩 [Hong Kong] 명〖지〗중국 특별 행정구. 종전에 영국 직할 식민지. 중국 광둥 성(廣東省) 중남부, 주장(珠江) 강 어귀에 있는 섬과 그 대안(對岸)의 주룽(九龍) 반도 끝의 주룽 시(九龍市) 및 그 배후지(背後地)로서 중국으로부터 조차한 신계지(新界地)와 그 부속섬으로 이루어짐. 1842년 아편 전쟁(阿片戰爭) 결과 난징(南京) 조약에 따라 홍콩섬이 영국에 할양(割讓)되었고, 1898년 영국과 청나라가 맺은 99년간 조차(租借) 협정에 따라 1997년 7월 1일 중국에 반환되었음. 반환 후 '특별 행정구'가 되어, 앞으로 50년간은 종전대로 자본주의 체제가 유지되며, 외교와 국방을 제외한 고도의 자치권을 가지는 '1국가 2제도'의 정체(政體)로 출발하였음. 특히 중계 가공 무역·금융업·관광 산업이 성함. 중국 이름은 샹강(香港), 영국 이름은 빅토리아(Victoria), 정식 이름은 홍콩 차이나(Hong Kong China). [1,045 km^2 : 6,190,000명(1995)]

홍콩 달러 [Hongkong Dollar] 명〖경〗홍콩 정부에서 발행 통용되는 달러 표시의 통화(通貨). 향항불(香港弗).

홍탕[1]【洪蕩】명 수면(水面)이 넓은 모양. ——-하다 형여불

홍탕[2]【紅糖】명 홍당(紅糖).

홍태 명〈방〉큰소매.

홍태기 명〈방〉큰소매.

홍택-호【洪澤湖】명〖지〗홍쩌 호(湖).

홍-탱화【紅幀畫】명〖불교〗붉은 바탕에 금분(金粉)·은분(銀粉)·먹으로 그린 탱화.

홍토【紅土】명〖지〗열대 및 아열대 지방에서 볼 수 있는 붉은 빛의 토양(土壤). 풍화 작용이 심하여 대부분이 수산화 알루미늄과 수산화철(水酸化鐵)로 이루어지고 있음. 라테라이트(laterite)

홍통[1]【弘通】명〖불교〗교법(敎法)이 널리 퍼짐. ——-하다 자여불

홍통[2]【洪統】명 황통(皇統).

홍파【洪波】명 큰 파도. 대파(大波). 홍도(洪濤).

홍패【紅牌】명〖역〗문과(文科)의 회시(會試)에 급제한 사람에게 내어주는 증서. 붉은 바탕의 종이에 그의 성적·등급(等級) 및 성명을 먹으로 적었음.

홍패 고:사【紅牌告祀】명 옛날에 과거에 급제한 사람이 고향 집에서 부모와 동네 어른을 모셔 놓고 홍패(紅牌)를 받들어 일생의 만사 형통을 빌던 고사.

홍패 사:령【紅牌使令】명〖역〗고려 때, 과거 급제자의 본가(本家)에 홍패를 전해 주는 사령.

홍포[1]【弘布】명 널리 알림. 널리 포고(布告)함. ——-하다 타여불

홍포[2]【紅布】명 붉은 빛깔의 옷감.

홍포[3]【紅袍】명〖역〗조선 시대에 삼품(三品) 이상의 관원이 공복(公服)으로 입은 옷. 강사포(絳紗袍).

홍피【紅皮】명〖한의〗귤홍(橘紅).

홍피-증【紅皮症】[—쯩] 명〖의〗전신의 피부 각질층이 모두 붉어지며 자잘하게 벗겨지는 피부 질환. 급성·만성이 있으며 피부 색소가 칙칙해지고 비후(肥厚) 또는 위축, 탈모 따위의 증상이 나타남. 박리성 피부염(剝離性皮膚炎).

홍필【鴻筆】명 대문장(大文章). 또, 대문장을 씀. ——-하다 자여불

홍하[1]【洪河】명 큰 강.

홍-하[2]【紅河】명〖지〗'홍허'를 우리 음으로 읽은 이름.

홍하[3]【紅蝦】명〖동〗대하(大蝦).

홍하[4]【紅霞】명 해 근처에 보이는 붉은 놀.

홍학[1]【紅學】명 중국의 장편 소설 홍루몽(紅樓夢)에 대하여 연구하는 일파(一派)의 학(學).

홍학[2]【紅鶴】명〖조〗플라밍고.

홍학[3]【鴻學】명 박학(博學).

홍학-꽃【紅鶴一】명〖식〗[*Anthurium andraeanum*] 토란과에 속하는 다년초. 콜롬비아 원산. 잎은 긴 심장 모양에 황색을 띤 녹색으로 길이 30-40 cm, 폭은 10-12 cm임. 잎 사이로부터 꽃줄기가 나와 주홍빛 꽃이 달리며, 개화기는 일정치 않음. 1957년 우리 나라에 들어왔음. 플라밍고(Flamingo)꽃. 안수리움(Anthurium).

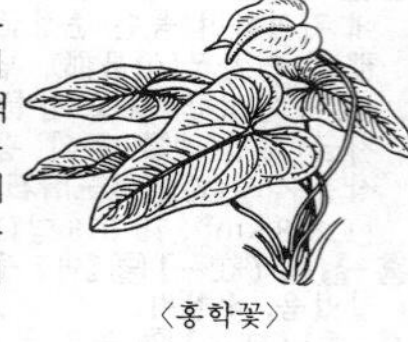
〈홍학꽃〉

홍한【洪旱】명 홍수(洪水)와 한발(旱魃).

홍함-지【洪涵地】명〖지〗범람원(氾濫原).

홍함 평원【洪涵平原】명〖지〗범람원(氾濫原).

홍합【紅蛤】명〖조개〗[*Mytilus crassitesta*] 홍합과에 속하는 바다 조개. 쐐기 모양이며 길이 15 cm, 높이 7 cm, 폭 5 cm 가량임. 껍데기는 두껍고 뒤 끝은 둥그스름하나 앞 끝은 새의 부리처럼 비쭉 내밀었음. 각표(殼表)는 검은데 좀 거칠거칠하고 안쪽은 흑자색(黑紫色)으로 매끈매끈하며 진주 광택이 남. 발에서 질긴 실 같은 물질을 내어 그것으로 10-20 m 깊이의 암초(岩礁)에 붙어 삶. 살은 붉은 빛을 띤 적등색(赤橙色)으로, 맛이 좋음. 한국 남해 연안·홋카이도·일본 등에 분포함. 담채(淡菜). 해폐(海蜌). 이패(貽貝). 별칭은 동해부인(東海夫人). ＊진주담치.

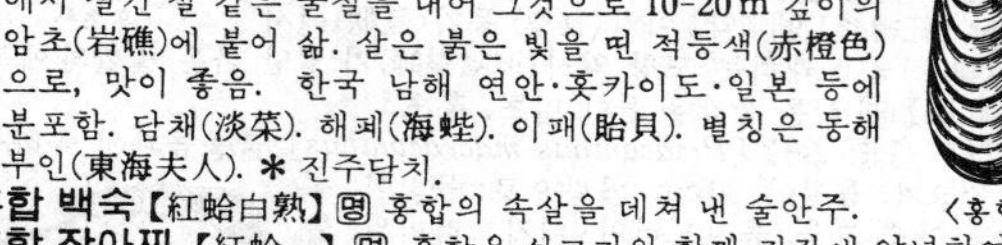
〈홍합〉

홍합 백숙【紅蛤白熟】명 홍합의 속살을 데쳐 낸 술안주.

홍합 장아찌【紅蛤一】명 홍합을 쇠고기와 함께 간장에 양념하여 조린 반찬.

홍합-젓【紅蛤一】명 홍합으로 담근 젓. 홍합해(紅蛤醢).

홍합-죽【紅蛤粥】명 마른 홍합 가루를 멥쌀과 섞어 끓인 죽.

홍합-초【紅蛤炒】명 마른 홍합을 불려 푹 삶아 내어 양념해서 만든 반찬.

홍합-탕【紅蛤湯】명 홍합에 국물을 바특하게 하여 끓인 국.

홍합-해【紅蛤醢】명 홍합젓.

홍-해【紅海】명 [Red Sea]〖지〗아프리카 북동부와 아라비아 반도 사이의 내해(內海). 북부는 수에즈 운하를 경유하여 지중해, 남부는 밥엘만뎁 해협(Bab el Mandeb 海峽)을 거쳐 인도양에 통함. 수에즈 운하 개통 후, 아시아·유럽간의 항로로서 중요함. [460,000 km²]

홍-해(:)성【洪海星】명〖사람〗연극인. 일본의 오사나이 가오루(小山内薫)에게 사사(師事)하여 연극을 배워, 1932년 이후 극예술 연구회(劇藝術研究會)의 연출을 담당하였음. [1893-1957]

홍허리-대모벌【紅一玳瑁一】명〖충〗[*Pompilus reflexus*] 대모벌과에 속하는 곤충. 암컷은 몸길이 9 mm 내외, 몸은 흑색이며 다리의 앞마디 이하는 다소 흑갈색, 복부 제1절의 대부분과 제2절의 전부와 제3절의 기부(基部)는 적갈색을 이루며 몸에는 회백색의 잔 털이 있음. 한국·일본에 분포함.

홍혈【紅血】명 붉은 피.

홍협【紅頰】명 ①붉은 빛을 띤 뺨. ②연지를 바른 뺨.

홍혹【鴻鵠】명 →홍곡(鴻鵠).

홍홍 부 코청 떨어진 사람이 말할 때, 헛김이 섞여 나오는 소리.

홍화[1]【洪化】명 크나큰 덕화(德化).

홍화[2]【紅花】명 ①붉은 꽃. ¶～ 녹엽. ②〖식〗잇꽃. ③〖한의〗잇의 꽃과 씨. 성질이 온(溫)하며 피를 다스리는데 어혈(瘀血)·통경약(通經藥) 등에 쓰임.

홍화 녹엽【紅花綠葉】명 붉은 꽃과 푸른 잎.

홍화-문【弘化門】명〖역〗창경궁(昌慶宮)의 정문(正門). 현존하는 조선 시대의 건물로서 가장 오래 된 건물의 하나로, 장중·우아·화려함.

홍황다리-허리노린재【紅黃一】명〖충〗[*Plinachtus bicoloripes*] 허리노린잿과에 속하는 곤충. 몸길이 14-16 mm이고 배면(背面)은 일률적으로 흑갈색임. 몸의 아랫면은 황록색 또는 담황색이며 각 흉절(胸節) 및 복절(腹節) 측면에 한 개씩의 흑점이 있고, 다리 색은 복면과 같으나 퇴절(腿節) 초단부(初端部)에서 끝까지는 자줏빛임. 한국에도 분포함.

홍-효(:)민【洪曉民】명〖사람〗평론가·소설가. 본명은 순준(淳俊). 경기도 연천(漣川) 출생. 1927년에 평론 《문예시평(文藝時評)》을 첫 작품으로, 문학의 사회적 기능을 중요시(重要視)한 《문학의 사회적 성격》을 발표하고, 후기에는 애국주의 문학론을 주장하였음. 작품에 장편 《인조 반정(仁祖反正)》·《신라 통일(新羅統一)》, 평론 《애국 사상과 애국 문학》 등이 있음. [1904-75]

홍희【鴻禧】[一히] 명 큰 복. 경복(景福).

홑 명 겹이 아닌 것. ↔겹.

홑- 접 명사 위에 붙어서, '한 겹'이나 '외톨'의 뜻을 나타내는 말. ¶～옷/～집/～몸.

홑-거리 명 투전 노름에서, 일·이에 돈을 태울 때, 일에 태우는 돈.

홑-것 명〈방〉홑옷.

홑-겹 명 여러 겹이 아닌 한 겹.

홑-고깔 명 백지를 홑으로 접어 만든, 농악대원들이 쓰는 고깔. ↔겹고깔.

홑-그루 명 홑으로 한 가지 농작물만 짓는 일.

홑-껍데기 명 ①한 겹으로 된 껍데기. ②겹으로 지을 옷감의 안감을 끼지 아니한 겉감. ③화투의 '껍데기'를 더욱 강조해서 이르는 말.

홑-꽃 명〖식〗하나의 꽃잎으로 이루어진 꽃. 단판화(單瓣花). ↔겹꽃.

홑-꽃잎 [一닙] 명〖식〗한 겹으로 된 꽃잎. 단엽(單葉). 단판(單瓣). ↔겹꽃잎.

홑-낚시 명 낚싯바늘이 하나만 달린 낚시. ↔겹낚시.

홑-낫표【一標】명 따옴표로 쓰는 「」의 이름. 주로, 내리글씨에 많이 쓰임. ↔겹낫표.

홑-눈 명〖충〗단안(單眼). ↔겹눈.

홑-다드라기 명〖악〗경남 삼천포 농악의 쇠가락 가운데, 2분박의 매우 빠른 4박자의 단순한 가락. 징은 한 점을 침. ↔겹다드라기.

홑-단치마 명 한 겹 옷단으로 지은 치마.

홑-담 명 한 겹으로 쌓은 담. 곧, 화방(火防)·종부 같은 것을 가리킴. ↔맞담.

홑-닿소리 [一다쏘一] 명〖언〗단자음(單子音). ↔겹닿소리·홑홑소리.

홑-대패 명 덧쇠를 끼우지 아니한 보통의 대패. ↔겹대패.

홑-도르래 명〖물〗하나의 움직 도르래 또는 고정 도르래에 줄을 하나만 걸게 되어 있는 도르래 장치. 단활차(單滑車). ＊겹도르래.

홑-두루마기 명 홑겹으로 지은 두루마기.

홑-몸 명 ①딸린 사람이 없는 혼자의 몸. 단신(單身). ＊홀몸. ②아이를 배지 아니한 몸. ③〖화〗단체(單體).

홑-무덤 명〖고고학〗주검을 하나만 묻은 무덤. 단장(單葬). ＊어울무덤.

홑-문장【一文章】명〖언〗단순한 문장. 주어(主語)와 술어(述語)와의 관계가 단 한 번만 성립하는 문장. 즉, 절(節)이 없는 문장. 단문(單文). ↔겹문장.

홑-바지 명 홑겹으로 된 바지. ↔겹바지.

홑-박자【一拍子】명 [simple time]〖악〗2박자·3박자처럼 강약의 배치가 가장 단순한 박자. 현재는 4박자도 중요성과 기본적 가치로 보아 홑박자에 넣고 있음. 단순 박자. ↔겹박자.

홑-반 명 한 겹으로 넓게 편 솜반.

홑반-뿌리 명 한 겹의 솜반을 두어 지은 옷.

홑-버선 명 한 겹으로 된 버선. ＊겹버선·솜버선.

홑-벌 명 ①한 겹으로만 된 물건. ② ☞ 단벌❷.

홑벌 사람 명 속이 깊지 못하여 얕고 얇은 사람. ㊟홑사람.

홑-벽【一壁】명 한 쪽만 흙을 바른 얇은 벽. ¶～을 치다.

홑-볏 명〖동〗단관(單冠).

홑-사람 명 ↗홑벌 사람.

홑-살이 명 홑겹으로 된 옷.

홑-성【一性】명〖생〗단성(單性). ↔쌍성(雙性).

홑성-꽃【一性一】명〖식〗단성화(單性花). ↔쌍성꽃.

홑성-불이【一性一】명〖생〗단성 생식(單性生殖). ↔쌍성불이.

홑-세포【一細胞】명〖생〗단세포(單細胞).

홑세포 동:물【一細胞動物】명〖동〗단세포 동물(單細胞動物).

홑세포 생물【一細胞生物】명〖생〗단세포 생물.

홑세포 식물【一細胞植物】명〖식〗단세포 식물.

홑-셈 명 단수(單數).

홑-소리 명 ①〖언〗단음(單音). ↔겹소리. ②〖악〗범패(梵唄)에서, 단성(單聲)으로 독창하는 소리. 사설(辭說)이 대부분 칠언 사구(七言四句) 또는 오언 사구(五言四句)의 한문 정형시(定型詩)로 되어 있으며, 연주 시간이 짧음. ＊짓소리.

홑-수【一數】명 단수(單數).

홑-실 명 외올로 된 실. 외겹실. 단사(單絲). ↔겹실.

홑-씨방【一房】명〖식〗단자방(單子房). 단실 자방. ↔겹씨방.

홑-암꽃술 [혼一] 명〖식〗홑암술. ↔겹암꽃술.

홑-암술 [혼一] 명〖식〗한 개의 심피(心皮)로 된 암술. 복숭아·완두 같은 것. 홑암꽃술. 단자예(單雌蕊). ↔겹암술.

홑-열매 [一녈一] 명〖식〗단화과(單花果).

홑-옷 [혼一] 명 안을 두지 않은, 한 겹으로만 된 옷. 단의(單衣). ↔겹옷.

홑원소 물질【一元素物質】[혼一찔] 명 [simple substance]〖화〗단일(單一)한 원소(元素)로 된 물질. 산소·수소·질소(窒素)·금·은·구리·금강석 같은 것. 단체(單體). ↔화합물(化合物).

홑-월 [혼一] 명〖언〗홑문장(文章).

홑-으로 부 세기 쉬운 적은 수효로. ¶너는 장래에 이 분을 ～ 남편으로 알고 섬길 뿐만 아니라 우리 신라를 바로잡을 영웅으로도 섬겨야 하느니라《玄鎭健 : 無影塔》.

홑으로 보다 구 대수롭지 않게 보다. 부정(否定)의 글에 쓰임. ¶홑으로 못볼 사람/홑으로 보면 안 될 분일세.

홑-이불 [一니一] 명 ①안을 두지 않은, 한 겹으로 된 이불. 주로 여름에 덮음. ②홑청.

홑이불-덩이 [一니一] 명〈방〉맹꽁이덩이.

홑-잎 [一닙] 명〖식〗단엽(單葉). ↔겹잎.

홑잎새-겹잎 [一닙一닙] 명〖식〗단신 복엽(單身複葉).

홑-자락 명 양복 저고리의 섶을 조금 겹치게 하여 단추를 외줄로 단 것. 싱글(single). ↔겹자락.

홑-자리 명〖수〗정수(整數) 또는 정수 부분의 오른쪽으로부터 첫째 번 숫자(數字)가 놓인 자리. 이를테면, 236 또는 16.45에 있어서 6이 놓인 자리. 1의 자리.

홑-지다 형 너더분하지 않고 홋홋하다. 복잡하지 않고 단순하다.

홑-집 명 한 채만으로 된, 구조가 간단한 집. ↔겹집❶.

홑-짓기 명 단작 농법(單作農法).

홑-창【一窓】명 갑창(甲窓)이 없는 미닫이. ↔겹창.

홑-처마 명 처마 끝 서까래가 일단(一段)으로 된 처마. ↔겹처마.

홑-청 명 요나 이불 따위의 홑겹으로 된 껍데기. ¶이불 ～.

홑-체 명 한 올씩으로 짠 쳇불로 메운 체. ↔겹체.

홑-치마 명 ①한 겹으로 된 치마. ↔겹치마. ②속에 아무 것도 입지 않고 입은 치마.

홑-혀 명 〖악〗 홑으로 된 생황의 혀. 백통이나 놋쇠로 만듦. 단황(單簧). ↔겹혀.

홑-홀소리 [―쏘―] 명 〖언〗 단모음(單母音). ↔겹홀소리·홀닿소리.

홑-홀씨 명 [monospore] 〖식〗 단포자(單胞子).

홑홑-하다 형 〈방〉 홋홋하다.

화[1] 명 〈옛〉 홰. 횃대. =홰[3]. ¶ 설깃옷 돌히 화예 나아걸이며≪月釋 Ⅱ : 33≫.

화[2] 【火】 명 ↗화요일(火曜日).

화:[3] 【火】 명 ①↗화기(火氣)❶. ②〖민〗 오행(五行)의 하나. 제2에 위치하며 방위(方位)로는 남쪽, 시절로는 여름, 색(色)으로는 적(赤)이 됨. ③몹시 못마땅하거나 언짢아서 나는 성. ¶ ～를 벌컥 내다.

화:가 머리 끝까지 나다 구 극도로 화나다.

화:[4] 【化】 명 ①천지 자연이 만물을 생육(生育)하는 작용. 천지의 운용·변화의 법칙. ②↗화학(化學).

화:[5] 【化】 명 성(姓)의 하나. 현재 우리 나라의 주요 본관은 나주(羅州)임.

화[6] 【和】 명 ①〖악〗 관악기(管樂器)의 한 가지. 모양이 생(笙)과 같고, 십삼관(十三管)으로 되었음. ②〖수〗 '합[1](合)❶'의 구용어.

화[7] 【和】 명 성(姓)의 하나. 우리 나라에는 현존하지 아니함.

화[8] 【花】 명 성(姓)의 하나. 우리 나라에는 현존하지 아니함.

화[9] 【華】 명 성(姓)의 하나. 우리 나라에는 현존하지 아니함.

화:[10] 【禍】 명 ①모든 재앙과 액화. ②몸과 마음에나 또는 일에 뜻밖의 변고를 당하여 받는 괴로움이나 해(害).

[화가 복된다] 처음에 재앙으로 여겨졌던 것이 원인이 되어, 뒤에 오히려 행복스러운 결과를 가져오는 수도 있다는 말.

화[11] 【靴】 명 〖역〗 목이 달려 있는 신. 목화(木靴)·흑피화(黑皮靴) 따위. 화(韡).

-화[1] 【化】 미 어떤 명사 아래에 붙어, 그렇게 만들거나 됨을 나타내는 말. ¶ 신격(神格)～/기계～/현실～. ――-하다 자타여불

-화[2] 【花】 미 꽃의 뜻을 나타내는 말. ¶ 장미～/두상～.

-화[3] 【畫】 미 도식(圖式)이 아닌 그림의 뜻을 나타내는 말. ¶ 풍경～/서양～.

화가[1] 【花歌】 명 〖문〗 작자·창작 연대 미상의 가사의 하나. 우리 생활 주변에서 볼 수 있는 갖가지 꽃들을 열거하면서 비유와 풍자로 상징적으로 형상화(形象化)한 작품.

화:가[2] 【畫架】 명 [easel] 서양화를 그릴 때에 화판(畫板)을 받치는 삼각(三脚)의 틀. 이즐.

아틀리에용

휴대용

〈화가[2]〉

화:가[3] 【畫家】 명 그림 그리는 것을 전문(專門)으로 하는 사람. 또, 그것으로 일가(一家)를 이룬 사람. 페인터(painter).

화-가래 명 나무로 자루에 직각으로 박은 가랫 바닥 끝에 쇠날을 붙인 농기구. 괭이의 원시형임.

화:가 여생 【禍家餘生】 명 죄화(罪禍)를 입은 집안의 자손.

화가 유:항 【花街柳巷】 명 유곽을 달리 이르던 말. 준화류(花柳).

화:가-자리 【畫架―】 명 〖천〗 이즐(elsel)자리.

화-가투 【花歌鬪】 명 '가투(歌鬪)'의 딴이름.

화:각[1] 【火角】 명 불에 구워서 무르게 만든 짐승의 뿔. 세공품(細工品)을 만들 때 씀.

화:각[2] 【火脚】 명 위로부터 아래로 내려오는 불길.

화각[3] 【華角】 명 화각(畫角)❶❷.

화:각[4] 【畫角】 명 ①목기(木器) 세공품(細工品)을 곱게 하는 꾸밈새의 한 가지. 채화(彩畫)를 그리고, 그 위에 쇠뿔을 썩 얇게 오리어 덧붙임. 베갯모·참빗·자 등에 응용됨. 화각(華角). ②〖악〗 악기(樂器)의 한 가지. 쇠뿔 같은 것에 그림을 그리어서 붉게 되었음. 화각(華角).

화:각[5] 【畫閣】 명 채색(彩色)을 한 누각(樓閣). 화루(畫樓).

화:각 경:대 【畫角鏡臺】 명 화각으로 꾸며 만든 경대. *자개 경대.

화:각-빗 【畫角―】 명 화각 세공(細工)을 베푼 머리빗.

화:각-장[1] 【畫角匠】 명 쇠뿔 따위를 아주 얇게 오려 그림 바탕에 덧붙이는 일을 전문으로 하는 장인(匠人).

화:각-장[2] 【畫角欌】 명 앞면을 화각으로 꾸민 장.

화:각-척 【畫角尺】 명 화각 장식을 베푼 바느질 자.

화간[1] 【禾竿】 명 〖민〗 '낟가릿대'의 한자말.

화간[2] 【和姦】 명 〖법〗 부부 아닌 남녀가 합의(合意)하여 육체적으로 관계함. ↔강간(強姦). ――-하다 자여불

화간[3] 【花間】 명 꽃과 꽃의 사이.

화간[4] 【華簡】 명 화한(華翰).

화간 접무 【花間蝶舞】 명 나비가 꽃 사이를 춤추며 날아다님.

화간-집 【花間集】 명 〖책〗 중국 오대(五代)의 사(詞)의 선집(選集). 후촉(後蜀)의 조숭조(趙崇祚)가 편찬하였는데, 18인의 작품 500수를 실은 것으로, 현존(現存)하는 사집(詞集) 중 가장 오래 된 것임. 우아(優雅)하고 농염(濃艷)한 시취(詩趣)를 지니고 있어 문학사상의 의의가 자못 큼. 모두 10권.

화-감청 【華紺靑】 명 〖공〗 인공(人工)으로 만든 감청색의 물감. 청색 안료(顔料) 코발트광을 무수 규산(無水珪酸)·탄산 칼륨과 함께 용융 화합(溶融化合)시켜 얻음. 심청색의 유리를 만들거나 또는 도자기의 염착(染着), 그 밖에 채료로 씀. ↔석감청(石紺靑).

화:갑[1] 【火匣】 명 ☞ 성냥.

화갑[2] 【花甲】 명 〖민〗 ↗화갑자(花甲子).

화갑[3] 【華甲】 명 환갑, 곧 61세. 화(華)를 분해하면 '십(十)'자 여섯과 '일(一)'이 되는 데서 옴.

화-갑자 【花甲子】 명 〖민〗 납음(納音)으로 이를 때의 육십 갑자(六十甲子)를 이르는 말. 육갑(六甲)을 둘씩 합하여 오행(五行)의 소속을 나타냄. 갑자 을축 해중금(甲子乙丑海中金) 등. 준화갑(花甲).

화강 반암 【花崗斑岩】 명 〖광〗 치밀한 석기(石基) 중에 석영(石英)·장석(長石)·운모(雲母) 등이 산점(散點)하는, 반상(斑狀) 조직의 암석. 화산암(火山岩)에 속함.

화강-석 【花崗石·花剛石】 명 화강암(花崗岩)의 조각돌.

화강 섬록암 【花崗閃綠岩】 [―녹―] 명 〖광〗 화강암과 석영(石英) 섬록암과의 중간치의 성분으로 구성된 심성암(深成岩).

화강-암 【花崗岩】 명 [granite] 〖광〗 심성암(深成岩)의 한 가지. 석영(石英)·정장석(正長石)·사장석(斜長石)·운모(雲母) 등을 주성분으로 하는 광물. 완전 정질 입상(完全晶質粒狀)의 조직을 이루며, 품질은 견고하고 아름다워서 건축·토목용재로 쓰고 분해된 것은 제도(製陶)의 재료로 씀. 구성이나 빛깔의 종류에 따라 흑운모(黑雲母) 화강암·백운모(白雲母) 화강암 등으로 나뉨.

화강암-층 【花崗岩層】 명 〖지〗 지각(地殼)의 최상층. 대륙 지역에서는 현무암층(玄武岩層) 위에 10-30 km 정도의 두께로 퍼져 있는데, 지진파(地震波)의 관측에 의하여 그 존재를 알 수 있음.

화강 편:마암 【花崗片麻岩】 명 〖광〗 화강암과 같은 광물로 이루어진 편마암. 입자 배열(粒子配列)은 편상(片狀)임.

화개[1] 【花蓋】 명 〖식〗 개나리나 붓꽃 같은 꽃의 꽃받침과 꽃부리의 빛깔이나 모양이 같아서 구별하기 곤란한 경우에 이 둘을 통틀어 이르는 말. 꽃받침은 외화개(外花蓋)라 하고, 꽃부리는 내화개(內花蓋)라 이름. 꽃뚜껑.

화개[2] 【花蓋】 명 〖불교〗 불전(佛殿)에서 불상의 위쪽 천장을 장엄(莊嚴)하는 닫집. 하늘에서 꽃비가 내려 부처의 주위를 장엄한다는 불경의 내용에서 연유. 보개(寶蓋). 산개(傘蓋). 천개(天蓋).

화개[3] 【華蓋】 명 〖역〗 여섯 모로 된 양산(陽傘) 같은 데에 그림과 수를 놓아 꾸민 고려 때의 의장(儀仗)의 하나.

화개-봉 【華蓋峰】 명 〖지〗 함경 남도 삼수군(三水郡) 삼수면에 소재하는 산. [1,594 m]

화개-산[1] 【花開山】 명 〖지〗 함경 남도 갑산군(甲山郡)에 있는 산. 함경 산맥 중에 솟아 있음. [1,244 m]

화개-산[2] 【華開山】 명 〖지〗 황해도 곡산군(谷山郡) 동촌면(東村面)에 있는 산. [1,041 m]

화개-산[3] 【華蓋山】 명 〖지〗 함경 남도 덕원군(德源郡) 풍상면(豐上面)에 있는 산. 낭림 산맥 남부에 솟아 있음. [1,187 m]

화:객[1] 【化客】 명 〖불교〗 시주(施主)를 구하러 다니는 객승(客僧).

화객[2] 【花客】 명 꽃의 구경꾼. 꽃구경하는 사람.

화:-객[3] 【貨客】 명 화물과 승객.

화객[4] 【華客】 명 단골의 손. 단골 손님. ¶ 최가의 행색이 ～으로 드나드는 등짐 장수도 아니었거니와…≪金周榮 : 客主≫.

화:객[5] 【畫客】 명 환쟁이. 그림쟁이.

화:객-선 【貨客船】 명 화물과 여객을 함께 운반하는 선박.

화갱 【和羹】 명 ①여러 가지 양념을 하고 간을 맞춘 국. ②전(轉)하여, 천자(天子)를 보좌하는 재상(宰相)의 직무.

화:거[1] 【化去】 명 다른 것으로 변하여 간다는 뜻으로 죽음을 이르는 말. ――-하다 자여불

화:거[2] 【火車】 명 〖불교〗 불길이 맹렬하게 타오르는 수레. 지옥(地獄)의 옥졸(獄卒)들이 끌고 와서, 죄를 짓고 지옥에 떨어지는 죄인들을 싣고 그 허물을 꾸짖으면서 지옥으로 보낸다고 함.

화게 【花偈】 명 〖불교〗 경전(經典) 중의 게송(偈頌). * 산화(散花).

화:격 【畫格】 명 〖미술〗 ①화법(畫法). ②화품(畫品).

화:경[1] 【化境】 명 〖불교〗 부처가 교화(敎化)할 만한 경토(境土). 곧, 시방(十方)의 모든 국토.

화:경[2] 【火耕】 명 〖농〗 화전(火田)을 가는 일.

화:경[3] 【火鏡】 명 햇볕에 비취어서 불을 일으키는 렌즈. 볼록 렌즈로 됨.

화경[4] 【花莖】 명 〖식〗 꽃이 달리는 줄기. 지하경(地下莖)이나 뿌리에서 직접 나와 잎이 달리지 아니한 것. 수선화·제비꽃 등에서 볼 수 있음. 꽃줄기.

화경[5] 【花梗】 명 〖식〗 직접 꽃이 달리는 짧은 가지. 곧, 낱낱의 꽃의 꼭지. 꽃자루. 꽃꼭지. 화병(花柄).

화경[6] 【華京】 명 아름다운 도시.

화경[7] 【華景】 명 음력 2월의 별칭.

화:경[8] 【畫境】 명 그림을 그린 듯 경치가 아름답고 맑은 곳.

화:경 수누 【火耕水耨】 명 〖역〗 중국 고대에, 양쯔 강(揚子江) 유역에서 행하여지던 수도(水稻) 재배 기술의 명칭. 모내기 농법(農法)이 채용되기 이전의 것인데, 전 해에 경작하지 아니한 경지(耕地)의 잡초를 태워 버린 후, 물을 대고 파종(播種)하여 모가 7-8치 자라면 낫으로 잡초를 베어 넘어뜨리고 다시 물을 대어 잡초는 죽고 볏모만 생장(生長)하도록 하는 재배술.

화계[1] 【花界】 명 화해(花海).

화계[2] 【花階】 명 뜰에 층계 모양으로 단을 쌓고 화훼를 심어 꽃의 계단으로 만든 시설.

화계[3] 【花鷄】 명 〖조〗 되새.

화:계[4] 【畫繼】 명 〖책〗 중국 남송(南宋)의 등춘(鄧椿)이 ≪역대 명화기(歷代名畫記)≫·≪도화 견문지(圖畫見聞志)≫에 이어, 1074-1167년 사이의 회화(繪畫)에 관한 일을 기록한 책. 모두 10권으로 되었는데, 1-5권은 비(非)전문 화가의 전기(傳記), 6·7권은 전문 화가의 전기, 8권은 특히 감명(感銘) 깊은 명화의 목록, 9·10권은 화론(畫論)과 일사(逸事)를 실었음.

화계-사 【華溪寺】 명 〖지〗 서울 도봉구(道峰區) 삼각산(三角山) 밑 우이

동(牛耳洞) 가는 도중에 있는, 봉은사(奉恩寺)의 말사(末寺). 조선 시대 광해군(光海君) 10년(1618)에 도월 대사(道月大師)에 의하여 중건되었다 하나, 현재 남아 있는 것은 1866년 용선 대사(龍船大師)와 범운 대사(梵雲大師)가 지은 것이라 함.

화고[1]【禾藁】명 볏짚.

화:고[2]【畫稿】명〖미술〗그림의 대작(大作)을 그리려는 준비로 각 부분을 초벌로 그려보는 초고(草稿).

화곡【禾穀】명 벼 종류의 곡식의 총칭.

화곡-류【禾穀類】[一뉴] 명〖식〗그 낟알을 사람이 주식으로 하는 식물. 전분이 많은 배유(胚乳)가 있음. 곧 벼·보리·밀·조 등.

화:곤【火棍】명 부지깽이.

화:골【化骨】명 뼈 또는 그와 비슷한 물질로 화(化)함. 또, 그리 되게 함. 「――하다 자타여불

화:골 부전증【化骨不全症】[一쯩] 명〖의〗뼈가 길게는 자라지만 굵어지는 것이 억제되는 병. 선천성(先天性) 질환이며 쉽게 골절을 일으킴. 골형성 부전증.

화:골성 근염【化骨性筋炎】[一썽一] 명〖의〗근육의 일부가 또는 진행성으로 다수의 근육이 골화(骨化)하는 일. 전자의 경우를 한국성(限局性) 화골성 근염, 후자를 진행성 화골성 근염이라고 함. 전자의 경우는 반복되는 외상(外傷)에 의하여 일어나며, 또 골절(骨折)이나 탈구(脫臼) 뒤에 관절의 주위에 일어남. 한편 진행성의 것은 원인 불명으로, 전신의 근육에 연속적(連續的)으로 일어나며, 호흡근(呼吸筋)을 침범하면 호흡 마비를 일으켜 사망함.

화공[1]【化工】명 ①↗화학 공업. ②↗화학 공학.

화:공[2]【化工】명 천공(天工)❶.

화:공[3]【火工】명 ①불을 때는 직공. ②탄약에 화약을 충전하는 직공.

화:공[4]【火攻】명 싸움에서 불로써 들이침. ――하다 타여불

화:공[5]【畫工】명〖미술〗직업적으로 그림을 그리는 사람. 화사(畫師). 화수(畫手).

화공[6]【靴工】명 구두를 만드는 직공.

화공-과【化工科】[一꽈] 명〖교〗↗화학 공학과.

화공 사:무관【化工事務官】명 공업직(工業職) 국가 공무원 직급 명칭의 하나. 화공 직렬(職列)에 속하며, 화공 주사(主事)의 위, 공업 서기관(書記官)의 아래로 5급 공무원임.

화공 서기【化工書記】명 공업직(工業職) 국가 공무원 직급 명칭의 하나. 화공 직렬(職列)에 속하며, 화공 서기보의 위, 화공 주사보의 아래로 8급 공무원임.

화공 서기보【化工書記補】명 공업직(工業職) 국가 공무원 직급 명칭의 하나. 화공 직렬(職列)에 속하며, 화공 서기의 아래로 9급 공무원임.

화공 약품【化工藥品】[一냐一] 명 화학 공업으로 생산되는 약품.

화:공-원【畫工員】명 화공직(畫工職) 기능 공무원. 6급·7급·8급·9급·10급의 다섯 등급이 있음.

화공 주사【化工主事】명 공업직(工業職) 국가 공무원의 직급 명칭의 하나. 화공 직렬(職列)에 속하며, 화공 주사보의 위, 화공 사무관의 아래로 6급 공무원임.

화공 주사보【化工主事補】명 공업직(工業職) 국가 공무원 직급 명칭의 하나. 화공 직렬(職列)에 속하며 화공 서기의 위, 화공 주사의 아래로 7급 공무원임.

화:공-품【火工品】명 화약·폭약 등을 써서 세공한 공작품의 총칭.

화과[1]【花果】명 꽃과 열매.

화:과[2]【畫科】명〖미술〗그림의 주제(主題)의 종류. 인물도·화훼화·영모도(翎毛圖)·산수도·화조도 등으로 나뉨.

화:곽【火一】명 ☞ 성냥.

화관【花冠】명 ①〖식〗꽃부리. ②칠보(七寶)로 꾸민 여자의 관(冠). 예장(禮裝)할 때에 씀. 화관 족두리. 칠보 화관. ③〖역〗정재(呈才) 때에 기녀(妓女)·동기(童妓)·무동(舞童)·여령(女伶)들이 쓰는 관. 모양이 각각 다름.

〈화관❷〉

화관 무:직【華官膴職】명 이름이 높고 녹(祿)이 많은 벼슬.

화관 문화 훈장【花冠文化勳章】명 제5 등급의 문화 훈장. 수(綬)는 소수(小綬)이며 백색 바탕에 적색 줄이 좌우 한 줄씩 있음. *문화 훈장.

화관 족두리【花冠一】명 화관❷.

화:광[1]【化光】명 크나큰 덕화(德化).

화:광[2]【火光】명 불빛.

화광[3]【和光】명 ①자기 지덕(知德)의 빛을 고이 감추고 밖에 나타내지 아니함. ②↗화광 동진(和光同塵).

화광 동진【和光同塵】명 ①자기의 지덕(智德)의 빛을 싸 감추고 드러내지 않는 일. ②〖불교〗부처·보살이 중생(衆生)을 제도(濟度)하기 위하여 자기 본색(本色)을 감추고 인간계(人間界)에 섞이어 몸을 나타내는 일. 준화광.

〈화관 문화 훈장〉

화:광 충천【火光衝天】명 불이 일어나서 하늘을 찌를 듯이 그 형세가 몹시 맹렬함. ――하다 자여불

화괴【花魁】명 백화(百花)의 선구라는 뜻에서, 매화(梅花)를 달리 이르는 말.

화:교[1]【化教】명〖불교〗①중생을 화익(化益)하는 가르침. ↔제교(制教). ②율종(律宗)에서 기회에 따라 중생을 교화하는 권실(權實)의 가르침.

화교[2]【華僑】명 [‘화(華)’는 중국인, ‘교(僑)’는 가주거(假住居)의 뜻] 해외에 정주(定住)하는 중국 상인.

화교-법【和較法】[一뻡] 명〖수〗혼합법(混合法)의 한 가지. 섞는 물건의 물질과 섞여 나올 물건의 품질을 정하고, 그 섞는 대중을 셈쳐 내는 법.

화:교성 섬유【化膠性纖維】[一썽] 명 아교될 성질의 섬유.

화교-절【華僑節】명 1952년 10월 21일에 타이완 타이베이(臺北)에서 전 세계 화교 대회가 열린 것을 기념하기 위하여 설정한, 해외 화교들의 축일.

화:구[1]【火口】명 ①불을 때는 아궁이의 아가리. ②불을 내뿜는 아가리. ③〖지〗화산체(火山體)의 일부에 열려 있는 용암과 화산 가스 등의 분출구. 분화구(噴火口).

화:구[2]【火丘】명 화산 분출구의 주위에 분출물이 모여 된 언덕.

화:구[3]【火具】명 ①밤에 불을 켜서 밝히는 등불·촛불 등의 제구. ②주로 폭발(爆發)에 사용하는 제구. 문관(門管)·뇌관(雷管)·신관(信管)·도화관(導火管)·폭발관·점화관·도화삭(導火索)·훈약통(燻藥筒)·장애물 파괴통 등의 총칭.

화:구[4]【火球】명 ①둥근 모양의 연소체(燃燒體). ②[bolide]〖천〗광도(光度)가 매우 강한 유성. 금성(金星) 이상의 밝기를 가진 것을 일컬음. 때로는 폭음을 내며 공중에 불꽃을 남김. 폭명 유성.

화:구[5]【畫具】명〖미술〗그림을 그리는 데 쓰는 제구.

화:구[6]【禍咎】명 재앙.

화:구-곡【火口谷】명〖지〗화구벽의 일부가 허물어져서 산 밑으로 향하여 생긴 골짜기.

화:구-구【火口丘】명〖지〗화산의 분화구(噴火口) 안에 새로 터져 나온 「비교적 작은 화산.

화:구-뢰【火口瀨】명 [barranca]〖지〗화구(火口) 또는 칼데라의 가장자리의 일부가 침식(浸蝕)되어 화구호(火口湖)의 물이 외륜산(外輪山)의 일부를 뚫고 밖으로 흘러 나와 이룬 골짜기. 또, 그 하천(河川).

화:구-벽【火口壁】명〖지〗화구(火口)를 둘러싼 벽. 그 안쪽은 급준(急峻)하고, 바깥쪽은 완경사(緩傾斜)를 이룸.

화:구-상【畫具商】명 화구를 파는 업. 또, 그 상인.

화:구-원【火口原】명〖지〗복식 화산에서, 외륜산(外輪山)과 중앙 화구구(火口丘) 사이에 있는 평지(平地).

화:구원-호【火口原湖】명〖지〗화구원(火口原)의 전부 또는 일부에 물이 괴어서 이루어진 호수(湖水).

화:구-통【畫具筒】명 화구를 넣는 통.

화:구-함【畫具函】명 화구를 넣어 가지고 다니는 함.

화:구-항【火口港】명〖지〗화산의 분화구(噴火口) 또는 폭렬구(爆裂口)가 반쯤 물 속으로 침몰되어 천연적으로 이루어진 항구.

화:구-호【火口湖】명〖지〗화산의 분화구(噴火口)에 물이 괴어서 이루어진 호수(湖水).

화:국【畫局】명〖역〗조선 시대에 도화서(圖畫署)를 달리 이르던 말.

화-국봉【華國鋒】명〖사람〗‘화 궈펑’을 우리 음으로 읽은 이름.

화 궈펑【華國鋒】명〖사람〗중국의 정치가. 산시 성(山西省) 자오청(交城) 출신. 1937년 중국 공산당 입당. 1960년 후난 성(湖南省) 당서기(黨書記)를 시작으로 지방당과 중앙당의 요직을 거쳐 1976년 수상이 됨. 마오 쩌둥(毛澤東) 사망 후 사인방(四人幇)을 추방, 당주석과 당 중앙 군사 위원회 주석에 취임했다가, 대약진(大躍進)운동의 실패와 지나친 마오 쩌둥 숭배(崇拜)를 이유로 실용주의 일파에 밀려서 1980년 수상직을 사임하고, 1981년 당 부주석(副主席)으로 강등, 1982년 이래 일체의 요직에서 탈락함. 화국봉. [1921-]

화:권[1]【火圈】[一꿘] 명〖지〗중권(重圈).

화:권[2]【化權】명〖불교〗중생 제도의 방편. 또, 방편이 되는 사람.

화귀【花鬼】명〖민〗꽃귀신.

화극[1]【話劇】명〖연〗중국에서, 대화(對話)를 중심으로 하는 신극(新劇). 가요(歌謠)를 중심으로 한 구극(舊劇)에 대하여 이름.

화:극[2]【畫戟】명 색칠이나 그림을 그려 넣은 창(槍)의 한 가지. 의장(儀仗)으로도 썼음.

화:극[3]【畫劇】명 그림 연극.

화:-극금【火克金】명〖민〗오행 운행(五行運行)에서 화(火)는 금(金)을 이긴다는 뜻.

화:근【禍根】명 재앙의 근원. 화원(禍源). 화제(禍梯). ¶ ～을 남기다.

화:근-거리【禍根一】[一꺼一] 명 화근이 될 만한 일이나 물건.

화:금[1]【火金】명〖광〗도광 제련(搗鑛製鍊)할 때 수은(水銀)으로 잡은 물금을 헝겊 등에 싸서 짜 가지고, 뭉쳐진 덩어리에 엉긴 수은을 분리(分離)·증발시키기 위하여 불에 가열(加熱)해 낸 금.

화금[2]【靴金】명〖건〗대문짝 아래 문(門)장부에 씌우는 쇠.

〈화금[2]〉

화:금 분철【火金分鐵】명〖광〗화금으로써 정한 분철.

화:금-석【火金石】명 [pyroaurite]〖광〗마그네슘 및 철의 함수 염기성 탄산염(含水塩基性炭酸塩)으로 된, 황금색(黃金色) 또는 간색의 능면정계(菱面晶系)의 광물.

화:금 자기【畫金瓷器】명 금화 옹자기(金畫甕瓷器).

화:금 청자【畫金青磁】명 청자 또는 상감 청자의 무늬 가장자리에 금니(金泥)를 메워 표면을 장식한 청자.

화:급【火急】명 걷잡을 수 없이 타는 불과 같이 급함. 매우 급함. ¶ ～한 용무. ――하다 형여불. ――히 부

화:기[1]【火技】명 총포(銃砲)를 다루는 기술.

화:기[2]【火氣】명 ①불의 뜨거운 기운. 불기운. ¶ ～ 엄금. 준화(火). ②가슴이 번거롭고 답답하여지는 기운. ③화증(火症).

화:기[3]【火器】명 ①〖군〗화약(火藥)의 힘으로 탄알을 내쏘는 병기. 총포(銃砲). 화병(火兵). ②불을 담는 그릇의 총칭.

화기[4]【和氣】명 ①따스하고 화창한 일기. ②온화한 기색. 화목한 기운. ↔노기(怒氣).

화기[5]【花期】명 ①꽃이 피어 있는 동안. 화후(花候). ②꽃이 피는 시절. 이른봄부터 가을에 걸쳐 각각 피나 대개 봄에 많이 핌.

화기[6]【花器】명 생화(生花)를 꽂는 그릇. 동기(銅器)·도자기 또는 죽제(竹製)·목제·유리제 등이 있으며 그 모양도 여러 가지임.

화:기[7]【畫技】명 그림을 그리는 기술.

화:기[8]【畫器】명 그림을 그린 사기(沙器).

화:기[9]【禍機】명 재변(災變)이 아직 드러나지 아니하고 잠겨 있는 기틀.

화:기 관제 장치【火器管制裝置】명 〔Fire Control System; FCS〕〖군〗 기관총·기관포·고사포·로켓·미사일 등의 화기를 효과적으로 발사시키기 위하여, 레이더로 목표를 포착(捕捉)하고, 목표의 이동 방향이나 속도 등을 컴퓨터에 집어넣어서 계산, 장래 위치를 예측하여 그 지점에 화기의 조준을 정하는 자동 기구(機構).

화:기-내【火氣―】명 〈방〉 화독내.

화:기 도감【火器都監】명 〖역〗 조선 광해군(光海君) 6년(1614)에 총포를 제작하기 위해 병조에 베푼 임시 기구. 불랑기(佛狼機)·현자총(玄字銃)·삼안총(三眼銃) 등을 만들었음.

화기 애애【和氣靄靄】명 여럿이 모인 자리에 온화(溫和)한 기색이 차서 넘쳐 흐르는 모양. ¶ ~한 분위기. ——-하다 형여불

화:기-학【火器學】명 〖군〗 소총·기관총·박격포 등의 화기에 대한 군사학. *전술학(戰術學).

화길【和吉】명 화목하고 길(吉)함. ——-하다 형여불

화끈 부 ①뜨거운 기운을 받아 몸이나 쇠 등이 갑자기 다는 모양. <후끈. ②〈속〉 비유적으로, 열기가 뜨거워 긴장과 흥분이 고조되는 모양. ¶ ~한 경기. ——-하다 형여불

화끈-거리다 자 뜨거운 기운을 받아 몸이 달다. <후끈거리다. 화끈-화끈 부. ——-하다 자형여불

화끈-대다 자 화끈거리다.

화:-나다【火―】자 성이 나서 화기(火氣)가 생기다. ¶화난 얼굴.

화:난[1]【火難】명 화재(火災).

화난[2]【和暖】명 날씨가 화창하고 따뜻함. ——-하다 형여불

화:난[3]【禍難】명 재앙과 환난(患難). 화환(禍患).

화난[4]〔華南〕명 〖지〗 중국 남부 지방의 통칭. 푸젠(福建)·광둥(廣東)·광시(廣西)·윈난(雲南)·구이저우(貴州)의 각 성(省)을 포함함. 곳에 따라 아열대 지역에 속하며, 산악 지대에는 묘족(苗族)·요족(猺族) 등의 소수 민족이 많이 있음. 남지(南支). 남지나(南支那). 화남. *화베이·화중.

화난-봉【花暖峰】명 〖지〗 강원도 강릉시(江陵市)에 있는 산. [1,069m]

화남[1]【和南】명 〔범 vandana〕〖불교〗 ①중이 합장(合掌)하여 예배함. ②공경(恭敬) 또는 치경(致敬)의 뜻. ——-하다 자여불

화남[2]【華南】명 〖지〗 '화난'을 우리 음으로 읽은 이름.

화:-내다【火―】자 성이 나서 화증을 내다. ¶너무 화내지 말게.

화냥-기【―氣】[―끼] 명 계집의 바람기. ¶ ~가 있다.

화냥-년 명 서방질을 하는 계집.

화냥년 시집 다니듯 구 절개없이 이리저리 붙음의 비유.

화냥-질 명 서방질. ——-하다 자여불

화:녀【化女】명 〖불교〗 술법으로 화현(化現)한 여자.

화년【華年】명 ①나이 예순한 살의 일컬음. ②소년(少年)의 한창 꽃다운 나이.

화노【花奴】명 〖식〗 무궁화(無窮花)❶.

화:농【化膿】명 〖의〗 종기가 곪아서 고름이 생김. 곧 화농균(菌)에 의하여 일어나는 염증성(炎症性)의 질환(疾患) 현상. 성농(成膿). ——-하다 자여불

화:농 간균병【化膿桿菌病】[―뼝] 명 〖의〗 가축에 생기는 병의 한 가지. 화농을 일으키는 그람 양성(Gram 陽性)의 호기성(好氣性) 간균의 간염으로, 특히 소나 말에 흔히 생김.

화:농-균【化膿菌】명 〖의〗 화농을 일으키는 세균. 화농성 포도상 구균(葡萄狀球菌)·화농성 연쇄상(連鎖狀) 구균 등의 총칭.

화:농-성【化膿性】[―썽] 명 종기가 곪아서 고름이 생길 성질.

화:농성 관절염【化膿性關節炎】[―썽―렴] 명 〖의〗 급성 감염성(感染性) 관절염의 하나. 관절의 관통창(貫通創)이나 포도상 구균·연쇄상 구균 및 임균(淋菌) 등에 의한 관절염. *임균성 관절염.

화:농성 늑막염【化膿性肋膜炎】[―썽―념] 명 〖의〗 농흉(膿胸).

화:농성-염【化膿性炎】[―썽념] 명 〖의〗 삼출성염(滲出性炎)의 한 가지. 다핵 백혈구(多核白血球)가 다량으로 삼출되는 염증. 축농증(蓄膿症)·농양(膿瘍)·봉와직염(蜂窩織炎)·절(癤)·옹(癰) 등에서 볼 수 있음.

화:농-증【化膿症】[―쯩] 명 〖의〗 화농균이 몸에 들어가서 곪는 증.

화누-바람 명 〈방〉 서풍(西風)(경북).

화니-바람 명 〈방〉 서풍(西風)(경북).

화닥닥 부 ①갑자기 뛰어나가려고 급하게 날뛰는 모양. ②일을 빨리 하느라고 급히 서두르는 모양. ¶숙제를 ~ 해치우다. 1)·2): <후닥닥. ——-하다 자여불

화닥닥-거리다 자 ①갑자기 뛰어나가려고 연해 날뛰다. ②일을 빨리 하느라고 급히 서두르다. 1)·2): <후닥닥거리다. 화닥닥-화닥닥 부. ——-하다 자여불

화닥닥-대다 자 화닥닥거리다.

화:단[1]【化壇】명 〖불교〗 시체를 올려 놓고 태우는 대(臺).

화:단[2]【火丹】명 〖한의〗 단독(丹毒)을 한의학에서 일컫는 말.

화단[3]【花壇】명 꽃을 심기 위해 마련한 단처럼 된 꽃밭.

화:단[4]【畫壇】명 화가(畫家)의 사회.

화:단[5]【禍端】명 재난의 조짐.

화:-단백석【火蛋白石】명 〖광〗 오팔(opal)의 일종. 투명 또는 반투명의 등황색(橙黃色)·갈등색(褐橙色)을 띠며, 명광색(明光色)의 불과 같은 반사(反射)를 내쏨.

화:담[1]【火痰】명 〖한의〗 열담(熱痰).

화담[2]【和談】명 ①화해(和解)하는 말. ②정답게 오가는 말.

화담[3]【花潭】명 〖사람〗 서경덕(徐敬德)의 호(號).

화담[4]【花壜】명 꽃병.

화:담[5]【畫談】명 회화(繪畫)에 관한 이야기.

화담-집【花潭集】명 〖책〗 조선 시대 때의 학자 서경덕(徐敬德)이 지은 책. 원이기(原理氣)·성음해(聲音解)·귀신 생사론(鬼神生死論)·서(序)·서(書)·자해(字解)·명(銘)·시(詩) 등이 수록되었음. 1권 1책.

화:답【和答】명 시(詩)나 노래에 응하여 대답함. ——-하다 자여불

화:대[1]【火大】명 〖불교〗 사대(四大)의 하나. 지(地)·풍(風)·수(水)와 함께 만물을 구성한다는 원소.

화대[2]【花代】명 ①놀음차. ②해웃값.

화대[3]【花臺】명 화분(花盆)을 올려 놓는 받침.

화대[4]【華臺】명 〖불교〗 불·보살 등이 앉는 상좌. 연화 대좌(蓮花臺座).

화:대[5]【畫臺】명 화판(畫板)을 올려 놓는 받침.

화-대모【華玳瑁】명 누른 바탕에 검은 점이 약간 박히고, 투명하게 생긴 대모의 껍질.

화대-천【華臺川】명 〖지〗 함경 북도 명천군(明川郡) 아간면(阿間面)에서 발원하여 동해로 들어가는 큰 내. [55.5 km]

화:덕[1]【化德】명 덕행으로써 감화함. ——-하다 타여불

화:덕[2]【火―】명 ①숯불을 피워서 쓰게 만든 큰 화로. ②한데에서 솥을 걸고 쓰도록 쇠붙이나 흙으로 간단히 만든 설비. 조(竈).

화:덕-내【火―】명 〈방〉 화독내.

화:덕 성군【火德星君】명 〖불교〗 불을 내는 신. 선문(禪門)에서 불전(佛殿)에 이 패를 모시고 재앙이 소멸하기를 빎.

화:덕 자리【火―】명 〖고고학〗 선사 시대의 집터에 마련되어 있는 난방과 취사 겸용 시설의 자취. 노지(爐址). *움집터.

화:덕 진군【火德眞君】명 〖민〗 불을 맡은 신령. *축융(祝融).

화뎬〔樺甸〕명 〖지〗 중국 지린 성(吉林省)의 중남부의 현(縣). 지린 시(市) 남쪽 약 100 km에 있음. 부근 일대에서 콩·담배를 산출함. 오일 셰일(oil shale)의 매장이 발견되고 남부 지방에는 둥베이(東北) 지구 최대의 금광이 있음. 화전. [435,000 명(1982)]

화:도[1]【化度】명 〖불교〗 중생(衆生)을 감화하여 제도(濟度)함. ——-하다 타여불

화:도[2]【化盜】명 도적(盜賊)을 감화시킴. ——-하다 자여불

화:도[3]【化道】명 ①교화(敎化)의 도(道). ②선(善)으로 옮김. ——-하다 자여불

화:도[4]【化導】명 덕의(德義)로써 교화(敎化)하여 이끎. ——-하다 타여불

화:도[5]【火刀】명 부시.

화:도[6]【火途】명 〖불교〗 삼악도(三惡道)의 하나. 곧, 지옥도(地獄道). *혈도(血途)·도도(刀途).

화:도[7]【火度】명 도자기 등을 굽는 온도.

화:도[8]【火道】명 ①불이 통하는 길. ②〖지〗 지각(地殼) 속에서 화구(火口)로 통하는 화산 분출물의 통로.

화-도[9]【禾島】명 〖지〗 평안 남도 용강군(龍岡郡)의 서해상에 있는 섬. 조기의 어획이 특히 많고, 산란기(産卵期)에는 제주 난류의 북상(北上)에 따라 새우·갈치·민어 등의 난해성 어족(暖海性魚族)이 많이 모여 듦. [0.663 km^2]

화-도[10]【花島】명 〖지〗 ①함경 남도 정평군(定平郡) 함흥만(咸興灣)에 있는 섬. [1.665 km^2] ②경상 남도의 남해상, 거제시(巨濟市) 둔덕면(屯德面) 술역리(述亦里)에 위치한 섬. [1.21 km^2] ③전라 남도의 서해상, 신안군(新安郡) 증도면(曾島面)에 위치한 섬. [0.16 km^2] ④전라 남도의 남해상, 완도군(莞島郡) 금일면(金日面)에 위치한 섬. [0.10 km^2] ⑤충청 남도의 서해상, 태안군(泰安郡) 소원면(所遠面) 송현리(松峴里)에 위치한 섬. [0.16 km^2]

화도[11]【花道】명 수지(樹枝)·초화(草花) 등에 인공을 가하여 풍취(風趣)를 더하는 기술.

화도[12]【和道】명 〖지〗 경기도 남양주시(南楊州市)의 한 읍(邑). 시(市)의 동쪽에 있으며, 1991년 화도면(和道面)에서 읍으로 승격함. [29,085 명(1996)]

화:도[13]【畫道】명 회화(繪畫)의 도. 회화의 도리.

화:도[14]【畫圖】명 여러 종류의 그림을 총칭.

화도-끝【華―】명 피륙의 두 끝에 상표(商標)를 넣어서 짠 부분. 화두(華頭).

화도-식【花圖式】명 〖식〗 화식도(花式圖).

화:독【火毒】명 불의 독기(毒氣).

화:독-내【火毒―】명 음식이 타게 된 때에 나는 냄새. 초취(焦臭).

화동[1]【花童】명 의식(儀式) 때에, 앞에 나가 그 행사의 주인공에게 꽃다발을 드리는 어린아이.

화동[2]【和同】명 두 사람 사이가 벌어졌다가 다시 뜻이 서로 잘 맞게 됨. ——-하다 자여불

화:동[3]【畫棟】명 ①채색한 마룻대. ②전(轉)하여, 아름답게 색칠한 건물.

화-동개 명 〈방〉 동개.

화동 정:음 통석 운:고【華東正音通釋韻考】명 〖책〗 조선 시대 영조(英祖) 때 박성원(朴性源)이 지은 운서(韻書). 영조 23년(1747)에 지음. 2권 1책.

화동 협음 통석【華東叶音通釋】명 〖책〗 조선 시대 영조(英祖) 때의 학자 박성원(朴性源)이 지은 운서(韻書) 《화동 정음 통석 운고(華東正音通釋韻考)》에 빠진 글자를 보충한 책.

화:두[1]【火斗】명 다리미.

화:두[2]【火頭】명 〖불교〗 절에서 불을 때는 일. 또, 그 일을 맡아 보는 사람.

화두[3]【華頭】명 화도끝.

화두[4]【話頭】명 ①이야기의 말머리. ②〖불교〗 〔말보다 앞서가는 것이라는 뜻에서〕 선종(禪宗)에서, 수행자가 깨달음을 얻기 위하여 참선(參禪)하면서 연구하는 과제. 약 1,700 종류가 있음. 공안(公案).

화두 공안【話頭公案】명〖불교〗선종(禪宗)에서, 스승이 말로 표현하여 주는 공안(公案).

화:두 금강【火頭金剛】명〖불교〗오추 사마 명왕(烏芻沙摩明王).

화두-와【花頭瓦】명〖건〗막새❶.

화:둔【火遁】명 불을 사용하여 자기 몸을 감추는 술법.

화드득 부 ①뭚은 똥이 힘차게 쏟아져 나오는 소리. ②경망(輕妄)하게 방정을 떠는 모양. ③숯불의 불똥이 튀거나 총포(銃砲)·딱총 등이 터지며 나는 소리.

화드득-거리다 자 잇따라 화드득 소리가 나다. ¶화드득거리는 총포 소리. 화드득-화드득 부. ——-하다 자여불

화드득-대다 자 화드득거리다.

화들짝 부 별안간 호들갑스럽게 펄쩍 뛸 듯이 놀라는 모양. ¶봉삼이 말이 떨어지자, 잠든 줄 알았던 네 사람이 뱀 만난 여치들처럼 ～ 놀라 일어나 앉았다≪金周榮 : 客主≫.

화:-등잔【火燈盞】명 놀라거나 앓아서 퀭해진 눈을 형용하는 말. ¶눈을 ～같이 뜨고 전화를 걸고 있는 황창하를 지켜 보았다≪辛相雄 : 배회≫.

화:디 명〈방〉등잔(평안).

화:-딱지【火—】명〈속〉화(火)❸. ¶～가 나서 죽겠다.

화:라기【火—】명〈방〉화로(火爐).

화라지¹ 명 ①옆으로 길게 뻗어 나간 나뭇가지를 땔나무로 이르는 말. ② ☞ 활대.

화라지² 명〈방〉〖민〗박수¹.

화락【和樂】명 화평하고 즐거움. ——-하다 형여불

화:락-천【化樂天】명〖불교〗육욕천(六欲天)의 하나. 욕계 육천(慾界六天)의 다섯 째 하늘. 이 곳에서는 바라는 바는 무엇이든 이루어지게 하여 즐겁게 한다고 하는데, 장수(長壽)하며, 단정하며, 또한 즐거움이 많은 세계로 일컬어짐. 인간 세계의 800살이 이 곳에서는 '하루'이고 8천 살의 수명을 누릴 수 있다 함. 낙변화천(樂變化天)이라고도 함. 화천(化天).

화란¹【和蘭】명〖지〗'네덜란드'의 한자 표기.

화:란²【禍亂】명 재앙과 세상의 어지러움.

화란 경:매법【和蘭競賣法】[—뻡] 명 [Dutch auction] 파는 쪽에서 최고가(最高價)를 불러 놓고, 살 사람이 나올 때까지 그 가격을 내려 나가는 경매법.

화란 동인도 회:사【和蘭東印度會社】명〖역〗1602년 동양 무역의 진흥(振興)을 위하여 60만 플로린(florin)의 자본으로 창설(創設)된 네덜란드의 척식(拓植) 주식 회사. 희망봉(喜望峰)과 마젤란(Magellan) 해협 사이의 무역권·조약 체결권·군사권을 얻어 정부의 두터운 보호를 받았으나 영국의 동인도 회사와의 경쟁에 실패, 1800년 해산됨.

화랑¹【花郞】명〖역〗신라 시대에 있었던 청소년의 민간 수양 단체. 또, 그 단체의 중심 인물. 제24대 진흥왕 때 원화(源花)의 뒤를 이어, 그 신봉하는 사람을 중심으로 세속 오계(世俗五戒)를 지키며 학덕을 갖추고 용모 단정한 귀족의 자제로써 조직되었음. 이들의 주요 활동은 가무 오락, 심신 단련, 명산 대천의 순례, 민정 시찰, 유사 봉공(有事奉公) 등이며, 효제 충신(孝悌忠信)을 지도 이념으로 하여 정치·사회 선도(善導)를 이념으로 국가 발전에 큰 영향을 미쳤는데, 특히 신라의 삼국 통일에 공로가 컸음. 신라의 쇠퇴와 함께 소멸함. 국선(國仙). ＊화랑도·화랑이.

화:랑²【畫廊】명 그림 등 미술품을 진열하여 전시(展示)하는 곳. 또, 화상(畫商)의 가게. 갤러리. ¶예총(藝總) ～.

화랑-도¹【花郞徒】명〖역〗신라 때의 청소년 민간 수양 단체. 또, 화랑의 무리. 풍류도. 풍월도.

화랑-도²【花郞道】명 화랑이 지키어야 할 도리. 유(儒)·불(佛)·선(仙) 세 교의 정신을 받들고 오계(五戒)와 삼덕(三德)을 신조로 하여 애국 애족을 표방하였음.

화랑 무:공 훈장【花郞武功勳章】명 제4 등급의 무공 훈장. 수(綬)는 소수(小綬)이며, 짙은 적색 바탕에 넉 줄의 백색 줄이 있음. ＊인헌(仁憲) 무공 훈장.

〈화랑 무공 훈장〉

화랑 세:기【花郞世紀】명〖책〗신라 때 김대문(金大問)이 지었다고 하는 화랑의 전기. 역대 화랑들에 관한 내력과 활약상 등을 적었다고 하는데 원본은 전하지 않음. 1989 년과 1995 년, 충북 청원군(淸原郡)의 한학자(漢學者) 박창화(朴昌和) (1889-1962) 의 필사본(筆寫本) 2 권이 각각 발견되어 그 진위(眞僞)가 논란의 대상이 되고 있음.

화랑-이【花郞—】명〖민〗조선 시대 때, 광대의 일종. 광대와 비슷하나 대체로 고운 옷을 입고 가무(歌舞) 행악(行樂)을 주장으로 하는 점이 다름.

화랑 정신【花郞精神】명 화랑도(花郞道)에 맞는 정신. 나라에 충성하고 부모에게 효도하고, 벗을 믿음으로 사귀고, 살생(殺生)을 삼가고, 싸움에 임하여 물러서지 아니하는 정신.

화랑이 명〈옛〉박수¹. ¶화랑이 격(覡)≪字會 中 3≫.

화래 명〈방〉화로(황해).

화랭이 명〈방〉①화랑이(경상). ②무당(巫堂)(경남).

화레 명〈방〉화로(황해·평남).

화려¹【華麗】명 번화하고 고움. 화미(華美). ¶～한 옷차림/～한 저택. ——-하다 형여불

화려²【華櫚】명 화류(樺榴).

화려-체【華麗體】명〖문〗문체(文體)의 하나. 매우 감정적이고, 마디마디의 말 가운데 호화스러운 색채와 음악적 가락을 띠며, 선명한 인상을 줌. 미문(美文)이기는 하나 자칫하면 천속(賤俗)에 흐르기 쉬움.

화:력【火力】명 ①불의 힘. 불의 세기와 기세. 불이 탈 때에 내는 열(熱) 에너지. ¶～ 전기. ②〖군〗대포·기관총·소총 등의 위력. 화기(火器)의 기세. ¶최대의 ～을 갖춘 부대.

화:력 발전【火力發電】[—쩐] 명〖물〗석탄(石炭)·석유(石油)를 연료(燃料)로 하고 열기관(熱機關)에 의하여 발전기를 돌리어 전기(電氣)를 일으키는 일. 주로 증기 터빈(蒸氣 turbine)을 사용함. 기력(汽力) 발전. ↔ 수력(水力) 발전.

화:력 발전소【火力發電所】[—쩐—] 명 화력 발전으로 전력을 발생시켜 배전(配電)하는 발전소. ↔수력 발전소.

화:력 장비【火力裝備】명〖군〗화력(火力)을 발휘할 수 있는 장비.

화:력-전【火力戰】명〖군〗소총·기관총·대포 따위와 같은 화약을 쓰는 병기를 주무기(主武器)로 하는 전쟁.

화:력 전:기【火力電氣】명 화력 발전에 의하여 얻는 전기. ↔수력 전기(水力電氣).

화:력-주의【火力主義】[—/—이] 명〖군〗현대전이 철저한 종합(綜合) 화력 전투라 하여 물량(物量)과 기술(技術)의 중요성을 주장하는 군사 학상(軍事學上)의 이론.

화:력 지원【火力支援】명〖군〗육상·함정의 화포 또는 항공기로써, 적과 직접 맞닥뜨린 부대를 지원·엄호하는 일.

화련【花蓮】명〖지〗'화롄'을 우리 음으로 읽은 이름.

화:렴【火廉】명〖민〗매장한 시체의 빛깔이 까맣게 변하는 일.

화:렴(이) 들다 구〖민〗매장한 시체의 빛깔이 까맣게 변하여지다.

화령【花翎】명 중국 청(淸)나라 때 황족(皇族) 또는 고관(高官)들에게 하사(下賜)한 모자 뒤에 드리는 공작(孔雀)의 꼬리.

화롄〔花蓮〕명〖지〗타이완(臺灣) 동부의 항만 도시. 화롄 강(花蓮溪)의 북쪽 어귀에 위치하며, 타이베이(臺北)에서 직통 열차가 통하는 철도·도로의 요충임. 사탕수수·쌀·장뇌(樟腦)의 집산지. 국제 상항(商港)으로서 목재·설탕·대리석·시멘트·통조림·비료·바나나 등을 수출하고, 기계·석탄 등을 수입함. 화련. [약 100,000 명(1975)]

화:로【火爐】명 숯불을 담아 놓는 그릇.

화:로 살판【火爐—】명〖민〗땅재주에서, 불을 벌겋게 피워 담은 놋화로를 안고 뒤로 재주 넘는 동작.

화로-수【花露水】명 꽃의 액(液)을 짜 내어 만든 향수(香水). 지금은 주정(酒精)에 온갖 향료를 타서 만듦.

화-록청【花綠靑】명 에메랄드 그린(emerald green).

화:론【畫論】명 회화(繪畫)에 관한 논평 또는 이론.

화:론 육법【畫論六法】[—뉵—] 명〖미술〗육법(六法)❷.

화:롯-가【火爐—】명 ①화로의 옆. ②화로의 변두리.

[화롯가에 엿을 붙이고 왔나] 손님이 왔다가 총총히 돌아가려 할 때, 무엇을 그리 급히 갈게 있냐고 붙드는 말.

화:롯-불【火爐—】명 화로에 담은 불. 노화(爐火).

화:롯-전【火爐—】명 화로에서, 가장자리가 넓적하게 되어 있는 부분.

화롱【花籠】명 꽃 광주리.

화뢰【花蕾】명 꽃봉오리.

화:룡¹【火龍】명 ①불을 등에 진 용. ②'염천(炎天)'의 형용.

화:룡²【畫龍】명 용을 그림. 또, 그림 속의 용.

화:룡 대:기【畫龍大旗】명 교룡기(蛟龍旗).

화:룡 점정【畫龍點睛】명〔용(龍)을 그린 뒤 마지막으로 눈동자를 그려 넣었더니 그 용이 홀연히 구름을 타고 하늘로 날아 올라갔다는 고사(故事)에서〕사물의 가장 요긴한 곳 또는 무슨 일을 함에 가장 요긴한 부분을 끝내어 완성시킴을 이르는 말. 점정(點睛).

화:룡-초【畫龍—】명 용틀임을 그린 밀초. 화룡촉(畫龍燭).

화:룡-촉【畫龍燭】명 화룡초.

화:루¹【火—】명〈방〉화로(火爐)(충남·경기·황해·강원·전라·경상·평안).

화:루²【畫樓】명 화각(畫閣).

화루똥 명〈방〉화루(함남).

화:뤼【火—】명〈방〉화로(火爐)(함북).

화류¹【花柳】명 ①꽃과 버들. ②〔↗화가 유항(花街柳巷)〕기생 또는 유곽의 일컬음.

화류²【和硫】명〖화〗가황(加黃).

화류³【華留】명〖역〗수원 유수(水原留守)의 일컬음.

화류⁴【樺榴】명 자단(紫檀)의 목재. 붉은 빛을 띠고, 결이 곱고 매우 단단하여 건축·가구(家具)·미술품(美術品) 등의 고급 재료로 많이 씀. 화려(華櫚). 화리(花梨).

화류-가【花柳歌】명〖문〗작자·제작 연대 미상의 가사의 하나. 패강(浿江)을 끼고 꽃들이 만발한 가운데서 취선(醉仙)이 되어 음풍 농월(吟風弄月)하는 모습을 읊음.

화류 경:대【樺榴鏡臺】명 화류로 만든 경대. ＊화각 경대(畫角鏡臺).

화류-계【花柳界】명 기생 등 노는 계집의 사회(社會). 화류장(花柳場). 색계(色界). 청등 홍가(靑燈紅街). ¶～ 여성.

화류-놀이【花柳—】명 꽃놀이❷. ——-하다 자여불

화류-반【樺榴盤】명 화류로 만든 소반.

화류-병【花柳病】[—뼝] 명〖의〗〔화류계에서 감염(感染)되는 병이란 뜻〕성병(性病).

화류-빗【樺榴—】명 화류로 만든 머리빗.

화류-장¹【花柳場】명 화류계(花柳界).

화류-장²【樺榴欌】명 화류로 만든 장롱.

화류-항【花柳巷】명 노는 계집들이 모여서 사는 거리. 유암 화명(柳暗花明).

화:륜¹【火輪】명 ①'태양(太陽)'의 별칭(別稱). ②화륜선(火輪船) 뒤쪽이나 양 옆에 다는 물레바퀴 모양의 추진기(推進機). 그 바퀴를 회전시켜서 물을 저어 배를 추진시킴.

화륜²【花輪】명 화환(花環).

화:륜-거【火輪車】명 '기차(汽車)'의 구칭(舊稱). ㊞윤거(輪車).

화:륜-선【火輪船】명 '기선(汽船)'의 구칭(舊稱). ㊞윤선(輪船).

화릉¹【花綾】명 꽃무늬를 놓아서 짠 능직물(綾織物).

화-릉²【和陵】명〖역〗조선 시대 태조의 어머니 의혜 왕후(懿惠王后)의 능. 함경 남도 함주군(咸州郡) 함흥(咸興) 동쪽 귀주동(歸州洞) 정릉(定陵)과 한 경내(境內)에 있음.

화:리[1]【化理】명 교화(敎化)를 베풀어 세상을 태평하게 다스림. 또, 다스리는 일. 화치(化治). ——-하다 타여불

화:리[2]【火一】명 〈방〉 화로(火爐)(충청·경기·강원·전라·경상·제주·황해·함경·평북)

화리[3]【禾利·花利】명 〖사〗 ①조선 시대 후기(後期)에 전북의 전주(全州)·정읍(井邑) 지방에서 논의 경작권(耕作權)을 매매의 대상으로 이르던 말. ②수확이 예상되는 벼를 매매의 대상으로 이르는 말. 각 지방에 따라 그 방법이 다름.

화리(를) 끼:다 구 토지, 특히 논의 매매(賣買)에 화리(花利)를 그 대상에 넣다. ¶전답을 화리끼어서 판다.

화리[4]【花梨】명 화류(樺榴).

화리똥이 명 〈방〉 화로(함경).

화리 매매【禾利賣買】명 〖역〗 화리의 권리를 사고 파는 일.

화리부-답【禾利付畓】명 〖역〗 화리의 소작 관행(小作慣行)이 행하여지는 논.

화리즈미 [Khwarizmi, al-] 명 〖사람〗 아라비아의 수학자·천문학자(天文學者). 인도(印度)와 그리스의 수학 지식을 집성(集成)하여 저술한 수학책은 12세기경 라틴어로 번역(飜譯)되어 유럽 수학에 커다란 영향을 미쳤음. ≪산술(算術)≫에서는 아라비아 기수법(記數法)을 기술했으며, ≪복원(復元)과 대비(對比)의 계산≫에서 대수학(代數學)을 전개(展開)하였음. [780?-850?]

화:리-홍【火裏紅】명 〖공〗 화염청(火焰靑).

화림【花林】명 꽃나무의 숲.

화:립【畫笠】명 〖역〗 구나(驅儺)할 때에, 지군(持軍)과 판관(判官)이 쓰는 갓.

화:릿-동의【火一】명 〈방〉 화로(火爐)(함경).

화:마[1]【火一】명 〈방〉 화로(火爐).

화:마[2]【火麻】명 〖식〗 삼[4]❷.

화:마[3]【火魔】명 화재(火災)를 마귀(魔鬼)에 비유하여 이르는 말.

화마[4]【花馬】명 〖동〗 워라말.

화만【華鬘】명 ①옛 인도 사람의 몸을 꾸미는 제구. 오천축(五天竺)의 풍속에 초목의 꽃을 실에 꿰어 끝을 잡아 매어 귀천(貴賤)이 없이 몸이나 머리에 걸치어 장엄(莊嚴)하게 꾸미기를 좋아한 데서 생겼음. *만화(鬘華). ②〖불교〗 불전(佛前)을 장엄하게 꾸미기 위하여 생화(生花) 또는 금은(金銀)의 조화(造花)를 달아 늘어뜨리는 장식구.

〈화만❷〉

화:망【火網】명 〖군〗 소총·기관총·대포 등 모든 화기(火器)를 이용하여 마치 그물처럼 펼쳐 놓는 탄도(彈道). ¶～을 구성하다. *탄막(彈幕).

화매【和賣】명 파는 사람과 사는 사람이 아무 군말없이 서로 팔고 삼. ——-하다 타여불

화맹【花虻】명 〖충〗 꽃등에.

화:면[1]【火面】명 〖물〗 광점(光點)에서 나간 광선이 평면이나 구면(球面)에서 반사하거나 굴절할 때, 그 반사 광선이나 굴절 광선이 짓는 포락면(包絡面). 초면(焦面).

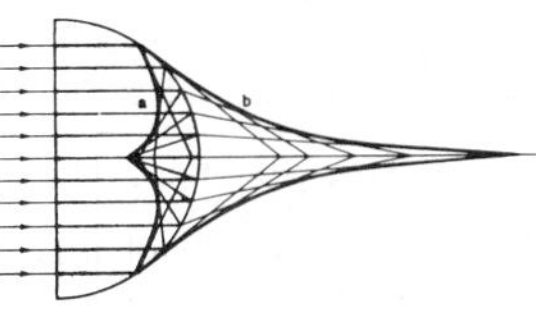

a. 반사 광선이 만드는 화선
b. 굴절 광선이 만드는 화선
〈화면[1]〉

화:면[2]【火綿】명 〖화〗 솜화약(火藥).

화면[3]【花面】명 화안(花顏).

화면[4]【花麪】명 오미자국에, 녹말을 씌워서 살짝 데친 진달래 가운데 꽃술을 실백과 함께 띄운 봄철의 화채(花菜).

화:면[5]【畫面】명 ①그림의 표면. ②영사막(映寫幕)·텔레비전의 브라운관(管)에 비친 사진의 면. ③필름·인화지(印畫紙) 등에 촬영된 영상(映像)이나 사상(寫像).

화명[1]【和鳴】명 새들이 지저귐. 또, 그 소리. ——-하다 자여불

화명[2]【花名】명 꽃 이름.

화명[3]【花明】명 꽃이 피어 환함. ¶유암(柳暗) ～. ——-하다 형여불

화:명[4]【畫名】명 ①그림의 이름. ②영화(映畫)의 이름. ③화가(畫家)로서의 명성.

화모【花貌】명 화용(花容).

화:목[1]【火木】명 땔나무.

화목[2]【和睦】명 서로 뜻이 맞고 정다움. 화열(和悅)하고 친목(親睦)함. 집목(輯睦). 화해(和諧). ¶～한 가정. ——-하다 형여불

화목[3]【花木】명 꽃나무.

화목[4]【樺木】명 〖식〗 벚나무❶.

화목-제【和睦祭】명 〖기독교〗 구약 시대에 하느님에게 동물 희생을 바쳐, 하느님과 사람과의 관계를 화목하게 하려고 행한 제사.

화목 제:물【和睦祭物】명 〖기독교〗 하느님의 진노(震怒)를 진정시키기 위하여 바치는 제물. 곧, 십자가에 못박혀 죽은 예수를 이름. 하느님은 이를 받음으로써 인류의 죄를 사하였다고 함.

화묘【禾苗】명 볏모.

화-무십일홍【花無十日紅】명 열흘 붉은 꽃이 없다는 뜻으로, 한 번 성한 것은 얼마 못 가서 반드시 쇠하여짐을 이르는 말. ¶～ 세무십년과(勢無十年過). *권불십년(權不十年).

화묵【華墨】명 화한(華翰).

화:문[1]【火門】명 총·대포 등 화기(火器)의 아가리.

화문[2]【花紋】명 꽃무늬.

화문-록【花紋錄】[一녹] 명 〖책〗 작자·창작 연대 미상의 고전 소설의 하나. 국문본. 화씨가(花氏家)의 처첩(妻妾) 간에 일어나는 가정 비극을 다룸.

화문-석【花紋席】명 꽃돗자리.

화문-쌓기【花紋一】[一싸키] 명 〖건〗 벽돌이나 돌로 꽃무늬를 그려서 쌓는 일.

화문 자기【花文瓷器】명 조선 시대 전기에 고려 때의 흑화 자기(黑花瓷器)가 변화하여 발달된 것.

화문-장【花紋牆】명 〖건〗 벽돌로 꽃무늬를 그려 쌓은 담.

화:문-필【火紋筆】명 붓대에 불꽃 같은 어롱어롱한 무늬가 있는 붓.

화:물【貨物】명 ①〖경〗 운반할 수 있는 유형(有形)의 재화(財貨). ②여객·우편물 이외의 운송(運送) 목적물의 총칭.

화:물-기【貨物機】명 화물 운반 전용(專用)의 수송기.

화:물 등:급【貨物等級】명 화물의 종류에 따라 매긴 등급.

화:물 보:험【貨物保險】명 〖경〗 '적하(積荷) 보험'과 '운송(運送) 보험'의 통칭.

화:물 상환증【貨物相換證】[一쯩] 명 육상(陸上) 물품 운송 계약에 있어서 운송인이 운송품을 수취(受取)한 것을 증명하고 또 이것을 권리자에게 인도함을 약속한 유가 증권(有價證券). 화물 환증. *선하 증권(船荷證券).

화:물-선【貨物船】[一썬] 명 화물(貨物)을 싣고 나르는 배. 짐배. 준화선(貨船). ↔여객선(旅客船).

화:물-역【貨物驛】[一력] 명 여객·소화물은 다루지 않고 화물 운송만을 업무로 하는 철도역.

화:물 열차【貨物列車】[一렬一] 명 화물을 싣고 나르기 위하여 화물차(貨物車)로만 편성된 철도 열차. 준화차(貨車). ↔여객 열차.

화:물 운임【貨物運賃】명 화물을 실어 나르는데 드는 삯.

화:물 자동차【貨物自動車】명 자동차 종류의 하나. 주로 화물을 운반하기에 알맞게 제작된 자동차. 트럭. 준화물차.

화:물 주임【貨物主任】명 철도에서, 화물 운송 업무에 관한 일을 맡아 보는 직위. 또, 그 사람.

화:물-차【貨物車】명 화물을 운반하는 자동차·기차 등의 총칭. 준화차(貨車). ↔객차(客車)❷. ②↗화물 자동차.

화:물-창【貨物艙】명 선박 안의 짐을 싣는 창고.

화:물-칸【貨物一】명 자동차·기차 따위의 화물을 싣게 된 칸. 짐칸.

화물 톤 킬로【貨物一】[ton kilo] 명 화물의 톤수에 수송 거리(輸送距離)를 곱한 수.

화:물 통지서【貨物通知書】명 운송업자(運送業者)가, 탁송(託送)한 화물과 그 운임의 인수증(引受證)으로써, 발역(發驛)에서 작성하여 탁송자에게 교부하는 서류.

화:물 환:어음【貨物換一】명 〖경〗 화환(貨換) 어음.

화:물 환:증【貨物換證】[一쯩] 명 화물 상환증(貨物相換證).

화미[1]【華美】명 화려(華麗). ——-하다 형여불

화:미[2]【畫眉】명 눈썹을 그림. 또, 그린 눈썹.

화:미-조【畫眉鳥】명 〖조〗 [*Trochalopterum canorum*] 두루미목(目)에 속하는 새. 머리 위·이마·날개·꽁지는 감람색이고, 머리로부터 목까지에 흑색의 점이 있으며, 눈 가장자리에 길고 흰 무늬가 있음. 중국 원산인데 우는 소리가 썩 고움.

〈화미조〉

화:민【化民】인대 〖역〗 민(民)[4].

화:민 성속【化民成俗】명 백성을 교화(敎化)하여 아름다운 풍속을 만듦. ——-하다 자여불

화:밀[1]【火蜜】명 화청(火淸).

화밀[2]【花蜜】명 〖식〗 꽃의 밀선(蜜腺)에서 분비(分泌)하는 꿀.

화밀-화【花蜜花】명 〖식〗 충매화(蟲媒花)의 한 가지. 꽃 속에 꿀이 있어서 이것을 먹으려 모이는 곤충을 통하여 수분(受粉)함.

화반【花盤】명 ①꽃을 담도록 만든 자기(瓷器). 운두가 낮고 위가 넓게 꽃 모양으로 만듦. ②〖건〗 초방 위에 장여를 받치기 위하여 화분(花盆)·연꽃·사자(獅子) 등을 그리어 끼우는 널조각.

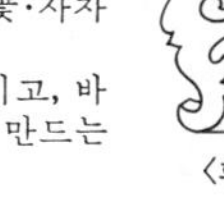
〈화반❷〉

화반-석【花斑石】명 〖광〗 붉고 흰 무늬가 섞이고, 바탕이 매우 곱고도 무른 돌. 도장·그릇 등을 만드는 데 씀.

화-반자【花一】명 〖건〗 소란반자.

화:반-창【火斑瘡】명 〖한의〗 불에 데어서 생기는 홍반성 피부염.

화발【華髮】명 백발(白髮). 노인의 일컬음.

화발-허통【一虛通】명 막힐 만한 자리에 막힌 것이 없이 사방이 탁 터짐. ——-하다 형여불

화:방[1]【火防】명 〖건〗 돌을 섞은 흙으로 땅에서부터 중방 밑까지 쌓아 올린 벽.

화:방(을) 쌓다 구 돌을 섞은 흙으로 쌓아 올리어 화방을 짓다.

화방[2]【花房】명 꽃방. 꽃가게.

화:방[3]【畫房】명 그림 그리는 방. 아틀리에. 화실(畫室).

화:방[4]【畫舫】명 용 또는 봉황 모양으로 꾸미며, 곱게 단청(丹青)을 한 놀잇배. *그림배.

화-방석【花方席】명 꽃방석의 한자(漢字)말.

화방-수【一水】명 소용돌이가 지면서 흐르는 물.

화방 작첩【花房作妾】명 기생을 첩으로 삼음. ——-하다 자여불

화:방-장【火防牆】명 방화벽(防火壁).

화방-초【一草】명 〈방〉 〖식〗 금강초롱.

화:배-공【畫坏工】명 도자기(陶瓷器)의 몸에 그림을 그리는 장색(匠色).

화백[1]【和白】명 〖역〗 신라 초기, 육촌(六村) 부족(部族)의 온 사람이 모여 나라의 일을 의논하던 회의. 뒤에는 진골(眞骨) 이상의 귀족이나 벼슬아치의 회의로 변하여 경주 남산(南山) 또는 영지(靈地)에 모여 국왕

(國王)의 선거를 비롯한 국가의 중대사를 논의하였으며, 한 사람의 반대라도 있으면 부결되었다고 함.

화:백[2]【畫伯】명 '화가(畫家)'의 경칭. ¶김 ～.

화번【華旛】명 아름다운 기(旗).

화번 공주【和蕃公主】명〖역〗중국의 제실(帝室) 또는 왕족의 부녀로서 새외(塞外)의 군주를 회유하기 위하여 그 곳으로 출가시킨 사람을 일컫는 말. 전한(前漢)·당(唐)나라 때에 한북(漢北)·서역(西域)에 출가시킨 것이 이것이며, 그 중 왕소군(王昭君)은 가장 유명함.

화벌【華閥】명 세상에 드러난 높은 문벌(門閥).

화:법[1]【化法】[—뻡] 명〖불교〗중생 화도(化導)의 교법(敎法).

화법[2]【話法】[—뻡] 명〔narration〕문장(文章)이나 담화(談話)에서 타인의 말을 재현(再現)하는 방법. 그대로 되풀이하여 말하는 것을 직접 화법, 그의 취지(趣旨)만 따서 자기의 말로 고쳐 표현하는 것을 간접 화법이라고 함.

화:법[3]【畫法】[—뻡] 명 그림을 그리는 방법. 화격(畫格).

화:법 기하학【畫法幾何學】[—뻡—] 명 공간 도형(空間圖形)을 평면상에 정확히 그리는 방법을 연구하는 학문. 프랑스의 몽주(Monge)가 창시한 것으로, 기계나 건축물의 설계 및 공중(空中) 사진·측량의 연구에 널리 쓰임. 입체 도학(立體圖學).

화:법 사:교【化法四敎】명〖불교〗천태종(天台宗)에서, 석가 모니 일대의 교설(敎說)을 교화(敎化)하는 법, 곧 교리의 내용에 따라 장교(藏敎)·통교(通敎)·별교(別敎)·원교(圓敎)의 4 종으로 분류한 것.

화법-식【花法式】명〖식〗화식(花式).

화베이〔華北〕명〖지〗중국 북부의 통칭. 대략 황허(黃河) 강 하류 지역을 가리키며, 베이징 시(北京市)·허베이(河北)·산시(山西)·산둥(山東)·허난(河南)의 각 성(省)과 장쑤(江蘇)·안후이(安徽) 두 성의 북부가 포함됨. 고대 문명의 발상지(發祥地)로서 기후는 건조(乾燥) 한랭(寒冷)하며 자연 조건이 나쁨. 동부는 광공업·교통이 발달하였는데 양항(良港)이 드묾. 습윤 지대(濕潤地帶)인 화중(華中)·화난(華南)과 생활 양식이 크게 다름. 북지(北支). 화북(華北).

화베이 평야【—平野】〔華北〕명〖지〗중국 본토 북부의 대충적(大沖積) 평야. 황토 고원(黃土高原)인데, 타이항(太行) 산맥을 가로질러 동류(東流)하는 황허(黃河)의 작용으로 형성된 대선상지(大扇狀地)와 충적 평야로 이루어져 있으며 황토 고원에서 운반된 황토가 퇴적(堆積)한 것임. 허베이(河北)·산둥(山東)의 전성(全省) 및 장쑤(江蘇)·안후이(安徽) 두 성의 북부, 허난 성(河南省)의 서부에까지 이름. 중국 문명의 모체(母體)가 된 곳으로, 예로부터 중원(中原)이라 불리어, 정치 권력(政治權力) 쟁탈이 이 고장에서 벌어졌음. 화북 평야(華北平野).

화:변[1]【火變】명 화재(火災).

화변[2]【花邊】명〖인쇄〗인쇄물의 가장자리에 곱게 꾸미느라고 놓는 뇌문(雷文)·화문(花紋) 및 그 밖의 여러 가지 무늬.

화:변[3]【禍變】명 매우 심한 재변(災變).

화:병[1]【火兵】명 ①〖역〗군중(軍中)에서 밥 짓는 일을 맡은 군사. ②화기(火器)❶.

화:-병[2]【火病】[—뼝] 명 ↗울화병(鬱火病).

화:병[3]【火餠】명 밀가루나 메밀가루를 반죽하여 모닥불에 구운 떡.

화병[4]【花柄】명〖식〗꽃자루. 화경(花梗).

화병[5]【花瓶】명 꽃을 꽂아 두는 병. 꽃병.

화:병[6]【畫屛】명 그림을 그린 병풍.

화:병[7]【畫瓶】명 그림을 그린 병.

화:병[8]【畫餠】명 ↗화중지병(畫中之餠).

화:병-전【火兵戰】명 서로 총포(銃砲)를 쏘아 대며 싸우는 전투. 화전(火戰).

화보[1] 명 얼굴이 넓고 살이 두툼하게 찐 여자를 일컫는 말.

화보[2]【花譜】명 꽃의 이름·품질·피는 시기 등에 관하여 적은 책.

화보[3]【華報】명〖불교〗과보(果報)보다 먼저 받는 보(報). 선한 업인(業因)으로 말미암아 내세에 선도(善道)에 날 사람이, 이 세상에서 먼저 부귀·장수 등의 보(報)를 받거나, 악한 업인으로 내세에 악도(惡道)에 떨어질 사람이 이 세상에서 병들고, 형벌받는 등의 보를 받는 따위.

화:보[4]【貨寶】명 보화(寶貨).

화:보[5]【畫報】명 세상에 일어난 일을 그림이나 사진으로 보도하는 인쇄물. 또, 주로 그림·사진을 모아 엮은 책자.

화:보[6]【畫譜】명〖미술〗여러 그림을 모아 만든 책. *화첩(畫帖).

화:보 모방주의【畫譜模倣主義】[—/—이] 명〖미술〗화보의 그림을 흉내 내어 그리는 주의. 곧, 개성이나 창의력이 없는 그림을 그리는 주의.

화:-보살【化菩薩】명〖불교〗중생(衆生)을 제도(濟度)하기 위하여 화현(化現)하는 보살.

화:보-판【畫報板】명 여러 사람에게 알리기 위해 사진·그림 따위를 붙이는 판. *게시판(揭示板).

화복[1]【華服】명 물감을 들인 천으로 만든 옷. 곧, 무색옷을 이르는 말. ↔소복(素服). ——-하다 자여불 화복을 입다.

화:-복[2]【禍福】명 재화(災禍)와 복록(福祿). ¶길흉 ～.

화:복 무문【禍福無門】명 화복은 운명적으로 오는것이 아니고, 사람이 선한 일을 하거나 악한 일을 함에 따라서 각기 받는다는 말.

화본[1]【話本】명〖문〗설화(說話)의 주제(主題)나 화제(話題). 화본은 원래 당오대(唐五代)의 설경(說經)이나, 이른바 설화인(說話人)의 이야기에서 발달한 설화의 텍스트임. 본래의 화본에 대하여 문인(文人)들의 작품을 의화본(擬話本)이라 함.

화:본[2]【畫本】명〖미술〗그림을 그리는 데 쓰는, 바탕이 되는 종이나 감.

화본-과【禾本科】[—꽈] 명〖식〗①볏과(科)·댓과를 통틀어 일컫는 구칭. ②볏과(科)의 구칭.

화봉【花峰】명 꽃봉오리❶.

화봉-초【花峰草】명 꽃봉오리같이 한쪽 끝을 뾰족하게 말아서 만든 잎담배.

화:부[1]【火夫】명 ①보일러 등에 불을 때는 일을 맡은 사람. 화수(火手). 보일러 맨. ②〖불교〗절에서 불을 맡아서 때는 사람.

화부[2]【華府】명〖지〗수부(首府)로서 '화성돈(華盛頓)'을 줄이어 부르는 이름.

화부-산【花釜山】명〖지〗경상 북도 안동군(安東郡)에 있는 산. 태백산맥(太白山脈) 중에 솟아 있음. [625 m]

화북【華北】명〖지〗'화베이'를 우리 음으로 읽은 이름.

화북 평야【華北平野】명〖지〗화베이(華北) 평야.

화분[1]【花盆】명 화초를 심어 가꾸는 분. 꽃분.

화분[2]【花粉】명〔pollen〕〖식〗현화 식물의 수술의 꽃밥 속에 있는 낟알 모양의 세포. 바람이나 물·곤충의 매개로 암술의 주두(柱頭)에 접착 수분(受粉)함. 꽃가루. 예분(蕊粉).

화분-관【花粉管】명〔pollen tube〕〖식〗화분이 발아(發芽)하여 이룬 관상(管狀)의 기관. 종자(種子) 식물의 발아구(發芽口)에서 나와 암술의 주두(柱頭)에서 화주(花柱)를 거쳐 배주(胚珠)에 이르는 관상(管狀)의 원형질(原形質)로, 화분관핵(花粉管核)과 정핵(精核)의 통로가 됨. 꽃가루관.

화분관-핵【花粉管核】명〔pollen-tube nucleus〕〖식〗화분 속에 있는 핵의 분열에 의해서 생식핵(生殖核)과 함께 생기는 영양핵(營養核). 생식핵보다 크고 부정형(不定形)임.

화분-낭【花粉囊】명〖식〗피자(被子) 식물의 꽃밥을 이루는 화분 주머니. 보통 4 실(室)임. 나자(裸子) 식물에 있어서는 소포자낭(小胞子囊)에 상당함.

화분 모:세포【花粉母細胞】명〔pollen-mother cell〕〖식〗화분을 만드는 근본이 되는 세포. 종자 식물(種子植物)의 꽃밥에 있으며, 감수 분열(減數分裂)에 의하여 각기 네 개의 화분으로 됨.

화분 배:양【花粉培養】명〖식〗수술의 꽃밥에서 빼낸 화분을 배양액(培養液) 위에서 배양하는 일. 염색체수가 반수(半數)인 세포괴(細胞塊)가 됨.

화분-병【花粉病】[—뼝] 명〖의〗꽃가룻병.

화분 분석【花粉分析】명 꽃가루 분석.

화분-실【花粉室】명〔pollen chamber〕〖식〗①소철나무·은행나무 따위의 배주(胚珠)에서, 주공(珠孔) 쪽에 있는 주피(珠皮)와 주심(珠心)사이에 있는 작은 실(室). ②소나무류의 화분 양쪽에 있는 주머니 모양의 부속물로, 화분이 튀어나가는 것을 쉽게 해주는 것.

화분 전염【花粉傳染】명〔pollen transmission〕〖식〗병에 걸린 식물의 화분 내에 존재하는 바이러스가 수술을 통하여 건전(健全)한 식물에 전염하는 현상. 바이러스에 의해서 종자(種子) 전염을 일으키는 한 원인(原因)이 됨.

화분-증【花粉症】[—쯩] 명〖의〗꽃가룻병(病).

화분 토기【花盆土器】명〖고고학〗화분 모양으로 아가리가 밖으로 턱을 이루고 몸통은 차츰 좁아지면서 밑바닥이 납작바닥이나 들린바닥으로 된 토기. 주로 청천강 이남, 한강 이북의 서북 지방의 초기 철기 시대의 유적에서 출토됨.

화분-학【花粉學】명〔palynology〕〖식〗공중에 살포(撒布)되거나 퇴적물(堆積物) 가운데 존재하는 포자(胞子)·화분·미생물 또는 대형(大型) 생물의 현미경적 파편(破片)을 연구하는 학문 분야.

화분-화【花粉花】명〖식〗많은 꽃가루가 꽃술에 있는 꽃. 수분(受粉) 형식에 따라 곤충의 매개에 의하는 충매화(蟲媒花), 물에 의하는 수매화, 바람에 의하는 풍매화로 구분함.

화:불【化佛】명〖불교〗①화보살(化菩薩). 화신(化身). ②부처의 삼신(三身)의 하나. 화현(化現)하는 불신(佛身). 응신(應身)에 해당됨. ③그 몸은 없으나 인연(因緣)에 응(應)하여 홀연히 환영(幻影)처럼 나타나는 부처. ↔진불(眞佛).

화:-불단행【禍不單行】명 재앙은 매양 겹쳐 오게 됨을 이르는 말.

화:붕【火棚】명 화산대(火山臺).

화:비【化肥】명〖농〗↗화학 비료.

화:빈-장【火鑌匠】명〖역〗조선 시대의 경공장(京工匠)의 하나. 쇠붙이를 단련(鍛鍊)하는 공인(工人).

화:사[1]【化士】명〖불교〗화주(化主)❶.

화:사[2]【化絲】명〖불교〗중생을 교화함을 실로 고기를 낚는 것에 비유하는 말. ——-하다 자여불

화:사[3]【火事】명 화재(火災).

화사[4]【花史】명〖책〗조선 시대 선조(宣祖) 때의 지사(志士) 임제(林悌)가 지은 책. 여러 꽃을 국가·군신의 제도에 견주어 꽃에 대한 옛일을 말하여 치란(治亂) 흥망(興亡)의 역사를 가작(假作)하였음. 1 권.

화사[5]【花蛇】명〖한의〗뱀의 한 가지. 흑화사(黑花蛇)·백화사(白花蛇)·흑질 백장(黑質白章) 등이 있는데, 풍증(風症)·문둥병을 다스리고 보신장양제(補腎壯陽劑)로 씀. 산무애뱀.

화사[6]【花詞】명 꽃을 어떤 일에 상징하고 비유하여 각각 일컫는 말. 곧, 붉은 장미는 정열, 백합은 순결, 클로버는 행운, 노란 꽃은 불길(不吉), 자색 꽃은 비애(悲哀) 등을 나타냄. 나라에 따라 조금씩 다름. 꽃말. *색채 상징(色彩象徵).

화사[7]【花絲】명〔filament〕〖식〗수꽃술의 꽃밥을 지니고 있는 가느다란 줄기. 꽃실.

화사[8]【華奢】명 화려하고 사치함. 화치(華侈). ——-하다 형여불

화:사[9]【畫史】명〖책〗중국 북송(北宋)의 문인·화가인 미불(米芾)이 지은 회화(繪畫)에 관한 책. 그가 실제로 본 육조(六朝) 이래의 화적(畫跡)에 관하여 평론(評論)을 가하고, 표장(表裝)·인장(印章)·복제(服制) 등에 관한 일이나 회화의 감상(鑑賞)·수장(收藏)의 태도 등에 관하여 논

술(論述)하였음.

화:사[10]【畫史】명〖역〗조선 시대에, 도화서(圖畫署)의 잡직(雜職)의 종팔품 동반(東班) 벼슬.

화:사[11]【畫師】명 화공(畫工).

화:사[12]【禍事】명 좋지 못한 일. 흉사(凶事). 재난(災難). 재화(災禍).

화:사-석【火舍石】명 석등(石燈)의 중대석(中臺石) 위에 있는 점등(點燈)하는 부분.

화사-주【花蛇酒】명 산무애뱀을 주머니에 넣어, 멥쌀 지에밥과 누룩을 버무려 담은 항아리에 묻고, 찰밥으로 위를 덮었다가 삼칠일(三七日)만에 뜨는 술. 풍증(風症)·악창(惡瘡)을 다스림.

화:사 첨족【畫蛇添足】명〔뱀을 그리는 데 실물에는 없는 발을 그려 넣어서 원 모양과 다르게 되었다는 뜻〕쓸데없는 군일을 하다가 도리어 실패함의 비유. (준)사족(蛇足).

화:사 휘전【畫史彙傳】명〖책〗중국 청(清)나라 때에, 팽온찬(彭蘊燦; 1781-1840)이, 상고(上古)로부터 청초(清初)까지의 화가 약 7,500명의 소전(小傳)을 집성(集成)한 책. 전문 화가뿐만 아니라 제왕으로부터 중과 여성에 이르기까지, 그림을 그린 사적(事蹟)이 있는 사람은 거의 전부 수록하고 그 전거(典據)를 실었음.

화:산[1]【火山】명〖지〗땅 속 깊이 있는 마그마(magma)나 가스가 지각(地殼)의 약한 부분을 터뜨려 땅 위로 분출(噴出)하는 장소 및 그 분출에 의하여 형성되는 산체(山體). 주로 용암으로 된 것과 파쇄(破碎) 분출물로 된 것이 있고, 그 시점(時點)에서의 활동 유무에 따라 활(活)화산·휴(休)화산·사(死)화산의 구별이 있음. 분화산(噴火山).

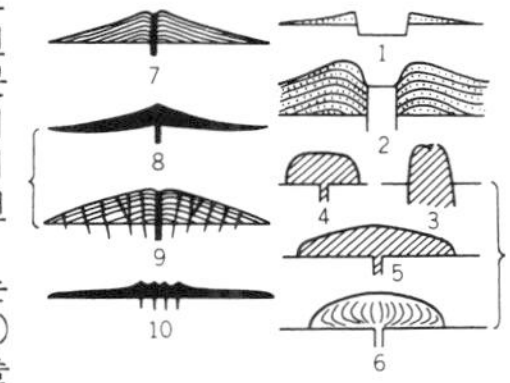

①마르 ②쇄설(碎屑) 화산 ③-⑥ 용암 원정구(溶岩圓頂丘) ⑦성층(成層) 화산 ⑧⑨순상(楯狀) 화산 ⑩용암 대지(溶岩臺地)
〈화산[1]〉

화-산[2]【華山】명〖지〗①경기도 화성군(華城郡) 태안면(台安面) 안녕리(安寧里)에 있는 산. 장헌 세자(莊獻世子)의 융릉(隆陵)과 정조(正祖)의 건릉(健陵)이 있음. 정조 때에 20여년 간의 조림(造林) 계획으로 대삼림을 이룸. ②삼각산(三角山)❶.

화산[3]〔華山〕명〖지〗중국의 오악(五嶽)의 하나인 서악(西嶽). 친링 산맥(秦嶺山脈) 중의 고봉(高峰)으로, 산시 성(陝西省) 산인 현(山陰縣)의 남쪽에 있음. 산용(山容)은 급준(急峻)하며 연꽃 모양을 함. 서악 화산. [2,437 m]

화:산 가스【火山—】〔gas〕명〖지〗화산에서 분출(噴出)하는 가스. 대부분이 수증기(水蒸氣)이며, 그 밖에 소량의 이산화 탄소·이산화 황·염소(塩素)·수소·질소(窒素)·메탄·황화(黃化) 수소 등으로 이루어짐.

화:산 각력암【火山角礫岩】[—녁—]명〖지〗화산 쇄설암(碎屑岩)의 하나. 화산회(火山灰)를 기질(基質)로 하여 뭉치어 굳어진 화산암괴(火山岩塊).

화:산 관측소【火山觀測所】명〖지〗화산 활동을 조사 연구하기 위하여 설치한 관측소. 1845년 이탈리아의 베수비오 화산에 최초로 설치됨.

화:산-구【火山口】명〖지〗분화구(噴火口).

화:산 구조성 요지【火山構造性凹地】[—썽—]명〖지〗대량의 화쇄류(火碎流)가 분출함에 따라 지구상(地溝狀)으로 형성된 함몰(陷沒) 지형.

화:산-군【火山群】명〖지〗각기 독립된 화산이 한 지역에 집중한 것.

화:산-니【火山泥】명〖지〗해저(海底) 침적물의 한 가지. 아양성(亞洋性) 침적물로서, 화산도(火山島)나 해저 화산의 주변 해저에 있는데, 그 분포 범위도 매우 한정되어 있음. 주로 부석(浮石)·화산회(火山灰) 등의 화산 분출물로 이루어지며, 점토(粘土)나 석회질의 미생물 유체(遺體)가 섞여 있어, 회갈색 또는 회흑색(灰黑色)을 띰.

화:산-대[1]【火山帶】명〖지〗화산이 집중적으로 분포하고 있는 띠 모양의 지대. 대개 대륙(大陸)의 주변에 기다랗게 이어짐. 환태평양 화산대(環太平洋火山帶) 및 지중해 화산대는 좋은 예임.

화:산-대[2]【火山臺】명〖역〗조선 시대에 화희(火戲)를 하는 궁정(宮廷)의 무대 모양으로 만든 대(臺).

화:산-도【火山島】명〖지〗해저 화산의 분출물이 쌓여서 해면(海面) 위로 나타난 섬. 나란히 줄을 이루는 수가 많음.

화산듸 명〈옛〉화산대(火山臺). ¶國俗元日設鰲山于禁苑陳大戲山上名曰火山臺《中宗實錄 XII:38》.

화:산-력【火山礫】[—녁]명〖광〗화산 분출물의 하나. 이미 고결(固結)한 암석이 폭발로 파괴되어 부정형(不定形)이 된 암석편(岩石片)으로 지름 4-32 mm의 것을 이름.

화:산-뢰【火山雷】[—뇌]명〖기상〗화산 폭발 때에, 분연(噴煙) 속에 일어나는 격렬한 뇌우(雷雨). 화산회(火山灰) 또는 그 밖의 고체가 마찰하여 일어남.

화:산-맥【火山脈】명〖지〗화산의 산맥(山脈). 곧, 화산이 줄을 지어 이어진 것.

화:산-모【火山毛】명〖지〗화산에서 분출하는 유리질 용암이 모발상(毛髮狀)으로 비산(飛散) 응고한 분출물. 이탈리아·하와이 등에 그 예가 많음.

화:산 발전【火山發電】[—쩐]명〔volcanic power generation〕화산 지대 땅 속의 마그마가 괴어 있는 근처의 고온 암체(高溫岩體)에 보링하여 밖으로부터 쏟아 넣은 물을 가열(加熱)해서 열수(熱水)·증기(蒸氣)를 발생시켜 터빈을 돌리는 발전 방식.

화:산 방:출물【火山放出物】명〖지〗화산 분출물.

화산 별곡【華山別曲】명〖문〗조선 시대 초의 문신 변계량(卞季良)이 세종(世宗) 7년(1425)에 지은 경기체가(景幾體歌). 조선 왕조의 창업을 찬양한 모두 8장의 노래로 궁중 연악(宴樂)으로 쓰였음. 《악장 가사(樂章歌詞)》에 전함.

화:산 분:출물【火山噴出物】명〖지〗화산 현상으로, 마그마(magma)가 분출할 때 함께 공중으로 높이 분출 비산(飛散)하는 물질의 총칭. 용암(熔岩)·화산탄(彈)·화산력(礫)·화산사(砂)·화산회(灰)·화산진(塵)·수증기·이산화 황·이산화 탄소 등이 있음. 화산 방출물.

화:산-사【火山砂】명〖지〗화산이 분화(噴火)할 때에 터져 나오는 좁쌀 또는 콩알만한 크기의 암석(岩石)의 부스러진 조각.

화:산 설토【火山屑土】명〖지〗화산성토의 한 가지. 화산 쇄설물(碎屑物)이 퇴적하여 생성된 토양(土壤). *화산 쇄설물(火山碎屑物).

화:산성 지진【火山性地震】[—썽—]명〖지〗화산 활동에 의해서 생기는 지진. 흔히 화산이 폭발할 때 일어나는 것이나, 화산의 분화(噴火)가 없이 지하에 있는 용암 활동에 의해서 일어나는 지진도 이에 포함됨. 화산 지진.

화:산성-토【火山性土】[—썽—]명〖지〗화산의 분출이나 폭발로 방출(放出)·유출(流出)된 것을 모재(母材)로 하여 생성된 토양(土壤). 모재의 재료나 입자(粒子)의 대소에 의하여 화산 설토(屑土)·화산회토(灰土)·화산 이류토(泥流土)·부석토(浮石土) 등으로 나눔.

화:산 쇄:설물【火山碎屑物】명 화산의 분화로 분출되는 크고 작은 암석. *화산 설토(屑土).

화:산 쇄:설물류【火山碎屑物流】명 화쇄류(火碎流).

화:산 쇄:설암【火山碎屑岩】명〖지〗화산 쇄설물(碎屑物)이 퇴적, 굳어서 생긴 암석. 외형(外形)·암질(岩質)·내부 구조 등에 따라 화산 각력암(角礫岩)·응회 각력암·화산력·각력암·응회암 등으로 분류함.

화:산 승화물【火山昇華物】명〖지〗화산의 분기공(噴氣孔) 주위에 쌓인 광물의 총칭. 화산 가스 속의 성분이 주위의 압력과 온도의 변화 등으로 고화(固化)된 것임. 염화 암모늄·붕산 따위.

화:산-암【火山岩】명〖지〗화성암(火成岩)의 한 가지. 땅 속 깊이 있는 고온(高溫)의 용해 암장(熔解岩漿)이 지표(地表) 또는 땅 속의 얕은 곳으로 흘러 내려서 냉각 응고한 바위. 안산암(安山岩)·현무암(玄武岩)·유문암(流紋岩) 같은 것. 분출암(噴出岩). 병출암(迸出岩).

화:산암-경【火山岩頸】명〖지〗화산의 화도(火道)에 차 있던 용암(熔岩)이나 쇄설암체(碎屑岩體)가, 심한 침식(浸蝕)에 의하여 산체(山體)가 완전히 없어지고, 지표(地表)에 남아 있는 돌출부(突出部). 거의 원주형(圓柱形)의 탑과 같은 지형을 나타내고 있음.

화:산암-괴【火山岩塊】명〖지〗화산 분출물(噴出物)의 하나. 이미 고결(固結)한 암석으로서 폭발로 파괴된 부정형(不定形)의 암석편(岩石片). 지름 32 mm 이상의 것을 이름.

화:산 암설류【火山岩屑流】명 화쇄류(火碎流).

화:산암-첨【火山岩尖】명〖지〗용암(熔岩)이 지표(地表)에 나오기 전에 지하에서 거의 굳어졌음에도, 밑으로부터의 밀어올림을 받아 끝이 뾰족한 암석 기둥이 서 있는 듯한 모양을 이룬 화산.

화:산 열도【火山列島】[—널또]명〖지〗여러 화산도(火山島)로 이루어진 열도. 이오 열도(硫黃列島) 같은 것이 대표적임.

화산 유고【花山遺稿】[—뉴—]명〖책〗조선 성종(成宗) 때 사람 권주(權柱)의 시문집. 현손 권구(權榘)가 편집, 정조 22년(1798)에 후손(後孫)이 간행함. 시(詩)·서(序)·서(書)·잡저(雜著)·유묵(遺墨)·부록 등이 실려 있음. 1책 인본(印本).

화:산 유리【火山琉璃】[—뉴—]명 용융(熔融) 상태의 용암(熔岩)이나 용암의 액상(液狀) 부분이 결정(結晶) 작용이 일어나기 전에 냉각하였기 때문에 생긴 천연(天然) 유리.

화:산 이류【火山泥流】[—니—]명〖지〗화산의 분출물이나 붕괴한 산체(山體)의 일부가 물과 섞이어 산밑의 들로 떠내려가는 흙의 흐름. 산꼭대기의 화구호(火口湖)가 무너지거나, 화구 부근의 적설(積雪)이 녹아서 되거나 또는 지표수(地表水)로 말미암아서 생기는데, 물과 더불어 흙탕물을 이루면서 큰 속도로 진행하여 거대한 바윗덩어리도 쉽게 운반함.

화:산 이류토【火山泥流土】[—니—]명〖지〗화산성토의 한 가지. 화산 이류로 생성된 토양(土壤).

화:산 작용【火山作用】명〖지〗화산 현상.

화:산 지진【火山地震】명〖지〗화산성 지진. ↔구조 지진(構造地震).

화:산 지형【火山地形】명〖지〗화산 활동에 의하여 생기는 지형의 총칭. 분화(噴火)의 작용으로 직접 이루어진 화산체(體)나, 화산 분출물이 이룬 지형과 화산 분출로 말미암아 기존(既存)의 지형이 변형을 받아 간접으로 이루어지는 지형과의 두 가지로 대별됨.

화:산-진【火山塵】명〖지〗화산회(火山灰) 중에서 특히 미세(微細)한 것. 큰 화산 폭발에 의하여 성층권(成層圈)까지 날아 올라, 지구를 일주하는 것도 있음.

화산-치【花山峙】명〖지〗충청 남도(忠清南道) 서천군(舒川郡)에 있는 고개. [58 m]

화:산-탄【火山彈】명〖지〗화산 분출물의 한 가지. 화구(火口)에서 날려 올라간 용암(熔岩)이 공중에서 흩어져 특수한 형태로 식어 굳은 것. 주먹만한 크기에서 머리통만한 크기로 방추형(紡錘形)·접시 모양 등 여러 형상을 이룸.

화:산-학【火山學】명 화산 현상을 연구하는 자연 과학. 분출물(噴出物)의 분포와 화산체(火山體)의 구조를 조사하여 화산의 발달 과정을 알아내는 화산 지질학, 분화의 기구·에너지·화산성 지진 등 물리량(物理量)을 추구하는 화산 물리학, 화산 가스·용암(熔岩)·화산암 등의 조성(組成)과 분배(分配)를 조사하여, 마그마(magma)의 성질·성인(成因) 등을 연구하는 화산 화학(化學) 등의 분야가 있음.

화:산 현:상【火山現象】명〖지〗땅 속 깊은 곳에 있는 마그마가 지각(地殼) 상층 속으로 꿰뚫고 들어가거나 또는 지각의 밖으로 분출하여 화성암을 형성하는 현상 및 이와 관련하여 일어나는 모든 현상. 화산

작용. 화산 활동.

화:산-호【火山湖】명〖지〗화산 작용에 기인하여 분화구(噴火口) 속에 물이 괴어 생긴 호수. 화구호(火口湖)·화구원호(火口原湖)·칼데라 호(caldera 湖) 등으로 구별됨. 백두산의 천지(天池) 등.

화:산 활동【火山活動】[—똥] 명〖지〗화산 현상(火山現象).

화:산-회【火山灰】명〖지〗화산 분출물의 한 가지. 화산에서 분출하는 지름 4mm 이하의 용암(熔岩) 부스러기. 이것이 굳은 것을 응회암(凝灰岩)이라 함.

화:산회-토【火山灰土】명〖지〗화산성토의 한 가지. 화산 분출물인 화산회(灰)·화산사(砂)를 모재(母材)로 하여 생성된 토양.

화살 명 [←활살] 활시위에 오늬를 메워서, 당겼다가 놓으면 그 반동으로 멀리 날아가게 된 물건. 가는 대로 줄기를 삼고 한 쪽 끝에는 쇠로 만든 촉(鏃)을 꽂으며 다른 쪽에는 세 줄로 새의 깃을 붙임. ㊀살. 시(矢).

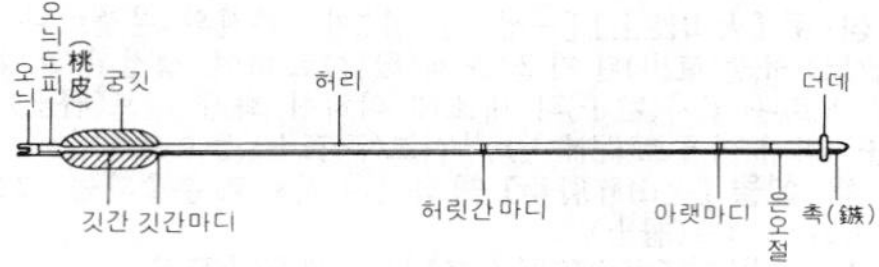

〈화살〉

화살을 돌리다 ㊂ 힐책이나 공격 따위를 그 쪽 방향으로 돌리다.

화살-곰취 명〖식〗[*Ligularia jamesii*] 국화과에 속하는 다년초. 줄기 높이 20-60cm이고, 잎은 호생하며 삼각형이나 반원형 또는 피침형인데 아래쪽의 잎은 장병(長柄)이고, 위쪽 잎은 단병(短柄)임. 7월에 황색의 두화(頭花)가 줄기 끝에 하나씩 달리며 변화(邊花)는 설상화(舌狀花), 심화(心花)는 관상화(管狀花)이고, 수과(瘦果)에는 갈색 관모(冠毛)가 있음. 깊은 산에 나는데, 평북·함남·함북도에 분포함.

화살 기도【—祈禱】명〖천주교〗순간적으로 하느님을 생각하면서 그때그때 느껴지는 감정과 원의(願意)대로 간단하게 바치는 기도. 화살처럼 직통으로 하느님에게 통한다는 뜻. '예수, 마리아여' 따위.

화살-꼴 명 화살 모양으로 생긴 꼴. 전형(箭形).

화살-나무 [—라—] 명〖식〗[*Euonymus alatus*] 노박덩굴과의 낙엽 활엽 관목. 높이 1m 내외로, 줄기와 가지에 코르크(Kork)질의 날개 같은 것이 있음. 잎은 대생(對生)하고 타원형이며 끝이 뾰족한데 뾰족한 부분에는 잔 톱니가 있음. 황록색의 사판화(四瓣花)가 6월에 취산 화서(聚繖花序)로 액생(腋生)하며, 삭과(蒴果)는 10월에 익음. 가을에 단풍이 들면 매우 아름다움. 산록·산허리의 암석지(岩石地)에 나는데 거의 한국 각지와 일본·중국·만주·우수리 지방에 분포함. 관상용(觀賞用)으로 심으며, 줄기는 지팡이·화살 재료, 잔 가지에 나는 날개 같은 것은 약용(藥用)으로, 어린 잎은 식용(食用)함. 귀전우(鬼箭羽). 위모(衛矛). 혼전우(魂箭羽).

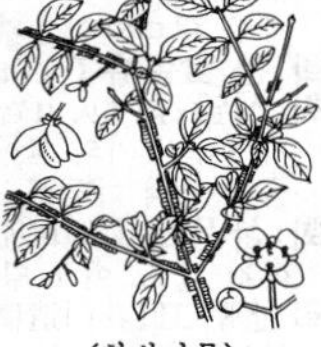
〈화살나무〉

화살나뭇-과【—科】[—라—] 명〖식〗노박덩굴과.

화살-대 [—때] 명 화살의 몸을 이루는 대. 전죽(箭竹). ㊀살대.

화살-벌레 명〖동〗[*Spadella cephaloptera*] 모악(毛顎) 동물의 하나. 몸길이는 대개 1cm 내외로 무색 투명하며 좌우 상칭(左右相稱)이고, 두부·동부(胴部)·미부(尾部)의 세 부분으로 구분됨. 둔부(臀部)와 미부에 거의 3각형의 지느러미가 있으며, 복면(腹面) 중앙에 입이 있고 그 앞과 배면(背面) 측부에는 한 쌍의 톱니가, 복면 측부에는 강모(剛毛)가 있음. 대양(大洋)의 표층(表層)을 조류(潮流)에 따라 부유(浮遊)하며 생활함. 대양성 플랑크톤의 요소가 됨.

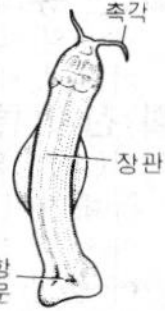

〈화살벌레〉

화살-사초【—莎草】명〖식〗[*Carex transversa*] 방동사니과에 속하는 다년초. 줄기는 삼릉주(三稜柱)로 총생(叢生)하고 높이 30-50cm, 잎은 호생하고 선형(線形)임. 5-6월에 소수(小穗)는 3-4개, 웅수(雄穗)는 1개가 정생(頂生)하고, 자수(雌穗)는 2-3개가 측생(側生)하여 피며, 수과(瘦果)는 삼릉(三稜) 타원형임. 들의 습지에 나는데, 제주·전남 및 중국·일본에 분포함.

화살-오징어 명〖동〗[*Doryteuthis bleckeri*] 오징어의 일종. 갸름한 원뿔 모양으로 끝이 뾰족하며, 몸통은 40cm, 다리는 짧음. 봄, 초여름에 산란(産卵)하기 위해서 해안에 모여 듦. 주로 '한치회'라 하여 날로 먹고, 말려서 포(脯)도 만듦. 통칭 : 한치.

화살-자리 명 [라 Sagitta]〖천〗8월 하순의 저녁 때, 남쪽 중천에 보이는 화살 모양의 작은 별자리. 은하 속에 있음. 그리스 신화에 나오는 사랑의 신(神)인 에로스의 화살을 상징함.

화살-집 [—찝] 명 시복(矢服).

화살-촉【—鏃】명 화살 끝에 박은 쇠. 전촉(箭鏃). 살밑. 시촉(矢鏃). ㊀살촉·활촉.

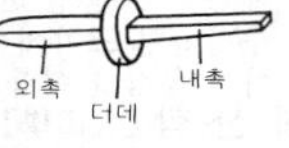

〈화살촉〉

화살-표【—標】명 ①방향을 나타내는 데 쓰이는 화살꼴의 부호. ②문장에 쓰는 부호의 하나. '←'의 인쇄상의 이름. 방향표.

화:삼【火蔘】명〖식〗장군풀.

화:삽【火鍤】명 부삽².

화:상¹【化像】명 만물(萬物). 만상(萬象).

화:상²【火床】명 보일러의 불을 때는 곳.

화:상³【火傷】명 높은 열에 데어서 상함. 또, 그로 인한 피부 조직의 상해(傷害). 경증(輕症)의 것은 피부의 발적(發赤)·동통·수포(水疱) 발생, 중증(重症)에서는 조직의 회사(壞死)·탄화(炭化)를 가져옴. 열상(熱傷). ¶ ~을 입다.

화상⁴【花床】명〖식〗화탁(花托).

화상⁵【和尙】명〖불교〗①수행(修行)을 많이 한 중. 도(道)를 가르치는 중. ②'중'의 경칭.

화상⁶【華商】명 중국 사람의 장수.

화:상⁷【畫商】명 그림을 파는 장사. 또, 그 장수.

화:상⁸【畫像】명 ①사람의 얼굴을 그림으로 그린 현상. 사조(寫照). 회상(繪像). ②〈속〉얼굴. ③〈속〉어떤 사람을 능신스럽고 마땅치 않게 여기어 홀하게 일컫는 말. ¶그 ~들 참 싱겁더라/이 ~아. ④[picture]〖통신〗텔레비전 수신기(受信機)의 화면에 나타나는 상(像).

화:상-경【畫像鏡】명 중국에서 행하여지던 금속 거울의 한 가지. 거울 뒤 쪽에 중국 고대의 전설상의 인물을 나타내고 있음. 주조(鑄造) 연대는 미상이나 2-3세기에 가장 성행하였던 것으로 추측됨.

화상-곡【華想曲】명〖악〗로맨스(romance)❺.

화:상 공학【畫像工學】명 화상(畫像)의 전송(傳送)·기록·변환·처리·발생 등을 다루는 공학. 광학(光學)·사진·인쇄·텔레비전·팩시밀리 등 개개의 응용 분야에서 발달한 학문·기술을 포함함.

화:상-싸움【火桑—】명〖민〗경상 북도 안동군(安東郡) 서후면(西後面) 저전동(苧田洞)에 전승되는 민속 놀이. 단오 전날 밤에 마을 청년들이 두 패로 갈리어 삼줄에 맨 말린 뽕나무 뿌리에 불을 붙여, 이것을 휘둘러 상대방의 불붙인 뽕나무 뿌리를 감아 당겨 뺏으며 이기기를 겨룸. 화기(火氣)를 다스리기 위한 놀이라 함.

화:상 면:적【火床面積】명 보일러 연료를 연소시키는 노(爐)의 면적.

화:상-비【畫像比】명〖물〗애스펙트레이쇼(aspect ratio).

화:상-석【畫像石】명 중국에서, 신선·성현·효자·조수(鳥獸)·거마(車馬) 등의 화상을 궁전·사당·분묘(墳墓)의 벽면에 새겨 붙인 것. 한대(漢代)의 산둥 성(山東省) 샤오탕 산(孝堂山)의 사당과 우씨 석실(武氏石室)의 화상이 특히 유명함.

〈화상석〉

화:상 송:신기【畫像送信機】명 [picture transmitter] 비주얼 송신기.

화:상 숭배【畫像崇拜】명〖종〗기독교 교회에서 그리스도 및 성모 마리아의 화상을 우러러 받드는 일.

화:상 신:호【畫像信號】명 [picture signal]〖통신〗텔레비전이나 팩시밀리에서, 화면(畫面)의 주사(走査)에 의해서 생기는 신호.

화:상-전【畫像塼】명 화상이 있는 전(塼). 한대(漢代) 이후의 중국에서 궁전(宮殿)·불상(佛像)·능묘(陵墓)·성벽 등에 쓰이었음. 문자·인물·동식물·기하학 무늬 등이 있으며, 우리 나라의 삼국 시대·신라 통일 시대에도 많이 쓰였음.

화:상 전:화 방식【畫像電話方式】명 [visual telephony]〖통신〗전화 회선(回線)에 의한 화상 정보(畫像情報)의 전송(傳送).

화:상 주파수【畫像周波數】명 [picture frequency]〖통신〗팩시밀리 방식에서, 원화(原畫)를 주사(走査)함으로써 생기는 화상 신호(信號)의 주파수.

화:상 진단【畫像診斷】명〖의〗영상(映像)에 의해 인체(人體) 각 부위(部位)의 건강 여부를 시각적(視覺的)으로 확인하는 진단법. X선·방사선 동위 원소·초음파·핵자기 공명 영상법(MRI) 등을 이용함.

화:상-찬【畫像讚】명 화상에 쓴 찬(讚).

화:상 처:리【畫像處理】명 화상에 관한 처리 기술을 일컫는 말. 사진·영상(映像) 등 실제 화상을 컴퓨터에 입력(入力)하여 그 화상이 가지고 있는 특징을 추출, 강조하거나 기술(記述)하는 기술인데, 화질 개선(畫質改善)·강조·재구성·분할 등으로 처리함.

화:상 통신【畫像通信】명〖통신〗화상(畫像)을 원격지(遠隔地)로 보내, 그것을 재현(再現)하는 것과 같은 통신 형태. 텔레비전 전화·텔레비전 회의·팩시밀리 등이 대표적임.

화:상 회:의【畫像會議】[—/—이] 명 원격지(遠隔地)의 회의실을 서로 통신 회선으로 연결하여, 상대방의 모습을 텔레비전을 통해 보면서 회의하는 통신 수단. 텔레비전 회의.

화:색¹【化色】명〖불교〗부처·보살의 신통력(神通力)에 의하여 여러 가지로 변하는 형체.

화색²【和色】명 ①온화한 얼굴 빛. ②얼굴에 드러난 환한 빛. ¶얼굴에 ~이 돌다.

화:색³【貨色】명 재색(財色).

화:색⁴【禍色】명 재앙이 벌어지는 빌미.

화색⁵【樺色】명 붉은 바탕에 누른 빛을 띤 빛깔.

화:색 박두【禍色迫頭】명 재앙이 바싹 닥쳐옴. ——하다 자여불

화:생¹【化生】명 ①생물의 기관(器官)이 보통의 형태와 현저(顯著)하게 변하고 그에 따라서 기능(機能)도 변하는 일. 잎이 바늘이나 덩굴손으로 변화하는 예 같은 것. *변태(變態). ②[범 aupapādika]〖불교〗의탁(依託)할 곳이 없이 홀연(忽然)히 생김. 곧, 형용(形容)이 없이 말만 하는 귀신의 무리. ——하다 자여불

화:생²【火生】명〖불교〗부동 명왕(不動明王)이 화염(火焰)을 내어 세계를 비추고, 그 불로 악마를 소멸(燒滅)하는 일.

화생방-전【化生放戰】명〖군〗화학 병기(化學兵器)·생물학 병기 및 방사능(放射能) 병기를 사용하는 전쟁. 시 비 아르전(CBR戰).

화:-생토【火生土】명〖민〗오행(五行)의 운행(運行)에 있어, 화(火)가 토(土)를 생성함.

화:서¹【火鼠】명 상상상(想像上)의 동물. 남방의 화산(火山) 속에 살며

털은 화완포(火浣布)를 만든다고 함.

화서[2]【禾黍】명 벼와 기장.

화서[3]【花序】명〖식〗꽃차례.

화서[4]【花署】명 글씨의 모양을 꾸며서 흘려 쓰는 서명. ＊화압(花押).

화서지-몽【華胥之夢】명〔옛날 중국의 황제(黃帝)가 낮잠을 자다가 꿈에 화서(華胥)라는 나라에 가서 그 나라의 선정(善政)을 보고 깨어서 깊이 깨달았다는 고사에서 온 말〕낮잠. 선몽(善夢).

화:석[1]【化石】명〔fossil〕〖지〗지질 시대(地質時代)에 살던 동식물의 유체(遺體) 및 그 유적(遺跡)이 수성암(水成岩) 등의 암석 속에 남아 있는 것. 지층의 층위학(層位學)적 연구와 생물 진화(生物進化)의 연구 등에 매우 중요함. ¶～처럼 굳은 표정. ＊목엽석(木葉石).

화:석[2]【火石】명 부싯돌.

화석[3]【花席】명 무늬를 놓은 돗자리.

화:석-괴【化石塊】명〖지〗해류(海流) 등의 작용으로 각 심도(深度)의 일정한 점에 밀집하여 덩어리진 화석. ＊화석퇴(化石堆).

화:석 구조토【化石構造土】명〖지〗과거의 지질 시대에 형성되고, 현재도 그 형태를 남기고 있는 구조토.

화:석-대【化石帶】명〖지〗특정 화석을 포함하는 층준(層準). 화석을 중시하는 층위학(層位學)에서 지층의 대비(對比)를 행할 때 흔히 쓰는 말. 지사적(地史的)으로는 4차원적 공간을 말하나 실제로는 지층의 한정된 일정 범위에 상당하며 특유한 화석이 남.

화:석-림【化石林】[—님] 명 서식하고 있었던 상태 그대로 떼를 지어 모여 있는 수목의 화석. 물가의 삼림(森林)이 비교적 단기간에 물 속으로 가라앉아 토사(土砂)에 묻히거나 화산 활동으로 화산회(火山灰)에 묻혀서 이루어진 것임.

화:석-목【化石木】명 지질(地質) 시대에 땅 속에 묻혀서 나뭇결과 조직이 잘 보존된 나무.

화:석-빙【化石氷】명〔fossil ice〕①영구 동토층(永久凍土層) 지역에 있는 비교적 오래된 땅 속의 얼음. ②현재의 온도가, 그것을 생성(生成)할 정도로는 낮아져 있지 않은 지역에 있어서의 땅 밑의 얼음.

화:석 사리【化石—】명〖생〗경상 북도 칠곡군(漆谷郡) 왜관(倭館)의 금무봉(錦舞峰) 남쪽 기슭 중턱 골짜기 바닥에 있는 화석(化石) 무리. 중생대(中生代) 쥐라기(Jura紀)에 산출되는 목본 양치(木本羊齒) 식물 *Cylathocaulis naktongensis*의 화석으로, 지름 10cm 가량의 타원형 규화목(珪化木)이 발견됨. 천연 기념물로 지정됨.

화:석-상[1]【化石床】명〖지〗화석군(群)의 가정적인 모층(母層). 곧, 화석군이 일차적으로 매몰되었으리라고 생각되는 본래의 지층.

화:석-상[2]【化石象】명 과거에는 번영하고 있었지만 현재는 화석으로만 볼 수 있는 코끼리.

화:석 생물학【化石生物學】명 화석을 생물학적으로 연구하는 학문. 20세기 초에 제창(提唱)되어 화석학과는 구별되어야 한다고 하였으나, 현재는 그것이 서로 대립하는 두 개의 학문이라고 보지 않음.

화:석-수【化石水】명 지층의 퇴적(堆積) 당시 해저(海底) 부근의 바닷물이 지층 속에 들어가서 그대로 남아 있는 물. 유전(油田)·가스전(gas田) 등에 있는 염수(塩水)나 온천의 일부에 있는 것 같은 것이 이것으로 생각됨.

화:석 식물【化石植物】명 과거에는 존재하였으나 현재는 화석으로만 볼 수 있는 식물.

화:석 연료【化石燃料】[—열—] 명〔fossil fuel〕연료로서 사용할 수 있는 임의(任意)의 탄화 수소를 포함한 물질. 석유·석탄·천연 가스 따위.

화:석 유:인원【化石類人猿】명〖지〗화석으로 산출(產出)되는 유인원과의 무리. 에오세의 암피피테쿠스, 올리고세의 올리고피테쿠스, 마이오세의 드리오피테쿠스, 플라이오세의 플리오피테쿠스 등이 알려져 있는데, 반직립 보행(半直立步行)·수상(樹上) 생활을 한 것으로 추정됨.

화:석-인【化石人】명 화석 인류.

화:석 인류【化石人類】[—일—] 명〔fossil men〕〖인류〗지질 시대의 제사기 홍적세(洪積世)에 생존하였고, 현재는 화석으로서 발견되는 인류. 원인(猿人)인 아우스트랄로피테쿠스류(Australopithecus類)를 비롯하여 원인(原人)인 호모 에렉투스(Homo erectus)·네안데르탈 인류(Neanderthal人類)·화석 현세 인류(化石現世人類) 등으로 대별함. 고생(古生) 인류. 화석인(化石人). ↔ 현생 인류(現生人類).

〈화석 인류〉

화:석 자기【化石磁氣】명 지질 시대(地質時代)의 지구 자기장(地球磁氣場)을 추정(推定)할 수 있으므로 이렇게 일컬음. 자연 잔류 자기(自然殘留磁氣).

화:석-퇴【化石堆】명〖지〗밀집형(密集型)의 화석층(層) 중, 고생물(古生物)이 본래의 서식(棲息) 위치에 매몰 생성된 화석의 뭉치. 화석 산호초(珊瑚礁) 등은 그 대표적인 것인데, 조류(藻類)·패류(貝類) 등 고착성(固着性) 생물에서 흔히 볼 수 있음. ＊화석괴(塊).

화:석-학【化石學】명 화석을 조사하여 생물의 계통을 분명히 하고, 또 지층의 신구(新舊)나, 지질 시대의 기후 등을 연구하는 학문. 고생물학(古生物學).

화:석 현:세 인류【化石現世人類】[—일—] 명〔Homo sapiens fossilis〕〖인류〗현세 인류의 직접 조상인 화석 인류. 인류 진화사상(進化史上) 원인(猿人: Australopithecus 類)·원인(原人: homo erectus)·네안데르탈 인류(Neanderthal 人類)에 이어, 홍적세(洪積世) 말기에 나타난 크로마뇽인(Cromagnon 人)·샹슬라드인(Chancelade人)·그리말디인(Grimaldi 人) 등. 후기(後期) 구석기(舊石器) 문화를 이룸.

화:선[1]【火扇】명 ①불부채. ②촛대에 딸린 제구. 둥글고 얇은 쇠조각인데 초꽂이 옆에 꽂아서 이리저리 돌리며, 촛불의 밝은 정도를 조절함.

화:선[2]【火船】명 ①수전(水戰)에서 장작·짚 등을 싣고 불을 질러 바람을 이용하여 적선(敵船)에 불을 옮기는 데에 쓰이는 배. ②여러 척의 배가 한 조(組)가 되어 야간에 고기를 잡을 때 불을 밝히는 배. 보통 지휘자가 타고 있음. 불배.

화:선[3]【火線】명〖군〗①화전(火戰)을 행하는 전선(戰線). ②전투의 최전선. ③〖물〗볼록 렌즈로 햇빛을 모아 비칠 때, 그 굴절한 광선이 모이는 선.

화선[4]【花仙】명〖식〗↗화중 신선(花中神仙).

화:선[5]【貨船】명 ↗화물선(貨物船).

화:선[6]【畫仙】명 회화의 재주가 선인(仙人)의 경지에 이른 사람. 뛰어난 화가. 화성(畫聖).

화:선[7]【畫船】명〖역〗채선(彩船).

화:선실 수필【畫禪室隨筆】명〖책〗중국 명(明)나라 때의 문인 화가 동기창(董其昌)이 쓴 필록(筆錄)을 후인(後人)이 편찬한 책. 모두 4권. 1·2 권에서 서화(書畫)에 관한 사항을 수록하여 고래의 작가와 작품의 비평을 주로 하고 작자 자신의 의견을 피력하였으며 북화(北畫)의 타도와 남화(南畫)의 진흥을 주장하였음.

화:-선지【畫宣紙】명 선지(宣紙)의 한 가지. 옥판(玉版) 선지보다 크고 질이 낮음.

화:설[1]【火泄】명〖한의〗열설(熱泄).

화설[2]【話說】명 중국식 소설에서 이야기를 시작할 때에 쓰는 말. ¶～저 기생의 성은 유요, 이름은 초월이라《作者未詳: 話中話》. ＊각설(却說).

화섬[1]【化纖】명〖화〗↗화학 섬유(化學纖維)❶❷.

화섬[2]【華贍】명 문장(文章)이 화려하고 그 내용(內容)이 섬부(贍富)함. ——-하다 형여불

화섬-사【化纖絲】명 화학 섬유로 만든 실. ↔면사(綿絲).

화섬-지【化纖紙】명 ↗화학 섬유지.

화:성[1]【化成】명 ①길러서 자라게 함. ②〖화〗화합하여 새 물질이 됨. ③덕화(德化)되어 선(善)하여짐. ④〖전〗제조 공정(製造工程)의 일부로서 전기 특성이 경년 변화(經年變化)를 일으키지 않도록, 전해(電解) 콘덴서·전해 정류기(整流器)·반도체(半導體) 장치에 전압(電壓)을 가하는 일. ——-하다 자타여불

화:성[2]【化性】명 성질을 변하게 함. ——-하다 자여불

화:-성[3]【火姓】명〖민〗오행(五行)의 화(火)에 붙은 성(姓). 성자(姓字)를 궁(宮)·상(商)·각(角)·치(徵)·우(羽)의 오음(五音)으로 나누어서 오행에 벌러 붙임. ＊금성(金姓).

화:성[4]【火星】명〔라 mars〕〖천〗태양계(太陽系)의 행성(行星)의 하나. 태양에서부터 세어서 네 번째로 바로 지구의 바깥이며, 금성(金星) 다음으로 지구(地球)에서 가깝고 밝으며 태양으로부터의 평균 거리는 2억 2794만 km임. 687일 만에 태양을 일주(一周)하며, 24시간 37분 23초로 1회 자전(自轉)하며 궤도(軌道)는 긴 타원형으로 공전 주기(公轉週期)는 1.8년임. 지름은 지구의 약 반이며, 질량(質量)은 지구의 0.11배임. 빛은 겉으로는 적색(赤色)이고 지구보다 훨씬 희박한 분위기를 가지며 온도도 낮음. 양극(兩極)의 흰 부분은 빙설(氷雪), 적도(赤道) 부근의 붉은 부분은 사막(砂漠), 녹색(綠色)의 부분은 지의류(地衣類)에 의한 것이라고 생각되었으나 확인되지 않고 있음. 두 개의 위성(衛星)이 있음. 1976년 최초의 무인(無人) 우주선 바이킹 1·2호가 착륙하여 많은 재료의 사진을 전송(電送)하였으나 생명체의 유무는 확인하지 못하였음. 형혹성(熒惑星). 마르스(Mars).

화:성[5]【火聲】명 오행(五行)의 화(火)에 해당하는 음성. 곧, 급하고 거세어 여운(餘韻)이 없는 음성을 말함.

화성[6]【和成】명〖악〗조선 세종(世宗) 때의 춤음악《발상(發祥)》의 마지막 악장(樂章). 한문 가사 4언(言) 10구로 되어 있음.

화성[7]【和聲】명〔harmony〕〖악〗화음 진행(和音進行) 때에 음악적 조화(調和)가 생기는 현상.

화:성[8]【畫聖】명 극히 뛰어난 화가. 회화의 성인. 화선(畫仙).

화:성[9]【化性】[—썽] 의명〖생〗동물, 특히 곤충이 1년간 일정한 수의 세대(世代)를 되풀이하는 성질. 1년에 한 세대의 것을 일화성, 연 2세대의 것을 이화성, 그 이상을 다(多)화성이라 함.

화:성 광:물【火成鑛物】명〖광〗마그마에서 직접 결정하여 된 광물. 운모(雲母)·휘석(輝石)·장석(長石) 따위.

화:성 광:상【火成鑛床】명〖광〗마그마 분화(分化) 작용으로 이루어진 광상. 넓은 뜻으로는 마그마 시대에 생긴 화성 광상, 기성(氣成) 시대에 생긴 기성 광상과 접촉(接觸) 광상, 열수(熱水) 시대에 생긴 열수 광상을 포함하나, 좁은 뜻으로는 마그마가 굳어지는 초기 시대, 곧 마그마 시대에 비휘발성(非揮發性) 광상이 모여서 된 광상을 뜻함. 마그마 광상. ↔변성(變成) 광상.

화성-군【華城郡】명〖지〗경기도의 한 군. 관내 1읍 15면. 북은 시흥군(始興郡), 동은 용인군(龍仁郡), 남은 평택군(平澤郡), 서는 황해(黃海)에 접함. 중부 지방 제일의 농산지이며 축산 등이 있음. 명승 고적으로는 용주사(龍珠寺)·융릉(隆陵)·건릉(健陵)·당성(唐城) 등이 있음. 군청 소재지는 오산(烏山). [730.97 km²: 187,319명(1991)]

화-성냥 명〈방〉성냥(함남·경상).

화성 단음계【和聲短音階】명〖악〗보통 단음계의 제 7 도를 반음(半音) 높인 단음계의 하나. 주로 화성(和聲)에서 쓰임.

화성돈【華盛頓】명〖지〗'워싱턴(Washington)'의 취음.

화성-랑【和聲郎】[—낭] 명〖역〗조선 세종(世宗) 30년(1448)에 제정한 아악서승(雅樂署丞)의 낭계(郎階)의 이름.

화:성 로켓【火星―】〔rocket〕명 '화성 탐측기(火星探測機)'의 통칭. 1962년 소련이 최초로 발사하였으나 실패, 1974년에 화성(火星) 7호가 화성의 위성 궤도(衛星軌道)에 올랐음. 1964년 11월에 발사한 미국의 마리너(Mariner) 4호가 1965년 7월 화성에 접근하여 최초로 크레이터(crater)의 사진 촬영 및 전송에 성공하였으며, 바이킹(Viking) 1·2호가 1976년 화성에 연착륙(軟着陸)하여 대기의 성분·온도·지질(地質) 등 여러 가지 관측(觀測)을 실시하였음.

화:성-론【火成論】[―논] 명 〖지〗 현무암이나, 화강암(花崗岩) 등은 마그마가 냉각 응고하여 된 것이라고 하는 학설. 18세기 말엽 에딘버러의 허턴(Hutton, James)이 주장한 학설로서, 수성론(水成論)과의 논쟁에서 이겨 널리 인정함. 황성설. ↔수성론.

화성-법【和聲法】[―뻡] 명 〖악〗 화음(和音)을 기초로 하여, 선율(旋律)을 조직하는 방법. ↔대위법(對位法)❷.

화:성 비:료【化成肥料】 명 〖화〗 비료의 세 가지 요소인 질소(窒素)·인산(燐酸)·칼륨(kalium) 중, 두 개 또는 세 개를 함유하며, 그 사이에 화학적 결합을 일으킨 비료. 배합(配合) 비료보다 성분이 좋고, 포장·운반·시비(施肥) 등에 편리한 것이 그 특징임. ㊀화비(化肥).

화:성-상【火成相】 명 〔igneous facies〕〖지〗 화성암의 구조(構造)·조직(組織)·조성(組成) 등에서, 다른 것과 구별할 수 있는 부분.

화:성-설【火成說】 명 〖지〗 화성론.

화성-소【花成素】 명 〔florigen〕 화아(花芽)를 자극하여 개화(開花)시키는 식물 호르몬.

화:성 쇄:설암【火成碎屑岩】 명 〔pyroclastic rock〕〖지〗 화산의 폭발로 분출(噴出)된, 쇄설상(狀)의 화산 생성물로 된 암석.

화:성-암【火成岩】 명 〖지〗 땅 속에서 용해(熔解)된 마그마가 지표(地表)나 지하에서 응고하여 이룬 암석. 화산암(火山岩)·반심성암(半深成岩)·심성암(深成岩)이 있음. 주로 석영(石英)·장석(長石)·운모(雲母)·휘석(輝石)·각섬석(角閃石) 등으로 조성되는데, 층(層)을 이루지 아니하고, 덩어리 모양을 이룸. 화강암(花崗岩)·안산암(安山岩) 같은 것. 괴상암(塊狀岩). 불에된바위.

화:성암-체【火成岩體】 명 화성암에 의하여 점유되는 지각(地殼)의 부분. 지질학적인 단위의 하나.

화:성-유【化城喩】 명 〖불교〗 법화경(法華經)에 나오는 비유. 보배 있는 곳을 찾아가는데 길이 험하여 사람들이 피로해 하므로, 길잡이하던 사람이 신통력(神通力)으로써 큰 성을 나타내어 쉬게 한 후, 피로가 회복되자 화성(化城)을 없애 버리고, 진짜로 보배가 있는 곳에 이르게 하였다 함. 이 화성은 방편교(方便敎)의 깨달음에, 보배있는 곳은 진실교(眞實敎)의 깨달음에 비유한 것임.

화성 음정【和聲音程】 명 〖악〗 둘 이상의 음이 동시에 울리는 음정.

화:성의 대:접근【火星―大接近】[―/―에―] 명 〖천〗 ①지구 바깥 쪽에서 긴 타원을 그리며 도는 화성이 1971년 8월 12일 5,620만 km 까지 접근하던 일. 화성 표면의 지질 구조·기상 변화·생물의 존재 여부 따위 귀중한 여러 관측이 있었음. ②지구의 궤도도 타원이지만 화성은 더 길쭉한 타원이므로 지구와 화성 간의 거리는 때에 따라 많이 달라지나 가장 가까이 접근할 때를 이르며, 최접근 거리는 상황에 따라 5,550만 km 까지도 됨.

화:성의 위성【火星―衛星】[―/―에―] 명 〖천〗 화성에 딸린 두 개의 별. 안쪽 것은 반지름 11 km로 포보스(Phobos)라 하며, 바깥 쪽 것은 반지름 6 km로 다이모스(Deimos)라 함. 포보스는 화성의 서쪽에서 떠서 동쪽으로 가라앉으며, 반대로 다이모스는 동쪽에서 뜨고 서쪽으로 짐. 둘 다 완전한 구형은 아니며, 표면은 크레이터(crater)로 된 암석 덩어리로, 옛날의 대행성(大行星)의 파편으로 된 소(小)행성의 생성과 같다고 생각됨. 둘 다 1877년 미국의 천문학자 홀(Hall, Asaph; 1829-1907)이 발견하였으며, 1971년 11월 미국의 화성 로켓 마리나 9호가 가까이 가서 직접 촬영에 성공함.

화:성-인【火星人】 명 화성에 살고있다고 믿었던 문어처럼 생긴 상상의 인간. 영국의 웰스(Wells, H.G.)의 공상 과학 소설 《화성과의 전쟁》에 등장함.

〈화성인〉

화:성 작용【火成作用】 명 〖지〗 화성 활동(火成活動).

화:성 지리학【火星地理學】 명 〔areography〕 화성의 표면 형상을 연구하는 지리학.

화:성 측량학【火星測量學】[―냥―] 명 〔areodesy〕〖천〗 관측·측량에 의하여, 화성 표면의 특정한 점의 정확한 위치나, 어떤 지역의 형상·면적, 혹은 화성 자체의 크기나 모양을 측정하는 학문.

화:성 탐측기【火星探測機】 명 〔Mars probe〕 마리나(Mariner) 또는 바이킹(Viking) 계획처럼, 화성의 탐측을 목적으로 하는 무인 우주선(無人宇宙船). 통칭 화성 로켓.

화:성-학[1]【火星學】 명 〔areology〕〖천〗 화성의 성질·상태에 관한 과학적 연구.

화성-학[2]【和聲學】 명 〔도 Harmonielehre〕〖악〗 화음(和音)에 기초를 두고 음조직(音組織)을 연구하는 기술적 학문. 대위법(對位法)과 더불어 가장 기초적인 학문임.

화성 호르몬【花成―】〔hormone〕 명 개화(開花) 호르몬.

화:성 화:약【化成火藥】 명 화학적 변화에 의하여 화합물로 만들어지며, 단독으로 화약의 성분을 갖는 화약. 또는 이것을 주성분으로 하여 만든 화약. 폭발력이 강하며 현재의 화약은 대부분 이것임. 화합약(化合藥). *혼합 화약(混合火藥).

화:성 활동【火成活動】[―똥] 명 〖지〗 지하 마그마의 직접·간접적 작용으로 일어나는 모든 현상. 화산 분화(噴火), 화산암(火山岩)의 생성(生成), 심성암(深成岩)의 관입(貫入) 등의 현상. 화성 작용(火成作用).

화:세[1]【火洗】 명 〖천주교〗 아직 실제로 영세 입교(領洗入敎)하지 못한 상태에서라도 하느님에 대한 믿음과 사랑을 가지고 세례 받기를 열망함으로써 어떤 의미에서 세례 받은 사람과 같은 은총을 받게 해 주는 성신(聖神)의 세례. 열세(熱洗).

화:세[2]【火勢】 명 불이 타 오르는 기세(氣勢).

화세[3]【花洗】 명 화초(花草)에 물을 주는 기구.

화:-세미【火稅米】 명 〖역〗 화전(火田)에 부과하는 세미.

화:소[1]【火巢】 명 능원(陵園)·묘(墓) 등의 해자(垓子) 밖에 있는 풀과 나무를 불살라 버린 곳. 산화(山火)를 막기 위하여 행함.

화:소[2]【畫素】 명 〔picture element〕 텔레비전이나 사진 전송에서, 화면을 전기적으로 소(小)면적으로 분해한 최소의 면적. 회소(繪素).

화:소[3]【話素】 명 소설 등에서, 이야기를 구성하는 최소 단위.

화소[4]【譁笑】 명 큰 소리를 내어 웃음. 껄껄거리며 웃음.

화:소-도【火燒島】 명 훠사오 섬.

화소분 명 〈방〉 화수분.

화:-소첩【畫梳貼】 명 그림을 그려 꾸민 빗접.

화:소-청【畫燒靑】 명 〖공〗 중국에서 나는 푸른 물감의 한 가지. 도자기(陶瓷器)에 씀. 무명자(無名子). 청석자(靑石子).

화:속[1]【化俗】 명 ①교화(敎化)와 풍속. ②풍속(風俗)이 바뀜. ③〖불교〗 속세의 사람들을 교화함. ――하다 자여불

화:속[2]【火速】 명 타는 불처럼 걷잡을 수 없이 빠름. ――하다 형여불. ――히 부

화:속[3]【火贖】 명 〖역〗 대장(臺帳)에 오르지 아니한 토지에 대하여 부과하는 세(稅).

화:속(을) 물다 구 〖역〗 대장(臺帳)에 오르지 않은 토지에 대하여 세(稅)를 물다.

화속[4]【花束】 명 꽃다발.

화:속 결연【化俗結緣】 명 〖불교〗 속인을 교화하여 불연(佛緣)을 맺게 함. ――하다 자여불

화:-속전【火積田】 명 〖역〗 땅이 나빠서 해마다 농사를 짓지 못하는 화전(火田).

화-솥 명 솥의 한 가지. 배에 돌아가며 전이 달려서, 갓 비슷한 모양으로 되었음.

화:쇄-류【火碎流】 명 화구(火口)에서 분출된 화산 쇄설물(碎屑物)의 흐름. 마그마의 점성(粘性)이 클 때, 화산회(火山灰)·경석(輕石)·화산암괴(岩塊) 등이 화산 가스와 혼합하여 덩이가 되어 분출하는 것임. 화산 암설류(岩屑流). 화산 쇄설물류(碎屑物流).

화:수[1]【火手】 명 화부(火夫)❶.

화:수[2]【火嗽】 명 〖한의〗 가래는 적으나 기침이 나며 얼굴이 붉어지고 갈증이 연달아 나는 병.

화수[3]【禾穗】 명 벼의 이삭.

화수[4]【和水】 명 〖역〗 양곡의 분량이 많은 것처럼 보이게 하려고 물을 부어 불리는 짓. ――하다 타여불

화:수[5]【和酬】 명 남이 보낸 시나 노래에 화답(和答)하여 갚음. ――하다 타여불

화수[6]【花樹】 명 꽃나무.

화수[7]【花穗】 명 〖식〗 이삭으로 된 꽃.

화수[8]【花鬚】 명 〖식〗 화예(花蕊).

화:수[9]【華首】 명 화전(華顚).

화수[10]【畫手】 명 화공(畫工).

화:수[11]【禍祟】 명 재앙의 빌미.

화수리 참변【花樹里慘變】 명 〖역〗 3·1 운동 때, 일본 군대가 수원(水原) 화수리에 방화(放火)한 사건. 1919년 4월 3일 시위 군중이 화수리 주재소(駐在所)를 불지르고 한국인을 사살한 일본 순사 1명을 타살하자, 총독부는 21일 새벽 헌병과 경찰을 투입하여 민가에 불을 지르고 양민(良民) 수십 명을 학살하였음.

화수-먹이【和水―】 명 〖역〗 관에 벼를 납품(納品)할 때 볏섬에서 벼를 조금 덜고 대신 물을 부어 불리던 일.

화수분 명 〔보배의 그릇으로, 그 안에 온갖 물건을 넣어 두면 새끼를 쳐서 끝이 없이 나온다는 데서 생긴 말〕 재물이 자꾸 생겨서, 암만 써도 줄지 아니함을 이르는 말.

화수분 단:지[―딴―] 명 ☞ 화수분.

화:수 석춘가【和酬惜春歌】 명 〖문〗 작자·제작 연대 미상의 가사(歌辭)의 하나. 봄을 맞이하여 규수(閨秀)들이 산과 강으로 꽃을 찾아 다니면서 즉흥시(卽興詩)를 주고받으며 가는 봄을 안타까이 여기는 심회(心懷)를 노래함.

화수-회【花樹會】 명 성(姓)이 같은 일가끼리 친목을 꾀하기 위하여 이룬 모임이나 잔치.

화:숙【火―】 명 〖농〗 ☞ 화전(火田).

화:숙-부대기【火―】 명 〈방〉 화전(火田)(평북).

화:순[1]【化順】 명 감화되어 순응함. ――하다 자여불

화:순[2]【化醇】 명 변화하여 순수(純粹)하게 됨. ――하다 자여불

화순[3]【和順】 명 ①온화(溫和)하고 양순(良順)함. ②고분고분하여 시키는대로 잘 좇음. ――하다 형여불

화순[4]【和順】 명 〖지〗 전라 남도 화순군의 군청 소재지인 읍(邑). 군의 북서부에 위치함. 경전선(慶全線)의 중요역이며, 화순선(和順線)의 기점임. 군내 농산·임산·교통의 중심지임. [23,165 명(1991)]

화순[5]【花脣】 명 ①꽃잎. ②미인(美人)의 입술.

화순-군【和順郡】 명 〖지〗 전라 남도의 한 군. 관내 1읍 12면. 도의 중앙부에 위치하며 북은 광주시(光州市)·담양군(潭陽郡)·곡성군(谷城郡), 동은 승주군(昇州郡)과 곡성군, 남은 보성군(寶城郡)과 장흥군(長興郡), 서는 나주군(羅州郡)에 인접함. 경전선(慶全線)이 군내를 횡단하고 도로망(道路網)이 발달함. 쌀·보리·곶감·인삼·약초·고등 원예 등의 농산과 삼베·죽세 공예품이 생산되고, 무연탄·농업용 석회 등의 광산이 있음. 또한 비육우(肥肉牛)·돼지·염소 등의 축산업도 성함. 명승 고적으

로는 이서면(二西面)의 보산 적벽(寶山赤壁)·이양면(梨陽面)의 쌍봉사(雙峰寺)·도암면(道岩面)의 천불천탑(千佛千塔)·능주면(綾州面)의 영벽정(映碧亭)·화순의 만연 폭포(萬淵瀑布)·남면(南面)의 사평(沙坪) 물통 등이 있으며, 군청 소재지는 화순(和順). [780.82 km² : 86,693명 (1991)]

화순-선【和順線】명〖지〗전라 남도 화순에서, 장동(壯東)을 거쳐 복암(福岩)에 이르는 단선(單線) 철도. 화순에서 경전선(慶全線)과 연락됨. [11.1 km]

화순 출토 청동 유물【和順出土青銅遺物】[―뉴―] 명 전라 남도 화순에서 출토된 청동기 유물. 출토 품목은 청동 세문경(青銅細紋鏡) 2점, 청동검(青銅劍) 3점, 청동 팔주 원령(青銅八珠圓鈴) 2점, 청동 쌍령구(青銅雙鈴具) 2점, 청동 공부(青銅銎斧) 1점, 청동 삭구(青銅削具) 1점 등임. 문화재 관리국에 소장됨. 국보 제143호.

화순 탄:전【和順炭田】명〖지〗전라 남도 화순군 동면(東面) 복암리(福岩里)에 있는 무연탄(無煙炭) 탄전. 품질이 우량(優良)하며, 매장량(埋藏量)은 1,300만 t.

화-술[1] 명〖농〗휘우듬하게 생긴 쟁기의 술.

화:술[2]【化術】명 변화의 술법. 모든 경우에 응하는 술법.

화술[3]【話術】명 말재주. 이야기하는 기교(技巧). ¶그의 ~에 끌려 들었다. ＊말주변.

화:승【火繩】명 불을 붙게 하는 데 쓰는 노끈. 대의 속살을 부수어서 부드럽게 만들어 꼼. 옛날, 총열에 화약(火藥)과 탄알을 재고 이 노끈에 불을 붙이어 귀약통에 대어 화약을 폭발시켰음. 화약 심지. ＊도화선(導火線).

화승-문【花繩文】명〖고고학〗꽃끈무늬.

화:승-작【火繩作】명 한정된 길이의 화승에 불을 붙이어 달아 놓고, 그 화승이 다 타기 전에 글을 짓던 일. ――-하다 자여불

화:승-총【火繩銃】명 화승의 불로 터지게 하여 쏘는 구식 총.

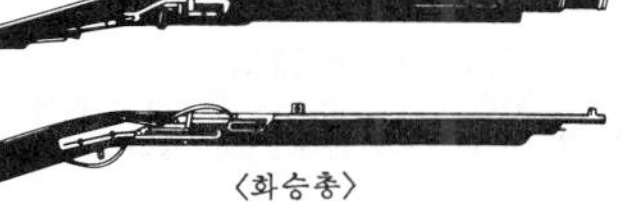
〈화승총〉

화:시[1]【和詩】명〖문〗한시(漢詩)의 한 유형. 남의 시편(詩篇)에 감흥이 촉발되어 그 주제(主題)나 제재(題材)에 좇아서 새로운 각도로 제작된 시편. 화운시(和韻詩) 따위.

화시[2]【花時】명 꽃이 피는 시절.

화:식[1]【火食】명 불에 익히거나 삶은 음식을 먹음. 또, 그 음식. ↔생식(生食). ――-하다 타여불

화식[2]【和食】명 일본식의 요리. 왜식(倭食).

화식[3]【花式】명 [floral formula]〖식〗꽃을 구성하는 악(蕚)·화판(花瓣)·웅예(雄蕊)·자예(雌蕊)·심피(心皮) 등의 종류·수·배열(配列) 상태를 기호 곧 K·C·A·G 등과 수자로 나타낸 식(式). 화법식(花法式). ＊화식도(花式圖).

화:식[4]【貨殖】명 재화(財貨)를 늘림. ――-하다 자여불

화식[5]【華飾】명 화려하게 장식함. ――-하다 타여불

화식-도【花式圖】명 [flower diagram]〖식〗꽃을 구성하는 요소의 종류·수·배치를 꽃의 축(軸)과 수직으로, 곧 상면(上面)에서 본 모양으로 나타낸 모형적 도식(模型的圖式). 화도식(花圖式).

〈화식도〉

화:식 열전【貨殖列傳】[―녈쩐] 명〖책〗중국의 사서(史書)인 ≪사기(史記)≫ 및 ≪한서(漢書)≫에 채용된 편명(編名). 중국 춘추(春秋) 말기로부터 한(漢)나라 초기에 이르기까지를 일대로 하여, 백만 장자들의 이야기를 골자로 하고, 그 사이에 각 지방의 풍속·물산(物產)·교통·상업 등의 상태를 서술한 것임.

화:식-조【火食鳥】명〖조〗[*Casuarius casuarius*] 화식조과에 속하는 주조류(走鳥類)의 거대한 새. 온몸의 길이와 키는 1.5 m, 부척(跗蹠)은 26 cm 가량이고 발가락은 셋이며, 발톱이 긺. 쥐독에는 볏 모양의 담흑색 굳은 살이 있고, 목의 앞은 청자색, 뒤는 적색의 고운 나출부(裸出部)가 있으며 목 밑에는 한 쌍의 육수(肉垂)가 있음. 몸의 우모는 흑색의 모상(毛狀), 날개와 미우(尾羽)는 퇴화하였으나 헤엄과 보행(步行)은 잘 함. 7-9월에 지름 1 m 가량의 둥근 집을 짓고 큰 녹색 알을 3-5개 낳고 주로 수컷이 품음. 과실·종자·잎·곤충을 먹으며 삼림에 서식하는데, 뉴기니·오스트레일리아 북동부에 분포함.

〈화식조〉

화:신[1]【化身】명 ①〖불교〗부처의 삼신(三身)의 하나로, 석가불(釋迦佛) 따위를 가리킴. 응신(應身). ↔법신(法身)·보신(報身). ②〖불교〗부처의 삼신의 하나. 부처가 중생(衆生)을 구하기 위하여 사람이나 귀신 등의 모습으로 나타난 것. 전하여, 보살이나 신(神), 고승(高僧) 따위가 사람의 모습 등으로 나타난 경우에도 쓰임. 변화신(變化身). 성육신(成肉身). ＊삼신(三身). ③어떤 추상적인 특질을 구체화(具體化) 또는 유형화(類型化)하는 것. ¶악(惡)의 ~/미(美)의 ~.

화:신[2]【化神】명 ①교화(敎化)가 현저함. ②신(神)이 됨. 신으로 화함.

화:신[3]【火神】명 불을 맡은 신(神). 오회(吳回).

화:신[4]【火燼】명 회신(灰燼).

화신[5]【花信】명 꽃이 핌을 알리는 소식. 꽃소식. 방신(芳信). ¶북상(北上)하는 ~.

화신[6]【花神】명 ①꽃을 맡은 신. ②꽃의 정신.

화신[7]【花晨】명 꽃이 핀 아침.

화:신[8]【禍神】명 화(禍)를 주는 신. 사신(邪神). 악신(惡神).

화:신 망:상【化身妄想】명〖심〗망상의 하나. 자기가 짐승이나 돌 같은 것으로 변신(變身)하였다고 생각하는 망상. ＊허무(虛無) 망상·빙의(憑依) 망상.

화신 백화점【和信百貨店】명〖역〗한민족에 의해 경영되었던 한국 최초의 백화점. 1890년에 신태화(申泰和)가 설립했고, 1931년 박흥식(朴興植)이 인수했으며, 1980년대에 해체됨.

화신-풍【花信風】명 ①꽃이 피려고 함을 알리는 바람. 곧, 꽃이 필 무렵에 부는 바람. ②↗이십사번 화신풍(二十四番花信風).

화:실[1]【火失】명 실화(失火).

화:실[2]【火室】명 보일러 안에서 땔감을 때어 증기를 발생시키는 곳.

화:-실[3]【花實】명 ①꽃과 열매. ②외관(外觀)과 내용(內容).

화:실[4]【畫室】명 화가(畫家)가 작업하는 방. 아틀리에. 화방(畫房).

화:심[1]【化心】명 ①마음을 변하게 함. ②〖불교〗신통력을 지니고 있는 자의 마음. ――-하다 자여불

화심[2]【花心】명 ①꽃의 중심. 곧, 꽃의 한가운데 꽃술이 있는 부분. ②미인(美人)의 마음.

화:심[3]【禍心】명 남을 해치려는 마음.

화심 답사【花心答詞】명〖악〗정재(呈才) 때 육화대(六花隊) 춤에 부르는 가사(歌詞). 문화심사(問花心詞)의 답사(答詞).

화씨【華氏】명 [Fahrenheit]〖물〗화씨 온도계의 눈금의 명칭. 1714년에 독일의 파렌하이트(Fahrenheit: 華倫海)가 정한 것으로, 얼음과 소금의 혼합물의 온도를 0°, 사람의 체온을 96°로, 어는점 및 끓는점을 각각 32°와 212°로 함. 화씨 온도. 부호: F. ＊섭씨(攝氏)·열씨(列氏).

화씨-성【華氏城】명〖지〗중인도(中印度) 마갈타국(摩竭陀國)의 성. 지금의 비하르(Bihar) 지방에 있었음. 아사세왕(阿闍世王)이 만들었다고 하며 아소카 왕(Asoka王) 역시 이 곳에 도읍(都邑)하여, 인도의 정치·문화의 중심지를 이루었음. 석가(釋迦)도 이 곳의 번영(繁榮)을 예언하였다 함. 불멸(佛滅) 후 제3회의 결집(結集)은 이 곳에서 이루어졌음. 화자성(華子城). 파탈리푸트라(Paṭaliputra).

화씨 온도【華氏溫度】명〖물〗화씨(華氏). ＊열씨 온도.

화씨 온도계【華氏溫度計】명〖물〗독일인 파렌하이트가 창안한 온도계. 어는점을 32°, 끓는점을 212°로 하고 그 사이를 180°로 등분하였음. 화씨 한란계. ＊섭씨 온도계·열씨 온도계.

화씨 한란계【華氏寒暖計】[―할―] 명〖물〗화씨 온도계(華氏溫度計).

화:아[1]【火蛾】명〖충〗불나방.

화아[2]【花芽】명〖식〗꽃눈. ＊엽아(葉芽)·혼아(混芽).

화아 분화【花芽分化】명〖식〗식물이 생육(生育) 도중에 식물체의 영양(營養) 조건·생육 연수(生育年數) 또는 일수, 기온 및 일조(日照) 시간 등 필요한 조건이 다 차서 화아를 달게 되는 일. 종류에 따라, 또는 동일 작물이라도 품종(品種)에 따라, 그 시기가 다르지만 대개는 기온이 높은 여름철에 분화하는 일이 많음.

화아-장【花兒匠】명〖역〗신 코에 꽃무늬를 조각하는 공장(工匠). ＊화장(花匠).

화:아-지【火兒赤】명〖역〗홀지(忽只).

화악【花蕚】명 ①〖식〗꽃과 꽃받침. 또, 꽃을 이름. ②영예(榮譽)·영위(榮位)의 비유. ③형제의 정(情). ④즐겁고 안온한 정(情).

화악-산[1]【華岳山】명〖지〗경상 북도 청도군(清道郡) 청도읍과 경상 남도 밀양군(密陽郡) 청도면(清道面) 경계에 있는 산. [932 m]

화악-산[2]【華嶽山】명〖지〗경기도 가평군(加平郡)과 강원도 춘성군(春城郡) 사이에 있는 산. [1,468 m]

화악산 약수 폭포【華岳山藥水瀑布】명〖지〗경상 북도 청도군(清道郡) 화악산 중허리에 있는 폭포. 길이 36 m. 여름철에 피부병과 신경통에 특효가 있다고 함.

화안[1]【和顏】명 화기(和氣)를 띤 얼굴. 이안(怡顏).

화안[2]【花顏】명 꽃과 같이 아름다운 얼굴. 화용(花容). 화모(花貌). 화면(花面).

화:암 소:금강【畫岩小金剛】명〖지〗강원도 정선군(旌善郡) 동면(東面) 화암리(畫岩里)와 몰운리(沒雲里) 일대의 절경(絕景). 화암 종유굴(畫岩鍾乳窟)이 이 곳에 있음.

화압[1]【花押】명 수결(手決)과 함자(銜字). 준압(押). ＊화서(花署).

화:압[2]【畫押】명 수결(手決)을 씀. ――-하다 자여불

화:앙【禍殃】명 재앙(災殃).

화:-액【禍厄】명 재앙과 곤란.

화:약[1]【火藥】명 충격·마찰·압력·열·전기, 그 밖의 교란(攪亂) 작용에 의하여 급격한 화학 변화를 일으키고 원래의 체적(體積)에 비하여 많은 가스와 열을 발생하는 모든 물질의 총칭. 연초(烟硝). 초약(硝藥). 합약(合藥). 준약(藥).
[화약을 지고 불로 들어간다] 자기가 스스로 위험한 일을 청함을 이르는 말.

화약[2]【和約】명 화목(和睦)한 약속. 화의(和議)의 조약(條約). ――-하다 타여불

화:약 감독【火藥監督】명〖광〗화약을 맡아 다루는 책임을 진 사람.

화:약 감조청【火藥監造廳】명〖역〗조선 태종 17년(1417)에 화약의 연구·제조 전문 기관으로 군기감(軍器監) 안에 설치한 관청.

화:약-계【火藥契】명〖역〗관아에 화약을 공물로 바치던 계.

화:약-고【火藥庫】명 ①화약을 저장하는 곳집. ②분쟁·전쟁 등이 폭발할 위험성이 있는 지역을 비유하여 일컫는 말. ¶중동(中東)의 ~.

화:약-력【火藥力】[―녁] 명 화약이 폭발하는 힘.

화:약-방【火藥房】명 〖역〗조선 시대에, 대궐 안의 화약(火藥)을 관리하는 액정서(掖庭署)의 한 부서.

화:약 심지【火藥心―】명 ①화승(火繩). ②도화선(導火線)❶.

화:약 음모 사:건【火藥陰謀事件】[―껀] 명 〖역〗1605 년 영국에서 일어난 국왕 암살 미수 사건. 제임스 1세의 가혹한 가톨릭교도 박해정책에 반항하여, 교도(教徒)들이 의사당의 지하실에 화약을 묻어 놓고, 11월 5일의 개회시(開會時)에 국왕과 의원들을 폭살(爆殺)시키고 반란을 일으키려던 음모.

화:약-통【火藥筩】명 〖역〗병장기(兵仗器)의 하나. 화약을 넣어 차고 다니는 쇠통.

화양【華陽】명 〖지〗경상 북도 청도군(清道郡)의 한 읍(邑). 군의 중북부에 위치함. 동천동(東川洞)의 석빙고(石氷庫)는 보물로 지정되어 있으며, 조선 시대에 축조한 청도성(清道城)터 외에, 군자정(君子亭)·청도정(清道亭) 등의 옛 정자가 있고, 경부선(京釜線) 철도의 남성현(南省峴) 터널이 뚫려 있음. [8,211 명(1996)]

화양-강【花陽江】명 〖지〗황해도 멸악 산맥(滅惡山脈) 남단에 솟은 표고(標高) 712 m인 주지봉(主之峰)에서 발원하여 남동부를 남류하고 황해로 들어가는 강. [44.2 km]

화양 누르미【華陽―】명 삶은 도라지를 쇠고기·버섯과 섞어 짧게 썰어서 양념하고 볶아 꼬챙이에 꿰고, 끝에 삼색사지(三色絲紙)를 감은 음식. 또는 삶은 도라지와 소의 양·허파·꿩고기·닭고기·생전복 등을 백숙(白熟)하고, 양념을 쳐서 한데 주물러 꼬챙이에 한 가지씩 섞어 꿰고, 알고명을 실같이 썰어 위에 얹음. 즙화향적(汁花香炙). 화양적(華陽炙). 화향적(花香炙). ㊂누르미·꿩누르미.

화양동주【華陽洞主】명 〖사람〗송시열(宋時烈)의 호(號).

화양 묵패【華陽墨牌】명 〖역〗조선 후기에 충청도 청주(清州) 소재 화양 서원(華陽書院)에서 멋대로 발행하던 검정 도장이 찍힌 고지서(告知書). 제수(祭需)와 비용 마련을 위한 일종의 협박장이었음. 뒤에 대원군(大院君)의 서원 철폐의 빌미가 됨.

화양-적【華陽炙】명 화양 누르미.

화:어[1]【火魚】명 〖어〗달강어(達江魚).

화어[2]【華語】명 중국어.

화어 유:초【華語類抄】명 〖책〗일상 사용하는 중국어를 모아서, 우리말로 발음과 뜻을 단 책. 저자와 저작 연대(年代) 미상.

화언[1]【話言】명 ①말을 함. 이야기함. 또, 그 말이나 이야기. ②유익한 말. 좋은 말. ――-하다 재여불

화:언[2]【禍言】명 불길한 말.

화엄【華嚴】명 〖불교〗①만행(萬行)·만덕(萬德)을 닦아 덕과(德果)를 장엄하게 하는 일. ②↗화엄경(華嚴經). ③↗화엄종(華嚴宗).

화엄-경【華嚴經】명 〖불교〗〔대방 광불(大方廣佛) 화엄경의 약칭〕석가가 도(道)를 이룬 뒤, 27일 되던 날에 법계(法界) 평등의 진리를 증오(證悟)한 불(佛)의 만행(萬行)·만덕(萬德)을 칭양(稱揚)한 경문. 법상종(法相宗)·화엄종(華嚴宗)·천태종(天台宗)·선종(禪宗) 등의 소의경(所依經)이 됨. 중국 동진(東晉)의 불타 발타라 역(佛陀跋陀羅譯)이 60 권, 당(唐)의 실차 난타 역(實叉難陀譯) 80 권 및 반야 역(般若譯) 40 권이 있음. 대교(大教). ㊂화엄(華嚴).

화엄경 변:상도【華嚴經變相圖】명 〖불교〗'화엄경'의 내용을 그림으로 그려서 나타낸 불화(佛畫).

화엄경 행원품【華嚴經行願品】명 〖책〗화엄경의 한문에 한글로 자음(字音)을 달고 번역한 책. 조선 시대 영조(英祖) 36년(1760)에 간행됨. 2 권.

화엄-사【華嚴寺】명 〖불교〗전라 남도 구례군(求禮郡) 마산면(馬山面) 황전리(黃田里), 지리산(智異山) 서쪽 기슭에 있는 25 교구 본사(教區本寺)의 하나. 신라 때 연기 대사(緣起大師)가 세웠으며, 종전에 31 본산(本山)의 하나였음.

화엄사 각황전【華嚴寺覺皇殿】명 〖불교〗전라 남도 구례군 화엄사에 있는 불전(佛殿)의 하나. 성층(成層)으로 높이 쌓은 석단(石壇) 위에 서향(西向)하여 서 있는 건물로, 정면 7 간, 측면 5 간 중층(重層) 팔작 지붕 다포(多包)집 건물임. 원래의 건물은 신라 진흥왕(眞興王) 5년(544) 연기(緣起) 대사에 의하여 창건(創建)된 것이었으나 임진 왜란 때에 소실(燒失)되고, 현재의 건물은 조선 시대 인조(仁祖) 21년(1643)에 재건(再建)한 것임. 국보 제67호.

화엄사 각황전 앞 석등【華嚴寺覺皇殿―石燈】명 〖불교〗전라 남도 구례군 화엄사 각황전 앞에 있는 통일 신라 시대의 큰 석등. 높이 6.4 m, 지름 2.8 m. 기대석(基臺石)은 8 각이고 간석(竿石)은 병(瓶) 모양으로 중간에 띠를 둘렀으며 각 면에 꽃무늬가 새겨져 있음. 옥개석(屋蓋石)·보주(寶珠)가 완전하며 부분적으로 균열이 있으나 완전한 형태로 유전되어 현존(現存)하는 석등 중 최대의 작품임. 국보 제12호.

화엄사 대:웅전【華嚴寺大雄殿】명 〖불교〗전라 남도 구례군 화엄사에 있는 불전(佛殿). 건평 35 평, 높이 10.6 m 의 목조 건물임. 원래의 건물은 정유(丁酉) 재란에 소실(燒失)되고, 현재의 것은 조선 시대 인조(仁祖) 14년(1636)에 벽암 선사(碧巖禪師)가 중건한 것임. 전면 5 간, 측면 3간 총 15 간 단층(單層)의 극히 드문 구조 양식의 건물로, 내부의 불화(佛畫) 및 돌층계 등도 특수한 것임. 보물 제299호.

화엄사 동 오:층 석탑【華嚴寺東五層石塔】명 〖불교〗전라 남도 구례군 화엄사 대웅전 단(壇) 아래에 있는 석탑. 높이 6.4 m, 대석(臺石)의 한 변(邊)의 길이 2.8 m 로 기교(技巧)가 없고 균형(均衡)이 고험(高險)함. 보물 제132호.

화엄사 사:사 삼층 석탑【華嚴寺四獅三層石塔】명 〖불교〗전라 남도 구례군 화엄사에 있는 높이 5.5 m 의 화강암의 3 층 석탑. 기단(基壇)이 2층인 3층 탑으로, 하단 4 면에는 각 3 구(區)의 안상(眼象)에 천인상(天人像)이 양각(陽刻)되었으며, 상층 기단에는 좌상(坐像)의 사자(獅子)로써 우주(隅柱)를 삼고, 그 머리에 개석(蓋石)을 얹어 탑신을 세웠음. 신라 불교 전성 시대의 대표작으로, 경주의 불국사 다보탑(多寶塔)과 더불어 이형 석탑(異型石塔)의 쌍벽을 이룸. 국보 제35호.

화엄사 사:적【華嚴寺事蹟】명 〖책〗전라 남도 구례군 화엄사의 연혁과 관계 문헌 및 소장된 물명(物名)을 기록 서술한 책. 조선 시대 숙종(肅宗) 23년(1697)에 화엄사가 간행함.

화엄사 서 오:층 석탑【華嚴寺西五層石塔】명 〖불교〗전라 남도 구례군 화엄사 대웅전의 단(壇) 아래 서쪽에 있는 석탑. 높이 약 6 m 로 2층 기단(基壇) 위에 세워져 있는데 하단 4 면에는 각 3 구(軀)의 십이지상(十二支像)을, 상단 각 면에는 사천왕·인왕(仁王) 등의 상이 2 구씩 새겨져 있음. 탑신은 비교적 좁고 처마 끝에 나와 있는 등 웅건한 자세를 보이고 있음. 보물 제133호.

화엄 산림【華嚴山林】[―살―] 명 〖불교〗화엄경을 한 달 또는 두 달씩 기간을 정하고 강설(講說)하는 일.

화엄 삼매【華嚴三昧】명 〖불교〗공불(供佛)·교화(教化)·십바라밀(十波羅蜜) 등 만행(萬行)의 근본 의지(根本依止)가 되는 삼매.

화엄 삼사【華嚴三師】명 〖불교〗화엄경을 본종(本宗)으로 하고, 연구한 3 대사(大師). 곧, 원효(元曉)·의상(義湘)·윤필(潤筆).

화엄 삼성【華嚴三聖】명 〖불교〗화엄경(華嚴經)과 관계가 있는 비로자나불(毘盧遮那佛)·보현 보살(普賢菩薩)·문수 보살(文殊菩薩)의 세 성자(聖者).

화엄-소【華嚴疏】명 〖책〗대방 광불 화엄경(大方廣佛華嚴經)을 주해(註解)한 책.

화엄-시【華嚴時】명 〖불교〗천태종(天台宗)의 오시설(五時說)의 하나. 석가(釋迦)가 도(道)를 이룬 뒤에 최초의 27일에 보리수 밑에서 화엄경(華嚴經)을 설(說)한 때의 일컬음.

화엄 시:식【華嚴施食】명 〖불교〗화엄경을 주로 하여 만든 시식문(施食文).

화엄 신장【華嚴神將】명 〖불교〗화엄경을 보호하는 신장(神將). 곧, 불법(佛法)을 보호하는 신장. 신중(神衆). ㊂신장(神將).

화엄 신중【華嚴神衆】명 〖불교〗화엄경을 호지(護持)하고 받드는 보살 대중.

화엄 십찰【華嚴十刹】명 〖불교〗신라의 의상(義湘)이 중국 당(唐)나라에서 화엄종(華嚴宗)을 배우고 돌아와, 창건하였거나 거기서 전교(傳教)한 열 사찰. 경북 영주(榮州)의 부석사(浮石寺), 강원도 원주에 있었던 비마라사(毗摩羅寺), 경남 합천(陜川)의 해인사(海印寺), 경남 청도(清道)의 비슬산(毗瑟山)에 있었던 옥천사(玉泉寺), 부산 금정(金井)의 범어사(梵魚寺), 전남 구례(求禮)의 화엄사(華嚴寺)와, 그 밖에 서울 삼각산(三角山)에 있었던 청계사(清溪寺), 전북 김제(金堤)의 국신사(國信寺) 곧 지금의 귀신사(歸信寺), 춘천에 있었던 화산사(華山寺), 충남 계룡산의 갑사(甲寺), 충남 서산시(瑞山市)에 있었던 보원사(普願寺), 대구 달성(達城)에 있었던 미리사(美理寺) 등을 꼽으나, 설이 구구 각각임.

화엄 예:참【華嚴禮懺】명 〖불교〗화엄경을 주로 하여 만든 예참문(禮懺文).

화엄 유망기【華嚴遺忘記】명 〖책〗조선 시대 정조(正祖) 때의 명승(名僧) 연담(蓮潭)의 저서. ≪화엄경(華嚴經)≫의 중요한 곳을 해석한 책. 연담기(蓮潭記). 모두 5 권.

화엄 일승 법계도【華嚴一乘法界圖】[―씅―] 명 〖불교〗신라의 고승 의상(義湘)이 화엄 사상의 요지를 210 자의 간결한 시(詩)로 축약(縮約)한 글.

화엄-종【華嚴宗】명 〖불교〗화엄경을 소의본경(所依本經)으로 하여 세운 불교의 한 종파(宗派). 인도에서는 마명(馬鳴)·용수(龍樹)를, 중국에서는 당(唐)의 현수 대사 법장(賢首大師法藏)을 각각 시조로 하며, 우리 나라에서는 신라 신문왕(神文王) 때 의상 대사(義湘大師)가 개종(開宗)하여 뒤에 교종(教宗)이 되었음. ㊂화엄.

화엄 초조【華嚴初祖】명 〖불교〗우리 나라 불교의 화엄종(華嚴宗)의 비조(鼻祖). 당(唐)나라에 가서 현수 대사(賢首大師)와 같이 화엄을 공부하고 돌아온 신라의 의상 대사(義湘大師)를 이름.

화엄 칠조【華嚴七祖】[―쪼] 명 〖불교〗화엄경을 본종(本宗)으로 한 중국 화엄종의 7 조사(祖師). 곧, 마명(馬鳴)·용수(龍樹)·두순(杜順)·지엄(智儼)·현수(賢首)·징관(澄觀)·종밀(宗密)의 일컬음.

화엄-회【華嚴會】명 〖불교〗화엄경을 설(說)하는 법회(法會).

화:연[1]【化緣】명 〖불교〗중생을 교화(教化)하는 인연.

화연[2]【花宴】명 환갑(還甲) 잔치.

화연[3]【譁然】부 여러 사람이 떠들썩하게 지껄이는 모양. 또, 그 소리. ――-하다 형여불. ――-히 부

화:열[1]【火熱】명 불의 열.

화열[2]【和悅】명 마음이 화평하여 기쁨. ――-하다 형여불

화:염【火焰】명 ①불꽃❶. ②깃발❷.

화:염-각【火炎脚】명 〖역〗기각(旗脚)을 불꽃처럼 생겼다 하여 똑똑히 일컫는 말.

화:염-검【火焰劍】명 〖기독교〗구약 시대(舊約時代)에, 하느님이 나타날 때에 가끔 화염으로 나타났는데, 그 형상이 마치 검(劍)과 흡사하였으므로 그것을 이르는 말.

화:염-문【火焰文】명 고대 건축·의장 등에 베풀어진 불꽃 같은 3 각형상의 장식 문양.

화:염 방:사기【火焰放射器】명 〖군〗석유·중유·휘발유 등의 혼합 액체를 압축 가스로 분사시켜 점화하여 적의 병사나 진지를 태워버리는 병기.

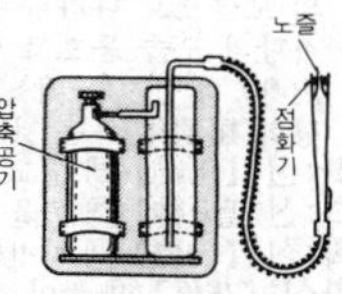

〈화염 방사기〉

화:염-병【火焰甁】[―뼝] 명 휘발유나 화염제(火焰劑)가 든 유리병으로 된 방화 유탄(放火榴彈). 던지면 깨지면서 불이 붙음.

화:염 속도【火焰速度】명 〔flame speed〕 폭발성(爆發性)의 혼합물 속을 연소(燃燒)가 진행하는 속도.

화:염 전:차【火焰戰車】명〖군〗화염 방사기를 장치한 전차.

화:염-제【火焰劑】명 화염으로 적을 불사르는 데에 쓰는 약제.

화:염 지옥【火焰地獄】명〖불교〗초열 지옥(焦熱地獄).

화:염-청【火焰靑】명〖공〗중국 청(淸)나라 강희(康熙) 때, 낭요(郎窯)에서 구운 홍유(紅釉)의 요변(窯變)으로, 진홍색(眞紅色) 겉에 청매(靑煤)가 덮인 듯하게 된 자기(瓷器)의 빛. 화리홍(火裏紅).

화엽【花葉】명 ①꽃과 잎. ②〖식〗피자 식물(被子植物)의 꽃을 이루는 특수한 변태엽(變態葉). 곧, 악편(萼片)·화판·수술·암술·심피(心皮) 등의 총칭. 꽃잎.

화엽-잠【花葉簪】명 꽃과 잎을 머리에 새긴 비녀.

화영[1]【花影】명 꽃의 그림자.

화영[2]【花穎】명〖식〗방동사닛과(科) 식물의 꽃을 싸고 있는 2장의 포엽(包葉). 포영(包穎)의 안쪽에 있음. 벼에서는, 성숙하여 '벼깍지'가 되는 부분.

화:영 현:상【火映現象】명〖지〗활화산이 분화하기 직전, 솟아오른 마그마가 이글거리는 유동체(流動體)가 되어, 밤에 구름·분연(噴煙)에 그 붉은 빛을 반사하여 하늘이 밝아지는 현상.

화예[1]【花瞖】명〖한의〗눈동자 위에 흰 점이 생기는 눈병.

화예[2]【花蕊】명〖식〗꽃의 생식 기관인 웅예(雄蕊)와 자예(雌蕊)의 총칭. 꽃술. 화수(花鬚).

화예[3]【華裔】명 ①중국에서 떨어진 원지(遠地). ②중국과 원지. 또, 중국 거주자와 원지 거주자. ③서울과 지방.

화예[4] 〈옛〉 홰에. 횃대에. '홰'의 부사격. ¶ 설긧옷돌히 화예 나아 걸이며≪月釋 Ⅱ:33≫.

화예-석【花蕊石】명 ①〖광〗화유석(花乳石). ②〖한의〗한방에서 화유석을 이르는 말. 성질이 차고 지혈제(止血劑)로 씀.

화오【花五】명 오궁 도화(五宮桃花)의 줄어 변한 말.

화옥【華屋】명 화려하게 지은 집.

화:완-포【火浣布】명 화취(火毳).

화왕【花王】명 ↗화중왕(花中王).

화왕-계【花王戒】명〖문〗설총(薛聰)이 지은 우언적(寓言的)인 단편 산문. 어느 날 밝은 밤에, 이야기하라는 왕의 청을 받고 들려 준 이야기. ≪동문선(東文選)≫에 '풍왕서(諷王書)'라 하여 전함.

화:왕-산【火旺山】명〖지〗경상 남도 창녕군(昌寧郡)에 있는 산. 태백 산맥(太白山脈)의 지맥인 팔공 산맥(八公山脈) 중에 속함. [757 m]

화:왕지-절【火旺之節】명〖민〗오행(五行)에서, 화기(火氣)가 왕성한 절기. 곧, 여름.

화:외【化外】명 교화(敎化)가 미치지 못하는 곳.

화:외-인【化外人】명 아직 왕화(王化)를 입지 아니한 사람.

화:외지-맹【化外之氓】명 교화가 미치지 못하는 지방의 백성.

화요【火曜】명 ↗화요일. 참고 주로 관형적(冠形的)으로 쓰임.

화요-일【火曜日】명 7요일(曜日)의 하나. 일요일로부터 셋째 날. 준 화(火)·화요.

화요-회【火曜會】명 〔프 Les Mardis〕 파리의 로마가(Roma 街)에 있는 말라르메(Mallarmé, Stéphane)의 집에서 매주 화요일에 시인·화가·음악가 들이 모인 문학적 살롱.

화:용[1]【化蛹】명〖생〗애벌레가 번데기로 되는 일. ＊변태(變態).

화:용[2]【火茸】명 부싯깃. 화융.

화용[3]【花茸】명〖한의〗피를 마시기 위해 자른 뿔을 피를 마신 뒤에 말린, 녹용(鹿茸)의 대용품.

화용[4]【花容·華容】명 꽃과 같이 아름다운 여자의 얼굴. 화모(花貌). 화안(花顔). ＊옥용(玉容).

화용-도【華容道】명 〔화용도는 지금의 중국 후베이 성(湖北省) 지안리현(監利縣) 서북쪽의 땅이름으로, 적벽전(赤壁戰)에서 패한 조조(曹操)가 달아난 곳〕〖악〗판소리 적벽가(赤壁歌)의 딴이름.

화용-신【花容身】명 꽃과 같이 아름다운 얼굴을 가진 몸.

화용 월태【花容月態】명 아름다운 여자의 고운 용태(容態)를 이르는 말.

화:우[1]【火牛】명 화우계(火牛計).

화우[2]【花雨】명 비처럼 떨어져 날리는 꽃잎.

화:우-계[1]【火牛計】명 꼬리에 기름칠을 하고, 불을 붙인 갈대 다발을 매단 소를 적진(敵陣)으로 달리게 하는 전법. 중국 전국 시대(戰國時代)에 제(齊)나라 장수 전단(田單)이 썼음.

화:운[1]【火雲】명 여름철의 구름을 이르는 말.

화운[2]【和韻】명 남이 지은 시(詩)의 운자(韻字)를 써서 답시(答詩)를 지음. ¶～시(詩). ――-하다 타 여불

화:원[1]【火源】명 불난 근원.

화원[2]【花園】명 꽃을 심은 동산. 꽃동산. 꽃밭. 방원(芳園).

화:원[3]【畫員】명〖역〗조선 시대 때 도화서(圖畫署)의 잡직(雜職)인 선화(善畫)·선회(善繪)·화사(畫史)·회사(繪史) 등의 통칭.

화:원[4]【畫院】명 ↗한림 도화원(翰林圖畫院).

화:원[5]【禍源】명 화근(禍根).

화원 반:도【花源半島】명〖지〗전라 남도 서남쪽 해남(海南) 반도와 무안(務安) 반도 사이에서 황해로 돌출한 좁고 긴 반도. 북은 목포(木浦), 남은 울돌목 건너의 진도(珍島), 서는 신안군(新安郡)의 섬들에 접함. 행정상으로는 해남군 마산면(馬山面)·황산면(黃山面)·산이면(山二面)·문내면(門內面) 및 화원면(花源面)으로 구성됨.

화원 악보【花源樂譜】명〖책〗가집(歌集)의 하나. 편자 미상. 19세기 말에 이루어진 것으로 보임. 총 650수의 시조가 수록되어 있음. 이 중 429수는 작자 불명임.

화원-창【花園倉】명〖역〗지금의 대구 광역시 달성군(達城郡) 화원읍(花園邑)에 있던 왜물고(倭物庫)의 딴이름.

화월【花月】명 ①꽃과 달. 또, 꽃 위에 비치는 달. ②꽃이 피고 달이 밝은 그윽한 정취(情趣).

화유[1]【和誘】명 온화(溫和)한 기색으로 유도함. ――-하다 자 여불

화유[2]【花遊】명 꽃놀이❶. ――-하다 자 여불

화유사【華維士】명〖문〗'파우스트'의 개화기(開化期) 때의 한자 표기.

화유-석【花乳石】명〖광〗황색 바탕에 백색 점이 아롱져 박인 돌. 화예석(花蕊石).

화유-장【花遊場】명 꽃놀이하는 곳.

화:육【化育】명 천지 자연이 만물을 만들어 기름. ――-하다 타 여불

화:-육법【畫六法】명〖미술〗동양화(東洋畫)를 그리는 여섯 가지 방법. 기운 생동(氣韻生動)·골법 용필(骨法用筆)·응물 상형(應物象形)·수류 부채(隨類賦彩)·경영 위치(經營位置)·전이 모사(傳移模寫) 등.

화:융【火絨】명 부싯깃. 화용(火茸).

화을-바람 명 〈방〉 서풍(西風)(경북).

화음[1]【和音】명〖악〗어떤 규준(規準)에 따라 선택(選擇)된 두 개 이상의 높이가 다른 음(音)이 동시에 울렸을 때에 합성(合成)된 소리. 협화음(協和音)·불협화음(不協和音) 등 종류가 많음. 화현(和絃). 아코드(accord). 아코르(accord).

화음[2]【花陰】명 꽃 핀 나무의 그늘.

화음[3]【華音】명 한자(漢字)의 중국음(中國音).

화음 계:몽 언:해【華音啓蒙諺解】명〖책〗조선 시대 고종(高宗) 20년(1883)에 이응헌(李應憲)이 지은 중국어 회화서인 ≪화음 계몽≫을 번역한 책. 활자본, 2권.

화음 기호【和音記號】명〖악〗화음의 종류를 표시하는 기호.

화음밖의-음【和音―音】[―/―에―] 명 〔nonharmonic notes〕〖악〗화음에 속하지 않은 음의 총칭. 그 가락의 화음과는 안어울림 화음이지만 스쳐가는 듯이 들릴 뿐이므로 특징 있는 울림이 됨. 비화성음(非和聲音).

화음 방언 자의해【華音方言字義解】[―/―이―] 명〖책〗조선 영조(英祖) 때의 운학자(韻學者) 황윤석(黃胤錫)의 저서. 우리 나라 말의 어원(語源)을 한자(漢字)로써 설명하였음. 1편(篇).

화음의 자리바꿈【和音―】[―/―에―] 명〖악〗밑음 이외의 음을 베이스로 두는 일.

화음 전:회【和音轉回】명〖악〗'화음의 자리바꿈'의 구용어.

화응【和應】명 화답(和答)하여 응함. 화합(和合)하여 함께 느낌. ――-하다 자 여불

화:의[1]【化儀】[―/―이] 명〖불교〗중생을 유도 화익(化益)하는 방법.

화:의[2]【火蟻】[―/―이] 명〖충〗불개미.

화의[3]【和議】[―/―이] 명 ①화해(和解)하는 의론. ②조용히 의론함. ③〖법〗채무자가 파산 선고를 받아야 할 상태에 있을 때, 그 선고를 예방하고, 채권자도 파산의 경우보다는 유리한 해결을 얻도록 채무자와 채권자가 맺는 계약. ＊강제 화의. ――-하다 타 여불

화:의[4]【畫意】[―/―이] 명 ①그림을 그리려는 마음. ②회화(繪畫) 작품의 의장(意匠).

화의 개시【和議開始】[―/―이―] 명〖법〗화의 법원이 화의 신청을 적법이라고 인정하여 정리 위원(整理委員)의 조사와 의견을 받고, 결정으로써 화의 절차를 밟기 시작하는 일.

화의 관재인【和議管財人】[―/―이―] 명〖법〗화의 개시 결정과 동시에 법원에서 임명하는 관재인. 화의 절차 중에, 채무자의 재산 행위의 감독·금전 수지(金錢收支)의 실시·재산 사항에 관한 보고 의무 및 그 밖의 법적 직무를 이행함.

화의 기관【和議機關】[―/―이―] 명〖법〗화의에 관한 모든 절차를 맡아 보는 기관. 화의 법원(法院)·정리 위원(整理委員)·화의 관재인·채권자 집회(債權者集會)의 네 가지가 있음.

화의 기일【和議期日】[―/―이―] 명〖법〗화의 절차(節次)에 있어, 채무자(債務者)의 화의 제공(提供)의 수락 여부(受諾與否)를 의결(議決)하기 위하여 채권자 집회를 여는 기일.

화의-법【和議法】[―뻡/―이뻡] 명〖법〗화의에 관한 모든 절차(節次)를 규정하는 법률.

화의 법원【和議法院】[―/―이―] 명〖법〗화의 절차의 개시(開始) 여부를 결정하고 그 개시 후에는 채권자 집회를 지휘하여 화의의 인부(認否) 결정 등을 행하는 법원. 화의 채무자에 대한 파산 사건(破産事件)을 관할하는 지방 법원.

화:의-봉【火蟻峰】명〖지〗함경 남도 단천군(端川郡) 북두일면(北斗一面)에 있는 산. [1,723 m]

화의 신청【和議申請】[―/―이―] 명〖법〗채무자가 화의 법원에 대하여, 구두나 서면으로 화의 개시를 요구하는 일. ――-하다 자 여불

화의 원인【和議原因】[―/―이―] 명〖법〗화의 개시의 원인. 파산 원인과 같이 채무자의 지급 불능·지급 정지·채무 초과 등임.

화의 채:권【和議債權】[―꿘/―이―꿘] 명〖법〗채무자에 대하여 화의 개시 이전의 원인에 의하여 발생한 재산 상의 청구권(請求權).

화의 취:소【和議取消】[―/―이―] 명〖법〗화의 채무자에게 사기(詐欺) 파산의 혐의가 있거나 화의를 이행하지 않는 경우에 화의 채권자가 법원에 제청, 그 결정을 받아 화의 그 자체의 효력을 취소하는 일.

화의 폐:지【和議廢止】[―/―이―] 명〖법〗화의 개시 결정 후, 화의 가결 전에 법원의 결정으로 화의 절차를 종결시키는 일.

화이[1] 【和易】 명 온화하고 까다롭지 아니함. ――-하다 형여불

화-이[2] 【華夷】 명 중화(中華)와 이적(夷狄).

화이난 〔淮南〕 명 『지』 ①중국 화이허(淮河) 강의 남쪽 지방. 화이허 강 이남, 양쯔 강(揚子江) 이북을 이르는 말. ②중국 안후이 성(安徽省) 중부의 광공업 도시. 화이허 강 남안(南岸)에 있는 교통의 요지로서, 탄광·석탄 화학 공업 콤비나트가 있음. 근년에는 제지(製紙) 공장·방직 공장 등이 건설됨. 전한(前漢) 시대 ≪회남자(淮南子)≫의 저자인 회남왕(淮南王) 유안(劉安)의 봉지(封地)였음. 회남(淮南). [655,000 명]

화-이부동 【和而不同】 명 남과 사이 좋게 지내기는 하나, 무턱대고 한데 어울리지 아니하는 일.

화이 사:상 【華夷思想】 명 중국에서, 자기 나라를 '중화(中華)'라 하여 존중시하고, 이부족(異部族)을 이적(夷狄)이라 하여 천시(賤視)하던 사상. *중화(中華) 사상.

화이수이 〔淮水〕 명 『지』 화이허(淮河). 회수(淮水).

화이 역어 【華夷譯語】 명 『책』 중국 명(明)나라에서 만든 어학 서적. 중국어와 우리 나라·일본·여진(女眞)·페르시아 등의 13개 나라 말과의 대역(對譯) 어휘집(語彙集)임. 13권. *조선관 역어(朝鮮館譯語).

화이인 〔淮陰〕 명 『지』 칭장(淸江). 회음(淮陰).

화이트[1] 〔white〕 명 ①흰 빛깔. 백색(白色). ②『미술』 채색(彩色)의 한 가지. 흰 빛의 그림 물감.

화이트[2] 〔White, Patric〕 명 『사람』 오스트레일리아의 작가. 케임브리지 대학 재학 중에 시집 ≪발가는 사람≫으로 문단에 등장, ≪행복의 골짜기≫에서 미묘한 심리적 교류(交流)를 묘사한 인상파적 문체로 각광을 받음. ≪죽은 자와 산 자≫·≪인간의 나무≫, 단편집 ≪타버린 자들≫이 있고, 1973년 ≪폭풍의 눈≫으로 문학상의 신대륙 오스트레일리아의 모습을 소개한 공로로 노벨 문학상을 수상함. [1912-90]

화이트 골:드 〔white gold〕 명 『화』 금(金) 75 %, 니켈 15 %, 아연(亞鉛) 10 %로 이루어진 흰 빛의 합금. 백금의 대용품으로 씀. 모조 백금.

화이트 메탈 〔white metal〕 명 『화』 주석 또는 납을 주체로 하여 여기에 안티몬·구리 등의 합금 원소(合金元素)를 가한 축(軸)받이용 합금(合金)의 총칭. 주석을 주체로 한 배빗(babbit) 메탈, 주석·안티몬에 구리나 소량의 아연·납 등을 섞은 브리타니어(Britannia) 메탈 등.

화이트 소:스 〔white sauce〕 명 소스의 한가지. 버터와 밀가루에 우유를 섞어 만든 흰 빛의 소스. 조미료(調味料)일 뿐만 아니라 각종 소스의 재료로도 씀.

화이트 칼라 〔white collar〕 명 〔흰 칼라란 뜻으로 푸른 빛 노동복의 육체 노동자에 대하여, 양복을 입은 사무직 노동자의 뜻〕 샐러리맨. 사무직 노동자. ↔블루 칼라.

화이트 코:크스 〔white cokes〕 명 ①백탄(白炭). ②화력 발전(火力發電)에서의 석탄에 대하여, 수력(水力) 발전의 동력원(動力源)으로서의 수력을 의미함.

화이트 크리스마스 〔white Christmas〕 명 눈이 내려 세상이 하얗게 덮인 크리스마스.

화이트 페이퍼 〔white paper〕 명 ①흰 종이. 백지(白紙). ②『정』 백서(白書).

화이트 하우스 〔White House〕 명 ①미국 워싱턴에 있는 대통령 관저(官邸). 1792년에 창건(創建). 석조(石造) 2층 건물로 백악(白堊)을 칠하였음. 백악관(白堊館). ②미합중국 정부의 대명사.

화이트-헤드 〔Whitehead, Alfred Naorth〕 명 『사람』 영국의 철학자·수학자. 기호 논리학(記號論理學) 확립자의 한 사람. 유기체론(有機體論)에 기초를 둔 독창적인 형이상학을 수립. 만년(晩年)에는 하버드 대학 교수. 저서에 러셀과의 공저인 ≪수학 원리≫와 그 밖에 ≪과학과 근대 세계≫·≪과정(過程)과 실재(實在)≫ 등이 있음. [1861-1942]

화이트-홀: 〔Whitehall〕 명 ①영국 런던의 중심에 있는 옛 궁전. 헨리 8세가 세웠으며, 뒤에 1649년 크롬웰 혁명 당시 찰스 1세가 처형된 곳으로 이름남. ②런던의 한 번화한 거리의 이름. 트라팔가 광장(Trafalgar廣場)에서 국회 의사당에 이르는 가로인데, 여러 관청이 즐비함. ③영국 정부 및 그의 정책에 대한 대명사.

화이허 〔淮河〕 명 『지』 중국 화베이(華北) 지방의 큰 강. 허난 성(河南省) 남부의 퉁보 산(桐柏山) 북쪽 기슭에서 발원하여 안후이 성(安徽省)·장쑤 성(江蘇省)을 동쪽으로 관류(貫流), 훙쩌 호(洪澤湖)를 거쳐 대운하(大運河)로 흘러들어갔다가 황해·양쯔 강(揚子江)으로 흘러듦. 중국을 남북으로 가르는 중요한 경계선을 이룸. 화이수이(淮水). 회하(淮河). [1,100 km]

화:익 【化益】 명 『불교』 화도(化導)하여 이롭게 함. ――-하다 자여불

화:인[1] 【化人】 명 ①선인(仙人). ②죽은 사람의 영혼 등이 생전의 모습으로 이생에 나타난 것. ③『불교』 불보살(佛菩薩)이 임시로 중생을 구하기 위하여 사람의 모습으로 나타난 것.

화:인[2] 【火印】 명 ①낙인(烙印). 소인(燒印). ②옛날에 시장에서 쓰이던 되. 곧, 시승(市升)을 가리키는 말. 관부(官府)에서 만들어 낙인을 찍어서 시장에 나누어 주었음.

화:인[3] 【火因】 명 화재(火災)의 원인. ¶ ~을 규명하다.

화인[4] 【花忍】 명 『식』 꽃고비.

화인[5] 【華人】 명 중국 사람이 스스로 자기 국민을 높이는 말.

화:인[6] 【畫因】 명 회화 제작의 동기(動機).

화:인[7] 【禍因】 명 재화(災禍)의 원인.

화:자[1] 【化者】 명 ①죽은 사람. 사망자. ②변화하는 것. 유형(有形)의 만물(萬物).

화:자[2] 【火者】 명 ①고자(鼓子). ②『역』 조선 시대 때 중국 명(明)나라에 보내던 열 두서너 살부터 열 여덟 살쯤까지의 환관 후보자(候補者). ③환관(宦官).

화자[3] 【花子】 명 ①여성의 얼굴 장식. ②거지[1].

화자[4] 【花瓷】 명 『공』 무늬가 있는 자기(瓷器).

화자[5] 【華字】 명 중화 민국의 문자. 곧, 한문자.

화자[6] 【話者】 명 말하는 사람. 이야기하는 사람. ↔청자(聽者).

화자[7] 【靴子】 명 목화(木靴).

화:자 거:집 전민 추고 도감 【火者據執田民推考都監】 명 『역』 고려 때, 환관(宦官)이 빼앗아 가진 전답(田畓)을 찾아 주는 임시의 관아. 충숙왕(忠肅王) 7년(1320)에 베풀었음.

화자-성 【華子城】 명 『지』 화씨성(華氏城).

화잠 【花簪】 명 새색시가 머리를 치장하는 비녀의 한 가지. 잔 새김을 한 옥판(玉板) 위에 금은·주옥 등으로 꾸미고 떨새를 앉혔음. 화전(華鈿). 화채(花釵).

화장[1] 【一長】 명 옷의 겨드랑이에서 소매 끝까지의 길이.

화:장[2] 【火杖】 명 부지깽이.

화장[3] 【化粧】 명 ①분·연지 등을 바르고 매만져, 얼굴을 곱게 꾸밈. 분대(粉黛). 홍분(紅粉). ¶짙은 ~. ②머리나 옷의 매무새를 매만져 맵시를 냄. 분대(粉黛). 단장(丹粧). ――-하다 타여불

화:장[4] 【火匠】 명 ①배에서 밥짓는 일을 맡아 보는 사람. ②『공』 도자기 가마에 불을 때는 사람.

화:장[5] 【火葬】 명 시체를 불사르고, 남은 뼈를 모아 장사지내는 일. 소산(燒散). ――-하다 타여불

화장[6] 【花匠】 명 『역』 경공장(京工匠)의 하나. 조화(造花)를 만드는 공인(工人).

화장[7] 【㖰匠】 명 ①『역』 경공장(京工匠)의 하나. 금은대(金銀帶)를 만드는 공인(工人). ②자잘한 조각(彫刻)을 업으로 삼는 공인.

화장[8] 【靴匠】 명 『역』 경공장(京工匠)의 하나. 녹비로 목화(木靴)를 만드는 장인(匠人).

화:장[9] 【畫匠】 명 환쟁이.

화장 걸음 【一長一】 명 화장을 벌리고 뚜벅뚜벅 걷는 걸음.

화장-경 【化粧鏡】 명 화장할 때 쓰는 큰 거울.

화장-기 【化粧氣】 [一끼] 명 화장한 기색(氣色). 화장한 흔적.

화장-대 【化粧臺】 명 화장하는 데 쓰는 기구. 거울이 달리고 서랍이 있어 온갖 화장 도구와 화장품을 넣어 둠. 세면대가 달린 것도 있음.

화장 도:구 【化粧道具】 명 화장에 쓰이는 온갖 제구. 거울·분첩 등. 장구(粧具).

화장-료 【化粧料】 [一뇨] 명 화장하는 데 드는 비용.

화:장-묘 【火葬墓】 명 화장한 뼈를 뼈단지에 담아 땅에 매장한 무덤.

화장-법 【化粧法】 [一뻡] 명 화장하는 법. 아름답게 꾸미는 방법.

화장 벽돌 【化粧甓一】 명 『건』 건물의 외장용(外裝用) 벽돌.

화장-비누 【化粧一】 명 세숫비누.

화장-사 【華藏寺】 명 『불교』 경기도 장단군(長湍郡) 보봉산(寶鳳山)에 있는 절. 서축(西竺)의 중 지공(指空)이 개창(開創)하였음.

화장 상자 【化粧箱子】 명 화장품을 넣는 상자.

화장 세:계 【華藏世界】 명 『불교』 ↗연화장(蓮華藏) 세계.

화장-수 【化粧水】 명 화장할 때 피부를 부드럽게 하거나 분이 잘 묻게 하기 위하여 바르는 액체의 총칭.

화장-술 【化粧術】 명 화장하는 기술.

화장-실 【化粧室】 명 ①화장하는 데 필요한 설비를 갖춘 방. ②변소를 점잖게 이르는 말. 레스트 룸(rest room).

화:장-장 【火葬場】 명 화장터. *소시장(燒屍場).

화장-지[1] 【化粧紙】 명 ①화장할 때 쓰는 종이. ②휴지(休紙)❷.

화:장-지[2] 【火葬地】 명 화장터.

화:장-터 【火葬一】 명 일정한 시설을 갖추어 시체를 화장하는 곳. 소산(燒散)터. 다비소(茶毘所). 화장장(場). 화장지(地).

화장-판 【化粧板】 명 ①대패질을 한 판. ②판의 표면에 종이·비닐 시트·천·금속판 등으로 가공(加工)하여 장식한 판.

화장-품 【化粧品】 명 화장에 쓰이는 물건. 크림·분·연지·향수 등. 연지분. *안료(顔料).

화장-합 【化粧盒】 명 화장품 또는 작은 화장품 그릇들을 담아 두는 합. 주로, 토기(土器)나 청자(靑磁) 그릇임.

화:재[1] 【火災】 명 불이 나는 재앙. 불로 인한 재난. 마무재(馬舞災). 화난(火難). 화변(火變). 화사(火事). 회록(回祿). 불. ¶ ~ 미연 방지. [화재 난 데 도둑질] 남의 불행을 도와 주지는 못할 망정 도리어 그것을 악용하여 자기의 이익으로 삼음을 이르는 말.

화:재[2] 【貨財】 명 재화(財貨).

화:재[3] 【畫才】 명 그림을 그리는 재능.

화:재[4] 【畫材】 명 그림의 재료. 그림으로 그릴 만한 소재(素材).

화:재[5] 【禍災】 명 재화(災禍).

화:재 경:계 지구 【火災警戒地區】 명 『법』 도시의 건물 밀집 지대로서 화재 발생의 우려가 많거나 화재로 인한 피해가 클 것으로 예상되는 지역. 시장·군수가 지정함.

화:재 경:보기 【火災警報機】 명 화재가 발생했을 때 자동적으로 경보를 발하게 된 장치. 방의 천장이나 벽에 부착시켜, 화재시의 온도 변화를 감지(感知)해서 경보를 발하는 방식과 광전관(光電管)으로 연기를 감지하게 하여 경보를 발하게 하는 방식 등이 있음.

화:재 구:조대 【火災救助袋】 명 화재가 났을 때, 고층 건물의 창문 밖에 늘어뜨리어 탈출(脫出)하는 사람을 밑에서 받아내게 된, 즈크로 만든 긴 자루.

화:재-뢰 【火災雷】 명 『기상』 큰불이 났을 때 화연(火煙) 속에 일어나는 우뢰.

화:재 방해 극상 【火災妨害極相】 명 〔fire disclimax〕 화재로 말미암아 파괴(破壞)와 부흥(復興)이 되풀이되어, 천이(遷移)의 초기 단계(初期

段階)에서 멈추고 있는 취락(聚落).
화:재 보:험【火災保險】명〖경〗화재로 인한 손해를 전보할 목적으로 하는 손해 보험. 건물·가구·상품 등을 그 목적으로 함.
화:재 보:험 협회【火災保險協會】명 ↗한국 화재 보험 협회.
화:재 위험 경:보【火災危險警報】명 이상 건조·강풍 등에 관한 기상 경보가 있을 때, 소방 본부장이나 소방서장이 화재 예방을 위하여 발하는 경보.
화:재 탐지기【火災探知器】명 경보(警報)를 발하거나 스프링클러계(系)를 작동시키거나 또는 화재 발견의 최초의 신호로써 여타(餘他)의 화재 방지 수단을 작동시키도록 설계된 온도 감지 장치.
화:재 하:중【火災荷重】명 [fire load]〖건〗바닥 면적 1 평방미터 당의 가연성(可燃性) 재료의 부하(負荷).
화:저[1]【火箸】명 부젓가락.
화저[2]【花底】명 꽃의 밑.
화-저까락【火—】명〈방〉부젓가락(경기·충남·경북).
화-저깔【火—】명〈방〉부젓가락(경기·충남).
화적[1]【禾積】명〖민〗볏가릿대.
화:적[2]【火賊】명 ①불한당(不汗黨). ②명화적(明火賊) 횃불을 들고 민가 등을 습격하였다 하여 일컫는 말.
화:적[3]【畫籍】명 화주역(畫周易).
화:적-당【火賊黨】명〖역〗조선 철종(哲宗) 때 설치던 명화적(明火賊)의 무리. 「——-하다 자여불
화:적-질【火賊—】명 떼를 지어 다니며 자행(恣行)하는 강도질.
화:전[1]【火田】명〖농〗원시적 농경법(農耕法)의 하나. 산이나 들에 불을 지르고 그 자리를 파 일구어 만든 밭. 주로 조·수수·메밀·감자 등을 심는데, 거름도 주지 않고 김도 매지 아니하며 사오 년 부치다가 지력(地力)이 다하면 다른 곳으로 옮김. 우리 나라, 특히 북부 지방에서 성행(盛行)하였음.
화:전[2]【火箭】명 ①옛날 싸움에서 쓰던, 불을 달고 쏘는 화살. 또, 화약을 장치한 화기(火器). ②함선(艦船)에서 쓰이는 신호용의 화구(火具). 불살.

〈화전[2]❶〉

화:전[3]【火戰】명 화병전(火兵戰).
화:전[4]【化轉】명〖불교〗악인을 선인으로 교화하여 돌아서게 하는 일. └——-하다 타여불
화전[5]【花田】명 ①꽃밭. ②화초밭.
화전[6]【花鈿·華鈿】명 화잠(花簪).
화전[7]【花煎】명 ①꽃전. ②꽃잎을 넣어 부친 부꾸미. ③차전병의 하나. 찹쌀 가루를 반죽하여 접시만한 둘레로 만들고, 위쪽에는 바둑판 무늬가 지게 하고 썩 두껍게 한 다음, 번철에 기름을 부어 아주 띄워 지진 것처럼 만듦.
화전[8]【花戰】명 꽃쌈❷.
화전[9]【花甎】명 꽃무늬를 놓아서 만든 벽돌.
화전[10]【和戰】명 ①화친(和親)과 전쟁. 평화와 교전(交戰). ¶～ 양면 작전. ②전쟁을 멈추고 화해함. ——-하다 자여불
화전[11]【和闐】명〖지〗'허텐(和闐)'을 우리 음으로 읽은 이름.
화전[12]【華箋】명 남의 편지를 존경하여 일컫는 말.
화전[13]【華顚】명 ①백발의 머리. 노인을 비유하여 이름. 백두(白頭). 화수(華首). ②꽃이 피는 가지의 끝.
화:전[14]【畫展】명 회화(繪畫)의 전람회.
화:전[15]【畫筌】명〖책〗화론서(畫論書). 중국 청대(淸代)의 단 중광(笪重光)의 찬(撰)임. 화법을 상세하게 논함. 1권.
화전[16]【樺甸】명〖지〗'화덴(樺甸)'을 우리 음으로 읽은 이름.
화전[17]【靴典】명〖역〗신라 시대의 관청. 궁중에서 쓰는 신발 따위를 만들던 곳으로 추정됨.
화전-가【花煎歌】명〖문〗①화전놀이를 하면서 짓는 가사의 총칭. ②규방 가사(閨房歌辭)의 하나. 작자·제작 연대 미상. 봄철을 맞이하여 시집살이의 굴레를 벗어나 경치 좋은 곳을 찾아 화전놀이를 즐기는 것을 노래함. 모두 256구.
화전-놀이【花煎—】명 산놀이에 유래한 꽃놀이. 꽃잎을 따서 전을 부쳐 먹으며 춤추고 노는 부녀자의 봄놀이.
화:전-민【火田民】명〖농〗화전을 일구어 농사 짓는 사람.
화전-벽【花甎碧】명〖공〗대궐의 전각(殿閣) 안에 까는 벽돌. 검푸른 바탕에 두께는 두 치쯤 되고 넓이는 한 자 평방이며, 윗면에는 꽃판의 무늬가 아로새겨져 있음.
화전 별곡【花田別曲】명〖문〗조선 시대 중종(中宗) 때, 자암(自庵) 김구(金絿)가 지은 경기체가(景幾體歌). 모두 6장. 기묘 사화(己卯士禍)로 경상도 남해(南海)로 귀양 가서 그 곳의 승지(勝地)인 화전의 자연미를 읊은 노래.
화:전 위복【禍轉爲福】명 전화 위복.
화전-지【花箋紙】명 시전지(詩箋紙).
화전 충화【花田衝火】명 꽃밭에 불을 지른다는 뜻으로, 젊은이의 앞길을 막거나 그르쳐 줌의 비유. ¶그런 누명을 듣고 죽기도 원통한 일이요, 살아 있어도 신세는 마친 사람이니 이러한 ～가 어디 있단 말이냐≪李人稙:牡丹峰≫.
화:점[1]【火點】[—쩜] 명 ①↗발화점(發火點). ②〖공〗쇠붙이를 불에 달구어서 시험하여 보는 일. ③〖광〗물금(amalgam)을 화금(火金)으로 만들기 위하여 가열하는 일. ④〖군〗기관총과 같은 자동 화기(火器)를 배치한 개개(個個)의 진지. ——-하다 타여불
화점[2]【花點】[—쩜] 명 바둑판 위에 찍힌 아홉 개의 점. ¶～ 정석(定石). *삼삼(三三).
화점 바둑【花點—】[—쩜—] 명 ①순장 바둑. ②두 대국자(對局者)가 양화점(兩花點)으로 두는 바둑.
화-접[1]【花蝶】명 꽃과 나비.
화:접[2]【畫楪】명 도자기에 그림을 그릴 때 물감을 푸는 접시. 또, 그림을 그린 접시.
화-젓가락【火—】명 ☞부젓가락.
화:정[1]【火正】명 축융(祝融)❶.
화:정[2]【火定】명〖불교〗불도(佛道)를 닦은 사람이 열반(涅槃)할 때에 스스로 불 속으로 들어가 입정(入定)하는 일. 화화(火化). ——-하다 자여불
화정[3]【花亭】명 ①꽃 가까이 있는 정자(亭子). 또, 아름답게 꾸민 정자. ②〖불교〗관불회(灌佛會)에 설치하는 당(堂).
화정[4]【華亭】명〖지〗'송강[2](松江)❶'의 구명.
화:제[1]【火帝】명 화덕(火德)의 왕. 곧, 신농씨(神農氏). 염제(炎帝).
화:제[2]【火祭】명 제단(祭壇) 앞에서 제물을 사르며 지내는 제사.
화제[3]【花製】명〖역〗삼일제(三日製).
화제[4]【和劑】명〖약〗약화제(藥和劑).
화제(를) 내:다 구 약방문(藥方文)을 쓰다.
화제[5]【華制】명 중국의 제도.
화:제[6]【畫題】명〖미술〗①그림의 이름 또는 제목(題目). '사군자(四君子)'·'명황 취귀(明皇醉歸)' 등. ¶～를 붙이다. ②그림 위에 쓰는 시문(詩文).
화제[7]【話題】명 ①이야기의 제목(題目). ②그럴싸한 이야깃거리. 이야기. ¶～가 풍부한 사람/～에 오르다.
화:제[8]【禍梯】명 재앙에 가까이 가는 단계. *화근(禍根)·화원(禍源).
화제-방【和劑方】명〖책〗중국 송(宋)나라의 진사문(陳士文) 등이 황제의 명을 받들어 지은 의서(醫書). 조선 시대 때 과거(科擧) 의과(醫科)의 시험 교재로도 사용됨. 원명은 ≪태평 광민 화제국방(太平廣民和劑局方)≫.
화:제-장【化製場】명〖법〗수축(獸畜)의 고기·가죽·털·뼈·장기(臟器) 등을 원료로 하여 피혁·유지·아교·비료·사료 기타의 물품을 만들기 위하여 설치된 시설.
화젯-거리【話題—】명 화제가 될 만한 거리. ¶장안의 ～.
화졔 명〈옛〉화제(和劑). ¶화졔방애(和劑方)≪救簡 Ⅲ:1≫.
화:조[1]【火棗】명 도가(道家)에서 쓰는 말. 먹으면 공중을 비행할 수 있다는 선인(仙人)이 먹는 과일.
화조[2]【花蚤】명〖충〗꽃벼룩.
화조[3]【花鳥】명 ①꽃과 새. ②꽃을 찾아 다니는 새. ③〖미술〗꽃과 새를 함께 그린 그림이나 조각.
화조[4]【花朝】명 ①꽃 피는 아침. ②중국의 강남풍을 본뜬 옛날 명절. 음력 2월 보름임.
화조[5]【話調】명 말씨의 특색.
화조[6]【譁譟】명 시끄럽게 떠듦. ——-하다 자여불
화조-가【花鳥歌】명〖문〗규방 가사(閨房歌辭)의 하나. 작자·제작 연대 미상. 젊은 시절도 다 지나가고 백발이 된 신세를 탄하면서 태평 성대를 기리는 노래. 모두 170구.
화조-문【花鳥紋】명 꽃과 새를 넣은 무늬.
화조-사【花鳥使】명 염서(艶書)를 가지고 남녀 사이의 사랑을 중매 또는 심부름하는 사람.
화조 월석【花朝月夕】[—썩] 명 꽃 피는 아침과 달 뜨는 저녁. 곧, 경치가 좋은 계절을 일컫는 말. 조화 월석(朝花月夕).
화조 풍월【花鳥風月】명 ①천지간의 아름다운 경치. ②풍류(風流)❶.
화조-화【花鳥畫】명 화조를 그리는 동양화(東洋畫)의 총칭. 개·고양이 등을 포함하는 경우도 있음.
화족【華族】명 공경(公卿)이나 또는 나라에 공훈(功勳)이 있는 사람의 집 자손(子孫)들. 귀족(貴族).
화:종[1]【火鐘】명 불이 났을 때 알리기 위하여 치는 종. 불종.
화종[2]【花種】명 ①꽃의 종류. ②꽃의 종자.
화:-종구생【禍從口生】명 재앙은 입을 잘못 놀리는 데서 생김.
화좌【華座】명〖불교〗부처나 보살이 앉는 꽃방석.
화:주[1]【火主】명 불을 낸 집.
화:주[2]【化主】명 ①〖불교〗중생(衆生)을 교화 인도하는 교주(教主). 곧, 아미타불이나 석가 여래 같은 성인(聖人)을 이르는 말. 화사(化士). ②집집으로 다니면서 결연(結緣)의 법을 설(說)하고, 시물(施物)을 얻어 절의 양식(糧食)을 이어 대는 중. 화주승(僧). ③〖불교〗시주(施主)❶. ④〖민〗걸립패(乞粒牌)의 한 직임(職任). 비나리·사니·탁발(托鉢) 들을 통솔함.
화:주[3]【火酒】명 소주·보드카(vodka)·위스키·브랜디 등과 같은 주정분(酒精分)이 강한 술.
화주[4]【禾主】명〖역〗신라 때 고관가전(古官家典)의 한 벼슬. 수주(水主)의 다음임.
화주[5]【花主】명〖역〗화랑(花郞)의 주도자(主導者)인 국선(國仙)의 딴이름.
화주[6]【花柱】명〖식〗암술의 자방(子房)과 주두(柱頭)를 연결하는 등근 기둥 모양의 가늘고 긴 부분. 수정(受精)할 때의 화분관(花粉管)이 이 속에 있음. 암술대.

〈화주[6]〉

화:주[7]【貨主】명 화물의 임자. 하주(荷主).
화주[8]【華主】명 고객(顧客).
화주[9]【華冑】명 왕족이나 귀족의 자손. 현예(顯裔).
화:주 걸립【貨主乞粒】명〖민〗무당이 자기 집 뒷문에 모시어 위하는 걸립신(乞粒神)의 하나. *걸립(乞粒).
화주-계【華冑界】명 귀족의 사회.
화:주-승【化主僧】명〖불교〗화주(化主)❷.
화:-주역【畫周易】명 주역의 효사(爻辭)를 풀이하여 그림으로 나타낸

책. 이것으로 사주(四柱)의 길흉을 판단함. 화적(畫籍).

화:주역-쟁이【畫周易—】명 화주역으로 사주를 풀어 주는 사람.

화준【花罇】명 꽃무늬가 있는 항아리.

화준 노리개【花罇—】명 조그마한 화준을 단 노리개.

화:중[1]【火中】명 불 속.

화중[2]【話中】명 이야기의 도중. 말하고 있는 중간.

화중[3]【華中】명〖지〗중국의 중부 지방인 양쯔 강(揚子江) 중(中)·하류(下流)의 총칭. 장쑤(江蘇)·안후이(安徽) 두 성(省)의 중남부, 저장(浙江)·장시(江西)·후베이(湖北)·후난(湖南)의 각 성을 포함함. 기후는 온난하며, 미작(米作)이 성하고 공업이 발달되어 있음. *화베이(華北)·화난(華南).

화:중 구우【畫中九友】명 중국 명말(明末) 청초(淸初)의 시인 오위업(吳偉業)이 화중 구우가(畫中九友歌)에서 읊은 문아(文雅)의 아홉 친구. 또, 그것을 그리는 화제(畫題). 아홉 벗은 동기창(董其昌)·왕시민(王時敏)·왕감(王鑑)·이유방(李流芳)·양용우(楊龍友)·정맹양(程孟陽)·변문유(卞文瑜)·장학증(張學曾)·소승미(邵僧彌).

화중 군자【花中君子】명 꽃 중의 군자라는 뜻으로, 연꽃을 일컫는 말.

화중 신선【花中神仙】명〖식〗꽃 중의 신선이라는 뜻으로, 해당화(海棠花)를 가리키는 말. 준화선(花仙).

화중-왕【花中王】명 꽃 중의 왕이라는 뜻으로, 모란꽃을 가리키는 말. 준화왕(花王).

화:중지-병【畫中之餠】명 그림의 떡. 준화병(畫餠). *그림[1].

화중-화【花中花】명 ①꽃 중의 꽃. 꽃 가운데서 가장 아름다운 꽃. ②뛰어나게 어여쁜 여자.

화:증【火症】[—쯩] 명 걸핏하면 화를 왈칵 내는 증. 화기(火氣). ¶~을 벌컥 내다. 준증(症).

화:증(이) 나다 구 성이 왈칵 나다.

화:증(을) 내:다 구 성을 왈칵 내다.

화:지[1]【火紙】명 담뱃불 등을 붙이는 데 쓰는 종이. 얇은 종이를 느슨하고 길게 말아 만든 것.

화지[2]【花枝】명〖식〗보통 잎이 안 달리고, 꽃과 포엽(苞葉)만을 달고 있는 가지.

화:지[3]【畫紙】명 그림을 그리는 데 쓰이는 빳빳한 종이.

화직【華職】명 높고 화려한 관직(官職).

화:-직성【火直星】명〖민〗아홉 직성의 하나. 아홉 해마다 한 번씩 돌아오는 흉한 직성. 사내는 열다섯 살, 여자는 열여섯 살에 처음 든다 함.

화진-포【花津浦】명〖지〗강원도 고성군(高城郡) 거진읍(巨津邑)에 있는 석호(潟湖). 호수 주위는 수목이 무성하며 외해(外海)가 멀리까지 얕아 해수욕장으로 적합함. [2.5 km^2]

화:질【畫質】명 사진이나 텔레비전 등의 화상(畫像)의 색상(色相)·밝기 등 종합적인 질. ¶고(高)~ / ~이 좋은 텔레비전.

화:집【畫集】명 화첩(畫帖)❶.

화-집합【和集合】명〖수〗'합집합(合集合)'의 구용어.

화:차[1]【火車】명 ①옛날, 화공(火攻)하는 데 쓰이던 병거(兵車). ②불이 일고 있는 차. 죄인을 지옥으로 실어 나른다고 함. ③우리 나라의 옛 전차(戰車). 1592년 변이중(邊以中)이 창안한 것. 수레 속에 40곳의 총혈(銃穴)을 내어 총을 걸고 심지를 이어서 차례로 내쏘게 되었음. 임진 왜란 때 박진(朴晉)이 경주(慶州) 탈환전에서, 권율(權慄)이 행주 산성(幸州山城) 싸움에서 각각 사용하여, 큰 전과를 올렸음. ④기차(汽車)❶.

〈화차[1]❶〉

화차[2]【花茶】명 국화꽃·말리화 등 꽃잎을 섞어 향기를 더한 차(茶).

화:차[3]【貨車】명 ①↗화물차. ②↗화물 열차.

화차[4]【話次】명 말하던 차. 말하는 김.

화:차 계:중대【貨車計重臺】명 궤도(軌道) 밑에 파묻어서, 화차가 달려가면서 화물을 계량할 수 있도록 만든 저울 장치.

화:차 인도 가격【貨車引渡價格】[—까—] 명 〔free on rail〕 매매(賣買)할 화물을 매도주(賣渡主)가 화차에 적재(積載)했을 때, 매입주(買入主)에게 인도한 것으로 간주하여, 그때까지의 비용을 매도주(賣渡主)가 부담하는 매매 계약의 조건. 에프오아르(FOR).

화찬[1]【華饌】명 맛있게 썩 잘 차린 반찬. 진수(珍羞).

화:찬[2]【畫讚】명 도찬(圖讚).

화찰【華察】명〖역〗기찰(譏察).

화:창[1]【火窓】명 ①석등(石燈)의 화사석(火舍石)의 창. ②등잔·초 따위의 한쪽 면을 가리어 바람에 불이 꺼지지 않게 하면서 그 밖의 면을 비추게 한 창. 고콜 따위. 불창.

화:창[2]【火槍】명 총(銃). 화총(火銃).

화창[3]【和暢】명 날씨나 마음씨가 부드럽고 맑음. ¶~한 봄날씨. ——하다 형여불

화창[4]【話唱】명 〔parlando〕〖악〗담화(談話)하는 것처럼 가창(歌唱)하는 부분.

화채[1] 명〈방〉상여(喪輿).

화채[2]【花菜】명 꿀·설탕을 탄 오미자(五味子)국에 과일을 썰어 넣거나 먹는 꽃을 뜯어 넣고 실백(實柏)을 띄운 음료.

화채[3]【花釵】명 ①화전(花鈿). 화잠(花簪). ②꽃나무를 접붙일 때에 접본(椄本)에 꽂는 접지(椄枝).

화채[4]【花債】명 해웃값.

화채-봉【華彩峰】명〖지〗강원도 양양군(襄陽郡)에 있는 산(山). [1,345 m]

화채 열도【花綵列島】[—또] 명〖지〗호상 열도(弧狀列島).

화챗-집 명〈방〉상여집.

화처【花妻】명 화초첩(花草妾).

화:척[1]【火尺】명〖역〗신라 때의 군관(軍官). 주요 부대인 6정(停)·10정·5주서(州誓) 등에 배치되어 기병·보병을 지휘했음.

화척[2]【禾尺】명〔화(禾)는 벤다는 뜻, 척(尺)은 일정한 천직(賤職)을 가리킨 말〕고려 후기(後期)의 양수척(揚水尺)이 분화(分化)해서 고리 세공(細工)·도우(屠牛)를 전업(專業)으로 하던 천민(賤民)의 이름.

화:천[1]【火天】명〔범 Agni〕〖불교〗12천(天)의 하나. 몸빛은 붉고 머리는 희며 항상 고행선(苦行仙)의 모양을 하고 화염(火焰) 속에 앉아 네 손에 선장(仙杖)·물병·삼각인(三角印)·염주(念珠)를 쥐고 있는 신(神).

〈화천[1]〉

화:천[2]【化天】명〖불교〗화락천(化樂天).

화:천[3]【貨泉】명〖역〗중국의 왕망전(王莽錢)의 한 가지. 원형(圓形) 속에 사각(四角)의 구멍이 뚫리고, '貨泉'의 두 글자가 있음. 서기 14년경에 주조(鑄造)한 것으로 인정됨. *화포(貨布).

화천[4]【華川】명〖지〗강원도 화천군의 군청 소재지로 읍(邑). 군의 중앙부에 위치하여, 북한강(北漢江)과 그 지류(支流)인 화천강(華川江)으로 둘러싸임. 인공 호수(人工湖水)인 파로호(破虜湖)와 화천 발전소가 있음. [9,190명(1996)]

화:천[5]【禍泉】명 '술'의 이칭(異稱).

화천-군【華川郡】명〖지〗강원도의 한 군. 관내 1읍 4면. 도의 중서부에 위치하며 북은 철원군(鐵原郡), 동은 양구군(楊口郡), 남은 춘천시(春川市), 서는 철원군과 경기도 포천군(抱川郡)에 접함. 철도는 없으나 육이오 전쟁으로 도로망(道路網)이 발달하였음. 담배·표고·꿀·질그릇 등을 산출하고 인공 호수인 파로호(破虜湖)와 수력 발전소가 있음. 군청 소재지는 화천. [909.43 km^2 : 26,310명(1996)]

화천-댐【華川—】〔dam〕명 강원도 화천군에 있는 발전용의 콘크리트 댐. 높이 86 m, 길이 435 m, 총저수량 10억 1800만 톤으로, 10만 8,000 kW의 발전 시설 용량을 갖춤. 1944년에 준공됨.

화천 수력 발전소【華川水力發電所】[—쩐—] 명〖지〗강원도 화천군(華川郡) 북한강(北漢江) 중류에 있는 수력 발전소. 남서류(南西流)하는 북한강 수류를 막아서 저수지를 만들고 그 낙차(落差)를 이용하여 발전함. 시설 용량은 108,000kW.

화천 월지【花天月地】[—찌] 명 꽃 피고 달 밝은 봄밤의 좋은 경치.

화:첩【畫帖】명 ①그림을 모아 엮은 책. 화집(畫集). *화보(畫譜). ②그림을 그릴 수 있도록 화선지 등을 여러 장 한데 모아 만든 책.

화:청[1]【火淸】명 생청(生淸)을 떠 내고 불에 끓이어 짜낸 찌끼의 꿀. 빛깔이 흐리며 질이 낮음. 화밀(火蜜).

화청[2]【和淸】명 음식에 꿀을 탐. ——하다 자여불

화청[3]【和請】명〖불교〗말로 풀이한 사설을 얹어 부르는 불가(佛歌)의 하나. 범패승(梵唄僧)이 재(齋) 끝에 태징(太鉦) 반주로 엇모리 장단에 맞추어 부름.

화청-고【花青膏】명〖미술〗청화(青華).

화청-궁【華淸宮】명〖지〗여산궁(驪山宮).

화청-령【華淸嶺】[—녕] 명〖지〗충청 북도 청주시(淸州市) 동쪽에 있는 재. 임진 왜란 때 의병장(義兵將) 조헌(趙憲)이 이 재에서 왜군(倭軍)을 무찔러 크게 이겼음.

화-청소【花青素】명〖식〗안토시안(anthocyan).

화:청자 양류문 통형병【畫青磁楊柳紋筒形甁】[—뉴—] 명 13세기 고려 시대에 제작된 긴 원통 모양의 병. 병의 앞뒤에 두 그루의 버드나무를 자토(赭土)로 운치 있게 그려 넣음. 높이 31.3 cm. 구경 5.5 cm. 국립 중앙 박물관 소장. 국보 제113호.

화:청-장【畫青匠】명〖공〗도자기에 청화(青畫)를 그리는 것으로 업을 삼는 사람.

화청-지【華淸池】명 중국 산시 성(陝西省) 시안(西安)의 리산(驪山) 산에 있는 화청궁(華淸宮)의 온천. 양귀비가 목욕한 일로 알려지고 있음.

화:체【火體】명〖민〗사람의 상격(相格)을 오행(五行)으로 나눈 가운데의 불에 딸린 상격.

화초[1]【禾草】명〖식〗화본과(禾本科)에 속하는 초본(草本).

화초[2]【花草】명 ①꽃이 피는 풀과 나무 또는 꽃이 없더라도 관상용(觀賞用)이 되는 모든 식물의 총칭. 화훼(花卉). ②명사 위에 쓰여서 그 물건이 실용적이 아니고, 노리개나 장식품에 지나지 않음을 이르는 말. ¶~첩/~말.

화초[3]【花椒】명〖식〗분디.

화초[4]【華—】명 그림을 그리는 데 쓰는 밀초. 화촉(華燭).

화초-담【花草—】명〖건〗여러 가지 채색으로 글자나 무늬를 놓고 치레한 담. 담의 면(面) 주위로 '卍'자·'亞'자 또는 뇌문(雷文)·초룡(草龍) 등의 선을 두르고 그 가운데에 십장생(十長生)이나 화초의 모양을 그려 놓거나 또는 벽돌로 간단히 수복(壽福) 등 길상 문자(吉祥文字)를 넣어 쌓기도 함. 조장(彫墻).

화초-마【花草馬】명 화초말.

화초-말【花草—】명 실용(實用)보다도 호사로 부잣집에서 기르는 살찐 말. 화초마(花草馬).

화초-방【花草房】명 설비를 갖추어 화초를 관상하는 방.

화초-밭【花草—】명 화초를 심어 놓은 밭. 화전(花田).

화초 밭에 괴:석(怪石) 구 변변치 못하게 보이나 실상 진중(珍重)하게 여겨지는 물건을 이르는 말.

화초-분【花草盆】명 화초를 심는 화분(花盆).

화초 사:거리【花草四巨里】명〖악〗남도(南道) 선소리의 하나. 갖가지

화초를 엮어 부른 소리.

화초-장【花草欌】명 문짝에 붙인 유리에 여러 가지 화초를 그려 만든 의장(衣欌)이나 의거리.

화초-장이【花草―】명 화초 가꾸는 일을 업으로 삼는 사람.

화초-집【花草―】명 ①화초를 파는 집. 꽃가게. ②화초장이가 화초를 기르는 집.

화초-첩【花草妾】명 노리개첩. 화처(花妻).

화초-타:령【花草打令】명『악』꽃을 두고 부르는 타령의 하나. 도라지 타령·매화 타령 등.

화촉[1]【華燭】명 ①화초[4]. ②빛깔 들인 밀초. 호화로운 등화(燈火). ③혼례의 의식(儀式) 등에서의 석상(席上)의 등화. 전(轉)하여, 혼례.

화촉을 밝히다 구 혼례식을 올리다.

화촉[2]【樺燭】명 자작나무 껍질로 만든 초.

화촉 동:방【華燭洞房】명 첫날밤에 신랑 신부가 자는 방. 준동방(洞房).

화촉지-전【華燭之典】명 혼례식. 결혼식.

화총[1]【花葱】명『식』꽃고비.

화총[2]【花叢】명 꽃떨기.

화축【花軸】명『식』꽃이 수상(穗狀)으로 필 때, 이삭의 중축(中軸)을 이루며 화경(花梗)이 달리는 줄기. 꽃대.

화충[1]【和沖·和衷】명 충심으로 화목(和睦)함. ――-하다 형여불

화충[2]【華蟲】명『조』꿩.

화충-기【華蟲旗】명 의장(儀仗)의 하나. 삼각 기폭에 꿩을 그렸음.

〈화충기〉

화충 협의【和沖協議】[―/―이] 명 화목한 마음으로 일을 협의(協議)함. ――-하다 타여불

화:취[1]【火毳】명 석면(石綿)으로 만든 불에 타지 않는 직물(織物). 화완포(火浣布).

화:취[2]【畫趣】명 그림의 정취(情趣).

화:치[1]【化治】명 ①교화하여 다스림. 또, 다스리는 일. 화리(化理). ②다스려 변화시킴. ――-하다 타여불

화치[2]【華侈】명 화려하고 사치함. 화사(華奢). ――-하다 형여불

화-치[3]【華峙】명『지』전라 남도 강진군(康津郡)과 영암군(靈岩郡) 사이에 있는 고개. [172 m]

화치다 자 배가 좌우로 흔들리다.

화친【和親】명 ①서로 의좋게 지내는 정분(情分). ②나라와 나라 사이의 친밀한 교의(交誼). ¶이웃 나라와의 ～을 도모하다. ――-하다 자여불

화친 조약【和親條約】명『경』화친을 맺기 위하여 체결하는 조약.

화:칠【火漆】명 숙칠(熟漆).

화:침【火針】명 큰 종기를 따기 위하여 뜨겁게 달군 침(鍼).

화:침-질【火針―】명 화침으로 큰 종기를 따는 짓. ――-하다 자여불

화:타[1]【化他】명『불교』남을 교화(敎化)함. ――-하다 자여불

화타[2]【花朶】명 꽃이 핀 가지.

화-타[3]【華陀】명『사람』중국 후한(後漢) 때의 명의. 안후이(安徽) 출생. 침구(鍼灸)·마비산(麻沸散)을 사용하여서 치료를 하였음. 백 살에도 정정하였고, 조조(曹操)의 시의(侍醫)가 되었으나, 후에 그의 노염을 사서 살해됨. 저서 ≪청낭 비결(靑囊祕訣)≫.

화:타-천【化他天】명『불교』타화 자재천(他化自在天). 제육천(第六天).

화탁【花托】명『식』화경(花梗)의 맨 끝에 있어서 꽃의 여러 부분을 착생(着生)시키는 부분. 꽃턱. 화상(花床).

화:탄【化炭】명 양모 방적(羊毛紡績)에서, 원료가 되는 양털에 붙어 있는 나뭇잎·열매 등의 식물성 물질을 화학적(化學的)으로 분해·탄화(炭化)하여 제거하는 일.

화:탄 양모【化炭羊毛】명 화탄 처리(處理)를 한, 원료로서의 양모.

화:태[1]【火太】명『식』불콩❶.

화태[2]【和泰】명『악』조선 세종 때 창작된 정대업지악(定大業之樂)의 12번째 곡으로, 제 5 변(第五變)의 제 2 편(篇). 4 언 12 구(句)로 이루어짐.

화:태[3]【禍胎】명 재앙(災殃)의 근원. 재앙이 일어날 근본이 되는 빌미.

화태[4]【樺太】명『지』'사할린 섬'의 한자 이름.

화태-도【禾太島】명『지』전라 남도 남해상(南海上), 여수시(麗水市) 남면(南面) 화태리(禾太里)에 위치한 섬. [2.17 km²]

화태-천【花台川】명『지』함경 북도 함경 산맥 북동부 길주군(吉州郡) 재덕(載德) 부근에서 발원(發源), 남류(南流)하여 동해(東海)로 들어가는 내. [55.5 km]

화태-황벽나무【樺太黃蘗―】명『식』[*Phellodendron sachalinensis*] 운향과(芸香科)에 속하는 낙엽 활엽(闊葉) 교목(喬木). 잎은 우상 복생(羽狀複生)하고 소엽(小葉)은 3-5쌍이며 달걀꼴 또는 달걀 모양의 긴 타원형임. 잎 가에는 가는 톱니가 있고 뒤쪽은 처음에는 짧은 털이 났다가 후에 없어짐. 5-6월에 녹색 꽃이 자웅 이가(雌雄異家)의 원추 화서(圓錐花序)로 정생(頂生)또는 액생(腋生)하고, 핵과(核果)는 구형(球形)인데 10월에 벽흑색(碧黑色)으로 익음. 산허리에 나는데, 한국 중북부 및 일본·사할린에 분포함. 줄기는 건축재, 수피(樹皮)는 코르크용 또는 열매와 함께 약용함. 넓은잎황벽.

〈화태황벽나무〉

화:택【火宅】명『불교』사바(娑婆) 세계인 속세. 번뇌(煩惱)의 고(苦)를 불에, 삼계(三界)를 집에 비유한 말.

화:택-승【火宅僧】명『불교』대처승(帶妻僧).

화톳-불 명 한 곳에 모아 놓은 장작 따위에 질러 놓은 불. 요화(燎火). 관화(爟火).

화통[1] 명『건』기둥 머리를 십자형(十字形)으로 파낸 자리.

화:-통[2]【火―】명 울화통.

화:통이 터:지다 구 울화통이 터지다.

화:통[3]【火筒】명 ①기차·기선·공장 등의 굴뚝. ②〈속〉기관차.

화:통[4]【火熥·火筒】명『역』군사용(軍事用)의 불을 내뿜는 화기(火器)의 하나.

화:통[5]【化通】명 자연(自然)의 오묘(奧妙)한 이치에 통함. 또, 그 일. ――-하다 자여불

화통-가지 명『건』기둥머리에 도리 따위를 물리기 위하여 낸 네 귀의 촉. 사개촉.

화:통-간【火筒間】[―깐] 명〈속〉기관차(機關車).

화:통 도감【火熥都監】명『역』고려 때, 화약 제조하는 일을 맡은 임시 관아(官衙). 우왕(禑王) 3년(1377)에 최무선(崔茂宣)의 건의로 설치하여 화약(火藥)을 만들었는데, 우리 나라의 화약 제조법이 이때에 처음 생겼음.

화:퇴【火腿】명 소금에 절이어 불에 그슬린 돼지 다리.

화투【花鬪】명 노름 제구(諸具)의 한 가지. 계절(季節)에 따른 솔·난초·모란·오동 등 열 두 가지의 그림이 각각 4장씩 모두 48장 있고, 그 그림에 따라 20 끗·10 끗·5 끗·홑껍데기 등 4등(等)으로 나눔. 노는 방법(方法)에는 여러 가지가 있음. ――-하다 자여불 화투를 가지고 노름을 하다. 화투를 치다.

화투(를) 치다 구 ㉠화투하다. ㉡화투 짝이 고루 섞이도록 두 손으로 섞바꾸다.

화-투연【花妬娟】명 꽃샘.

화톳-불 명 ☞화톳불.

화:파【畫派】명 회화(繪畫) 예술상의 파.

화판[1]【花瓣】명『식』웅예(雄蕊)·자예(雌蕊)를 보호하는 화관(花冠)의 낱낱의 조각. 한 송이의 꽃에 네 개 있는 것은 사판화(四瓣花), 다섯 개의 것은 오판화(五瓣花) 등으로 구분함. 꽃잎. 꽃판. 판(瓣). 화편(花片).

화:판[2]【畫板】명 그림을 그릴 때에, 밑에 받치는 판.

화:-패【禍敗】명 재화(災禍)와 실패.

화편【花片】명 ①떨어진 꽃잎. ②꽃의 낱낱의 조각. 화판(花瓣).

화평【和平】명 ①마음이 기쁘고 평안함. ②나라 사이가 화목(和睦)하고 평화스러움. ――-하다 형여불

화:폐【貨幣】명『경』①상품의 교환(交換)·유통(流通)을 원활히 하는 일반적인 매개물(媒介物). 계산 척도·가치 척도(價值尺度)·지급 수단·가치 저장 수단·대차(貸借)의 목적물 등의 기능을 가짐. 오늘날은 금화·은화·동화·지폐 등이 유통함. ②특히, 금속제(金屬製)의 통화. ↔지폐.

화:폐 가격【貨幣價格】[―까―] 명『경』가격(價格)❷.

화:폐 가치【貨幣價值】명『경』화폐가 지니는 구매력. 한 단위의 화폐가 재화(財貨) 및 용역(用役)을 살 수 있는 능력. 물가 지수(指數)의 역수(逆數)로 표시됨. 통화(通貨) 가치.

화:폐 개:혁【貨幣改革】명『경』화폐의 가치를 인위적·통제적으로 안정시켜서 국내 물가의 안정과 나아가서는 경기의 안정을 기하기 위하여 행하는 통화에 대한 개혁. 화폐 개혁은 일부 교환과 잔여 봉쇄(殘餘封鎖), 통화 사용 가치의 절하 및 칭호(稱呼) 가치의 절하 등 세 가지 유형으로 나뉨. 한국은 1953년 2월 15일과 1962년 6월 10일의 두 차례 화폐 개혁을 단행함.

화:폐 경제【貨幣經濟】명『경』화폐를 교환 수단으로 하여 성립하는 경제. 자연(自然) 경제·신용(信用) 경제에 대하여 일컫는 말임. ＊자연 경제.

화:폐 공:황【貨幣恐慌】명『경』은행(銀行) 공황을 통하여 신용 화폐 일반에 대한 신임이 전면적으로 붕괴하는 사태. 지급 불능(支給不能)에서 발단하는 상업 신용 기구의 붕괴, 통화 수축·신용 축소를 거쳐 생기는 상업 신용의 붕괴 등에 의하여 발생함. ＊신용 공황.

화:폐 국민 소:득【貨幣國民所得】명『경』그 때 그 때의 물가, 곧 화폐 가치로 산정(算定)된 국민 소득. 명목(名目) 국민 소득. ↔실질(實質) 국민 소득.

화:폐 국정설【貨幣國政說】명 독일의 학자 크나프(Knapp, G.F.)가 주장한 화폐 학설. 화폐는 국가의 법제(法制)에 따라 통용력이 부여된 표권적(表券的) 지급 수단이라고 하는 학설로, 명목주의(名目主義)의 대표적 학설이라 불림. 통화(通貨) 국정설.

화:폐 금속【貨幣金屬】명『화』구리족 원소(元素).

화:폐 단위【貨幣單位】명『경』화폐적 계산의 기초가 되는 단위. 보통 금이나 은의 일정량을 가지고 규정함.

화:폐 동맹【貨幣同盟】명『경』두 나라 이상의 국가가 화폐 제도나 유통(流通) 기구를 함께 하기로 약속한 동맹. 화폐 가치의 변동에 따른 국제 무역상의 불편이나 불이익을 배제할 목적으로 체결함. 라틴 화폐 동맹·스칸디나비아 화폐 동맹 등의 예가 있음.

화:폐-면【貨幣面】명 경제 현상(經濟現象)에서의 화폐적 측면.

화:폐 발행고【貨幣發行高】명『경』정부나 발행 은행(發行銀行)이 발행한 화폐의 총량. 민간에서 보유하고 있는 화폐액(貨幣額)과 은행이 가지고 있는 시재금(時在金)의 합계액으로 표시됨.

화:폐 베일관【貨幣―觀】[veil] 명『경』물가의 결정은 오로지 재화(財貨) 쪽의 사정에만 의존하고, 화폐는 단지 재(財) 및 용역(用役) 상호의 교환을 매개하는 수단에 불과하며, 경제 사회의 외면(外面)을 덮는 베일에 지나지 않는다는 화폐관(貨幣觀). 고전파(古典派) 물가 이론의 특색을 이룸.

화:폐 본위【貨幣本位】명『경』화폐 제도의 기초, 곧 그 나라의 화폐 단위를 규정하는 근거. 금이나 은의 일정량으로 규정하는 것을 금속 본위 또는 구속 본위(拘束本位), 지폐로 하는 것을 지폐 본위 또는 자유 본위라 함.

화:폐 분석【貨幣分析】[명]〖경〗경제 관계를 규정하는 것으로서의 화폐의 구실을 중시하여, 경제 현상을 주로 화폐적 측면에서 분석하는 방법. 하이에크(Hayek, F.A.v.)의 경기 순환론(景氣循環論)은 그 대표적 예임.

화:폐-석【貨幣石】[명]〔Nummulites·Camerina〕원생(原生) 동물 유공충류(有孔蟲類)의 화석(化石). 껍데기는 석회질 다공성(多孔性)이며 렌즈 또는 원반 모양임. 지름이 수 mm에서 최대 6cm에 이름. 내부는 한 개의 구형(球形)의 소방(小房)을 중심으로 빽빽이 둘러 싼 벽과, 또 이 벽을 가로 건너서 내부를 자잘하게 간막는 수다한 격벽(隔壁)이 있는 외에 중심부로부터 방사상(放射狀)으로 밖으로 뻗은 주상체(柱狀體)가 있음. 고생대(古生代)의 석탄기(石炭紀)에 지상에 출현하여, 신생대(新生代) 초의 약 3천-4천만 년 전까지 폭발적으로 그 형태와 크기를 늘리고, 수다한 종류로 분화하여 번영의 절정에 이르렀다가 급속히 멸망했음. 현재의 지중해 지방에서 인도·인도네시아를 거쳐 띠 모양으로 분포했었으며, 이 지역에서는 화폐석만으로 된 석회암이 다량으로 산출됨. 외관이 화폐 모양이라는 데에서 이 명칭이 유래했음. 화폐충(貨幣蟲).

〈화폐석〉

화:폐 소:득【貨幣所得】[명]〖경〗명목(名目) 소득.

화:폐 수:량설【貨幣數量說】[명]〖경〗물가의 등락(騰落)은 화폐 수량의 증감에 비례한다고 하는 화폐 이론. 곧, 화폐도 일반 상품과 같이 수요(需要)·공급의 원리에 의하여 그 공급량이 많고 적음에 반비례하여 가치가 증감하며, 따라서 물가도 등락한다고 함. 통화(通貨) 수량설.

화:폐 시:장【貨幣市場】[명]〖경〗장기 자금(長期資金)의 수요·공급이 행하여지는 자본 시장(資本市場)에 대하여, 단기(短期) 자금 거래 시장을 일컫는 말. 또, 이 둘을 포함한 금융(金融) 시장의 뜻으로도 쓰임. 단기 금융 시장. *자본(資本) 시장.

화:폐 유통 속도【貨幣流通速度】[명]〖경〗동일한 화폐가 일정한 기간 안에 유통되는 평균 횟수(回數). 통화(通貨) 유통 속도.

화:폐 이:자율【貨幣利子率】[명]〖경〗돈을 꾸었을 때 지급되는 이자의 율. 시장(市場) 이자율. ↔자연(自然) 이자율.

화:폐 임:금【貨幣賃金】[명]〖경〗①화폐로 지급되는 임금. ↔현물(現物) 임금. ②명목(名目) 임금. ↔실질(實質) 임금.

화:폐 임:금 제:도【貨幣賃金制度】[명]〖경〗화폐로써 지급하는 임금 제도. 대부분의 기업은 이 제도를 채택하고 있음. ↔실물(實物) 임금 제도.

화:폐 자본【貨幣資本】[명]〖경〗산업 자본의 순환 과정(循環過程)에 있어서 화폐의 형태를 취한 자본. *생산(生産) 자본·상품(商品) 자본.

화:폐 제:도【貨幣制度】[명]〖경〗국가가 화폐의 발행·종류·품위(品位) 등에 관하여 베푸는 제도. [준]폐제(幣制).

화:폐 주:조【貨幣鑄造】[명] 금화·은화·동화(銅貨) 등 금속 화폐를 주조「하는 일.

화:폐 증권【貨幣證券】[一꿘][명]〖경〗어음·수표와 같이 수시 일정액의 화폐의 지급을 요구할 수 있는 유가(有價) 증권. 화폐의 대용으로 유통되고, 지급·결제(決濟)의 수단으로 사용됨.

화:폐 지대【貨幣地代】[명]〖경〗화폐로 지급되는 지대. *노동(勞動) 지대·생산물(生産物) 지대·현물(現物) 지대.

화:폐 지시 증권설【貨幣指示證券說】[一꿘一][명] 독일의 벤딕센(Bendixen)과 엘스터(Elster)가 주장한 명목주의적 화폐 학설. 화폐의 교환 수단으로서의 기능을 들어, 경제적 공동체의 성원(成員)은 그 어떤 급부(給付)를 사회에 대하여 행하고, 사회적 생산물에 대한 청구권을 가지며, 화폐란 이 청구권을 나타내는 지시 증권이라고 함.

화:폐 착각【貨幣錯覺】[명]〖경〗화폐의 실질 가치가 변하고 있는데도, 명목(名目) 가치에 현혹되어 임금·소득의 실질 가치의 변화를 깨닫기 어려운 상태.

화:폐 최경 양목【貨幣最輕量目】[一냥一][명] 본위 화폐가 법화(法貨)로서 효력을 잃는, 법률에 의하여 정해진 마손(磨損)의 최저 양목.

화:폐-충【貨幣蟲】[명] 화폐석(貨幣石).

화:폐 퇴:장【貨幣退藏】[명]〖경〗화폐가 유통계(流通界)에서 물러나 사「장(死藏)되는 일.

화:폐 학설【貨幣學說】[명]〖경〗화폐의 생성(生成)·본질·기능·가치 및 구매력 등에 관한 이론 체계(理論體系). 금속주의 학설과 명목주의 학설의 둘로 크게 나뉨.

화:폐 환:산법【貨幣換算法】[一뻡][명]〖경〗각국의 상이(相異)한 화폐 가치의 비율을 산출하는 산법(算法). 법정 평가(法定平價)로 하는 경우와 환시세(換時勢)로 환산하는 경우가 있음.

화:포¹【火砲】[명] 대포(大砲) 따위의 화기(火器). 연화(煙花).

화포²【花布】[명] 반물 빛깔의 바탕에 흰 꽃무늬를 박은 무명. 흔히 혼인 때에 욧잇으로 씀. 하포.

화포³【花苞】[명]〖식〗포(苞).

화포⁴【花砲】[명] 화약이 터지면서 여러 가지 꽃 무늬를 하늘에 드러내는 중국식 딱총. 연화(煙火).

화포⁵【花圃】[명] 꽃을 심은 밭.

화:포⁶【貨布】[명]〖역〗①중국 전한(前漢) 후의 왕망(王莽) 때의 화폐의 한가지. ②전(轉)하여, 통용(通用) 화폐. *화천(貨泉).

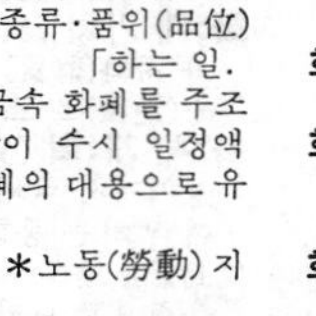
〈화포⁶〉

화:포⁷【畫布】[명]〖미술〗캔버스(canvas).

화:포식 언:해【火砲式諺解】[명]〖책〗각종 총을 쏘는 방법과 염초(焰硝)를 굽는 방법을 기술한 책. 조선 시대 인조(仁祖) 13년(1635)에 이서(李曙)가 편찬하여 간행. 목판본. 2권 1책. 염초방(焰硝方) 언해.

화:포-전【火砲箭】[명] 예전에 쓰던 병기(兵器)의 한 가지.

화:폭【畫幅】[명] 그림을 그린 천·종이 따위의 크고 작은 조각을 이름. └*서폭(書幅).

화폼 [명]〈방〉하품¹(경남).

화표【華表】[명] 묘 앞에 세우는 문·망주석(望柱石) 따위.

화표-주【華表柱】[명] 망주석(望柱石).

화:-풀이【火一】[명] 심화(心火)를 푸는 일. 특히, 화를 엉뚱한 사람이나 딴 일에 풀어 없애는 일. ¶아내에게 ~하다. ——-하다 [자][여불]

화품¹【花品】[명] 꽃의 품격(品格).

화:품²【畫品】[명] 회화 작품의 품격(品格). 화격(畫格).

화:풍¹【火風】[명] ①불과 바람. ②화염(火焰)이 따르는 바람.

화풍²【和風】[명] ①화창한 바람. 춘풍(春風). ②〖기상〗건들바람❷.

화:풍³【畫風】[명] 그림을 그리는 풍도(風度). 회화(繪畫)의 작풍(作風).

화풍 감우【和風甘雨】[명] 화창한 바람과 단비. 화풍과 감우.

화풍 난:양【和風暖陽】[명] 화창한 바람과 따스한 햇볕.

화풍-병【花風病】[一뼝][명] 상사병(相思病).

화피¹【花被】[명]〖식〗꽃부리와 꽃받침의 총칭. 잎의 변형(變形)이며, 꽃을 보호함. 꽃덮이.

화피²【樺皮】[명] ①벚나무의 껍질. 활을 만드는 데와 그 밖의 여러 곳에 쓰임. ②〖한의〗한방(韓方)에서 쓰는 벚나무 껍질. 유종(乳腫)·두진(痘疹)·온독(瘟毒) 등에 씀.

화피-단장【樺皮丹粧】[명] 활의 몸을 화피로 꾸미는 단장.

화피-산【樺皮山】[명]〖지〗함경 남도 장진군(長津郡) 상남면(上南面)에 있는 산. [1,613m]

화피-색【樺皮色】[명] 화피의 빛깔, 곧 붉은 기가 있는 누른 빛.

화피 입칠장【靴皮入漆匠】[一짱][명]〖역〗녹(鹿)비에다 칠을 올리는 공장(工匠).

화피-전【樺皮廛】[명]〖역〗채색(彩色)과 물감을 팔던 가게.

화:필【畫筆】[명] 그림을 그리는 데 쓰는 붓. 분호(粉毫).

화하【華夏】[명]〔화(華)는 화려함, 하(夏)는 대국(大國)이라는 뜻으로〕중국 본토의 과칭(誇稱).

화:-하다¹【化一】[자][여불] ①어떤 일에 아주 익숙하게 되다. ②한 상태가 다른 상태로 되다. ③한 물질이 전혀 다른 물질로 바뀌다.

화-하다²【和一】[一][타][여불] 무엇에 무엇을 타거나 또는 섞다. [二][형][여불] 아주 온화하다.

화:-하다³ [형]〈방〉환하다³❺(충청).

-화-하다【化一】[미][여불] 명사 밑에 붙어 그렇게 만들거나 됨을 나타내는 말. ¶공업~.

화학¹【化學】[명]〔chemistry〕〖화〗자연 과학의 한 부문. 물질의 조성(組成)과 구조·성질과 그 작용 및 변화·제법·응용 등을 연구하는 학문. 물리 화학 곧 이론(理論) 화학·무기(無機) 화학·유기(有機) 화학·생물 화학·공업 화학·농예(農藝) 화학·약(藥)화학·분석 화학·방사(放射) 화학 등으로 구별됨. [준]화(化).

화:학²【畫學】[명]〖미술〗그림을 그리는 기술 또는 회화에 관하여 연구하는 학문.

화학 가공【化學加工】[명] 금속 재료를 산(酸)·알칼리 등의 가공액(加工液)에 침지(浸漬)하여 표면을 화학적으로 용해(溶解) 제거하는 가공법의 총칭. 화학 연마(研磨)도 포함함.

화학 간장【化學一醬】[명] 기름을 뺀 콩을 염산(塩酸)으로 분해(分解)하여 만든 간장. 제조 기간이 하루면 족하고, 원가(原價)가 쌈.

화학 간통【化學姦通】[명]〖의〗생리적으로 우수한 DNA, 곧 세포의 염색체로부터 추출(抽出)한 일종의 산(酸)을 통하여 한 사람의 유전자(遺傳子)를 딴 사람에게 이식하는 의학적인 절차.

화학-감【化學監】[명]〖군〗화학감실(室)의 장(長).

화학감-실【化學監室】[명]〖군〗육군 본부의 한 실(室). 화생방전(化生放戰)의 조사 연구와 화학 무기의 수급(需給)·정비·조사 및 연구 기타 군사 화학에 관한 사항을 분장함.

화학 결합【化學結合】[명]〔chemical bond〕〖화〗분자를 구성하는 각 원자 사이의 결합. 결합되는 힘의 성질에 따라 이온 결합·공유(共有) 결합·금속 결합 등으로 크게 나눔.

화학 공업【化學工業】[명]〖공〗화학 반응을 기초로 하여, 화학적인 기술이 공정(工程)의 주요 부분을 이루는 제조 공업. 유리·석유·유지(油脂)·제지(製紙)·시멘트·정유(精油)·정련(精鍊)·화학 비료·유기(有機) 합성 등의 공업. [준]화공(化工).

화학 공학【化學工學】[명]〔chemical engineering〕〖공〗화학 공업에 있어서의 여러 공정(工程)이나 기계·기구의 설계 및 운용(運用)과 그 밖의 공장 관계 사항을 연구하는 공학의 한 분과. 화공(化工).

화학 공학과【化學工學科】[명]〖교〗공과 대학의 한 학과. 각종의 화학 장치의 설계·관리·운용(運用) 등에 필요한 기술을 종합적으로 연구함. [준]화공과.

화학-과【化學科】[명]〖교〗공과계 대학의 한 과. 화학 부문에 관한 학문을 연구함. *생물 화학과.

화학 구조【化學構造】[명] 분자의 구조를 원소의 화학 결합을 바탕으로 하여 나타낸 것.

화학-권【化學圈】[명] 대기권 속의 상부 성층권(成層圈)과 중간권(中間圈)의 일컬음. 태양 자외선에 의한 광화학(光化學) 반응이 일어남.

화학 극성【化學極性】[명]〔chemical polarity〕〖물·화〗핵(核)의 둘레에 있는 전자(電子)의 비대칭적(非對稱的)인 배치 때문에 분자(分子)가 전하(電荷)에 끌려들거나 반발하거나 하는 경향.

화학 기계【化學機械】[명]〖기〗화학 공업용의 기구·기계 장치의 총칭. 분쇄기·혼합기·교반기(攪拌機)·분리기·여과기(濾過機)·증발기·건조기·증류기·열교환기(熱交換器) 등으로 크게 나뉨.

화학 기호【化學記號】[명]〖화〗물질을 화학적으로 나타낸 기호. 주로 원소 기호를 가리킴. 화학 부호(符號).

화학 당량【化學當量】[一냥][명]〔chemical equivalent〕〖화〗화학 반응

에 대한 성질에 따라 정하여진 원소·화합물의 한 정량(定量). ①원소의 화학 당량. 산소(酸素) 2분의 1 그램 원자(7.9997 g)와 화합하는 다른 임의(任意)의 원소의 그램수. 원자량(原子量)과 원자가(原子價)의 비(比)에 상당함. ②산(酸)·염기(塩基)의 당량. 산으로서 작용하는 1 당량의 수소를 함유하는 산의 양(量) 및 이것을 중화(中和)하는 염기의 양. ③산화제(酸化劑)·환원제(還元劑)의 당량. 환원 작용에 관여하는 수소(水素)의 1 당량을 함유하는 환원제의 양 및 이에 상당하는 산화제의 양. 당량(當量). 화합량(化合量).

화학 독립 영양 생물【化學獨立營養生物】[—닙—] 명 〔chemoautotroph〕『생』 광합성(光合成)을 행하지 않는 독립 영양성의 세균이나 원생(原生) 동물의 총칭. ＊화학 종속 영양 생물.

화학량-론【化學量論】[—냥논] 명 〔stoichiometry〕『화』 주로 어떤 물질의 분자 구조(分子構造)와 그의 물리적 성질과의 사이의 수량적 관계를 연구하는 물리 화학의 한 부문.

화학-력【化學力】[—녁] 명 『화』 친화력(親和力).

화학로-자리【化學爐—】[—노—] 명 〔라 Fornax〕『천』 12월 중순 저녁 남천(南天)에 낮게 보이는 작은 별자리. 고래자리의 동남쪽에 있음. 약자(略字) : For.

화학 무:기【化學武器】명 『군』 화학 병기(兵器).

화학 물리학【化學物理學】명 〔chemical physics〕『물』 종래에 화학이 취급하여 온 분자나 고체의 구조·반응 속도 등의 문제를 물리학, 특히 원자 물리학의 이론을 도입하여 연구하는 물리학의 한 분야.

화학 물질【化學物質】[—찔] 명 화학의 연구 대상이 되는 물질. 또, 화학적 방법에 의하여 인공적으로 합성된 물질.

화학 반:응【化學反應】명 〔chemical reaction〕『화』 두 가지 또는 그 이상의 물질 사이에 화학 변화가 일어나는 일. 물질이 화학 변화에 의하여 다른 물질로 변하는 과정을 이름.

화학 반:응식【化學反應式】명 〔chemical equation〕『화』 화학 반응에 있어서의 반응 물질 및 생성(生成) 물질의 종류와 그들의 양적(量的) 관계를 분자식(分子式)을 써서 방정식(方程式)의 형식으로 나타낸 식. 예컨대, $2H_2+O_2=2H_2O$ 따위. 화학 방정식.

화학 발광【化學發光】명 〔chemiluminescence〕『화』 화학 반응에서 생기는 에너지가 열로 변하지 아니하고, 직접 빛으로 변하는 발광(發光) 현상. 대체로 산화(酸化) 반응이며 뜨겁지 아니함. 황린(黃燐)이 습한 공기 중에서 산화하거나 생석회(生石灰)에 물을 부어 어두운 곳에서 볼 때 빛이 나는 것과 같은 현상. 냉광(冷光).

화학 방정식【化學方程式】명 『화』 화학 반응식.

화학 변:질【化學變質】명 『광』 암석이 생성된 후에 열이나 압력 등의 영향을 받아서 화학적 변화를 일으켜 다른 광물로 변질하는 일.

화학 변:화【化學變化】명 『화』 화학적 변화.

화학 병기【化學兵器】명 『군』 화학전(戰)에 사용되는 병기. 곧, 독가스·발연제(發煙劑)·소이탄(燒夷彈)·화염 방사기 등의 총칭. 화학 무기(武器). ＊독가스.

화학 부호【化學符號】명 『화』 화학 기호(記號).

화학 분석【化學分析】명 〔chemical analysis〕『화』 물질(物質)의 감식(鑑識)·검출(檢出) 및 화학적 조성(組成)을 알아내는 조작(操作). 정성(定性) 분석과 정량(定量) 분석의 두 가지가 있음. ↔물리(物理) 분석.

화학 비:료【化學肥料】명 『농』 화학적 처리에 의하여 공업적으로 생산되는 비료. 질소 비료·칼륨 비료·인산(燐酸) 비료·조합(調合) 비료·합성(合成) 비료 등. 인조(人造) 비료. 준화비(化肥). ↔ 천연(天然) 비료. ＊금비(金肥).

화학-상【化學賞】명 화학 분야에 있어서의 공적을 표창하는 상.

화학 상수【化學常數】명 〔chemical constant〕『화』 물질의 화학적 성질을 나타내는 상수.

화학-색【化學色】명 동물의 몸 색깔 중, 색소(色素)의 존재에 의해 생기는 빛깔.

화학 생물 무:기【化學生物武器】명 화학 무기와 생물학 병기를 합쳐 부르는 말.

화학 석출【化學析出】명 〔chemical deposition〕『화』 다른 금속을 더함으로써 금속염 용액(金屬塩溶液)으로부터 금속을 침전시키는 일.

화학-선【化學線】명 『물』 자외선(紫外線).

화학선 작용【化學線作用】명 전자기선(電磁氣線)에 조사(照射)된 물질이 화학 변화를 일으키는 일.

화학 섬유【化學纖維】명 〔artificial fiber〕『공』 ①화학적 제조 공정(製造工程)을 거쳐서 만들어지는 섬유. 재생(再生) 섬유·반합성(半合成) 섬유·합성 섬유·무기질(無機質) 섬유의 총칭. 인공(人工) 섬유. 인조(人造) 섬유. ↔천연(天然) 섬유. ②합성 섬유. 준화섬(化纖).

화학 섬유지【化學纖維紙】명 레이온(rayon)·나일론·비닐론·폴리에스테르 따위의 화학 섬유를 2-3 mm로 잘라, 분산제(分散劑) 또는 접착제를 가하여 만든 종이. 통기성(通氣性)이 좋으며, 약품·마모(磨耗)·물 등에 견디는 성질이 있어, 화장지·렌즈 닦는 종이·카드·달력·전기 절연재(絕緣材)·생리용품 따위에 이용함. 준화섬지.

화학성 중독【化學性中毒】명 〔chemical food poisoning〕『약』 화학 물질로 오염되거나 그것을 함유한 식품(食品)을 먹어서 일어나는 급성 또는 만성의 중독.

화학 소방차【化學消防車】명 보통 펌프 소방차로는 소화(消火)하기 힘든 항공기·석유 탱크 따위의 유지(油脂) 화재를 화학 약제를 써서 소화하는 펌프 소방차. 펌프·2,000 l 이상의 물 탱크·포말 원액(泡沫原液) 탱크 및 포말 원액과 물의 혼합 장치를 장비하고 있음.

화학 소화기【化學消火器】명 화학 약품을 고체·액체·기체의 형태로 뿜어내어 불을 뒤덮어 끄는 소화기.

화학 수용기【化學受容器】명 외계(外界)의 화학적 자극을 받아들이는 동물의 기관. 화학적 자극이 미각이나 후각(嗅覺)으로 분화(分化)하여 받아들여지는 경우는 미각기(器)·후각기라고 함.

화학-식【化學式】명 〔chemical formula〕 원자 기호를 사용하여 물질의 화학적 조성(組成)을 표시하는 실험식·시성식(示性式)·구조식 등의 총칭.

화학-암【化學岩】명 〔chemical rock〕『지』 바닷물·강물·호수·온천수 등에 용해(溶解)되어 있는 물질이 화학적으로 침전하여 생기는 퇴적암(堆積岩). 석회암·석고·암염(岩塩)·칼륨 암염 등.

화학 야:금【化學冶金】명 〔chemical metallurgy〕『화』 화학적 조작으로 광석에서 금속을 빼내는 기술. 건식 제련(乾式製鍊)에 있어서 철·구리 광석의 환원(還元), 습식(濕式) 제련에 있어서의 전해 정제(電解精製) 따위.

화학 약품【化學藥品】[—냑—] 명 이화학(理化學)의 실험에 사용되는 약품.

화학 억제제【化學抑制劑】명 화학 반응을 중지시키거나 저애(阻碍)하거나 하는 물질.

화학 에너지【化學—】명 〔chemical energy〕『물』 물질의 화학적 결합의 결과 물질내에 보유(保有)되고 있어 화학 반응(反應)에 따라서 방출(放出)되는 에너지. 화학 변화에 따라 이것이 열(熱)·빛·전기(電氣) 등의 에너지로 바뀌며, 또 거꾸로 열·빛·전기 등의 에너지가 화학 변화를 유기(誘起)하여 화학 에너지로 변하기도 함. 반응에 의하여 새로운 화합물이 생겨 원자(原子)의 재배열(再配列)이 일어나면 화학 에너지에 변화가 생김.

화학 연:마【化學研磨】[—년—] 명 『공』 황동(黃銅)·니켈·모넬(monel)·알루미늄 등을 인산(燐酸)·질산(窒酸)·아세트산(酸) 등의 혼합 용액에 담갔다가 꺼내는 연마법.

화학 열역학【化學熱力學】[—력—] 명 액체(液體)·용액(溶液) 등의 상태나 상태 변화 및 화학 평형(化學平衡) 따위를 열역학을 응용하여 연구하는 학문 분야.

화학 요법【化學療法】[—뇨뻡] 명 〔chemotherapy〕『의』 미생물에 의하여 일어나는 병을 화학 약품인 술파제(sulfa劑)·항생제 따위를 사용하여 특효적(特効的)으로 치료하는 방법.

화학 요법제【化學療法劑】[—뇨뻡—] 명 화학 요법에 쓰이는 약제. 항생 물질을 포함시키기도 함.

화학용 체적계【化學用體積計】[—농—] 명 주로 화학용·의학용으로 액체의 체적을 구하는 데 사용되는 체적계의 하나. 메스플라스크·피페트(pipette)·뷰렛(burette)·메스실린더 따위.

화학 원소【化學元素】명 『화』 원소(元素).

화학-자【化學者】명 화학을 전문(專門)으로 연구하는 사람. 화학에 통달(通達)한 사람. 화학가.

화학 작용【化學作用】명 『화』 화학적 작용.

화학 저울【化學—】명 〔chemical balance〕『화』 정량(定量) 화학 분석에 쓰이는 저울. 흔히 칭량(秤量) 200 g 또는 100 g, 감량(感量) 1 mg, 실감량(實感量) 0.1 mg의 저울이 쓰임. 화학 천칭(天秤).

〈화학 저울〉

화학-적【化學的】명관 물체의 위치·형상·대소 등이 아니고 그 물질 자체에 관계되는 모양. ↔물리적(物理的).

화학적 감:각【化學的感覺】명 『생』 화학 물질의 자극으로 일어나는 감각. 미각(味覺)과 후각(嗅覺)이 이에 속함. 하등(下等) 동물에서는 미각과 후각이 구별되지 아니하므로 둘을 합쳐서 이름. 화학 감각.

화학적 농축법【化學的濃縮法】명 〔chemical process〕『화』 농축 우라늄 제조법의 하나. 육가(六價)의 우라늄에 우라늄 235가 모인다는 화학적 반응을 이용하여 이온 교환 수지 (ion 交換樹脂)에 의하여 우라늄 235와 우라늄 238을 분리하여 농축함. 이온 교환 수지법(法).

화학적 변:화【化學的變化】명 〔chemical change〕『화』 물질이 그 분자·원자 또는 이온의 구조를 바꾸어 다른 물질로 변화하는 일. 또, 단순히 화학 반응을 가리키기도 함. 화학 변화.

화학적 산소 요구량【化學的酸素要求量】〔chemical oxygen demand; C.O.D.〕명 하천(河川)의 오염도(汚染度)를 나타내는 수치(數値). 수중의 유기물(有機物) 등 오염원(汚染源)이 되는 물질을 산화제(酸化劑)로 산화하는 데에 소비되는 산소의 양. ppm으로 나타냄.

화학적 소화【化學的消化】명 침 속의 프티알린(ptyalin)의 소화 효소(酵素)로 녹말을 맥아당(麥芽糖)으로 변화시키는 작용.

화학적 연대 결정법【化學的年代決定法】[—쩡뻡] 명 〔chemical dating〕 화학 조성(組成)을 측정함으로써 광물이나 고대 물체(古代物體)의 상대적(相對的) 또는 절대적(絕對的) 생성 연대를 결정하는 방법.

화학적 원자량【化學的原子量】명 〔chemical atomic weight〕『물』 산소 원자의 평균 질량(質量)을 16으로 하여 이를 기준으로 한 각 원자의 상대 질량(相對質量)을 말함. 물리적(物理的) 원자량에 대한 말.

화학적 작용【化學的作用】명 『화』 화학 변화를 일으키는 작용. 화학 작용.

화학적 추성【化學的趨性】명 『화』 화학 물질의 자극에 의하여, 일정한 방향을 향해서 일어나게 되는 이동 운동. 추화성(趨化性). 주화성(走化性).

화학적 침전암【化學的沈澱岩】명 〔chemically precipitated rock〕『지』 수중(水中)에 용해(溶解)되어 있는 물질이 환경의 변화로 침전되어 생긴 지층(地層) 또는 암석. 침전할 때 용해 물질 간에 화학적 변화가 일어나는 경우와, 단순히 수분의 증발에 의한 과포화(過飽和)로 침전하는 경우가 있음.

화학적 풍화【化學的風化】 명 암석(岩石)이나 광물이 가수 분해·산화·이온 교환·용해 등의 화학 반응에 따라 새로운 보다 안정된 화학 물질로 풍화되는 과정.

화학적 화:상【化學的火傷】 명 〔chemical burn〕〖의〗 부식성(腐蝕性) 약품·자극성 가스 및 다른 화학 약품에 의한 조직의 파괴.

화학-전【化學戰】 명 〖군〗 본디, 전쟁에서 대인용(對人用)으로 독(毒) 가스를 사용하는 일. 뒤에, 화염(火焰)·소이탄(燒夷彈)·연막(煙幕) 및 인마(人馬) 살상이나 작물(作物) 손괴(損壞)를 가져오는 미생물(微生物)의 사용까지로 확대됨.

화학 전:지【化學電池】 명 〔chemical cell〕〖화〗 화학 변화에 따른 에너지의 감소분(減少分)을 전기 에너지로 변하게 하는 전지. 양극과 음극 및 전해액(電解液)으로 구성됨. *광전지(光電池)·태양 전지·원자력 전지.

(양극) (음극)
구리 아연
황산구리용액 황산아연용액
〈화학 전지〉

화학 정련【化學精鍊】〔—년〕 명 〖화〗 화학적 처리에 의해 식물성 섬유의 분순물(不純物)을 제거하는 일. ——-하다 타여불

「제품.

화학 제:품【化學製品】 명 화학 공업에 의하여 생산된 제품. 화학 공업

화학 조미료【化學調味料】 명 화학적으로 합성해서 만든 조미료. 곧, 가다랑어를 쪄서 말린 포나 다시마 등의 천연의 맛의 성분을 화학적으로 합성해서 제조함. 다시마 맛의 성분인 글루탐산(酸) 나트륨, 가다랑어포 맛의 성분인 이노신산(酸) 나트륨 등.

화학 종속 영양 생물【化學從屬營養生物】 명 〔chemoheterotroph〕〖생〗 기성(既成)의 유기 화합물을 산화(酸化)함으로써 에너지와 탄소를 얻는 생물. *화학 독립 영양 생물.

화학-주【化學酒】 명 합성(合成)주. ↔곡주(穀酒).

화학 증감【化學增感】 명 〔chemical sensitization〕〖화〗 사진 유제(乳劑)의 감도(感度)를 높이는 방법의 하나. 할로겐화은 입자(Halogen化銀粒子)가 흡수한 빛에 의하여 발생한 광전자(光電子)가, 할로겐화(化)은 입자의 현상(現像) 가능 효율(効率)을 증대시켜서 감도를 높이게 하는 방법. ↔색증감(色增感).

화학 증착법【化學蒸着法】 명 가스 상태의 재료에 열이나 빛을 가하여, 기상(氣相)의 가스 분자를 분해, 기판(基板) 위에 얇은 막으로서 퇴적(堆積)시키는 기술. ↔ 물리 증착법.

화학 진:화【化學進化】 명 원시 지구(原始地球)에서, 간단한 화학 물질로부터 차츰 아미노산·당(糖)·단백질·핵산 등의 복잡한 유기물이 생성되고, 생명 발생의 준비가 이루어진 과정.

화학 참모부【化學參謀部】 명 〖군〗 사령부의 한 참모 부서(參謀部署). 화학에 관한 사항을 분장함.

화학 천칭【化學天秤】 명 〖화〗 화학 저울.

화학 친화력【化學親和力】 명 〖화〗 친화력(親和力).

화학 침투압설【化學浸透壓說】〖생〗 명 미토콘드리아나 엽록체의 막면(膜面)에서 에너지가 에이 티 피(ATP)의 형태로 축적되는 기구를 설명하는 설.

화학 탐광【化學探鑛】 명 〖광〗 지하수(地下水)·토양·식물 등에 포함되는 극히 적은 양(量)의 금속 원소·탄화 수소 등을 검출(檢出)하고, 그 농도(濃度)가 가장 높은 장소를 추적(追跡)하여 금속 광상(鑛床)이나 석유 광상을 찾아내는 방법.

화학 탐사【化學探査】 명 하천의 물이나 토양·암석 등의 성분을 분석하여, 자원의 유무(有無) 또는 지질 구조를 추정하는 일. 지화학 탐사(地化學探査).

화학 퍼텐셜【化學—】 명 〔chemical potential〕〖화〗 화학 변화의 진행의 강도(強度)를 표시하는 양(量). 화학 변화의 에너지는 그것과 변화한 물질의 양과의 곱으로 표시됨.

화학 펄프【化學—】 명 〔chemical pulp〕〖화〗 목재 따위의 펄프 원료를 약품으로 처리하여, 섬유를 접착하고 있는 리그닌(lignin)을 녹여서 만든 펄프. 아황산 펄프·크라프트(craft) 펄프·소다(soda) 펄프·염소(塩素) 펄프 등의 종류가 있음. 펄프의 수율(收率)은 45-55%로 기계 펄프보다 낮으나, 품질은 우수함. *기계 펄프.

화학 평형【化學平衡】 명 〔chemical equilibrium〕〖화〗 가역 반응(可逆反應)의 진행이 평형에 도달한 때의 상태. 곧, 화학 반응이 진행됨에 따라 역변화(逆變化)를 가져와, 그 결과 반응이 중도에 정지한 것과 같은 상태.

화학 합성【化學合成】 명 〔chemical synthesis〕〖화〗 ①화학 반응에 의한 합성. ②어떤 종류의 세균이 빛의 에너지로써가 아니고 무기물(無機物)이 산화(酸化)할 때 생기는 에너지로써 탄산 동화(炭酸同化)를 행하는 현상. ↔생합성(生合成). *광합성(光合成).

화학 흡착【化學吸着】 명 〔chemisorption〕〖화〗 흡착력이 강하고 물리(物理) 흡착보다 흡착열(熱)이 크며 보통의 화합물처럼 전자(電子) 결합에 의하여 흡착하는 현상. ↔물리 흡착.

「묵(華墨).

화한【華翰】 명 남의 서한(書翰)을 높이어서 일컫는 말. 화간(華簡). 화

화합[1]【化合】 명 〔combination〕〖화〗 둘 또는 둘 이상의 물질이 반응결합하여 새로운 화합물을 생성(生成)하는 화학 변화. 산소와 수소가 화합하여 물을 발생하는 일 따위. 포합(抱合). ↔분해(分解). *혼합(混合). ——-하다 자여불

화합[2]【和合】 명 화동(和同)하여 합함. ——-하다 자여불

화합[3]【花蛤】 명 〖조개〗 대합(大蛤).

화합-량【化合量】〔—냥〕 명 〖화〗 화학 당량(化學當量).

화합-력【化合力】〔—녁〕 명 화합하는 힘.

화합-물【化合物】 명 〔compound〕〖화〗 둘 또는 둘 이상의 물질이 화합하여 이룬 물질. 유기(有機) 화합물과 무기(無機) 화합물로 대별 관용(慣用)하고 있으나 그 경계는 확실하지 않음. 포합물(抱合物). ↔홑원소 물질. *혼합물(混合物).

화합물 명:명법【化合物命名法】〔—뻡〕 명 〖화〗 화합물에 명칭을 붙일 때의 규칙. 세계적으로 아이 유 피 에이 시(IUPAC) 규칙이 제정되어 있음.

화합물 반:도체【化合物半導體】 명 화합물로서 반도체의 성질을 나타내는 물질. 칼륨 비소(galcium 砒素), 인듐 인(indium 燐) 따위. ↔원소 반도체.

화합-승【和合僧】 명 중¹.

화합-약【化合藥】〔—냑〕 명 〖공〗 화성 화약(化成火藥).

화합-열【化合熱】〔—녈〕 명 〖화〗 두 가지 이상의 물질이 화합할 때에 발생하거나 흡수되는 열.

화항【花缸】 명 꽃병.

화:해[1]【火海】 명 불꽃이 널리 퍼져 있음을 가리키는 말. 불바다.

화해[2]【和諧】 명 화목(和睦).

화해[3]【和解】 명 ①다툼질을 서로 그치고 풂. 화회(和會). ¶부부가 ~하다. ②〖법〗 소송(訴訟) 또는 분쟁(紛爭) 당사자가 서로 양보하여 상호간의 분쟁을 그치기로 약속함으로써 성립하는 계약. ③〖한의〗 위장(胃腸)을 편하게 하고 땀이 나게 하는 약을 써서 뱃혔던 외기(外氣)를 풀어 버림. ——-하다 자여불

화해(를) 붙이다 구 중간에 서서 화해를 조정하다.

화해[4]【花海】 명 '꽃의 바다'란 뜻으로, 꽃에 휩싸인 넓은 지역을 이르는 말. 화계(花界).

화해[5]【花蟹】 명 〖동〗 꽃게.

화:해[6]【禍害】 명 재난. 화난(禍難).

화해 계:약【和解契約】 명 〖법〗 소송(訴訟) 당사자가 화해하기 위하여 맺는 계약.

화해-술【和解術】 명 화해하는 수단. 「하나.

화:해-일【禍害日】 명 〖민〗 생기법(生氣法)에 의하여 정한 흉일(凶日)의

화:해 전:술【火海戰術】 명 〖군〗 폭탄(爆彈)·포탄(砲彈) 등의 화력(火力)의 우월로써 적군의 수적(數的)인 우세를 분쇄하는 전술. *인해(人海) 전술.

화해 조서【和解調書】 명 〖법〗 재판상(裁判上)의 화해(和解)에서, 당사자 쌍방이 확인하고 합의한 화해 조항(條項)을 기록 작성한 조서. 확정 판결(確定判決)과 똑같은 효력을 가지며, 기판력(既判力)·집행력(執行力)을 가짐.

화해-주【和解酒】 명 화햇술

화햇-술【和解—】 명 서로 감정적인 갈등이 있었거나 오해가 있었을 때, 그것을 풀려고 마시는 술. 화윗술. 화해주(和解酒).

화:행【化行】 명 〖불교〗 중이 집집을 찾아다니면서 화주(化主) 노릇을 하는 일. ——-하다 자여불

화향【花香】 명 ①꽃의 향기. ②〖불교〗 불전(佛前)에 올리는 꽃 향(香).

화향-적【花香炙】 명 화양(華陽) 누르미.

화:험-초【火杴草】 명 〖식〗 진득찰.

화:현[1]【化現】 명 〖불교〗 신불(神佛) 등이 그 모습을 바꾸어 세상에 나타나는 일. ——-하다 자여불

화현[2]【和絃】 명 〖악〗 화음(和音).

화혈【和血】 명 〖한의〗 혈분(血分)을 고르게 함. ——-하다 자여불

화협【和協】 명 서로 마음을 툭 터놓고 협의함. ——-하다 자여불

화:형[1]【火刑】 명 불살라 죽이는 형벌. 분형(焚刑).

화형[2]【花形】 명 꽃의 모양. 또, 꽃과 같은 모양.

화형[3]【靴型】 명 구두의 골.

화형-관【花形冠】 명 꽃 모양으로 생긴 닭의 볏. *단관(單冠).

화:형-대【火刑臺】 명 화형하려고 만든 대.

화형충-류【花形蟲類】〔—뉴〕 명 〖동〗 '산호강(珊瑚綱)'의 구용어.

화호【和好】 명 사이 좋게 서로 친함. ——-하다 형여불

화:호 불성【畫虎不成】〔—썽〕 명 〔범을 그리려다가 강아지를 그린다는 뜻〕 서투른 솜씨로 남의 언행을 흉내내려 하거나, 어려운 일을 하려 하여도 되지 아니함을 비유하는 말. 화호 유구(畫虎類狗).

화:호 유:구【畫虎類狗】 명 호걸(豪傑)을 본받다가 도리어 경박(輕薄)에 떨어짐의 비유. 중국 후한(後漢)의 마원(馬援)이 형의 아들을 훈계한 말. 화호 불성(不成).

화혼【華婚】 명 남의 혼인의 미칭(美稱).

화홍-문【華虹門】 명 〖지〗 경기도 수원시(水原市)에 있는 누문(樓門). 조선 시대 정조(正祖) 때에 건립(建立)한 것으로 추측됨. 광교천을 가로질러 있는 이 문은 조선 시대 때의 건축물 중 가장 웅대·화려하면서도 기묘한 형태로 정취(情趣)를 돋움. 이 문 건너편 언덕 위에는 작은 정자(亭子)인 방화 수류정(訪花隨柳亭)이 있음.

화:화【火化】 명 〖불교〗 화정(火定). ——-하다 자여불

화환[1]【花環】 명 생화(生花)·조화(造花) 등을 고리같이 둥글게 만든 물건. 표창(表彰)·경조(慶弔)의 뜻으로 증정함. 화륜(花輪).

화:환[2]【禍患】 명 화난(禍難).

화:환 신:용장【貨換信用狀】〔—짱〕 명 〖경〗 화환어음을 보증(保證)하는 신용장. 은행이 무역업자의 의뢰에 의해서 발행함.

화:-환어음【貨換—】 명 〖경〗 원격지(遠隔地) 간의 매매 거래에 있어서, 매도인(賣渡人)이 매수인(買受人)을 지급인(支給人)으로 하고, 자기 또는 자기의 거래 은행을 수취인(受取人)으로 하여 매매 대금 상당액을 어음 금액으로 하는 환어음을 발행하고, 이에 매매 목적물에 대한 운송 증권(運送證券), 곧 화물 상환증(貨物相換證)과 선하(船荷) 증권을 첨부한 것. 화물환어음.

화회[1]【和會】 명 ①화해(和解)❶. ②〖역〗 조선 시대 때, 호주(戶主)가 재산을 분배하지 아니하고 사망한 경우, 온 가족이 입회(立會)하여 재

하는 아목(亞目)의 하나. ↔반근목(半筋目).
환:금[1] 【換金】 [명] ①물건을 팔아서 현금으로 바꿈. ↔환물(換物). ②〖경〗 일국의 통화(通貨)를 타국의 통화와 교환하는 일. ――-하다 [타][여불]
환:금[2] 【換金】 [명] ↗ 우편 환금.
환금[3] 【還金】 [명] 〖역〗 도리금.
환:금-성 【換金性】 [―썽] [명] 물건을 팔아서 현금화(現金化)할 수 있는 성질. ¶～이 높은 증권(證券)에 투자하다.
환:금 작물 【換金作物】 [명] 〖농〗 팔아서 돈을 얻기 위하여 재배(栽培)하「는 농작물.
환급 【還給】 [명] 도로 돌려 내어 줌. 환부(還付). ――-하다 [타][여불]
환급-금 【還給金】 [명] 환급하여 내어 주는 돈. ＊환부금(還付金).
환:기[1] 【喚起】 [명] 불러 일으킴. ¶주의를 ～하다. ――-하다 [타][여불]
환:기[2] 【換氣】 [명] 공기(空氣)를 바꾸어 넣음. ¶～가 잘 되는 방. ――-하다 [자][여불]
환:기-구 【換氣口】 [명] 방안의 환기 또는 온도 조절을 위해 만들어진 구멍.
환:기 장치 【換氣裝置】 [명] 실내의 탁한 공기와 밖의 신선한 공기와를 교환시키는 장치.
환:-기준 【換基準】 [명] 〖경〗 한 나라의 통화의 대외(對外) 가치를 다른 나라의 통화로써 측정하는 기준. 가령 한국의 717원을 미화(美貨) 1달러로 하는 것 따위.
환:기-창 【換氣窓】 [명] 환기할 목적으로 지붕 위나 벽에 뚫어 놓은 창.
환:기-탑 【換氣塔】 [명] 환기할 목적으로 지붕 위에 만들어 놓은 탑.
환:기-통 【換氣筒】 [명] 방안의 환기를 위해 지붕이나 벽에 구멍을 뚫어 만든 장치.
환:-끝 【換―】 [명] 환거래(換去來)에 있어서의 채권(債權)·채무(債務)의 잔액(殘額).
환낙 【歡諾】 [명] 기꺼이 승낙함. 즐기어 승낙함. ――-하다 [타][여불]
환:난 【患難】 [명] 근심과 재난(災難).
환:난 상고 【患難相顧】 [명] 환난 상구. ――-하다 [자][여불]
환:난 상구 【患難相救】 [명] 환난을 당하면 서로 구하여 줌. 환난 상고. 환난 상휼. ――-하다 [자][여불]
환:난 상휼 【患難相恤】 [명] 환난 상구. ――-하다 [자][여불]
환납 【還納】 [명] 도로 바침. 다시 돌려 줌. ――-하다 [타][여불]
환내[1] 【寰內】 [명] ①천자(天子)가 다스리는 땅의 전체. ②세계 천하. 환우(寰宇).
환내[2] 【還內】 [명] 〖역〗 임금이 궐내(闕內)의 다른 전각(殿閣)에서 침전(寢殿)으로 환어(還御)함. ――-하다 [자][여불]
환:녀 【宦女】 [명] 〖역〗 ①궁중(宮中)에서 일하는 관비(官婢). ②환관(宦官)과 여자(女子).
환니 【丸泥】 [명] ①진흙 덩어리. ②소수(少數)의 군사의 비유.
환니 봉관곡 【丸泥封關谷】 [명] 〔한 덩어리의 흙으로 한구관(函谷關)을 봉쇄한다는 뜻으로〕 소수의 병력으로 요소(要所)를 굳게 지킴의 비유.
환:달 【宦達】 [명] 출세함. 사관(仕官)하여 영달(榮達)함. ――-하다 [자][여불]
환:담[1] 【幻談】 [명] 괴담(怪談).
환담[2] 【歡談】 [명] 정답고 즐겁게 서로 주고받는 이야기. 환어(歡語). ¶～을 나누다. ――-하다 [자][여불]
환대[1] 【環帶】 [명] ①〖동〗 지렁이 등의 성체(成體)의 생식문(生殖門) 부근에 2-3개의 체절(體節)이 변형하여 된 환상(環狀)의 띠. ②〖식〗 양치류(羊齒類)의 포자낭(胞子囊)에 있어서, 특수한 세포막을 가지는 세포가 일렬로 나란히 늘어서 포자낭을 환상(環狀)같이 에워싼 세포열. 이것의 작용으로 성숙한 포자낭은 열려져 속의 포자를 밖으로 뿌림.
환대[2] 【歡待】 [명] 반기어 후하게 접대(接待)함. 정성껏 대접함. 간대(懇待). ¶정성 어린 ～. ――-하다 [타][여불]
환:덕 【宦德】 [명] 벼슬에 있음으로써 생기는 소득.
환:-덤핑 【換―】 〔dumping〕 [명] 〖경〗 자기 나라 통화(通貨)의 환시세(換時勢)를 하락(下落)시킴으로써 수출품 가격을 인하(引下)하여 외국 시장에 상품을 투매(投賣)하는 일. 환투매(換投賣).
환도[1] 【丸都】 [명] 〖역〗 환도성(丸都城).
환:도[2] 【宦途】 [명] 벼슬길.
환도[3] 【環刀】 [명] 〖역〗 옛 군복(軍服)에 갖추어 차던 군도(軍刀).

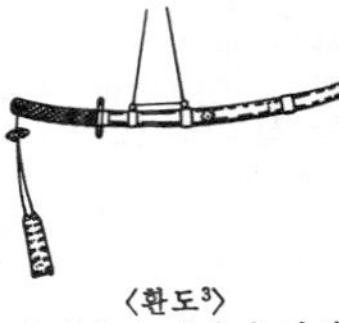
〈환도[3]〉

환도[4] 【還都】 [명] 국난(國難)으로 인하여 딴 곳으로 옮기었던 정부가 평정 후 다시 본래의 서울로 돌아옴. 환경(還京). ――-하다 [자][여불]
환도-뼈 【環刀―】 [명] 〖생〗 허리의 뼈.
환도-상어 【環刀―】 [명] 〖어〗 [*Alopias pelagicus*] 환도상어과에 속하는 바닷물고기. 몸은 방추형으로 길이 6m에 달하며 머리가 짧고 주둥이 끝이 둔하며 꼬리가 김. 제2 등지느러미와 뒷지느러미가 극히 작고 눈도 작음. 몸빛은 청흑색이고 배는 흼. 성질이 민첩하여 꼬리지느러미로 작은 물고기들을 낚아채어 잡아먹는다고 함. 초여름에 두 마리씩 태생함. 표층(表層)에 사는 열대성 어종인데 한국·일본·남부 대만·인도양·태평양·대서양에 분포함. 한두치. 장도(長刀)상어.

〈환도상어〉

환도-성 【丸都城】 [명] 〖역〗 평양(平壤)으로 이도(移都)하기 전의 고구려의 도성(都城). 압록강 중류의 서안(西岸)에 있었음. 중국 위(魏)나라의 유주 자사(幽州刺史) 관구 검(毌丘儉)이 거느린 대군에게 서기 144년에 함락되었음. 국내성(國內城)과 같다는 설과 다르다는 양설(兩說)이 있음. 환도(丸都).
환도-장 【環刀匠】 [명] 〖역〗 경공장(京工匠)의 하나. 패도(佩刀)를 만드는「공장(工匠).
환돈 【貛豚】 [명] 〖동〗 오소리.
환-동자 【還瞳子】 [명] 〖한의〗 결명자(決明子).
환두-도 【環頭刀】 [명] 〖고고학〗 고리칼.
환:두 형식 【換頭形式】 [명] 〖악〗 보허자(步虛子), 낙양춘(洛陽春) 등 당악계(唐樂系)의 음악에서, 노래말 후단(後段) 첫구(句)의 가락을 전단(前段) 첫구와 달리 부르는 형식.
환:득 환:실 【患得患失】 [명] 얻기 전에는 얻으려고 걱정하고 얻은 후에는 잃을까 걱정함. ――-하다 [타][여불]
환:등 【幻燈】 [명] ①강한 불빛을 그림·사진·실물 등에 대어 그 반사광을 렌즈에 의하여 확대 영사하는 장치. 슬라이드. ②↗ 환등기.
환:등-극 【幻燈劇】 [명] 연극적인 줄거리를 가진 그림을 환등으로 비춰서 보여 주는 극.
환:등-기 【幻燈機】 [명] 오목 거울·영사 렌즈 등을 써서 그림·사진·물체를 스크린에 확대하여 영사(映寫)하는 기계. [준]환등.

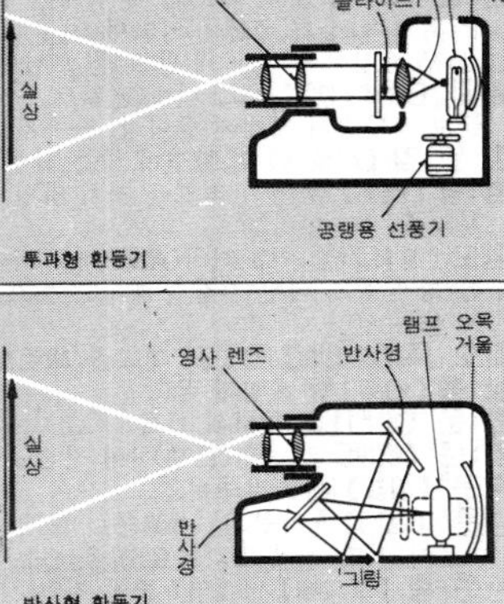

〈환등기〉

환:등-판 【幻燈板】 [명] 환등기에 쓰이는 필름이나 유리판 양화(陽畫).
환:등-회: 【幻燈會】 [명] 환등을 비치어 구경하는 모임.
환락 【歡樂】 [활―] [명] 기쁘고 즐거움. 기뻐하고 즐거워함. 환오(歡娛). 오락(娛樂). ――-하다 [자][여불]
환락-가 【歡樂街】 [활―] [명] 환락의 거리. 극장·당구장·도박장·요리점·바·댄스홀 등의 유흥장이 많이 늘어서 있는 거리.
환락-경 【歡樂境】 [활―] [명] 기쁘고 즐거운 경지.
환락-장 【歡樂場】 [활―] [명] 환락하는 곳.
환:란 【患亂】 [활―] [명] 재앙. 병란(兵亂). ¶～이 닥치다.
환래 【還來】 [활―] [명] 회환(回還). ――-하다 [자][여불]
환량 【―良】 [명] 〈방〉 한량(閑良).
환:-레이트 【換―】 〔rate〕 [명] 〖경〗 환율(換率). 환시세(換時勢).
환력 【還曆】 [활―] [명] 환갑(還甲).
환례 【還禮】 [활―] [명] 〖불교〗 다른 사람의 예(禮)에 답(答)하는 일. 선가(禪家)에서 쓰는 말. 회례(回禮).
환:로 【宦路】 [활―] [명] 벼슬길. 사로(仕路).
환-론 【環論】 [―논] [명] 〔ring theory〕 〖수〗 대수학(代數學)에서 환의 구조에 관한 연구·이론.
환:롱 【幻弄】 [활―] [명] 교묘한 못된 꾀로 농락함. ――-하다 [타][여불]
환:롱(을) 치다 [구] 못된 꾀로 속이어 이것저것을 바꾸어치다.
환:롱-질 【幻弄―】 [활―] [명] 못된 꾀로 속여 물건을 바꿔치는 짓. ――-하다 [타][여불]
환류 【還流】 [활―] [명] ①물 또는 공기의 흐름이 방향을 바꾸어 되돌아 흐르는 일. ②〖지〗 일련의 해류로 이루어지는 해양의 대순환계(大循環系). 적도(赤道) 해류가 대륙이나 또는 섬에 이르러 두 쪽으로 나뉘어 극(極)지방을 향하여 동쪽으로 흐르는 난류. 아한대(亞寒帶) 환류·아열대 환류·극류(極流) 따위.
환류 냉:각기 【還流冷却器】 [활―] [명] 〖기〗 용매 증기(溶媒蒸氣)를 냉각·응축시켜 다시 밑의 용기(容器) 안으로 돌려 보내는 유리제(製) 기구. 보통 연직(鉛直)으로 세워서 플라스크에 장치함.

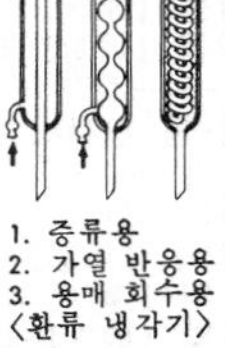

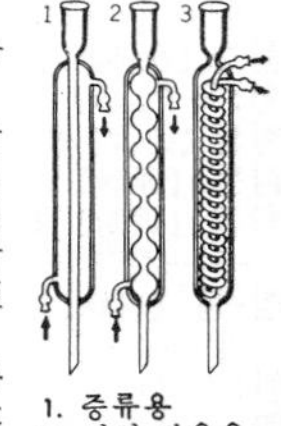

1. 증류용
2. 가열 반응용
3. 용매 회수용
〈환류 냉각기〉

환류 응축기 【還流凝縮器】 [활―] [명] 증류탑(蒸溜塔)용의 보조 용기. 연속적으로 증기를 응축시켜 탑에 돌려 보냄.
환:매[1] 【換買】 [명] 물건과 물건을 직접 서로 바꿈. ――-하다 [타][여불]
환매[2] 【還買】 [명] ①매주(賣主)가 일단 판 물건을 대가(對價)를 지급하고 무르는 일. 도로 삼. 되삼. ②투자 신탁(投資信託)의 중도 해약(解約)을 증권 회사측에서 일컫는 말. ¶～ 수수료. ――-하다 [타][여불]
환매[3] 【還賣】 [명] 도로 팖. 되팖. ――-하다 [타][여불]
환매 계:약 【還買契約】 [명] 〖경〗 환매 약관부 계약.
환매-권 【還買權】 [―꿘] [명] 〖법〗 부동산 매매에서, 매도인(賣渡人)이 환매(還買)의 특약에 의하여 그 부동산을 환매할 수 있는 권리. 구용어:매려권.
환매 수수료 【還買手數料】 [명] 투자 신탁을 중도 해약할 때, 증권 회사에 내는 수수료.
환매 약관부 계:약 【還買約款附契約】 [명] 〖경〗 매도인(賣渡人)이 장래에 대가(對價)를 지급하고 목적물을 도로 물러 받을 수 있는 권한을 갖는다는 조건 밑에서 하는 매매. 환매 계약. 구용어: 매려(買戾) 약관부 계약.
환매 조건부 채:권 【還買條件附債券】 [―껀―꿘] [명] 〖경〗 증권 회사가 보유(保有)하고 있는 채권을 사되, 만일 채권의 값이 떨어지더라도 미리 정해진 이율(利率)로 증권 회사가 다시 사들이기로 조건을 붙인

채권(債券). ㊂환매채(還買債).
환매-채【還買債】명 ↗환매 조건부 채권(還買條件附債券).
환맥-어【還麥魚】명〖어〗도루묵.
환면[1]【逭免】명 전에 저지른 허물을 숨기어 가림. ——-하다 타여불
환:면[2]【換面】명 사람을 바꿈. ——-하다 자여불
환:면 상송【換面相訟】명〖역〗소송 당사자를 바꾸어서 다시 송사를 일으키는 일.
환:멸[1]【幻滅】명 환상(幻想)에서 깨어 현실로 돌아옴. 지금까지 미화(美化)되고 이상화(理想化)되었던 사실이 헛것에 지나지 아니함을 깨달음. ¶현실에 ～의 비애(悲哀)를 느끼다.
환멸[2]【還滅】명〖불교〗미계(迷界)로부터 오계(悟界)로 돌아감. 번뇌를 끊고 깨달음의 세계에 돌아감. ↔유전(流轉)❷.
환:멸-감【幻滅感】명 환멸이 주는 허무한 느낌.
환:명【換名】명 남의 성명을 자기 것인 체하여 거짓 행세함. ——-하다 자여불
환모【還耗】명〖역〗환곡(還穀)을 환수(還收)할 때 원곡(元穀) 이외에 쥐·참새 등에 의한 손실을 채우는 뜻으로 석(石)마다 십분의 일을 더하여 받는 일.
환모-류【環毛類】명〖동〗연모류(緣毛類).
환:몽【幻夢】명 허황된 꿈.
환:문[1]【宦門】명 관리의 가족.
환:문[2]【喚問】명 소환(召喚)하여 신문(訊問)함. ——-하다 타여불
환문[3]【環紋】명 고리무늬.
환문[4]【還門】명〖불교〗육묘문(六妙門)의 다섯째 단계. 마음을 돌이켜 마음이 허망 무실(虛妄無實)함을 아는 관문(關門).
환문-총【環文塚】명〖역〗중국 지린 성(吉林省) 지안 현(集安縣) 샤양위터우(下羊魚頭) 뒷산에 있는 고구려의 벽화 고분. 연도(羨道)의 벽에는 한 쌍의 괴수(怪獸)를 그리고, 현실(玄室)벽에는 구름무늬와 20여 개의 아름다운 색채의 둥근 무늬가 그려져 있어 이 이름이 붙음. 또 천장의 사신도(四神圖)는 거의 박락(剝落)되어 있음.
환:물【換物】명 돈을 물건으로 바꿈. ↔환금(換金)❶·환은(換銀). ——-하다 자여불
환:미[1]【幻味】명〖심〗미각성(味覺性)의 환각(幻覺). 실제로 있지 아니한 맛을 마치 있는 것처럼 느끼는 현상.
환:미[2]【宦味】명 벼슬의 맛. 벼슬에 대한 취미.
환미[3]【還米】명〖역〗환곡(還穀)의 쌀.
환:발【渙發】명〖역〗왕명(王命)을 천하에 널리 알림. ——-하다 타여불
환:방【換房】명 ①물건을 바꿈질함. ②〖역〗파방(派房). ——-하다 타여불
환:방(을) 치다 구 환방을 행하다.
환-배서【還背書】명〖법〗인수인(引受人)·발행인·배서인(背書人) 등 어음상의 채무자를 피배서인(被背書人)으로 하여 하는 배서. 역배서(逆背書).
환:법【幻法】[—뻡] 명 환술(幻術).
환벽【環壁】명 빙 둘러 에워싸고 있는 벽.
환:변동 보:험【換變動保險】명〖경〗환시세 변동에 의한 손실을 전보(塡補)하는 보험.
환:변동 준:비금【換變動準備金】명〖경〗기업이 환시세의 변동에 따르는 환손실을 보충하기 위한 준비금.
환보【還補】명 한 번 사임한 직책에 다시 보임됨. ——-하다 자여불
환:복【宦福】명 관복(官福).
환본【還本】명 근본으로 돌아감. 옛것으로 돌아감. ——-하다 자여불
환봉[1]【還奉】명 환안(還安). ——-하다 타여불
환봉[2]【還封】명 ①옮기려고 파헤쳤던 무덤을 도로 묻음. ②봉환(封還). ——-하다 타여불
환-봉[3]【環峰】명〖지〗전라 북도 남원시(南原市) 운봉면(雲峰面)·주천면(朱川面)·산내면(山內面) 사이에 있는 산. [1,304 m]
환:부[1]【宦夫】명 환자(宦者).
환:부[2]【患部】명 질환(疾患)의 부분. 병처(病處).
환부[3]【還付】명 환급(還給). ——-하다 타여불
환부[4]【鰥夫】명 홀아비.
환부-금【還付金】명 환급금(還給金)의 구용어.
환:부 역조【換父易祖】명 지체가 좋지 못한 사람이 부정(不正)한 수단으로 자손이 없는 양반 집을 이어서 자기 아비·할아비를 바꾸는 일. ——-하다 자여불
환:부 작신【換腐作新】명 썩은 것을 싱싱한 것으로 바꾸어 만듦. ——-하다 타여불
환-분석【環分析】명〔ring analysis〕〖화〗석유계(石油系) 탄화 수소 중의 방향족(芳香族)·나프틴계(naphthene系)·파라핀계(paraffin系) 탄화 수소의 비율을 구하는 분석법. 고리 분석.
환:불[1]【換拂】명 환산하여 지급함. ——-하다 타여불
환불[2]【還拂】명 요금 따위를 되돌려 줌. ——-하다 타여불
환:-브로:커【換—】〔broker〕명〖경〗환중매인(換仲買人).
환:비【換費】명〖역〗환전(換錢)을 부치는 데 드는 비용. 환표(換標)를 하여 주는 사람이 받아 가는 사람에게서 받는 요금. 환태가(換駄價).
환:-비봉【換祕封】명〖역〗과거 때 남의 답안을 훔쳐서 봉내(封內)의 성명을 도려내고 제 성명을 써 넣음. ——-하다 자여불
환:빈【患貧】명 가난함을 걱정함. 가난 때문에 고난을 겪음. ——-하다 자여불
환사【還事】명〖역〗환곡(還穀)에 관한 사건.
환삭【還削】명〖불교〗되깎이.
환산[1]【桓山】명〖사람〗이윤재(李允宰)의 호(號).
환:산[2]【渙散】명 ①군중이나 단체가 해산하여 흩어짐. ②병열(病熱)이 내림. ——-하다 자여불
환:산[3]【換算】명 어떤 단위(單位)로 표시된 수량을 다른 단위로 고침. 미터를 척(尺)으로, 원을 달러로 고치는 따위. ¶파운드를 달러로 ～하다. ——-하다 타여불
환산-곡【還山曲】명〖문〗환산 별곡.
환:산-법【換算法】[—뻡] 명 환산하는 방법.
환산 별곡【還山別曲】명〖문〗작자·제작 연대 미상의 가사(歌辭)의 하나. ≪청구 영언(靑丘永言)≫에는 퇴계(退溪)의 작품이라 하나 확실하지 아니함. 복잡한 정계(政界)에서 벗어나 향리(鄕里)의 전원으로 돌아와 자연과 더불어 유유 자적(悠悠自適)하는 은둔자의 심회를 읊음. 환산곡(還山曲).
환:산 부피【換算—】명〔reduced volume〕〖물〗어떤 물질의 비(比) 부피의, 임계(臨界) 비(比) 부피에 대한 비(比).
환:산 상태식【換算狀態式】명〖물〗환산 압력·환산 온도·환산 부피의 관계를 나타내는 방정식. 각각의 임계(臨界) 상태의 값에 대한 비(比)를 나타냄.
환:산 압력【換算壓力】[—녁] 명〖물〗어떤 물질의 압력의, 임계(臨界) 압력에 대한 비.
환:산 온도【換算溫度】명〖물〗어떤 물질의 온도의, 임계(臨界) 온도에 대한 비.
환:산-율【換算率】[—뉼] 명 환산하는 비율.
환:산 인자【換算因子】명〔conversion factor〕〖수〗어떤 단위로 표시되는 양을 다른 단위로 나타내려고 곱하거나 또는 나누는 수인자(數因子).
환:산 점도【換算粘度】명〖공〗플라스틱 성형 가공(成形加工)에서, 비점도(比粘度)의 농도에 대한 비. 환원(還元) 점도.
환:산-표【換算表】명 단위가 다른 수량을 대조(對照)·열거(列擧)하여, 환산하기에 편리하게 만든 표.
환:상[1]【幻相】명〖불교〗실체가 없는 허망한 형상. 무상(無常)한 형상.
환:상[2]【幻想】명 ①현실에 없는 것을 있는 것같이 느끼는 상념(想念). 망상(妄想). ②종잡을 수 없이 일어나는 생각. ¶～적.
환:상[3]【幻像】명〖심〗환영(幻影)❷.
환:상[4]【喚想】명 지나간 생각을 불러일으킴. ——-하다 자여불
환상[5]【還上】명〖역〗환자(還子).
환상[6]【環狀】명 고리처럼 둥글게 생긴 형상. 환형(環形). ¶～ 철도.
환상[7]【環象】명 주위를 에워싸고 있는 일체의 현상.
환:상-곡【幻想曲】명〔fantasia〕〖악〗①형식상의 제약을 받지 아니하고 악상(樂想)의 자유로운 전개에 의하여 작곡한 낭만적인 악곡. ②어떤 명곡의 주요 부분만을 발췌(拔萃)·편곡한 악곡. 판타지아. 판타지.
환:상곡 형식【幻想曲形式】명〖악〗자유롭고 즉흥적인 형식.
환상 교차로【環狀交叉路】명 로터리(rotary)❶.
환:상 교향곡【幻想交響曲】명〔프 Symphonie Fantastique〕〖악〗프랑스의 베를리오즈(Berlioz)가 1830년에 작곡한 표제적(標題的) 교향곡. 작품 14번. 애인(愛人)을 상징하는 기본 주제, 곧 고정 악상(固定樂想)을 중심으로 하여 고전적 구성(古典的構成)을 사용하면서 독특한 악기 용법에 의해 환상적인 내용을 효과적으로 제고(提高)시키고 있음. 모두 5악장으로 되었음.
환상 규산염【環狀珪酸鹽】[—념] 명〖광〗사면체(四面體)가 고리를 형성하는 것처럼 연결된 규산염. 규소와 산소의 비율은 1 : 3임.
환상-근【環狀筋】명〖생〗척추 동물의 장관벽(腸管壁)이나 환형(環形) 동물의 체벽(體壁) 등에 있는 근육층 중에서 근섬유가 내강(內腔)을 고리 모양으로 둘러싼 힘살. 종주근(縱走筋)과 안팎 두 층을 이루어 서로 길항적(拮抗的)으로 작용하여 관(管)의 운동을 일으킴.
환:상-력【幻想力】[—녁] 명 환상하는 능력.
환상-문【環狀紋】명 고리무늬.
환:상-미【幻想美】명〖예〗예술 작품에 나타난 환상적인 미(美).
환:상 미학【幻想美學】명〖미술〗랑게 일파의 미학. 미적 관조(美的觀照)에 있어서, 우리 의식(意識) 가운데에는 미적 가상(假象)이 현실이라고 하는 표상(表象)과 또 그것이 가상 곧 인간의 소산(所產)이라고 하는 표상이 동시에 존재하는 바, 이들 서로 다른 두 개의 의식 내용의 동시적 존재를 의식적 자기 환상이라고 칭하고 여기에 미적 쾌감의 근거를 인정하는 설.
환상-산【環狀山】명 달의 표면에 존재하는 분화구상(噴火口狀)의 큰 구멍. 달의 표면이 응고(凝固)할 때의 화산 활동(火山活動)의 결과라고도 하고 유성 낙하(流星落下)의 운석공(隕石孔)이라고도 함.
환상 석리【環狀石籬】[—니] 명〖역〗환상 열석(環狀列石).
환상 석부【環狀石斧】명〖고고학〗바퀴날 도끼.
환상-선【環狀線】명 환상으로 된 노선(路線)이나 철도 선로. 루프선(loop線).
환:상-설【幻想說】명〖철〗환상주의(幻想主義).
환상 성운【環狀星雲】명〖천〗행성상(行星狀) 성운의 한 가지. 거문고자리 중심에 있는 별을 에워싸는 가스상 성운의 가장자리의 빛이 강하고 둥근 테같이 보임. 베타성(β星) 부근에 있음. 지름은 약 1광년(光年), 거리는 2,600 광년.
환상 아미드【環狀—】명〔cyclic amide〕〖생〗고리 모양 아미드.
환상 에이 엠 피:【環狀 AMP】명〔cyclic-AMP〕〖생〗사이클릭 에이 엠 피.
환상 연:골【環狀軟骨】[—년—] 명〖생〗발성(發聲) 기관의 일부. 후두(喉頭)의 밑에 자리잡고 위에 있는 갑상 연골(甲狀軟骨)과 접하는 고리

형상의 연골. 그 속에 성대(聲帶)가 있음.

환상 열석【環狀列石】[—녈썩] 명〖역〗거대한 선돌이 환상(環狀)으로 줄지어 놓인 유구(遺構). 신석기 시대에서 청동기 시대에 걸쳐 나타난 것으로 알려짐. 고구려·신라 시대의 왕릉(王陵)에서도 그 형적을 볼 수 있음. 환상 석리(環狀石籬).

환:상-적【幻想的】명관 환상인 모양. 또, 환상에 가까운 모양. 현실 세계와 동떨어진 꿈을 꾸고 있는 것과 같은 모양.

환:상-주의【幻想主義】[—/—이] 명 〔imagism〕〖철〗현실의 재현(再現)이 아니고 내적(內的) 충동이나 영감(靈感)에 이끌리어서, 주관(主觀)의 자기 생산을 주장하는 미학상(美學上)의 한 입장. 환상설(幻想說).

환:상 즉흥곡【幻想卽興曲】명 〔프 Fantaisie Impromptu〕〖악〗쇼팽이 1834년에 작곡한 피아노곡의 하나. 작품 66. 중간부의 칸타빌레의 선율이 아름다워 쇼팽의 사후(死後) '환상'이라는 이름이 붙여졌음.

환상-지【幻像肢】명〖심〗환각지(幻覺肢).

환:상-화【幻想畫】명〖미술〗환상 회화.

환상 회향【環相廻向】명〖불교〗정토문(淨土門)에서, 극락에 왕생(往生)한 후에 다시 이승으로 돌아와서 다른 중생을 교화하여 함께 불도에 들게 하는 일. ＊왕상(往相) 회향.

환:상 회:화【幻想繪畫】명〖미술〗환상을 표현한 그림. 특히, 쉬르레알리슴에서 환상을 표현한 작품을 가리킬 때가 많음. 환상화.

환:색【換色】명 어떠한 물건을 다른 물건과 바꾸어 냄. 환품(換品). ——-하다 타여불

환:생[1]【幻生】명 형상을 바꾸어서 다시 생겨남. 새로 태어남. 환생(還生). 환퇴(幻退). ——-하다 자여불

환생[2]【還生】명 ①되살아 남. ②다시 태어남. 환생(幻生). ——-하다 자여불

환석[1]【丸石】명 바다 속의 거친 돌이 파도에 갈려 둥글고 매끄럽게 된 돌.

환석[2]【環石】명 ①지름 10 cm 내외의 둥근 돌로 주위에 날이 있고 중앙은 도톰하고 구멍이 있어 여기에 자루를 박고 무기 또는 땅 파는 도구로 사용하던 마제 석기(磨製石器). 석환(石環). ②선돌을 여러 개 원형으로 세운 것.

환:선[1]【紈扇】명 얇은 깁으로 만든 부채.

환:선[2]【換線】명 선로(線路)나 선(線)을 바꿈. ——-하다 자 타여불

환:성[1]【宦成】명 사관(仕官)하여 입신 출세함. ——-하다 자여불

환:성[2]【喚醒】명 ①잠자는 사람을 깨움. ②어리석은 사람을 깨우쳐 줌. ——-하다 타여불

환:성[3]【喚醒】명〖사람〗조선 시대 영조(英祖) 때 이름난 중. 지금 우리나라 중들의 계통(系統)이 거의 다 이 사람으로부터 일어났음.

환:성[4]【喚聲】명 고함소리.

환성[5]【歡聲】명 기뻐 고함치는 소리. 즐거움에 겨워 부르짖는 소리. ¶ ～을 올리다.

환성-산【環城山】명〖지〗대구 직할시와 경상 북도 경산군(慶山郡) 하양읍(河陽邑) 사이에 있는 산. 팔공 산맥에 속함. [809 m]

환:세[1]【幻世】명 변화 무상(無常)한 세상. 덧없는 세상.

환:세[2]【換歲】명 해가 바뀜. 새해가 됨. 개력(改曆). 개세(改歲). ——-하다 자여불

환세[3]【還稅】명 기납(旣納)한 세금을 환급(還給)함. ——-하다 타여불

환:소[1]【患所】명 병처(病處)❶.

환소[2]【還巢】명 자기 집에 돌아옴을 낮추어 일컫는 말. ——-하다 자여불

환-소주【還燒酒】명 소주를 다시 곤 소주.

환속[1]【還俗】명〖불교〗중이 도로 속인(俗人)이 됨. 퇴속(退俗). ＊중속환이. ——-하다 자여불

환속[2]【還屬】명 이전의 소속으로 다시 돌려 보냄. ——-하다 타여불

환송[1]【還送】명 ①도로 돌려 보냄. 특히 서류·안건 등을 재고(再考)하기 위해 그 원안자(原案者)에게 돌려 보냄. 반송(返送). 회송. ②〖법〗민사소송법상, 상급심이 원판결을 취소한 경우, 심리를 다시 하게 하기 위해 사건을 항소심 또는 제일심 법원에 돌려 보냄. ——-하다 타여불

환송[2]【歡送】명 기쁘게 보냄. ¶ ～ 파티. ↔환영. ——-하다 타여불

환:-송금【換送金】명〖경〗직접 현금을 송부하지 않고 환(換)으로 송금함. ↔현송(現送)❷. ＊환업무.

환송 판결【還送判決】명〖법〗상급심(上級審)이 원심(原審) 판결을 취소 또는 파기(破棄)하여 사건을 다시 심판하게 하기 위하여, 원심 법원으로 돌려 보내는 판결.

환송-회【歡送會】명 환송하는 뜻으로 베푸는 모임.

환:수[1]【宦數】명 벼슬길의 운수.

환:수[2]【宦竪】명〖역〗환관(宦官)의 천칭(賤稱).

환:수[3]【換手】명 손바꿈. ——-하다 타여불

환수[4]【還收】명 남의 손에 넘어간 것을 도로 거두어 들임. ——-하다 타여불

환수 증권【還受證券】[—꿘] 명〖법〗채무자(債務者)가 증권(證券)과 바꾸지 아니하면 채무(債務)의 이행을 할 필요가 없는 유가 증권(有價證券). 어음·수표(手票)·화물 상환증(貨物相換證)·창고 증권(倉庫證券)·선하 증권(船荷證券) 같은 것.

환:술【幻術】명 남의 눈을 어리어 속이는 기술. 마법(魔法)을 써서 하는 기술(奇術). 칼을 삼키고 불을 토하는 것 등. 환법(幻法).

환:시[1]【幻視】명〖심〗시각성(視覺性)의 환각. 곧, 실제는 존재하지 아니하는 형상이 보이는 현상.

환:시[2]【宦侍】명〖역〗내시(內侍)❶❷.

환시[3]【環視】명 ①뭇사람이 둘러 서서 봄. 많은 사람이 주목함. ¶ 중인(衆人) ～리에. ②사방을 두루 둘러 봄. ——-하다 자여불

환:-시세【換時勢】명〖경〗한 나라 화폐와 타국 화폐와의 교환 비율. 또, 외국 환어음의 가격. 환율(換率). 외환율(外換率).

환:-시장【換市場】명〖경〗외국환의 수급(需給)·거래(去來)가 행하여지는 시장.

환:시-화【幻視畫】명 디오라마(diorama).

환식 화합물【環式化合物】명〖화〗고리 모양 화합물.

환심【歡心】명 기쁘고 즐거운 마음. 환정(歡情).

환심(을) 사다 구 남의 비위를 맞추어 그의 호감(好感)을 자아내다.

환:-심리설【換心理說】[—니—] 명〖경〗제1차 세계 대전 후 파리 대학의 아프탈리옹(Aftalion) 교수에 의하여 제창된 외국환 이론(外國換理論). 환시세(換時勢)를 결정하는 원인은 국제 대차 차액설(國際貸借差額說)이나 구매력 평가설(購買力平價說) 등과 같은 단일한 원인에 의하는 것이 아니고 정치·경제·외교 등 모든 사회 사상(社會事象)에 대한 심리 작용에 있다고 주장함.

환:-심장【換心腸】명 마음이 전보다 막되게 아주 달라짐. 준환장(換腸). ——-하다 자여불

환안[1]【還安】명 딴 곳으로 옮기었던 신주(神主)를 도로 제 자리로 모심. 환봉(還奉). ——-하다 타여불

환안[2]【環眼】명 고리눈.

환안-마【環眼馬】명 고리눈말.

환:안정 자:금【換安定資金】명〖경〗환평형 자금(換平衡資金).

환안지-곡【桓安之曲】명〖악〗고려 시대에 양잠(養蠶)을 처음 시작했다는 서릉씨(西陵氏)에게 제사지내는 선잠(先蠶) 의식에서 연주된 제례악의 한 곡조.

환:암【幻庵】명〖사람〗고려 말기의 중 보각 국사(普覺國師)의 호(號).

환:액【宦厄】명 벼슬길의 재액(災厄).

환약【丸藥】명 약재를 가루로 만들어 반죽하여 작고 둥글게 비빈 약. 알약. 환제(丸劑). ↔산약(散藥)·탕약(湯藥).

환어[1]【還御】명 환궁(還宮). ——-하다 자여불

환:어[2]【歡語】명 즐겨 이야기함. 환담. ——-하다 자여불

환:-어음【換—】명〖경〗발행인이 제삼자, 곧 지급인 앞으로 일정한 금액을 수취인 또는 그 지시인에게 지급할 것을 위탁하는 형식의 어음.

환:언【換言】명 바꾸어 말함. ¶ ～하면. ——-하다 자여불

환:언-표【換言標】명 말바꿈표.

환:업【宦業】명 벼슬에 관한 사무(事務).

환:-업무【換業務】명〖경〗직접 현금을 송부하지 않고, 원격(遠隔) 지방에의 송금, 자금의 회수, 채권·채무의 결제를 일정한 신용 수단을 통하여 행하는 업무. 내국환과 외국환이 있음. ＊환송금.

환:-여평석【歡如平昔】명 원한(怨恨)을 버리고 옛 정(情)을 다시 회복(回復)함. ——-하다 자여불

환역【寰域】명 ①구역의 안. ②나라 안. ③우주간(宇宙間).

환:연[1]【渙然】부 녹아 풀리는 모양. ——-하다 형여불. ——-히 부

환연[2]【歡然】부 기뻐하는 모양. ——-하다 형여불. ——-히 부

환:연 빙석【渙然氷釋】명 얼음 녹듯이 의혹이 풀리어 없어짐. ——-하다 타여불

환열[1]【轘裂】명〖역〗환형(轘刑).

환열[2]【歡悅】명 환희(歡喜)❶.

환:영[1]【幻影】명 ①곡두. ②〖심〗사상이나 감각의 착오로 실재하지 않은 현상(現像)·영상(影像)·상태·신념을 사실로 인정하는 현상. 환상(幻像). ③실현할 수 없는 원망(願望)이나 이상(理想).

환영[2]【歡迎】명 호의를 표하여 즐거이 맞이함. ↔환송(歡送). ——-하다 타여불

환영-곡【歡迎曲】명 환영하는 뜻으로 울리는 음악.

환영-문[1]【歡迎文】명 환영하는 뜻을 적은 글.

환영-문[2]【歡迎門】명 환영의 뜻을 표하여 특별히 세운 문. 아치 따위.

환영-사【歡迎辭】명 환영하는 인사말.

환영-연【歡迎宴】명 환영하는 뜻으로 베푸는 연회(宴會).

환:영-지[1]【幻影肢】명〖심〗환각지(幻覺肢).

환영-지[2]【寰瀛誌】명〖책〗조선 시대 영조(英祖) 46년(1770) 위백규(魏伯珪)가 짓고, 순조(純祖) 22년(1822) 그의 족손(族孫) 위영복(魏榮馥)이 간행한 책. 천문·성위(星緯)·절서(節序)·운회(運會)·지리 등으로 분류하여 차례로 쓰고, 64 개의 도해(圖解)를 붙였음. 2 권 1 책. 인본.

환영-회【歡迎會】명 환영하는 뜻으로 베푸는 모임. ↔ 환송회.

환오【歡娛】명 환락(歡樂).

환옥[1]【丸玉】명〖고고학〗구슬옥.

환옥[2]【環玉】명〖역〗도리옥.

환요【環繞】명 빙 둘러 에워쌈. 환위(環圍). ——-하다 타여불

환:욕【宦慾】명 벼슬에 대한 욕망.

환:용【換用】명 바꾸어 사용함. ——-하다 타여불

환:우[1]【患憂】명 근심. 걱정.

환:우[2]【換羽】명 날짐승의 묵은 깃이 빠지고 새 깃이 나는 일. ——-하다 자여불

환우[3]【寰宇】명 환내(寰內).

환:우-기【換羽期】명〖조〗날짐승이 깃을 가는 시기. ＊털갈이.

환:운【換韻】명〖문〗고시(古詩) 운법(韻法)의 하나. 한 수의 시 중에서 여러 가지 운으로 바꾸어 다는 것을 일컬음. 전운(轉韻).

환웅【桓雄】명〖역〗환인(桓因)의 아들. 단군(檀君)의 아버지. 부왕의 명으로 천부인(天符印) 3개와 부하 3천 명을 거느리고 태백산(太白山) 단나무 아래 내려와 신시(神市)를 열었으며 웅녀(熊女)와 결혼하여 단군을 낳았다 함.

환웅-장【桓雄章】[—짱] 명〖악〗악장(樂章)의 이름.

환원【還元】명 ①근본으로 되돌아 감. 근원(根源)으로 다시 돌아감. ②〔reduction〕〖화〗산화(酸化)된 물질을 본래의 상태로 되돌리는 과정. 곧 어떤 물질이 산소의 일부 또는 전부를 잃거나 외부에서 수소를 흡수하는 화학 변화. ↔산화(酸化). ③〖화〗금속의 양원자가(陽原子價)가 감소되거나 음원자가(陰原子價)가 증가하여 금속의 원자가(原子價)가 변

화하는 일. ↔산화(酸化). ④〖천도교〗 사람의 죽음을 일컫는 말. 우주의 성령(聖靈) 속에는 무궁한 영적 실재(靈的實在)가 있어서 그것이 세상에 나왔다가 그 근본으로 돌아감을 이름. ⑤〖경〗 경제학에서, 어떤 기간의 수익(收益) 평균을, 그 때의 이율에 기초하여 자금으로 환산(換算)하는 일. ——-하다 자여불

환원-가【還元價】[--까] 명〖경〗해마다의 이자를 이율로 나누어 환원하여 얻은 값. 매년 일정액의 이자를 얻는 데 필요한 자본의 액.

환원 니켈【還元—】[nickel] 명〖화〗 산화(酸化) 니켈을 수소 기류(氣流) 중에서 환원시켜 만든 순수한 니켈 가루.

환원-당【還元糖】명 [reducing sugar]〖화〗반응성(反應性)의 알데히드기(aldehyde 基)·케톤기(ketone 基)를 가진, 구리·은(銀)·비스무트(bismuth)와 같은 금속염(金屬塩)의 알칼리 용액을 용이하게 환원시키는 성질이 있는 당의 총칭. 단당류 및 락토오스·말토오스를 함유하는 대부분의 이당류(二糖類)가 이에 속함.

환원-력【還元力】[—녁] 명〖화〗 산화물(酸化物)을 환원시킬 수 있는 힘.

환원-미【還元米】명〖경〗농가가 정부의 명령으로 자가 보유미(自家保有米)까지 공출한 경우, 어떤 기간 동안 배급을 받는 쌀.

환원 발염【還元拔染】명 발염법의 하나. 환원 발염제와 조제(助劑) 따위를 써서 발염하는 일. 주로 발염제로서 아연(亞鉛) 가루·염화 제1주석·히드로술파이트류(hydrosulfite 類)를 씀. 대개가 직접 물감·나프톨 물감의 발염에 응용됨.

환원-법【還元法】[—뻡] 명 [reduction]〖논〗정언적(定言的) 삼단 논법에 있어서, 환위법(換位法)이나 대소 전제(大小前提)의 위치 교환에 의하여 제2·제3·제4격(格)을 제1격 본위 형태로 하는 방법. 개격법(改格法). 변격법(變格法). 변화법(變化法).

환원 분열【還元分裂】명〖생〗감수 분열(減數分裂).

환원-산【還元算】명〖수〗산수 응용 문제의 하나. 계산의 방법과 그 결과가 주어져서 본디의 수를 구하는 문제.

환원성 분:위기【還元性雰圍氣】[—썽—] 명〖화〗화학 반응이나 물리적 장치의 주위를 둘러싸고 있는 수소 또는 전자를 용이(容易)하게 공여(供與)하는 물질의 분위기. 산화성(酸化性) 분위기의 역효과(逆效果)를 얻음.

환원성 불꽃【還元性—】[—썽—] 명 [reducing flame]〖화〗환원성(還元性)이 있는 불꽃. 이를테면 분젠등(Bunsen燈)의 맨 바깥쪽은 산화성(酸化性) 불꽃이고 그 안쪽이 환원성 불꽃임. 산소의 공급이 불충분하여 이 부분에 산화 금속을 넣으면 그 금속은 환원됨. 속불꽃. 내염(內焰). 환원염(還元焰). ↔산화성 불꽃. ＊불꽃.

환원성 퇴적물【還元性堆積物】[—썽—] 명 [reduzate]〖지〗환원성의 상태로 퇴적한 퇴적물. 유기 탄소(有機炭素)와 황화 철광에 많음. 석탄·흑색 셰일 등이 있음.

환원-셀【還元—】명 [reduction cell]〖화〗염수 용액(塩水溶液) 또는 용융염(溶融塩)을 전기적(電氣的)으로 환원하는 장치.

환원-염【還元焰】[—념] 명〖화〗환원성(還元性) 불꽃.

환원 우유【還元牛乳】명 탈지 분유(脫脂粉乳)를 물에 녹이고 유지방(乳脂肪)을 가하여 균질화(均質化)해서 원래의 우유와 똑같은 조성(組成)이 되게 만든 우유.

환원 융자【還元融資】[—늉—] 명〖경〗 중앙에만 자금이 집중하는 폐단을 막기 위하여, 정부나 금융 기관이 지방에서 모은 자금의 일부 또는 전부를 그 지방에 되돌려 공급하는 일.

환원 이:율【還元利率】[—니—] 명〖법〗재산의 감정 평가(鑑定評價)에서 순수 이율에 대상(對象) 물건의 위험률(危險率)을 가산한 비율. 최저율은 재무부 장관이 정함. 위험률은 위험성·비유동성(非流動性)·관리의 난이성(難易性), 자금의 안전성 등을 고려한 것임. 두 가지 이상의 물건을 동시에 적용하여 순이익(純利益)을 산출할 경우에는 종합 환원 이율을 적용할 수 있음.

환원 적정【還元滴定】명 [reductimetry]〖화〗화학 분석에서의 적정법의 하나. 환원제의 표준액(液)을 써서 산화제를 적정하는 일.

환원 전:위【還元電位】명 [reduction potential]〖물〗〖화〗 환원 퍼텐셜.

환원 점도【還元粘度】명 환산(換算) 점도.

환원-제【還元劑】명 ① [reducing agent]〖화〗다른 물질에 환원을 일으키게 하는 물질. 산화(酸化)되기 쉬운 물질이 환원제로 쓰이는데, 수소·탄소·아연 등이 있음. ②〖화〗원소 또는 화합물에 전자(電子)를 부가하는 물질. 원자가(原子價)의 양성도(陽性度)를 감소시키는 물질. ③〖광〗정련(精鍊)에서, 광석이나 농축물(濃縮物)로부터 산소를 제거시키기 위해 첨가하는 석탄이나 기타 환원성 물질.

환원-지【還元地】명 한 번 개간되었던 경지(耕地)로서 다시 본래의 황무지로 되돌아간 땅.

환원-철【還元鐵】명〖화〗산화 제이철(酸化第二鐵)을 철관(鐵管) 속에서 작열(灼熱)하여, 여기에 수소 가스를 통하여 환원시켜 만든 회색 또는 회흑색(灰黑色)의 순수한 쇳가루. 빛이 없고 자석(磁石)에 달라붙으며 빈혈증(貧血症)에 약으로도 씀.

환원-탕【還元湯】명〖한의〗약으로 쓰는 사람의 오줌.

환원 퍼텐셜【還元—】명 [reduction potential]〖물·화〗양(陽)을 하전(荷電)한 이온이 중성 또는 낮은 양하전 이온으로 또는 중성 원자가 음(陰)을 하전하는 이온으로 환원할 때의 전위 저하(電位低下). 환원 전위(電位).

환원 표백【還元漂白】명〖화〗환원제를 쓰는 표백. 주로, 양모·비단 따위의 최종 표백에 쓰임.

환원 표백제【還元漂白劑】명〖화〗환원 표백에 쓰이는 약제. 이산화황(二酸化黃)·아황산 수소 나트륨·히드로술파이트 따위.

환원 효소【還元酵素】명 [reductase]〖화〗산화(酸化) 환원 효소에 속하는 일군(一群)의 효소의 총칭.

환:월【幻月】명〖천〗엷은 빛의 달의 광망 현상(光芒現象). 형상과 광학적 원인은 태양의 환일(幻日)과 같음. 환일보다 드물게 관측됨.

환위[1]【環圍】명 환요(環繞). ——-하다 타여불

환위[2]【環衛】명 대궐의 주위를 둘러싸서 호위함. ——-하다 자여불

환:위-법【換位法】[—뻡] 명 [conversion]〖논〗정언적(定言的) 판단에 관한 변형(變形) 추리 중에서 기본이 되는 추리법(推理法)의 하나. 주어진 판단의 빈사(賓辭)를 주사(主辭)로 하고 주사를 빈사로 하여 동일한 의미(意味) 내용을 주장하는 새로운 판단을 얻는 추리법. ↔환질법(換質法).

환유[1]【歡遊】명 즐겁게 놂. ——-하다 자여불

환:유[2]【換喩】명 비유법의 하나. 어떤 사물 대신에 그것과 관계가 깊은 다른 낱말로 대신해서 표현하는 일. '금배지'로 '국회 의원'을 나타내는 따위. ——-하다 자여불

환:유-법【換喩法】[—뻡] 명〖논〗대유법(代喩法).

환:율【換率】명〖경〗환시세(換時勢). 환레이트(換rate). 노미널 레이트(nominal rate).

환:율 변:동폭 제:한【換率變動幅制限】명〖경〗외환 시장에서 외환이 거래될 때 그날의 시세 변동을 전일(前日) 시세의 일정폭까지만 허용하는 제도. 급격한 환율 변동에서 오는 혼란을 막기 위함임.

환:은【換銀】명 ①↗외환 은행. ②물건을 돈으로 바꿈. ↔환물(換物). ——-하다 자여불

환:-은행【換銀行】명〖경〗외환 은행.

환:의[1]【換衣】[—/—이] 명 다른 옷으로 갈아입음. ¶보부상들에겐 옛부터 ~의 풍습이 있었으니…그들은 ~로써 그 우의와 의리를 확인하였다《金周榮 : 客主》. ——-하다 자여불

환:의[2]【換意】[—/—이] 명 뜻을 바꿈. ——-하다 자여불

환-이성【環異性】명 [ring isomerism]〖화〗구조 이성(構造異性).

환인【桓因】명〖역〗환웅(桓雄)의 아버지. 고기(古記)에 의하면 아들 환웅이 세상에 내려오고자 하므로 태백산(太白山)으로 내려 보냈다 함. 단군 신화에 나오는 천제(天帝)로 천제 환인이라 함.

환:-인플레이션【換—】[inflation] 명〖경〗외국환 시세의 하락(下落)으로 인한 물가의 상승, 통화(通貨)의 증발이 원인이 되어 유발(誘發)되는 인플레이션.

환:일【幻日】명〖기상〗권층운(卷層雲) 따위가 하늘에 있을 때 태양의 양쪽 시거리(視距離) 약 22 도의 점에 나타나는 불그레한 태양 비슷한 광상(光像). 구름을 형성하는 얼음 결정이 햇빛을 반사(反射)·굴절(屈折)시켜서 생김.

환임【還任】명 본래의 직책(職責)으로 다시 임명함. ——-하다 타여불

환:입[1]【換入】명 바꾸어 넣음. ——-하다 타여불

환입[2]【還入】명〖역〗임금의 교지(敎旨)를 도로 거두어 들임. ——-하다 자여불

환자[1]【丸子】명 완자.

환:자[2]【宦者】명〖역〗내시(內侍)❶❷.

환:자[3]【患者】명 병을 앓는 사람. 병자(病者). ¶입원 ~.

환자[4]【還子】명〖역〗조선 시대 때, 각 고을의 관고(官庫) 저곡(貯穀)에서 백성에게 꾸어 주었던 곡식을 가을에 받아들이는 일. 환상(還上).

환:-자금【換資金】명〖경〗외환 은행이 수출입 어음 및 송금 환어음의 매매를 위하여 사용하는 자금.

환자-놀이【還子—】명〖민〗하회 별신(河回別神)굿의 일곱째 마당. 관리인 별채가 나와 마을 사람들에게서 곡식을 거두어 들이면서 중간 착취하는 횡포를 풍자한 마당임.

환:자-실【患者室】명 병실(病室).

환:자 중심 요법【患者中心療法】[—뇨뻡] 명〖심〗비지시적(非指示的) 요법.

환자-탕【丸子湯】명 완자탕.

환:작【換作】명 다른 종류의 물품으로 대신 바치게 함. 논밭의 세를 쌀 대신에 베로 내게 하는 따위. ——-하다 타여불

환:장【換腸】명 ↗환심장(換心腸). ——-하다 자여불

환:장지-경【換腸之境】명 환장에 이른 지경.

환재【桓齋·瓛齋】명〖사람〗박규수(朴珪壽)의 호(號).

환:-재정【換裁定】명 각지(各地)의 환시장(換市場)에서의 시세의 차이를 이용하여, 가장 유리(有利)한 환(換)을 취결(就結)해서 그 차익(差益)을 얻는 일.

환:-쟁이 명 막치 그림을 그리는 것으로 업을 삼는 사람. 화장(畫匠).

환저【鰥菹】명 홀아비김치.

환:적[1]【宦蹟】명 벼슬에 있을 때의 행적(行蹟).

환:적[2]【換積】명 다른 곳이나 또는 다른 운송 수단으로 옮기어 싣거나 쌓음. ——-하다 타여불

환:전[1]【換錢】명〖경〗①환표(換標)로 보내는 돈. ㊟환(換). ②서로 종류가 다른 화폐와 화폐 또는 화폐와 지금(地金)을 교환하는 일. ——-하다 타여불

환전[2]【環田】명 고리 모양으로 둥글게 생긴 밭.

환:전[3]【歡轉】명〖춤〗만수무(萬壽舞)에서, 즐거운 표정을 짓고 소매를 뿌리며 몸을 돌리는 사위.

환:전-상【換錢商】명〖경〗환전(換錢)을 업으로 삼는 사람. 또, 그 업(業).

환:전-업【換錢業】명 환전(換錢)을 업(業)으로 하는 영업. 환전상(換錢商)의 업무(業務).

환:절[1]【患節】명 병환(病患)과 같은 뜻으로 편지에 쓰는 말.

환:절[2]【換節】명 ①철이 바뀜. 교절(交節). ②절조(節操)를 바꿈. ——-하다 자여불

환절[3]【環節】명〖동〗곤충이나 지렁이 등과 같이 몸이 여러 개의 고리 모양의 분절(分節)로 이루어지는 것의 그 하나하나의 마디. 체절(體節)과 일치하지 아니함. 고리 마디.

환:절-기[1]【換節期】명 절기(節氣)가 바뀌는 시기. 변절기(變節期).

환절-기[2]【環節器】명〖생〗거머리·지렁이 등 환형(環形) 동물의 배설기(排泄器). 환절(環節)마다 좌우에 한 쌍 있는 작은 기관. 관상(管狀)을 이루고 다소 만곡(彎曲)하여, 깔때기 모양을 이룸. 한쪽 끝은 체강(體腔)에, 다른쪽 끝은 체벽(體壁)을 뚫고 외표(外表)로 열려 노폐물(老廢物)을 버림.

환절 동:물【環節動物】명〖동〗환형 동물(環形動物).

환:절-머리【換節—】명 철이 바뀌는 무렵.

환:정[1]【宦情】명 벼슬을 하고 싶어하는 마음.

환정[2]【歡情】명 환심(歡心).

환:정 노비【換定奴婢】명〖역〗각 관아에서 서로 바꾸어 역(役)을 정한 노비.

환:-정책【換政策】명〖경〗환율(換率)과 그에 영향을 주는 모든 경제 요인을 계획하여 실천하려는 정책.

환제[1]【丸劑】명 환약(丸藥).

환제[2]【還第】명 귀가(歸家). ——-하다 자여불

환조[1]【丸彫】명〖미술〗①한 덩어리의 재료에서 물체의 모양 전부를 조각해 내는 일. 또, 그 작품. ②두리새김.

환조[2]【桓祖】명〖사람〗조선 태조(太祖) 이성계(李成桂)의 아버지. 휘(諱)와 자(字)는 자춘(子春). 도조(度祖)의 아들. 고려 공민왕(恭愍王) 때 왜구(倭寇)의 대거 침입이 있자, 판장작감사(判將作監事)로서 동북면 병마사(東北面兵馬使)로 있다가 삭방도(朔方道)에서 죽음. [1315-61]

환:족【宦族】명 대대로 벼슬을 지내 온 집안.

환좌【環坐】명 여러 사람이 둥글게 쭉 둘러 앉음. ——-하다 자여불

환주[1]【還住】명 되돌아와 삶. ——-하다 자여불

환주[2]【環周】명 주위를 에워쌈. ——-하다 자여불

환:-중매인【換仲買人】명〖경〗은행 상호간 또는 은행과 상인 사이에서 외국환 어음의 매매를 주선·매개함을 업으로 하는 사람. 환브로커(換broker).

환증【還贈】명 보내 온 물건을 되돌려 보냄. ——-하다 자여불

환:-증서【換證書】명 우편환의 증서(證書).

환:-지[1]【—紙】명 환을 그리는 데 쓰이는 종이.

환:지[2]【換地】명 토지를 서로 바꿈. 또, 그 바꾼 땅. 환토(換土). ¶~ 처분. ——-하다 자여불

환지[3]【還紙】명 휴지로 재생한 종이. 갈모지.

환:지 처:분【換地處分】명〖법〗토지 개량·토지 구획 정리 등의 사업 결과 종전의 토지에 대하여 이에 상당하는 다른 토지나 또는 금전으로써 청산(淸算)하는 처분.

환:지-통【幻肢痛】명〖의〗팔다리를 절단한 환자가 이미 없는 팔다리에 아픔과 저림을 느끼는 현상.

환-진갑【還進甲】명 환갑과 진갑. ¶~ 다 지낸 영감.

환:질[1]【換質】명〖논〗환질법을 쓰는 일. 또, 그 환질법.

환질[2]【環絰】명 소렴(小殮) 때 상제(喪制)가 쓰는 사각건(四角巾)에 덧씌워 쓰는 삼으로 꼰 둥근 테두리.

환:질-법【換質法】[—뻡] 명 [obversion]〖논〗정언적(定言的) 판단에 관한 변형(變形) 추리 중에서 기본이 되는 추리법(推理法)의 하나. 주어진 판단의 주사(主辭)를 주사, 빈사(賓辭)의 모순 개념(矛盾槪念)을 빈사로 하고 동시에 원판단(原判斷)과 질(質)을 달리하여 그와 동일(同一)한 의미 내용을 주장하는 새로운 판단을 도출(導出)하는 추리법. ↔환위법(換位法).

환:질 환:위법【換質換位法】[—뻡] 명 [contraposition]〖논〗정언적(定言的) 판단에 관한 변형(變形) 추리의 하나. 주어진 판단의 주사(主辭)를 빈사(賓辭), 그 빈사의 모순 개념을 주사로 하고, 원판단(原判斷)과 동일한 의미 내용을 주장하는 새로운 판단을 도출(導出)하는 추리법(推理法). *환위법·환질법.

환:집중 결제 제:도【換集中決濟制度】[—쩨제—] 명〖경〗큰 도시마다 어음 교환소를 통하여 교환하고 그 결제를 중앙 은행(中央銀行)의 각 은행의 계좌(計座)에서 집중적(集中的)으로 하는 내국환(內國換)의 결제 제도(決濟制度).

환:-집중제【換集中制】명〖경〗일국의 외화(外貨)를 가장 유효 적절하게 사용하기 위하여, 정부가 우선 외화 수입을 환은행(換銀行)을 경유하여 사들이고, 한편 외화 수요자(需要者)에게는 그 목적의 중요도에 따라 환은행을 통하여 지급하는 제도.

환-짓다【丸—】자ㅅ불 작환(作丸)하다.

환ᄌᆞ【還子】명〈옛〉환자. ¶환ᄌᆞ 亦曰還上≪農家月俗≫/환자 타 산다 ᄒᆞ고 그룰사 그르다ᄒᆞ니≪古時調 尹善道≫.

환차[1]【還次】명 어른의 행차(行次)가 돌아옴. ——-하다 자여불

환차[2]【還差】명〖역〗조선 시대 때, 신역(身役)을 피하여 다른 고장에 가 있는 자를 제 고향으로 돌려보내어 신역을 치르게 하는 일. ——-하다 타여불

환:차-손【換差損】명〖경〗환율(換率)이 변동할 때 생기는 손해. 환율이 오르면 수입 회사나 차관(借款) 업체가 손해를 보고, 환율이 내리면 수출 회사 등이 손해를 봄. *환차익(換差益).

환:차-익【換差益】명〖경〗환율(換率)이 변동할 때 생기는 이익. 예컨대, 환율이 오르면 수출 회사 등이 이익을 보고, 환율이 내리면 수입 회사나 차관(借款) 업체 등이 이익을 봄. *환차손(換差損).

환-차하【還差下】명〖역〗사직(辭職)했거나 또는 면직(免職)되었던 벼슬아치를 특지(特旨)로써 다시 벼슬을 시킴. ——-하다 타여불

환:착【換着】명 옷 따위를 바꾸어 입음. ——-하다 타여불

환창【環窓】명 둥근 창. 흔히, 배에 냄.

환:처【患處】명 병처(病處).

환천 희:지【歡天喜地】[—히—] 명 천지(天地)에 대하여 환희한다는 뜻으로, 썩 즐거하고 기뻐함을 일컫는 말. ——-하다 자여불

환:청【幻聽】명〖심〗청각성(聽覺性)의 환각(幻覺). 실제로 존재(存在)하지 아니하는 소리가 들리는 현상.

환:청산 제:도【換淸算制度】명〖경〗환청산 협정에 따라 국제 수지(國際收支)의 결정을 외환(外換)의 매매나 금현송(金現送)에 의하지 않고 각국의 중앙 은행 또는 청산 기관(淸算機關)에 마련된 장부의 계정(計定)에 따라 결제하는 제도.

환:청산 협정【換淸算協定】명〖경〗무역 등에 의한 국제 수지(國際收支)를 결제함에 있어, 환에 의한 결제의 불편이나 어려움을 제거(除去)하기 위하여 환에 의하지 아니하고, 중앙 은행 또는 공적(公的)인 기관(機關)에 특설(特設)된 장부상의 대체(對替)로써 하기로 정하는 협정.

환초【環礁】명〖지〗대양(大洋) 중에 발달한 환상(環狀)의 산호초(珊瑚礁). 안쪽은 물이 괴어 있고 바깥쪽은 깊은 외양(外洋)에 면(面)함. 마셜 제도(諸島)의 잴루잇(Jaluit) 섬 따위. 아톨(atoll).

1: 초호(礁湖)

〈환초〉

환초상 조직【環礁狀組織】명 [atoll texture]〖지〗어떤 광물이 다른 광물 또는 광물군(鑛物群)의 안쪽과 바깥쪽을 고리 모양으로 둘러싸고 있는 상태.

환촌【環村】명 ①고리 모양으로 둥글게 모여 이루어진 마을. ②〖지〗슬라브 민족의 취락 형태(聚落形態)의 한 가지. 교회의 광장(廣場)을 중심으로 농가가 고리 모양으로 모이며, 논과 밭은 그 주위에 방사상(放射狀)으로 분할되어 있음.

환총【還摠】명〖역〗환곡(還穀)의 총수(總數).

환-출급【還出給】명 받지 아니하고 도로 내어 줌. ——-하다 타여불

환충[1]【還充】명 이전(以前)대로 도로 채움. ——-하다 타여불

환충[2]【環蟲】명〖동〗노래기[1].

환취【環聚】명 둥글게 모임. ——-하다 자여불

환:-취결【換就結】명〖경〗환(換)어음을 발행하여 은행(銀行)으로부터 할인을 받는 일.

환취-권【還取權】[—꿘] 명〖법〗제3자가 파산 재단(破産財團)이나 정리 회사(整理會社)에 속하는 재산을 되찾을 수 있는 권리.

환:치【換置】명 바꾸어 놓음. ——-하다 타여불

환:-치기【換—】명〖경〗외국(外國)에서 외화(外貨)를 빌려 쓰고, 국내에서 한화(韓貨)로 갚는 일. ——-하다 자여불

환:-치다 자 막치 그림을 그리다. ¶대를 ~/산수 병풍을 ~.

환:치-법【換置法】[—뻡] 명〖문〗문세(文勢)를 강하게 하기 위하여 앞에 한 말을 곧 고치어 다시 다른 적절한 말로 바꾸어 말하는 수사법(修辭法). '그는 지나치게 정직하다. 아니 바보다' 따위.

환:-칠【—漆】명 되는 대로 얼룩덜룩하게 칠함. 또, 그런 칠. ¶어린이가 도화지에 ~을 하다. ——-하다 자여불

환:-태가【換駄價】[—까] 명〖역〗환비(換費).

환태평양 조:산대【環太平洋造山帶】명〖지〗고생대 말기에서 현재까지 조산 운동을 거듭하고 있는 환태평양 지대. 세계 최대의 조산대로서, 현저한 습곡(褶曲) 산맥을 포함함. 현재도 지진·화산 활동·중력 이상(重力異常) 등이 따름.

환태평양 지대【環太平洋地帶】명〖지〗태평양의 주위를 둘러싸고, 그 주변과 구획되는 지대. 남북 아메리카의 태평양 연안 지역·알래스카·알류산 열도·캄차카 반도·쿠릴 열도·일본 열도·류큐 열도·대만·필리핀 제도·뉴기니·멜라네시아의 여러 제도·뉴질랜드·남극 대륙 주변부·남아메리카의 남단이 포함됨. 안정된 대륙괴(大陸塊)와 태평양 사이에 위치하여, 지질 시대부터 조산 운동을 되풀이하는 변동대(變動帶)임.

환태평양 지진대【環太平洋地震帶】명〖지〗환태평양 화산대를 따라 태평양을 둘러싸고 거의 고리형으로 형성되어 있는 지진대.

환태평양 화:산대【環太平洋火山帶】명〖지〗환태평양 지대에 위치하고, 신생대(新生代) 제3기 이후의 화산이 많은 지대. 환태평양 지진대(地震帶) 및 환태평양 조산대(造山帶)와 거의 일치하며 세계 최대의 화산대를 이루고 있음.

환택【還宅】명 남이 귀가(歸家)함을 높이어 일컫는 말. ——-하다 자여불

환:토[1]【幻—】명〈방〉환생(幻生). ——-하다 자여불

환:토[2]【換土】명 환지(換地). ——-하다 자여불

환:퇴[1]【幻退】명 환생(幻生). ——-하다 자여불

환퇴[2]【還退】명 ①산 땅·집 등을 도로 무름. ②〖역〗권매(權賣). ③〖불교〗퇴속(退俗). ——-하다 자여불

환퇴 문기【還退文記】명〖역〗배도인(賣渡人)이 후일 환매(還買)할 수 있는 권리가 유보(留保)된 부동산 매매에 사용되는 문기. 권매 문기(權賣文記).

환퇴 문서【還退文書】명 도로 무르는 문서.

환:-투기【換投機】명 [exchange speculation]〖경〗자유 환시장(自由換市場)에서 환시세 변동에 의한 이차(利差)를 얻을 목적으로 환의 매매(賣買)를 하는 일.

환:-투매【換投賣】명〖경〗환덤핑(dumping).

환패【環佩】명 고리 모양의 패옥(佩玉).

환:-평가【換平價】[—까] 명 [par value]〖경〗국제 통화 기금 협정의 가맹국(加盟國)이 공통 척도(尺度)인 금 또는 미불(美弗)로서 표시한,

환시세의 기본이 될 자국 통화의 가치 기준(基準).

환:평형 계:정【換平衡計定】명〖경〗국내 금융 시장을 지키기 위하여, 정부 또는 중앙 은행이 환매매(換賣買) 거래에 개입해서 환시세의 안정을 꾀하는 자금으로서 설정한 특별 계정.

환:평형 자:금【換平衡資金】명〖경〗외국환 시세의 안정을 꾀할 목적으로 정부가 직접 환시장에 출동하여 외국환의 매매 조작(操作)을 행하고자 설정한 자금. 금본위 제도가 정지된 나라에서 실시됨. 환안정 자금(換安定資金).

환:평형 조작【換平衡操作】명〔exchange equalization operation〕〖경〗외국환(外國換)의 안정 또는 급작스런 변동의 조정을 꾀하기 위하여, 정부 또는 중앙 은행이, 직접 또는 간접으로 외국환 시장에 개입(介入)하여, 환의 매매 조작을 행하고, 대외적인 자기 나라 통화의 가치, 곧 환율을 적당한 높이로 유지하는 일.

환포【環抱】명 둘러 안음. 사면으로 둘러 쌈. ——-하다 타여불

환:표[1]【換票】명 ①표를 바꿈. 또, 그 표. ②선거에 있어서, 특정 후보자를 당선시키기 위하여 그 후보자의 표를 늘이고 다른 후보자의 표를 줄이려고 표를 바꿔치는 일. ——-하다 자여불

환:-표[2]【換標】명〖역〗먼뎃 거리의 사람끼리 편지 모양으로 보내는 지급(支給) 명령서. 편지 받는 사람이 거기 적힌 액수대로 치르되, 만일 치를 이유가 없을 때에는 편지를 뜯어 보지 아니하고 '退'자를 써서 도로 내어 줌. 환간(換簡).

환:품【換品】명 환색(換色). ——-하다 타여불

환:풍-기【換風機】명 방안의 더러워진 공기를 바깥의 깨끗한 공기와 바꾸는, 프로펠러 모양의 팬이 달린 전기 기구.

환피【貛皮】명 오소리의 가죽. 털이 거칠고, 속털이 별로 없으나 깔고 앉는 방석·요의 거죽 등으로 널리 쓰임. 토저피(土豬皮).

환-하다[1]【丸一】타여불 ↗작환(作丸)하다.

환:-하다[2]【換一】타여불 어떤 사물을 서로 바꾸다. 교환하다.

환:-하다[3] 형여불 ①광선이 비치어 맑고 밝다. ¶방이 ~. ②앞이 탁 틔어 넓고 멀다. ¶앞길이 ~. ③무슨 일이 조리나 속내가 아주 또렷하다. ¶환한 사실. ④얼굴이 잘 생기어 보기에 시원스럽다. ¶달같이 환한 얼굴. 1)-4): <훤하다. ⑤맛이 약간 매운 듯하고 개운하고 상쾌한 느낌이 있다. 환:-히 부

환-하송【還下送】명 서울로 온 것을 도로 돌려 지방으로 내려 보냄. ——-하다 타여불

환-해[1]【桓解】명 환웅(桓雄)과 해모수(解慕漱).

환:해[2]【宦海】명 관리의 사회. 관해(官海). 관계(官界).

환:해[3]【患害】명 환난(患難)으로 생기는 피해(被害).

환해[4]【環海】명 사방을 둘러싸고 있는 바다.

환:해 풍파【宦海風波】명 환해에서 겪는 온갖 풍파.

환행【還幸】명 환궁(還宮). ——-하다 자여불

환향[1]【還向】명 이쪽으로 향하여 돌아옴. ——-하다 자여불

환향[2]【還鄕】명 고향(故鄕)으로 돌아감. ¶금의(錦衣) ~하다. ——-하다 자여불

환향[3]【還香】명〖불교〗자기를 위하여 향을 피워 준 사람에게 향을 피워서 갚는 일. 답향(答香). ——-하다 자여불

환:형[1]【幻形】명 병이나 노쇠(老衰)로 얼굴 모양이 아주 달라짐. ——-하다 자여불

환:형[2]【換刑】명〖법〗벌금이나 과료(科料)를 물지 못하는 사람을 그 대신 노역장(勞役場)에 유치(留置)시키는 일. ——-하다 타여불

환:형[3]【換形】명 모양이 전과 달라짐. ——-하다 자여불

환형[4]【環形】명 ①환상(環狀). ¶~ 동물. ②〔annuls〕〖수〗두 개의 동심원(同心圓) 사이에 있는 윤상 도형(輪狀圖形).

환형[5]【轘刑】명〖역〗옛날의 극형(極刑)의 하나. 두 발을 각각 다른 수레에 매고 수레를 끌어서 죄인을 찢어 죽이던 형벌(刑罰). 차열(車裂). 환열(轘裂).

환형 기지【環形基地】명 한 중심 지점을 가운데 두고 고리 모양으로 설치한 기지.

환형 동:물【環形動物】명〖동〗〔Annelida〕진체강(眞體腔) 동물의 한 문(門). 몸은 원통상(圓筒狀)이고 썩 길며, 대개 여러 마디의 체절(體節)이 환형을 형성함. 체강(體腔)은 체벽(體壁)과 소화관벽(消化管壁)이 구별되고 몸의 표면은 잘 발달된 큐티클(cuticle)로 덮이고 그 속에 외피 세포층(外皮細胞層)이 있음. 배설기(排泄器)는 신관(腎管)인데, 체절 마다 한 쌍 있고 소화계(消化系)는 몸 전단(前端)에 있는 입으로부터 인두(咽頭)·식도(食道)·창자를 지나 뒤 끝에 있는 항문(肛門)에 통함. 자웅 이체(雌雄異體) 또는 동체(同體)임. 갯지렁이·보넬리아·지렁이·거머리 등이 이에 속하는데, 원환충류(原環蟲類)·갯지렁이강(綱)·지렁이강(綱)·거머리강(綱)·개불강 등으로 분류됨. 체절 동물. 환절 동물(環節動物).

환형 조:준구【環形照準具】명〔ring-and-bead sight〕〖군〗가늠쇠가 동그랗거나 기둥 모양이고 가늠자가 고리 모양의 사격 조준구.

환:형 처:분【換刑處分】명〖법〗일정한 형의 집행을 다른 형으로 바꾸어 집행하는 법규 적용 행위. 벌금·과료(科料)를 물지 못하는 사람을 일정한 기간 노역장(勞役場)에 유치(留置)시키는 처분 따위.

환:호[1]【喚呼】명 소리를 높이어 부름. ——-하다 타여불

환:호[2]【煥乎】명 ①밝은 모양. 빛나는 모양. ②문장(文章)이 빛나는 모양. ——-하다 형여불

환호[3]【歡呼】명 기뻐서 큰 소리로 고함을 지름. ¶열렬히 ~하다/~ 속에 맞이하다. ——-하다 자여불

환호-성【歡呼聲】명 기뻐서 부르짖는 소리. ¶장내를 뒤흔드는 ~.

환호 작약【歡呼雀躍】명 기뻐서 소리치며 날뜀. ——-하다 자여불

환호 취:락【環濠聚落】명〖지〗주위에 호(濠)를 두른 취락. 자위(自衛)를 위하여 구축된 것도 있으나 분포면(分布面)으로 고찰하면 습지 취락(濕地聚落)인 것이 공통적임.

환:혹【幻惑】명 눈을 어리게 하고 마음을 어지럽게 함. 환술(幻術)로 미혹(迷惑)함. ——-하다 타여불

환혼【還魂】명 죽은 이의 넋이 살아 돌아옴. ——-하다 자여불

환혼-기【還魂記】명〖책〗〔↗모란정 환혼기(牡丹亭還魂記)〕중국 명(明)나라 때의 탕현조(湯顯祖)가 1598년에 완성한 희곡(戲曲). 인간의 진실한 애정은 영원 불변이며 지고(至高)한 가치가 있음을 그려낸 작품. 55 막(幕). 모란정(牡丹亭).

환혼-수【還魂水】명 죽은 사람의 입에 넣으면 되살아난다는 물약.

환혼-주【還魂酒】명 죽은 사람의 입에 넣어주면 되살아난다는 술.

환혼-지【還魂紙】명〔못쓰게 된 종이를 새로 소생(蘇生)시킨다는 뜻에서〕헌 종이를 녹여서 다시 떠 만든 종이.

환:화[1]【幻化】명〖불교〗우주 만물이 환상(幻像)과 같이 변화하는 일. ——-하다 자여불

환화[2]【環化】명〔cyclization〕〖화〗사슬 모양 화합물을 고리열림하는 일. 고리화(化). ——-하다 타여불

환화 고무【還化一】명〔cyclized rubber〕〖화〗열가소성(熱可塑性)·비탄성(非彈性)의 강하고 질긴 고무의 가공물. 도료(塗料)·접착재·보온재(保溫材) 등으로 쓰임.

환:-환산표【換換算表】명〖경〗환시세에 따른 외국 화폐를 자국 화폐로 또는 자국 화폐를 외국 화폐로 환산한 경우에 신속·정확하게 그 환산액을 알 수 있도록 만든 표.

환환-장【桓桓章】〔-짱〕명〖악〗악장(樂章)의 이름.

환:후[1]【幻嗅】명〖심〗후각성(嗅覺性)의 환각(幻覺). 실지로 있지 아니한 냄새를 맡는 현상.

환:후[2]【患候】명 웃어른의 병을 높이어 일컫는 말. ¶~가 쾌차(快差)하시다.

환:후 평복【患候平復】명 웃어른의 병이 나아 평상시와 같이 회복됨. ——-하다 자여불

환흡【歡洽】명 즐겁고 흡족(洽足)함. ——-하다 형여불

환희[1]【歡喜】〔-히〕명 ①즐겁고 기쁨. 환열(歡悅). 흔희(欣喜). ②〖불교〗불법(佛法)을 듣고 신심(信心)을 얻어 마음이 기쁜 일. ③〖천주교〗'묵주의 기도' 가운데 '환희의 신비'의 구용어.

환:희[2]【幻戲】〔-히〕명 꿈 같은 장난. ¶네가 시인이 되겠다는 것은 한갓 ~에 불과하다.

환희의 신비【歡喜—神秘】〔-히-/-히에-〕명〔라 Mysteria Gaudiosa〕〖천주교〗'묵주의 기도' 15단(端) 가운데 처음 5단. 환희(歡喜).

환희-일【歡喜日】〔-히-〕명〖불교〗부처가 기뻐하는 날. 하안거(夏安居)를 끝내는, 음력 7월 15일의 일컬음.

환희-지【歡喜地】〔-히-〕명〖불교〗십지(十地)의 하나. 보살이 부처가 되는 수행(修行)의 제일 단계. 번뇌를 끊고 마음 속에 환희를 일으키는 경지. 초(初)환희지.

환희-천【歡喜天】〔-히-〕명〔범 gana-pati〕〖불교〗불교 수호(守護)의 신. 형상은 코끼리의 머리에 사람의 몸으로, 단신(單身)과 쌍신(雙身)이 있음. 단신상(像)은 팔이 둘이나 넷, 또는 여섯으로 손에는 삼보(三寶)를 들고, 쌍신상은 하나는 남자로서 마왕(魔王), 하나는 여자로서 십일면 관음(十一面觀音)의 화신(化身)이며 서로 껴안고 있음. 기원(祈願)하는 사람에게 병고(病苦)·환난(患難)을 없이 하며, 특히 부부(夫婦)를 화합(和合)하게 하고 자식을 낳게 한다고 함. 성천(聖天). *가네샤.

〈환희천〉

환희천-법【歡喜天法】〔-히-뻡〕명〖불교〗환희천을 보존(本尊)으로 하여 기원하는 수법(修法). 대성(大聖) 환희천.

활 명 ①화살을 메워서 쏘는 무기(武器). 댓개비나 단단한 나무 또는 쇠를 휘어서 반달 모양의 몸을 만들고 두 끝에 시위를 건 다음 화살을 줄에 메워 함께 당겼다 놓으면 줄의 탄력(彈力)에 의하여 화살이 튀어 나가게 되었음. 궁(弓). *얹은활. ②↗무명활. ③〔bow〕〖악〗찰현(擦絃) 악기의 현(絃)을 켜는 데 쓰는 도구. 궁상(弓狀)의 나무 부분과 현을 켜는 털 부분으로 되었는데 털은 일반적으로 많은 총을 다발로 묶은것으로서, 나사로 팽팽하게 고정시킴. 이에 송지(松脂)를 발라서 씀. 악기에 따라 모양과 크기 등을 달리함. [활과 과녁이 서로 맞는다]하려는 일과 닥친 기회가 꼭 들어맞았다는 말. [활이야 살이야] ㉠저물도록 꾸짖어 야단함을 가리키는 말. ㉡활쏘기를 배울 때, 사람을 다칠까 경계하기 위해 늘 입에 올리고 있는 말.

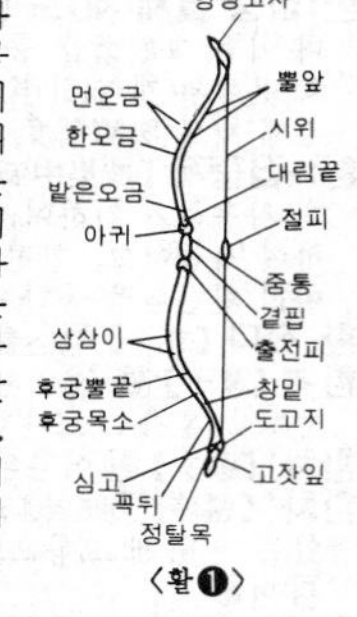

〈활❶〉

활간【活看】명 활용하여 봄. ——-하다 타여불

활강[1]【滑降】명 비탈진 곳을 미끄러져 내려옴. ——-하다 자여불

활강[2]【滑腔】명〖군〗강내(腔內)가 매끄럽고 강선(腔綫)이 없는 총포의 강(腔). 산탄총이나 박격포의 강(腔) 따위.

활강 경:주【滑降競走】명〖스키〗비탈진 주로(走路)를 미끄러져 내달리는 경주. 표고차(標高差) 800-1,000 m, 여자는 500-700 m, 거리 3-4 km 정도의 일정한 코스에서 활강 시간을 겨룸.

활강-바람【滑降—】[—빠—] 명 〖기상〗 높은 곳에서 복사 냉각(冷却)된 공기가 무거워져 사면을 강하할 때 내려 부는 바람. 남극 대륙, 그린란드, 노르웨이의 협만(峽灣) 등에 잘 발달함. 카타바 바람.

활강 전선【滑降前線】 명 〔kata front〕〖기상〗 전선면(前線面) 위의 따뜻한 공기가 이 전선면을 따라 하강하는 전선. 보통은, 한랭 전선임.

활강-포【滑腔砲】 명 〖군〗 구식(舊式) 대포의 하나. 포강(砲腔) 안에 선조(旋條)가 없이 포탄을 포구(砲口)로부터 장전(裝塡)하는 대포.

활개 명 〔중세 : 활개, 활기〕 ①사람의 어깨에서 양쪽 팔까지 또는 궁둥이에서 양쪽 다리까지의 부분. ②새의 양쪽 죽지로부터 날개까지의 부분.
　활개(를) 젓:다 구 걸음을 걸을 때, 두 팔을 서로 어긋나게 앞뒤로 흔들어 젓다.
　활개(를) 치다 구 ㉠세차게 활개를 젓다. ㉡의기 양양(意氣揚揚)하여 혼자판으로 놀다. ¶이불 속에서 ~.
　활개를 펴다 구 양팔을 넓게 옆으로 펴다. 남의 눈치를 살피지 않고 당당한 태도를 취함의 비유.

활개-꺾기 명 〖춤〗 양주 별산대놀이에서, 일직선으로 편 두 팔을 한쪽씩 꺾어 올렸다 내렸다 하며 날갯짓 시늉을 하는 사위. *활개펴기. ——-하다 자 여불

활개-똥 명 힘차게 내깔기는 물똥.

활개장-마루 명 〖건〗 추녀마루.

활개-펴기 명 〖춤〗 양주 별산대놀이에서, 두 손을 펴서 들고 거드름을 피우며 고개를 좌우로 끄덕거리고 세 걸음 앞으로 나갔다가 세 걸음 뒤로 물러나는 사위. *활개꺾기. ——-하다 자 여불

활갯-짓 명 ①걸음을 걸을 때 두 팔을 힘차게 내어 젓는 짓. ¶~하며 걷다. ②새가 두 날개를 치는 짓. ——-하다 자 여불

활거-목【滑距目】 명 〖동〗 [Litopterna] 남미(南美)의 신생대(新生代)에서 발톱있는 초식 포유류의 한 목(目). 측두(側頭) 또는 측두 만곡부가 불룩하지 않은 두개골, 후안와골(後眼窩骨), 원시적 치열(齒列), 삼지(三指)나 단지(單指)로 퇴행(退行)한 발톱이 그 특징임.

활-걷다 자 활을 쏠 때, 활을 높이 들어 당기는 자세로 옮기다. *활끌다.

활-게【活—】 명 살아 있는 게.

활계【活計】 명 생계(生計).

활-고자¹ 명 활의 두 머리. 곧, 시위를 메게 된 부분. ㊉고자.

활고자²【活釦子】 명 올가미❶. ≪譯語 上 21≫.

활고재 명 〈옛〉 활고자¹. ¶활고재 소(弰)≪字會 中 28≫/활고재(弓弰)

활공【滑空】 명 〔gliding〕 ①비행기의 발동을 끄거나 또는 극히 약하게 작동시키면서 지면(地面)을 향하여 어떤 경사(傾斜)를 이루어 강하(降下)하는 비행. 공중 활주(空中滑走). ②글라이더로 공중을 미끄러져 남. 공중 활공. ——-하다 자 여불

활공-기【滑空機】 명 글라이더(glider).

활공-비【滑空比】 명 활공하는 기체(機體)가 비행한 수평 거리와 그 사이의 낮아진 고도(高度)와의 비율.

활공 비행【滑空飛行】 명 글라이더 또는 추진 기관을 정지한 항공기가 중력(重力)과 부력(浮力)으로 공중을 나는 일. ——-하다 자 여불

활공-사【滑空士】 명 글라이더를 조종하는 사람.

활공-장【滑空場】 명 활공기로 활공 훈련을 행하는 장소.

활공 폭탄【滑空爆彈】 명 〖군〗 양력(揚力)을 주도록 날개를 붙인 폭탄.

활-교훈【活教訓】 명 산 교훈. 유익한 교훈.

활구¹【活句】 명 시문(詩文) 중의 생동(生動)하는 글귀. ↔사구(死句).

활구²【濶口】 명 〖역〗 고려 때 화폐(貨幣)의 한 가지로 쓰인 은병(銀甁)의 속된 이름.

활궁-변【—弓邊】 명 한자 부수(部首)의 하나. '弧'나 '張' 등의 '弓'의 이름.

활극【活劇】 명 ①〖연〗 난투(亂鬪) 장면을 주로 하여 꾸민 연극이나 영화. 액션 드라마(action drama). ¶서부 ~/~을 연출하다. ②연극·영화 등에서의 난투처럼 격렬한 실제의 투쟁. ¶사소한 일로 ~이 벌어지다.

활기¹ 명 〈옛〉 활개. ¶내 녜 모디모디 활기 쁘즐 쩨(我於往昔節節支解時)≪金剛 上 79≫/네 활기 몯쓰며(四肢不收)≪救簡 I:14≫.

활기²【活氣】 명 ①활동하는 원기. ②활발한 기개(氣槪)나 기운. 생기(生氣). ¶~를 띠다/~를 잃다.

활기-봉¹【活基峰】 명 〖지〗 함경 남도 갑산군(甲山郡) 진동면(鎭東面)과 혜산군(惠山郡) 운흥면(雲興面) 사이에 있는 산. [2,003m]

활기-봉²【濶起峰】 명 〖지〗 함경 남도 삼수군(三水郡)과 갑산군(甲山郡) 사이에 있는 산. 개마 고원(蓋馬高原) 북동부에 있음. [1,480m]

활-깍지 명 활을 쏠 때 쓰는 제구라는 뜻으로 '깍지'를 분명히 일컫는 말.

활-꼬장이 명 〈방〉 활고자¹.

활-꼭지 명 목화 송이를 탈 때, 시위를 튀기는 짧고 모가 진 나무 가락.

활-꼴 명 〔segment of a circle〕〖수〗 원(圓)의 호(弧)와, 그 두 끝을 맺는 현(弦)으로 이루어지는 평면 도형(平面圖形)의 한 조각. 현은 원을 두 개의 활꼴로 나누는데, 그 큰 부분을 우(優)활꼴, 작은 부분을 열(劣)활꼴이라 함. 궁형(弓形).

활꼴-각【—角】 명 〖수〗 활꼴이 품는 각. 곧, 활꼴에 있어서 그 호(弧) 위에 꼭지점을 갖는 원둘레각을 그 활꼴의 각이라고 함. 궁형각(弓形角).

활-꽂이 명 〈방〉 활고자¹.

활-끌다 자 활을 올리면서 시위를 당기기 시작하다.

활-나물[—라—] 명 〖식〗 [*Crotalaria sessiliflora*] 콩과의 일년초. 줄기 높이 20-60cm이고 잎은 호생하며 무병(無柄)의 피침형 또는 선형임. 7-8월에 선자색 꽃이 총상(總狀) 화서로 줄기 끝이나 가지 끝에 정생(頂生)하며 과실은 협과(莢果)임. 들에 나는데 한국 각지 및 동부 아시아·말레이·인도 지방에 분포함.

〈활나물〉

활-단층【活斷層】 명 〖지〗 현재 활동하고 있는 단층. 또, 활동의 기록이 있는 단층.

활달【豁達】[—딸] 명 도량(度量)이 넓고 큼. 광달(曠達). ¶~한 성격. ——-하다 형 여불

활달 대:도【豁達大度】[—딸—] 명 너그럽고 커서 작은 일에는 구애(拘礙)하지 아니하는 도량(度量).

활-대¹[—때] 명 돛 위에 가로 댄 나무.

활대²【闊大】[—때] 명 넓고 큼. ——-하다 형 여불

활도고리 명 〈옛〉 도지개. 활 바로잡는 제구. ¶활도고리(弓觥子)≪譯語 上 21≫.

활-도:지개 명 〈방〉 도지개.

활동¹【活東·蛞蝀】[—똥] 명 〖한의〗 올챙이. 열창(熱瘡)이나 옴 등의 약재로 씀. 활사(活師).

활동²【活動】[—똥] 명 ①기운차게 움직임. 활발하게 행동함. ¶~을 개시하다. ②어떤 일의 성과를 거두기 위하여 운동함. ¶정치 ~. ③신체 또는 정신이 변화하고 있는 상태. ¶정신 ~. ——-하다 자 여불

활동-가【活動家】[—똥—] 명 활동객(活動客).

활동 감:정【活動感情】[—똥—] 명 〔feeling of activity〕〖심〗 능동적인 심신(心身)의 활동에 따르는 감정. 정신적인 것과 신체적인 것으로 나뉘는 바, 전자는 근면(勤勉)·창작(創作)·지적 사업(知的事業) 등의 정신적 활동에 따르며, 후자는 근육(筋肉) 활동·섭식(攝食)·배설(排泄) 등에 따름.

활동-객【活動客】[—똥—] 명 주변성이 많아서 잘 활동하는 사람. 활동가(活動家).

활동 계:좌【活動計座】[—똥—] 명 입금(入金)·인출(引出) 등이 잦은 계좌(計座).

활동 과:다【活動過多】[—똥—] 명 〖생〗 과도한 또는 병적(病的)인 활동성.

활동-대【活動帶】[—똥—] 명 〖생〗 생물이 생활 활동을 할 수 있는 일정한 온도의 범위. 보통, 0°-50°C임. ↔불(不)활동대·치사대(致死帶).

활동-도【活動度】[—똥—] 명 〖물〗 활량(活量).

활동-력【活動力】[—똥녁] 명 활동하는 힘.

활동-물【活動物】[—똥—] 명 가만히 있지 아니하고 살아 움직이는 물건(物件).

활동-복【活動服】[—똥—] 명 일반 생활 활동을 위한 복장. 보통, 양복이나 작업복 따위. *직업복·휴양복·사회복·제식복(祭式服).

활동 분석【活動分析】[—똥—] 명 〖교〗 교육 과정(教育課程)의 과학적 구성 절차(節次)의 하나. 현실 생활의 분석에 의하여 교육 과정을 구성하려고 함.

활동 빙하【活動氷河】[—똥—] 명 〔active glacier〕 얼음의 일부분이 유동(流動)하고 있는 빙하.

활동 사진【活動寫眞】[—똥—] 명 〔motion picture, moving picture의 역어(譯語)〕〖연〗 '영화(映畫)'의 구칭. 1935년 이후 차차 쓰이지 않게 되었음.

활동 사진관【活動寫眞館】[—똥—] 명 '영화관(映畫館)'의 구칭.

활동-성【活動性】[—똥썽] 명 활발히 움직이는 성질. 민활하게 행동하는 성질.

활동 요지경【活動瑤池鏡】[—똥—] 명 조이트로프(zoetrope).

활동 자본【活動資本】[—똥—] 명 현재 실지로 기업 활동에 공헌하고 있는 자본.

활동-적【活動的】[—똥—] 명 관 일에 대하여 적극적으로 작용하고, 행동하는 모양. 활발하게 움직이는 모양.

활동 전:류【活動電流】[—똥절—] 명 생물의 신경·근육·감각기 등이 활동할 때에 흐르는 미약한 전류. 생체 안에 활동 전기가 생겼기 때문에 흐르는 것으로서, 심전도(心電圖)나 뇌파(腦波)는 이것을 기록한 것임. 동작(動作) 전류.

활동 전:위【活動電位】[—똥—] 명 생물체의 세포나 조직이 자극을 받았을 때에 생기는 전위. 근육이나 신경에 자극을 주면 그 흥분 부위는 정지(靜止) 부위에 대하여 부(負)의 전위가 되며 그 전위차에 의해 활동 전류가 흐름. 동작(動作) 전위.

활동-주의【活動主義】[—똥—/—똥—이] 명 〔activism〕 ①〖윤〗 의지 활동의 중요성을 강조하는 입장. 의지 활동을 최고선(最高善)의 실현에 필요할 뿐만 아니라 최고선의 주내용(主內容)으로 하는 주의. 정력주의(精力主義). ②〖교〗 프래그머티즘의 원리에 서서 정신적·신체적인 아동의 활동이 학습에 있어서 기본적인 것으로 보는 입장. 여기에서는 완전하고 구극적(究極的)인 어떤 이상(理想)을 표방하기보다는 창조적인 활동 그 자체를 교육의 목표로 삼음.

활동 축일【活動祝日】[—똥—] 명 〖천주교〗 다른 날로 바꾸어도 괜찮은 축일(祝日).

활동-층【活動層】[—똥—] 명 〔active layer〕〖지〗 상부(上部)의 영구 동토층(永久凍土層) 중에서, 겨울에는 동결(凍結)하고 여름에는 해빙(解氷)하는 토양 부분(土壤部分).

활동-판【活動瓣】[—똥—] 명 〖공〗 활판(滑瓣). 슬라이드 밸브.

활두【滑頭】[—뚜] 명 간사한 꾀가 많은 사람.

활-등[—뜽] 명 활짱의 등. ¶~처럼 굽은 허리.

활-등이 명 제주도에서, 등뼈가 활 모양으로 우묵하게 휘어든 말.

활등-코[—뜽—] 명 콧등이 활등같이 휘우듬하게 생긴 코.

활딱 부 ①남김 없이 시원스럽게 벗겨나 벗어진 모양. ¶~ 벗겨진 머리/옷을 ~ 벗다. ②물이 갑자기 한꺼번에 끓어 넘는 모양. 1)·2): <훨떡. ③홀딱❸❹.

활똥이 명 〈방〉 화로(火爐)(함남).

활락【闊落】 명 잘지 아니함. ——-하다 형 여불

활략【闊略】 명 ①소홀(疏忽)함. ②관서(寬恕)함. 눈감아 줌. ——-하다 타 여불

활량[1] 명 ①〖역〗←한량(閑良). ②활을 쏘는 사람. ③무위 도식하는 사람.

활량[2]【活量】명〖물〗열역학(熱力學)에서 쓰이는 농도(濃度). 보통의 농도에 활량 계수(活量係數)를 곱한 값. 활동도(活動度). ＊폐활량(肺活量).

활량-나물 명〖식〗[*Lathyrus davidii*] 콩과에 속하는 다년초. 줄기 높이 90 cm이고 잎은 호생하며 유병(有柄)이고 우상 복엽(羽狀複葉)인데 2-4쌍의 소엽(小葉)은 타원형 또는 달걀꼴 타원형에 뒷면은 녹백색을 띰. 6-8월에 황색이 후에 갈색으로 변하는 총상(總狀) 화서의 꽃이 액출(腋出)하고 협과(莢果)는 가늘고 길. 산이나 들의 양지에 나는데 한국에 분포함. 어린 잎은 식용함.

〈활량나물〉

활력【活力】명 살아 움직이는 힘. 활동 또는 생활하는 힘. ¶～을 불어넣다.

활력-론【活力論】[—논] 명 생기론(生氣論).

활력-설【活力說】명〖철〗생기설(生氣說).

활력-소【活力素】명 활동하는 힘이 되는 본바탕.

활:련【一蓮】명〖식〗'한련(旱蓮)'의 잘못.

활로【活路】명 ①고난(苦難)을 헤치고 살아나갈 수 있는 길. 궁지(窮地)에서 벗어나는 방법. ¶～를 열다. ②생활하기 위한 수단(手段). 생활의 방법.

활:루 명〈방〉화로(火爐)(경기).

활리[1] 명〈방〉화로(경남).

활리[2]【猾吏】명 교활한 아전(衙前).

활리[3]【滑痢】명〖한의〗허리(虛痢).

활린【活鱗】명 살아 있는 물고기. 활어(活魚).

활-마찰【活摩擦】명〖물〗운동 마찰(運動摩擦).

활막【滑膜】명〖생〗활액막(滑液膜).

활막-염【滑膜炎】[—념] 명〖의〗활액막(滑液膜)의 염증.

활-머리 명〖역〗어여머리의 맨 위에 얹는 제구(諸具). 나무로 다리를 튼 것과 같이 새겨 만들고 검은 칠을 하였음.

활-메우다 자 활을 새로 만들다.

활면【滑面】명 매끈매끈한 표면. 특히 지질학(地質學)에서 단층면(斷層面)이 갈아놓은 듯이 매끈매끈한 것을 이름.

활-무늬 [—니] 명〖고고학〗한국의 서북 지방과 중국 랴오닝(遼寧) 지방의 신석기(新石器) 시대 토기에 보이는 활모양의 무늬. 호선문(弧線文).

활-무대【活舞臺】명 힘껏 활약·활동할 수 있는 무대.

활물【活物】명 ①생명이 있어 생활하는 동식물. 곧, 살아 있는 동물이나 식물. ↔사물(死物)❶. ②살게 하는 물건.

활물 기생【活物寄生】명〖생〗생물이 다른 동식물에 기생하여 영양분을 빨아 먹으며 생활하는 일. 사람에게는 회충, 농작물에는 곰팡이 등이 기생하는 따위. 사물 기생(死物寄生)과 구별할 경우에 이르는 말. ↔사물 기생.

활물 기생 식물【活物寄生植物】명〖식〗살아 있는 동식물체에 기생하는 식물. 동물에 기생하는 식물로는 티푸스균과 버짐, 식물체에 기생하는 식물로는 겨우살이·실새삼 따위가 있음.

활-물질【活物質】[—찔] 명 [active material] ①〖전자〗전자관(電子管) 속에서 가열했을 때 전자(電子)를 방출하는 음극 물질(陰極物質). ②〖전〗음극선관(陰極線管)의 차폐(遮蔽)에 쓰이는 형광(螢光) 물질. ③〖전〗철심(鐵芯)·동선(銅線)처럼, 회로(回路) 안의 에너지 변환(變換)에 관련하는 물질.

활박 생탄【活剝生呑】명 남의 시문(詩文)을 그대로 따서 자기 작품으로 삼음.

활발【活潑】명 ①물고기 등이 물 위에서 팔팔 뛰는 모양. 기운차게 움직이는 모양. ②생기가 있어 원기가 좋음. ——-하다 형여불. ——-히 부

활배-근【闊背筋】명〖생〗좌우의 하배부(下背部)·요부(腰部)와 상박골을 연결하고, 팔을 뒤의 안쪽으로 당기는 일을 하는 힘줄.

활-벌이줄 명 연의 머릿달에 활시위 모양과 같이 잡은 벌이줄.

활법【活法】[—뻡] 명 활용(活用)하는 방법. 응용(應用)하는 방법.

활변【滑便】명〖한의〗'물찌똥'의 한의학상의 이름.

활별【闊別】명 서로 떨어져 있어서 오래 만나지 아니함. ——-하다 자여불

활보【闊步】명 ①거드럭거리며 걷는 걸음. 힘차고 당당하게 걸음. ¶거리를 ～하다. ②남을 얕보고 제 멋대로 하는 행동. ——-하다 자여불

활-부리다 자 활시위를 벗기다.

활-부비 명〈방〉활비비.

활불【活佛】명 ①생불(生佛). ②라마교(Lama 教)의 수장(首長). 전생(轉生)에 의하여 출현하는 것으로 교도들은 믿고 있음. ③자비심(慈悲心)이 많은 사람을 이르는 말.

활브리우다 자〈옛〉활부리다. ¶활브리울 됴(弨), 활브리울 이(弛)≪字會 下 10≫.

활비븨 명〈옛〉활비비. ¶활비븨(牽鑽)≪譯語 下 17≫/활비븨(牽鑽)≪字會 中 14 鑽字註≫.

활-비비 명 송곳의 한가지. 활같이 굽은 나무에 시위를 메고, 그 시위로 가는 송곳 자루를 곱걸어서 잡아당기었다가 내밀었다가 하여 송곳을 돌리게 함. 무추(舞錐).

활빈-당【活貧黨】명 ①부자의 재물을 빼앗아다가 가난한 사람을 구원하여 주었다는 도둑의 무리. ②〖역〗조선 시대 말기(末期) 1900-1904년경에, 삼남 지방(三南地方)에서 발흥(發興)한 농민군(農民軍) 집단.

활빙【滑氷】명 얼음지치기. 스케이팅(skating). ——-하다 자여불

활빙-장【滑氷場】명 얼음지치기를 하기 위하여 베풀어 놓은 곳. 빙활장(氷滑場).

활사[1]【活師】[—싸] 명〖한의〗활동(鈷蟗).

활사[2]【活寫】[—싸] 명 생생(生生)하게 베낌. 생생하게 나타냄. ——-하다 타여불

활-사냥 명 활로 하는 사냥. 사렵(射獵) ——-하다 타여불

활살[1] 명〈옛·방〉화살. ¶甲 니브시고 활살 추시고≪月釋 X:27≫/처섬 활살 자바(初把弓矢)≪圓覺 上 一之 二 113≫.

활살[2]【活殺】[—쌀] 명 생살(生殺). ——-하다 타여불

활살 자재【活殺自在】[—쌀—] 명 살리고 죽임을 마음대로 할 수 있음. ——-하다 형여불

활상【滑翔】[—쌍] 명 ①새가 날개를 놀리지 아니하고 미끄러지듯이 나는 모양. ②글라이더(glider)가 대기(大氣) 중의 상승 기류(上昇氣流)에 떠받치어 미끄러지듯이 수평으로 날거나 또는 상승하는 모양. ——-하다 자여불

활새-머리 명 아래만 돌려 깎는 더벅머리.

활색【活塞】[—쌕] 명〖공〗피스톤(piston).

활석[1]【滑石】[—썩] 명〖광〗몸이 무르고 겉이 반질반질한, 초와 같은 감촉이 있는 함수 규산염(含水珪酸塩) 광물. 단사(單斜) 또는 사방 정계(斜方晶系)에 속하며 마그네슘과 규소(珪素)로 이루어짐. 백색·대록색(帶綠色) 등임. 전기 절연재(電氣絕緣材)·도료(塗料)·활제(滑劑)·도자기(陶瓷器)·제지(製紙)·내화(耐火)·보온재(保溫材) 등에 쓰임. 한의학에서는 성질이 차서 갈증·임질·외과(外科) 등에 씀. 곱돌. 탤크(talc).

활석[2]【滑席】[—썩] 명 경조정(競漕艇)의 미끄러지며 움직이게 된 장치의 조수석(漕手席). 슬라이딩 시트(sliding seat).

활석-분【滑石粉】[—썩—] 명 곱돌 가루.

활석-암【滑石岩】[—썩—] 명 [talcose rock]〖광〗무르고 비누 같은 느낌의 암석(岩石). 활석과 비슷함.

활석-정【滑席艇】[—썩—] 명 활석(滑席) 장치가 있는 경조정(競漕艇). ↔고정석정(固定席艇).

활석-증【滑石症】[—썩—] 명 [talcosis]〖의〗활석(滑石) 먼지의 흡입(吸入)으로 말미암은 폐(肺)의 질환(疾患). 만성 경화(硬化)와 섬유증(纖維症)을 특징으로 함.

활석 편암【滑石片岩】[—썩—] 명〖광〗활석을 주성분(主成分)으로 하는 결정 편암(結晶片岩). 흰 빛깔을 띠고 지방감(脂肪感)이 있으며, 박리성(剝離性)이 풍부함.

활선【活線】[—썬] 명 전기가 통하고 있는 전선. 고장 수리를 위해 전류를 끊은 전선에 상대한 말.

활선-어【活鮮魚】[—썬—] 명 살아 있는 생선. ¶～ 수출.

활선 작업【活線作業】[—썬—] 명 전압(電壓)이 작용하고 있는 채 전선로(電線路)의 작업을 행하는 일.

활설【滑泄】[—썰] 명〖한의〗물찌똥을 몹시 누는 병.

활성【活性】[—썽] 명 [active]〖화〗①물질이 에너지나 빛 등에 의하여 그 기능이 활발하여지며, 반응 속도가 빨라지는 성질. ②화학 반응에 있어서 촉매(觸媒)의 반응 촉진 능력을 이름. ¶～ 비타민.

활성 다이너마이트【活性—】[dynamite] [—썽—] 명〖화〗니트로글리세린(nitroglycerine)을 면화약(綿火藥)과 같은 폭약(爆藥)에 흡수시킨 다이너마이트.

활성-도【活性度】[—썽—] 명〖화〗물질, 특히 금속 원소가 다른 물질과 반응(反應)하는 정도.

활성 백토【活性白土】[—썽—] 명 [activated clay] 산성(酸性) 백토를 원료로 하여 이것에 화학적 처리를 가하여 흡착력(吸着力)을 크게 한 흡착제의 하나. 다공질(多孔質)로서 표면적이 크고 부스러지기 쉬운 흰 분말(粉末)임.

활성 비타민【活性—】[vitamin] [—썽—] 명〖약〗흡수되기 쉽고, 지속성(持續性)을 길게 한 비타민. 주로, 비타민 비 원(B_1)을 대상으로 하여 연구·개발되었음.

활성 산소【活性酸素】[—썽—] 명〖화〗보통의 산소에 비해 두드러지게 화학 반응을 잘 일으키는 산소.

활성 소결【活性燒結】[—썽—] 명 [activated sintering] 금속 분말의 압분(壓粉)을 가스체(gas 體) 속에서 소결하는 일. 가스는 금속 표면과 반응하여 금속 입자(粒子) 간의 결합을 강화함.

활성 수소【活性水素】[—썽—] 명〖화〗자외선(紫外線)을 쐬거나 방전(放電) 등으로 말미암아 화학 반응을 일으키기 쉽게 된 수소. 강력한 환원(還元) 작용을 나타냄.

활성 수송【活性輸送】[—썽—] 명〖생〗능동(能動) 수송.

활성 아세트산【活性—酸】[—썽—] 명 [active acetic acid] 생체계(生體系)에 있어서 아세트산의 공여체(供與體)·운반체·수용체(受容體)로서 작용하며, 또한 매우 반응하기 쉬운 것.

활성 알루미나【活性—】[alumina] [—썽—] 명〖화〗비결정질(非結晶質)로서 흡착력이 강한 산화 알루미늄. 흡착제나 화학 반응의 촉매(觸媒) 등에 이용됨.

활성 오:니【活性汚泥】[—썽—] 명 하수(下水)를 처리하는 과정에서 볼 수 있는 진흙탕 모양의 물질. 곧, 하수를 처리할 때 대기 중(大氣中)의 산소를 충분히 공급함으로써 호기성(好氣性) 세균이 번식하여 산화(酸化) 작용이 촉진되고, 산화 분해를 받은 유기물(有機物)은 밑으로 가라앉고 위 층으로는 투명한 하수를 남기고 아래 층으로는 진흙 모양의 물질을 이루는데 이 물질을 일컬음.

활성 오:니 유출수【活性汚泥流出水】[—썽—쑤] 명 활성 오니 처리에서 생긴 액체. 염소화(塩素化)나 산화(酸化)에 의하여 다시 처리됨.

활성 전선【活性前線】[—썽—] 명〖기상〗구름을 발생하게 하고, 종종

비를 내리게 하는 전선(前線) 또는 그 일부.

활성-제【活性劑】[—썽—] 명 부선제(浮選劑)의 한 가지. 곧, 부유 선광(浮遊選鑛)할 때에, 목적으로 하는 광물이 잘 뜨게 하기 위하여 사용하는 시약(試藥). 부활제(賦活劑). 활성체.

활성 질소【活性窒素】[—썽—쏘] 명 〖화〗 보통의 질소에 비해 두드러지게 화학 반응을 잘 일으키는 질소.

활성 착합체【活性錯合體】[—썽—] 명 〖화〗 활성화물(活性化物).

활성-체【活性體】[—썽—] 명 〖화〗 활성제(活性劑).

활성-탄【活性炭】[—썽—] 명 〖화〗 흡착성(吸着性)이 강한 탄질물(炭質物)의 총칭. 분상(粉狀) 또는 입상(粒狀)임. 용도로는 흡착제(吸着劑)로서 방독면(防毒面), 가스 또는 액체의 정제(精製), 용액(溶液)의 탈색(脫色)·촉매(觸媒) 등에 씀.

활성 탄:소【活性炭素】[—썽—] 명 〖화〗 특별히 강력한 흡수성·흡착성을 가지도록 제조한 탄소. 독가스의 흡착, 유지(油脂)의 탈색 따위에 쓰임.

활성-화【活性化】[—썽—] 명 〔activation〕 ①〖생〗 일반적으로, 생체(生體)나 생체 물질이 그 기능(機能)을 발휘하게 됨. 또, 그렇게 만듦. ②〖화〗 물질을 처리할 때, 열(熱)·조사(照射)·활성제(活性劑) 등에 의해, 화학 변화·물리 변화가 보다 완전하게 또는 보다 신속하게 되도록 하는 일. 또, 그렇게 되는 일. ③〖전자〗 전자 방출(電子放出)을 증가시키기 위해, 전자관(電子管)의 음극 또는 타게트를 처리하는 조작(操作). ④〖전〗 제품화된 1차 전지·2차 전지가 작동하도록 액체(液體)를 가하는 조작. ——-하다 자타여불

활성화-물【活性化物】[—썽—] 명 〔activated complex〕 〖화〗 화학 반응에 있어서, 원계(原系)가 생성계(生成系)로 이행(移行)하는 도중, 반응의 활성화 에너지에 의하여 자유 에너지가 높아져 불안정한 상태에 있다고 가정되는 일종의 물질계(物質系).

활성화 에너지【活性化—】〔energy〕[—썽—] 명 〖물〗 일반적으로 평형(平衡) 상태에 있는 하나의 물질계(物質系)가 다른 평형 상태로 이행(移行)할 때, 그 이행 과정에서 양쪽의 상태보다 퍼텐셜(potential) 에너지가 높은 상태를 통과해야 되는데, 이 상태의 퍼텐셜 에너지와 처음의 평형 상태에서의 최저 에너지와의 차(差)를 이름.

활성화 음극【活性化陰極】[—썽—] 명 〔activated cathode〕 〖전자〗 열전자(熱電子) 방출을 증가시키기 위하여 트리륨을 가하여 전계(電界)가 없는 상태에서 가열함으로써 그것을 표면(表面)에 띄운 텅스텐 필라멘트.

활성화-제【活性化劑】[—썽—] 명 〖화〗 ①소량을 첨가함으로써 촉매(觸媒)의 작용을 증대시키는 물질. 조촉매(助觸媒). 촉진제(促進劑). ②효소(酵素) 활성을 갖지 않은 효소 전구체(前驅體)에 작용하여 효소 활성을 갖게 하는 물질. 부활제(賦活劑).

활-세포【濶細布】 명 폭이 넓고 질이 고운 무명.

활소【闊疎】[—쏘] 명 ①세상 물정에 어둡고 조심성이 부족함. 오활(迂闊). 소활(疎闊). ②거칢. 성김. 드문드문함. ——-하다 형여불

활소-하다[—쏘—] 형여불 ☞ 활수하다².

활수¹【活水】[—쑤] 명 유동(流動)하는 물. ↔사수(死水).

활수²【滑水】[—쑤] 명 수상 비행기나 비행정(飛行艇)이 물 위를 활주(滑走)함. ——-하다¹ 자여불

활수³【滑手】[—쑤] 명 물건(物件)을 아끼지 아니하고 시원스럽게 잘 쓰는 솜씨. ——-하다² 형여불 물건을 아끼지 아니하고 쓰는 솜씨가 시원스럽다. ¶여편네 ~하면 벌어 들여도 시루에 물붓기.

활수⁴【闊袖】[—쑤] 명 광수(廣袖).

활수-면【滑水面】[—쑤—] 명 비행정(飛行艇)의 정체(艇體), 또는 수상기(水上機)의 플로트(float)에 있어서의 스텝 언저리의 비교적 평편한 부분.

활수-포【闊袖袍】[—쑤—] 명 소매가 넓은 웃옷 또는 도포(道袍).

활승-무【滑昇霧】[—씅—] 명 〔upslope fog〕 〖기상〗 기류가 사면(斜面)을 상승하여 그 결과 이슬점(點) 또는 그 아래까지 단열적(斷熱的)으로 냉각되었을 때 생기는 안개. 활승 안개.

활승 안개【滑昇—】[—씅—] 명 〖기상〗 활승무(滑昇霧).

활승-풍【滑昇風】[—씅—] 명 〔anabatic wind〕 〖기상〗 대규모 순환의 효과 없이 국지적(局地的)으로 지표(地表)가 더워진 결과, 구릉(丘陵)이나 산으로 불어쳐 올라오는 바람.

활시욹 명 〈옛〉 활시위. ¶풀 활시욹 잇거든(有賣的弓弦) ≪老乞 下 29≫.

활-시위[—씨—] 명 활에 걸어서 켕기는 줄. 현(弦). 활줄. 궁현(弓弦). ㊀시위.

활시위(를) 얹다 구 활의 몸에 활시위를 메우다.

활-신덕【活信德】[—씬—] 명 〖천주교〗 신덕(信德)과 실행(實行)이 갖추어진 덕(德).

활싹 부 예상 외로 넓게 벌어지거나 열린 모양. <훨썩.

활-쏘기 명 활에 화살을 메겨서 과녁을 맞히는 전통 무술. 또는 운동 경기. ——-하다 자여불

활씬 부 한결 넓게 벌어지거나 열린 모양. <훨씬.

활-악기【—樂器】 명 〖악〗 활로써 현을 문질러 소리를 내는 악기. 바이올린, 첼로, 비올라 따위. 궁현(弓絃) 악기. 찰현(擦絃) 악기.

활안【活眼】 명 사물의 도리(道理)를 잘 꿰뚫어 보는 안식(眼識).

활액【滑液】 명 〖생〗 관절(關節)을 싸고 있는 활액막(滑液膜)에서 분비(分泌)하는 액체. 무색 또는 담황색(淡黃色)의 투명한 점액(粘液)으로, 관절강(關節腔)에 있어 그 운동을 원활하게 함.

활액-막【滑液膜】 명 〖생〗 가동 관절(可動關節)의 뼈 끝을 각각 싸서 연결시키는 막. 그 속에서 활액이 분비(分泌)됨. 활막(滑膜).

활액-초【滑液鞘】 명 〖생〗 건초(腱鞘).

활약【活躍】 명 ①기운차게 뛰어다님. 활기 있게 돌아다님. ②눈부시게 활동함. ¶~상(相). ——-하다 자여불

활어¹【活魚】 명 살아 있는 물고기. ¶~ 요리.

활어²【活語】 명 〖언〗 ①현재 쓰이는 말. 생명이 있는 언어. ↔사어(死語). ②용언(用言).

활어 수송기【活魚輸送機】 명 살아 있는 어류를 딴 수역(水域)으로 이식(移殖)할 때 산소 공급을 충분히 하면서 수송하는 기구.

활어-조【活魚槽】 명 ①어패류(魚貝類)를 살리는 수조(水槽). ②어패류를 살리기 위해 배 안에 마련된 수조.

활어-차【活魚車】 명 활어를 수송하는 화차. 흔히, 양식용(養殖用) 담수어(淡水魚)의 치어(稚魚)를 수송하는 데 쓰임. 차내에 어조실(魚槽室), 물의 순환 장치, 냉장고 등의 설비를 갖추고 있음.

활여-하다【豁如—】 형여불 막힘이 없이 넓다.

활연【豁然】 부 ①환하게 터진 모양. ②막힌 것 없이 밝히 깨달은 모양. ¶~ 대오(大悟). ——-하다 형여불. ——-히 부

활연 관:통【豁然貫通】 명 환하게 통하여 도(道)를 깨달음. ——-하다 타여불

활엽【闊葉】 명 〖식〗 넓고 큰 잎사귀. ¶~수(樹). ↔침엽(針葉).

활엽-수【闊葉樹】 명 떡갈나무·오동나무와 같이 잎이 넓은 나무의 종류. ↔침엽수(針葉樹).

활예【滑瞖】 명 〖한의〗 각막(角膜)이 수은(水銀) 빛으로 변하고 몹시 아파서 눈물이 흐르는 눈병.

활-오늬 명 〈방〉 오늬.

활오ᄂᆡ 명 〈옛〉 오늬. ¶활오ᄂᆡ(弓彄子) ≪譯語 上 21≫/ 활오ᄂᆡ 구(彄) ≪字會 中 28≫.

활-옷 명 〖역〗 공주(公主)·옹주(翁主)의 대례복(大禮服) 또는 새색시가 혼인 때에 입는 예장(禮裝). 붉은 비단으로 원삼(元衫)처럼 되었고, 가슴과 등·소매 끝에 모란꽃의 수를 놓았음. 활의(闊衣).

〈활옷〉

활용【活用】 명 ①이리저리 잘 응용(應用)함. 변통하여 돌라서 씀. ¶여가 ~/폐품 ~. ②〖언〗 어미 변화(語尾變化). 곡용(曲用). ¶동사(動詞) ~. ——-하다 타여불

활용-어【活用語】 명 〖언〗 활용을 하는 단어. 동사·형용사·보조 동사·보조 형용사 및 서술격 조사의 총칭. 용언(用言).

활용 어:미【活用語尾】 명 〖언〗 활용이 어미의 교체로 행하여질 때 그 교체되는 부분. 흔히, 용언(用言)의 어간(語幹)에 붙어서 여러 문법적 기능을 행함.

활용-형【活用形】 명 〖언〗 어미 변화의 형식. 곧, 용언이 활용되는 여러 가지 형식.

활유【蛞蝓】 명 〖동〗 괄태충(括胎蟲).

활유-법【活喩法】[—뻡] 명 〖언〗 의인법(擬人法).

활유-어【蛞蝓魚】 명 〖동〗 [*Branchiostoma japonicum*] 두색류(頭索類)에 속하는 원색(原索) 동물. 길이 5cm 가량의 뱅어 모양인데 머리·눈·척골(脊骨)·뼈·비늘이 없으며 반투명임. 몸은 담홍색의 자웅 이체(雌雄異體)이고 5-6월에 산란(產卵)함. 각지의 맑은 바닷물의 모래 바닥에 사는데, 낮에는 모래 위에 누워 있다가 밤에는 해면을 헤엄치면서 먹이를 찾아 다님. 중국에서는 삶거나 말려서 먹음. 창고기.

〈활유어〉

활-음조【滑音調】 명 〖언〗 유포니(euphony).

활의【闊衣】[—/—이] 명 활옷.

활인【活人】 명 사람의 목숨을 살림. ¶~하는 셈치고. ——-하다 자여불

활인-검【活人劍】 명 사람을 살상하는 데 쓰이는 도검(刀劍)도 방법에 따라서는 사람을 살리는 도검이 될 수도 있다는 말.

활인-본【活印本】 명 활자본(活字本).

활인-서【活人署】 명 〖역〗 조선 시대 때 서울의 의료(醫療)에 관한 일을 맡은 관아. 태조(太祖) 원년(1392)에 베푼 동·서대비원(東·西大悲院)을 태종(太宗) 14년(1414)에 동·서활인원(東·西活人院)으로 고치고, 세조(世祖) 12년(1466)에 다시 이 이름으로 고쳐서 고종(高宗) 19년(1882)에 폐했음. *활인원(活人院)·대비원(大悲院).

활인-원【活人院】 명 〖역〗 조선 시대 태종 14년(1414)에 대비원(大悲院)을 고친 이름. 세조 12년(1466)에 다시 활인서(活人署)로 고침.

활인 적덕【活人積德】 명 사람의 목숨을 살리어 음덕(陰德)을 쌓음. ——-하다 자여불

활인지-방【活人之方】 명 ①사람을 도와 살려 주는 방법. ②사람을 살려 줄 지방(地方).

활인-화【活人畫】 명 적당한 배경(背景)을 쓰고, 분장(扮裝)한 사람이 그림 속의 사람처럼 보이게 하는 구경거리.

활자¹【活字】[—짜] 명 〖인쇄〗 활판 인쇄(活版印刷)에 쓰는 자형(字型). 보통, 방형 주상(方形柱狀)의 금속의 한 끝에 문자를 좌향(左向)으로 철각(凸刻)한 것. 크기는 호수계(號數系)와 포인트계(point系)가 있는데, 호수 활자는 가장 큰 것을 초호(初號)로 하여, 그 밑으로 1호에서 8호까지 9종이 있으며, 포인트 활자는 보통, 72포인트를 가장 큰 것으로 하고 8호 상당인 4포인트까지 수십 종 있음. 자체(字體)에는 한자(漢字)에 명조체(明朝體)·청조체(淸朝體)·송조체(宋朝體)·정해서체(正楷書體)·예서체(隸書體)·고딕체 등이 있고, 한글에 명조체·고딕체 등이 있으며, 서양 글자에 로마체·이탤릭체·산세리프체·스크립트체·고딕체 등이 있음. 처음에는 목활자(木活字)를 썼으며, 우리 나라에서는 고려(高麗) 23대 고종(高宗) 21년(1234)부터 금속 활자를 쓰기 시작하여, 근세에 이르러 경자자(庚子字)·갑인자(甲寅字)·병진자(丙辰字) 등 점차로 개량 발달하였음. 서양식 인쇄 활자는 1445년경 독일의 구텐베

르크(Gutenberg)가 처음으로 발명하였음.
활자[2]【蝟子】[—짜] [명]〖동〗 소라게.
활자 공:판【活字孔版】[—짜—] [명]〖인쇄〗 인쇄 방법의 하나. 타이프 원지(原紙)에 타이프라이터로 찍어 등사기(謄寫機)로 인쇄하는 방법. 타이프 공판.
활자-금【活字金】[—짜—] [명] [type metal]〖인쇄〗 활자를 주조(鑄造)하는 데 쓰는 합금(合金). 주성분은 납·주석·안티몬임. 활자 합금(活字合金). 주자(鑄字)쇠.
활자-본【活字本】[—짜—] [명]〖인쇄〗 활자판(活字版)으로 박은 책. 활인본(活印本). ↔목판본(木版本)·사본(寫本).
활자 서체【活字書體】[—짜—] [명]〖인쇄〗 활자로서 양각(陽刻)되어 있는 문자의 서체.
활자 인간【活字人間】[—짜—] [명]〖사〗 활자 문화 시대의 사람. 시각(視覺)이 발달되고, 식별(識別)과 분류(分類)에 의한 지식(知識) 체계를 창조하며, 획일적·통일화(統一化)된 사고(思考)를 특징으로 함. *티비 인간(TV人間).
활자 주:조기【活字鑄造機】[—짜—] [명]〖인쇄〗 활자를 만드는 기계. 자면(字面)을 만드는 모형(母型)과 체(體)를 만드는 주형(鑄型)과 활자 합금을 녹인 것을 흘려 넣는 장치로 이루어짐.
활자-체【活字體】[—짜—] [명]〖인쇄〗 활자의 자체(字體). 명조체(明朝體)·청조체(淸朝體)·송조체(宋朝體) 따위가 있음. ↔필기체(筆記體).
활자 케이스【活字—】[case] [—짜—] [명]〖인쇄〗 인쇄소에서 문선용(文選用)의 활자를 넣어 두는, 운두가 얕은 나무 상자. 촘촘하게 칸막이하여 각 칸에 같은 종류의 활자를 모아 넣어 둠.
활자-판【活字版】[—짜—] [명]〖인쇄〗 활판(活版).
활자 합금【活字合金】[—짜—] [명]〖인쇄〗 활자금(活字金).
활자 호:수【活字號數】[—짜—쑤] [명] 활자의 크기에 따라 매긴 호수.
활자-화【活字化】[—짜—] [명] 원고(原稿)가 인쇄되어 나옴. 또, 그리 되게 함. ——-하다 [자][타][여불]
활-잡이 [명] ①활을 잡는 사람. ②궁술(弓術)에 능한 사람. ③활 쏘는 일을 업으로 삼는 사람. 궁사(弓師).
활-장구 [명]〖악〗 굿할 때, 물을 담은 옹기에 바가지를 엎어 놓고 솜타는 활로 치는 일.
활적【猾賊】[—쩍] [명] 교활하고 악한 도적.
활전【活栓】[—쩐] [명]〖악〗 밸브(valve)❸.
활점 무늬【—點—】[—쩜—니] [명]〖고고학〗 반으로 잘린 동그라미 안에 점이 찍혀 있는 무늬. 반원 권문(半圓圈文).
활제【滑劑】[—쩨] [명] 기계의 마찰을 적게 하고 미끄럼을 촉진시키기 위해 쓰이는 물질. 기계유(機械油)·활석(滑石)·석묵(石墨) 따위.
활좀 [명]〈옛〉 줌통. 활줌통. ¶활좀(弓弝) ≪譯語 上 21≫.
활주[1]【—柱】[—쭈] [명]〖건〗 굽은 기둥. 무엇을 받치거나 버티는 데 씀.
활주[2]【滑走】[—쭈] [명] ①미끄러져 달아남. ②비행기가 비행을 시작할 때, 부력(浮力)을 일으키기 위하여, 기관(機關)의 힘으로 지상(地上)·공중(空中)·수상(水上)을 달림. 글라이딩(gliding). ¶~로(路). ——-하다 [자][여불]
활주[3]【滑奏】[—쭈] [명]〖악〗 글리산도(glissando)의 역어(譯語). ——-하다 [타][여불]
활주 관절【滑走關節】[—쭈—] [명]〖생〗 오목하고 볼록한 표면 사이에 한정된 운동만 가능한 관절. 손목·발목의 관절 따위.
활주-대【滑走臺】[—쭈—] [명] ①비행장 활주로(滑走路)의 한 끝을 경사(傾斜)지게 하여, 비행기의 이착륙(離着陸)을 쉽게 하는 설비. 항공모함(航空母艦)의 위에도 설비함. ②[sliding way] 조선(造船) 중의 선박을 떠받치는 진수가(進水架)의 상부를 이루는 목재. 진수할 때 선체(船體)와 함께 고정대(固定臺) 위를 활주함.
활주-로【滑走路】[—쭈—] [명] 비행장 안에 경질 포장(硬質鋪裝)을 하여, 비행기가 뜨고 앉고 할 때 달리는 길.
활주로 기온【滑走路氣溫】[—쭈—] [명] 비행장의 활주로 바로 위, 흔히 이론적으로는 약 4피트 상공의 기온. 밀도 고도(密度高度)의 결정에 이용됨.
활주로-등【滑走路燈】[—쭈—] [명] 활주로를 끼고 배치된 항공 등화. 활주로의 방향과 경계를 표시함.
활주 운:동【滑走運動】[—쭈—] [명] [gliding motility]〖생〗 물질의 표면을 완만하게 활주 또는 포복(匍匐) 운동하는 세균(細菌)의 운동.
활-죽 [—쭉] [명] 돛을 버티는 살.
활-줄 [—쭐] [명] ①〖수〗 현[3](弦)❹. ②활시위.
활-줌통 [—쭘—] [명] 줌통.
활지[1]【猾智】[—찌] [명] 교활한 지혜.
활지[2]【闊地】[—찌] [명] 넓게 트인 땅.
활-집 [—찝] [명] 부린 활을 넣어 두는 자루. 궁대(弓袋). 궁의(弓衣).
활집창-부【—鬯部】[—찝—] [명] 한자 부수(部首)의 하나. '鬱'이나 '鬯' 등의 '鬯'의 이름.
활징다 [자]〈옛〉 활시위 얹다. ¶활지흘 댱(張) ≪字會 下 10≫.
활짝 [부] ①문 따위가 한껏 시원스럽게 열린 모양. ¶창을 ~ 열어 놓다. ②넓고 멀리 시원스럽게 트인 모양. ¶~ 트인 들/~ 트인 성격. ③날개 따위를 시원스럽게 펼치는 모양. ¶학이 날개를 ~ 펼치다. ④꽃 따위가 한껏 시원스럽게 핀 모양. ¶국화가 ~ 피다. ⑤날이 맑게 개거나 환히 밝은 모양. ¶날이 ~ 개다/날이 ~ 밝았다. ⑥얼굴에 가득히 웃음을 띤 모양. ¶~ 웃는 어린이의 얼굴. 1)·2) : <훨쩍.
활-짱 [명] 활의 몸.
활짱-묶음 [명]〖인쇄〗 묶음표 { }의 이름. 수학에서는 중괄호(中括弧)라 일컬음.
활찌 [명]〈방〉 삼태 그물.
활찌-똥 [명]〈방〉 활개똥.
활찐 [부] ①너른 들 등이 매우 시원스럽게 벌어진 모양. <훨찐. ②〈방〉 활짝 ❶❷.
활차【滑車】[명] ①'도르래[2]'의 한자 말. ②[trochlea]〖해부〗 해부학상의 구조(構造)로서, 도르래 같은 형태를 한 것.
활차 신경【滑車神經】[명]〖생〗 제사 뇌신경(第四腦神經). 중뇌(中腦)의 배측(背側)에서부터 나와 안근(眼筋)에 분포하는 운동 신경.
활차 신경 마비【滑車神經痲痺】[명]〖의〗 활차 신경이 마비되어 안구(眼球)를 아래로 돌리지 못하는 뇌신경(腦神經) 마비의 하나. 극히 드문 병임. *외선(外旋) 신경 마비.
활착[1]【活捉】[명] 산채로 잡음. 생포(生捕). ——-하다 [타][여불]
활착[2]【活着】[명] 삽목(揷木)·접목(椄木)·이식(移植) 등을 한 식물이 서로 붙거나 뿌리를 내려 삶. *사름. ——-하다 [자][여불]
활착[3]【滑着】[명] 활주(滑走)하여 착륙(着陸)함. ——-하다 [자][여불]
활착-률【活着率】[—뉼] [명] 심은 나무나 접붙인 나무 등이 제대로 뿌리를 내려 살아 붙은 비율.
활-창애 [명] 활이 굽거나 휐을 때 위에 걸어 놓고 활의 모양을 바로잡는, 창애처럼 생긴 틀.
활체【活體】[명] 생활체(生活體).
활-촉【—鏃】[명] ↗화살촉.
활-추【滑錘】[명] 큰 말뚝을 박을 때 사용하는 무거운 추. 밧줄이나 쇠줄에 달아 활차(滑車)를 이용해서 높이 추어 올렸다가 말뚝의 대가리를 내리 쳐서 박음.
활축【活軸】[명]〖기〗 바퀴와 축(軸)이 함께 회전하도록 바퀴를 고정시킨 차축(車軸).
활탈[1]【活脫】[명] ①흙을 이겨 물건의 형상을 만드는 기예(技藝). ②전(轉)하여, 아주 비슷함. 꼭 닮음. ——-하다 [형][여불]
활탈[2]【滑脫】[명] ①미끄러져 벗어남. ②막힘이 없음. 자유 자재로 변화함. ¶원전(圓轉) ~. ——-하다 [형][여불]
활택[1]【滑澤】[명] 반드럽고 광택(光澤)이 있음. ——-하다 [형][여불]
활택[2]【蝟螺】[명]〖동〗 소라게.
활-터 [명] 활쏘기를 하는 곳. 사장(射場). 살터.
활투【活套】[명] 올가미.
활판[1]【活版】[명]〖인쇄〗 활자(活字)로 짜서 만든 인쇄판(印刷版). 식자판(植字版). 활자판(活字版). ¶~ 인쇄. [준]판(版).
활판[2]【滑瓣】[명]〖공〗 증기 기관(蒸氣機關)의 기통(汽筒) 안에 장치하여 앞뒤로 움직이는 상자 모양의 판. 슬라이드 밸브.
활판-본【活版本】[명]〖인쇄〗 활판으로 인쇄한 책.
활판-소【活版所】[명]〖인쇄〗 활판 인쇄를 하는 곳.
활판-쇄【活版刷】[명]〖인쇄〗 ↗활판 인쇄.
활판-술【活版術】[명]〖인쇄〗 활자판으로 인쇄하는 기술.
활판 인쇄【活版印刷】[명]〖인쇄〗 활판으로 짜서 인쇄함. 또, 그 인쇄물(物). [준]활판쇄.
활-하다【滑—】[형][여불] ①반들반들하고 미끄럽다. ②빡빡하지 아니하고 헐겁다. ③똥이 묽다.
활-하중【活荷重】[명] [live load] 자중(自重)에 가해져서 구조물(構造物)에 작용하는 동하중(動荷重) 또는 변화하는 힘에 의한 하중.
활해【滑稽】[명] '골계(滑稽)'의 잘못.
활혀다 [타]〈옛〉 활 다리다. =혀다. ¶두어 곰 몰타 활혀 구틔여 돌이ㄴ다(數騎彎弓敢馳突) ≪杜諺 Ⅳ:4≫/활혈 만(彎) ≪字會 下 10≫.
활현【活現】[명] 사실을 보듯이 생생하게 나타냄. ——-하다 [타][여불]
활협【闊狹】[명] ①남을 도와 주려는 마음. ②일을 주선하는 능력.
활화[1]【活火】[명] 활활 불꽃이 이는 불. 한창 타는 불. ¶~산.
활화[2]【活畫】[명] 그림같이 아름다운 경치. 그림이 아닌 실제의 경치.
활-화산【活火山】[명]〖지〗 현재 화산 활동을 계속하고 있는 화산. 산화산. ↔사(死)화산·휴(休)화산.
활활 [부] ① 불길이 힘차게 타오르는 모양. ¶~ 타오르는 불길. ②큰 부채로 느릿느릿 시원스럽게 부치는 모양. ③날짐승이 높이 떠서 날개를 느릿느릿 치며 시원스럽게 나는 모양. ¶~ 날고 싶다. ④옷을 시원스럽게 벗어 제치는 모양. ¶옷을 ~ 벗다. 1)-4):<훨훨.
활황【活況】[명] 활기있는 상황(狀況). ¶경기(景氣)의 ~.
활황-세【活況勢】[명] 활황의 시세.
활훈【活訓】[명] 산 교훈(教訓). 실천적인 교훈.
홧:-김【火—】[명] 화가 울컥 난 서슬. 울화가 치미는 김. 골김. 열김. [홧김에 화냥질한다; 홧김에 서방질한다] ㉠울분을 이기지 못하여, 차마 못할 짓을 해 낸다는 말. ㉡일이 뜻과 같지 않아, 않을 짓을 저지른다는 말.
홧:-술【火—】[명] 홧김에 마구 마시는 술.
홧홧 [부] 달 듯이 화끈한 기운이 이는 모양. ¶얼굴이 ~ 달다. ——-하다 [형][여불]
황[1] [명] ①짝이 맞지 않는 골패 짝. ¶~을 잡다. ②어떤 일을 이루는 데 부합되지 않는 사물.
황[2] [명]〈방〉 항아리(전북).
황[3]【黃】[명] ① ↗황색(黃色). ②[sulfur]〖화〗 주기율표(周期律表) 제육족(第六族) 산소족에 속해 있는 비금속 원소의 하나. 황색·무취의 파삭파삭한, 수지(樹脂) 광택이 있는 결정(結晶). 물에는 용해되지 않으며 119℃까지 가열하면 점차 용해하여 황색의 액체가 되고, 더 가열하면 갈색의 점질(粘質)이 됨. 또, 가열하면 액체로 되었다가 흑갈색으로 변한 다음 444.6℃에서 비등하여 증기가 되는데, 점화(點火)하면 청색의 불꽃을 내며 탐. 화산 지방에 유리(遊離)되어 많이 산출되며 화합물로서는 황화철(黃化鐵)·황화(黃化) 구리·황화 수은(黃化水銀) 등의 황화물로서 산출되는데, 이들 광석(鑛石)을 용해하여 황의 증기(蒸氣)를 얻고, 이를 모아 만듦. 화약(火藥)·성냥의 원료 및 약용(藥用)·표백용으로 씀. 유황(硫黃). 석유황(石硫黃). [16번 : S : 32.066] ③[한의] 우황(牛黃)·구보(狗寶) 등이 들어 있을 때의 한약을 이름. ④보리나 밀의 줄기에 누렇게 내리는 병적인 가루. ¶~내리다/~들다. ⑤인삼(人蔘)의 거죽에 누렇게 낀 병적인 흠.

황[4]【黃】[명] 성(姓)의 하나. 현재 우리 나라에는 장수(長水)·창원(昌原)·평해(平海) 등 20개의 본관이 있음.

황[5]【蝗】[명] [충] ↗황충(蝗蟲).

황[6]【簧】[명] [악] 혀[1]❷.

황:[7]【況】[부] 하물며.

황가【皇家】[명] 황실(皇室).

황-가뢰【黃—】[명] [충] [*Zonitis japonica*] 가룃과에 속하는 곤충. 몸길이 10-20mm이고 몸은 담황갈색에 같은 색의 짧은 털이 밀생하였으며, 시초(翅鞘)에는 점각(點刻)이 있고 중앙과 회합선(會合線)의 기반부(基盤部)에 각각 한 가닥의 종륭선(縱隆線)이 있음. 한국·일본·대만에 분포함.

황가비 [명] 〈방〉 방아깨비.

황가새 [명] 〈방〉 엉겅퀴.

황각[1]【黃角】[명] [식] ↗황각채(黃角菜)❶.

황각[2]【黃閣】[명] [역] 의정부(議政府)의 별칭.

황각 나물【黃角—】[명] 황각을 살짝 데쳐 내어 꼭 짜서, 짤막하게 썰어 기름과 소금에 무친 나물. 황각채(黃角菜).

황각 자:반【黃角佐飯】[명] 마른 황각을 짤막하게 잘라서, 물에 불렸다가 꼭 짜고, 간장과 기름을 쳐서 남비에 볶다가 기름이 존 뒤에 다시 기름을 쳐서 새앙과 파를 썰어 넣고 다시 볶은 나물.

황각-채【黃角菜】[명] ①[식] 청각(靑角)의 한 종류. 청각과 같으나 빛깔이 누름. [준]황각(黃角). ②황각 나물.

황-간[1]【皇侃·皇偘】[명] [사람] 중국 남북조 시대, 양(梁)나라의 유학자(儒學者). 오경(五經)에 통달하였는데 저서로는 ≪예기 강소(禮記講疏)≫·≪논어 의소(論語義疏)≫ 등이 있음. [488-545]

황간[2]【黃澗】[명] [지] 충청 북도 영동군(永同郡)의 한 구읍(舊邑). 군의 동부, 추풍령(秋風嶺) 밑 장교천(長橋川)과 석천(石川)의 합류점 가까운 우안(右岸)에 있음. 부근 일대의 농·축산물의 집산지이며, 교통의 요지임. 또 토상 흑연(土狀黑鉛) 광산과 삼황학(三黃鶴) 금광이 있음.

황-갈색【黃褐色】[—쌕] [명] 검은 빛을 띤 누른 빛깔. 오커. 노랑흙색. 침향색(沈香色).

황갈-후【黃褐候】[명] [조] 멧비둘기❶.

황-감[1]【黃—】[명] [광] 황화 물질(黃化物質)이 산화(酸化)되어 붉은 빛을 띤 감돌.

황감[2]【黃柑】[명] 잘 익어서 빛깔이 누른 감자(柑子).

황감[3]【惶感】[명] 황송(惶悚)하고 감격함. ——-하다 [형][여불]. ——-히 [부]

황감-과【黃柑科】[명] [역] 황감제(黃柑製).

황감 급제【黃柑及第】[명] [역] 황감제(黃柑製)에 급제함. 또, 그 사람. ——-하다 [자][여불]

황감-제【黃柑製】[명] [역] 해마다 제주도(濟州島)에서 진상(進上)하는 황감(黃柑)을 성균관(成均館) 및 사학(四學) 유생(儒生)들에 내리고 거행하던 과거. 감제(柑製)·황감과(黃柑科).

황-강[1]【黃江】[명] [지] 경상 남도 서북에서 동남쪽으로 흐르는 낙동강(洛東江)의 지류. 가야산(伽倻山)·수도산(修道山) 남부에서 발원(發源), 남류(南流)하여 합천(陜川) 서쪽에서 동류(東流)하여 낙동강에 합류됨. [110.9km]

황강[2]〔黃岡〕[명] [지] 중국 후베이 성(湖北省) 동부의 도시. 창장(長江) 강 북안에 있음. 남안의 어청(鄂城)·판커우(樊口)와 함께 군사 상의 요해지(要害地)였음. 수대(隋代) 이후 황저우(黃州)로 불렸으나 중화민국 때 지금의 이름으로 개칭됨. 차·목화의 산지로 특히 면직물·담배의 제조가 유명함. 동북쪽에 황강 산(黃岡山)의 고적이 있음. [565,000명(1982)]

황-강달이【黃江達—】[명] [어] [*Collichthys fragilis*] 민어과에 속하는 바닷물고기. 몸길이 9-16cm로 강달이와 비슷하나 머리가 크고 꼬리가 뾰족함. 몸빛은 노람. 한국 서남부 연해 일대에 널리 분포하는데, 특히 평안도에 많으며 참조기의 새끼와 함께 혼획(混獲)됨. 비료로 쓰임.

황-강홍【黃降汞】[명] [화] '황색 산화 제이 수은(黃色酸化第二水銀)'의 통칭.

황개【黃蓋】[명] [역] 의장(儀仗)의 하나. 개(蓋)를 누른 사(紗)로 쌌음.

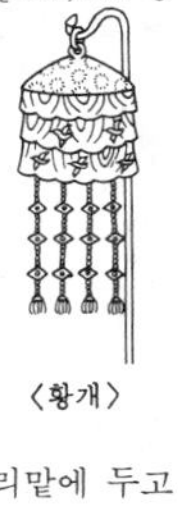
〈황개〉

황개미【黃—】[명] 〈방〉 [충] ①베짱이. ②사마귀(강원).

황-개비【黃—】[명] 끝에 황을 찍어 바른 가는 지저깨비. 머리말에 두고 급할 때 화롯불에 댕겨서 지금의 성냥처럼 썼음.

황객【荒客】[명] ↗황당객(荒唐客).

황거[1]【皇居】[명] 황제(皇帝)가 거처하는 곳. 제거(帝居).

황거[2]【惶遽】[명] 너무 황겁하여 허둥지둥함. ——-하다 [형][여불]

황-거채【黃居寀】[명] [사람] 중국 송(宋)나라의 화가. 자는 백란(伯鸞). 쓰촨(四川) 청두(成都) 사람. 황전(黃筌)의 아들. 북송 전기(前期) 화원(畫院)의 화조화(花鳥畫)의 지도적 화법인, 풍성하고 미려(美麗)한 구륵 농채(鉤勒濃彩), 곧 '황씨체(黃氏體)'의 중축(中軸)이었음. [933-?]

황건 역사【黃巾力士】[—녁—] [명] [민] 굳세다는 신장(神將)의 이름.

황건의 난:【黃巾—亂】[—/—에—] [명] [역] 중국 후한(後漢), 영제(靈帝)의 중평(中平) 원년(184)에 쥐루(鉅鹿) 땅의 장각(張角)이 일으킨 난. 장각이 태평도(太平道)를 열어 신도 수십만을 얻어 산둥(山東)에서 난을 일으켜, 한 때는 우세하였으나 장각이 병사하자 중심 세력을 잃고 황보숭(皇甫嵩)·조조(曹操) 등에 의해 평정되었음.

황건-적【黃巾賊】[명] [역] 중국 후한(後漢)말에 장각(張角)을 수령(首領)으로 하여 일어난 유적(流賊). 그 무리는 13만으로, 모두 황건을 쓰고, 황로(黃老)의 도(道)를 받들어 태평도(太平道)라 하고 일시 세력을 떨쳐 난을 일으켰으나 곧 평정되었음. ＊황건의 난.

황겁【惶怯】[명] 두렵고 겁이 남. ——-하다 [형][여불]. ——-히 [부]

황견【黃繭】[명] 병적(病的)으로 빛깔이 누르게 된 고치. 누렁고치.

황견 계:약【黃犬契約】[명] 〈속〉 [경] 옐로 도그 콘트랙트(yellow dog contract).

황경[1]【皇京】[명] 황성(皇城).

황경[2]【黃經】[명] [천] 천구(天球)의 황도(黃道) 위에서, 극(極)으로부터 어떤 천체(天體)를 통해 황도에 내린 대원(大圓)의 발과 춘분점(春分點)과의 각거리(角距離). 적경(赤經)과 같이 춘분점에서 동쪽으로 잼. ＊황위(黃緯).

황경-나무【黃—】[명] [식] 황벽나무.

황-경원【黃景源】[명] [사람] 조선 시대 정조(正祖) 때의 판부사(判府事). 호는 강한(江漢). 장수(長水) 사람. 예학(禮學)과 고문(古文)을 잘하여 ≪남명서(南明書)≫·≪배신전(陪臣傳)≫을 지었음. [1709-87]

황-경인【黃景仁】[명] [사람] 중국 청(淸)나라의 시인. 자는 한용(漢鏞)·중칙(仲則), 호는 녹비자(鹿菲子). 성당(盛唐)의 시의 영향을 받아 서정성(抒情性)이 풍부함. 작품에 ≪양당헌집(兩當軒集)≫·≪회존사초(悔存詞抄)≫ 등이 있음. [1749-83]

황경-피【黃—皮】[명] 〈방〉 황백피(黃柏皮).

황경피-나무【黃—皮—】[명] 〈방〉 [식] 황벽나무.

황계[1]【皇系】[명] 황제의 계통.

황계[2]【黃鷄】[명] 털 빛이 누른 닭.

황계[3]【惶悸】[명] 두려워서 가슴이 두근거림. ——-하다 [자][여불]

황계-도【黃鷄圖】[명] 털빛이 누른 닭을 그린 민화의 하나.

황계-사【黃鷄詞】[명] [문] 십이 가사(十二歌詞)의 하나. 작자·제작 연대 미상. 하루 아침에 이별(離別)한 남편을 그리워하며 속히 돌아와 주기를 기다리는 여심(女心)을 노래함. 모두 80구. ≪청구 영언(靑丘永言)≫에 전함.

황고[1]【皇考】[명] ①'선고(先考)'의 존칭. 제사 때 씀. ②증조(曾祖).

황고[2]【皇姑】[명] ①'선고(先姑)'의 존칭. 돌아간 시어머니. ②조부(祖父)의 자매. 대고모(大姑母).

황고[3]【黃姑】[명] [천] 견우성(牽牛星).

황-고랑【黃—】[명] 털 빛이 누른 말.

황-고사리【黃—】[명] [식] [*Coptidipteris wilfordii*] 점고사릿과에 속하는 양치류(羊齒類). 근경(根莖)은 침선형(針線形)으로 가로 뻗으며, 근엽(根葉)은 성기게 나고 엽병(葉柄)은 긴데 아래쪽은 약간 흑자색이고 반질반질함. 잎은 얇고 길이 15-30cm의 긴 타원상 피침형인데 2-3회 우상(羽狀)으로 째어지며 열편(裂片)은 고르지 못한 결각(缺刻)으로 됨. 낭퇴(囊堆)는 우편의 가에 있으며 갈색의 피막(皮膜)이 있음. 산기슭 응달에 나는데, 전남·경남·강원·경기에 분포함.

황고-어【黃鮕魚】[명] [어] 참마자.

황고지 [명] 〈방〉 무지개(제주).

황-고집【黃固執】[명] 평양 황고집에서 온 말로, 몹시 센 고집. 또, 그러한 사람.

황고집-쟁이【—固執—】[명] 황고집을 부리는 사람.

황-고치벌【黃—】[명] [충] 노랑고치벌.

황곡[1]【†黃麯】[명] [←황국(黃麴)] 종곡(種麯)의 한 가지. 주로, 간장·약주·청주 등을 만드는 데 씀.

황곡[2]【黃鵠】[명] [조] 백조(白鳥)❶.

황곡-기【黃鵠旗】[명] 의장기(儀仗旗)의 한 가지. 기폭(旗幅)에 새를 그렸음.

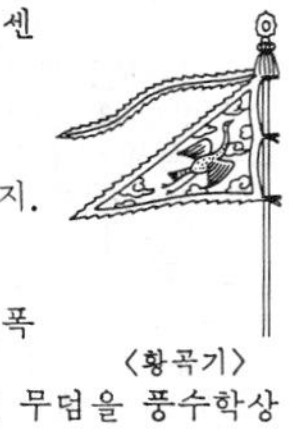
〈황곡기〉

황골【黃骨】[명] [민] 무덤 속의 누렇게 된 해골. 그런 무덤을 풍수학상(風水學上) 길혈(吉穴)이라 함. ↔염. ＊옥루(玉漏).

황공[1]【黃公】[명] '꾀꼬리'의 별칭.

황공[2]【惶恐】[명] 높은 자리에 눌리어서 두려움. 황름(惶懍). 황송(惶悚). ——-하다 [형][여불]

황-공망【黃公望】[명] [사람] 중국 남화(南畫)의 개조로, 원말(元末) 사대가(四大家)의 하나. 쑤저우(蘇州) 출생. 호는 일봉(一峰). 북송(北宋)의 동원(董源)에게 배워 산수화를 그림. 작품에 ≪부춘 산거 도권(富春山居圖卷)≫·≪추산 무진 도권(秋山無盡圖卷)≫ 등이 있음. [1269-1354]

황공 무지【惶恐無地】[명] 황공하여 몸둘 곳을 모름. ¶다만 ~로소이다. ——-하다 [형][여불]

황공 재:배【惶恐再拜】[명] ①황공하여 다시 절함. ②편지 끝에 써서 경의를 표하는 말. ——-하다 [자][타][여불]

황과【黃瓜】[명] [식] 오이.

황과-선【黃瓜膳】[명] 오이로 만든 술안주의 한 가지. 누런 오이를 골라서 초를 탄 끓는 물에 넣고 약간 삶아 내어 굵직하게 썰고, 갖은 양념을 넣어 무쳐서 사기 그릇에 담아 초장을 찍어서 먹음.

황과-증【黃瓜蒸】[명] 오이찜.

황과-채【黃瓜菜】[명] 노각 나물.

황관【黃冠】[명] ①누른 빛의 관(冠). ②풀로 만든 평민의 관. 또, 벼슬 못한 사람, 곧 야인(野人)을 이름. ③도사(道士)의 관. 또, 도사.

황괴[1]【惶愧】[명] 황송하고 부끄러움. ——-하다 [형][여불]

황괴[2]【荒壞】[명] 거칠고 못쓰게 됨. ——-하다 [자][여불]

황교[1]【荒郊】[명] 쓸쓸한 들.

황교² 【黃教】[명]〖종〗라마교의 신파(新派). 15세기 초엽에 총카파(Tsoṅ kha-pa)가 홍교 혁신(紅教革新)을 위하여 세웠으며, 청(清)나라 때 달라이 라마(Dalai lama)가 티베트의 교주(教主) 겸 전제 군주(專制君主)가 되었음. 교도(教徒)는 황의(黃衣)·황모(黃帽)를 씀. 황모파(黃帽派). *홍교(紅教).

〈황구룡산〉

황구¹【黃口】[명] 부리가 누른 새 새끼라는 뜻으로, 어린 아이를 이르는 말. 황구 소아(黃口小兒).
황구²【黃狗】[명] 누렁이. 누렁개.
황구³【黃耇】[명] 나이가 썩 많은 늙은이.
황구⁴【惶懼】[명] 공구(恐懼). ——-하다 [형][여불]
황-구렁이【黃—】[명]〖동〗빛이 누런 구렁이.
황-구룡산【黃九龍繖】[명]〖역〗의장(儀仗)의 한 가지.
황-구새【黃—】[명]〖광〗구새의 한 가지. 광석 속에 포함된 황화물(黃化物)이 산화하여 붉은 빛을 띤 누른 빛으로 된 구새.
황구 서생【黃口書生】[명][어리고 젖내 나는 선비란 뜻으로] 젊은 서생을 홀하게 이르는 말.
황구 소:아【黃口小兒】[명][새 새끼의 주둥이가 노랗다는 뜻에서] 어린 아이를 이름. 황구(黃口).
황구 소:작【黃口小雀】[명] 주둥이가 노란 참새 새끼. 철없는 아이. 또 그런 사람.
황구-신【黃狗腎】[명]〖한의〗누른 개의 자지. 조양제(助陽劑)로 씀.
황구 유취【黃口乳臭】[명] 어려서 아직 젖비린내가 난다는 뜻으로, 남을 어리고 하잘것없다고 욕하는 말.
황구 첨정【黃口簽丁】[명]〖역〗조선 후기에, 젖먹이를 군적(軍籍)에 올려 군포(軍布)를 징수하던 일.
황구-피【黃狗皮】[명] 누른 개의 모피(毛皮).
황국¹【皇國】[명] 황제(皇帝)가 다스리는 나라.
황국²【黃菊】[명]〖식〗빛이 누른 국화. 황화(黃花). *백국(白菊).
황국³【黃麴·黃麯】[명] → 황곡(黃麯).
황국-균【黃麴菌】[명] 누룩곰팡이의 하나. 누른 빛이며 청주·된장·고추장 등을 담그는 데 쓰임.
황국 협회【皇國協會】[명]〖역〗대한 제국 광무(光武) 2년(1898)에 이기동(李基東)·홍종우(洪鐘宇)·길영수(吉永洙)·박유진(朴有鎭) 등을 중심으로 조직된 보부상(褓負商)의 단체. 정부의 후원 밑에서 독립 협회를 견제하려고 조직된 보수 인물(保守人物)과 무식한 상인들의 반폭력(半暴力) 단체임. 1899년에 혁파됨.
황군【皇軍】[명] 황제(皇帝)의 군사.
황궁【皇宮】[명] 황제의 궁궐(宮闕). 제궐(帝闕). 황궐(皇闕).
황궁 경:위국【皇宮警衛局】[명]〖역〗대한 제국 때, 주전원(主殿院)의 한 국(局). 고종(高宗) 광무(光武) 9년(1905)에 경위원(警衛院)을 폐하고 베풀어서 순종(純宗) 융희(隆熙) 원년(1907)까지 있었음.
황궁-우【皇穹宇】[명]〖역〗원구단(圜丘壇) 안의 천지(天地) 제신(諸神)의 위패(位牌)를 모신 곳.
황권【黃卷】[명][옛날에, 책에 좀먹는 것을 막으려고 황벽나무 잎으로 물들인 누른 종이로 책의(冊衣)를 한 데서 온 말] 책.
황권 적축【黃卷赤軸】[명]〖불교〗누른 종이와 붉은 책갑이라는 뜻으로, '불경(佛經)'을 이르는 말.
황궐【皇闕】[명] 황궁(皇宮).
황-귀(:)존【黃貴存】[명]〖사람〗조선 성종(成宗) 때의 악사(樂師). 조이개(曺伊介)와 아울러 가여금의 명수였음. 생몰년 미상.
황-그래비【黃—】[명]〈방〉〖충〗방아깨비.
황-그리다 [자] 욕될이만큼 매우 낭패를 당하다. ¶그 일엔 황그렸다.
황극【皇極】[명] ①편파(偏頗)가 없는 중정(中正)의 길. ②천자(天子)가 세운 만민(萬民)의 법칙(範則). ③제왕(帝王)의 자리.
황극 경세서【皇極經世書】[명]〖책〗《성리 대전(性理大全)》에 실려 있는 운서(韻書). 세종(世宗) 때의 훈민 정음의 이론 및 언어 철학에 많은 영향을 끼침.
황극-편【皇極編】[명]〖책〗조선 시대 때의 당쟁(黨爭) 사실을 엮은 책. 1790년경 간행된 것으로, 선조(宣祖) 초년 동서 분당(東西分黨)이 시작될 때부터 남북 분열(南北分裂)·대소북(大小北)·골북 육북(骨北肉北)·청남 탁남(清南濁南) 및 서인(西人)의 노소론(老少論) 분열 등이 편년체(編年體)로 엮어져 있음. 12권 6책.
황근【黃槿】[명]〖식〗[*Paritium hamabo*] 아욱과에 속하는 낙엽 활엽 관목. 잎은 원형 또는 넓은 달걀꼴이고, 초여름에 암갈색 꽃이 하나씩 액생(腋生)하며 삭과(蒴果)는 가을에 익음. 바닷가에 드물게 나는데, 한국의 제주도 및 일본에 분포함. 관상용임.
황글래미【黃—】[명]〈방〉〖충〗방아깨비.
황글래비【黃—】[명]〈방〉〖충〗방아깨비.
황금¹【黃金】[명] ①금을 빛이 누른 까닭에 이르며, 동시에 다른 금속과 구별하여 쓰는 말. 금(金). 별은(別銀). ¶~ 닷 냥. ②돈, 즉 재물(財物)을 뜻하는 말. 금전(金錢). ¶~ 만능주의. *금⁴(金).
[황금 천 냥이 자식 교육만 못하다] 부모가 자식에게 주는 가장 크고 좋은 유산(遺產)은 공부시키는 일이라는 말.
황금²【黃芩】[명] ①〖식〗[*Scutellaria baicalensis*] 꿀풀과에 속하는 다년초. 줄기 높이 60cm 가량이고 잎은 대생하며 거의 무병(無柄)에 피침형임. 7-8월에 자색 꽃이 총상(總狀) 화서로 줄기 끝과 가지 끝에 정생(頂生)하여 수상(穗狀)을 이루며, 수과(瘦果)는 다소 구형(球形)임. 산지에 나는데, 흔히 재배함. 동남 아시아의 원산으로, 거의 한국 각지에 분포함. 뿌리는 약용함. 속서근풀. ②〖한의〗황금의 뿌리. 성질은 찬데 열로 인한 헌데·오줌 소태·배앓이·골증(骨蒸)·하혈(下血)·동태(動胎)·기침·후증(喉症) 등에 씀. 속서근풀.

〈황금²〉

황금-대【黃金臺】[명] 중국 베이징(北京) 부근에 있던 고대(高臺). 전국 시대(戰國時代)에 연(燕)나라의 소왕(昭王)이 구축하여 그 전물 안에 천금(千金)을 두고 천하의 현자(賢者)를 초치한 곳. 연대(燕臺).
황금 레코드상【黃金—賞】[record][명]〖연〗도너츠판 1백만 장 이상, LP판 50만 장 이상이 판매된 가수에게 황금으로 만든 음반을 주는 상(賞). 미국에서는 미국 음반(音盤) 산업 협회에서 주관함. *백금(白金) 레코드상.
황금-률【黃金律】[—뉼][명][golden rule] ①뜻이 심오(深奧)하여 인생에 유익한 잠언(箴言). ②〖기독교〗그리스도가 산상 수훈(山上垂訓) 중에서 보인, 기독교의 기본적 윤리관. 곧 무엇이든지 남에게서 대접을 받고자 하는 대로 남을 대접하라는 가르침을 이름. ③황금 분할의 비율에 의한 조화의 원리.
황금-륵【黃金勒】[—늑][명] 황금으로 장식한 재갈.
황금 만:능【黃金萬能】[명] 돈만 있으면 만사가 뜻대로 될 수 있다는 말. 금권 만능(金權萬能). ¶~의 풍조(風潮).
황금 만:능주의【黃金萬能主義】[—/—이][명] 황금 만능의 사고 방식. 또, 그런 신조(信條). 마모니즘.
황금 만:능주의자【黃金萬能主義者】[—/—이—][명] 마모니스트.
황금 무:당【黃衿武幢】[명]〖역〗신라 삼무당(三武幢)의 하나. 신문왕(神文王) 9년(689)에 베풀었음.
황금 문서【黃金文書】[명][Golden Bull]〖역〗일반적으로는 유럽 중세(中世)에 금인(金印), 특히 독일 황제의 금인을 찍은 문서. 좁은 뜻으로는, 1356년 카를 4세가 발포한 칙서(勅書)를 일컬음. 독일왕의 선거권을 7인의 성직자·제후(諸侯)에 한정할 것을 규정하였음. 금인 칙서(金印勅書). 금인 헌장(金印憲章).
황금 보:관【黃金寶冠】[명]〖역〗삼국 시대, 왕공(王公) 계급에서 쓰던 관의 하나. 내관(內冠)과 외관(外冠)을 정착(定着)시켜서 만들었음. 외관은 직경 19cm 안팎의 둥근 황금 테에 다섯 개의 금기둥을 세우고, 이 기둥에 여러 개의 가지를 덧붙여 비취의 구옥(勾玉)·영락(瓔珞)을 달았고, 테나 기둥에는 여러 가지 무늬를 아로새겼음. 내관은 절풍건(折風巾) 모양으로 되고 많은 비취 구옥을 점철(點綴)하였고, 무늬를 놓았음. 옛 무덤에서 출토(出土)된 것으로 비슷한 모양의 것이 십여 개가 있음. [준]금관(金冠).
황금 분할【黃金分割】[명][golden section]〖수〗평면 기하에서, 한 개의 선분(線分)을 외중비(外中比)로 나누는 일. 곧, 소부분(小部分)의 대부분(大部分)에 대한 비(比)를 대부분의 전부(全部)에 대한 비와 같도록 분할하는 일. 그 비를 수자(數字)로 나타내면 1:1.618임. 가로와 세로의 관계가 이 비로 될 때 비교적 미감(美感)을 줌. 책의 국판(菊版)이나 엽서(葉書)의 크기는 대체로 이 비율로 되었음. 그림에서, 정5각형의 같은 정점(頂點)을 지나지 않는 2개의 대각선(對角線)은 서로 다른 대각선을 황금 분할함. 또, P는 선분 AB를 황금 분할함. 외중비(外中比) 분할. 중말비(中末比) 분할. 중외비(中外比) 분할. 황금절(黃金截). *외중비(外中比).

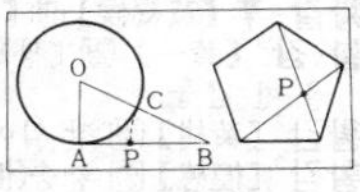

〈황금 분할〉

황금-불【黃金佛】[명]〖불교〗금불(金佛).
황금-비【黃金比】[명] '외중비(外中比)'를 '황금 분할(黃金分割)'과 연관하여 일컫는 딴이름.
황금-빛【黃金—】[—삗][명] 황금색.
황금-새【黃金—】[명]〖조〗[*Zanthopygia narcissina narcissina*] 딱샛과에 속하는 새. 날개 길이 75-80mm이고 몸의 상면은 흑색, 얼굴에는 긴 황색 눈썹이 있음. 등의 하부에서 허리에 이르기까지는 황색, 날개는 흑갈색이고 중앙에 백색 무늬가 있음. 거미·파리·갑충(甲蟲) 등을 포식하고 5-7월에 4-5개의 알을 낳으며 수컷은 아름답게 욺. 산지의 늪·못에 서식하는데, 한국·일본·사할린에 분포함.

〈황금새〉

황금-색【黃金色】[명] 황금(黃金)과 같은 빛깔. 황금빛.
황금 서:당【黃衿誓幢】[명]〖역〗신라 구서당(九誓幢)의 하나. 신문왕(神文王) 3년(683)에 고구려의 포로(捕虜) 및 투항자(投降者)로 편성된 군대. 금색(衿色)이 황적색(黃赤色)임.
황금-술【黃金術】[명] 옛날 중국에서, 단사(丹砂)를 개어서 황금을 만들던 선가(仙家)의 술법(術法).
황금 시간대【黃金時間帶】[명] 방송에서 '골든 아워'의 역어.
황금 시대【黃金時代】[명][golden age] ①그리스 사람이 인류의 역사를 금(金)·은(銀)·동(銅)·철(鐵)의 네 시대로 나눈 첫째의 시대. 곧, 사회의 진보가 최고조(最高潮)에 이르러, 행복과 평화가 가득 찬 시대. ②일생을 통하여 가장 번영한 시대. 전성기(全盛期). 최성기(最盛期).
황금의 나귀【黃金—】[—/—에—][명][Asinus Aureus]〖책〗로마 제정기(帝政期)의 문인 아풀레이우스(Apuleius, Lucius ; 123?-170?)가 지은 전기 소설(傳奇小說). 마법으로 나귀가 된 사람을 주인공으로 하여, 여러 가지 기괴하고 오락적인 수법으로 인간의 우열(愚劣)함을 풍자한 설화(說話)임.
황금의 태아【黃金—胎兒】[—/—에—][명]〖신〗인도 신화에서 태초(太初)에 나타난, 만유(萬有)를 지배하는 주재신(主宰神). 천(天)·공(空)·지(地)의 삼계(三界)를 창조·측량하고, 세계의 만상(萬象)을 낳아, 제신(諸神)·생물(生物)의 일체를 지배하며, 세계의 질서(秩序)를 유지한다고 함. 금태신(金胎神).
황금 전설【黃金傳說】[명][Legenda Aurea]〖책〗제노바(Genova)의 대주교(大主教) 야코부스 아 보라지네(Jacobus a Voragine; 1230-98)가 편저(編著)한 중세기 서양에서 가장 널리 퍼졌던 성인전(聖人傳). 교회력

(敎會曆)에 따라 다섯 기절(期節)로 나누고, 각 기절의 성인의 전기(傳記)를 기술하였음. 신자들의 신앙심을 높이는 데 큰 역할을 하였음.

황금-절【黃金截】명〖수〗황금 분할(黃金分割).

황금 정략【黃金政略】[—냑] 명 반대자나 적(敵)을 돈이나 금품(金品)으로 매수(買收)하는 책략.

황금-좌【黃金座】명〖연〗1930년대에서 1945년 광복 때까지 10여 년간 활발하게 활동했던 우리 나라의 상업주의 극단.

황금-초【黃金草】명〖식〗금혼초.

황금-택【黃金宅】명〖불교〗'기원 정사(祇園精舍)'를 황금으로 덮을 만한 값으로 사 가지고 절을 지었다는 뜻에서 이르는 말.

황금 해:안【黃金海岸】명 [Gold Coast]〖지〗아프리카 서부, 기니 만(Guinea灣) 북안으로 가나(Ghana)의 해안 지방, 곧 좁은 뜻의 황금 해안과 아샨티(Ashanti) 북부 지방 및 토골란드(Togoland)의 총칭. 해안은 저지(低地)이고, 내륙은 대지(臺地)이며, 코코아·고무·야자유·금을 산출함. 15세기에 포르투갈인(人)이 내항(來航)하고, 17-18세기에 노예 무역이 성하였음. 식민지 시대에 주요 무역품이 황금이었으므로, 이 이름이 생김. 1957년 3월 가나 공화국으로 독립함. 골드 코스트. *가나(Ghana).

황급[1]【遑汲】부 황황(遑遑)하고 급급(汲汲)함. ——-하다 형 여불

황급[2]【遑急】부 황황하고 급박(急迫)함. ¶~히 달아나다. ——-하다 형 여불. ——-히 부

황기[1]【皇基】명 천자(天子)가 천하를 다스리는 사업의 기초. 황국(皇國)의 기초. 황초(皇礎).

황기[2]【荒饑】명 흉년이 들어 배를 주림. ——-하다 자 여불

황기[3]【黃芪·皇耆】명〖식〗[*Astragalus membranaceus*] ①콩과에 속하는 다년초. 뿌리는 비대(肥大)하고 줄기 높이 1m 이상이며, 잎은 호생하고 단병(短柄)이며 기수 우상 복생(奇數羽狀複生)하는데, 6-11쌍의 소엽(小葉)은 달걀꼴 타원형임. 7-8월에 담황색 꽃이 총상(總狀) 화서로 액출(腋出)하며 과실은 협과(莢果)임. 산지 또는 고산의 산허리에 나는데, 경북·강원·함남북 등지에 분포하며 뿌리는 약용으로 최근에 재배함. 단너삼. 기초(芰草). ②〖한의〗황기의 뿌리. 성질은 평온(平溫)하여 원기를 돕고 방한(防汗)의 약재로 씀.

〈황기[3]〉

황-기[4]【黃琦】명〖사람〗조선 시대 중종 때의 문신. 자는 중온(仲韞). 본관은 창원(昌原). 중종 32년(1537) 대사간(大司諫)으로서 권신 김안로(金安老)의 비위를 맞추지 않아 길주(吉州) 목사로 좌천되었다가, 그 해 김안로 등의 몰락으로 우부승지(右副承旨)로 승진, 이어 좌(左)승지·도(都)승지·공조 참판을 역임하고 중종 36년(1539) 경기도 관찰사로 나가 선정을 베품. [1498-1539]

황기[5]【黃旗】명 누른 빛깔의 기.

황기[6]【黃氣】[—끼] 명 누른 기운.

황기-공【黃氣孔】명〖식〗화산 활동에 의하여 수증기·황화 수소 등을 분출하는 분기공(噴氣孔). 유기공(硫氣孔).

황기-끼다【—氣—】[—끼끼—] 자 겁(怯)을 내어 두려워하는 마음이 일어나다.

황-기로【黃耆老】명〖사람〗조선 중종 때의 명필. 자는 태수(鮐叟), 호는 고산(孤山)·매학정(梅鶴亭). 중종(中宗) 29년(1534)에 진사시(進士試)에 합격하여 벼슬은 별좌(別坐)를 지냈고, 특히 초서(草書)에 능하여 초성(草聖)이라 일컬어짐. 충주(忠州)의 이승지 번비(李承旨蕃碑)에 그 글씨가 전하고, 저서에 ≪고산집(孤山集)≫이 있음. 생몰년 미상.

황-기천【黃基天】명〖사람〗조선 시대 정조(正祖)·순조(純祖) 때의 문신·서예가. 자는 희도(羲圖), 호는 능산(菱山)·후완(后院). 본관은 창원(昌原). 정조(正祖) 16년(1792) 식년 문과(式年文科)에 병과(丙科)로 급제한 후, 여러 벼슬을 거쳐 순조 6년(1806) 장령(掌令)으로서 김달순(金達淳) 탄핵의 합계(合啓)에 참여치 않아 일시 유배된 일이 있음. 전서(篆書)·예서(隸書)·해서(楷書)·초서(草書)에 모두 일가(一家)를 이룸. [1760-1821]

황-끼다【黃—】자 인삼(人蔘)에 황이 생기다.

황:나[1] 명 '항라(亢羅)'의 잘못.

황나[2]【黃糯】명 차좁쌀.

황-나비【黃—】명〈방〉〖충〗노랑나비.

황남 대:총【皇南大塚】명 신라 내물왕(奈勿王)과 그의 비(妃)의 무덤이라고 추측되는 2개의 원분(圓墳). 경남 경주시 황남동 대능원(大陵苑) 안에 있음. 1973년과 75년 발굴 조사 결과 금동관(金銅冠)·금목걸이 등 장신구, 금속 용기, 토기(土器), 철제(鐵製) 무기, 마구류(馬具類) 등 무수한 부장품(副葬品)이 출토되었음. 특이하게 순장(殉葬)된 것이라고 생각되는 20대 여자의 유골과 유라시아 지방에서 출토되는 것과 흡사한 유리 제품과 상감세공(象嵌細工)한 팔찌 등이 발견되어 학계의 주목을 받고 있음.

황낭【黃囊】명 혼인 때 신랑이 차는 누른 빛의 두루주머니.

황-내리다【黃—】자 ①보리나 밀의 줄기에 황이 생기다. ②소의 목덜미와 다리에 병으로 누런 물이 속으로 생기면서 부어오르다.

황-내취【黃內吹】명〖역〗누른 옷을 입는 내취(內吹).

황녀【皇女】명 황제(皇帝)의 딸. ↔황자(皇子).

황년【荒年】명 흉년(凶年).

황-놀래기【黃—】명〖어〗[*Pseudolabrus japonicus*] 양놀래깃과에 속하는 바닷물고기. 몸길이 20cm 내외이고, 주둥이는 길며 뾰족함. 수컷은 엷은 황색으로, 체측에 다섯 줄의 폭 좁은 흑색 세로띠와 등지느러미 가시에 흑점이 하나 있고, 암컷은 수컷보다 더 짙은 적색인데, 머리 위에 폭 좁은 몇 줄의 까만 띠가 있고, 등지느러미에 소흑점이 있음. 온대성 어종으로, 한국 중남부·제주도·일본 중부 이남에 분포함. 맛이 좋음.

〈황놀래기〉

황다【黃茶】명 차의 한 가지.

황-다랑어【黃—魚】명〖어〗[*Neothunnus macropterus*] 고등어과에 속한 바닷물고기. 몸길이 3m, 무게 200kg에 달하는데 꼬리가 가늘고 길며 몸빛은 청흑색에 배가 흼. 제1등지느러미 이외의 딴 지느러미는 샛노란 빛임. 외양성(外洋性) 어종으로 여름철에 뭍 가까이 오는데, 한국 남부 연해·제주도·일본 중남부·대만·하와이 등에 분포함.

황다리-독나방【黃—毒—】명〖충〗[*Ivela auripes*] 독나방과에 속하는 곤충. 편 날개 길이 38-58mm이고, 몸빛은 백색에 날개는 다소 투명하고 전흉각(前胸脚)의 경절(脛節)과 부절(跗節)은 황색임. 주간(晝間) 활동성이고 유충은 흑색에 황색 반문이 있는데 때죽나무 등의 잎의 해충으로, 한국에도 분포함.

황단[1]【皇壇】명〖역〗'원구단(圜丘壇)'의 별칭.

황단[2]【荒壇】명 거칠어진 뜰.

황단[3]【黃丹】명〖한의〗납과 황(黃)을 끓여 합하여 만든 약재(藥材). 성질은 차고 독(毒)이 조금 있는데, 전간(癲癇)·경계(驚悸)·적취(積聚) 또는 외과(外科) 등에 쓰임.

황단[4]【黃檀】명〖식〗단향목(檀香木)의 한 가지. 껍질이 단단하고 빛깔이 누름.

황단-장【黃丹匠】명〖역〗조선 시대 때, 주황색 도료(塗料)를 만들던 공장(工匠).

황단충-류【黃單蟲類】[—뉴] 명〖동〗[Chrysomonadidea] 활편모류(滑鞭毛類)에 속하는 한 목(目). 몸은 긴 타원형 또는 달걀꼴인데, 한두 개의 황갈색 색소립(色素粒)을 품으며 1-3개의 편모(鞭毛)가 있음. 식물적 영양법(植物的營養法)을 함. 유색 편모충류(有色鞭毛蟲類).

황단-하다 형 여불 〈방〉 위태하다.

황달【黃疸】명〖한의〗주로 간장(肝臟)의 고장으로 인한 부차 증상(副次症狀). 담즙(膽汁)의 색소(色素)가 혈액에 이행(移行)함으로써 생기며 두통·현훈(眩暈)·구토·식욕 부진이 생기며, 눈알이 노래지고 살갗은 누르게, 똥은 회백색으로 변하며 노란 오줌이 나오고 오한이 심함. 기달(氣疸). 달기(疸氣). 달병(疸病). 달증(疸症).

황달-병【黃疸病】[—뼝] 명〖한의〗황달.

황달 출혈병【黃疸出血病】[—뼝] 명〖의〗바일병(Weil病).

황달 출혈성 스피로헤타병【黃疸出血性—病】[Spirochaeta] [—썽—] 명〖의〗바일병(Weil病).

황답【荒畓】명 거친 논. 아주 못쓰게 된 논.

황당【荒唐】명 거칠고 허탄(虛誕)함. ——-하다 형 여불

황당-객【荒唐客】명 매우 거칠고 허탄(虛誕)한 사람. 준 황객(荒客).

황당 무계【荒唐無稽】명 황탄 무계(荒誕無稽). ¶~한 이야기. ——-하다 형 여불

황당-선【荒唐船】명〖역〗조선 시대 중기 이후, 우리 나라 연해(沿海)에 출몰하던 소속 불명(所屬不明)의 외국 배의 일컬음. *이국선(異國船)·이양선(異樣船).

황당-인【荒唐人】명〖역〗조선 시대 중기 이후, 국적 불명의 외국인의 일컬음. *황당선(荒唐船).

황당지-설【荒唐之說】명 황설(荒說).

황-대구【黃大口】명 배를 갈라서 소금을 치지 않고 말린 대구.

황더기 명〈방〉화덕[2]❷.

황덕【皇德】명 황제의 덕.

황덕-도【黃德島】명〖지〗경상 남도의 남해상(南海上), 거제시(巨濟市) 하청면(河淸面) 대곡리(大谷里)에 위치(位置)한 섬. [0.18km^2]

황뎨 명〈옛〉황제. ¶황뎨 뎨(帝)≪類合 上 19≫.

황도[1]【皇都】명 ①황성(皇城). ②〖역〗고려 고종(高宗) 때, 개경(開京)의 고친 이름.

황도[2]【皇道】명 황제의 정도(政道).

황도[3]【皇圖】명 황제의 계획.

황도[4]【黃桃】명〖식〗복숭아의 한 품종. 과실의 살이 노랗고 치밀함. 통조림으로 많이 쓰임. *백도(白桃).

황:-도[5]【黃島】명〖지〗①충청 남도 서해(西海)의 천수만(淺水灣), 태안군(泰安郡) 안면읍(安眠邑) 황도리(黃島里)에 위치한 섬. 안면도(安眠島)의 동북쪽에 인접함. [2.5km^2: 703명(1985)] ②충청 남도의 서해상(西海上), 보령시(保寧市) 오천면(鰲川面) 외연도리(外煙島里)에 위치한 섬. 무인도임. [7.37km^2]

황도[6]【黃道】명 [ecliptic]〖천〗태양의 시궤도(視軌道). 곧, 지구에서 보아, 태양이 지구를 중심으로 운행하는 것처럼 보이는 천구상(天球上)의 대원(大圓). 적도(赤道)에 대하여 23°27′ 경사짐. 그 적도에서 만나는 점은 춘분점(春分點) 및 추분점(秋分點)이고, 태양이 그 점에 이를 때는 낮과 밤의 길이가 같음.

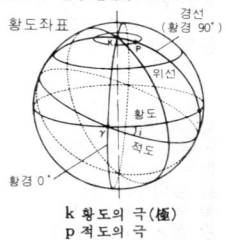

황도좌표 경선 (황경 90°) 위선 황도 적도 황경 0°

k 황도의 극(極)
p 적도의 극
γ 춘분점
i 황도 경각

〈황도[6]〉

황도 경각【黃道傾角】명〖천〗황도 경사(黃道傾斜).

황도 경사【黃道傾斜】명〖천〗황도면과 적도면(赤道面)이 이루는 각도. 약 23°27′. 계절에 따라 태양의 고도에 차이가 생기는 것은 이 때문임. 황도 경각(傾角).

황도-광【黃道光】명〖천〗해가 져서 박명(薄明)이 없어진 뒤, 서천(西天) 지평선 가까이, 또 해가 뜨기 전에 동천(東天) 지평선 가까이에서, 황도면에 따라 혀의 형상으로 은하처럼 퍼져 보이는 엷은 빛.

황도-대【黃道帶】명〖천〗수대(獸帶).

황도 십이궁【黃道十二宮】명〖천〗춘분점을 기점으로, 황도의 둘레를 12등분하여 배겨 놓은 성좌 이름. 곧, 백양궁(白羊宮)·금우궁(金牛宮)·

쌍자궁(雙子宮)·거해궁(巨蟹宮)·사자궁(獅子宮)·처녀궁(處女宮)·천칭궁(天秤宮)·천갈궁(天蠍宮)·인마궁(人馬宮)·마갈궁(磨羯宮)·보병궁(寶甁宮)·쌍어궁(雙魚宮). 이것은 현재의 양(羊)·황소·쌍둥이·게·사자(獅子)·처녀(處女)·천칭(天秤)·전갈(全蠍)·궁수(弓手)·염소·물병(甁)·물고기의 열 두 별자리에 대응함. 2000 년 전에는 십이궁과 별자리가 일치하였으나 현재는 세차(歲差) 때문에 밀려서 양자리에 있던 백양궁은 대부분 물고기자리에 있음. 십이궁. ＊수대(獸帶).

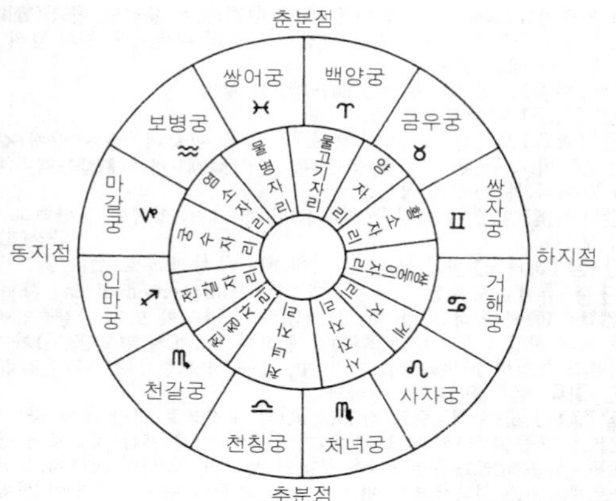

〈황도 십이궁〉

황-도(:)연【黃道淵】명 〖사람〗 조선 말기 고종(高宗) 때의 명의(名醫). 호는 혜암(惠菴). 창원(昌原) 사람. 저서는 ≪부방 편람(附方便覽)≫·≪의종 손익(醫宗損益)≫·≪의방 활투(醫方活套)≫ 등. [?-1885]

황도 좌:표【黃道座標】명 황도와 춘분점을 기준으로 한 천구 좌표. 춘분점으로부터 황도 위를 동쪽으로 0-360° 잡아 황경(黃經)이라 하고, 황도로부터 남북으로 각각 90°씩 잡아 황위(黃緯)라고 함. 적도 좌표를 약 23°27′ 기울인 것으로 달이나 행성(行星)의 위치·운행의 관측에 이용됨. ＊지평(地平) 좌표.

황-도(:)주【黃道周】명〖사람〗중국 명말(明末)의 정치가·화가. 자는 유원(幼元)·이약(螭若), 호는 석재(石齋). 사(史)·병(兵)·예(禮)의 3부(部)의 상서(尙書)를 지냈으며, 여러 학문에 통달한 학자로 알려졌으나, 명조 멸망 후, 청(淸)에 저항하여 잡혀 죽음. 백묘풍(白描風)의 송석도(松石圖)를 즐겨 그렸으며, 격조 높은 그의 화풍은 당시의 문인화(文人畫)에 신풍(新風)을 일으킴. [1585-1646]

황-돔【黃—】명〖어〗[*Taius tumifrons*] 황돔과에 속하는 바닷물고기. 몸길이 35cm 가량의 달걀꼴로 측편하고 머리 위가 급히 솟아 감성돔과 비슷함. 몸빛은 황적색으로 주둥이가 노르스름하고 등쪽에 셋 가량의 불분명한 황색 무늬가 있음. 한국 중남부·일본 중부 이남·동지나해·대만 북부에 분포함.

〈황돔〉

황돔-과【黃—科】[—꽈] 명 〖어〗 [Pentapodidae] 농어목(目)에 속하는 어류의 한 과. 이 과에 속한 것으로 황돔·참돔·붉돔 등이 있음.

황-동¹【黃—】명〈방〉〖광〗황감¹.

황동²【黃童】명 옷은 물론 포대기까지 누른 것을 쓰는 아이.

황동³【黃銅】명〖광〗놋쇠. 구리와 아연(亞鉛)의 합금의 총칭.

황동 곱새기【黃銅—】명〖광〗황토(黃土)와 분별하기 어려울 만큼 잘게 부스러진 황감.

황동-광【黃銅鑛】명 〔chalcopyrite〕〖광〗구리와 철(鐵)과 황(黃)을 주성분으로 하는 구리의 중요한 광석. 때로는 금(金)이나 은(銀)을 포함함. 정방 정계(正方晶系)에 속하며, 놋쇠 모양으로 빛이 누르고 금속 광택(金屬光澤)이 남. [$CuFeS_2$]

황동-색【黃銅色】명 누른 빛이 도는 구리빛.

황동-전【黃銅錢】명 놋쇠로 만든 돈.

황두【黃豆】명 누른 빛이 나는 콩의 한 가지.

황-들다【黃—】자 소나 개 따위의 쓸개에 황이 생기다.

황-등롱【黃燈籠】[—농] 명〖역〗↗황사 등롱(黃紗燈籠).

황-등에붙이【黃—】[—부치] 명〖충〗[*Ochrops bivittatus*] 등에과에 속하는 곤충. 몸길이 12-14mm 이고 몸빛은 황회색에 촉각(觸角)은 담황색 내지 황적색임. 다리는 황갈색, 복부(腹部) 중앙에 굵은 암색(暗色) 종대(縱帶)가 있고 말단(末端)은 전면이 암색임. 한국·일본·대만에 분포함.

황띠-배벌【黃—】명〖충〗노랑띠배벌.

황락¹【荒落】[—낙] 명 덩거칠어 아주 쓸쓸함. ——-하다 형여불

황락²【黃落】[—낙] 명 나뭇잎이나 과실(果實)이 누렇게 되어 떨어짐. ——-하다 자여불

황랍【黃蠟】[—납] 명 밀¹(蜜). 밀랍(蜜蠟).

황랍-초【黃蠟—】[—납—] 명 밀초¹.

황량¹【荒凉】[—냥] 명 황폐(荒廢)하여 쓸쓸함. ¶～한 벌판. ——-하다 형여불

황량²【黃良】[—냥] 명〖식〗장군풀.

황량³【黃粱】[—냥] 명 메조¹.

황량-몽【黃粱夢】[—냥—] 명 〔침중기(枕中記)에 나오는 고사; 중국 당(唐)나라 때 노생(盧生)이 한단(邯鄲) 땅 주막에서 도사(道士) 여옹(呂翁)에게서 베개를 빌려 베고 잠이 들어, 부귀 영화를 누리며 80 살까지 잘 산 꿈을 꾸었는데, 깨어 본즉 아까 주인이 짓던 좁쌀밥이 채 익지 않았더라 함〕 부귀 공명이 꿈처럼 덧없음의 비유. 또 바뀌어, 다만 꿈의 뜻으로도 쓰임. 노생지몽(盧生之夢). 한단몽(邯鄲夢). 일취지몽(一炊之夢). 황량 일취몽(黃粱一炊夢).

황량-미【黃粱米】[—냥—] 명 메조¹.

황량-반【黃粱飯】[—냥—] 명 조밥.

황량 일취몽【黃粱一炊夢】[—냥—] 명 황량몽(黃粱夢).

황력【皇曆】[—녁] 명 옛날에 중국에서 보내 주던 책력(冊曆).

황련【黃連】[—년] 명〖한의〗깽깽이풀의 뿌리. 맛은 쓴데 성질은 약간 더움. 눈병·설사의 약재로 씀.

황련-채【黃連菜】[—년—] 명 깽깽이풀의 어린 싹을 데쳐서 물에 우린 뒤에 소금과 기름에 무친 나물. ＊상황련(常黃連).

황련 해:독탕【黃連害毒湯】[—년—] 명〖한의〗황련 1.5 그램, 황금(黃芩) 3 그램, 황백(黃柏) 1.5 그램, 치자(梔子) 2 그램으로 처방한 한방약. 여러 가지 열성병(熱性病)이나 토혈(吐血)·객혈(喀血)·뇌출혈·신경증·피부병과 코피 나는 데에 유효함.

황례-포【皇禮砲】[—네—] 명〖역〗대한 제국 때에 시행하던, 황실(皇室)에 대한 예포(禮砲).

황로¹【荒路】[—노] 명 몹시 거칠어진 길.

황-로²【黃老】[—노] 명 황제(黃帝)와 노자(老子)의 병칭(倂稱).

황로³【黃壚】[—노] 명 저승·황천(黃泉).

황로⁴【黃櫨】[—노] 명〖식〗거망옻나무.

황로⁵【黃鷺】[—노] 명〖조〗[*Bubulcus ibis coromandus*] 백로과(白鷺科)에 속하는 큰 새. 날개 길이 25cm 가량이고, 보통은 온몸이 백색이나 번식기(繁殖期)에는 머리·목·등·멱에 등황색 혹은 등황적색의 식우(飾羽)가 생기고, 부리가 황색이므로 백로와 쉽게 구별됨. 강·연못·무논 등에 날아오는데, 한국·일본·중국·대만 등지에 분포함.

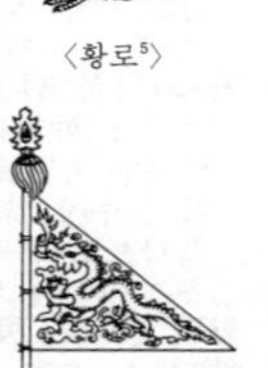
〈황로⁵〉

황로-학【黃老學】[—노—] 명〖종〗도교(道敎).

황록-색【黃綠色】[—녹—] 명 누른 빛을 띤 녹색.

황료【荒寥】[—뇨] 명 거칠어 쓸쓸함. 거칠어 괴괴함. ——-하다 형여불

황룡-기【黃龍旗】[—뇽—] 명 청조(淸朝)의 국기(國旗). 누른 삼각기 폭에 용(龍)을 그렸음.

황룡 대:기【黃龍大旗】[—뇽—] 명〖역〗교룡기(蛟龍旗).

황룡 대:둑【黃龍大纛】[—뇽—] 명〖역〗의장(儀仗)의 한 가지. 삼각 기폭에 용을 그렸음.

〈황룡 대둑〉

황룡-사【皇龍寺】[—뇽—] 명〖지〗경상 북도 경주(慶州)에 있던 절. 신라 왕궁(王宮)을 지을 때 황룡이 나왔으므로 제일 좋은 곳이라 하여 절을 지었음. 선덕 여왕(善德女王) 때에는 구층탑(九層塔)이 세워졌고, 또 백고좌회(百高座會)도 으레 여기서 열려져서 신라 호국 신앙(護國信仰)의 중심이 되었던 곳임. 지금은 터만 남아 있음.

황룡사 구층 목탑【皇龍寺九層木塔】[—뇽—] 명〖불교〗경주 황룡사에 있던 목탑. 신라 선덕 여왕(善德女王) 14 년(645)에 자장 법사(慈藏法師)가 창건하였음. 백제의 공장(工匠) 아비지(阿非知)의 설계로 소공장(小工匠) 200 명에 의하여 완성되었음. 화재·낙뢰(落雷)로 여러 번 중수(重修)하였다가, 고려 고종(高宗) 25 년(1238) 몽고 병란(蒙古兵亂)으로 소실되어, 지금은 그 초석만 남아 있음.

황룡사-종【皇龍寺鐘】[—뇽—] 명〖불교〗삼국 사기(三國史記) 권 3 에 전하는, 49 만 7,581 근의 신라 시대의 종.

황룡사-지【皇龍寺址】[—뇽—] 명〖역〗경주시(慶州市) 구황동(九黃洞)에 있는, 신라 진흥왕(眞興王) 때에 세웠던 대가람의 터. 고려 고종 25 년(1238), 몽고의 침입으로 불탔음.

황룡-산【黃龍山】[—뇽—] 명〖지〗함경 남도 안변군(安邊郡)과 강원도 통천군(通川郡) 사이에 위치하고 있는 산. 태백 산백(太白山脈) 중에 솟아 있음. [1,268m]

황룡-수【黃龍鬚】[—뇽—] 명〖식〗국화(菊花)의 한 가지.

황룡-종【黃龍宗】[—뇽—] 명〖불교〗선종(禪宗) 오가 칠종(五家七宗)의 하나. 임제종(臨濟宗)의 제 7 조(祖)인 석상 자명(石霜慈明)의 제자인 황룡 혜남(慧南)이 선조(先祖). 중국 송(宋)나라 경우(景祐) 3 년(1036) 융흥부(隆興府) 황룡산(黃龍山)에서 종풍(宗風)을 펼친 데서 유래됨. 황룡(黃龍). 황룡파(黃龍派).

황룡-탕【黃龍湯】[—뇽—] 명〖한의〗금즙(金汁).

황룡-파【黃龍派】[—뇽—] 명〖불교〗황룡종(黃龍宗).

〈황룡 화개〉

황룡 화개【黃龍華蓋】[—뇽—] 명〖역〗조선 시대의 의장(儀仗)의 한 가지.

황루【荒樓】[—누] 명 황폐한 누각(樓閣).

황류-장【黃流章】[—뉴짱] 명〖악〗악장(樂章)의 이름.

황률【黃栗】[—뉼] 명 황밤.

황률 다식【黃栗茶食】[—뉼—] 명 황밤가루를 꿀에 반죽하여 만든 다식.

황름【惶懍】[—늠] 명 황공(惶恐). ——-하다 형여불. ——-히 부

하제(下劑)·염색·그 밖의 공업용으로 쓰임. 황산 고토(苦土). [$MgSO_4$]

황산 망간【黃酸一】명〔manganese sulfate〕《화》망간의 황산염(塩). ①황산 망간(Ⅱ). 무수염(無水塩)은 무색이나 결정수(結晶水)가 있으면 핑크색이 됨. 안료(顔料)·염색·비료 등에 쓰임. [$MnSO_4$] ②황산 망간(Ⅲ). 암녹색(暗綠色)의 침상 결정(針狀結晶). 소량의 물에도 가수 분해하여 수산화 망간(Ⅲ)을 침전(沈澱)시킴. [$Mn_2(SO_4)_3$]

황산 무수물【黃酸無水物】명《화》삼산화황(三酸化黃)의 통칭.

황산 미스트【黃酸一】명〔mist sulfate〕《화》안개 모양으로 된 황산, 또는 황산을 함유한 물방울 따위의 미립자(微粒子)가 대기 속에 떠 있는 것. 산성비의 원인의 하나임.

황산 바륨【黃酸一】명〔barium sulfate〕《화》바륨의 황산염. 천연으로는 중정석(重晶石)으로서 산출됨. 백색 안료(白色顔料)·도료용(塗料用) 또는 의약으로서 소화 기관의 X선 조영제(造影劑)로 씀. [$BaSO_4$]

황산벌 싸움【黃山一】[一뻘一] 명《역》백제 의자왕(義慈王) 20년(660) 나당(羅唐) 연합군이 쳐들어 올 때 명장 계백(階伯)이 결사대(決死隊) 5천 명을 이끌고 황산벌, 곧 지금의 충청 남도 연산(連山) 벌판에서 신라의 김유신(金庾信) 휘하의 5만 대군을 맞아 싸워, 네 번이나 물리쳤으나 나중에 중과 부적(衆寡不敵)으로 패하여 신라의 승리로 끝난 큰 싸움. *관창(官昌).

황산 베릴륨【黃酸一】명〔beryllium sulfate〕《화》베릴륨 산화물(酸化物) 또는 수산화물을 묽은 황산에 녹여 얻는 베릴륨의 황산염. 무수염(無水塩)은 무색의 분말, 4수염은 무색의 정방 정계(正方晶系) 결정. 물에 잘 녹으며 알코올에는 녹지 않음. 수용액은 산성임. 유독하여 마시거나 흡입하면 위험함. [$BeSO_4$]

황산 소:다【黃酸一】〔soda〕명 황산 나트륨.

황산 수소 나트륨【黃酸水素一】명〔sodium hydrogensulfate〕《화》황산 나트륨에 진한 황산을 가하거나 또, 진한 염화 나트륨과 황산을 적당히 가열하여 얻는 황산 수소염. 무수염(無水塩)은 무색 삼사 정계(三斜晶系) 결정. 녹는점(點) 185.7°C. 1수염은 수용액에서 석출(析出)하며 무색의 단사(單斜) 정계 또는 사방 정계 결정. 조해성(潮解性)이 있으며 광물(鑛物) 또는 난용성(難溶性) 물질을 융해(融解)시키기 위한 분석용 융제(融劑) 또는 백금(白金) 도가니의 청정제(清淨劑)로 쓰임. [$NaHSO_4$]

황산 수소 칼륨【黃酸水素一】명〔potassium hydrogen sulfate〕《화》황산 칼륨을 당량(當量)의 진한 황산에 녹여 만드는 황산 수소염(塩). 무수염(無水塩)은 무색의 사방 정계 또는 단사 정계 결정. 수용액(水溶液)은 산성(酸性)이며 화학적 성질 및 용도는 황산 수소 나트륨과 같음. [$KHSO_4$]

황산 수은【黃酸水銀】명〔mercury sulfate〕《화》수은의 황산염(塩). ①황산 수은(Ⅰ). 무색의 침상(針狀) 결정으로 촉매(觸媒)나 축전지(蓄電池)에 쓰임. [Hg_2SO_4] ②황산 수은(Ⅱ). 무색의 사방 정계(斜方晶系) 결정. 유독(有毒)함. [$HgSO_4$]

황산 스트론튬【黃酸一】명〔strontium sulfate〕《화》천연으로는 천청석(天靑石)으로 산출되며, 황화(黃化) 스트론튬을 산화하여 얻는 무색의 사방 정계(斜方晶系) 결정. 천연산(産)은 판상(板狀)·입자상(粒子狀) 또는 섬유상(纖維狀)이며 청색을 띰. [$SrSO_4$]

황산 아연【黃酸亞鉛】명〔zinc sulfate〕《화》아연의 황산염(塩). 아연을 묽은 황산(黃酸)에 녹이어 이것으로 결정(結晶)시켜 만듦. 이때 생기는 칠 수화물(七水化物)은 호반(皓礬)이라 이름. 공기 속에서 잘 풍화(風化)하며 물에 녹이면 산성(酸性)을 띰. 최토제(催吐劑)·방부제(防腐劑) 및 점안약(點眼藥) 등에 쓰이는 외에 농약으로서 아연 보르도(Bordeaux)에 쓰임. 호반(皓礬). [$ZnSO_4$]

황산 아연 혼:탁 시험【黃酸亞鉛混濁試驗】명《의》간장(肝臟) 기능 검사의 하나. 혈액(血液) 중의 교질 성분(膠質成分), 특히 감마 글로불린(γ-globulin)의 양을 검사하는 방법.

황산 아트로핀【黃酸一】명〔atropine sulfate〕《화》아트로핀의 황산염(塩). 백색의 분말로 가용성(可溶性)과 동공(瞳孔) 확대 작용을 가지며, 맹독(猛毒)이 있음. [$(C_{17}H_{23}NO_3)_2H_2SO_4$]

황산 안티몬【黃酸一】명〔antimony sulfate〕《화》금속 안티몬 또는 황화(黃化) 안티몬을 가열한 진한 황산(黃酸)에 녹여 얻는 무색·견사상(絹絲狀) 광택이 있는 침상(針狀) 결정. 조해성(潮解性)으로 가열하면 분해함. [$Sb_2(SO_4)_3$]

황산 알루미늄【黃酸一】명〔aluminium sulfate〕《화》알루미늄의 황산염(塩). 무수물(無水物)과 6·10·16·18·27 수화물이 있는데 무수물은 무색의 능면체(菱面體) 수화물이 대표적이며 무색의 단사 정계(單斜晶系) 결정임. 물에 녹으며, 수용액(水溶液)은 약산성(弱酸性)임. 매염제(媒染劑)·레이크(lake) 안료(顔料)·정수(淨水)·포말 소화제(泡沫消火劑)·의약품 등 용도가 많음. [$Al_2(SO_4)_3$]

황산 암모늄【黃酸一】명〔ammonium sulfate〕《화》수소와 질소를 화합시켜 만든 암모니아를 황산에 흡수시켜서 만드는 무색 투명한 사방 정계(斜方晶系) 결정(結晶). 유안(硫安)이라는 비료로 씀. [$(NH_4)_2SO_4$]

황산-연【黃酸鉛】명 황산납.

황산-염【黃酸塩】[一념] 명〔sulfate〕《화》황산 중의 수소(水素) 원자를 금속 원자로 치환(置換)한 화합물의 총칭. 정염(正塩)·수소염(水素塩)·염기성염(塩基性塩)이 있음. 거의 모든 금속 원소와 염을 만듦. 대부분 수용성(水溶性)이나 황산(黃酸) 납·황산 바륨·황산 스트론튬 등은 모두 물에 녹지 않음. 황산 구리·황산 나트륨·황산 마그네슘 등.

황산염-법【黃酸塩法】[一념뻡] 명〔sulfate process〕나뭇조각을 주로 수산화(水酸化) 나트륨과 황산 나트륨의 혼합 용액으로 증해(蒸解)하여 목재 펄프를 만드는 법.

황산염-천【黃酸塩泉】[一념一] 명 광천(鑛泉) 1 kg 속에 고형(固形) 성분을 1,000 mg 이상 함유하며, 음이온으로서 황산 이온을 주성분으로 하는 온천. 목욕 요법(沐浴療法)·음용(飮用) 요법으로 응용되며, 만성 류머티즘·신경통·상습 변비·담낭증(膽囊症)·담석증(膽石症)·비만증(肥滿症) 등에 효험이 있음.

황산염 펄프【黃酸塩一】〔pulp〕[一념一] 명《화》크라프트 펄프(kraft pulp).

황산-은【黃酸銀】명〔silver sulfate〕《화》은분(銀粉)을 진한 황산과 함께 가열하든가 또는 질산은(窒酸銀)의 진한 용액(溶液)에 황산을 가하든가 하여 얻는 광택 있는 무색의 사방 정계(斜方晶系) 결정. 물에 잘 녹지 않으며 묽은 황산에 잘 녹음. 용액(溶液)에서 황산 수소은($AgHSO_4$)을 얻음. [Ag_2SO_4]

황산 이온【黃酸一】〔ion〕명《화》황산을 물에 녹였을 때에 해리(解離)하는 이가(二價)의 음이온(陰 ion). [SO_4^{2-}]

황산-재【黃酸一】명《광》황산철광(黃酸鐵鑛)을 배소(焙燒)하여 황(黃)을 회수하고 남은 찌꺼기. 제철(製鐵) 원료로 쓰임.

황산 제:이철【黃酸第二鐵】명《화》황산철❷.

황산 제:이철 암모늄【黃酸第二鐵一】〔ammonium〕명《화》철명반(鐵明礬).

황산 제:일철【黃酸第一鐵】명《화》황산철❶.

황산-지【黃酸紙】명〔parchment paper〕《화》양피지(羊皮紙)를 본떠 만든 종이. 무명 넝마나 화학(化學) 펄프 따위로 만든 원지(原紙)를 진한 황산 용액 속에 잠깐 담갔다가 꺼내어 물에 빨아 건조한 반투명의 종이. 질기고 내수성(耐水性)·내지성(耐脂性)이 있으므로 버터·치즈 등의 식료품 및 약품 등의 포장지로 쓰임. 파치먼트 페이퍼(parchment paper). 유산지(硫酸紙).

황-산차【黃山茶】명《식》[*Rhododendron parvifolium*] 철쭉과에 속하는 상록 활엽 관목. 줄기는 총생(叢生)하고 잎은 타원형인데 뒷면에 갈색의 인편(鱗片)이 밀포함. 5-6월에 장미색 꽃이 두세 개 정생(頂生)하며, 삭과(蒴果)는 9-10월에 익음. 고산 및 고원에 나는데, 함남북 및 사할린·중국·만주·시베리아·아무르 등지에 분포함. 관상용이며, 잎은 간혹 차의 대용임.

황산-철【黃酸鐵】명〔iron sulfate〕《화》철의 황산염. ①황산철(Ⅱ). 황산 제일철(第一鐵). 무수염(無水塩)에서 칠수염(七水塩)까지 다섯 종류의 염이 알려져 있음. 청록색의 결정으로서 녹반(綠礬)이라고 함. 철을 묽은 황산에 용해(溶解)하든가 황철광(黃鐵鑛) 분말을 물에 적시어 산화시키든가 하여 얻음. 잉크·안료(顔料)·청사진·의약·철단(鐵丹) 등에 쓰임. [$FeSO_4$] ②황산철(Ⅲ). 황산 제이철. 무수염에서 12 수화물(水化物)까지 몇 종류의 염(塩)이 알려져 있음. 무수염은 백색 내지 담황색의 분말로서 조해성(潮解性)이 있음. 철명반(鐵明礬)·감청(紺靑)의 제조, 매염제(媒染劑)·의약품 등에도 쓰임. [$Fe_2(SO_4)_3$]

황산철 암모늄【黃酸鐵一】명〔iron ammonium sulfate〕《화》담녹색(淡綠色)의 단사정계(單斜晶系) 결정. 수용액은 용량 분석(容量分析)에서 철염(鐵塩)의 표준 용액으로 쓰이며 고체는 저온(低溫)까지 사용할 수 있는 단열 소자법(斷熱消磁法)에 쓰임. [$(NH_4)_2SO_4 \cdot FeSO_4$]

황산 카드뮴【黃酸一】명〔cadmium sulfate〕《화》카드뮴 금속 또는 탄산염(炭酸塩)을 묽은 황산에 용해한 용액으로부터 얻는 카드뮴의 황산염. 카드뮴 표준 전지(電池)를 만드는 데 쓰이며, 의학이나 카드뮴염(塩)의 원료가 됨. [$CdSO_4$]

황산 칼륨【黃酸一】〔도 Kalium〕명〔potassium sulfate〕《화》칼륨의 황산염(塩). 무색 무취의 사방 정계(斜方晶系) 결정. 속효성(速效性)의 칼륨 비료로 쓰이는 외에 명반(明礬)·유리·의약품 제조에 쓰임. [K_2SO_4]

황산 칼슘【黃酸一】명〔calcium sulfate〕《화》칼슘의 황산염. 무수염(無水塩) 및 0.5·2 수화물이 있는데 무수염은 천연으로 경석고(硬石膏)로, 2 수화물은 석고로서 다량 산출됨. 무수염은 무수(無水) 석고, 0.5 수화물은 반수(半水) 석고, 2 수화물은 이수(二水) 석고라고도 함. 2 수화물을 150°-200℃로 탈수(脫水) 후 대기중에서 숙성(熟成)시키면 소석고(燒石膏) 곧 0.5 수화물이 됨. 여기에 물을 넣어 휘저으면 발열(發熱)하면서 부피가 늘어나며 고체화(固體化)함. 이와 같은 성질을 이용하여 소석고는 거푸집을 만드는 데 쓰임. [$CaSO_4$] *석고·소석고.

황산 퀴닌【黃酸一】〔quinine〕명《약》무색이며 비단실 모양의 결정질 물질. 퀴닌의 염(塩) 중에서 가장 일반적인 것으로, 쓴 맛이 있음. 건위제·해열제 및 말라리아의 치료제임. [$(C_{20}H_{24}O_2N_2)_2 \cdot H_2SO_4 \cdot 2H_2O$]

황산화-유【黃酸化油】명《화》로트유(rot 油).

황산 환원 효소【黃酸還元酵素】명〔sulfate reductase〕《화》생물계(生物界)에 있어서의 황산 환원에 중간체로서 포함되는 아데닐(Adenyl) 황산을 환원시켜, 아(亞)황산으로 만드는 반응을 촉매(觸媒)하는 효소.

황-삼십오【黃三十五】명〔sulfur-35〕《화》질량수 35의 방사성 황. 반감기(半減期)는 87.1일(日)이며, β-붕괴를 함. 황(黃)의 중성자(中性子) 조사(照射)로 만들어지는데, 화학 반응이나 기계의 마모(磨耗) 및 단백질 대사(蛋白質代謝)의 연구용 트레이서로 쓰임.

황상[1]【皇上】명 현재 살아서 나라를 다스리고 있는 황제(皇帝)를 일컫는 말.

황상[2]【黃裳】명 ①노랗게 물들인 치마. ②태자(太子)를 이르는 말.

황-상[3]【黃裳】명《사람》고려 말기의 무신. 의창(義昌) 사람. 공민왕(恭愍王) 3년(1354) 유탁(柳濯)과 함께 중국에 가서 장사성(張士誠)을 토벌하는 데 공을 세웠고, 동 5년 기철(奇轍) 일파를 숙청하는 데 가담하여 판추밀원사(判樞密院事)가 됨. 동 13년 최유(崔濡)가 덕흥군(德興君)을 받들고 원병(元兵) 1만으로써 침입하자 이성계(李成桂)와 더불어 이를 무찌름. 특히 궁술(弓術)에 능하여 원(元)나라의 순제(順帝)도 그의 궁술을 관람했다고 함. 생몰년 미상.

황상 녹의【黃裳綠衣】[-/-이] 명 〔의(衣)는 상의(上衣), 상(裳)은 치마, 황(黃)은 정색(正色)으로서 귀하고 녹(綠)은 간색(間色)으로 천한 것인데, 정색인 황(黃)이 치마로 쓰이고 있다는 뜻에서〕 적처(嫡妻)가 퇴박맞고 천첩(賤妾)이 적처를 눌러 멋대로 함의 비유.

황상-어【黃顙魚·黃鱨魚】 명 『어』 자가사리.

황상-장【黃裳章】[-짱] 명 『악』 악장(樂章)의 이름.

황:-새 명 『조』 ①[*Ciconia boyciana*] 황새과에 속하는 새. 백로와 비슷한데 날개 길이 66cm 가량이고 온몸이 순백색에 눈 주위의 피부는 적색임. 어깨깃과 대우부(大羽覆)·풍절우(風切羽)는 광택 있는 흑색이며 부리는 흑색, 다리는 암적색임. 발에는 물갈퀴가 약간 있고 다리가 길어 물 위를 잘 걸으며, 개구리·물고기·뱀·쥐 등을 포식하고, 3-5월에 3-4개의 알을 높은 나무 위의 둥지에 낳음. 동부 시베리아·한국·일본 등지에 분포하는 보호조임. 관(鸛). 관조(鸛鳥). 백관(白鸛). 부금(負金). 조군(皁君). 흑구(黑尻). ②〈방〉 해오라기(전역). [황새 올미 줘 먹듯한다] 음식을 잘 주워 먹음을 이르는 말. [황새 조알 까 먹은 것 같다] 명색만 그럴싸하지 실속이 없다는 말.

〈황새〉

황:새 걸음 명 긴 다리로 성큼성큼 걷는 걸음.

황:새-괭이 명 황새 주둥이처럼 생겼다는 데서 곡괭이를 일컫는 말.

황-새기【黃-】 명 『어』 〈방〉 황강달이(전북·충남).

황새기-젓【黃-】 명 황새기 곧, 황강달이로 담근 젓.

황:새-낫 명 『농』 풀을 베는 낫의 한 가지. 낫자루가 긺.

황:새-냉이 명 『식』 [*Cardamine flexuosa*] 겨잣과에 속하는 월년초(越年草). 줄기 높이 15-30cm이고 잎은 호생하며 7-17개의 소엽(小葉)으로 된 복엽(複葉)인데, 달걀꼴 또는 긴 타원형임. 5-6월에 흰 십자화(十字花)가 총상(總狀) 화서로 정생(頂生)하고 장각과(長角果)는 길이 2cm 내외, 종자는 한 줄로 박혔음. 습지(濕地)에 나는데, 거의 한국 각지 및 북반구의 온대 지방에 널리 분포함. 변종(變種)이 많은데, 어린 잎은 식용함. ＊냉이.

〈황새냉이〉

황:새 늦새끼 명 〈속〉 시원치 못하고 덜 떨어진 사람을 놀리는 말.

황:새-목[1] 명 등롱(燈籠)대의 꼭대기에 맞추어 등롱을 거는 쇠. 편 길이는 약 30cm 쯤인데 옴츠린 황새의 모가지와 같이 구부려 만듦.

황새목

〈황새목1〉

황:새-목[2]【-目】 명 『조』 백로목(白鷺目).

황:새-승마【-升麻】 명 『식』 [*Cimicifuga foetida*] 성탄꽃과에 속하는 다년초. 줄기 높이 1.5m 가량이며 잎은 2-3회 삼출(三出)하고 소엽(小葉)은 타원형에 톱니가 있음. 8-9월에 백색 꽃이 복총상(複總狀) 화서로 정생(頂生)하며, 과실은 골돌과(蓇葖果)임. 산이나 들에 나는데, 거의 한국 각지에 분포함.

황-새치【黃-】 명 『어』 [*Xiphias gladius*] 황새칫과에 속하는 바닷물고기. 몸길이 3m로 모양이 청새치와 비슷하나, 주둥이가 그보다 더 길고 폭이 넓으며, 몸에 비늘이 없고 자란 후에도 이가 없으며 배지느러미가 없음. 몸빛은 회청갈색임. 수면 표층(表層)을 유영(遊泳)할 때는 두 등지느러미를 드러내고 때때로 물 위를 뛺. 한국 남부와 제주도 원해(遠海)를 비롯하여 열대 및 온대에 널리 분포함. 고기는 흰데 맛이 참새치만 못함. 민가슴기어.

〈황새치〉

황새치-자리【黃-】 명 〔라 Dorado〕 『천』 남천(南天)에 있는 별자리의 하나. 오리온자리의 남쪽에 있어 우리 나라에서는 보이지 않음. 국부 은하군(局部銀河群)에 속하는 대마젤란운(大Magellan 雲)이 있음. 약자(略字) : Dor.

황새칫-과【黃-科】 명 『어』 [Xiphiidae] 농어목에 속하는 어류의 한 과. 황새치가 이에 속함.

황:새-풀 명 『식』 [*Eriophorum vaginatum*] 방동사닛과에 속하는 다년초. 줄기의 하부는 원주형, 상부는 삼각주(三角柱)이며 높이 40cm이고, 잎은 뿌리에서 총생(叢生)하며 삼릉상(三稜狀) 선형이고 줄기보다 짧음. 꽃은 7-8월에 수상(穗狀) 화서로 줄기 끝에 단립(單立)하며, 과실은 수과(瘦果)임. 고산의 양지바른 습지에 나는데, 강원·함남·함북 등지에 분포함.

〈황새풀〉

황새피기 명 〈방〉 억새(강원).

황색【黃色】 명 누른 빛깔. ㊎황(黃).

황색 경:보【黃色警報】 명 경계 경보(警戒警報).

황색 골수【黃色骨髓】[-쑤] 명 『생』 주로 지방(脂肪) 조직으로 되어 있어 황색으로 보이는 골수. 혈구(血球) 생산의 능력은 없고 다만 골수강(骨髓腔)이라는 공간을 이용하여 양분을 저축해 두는 데 지나지 않음. 지방수(脂肪髓). ↔적색(赤色) 골수.

황색-맹【黃色虻】 명 『충』 노랑등에.

황색 산화 제:이 수은【黃色酸化第二水銀】 명 『화』 산화 수은❷의 두 형태 중의 하나인 등황색(橙黃色)의 것의 이름. 황강홍(黃降汞).

황색 식물【黃色植物】 명 『식』 [Chrysophta] 조류(藻類)에 속하는 식물의 한 문(門). 카로틴(carotin)·크산토필(xanthophyll)을 다량으로 함유하며 황록색 또는 금갈색(金褐色)을 나타냄. 세포막은 보통 고리짝 모양으로 겹쳐진 두 부분으로 되었고 규산(硅酸)을 함유하는 것도 많음. 무성 생식(無性生殖) 때 특별한 포자(胞子)를 형성하여 하나의 자연군(自然群)을 이룸. 편모(鞭毛)의 유무, 단세포(單細胞)인 것과 콜로니(colony)를 만드는 것 등으로 구별됨. 부등모류(不等毛類)·황색 편모조류(黃色鞭毛藻類)·규조류(硅藻類)의 세 강(綱)이 이에 속함.

황색 신문【黃色新聞】 명 『사』 옐로 페이퍼(yellow paper).

황색 인종【黃色人種】 명 『인류』 피부에 의한 인종 분류의 한 가지. 살갗이 누르거나 검은 빛이고 머리털이 검은 인종. 한국인·중국인·일본인 등 동양인은 대개 이에 속함. 몽골로이드. ㊎황인종(黃人種). ＊흑색 인종·갈색 인종·홍색 인종·백색 인종.

황색 조합【黃色組合】 명 〔yellow union〕 『사』 ①프로핀테른(Profintern) 가맹(加盟)의 혁명적 적색 노동 조합에 대하여, 1919년 제2 인터내셔널의 영향하에 조직된 암스테르담(Amsterdam) 노동 조합 인터내셔널계의 개량주의적 노동 조합에 대한 멸칭(蔑稱). ＊적색(赤色) 조합. ②어용(御用) 조합이나 또는 우익(右翼) 조합에 대한 일반적 멸칭.

황색종-증【黃色腫症】[-쯩] 명 〔xanthomatosis〕 『의』 세망 내피(細網內皮) 조직 세포나 피부 및 내부 기관(器官) 등에 지질 대사(脂質代謝)의 장애로 황색 또는 오렌지색의 유지 물질(類脂物質)이 침착(沈着)하는 상태.

황색-토【黃色土】 명 『지』 다습(多濕)한 난온대(暖溫帶)·아열대(亞熱帶)에 특유한 토양(土壤)의 하나. 표층토(表層土)는 다소 부식(腐植)에 의하여 오염(汚染)되어 있으나 하층토(下層土)는 명황색(明黃色)을 띰.

황색 화:약【黃色火藥】 명 『화』 황색의 결정체(結晶體)로, 파괴력이 강하고 방사력(放射力)이 큰 화약.

황색 효소【黃色酵素】 명 『생』 생물체 내의 호흡 효소의 하나. 동식물·박테리아 등 널리 분포하는데, 일반적으로 생물체 내에서 진행하는 산화 과정(酸化過程)의 한 단계로서, 운반되어 오는 수소 원자를 받아 다음 단계에 보내며, 생물체내 산화의 마지막 산물(產物)의 하나인 물을 나게 함. 플라빈(flavin) 효소.

황:샛-과【-科】 명 『조』 [Ciconiidae] 백로목(白鷺目)에 속하는 한 과. 대형의 조류로서 몸빛은 백색 또는 금속 흑색이고, 부리는 강대하며 원추형(圓錐形)이거나 선단(先端)이 상방(上方) 또는 하방으로 구부러졌음. 보통은 평야·동산에서 단독으로 있으나 철에 따라 이동시에는 군서(群棲) 생활을 함. 육식성(肉食性)이며, 번식기에는 탑(塔) 위나 높은 소나무에 둥지를 짓고 한 배에 3-6개의 흰 알을 낳음. 전세계에 18종이 분포함.

황서[1]【黃書】 명 외교 교섭(外交交涉)의 관계와 경과를 발표하는 프랑스 외교부(外交部)의 누른 종이로 된 외교 문서. 옐로 북(yellow book). ＊백서(白書)·청서(青書).

황서[2]【黃書】 명 『책』 중국 청(淸)나라 왕부지(王夫之)가 찬(撰)한 책. 원극(原極)·고의(古義)·재제(宰制)·신선(愼選)·임관(任官)·대정(大正)·이합(離合)의 7장(章)으로 됨. 혁명파의 멸만 흥한(滅滿興漢)의 애독서(愛讀書)로 되었음.

황서[3]【黃鼠】 명 『동』 족제비.

황-서랑【黃鼠狼】 명 『동』 족제비.

황석【黃石】 명 ①『광』 누른 빛깔의 방해석(方解石). ②토파즈(topaz).

황석-공【黃石公】 명 『사람』 중국 진(秦)나라 말엽의 병법가(兵法家). 장량(張良)에게 병서(兵書)를 전하여 주었다고 함.

황석 공원【黃石公園】 명 『지』 옐로스톤 공원.

황석-광【黃錫鑛】 명 『광』 구리·철·주석(朱錫)·황의 성분을 가진 정방 정계(正方晶系)의 광물. 때로는 아연(亞鉛)을 포함하는 경우도 있음. 결정형을 나타내는 것은 매우 드물고 대개는 입상(粒狀) 또는 밀접한 집합체를 이루면서 산출되는데, 빛은 어두운 회색 또는 흑색임. 남미(南美)나 오스트레일리아에서는 중요한 주석의 광석임.

황-석반어【黃石斑魚】 명 『어』 노래미.

황석-산【黃石山】 명 『지』 경상 남도 함양군(咸陽郡) 안의면(安義面)과 서하면(西下面) 사이에 있는 산. [1,190 m]

황-석수어【黃石首魚】 명 『어』 참조기.

황-석어【黃石魚】 명 『어』 참조기.

황석어-젓【黃石魚-】 명 참조기로 담근 젓. 황석어해(黃石魚醢).

황석어-해【黃石魚醢】 명 황석어젓.

황-석우【黃錫禹】 명 『사람』 시인. 호는 상아탑(象牙塔). 서울 출신. 일본 와세다(早稻田) 대학 졸업. 오상순(吳相淳)·변영로(卞榮魯) 등과 함께 초창기 시단의 선구적 역할을 함. 1929년 '폐허(廢墟)'의 동인(同人)이 되었으며, 한국 최초의 시전문지(詩專門誌)인 '장미촌(薔薇村)'과 '조선 시단(朝鮮詩壇)'을 창간 주재함. [1895-1959]

황설【荒說】 명 허황한 말. 엉터리없는 말. 황당지설(荒唐之說).

황-설탕【黃雪糖】 명 누르스름한 빛깔의 설탕. 곧, 중백당(中白糖)의 통칭. ＊백설탕·흑설탕.

황섬-화【黃纖化】 명 『식』 ①황화와 섬화. ②황화와 동시에 일어나는 섬화의 현상. ＊황화[4]·섬화[3]. ——하다 자여불

황성[1]【皇城】 명 황제국의 도성(都城). 제도(帝都). 제성(帝城). 제향(帝鄕). 황경(皇京). 황도(皇都).

황성[2]【荒城】 명 황폐한 성. ¶～ 옛터.

황-성대【黃-】 명 『어』 [*Peristedion orientale*] 양성댓과에 속하는 바닷물고기. 몸은 연장형으로 그 앞 부분은 머리 부분과 폭이 거의 같고 길이 21cm에 달함. 몸빛은 불그스름한 황색으로 머리와 등에 다갈색의 잔 구름문, 가슴지느러미에 흑갈색 세로무늬, 제2 등지느러미에 검은 점이 박혔음. 한국 서남부 연해와 일본 중부 이남에 분포함. 맛이 좋음.

황성 신문【皇城新聞】 명 대한 제국 때에 발간된 일간 신문의 하나. 광무(光武) 2년(1898)에 남궁억(南宮檍)·나수연(羅壽淵)·장지연(張志淵) 등이 대한 황성 신문의 판권(版權)을 인수, 이름을 바꾸어 그 해 9월 5일에 창간한 것으로, 국한문체(國漢文體) 소형(小型) 4면으로 발간하였음. 애국적 논필로 인하여 여러 차례 정간을 겪다가 1910년 경술 국치 때에 강제 폐간되었음.

황세【荒歲】명 흉년(凶年).

황-세균【黃細菌】명 〔sulfur bacteria〕『생』 황이나 무기 황화물(無機黃化物)을 산화하여 에너지를 얻고 있는 세균의 총칭. 화학 합성 또는 광합성(光合成)을 하는 것이 있음. 유황천(硫黃泉)·토양·하수 등에서 삶. 유황 박테리아. 유황 세균.

황세줄-나비【黃—】[—라—] 명『충』[*Naptis thisbe*] 네발나빗과에 속하는 곤충. 편 날개의 길이 34-43 mm이고 앞면은 흑갈색, 뒷면은 황갈색임. 앞 날개에 3-4개의 황색 무늬가 있고 뒷면의 무늬는 담황색이 원칙이나 백색인 것도 있음. 유충(幼蟲)은 떡갈나무의 잎을 먹고 살며 우리 나라 중북부·시베리아 등지에 분포함.

황-세포【黃細胞】명 〔chloragogen cell〕 지렁이 및 일부 환형(環形) 동물의 소화관(消化管) 외층(外層)에서 형성되는 특별한 세포. 배출(排出) 기능을 갖는 것으로 여겨짐.

황-소[1]【黃—】명 ①큰 수소. 수소. 황우(黃牛). ↔암소. ②미련하거나, 기운이 세거나, 많이 먹는 사람 등을 비유하는 말. ¶기운이 ~ 같다. [황소 뒷걸음길에 잡힌 개구리] 어쩌다 우연히 이루거나 알아맞힘의 비유. [황소 불알 떨어지면 구워 먹으려고 다리미에 불담아 다닌다] 가당치도 않은 횡재를 기다림의 비유. [황소 제 이불 뜯어 먹기] 우선 둘러대어 일을 해냈으나 알고 보니 자기 손해였다는 말.

황-소[2]【黃巢】명『사람』 중국 당(唐)나라 말기 군웅(群雄)의 한 사람. 관리(官吏)에 뜻을 두었으나 이루지 못하고, 소금의 밀매(密賣) 상인이 됨. 왕선지(王仙芝)가 난(亂)을 일으키자 이에 따르다가 그의 사후(死後) 여중(余衆)을 거느리고 각지(各地)를 공략(攻略)함. 장안(長安)을 함락(陷落)시키고 제위(帝位)에 올라 국호(國號)를 대제(大齊)라 하고 금통(金統)이라 개원(改元)함. 그 후 이극용(李克用)과 싸웠으나 패망(敗亡)하고 도망하여 자살함. [?-884]

황소 걸음【黃—】명 ①황소처럼 느릿느릿 걷는 걸음. ②비록 느리기는 하나 모든 일에 실수 없이 꾸준히 해나가는 행동의 비유.

황소 고집【黃—固執】명 ☞황고집.

황소-나물【黃—】명〈방〉『식』 찔레나무.

황소 바람【黃—】명 좁은 곳으로 세게 불어 들어오는 바람.

황소 싸움 자:세【黃—姿勢】명 씨름에서 황소가 싸우듯 서로 머리를 상대의 어깨와 팔 사이에 넣고 있는 자세.

황소의 난:【黃巢—亂】[—/—에—] 명『역』 중국 당(唐)나라 말기에 유적(流賊) 황소(黃巢)가 일으킨 난리. 희종(僖宗)의 건부 원년(乾符元年)(874)에 산둥(山東)에서 일어나 거의 전중국을 휩쓸었으며, 한때 장안(長安)을 함락시켜 884년에 황소 스스로 제위(帝位)에 올라 국호를 대제(大齊)라 하였으나, 당나라의 병마사(兵馬使) 이극용(李克用)에게 평정되었음. 이 난리 때 우리 나라의 최치원(崔致遠)이 당나라에 있으면서 황소를 치는 격문(檄文)을 지은 것이 유명함. 이 사건은 당나라 멸망의 원인(原因)의 하나가 되었음. 황소지란(黃巢之亂).

황소-자리【黃—】〔라 Taurus〕 명『천』 황도상(黃道上)의 제삼 성좌(第三星座) 오리온자리의 북서(北西)에 있음. 이십팔수(二十八宿)의 묘수(昴宿)·필수(畢宿) 부근에 있음. 수성(首星)은 알데바란 성(Aldebaran 星)이며, 유명한 두 산개 성단(散開星團) 플레이아데스(Pleiades)와 히아데스(Hyades)와 M 1 게성운(星雲)을 포함함. 추운 겨울의 저녁에 천정(天頂) 가까이에서 남중(南中)함. 약자(略字): Tau.

황-소주【黃燒酒】명 누른 빛깔의 소주.

황소지-란【黃巢之亂】명『역』 황소의 난.

황손[1]【皇孫】명 황제(皇帝)의 손(孫).

황손[2]【荒損】명 토지 등이 거칠어 메마름. ——-하다 형 여불

황손-전【荒損田】명 천재·지변 등으로 거칠 대로 거칠어진 논.

황솔【荒率】명 추솔(麤率). ——-하다 형 여불

황송[1]【黃松】명 나무를 벤 뒤 오륙 년이 지나 흙 속에 있는 뿌리에 복령(茯苓)이 생기는 소나무의 한 가지. 복령은 이뇨제(利尿劑)로 씀.

황송[2]【惶悚】명 황공(惶恐). ——-하다 형 여불

황-송아지【黃—】명 송아지의 수컷.

황송-절【黃松節】명『한의』 복신(茯神)이 싸고 있는 소나무의 뿌리. 약으로 씀. *황송(黃松).

황수[1]【皇壽】명 황제(皇帝)의 향수(享壽).

황수[2]【黃綬】명 노란 인(印) 끈. 황색의 인수(印綬).

황수-리【黃綬吏】명 황색의 인수(印綬)를 띤 벼슬아치. 곧, 지위가 낮은 관리.

황-수정【黃水晶】명『광』 철 또는 티탄(titan)을 포함하고 여린 황색으로 반투명이며 진주 같은 광택이 있는 수정. 황옥(黃玉) 비슷하며 인재(印材)나 보석의 대용품으로 쓰임.

황수-증【黃水症】[—쯩] 명『한의』 수종(水腫)의 한 가지. 병근(病根)이 비장(脾臟)에 있으며, 허리에서 배에 걸쳐 퉁퉁 붓는 병.

황숙【黃熟】명 곡식이나 과실이 누렇게 익음. ——-하다 자 여불

황숙-기【黃熟期】명 곡식이나 과실이 누렇게 익는 시기.

황숙-향【黃熟香】명 열대 지방에서 산출하는 향료.

황-술레【黃—】명 재래종 배의 한 가지. 누르고 크며 맛이 좋음. 9월 하순경부터 익고, 장기간 저장이 가능함. 황리(黃梨). 황실리(黃實梨). *청술레.

황시【黃絁】명 ①빛이 누런 거치른 깁. ②도복(道服). 도사(道士)의 옷. 황시(黃絁)로 지으므로 이름.

황시-증【黃視症】[—쯩] 명『의』 색시증(色視症)의 한 증상으로 모든 것이 노랗게 보이는 증세.

황-시험【黃試驗】명 〔sulfur test〕『화』 ①석유 제품을 봄베 안에서 연소시켜, 유황의 함유량을 정량(定量)하는 방법. ②석유 제품을 램프로 연소시켜, 유황을 분석하는 방법.

황-신[1]【黃愼】명『사람』 조선 시대의 문신. 자는 사숙(思叔), 호는 추포(秋浦). 성혼(成渾)·이이(李珥)의 문인임. 선조(宣祖) 때에 병조 좌랑을 거쳐 통신사가 되어 명사(明使)와 함께 일본을 왕래하는 등 공을 세워 공조 판서·호조 판서를 역임했으나, 계축 옥사(癸丑獄事)에 무고를 받아 옹진(甕津)으로 유배되어 그곳에서 죽음. 시호는 문민(文敏). [1560-1617]

황-신[2]【黃愼】명『사람』 중국 청(淸)나라의 화가. 자는 공무(恭懋), 호는 영표(癭瓢). 푸젠성(福建省) 닝화(寧化)에서 태어나, 이름을 떨친 후 양저우(揚州)로 옮겨 양주 팔괴(八怪)의 한 사람으로 꼽힘. 절파풍(浙派風)의 힘찬 필치(筆致)로 산수·인물을 그렸고, 특히 인물화에 자유롭고 개성적인 표현을 보임. 서(書)·시문(詩文)에도 능하여 삼절(三絕)이라 불림. [1686-?]

황신-기【黃神旗】명『역』 중오방기(中五方旗)의 하나로서 중앙(中央)에 세우는 기. 기면(旗面)은 다섯 자 평방으로 바탕은 누르며 가장자리와 화염(火焰)은 붉은 빛인데, 왕령관(王靈官)이라 하는 신상(神像)과 운기(雲氣)를 그리었음. 깃대 길이 열다섯 자. 영두(纓頭)·주락(珠絡)·장목이 있음. *신기(神旗)·중오방기(中五方旗).

황-실[1]【黃—】명『건』 녹색(綠色) 줄과 병행(並行)하는 누른 빛의 줄. 단청에 쓰는 말. *녹실.

황실[2]【皇室】명 황제(皇帝)의 집안. 제실(帝室). *왕실(王室).

황-실로【黃—】명〈방〉 황술레.

황실-리【黃實梨】명 황술레.

황실-범【皇室犯】명 황실에 대한 범죄(犯罪).

황실-비【皇室費】명 황실에서 쓰는 비용.

황실 재산【皇室財產】명 황실에 속하는 재산.

황심-예【黃心瞖】명『한의』 안질(眼疾)의 한 가지. 각막(角膜)의 가로가 희고 가운데로는 누른 점이 생기는 병.

황 싱〔黃興〕명『사람』 중국의 혁명가. 자는 극강(克強). 후난(湖南) 사람. 1903년 화흥회(華興會)를 결성하여, 1905년 쑨 원(孫文)의 '중국 혁명 동맹'에 합동하였음. 신해(辛亥) 혁명 후, 혁명 정부군 대원수(大元帥)가 되었음. 황흥. [1873-1916]

황씨 일초【黃氏日鈔】명『책』 중국 송(宋)나라 주자(朱子)학자 황진(黃震)의 수필. 효경(孝經)·논어·맹자·모시(毛詩)·상서(尙書) 등의 경의(經義)를 해설하여 자기의 견해를 폈음. 97권.

황씨-체【黃氏體】명『미술』 중국 오대(五代)의 화조 화가(花鳥畫家) 황전(黃筌)의 화풍(畫風). 당대(唐代)의 사실주의(寫實主義)를 이어받은 것으로 명확한 선묘(線描)와 굵은 채색에 의한 구륵 전채(鉤勒塡彩)의 장식적인 화풍임. *서씨체(徐氏體).

황아【荒—】명〔←황화(荒貨)〕 끈목·담배 쌈지·바늘·실 등의 모든 잡살뱅이의 물건.

황-아귀【黃—】명『어』[*Lophius litulon*] 아귀과에 속하는 바닷물고기. 아귀보다 머리 폭이 좁고 몸이 조금 가늘고 길며, 몸빛은 황색을 띤 담회색임. 한국 전연해의 심해 및 일본 심해에 분포함. 식용함.

〈황아귀〉

황아-석【黃芽石】명『한의』 금아석(金牙石).

황아 장수【荒—】명 온갖 잡살뱅이의 물건을 지고 집집이 찾아 다니며 파는 사람.

황아-전【荒—廛】명 황아를 파는 가게. 황화방(荒貨房). 황화전(荒貨廛).

황아-채【黃芽菜】명 뿌리가 달린 배추를 겉대는 버리고 속고갱이만 남긴 것을 마른 흙에 띄엄띄엄 뿌리를 묻고, 자배기 같은 것을 덮은 뒤에 흙으로 꼭 봉하여 공기가 통하지 못하게 하고 보름 가량 두어서 그 속에서 자란 순으로 만든 나물.

황알【黃魟】명『어』 자가사리.

황알치 명『어』 물동갈치.

황암【黃鵪】명『조』 세가락메추라기.

황압【黃鴨】명『조』 황오리.

황애【黃埃】명 누런 먼지.

황앵【黃鶯】명『조』 꾀꼬리.

황야[1]【荒野】명 거두거나 손질하지 아니하여 거칠게 된 들. 황원(荒原). 광야(曠野).

황야[2]【黃冶】명 도가(道家)에서 단사(丹砂)를 황금으로 변화시킨다는 방술(方術).

황야-봉【黃野峰】명『지』 함경 남도 삼수군(三水郡) 삼서면(三西面)과 평안 북도 후창군(厚昌郡) 동흥면(東興面) 사이에 있는 산. [1,874 m]

황야의 부르짖음【荒野—】[—/—에—] 명 〔The Call of the Wild〕『문』 미국의 작가 런던(London, J.)의 소설. 사육견(飼育犬) 버크가 알래스카에 끌려가 썰매를 끄는 개로 일하다 야성(野性)으로 돌아가 이리떼의 두목이 되어 활약하는 이야기. 야성과 반항의 찬미, 자유에의 동경을 그린 이색작(異色作). 1903년 발간됨.

황양[1]【黃羊】명『동』[*Gazella gutturosa*] 솟과(科)에 속하는 짐승. 양보다 큰데 수컷에만 뿔이 있고, 여름 털은 옅은 밤색이고 겨울 털은 회갈색으로 길며 빽빽하게 났음. 꼬리는 토끼의 꼬리와 비슷함. 중앙 아시아·몽고·만주 일대에 분포함.

황양[2]【黃壤】명 ①누른 빛깔의 흙. 황토. ②황천(黃泉).

황양-과【黃楊科】[—꽈] 명『식』 회양목과.

황양-목【黃楊木】명『식』 회양목.

황양목-계【黃楊木契】명『역』 관아(官衙)에 회양목을 공물(貢物)로 바치던 계.

황양목-패【黃楊木牌】명『역』 호패(號牌)의 한 가지. 회양목으로 만든

것으로, 생원(生員)·진사(進士) 들이 참.

황-양산【黃陽繖】명〖역〗누른 빛깔의 양산.

황양지-객【黃壤之客】명 황천객(黃泉客).

황어¹【黃魚】명〖어〗①[*Tribolodon hakonensis*] 잉어과에 속하는 물고기. 몸길이 10-45cm로 방추형이며, 몸빛은 등이 창흑색이고 체측과 배는 흰빛임. 생식기인 4-6월에는 배에 폭 넓은 붉은 띠가 나타나고 각 지느러미도 붉어지는데 수컷이 더 현저함. 전라 남도 영산강과 동남 해안 및 동해안에 주입하는 각 하천과 각 하천 부근 연해에 많은데, 일본·만주의 흑룡강 수계(水系)에도 분포함. 맛이 좋음. 설치. ② 철갑상어❷.

〈황어¹❶〉

황어²【黃淤】명 홍수로 비옥하여진 땅.

황어³【鰉魚】명〖어〗철갑상어❷.

황어-상【黃魚鯗】명 말리거나 소금에 절인 조기.

황에 장수【荒一】명〈방〉황아 장수(강원).

황-여새【黃一】명〖조〗[*Bombycilla garrulus centralasiae*] 여샛과에 속하는 새. 날개 길이 12cm 가량이고 몸빛은 날개 깃이 포도갈색, 꼬리의 선단은 황색이며 머리에는 긴 우관(羽冠)이 있음. 날개 끝에는 적색의 납(蠟) 모양의 부속물이 있으며, 날개에는 황색과 백색 부분이 있음. 아시아의 북부에서 번식하고 그 이남인 한국·일본·대만 등지에서 월동함. 노랑연새. 와람(蝸藍). *홍여새.

〈황여새〉

황연¹【荒宴】명 주연(酒宴)에 빠짐. ——-하다 자여불

황:연²【晃然】부 ①환하게 밝은 모양. ¶그 말을 들더니 박가 소위를 ~히 짐작하는 동시에, 그 주인의 정직한 품행이 어찌 고맙던지…《崔瓚植 : 春夢》. ②환하게. ——-하다 형여불. ——-히 부

황연³【荒煙】명 ①인가(人家)가 드묾. ②인기척이 없음. ——-하다 형여불

황연⁴【黃鉛】명 [chrome yellow]〖화〗①중요한 황색 안료(顔料)의 하나. 주성분은 크롬산(chrome酸)납임. 금속납을 질산 또는 아세트산에 용해하고 여기에 중크롬산 칼륨 또는 중크롬산 나트륨 용액을 가하여 침전(沈澱)시켜서 만듦. 그 두 성분의 양(量)의 비·농도·반응 온도(反應溫度)에 의하여 레몬색에서 등적색(橙赤色)의 것이 얻어짐. 크롬 옐로. ②산성 매염(酸性媒染) 물감의 하나.

황연⁵【黃煙】명 노란 빛깔의 연기. 또, 황색의 연무(煙霧).

황연⁶【黃輭】명 빛이 노랗고 연함. ——-하다 형여불

황연-광【黃鉛鑛】명〖광〗육방 정계(六方晶系)에 속하는 포도상(葡萄狀)이나 신장상(腎臟狀)의 광석. 등황색(橙黃色)·백색 또는 무색임. 취관(吹管)으로 불면 비소(砒素) 냄새를 뿜으며 납으로 환원함.

황:연 대:각【晃然大覺】명 황연히 크게 깨달음. ——-하다 타여불

황열【黃熱】명〖의〗열대성 전염병의 하나. 여과성(濾過性) 병원체에 의하여 발생함. 환자는 검은 빛의 것을 토하며 갑작스러운 오한·전율·발열이 나나 2-3일 후 열이 내렸다가 다시 발열하면서 황달·토혈(吐血)을 가져오며 사망률이 매우 높음. 중앙 아메리카·멕시코·아프리카 등지에 유행함. 황열병.

황열-병【黃熱病】[—뼝] 명〖의〗황열.

황-염【黃炎】명 황제(黃帝) 헌원씨(軒轅氏)와 염제(炎帝) 신농씨(神農氏).

황염-목【黃染木】명 ①〖식〗매자나무. ②〖한의〗매자나무의 줄기. 건위제(健胃劑)로 쓰임.

황염-지【黃染紙】명 노랗게 물들인 종이.

황엽¹【黃葉】명〖식〗엽록소(葉綠素)가 분해되어 누렇게 된 잎.

황엽²【簧葉】명〖악〗혀¹❷.

황엽-장【簧葉匠】명〖역〗관악기의 혀를 만들던 공장(工匠). 장악원(掌樂院)에 딸림.

황-영【黃瑩】명〖사람〗고려의 학자·문신. 예부 상서·동지추밀원사(同知樞密院事) 등을 역임하고 숙종(肅宗) 4년(1099) 중서시랑 동중서문하 평장사(中書侍郎同中書門下平章事)에 이름. 사학(私學)을 세워 후진을 가르쳤으며, 이들이 정경 공도(貞敬公徒)라 불림. 시호 정경(貞敬). 생몰년 미상.

황예¹【皇裔】명 황윤(皇胤).

황예²【荒裔】명 멀리 떨어진 지방. 먼 외국.

황예³【荒穢】명 몹시 거칠고 더러움. ——-하다 형여불

황-오리【黃一】명〖조〗[*Casarea ferruginea*] 오릿과에 속하는 새. 날개 길이 36cm 가량이고, 날개 빛은 흑색·백색·갈색·금록색이며 수컷은 번식기에는 몸의 기부(基部)에 흑색 환문(環紋)이 생김. 유럽과 아시아 대륙의 북부에서 번식하고 인도·북아프리카·남부 중국·한국·일본 등지에서 월동함. 포압(蒲鴨). 황압(黃鴨).

황옥【黃玉】명〖광〗사방 정계(斜方晶系)의 주상(柱狀) 결정(結晶). 주면(柱面)에 세로 평행한 조흔(條痕)이 있음. 플루오르를 포함한 산화 알루미늄의 규산염(硅酸塩)임. 질이 단단하고 부드러우며, 투명(透明) 또는 반투명(半透明)으로 적색(赤色)·자색(紫色)·청색(靑色)·녹색(綠色)·황색 등의 여러 빛깔이 있는데, 황색의 것은 보석(寶石)으로 사용함. 토파즈(topaz).

황-옥돔【黃玉一】명〖어〗[*Branchiostegus auratus*] 옥돔과에 속하는 바닷물고기. 옥돔과 비슷하나, 몸빛이 붉은 바탕에 머리가 노랗고, 꼬리지느러미에 두 줄의 노란 띠가 있으며 배지느러미는 무색임. 한국 남부·일본 중부 이남·대만에 분포함.

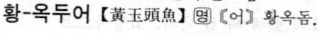

〈황옥돔〉

황-옥두어【黃玉頭魚】명〖어〗황옥돔.

황옥-병【黃玉餠】명 밀가루와 설탕을 같은 분량으로 섞어서 빚어 찐 떡.

황옥-석【黃玉石】명〖광〗빛깔이 누른 옥돌의 속칭.

황옹【黃鶲】명〖조〗노랑딱새.

황옹-장【黃瓮匠】명 충청 남도 부여군(扶餘郡) 임천(林川)에서 황토로 질그릇을 구워내는 공장(工匠).

황왕【皇王】명 천황. 천자. 군주.

황외【荒外】명 거친 오랑캐의 땅. 야만스런 이적(夷狄)의 땅.

황요¹【黃一】명〈방〉황소❶.

황요²【黃猺】명〖동〗목도리담비.

황요-어【黃鰸魚】명〖어〗볼락.

황우¹【黃牛】명 ①누른 빛깔의 소. ②황소❶.

황우²【黃雨】명 [yellow rain]〖군〗비행기로 뿌리는 노란 빛깔의 액체 또는 가루 독(毒)가스.

황우-계【黃牛契】[—께] 명〖역〗관아(官衙)에 황소를 공물(貢物)로 바치던 계.

황우 장수【荒一】명〈방〉황아 장수.

황운¹【皇運】명 ①황실(皇室)의 운(運). ②황제의 운명(運命).

황운²【黃雲】명 ①황색의 구름. ②넓은 들판에 벼가 누렇게 익은 것을 황색의 구름에 비유하여 이르는 말.

황운-전【黃雲傳】명〖문〗황장군전(黃將軍傳).

황원¹【荒原】명 자연 그대로의 손질 않은 거친 들. 황야(荒野).

황원²【荒遠】명 도시(都市)에서 멀리 떨어진 궁벽한 곳. 국경(國境) 지방의 멀고먼 곳.

황월【黃鉞】명 황금(黃金)으로 장식(裝飾)한 도끼. 천자(天子)가 정벌(征伐)할 때에 지님.

황월선-전【黃月仙傳】[—썬—] 명〖문〗작자·창작 연대 미상의 고전 소설의 하나. 국문본. 배경은 전라도. 황공의 후처 박씨가 본처 소생 월선이를 모함하고 뒤에 회개한다는 내용임.

황위¹【皇位】명 황제(皇帝)의 지위. 천자(天子)의 지위. 황조(皇祚).

황위²【皇威】명 황제(皇帝)의 위엄(威嚴). 천자(天子)의 위광(威光). 제위(帝威).

황위³【黃緯】명〖천〗황도(黃道)에서 천체(天體)까지의 각거리(角距離). 북으로 잰 것을 북위(北緯), 남으로 잰 것을 남위(南緯)라 함. 또는 북방(北方)을 정(正), 남방을 부(負)로 표시하기도 함. 황경(黃經)과 함께 황도 좌표(黃道座標)의 요소(要素)가 됨. *황경(黃經).

황위-권【黃緯圈】[—꿘] 명 [circle of latitude]〖천〗천구원(天球圓)의 하나. 황도극(黃道極)을 지나며, 황도면에 수직임.

황위-병【黃萎病】[—뼝] 명〖식〗위황병(萎黃病).

황유¹【皇猷】명 황제(皇帝)의 계책(計策). 제왕(帝王)이 국가를 통치하기 위한 계획. 황모(皇謨).

황유²【荒遊】명 주색(酒色)에 빠져 마구 헤프게 놂. ——-하다 자여불

황육【黃肉】명 쇠고기.

황윤【皇胤】명 황제의 혈통. 황예(皇裔).

황-윤(:)길【黃允吉】명〖사람〗조선 시대 선조 때의 정치가. 자는 길재(吉哉), 호는 우송당(友松堂). 장수(長水) 사람. 선조 23년(1590) 임진 왜란 직전에 일본에 통신사(通信使)로 가 일본의 침략이 있을 것을 보고함. [1536-?]

황-윤석【黃胤錫】명〖사람〗조선 시대 후기의 문신·문장가. 호는 이재(頤齋). 황주(黃州) 사람. 김원행(金元行)의 문하에서 배워 사마시(司馬試)에 오르고, 벼슬이 익찬(翊贊)에 이르렀음. 수학에도 뛰어나 《산학 입문(算學入門)》·《산학 본원(算學本原)》 등을 지었으며, 언어학 계통의 《화음 방언 자의해(華音方言字義解)》·《자모변(子母辨)》 등은 국어의 연구에 중요 자료(重要資料)가 됨. 저서에 《이재 유고(頤齋遺稿)》가 있음. [1729-91]

황은¹【皇恩】명 황제(皇帝)의 은혜.

황은²【黃銀】명 정은(丁銀).

황음【荒淫】명 함부로 음탕한 짓을 함. ——-하다 자여불

황음 무도【荒淫無道】명 주색(酒色)에 빠져 사람으로서 마땅히 할 도리(道理)를 돌아보지 아니함. ——-하다 형여불

황의【黃衣】[—/—이] 명 ①누른 빛깔의 의복(衣服). ②보리누룩.

황-의(:)돈【黃義敦】명〖사람〗사학자. 호는 해원(海圓). 충남 서천(舒川) 출신. 휘문 의숙(徽文義塾)·보성 학교·중동 학교 등에서 교원을 지내고, 해방 후 단국 대학·동국 대학 교수를 역임함. 저서에 《신편(新編) 조선 역사》 등이 있음. [1887-1964]

황의-장【皇矣章】[—짱/—이짱] 명〖악〗악장(樂章) 이름.

황이¹【荒夷】명 ①먼 지방의 오랑캐. ②왕위(王威)에 복종 않는 거친 오랑캐.

황이²【黃彝】명 제기(祭器)의 하나. 명수(明水)나 울창(鬱鬯)을 담는 데 씀. 황금으로 장식함. 가이(斝彝)와 한 짝을 이룸.

황-인종【黃人種】명 ↗황색 인종(黃色人種).

황-일산【黃日傘】[—싼] 명〖역〗의장(儀仗)의 한 가지.

〈황일산〉

황자¹【皇子】명 황제(皇帝)의 아들. ↔황녀(皇女).

황자²【黃子】명 보리누룩.

황-자계【黃雌鷄】명 털이 누런 암탉. 이질(痢疾)에 약으로 쓰임.

황자-장【黃子醬】명 생황장(生黃醬).

황자 총통【黃字銃筒】[—짜—] 명〖역〗임진 왜란 때 사용했던 대포의 이름. 화약을 사용하여 피령전(皮翎箭)을 발사하는 데 썼음.

황작【黃雀】명〘조〙①꾀꼬리. ②참새.
황작-구【黃雀灸】명 참새 구이.
황작 만두【黃雀饅頭】명 참새 만두.
황작 전:유화【黃雀煎油花】명 참새 저냐.
황작-풍【黃雀風】명 중국에서 음력 5월에 부는 동남풍(東南風). 훈풍(薰風).
황작-해【黃雀醢】명 참새젓.
황잡【荒雜】명 거칠고 잡됨. ¶이태순은 학자이라 평생에 근신하여 ~한 일이 없기로 유명한 사람이니…≪具然學 : 雪中梅≫. ——-하다 형여불
황-잡다 자 ①골패 같은 것에서 황을 잡다. ②계획한 일이 뜻대로 안 되고 엇나가다. 의외의 일로 낭패를 보다. *황[1]·황그리다.
황장[1]【皇鏖】명〘악〙아악(雅樂)의 곡 이름. 당악(唐樂)에 속하는 평조곡(平調曲)임. 중국 당나라에서 서융(西戎)의 반란 때, 재상 왕효걸(王孝傑)이 정벌에 나갔다가 황장곡(黃鏖谷)에서 전사한 그 충렬(忠烈)을 사모하여 지었다고 함. 황장(黃鏖). 왕장(王鏖).
황장[2]【荒莊】명 황폐한 전가(田家).
황장[3]【荒鏖】명〘악〙황장(皇鏖).
황장[4]【黃匠】명〘역〙조선 후기에, 유황점(硫黃店)에 딸려, 황의 채굴 및 제련을 담당하던 장인(匠人).
황장[5]【黃腸】명 나무의 심(心)에 가까운 부분. 빛깔이 누르고 단단함. ↔백변(白邊)❶.
황장-갓【黃腸―】[―깟] 명〘역〙황장목(黃腸木)을 금양(禁養)하는 산림. 황장산(黃腸山). 황장 봉산(封山).
황장군-전【黃將軍傳】명〘문〙작자·창작 연대 미상의 고전 소설의 하나. 국문본. 배경은 중국 송대(宋代)로, 주인공 황운(黃雲)과 설소저(薛小姐)의 영웅담(英雄譚)임. 황운전(黃雲傳).
황-장력【黃粧曆】[―녁] 명 누런 종이로 겉장을 붙인 책력.
황장-목【黃腸木】명 재관(梓棺)을 만드는 데 쓰는 질이 좋은 소나무.
황장 봉:산【黃腸封山】명〘역〙황장갓.
황장-산【黃腸山】명〘역〙황장갓.
황-장석【黃長石】명 〔melilite〕〘광〙알루미늄·마그네슘·칼슘 등을 주성분으로 하는 규산염(珪酸塩) 광물. 정방 정계(正方晶系)에 속하며, 주상(柱狀) 또는 섬유상(纖維狀)의 사각(四角) 또는 팔각형임. 빛은 백색 또는 담황색이며 광택이 있음. 멜릴라이트.
황-장손【皇長孫】명 황제의 장손.
황-장자【皇長子】명 황제의 장자.
황장-판【黃腸板】명 황장목(黃腸木)을 켜서 만든 널빤지.
황재【蝗災】명 누리[1]로 인한 재앙. 황해(蝗害).
황저【皇儲】명〘역〙황사(皇嗣).
황저우〔黃州〕명〘지〙'황강(黃岡)'의 고칭(古稱). 황주.
황-저포【黃紵布】명 계추리.
황적[1]【皇籍】명 황족(皇族)의 신분이 되는 보적(譜籍).
황적[2]【黃炙】명 누름적.
황-적색【黃赤色】명 누런 빛을 띤 적색.
황전[1]【荒田】명 거두지 아니하여 거칠어진 논밭.
황-전[2]【黃筌】명〘사람〙중국 오대(五代)의 화가. 자는 요숙(要叔). 청두(成都) 사람. 촉(蜀)의 궁정(宮廷)에 출사(出仕)하고, 그 멸망 후 송(宋)에 출사하였으나, 곧 죽음. 후세(後世)에 황씨체(黃氏體)라 불리는 화조화법(花鳥畫法)을 창출(創出)함. [?-965]
황절【黃節】명 〈심마니〉 초가을부터 서리가 내릴 때까지의 일컬음.
황점-볼락【黃點―】명〘어〙[*Sebastes oblongus*] 양볼락과에 속하는 바닷물고기. 몸 모양은 볼락과 비슷하나 길이 45 cm 남짓하여 좀 긴 편이고, 주둥이도 길. 몸빛은 암황갈색인데 체측에 4-5줄의 불규칙하고 불분명한 가로띠가 있고 눈을 중심으로 방사상의 검은 띠가 있음. 한국 남해·일본에 분포함. 식용함.
〈황점볼락〉
황접【黃蝶】명〘충〙①노랑나비❶. ②남방노랑나비.
황정[1]【皇政】명 왕정(王政).
황정[2]【荒政】명 구황(救荒)하는 정책.
황정[3]【荒庭】명 돌보지 않아 거칠어진 뜰.
황정[4]【黃精】명〘한의〙'죽대'의 뿌리. 비위(脾胃)를 돕고 원기를 더하는 약으로 씀.
황-정견【黃庭堅】명〘사람〙중국 송(宋)나라의 시인·서가(書家). 호는 산곡(山谷). 소식(蘇軾)의 문하생. 기이하고 파격적(破格的)인 용법을 써서 구양 수(歐陽修) 이래의 송시(宋詩)를 일변하여 새로운 것을 수립하였음. 강서파(江西派)의 원조(元祖)임. [1045-1105]
황정-경【黃庭經】명 도가(道家)의 경문. 위부인(魏夫人)이 전한 황제 내경경(黃帝內景經), 왕희지(王羲之)가 베껴서 거위와 바꾸었다는 황제 외경경(外景經), 황정 둔갑 연신경(黃庭遁甲緣身經), 황정 옥축경(玉軸經) 등 네 종류가 있음. 왕희지가 쓴 황제 외경경은 법첩(法帖)으로 한 자(字)가 약 1cm 사방(四方)의 해서(楷書)로 쓰여졌으며, 글씨본으로 중요시됨.
황정-병【黃精餠】명 찐 황정과 볶은 콩을 각각 껍질을 벗겨 한데 섞어서 가루로 만들어 설탕물에 반죽하여 둥글게 빚어 만든 떡.
황정-산【黃庭山】명〘지〙경상 북도 문경시(聞慶市) 동로면(東魯面)에 있는 산. [1,077m]
황-정욱【黃廷彧】명〘사람〙조선 시대 선조(宣祖) 때의 문신. 자는 경문(景文), 호는 지천(芝川). 장수(長水) 사람. 호조·병조 판서를 지냈으며, 임진 왜란 때 왕자 순화군(順和君)을 모시고 의병을 모집하다가 난동 분자의 밀고로 왜장에게 잡혔다가 석방되어 후일 이 일로 탄핵을 받고 길주(吉州)에 유배되었음. [1532-1607]
황정-주【黃精酒】명 황정을 넣어서 빚은 술.
황정-죽【黃精粥】명 황정을 데쳐서 쓴 맛을 빼고 구증 구포(九蒸九曝)하여 가루를 만들어 쑨 죽.
황정-창【黃疔瘡】명〘한의〙코밑에 나는 부스럼의 한 가지. 처음에는 끝이 황색을 띠었다가 주위가 단단하게 굳어짐.
황제[1]【皇弟】명 황제의 동생.
황제[2]【皇帝】명 제국(帝國)의 군주(君主)의 존칭. 진시황(秦始皇)이 처음으로 이 칭호를 썼음. *대제(大帝)·천자(天子).
황제[3]【皇帝】명 ①〘악〙하이든 작곡의 현악(絃樂) 사중주곡. 1798년의 작품. 제2 악장에 자신이 작곡한 오스트리아 국가 ≪황제 찬가(皇帝讚歌)≫를 넣음. 황제 사중주곡(四重奏曲). ②〘악〙↗황제 협주곡.
황제[4]【黃帝】명 중국의 전설상의 제왕. 복희씨(伏羲氏)·신농씨(神農氏)와 더불어 삼황(三皇)이라 일컬어짐. 기원 전 2,700년경 천하를 통일하여 문자·수레·배 등을 만들고, 도량형·역법(曆法)·음악·잠업(蠶業) 등 많은 문물과 제도를 확립하여, 인류에게 문화 생활을 전해 주었다 함.
황제 교:황주의【皇帝教皇主義】[―/―이] 명 교권(敎權)을 속권(俗權)의 하위(下位)에 두어, 속권의 수장(首長)인 황제로써 교황의 지위를 겸하게 하고자 하는 설. ↔교황 황제주의.
황제 내:경【黃帝內經】명〘책〙중국 최고(最古)의 의서(醫書). 자연 철학에 입각한 병리학설(病理學說)을 주로 하고 실제의 치료에 대하여서는 그다지 기재되지 아니한 '소문(素問)'과 침구(鍼灸)에 관하여 주로 쓴 '영추(靈樞)'의 2 부로 되어 있음. 18권. 전국 시대로부터 한대(漢代)까지의 의학 지식이 포함되어 있음.
황제-도【皇帝島】명〘지〙전라 남도 서남해 상 완도군(莞島郡) 금일읍(金日邑) 동백리(桐栢里)에 위치한 섬. [0.60 km^2]
황제 사:중주곡【皇帝四中奏曲】명 〔도 Kaiser Quartett〕〘악〙황제[3](皇帝).
황제 숭배【皇帝崇拜】명 로마 황제를 신으로서 숭배하던 관념과 의례(儀禮).
황제 왈츠【皇帝―】〔waltz〕명〘악〙황제 원무곡.
황제 원무곡【皇帝圓舞曲】명 〔도 Kaiserwaltzer〕〘악〙요한 슈트라우스 2세가 작곡한 원무곡의 하나. 1888년 작(作). 신성 로마 제국 황제 프란츠 요제프(Franz Joseph) 1세 재위 40년을 기리어 작곡한 것임. 축전(祝典) 음악의 대표작의 하나임. 황제 왈츠.
황제-총【皇帝塚】명〘지〙함경 북도 회령(會寧)에 있는 중국 송(宋)나라 임금 흠종(欽宗)의 무덤. 함경 북도에 여진족들이 살 때, 흠종이 금(金)나라에 잡히어 와 죽어서 여기에 묻힘.
황제 펭귄【皇帝―】〔penguin〕명〘조〙[*Aptenodytes forsteri*] 펭귄과(科)의 새. 펭귄류(類)에서는 최대종(最大種)으로, 전장(全長)이 약 1.2m, 체중 25-45kg. 머리는 검은색, 등 쪽은 암회색(暗灰色)이고 목의 옆쪽은 황색이며 배는 흰색임. 남극 대륙에 집단으로 번식함. 엄한기(嚴寒期)에는 얼음 위를 걸어서 육지 주변에 모여 흰 색의 알을 한 개 낳는데, 이 알을 수컷이 발 위에 올려놓고 배에 있는 포란낭(抱卵囊)으로 덮어 약 60 일간을 따뜻하게 함. 그 동안 수컷은 절식(絶食)을 하기 때문에 체중(體重)이 반(半)으로 줆. 암컷은 빙원(氷原)을 왕복(往復)하면서 오징어를 잡아다가 부화(孵化)한 새끼에게 먹임. 그 후 자웅(雌雄)이 교대(交代)로 새끼를 키워 냄.
황제-풀이【黃帝―】명〘민〙성주풀이.
황제 협주곡【皇帝協奏曲】명 〔도 Kaiser Konzert〕〘악〙베토벤의 피아노 협주곡 제5번. 내림마장조(長調). 1809년 작곡, 루돌프 대공(大公)에게 헌정(獻呈)됨. 황제의 호칭은 곡(曲)이 당당(堂堂)하고 황제의 위대(偉大)함을 연상시키며, 피아노곡 중 으뜸이라는 뜻에서 붙여진 것임. ㊌황제.
황조[1]【皇祚】명〘역〙황제(皇帝)의 재위 연간(在位年間). 황위(皇位).
황조[2]【皇祖】명 ①황제(皇帝)의 조상(祖上). 제조(帝祖). ②황제(皇帝)를 지낸 선조(先祖). ③자기의 돌아간 할아버지의 존칭.
황조[3]【皇朝】명〘역〙황제(皇帝)의 조정(朝廷).
황조[4]【黃鳥】명〘조〙꾀꼬리.
황조-가【黃鳥歌】명〘문〙고구려 제2대 유리왕(瑠璃王) 3년(17B.C.)에 왕이 지었다는 우리 나라에서 가장 오래된 노래. 본실 송(宋)씨가 죽은 후 화희(禾姬)와 중국 태생의 치희(雉姬) 두 후실을 얻었는데, 서로 불화하여 싸우다가 치희가 중국으로 달아나, 왕이 몹시 비감하여 꾀꼬리의 쌍쌍이 노니는 것을 보고 지었다 함. 한문으로 전하는데, '翩翩黃鳥 雌雄相依 念我之獨 誰其與歸'임.
황조 근정 훈장【黃條勤政勳章】명〘법〙제2 등급의 근정 훈장. 수(綬)는 중수(中綬)이며, 주황색 바탕에 적색 줄이 여덟 줄 있음. *근정 훈장.
〈황조 근정 훈장〉
황-조기【黃―】명〘어〙서해(西海) 연안에서 '참조기'를 일컫는 말.
황-조롱이 명〘조〙[*Falco tinnunculus*] 맷과(科)에 속하는 새. 날개 길이 24-26cm, 꽁지는 16-17.5 cm이고 몸의 배면(背面)은 적갈색에 흑점이 있고 머리·허리·꽁지는 회청색임. 꽁지 끝에는 폭이 넓은 검은 띠가 있고, 몸의 하면은 담갈색에 흑색의 종반(縱斑)이 있음. 공중에 때때로 가만히 머무르기도 함. 여름에는 산에, 가을·겨울에는 들에 내려와 쥐·두더지·작은 새·곤충 등을 잡아먹고 4-5월에 4-5개의 알을 낳음. 유럽·아프리카·한국·일본 등지에 널리 분포함. *조롱이.

〈황조롱이〉

황조 소:성 훈장【黃條素星勳章】 명 〖법〗 제2 등급의 소성 훈장. 수(綬)는 중수(中綬), 홍색 줄이 두 줄, 청색 줄이 두 줄, 황색 줄이 두 줄, 중앙에 백색 줄이 한 줄 있음. '황조 근정 훈장'으로 바뀌었음.

〈황조 소성 훈장〉

황조 식물【黃藻植物】 명 〖식〗 규조(珪藻) 식물.

황조-어【黃條魚】 명 〖어〗 [*Labracoglossa argentiventris*] 황조어과에 속하는 바닷물고기. 길이 20 cm 가량으로 몸은 길고 옆으로 편평하며 큰 비늘로 덮여 있음. 몸빛은 등이 녹청색이고 배가 담회색인데, 등 부근에는 눈 후단에서 꼬리지느러미 기부(基部)까지 분명한 녹황색을 띤 세로띠가 있음. 한국 남부·제주도 연해·일본 중부 이남에 분포함.

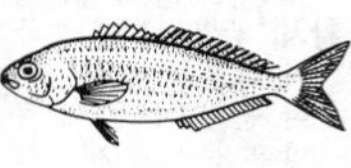

〈황조어〉

황조어-과【黃條魚科】 [―꽈] 명 〖어〗 [Labracoglossidae] 농어목에 속하는 어류의 한 과. 황조어·게르치 등이 이 과에 속함.

황족【皇族】 명 황제의 가까운 친족(親族). 양원(梁園). 제척(帝戚). ＊왕족(王族).

황족-보【皇族譜】 명 황족의 족보(族譜).

황족 회:의【皇族會議】 [―/―이] 명 황족이 모이어서 하는 친족 회의.

황종[1]【荒宗】 명 〖사람〗 거칠부(居柒夫).

황종[2]【黃鐘】 명 〖악〗 십이율(十二律)의 하나인 양률(陽律). 대금(大笒)의 첫째 구멍과 넷째 구멍을 떼고, 나머지 구멍을 모두 막고 낮게 불 때 나는 소리.

황종-관【黃鐘管】 명 〖악〗 조선 세종 때 음률의 기본인 12율을 정하는 척도(尺度)로서 대나무로 만들어 쓴 황종(黃鐘)의 음의 율관(律管). 뒤에 구리로도 만들어 썼으나 율(律)에 맞지 않아 채택되지 않음.

황종-궁【黃鐘宮】 명 〖악〗 조선 성종 때 원(元)나라 임우(林宇)의 대성악보(大成樂譜)의 영신악(迎神樂) 중에서 채택하여 문묘 제례악(文廟祭禮樂)으로 전하는 황종음을 으뜸으로 한 곡(曲).

황종-척【黃鐘尺】 명 〖악〗 주로 악기에 쓰는 자의 한 가지. 주척(周尺)으로는 6 촌(寸) 6 리(厘), 영조척(營造尺)으로는 8 촌 9 푼 9 리, 바느질자로는 1 척 3 촌(寸) 4 푼 8 리임.

황-종희【黃宗羲】 [―히] 명 〖사람〗 중국 명말(明末) 청초(淸初)의 유학자. 자는 태충(太沖), 호는 이주(梨州). 고증학의 선구자로 천문·역법·역사·문집 등에 관한 저술이 많음. 명(明)이 멸망할 시기에 민족주의적 사상을 지녔으며, 그의 정치론 ≪명이 대방록(明夷待訪錄)≫은 군주 독재(君主獨裁)를 부정한 혁명론으로, 청말의 양계초(梁啓超) 등의 정치 운동(政治運動)에 영향을 주었음. 그 밖의 저서에 ≪명유 학안(明儒學案)≫·≪송원 학안(宗元學案)≫ 등이 있음. [1610-95]

황주[1]【荒酒】 명 술에 빠짐. ――하다 자 여불

황주[2]【荒疇】 명 황폐한 전지(田地).

황주[3]【黃州】 명 〖지〗 황해도 황주군의 읍(邑)으로 군청 소재지. 군의 중앙 서부 산지와 3 면의 평야가 잇닿은 지점에 위치함. 송림선(松林線)의 시발점(始發點)이며, 곡물·사과·직물 등의 거래가 성함. 고려 초기의 황주 성터임.

황주[4]【黃州】 명 〖지〗 '황저우'를 우리 음으로 읽은 이름.

황주[5]【黃酒】 명 누룩과 차조 또는 차수수 등의 원료로 만든 담갈색 내지 흑갈색의 중국 술.

황주-강【黃州江】 명 〖지〗 황해도 서북부를 서류(西流)하는 대동강(大同江)의 지류. 황주군 동북부 언진 산맥에서 발원, 서류(西流)하여 대동강에 합류됨. 유역 일대는 비옥한 재령 평야(載寧平野)가 전개되어 있음. [99.6 km]

황주-군【黃州郡】 명 〖지〗 황해도의 한 군. 관내 2읍 11면. 도의 북부에 위치하며 북은 중화군, 동은 서흥군, 남은 봉산군, 서는 안악군에 인접함. 경의선(京義線)이 남북으로 관통하고 황주·송림 사이에 송림선이 통하고 있음. 주요 산물로는 농산물과 철·석탄 등의 광산이 있음. 특히, 사과는 질·양으로 한국 유수임. 명승 고적으로 황주성지(黃州城址)·월파루(月波樓)·성불사(成佛寺)·심택사(心澤寺)·정방산(正方山) 등이 있음. 군청 소재지는 황주읍.

황-주량【黃周亮】 명 〖사람〗 고려 시대 초기의 문신. 거란(契丹)의 침입으로 소실(燒失)된 실록 편찬에 참여, 덕종 1년(1032), 태조로부터 목종에 이르는 7대 실록을 완성함. 어사 중승(御史中丞)·정당 문학(政堂文學)을 거쳐 문하 시랑 평장사(門下侍郎平章事)를 역임함. 시호는 경문(景文). [?―?]

황주 목사계【黃州牧使戒】 명 〖문〗 삼설기(三說記)에 들어 있는 소설의 하나. 황주 목사 윤공이 세 아들의 장래에 대하여 한 예언이 적중하였다는 줄거리.

황주 준:평원【黃州準平原】 명 〖지〗 대동강(大同江) 이남 평양에서 황주에 이르는 일대에 전개된 낙랑 준평원(樂浪準平原)의 일부. 특히, 중화 이남 황주를 중심으로 한 소지역으로 낙랑 준평원과의 경계를 이루는 중화읍 부근에는 100 m 내외의 구릉이 연하여 있으나, 양자는 지질 구조·지형뿐만 아니라 인문 경관도 동일하여 양자를 합쳐서 평양 황주 준평원이라고도 함.

황죽【篁竹】 명 대숲. 숲을 이룬 대. 왕대.

황-준헌【黃遵憲】 명 〖사람〗 중국 청(淸)나라의 외교관. 자는 공도(公度). 조선 시대 고종 17년(1880) 주일 청국 공사관 참찬관(參贊官)으로 있을 때, 수신사로 일본에 간 김홍집(金弘集)에게 ≪조선 책략(朝鮮策略)≫을 지어 줌. 1882년 한미 수호 조약(韓美修好條約) 체결에는 이홍장(李鴻章)의 명을 받아 조약문(條約文)을 기초(起草)하였음. 뒤에 벼슬이 호남 안찰사(湖南按察使)에 이름. 생몰년 미상.

황줄-깜정이【黃―】 명 〖어〗 [*Kyphosus lembus*] 황줄깜정잇과에 속하는 바닷물고기. 몸길이 약 27cm. 모양이 도미와 비슷함. 몸빛은 회색 바탕에 누른 빛의 세로띠가 많음. 열대성어(熱帶性魚)로 우리 나라 남부와 일본·동인도 제도 등지에 분포함.

황줄깜정잇-과【黃―科】 명 〖어〗 [Kyphosidae] 농어목에 속하는 어류의 한 과. 이 과에는 황줄깜정이 1종이 알려져 있음.

황줄-돔【黃―】 명 〖어〗 [*Histiopterus typus*] 황줄돔과에 속하는 바닷물고기. 몸길이 약 35cm. 몸빛은 회흑색(灰黑色)이며, 좀 희귀한 어류로, 우리 나라 남해·일본 중부 이남 등지에 분포함. 식용함.

황줄돔-과【黃―科】 [―꽈] 명 〖어〗 [Histiopteridae] 농어목에 속하는 어류의 한 과. 황줄돔·육동가리돔·사자구 등이 이에 속함.

황줄-바리【黃―】 명 〖어〗 [*Aulacocephalus temmincki*] 농어과에 속하는 바닷물고기. 몸은 타원형, 몸빛은 농자색, 주둥이 끝에서 꼬리까지 황색의 넓은 띠가 있음. 열대성어(熱帶性魚)로 우리 나라 제주도, 일본 중부 이남에 분포함.

황줄-베도라치【黃―】 명 〖어〗 [*Pholis taczanowskii*] 황줄베도라칫과에 속하는 바닷물고기. 몸빛은 잿빛, 눈에서 가슴지느러미에 이어진 누른 빛의 줄이 하나 있음. 우리 나라 남동부 연해에 많이 분포함.

황줄베도라칫-과【黃―科】 명 〖어〗 [Pholidae] 농어목(目)에 속하는 어류의 한 과. 이 과에는 괴도라치·베도라치·황줄베도라치 등이 있음.

황증【黃蒸】 명 〖농〗 보리나 밀에 황(黃)이 내리어 누렇게 된 병. 맥황(麥黃).

황-증손【皇曾孫】 명 황제의 증손.

황지[1]【荒地】 명 〖농〗 거칠거나 묵은 땅. 개간(開墾)하지 아니하여 생산력이 없는 토지.

황지[2]【黃地】 명 [황(黃)은 흙의 빛깔] 대지(大地). 땅.

황지[3]【黃池】 명 〖지〗 ①강원도 태백시(太白市)에 있는 낙동강 원류(源流)의 하나가 되는 못. ②전에, 강원도 삼척군의 한 읍(邑). 1981년에 장성읍(長省邑)과 함께 태백시(太白市)로 됨.

황지[4]【黃紙】 명 ①누른 빛깔의 종이. ②고정지(藁精紙).

황지[5]【潢池】 명 사수(死水)가 흥건하게 괴어 있는 못.

황지[6]【隍池】 명 성(城) 밖에 빙 둘러서 파 놓은 물이 없는 성지(城池). ＊해자(垓字).

황-진[1]【黃進】 명 〖사람〗 조선 시대 선조(宣祖) 때의 무신. 자는 명보(明甫), 호는 아술당(蛾述堂). 장수(長水) 사람. 통신사 황윤길(黃允吉)을 따라 일본에 다녀와서 일본의 침공을 예언하였음. 임진 왜란이 일어나자 각처에서 왜군을 격퇴하여, 그 공으로 충청도 병마 절도사에 이름. 적의 대군이 진주(晋州)를 공격하자 진주성에 들어가 역전(力戰)하다가 전사함. 시호는 무민(武愍). [?-1593]

황진[2]【黃塵】 명 ①누른 빛의 흙 먼지. ②속진(俗塵).

황진 만:장【黃塵萬丈】 명 누런 먼지가 바람에 날리어 하늘 높이 치솟는 모양.

황-진이【黃眞伊】 명 〖사람〗 조선 시대 중종·명종(明宗)·선조(宣祖) 때의 명기(名妓). 자는 명월(明月). 별명은 진랑(眞娘). 재색을 겸비하고, 한시와 시조에 특재가 있었음. 서경덕(徐敬德)·박연 폭포와 아울러서 송도 삼절(松都三絶)이라 자칭하였음. 작품으로는 한시 4 수가 있고, 그 밖에 시조 6 수가 ≪청구 영언(靑丘永言)≫에 전함. 생몰년 미상.

황진 지대【黃塵地帶】 명 [dust bowl] 〖기후〗 1935년 초두(初頭)에 한발(旱魃)과 황진으로 말미암은 미국 중남부에 붙여진 이름. 콜로라도(Colorado)·캔자스(Kansas)·뉴멕시코(New Mexico)·텍사스(Texas)·오클라호마(Oklahoma) 등이 포함됨. 자연 식생(自然植生)의 파괴에 의한 토양(土壤)의 황폐(荒廢)와 오랫동안의 건조로 인하여 발생함.

황-집중【黃執中】 명 〖사람〗 조선 시대 중기의 화가. 자는 시망(詩望), 호는 영곡(影谷). 창원(昌原) 사람. 두드러진 벼슬은 없음. 그림은 ≪포도도(葡萄圖)≫로 유명함. [1533-?]

황:차【況且】 부 [→항차] '하물며·황(況)'의 뜻의 접속 부사.

황-찬【黃瓚】 명 〖사람〗 중국 명나라 선종 때의 사람. 자는 의장(宜璋). 훈민 정음 창제에 많은 영향을 끼친 음운 학자라고 와전(訛傳)되어 오는 인물. 당시에 랴오둥(遼東)에서 귀양살이하고 있는 황찬을 찾아갔던 신숙주 등은 당시 세종 대왕의 뜻을 받들어 갔던 것이며, 훈민 정음 창제와는 관련이 없음. 생몰년 미상.

황참【隍塹】 명 마른 도랑. 성(城) 밖에 만든 물 없는 도랑.

황창랑-무【黃昌郞舞】 [―낭―] 명 [나이 일곱 살에 백제에 들어가 칼춤으로 이름을 떨쳤다는 신라 소년 황창랑에서 유래] '칼춤'을 달리 이르는 말.

황채【黃菜】 명 늙은 오이를 잘게 썰어서 양념하여 볶은 나물.

황책【黃册】 명 〖역〗 ↗부역 황책(賦役黃册).

황처-령【黃處嶺】 명 〖지〗 평안 남도 영변군(寧邊郡)에 있는 재. 묘향 산맥 중에 있음. [1, 124 m]

황척【荒瘠】 명 토지가 거칠고 메마름. ――하다 형 여불

황천[1]【皇天】 명 ①크고 넓은 하늘. ②상제(上帝). 하느님.

황천[2]【荒天】 명 비바람이 심한 천후(天候).

황천[3]【黃泉】 명 [중국 오행(五行)에서 땅 빛을 노랑으로 한 데서 나온 말] ①지하(地下)의 샘. ②사람이 죽어서 간다는 곳. 저승. 중천(重泉). 명도(冥途). 황토(黃土). 황양(黃壤). 구천(九泉). ③〖기독교〗 음부(陰府).

황천[4]【潢川】 명 〖지〗 '황촨'을 우리 음으로 읽은 이름.

황천-객【黃泉客】 명 황천으로 가는 길손. 곧, 사자(死者).

황천객이 되다 구 죽다. ¶노중에서 유행병을 얻어서 이내 낫지 못하고 황천객이 되었소구려≪崔瓚植:綾羅島≫.

황천-길【黃泉―】 [―낄] 명 죽어서 저승으로 가는 길. 곧, 죽음의 길.

황천-담【黃泉潭】 명 〖지〗 금강산(金剛山) 명경대(明鏡臺) 앞에 있는 못

의 이름.

황천 해:원경【黃泉解冤經】명 〖민〗 무당들이, 죽은 사람의 영혼이 좋은 곳으로 가라고 읊는 한문 경문(經文)의 하나.

황천 후토【皇天后土】명 하늘의 신(神)과 땅의 신. 천지(天地)의 신령(神靈). 천신 지기(天神地祇).

황철-광【黃鐵鑛】명 〔pyrites〕〖광〗 입방 정계(立方晶系)의 결정(結晶). 대개는 괴상(塊狀)·입상(粒狀)이며, 놋쇠 같은 담황색이고 조흔(條痕)은 녹흑색(綠黑色)임. 철과 황을 주성분으로 하며, 금과 은을 함유한 것은 금은광(金銀鑛)으로서 채굴함. 암석 중에 가장 널리 분포되어 있는 황화합물(黃化合物)로서 철광석으로는 이용되지 않고 주로 황·황산의 제조에 이용되며, 때로 구리·철의 정련(精錬)에 사용함. [FeS_2]

황철-나무 【黃鐵—】〔—라—〕 명 〖식〗 〔*Populus maximowiczii*〕 버드나뭇과에 속하는 낙엽 활엽 교목. 높이 15-20 m이고 나무 껍질은 암회색인데 잎은 호생하고, 두꺼운 달걀꼴 또는 타원형임. 길이 6-8 cm이며 표면은 짙은 녹색, 이면(裏面)은 백색에 가는 엽맥이 분명하고 가의 톱니는 잘고 유병(有柄)임. 자웅이주(雌雄異株)로, 잎이 나기 전 첫봄에 적갈색 꽃이 5-7 cm의 화수(花穗)로 늘어져 피고, 삭과(蒴果)는 달걀꼴 모양의 구형인데 면모(綿毛)가 있음. 깊은 산이나 물가에 나는데, 한국·홋카이도·일본·중국 동북부·아무르 지방에 분포함. 재목은 성냥개비·세공물·경목(經木)·포장 상자·화약 상자·제지용으로 쓰임. 백양(白楊).

〈황철나무〉

황철나무-잎벌레 〔—라—〕 명 〖충〗 〔*Chrysomela populi*〕 잎벌렛과의 곤충. 몸길이는 10 mm 내외임. 몸빛은 광택 있는 흑람색이며, 시초(翅鞘)는 등갈색이고 촉각의 말단 5 절(節)과 수염은 흑색이며, 전배판(前背板)의 양측에 한 개의 종구(縱溝)가 있음. 황철나무·버드나무류의 해충(害蟲)으로, 한국에도 분포함.

황철 니켈광【黃鐵—鑛】〔nickel〕명 〖광〗 니켈의 주요 광석. 등축 정계(等軸晶系). 괴상(塊狀) 또는 입상(粒狀)으로 산출하며, 황색의 금속 광택으로 불투명함. 경도(硬度) 3.5-4, 비중(比重) 4.6-5.0 임. 산지(產地)로는 캐나다의 서드버리 광산(Sudbury 鑛山)이 유명함.

황철-산【黃鐵山】〔—싼〕명 〖지〗 평안 북도 강계군(江界郡)에 있는 산. [1,124m]

황청【黃淸】명 누르고 품질이 좋은 꿀의 한 가지.

황청경-해【皇淸經解】명 〖책〗 중국 청(淸)나라의 완원(阮元)이 제자 엄걸(嚴杰)에 명하여, 고염무(顧炎武)·염약거(閻若璩)·호위(胡渭)·모기령(毛奇齡) 등의 청대(淸代) 여러 학자의 경해(經解)·유서(儒書) 등을 편집케 하여 만든 총서(叢書). 180여 종으로 1,400권을 도광(道光) 9년(1829) 9월에 간행하였는데, 그 후 광서 연간(光緖年間)에 왕선겸(王先謙)이 그 후의 학자들의 저서를 모아서 속황청경해(續皇淸經解) 1,430권을 펴냈음.

황체[1]【黃帖】명 〖역〗 조선 시대 때, 인삼(人蔘) 상인이 강계(江界)로 내려갈 때, 일정한 세를 물고 호조(戶曹)에서 발급(發給) 받는 일종의 여행 증명서.

황체[2]【黃體】명 〖생〗 여성 또는 동물의 암컷의 난소(卵巢)에서 알이 배출된 뒤에 난소 여포(濾胞)가 변화한 것. 일종의 내분비선과 같은 역할을 하여 자성(雌性) 호르몬을 분비함.

황체-기【黃體期】명 〖생〗 여성이 황체 호르몬을 분비하는 기간. 이 기간에 체온은 항상 고온을 나타내고 대사(代謝)·자율 신경·정신 신경 상태가 여느 때와 다르며 전체적으로 불안정한 상태임.

황체 형성【黃體形成】명 〔luteinization〕 배란(排卵) 후에 난포 세포(卵胞細胞)가 황체 세포로 변화하는 일.

황체 형성 호르몬【黃體形成—】명 〔luteinizing hormone〕〖생〗 척추동물(脊椎動物)의 선성 뇌하수체(腺性腦下垂體)로부터 분비(分泌)되는 당(糖) 단백질 호르몬. 암컷에서는 성숙 난포(成熟卵胞)에 작용하여 발정(發情) 호르몬의 분비·배란(排卵) 및 황체 형성을 촉진하고, 수컷에서는 고환(睾丸)의 간세포(間細胞)를 자극하여 웅성(雄性) 호르몬 분비를 자극함.

황체 호르몬【黃體—】〔hormone〕명 〖생〗 알이 배출된 뒤에 난소(卵巢)의 황체에서 생성(生成)되는 호르몬. 발정(發情) 현상을 억제하며 자궁벽(子宮壁)을 수태(受胎) 가능한 상태로 하는 작용이 있음. 프로게스테론(Progesteron).

황-초[1]【黃—】명 ①꼭지만 빼어 놓고 전체가 누른 연(鳶). ②밀초. 황촉(黃燭).

황초[2]【皇礎】명 〖역〗 황기(皇基).

황초[3]【荒草】명 ①거칠게 자라서 무성한 풀. ②알아보기 어렵게 갈겨 쓴 초서(草書).

황초[4]【黃草】명 마른 갈대.

황초[5]【黃貂】명 〖동〗 노랑담비. 담비.

황초-령【黃草嶺】명 〖지〗 함경 남도 장진군(長津郡) 신남면(新南面)과 함주군(咸州郡) 하기천면(下岐川面) 사이에 있는 재. [1,200 m]

황초령 신라 진흥왕 순수비【黃草嶺新羅眞興王巡狩碑】〔—실—〕 명 〖역〗 함경 남도 함주군(咸州郡) 황초령에 있는 신라 진흥왕의 순수비. 진흥왕이 북변(北邊)을 순수할 때의 사실을 기록하였음. 높이 석 자 여덟 치, 넓이 한 자 다섯치, 두께 일곱 치, 글자의 직경이 여덟 푼 되는 해서(楷書)로 썼음.

황초-절【黃草節】명 목장(牧場)에서 마른 풀을 먹이어 목축(牧畜)하는 시기. 곧, 음력 10월에서 이듬해 4월까지의 7 개월간의 계절. *청초절(靑草節).

황촉【黃燭】명 밀초. 황초.

황-촉규【黃蜀葵】명 〖식〗 닥풀.

황촌【荒村】명 황폐하여 적적한 촌락.

황총【荒塚】명 황폐해진 무덤. 황분(荒墳).

황촨〔潢川〕명 〖지〗 중국 허난 성(河南省)의 도시. 신양(信陽)의 동방 90 km, 화이허(淮河) 강의 지류 황수이(潢水) 강의 좌안(左岸)에 있음. 쌀의 집산지이며, 면포·피혁·죽제품을 산출하고, 부근에는 동광(銅鑛)의 매장이 있음. 또, 황수이 강 상류에는 화이허 강 치수(治水) 공사의 일환으로서, 룽산(龍山) 댐이 근년에 완성됨. 허난 성 남동 돌출부의 교통의 요충임. 황천. [613,000명(1982 추계)]

황축【惶蹙】명 황송하여 몸을 움츠림. 공축(恐縮). ——-하다 자여불

황충【蝗蟲】명 〖충〗 누리[1].

황충-이【蝗蟲—】명 〖충〗 ☞ 황충(蝗蟲).

황충 포제【蝗蟲酺祭】명 조선 시대에, 누리의 해를 입지 않게 가을에 지내던 포제(酺祭).

황충-해【蝗蟲害】명 누리로 인하여 생기는 해.

황취【荒醉】명 술이 몹시 취함. ——-하다 자여불

황-치마【黃—】명 위의 반은 희고, 아래의 반은 누른 연(鳶).

황칙【皇勅】명 〖역〗 황제(皇帝)의 조칙(詔勅).

황친【皇親】명 황족(皇族).

황-칠【黃漆】명 황칠나무의 진(津)으로 만든 누른 빛깔의 칠.

황칠-나무【黃漆—】〔—라—〕명 〖식〗 〔*Textoria morbifera*〕 두릅나뭇과의 상록 활엽 교목. 잎은 달걀꼴 또는 타원형인데 삼행맥(三行脈)이 있고, 톱니가 없으며 어린 가지의 잎은 3-5갈래로 심렬(深裂)함. 꽃은 산형(繖形) 화서로 여름에 피고 핵과(核果)는 10월에 까맣게 익음. 일본산 황철나무에 비해 수즙(樹汁)이 황색임. 산기슭의 숲 속에 나는데, 제주 및 전남의 단도·대흑산도·어청도와 경남에 분포하며, 관상용이고 수즙(樹汁)은 황칠로 씀.

황탁【黃濁】명 누렇게 흐림. ——-하다 자여불

황탄【荒誕】명 말이나 하는 짓이 허황(虛荒)함. 황당(荒唐). ——-하다 형여불. ——-히 부

황탄 무계【荒誕無稽】명 언행(言行)이 허황하여 믿을 수가 없음. 황당무계(荒唐無稽). ——-하다 형여불

황탐【荒耽】명 주색(酒色)에 함빡 빠짐. ——-하다 자여불

황태[1]【荒怠】명 언행이 거칠고 일을 게을리함. ——-하다 자여불

황태[2]【黃太】명 노랑태의 한자말.

황태[3]【黃苔】명 〖한의〗 위열(胃熱)로 인하여 혓바닥에 누른 빛의 이끼 같은 것이 끼는 병.

황-태손【皇太孫】명 〖역〗 황위(皇位)를 이을 황손(皇孫). 준태손(太孫).

황태손 강:서원【皇太孫講書院】명 〖역〗 대한 제국 때 황태손(皇太孫)의 강서(講書)와 보도(輔導)를 맡은 관아. 고종 광무(光武) 7년(1903)에 베풀어서 동 9년에 폐함.

황-태자【皇太子】명 〖역〗 황위(皇位)를 이을 황자(皇子). 동궁(東宮). 원량(元良). 이극(貳極). 저군(儲君). 저궁(儲宮). 저이(儲貳). 춘궁(春宮). 춘저(春邸). 황사(皇嗣). 황저(皇儲). 준태자.

황태자궁 시:강원【皇太子宮侍講院】명 〖역〗 대한 제국 때 황태자의 궁사(宮事) 및 시종(侍從)과 시강(侍講)을 맡은 궁내부(宮內府)의 소속 아문. 광무(光武) 원년(1897)에 왕태자궁 시강원(王太子宮侍講院)의 고친 이름.

황태자-비【皇太子妃】명 〖역〗 황태자의 비(妃).

황태자비-궁【皇太子妃宮】명 〖역〗 조선 시대 고종(高宗) 광무(光武) 원년(1897)에 왕태자비궁(王太子妃宮)의 고친 이름. 동 6년에 폐하였다가, 이듬해에 다시 베풀어서 순종 융희(隆熙) 원년(1907)에 폐함.

황-태제【皇太弟】명 황위를 계승할 현황제의 동생.

황-태후【皇太后】명 〖역〗 ①황제(皇帝)의 생존(生存)한 모후(母后). ②선제(先帝)의 생존한 황후(皇后). 이 때 항렬(行列)은 따지지 않고 황통(皇統)으로만 따짐. 준태후(太后).

황택【皇澤】명 황제의 은택.

황토[1]【皇土】명 황제의 영토.

황토[2]【荒土】명 거친 토지. 불모(不毛)의 땅.

황토[3]【黃土】명 ①누르고 거무스름한 흙. ②〖광〗 대륙의 내지(內地)에서, 풍화로 인하여 부스러진 암석의 세진(細塵)이 바람에 날려와 쌓인 담황색 흙. 화북(華北) 특히 황하 유역 및 유럽·북미 등지에 분포하고 있음. 뢰스(loess). ③가루 모양의 산화철(酸化鐵)로서, 보통 점토(粘土)에 혼합되어 있음. 안료(顔料)·도료(塗料)·리놀륨(linolium) 또는 제지(製紙)의 원료 등에 씀. 오커(ocher). 오크르(ocre). ④황천(黃泉). ⑤주토(朱土).

황토-령【黃土嶺】명 〖지〗 함경 남도의 풍산군(豐山郡) 풍산면(豐山面)과 천남면(天南面) 사이에 있는 재. [1,589 m]

황토-물【黃土—】명 황토수(黃土水).

황토-밭【黃土—】명 누르고 거무스름한 흙으로 이루어진 밭.

황토-벽【黃土壁】명 〖건〗 황토를 바른 벽.

황토-산【黃土山】명 〖지〗 천봉산(天奉山)의 이명(異名).

황토-색【黃土色】명 황토(黃土)의 누르고 거무스름한 빛깔. 또, 그와 같은 빛깔.

황토-수【黃土水】명 〖한의〗 지장(地漿).

황토-암【黃土岩】명 〖지〗 함경 북도 무산군(茂山郡) 삼사면(三社面)에 있는 산. 마천령 산맥 중에 솟아 있음. [2,043 m]

황토 인형【黃土人形】명 황토 속에 생긴 탄산 칼슘(calcium)의 결핵체(結核體). 모양이 불규칙하여 때때로 인형과 같은 모양의 것이 있으므로 이렇게 일컬음.

황토-층【黃土層】명 〖지〗 황토가 퇴적(堆積)하여 이루어진 지층(地層). *황토(黃土).
황-토호【黃兎毫】명 〖공〗 흑유(黑釉)에 황갈색의 세모반(細毛斑)이 있는 자기(瓷器).
황톳-길【黃土—】명 누르고 거무스름한 흙으로 이루어진 길.
황통【皇統】명 황제의 계통(系統). 왕통(王統). 홍통(洪統).
황통이 명 〈방〉〖충〗 말벌.
황-파[1]【黃—】명 〈방〉 움파.
황파[2]【荒波】명 거친 물결. 거센 파도.
황-판지【黃板紙】명 볏짚·보릿짚 또는 휴지 따위를 원료로 하여 떠낸 하급 판지.
황패[1]【荒敗】명 ①황폐하고 파괴됨. ②황음(荒淫)하여 몸을 버림. ——-하다 자여불
황패[2]【黃牌】명 〖역〗 고려 충렬왕 때, 시부(詩賦)로써 초출(初出) 문신(文臣)을 친시(親試)하고, 급제자에게 내린 증서. *홍패(紅牌).
황평 양:서【黃平兩西】[—냥—] 명 〖지〗 황해도와 평안도를 합하여 일컫는 말. 양서(兩西).
황폐[1]【荒弊】명 거칠고 피폐함. ——-하다 자여불
황폐[2]【荒廢】명 그냥 버려 두어 거칠고 못쓰게 됨. ——-하다 자여불
황폐 계류【荒廢溪流】명 〖지〗 경사(傾斜)는 급하고 길이는 짧아서 보통 때는 물이 잘 흐르나, 큰비가 오면 물살이 사납게 내리 질리어서 흙·모래·잔돌 등이 많이 씻기어서 몹시 패어진 골짜기.
황폐-화【荒廢化】명 황폐하게 되는 일. 황폐하게 만드는 일. ——-하다 자타여불
황포[1]【荒暴】명 성질이 거칠고 사나움. ——-하다 형여불
황포[2]【黃布】명 누른 빛깔의 포목(布木).
황포[3]【黃袍】명 〖역〗 누른 곤룡포(袞龍袍). 황제(皇帝)의 예복(禮服)임.
황포[4]【黃埔】명 〖지〗 '황푸'를 우리 음으로 읽은 이름.
황포-강【黃浦江】명 〖지〗 황푸 강.
황포 군관 학교【黃埔軍官學校】명 황푸 군관 학교.
황포돛-배【黃布—】명 황토흙으로 누렇게 물들인 광목으로 돛을 만들어 단 돛배.
황포-차【黃包車】명 중국 상해(上海)에서, 고무 바퀴의 인력거(人力車)를 이르는 말.
황푸〔黃埔〕명 〖지〗 중국 광둥 성(廣東省) 광저우(廣州) 교외(郊外), 주장(珠江) 강의 북안(北岸)에 있는 항구(港口) 도시. 쑨 원(孫文)이 창설한 국민당(國民黨)의 군관 학교로 알려짐. 황포.
황푸 강【—江】〔黃浦〕명 〖지〗 중국 장쑤 성(江蘇省) 동남부의 강. 진산(金山) 부근에서 동북류(東北流)하여 우쑹(吳淞)에서 양쯔 강(揚子江)에 합류함. 외양(外洋) 기선도 상하이(上海)까지 항행할 수 있고 수만 톤의 기선을 댈 수 있음. 황포강. [96 km]
황푸 군관 학교【—軍官學校】〔중 黃埔〕명 1924년, 중국 광둥(廣東) 교외 황푸에 설치했던 중국 국민당의 사관 학교. 교장은 장 제스. 혁명 달성을 위하여 당의 군대 건설을 목적으로 하였음. 황포 군관 학교.
황풍【皇風】명 ①천자의 덕화(德化). ②제국의 풍습.
황필【黃筆】명 ↗황모필(黃毛筆).
황-하【黃河】명 〖지〗 '황허'를 우리 음으로 읽은 이름.
황-하다【荒—】형여불 성질이 차근차근하지 못하고 거칠다.
황하 문명【黃河文明】명 황허 문명.
황하-청【黃河淸】명 〖악〗 풍악(風樂)의 이름.
황학-루【黃鶴樓】[—누] 명 〖지〗 황허루.
황학-산【黃鶴山】명 〖지〗 충청 북도 영동군(永同郡) 상촌면(上村面)·매곡면(梅谷面)과 경상 북도 김천시(金泉市) 대항면(代項面) 사이에 있는 산. [1,111 m]
황학-정【黃鶴亭】명 〖지〗 서울 사직 공원(社稷公園) 뒤 인왕산(仁旺山) 기슭에 있는 사정(射亭). 원래 경희궁(慶熙宮) 안에 두었으나, 1922년에 이 곳으로 옮김.
황-학치【黃鶴—】명 〖어〗 [*Aspasma ciconiae*] 학치과에 속하는 바닷물고기. 몸길이 6cm 내외로 조금 긴 편이고, 앞쪽은 폭이 넓고 종편되었으며, 주둥이는 약간 길고 납작함. 몸 전체에 비늘이 없고 점액이 풍부하며, 몸빛은 생시에는 적갈색·등색 혹은 황색임. 한국 제주도·일본 남부 연안에 분포함.
황한[1]【惶汗】명 두렵고 황송해서 흐르는 땀.
황한[2]【黃汗】명 〖한의〗 달병(疸病)의 한 가지. 열이 나고 몸이 부으며 누른 땀이 나는 증세(症勢).
황한[3]【蝗旱】명 누리의 피해와 가물음.
황합【黃蛤】명 〖조개〗 모시조개.
황-해[1]【黃海】명 〖지〗〔황하(黃河)의 물이 흘러 들어와 빛이 누르므로 이름〕 한반도(韓半島)와 중국 대륙과의 사이에 있는 바다. 곧, 중국 양쯔 강(揚子江)의 어귀와 제주도(濟州島)를 이은 선에서 압록강 어귀에 걸친 서쪽 바다. 최대(最大) 심도(深度) 103 m, 평균 심도 44 m임. 중간부(中間部)는 진흙이고 연안은 모래질로서 간만(干滿)의 차가 비교적 큼. 세계 굴지의 천해(淺海)로 훌륭한 어장(漁場)을 이룸. 우리 나라에서는 서해(西海)라고도 일컬음. [136,500 km²]
황해[2]【蝗害】명 황재(蝗災).
황해-도【黃海道】명 〖지〗 우리 나라의 한 도. 관내 1시 17군. 한국 중서부(中西部)에 있으며 북은 평안 남도, 동은 강원도와 함경 남도, 남은 경기도, 서는 서해(西海)에 접함. 주민의 대부분은 농림·목축을 업으로 함. 철·금·규사(硅砂) 등의 광산물이 풍부하며 재령 평야(載寧平野)의 쌀, 황주(黃州)의 사과, 연평도(延坪島)의 조기는 특히 유명함. 고명(古名)으로 관내도(關內道)·서해도(西海道)·풍해도(豐海道) 등이 있음. 명승 고적으로는 황주성(黃州城)·배천 온천(白川溫泉)이 있음. 도청 소재지는 해주시(海州市). 해서(海西). [17,000 km²]
[황해도 처녀] 밤낮을 분간 못함의 비유. [황해도 판수 가얏고 따르듯] 멋도 모르고 무턱대고 허둥지둥 뒤따라 가는 것을 말함.
황해-비단고둥【黃海緋緞—】명 〖조개〗 [*Umbonium thomasi*] 비단틀이고둥과에 속하는 조개. 패각(貝殼)은 원추형(圓錐形)으로 높이는 12 mm, 지름 16 mm 가량이며, 나층(螺層)은 7개이고 밑면은 평평함. 누른 빛을 띤 회백색(灰白色)에 파상(波狀)의 암회색 방사상(放射狀) 무늬가 있고 각정부(殼頂部)와 봉합부(縫合部)는 자갈색임. 중국 및 한국 서해안(西海岸)에 분포함. 알락납작고둥.
황해-선【黃海線】명 〖지〗 황해도 해주에서 옹진(甕津)에 이르는 철도선. 협궤임. 1930년 12월 11일 개통. [40.3 km]
황해-쑥【黃海—】명 〖식〗 [*Artemisia nutantiflora*] 국화과에 속하는 다년초. 줄기 높이 1 m 가량이고 잎은 호생하며 유병(有柄)이고 우상심렬(羽狀深裂)하는데, 열편(裂片)은 달걀꼴의 긴 타원형 또는 피침형으로 향기가 남. 7월에 담갈색 양성화(兩性花)가 원추(圓錐) 화서로 피고, 과실은 수과(瘦果)임. 들에 나는데, 황해도 신천(信川) 및 서흥(瑞興) 지방에 분포함. 어린 잎은 식용함.
황해 해:류【黃海海流】명 〖지〗 쓰시마 해류(対馬海流)의 일부가 제주도 남쪽에서 갈라져 제주도의 서쪽을 지나 황해 쪽으로 흘러드는 난류. 그 세력은 매우 약한데, 봄부터 북상하여 여름에는 보하이 만(渤海灣)까지 미침.
황해 해:전【黃海海戰】명 〖역〗 ①청일 전쟁(淸日戰爭) 중, 최대의 해전. 1894년 9월에 황해에서 일본의 연합 함대가 청(淸)나라의 북양(北洋) 함대를 격파함. ②러일 전쟁 중의 해전. 1904년 8월에 일본의 연합 함대가 러시아의 태평양 함대의 뤼순(旅順) 탈출을 저지함.
황허[1]【荒墟】명 황폐한 폐허.
황-허[2]〔黃河〕명 〖지〗〔물에 황토가 섞여 누른 빛으로 흐려 있어 이 이름이 있음〕 중국 제2의 대하(大河). 통칭 허(河). 칭하이 성(靑海省) 바옌카라 산맥(巴顔喀喇山脈)의 북쪽 기슭에서 발원하여 산시(陝西)·산시(山西)의 성경(省境)을 남하(南下)하고 펀수이(汾水) 강·웨이수이(渭水) 강·뤄수이(洛水) 강 등의 대지류(大支流)를 합하여, 보하이(渤海)로 흘러 들어감. 그 유역은 중국의 역사·문명의 발상지임. 3천 년래 2년마다 한번의 비율로 범람했으며 수로(水路)도 자주 바뀌었음. 현재의 수로는 1947년에 바뀐 것이며, 1855-1937년의 수로와 같음. 수해(水害)는 중국 최대의 우환의 하나로, 우(禹)의 치수(治水) 전설도 이에서 생김. 세계 제8위. 황하. [5,464 km]
황허-루【—樓】〔黃鶴〕명 〖지〗 중국 후베이 성(湖北省) 우창(武昌) 성안 황학산(黃鶴山)에 있는 고루(高樓). 양쯔 강(揚子江)을 조망(眺望)하는 경치가 아름답기로 유명함.
황허 문명【—文明】〔중 黃河〕명 고대 문명의 하나. 중국 황허 유역에 발생함. 신석기(新石器) 시대의 농경 문명(農耕文明)을 가리키며, 그 대표적 유적인 허난 성의 양사오(仰韶), 산둥 성의 룽산(龍山)의 지명을 따서, 양사오 문화(仰韶文化), 룽산(龍山) 문화로 불림. 수혈 주거(竪穴住居)에 살았으며, 채도(彩陶)·흑도(黑陶)·회도(灰陶) 등의 토기(土器)를 사용함. 원시(原始) 종교를 갖고 씨족을 단위로 취락(聚落)을 형성하였음.
황헌【皇憲】명 황제가 정한 규칙.
황-현【黃玹】명 〖사람〗 대한 제국 때의 시인. 자는 운경(雲卿), 호는 매천(梅泉). 전남 광양(光陽) 출신. 향리에서 시작(詩作)에 전심함. 우국 애족(憂國愛族)의 자세로 일관, 1910년 국치(國恥)를 당하자 자살함. 저서에 ≪매천 야록(梅泉野錄)≫이 있음. [1855-1910]
황혈-염【黃血塩】[—렴] 명 〖화〗 페로시안화 칼륨(ferrocyan 化 kalium).
황협-어【黃頰魚】명 〖어〗 자가사리.
황협어-전【黃頰魚煎】명 자가사리 지짐이.
황형[1]【皇兄】명 황제의 형.
황형[2]【黃荊】명 〖식〗 광대싸리.
황-형[3]【黃衡】명 〖사람〗 조선 시대 중종(中宗) 때의 무신. 자는 언평(彦平). 창원(昌原) 사람. 삼포 왜란(三浦倭亂) 때 전라 좌도 방어사(全羅左道防禦使)가 되어 왜적을 무찔렀으며 공조 판서(工曹判書)를 지냈음. [1459-1520]
황호 명 〈옛〉 황아. ¶우리 황호 다 폴고(我貨物都賣了) ≪老乞 下 59≫/정히 도라갈 황호 사려 ᄒᆞ여(正要買廻去的貨物) ≪老乞 下 59≫.
황-호접【黃蝴蝶】명 〖충〗 노랑나비❶.
황호젼 명 〈옛〉 황아를 파는 전방(廛房). ¶북녁골 거리 향ᄒᆞ야 잡황호젼 나는ᄃᆡ 곳 긔라(北巷裏向街開雜貨鋪兒便是)≪老乞 上 44≫.
황혹【惶惑】명 황송하여 어찌할 바를 모름. ——-하다 형여불
황혼【黃昏】명 ①해가 지고 어둑어둑할 때. 혼모(昏暮). 엄혼(殗昏). 상유(桑楡). 퇴경(頹景). ②한창인 고비를 지나 쇠퇴하여 종말(終末)에 이른 때. ¶인생의 ~기.
황혼-시【黃昏視】명 〖의〗 암소시(暗所視).
황혼 연:설【黃昏演說】[—년—] 명 '노인의 잔소리'를 이르는 말.
황혼-월【黃昏月】명 저녁 달.
황홀【恍惚·怳惚·慌惚】명 ①광채가 어른어른하여 눈이 부심. ②사물(事物)에 마음이 팔려 멍하니 서 있는 모양. ③미묘하여 헤아려 알기 어려움. ④흐릿하여 분명하지 아니함. ——-하다 형여불. ——-히 부
황홀-경【恍惚境】명 황홀한 경지나 지경.
황홀 난측【恍惚難測】[—란—] 명 황홀하여 분별(分別)하기가 어려움. ——-하다 형여불
황화[1]【皇化】명 황제의 덕화(德化).
황화[2]【皇華】명 〖역〗 옛날 중국 사신(使臣)을 칭송하여 이르는 말.

황화[3]【荒貨】 명 →황아.

황화[4]【黃化】 명 ①〔sulfuration〕〖화〗 황(黃)과 어떤 물질이 화합하는 일. ②〖식〗 빛의 결핍으로 식물 세포(植物細胞)가 엽록소(葉綠素)를 형성하지 못하는 현상. 곧, 녹색 식물을 어두운 곳에서 기르면 빛을 필요로 하지 않는 카로티노이드(carotinoid)만 형성되어 녹색이 되어야 할 부분이 황색으로 되는 현상. 황화와 동시에 섬화(纖化)를 일으키는 것이 보통임. 위황병(萎黃病). 황화 현상. ＊백화(白化)·섬화(纖化)·황섬화(黃纖化). ——-하다 자여불

황화[5]【黃花·黃華】 명〖식〗 ①누른 빛깔의 꽃. ②국화(菊花)의 꽃. ③황국(黃菊).

황화[6]【黃華】 명〔flower of sulphur〕〖화〗 조제(粗製)의 황을 증류·기화(氣化)하여 응집실(凝集室)로 도입(導入), 112℃ 이하로 고체화하여 얻은 분말상의 황색의 황. 천연으로는 유황천(泉)의 용출구 부근에 침전·퇴적함. 승화황(昇華黃).

황-화[7]〔黃華〕 명〖사람〗 중국의 외교관. 1953년 판문점 휴전 회담의 중국 수석 대표로 참석하고, 1971년에 캐나다 대사를 역임, 1978년 외상(外相)을 거쳐 92년까지 중앙 고문 위원회 상무 위원을 지냄. [1910-]

황화[8]【黃禍】 명〔yellow peril〕 황색 인종이 발흥하여 다른 인종, 특히 백색 인종을 침해하리라는 화해(禍害). ↔백화(白禍). ＊황화론.

황화강 사:건【—事件】〔중 黃花岡〕〔—껀〕 명〖역〗 중국 혁명 동맹회(革命同盟會)가 1911년 4월 27일 광저우(廣州)에서 감행한 청조(淸朝) 타도의 거병(擧兵) 사건. 전사자 중 성명 미상의 72인을 광저우의 북동방에 있는 황화강에 묻은 데서 이 이름이 생겼음.

황화 고무【黃化—】〔프 gomme〕 명〖화〗 가황(加黃) 고무.

황화 광:물【黃化鑛物】 명〔sulfide mineral〕 황(黃)과 금속 또는 황과 비소(砒素)·안티몬·셀렌(selen)·텔루르(Tellur)·비스무트(bismuth)와의 화합물로 된 광물. 대부분이 중요한 광석 광물임.

황화-구리【黃化—】 명〔copper sulfide〕〖화〗 황과 구리의 화합물. ①황화 구리(Ⅰ). 황화 제일 구리. 회색 광택이 있는 결정. 천연적으로는 휘동광(輝銅鑛)에서 산출되며, 인공적으로는 구리를 황 증기(蒸氣) 중에서 연소하거나 또는 침전된 황화 제이 구리에 황을 조금 넣고 수소 기류(氣流) 중에서 400-500℃로 가열하여 만듦. 암모니아수에 녹음. 전기의 양도체(良導體)임. [Cu_2S] ②황화 구리(Ⅱ). 황화 제이 구리. 육방 정계(六方晶系)에 속하는 흑색 분말 또는 청흑색의 결정. 황산 구리 수용액에 황화 수소를 통하면 무정형(無定形)·흑갈색의 침전으로서 얻어짐. 220℃에서 분해되어 황화 제일 구리로 됨. 콜로이드화(colloid 化)하기 쉽고 습기 있는 공기 중에서 산화됨. 묽은 무기산(無機酸)에 녹지 않고 질산에 녹음. 전기의 양도체(良導體)임. [CuS]

황화 규소【黃化珪素】 명〔silicon sulfide〕〖화〗 규소의 황화물. ①황화 규소(Ⅰ). 일황화 규소. 승화(昇華)되기 쉬운 황색의 침상 결정(針狀結晶). 공기 중에서 가열하면 이산화 규소와 이산화황으로 됨. 공기 중의 수분에 의해서 분해되어 수산화 규소와 황화 수소로 됨. [SiS] ②황화 규소(Ⅱ). 이황화 규소. 승화되기 쉬운 무색의 견사(絹絲) 모양의 침상 사방정계(針狀斜方晶系) 결정. 건조한 공기 속에서는 안정하지만 수분을 흡수하면 분해되어 이산화 규소와 황화 수소를 냄. [SiS_2]

황화 금속【黃化金屬】 명〖화〗 금속의 황화물(黃化物). 곧, 황화 수소의 금속염(金屬鹽). 산성염(酸性鹽)·중성염(中性鹽)·다황화물(多黃化物)의 세 가지가 있음. 어느 것이나 황화 수소를 금속염 수용액에 통과시킬 때, 금속에 황화 수소를 접촉시킬 때에 얻어짐. 천연산 광물 중 중요한 것으로서 특히 공업상, 지구 화학·광물학상 중요함. 유화 금속.

황화 나트륨【黃化—】 명〔sodium sulfide〕〖화〗 수산화 나트륨 수용액에 황화 수소를 포화(飽和)시키고 이에 다시 당량(當量)의 수산화 나트륨을 더하여 증발시켜서 얻는 무색의 입방 정계(立方晶系) 결정. 공업적으로는 수산화 나트륨을 석탄으로 환원시켜서 제조함. 진공에서 녹는점 1,180℃. 수용액은 강한 알칼리성을 나타냄. 공기 중에 방치(放置)하면 산화되어 티오황산 나트륨으로 됨. 니트로 화합물의 환원제(還元劑), 황화 염료 제조, 가죽 무두질의 탈모제 등에 쓰임. [Na_2S]

황화-납【黃化—】 명〔lead sulfide〕〖화〗 천연으로는 방연광(方鉛鑛)으로, 화학적으로는 납과 황을 직접 반응시켜 얻는 황화물. 흑색의 입방정계(立方晶系) 결정. 녹는점 1,114℃. 광전지(光電池)·적외선 검출기(赤外線檢出器)·노출계(露出計) 등에 쓰임. [PbS]

황화-론【黃禍論】 명〖정〗 청일 전쟁 말기의 1895년경 독일 황제 빌헬름 2세가 주창한 황색 인종 억압론. 곧, 그는 오스만 투르크나 몽고의 원정(遠征)에서 본 바와 같이 황색 인종의 흥기(興起)는 유럽 문명 내지 기독교 문화 전체의 운명에 관한 일대 문제이므로 유럽의 열강(列強)은 이 황화(黃禍)의 위협에 일치 협력해서 대항하여야 한다고 주장하였음.

황화 만:절【黃花晩節】 명 국화를 이름. 늙어서 건장(健壯)함의 비유.

황화 망간【黃化—】 명〔manganese sulfide〕〖화〗 망간의 황화물. ①황화 망간(Ⅱ). 일황화 망간. α, β, γ의 세 형이 있음. α형은 녹색의 입방 정계 결정(立方晶系結晶). 천연으로는 섬망간광(閃mangan鑛)으로 산출됨. 진공에서의 녹는점 1,610℃. β형은 적색의 입방 정계 결정. γ형은 적색의 육방 정계(六方晶系) 결정. 모두 물에 녹지 않음. 산(酸)을 만나면 황화 수소를 발생하여 녹음. [MnS] ②황화 망간(Ⅳ). 이황화 망간. 흑색의 육방 정계 결정. 공기와 물에 의해 분해되고, 가열하면 황화 망간((Ⅱ)와 황으로 분해됨. [MnS_2]

황화-물【黃化物】 명〔sulfide〕〖화〗 황과 양성(陽性)의 원소와의 화합물. 금속 황화물은 보통 광물로서 천연적으로 산출되며 대개는 황색을 띰. 유화물(硫化物).

황화 물감【黃化—】〔—깜〕 명〖화〗 황화 염료(染料).

황화 바륨【黃化—】 명〔barium sulfide〕〖화〗 공업적으로는 중정석(重晶石)을 탄소와 600°-800°C로 가열하여 만드나, 실험실에서는 가열한 탄산(炭酸) 바륨에 황화 수소와 혼합 가스를 넣어 만드는 무색의 입방정계(立方晶系) 결정. 반자성(反磁性)이며 전기의 부도체(不導體)임. 공기 중에서 산화되어 황색이 되며 습기가 있으면 황화 수소를 발생함. 탈모(脫毛) 작용을 함. [BaS]

황화-방【荒貨房】 명 황아전.

황화-병【黃化病】〔—뼝〕 명〖식〗 잎이 누렇게 변하여 마르는 병.

황화 소:다【黃化—】〔soda〕 명〖화〗 황화 나트륨.

황화 수소【黃化水素】 명〔hydrogen sulfide〕〖화〗 황과 수소와의 화합물. 천연적으로는 화산 가스나 광천(鑛泉)에 함유되어 있으며, 또 황을 함유하는 유기물(有機物)의 부패(腐敗)에 의하여서도 생성됨. 실험실에서는 황화 제이철(黃化第二鐵)에 묽은산(酸)을 넣어 만듦. 무색(無色)으로서, 썩은 달걀 같은 악취가 풍기는 가연성(可燃性)의 독성(毒性) 기체인데, 물에 잘 녹고 약한 산성(酸性)을 나타냄. 녹는점(點) −85.5℃, 끓는점 −60℃. 400℃에서 분해하기 시작하여 1,700℃에서는 완전히 수소와 황으로 됨. 각 금속 이온과 반응하여 각각 특색 있는 정색(呈色)침전을 생기게 하므로 정성(定性) 분석에 쓰임. [H_2S]

황화 수소 나트륨【黃化水素—】〔도 Natrium〕 명〔sodium hydrosulfide〕〖화〗 수산화 나트륨 수용액을 황화 수소로 처리하여 얻는 물질. 무수염(無水塩)은 무색의 조해성(潮解性) 분말, 이수염(二水塩)은 무색의 침상(針狀) 결정임. [NaHS]

황화 수소수【黃化水素水】 명〖화〗 황화 수소의 수용액. 황화 수소를 상압(常壓)으로 물에 포화(飽和)시켜 만듦. 금속의 황화물을 얻을 때의 분석용 시약(試藥)으로 쓰임.

황화 수소 암모늄【黃化水素—】 명〔ammonium hydrogensulfide〕〖화〗 암모니아와 황화 수소의 혼합물을 0°C로 냉각하여 얻는 무색의 정방정계(正方晶系) 침상(針狀) 결정. 쉽게 암모니아(NH_3)와 황화 수소(H_2S)로 분해함.

황화 수소화물【黃化水素化物】 명〔hydrosulfide〕〖화〗 황화 수소에 들어 있는 두 개의 수소 원자 가운데, 한 개를 다른 원소 등으로 바꿔 놓음으로써 생기는 화합물의 총칭. 결정수(結晶水)를 포함한 무색의 결정이 많음. 황화 수소 나트륨·황화 수소 칼슘·황화 수소 암모늄 등.

황화 수은【黃化水銀】 명〔mercury sulfide〕〖화〗 황과 수은의 화합물. ①황화 수은(Ⅰ). 황화 제일 수은. 수은염(塩) 수용액에 황화 수소를 통하면 생기는 흑색의 고체. 불안정(不安定)하여 곧 황화 수은(Ⅱ)와 수은으로 분해함. [Hg_2S] ②황화 수은(Ⅱ). 황화 제이 수은. 흑색과 적색의 두 종류가 있음. 흑색 황화 제이 수은은 수은(Ⅱ)염 용액에 황화 수소를 통하면 침전하는 입방 정계 결정(立方晶系結晶). 천연의 것은 흑진사(黑辰砂)라고 하며, 승화점(昇華點) 446℃. 불안정해 승화하면 안정된 적색의 육방 정계 결정(六方晶系結晶)이 됨. 보통 진사(辰砂)라고 하는 것은 이 형(型)으로, 승화점 583℃. 왕수(王水)나 황화 나트륨에 녹음. 의약·안료(顔料)로서 이용됨. [HgS]

황화 식물【黃化植物】 명〖식〗 황화의 현상으로 빨리 자라기는 하나 몸이 연하고 황백색으로 된 식물. 콩나물·숙주나물 등.

황화 아연【黃化亞鉛】 명〔zinc sulfide〕〖화〗 황과 아연과의 화합물. 천연으로는 황갈색 또는 흑색 괴상(塊狀)의 섬아연광(閃亞鉛鑛)으로 산출되는 백색의 고체. 아연염(亞鉛塩) 용액에 황화 암모늄을 작용시키면 백색 무정형(無定形) 침전으로서 얻어짐. 녹는점 1,700℃, 승화점 1,180℃. 백색 안료(顔料)의 원료로 씀. [ZnS]

황화 안티몬【黃化—】 명〔antimony sulfide〕〖화〗 안티몬의 황화물. ①황화 안티몬(Ⅲ). 삼황화 안티몬. 안정형과 불안정형 두 가지가 있음. 안정형은 흑회색(黑灰色)의 강한 금속광을 지닌 사방 정계 주상(斜方晶系柱狀) 결정. 안티몬과 황을 융해시켜 얻음. 천연으로는 휘안광(輝安鑛)으로 산출됨. 녹는점 550℃, 끓는점 약 1,150℃. 불안정형은 등적색(橙赤色) 분말. 염화 안티몬(Ⅲ)의 양쪽성 용액에 황화 수소를 통하여 얻음. [Sb_2O_3] ②황화 안티몬(Ⅴ). 오황화 안티몬. 등색(橙色) 분말. 물에는 녹지 않음. 75℃ 이상에서 황화 안티몬(Ⅲ)과 황산으로 분해됨. 고무의 가황제(加黃劑), 불꽃의 재료, 수의약(獸醫藥)에 이용됨. [Sb_2O_5]

황화 알릴【黃化—】 명〔allyl sulfide〕〖화〗 ①티오에테르(thioether)의 일종. 불쾌한 냄새를 가진 무색의 액체. 끓는점 139℃. 물에 잘 안 녹으며, 알코올 또는 에테르와는 혼합함. 파·양파의 냄새는 이 물질에 의한 것임. [$(CH_2{=}CHCH_2)_2S$] ②이황화 알릴. 마늘에서 짜낸 기름의 주성분. 끓는점 78-80℃. [$(C_3H_5)_2S_2$]

황화 알킬【黃化—】〔alkyl〕 명〖화〗 티오에테르(thioether).

황화 암모늄【黃化—】 명〔ammonium sulfide〕〖화〗 암모니아 용액에 황화 수소를 포화시키고 다시 같은 양의 암모니아를 가하여 증발해서 얻는 무색의 침상 결정(針狀結晶). 공기에 의하여 산화되면 누른색의 다황화(多黃化) 암모늄이 됨. 수용액은 분석 시약(分析試藥)으로 쓰임. [$(NH_4)_2S$]

황화 염:료【黃化染料】〔—뇨〕 명〔sulfide dye〕〖화〗 인공 물감의 하나. 유기 화합물을 황 또는 황과 황화 나트륨과 함께 가열(加熱) 용융(熔融)하여 만듦. 황색·청색·적색·갈색·녹색 등이 있으며, 무명의 착색(着色)에 사용함. 황화 물감.

황화-은【黃化銀】 명〔silver sulfide〕〖화〗 황과 은(銀)의 화합물. 질산은(窒酸銀) 용액에 황화 수소를 통할 때 침전하는 흑갈색의 가루. α, β의 두 가지 형이 있는데 β형은 단사정계 결정(單斜晶系結晶), α형은 입방 정계(立方晶系) 결정. 천연적으로는 휘은광(輝銀鑛) 또는 침은광(針銀鑛)으로 산출됨. 은기(銀器)에 황의 기운이 닿으면 꺼멓게 변하는 것은 황화은의 발생에 의한 것임. 수은에 의해 분해되어 은을 유리함. 도자기의 안료(顔料)에 쓰임. [Ag_2S]

황화-인【黃化燐】 명〔phosphorus sulfide〕〖화〗 황과 인(燐)의 화합물.

일반식 P_4Sx를 가지며, $x=3, 4, 5, 7, 9, 10$의 것이 확인됨. ①삼황화 사인(三黃化四燐). 보통 삼산화인이라고 함. 황색의 사방 정계 결정(斜方晶系結晶). 녹는점 174℃, 끓는점 408℃. 공기 중에서는 인광(燐光)을 내며, 가열하면 발화하여 이산화황, 산화인(Ⅴ)을 냄. 성냥의 원료로 쓰임. [P_4S_3] ②십황화 사인. 오황화인 또는 오황화 이인이라고도 함. 기체는 P_2S_5 분자. 고체는 황색으로 녹는점 288℃, 끓는점 514℃. 물에 서서히 분해되어 황화 수소와 인산으로 됨. [P_2S_5 또는 P_4S_{10}]

황화 장사【荒貨―】[명]〈방〉황아 장수.

황화-전【荒貨廛】[명] 황아전.

황화 제:이 구리【黃化第二―】[명]〔cupric sulfide〕〖화〗황화 구리❷.

황화 제:이 수은【黃化第二水銀】[명]〔mercuric sulfide〕〖화〗황화 수은❷.

황화 제:이 주석【黃化第二朱錫】[명]〔stannic sulfide〕〖화〗황화 주석❷.

황화 제:이철【黃化第二鐵】[명]〔ferric sulfide〕〖화〗황화철❸. 삼황화 이철.

황화 제:일 구리【黃化第一―】[명]〔cuprous sulfide〕〖화〗황화 구리❶.

황화 제:일 수은【黃化第一水銀】[명]〔mercurous sulfide〕〖화〗황화 수은❶.

황화 제:일 주석【黃化第一朱錫】[명]〔stannous sulfide〕〖화〗황화 주석❶.

황화 제:일철【黃化第一鐵】[명]〔ferrous sulfide〕〖화〗황화철❶.

황화 주석【黃化朱錫】[명]〔tin sulfide〕〖화〗주석과 황의 직접 작용 또는 황산 주석 수용액에 황화 수소를 통하여 얻는 황화물. ①황화 주석(Ⅱ). 황화 제일 주석. 회흑색(灰黑色) 분말로 수소 기류(氣流) 속에서 승화(昇華)시키면 금속 광택이 나는 사방 정계(斜方晶系) 결정이 됨. 녹는점 880℃, 끓는점 1,230℃. [SnS] ②황화 주석(Ⅳ). 황화 제이 주석. 황금색 분말로 비늘 조각 모양의 육방정계(六方晶系) 결정. 염산·질산에 녹지 않고 황화 암모늄 수용액에 녹음. 금색(金色)의 착색분(着色粉)으로 쓰임. [SnS_2]

황화-집【皇華集】[명]〖책〗우리 나라에 온 중국 사신과 접대관이 화답(和答)한 시편을 엮은 책. 조선 시대 영조(英祖) 49년(1773)에 개별적으로 간행된 각 시대의 《황화집》을 모아 한 질로 출판하였는데, 이것이 50 권 25 책임.

황화-채【黃花菜】[명] ①넘나물. ②말린 원추리의 꽃. 중국에서 나는 것인데 잠깐 불리어서 다른 음식에 넣거나, 고명으로 씀.

황화-철【黃化鐵】[명]〔iron sulfide〕〖화〗황과 철의 화합물. ①황화철(Ⅱ). 황화 제일철. 흑색의 육방 정계(六方晶系) 결정. 천연적으로는 운석(隕石)·자황철광(磁黃鐵鑛)에 함유되어 있으며, 공업적으로는 철분(鐵分)과 황을 용융(熔融)하여 만듦. 녹는점 1,170℃. 물에 잘 녹지 않고 산에 녹아 황화 수소를 발생함. [FeS] ②황화철(Ⅲ). 황화 제이철. 삼황화 이철. 무정형(無定形) 또는 정방정계(正方晶系)의 흑색 분말. 200℃ 이상의 가열에 의하여 FeS와 FeS_2로 분해됨. 발화성(發火性)이 있음. [Fe_2S_3] ③이황화철. 입방 정계의 황철광(黃鐵鑛) 또는 사방 정계(斜方晶系)의 백철광(白鐵鑛)으로 산출됨. 공유 결합(共有結合)이 강하고 반자성체(反磁性體)임. 산에는 황화 수소를 발생하여 녹음. 황화철은 황화 수소·황산의 원료, 촉매로 쓰임. [FeS_2]

황화 철광【黃化鐵鑛】[명]〖광〗황화철을 주성분으로 하는 광물의 총칭. 황철광·백철광·자황(磁黃)철광 등.

황화 카드뮴【黃化―】[명]〔cadmium sulfide〕〖화〗카드뮴염 용액에 황화 수소를 통할 때 생기는 황색의 입방 정계 결정(立方晶系結晶). 천연의 황카드뮴광(鑛)은 육방 정계(六方晶系) 결정임. 녹는점 1,750℃. 광전도성(光傳導性)이 있어 사진용 노출계(露出計)로 쓰이고 황색의 안료(顔料)로 쓰임. [CdS]

황화 칼륨【黃化―】〔도 Kalium〕[명]〔potassium sulfide〕〖화〗칼륨과 황의 화합물. 무색의 입방 정계 결정(立方晶系結晶). 공업 제품에서는 황록색 또는 갈색을 띠며 황간(黃肝)이라 일컬음. 조해성(潮解性)이 있고 녹는점 840℃. 물에는 잘 녹음. 강한 알칼리성을 나타냄. 5 수화물은 무색의 사방 정계(斜方晶系) 결정. 각질(角質)을 녹여 의약품으로서 피부병의 치료에 씀. [K_2S]

황화 칼슘【黃化―】[명]〔calcium sulfide〕〖화〗칼슘과 황의 화합물. 무색의 입방 정계(立方晶系) 결정. 물에는 잘 녹지 않으나, 가수(加水)분해하여 황화 수소 칼슘과 수산화 칼슘을 발생시킴. 공기 중에서는 산화되어 티오황산 칼슘(CaS_2O_3)으로 됨. 농업용 살균제·가죽 무두질에 쓰임. [CaS]

황화 탄:소【黃化炭素】[명]〔carbon sulfide〕〖화〗황과 탄소의 화합물. ①일황화 탄소. 무색의 분말. 불안정하여 −180℃ 이상에서는 폭발적으로 중합(重合)하여 적색의 $(CS)n$으로 됨. 단위체(單位體)는 물·에탄올에 녹지 않으나 에테르·이황화 탄소에 녹음. [CS] ②이황화 탄소. 무색 액체. 녹는점 −111.6℃, 끓는점 46.3℃. 고체는 정방 정계(正方晶系) 결정. 물에 녹기 어렵고 에탄올·에테르에 녹음. 매우 인화성(引火性)이 강하고 유독(有毒)함. 사염화 탄소·비스코스 인견·셀로판 등의 합성에 쓰임. [CS_2] ③이황화 삼탄소. 자극성 냄새가 있는 적색 액체. 녹는점 −0.5℃. 이황화 탄소·벤젠에 녹음. 기체는 유독함. [C_3S_2]

황화 현:상【黃化現象】[명]〖식〗황화(黃化)❷. *백화(白化) 현상.

황황[1]【皇皇】[명] ①아름답고 성한 모양. ②황황[3](遑遑). ――-하다 [형][여불]

황황[2]【煌煌·晃晃】[명] 번쩍번쩍 빛나는 모양. 휘황하게 빛나는 모양. ¶최만경은 품 속으로부터 광채가 ~한 비수 한 개를 내어 놓는다《趙重桓:長恨夢》. ――-하다 [형][여불]. ――-히 [부]

황황[3]【遑遑】[명] 마음이 급(急)하여 허둥지둥함. 황황[1](皇皇). ――-하다 [형][여불] ――-히 [부]

황황 겁겁【惶惶怯怯】[명] 몹시 두렵고 겁이 남. ――-하다 [형][여불]

황황 급급【遑遑急急】[명] 몹시 황급함. ――-하다 [형][여불]

황황 망극【遑遑罔極】[명] 황황하기 그지없음. ――-하다 [형][여불]

〈황휘〉

황황 망조【遑遑罔措】[명] 마음이 급하여 어찌 할 줄을 모르고 허둥지둥함. ――-하다 [형][여불]. ――-히 [부]

황회-목【黃灰木】[명] 누르스름한 회색으로 물들인 무명.

황후【皇后】[명] 황제의 정궁(正宮). 군부(君婦).

황후-궁【皇后宮】[명]〖역〗조선 시대 고종 광무(光武) 원년(1897)에 왕후궁(王后宮)을 고친 이름. 동 9년에 폐하였다가 순종(純宗) 융희(隆熙) 원년(1907)에 다시 베풀어서 동 4년까지 있었음.

황휘【黃麾】[명]〖역〗의장(儀仗)의 한 가지.

황흉【荒凶】[명] 기근. 흉년.

황-흥【黃興】[명]〖사람〗'황싱(黃興)'을 우리 음으로 읽은 이름.

황-희【黃喜】[―히][명]〖사람〗조선 초기의 명상(名相). 자는 구부(懼夫), 호는 방촌(厖村). 장수(長水) 사람. 세종(世宗) 때 영의정으로, 네 임금을 잇따라 섬기고 정승(政丞)으로 24 년을 있었는데, 관후 정대(寬厚正大)하여 어질기로 유명함. 시호는 익성(翼成). 세종 묘정(廟庭)에 배향됨. [1363-1452]

황당히 [부]〈옛〉황당히. ¶弘이 듣고 황당히 너겨 묻논 배 업서(弘聞無所怍)《內訓 Ⅲ:49》.

황당ᄒᆞ다 [형]〈옛〉황당하다. ¶황당ᄒᆞᆫ 쑴ᄭᅮ고 셜리 도라오니《三綱 孝子 35》.

홰[1] [명] 새장이나 닭장 속에 새나 닭이 앉도록 가로 지른 나무 막대.

홰[2] [명]〔중세 : 홰〕①싸리나 갈대 등을 묶어 밤길을 밝히거나 또는 제사 때 화톳불을 놓는 데 쓰는 물건. ②〈옛〉횃불. ¶홰 어드봄 더 도ᄒᆞ야《月釋 ⅩⅧ:51》.

홰[3] [명]〔중세 : 홰〕↗횃대.

홰[4] [명]〈방〉회(膾)(경상).

홰[5] [의명] 새벽에 닭이 홰를 치면서 우는 번수를 세는 말. ¶닭이 두 ~ 울었다.

홰:기 [명]〈방〉새꽤기.

홰-꾼 [명] ①횃불을 든 사람. ②〖역〗벼슬아치가 밤에 드나들 때 횃불을 들고 그 앞을 밝혀 인도하는 사람.

홰:-나다 [자]〈방〉화나다(경상).

홰:-나무 [명]〖식〗회화나무.

홰:-내:다 [자]〈방〉화내다(경상).

홰-뿔 [명] 두 뿔이 다 밖으로 가로 뻗혀 홰 모양으로 일자형(一字形)인 짐승의 뿔.

홰:증-머리 [명]〈방〉화증(火症).

홰지【罫紙】[명] →괘지(罫紙).

홰-치다 [자] 닭이나 새 등이 날개를 벌려 탁탁 치다.

홰-홰 [부] ①계속하여 무엇을 내두르는 모양. ¶고개를 ~ 내젓다. ②잇달아 감기는 모양. ¶향수 내가 혜숙의 허리를 ~ 칭칭 감아 잡아 당기는 듯이 그윽하다《羅稻香:幻戲》.

홱 [부] ①망설거리지 않고 시원스럽게 해 내는 모양. ②일을 얼른 해 치우는 모양. ③물건을 힘차게 던지거나 뿌리는 모양. ¶보따리를 ~ 팽개치다. ④힘을 주어 날쌔게 뿌리치는 모양. ⑤무엇을 갑자기 힘 있게 빨리 돌리는 모양. ⑥바람 따위가 갑자기 세게 불어치는 모양.

홱-홱 [부] ①망설거리지 않고 계속해서 시원스럽게 해 내는 모양. ②일을 계속하여 얼른 해 치우는 모양. ③물건을 연해 힘차게 던지거나 뿌리는 모양. ④힘을 주어 연해 날쌔게 뿌리치는 모양. ⑤연해 홱 돌리는 모양. ⑥바람 따위가 연해 홱 불어치는 모양.

횃:-김 [명]〈방〉홧김.

횃-대 [명] 옷을 걸 수 있게 만든 제구. 간짓대를 잘라 두 끝에 끈을 매어 방안 등에 달아 매어 둠. 의항(衣桁). [준]홰.

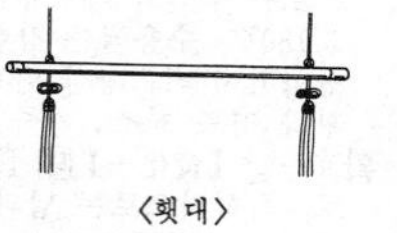
〈횃대〉

[횃대 밑 사내] ㉠바깥 나들이에서는 용렬하면서도 집안에서는 큰 소리를 치는 사내. ㉡나들이가 없이 늘 방구석에만 박혀 있는 역력찮은 남자. [횃대에 동저고리 넘어가듯] 거침새 없이 후딱 넘어감의 비유.

횃대-똥 [명]〈방〉활개똥.

횃대-뿔 [명] ☞홰뿔.

횃댓-보【―褓】[명] 횃대에 걸어 놓은 옷을 덮는 큰 보자기. 흔히, 여러 가지 수를 놓음.

횃도다 [타]〈옛〉호았도다. '호다'의 활용형. ¶모ᄎᆞ라기 ᄃᆞ론 ᄃᆞᆫᄒᆞᆫ 오ᄉᆞᆯ 寸寸이 횃도다(鶉衣寸寸針)《杜諺 Ⅲ:15》.

횃-불 [명] 홰에 켠 불. 거화(炬火). 요거(燎炬). 작화(爝火).

횃불 싸움 [명]〖민〗음력 정월 보름의 민속 놀이의 하나. 마을의 청소년이 패를 갈라, 동네 뒷산이나 언덕에 올라가, 진을 치고 있다가 보름달이 솟아 오를 무렵, 요란한 농악대의 연주를 신호로 서로 달려들어, 손에 든 횃불로 때리고 지지며 싸워, 횃불을 많이 빼기고 부상을 많이 당한 편이 패하게 됨. 거화전(炬火戰).

횃불-잡이 [명] 횃불을 손에 든 사람.

횃-줄 [명] 옷을 걸치기 위하여 건너질러 맨 줄.

횅:-누르미 [명] ↗화양누르미.

횅댕그렁-하다 [형][여불] ①속이 비고 넓기만 하여 허전하다. ②넓은 곳에 작은 물건이 있어서 잘 어울리지 않고 빈 것 같다. [준]횅하다. 1)·2): <휑뎅그렁하다.

횅:-적 [명]〈방〉화양누르미.

횅-하다 [형][여불] ①사물의 이치나 학문 등에 막힐 것이 없이 다 잘 통하여 알다. ②속이 비어 밝고 시원스럽게 뚫리다. ③↗횅댕그렁하다. 1)-3): <휑하다.

회:[1] [명] ↗회두리.

회:[2] 명 〖건〗 머리초 끝에 한 모양으로 두른 오색(五色) 무늬.
회[3] 【灰】 명 〖화〗 ①↗석회. ②'산화(酸化) 칼슘'의 속칭.
회[4] 【蛔】 명 〖동〗 회충(蛔蟲).
　회가 동:(動)한다 구 뱃 속의 회충이 꿈틀거린다. 곧, 구미(口味)가 당긴다는 말. ¶제 옷감 끊어 준다는 말에 회가 바싹 동하여 ≪李海朝: 鬢上雪≫.
회:[5] 【會】 명 단체적인 공동 목적을 위하여 여러 사람이 모이는 일. 또, 그 모임. ¶청년~/축하~. ——-하다 자여불
회:[6] 【膾】 명 물고기·고기·푸성귀 등을 날로 잘게 썬 음식. 초고추장·겨자·소금·간장 등에 찍어 먹음. ——-하다 타여불
회[7] 【繪】 명 그림을 그려 염문(染紋)한 직물.
회[8] 【回】 의명 ①몇 번임을 세는 말. ¶일 ~. ②돌림 횟수(回數). ¶최종(最終)~.
회:[9] 부 ①센 바람이 가늘고 긴 물건에 부딪쳐 나는 소리. ②한꺼번에 숨을 세게 내쉬는 소리. 1)·2): <휘[8].
회간[1] 【回看】 명 ①돌이켜 봄. ②회람(回覽). ——-하다 타여불
회:간[2] 【晦間】 명 그믐께쯤.
회갈-색 【灰褐色】 [—쌕] 명 희읍스름한 주황색(朱黃色). 희읍스름한 검은 빛을 띤 등색(橙色).
회감[1] 【蛔疳】 명 〖한의〗 어린애의 감병(疳病)의 한 가지. 단것을 많이 먹어서 회(蛔)가 성하여 일어나는 배앓이.
회:감[2] 【會減】 명 주고받을 것을 맞비기고 남은 것을 셈함. 획감(劃減). ——-하다 타여불
회갑 【回甲】 명 환갑(還甲).
회갑-상 【回甲床】 명 회갑을 축하하고 헌수(獻壽)를 올리기 위해 차리는 고배상(高排床).
회갑-연 【回甲宴】 명 환갑 잔치. 준갑연(甲宴).
회강[1] 【回疆】 명 [회교도(回教徒)의 강역(疆域)이라는 뜻] 중국 신장웨이우얼 자치구(新疆維吾爾自治區)의 타림 분지(盆地) 일대인 톈산(天山) 남로(南路)의 호칭.
회:강[2] 【會講】 명 〖역〗 ①한 달에 두 차례씩 왕세자(王世子)가 사부(師傅) 이하의 여러 관원을 모으고 경사(經史)와 그 밖의 다른 진강(進講)에 대하여 복습하던 일. ②여러 사람을 한데 모아 강서(講書) 시험을 보이는 일. ——-하다 자여불
회:개 【悔改】 명 ①잘못을 뉘우치고 고침. 개회(改悔). ②[metanoia, repentance] 〖기독교〗 신앙 생활로 들어가는 필요한 요건(要件)의 하나. 생활의 전비(前非)를 자각하여, 죄인임을 반성하고, 그로부터 이탈(離脫)하려는 뜻을 세워, 새로운 생활로 들어가는 일. ——-하다 타여불
회:개지-심 【悔改之心】 명 회개하려는 마음.
회:건 【悔愆】 명 건회(愆悔).
회격 【灰隔】 명 관(棺)을 광중(壙中)에 내려 놓고, 그 사이를 석회(石灰)로 메워서 다지는 일. 회다짐. ——-하다 타여불
회:견 【會見】 명 서로 만나 봄. 회오(會晤). ——-하다 자여불
회:견-기 【會見記】 명 회견한 인상, 이야기의 내용 등을 적은 기록.
회:견-담 【會見談】 명 회견하여 주고받은 이야기.
회-계[1] 【灰契】 [—꼐] 명 〖역〗 관아에 석회를 공물(貢物)로 바치던 계.
회계[2] 【回啓】 명 〖역〗 임금의 하문(下問)에 대하여 심의하여 상주(上奏)함. *회달(回達). ——-하다 타여불
회:계[3] 【會計】 명 ①따져서 셈함. ②한데 몰아서 셈함. ③물건의 값이나 월급 등을 지급하는 일. ④금품(金品)의 출납에 관한 사무. ⑤재산 및 수입(收入)·지출의 관리(管理)와 운용(運用)에 관한 계산(計算) 제도. ——-하다 타여불
회:계[4] 【會稽】 명 〖지〗 ↗회계산(會稽山).
회:계 감독 【會計監督】 명 회계 사무의 정확 여부(與否)를 살피는 감독.
회:계 감사 【會計監査】 명 〖경〗 기업의 회계가 회계 절차나 회계 원칙에 바탕을 두고 올바르게 기록되어 있는지의 여부를 기록자 이외의 제3자가 검사 증명하는 일.
회:계 검:사 【會計檢査】 명 〖경〗 금품(金品)의 출납 상황 또는 회계 장부 정리의 적부(適否)를 검사하는 일.
회:계 검:사국 【會計檢査局】 명 〖역〗 대한 제국 때 관금(官金)의 수지(收支)·관유물(官有物)·국채 등에 관한 사무를 맡은 관아. 탁지부(度支部)의 소속으로 순종(純宗) 융희(隆熙) 원년(1907)에 베풀어서 동 4년까지 있었음.
회:계-국 【會計局】 명 〖역〗 갑오 개혁(甲午改革) 이후에 각 행정 부문과 원수부(元帥府)의 회계 사무를 맡은 한 국(局).
회:계-기 【會計機】 명 〖기〗 자동적 계산 기록 기능에 의하여 회계 장부 및 통계표를 기계적으로 기장(記帳)하는 기계 장치.
회:계 기간 【會計期間】 명 회계 상의 편의에 따라 설정하는 일정한 기간. 보통 1년임. *회계 연도.
회:계 기준 【會計基準】 명 회계 원칙❷.
회:계 법인 【會計法人】 명 〖법〗 공인 회계사법에 의하여, 5명 이상의 공인 회계사가 그 직무를 조직적으로 행하기 위하여 재정 경제부 장관의 인가를 받아 설립한 법인.
회:계-부 【會計簿】 명 회계 장부(會計帳簿).
회:계-사[1] 【會計士】 명 '공인 회계사'의 통칭.
회:계-사[2] 【會計司】 명 〖역〗 ①조선 시대 때 저적(儲積)·세계(歲計)·해유(解由)·휴흠(虧欠) 등의 일을 맡은 호조(戶曹)의 한 분장(分掌). ②갑오 개혁(甲午改革) 이후 궁내부(宮內府)에 속하여 왕실(王室)의 세비(歲費)에 관한 사무를 맡은 관아. 고종(高宗) 31년(1894)에 베풀어서 이듬해에 회계원(會計院)으로 고치었음.
회:계-산 【會稽山】 명 〖지〗 후이지 산.
회:계 연도 【會計年度】 명 〖법〗 회계상의 편의에 의하여 설정한 일정한 기간. 재정 활동(財政活動)의 범위를 규제하고 그 결과를 확정하기 위해 불가결한 것으로 보통 1개년을 1회계 연도라 함. 연도의 시작은 각국(各國)에 따라 다른데, 우리 나라의 회계 연도는 1월 1일부터 그 해 12월 31일까지임.
회:계 연도 독립의 원칙 【會計年度獨立一原則】 [—닙—/—닙에—] 명 〖재정〗 예산 회계법상, 각 회계 연도의 경비는 그 연도의 세입(歲入)을 가지고 충당하지 않으면 안 되고, 다음 연도 이후는 원칙적으로 이를 사용할 수 없다는 일.
회:계-원[1] 【會計員】 명 회계 관계의 사무를 맡아 보는 사람.
회:계-원[2] 【會計院】 명 〖역〗 조선 시대 고종(高宗) 32년(1895)에 회계사(會計司)를 고쳐 일컬은 관아. 광무 9년(1905)에 내장사(內藏司)로 고쳐 일컬었음.
회:계 원리 【會計原理】 [—월—] 명 '상업 부기'를 이론면에 중점을 두어 일컫는, 대학 교과목으로서의 이름.
회:계 원칙 【會計原則】 명 〖경〗 ①회계 이론상의 기본적 명제(命題). ②일반 기업(企業)이 그 회계를 처리하는 데 있어서 따르지 않으면 안 될 기준(基準). 회계 기준.
회:계-장 【會計帳】 [—짱] 명 회계 장부(會計帳簿).
회:계 장부 【會計帳簿】 명 〖경〗 회계 사무를 처리하기 위하여 마련하는 장부. 모든 회계 거래를 조직적·계속적으로 기록 계산하며, 일정 기간의 경영 성적과 일정 시점(時點)의 재정 상태를 명시하고, 경영(經營) 활동의 역사적 기록을 작성함. 주요부(主要簿)와 보조부(補助簿)의 구별이 있음.
회:계 정보 시스템 【會計情報—】 [system] 명 〖경〗 기업의 재무 데이터(data)를, 주로 컴퓨터를 이용하여 회계적으로 처리한 정보로 정리해서 이용자에게 전달하는 시스템. 에이 아이 에스(AIS).
회:계지-치 【會稽之恥】 명 [중국 춘추 시대에, 월왕 구천(越王勾踐)이 오왕 부차(吳王夫差)와 회계산에서 회전하여 생포(生捕)되어서 굴욕적인 강화를 맺은 고사(故事)에서 온 말] 전쟁에 패한 치욕. 뼈에 사무쳐 잊을 수 없는 치욕.
회:계-학 【會計學】 명 [accounting] 〖경〗 재산 및 손익(損益)에 관한 계산을 연구 대상으로 하는 학문. 자세히는 기업(企業) 내외에 일어나는 경제 가치의 변동을 일정한 이론과 조직에 따라 질서 있게 기록·계산·정리하여, 그 결과를 정확 명료(明瞭)하게 표시하고, 다시 이것을 분석·종합하여 적확한 판단을 내려 경제 질서를 유지함과 동시에, 적극적으로는 경영(經營)의 합리성을 증진(增進)하고, 소극적으로는 경영의 안정성(安定性)을 보유하고자 하는 사회 과학(社會科學)의 한 부문임. 계리학(計理學).
회:계학-과 【會計學科】 명 〖교〗 대학에서, 회계학을 전공하는 학과. *경영학과.
회고[1] 【回顧】 명 ①돌아다 봄. ②지나간 일을 돌이켜 봄. 옛일을 생각함. ——-하다 타여불
회고[2] 【懷古】 명 옛 자취를 돌이켜 생각함. 회구(懷舊). ——-하다 자여불
회고-가 【懷古歌】 명 〖문〗 길재(吉再)와 원천석(元天錫)의 시조. 각 1수. 조선 왕조의 건국(建國) 후 고려의 옛 도읍을 찾아보고 회고의 감정을 읊음.
회고-담[1] 【回顧談】 명 지나간 일을 생각하며 하는 이야기.
회고-담[2] 【懷古談】 명 지나간 옛 자취를 돌이켜 생각하며 하는 이야기. ⌊회구담.
회고-록 【回顧錄】 명 지난 일을 회고하여 적은 기록.
회고-시 【懷古詩】 명 지나간 옛 자취를 돌이켜 생각하고 읊는 시.
회곡 【回曲】 명 휘어서 꼬부라짐. ——-하다 형여불
회골[1] 명 〈방〉 회공. ——-하다 자여불
회골[2] 【回鶻】 명 〖역〗 회흘(回紇)이 중국 당(唐)나라 덕종(德宗) 때 스스로 고쳐 부른 부족(部族) 이름. *위구르(Uigur).
회공[1] 명 물건의 속이 두려 빠져서 빔. ——-하다 자여불
회공[2] 【回公】 명 〖역〗 의정부(議政府)에 온 공문을 의정(議政) 이하 모든 관원에게 돌리어 보게 함. ——-하다 타여불
회공[3] 【恢公】 명 ①사건의 결정을 중의(衆議)에 구하는 일. ②〖역〗 과거(科擧) 볼 때나 도목 정사(都目政事) 때에 극히 공평하게 함. ——-하다 타여불
회-공굴 【灰—】 명 〈방〉 공굴.
회공-되다 자 물건의 속이 두려빠져서 비게 되다.
회공 사:령 【回公使令】 명 〖역〗 조선 시대 때 관아(官衙)에 회람하는 공문을 도르던 비변사(備邊司)의 하인.
회:과 【悔過】 명 허물을 뉘우침. ——-하다 자여불
회:과 자책 【悔過自責】 명 허물을 뉘우쳐 스스로 책망(責望)함. ——-하다 자여불
회:과 천:선 【悔過遷善】 명 잘못을 뉘우치고 착하게 됨. *개과 천선(改過遷善). ——-하다 자여불
회:관 【會館】 명 ①집회장(集會場)으로서 베풀어 놓은 건물. 홀(hall). 회당(會堂). ②명(明)나라 이래로 중국에서, 동향(同鄕) 또는 동업자(同業者)의 상호 부조·친목·협의(協議)·제사(祭祀) 등을 위한 기관. 어떤 규약 밑에서 유지되며, 건물은 사무소·회의장·숙박소·연극장 등으로 공용(共用)됨.
회광 【恢廣】 명 사방(四方)으로 크게 넓힘. ——-하다 타여불
회광-경 【回光鏡】 명 〖물〗 헬리오스탯(heliostat).
회광-기 【回光器】 명 〖물〗 삼각 측량에 쓰이는 기계. 원거리의 삼각점을 관측할 때, 이 점에서 일광(日光)을 평면경(平面鏡)에 받아서 이것을 관측점에 향하여 반사시키기 위하여 씀. 회조기(回照器).

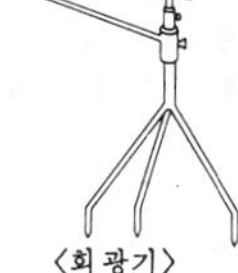
〈회광기〉

회광 통신【回光通信】[명] 불꽃을 명멸(明滅)하거나, 또는 햇빛을 반사하여 그 시간의 장단과 횟수(回數)로써 뜻을 전달하는 통신법.
회굉【恢宏】[명] 회홍(恢弘). ——-하다 [형][여불]
회교[1]【回校】[명] 인쇄소에서, 주문자나 편집자에게 교정(校正)을 돌리는 일. ——-하다 [자][여불]
회교[2]【回教】[명]〖종〗〔회족(回族)의 종교란 뜻〕이슬람교(教)의 딴이름. 회회교(回回教).
회교[3]【賄交】[명] 재물(財物)로써 사귀는 일.
회교-국【回教國】[명] 회교를 국교(國教)로 하거나 회교도가 절대 다수인 국가. 곧, 이슬람교국(教國).
회교-권【回教圈】[―꿘] [명] 회교도가 거주하는 지역의 총칭. 곧, 이슬람권(圈).
회교-도【回教徒】[명] 회교(回教)를 믿는 신도. 곧, 이슬람교도.
회교도 연맹【回教徒聯盟】[명]〖종〗①인도 모슬렘 동맹. ②↗전인도 회교 연맹.
회교-력【回教曆】[명]〖종〗회교국에서 통용되는 음력(陰曆). 곧, 이슬람력(Islam 曆).
회교 민주주의【回教民主主義】[―/―이] [명]〖정〗이슬람 민주주의.
회교-법【回教法】[―뻡] [명] 회교(回教)의 종교법. 곧, 이슬람법(法).
회교 성:원【回教聖院】[명] 모스크(mosque).
회:구[1]【繪具】[명] ①회화(繪畫)에 쓰이는 물감·붓 같은 것. ②채료(彩料).
회구[2]【懷舊】[명] 회고(懷古). ——-하다 [타][여불]
회-구녁 [명]〈방〉괴통.
회구-담【懷舊談】[명] 회고담(懷古談).
회국【回國】[명] ①여러 나라를 두루 돌아다님. ②귀국(歸國). ——-하다 [자][여불]
회국 순례【回國巡禮】[―술―] [명] 여러 나라를 두루 돌아다니면서 순례하는 일. ——-하다 [자][여불]
회군【回軍】[명] 환군(還軍). 반패(反旆). ¶위화도(威化島)～. ——-하다 [자][여불]
회군 공신【回軍功臣】[명]〖역〗고려 우왕(禑王) 14년(1388) 5월에 결행된 위화도(威化島) 회군의 주도자들에게 준 칭호. 공양왕(恭讓王) 2년(1390)에 1차 책봉되고, 조선 개국 후 재책봉됨.
회:궁-전【會宮殿】[명]〖역〗신라의 관아 이름. 경덕왕(景德王) 때에 북사설(北司設)이라 고쳤다가 뒤에 다시 복구(復舊)하였음.
회:권【會圈】[명]〖역〗조선 시대 때, 새로 대제학(大提學)·직각(直閣)·대교(待教)·한림(翰林)의 적임자를 뽑을 때, 전임자가 모여 피선될 사람의 성명 위에 권점(圈點)을 찍는 일. ——-하다 [자][여불]
회궐【蛔厥】[명]〖한의〗회가 성하여 오심(惡心)·구토(嘔吐)가 잦은 회증(蛔症)의 한 가지.
회귀【回歸】[명] ①도로 돌아옴. ②한 바퀴 돌고 제자리로 돌아옴. ——-하다 [자][여불]
회귀 곡선【回歸曲線】[명]〖심〗두 개의 변향(變量) 중에서 한쪽을 고정시켜 놓고, 다른 쪽 변량의 평균치(平均值)를 전체의 분포로부터 추측(推測)하려 할 때, 그려지는 곡선.
회귀-권【回歸圈】[―꿘] [명]〖천〗회귀선(回歸線).
회귀-기【回歸期】[명]〖천〗행성(行星)이나 위성(衛星)이 춘분점(春分點)에 대하여 그 궤도를 일주(一周)하는 기간.
회귀-년【回歸年】[명]〔tropical year〕〖천〗태양이 춘분점(春分點)을 출발해서 다시 춘분점으로 돌아올 때까지의 시간. 365일 5시간 48분 46초. 춘분점이 이동되므로 정미(正味)의 1공전(公轉)보다는 길이가 짧음. 태양년. 평균 태양년.
회귀 무풍대【回歸無風帶】[명]〖지〗무역풍(貿易風)이 반대 무역풍을 만나 무풍(無風)이 되는 지방. 위도 30° 근처임. 북반구(北半球)에 있는 것을 북회귀 무풍대, 남반구(南半球)에 있는 것을 남회귀 무풍대라 함. [준]무풍대(無風帶).
회귀 본능【回歸本能】[명] 회귀성(性).
회귀-선【回歸線】[명]〔tropics〕〖천〗지구상 적도(赤道)의 남북 위도 23° 27′을 지나는 위선(緯線). 북쪽을 북회귀선 또는 하지선(夏至線), 남쪽을 남회귀선 또는 동지선(冬至線)이라 함. 하지 또는 동지에 태양은 각 회귀선의 직상(直上)에 위치함. 두 회귀선의 사이가 열대(熱帶)인데, 곧 회귀선은 지구 표면이 태양의 직사광(直射光)을 받는 남북의 극한(極限)으로, 23°27′은 적도가 지구의 공전 궤도면(公轉軌道面)과 이루는 각임. 회귀권.
회귀-성【回歸性】[―썽] [명] 동물이 태어난 곳에서 다른 곳으로 이동(移動)하여 성장한 다음, 다시 태어난 곳으로 산란(產卵)을 위해 돌아오는 습성. 회귀 본능(本能).
회귀성 기질【回歸性氣質】[―썽―] [명]〖심〗주기적(週期的)으로 나타나는 기질이라는 뜻으로, 순환성(循環性) 기질을 일컫는 딴이름.
회귀 신경【回歸神經】[명]〖생〗곤충류의 심장이나 소화관(消化管) 전방의 부분을 지배하는 신경계의 하나. 뇌 전방에서 나와 식도의 뒷면을 따라가며 뇌의 아래쪽 후방의 뇌하 신경절(腦下神經節)에 이름.
회귀-열【回歸熱】[명]〖의〗재귀열(再歸熱).
회귀-월【回歸月】[명]〖천〗달이 궤도상을 운동하여 그 황경(黃經)이 360° 진행하는 데 요하는 일수. 27일 7시간 43분 3초.
회귀-율【回歸率】[명] 회기하는 날짜나 시간의 비율.
회귀 이동【回歸移動】[명] 생물이 본디의 생육 장소에 돌아오는 이동. 새의 이동, 플랑크톤의 주야(晝夜) 이동 등 주기적(周期的)인 이동이 많으나, 연어의 산란 이동(產卵移動) 등 생활사(生活史)의 한 단계로 간주되는 것도 있음.
회귀-적【回歸的】[명][관] 한 바퀴 돌아 제 자리로 돌아오는 모양.
회귀-조【回歸潮】[명] 달이 적도(赤道)로부터 가장 멀리 떨어졌을 때 일어나는 조석(潮汐). 일조 부등(日潮不等)은 이 때 최대(最大)가 됨.
회귀 조류【回歸潮流】[명] 회귀조(回歸潮) 때 일어나는 일조 부등(日潮不等)에 의한 조류.
회귀 취:락【回歸聚落】[명]〖지〗이동 취락(移動聚落).
회귀 티푸스【回歸―】〔도 Typhus〕[명]〖의〗재귀열(再歸熱).
회:규【會規】[명] 회칙(會則).
회근【回巹】[명] 회혼(回婚).
회:금【會金】[명] 회에서 경비로 쓰는 기금(基金).
회기[1]【回忌】[명] 사람이 죽은 뒤 해마다 돌아오는 그 달 그 날의 기일(忌日).
회기[2]【回期】[명] 돌아올 시기. 돌아온 시기.
회:기[3]【會期】[명] ①회의하는 시기. 개회로부터 폐회까지의 기간. ②〖법〗국회의 개회로부터 폐회까지의 기간. 의결(議決)로 연장할 수 있으나 정기회(定期會)는 90일, 임시회는 30일을 초과할 수 없음. ¶～내에 의안을 처리하다.
회:기간 위원회【會期間委員會】[명] 가트(GATT) 총회의 휴회 기간 중에 수시로 열어 휴회 중에 일어난 사무를 처리하는 기관.
회:기 불계속의 원칙【會期不繼續―原則】[―/―에―] [명]〖법〗국회의 다음 회기에는 의사(議事)가 계속되지 아니한다는 원칙. 따라서 회기 중에 의결되지 아니한 안건은 다음 회기에 계속됨이 없이 소멸함.
회기-선【回機線】[명] 기관차 회행선(機關車回行線).
회:-깟【膾―】[명] 소의 간(肝)·처녑·양(胖)·콩팥 등을 잘게 썰고, 온갖 양념을 하여 만든 회.
회-나무 [명]〖식〗〔*Turibana planipes*〕노박덩굴과에 속하는 낙엽 활엽의 작은 교목. 잎은 타원형 또는 달걀꼴 타원형임. 6-7월에 흑자색 꽃이 취산(聚繖) 화서로 액생(腋生)하며, 삭과(蒴果)는 10월에 익음. 산 중턱 이상에 나는데, 한국 각지 및 일본·사할린·만주·중국 등지에 분포함. 정원수로 심으며, 수피(樹皮)는 새끼 대용임.
회남[1]【淮南】[명]〖지〗'화이난'을 우리 음으로 읽은 이름.
회남[2]【淮南】[명] 두부(豆腐)의 이칭. 중국 전한(前漢)의 회남왕(淮南王) 유안(劉安)이 처음 만든 데서 나온 말.
회남-자【淮南子】[명] ①〖사람〗중국 전한(前漢)의 학자. 성은 유(劉), 이름은 안(安). 고조(高祖)의 손자로 회남왕에 책봉됨. [?-123 B.C.] ②〖책〗중국 전한(前漢)의 회남왕인 유안(劉安)이 편저(編著)한 철학서. 현재 남은 것이 21권. 정식 명칭은 ≪회남 홍렬(淮南鴻烈)≫.
회납【回納】[명] ①도로 돌려 드림. ②답장 편지의 겉봉에 수신인의 이름 밑에 쓰는 말. ——-하다 [타][여불]
회:-냉면【膾冷麵】[명] 생선회를 곁들여 먹는다 하여 일컫는 함흥(咸興) 냉면의 딴이름. ＊물냉면.
회:녕【會寧】[명]〖지〗→회령(會寧).
회-다짐【灰―】[명] ①회격(灰隔). ②〖토〗콘크리트나 회삼물(灰三物)로 밑을 다지는 일. ——-하다 [자][여불]
회단【灰斷】[명]〖불교〗회신 멸지(灰身滅智).
회달【回達】[명]〖역〗정사(政事)를 대리(代理)하는 왕세자(王世子)의 하문(下問)에 대하여 심의(審議)하여 대답하는 일. ——-하다 [타][여불]
회:담【會談】[명] 한 자리에 모여서 얘기함. 또, 그 일. ¶거두(巨頭)～. ——-하다 [타][여불]
회:담-자【會談者】[명] 회담을 하는 사람.
회답【回答】[명] 물음에 대답함. 또, 그 일. ——-하다 [타][여불]
회답-기【回答旗】[명] 선박에서 쓰이는 국제 신호기의 한 가지. 타선(他船)으로부터의 신호에 대하여 이를 납득하였을 때 또는 신호가 끝났음을 알릴 때에 게양함.
회답-서【回答書】[명] 회답의 글.
회답-자【回答者】[명] 회답하는 사람.
회:당[1]【會堂】[명] ①회관(會館). ②〖기독교〗예배당(禮拜堂). ③〔synagogue〕〖종〗유태인의 마을에 존재하던 것으로 예배 및 율법(律法) 교육을 실시하기 위한 시설. 기독교의 예배당의 기원임.
회:당[2]【會黨】[명] ①당류(黨類)가 한 곳에 모임. ②〖사회〗중국의 민중(民衆) 사이에 이루어지는 전통적인 결사(結社)·집단. 민간의 상호 부조적(扶助的) 결사이며 종교적 결사이기도 한데, 때로는 하층 민중의 반(反)정부적·반(反)지배 계급적·직업적·동향적(同鄕的) 집단을 이룸. ——-하다 [자][여불]
회대【回臺】[명]〖역〗감찰(監察)이 새로 난 때에 그의 이력(履歷)을 가지고 모든 감찰이 여러 상관(上官)에게 그의 행공(行公)의 가부를 묻는 일. ——-하다 [자][여불]
회덕【懷德】[명]〖지〗충청 남도 대덕군(大德郡)에 있던 한 구읍(舊邑). 1983년 대전(大田) 광역시 동구(東區)에 편입되었음.
회:-덮밥【膾―】[명] 생선회를 밥 위에 얹은 덮밥. 갖은 양념을 치고 비벼서 먹음.
회-도[1]【灰島】[명]〖지〗평안 북도 철산군(鐵山郡)의 서해상에 있는 섬. [0.940 km²]
회도[2]【灰陶】[명] 중국 은(殷)·주대(周代)의, 유회색(黝灰色)을 띤 토기(土器).
회도[3]【回棹】[명] 배가 돛대를 돌리는 것과 같다는 뜻에서, 병이 차차 낫는 것을 비유하는 말. ——-하다 [자][여불]
회:도[4]【繪圖】[명] ①그림. ②가옥·토지 등의 평면도.
회-도가【灰都家】[―또―] [명] 석회(石灰) 장수들이 모이는 도가(都家).
회도로 [부]〈옛〉휘돌아. ¶뫼미틧 므른 회도로 흐르고(回回山根水)≪杜諺 I:20≫.
회-도배【灰塗褙】[명]〖건〗벽에 석회(石灰)를 바르는 일. ——-하다 [자][여불]

회독[1]【回讀】명 책 같은 것을 여러 사람이 차례로 돌려 가며 읽음. ¶고전(古典)을 ~하다. ——-하다 타여불

회:독[2]【會讀】명 여러 사람이 모이어 책을 읽고 그 뜻을 연구하고 토론하는 일. ——-하다 타여불

회독-회[1]【回讀會】명 잡지나 전집(全集) 등을 회독하는 모임. 영업적으로 하는 경우도 있음.

회:독-회[2]【會讀會】명 회독하기 위하여 모인 모임.

회-돌이[1] 명 ①길이나 냇물 따위가 굽이쳐 도는 곳. ②바둑에서, 옥집이 되는 끊는 점에 사석(捨石)을 두어서 상대방의 돌을 포도송이처럼 똘똘 뭉치게 우형화(愚形化)시키는 수단. ¶통쾌한 ~맛 / ~치는 수(手).

회:-돌이[2] 명 〈방〉 회두리.

회돌이-목 명 길이나 냇물 따위가 굽어 도는 좁은 목.

회돌이-축【一逐】명 바둑에서, 축에서 벗어나지 못하게 연단수로 회오리바람처럼 돌돌 말려 가는 축.

회:동【會同】명 같은 목적으로 여러 사람이 모임. ¶대책을 세우기 위해 ~하다. ——-하다 자여불

회:동-관【會同館】명〖역〗중국 원(元)나라 때인 1272년에 처음 설치되었던 중국의 관청 이름. 내공(來貢) 사신의 접대·인견(引見)의 일을 맡아보았으나, 명(明)나라 초에는 오로지 수도(首都)의 우체(郵遞)를 맡아보았으며, 청(淸)나라 때에는 처음부터 역체(驛遞) 기관 및 영빈(迎賓) 기관으로서 존재하였음.

회:동관 후:시【會同館後市】명〖역〗조선 시대 후기에, 부연 사신(赴燕使臣)의 연경(燕京) 유숙처인 회동관을 중심으로, 사행원(使行員)이 물자를 교역(交易)하던 반공인(半公認)의 사무역장(私貿易場). *단련사(團鍊使) 후시.

회동그라-지다 자 갑자기 휘둘리어 동그라지다. <휘둥그러지다.

회동그랗다 [—라타] 형ㅎ불 ①놀라거나 두려워서 눈이 크게 동그랗다. <휘둥그렇다. ②몸에 거추장스러운 것이 없다. ③일이 죄다 끝나고 남은 일이 없다.

회동그래-지다 자 〈방〉 회동그라지다.

회동그스름-하다 형여불 휘어져서 동그스름하다. <휘둥그스름하다.

회:동-봉【檜同峰】명〖지〗평안 북도 후창군(厚昌郡) 후창면에 있는 산. [1,138 m]

회:동 좌:기【會同坐起】명〖역〗해마다 섣달 스무닷샛날부터 이듬해 정월 보름날까지의 사이에 형조(刑曹) 및 한성부(漢城府)의 관원이 모여 금령(禁令)을 풀고 경한 죄수를 놓아 주는 일. 이 동안에만 난전(亂廛)들도 마음대로 물건을 벌이어 팔 수 있었음.

회두 【回頭】명 ①[머리를 돌린다는 뜻] 배가 선수(船首)를 돌려 진로(進路)를 바꿈. 회수(回首). ②〖천주교〗교를 배반하였다가 다시 돌아옴. ——-하다 자여불

회두-기【回頭期】명 사물이 바뀔 시기. 전환기(轉換期).

회:두리 명 여럿 가운데에서 맨 끝. 맨 나중에 돌아오는 차례. 준회.

회:두리-판 명 맨 나중 판. 끝판. 준회판.

회:득【會得】명 요해(了解). ——-하다 타여불

회:득적 사회학【會得的社會學】명 인간의 사회적 행위를 내면적으로 회득함으로써 성립한다는 사회학.

회때 명 〈방〉〖어〗횟대.

회때기 명 〈방〉 호드기(경상).

회또기 명 〈방〉〖어〗횟대.

회똑-거리다 자 ①금방 넘어질 듯이 이리저리 흔들리다. ②일이 성패(成敗)의 고비에 서서 위태위태하다. 1)·2): <휘뚝거리다. **회똑-회똑** 부. ——-하다 자여불

회똑-대다 자 회똑거리다.

회똑-이다 자 금방 넘어질 듯이 흔들리다. <휘뚝이다.

회똘-회똘 부 길이 이리저리 구부러진 모양. <휘뚤휘뚤. ——-하다 형여불

회뙤기 명 〈방〉 호드기(함남).

회띠기 명 〈방〉 호드기(경상).

회락-봉【回樂峰】명〖지〗후이러 봉.

회란[1]【回瀾】명 넘어져 가는 큰 파도. 맴도는 사나운 파도.

회란[2]【回鑾】명 환궁(還宮). ——-하다 자여불

회란-기【灰闌記】명〖책〗중국 원(元)나라 때 이행보(李行甫)가 지은 희곡(戲曲). 어떤 부자의 처(妻)가 한 관리(官吏)와 간통하여 남편을 독살(毒殺)한 후, 그 죄를 첩(妾)에게 뒤집어 씌우고 유산(遺產)을 독차지할 목적으로, 첩이 낳은 사내 아이를 자기 아들이라고 주장하매, 명판관(名判官)인 포증(包拯)은 법정(法廷)에 석회로 원을 그리고 그 가운데에 아이를 서게 하여 원 밖으로 끌어 내면 승소(勝訴)한다고 말한 다음 처와 첩에게 양쪽에서 마주 잡아당기기를 명하였는데, 첩은 친아들인 그 아이가 아파하는 게 마음에 쓰라려 세 번 다 처에게 지자, 포증은 첩이 옳음을 알고, 처와 그 간부(姦夫)인 관리를 처형(處刑)하였다는 줄거리임.

회란-대【廻欄臺】명〖건〗난간(欄干)의 위쪽에 옆으로 길게 돌려 댄 나무. 난간의 손잡이 역할을 함.

회란-석【廻欄石】명〖건〗난간(欄干)의 손잡이 돌. 돌로 만든 난간의 회란대(廻欄臺).

회람【回覽】명 여러 사람이 차례로 돌려 봄. 회간(回看). 윤시(輪示). ——-하다 타여불

회람 잡지【回覽雜誌】명 여러 사람의 원고(原稿)를 모아 잡지 모양으로 책을 매어, 돌려 가면서 보는 일종의 동인(同人) 잡지. 주로 학생이나 아동들의 과외 활동으로서 성행(盛行)함.

회람-판【回覽板】명 여러 사람에게 알리는 문서를 붙여 차례차례 돌려 보기 위한 판.

회랑【回廊·廻廊】명 ①정당(正堂)의 좌우에 있는 긴 집채. ②양옥(洋屋)의 어떠한 방을 중심으로 둘러 낸 마루. ③갤러리(gallery).

회랑 지대【回廊地帶】명 제2차 세계 대전 전 폴란드의 발트 해(Balt海)에 면한 지대. 독일 본국과 동프로이센(東Preußen)과의 중간에 끼어 있어 단치히(Danzig) 문제와 함께 독일과 폴란드와의 분규(紛糾)의 초점이 되었음. 폴란드 회랑(Poland 回廊).

회랑-퇴【廻廊退】명〖건〗건물의 주위를 빙 둘러 붙인 툇마루.

회래【回來】명 회환(回還). ——-하다 자여불

회량【回糧】명 돌아오는 노자(路資).

회력【回歷】명 여기저기를 두루 역방(歷訪)함. ——-하다 타여불

회:렵【會獵】명 여러 사람이 모여 사냥함. ——-하다 자여불

회:령【會寧】명〖지〗[←회녕(會寧)] 함경 북도 회령군의 한 읍(邑)으로 군청 소재지. 두만강 연안의 국경 도시로 만주와의 교통·교역(交易)의 요지임. 부근의 석탄·목재·곡물의 집산지(集散地)이며 특산으로 회령소주(燒酒)가 있음.

회:령 개시【會寧開市】명〖역〗조선 시대 때, 북관 개시(北關開市)의 하나. 인조(仁祖) 15년(1637)부터 회령에서 매년 10월 이후에 연 시장. 소·소금·보습을 중국 청(淸)나라에 팔고, 양가죽·청포(靑布) 등을 수입하였음.

회:령-군【會寧郡】명〖지〗함경 북도의 한 군. 관내 1읍 6면. 도의 북부에 위치하며 북은 두만강(豆滿江), 동은 종성군(鐘城郡), 남은 부령군(富寧郡), 서는 무산군(茂山郡)에 인접함. 기후는 대륙성으로 한랭 과우(寒冷寡雨)함. 두만강 연변을 따라 함경선(咸鏡線)이 통하고 회령에서 계림(鷄林)으로 지선(支線)이 분기(分岐)함. 주요 산물로는 조·옥수수·감자·콩 및 임산·광산 등이 있음. 명승 고적으로는 회령성지(會寧城址)·운두성지(雲頭城址)·황제총(皇帝塚) 등이 있음. 군청 소재지는 회령읍. [1,204 km²]

회:령-봉【會靈峰】명〖지〗강원도 평창군(平昌郡) 봉평면(蓬坪面)의 산. [1,309 m]

회:령 분지【會寧盆地】명〖지〗두만강(豆滿江) 연안에 개석(開析)된 분지. 중심지 회령은 함경선(咸鏡線)과 회령 탄광선의 분기점을 이루는 국경 교역 도시이며, 목재와 농산물의 집산지임. 조선 시대 때 육진(六鎭)의 하나로 성곽 도시이며, 부근에는 유선(遊仙)·계림(鷄林) 탄광이 있어 유연탄을 산출하고 있음.

회:령 탄:광선【會寧炭鑛線】명〖지〗함경 북도 회령에서 계림(鷄林)까지의 단선 철도. 계림 탄광의 석탄 개발을 목적으로 한 철도선임. 1928년 8월 11일에 개통됨. [11.7 km]

회:령 탄:전【會寧炭田】명〖지〗함경 북도 국경의 회령읍(會寧邑) 서쪽 제3기층에 있는 탄전. 함북 탄전(咸北炭田)의 일부분임. 석탄은 갈탄으로 품질이 우량하고 매장량은 약 1억2천만 톤으로 함북 탄전 총매장량의 44%에 해당함. 그 중 회령·봉의(鳳儀)·유선(遊仙)·궁심(弓心)·계림(鷄林) 등의 탄광이 저명함.

회례[1]【回禮】명 사례(謝禮)의 뜻으로 하는 예. 반례(返禮). 환례(還禮). ——-하다 자여불

회례[2]【廻禮】명 차례로 돌아다니며 인사를 함. ——-하다 자여불

회:례[3]【會禮】명 ①회합(會合) 또는 회의에서의 예의. ②서로 만나는 인사. ——-하다 자여불

회례-사【回禮使】명〖역〗조선 시대 때, 일본에서 보내 온 사절(使節)에 대한 답례(答禮)로 조선에서 일본으로 보낸 사절. *통신사(通信使).

회:례-악【會禮樂】명〖악〗궁중의 회례연(會禮宴)에 연주하는 음악.

회:례-연【會禮宴】명〖역〗설날 또는 동짓날에 문무 백관(文武百官)이 모여서 임금에게 배례(拜禮)한 후 베푸는 연회.

회로[1]【回路】명 ①돌아오는 길. 반로(返路). ②[circuit]〖물〗도체(導體)로 이루어지는 전류(電流)의 통로(通路). 전류가 정상적(定常的)으로 흐르기 위해서는 끝이 없는 폐로(閉路)로 되어 있지 않으면 안 되기 때문에 이렇게 부름. 전기 회로. 전로(電路). 서킷.

회로[2]【懷爐】명 불을 담아 품 속에 지니고 다니는 작은 화로(火爐). 얇은 쇠붙이로 납작하게 상자같이 만들어 연료를 담고 뚜껑을 덮게 되었음. 물리 요법(物理療法) 또는 방한용(防寒用)으로 씀.

회로-계【回路計】명〖전〗전기 기기(機器)·전자 회로 등의 조정이나 고장 발견을 위한, 휴대용 전류 전압계(電流電壓計). 테스터.

회로-도【回路圖】명 전기 회로를 구성하는 각 부분 단위(單位)의 명칭과 연결 상태를 나타낸 그림.

회로리ᄇᆞ롬 명 〈옛〉 회오리바람. ¶飄風은 회로리ᄇᆞᄅᆞ미라《金剛 上 11》

회로-망【回路網】명〖전자〗상호간에 관련되어 있는 몇몇 회로의 집합. 회로 소자(回路素子)가 모여서 이루어짐.

회로 소:자【回路素子】명〖물〗회로를 구성하는 각 중요 부분. 코일·콘덴서·진공관 따위임.

회로-회【懷爐灰】명 회로용의 연료. 숯가루에 짚 등의 재를 섞고, 다시 조연제(助燃劑)를 가한 연료.

회록[1]【回祿】명 ①화재(火災). ②중국에서, 화재를 맡은 신(神).

회:록[2]【會錄】명 ①↗회의록(會議錄). ②〖역〗정부 소유물, 주로 곡물(穀物) 등을 본창고(本倉庫)에 두지 못한 경우에 다른 창고에 보관하던 일. ③〖역〗조선 시대 명종(明宗) 9년(1554) 이후, 지방의 모곡(耗穀)의 일부를 조정(朝廷)에 보고하여 회계 장부인 회안(會案)에 등록하던 일.

회록지-재【回祿之災】명 화재(火災).

회:뢰【賄賂】명 ①사사 이익을 얻기 위하여 남에게 부정(不正)한 금품을 보내는 일. 또, 그 금품. ②〖법〗직무(職務)에 관하여 주고받는 위법(違法)의 보수(報酬)의 범칭(汎稱). ——-하다 자여불

회:뢰-죄 【賄賂罪】[―쬐] [명] 〖법〗 뇌물(賂物)을 주고받음으로써 성립하는 죄. 수회죄(收賄罪)와 증회죄(贈賄罪)가 있음. 주로 공무원을 행위 주체(主體)로 하는 독직죄(瀆職罪)의 한 가지임.

회룡 고조 【回龍顧祖】 [명] 〖민〗 산의 지맥(支脈)이 뼹 돌아서 본산(本山)과 서로 대하는 지세(地勢).

회:루 【悔淚】 [명] 잘못을 뉘우쳐 흘리는 눈물.

회:루-바람 [명] 〈방〉 회오리바람(경기).

회류[1] 【回流】 [명] 뼹 돌아서 흐름. ――-하다 [자][여불]

회:류[2] 【會流】 [명] 물줄기가 한데 모여 흐름. *합류(合流). ――-하다 [자][여불]

회-릉 【懷陵】 [명] 〖지〗 ①고려 문종(文宗)의 어머니 연덕 궁주(延德宮主) 김씨(金氏)의 능. ②조선 시대 성종의 비(妃)이며 연산군(燕山君)의 어머니인 폐비(廢妃) 윤씨(尹氏)의 능. 처음에 묘(墓)로 있다가 연산군 때 봉릉(封陵)하였고, 연산군의 추방과 동시에 폐릉(廢陵)하였음. 지금의 서울 회기동(回基洞)에 있었으나 1969 년 경기도 고양시(高陽市)의 서삼릉(西三陵) 경내로 이장됨.

회리[1] 【回鯉】 [명] [중국 춘추(春秋) 시대에 월왕(越王) 구천(勾踐)의 가신(家臣) 범여(范蠡)가 잉어의 배를 따고 그 속에 편지를 넣은 고사(故事)에서 유래함] 회답(回答). 답서(答書).

회리[2] 【懷裡】 [명] ①주머니의 속. ②마음 속.

회:리-바람 [명] ↗회오리바람.

회:리바람-꽃 [명] 〖식〗 [*Anemone reflexa*] 미나리아재빗과에 속하는 다년초. 포복경(匍匐莖)은 땅 속에 길게 뻗으며, 줄기는 높이 30cm 내외이고, 포엽(苞葉)은 줄기 끝에 거듭 삼출(三出)함. 꽃은 5-6월에 흰 포엽의 중심에서 한 개의 화병(花柄)이 나와 그 끝에 하나씩 피며, 과일은 수과(瘦果)임. 산지에 나며, 대관령(大關嶺)·설악산(雪嶽山) 이북에 분포함.

회:리-밤 [명] ↗회오리밤.

회:리-봉 【―峯】 [명] ↗회오리봉.

회마 【回馬】 [명] ①돌아가는 편의 말. ②말을 돌려보냄. ――-하다 [자][여불]

회-마수 【回馬首】 [명] 〖역〗 ①말 타고 가다가 저보다 벼슬이 높은 사람을 만났을 때 말머리를 돌이키어 길을 사양함. ②고을 원이 도임(到任)하는 도중 또는 도임한 지 얼마 안 되어 파면되어서 돌아감. ――-하다 [자][여불]

회마-편 【回馬便】 [명] 돌아가는 말의 편.

회말-타다 [자] 〈방〉 자경마들다.

회매-하다 [형][여불] 입은 옷의 매무시나 무엇을 싸서 묶은 모양이 경첩하고 가든하다. 회매-히 [부]

회:맹[1] 【晦盲】 [명] ①캄캄함. 어두움. ②눈이 어두움. ③세상이 어지러워 컴컴함. ――-하다 [형][여불]

회:맹[2] 【會盟】 [명] ①모여서 서로 맹세함. ②〖역〗 임금이 공신(功臣)들과 산짐승을 잡아 하늘에 제사 지내고, 피를 서로 나누어 빨며 단결을 맹세하는 일. ――-하다 [자][여불]

회맹부 종:류 【回盲部腫瘤】[―뉴] [명] 〖의〗 우하복부(右下腹部)에 발생하는 종류(腫瘤)의 총칭.

회면 【灰面】 [명] 석회를 칠한 벽 등의 면.

회멸 【灰滅】 [명] 불에 타서 없어짐. 형체도 없이 망함. ――-하다 [자][여불]

회:명[1] 【晦明】 [명] 어두움과 밝음.

회:명[2] 【晦冥】 [명] 어두컴컴함. 해나 달의 빛이 가리어져서 컴컴함. ¶천지 ～.

회:명[3] 【會名】 [명] 회의 이름.

회모[1] 【回毛】 [명] 선모(旋毛).

회모[2] 【懷慕】 [명] 마음속 깊이 사모(思慕)함. ――-하다 [타][여불]

회목[1] [명] 손목이나 발목의 잘록한 부분.

회:목[2] 【檜木】 [명] 〖식〗 노송나무.

회무[1] 【回舞】 [명] 〖악〗 정재(呈才)의 수보록(受寶籙)·몽금척(夢金尺)이나 무고(舞鼓) 춤에 출연하는 자 일동이, 원형(圓形)을 지어서 추는 춤.

회:무[2] 【會務】 [명] 회에 관한 여러 가지 사무.

회무[3] 【懷撫】 [명] 달래어 어루만짐. ――-하다 [타][여불]

회문 【回文】 [명] ①위에서 내리 읽거나, 끝에서 치읽거나 다 말이 되게 쓴 글. ②회장(回章).

회문-례 【回門禮】[―녜] [명] 〖역〗 새로이 과거(科擧)에 급제한 사람이, 선배를 앞앞이 찾아 다니며 지도를 비는 행례(行禮).

회:문-사 【會門司】 [명] 〖역〗 고려 충렬왕 7 년(1281)에 인물 추고 도감(人物推考都監)을 고친 이름. 공양왕 3 년(1391)에 다시 인물 추변 도감(人物推辨都監)으로 고침.

회문-시 【回文詩】 [명] 한시체(漢詩體)의 하나. 위에서 내리 읽거나, 끝에서 치읽거나 뜻이 통하고, 평측(平仄)과 운(韻)이 맞는 한시(漢詩).

회미 [명] 〈방〉 호미(강원).

회미질 [명] 〈방〉 헤엄(경북).

회민 【回民】 [명] 중국 내지(內地)에 있어서의 회교도(回敎徒)의 통칭.

회반 【回斑】 [명] 〖한의〗 마진(痲疹) 등으로 몸 거죽에 돋았던 것이 사라져 없어지는 일.

회-반죽 【灰―】 [명] 소석회(消石灰)에 모래·여물·해초 등을 섞어 만든 내장용의 반죽. [준]회죽.

회반죽-벽 【灰―壁】 [명] 회반죽으로 바른 벽.

회방 【回榜】 [명] 〖역〗 [회(回)는 회갑, 방(榜)은 시험의 뜻] 과거에 급제한 지 예순 돐.

회방아-질 【灰―】 [명] 〖건〗 회삼물(灰三物)을 섞어서 확에 넣고 찧는 방아질. ――-하다 [자][여불]

회방-연 【回榜宴】 [명] 〖역〗 과거(科擧)에 급제(及第)한 지 60 주년을 기념하는 잔치.

회백-색 【灰白色】 [명] 잿빛을 띤 흰 빛.

회백수-염 【灰白髓炎】 [명] [poliomyelitis] 〖의〗 급성 감염성(感染性) 바이러스병의 일종. 가장 격렬한 형에서는 중추 신경계가 침범되어, 척수(脊髓)의 운동 신경의 단위 파괴(單位破壞)로 이완성 마비(弛緩性痲痺)를 일으킴.

회백 연:고 【灰白軟膏】 [명] 〖약〗 수은 연고(水銀軟膏).

회백-질 【灰白質】 [명] 〖생〗 뇌(腦)나 척수(脊髓) 속에서 신경 세포가 모인 부분.

회번덕-거리다 [타] 〈방〉 희번덕거리다.

회벽 【灰壁】 [명] 석회(石灰)를 바른 벽.

회벽-질 【灰壁―】 [명] 벽에 석회를 바르는 일. ――-하다 [자][여불]

회보[1] 【回步】 [명] 돌아오는 걸음. ――-하다 [자][여불]

회보[2] 【回報】 [명] ①대답으로 하는 보고(報告). 답보(答報). ②돌아와서 여쭙는 일. ――-하다 [타][여불]

회:보[3] 【會報】 [명] ①어떤 회에 관한 일을 그 회원(會員)에게 알리는 보고. 또, 그 간행물(刊行物). ¶～를 발행하다. ②〖군〗 군대내의 여러 가지 동향(動向)이나 명령(命令) 사항 등을 인쇄하여, 수시로 배부(配付)·주지(周知)시키는 간행물. ¶육군 ～/부대 ～.

회복[1] 【回復】 [명] ①이전 상태와 같이 돌이킴. ②[recovery] 〖야금〗 가공경화(加工硬化)를 감소(減少) 또는 소실(消失)시킴. 흔히, 열처리(熱處理)로 행함. ――-하다 [타][여불]

회복[2] 【恢復】 [명] 쇠퇴한 국세나 가세(家勢) 또는 병세 등을 예전대로 바로잡음. ¶건강을 ～하다. ――-하다 [타][여불]

회복 공:격 【回復攻擊】 [명] 〖군〗 점령당한 진지(陣地)를 다시 빼앗기 위한 공격.

회복-기 【恢復期】 [명] ①원래의 상태로 돌아가는 시기. ②병세(病勢)의 진행이 멎고 차차 치유(治癒)되어 가는 시기. ③불경기(不景氣)로부터 차차 경기가 회복되는 시기.

회복기 보:균자 【恢復期保菌者】 [명] 〖의〗 질병의 임상 증상(臨床症狀)이 회복된 뒤에도 병원체(病原體)를 지니고 있는 사람.

회복 등기 【回復登記】 [명] 〖법〗 일단 소멸(消滅)한 등기의 회복을 목적으로 하는 등기. 천변 지이(天變地異)에 의한 등기의 감실(減失) 또는 멸실(滅失)에 대한 회복 등기와, 무효·취소 또는 착오(錯誤)를 이유로 말소(抹消)된 경우의 회복 등기의 두 가지가 있음.

회복-실 【恢復室】 [명] 수술 환자를 수술 직후의 일정 기간 간호와 마취(痲醉)로부터의 회복을 위해 안정시키는 병실(病室).

회-복통 【蛔腹痛】 [명] 〖한의〗 거위배.

회:본 【會本】 [명] 〖불교〗 경전 따위에서, 본문과 그 주석문을 번갈아 본문의 이해에 도움이 되게 엮은 책.

회봉 【回奉】 [명] 〖역〗 이웃 나라에서 보내 온 예물(禮物)에 대하여 답례로 그 값을 치름. ――-하다 [타][여불]

회부[1] 【回附·廻附】 [명] 돌리어 보냄. 회송하여 넘김. ¶재판에 ～하다. ――-하다 [타][여불]

회:부[2] 【會付】 [명] 〖역〗 특정한 계정에 합쳐 기록함. ――-하다 [타][여불]

회부 규범 【回附規範】 [명] 〖법〗 법문(法文)의 일부가 다른 법규의 법문과 중복될 때, 그것에 해당하는 조문(條文)을 지시하는 법규(法規).

회부-안 【回附案】 [명] 국회에 제출되었거나 발의(發議)된 의안으로서 본회의에 상정(上程)됨에 앞서 상임 위원회나 특별 위원회의 심사에 부쳐진 안.

회분 【灰分】 [명] ①석탄·목탄 등을 완전 연소시킨 후에 남는 불연소성(不燃燒性) 광물질. ②영양학에서, 광물질의 일컬음.

회분 분석 【灰分分析】 [명] 〖화〗 식물체를 태우면 탄소·수소·산소·질소는 공기 중으로 날아가고 재만 남는데 이 재를 화학적으로 분석하여 식물체의 구성 요소를 조사하는 일.

회분 접시 【灰粉―】 [명] [cupel] 귀금속(貴金屬)의 분석(分析)에 쓰이는, 동물의 뼈를 태운 재로 만든 접시.

회분 증류 【回分蒸溜】[―뉴] [명] 〖화〗 원료액을 간간이 증류기에 넣어 불연속적으로 조작하는 증류법. ↔연속 증류.

회분-화 【灰分化】 [명] ①[ashing] 〖화〗 분석(分析)되는 시료(試料)를 가열로(加熱爐) 속에서 가열하여 불연성(不燃性)의 회분(灰分)만을 남기는 분석 조작. ②[incineration] 〖화〗 회분(灰分)만이 남도록 물질을 연소하는 과정.

회:불-사 【繪佛師】[―싸] [명] 온갖 불화(佛畫)를 그리는 일을 업으로 하는 사람.

회:비[1] 【悔非】 [명] 그릇됨을 뉘우침. ――-하다 [자][여불]

회:비[2] 【會費】 [명] 회의 개설(開設)·유지(維持) 등에 소요되는 비용. 회원이 이를 부담함.

회빈 【回賓】 [명] 주인 노릇을 함. 주권을 갖춤.

회빈 작주 【回賓作主】 [명] 주장하는 사람을 제쳐 놓고 제 마음대로 일을 처리하거나, 남의 의사를 무시하고 방자하게 구는 일을 두고 하는 말. ――-하다 [타][여불]

회사[1] 【回謝】 [명] 사례(謝禮)하는 뜻을 표함. ――-하다 [타][여불]

회:사[2] 【悔謝】 [명] 잘못을 뉘우치고 사과함. ――-하다 [타][여불]

회사[3] 【會士】 [명] 〖역〗 조선 시대 때 호조(戶曹)의 종구품 벼슬.

회:사[4] 【會社】 [명] [company] 〖법〗 상행위(商行爲) 기타의 영리를 목적으로 설립된 사단 법인(社團法人). 상행위를 목적으로 하는 회사를 상사(商社) 회사, 상행위 이외의 영리 행위를 목적으로 하는 회사를 민사(民事) 회사라 함. 상법상(商法上)의 분류로서 합명(合名) 회사·합자(合資) 회사·주식(株式) 회사·유한(有限) 회사의 네 가지가 있으며, 경제적 견지에서 인적(人的) 회사와 물적(物的) 회사, 국적(國籍)에 의하여 내국 회사와 외국 회사 등으로 나뉨. [준]사(社). *공사(公司).

회:사[5] 【繪史】 [명] 〖역〗 조선 시대 때 도화서(圖畫署)의 잡직(雜職)의 종구품 동반(東班) 벼슬.

회사[6]【壞死】명 〖의〗 → 괴사(壞死).
회:사-기【會社旗】명 회사를 상징하는 기. 준사기(社旗).
회:사 기업【會社企業】명 사기업(私企業) 가운데서, 법인격(法人格)을 가진 기업. ↔개인 기업.
회:사 등기【會社登記】명 〖법〗 상법 등에 의하여 상업 등기부에 회사에 관한 사항을 등기하는 일. 회사에 관한 등기 사항으로는 회사의 설립과 이사(理事)·감사(監事)·대표 사원·대표 이사·공동 대표 및 해산·청산(淸算)·자본 증감·사채(社債)·합병·계속·조직 변경 따위가 있음.
회:사-령【會社令】명 〖역〗 조선에서의 회사 설립은 조선 총독의 허가를 받아야 한다고 규정한 조선 총독부의 제령(制令). 1910년 12월에 공포됨.
회:사 매매 알선업【會社賣買斡旋業】[—썬—] 명 〖경〗 회사를 사고 파는 일을 알선·소개하는 직업 또는 기업(企業).
회-사무리【灰—】명 〈방〉 회삼물(灰三物).
회사 반죽【灰砂—】명 생석회에 모래를 섞어 반죽한 것.
회:사 범:죄【會社犯罪】명 〖법〗 기업 형태(企業形態)인 회사 제도를 악용하는 위법(違法) 행위로서 형벌의 대상이 되는 행위.
회:사-법【會社法】[—뻡] 명 〖법〗 회사에 관한 법규. 특히, 회사의 사법적(私法的)인 관계, 곧 회사의 설립·조직·기관·해산·청산, 회사 및 회사원의 내외(內外)에 대한 권리·의무 등에 관한 법규의 총칭.
회사-벽【灰沙壁】명 〖건〗 석회·백토(白土)·세사(細沙) 등을 섞어서 반죽하여 벽에 바르는 일. 또, 그 벽. ——-하다 타여불
회사벽-질【灰沙壁—】명 〖건〗 회사벽(灰沙壁)하는 일. ——-하다 타여불
회사-부【懷沙賦】명 문장의 이름. 중국 초(楚)나라의 굴원(屈原)이 멱라수(汨羅水)에 몸을 던져 자살(自殺)할 때에 지은 것. 초사(楚辭)에 실려 전(傳)함.
회:사 부기【會社簿記】명 〖경〗 회사에서 필요로 하는 부기. 공업(工業) 부기를 필요로 하는 일부 회사를 제외하고는 대개 상업(商業) 부기를 표준으로 사용함.
회:사-선【會社線】명 사선(社線).
회:사-원【會社員】명 ①회사의 사무원·종업원. 사원(社員). ②〖법〗 사「원(社員)❷.
회:사 재산【會社財產】명 회사의 자산(資產)과 부채(負債)의 총칭.
회:사 정:리법【會社整理法】[—니뻡] 명 〖법〗 재정적 궁핍으로 파탄에 직면하였으나 갱생의 가망이 있는 주식 회사에 관하여 채권자·주주·기타의 이해 관계인의 이해를 조정하며 그 사업의 정리 재건을 도모하는 것을 목적으로 한 법.
회:사 조합【會社組合】명 〔company union〕 〖사〗 사용인의 뜻에 따라 조직 운영되는 어용(御用) 노동 조합. 황색 조합(黃色組合).
회:사-채【會社債】명 사채(社債).
회:사 체인 스토어【會社—】〔chain store〕 명 〖경〗 전체 점포가 단일 기업(企業)으로 결합된 연쇄점의 한 종류. ↔자유 체인 스토어.
회:사 합병【會社合倂】명 〖법〗 법정 절차(法定節次)에 따라 당사자인 회사의 일부 또는 전부가 해산하여, 그 재산이 청산(淸算) 절차를 밟지 않고, 포괄적(包括的)으로 다른 존속(存續) 회사 또는 신설 회사에 이전함과 동시에, 그 사원도 새 회사의 사원이 되는 효력을 가지는 회사 간의 행위. 신설 합병과 흡수(吸收) 합병의 두 가지가 있음.
회:사형 투자 신:탁【會社型投資信託】명 〔corporation type investment trust〕 〖경〗 유가 증권(有價證券) 투자를 목적으로 한 회사를 설립하고, 그 주식을 일반 투자자(投資者)에게 갖게 하는 방식. 투자자는 주주가 되어 이익 배당을 받음.
회:삭【晦朔】명 그믐과 초하루.
회:산【會散】명 모임과 흩어짐. ——-하다 자여불
회산군-전【檜山君傳】명 〖문〗 영영전(英英傳).
회:삼-경【會三經】명 〖책〗 대종교의 진리인, 삼진 귀일(三眞歸一)의 뜻을 풀어서 과학적으로 증명한 책. 서백포(徐白圃)가 지음.
회-삼물【灰三物】명 〖토〗 석회(石灰)·세사(細沙)·황토(黃土)의 세 가지를 한데 섞은 물건. 광중(壙中)의 방회(傍灰)·천회(天灰)로 또는 건축 등에 많이 쓰임. 준삼물(三物). ——-하다 타여불
회:삽【晦澁】명 언어·문장 등이 어려워 뜻이 명료하지 않음. ¶극히 ~ 한 표현. ——-하다 형여불
회상[1]【回翔】명 빙빙 돌며 남. 돌아옴. ——-하다 자여불
회상[2]【回想】명 ①지나간 일을 돌이켜 생각함. 또, 그 생각. ②〔remembrance〕 〖심〗 과거에 경험한 일을 재인 감정(再認感情)과 더불어 재생(再生)하는 일. ③〖언〗 서법(書法)의 하나. 직접 체험한 어떤 사실을 돌이켜 생각하며 표현하는 형식. '하더라·하데·합디다' 따위. ——-하다 타여불
회:상[3]【會上】명 〖불교〗 대중(大衆)이 모인 법회(法會).
회:상[4]【會商】명 모여서 상의(商議)함. ——-하다 타여불
회:상[5]【繪像】명 〖미술〗 화상(畫像)❶.
회상-담【回想談】명 회상하는 이야기.
회상-록【回想錄】[—녹] 명 ①과거의 일을 그 관계자가 회상하여 적은 기록. ②〔memorials〕 〖문〗 어떤 개인이 자기의 생애와 직접 간접으로 관계한 사건 등을 회상적으로 써서, 자기 비판이나 사회적인 비판을 가한 문학의 한 형식. 루소(Rousseau)의 참회록(懺悔錄) 같은 것이 대표적임.
회색[1]【灰色】명 ①잿빛. 쥐색. ②〔흑(黑)과 백(白)의 중간이란 뜻에서〕 무소속(無所屬)·무의견(無意見)의 비유. ③색상(色相)에서, 음울·모호함·침울의 비유. ¶~의 인생.
회:색[2]【悔色】명 후회하는 기색. 뉘우치는 태도.
회:색[3]【晦塞】명 캄캄하게 아주 꽉 막힘. ——-하다 자여불
회색[4]【壞色】명 〖불교〗 순백색(純白色)을 피하기 위하여, 가사(袈裟)에 물을 들임.
회색-뒷붉은나방【灰色—】[—불근—] 명 〖충〗 [*Catocala electa*] 밤나방과에 속하는 곤충. 편 날개의 길이 72-76 mm, 몸빛은 복면(腹面)이 회백색, 앞날개의 아기선(亞基線)과 안팎 횡선(橫線)은 흑색으로 물결 모양을 이룸. 뒷날개는 붉은 빛에 중앙과 외연(外緣)은 검은데 한국에도 분포함. 붉은뒷날개나방.
회색-밤나방【灰色—】명 〖충〗 [*Ochropleura praecox flavomaculata*] 밤나방과에 속하는 곤충. 편 날개 길이 43 mm 내외. 몸빛은 회색과 암갈색의 혼합이며 복배(腹背)와 뒷날개는 암갈색임. 앞날개는 녹회색에 담회색 인편(鱗片)이 흩어져 있음. 유충은 사탕무·콩류(類)·배·복숭아 등의 잎의 해충임. 한국에도 분포함.
회색 분자【灰色分子】명 〖사〗 소속(所屬)이나 주의·노선(路線) 등이 분명하지 않은 사람.
회색 삼림토【灰色森林土】[—님—] 명 〖지〗 온대(溫帶)의 대륙성 기후 하의 삼림 스텝(森林 steppe) 중간대에 분포하는 토양형(土壤型). 부식(腐植)의 축적과 포드졸화(podzol 化)가 겹쳐 된 것임.
회색 선전【灰色宣傳】명 확실한 출처(出處)나 근거는 밝히지 않고 모호하게 하는 선전.
회색 시:장【灰色市場】명 〖경〗 그레이 마켓(grey market).
회색 신월환【灰色新月環】명 〔grey crescent〕 〖생〗 양서류(兩棲類)의 알에서 수정(受精) 후 제일 난할(第一卵割)이 시작하기 이전에, 식물극(植物極)과 적도(赤道)와의 중간에, 하나의 자오선(子午線)을 중심으로 그 좌우에 상칭적(相稱的)으로 말단(末端)을 가지고 출현하는 신월상(新月狀)의 모양.
회색 앵무【灰色鸚鵡】명 〖조〗 [*Pittacus erithacus*] 앵무과에 속하는 새. 몸길이 35 cm쯤으로 크고 회색인데 꽁지는 붉음. 아프리카 가나(Ghana) 원산이며, 말하는 앵무새 중 가장 머리가 영리함. 길들이면 악수나 절을 하며 세계 각국의 동물원에서 사육됨. 곡물·씨앗·과일 등을 먹으며, 3-4개의 알을 낳음. 빅토리아 호수나 앙골라에 분포함.
회색 주:철【灰色鑄鐵】명 회선철(灰銑鐵).
회색 차일 구름【灰色遮日—】명 〖기상〗 〈속〉 고층운(高層雲).
회색-체【灰色體】명 〖물〗 어떤 물체의 복사능(輻射能)과, 그것과 같은 온도의 흑체(黑體)의 복사능과의 비가 온도 및 파장(波長)에 관계 없이 일정한 값을 가질 때의 이 온도 복사체를 말함.
회색-토【灰色土】명 〖지〗 온대로부터 난온대(暖溫帶)에 걸쳐 따뜻한 겨울을 가지는 사막(沙漠)의 건성 식생(乾性植生) 아래 분포하는 토양형(土壤型). 사막토(沙漠土)와 거의 같은 뜻이지만 최근에는 중앙 아시아 남부의 산록 반사막(半沙漠)의 토양에 한정하는 설이 있음.
회색 토기【灰色土器】명 〔grey pottery〕 〖고고학〗 원사(原史) 시대나 삼국 시대 토기 중 환원염(還元焰)으로 구워진, 회색 계통의 빛깔을 띤 토기. 구워진 온도에 따라 무른 와질(瓦質) 토기와 단단한 도질(陶質) 토기로 나뉘어짐.
회색-파【灰色派】명 중간파(中間派).
회색 혁명【灰色革命】명 〖사〗 노령 인구(老齡人口)가 격증(激增)하는 현상과 그에 따른 사회상(社會相)의 변혁(變革).
회생[1]【回生】명 소생(蘇生). ¶기사(起死) ~. ——-하다 자여불
회생[2]【懷生】명 중생(衆生).
회생-산【回生散】명 〖한의〗 곽향(藿香)과 진피(陣皮)로 짓는 탕약(湯藥). 곽란(霍亂)에 쓰임.
회생지-망【回生之望】명 회생할 수 있는 가망.
회생지-업【回生之業】명 죽은 사람을 다시 소생시키는 업. 즉, 의업(醫業)을 말함.
회생-탕【回生湯】명 소의 꼬리·콩팥·양지머리·사태 등을 고아서 기름을 걷어 버린 국물. 소복(蘇復)하는 데에 먹음.
회서【回書】명 답장(答狀).
회석[1]【灰石】명 〖광〗 용융 상태(熔融狀態)로 낙하(落下)하여 융합한 화산암(火山岩) 조각의 집합.
회:석[2]【會席】명 여러 사람이 모인 자리.
회:석[3]【會釋】명 〖불교〗 법문(法文)의 어려운 뜻을 잘 통하도록 해석하는 일. ——-하다 타여불
회선[1]【回船】명 ①돌아가는 배. 또, 그 배편(便). ②배를 돌려 돌아옴. ——-하다 자여불
회선[2]【回旋·廻旋】명 ①빙빙 돌거나 돌림. ②〔winding〕 〖식〗 어떤 종류의 식물의 줄기가 지주(支柱)를 감으면서 올라가는 행동. ——-하다 자타여불
회선[3]【回線】명 ①전화를 연결하는 선. 전화가 통할 수 있도록 가설되어 있는 선. ②코일(coil).
회선-곡【回旋曲】명 〖악〗 '론도(rondo)❷'의 역어(譯語).
회선-교【回旋橋】명 '선개교(旋開橋)'의 딴이름.
회선-근【回旋筋】명 〖생〗 목을 좌우로 돌리거나, 손을 돌리거나 하는 근육.
회선 기중기【回旋起重機】명 '회전 기중기'의 딴이름.
회선 식물【回旋植物】명 〖식〗 나팔꽃·강낭콩과 같이 회선 운동을 하면서 생장하는 식물.
회선 운:동【回旋運動】명 〔spiral motion〕 〖식〗 나팔꽃의 줄기나 오이의 덩굴손같이, 생장함에 따라 다른 물건을 감고 올라가는 생장 운동의 한 가지.
회-선철【灰銑鐵】명 쇠를 녹여 식힐 때 흑연이 많이 생겨 잿빛으로 보이는 주철. 난로 등을 부어 만드는 데 쓰임. 회색 주철.
회선-탑【回旋塔】명 높은 기둥의 꼭대기에 여러 가닥의 쇠줄을 매달아

아이들이 이것을 잡고 도는 놀이용 기계.

회선-포【回旋砲】명〖군〗옛날 대포의 한 가지.

회성[1] 명〈방〉혜성(慧星)(함북).

회성[2]【回省】명 내성(內省).

회성-산【回城山】명〖지〗함경 남도 영흥군(永興郡) 요덕면(耀德面)에 있는 산. 낭림 산맥 중에 솟아 있음. [1,710 m]

회-성석【灰成石】명 반죽한 석회(石灰)가 단단히 굳어서 돌과 같이 된 「물건.

회소[1]【回蘇】명 다시 살아남. 회생(回生). 소생(蘇生). ——-하다 자여불

회:소[2]【會所】명 여러 사람이 모이는 곳.

회소[3]【詼笑】명 실없이 조롱하여 웃음. ——-하다 타여불

회소[4]【懷素】명〖사람〗중국 당대(唐代)의 중. 속성(俗姓)은 전(錢)씨, 자(字)는 장진(藏眞). 장욱(張旭) 후에 나온 초서(草書)의 명가(名家)로 알려짐. 대표작에 ≪초서 천자문(草書千字文)≫·≪자서첩(自叙帖)≫ 등이 있음. [725?-785?]

회:소[5]【繪素】명 그림❶.

회:소[6]【繪塑】명 채색(彩色)을 한 소상(塑像).

회:소-곡【會蘇曲】명〖악〗신라 때에 민간(民間)에 널리 유행하던 노래 곡조의 이름. 유리왕(儒理王) 때부터 성행하던 팔월 보름의 가배(嘉俳) 때 진 편에서 탄식하는 조로 불렀다고 함. 회소 노래. 회악(會樂).

회:소 노래【會蘇一】명〖악〗회소곡(會蘇曲).

회송【回送】명 환송(還送). ——-하다 타여불

회송-차【回送車】명 고장(故障) 기타의 원인으로, 승객이나 화물을 신지 않고 그대로 회송되는 자동차나 전동차.

회수[1]【回收】명 도로 거두어 들임. ——-하다 타여불

회수[2]【回首】명 회두(回頭)❶. ——-하다 자여불

회수[3]【回數】[—쑤] 명 ☞ 횟수(回數).

회수[4]【淮水】명〖지〗'화이수이'를 우리 음으로 읽은 이름.

회수[5]【劊手】명 사형을 집행하는 사람. 목을 자르는 사람.

회수-권【回數券】[—꿘] 명 승차권·열람권(閱覽券)·입장권 등의 몇 회분(回分)을 한 뭉치로 하여 파는 표.

회수-모【回收毛】명 ↗회수 양모(回收羊毛).

회수 양모【回收羊毛】명 양모(羊毛)의 혼방품(混紡品)·혼직품(混織品)으로부터 화탄법(化炭法)에 의하여 회수해 낸 양모. 하급 양모의 원료가 됨. ㊟회수모(回收毛).

회수-익【回收益】명 도로 거두어 들이는 이익.

회수-차【回收車】명 [recovery vehicle]〖기〗차량(車輛)을 회수하기 위한 윈치·호이스트(hoist) 등이 장비(裝備)된 특수 용도의 차량.

회수-철【灰收鐵】명 다시 녹여 쓰기 위하여 거두어 모은 철.

회수 캡슐【回收—】명 [recovery capsule] 대기권(大氣圈)에 재돌입(再突入)한 뒤에 회수할 수 있도록 설계한 우주 캡슐.

회수-함【回收艦】명 대기권(大氣圈)에 재돌입하여 대양에 착수(着水)한 인공 위성·관측 기기·우주선을 회수하는 군함.

회:순【會順】명 회의 진행하는 순서.

회-술레【回—】명 ①사람을 함부로 끌고 돌아다니며 우세를 주는 일. ②남의 비밀을 들추어 널리 퍼뜨리는 일. ——-하다 타여불

회시[1]【回示】명 ①남에게서 오는 회답(回答). ②죄인을 끌고 다니며 여러 사람에게 보임. ——-하다 자타여불

회:시[2]【會試】명〖역〗문무과(文武科) 과거(科擧) 초시(初試)의 급제자(及第者)가 서울에 모여 다시 보는 복시(覆試). 여기서의 급제자가 다시 전시(殿試)를 보게 되었음. 복시(覆試). 소과(小科) 복시.

회:시-접【會試接】명〖역〗조선 시대 때 개성부(開城府)의 성균관(成均館)에서 베풀던 식년 소과 복시(式年小科覆試)의 응시자를 위한 특별한 거접(居接). *대동접(大同接).

회:식【會食】명 여러 사람이 모여 함께 음식(飮食)을 먹음. 또, 그 모임. ——-하다 자여불

회신[1]【回申】명 웃어른께 대답을 말씀 드림. ——-하다 자여불

회신[2]【回信】명 편지나 전신(電信)·전화 등의 회답. 반신(返信). 회서(回書). 회보(回報). 회한(回翰). ——-하다 자여불

회신[3]【灰身】명〖불교〗몸을 재와 같이 소멸하는 일. 또, 그 몸. ——-하다 자여불

회신[4]【灰燼】명 재와 불탄 끄트머리. 화신(火燼). 신회(燼灰). ¶～으로 화하다.

회신-료【回信料】[—뇨] 명 회답하는 통신에 드는 요금. *반신료(返「信料).

회신료 선납 전:보【回信料先納電報】[—뇨—] 명 회답에 요하는 전보 요금을 발신인이 미리 내고 치는 특수 취급 전보.

회신 멸지【灰身滅智】[—찌] 명〖불교〗색신(色身)을 멸하고 공적(空寂)·무위(無爲)의 열반계(涅槃界)로 들어가는, 소승 불교(小乘佛教)가 이상(理想)으로 하는 경지. 회단(灰斷).

회신-화【灰燼化】명 송두리째 타 버려 재만 남음. ——-하다 자여불

회심[1]【灰心】명 외부(外部)의 유혹을 받지 아니하고, 고요히 재처럼 사그라진 마음. 곧, 의기(意氣)가 저상(沮喪)한 마음.

회심[2]【回心】명 ①마음을 돌려 먹음. ②〖불교〗사악한 마음을 돌려서 옳고 착하고 바른 길로 돌아간 마음. 돌이마음. ③[conversion]〖기독교〗신앙(信仰)에 눈을 떠, 과거의 세속적인 생활을 청산하고, 신을 믿는 경건한 신앙 생활로 마음을 전향(轉向)하는 일. 또한 그러한 종교적인 체험. ——-하다 자여불

회:심[3]【悔心】명 잘못을 뉘우치는 마음.

회:심[4]【會心】명 마음에 맞음. 심기(心氣)에 들어맞음. ¶～의 미소.

회:심[5]【會審】명〖역〗법관(法官)이 모이어 사건을 심리함. ——-하다 타여불

회심-곡[1]【回心曲】명〖불교〗임진 왜란 때에 서산(西山) 대사가 선행(善行)을 권하려고 지은 노래. 착한 일을 하면 극락에 가고 못된 짓을 하면 지옥에 간다는 내용임. 회심곡(悔心曲). 별회심곡(別悔心曲). 권선가(勸善歌).

회:심-곡[2]【悔心曲】명〖불교〗회심곡(回心曲).

회:심 아:문【會審衙門】명〖역〗19세기 후반 이래로 중국에 있었던 재판소(裁判所)의 한 가지. 상해(上海)의 공동 조계(租界)나 프랑스 조계와 같은 외국 조계에 설치(設置)되어, 외국 관헌(官憲)과 중국 관헌이 공동으로 재판을 행하였음. 중국의 반(反)제국주의 운동을 배경(背景)으로 상해·한커우(漢口)의 회심 아문은 1927-31년 사이에 폐지되었음.

회:심-작【會心作】명 자기의 작품 중에서 자기 마음이 흐뭇하도록 잘 된 작품. 쾌심작(快心作).

회:심지-우【會心之友】명 심기(心氣)가 맞는 벗.

회:심-처【會心處】명 마음에 꼭 맞는 곳. 유쾌한 점.

회심 향:도【回心向道】명〖불교〗마음을 돌려 바른 길로 들어섬. ——-하다 자여불

회ᄉ【回寺】명〈옛〉사당(寺黨). 천하게 노는 계집. ¶女人之遊寓山寺者方言謂之回寺 ≪中宗實錄 XIX:1≫.

회:악【會樂】명〖악〗회소곡(會蘇曲).

회악-바람 명〈방〉회오리바람(경북).

회안[1]【回雁】명 답장의 편지. 안신(雁信).

회:안[2]【悔顔】명 잘못을 뉘우치는 기색을 띤 얼굴.

회:안[3]【會案】명 ①회의 안건(會議案件). ②회록(會錄). ③〖역〗결산서(決算書).

회안 대:군【懷安大君】명〖사람〗조선 태조(太祖)의 넷째 아들. 이름은 방간(芳幹). 어머니는 신의 왕후(神懿王后) 한씨(韓氏). 왕위(王位) 계승에 대한 야심을 품고 동생 방원(芳遠)을 질시하다가 박포(朴苞)의 거짓 밀고를 믿고 군사를 일으켜 방원을 공격하였으나 패하여 귀양감. *방간의 난(亂). [?-1421]

회:암【晦暗】명 암회(晦晦).

회:암-사【檜巖寺】명〖지〗경기도 양주군(楊州郡)에 있는 봉선사(奉先寺)의 말사(末寺). 고려 말기에 지은 큰 절. 지공(指空)·나옹(懶翁) 등이 있었으며 이태조(李太祖)도 만년에는 여기서 수도하였음. 지공의 부도(浮圖) 및 나옹의 비(碑)가 있음.

회야-나무 명 ☞ 해나무.

회약【蛔藥】명〖약〗거위배에 쓰는 약. 산토닌제(santonin 劑) 같은 것.

회양[1]【回陽】명〖한의〗망양증(亡陽症)을 돌려서 양기(陽氣)를 회복시킴. ——-하다 타여불

회양[2]【淮陽】명〖지〗강원도 회양군의 군청 소재지. 군의 북서부, 북한강 상류 좌안에 있으며 경원 가도(京元街道)의 요지임.

회양-군【淮陽郡】명〖지〗강원도의 한 군. 관내 7면. 도의 북동부에 위치하며, 북은 통천군(通川郡)과 함경 남도 안변군(安邊郡). 동은 통천군과 고성군(高城郡), 남은 인제군(麟蹄郡)과 양구군(楊口郡), 서는 평강군(平康郡)에 인접함. 교통은 매우 불편함. 주요 산물은 보리·콩·삼·꿀 등이며 동부 산지에서는 금·석탄 등이 남. 명승 고적으로 금강산이 있음. 군청 소재지는 회양. [2,094 km²]

회양-나무【—楊—】명〈방〉회양목.

회양-목【—楊木】명〖식〗[*Buxus koreana*] 회양목과에 속하는 상록 활엽 관목, 또는 작은 교목. 잎은 타원형 또는 거꿀달걀꼴이며 톱니가 없고 잎 뒤에 미모(微毛)가 남. 4월에 엷은 황색 꽃이 액생(腋生)하여 피며, 삭과(蒴果)는 7-8월에 익음. 산기슭·산허리·골짜기 및 석회암 지대에 나는데, 전북·평북·함북을 제외한 한국 각지와 일본에 분포함. 정원수로 심고 도장·지팡이 및 조각재(彫刻材)로, 가지와 잎은 약재로 씀. 황양목(黃楊木).

〈회양목〉

회양목-과【—楊木科】명〖식〗[Buxaceae] 이판화군(離瓣花區)에 속하는 한 과. 약 30종이 있는데, 한국에는 좀회양목·회양목 등의 몇몇 아종(亞種)이 분포함. 황양과(黃楊科).

회:양-산【會陽山】명〖지〗평안 북도(平安北道) 자성군(慈城郡)에 있는 산. [1,031 m]

회어【鮰魚】명〖어〗민어(民魚).

회:언[1]【悔言】명 잘못을 뉘우쳐 하는 말.

회:언[2]【誨言】명 가르치는 말. 훈사(訓辭).

회연[1]【恢然】명 썩 넓은 모양. ——-하다 형여불

회:연[2]【會宴】명 여러 사람이 모여 잔치를 베풂. 또, 그 잔치. ¶～ 석상(席上)에서 피력한 바와 같이. ——-하다 자여불

회염[1] 명〈방〉혜엄(강원·충북·경북).

회:염[2]【會厭】명〖생〗후두개(喉頭蓋).

회:염 연:골【會厭軟骨】[—년—] 명〖생〗후두개 연골(喉頭蓋軟骨).

회영【回映】명〖수〗어떤 도형(圖形)을 일정한 축에 대하여 각도(角度) 회전을 시킨 다음 그 축에 수직(垂直)된 평면에 대한 영상(映像)의 위치로 옮겼다고 생각하고, 이렇게 최초의 도형을 새로운 도형으로 하는 기하학적(幾何學的) 조작(操作).

회영-축【回映軸】명〖수〗회영의 중심이 되는 축.

회:오[1]【悔悟】명 잘못을 뉘우치고 깨달음. ¶～의 눈물. ——-하다 타여불

회오[2]【淮烏】명〖한의〗천오두(川烏頭).

회:오[3]【會悟】명 무엇을 알아서 깨달음. ——-하다 타여불

회:오[4]【會晤】명 회견(會見). ——-하다 타여불

회오리-바람 명 [중세 : 회로리ᄇᆞ롬]〖지〗나선상(螺旋狀)으로 일어나는 공기의 선회(旋回) 운동. 갑자기 저기압(低氣壓)이 생겨 주위의 공기

가 한꺼번에 모여 들어 회선(回旋)하는 현상(現象)임. 반경 몇 십 m이하의 소규모적(小規模的)인 것임. 선풍(旋風). 양각풍(羊角風). 용숫바람. 표풍(飄風). 회풍(回風). ㊟회리바람.

회오리-밤 명 ①밤송이 속에 외톨로 동그랗게 생긴 밤. ②장난감의 한 가지. 동그란 외톨밤을 삶아 구멍을 뚫고 속을 파내어, 실 끝에 매달아 휘두르면 휘휘 소리가 남. ㊟회리밤.

회오리-봉【一峰】명 작고 뾰족하며 둥글게 생긴 산봉우리. ㊟회리봉.

회완-법【回腕法】[一뻡] 명 서예(書藝)의 운필법(運筆法)의 하나. 현완법(懸腕法)보다 팔을 더 위로 들고, 운필의 동작을 더 크게 함.

회요리-바람 명 〈방〉 회오리바람(충청).

회용[1]【淮勇】명〖역〗중국 청나라 때에, 태평 천국의 난을 평정하기 위하여, 이홍장(李鴻章)이 그의 고향 안후이(安徽)와 인접한 장쑤(江蘇)에서, 민병을 모집하여 조직한 향용(鄕勇).

회용[2]【蛔蛹】명〖충〗번데기[1]❶.

회:우[1]【悔尤】명 허물. 과실.

회:우[2]【會友】명 ①회원 상호간의 호칭(呼稱). ②〖천주교〗교우(敎友) 상호간, 수도회(修道會)·은사회(恩赦會) 등 회원 상호간의 호칭.

회:우[3]【會遇】명 모이어 만남. 마주침. 조우(遭遇). ——-하다 자타여불

회:원【會員】명 ①어떤 회를 구성하는 사람들. ②〖경〗회원 조직의 거래소(去來所)에서 직접 거래에 참여(參與)할 수 있는 자격을 가진 사람. 또, 거래소의 조직자.

회:원-국【會員國】명 국제적인 조직체(組織體)의 구성원(構成員)이 되어 있는 국가.

회:원-권【會員券】[一꿘] 명 회원임을 증명하는 표(票). 또, 회원 방식의 모임·흥행(興行) 등의 입장권.

회:원 업자【會員業者】명 〔member firm〕〖경〗회원 조직의 증권거래소의 회원인 업자. 거래소 안에서 고객이나 자기의 매매 주문을 할 수 있는 증권 회사를 말함.

회원-위【懷遠衛】명〖역〗조선 시대 때 함경도 경원(慶源)에 둔 토관(土官)의 서반 직소(西班職所).

회:원-증【會員證】[一쯩] 명 회원임을 밝히는 증명서.

회월【懷月】명〖사람〗박 영희(朴英熙)의 호(號).

회위【懷危】명 위태하게 여김. ——-하다 타여불

회유[1]【灰釉】명〖공〗목회(木灰)나 석회(石灰)를 용매(熔媒)로 하여 만든 잿물.

회유[2]【回游·洄游】명 물고기가 알을 낳기 위하여서나 또는 계절을 따라, 정기적으로 떼지어 헤어 다니는 일. 그 목적에 따라서 산란(産卵) 회유와 탐이(探餌) 회유, 방향에 의하여 심천(深淺) 회유와 수직(垂直) 회유 등으로 나눔. *회유어(回游魚). ——-하다 자여불

회유[3]【回遊】명 두루 돌아다니면서 유람(遊覽)함. ——-하다 자여불

회:유[4]【誨諭】명 가르쳐서 깨우침. 일깨워 줌. ——-하다 타여불

회유[5]【懷柔】명 어루만지어 잘 달램. 교묘한 수단으로 설복시킴. ¶～ 전술. ——-하다 타여불

회유-선【回遊船】명 유람객을 태우고 두루 돌아다니는 배.

회유-어【回游魚】명〖어〗해류(海流)를 따라 계절적으로 이동하는 물고기. 정어리 등과 같은 난류성(暖流性) 회유어와, 청어 등과 같은 한류성(寒流性) 회유어 등으로 나눔. *회유(回游).

회유 열차【回遊列車】명 유람객(遊覽客)을 위하여 운행되는 특별 열차. *회유차(回遊車).

회유 정책【懷柔政策】명〖사〗정부나 자본주(資本主)가 반대파나 종업원에게 적당한 양보나 조건을 제시(提示)하여, 회유하려는 정책. ㊟회유책(懷柔策).

회유-차【回遊車】명 유람객(遊覽客)을 위하여 특별히 운행되는 열차·전동차·자동차 등의 총칭.

회유-책【懷柔策】명 ①〖사〗↗회유 정책. ②회유시키는 방책.

회유-표【回遊票】명 곳곳을 회유하는 유람객(遊覽客)의 편의를 위하여, 특별히 발행하는 차표(車票).

회음[1]【回音】명〖악〗'돈꾸밈음'의 한자 이름.

회음[2]【淮陰】명〖지〗'화이인(淮陰)'을 우리 음으로 읽은 이름.

회:음[3]【會陰】명〖생〗사람의 음부(陰部)와 항문(肛門)과의 사이.

회:음[4]【會飮】명 모이어 술을 마심. ——-하다 자여불

회:음[5]【誨淫】명 음탕한 짓을 가르침. ——-하다 자여불

회:음 열상【會陰裂傷】[一녈쌍] 명 회음 파열.

회:음 절개【會陰切開】명〖의〗회음 파열을 막기 위하여, 또 분만(分娩)을 용이하게 하기 위하여 하는 수술(手術). 태아(胎兒)의 머리가 통과할 때, 회음의 중선(中線)으로부터 2cm 가량 떨어진 부위(部位)에 얕은 절상(切傷)을 베풀며, 대부분 방부 처리(防腐處理)만으로 자연히 치유(治癒)됨.

회:음 파:열【會陰破裂】명〖의〗산모(産母)가 해산(解産)할 때에 회음이 찢어지는 일. 회음 열상(裂傷).

회의[1]【回議】[一/一이] 명 주관자가 기안하여 관계자들에게 순차적으로 돌려서 의견을 묻거나 동의를 구하는 일.

회:의[2]【會意】[一/一이] 명 ①마음에 맞음. ②뜻을 알아 챔. ③〖언〗육서(六書)의 한 가지. 두 개 이상의 한자(漢字)를 합하여 새로 하나의 글자로 만들고 또한 그 뜻도 합성하여 이루어진 것. '日'과 '月'이 합하여 '明'이, '木'과 '木'이 합하여 '林'이 되는 것 따위.

회:의[3]【會議】[一/一이] 명 ①여럿이 모여 의논함. ②회합하여 어떤 사항을 평의(評議)하는 기관. ¶국무 ～. ——-하다 타여불

회의[4]【懷疑】[一/一이] 명 ①의심을 품음. ②〔doubt〕〖철〗사유(思惟)를 결정하기에 충분한 근거(根據)가 없어서, 여러 모로 판단할 수가 없어 그 선택에 망설이고 또 동요되는 마음의 상태. ③〖철〗상식적으로 자명(自明)한 일이나, 전통적이고 외적(外的)인 권위(權威)를 그대로 긍정(肯定)하지 않고 부정적(否定的) 태도로 의심해 보는 일. 철학적 정신의 근본이 됨. ——-하다 타여불

회의-감【懷疑感】[一/一이一] 명 의심스러운 느낌.

회:의 공개의 원칙【會議公開一原則】[一/一이一에一] 명〖정〗민주 정치의 원리에 의하여, 의회(議會)의 활동은 항상 국민 앞에 명백히 되어야 한다는 취지로 회의의 내용을 국민 일반에게 공개하여야 한다는 원칙. 의사 공개의 원칙.

회:의 규칙【會議規則】[一/一이一] 명 ①회의에 관한 절차·진행 등에 관한 규칙. ②〖법〗지방 의회의 회의 절차·내부 규율(規律) 등에 관하여 지방 의회가 정하는 규칙.

회:의-록【會議錄】[一/一이一] 명 회의의 전말(顚末)을 적은 기록. ㊟회록(會錄).

회의-론【懷疑論】[一/一이一] 명 〔scepticism〕〖철〗객관적 진리의 인식 가능성을 부정하고, 단정적 판단(斷定的判斷)을 원리적(原理的)으로 제약(制約)하여, 인식의 주관 내지 상대성을 주장하는 학설. 절대적 회의론과 방법적 회의론이 있음. 회의설(懷疑說). 회의주의. ↔ 독단론(獨斷論).

회:의 산:업【會議産業】[一/一이一] 명 국제 회의를 초치(招致)하여 관광(觀光)사업 효과도 거두는 산업 분야.

회:의-석【會議席】[一/一이一] 명 회의를 하는 자리.

회의-설【懷疑說】[一/一이一] 명〖철〗회의론(懷疑論).

회:의-소【會議所】[一/一이一] 명 ①회의를 하는 장소. 또, 그 영조물(營造物). ②회의를 하는 단체나 기관. ¶상공 ～.

회:의-실【會議室】[一/一이一] 명 회의를 하는 방.

회의-심【懷疑心】[一/一이一] 명 회의하는 마음. 의심(疑心).

회의-안【回議案】[一/一이一] 명 관계자들에게 의견을 묻거나 동의를 구하기 위하여, 차례로 돌려 보이는 의안(議案).

회:의 외:교【會議外交】[一/一이一] 명 국제 회의에 각국 대표가 모여 토의하는 외교 교섭의 한 형식.

회:의-장【會議場】[一/一이一] 명 회의를 하는 장소. 회의소(會議所)는 상설적(常設的)인 요소가 많은 반면, 회의장은 비상설적인 요소가 많음.

회의-적【懷疑的】명관 어떤 일에 의심을 품는 모양. 스켑틱.

회의-주의【懷疑主義】[一/一이一이] 명〖철〗①회의론. ②피로니즘(Pyrrhonism).

회의주의-자【懷疑主義者】[一/一이一이一] 명 ①회의주의를 신봉하고 주장하는 사람. ②만사(萬事)를 회의적으로 보아 의심하는 사람을 이름.

회:의-체【會議體】[一/一이一] 명 국회와 같이 의결(議決)을 통해서 의사를 결정하는 기관이나 단체.

회의-파【懷疑派】[一/一이一] 명 〔그 skeptikoi〕〖철〗회의론에 입각하여 철학을 다루는 학파. 또, 그러한 사상가(思想家). 기원전 360-270년경 스토아 학파(Stoa學派)와 에피쿠로스(Epikuros)의 독단론(獨斷論)에 대립하여 나타난 그리스의 피론(Pyrrhon)에서 기원하며, 근대에 이르러서는 프랑스의 몽테뉴(Montaigne)에 의하여 대표됨. 회의 학파(懷疑學派).

회의 학파【懷疑學派】[一/一이一] 명〖철〗회의파(懷疑派).

회이【懷貳】명 두 마음을 품음. ——-하다 자여불

회:이리-바람 명 〈방〉 회오리바람(경기·강원·충남·경북).

회-인[1]【回印】명 ①회교도와 인도교도. ②회교 연맹(回教聯盟)과 인도 국민 회의파.

회인[2]【懷人】명 마음에 있는 사람을 생각함. ——-하다 자여불

회인 문:제【回印問題】명〖역〗영국 통치하에 있던 시대로부터 때때로 대립·분쟁을 일으켜 오고 1947년 인도 독립 후 오늘날까지도 그치지 않고 있는 인도의 회교도(回教徒)와 힌두교도 간에 말썽이 되고 있는 여러 가지 문제.

회:일【晦日】명 그믐날.

회임【懷妊】명 임신(妊娠). ——-하다 자여불

회잉【懷孕】명 잉태(孕胎). ——-하다 자여불

회-잎 명 회잎나무의 잎. 삶아서 무쳐 먹음.

회잎-나무 명〖식〗[*Euonymus alatus* for. *ciliato-dentatus*] 노박덩굴과에 속하는 낙엽 활엽 관목. 잎은 달걀꼴인데 6월에 황록색 꽃이 취산(聚繖) 화서로 액생(腋生)하여 피고, 삭과(蒴果)는 10월에 익음. 산기슭이나 산허리의 암석지에 나는데, 충북을 제외한 한국 각지와 일본·사할린·만주·중국 등지에 분포함. 어린 잎은 식용함.

〈회잎나무〉

회잎-나물 명 연한 회잎을 데쳐서 양념해 무친 나물.

회:자[1] 명 〈방〉 효자(孝子)(강원·충남·전라·함경).

회자[2]【回刺】명〖역〗승문원(承文院)의 신진(新進)이 귀복(鬼服)을 입고 밤에 돌아다니며 선진(先進)을 찾아보고 사진(仕進)의 허락을 얻는 일.

회:자[3]【會子】명〖역〗중국 북송(北宋) 시대에, 금융업자(金融業者) 사이에 통용되던 일종의 약속(約束) 어음. 뒤에 정부에서 관회(官會)로 남발(濫發)하여 폐지(廢紙)로 화하였음.

회:자[4]【膾炙】명 ①회와 구운 고기. ②전하여, 널리 사람의 입에 오르내림. ——-하다 자여불

회-자색【灰紫色】명 올드 로즈(old rose).

회자-수【劊子手】명〖역〗군문(軍門)에서 사형을 집행하는 천역(賤役).

회:자 정:리【會者定離】[一니] 명 만나는 자는 반드시 헤어질 운명에 있음. 불교에서의 만유 무상(萬有無常)을 나타내는 말. ¶생자 필멸(生者必滅) ～.

회:작【會酌】명〖역〗진연(進宴) 이튿날에 다시 베푸는 잔치.
회장[1]【回章】명〖악〗돌장(章).
회장[2]【回章·廻章】명 여러 사람이 차례로 돌려 보도록 쓴 문장. 회문(回文). 첩장(牒狀).
회장[3]【回裝·回粧】명 ①여자의 저고리 깃·끝동·겨드랑이 같은 곳에 댄 여러 가지 빛깔의 장식용(裝飾用) 헝겊. ②병풍이나 족자 등의 가에 돌아가며 가늘게 꾸미는 변자(邊子).
회장[4]【回腸】명 ①〖생〗공장(空腸) 아래와 대장(大腸) 위쪽에 붙은 소장(小腸)의 한 부분. 길이 약 2m로 회곡(回曲)이 심함. ②깊이 감동하는 일. 생각이 아주 깊음.
회:장[5]【晦藏】명 재주나 학식 또는 모양을 싸서 감춤. ——-하다 타여불
회:장[6]【會長】명 ①회무(會務)를 총할(總轄)하고 회를 대표하는 사람. ②주식 회사의 사장을 은퇴하고 이사회(理事會)의 장을 맡고 있는 이의 명예적 칭호. ③〖천주교〗성직자(聖職者)를 대신하여 교리(敎理)를 가르치고 교우(敎友)를 지도하는 사람.
회:장[7]【會場】명 ①모임이 있는 장소. ②회의를 하는 곳.
회:장[8]【會葬】명 장례 지내는 데에 참례하는 일. ——-하다 자여불
회장[9]【懷藏】명 마음 속에 감추어 둠. ——-하다 타여불
회:장-단【會長團】명 회장·부회장을 집합적으로 일컫는 말.
회장루 형성【回腸瘻形成】[—누—] 명 〔ileostomy〕〖의〗복벽(腹壁)에서 회장으로 인공 항문(人工肛門)을 외과적으로 만드는 일.
회-장석【灰長石】명 〔anorthite〕〖광〗사장석(斜長石)의 일종. 삼사 정계(三斜晶系)로서 백색 또는 황색임. 거의 칼슘과 알루미늄만의 규산염(珪酸塩) 광물. 반려암(斑糲岩)·현무암(玄武岩) 등의 주성분이 되는 암석임. [$CaAl_2Si_2O_8$]
회장석-암【灰長石岩】명〖광〗회장석이 주성분이 되어 있는 사장암(斜長岩).
회장-염【回腸炎】[—념] 명〖의〗회맹판(回盲瓣)으로부터 맹장(盲腸)·소장(小腸)의 말단(末端)에 걸쳐 점막(粘膜) 및 점막 하층에 미치는 염증성의 변화를 가져오는 특수한 장염(腸炎). 장 속에 늘 있는 세균이 원인이라고 하며, 또 알레르기(Allergie)와 밀접한 관계가 있다고 함. 발작적(發作的)인 복통(腹痛)·수양성(水様性) 설사·구토(嘔吐) 등을 일으키며, 식욕 부진(食慾不振)·체중 감소·빈혈(貧血) 등의 증상이 있음.
회:장-자【會葬者】명 장례 지내는 데에 참례한 사람. ¶~ 명단.
회장 저고리【回裝—】명 회장을 단 저고리. 곧, 삼회장 저고리와 반회장 저고리의 총칭.
회:재【晦齋】명〖사람〗이언적(李彦迪)의 호(號).
회:재-집【晦齋集】명〖책〗〔회재(晦齋)는 저자(著者)의 호〕조선 중종(中宗) 때의 학자 이언적(李彦迪)의 유고(遺稿). 4권 5책.
회저【壞疽】명〖의〗→ 괴저(壞疽).
회:적[1]【晦迹】명 종적을 감춤. ——-하다 자여불
회적[2]【蛔積】명〖한의〗회가 한데 뭉치어 시시로 움직이는 병.
회전[1]【回傳】명 빌려 온 물건을 돌려보냄. ——-하다 타여불
회전[2]【回電】명 답전(答電). ——-하다 자여불
회전[3]【回轉·廻轉】명 ①빙빙 돌아서 구르는 일. 또, 굴림. ②어떤 물체가 다른 물체의 주위(周圍)에 일정한 궤도(軌道)를 그리며 이동함. 전회(轉回). 회행(回行). ③방향을 바꾸어 반대로 됨. ④↗회전(回轉) 운동. ⑤투자된 자금이 회수(回收)될 때까지의 일순(一巡). 또, 상품의 구입(購入)에서 매상(賣上)까지의 일순(一巡). ——-하다 자타여불
회:전[4]【悔悛】명 전비(前非)를 뉘우침. ——-하다 자여불
회:전[5]【會典】명〖역〗중국 명나라 및 청나라 때 편집된 종합적인 법전(法典). 주로 행정 규정이며, 계통적으로는 '당육전(唐六典)' 등의 법전의 형식을 좇았음. *대명 회전(大明會典).
회:전[6]【會戰】명 ①어울려서 싸움. ②〖군〗보통, 군단(軍團) 이상의 대병력이, 수일 또는 수십일에 걸쳐서 행하는 전투 및 그 전후의 행동. ——-하다 자여불
회전-각【回轉角】명〖수〗고정축(固定軸)의 주위의 도형이나 물체의 회전의 크기를 나타내는 양.
회전 개폐기【回轉開閉器】명〖전〗로터리 스위치.
회전-경【回轉鏡】명〖물〗각주(角柱)의 각 면(面)에 거울을 달고, 톱니바퀴나 벨트(belt)로 각주를 축(軸)으로 하여 급속히 회전시킬 수 있도록 만든 거울.
회전 경:기【回轉競技】명 알파인 스키(Alpine ski) 경기 종목의 하나. 여자는 표고차(標高差) 120-180m의 코스에서 40-60개의 기문(旗門)을 통과해야 하며 남자는 표고차 180-220m의 코스에서 55-75개의 기문을 통과해야 하는데, 완주자(完走者)의 소요 시간으로써 순위(順位)를 정함. 슬랄롬 경기(slalom 競技).
회전-계【回轉計】명〖공〗①기계의 축(軸)의 회전 운동을 측정하는 계기(計器)의 총칭. ②회전 속도계.
회전 곡면【回轉曲面】명〖수〗회전면(回轉面).
회전-기【回轉機】명 ①〖농〗탈곡기(脫穀機) ②〖기〗전동기·터빈·발전기 처럼 축(軸)을 중심으로 하여 회전하는 기계의 총칭. 왕복형 기계에 대응한 것임. 회전 기계.
회전 기관【回轉機關】명〖물〗회전 운동 장치가 되어 있는 기관. ↔왕복(往復) 기관.
회전 기금【回轉基金】명 ①↗피점령지 회전 기금(被占領地回轉基金). ②↗수출입 회전 기금(輸出入回轉基金).
회전 기중기【回轉起重機】명〖물〗물체를 들어 올리는 일 외에, 가구(架構)의 주위를 회전하면서, 일정한 범위 안에서 수평 운반(水平運搬)을 할 수 있는 기중기. 회선(回旋) 기중기.
회전 나침의【回轉羅針儀】[—/—이] 명 자이로컴퍼스(gyro-compass).
회전 능률【回轉能率】[—뉼] 명〖물〗회전 모멘트(回轉 moment).
회전-단【回轉端】명 건축·구조물 등의 선단부(先端部)를 받치는 지점(支點). 상하·좌우 방향으로는 이동하지 못하나 회전 운동은 자유로움.
회전 대:칭【回轉對稱】명〖수〗하나의 평면도형을 일정한 축(軸)의 둘레로 일정한 각도만큼 회전·이동시켜도 변하지 않는 성질.
회전 도어【回轉—】〔door〕명 회전문(回轉門).
회전 도포기【回轉塗布器】명〖인쇄〗사진 제판용 판재(版材)의 표면에 감광액(感光液)을 골고루 바르는 데 쓰이는 기구.

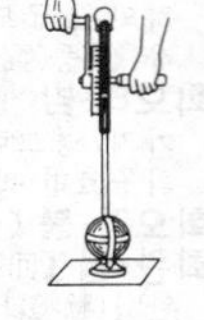
〈회전 도포기〉

회전-등【回轉燈】명 등롱(燈籠)의 하나. 조광기(照光器)의 회전에 의하여 점차로 빛을 증가하다가 절정(絶頂)에 달하면 다시 빛을 점차로 감소하여 나중에는 아주 어둡게 되며, 이같이 명암(明暗)이 서로 회전하는 장치의 등. 회전 등롱.
회전 등롱【回轉燈籠】[—농] 명 회전등(回轉燈).
회전-력【回轉力】[—녁] 명〖물〗물체를 회전시키는 힘. 회전의 중심으로부터 힘의 작용선(作用線)에 내린 수선(垂線)과 힘의 크기와의 곱으로 표시됨.
회전-로【回轉爐】[—노] 명〖물〗①큰 원통(圓筒)을 수평 또는 조금 경사지게 걸고, 축(軸)에 의하여 회전하도록 장치한 가마. 원통의 한쪽에서 열(熱)을 공급하여, 원통을 회전시키면서 내용물(內容物)을 뒤섞어 가열(加熱)하는 구조임. 한꺼번에 고르게 또한 다량 가열할 수 있음. 시멘트 제조 및 그 밖의 물체의 소성(燒成)·가열·증발 등에 쓰임. 회전솥. ②베세머 전로(Bessemer 轉爐).
회전 리시:브【回轉—】명 〔turning receive〕배구 경기에서, 몸을 굴리면서 리시브하는 방법. 흔히, 어깨로부터 앞으로 뛰어들어 공을 받은 다음 밑으로 깔린 어깨를 중심으로 몸을 회전함. 리시브한 뒤에 몸의 자세를 빨리 바로잡을 수 있음.
회전 마찰【回轉摩擦】명〖물〗구름 마찰. ㊈전마찰(轉摩擦).
회전-면【回轉面】명〖수〗어떤 평면 곡선을 같은 평면 위에 있는 하나의 직선을 축으로 하여 회전하였을 때에 생기는 곡면(曲面). 회전 곡면(回轉曲面).
회전 모:멘트【回轉—】명〔rotation moment〕〖물〗회전축에 관한 힘의 모멘트. 회전 능률(回轉能率).
회전 목마【回轉木馬】명〔merry-go-round〕놀이 기구의 하나. 수직축(垂直軸)의 둘레에 목마를 배치하여 그 축을 회전시킴으로써 목마에 탄 사람에게 말을 탄 것과 같은 느낌을 주는 장치의 유희 기구. 메리고라운드.
회전 무:대【回轉舞臺】명〔revolving stage〕〖연〗무대의 주요 부분을 원형(圓型)으로 절단(切斷)하고 건물 및 기타 설비와 분리시켜 수평(水平)으로 회전할 수 있도록 한 무대의 한 가지. 도구 및 무대 장치를 뒤쪽에도 장치하여, 넓고 다양(多樣)한 무대의 효과 및 막간(幕間)의 절약 등에 큰 효과를 거둠. 1896년에 독일의 라우텐슐레거(Lautenschläger, Karl; 1843-1906)가 고안하였음.
회전-문【回轉門】명 출입이 잦은 큰 건물의 출입구에 설치하는 회전식의 문. 실내의 공기와 외기(外氣)와를 차단하기 위해 만듦. 수직으로 된 회전축의 주위에 직각 십자형으로 넉 장의 문을 달고 밀어 회전시키어서 출입하는 문. 회전 도어(回轉 door).
회전-반【回轉盤】명 자동식(自動式) 전화기 등의 다이얼(dial).
회전 반:응【回轉反應】명〖생〗신체의 자율적(自律的) 또는 타율적(他律的)인 회전 운동에 있어서, 반사적(反射的)으로 일어나는 머리와 안구(眼球)의 반응.
회전 반:지름【回轉半—】명 ①〔radius of rotation〕〖수〗한 점이 다른 점 주위를 회전할 때, 두 점 사이의 거리. ②〔radius of gyration〕〖물〗강체(剛體) 또는 질점계(質點系)의 전질량을 M, 어떤 축(軸)에 관한 관성(慣性) 모멘트를 I라고 하면, $k=\sqrt{\frac{I}{M}}$에서 k의 일컬음. 강체는 질량 M의 하나의 질점이 회전축에서 k의 거리에 있으면 같은 관성 모멘트를 가짐.
회전 배:양법【回轉培養法】[—뻡] 명〔roll-tube technique〕〖생〗배양법의 하나. 주로 조직(組織) 배양에 쓰임. 시험관을 수평에 대하여 약 15° 각도의 회전 드럼(drum)에 달아 놓고 배양하는 동안 드럼을 약 2분에 한번 꼴로 회전시킴.
회전 변:류기【回轉變流機】[—별—] 명〖전〗교류(交流)를 직류(直流)로 변환시키는 전기 기계. 곧, 직류를 직류 전동기(電動機)에 통하여 거기에 직결(直結)한 교류 전동기를 회전시켜서 교류를 얻는 장치임. 교류의 주파수(周波數)를 변경시키는 데에 쓰이며, 전차용 변전소에 설치함. 동기 변류기(同期變流機). 전동 발전기.

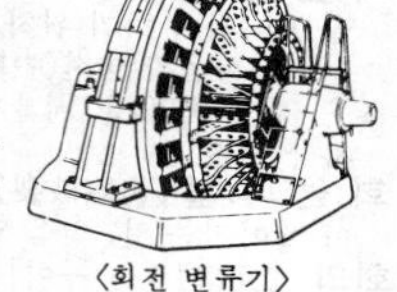
〈회전 변류기〉

회전-성【回轉性】[—썽] 명 ①도는 성질. ②돌 수 있는 능력.
회전 성형【回轉成形】명〔rotational casting〕〖공〗하나 또는 두 면(面) 안에서 회전하는 중공(中空)의 틀을 사용하여 플라스티졸(plasotisol)이나 분체(粉體)로써 플라스틱 성형품(成形品)을 만드는 방법. 고온(高溫)의 틀이 플라스티졸을 겔(Gel) 모양으로 녹인 후 냉각(冷却)시켜 제품을 꺼냄.
회전 속도【回轉速度】명 ①회전하는 속도. ②〖연〗영사기·녹음기 및 촬영기 등에서, 필름(film) 또는 테이프를 돌리는 속도.
회전 속도계【回轉速度計】명〔tachometer〕〖물〗회전체의 회전 속도를 측정하여, 일정 단위 시간에 대한 회전수를 표시하는 기계. 시계 응용

식(應用式)·원심력식(遠心力式)·자력식(磁力式)·전기식·주파식(周波式)·공진식(共振式) 등이 있음. 타코미터. 회전계.

회전 송:풍기【回轉送風機】명〖물〗송풍기의 가장 일반적인 것. 곧, 날개바퀴를 회전시킴으로써, 회전 압축기(回轉壓縮機)와 같은 구성(構成)으로 기체(氣體)를 압송(壓送)하는 기계.

회전-솥【回轉―】명〖물〗회전로(回轉爐).

회전-수【回轉數】[―쑤] 명 회전하는 물체가 단위 시간 동안에 축둘레를 도는 횟수.

회전 스펙트럼【回轉―】명〖물〗①〔rotational spectrum〕회전 강체(回轉剛體)의 양자 역학적(量子力學的) 유사 현상(類似現象)인 분자(分子)의 회전 준위(回轉準位) 사이의 전환(轉換)으로 생기는 분자 스펙트럼. ②〔rotation spectrum〕분자가 여기(勵起)되었을 때에 회전 에너지의 꼴로 생기는 흡수(吸收) 스펙트럼.

회전-식【回轉式】명 회전할 수 있는 것. 또, 그 방식.

회전식 발동기【回轉式發動機】[―똥―] 명〔rotary engine〕〖물〗회전형의 내연 기관. 흡수·압축·연소·팽창·배기(排氣)의 전행정이 회전체의 운동에 의하여 됨. *로터리 엔진.

회전식 시추【回轉式試錐】명〔rotary boring〕〖광〗보링 로드(boring rod) 끝에 관(管)과 비트(bit)를 부착시켜, 강한 힘으로 밀면서 회전시켜 시추하는 방식. 유전(油田) 굴착 작업 따위에 흔히 쓰임.

회전식 안락 의자【回轉式安樂椅子】[―알―] 명 리클라이닝 시트(reclining seat).

회전식 천:공【回轉式穿孔】명〖광〗유정(油井)이나 가스정(gas井)을 파는 방법의 하나. 동력으로 송곳을 돌려 지층(地層)을 뚫고, 그 구멍 안에 흙탕물을 순환시켜서 구멍의 벽이 무너지지 않게 방지하는 동시에 구멍의 바닥으로부터 바위 부스러기를 밖으로 반출(搬出)해 내는 작업을 반복하여 우물을 팜. 로터리식 착정법(rotary式鑿井法). 수압 회선 착정법(水壓回線鑿井法).

회전 신:용장【回轉信用狀】[―짱] 명〖경〗상업 신용장의 한 가지. 같은 종류의 상품을 동일한 수출상(輸出商)으로부터 장기간에 걸쳐 몇 번이고 수입할 경우에, 그 때마다 신용장 금액이 자동적으로 부활되어 사용할 수 있게 된 신용장.

회전-심【回轉心】명〖물〗회전하는 물체의 중심(中心).

회전 쌍곡면【回轉雙曲面】명〔hyperboloid of revolution〕〖수〗직선 a와 왜곡(歪曲)되는 위치에 있는 직선 b를, a를 축(軸)으로 하여 회전할 때에 생기는 곡면.

회전 압축기【回轉壓縮機】명〖물〗날개바퀴나 판(瓣)을 회전시켜서 유체(流體)를 압송(壓送)하는 기계. 구조가 간단하고 고속(高速) 회전이 가능하며, 취급이 용이함.

회전 양자수【回轉量子數】[―냥―] 명〔rotational quantum number〕〖물〗회전 운동을 양자화(量子化)하였을 경우, 그 에너지의 고유(固有)값, 곧 회전 준위(準位)를 나타내는 양자수(量子數).

회전 운:동【回轉運動】명 ①〔rotational motion〕〖물〗물체나 질점(質點)이 일정한 직선 곧 회전축(回轉軸)의 주위를 회전하는 운동. ↔왕복(往復) 운동. ②〖식〗회선(回旋) 운동 ③체조에서, 맨 몸으로 주력(走力)을 이용하여, 그대로 땅 위에서 회전하거나, 철봉 같은 것을 축(軸)으로 하여 전후로 회전하는 운동. ㊕회전.

회전 원뿔【回轉圓―】명 회전체의 하나. 직각 삼각형을, 직각을 이루는 한 변(邊)을 축으로 하여 일회전시켜서 만들어지는 입체. 형(形)은 직각(直) 원뿔과 같게 됨.

회전 원주【回轉圓柱】명 회전 원통.

회전 원통【回轉圓筒】명 회전체의 하나. 정사각 또는 직사각형의 한 변(邊)을 축으로 하여 일회전시켜 만들어진 입체. 형(形)은 직원주(直圓柱)가 됨. 회전 원주(回轉圓柱).

회전 원통법【回轉圓筒法】[―뻡] 명〔rotating-cylinder method〕〖물〗유체 역학에서, 유체의 점성(粘性)을 측정하는 방법. 유체를 동심(同心) 원통의 사이에 채우고 바깥 원통을 일정한 속도로 회전시켰을 때의 안쪽 원통의 토크(torque)를 측정함.

회전-율【回轉率】[―뉼] 명 ①회전하는 비율. 회전하는 정도. ②〖경〗일정한 기간에 행해진 기업(企業)의 경제 활동을 대상으로 하는 경영 분석(經營分析)의 지표(指標)가 되는 것. 곧, 자본과 그 구체적 형태인 재산의 회전 및 회전에서 생기는 손익(損益)의 관계에 대한 비율 따위. 동태 비율(動態比率). ③〔turnover ratio〕〖생〗어떤 개체군(個體群)·군취(群聚)·생태계(生態系)에 있어서, 개체수 또는 생물체양(量) 곧 현재양(量)이 안정되어 있는 경우에, 일정 시간 안에 유출 또는 유입한 양과 현재양과의 비율.

회전-의【回轉儀】[―/―이] 명 자이로스코프(gyroscope).

회전 의자【回轉椅子】명 밑바닥은 고정(固定)한 채로, 앉는 자리만 좌우(左右)로 회전할 수 있게 만든 의자.

회전 이동【回轉移動】명〖수〗도형(圖形)의 각 점이 일정점을 중심으로 하는 원주(圓周)를 따라, 같은 방향으로 같은 각만큼 회전하여 새로운 도형으로 옮기는 일. ――하다 타여불

회전 이:성【回轉異性】명〔rotational isomerism〕〖화〗분자의 내부 회전이 속박되어 있기 때문에 생기는 이성. 입체 이성(立體異性)의 한 가지임.

회전-익【回轉翼】명〖물〗회전에 의하여 양력(揚力)이 생기도록 설계된 날개. 헬리콥터의 날개 따위.

〈회전익〉

회전익 항:공기【回轉翼航空機】명〖항공〗회전익이 있는 항공기. 곧 오토자이로·헬리콥터 및 전환식(轉換式) 항공기 등. *회전익.

회전 일수【回轉日數】[―쑤] 명〖경〗신용 융자 잔고 주식수를 신용 거래 1일 유통량으로 나눈 것. 주식의 매도에서 매입까지, 또는 매입에서 매도까지 1회전하는 데 며칠이 걸리는가를 나타내는 지표로, 신용거래에 의한 주식 시장의 영향을 관찰하는 데 쓰임.

회전-자【回轉子】명〔rotator〕〖물〗유도(誘導) 전동기에 있어서, 고정자(固定子)로 유발(誘發)된 회전 자장(磁場)에 의하여 회전하는 부분. 증기 터빈·수차(水車) 등 회전 기계의 회전부. 로터(rotor). ↔고정자(固定子).

회전 자계【回轉磁界】명〖전〗회전 자기장(回轉磁氣場).

회전 자:극 검:사【回轉刺戟檢査】명〖생〗인체의 기능을 알기 위한 검사의 하나. 인체(人體) 또는 동물을 일정한 축(軸)의 둘레로 회전하게 하여 각(角)속도로 자극을 주어, 그 때에 일어나는 회전감(感)이나 회전 중 및 회전 후의 안구 진탕(眼球震盪)이나 사지(四肢)의 반사 운동을 관찰하고 미로 반규관(迷路半規管) 및 그 중추로(中樞路)의 기능을 알기 위한 검사임.

회전 자:금【回轉資金】명〖경〗사업 과정(事業過程)에서, 투자되었다가 회수(回收)되는 자금. 원재료(原材料)의 구입이나 노동자의 고용(雇用)에 요하는 자금. 운전 자금.

회전 자기장【回轉磁氣場】명〔rotating magnetic field〕〖물〗불변(不變)의 강도와 불변의 속도로써 회전하는 자기장. 유도 전동기·동기(同期) 전동기 등에 쓰임. 회전 자계.

회전 전:이【回轉轉移】명〔rotational phase transition〕〖물〗협동(協同) 현상의 하나. 분자 결정(分子結晶) 안의 분자의 회전 운동 상태가 어떤 온도에서 불연속적으로 변하여 일종의 상전이(相轉移)를 하는 현상. *협동 현상.

회전 점도계【回轉粘度計】명〔rotation viscosimeter〕〖물〗점도계의 한 가지. 두 개의 동심 원통(同心圓筒)의 사이에 액체를 넣고 한쪽 원통에 일정한 회전 모멘트(moment)를 주어 그 회전의 각속도(角速度)를 재어 점성 계수(粘性係數)를 알아 내는 것과, 원통형의 용기(容器)에 액체를 넣고, 구(球)·원판(圓板)·원통 등을 용기의 중앙에 강성(剛性)의 철사로 매달아 이것에 회전 진동을 주어서 그 진폭의 감쇠율(減衰率)을 잼으로써 점성 계수를 구하는 것의 두 가지가 있음.

〈회전 점도계〉

회전 좌:표계【回轉座標系】명〔rotatory coordinate-system〕〖물〗회전 운동을 하는 강체(剛體)에 고정시킨 좌표계와 같이, 시간과 함께 좌표축(軸)의 방향이 변화하는 좌표계.

회전 주기【回轉周期】명 어떤 물체가 회전축 둘레를 1회 회전하는 시간.

회전 증폭기【回轉增幅機】명 특수한 직류 발전기(直流發電機)의 총칭. 각종의 전기 제어(制御)에 사용됨.

회전-창【回轉窓】명〔pivoted window〕〖건〗창짝의 중심부에 축(軸)을 장치하여, 가로나 세로로 회전시켜서 여닫게 만든 창.

회전-체【回轉體】명 ①〖물〗회전하는 물체. ②〔solid of revolution〕〖수〗평면 도형(平面圖形)이 같은 평면 가운데 있는 직선을 축(軸)으로 하여 회전할 때에 생기는 입체(立體). 원(圓)이 직경을 축으로 하여 회전할 경우에는 구(球)가 생김. 돌림체. 맴돌이. *원환체(圓環體).

회전-축【回轉軸】명 ①〔axis of rotation〕〖물〗물체의 회전 운동의 중심이 되는, 일정 부동한 직선. 동굴대. ②회전하는 기계의 축(軸)의 총칭. 돌대.

회전 출자금【回轉出資金】[―짜―] 명〖경〗사업 자금을 불리기 위하여 잉여금 배당에 있어서 특별 배당액을 일정한 기간 동안 사업체에 보류하여 자금으로 충당하는 돈.

회:전 칙례【會典則例】[―녜] 명 중국 명청대(明淸代)의 기본 법전 및 그 부법(副法). 회전(會典)은 각 관청의 직장(職掌)·행정 규정을 총괄한 기본법이고, 칙례(則例)는 그 기본법을 보충·변경한 관계 법규임.

회전 타:원체【回轉楕圓體】명〔ellipsoidal solid of revolution〕〖수〗타원을 그 장축(長軸)의 둘레에 일회전시켜 이루는 입체(立體).

회전-판【回轉瓣】명〖기〗연속적 또는 부분적인 회전으로 유체(流體)의 흐름을 조절하거나 막는 날름쇠.

회전 펌프【回轉―】명〔rotary pump〕〖물〗판(瓣) 대신에, 회전자(回轉子)와 이것에 붙인 설편(舌片)을 이용한 펌프. 독일인 게데(Gaede)가 발명했고, 이로 인하여 진공 기술이 비약적으로 진보했음. 로터리 펌프.

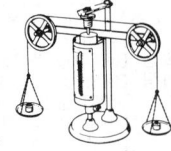

〈회전 펌프〉

회전 편광【回轉偏光】명〔rotatory polarized light〕〖물〗편광이, 사탕물·수정(水晶)·자장(磁場) 등 매질(媒質) 속을 통과함에 따라, 그 편광면(偏光面)이 회전하는 현상.

회전 포:물면【回轉抛物面】명 포물선을 그 축(軸)의 둘레에 회전시켜서 이루는 곡면(曲面). 파라볼로이드(paraboloid).

〈회전 포물면〉

회전 포:물면경【回轉抛物面鏡】명〔parabolic mirror〕〖물〗회전 포물면의 안쪽을 반사면으로 하는 거울. 자동차의 헤드라이트(headlight), 천체용(天體用) 반사 망원경 등에 응용됨.

회전 포탑【回轉砲塔】명〖군〗화포(火砲)와 함께 회전시킬 수 있는 포탑. 함포(艦砲)로 많이 장치됨.

회전형 기관【回轉型機關】명 혼합 가스가 연소할 때 발생하는 고압의 연소 가스를 터빈의 축에 붙은 회전 날개에 부딪치게 하여 그 충동력

이나 반동력으로 직접 축을 회전시켜서 동력을 얻는 기관. 가스 터빈·제트 기관 등.

회절【回折】명 〔diffraction〕〖물〗 파동(波動)에 특유한 현상의 하나. 파동이 장애물의 끝을 통과하여 전파(傳播)할 때에, 그 끝에 의하여 기하학적인 음영(陰影)을 만들지 아니하고 장애물 뒤쪽의 음영 안에까지도 전파하는 현상. 음파·전파·빛·X선 등의 파동은 회절을 나타내며, 전자·중성자 등의 입자도 그 파동성 때문에 회절함.

회절 격자【回折格子】명〖물〗회절발.

회절-계【回折計】명 X선·전자선(電子線)·중성자선(中性子線) 등의 회절을 이용한 물질 구조의 연구에 쓰이는 장치.

회절-도【回折圖】[-또] 명〖물〗회절상.

회절-발【回折-】명 〔diffraction grating〕〖물〗빛을 회절시키는 장치. 분광기(分光器) 등에 쓰임. 유리판 또는 잘 닦은 금속판의 표면에 뾰족한 다이아몬드로 아주 근접(近接)한 여러 개의 평행선을 같은 간격으로 그은 것. 격자(格子). 회절 격자.

회절 분광기【回折分光器】명〖물〗회절발을 사용한 분광기. 프리즘 분광기보다 분해능(分解能)이 크고, 유리에 의한 흡수도 없으므로 자외선(紫外線)·적외선(赤外線) 분광용으로 쓰임.

회절 산:란【回折散亂】[-살-] 명 〔diffracted scattering〕〖물〗빛의 산란에 있어서 입사파가 흡수에 의한 음영 부분에 몰려드는 회절 현상에 대응하는 산란. 입사 입자의 에너지가 크고 그 파장이 산란체의 크기보다 작을 때에 일어남.

회절-상【回折像】[-쌍] 명 〔diffraction figure〕〖물〗빛의 회절에 의해 생기는 명암(明暗)의 상(像). 입사광(入射光)이 단색(單色)일 때에는 단순한 명암이지만, 백색 또는 혼색(混色)일 때에는 색을 띰. 회절도(回折圖).

회절-파【回折波】명 〔diffracted wave〕〖물〗장애물이나 비균질적(非均質的)인 것에 의하여 그 진행 방향이 변화한 파. 반사(反射)와 굴절(屈折)은 제외함.

회정[1]【回程】명 돌아오는 길에 오름. ——-하다 자 여불

회정[2]【懷情】명 마음에 품은 정의(情誼)나 애정.

회제【回題】명〖역〗과거(科擧)에 시험하던 시(詩)의 열두째 글귀 또는 부(賦)의 열셋째와 열넷째의 두 글귀.

회조[1]【回漕】명 배로 여객이나 물건을 실어 나름. ——-하다 타 여불

회조[2]【詼嘲】명 희롱하여 조소(嘲笑)함. ——-하다 타 여불

회조-기【回照器】명〖기〗회광기(回光器).

회조-선【回漕船】명 회조(回漕)에 쓰이는 배.

회조-점【回漕店】명 뱃짐을 다루는 가게.

회족【回族】명〖역〗돌궐족(突厥族)의 딴 이름. 대부분 회교(回教)를 믿었던 데서 이렇게 일컬음.

회좌[1]【回坐】명〖불교〗불상(佛像)이 스스로 돌아 앉음. ——-하다 자 여불

회:좌[2]【會座】명〖불교〗설법(說法)·법회(法會) 따위의 집회(集會)에 마련된 좌석. 또, 그 모임.

회:죄【悔罪】명 지은 죄(罪)를 뉘우침. ——-하다 자 여불

회:죄-경【悔罪經】명〖천주교〗지은 죄를 뉘우치는 기도문의 총칭. 전에 일컫던 말로, 지금의 '통회의 기도' 따위.

회:주[1]【會主】명 ①회를 열어 주장하는 사람. 주최자(主催者). ②〖불교〗법사(法師)를, 법회(法會)를 주장하는 사람이라는 뜻으로 이르는 말.

회주[2]【懷州】명〖지〗중국의 지명. ①후주대(後周代)에 설치된 주(州). 현재의 허난 성(河南省) 비양 현(泌陽縣)으로, 난양(南陽)의 남동쪽. ②요대(遼代)에 태종(太宗)을 묻은 회릉(懷陵)이 있었던 읍(邑). 현재의 내몽고 자치구(內蒙古自治區)인 바린줘이치(巴林左翼旗)의 북서쪽. ③원대(元代)에 설치된 주. 송(宋)나라의 회안군(懷安郡)의 땅으로, 현재의 쓰촨 성(四川省) 서탕 현(舍堂縣)의 남동쪽.

회-죽【灰粥】명 ↗회반죽.

회:죽-거리다 자〈방〉헤죽거리다.

회:중[1]【會中】명 ①회(會)를 하는 도중. ②〖불교〗설법을 하는 도중.

회:중[2]【會衆】명 많이 모인 뭇 사람. 회집(會集)한 군중.

회중[3]【懷中】명 ①품속. ¶~ 시계. ②마음 속.

회중-경【懷中鏡】명 몸에 지니고 다니는 작은 거울.

회:중-교【會衆教】명〖종〗회중파(會衆派)에 속하는 교회(教會).

회중-물【懷中物】명 회중품.

회-중석【灰重石】명 〔scheelite〕〖광〗텅스텐이 주성분인 광석. 정방정계(正方晶系)에 속하는 송곳 모양의 결정. 칼슘과 텅스텐과 산소로 구성되며 무겁고 백색 또는 회황색을 띰. [$CaWO_4$] *중석(重石).

회중 시계【懷中時計】명 몸에 지니고 다니는 작은 시계. 몸시계.

회중 일기【懷中日記】[-닐-] 명 일기 수첩(日記手帖).

회중 전:등【懷中電燈】명 건전지(乾電池)를 전원(電源)으로 하여 전구에 점화(點火)할 수 있게 장치한 휴대용의 작은 전등. 손전등.

회:중-파【會衆派】명 〔congregationalists〕〖기독교〗기독교 신교의 한 파. 17세기 영국에서 각 교회의 독립과 자치를 내걸고 국교회(國教會)로부터 분리하여 독립하였음.

회중-품【懷中品】명 몸에 지니고 다니는 물건. 곧 지갑이나 시계 같은 것. 회중물(懷中物).

회즙【灰汁】명 ①재에서 우려 낸 물. 잿물. ②초목(草木)에서 나오는 다갈색의 즙(汁).

회증【蛔症·蛔證】[-쯩] 명〖한의〗↗회충증(蛔蟲症).

회:지【會誌】명 어느 회(會)에서 발행하는 기관지.

회:지-무급【悔之無及】명 후회 막급. ——-하다 형 여불

회-지석【灰誌石】명 석회·세사(細沙)·백토 등을 반죽하여 반듯한 조각을 만들고 조각마다 글자 하나씩을 새긴 지석(誌石).

회:직[1]【會直】명〖역〗숙직(宿直)하는 사람들을 모으는 일. ——-하다 자 여불

회:직[2]【會職】명 ①회(會)의 직책(職責). ②↗회직자(會職者).

회:직-자【會職者】명 회(會)의 직책을 맡은 사람. ㊟회직(會職).

회진[1]【回診】명 병원에서 의사가 환자의 병실(病室)을 돌아다니며 진찰함. ——-하다 자 여불

회진[2]【回進】명 돌아서 나아감. ——-하다 자 여불

회진[3]【灰塵】명 ①재와 먼지. ②하잘것없는 물건. ④여지없이 소멸(消滅) 또는 멸망(滅亡)함의 비유.

회진 작소【回嗔作笑】명 성냈던 것을 슬며시 돌려 짐짓 웃음을 지음. ——-하다 자 여불

회진 작희【回嗔作喜】[-히] 명 성을 내었다가 슬쩍 돌리어 기뻐함. ——-하다 자 여불

회질【灰質】명 ↗석회질(石灰質).

회:집【會集】명 여러 사람이 한 곳에 많이 모임. 또, 여러 사람을 한 곳에 모음. ——-하다 자타 여불

회:찌 명〈방〉회두리.

회차[1] 명〈방〉효력. 효험(함남).

회:차[2] 명〈방〉모꼬지.

회차리 명〈방〉회초리(함남).

회창-거리다 자 ①가늘고 긴 물건이 휘어지며 가볍게 자꾸 흔들리다. ②아랫도리에 힘이 없어 똑바로 가누지 못하고 좌우로 빗나가다. 1)·2): <휘청거리다. 회창-회창 부. ——-하다 자 여불

회창-대다 자 회창거리다.

회:채 명〈방〉모꼬지.

회채-화【回菜花】명〖식〗방아풀.

회천[1]【回天】명 ①천자(天子)의 뜻을 돌이키게 함. ②시세(時勢)를 일변(一變)시킴. 쇠한 세력을 회복시킴. ¶~의 대사업. ——-하다 타 여불

회천[2]【回薦】명〖역〗한림 권점(翰林圈點) 때 현임 한림(現任翰林)과 전임 한림(前任翰林)이 모여서 권점(圈點)을 행하고, 그 천기(薦記)를 대신(大臣)과 관각 당상(館閣堂上)에게 돌려 보이고 그것의 가부(可否)를 묻는 일.

회천[3]【檜泉】명〖지〗경기도 양주군(楊州郡)의 한 읍(邑). 군의 동쪽에 있으며, 1985년 회천면(檜泉面)에서 읍으로 승격하였음. [33,061명 (1996)]

회천지-력【回天之力】명 ①임금의 마음을 정도(正道)로 돌이키게 하는 힘. ②국가의 쇠운(衰運)이나 시세(時勢)를 일변시키는 힘.

회첨【會檐】명〖건〗처마가 'ㄱ'자 형으로 꺾이어 굽어진 곳.

회첨-골【會檐-】명〖건〗회첨지붕에 생기는 골.

회첨-기둥【會檐-】명〖건〗회첨에 세워, 사방으로 도리·중방(中枋)·인방(引枋)이 걸리는 기둥. →회침기둥.

회첨-서까래【會檐-】명〖건〗회첨골 부분에 건 서까래.

회첨-장【會檐-】명〖건〗회첨골 끝에 있는 암키와나 수키와.

회첨-추녀【會檐-】명〖건〗회첨골에 있는 추녀.

회첩【回牒·回帖】명 회답(回答)의 글.

회청【回靑】명 회회청(回回靑).

회청-색【灰靑色】명 잿빛 바탕에 약간 푸른 빛이 섞인 빛깔.

회-청자【繪靑磁】명 순청자(純靑磁)에 철분 안료(鐵分顔料)로 문양(紋樣)을 나타낸 청자의 일종. 화청자(畫靑磁). 회고려(繪高麗). 철회 청자(鐵繪靑磁).

회:체【會體】명 회의 조직체(組織體).

회:조-간【晦初間】명 그믐 초승❷.

회초-구덩이 명〈방〉수채[1](경북).

회초-구영 명〈방〉수채[1](경북).

회초리 명 〔근대: 회초리〕어린아이를 때리거나 마소를 부릴 적에 쓰는 가는 나뭇가지. *휘추리.

회초미 명〈옛〉관중(貫衆). ¶회초미(貫衆)《四聲 上 8 衆字註》.

회춈 명〈옛〉관중(貫衆). =회초미. ¶貫衆鄉云廻初音《馬醫 79》.

회총【懷寵】명 임금의 총애를 잃을까 두려워 애씀. 지위가 떨어질까 하여 애태움. ——-하다 자 여불

회총-박이 명 짚신이나 미투리 등에서, 질긴 회나무 껍질로 총을 댄것.

회:추【會推】명〖역〗범죄인의 추문(推問)을 명령받은 관원(官員)이 모여서 함께 추문함. ——-하다 명 여불

회추리 명〈방〉회초리.

회춘[1]【回春】명 ①봄이 다시 돌아옴. ②중한 병이 낫고, 건강이 회복됨. ③도로 젊어짐. ④〖지〗토지의 융기(隆起) 그 밖의 지각(地殼) 변동으로 하천이 흘러 들어가는 바다나 호수의 수면(水面)이 낮아질 때, 침식력이 약해졌던 노년기(老年期)·장년기(壯年期)의 하천이 다시 침식력을 회복하여 하저(河底)를 침식하고 유년기(幼年期)의 성질을 띠는 현상. ——-하다 자 여불

회춘[2]【懷春】명 춘정(春情)을 일으킴. 나이 든 여자가 색정(色情)을 느낌. ——-하다 자 여불

회춘-강【回春江】명〖지〗회춘 하천.

회춘-제【回春劑】명 회춘에 효험(効驗)이 있는 약제.

회춘 하천【回春河川】명〖지〗회춘 현상에 의하여 침식이 부활한 하천. 회춘강.

회춤 명〈방〉골목.

회충【蛔蟲】명〖동〗①회충과에 속하는 기생충의 총칭. ②[*Ascaris lumbricoides*] 회충과에 속하는 인체(人體) 기생충. 몸길이는 수컷이 15-25cm, 암컷은 20-40cm이고 몸빛은 담홍백색 내지 황백색에 광택이 남. 지렁이와 비슷하여 양단(兩端)은 가늘고 수컷의 미단(尾端)은 만곡(彎曲)되고 암컷은 온 몸이 곧으며 입은 세 개의 구순(口脣)이 있

음. 암컷은 하루에 약 20만 개의 알을 낳는데, 난각(卵殼)이 있고 단세포(單細胞) 상태이며 숙주(宿主)의 체외에서 분열 발육(分裂發育)한 성숙란(成熟卵)이 생수(生水)·생야채(生野菜)·먼지 등에 휩쓸려 입을 통하여 소장(小腸)에 들어가 부화(孵化)한 유충은 장벽(腸壁)을 뚫고 혈관(血管)·림프관(lymph管)에 침입하고, 복강(腹腔)·횡격막·흉강(胸腔)·간장(肝臟) 등에서 폐(肺)로 옮기었다가 기관(氣管)·식도(食道) 등을 거쳐 다시 장(腸)에 돌아와서 성충이 되기까지 3-4개월 걸림. 소아(小兒)에 많이 기생함. 흔히 신경 증상(神經症狀)·발열·복통(腹痛)·두통(頭痛)·구토·빈혈·권태 등의 증상이 발생함. 거위. 고충(蠱蟲). 벌레. (준)회(蛔)·충(蟲).

〈회충❷〉

회충-과【蛔蟲科】[—꽈] 명 『동』 [Ascaridae] 원충류(圓蟲類)에 속하는 한 과. 사람·말·개·고양이 따위와 닭·칠면조 따위의 체내(體內) 기생충(寄生蟲)임. 두어 종 있음.

회충성 장폐색【蛔蟲性腸閉塞】[—썽—] 명 『의』 회충이 장관(腸管) 속에 기생(寄生)하여 일으키는 장폐색. 곧, 많은 회충이 모여서 덩어리를 이루어 장의 내강(內腔)을 폐색하는 것인데, 소장(小腸)에 발생하는 일이 많음. 복통·구토 등의 증상을 일으킴.

회충-약【蛔蟲藥】[—냑] 명 『약』 회충을 없애는 약제(藥劑). 산토닌·해인초(海人草)·헥실레조르신(hexylresorcin) 따위. 거위약. (준)회약(蛔藥).

회충-증【蛔蟲症】[—쯩] 명 『의』 ①회충의 기생(寄生)에 의하여 생기는 병. 복통(腹痛)·설사·두통(頭痛)·현기(眩氣) 등을 일으키며 때때로 입이나 항문으로 회충을 내보냄. (준)회증(蛔症). ②거위배.

회:취【會聚】 명 모임. ——-하다 자여불

회취-법【灰吹法】[—뻡] 명 『화』 금·은을 광석에서 분리해 내는 방법의 하나. 금·은을 함유하는 납광석을 용융(鎔融)하여 내면에 골회(骨灰)를 바른 반사로(反射爐)에 넣어 공기를 불어 넣으면 납은 산화하여 골회에 흡수되고 금·은만이 그대로 남게 됨. 양극니(陽極泥)로부터의 금·은의 채취(採取), 금·은의 광석의 시금(試金)에 쓰임.

회:치【悔恥】 명 뉘우치어 부끄럽게 여김. ——-하다 타여불

회:-치다【膾—】 타 어육(魚肉) 같은 것으로 회를 만들다.

회-치장【灰治粧】 명 뒷간.

회칙[1]【回勅】 명 『천주교』 로마 교황이 교회 전체에 관계 있는 문제에 관하여 전세계의 주교(主教)에게 보내는 동문(同文)의 회장(回狀).

회:칙[2]【會則】 명 회의 규칙(規則). 회규(會規). ¶ ~ 개정.

회-칠【灰—】 명 ①석회(石灰)를 바르는 일. ②〈속〉 얼굴에 분을 덕지덕지 발라 짙은 화장을 하는 일. ¶ 얼굴에 ~한 여자. ——-하다 자여불

회침 명 『건』 ←회첨(會檐).

회침-기둥 명 『건』 ←회첨기둥.

회:-칼【膾—】 명 회를 치는 데 쓰는 칼.

회:탄【悔歎】 명 뉘우쳐 탄식함. ——-하다 타여불

회태【懷胎】 명 잉태(孕胎). ——-하다 자타여불

회토[1]【灰土】 명 재와 흙. 토회(土灰).

회토[2]【懷土】 명 ①안락한 거처를 생각하거나 살고 있는 곳에 만족함. ②고향을 생각함.

회통[1] 명 〈방〉 콜레라.

회통[2]【回通】 명 통문(通文)에 대한 회답. ——-하다 자여불

회통[3]【灰筒】 명 회로 만든 통.

회통[4]【蛔痛】 명 『한의』 거위배.

회티-채 명 〈방〉 종아리채(함북).

회-티탄석【灰—石】〔도 Titan〕 명 〔perovskite〕 『광』 황색·황갈색·대적색(帶赤色)·간색 또는 흑색의 천연 광물. 150개 이상의 합성(合成) 화합물을 함유하는 구조형(構造型). 결정(結晶) 구조는 등축 정계(等軸晶系)로, 때로는 팔면체형(八面體型)·십이면체형으로 산출됨. 아금속(亞金屬) 광택 또는 아(亞)다이아몬드 광택이 있음. [$CaTiO_3$]

회-파람 명 〈방〉 휘파람(평북·황해).

회:-판[1] 명 ↗회두리판.

회판[2]【會辦】 명 『역』 대한 제국 때 통신원(通信院)의 칙임(勅任) 벼슬.

회:팔선-곡【會八仙曲】[—썬—] 명 『악』 풍악의 이름.

회-퍼람 명 〈방〉 회오리바람(전북).

회편【回便】 명 돌아가거나, 돌아오는 인편(人便).

회평 명 〈방〉 회(膾)(전북).

회포【懷抱】 명 마음에 품은 생각. ¶ 다년간의 ~를 풀다.

회풍【回風·廻風】 명 회오리바람.

회피[1]【回避】 명 ①몸을 피하고 만나지 아니함. ②책임을 지지 아니하고 꾀를 부림. ¶ 책임 ~. ③일하기를 꺼리어 선뜻 나서지 아니함. ④『법』 소송 사건에서, 재판관이나 서기가 제척(除斥) 또는 기피(忌避)의 원인이 있다고 생각한 경우에 스스로를 피하여 그 직무의 집행으로부터 물러나는 일. ——-하다 타여불

회:피[2]【檜皮】 명 노송나무의 껍질. 지붕을 이며, 약용(藥用)으로 씀.

회피 부득【回避不得】 명 일을 하지 않으려고 피하려 하나 피할 수가 없음. 요피(要避) 부득.

회피-성【回避性】[—썽] 명 회피하려는 성질.

회피-자【回避者】 명 회피하는 사람.

회피-제【回避制】 명 『역』 중국의 구법제(舊法制)에서, 관료(官僚)를 임용(任用)할 때, 사정(私情)에 쏠려 공평성을 잃는 일이 없도록, 특히 그러한 염려가 있는 지위를 회피시키는 제도. 친족(親族) 회피와 지방(地方) 회피의 두 가지가 있음.

회피-책【回避策】 명 ①회피하고 모면하는 방책. ②『법』 소송 사건에 있어서 판사나 서기가 그 사건을 맡지 않으려고 피하는 계책.

회피 행동【回避行動】 명 〔aversive behavior〕 『심』 자극원(刺戟源)을 피하는 행동.

회피 훈:련【回避訓練】[—훌—] 명 〔avoidance training〕 『심』 실험 동물로 하여금 회피 행동을 일으키게 하는 훈련. 곧, 동물에게 어떤 소리를 들려 주고 이어 발 밑에 전격(電擊)을 주는 일을 여러 번 되풀이하면 소리만 들어도 미리 발을 들어 피하려 하는 일 따위. *도피(逃避)훈련.

회:필【繪筆】 명 화필(畫筆).

회하[1]【回下】 명 『역』 과거(科擧) 때에 짓는 시부(詩賦)의 회제(回題) 이하의 글귀.

회하[2]【淮河】 명 『지』 '화이허'를 우리 음으로 읽은 이름.

회-하[3]【會下】 명 『불교』 사승(師僧) 밑에서 참선(參禪)·수도(修道)하는 학인(學人).

회:-하다【晦—】 형여불 밝지 않고 어둡다.

회:하-사【會下寺】 명 『불교』 회하승(會下僧)들이 있는 절.

회:하-승【會下僧】 명 『불교』 회하(會下)인 중.

회한[1]【回翰】 명 회답으로 하는 서한(書翰). 답장 편지. 회서(回書). 반한(返翰).

회:한[2]【悔恨】 명 뉘우치고 한탄함. 오한(懊恨). 오회(懊悔). ¶ ~의 눈물. ——-하다 타여불

회:합【會合】 명 ①여럿이 모이어 합함. 또, 그 모임. ②〔association〕 『화』 동일 물질의 분자(分子) 또는 이온이 단독으로 존재하지 않고, 둘 또는 여러 개가 결합하여 한 개의 분자 또는 이온처럼 행동하는 현상. ——-하다 자여불

회:합-범【會合犯】 명 『법』 필요적 공범(共犯)의 한 가지. 양당사자(兩當事者)가 대립하여 일정한 행위를 함을 요하는 공범. 이를테면 간통죄·뇌물죄(賂物罪) 같은 것. 대향범(對向犯).

회:합-소【會合所】 명 모임을 가지는 곳.

회:합-열【會合熱】[—녈] 명 『물·화』 정압(定壓) 아래서 1몰(mole)의 배위(配位) 화합물이 성분 분자(成分分子)로 이루어질 때의 엔트로피 증가(entropy 增加).

회:합 주기【會合週期】 명 〔synodic period〕 『천』 한 행성과 태양 및 지구의 삼자(三者)의 상대적 위치가 한 번 순환하는 주기. *외합(外合).

회:합 주전【會合周轉】 명 『천』 지구에서 보아, 행성(行星)이 태양에 대해서 각각 제자리로 되돌아갈 때까지 도는 일.

회항【回航】 명 ①배를 특정한 곳에 항해(航海)시킴. ②곳곳에 돌아다니는 항해. ③여러 곳을 돌아다니다가 제자리로 돌아오는 항해. ¶ 본국으로 ~하다. ——-하다 자여불

회해【詼諧】 명 해학(諧謔).

회향[1]【回向】 명 ①얼굴을 돌리어 딴 쪽으로 향함. ②『불교』〔자기가 닦은 공덕(功德)을 남에게 돌리어 자타(自他) 공(共)히 불과(佛果)를 성취하기를 기(期)한다는 뜻〕 불사(佛事)를 경영하여 죽은 사람의 명복(冥福)을 빎. ③『불교』 미타(彌陀)의 공덕을 돌리어 중생의 극락 왕생(極樂往生)에 이바지함. ④『불교』 선행(善行)을 돌리어 극락 왕생에 이바지함. ——-하다 자여불

회향[2]【茴香·蘹香】 명 ①『식』 회향풀. ②『한의』 회향풀의 열매. 대(大)회향과 소(小)회향이 있는데 약으로 쓰고 기름도 짬.

회향[3]【懷鄕】 명 고향을 그리며 생각함. ——-하다 자여불

회향-문[1]【回向文】 명 『불교』 법사(法事)의 맨 나중에 닦은 바의 공덕(功德)을 중생(衆生)에게 돌려보내기 위하여 외는 염불의 기원문(祈願文).

회향-문[2]【回向門】 명 『불교』 오념문(五念門)의 하나. 자기가 얻은 공덕(功德)을 다른 모든 중생에게 돌려주어 함께 불도에 들도록 소원하는 일.

회향 발원심【回向發願心】 명 『불교』 자기가 닦은 선근(善根)·공덕(功德)을 돌리어 정토(淨土)에 왕생(往生)하고자 하는 발원.

회향-병【懷鄕病】[—뼝] 명 고향을 애타게 그리는 심정을 병에 견주어 이르는 말. 노스탤지어. 홈식(homesick).

회향-수【茴香水】 명 『한의』 회향유(茴香油)를 증류수(蒸溜水)에 섞어 가라앉힌 맑은 물. 구풍약(驅風藥)·점안료(點眼料)로 사용됨.

회향-유【茴香油】[—뉴] 명 〔fennel oil〕 회향풀의 열매에서 채취한 무색의 정유(精油). 처음에는 약간 달다가 나중에는 쓴 맛이 남. 건위(健胃)·거담(祛痰)·구풍(驅風)·교미약(矯味藥)으로 씀.

회향-장【回向帳】[—짱] 명 『불교』 장의(葬儀)를 지낼 때에 향전(香奠)으로서 보내어진 쌀이나 돈의 액수 및 보낸 이의 성명 등을 적어 두는 장부. 향전장(香奠帳). 색장(色帳).

회향-정【茴香精】 명 회향유를 알코올에 섞은 액체. 건위(健胃)·거담(祛痰)·흥분·교미(矯味)·교취(矯臭) 등의 약으로 씀.

회향-종【回向鐘】 명 『불교』 회향할 때 치는 종.

회향-주【茴香酒】 명 『한의』 회향을 담가서 빚은 술. 신기통(腎氣痛)·견인(牽引)·심복통(心腹痛) 등에 먹음.

회향-풀【茴香—】 명 『식』 [*Foeniculum vulgare*] 미나릿과에 속하는 2년초. 줄기는 곧고 가지가 많이 갈라졌으며 높이 1.5m 내외이고 잎은 4-5회 우상 전열(羽狀全裂)하며 열편(裂片)은 긴 실 모양인데 잎자루는 넓고 크며 줄기를 쌈. 7월에 황색 꽃이 복산형(複繖形) 화서로 피는데 총산경(總繖梗)은 10-20개, 소산경(小繖梗)은 다수이고 과실은 난상(卵狀) 타원형에 방향성(芳香性)임. 유럽 원산으로 온대(溫帶) 각지에 널리 재배됨. 과실은 회향(茴香)이라 하여 약용함. 회향(茴香).

〈회향풀〉

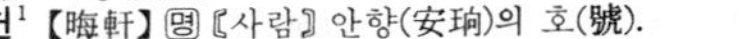

회:헌[1]【晦軒】 명 『사람』 안향(安珦)의 호(號).

회:헌[2]【會憲】 명 회칙(會則).

회:헌 실기【晦軒實記】 명 『책』 고려 원종(元宗) 때의 학자 안향(安珦)

의 시문집(詩文集). 조선 시대 영조(英祖) 40년(1764)에 그의 후손 안극권(安克權)이 편찬 간행하고, 그 후 순조(純祖) 16년(1816)에 재간(再刊), 고종(高宗) 21년(1884)에 3간되었음. 2권 1책. 사본.

회:헌 영:정【晦軒影幀】명 경상 북도 영주시(榮州市) 순흥면(順興面) 내죽리(內竹里) 소수 서원(紹修書院)에 보존되어 있는 고려의 대학자 안향(安珦)의 초상화. 고려 충숙왕(忠肅王) 5년(1318)에 왕명에 의해 그려진 것으로 화법이 극히 사실적(寫實的)임. 국보 제111호.

회호【回護】명 엄호(掩護)❶. ——-하다 재여불

회호리-바람 명〈방〉회오리바람(충청).

회호리-밤: 명〈방〉회오리밤.

회호리ᄇᆞ람 명〈옛〉회오리바람. ¶회호리ᄇᆞ람(石尤風)≪語錄 33≫.

회혼【回婚】명 해로(偕老)하는 부부의 혼인한 지 예순 돌의 일컬음. 회근(回巹). 주량 회갑(舟梁回甲).

회혼 경:축가【回婚慶祝歌】명〖문〗작자 제작 연대 미상의 가사의 하나. 부모님의 회혼을 맞이하여 그 기쁨과 아울러 만수 무강을 비는 경축 노래.

회혼-례【回婚禮】[―녜] 명 회혼(回婚)을 축하하는 잔치. 다이아몬드 혼식(diamond 婚式).

회혼 참경가【回婚參慶歌】명〖문〗작자·제작 연대 미상의 가사의 하나. 외조부의 회혼을 맞아 시집살이에서 벗어나 참석, 일가 친지들과 한데 어울려 놀다가 다시 시집으로 돌아가야 하는, 이별의 애석함을 읊음.

회홍【恢弘】명 넓고도 큼. 너그럽고 관대함. ——-하다 형여불

회:화[1]【悔禍】명 화를 뉘우침. ——-하다 재여불

회:화[2]【會話】명 ①서로 만나서 이야기함. 또, 그 담화(談話). ②외국어로 이야기함. 또, 그 이야기. ¶영어 ~. ——-하다 재여불

회:화[3]【誨化】명 교화(敎化). ——-하다 타여불

회:화[4]【繪畫】명〖미술〗조형 미술(造形美術)의 한 가지. 여러 가지 선(線)이나 색채(色彩)로 평면상에 형상을 그려 낸 것. 그림.

회:화-과【繪畫科】[―꽈] 명〖교〗대학에서, 회화를 전공하는 학과. *조소과(彫塑科).

회화-나무 명〖식〗[*Styphnolobium japonicum*] 콩과에 속하는 낙엽 활엽 교목. 잎은 우상 복생(羽狀複生)하고 소엽(小葉)은 달걀꼴 또는 난상 타원형인데 밑은 뭉툭하거나 둥글고 끝은 날카로우나 톱니가 없고 앞뒤에 잔털이 있음. 8월에 황백색 꽃이 복총상(複總狀) 화서로 정생(頂生)하여 피며, 협과(莢果)는 10월에 익음. 산이나 들 및 촌락 부근에 흔히 심는데 한국 각지 및 일본·중국 등지에 분포함. 정원수·가구(家具) 및 신탄제(薪炭材)로 쓰며, 꽃과 과실은 약용함. 괴목(槐木). 옥수(玉樹). 괴화나무. 홰나무.

〈회화나무〉

회:화-론【繪畫論】명〖미술〗①회화에 관한 이론. ②회화의 본질의 미학적 고찰.

회:화-문【會話文】명 문장 속에서 사람이 한 말을 그대로 적은 글. 지문(地文)과 구별하기 위하여 흔히 인용 부호 등을 쳐서 나타냄.

회:화 문자【繪畫文字】[―짜] 명 그림 문자 및 상형 문자(象形文字)의 총칭. ↔기호 문자.

회:화-성【繪畫性】[―썽] 명 회화가 지니는 특성. 회화적인 특성. ¶~이 강한 시.

회-화아【灰花蛾】명〖충〗베짱이. 「의 한 가지.

회:화-체【會話體】명〖문〗서로 묻고 대답하는 형식으로 된 문체(文體)

회확【恢廓】명 도량이 큼. 마음이 넓음. ——-하다 형여불

회확 대:도【恢廓大度】명 마음이나 도량이 넓고 큼.

회환【回還】명 갔다가 다시 돌아옴. 환래(還來). 회래(回來). ——-하다 재여불

회:활【獪猾】명 간악하고 교활함. 간교(奸巧)함. ——-하다 형여불

회회[1]【回回】명〖역〗①회흘(回紇)의 딴 이름. ②↗회회교(回回教).

회회[2] 부 ①여러 번 잘게 휘여 감는 모양. ②이리저리 좁게 휘두르는 모양. 1)·2):<휘휘.

회회[3]【恢恢】부 ①넓고 넉넉한 모양. ②여유가 있는 모양. ——-하다 형여불

회회-교【回回教】명〖종〗이슬람교.

회회교-도【回回教徒】명 회회교를 믿는 사람. 또, 그 무리. 곧, 이슬람교도.

회회-력【回回曆】명〖책〗중국 원(元)나라·명(明)나라 때 중국에 전래(傳來)한 아라비아 천문서(天文書). 그 내용은 명사(明史)에 실리어 있으나, 더 자상한 것은 명나라 말에 패림(貝琳)이 개정 증보(改訂增補)한 ≪칠정 추보(七政推步)≫임.

회회-찬찬 부 회회 감고 찬찬 감는 모양. <휘휘친친.

회회-청【回回青】명〖공〗도자기의 청색 안료(顏料). 회회교(回回教)의 지방인 아라비아에서 수입한 것이라 일컬음. ㊤회청(回青).

회획【匯劃】명 중국에서 사용하던 어음. 당대(唐代)의 비전(飛錢)·편환(便換)에서 비롯하여, 9세기 이래 상거래(商去來)에 빈번(頻繁)히 이용되었음.

회훈【回訓】명〖정〗재외 전권(在外全權)의 청훈(請訓)에 대한 본국 정부의 회합 훈령(回合訓令). ↔청훈. ——-하다 재여불

회흑-색【灰黑色】명 검은 빛을 띤 짙은 잿빛.

회흘【回紇】명〖역〗지금의 위구르족(Uighur 族)의 조상으로서, 몽고(蒙古)·투르키스탄 방면에서 활약한 터키계(系)의 부족(部族). 처음에 원흘(袁紇)·오흘(烏紇)이라 하여 설연타(薛延陀)의 북쪽에서 살다가 수(隋)나라 때 돌궐(突厥)에 신종(臣從)했으나 수양제(隋煬帝) 때 배반하고 회흘(回紇)을 일컬었음. 돌궐이 망하자 이에 대신하여 지금의 내외 몽고를 차지하고, 당(唐)나라 때에는 안사(安史)의 난(亂)을 평정하는 데 힘을 도왔으며, 당나라 덕종(德宗) 때 회골(回鶻)로 이름을 바꿈. 문종(文宗) 때 나라가 어지러워져 부족이 서쪽으로 이동, 지금의 신장 남로(新疆南路)에 흩어져 살며 몽고(蒙古)에 부속하여 청(清)나라 때까지 그 땅을 회강(回疆)이라 일렀음. 당나라 때에는 마니교(摩尼教)를 믿고, 송원(宋元) 이래로 회교(回教)를 믿음. *위구르.

획[1]【畫】명 ①한자(漢字)를 쓰는 데 있어서 한 번 그은 줄이나 점의 총칭. 자획(字畫). ¶~이 굵은 글자/~에 힘이 없다. ②역수(易數)의 괘(卦)를 나타내는 산(算)가지의 가로 그은 표시. 곧, 양(陽)인 ㅡ, 음(陰)인 -- 따위의 일컬음.

획[2]【獲】명 화살이 과녁의 복판을 바로 맞힌 것을 이르던 말.

획[3] 부 ①빨리 돌거나 스치는 모양. ②바람이 세게 부는 모양. ③별안간에 힘있게 내던지는 모양. 1)-3):<휙.

획감【劃減】명 회감(會減). ——-하다 타여불

획곡【獲穀】명〖조〗뻐꾸기.

획관【獲官】명 궁술(弓術) 대회 때, 사정(射亭) 당중(堂中)에 앉아 정시지(正試紙)에 성적과 결과를 기록하는 사람.

획급【劃給】명 그어 줌. 갈라서 나눠 줌. 획하(劃下). ——-하다 타여불

획기-적【劃期的】명관 새 시대를 긋는 상태. 새로운 기원(紀元)을 여는 모양. ¶~ 사건.

획단【劃斷】명 둘로 절단(截斷)함. ——-하다 타여불

획득【獲得】명 손에 넣음. 얻어 가짐. ——-하다 타여불

획득 동:인【獲得動因】명 [acquired drive]〖심〗행동의 모든 환기 상태(喚起狀態). 유전보다는 오히려 경험에 의해 체득(體得)한 것을 이름.

획득 면:역【獲得免疫】명〖의〗선천적으로 면역되어 있지 않았던 생물체가 후천적으로 면역을 획득한 상태. 자동(自動) 면역과 타동(他動) 면역으로 나뉨. 후천 면역. ↔자연 면역.

획득-물【獲得物】명 획득한 물건. 획득품(獲得品).

획득 반:사【獲得反射】명〖심〗'조건 반사'의 이칭(異稱).

획득-성【獲得性】명〖생〗획득 형질(獲得形質).

획득 성:질【獲得性質】명〖생〗획득 형질(獲得形質).

획득-품【獲得品】명 획득물(獲得物).

획득 형질【獲得形質】명〖생〗생물이 생후 환경의 영향 또는 훈련에 의하여 변화한 형질. 스포츠 등으로 특별히 굵어진 팔 같은 것으로, 이것이 유전한다는 학자도 있음. 획득 성질. 획득성.

획력【畫力】[―녁] 명 글씨나 그림의 획에 나타난 힘. *필력(筆力).

획리【獲利】[―니] 명 득리(得利).——-하다 재여불

획린【獲麟】[―닌] 명 [공자가 춘추(春秋)를 저작할 때 '哀公一四年春, 西狩獲麟'의 글귀로 붓을 끊고 죽은 고사에서] ①절필(絕筆). ②사물의 종말(終末). ③임종(臨終). 기세(棄世).

획벌【劃伐】명 숲을 일정한 지역을 구획하여 벌목함. ——-하다 타여불

획법【畫法】명 글씨나 그림의 획을 긋는 법. *필법(筆法).

획수【畫數】명 글씨 획의 수효.

획순【畫順】명 자획의 순서.

획-시대적【劃時代的】명관 시대를 긋는 모양. 곧, 종래의 업적으로부터 뚜렷한 진보를 보였을 때 말함.

획연【劃然】부 명확하게 구별된 모양. 분명하여 이지러짐이 없는 모양. ——-하다 형여불. ——-히 부

획인【畫引】명 한자(漢字) 색인(索引)의 한 가지. 글자의 획수를 따라 찾아보게 됨.

획일【劃一】명 ①똑 골라서 모두가 한결같음. ②줄친 듯이 모두가 한 가지로 가지런함. ——-하다 형여불

획일 교:육【劃一教育】명〖교〗개개인의 개성 따위는 생각지 않고 획일적으로 하는 교육. ↔개성(個性) 교육.

획일-적【劃一的】[―쩍] 명관 ①한결같은 모양. ②쪽 고른 상태. 또 그런 모양.

획일-주의【劃一主義】[―쭈― / ―쭈이] 명 콘포미즘(conformism).

획장【畫長】명〖역〗[획(畫)은 점수(點數)의 뜻] 승보시(陞補試)의 계획 초시(計畫初試)에 합격한 사람.

획정【劃定】명 명확히 구별하여 정함. ——-하다 타여불

획죄【獲罪】명 죄를 지음. ——-하다 타여불

획지【劃地】명 도시(都市)에서 건축지를 갈라서 나누는 데의 한 단위가 되는 땅뙈기.

획창【獲唱·畫唱】명 궁술 대회에서 사정(射亭) 앞에 자리잡고 앉아서 응사원을 호명하고, 또 정순(正巡) 때 과녁을 맞혔을 경우에 '맞혔소' 하고 외치는 사람.

획책【劃策】명 계책을 세움. 책략을 꾸밈. ——-하다 타여불

획출【劃出】명 꾀를 생각하여 냄. ——-하다 타여불

획하【劃下】명 획급(劃給). ——-하다 타여불

획화【劃花】명〖공〗도자기의 몸에 칼로 파서 새긴 그림. 요화(凹花).

획-획 부 ①연해 빨리 돌아가는 모양. ¶차창 밖의 가로수가 ~ 지나가다. ②바람이 잇따라 세게 부는 모양. ③계속해서 힘주어 던지는 모양. 1)-3):<휙휙.

횔덜:린 [Hölderlin, Friedrich] 명〖사람〗독일의 시인. 학창 시절에 헤겔(Hegel)·셸링(Schelling) 등과 교우함. 스위스·프랑스 등지를 방랑하다 귀향(歸鄉)한 후 발광(發狂)해서 30여 년을 폐인(廢人)으로 지내다 생을 마침. 시인에게는 신인 화합(神人和合)의 이상(理想) 사회를 지상에 초래케 할 사명이 있다고 외치고 ≪라인≫·≪다도해(多島海)≫·≪시인의 의기(意氣)≫ 등의 시와 소설 ≪히페리온(Hyperion)≫, 미완

성의 비극 ≪엠페도클레스(Empedokles)≫를 남겼음. 20세기에 들어와 독일의 가장 뛰어난 서정 시인(敍情詩人)의 한 사람으로 지칭(指稱)됨. [1770-1843]

횟-가루【灰—】명〖화〗〈속〉 산화 칼슘(酸化 calcium).

횟:-감【膾—】명 회를 만드는 데에 쓰이는 고기나 생선.

횟대 명〖어〗 ①둑중갯과(科)의 꼬마횟대속(屬)·빨간횟대속·동갈횟대속·눈퉁횟대속·뿔횟대속·날개횟대속 등에 속(屬)하는 어류의 총칭. 대체로 몸은 갈색의 원통상이고 길이 20-30cm, 머리에 가시가 있고 입이 큼. 두부어(杜父魚). ②나뭇대. 주의 膾代'로 씀은 취음(取音).

횟도녀 자〈옛〉 휘돌아 다니어. '횟도니다'의 활용형. ¶여슷 길헤 횟도녀 잠간도 머므디 몯ᄒᆞ며(輪廻六道而不暫停)≪月釋 序 4≫.

횟도니다 자〈옛〉 휘돌아 다니다. ¶여슷 길헤 횟도녀 잠간도 머므디 몯ᄒᆞ며(輪廻六道而不暫停)≪月釋 序 4≫.

횟도로 자〈옛〉 휘돌아. '횟돌다'의 부사형. ¶ᄇᆞᄅᆞ미 횟도로 부니 도라올 ᄢᅡ히 업도다(風回反無處)≪杜諺 Ⅷ:29≫.

횟돈 자〈옛〉 휘돈. '횟돌다'의 부사형. ¶수프리 횟돈ᄃᆡ 뫼ᄡᅳ리 왓고(林廻硤角來)≪杜諺 Ⅰ:20≫.

횟-돌【灰—】명〖광〗 석회석(石灰石).

횟돌다 자〈옛〉 휘돌다. 빙글빙글 돌다. ¶澴은 믈 횟도는 ᄯᅡ히오 環은 횟돌씨라 ≪楞嚴 Ⅹ:7≫/輪廻는 횟돌씨라 ≪月序 4≫/周旋은 횟돌씨라≪內訓 Ⅱ:8≫.

횟-물【灰—】명 석회수(石灰水).

횟물-먹임【灰—】명 횟물을 먹이거나 나뭇결 등에 칠하는 일.

횟-바람 명〈방〉 회파람(함남).

횟-반【灰—】명 뭉쳐서 굳어진 석회의 조각.

횟-방아【灰—】명 석회에 모새를 섞어서 물을 치고 짓찧는 일.

횟-배【蛔—】명〖한의〗 거위배. ¶~를 앓다.

횟수【回數】명 차례의 수효. ¶참가 ~. *회(回).

횟수-계【回數計】명 기계 운동의 왕복 횟수를 숫자로 나타내는 계기(計器).

횟수-제【回數制】명 사용하는 횟수에 따라 계산하는 제도. *도수제(度數制).

휴대용

톱니바퀴식

〈횟수계〉

횟-집[1] 명〈방〉 댓집.

횟:-집[2]【膾—】명 생선회를 전문(專門)으로 파는 음식점.

횡【橫】명 가로. ↔종(縱).

횡가【橫柯】명 가로 벋은 나뭇가지.

횡각【橫閣】명〖불교〗 절의 큰 방에 잇대어 만든 누각(樓閣).

횡간[1]【橫看】명 ①글을 가로 보아 읽어 감. ②가로 그은 줄 안에 벌여 적은 표(表). ③〖역〗 조선 시대 때, 각 궁·관청 관리에게 1년 동안 지급하는 현물의 명세를 괘지(罫紙)에 기재한 기록. ④〖역〗 관청의 1년 동안의 지출 예산을 계산하여 가로 벌여 쓴 일람표. ——-하다 타여불

횡간[2]【橫間】명〖건〗 건물 앞 면(面)의 우주(隅柱)와 우주 사이의 간수(間數).

횡간-도[1]【橫干島】명〖지〗 제주도의 북쪽, 북제주군(北濟州郡) 추자면(楸子面) 대서리(大西里)에 위치한 섬. [$0.602\ km^2$]

횡간-도[2]【橫看島】명〖지〗 전라 남도의 남해상(南海上), 완도군(莞島郡) 소안면(所安面) 횡간리(橫看里)에 위치한 섬. [$3.54\ km^2$]

횡강-목【橫杠木】명 입관(入棺)할 때에 관 위에 가로 걸쳐놓는 세 개의 가느스름한 막대기.

횡개-예【橫開翳】명〖한의〗 안질(眼疾)의 한 가지. 각막(角膜) 위에 칼을 가로 놓은 형상과 같은, 위는 두껍고 아래는 얇게 낀 예막(翳膜).

횡갱【橫坑】명 수평갱(水平坑). ↔수갱(竪坑).

횡격【橫擊】명 ①옆으로 냅다 갈김. ②〖군〗 적군을 측면에서 공격함. ——-하다 타여불

횡격-막【橫隔膜】명〖생〗 포유 동물의 복강(腹腔)과 흉강(胸腔) 사이에 있는 근육성(筋肉性)의 막. 윗면은 심장과 폐에, 아랫 면은 위(胃)·비장(脾臟)·간장(肝臟) 등에 접함. 횡격막 신경에 지배되어 수축·이완(弛緩)하며 폐장의 호흡 작용을 도움. 가로막. 준 격막(隔膜).

〈횡격막〉

횡격막 신경 절단술【橫隔膜神經切斷術】[—딴—] 명〖의〗 횡격막 신경이 마비되면 횡격막이 위로 올라가 정지하므로 폐의 하엽(下葉)에 안정을 가져올 수 있다는 원리를 응용하여, 수술에 의해 횡격막 신경을 절단하는 의술. 폐 하엽부의 결핵성 병소(病巢)나 기관지 확장증(氣管支擴張症) 등에 씀.

횡격막 하:강【橫隔膜下腔】명〖생〗 횡격막과 횡행 결장(橫行結腸)과의 간강(間腔).

횡격막 하:농양【橫隔膜下膿瘍】명〖의〗 횡격막 하강 속에 고름이 엉기어 굳은 상태. 원인은 복부(腹部)의 여러 장기(臟器)에 일어나는 화농성 염증으로 속발(續發)하는데, 특히 많은 것은 충수염(蟲垂炎)이며, 다음으로는 위(胃)·신장(腎臟)·췌장(膵臟)·담낭(膽囊) 등의 염증으로 말미암음.

횡격막 헤르니아【橫隔膜—】명 [diaphragmatic hernia]〖의〗 횡격막을 통해서 흉강(胸腔)으로 복부 기관(腹部器官)이 돌출(突出)하는 일.

횡견【橫見】명 바로 보지 못하고 빗겨 보거나 곁눈질하여 봄. ——-하다 타여불

횡견-도【橫見島】명〖지〗 충청 남도의 서해상(西海上), 보령시(保寧市) 오천면(鰲川面) 외연도리(外煙島里)에 위치(位置)한 섬. 무인도(無人島)임. [$7.14\ km^2$]

횡경【橫經】명 경서(經書)를 늘 가지고 다니며 학문에 열의를 쏟음. ——-하다 자여불

횡경 문:난【橫經問難】명 경서(經書)를 옆에 끼고 다니며 어려운 대목을 물음.

횡곡【橫谷】명 산맥의 축(軸)에 직각인 골짜기.

횡관【橫貫】명 가로 꿰뚫음. 동에서 서, 서에서 동으로 내뚫음. ↔종관(縱貫). ——-하다 타여불

횡관 철도【橫貫鐵道】[—또] 명 동서(東西)로 관통하는 철도. 횡단 철도(橫斷鐵道).

횡광-성【橫光性】[—썽] 명〖식〗 횡일성(橫日性).

횡구【橫句】명 거짓된 문구(文句).

횡구-류【橫口類】명〖어〗 [Plagiostomi] 다른 분류법에 의하여 분류한 연골 어류(軟骨魚類) 판새류(板鰓類)에 속하는 한 목(目). 곱상어목·가오리목·괭이상어목 등을 포함함.

횡구-식【橫口式】명〖고고학〗 앞트기식.

횡굴-성【橫屈性】[—썽] 명 [diatropism]〖식〗 어떤 식물 기관(植物器官)의 생장 방향(生長方向)이, 자극(刺戟)이 작용하는 선(線)과 직각(直角)이 되는 일.

횡-나가다【橫—】자〈방〉 빗나가다.

횡단【橫斷】명 ①가로 절단(截斷)함. ②가로 지름. ¶태평양 ~ 항로(航路)/대륙(大陸) ~ 여행. ③동서(東西)의 방향으로 끊어 감. ↔종단(縱斷). ——-하다 타여불

횡단 구배【橫斷勾配】명〖토〗 도로나 제방(堤防) 등에 가로 붙인 구배.

횡단-도【橫斷圖】명 횡단면을 나타낸 그림.

횡단-로【橫斷路】[—노] 명 ①도로를 횡단하는 길. ②바다나 대륙 등을 횡단하는 항로(航路).

횡단-면【橫斷面】명 물체를 그 중심선과 직각을 이루는 평면에 따라 끊은 면(面). ↔종단면(縱斷面).

횡단 보:도【橫斷步道】명 안전 표지(安全標識)에 의하여 보행자(步行者)가 그곳을 지나 차도를 횡단하도록 정해져 있는 도로의 부분.

횡단 비행【橫斷飛行】명 비행기로 산하(山河)·해양(海洋) 등을 횡단하는 장거리 비행. ——-하다 자여불

횡단 임:금【橫斷賃金】명 개별기업의 임금 체계와는 관계없이 노동자의 직종이나 수련도에 따라 같은 임금률로 지급되는 임금.

횡단-점【橫斷點】[—쩜] 명 어떤 선이나 도로 등을 횡단하는 지점.

횡단 조합【橫斷組合】명〖사〗 횡단주의로 조직된 조합. ↔종단 조합(縱斷組合).

횡단-주의【橫斷主義】[—/—이] 명〖사〗 자본 계급과 노동 계급을 상하의 계단으로 나누어 각기의 조합을 조직함으로써 서로 대립시키는 주의. ↔종단 주의(縱斷主義).

횡단 철도【橫斷鐵道】[—또] 명 횡관 철도(橫貫鐵道).

횡단-환【橫斷換】명〖경〗 간접환의 하나. 두 나라 사이에 환거래가 행하여지지 아니하는 경우에 제삼국을 통하여 취결(就結)되는 환.

횡담【橫談】명 사뭇 함부로 지껄임. ——-하다 자여불

횡답【橫褡】명 처네❶❷.

횡당【黌堂】명 공부하는 집. 글 배우는 집. 횡사(黌舍).

횡-대[1]【橫帶】명 ①가로띠. ②관(棺)을 묻은 뒤에 광중(壙中)의 위를 덮는 널조각.

횡대[2]【橫隊】명 가로 줄지어 늘어선 대오(隊伍). ¶이열(二列) ~. ↔종대(縱隊).

횡-도[1]【橫島】명〖지〗 전라 남도의 서해상(西海上), 영광군(靈光郡) 낙월면(落月面) 오도리(梧島里)에 위치한 섬. [$0.34\ km^2$]

횡도[2]【橫道】명 ①가로 나간 길. 횡로(橫路). ②정도(正道)에 벗어난 길. 사리에 어긋난 그른 길.

횡득【橫得】명 뜻밖에 이익을 얻음. ——-하다 타여불

횡-듣다【橫—】타ㄷ불 무슨 말을 헛듣거나 잘못 듣다. 횡문(橫聞)하다. 빗듣다. ¶시존께서 아마 다른 절 이름을 소승의 절로 횡들어 계십신가 보오이다≪李海朝 : 雨中行人≫.

횡래지-액【橫來之厄】[—내—] 명 뜻밖에 닥쳐오는 재액. 준횡액(橫厄).

횡렬[1]【橫列】[—녈] 명 가로 늘어섬. 또, 그 줄.

횡렬[2]【橫裂】[—녈] 명 ①가로 찢어지거나 벌어짐. ②〖식〗 약(葯)의 열개법(裂開法)의 한 가지. 약이 익어 가로 벌어져 꽃가루가 날리어 나옴. 무궁화 같은 것.

횡렬 사구【橫列砂丘】[—녈—] 명〖지〗 해안선(海岸線)에 평행으로 된 사구.

횡렴【橫斂】[—념] 명 무법하게 공부(貢賦)를 징수함. ——-하다 타여불

횡령【橫領】[—녕] 명 ①남의 물건을 불법(不法)하게 가로채거나 빼앗음. ②〖법〗 자기가 보관하는 남의 재물(財物)을 불법하게 영득(領得)하는 일. ——-하다 타여불

횡령-죄【橫領罪】[—녕쬐] 명〖법〗 타인의 재물(財物)을 보관하는 자가 그 재물을 횡령하거나 그 반환을 거부하는 죄 및 유실물(遺失物) 등을 자기 일에 소비하거나 불법하게 처분함으로써 성립하는 죄.

횡로【橫路】[—노] 명 횡도(橫道)❶.

횡류【橫流】[—뉴] 명 ①물이 제 곬을 따르지 않고 함부로 꿰져 흐름. ②물품을 정당한 경로를 밟지 않고 전매(轉賣)하는 일. ¶군수 물자를 ~하다. ——-하다 자타여불

횡리[1]【橫理】[一니] 명 가로된 나뭇결.

횡리[2]【橫罹】[一니] 명 뜻밖에 재앙을 당함. 의외의 횡액에 걸림. ——-하다 자여불

횡리지-액【橫罹之厄】[一니一] 명 뜻밖에 걸린 재액.

횡맥【橫脈】명〖생〗시맥(翅脈).

횡면【橫面】명 옆면. 측면(側面).

횡모【橫貌】명 옆 모습.

횡목[1]【橫木】명 가로질러 놓은 나무.

횡목[2]【橫目】명 ①사람의 눈. ②'사(四)'자의 결말.

횡문[1]【橫文】명 ①횡서(橫書)로 된 글. ②구미(歐美)에서 사용되는 가로 쓰는 글자. 횡문자(橫文字).

횡문[2]【橫紋】명 가로무늬.

횡문[3]【橫聞】명 똑바로 듣지 못하고 그릇 들음. ——-하다 타여불

횡문-근【橫紋筋】명〖생〗가로무늬근(筋).

횡-문자【橫文字】[一짜] 명 가로 글씨. 횡서(橫書). 해행 문자(蟹行文字). 횡문(橫文).

횡민【橫民】명 횡포(橫暴)한 백성.

횡방【橫防】명 엇막이.

횡보[1]【橫步】명 모로 걷는 걸음. ——-하다 자여불

횡보[2]【橫步】명〖사람〗염상섭(廉想涉)의 호(號).

횡-보다【橫一】타 똑바로 보지 못하고 잘못 보다. 횡견(橫見)하다. 빗보다. ¶하얗게 질려 있는 안전의 신색을 살피던 서사가 발치에 떨어진 서찰을 주워 횡보지 않으려고 바싹 대고 읽었다《金周榮: 客主》.

횡부-가【橫夫歌】명〖문〗변강쇠가.

횡-분열【橫分裂】명〖생〗세포가 분열할 때 가로로 갈라져 두 개의 개체를 형성하는 일. 세균·짚신벌레 등.

횡분-체【橫分體】명〖동〗촌충(寸蟲) 등에서 후단부(後端部)가 여러 마디로 된 몸뚱이. 각 마디는 발육함에 따라 분리되어 완전히 독립한 개체(個體)를 이룸.

횡빈【橫濱】명〖지〗'요코하마(橫浜)'를 우리 음으로 읽은 이름.

횡사[1]【橫死】명 살인·재해(災害) 등으로 죽음. 횡액으로 죽음. 변사(變死). ——-하다 자여불

횡사[2]【橫斜】명 가로 비낌. 모로 기울어짐. ——-하다 자여불

횡사[3]【橫絲】명 피륙의 가로 건너 짠 실. 위사(緯絲). 씨. ↔종사(縱絲).

횡사[4]【橫肆】명 횡자(橫恣). ——-하다 형여불

횡사[5]【黌舍】명 횡당(黌堂).

횡-사구【橫砂丘】명〔transverse dune〕〖지〗바람이 불어 오는 쪽의 사면(斜面)은 완만하고 바람받이의 사면은 급하며, 항풍(恒風)의 방향과 직각으로 뻗어 나가는 사구.

횡사 구법【橫死九法】명〖불교〗비명(非命)에 죽는 아홉 가지 일.

횡사-자【橫死者】명 횡사한 사람.

횡산【橫產】명 아이를 가로 낳음. 곧, 태아(胎兒)가 팔부터 나옴. ——-하다 타여불

횡살-문【橫殺門】명〖악〗가곡(歌曲)의 이름.

횡서【橫書】명 ①글씨를 가로 줄로 씀. 또, 그 글씨. 가로쓰기. ↔종서(縱書). ②가로글씨. 횡문자(橫文字). ——-하다 타여불

횡선【橫線】명 가로 그은 줄. 가로줄. ↔종선(縱線).

횡선 수표【橫線手票】명〖경〗표면에 두 줄의 평행선을 그은 수표. 수표 소지인은 일단 자기의 거래 은행에 예입(預入)한 후라야만 현금을 찾을 수 있음. 수표를 도난당한 경우에도 그 부정(不正)한 소지인(所持人)이 지급을 받을 위험이 방지됨. 선인(線引) 수표. 일반(一般) 횡선 수표. *수표(手票).

횡선 어:음【橫線一】명〖경〗표면에 두 줄의 평행선이 그어진 어음. 수취인(受取人)은 일단 자기의 거래 은행(去來銀行)에 예금을 하고 그 은행이 어음의 지급 은행(支給銀行)으로부터 지급을 받은 뒤가 아니면 현금을 찾을 수 없음.

횡설 수설【橫說竪說】명 조리가 없는 말을 함부로 지껄임. 횡수 설거(橫竪說去). 횡수 설화(橫竪說話). ——-하다 자여불

횡섭【橫涉】명 함부로 건넘. ——-하다 자여불

횡성【橫城】명〖지〗강원도 횡성군의 군청 소재지로 읍(邑). 군의 남부 횡성강 좌안(左岸)에 위치하며 부근 산물의 집산지임. 서쪽 강변의 노송림(老松林)과 출렁다리, 운암정(雲巖亭)·한강대(寒岡臺) 등의 명승 고적이 있음. [19,244명(1996)]

횡성-강【橫城江】명〖지〗강원도 중부를 서남으로 흐르는 한강(漢江)의 지류. 홍천군(洪川郡) 응봉산(鷹峰山)·발교산(髮校山)에서 발원하여 횡성을 거쳐 원주시(原州市) 부론면(富論面) 흥호리(興湖里) 근처에서 한강에 합류됨.

횡성-군【橫城郡】명〖지〗강원도의 한 군. 관내 1읍 8면. 도의 남중부에 위치하며 북은 홍천군(洪川郡), 동은 평창군(平昌郡), 남은 영월군(寧越郡)과 원주시(原州市), 서는 경기도 양평군(楊平郡)에 인접함. 주요 산물로는 쌀·옥수수·호프·잎담배·인삼 등 농산과 임산·축산 등이 있음. 명소로는 운암정(雲巖亭)·섬강(蟾江) 유원지 등이 있고 남서부 일대에는 치악산(雉岳山) 국립 공원이 펼쳐져 있음. 군청 소재지는 횡성읍. [997.69 km^2 : 48,711명(1996)]

횡성 분지【橫城盆地】명〖지〗강원도의 서남부 섬강(蟾江)에 의하여 개석(開析)된 산간 분지. 중심지는 횡성이고, 부근에는 금의 산지가 있음.

횡수[1]【橫手】명 장기나 바둑 등에서 횡보고 잘못 둔 수.

횡수[2]【橫竪】명 ①가로와 세로. ②공간(空間)과 시간. ③〖불교〗타력(他力)과 자력(自力). 가로길이.

횡수[3]【橫數】명 뜻밖의 운수. 생각지 않던 운수.

횡수-막이【橫數一】명〖민〗그 해의 액운을 막으려고 정월달에 무당을 시켜 하는 굿. →홍수막이[1]. ——-하다 자여불

횡수 설거【橫竪說去】명 횡설 수설(橫說竪說). ——-하다 자여불

횡수 설화【橫竪說話】명 횡설 수설(橫說竪說). ——-하다 자여불

횡-십자【橫十字】명 음모로 된 십자형. 곧, X 모양의 일컬음.

횡악-산【橫嶽山】명〖지〗경상 북도 봉화군(奉化郡)에 있는 산. 소백 산맥(小白山脈)의 첫머리 부분에 솟아 있음. [918 m]

횡-압력【橫壓力】[一녁] 명〖지〗지각(地殼)에 수평 방향으로 움직이는 압축력. 습곡(褶曲)·단층(斷層) 등의 원동력이 됨.

횡액【橫厄】명 ↗횡래지액(橫來之厄).

횡언【橫言】명 자기 마음대로 함부로 내뱉는 말.

횡역【橫逆】명 상리(常理)에 어그러짐. ——-하다 자여불

횡영【橫泳】명 모자비헤엄. 사이드 스트로크.

횡와【橫臥】명 가로 누움. 모로 누움. ——-하다 자여불

횡와 광:상【橫臥鑛床】명〔blanket deposit〕〖지〗수평한 광상. 길이와 폭(幅)이 두께에 비해서 매우 큼.

횡와 배:사【橫臥背斜】명〖지〗비대칭(非對稱) 배사가 더욱 경사하여 양측(兩側)의 지층이 수평에 가깝도록 가로 누운 배사 구조의 하나. *대칭(對稱) 배사·비대칭(非對稱) 배사.

횡와 습곡【橫臥褶曲】명〔recumbent fold〕〖지〗지층(地層)이 고도(高度)로 습곡한 결과, 축면(軸面)이 거의 수평으로 누운 습곡. *등사(等斜) 습곡·경사 습곡.

횡요[1]【橫夭】명 요사(夭死). ——-하다 자여불

횡요[2]【橫搖】명 ①차·배·비행기 등이 좌우로 흔들리는 일. 롤링. ②지진에서 옆으로 흔들리는 일. 수평동(水平動).

횡위【橫位】명〖생〗자궁(子宮) 속에서 태아(胎兒)가 옆으로 위치하는 일. ——-하다 자여불

횡의【橫議】[一/一이] 명 빗나간 의논. 횡도(橫道)로 나가는 논의.

횡인【橫刃】명〖고고학〗가로날.

횡일[1]【橫逸】명 방자함. ——-하다 형여불

횡일[2]【橫溢】명 물이 가로 퀘지어 마구 넘침. ——-하다 자여불

횡일-성【橫日性】[一썽] 명〖식〗식물체의 일부가 햇빛이 쬐는 방향과 직각이 되도록 굴곡(屈曲)하는 성질. 일반적으로 잎이 이 성질을 잘 나타냄. 횡광성(橫光性).

횡자【橫恣】명 제 멋대로, 마냥 방자함. 횡사(橫肆). ——-하다 형여불

횡-잔교【橫棧橋】명〖토〗해안에 평행되게 놓은 잔교.

횡-장자【橫障子】명〖건〗횡장지.

횡-장지【橫障一】명〖건〗외풍을 막기 위하여 사방의 벽에 나무 오리를 덧대고 종이로 싸 바른 장지. 횡장자(橫障子).

횡재[1]【橫在】명 가로 놓여 있음. ——-하다 타여불

횡재[2]【橫災】명 뜻하지 아니한 재난. ——-하다 자여불

횡재[3]【橫財】명 뜻밖에 재물을 얻음. 또, 그 재물. ——-하다 자여불

횡-적[1]【橫的】[一쩍] 명관 어떤 사물에 횡(橫)으로 관계하는 모양. ¶~ 관계/~ 연락. ↔종적(縱的).

횡적[2]【橫笛】명〖악〗저[1].

횡적 공:범【橫的共犯】[一쩍一] 명〖법〗공동 정범(共同正犯)과 같이 인과 관계(因果關係)의 폭원(幅員)에 있어서 몇 사람이 공동하는 공범. 종적(縱的) 공범과 비유적으로 대립시켜 하는 말. ↔종적 공범(縱的共犯).

횡적 사회【橫的社會】[一쩍一] 명 근대 자유 민주주의 사회와 같이 사회 구성원간의 자유로운 의사에 따른 계약으로 맺어진 평등 관계의 사회를 말함.

횡전【橫轉】명 ①옆으로 회전(回轉)함. ②수평 비행(水平飛行) 도중에 옆으로 한 번 회전하고 다시 수평 비행을 계속하는 특수 비행. ——-하다 자여불

횡절【橫截】명 ①가로 자르거나 끊음. 횡단. ②〖불교〗수도(修道) 등의 순서 절차를 거치지 않고 단번에 사바 세계와의 인연(因緣)을 끊는 일. ——-하다 타여불

횡정【橫政】명 횡포한 정치. ↔선정(善政).

횡제【橫堤】명〖토〗강물의 흐름에 대하여 거의 직각 방향으로 제방(堤防)을 쌓아서, 강 바닥의 일부를 좁게 한 제방.

횡조【橫組】명 가로짜기. ↔종조(縱組).

횡-좌표【橫座標】명〖수〗'가로좌표'의 구용어.

횡주【橫走】명 ①바른 길을 버리고 바르지 못한 길로 달려 감. ②아무리 하여도 안 될 짓을 함. ③함부로 여기저기 날뛰어 다님. 횡치(橫馳). ——-하다 자여불

횡죽【橫竹】명 담뱃대를 뻗치어 묾. 또, 그 담뱃대. ——-하다 자여불

횡지-성【橫地性】[一썽] 명〔diageotropism〕〖식〗식물(植物)이 중력 방향(重力方向)에 대해서 거의 직각(直角)으로 굴곡(屈曲)하는 성질. 횡굴지성(橫屈地性). *향지성(向地性)·경사 굴지성.

횡진【橫陣】명〖군〗진형(陣形)을 횡렬(橫列)로 취함. 또, 그 진(陣). 가로된 함대(艦隊) 등의 진형 등도 이름.

횡징【橫徵】명 세금(稅金) 등을 함부로 마구 징수하여 들임. ——-하다 타여불

횡창【橫窓】명〖건〗교창(交窓).

횡철【橫綴】명 ①자모(字母)를 가로 풀어서 쓰는 철자(綴字). 로마자 같은 것. ↔종철(縱綴). ②가로 꿰맴. ——-하다 타여불

횡초지-공【橫草之功】명 싸움터의 풀을 가로 쓰러뜨린 공이란 뜻. 곧, 싸움에 나아가 산야(山野)를 달리며 세운 공로.

횡축【橫軸】명 ①가로 걸도록 길게 꾸민 족자(簇子). ②〖수〗'가로축'의 구용어. 가로대. ↔종축(縱軸).

횡축 메르카토르 도법【橫一圖法】〔Mercator〕[一뻡] 명 국제 횡축

메르카토르 도법.
횡출【橫出】명 올바르지 못한 짓을 함. 빗나감. ——-하다 자여불
횡취【橫吹】명〖악〗①예전에, 서역(西域)에서 중국으로 전래된 피리의 한 가지. ②↗횡취곡.
횡취-곡【橫吹曲】명〖악〗서역(西域)에서 중국 한(漢)나라에 전래된 악곡의 하나. 무악(武樂)에 속함. ㊌횡취.
횡치【橫馳】명 횡주(橫走). ——-하다 자여불
횡침【橫侵】명 무법하게 침노함. ——-하다 타여불
횡타[1]【橫打】명〖고고학〗옆떼기.
횡타[2]【橫舵】명 ①어형 수뢰(魚形水雷)의 미부(尾部)에 장치하여 소요의 깊이에서 진행시키기 위한 키. ②잠수함에 장치하여, 배의 상하동(上下動)을 시키는 수평의 키.
횡탈【橫奪】명 무법하게 가로채어 빼앗음. ——-하다 타여불
횡파【橫波】명 ①〔transverse wave〕〖물〗현(弦)을 옆으로 진동시켰을 때 생기는 파동(波動)과 같이 파동을 전파하는 매질(媒質)의 각 부분이, 물결이 진행하는 방향에 수직으로 진동하는 파동. 고저파(高低波). ↔종파(縱波). ②선박(船舶) 등의, 옆으로부터 부딪치는 물결.
횡판【橫板】명 가로 건너지른 널빤지.
횡포【橫暴】명 제멋대로 몹시 난폭하게 굶. ¶재벌의 ~/언론의 ~를 규탄한다. ——-하다 형여불
횡포-성【橫暴性】[—썽] 명 횡포한 성질.
횡폭【橫幅】명 옆의 너비. 좌우의 너비. 가로 나비.
횡:-하다 형여변 ☞ 휑하다.
횡학【橫虐】명 횡포하여 마구 학대함. ——-하다 타여불
횡-해안【橫海岸】명〖지〗산맥의 축(軸)과 직각을 이루는 해안. 대서양·인도양의 해안 같은 것. ↔종해안(縱海岸).
횡행【橫行】명 ①모로 감. ②거리낌 없이 제멋대로 행동함. 방행(方行). ¶도적이 ~하다. ——-하다 자여불
횡행 천하【橫行天下】명 세상을 함부로 횡행함.
횡행 활보【橫行闊步】명 ①두 손을 내두르며 껑충껑충 걸음. ②무람없이 멋대로 행동(行動)함. ¶천하의 대도(大道)를 제 세상처럼 ~하다. ——-하다 자여불
횡향【橫向】명 얼굴을 모로 돌리어 향함. ——-하다 타여불
횡현【橫痃】명 가래톳이 서는 성병의 하나.
횡혈식 고:분【橫穴式古墳】[—씩—] 명〖고고학〗널방 벽(壁)의 한쪽에 외부로 통하는 출입구가 마련된 분묘 형식.
횡-협골반【橫狹骨盤】명〖의〗골반의 여러 경선(徑線) 중 횡경(橫徑)만이 단축되어 전체적으로 변형된 협골반. 골연화증(骨軟化症)·관절 강직(關節強直)·척주 후만(脊柱後彎)에 의하는 세 종류가 있음.
횡화【橫禍】명 뜻하지 아니한 화난.
효[1]【爻】명〖민〗역(易)의 괘(卦)를 나타내는 가로 그은 획(劃). '—'을 양(陽), '--'을 음(陰)으로 함. 밑으로부터 세어 초효(初爻)·이효(二爻)·삼효(三爻)라고 하며, 맨 위, 곧 제6위의 것을 상효(上爻)라고 함.
효:[2]【孝】명 부모를 잘 섬기는 일. ↔불효(不孝). ——-하다 자여불
효:[3]【孝】명 성(姓)의 하나. 우리 나라에는 현존하지 아니함.
효:[4]【効】명 ↗효험(効驗). 「——-하다 자여불
효:감【孝感】명 효심(孝心)이 깊은 행동에 신인(神人)이 감동(感動)함.
효:건【孝巾】명 두건(頭巾).
효:경[1]【孝敬】명 부모를 잘 섬기고 공경함. ——-하다 자여불
효:경[2]【孝經】명〖책〗공자(孔子)가 제자인 증자(曾子)에게 효도에 대하여 한 말을 기록한 책.
효:경 언:해【孝經諺解】명〖책〗조선 선조(宣祖)의 명으로, 효경을 번역한 책. 1권 1책.
효:계【曉鷄】명 새벽을 알리는 닭.
효:고 현【—縣】〔兵庫:ひょうご〕명〖지〗일본 긴키(近畿) 지방 서부의 현. 근년의 급속한 공업 발전으로 전업 농가(專業農家)가 줄었으나 지하 자원이 풍부하여 은·동·주석·아연 등이 산출되고 대규모의 근대 공업이 발달하였음. 특히 철강·기계·조선(造船)·전기(電機)·섬유 공업이 성(盛)함. 현청 소재지는 고베 시(神戶市). [8,382 km²: 5,437,712 명(1992)]
효골【髐骨】명 살이 다 문들어져 떨어진 뼈. 백골(白骨).
효:공-왕【孝恭王】명〖사람〗신라 제52대 왕. 성은 김(金). 휘(諱)는 요(嶢). 환락의 세월을 보냄으로써 궁예(弓裔)·견훤(甄萱)이 나라를 세워 후삼국(後三國)을 이루게 하였음. [?-912; 재위 897-912]
효:과【效果】명 ①보람이 있는 결과. 효력이 나타나는 결과. ②〔effect〕〖연〗극·영화·라디오·텔레비전 등에서 청각·시각에 호소하여, 드라마의 장면에 정취를 가하는 방법 및 기술. 의음(擬音)에 의한 효과 따위. ¶연출 ~. ③유도 경기의 판정의 하나. 경기자가 건 기술이 유효에 약간 미치지 못했을 때나 누르기 선언 후 10초 이상 20초 미만이었을 때에 선언됨. 득점의 누계는 유효 득점 하나에 미치지 못함.
효:과 분석【效果分析】명〖사〗커뮤니케이션(communication)이 사람들의 의견이나 태도, 나아가서는 사회 행동이나 생활상에 어떠한 변화를 초래하였는가를 측정하는 일.
효:과-원【效果員】명 연극 등에서, 효과를 맡아 보는 사람.
효:과-음【效果音】명 무대·영화·방송의 극의 진행(進行)을 돕고, 또 배경적(背景的) 효과를 주는 음향. 인공적으로 자연음(自然音)을 만든 의음(擬音)을 이용하는 외에 녹음기에 의해 녹음 편집된 각종 음향을 사용함. 의음(擬音).
효:과 음악【效果音樂】명 연극·영화·방송의 극의 진행을 돕고 배경적 효과를 주기 위해 연주하는 음악.
효:과의 법칙【效果—法則】[—/—에—] 명〔law of effect〕〖심〗시행착오법(試行錯誤法)에 따라 학습을 행할 경우, 만족할 만한 효과를 가져오는 동작만이 다른 동작을 물리치고 남는다는 법칙. 미국의 심리학자 손다이크(Thorndike, E. L.)가 '연습의 법칙' 등과 함께 학습의 기본 원리로서 제창(提唱)하였음.
효:과 의:사【效果意思】명〖법〗의사 표시를 구성하는 하나의 요소로 일정한 법적 효과의 발생을 의욕하는 의사. 건물을 팔려고 하는 의사, 혼인을 하려고 원하는 의사 등.
효:과-적【效果的】명관 효과가 있는 모양. 목적하는 바 효과가 나타나는 모양. ¶~인 방법.
효:광【曉光】명 새벽녘의 햇빛.
효근 형〈옛〉작은. '횩다'의 활용형. ¶두려운 蓮은 효근 니피 뻬고(圓荷浮小葉)《杜諺 Ⅶ:5》/ㅈ조 효근 나라해 가몰 놀라노니(頻驚適小國)《杜諺 Ⅶ:32》.
효근귤 명〈옛〉등자(橙子). ¶효근귨 등(橙)《字會 上 11》.
효기[1]【梟騎】명 효기(驍騎).
효:기[2]【曉氣】명 새벽녘의 공기. 또, 그 기분.
효:기[3]【曉起】명 아침 일찍 일어남. ——-하다 자여불
효기[4]【驍騎】명 효용(驍勇)한 기병.
효기 장군【驍騎將軍】명〔'효(驍)'는 용감의 뜻〕중국 장군의 명호(名號). 효기(驍騎)라고 불리어진 기병 군단을 이끌었음.
효ᄀᆞᆫ 형〈옛〉작은. '횩다'의 활용형. ¶또 효ᄀᆞᆫ 臣下ㅣ 님금의 괴이 ᄋᆞ와(亦小臣媚至尊)《杜諺 Ⅲ:70》/효ᄀᆞᆫ 벼슬ᄒᆞ며(爲小吏)《飜小 Ⅸ: 83》.
효:녀【孝女】명 효도하는 딸.
효:녀-장【孝女章】[—짱] 명〖악〗악장(樂章)의 이름. 효도장(孝道章)의 전반(前半).
효:능【効能】명 ①공적(功績)과 재능. ②효험(効驗)의 능력. 공용(功用).
효:단【曉旦】명 새벽.
효:달【曉達】명 통효(通曉). ——-하다 자여불
효:당산 사당【孝堂山祠堂】명〖고적〗샤오탕 산 사당.
효:덕【孝德】명 부모를 잘 섬기는 마음.
효:도【孝道】명 부모를 잘 섬기는 도리. 효행(孝行)의 도. ——-하다 자여불
효:도 보다 ㉡ 자녀나 며느리들의 효도를 받다.
효:도-장【孝道章】[—짱] 명〖악〗용비 어천가의 제 96 장의 이름. *효녀장(孝女章).
효:두【曉頭】명 먼동이 틀 무렵의 새벽.
효:두 발인【曉頭發靷】명 새벽에 하는 발인(發靷). 예전에는 '줄무지'만이 낮에 행상(行喪)을 하였음. ——-하다 자여불
효:득【曉得】명 깨달아 앎. 효해(曉解). ——-하다 타여불
효란【淆亂】명 혼란(混亂). ——-하다 형여불
효:려【孝廬】명 상제가 거처하는 곳.
효:력【効力】명 ①어떤 것에 작용(作用)하여, 또 그것을 사용하면 어떤 효과·효험(効驗)을 나타낼 수 있는 힘. ¶약의 ~. ②법률·규칙 따위의 작용. ¶~ 정지.
효:력 규정【効力規定】명〖법〗어떤 행위를 금지하고, 또는 그 행위를 행하기 위한 조건 등을 정한 규정 중, 그 규정에 위반한 행위가 무효로 되는 규정. ↔훈시 규정(訓示規定)·단속 규정(團束規定). *강행 규정(強行規定).
효:력 부:위【効力副尉】명〖역〗조선 시대 때 정구품 무관(武官)의 품계 이름. 전력(展力) 부위의 위, 수의(修義) 부위의 아래임.
효:력-사【効力射】명〔fire for effect〕〖군〗목표 근처에 탄착 중심(彈着中心) 또는 파열 중심을 유도한 다음에 하는 사격.
효:렴【孝廉】명 ①효도하는 사람과 청렴한 사람. ②중국 한(漢)나라 무제(武帝)가 군국(郡國)에서 매년 효도하는 자와 청렴한 자를 각각 한 사람씩 추천하게 한 데서, 명(明)·청(淸) 시대의 과거(科擧)에서 천거된 사람을 말했음.
효:령 대:군【孝寧大君】명〖사람〗조선 세종(世宗)의 형(兄). 이름은 보(補). 세조(世祖) 9년(1464)에 회암사(檜岩寺)에서 원각 법회(圓覺法會)를 열었으며, 또 세조의 명령에 의하여《원각경(圓覺經)》을 국역 간행함. 문장에도 능하였음. 시호는 정효(靖孝). [1396-1486]
효:로[1]【効勞】명 힘들인 보람. 공로(功勞).
효:로[2]【曉露】명 새벽의 이슬.
효:-릉【孝陵】명〖지〗서삼릉(西三陵)의 하나. 인종(仁宗)과 인종비 인성 왕후(仁聖王后)의 능. 경기도 고양시(高陽市) 원당동(元堂洞)에 있는 희릉(禧陵)의 서쪽 언덕에 있음.
효맹【梟猛】명 건장하고 날램. ——-하다 형여불
효명【驍名】명 무명(武名).
효모【酵母】명〖식〗〔↗효모균〕뜸밀. 뜸팡이.
효모-균【酵母菌】명〔yeast fungi〕〖식〗자낭균(子囊菌) 중 효모균과에 속하는 일군(一群)의 균류. 엽록소(葉綠素)가 없는 단세포(單細胞)로 이루어짐. 보통 원형이거나 타원형으로 그 종류가 많음. 출아법(出芽法)과 내생 포자 생성법(內生胞子生成法)에 의해 번식하는데, 치마아제(Zymase)라는 효소(酵素)가 있어 발효(醱酵) 작용을 하여 술이나 빵을 만드는 데 많이 쓰임. 양모(釀母). 발효균(醱酵菌). 주모균(酒母菌). 누룩. ㊌효모.
효모 핵산【酵母核酸】명 '리보 핵산'의 구칭. ↔흉선(胸腺) 핵산.
효목【梟木】명〖역〗①효수(梟首)할 목을 매다는 나무. ②옥문(獄門). 옥문대(獄門臺).
효:무[1]【曉霧】명 새벽녘에 끼는 안개.
효무[2]【驍武】명 효용(驍勇). ——-하다 형여불
효:문-제【孝文帝】명〖사람〗중국 북위(北魏)의 제6대 황제. 묘호(廟

號)는 고조(高祖). 처음에 문명 태후(文明太后)가 집정했는데 그 사이 균전제(均田制) 등이 실시되어, 융성기를 맞았음. 490년에 친정(親政)을 펴고 평성(平城)에서 뤄양(洛陽)으로 천도함. 호복(胡服)과 호어(胡語)를 금하고, 제실(帝室)의 성인 탁발씨(拓跋氏)를 원씨(元氏)로 고치는 등, 중국에의 동화 정책을 강화했음. [467-499; 재위 471-499]

효박【淆薄】명 인정이나 풍속이 어지럽고 아주 경박(輕薄)함. ¶이같이 ~한 세상에 어찌 김생같이 자비심 많은 활불이 있으리오《作者未詳 : 恨月》. ——-하다 형여불

효:범【曉梵】명〖불교〗아침의 독경(讀經) 소리.

효:복[1]【孝服】명 상복(喪服).

효복[2]【枵腹】명 굶어서 주린 배.

효:봉【曉峰】명〖사람〗'학눌(學訥)'의 호(號).

효:부【孝婦】명 효성스러운 며느리. 효행이 두터운 며느리.

효:빈【效顰】명〔중국 월(越)나라의 서시(西施)가 얼굴을 찡그렸더니, 어떤 추녀(醜女)가 미인은 찡그린다고 여겨 자기도 찡그렸다는 고사에서〕맥락(脈絡)도 모르고 덩달아 흉내냄. 남의 결점을 장점인 줄로 알고 본뜸. ＊서시 빈목(西施矉目).

효사【爻辭】명 주역(周易)의 각 괘(卦)의 각 효에 대하여 설명한 사(辭). 중국의 문왕(文王) 또는 주공 단(周公旦)이 지었다고 함. 모두 386 가지.

효상[1]【爻象】명 ①좋지 못한 몰골. 경광(景光). 경상(景狀). 광경(光景). ¶당장 보기에 ~은 창피하나 일이 급하니까 어느 겨를에 그 창피를 돌아 볼 여부 없이…《李海朝 : 雨中行人》. ②〖민〗괘상(卦象).

효:상[2]【曉霜】명 새벽에 내리는 서리.

효:색【曉色】명 새벽 빛. 새벽 경치.

효:설【曉雪】명 새벽에 내리는 눈.

효:성[1]【孝誠】명 마음을 다하여 부모를 섬기는 정성. 성효(誠孝).

효:성[2]【曉星】명 ①샛별. ②수가 많지 않음의 비유.

효:성-령【曉星嶺】[—녕] 명〖지〗평안 북도 박천군(博川郡) 가산면(嘉山面)에 있는 재. [146 m]

효:성-스럽다【孝誠—】형ㅂ불 부모를 섬기는 태도가 정성스럽다. 효:성-스레【孝誠—】부

효:성 여자 대학교【曉星女子大學校】명 가톨릭계의 사립 여자 대학교. 1952 년에 효성 대학으로 설립되고, 80 년에 종합 대학교로 승격됨. 소재지는 경북 경산시(慶山市) 하양읍(河陽邑).

효:성-왕【孝成王】명〖사람〗신라 제34대 왕. 성은 김(金). 휘(諱)는 승경(承慶). 왕비의 질투로 살해된 후궁(後宮)의 아버지 영종(永宗)의 모반을 평정하였음. [재위 737-742]

효소【酵素】명〔enzyme〕〖화〗생체(生體)에 의하여 만들어지고, 소화·호흡 등 생체 안에서 이루어지는 화학 반응에 촉매(觸媒)로서 작용하는 고분자(高分子) 물질. 단백질 또는 단백질과 조효소(助酵素)라는 저분자(低分子) 물질과의 복합체로, 생체 안에서는 물질 대사(物質代謝)에 관여함. 촉매하는 반응형(反應型)에 따라 산화 환원(酸化還元) 효소·전이(轉移) 효소·가수 분해(加水分解) 효소·리아제(liase)·이성질화(異性質化) 효소·리가아제(ligase)의 6 종으로 대분(大分)되는데 그 종류가 많음. 세균이나 효모(酵母)의 효소를 이용하여 술·장류(醬類) 등 식품(食品) 제조에 사용되며, 생체에서 추출하여 소화제(消化劑) 등의 의약품으로 쓰임. 뜸씨. 뜸팡이. ＊조효소·복합 효소.

효소 단위【酵素單位】명〔enzyme unit〕〖생〗효소의 양을 나타내는 단위. 온도·기질(基質)의 농도·수소 지수(pH) 등을 고려하여 정함.

효:소-왕【孝昭王】명〖사람〗신라 제32대 왕. 성은 김(金). 휘(諱)는 이홍(理洪). 모든 관제를 정비, 중국 당(唐)나라 및 일본과 수교하고 이찬(伊飡) 경영(慶永)의 모반을 평정하였음. [643-702; 재위 692-702]

효소-원【酵素原】명〖화〗세포 밖으로 분비(分泌)되어 다른 물질의 작용을 받고서 비로소 참된 효소가 되는 것.

효소원 과:립【酵素原顆粒】명〔zymogen granules〕〖화〗선세포(腺細胞) 중의 효소원의 과립. 특히, 췌장(膵臟)의 포상선(胞狀腺), 위(胃)의 주세포(主細胞)에 있는 것을 이름.

효소 유도【酵素誘導】명〖생〗기질(基質) 또는 기질과 관련이 있는 물질에 응하여, 미생물 세포가 효소를 합성하는 과정.

효소 저해【酵素沮害】명〖생〗어떤 물질과 효소의 상호 작용에 의하여 일어나는 효소 반응 속도를 감소시키는 일.

효소 전구체【酵素前驅體】명〖화〗〔zymogen〕갓 생성(生成)된 직후의 아직 활성화(活性化)되기 전의 효소(酵素)의 모체(母體) 물질. 이것이 세포 밖으로 나와 다른 물질의 작용을 받을 때 비로소 활성화되어 효소로서 작용을 하게 됨.

효소-제【酵素劑】명 동식물이 생산하는 효소를 저장할 수 있는 제제(製劑)로 만들어 식품(食品)과 의약(醫藥) 등에 실제로 쓸 수 있도록 한 상품의 총칭.

효소-학【酵素學】명〔enzymology〕〖생〗효소의 화학적 성질, 생물학적 활성(活性), 생물학적 의의를 연구하는 과학의 한 분야.

효:손【孝孫】명 ①효행하는 손자. ②손자가 제주(祭主)가 된 제사에서, 할아버지의 혼백(魂魄)에게 스스로를 지칭(指稱)하는 말. 주의 정확하게는 축문(祝文)을 읽는 이의 입장에서 승중손(承重孫)을 가리키는 말. ＊효자(孝子).

효수【梟首】명〖역〗죄인의 목을 베어 높은 곳에 매달아 놓던 처형(處刑)의 한 가지. ——-하다 자여불

효수 경:중【梟首警衆】명〖역〗죄인의 목을 베어 높은 곳에 매달아서 뭇 사람을 경계함. ——-하다 자여불

효:순【孝順】명 효성이 있어서 잘 순종함. ——-하다 형여불

효:습【曉習】명 깨달아 익숙하게 됨.

효시[1]【梟示】명 효수(梟首)하여 경중(警衆)의 뜻으로 뭇 사람에게 보임. ——-하다 타여불

효:시[2]【曉示】명 타이름. 효유(曉諭). 유시(諭示). ——-하다 자여불

효시[3]【嚆矢】명 ①우는살. 향전(響箭). 향박두(響樸頭). ②〔중국에서 옛날에 개전(開戰)의 신호로 우는살을 적진(敵陣)에 쏘았다는 고사에서〕사물의 시초의 뜻. ¶우리 나라 근대극의 ~.

효:신【曉晨】명 새벽.

효:신-세【曉新世】명 '팔레오세(世)'의 구칭.

효:심【孝心】명 효성스러운 마음. 효도하는 마음.

효악【梟惡】명 몹시 악독함. ——-하다 형여불

효:암【曉闇】명 새벽녘의 희미한 어둠.

효:애【曉靄】명 새벽에 끼는 이내.

효:양【孝養】명 효도하고 봉양함. ——-하다 타여불

효:연【曉然】부 요연(瞭然). ——-하다 형여불. ——-히 부

효:열【孝烈】명 ①효행(孝行)과 열행(烈行). ②효자와 열녀.

효영 명〈방〉헤엄(경기).

효예【驍銳】명 사납고 날카로움. ——-하다 형여불

효:오【曉悟】명 깨달음. ——-하다 타여불

효:용[1]【效用】명 ①효험(效驗). 효능. 효과. ¶약의 ~. ②그 물건의 사용 방법. 용도. ¶기계의 ~을 설명하다. ③〖경〗재화(財貨)가 인간의 욕망을 만족시킬 수 있는 능력. 개개의 사람이 재화(財貨)나 용역(用役)에 대해 느끼는 주관적인 욕망 충족의 정도.

효용[2]【驍勇·梟勇】명 사납고 날쌤. ——-하다 형여불

효:용 균등의 법칙【效用均等—法則】[—/—에—] 명〖경〗↗한계 효용 균등의 법칙.

효:용 도위【效勇徒尉】명〖역〗조선 시대 때 토관직(土官職)의 종팔품 서반(西班)의 품계. 여력(勵力) 도위의 위, 분용(奮勇) 도위의 아래임.

효:용 예:술【效用藝術】[—네—] 명〔useful art〕실제 생활에 유용함을 위주로 한 예술. 곧, 효용(效用)이 중심 과제이고 예술은 단지 제이 의적(第二義的)인 예술. 기반(羈絆) 예술.

효:용 체감의 법칙【效用遞減—法則】[—/—에—] 명〖경〗↗한계(限界) 효용 체감의 법칙.

효:우[1]【孝友】명 부모에 대한 효도와 형제에 대한 우애. 효제(孝悌).

효:우[2]【曉雨】명 새벽녘에 내리는 비.

효:운【曉雲】명 새벽녘에 뜨는 구름.

효웅【梟雄】명 사납고 용맹스러운 영웅.

효:월【曉月】명 새벽녘에 떠 있는 달. 새벽달.

효:유【曉諭】명 알아듣게 타이름. 깨닫도록 일러줌. 효시(曉示). ——-하다 타여불

효:유-문【曉諭文】명 효유하는 글.

효:율【效率】명〔efficiency〕①〖물〗기계에 의해 행하여진 유용(有用)한 일의 양(量)과 이것에 공급된 모든 에너지와의 비(比). 전하여, 일반적으로 사용한 노력(勞力)과 얻은 결과와의 비율. 일의 능률. ②연료의 가연 물질(可燃物質)이 완전 연소되었을 때의 단위 연료당 열출력(熱出力).

효:율-적【效率的】[—쩍] 명관 ①기계로 한 일의 양(量)과 소비된 힘과의 비(比)가 잘 조화되어 있는 모양. ②일반적으로, 사용한 노력(勞力)에 대해 얻은 결과 쪽이 큰 모양. ¶~인 방법.

효:율-주의【效率主義】[—/—이] 명 일정 한도 이상의 효율을 견지함으로써 작업상의 균형을 지탱하려는 주의.

효:은【孝恩】명 부모의 은혜에 보답하기 위한 효도.

효:의【孝義】[—/—이] 명 효행(孝行)과 절의(節義)를 지킴.

효:의 왕후【孝懿王后】[—/—이—] 명〖사람〗조선 제22대 정조의 비(妃). 청풍(清風) 사람. 좌참찬(左參贊) 김시묵(金時默)의 딸. 장조(莊祖)의 비(妃) 혜빈(惠嬪) 홍씨(洪氏)를 잘 섬겨 영조(英祖)로부터 총애를 받았고, 만년에 영조의 계비 정순 왕후(貞純王后)도 잘 공양하여 칭송이 자자하였음. [1753-1821]

효:인【曉人】명〖인류〗필트다운인(Piltdown 人).

효:일【曉日】명 아침 해. 욱일(旭日).

효:임-랑【効任郎】[—낭] 명〖역〗조선 시대 때 종육품 잡직(雜職)의 문관 품계 이름. 봉무랑(奉務郎)의 위. ＊근임랑(謹任郎).

효:자[1]【孝子】명 ①부모를 잘 섬기는 아들. ②제사지낼 때, 제주(祭主)인 아들이 축문(祝文)에서 아버지의 혼백에게 스스로를 지칭(指稱)하는 말. 주의 정확하게는, 축문을 읽는 이의 입장에서 제주를 가리키는 말. ＊효손(孝孫).

[효자가 불여악처(不如惡妻)] 악독한 아내라도 효자보다 오히려 낫다는 말.

효:자[2]【孝慈】명 부모에 대한 효도와 자식에 대한 자애(慈愛).

효:자-도[1]【孝子島】명〖지〗충청 남도의 서해상(西海上), 보령시(保寧市) 오천면(鰲川面) 효자도리(孝子島里)에 위치한 섬. 열녀와 효자가 많아 이 이름으로 불렸다고 함. [1.00 km²]

효:자-도[2]【孝子圖】명 오륜 행실도(五倫行實圖)의 효(孝)편을 그린 그림.

효:자-문【孝子門】명 효자를 표창하여 오래 기리고자 세우는 정문.

효:자-비【孝子碑】명 효자를 표창하여 오래 기리고자 세우는 비.

효:자-손【孝子—】명〔본디 : まごのて(孫の手) : 손자의 손의)의 역어(譯語)에서 유래(由來)〕길이 50 cm 가량의 대나무 끝을 손가락처럼 갈라 구부리어 잔등 따위 손이 미치지 않는 곳을 긁도록 만든 도구.

효:자 애:일【孝子愛日】명 효자는 날을 아낀다는 뜻으로, 될 수 있는 한 오래 부모에게 효성을 다하여 섬기고자 하는 마음을 이름.

효잡【淆雜】명 혼잡(混雜). ——-하다 형여불

효장【驍將·梟將】명 사납고 날랜 장수(將帥).

효적【梟敵】명 간악하고 강한 적.

효:절【孝節】명 효성(孝誠)과 절개(節介).
효:정[1]【孝貞】명 효성스럽고 정숙함. ——-하다 형여불
효:정[2]【效情】명 참된 정을 다함. 정성(精誠)이나 진정(眞情)을 다함. ——-하다 자여불
효:정 왕후【孝定王后】명〘사람〙조선 시대 제24대 헌종(憲宗)의 계비(繼妃). 남양(南陽) 사람. 영돈령부사(領敦寧府事) 홍재룡(洪在龍)의 딸. 헌종 10년(1844)에 왕비에 책봉되었으나 후사(後嗣)가 없었음. 25대 철종(哲宗)이 즉위하자 왕대비(王大妃)가 됨. [1831-1903]
효:제【孝悌】명 효우(孝友).
효:제-도【孝悌圖】명 효(孝)·제(悌)·충(忠)·신(信)·예(禮)·의(義)·염(廉)·치(恥) 8 자(字)를 소재로 한 문자도(文字圖). *수복도.
효:제 충신【孝悌忠信】명 효제(孝悌)와 충신(忠信).
효:조【孝鳥】명〔까마귀는 커서, 먹이를 입에 물어다 어미에게 주어 보은(報恩)한다는 얘기에서 온 말〕까마귀.
효:종[1]【孝宗】명〘사람〙조선 시대 제17대 왕. 휘는 호(淏). 호는 죽오(竹梧). 병자 호란(丙子胡亂)의 이듬해 형 소현 세자(昭顯世子)와 함께 청(淸)나라로 볼모로 잡혀가 8년 동안 있었음. 장기간의 볼모 생활로 청나라에 대한 원한을 품고, 이를 설욕하고자 북벌(北伐)을 계획하여, 송시열(宋時烈)과 무장(武將) 이완(李浣)을 시켜 국력을 양성하였으나 뜻을 이루지 못하였음. [1619-59; 재위 1649-59]
효:종[2]【曉鐘】명 새벽에 치는 종.
효:종-랑【孝宗郞】[—낭] 명〘사람〙신라 때 화랑. 효녀 지은(知恩)이 가난하면서도 효성이 지극함에 감동하여 조 100석과 부하들에게서 곡식 1,000석을 모아 줌. 진성 여왕이 효종랑의 독행을 가상히 여겨 헌강왕의 딸을 아내로 삼게 함.
효:종 실록【孝宗實錄】명〘책〙조선 시대 제17대 효종의 재위(在位) 10년간의 실록. 21권 22책.
효죄【梟罪】명 효수(梟首)에 처하는 죄.
효주[1]【一酒】명〈방〉소주(燒酒)(전남).
효주[2]【爻周】명 '爻'자 모양의 표(標)를 연해 그어서 글을 지워 버림. ¶계약서를 내어 이리저리 ~하여 버리고서 다시 부탁하기를…≪李海朝: 雨中行人≫. ——-하다 타여불
효:죽【孝竹】명〘역〙솟대❶.
효:중【孝中】명 남의 상중(喪中)을 높이어 일컫는 말.
효증【哮症】[—쯩] 명〘한의〙백일해(百日咳).
효:지[1]【孝志】명 효행을 다하는 마음.
효:지[2]【曉知·曉智】명 깨달아서 앎. 매우 예민한 지혜.
효찬【肴饌】명 술 안주와 반찬.
효:창【曉蒼】명〘사람〙한징(韓澄)의 호(號).
효:창 공원【孝昌公園】명〘지〙서울 용산구(龍山區) 효창동에 있는 공원. 본래, 조선 정조(正祖)의 장자(長子) 문효 세자(文孝世子)의 묘원(墓園)이던 곳. 김구(金九) 묘와 윤봉길(尹奉吉)·이봉창(李奉昌)·백정기(白貞基) 세 의사(義士)의 묘와 반공 투사 위령탑이 있고, 어린이 공원과 축구 경기장이 있음.
효:창-묘【孝昌墓】명〘역〙조선 시대 정조(正祖)의 장자(長子) 문효 세자(文孝世子)의 묘. 뒤에 효창원(孝昌園)으로 고침. 소재지는 지금의 서울 용산구(龍山區) 효창동(孝昌洞)임.
효:창-원【孝昌園】명 조선 시대 정조(正祖)의 첫째 왕자 문효 세자(文孝世子)의 묘. 효창묘를 고친 이름. 서울 용산구(龍山區) 효창 공원 안에 있었음.
효:천【曉天】명 새벽녘. 새벽 하늘.
효:충【效忠】명 충성을 힘써 다함. ——-하다 자여불
효치【梟鴟】명〘조〙올빼미.
효:칙[1]【效則】명 본받아서 법을 삼음. ¶부덕으로 말하면 태임·태사의 숙덕을 ~하였더라≪作者未詳: 水溢瀧≫. ——-하다 타여불
효:칙[2]【曉飭】명 잘 타일러 경계함. ——-하다 타여불
효:친【孝親】명 어버이에게 효도함. ——-하다 자여불
효:통【曉通】명 통효(通曉). ——-하다 자여불
효포【哮咆】명 포효(咆哮). ——-하다 자여불
효:풍【曉風】명 새벽에 부는 바람.
효-학반【斅學半】명 남에게 학문을 가르치는 일은, 자기에게도 학력(學力)을 더하는 이익이 된다는 말.
효한【梟悍·驍悍】명 날래고 사나움. ——-하다 형여불
효:해【曉解】명 효득(曉得). ——-하다 타여불
효핵【肴核】명 술안주와 과실.
효:행[1]【孝行】명 부모를 잘 섬기는 행실.
효:행[2]【曉行】명 새벽에 길을 떠남. ——-하다 자여불
효:행-록【孝行錄】[—녹] 명〘책〙효행에 관한 기록이 실린 책. 고려 때 권부(權溥)와 그의 아들 권준(權準)이 엮고, 후에 권근(權近)이 주해(註解)와 발문(跋文)을 달아 ≪효행록≫이라 함. 후에 아이들에게 이를 노래로 불러 외도록 해서 효도를 고취하는 자료가 됨. 고려 말에 초판이 나왔으며, 세종 10년(1428) 설순(偰循) 등이 개정하여 중간(重刊)함.
효:험【效驗】명 일의 공. 일의 좋은 보람. 효력(効力). 효용(效用). ¶인삼의 ~. ㊀효(效).
　효:험(을) 보다 구 효험이 실지로 나타남을 받다.
효:현 왕후【孝顯王后】명〘사람〙조선 시대 제24대 헌종(憲宗)의 비(妃). 안동(安東) 사람. 영돈령부사(領敦寧府事) 김조근(金祖根)의 딸. 헌종 3년(1837) 왕비에 책봉되고, 가례(嘉禮)를 올렸으나 2년 만에 죽음. [1828-43]
효후【哮吼】명 으르렁거림. ——-하다 자여불
횩다 형〈옛〉작다. ¶簫ᄂᆞᆫ 효ᄀᆞᆫ 대ᄅᆞᆯ 엿거 부는 거시라≪釋譜 XIII:53≫/ 효ᄀᆞᆫ 벌에 나아≪月釋 II:51≫.
횩뎍다 형〈옛〉작다. 잘다. 조그마하다. ¶묏 果實ㅣ 횩뎌근 거시하니(山果多瑣細)≪杜諺 I:3≫.
횩ᄇᆞᄉᆞ다 타〈옛〉작게 부수다. ¶횩ᄇᆞ술 쇄(瑣)≪類合 下 61≫.
후[1]【后】명 ↗후비(后妃).
후[2]【后】명 성(姓)의 하나. 현재 우리 나라에는 본관(本貫)이 당인(唐寅) 하나뿐임.
후:[3]【後】명 ①뒤. 다음. 나중. ¶사흘 ~/ 결혼한 ~. ②↗추후(追後). ¶ ~에 들르마.
후[4]【侯】명 ①〘역〙↗후작(侯爵). ②솔. 소포(小布).
후[5]【侯】명 성(姓)의 하나. 우리 나라에는 현존하지 아니함.
후[6]【候】명 5일간을 일컫는 말.
후[7]【堠】명〘역〙이정(里程)의 표목(標木).
후:[8]〔who〕인대 누구. 의문(疑問)의 인물.
후[9] 부 입을 오므리어 앞으로 내어 밀고 김을 많이 불어 낼 때에 나는 소리. ＞호[13]. ——-하다 타여불
후:[10] 감 ↗후유.
후:-【後】접 ① '뒤', '나중', '다음'의 뜻. ¶ ~더침/~살이. ② '나중 시대'의 뜻. ¶ ~백제/~삼국.
후:가[1]【後架】명 선종(禪宗)에서 세면소(洗面所) 또는 변소를 일컫는말.
후:가[2]【後家】명 뒷집.
후:가[3]【後嫁】명 후살이. ——-하다 자여불
후:가[4]【厚價】[—까] 명 후한 값. 중가(重價).
후:가 계:산【後價計算】[—까—] 명〘농〙식림(植林)의 경제성을 측정하기 위하여 조수입(粗收入)에서 비용을 뺀 순익(純益).
후:각[1]【後刻】명 조금 뒤.
후:각[2]【後脚】명 뒷다리.
후:각[3]【後覺】명 남보다 늦게서야 깨달음. ↔선각(先覺). ——-하다 타여불
후각[4]【嗅覺】명〘생〙냄새를 맡는 감각. 곧, 유기 물질에서 발산하는 가스(gas) 상태의 자극물(刺戟物)이 코의 말초 신경(末梢神經)을 자극하여 일어나는 감각. 후각 기관은 척추(脊椎) 동물은 코, 곤충은 촉각(觸角)임. 냄새 감각.
후각-기【嗅覺器】명 냄새를 맡는 기관. 취기(臭器). 후관(嗅管).
후:각 세:포【厚角細胞】명〘식〙식물의 세포막(細胞膜)의 각우(角隅)가 특히 비후(肥厚)한 세포. 후각 조직을 만듦.
후각 장애【嗅覺障礙】명〘의〙후각이 상실되거나 둔해지는 일. 후각 중추 또는 그 곳의 신경 경로(經路)가 침해된 것과 비강 내(鼻腔內)에 장애가 있는 것으로 나뉘어짐.
후:각 조직【厚角組織】명〘식〙쌍자엽(雙子葉) 식물의 줄기나 잎 또는 꽃의 최초의 지지(支持) 조직으로서, 주연부(周緣部)에 있는 표피의 바로 밑에 생기는 조직.
후:간【後間】명〈방〉광[1].
후:감[1]【後勘】명 ①후일의 책망·문책(問責)·비난(非難). ②뒷일을 생각함. ——-하다 자여불
후:감[2]【後鑑】명 후일의 귀감(龜鑑). 후세의 모범. ↔전감(前鑑).
후감[3]【嗅感】명〘생〙후관(嗅官)의 감각(感覺).
후:갑판【後甲板】명 함선(艦船)의 이물 쪽에 있는 갑판.
후:강[1]【後腔】명〘악〙전통 음악의 한 형식. 전강(前腔)·후강(後腔)·대엽(大葉)이 한 군(群)을 이룰 때의 곡(曲)의 뒷마디.
후강[2]【猴薑】명〘식〙넉줄고사리.
후:강-사【後腔詞】명〘악〙옛 가요에서, 나중 가락 부분의 창사(唱詞).
후:객【後客】명〈속〉후행(後行).
후:거【後車】명 뒤에 가는 수레.
후:거-계【後車誡】명〔앞차가 뒤집히는 것을 보고 뒷차가 이를 교훈으로 삼는다는 뜻〕먼저 저지른 실패를 본보기로 하여 뒷날의 경계(警戒)로 삼음.
후:-거리【後—】명 말 안장(鞍裝)에 딸린 제구. 안장에 걸어서 말 궁둥이를 꾸밈.
후:건【後件】[—껀] 명〘논〙가언적 판단(假言的判斷)에 있어서 귀결(歸結) 또는 결과(結果)를 표시하는 부분. ↔전건(前件).
후:견[1]【後見】명 ①배후에서 감독·보좌하는 일. ②〘법〙친권자(親權者)가 없는 미성년자(未成年者)·한정 치산자(限定治產者) 또는 금치산자(禁治產者), 곧 무능력자를 보호 감독하며 그 재산을 관리하고 그의 법률 행위를 대리하는 직무.
후:견[2]【厚絹】명 두껍게 짠 명주.
후:견 감독인【後見監督人】명 후견인을 감독하는 민법상(民法上)의 기관. 후견인의 사무를 감독하는 외에 후견인과 피후견인의 이익이 상반될 경우에는 후견인을 대신하여 피(被)후견인을 대표하는 사람.
후:견-인【後見人】명〘법〙후견(後見)의 직무를 행하는 사람. 친권자(親權者)의 지정(指定)에 의하는 지정 후견인, 친족회(親族會) 또는 법원의 선정(選定)에 의하는 선정 후견인 및 법률의 규정에 의하는 법정 후견인 등으로 구별됨.
후:경[1]【後勁】명 후측을 방비하는 병정.
후:경[2]【後景】명 ①후일(後日)의 경황(景況). ②배후(背後)의 광경. 특히 무대 장치나 회화(繪畫) 따위의 배경(背景).
후:경[3]【後頸】명〘생〙목의 뒤쪽. 목 뒤. ↔전경(前頸).
후:계【後繼】명 뒤를 이음. ——-하다 자여불
후:계-자【後繼者】명 뒤를 잇는 사람.
후:고[1]【後考】명 ①나중에 상고함. ②후일의 증거. ——-하다 타여불
후:고[2]【後顧】명 ①뒤를 돌아 봄. ②후환(後患). ③후일의 은고(恩顧) ——-하다 자여불

후:곤【後昆】명 후손(後孫).
후골¹【朽骨】명 썩은 뼈.
후골²【喉骨】명〖생〗성년(成年) 남자의 목구멍 속에 있는 갑상 연골(甲狀軟骨)의 돌기 부분(突起部分). 후불(喉佛).
후:-골수구【後骨髓球】[一쑤一] 명 〔metamyelocyte〕〖생〗골수구와 과립구(顆粒球)의 중간에 속하는 과립 백혈구(白血球). 세포질 과립이 많으며 누에콩 모양의 핵(核)이 있음.
후:공【後攻】명 야구 따위에서, 먼저 수비에 임했다가, 나중에 공격함. ——-하다 타여불
후관【嗅官】명〖생〗후각(嗅覺)을 맡은 기관(器官). 척추 동물(脊椎動物)에 있어서는 코, 곤충에 있어서는 촉각(觸覺) 부분. 후각기(嗅覺器). 후기(嗅器).
후:광【後光】명 ①〖불교〗부처의 몸 뒤로부터 내비치는 빛. 이것을 상징하여 불상(佛像)의 머리 뒤에 붙인 금빛의 둥근 바퀴. 정광(頂光). 배광(背光). 원광(圓光). 광배(光背). ¶~이 비치다. ② 어떤 사물(事物)을 더욱 빛나게 하는 배경(背景)이 되는 현상. ③광원(光源) 또는 음영(陰影)의 주위에, 원형(圓形) 또는 윤상(輪狀)·방사상(放射狀)으로 보이는 광선(光線). ④기독교 예술에서, 성화(聖畫) 중의 인물(人物)을 감싸는 금빛. 그 인물의 영광을 나타냄. 광륜(光輪). 헤일로(halo)❹.
후광 평야【一平野】〔湖廣〕명〖지〗중국 양쯔 강(揚子江)·한장(漢江) 강·위안장(沅江) 강·샹장(湘江) 강·둥팅 호(洞庭湖)를 중심으로 한, 후베이(湖北)·후난(湖南) 두 성(省)에 걸친 광대한 평야. 제 3 기층 또는 충적층(沖積層)임. 사스(沙市)에서 하류는 저습(低濕)한 충적층으로 됨. 양쯔 강 중류 지역의 대곡창 지대로, 예로부터 후광(湖廣)이 여물면 천하(天下)는 굶주리지 않는다고 일컬어져 왔음. 호광 평야.
후:광 효:과【後光效果】명〖심〗어떠한 하나의 상태로부터 오는 막연(漠然)한 인상(印象)이 다른 상황(狀況)으로 이입(移入)되는 현상. 곧, 성적이 우수한 학생은 그 성격까지도 높이 평가되고, 어떤 한 방면에서 훌륭한 사람이 그와 상관 없는 방면에서 발언(發言)하여도 그럴 듯하게 들림과 같은 것. 광배(光背) 효과. 헤일로 효과.
후괴【朽壞】명 썩어서 파괴됨. ——-하다 자여불
후:-구개음【後口蓋音】명〖언〗연구개음. ↔전(前)구개음.
후:구 동:물【後口動物】명〖생〗[Deuterostomia] 원구(原口)에서 항문(肛門)이 생기고, 입은 그 반대 쪽의 구함(口陷)에서 따로 형성된 동물. 척추 동물·극피(棘皮) 동물 따위가 이에 속함. 신구(新口) 동물. ↔선구(先口) 동물.
후국【侯國】명〔프 marquisat〕군주(君主)를 후(侯)(marquis)라 칭하는 유럽의 작은 나라. *공국(公國).
후:군【後軍】명 ①뒤에 있는 군대. 전군(殿軍). ②〖역〗후상(後廂). ③〖역〗고려 때 오군(五軍)의 하나. 공양왕(恭讓王) 3년(1391)에 없앰.
후:굴【後屈】명 뒤쪽으로 굽어 있음. ¶자궁 ~.
후:굴 임:신【後屈妊娠】명〖의〗자궁(子宮) 후굴인 여성의 임신. 석 달째에 자궁의 순환 장애로 유산(流産)되거나 넉달째에 감돈(嵌頓) 증상을 일으키어 방광염·신우염(腎盂炎)을 병발하여 복막염(腹膜炎)으로 사망하는 경우도 있음.
후:굴-증【後屈症】[一쯩] 명〖의〗자궁 후굴증.
후:궁¹【後宮】명 ①제왕(帝王)의 첩. 영항(永巷). ↔정궁(正宮). ②주되는 궁전의 뒤쪽에 있는 궁전.
후궁²【𥎦弓】명 삼사미로부터 도고지까지 뽕나무를 써서 만든 활.
후:궁-부【後宮部】명〖역〗백제 시대의 내관(內官) 12 부 중, 왕의 후궁 ㄴ관계 업무를 보던 관.
후:-그루【後一】명 뒤에 남겨 둔 그루.
후:근¹【後根】명〔anterior root〕〖생〗척수(脊髓)의 좌우에서 나오는 척수 신경(脊髓神經)이 그 경부(莖部)에서 둘로 갈라진 것의 뒤쪽의 것. 이 후근에서 나오는 신경은 피부나 그 밖의 감각 기관이 받은 자극을 척수에 전달하는 기능을 함. ↔전근(前根).
후:근²【後筋】명 후면에 붙은 근육(筋肉).
후:-금¹【後金】명〖역〗중국 청(淸)나라의 전신(前身). 여진족(女眞族)의 족장(族長) 누르하치가 세운 나라. 도읍은 싱징(興京). [1616-36]
후금²【喉衿】명〔목구멍과 옷깃이라는 뜻에서〕①요해처(要害處). ②중요한 곳. 요소(要所).
후:급【後給】명 값·삯을 나중에 치러줌. ——-하다 타여불
후:기¹【後記】명 ①뒷날의 기록. ②본문(本文)의 뒤에 더하여 기록하는 일. 또, 그 기록. ¶편집 ~. ——-하다 타여불
후:기²【後氣】명 버티어 나가는 힘.
후:기³【後期】명 ①↗후반기(後半期). ②뒷날의 기약(期約). ③뒤의 시기. 또, 기간(期間). ↔전기(前期). ¶~ 대학 입시. ④〔anaphase〕〖생〗유사 분열(有絲分裂)이나 제이 환원 분열(第二還元分裂) 단계의 하나. 염색체가 분열하여, 분열된 염색 분체(染色分體)가 따로따로 분열극(分裂極)으로 이동하는 시기.
후:기⁴【後騎】명 뒤에 오는 기병.
후기⁵【候騎】명 척후(斥候)의 기병.
후기⁶【嗅器】명〖생〗후관(嗅官). 취기(臭器).
후:기 고:전파 음악 시대【後期古典派音樂時代】명〖악〗하이든·모차르트·베토벤을 대표로 한 시대. 이 시대에는 화성(和聲)을 바탕으로 한 단음악(單音樂)이 성행하였으며, 기악곡의 형식이 완성되었음. 즉, 교향곡의 확립, 현악 4중주의 발생, 소나타의 발전, 소나타 형식의 완성 등은 이 시기에 이루어짐.
후:기 낭:만파 음악【後期浪漫派音樂】명〖악〗19세기 후반에서 20세기 초까지의 낭만파 음악. 반음계적(半音階的) 화음의 대담한 사용, 음악 외(音樂外)의 요소와의 융합(融合), 악기 편성 규모의 확대화 등이 특색임. 대표적 작곡가는 바그너(Wagner)·브루크너(Bruckner)·말러(Mahler)·볼프(Wolf)·슈트라우스(Strauss) 등임.
후:기 연소【後期燃燒】명〔after burning〕내연 기관(內燃機關)에서 폭발에 의한 최대 압력이 생긴 뒤에 일어나는 연소.
후:기 연소기【後期燃燒器】명〔afterburner〕〖항공〗제트 엔진의 추력(推力)을 증대시키는 장치. 터빈에서 나오는 가스 속의 미반응(未反應) 산소로 나중에 추가(追加)되는 연료를 연소시킴.
후:기 인상파【後期印象派】명〔프 post-impressionnistes〕〖미술〗19 세기말 프랑스에서 일어난 미술 운동의 한 파. 곧, 인상파(印象派)에서 출발하면서도 객관적 묘사(客觀的描寫)에만 만족하지 아니하고, 주관적 표현(主觀的表現)을 시도(試圖)하고 또는 극히 간략한 기교를 쓴 세잔(Cézanne, P.)·고흐(Gogh, V. van)·고갱(Gauguin, P.) 등의 화풍(畫風).
후:기 주석학파【後期註釋學派】명〔ユ Postglossatoren〕〖법〗주석학파의 뒤를 이어 14 세기에 이탈리아를 중심으로 일어난 로마법 연구의 학파. 주석학파와는 달리 체계적인 주해를 일삼아 스콜라학적 방법을 사용하여 로마법을 체계화하는 동시에 당시 이탈리아 실생활(實生活)에 적합한 법으로서 실용화함을 임무로 삼았음. 중심 인물은 바르톨루스(Bartolus de Sassoferrato; 1314-1357) 이었음.
후긴지 부〈옛〉혹시나. 혹여나. ¶후긴지ᄒᆞ고 ᄇᆞ랏더니 이리 잘 되엿소≪春香傳≫.
후:길【後吉】명 상기(喪期)를 마치고 길복(吉服)을 입는 일.
후끈 부 뜨거운 기운을 받아서 몸이나 쇠 따위가 갑자기 달아 오르는 모양. >화끈. ——-하다 형여불
후끈-거리다 자 몹시 뜨거운 기운을 받아 몸이 계속하여 크게 달다. >화끈거리다. 후끈-후끈 부. ——-하다 자형여불
후끈 달다 자〈속〉①후끈하도록 뜨겁게 달다. ②갑자기 성이 나거나 애가 타서 참을 수 없을 만큼 달뜨다. ¶노름에 돈을 잃고 후끈 달았다.
후끈-대다 자 후끈거리다.
후:난【後難】명 ①뒷날의 재난. ②후세(後世)의 비난(非難).
후난 성【一省】〔湖南〕명〖지〗후베이 성(湖北省)에 남접(南接)하는 성. 동·서·남의 삼면이 산지로 대분지를 이루며 후광(湖廣) 평야의 남부를 형성함. 하천이 많은데 둥팅 호(洞庭湖)로 유입함. 쌀·보리·밀·콩·옥수수·면화·모시 등의 농산물과 세계 제일의 안티몬·납 외에 망간·철·텅스텐·웅황(雄黃)·석고(石膏) 등이 산출되며, 기계·제련·화학·방직·전기·차량 공업 등이 발달함. 성도(省都)는 창사(長沙). 샹 성(湘省). 호남성(湖南省). [205,000 km² : 약 54,008,851 명(1982 추계)]
후:년【後年】명 ①다음해의 다음해. 내내년(來來年). 내명년(來明年). 재명년(再明年). ②뒤에 오는 해. 후세(後世). 장래.
후:념【後念】명〖악〗후렴(後斂).
후:뇌¹【後腦】명〖생〗뇌수(腦髓)의 한 부분. 척추 동물의 발생 초기의 신경관(神經管) 전단부(前端部)의 세 개의 팽출부(膨出部)의 맨 뒤의 것으로 대뇌의 아래에 있어 전신의 운동을 맡고 있음.
후뇌²【嗅腦】명〖생〗대뇌의 전반부(前半部)에 위치하는 대뇌 반구(大腦半球)의 일부로, 후각(嗅覺)과 직접 관계를 갖는 부분. 고등 동물일수록 후뇌 부분이 작은데, 사람에서는 전두엽(前頭葉) 하면(下面)의 안쪽에 분포되어 있고 이곳에서 비점막(鼻粘膜)으로부터의 후신경(嗅神經)이 끝나고 있음. 취뇌(臭腦).
후늘다 타〈옛〉흔들다. ¶錫杖ᄋᆞᆯ 후느는≪月釋 Ⅷ:90≫/이 搖鈴을 후느러 블러 請ᄒᆞᅀᆞ오ᄆᆞᆯ 펴ᅀᆞᆸᄂᆞ니(以此振鈴伸召請)≪施食 4≫.
후닝 철도【一鐵道】〔滬寧〕[一또] 명〖지〗중국 상하이(上海)에서 난징(南京)에 이르는 철도. 호녕 철도 [312 km]
후놀다 타〈옛〉흔들다. 끄리치다. =후늘다. ¶鱍鱍ᄋᆞᆫ 고기ᄭᅩ리 후ᄂᆞᆫ 양지라≪金三 Ⅳ:12≫.
후닥닥 부 ①갑자기 열쌔게 행동하는 모양. ¶~ 도망치다. ②일을 빨리 하려고 급히 서두르는 모양. ¶일을 ~ 해치우다. 1)·2):>화닥닥. ——-하다 자여불
후닥닥-거리다 자 ①갑자기 열쌔게 계속하여 활동하다. ②계속하여 급히 서두르다. 1)·2):>화닥닥거리다. 후닥닥-후닥닥 부. ——-하다 자여불
후닥닥-대다 자 후닥닥거리다.
후:단¹【後段】명 뒤의 단(段). ↔전단(前段).
후:단²【後端】명 뒤쪽의 끝. 뒤끝.
후:담¹【後談】명 그 뒤의 이야기.
후담²【喉痰】명〖한의〗기침을 하며, 그때마다 가래가 나오고 목구멍이 아픈 후두(喉頭)의 염증.
후:당¹【後唐】명〖역〗중국 오대(五代)의 한 나라. 돌궐 사타부(突厥沙陀部) 출신인 이극용(李克用)의 아들 이존욱(李存勗)이 후량(後梁)을 멸망시키고 뤄양(洛陽)에 도읍하여 세운 나라. 4 대 14년 만에 후진(後晉)의 고조(高祖)인 석경당(石敬瑭)에게 망함. 준당(唐). [923-936]
후:당²【後堂】명〖건〗정당(正堂) 뒤쪽에 있는 별당(別堂).
후:대¹【後代】명 이 뒤의 세대(世代). 아랫대. ↔전대(前代)·선대(先代).
후:대²【厚待】명 후한 대접. 또, 후하게 대접함. ↔박대(薄待). ——-하다 타여불
후:대³【後隊】명〖군〗①뒤에 있는 대오(隊伍). ②후방(後方)에 있는 부대. ↔전대(前隊).
후:대 검:정【後代檢定】명 가축이나 농작물(農作物)의 개체(個體)가 갖는 유전적 형질을 조사하는 검정 기술. 새끼 또는 몇 세대에 걸친 형질을 조사 음미하여 우량종(優良種)을 골라 냄.

후:-대문【後大門】명〖건〗뒷대문.

후:-더침【後一】명 아이를 낳은 뒤에 일어나는 잡병(雜病). 후탈(後頉).

후:덕【厚德】명 두터운 덕행(德行). 또 덕행이 두터움. ¶~한 사람. ↔박덕(薄德). ——-하다 형여불

후:덕 군자【厚德君子】명 덕행(德行)이 두텁고 점잖은 사람.

후덥지근-하다 형여불 좀 후텁지근하다.

후:도【後圖】명 뒷날의 계획.

후:독【後毒】명 여독(餘毒)❷.

후:-동이【後童一】명 →후둥이. ↔선동이.

후:두[1]【後頭】명〖생〗뒤통수.

후두[2]【喉頭】명〖생〗폐(肺)로 호흡하는 척추동물(脊椎動物)에서 갑상(甲狀)·윤상(輪狀)·회염(會厭)·피열(披裂) 등의 연골(軟骨)로써 상자 모양으로 둘러 싸여 있는 기관(氣管)의 최상 부분. 포유 동물(哺乳動物)에서는 공기의 통로(通路)인 동시에 발성 기관(發聲器官)이 기도함.

후두-개【喉頭蓋】명〖생〗혀뿌리의 아래 뒤쪽에 있어, 후두 입구의 앞벽(壁)을 이루어 위쪽으로 돌출한 부위(部位). 음식물이 잘못 후두로 들어가는 것을 막음. 회염(會厭).

후두개 연:골【喉頭蓋軟骨】명〖생〗후두개(喉頭蓋)의 내부에 있는 탄력성이 풍부한 하나의 연골. 회염 연골(會厭軟骨).

후두 결절【喉頭結節】[一쩔] 명〖생〗전경부(前頸部) 중앙의 피하(皮下)에 융기한 후두의 부분.

후두 결핵【喉頭結核】명〖의〗폐결핵의 속발증(續發症)으로 일어나는 목의 결핵증. 기침과 가래가 나며 쉰 목소리가 나게 됨.

후두-경【喉頭鏡】명〖의〗후두 질환(疾患)의 진단(診斷)에 사용하는 거울. 흔히 둥근 평면(平面) 거울을 사용하나 확대 관찰을 위하여 오목 거울을 사용하기도 함.

〈후두경〉

후:-두골【後頭骨】명〖생〗두개(頭蓋)의 뒤쪽을 차지하는 큰 뼈. 그 모양이 조개 껍데기 비슷한데 척수(脊髓)가 통하게 된 큰 후두공(後頭孔)이 있음. ＊두개골.

후두두 부 빗방울이나 자잘한 돌 등이 갑자기 떨어질 때에 나는 소리. ¶~ 빗방울이 떨어진다.

후두둑 부 ☞후두두.

후두둑-거리다 자 ☞후드득거리다. **후두둑-후두둑** 부. ——-하다 자여불

〈후두골〉

후-두들기다 타 함부로 마구 두드리다.

후두 디프테리아【喉頭一】〔diphtheria〕명〖의〗디프테리아균의 비말(飛沫) 감염에 의해서 후두에 일어나거나, 디프테리아에 속발(續發)하는 병. 어린아이에게 많은데, 열이 높고 호흡 곤란·견폐성(犬吠性) 기침을 함.

후두 마비【喉頭痲痺】명〖의〗후두의 기능에 관계 있는 근육에 일어나는 마비. 근육만이 마비하는 경우와 근육을 지배하는 신경의 장애 때문에 일어나는 마비가 있음. 발성(發聲) 장애를 일으킴.

후:두-부[1]【後頭部】명 머리의 뒷 부분.

후두-부[2]【喉頭部】명〖생〗후두(喉頭)의 부분.

후두 부종【喉頭浮腫】명〖의〗말의 후두 점막(喉頭粘膜) 밑의 결체 조직(結締組織)이 붓는 병.

후두 수종【喉頭水腫】명〖의〗후두 점막(粘膜) 밑이나 후두 근육 사이의 결합 조직에 생기는 수종. 심하면 호흡 곤란을 일으키며 질식할 우려가 있음. 비염증성(非炎症性)과 염증성이 있음.

후:두 신경구【後頭神經球】명〔occipital ganglion〕〖곤충〗곤충의 뇌(腦)의 뒤쪽에 있는 한 쌍의 신경절(神經節).

후두-암【喉頭癌】명〖의〗후두(喉頭)에 발생하는 암종(癌腫). 내암(內癌)과 외암(外癌)으로 구별되고 여자보다 남자에게 많음. 목소리가 쉬고 무엇을 삼킬 때는 아프며 심하면 호흡 곤란을 일으킴.

후두 연:골【喉頭軟骨】명〖생〗후두부(喉頭部)를 이루고 있는 연골(軟骨). 곧, 갑상(甲狀) 연골·윤상(輪狀) 연골·후두개(喉頭蓋) 연골·피열(披裂) 연골과 같은 것.

후두-염【喉頭炎】명〖의〗후두에 생기는 염증. 그 자리가 화끈거리고 가려우며, 목이 쉬고 기침과 가래가 남. 급성(急性)의 것은 감기에서, 만성(慢性)의 것은 결핵·매독·신장병(腎臟病)·심장병(心臟病) 등에서 일어남. 후두 카타르(喉頭 Katarrh).

후두 융기【喉頭隆起】명〖생〗성년 남자의 목의 정면 가운데에 보이는 융기로, 갑상 연골(甲狀軟骨)이 돌기(突起)된 부분. 결후(結喉).

후두-음【喉頭音】명〖언〗후두(喉頭)를 숨이 통할 때 나는 마찰음(摩擦音). ㅎ·h음 등. 후음(喉音).

후두 직달경 검:사【喉頭直達鏡檢査】명 구강(口腔)과 후두(喉頭)가 직선상(直線狀)으로 되도록 하여 후두경(喉頭鏡)을 사용치 않고 관상(管狀)의 직달경(直達鏡)을 사용하여 육안으로 후두를 관찰하는 방법.

후두 천문【後頭泉門】명〖생〗소천문(小泉門).

후두 카타르【喉頭一】〔Katarrh〕명〖의〗후두염(喉頭炎).

후두-화【喉頭化】명〖언〗성문화(聲門化).

후둑-후둑 부 ☞후드득후드득. ¶창밖으로 굵은 빗방울이 콩을 뿌리듯 ~ 내린다《洪盛原 : 막차로 온 손님들》.

후:-둥이【後一】명〔←후동(後童)이〕쌍둥이중에서 나중에 나온 아이. ↔선둥이.

후드〔hood〕명 두건(頭巾) 모양의, 머리에 쓰는 물건. 방한용이나 방우용(防雨用)의 외투 등에 붙임. 유아(幼兒)용의 것을 베이비 후드 또는 후드모(hood 帽)라 함.

후드득 부 ①콩이나 깨를 볶을 때에 툭툭 튀는 소리. ②총포·딱총 등이 터지면서 나는 소리. ③잔 나뭇가지나 검불 따위가 타 들어가며 나는 소리. 1)-3):>호드득.

후드득-거리다 자 ①경망스럽게 연해 방정을 떨다. ②콩이나 깨를 볶을 때에 툭툭 튀는 소리가 연해 나다. ③수많은 총포(銃砲)나 딱총 같은 것이 몰방질로 터지며 소리가 나다. ④큰 나뭇가지나 잘 마른 땔나무 따위가 기세 좋게 타면서 연해 후드득 소리를 내다. 1)-4):>호드득거리다. 후드득-후드득 부. ——-하다 자여불

후드득-대다 자 후드득거리다.

후드래기 명〖악〗농악(農樂)에서, 장구잡이가 장구를 후드득거리며 빨리 치는 짓.

후드-산【一山】〔Hood〕명〖지〗미국 오리건 주(Oregon 州)의 북경(北境) 가까이에 있는 캐스케이드 산맥 중의 화산(火山). 오리건 주의 최고봉. [3,584 m]

후들-거리다 자 ①물기나 먼지를 쓴 짐승이 그 묻은 것을 자꾸 떨다. ②지치거나 분기를 참지 못하여 다리나 몸을 자꾸 떨다. ¶다리가 ~. 후들-후들 부. ——-하다 자여불

후들-대다 자 후들거리다.

후딱 부 빨리 열쌔게 행동하는 모양. ¶~ 해 치워라.

후딱-후딱 부 닥치는 대로 날쌔게 해 치우는 모양.

후락【朽落】명 ①낡고 썩어서 쓰지 못하게 됨. ②오래 되어서 빛깔이 변하고 구지레하게 됨. ¶가뜩이나 ~한 예배당 안은 콩나물을 기르는 것처럼 아이들로 빽빽하다《沈熏 : 常綠樹》. ——-하다 자여불

후란【呼蘭】명〖지〗중국 헤이룽장 성(黑龍江省) 중남부의 현(縣). 쑹화 강(松花江)을 끼고 하얼빈(哈爾濱)과 마주보고 있으며, 곡물·야채·아마(亞麻) 등, 빈베이(賓北) 철도 연변과 후란(呼蘭) 강 유역의 농산물의 집산지임. 금속·건축 재료·방직·착유(搾油)·양조(釀造) 공업이 성함. 금대(金代)로부터의 고도(古都)임. 호란(呼蘭). [604,000 명(1982)]

후:래【後來】명 뒤에 옴.

후:래 삼배【後來三杯】명 술자리에서 뒤늦게 온 사람에게 먼저 권하는 석 잔의 술.

후:래 선배【後來先杯】명 술자리에서 뒤늦게 온 사람에게 순배(巡杯)가 끝나든 아니 나든 간에 먼저 권하는 술.

후:략【後略】명 뒤를 생략(省略)함. ＊전략(前略)·중략(中略). ——-하다 자여불

후:-량[1]【後梁】명〖역〗①중국 남북조(南北朝) 시대의 왕조의 하나. 양(梁)나라의 소찰(蕭詧)이 세운 나라로 3 대 33 년 만에 수(隋)나라 문제(文帝)에게 망함. [555-587] ②중국 후오대(後五代) 때의 왕조의 하나. 주전충(朱全忠)이 당(唐)을 멸하고 대량(大梁)에 도읍하여 세운 나라. 2 대 17 년 만에 후당(後唐)에 망함. [907-923]

후:-량[2]【後涼】명〖역〗중국 5 호 16 국의 하나. 전진(前秦)의 장군 여광(呂光)이 간쑤 성(甘肅省)을 중심으로 세운 나라. 4 대 18 년만에 후진(後秦)의 요흥(姚興)에게 망함. [386-403]

후량[3]【餱糧】명 먼 길 가는 사람이 가지고 가는 양식(糧食).

후레-새끼 명〈방〉후레아들.

후레-아들 명 배운 데 없이 제멋대로 자라서 버릇이 없는 놈. 후레자식. ¶에끼, 이 ~놈 같으니라고. >호래아들.

후레이〔hooray·hurray〕감 만세. 환희·찬성의 뜻을 나타냄. 우리 나라에서는 운동 경기를 응원할 때 외침. ¶~ ~ 홍길동.

후레-자식【一子息】명 후레아들. ¶~ 같으니라고.

후:려【後慮】명 뒷날의 염려. 뒷일에 대한 근심. ¶~를 없애다.

후려-갈기다 타 채찍이나 주먹 같은 것으로 힘껏 때리다. ¶홧김에 ~.

후려 내:다 타 매력으로써 남의 정신을 흐리게 하여 꾀어 내다. ¶멀쩡한 유부녀를 ~.

후려-차기 명 태권도에서, 발기술의 하나. 발등이나 발바닥으로 상대의 몸의 좌우를 후리며 돌려 참.

후려-치다 타 채찍이나 주먹 같은 것으로 몹시 갈기다. 힘껏 때리다. 방이다. ¶주먹으로 턱을 ~ / 한대 ~.

후련-하다 형여불 답답하던 가슴 속이 시원하다. 가슴 속에 듬뿌룩하던 것이 잘 내리어서 시원하다. ¶속이 ~. **후련-히** 부

후:렴[1]【後染】명〔←후염(後染)〕빛깔이 바랜 옷감 같은 것에 다시 물을 들임. ——-하다 타여불

후:렴[2]【後斂】명 노래 곡조 끝에 붙이어 되풀이하여 부르는 짧은 몇 마디의 가사(歌辭). 리프레인(refrain).

후:렴[3]【厚斂】명 무거운 조세. 과중한 세금.

후로【朽老】명 늙고 기력이 쇠함. 또, 그런 사람.

후로로ᄒᆞ다 형〈옛〉묽다. 후루루 마실 수 있게 묽다. ¶이슥ᄒᆞ야 후로로ᄒᆞᆫ 쥭을(良久稀粥)《救簡 Ⅰ:101》/ 힌 ᄡᆞᆯ로 후로로케 쥭 수어(以白粳米煮稀粥)《救簡 Ⅰ:103》.

후:록[1]【厚祿】명 많은 녹봉(祿俸). 후(厚)한 봉록(俸祿). 고질(高秩). ↔박록(薄祿).

후:록[2]【後錄】명 글 끝에 다시 덧붙이어 적어 넣는 기록.

후:료【厚料】명 많고 넉넉한 급료(給料). 후한 급료. ＊후록(厚祿).

후:료 아:문【厚料衙門】명〖역〗조선 시대 때, 호조(戶曹)·선혜청(宣惠廳) 등과 같이 금곡(金穀)을 다루던 관아의 일컬음.

후:룡【後龍】명〖민〗묏자리나 집터 또는 도읍(都邑) 터의 뒤쪽으로 바로 벋어내려 온 주룡(主龍).

후:룡-산【後龍山】명〖지〗함경 남도 장진군(長津郡)에 위치하고 있는 산. [1,371 m]

후루【候樓】명 망루(望樓). 망대(望臺).

후루다오〔葫蘆島〕명〖지〗랴오닝 성(遼寧省) 남부 랴오둥 만(遼東灣) 북서안의 작은 반도(半島)이자 항구 도시. 롄산 만(連山灣)을 끼고 있고, 수심(水深)이 깊어 대형 선박도 정박할 수 있는, 간만의 차가 적은

부동항(不凍港)임. 진서(錦西)로부터의 지선(支線)이 통하고, 조선(造船)이 활발함. 1910 년부터 축항(築港)을 시작하여 1934 년 축항 공사를 마무리함. 호로도(葫蘆島).

후루루 [부] ①호루라기나 호각(號角) 같은 것을 부는 소리. ②후르르. 1)·2):＞호로로. ——-하다 [자][타][여불]

후루룩 [부] ①날짐승이 갑자기 날개를 가볍게 치며 나는 소리. ¶새떼가 ~ 날아오르다. ②묽은 죽같은 것을 야단스럽게 들이마시는 소리. ¶죽을 ~ 들이마시다. [준]후룩. 1)-2):＞호로록. ——-하다 [자][타][여불]

후루룩-거리다 [자][타] ①날짐승이 날개를 연해 가볍게 치며 날다. ②묽은 죽 같은 것을 계속 야단스럽게 들이마시다. [준]후룩거리다. 1)-2):＞호로록거리다. 후루룩-후루룩 [부]. ——-하다 [자][타][여불]

후루룩-대다 [자][타] 후루룩거리다.

후루룩-비쭉새 [명]〖조〗제주직박구리. [준]비쭉새.

후루막 [명]〈방〉두루마기(제주).

후루매 [명]〈방〉두루마기(강원).

후루-매기 [명]〈방〉두루마기(강원·전라).

후룩 [부] ↗후루룩. ＞호록.

후룩-거리다 [자][타] ↗후루룩거리다. ＞호록거리다. 후룩-후룩 [부]. ——-하다 [자][타][여불]

후룩-대다 [자][타] 후룩거리다.

후:류[1]【後流】[명]〔wake〕①물체가 유체(流體) 속을 운동할 때에 그 물체의 뒤쪽에 생기는 유체의 흐름. ②비행기가 날아 갈 때에 그 프로펠러의 뒤쪽에 생기는 기류(氣流). 반류(伴流).

후-류[2]【猴類】[명] 원숭이의 종류.

후:륜【後輪】[명] 차의 뒷바퀴. ↔전륜.

후:륜 구동【後輪驅動】[명] 자동차에서, 엔진으로부터 뒷바퀴에 회전력이 전달되어 구동하는 방식. 아르아르 방식(RR方式). ↔전륜 구동.

후르르 [부] ①날짐승이 나는 소리. ¶비둘기 떼가 ~ 날다. ②종이 따위가 순식간에 타오르는 모양. 후루루. ¶~ 타버리다. 1·2):＞호르르. ——-하다 [자][여불]

후:-릉【厚陵】[명]〖지〗조선 시대 정종(定宗)과 그 비(妃) 안정 왕후(安定王后)의 능. 경기도 개풍군(開豐郡) 흥교면(興敎面) 흥교리(興敎里)에 있음.

후리[1] [명] ↗후릿그물.

후:리[2]【厚利】[명] ①큰 이익. ②비싼 이자. ↔박리(薄利).

후리개 [명]〈방〉두루마기.

후리그믈 [명]〈옛〉후릿그물. ¶塘網 후리그믈《月俗》.

후리다 [타]〔근대 : 후리다〕①휘둘러서 몰다. ②모난 곳을 깎아 버리다. ¶널판 모서리를 대패로 ~. ③급작스레 차서 빼앗다. ¶행인의 가방을 후려 달아나다. ④매력(魅力)으로 남의 정신을 흐리게 하여 빼앗다. ＞호리다.

후리대 [명]〈심마니〉죽.

후리막 [명]〈방〉두루마기(제주).

후리매[1] [명]〈방〉두루마기(제주).

후리매[2] [명]〈방〉무릿매.

후리쁠다 [타]〈옛〉휩쓸다. ¶후리쁠 람(攬)《字會 下 23》.

후리-장【—場】[명] 강어귀나 연안에서 후릿그물을 넓게 둘러치고 물고기를 잡는 어장(漁場).

후리-질 [명] ①후릿그물로 물고기를 잡는 일. ②모두 후리어 들이는 짓. ——-하다 [자][여불]

후리-채 [명] 곤충 따위를 후리어 사로잡는 데 쓰는 물건. 코가 성긴 그물에 자루가 달려 있음.

후리-치 [명] 물고기를 후리어 떠서 잡는 어구의 한 가지. 싸리로 광주리처럼 널따랗게 엮음.

후리치다 [타]〈옛〉빼앗아 던지다. 팽개치다. =후리다. ¶헛글고 싯근 文書 다 주어 후리치고《古時調》.

후리티다 [타]〈옛〉후리다. ¶아ᄋᆞ미 지보롤 둗거든 후리텨 앗고져 너기며(族有財物則思攫攘之)《正俗 10》.

후리후리-하다 [형][여불] 키가 늘씬하게 크다. ¶후리후리한 키. ＞호리호리하다.

후림 [명] 남을 꾀어 후리는 솜씨. ¶~에 넘어가다. ＞호림.

후림-대〔—때〕[명] ☞후림. ¶시어머니 된 이는 항상 이것을 며느리의 베개 송사와 ~로 인하여 일어나는 것이라 잘못 인정하는것이다《朴鍾和 : 錦衫의 피》.

후림대 수작【—酬酌】〔—때—〕[명] 남을 꾀어 후리느라고 늘어놓는 짓이나 말.

후림-불〔—뿔〕[명] ①정신 차릴 사이조차 없이 갑자기 휩쓸리는 서슬. ②남의 옆에 있다가 아무 까닭없이 걸려 드는 일을 일컫는 말. 비화(飛火). ¶~에 말려들다.

후림 비둘기〔—삐—〕[명] 동무 비둘기를 꾀어 들이는 비둘기.

후림-질 [명]〈방〉후리질. ——-하다 [자][여불]

후릿-가래질 [명]〖농〗논둑이나 밭둑을 후리어 깎는 가래질. ——-하다 [자][여불]

후릿-고삐 [명] 마소를 후리어 몰기 위하여 길게 단 고삐.

후릿-그물 [명] 바다나 큰 강물에 넓게 둘러치고 여러 사람이 그 두 끝을 끌어 당기어 물고기를 잡는 큰 그물. 당망(塘網).

후릿-줄 [명] 후릿그물·저인망·트롤망 따위의 날개 그물 앞에 달아 놓고 접근해 오는 고기떼를 놀라게 하여 그물 어귀 쪽으로 몰이하는 데 쓰이는 줄.

후:막【厚膜】[명]〖생〗두터운 막. *포자(胞子).

후:막 세:포【厚膜細胞】[명]〖식〗세포막의 겉면이 목질화(木質化)하여 두텁고 단단해져서 성숙한 후에는 원형질을 잃는 세포.

후:막 조직【厚膜組織】[명]〖식〗모든 관다발 식물(植物)의 피층(皮層)·수(髓) 또는 관다발 등에 있는 지지 조직(支持組織).

후:막 포자【厚膜胞子】[명]〖식〗식물의 세포막이 환경 조건이 나쁠 때 추위나 건조를 견디기 위하여 내부 전면에 걸쳐 두꺼운 막으로 싸여 어떤 기간을 지내는 포자. 목질화(木質化)하여 원형질을 잃음. 휴면(休眠) 포자.

후:말【後末】[명] 계말(季末).

후:망[1]【後望】[명] 후보름. ↔선망(先望).

후망[2]【堠望】[명] 높은 곳에 올라가 멀리 바라 보며 경계(警戒)함. ——-하다 [타][여불]

후매【詬罵】[명] 후욕(詬辱). ——-하다 [타][여불]

후:-머리【後—】[명] ①순서 있게 계속하여 가는 일의 끝. ②행렬(行列)의 뒤쪽. 1)·2):↔선머리.

후:면[1]【厚免】[명] 두터운 정의에 의하여 용서됨. ——-하다 [자][여불]

후:면[2]【後面】[명] ①뒤쪽의 면. ¶건물의 ~. ↔전면(前面)·정면(正面). ②〖불교〗절의 큰 방 뒤쪽의 어린 사미(沙彌)들이 앉는 곳.

후멸【朽滅】[명] 썩어서 없어짐. ——-하다 [자][여불]

후:명[1]【後名】[명] 후일의 명예. 후세의 명예.

후:명[2]【後命】[명]〖역〗유배(流配)한 죄인(罪人)에게 사약(賜藥)을 내려 죽임.

후:명(을) 내리다 [구]〖역〗유배(流配)된 죄인에게 사약(賜藥)을 내리다.

후:명(을) 받다 [구]〖역〗유배된 죄인이 사약(賜藥)을 받다.

후:모【後母】[명] 계모(繼母). ↔전모(前母).

후:-모리【後—】[명]〈방〉글피(경남).

후목 분장【朽木糞牆】[명] ①썩은 나무는 조각(彫刻)할 수가 없고 썩은 담은 칠을 다시 할 수가 없는 것과 같이 지기(志氣)가 부패한 사람은 가르칠 수가 없다는 뜻. ②인도(人道)가 퇴폐하여진 난세(亂世)를 비유하여 이름.

후무리다 [타] 남의 물건을 슬그머니 휘몰아서 가지다. ¶공금(公金)을 ~.

후:문[1]【後文】[명] 뒤에 적은 글. ↔전문(前文).

후:문[2]【後門】[명]〖건〗뒷문. ¶성(城)의 ~. ↔전문(前門).

후:문[3]【後聞】[명] 뒷소문. ¶~을 남기다.

후:문[4]【厚問】[명] 애경(哀慶)에 두텁게 물음. 곧, 금품을 많이 부조(扶助)함. ——-하다 [타][여불]

후문[5]【喉門】[명]〖생〗목구멍.

후:문-류【後門類】〔—뉴〕[명]〖동〗〔Opisthogoneata〕한 쌍의 촉각을 가진 절지(節肢) 동물 중, 생식공(生殖孔)이 몸의 후단(後端)에 열려 있는 동물의 무리. 이에는 순각강(脣脚綱)과 곤충강(昆蟲綱)의 두 강이 포함됨. 형태·생태의 변화가 많고 지구상 어디에나 분포되어 가장 번창한 동물군(群)임. 후성류(後性類).

후물-거리다 [자][타] 이가 빠진 입으로 음식을 우물거리며 계속 씹다. 후물-후물 [부]. ¶안주 보자기에서 편포를 한 조각 찢어서 입에 넣고 ~ 씹기 시작하였다. ——-하다 [자][타][여불]

후물-대다 [자][타] 후물거리다.

후:-물리【後—】[명]〈궁중〉먹고 남은 음식이나 그 상(床).

후:-물리기【後—】[명] 먹고 난 나머지.

후:-물림【後—】[명] 남이 쓰다가 남은 물건을 물리어 받음. 또, 그 물건. ¶이 교복은 언니의 ~이다.

후므리다 [타]〈방〉후무리다.

후미[1] [명] 바닷가나 물가가 뭍으로 휘어서 굽은 곳. 안곡(岸曲).

후:미[2]【後尾】[명] ①뒤쪽의 끝. ②〖군〗늘어선 줄의 맨 끝. ¶행렬(行列)의 ~. ↔선두(先頭).

후:미[3]【後味】[명] 뒷맛. 여미(餘味).

후:미[4]【厚味】[명] ①짙은 맛. ②훌륭한 음식.

후미-지다 [형] ①물가의 굽이 들어간 곳이 매우 깊다. ¶후미진 곳. ②무서우리만큼 호젓하고 깊숙하다. 으슥하다. ¶후미진 곳에서 강도를 만나다 / 번화가도 끝나고 어둡고 후미진 길로 들어 선다《朴景利 : 波市》.

후밋-길 [명] 후미진 길.

후:박[1]【厚朴】[명] 인정(人情)이 두텁고 거짓이 없음. ¶~한 시골 인심. ——-하다 [형][여불]

후:박[2]【厚朴】[명]〖한의〗후박나무❶의 껍질. 위한(胃寒)·구토(嘔吐)·곽란(癨亂)·복통(腹痛)·설사(泄瀉) 등에 약으로 씀. 원래, 중국에서 산출되나 제주도 후박나무 껍질을 쓰기도 함.

후:-박[3]【厚薄】[명] ①두꺼움과 얇음. 풍박(豐薄). ②후하게 구는 일과 박하게 구는 일.

후:박-나무【厚朴—】[명]〖식〗①[*Machilus rimosa* var. *thunbergii*] 녹나뭇과에 속하는 상록 교목. 줄기의 높이 12-13 m, 직경 1 m 가량이며 수피(樹皮)는 회황색임. 잎은 호생하고 혁질(革質)이며 거꿀달걀꼴의 긴 타원형인데 톱니가 없음. 5-6월에 황록색 꽃이 원추(圓錐) 화서로 액생(腋生)하여 피고, 직경 1 cm의 둥근 장과(漿果)는 이듬해 7월에 암자색으로 익음. 바닷가나 산기슭에 나는데, 전라·경상 및 대만·중국·일본에 분포함. 수피는 약용하고 인판재(印板材)로 씀. 관상용임. ②[*Magnolia obovata*] 목련과(木蓮科)에 속하는 낙엽 교목. 잎은 거꿀달걀꼴 타원형이고 굵은 잎꼭지 끝에 윤생상(輪生狀)으로 모여 호생(互生)함.

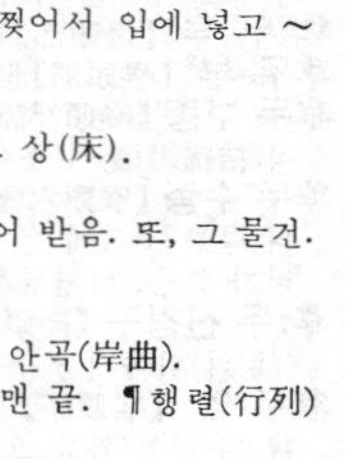

〈후박나무❶〉

5-6월에 황백색 꽃이 가지 끝에 피는데, 지름 15 cm로 여섯 개 내지 아홉 개 가량이며 육질(肉質)의 거꿀달걀꼴 화판(花瓣)이 있고 향기가 있음. 과실은 긴 타원형으로 길이 15cm 내외이며, 초가을에 적자색으로 익고, 대과(袋果)가 벌어져 붉은 가종피(假種皮)를 쓴 종자가 나옴. 산지에 나는데, 일본 특산으로 세계 각지에서 관상용으로 재배함. 수피(樹皮)는 약용하고 재목은 기구·조각 및 악기(樂器) 등을 만드는 데 씀.

〈후박나무❷〉

후:박-엿【厚朴—】[—녇] 명 울릉도 특산의 엿. 후박(厚朴)나무의 수피(樹皮)를 첨가하여 고은 엿. 와전(訛傳)되어 '호박엿'으로 불림.

후:반[1]【後半】명 반으로 나눈 것 의 뒷부분. 뒤의 절반. ¶～부(部)/～전(戰). ↔전반(前半).

후반[2]【候班】명〖역〗조현(朝見)할 때의 반열(班列).

후:반-기【後半期】명 한 기간을 양분(兩分)한 뒤의 반기(半期). ¶～ 교육. ㊀후기(後期). ↔전반기(前半期).

후:반-부【後半部】명 후반이 되는 부분. ¶～까지 모두 마치다. ↔전반부(前半部).

후:-반생【後半生】명 한 생애의 뒤에 남은 반생.

후:-반신【後半身】명 뒷몸. ↔전반신.

후:반-전【後半戰】명 경기 따위의 후반의 부분. ¶～에서 역전시키다. ↔전반전(前半戰).

후:발【後發】명 ①뒤늦게 떠남. ②나중에 씀. 1)·2):↔선발(先發)·전발(前發). ——-하다 자타여불

후:발-대【後發隊】[—때] 명 다른 부대보다 뒤늦게 출발한 부대. ↔선발대(先發隊).

후:발 도상국【後發途上國】명 [least less-developed country]〖정〗↗후발 발전 도상국(後發發展途上國).

후:발 발전 도상국【後發發展途上國】[—쩐—] 명 발전 도상국 가운데에서도 특히 경제 성장이 저조(低調)하여 거의 농업에 의존하고 있으며, 공업화가 이루어지지 않은 가난한 저개발(低開發) 상태에서 벗어나지 못하고 있다는 뜻에서, 최빈국(最貧國)을 일컫는 딴이름. ↔선발(先發) 발전 도상국.

후:발-열【後發熱】[—렬] 명〖의〗열이 내리기 시작하였다가 다시 오르는 발열의 한 형. 바일병에서 흔히 볼 수 있음. *재발열(再發熱).

후:발적 불능【後發的不能】[—쩍—릉] 명〖법〗채권(債權)의 이행(履行)이 계약 후에 불가능하게 된 상태. 예컨대, 특정한 가옥의 매매 계약이 체결된 후에 그 가옥이 소실(燒失)되는 경우 같은 것. ↔원시적 불능(原始的不能).

후:발-증【後發症】[—쯩] 명〖의〗어떤 병이 나은 뒤에 생기는 뒷병 증세.

후-발쭈 명 〈방〉 발제[3](髮際)(충남·전북).

후-발찌 명 〈방〉 발제[3](髮際)(경기·충청).

후-발추 명 〈방〉 발제[3](髮際)(충남).

후-발치 명 〈방〉 발제[3](髮際)(충남).

후:방[1]【後方】명 ①뒤쪽. ②〖군〗적군과 맞대고 싸우는 일선에 대하여 그 급양(給養)·보충 등에 관한 일을 맡아보는 모든 부면. ¶～ 교란/～ 근무. ↔전방(前方).

후:방[2]【後房】명 ①뒷방❶. ②〖생〗눈의 수정체(水晶體) 주위에 있는 빈 곳. 전방(前房)과는 동공(瞳孔)을 통해서 연락되는데, 방수(房水)가 괴어 있다가 동공을 지나서 전방으로 들어감. 후안방(後眼房).

후:방 교란【後方攪亂】명 전쟁 중에 적군(敵軍)의 후방을 교란하는 행위. ¶～ 전술.

후:방군 사령부【後方軍司令部】명〖군〗육군 각 부대에 대한 군수(軍需) 및 군행정(軍行政)의 지원(支援)과 당해(當該) 군 소관 구역내의 작전 및 경비에 관한 사항을 관장하는 사령부.

후:방 근무【後方勤務】명〖군〗①출정(出征) 군대의 급양(給養)·보충·위생에 관한 근무. ②전시(戰時)에 후방에서 복무하는 일. ↔전방(前方) 근무. ——-하다 자여불

후:방 산:란【後方散亂】[—살—] 명 [backscattering]〖물〗①방사선이나 원자핵 입자가 입사각(入射角)에 대하여 90° 이상의 각도로 산란되는 일. ②지향성(指向性) 안테나 후방에 에너지가 방사되는 일. ③목적하는 전리층 산란 전파(電離層散亂傳播)이외에 F층·E층에서의 반사에 의하여 필요 없는 신호가 전파(傳播)되는 일.

후:방 산:란계【後方散亂計】[—살—] 명〖물〗입사파(入射波)에 대하여 180° 방향으로 산란하는 전파(傳播)를 측정하는 레이더 장치.

후-방역【侯方域】명〖사람〗중국 명(明)나라 말기, 청(清)나라 초기의 문신. 자는 조종(朝宗), 호는 설원(雪苑). 허난 성(河南省)사람. 명기(名妓) 이향군(李香君)과의 연애는 공상임(孔尚任)의 희곡 《도화선 전기(桃花扇傳記)》에 묘사되어 유명함. 위희(魏禧)·왕완(汪琬)과 함께 청나라 초기의 고문(古文)의 삼대가(三大家)로 일컬어짐. 저서에 《장회당 문집(壯悔堂文集)》·《사억당 시집(四億堂詩集)》이 있음. [1618-54]

후:방 연락선【後方連絡線】[—열—] 명〖군〗병참선(兵站線)과 본국을 연락하는 노선(路線).

후:배[1]【後背】명 배면(背面).

후:배[2]【後配】명 ①죽은 후실(後室). ↔전배(前配). ②후실(後室).

후:배[3]【後排】명 여러 줄로 늘어섰을 때의 뒷줄.

후:배[4]【後陪】명 ①위요(圍繞). ②〖역〗벼슬아치가 다닐 때에 뒤따르는 하인.

후:배[5]【後輩】명 학문·덕행·경험 또는 나이 등이 자기보다 낮거나 늦은 사람. 후진(後進). ¶대학 ～. ↔선배(先輩).

후:-배서【後背書】명〖법〗기한 후(期限後) 배서.

후:배 습지【後背濕地】명〖지〗삼각주(三角洲)의 미지형(微地形). 자연제방(自然堤防) 배후의 토지가 움푹 패어져 홍수 때 넘쳐 흐른 물이 오래 정체(停滯)하는 습지.

후:배-주【後配株】명〖경〗보통주(普通株)에 비하여 이익 배당(配當)·잔여(殘餘) 재산 분배 등을 뒤늦게 또 적게 받는 주식. 열후주(劣後株). ↔우선주(優先株).

후백【侯伯】명 ①후작과 백작. ②봉건제에서의 군주. 제후(諸侯).

후:-백제【後百濟】명〖역〗후삼국(後三國)의 하나. 신라 말기 진성 여왕(眞聖女王) 6년(892)에 상주(尙州) 농부의 아들인 견훤(甄萱)이 완산주(完山州)에 세운 나라. 처음에는 국세를 자못 떨치다가 부자(父子) 사이의 불화(不和)로 견훤이 고려에 항복하고 그 아들 신검(神劍)이 칭왕(稱王)하다가 고려 태조 천수(天授) 19년(936) 건국 44년만에 고려에 항복하고 망하였음. [892-936]

후:-백지【厚白紙】명 두꺼운 백지.

후:버[1] [Hoover, Herbert Clark] 명〖사람〗미국의 정치가. 제31대 대통령. 처음 광산의 기사(技師)로 출발하여 1921년 상무 장관을 역임하고 1929년 공화당 출신 대통령으로 피선되었음. 제2차 세계 대전 후 행정기구 재편성 위원회(行政機構再編成委員會)인 후버 위원회의 위원장으로 있었음. [1874-1964]

후:버[2] [Hoover, John Edgar] 명〖사람〗미국의 법률가. 1917년 법무성에 들어가 검찰 총장 특별 보좌관을 거쳐 1924년 이래 1972년까지 연방 수사국장(聯邦搜査局長)을 지냄. [1895-1972]

후:버 댐 [Hoover Dam] 명〖지〗미국 애리조나 주(Arizona州)와 네바다 주(Nevada州)의 주경(州境)에 있는 콜로라도 강(Colorado江)에 구축된 콘크리트 아치형의 중력식 댐. 하류의 홍수(洪水)를 방지하고 발전과 관개(灌漑)에 이용함. 1931년에 착공하여 1936년에 완성하였음. 보울더 댐(Boulder dam)이라 하던 것을 착공 당시의 대통령 후버의 이름을 따서 1947년 이 이름으로 개칭(改稱)됨.

후:버 모라토리엄 [Hoover Moratorium] 명 미국 대통령 후버(Hoover, H.C)가 1931년에 발표한 배상 및 전채(戰債) 지급의 1년 연기 선언. 세계 공황(恐慌)의 유럽 파급(波及)에의 대책으로 나온 것이나, 공황의 타개에는 성공하지 못함.

후:-번【後番】[—뻔] 명 이 다음의 때. 이 다음의 차례. ¶～에는 꼭 이기겠다.

후베르투스부르크의 화약【—和約】[—/—에—] 명 [Treaty of Hubertusburg]〖역〗독일의 라이프치히(Leipzig) 동쪽에 있는 후베르투스부르크 성(城)에서, 1763년 프로이센과 오스트리아 사이에 맺어진 7년 전쟁 종결 조약. 프로이센은 실레지아 영유를 확정하고 대신 오스트리아 대공(大公) 요제프를 장래의 신성 로마 황제로 승인함.

후베이 [湖北] 명〖지〗중국 둥팅 호(洞庭湖) 이북의 지역. 양쯔 강(揚子江)이 흐르고 토지가 비옥(肥沃)하여 농산물이 많이 남. 호북(湖北).

후베이 성【—省】[湖北] 명〖지〗중국 화중(華中) 지구 북부의 성. 둥팅 호(洞庭湖) 북쪽, 양쯔 강(揚子江)·한수이(漢水) 강의 충적 평야(沖積平野)인 후광(湖廣) 평야의 북반을 차지함. 쌀·밀·옥수수·면화·차(茶)·모시풀·담배·칠(漆)·동유(桐油) 및 철·석고(石膏)·석탄·암염(岩塩)이 나고, 제철·시멘트·기계·방적·제분 공업과 동기(銅器)·칠기·죽기(竹器) 제작 등이 성함. 창장(長江) 강·한수이(漢水) 강의 수운, 웨한(粵漢)·징한(京漢)의 두 철도가 있어 중국 중앙부의 수륙 교통(水陸交通)의 중심(中心)을 이룸. 성도는 우창(武昌). 호북성(湖北省). [187,500 km²]

후벼-내기 명 끌밥을 후벼 내는 연장.

후벼 넣다 [—너타] 구 ↗후비어 넣다. ∸우벼 넣다. ＞호벼 넣다.

후벼 파다 구 ↗후비어 파다 ∸우벼 파다. ＞호벼 파다.

후:벽【後壁】명 ①뒤쪽 벽. 뒷벽. ②〖역〗고려 원종(元宗) 10년(1269) 김준(金俊)이 암살되었을 때 활과 살을 가지고 대궐 안에 들어가서 시위(侍衛)하던 세가(勢家)의 자제(子弟)들의 일컬음.

후:병【厚餠】명 두텁떡.

후:보[1]【後報】명 첫번 보도(報道)에 뒤이어 계속되는 보도. 뒤의 소식. *속보(續報).

후:보[2]【厚報】명 후수(厚酬).

후보[3]【候補】명 ①어떤 지위(地位)나 신분(身分)에 나아가기를 바람. 또, 그 사람. ¶대통령 ～. ②장래에 어떤 지위(地位)에 나아갈 자격(資格)이 있음. 또, 그 사람. ¶～ 선수. ③〖역〗결원(缺員)이 난 벼슬이나 지위 등에 채움.

후:-보름【後—】명 한 달을 둘로 나눈 뒤쪽의 보름 동안. 곧, 열엿새부터 그믐날까지의 동안. 후망(後望). ↔선보름.

후보-생【候補生】명 일정한 수업(修業)을 완료함으로써 어떤 지위나 신분에 나아갈 자격이 있는 학생. 간부(幹部) 후보생 들. ¶사관(士官) ～.

후보 선:수【候補選手】명 일정(一定)한 연습 기간을 마친 후에 정선수(正選手)가 될 입장에 있는 선수. ↔정선수(正選手)·레귤러 플레이어(regular player)

후보-자【候補者】명 후보(候補)로 나선 사람. ¶～ 명단.

후보-작【候補作】명 입선작(入選作)의 후보가 될 작품.

후보-지【候補地】명 장차 어떤 목적으로 이용될 가능성이 있는 땅.

후:복막강 기체 촬영법【後腹膜腔氣體撮影法】[—뻡] 명〖의〗후복막강에 기체를 주입하여 엑스선(X線) 촬영을 행하는 엑스선 진단법(診斷法)의 하나.

후:-복통【後腹痛】명〖한의〗훗배앓이.

후봉【后蜂】명〖충〗장수벌. 여왕벌.

후:부[1]【後夫】명 후서방(後書房). ↔선부(先夫).

후:부[2]【後部】명 ①뒤의 부분. ¶～ 갑판(甲板). ↔전부(前部). ②〖역〗북부(北部)❸. ③〖군〗대오(隊伍)나 행렬(行列) 등의 뒤의 부분.

후:부 고취【後部鼓吹】명〖악〗임금이나 현관(顯官)이 행차할 때 수레의 뒤에서 연주하던 악대. 피리·적(笛) 등 가락 악기가 중심이 됨. 궁중(宮中) 고취(鼓吹)에는 후부 고취가 없음. ↔전부(前部)고취. ＊행악(行樂).

후:분【後分】명 평생을 초분(初分)·중분(中分)·후분(後分)의 셋으로 나눈 것의 마지막 부분. 곧, 나이가 늙은 뒤의 운수(運數).

후:불[1]【後佛】명〖불교〗①미래(未來)에 나타날 부처. 곧, 미륵불(彌勒佛). ②불상(佛像) 뒤에 모시는 그림 부처.

후:불[2]【後拂】명 물건을 먼저 받거나 일을 모두 마친 뒤에 돈을 치름. 곧, 대가(代價)나 요금(料金)을 사후(事後)에 지불함. ↔전불(前拂)·선불(先拂). ＊외상. ――하다 타여불

후:-불벽【後佛壁】명〖불교〗법당(法堂)의 불단(佛壇) 뒤쪽의 벽.

후:불 탱화【後佛幀畫】명〖불교〗후불을 그린 족자(簇子).

후비[1]【后妃】명 제왕(帝王)의 배필(配匹). ㊟후(后).

후:비[2]【後備】명 ①전투 태세(戰鬪態勢)를 펴고 있는 후방(後方)의 수비(守備). 또, 그 병사. ②〖군〗↗후비역(後備役).

후비[3]【喉痺】명〖한의〗목구멍 속에 종기(腫氣)가 나거나, 목구멍이 좁아지거나, 혹은 막히기도 하는 병. 후두 결핵(喉頭結核)·후두암(喉頭癌)·후두 매독 따위.

후:비-군【後備軍】명 ①후비하는 군사. ②〖군〗후비병(後備兵)으로 조직한 군대.

후비다 타 ①구멍이나 틈의 속을 돌려 파내다. ¶개밋구멍을 ～/귀를 ～. ②일의 속내를 깊이 파다. 1)·2): ㅅ우비다. >호비다.

후:비-병【後備兵】명〖군〗후비 병역에 복역하는 군인(軍人).

후:비 병역【後備兵役】명〖군〗구병역법(舊兵役法)상의 병역의 한 가지. 예비역(豫備役)을 마친 자가 복역하던 병역. 후비역(後備役).

후:비-심【後備心】명 뒷배포.

후비어 넣다 [―너타] 타 속을 헤치어 후벼 가면서 무엇을 욱여 밀어 넣다. ㊟후벼 넣다. ㅅ우비어 넣다. >호비어 넣다.

후비어 파다 타 ①후비어서 깊이 파다. ②일의 내막(內幕)을 자세히 캐다. ㊟후벼 파다. 1)·2): ㅅ우비어 파다. >호비어 파다.

후:비-역【後備役】명〖군〗후비 병역(後備兵役). ㊟후비(後備).

후비적-거리다 타 계속하여 속속들이 파 내다. ㅅ우비적거리다. >호비작거리다. 후비적-후비적 부. ――하다 타여불

후비적-대다 타 후비적거리다.

후비-칼 명 ☞호비칼.

후:-빈위어【後賓位語】명 〔post predicaments〕〖철〗아리스토텔레스가 그의 범주론(範疇論)에서 나중에 추가한 다섯 가지 빈위어. 곧, 대립(對立:antikeisthai)·전시(前時:proteron)·동시(同時:hama)·변화 또는 운동(kinesis)·소유(所有:ekhein) 등의 빈위어.

후:-빙기【後氷期】명 신생대(新生代) 제4기의 빙하 시대가 끝난 뒤의 시기. 비교적 온난한 기후로, 현재를 포함한 충적세(沖積世)에 상당함. 후빙하기(後氷河期).

후ㅅ조곰 명 〈옛〉 음력 스무 사날께. =훗조곰. ¶후ㅅ조곰(下弦)≪同文上 3≫.

후:사[1]【後事】명 ①뒷일. 앞일. ②죽은 뒤의 일. ¶～를 부탁하다.

후:사[2]【後嗣】명 대(代)를 잇는 자식. 후승(後承). ¶～가 끊기다.

후:사[3]【厚賜】명 ①물건 같은 것을 후하게 내려 줌. 후황(厚貺). ②남이 자기에게 무엇을 줌을 높이어 하는 말. ――하다 자여불

후:사[4]【厚謝】명 후하게 사례함. ¶습득자에게는 ～하겠음. ――하다 자여불

후사인 맥마흔 협정【―協定】명 〔Husain-MacMahon Agreements〕 제1차 세계 대전 중인 1915년 1월 수단 주재 영국 고등 판무관(辦務官) 맥마흔(MacMahon, Arthur Henry; 1862-1949)이 메카의 태수(太守) 후사인과 맺은 협정. 대영(對英) 협력과 오스만 제국에의 반란을 조건으로 영국이 전후에 아랍의 독립을 지지하기로 한 약속. 뒤에 사이크스 피코 협정(Sykes-Picot 協定), 밸푸어 선언(Balfour 宣言)과 모순이 있음이 밝혀져 분쟁의 원인이 되었음.

후삭【朽索】명 썩은 밧줄.

후:산[1]【後山】명 ①〖민〗묏자리·집터·도읍(都邑)터 등의 뒤쪽에 있는 산. ②뒷산.

후:산[2]【後産】명 〔after birth〕〖의〗태아를 출산한 후 약 30분 지나서 가벼운 진통과 함께 자궁 내에 남아 있던 태반(胎盤)·제대(臍帶)·난막(卵膜)이 모체 밖으로 배출되는 일. ――하다 자여불

후:산-기【後産期】명〖의〗분만 제3기로 태아 만출(娩出) 후 태반(胎盤)과 난막(卵膜)이 나올 때까지의 시기.

후:산 진통【後産陣痛】명〖의〗태아를 분만하고 나서 곧 이어 나타나는 산후 진통. 태반이 난막에서 박리되어 나오는 데 따른 진통임.

후:산 출혈【後産出血】명〖의〗태반이 나오는 때에 생기는 출혈.

후:-살이【後―】명 개가(改嫁)하여서 삶. ¶～를 가다. ――하다 자여불

후:-삼국【後三國】명〖역〗신라(新羅), 견훤(甄萱)의 후백제(後百濟) 및 궁예(弓裔)의 태봉(泰封)의 삼국. 곧, 신라의 삼국 통일(三國統一) 이전의 신라·고구려·백제의 삼국에 대하여 신라 말기의 국토 재분열에 의하여 생긴 삼국의 일컬음.

후:삼국 통:일【後三國統一】명〖역〗10 세기 전반기에 고려가 신라·후백제를 병합하고 발해 유민을 포섭하여 통일 국가를 확립한 일.

후:상[1]【後廂】명〖역〗거둥 때에 후부(後部)를 호위하는 군대. 후군(後軍). 후상진(後廂陣). 후진(後陣).

후:상[2]【厚賞】명 두둑하게 상(賞)을 줌. 또, 그 상. ――하다 타여불

후:상-진【後廂陣】명〖역〗후상(後廂).

후:새-류【後鰓類】명〖동〗[Opisthobranchia] 연체(軟體) 동물 복족류(腹足類)에 속하는 한 목(目). 바다에 사는데 아가미가 심장보다 뒤쪽에 있으므로 이 이름이 있음. 군소·명주달갈고둥 등이 이에 속함. ＊전새류(前鰓類).

후:생[1]【厚生】명 ①생활을 건강하고 넉넉하게 함. ¶～ 사업. ②건강을 유지 증진(增進)함.

후:생[2]【後生】명 ①뒤에 남. 뒤에 배움. 또, 그 사람. ¶～이 가외(可畏)라. ②후예(後裔). ③〖불교〗내생(來生). ④〖지〗외계(外界)의 작용에 의하여, 암석의 광석(鑛石)이 변화하는 일.
[후생각(角)이 우뚝하다] 후진(後進)이 선배보다 나을 때 이르는 말.
[후생이 가외(可畏)라] 후배(後輩)는 나이 젊고 기력(氣力)이 좋으므로 학문을 쌓으면 어떠한 역량(力量)을 나타낼 지 모르기 때문에 그 앞날이 두렵다는 말.

후:생 가스【後生―】〔gas〕명 〔afterdamp〕 광산(鑛山)에서, 갱내 화재(坑內火災)나 폭발이 있은 뒤에 갱내에 남아 있는 여러 가지 가스.

후:생 경제【厚生經濟】명 국민 소득의 증대뿐 아니라 빈부(貧富)의 차의 축소, 국민의 경제 생활의 안정도 아울러 도모하여 국민의 경제적 복지의 증진을 목적으로 하는 경제 정책 또는 경제 조직.

후:생 경제학【厚生經濟學】명 〔welfare economics〕〖경〗국민 경제(國民經濟)를 연구함에 있어 국민의 경제적 복지(經濟的福祉) 혹은 후생을 그 중심 목적으로 하는 경제학 상의 한 학설. 영국의 경제학자 피구(Pigou, A.C.)가 발표한 ≪후생 경제학(The Economics of Welfare)≫에서 일반화한 말임.

후:생 광:상【後生鑛床】명〖광〗모암(母岩)의 생성 후(生成後)에 생긴 광상의 총칭. 열수 광맥(熱水鑛脈)·잔류 광상(殘留鑛床)·접촉 교대 광상(接觸交代鑛床) 따위.

후:생 동:물【後生動物】명〖동〗[Metazoa] 단세포(單細胞)의 원생 동물(原生動物)을 제외한 다른 모든 동물의 총칭. 곧, 발생학 상으로 해면(海綿) 동물에서 척추(脊椎) 동물에 이르는 여러 문(門)의 동물. 조직의 분화, 기관(器官)의 발달이 현저한 동물. 1877년 독일의 헤켈(Haeckel)이 처음 일컫은 말임. 다세포(多細胞) 동물. 조직 동물. ↔원생 동물. ＊진정(眞正) 후생 동물.

후:생 분열 조직【後生分裂組織】명 〔secondary meristem〕〖생〗분열(分裂) 능력이 없어진 영구 조직 중에 다시 분열 능력을 가지는 조직이 형성된 것. 코르크층(cork層)을 이루는 코르크 형성층(形成層) 따위. 후생 조직.

후:생-비【厚生費】명 후생(厚生)을 위하여 쓰이는 비용.

후:생 사:업【厚生事業】명 후생을 위한 사업.

후:생-설【後生說】명〖생〗후성설(後成說).

후:생 시:설【厚生施設】명 생활을 윤택하게 하고 건강·위생을 위하여 베풀어 놓은 온갖 시설.

후:생 조건【後生條件】[―껀] 명 ①뒤에 나타난 조건. ②〖법〗권리의 이전 후에 생긴 조건. 1)·2):↔선행 조건(先行條件).

후:생 조직【後生組織】명〖식〗조직의 분화(分化) 초기에 생긴 원생(原生) 조직으로부터, 식물의 성숙에 따라 생기는 조직.

후:생 주:택【厚生住宅】명 주택난의 해소를 위하여 입주자(入住者)가 그리 힘들지 않은 지급 방법으로 살 수 있도록 지은 주택.

후:생-질【後生質】명〖생〗후형질(後形質).

후:생 체관부【後生―管部】명〖식〗인피(靭皮).

후:서【後序】명 서적의 뒤에 적은 서문(序文). 발(跋).

후:-서방【後書房】[―써―] 명 후살이의 남편(男便). 후부(後夫).

후:선【後先】명 선후(先後).

후:선유-봉【後仙遊峰】명〖지〗평안 남도 덕천군(德川郡) 덕천면(德川面)·성양면(城陽面)과 맹산군(孟山郡) 옥천면(玉泉面) 사이에 있는 산. [1, 105 m]

후설[1]【喉舌】명 ①목구멍과 혀. ②〖역〗↗후설지신(喉舌之臣).

후설:[2] 〔Husserl, Edmund〕명〖사람〗독일의 철학자. 현상학(現象學)의 창시자로 하이데거·사르트르 등의 실존주의(實存主義)에 기본적 지주(基本的支柱)를 주었음. 주저 ≪논리 연구(論理硏究)≫·≪순수 현상학(純粹現象學)과 현상학 철학(現象學哲學)의 이념≫. [1859-1938]

후:설 모:음【後舌母音】명〖언〗혀의 뒤쪽과 연구개(軟口蓋) 사이에서 조음(調音)되는 모음. 한국어의 'ㅜ·ㅗ' 따위.

후:설-음【後舌音】명〖언〗혀의 뒤쪽과 연구개(軟口蓋) 사이에서 나는 소리. [k]·[g]·[ŋ] 따위. 연구개음(軟口蓋音). 여린입천장소리. ↔전설음(前舌音).

후설지-신【喉舌之臣】[―찌―] 명〖역〗승지(承旨)의 직임(職任)에 있는 신하를, 왕명 출납(王命出納)과 정부의 중대한 언론을 맡았다는 뜻으로 이르는 말.

후설지-임【喉舌之任】[―찌―] 명〖역〗승지(承旨)의 직임(職任).

후:성[1]【後聖】명 뒤에 나온 성인(聖人).

후성[2]【喉聲】명 목에서 나는 소리. 목소리.

후:성-류【後性類】[―뉴] 명〖동〗후문류(後門類).

후:성-설【後成說】명 〔라 epigenesis〕〖생〗생물의 형태는 알이나 정자(精子) 속에서 이미 형성되어 있다는 전생설(前生說)에 대하여, 이것을 부정하여 발생 과정 중에 형성된다고 하는 학설. 오늘날의 통설(通說)임. 1759년 독일의 생물학자 볼프(Wolff, Kasper Friedrich; 1733-1794)가 처음으로 주창함. 후생설(後生說). 에피게네시스.

후:세【後世】명 뒤의 세상. 다음 세상. 타세(他世). 내엽(來葉). ¶아름다운 이름을 ～에 전하다. ↔전세(前世).

후세이니 〔Husseini, Haj Amine〕명〖사람〗아랍(Arab) 민족 운동(民

族運動)의 지도자. 예루살렘의 명문(名門) 출신으로, 팔레스티나의 반유태 운동 및 반영(反英) 운동을 지도하였으며, 제2차 세계 대전중 독일에 협력하였고 전후(戰後) 아랍 고등 위원회의 위원장으로 활약하였음. [1895-1974]

후세인 〔Hussein, Saddam〕 명 『사람』 이라크의 군인·정치가. 국내의 정쟁(政爭)에 따라 여러 차례 체포되고 국외에 망명함. 1969년 혁명 평의회 부의장, 1979년 전임 대통령의 은퇴 사임으로 대통령직을 승계하고, 혁명 평의회 의장과 수상을 겸임함. 이란 이라크 전쟁과 걸프 전쟁을 일으켜, 세계의 주목을 받음. [1937-]

후세인 일세 【—一世】 [—쎄] 명 『사람』 〔Amir Abdullah Hussein I〕 요르단(Jordan)의 왕. 예언자 마호메트의 혈통을 이은 하심가(Hashim家)의 적손(嫡孫)임. 영국 유학에서 돌아와 1953년에 즉위함. 1958년에 이라크(Iraq)와 연방(聯邦)을 만들었으나 이라크의 혁명으로 해체되었음. [1935-]

후:세-자 【後世者】 명 『불교』 염불을 하여 후세에 극락 세계로 가기를 바라는 사람.

후-세포 【嗅細胞】 명 『생』 후각기(嗅覺器)로 냄새의 화학적(化學的) 자극에 작용하는 감각 세포. 지지(支持) 세포·기저(基底) 세포와 함께 비강(鼻腔) 상부의 점막(粘膜)을 형성하며 한 쪽에 몇 개의 후모(嗅毛)가 있고 다른쪽은 후신경(嗅神經)에 이어져 있음.

후:소 【後素】 명 회화(繪畫).

후:속[1] 【後續】 명 뒤를 이음. 뒤를 좇아 계속함. ¶ ~ 조치/~ 부대. ——-하다 자여불

후:속[2] 【後屬】 명 후손(後孫).

후손[1] 【朽損】 명 나무 같은 것이 썩어서 헒. ——-하다 형여불

후:손[2] 【後孫】 명 몇 대가 지난 뒤의 자손. 먼 자손. 내예(來裔). 성손(姓孫). 세사(世嗣). 주예(冑裔). 후곤(後昆). 후잉(後仍). ¶명문의 ~/~이 번창하다. ㊥손(孫).

후:송 【後送】 명 ①후방으로 보냄. ¶ ~ 병원/~되다. ②후에 보냄. ——-하다 타여불

후:송-로 【後送路】 [—노] 명 후송하는 길.

후:송 병:원 【後送病院】 명 병참지(兵站地)에 설치된 군 병원. 군인·군무원 환자를 치료하거나, 후송할 부상 장병을 일시적으로 치료해 줌.

후:송-자 【後送者】 명 후송되어 가는 사람.

후:송-지 【後送地】 명 후송되어 가는 곳. ¶ ~에 도착하는 부상 장병들.

후:송-차 【後送車】 명 후송하는 사람이나 물품을 실은 차.

후:쇄-본 【後刷本】 명 『인쇄』 후인본(後印本).

후:수[1] 【後手】 명 ①바둑이나 장기 등에서, 뒤에 두는 일. ②상대 편에게 선수(先手)를 빼앗기어 피동(被動)이 되는 일. ↔선수(先手).

후:수[2] 【厚酬】 명 두둑한 보수(報酬). 후한 보수. 후보(厚報).

후:수[3] 【後綬】 명 『역』 예복(禮服)·제복(祭服)을 입을 때에 뒤에 느리는 수(綬)의 속칭. 붉은 바탕에 품계(品階)에 따라 새를 수놓고 금은동(金銀銅)의 고리를 붙였으며, 아래에는 넓게 푸른 술이 있음. *운학 금환수(雲鶴金鐶綬)·반조 은환수(盤鵰銀鐶綬)·연작 동환수(練鵲銅鐶綬).

〈후수[3]〉

후:수 대야 【後水—】 명 〈궁중〉 뒷물 대야.

후:숙 【後熟】 명 『식』 외관 상(外觀上)의 성숙(成熟) 후 이루어지는 성숙. 이에 의하여 배(胚)가 발아력(發芽力)을 갖게 됨. 배숙(胚熟).

후:술 【後述】 명 뒤에 기술(記述)함. ↔전술(前述). ——-하다 자타여불

후 스[1] 【胡適】 명 『사람』 중국의 문학가·사상가. 자는 스지(適之). 안후이 성(安徽省) 출생. 1910년 미국에 유학, 듀이에 사사(師事)함. 1917년 베이징 대학 교수로 있으면서 천 두수(陳獨秀)와 함께 백화 문학(白話文學)을 제창하여 중국 문학의 현대화에 노력함. 1938년 주미 대사(駐美大使)를 역임함. 전후에 공산군이 베이징(北京)에 들어오자 미국으로 망명한 후 국민 정부의 외교 고문을 지냄. 주저에 《호적 문존(胡適文存)》·《중국 철학사 대강》 등이 있음. 호적(胡適). [1891-1962]

후스[2] 〔Hus, Jan〕 명 『사람』 보헤미아(Bohemia)의 종교 개혁가. 1402년 이래 프라하 대학 총장 및 프라하의 베들레헴 성당의 주임 신부를 지냄. 위클리프(Wycliffe)의 영향으로 예정 구제설(豫定救濟說)을 주장, 교회 개혁(敎會改革)에 나섬. 교황의 파문(破門)을 받고 이단자(異端者)로 분형(焚刑)을 당했으며, 후스 전쟁(Huss 戰爭)의 원인이 되었음. [1370?-1415]

후스 전:쟁 【—戰爭】 명 〔도 Hussitenkrieg〕 『역』 보헤미아의 종교 개혁자 후스의 처형 후 1419년 그 신봉자들이 교회와 신성 로마 황제의 탄압에 항의하여 일으킨 반란. 체코인(人)의 민족 운동도 한 원인이었음. 교황의 명으로 황제가 조직한 십자군이 진압에 실패하여 1431년 바젤 공의회에서 화평 조건을 토의, 1436년에 화의함.

후:승 【後承】 명 후사(後嗣).

후시[1] 〔虎溪〕 명 『지』 장시 성(江西省) 주장(九江) 강의 남쪽, 루산(廬山)에 있는 내. 호계.

후:시[2] 【後市】 명 『역』 조선 시대 후기 17세기 이후에 성행(盛行)한 잠무역(潛貿易)의 통칭. *책문 후시(柵門後市)·중강 후시(中江後市).

후:시[3] 【後翅】 명 곤충류의 두 쌍의 날개 중, 뒤쪽의 한 쌍을 이름. 후흉(後胸)에 붙어 있으며, 보통 전시(前翅)보다 넓음. 쌍시류(雙翅類)에서는 퇴화(退化)되었음. 뒷날개. ↔전시(前翅).

후:시지-탄 【後時之嘆】 명 기회를 놓쳐 안타까움. 만시지탄(晩時之嘆).

후:식 【後食】 명 ①나중에 먹음. ②식사를 끝낸 뒤에 먹는 과일·아이스크림 따위 같은 간단한 먹을것. 곧, 디저트(dessert). ——-하다 타여불

후:신[1] 【後身】 명 ①다시 태어난 몸. ②단체나 조직 따위가 이전의 형태로부터 발전·변화한 것. ¶서울 신문은 매일 신보의 ~이다. ③경우·성격 등이 일변해 버린 뒤의 몸. ↔전신(前身).

후:신[2] 【後腎】 명 유양막류(有羊膜類) 등뼈 동물에 있는 신장의 하나. 중신(中腎)의 뒤쪽에 중신보다 나중에 생김. 수컷에 있어서의 중신은 정소(精巢)에 관련된 부분만 남고 소멸되어 후신만이 배설 작용(排泄作用)을 함.

후-신경 【嗅神經】 명 『생』 대뇌(大腦)에서 나와 비강(鼻腔)의 점막(粘膜)에 분포되어 있는 감각 신경. 제일 뇌신경(第一腦神經). 냄새 신경.

후신경 마비 【嗅神經痲痺】 명 『의』 후신경이 마비되어 후각(嗅覺)의 감퇴(減退)나 소실(消失)이 일어나는 뇌신경 마비의 하나. *시신경(視神經) 마비.

후:-신관 【後腎管】 명 〔metanephridium〕 『동』 신관의 한 형(型). 체강(體腔) 속에 개구(開口)하며, 섬모(纖毛)가 있는 세관 구조(細管構造)로 구성(構成)됨.

후:실 【後室】 명 '후취(後娶)'의 존칭. 계실(繼室). 후배(後配). ↔전실(前室).

후:실-댁 【後室宅】 [—땍] 명 후실.

후:실 자식 【後室子息】 [—짜—] 명 후실이 낳은 자식.

후아레스 〔Juáres, Benito〕 명 『사람』 멕시코의 정치가. 1855년의 혁명에 참가, 법상(法相)으로서 사회 개혁을 수행함. 1857년 이후 임시 대통령, 대통령으로서 혁명파를 지도, 민주주의 및 민족주의적 개혁을 추진함. [1806-72]

후:-악절 【後樂節】 명 『악』 '뒤악절'의 한자 이름.

후:안[1] 【厚顔】 명 낯가죽이 두꺼움. 뻔뻔스러움. 창피를 모름. 철면피(鐵面皮). ¶ ~ 무치(無恥). ——-하다 형여불

후안[2] 【候雁】 명 철을 따라 깃들이는 곳을 바꾸는, 철새로서의 기러기.

후:안 무치 【厚顔無恥】 명 뻔뻔스러워서 부끄러워할 줄을 모름. 안후(顔厚). 철면피(鐵面皮). ¶ ~도 유분수(有分數)지/~한 녀석. ——-하다 형여불

후:-안방 【後眼房】 명 『생』 후방(後房). *전안방(前眼房).

후안페르난데스 제도 【—諸島】 〔Juan Fernandez〕 명 『지』 동남 태평양 칠레 앞바다 644 km에 산재하는 화산도의 무리. 로빈슨 크루소 섬과 알레한드로 셀커크 섬의 두 섬과 많은 작은 섬으로 이루어짐. 주도인 로빈슨 크루소는 벌새의 서식지(棲息地)이며, 새우잡이가 주업(主業)임. 1563년경 스페인의 항해가(航海家) 후안 페르난데스가 도달함. 디포(Defoe)의 《로빈슨 크루소》의 모델(model)이 된 섬으로 알려짐. [182 km^2]

후:야 【後夜】 명 ①밤중에서 아침까지의 일컬음. ②『불교』 밤중으로부터 아침까지의 근행(勤行). 특히, 새벽녘의 근행.

후 야오방 【胡耀邦】 명 『사람』 중국의 정치가. 1933년에 장정(長征)에 참가하고, 1965년 산시 성(陝西省) 당 위원회 제 1 서기(書記) 대리가 되었으나 문화 대혁명으로 실각(失脚), 1972년 복권(復權)되어 1978년 당 정치국원을 거쳐 1981년 당 주석(主席), 1982년 기구 개편으로 당 총서기가 되어 문화 대혁명의 부정(否定)과 개방(開放) 정책을 추진함. 1987년 총서기를 사임함. 호요방(胡耀邦). [1913-1989]

후:약[1] 【後約】 명 뒷날의 약속(約束). 뒤에 하기로 하는 기약(期約). 뒷기약. ↔전약(前約)·선약(先約).

후약[2] 【嗅藥】 명 휘발성 화합물, 곧 휘발성 지방산(脂肪酸)·포름산(酸)·질산(窒酸)·암모니아·개자유(芥子油)·에테르 등을 사용하여 비점막(鼻粘膜)을 자극하고, 반사적으로 중추 신경에 영향을 주어 정신을 차리게 하거나 진정(鎭靜)하는 데 쓰는 약. 후입약(嗅入藥).

후양 【朽壤】 명 썩은 토양.

후에 〔Hue〕 명 『지』 '위에'의 영어식 이름.

후여: 감 〈방〉 쉬(경상).

후:연[1] 【後緣】 명 ①뒤쪽의 가장자리. ②뒤의 인연. 장래의 관계. ③비행기의 날개 단면(斷面)의 후단(後端). 1)-3):↔전연(前緣).

후:-연[2] 【後燕】 명 『역』 중국 오호 십육국(五胡十六國)의 하나. 선비족(鮮卑族)의 모용씨(慕容氏)가 중산(中山)에 도읍(都邑)하여 하내(河內)에 세운 나라. 5 대로써 북연(北燕)의 풍발(馮跋)에게 망함. [385-409]

후:열[1] 【後列】 명 뒤의 줄. 뒤로 늘어선 줄. ↔전열(前列).

후:열[2] 【後閱】 명 사후에 검열·사열함. ——-하다 타여불

후염[1] 명 〈방〉 헤엄(충남).

후:염[2] 【後染】 명 →후렴(後染). ——-하다 타여불

후엽[1] 【朽葉】 명 썩은 나뭇잎. 썩은 낙엽(落葉).

후:엽[2] 【後葉】 명 말엽(末葉).

후엽[3] 【嗅葉】 명 〔olfactory lobe〕 『생』 뇌(腦)의 가장 앞 끝에 있는 주머니 모양의 돌기(突起). 하등 척추 동물(下等脊椎動物)에 잘 발달하며, 여기에서 후신경(嗅神經)이 나옴. 냄새골.

후엽-색 【朽葉色】 명 '등색(橙色)'을 마른 낙엽 같은 빛깔이라는 뜻으로 일컫는 말.

후:엽 호르몬 【後葉—】 〔hormone〕 명 『생』 ↗뇌하수체(腦下垂體) 후엽 호르몬.

후:영[1] 【後榮】 명 후일의 영화(榮華). 자손의 번영.

후:영[2] 【後營】 명 『역』 조선 시대 말의 친군영(親軍營)의 하나. 고종(高宗) 21년(1884)에 베풀어서 동 25년(1888)에 우영(右營)·해방영(海防營) 등과 합하여 통위영(統衛營)으로 고치었음.

후예[1] 【朽穢】 명 썩고 더러움.

후:예[2] 【後裔】 명 대수(代數)가 먼 후손(後孫). 여예(餘裔). 예손(裔孫). 주예(冑裔). ¶명문의 ~.

후:예-국 【後裔國】 명 후예(後裔)가 세우거나 개척한 나라.

후:오 【後五】 명 『불교』 ↗후오백년(後五百年).

후:-오대【後五代】명〖역〗중국 당(唐)과 송(宋)과의 사이 53년 동안에 흥망(興亡)한 다섯 왕조 및 그 시대를 전오대(前五代)와 대비하여 일컫는 말. ↔전오대(前五代). *오계(五季).

후:-오백년【後五百年】명〖불교〗불멸(佛滅) 후 2천5백 년간을 불교의 성쇠에 따라 5분한 명칭. 첫 5백 년을 해탈 견고(解脫堅固), 제이의 5백 년을 선정 견고(禪定堅固), 제삼의 5백 년을 다문 견고(多聞堅固), 제사의 5백 년을 조사 견고(造寺堅固), 마지막 5백 년을 투쟁 견고(鬪諍堅固)라고 하며, 제일·제이를 정법(正法), 제삼·제사를 상법(像法), 제오 이후를 말법(末法)이라 함. 후오백세(後五百歲). ㊀후오(後五).

후:-오백세【後五百歲】명〖불교〗후오백년(後五百年).

후왕【侯王】명 한 나라의 왕. 조그마한 나라의 왕. 왕후(王侯).

후욕【詬辱】명 꾸짖고 욕설을 함. 후매(詬罵). ¶편조에 대한 훼방과 ~이 더하면 더할수록 왕이 편조를 지지하는 마음은 더욱 굳었다≪朴鍾和 : 多情佛心≫. ──-하다 타여불

후:우¹【厚遇】명 후대(厚待). 은우(恩遇). ──-하다 타여불

후:우²【後憂】명 뒷날의 근심. 후환(後患).

후:원¹【後苑】명 ①대궐(大闕) 안에 있는 정원(庭園). *후원(後園). ②〖불교〗사찰(寺刹)의 살림을 관장(管掌)하는 곳.

후:원²【後援】명 뒤에서 도와줌. 자재(資材) 등을 제공하여 원조(援助)함. ¶~회. ──-하다 타여불

후:원³【後園】명 집 뒤에 있는 작은 동산이나 정원(庭園). ¶~을 산책하다.

후원⁴【喉院】명〖역〗조선 시대 승정원(承政院)의 별칭.

후:원-군【後援軍】명〖군〗후원(後援)의 임무를 띤 군대.

후원-류【猴猿類】[-뉴] 명〖동〗유인원과(類人猿科).

후:원-자【後援者】명 후원하여 주는 사람.

후:원-회【後援會】명 어떤 일이나 단체를 도와주기 위하여 조직한 회(會). ¶~ 조직/~장(長).

후:월【後月】명 ①익월(翌月). ②음력 9월 13일 밤의 달.

후:위¹【後衛】명 ①뒤쪽의 호위(護衛). ②〖군〗↗후위대(後衛隊). ③축구·정구·배구 등 구기(球技)에서, 자기 편의 뒤쪽에서 주로 수비(守備)를 맡아 보는 경기자. 백 맨(back man). ¶~를 맡다. 1)-3):↔전위(前衛).

후:위²【後衛】명〖역〗조선 시대 충무위(忠武衛)의 별칭.

후:-위³【後魏】명〖역〗북위(北魏).

후:위-대【後衛隊】명〖군〗퇴각(退却)하는 경우에 자기 편의 뒤쪽 엄호(掩護)를 맡은 부대. ㊀후위(後衛). ↔전위대(前衛隊).

후:위 진지【後衛陣地】명〖군〗후위대(後衛隊)가 자리잡고 적군을 방비하는 진지.

후:유¹【後有】명〖불교〗다음 생(生)에서 받는 몸과 마음.

후유²감 ①일이 고되어서 힘에 부치어 내는 소리. ¶~, 힘들다. ②어려운 일을 끝내고 한숨 돌릴 때에 내는 소리. ¶~, 이제 겨우 끝났구나. ㊀후.

후:유 감:각【後遺感覺】명 한 번의 자극을 여러 번의 자극으로써 느끼는 지각 이상(知覺異常)의 하나. *다감각(多感覺).

후:유-장【後有章】[-짱] 명〖악〗용비 어천가(龍飛御天歌) 제30장의 이름.

후:유-증【後遺症】[-쯩] 명 ①〖의〗병을 앓거나 상처를 입었을 때, 기능이나 형태가 본래대로 돌아오지 않고 나았을 경우, 그 병을 앓고 난 뒤 기능(機能)이나 형태의 이상(異常)을 말함. 소아 마비(小兒痲痺) 때의 수족(手足)의 마비 따위. ②어떤 일을 치르고 난 뒤에 생기는 부작용(副作用). ¶선거의 ~.

후:육 무문 토기【厚肉無文土器】명〖역〗선사(先史) 시대의 토기. 두껍고 무늬가 없는 것이 특징. 석영(石英)·장석·운모 등의 가루가 섞여 있어 흡수성(吸收性)이 강하며 빛깔은 붉은 색과 갈색이 많음. 빗살무늬 토기가 해안 따위 저지(低地)에서 출토(出土)되는 반면, 후육 무문 토기는 구릉 지대(丘陵地帶)에서 출토되므로 고지 유물(高地遺物)이라고도 함.

후:윤【後胤】명 후손(後孫).

후:은【厚恩】명 두터운 은혜. ¶~을 입다/~을 잊지 않다.

후음【喉音】명〖언〗내쉬는 숨으로 목청을 마찰하여 내는 소리. ㅇ·ㆆ·ㅎ같은 것. 목소리. 성대음(聲帶音).

후:의¹【厚意】[-/-이] 명 두텁고 인정 있는 마음. 후정(厚情). 방의(芳意). ¶~를 베풀다/~를 저버리다.

후:의²【厚誼】[-/-이] 명 두터운 정의(情誼).

후이:감〈방〉쉬(경상).

후이러 봉【-峰】〔回樂〕명〖지〗①중국 닝샤후이족(寧夏回族) 자치구 북부의 링우현(靈武縣) 서남쪽에 있는 산. ②산시 성(山西省) 다퉁현(大同縣)의 서쪽에 있는 산. 회락봉(回樂峰).

후이저우 사:건【-事件】〔惠州〕[-껀] 명〖역〗쑨 원(孫文)의 흥중회(興中會)가 주체가 되어 1900년 중국 광둥 성(廣東省)의 후이저우(惠州)에서 일으킨 항청(抗淸) 사건.

후이지 산【-山】〔會稽〕명〖지〗중국 저장 성(浙江省) 사오싱(紹興) 남동에 있는 산. 오왕(吳王) 부차(夫差)가 월왕(越王) 구천(句踐)을 포위 공격하여 그의 항복을 받은 곳임. 회계산. [860 m] *회계지치(會稽之恥).

후이 현【-縣】〔輝〕명〖지〗중국 허난 성(河南省) 신샹(新鄕) 부근에 있는 지방. 은(殷)·전국(戰國) 시대의 고분군(古墳群)으로 유명함. 휘현(輝縣).

후이현 고:묘【-縣古墓】〔輝〕명〖지〗중국 허난 성(河南省) 후이 현에 있는 전국(戰國) 시대의 고분군. 1930년경부터 전국 시대의 유물(遺物)이 출토(出土)되어 널리 알려졌음. 출토품에는 호화스러운 칠(漆)을 한 관재(棺材)와 용기(容器), 각종 전국식 동기(銅器), 흑도 명기(黑陶明器) 등이 있음. 휘현 고묘(輝縣古墓).

후:인【後人】명 후세(後世)의 사람. ↔선인(先人).

후:인-근【後引筋】명〖생〗신체의 기관이나 튀어나온 부분을 안으로 잡아 당기는 역할을 하는 골격근(骨格筋)의 속칭.

후:-인도【後印度】명 '인도(印度)차이나'의 별칭. 서양 사람이 인도차이나를 인도 반도(印度半島)보다 늦게 발견한 데에서 나온 말임. *전인도(前印度).

후인-본【後印本】명〖인쇄〗같은 판(版)에서 뒤에 인쇄하여 낸 책. 후쇄본(後刷本).

후:인-자【後引子】명〖악〗풍악(風樂)의 이름.

후:일【後日】명 뒷날. ¶~담(談)/~을 기약하다. ↔전일(前日).

후:일-담【後日談·後日譚】[-땀] 명 어떤 사실과 관련하여, 그 후에 벌어진 경과에 대한 이야기. 뒷이야기.

후:임【後任】명 전임자(前任者)에 이어 맡은 임무. 또, 그 사람. ¶~자(者)/~으로 발령받다. ↔전임(前任)·선임(先任).

후:임-자【後任者】명 후임(後任)이 되는 사람. ¶~를 물색하다. ↔전임(前任)자.

후:입 선출【後入先出】명 (last-in, first-out)〖컴퓨터〗파일이나 큐(queue)에서 가장 최근에 들어오거나 저장된 항목이 가장 먼저 제거 또는 서비스를 받는 방식. 엘 아이 에프 오(LIFO).

후:입 선출법【後入先出法】[-뻡] 명〖경〗재고 자산(在庫資産) 평가 방법의 하나. 나중에 입고(入庫)된 것부터 차례로 출고(出庫)한 것으로 치고 기말(期末) 재고 자산을 오래 된 원가(原價)로 계산함. 인플레하(下)에서 견실(堅實)한 이익을 계상(計上)하는 데 적합함. *선입 선출법(先入先出法).

후:잉【後仍】명 후손(後孫).

후:자¹【後者】명 ①두 가지의 사물(事物)을 들어서 말할 때의 그 뒤의 것. ¶전자(前者)와 ~의 차이. ②후세(後世) 사람. ③〖경〗어음·수표가 발행인으로부터 소지인(所持人)까지 배서인(背書人)을 거쳐 차례로 유통(流通)하였을 때에 그 유통 과정 중의 한 사람을 중심으로 하여 하위(下位)에 있는 자. 상위(上位)에 있는 자는 전자라 하며, 후자는 자기의 전자에 대하여 소구권(遡求權)을 가짐. 1)·3): ↔전자(前者).

후자²【候者】명 사정을 탐지하는 사람. 척후(斥候).

후자³【瘊子】명〖의〗무사마귀.

후:-자경편【後自警編】명〖책〗조선 시대 19대 숙종(肅宗) 때 김창집(金昌集)이 편찬한 것으로, 중국 송(宋)나라 조선료(趙善璙)가 지은 ≪자경편(自警編)≫을 본떠서 우리 나라 고금(古今) 인물의 품행(品行)·의리(義理) 등의 기록 중에서 귀감이 될 만한 기사를 모은 책임. 6권 6책. 사본(寫本).

후:작¹【後作】명〖농〗뒷그루. ↔전작(前作).

후작²【侯爵】명 ①〖역〗고려 오등작(五等爵)의 둘째. ②오등작 곧, 공(公)·후(侯)·백(伯)·자(子)·남(男)의 둘째. 1)·2): ㊀후(侯).

후:장¹【後章】명 서적·조문(條文) 등의 뒤에 나오는 장. ↔전장(前章).

후:장²【後場】[-짱] 명 ①다음 번에 서는 장. 또, 그 장날. ¶~에는 꼭 양말을 사다 줘야지. ②〖경〗거래소에서 오후에 하는 입회(入會). ¶~에서 증권 값이 오르다. ↔전장(前場).

[후장 떡이 클지 작을지 누가 아나] 미래의 일은 짐작하기 힘들다는 말.
[후장에 쇠다리 먹으려고 이 장에 개다리 안 먹을까] 미래의 일에 기대할 것 없이 목전의 현실에 충실함이 중요하다는 말.

후:장³【後腸】명〖생〗무척추(無脊椎) 동물, 특히 절지(節肢) 동물의 중장(中腸)의 다음 창자. 뒤창자. *전장(前腸)·중장(中腸).

후:장⁴【後裝】명〖군〗총포(銃砲)의 폐쇄기(閉鎖器)를 개폐(開閉)하고 탄약을 장전(裝塡)하도록 된 장치. ↔전장(前裝).

후:장⁵【厚葬】명 후(厚)하게 장사(葬事) 지냄. 또, 그 장례. ──-하다 타여불

후:장구-도【後長久島】명〖지〗전라 남도의 남해상(南海上), 완도군(莞島郡) 노화읍(蘆花邑) 내리(內里)에 위치하고 있는 섬. [0.17 km²]

후:장-총【後裝銃】명〖군〗후장(後裝)으로 된 총. 근대식 소총·기관총 따위가 이러함. ↔전장총(前裝銃).

후:장-포【後裝砲】명〖군〗후장(後裝)으로 된 대포. 곡사포(曲射砲)·평사포(平射砲)·고사포(高射砲) 등 여러 가지임. 저장포(底裝砲). ↔전장포(前裝砲).

후:재-집【厚齋集】명〖책〗조선 시대 숙종(肅宗) 때 사람 후재 김간(金幹)의 시문집. 시(詩)·소(疏)·주(奏)·차(箚)·계(啓)·서(書)·경의(經義)·예의(禮疑)·축문(祝文)·제문(祭文) 및 비문(碑文) 등이 수록됨. 50권 25책. 인본.

후:전¹【後錢】명〖역〗조선 시대 후기에, 군포(軍布)를 납부할 때, 정리(情理)로 더 바치던 돈. *후포(後布).

후:전²【後殿】명 ①〖역〗후비(后妃)나 궁녀가 살고 있는 궁전. ②군대가 퇴각할 때 군렬(軍列)의 최후에 있어 추격해 오는 적을 막는 군대. 후위대(後衛隊).

후:전 대:기【後殿大旗】명〖역〗조선 시대 때 대가(大駕)·법가(法駕) 행차에 쓰인 의장기(儀仗旗)의 하나. 검은 바탕에 청룡(靑龍)과 청색·적색·황색·백색의 구름 무늬를 그린 사각기로 뾰갈이 화염각(火炎脚)이 달려 있음.

후:전 진작【後殿眞勺】명〖악〗고려 충혜왕(忠惠王) 때 불린 진작(眞勺). 왕이 궁녀들과 함께 후전(後殿)에 행행(行幸)하여 즐겨 들었다 하여 이 이름이 있음.

후:절-수【後切手】[-쑤] 명 바둑에서, 상대방(相對方)으로 하여금 먼

저 이쪽 돌을 잡게 하고, 상대방이 따 낸 자리를 끊어 상대방 돌을 되 때려 잡는 수.

후-점막【嗅粘膜】명 비강(鼻腔)의 점막의 일부. 후부(嗅部)라고 불리는 후신경(嗅神經)이 분포하는 부분만을 말함.

후:정[1]【後庭】명 ①뒤뜰. ②후궁(後宮)❷.

후:정[2]【厚情】명 후의(厚意).

후:정-화【後庭花】명〖악〗악곡(樂曲)의 이름. 중국 선제(宣帝)의 아들인 진 후주(陳後主)가 지은 것으로 처음에는 옥수 후정화(玉樹後庭花)라고도 하였음. 나중에는 두 곡(曲)으로 갈리어짐.

후:-제【後—】명 뒷날의 어느 때.

후제스탄〔Khuzestan〕명〖지〗후지스탄.

후:조[1]【後凋】명 ①송백(松柏)이 다른 나무보다 늦게 시듦. ②전하여, 간난(艱難)에 견디어 굳게 절조(節操)를 지킴. ——-하다 자타여불

후:-조[2]【後趙】명〖역〗중국 오호 십육국(五胡十六國)의 하나. 진(晉)나라 말기의 갈(羯)의 석륵(石勒)이 임장(臨漳)에 도읍(都邑)하여 세운 나라. 전조(前趙)를 병합하는 등 한때 화북(華北)에서 세력을 떨쳤으나 7대로서 그 신하 염민(冉閔)에게 망함. [319-351]

후조[3]【候鳥】명〖조〗번식지(繁殖地)와 월동지(越冬地)와의 사이를 해마다 정기적(定期的)으로 왕복하는 새. 제비·두견새처럼 봄·여름에 한국에 와서 번식하고 가을철에 남쪽으로 가서 월동(越冬)하는 '여름새'와, 기러기·물오리·개똥지빠귀처럼 봄·여름철에 북쪽으로 돌아가서 번식하는 '겨울새' 및 북쪽의 번식지로부터 남쪽의 월동지로 오고 가는 도중 한 때 머무는 '나그네새'의 세 가지로 구별함. 이 밖에 자주 오지 아니하고 우연히 길을 잃고 한 때 들어 오는 '미조(迷鳥)' 등이 있음. 철새. 표조(漂鳥). ↔유조(留鳥). *겨울새.

후:족【後足】명 뒤에 있는 다리. 뒷다리.

후:종【後從】명 뒤에서 따라 감. ——-하다 타여불

후:좌【後座】명〖군〗총포를 발사할 때, 화약 가스압(壓)의 작용으로 탄환 발사와 동시에 총포의 몸체를 뒤로 후퇴시키는 작용.

후:좌-포【後座砲】명〖군〗주퇴기(駐退機)를 사용하여 포신(砲身)만이 발사의 반동으로 후좌를 하도록 만든 대포. 현금의 대포는 대부분 후좌포임.

후:주[1]【後主】명 ①뒤를 이은 주군(主君). ↔선주(先主). ②특히, 중국 촉(蜀)나라의 유선(劉禪)의 경칭.

후:-주[2]【後周】명〖역〗①중국 오대(五代)의 한 왕조. 곽위(郭威)가 후한(後漢)을 멸하고 변경(汴京)에 도읍(都邑)하여 세운 나라. 3대 10년 만에 송(宋)에 망하였음. 주(周). [951-960] ②북주(北周).

후:주[3]【後奏】명〔epilogue〕〖악〗반주(伴奏)에서 독주(獨奏)나 독창(獨唱)이 끝난 뒤에 연주하는 부분. ↔전주(前奏)·간주(間奏).

후:주[4]【後酒】명 술을 떠 내고 재강에 다시 물을 부어서 떠 낸 술.

후:주[5]【後週】명 다음 주(週). ↔전주(前週).

후주[6]【酗酒】명 주정(酒酲). ——-하다 자여불

후:주-곡【後奏曲】명〖악〗예배(禮拜) 후에 연주하는 풍금 등의 악곡.

후주 잡기【酗酒雜技】명 술주정과 노름.

후줄그레-하다 형여불 ☞후줄근하다.

후줄근-하다 형여불 ①종이나 피륙 같은 것이 약간 젖어서 풀기가 없어져 보기 흉하게 되다. ②몸이 피곤하여 축 늘어지듯 힘이 없다. ¶숨막히게 하는 지열, 후줄근하게 늘어진 인파, 대답없이 조용한 필녀…《洪性裕 : 사랑과 죽음의 세월》. 1)·2): >호졸근하다. **후줄근-히** 부

후:줏-국 명 술·간장 같은 것을 두 번째로 떠낸 묽은 액체(液體).

후:중[1] 명 품질이 아주 좋은 소나무의 널.

후:중[2]【後重】명〖한의〗똥을 눌 적에 시원하게 잘 나오지 아니하고 뒤가 무지근함. ——-하다 형여불

후:중-기【後重氣】[—끼] 명 뒤가 무지근한 느낌.

후:중-증【後重症】[—쯩] 명 뒤가 무지근한 증세. ¶이급(裏急) ～.

후-중추【嗅中樞】명〖생〗후각에 대응하는 지각령(知覺領)의 하나. 대뇌 피질의 측복 후피질(側腹嗅皮質)·시상 하핵(視床下核)·후방야(嗅傍野)에 존재함. *체지각령 하부(體知覺領下部).

후:즈 후:〔who's who〕명 명사록(名士錄)·신사록(紳士錄). 1849년 영국의 A.&C. 블랙(Black) 회사가 창간하여, 현재는 연감(年鑑)으로 발행되고 있음. 고인(故人)을 수록한 후 워즈 후(who was who)도 간행되고 있음.

후:즈 히:〔who's he〕명 인물평(人物評). 인물평론(人物評論).

후:증[1]【後證】명 뒷날의 증거.

후증[2]【喉症】[—쯩] 명〖한의〗인후병(咽喉病).

후:지[1]【厚志】명 두터운 심지(心志). 「②뒤에 인정을 받은 사람.

후:지[2]【後知】명 ①남보다 뒤에 깨닫는 사람. 후각(後覺). 후진(後進).

후:지[3]【後肢】명 동물의 가장 뒤에 있는 한 쌍의 다리. 뒷다리. ↔전지 (前肢).

후:지[4]【厚紙】명 두꺼운 종이.

후지 강【—江】〔富士:ふじ〕명〖지〗일본 후지산(富士山) 기슭에서 발원하여 야마나시 현(山梨縣)과 시즈오카 현(靜岡縣)의 중앙부를 관류(貫流)하여 스루가 만(駿河灣)으로 들어가는 강. [128 km]

후지-기누〔일 富士絹:ふじぎぬ〕명 날과 씨를 모두 명주실을 써서 짠 평직(平織)·계란색의 직물. 후지 가스 방적 주식 회사(富士 gas 紡績株式會社)의 제품명. 셔츠감·여성복감·안감 등에 쓰임.

후지다 자 ①〈옛〉 뒤지다. ¶수이 후지다(不耐乏)《漢淸 Ⅶ : 39》. ②〈속〉 쇠잔(衰殘)해져서 남보다 뒤떨어지다. ¶후진 학교(學校)에 떨어지다.

후지 산【—山】〔富士:ふじ〕명〖지〗일본 시즈오카(靜岡)·야마나시(山梨) 두 현의 경계(境界)에 솟아 있는 일본 제일의 고산(高山). 코니데식(Konide式)의 휴화산(休火山)이며 산정에는 주위 약 4 km의 분화구가 있음. 연중 눈이 쌓이고 기상 관측소가 상설되어 있음. [3,776 m]

후지스탄〔Khuzistan〕명〖지〗이란 공화국 서남부의 주명(州名). 석유의 매장량이 풍부하여 이란 제일의 유전 지대를 이룸. 주도(州都)는 아바즈(Ahwaz). 후제스탄. 구칭 : 아라비스탄. [64,651 km² : 2,187,000명(1976)]

후지타 료:사쿠〔藤田亮策:ふじたりょうさく〕명〖사람〗일본의 사학자. 도쿄 대학에서 조선사(造船史)와 고고학(考古學)을 전공, 경성(京城) 대학 교수가 되고, 1941년 문학부장을 지냄. 평양에 연구소를 설치, 고분·사적(史蹟)을 발굴 조사함. 저서에 《조선 고고학 연구》·《낙랑 봉니고(樂浪封泥攷)》 등이 있음. [1892-1960]

후직【后稷】명 ①〖역〗중국의 순(舜)임금 때에 농사 일을 관장하던 관직(官職)의 이름. ②〖사람〗중국 주(周)나라의 선조. 이름은 기(棄). 농사일을 잘 다스린다는 소문을 듣고 순 임금이 후직(后稷)의 벼슬에 임명하였음. 무왕(武王)은 그의 16대 손자라 함.

후:-진[1]【後秦】명〖역〗중국 오호 십육국(五胡十六國)의 하나. 전진(前秦)의 장군이며 강족(羌族)의 추장인 요장(姚萇)이 전진(前秦)에 반(叛)하여 세운 나라. 서울은 장안(長安), 3대 34년 만에 동진(東晉)의 유유(劉裕)에게 망하였음. [384-417] 「〖역〗후상(後廂).

후:진[2]【後陣】명 ①〖군〗맨 뒤에다 친 진. ↔전진(前陣)·선진(先陣). ②

후:-진[3]【後晉】명〖역〗중국 오대(五代) 왕조의 하나. 후당(後唐)의 하동 절도사(河東節度使) 석경당(石敬瑭)이 거란(契丹)에게 연운 십육주(燕雲十六州)를 주기로 약속하고 그 원조를 얻어서 후당을 없애고 세운 나라. 변경(汴京)에 도읍함. 2대 11년 만에 거란에 망하였음. 진(晉). [936-946]

후:진[4]【後進】명 ①뒤쪽을 향해 나아감. ¶～중인 차량. ②나이나 사회적 지위·학예(學藝) 따위가 뒤짐. 또, 그러한 사람. ③문물의 발달이 뒤늦은 상태. ↔선진(先進). ④후배(後輩). ——-하다 자여불

후:진[5]【後塵】명 사람이나 거마(車馬)가 지나간 뒤에 일어나는 먼지. 전(轉)하여, 남의 뒤를 따르는 일.

후:진-국【後進國】명 산업·경제·문화가 다른 나라에 비하여 뒤떨어진 나라. 저개발국(低開發國). ↔선진국(先進國).

후:진국 개발 원조 계:획【後進國開發援助計劃】명 ①국제적인 기구(機構)를 통하여 선진국이 후진국의 개발을 위한 원조를 부여하는 일. 국제 부흥 개발 은행, 국제 연합의 기술 원조, 콜롬보(Colombo) 계획 등에서 행하여지는 일. ②〔point four plan〕미국의 대외 원조 계획의 하나. 미국의 대외 경제 활동의 성황(盛況)과 반공 체제(反共體制)의 정비를 위하여 트루만 대통령이 1949년 1월 연두 교서의 제 4 항목에서 제안한 원조 계획으로서 국제 연합이나 그 전문 기관을 통하여 미개발 지역의 개선과 발전을 도모한 개발 원조. 후진 지역개발 계획.

후:진 사회【後進社會】명 수천년 전의 농경법을 간직하고, 오래 전부터 내려온 습관이나 생활 양식을 그대로 따르고 있는 사회.

후:진-성【後進性】[—썽] 명 후진에 따르는 성질. 또, 그 특성. ¶～을 면치 못하다. 「계획❷.

후:진 지역 개발 계:획【後進地域開發計劃】명〖정〗후진국 개발 원조

후:집【後集】명 시집(詩集)이나 문집(文集) 등을 낸 다음 다시 추리어 만든 책. ¶고문 진보(古文眞寶) ～. ↔전집(前集).

후:차【後車】명 뒤차.

후:차-적【後次的】명관 차례에서 나중이 됨. 또 그 모양.

후:창【厚昌】명〖지〗평안 북도 후창군의 군청 소재지. 군내 북서부에 위치하며 3면이 산지임. 교통이 불편하며 산업도 부진함.

후:창-군【厚昌郡】명〖지〗평안 북도의 한 군. 관내 5면. 도의 북동부에 위치하며 북은 압록강(鴨綠江), 동은 함경 남도 삼수군(三水郡), 남은 함경 남도 장진군(長津郡), 서는 자성군(慈城郡)과 강계군(江界郡)에 인접함. 기후는 대륙성이고 교통은 불편함. 산물로는 특히 임산이 유명하며 그 외에 콩·조 등의 농산, 소·쇠가죽 등의 축산, 광산이 있음. 명승 고적으로는 직령 무림(直嶺茂林)·칠평 약수(七坪藥水)·금강굴(金剛窟)·부흥 계곡(富興溪谷)·오가산(五佳山)·관음사(觀音寺)·천상수 폭포(天上水瀑布)·나죽 석벽(羅竹石壁)·원주성(原州城) 등이 있음. 군청 소재지는 후창. [415 km²]

후:처【後妻】명 후취(後娶)의 낮춤말. ↔전처(前妻).

후:천【後天】명 ①천운(天運)에 뒤짐. 곧, 천운이 오고 난 후에 그 일을 알게 되고 또한 그를 행하게 됨. ②세상에 나온 뒤에 여러 가지 경험이나 지식에 의하여 가지는 성질 또는 체질. ③〖천도교〗천도교(天道教)가 창건(創建)된 이후의 세상. 곧, 경신(庚申) 4월 5일 이후의 세상. 1)-3):↔선천(先天).

후:천 개벽【後天開闢】명〖천도교〗인문 개벽(人文開闢)을 가리키는 말. 동학 교조(東學教祖) 최수운(崔水雲)이 구세계(舊世界)와 신세계(新世界)를 종교적으로 선천(先天)·후천(後天)으로 갈라서 동학교(東學教)를 창건(創建)한 경신(庚申) 4월 5일 이후를 이르는 말. 그 이전은 선천(先天)이라 함.

후:천-론【後天論】[—논] 명 ①〔도 Aposteriorismus〕〖철〗성질·습관·기능 따위는 생후(生後)의 경험에 의해서 이루어진 것이고, 본디부터 가지고 태어나는 것은 아니라고 하는 설. ②〖윤〗모든 도덕적 의식(意識)은 경험에서 나온다고 하는 학설. 후천설(後天說).

후:천 면:역【後天免疫】명〖의〗후천적으로 얻어진 면역. 병후 면역과 인공 면역의 두 가지가 있음. ↔선천 면역.

후:천-병【後天病】[—뼝] 명〖의〗유전에 의하지 않고 후천적으로 생기는 병.

후:천-사【後天事】명 현실과는 상관 없는 뒷날의 일.

후:천-설【後天說】명〖철·윤〗후천론(後天論).

후:천-성【後天性】[—썽] 명 후천적으로 얻어진 성질 또는 성품. ↔선

천성.

후:천성 매독【後天性梅毒】[―썽―] 명 〖의〗 생후 성행위 내지 그 밖의 원인으로 감염된 매독.

후:천성 면:역 결핍 증후군【後天性免疫缺乏症候群】[―썽―] 명 〖의〗 에이즈(AIDS).

후:천-수【後天數】명〖민〗천간(天干)과 지지(地支)에 의하여 각각 배정(配定)한 수. 곧, 임(壬) 자(子)는 각각 1, 정(丁) 사(巳)는 각각 2, 갑(甲) 인(寅)은 각각 3, 신(辛) 유(酉)는 각각 4, 무(戊) 진(辰) 술(戌)은 각각 5, 계(癸) 해(亥)는 각각 6, 병(丙) 오(午)는 각각 7, 을(乙) 묘(卯)는 각각 8, 기(己)는 100, 축(丑) 미(未)는 각각 10, 경(庚) 신(申)은 각각 9임. *선천수(先天數).

후:천 오:만년【後天五萬年】명〖천도교〗후천 개벽 뒤의 5만 년. 곧, 새 세상이 창조 진화한다는 최수운(崔水雲)의 신념에서 나온 말.

후:천-적【後天的】명관 ①생후에 얻어진 모양. ↔선천적(先天的). ②〖철〗아 포스테리오리(a posteriori).

후:천 형질【後天形質】명〔acquired character〕〖생〗생물이 일생 동안에 얻은 형질(形質)로 자손에게 유전되지 아니하는 것. 획득 형질(獲得形質).

후:철【後哲】명 후세의 현인(賢人). ↔선철(先哲).

후청【侯鯖】명 ↗오후청(五侯鯖).

후쳉이 명〈방〉보습[1](경북).

후쳉이-날 명〈방〉보습[1](충북).

후초 명〈방〉후추(충남·경상).

후:-촉【後蜀】명〖역〗①중국 오대(五代)의 십국(十國)의 하나. 당(唐)나라 신하 맹지상(孟知祥)이 청두(成都)에 도읍하여 쓰촨 성(四川省)에 세운 나라. 2대로서 멸망함. [925-965] ②오호 십육국(五胡十六國)의 하나. 성한(成漢)의 딴이름.

후:최면 건:망【後催眠健忘】명〖심〗후최면 현상의 한 가지. 잠이 깬 뒤에 최면 중의 일들이 생각나지 아니하는 심리 현상.

후:최면 암:시【後催眠暗示】명〖심〗후최면 환각(幻覺)이나 후최면 작업을 일으키게 하는 암시.

후:최면 작업【後催眠作業】명〖심〗후최면 현상의 한 가지. 최면중 어떤 신호로써 작업을 암시·명령·훈련시켜 놓고, 잠이 깬 뒤에 다시 그 신호를 하면 최면 중의 경험이 떠올라 무의식 중에 그 작업을 수행하는 심리 현상.

후:최면 현:상【後催眠現象】명〖심〗잠이 깬 후까지도 최면의 효과가 남아 있어서 일어나는 여러 가지 심리 현상. 후최면 건망(健忘)·후최면 환각(幻覺)·후최면 작업(作業) 등.

후:최면 환:각【後催眠幻覺】명〖심〗후최면 현상의 한 가지. 최면중 어떤 신호로 어떤 지각 경험을 시키고, 잠이 깬 후 다시 그 신호를 하면 최면 중의 경험이 떠올라 환각을 느끼는 심리 현상.

후추 명〖한의〗후추나무의 열매. 위한(胃寒)·구토(嘔吐)·곽란(癨亂)·심복통(心腹痛) 등에 약으로 씀. 호초(胡椒).

[후추는 작아도 맵다] 몸피는 작아도 하는 짓은 매섭고 다부짐을 이르는 말. [후추는 작아도 진상(進上)에만 간다] 작은 사람이 똑똑하여 훌륭한 구실을 할 때 이르는 말. [후추를 온거로 삼킨다] 일의 기미(氣味)나 내맥(內脈)도 모르고 덤빔의 비유.

후추-나무 명〖식〗[*Piper nigrum*] 후춧과에 속하는 열대성 관목. 줄기는 직경 2cm 가량의 원주형으로 약간 만성(蔓性)이고 잎은 호생하며 끝이 뾰족한 둥근 달걀꼴임. 5-6월에 흰 빛의 화수(花穗)가 잎에 대생하여 자웅 이주(雌雄異株)로 피고, 장과(漿果)는 직경 5-6mm의 구형(球形)이며 붉게 익음. 인도 남부 원산으로 널리 재배함. 과실을 채 익기 전에 따서 말리면 검어지는데, '후추'라 하며, 맵고 향기로운 특이한 풍미(風味)가 있어서 조미료(調味料) 및 향신료(香辛料)·구풍제(驅風劑)·건위제(健胃劑) 등으로 널리 사용함. 호초(胡椒)나무.

〈후추나무〉

후추-엿 명 굵은 후춧가루를 넣고 만든 엿. 호초당(胡椒糖).

후추 해:안【―海岸】명〔Pepper Coast〕〖지〗아프리카 서부 라이베리아(Liberia)의 해안. 때로는 시에라리온(Sierra Leone)의 일부를 포함함. 옛날 낙원(樂園)의 곡물이라고 불린 후추의 집산지였던 까닭에 이러한 명칭이 생기었음. 곡물 해안(穀物海岸).

후출-하다 형여불 뱃 속이 비어 먹고 싶은 감이 있다.

후:-출혈【後出血】명〖의〗외상(外傷)을 입거나 수술할 때 피가 잠시 멎은 부분에서 어느 정도의 시간이 지난 뒤에 다시 피가 나는 일.

후춧-가루 명 후추를 갈아서 만든 가루. 양념으로 많이 씀. 호초말(胡椒末).

후춧-과【―科】명〖식〗[Piperaceae] 쌍자엽 식물에 속하는 한 과. 보통 초본이나 관목 및 교목도 간혹 있음. 후추나무 등이 이에 속함.

후충【候蟲】명 철을 따라 나오는 벌레. 곧, 봄철의 나비, 여름철의 매미, 가을철의 귀뚜라미 같은 것. 철벌레.

후:취【後娶】명 본처가 없게 되어 두 번째 장가 드는 일. 또, 그 아내. 재취(再娶). ¶～로 들어가다. ↔전취(前娶). *후실(後室)·후처(後妻). ――하다 타여불

후:취 처가【後娶妻家】명 후취의 친정집.

후치[1] 명〈방〉극젱이(평북·함남).

후치[2] 명〈방〉보습[1](경남).

후:치-령【厚峙嶺】명〖지〗함경 남도 북청군(北靑郡) 이곡면(泥谷面)과 풍산군(豐山郡) 안산면(安山面) 사이에 있는 재. [335 m]

후 치리〔胡啓立〕명〖사람〗중국의 정치가. 산시 성(陝西省) 출생. 베이징(北京) 대학 기계과 졸업. 1948년 공산당 입당. 65년 전국 청년 연합회 부주석, 67년 문화 대혁명으로 실각(失脚)했다가 72년 복권(復權)되어 78년 칭화(淸華) 대학 부학장(副學長), 80년 톈진(天津) 시장, 85년 당 정치국원을 역임함. 89년 톈안먼 사건(天安門事件) 후 해임되었으나, 91년 기계 전자 공업부 부부장(副部長)으로 부활, 93년 전자 공업부장으로 승진됨. 호계립. [1929-]

후:치-사【後置詞】명〖언〗전치사(前置詞)가 그 지배하는 명사 뒤에 놓이는 경우의 일컬음.

후:-칠자【後七子】[―짜] 명 칠자(七子)를 전칠자(前七子)에 상대하여 일컫는 딴이름.

후칭이 명〈방〉보습[1](경북).

후카이-호리병벌【―葫―甁―】〔일 深井: ふかい〕명〖충〗[*Ancistrocerus fukaianus*] 말벌과에 속하는 곤충. 암컷은 몸길이 18mm 내외이고 몸빛은 흑색에 두미(頭尾)와 상기부(上基部) 촉각 기부간(基部間)의 심장형 반문과 촉각의 하면, 복부 제1-2 배판(背板)의 후연(後緣) 등은 등적황색임. 한국·일본에 분포함.

후쿠시마〔福島: ふくしま〕명〖지〗일본 후쿠시마 현(福島縣) 북부의 시. 현청 소재지. 화학 섬유·식료품·기계 공업이 성하며, 근교에서 사과·배·복숭아 등이 산출됨. [277,005명(1992)]

후쿠시마 현【―縣】〔福島: ふくしま〕명〖지〗일본 동북 지방의 현. 농산으로 쌀·담배·구약(蒟蒻)·사과·배 등이 있고, 양잠·낙농·원양 어업도 행하여지며 중화학 공업·식품 공업·도자기 제조 등이 행하여짐. 현청 소재지는 후쿠시마 시. [13,781km²: 2,129,836명(1992)]

후쿠오카〔福岡: ふくおか〕명〖지〗후쿠오카 현 서부의 시. 현청 소재지. 규슈(九州)에서 제일 큰 도시로서 상공업·교통·문화의 중심지를 이룸. 규슈 대학(九州大學)이 있음. [1,204,723명(1992)]

후쿠오카 현【―縣】〔福岡: ふくおか〕명〖지〗일본 규슈(九州) 북부 현. 생산물로는 쌀·보리·소·말·착유용의 채종·석탄·해산물 등이 있고 일본 유수의 대공업 지역임. 현청 소재지는 후쿠오카 시(福岡市). [4,965km²: 4,835,145명(1992)]

후쿠이〔福井: ふくい〕명〖지〗일본 후쿠이 현 북부의 시. 현청 소재지. 동해(東海)에 면하며 견직물·인조견·합섬 직물의 생산지이며, 기계·플라스틱 가공 공업도 행하여짐. [250,817명(1992)]

후쿠이 겐이치〔福井謙一: ふくいけんいち〕명〖사람〗일본의 화학자. 1951년 교토(京都) 대학을 나와 모교에서 교편을 잡음. 물질이 화학 반응을 일으킬 때 그 물질의 구성 단위 가운데 가장 에너지가 높은 전자(電子), 곧 변방(邊方) 전자가 반응에 결정적 영향을 미친다는 프런티어 궤도 이론(frontier 軌道理論)의 창출로, 1981년 노벨 화학상을 수상함. [1918-]

후쿠이 현【―縣】〔福井: ふくい〕명〖지〗일본 중부 지방 서남부의 현. 인견(人絹) 방적·수산업·섬유·화학·목재 공업이 성함. 현청 소재지는 후쿠이 시(市). [4,187km²: 822,678명(1992)]

후크-단【―團】〔Huk〕명〖사〗후크발라합(Hukbalahap).

후크발라합〔Hukbalahap〕명〖사〗항일 의용군(抗日義勇軍)이란 뜻으로, 제2차 세계 대전중, 필리핀에서 결성된 농민의 항일 게릴라 조직(抗日 guerilla 組織). 전후(戰後)에는, 후크본, 곧 인민 의용군(人民義勇軍)이라고 칭하여, 농민 해방·민족 독립을 표방, 1952년경에는 최대 세력이었으나, 그 후 정부의 평정 작전으로 괴멸됨. 후크단(團).

후킹〔hooking〕명 럭비 경기 용어로서, 스크럼(scrum) 중앙에 있는 공을 발로써 끄집어 내는 일.

후타리 명〈방〉울타리(전라).

후:타-음【後打音】명〖악〗'뒤꾸밈음'의 한자 이름.

후:탈【後頉】명 ①후더침. ②뒤탈.

후터분-하다 형여불 약간 불쾌(不快)할 정도로 무더운 기운이 있다. 후터분-히 부

후텁지근-하다 형여불 몹시 후터분하다. 후텁지근-히 부

후텐〔Hutten, Ulrich von〕명〖사람〗독일의 인문(人文)주의자·시인. 루터(Luther)의 종교 개혁을 지지하여 열렬히 투쟁하였으며 1522년 기사(騎士)의 반란에 참가하였다가 추방되어 스위스로 망명하였음. [1488-1523]

후토【后土】명〖민〗토지(土地)의 신(神).

후:퇴【後退】명 ①뒤로 물러남. 퇴보(退步). ↔전진(前進). ②〖건〗집채의 뒤쪽으로 있는 물림. ――하다 자여불

후:퇴-각【後退角】명 항공기(航空機)의 주익(主翼)을 평면적(平面的)으로 횡축(橫軸)보다 후퇴시킨 각도.

후:퇴-로【後退路】명 퇴로(退路).

후:퇴 변:성 작용【後退變成作用】명〔retrograde metamorphism〕〖암석〗고도(高度)의 변성 광물이 변성에 의해, 저도(低度)의 변성 광물이 형성되는 변성 작용.

후:퇴-색【後退色】명 난색(暖色)과 대비(對比)시키면 실제의 면적보다 작게 보이고 안쪽으로 후퇴한 느낌을 주며 더 멀리 보이는 색. 초록색·청색 등 한색(寒色) 계통의 색. 수축색(收縮色).

후:퇴 속도【後退速度】명 ①역(逆)의 방향으로 나가는 속도. ②〖천〗은하계의 성운(星雲)이 지구 관측점에서 멀리 떨어져 나가는 속도. 은하계의 성운 스펙트럼의 적방 편위(赤方偏位)에 의하여 측정되며, 멀수록 대개 그 거리에 비례하는 크기의 속도를 가짐.

후:퇴-익【後退翼】명 평면적으로 횡축(橫軸)보다 후퇴시킨 항공기의 주익(主翼). 천음속(遷音速)·초음속의 항공기에서 볼 수 있음.

〈후퇴익〉

후:퇴적 논증【後退的論證】명 〔regressive probation〕〖논〗결론(結論)의 진리(眞理)를 증명하는 데 있어, 결론의 전제(前提)가 되는 일반적인 진리에 호소(呼訴)하는 논증법. 역퇴적(逆退的) 논증. 분석적 논증. ↔전진적(前進的) 논증.

후:퇴적 연쇄식【後退的連鎖式】명 고클레니우스(Goclenius)의 연쇄식(連鎖式).

후투-새: 명〈방〉굴뚝새.

후투지 명〈방〉후투티.

후투티 명〖조〗[*Upupa epops saturata*] 후투팃과에 속하는 개똥지빠귀 비슷한 새. 날개 길이 15cm, 꽁지 10cm 내외, 머리의 관우(冠羽)는 황갈색이고 그 끝은 흑색이며 자유로 기복(起伏)시킴. 등의 위쪽은 회갈색, 허리와 배는 백색, 꼬리는 흑색인데 중앙에 백색의 넓은 띠가 있고, 옆머리·목·가슴은 갈색, 다리는 청갈색임. 나무 구멍에 알을 낳고 새끼를 기르며 곤충을 포식하는 익조임. 시베리아·만주·몽고·한국·중국 등지에서 번식하고, 인도·인도차이나 등지에서 월동함. 대승(戴勝). 대임(戴鵀). 오디새.

〈후투티〉

후투팃-과【―科】명〖조〗[Upupidae] 파랑새목(目)에 속(屬)하는 한 과(科). 온 몸에 뚜렷한 반문(斑紋)이 있는 중형의 조류로서 부리는 길고 머리에는 부리의 기부(基部)부터 큰 관우(冠羽)가 있음. 나무나 바위틈에 둥지를 짓고 한 배에 담녹청색의 알을 대여섯 개 낳음. 주로 지상 생활을 하며, 땅 속에서 연충(蠕蟲)·곤충 등을 포식(捕食)함. 유럽·아시아·아프리카에 10여 종이 분포함. 오디샛과.

후:트내니 〔hootenanny〕명 가수(歌手)와 청중(聽衆)이 함께 노래하며 즐기는 포크 송의 집회.

후파문-하다 형여불 많고 푸지다는 뜻의 말로서, 생각한 것보다도 너무 작음을 비꼬아서 그 반대되는 뜻으로 쓰는 말.

후패【朽敗】명 썩어서 못쓰게 됨. ――-하다 자여불

후 펑 〔胡風〕명〖사람〗중국의 문예 비평가·시인. 후베이 성(湖北省) 사람. 본명은 장 관런(張光人). 1938 년 좌익 작가 연맹에 참가함. 항일(抗日) 전쟁 중에는 '주관(主觀)의 연소(燃燒)'에 의한 문학을 제창함. 마오 쩌둥(毛澤東)의 《문예 강화(講話)》에 바탕을 둔 공산당 노선에 불만을 품어 오다가, 1954 년 국민당과의 관계가 폭로되어 이듬해 투옥됨. 1980 년에 명예 회복되어 중국 문련(文聯) 전국 위원을 지냄. 호풍(胡風). [1904-85]

후:편[1]【後便】명 ①뒤쪽. ↔전편. ②나중의 인편(人便)이나 차편(車便). 뒤편. ↔선편(先便).

후:편[2]【後篇】명 두 편(篇) 또는 세 편으로 된 책이나 영화 같은 것의 뒤편(篇). ↔전편(前篇).

후폐[1]【朽廢】명 썩어서 폐물(廢物)이 됨. 썩어서 소용(所用)이 없게 됨. ――-하다 자여불

후:폐[2]【後弊】명 뒷날의 폐단.

후:폐[3]【厚幣】명 두터운 예폐(禮幣).

후:포[1]【後布】명〖역〗조선 시대 후기에, 군포(軍布)를 납부할 때, 정리(情理)로 더 바치던 포목. *후전(後錢).

후:포[2]【後圃】명 뒤에 있는 밭.

후:폭【後幅】명 뒤폭(幅).

후푸:프 〔Hufūf〕명〖지〗사우디아라비아 동부의 도시. 오아시스에 있으며 대추야자·맥류(麥類)·과실 등의 집산지. 직물(織物)·금속 세공은 예로부터 유명함. 리야드와 라스타누라(Ras Tannurah)를 연결하는 철도와 아라비아 만(灣)에 이르는 자동차 도로가 통하는 교통의 요지임. 대상(隊商)의 기지이기도 함. [101,271 명(1974)]

후:풍[1]【厚風】명 순후(淳厚)한 풍속.

후풍[2]【候風】명 배가 떠날 때에 순풍(順風)을 기다림. ――-하다 자여불

후:프 〔hoop〕명 ①테. ②장난감의 굴렁쇠. ③운동 기구의 하나. 지름 약 2m의 두 개의 쇠테를 평행하게 여러 개의 철봉으로 결합하여, 이것에 손발을 걸고, 양륜(兩輪) 속에 들어가서 굴러갈 수 있도록 되어 있음.

후:피 동:물【厚皮動物】명 유제류(有蹄類)에 속하며 반추(反芻) 동물이 아닌 포유류로서 가죽이 두꺼운 동물의 총칭. 코끼리·무소·하마·말·돼지 등.

후:피향-나무【厚皮香―】명〖식〗[*Ternstroemia mokof*] 후피향나뭇과에 속하는 상록 활엽의 작은 교목. 잎은 거꿀달걀꼴의 긴 타원형 또는 도피침형(倒披針形)인데 톱니가 없고 가지 끝에 총생(叢生)하며 잎꼭지는 홍색을 띰. 7월에 자웅 이가(雌雄異家)의 황백색 꽃이 하나씩 액생(腋生)하고, 삭과(蒴果)는 10월에 빨갛게 익음. 남향(南向)한 산록에 나는데, 제주도 및 일본·대만·중국·인도·보르네오·필리핀 등지에 분포함. 상주(床柱)와 세공재(細工材) 및 정원수로 쓰고 수피(樹皮)는 물감용임.

〈후피향나무〉

후:피향나뭇-과【厚皮香―科】명〖식〗[Ternstroemiaceae] 이판화류(離瓣花類)에 속하는 한 과. 전세계에 400여 종, 한국에는 동백나무·차나무·사스레피나무·섬쥐똥나무 등의 7종이 분포함.

후:필【後筆】명 문필가(文筆家)의 후진(後進).

후:-하다【厚―】형여불 ①인심이 두텁다. ②얇지 아니하고 두껍다. ③많고 넉넉하여 인색하지 아니하다. ↔박(薄)하다. **후:-히**【厚―】부

후:학【後學】명 ①후진(後進)의 학자. 말학(末學). 내학(來學). ↔선학(先學). ②학자가 자기를 겸칭(謙稱)한 말. ③장래에 도움이 될 학문이나 지식.

후:-한【後漢】명〖역〗①중국 왕조의 하나. 전한(前漢) 말엽 외척(外戚) 왕망(王莽)에게 빼앗긴 제위(帝位)를 25년에 유수(劉秀)가 도로 찾아 중흥(中興)한 때부터 220년 헌제(獻帝)가 위(魏)의 조비(曹丕)에게 선위(禪位)하기까지의 14 대 195 년 동안. 별칭:동한(東漢). *전한(前漢). [25-220] ②중국 오대(五代) 때 왕조의 하나. 후진(後晉)의 하동 절도사(河東節度使) 유지원(劉知遠)이 대량(大梁)에 도읍하여 2대 4년 만에 후주(後周)에 망하였음. [947-950]

후 한민 〔胡漢民〕명〖사람〗중국의 정치가. 광둥 성 출신. 중국 혁명 동맹회(同盟會)의 기관지 '민보(民報)'에서 활약하다가 쑨 원(孫文)의 측근이 됨. 신해 혁명 후 광둥 도독(廣東都督)이 되었으나, 제 2 혁명에서 망명, 그 후 1927 년 장 제스(蔣介石)의 난징 정부(南京政府)에 합류, 국민당 정치 회의 의원, 입법원장을 역임했으며, 장 제스의 정책에 반대하여 1931 년 감금됨. 호한민. [1886-1936]

후:한-서【後漢書】명〖책〗중국 후한(後漢) 열두 임금의 사적(史蹟)을 적은 역사책. 남조(南朝) 송(宋)나라 범엽(范曄)이 지은 것을 양(梁)나라 유소(劉昭)가 보충하여 완성하였음. 120 권. ↔한서[4](漢書).

후:항【後項】명 ①뒤에 있는 조항(條項). ②〖수〗두 개나 다수의 항(項) 중에서 뒤에 있는 항. 1)·2):↔전항(前項).

후:해【後害】명 후일의 해. 뒷날의 재해(災害).

후:행【後行】명〈속〉위요[2](圍繞).

후:행-상【後行床】명 구식 혼례 때, 신부나 신랑을 데리고 온 가족이나 후행들에게 따로 차려주는 상.

후허하오터 〔呼和浩特〕명〖지〗중국 내몽고 자치구의 주도(主都). 행정·문화의 중심지. 청조(淸朝)의 몽고 지배의 근거지였음. 도시와 농촌 간의 물자 교환을 위한 중요 시장으로, 농구(農具)·제분(製粉)·모직물·피복·착유(搾油) 등의 공업이 발달함. 남쪽 교외에 왕소군(王昭君)의 무덤이 있음. 명말(明末)에는 귀화성(歸化城), 청대(淸代)에는 쑤이위안(綏遠), 1915 년에 구이쑤이(歸綏)로 합칭(合稱)됨. 호화호특(呼和浩特). [1,000,000 명(1989)]

후:현【後賢】명 후세의 현인(賢人).

후:-형질【後形質】명 〔metaplasm〕〖생〗원형질의 생활 기능의 결과로 생긴 산물(產物) 및 저장 물질(貯藏物質). 살아 있는 물질이 아니며 그 화학적 성질(化學的性質)이나 기능은 가지 각색임. 후생질(後生質). ↔원형질(原形質).

후:화【厚和】명〖지〗'귀수(歸綏)'·'호화 호특(呼和浩特)'의 구명.

후:화산 작용【後火山作用】명〖지〗사화산(死火山)이 된 후에 그 전의 화산 활동의 영향으로 일어나는 화산 작용. 곧, 수증기의 발산(發散)이나 온천 등의 작용 또는 화산의 분화(噴火)와 분화와의 긴 휴지(休止) 기간 중의 화산 작용.

후:환【後患】명 뒷날의 걱정과 근심. ¶~이 두렵다.

후:황[1]【厚況】명 넉넉하게 받는 봉록(俸祿). 후한 녹.

후:황[2]【厚貺】명 후사(厚賜). ――-하다 타여불

후:회[1]【後悔】명 이전의 잘못을 깨치고 뉘우침. ――-하다 타여불

후:회[2]【後會】명 뒷날에 만나는 일.

후:회 막급【後悔莫及】명 잘못된 뒤에 아무리 후회하여도 어찌할 수가 없음. 서제(噬臍)막급. 추회(追悔)막급. 회지무급(悔之無及).

후후[1]【煦煦】명 아첨하여 웃는 모양. 선웃음치는 모양.

후:-후[2] 부 입을 앞으로 내밀어 조그맣게 우므리고 김을 계속하여 많이 뿜어 내는 소리. >호호[4]. ――-하다 타여불

후:후-거리다 타 계속하여 후 소리를 내다. >호호거리다[2].

후:-후년【後後年】명 내후년(來後年).

후:후-대다 타 후후거리다.

후:흉【後胸】명〖생〗곤충류의 흉부를 세 개의 구성 부분으로 나누었을 때의 세 번째 부분. 한 쌍의 뒷다리가 있으며, 유시류(有翅類)는 뒷날개가 있음. ↔전흉(前胸).

훅[1] 〔hook〕명 단추 대신에 쓰이는 갈고리 모양으로 된 쇠고리. 호크(hock).

훅[2] 〔hook〕명 ①권투에서, 팔꿈치를 꾸부리고 옆으로 치기. ②골프에서, 좌곡구(左曲球). 훅 볼(hook ball).

훅[3] 〔Hooke, Robert〕명〖사람〗영국의 물리학자·천문학자. 자신이 만든 현미경으로 세포(細胞)를 발견하였으며, 천체(天體)의 운행(運行)과 그 광학적(光學的) 현상을 연구하여 빛의 파동설(波動說)의 선구자(先驅者)가 되었고, 탄성(彈性)에 관한 '훅의 법칙'을 발견하였음. [1635-1703]

훅[4] 부 ①액체(液體)를 한숨에 들이마시는 소리. ②입을 오므리고 김을 한번 세게 내부는 소리. ③높은 데나 넓은 데를 가볍게 뛰어넘는 모양. 1)-3): >혹[3]. ――-하다 타여불

훅다 형〈방〉굵다(제주).

훅딱 부〈방〉후딱.

훅 볼: 〔hook ball〕명 골프에서, 컨트롤(control)이 되지 않고, 오른쪽에서 왼쪽으로 커브(curve)하는 공. 훅.

훅 앤드 아이 〔hook and eye〕명 훅의 한 종류. 철사를 구부려서 엇걸리게 한 두 개를 각각 의복에 달고, 이것을 맞추어 꿰어서 옷을 여미게 되었음. 훅 단추.

〈훅 앤드 아이〉

훅의 법칙【―法則】[―/―에―] 명 〔Hooke's law〕〖물〗1660 년 영국의 물리학자 훅이 발견한 탄성(彈性)에 관한 법칙. 즉 탄성 한계(彈性限界) 안에서는 탄성체의 탄성이 그에 작용(作用)하는 변형력(變形力)에 정비례(正比例)한다는 법칙.

훅쟁이 명〈방〉보습[1](경북).

훅젱이 명〈방〉극젱이.

훅지 명〈방〉극젱이.

훅-하다 [자][여불] 날쌔게 덤비다.

훅-훅 [부] ①액체(液體)를 조금씩 계속하여 마시는 소리. ②입을 오므리고 김을 계속하여 세차게 내부는 소리. 1)·2):>혹혹. ③더운 기운이 숨이 막힐 정도로 세차게 끼치는 모양. ——-하다 [타][여불]

훈:[1]【訓】[명] 한자(漢字)의 뜻의 새김. '人'을 '사람 인'이라고 하는 경우의 '사람' 같은 것. 새김. ↔음(音)❷.

훈:[2]【訓】[명] 성(姓)의 하나. 우리 나라에는 현존하지 아니함.

훈[3]【暈】[명] [←운(暈)] ①햇무리·달무리 또는 부스럼의 가에 둘리어 있는 독기(毒氣) 등과 같이 색다른 빛으로 어떤 것의 중심을 향하여 고리 모양으로 둘린 테. ②그림 또는 글씨 획(畫)에서 번지는 먹의 흔적.

훈[4]【勳】[명] ①↗훈공(勳功). ②↗훈위(勳位).

훈[5]【壎·塤】[명]〖악〗고대 중국에서 질로 구워서 만든 악기(樂器)의 한 가지. 속이 빈 공 모양, 달걀 모양, 저울추 모양 등 여러 가지가 있는데, 우리 나라에서는 저울추 모양으로, 지공(指孔)이 앞에 셋, 뒤에 둘이 있고, 불구멍은 위쪽에 있음. 고려 때 중국에서 전해져 지금도 문묘(文廟) 제례악(祭禮樂)에 쓰임. 소리가 어두움. 서양의 오카리나(ocarina)는 이를 모방한 것이라 함.

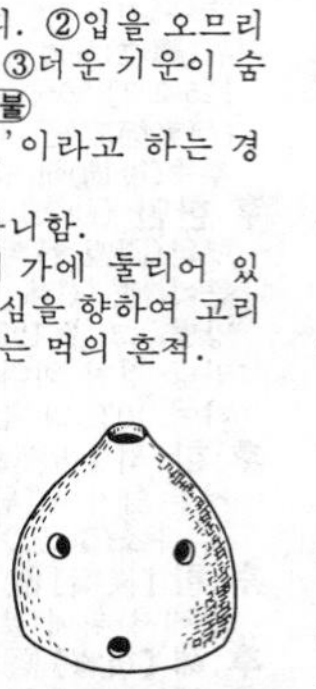

〈훈5〉

훈[6]【薰】[명]〖한의〗약물(藥物)을 태우거나 또는 고열(高熱)을 가하여 거기에서 발산(發散)되는 약 기운을 쐬어 병을 치료함. ——-하다 [자][여불]

훈[7] [라 Hun] [명] 훈족(Hun 族).

훈감-하다 [형][여불] ①맛이 진하고도 냄새가 좋다. ②푸짐하고 호화롭다.

훈:계【訓戒】[명] 타일러서 경계함. ——-하다 [타][여불]

훈:계 방:면【訓戒放免】[명] 경범자(輕犯者)를 훈계하여 놓아 주는 일. [준]훈방(訓放).

훈:고[1]【訓告·訓誥】[명] 훈계하여 타이름. ——-하다 [타][여불]

훈:고[2]【訓詁】[명] ①자구(字句)의 해석. ②경서(經書)의 고증(考證)·해명(解明)·주석(註釋) 등의 통칭.

훈:고-학【訓詁學】[명] ①훈고 주석(註釋)을 주로 하는 학문. ②중국 한대(漢代) 및 당대(唐代)에 유교 경전(經典)의 뜻을 해석한 학문. 한대에는 진시황(秦始皇)이 경전을 불사른 뒤를 이어 경서의 수집과 훈고에 힘을 기울여 당대에 대성(大成)하였음. 송(宋)·명대(明代)의 이학(理學)에 대한 일컬음.

훈공【勳功】[명] 공훈(功勳). 훈로(勳勞). [준]훈(勳).

훈관【勳官】[명]〖역〗작호(爵號)만 있고 직사(職事)는 없는 벼슬. *검교(檢校).

훈광【暈光】[명] 달무리나 햇무리 따위의 빛.

훈구【勳舊】[명] 공로가 있는 구신(舊臣).

훈구-파【勳舊派】[명]〖역〗조선 시대 세조 때에 갈리기 시작한 유림(儒林)의 네 파(派) 중의 하나. 대개 세조의 총신(寵臣)·공신(功臣) 또는 어용 학자(御用學者)들로, 벼슬이 높고 녹전(祿田)·노비(奴婢)를 많이 소유한 귀족 계급이며 그 때의 대표적인 지배 계급. 정인지(鄭麟趾)·신숙주(申叔舟)·서거정(徐居正)·강희맹(姜希孟) 등이 대표적임.

훈:국【訓局】[명]〖역〗훈련 도감(訓鍊都監).

훈:국 동영【訓局東營】[명]〖역〗동별영(東別營).

훈귀【勳貴】[명] ①공훈(功勳)이 있는 귀족(貴族). ②공훈을 세운 사람과 귀족. 훈신(勳臣)과 귀족.

훈기[1]【勳記】[명]〖법〗서훈자(敍勳者)에게 훈장(勳章)과 함께 내리는 증서(證書).

훈기[2]【薰氣】[명] ①훈훈한 기운. ②훈김❷.

훈-김【薰—】[명] ①연기나 김 등으로 말미암아 생기는 훈훈(薰薰)한 기운. *운김. ②권세 있는 사람의 그 세력의 비유. 훈기(薰氣).

훈당[1] [명]〈방〉소경(평북).

훈당[2]【勳堂】[명]〖역〗조선 시대 충훈부(忠勳府)의 당상관(堂上官).

훈덕지근:-하다 [형]〈방〉후텁지근하다.

훈데르트바서 [Hundertwasser] [명]〖사람〗오스트리아의 화가. 이탈리아의 초기 르네상스, 오리엔트 미술 등 갖가지 미술 요소를 도입, 강렬한 색채로 독특하게 장식된 추상화를 그려 인기가 높음. [1928-]

훈:도[1]【訓導】[명] ①〖역〗조선 시대 때 전의감(典醫監)·관상감(觀象監)·사역원(司譯院) 및 오백 호(戶) 이상의 큰 고을의 향교(鄕校)에 둔 종구품 벼슬. ②〖역〗제독(提督)❷. ③〖일제〗초등 학교(初等學校)의 교원.

훈도[2]【薰陶】[명] 덕(德)으로써 사람을 감화(感化)함. ——-하다 [타][여불]

훈:도-관【訓導官】[명]〖역〗조선 시대 때, 참외 문신(參外文臣)에 임명되는 향교 교관(鄕校敎官)의 일컬음.

훈:독【訓讀】[명] 한자(漢字)의 뜻을 새기어 읽음. ↔음독(音讀). ——-하다 [타][여불]

훈등【勳等】[명] 훈공(勳功)의 등급(等級).

훈:련【訓鍊·訓練】[훌—] [명] ①가르쳐서 어떤 일에 익힘. ②〖교〗일정한 목표 또는 기준에 도달케 하기 위하여 실천시키는 실제적 활동. 학습(學習) 활동의 한 부분으로 고찰됨. 정신적인 것과 기술적(技術的)인 것이 있음. ③군대·공장 등에서 행하는 실지 교육의 총칭. 또, 군사 교련 등의 활동. ¶방공(防空) ~. ——-하다 [타][여불]

훈:련-관【訓鍊觀】[훌—] [명]〖역〗조선 초기의 군사의 시재(試才), 무예(武藝)의 연습, 병서(兵書)의 강습을 맡은 관아. 태조(太祖) 원년(1392)에 베풀어서 세조(世祖) 13년(1467)에 훈련원(訓鍊院)으로 고침.

훈:련-기【訓鍊機】[훌—] [명] 비행사(飛行士)를 훈련시키는 데 쓰는 비행기.

훈:련-대【訓鍊隊】[훌—] [명]〖역〗조선 말기의 군대 편제(編制)의 한 가지. 고종(高宗) 21년(1884)에 후영(後營)을 베풀기 이전에 훈련한 군대와 고종 31년(1894)에 베풀어서 이듬해에 시위대(侍衛隊)로 고쳐 일컬은 군대.

훈:련 대장【訓鍊大將】[훌—] [명]〖역〗조선 시대 때, 훈련 도감(都監)의 종이품 주장(主將). [준]훈장(訓將).

훈:련 도감【訓鍊都監】[훌—] [명]〖역〗임진 왜란 뒤에 오위 병제(五衛兵制)가 무너지고 생긴 오군영(五軍營)의 하나. 서울의 수비를 담당함. 선조(宣祖) 27년(1594)에 베풀어서 고종(高宗) 19년(1882)에 폐함. 훈국(訓局).

훈:련도감-본【訓鍊都監本】[훌—] [명]〖역〗조선 선조(宣祖) 때의 임진 왜란 직후에 설치된 병영인 훈련 도감에서 간행한 책. 주로 목활자본(木活字本)인 점이 특징임.

훈:련도감-자【訓鍊都監字】[훌—] [명]〖역〗조선 선조 말년경에 만든 목활자(木活字). 안평 대군(安平大君)의 자체(字體)를 자본(字本)으로 하였으며 현존하는 활자는 없고, 인쇄본으로 《호성 원종 공신 녹권(扈聖原從功臣錄劵)》1책과 《영사 원종 공신 녹권(寧社原從功臣錄劵)》1책이 있음.

훈:련-병【訓鍊兵】[훌—] [명]〖군〗훈련 기관(機關)에서, 훈련을 받고 있는 병사. [준]훈병(訓兵).

훈:련-복【訓鍊服】[훌—] [명] 훈련할 때에 입는 옷.

훈:련-비【訓鍊費】[훌—] [명] 훈련에 드는 경비.

훈:련-생【訓鍊生】[훌—] [명] 훈련소에서 지도를 받고 있는 학생.

훈:련-소【訓鍊所】[훌—] [명] 훈련을 하기 위하여 마련한 장소. 또, 그 기관(機關).

훈:련-원【訓鍊院】[훌—] [명]〖역〗조선 시대에 군사의 시재(試才), 무예의 연습, 병서(兵書)의 강습을 맡은 관아. 태조(太祖) 원년(1392)에 베푼 훈련관(訓鍊觀)을 세조(世祖) 13년(1467)에 이 이름으로 고쳐서 고종(高宗) 31년(1894)까지 있었음.

훈:련원-정【訓鍊院正】[훌—] [명]〖역〗조선 시대 때 훈련원(訓鍊院)의 정삼품 벼슬. [준]훈정(訓正).

훈:련-탄【訓鍊彈】[훌—] [명] [training ammunition]〖군〗사격술·병기 조작법(兵器操作法) 등의 훈련에 사용하는 탄약.

훈:령【訓令】[훌—] [명] ①훈시하여 명령함. ②〖법〗상급 관청이 하급 관청에 대하여 지휘·감독을 목적으로 내리는 명령. ③〖군〗목적(目的)만 명령하고 수단(手段)은 명령을 받는 사람에게 일임(一任)하는 일. ——-하다 [자][여불]

훈:령-권【訓令權】[훌—꿘] [명]〖법〗한 관청이 다른 관청에 대하여 훈령을 낼 수 있는 권한.

훈:령-서【訓令書】[훌—] [명] 훈령을 기록한 서장(書狀).

훈로[1]【勳勞】[훌—] [명] 훈공(勳功).

훈로[2]【薰爐】[훌—] [명] 향로(香爐).

훈륙【薰陸】[훌—] [명] ①응고하여 돌처럼 된 쓴 맛이 있는 물질. 인도·페르시아 등지에서 산출하는 일종의 수지(樹脂). 약재(藥材) 또는 향료(香料)로 쓰임. ②황갈색(黃褐色) 또는 암갈색의 수지. 호박(琥珀)과 유사하나 성분이 다른 향료.

훈륜【暈輪】[훌—] [명] 달무리·햇무리 등의 둥근 테두리. 훈위(暈圍).

훈맹【勳盟】[명]〖역〗조선 시대 때 국가에 훈공이 있어 각종 공신(功臣)에 봉하여 있는 사람으로서 공신 회맹록(功臣會盟錄)에 서맹 서명(誓盟署名)한 사람.

훈명【勳名】[명]〖역〗훈호(勳號).

훈목【薰沐】[명] 향료를 옷에 뿌리고 머리를 씻어 몸을 깨끗이 함. ——-하다 [자][여불]

훈:몽【訓蒙】[명] 어린 아이나 초학자(初學者)에게 글을 가르침. ——-하다 [자][여불]

훈:몽 자회【訓蒙字會】[명]〖책〗조선 시대 중종(中宗) 22년(1527)에 최세진(崔世珍)이 지은 한자 학습서. 3,360 자의 한자를 사물(事物) 중심으로 갈라 한글로 음과 뜻을 달았는데, 고어 연구에 귀중한 자료가 됨. 책머리에 실린 범례(凡例)에서 언급된 한글 자모(字母)의 명칭과 순서도 국어 연구의 훌륭한 자료임. 3권 1책.

훈무【曛霧】[명] 저녁 안개.

훈문【薰門】[명] 권세 있는 집.

훈:민【訓民】[명] 백성을 가르침. ¶~ 정음(正音). ——-하다 [자][여불]

훈:민-가【訓民歌】[명] 경민가(警民歌)❷.

훈:민 정:음【訓民正音】[명] ①[백성을 가르치는 바른 소리의 뜻] 조선 시대 세종이 정인지(鄭麟趾)·성삼문(成三問)·신숙주(申叔舟) 등의 도움으로 세종 25년(1443)에 창제하여 동 28년 음력 9월 상한(上澣) 곧, 양력 10월 9일에 반포한 국문 글자의 명칭. 모두 28 자로, 그 중 'ㆁ·ㆆ·ㅿ·ㆍ'의 네 글자는 지금 쓰이지 않음. ②〖책〗세종 28년(1446), 훈민 정음 28 자를 세상에 반포할 때 찍어 낸 판각 원본(板刻原本). 세종이 훈민 정음 창제의 취지를 밝힌 서문(序文)인 예의(例義)와 정인지 등이 지은 해례(解例)로 되어 있음. 이 책으로 한글의 제자(制字) 원리와 제정 당시의 자체(字體)를 명시하였고, 창제(創製) 당시의 단자(單字)의 운용법(運用法)의 전모를 알 수 있음. 국보 제70호. [준]정음(正音). *훈민 정음 해례.

훈:민 정:음 도해【訓民正音圖解】[명]〖책〗훈민 정음 운해(韻解).

훈민 정:음 언:해【訓民正音諺解】[명]〖책〗훈민 정음 반포 후에 나온 것으로 추정되는 훈민 정음 언해본(諺解本). 저자 미상(未詳). 해례(解例)는 없음.

훈:민 정:음 운:해【訓民正音韻解】[명]〖책〗조선 시대 영조(英祖) 26년(1750)에 신경준(申景濬)이 지은, 훈민 정음에 대한 연구서. 훈민 정음의 음운(音韻) 원리를 그림을 써서 역학적(易學的)으로 풀이하여 설명하였음. 1책. 훈민 정음 도해.

훈:민 정:음 통사【訓民正音通史】[명]〖책〗1948년 방종현(方鍾鉉)이 지은 책. 훈민 정음 창제(創製) 이전과 이후를 통한 우리 국어의 시대적인 위치, 그에 따르는 부산물(副産物)인 《용비 어천가》·《동국 정

운》·《사성 통고》·《월인 석보》·《악학 궤범(樂學軌範)》 및 언해류(諺解類)를 들어 논하였고, 최세진(崔世珍)의 저작 및 《송강 가사(松江歌辭)》·《언문지》 등에 대하여서도 논술했음.

훈:민 정:음 해:례【訓民正音解例】명 〖책〗 훈민 정음 원문의 뒤에 있는 부록편(附錄篇). 정인지(鄭麟趾)·최항(崔恒)·박팽년(朴彭年)·신숙주(申叔舟)·성삼문(成三問)·강희안(姜希顏)·이개(李塏)·이선로(李善老) 등이 지음. 제자해(制字解)·초성해(初聲解)·중성해(中聲解)·종성해(終聲解)·합자해(合字解)·용자례(用字例)의 6 부 및 정인지의 서(序)로 되어 있음. ㊂정음(正音). ＊훈민 정음❷.

훈:방【訓放】명 ↗훈계 방면. ——-하다 타

훈벌【勳閥】명 훈공(勳功)이 있는 문벌(門閥).

훈:병【訓兵】명 〖군〗 ↗훈련병(訓鍊兵).

훈봉【勳封】명 〖역〗 봉작(封爵)과 증직(贈職).

훈부【勳府】명 〖역〗 ↗충훈부(忠勳府).

훈:사【訓辭】명 가르치어 경계하는 말. 훈언(訓言).

훈상【勳賞】명 훈공(勳功)에 대한 상(賞).

훈색【暈色】명 〔←운색(暈色)〕 선(線)이 분명하지 아니하고 우련한 빛깔. 광물의 내부나 표면에서 볼 수 있는 무지개 같은 빛.

훈색 유리【暈色琉璃】〔—뉴—〕 명 광선을 여러 가지로 반사하여 아름다운 광채를 내는 유리.

훈서【勳西】명 〖역〗 공서(功西).

훈:서 언:해【訓書諺解】명 〖책〗 어제 훈서 언해.

훈:석【訓釋】명 한문 글자의 뜻을 해석함. ——-하다 자여불

훈선【暈渲】명 〖지〗 ←운선(暈渲). ↔훈옹(暈滃).

훈:수¹【訓手】명 바둑이나 장기 등에서, 옆에서 똥기어 가르쳐 줌. ——-하다 자타여불

훈수²【薰修】명 〖불교〗 덕화(德化)를 받아서 수행(修行)을 쌓음. 또, 그 「수행(修行).

훈:수-꾼【訓手—】명 훈수(訓手)하는 사람.

훈:수-들다【訓手—】자타 장기나 바둑 등에서, 옆에서 수를 똥기어 가르쳐 주다.

훈스〔도 Huns〕명 〖역〗 훈족(Hun族).

훈습【薰習】명 〖불교〗 선악(善惡) 등의 행위(行爲)와 사상(思想)이 그 여세(餘勢)를 마음 속에 뿌리 박음. 불법(佛法)을 들어서 마음을 닦아감. ——-하다 타여불

훈:시【訓示】명 ①가르치어 보임. ②상관이 하관(下官)에 대하여 집무상(執務上)의 주의 사항을 일러 보임. 시훈(示訓). ——-하다 타여불

훈:시 규정【訓示規定】명 〖법〗 각종의 절차(節次)를 정하는 규정(規定) 가운데 주로 법원 또는 행정청(行政廳)에 대한 명령의 성질을 가진 것. 이에 위반할지라도 그 행위의 효력에는 영향을 미치지 아니함. ↔효력 규정(效力規定).

훈신【勳臣】명 훈공(勳功)이 있는 신하.

훈실【燻室】명 어육(魚肉)·수육(獸肉)의 훈제(燻製)를 만들기 위하여 훈증(燻蒸)하는 방.

훈약【薰藥】명 〖한의〗 불에 태우거나 고열(高熱)을 가하여 거기에서 나는 기운을 쐬는 약.

훈:언【訓言】명 훈사(訓辭).

훈업【勳業】명 공업(功業).

훈연¹【薰煙】명 좋은 냄새가 나는 연기.

훈연²【燻煙】명 ①불길이 오르지 않게 물건을 태워, 연기를 내는 일. 또, 연기로 그으르는 일. ②특히, 훈제(燻製)를 만들 때 쐬는 연기. ——-하다 타여불

훈연-법【燻煙法】〔—뻡〕 명 〖농〗 연기가 많이 나도록 태워서 상해(霜害)를 막는 방법.

훈연-실【燻煙室】명 훈실(燻室).

훈연-제【燻煙劑】명 연소시켜서 유효 성분을 연기상(狀)으로 부유(浮遊)시켜 살충(殺蟲)·살균(殺菌)하는 약제. 주로, 온실 등의 시설 재배나 창고 같은 데에서 쓰임. 모기향도 이것의 한 가지임.

훈열¹【勳烈】명 큰 공훈.

훈열²【薰熱】명 훈증(薰蒸). ——-하다 형여불

훈염【薰染】명 좋은 감화를 받음. ——-하다 자여불

훈영【暈影】명 〔←운영(暈影)〕 반사 광선(反射光線)에 의한 사진면(寫眞面)의 테두리. 헐레이션(halation).

훈옹【暈滃】명 〖지〗 ←운옹(暈滃). ↔훈선(暈渲).

훈:요 십조【訓要十條】명 〖역〗 고려 태조가 죽기 전달인 동왕 26년(943) 4월에 내전(內殿)에서 대광(大匡) 박술희(朴述希)에게 내린 정치 지침서. 신서(信書)와 훈계(訓戒) 10조로 이루어짐. 곧, 불교의 강조(強調), 풍수 지리설(風水地理說)의 숭상, 적자 적손(嫡子嫡孫)에 의한 왕위 계승, 당풍(唐風)의 흡수와 거란(契丹)에 대한 강경책, 서경(西京)의 중요시, 간언(諫言)의 경청(傾聽), 차령(車嶺) 이남 사람의 정치 참여 제한, 녹봉(祿俸)의 균등, 경사(經史)의 참조 등을 타일렀음.

훈위¹【暈圍】명 〔←운위(暈圍)〕 훈륜(暈輪).

훈위²【勳位】명 공훈(功勳)과 위계(位階). ㊂훈(勳).

훈:유¹【訓諭·訓喩】명 가르치어 타이름. ——-하다 타여불

훈유²【薰蕕】명 〔향내 나는 풀과 못된 냄새 나는 풀의 뜻〕 ①좋은 냄새와 나쁜 냄새. ②덕행(德行)과 비행(非行). ③군자(君子)와 소인(小人).

훈:육¹【訓育】명 ①가르치어 기름. ②〖교〗 의지 활동(意志活動) 기타에 의하여 여러 가지 습관, 특히 정신적 습관을 기름. ——-하다 타여불

훈육²【獯鬻·葷粥·熏育】명 〖역〗 중국 하대(夏代)에 있어서의 '북적(北狄)'의 일컬음. 진(秦)·한(漢)·전국(戰國) 시대의 흉노(匈奴)에 해당함. ＊험윤(玁狁).

훈육³【燻肉】명 훈제(燻製)한 고기.

훈육⁴【薰育】명 덕으로써 사람을 인도하여 기름. 훈도 화육(薰陶化育). ——-하다 타여불

훈:육 주임【訓育主任】명 〖교〗 전에, 학교의 훈육을 주관하던 교원. 현재는 생활 지도 주임으로 바뀜.

훈:융【訓戎】명 〖지〗 함경 북도 온성군(穩城郡)의 국경 취락(聚落). 만주의 훈춘(琿春)에 연락되는 철도 분기점인 국경 도시로, 동부 간도 및 러시아 연방 연해주(沿海州)와도 국경 무역을 행하였음. 부근 일대는 초원이 넓어 목축(牧畜)에 적당한데, 면양의 방목장이 있고, 또 유연탄(有煙炭)의 탄광도 있음.

훈:음 종편【訓音宗編】명 〖책〗 조선 시대 중기의 실학자 흡재(翕齋) 이사질(李思質)이 지은 훈민 정음에 관한 연구서.

훈의【薰衣】〔—/—이〕 명 향내를 쐰 냄새 좋은 옷.

훈:인【訓人】명 ①사람을 가르침. 백성에게 가르침. ②사장(師長). 선배 「(先輩).

훈일【曛日】명 땅거미.

훈자¹【薰煮】명 ①태우고 삶음. ②더위가 대단함의 비유. ——-하다 자 「타여불

훈자²【薰炙】명 남의 교화(敎化)를 받음. ——-하다 자타여불

훈작¹【熏灼·薰灼】명 ①그을림. 불에 태움. ②세력(勢力)이 대단함의 비유. ——-하다 자타여불

훈작²【勳爵】명 훈등(勳等)과 작위(爵位).

훈:장¹【訓長】명 글방의 스승. 학구(學究).

[훈장 똥은 개도 안 먹는다] 〔애탄 사람의 똥은 몹시 쓰다는 데서〕 선생 노릇은 몹시 힘들다는 뜻.

훈:장²【訓狀】명 교훈(敎訓)의 편지.

훈:장³【訓將】명 〖역〗 ↗훈련 대장(訓鍊大將).

훈장⁴【勳狀】명 훈공을 상찬(賞讚)하여 내리는 문서.

훈장⁵【勳章】명 ①〖법〗 나라에 대한 훈공(勳功)이나 공로(功勞)를 표창하기 위하여 내려 주는 기장(記章). 한국에는 무궁화 대훈장(無窮花大勳章)·건국(建國) 훈장·국민(國民) 훈장·무공(武功) 훈장·근정(勤政) 훈장·보국(保國) 훈장·수교(修交) 훈장·산업 훈장·새마을 훈장·문화 훈장·체육 훈장 등이 있음. ②〖역〗 조선 시대 때 나라에 훈공이 있는 사람에게 내려 주는 휘장(徽章). 광무(光武) 4년(1900)에 제정된 것으로 금척(金尺) 대훈장·서성(瑞星) 대훈장·이화(李花) 대훈장·태극장(太極章)·팔괘장(八卦章)·자응장(紫鷹章) 및 서봉장(瑞鳳章) 등 일곱 가지가 있었음. 표훈(表勳).

훈장 연금【勳章年金】〔—년—〕 명 훈장을 받은 자에 대하여 종신(終身)토록 해마다 급여(給與)하는 일정한 금전(金錢). 우리 나라에는 이 제도(制度)가 없음.

훈:장-질【訓長—】명 ①글방의 스승 노릇. 학구(學究)질. ②〈속〉 선생질. ——-하다 자여불

훈적¹【勳績】명 공적(功績). 공훈(功勳).

훈적²【勳籍】명 〖역〗 훈신(勳臣)의 업적을 기록한 문서.

훈:전¹【訓典】명 훈계가 되는 서적.

훈:전²【訓傳】명 경서(經書)를 해석한 책.

훈:전³【訓電】명 전보로 하달(下達)하는 훈령(訓令).

훈전⁴【勳田】명 〖역〗 사전(賜田).

훈:정¹【訓正】명 〖역〗 ↗훈련원정(訓鍊院正).

훈정²【薰錠】명 아라비아 고무의 용액에 분말 향료를 섞어 이긴 것. 뜨거운 금속판(金屬板) 위에 마찰하여 바르면 향내가 남.

훈:정-기【訓政期】명 〖역〗 중국 국민당이 목표로 하는 국민 혁명 완성기(完成期)의 하나. 국민당에서는 혁명 완성을 세 단계로 구분하고, 군정(軍政)은 한 성(省)의 무력 통일까지, 훈정(訓政)은 한 성의 자치 완성까지, 마지막 헌정(憲政)은 헌법을 제정하여 의회(議會) 정치의 확립까지, 이상 세 시기로 나눔.

훈제¹【燻製·薰製】명 소금에 절인 물고기나 짐승 고기 등을 수지(樹脂)가 적은 나무의 훈연(薰煙) 속에 매달아 그 연기를 흡수시킴과 동시에 건조시킨 것. 독특한 향기와 풍미(風味)를 가지는 저장용(貯藏用)의 식품임. 베이컨·햄 같은 것. ¶～ 연어(鰱魚).

훈제²【燻劑】명 피워 놓고 그 연기를 쐬는 약제(藥劑).

훈제-품【燻製品】명 훈제하여 만든 수육(獸肉)이나 어육(魚肉).

훈조【燻造】명 메주.

훈조-계【燻造契】〔—꼐〕 명 〖역〗 관아(官衙)에 메주를 공물(貢物)로 바치던 계.

훈-족【—族】〔라 Hun〕 명 〖역〗 몽고·투르크계(系)의 기마 유목(騎馬遊牧) 민족. 4세기 후기에 후한(後漢)에 쫓기어 서주(西走)하여 유럽에 침입함으로써 민족 대이동(大移動)의 원인을 만든 동양 민족. 인종적으로는 흉노족(匈奴族)과 동족(同族)이라 함. 훈(Hun). 훈스(Huns).

훈:주【葷酒】명 훈채와 술.

훈증¹【薰蒸】〔—쯩〕 명 찌는 듯이 무더움. 훈열(薰熱). ——-하다 형여불

훈증²【燻蒸】명 ①더운 연기에 쐬어서 찜. ②〔fumigating〕 〖공〗 밀폐된 곳 또는 손이 미치지 않는 장소의 곤충·선충(線蟲)·거미류·설치류(齧齒類)·잡초·곰팡이 따위를 죽이기 위해, 화학 혼합물을 가스상으로 하여 분무(噴霧)하는 일. ——-하다 타여불

훈증-법【燻蒸法】〔—뻡〕 명 〔fumigation〕 식품을 훈증 가스로 처리해서 곤충이나 기생충의 알, 기타 미생물 등을 사멸시키는 방법. 곡류나 두류(豆類)의 저장에 이용됨.

훈증-제【燻蒸劑】명 〖약〗 살충제(殺蟲劑)의 한 가지. 유독 가스(有毒 gas)를 발생시키어 병균(病菌) 및 해충을 죽이는 약제. 시안화칼륨·플루오르 등. 증산제(蒸散劑).

훈지¹ 명 〈방〉 그네(전라).

훈지²【壎篪】명 훈지 상화(壎篪相和).

훈지 상화【壎篪相和】명 〔훈(壎)과 지(篪)는 악기 이름〕 형이 훈을 불어

창(唱)하면 아우는 지를 불어 화(和)한다는 뜻으로 형제(兄弟)가 화목(和睦)함의 비유.

훈:찬-편【訓纂篇】[명]〖책〗중국 한(漢)나라 양웅(揚雄)이 지은 자서(字書). 창힐(蒼頡) 이하 14가지 책에서 뽑아 약 5,340 자를 편찬 훈석(訓釋)한 것. 1 권.

훈:채【葷菜】[명] 파·마늘처럼 특이한 냄새가 나는 소채(蔬菜).

훈척【勳戚】[명] 나라에 훈공이 있는 임금의 친척. 훈친(勳親).

훈:총 양:영【訓摠兩營】[-냥-] [명]〖역〗훈련 도감과 총융청(摠戎廳)의 두 군영(軍營).

훈춘〔琿春〕[명]〖지〗중국 지린 성(吉林省) 동남쪽의 도시. 한반도(韓半島)와 러시아의 연해주(沿海州)와 접하는 통상 요지임. 밀·콩기름 등을 수출하고 잡화류(雜貨類)를 수입함. 주민의 90%가 한족(韓族)임. 혼춘(琿春). [360,000 명(1976)]

훈춘 사:건【-事件】[중 琿春] [-껀] [명]〖역〗1920 년 일본군이 중국 지린 성(吉林省) 훈춘의 우리 나라 교포 및 독립 운동가들을 대량 학살한 사건. 1920 년 10 월 일본군이 매수한 약 400 명의 마적단(馬賊團)이 훈춘을 습격하여 중국 병사 70 명과 한국 독립군 7 명을 살해하였는데, 이때 일본인 부녀 9 명도 살해되었음. 일본은 이를 구실로 일본군 나남(羅南) 제 19 사단을 동원, 훈춘 부근을 수색하고 쓰다오거우(四道溝)에 있는 한민회(韓民會)를 비롯한 독립단의 간부와 한국 교포 등 모두 3,000 여 명을 학살하는 등 갖은 만행을 다하였음. 혼춘 사건.

훈:칙【訓飭】[명] 훈령으로 경계하여 신칙함. ——-하다 [타][여불]

훈친【勳親】[명] 훈척(勳戚).

훈침【暈鍼】[명]〖한의〗침을 잘못 놓아 일어나는 부작용. 신경이 쇠약한 사람이나 심장 질환자, 몸이 극도로 쇠약한 노인 등에 나타나는데 뇌빈혈(腦貧血) 상태를 일으켜, 어지럽고 구토가 나거나 혈압이 낮아지는 따위의 증상을 보임.

훈탕〔중 餛飩〕[명] 대추알만하게 작은 소를 넣고 썩 얇게 빚은 삶은 만두를 뜨거운 맑은 장국에 띄운 중국 음식.

훈퇴【燻腿】[명] 햄(ham).

훈패【勳牌】[명]〈속〉〖역〗훈장(勳章)❷.

훈풍【薰風】[명] 첫여름에 부는 훈훈한 바람.

훈:학【訓學】[명] 글방에서 아이들에게 글을 가르침. ——-하다 [자][여불]

훈향【薰香】[명] ①좋은 향내. 방향(芳香). ②태워서 향기를 내는 향료. 선향(線香).

훈허〔渾河〕[명]〖지〗중국 랴오닝 성(遼寧省) 동부(東部)를 흐르는 랴오허(遼河) 강의 한 지류(支流). 랴오닝 성 싱빈 현(新賓縣) 북쪽의 군마오링(滾馬嶺)에서 발원, 싱징(興京)·푸순(撫順)을 거쳐 선양(瀋陽)의 남방(南方)을 지나, 타이쯔 강(太子河)을 합쳐 랴오허 강으로 들어감. 후누후허(瑚努呼河). 혼하(渾河). [318 km]

훈혁【薰赫】[명] 볕이 쬐어 뜨겁다는 뜻으로, 위세가 대단한 모양을 이름. ——-하다 [형][여불]

훈:호¹【訓狐】[명]〖조〗올빼미. 「名).

훈호²【勳號】[명]〖역〗훈공(勳功)이 있는 사람에게 주는 칭호. 훈명(勳

훈호 처:창【焄蒿悽愴】[명] 향기가 올라가 신령(神靈)의 기(氣)가 사람을 엄습하는 일.

훈:화¹【訓化】[명] 가르쳐 감화함. ——-하다 [타][여불] 「神)~.

훈:화²【訓話】[명] 교훈(教訓)하는 말. 훈시(訓示)하는 말. ¶정신(精

훈화³【薰化】[명] 훈도(薰陶)하여 좋은 길로 인도함. ——-하다 [타][여불]

훈황【曛黃】[명] 저녁때. 황혼(黃昏).

훈:회【訓誨】[명] 교훈(教訓). ——-하다 [타][여불]

훈:회 장인【訓誨匠人】[명]〖역〗조선 시대 때, 전습(傳習) 과정의 장인(匠人)을 훈련 교육하던 장인.

훈훈【醺醺】[명] 술이 얼근하게 취함. ——-하다¹ [형][여불]. ——-히 [부]

훈훈-하다²【薰薰-】[형][여불] ①견디기 좋을 만큼 덥다. ¶훈훈한 방안. ②마음을 부드럽게 해주는 따뜻한 감정이 있다. ¶훈훈한 인정미. 훈훈-히【薰薰-】[부]

훈흑【曛黑】[명] 해가 지고 어둑어둑함. ——-하다 [형][여불]

훌그으다 [타]〈옛〉이끌어 들이다. 들이마시다. ¶그 사룸이 죽디 아녀신제 반ᄃᆞ시 목숨을 ᄃᆞ톤더라 氣脉이 往來ᄒᆞ야 물을 훌그어 탕ᄌᆞ에 드ᄂᆞ니라(其人未死 爭命 氣脉 往來 搐水入腸故)《無冤錄 Ⅲ:13》.

훌근-번쩍 [부] ☞ 홀근번쩍. ——-하다 [타][여불]

훌근번쩍-거리다 [타] ☞ 홀근번쩍거리다.

훌근번쩍-대다 [타] ☞ 홀근번쩍대다.

훌기 [명]〈방〉그네(함경).

훌기다 ㊀ [자]〈방〉훌치다. ㊁ [타]〈방〉후리다❶.

훌누면【-麪】[-루-] [명]〈심마니〉국수.

훌-닦다 [타] 남의 약점이나 허물을 들어 몹시 쳐서 나무라다. ¶지나치게 훌닦지 마시오. [준]닦다.

훌-닦이다 [피동] 훌닦음을 당하다. ¶그는 저번 날 곤도오 교장에게 훌닦인 이후부터 학교 일이라면 무조건 역정을 냈다《金廷漢 : 지옥변》. [준]닦이다.

훌떡 [부] ①남김없이 벗어진 모양. 또, 벗는 모양. 훨떡. ¶~ 벗어진 대머리/웃통을 ~ 벗다. ②남김없이 뒤집히거나 뒤집는 모양. 훨떡. ¶~ 뒤집다. ③힘차고 씩씩하게 뛰는 모양. ④남김없이 빠르게 삼키거나 먹어치우는 모양. 1)-4):>홀딱.

훌떡-거리다 [자] ①신이 헐거워서 자꾸 벗어지려 하다. ②헐거워서 가만히 붙어 있지 않고 자꾸 움직이다. >홀딱거리다. 훌떡-훌떡¹ [부]. ——-하다 [자][여불]

훌떡-대다 [자] 훌떡거리다.

훌떡-훌떡² [부] ①계속해서 옷을 벗는 모양. ②계속해서 뛰어넘는 모양. 1)·2):>홀딱홀딱².

훌:라 [감] 마작(麻雀)을 할 때에, 장원이 났다는 뜻으로 외치는 말.

훌라구〔Hulagu, Khulagu〕[명]〖사람〗일 한국(Il汗國)의 조(祖). 칭기즈 칸(Chingiz Khan)의 아들 툴루이(Tului)의 여섯째 아들. 1253년 헌종(憲宗)의 명을 받아 서쪽을 정벌하고 이집트에도 침입하려다가 헌종의 죽음으로 중지하였음. 타브리즈(Tabriz)에 국도(國都)를 정하고 일 한국을 건설하여 페르시아와 소아시아를 다스렸음. 중국명은 욱렬올(旭烈兀). [1218-65]

훌라 댄스〔hula dance〕[명] 훌라훌라 댄스(hula-hula dance).

훌라-들이다 [타] ①함부로 힘차게 자주 쑤시거나 훑다. ②자주 드나들게 하다. 1)·2):>홀라들이다.

훌라-후:프〔hula-hoop〕[명] 플라스틱제의 둥근 테를 허리 또는 목으로 빙빙 돌리는 유희. 또, 그 물건. 후프(hoop)로 훌라훌라 댄스처럼 엉덩이를 내어두르므로 이 이름이 있음.

훌라훌라 댄스〔hula-hula dance〕[명] 하와이 여자들의 무용. 궁둥이를 내어두르며 추는 춤. 훌라 댄스(hula dance).

훌렁 [부] ①미끄럽게 벗어진 모양. ¶~ 벗겨진 이마. ②미끄럽고 가볍게 뒤집힌 모양. ③구멍이 넓어서 헐겁게 들어가는 모양. ④남김없이 벗어서 온 몸이 드러난 모양. 1)-4):>홀랑.

훌렁-거리다 [자] 구멍이 넓어서 헐겁게 드나들다. >홀랑거리다. 훌렁-훌렁¹ [부]. ——-하다 [형][여불]

훌렁-대다 [자] 훌렁거리다.

훌렁이-질 [명] 계속하여 훌라들이는 짓. >홀랑이질. ——-하다 [자][여불]

훌렁이-치다 [타] 훌렁이질을 자꾸 하다. >홀랑이치다.

훌렁-하다 [형][여불] 구멍은 넓고 깊은데, 거기 들어갈 물건은 작고 짧다. >홀랑하다.

훌렁-훌렁² [부] 계속하여 훌렁 벗거나 뒤집는 모양. ¶~ 벗어 던지다. >홀랑홀랑².

훌룬노르 호【-湖】〔Hulun Nor〕[명]〖지〗후룬 호(湖).

훌륭-하다 [형][여불] ①무엇을 한 결과가 아주 좋아서 칭찬(稱讚)할 만하다. ¶그 일은 훌륭하게 끝맺었다. ②말이나 짓이 거의 완전하여 나무랄 곳이 없다. ¶훌륭한 말씀. ③마음에 흡족하도록 매우 아름답다. ¶훌륭한 몸집/훌륭한 경치. ④위대하다. 신분(身分)·계급 따위가 높다. ¶훌륭한 사람. 훌륭-히 [부]

훌매 [명]〈방〉무릿매.

훌미끈-하다 [형][여불] 훌쭉하고 매끈하다. 훤칠하고 미끈하여 번듯하다. ¶훌미끈하게 벗어진 이마.

훌부드르르-하다 [형][여불] 피륙 같은 것이 훌훌 날릴 만큼 가볍고 부드럽다. >홀보드르르하다. [준]훌부들하다.

훌부들-하다 [형][여불] ↗훌부드르르하다. >홀보들하다.

훌-부시다 [타] ①그릇 같은 것을 마구 거세게 부시다. ②찌끼를 남기지 아니하고 깨끗하게 죄다 씻어 내다. ③그릇에 담긴 음식을 남기지 아니하고 부신 듯이 죄다 먹다. ¶떡 한 접시를 순식간에 ~.

훌-뿌리다 [타] 업신여기어 함부로 냉정하게 뿌리치다.

훌썩 [부]〈방〉훨씬.

훌씬 [부]〈방〉훨씬.

훌연【欻然】[부] 갑자기. 문득. 홀연(忽然).

훌정새 [명]〈방〉보습¹(경남).

훌쩍¹ [부] ①거침새없이 가볍게 날아 오르거나 단번에 뛰는 모양. ¶담을 ~ 뛰어 넘었다. ②적은 분량의 액체를 단숨에 남김없이 들이마시는 모양이나 소리. ¶국물을 ~ 들이마시다. ③흘러내리는 콧물을 들이마시는 모양이나 소리. 1)-3):>홀짝².

훌쩍² [부] 망설이지 않고 표연(飄然)히 떠나가는 모양. ¶~ 타관(他官)길을 떠나다.

훌쩍-거리다 [타] 계속하여 훌쩍이다. ¶훌쩍거리며 울다.>홀짝거리다. 훌쩍-훌쩍 [부]. ——-하다 [타][여불]

훌쩍-대다 [타] 훌쩍거리다.

훌쩍-이다 [타] ①가볍게 거침새없이 날아 오르다. ②적은 분량의 액체를 들이마시다. ③콧물을 들이마시면서 느끼어 울다. 1)-3):>홀짝이다.

훌쭉-하다 [형][여불] ①몸피는 가늘고 길이는 길다. ②끝은 뾰족하고 길이는 길다. ③앓거나 지치어 몸이 여위어 가늘게 보이다. ¶볼이 ~. 1)-3):>홀쭉하다. 훌쭉-히 [부]

훌쭉-훌쭉 [부] 여럿이 다 훌쭉한 모양. >홀쭉홀쭉. ——-하다 [형][여불]

훌찡이 [명]〈방〉보습¹(경상).

훌청이 [명]〈방〉〖농〗극젱이(전남).

훌추기 [명]〈방〉〖농〗벼훑이.

훌치 [명] ①☞훑이. ②〈방〉〖농〗극젱이.

훌치기-낚시 [명] 여러 개의 갈고리 바늘을 달아 훌쳐서 낚는 낚시.

훌치다 ㊀ [자] 촛불이나 등잔불의 불꽃이 바람에 쏠리다. ㊁ [타] 세차게 훌라들이다. >홀치다.

훌칭이 [명]〈방〉〖농〗극젱이.

훌타리 [명]〈방〉울타리(전북·경남).

훌태 [명]〈방〉벼훑이.

훌:훌【倏忽·儵忽】[명]〔←숙홀(倏忽)〕재빨라서 붙잡을 수가 없음. 「——-하다 [형][여불]

훌:훌 [부] ①날짐승이 날개를 가볍게 자주 치며 얕게 나는 모양이나 소리. ¶~ 날아 간다. ②동안을 띄어 몸을 가볍게 움직이어 거침없이 날 듯이 뛰는 모양. ¶노루가 ~ 재를 넘어간다. ③가벼운 물건을 계속(繼續) 멀리 던지는 모양. ¶소금을 ~ 뿌리다. ④옷 같은 것을 연해 떠는 모양. ¶~ 털다. ⑤옷 같은 것을 거침새 없이 벗어 부치는 모양. ¶속옷까지 ~ 벗어 젖히다. ⑥묽은 죽이나 국 같은 것을 짧은 동안을 띄어 시원스럽게 들이마시는 모양. ⑦불이 시원스럽게 타오르는 모양. 1)-7):>홀홀¹.

훌훌-하다 형 여불 죽·미음 같은 것이 잘 퍼져서 물그스름하여 마시기에 부드러운 감촉이 있다. >홀홀하다.
훍 명 〈방〉 흙(함북·평북).
훑개 명 〈방〉 벼훑이.
훑다[1] [훌따] 타 〔근대 : 훑다〕 ①물건을 무슨 틈에 끼워서 잡아당기다. ②겉에 붙은 것을 훌라들이어 떼어 내다. ¶벼이삭을 ~. ③속에 붙은 것을 부시어 내다. 1)-3):>홅다[1].
훑다[2] 타 〈방〉 핥다.
훑어-보다 [훌터―] 타 위 아래로 빈틈없이 자세히 눈여겨 보다. ¶고문서(古文書)를 ~/요모조모 ~.
훑이 [훌치] 명 새끼 같은 것을 훌라들이어 겉의 험한 것을 훑어내는 데 쓰는 제구(諸具). 두 개의 나무오리를 합치고 한 쪽 끝을 동여매어 집게 비슷하게 만듦.
훑이-나인 [훌치―] 명 〖역〗 왕족이 사는 궁(宮)의 나인.
훑이다 [훌치―] ㊀ 자 ①부풋하고 많던 것이 다 빠져서 졸아들다. ¶설사로 몸이 ~. ②옭힘을 당하여 헝클어지다. 1)·2):>홅이다. ㊁ 피동 훑음을 당하다. ¶벼가 잘 훑이지 아니한다. >홅이다.
훔볼트 〔Humboldt〕 명 〖사람〗 ①〔Friedrich Heinrich Alexander von H.〕 독일의 지리학자·박물학자·여행가. 1799-1804년 남미·중미(中美)를, 1829년 중앙 아시아를 답사(踏査)하여 화산·지진(地震)을 관찰·연구하고, 지구 자기(地球磁氣) 관측의 국제적 기구를 창설하였음. 저서 ≪우주(宇宙)≫ 등. [1769-1859] ②〔Karl Wilhelm von H.〕 철학자·언어학자. ❶의 형. 프로이센의 문교상(文教相)으로 교육 제도를 개혁(改革)함. 베를린 대학의 창설에 이바지하고, 교육 철학·역사 철학·언어 철학 등 다방면(多方面)에 걸친 업적(業績)으로 독일 인문주의(人文主義)의 대표적 전형(典型)으로 꼽힘. 저서(著書)에 ≪비교 언어(比較言語)에 대해서≫ 등이 있음. [1767-1835]
훔볼트 해:류 【―海流】 명 〔Humboldt Current〕 〖지〗 페루 해류.
훔샐다 타 〈옛〉 입술을 오므리어 빨다. ¶皓齒丹脣으로 훔쌜며 감쌔라 ≪古時調≫.
훔이 명 〈방〉 그네(전라).
훔척-거리다 타 ①보이지 않는 데 있는 것을 찾으려고 계속 더듬어 뒤지다. ②흐르는 눈물을 이리저리 마구 씻다. 1)·2):>홈착거리다. **훔척-훔척** 부. ¶김씨 부인이 떨어지는 눈물을 훔척훔척 씻으며…≪李相協 : 눈물≫. ――-하다 타 여불
훔척-대다 타 훔척거리다.
훔쳐 내:다 타 ①물기가 묻은 것을 깨끗하게 닦아 내다. ②남의 눈을 속이어 물건을 후무리어 내다. ③보이지 않는 곳에 있는 것을 손으로 더듬어 잡아 내다.
훔쳐 때리다 타 들이덤비어 세게 때리다. 훔치다. ¶뒤통수를 ~. >홈쳐 때리다.
훔쳐 먹다 타 남의 물건을 몰래 후무리어 먹다.
훔쳐 보다 타 ①엿보다. ②남이 모르게 흘깃흘깃 보다.
훔쳐 주다 타 〈방〉 훔쳐 때리다.
훔치개-질 명 ①물기 같은 것을 훔쳐 닦는 짓. ②남의 눈을 기이고 물건을 후무리어 가지는 짓. ――-하다 타 여불
훔치다 타 ①걸레·행주 따위로 물기 같은 것을 닦아서 깨끗하게 하다. ②남의 물건을 후무리어 가지다. 할퀴다. ¶남의 지갑을 ~. ③보이지 않는 곳에 있는 것을 찾거나 잡으려고 손으로 더듬다. ④훔쳐 때리다. ⑤〖농〗 논이나 밭을 맨 뒤 얼마 있다가 손으로 풀을 뜯어 내다.
훔치적-거리다 타 보기 흉하게 느릿느릿 훔척거리다. >홈치작거리다. **훔치적-훔치적** 부. ――-하다 타 여불
훔치적-대다 타 훔치적거리다.
훔치-질 명 〖농〗 논이나 밭을 맨 뒤에 잡풀 등을 훔치는 일. ――-하다 타 여불
훔칠 부 〈방〉 흠칠.
훔켜-잡다 타 단단히 움켜잡다. ㅅ움켜잡다. >홈켜잡다.
훔켜-쥐다 타 단단히 움켜쥐다. ㅅ움켜쥐다. >홈켜쥐다.
훔-파다 타 좁고 깊게 파 들어가다. ㅅ움파다. >홈파다.
훔-패다 자 좁고 깊게 파지다. ㅅ움패다. >홈패다.
훔훔-하다 형 여불 얼굴에 만족한 빛을 띠다. >홈홈하다.
훗:-국 【後―】 명 진국을 우리어 낸 건더기로 다시 끓인 국.
훗:-그루 【後―】 명 뒤에 남겨 둔 그루.
훗:-길 【後―】 명 ☞ 뒷길[1]. ¶안씨는 ~이 있을 법한 때면 곧잘 치성을 드린다≪張德祚 : 狂風≫.
훗:-날 【後―】 명 후일(後日). 뒷날. ¶~을 기약하자.
훗:-달 【後―】 명 이 뒤에 돌아오는 달.
훗:-더침 【後―】 명 〈방〉 후더침.
훗:-덧 【後―】 명 〈방〉 후더침.
훗:배-앓이 【後―】 [―알―] 명 〖한의〗 해산(解産)한 뒤에 생기는 배앓이. 후복통(後腹痛).
훗:-보름 【後―】 명 ☞ 후보름.
훗:-사람 【後―】 명 후인(後人).
훗:-에미 【後―】 [훈―] 명 〈방〉 계모(繼母).
훗:-오마이 【後―】 [훈―] 명 〈방〉 의붓어미.
훗:-일 【後―】 [―닐] 명 뒷일.
훗조곰 명 〈옛〉 음력 스무사날께. ¶훗조곰(下弦) ≪譯語 上 3≫.
훗훗-이 부 훗훗하게. ¶뜰에 불을 피우고 ~ 쉬어 나귀에겐 더운 물을 끓여 주고…≪李孝石 : 메밀꽃 필 무렵≫. >훗훗이.
훗훗-하다 형 여불 ①약간 갑갑할 정도로 훈훈하게 덥다. ¶또 열이 나려는지 온 몸이 훗훗해 온다. ②마음을 부드럽게 녹여주는 운김이 있다.

훙거 【薨去】 명 훙서(薨逝). ――-하다 자 여불
훙년 【―年】 명 〈방〉 흉년(경상).
훙년 칭원법 【薨年稱元法】 [―뻡] 명 〖역〗 칭원법의 하나. 즉위(卽位) 첫 해를 원년(元年)으로 하고 죽은 해까지를 재위(在位) 연수로 침. ↔ 유년(踰年) 칭원법.
훙방 〔중 紅幇〕 명 중국의 비밀 결사(祕密結社). 청(淸)나라 때의 칭방(靑幇)의 분파(分派). 양쯔 강(揚子江) 일대에 세력을 펴고, 주로 노름꾼·토비(土匪)·부랑자·뱃사람들로써 이루어졌으며, 국민당(國民黨)과 밀접한 관계가 있었음. 홍방.
훙서 【薨逝】 명 왕공 귀인(王公貴人)의 죽음을 높이어 일컫는 말. 훙거(薨去). 훙어(薨御). ――-하다 자 여불
훙어 【薨御】 명 훙서(薨逝). ――-하다 자 여불
훙쩌 호 【―湖】 〔洪澤〕 명 〖지〗 중국의 장쑤(江蘇)·안후이(安徽) 양성(省)의 경계에 있는 호수. 화이허(淮河) 강의 저수호(貯水湖)임. 1952년 쑤베이(蘇北) 관개 총거(灌漑總渠)의 건설로 장쑤 성 북부의 농지 관개에 이용되며, 대부분의 물은 양쯔 강(揚子江)으로 배출됨. 홍택호(洪澤湖). [3,780 km²]
훙쯔 〔紅孜〕 명 〖지〗 티베트 남부의 도시. 라사(Lhasa) 서남 170 km 지점(地點)에 있음. 인도-티베트 통상로(通商路)의 요지(要地)이며, 모직(毛織)·양탄자가 산출됨. 라마교 홍모파(紅帽派)의 대본산(大本山)임. 홍자(紅孜).
훙커우 공원 의거 【―公園義擧】 〔중 虹口〕 명 〖역〗 1932년 4월 29일 중국 상하이(上海) 훙커우 공원에서 열린 일본 천황(天皇)의 생일인 천장절(天長節) 기념식장에서, 한인 애국단원(韓人愛國團員) 윤봉길(尹奉吉)이 폭탄을 던져, 시라카와 요시노리(白川義則) 육군 대장, 우에다 겐키치(植田謙吉) 육군 중장, 시게미쓰 마모루(重光葵) 공사(公使), 노무라 기치사부로(野村吉三郞) 해군 중장 등 다수의 일본 요인(要人)을 살상(殺傷)한 사건. 거사에 성공한 윤봉길은 당초의 계획대로 신분을 밝히지 않고 도시락 폭탄으로 자결하려 하였으나 시간적 여유를 얻지 못하고 체포되어 일본 오사카(大阪)로 이송, 위수 형무소(衛戍刑務所)에서 순국함. 홍구 공원 의거(虹口公園義擧).
훙허 〔紅河〕 명 〖지〗 홍 강(Hong 江)의 중국 이름. 홍하(紅河).
훙허우위 〔紅頭嶼〕 명 〖지〗 타이완(臺灣)의 남쪽 끝, 동해, 훠사오 섬(火燒島) 남쪽에 있는 섬. 산지가 많고 해안 평지에 야미족(Yami族)이 살며, 토란 재배 등 농업과 어업이 행하여짐. 동남 5.5 km 지점의 샤오훙허우위는 무인도임. 홍두서. 란위(蘭嶼). [46 km² : 2,000명(1976)]
훠 명 〈옛〉 수혜자(水鞋子). 목화(木靴). ¶훠를 신을뻔대(穿靴時) ≪老乞 下 47≫.
훠때기 명 〈방〉 호드기.
훠사오 섬 〔火燒〕 명 〖지〗 타이완(臺灣) 동부, 타이둥(臺東)의 동남 해상 약 33 km에 있는 작은 화산도. 주민은 푸젠 성(福建省) 취안저우(泉州)에서의 이주자(移住者)가 많음. 주로 가다랑어 잡이 등의 어업에 종사하며 평지에서는 땅콩·고구마·바나나 등의 재배가 활발함. 정치범을 수용하는 감옥이 있음. 화소도(火燒島). [27 km²]
훠이: 감 〈방〉 쉬.
훠쳥 명 〈옛〉 버선. ¶훠쳥(韈子) ≪四解 上 81 韈字註≫.
훡지다 형 〈방〉 흐벅지다(충청).
훤뇨 【喧鬧】 명 여러 사람이 뒤떠듦. ――-하다 자 여불
훤당 【萱堂】 명 남의 어머니의 경칭. 자당(慈堂).
훤소 【喧騷】 명 뒤떠들어서 소란함. ――-하다 형 여불
훤요 【喧擾】 명 시끄럽게 떠듦. 떠들어댐. ――-하다 자 여불
훤일 【暄日】 명 따뜻한 날씨.
훤자 【喧藉】 명 뭇사람의 입으로 퍼져서 왁자하게 됨. 훤전(喧傳). ――-하다 자 여불
훤쟁 【喧爭】 명 떠들어대면서 다툼. ――-하다 자 여불
훤전 【喧傳】 명 훤자(喧藉). ――-하다 자 여불
훤조 【喧噪】 명 훤화(喧譁). ――-하다 자 여불
훤채 【萱菜】 명 원추리나물.
훤천 【暄天】 명 따뜻한 천기(天氣).
훤초 【萱草】 명 〖식〗 원추리.
훤츨히 부 〈옛〉 환하게. 넓고 시원스럽게. ¶훤츨히 實로 十二部 經엣 眼目이며(蕩蕩然實十二部經之眼目) ≪圓覺 序 10≫.
훤츨ᄒᆞ다 형 〈옛〉 환하다. 넓고 시원하다. ¶天地四方이 훤츨도 ᄒᆞ져이고 ≪永言≫.
훤칠-하다 형 여불 〔중세 : 훤츨ᄒᆞ다〕 ①길고 미끈하다. ¶훤칠한 키. ②막힘없이 깨끗하고도 시원스럽다. **훤칠-히** 부
훤풍 【暄風】 명 따뜻한 바람. 따뜻하게 부는 바람.
훤:-하다 형 여불 ①광선이 비치어 약간 흐릿하게 밝다. ¶동이 훤하게 밝아 온다. ②앞이 탁 티어 넓고 멀다. ¶훤한 벌판. ③무슨 일의 조리나 속내가 뚜렷하다. ¶경기 규칙에 ~. ④얼굴이 맑게 잘 생기어 보기에 시원스럽다. ¶훤하게 생긴 얼굴. >환하다. **훤:-히** 부
훤혁 【烜赫】 명 환히 빛나는 모양. 전(轉)하여, 위세(威勢)가 대단한 모양. ――-하다 형 여불. ――-히 부
훤호 【喧呼】 명 떠들어서 부름. ――-하다 타 여불
훤화 【喧譁】 명 지껄이어서 떠듦. 훤조(喧噪). ――-하다 자 여불
　훤화 금:(喧譁禁) 구 대취타(大吹打)를 아뢸 때, 연주를 그치라고 집사(執事)가 외치던 구령(口令).
훤화지-성 【喧譁之聲】 명 지껄이며 떠드는 소리.
훤훠니 부 〈옛〉 시원히. ¶과ᄀᆞᆯ이 져근므를 훤훠니 보디 몯ᄒᆞ야 알ᄑᆞ거든(卒小便淋澁痛) ≪救簡 Ⅲ:102≫.
훤히 부 〈옛〉 크게. 넓게. 활달하게. 시원하게. ¶훤히 허믈 업스리라(廓

無瑕玷矣) ≪楞嚴 Ⅳ:53≫.
훤ᄒ다 형 〈옛〉 크다. 넓다. 활달하다. ¶耶輸ㅣ 이 말 드르시고 ᄆ숨미 훤ᄒ샤 ≪釋譜 Ⅵ:9≫.
훨떡 부 ①죄다 시원스럽게 벗는 모양. 또, 죄다 시원스럽게 벗어진 모양. ¶~ 벗어젖히다. ②물이 갑자기 한꺼번에 끓어 넘는 모양. 1)·2): >활딱. ③훌떡❶❷.
훨레-훨레 부 〈방〉 너울너울. ――-하다 타
훨쌕 부 정도 이상으로 넓게 벌어지거나 열린 모양. >활싹.
훨씬 부 ①정도 이상으로 매우 많거나 적게. ¶~ 못하다/그보다 ~ 위다. ②'훨썩'보다 약간 그 정도가 작은 모양. >활씬.
훨쩍 부 ①문 따위가 한껏 시원스럽게 열린 모양. ②넓고 시원스럽게 멀리 트인 모양. 1)·2): >활짝.
훨찐 부 ①들 따위가 아주 시원스럽게 벌어진 모양. >활찐. ②훨쩍.
훨:훨 부 ①날짐승이 높이 떠서 느릿느릿 날개치며 시원스럽게 나는 모양. ②부채로 느릿느릿 시원스럽게 부치는 모양. ③옷을 시원스럽게 벗어부치는 모양. ¶옷통을 ~ 벗어제치다. ④불길이 세고 시원스럽게 타오르는 모양. 1)-4): >활활.
훰: 명 〈방〉 헤엄(경북).
훳돈 명 〈옛〉 가죽신. 목화(木靴). ¶훳돈(靴鞹)≪四聲 下 23 鞹字註≫.
훳운 명 〈옛〉 수혜자(水鞋子)나 목화(木靴) 따위의 목. ¶훳운 亦曰 鞹俗呼靴物 ≪字會 中 23 鞹字註≫.
훼 명 〈방〉회[6](膾)(충남).
훼:가 출동【毁家黜洞】[ㅡ똥] 명 〖역〗 훼가 출송(毁家黜送). ――-하다 타여불
훼:가 출송【毁家黜送】[ㅡ쏭] 명 〖역〗 한 고을이나 한 동네에서 풍속을 어지럽힌 사람의 집을 헐어 없애고 동네 밖으로 내쫓음. 훼가 출동(毁家黜洞). ――-하다 타여불
훼:괴【毁壞】명 훼파(毁破). ――-하다 타여불
훼:기【毁棄】명 헐거나 깨뜨리어 버림. ――-하다 타여불
훼:기-죄【毁棄罪】[ㅡ쬐] 명 〖법〗 손괴죄(損壞罪).
훼:단【毁短】명 남의 결점을 들어서 헐뜯어 말함. ――-하다 자여불
훼룡-문【虺龍文】명 수형 측면(獸形側面)의 무늬. 중국의 은(殷)·주(周) 시대의 청동기(靑銅器)에서 볼 수 있음.
훼:멸【毁滅】명 상중(喪中)에 너무 슬퍼하여 몸이 야위고 기운이 없어짐. ――-하다 자여불
훼:모【毁慕】명 몸이 상하도록 죽은 어버이를 사모(思慕)함. ――-하다 타여불
훼:방【毁謗】명 ①남을 헐뜯어 비방함. 자방(訾謗). 자훼(訾毁). ②남의 일을 방해함. ――-하다 타여불
훼:방(을) 놀:다 구 〈방〉 훼방 놓다.
훼:방(을) 놓다 구 헐뜯어 남의 일을 방해하다.
훼:방(을) 치다 구 ☞ 훼방 놓다.
훼:방-꾼【毁謗ㅡ】명 훼방을 놓는 사람.
훼:방-질【毁謗ㅡ】명 남을 헐뜯어 일을 방해하는 짓. ¶~ 놓다.
훼복【卉服】명 풀로 만든 옷. 곧 오랑캐의 옷. 훼의(卉衣).
훼:비【毁誹】명 헐뜯음. 비방함. 또, 그 비방. ――-하다 타여불
훼:사【毁事】명 남의 일을 훼방함. →훼살. ――-하다 타여불
훼:살 명 ←훼사(毁事). ――-하다 타여불
훼:상【毁傷】명 몸에 상처를 냄. ――-하다 타여불
훼:손【毁損】명 ①체면이나 명예를 손상함. ¶명예 ~. ②헐거나 깨뜨리어 못쓰게 함. 괴손(壞損). ¶비품 ~. ――-하다 자타여불
훼:쇄【毁碎】명 깨뜨리어 부숨. ――-하다 타여불
훼:언【毁言】명 남을 비방하는 말. ――-하다 자여불
훼:염 명 〈방〉 헤엄(경남).
훼:예【毁譽】명 훼언(毁言)함과 칭찬(稱讚)함. ¶~에 초연(超然)하다. ――-하다 타여불
훼:예 포폄【毁譽褒貶】명 욕함과 칭찬함. 헐뜯음과 칭송함. ¶~이 상반(相半)한 인물.
훼:와 획만【毁瓦畫墁】명 기와를 헐고 흙손질한 벽에 금을 그음. 곧, 남의 집에 해를 끼침을 이르는 말. 준훼획(毁畫). ――-하다 자여불
훼:욕【毁辱】명 헐뜯어 욕함. ――-하다 타여불
훼의【卉衣】[ㅡ/ㅡ이] 명 훼복(卉服).
훼:자【毁訾】명 꾸짖는 말로 남을 헐뜯음. 저자(詆訾). ――-하다 타여불
훼장 삼척【喙長三尺】명 [주둥이가 석 자나 길어도 변명할 수 없다는 뜻] 허물이 드러나서 숨기어 감출 수가 없음을 이르는 말.
훼:절[1]【毁折】명 다닥치어 꺾임. ――-하다 자여불
훼:절[2]【毁節】명 절개(節槪)를 깨뜨림. ――-하다 자여불
훼:죽-거리다 자 〈방〉 헤죽거리다. 훼:죽-훼:죽 부
훼:죽-대다 자 〈방〉 헤죽거리다.
훼:참【毁讒】명 헐뜯음. 참소(讒訴)함. ――-하다 타여불
훼:척【毁瘠】명 너무 슬퍼하여 몸이 쇠하고 마름. 너무 슬퍼하여 몸이 수척하여짐. ――-하다 자여불
훼:척 골립【毁瘠骨立】명 바짝 말라서 뼈가 앙상하게 드러남. 준척골(瘠骨). ――하다 자여불
훼:철【毁撤】명 헐어 내어 걷어 버림. ――-하다 타여불
훼:치【毁齒】명 어린애가 배냇니를 갊. ――-하다 자여불
훼:파【毁破】명 헐어 깨뜨림. 훼괴(毁壞). ――-하다 타여불
훼:패【毁敗】명 ①헒. 부숨. 깨뜨림. ②남의 실패를 헐어 말함. ――-하다 타여불
훼:획【毁畫】명 ↗훼와 획만(毁瓦畫墁). ――-하다 자여불
휑뎅그렁-하다 형여불 ①넓은 곳이 텅 비어 허전하다. ¶휑뎅그렁한 방. ②넓은 곳에 물건이 얼마 없어 어울리지 아니하고 빈 것 같다. 준휑하다. 1)·2): >행댕그렁하다.
휑-하다 형여불 ①막힘이 없이 잘 통해 알다. ②구멍 따위가 밝고 잘 뚫리어 있다. ③↗휑뎅그렁하다. 1)-3): >행하다.
휘[1] 명 곡식을 되는 그릇의 하나. 스무 말 또는 열닷 말이 듦. 곡(斛).
휘[2] 명 〖미술〗 보·도리·평방(平枋) 등에 그리는 단청(丹靑)에 있어서, 비늘 모양·그물 모양 또는 수문상(水紋狀)으로 그리는 부분.
휘[3] 명 〈방〉 회(蛔)(경북).
휘[4] 명 〈방〉 회[6](膾)(경상).
휘[5]【麾】명 ①〖악〗 옛날에 아악(雅樂)을 연주할 때, 그 시작과 그침을 지휘하던 기(旗). 누른 바탕에 용을 그리어 이것을 들면 아악이 시작되고 누이면 아악이 그침. ②〖군〗 옛날 장병을 지휘할 때 쓰던 군기(軍旗)의 통칭. 대장기(大將旗)·교룡기(蛟龍旗) 등이 있음.
〈휘[5]❶〉
휘[6]【諱】명 돌아간 높은 어른의 이름. *휘자(諱字).
휘[7]【徽】명 〖악〗 거문고의 현(絃)을 고르는 자리를 표시하기 위하여 거문고의 전면에 원형(圓形)으로 박은 크고 작은 열 세 개의 자개 조각. 특히, 금으로 박은 것을 '금휘(金徽)'라 함.
휘:[8] 부 ①센 바람이 가늘고 긴 물건에 부딪치어 나는 소리. ②숨을 한꺼번에 세게 내쉬는 소리. 한숨을 쉬는 소리. 1)·2): >회[8].
휘- 두 물건에 두르거나, 감거나 또는 물건이 도는 뜻을 나타내는 말. ¶~두르다/~젓다/~날리다.
휘각【揮却】명 물리치어 돌아보지 아니함. ――-하다 타여불
휘갈【揮喝】명 큰 소리로 외쳐 지휘함. ――-하다 타여불
휘-갈기다 타 휘둘러 갈기다.
휘-감기다 자 ①휘둘러 친친 감기다. ¶칡덩굴에 휘감긴 나무. ②정신(精神)이 휘둘리다.
휘-감다 [ㅡ따] 타 휘둘러 감다. 친친 둘러 감다. ¶목도리를 ~/붕대를 ~.
휘갑-쇠 명 물건의 가나 끝 부분을 보강하기 위하여 휘갑쳐 싼 쇠. ¶韄: 굴통끝 휘갑쇠 관≪新字典≫.
휘갑-치기 명 마름질한 옷감의 푸서가 풀리지 않도록 꿰매는 일. 실을 시접에 감아서 한 바늘씩 또는 두세 바늘을 섞어 가며 떠감.
휘갑-치다 타 ①피륙이나 멍석·돗자리 등의 가장자리가 풀리지 아니하도록 얽어서 둘러 감아 꿰매다. ②뒷일이 없도록 잘 마감하다. 휘갑하다. ③다시는 말 못하도록 말막음하다. ④어려운 일을 임시 변통으로 꾸며 피하다.
휘갑-하다 타여불 너더분한 일을 잘 마무르다. 휘갑치다.
휘건【揮巾】명 새색시가 식사할 때나 세수할 때에 앞에 두르는 행주 치마. 흔히 분홍 모시로 지음.
휘검【揮劍】명 칼을 휘두름. ――-하다 자여불
휘겡이 명 〈방〉 회자수(劊子手).
휘광【輝光】명 빛남. 또, 찬란한 빛. ――-하다 자여불
휘그〔Whig〕명 〖역〗 ①휘그당(黨)의 당원(黨員). ②영국 자유당의 당원.
휘그-당【ㅡ黨】〔Whig〕명 〖역〗 영국에서, 17세기 말에서 18세기 초에 걸쳐 왕권(王權)과 국교(國敎)에 대립하여 의회 지상주의(議會至上主義)를 제창한 민권주의(民權主義) 정당. 비국교도(非國敎徒)의 지지를 얻어 왕권의 제한, 비국교도 제한의 완화 등을 주장하였음. 1830년경에 자유당(自由黨)이 되었음. *토리당(Tory黨).
휘금【徽琴】명 〖악〗 표면에 열 세 개의 휘(徽)가 박혀 있다는 뜻으로 일컫는 금(琴)의 딴이름.
휘기[1]【彙記】명 부류를 나누어서 기술함. ――-하다 타여불
휘기[2]【麾旗】명 지휘기(指揮旗).
휘기[3]【諱忌】명 숨기어 드러내기를 꺼림. ――-하다 타여불
휘-날리다 ㅡ 자 깃발이나 피륙 등이 바람에 펄펄 거세게 날리다. ㅡ 타 ①거세게 펄펄 나부끼게 하다. ¶깃발을 ~. ②거세게 펄펄 흩어져 날게 하다. ③명성·이름 등을 크게 떨치다.
휘-늘어지다 자 풀기가 없이 축 휘어져 늘어지다. ¶휘늘어진 버들 가지.
휘다 ㅡ 자 꼿꼿하던 것이 구부러지다. ¶나뭇가지가 ~. ㅡ 타 ①휘어지게 하다. ¶철사를 ~. ②남의 의기를 꺾어 제게 굽히게 하다.
휘-달기다 자 〈방〉 시달리다.
휘-달리다 자 ①급한 걸음으로 빨리 달아나다. ②〈방〉 시달리다.
휘담【諱談】명 꺼리어 세상에 드러내 놓고 하기 어려운 말.
휘답-하다 타 〈방〉 휘갑하다(충청).
휘-덮다 타 휘몰아 덮다.
휘-덮이다 자 휘덮음을 당하다.
휘도【輝度】명 〔brightness〕 ①〖물〗 발광체(發光體)의 표면의 밝기를 나타내는 말. 표면상의 어느 점의 어느 방향에 대한 휘도는 그 방향에 수직한 면에 투영(投影)한 단위 면적의 광도(光度)로서 표시됨. 국제 단위계에서는 칸델라 제곱 미터(cd/m^2)를 사용하나 람베르트(Lambert)도 사용함. ②텔레비전 등에서, 브라운관(管) 상의 광점(光點)의 밝기.
휘도 신:호【輝度信號】명 〖전〗 화상(畫像)의 휘도만을 제어하는 컬러 텔레비전의 신호.
휘-돌다 자타 ①어떤 한 점(點)·물건 등을 중심으로 돌다. ②굽이를 따라 휘어서 돌다. ③어떤 기운이나 공기가 방안에 감돌다. ④여러 곳을 순서대로 한 차례 돌다. ¶전람회장을 한바퀴 휘돌아 보았다.
휘-돌리다 타 휘돌게 하다.
휘동【麾動】명 ①지휘하여 움직임. ② 지휘하여 선동(煽動)함. ――-하다 타여불
휘-동광【輝銅鑛】명 〖광〗 금속 광택을 갖는 흑회색(黑灰色)의 광석. 성분 Cu_2S. 구리 성분 80%를 함유하는 구리의 중요 광석임. 사방정계(斜方晶系)이나 육방 정계(六方晶系)에 가까운 형태임. 경도(硬度) 2.5-3,

비중(比重) 5.5-5.8. 금속 광택이 나며, 단면(斷面)은 패각상(貝殼狀)으로 빛깔은 불투명함.

휘-두드리다 타 ☞ 휘두들기다.

휘-두들기다 타 매채 등을 휘둘러서 함부로 마구 두들기다.

휘-두르다 타르불 ①무엇을 잡고 둥글게 휘휘 돌리다. ¶채찍을 ~. ②남이 정신을 돌릴 수 없도록 얼을 빼어 놓다. ③남의 의사를 무시하고 제 뜻대로만 하다. ¶권력을 ~.

휘둘구다 타 〈방〉 휘두르다.

휘둘러 보다 타 휘휘 둘러 보다. ¶사방을 ~.

휘-둘리다 피동 휘두름을 당하다. ¶마누라한테 휘둘려 지낸다.

휘둥그러-지다 자 갑자기 휘둘리어 둥그러지다. >회동그라지다.

휘-둥그렇다 [—러타] 형ㅎ불 매우 놀라거나 두려워서 눈이 둥그렇다. >회동그랗다.

휘둥그레-지다 자 눈이 휘둥그렇게 되다.

휘둥그스름-하다 형여불 휘어서 둥근 듯하다. >회동그스름하다.

휘딱 부 〈방〉 후딱.

휘뚜루 부 무엇에든지 어디든지 맞게 쓰일 만하게. ¶아무데고 ~ 쓸 수 있는 물건.

휘뚜루-마뚜루 부 이것저것 가리지 않고 닥치는 대로 아무렇게나 해 치우는 모양. ¶당수나 배워 가지고 의기 남아로 ~ 살려던 놈이었습죠 ≪孫素熙 : 원색의 계절≫.

휘뚝-거리다 자 ①넘어질 듯 넘어질 듯하며 자꾸 흔들리다. ②일이 위태위태하여 마음을 놓을 수 없는 고비에 서게 되다. 1)·2):>회뚝거리다. 휘뚝-휘뚝 부. ——-하다 자여불

휘뚝-대다 자 휘뚝거리다.

휘뚝-이다 자 넘어질 듯 넘어질 듯하며 흔들리다. >회뚝이다.

휘뚤-휘뚤 부 길 같은 것이 이리저리 구불구불한 모양. ¶~한 산길. >회똘회똘. ——-하다 형여불

휘뚱 부 ↗휘우뚱. ¶몸이 ~하고 휘다.

휘록 각섬암 【輝綠角閃岩】 명 휘록암의 동력 변성 작용(動力變成作用)에 의해 생긴 각섬암.

휘록-암 【輝綠岩】 명 〖광〗 화성암(火成岩)의 하나. 사장석(斜長石)·휘석(輝石)으로 이루어지며, 입상(粒狀) 또는 조립상(粗粒狀)이고, 바탕이 치밀(緻密)함. 빛깔은 흑색임. 특히, 이것이 변질하여 암녹색(暗綠色) 또는 회록색(灰綠色)으로 된 것을 일컬을 때가 많음. *조립 현무암(粗粒玄武岩).

휘록 응회암 【輝綠凝灰岩】 명 〖광〗 현무암(玄武岩)이나 휘록암 또는 이에 수반하는 염기성(鹽基性)의 응회암이 변질하여 된 암석. 암녹색 또는 자색(紫色)임.

휘루 【揮淚】 명 눈물을 뿌림. ——-하다 자여불

휘류 【彙類】 명 같은 종류나 같은 속성(屬性)을 따라 모은 종류.

휘-릉 【徽陵】 명 〖지〗 동구릉(東九陵)의 하나. 인조 계비(仁祖繼妃) 장렬 왕후(莊烈王后)의 능. 건원릉(健元陵)의 서쪽 언덕에 있음.

휘리 【揮罹】 명 후릿그물을 둘러쳐서 물고기를 잡는 일. ——-하다 타여불

휘-말다 타 ①마구 휘어 감아 말다. ②옷 같은 것을 적시어 더럽히다.

휘멘 〔그 Hymen〕 명 〖신〗 히멘.

휘모리[1] 명 〖악〗 노래 곡조의 한 가지. 보통, 초(初)·중(中)·종(終)의 삼장(三章)을 갖추고 처음부터 급하게 휘몰아 부르는 특징을 가짐.

휘모리[2] 명 〈방〉 수복이.

휘모리 잡가 【—雜歌】 명 〖악〗 경기 좌창(京畿坐唱)에 속하는 잡가의 하나. 그 장단이 촉급(促急)하여 휘몰아치는 듯함. 곰보 타령·병정 타령·맹꽁이 타령 등이 있음.

휘모리 장단 【—長短】 명 〖악〗 자진모리 장단을 더욱 빨리 연주함으로써 생성되는 장단. 판소리·산조·농악·무가(巫歌) 등 민속 음악에 쓰이는데 3분박 4박자, 2분박 4박자로 구분됨.

휘-몰다 타 ①절차나 격식에 좇지 아니하고 결과만 서둘러 급히 하다. ②마구 휘어 잡아 몰다. 「이 ~.

휘-몰아치다 자 비바람 등이 휘몰아 한 곳으로 불어치다. ¶삭풍(朔風)

휘-몰이 명 휘모는 일. 또, 휘모는 것.

휘몰이-판 명 휘모는 판국(版局).

휘묵 【徽纆】 명 〔휘(徽)는 세 가닥으로, 묵(纆)은 두 가닥으로 꼰 것〕 세 가닥으로 꼰 노와 두 가닥으로 꼰 노. 포승(捕繩)으로 쓰임.

휘문 의:숙 【徽文義塾】 명 1906년에 민영휘(閔泳徽)가 서울에 세운 사립 중등 학교. 지금의 휘문 중·고등 학교의 전신(前身).

휘-묻이 [—무지] 명 〖농〗 나무의 가지를 휘어서 그 한 끝을 땅 속에 묻어서 뿌리가 내린 뒤에 그 가지를 잘라 한 개체(個體)를 만드는, 식물의 인공 번식법의 한 가지. 뽕나무·석류나무 등의 번식에서 행함. 취목(取木). 압조(壓條). ——-하다 타여불

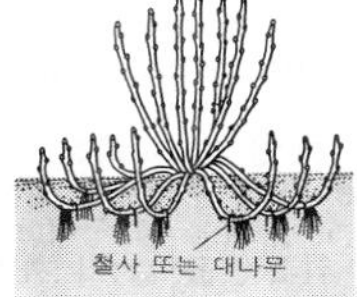

〈휘묻이〉

휘미-지다 형 〈방〉 후미지다.

휘발 【揮發】 명 상온(常溫)에서 액체가 기체로 되어 비산(飛散)하는 작용. ¶~성 물질. ——-하다 자여불

휘발-성 【揮發性】 [—썽] 명 휘발(揮發)하는 성질.

휘발성 바니시 【揮發性—】 [—썽—] 명 〔spirit varnish〕 〖화〗 합성 바니시의 일종. 수지(樹脂)·아스팔트·셀룰로오스를 휘발성 용제로 용해시킨 것임.

휘발 성분 【揮發成分】 명 〔volatile component〕 〖지〗 증기압(蒸氣壓)이 높기 때문에 기상(氣相) 속에 응집(凝集)하는 마그마(magma)의 성분.

휘발성 수소화물 【揮發性水素化物】 [—썽—] 명 〔volatile hydride〕 〖화〗 기체 수소화물.

휘발성-유 【揮發性油】 [—썽뉴] 명 유화(油畫)의 물감을 녹이는 기름으로 테레빈유·페트롤 따위.

휘발-유 【揮發油】 [—류] 명 〖화〗 ①가솔린(gasoline). ②식물체(植物體)에서 채취한 휘발성 기름의 통칭.

휘발유 기관 【揮發油機關】 [—류—] 명 〖물〗 가솔린 기관(gasoline機關).

휘발 찰제 【揮發擦劑】 [—쩨] 명 〖약〗 피부에 문질러 바르는 휘발성의 약제. 암모니아수와 참기름을 섞어 만든 백색의 짙은 액체로 자극약(刺戟藥)으로 쓰임.

휘번덕-거리다 타 〈방〉 희번덕거리다.

휘번덕-대다 타 희번덕대다.

휘병[1] 【麾兵】 명 휘하(麾下)의 병정.

휘병[2] 【諱病】 명 휘질(諱疾). ——-하다 자여불

휘보 【彙報】 명 ①여러 가지를 종류에 따라 모은 보고(報告). 또, 그 기록. ②잡지(雜誌).

휘비 【諱祕】 명 ↗휘지비지(諱之祕之). ——-하다 타여불

휘-비석 【輝沸石】 명 〖광〗 비석 곧, 제올라이트(zeolite)의 하나. 단사 정계(單斜晶系)에 속하는 판상(板狀) 결정. 백색·홍색·회색·갈색 등이 있으며 벽개면(劈開面)에 진주 광택이 있음. 금속 광맥이나 화강암 등에서 맥상(脈狀)을 이루고 있음. 휼런다이트(heulandite). [$Ca(Al_2Si_7O_{18})\cdot 6H_2O$] *어안석(魚眼石).

휘-뿌리다 타 ☞ 훌뿌리다. ¶하루 종일 진눈깨비가 휘뿌렸다.

휘-살피다 타 휘휘 둘러 살피다.

휘석 【輝石】 명 〔pyroxene〕 〖광〗 조암 광물(造岩鑛物)의 한 가지. 철(鐵)·칼슘·마그네슘 등의 규산 염류(珪酸塩類)로 된 사방 정계(斜方晶系) 또는 단사 정계(單斜晶系)의 광물. 빛깔은 흑색·암녹색(暗綠色) 또는 암갈색이며 팔각주(八角柱)임. 유리빛 또는 진주빛을 발하며 화성암(火成岩) 중에서 산출됨.

휘석 안산암 【輝石安山岩】 명 〖광〗 휘석·사장석(斜長石)을 주성분으로 하는 안산암. 담녹색과 암녹색의 중간 빛깔임.

휘선 【輝線】 명 〖물〗 선 스펙트럼(線spectrum)의 빛나는 선. 스펙트럼을 생기게 하는 가느다란 틈과 항상 평행(平行)하게 나타나며, 물질에 따라 각각 일정한 파장(波長)을 가짐. 원소 감정(元素鑑定)에 쓰임. *선(線) 스펙트럼(spectrum). 「럼.

휘선 스펙트럼 【輝線—】 명 〔bright-line spectrum〕 〖물〗 선(線) 스펙트

휘쇄 【揮灑】 명 물에 흔들어서 깨끗이 빪. 휘호(揮毫). ——-하다 타여불

휘수 【揮手】 명 ①손짓을 하여 거절하는 뜻을 보임. ②손짓을 하여 어떤 낌새를 채게 함. ——-하다 자여불

휘-수연광 【輝水鉛鑛】 명 〖광〗 육방 정계(六方晶系)의 육각 판상(六角板狀)·엽편상(葉片狀) 또는 인편상(鱗片狀)의 광석. 연회색(鉛灰色)이며 무르고 금속 광택이 있음. 종이에 문지르면 청회색(靑灰色)의 흔적(痕跡)이 남음. 몰리브덴의 원광(原鑛)임.

휘수연 정광 【輝水鉛精鑛】 명 〖화〗 몰리브덴(Molybdän).

휘슈 〔Hüsch, Gerhard〕 명 〖사람〗 독일의 바리톤 가수. 하노버 음악원(Hanover音樂院)에서 수학(修學)하고, 22세 때 베를린에서 데뷔함. 모차르트(Mozart)와 슈베르트(Schubert)의 독일 가곡(歌曲)에 능하며, 아울러 훌륭한 연기(演技)로 명성을 얻음. [1901-84]

휘스커 〔Whisker〕 명 위스커.

휘스트 〔whist〕 명 카드 놀이의 한 가지. 보통 둘씩 편을 짜고 넷이 함.

휘슬 〔whistle〕 명 ①휘파람. 구적(口笛). ②호각(號角). 호적(號笛). 경적(警笛). ¶~을 불다. ③운동 경기 용어(競技用語). 레퍼리(referee)가 부는 호각. ¶경기 종료(終了)의 ~.

휘슬러 〔Whistler, James McNeill〕 명 〖사람〗 미국의 화가. 인상파(印象派)의 선구(先驅)로 시정(詩情) 있는 담채(淡彩)의 풍경화·초상화를 주로 그렸음. [1834-1903]

휘신 【輝燼】 명 〖물〗 미리 자외선(紫外線) 등으로 자극하여 축광(蓄光)시킨 인광체(燐光體)에 가시 광선(可視光線)이나 적외선(赤外線)을 비추면 일시적으로 휘도(輝度)가 증가하였다가 보통보다 빨리 축광량(蓄光量)이 감쇠(減衰)하는 현상.

휘신 도:량 【諱辰道場】 명 〖불교〗 기신(忌辰) 도량.

휘안-광 【輝安鑛】 명 〖광〗 사방 정계(斜方晶系) 완면상(完面像)·주상(柱狀) 또는 침상(針狀)의 세로 줄이 있는 무른 광석. 황화 안티몬(黃化antimon)으로 이루어지고, 연회색(鉛灰色)이며 쇠 같은 광택이 나나 공기 중에 두면 점차 빛을 잃어 흑색 또는 반색(斑色)으로 변함. 휘안티몬광(輝antimon鑛). 안티몬 원광(antimon原鑛).

휘안티몬-광 【輝—鑛】 〔antimon〕 명 〖광〗 휘안광(輝安鑛).

휘암 【輝岩】 명 〖광〗 화성암(火成岩)의 한 가지. 주성분(主成分)은 휘석(輝石)으로 담녹색(淡綠色) 또는 암녹색(暗綠色)임.

휘양 【揮—】 명 〔←휘항(揮項)〕 머리에 쓰는 방한구(防寒具)의 한 가지. 남바위같이 생겼으나, 뒤가 훨씬 길고 제물로 볼끼가 있어서 목덜미와 뺨까지 싸게 되었음. 볼끼는 뒤로 잦혀 매기도 함. 호항(護項).

〈휘양〉

휘어-가다 자 굽이쳐 흘러가다.

휘어 넘어가다 자 남의 꾀는 수단에 속다.

휘어-대다 타 범위(範圍) 안으로 강제로 우겨 넣다.

휘어-들다 자 범위(範圍) 안으로 끌리어 들다.

휘어 박다 타 ①조금 높은 곳에서 함부로 넘어뜨리다. ②남을 함부로 다루어 굴복하게 하다.

휘어 박히다 자 휘어 박음을 당하다.

휘어 잡다 타 ①꾸부리어 거머잡다. ¶버들가지를 ~. ②억센 사람을 손아귀에 넣고 마음대로 부리다. ¶그는 자네라야 휘어잡을 수가 있겠네.
휘어-지다 자 꼿꼿하던 물체(物體)가 어떤 힘을 받아 구부러지다. ¶낚싯대가 ~.
휘언【諱言】명 휘담(諱談).
휘연-하다 형여불 ☞ 휜하다. ¶나갈 때에는 눈앞이 휘연하고 치맛자락이 너볏이 나부낀다《李孝石 : 분녀》.
휘염 명〈방〉헤엄(경기·충북·경상).
휘영청 부 널리 골고루 비치어 밝은 모양. ¶~ 달이 밝다/달빛은 노국공주의 집 넓은 대청에도 ~히 비쳤다《朴鍾和 : 多情佛心》.
휘영-하다 형여불 마음이 텅 비어 허전하다. ¶딸을 시집 보내고 나니 어쩐지 마음이 ~.
휘요【輝耀】명 밝게 빛남. ——-하다 자여불
휘우다 타〈방〉휘다.
휘우듬-하다 형여불 약간 휘어서 뒤로 잦바듬하다. 휘우듬-히 부
휘우뚱 부 몸의 중심을 잃고 쓰러질 듯한 모양. ¶~ 기울어지다. ——-하다 자여불
휘우뚱-거리다 자 연해 휘우뚱하다. 휘우뚱-휘우뚱 부. ——-하다 자여불
휘우뚱-대다 자 휘우뚱거리다.
휘움-하다 형여불 약간 휘어져 있다. 휘움-히 부
휘-은광【輝銀鑛】명〖광〗황화은(黃化銀)으로 이루어지는, 강한 광택이 있는 흑회색의 등축 정계(等軸晶系) 광석으로 망상(網狀)·수지상(樹枝狀)·괴상(塊狀)을 이룸. 열수 광상(熱水鑛床) 중에 금은(金銀) 광상을 형성하여 산출됨. 은의 원광(原鑛)임. 황은광(黃銀鑛).
휘음[1]【諱音】명 부음(訃音).
휘음[2]【徽音】명 후비(后妃)의 아름다운 덕행(德行)과 언어(言語).
휘일【諱日】명 조상의 제일(祭日).
휘자【諱字】[-짜] 명 돌아간 높은 어른의 이름자. *휘(諱).
휘자-수【一子手】명〖역〗←회자수(劊子手).
휘장[1]【揮帳】명 여러 폭의 피륙을 이어 만든 둘러 치는 장막. 악유(幄帷). 장폭(帳幅). ¶~을 둘러 치다.
휘장[2]【揮場】명 과거(科擧)에 합격하였다고 금방(金傍)을 들고 과장(科場) 가운데를 돌아다니며 외치던 일.
휘장[3]【徽章】명 신분(身分)·직무(職務) 또는 명예를 나타내기 위하여 옷이나 모자에 붙이는 표장(表章). 마크(mark). ¶~을 달다.
휘장 걸음【揮帳一】명 ①말을 윤형(輪形)으로 몰아 달리게 모는 걸음. ②두 사람이 양쪽에서 한 사람의 허리와 팔죽지를 움켜 잡고 휘몰아 걸리는 걸음.
휘장 도깨비【揮帳一】명 휘장을 가지고 사람의 앞을 막아 정신을 잃게 한다는 도깨비.
휘장 장:원【揮場壯元】명〖역〗과거에 장원(壯元)하여 그의 글장을 시장(試場)에 내걸어서 찬양을 받는 사람.
휘재【徽裁】명〖역〗왕세자(王世子)의 임금의 대리(代理) 중의 재결(裁決). ——-하다 타여불
휘적-거리다 타 걸음을 걸을 때에 두 팔을 연해 세게 휘젓다. 휘적-휘적 부. ¶길거리로 헤매게 된 젊은 여자를 내버려 두고, 저 혼자만 ~ 친구의 집으로 자러 갈 수는 없었다《沈熏 : 常綠樹》. ——-하다 타여불
휘적-대다 타 휘적거리다.
휘-적시다 타 마구 적시다.
휘적지근-하다 형여불 ☞ 휘주근하다❷.
휘점【輝點】[-쩜] 명 [brightening spot]〖전〗브라운 관(管)의 형광면(螢光面)에 전자 빔(電子 beam)이 닿아서 생기는 광면(光面). 휘점의 밝기는 전자 빔의 강도(强度) 및 속도가 클수록 밝으며, 또 그 빛은 형광 물질의 종류에 따라 다름.
휘-젓다 타스불 ①골고루 섞이도록 휘둘러 젓다. ②팔을 야단스럽게 휘둘러 젓다. ¶팔을 휘저으며 걷다. ③마구 뒤흔들어서 어지럽게 만들다.
휘정-거리다 타 물 같은 것을 함부로 자꾸 저어서 흐리게 하다. 휘정-휘정 부. ——-하다 타여불
휘정-대다 타 휘정거리다.
휘종【徽宗】명〖사람〗중국 북송(北宋)의 제8대 임금. 신법파(新法派)를 등용, 토목을 진흥하였고, 음악·조원(造園) 등 백예(百藝)에 널리 통했으며, 고금(古今)의 서화를 모아 《선화 서화보(宣化書畫譜)》를 만듦. [1082-1135 ; 재위 1100-22]
휘주 명 ☞ 후주[6]. ¶술 외상을 잔뜩 먹고 얼근히 취하여 ~를 하며 산비탈을 내려오는데…《崔瓚植 : 春夢》.
휘주근-하다 형여불 ①후줄근하다. ¶…속옷은 땀에 젖고 마음조차 휘주근하게 땀에 젖는 날이었다《李光洙》. ②몹시 지쳐서 몸을 가누지 못할 정도로 맥이 없다. 휘주근-히 부
휘-주무르다 타르불 아무 데나 마구 주무르다.
휘-주물리다 자 휘주무름을 당하다.
휘죽-휘죽 부〈방〉헤죽헤죽. ——-하다 자
휘지【徽旨】명〖역〗①왕세자(王世子)가 내리는 문감(門鑑). ②왕세자의 왕의 대리(代理) 중의 명령(命令).
휘지다[1] 자 무엇에 시달리어 기운이 빠지다. ¶저놈들이 당초에는 휘진 몰골들이 흡사 새끼 내지른 암캐들 모양으로 비쩍 마른 상호들이었소《金周榮 : 客主》.
휘지다[2] 형〈방〉휘휘하다.
휘-지르다 타르불 옷 들을 몹시 더럽히다. ¶바지를 온통 휘질렀다.
휘지 비:지【諱之祕之】명 남을 꺼리어 몰래 얼버무려 넘김. ¶정 공이 오동을 칭찬함을 듣고 외면으로 강잉히 대답을 하고 다른 말을 자아내어 그 말은 ~하랴 하여…《李海朝 : 昭陽亭》. 준 휘비(諱祕). ——-하다 타여불
휘지-하다 형〈방〉휘주근하다.
휘질【諱疾】명 질병을 숨기고 드러내지 아니함. 휘병(諱病). ——-하다 자여불
휘질근-하다 형 ☞ 후줄근하다.
휘집【彙集】명 유취(類聚). ——-하다 타여불
휘-창연광【輝蒼鉛鑛】명〖광〗사방 정계(斜方晶系)의 광물. 연회색(鉛灰色) 또는 회백색이며 금속 광택이 남. 괴상(塊狀)·엽상(葉狀)·섬유상(纖維狀)·주상(柱狀)인데, 비스무트의 원광(原鑛)임.
휘-철광【輝鐵鑛】명〖광〗적철광(赤鐵鑛)의 하나. 능면 결정(菱面結晶)을 이루며 금속 광택(金屬光澤)이 강한 철흑색(鐵黑色)의 광물. 경철광(鏡鐵鑛).
휘청-거리다 자 ①가늘고 긴 물건이 잇달아 휘어지며 느리게 흔들리다. ②아랫도리에 힘이 없어 똑바로 가누지 못하고 좌우로 빗나가다. ¶다리가 ~. 1)·2):>회창거리다. 휘청-휘청 부. ——-하다 자여불
휘청-대다 자 휘청거리다.
휘초 명〈방〉후추(경상).
휘추 명〈방〉후추(경북).
휘추리 명 죽죽 벋은 가늘고 긴 나뭇가지. *회초리.
휘-코발트광【輝一鑛】〔cobalt〕명〖광〗황(黃)과 비소(砒素)와 코발트의 화합물. 붉은 빛을 띤 은백색(銀白色)으로 금속 광택이 있는 등축 정계(等軸晶系)의 육면체 또는 정팔면체의 결정. 코발트의 원광(原鑛)이며 청색 채료(彩料)의 재료가 됨.
휘탄【輝炭】명〖광〗석탄층 중에서, 줄무늬 모양의 휘도(輝度)가 강한 부분의 석탄을 일컬음. 수목(樹木)의 목질부(木質部) 등이 부후 분해(腐朽分解), 갖풀처럼 되어 형성된 것임. ↔암탄(暗炭).
휘테〔도 Hütte〕명 스키나 등산인을 위해 마련된 산에 있는 오두막.
휘트니[1]〔Whitney, Eli〕명〖사람〗미국의 기계 기사(技師). 1792년 조면기(繰綿機)를 발명하여 남부의 면화 생산을 자극하였고, 소총(小銃)의 호환식(互換式) 생산 방법을 채용하여 기계의 대량 생산에 공헌하였음. [1765-1825]
휘트니[2]〔Whitney, William Dwight〕명〖사람〗미국의 언어학자·범어학자(梵語學者). 이론은 역사적·심리적(心理的) 경향임. 《언어와 언어의 연구》·《언어의 생명과 성장》·《범어 문전(梵語文典)》 등의 저서가 있음. [1827-94]
휘트니 산【一山】〔Whitney〕명〖지〗미국의 시에라네바다(Sierra Nevada) 산맥에 있는 산. 표고(標高) 4,418 m. 빙하 지형(氷河地形)이 발달하여 풍경이 아름답고 세쿼이아(Sequoia) 국립 공원에 속함.
휘트먼〔Whitman, Walt〕명〖사람〗미국의 시인. 자유시의 제1인자로 서민의 희망·감회를 자유로운 수법으로 솔직히 노래하였음. 불행한 만년을 보내고, 그에 대한 진가는 늦게야 인식됨. 시집 《풀잎》은 대표적인 민주주의 시집으로 저명함. 이밖에 산문(散文)으로 《민주주의 전망(展望)》이 있음. [1819-92]
휘:트스톤〔Wheatstone, Charles〕명〖사람〗영국의 물리학자·기술자. 1834년 런던 대학 교수. 1837년 영국의 전기 기술자 쿡(Cooke, William Fothergill; 1806-79)과 함께 자침 전신기(磁針電信機)의 특허를 얻음. 입체경(立體鏡)과 전기 시계(電氣時計)도 고안했고, 휘트스톤 브리지를 완성함. [1802-75]
휘:트스톤 브리지〔Wheatstone bridge〕명〖물〗영국의 물리학자 휘트스톤이 개량하여 실용화(實用化)한 전기 저항 측정기(電氣抵抗測定器). 저항과 검류계(檢流計) 및 전지(電池)를 접속한 회로(回路)를 주요 부로 함. 콘덴서의 용량(容量)과 인덕턴스의 크기를 알아 내는 데 흔히 쓰임. *브리지(bridge)❾.
휘튼 효:과【一効果】명〔Whitten effect〕〖생〗[1956년에 이 효과를 발견한 휘튼(Whitten, W.K.)의 이름에서] 집단 사육(飼育)으로 발정(發情)이 지연(遲延)된 생쥐 암컷의 무리 속에 수컷을 넣어 주면 발정이 규칙적이 되고, 동조(同調)하는 현상. 수컷의 오줌 속에 있는 페로몬(pheromone)에 의해, 암컷의 생식선(生殖腺) 자극 호르몬 분비가 촉진되어 일어난다고 함.
휘틀〔Whittle, Frank〕명〖사람〗영국의 항공 기사(航空技師). 케임브리지 대학에서 항공공학을 수학. 1930년 제트 추진(推進)을 제창하였고, 1937년 최초의 터보제트 엔진(turbojet engine)의 운전에 성공함. 파워제트사(社)를 창립하여, 제2차 세계 대전 후의 제트기(機) 시대의 기초를 다짐. [1907-]
휘티어〔Whittier, John Greenleaf〕명〖사람〗미국의 시인. 노예 해방 운동에 참가, 그 열정을 시작(詩作)에 기울임. 노예 해방을 기뻐한 《신(神)을 찬미하라》로 유명함. [1807-92]
휘-파람 명 입술을 오므리거나 손가락을 입 속에 넣고 입김을 내불어 소리를 내는 일. 구적(口笛).
휘파람(을) 불:다 구 휘파람 소리를 내다.
휘파람-새 명 ①휘파람샛과에 속하는 새의 총칭. ②[*Horeites cantans*] 휘파람샛과에 속하는 새. 솔새와 비슷하고 찌꼬리보다 커서 날개 길이가 수컷은 63-67 mm, 암컷은 53-57 mm이고 몸의 상면(上面)은 갈람갈색에 하면은 오백색(汚白色), 미반(眉斑)은 회백색임. 부리는 가늘고 뾰족하며 부척(跗蹠)은 길. 표조(漂鳥)로서 여름에는 관목림(灌木林)·초원에 서식하고 겨울에는 평지에 내려오며 암적갈색의 알을 대여섯 개 낳음. 3-8월에는 고운 소리로 울며 다른 새의 흉내를 냄. 사조(飼鳥)이며 익조(益鳥)임. 동부 아시아·한국·일본·중국·대만에 분포함. *찌꼬리.

〈휘파람새❷〉

휘파람샛-과【一科】 명 〖조〗 [Sylviidae] 참새목(目)에 속하는 한 과(科). 소형의 조류로서, 대체로 배면(背面)이 갈색 또는 청자색에 암색(暗色)의 세로 무늬가 있는 것과 없는 것이 있음. 복면(腹面)은 회백색·담갈색 등이며 자웅 동색(同色)임. 물가의 풀 속·논·밭·수풀 속의 지상 또는 작은 수림(樹林)에서 서식함. 이 과를 다시 휘파람새속(屬)·솔새속·긴다리솔새사촌속·개개비속 등으로 구분함. 아시아·유럽에만 분포함.

휘플 [Whipple, George Hoyt] 명 〖사람〗 미국의 병리학자. 로체스터(Rochester) 대학 교수. 악성 빈혈(惡性貧血)에 관한 연구 끝에 비타민 B_{12}가 조혈(造血)에 관계가 있음을 발견함. 1934년 미너트(Minot, G. R.), 머피(Murphy, W.P.)와 함께 노벨 생리 의학상 수상. [1878-1976]

휘플-병【一病】 명 [Whipple's disease] 〖의〗 당단백질(糖蛋白質)로 채워진 대식세포(大食細胞)가 장벽(腸壁) 및 림프관을 침윤(浸潤)하는 특징이 있는 질환.

휘필【揮筆】 명 휘호(揮毫)❶. ——-하다 타 여불

휘하【麾下】 명 주장(主將)의 지휘 아래. 또, 그 아래 딸린 사졸. 예하(隸下). 기하(旗下). 절하(節下). ¶～ 장병/～에 모이다.

휘-하다¹【諱―】 자타 여불 입 밖에 내어 말하기를 꺼리다. ¶그다지 크게 관계될 말이 아니매…휘하지 않고 바른대로 말씀을 드렸다≪朴鍾和 : 錦衫의 피≫.

휘-하다² 형 여불 ↗휘휘하다.

휘한【揮汗】 명 땀을 뿌림. ——-하다 자 여불

휘항【揮項】 명 →휘양.

휘현【輝縣】 명 〖지〗 후이 현.

휘현 고:묘【輝縣古墓】 명 〖지〗 후이현 고묘.

휘호¹【揮毫】 명 ①붓을 휘둘러 글씨를 쓰거나 그림을 그림. 휘필(揮筆). 점호(霑毫). ¶신춘 ～. ②휘쇄(揮灑). ——-하다 타 여불

휘호²【徽號】 명 〖역〗 후비(后妃)가 승하(昇遐)한 후에 시호(諡號)와 함께 올리는 존호(尊號).

휘호-료【揮毫料】 명 휘호에 대한 보수. 윤필료(潤筆料).

휘황찬란-하다【輝煌燦爛―】 [―찰―] 형 여불 ①광채가 빛나서 눈이 부시게 번쩍이다. ¶오색 샹들리에가 ～. ②행동이 온당하지 못하고 못된 꾀가 많아서 야단스럽기만 하고 믿을 수 없다. 준휘황하다.

휘황-하다【輝煌―】 형 여불 ↗휘황찬란하다. ¶휘황한 불빛.

휘:휘 부 ①여러 번 휘감는 모양. ②이리저리 휘두르는 모양. ¶단장을 ～ 내두르다. 1)·2):>회회².

휘:휘-친친 부 휘휘 감고 친친 감는 모양. 여러 번 단단히 감거나 감기는 모양. >회회찬찬.

휘휘-하다 형 여불 무서울 정도로 쓸쓸하고 적막하다. ¶거리가 ～ / 휘휘한 넓은 방안에 남포의 불을 돋우고 적적히 앉아 있는 순애는…≪趙重桓 : 長恨夢≫. 준휘하다.

휙 부 ①갑자기 빨리 돌아가는 모양. ¶바퀴가 ～ 돌다. ②바람이 갑자기 세게 불어치는 모양. ③별안간 힘차게 내어 던지는 모양. ¶창을 ～ 던지다. 1)-3):>획³.

휙-휙 부 ①계속하여 급히 돌아가는 모양. ②바람이 잇따라 세게 부는 모양. ③계속하여 세게 던지는 모양. 1)-3):>획획.

휠: [wheel] 명 ①바퀴. 수레 바퀴. ¶～ 체어. ②선회(旋回). 회전. ③럭비의 포워드(forward)가 하는 플레이의 일종. 세트 스크럼으로 공을 키핑(keeping)하고 스크럼을 회전시켜서 드리블로 전진하는 플레이.

휠: 베이스 [wheel base] 명 자동차의 앞바퀴와 뒷바퀴와의 각 중심 사이의 거리. 이것이 길면 차의 안정성이 좋고 짧으면 차의 회전 반경(回轉半徑)이 작아 잘게 돌 수 있음. 축거(軸距).

휠-손 [―쏜] 명 ☞휫손.

휠: 체어 [wheel chair] 명 자유롭지 못한 다리를 가진 사람이 앉은 채로 이동할 수 있도록 바퀴를 단 의자.

휠: 체어 라이트 [wheel chair right] 명 〖사〗 차별이 철폐되어야 한다는 관점에서 일컫는, 신체 장애인의 시민적 권리(市民的權利).

휨 명 [bending] 〖물〗 일반적으로 들보·기둥·축(軸)·널빤지 등 구조 물체가 외력(外力)에 의한 벤딩 모멘트(bending moment)를 받아 일으키는 변형(變形)을 이름.

휨-강도【―強度】 명 [bending strength] 〖물〗 어떤 재질이, 휘게 하거나 구부러지게 하는 외력에 견디는 힘.

휨-새 명 휜 모양새. ¶～가 예쁘다.

휨퍼 [Whymper, Edward] 명 〖사람〗 영국의 등산가. 1865년 7월 14일 마터호른 산(Matterhorn山)에 첫 등정(登頂)하였는데, 하산(下山) 때 일행 7명 중 4명이 조난사한 비극은 유명함. 그린랜드·캐나다·로키·안데스 등도 답사하였음. 목판화가이기도 하고, 자작의 삽화를 넣은 ≪알프스 등반기≫는 산악서의 고전으로 여기고 있음. [1840-1911]

휩스레:-하다 형 〈방〉 헙수룩하다.

휩-싸다 타 ①휘둘러 감아서 싸다. ¶담요로 ～. ②좋지 아니한 행실(行實)을 뒤덮어 감싸다.

휩-싸이다 피동 휩쌈을 당하다. ¶공포에 ～/불길에 ～. 준휩쌔다.

휩-쌔다 피동 ↗휩싸이다.

휩-쓸다 타 ①빠짐 없이 모조리 휘둘러 쓸다. ¶판돈을 ～. ②거침 없이 행동을 함부로 하다. ¶전염병이 전국을 ～.

휩-쓸리다 피동 휩씀을 당하다. ¶파도에 ～/분위기에 ～.

휩트 마:가린 [whipped margarine] 명 소프트 마가린에 질소(窒素) 가스를 섞어 푸하게 만든 마가린.

휩트 크림: [whipped cream] 명 생(生)크림을 푸하게 거품을 낸 크림.

휫두로 부 〈옛〉 두루. 휘둘러. ¶한니블로 머리와 ᄂᆞᆾ과 몸과 손바를 휫두로 ᄡᆞ고(用縣衾包頭面身體手足)≪救簡 Ⅰ:65≫.

휫두루잇다 타 〈옛〉 휘두르다. ¶네 붇근 휫두루이주믈 ᄉᆞ랑호니(念昔揮毫端)≪初杜諺 XVI:21≫.

휫-바람 명 〈방〉 휘파람.

휫-손 명 ①남을 휘어 잡아 잘 부리는 솜씨. ②일을 휘어 잡아 잘 처리할 만한 솜씨.

휫파리 명 〈방〉 〖동〗 해파리(경남).

휭:-하니 부 지체하지 않고 매우 빨리 가는 모양. ¶～ 밖으로 나가다.

휭:-하다 형 여불 ☞휑하다.

휴가¹【休暇】 명 ①직장이나 학교 등의 단체에서, 일정한 기간 쉬는 일. 또, 그 겨를. 방가(放暇). ¶하기 ～/연말 ～. ②말미. 고가(告暇).

휴가²【休嘉】 명 경사(慶事). 가상(嘉祥).

휴가-병【休暇兵】 명 〖군〗 휴가를 받은 사병.

휴가-일【休暇日】 명 휴가를 얻어서 쉬는 날.

휴가 전:술【休暇戰術】 명 각자의 유급 휴가를 기간을 정해 일제히 얻어, 파업과 똑같은 효과를 올리려는 노동 전술.

휴가-제【休暇制】 명 휴가에 관한 제도.

휴가-증【休暇證】 [―쯩] 명 〖군〗 휴가를 허가하는 사실을 기재(記載)한 증명서.

휴간【休刊】 명 신문·잡지 등 정기 간행물의 간행을 한때 쉬는 일. ¶임시 ～. ——-하다 타 여불

휴간 관:개【畦間灌漑】 명 〖농〗 고랑 사이에 물을 넣어, 농작물의 뿌리에 옆으로부터 급수(給水)하는 관개 방법.

휴강【休講】 명 강의(講義)를 쉼. ——-하다 자 여불

휴갱【休坑】 명 광석이나 석탄 따위를 캐지 않고 묵히고 있는 갱.

휴거¹【休居】 명 관직을 물러나 집에서 쉼. ——-하다 자 여불

휴거²【携擧】 명 〖종〗 말세(末世)에 예수의 재림(再臨)을 믿는 선택된 성도(聖徒) 14만 4천 명이 산 채로 하늘로 들어 올려짐. 종말론자(終末論者)들의 말임.

휴게【休憩·休愒】 명 일을 하거나 길을 걷는 도중에 잠깐 쉬는 일. 휴식(休息). ¶～실. ——-하다 자 여불

휴게-소【休憩所】 명 잠깐 동안 머물러 쉬도록 마련한 장소.

휴게-실【休憩室】 명 ①잠깐 동안 머물러 쉬도록 설비한 방. 연실(燕室). ②공항(空港)·고속 도로·유원지 등에서 과자점 영업과 다방 영업의 복합적인 형태의 영업을 하는 영업소.

휴경¹【休耕】 명 농사짓기를 쉼. ¶～지(地). ——-하다 자타 여불

휴경²【休慶】 명 경사(慶事).

휴고¹【休告】 명 휴목(休沐).

휴고²【休固】 명 평온하고 견고함. ——-하다 형 여불

휴공【携筇】 명 길을 걸을 때에 지팡이를 지님. ——-하다 자 여불

휴관【休館】 명 도서관·미술관·영화관 따위가 그 업을 하루 또는 한동안 쉬는 일. ——-하다 자 여불

휴광【休光】 명 ①큰 공(功). 뛰어난 공적. ②훌륭한 지조(志操).

휴교【休校】 명 〖교〗 ①학교의 과업(課業)을 한동안 쉬는 일. ¶～ 처분. ②학생이 학교의 과업을 한동안 쉬는 일. ¶동맹 ～. ——-하다 자 여불

휴구【休咎】 명 길(吉)과 흉(凶). 복(福)과 화(禍).

휴권【休倦】 명 싫증나서 쉼. ——-하다 자 여불

휴귀¹【休歸】 명 귀휴(歸休). ——-하다 자 여불

휴귀²【蠵龜】 명 〖동〗 거북.

휴기¹【休氣】 명 상서(祥瑞)로운 조짐(兆朕). 서기(瑞氣).

휴기²【休棄】 명 아내가 간통한 경우, 본부가 간부(姦夫)에게 위자료를 내게 하여 그 관계를 용인하고 이혼하는 일. ——-하다 자 여불

휴녕【休寧】 명 안심함. ——-하다 자 여불

휴대【携帶】 명 손에 들거나 몸에 지님. 휴지(携持). ¶～용/～품. ——-하다 타 여불

휴대 구:량【携帶口糧】 명 휴대 식량.

휴대 식량【携帶食糧】 [―냥] 명 ①휴대하고 있는 식량. ②〖군〗 전투시에 지니고 다닐 수 있게 만든 간편한 식사. 휴대 구량. 레이션(ration).

휴대용 사진기【携帶用寫眞機】 명 휴대하기에 알맞도록 작고 간편하게 제작한 사진기. 카메라(camera).

휴대 전:류【携帶電流】 [―절―] 명 〖전〗 대류(對流) 전류.

휴대 전:화【携帶電話】 명 몸에 지니고 다니면서 사용할 수 있는 소형 무선 전화기《이동하면서 무선 기지국을 통해 일반 전화 가입자 또는 다른 이동 통신 전화기와 송수신이 가능함》. 휴대폰.

휴대-증【携帶證】 [―쯩] 명 무기(武器) 등을 휴대하도록 허가한 증명서. ¶권총 ～.

휴대-폰【携帶―】 [phone] 명 휴대 전화.

휴대-품【携帶品】 명 손에 들거나 몸에 지니고 다니는 물건(物件). ¶～ 보관소.

휴덕【休德】 명 훌륭한 덕. 미덕(美德).

휴도【休圖】 명 좋은 계략. 뛰어난 계책.

휴등【休燈】 명 가설(架設)한 설비는 그대로 두고, 전등만 떼어서 한동안 불을 켜지 아니하는 일. 배선 손료(配線損料)는 물게 됨. ——-하다 타 여불

휴:런 호【―湖】 [Huron] 명 〖지〗 북아메리카 5대호의 하나. 미시간(Michigan) 호·슈피리어(Superior) 호·이리(Erie) 호와 각각 연결되어 있음. 세계 제5위임. 연안의 중공업 지대를 등지고 있고 철광석·석탄·밀 등의 중요 수송로임. 가장 깊은 곳은 229m이고 겨울에는 결빙함. [59, 510 km^2]

휴력【休力】 명 쉬며 힘을 기름. ——-하다 자 여불

휴령【休令】 명 아름답고 좋음. ——-하다 형 여불

휴로【休老】 명 ①노인을 편히 쉬게 함. ②노후(老後)를 휴양함. ——-하다 자타 여불

휴류【鵂鶹】 명 〖조〗 부엉이.

휴:머니스트 [humanist] 명 인도주의자(人道主義者). 인문주의자(人文主義者).

휴:머니스틱 [humanistic] 명 ①인문주의적(人文主義的). ②인도주의의

적(人道主義的). 인도적(人道的). 인간주의적. ——-하다 형여불

휴:머니스틱 심리학【—心理學】〔humanistic〕〔—니—〕 명 『심』 단순한 행동학에 그치려는 심리학에 대해 인간성의 과학이라는 원점에 서야 한다는 요청에 바탕을 두는 심리학. 종전에 경시되었던 사랑·창조성·자아(自我)·자기 실현(實現)·자발성·용기·가치 추구성·책임감 등의 인간의 기본적인 존재성에 주목하고 그를 위해 특정의 직접 경험을 중시하고, 이것을 전면적으로 채택하려는 심리학임.

휴:머니제이션 〔humanization〕 명 기업 따위에서 인간 관계를 개선하여 작업이 원활히 진행되도록 하는 일.

휴:머니즘〔humanism〕 명 ①인문주의(人文主義). 인본주의(人本主義). ②인도주의(人道主義).

휴:머니티〔humanity〕 명 인간성(人間性). ¶～의 발로(發露).

휴:먼〔human〕 명 인간적(人間的). 인간다움.

휴:먼 도큐먼트〔human document〕 명 인간 생활의 기록. 인생 기록(人生記錄).

휴:먼 릴레이션스〔Human Relations〕 명 인간 관계 또는 인간 관계론. 기업 등 조직체 안의 인간 상호의 관계에 따라 인간의 감정·태도가 크게 좌우되고 그 행동이 결정된다고 하는 생각.

휴:먼 엔지니어링〔human engineering〕 명 인간 공학(人間工學).

휴메인〔humane〕 명 사람다운 정미(情味)가 있는 모양. 인정이 있는 모양. 인도(人道)에 합당한 모양.

휴면【休眠】 명 ①쉬면서 거의 활동하지 않음. ②〔resting〕『생』 동식물이 생활에 부적당한 휴면기(休眠期)에, 생활 기능(機能)을 활발하게 하지 않고 겨우 현상 유지(現狀維持)를 하는 일. ¶～에 들어가다. *동면(冬眠). ——-하다 자여불

휴면 광:구【休眠鑛區】 명 매장된 지하 자원(地下資源)을 채굴하지 않은 광구.

휴면-기【休眠期】 명 〔resting period〕『생』 ①식물이나 동물이, 기후(氣候) 기타의 환경 악화로 휴면하는 시기. 대개 늦가을에서 겨울 동안임. *동면(冬眠)·하면(夏眠). ②우충(芋蟲)이나 모충(毛蟲)이 탈피(脫皮)하기 전에, 한동안 생장의 중지 상태를 취하는 시기.

휴면-눈【休眠—】 명 〔dormant bud〕『생』 눈이 일단 형성된 후, 어느 기간 동안 성장을 멈추고 휴면 상태에 있는 눈. 수목(樹木)이나 다년초가 겨울을 나기 전에 형성하는 비늘잎 또는 겨울눈 따위. 휴면아(休眠芽). 휴아(休芽).

휴면 법인【休眠法人】 명 설립(設立)만 해 놓고 사업 활동을 하지 아니하는 법인(法人).

휴면 상태【休眠狀態】 명 활동을 거의 하지 아니하는 상태.

휴면-아【休眠芽】 명 『식』 휴면(休眠)눈.

휴면 포자【休眠胞子】 명 『식』 영양체(營養體)의 세포 가운데, 세포질(細胞質) 안에 자유 세포(自由細胞)를 형성한 다음, 두꺼운 세포막(細胞膜)을 다시 형성하여, 내한성(耐寒性)·내건성(耐乾性)이 강해지면서 좋지 않은 환경(環境)을 지내는 포자(胞子). 후막 포자(厚膜胞子).

휴명[1]【休名】 명 좋은 평판. 미명(美名).

휴명[2]【休命】 명 ①천명(天命) 또는 군명(君名). ②『역』 정대업지악(定大業之樂)의 아홉번째 곡. 노래말은 이태조(李太祖)의 위화도 회군(威化島回軍)을 노래한 사언(四言) 십이구(十二句)의 한시(漢詩)임.

휴명[3]【休明】 명 ①썩 밝음. ②뛰어나고 분명함. ——하다 형여불

휴명[4]【休銘】 명 훌륭한 비명(碑銘).

휴목【休沐】 명 『역』 관리의 휴가(休暇). 중국의 한(漢)나라에서는 닷새에 하루, 당(唐)나라에서는 열흘에 하루씩 집에서 쉬며 목욕을 한 일에서 나온 말임. 휴고(休告).

휴무【休務】 명 직무(職務)를 하루나 한동안 쉼. ——-하다 자여불

휴무-일【休務日】 명 휴무하는 날.

휴문[1]【休門】 명 『민』 팔문(八門)의 하나. 구궁(九宮)의 일백(一白)이 본자리가 되는 길(吉)한 방위임.

휴문[2]【休問】 명 좋은 소식. 반가운 소식.

휴문-방【休門方】 명 『민』 휴문의 방위(方位).

휴미【休美】 명 아름다움. ——-하다 형여불

휴민【休民】 명 백성을 편안하게 함. 쉬게 함.

휴박【休泊】 명 휴식하며 숙박함. ——-하다 자여불

휴반【畦畔】 명 밭두둑.

휴범【休範】 명 훌륭한 본보기. 선미(善美)한 모범.

휴병【休兵】 명 『군』 군사에게 적당한 휴식을 주어 사기를 돋움. 또, 그 병사. ——-하다 자여불

휴보【休寶】 명 더 없는 보물. 훌륭한 보배.

휴복【休福】 명 행복(幸福).

휴부[1]【休否】 명 ①운이 막혔을 때 좋은 일을 행함. ②운이 막혀 통하지 않음. ——-하다 자여불

휴부[2]【休符】 명 『악』 휴지부(休止符).

휴사【休舍】 명 휴식(休息). ——-하다 자여불

휴상【休祥】 명 상서로운 징조. 길조(吉兆).

휴서【休書】 명 『역』 →수세[1].

휴선【休船】 명 부릴 수 있는 배를 쉼. 또, 그 배.

휴설【休說】 명 말하기를 그만둠. ——-하다 타여불

휴수【携手】 명 손을 마주 잡음. 곧, 함께 감. 데리고 감. ——-하다 자여불

휴수 동귀【携手同歸】 명 거취(去就)를 같이 함. ——-하다 자여불

휴:스[1]〔Hughes, Charles Evans〕 명 『사람』 미국의 법률가·정치가. 뉴욕 주 지사·미국 대법원 판사를 거쳐 1916년 대통령 선거의 공화당 후보였으며, 미국무 장관으로 워싱턴 회의에서 국제 군축(軍縮) 실현에 노력하였으며, 그 후 국제 사법 재판소 판사·미국 대법원장을 지냄. [1862-1948]

휴:스[2]〔Hughes, David Edward〕 명 『사람』 영국의 물리학자. 전기 기술자. 어렸을 때 미국으로 건너가, 대학 교수를 역임함. 후에 런던으로 돌아와 살았으며, 인쇄 전신기(印刷電信機)·탄소 마이크로폰·인덕션 밸런스를 발명하였음. [1831-1900]

휴:스[3]〔Hughes, Howard Robard〕 명 『사람』 미국의 기업가·대부호. 영화 회사·항공 회사를 설립하였으며, 비행가로서도 알려짐. 1966년 항공사 T.W.A.의 주식을 매각하여 라스베이거스의 호텔·카지노·텔레비전 방송국 등을 매수하고, 네바다 주의 은광·토지를 매입하는 등 재산이 20여 억 달러에 달했다고 함. 후에 숨어 살았는데, 낭비가·천재 등 갖가지 평이 났음. [1905-76]

휴:스[4]〔Hughes, James Langston〕 명 『사람』 미국의 흑인 시인. 잡다한 직업을 전전하면서 재즈나 민요의 리듬을 살린 시를 썼으며, 시집 ≪슬픈 블루스≫로 인정받았음. 그 밖에 소설 ≪웃음이 없는것도 아님≫을 발표하였음. [1902-67]

휴:스[5]〔Hughes, Thomas〕 명 『사람』 영국의 사회 개혁가·저술가. 기독교 사회주의 운동에 종사하였으며, 소설 ≪톰 브라운(Tom Brown)의 학교 생활≫은 자신의 체험에 입각하여 영국의 퍼블릭 스쿨 생활을 그린 것으로 학교 소설의 고전으로 알려졌음. [1822-96]

휴:스턴〔Houston〕 명 『지』 미국 텍사스 주 동남부의 공업 도시. 휴스턴 운하로 멕시코 만에 연락되는 항구 도시(港口都市)이기도 함. 유전 지대의 중심으로 정유(精油) 외에 합성 고무·채유 기계(採油機械)·항공기 제조와 조선(造船) 등의 공업이 성함. 면화·쌀·밀·소가 거래되며 또 이것들의 적출항(積出港)이기도 함. 교외에 나사(NASA)의 우주 비행 관제(宇宙飛行管制) 센터가 있으며, 국제 공항도 있음. 도시 이름은 텍사스 독립의 영웅인 휴스턴(Houston, Samuel; 1793-1863)에 유래함. [1,630,553명(1990)]

휴시【休時】 명 쉬는 시간. 휴게(休憩) 시간.

휴식[1]【休食】 명 쉬며 먹음. ——-하다 타여불

휴식[2]【休息】 명 ①잠깐 쉼. 휴게. 게식(憩息). ②휴지(休止)함. ——-하다 자여불

휴식-리【休息痢】〔—니〕 명 『한의』 더쳤다 그쳤다 하는 만성 이질(慢性痢疾)의 한 가지.

휴식-소【休息所】 명 쉬는 장소. 휴게소(休憩所).

휴식 자본【休息資本】 명 『경』 현재 직접적으로 생산 과정(生產過程)에 운용(運用)되지는 않으나, 장차 운용하려는 자본. 예를 들면 미래의 유동 자본의 준비금이나, 고정(固定)·설비(設備)·경신(更新)을 위한 적립금(積立金) 등임.

휴식-종【休息鐘】 명 휴식을 알리는 종.

휴식-처【休息處】 명 ①휴식소(休息所). ②안식처(安息處).

휴식 화:산【休息火山】 명 『지』 휴화산(休火山).

휴신【休神】 명 안심(安心). ——-하다 자여불

휴실【虧失】 명 ①이지러져 없어짐. ②소홀히 하여 잃음. ——-하다 자여불

휴심【休心】 명 안심(安心). ——-하다 자여불

휴아【休芽】 명 〔dormant bud〕『식』 휴면(休眠)눈.

휴안-악【休安樂】 명 『악』 풍류의 이름.

휴알【休謁】 명 휴가를 얻음. 말미를 받음. ——-하다 자여불

휴야【休夜】 명 좋은 밤.

휴양【休養】 명 ①편안히 쉬면서 심신(心身)을 보양(保養)함. 리크리에이션(recreation). ②조세(租稅)를 가볍게 하여 민력(民力)을 기름. ——-하다 자타여불

휴양 도시【休養都市】 명 『지』 기후가 온화하고 경치가 명미(明媚)하거나 해수욕장·온천장 등의 설비가 있어, 휴양하기에 알맞은 도시. 지중해의 모나코(Monaco), 미국의 롱 비치(Long Beach), 우리 나라의 온양(溫陽)·마산(馬山) 등.

휴양-복【休養服】 명 주로, 개인 생활에서 휴양이나 병와(病臥)시에 입는 푹신하고 경쾌한 복장. 잠옷 같은 것. *활동복·직업복(職業服)·제식복(祭式服).

휴양-실【休養室】 명 ①학교나 회사 등에서 급증 환자(急症患者)나 경증(輕症) 환자를 일시 휴양시키기 위하여 설치된 방. ②휴양을 위하여 설계된 방.

휴양 정거장【休養停車場】 명 『군』 수송(輸送) 중인 인마(人馬)를 휴양시키기 위하여, 군용 열차(軍用列車)가 오랫동안 정거(停車)하여 있게 하는 정거장.

휴양-지【休養地】 명 휴양하기에 알맞은 땅. 휴양 시설이 되어 있는 곳. 휴양처.

휴양 지대【休養地帶】 명 온천장·해수욕장·피한지(避寒地)·피서지(避暑地)로서의 설비 및 교통·경치·기후 등 자연 조건이 구비되어, 휴양하기에 알맞은 지대. *휴양 도시(休養都市).

휴양-처【休養處】 명 휴양지(休養地).

휴언[1]【休言】 명 말을 하지 않음. ——-하다 타여불

휴언[2]【休偃】 명 푹 쉼. 휴식함. ——-하다 자타여불

휴업【休業】 명 업(業)을 하루 또는 한동안 쉼. ——-하다 자여불

휴업-계【休業屆】 명 '휴업 신고'의 구용어.

휴업 급여【休業給與】 명 『법』 공무원이 질병·부상 또는 분만(分娩)으로 계속 근무할 수 없는 경우, 일정 기간 봉급의 일부를 지급하는 일. 상병(傷病) 수당, 분만 수당 따위.

휴업 보:상【休業補償】 명 『법』 노동자(勞動者)가 업무 상(業務上)으로 부상(負傷)하거나, 병이 나서 노동을 할 수 없는 경우에, 근로 기준법(勤勞基準法)에 의하여, 고용주(雇傭主)로부터 지급(支給)받는 재해 보상(災害補償)의 한 가지. 보통, 임금의 100분의 60임.

휴업 수당【休業手當】 명 고용주(雇用主)의 귀책 사유(歸責事由)로 인하

여 휴업하는 경우에 근로자에게 지급하는 수당.
휴업 신고【休業申告】명 허가제(許可制)의 영업체(營業體)가 휴업하는 내용을 기재하여 당국에 제출하는 서면(書面).
휴영【虧盈】명 이지러짐과 꽉 참. 모자람과 가득함.
휴월【虧月】명 이지러진 달. ↔만월(滿月).
휴의【休意】[一/一이] 명 안심(安心). ——-하다 자여불
휴이【携貳】명 두 마음을 가짐. 이론(異論)을 가짐. ——-하다 자여불
휴:이시〔Hewish, Antony〕명 〖사람〗 영국의 천문학자. 케임브리지 대학 교수. 1967년 전파 천체인 펄서(pulsar)를 발견함. 1974년 영국의 물리학자 라일(Ryle, Martin; 1918-)과 공동으로 노벨 물리학상을 수상함. [1924-]
휴일【休日】명 일을 쉬고 노는 날. 공휴일(公休日)·정휴일(定休日) 및 관습상 일을 쉬고 노는 축제일(祝祭日) 등의 총칭.
휴작【休作】명 〖농〗 휴한(休閑). ——-하다 자여불
휴장【休場】명 ①극장·흥행장(興行場) 등이 쉼. ②쉬어 출장(出場)하지 아니함. ——-하다 자여불
휴재【休載】명 연재하던 글을 한동안 싣지 않음. ——-하다 타여불
휴전[1]【休電】명 송전(送電)을 일시 중단함. ——-하다 자여불
휴전[2]【休戰】명 〖군〗 ①전쟁 중 한때 전투 행위를 중지하는 일. ②교전국 또는 교전 단체 사이의 합의에 의하여, 일정 기간 전투 행위 및 전투 준비 행위를 정지(停止)하는 일. ——-하다 자여불
휴전-기【休戰旗】명 〖군〗 휴전할 때에 쌍방 진지에 세우는 흰 기.
휴전-선【休戰線】명 ①〖군〗 휴전 협전(協定)의 체결에 의하여 결정되는 쌍방의 군사 경계선(軍事境界線). ②한국 휴전 협정에 의하여 설정된 군사 경계선. 중·동부(中東部)에서는 북위 38도선 이북, 서부(西部)에서는 38도선 이남으로 155마일에 걸쳐 너비 4km의 완충 지대(緩衝地帶)를 설정하였음. 한국 휴전선.
휴전 협정【休戰協定】명 〔armistice agreement〕 ①교전국(交戰國)이 휴전할 것을 내용으로 하는 서면(書面)에 의한 합의(合意). 휴전 조약. ②↗한국 휴전 협정.
휴전 회:담【休戰會談】명 〖정〗 ①휴전 협정을 체결하기 위하여, 교전국 쌍방의 대표가 모여서 여는 회담. ②한국 휴전 협정을 체결하기 위하여, U.N. 군측과 공산측(共產側) 사이에 행하여진 일련(一連)의 회담. 1951년 7월 8일 개성(開城)에서 개최한 예비 회담으로 시작, 같은 해 10월 25일 회담 장소를 판문점(板門店)으로 옮겨, 1953년 7월 27일에 한국 휴전 협정이 조인되기까지 무려 2년이라는 시일을 두고 난항(難航)을 거듭하였음.
휴정【休廷】명 법원(法院)에서 재판 도중에 쉼. ¶ ~을 선언하다. ——-하다 자여불
휴정 대:사【休靜大師】명 〖사람〗 조선 시대 선조 때의 명승. 속성은 최(崔), 자는 현응(玄應), 호는 청허자(清虛子) 또는 서산(西山). 완산(完山) 사람. 지리산에 들어가 중이되고 영관 대사(靈觀大師)에게서 법통(法統)을 이어 받음. 선조 25년(1592) 임진 왜란 때 의승병(義僧兵)의 총수가 되어 이듬해 서울 수복에 공을 세움. 동 27년(1594) 제자 유정(惟政)에게 병사(兵事)를 맡기고 묘향산 원적암(圓寂庵)에서 일생을 보냄. 유(儒)·불(佛)·도(道) 삼교 통합설의 기원을 이룩하고, 교종(敎宗)을 선종(禪宗)으로 포섭함. 묘향산 수충사(酬忠祠)에 제향(祭享)됨. 저서에 ≪선가 귀감(禪家龜鑑)≫ 등이 있음. 서산 대사(西山大師). 청허 선사(清虛禪師). [1520-1604]
휴제【休題】명 여태까지의 화제(話題)를 중지함. ——-하다 자여불
휴조[1]【休兆】명 아름다운 빌미. 좋은 징조(徵兆). 길조(吉兆). 휴징(休徵).
휴조[2]【休潮】명 〖해〗 게조(憩潮).
휴주【携酒】명 술을 지니고 감. ——-하다 자여불
휴지[1]【休止】명 ①쉬어서 그침. ②〖법〗 당사자(當事者)의 의사(意思) 또는 태도에 의하여, 소송 절차의 진행을 정지(停止)하는 일. 직권주의(職權主義)를 철저히 채용하는 현행법에서는 이를 폐지하였음. ③〔pause〕 〖언〗 조음(調音) 활동의 일시적인 중지. 흔히 단어와 단어, 어절(語節)과 어절, 문장과 문장 사이에 나타내며 '#'와 같은 기호(記號)를 사용(使用)하여 표시하는데, 구두점(句讀點)으로는 '.' '나 ',' 등을 사용함. ——-하다 자여불
휴지[2]【休紙】명 ①못쓰게 된 종이. ¶ ~통. ②밑을 씻거나 코를 푸는 데 쓰는 허드렛종이. 화장지(化粧紙).
휴지[3]【携持】명 휴대(携帶). ——-하다 타여불
휴지-기【休止期】명 〖생〗 ①생물의 세포가 기능적으로는 활동을 하고 있으나, 핵분열이나 세포 분열을 하고 있지 않는 시기. 대사기(代謝期). 정지기(靜止期). ②심방(心房)과 심실(心室)이 수축·이완할 때 잠시 쉬는 시기. 그 시간은 심장의 전운동(全運動) 시간의 5분의 2에 해당함. 이 때에 방실판(房室瓣)이 피의 역류(逆流)를 막음.
휴지 망태【休紙一】명 한 군데에 걸어 놓고 휴지를 담아 모으는 망태.
휴지-부【休止符】명 '쉼표'의 한자 이름.
휴지 세:포【休止細胞】명 〖생〗 한 세포 분열과 다음 세포 분열과의 사이의 세포.
휴지 시:행【休紙施行】명 이미 작성된 안건(案件)을 폐지함.
휴지 진:봉【休紙進封】명 〖역〗 관원이 외임(外任)으로 나가서 전장(田庄)을 사가지고 아첨하느라고 그 문권(文券)을 권문 세가(權門勢家)에게 바치던 일.
휴지-통【休紙桶】명 못쓰게 된 종이 같은 것을 넣는 그릇.
휴지-핵【休止核】명 〖생〗 세포 분열을 하지 않는, 보통의 상태에 있는 핵. 정지핵(靜止核).
휴지-화【休紙化】명 휴지로 화함. 곧, 약속이나 조약(條約)·법령(法令) 등이 그 불이행(不履行)으로, 아무런 의의(意義)나 효력이 없어지거나 없게 하는 일. ——-하다 자타여불
휴직【休職】명 ①〖역〗 장교로서 보임(補任)을 받지 않고 있음. ②공무원·일반 회사원 등이 그 신분을 유보(留保)하면서 일정한 기간 직무를 쉬는 일. ——-하다 자여불
휴직-급【休職給】명 휴직 중인 직원에게 지급(支給)되는 봉급.
휴직-자【休職者】명 휴직을 인정(認定)받은 사람. 또, 휴직 기간 중(期間中)에 있는 사람.
휴진【休診】명 병원에서 하루 또는 한동안 진료를 쉬는 일. ——-하다 자여불
휴징【休徵】명 휴조(休兆).
휴처【休妻】명 아내에게 수세를 써주고 이혼함. ——-하다 자여불
휴척【休戚】명 안락(安樂)과 근심 걱정.
휴추【休錘】명 〖공〗 생산 과잉을 방지하는 수단으로서 방추(紡錘)의 운전(運轉)을 쉼.
휴칠【髹漆】명 옻칠함. 또, 옻칠. ——-하다 자여불
휴태【休怠】명 쉬어 게으름을 핌. ——-하다 자여불
휴퇴【休退】명 벼슬에서 물러나와 쉼. ——-하다 자여불
휴학【休學】명 ①학업(學業)을 쉼. ②〖교〗 질병(疾病) 기타의 원인으로, 재적(在籍)한 채 일정 기간 등교하지 않는 일. ——-하다 자여불
휴한【休閑】명 〖농〗 지력(地力)의 감퇴를 막기 위하여 어느 기간 재배를 중지함. 휴작. 묵히기. ——-하다 자여불
휴한 농업【休閑農業】명 〖농〗 몇 해마다 한차례씩 휴경(休耕)하여 땅을 쉬게 하는 농법.
휴한 작물【休閑作物】명 〖농〗 휴한지(休閑地)의 농지(農地)에 재배(栽培)를 하여도, 지력(地力)을 감쇠(減衰)시키지 않는 작물(作物).
휴한-지【休閑地】명 ①휴한 중의 토지. 휴경지(休耕地). ②공지(空地).
휴항【休航】명 배나 비행기(飛行機)의 운항(運航)을 쉼. ¶ 태풍으로 ~하다. ——-하다 자여불
휴행【携行】명 무엇을 몸에 지니고 다님. ——-하다 타여불
휴헐【休歇】명 쉼. 휴식함. ——-하다 자여불
휴-화산【休火山】명 〖지〗 옛날에는 분화(噴火)하였으나, 현재는 분화하지 않고 있는 화산. 쉬는 화산. 휴식 화산. 수면(睡眠) 화산. 식화산(熄火山). ↔활화산(活火山).
휴회【休會】명 ①회를 쉬는 일. ②〖법〗 국회 또는 지방 의회가, 결의(決議)에 의하여 일정한 기간 그 활동을 휴지(休止)하는 일. ③〖경〗 거래소(去來所)에서 입회(立會)를 휴지하는 일. ——-하다 타여불
휴흠【虧欠】명 흠축(欠縮). ——-하다 자여불
휼간【譎諫】명 둘러 말하여 간함. ——-하다 타여불
휼계【譎計】명 간사하고 능청스러운 꾀. 남을 속이는 잔꾀.
휼고【恤孤】명 고아를 구제함. ——-하다 자여불
휼구【恤救】명 구휼(救恤). ——-하다 타여불
휼궤【譎詭】명 ①속임. ②괴이함. 이상함. 진기함.
휼금【恤金】명 정부(政府)에서 이재민(罹災民)에게 지급(支給)하는 돈.
휼런다이트〔heulandite〕명 〖광〗 휘비석(輝沸石).
휼모【譎謀】명 남을 속이는 꾀.
휼문【恤問】명 가엾이 여겨 문안함. ——-하다 타여불
휼미【恤米】명 정부(政府)에서 이재민에게 지급하는 쌀.
휼민【恤民】명 이재민(罹災民)을 구휼(救恤)함. ——-하다 자여불
휼방지-쟁【鷸蚌之爭】명 방휼지쟁(蚌鷸之爭).
휼병【恤兵】명 물품이나 금품(金品)을 보내어 전장(戰場)의 병사(兵士)를 위로함. ¶ ~ 사업. ——-하다 자여불
휼병-금【恤兵金】명 휼병을 위해 쓰이는 돈.
휼사【譎詐】[一싸] 명 남을 속이기 위하여 간사한 꾀를 부림. ——-하다 자여불
휼수【恤囚】명 〖역〗 관(官)에서 죄수를 구휼(救恤)하는 일. ——-하다 자여불
휼양-전【恤養田】명 〖역〗 고려 말기의 과전법(科田法)에서, 부모가 모두 사망한 경우에, 어린 자녀에게 망부(亡父)의 과전(科田)을 전수(傳受)케 한 전지(田地). 남자는 20세에 달하면 본인의 전과(田科)에 따라 경정(更定)하고 여자는 혼인할 때 남편의 전과(田科)에 따르되, 나머지는 나라에 반환함.
휼전【恤典】[一쩐] 명 정부(政府)에서 이재민(罹災民)을 구제(救濟)하는 은전(恩典).
휼조【鷸鳥】[一쪼] 명 〖조〗 도요새.
흄:[1]〔Hume, Alexander Frederick Douglas〕명 〖사람〗 영국의 정치가. 옥스퍼드 대학 졸업. 1931년 하원 의원, 1951년 국방상, 1960년 외상을 역임, 1963년 보수당 당수가 되어 수상에 취임하였으며, 1970년에 다시 외상이 되었다가 1974년 은퇴함. [1903-]
흄:[2]〔Hulme, Thomas Ernest〕명 〖사람〗 영국의 문예 비평가. 제1차 대전 때 전사함. 유고집 ≪성찰(省察)≫에서 인간의 실재는 혼돈(混沌)이며 절대의 영역에는 도달할 수 없지만 동경을 잊을 수는 없다는 인식의 바탕에서 낭만주의·휴머니즘을 부정함. ≪속(續)성찰≫도 있음. 서유럽의 전통(傳統) 사상을 받아들임으로써 20 세기 영국 비평가 중 다대한 영향력을 끼친 사람의 하나임. [1883-1917]
흄:[3]〔Hume, David〕명 〖사람〗 영국의 철학자·역사가. 에든버러에서 태어나 법률을 수학하고, 철학·문학에 대한 강렬한 욕구로 프랑스에 건너가 첫저술인 ≪인성론(人性論)≫을 집필함. 로크(Locke)의 경험론과 버클리(Berkeley)의 관념론을 계승하여, 철학상으로는 철저한 경험론의 입장에 서서 종래의 형이상학에 파괴적인 비판을 가하여 실체(實體)·인과(因果) 등의 관념은 심리적 연상(聯想)에 불과하다고 주장함. 처녀작 외에 ≪인간 오성(人間悟性)≫·≪영국사(英國史)≫ 등의 저서가 있음. [1711-1776]
흄:-관【一管】명 〔Hume concrete pipe〕 원심력을 이용하여 친 후에 굳

힌 철근 콘크리트관. 강도가 강하고, 수밀성(水密性)도 큼. 상·하수도관(上下水道管)·농업용 등에 쓰임.

흉[1] 명 ①상처(傷處)나 부스럼이 아문 자리. 허물. 창반(瘡瘢). ②비웃을 만한 거리, 비난받을 만한 점. 흠(欠). 허물. ③〈방〉 흉내.
[흉 각각 정(情) 각각] ㉠결점이 있을 때는 흉보고, 좋은 점이 있을 때는 칭찬함. 곧, 상벌(賞罰)이 분명함. ㉡정으로 인하여 흉을 보지 아니하고, 흉으로 인하여 정을 잊을 것이 못된다는 말. 곧, 흉은 흉이고 정은 정이므로 혼돈하거나 얘깔 수 없다는 말. [흉이 없으면 며느리 다리가 희단다] 며느리에게는 공연히 생트집을 잡는다는 말.

흉[2]【匈】명〖지〗↗흉아리(匈牙利).

흉가【凶家】명 드는 사람마다 흉한 일을 당하는 불길한 집. 흉갓집.
[흉가도 지닐 탓] 아무리 볼썽 사나운 것이라도, 다루고 손질하기에 따라 그 효용이 나아진다는 말.

흉각【胸脚】명〔thoracic appendage〕〖동〗절지 동물(節肢動物)의 흉부(胸部)의 체절(體節)에 있는 부속지(付屬肢). 대개 보각(步脚)인데, 갑각류(甲殼類)에서 볼 수 있는 것처럼 전방(前方)의 몇 쌍이 구기(口器)의 일부를 이루는 경우에는 악각(顎脚)이라 일컬음. 흉지(胸肢). 가슴마디. 가슴다리.

흉간【胸間】명 가슴의 언저리.

흉갓-집【凶家—】명 흉가.

흉강【胸腔】명〔thoracic cavity〕〖생〗포유류(哺乳類)의 흉부(胸部)에 있는 체강(體腔). 측면(側面)은 늑골(肋骨)로 보호되고 횡격막(橫隔膜)을 사이로 복강(腹腔)과 접하며 그 속에 폐·심장 등이 있음.

흉격【胸膈】명 ①〖생〗심장(心臟)과 비장(脾臟) 사이의 흉부(胸部). ②마음. 가슴 속. ¶～이 메어지나마 딸의 소원을 들어 주는 것이 눈앞에 참혹한 꼴을 보느니 보다는 얼마나 나은지 몰랐다《玄鎭健 : 無影塔》.

흉겸【凶歉】명 흉년. 기근(饑饉).

흉계[1]【凶計】명 음흉한 꾀. 악독한 계략. 악계(惡計).

흉계[2]【胸悸】명 심계(心悸).

흉계[3]【胸繫】명〖고고학〗고들개[4].

흉고 단:면적【胸高斷面積】명〔basal area〕〖식〗나무를 가슴 높이로 잘랐을 때의 줄기의 단면적. 일반적으로 지름으로써 측정함. 이 단면적은 임관(林冠)의 넓이와 비례하므로 삼림 군락(森林群落) 조사에 쓰임.

흉곡【胸曲】명 흉중(胸中).

흉골【胸骨】명〖생〗가슴뼈.

흉곽【胸廓】명〖생〗흉추(胸椎)와 늑골(肋骨) 및 흉골(胸骨)로써 농상(籠狀)을 이룬 흉부(胸部)의 골격(骨格). 여기에 체벽(體壁)의 근육(筋肉)이 참가하여 흉강(胸腔)을 형성하고 속에 폐·심장이 들어 있음. 이 뼈들은 관절 또는 연골로 조성(組成)되어 흉곽의 운동이나 호흡 운동을 도움.

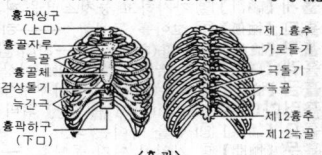

흉곽상구 (上口)
흉골자루
늑골
흉골체
검상돌기
늑간극
흉곽하구 (下口)
제1흉추
가로돌기
극돌기
늑골
제12흉추
제12늑골

〈흉곽〉

흉곽 성형술【胸廓成形術】명〖의〗폐결핵 치료를 위하여, 늑골의 일부를 배부(背部)에서 절제(切除)하고 흉곽을 축소하여 폐를 압박하는 수술. 주로 폐에 결핵성의 공동(空洞)이 있어 기흉술(氣胸術)을 하지 못할 경우에 함.

흉관【胸管】명 가슴관.

흉괘【凶卦】명 언짢은 점괘. ↔길괘(吉卦).

흉괴【凶恠】명 흉악(凶惡). ——하다 형여불

흉구【凶具】명 흉기(凶器)❶.

흉근[1]【凶饉】명 흉작(凶作)으로 인한 기근(饑饉).

흉근[2]【胸筋】명〖생〗흉부(胸部)에 붙어 있는 근육.

흉금【胸襟】명 가슴 속에 품은 생각. 흉차(胸次). 흉심(胸心). 회포(懷抱). ¶～을 털어 놓다.

흉기[1]【凶器·兇器】명 ①사람을 살상(殺傷)하는 도구. 칼·총포(銃砲)와 같은 성질상(性質上)의 흉기와, 막대기·도끼와 같은 용법상(用法上)의 흉기의 구별이 있음. 흉구(凶具). ②상사(喪事)에 쓰는 제구.

흉기[2]【胸鰭】명〖어〗가슴지느러미.

흉-길【凶吉】명 길흉(吉凶).

흉내 명 남이 하는 언행(言行)을 고대로 옮겨서 하는 짓. ¶～쟁이.
흉내(를) 내:다 구 남이 하는 언행(言行)을 그대로 옮겨서 하다. ¶글씨체를 ～/남의 목소리를 ～/제 분수를 모르고 흉내를 내다가 실패함을 '가마우지 흉내내는 까마귀'로 비유한다.

흉-내:다 타〈방〉흉내 내다(함남).

흉내-말 명〖언〗어떠한 사물(事物)이나 현상(現象)의 소리나 모양·동작(動作) 등을 흉내삼아 이르는 말. '똑딱똑딱하다' 등의 의성어(擬聲語)와 '동글납작하다'·'휘청휘청하다' 등의 의태어(擬態語)가 있음. 시늉말.

흉내-쟁이 명 남의 흉내를 잘 내는 사람.

흉년【凶年】명 수해(水害)·한해(旱害)·한해(寒害)·풍해(風害)·충해(蟲害) 등으로 농작물이 잘 되지 아니한 해. 검년(儉年). 겸년(歉年). 기년(飢年). 기세(饑歲). 재년(災年). 황년(荒年). 황세(荒歲). ↔풍년.
[흉년에 어미는 굶어 죽고 아이는 배 터져 죽는다] ㉠흉년에, 흔히 울며 보채는 아이들은 지나치게 배 불리 먹게 되고 어른들은 굶게 된다는 말. ㉡가난한 살림에서는, 아이들은 배불리 먹이고 어른은 못 먹는 것이 보통이라는 말. [흉년에 윤달] 불행한 일이 겹친다는 말. 설상 가상(雪上加霜). [흉년에 죽 어른도 한 그릇 아이도 한 그릇] 먹을 것이 적으면 아이나 어른이나 똑같이 먹는다는 말. [흉년의 곡식] 다른 때보다 귀하게 본다는 말. [흉년의 떡도 많이 나면 싸다] 무엇이든지 많으면 천해진다는 뜻.
흉년(이) 들다 구 어떤 해 어떤 지방에 곡식이 잘 되지 아니하여 주리게 되다. ↔풍년 들다.
흉년에 배운 장기(長技) 구 먹기만 함을 이르는 말.

흉년 거:지【凶年—】명 얻어 먹기 어려울 때의 거지. 곧, 주위 환경이 불리(不利)하여 애를 쓰나 효과가 적음을 이르는 말.

흉녕【凶獰】명 성질이 흉악하고 사나움. ¶그 기색이 전과 같이 ～치가 않고 온화한 빛이 있거늘…《金敎濟 : 地藏菩薩》. ——하다 형여불

흉녕-스럽다【凶獰—】형ㅂ불 보기에 흉녕하다. ¶그 많은 비석들이 모두 짐승의 모양인 듯 비를 맞아 더 흉녕스럽게 보여 소름이 쭉 끼치면서…《朴花城 : 고개를 넘으면》. 흉녕-스레【凶獰—】부

흉노【匈奴】명〖역〗기원전 3-1세기 사이에, 장성(長城) 지대와 몽고 지방에서 활약한 북적(北狄)의 일파인 유목 민족. 그 수장(首長)을 선우(單于)라 하여, 묵돌(冒頓) 선우 이후 약 150년 간이 그 전성기로 우수한 청동제 무기를 갖고, 동은 러허(熱河)로부터 서는 지금의 신장 성까지의 광대한 지역에 군림하여, 한(漢)나라를 누차 침공하였음. 후한(後漢) 때에 남북으로 분열함. 종족은 몽고계(蒙古系)인지 터키계(系)인지 분명하지 않으나, 4세기경에 유럽으로 이동한 일부와 더불어 훈족(Hun族)이라 일컬음.

흉노 묵돌【匈奴冒頓】명〖사람〗묵돌 선우(冒頓單于)를 흉노로서 일컫는 이름.

흉노 묵특【匈奴冒頓】명〔묵특은 묵돌(冒頓)의 달리 읽는 음(音)〕①〖사람〗묵돌 선우(冒頓單于)를 흉노(匈奴)로서 일컫는 이름. ②흉악 무도한 사람의 비유.

흉당[1]【凶黨】명 흉악한 무리. 역적(逆賊)의 무리.

흉당[2]【胸膛】명 복장❶.

흉덕【凶德】명 흉악한 성질.

흉도【凶徒·兇徒】명 ①흉악하고 사나운 무리. 악당(惡黨). ②모반인(謀叛人). 폭도.

흉독【凶毒】명 흉악하고 독함. ——하다 형여불

흉례【凶禮】[—녜] 명 상례(喪禮).

흉리[1]【凶裏】[—니] 명 흉한 내용. 음흉한 이면.

흉리[2]【胸裏·胸裡】[—니] 명 가슴 속. 마음 속. 흉중(胸中).

흉막【胸膜】명〖생〗고등 척추 동물(高等脊椎動物)에서, 흉부(胸部)의 여러 기관(器官), 특히 폐(肺)를 싸고 있는 장막(漿膜). 안팎 두 층으로 되어 있으며, 폐에 접하는 쪽을 흉막 내장층(內臟層), 체벽(體壁)에 가까운 쪽을 흉막 체벽층이라고 하며, 이 두 층 사이에 흉막강(腔)이 있음. 늑막(肋膜).

흉막-염【胸膜炎】[—념] 명〖의〗늑막염(肋膜炎).

흉막 천:자【胸膜穿刺】명〖의〗습성(濕性) 늑막염일 때 행하는 천자. 치료를 목적으로 행하는 것과 검사를 위한 것이 있음.

흉맹【凶猛】명 흉악하고 사나움. ——하다 형여불

흉모[1]【凶謀】명 음흉한 모략. 흉악한 계략(計略). 흉계(凶計). 역모(逆謀).

흉모[2]【胸毛】명 ①가슴에 나는 털. ②새의 가슴에 난 깃.

흉모-자【凶謀者】명 흉모를 꾀한 사람.

흉몽【凶夢】명 불길한 꿈. 언짢은 꿈. ↔길몽(吉夢).
흉몽 대:길 구 꿈은 사실과 반대로 나타나는 것이니까, 흉한 꿈이 오히려 길할 징조라고, 불길한 꿈을 꾸었을 때 위로하는 말.

흉문[1]【凶問】명 흉사(凶事)에 대한 위문. ——하다 타여불

흉문[2]【凶聞】명 ①죽었다는 소식. 부문(訃聞). *고부(告訃). ②좋지 못한 소식.

흉물【凶物】명 성질이 음흉한 사람.
흉물(을) 떨:다 구 음흉스러운 짓을 짐짓 행동에 나타내다.

흉물-스럽다【凶物—】형ㅂ불 성질이 음흉하게 보이다. 흉물-스레【凶物—】부

흉배【胸背】명 ①가슴과 등. ②가슴의 배부(背部). ↔흉복(胸腹)❷. ③〖역〗관복(官服)의 가슴과 등 쪽에 붙이는 수(繡) 놓은 헝겊의 조각. 조선 시대 초기에는 문관 일품(一品)은 공작 흉배(孔雀胸背), 이품(二品)은 운안(雲雁) 흉배, 삼품(三品)은 백한(白鷳) 흉배, 무관(武官) 당상관(堂上官)은 호표(虎豹)·웅비(熊羆)·해치(解豸) 흉배, 대군(大君)은 기린(麒麟) 흉배, 왕자(王子)·군(君)은 백택(白澤) 흉배를 달다가, 영조(英祖) 때에 문관 당상(文官堂上)은 운학(雲鶴) 흉배, 당하 문관(堂下文官)은 백학(白鶴) 흉배로 바뀌고, 고종(高宗) 8년(1871)에 문관은 학흉배(鶴胸背), 무관은 호흉배(虎胸背)로 고쳐졌음.

흉범【凶犯】명 살인범(殺人犯) 따위의 흉악한 범인.

흉벽【胸壁】명 ①흉장(胸牆). ②〖생〗흉곽(胸廓)의 외벽(外壁). ③〖토〗흙으로 된 자연적인 둑의 표면을 유지하기 위하여 만든 낮은 벽.

흉변【凶變】명 사람이 죽는 따위의 불길한 변사(變事).

흉보【凶報】명 ①불길한 기별. 악보(惡報). ¶～를 알리다. ②사람이 죽었다는 통보(通報). 흉음(凶音). 고부(告訃). 부고(訃告). 부문(訃聞). 부음(訃音). 통부(通訃). ¶～에 접하다.

흉-보다 타 남의 결점을 들어 말하다. ¶공연히 남을 ～.

흉복[1]【凶服】명 상복(喪服).

흉복[2]【胸腹】명 ①가슴과 배. ②가슴의 복부(腹部). ↔흉배(胸背)❷.

흉복-통【胸腹痛】명〖한의〗가슴앓이.

흉부【胸部】명〖생〗①가슴 부분. ②호흡기(呼吸器). ¶～ 질환.

흉부 대:동맥【胸部大動脈】명〖생〗심장(心臟)으로부터 나오는 대동맥궁(大動脈弓)에 이어, 제삼 흉추(第三胸椎)의 왼쪽에서부터 횡격막(橫隔膜)의 열공(裂孔)에 종주(縱走)하여 복부(腹部) 대동맥에 연이은 대동맥.

흉비【胸痞】명〖한의〗가슴이 답답한 병.

흉사[1]【凶邪】명 흉악하고 간사함. 또, 그런 사람. ——하다 형여불

흉사[2]【凶事】[명] ①불길한 일. 흉악한 일. 화사(禍事). ②사람이 죽은 일. 궂은 일. ↔길사(吉事)·경사(慶事).
흉산【胸算】[명] 속셈.
흉살[1]【凶殺】[명] 참혹하게 죽임. ——-하다 [타][여불]
흉살[2]【凶煞】[명]〖민〗불길한 운수. 흉한 귀신.
흉상[1]【凶狀】[명] ①음충맞고 험악한 태도. ②괴악한 모양.
흉상[2]【凶相】[명] ①좋지 못한 상격(相格). ②보기 흉한 외모(外貌).
흉상[3]【胸像】[명]〖미술〗인체(人體)의 흉부(胸部) 이상만을 나타낸 조각상(彫刻像)이나 초상화(肖像畫).
흉선【胸腺】[명]〖생〗척추 동물에서 호르몬을 분비한다고 생각되는 내분비선. 사람에서는 심장의 전상방(前上方)에 있으며 14-15세에서 최대(最大)로 됨. 성적 발육의 억제나 몸의 발육의 촉진 등이 행하여진다고 하는데 확실하지 않음. 가슴샘.
흉선 기능 장애【胸腺機能障礙】[명]〖의〗흉선의 기능 장애로 인하여 유아기 상태(幼兒期狀態)를 보이는 일.
흉선 림프 체질【胸腺-體質】〔lymph〕[명]〖의〗흉선(胸腺) 및 림프 조직이 비대(肥大)·증식(增殖)하기 쉬운 체질. 병에 대한 저항력이 약하고, 병에 걸리면 위중(危重)하게 되기 쉬운데, 갓난아기의 반수는 이러한 체질임.
흉선-사【胸腺死】[명]〖의〗흉선의 비대(肥大), 전신(全身) 림프 장치(裝置)가 증생(增生)하여 사소한 외적(外的) 자극이 원인으로 갑자기 사망하는 일.
흉선 핵산【胸腺核酸】[명]〔thymonucleic acid〕〖생〗디옥시리보 핵산의 구칭. ↔효모(酵母) 핵산.
흉설【凶說】[명] 음흉하고 괴악(怪惡)한 말.
흉성[1]【凶星】[명]〖민〗흉조(凶兆)가 있는 별. 이 별이 비치는 곳에는 흉사가 있다 함. ↔길성(吉星).
흉성[2]【胸聲】[명]〖악〗'가슴소리'의 한자 이름. *두성(頭聲).

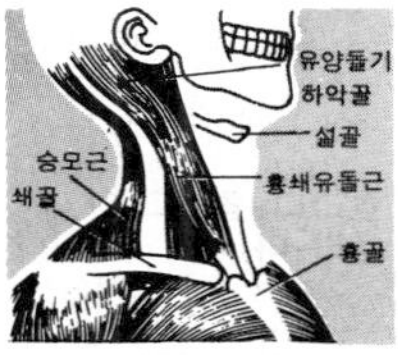

〈흉쇄 유돌근〉

흉세【凶歲】[명] 흉년(凶年). ↔숙세(熟歲).
흉쇄 관절【胸鎖關節】[명]〖생〗흉골(胸骨)과 쇄골(鎖骨)을 연결하는 관절.
흉쇄 유돌근【胸鎖乳突筋】[명]〖생〗흉골(胸骨)의 위 끝과 쇄골(鎖骨)의 안쪽 끝에서 시작하여 귀의 뒤쪽으로 비스듬히 뻗어 있는 크고 긴 목 부분의 근육.
흉수[1]【凶手·兇手】[명] ①흉한(兇漢)의 독수(毒手). ② 흉악한 짓을 하는 사람.
흉수[2]【胸水】[명]〖의〗늑막강(肋膜腔) 속에 괴는 물. 늑막염·늑막강 종양(腫瘍) 등의 경우에 굄.
흉수[3]【胸髓】[명]〖생〗척수(脊髓)의 일부로, 첫째 쌍(雙)의 뇌신경(腦神經)으로부터 제12대(對)의 뇌신경이 출입하는 범위.
흉-스럽다【凶—】[형][ㅂ불] 보기에 흉하다. **흉-스레**【凶—】[부]
흉식 호흡【胸式呼吸】[명] 주로 늑골(肋骨)의 운동에 의하여 행하여지는 호흡. 여자에 많으며 수면(睡眠) 중의 호흡은 대부분 이것임. 흉호흡(胸呼吸). 가슴 숨쉬기. ↔복식(腹式) 호흡.
흉신【凶神】[명] 좋지 못한 귀신. 흉물스러운 귀신.
흉심[1]【凶心】[명] 흉악한 마음. 음흉한 마음.
흉심[2]【胸心】[명] 흉금(胸襟).
흉아리【匈牙利】[명]〖지〗'헝가리(Hungary)'의 취음(取音).
흉악【凶惡】[명] ①성질이 거칠고 사나움. 독악(毒惡). ¶~한 강도. ②용모(容貌)가 험상궂고 모짊. ——-하다 [형][여불]. ——-히 [부]
흉악-망측【凶惡罔測】[명] 몹시 흉악함. ¶~한 짓을 하다. [준]흉측(凶測). ——-하다 [형][여불]
흉악망측-스럽다【凶惡罔測—】[형][ㅂ불] 몹시 흉악한 태도가 있다. [준]흉측스럽다. **흉악망측-스레**【凶惡罔測—】[부]
흉악 무도【凶惡無道】[명] 성질이 거칠고 사나우며 도의심(道義心)이 없음. ——-하다 [형][여불]
흉악-범【凶惡犯】[명] 흉악한 범죄를 저지름. 또, 그 범인.
흉악 범:죄【凶惡犯罪】[명] 잔혹(殘酷)한 죄를 범함. 또, 그 범한 죄.
흉악-성【凶惡性】[명] 흉악한 성질이나 특성.
흉액【胸液】[명]〖생〗흉막강(胸膜腔) 속에 있는 장액(漿液).
흉어【凶漁】[명] 물고기가 아주 적게 잡힘. 불어(不漁). ↔풍어(豐漁).
흉억【胸臆】[명] 가슴 속. 가슴 속의 생각. 흉중(胸中).
흉-업다【凶—】[형][ㅂ불] 불쾌(不快)할 정도로 짓이나 말이 흉하다.
흉역[1]【凶逆】[명] 임금에게 불충(不忠)하고 부모에게 불효(不孝)하는 흉악한 짓. 또, 그러한 역신(逆臣)이나 역자(逆子).
흉역[2]【胸疫】[명]〖의〗말의 폐장(肺臟)과 늑막(肋膜)에 생기는 전염병의 한 가지.
흉오【胸奧】[명] 흉중(胸中).
흉용【洶湧】[명] 물결이 매우 세차게 일어남. 또, 물이 힘차게 솟아남. ¶파도가 ~하나 그것을 이기지 못하며≪구약 예레미야서 V : 22≫. ——-하다 [자][여불]
흉우【胸宇】[명] 흉중(胸中).
흉월【凶月】[명] 악월(惡月).
흉위【胸圍】[명] 젖이 있는 곳에서 잰 가슴의 둘레. 가슴 둘레. ¶~를 재다.
흉음【凶音】[명] ①흉사(凶事)의 기별. ②죽음을 알리는 소식. 부보(訃報).
흉인[1]【凶人·兇人】[명] 흉악한 사람.
흉인[2]【凶刃·兇刃】[명] 흉행(凶行)에 쓰이는 칼. 살인자의 칼. 독인(毒刃). *흉기(凶器).
흉일【凶日】[명] 불길한 날. 악일(惡日). ↔길일(吉日).
흉작【凶作】[명]〖농〗농작물의 소출(所出)이 썩 적음. ¶~으로 농촌이 피폐하다. ↔풍작(豐作)·상작(上作).
흉잡【凶雜】[명] 흉악하고 난잡함. ——-하다 [형][여불]
흉-잡다 [타] 남의 결점을 끄집어서 들추어 내다. ¶며느리를 ~.
흉-잡히다 [피동] 남에게 흉잡음을 당하다. ¶흉잡히는 짓은 하지 말라.
흉장[1]【胸章】[명] 군인·관리 등의 가슴에 다는 표장(標章).
흉장[2]【胸牆】[명] ①성곽(城郭)이나 포대(砲臺) 등 중요한 곳에 따로 쌓는, 사람의 가슴 높이만한 담. 흉벽(胸壁). ②이편의 사격(射擊)을 편하게 하고 적의 사격을 방지할 목적으로 구축한 퇴토(堆土).
흉저【胸底】[명] 흉중(胸中). 심저(心底).
흉적【凶賊·兇賊】[명] 흉악한 도적.
흉절【胸節】[명]〖충〗막정벌레의 가슴의 마디. 앞·가운데·뒤의 세 마디로 되어 있는데, 가운데와 뒷마디의 등에는 날개가 달렸음. 가슴마디.
흉조[1]【凶兆】[명] 불길한 징조. 흉증(凶證). ↔길조(吉兆).
흉조[2]【凶鳥】[명] 흉물스러운 새.
흉종【凶終】[명] 수화재(水火災)·흉한(凶漢)·형륙(刑戮) 등으로 인하여 끔찍스럽게 횡사(橫死)하는 일. ——-하다 [자][여불]
흉중【胸中】[명] 가슴 속. 마음 속. 마음. 생각. 심복(心腹). 흉억(胸臆). 흉우(胸宇). 흉용(胸湧). 흉리(胸裏). 흉곡(胸曲). ¶~이 착잡하다/그의 ~을 헤아리고 남는다.
흉-즉대:길【凶則大吉】[명]〖민〗점괘(占卦)나 사주(四柱)풀이·토정 비결(土亭秘訣) 등에 나타난 신수가 아주 나쁠 때는 오히려 정반대로 대길(大吉)하다는 말. ↔길즉대흉(吉則大凶).
흉증【凶證】[명] ①흉조(凶兆). ②음흉한 성벽(性癖).
　흉증(을) 부리다 [구] 음흉(陰凶)한 짓을 하다. 짐짓 음흉한 심사(心事)를 드러내다.
흉증-맞다【凶證—】[형] 음흉하고 험상궂은 태도가 있다.
흉증-스럽다【凶證—】[형][ㅂ불] 흉한 태도가 있다. **흉증-스레**【凶證—】[부]
흉지【胸肢】[명]〖동〗흉각(胸脚).
흉-질 [명]〈방〉① 악담(惡談). ②비방(誹謗). ——-하다 [자타][여불]
흉차【胸次】[명] 흉금(胸襟).
흉참【凶慘】[명] 흉악하고 참혹(慘酷)함. ——-하다 [형][여불]. ——-히 [부]
흉책【凶策】[명] 흉악한 계책. ¶~을 꾸미다.
흉추【胸椎】[명]〖생〗가슴등뼈.
흉충【凶蟲】[명] 흉한 벌레.
　[흉충이 반흉(反凶)] '흉한 벌레 모로 긴다'와 같은 뜻. *흉하다.
흉측【凶測】[명] ↗흉악 망측(凶惡罔測). ¶~한 심보. ——-하다 [형][여불]
흉측-스럽다【凶測—】[형][ㅂ불] ↗흉악 망측(凶惡罔測)스럽다. ¶흉측스러운 생각. **흉측-스레**【凶測—】[부]
흉칙【凶—】[명] ☞ 흉측(凶測). ——-하다 [형][여불]
흉탄【凶彈】[명] 흉한(凶漢)이 쏜 총탄(銃彈). ¶~에 쓰러지다.
흉-터 [명] 상처가 아문 자리.
흉통【胸痛】[명]〖한의〗가슴이 아픈 증세. 흉강(胸腔)·복강(腹腔)·내장 등의 병으로 말미암아 일어남.
흉특【凶慝】[명] 흉악하고 음특(陰慝)함. ——-하다 [형][여불]
흉판【胸板】[명]〖동〗곤충·절지 동물의 흉부 복면(腹面)의 키틴판(chitin板). 복판(腹板).
흉패[1]【凶悖】[명] 험상궂고 패악함. ——-하다 [형][여불]
흉패[2]【胸牌】[명]〖기독교〗대제사장(大祭司長)의 가슴에 차는, 매우 정교(精巧)하게 수(繡) 놓은 10평방 인치 가량의 헝겊 표장(表章).
흉포【凶暴】[명] 몹시 흉악하고 사나움. ¶~한 사나이. ——-하다 [형][여불]
흉포-성【凶暴性】[—썽] [명] 흉포한 성질.
흉풍[1]【凶風】[명] ①사나운 바람. 인체(人體)나 농작물에 해를 끼치는 바람. ②음흉스럽고 타락된 기풍(氣風)이나 풍조(風潮).
흉-풍[2]【凶豐】[명] 흉년과 풍년. 흉작(凶作)과 풍작(豐作).
흉-하다【凶—】[형][여불] ①무슨 일의 결과가 좋지 못하다. ¶영화의 마지막 장면이 너무 ~. ②불길하다. ¶어쩐지 흉한 생각이 든다. ③보기에 나쁘다. ¶몰골이 ~. ④마음씨가 나쁘고 거칠다. ¶성질이 ~. ⑤인연이 나쁘다.
　[흉한 벌레 모로 긴다] 가뜩이나 보기 싫은 것이 더 미운 짓을 하고 못되게 굴 때 이르는 말. 흉충(凶蟲)이 반흉(反凶).
흉-하적 [명] 남의 결점을 들어 말하는 짓. ——-하다 [타][여불]
흉학【凶虐】[명] 매우 모질고 사나움. ——-하다 [형][여불]. ——-히 [부]
흉한[1]【凶悍·兇悍】[명] 흉악하고 사나움. ——-하다 [형][여불]
흉한[2]【兇漢】[명] ①악한(惡漢). ②흉행(兇行)을 하는 사람. ¶~에게 습격당하다/~이 출몰하다.
흉할【凶黠】[명] 간사하고 교활함. ——-하다 [형][여불]
흉해【凶害】[명] 끔찍한 짓으로 사람을 죽임. ——-하다 [타][여불]
흉행【兇行】[명] ①흉포한 행동. ②사람을 해치는 흉악한 짓. ——-하다 [자][여불]
흉-허물 [명] 흉이나 허물이 될 만한 일.
흉허물-없다 [—업—] [형] 서로 흉이나 허물되는 일이 없으리만큼 가깝고 친하다. ¶흉허물 없는 사이.
흉허물-없이 [—업씨] [부] 서로 흉허물이 없으리만큼 가깝고 친하게. ¶~ 사귀다/~ 지내는 사이.
흉험【凶險】[명] 마음이 음험함. ——-하다 [형][여불]
흉-헙다【凶—】[형][ㅂ불] ☞ 흉업다.
흉-호흡【胸呼吸】[명] 흉식 호흡(胸式呼吸).
흉화【凶禍】[명] ①흉악한 재화(災禍). ②부모의 상사(喪事).
흉황【凶荒】[명] 흉작(凶作)으로 농사가 결딴남.
흉회【胸懷】[명] 가슴 속에 품은 회포.
흉회-일【凶會日】[명]〖민〗음양가에서, 음양이 상극(相剋)하여 만사에 흉하다는 날.
흉흉-하다【洶洶—】 형여불 ①물결이 어지럽게 일어나서 세차다. ②인심(人心)이 몹시 어지럽고 어수선하다. 흉흉-히【洶洶—】 부
흰잣 명〈옛〉성(城) 이름. ¶翼祖親徃奚關城 흰잣≪龍歌 Ⅰ:8≫.
흐너-뜨리다 타 흐너지게 하다. ¶돌담을 ~.
흐너-지다 자 포개져 있던 작은 물건들이 낱낱이 헐리다.
흐너-트리다 타 흐너뜨리다.
흐놀다 타 그리워하다. 동경(憧憬)하다.
흐느기다 자〈옛〉흔들거리다. ¶白雲이 니러나고 나모 긋티 흐느긴다≪古時調 尹善道≫.
흐-느끼다 자 흑흑 느끼어 울다. ¶비보를 듣고 ~.
흐느다 자타〈옛〉흔들거리다. 흔들다. ¶ᄆᆞᄅᆞ미 흐리니 고기 머리롤 흐느놋다(江渾魚掉頭)≪初杜諺 XXⅢ:16≫.
흐느적-거리다 자 가늘고 긴 나뭇가지나 잎 또는 얇고 가벼운 물건이 계속해서 가볍게 흔들리다. ¶버들가지가 바람에 ~. 준흐늑거리다. >하느작거리다. 흐느적-흐느적 부. ——-하다 자여불
흐느적-대다 자 흐느적거리다.
흐느적-이다 자〈방〉나부끼다.
흐늑-거리다 자 ↗흐느적거리다. >하늑거리다. 흐늑-흐늑 부. ——-하다 자여불
흐늑-대다 자 흐늑거리다.
흐늑:-하다 형〈방〉느긋하다.
흐늘-거리다 자 ①매인 데 없이 편안하게 놀고 지내다. ②힘없이 늘어져서 연하여 흔들리다. >하늘거리다. ③단단하지 못하여 건드리는 대로 계속하여 흔들리다. ¶풍경이 ~. 흐늘-흐늘 부. ——-하다[1] 자여불
흐늘다 타〈옛〉흔들다. ¶막대 흐느러 상네 놀며(振錫常遊)≪永嘉 下 105≫.
흐늘-대다 자 흐늘거리다.
흐늘어-지다 자〈방〉휘늘어지다.
흐늘쩍-거리다 자 매우 느린 동작으로 계속해서 움직이다. 흐늘쩍-흐늘쩍 부. ——-하다 자여불
흐늘쩍-대다 자 흐늘쩍거리다.
흐늘흐늘-하다[2] 형여불 엉기어 있는 물체가 너무 무르거나 성기어 뭉크러질 듯하다. ¶흐늘흐늘하게 삶다. >하늘하늘하다[2].
흐드기다 자〈방〉흐느끼다.
흐드러-지다 형 ①썩 탐스럽다. ②흐무러지다❶❷.
흐들갑-스럽다 형ㅂ불〈방〉흐들갑스럽다. 흐들갑-스레 부
흐들갑-스럽다 형ㅂ불 지나치게 풍을 떨며 떠드는 태도가 있다. *호들갑스럽다. 흐들갑-스레 부
흐들히 부〈옛〉흐뭇이. 흐뭇하게. ¶흐들히 사호다가 온 ᄃᆞᆺᄒᆞ도다(來酣戰)≪杜諺 XⅥ:26≫.
흐들ᄒᆞ다 형〈옛〉흐뭇하다. 한창이다. ¶氣運이 흐들ᄒᆞ야 ᄒᆞ논 이롤 通達히 ᄒᆞ리로다(氣酣達所爲)≪杜諺 XXⅡ:43≫.
흐락 명 정색하지 않고 농조(弄調)로 하는 짓. ¶그 분의 ~에는 두 손 들었어.
흐러 타〈옛〉흩어. '흗다'의 활용형. ¶도ᄌᆞ굴 수머 흔번 흐러 나소니(避寇一分散)≪杜諺 Ⅷ: 29≫.
흐러디다 자〈옛〉흩어지다. ¶定力境界 흐러디리라(解散定境)≪蒙法 17≫. *흐르다[3].
흐럭흐럭-하다 형〈방〉흐늘흐늘하다.
흐레 명〈방〉흘레.
흐렛다 자타〈옛〉흩었다. 흩어져 있다. '흗다'의 활용형. ¶나몬 비치 뵈고리 흐렛도다(餘光散谿谺)≪杜諺 Ⅵ:46≫.
흐려-지다 자 흐리게 되다. ¶머리가 ~/판단이 ~/안색이 ~.
흐로 조〈옛〉으로. 로. ㅎ 첨용어(添用語)에 쓰인 조격 조사(造格助辭)의 하나. ¶ᄆᆞᆯᄀᆞᆫ ᄀᆞᄅᆞᄆᆞᆫ 뫼흐로 흘러 가미 ᄲᆞᄅᆞ도다(淸江轉山急)≪杜諺 Ⅰ: 41≫.
흐로닝겐 [Groningen] 명〖지〗그로닝겐.
흐로셔 조〈옛〉로부터. ¶漢人 ᄠᅳᆯ흐로셔 온 거시라(漢庭來)≪初杜諺 Ⅶ:34≫.
흐로:테 [Groote, Geert] 명〖사람〗네덜란드의 신학자·신비가(神祕家). 부패한 네덜란드의 성직자를 공격, 가톨릭의 개혁을 뜻하여 자기의 생가(生家)를 가난한 여자들에게 내어 주고 이들에게 일정한 내규(內規)를 정해 주어, 이후 '공주 형제단(共住兄弟團; Brothers of the Common Life)'을 창시하게 되었음. [1340-84]
흐롬 자타〈옛〉흩음. 흩어짐. '흐르다[3]'의 명사형. ¶ᄆᆞᆯᄀᆞᆫ 사괴요미 모ᄃᆞ며 흐로ᄆᆞᆯ 좃ᄂᆞ니(淡交隨聚散)≪初杜諺 XX:12≫.
흐롱하롱 부〈옛〉허롱허롱. 허롱거리는 모양. ¶ᄡᆞ여든에 쳣계집을 ᄒᆞ니 흐롱하롱 우벅쥬벅 죽을 번≪永言≫.
흐루다 자〈옛〉흘레하다. ¶ᄆᆞ쇼 흐루다(馬蓋牛走)≪同文 下 39≫.
흐루쇼프 [Khrushchëv, Nikita Sergeevich] 명〖사람〗소련의 정치가. 1918년 공산당에 입당한 이후, 정치국원(政治局員)·우크라이나 수상(首相) 등을 역임하고, 이듬해 공산당 중앙 위원회 제1 서기에 취임, 1956년에 재선되고, 1957년 수상을 겸임함. 스탈린의 사후 집단 지도제를 주창, 말렌코프 등 정적을 제거한 후 독자적인 농업 경제의 이론으로 독재체를 확립하였으나 1964년 실각함. [1894-1971]
흐룸 자〈옛〉흩음. 흩어짐. '흐르다[3]'의 명사형. ¶ᄌᆞ조 시름 흐루믈 許ᄒᆞ노라(許數散愁)≪初杜諺 Ⅶ:20≫.
흐룽-거리다 자〈방〉허룽거리다.
흐룽-대다 자〈방〉허룽대다.
흐룽-하룽 부〈방〉희룽해룽. ——-하다 형
흐룽-흐룽 부〈방〉허룽허룽. ——-하다 형
흐르니다 자〈옛〉흘러가다. ¶뎌 時節에 根性이 一定티 몯ᄒᆞ야 後에 도로 믈러디여 五道애 흐르닐씨≪月釋 XⅢ:31≫.
흐르다[1] 자르불 〔중세 : 흐르다〕①액체가 낮은 곳으로 내려가거나 넘치어 떨어지다. ¶탁류가 ~. ②떠서 액체와 함께 내려가다. ¶냇물 위를 흐르는 꽃잎. ③그릇에 담은 것이 넘쳐 쏟아지다. ④사물이 어떤 한 방향으로 쏠리다. ¶주관으로 ~/감정에 ~. ⑤시간 특히 세월이 가다. ¶세월이 흘러 백발이 되다. ⑥별·총알·화살 등이 날아 지나가다. ¶서쪽으로 흐르는 별. ⑦어떤 범위 안에 번져서 점차 퍼지다. ¶침묵이 ~/흐르는 멜로디.
흐르다[2] 자르불 짐승이 흘레를 하다.
흐르다[3] 자〈옛〉흩다. 흩어지다. ¶散은 흐를 씨라≪月釋 XXI:112≫.
흐르-때 명〈방〉허리띠(경남).
흐르르 부 종이나 피륙 등이 얇고 풀기가 없는 모양. ¶흐르르한 인견. >하르르. ——-하다 형여불
흐륵-흐륵 부 ☞흑흑. ¶~ 마냥 느끼며 울다.
흐름 누:가 곡선【—累加曲線】 명〖토〗하천의 하루 또는 한 달 평균 흐름량을 누가하여 도표로 나타낸 곡선.
흐름-소리 [—쏘—] 명〖언〗유음(流音).
흐리녹다 자〈옛〉흐리어 녹다. 흐려서 녹신녹신해지다. ¶흐리누기 괴ᄋᆞ시든 어누거 좃니읍시≪古時調≫.
흐리다[1] 〔중세 : 흐리다〕 타 ①흔적(痕跡)을 지워 버리다. ¶오징어가 먹물로 자취를 ~. ②액체 속에 잡것을 넣어 흐리게 하다. ¶물을 ~. ③집안이나 단체의 명예를 더럽히다. ¶가문(家門)을 ~. ④언짢거나 걱정스러운 빛을 나타내다. ¶낯을 ~.
흐리다[2] 형 ①기억력·판단 또는 하는 일이 분명하지 않다. ¶기억이 ~. >하리다[4]. ②다른 물질이 섞이거나 끼어서 맑지 못하다. ¶김으로 유리가 ~. ③등불·빛 따위가 밝지 않고 희미하다. ¶불빛이 ~. ④시력(視力)이나 청력(聽力)이 쇠하여 똑똑하게 보이거나 들리지 아니하다. ¶눈이 ~. ⑤걱정스러운 빛이 있다. ¶안색이 ~. ⑥구름·안개가 끼어 날씨가 나쁘다. ¶날씨가 ~. ⑦셈을 가리는 일이 분명치 않거나 더디다. ¶셈이 흐린 사람.
흐리디-흐리다 형 매우 흐리다.
흐리-마리 부 ①거취(去就)가 분명하지 못한 모양. ¶~한 대답(對答). ②생각이나 기억(記憶)이 분명하지 아니한 모양. ¶기억이 ~하다. ——-하다 형여불
흐리멍덩-하다 형여불 ①기억이 분명하지 않다. ②일의 경과(經過)나 결과가 분명하지 않다. ③정신이 몽롱하다. ¶잠에 취해서 머리가 ~. ④귀에 들리는 것이 희미하다. 1)-4): >하리망당하다. 흐리멍덩-히 부
흐리시 부〈옛〉흐릿하게. 탁(濁)하게. ¶비록 해 흐리시 가ᅀᆞ며나 엇데 져기 몱기 가난호미 곧ᄒᆞ리오(雖然多濁富爭似少淸貧)≪金三 Ⅳ:31≫.
흐리우다 타〈방〉흐리다[1]❸.
흐리터분-하다 형여불 ①사물이 똑똑하지 못하여 흐리고 터분하다. ¶흐리터분한 날씨/동궁의 우울한 마음은 여전히 흐리터분하게 온 가슴 속으로 떠돌고 있다≪朴鍾和 : 錦衫의 피≫. ②성미가 분명하거나 산뜻하지 못하다. ¶흐리터분한 사람. 1)·2):> 하리타분하다. 흐리터분-히 부
흐리텁지-하다 형〈방〉흐리터분하다.
흐린 소리 명〖언〗탁음(濁音). ↔맑은 소리.
흐린-찹쌀 명〈방〉차좁쌀(제주).
흐릿-하다 형여불 조금 흐리다. 조금 흐린 듯하다. ¶안개 속에 집이 흐릿하게 보이다.
흐ᄅᆞ다 자〈옛〉흐르다[1]. ¶ᄲᆞᆯ리 흐ᄅᆞᄂᆞᆫ뎐 鶺鴒ㅣ 散亂ᄒᆞ고(急流鴒鶺散)≪重杜諺 Ⅰ:34≫/싱명슈쉬지말고 ᄆᆞᄋᆞᆷ속에흐ᄅᆞ게≪찬양가 : 41≫.
흐무러-지다 형 ①잘 익어서 무르녹다. 흐드러지다. ¶나이는 푸른 봄을 흠뻑 껴안은 20을 막 넘어선 흐무러진 때다≪朴鍾和 : 錦衫의 피≫. ②물에 불어서 썩 무르다. 흐드러지다. ¶쌀이 물에 불어 ~. 1)·2): 준흐무지다. ③엉길 힘이 없어 뭉그러지다.
흐무뭇-하다 형여불 매우 흐뭇하다. >하무뭇하다.
흐무-지다 형 ↗흐무러지다❶❷.
흐물-거리다 타〈방〉빈정거리다.
흐물-흐물 부 푹 익어서 매우 무른 모양. 또, 엉길 힘이 없어 아주 흐무러진 모양. ¶~해지도록 고기를 삶다. >하물하물. ——-하다 형여불
흐뭇-이 부 흐뭇하게. >하뭇이.
흐뭇-하다 형여불 마음에 흡족하여 불만이 없다. ¶흐뭇한 광경. >하뭇하다.
흐믓ᄒᆞ다 형〈옛〉흐뭇하다. ¶흐믓ᄒᆞ게(洽)≪小諺 Ⅵ:112≫.
흐벅-지다 형 탐스럽게 두툼하고 부드럽다. ¶흐벅진 젖가슴/그의 노는 본새도 흐벅지고 돈 아까운 줄은 모르는 것 같았다≪蔡萬植 : 濁流≫.
흐슬-부슬 부 차진 기가 없고 헤식어서 헤질 듯한 모양. ¶과자가 ~ 부스러지다. ——-하다 형여불
흐슴츠러ᄒᆞ다 형〈옛〉희미하다. =흐웍이. ¶河漢ᄃᆞ리 흐슴츠러ᄒᆞ도다(霏微河漢橋)≪初杜諺 XXⅣ:57≫.
흐염 명〈방〉헤엄(충남).
흐워기 부〈옛〉흡족히. 무르녹게. =흐웍이. ¶工夫ㅣ ᄒᆞ다가 흐워기 흔 디위고ᄒᆞ서의히 흔디위ᄒᆞ야≪蒙法 38≫.
흐웍이 부〈옛〉흡족히. =흐워기. ¶셔웅황을 ᄀᆞ놀게 ᄀᆞ라 믈에 ᄆᆞ라 붓에 흐웍이 무텨 콘 굼긔 ᄇᆞᄅᆞ고(雄黃研細水調以筆濃蘸塗鼻竅中)≪救荒辟瘟 辟瘟 3≫.
흐웍흐웍ᄒᆞ다 형〈옛〉윤택하다. 무르녹다. ¶비치 흐웍흐웍호미 瑠璃 ᄀᆞᄐᆞ시며≪月釋 Ⅱ:59≫.
흐웍ᄒᆞ다 형〈옛〉흡족하다. 윤택하다. 무르녹다. ¶大川이 너비 흐웍호ᄆᆞᆫ(大川普洽)≪妙蓮 Ⅲ:10≫.

흐지-부지 부 [←휘지비지(諱之祕之)] 끝을 맺지 못하고 흐리멍덩하게 넘겨 버리는 모양. ¶사건의 조사가 ~ 끝나다. ──-하다 타여불

흐ᄌᆞᆷᄒᆞ다 자 〈옛〉 수잠 자다. =흐ᄌᆞᆺᄒᆞ다. ¶아비 묻고 시묘ᄒᆞ더니 ᄒᆞᄅᆞᆫ 흐ᄌᆞᆷᄒᆞ엿거ᄂᆞᆯ(葬父廬墓一日假寐)《東三綱 孝子圖 婁伯捕虎》.

흐ᄌᆞᆺᄒᆞ다 자 〈옛〉 수잠 자다. ¶아비 묻고 侍墓 사더니 ᄒᆞᄅᆞᆫ 흐ᄌᆞᆺᄒᆞ엿거ᄂᆞᆯ(葬父弘法山西廬墓一日假寐)《三綱 孝子 婁伯捕虎》.

흐트러-뜨리다 타 흐트러지게 하다. ¶닭이 모이를 ~/머리를 흐트러뜨리고 덤비다.

흐트러-지다 자 여러 가닥으로 얽히어 흩어지다. ¶대오(隊伍)가 ~/머리가 ~.

흐트러진-층 【一層】 명 〖고고학〗 두 개 이상의 층위(層位)가 서로 뒤섞여 서로 다른 시대(時代)의 유물(遺物)이 함께 출토(出土)되는 층. 교란층(攪亂層).

흐트러-트리다 타 흐트러뜨리다.

흐흐 부 데설궂게 웃는 소리나 모양. ──-하다 자여불

흑[1] 명 〈방〉 흙(경기·강원·충청·전라·경상·황해·함남·평안).

흑[2] 【黑】 명 ①↗흑색(黑色)❶. ②↗흑지.

흑[3] 부 한 번 흐느끼는 소리. ──-하다 자여불

흑각 【黑角】 명 빛이 검은 물소뿔.

흑각-대 【黑角帶】 명 〖역〗 조선 시대 때, 종삼품(從三品) 이하의 관원 및 향리(鄕吏)의 공복(公服) 및 오품(五品) 이하의 조복(朝服)·제복(祭服)·상복(常服)에 띠는 띠. 흑각(黑角)으로 만든 띠돈을 닮.

흑각 비녀 【黑角一】 명 흑각으로 만든 비녀.

흑각 첩지 【黑角一】 명 〖역〗 흑각으로 만든 첩지. 국상(國喪)이나 부모(父母)의 상 때에 착용함. *금첩지·은첩지.

흑-갈색 【黑褐色】 [―쌕] 명 검은 빛이 도는 짙은 갈색. 칙칙한 갈색. 검정 고동색.

흑개 【黑蓋】 명 〖역〗 의장(儀仗)의 한 가지. 검은 사(紗)로 싼 개(蓋).

흑개-감 【黑鎧監】 명 〖역〗 신라 시대의 관청의 하나. 경덕왕(景德王) 때 한 때 위무감(衛武監)으로 고침. 왕궁의 경위(警衛)를 맡은 것으로 추측됨.

흑-거란 【黑契丹】 명 〖역〗 서요(西遼).

흑건[1] 【黑建】 명 〖공〗 중국 젠야오(建窯)에서 나는 검은 빛깔의 도자기(陶瓷器).

흑건[2] 【黑鍵】 명 〖악〗 검은 건반. ↔백건(白鍵).

흑-고니 【黑一】 명 〖조〗 [*Chenopis atrata*] 오릿과에 속하는 물새. 백조보다는 좀 작고, 온 몸의 길이 약 150 cm, 날개 길이 약 45 cm임. 목이 길고 발에는 물갈퀴가 있음. 몸빛은 몸 전체가 흑색이고 칼깃만 순백색, 부리는 붉은 빛임. 오스트레일리아와 태즈메이니아(Tasmania) 원산으로, 구미(歐美)에서는 가금(家禽)으로 사육되고 있음. 수초(水草)·수생 동물 등을 먹음. 검은고니. 흑조(黑鳥).

〈흑고니〉

흑-고래 【黑一】 명 〖동〗 흑등고래.

흑-고약 【黑膏藥】 명 〖약〗 검은 빛깔의 고약.

흑곡 【†黑麯】 명 [←흑국(黑麴)] 종곡(種麴)의 한 가지. 주로 소주 등을 만드는 데에 씀.

흑관 【黑鸛】 명 〖조〗 먹황새.

흑광 【黑鑛】 명 〖광〗 섬아연광(閃亞鉛鑛)·방연광(方鉛鑛)·황철광(黃鐵鑛)·황동광(黃銅鑛)과 중정석(重晶石) 또는 석고(石膏) 등이 혼합된 암회색의 치밀한 광석. 보통 덩어리 모양을 이루며, 다소의 금이나 은을 함유함.

흑교 【黑橋】 명 〖지〗 황해도 황주군(黃州郡)의 교통 취락. 군의 북단에 가까운 경의선(京義線)에 연하여 황주 북쪽 12 km 지점에 있고, 서쪽으로 19 km 되는 송림(松林)과도 연락되는 교통의 요충임. 부근은 잠곡·사과·소의 산지로서 정기시(定期市)가 크게 열리며 또 철광산도 있음.

흑구[1] 【黑口】 명 서책(書册)에서, 판심(版心)의 상비(象鼻)에 있는 검은 선(線). 그 선이 굵은 것을 대흑구(大黑口)·관흑구(寬黑口)·조흑구(粗黑口)라 하고, 가는 것을 소흑구·세흑구(細黑口)·선흑구(線黑口)라 함.

흑구[2] 【黑尻】 명 〖조〗 황새.

흑구 온도계 【黑球溫度計】 명 [black-bulb thermometer] 〖공〗 감온부(感溫部)를 유연(油煙)으로 덮어 씌워 흑체(黑體)에 가깝게 만든 온도계.

흑구-자 【黑一子】 명 ←흑귀자(黑鬼子).

흑구-척 【黑狗脊】 명 〖식〗 면마(綿馬).

흑국 【黑麴】 명 → 흑곡(黑麴).

흑국-균 【黑麴菌】 명 자낭균류(子囊菌類)에 속하는 검은 곰팡이의 하나. 녹말 당화력(糖化力)이 강하여 소주 따위의 발효 공업에 많이 쓰임.

흑-귀자 【黑鬼子】 명 ①흑인(黑人)을 낮추어 이르는 말. ②살빛이 검은 사람을 조롱하는 말. →흑구자.

흑금 【黑金】 명 검은 빛의 금붙이라는 뜻으로 쇠를 일컫는 말.

흑-금강석 【黑金剛石】 명 〖광〗 카르보나도(carbonado).

흑금 서:당 【黑衿誓幢】 명 〖역〗 신라 구서당(九誓幢)의 하나. 신문왕(神文王) 3년(683)에 말갈(靺鞨) 사람으로 편성된 군대(軍隊). 금색(衿色)이 흑색임.

흑기[1] 【黑氣】 명 ①검은 기운. ②불길하고 음산한 기운.

흑기[2] 【黑旗】 명 ①검은 빛깔의 기. ②〖역〗 흑기병(黑旗兵)의 군기(軍旗).

흑기-군 【黑旗軍】 명 〖역〗 흑기병(黑旗兵).

흑-기러기 【黑一】 명 〖조〗 [*Branta bernicla orientalis*] 오릿과에 속하는 겨울 철새. 검은 색의 작은 기러기로, 머리와 목은 흑갈색에 흰 목띠를 두르고 있음. 6월경에 한 배에 3-8개의 알을 낳음. 한국·일본·중국 북부에서 월동하며 시베리아 동부, 북극 지방에서 캐나다 서부 툰드라 지방까지 분포함. 천연 기념물 제 325 호.

흑기-병 【黑旗兵】 명 〖역〗 중국 청(淸)나라 말기에 유승복(劉承福)이 평성한 사병(私兵). 흑기군(黑旗軍).

흑꼬리-도요 【黑一】 명 〖조〗 [*Limosa limosa melanuroides*] 도욧과에 속하는 새. 날개 길이 190 mm 내외이고, 등에는 금적색과 흑색의 반문이 있음. 가슴은 금적색, 허리는 암갈색이며, 꽁지가 흑색인 것이 특이하나, 겨울에는 금적색부가 없어짐. 동부 시베리아에서 번식하고, 남부 중국·뉴기니·오스트레일리아 등지에서 월동함.

흑-내장 【黑內障】 명 〖의〗 내안장(內眼障)의 한 가지. 동공(瞳孔)도 겉고 보기에는 아무 이상이 없으나 실제는 전혀 보지 못하는 눈병. 시신경(視神經)의 중추(中樞)에 한때 영양의 장애를 받거나 시신경의 섬유(纖維)가 전달(傳達) 불능이 될 때 또는 망막(網膜)에 있는 시광소(視光素)가 장애를 받을 때 일어남. 선천적으로 불구이거나, 술·담배의 중독에서 생기거나 함.

흑-내취 【黑內吹】 명 〖역〗 검은 옷을 입는 내취(內吹).

흑노 【黑奴】 명 ①흑인(黑人)으로서 노예가 된 사람. ②흑색 인종을 경멸하는 말. 검둥이.

흑니 【黑泥】 명 흑니토(黑泥土).

흑니-토 【黑泥土】 명 이탄(泥炭)이 공기로 말미암아 산화 분해(酸化分解)하여 검은 빛의 분말(粉末) 모양으로 된 물질. 이탄층(泥炭層)의 가장 위 층에서 흔히 볼 수 있는데, 이탄과 달라, 원래의 식물 조직을 식별(識別)하기는 어렵거나 불가능함. 흑니.

흑-다이아 【黑一】 [dia] 명 ①카르보나도(carbonado). ②치밀한 적철광(赤鐵鑛)을 간 보석. 장식용으로 쓰임. ③극히 품질이 좋은 석탄(石炭)의 미칭(美稱).

흑단 【黑檀】 명 〖식〗 [*Diospyros ebenum*] 감나뭇과에 속하는 상록 활엽 교목. 높이 6 m 가량인데, 잎은 호생하며 감나무 잎과 비슷한 긴 타원형으로 길이 10 cm 내외임. 꽃은 담황색 단성화(單性花)로 합판화관(合瓣花冠)이며, 자웅 동주(雌雄同株)임. 구형(球形)의 장과(漿果)는 작은 감 비슷한데 적황색으로 익음. 심재(心材)는 굳고 치밀하며 아름다운 광택이 나는 흑색인데, '오목(烏木)' 또는 '당목(唐木)'이라 하여 고급 가구·기구·악기·지팡이 및 기타의 재료로 씀. 인도와 말레이 반도 원산으로 아시아 남부에 분포함.

〈흑단〉

흑-단령 【黑團領】 [―달―] 명 〖역〗 검은 빛깔의 단령. 벼슬아치가 입는데, 당상관은 무늬가 있는 검은 사(紗)를 쓰고 당하관(堂下官)은 무늬가 없는 검은 사를 씀.

흑달 【黑疸】 명 〖한의〗 여로달(女勞疸).

흑달 사:략 【黑韃事略】 명 중국의 잡사(雜史). 송(宋)나라의 팽대아(彭大雅)·서정(徐霆)이 이종(理宗)의 명(命)으로 몽고에 갔을 때의 견문록(見聞錄). 칭기즈칸 시대의 풍속(風俗)·역사·제도(制度) 등을 기록함. 가희(嘉熙) 원년(1237)에 완성함. 1권.

흑담 【黑潭】 명 중국 장안(長安)의 남쪽, 중난 산(終南山) 기슭에 있는 못. 물이 깊고 거무하여, 예로부터 비를 비는 곳으로 되어 있었음.

흑-담즙질 【黑膽汁質】 명 〖심〗 우울질(憂鬱質).

흑당 【黑糖】 명 ①빛이 검은 엿. ②↗흑설탕(黑雪糖).

흑-당피 【黑唐皮】 명 검은 당나귀 가죽.

흑-대두 【黑大豆】 명 검은 콩.

흑-대모 【黑玳瑁】 명 검은 빛깔의 대모.

흑-도[1] 【黑島】 명 〖지〗 충청 남도의 서해상, 태안군(泰安郡) 근흥면(近興面) 가의도리(賈誼島里)에 위치한 섬. [0.005 km²]

흑도[2] 【黑陶】 명 〖고고학〗 검은 간토기.

흑도[3] 【黑道】 명 〖천〗 태음(太陰)의 궤도. 황도(黃道)에서 43°4′, 양극(兩極)에서 23°38′ 되는 자리.

흑도 문화 【黑陶文化】 명 흑도로 대표되는 중국 신석기 시대의 문화. 산둥(山東)·허난(河南)을 중심으로 하여 주로 동부 지방에 분포됨. 취락(聚落)을 이루어 농경 생활을 함. 룽산(龍山) 문화.

흑동-광 【黑銅鑛】 명 〖광〗 삼사 정계(三斜晶系)에 속하는 구리의 광물. 미소한 인편상(鱗片狀)으로 아금속 광택(亞金屬光澤)이 나며, 빛깔은 흑색 내지 회흑색임. 딴 동광(銅鑛)과 함께 동광산의 산화대(酸化帶)에서 약간 산출됨.

흑두[1] 【黑豆】 명 검은팥.

흑두[2] 【黑頭】 명 ①빛이 검은 머리. ②젊은 사람.

흑두-공 【黑頭公】 명 ①흑두 재상(黑頭宰相). ②붓의 이칭(異稱).

흑두-당 【黑頭糖】 명 검은콩을 물에 불려 얼린 뒤에 소금을 쳐서 볶아, 검은 엿에 버무린 겨울철 음식.

흑-두루미 【黑一】 명 〖조〗 [*Grus monacha*] 두루밋과에 속하는 새. 날개 길이 48-53 cm, 꽁지 16-19 cm, 부척(跗蹠)은 20-23 cm임. 몸 빛은 회흑색이고 머리와 목의 대부분은 순백색임. 앞이마와 눈 앞에는 흑색의 강모(剛毛)가 났으며, 그 뒤와 두정(頭頂)은 나출(裸出)하여 적색임. 부리는 황색이고, 다리는 흑색인데 유조(幼鳥)는 암갈색에 두정에는 회백색털이 나고 나출부(裸出部)가 없음. 논·습지 같은 곳에 50-500 마리씩 떼를 지어 걸어 다니며, 물고기·조개·게·곤충·지렁이 등과 식물의 줄기·뿌리·잎 등을 먹는 보호조로 동물원에서 기름. 동부 시베리아·만주·몽고 등지에서 번식하고, 한국·일본·중국에서 월동함.

〈흑두루미〉

흑두-병【黑痘病】[—뼝] 명 〖한의〗 피부에 검은 반점(斑點)이 생기고, 목이 잠기는 전염병의 한 가지.

흑두 재:상【黑頭宰相】명 나이가 아주 젊은 재상. 흑두공(黑頭公).

흑라【黑癩】[—나] 명 〖의〗 피부가 검게 되는 나병의 한 가지.

흑로【黑鷺】[—노] 명 〖조〗 [*Demigretta sacra ringeri*] 백로과의 새. 날개 길이 27-32cm, 꽁지 9-11cm, 부척(跗蹠)은 7-10cm임. 흑색형(黑色型)·백색형, 그 중간형 등 세 가지 형이 있음. 흑색형은 전신이 농석판색(濃石板色)이며 머리는 거의 흑색이고, 목의 중앙에 백색 부분이 있음. 한국·중국·일본·대만에 분포함.

〈흑로〉

흑룡【黑龍】[—농] 명 검은 빛깔의 용. 여룡(驪龍).

흑룡-강【黑龍江】[—농—] 명 〖지〗 헤이룽 강(江).

흑룡강-성【黑龍江省】[—농—] 명 〖지〗 헤이룽장 성(省).

흑린【黑燐】[—닌] 명 〔black phosphate〕〖화〗 인(燐)의 동소체(同素體)의 하나. 황린(黃燐)을 12,000 기압에 200°C로 가열해서 만드는 물질. 철회색(鐵灰色)의 금속 광택이 있음. 열 및 전기의 도체임.

흑립【黑笠】[—닙] 명 칠립(漆笠).

흑립-전【黑笠廛】[—닙—] 명 옻칠한 검은 갓을 파는 가게.

흑마【黑馬】명 검은 빛깔의 말. 검정말.

흑-마포【黑麻布】명 검은 빛깔의 마포.

흑막【黑幕】명 ①검은 장막(帳幕). ②겉으로 드러나지 않은 음흉한 내막(內幕).

흑막 정치【黑幕政治】명 〖정〗 정치 무대의 흑막 뒤에서 소수의 사람이 조종하고 있는 정치.

흑-맥주【黑麥酒】명 맥주의 일종. 그을려서 착색(着色)한 맥아(麥芽) 또는 캐러멜 색소(色素)를 사용하므로 암갈색을 띰.

흑-면포【黑麪麭】명 흑빵.

흑-모란【黑牡丹】명 ①소의 아명(雅名). ②〖식〗 자흑색의 모란 꽃.

흑-미사【黑彌撒】명 〖천주교〗 제의(祭衣)의 빛이 검으므로 장례 미사를 일컫는 딴 이름.

흑-박주가리【黑—】명 〖식〗 [*Cynanchum glabrum*] 박주가릿과에 속하는 다년초. 줄기는 만상(蔓狀)이고 잎은 단병(短柄)이며, 긴 타원상 달걀꼴임. 7-8월에 흑자색의 꽃이 취산(聚繖) 화서로 액출(腋出)하여 피고, 과실은 골돌과(蓇葖果)인데 8-9월에 익음. 산이나 들에 나는데, 제주·전남·강원·경기에 분포함.

흑반[1]【黑斑】명 검은 반점(斑點).

흑반[2]【黑礬】명 〖화〗 녹반(綠礬).

흑반-병【黑斑病】[—뼝] 명 〖농〗 검은별무늬병(病).

흑발【黑髮】명 검은 머리털. 오발(烏髮). ¶ ～의 미인(美人).

흑백【黑白】명 ①검은 빛과 흰 빛. 조백(皁白). ②잘잘못. 백흑(白黑). ¶ 법정에서 ～을 가리다. ③바둑의 흑지와 백지. 또는 상수(上手)와 하수(下手). ④흑인과 백인. ¶ ～ 분규.

흑백을 가리다 구 잘잘못을 가리다.

흑백 네거티브 필름【黑白—】〔negative film〕명 흑백 사진(黑白寫眞)의 프린트를 만들기 위한 일반 촬영용(一般撮影用) 필름의 하나. *컬러 리버설 필름.

흑백 논리【黑白論理】[—놀—] 명 어떤 사상(事象)을 극단적으로 양분하여, 어느 한쪽만을 판단의 절대적인 기준으로 삼아 전개하는 논리. ¶ 사물을 ～로만 따져서는 안 된다.

흑백 분명【黑白分明】명 선악(善惡)의 구별이 분명함.

흑백 불분【黑白不分】명 잘잘못이 분명하지 않음.

흑백 사진【黑白寫眞】명 실물의 형상의 빛깔이 까맣거나 하얗으로 나타난 사진. ↔천연색 사진.

흑백 영화【黑白映畫】[—녕—] 명 천연색이 아닌, 흑백으로 영사되는 영화. ↔천연색 영화.

흑백 텔레비전【黑白—】명 〔monochrome television〕 재생(再生)된 상(像)이 단색(單色)이며 흰색과 검정색의 농담(濃淡)만으로 나타나는 텔레비전.

흑번【黑番】명 바둑에서, 흑돌을 가진다는 뜻에서, 선번(先番)을 일컫는 별칭(別稱). ↔백번(白番).

흑법【黑法】명 〖불교〗 깨끗한 선법(善法), 곧 부처의 정도(正道)를 백법(白法)이라 하는데 대하여, 사념(邪念)의 법, 곧 외도(外道)의 사법(邪法)의 일컬음.

흑-변두【黑藊豆】명 〖식〗 검은 빛의 변두. 식료(食料)로 씀. 흑편두.

흑-보기 명 눈동자가 한쪽으로만 몰려, 무엇을 정면으로 보지 못하고, 언제나 흘겨 보는 사람.

흑-비기 명 〈방〉 흑보기.

흑-비둘기【黑—】명 〖조〗 [*Columba janthina janthina*] 비둘깃과에 속하는 새. 날개 길이 24cm 내외. 몸빛은 흑색에 자색 또는 녹색의 광택이 나며 부리는 암청색, 다리는 적색임. 필리핀·중국·대만·만주·한국 등지에 분포함.

〈흑비둘기〉

흑-빵【黑—】명 호밀 가루로 만든 빵. 단백질(蛋白質)과 지방이 풍부(豐富)함. 흑면포(黑麪麭).

흑사【黑砂】명 〔black sand〕〖광〗 흑색 광물, 곧 자철광(磁鐵鑛)·석석(錫石)·휘석(輝石)·각섬석(角閃石) 또는 희원소(稀元素) 광물 등을 다량으로 함유한 모래.

흑사-띠【黑絲—】명 〖역〗 검은 실로 짠 띠. 조선 시대에, 당하관(堂下官)이 띠었음.

흑사-병【黑死病】[—뼝] 명 〖의〗 페스트(pest).

흑-사탕【黑砂糖】명 흑설탕.

흑산-가시나무【黑山—】명 〖식〗 [*Rosa kokusanensis*] 장미과(薔薇科)에 속하는 낙엽 활엽 관목. 가시가 있고 잎은 우상 복상(羽狀複生)하는데 소엽(小葉)은 거꿀달걀꼴 또는 긴 타원형이고 거치(鋸齒)가 있음. 5월에 백색 꽃이 방상(房狀) 화서로 정생하여 피고, 구형(球形)의 과실은 9-10월에 익음. 산기슭에 나는데, 전남의 흑산도와 황해의 장산곶에 분포함. 풋싹은 식용하고 과실은 약용함.

흑산 군도【黑山群島】명 〖지〗 전라 남도 신안군(新安郡) 서쪽의 고도군(孤島群). 흑산도·매화도(梅花島)·소(小)흑산도 등으로 구성됨. 규사(珪砂)의 세계적 산지이며, 고래잡이의 근거지임. 최근, 다도해(多島海) 해상 국립 공원의 일부로 지정되면서 목포와 홍도 사이에 페리호가 운항되고 있으며, 많은 관광객들이 찾아들고 있음.

흑산-도【黑山島】명 〖지〗 전라 남도 신안군(新安郡) 흑산면(黑山面)에 있는 섬. 노령 산맥(蘆嶺山脈) 말단의 침강으로 이루어진 섬으로, 조기·삼치·갈치·도미 등이 많으며, 규사(珪砂)의 산지(産地)로 유명함. 소(小)흑산도에 상대하여 대(大)흑산도라고도 함. [22.01km²: 5,135명 (1985)]

흑-산호【黑珊瑚】명 〖동〗 화충강(花蟲綱) 각산호목(角珊瑚目)에 속하는 강장 동물(腔腸動物)의 하나. 군체(群體)는 나뭇가지 모양으로 생기었는데 피부에는 잔 구멍이 많으며 골축(骨軸)은 각질(角質)이고 빛은 칠흑색(漆黑色)임. 갈아서 인재(印材)와 궐련 물부리를 만드는 데에 사용함.

흑삼【黑衫】명 〖역〗 제향(祭享) 때에 제관(祭官)이 입는 소매가 검은 예복(禮服).

흑-삼릉【黑三稜】[—능] 명 〖식〗 [*Sparganium ramosum*] 흑삼릉과의 다년초. 줄기 높이 1m 가량이며, 잎은 가늘고 길며 총생함. 폭 1-2mm임. 6-7월에 백색 단성화(單性花)가 두상(頭狀) 화서로 피는데, 다수의 수꽃이삭은 가지 위쪽, 암꽃이삭은 아래쪽에 달리고, 과실은 핵과(核果)임. 연못에 나는데, 전남의 진도(珍島)·금강산 및 경기도 등지에 분포함.

〈흑삼릉〉

흑삼릉-과【黑三稜科】[—능꽈] 명 〖식〗 〔Sparganiaceae〕 단자엽(單子葉) 식물에 속하는 한 과. 온대와 한대에 1속(屬) 15종이 있는데, 한국에는 흑삼릉 등 3-4 종이 분포함.

흑색【黑色】명 ①검은 빛. 검정빛. ¶ ～ 잉크. ㉤흑(黑). ↔백색(白色). ②〖사〗 무정부주의(無政府主義)를 상징하는 빛깔.

흑색 근부병【黑色根腐病】[—뼝] 명 〖식〗 검은뿌리썩음병.

흑색 마연 토기【黑色磨研土器】명 〖고고학〗 '검은 간토기'의 구용어.

흑색 산화 구리【黑色酸化—】명 〖화〗 산화 제이(酸化第二) 구리.

흑색 산화 망간【黑色酸化—】〔mangan〕명 〖화〗 삼산화 이망간.

흑색 선전【黑色宣傳】명 무근(無根)한 사실을 조작하여 상대방을 중상모략(中傷謀略)하고 교란(攪亂)시키는 정치적 술책(政治的術策). 마타도어(matador). ¶ ～이 난무하다.

흑색 세:포종【黑色細胞腫】명 〔melanocytoma〕〖의〗 주로 멜라닌 형성 세포(形成細胞)로 되는 양성(良性) 종양.

흑색소-포【黑色素胞】명 〖생〗 유색 인종의 살갗·털 따위의 흑색소를 포함한 세포. 멜라닌 세포.

흑색 이판암【黑色泥板岩】명 〔black shale〕〖광〗 황철광(黃鐵鑛)과 같은 황화물이나, 이전에 혐기성(嫌氣性) 토양의 퇴적이 있던 해분(海盆)과 같은 조건 아래에서 생성(生成)된, 역청(瀝靑) 등의 유기물이 풍부(豐富)하고, 대단히 얇은 층의 이판암.

흑색 인종【黑色人種】명 피부가 흑색 또는 갈색이고, 검은 머리가 보통 곱슬곱슬하며, 코가 납작하고 입술이 두꺼운 데다가 턱의 중앙이 돌출한 인종의 총칭. 사하라 사막(Sahara 砂漠) 이남의 아프리카 및 남북 미주(美洲) 등지에 삶. 니그로이드(Negroid). ㉤흑인종. ↔백색 인종(白色人種).

흑색 잉크【黑色—】〔ink〕명 검은 빛깔의 잉크. 갈산(酸) 등의 수용액에 황산 제일철·물감 등을 넣어서 만듦.

흑색 제:의【黑色祭衣】[—/—이] 명 〖천주교〗 성금요일(聖金曜日), 연미사·장례 미사 때에 사제가 입는 검은 색 제의. 조상(弔喪)의 뜻을 나타냄.

흑색 조합【黑色組合】명 〖사〗 무정부주의(無政府主義) 계통의 노동 조합(勞動組合).

흑색-종【黑色腫】명 〔melanoma〕〖의〗 ①미분화(未分化) 멜라닌 형성 세포로 말미암은 악성 종양(惡性腫瘍). ②멜라닌 세포로 말미암은 양성 또는 악성 종양.

흑색 칠면조【黑色七面鳥】명 칠면조의 하나. 온 몸이 검고 광택이 있으며 다리는 암회색(暗灰色)임. 육량(肉量)이 비교적 많음.

흑색-토【黑色土】명 흑토(黑土).

흑색 토기【黑色土器】명 〖고고학〗 검은 간토기.

흑색 혈암【黑色頁岩】명 혈암의 하나. 역청(瀝靑) 등의 유기물(有機物)이 풍부하며 흑색을 띠고 있음.

흑색 화:약【黑色火藥】명 ①흑색 또는 갈색의 폭약. 질산 칼륨·목탄(木炭)·황의 혼합물. 본래는 가루로 되었었으나, 최근에는 각종 크기의 과립상(顆粒狀)으로 제조되고 있음. ②암석 폭파용 화약의 일종. ❶의 흑색 화약보다 질산 나트륨 함량을 적게 하고, 대신 목탄의 함량을 늘린 화약. 질산 나트륨 또는 질산 칼륨 65-75%, 황 10-15%, 목탄 15-20%로 됨.

흑서[1]【黑黍】명 〖식〗 옻기장.

흑서[2]【黑鼠】명 털빛이 검은 쥐.

흑서구 명 〈심마니〉 까마귀.

흑서 속대【黑犀束帶】명 〖역〗 검은 무소뿔로 만든 띠. 고려 때 무관들이 사용했음.

흑석【黑石】명 ①검은 빛깔의 돌. ②〖광〗 흑요석(黑曜石). ③검은 바둑돌. 흑지.
흑-석영【黑石英】명〖광〗빛이 검은 석영.
흑선【黑線】명 ①검은 빛깔의 선. ②〖물〗빛의 흡수 스펙트럼(吸收 spectrum)에 나타나는 암흑선(暗黑線). 곧, 태양의 스펙트럼에 나타나는 암선(暗線).
흑설-병【黑舌病】[—뼝]명〔blacktongue〕〖동〗개의 니코틴산(nicotine 酸) 결핍증. 혀가 검게 되는 것이 특징임.
흑-설탕【黑雪糖】명 정제(精製)하지 않은 검은 빛깔의 가루 사탕. 흑사탕(黑砂糖). ＊백설탕·황설탕.
흑성-병【黑星病】[—뼝]명〖농〗검은별무늬병.
흑-셔츠【黑—】〔shirt〕명 ①검은 빛깔의 셔츠. ②이탈리아의 파쇼 당원(Fascio 黨員)의 제복(制服).
흑셔츠-당【黑—黨】〔shirt〕명〖역〗파시스트당의 별칭(別稱).
흑셔츠-대【黑—隊】〔shirt〕명 파시스트당.
흑-소【黑—】명〈방〉흑우(黑牛).
흑-소두【黑小豆】명 검은팥.
흑-손[1] 명〈방〉흙손(경기·강원·충청·전라·경상·황해·함남·평안).
흑손[2]【黑損】명 신문 용어. 인쇄가 지나치게 검게 되어, 버리는 신문 용지. 평균 2% 전후이지만 무시할 수 없을 정도임. ↔백손(白損).
흑송【黑松】명〖식〗해송(海松)❷.
흑수[1]【黑手】명 ①검은 손. ②음흉한 수단.
흑수[2]【黑穗】명〖식〗깜부기.
흑수-균【黑穗菌】명〖식〗깜부기균.
흑수-단【黑手團】명 복수(復讐) 또는 공갈을 목적으로 하는 이탈리아 사람들의 비밀 결사.
흑수-병[1]【黑水病】[—뼝]명〖의〗흑수열(黑水熱).
흑수-병[2]【黑穗病】[—뼝]명〖식〗깜부기병.
흑수-열【黑水熱】명〔blackwater fever〕〖의〗중증(重症)의 말라리아 경과(經過) 중에 일어나는 급성 적혈구 붕괴증(崩壞症). 키니네의 투여(投與)로 유발되는 수가 많음. 오한·전율(戰慄)·설사·신열이 심하며, 오줌에 헤모글로빈이 다량 포함되어 배출되므로 오줌 빛이 암갈색이 됨. 흑수병(黑水病).
흑-수정【黑水晶】명〖광〗빛이 검은 수정.
흑수-증【黑水症】[—쯩]명〖한의〗신장염(腎臟炎) 등으로 외음부(外陰部)에 생기는 부증(浮症).
흑숙-학숙부 ☞ 흑축학축. ——하다 타여불
흑승 지옥【黑繩地獄】명〖불교〗팔열 지옥(八熱地獄)의 둘째. 벌겋게 달군 사슬로 결박(結縛)하고, 역시 달군 쇠도끼로 찍어 죽이는 형벌(刑罰)을 준다고 함.
흑시【黑柿】명 먹감.
흑시리명〈심마니〉①된장. ②간장.
흑신-기【黑神旗】명〖역〗중오방기(中五方旗)의 하나. 북방(北方)에 세웠음. 기면(旗面)은 다섯 자 평방. 바탕은 검은데, 가장자리와 화염(火焰)은 백색이고, 조현단(趙玄壇)이라 하는 군신(軍神)의 화상과 운기(雲氣)를 그리었음. 깃대 길이 15자. 영두(纓頭)·주락(珠絡)·장목이 있음. ＊신기(神旗)·중오방기(中五方旗).
흑실명〈심마니〉간장.
흑심【黑心】명 음흉하고 부정한 욕심 많은 마음. ¶～을 품다.
흑-싸리【黑—】명 ①화투(花鬪)에서, 검은 싸리를 그린 화투장. 4월이나 네 끗을 나타냄. ②남의 일에 훼방을 잘 놓는 사람의 별명.
흑암[1]【黑岩】명 빛이 검은 바위.
흑암[2]【黑暗·黑闇】명 ①몹시 껌껌함. 몹시 어두움. 암흑(暗黑). ②〖불교〗지혜(智慧)나 공덕(功德)이 없음. ——하다 형여불
흑암-신【黑闇神】명〖불교〗사람에게 재화(災禍)를 준다는 여신. 길상천(吉祥天)의 여동생인데, 밀교(密敎)에서는 염마왕(閻魔王)의 비(妃)라 함. 흑암천. 흑암천녀.
흑암 지옥【黑闇地獄】명〖불교〗어둠침침한 지옥. 여기서 부모나 스승의 물건을 훔친 자를 심문하고 처벌한다 함.
흑암-천【黑闇天】명〖불교〗흑암신(神).
흑암천-녀【黑闇天女】명〖불교〗흑암신.
흑액【黑液】명 ①검은 액체. ②〔black liquor〕〖공〗제지 과정(製紙過程)에서, 펄프재(材)를 찌거나 삶았을 때 남는 액체.
흑앵【黑櫻】명 버찌.
흑야【黑夜】명 칠야(漆夜).
흑야-신【黑夜神】명 밤 10시부터 오전 2시까지 한밤중을 맡은 신.
흑양【黑羊】명 빛이 검은 양.
흑양-피【黑羊皮】명 빛이 검은 양의 가죽. 오양피(烏羊皮).
흑어【黑魚】명〖어〗가물치.
흑업【黑業】명〖불교〗악보(惡報)를 초래하는 소업(所業).
흑-연[1]【黑淵】명〖지〗강원도 간성군(杆城郡) 서면(西面)에 있는 못. [0.19 km²]
흑연[2]【黑煙】명 ①시꺼먼 연기. ②먹물 대신에 숯가루를 봉지에 싸서 줄에 칠하여 쓰는, 화공(畫工)의 먹줄. ③〖공〗석탄·석유 등 화석 연료(化石燃料)의 불완전 연소(不完全燃燒)로 생기는 다수의 미립자(微粒子)를 함유하는 연기.
흑연[3]【黑鉛】명〔graphite〕〖광〗순수한 탄소(炭素)로 된 육방 정계(六方晶系)의 판상 결정(板狀結晶). 금속 광택이 있는 부드러운 회흑색 또는 철회색(鐵灰色)의 덩어리로 산출됨. 양도체(良導體)로, 연필의 심, 난로의 도료(塗料) 및 전기 공업에 많이 사용함. 우리 나라 사대(四大) 광물의 하나. 석묵(石墨).
흑연 감:속 원자로【黑鉛減速原子爐】명〔graphite-moderated reactor〕〖물〗흑연이 주된 감속재로 쓰이는 원자로.
흑연-강【黑鉛鋼】명 흑연 형태의 탄소가 함유된 강.
흑연-광【黑鉛鑛】명〖광〗①흑연을 파내는 광산. ②흑연을 함유하고 있는 광석. ＊흑연 편암(黑鉛片岩).
흑연 그리:스【黑鉛—】〔grease〕명〖공〗윤활용 그리스의 하나. 2-10%의 무정형(無定形) 흑연을 함유함. 습기가 있는 곳에서 사용하는 축받이용의 그리스.
흑연 섬유【黑鉛纖維】명 소성 온도(燒成溫度) 2,000°C 이상에서 소성한 탄소 섬유의 하나. 아크릴 섬유·레이온 섬유·리그닌 섬유·피치 섬유를 탄화하여 만든 것으로, 결정성(結晶性)이 증대하여 흑연 구조(黑鉛構造)를 나타내고, 내열성(耐熱性)·도전성(導電性)이 현저하며, 섬유상(狀) 또는 포상(布狀)임. 고온 여포(高溫濾布) 등에 씀.
흑연질 탄:소【黑鉛質炭素】명〔graphitic carbon〕철이나 강(鋼) 속에 흑연의 형태로 존재하는 탄소.
흑연 편:암【黑鉛片岩】명〖광〗흑색 편상(片狀)의 광택이 많은 암석. 다량의 흑연 외에, 석영(石英)·장석(長石)·견운모(絹雲母) 등을 함유함. 석묵 편암(石墨片岩).
흑열-병【黑熱病】[—뼝]명〖의〗아프리카·중근동(中近東)·남미·필리핀·인도 등지에서 발생하는 전염병. 갑자기 발병하고, 오한(惡寒)과 함께 고열이 남. 일단 하열(下熱)하나, 이 증상을 되풀이함.
흑영【黑影】명 검은 그림자.
흑예[1]【黑瞖】명〖한의〗각막(角膜)에 팥알만큼한 융기물(隆起物)이 생기는 눈병의 한 가지.
흑예[2]【黑翳】명 검은 그림자.
흑-오미자【黑五味子】명〖식〗〔*Maximowiczia nigra*〕오미자과에 속하는 낙엽 활엽 만목(蔓木). 잎은 달걀꼴 또는 거꿀달걀꼴임. 5-6월에 자웅이가(雌雄異家)의 백색 꽃이 액생하여 피고, 장과(漿果)는 가을에 남흑색(藍黑色)으로 익음. 산록(山麓)에 나는데, 제주도와 일본에 분포함. 과실은 약용함.
흑-왕【黑王】명〖사람〗하인리히 삼세(Heinrich三世).
흑요-석【黑曜石】명〖광〗흑요암.
흑요-암【黑曜岩】명〔obsidian〕〖광〗회색 또는 흑색의 파리질(玻璃質)의 화산암. 풍부한 파리(玻璃) 광택과 패각상(貝殼狀)의 단구(斷口)를 가진 반투명체임. 유문암질(流紋岩質) 또는 안산암질(安山岩質) 등의 용암(熔岩)이 급격히 냉각·응고하여 된 것으로, 갈아서 옥(玉)·단추 등의 장식품 및 인재(印材)·벼루 등의 제조에 널리 쓰임. 오석(烏石). 흑요석.
흑우【黑牛】명 ①털 빛이 검은 소. ②〖민〗제주도에서, 대제(大祭)의 희생으로 바치던 검은 소.
흑운【黑雲】명 검은 구름. 천기가 나빠질 때에 나타나는 검은 비구름. 또, 괴이한 일 따위가 일어날 징조로서 나타난다는 구름. 먹구름. 오운(烏雲). ↔백운(白雲).
흑-운모【黑雲母】명〖광〗운모의 한 가지. 흑색·청회색·갈색 등이 있음. 고토분(苦土分)이 많으며, 철(鐵)·칼리(kali)·반토(礬土)·수분(水分) 등이 결합한 복잡한 규산염(珪酸塩). 경도(硬度)가 낮고 화성암(火成岩)·변성암(變成岩)의 주성분으로, 화강암(花崗岩)·정장암(正長岩)·섬록암(閃綠岩)·운모 편암(雲母片岩) 등에 많이 함유되어 있음. 검은 돌비늘. 고토 운모(苦土雲母).
흑월【黑月】명〖불교〗한 달을 둘로 나누어, 계명(戒命)을 설(說)하는 기간인 15일 이후의 보름을 가리키는 말. 인도(印度)의 달력에서 유래함. ↔백월(白月).
흑-위제【黑韋鞮】명〖역〗조선 세종 때 아악(雅樂)의 무무 공인(武舞工人)들이 신은, 검은 가죽신.
흑유【黑釉】명 검은 빛의 도자기 잿물.
흑-유마【黑油麻】명〖식〗검은깨❶.
흑육【黑肉】명 흑색의 인주(印朱).
흑의【黑衣】[—/—이]명 ①빛이 검은 옷. ②승려의 법의(法衣)로, 잿빛을 띤 검은 옷. 전하여, 출가(出家)의 뜻으로도 쓰임. ③〖역〗공용 인부(公用人夫)들이 입는 검은 빛깔의 웃옷. 두루마기와 같은데 무가 없이 만듦.
흑의 재:상【黑衣宰相】[—/—이—]명 승적(僧籍)에 있으면서 정치에 참여하여 대권(大權)을 좌우하는 사람.
흑인【黑人】명 ①털과 피부가 검은 사람. ②흑색 인종에 속하는 사람. 검둥이. 니그로. 토인(土人). ¶～ 음악.
흑인 노예【黑人奴隸】명〖역〗16-19세기, 아메리카 대륙에서 노예로서 생산 노동에 종사한 아프리카 흑인.
흑인 문:제【黑人問題】명 흑인에 대한 백인들의 인종 차별이 빚고 있는 정치·사회적인 문제. 미국·남(南)아프리카 공화국 등 세계 각지에서 큰 문제가 되고 있음.
흑인 문학【黑人文學】명〔negro literature〕미국에 정주(定住)하는 흑인 사이에서 탄생된 문학.
흑인-법【黑人法】[—뻡]명〔Black Code〕〖법〗남북 전쟁 후의 재건 시대에 있어서 미합중국 남부 여러 주(州)의 백인이 흑인의 정치적·사회적 권리의 확장을 저지(沮止)하기 위하여 제정한 주법(州法). 백인과 흑인의 결혼 금지, 재판에서 흑인은 흑인이 관계된 사건에만 증언할 수 있고, 허가 없는 무기 휴대(武器携帶)의 금지 등을 규정한 주법. 헌법 수정(修正) 제13-15조의 규정으로 흑인은 백인과 평등한 정치적 권리가 부여되었는데도, 남부 여러 주에는 아직도 이러한 법률이 잔존(殘存)하고 있음.
흑인 영가【黑人靈歌】[—녕—]명〔negro spirituals〕아메리카 대륙에 노예로 끌려온 흑인들이, 구약 성서에서 제재(題材)를 얻어 노래한 종

교적인 민요. 오음 음계(五音音階)를 기조로 하는 신코페이션(syncopation)이 많은 독특한 리듬에, 괴로운 현실에서 벗어나려는 소원을 담았음. 1870년 이후, 주로 합창 형식으로 불리어서 세계에 보급됨. 니그로 스피리추얼즈.

흑인 음악【黑人音樂】명 미국에 정주(定住)하는 흑인 사이에서 생겨난 민속 음악. 흑인 영가(黑人靈歌), 갖가지 노동가(勞動歌), 블루스 등을 모체(母體)로 재즈로까지 발전함.

흑-인종【黑人種】명 ↗흑색 인종(黑色人種).

흑일-도【黑日島】[—또] 명〖지〗전라 남도의 남해상(南海上), 완도군(莞島郡) 군외면(郡外面) 당인리(唐仁里)에 있는 섬. 어업이 성함. 해변에 검정 모래가 깔려 있어 이 이름으로 불림. [1.58km² : 157명(1984)]

흑-임자【黑荏子】명 ①검은깨❶. ②〖한의〗검은깨를 한의약에서 일컫는 말. 통변(通便) 및 영양제로 쓰임. 거승(苣勝).

흑임자 강정【黑荏子—】명 검은깨를 볶아 짓찧어서 묻힌 강정.

흑임자 다식【黑荏子茶食】명 검은깨를 볶아서 찧어 도드미에 쳐서 찐 다음 꿀이나 조청에 반죽하여 만든 다식. *깨다식.

흑임자-죽【黑荏子粥】명 검은깨를 쌀과 함께 물에 담갔다가 매에 갈아 체로 걸러서 쑨 죽.

흑자[1]【黑子】명 ①흑지. ②사마귀❶.

흑자[2]【黑字】명 ①검은 빛의 글자. 먹으로 쓴 글자. ②〖경〗[수입 초과액을 표시할 때는 흑색이나 청색 잉크를 쓰는 데서] 정부에서 세입(歲入)이 세출을 초과하거나, 관청·은행·회사 등에서 수입이 지출을 초과하여 잉여(剩餘)나 이익이 생기는 일. ¶~를 유지하다. 1)·2): ↔ 적자(赤字).

흑자[3]【黑磁】명 칠흑색의 자기(磁器).

흑자국 책임【黑字國責任】명〖경〗국제 수지(國際收支)의 흑자국(黑字國)도 불균형 시정(不均衡是正)을 위해 응분(應分)의 협력을 하지 않으면 안 된다는 뜻.

흑자 도:산【黑字倒産】명〖경〗기업이 장부 상의 수지(收支) 균형이 잡혀 있으면서, 운전(運轉) 자금의 조달이 여의(如意)치 않아 부도(不渡)를 내고 도산하는 일. 금융 긴축 정책(金融緊縮政策)의 여파로 거래선(去來先)이 도산하거나, 은행에서 어음 할인(割引) 등을 해 주지 않거나 해서 일어남.

흑-자색【黑紫色】명 검은 빛에 보랏빛이 나는 색. 검보라색.

흑자-석【黑赭石】명〖공〗중국 장시 성(江西省)에서 나는, 도자기에 쓰는 푸른 물감의 한 가지. 화소청(畫燒青)과 비슷함. 무명자(無名子).

흑자석-단【黑赭石團】명〖천주교〗도미니크회(Dominic會).

흑자 예:산【黑字豫算】명〖경〗세입(歲入)이 세출(歲出)보다 많은 예산.

흑자 재정【黑字財政】명〖정〗지출보다 수입을 증가시키는 재정 정책.

흑자체 활자【黑字體活字】[—짜] 명〖인쇄〗고딕(gothic)❷.

흑작-질 명〈방〉 훼책질. ¶~꾼. ——-하다 타

흑쟁이 명〈방〉 보습[1](강원·경북).

흑-저구【黑—】명〈심마니〉〖조〗까마귀.

흑적【黑滴】명 [black drop]〖천〗금성(金星)·수성(水星)의 행성상(行星像)이 태양 근처에 있을 때, 행성상이 검고 길게 보이는 일. 망원경으로써만 보임.

흑-적색【黑赤色】명 검붉은 색.

흑-전기석【黑電氣石】명 [schorlite]〖광〗흑색의 철분을 많이 함유하고 있는 불투명한 전기석.

흑점【黑點】명 ①검은 점. ②〖천〗↗태양 흑점(太陽黑點).

흑점박이-매미충【黑點—蟲】명〖충〗[*Thamnotettix cyclops*] 멸굿과에 속하는 곤충. 몸길이 4.5-5.5mm이고, 몸빛은 일률적으로 담황갈색임. 두정(頭頂)의 중앙에는 한 개의 흑색 원문(圓紋)이 있으며, 시초(翅鞘)는 담황갈색으로 투명함. 여러 가지 풀 사이에 서식(棲息)하는데, 한국에도 분포함.

흑점-병【黑點病】[—뼝] 명〖식〗검은점병.

흑정[1]【黑定】명〖공〗중국 딩저우(定州)에서 나는 검은 도자기(陶瓷器). 철유(鐵釉)로 말미암아 빛이 검음.

흑정[2]【黑睛】명〖생〗검은 자위.

흑-정창【黑疔瘡】명〖한의〗털구멍 속에 나는 종기(腫氣). 빛이 검고 단단함.

흑제【黑帝】명〖민〗오행설(五行說)에서 겨울을 맡은 검은 신. 검은 빛으로 상징하여 일컫는 말.

흑제 장군 탈【黑帝將軍—】명〖민〗오광대(五廣大) 놀이에 나오는 흑제(黑帝)의 탈.

흑조[1]【黑鳥】명〖조〗흑(黑)고니.

흑조[2]【黑潮】명〖지〗쿠로시오.

흑-조기【黑—】명〖어〗[*Argyrosomus nibe*] 민어과에 속하는 바닷물고기. 몸길이 30cm 내외로 모양이 민어에 가까우나 입 안이 검은 빛이며, 아래 턱이 조금 깊. 한국 남해안·제주도 근해에서 많이 잡히고 일본에도 분포함. 맛이 좋음.

흑조-어【黑條魚】명〖어〗피라미❶.

흑죽 방립【黑竹方笠】[—닙] 명〖역〗조선 시대 때, 서리(胥吏)들이 쓴, 검은 대나무로 엮어 만든 방갓.

흑죽-학죽 부 일의 결과(結果)를 정성껏 맺지 않고 어름어름 넘기는 모양. ¶일을 ~ 해치우다. ——-하다 타여불

흑-쥐【黑—】명〖동〗[*Microtus kishidai*] 쥣과(科)에 속하는 동물. 몸길이는 13cm 내외이고 귀와 꼬리는 짧으며, 등은 흑갈색인데 검게 보이며 배는 회백색임. 논밭이나 산과 들에서 구멍을 뚫어 놓고 살면서 매년 몇 차례 번식(繁殖)하는데 한 배에 5-9마리의 새끼를 낳음. 전염병의 매개가 됨.

흑지[1] 명〈방〉 보습[1](경북).

흑지[2] 명〈방〉 흙손(경북).

흑지[3]【黑—】명 검은 바둑돌. 흑자(黑子). 준흑(黑). ↔백지.

흑-지렁이 명〖충〗구더기 모양의 물잠자리의 유충. 산천어 낚시질의 미끼로 쓰임.

흑-지마【黑芝麻·黑脂麻】명 검은깨❶.

흑-진칠【黑眞漆】명 질이 좋은 새까만 옻칠.

흑질【黑質】명〖생〗흑핵(黑核).

흑질 백장【黑質白章】명〖한의〗검은 바탕에 배가 흰 무늬로 아롱진 산무애뱀. 약효(藥効)가 산무애뱀보다 빠름. *화사(花蛇).

흑창【黑倉】명〖역〗고려 태조가 설치한 빈민 구제 기관. 성종(成宗) 5년(986)에 의창(義倉)으로 이름을 바꿈.

흑채【黑彩】명 흑색 유약(釉藥)을 칠한 도자기(陶瓷器). 검은 빛의 유약 위에 녹색(綠色) 유약을 덧칠해서 광택이 있음. 중국 청대(清代) 강희제(康熙帝) 때부터 소성(燒成)됨.

흑-채문【黑彩紋】명 흑선(黑線)으로 된 채문. ↔백채문(白彩紋).

〈흑채문〉

흑책【黑册】명〖역〗고려 때, 아이들이 습자(習字)하는 데 쓰이던 책. 두꺼운 종이에 먹을 칠하여 기름에 결어 만들었으며, 그 위에 글씨를 썼음.

흑책 공사【黑册公事】명〖역〗흑책 정사(黑册政事).

흑책 정사【黑册政事】명〖역〗고려 충숙왕(忠肅王) 16년(1329)에, 정방(政房)에서 재가(裁可)를 얻어 내린 정목(政目)을 공무(公務) 담당자가 다투어 서로 도말(塗抹)하고 개찬(改竄)하여, 시꺼멓게 만들어서 알아볼 수 없게 한 일. 흑책 공사(黑册公事).

흑책-질 명 교활(狡猾)한 수단을 써서 남의 일을 방해하는 짓. ¶시어머니 ~에 못 견디겠다고 눈물을 짤끔대던 꼴을 본지라…《李無影 : 農民》. ——-하다 타여불

흑청【黑淸】명 빛이 검어서 조청(造淸)과 비슷한 꿀.

흑체【黑體】명 [black body]〖물〗모든 파장(波長)의 복사(輻射) 광선을 완전히 흡수하는 가상의 물체. 현실적으로 완전 흡수는 없으며, 숯과 같은 물질은 이에 가까움.

흑체 복사【黑體輻射】명 [black-body radiation]〖물〗흑체에서 나오는 열복사. 그 에너지와 빛을 측정하면 흑체의 온도를 알 수 있음. 열복사 고온계(熱輻射高溫計) 등은 이것을 이용하고 있음.

흑초【黑貂】명〖동〗검은담비.

흑축【黑丑】명〖한의〗푸르거나 붉은 나팔꽃 씨. 약효(藥効)가 백축(白丑)보다 빠름. *백축(白丑).

흑치[1]【黑雉】명〖조〗멧닭.

흑치[2]【黑齒】명 검게 염색한 이.

흑치[3]【黑齒】명 성(姓)의 하나. 우리 나라에는 현존하지 아니함.

흑치-상지【黑齒常之】명〖사람〗백제(百濟)의 장군. 백제가 망하자 임존성(任存城)에서 백제 부흥 운동에 힘썼고, 당 고종(高宗)의 초청을 받아 토번(吐蕃)·돌궐(突厥)의 강적을 정벌하고 그 공으로 대총관(大摠管)이 되었음. 나중에 반란에 참여하였다는 무고(誣告)로 옥에 갇히어 옥사함. 생물년 미상.

흑칠【黑漆】명 ①검은 빛의 옻. ②검은 색깔로 칠함. ——-하다 타여불

흑칼 명〈방〉 흙손(강원·충청·경상·함남).

흑탄【黑炭】명〖광〗역청탄(瀝青炭).

흑태[1]【黑太】명 검은콩.

흑태[2]【黑苔】명〖한의〗신열(身熱)이 심한 병자의 혓바닥에 생기는 검은 버캐.

흑-태자【黑太子】명〖사람〗영국 에드워드 3세의 장자로 황태자. 백 년 전쟁 때 프랑스군을 격파함. 블랙 프린스. [1330-76]

흑토【黑土】명〖지〗①검은 빛깔의 흙. ②〖농〗다량의 부식질(腐植質)을 함유(含有)한 흑색 또는 흑갈색의 기름진 땅. 우크라이나 지방의 흑토가 세계적으로 유명함. 흑색토(黑色土). *흑토 지대.

흑토-대【黑土帶】명〖지〗흑토 지대(黑土地帶).

흑토 지대【黑土地帶】명 [black soil zone]〖지〗흑토가 널리 분포된 지대. 토양(土壤)이 좋고, 비옥하므로 농업에 적합하여 세계적인 식량 생산 지대를 이루고 있음. 흑해(黑海) 연안의 남러시아로부터 중앙 아시아에 걸쳐 퍼지는 광대한 지대가 그 대표적인 것임. 흑토대(黑土帶). *체르노젬.

흑토-질【黑土質】명 흑토가 많이 섞인 토질.

흑판【黑板】명 칠판(漆板).

흑-편두【黑扁豆】명〖식〗흑변두(黑藊豆).

흑폐-증【黑肺症】[—쯩] 명〖의〗탄진(炭塵)을 들이마신 탓으로 폐(肺) 조직이 흑화(黑化)한 상태. 광산의 탄갱부(炭坑夫)들에게서 많이 볼 수 있음.

흑-포도【黑葡萄】명 알의 빛깔이 검은 포도.

흑표【黑表】명 ①전시(戰時)에 수출입을 금하고 있는 품목이 기재된 금지 품목표. ②주의를 요하는 위험 인물의 주소·성명을 기입한 장부. 블랙 리스트.

흑풍[1]【黑風】명 먼지를 일으키며 햇빛을 가리고 맹렬히 부는 선풍(旋風).

흑풍[2]【黑風】명〖한의〗안질(眼疾)의 한 가지. 시력(視力)이 흐리고 눈동자·콧마루가 아프며 나중에는 두통(頭痛)이 나고 때때로 검은 섬화(閃花)가 보이는 병.

흑풍 백우【黑風白雨】명 ['백우(白雨)'는 소낙비를 이르는 말] 흑풍이 몰아 부는 속에 내리는 소낙비.

흑피【黑皮】명 ①검은 빛깔의 가죽. 검게 물들인 가죽. ②닥나무의 겉껍질.

흑피-증【黑皮症】[-쯩] 명〖의〗전신 또는 상당한 넓이의 피부가 색소 침착(色素沈着)에 의해 갈색·흑갈색·자회색(紫灰色) 등을 띠는 증상. 화장용(化粧用) 크림 같은 것에 포함된 광물성 유지 중의 광역학적(光力學的) 물질로 말미암거나, 체질(體質)로 말미암는 것이 있음.

흑피-혜【黑皮鞋】명〖역〗조선 시대에, 문무 백관이 조복(朝服)과 제복(祭服)에 신던, 검은 가죽으로 만든 운두 낮은 신.

흑피-화【黑皮靴】명〖역〗①조선 시대에, 문무 백관이 공복(公服)에 신던 검은 가죽 목화(木靴). ②전악(典樂)·악생(樂生)·악공(樂工)들이 신는 신. 몸이 길고 검은 가죽으로 목화(木靴)처럼 만들었음.

흑하 사:변【黑河事變】명〖역〗1921년 대한 독립 군단(大韓獨立軍團)이 러시아령(領) 연해주(沿海州)의 자유시(自由市)에서 레닌의 적군(赤軍)과 혈전(血戰)을 벌인 사건. 혁명 후 국력이 쇠약한 소련은 일본과의 불화를 경계하여 러시아령 자유시 이만(Iman) 일대에 주둔(駐屯)하고 있던 한국 독립군의 무장을 해제(解除)하려고 하자, 한국 독립군은 최후의 1인까지 민족적 절의(節義)를 위해 사투(死鬪)하다가 많은 희생자를 내고, 헤이룽 강을 건너 다시 만주로 돌아왔음.

흑학【黑鶴】명〖조〗검은목두루미.

흑함【黑陷】명〖한의〗마마가 곪을 때, 농포(膿疱) 속에 출혈이 되어 빛깔이 검어지는 증세.

흑합【黑蛤】명〖조개〗가막조개.

흑해【黑海】명 [Black Sea]〖지〗유럽과 아시아의 경계에 있는 내륙해. 둘레에 우크라이나·루마니아·불가리아·터키가 있음. 보스포루스 해협(Bosporus 海峽)·마르모라 해(Marmora 海)·다다넬스 해협(Dardanelles海峽)으로 지중해에 연결(連結)됨. 북부에 크림 반도(Krim半島)·아조프 해(Azov海)가 있고 다뉴브(Danube)·드네프르(Dnepr)·드네스트르(Dnestr) 등의 여러 강이 흘러 들어감. 북안(北岸)에는 어업이 성함. [466,000 km²]

흑-해삼【黑海蔘】명〖동〗[*Holothuria atra*] 홀로투리아(Holothuria)과에 속하는 해삼의 하나. 몸길이 보통 35cm이고 45-60cm의 것도 있는데 몸 전체가 자흑색이며 배면(背面)에는 우족(疣足)이 있고, 복면(腹面)에는 관족(管足)이 산포함. 촉수(觸手)는 20개이고 탑(塔) 모양의 것은 네 개이며 산호 초원(珊瑚草原)에서는 모래를 덮어 써서 백색으로 보이고 군데군데 흑색 반점(斑點)이 보임. 태평양 및 남양에 분포함. 식용임.

흑핵【黑核】명〖생〗중뇌(中腦)에 있는 좀 큰 회백질(灰白質). 대뇌각(大腦脚)의 뒤쪽에 접(接)하여 옆으로 폭이 넓게 뻗어 있는데, 이곳에 멜라닌(melanin)이라는 흑갈색(黑褐色)의 색소 과립(色素顆粒)을 지닌 신경 세포(神經細胞)가 많이 모여 있음. 육안(肉眼)으로 검게 보이므로 이렇게 일컬음. 흑핵은 우리들이 의식하지 아니하고 행하는 골격근(骨格筋)의 운동을 맡아보는 한 중심이 되며, 또 식물성 기능(機能)과도 깊은 관계를 가지고 있음. 흑질(黑質).

흑혈-병【黑血病】[-뼝] 명〖의〗유전성 흑혈증. 일본의 이와테 현(岩手縣)에 예로부터 존재하는 우성(優性) 유전성 질환. 적혈구가 이상 혈색소(異常血色素) M의 일종을 가지는 까닭에 혈액이 검은 빛을 띠며, 환자의 피부 점막은 흑자색을 띰. 일견 치아노오제(Zyanose) 모양으로, 선천성 심질환(先天性心疾患) 따위와 혼동하기 쉬우나 순환기 장애는 없음.

흑-협접【黑蛺蝶】명〖충〗산제비나비.

흑혜【黑鞋】명〖역〗①검은 융으로 만들었다 하여 일컫는, 승혜(僧鞋)의 딴이름. ②검은 가죽으로 만든 마른 신.

흑호【黑虎】명〖동〗개구리의 한 가지. 몸은 작고 주둥이 근처는 검으며 다리에 작은 아롱진 점(點)이 있음.

흑-호마【黑胡麻】명 검은깨❶.

흑-호박【黑琥珀】명 검은 빛깔의 호박.

흑화 법칙【黑化法則】명〖화〗사진상(寫眞像)의 농도(濃度)·조도(照度) 및 노출 시간(露出時間)의 관계를 나타내는 법칙.

흑-화사【黑花蛇】명〖한의〗'누룩뱀'을 한방에서 이르는 말. 오사(烏蛇). 먹구렁이.

흑화 섬유【黑化纖維】명〖화〗아크릴 섬유를 소성 온도(燒成溫度) 300°-500°C에서 소성한 탄소 섬유(炭素纖維)의 하나. 탄소 구조(炭素構造)를 나타내지 않고 다분히 유기물적(有機物的)인데, 내열성·내염성(耐炎性)을 가지며, 전기적으로는 절연체(絕緣體)임. 내염(耐炎) 섬유.

흑-화예【黑花瞖】명〖한의〗안질(眼疾)의 한 가지. 푸른 예막(瞖膜)이 생기고 몹시 아픔.

흑화 자기【黑花瓷器】명〖공〗검은 빛깔로 그림을 그린 도자기(陶瓷器).

흑화-형【黑化型】명 [melanic form]〖생〗나방이나 그 밖의 곤충류에서, 야생형(野生型)보다 멜라닌(melanin)을 많이 함유하였기 때문에 체표(體表)의 색채(色彩)가 암색(暗色)을 나타낼 때를 이름.

흑훈【黑暈】명〖천〗검은 빛깔로 둘린 햇무리.

흑흑 부 ①설움이 북받쳐 흐느껴 우는 소리. ¶~ 느껴 울다. ②몹시 찬 기운을 받을 때에 느끼어 내는 소리. ——-하다 자여불

흔[1]【昕】명 성(姓)의 하나. 우리 나라에는 현존하지 아니함.

흔[2] 조〈옛〉은. 는. ¶ᄒᆞ나흔 姑舅의게셔 난 형이오(一箇是兩姨兄弟)《老乞 下 5》.

흔감[1] 명 ☞ 홍감. ——-하다 자여불

흔감[2]【欣感】명 기쁘게 감동함. ——-하다 자여불

흔감-스럽다 형ㅂ불 ☞ 홍감스럽다.

흔:겊 명〈방〉헝겊(전남).

흔굉【掀轟】명 소리가 아주 크게 울림. ——-하다 자여불

흔구【欣求】명 흔쾌히 원하여 구함. ——-하다 타여불

흔:-구덕 명〈방〉흠구덕. ——-하다 타

흔구 정토【欣求淨土】명〖불교〗극락 왕생을 흔쾌히 원하는 일.

흔극【釁隙】명 사귄 정분(情分)에 생기는 틈. 친구 사이가 불화하게 됨.

흔낙【欣諾】명 흔연히 승낙함. ——-하다 타여불

흔ᄂᆞ므라다 타〈옛〉헐뜯어 나무라다. 타박하다. ¶흔ᄂᆞ므라나 이아 살 님재라(駁彈的是買主)《老乞 下 28》.

흔단【釁端】명 ①틈이 생기는 실마리. ②서로 다르게 되는 시초.

흔덕-거리다 자타 연해 흔덕이다. >한닥거리다. **흔덕-흔덕** 부. ——-하다 자타여불

흔덕-대다 자타 흔덕거리다.

흔덕-이다 자타 가볍게 이리저리 흔들리다. 또, 가볍게 이리저리 흔들리게 하다. >한닥이다.

흔덩-거리다 자타 ☞ 흔뎅거리다.

흔뎅-거리다 자타 매달린 물건 따위가 가볍게 이리저리 자꾸 흔들리다. 또, 가볍게 이리저리 자꾸 흔들리게 하다. >한댕거리다. **흔뎅-흔뎅** 부. ——-하다 자타여불

흔뎅-대다 자타 흔뎅거리다.

흔뎅-이다 자타 매달린 물건 따위가 가볍게 이리저리 흔들리다. 또, 가볍게 이리저리 흔들리게 하다.

흔도【忻都】명〖사람〗중국 원(元)나라의 장군. 일명 홀돈(忽敦). 고려 원종(元宗) 12년(1271) 고려에 와 고려 장군 김방경(金方慶)과 함께 삼별초(三別抄)의 난을 평정함. 1274년 여원(麗元) 연합군의 일본정벌에 원(元)나라 도원수(都元帥)가 되어 합포(合浦), 지금의 마산(馬山)을 떠나 규슈(九州) 북부를 공략했으나, 태풍을 만나 많은 군사를 잃고 돌아가고, 1281년 제2차 정벌에도 출전, 역시 태풍을 만나 크게 타격을 입고 돌아감.

흔독【狠毒】명 아주 잔인함. ——-하다 형여불

흔동 일세【掀動一世】[-쎄] 명 [←헌동 일세(掀動一世)] 떨치는 위세가 당당하여 한 세상을 진동함. ——-하다 자여불

흔드기다 자〈옛〉흔들리다. ¶ᄇᆞ람이 부디 아니면 남기 흔드기디 아니ᄒᆞ고(風不來樹不搖)《朴解 中 58》.

흔드렁-거리다 자타 매달린 물건이 폭이 좁게 자꾸 이리저리 천천히 움직이다. 또, 폭 좁게 이리저리 자꾸 움직이게 하다. >한드랑거리다. **흔드렁-흔드렁** 부. ——-하다 자타여불

흔드렁-대다 자타 흔드렁거리다.

흔드적-거리다 자타 조금 무겁고도 천천히 자꾸 이리저리 흔들리다. 또, 무겁고도 천천히 자꾸 이리저리 흔들리게 하다. >한드작거리다. **흔드적-흔드적** 부. ——-하다 자타여불

흔드적-대다 자타 흔드적거리다.

흔들-거리다 자타 이리저리 자꾸 흔들리다. 또, 이리저리 자꾸 흔들리게 하다. ¶바람에 흔들거리는 나뭇잎. >한들거리다. **흔들-흔들** 부. ——-하다 자타여불

흔들다 타 [중세 : 흐늘다. 근대 : 흔들다. *후늘다] ①위아래나 또는 양옆으로 연해 움직이게 하다. ¶ 손을 ~. ②민심을 어지럽게 움직여 선동하다. ¶사람의 마음을 ~.

흔들-대다 자타 흔들거리다.

흔들리다 자 흔들어지다. 흔듦을 당하다. ¶차가 ~/돈에 마음이 ~.

흔들-바람 명〖기상〗초속(秒速) 8-10.7 m정도의, 육상(陸上)에서는 작은 나무 전체가 흔들리고, 해상에서는 약간 파도를 일으킬 만한 바람. 신풍(迅風). 질풍(疾風).

흔들-바위 명 한 사람이 흔들어도 흔들리는, 산에 자연적으로 서 있는 큰 바위.

흔들-비쭉이 명 변덕(變德)스럽고 걸핏하면 성을 내거나 심술을 잘 부리는 사람.

흔들-의자【-椅子】명 앉아서 앞뒤로 흔들면서 쉴 수 있도록 만들어진 의자.

흔들-이 명〖물〗①진자(振子). ②몸이나 손발을 늘 흔드는 사람의 별명.

흔:디 명〈방〉부스럼(강원).

흔-떡 명〈방〉흰떡.

흔루【釁累】[흘-] 명 제 스스로 빚어 낸 잘못. 자기 자신이 만들어 낸 결점.

흔모【欣慕】명 흠모(欽慕). ——-하다 타여불

흔무【欣舞】명 기뻐서 춤을 춤. ——-하다 자여불

흔상【欣賞】명 좋아하여 즐김. ——-하다 타여불

흔석【昕夕】명 조석(朝夕)❶.

흔손【痕損】명 상처(傷處)자국.

흔약【欣躍】명 기뻐서 날뜀. ——-하다 자여불

흔연【欣然】명부 매우 기뻐하는 모양. ——-하다 형여불. ——-히 부

흔연 대:접【欣然待接】명 기꺼이 잘 대접함. ¶주효를 베풀어 동무님들을 ~하는 것이 풍속이었다《金閒棠 : 客主》. ——-하다 타여불

흔연-스럽다【欣然-】형ㅂ불 흔연한 태도가 있다. **흔연-스레**【欣然-】부

흔열【欣悅】명 희열(喜悅).

흔영【欣榮】명 흔희(欣喜)와 영광. 즐거운 영광.

흔적【痕迹·痕跡】명 ①뒤에 남은 자취나 자국. ②〖심〗밖으로부터의 자극이 없어진 뒤에도 그로 인하여 생체내(生體內)에 생기는 흥분. 또는 어떤 과정(過程)이 곧 사라지지 않고 존속하여 뒤에 오는 과정에 어떤 영향을 주는 상태. ③〖화〗물질의 성분을 화학적으로 분석할 때에 그 성분량이 썩 적으나 무시(無視)할 수 없는 경우의 그것. 보통 0.01 % 이하임.

흔적 기관【痕迹器官】명 [rudimentary organ]〖생〗생물의 기관 중, 그 생물의 조상의 생활에서는 유용(有用)한 것이었으나 현재는 무용(無用)한 것으로 퇴화(退化)한 기관. 이를테면 사람의 미골(尾骨)이나 귀를 움직이는 근육, 고래의 후지(後肢) 같은 것. 생물 진화론(生物進化論)의 유력한 논거(論據)임.

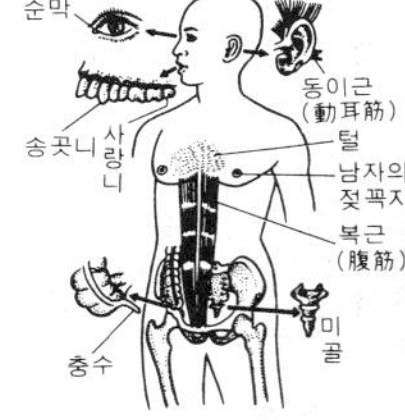

〈흔적 기관〉

흔적적 자웅 동체 현:상【痕迹的雌雄同體現象】[명]〔rudimentary hermaphroditism〕『동』얼핏 보면 자웅 이체(異體)의 동물처럼 보이나, 그 종류의 거의 모두의 개체에서 해부학적(解剖學的)·발생학적으로 자웅 동체의 흔적으로 볼 수 있는 것이 남아 있을 때에 이름.

흔적 화:석【痕迹化石】[명]『광』발자국·천공(穿孔)·잠혈(潛穴)·둥주리 등의 흔적을 나타내는 화석. 사암(砂岩)·혈암(頁岩)·석회암(石灰岩) 등 오래된 퇴적물에서 볼 수 있음.

흔전-거리다 [자] 생활이 넉넉하여 아쉬움이 없이 잘 살아 가다. **흔전-흔전** [부]. ――하다 [자][여불]

흔전-대다 [자] 흔전거리다.

흔전-만전 [부] ①아주 흔하고 넉넉한 모양. ②돈이나 물건 등을 조금도 아끼지 않고 함부로 쓰는 모양. ¶～ 돈을 쓰다. ――하다 [형][여불]

흔전-하다 [형][여불] 아주 넉넉하다. 모자람없이 아주 흔하다.

흔천 동:지【掀天動地】[명]〔←헌천 동지(掀天動地)〕천지를 뒤흔들 만하게 큰 소리가 난다는 뜻으로, 큰 세력이 떨침을 이르는 말. ¶공주 역시 여자시라 천한 계집 장녹수의 ～하는 권세가 못 마땅하신 것이다《朴鍾和 : 錦衫의 피》. ――하다 [자][여불]

흔충【焮衝】[명]『의』피부나 근육이 화끈거리며 아픈 증세.

흔캄 [명]〈방〉흥감. ――하다 [자]

흔캄(을) 부리다 [구]〈방〉흥감부리다.

흔캄(을) 피우다 [구]〈방〉흥감부리다.

흔캄-스럽다 [형]〈방〉흥감스럽다.

흔쾌【欣快】[명] 마음에 기쁘고도 통쾌함. ¶～하기 짝이 없다. ――하다 [형][여불]. ――히 [부]

흔-타 [형]〔←흔다〕↗흔하다.

흔-하다 [형][여불] ①아주 많이 있다. ¶젖먹이에 흔한 병. ②곳곳에 많이 있어 구하기 쉽다. ¶흔한 책. [준]흔타. **흔-히** [부]

흔한-가리비 [명]『조개』[*Chlamys nobilis*] 가리빗과에 속하는 바다 조개. 패각(貝殼)의 길이는 125mm, 높이 120mm, 나비 35mm 내외임. 방사륵(放射肋)은 23-24개 있고 껍질의 내면도 이와 대등(對等)한 늑(肋)이 있음. 껍질 표면은 갈색·홍색·자색·황색·등색 등으로 변화가 많음. 깊이 2-4m의 바다 속 암초(岩礁)에 착생하는데, 한국·일본·중국 등지에 분포함. **보라주머니가리비**.

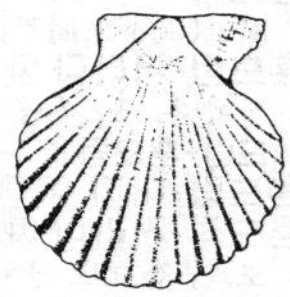

〈흔한가리비〉

흔해-빠지다 [자] 아주 흔하다. ¶흔해빠진 물건.

흔행【欣幸】[명] 행복함을 기뻐함. 기뻐하며 다행으로 여김. ¶혜순이는 무사히 도착하여 학교에 입학했다니 ～ 만만이다《朴花城 : 고개를 넘으면》.

흔회【欣懷】[명] 즐겁게 생각함. 기껍게 생각함. ――하다 [자][여불]

흔흔-하다【欣欣―】[형][여불] 마음에 매우 기쁘다. **흔흔-히**【欣欣―】[부]

흔희【欣喜】[―히] [명] 환희(歡喜)❶.

흔희 작약【欣喜雀躍】[―히―] [명] 너무 좋아서 뛰며 기뻐함. ――하다 [자][여불]

흔ᄒᆞ다 [형]〈옛〉흔하다. ¶흔ᄒᆞ다(多也)《老朴 單字解 7》.

흖다 [흔타] [형] →흔타.

흗다 [타]〈옛〉흩다. ¶財寶ㅣ흗거나(錢財耗損)《佛頂 上 5》/ 도라오매 ᄆᆞᆯ 바뢸 흗노라(歸來散馬蹄)《杜諺 Ⅶ:8》.

흗ᄒᆞ야 [타]〈옛〉흩어서. '흗다'의 활용형. ¶밧긔 지계를 흗ᄒᆞ야(散齊於外)《小諺 Ⅱ:26》.

흘¹ [명]〈방〉흙(경상·평남).

흘² [조]〈옛〉을. 를. ¶眞實ㅅ터흘 뵈샤ᄆᆞᆫ 빗난 지빗 터히오(示眞基則華屋之址也)《楞嚴 Ⅴ:1》.

흘-가휴의【迄可休矣】[―/―이] [명] 알맞게 그만두라는 뜻으로, 정도에 지남을 경계(警戒)하는 말.

흘게 [명] 매듭·사개·고동·사복 등의 단단히 죈 정도나, 무엇을 맞추어서 짠 자리. ¶이렇게 쫓아 다닌다는 것이 옳은 일이라 할지 혹은 ～ 빠진 짓이라 할지…《廉想涉 : 新婚記》.

흘게(가) 늦다 [구] ㉠흘게가 약간 풀렸거나 단단하지 못하다. ㉡하는 짓이 야무지지 못하고 느슨하다. ¶흘게늦은 사람.

흘겨-보다 [타] 흘기는 눈으로 노려 보다.

흘근-거리다 [타] ①걸음을 연해 굼뜨고 느리게 걷다. ②얄미울 정도로 자꾸 늑장을 부리다. **흘근-흘근** [부]. ――하다 [타][여불]

흘근-대다 [타] 흘근거리다.

흘근-번쩍 [부] 눈을 흘기며 번쩍거리는 모양. ――하다 [타][여불]

흘근번쩍-거리다 [타] 눈을 자꾸 흘기며 번쩍거리다.

흘근번쩍-대다 [타] 흘근번쩍거리다.

흘금¹ [부] 남의 눈을 피하여 빨리 한 번 곁눈질하는 모양. ㅆ흘끔. >할금.

흘금²【迄今】[부] 지금까지.

흘금-거리다 [타] 남의 눈을 피하여 연해 곁눈질을 하다. ㅆ흘끔거리다. >할금거리다. **흘금-흘금** [부]. ――하다 [타][여불]

흘금-대다 [타] 흘금거리다.

흘긋 [부] ①눈에 얼씬 보이는 모양. ②남의 눈을 피하여 한번 곁눈질하는 모양. ㅆ흘끗. 1)·2):>할긋. ――하다 [타][여불]

흘긋-거리다 [타] 자꾸만 흘긋하다. ㅆ흘끗거리다. >할긋거리다. **흘긋-흘긋** [부]. ――하다 [타][여불]

흘긋-대다 [타] 흘긋거리다.

흘기 [명]〈방〉흙(함경).

흘기-눈 [명]〈방〉흑보기.

흘기다 [타] 눈동자를 옆으로 굴려 못마땅하게 노리어보다. ¶종로에서 뺨 맞고 한강에 가서 눈 ～.

흘기-죽죽 [부] 흘기어 보는 눈에 못마땅한 빛이 드러나는 모양. >할기죽죽. ――하다 [형][여불]

흘깃 [부] 흘긋.

흘깃-거리다 [타] 눈을 자꾸 흘기다. ㅆ흘낏거리다. >할깃거리다. **흘깃-흘깃** [부]. ――하다 [타][여불]

흘깃-대다 [타] 흘깃거리다.

흘께-눈이 [명]〈방〉흑보기.

흘께-보기 [명]〈방〉흑보기.

흘끔 [부] 남의 눈을 피하여 빨리 한번 곁눈질을 하는 모양. ¶～ 곁눈질하여 보다. ㅅ흘금. >할끔.

흘끔-거리다 [타] 남의 눈을 피하여 날카롭게 연해 곁눈질을 하다. ㅅ흘금거리다. >할끔거리다. **흘끔-흘끔** [부]. ――하다 [타][여불]

흘끔-대다 [타] 흘끔거리다.

흘끔-하다 [형][여불] 몸이 썩 고달파서 눈이 걷어질리어 있다. >할끔하다.

흘끗 [부] ①눈에 얼씬 띄었다가 곧 사라지는 모양. ¶지나가는 자동차가 ～ 눈에 뜨이다. ②남의 눈을 피하여 재빨리 한번 곁눈질하는 모양. ¶～ 한 번 쳐다보다. 1)·2):ㅅ흘긋. >할끗. ――하다 [자][타][여불]

흘끗-거리다 [타] 자꾸만 흘끗하다. ㅅ흘긋거리다. >할끗거리다. **흘끗-흘끗** [부]. ――하다 [타][여불]

흘끗-대다 [타] 흘끗거리다.

흘낏 [부] 흘끗.

흘낏-거리다 [타] 눈을 연해 재빨리 흘기다. ㅅ흘깃거리다. >할낏거리다. **흘낏-흘낏** [부]. ――하다 [타][여불]

흘낏-대다 [타] 흘낏거리다.

흘니【流伊】[명]〈이두〉금전이나 물품 등을 몇 번에 나누어 회수 또는 지급하는 일.

흘님【流音】[명]〈이두〉조세를 징수할 때에 각 군(郡)의 색리(色吏)가 대장(臺帳)으로부터 베껴 내는 초안(草案).

흘떡지 [명]〈방〉흘떼기.

흘떼기 [명] 짐승의 심줄이나 또는 살과 살 사이에 있는 얇은 껍질 모양의 질긴 고기.

흘떼기 장:기【―將棊】[명] 번연히 질 장기에서 안 지려고 떼를 써가며 검질기게 두는 장기.

흘러 가다 [자] ①흐르면서 나아가다. ②흐르듯이 과거(過去)로 지나가다. ¶흘러간 옛 노래.

[흘러 가는 물 퍼 주기] 주는 사람은 대수로울 게 없어도 받는 이에게는 고마울 때의 말.

흘러 나오다 [자] ①새거나 빠져서 흐르며 나오다. ¶바위 틈에서 샘물이 ～. ②말소리나 음악이 어떤 범위 밖으로 퍼져 나오다. ¶음악실에서 흘러 나오는 멜로디.

흘러 내려가다 [자] 아래 쪽으로 물에 떠서 내려가다.

흘러 내리다 [자] ①높은 곳에서 낮은 곳으로 흐르거나 떨어지다. ¶안경이 자꾸 ～. ②맨 것이 풀리어 느슨하여져 아래로 미끄러지듯 내리다. ¶바지가 ～.

흘러-보다 [타] 남의 속을 슬그머니 떠보다.

흘럭-자 [명] 고정되어 있지 않은 정자형(丁字形)의 자.

흘럼-흘럼 [부]〈방〉찌뜰름찌뜰름. ――하다 [자]

흘렁-거리다 [자]〈방〉헐렁거리다.

흘렁-하다 [형]〈방〉헐렁하다.

흘레 [명] 짐승의 암컷과 수컷이 교접함. 또, 그 짓. 교미(交尾). 자미(孳尾). ――하다 [자][여불]

흘레 붙다 [구]〈속〉흘레하다.

흘레 붙이다 [구] 짐승으로 하여금 흘레를 하게 하다. ¶개를 ～.

흘령-산【屹靈山】[명]『지』강원도 평강군(平康郡) 북쪽, 고삽면(高揷面)과 유진면(楡津面) 추가령 지구대(楸哥嶺地溝帶)에 있는 산. [1,344m]

흘르다 [자] ☞ 흐르다¹·².

흘리놓다 [타]〈옛〉흐르게 놓다. 흘러 가는 대로 버려 두다. ¶張騫의 八月槎를 銀河애 흘리노하《永言》.

흘리다 [타] ①쏟아지게 하다. 새어 떨어지게 하다. ¶피를 ～. ②빠뜨리거나 떨어뜨리어 잃다. ¶돈을 자주 ～. ③흘림 글씨를 쓰다. ¶편지를 흘려 쓰다. ④말을 귀담아 듣지 않고 귓전으로 지나치다. ¶흘려 들은 이야기. ⑤여러 차례 나누어서 주다. ⑥웃음이나 표정 따위를 잠깐 짓다. ⑦『미술』그림에서 담묵(淡墨)이나 담채(淡彩)로 붓질을 희미하게 하여 붓자국이 잘 보이지 않게 하다.

흘리마시다 [타]〈옛〉흘려 마시다. 흐르게 마시다. ¶밥을 크게 ᄠᅳ디 말며 흘리 마시디 말며(毋放飯毋流歠)《小諺 Ⅲ:25》.

흘리띄다 [타]〈옛〉흐르게 띄우다. 흘러 가는 대로 띄우다. ¶小艇에 그믈 싯고 흘리띄여 던져 두고《古時調 孟思誠》.

흘리어 주다 [타] 한 번에 줄 것을 여러 번에 조금씩 나누어 주다.

흘림¹ [명] 초서(草書).

흘림² [명]『건』①미관상, 기둥 대가리를 밑동보다 조금 가늘게 하는 일. ②수평면을 기준으로 한 경사(傾斜)의 도(度). 구배(勾配).

흘림³ [명]〔←유음(流音)〕①『역』땅구실을 거두어 받을 때에 각군의 색리(色吏)가 대장(臺帳)에서 베끼어 내는 초안. ②물건을 흘림흘림 주고 받는 일.

흘림⁴ [명]〈심마니〉①물. ②술.

흘림-기둥 [―끼―] [명]『건』엔타시스(entasis)를 가진 기둥. 곧, 기둥 몸이 기둥 뿌리나 기둥 머리보다 배가 부른 기둥.

흘림 낚시 [명] 강이나 계곡(溪谷) 같은 데서 견지나 릴 낚싯대를 이용하여 낚싯줄이 흘러 내려가게 하여 하는 낚시질. *자리 낚시.

흘림이 [명]〈심마니〉술¹.

흘림-책【―册】[명]『역』면서원(面書員)이 농작물의 잘 되고 못 됨을 답사(踏査)하여 정한 구실의 액수를 적은 장부.

흘림-흘림 [부] 돈이나 물건을 조금씩 여러 번에 나누어 주거나 받는 모양.

흘립【屹立】 명 산이 깎아지른 듯이 우뚝 솟아 있음. ——-하다 형여불

흘미주근 부 〈방〉 흘미죽죽. ——-하다 형

흘미죽죽 부 일을 여무지게 빨리 끝맺지 못하고 흐리멍덩하게 질질 끄는 모양. ¶이는 밀유로서 ～ 넘길 일이 아닙니다《金周榮 : 客主》. ㄴ——-하다 형여불

흘밋:-하다 형 〈방〉 흐릿하다.

흘손 명 〈방〉 흙손(강원·경상·황해).

흘수【吃水】[—쑤] 명 ①선박(船舶)이 물위에 있을 때, 선체(船體)가 잠기는 깊이. 곧, 선체의 최하부에서 수면까지의 수직 거리(垂直距離)를 이름. 선수(船首) 흘수·중앙 흘수·선미 흘수 등이 있으며, 알기 쉽도록 선수나 선미에 눈이를 표시함. ¶～가 깊은 배. ②수상기(水上機) 또는 비행정(飛行艇)이 수면에 정지 상태로 떠 있을 때, 용골(龍骨)에서 수면까지의 수직 거리를 이름.

흘수-선【吃水線】[—쑤—] 명 잔잔한 물에 떠 있는 선박의 수면에 접하는 분계선(分界線). ¶붉은 ～.

흘승골-성【紇升骨城】 명 〖역〗 고구려 시조 주몽(朱蒙)이 도읍한 성. 주몽이 북부여(北扶餘)에서 용납되지 않아 이 곳에 와서 건국(建國)한 것인데 지금의 만주 훈장(渾江) 강 유역의 환런 지방(桓仁地方)으로 비정(比定)됨.

흘어【吃語】 명 더듬어 가면서 하는 말.

흘역【吃逆】 명 딸꾹질. ——-하다 자여불

흘연【屹然】 부 높게 우뚝 솟은 모양. ——-하다 형여불. ——-히 부

흘연 독립【屹然獨立】[—닙] 명 홀로 우뚝하게 솟아서 외따로 섬. ——-하다 자여불

흘우다 자 〈옛〉 흘레하다. ¶양 염 흘워 나흔것(羖䍽)《老朴 下 1》.

흘음【吃音】 명 더듬는 소리.

흘쩍-거리다 타 일의 진행을 일부러 자꾸 질질 끌어나가다. ¶일을 자꾸 ～. 흘쩍-흘쩍 부. ——-하다 타여불

흘쩍-대다 타 흘쩍거리다.

흘쩍-이다 타 〈방〉 흘쩍이다. 「타여불

흘쭉-거리다 타 매우 검질기게 흘쩍거리다. 흘쭉-흘쭉 부. ——-하다

흘쭉-대다 타 흘쭉거리다.

흘출【屹出】 명 산이 높고도 날카롭게 우뚝 솟음. ——-하다 자여불

흘칼 명 〈방〉 흙손(강원·경북).

흘해-왕【訖解王】 명 〖사람〗 신라 제16대 왕. 내해왕(奈解王)의 손자. 기림왕(基臨王)이 후사(後嗣) 없이 죽자 군신(群臣)들이 영입하여 위(位)에 오름. 왜국(倭國)과의 교섭이 많았음. [재위 310-356]

흘호【屹乎】 부 우뚝하게 높이 솟은 모양.

흙[흑] 명 ①지구의 외각(外殼)을 이루는 토석(土石)의 총칭. ¶～으로 만든 벽돌. ②암석이 부스러져 된 분말(粉末). 부드럽고 양분이 있어 초목을 기름. 토양(土壤). ③동물이 죽어서 썩어짐을 이르는 말. ¶사람은 ～에서 나서 ～으로 돌아가느니라.

흙-가래[흑—] 명 도자기를 만들 때 가래떡처럼 빚어서 쓰는 흙덩이.

흙-감태기[흑—] 명 흙을 온 몸에 뒤집어 쓴 사람이나 물건.

흙-개고마리[흑—] 명 〖조〗 칡때까치.

흙-격지[흑—] 명 〖지〗 지층(地層)과 지층의 사이.

흙-구덩이[흑—] 명 흙을 우묵하게 파 낸 자리. 토감(土坎).

흙-구들[흑—] 명 〈방〉 흙방.

흙-구슬[흑—] 명 〖고고학〗 흙으로 만든 작은 구슬. 신석기(新石器) 시대의 유적(遺跡)과 신라(新羅) 무덤 등에서 출토되나 용도(用途)는 알 수 없음. 토구(土球). 토령(土鈴). 토주(土珠).

흙-굴【—窟】[흑—] 명 흙 속의 굴. ¶～에 살다.

흙-그릇[흑—] 명 〈방〉 질그릇

흙-내[흑—] 명 흙의 냄새. 땅내.

[흙내가 고소하다] 죽고 싶은 생각이 남을 이르는 말.

흙내(를) 맡다 구 옮겨 심은 초목이 새 땅에 뿌리를 박아 생기가 나다.

흙노린잿-과【—科】[흑—] 명 〖충〗 [Cydnidae] 매미목(目)에 속(屬)하는 한 과. 몸은 길이 2-18 mm에 흑색·갈색·흑람색을 띰. 촉각은 5절(節), 구문(口吻)은 4절임. 반시초(半翅鞘)는 복부를 완전히 덮고 전중각(前中脚)은 땅을 파기에 적합함. 땅 속이나 나무 뿌리, 잎 또는 땅위에 삶. 특히, 열대 지방에 많이 분포함.

흙-다리[흑—] 명 긴 나무를 걸쳐 놓고 그 위에 흙을 덮어 만든 다리. 토교(土橋).

흙-담[흑—] 명 토담.

흙대기[흑—] 명 〖어〗 [*Rhinoplagusia japonica*] 참서댓과에 속하는 바닷물고기. 몸길이 30 cm 내외로, 모양은 참서대와 비슷하나 옆줄이 유안측(有眼側)에 세 줄 있고 그 반대 쪽에는 없으며, 유안측은 빗비늘이고 무안측(無眼側)은 둥근 비늘임. 몸빛은 유안측은 갈색 바탕에 흑색 무늬가 산재하고 무안측은 백색 바탕에 회흑색의 각 지느러미만 있음. 모래 벌판의 바닥에서 사는 온대성 어종으로 한국·일본·대만 및 동중국해 연해에 분포함.

〈흙대기〉

흙-더미[흑—] 명 흙을 한데 모아 쌓은 더미.

흙-더버기[흑—] 명 진흙이 튀어 올라 붙은 여러 개의 작은 조각.

흙-덩어리[흑—] 명 엉기어 뭉쳐진 흙의 덩어리.

흙-덩이[흑—] 명 흙이 엉기어 이루어진 덩이. 토괴(土塊).

흙-도배【—塗褙】[흑—] 명 벽 같은 데에 흙으로 하는 도배.

흙-뒤[흑—] 명 발뒤축의 위쪽에 있는 근육.

흙-들이다[흑—] 자 〖농〗 밭의 땅을 걸게 하려고 다른 데의 좋은 흙을 섞어 넣다. *객토(客土).

흙-먼지[흑—] 명 가는 흙가루가 날려 먼지처럼 일어나는 것.

흙-메[흑—] 명 토산(土山).

흙-메움[흑—] 명 구덩이를 흙으로 메우는 일. ——-하다 타여불

흙-무더기[흑—] 명 모여서 쌓인 흙.

흙-물[흑—] 명 흙으로 흐려진 물. 흙탕물. 이수(泥水).

흙-뭉치[흑—] 명 흙을 이기어 뭉친 덩이.

흙-뭉텅이[흑—] 명 큰 흙뭉치.

흙-바람[흑—] 명 누런 흙먼지가 섞여 부는 바람.

흙-바탕[흑—] 명 ①흙으로 된 밑바탕. 토대(土臺). ②흙의 질. 토질(土質).

흙-받기[흑—] 명 ①흙손질할 때에 이긴 흙을 받쳐 드는 제구. 작은 널 조각으로 한복판 밑에 받치어 드는 손잡이가 있음. ②자전거나 자동차 등의 바퀴 위에 덮어 대어, 튀어 오르는 흙을 막는 장치.

〈흙받기❶〉

흙-받이[흑바지] 명 ☞흙받기.

흙-발[흑—] 명 흙투성이의 발. ¶～과 흙손/～로 올라서다.

흙-밥[흑—] 명 가래·괭이·호미 등으로 한 번 떠서 올리는 흙. 쟁기·극젱이 등에 갈려 넘어가는 흙.

흙-방【—房】[흑—] 명 방바닥과 벽에 장판이나 도배를 하지 아니한 방.

흙-배[흑—] 명 토선(土船).

흙-벽【—壁】[흑—] 명 종이를 바르지 아니한 벽. 토벽(土壁).

흙-벽돌【—甓—】[흑—] 명 흙을 이겨서 네모지어 볕에 말린 벽돌.

흙-부처[흑—] 명 〖불교〗 흙으로 만든 불상(佛像). 토불(土佛).

흙빋다 자 〈옛〉 비뚜로 뵈다. ¶흙빋다(斜眼)《同文 上 19》.

흙-비[1][흑—] 명 바람에 날리어 떨어지는 가벼운 모래 흙. 토우(土雨).

흙-비[2][흑—] 명 흙칠을 하는 비.

흙-빛[흑—] 명 ①흙의 빛깔. 토질에 따라 각각 다름. ②검은 바탕에 약간 푸른 기를 띤 빛깔. 토색(土色). ¶얼굴이 ～이 되다.

흙-빨래[흑—] 명 흙탕물에 빨래한 것처럼 옷에 온통 흙물이 묻음을 가리키는 말. ——-하다 타여불 옷 전부에 흙탕물을 묻히다.

흙-색【—色】[흑—] 명 흙빛.

흙색-말【—色—】[흑—] 명 〖식〗 갈색조(褐色藻).

흙-속[흑—] 명 땅속.

흙-손[1][흑—] 명 흙일할 때에 이긴 흙을 떠서 바르고 그 거죽을 반반하게 하는 연장. 갸름하고 얇은 철판 조각으로, 한 끝에 자루가 달려 있음. ¶～으로 벽을 바르다. *흙받기.

〈흙손[1]〉

흙-손[2][흑—] 명 흙투성의 손. ¶～으로 만지다.

흙손-끌[흑—] 명 홈통의 바닥을 다듬는 데 쓰는 흙손 모양의 끌.

흙손-받이[흑—바지] 명 ☞ 흙받기❶. 「타여불

흙손-질[흑—] 명 흙손으로 흙을 바르고 반반하게 하는 것. ——-하다

흙-일[흑닐] 명 〖토〗 흙을 다루어 이기거나 바르는 일. 토역(土役). 토역일. ——-하다 자여불

흙일-꾼[흑닐—] 명 흙일을 하는 일꾼.

흙-장난[흑—] 명 흙을 가지고 하는 온갖 장난. ——-하다 자여불

흙-쟁이[흑—] 명 〈방〉 극젱이.

흙-주접[흑—] 명 〖농〗 한 가지 농작물만을 연이어 경작함으로 땅이 메말라지는 현상. ¶～이 들다. *지력 체감(地力遞減).

흙-줄고기[흑—] 명 〖어〗 [*Tilesina gibbosa*] 날개줄고깃과에 속하는 바닷물고기. 몸길이 36 cm 내외로 가늘고 길며, 몸빛은 회갈색인데 제2 등지느러미·가슴지느러미·꼬리지느러미에 갈색 반문이 산재함. 한국 동해안·일본 북부·사할린 등지에 분포함.

흙지[흑—] 명 〈방〉 극젱이.

흙-질[흑—] 명 〖토〗 이긴 흙을 바르는 것. ——-하다 자여불

흙-집[흑—] 명 흙으로 지은 집.

흙-창【—窓】[흑—] 명 창살의 안팎으로 종이를 발라 컴컴하게 만든 창.

흙-체[흑—] 명 흙을 곱게 고르는 데 쓰는 체.

흙-칠[흑—] 명 무엇에 진흙이 묻는 일. 또, 진흙을 묻히는 일. ¶옷에 ～하다. ——-하다 자타여불

흙-탕[흑—] 명 ↗흙탕물.

흙탕(을) 치다 [흑—] 구 흙을 뒤섞거나 휘저어 흙탕을 만들다.

흙탕-길[흑—낄] 명 흙탕물이 질펀하게 깔린 길.

흙탕-물[흑—] 명 흙이 풀리어 몹시 흐려진 물. ㊀흙탕.

흙토-변【—土邊】[흑—] 명 한자 부수(部首)의 하나. '地'나 '場' 등의 '土'의 이름. 「지다.

흙-투성이[흑—] 명 온 몸에 진흙이 잔뜩 묻은 모양. ¶～가 되어 쓰러

흙-풍로【—風爐】[흑—노] 명 흙으로 구워서 만든 풍로.

흙-화덕【—火—】[흑—] 명 흙으로 만든 화덕.

흠:[1]【欠】 명 ①흉[1]. ¶명성에 ～이 가다. ②물건이 이지러지거나 깨어진 곳. ¶～이 있는 사기 그릇. ③물건이 썩거나 좀먹어 성하지 아니한 부분. ¶물건의 ～을 들추어 내다. ④물건이 불충분하거나 불완전한 국부(局部). 하루(瑕累). 하자(瑕疵). ¶공사(工事)의 ～이 드러나다.

흠[2] 감 ①흥겹거나 만족할 때, 콧숨을 내쉬며 내는 소리. ¶～, 사법 고시에 합격했다니, 참 기쁘네. ②언짢거나, 아니꼬울 때 입을 다물고 콧숨을 내쉬며 비웃는 소리.

흠:-가다【欠—】 자 흠지다.

흠격【歆格】 명 신명(神明)이 감응(感應)함. ——-하다 자여불

흠:결【欠缺】 명 흠축(欠縮). ——-하다 자여불

흠경-각【欽敬閣】 명 〖지〗 조선 시대 세종(世宗) 20년(1438)에 경복궁(景福宮) 안 강녕전(康寧殿) 옆에 지은 전각(殿閣). 여러 가지 천문 기구(天文機具)를 간직했던 곳.

흠구【欽求】명 정성들여 구함. ——-하다 타여불

흠:-구덕【欠—】명 남의 허물을 험상궂게 퍼뜨림. 험담(險談). 험언(險言). ——-하다 타여불

흠:-나다【欠—】자 흠지다.

흠:-내다【欠—】타 흠지게 하다.

흠:-되다【欠—】자 흠지다.

흠:-뜯다【欠—】타 남의 흠을 꼬집어 말하다. ¶남을 잘 흠뜯는 사람.

흠명【欽命】명 황제(皇帝)가 내리는 명령.

흠명-장【欽明章】[—짱] 명《악》악장(樂章)의 이름.

흠모【欽慕】명 기쁜 마음으로 사모함. 흔모(欣慕). 흔애(欣愛). ¶고향 사람들의 ~를 받다. ——-하다 타여불

흠복【欽服】명 깊이 흠앙하여 복종함. ——-하다 타여불

흠봉【欽奉】명 황제(皇帝)의 명령을 받듦. ——-하다 타여불

흠-빨다 타 깊이 물고 빨다. ¶모시나 삼을 흠빨아 가며 바비쳐 이을 때는…《金廷漢 : 수라도》.

흠빨며 감:빨다 구 입으로 결쳐 물고 탐스럽게 빨다.

흠뻑 부 ①분량이 꽉 차고도 남도록 흡족하게. ¶비가 ~ 내리다. ②흐뭇하게 온통. ¶행복감에 ~ 젖다. 1)·2):>함빡.

흠:사【欠事】명 흠결(欠節)이 있는 일. 흠전(欠典).

흠:석【欠席】명 결석(缺席). ——-하다 자여불

흠선【欽羨】명 우러러 흠앙하여 부러워함. ——-하다 타여불

흠숭【欽崇】명 ①흠모하고 공경함. ②《천주교》↗흠숭지례(欽崇之禮). ——-하다 타여불

흠숭지-례【欽崇之禮】명《천주교》천주(天主)에게만 드리는 흠모와 공경. 준흠숭(欽崇). *상경지례(上京之禮)·공경지례(恭敬之禮).

흠신[1]【欠伸】명 하품과 기지개.

흠신[2]【欠身】명 경의를 표하느라고 몸을 굽힘. ——-하다 자여불

흠:신 답례【欠身答禮】[—네] 명 몸을 굽히어 답례함. ——-하다 자여불

흠실-흠실 부 너무 지나치게 삶아져서 물커질 정도로 된 모양. >함실함실. ——-하다 형여불

흠썩 부〈방〉흠씬.

흠씬 부 ①정도(程度)가 다 차고도 남도록 충분하게. 흠뻑. ¶비에 ~ 젖다. ②매 따위를 심하게 맞는 모양. ¶~ 두들겨 맞다. 1)·2):>함씬.

흠안지-곡【歆安之曲】명《악》고려 시대 제례악의 하나. 선잠 의식(先蠶儀式)의 아헌(亞獻)과 종헌(終獻)에 연주되었음. 지금은 연주되지 않음.

흠앙【欽仰】명 공경하여 우러러 사모(思慕)함. 앙흠(仰欽). ——-하다 타여불

흠애【欽愛】명 흠모(欽慕). ——-하다 타여불

흠열【欽悅】명 공경하여 기쁜 마음으로 복종함. ——-하다 자여불

흠:원【欠員】명 결원(缺員).

흠위【欽衛】명《역》예전에 제왕(帝王)의 장의 행렬(葬儀行列)에 쓰던 여러 가지 도구.

흠:-잡다【欠—】타 흠이 되는 점을 들추어 내다. ¶흠잡아 값을 깎다/흠잡을 데가 전혀 없다.

흠:전【欠典】명 흠사(欠事).

흠:절【欠節】명 부족하거나 잘못된 점. 불완전하여 흠이 되는 곳. 결점(缺點). 흠점(欠點). 흠처(欠處). ¶호색하는 ~을 가지었다.

흠:점【欠點】명 흠결(欠節).

흠정【欽定】명 황제(皇帝)가 친히 제정(制定)함. 또, 그 명령으로 된 제정. ——-하다 타여불

흠정 고:금 도서 집성【欽定古今圖書集成】명《책》중국 청(淸)나라 때 편찬된 중국 최대의 백과 사서(百科辭書). 장정석(蔣廷錫) 등이 칙명(勅命)으로 많은 서적을 부분적으로 인용(引用)·집성한 것. 모두 6,109 부(部), 1만 권. 옹정(雍正) 3년(1725)에 완성됨.

흠정 공정 주:법 칙례【欽定工程做法則例】[—네] 명《책》중국 청나라 중기의 국정 건축서(建築書). 1731년에 편찬, 1734년에 보정(補正), 1736년에 간행하였음. 목재의 치수, 각종 재료, 목수의 임금 등을 주로 하였음. 모두 74권.

흠정 만주 원류고【欽定滿洲源流考】[—월—] 명《책》고래(古來)로 만주에서 흥망하였던 여러 부족(部族) 및 풍속 지리 등에 관한 자료(資料). 청(淸)나라 건륭(乾隆) 4년(1739) 아계(阿桂) 등이 칙명을 받들어 찬(撰)한 것으로, 20권으로 됨.

흠정 몽고 원류【欽定蒙古源流】[—월—] 명《책》불교를 중심으로 하여 몽고의 정계(正系)·사적(事跡)을 몽고문의 원본에 의해 한역(漢譯)한 책. 청(淸)나라 건륭(乾隆) 42년(1777)에 몽고의 소철진살낭태길(小徹辰薩囊台吉)이 찬(撰)한 것으로, 몽고의 종족 흥망의 내력, 풍속 등을 알 수 있음. 8권.

흠정 시종【欽定詩宗】명 계관 시인(桂冠詩人).

흠정역 성:서【欽定譯聖書】명 흠정 영역 성서(欽定英譯聖書).

흠정 영역 성:서【欽定英譯聖書】명《책》영국의 제임스 1세가 47명의 학자로 하여금 영어로 번역(飜譯)케 한 성서. 간결(簡潔)한 표현, 장엄(莊嚴)한 리듬, 아름다운 어구법(語句法)으로 알려졌으며, 개역(改譯) 성서가 나올 때까지 영국 국민의 성서로 쓰임. 1611년에 발행됨. 흠정역 성서.

흠정 헌:법【欽定憲法】[—뻡] 명《법》군주(君主)의 단독 의사(單獨意思)에 의하여 제정된 헌법. 1814년의 프랑스 헌법, 19세기 독일의 여러 군주국(君主國)의 헌법 같은 것. ↔의정 헌법(議定憲法)·민정 헌법·협정 헌법·협약 헌법.

흠종【欽宗】명《사람》중국 송(宋)나라 제9대 황제. 이름은 환(桓). 아버지 휘종(徽宗)의 뒤를 이어 즉위하였으나, 당시 금(金)나라의 압박이 심하여 마침내 정강(靖康)의 변이 일어나, 국도 변경(汴京)은 함락되고 흠종은 상황(上皇) 이하 황족·대신과 함께 잡혀, 북쪽 오국성(五國城)으로 끌려가 그 곳에서 생애를 마침. [1097-1156; 재위 1125-26]

흠준【欽遵】명 황제(皇帝)의 명령을 받들어 좇음. ——-하다 타여불

흠:-지다【欠—】자 흠이 생기다. 흠가다. 흠나다. 흠되다. ¶흠진 물건을 팔다.

흠지러기 명 살코기에 흐늘흐늘하게 달린 잡살뱅이 주저리 고기.

흠:-집【欠—】[—찝] 명 흠이 있는 곳. 병이 난 부분. 탈을 잡을 만한 자리. ¶얼굴에 ~이 생기다.

흠:집-내기【欠—】[—찝—] 명《고고학》흠파기.

흠쭉 부〈방〉흠씬.

흠차【欽差】명 황제(皇帝)의 명령으로 보낸 차견(差遣).

흠찰 한국【欽察汗國】명《역》'킵차크 한국(Kipchak 汗國)'의 취음(取音).

흠:처【欠處】명 흠결(欠節).

흠천-감【欽天監】명《역》중국 명(明)나라 태조(太祖) 홍무(洪武) 3년(1370)이래 설치된 중국의 국립 천문대(天文臺). 천문 계산·월력(月曆) 계산·역서(曆書) 편수·보시(報時) 등 천문·기상(氣象) 현상의 관측·기록을 관장함. 이전의 대사국(大史局)·대사원(大史院)·사천감(司天監)에 해당함.

흠:축【欠縮】명 일정한 수효에서 부족함이 생김. 휴흠(虧欠). 흠결(欠缺). 준축(縮). ——-하다 자여불

흠:축(이) 나다 구 흠축이 생기다.

흠:축(을) 내:다 구 흠축이 생기게 하다.

흠치-교【吽哆敎】명《종》조선 시대 고종 광무(光武) 원년(1897)에 증산(甑山) 강일순(姜一淳)이 전라 북도 정읍(井邑)에서 세운 교(敎). 유불선(儒佛仙)을 종합하여 신화 일심(神化一心)·인의 상생(仁義相生)·거병 해원(去病解怨)·수천 선경(修天仙境)의 네 강령을 창도하였으며, 태을교(太乙敎)·보천교(普天敎) 등의 11개 교파로 나뉨.

흠치다 타〈방〉훔치다.

흠치르르 부 깨끗하고 윤이 번들번들하게 나는 모양.¶~한 머리. >함치르르. ——-하다 형여불

흠칙【欽勅】명 임금이 하는 말.

흠칠 부〈방〉흠칫(평북).

흠칫 부 놀라거나 겁이 나서 어깨나 목을 움츠리는 모양. ¶놀라 몸을 ~ 하다. ——-하다 자여불

흠쾌【欽快】명 기쁘고 상쾌함. ——-하다 형여불

흠탄【欽歎】명 아름다운 점을 탄상(歎賞)함. ——-하다 타여불

흠:포【欠逋】명 포흠(逋欠). ——-하다 타여불

흠:핍【欠乏】명 이지러져서 모자람. ——-하다 형여불

흠향【歆饗】명 신명(神明)이 제물(祭物)을 받음. *운감(殞感). ——-하다 타여불

흠휼 전:칙【欽恤典則】명《역》조선 시대 정종(定宗) 2년(1400)에, 각종 형구(刑具)의 제도 및 용도를 제정한 준칙(準則).

흠휼지-전【欽恤之典】[—찌—] 명 '죄수(罪囚)에 대하여 신중(愼重)히 심의(審議)하라'는 뜻의 은전(恩典).

흠흠 신서【欽欽新書】명《책》조선 시대 정조(正祖) 때, 정약용(丁若鏞)이 지은 책. 절옥(折獄)을 공평히 처리하는 여러 가지 요체(要諦)를 적었음. 30권 10책.

흠흠ᄒᆞ다 형〈옛〉함함하다[2]. ¶터럭 비치 흠흠ᄒᆞ고 조ᄒᆞ시며《月釋 Ⅱ : 58》.

흡각【吸角】명《의》한국성(限局性) 염증이나 농양(膿瘍) 등의 치료에 쓰이는 종(鐘) 모양의 유리 그릇. 종이 조각 또는 솜 같은 것에 불을 붙여 가지고 종 속에 넣어 내부의 공기를 희박하게 만들어 종 속의 음압(陰壓)에 의하여 피부면을 빨아 당기어 울혈(鬱血)을 일으키게 함. 공기 펌프를 장치하여 종 속의 공기를 희박(稀薄)하게 하는 것도 있음.흡종(吸鐘).

흡관【吸管】명《생》흡촉수(吸觸手).

흡관-충【吸管蟲】명《동》흡관충류에 속하는 편형(扁形) 동물의 총칭. 흡적충(吸滴蟲).

흡관충-류【吸管蟲類】[—뉴] 명《동》[Suctoria] 원생 동물 섬모충류(纖毛蟲類)에 속하는 한 목(目). 물에서 착생(着生) 생활을 하며, 입이 없고 분생(分生) 또는 아생(芽生)에 의하여 번식하는데, 몸의 거죽은 막(膜)으로 덮이어 있고 섬모가 없으며, 관(管)같이 생긴 촉수(觸手)로 양분(養分)을 섭취함. 흡적충류(吸滴蟲類).

흡광【吸光】명 빛을 빨아들임. 또, 그 빛.

흡광-계【吸光計】명 [absorptiometer]《물》기체나 액체에 의한 가시 영역(可視領域)의 단색광(單色光)의 흡수를 측정하기 위한, 필터나 분광기(分光器) 등을 장비한 장치.

흡광 광도 분석【吸光光度分析】명 [absorptiometric analysis] 기체 또는 액체의 화학 분석의 하나. 물질이나 원소(元素)에 특유한 전자기파(電磁氣波)의 흡광도(吸光度)를 측정함.

흡광-도【吸光度】명 [absorbancy]《물·화》용액(溶液)의 광흡수(光吸收)의 세기를 나타내는 양. 순수 용매(溶媒)의 투과율의 역수(逆數) 상용 로그(常用 log). *흡수도(吸收度).

흡구-류【吸口類】명《동》[Myzostomida] 환형(環形)동물 갯지렁이 아강(亞綱)에 속하는 한 아목(亞目). 이 유에 속하는 동물은 갯지렁이류(類)에 속한 동물이 기생 생활(寄生生活)의 결과 퇴화적(退化的) 체제(體制)로 변화한 것이라고 볼 수 있는데, 체강(體腔)은 좁고 우족(疣足)의 갈고리로 숙주(宿主)의 몸에 달라붙음. 순환기(循環器) 및 호흡기(呼吸器)가 없으며 자웅 동체(雌雄同體)임.

흡근【吸根】명《식》흡기(吸器).

흡기[1]【吸氣】명 ①기운을 빨아들임. 또, 그 기운. ②숨을 들이마심. 또,

그 숨. 들숨. 1)·2): ↔호기(呼氣). ——-하다 자여불

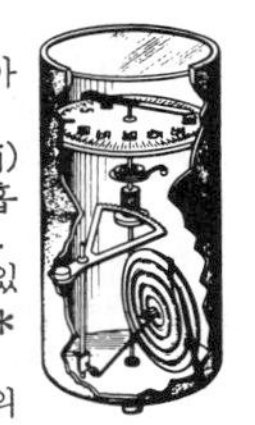

흡기²【吸器】명〖식〗기생 식물의 뿌리에서 양분을 빨아들이는 기관. 흡근(吸根).

흡기-관【吸氣管】명〖기〗내연 기관에서 많은 기통(氣筒) 속에 바깥 공기를 들이보내는 나뭇가지같이 생긴 관. 흡입관(吸入管).

흡기-기【吸氣器】명〖물〗아스피레이터.

흡기 밸브【吸氣—】〔valve〕명〖기〗왕복 기관(機關)에 있어서 가스의 흡입을 조절하는 밸브. 흡기판(吸氣瓣). *흡입 밸브.

흡기 압력계【吸氣壓力計】[—녁—] 명 가솔린 발동기의 실린더 내의 가솔린과 공기의 혼합기(混合氣)의 압력, 곧 흡기압(吸氣壓)을 측정하는 장치.

〈흡기 압력계〉

흡기-음【吸氣音】명 보통의 언어가 호기(呼氣)에 의해서 발음됨에 반하여, 특히 흡기로 발음되는 음(音). 남아프리카의 토어(土語)에 혼합. 흡식음(吸息音). ↔호기음(呼氣音)·호식음(呼息音).

흡기-판【吸氣瓣】명〖기〗흡기 밸브.

흡기 행정【吸氣行程】명〖기〗흡입(吸入) 행정.

흡람【洽覽】[—남] 명 두루두루 봄. 박람(博覽). ——-하다 타여불

흡력【吸力】[—녁] 명 빨아들이는 힘. 흡인(吸引)하는 힘.

흡만【洽滿】명 흡족(洽足). ——-하다 형여불

흡묵-지【吸墨紙】명 압지(壓紙).

흡문【洽聞】명 박문(博聞). ——-하다 타여불

흡박【洽博】명 두루 넓음. 널리 통효(通曉)함. ——-하다 형여불

흡반【吸盤】명〔sucker〕〖동〗낙지·오징어·거머리 같은 동물이 다른 물건에 달라붙거나 빨아먹는 데 사용하는 육질(肉質) 배상(杯狀)의 기관(器官). 근육(筋肉)의 운동으로 그 내부의 압력(壓力)을 덜고 달라붙음. 빨판.

흡반 투쟁【吸盤鬪爭】명 노동 조합의 투쟁 방법 중 직장을 지키며 하는 투쟁.

흡사【恰似】명부 '거의 같음, 그럴 듯하게 비슷함'의 뜻. ——-하다 형여불. ——-히 부

흡상【吸上】명 빨아올림. ——-하다 타여불

흡수¹【吸水】명〔water absorption〕물을 빨아들임. 특히 식물이 외계(外界)로부터 물을 섭취하는 일. 물의 증산(蒸散)과 함께 식물의 생성(生成)에 중요한 역할을 가짐. 흔히, 육생(陸生)의 고등 식물은 뿌리에서, 조류(藻類)나 태류(苔類) 등은 물과 접촉하는 부분에서 섭취함.

흡수²【吸收】명 ①빨아들임. ②흩어진 물건을 한데 모아 들임. ¶중간파를 ∼하다. ③〔absorption〕〖물〗물질 또는 에너지 등의 물리량(物理量)이 다른 물질에 잡혀 그 계(系) 안에 들어가는 과정. 또 이에 따라 입자수(粒子數)나 강도(強度)를 감쇠(減衰)시키는 현상. ④〖생〗소화된 음식물이 소화관벽(消化管壁)을 통하여 혈관 또는 림프관(lymph管) 속으로 들어가는 현상. 고등 동물에서는 주로 소장(小腸)에서 행하여짐. ⑤〖화〗물질이 그대로 딴 물질 속으로 들어가는 일. 기체가 액체에 용해하는 따위. ⑥〖생〗원형질막(原形質膜) 등 체막(體膜)을 통하여, 화학 물질을 체내에 들이는 일. ——-하다 타여불

흡수-계¹【吸水計】명〔potometer〕〖식〗식물의 흡수량(吸水量)을 재는 장치. U자관(字管)의 한 쪽에 식물체를 꽂고 다른 한 쪽에는 지름을 알고 있는 모세관(毛細管)을 접속하여, 여러 가지 조건하에서의 물의 흡수 속도와 그 절대량을 모세관내의 물의 이동에서 구함.

흡수-계²【吸收計】명〖공〗광전지(光電池) 등의 광검출기(光檢出器)를 써서, 투명체를 투과하는 빛의 양을 측정하는 장치.

흡수 계:수【吸收係數】명〔absorption coefficient〕〖물〗물질 또는 매체(媒體)의 표면에 입사(入射)하는 음(音)의 에너지에 대한, 그 표면에 흡수된 음의 에너지의 비. 흡수율.

흡수 곡선【吸收曲線】명〖물〗흡수되는 복사(輻射)가 파장(波長)과 더불어 변화하는 상태를 곡선으로 나타낸 그림.

흡수-관¹【吸水管】명 물을 빨아올리는 관.

흡수-관²【吸收管】명〔absorption tube〕〖화〗고체 흡수제를 채워서, 기체나 증기의 흡수에 사용되는 관.

흡수-구【吸收口】명 ①흡수하는 곳. ②곤충 등에서 먹이를 빨아들이기에 적당한 입. ↔저작구(咀嚼口).

흡수-능【吸收能】명〔absorptive power〕〖물〗복사한 빛을 흡수할 수 있는 능력의 정도. 실제의 매질(媒質)에서는 흡수능은 1보다 작으며, 흡수능이 1인 이상적 물체를 흑체(黑體)라 함. 검댕은 거의 흑체라 보아도 좋음.

흡수-대【吸收帶】명〔absorption band〕〖물〗흡수 스펙트럼에서, 밀접(密接)한 암선(暗線)의 집합이나, 어떤 구간(區間)에 연속적인 흡수가 일어나서 대상(帶狀)을 이룬 것.

흡수-도【吸收度】명〔absorbance〕〖물·화〗기체·액체·고체 물질의 광흡수(光吸收)의 세기를 나타내는 양. 입사광(入射光)의 세기를 I_0, 흡수층(吸收層)을 투과한 빛의 세기를 I로 하면, 흡수도는 $\log_{10}(I_0/I)$로 나타남. *흡광도(吸光度).

흡수 동:력계【吸收動力計】[—녁—] 명〖기〗회전 모멘트를 측정하는 장치. 원동기(原動機)의 출력을 마찰(摩擦) 및 기타의 방법으로 흡수하여 그 출력을 측정하는 계기.

흡수-력¹【吸水力】명〔suction force〕〖식〗식물 세포를 물 속에 넣었을 때에 어느 정도 흡수하는가의 세기를 나타내는 말. 공포(空胞)가 전혀 없는 세포는 원형질(原形質)의 팽윤(膨潤)이 흡수의 원동력이 되지만 공포가 있는 대부분의 세포는 팽윤도 작용하겠지만 공포의 흡수능(吸水能)에 의하여 그 세기가 결정됨.

흡수-력²【吸收力】명 흡수하는 힘. ¶∼이 강한 흡반(吸盤).

흡수-모【吸收毛】명〔absorptive hair〕〖생〗흡수 세포 또는 흡수 조직의 하나. 외계(外界)로부터 물질을 몸 안에 끌어들이는 기능을 갖는 털의 총칭. *흡수 조직.

흡수-범【吸收犯】명〖법〗형법상(刑法上) 한 행위의 수단 또는 결과가 형식상 여러 개의 죄명에 해당되어도, 보통 견해로 당연히 하나의 죄 중에 포함된다고 해석되는 경우. 살인죄의 경우에 의복(衣服)의 훼기(毁棄)는 거기에 흡수되는 것 등.

흡수 변:조【吸收變調】명〔absorption modulation〕〖전자〗가변 임피던스(可變 impedance)가 송신기의 출력 회로(出力回路)에 삽입 또는 결합되어 있는 진폭 변조계(振幅變調系). 흡수 제어(吸收制御).

흡수 분광학【吸收分光學】명〔absorption spectroscopy〕연속 광원(連續光源)으로부터의 복사 에너지가 선택 흡수하는 흡수 매질(媒質)을 투과할 때 얻어지는 스펙트럼을 연구하는 학문.

흡수 상:피【吸收上皮】명〔absorptive epithelium〕〖생〗흡수를 주기능으로 하는 세포로 된 상피. 장(腸)의 점막(粘膜) 등.

흡수-선【吸收線】명〔absorption line〕〖물〗발광체(發光體)에서 나온 빛이 어떤 부분만 도중(途中)의 물질(物質)에 의해서 흡수되었을 경우에 스펙트럼 속에 나타나는 그 부분의 어두운 선(線). 암선(暗線).

흡수선-량【吸收線量】[—냥] 명〔absorbed dose〕〖물〗물질 1 kg 당 흡수하는 방사선의 에너지량(energy量). 단위는 그레이(Gy), 또는 그 100분의 1인 래드(rad).

흡수-성【吸收性】[—썽] 명 흡수하는 성질.

흡수 스펙트럼【吸收—】명〔absorption spectrum〕〖물〗연속 스펙트럼을 가지는 빛이나 X선이 물질을 통과하면, 특정 파장(特定波長)이 그에 흡수되어, 어두운 부분을 나타내는 스펙트럼. 흔히, 단원자 증기(單原子蒸氣)에서는 선상(線狀), 복잡한 분자나 액체·고체에서는 대상(帶狀), 간단한 분자에서는 이들의 중간을 나타냄. 유기 화합물 분석이나 천체 물질 구조의 연구에 이용됨.

흡수 습도계【吸收濕度計】명〔absorption hygrometer〕〖물〗흡습성의 화학 물질에 의한 증기 흡수(蒸氣吸收)로, 대기 중의 수증기량을 측정하는 장치.

흡수-열【吸收熱】명 ①〖의〗파괴된 조직 성분(組織成分)의 흡수에 의하여 화농성(化膿性)의 변화가 따르지 않는 발열(發熱). ②〖화〗용해열(溶解熱).

흡수-유【吸收油】명〔absorption oil〕석유 또는 콜타르유(油)의 일종. 습성(濕性)의 천연 가스(天然 gas)로부터 천연 가솔린을 회수할 때와 같이, 증기(蒸氣)나 가스 혼합물과 접촉시켜 중질 성분(重質成分)을 회수하는 데 쓰임.

흡수-율【吸收率】명〖물〗①흡수 계수. ②전체 입사파(入射波) 에너지에 대한 흡수된 에너지의 비. 1에서 투과율을 뺀 것과 같음.

흡수 작용【吸收作用】명〔absorption〕〖생〗음식물의 영양분(營養分)이 소장(小腸)의 벽에서 흡수되는 작용. 음식물은 소장까지 오는 동안에 소화(消化)되어 녹말은 포도당으로, 단백질은 아미노산(酸)으로, 지방은 지방산(脂肪酸)과 글리세린으로 되어 소장의 벽에서 흡수되는 것임.

흡수 장치【吸收裝置】명〖공〗기체를 액체와 접촉시켜 흡수하는 장치.

흡수 전:류【吸收電流】[—절—] 명〖전〗유전체(誘電體) 안의 전하 축적(電荷蓄積) 비율에 비례하는 유전체 전류의 성분.

흡수-제【吸收劑】명〖화〗기체나 액체를 흡수·흡착(吸着)·탈착(脫着)하는 재료나 화합물. 압소르방트(absorbante).

흡수 제:어【吸收制御】명〔absorption control〕〖전자〗①흡수 변조(吸收變調). ②중성자(中性子)를 흡수하는 물질을 쓴 원자로의 반응도 제어(反應度制御). 카드뮴 따위를 이용함.

흡수 조직【吸收組織】명 오스트리아의 식물학자 하버란트(Haberlandt, Gottlieb; 1854-1945)가 생리적 기능에 의하여 분류한 식물 조직계(系)의 하나. 외계(外界)에서 물질을 섭취(攝取)하는 작용을 하는 조직을 말함. 근모(根毛)와 같은 단세포성(單細胞性)의 경우는 흡수 세포라고 함. 고등 식물의 뿌리의 표피계(表皮系)·흡수모(毛), 기생(寄生) 식물의 기생근(根), 수생(水生) 식물의 몸체 표면, 착생(着生) 식물의 근피(根皮) 및 흡수 인편(吸水鱗片) 따위가 알려져 있음.

흡수 조치【吸收措置】명〖생〗항원(抗原)과 항체(抗體)가 결합하여, 균체(菌體)에 흡착(吸着)되거나 또는 불용성(不溶性)의 침강물(沈降物)을 만드는 것을 이용하여 항혈청(抗血淸) 중의 어느 특정한 항체를 제거하는 일.

흡수-주의【吸收主義】[— / —이] 명〖법〗경합범(競合犯)을 경합죄 중의 가장 무거운 하나의 형(刑)을 적용하여 처단하는 주의.

흡수-지【吸收紙】명 기체나 액체를 빨아들이는 성질을 가진 종이.

흡수 한:계【吸收限界】명〔absorption limit〕〖물〗방사 파장(放射波長)에 대한 물질의 흡수 계수의 변화를 나타내는 곡선이 불연속으로 변화하는 파장(波長).

흡수 합병【吸收合併】명〔merger〕〖경〗회사 합병의 한 방식. 당사(當事) 회사 중 한 회사가 존속(存續)하고 다른 회사는 소멸(消滅)하며 소멸한 회사의 권리와 의무가, 존속하는 회사에 포괄(包括) 계속되는 형식의 합병. 병탄 합병(倂呑合倂). ↔신설 합병.

흡습【吸濕】명 습기를 흡수함. ——-하다 자여불

흡습 계:수【吸濕係數】명〔hygroscopic coefficient〕〖화〗건조 토양이 25°C에서, 50%의 상대 습도(相對濕度)의 대기와 접촉하고 있을 때 흡수하는 최대 수분(水分). 흡착 계수.

흡습-성【吸濕性】명 물질이 공기 중의 습기를 흡수하는 성질.

흡습-수【吸濕水】명〔hygroscopic water〕〖지〗토양 입자의 표면에 흡착(吸着)·보존되어 있으면서 식생(植生)에 이용되지 않는 토양 수분. 부착수(附着水).

흡습 용해【吸濕溶解】명〔deliquescence〕〖화〗고체가 대기 중의 습기

를 흡수하여 용해하는 일. ——-하다 자여불

흡습-제【吸濕劑】명〖공〗섬유(纖維)가 너무 건조하여 경화(硬化)함을 막으려고 사용하는 약제. 보통 글리세린·포도당 등을 사용함. ↔탈수제(脫水劑).

흡식-근【吸息筋】명〖생〗호흡근(呼吸筋)의 한 가지. 흉강(胸腔)을 넓히어 흡식을 일으키는 근육. ↔호식근(呼息筋).

흡식-음【吸息音】명〖언〗흡기음(吸氣音). ↔호식음(呼息音).

흡신 부〈방〉흠씬.

흡여【翕如】명 ①음악의 성률(聲律) 같은 것이 잘 맞는 모양. ②성(盛)한 모양. ——-하다 형여불

흡연[1]【吸煙】명 담배를 피움. 끽연(喫煙). ¶ ～실. ——-하다 자여불

흡연[2]【洽然】부 아주 흡족(洽足)한 모양. ——-하다 형여불. ——-히 부

흡연[4]【翕然】부 인심이 합하여 한 곳으로 향하는 모양. ¶온 나라 백성들의 마음도 ～히 편조에게로 돌아 가고 말았다≪朴鍾和 : 多情佛心≫. ——-하다 형여불. ——-히 부

흡연-실【吸煙室】명 담배를 피우도록 따로 마련한 방. 끽연실(喫煙室).

흡열 반:응【吸熱反應】명 ①〔endothermic reaction〕〖화〗주위의 열을 흡수하여 진행하는 화학 반응. 질소가 산소와 화합하여 산화 질소(酸化窒素)를 발생하는 따위의 반응. ↔발열 반응(發熱反應). ②원자 핵반응(原子核反應)에서 큐(Q) 값이 음(陰)이 되는 반응. 핵반응을 일으키는 데 필요한 충격 입자(衝擊粒子)의 최소 에너지가 어떤 일정치(一定值) 이상의 운동 에너지를 가지고 있을 때에 일어남.

흡열 유리【吸熱琉璃】[—류—] 명 적외선을 흡수(吸收)하는 특성을 가진 유리. 보통 유리의 원료에 약간의 철·코발트·니켈 등을 첨가하여 만듦. 실내의 냉방 효과를 높이고, 눈이 부심을 방지하므로, 보호 안경, 자동차의 창유리 등에 쓰임.

흡엽【吸葉】명〔phyllidium〕〖동〗촌충류(寸蟲類)의 고착 기관(固着器官)의 한 형(型). 항상 네 개 존재하며 두부(頭部)에 직접 또는 자루로 써 붙음. 귀 모양, 긴 달걀꼴 또는 잎 모양의 구조로 가장자리가 복잡한 주름을 이루고 있음. 전체로는 양배추 모양을 한 것도 있으며, 운동성이 강함.

흡위【吸胃】명〔sucking stomach〕〖생〗음식물을 액상(液狀)으로 흡수하는 곤충에서 볼 수 있는 소낭(嗉囊)의 변형물. 많은 음식물을 흡수하여 일시(一時) 저장하는 역할을 함.

흡유-기【吸乳期】명 가축이 새끼에게 젖을 빨리는 동안.

흡음【吸音】명〖물〗음파가 매질(媒質)을 통과할 때나 표면에 닿을 때, 소리의 에너지가 감소하는 과정. ——-하다 자여불

흡음-력【吸音力】[—녁] 명〖물〗어떤 물체가 음향을 흡수하는 힘. 물체에 음파가 입사(入射)하는 면(面)의 표면적과 그 물체의 흡음률의 곱으로 나타냄. 음향 설계(音響設計) 때에 잔향 시간(殘響時間)을 결정하는 데 중요한 양(量)임.

흡음-률【吸音率】[—뉼] 명〔acoustic absorptivity〕〖물〗음파(音波)가 물체에 의하여 반사될 때, 입사(入射) 에너지에서 반사 에너지를 뺀 것과 입사 에너지와의 비, 곧 1에서 반사율(反射率)을 뺀 값.

흡음-재【吸音材】명 음파(音波)를 흡수하는 건축 재료(建築材料). 다공질(多孔質) 또는 섬유질(纖維質)이며, 텍스(tex)·유리 섬유·펠트(felt) 따위가 있음.

흡의【洽意】[—/—이] 명 뜻에 흡족(洽足)함. 마음에 넉넉함. ——-하다 형여불

흡인【吸引】명 빨아 당김. ¶ ～ 작용. ——-하다 타여불

흡인 깔때기【吸引—】명〖화〗흡인 여과(濾過)에 사용하는 깔때기. 도토(陶土) 등의 흙으로 만든 도가니의 밑바닥에 많은 작은 구멍을 뚫은 것, 유리로 만든 깔때기 바닥에 유리 가루로 만든 널빤지를 끼운 것 등 여러 가지가 있음.

흡인-력【吸引力】[—녁] 명 빨아 당기는 힘.

흡인 여:과【吸引濾過】[—녀—] 명〖화〗여과의 속도(速度)를 빨리하고 또 미세(微細)한 침전물(沈澱物)을 모액(母液)으로부터 분리하기 위하여 흡인 깔때기를 사용하는 여과. 밑에서 병 속의 공기를 흡인 펌프로 뽑아냄.

흡인 온도계【吸引溫度計】명〖물〗고온 기체(高溫氣體)의 온도 측정에 흔히 쓰이는 온도계의 하나. 선단(先端)이 닫혀 있지 아니한 관(管) 속에 열전(熱電) 온도계를 놓고 온도를 측정하고자 하는 기체를 흡인하여 열전쌍(熱電雙)의 접점(接點)에 끊임없이 새로운 기체를 접촉하게 하여 잼.

흡인 요법【吸引療法】[—뇨뻡] 명 체내(體內)에 괴어 있는 이상 액체를 배제하기 위하여 흡각(吸角)을 사용하여 환부(患部)에 충혈을 일으키어 치료를 하거나, 침(針)을 박아 흡인 장치로 빼내는 요법.

흡인 폐:렴【吸引肺炎】명〖의〗기관지(氣管支) 폐렴의 특수한 형(型)의 하나. 음식물·종양 단편(腫瘍斷片) 등의 부패성 조직(腐敗性組織)과 같은 강한 자극물이 기관지내에 흡인되어 일어남.

흡입【吸入】명 빨아들임. ¶산소 ～. ——-하다 타여불

흡입-관【吸入管】명〖기〗흡기관(吸氣管).

흡입-기【吸入器】명〔inhalator〕〖의〗호흡기 질환(呼吸器疾患)을 치료하는 의료기(醫療器)의 하나. 약물(藥物)을 가스·증기(蒸氣)·안개 등의 상태로 변화시켜 입으로 흡입시키는 기구. 흡입 기계.

흡입 기계【吸入器械】명〖의〗흡입기.

흡입 마취【吸入痲醉】명〖의〗가스나 휘발성 마취제를 코나 입으로 폐(肺)에 흡입시켜 전신 마취를 일으키게 하는 방법. 흡입 마취법. ＊정맥(靜脈) 마취·직장(直腸) 마취.

흡입 마취법【吸入痲醉法】[—뻡] 명〖의〗흡입 마취.

흡입 밸브【吸入—】〔valve〕명 펌프 아가리의 실린더 안으로 자동적으로 액체를 흡입하는 밸브. 흡입판(瓣).

흡입-액【吸入液】명〖의〗흡입 요법에 사용하는 액체. 끓여서 가스·수증기의 형태로 흡입시킴.

흡입 요법【吸入療法】[—뇨뻡] 명〖의〗콧구멍이나 구강(口腔)으로부터 흡기(吸氣)와 함께 약품을 흡입시키는 요법. 후두염(喉頭炎)·기관지염(氣管支炎)·폐렴 등의 치료에 쓰임.

흡입-제【吸入劑】명〖의〗흡입 요법(吸入療法)에 사용하는 약제.

흡입 통풍【吸入通風】명 인공 통풍의 하나. 보일러 연도(煙道) 속에 선풍기를 달아, 연기를 빨아내고 아궁이로부터의 공기의 유입(流入)을 늘임으로써, 연소(燃燒)를 증대시킴.

흡입-판【吸入瓣】명〔suction valve〕〖기〗흡입 밸브.

흡입 행정【吸入行程】명〔suction stroke〕〖기〗내연 기관(內燃機關)에서 피스톤이 움직이면서 실린더 안의 흡입(吸入) 밸브가 닫혀지고 가스와 공기와의 혼합 기체가 들어오는 행정. 흡기 행정. ＊압축(壓縮) 행정·배기(排氣) 행정.

흡장【吸藏】명〖물〗기체가 고체에 흡수되어 그 내부에 스며드는 현상. ——-하다 자여불

흡적-충【吸滴蟲】명〖동〗흡관충(吸管蟲).

흡적충-류【吸滴蟲類】[—뉴] 명〖동〗흡관충류(吸管蟲類).

흡족【洽足】명 아주 넉넉함. 두루 퍼져서 조금도 모자람이 없음. 흡만(洽滿). ¶ ～하게 비가 오다. ——-하다 형여불. ——-히 부

흡종【吸鍾】명〖의〗흡각(吸角).

흡착【吸着】명 ①달라붙음. ②〔adsorption〕〖화〗고체·액체·기체의 분자·원자·이온이, 고체·액체의 표면에 가까운 얇은 층(層)에 모여 보존(保存)되어 있는 현상. 암모니아가 숯에 빨리어 붙는 것 등. ¶ ～성. ——-하다 자여불

흡착 가솔린【吸着—】명〔adsorption gasoline〕천연 가스 또는 석유 정제(石油精製) 가스에서 추출(抽出)한 가솔린.

흡착 결합물【吸着結合物】명〖화〗흡착에 의하여 어떤 물질이 다른 물질의 표면에 결합하여 생기는 화합물. 녹말과 요오드가 청색을 나타내는 것은 흡착 결합물의 색임. 흡착 화합물.

흡착 계:수【吸着係數】명 흡습 계수(吸濕係數).

흡착-기【吸着器】명 흡착하는 기계. 흡반(吸盤) 같은 작용을 인공적으로 일으키어 한 물질을 다른 물질에 붙게 함.

흡착-매【吸着媒】명 계면 분자(界面分子)의 작용으로 흡착질(質)에 농도 변화를 일으키게 하는 물질. 수탄(獸炭)·활성탄(活性炭) 같은 것. 흡착체(吸着體).

흡착-성【吸着性】명 흡착하는 성질.

흡착-수【吸着水】명〖지〗지표(地表) 근처의 토양 입자의 표면을 싸고 도는 지하수의 하나. ＊모관수(毛管水)·중력수(重力水).

흡착-열【吸着熱】[—녈] 명 양(陽)흡착시에 흡착질(吸着質)과 흡착매(吸着媒)의 결합에 의해서 발하는 열.

흡착 원자【吸着原子】명〔adatom〕〖물·화〗표면에 흡착되어, 표면 위를 이동할 수 있는 원자.

흡착-음【吸着音】명〖언〗설타음(舌打音).

흡착 장치【吸着裝置】명〔adsorption system〕〖기〗공기를 흡착성 고형 물질(固形物質)과 접촉시켜, 탈습(脫濕)하는 장치.

흡착-제【吸着劑】명 ①표면적이 크고 다른 물질을 흡착하는 능력이 강한 물질. 활성탄(活性炭)·활성 백토·활성 알루미나·산화 티탄·이온 교환 수지(ion交換樹脂)·규조토(珪藻土) 등. 액체나 기체의 탈색·탈취·탈습, 물질의 회수나 정제(精製), 화학 분석 등에 이용됨. ②소화관(消化管) 안에서 독물(毒物)이나 독소(毒素)를 흡착시켜 무해(無害)하게 하는 약.

흡착 지시약【吸着指示藥】명〖화〗용액 중의 물질 또는 이온의 적은 과잉량을 검지(檢知)하기 위하여 쓰는 지시약. 지시약이 침전물에 흡착될 때 일어나는 변색(變色)을 이용한 것임.

흡착-질【吸着質】명 흡착하여 농도(濃度) 변화를 일으키는 물질.

흡착-체【吸着體】명 흡착매(吸着媒).

흡착 화합물【吸着化合物】명〖화〗흡착 결합물(吸着結合物).

흡철-석【吸鐵石】[—썩] 명 자석(磁石)❶.

흡-촉수【吸觸手】명〔suctorial tentacle〕〖생〗원생 동물의 흡관충류(吸管蟲類)에 고유(固有)한 세포 기관으로 가족(假足)에 상당함. 1-100개 이상이 체표(體表)로부터 방사상(放射狀)으로 돌출함. 흡관(吸管).

흡출【吸出】명 빨아 냄. ——-하다 타여불

흡출-관【吸出管】명〖토〗반동 수차(反動水車)의 수차와 방수로(放水路)를 맺는 관.

흡충-류【吸蟲類】[—뉴] 명〖동〗〔Trematoda〕편형(扁形) 동물의 한 강(綱). 대부분이 자웅 동체(雌雄同體), 몸은 작고 편평하며 길이는 보통 1cm 이하임. 입은 대개 앞 끝에 있고 좌우 두 개로 분기(分岐)한 소화관이 있으며, 항문(肛門)은 없는 것이 보통임. 복면(腹面)에 흡반(吸盤)을 갖추고 숙주(宿主)에 고착함. 척추 동물의 소화 기관에 가장 많으며 그 외 폐장·간장·혈관 속에 또는 어류(魚類)의 체표(體表)나 아가미에 기생(寄生)함. 폐디스토마(肺distoma)·간(肝)디스토마 등이 이에 속함. ＊촌충류(寸蟲類)·와충류(渦蟲類)·이생류(二生類).

흡합【洽合】명 마음에 흡족하고 알맞음. ——-하다 형여불

흡현【歙縣】명〖지〗'서셴'을 우리 음으로 읽은 이름.

흡혈【吸血】명 피를 빪. ¶ ～ 동물. ——-하다 자여불

흡혈-귀【吸血鬼】명〔vampire〕①밤중에 무덤에서 나와 사람의 피를 빨아먹는다는 귀신. ②사람의 고혈(膏血)을 착취하는 인간. 고리 대금업자(高利貸金業者)·착취자 등. 흡혈마. ¶ ～ 같은 악덕 대금업자.

흡혈 동:물【吸血動物】명 외부로부터 다른 동물의 피를 빨아먹고 사는 동물의 총칭. 벼룩·빈대·이·모기·흡혈박쥐 등.

흡혈-마【吸血魔】명 흡혈귀(吸血鬼).
흡흡[1]【吸吸】명부 구름이 움직이는 모양.
흡흡[2]【洽恰】명 대단히 많은 모양. ¶'혜경이 혜경이'하고 부르는 것도 다 애정이 ～한 속에서 나오는 것이다≪鮮于日 : 杜鵑聲≫.
훗걷다 자〈옛〉흩어지게 걷다. 되는 대로 걷다. 산책(散策)하다. ¶童子 六七 불러내야 속닙난 잔쐬예 足容重케 훗거러 淸江의 발을 싯고 風乎江畔ᄒᆞ야 興을 타고 도라오니 ≪蘆溪 莎堤曲≫.
훗ᄂᆞ다 자〈옛〉흩날리다. 흩어져 날리다. ¶春風에 훗ᄂᆞᄂᆞᆫ 白髮이야 ≪古時調 李仲集≫.
훗다 타〈옛〉흩다. =흗다. ¶여듧 므렌 ᄇᆞᄅᆞ매 믌겨리 훗놋다(八水散風濤)≪杜諺 V:2≫.
훗대 명〖공〗질그릇의 모양을 이룩하는 데 쓰는 나무쪽.
훗더디다 타〈옛〉되는 대로 옮겨 놓다. 흩어 짚다. =훗더지다. ¶芒鞋를 뵈야 신고 竹杖을 훗더디니 ≪松江 星山別曲≫.
훗더지다 타〈옛〉흩어 던지다. =훗더디다. ¶훗더진 바독을 뉘라셔 쓰러 담을 쇼랴 ≪古時調≫.
훗듯다 자〈옛〉흩어져 떨어지다. ¶五月江城에 훗듯ᄂᆞ니 梅花ㅣ로다 ≪古時調 金裕器≫.
훗ᄆᆡ다 타〈옛〉되는 대로 매다. ¶山田을 훗ᄆᆡ다가 綠陰에 누어시니 ≪永言≫.
훗부르다 타〈옛〉흩어 부르다. 아무렇게나 부르다. ¶詩句를 훗부르니 ≪永言≫.
훗부치다 타〈옛〉흩어 부치다. 되는 대로 부치다. =훗붓치다. ¶羽扇을 훗부치며 ≪永言≫.
훗붓치다 타〈옛〉흩어 부치다. 되는 대로 부치다. =훗부치다. ¶三角鬚를 훗붓치며 ≪永言≫.
훗ᄲᅳ리다 자타〈옛〉흩여 뿌리다. 흩날리며 뿌리다. ¶桃花雨 훗ᄲᅳ릴 제 울며 잡고 離別ᄒᆞᆫ 님 ≪古時調≫.
훗터디다 자〈옛〉흩어지다. ¶한 病이 ᄒᆞᆫ번의 훗터디놋다(多病一疎散)≪杜諺 1:28≫.
흥:[1]【興】명 마음이 즐겁고 좋아서 일어나는 정서(情緖). ¶～이 깨지다/～을 돋우다.
흥:에 띄:다 구 흥에 겨워서 마음이 들뜨다. 흥이 난 틈을 이용하다.
흥:[2]【興】명 시의 한 체(體)로, ≪시경(詩經)≫의 육의(六義)의 하나. 아무 관계도 없는 딴 물건을 빌려다가 자기의 뜻을 나타내는 것.
흥[3]【興】명 성(姓)의 하다. 우리 나라에는 현존하지 아니함.
흥[4] 부 코를 울리어 내부는 소리.
흥[5] 감 ①업신여기거나 아니꼬울 때 코로 비웃는 소리. ②신이 나서 감탄하는 소리.
흥감[1] 명 넌덕스러운 언행(言行)으로 실지보다 지나치게 떠벌리는 태도. ──-하다 자여불
흥감(을) 부리다 구 흥감스러운 짓을 하다.
흥감(을) 피우다 구 ☞ 흥감(을) 부리다.
흥:감[2]【興感】명 ①마음이 움직여 느끼는 일. ②흥겹게 느낌. ──-하다 자여불
흥감-스럽다 형ㅂ불 흥감부리는 태도가 있다. ¶정 주사는… 몰리는 싸움을 중판을 메게 된 것이 다행해서 얼른 낯빛을 풀어 가지고, 흥감스럽게 인사를 먼저 한다≪蔡萬植 : 濁流≫. **흥감-스레** 부
흥개-호【興凱湖】명〖지〗싱카이 호(湖).
흥거【興渠】명〖식〗무릇[1].
흥건-하다 형여불 ①물 같은 것이 많이 괴어 있다. ¶논에 물이 ～. ②음식에 국물이 많다. 준건하다. 흥건-히 부. ¶땀이 ～ 배다.
흥:겁 명〈방〉헝겊(경기·강원·충북).
흥겁다 형〈방〉섭다.
흥:겨-이【興─】부 흥겹게. 「놀다.
흥:-겹다【興─】형ㅂ불 매우 흥취가 나서 한껏 재미가 있다. ¶흥겹게
흥경지-곡【興慶之曲】명〖악〗고려의 태묘(太廟) 친사(親祠)의 등가악(登歌樂)의 하나. 예종(睿宗) 11년(1116)에 창제되었는데 현종(顯宗) 제삼실(第三室)에 쓰이었음.
흥:구덕 명〈방〉흙구덕.
흥국【興國】명 ①나라를 흥하게 함. ②흥기(興起)한 나라. 국세(國勢)가 왕성한 나라. ──-하다 자여불
흥국 강병【興國強兵】명 나라를 일으키고 군사를 강하게 함.
흥국-사【興國寺】명〖불교〗봉선사(奉先寺)의 말사(末寺). 경기도 남양주시(南楊州市) 별내면(別內面) 덕송리(德松里) 수락산(水落山) 밑에 있음. 신라 진평왕(眞平王) 22년(600)에 원광 법사(圓光法師)가 지었다고 함. 조선 시대 정조(正祖) 때 승풍(僧風)을 앙양하고자 설치한 일곱 규정소(糾正所)의 하나. 현재 경판(經板) 8부와 병풍(屛風) 두 개가 보존(保存)되어 있음.
흥글방망이-놀다 타 남의 잘 되어 가는 일에 심술을 부리고 훼방을 하다.
흥글-흥글 부〈방〉흥뚱항뚱. ──-하다 형
흥기[1]【興起】명 ①떨쳐 일어남. ②의기(意氣)가 분발하여 일어남. ③세력이 왕성하게 됨. ──-하다 자여불
흥기[2]【興期】명 세력 등이 흥하는 시기. 「다.
흥:-김【興─】[─낌] 명 흥에 겨운 바람. ¶～에 큰소리로 노래를 부르
흥:-나다【興─】자 흥이 일어나다. 흥취(興趣)가 생기다. ¶흥나면 시조를 읊는다.
흥남【興南】명〖지〗함경 남도 함주군(咸州郡) 남동부의 도시. 함흥 평야(咸興平野) 남단 함흥만에 임함. 본래 해항 서호진(西湖津)에 인접(隣接)한 어촌이었으나 배후지(背後地) 개마 고원 상(蓋馬高原上)의 부전호(赴戰湖) 및 장진호(長津湖)의 수력 발전소 건설과 함께 동양 굴지(屈指)의 질소(窒素) 비료 공장이 건설됨에 이르러 대공업 도시로 발달함. 함경선(咸鏡線)의 요역(要驛)임.
흥남-선【興南線】명〖지〗함흥(咸興)과 서호진(西湖津) 사이의 단선 철도. 1913년 개통. [18.3 km]
흥녀【興女】명 유녀(遊女).
흥녀케 부〈방〉휑허케.
흥덕-사【興德寺】명〖불교〗조선 시대의 절. 태조(太祖)가 한양 동부 연희방(燕喜坊)에 지었던 것으로 지금 서울 혜화동(惠化洞) 부근에 있었음. 세종이 불교를 선교 양종(禪敎兩宗)으로 통합할 때 흥덕사를 교종(敎宗)의 종무원(宗務院)으로 하였으나 연산군(燕山君) 때에 폐함. * 흥천사(興天寺).
흥덕-산【興德山】명〖지〗전라 북도 무주군(茂朱郡) 설천면(雪川面)과 무풍면(茂豐面) 사이에 있는 산. [1,275 m]
흥덕-왕【興德王】명〖사람〗신라 제42대 왕. 휘(諱)는 수종(秀宗), 뒤에 경휘(景徽)로 고침. 원성왕(元聖王)의 손자며, 헌덕왕(憲德王)의 아우. 청해진(淸海鎭)을 만들어 장보고(張保皐)로 하여금 관리하게 하였음. [?-836; 재위 826-836]
흥덕왕-릉【興德王陵】[─능] 명〖지〗경상 북도 경주시(慶州市) 안강읍(安康邑) 육통리(六通里)에 있는 신라 흥덕왕의 능. 원형의 토분(土墳)임. 사적(史蹟) 제30호.
흥덩-흥덩 부 ①물 같은 것이 거의 넘칠 만큼 매우 많은 모양. ②국물이 너무 많고 건더기는 적어 어울리지 않은 모양. ¶～ 국물뿐이구나. ──-하다 형여불
흥뎅이-치다 타〈방〉흥글방망이놀다.
흥뎡 명〈옛〉흥정. ¶興成 흥뎡 賣買之稱 ≪吏文≫.
흥:도【興到】명 흥이 남. 흥취가 일어남. ──-하다 자여불
흥뚱-거리다 타 흥뚱항뚱 행동하다. ¶네가 없다구 일들을 흥뚱거리지나 아니할까? ≪洪命憙 : 林巨正≫.
흥뚱-새 명〖조〗[*Anthus hodgsoni*] 할미샛과의 새. 날개 길이 7.5-9 cm, 꽁지 길이 5.5-6.5 cm이며, 등은 녹갈색에 갈색의 세로 무늬가 있고 꽁지는 흑갈색임. 복부(腹部)는 백색에 담황색을 띠고 흑색의 세로무늬가 산재(散在)하며, 날개와 부리는 갈색이고 다리는 살빛임. 얕은 산에서 높은 산에 걸치어 산림(山林)이나 초원(草原)에 삶. 곤충·거미·잡초(雜草)의 종자(種子) 등을 먹음. 아름다운 소리로 울며, 알은 5-8월에 3-5개를 낳음. 한국·일본·만주(滿洲) 등지에 분포함. 힝둥새.

〈흥뚱새〉

흥뚱-항뚱 부 어떤 일에 정신을 온전히 쓰지 않고 꾀를 부리며 들떠 있는 모양. ¶～ 일에 정신을 쏟지 않다. ──-하다 형여불
흥뚱-흥뚱 부 ☞ 흥뚱항뚱. ──-하다 형여불
흥:란【興闌】[─난] 명 흥취가 이미 식어 줄어짐. ──-하다 자여불
흥록 대:부【興祿大夫】[─녹─] 명〖역〗①고려 때 문관(文官)의 품계. 성종(成宗) 14년(995)에 대승(大丞)을 고쳐서 정하였다가, 문종(文宗) 때에 폐하고, 충렬왕(忠烈王) 24년(1298)에 다시 정이품으로 정하고 곧 폐하였음. ②조선 시대 정일품 종친(宗親)의 품계. 고종 2년(1865)까지 쓰임.
흥료【興遼】[─뇨] 명〖역〗발해의 후손인, 거란(契丹)의 동경 장군(東京將軍) 대연림(大延琳)이 1029년에 지금의 만주 랴오양(遼陽)에서 세운 나라. 연호(年號)를 천흥(天興)이라 하였으나, 2년도 못 되어 망하였음. [1029-30]
흥륜-사【興輪寺】[─뉸─] 명〖불교〗신라 최초의 큰 절. 경주(慶州) 봉황대(鳳凰臺)에서 오릉(五陵)에 이르는 중간 동편에 있었음.
흥륭【興隆】[─늉] 명 일어나 융성(隆盛)하여짐. ──-하다 자여불
흥륭 유적【興隆遺跡】[─늉─] 명 싱룽 유적.
흥리【興利】[─니] 명 식리(殖利). ──-하다 자여불
흥리-선【興利船】[─니─] 명〖역〗세견선(歲遣船). 흥판선(興販船).
흥리 왜인【興利倭人】[─니─] 명〖역〗조선 시대에, 해마다 조선을 왕복하면서 무역(貿易)에 종사하던 일본 사람. * 향화(向化) 왜인·수직(受職) 왜인.
흥망【興亡】명 흥기(興起)와 멸망(滅亡). 흥폐(興廢). 흥패(興敗). ¶나라의 ～에 관계되는 사건.
흥망 성:쇠【興亡盛衰】명 흥(興)하고 망(亡)하고 성(盛)하고 쇠(衰)함. ¶로마 제국(帝國)의 ～.
[흥망 성쇠와 부귀 빈천이 물레바퀴 돌 듯한다] 사람의 운수는 돌고 돌아 늘 변한다는 말. '귀천 궁달이 수레바퀴'와 같은 뜻.
흥:무【興舞】명 춤을 춤. 흥이 나서 추는 춤. ──-하다 자여불
흥:미【興味】명 ①흥을 느끼는 재미. 취미. 흥취. ②[interest]〖심〗어떠한 대상의 내용에 대한 특별한 주의를 수반(隨伴)하는 감정.
흥:미-롭다【興味─】형ㅂ불 흥미를 느낄 만하다. 마음이 이끌리는 데가 있다.
흥:미 진진【興味津津】명 흥취가 넘침. 매우 흥미 있게 느껴짐. 흥미가 끝이 없음. ¶～한 이야기. ──-하다 형여불
흥:-바람【興─】[─빠─] 명〈방〉흥김(경상).
흥방【興邦】명 흥국(興國). ──-하다 자여불
흥보 명〈방〉호주머니(평북).
흥보-가【興甫歌】명〖악〗흥부가(興夫歌).
흥복[1] 명〈방〉호주머니(평북).
흥복[2]【興復】명 부흥(復興). ──-하다 자타여불
흥복-사【興福寺】명〖불교〗조선 시대 때의 절. 태조(太祖)가 지은 것

으로서 그 후 폐사(廢寺)되었는데, 그 자리에 세조(世祖) 때 원각사(圓覺寺)를 지었음. 지금 서울 탑골 공원 일대가 그 터임.

흥부【興夫】명 고대 소설 ≪흥부전≫의 주인공. 형 놀부로부터 쫓기어났으나 착하고 마음씨가 고와 큰 부자가 되었음. *놀부.

흥부-가【興夫歌】명〖악〗조선 고종 때 신재효(申在孝)가 지은 판소리 열두 마당의 하나. ≪흥부전≫을 소리로 꾸민 것임. 박타령. 흥부타령.

흥부-전【興夫傳】명〖문〗조선 시대 때의 우의(寓意) 소설. 작자 연대 미상. 몽고의 ≪박타는 처녀≫ 또는 ≪유양 잡조 속집(酉陽雜俎續集)≫중의 '방이(旁㐌) 이야기'에서 유래(由來)한다고도 함. 마음이 악한 형 놀부와 마음이 고운 아우 흥부가 있었는데, 흥부는 다리를 다친 제비를 구해 준 갚음으로 박씨를 얻어 심어, 거기서 연 박 속에서 금은 보화가 나와 졸부(猝富)가 되었고, 놀부는 멀쩡한 제비의 다리를 부러뜨리고 고쳐 주어 그 대갚음으로 얻은 박씨를 심어, 똥과 귀신을 만나 망했다는 이야기.

흥부-타:령【興夫打令】명〖악〗흥부가.

흥분【興奮】명 ①감정이 북받쳐 일어남. 또, 감정의 북받침. ¶~한 청중(聽衆). ②어떤 일에 감동(感動)되어 분기(奮起)함. ¶사소한 일에 곧잘 ~하다. ③〖생〗자극(刺戟)에 의하여 일어나는 생체(生體)의 상태(狀態) 변화. 이온 농도의 변화나 전위차(電位差)의 변동 곧, 동작류(動作流) 또는 물질 대사의 변화를 수반(隨伴)하는 삼투성(滲透性)이나, 피자극체(被刺戟體)에 의한 수축 분비(收縮分泌) 등의 반응(反應)이 있음. ——-하다 자여불

흥분-기【興奮期】명 흥분하는 시기.

흥분-색【興奮色】명 기분을 자극하여 흥분시키는 느낌을 주는 빛. 빨강, 노랑 따위의 더운 빛을 이름.

흥분-성【興奮性】[—썽] 명 흥분하는 성질.

흥분성 조직【興奮性組織】[—썽—] 명 [excitable tissue]〖생〗전기적(電氣的)으로 흥분하는, 이를테면 활동 전위(活動電位)를 발생하는 조직의 총칭. 근육·신경 따위.

흥분 신경【興奮神經】명 [excitor nerve] 반응기(反應器)의 흥분을 일으키는 보통의 운동 신경을, 이것에 억제(抑制) 신경이 수반(隨伴)될 때에 특히 이르는 이름.

흥분-제【興奮劑】명〖약〗뇌수(腦髓)의 신경(神經)이나 심장(心臟)을 흥분시키는 약제. 캠퍼(camphor)·에틸 에테르(ethyl ether)·카페인·포도주 등이 있음.

흥비-가【興比歌】명〖문〗동학 교조(東學敎祖) 최제우(崔濟愚)가 지은 가사(歌辭)의 하나. 조선 철종(哲宗) 14년(1863)에 만듦. ≪용담 유사(龍潭遺詞)≫에 전함.

흥뽕이다 자 〈옛〉 흥청거리다. ¶노롯ᄒᆞ며 흥뽕여 놀며 보피로은 男女로 ᄒᆞ여(教些幇閑的潑男女) ≪老乞 下 44≫.

흥사【興師】명 기병(起兵). ——-하다 자여불

흥사-단【興士團】명 1913년 미국 샌프란시스코(San Francisco)에서 신민회(新民會)의 청년 학우회(靑年學友會) 후신으로 탄생한, 독립 운동과 민족 혁명의 수양 단체. 안창호(安昌浩) 등이 조직하고, 이사장에 민찬호(閔贊鎬), 의장에 한승곤(韓承坤)이 취임함. 본부를 로스앤젤레스(Los Angeles)에 두고 '흥사단보(報)'를 발행하여 단 내외의 소식과 일반 교포의 계몽에 힘썼음. 광복 후 본부를 서울로 옮김.

흥산【興産】명 산업을 일으킴. ——-하다 자여불

흥선 대:원군【興宣大院君】명〖사람〗조선 시대 고종(高宗)의 생부(生父). 이름은 이하응(李昰應), 호는 석파(石坡). 고종이 12세에 대통(大統)을 잇게 되자 실권을 장악하고 정치에 임하여, 서원(書院)·외척의 권병(權柄)을 누르는 등 여러 가지 내정 개혁(內政改革)을 단행하였으나 경복궁(景福宮)의 중건, 천주교의 탄압, 쇄국책(鎖國策)의 단행 등으로 사회·경제적인 혼란을 야기시키기도 하였음. 시호는 헌의(獻懿). 준대원군(大院君). *대원위(大院位). [1820-98]

흥성[1]【興成】명 흥정❷. ¶혼인을 말로 ~하듯 무르는 것이 아닌데…≪李海朝 : 琵琶聲≫. ——-하다 타여불

흥성[2]【興盛】명 왕성하게 흥함. 융성(隆盛). ——-하다 자여불

흥성-거리다 자 활기차게 여럿이 떠들다. ¶…상점들도 물건 사는 청년들로 흥성거렸다≪朴花城 : 고개를 넘으면≫. 흥성-흥성[1] 부. ——-하다 [자여불

흥성-대다 자 흥성거리다.

흥성-흥성[2]【興盛興盛】부 번성하여 보기에 질번질번한 모양. ¶사업이 ~하다. ——-하다 형여불

흥수【興首】명〖사람〗백제 의자왕(義慈王) 때의 지략가(智略家). 의자왕 20년(660) 나당(羅唐) 연합군이 백제를 침공했을 때 계교를 진언했으나 채택되지 않아 백제는 멸망했다고 함.

흥숭-생숭 부 〈방〉 흥뚱항뚱. ——-하다 형여불

흥신-록【興信錄】[—녹] 명〖경〗실업계(實業界)에 있어서의 개인 또는 법인(法人)의 거래상의 신용 정도를 분명하게 하기 위하여 재산·영업 상황을 수록한 문서.

흥신-소【興信所】명〖사〗전에, 상사(商事) 및 인사(人事)에 대하여, 그 신용(信用)·재산(財産) 등을 비밀히 조사하여, 의뢰자(依賴者)에게 알려 주던 사설 기관(私設機關).

흥신-업【興信業】명 '신용 정보업'의 구칭.

흥안【興安】명〖지〗'안강[3](安康)'의 구칭.

흥안-령【興安嶺】[—알—] 명〖지〗'싱안링'을 우리 음으로 읽은 이름.

흥안지-곡【興安之曲】명〖악〗고려 때 태묘(太廟)의 영신악(迎新樂)으로 쓰던 곡.

흥안지-악【興安之樂】명〖악〗종묘 제례악(宗廟祭禮樂)의 하나. 송신(送神)의 예를 지낼 때 쓰임. *풍안지악(豐安之樂).

흥야-부야 부 〈방〉 흥이야항이야. ——-하다 자

흥야-항야 부 ↗흥이야항이야. ——-하다 자여불

흥얼-거리다 자 ①흥에 겨워서 입 속으로 노래부르다. ¶구성진 가락을 흥얼거리며 일에 열중하다. ②남이 알아 듣지 못할 말을 입속으로 연해 지껄이다. 흥얼-흥얼 부. ¶혼자 ~ 노래하다. ——-하다 자여불

흥얼-대다 자 흥얼거리다.

흥업【興業】명 새로이 사업(事業)을 일으킴. 경제상의 신산업(新產業)을 일으킴. ——-하다 자여불

흥업-권【興業權】명〖법〗흥행권(興行權).

흥와 조:산【興訛造訕】명 흥와 주산(興訛做訕). ¶필경 신씨가 나에게 향하여 음흉한 뜻을 두고 ~을 함인 듯 싶으니…≪李海朝 : 昭陽亭≫. ——-하다 타여불

흥와 주:산【興訛做訕】명 있는 말 없는 말을 지어 내어 남을 비방함. 흥와 조산. ¶모두 네놈의 ~한 것이지? ≪作者未詳 : 홍도화≫. ——-하다 타여불

흥왕【興旺】명 흥하여 왕성(旺盛)함. 세력이 매우 번창함. 왕흥(旺興). ——-하다 형여불

흥왕-사[1]【興王寺】명〖불교〗고려 시대의 큰 절. 경기도 개풍군(開豐郡) 진봉면(進鳳面) 흥왕리(興旺里)에 있었음. 국립 사찰이며 대각 국사(大覺國師) 의천(義天)이 살던 절. 11대 문종(文宗) 10년(1056)에 기공하여 동 21년에 준공하였으며, 2,800간(間)이나 되었다 함. 이 절에 교장 도감(教藏都監)을 설치하고 고려 속장경(高麗續藏經)을 완성하였음.

흥왕-사[2]【興旺寺】명〖불교〗용주사(龍珠寺)의 말사(末寺). 경기도 여주군(驪州郡) 북내면(北內面) 중암리(中岩里)에 있음. 신륵사(神勒寺)에서 고달원(高達院) 터로 가는 도중의 산에 있는데, 현재는 작은 절이나, 고달원과 형제의 관계가 있었다 하며, 신라 때부터 있어 온 것이 아닌가 함.

흥왕사명 청동은입사 운룡문 향완【興王寺銘青銅銀入絲雲龍文香垸】[—울—] 명〖역〗고려 시대의 향로. 높이 48.1cm, 입지름 30cm. 전이 넓고 받침이 나팔 모양으로 높다라서 경쾌한 느낌이 남. 국보 제214호.

흥왕사의 변:【興王寺一變】[—/—에—] 명〖역〗고려 공민왕 12년(1364)에 김용(金鏞) 일당이 왕을 시해하려고 흥왕사 행궁을 습격한 사건.

흥왕 조:승【興王肇乘】명〖책〗조선 시대 영조(英祖) 때의 고증학자(考證學者) 홍양호(洪良浩)가 지은 책. 조선 건국의 연혁을 밝힌 책으로, 고려 우왕(禑王) 이후의 형편을 기술하였음. 모두 4권 2책.

흥운【興運】명 흥하는 운수.

흥원-창[1]【興元倉】명〖역〗고려 시대에 강원도 원주(原州)에 설치했던 조창(漕倉). 조선 초에 흥원창(興原倉)으로 개칭됨.

흥원-창[2]【興原倉】명〖역〗조선 초기에 강원도 원주시 부론면(富論面) 법천리(法泉里)에 설치했던 조창(漕倉).

흥위-위【興威衛】명〖역〗①고려 때 이군 육위(二軍六衛)의 하나. 상장군(上將軍)과 대장군(大將軍)이 위(衛)를 통솔하고 십이 영(十二領)의 군대가 있었음. ②조선 시대 초에 의흥 친군위(義興親軍衛)의 하나. 상장군과 대장군의 통솔 아래 다섯 영(領)의 군대가 있었는데, 태조(太祖) 원년(1392)에 베풀어서 동 4년에 용무 순위사(龍武巡衛司)로 고침. 문종(文宗) 원년(1151)에 오위(五衛)를 두고 폐함.

흥융【興戎】명 전쟁을 일으킴. ——-하다 자여불

흥이야-항이야 부 관계없는 남의 일에 쓸데없이 참견하여 이래라 저래라 하는 모양. ¶인제야 누가 나더러 ~할 사람이 누가 있단 말이냐? ≪作者未詳 : 雨中奇緣≫. 준흥야항야. ——-하다 자여불

흥인-문【興仁門】명〖지〗↗흥인지문(興仁之門).

흥인지-문【興仁之門】명〖지〗사대문(四大門)의 하나. 동쪽의 정문(正門)으로, 서울 종로구(鐘路區) 종로 6가에 소재함. 별칭은 동대문(東大門). 보물 제1호. 준흥인문.

흥정 명 [중세 : 흥졍] ①물건을 사고 파는 일. 매매(賣買). ¶~이 없다. ②물건을 사고 팔기 위하여 품질이나 값 등을 의논함. 흥성(興成). ¶값을 ~하다. ③교섭 등에서, 상대방이 나오는 태도를 보아 늦추었다 당겼다 하여 형세를 자기에게 유리하게 이끄는 일. ¶정치상의 ~. ——-하다 타여불

[흥정도 부조다] 흥정도 잘 해주면 부조해 주는 셈이 된다는 말. [흥정은 붙이고 싸움은 말리랬다] 흥정은 서로가 좋은 일이니 붙이고 싸움은 서로가 궂은 일이니 말리라는 말.

흥정(을) 붙이다 구 중간에서 물건의 매매를 주선하다.

흥정-거리 [—꺼—] 명 흥정을 하여 사들일 물건.

흥정-꾼 명 흥정을 붙이는 사람.

흥정-산【興亭山】명〖지〗강원도 평창군(平昌郡) 봉평면(蓬坪面)에 있는 산. [1,277m]

흥정-옥【一玉】명〖경〗매매(賣買)의 흥정은 끝났으나, 아직 결제(決濟)되지 않은 증권이나 상품.

흥정-판 명 흥정을 하는 곳. 또, 그 판국.

흥졍바치 명 〈옛〉 장사치. 상인(商人). =흥졍바지. ¶내 흥졍바치 아니라도(我不是利家) ≪老乞 下 24≫.

흥졍아치 명 〈옛〉 장사치. 상인(商人). =흥졍바지. ¶흥졍아치(買賣人) ≪漢淸 Ⅴ:32≫.

흥졍와치 명 〈옛〉 장사치. 상인(商人). =흥졍바지. ¶네 빅셩 도의리 네가지니 냥반과 녀름 지으리와 공장와치와 흥졍와치라(古之爲民者四 士農工商 是也) ≪正俗 21≫.

흥졍바지 명 〈옛〉 장사꾼. 장사치. =흥졍바치. ¶海中엣 五百 흥졍바지 보비 어더와 바티수ᄫᆞ며 ≪月釋 Ⅱ:45≫.

흥종【興宗】명〖사람〗중국 요(遼)나라 제7대 왕. 성종(聖宗)의 맏아들.

서하(西夏)를 쳐서 굴복시키고, 남쪽의 송(宋)과는 세폐(歲幣)를 늘리게 하고 화목하게 지내기를 허하였음. [1016-55; 재위 1031-55]

흥중-회 【興中會】 명 〖역〗 1892년에 쑨 원(孫文)이 하와이에서 화교(華僑)를 중심으로 결성한 혁명 비밀 결사. 1905년 중국 혁명 동맹회(中國革命同盟會)로 개편됨.

흥:진 비래 【興盡悲來】 명 즐거운 일이 다하고 슬픈 일이 닥쳐온다는 뜻으로, 세상이 돌고 돌아 순환됨을 가리키는 말.

흥천-사 【興天寺】 명 〖불교〗 조선 시대 때의 절. 태조(太祖)의 계비 현비 강씨(顯妃康氏)의 명복을 빌어 서울 정릉(貞陵) 곁, 지금의 정동(貞洞)에 지은 것으로, 선종(禪宗)의 사찰로서 조계 본사(曹溪本寺)라 하였음. 세종(世宗)이 불교를 선교 양종(禪敎兩宗)으로 통합할 때 선종의 종무원(宗務院)으로 하였음. 지금 덕수궁(德壽宮)에 그 절에 있었던 종이 걸리어 있음. *흥덕사(興德寺).

흥청 【興淸】 명 〖역〗 조선 연산군 때 운평(運平) 중에서 뽑아 궁중에 기거하게 한 기녀(妓女) 300 명의 일컬음.

흥청-거리다 자 ①흥에 겨워서 마음껏 거드럭거리다. ¶요릿집을 드나들며 만판 ~. ②돈이나 물건 등이 흔하여 아끼지 아니하고 함부로 쓰다. ¶경기가 좋아 ~. ③긴 막대기나 줄 등이 튀길 힘이 있게 흔들리다. 흥청-흥청 부. ¶돈을 ~ 마구 뿌리다. ──-하다 자여불

흥청-대다 자 흥청거리다.

흥청-망청 부 ①흥청거리며 마음껏 즐기는 모양. ¶~ 놀고 마시다. ②돈이나 물건 등을 함부로 쓰는 모양. ¶돈을 ~ 쓰다. ──-하다 자여불

흥청-벙청 부 〈방〉 흥청망청. ──-하다 자

흥청 보인 【興淸保人】 명 〖역〗 조선 연산군 때 흥청(興淸) 등 기녀의 뒷바라지를 하던 사람. 대개 부호(富豪)들이 맡음. 호화 첨춘(護花添春).

흥체 【興替】 명 성쇠(盛衰). 흥폐(興廢).

흥:-취 【興趣】 명 마음이 끌릴 만큼 좋은 멋이나 취미(趣味). 흥과 취미. 흥미(興味). ¶~가 있는 놀이.

흥:-치 【興致】 명 흥과 운치(韻致).

흥캄 명 〈방〉 홍감(경상).

흥-타령 【—打令】 명 〖악〗 ①남도 민요의 하나. 후렴의 구절 끝마다 '흥' 소리를 넣어 부름. ②사설의 구절 끝마다 '흥' 소리를 넣어 부르므로 일컫는, 충청도 민요 '천안 삼거리'의 딴이름.

흥판 【興販】 명 물건을 흥정하여 판매함. ──-하다 타여불

흥판-선 【興販船】 명 〖역〗 세견선(歲遣船). 흥리선(興利船).

흥판-인 【興販人】 명 판매하는 사람.

흥패 【興敗】 명 잘 되어 흥함과 패하여 망함. 흥망(興亡). ¶국가의 ~가 달려 있는 싸움.

흥폐 【興廢】 명 흥망(興亡). ↔망하다.

흥-하다 【興—】 자여불 번성하여 일어나다. 잘 되어 가다. ¶나라가 ~.

흥해 【興海】 명 〖지〗 경상 북도 포항시(浦項市) 북구(北區)에 있는 한 읍(邑). 동해(東海)에 면하여 어업과 농업이 함께 성(盛)함. 1983년 의창(義昌)이 이 이름으로 바뀜. [34,587명(1996)]

흥행 【興行】 명 구경꾼을 모아 입장료(入場料) 또는 관람료(觀覽料)를 받고 연극·영화·서커스 등을 구경시키는 일. ¶~ 가치가 있는 연극. ──-하다 타여불

흥행-권 【興行權】 [—꿘] 명 각본(脚本)·악보 등을 흥행적으로 상연(上演)·상영(上映)·연주(演奏)할 수 있는 권리. 저작권(著作權)에 포함됨.

흥행-물 【興行物】 명 입장료 또는 관람료를 받고 관객에게 공개하는 구경거리.

흥행-사 【興行師】 명 연극·영화·서커스 등 흥행을 직업으로 하는 사람.

흥행-세 【興行稅】 명 연극·영화·음악회 등의 흥행에 대하여 부과(賦課)하는 세금.

흥행업-자 【興行業者】 명 흥행을 업으로 삼는 사람.

흥행-장 【興行場】 명 흥행하는 곳. ¶가설 ~.

흥행-화 【興行化】 명 문예 작품 등이 흥행함에 적당하도록 만들어짐. 또, 그렇게 함. ──-하다 자타여불

흥:황 【興況】 명 흥미 있는 상황(狀況). 경황(景況).

흥:회 【興懷】 명 흥을 돋우는 마음.

흥흥 감 남을 따라서 시들하게 웃는 소리. 비웃는 뜻으로 코웃음을 치는 소리. ──-하다 자여불

흥흥-거리다 자 ①흥겨워 연달아 콧소리를 치다. ②어린아이가 못마땅하거나 무엇을 달라고 어리광을 떨며 울다.

흥흥-대다 자 흥흥거리다.

흥쑝이다 자 〈옛〉 흥청거리다. ¶흥 쑝여 둔닐시니(遊息日閑) ≪老朴 單字解 7≫.

흥정ᄒᆞ다 타 〈옛〉 장사하다. 흥정하다. ¶瞿陁尼는 쇼천량이라 혼 ᄠᅳ디니 그어긔 쇠 하야 쇼로 쳔사마 흥졍ᄒᆞᄂᆞ니라 ≪月釋 Ⅰ:24≫/흥졍홀 상(商), 흥졍홀 고(賈) ≪字會 中 2≫.

흩-날리다 자 흩어지게 날리다. ¶색종이가 눈보라처럼 ~.

흩다 타 모였던 것을 다 각각 흩어지게 하다. ¶폭발 현장에서 경찰관이 모여든 군중을 흩어버리다.

흩-던지다 타 흩어지게 던지다. ¶산에 꽃씨를 ~.

흩-뜨리다 타 흩어지게 하다.

흩어-뿌리기 명 〖농〗 씨뿌리기의 한 가지로, 여기저기 씨를 흩어 뿌리는 일. 노가리. 산파(散播).

흩어-지다 자 ①모였던 것들이 여기저기 따로 떨어져 헤어지게 되다. ¶종이 조각이 바람에 ~. ②물건이나 소문 등이 널리 퍼지다. ¶지점(支店)이 전국에 흩어져 있다.

흩은-타:령 【—打令】 명 〖악〗 '일승 월항지곡(日昇月恒之曲)'의 속칭(俗稱).

흩이다 [흐치—] ㊀ 자 흩어지게 되다. ㊁ 피동 흩음을 당하다.

흩-트리다 타 흩뜨리다.

희:[1] 【喜】 [히] 명 성(姓)의 하나. 우리 나라에는 현존하지 아니함.

희[2] 【曦】 [히] 명 성(姓)의 하나. 우리 나라에는 현존하지 아니함.

희[3] [히] 조 〈옛〉 의. ¶열희 ᄆᆞᅀᆞᄆᆞᆯ 하ᄂᆞᆯ히 달애시니(維十人心 天實誘他) ≪龍歌 18 章≫.

희- 【稀】 [히] 부 ①화학 약품·액체 등의 이름 앞에 붙어 '묽은'·'희박한'의 뜻을 나타내는 말. ¶~황산/~염산. ②사물의 이름 앞에 붙어 '엷은'·'드문'의 뜻을 나타내는 말. ¶~갈색/~금속. 1)·2) : ↔농(濃).

희-가극 【喜歌劇】 [히—] 명 〖연〗 코믹 오페라 (comic opera). 오페라 부파(opera buffa).

희-가스 【稀—】 [히—] 명 〔rare gas〕 〖화〗 〔공기 중의 함유량이 희박하므로 일컫는 말〕 비활성 기체(非活性氣體).

희가스류 원소 【稀—類元素】 [히—] 〔gas〕 명 〖화〗 비활성 기체(非活性氣體)

희각-분 【喜覺分】 [히—] 명 〖불교〗 칠각분(七覺分)의 하나. 참된 법을 얻어서 기뻐하는 일.

희-갈색 【稀褐色】 [히—쌕] 명 엷은 갈색.

희강-왕 【僖康王】 [히—] 명 〖사람〗 신라 제 43 대 왕. 휘는 제륭(悌隆). 원성왕(元聖王)의 손(孫). 이찬(伊飡) 헌정(憲貞)의 아들. 흥덕왕(興德王)이 승하(昇遐)하자, 헌정의 동생 균정(均貞)과 싸워 균정을 없애고 왕위(王位)에 오름. 838 년 김명(金明) 등이 난(亂)을 일으키자 목매어 자살했음. [?—838 ; 재위 836-838]

희개 【睎覬】 [히—] 명 개유(覬覦). ──-하다 타여불

희견-성 【喜見城】 [히—] 명 〖불교〗 희견천(喜見天).

희견-천 【喜見天】 [히—] 명 〖불교〗 삼십삼천(三十三天) 위에 있는, 제석천(帝釋天)이 사는 천궁(天宮). 희견성(喜見城).

희경 【喜慶】 [히—] 명 매우 기쁜 경사.

희곡[1] 【喜曲】 [히—] 명 〖악〗 기쁜 곡조. ↔비곡(悲曲).

희곡[2] 【戲曲】 [히—] 명 〖문〗 ①상연(上演)할 목적으로 쓴 연극(演劇)의 각본(脚本). 대본(臺本). ②문학 형식의 하나. 주로 회화(會話)·등장 인물(登場人物)의 행동에 의하여 표현되는 예술 작품(藝術作品). 드라마. ¶~집(集). *연극(演劇).

희곡 작가 【戲曲作家】 [히—] 명 희곡을 쓰는 사람.

희곡 작법 【戲曲作法】 [히—] 명 〖문〗 희곡을 쓰는 방법.

희곡-집 【戲曲集】 [히—] 명 〖문〗 희곡을 모아서 엮은 책.

희곡-화 【戲曲化】 [히—] 명 희곡으로 만듦. ──-하다 자타여불

희공-랑 【熙功郞】 [히—낭] 명 〖역〗 조선 시대 정칠품 토관직(土官職) 문관의 품계 이름. 주공랑(注功郞)의 위, 봉직랑(奉職郞)의 아래임.

희관 【睎覬】 [히—] 명 개유(覬覦). ──-하다 타여불

희관이 명 〈방〉 〖역〗 회자수(劊子手).

희광 【曦光】 [히—] 명 아침 햇빛.

희광이 명 〈방〉 〖역〗 회자수(劊子手).

희괴 【稀怪】 [히—] 명 매우 드물어서 괴이함. ──-하다 형여불

희구[1] 【希求】 [히—] 명 무엇을 바라고 구함. ──-하다 타여불

희구[2] 【喜懼】 [히—] 명 즐거움과 두려움. 즐거워하며 또 두려워함. ──-하다 타여불

희구[3] 【戲具】 [히—] 명 유희(遊戲)에 쓰는 제구. 장난 거리. 장난감.

희구-본 【稀覯本】 [히—] 명 희구서.

희구-서 【稀覯書】 [히—] 명 후세에 전하는 것이 썩 드문 책. 희구본.

희구지-심 【喜懼之心】 [히—] 명 한편으로는 기뻐하면서 한편으로는 두려워하는 마음.

희귀 【稀貴】 [히—] 명 드물어서 매우 진귀(珍貴)함. ¶~한 고서적/~한 물건. ──-하다 형여불. ──-히 부

희극[1] 【喜劇】 [히—] 명 ①사람을 웃길 만한 일이나 사건. ¶한바탕 ~이 벌어지다. ②〔comedy〕 〖연〗 웃음거리를 섞어서, 명랑한 인생면(人生面)을 표현함으로써 보는 사람이 웃도록 각색(脚色)한 연극(演劇). 1)·2) : ↔비극(悲劇)

희극[2] 【戲劇】 [히—] 명 ①진실하지 아니한 행동. ②〖연〗 익살을 부리는 연극.

희극 배우 【喜劇俳優】 [히—] 명 〖연〗 희극을 연기하는 배우. 코미디언.

희극 작가 【喜劇作家】 [히—] 명 〖연〗 희극의 각본(脚本)을 쓰는 사람.

희극-적 【喜劇的】 [히—] 명관 ①희극의 요소를 가진 모양. ②우스꽝스럽고 꼴불견인 모양.

희-금속 【稀金屬】 [히—] 명 〖화〗 희유 금속(稀有金屬).

희기 【喜氣】 [히—] 명 기쁜 기분.

희끄무레-하다 [히—] 형여불 ①반반하게 생기고 빛이 조금 흰 듯하다. ¶희끄무레한 얼굴. >해끄무레하다. ②엷게 희읍스름하다. ¶희끄무레한 밤 빛 속에서도 등에 업힌 이가 길소개라는 것이야 금방 알아챌 수밖에 없었다≪金周榮 : 客主≫.

희끄스름:-하다 형 〈방〉 희읍스름하다.

희끈-거리다 [히—] 자 현기증(眩氣症)이 나서 어뜩어뜩하여지다. 희끈-희끈 [히—히—] 부. ──-하다 자여불

희끈-대다 [히—] 자 희끈거리다.

희끔-하다 [히—] 형여불 빛깔이 조금 희고 깨끗하다. ¶벌써 반백이 되어 버린 희끔한 머리 오리에 풍상 많은 과학자의 반생이 적혀 있는 듯…≪李孝石 : 山精≫. >해끔하다. 희끔-히 [히—] 부

희끔-희끔 [히—히—] 부 빛깔이 여기저기 희고 깨끗한 모양. >해끔해끔. ──-하다 형여불

희끗-거리다 [히—] 자 현기증이 나서 매우 어뜩어뜩하여지다. 희끗-

희끗[1] [히—히—] 부. ——-하다 자여불
희끗-대다 [히—] 자 희끗거리다.
희끗-희끗[2] [히—히—] 부 흰 빛깔이 여기저기 나타난 모양. ¶ 머리가 ~ 하다. ＞해끗해끗. ——-하다 형여불
희끗희끗-귀뚜라미 [히—히—] 명 〖충〗 [*Gryllodes sigillatus*] 귀뚜라밋과에 속하는 곤충. 몸길이 20 mm로 납작하고, 몸빛은 썩 연한 황갈색이고, 전흉배(前胸背) 후연에 농갈색 대상문(帶狀紋)이 있음. '찌리·찌리·찌리' 하고 욺. 집 속에 사는데, 전세계에 분포함.
희끗희끗-박각시 [히—히—] 명 〖충〗 [*Psilogramma menephron increta*] 박각싯과에 속하는 나방. 몸길이 54mm, 날개 길이 113mm 내외이고, 몸과 날개는 갈색인데 백색 털 또는 인모(鱗毛)가 밀생하여, 서릿발친 것 같음. 등과 배에는 세 개의 검은 세로 무늬가 있고 앞 날개에는 흑갈색의 종선(縱線)과 물결 모양의 선이 있음. 유충은 오동나무 잎을 갉아먹는데, 중국·인도·일본 등지에 분포함. 희끗희끗박쥐나비.
희끗희끗-박쥐나비 [히—히—] 명 〖충〗 희끗희끗박각시.
희나리 [히—] 명 ①덜 마른 장작. ②☞희아리.
희나므라ㅎ다 타 〈옛〉 헐뜯어 나무라다. 타박하다. ＝흐나므라다. ¶ 살 사름이 ᄀ장 희나므라ᄒᆞᆯ 거시니(買的人多少駁彈) 《老乞 下 56》.
희넓적-하다 [히넙—] 형여불 얼굴이 허옇고 넓적하다. ＞해납작하다.
희년[1] 【稀年】 [히—] 명 나이 일흔 살의 일컬음.
희년[2] 【禧年】 [히—] 명 〖천주교〗 '성년(聖年)'의 딴이름.
희념 【希念】 [히—] 명 바라고 염원함. ——-하다 타여불
희노 【喜怒】 [히—] 명 →희로(喜怒).
희노 애락 【喜怒哀樂】 [히—] 명 →희로 애락(喜怒哀樂).
희누르스레-하다 [히—] 형여불 희누르스름하다.
희누르스름-하다 [히—] 형여불 좀 흰 빛을 띠면서 누르스름하다.
희다 [히—] 형 ①눈 빛깔과 같다. ↔검다. ②〖물〗 스펙트럼의 모든 광선이 혼합하여 눈에 반사된 빛과 같다. ③↗희떱다❶❷.
[흰 것은 종이요 검은 것은 글씨라] 무식하여 글을 알아 볼 수 없음을 놓으로 일컫는 말. [흰 술은 사람의 얼굴을 누르게 하고 황금은 사람의 마음을 검게 한다] 술과 돈이 사람에게 해로운 물건이라는 말.
희고 곰팡슨 소리 구 희떱고 고리타분하게 하는 말.
희고 곰팡슬다 구 언행(言行)이 몹시 희떱다.
희고도 곰팡슨 놈 명 겉모양은 의젓하나 실속은 없는 사람의 비유.
희기가 까치 뱃바닥 같다 구 흰소리를 잘 하다. 희떱다는 말과 희다는 말을 혼동한 말.
흰 눈으로 보다 구 백안시하다. 못마땅하게 여기어 눈을 흘기다.
희담 【戲談】 [히—] 명 익살로 하는 말. 웃음거리의 실없은 말. 희언(戲言). 어희(語戲).
희답 【戲答】 [히—] 명 실없는 대답. 익살맞은 대답. ——-하다 자여불
희대[1] 【稀代】 [히—] 명 희세(稀世). ¶ ~의 사기꾼.
희대[2] 【戲臺】 [히—] 명 연극장(演劇場).
희대 미:문 【稀代未聞】 [히—] 명 지극히 드물어 좀처럼 듣지 못함.
희-동안색 【喜動顔色】 [히—] 명 기쁜 빛이 얼굴에 나타남. ——-하다 자여불
희디-희다 [히—히—] 형 매우 희다.
희떠우- [히—] 간 '희떱다'의 불규칙 어간(不規則語幹). ¶ ~ㄴ/~니/~면.
희떱다 [히—] 형ㅂ불 ①속은 텅텅 비어 있어도 겉으로는 호화롭다. ②한푼 없어도 손이 크며 마음이 넓다. ¶ 엄살을 더럭더럭 하여 가며 한 푼 돈 내기를 떨던 규모가, 별안간에 어찌 그리 희떠워졌는지…《李海朝 : 驅魔劍》. ③몹시 궁하면서도 소인(小人)과 같은 행실이 없이 배때 벗다. 1)·2) : 준희다.
희뜩 [히—] 부 몸을 뒤로 갑자기 젖히며 나자빠지거나 얼굴을 돌리는 모양. ¶ 눈길을 걷다가 ~ 나자빠지다 / 무슨 소리가 나는 것 같아 ~ 돌아다보았으나 아무 것도 없었다. ＞해뜩.
희뜩-거리다 [히—] 자 ①자꾸 몸을 갑작스레 젖히면서 나자빠지거나 얼굴을 돌리다. ②현기증(眩氣症)이 나서 어뜩어뜩하여지다. 1)·2) : ＞해뜩거리다. **희뜩-희뜩**[1] [히—히—] 부. ——-하다 자여불
희뜩-대다 [히—] 자 희뜩거리다.
희뜩머룩-이 [히—] 명 희떱게 굴어 돈이나 물건을 주착없이 써 버리는 사람.
희뜩머룩-하다 [히—] 형여불 희떱고 싱겁고 탐탁하지 못하다.
희뜩-이다 [히—] ㊀자 ①허연 빛깔에 다른 빛깔이 군데군데 뒤섞이어서 얼비치다. ＞해뜩이다. ㊁타 자꾸 눈을 부릅뜨면서 번뜩이다. ¶ 눈을 희뜩이며 노려 보다.
희뜩-희뜩[2] [히—히—] 부 흰 빛깔이 여기저기 뒤섞이어 얼비치는 모양. ¶ 머리가 ~한 사람 / 벼르던 날씨가 어느 새 눈이 되어 유리창을 ~ 지나갔다《崔貞熙 : 천맥》. ＞해뜩해뜩. ——-하다 형여불
희-라 【噫—】 [히—] 감 아아 슬프도다.
희-락 【喜樂】 [히—] 명 기쁨과 즐거움. 희열(喜悅).
희락 삼종 【喜樂三鐘】 [히—] 명 〖천주교〗 '부활 삼종 기도'의 구용어.
희랍 【希臘】 [히—] 명 〖지〗 '그리스'의 한자말.
희랍 건:축 【希臘建築】 [히—] 명 그리스 건축.
희랍-극 【希臘劇】 [히—] 명 그리스극.
희랍 독립 전:쟁 【希臘獨立戰爭】 [히—닙—] 명 〖역〗 그리스 독립 전쟁.
희랍-력 【希臘曆】 [히—녁] 명 그리스력.
희랍 문자 【希臘文字】 [히—짜] 명 그리스 문자.
희랍 비극 【希臘悲劇】 [히—] 명 그리스 비극.
희랍 신화 【希臘神話】 [히—] 명 그리스 신화.
희랍-어 【希臘語】 [히—] 명 〖언〗 그리스어.
희랍-인 【希臘人】 [히—] 명 그리스인.
희랍 정:교 【希臘正教】 [히—] 명 〖종〗 그리스 정교.
희랍 정:교회 【希臘正教會】 [히—] 명 〖종〗 그리스 정교회.
희랍 제:국 【希臘帝國】 [히—] 명 〖역〗 그리스 제국.
희랍 철학 【希臘哲學】 [히—] 명 〖철〗 그리스 철학.
희랑 【希朗】 [히—] 명 〖사람〗 신라 말 고려 초의 해인사(海印寺)의 중. 신라 화엄종(華嚴宗) 북악파(北岳派)에 속함. 고려 태조 왕건(王建)이 후백제의 태자 월광(月光)과 싸울 때 왕건을 도왔다 함.
희렴 【豨薟】 [히—] 명 〖한의〗 →희첨(豨薟).
희로 【喜怒】 [히—] 명 〔←희노(喜怒)〕 기쁨과 노염.
희로 애락 【喜怒哀樂】 [히—] 명 〔←희노 애락(喜怒哀樂)〕 기쁨과 노염과 슬픔과 즐거움.
희롱 【戲弄】 [히—] 명 말이나 행동으로 실없이 놀리는 짓. ¶ 남녀가 서로 ~하다. ——-하다 타여불
희롱-조 【戲弄調】 [히—쪼] 명 놀림조.
희롱-질 【戲弄—】 [히—] 명 희롱하는 짓. ——-하다 자여불
희룽-거리다 [히—] 자 버릇없이 까불다. 「그 동안 좀 조신하더니만 요새 왜 또 ~하우《洪命憙 : 林巨正》. **희룽-희룽** [히—히—] 부. ＞해롱거리다. ——-하다 자여불
희룽-대다 [히—] 자 희룽거리다.
희룽-해룽 [히—] 부 희룽거리고 해룽거리는 모양. ——-하다 자여불
희-릉 【禧陵】 [히—] 명 〖지〗 서삼릉(西三陵)의 하나. 중종 계비(中宗繼妃) 장경왕후(章敬王后)의 능. 지금의 경기도 고양시(高陽市) 원당동(元堂洞)에 있음.
희-맑다 [히막—] 형 빛깔이 희고 맑다. ＞해맑다.
희망 【希望】 [히—] 명 ①어떤 일을 이루고자 또는 그것을 얻고자 바람. 희원(希願). 기망(冀望). 기원(冀願). 꿈. ¶ ~자. ②〖심〗 좋은 일이 오기를 기대할 때에 일어나는 감정. ¶ ~에 불타다. ——-하다 타여불
희망-권 【希望權】 [히—꿘] 명 기대권(期待權).
희망 매매 【希望賣買】 [히—] 명 〖경〗 장래 이익을 취득할 수 있는 물건을 매매하는 일. 논에 있는 벼나 그물에 든 고기를 매매하는 것 등.
희망-봉 【喜望峰】 [히—] 명 〔Cape of Good Hope〕 〖지〗 아프리카 서남단의 갑(岬). 케이프 반도(Cape半島)의 끝. 1486 년 디아스(Dias)가 발견하고, 1497 년 가마(Gama, Vasco da)가 회항(廻航)하였음.
희망 이:익 【希望利益】 [히—니—] 명 〖경〗 장래 취득할 가망이 확실한 이익.
희망 이:익 보:험 【希望利益保險】 [히—니—] 명 해상 보험에서, 적하(積荷)의 도착에 의해서 획득될 것으로 예상되는 이익에 대하여 거는 보험.
희망-자 【希望者】 [히—] 명 희망하는 사람.
희망-적 【希望的】 [히—] 명관 희망하여 기대가 충족될 상태. 또, 그 모양. ¶ ~인 의견. ↔절망적.
희망적 관측 【希望的觀測】 [히—] 명 자신에게 유리한 방향으로 추측하는 일.
희망-점 【希望點】 [히—쩜] 명 희망을 붙일 곳.
희망-차다 【希望—】 [히—] 형 희망이 가득하다.
희망 퇴:직 【希望退職】 [히—] 명 본인의 희망에 의하여 퇴직하는 일. 또는 사용자(使用者)가 인원 정리(人員整理)를 위하여 종업원에게 퇴직 희망을 물어 해고(解雇)하는 일.
희-멀겋다 [히—거타] 형ㅎ불 얼굴이 희고 맑다. ＞해말갛다.
희멀끔-하다 [히—] 형여불 얼굴이 희고 멀끔하다. ＞해말끔하다.
희멀쑥-하다 [히—] 형여불 얼굴이 희고 멀쑥하다. ＞해말쑥하다.
희명 【希明】 [히—] 명 〖사람〗 신라 경덕왕(景德王) 때의 여인. 아들이 난 지 5년 후에 갑자기 눈이 멀었으므로 아이를 안고 분황사(芬皇寺) 벽에 그린 천수 관음(千手觀音) 앞에서 노래를 지어 기도하였더니 눈을 뜨게 되었다 하며, 그때 지은 '천수 대비가'가 《삼국 유사(三國遺事)》에 전함.
희모[1] 【希慕】 [히—] 명 유덕(有德)한 사람을 사모하여 자기도 그렇게 되기를 바람. ——-하다 자여불
희모[2] 【稀毛】 [히—] 명 성기게 난 털. 드문드문 난 털.
희묵 【戲墨】 [히—] 명 자기의 그림이나 글씨에 대한 겸칭. 희필(戲筆).
희문 【戲文】 [히—] 명 ①실없는 짓으로 쓴 글. ②〖문〗 중국 원(元)나라 때 남쪽에서 일어난 희곡(戲曲)의 한 체(體). 전기(傳奇).
희문-장 【熙文章】 [히—짱] 명 〖악〗 악장(樂章)의 이름.
희물그레:-하다 형 〈방〉 희묽다❶.
희-묽다 [히묵—] 형 ①얼굴이 희고 보기에 여무지지 못하다. ②허여멀겋다.
희미[1] 【稀微】 [히—] 명 분명하지 못하고 어렴풋함. 또렷또렷하지 못하고 흐리터분함. 똑똑하지 못하고 아리송함. ¶ ~한 기억. ——-하다 형여불
희미[2] 【熹微】 [히—] 명 햇빛이 흐릿함. ——-하다 형여불
희박 【稀薄】 [히—] 명 ①기체나 액체가 짙지 못하고 묽거나 엷음. ②농도나 밀도가 엷거나 얇음. ¶ ~한 인구 밀도. ③정신 상태가 약함. ¶ 군인 정신이 ~하다. ④일이 그렇게 될 희망이나 가망이 적다. ¶ 성공 가능성이 ~하다. ——-하다 형여불. ——-히 부
희박 기체 【稀薄氣體】 [히—] 명 〖물〗 대기 압력 이하의 압력인 기체.
희박 용액 【稀薄溶液】 [히—뇽—] 명 〖화〗 농도(濃度)가 낮은 용액. 매우 낮아지면 이상 용액(理想溶液)에 가까워지므로 그 용질(溶質) 분자의 상태는 기체론(氣體論)에서 기체 분자의 상태와 같다고 가정(假定)하여 이론적으로 논의됨.
희방-사 【喜方寺】 [히—] 명 〖불교〗 경상 북도 영주시(榮州市) 풍기읍

(豐基邑) 수철리(水鐵里)에 있는 절. 고운사(孤雲寺)의 말사(末寺). 신라 선덕여왕(善德女王) 12 년(643)에 도승(道僧) 두운(杜雲)이 지은 것이라 함. 부근에 있는 폭포는 유명함.

희방사-본【喜方寺本】[히—] 명 경상 북도 영주시 희방사에서 판을 새겨 박아낸 책. 중요한 것으로 ≪월인 석보(月印釋譜)≫ 제 1 권·제 2 권이 있는데, 조선 선조(宣祖) 원년(1563)에 개판(開板)되었으며, 이 판목은 소실되어 지금은 없음.

희번덕-거리다 [히—] 타 ①눈을 크게 뜨고 흰자위를 굴리어 번쩍거리다. ¶눈을 희번덕거리며 노려보다. ②희번드르르하게 번덕거리다. 1)·2) : ＞해반닥거리다. **희번덕-희번덕**[히—히—] 부. ——-하다 타여불

희번덕-대다 [히—] 타 희번덕거리다.

희번드르르-하다 [히—] 형여불 ①희멀쑥하고 번드르르하다. 거죽이 훤히 틔게 윤기가 있고 미끄럽다. ¶희번드르르하게 옷만 잘 입었지 보잘것없는 사람이다. ②이치에 맞게 환하게 꾸미어 대어 그럴싸하다. ¶희번드르르하게 말은 그럴 듯하나 실속은 없다. 1)·2) : ＞해반드르르하다. 준희번들하다.

희번들-하다 [히—] 형여불 ↗희번드르르하다. ＞해반들하다.

희번주그레-하다 [히—] 형여불 얼굴이 희넓적하고 번주그레하다. ＞해반주그레하다.

희번지르르-하다 [히—] 형여불 얼굴이 희멀겋고 번지르르하다. ＞해반지르르하다.

희번-하다 [히—] 형여불 동이 트며 허연 광선(光線)이 조금 비치어서 번하다.

희보【喜報】[히—] 명 기쁜 알림. 기쁜 소식. ↔비보(悲報).

희봉-구【喜峰口】[히—] 명〖지〗'시펑커우'를 우리 음으로 읽은 이름.

희-부옇다 [히—여타] 형ㅎ불 희고 부옇다. ㅆ히뿌옇다.

희불그레-하다 [히—] 형여불 빛이 희고 불그레하다.

희-불자승【喜不自勝】[히—] 명 어찌할 바를 모를 만큼 매우 기쁨. ¶그들은 어떤 자리에서나 ～하여 벙글벙글 입을 다물지 못한다≪張德祚:狂風≫. ——-하다 형여불

희붐-하다 [히—] 형여불 새벽의 밝은 빛이 조금 희다. 준붐하다. **희붐-히** 부 ¶～ 동이 틀 무렵.

희-비【喜悲】[히—] 명 기쁨과 슬픔. 비희(悲喜). ¶～가 엇갈리다.

희비-극【喜悲劇】[히—] 명 ①희극과 비극. 비희극. ¶인생의 ～. ②희극과 비극의 두 요소가 뒤섞인 극. 비극으로서의 구성이 전개되면서도 종결이 행복하게 끝나는 극.

희비 쌍곡선【喜悲雙曲線】[히—] 명 기쁨과 슬픔이 동시에 생겨 각각 발전하는 모양.

희비 애락【喜悲哀樂】[히—] 명 기쁨과 슬픔과 애처러움과 즐거움. 희비 애환.

희비 애환【喜悲哀歡】[히—] 명 희비 애락.

희-뿌옇다 [히—여타] 형ㅎ불 매우 희고 뿌옇다. ㅅ희부옇다.

희사[1]【喜事】[히—] 명 기쁜 일.

희사[2]【喜捨】[히—] 명 ①기꺼이 재물을 연보(捐補)함. 사철(捨撤). ¶학교 재단에 거금을 ～하다. ②신불(神佛)의 일로 재물을 기부함. ¶절에 돈을 ～하다. ——-하다 타여불

희사-금【喜捨金】[히—] 명 희사하는 돈.

희사-봉[1]【希沙峰】[히—] 명〖지〗함경 남도 북청군(北青郡)과 풍산군(豐山郡) 사이, 함경 산맥에 있는 산. [2,117 m]

희사-봉[2]【希砂峰】[히—] 명〖지〗①함경 남도 풍산군(豐山郡) 천남면(天南面)에 있는 산. [1,596 m] ②함경 남도 풍산군 안산면(安山面)과 천남면(天南面) 사이에 있는 산. [1,760 m] ③함경 남도 풍산군(豐山郡) 안산면(安山面)에 있는 산. [1,422 m]

희사-함【喜捨函】[히—] 명 ①희사하는 돈을 받는 궤짝. ②〖불교〗예불(禮佛)하는 사람의 보시전(布施錢)을 받기 위하여 부처 앞에 놓아 두는 큰 궤짝.

희산 금속【稀酸金屬】[히—] 명〖화〗토산(土酸) 금속.

희살【戲殺】[히—] 명 못된 장난으로 잘못 죽임. ——-하다 타여불

희상-봉【稀喪峰】[히—] 명〖지〗함경 남도 갑산군(甲山郡) 동인면(同仁面)과 혜산군(惠山郡) 운흥면(運興面) 사이에 있는 산. [1,585 m]

희색【喜色】[히—] 명 기뻐하는 얼굴 빛. ¶～이 만면하다.

희색 만:면【喜色滿面】[히—] 명 기쁜 빛이 얼굴에 가득함. ——-하다 형여불

희색-봉[1]【喜色峰】[히—] 명〖지〗함경 남도 갑산군(甲山郡) 회린면(會隣面)과 산남면(山南面) 사이에 있는 산. 함경 산맥(咸鏡山脈)에 속해 있음. [1,702 m]

희색-봉[2]【稀塞峰】[히—] 명〖지〗함경 남도 장진군(長津郡) 북면(北面)과 평안 북도 후창군(厚昌郡) 동흥면(東興面) 사이에 있는 산. [2,185 m]

희생【犧牲】[히—] 명 ①천지 묘사(廟社)에 제사 지낼 때 바치는 산 짐승. 생뢰(牲牢). 뇌생(牢牲). ②〔victim〕신에의 제사를 위해 죽인 동물. 극히 드물지만 때로는 식물 곧, 곡물도 말함. ③어떤 사물을 위해 자기 몸을 돌보지 않음. 다른 사람이나 사물을 위해 자기 목숨이나 어떤 것을 바침. 전희(牷犧). ¶큰 ～을 치르다. ——-하다 자타여불

희생-물【犧牲物】[히—] 명 희생이 된 물건 또는 사람.

희생 번트【犧牲—】〔bunt〕[히—] 명 야구에서, 타자가 자기는 아웃이 되면서, 누상(壘上)의 주자(走者)를 진루(進壘) 또는 득점(得點)시키기 위하여 하는 번트.

희생-자【犧牲者】[히—] 명 ①희생을 당한 사람. ¶이번 노동 쟁의에서는 한 사람의 ～도 없었다. ②어떤 일로 하여 죽은 사람.

희생-적【犧牲的】[히—] 명 관 어떤 사물을 위해 희생하는 모양. ¶～ 정신.

희생 정신【犧牲精神】[히—] 명 희생적인 정신.

희생-타【犧牲打】[히—] 명 야구에서,타자(打者) 자신은 죽으나,그로 인하여 자기 편의 주자(走者)가 진루(進壘) 또는 득점할 수 있는 타격(打擊). 새크리파이스 히트(sacrifice hit). 준희타(犧打).

희생 플라이【犧牲—】[히—] 명〔sacrifice fly〕야구에서, 타자가 외야 플라이를 쳐서, 주자가 외야수의 포구(捕球) 후에 스타트하여 득점했을 때의 비구(飛球).

희서【稀書】[히—] 명 희귀한 서적.

희석【稀釋】[히—] 명 ①〖화〗용액에 물이나 용매(溶媒)를 가하여 묽게 함. ¶～액(液). ②〖물〗백색(白色)을 더하여 빛깔의 강도(強度)를 줄이는 일. ——-하다 타여불

희석 검:정법【稀釋檢定法】[히—뻡] 명〖생〗항생 물질(抗生物質)의 최소 억제 농도(抑制濃度)를 결정하기 위하여, 항생 물질을 여러 농도로 배양 테스트(培養 test)하는 방법.

희석-도【稀釋度】[히—] 명 〔dilution〕〖화〗용액(溶液)이 희석된 정도. ↔농도(濃度)

희석-률【稀釋律】[히—뉼] 명〖화〗두 개의 일가(一價) 이윤을 생성하는 전해질 용액에서 이온화(ion化)하는 몰수(mol數)의 제곱은 이온화되지 아니하는 몰수 및 희석도(稀釋度)에 비례한다는 법칙.

희석-법【稀釋法】[히—] 명〖화〗①비색(比色) 분석법의 하나. 농도를 알고 있는 표준색 용액과 시료(試料)용액을 동일한 크기의 비색관(比色管)에 각각 넣어, 두 액체의 색의 농도가 같아질 때까지 시료 용액을 희석하여 두 액체의 높이의 비(比)로써 농도를 구하는 방법. ②하수(下水)를 소량씩 하천·호수 등에 방류(放流)하여 그 자정 작용(自淨作用)을 이용하여 무해(無害)하게 하는 하수 처리 방법. 방류의 한도는 물에 함유되어 있는 산소가 소진(消盡)되지 않는 정도임.

희석-열【稀釋熱】[히—녈] 명〖화〗어떤 농도(濃度)의 용액(溶液)에 새로이 용매(溶媒)를 가하여 희석할 때에 일어나는 열량(熱量).

희석 유전자【稀釋遺傳子】[히—뉴—] 명〖생〗다른 유전자의 작용을 약하게 하는 변경 유전자(變更遺傳子).

희석-제【稀釋劑】[히—] 명〖화〗부피를 늘리거나, 농도(濃度)를 묽게 하기 위하여 물질이나 용액에 첨가시키는 비활성(非活性) 물질.

희선【希仙】[히—] 명〖식〗진득찰.

희설[1]【喜雪】[히—] 명〖문〗조선 숙종(肅宗) 때 홍계영(洪啓英)이 지은 장편 가사(長篇歌辭). 눈이 내린 뒤의 경치와 작자의 애상(哀傷)을 읊은 노래.

희설[2]【戲媟】[히—] 명 여자를 데리고 희롱하며 놂. ——-하다 타여불

희성【稀姓】[히—] 명 드문 성(姓). 우리 나라에서는 정(程)·석(昔)·태(太) 등의 성이 이에 속함. ＊벽성(僻姓).

희세【稀世】[히—] 명 세상에 드묾. 희대(稀代). ¶～의 영웅.

희세지-재【稀世之才】[히—] 명 세상에 드문 재지(才智).

희셔 조〈옛〉보다. ¶또 우희셔 더을씨 ≪月釋 XVII:36≫.

희소[1]【稀少】[히—] 명 드물어서 얼마 안 되고 적음. ¶그것은 ～하기 때문에 값이 비싸다. ——-하다 형여불

희소[2]【喜笑】[히—] 명 기뻐서 웃음. ——-하다 자여불

희소[3]【稀疎】[히—] 명 희활(稀闊)❶❷. ——-하다 형여불

희소[4]【嬉笑】[히—] 명 ①실없이 웃는 웃음. ②예쁘게 웃는 웃음. ——-하다 자여불

희소[5]【戲笑】[히—] 명 실없이 희롱으로 웃는 일. ——-하다 자여불

희소 가격【稀少價格】[히—] 명 귀중한 미술품이나 골동품과 같이 그 공급 수량이 자연적으로 제한되거나 고정되어 있기 때문에 완전 경쟁이 이루어지지 못하여 형성되는 가격.

희소 가치【稀少價値】[히—] 명 희소하기 때문에 인정되는 가치.

희소-극【喜笑劇】[히—] 명〖연〗저급(低級)한 익살과 과장된 기지(機智)를 넣어서 하는 희극의 한 가지.

희소 금속【稀少金屬】[히—] 명 유용한 금속이면서도 부존량이 적거나, 널리 분포하고 있으나 경제적으로 채굴 가능한 광상(鑛床)이 적거나 또는 홑원소 물질로서 추출(抽出)하기가 곤란한 이유 등으로 산출이 적은 금속의 총칭.

희소 물자【稀少物資】[히—짜] 명 ①다이아몬드와 같이 절대량(絶對量)이 극히 적은 물자. ②니켈·코발트·주석·몰리브덴·텅스텐 등과 같이 세계적으로 수요(需要)를 충당(充當)하지 못하는, 공급량(供給量)이 부족한 물자. ＊희소 금속.

희소-성【稀少性】[히—썽] 명〔scarcity〕〖경〗인간 욕망(慾望)에 비해 그 충족 수단(充足手段)이 질적(質的)으로나 양적(量的)으로나 유한(有限) 부족한 상태를 이르는 말.

희-소식【喜消息】[히—] 명 기쁜 소식. 좋은 기별. ¶～을 학수 고대하다.

희소 원소【稀少元素】[히—] 명〖화〗희유 원소.

희수[1]【稀壽】[히—] 명 나이 일흔 살의 일컬음.

희수[2]【喜壽】[히—] 명 나이 일흔일곱 살의 일컬음. ＊미수(米壽).

희수-연【喜壽宴·喜壽筵】[히—] 명 희수를 축하하는 잔치.

희아리 [히—] 명 약간 상해서 말라 희끗희끗하게 얼룩진 고추.

희안지-곡【禧安之曲】[히—] 명〖악〗고려 시대에, 태묘(太廟), 원구(圜丘), 선농(先農) 제향(祭享)의 음복례(飮福禮)에 연주하던 곡.

희약【喜躍】[히—] 명 기뻐하여 뜀. ——-하다 자여불

희양-산【曦陽山】[히—] 명〖지〗경상 북도 문경시(聞慶市) 가은읍(加恩邑)에 있는 선종(禪宗) 구산(九山)의 하나. 신라 헌강왕(憲康王) 7년(881), 지증 국사(智證國師) 지선(智詵)이 개산(開山)했음. 봉암사(鳳巖寺)가 있음.

희언【戲言】[히—] 명 희담(戲談).

희열【喜悅】[히—] 명 희락(喜樂).
희염[히—] 명 〈방〉 헤엄(충남).
희-염산【稀塩酸】[히—] 명〔화〕묽은 염산.
희영-수【戲—】[히—] 명 다른 사람과 더불어 실없은 말이나 짓을 하는 일. ¶일종의 ~ 기분으로 한 요구에 미연이가 딱 잘라서 응하고 나니 순간 어이가 없는 모양이다《李無影 : 農民》. ——-하다 자 여불
희오[1]【喜娛】[히—] 명 실없은 짓을 놀이로 하여 즐김 ——-하다 자 여불
희오[2]【戲娛】[히—] 명 놀이로 즐김. ——-하다 자 여불
희-옥도정기【稀沃度丁幾】[히—] 명〔화〕희요오드팅크.
희왕【僖王】[히—] 명〔사람〕발해(渤海) 제 8 대 왕. [재위 813-817]
희-요오드팅크【稀—】[도 Jodtinktur] [히—] 명〔화〕물에 타서 묽게 한 요오드팅크. 희옥도정기(稀沃度丁幾).
희용【稀勇】[히—] 명 멧돼지와 같이 무서움을 모르고 덤비는 용기. 또, 그와 같은 군졸(軍卒)을 이르는 말.
희우[1]【喜雨】[히—] 명 가뭄 끝에 오는 반가운 비.
희-우[2]【喜憂】[히—] 명 기쁨과 걱정.
희우스러ᄒᆞ다 형 〈옛〉 희끄무레하다. ¶빗치 희우스러ᄒᆞ야(色白)《痘方 49》.
희우스름:-하다 형 〈방〉 희읍스름하다.
희운【希運】[히—] 명〔사람〕중국 당(唐)나라의 중. 황벽종(黃檗宗)의 조사(祖師). 푸저우(福州) 민현(閩縣) 사람. 어려서 황보 산(黃檗山)에서 출가하여 뒤에 홍저우(洪州) 대안사(大安寺)에 있었음. 수많은 제자 가운데 임제 의현(臨濟義玄)이 으뜸임. 저서(著書)에 《전심 법요(傳心法要)》 1 권이 있음. [? ~855 ?]
희원[1]【希願】[히—] 명 희망(希望)❶. ——-하다 타 여불
희원[2]【戲園】[히—] 명 중국에서 극장(劇場)을 일컫는 말.
희-원소【稀元素】[히—] 명〔화〕희유 원소(稀有元素).
희월[1]【喜月】[히—] 명 '음력 삼월'의 미칭(美稱).
희-월[2]【曦月】[히—] 명 해와 달.
희유[1]【稀有】[히—] 명 흔하지 아니하고 드물게 있음. 좀처럼 없음. ¶~한 사건. ——-하다 형 여불
희유[2]【嬉遊】[히—] 명 즐겁게 놂. ——-하다 자 여불
희유[3]【戲遊】[히—] 명 실없는 짓을 하며 놂. ——-하다 자 여불
희유-곡【嬉遊曲】[히—] 명 [이 divertimento]〔악〕모음곡(曲)과 같이 많은 악장(樂章)으로 된 기악곡(器樂曲). 주로 합주곡이며 오락을 주로 한 즐거운 곡.
희유 금속【稀有金屬】[히—] 명〔화〕산출량(產出量)이 매우 적은 금속. 희금속.
희유 기체【稀有氣體】[히—] 명〔화〕희가스(稀 gas).
희유 기체 원소【稀有氣體元素】[히—] 명〔화〕비활성(非活性) 기체.
희유스름-하다 형 〈방〉 희읍스름하다.
희유 원소【稀有元素】[히—] 명〔화〕지구 상(地球上)에 매우 드물게 있다고 생각되는 원소(元素). 비활성 기체(非活性氣體) 원소 · 희토류(稀土類) 원소 · 백금족(白金族) 원소 · 세슘(cesium) · 라듐(radium) · 악티늄(actinium) · 티타늄(titanium) · 몰리브덴(Molybdän) · 우라늄(uranium) 등. 요즈음에 와서는 천연 존재량(天然存在量)이 드물지 아니하다고 증명되어서, 그 이용도가 현저해진 것도 있음. 희원소(稀元素).
희으스름-하다 형 〈방〉 희읍스름하다.
희읍【欷泣】[히—] 명 흐느껴 욺. ——-하다 자 여불
희읍-스레[히—] 부 산뜻하지 않게 좀 흰 모양. >해읍스레. ——-하다 형 여불
희읍스름-하다[히—] 형 여불 썩 깨끗하지 못하고 조금 희다. >해읍스름하다. 희읍스름-히[히—] 부
희이치다 타 〈옛〉 희롱하다. ¶이러트시 무옴대로 흐다만다ᄒᆞ면 誠信의 희이침으로 너기거니와 《新語 Ⅳ:21》.
희-인산【稀燐酸】[히—] 명〔화〕묽은 인산.
희자[1][히—] 명 ☞흰소리. ¶그러나 며칠 뒤엔 다비신에다 옥당목을 떨치고 ~를 뽑는게 아닌가《金裕貞 : 金 따는 콩밭》.
희자[2]【喜子 · 蟢子】[히—] 명〔동〕장수갈거미.
희작[1]【喜鵲】[히—] 명〔조〕길조(吉兆)를 알린다는 데서 '까치'를 일컫는 말.
희작[2]【戲作】[히—] 명 실없이 지은 글.
희-전분호【稀澱粉糊】[히—] 명 묽은 녹말풀.
희조출ᄒᆞ다 형 〈옛〉 희고 조촐하다. ¶둥긔에 희조출ᄒᆞᆫ ᄂᆞᆺ치오(中等身材 白淨顏面)《朴新解 Ⅲ:13》.
희종[1]【稀種】[히—] 명 드물어서 귀한 종류.
희종[2]【熙宗】[히—] 명〔사람〕고려 제 21 대 왕. 휘는 영(韺), 자는 불피(不陂). 신종(神宗)의 장자. 최충헌(崔忠獻)을 없애고자 하다가 성공하지 못하고 오히려 쫓겨남. [1181-1237 : 재위 1204-11]
희종[3]【僖宗】[히—] 명〔사람〕중국 당(唐)나라 제 18 대 황제. 이름은 엄(儼). 의종(懿宗)의 다섯째 아들. [862-888 : 재위 873-888]
희종[4]【熹宗】[히—] 명〔사람〕중국 명(明)나라 제 16 대 황제. 이름은 유교(由校). 태창제(泰昌帝)의 아들. [1605-27 : 재위 1620-27]
희-주정【稀酒精】[히—] 명〔화〕물을 탄 묽은 주정.
희죽【稀粥】[히—] 명 묽게 쑨 죽.
희죽-희죽 부 〈방〉 헤죽헤죽. ——-하다 자
희준【犧罇 · 戲罇】[히—] 명 제례(祭禮) 때에 쓰는 술항아리의 한 가지. 목제(木製)인데 소의 모양임.

〈희준〉

희즛다 타 〈옛〉 휘젓다. 희롱하다. ¶조물 싀긔ᄒᆞᆫ가 귀신이 희즈온가 《金春澤 別思美人曲》.
희-질산【稀窒酸】[히—싼] 명〔화〕묽은 질산.
희짓다[1] 타 〈옛〉 휘젓다. 희롱하다. ¶가노라 희짓는 봄을 새와 므슴ᄒᆞ리오 《古時調 宋純》.
희-짓다[2][히—] 타 ㅅ불 남의 일에 방해가 되게 하다.
희짜-뽑다[히—] 자 짐짓 희떱게 굴다.
희천【熙川】[히—] 명〔지〕평안 북도 희천군의 군청 소재지로 읍(邑). 군의 남서부에 위치하며 만포선(滿浦線)의 요역임.
희천-강【熙川江】[히—] 명〔지〕평안 북도 희천군(熙川郡) 북면(北面)과 강계군(江界郡) 화경면(化京面) 사이의 구현령(拘峴嶺)에서 발원(發源)하여 희천군 중앙을 남류하여 청천강(淸川江)으로 흘러드는 강. [77.5 km]
희천-군【熙川郡】[히—] 명〔지〕평안 북도의 한 군. 관내 1 읍 8 면. 도의 남동부에 위치하며 북은 초산군(楚山郡)과 강계군(江界郡), 동은 평안 남도 영원군(寧遠郡), 남은 영변군(寧邊郡)과 평안 남도 영원군, 서는 초산군에 인접함. 농산 · 축산 · 광산 · 공산 및 임산물이 나며, 명승 고적으로 봉단 성지(鳳丹城址) · 내봉성(內鳳城) · 남동(南洞) 온천 · 영파루(映波樓) · 초연정(超然亭) 등이 있음. 군청 소재지는 희천읍. [2,606 km²]
희천 분지【熙川盆地】[히—] 명〔지〕청천강(淸川江) 상류에 있는 산간 분지의 하나. 중심지는 평안 북도 희천. 특산물로 명주가 있음.
희천-시【希天施】[히—] 명〔불교〕팔종시(八種施)의 하나. 하늘에 나기를 원하여 남에게 물건을 베풀어 주는 일.
희첨【稀薟】[히—] 명 [← 희렴(稀薟)]〔한의〕진득찰. 외과(外科)와 부종(浮腫)에 약재로 씀.
희초【—草】명 〈방〉〔식〕봉의꼬리.
희초미 명 〈방〉〔식〕면마(綿馬).
희-초산【稀硝酸】[히—] 명〔화〕희질산(稀窒酸).
희출 망:외【喜出望外】[히—] 명 기쁜 일이 뜻밖에 생김. ¶김정규가 이 말을 듣고 ~하여 급히 마루에 가 걸터앉으며…《作者未詳 : 洗劍亭》. ——-하다 자 여불
희치-희치[히—히—] 부 ①피륙 · 종이 등이 군데군데 치이거나 미어진 모양. ¶베가 ~하다. ②물건의 반드러운 면이 스쳐서 드문드문 벗어진 모양. ¶책상의 칠이 ~ 벗어지다. ——-하다 형 여불
희칠-희칠 부 〈방〉 희치희치. ——-하다 형
희칭【戲稱】[히—] 명 실없이 희롱으로 일컫는 이름. 곧, 풍자(諷刺)의 뜻을 붙인 이름.
희타【犧打】[히—] 명 ↗희생타(犧牲打).
희토류 광:물【稀土類鑛物】[히—] 명〔광〕희토류 원소를 고농도(高濃度)로 함유하고 있는 광물. 모나자이트(monazite) · 인산 이트륨광(燐酸 yttrium 鑛) 등이 있음.
희토류-염【稀土類塩】[히—] 명〔화〕모나자이트(monazite) 또는 모나자이트와 같은 조성(組成)의 희토류에서 얻어지는 염. 란탄(La) · 세륨(Ce) · 프라세오디뮴(Pr) · 네오디뮴(Nd) · 사마륨(Sm) · 가돌리늄(Gd) · 이트륨(Y)의 아세트산염 · 탄산염 · 염화물 · 플루오르화물(Fluor化物) · 질산염(窒酸塩) · 황산염(黃酸塩) 등이 포함됨.
희토류 오르토페라이트【稀土類—】[히—] 명 [rare-earth orthoferrite]〔화〕안정(安定)된 기포성 자기 구역(氣泡性磁氣區域)을 얻는 자성 재료(磁性材料)로서 주목되고 있는 물질(物質). 철이온의 자기(磁氣) 모멘트가 서로 반평행(反平行) 쪽을 향하고 있으나 얼마간 기울어져 있는 점이 자기적(磁氣的) 흥미가 있는 동시에 자성 재료로서 유용(有用)하게 되는 점임. 기포성 자기 구역의 지름은 100-120 미크론이며, 자기 구역의 이동 속도도 만족할 만한 것임. 최근에는 일축성(一軸性)인 가넷형(garnet型) 페라이트(ferrite)가 유력(有力)한 것이 되어 가고 있음. [$RFeO_3$]
희토류 원소【稀土類元素】[히—] 명〔화〕원자 번호 57 로부터 71 까지의 열 다섯 원소. 란탄(La) · 세륨(Ce) · 프라세오디뮴(Pr) · 네오디뮴(Nd) · 프로메튬(Pm) · 사마륨(Sm) · 유로퓸(Eu) · 가돌리늄(Gd) · 테르븀(Tb) · 디스프로슘(Dy) · 홀뮴(Ho) · 에르븀(Er) · 툴륨(Tm) · 이테르븀(Yb) · 루테튬(Lu)에 스칸듐(Sc) · 이트륨(Y)을 더한 열일곱 원소의 총칭. 모두 화학적 성질은 극히 비슷하며, 보통의 화학적 분석 조작(化學的分析操作)으로서는 분리(分離)시키기 어려워 주기율표(週期律表)에도 15 개 란탄족 원소는 일괄하여 제 3 족(族)의 동일 위치에 놓고 있음. 천연적(天然的)으로 서로 섞여 산출(產出)되는데 양이 희소(稀少)함. 악티늄족 원소(actinium族元素)를 여기에 포함하여 이를 때도 있음. 란탄족 원소(Lanthan族元素)
희토류 자석【稀土類磁石】[히—] 명〔광〕희토류 원소로 만든 여러 가지 자석. 보통 자석보다 10 배의 보자력(保磁力)을 가지며, 계산기나 통신 장치에 쓰임.
희토류 코발트 자석【稀土類—磁石】[cobalt] [히—] 명 희토류 원소인 사마륨(samarium) · 세륨(cerium) · 프라세오디뮴(praseodymium) 등을 코발트와 합금화(合金化)하여 만든 자석. 매우 강력하여 최대 에너지(最大 energy)의 곱은 알니코(alnico) 자석의 3.6 배, 보자력(保磁力)은 13 배까지 달함. 소형 스피커 · 픽업 · 테이프리코더의 소거(消去) 헤드 · 통신 기기(機器) 등에 쓰임.
희토류 합금【稀土類合金】[히—] 명 희토류 금속을 함유하는 합금.
희토 전:쟁【希土戰爭】[히—] 명〔역〕그리스 터키 전쟁.
희필【戲筆】[히—] 명 희묵(戲墨).
희학【戲謔】[히—] 명 실없은 말로 하는 농지거리. ——-하다 자 여불
희학-질【戲謔—】[히—] 명 희학(戲謔)으로 하는 짓. ——-하다 자 여불

흰무늬-꼬리맵시벌 [힌—니—] 명 『충』 [*Pimpla alboannulata*] 맵시벌과의 곤충. 암컷은 몸길이 10 mm 내외, 몸빛은 흑색에 촉각은 흑갈색을 띰. 다리는 대체로 흑색인데 각 경절(脛節) 기부 부근에 백색 환상문(環狀紋)이 있고, 산란관(産卵管)도 흑색임. 나방류(類)의 유충에 기생하는데, 한국·일본에 분포함.

흰무늬-도마뱀 [힌—니—] 명 〈방〉 바둑점도마뱀.

흰무늬-침노린재【—鍼—】[힌—니—] 명 『충』 [*Rhynocoris leucospilus sibiricus*] 침노린잿과에 속하는 곤충. 몸길이 14 mm 내외이고, 몸빛은 일률적으로 광택 있는 흑색임. 단안(單眼) 앞쪽에 한 개의 홍색 반문(斑紋)이 있고 소순판(小楯板)에 'Y자'의 융기(隆起)가 있음. 결합판(結合板) 각 마디의 후연(後緣)과 몸의 하면과 각절(脚節) 측연 및 후반 등은 적색임. 한국 특산종임. 홍도리긴노린재붙이.

흰무늬-푸른자벌레나방 [힌—니—] 명 『충』 [*Ochrognesia difficta*] 자벌레나방과의 곤충. 편 날개 길이는 28-35 mm, 몸빛은 진한 녹색에 앞날개의 내외 횡선(橫線)과 아외연선(亞外緣線)은 백색, 뒷날개의 외반(外半)은 황백색에 갈색 반문이 있고 가장자리가 백색인 녹색 무늬가 있음. 유충은 버들·황철나무 등의 잎의 해충으로 한국에도 분포함.

흰-무리 [힌—] 명 멥쌀 가루만을 켜가 없게 안쳐서 찐 시루떡. 밤·대추·검은콩 등을 섞어서 고명을 하기도 함. 백고괴(白糕塊). 백편. *백설기.

흰-무소 [힌—] 명 『동』 [*Ceratotherium simum*] 무솟과의 짐승의 하나. 아프리카산(産)으로 어깨 높이 2 m, 몸무게 4 t 가량으로 육생(陸生) 동물 중 코끼리 다음으로 큼. 코 위에 크고 작은 뿔 두 개가 있고 사지(四肢)는 짧으며, 발가락은 셋임. 피부는 두껍고 털은 거의 없음. 성질은 둔하고 시력(視力)이 약한 반면, 후각·청각이 예민함. 떼를 지어 하천·연못가의 숲 속에 서식하며, 초식성(草食性)임. 고기는 식용, 뿔은 약용(藥用)함.

흰-무지기 [힌—] 명 『역』 물을 들이지 아니한 무지기.

흰물결-나방 [힌—결라—] 명 『충』 [*Camptogramma unduliferaria*] 자벌레나방과의 곤충. 편 날개 길이는 26-30 mm이고 몸빛은 담황갈색이며 앞날개에는 8-9개, 뒷날개에는 4-5개의 흰 물결 무늬의 횡선이 있으며, 연모(緣毛)는 담갈색과 회백색의 반문을 이룸. 한국에도 분포함.

흰-물떼새 [힌—] 명 『조』 [*Charadrius alexandrinus dealbatus*] 물떼샛과의 새. 날개 길이 110 mm 내외이고, 두상(頭上) 앞쪽과 눈 앞에서 뒤까지는 흑색이고 배면(背面)은 담갈색이며, 꽁지는 중앙의 두 개가 흑갈색이고, 이 외의 부분은 전부 백색임. 한국·일본·중국에 분포함. 흰떼새.

〈흰물떼새〉

흰-민들레 [힌—] 명 『식』 [*Taraxacum coreanum*] 꽃상춧과의 다년초. 줄기 높이 30 cm 가량이고 근생엽(根生葉)은 총생(叢生)하며 우열(羽裂)함. 민들레와 같되 잎이 연하고 담녹색을 띠며, 4-6월에 설형(舌形)의 흰 꽃이 피는데, 과실은 수과(瘦果)임. 들이나 길가에 나는데, 전북의 어청도(於靑島) 및 경기·함남 등지에 분포함. 어린 잎은 식용함.

흰-바곳 [힌—] 명 『식』 백부자(白附子).

흰-바디나물 [힌—] 명 『식』 [*Angelica distans*] 미나릿과의 다년초. 줄기 높이 1.2 m 가량이며, 우상 분열(羽狀分裂)하고 열편(裂片)은 세 쌍인데, 맨 아래의 한 쌍은 제2쌍과의 사이가 보통 10 cm 가량 떨어져 있음. 8월에 10여 개의 총산경(總繖梗)이 나와 그 끝에 복산형(複繖形) 화서로 흰 꽃이 피고 과실은 구형임. 산지에 나는데, 전남 및 경기도의 광릉(光陵) 등지에 분포함.

흰-바위취 [힌—] 명 『식』 [*Saxifraga manshuriensis*] 범의귓과의 다년초. 화경(花莖)은 높이 약 40 cm이고, 잎은 뿌리에서 총생(叢生)하며 장병(長柄)이고, 경엽(莖葉)은 단병(短柄)인데, 신장형(腎臟形) 또는 다소 원형(圓形)임. 6-7월에 흰 꽃이 정생(頂生)하여 원추(圓錐) 화서로 피고 과실은 삭과(蒴果)임. 깊은 산의 습지에 나는데, 평북·함남·함북 등지에 분포함.

흰바희 명 〈옛〉 땅 이름. ¶其山鎭曰 白巖 흰 바희 今屬 慶尙道 ≪龍歌 Ⅶ:7 咸陽 註≫.

흰-밥 [힌—] 명 잡곡을 섞지 아니하고 쌀로만 지은 밥. 백반(白飯). 이밥. 쌀밥.

흰배-멧새 [힌—] 명 『조』 [*Emberiza tristrami*] 참샛과의 멧새의 하나. 배에 흰 점이 있는 것이 특징이고, 익조(益鳥)임.

흰배-지빠귀 [힌—] 명 『조』 [*Turdus pallidus*] 지빠귓과의 새. 날개 길이 125 mm, 꽁지 90 mm 내외, 몸의 배면(背面)은 다갈색, 복면(腹面)은 회갈색임. 얼굴과 멱은 흑색, 하미통(下尾筒) 부근은 백색이나 암컷의 멱은 백색에 갈색 반점이 산재함. 잡목림·관목림(灌木林)에 살고 나무 열매와 곤충·거미·지네 등을 먹음. 우수리 하류 지방과 만주에서 번식(繁殖)하고, 중국·일본·한국 등지에서 월동함. 흰배티티.

〈흰배지빠귀〉

흰배-티티 [힌—] 명 『조』 흰배지빠귀.

흰백-부【—白部】[힌—] 명 한자 부수(部首)의 하나. '百'이나 '皓' 등의 '白'의 이름.

흰-뱀눈나비 [힌—] 명 『충』 [*Agapedes halimede*] 뱀눈나빗과의 곤충. 편 날개 길이는 50 mm 내외이고 날개 표면은 백색이며 무늬는 크고 흑갈색임. 뒷날개의 외연(外緣)에 흰 무늬가 없거나 또는 흔적만 있거나, 반원형(半圓形)인 것 등 여러 가지가 있음. 한국·만주·중국·아무르 지방에 분포함.

흰-범꼬리 [힌—] 명 『식』 [*Bistorta incana*] 마디풀과의 다년초. 줄기 높이 80 cm 가량이고 근생엽(根生葉)은 총생(叢生)하며 장병(長柄)이고 경엽(莖葉)은 호생하고 단병(短柄) 혹은 무병(無柄)인데 다소 백색을 띰. 6-9월에 담홍색 꽃이 원추형의 수상(穗狀) 화서로 정생(頂生)하여 피고 과실은 수과(瘦果)임. 깊은 산의 초원에 나는데, 경북·평남·평북·함남·함북 등지에 분포함.

흰-병꽃나무【—甁—】[힌—] 명 『식』 [*Weigela florida* var. *candida*] 인동과의 낙엽 활엽 관목. 잎은 타원형 또는 거꿀달걀꼴이고 꽃은 백색으로 액생(腋生)하여 5월에 피며 삭과(蒴果)는 9월에 익음. 산록의 양지에 나는데, 전남·경기·함남 등지에 분포함. 관상용임.

〈흰병꽃나무〉

흰-불나방 [힌—라—] 명 『충』 ①[*Ilema degenerella*] 불나방과에 속하는 곤충. 편 날개의 길이가 24-26 mm이고, 몸·날개가 모두 순백색임. 촉각은 황갈색이며, 앞날개의 뒷면은 갈색임. 유충은 흑색인데 짧은 털이 있으며 배면은 등황색이고 각 환절(環節) 사이에 흑색 띠가 있음. 선태류(蘚苔類)의 해충임. 한국에도 분포함. 꼬마불나방. ②미국흰불나방.

흰-빛 [힌—] 명 하얀 빛깔. 백색(白色). ↔검은 빛.

흰뺨-검둥오리 [힌—] 명 『조』 [*Anas poecilorhyncha*] 오릿과의 새. 날개 길이 275 mm이며 얼굴은 황백색, 가슴은 담갈색에 흑색 반문(斑紋)이 있고, 두상(頭上)·후경(後頸)·복부·배면(背面)은 흑색, 날개 끝은 백색, 부리는 흑색이나 선단(先端)이 황색임. 평지의 무논이나 연못가의 풀밭·대밭 등에 둥지를 짓고, 4-7월에 백색 알을 10-12개 낳고 암컷만이 포란(抱卵)함. 풀씨·물속 곤충 등을 잡아먹는 유조(留鳥)임. 한국·일본·몽골·중국·대만에 분포함.

〈흰뺨검둥오리〉

흰뺨-알락할미새 [힌—] 명 『조』 알락할미새.

흰뺨-오리 [힌—] 명 『조』 [*Bucephala clangula clangula*] 오릿과의 새. 날개 길이 200 mm, 부리 35 mm 내외이고 수컷은 머리와 목의 상부가 흑색이며 광택이 세게 나고, 부리 부분에 큰 백색 무늬가 하나 있음. 암컷은 날개의 빛이 수컷과 다른데 부리는 흑색이고 다리는 등황색임. 유럽·아시아 중북부에서 번식하고 아프리카·인도·중국·한국·일본 등지에서 월동함.

흰-사초【—莎草】[힌—] 명 『식』 [*Carex doniana*] 방동사닛과의 다년초. 줄기는 삼릉주(三稜柱)로 높이 30-70 cm 가량, 잎은 호생하며 넓은 선형(線形)인데, 줄기보다 길게 나오고 폭이 1.5 cm 가량임. 5-6월에 수꽃 이삭은 정생(頂生)하고 암꽃 이삭은 측생(側生)하여 타원형으로 피고 과낭(果囊)은 달걀꼴임. 산이나 들의 습지에 나는데, 제주 및 전남의 백양산(白羊山) 등지에 분포함.

흰-산호【—珊瑚】[힌—] 명 『동』 백산호(白珊瑚).

흰살받이-거미 [힌—바지—] 명 『동』 흰살받이게거미.

흰살받이-게거미 [힌—바지—] 명 『동』 [*Thomisus albus*] 게거밋과의 거미의 일종. 몸길이가 암컷은 4-9.5 mm, 수컷은 3 mm 내외이고 두흉갑(頭胸甲)은 농갈색(濃褐色)이며, 여덟 개의 눈이 두 줄로 배열하고 각 눈은 백색의 둥근 무늬로 싸임. 복부(腹部)는 거의 오각형이며 농갈색이고 매끈매끈함. 산지(山地)의 나뭇잎에 서식하는데, 한국에도 분포함.

흰-새덕이 [힌—] 명 『식』 [*Neolitsea aciculata*] 녹나뭇과의 상록 활엽 교목. 높이 3 m 가량이고 잎은 피침상 달걀꼴 또는 긴 타원형이며 혁질(革質)임. 자웅 이가(雌雄二家)로, 3월에 홍색 꽃이 액출(腋出)하여 집단 취산(聚繖) 화서로 피고, 장과(漿果)는 타원형이며 10월에 까맣게 익음. 산허리 이하에 나는데, 제주·매가(梅加)·포길(甫吉) 및 완도(莞島)와 일본 각지에 분포함. 선구재(船具材)와 목탄재(木炭材)로 쓰임.

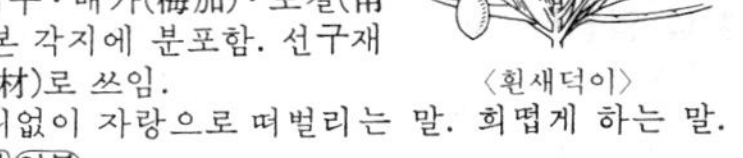
〈흰새덕이〉

흰-소리 [힌—] 명 터무니없이 자랑으로 떠벌리는 말. 희떱게 하는 말. *신소리. ——하다 자 여불

흰소리(를) 치다 구 기세 있게 흰소리를 내뱉다. ¶사고를 내고 오히려 흰소리를 친다.

흰-솜털 [힌—] 명 하얀 솜털.

흰-수라【—水剌】[힌—] 명 〈궁중〉 흰밥. ↔팥수라.

흰수염-바다오리【—鬚髯—】[힌—] 명 『조』 [*Cerorhinca monocerata*] 바다오릿과의 물새. 날개 길이 190 mm 내외이고 깃은 대체로 흑갈색이며, 가슴과 복면(腹面)은 다소 회색을 띤 백색부(白色部)가 있음. 번식기에는 윗부리 기부(基部)에 혹같이 생긴 돌기(突起)가 나옴. 섬에 많이 모이는데, 경사진 땅에 길이 40-200 cm 되는 구멍을 뚫고 들어가 4-6월에 길이 6.5-7.8 cm의 알을 하나 낳음. 작은 물고기나 오징어 등을 포식(捕食)함. 한국·일본·사할린 등지에서 번식하고, 일본 남부·북 아메리카의 남부 연안에서 월동함.

〈흰수염바다오리〉

흰수염-집게벌레【—鬚髯—】[힌—] 명 『충』 [*Anisolabis maginalis*] 집게벌렛과의 곤충. 비교적 작은 집게벌레로서 몸길이 15-24 mm이고 몸빛은 적갈색인데, 촉각은 8절로 되었고 끝이 황백색이며, 집게는 끝이 교차됨. 한국·일본·만주 등지에 드물게 분포함.

흰-수작【—酬酌】[힌—] 명 되지 못한 희떠운 짓과 말. *흰소리.

흰-신 [힌—] 명 흰 가죽으로 만든 마른신.

흰-쌀 [힌—] 명 백미(白米).

흰-쑥 [힌—] 명 『식』 [*Artemisia siebersiana*] 국화과의 월년초(越年草). 줄기는 장대(壯大)하며 잎은 호생(互生)하고 장병(長柄)인데, 2-3

회 우열(羽裂)하여 열편(裂片)은 달걀꼴 피침형(披針形)임. 8-9월에 황갈색의 많은 두상화(頭狀花)가 가지 위에서 원추 화수(圓錐花穗)를 이루어 핌. 긴 타원형의 삭과(蒴果)를 맺음. 들에 나는데, 충남·강원·경기·함남·함북 등지에 분포함.

흰아리 명 〈방〉 희아리.

흰-아마존 [힌―] 명 〖식〗 민백미꽃.

흰-양귀비【―楊貴妃】[힌냥―] 명 〖식〗 [*Papaver anomalum*] 양귀비꽃과에 속하는 월년초(越年草). 줄기 높이 30 cm 내외이고, 잎은 호생하며 선상(線狀) 피침형임. 6-7월에 흰 꽃이 줄기 끝과 가지 끝에 정생(頂生)하여 피고 과실은 삭과(蒴果)임. 개울가에 나는데, 함북의 웅기(雄基)와 두만강(豆滿江) 연안에 분포함.

흰어깨-하늘소 [힌―쏘] 명 〖충〗 [*Pogonocherus seminiveus*] 하늘솟과에 속하는 곤충. 몸길이 7-8 mm, 몸빛은 흑색인데 갈색의 털이 있음. 두부와 전흉(前胸)은 암갈색이고, 소순판(小楯板)의 중앙과 시초(翅鞘) 기반부와 적색을 띤 백색 촉각(觸角)에는 연모(緣毛)가 있음. 다리의 경절(脛節) 말단에는 긴 털이 총총히 났음. 한국에도 분포함.

흰-여뀌 [힌녀―] 명 〖식〗 [*Persicaria lapathifolia*] 마디풀과에 속하는 일년초. 줄기 높이 50 cm에 달하고 엽병(葉柄)이 있는 잎은 호생하며 피침형인데, 초상 탁엽(鞘狀托葉)은 막질(膜質)임. 5-9월에 홍백색 꽃이 가지 끝에 정생(頂生)하여 수상(穗狀) 화서로 피고 과실은 수과(瘦果)임. 밭의 습지에 나는데, 거의 한국 각지에 분포함.

〈흰여뀌〉

흰-여우 [힌녀―] 명 〖동〗 [*Alopex lagopus*] 갯과(科)에 속하는 짐승. 여우와 비슷한데, 두동(頭胴)의 길이 50 cm, 꼬리 25 cm 가량이고, 귀는 짧고 둥글며 주둥이는 뭉뚝함. 하모(夏毛)는 암회갈색 또는 석판색(石板色), 목과 복부는 황백색이고, 동모(冬毛)는 청색을 띤 석판색에 두부와 다리는 갈색을 띠나 순백색을 띠는 것도 있음. 쥐·고래의 시체, 흰곰이 먹고 남긴 것 등을 먹음. 암수 한 쌍씩 살며, 5월에 여섯 마리의 새끼를 낳음. 북극 주변의 툰드라 지대에 서식함. 모피는 진중함. 북극여우. 백호(白狐). 백리(白狸).

〈흰여우〉

흰-엿 [힌녇] 명 검은엿을 더울 때에 켜서 빛깔이 희게 만든 엿. 백당(白糖). ↔검은엿.

흰-오랑캐꽃 [힌―] 명 〖식〗 흰제비꽃.

흰-올빼미 [힌―] 명 〖조〗 [*Nyctea scandiaca*] 올빼밋과의 새. 날개 길이 43 cm 내외이고 온 몸은 순백색에 머리 배면(背面)과 날개의 일부 및 꽁지 끝에 갈색 반점이 약간 있음. 신구(新舊) 양대륙의 남북극 부근에 번식하고 겨울철 북극 지방이 심히 추울 때는 먹이를 구하여 미국·유럽의 중부, 시베리아 남부 등지로 남하(南下)하는 경우도 있음.

〈흰올빼미〉

흰-옷 [힌―] 명 물감을 들이지 아니한 흰 빛깔의 옷. 백의(白衣). 소복(素服).

흰-왕새 명 〈방〉 〖조〗 해오라기.

흰-원미【―元味】[힌―] 명 흰쌀을 씻어 절구에 넣고 쌀알이 반쯤 부서지게 찧어서 물을 많이 붓고 쑨 죽. 백원미(白元味).

흰-인가목 [힌닌―] 명 〖식〗 [*Rose koreana*] 장미과에 속하는 낙엽 활엽 관목. 나무 전체에 가시가 있고, 잎은 우상 복생(羽狀複生)하며 소엽(小葉)은 타원형 또는 거꿀달걀꼴 타원형에 톱니가 있음. 5-6월에 백색 꽃이 가지 끝에 한 개씩 달리며, 과실은 10월에 익음. 산허리 이상에 나는데, 한국 특산으로 강원도 금강산 및 평남북·함남북 등지에 분포함. 관상용임.

흰잎-엉겅퀴 [힌닙―] 명 〖식〗 [*Cirsium wlassovianum*] 국화과에 속하는 다년초. 줄기 높이 약 1 m이고, 잎은 긴 타원형 또는 달걀꼴 타원형이며 무병(無柄)임. 8월에 자색의 관상화(冠狀花)가 가지 끝에 하나씩 달리며 과실은 수과(瘦果)임. 산지에 남. 경기·강원·함남 등지에 분포함.

흰-자 [힌―] 명 ↗흰자위. ↔노른자·검은자.

흰자-가루 [힌―] 명 조류의 알 특히 달걀의 흰자위로 만든 가루. 난백분(卵白粉). 난백소(卵白素).

흰자-막【―膜】[힌―] 명 새알이나 달걀의 흰자위를 둘러싼 막. 난백막(卵白膜).

흰-자위 [힌―] 명 ①새나 달걀 등의 속에 노른자위를 싸고 있는 단백질의 부분. 수란관(輸卵管) 속에서 만들어짐. 난백(卵白). 단백(蛋白). ㊕흰자. ↔노른자위. ②〖생〗 눈알의 흰 부분. ㊕흰자. ↔검은자위.

흰자-질【―質】[힌―] 명 단백질(蛋白質). ＊달걀 흰자.

흰자질 소화 효소【―質消化酵素】[힌―] 명 〖생〗 단백 소화 효소(蛋白消化酵素).

흰-장구채 [힌―] 명 〖식〗 [*Silene oligantella*] 너도개미자릿과의 다년초. 줄기는 총생(叢生)하고 높이 약 25 cm에 달함. 근생엽(根生葉)은 총생하고 유병(有柄)이며, 경엽(莖葉)은 대생하고 무병(無柄)임. 7-8월에 백색 꽃이 줄기 끝에 정생(頂生) 혹은 액생(腋生)하여 다소 윤상(輪狀)으로 총생(叢生)하여 피고 과실은 삭과(蒴果)임. 산지에 나는데, 평북·함남·함북 등지에 분포함.

흰-재 명 〈방〉 흰자위❶.

흰-저울 명 〈방〉 흰자위❶(평안).

흰점박이-꽃바구미【―點―】[힌―] 명 〖충〗 [*Baris reinii*] 바구밋과의 곤충. 몸길이 6 mm 내외의 긴 타원형이며 몸빛은 까맘. 몸의 하면과 다리에 황색 인모(鱗毛)가 많고, 배면(背面)에도 황색 인모로 반문(斑紋)이 몇 개 있음. 한국·일본·중국 등지에 분포함.

흰점박이-풍뎅이【―點―】[힌―] 명 〖충〗 [*Liocola brevitarsis*] 풍뎅잇과의 곤충. 길이 18-24 mm의 장방형인데, 온 몸은 광택 있는 흑동색(黑銅色) 또는 자색·녹색에 백색 반문(斑紋)이 많고, 촉각은 암적갈색임. 성충은 졸참나무·떡갈나무 등의 진이나 기타 과실의 즙(汁)을 빨아먹음. 한국에도 분포함.

흰점박이-하늘소【―點―】[힌―쏘] 명 〖충〗 [*Glenea relicta*] 하늘솟과에 속하는 곤충. 몸길이 9-14 mm, 몸빛은 흑색이며, 전배판(前背板)에는 백색 털로 된 한 개의 종조(縱條)가 있고 시초(翅鞘)는 적갈색이나 그 후반(後半)은 초갈색(焦褐色), 각 시초의 다섯 개의 원문(圓紋)과 소순판(小楯板)은 백색임. 한국에도 분포함.

흰점박이-회색하늘소【―點―灰色―】[힌―쏘] 명 〖충〗 [*Batocera lineolata*] 하늘솟과에 속하는 곤충. 몸길이 40-54 mm, 몸은 흑색 바탕에 회색 내지 회갈색의 털로 덮이었으며, 전배판(前背板) 중앙의 두 개의 무늬와 시초(翅鞘)의 큰 무늬 등은 백색이고, 시초의 어깨 끝에 한 개의 가시가 돌출함. 유충은 참나무·너도밤나무 등의 해충임. 한국·일본에 분포함.

〈흰점박이회색하늘소〉

흰점-복【―點―】[힌―] 명 〖어〗 [*Sphoeroides albopumbeus*] 참복과의 바닷물고기. 몸길이는 15 cm 내외로 모양은 참복과 비슷한데, 그보다 가늘고 길며 등과 배에 작은 가시가 밀포되어 있음. 몸빛은 등이 까만데 많은 흰 점이 산재하며, 가슴지느러미 뒤쪽과 등지느러미 기저에는 각각 한 개씩의 흑색 무늬가 있음. 한국 및 일본의 각지 연해에 분포함. 난소(卵巢)와 간장에 맹독이 있고, 피부와 장(腸)과 살에도 강독(強毒)이 있음. 복쟁이.

흰점선-무당벌레【―點線―】[힌―] 명 〖충〗 [*Vividia duodecimguttata*] 무당벌렛과의 곤충. 몸길이 3-4 mm이고 몸빛은 황갈색인데 광택이 남. 두부의 대부분과 전배판(前背板)과 시초(翅鞘)의 반문(斑紋) 두 개는 황백색임. 성충·유충이 모두 균류(菌類)를 먹음. 한국·시베리아·유럽·아시아 등지에 분포함.

흰점-팔랑나비【―點―】[힌―] 명 〖충〗 [*Syrichtus maculatus*] 팔랑나빗과의 곤충. 편 날개의 길이는 32 mm 내외이고, 날개 표면은 흑갈색에 앞날개에는 약 13개의 희고 작은 반문(斑紋)이 있으며, 전연각(前緣角) 부근에는 다섯 개의 황백색 점문(點紋)이 있음. 또, 뒷날개에도 세 개의 백색 반문이 있고, 날개 뒷면은 앞날개는 암황갈색, 뒷날개는 회갈색임. 한국에도 분포함.

흰-젓 명 〈방〉 흰자위❶.

흰젓-제비꽃 [힌―] 명 〖식〗 [*Viola lactiflora*] 제비꽃과의 다년초. 무경성(無莖性)이며 잎은 뿌리에서 총생(叢生)하고 장병(長柄)인데, 삼각상 피침형 또는 삼각상 긴 타원형임. 4-5월에 잎 사이로부터 여러 줄기의 가는 화경(花莖)이 나와 줄기 끝에 좌우상칭(左右相稱)으로 흰 꽃이 한 송이씩 달리며, 과실은 삭과(蒴果)임. 산이나 들에 나는데, 한국의 중부 이남에 분포함.

흰-제비꽃 [힌―] 명 〖식〗 [*Viola primulifolia* var. *glabra*] 제비꽃과의 다년초. 무경성(無莖性)이며 뿌리는 백색으로 분기(分岐)함. 잎은 뿌리에서 총생(叢生)하고 장병(長柄)이며, 피침형 또는 긴 타원상 피침형인데, 피침형의 탁엽(托葉)이 있음. 4-5월에 잎 사이에서 몇 개의 가는 화경(花莖)이 나와 좌우 상칭(左右相稱)으로 백색 또는 담자색의 꽃이 한 개씩 정생(頂生)하여 피고, 삭과(蒴果)는 달걀꼴 타원형임. 원야(原野)에 나는데, 한국 각지에 분포함. 흰오랑캐꽃.

흰제비-밤나방 [힌―] 명 〖충〗 벚나무모시나방.

흰-제충국【―除蟲菊】[힌―] 명 〖식〗 제충국(除蟲菊). 백화(白花)제충국.

흰-조기 명 〈방〉 〖어〗 보구치.

흰-조시 명 〈방〉 흰자위❶(경상).

흰-죽【―粥】[힌―] 명 ①쌀만 넣고 쑨 죽. ②쌀을 물에 불리어 그릇에 담아, 으깨거나 매로 갈아 물을 붓고 다시 심쌀을 넣고 쑨 죽.

[흰죽 먹다 사발 깨다] 한 가지 일에 재미를 붙이다가 딴 일에 손해를 보는 경우에 쓰는 말.

흰죽에 고춧가루 ㉻ 격에 안 맞는 것.

흰죽에 코 ㉻ 옥석(玉石)을 구별할 수 없음의 비유. 곧, 흰죽과 콧물은 섞이면 분간할 수 없으므로 이르는 말.

흰죽지-갈매기 [힌―] 명 〖조〗 [*Chlidonias leucoptera*] 갈매깃과의 새. 날개 길이 215 mm 내외이고 몸빛은 대체로 흑색이며, 날개는 회색, 날개의 일부와 꽁지는 백색임. 겨울에는 주로 백색인데 머리와 목 뒤에는 흑색 반문(斑紋)이 다소 있음. 시베리아·몽고·만주 등지에서 번식하고, 한국·중국 등지에서 월동함.

흰죽지-참수리 [힌―] 명 〖조〗 [*Haliaeëtus pelagicus pelagicus*] 맷과의 새. 수리의 하나로, 날개 길이는 수컷이 56-59 cm, 암컷은 커서 60-65 cm이고 부리는 6.2-7.5 cm임. 몸빛은 흑갈색에 후두(後頭)와 후경(後頸)은 회갈색이고 부리는 황색, 이마·허리 및 꽁지는 순백색이고 그 외는 전부 다소 회색을 띤 암갈색임. 꽁지가 설형(楔形)인데, 14개의 미우(尾羽)로 된 것이 특징임. 해변·연못 부근에 살며 큰 어류·오리·토끼·쥐 등의 새끼를 포식하며, 큰 나무 위·암벽(岩壁)에 집을 짓고 5월경에 청백색 알을 두 개 낳음. 사할린·한국·일본 등지에 분포함.

〈흰죽지참수리〉

흰-줄 [힌―] 명 흰 빛의 줄. 백선(白線).

흰줄-도마뱀 [힌―] 명 〖동〗 줄장지뱀.

흰줄-순대밤나방 [힌―] 명 〖충〗 [*Trachea atriplicis*] 밤나방과의 곤충. 편 날개의 길이는 40-50 mm이고, 몸빛은 암갈색에 앞날개의 물결 모양의 아기선(亞基線)과 내외 횡선(內外橫線)은 흑색이고 양횡선(兩

橫線) 사이는 녹갈색을 띠며, 아외연선(亞外緣線)은 황록색, 뒷날개는 담색(淡色)임. 한국에도 분포함.

흰줄-알락꽃벌 [흰—] 명 〖충〗 [*Epeolus ventralis*] 꿀벌과의 곤충. 암컷은 몸길이 10mm 내외이고 몸빛은 흑색이며, 복부 제1배판상(背板上)의 한 쌍의 ㄷ자 반문(斑紋)과 제2-4절(節) 각 배판 후연(後緣)에 있는 한 쌍의 횡반(橫斑) 등에는 흰 털이 밀생(密生)함. 한국·일본·만주·중국에 분포함.

흰줄-애꽃벌 [흰—] 명 〖충〗 [*Halictus occidens*] 애꽃벌과의 곤충. 암컷은 몸길이 10mm 내외이고 몸은 흑색이며, 전신에 회황색의 털이 있고, 복부(腹部) 제3-4절(節) 배판(背板)에는 흑갈색 털이 혼생(混生)하며 제2-4절 배판 기부(基部)의 횡대(橫帶)에는 황갈색 와모(臥毛)가 밀생함. 한국·일본에 분포함.

흰줄-태극나방 【—太極—】 [흰—] 명 〖충〗 [*Metopta rectifasciata*] 밤나방과의 곤충. 편 날개의 길이 59-68mm이고, 빛은 암갈색이며 앞날개 중앙에 파문(巴紋)이 있고 앞뒤 날개의 외횡선(外橫線)과 물결 모양의 아외연선(亞外緣線)은 황색임. 유충은 자귀나무 잎의 해충임. 한국에도 분포함.

흰줄-항라매미충 【—亢羅—蟲】 [흰—나—] 명 〖충〗 [*Scaphoideus albovittatus*] 멸굿과에 속하는 곤충. 몸길이 5.5mm 내외이고 몸빛은 회백색에 달걀색 무늬가 있음. 시초(翅鞘)에 백색 가로띠가 두 개 있고, 후경부(後脛部)에 세 개의 가시 돌기가 있음. 간격을 두고 '지이지이'하며 계속하여 욺. 잔디밭에 서식하는데 한국에 분포함. 알락멸구.

흰-쥐 [흰—] 명 〖동〗 ①털빛이 흰 시궁쥐의 변종. ②[*Rattus norvegicus norvegicus* for. *albinus*] 시궁쥐의 한 변종. 유럽시궁쥐(*Rattus norvegicus norvegicus*)를 축양(畜養)한 것으로, 두동(頭胴)의 길이 23cm 안팎, 꼬리는 18-20cm, 귓바퀴는 작아서 2-2.3cm임. 온 몸은 순백색이며 홍채(虹彩)는 빨강. 실험용으로 사육되며, 일반적으로 라테(Ratte)라고 불림. 백서(白鼠).

흰-진범 【—蓁艽】 [흰—] 명 〖식〗 [*Lycoctanum longicassidatum*] 성탄꽃과의 다년초. 줄기는 직립 또는 비스듬히 올라가거나 만상(蔓狀)인데 길이 1.2 m에 달하며, 근생엽(根生葉)은 장병(長柄)이고 경엽(莖葉)은 단병(短柄)임. 8월에 황색에 약간 갈색을 띤 꽃이 줄기 끝과 잎 사이에 달리어 총상(總狀) 또는 복(複)총상 화서로 피며, 과실은 골돌과(蓇葖果)임. 산지의 숲 밑에 나는데, 경기도 강화와 서울에 분포함. 유독(有毒)한데 뿌리는 약재로 씀.

흰즈싀 명 〈옛〉 흰자위. ¶알 흰즈싀(蛋淸)《漢淸 XIV:15》.

흰-참꽃나무 [흰—] 명 〖식〗 [*Rhododendron tetramerum*] 철쭉과의 낙엽 활엽 관목. 잎은 타원형 또는 도피침형이고 양면에 긴 털이 남. 초여름에 2-4개의 백색 꽃이 총생(叢生)하여 피고, 삭과(蒴果)는 가을에 익음. 산봉우리의 바위 틈에 나는데, 전북·경남·경북 및 일본에 분포함. 관상용으로 가꿈.

흰-창 명 〈방〉 흰자위❷(경상·충청).

흰-콩 [흰—] 명 ①빛깔이 희읍스름한 콩. ②밤콩이나 검은콩에 대하여 누른콩을 이르는 말.

흰-털 [흰—] 명 ①흰 빛의 털. ②허옇게 센 머리털. 백발(白髮).

흰털-고광나무 [흰—] 명 〖식〗 [*Philadelphus lasiogynus*] 고광나뭇과의 낙엽 활엽 관목. 잎은 달걀꼴이며 꽃은 4-5월에 총상(總狀) 화서로 가지 끝에 5-7개가 정생(頂生)하여 피고, 삭과(蒴果)는 10월에 익음. 산록의 숲 속에 나는데, 경기도 광릉(光陵)과 함남에 분포함. 관상용으로 심고, 나무는 신탄재로 쓰임.

흰털-냉초 【—草】 [흰—랭—] 명 〖식〗 [*Veronicastrum sibiricum* for *albiflora*] 현삼과(玄蔘科)에 속하는 다년초. 줄기 높이는 50-100cm이고, 잎은 3-8개씩 윤생(輪生)하고 넓은 피침형에 톱니가 있음. 여름에 흰 꽃이 수상(穗狀)화서로 줄기 끝에 정생(頂生)하여 피고, 화관(花冠)은 길이 7-8mm로, 끝이 뾰족하고 넓은 달걀꼴의 열매를 맺음. 산지에 나는데, 한국 및 일본·중국 등지에 분포함. 뿌리는 한방(韓方)에서 이뇨제(利尿劑)의 약재로 씀. 수뤼나물. 구개초(九蓋草).

〈흰털냉초〉

흰털-바늘꽃 [흰—] 명 〖식〗 [*Epilobium coreanum*] 바늘꽃과의 다년초. 줄기 높이 30cm 내외이고, 잎은 대생하며 단병(短柄)이고 긴 타원상 피침형임. 8월에 엷은 홍자색 꽃이 액생(腋生)하여 피고 과실은 삭과(蒴果)임. 산지에 나는데, 경북의 울릉도와 함남의 원산에 분포함.

흰털발-제비 [흰—] 명 〖조〗 [*Delichon urbica dasypus*] 제빗과의 새. 날개 길이 11cm 가량이고, 꽁지는 짧고 얕게 갈라졌음. 몸빛은 제비와 비슷한데, 요부(腰部)가 순백색이고 발은 발가락 끝까지 전부 흰 털로 덮인 것이 특색임. 3-4월에 날아와 인가(人家)의 처마나 바위 등에 진흙·검불·풀 등으로 집을 짓고 4-8월에 순백색 알을 보통 네 개 낳음. 잠자리·파리·벌·개미 등을 포식함. 유럽·시베리아·아시아 중북부·한국·일본·중국에서 번식하고, 아프리카·인도 등지에서 월동함. 바위제비.

〈흰털발제비〉

흰털-제비꽃 [흰—] 명 〖식〗 [*Viola hirtipes*] 제비꽃과의 다년초. 무경성(無莖性)으로 높이 10-15cm이며, 뿌리는 백색임. 잎은 몇 개가 총생(叢生)하며 장병(長柄)이고, 달걀꼴의 긴 타원형임. 4월에 잎 사이에서 여러 줄기의 화경(花莖)이 나와 줄기 끝에 엷은 홍자색 꽃이 좌우 상칭(左右相稱)으로 피고, 과실은 삭과(蒴果)임. 산지에 나는데, 한국 중부 이남에 분포함.

흰테-길앞잡이 [흰—] 명 〖충〗 [*Cicindela nivicincta*] 길앞잡잇과의 곤충. 몸길이 10mm 내외이고 몸빛은 흑색이며, 표면은 적동색(赤銅色) 내지 청동색의 둔한 광택이 나고, 하면은 적록색의 금속 광택이 나며, 시초(翅鞘) 측연(側緣)에 가느다란 황백색 띠가 있음. 해안에 사는데, 한국·중국·일본에 분포함. 흰무늬가뢰.

흰테-범하늘소 [흰—쏘] 명 〖충〗 [*Aglaophis colobotheoides*] 하늘솟과에 속하는 곤충. 몸길이 10-14mm이고, 몸빛은 흑색에 촉각 및 다리의 기부와 복부는 암갈색이며, 시초(翅鞘)에 흑색·백색·암갈색으로 된 복잡한 무늬가 있고 몸의 하면에는 회백색(灰白色) 털이 많음. 한국에도 분포함.

흰-팥 [흰—] 명 빛깔이 희읍스름한 팥.

흰-풀 [흰—] 명 물감풀을 만드는 데 쓰이는 물감을 넣지 않은 풀.

흰-피톨 [흰—] 명 〖생〗 백혈구(白血球). ↔붉은피톨.

흰허리-고치벌 [흰—] 명 〖충〗 [*Chelonus munakatae*] 고치벌과의 곤충. 암컷은 몸길이 5.5mm 내외이고, 몸빛은 흑색에 복절(腹節)은 전부 한 마디로 되고, 복부(腹部) 기부의 양측에 백색 반문(斑紋)이 있으나 수컷에는 없음. 명충나방의 유충에 기생함. 한국·일본·중국 등지에 분포함.

흰-회색 【—灰色】 [흰—] 명 희읍스름한 잿빛.

흿 조 〈옛〉 에 있는. 의. ¶하늘 우흿 金尺이 느리시니(肆維天上 迺降金尺)《龍歌 83 章》.

힁:-하다 [힁—] 형여불 놀라거나 피곤하거나 또는 머리가 아파서 정신을 못 차리도록 띵하다. ¶머리가 ~.

힁:-허니 [힁—] 부 ☞ 휭허케.

힁:-허케 [힁—] 부 '휭하니'를 예스럽게 이르는 말. ¶~ 가 버리다.

히[1] 명 〈방〉 회(膾)(경북).

히[2] ㊀부 만족함을 느끼어 어리석게 한 번 웃는 소리. ㊁감 냉소(冷笑)하는 뜻을 나타낼 때 내는 소리.

히[3] 조 〈옛〉 ①이. 가. ¶五百年 나라히 漢陽애 올마니이다《龍歌 14 章》/ 크고작은나라히 깃브게화답ᄒᆞ네《찬양가：18》. ②와. ¶世尊이 니ᄅᆞ샤디 出家ᄒᆞᆫ 사ᄅᆞ믄 쇼히 ᄀᆞᆮ디 아니ᄒᆞ니《釋譜 Ⅵ：22》.

-히- 미 흔히 ㄱ·ㄷ·ㅂ·ㄺ·ㄵ 등의 받침 있는 어간(語幹)에 붙어서, 동사를 피동사(被動詞)나 사동사로, 형용사를 타동사로 만드는 어간 형성 접미사. ¶먹~다 / 닫~다 / 잡~다 / 앉~다 / 읽~다 / 넓~다. ＊-이-·-기-·-리-.

-히[1] 미 형용사의 어근(語根)이나, '-하다'가 붙어 형용사가 되는 말 밑에 붙어서 부사(副詞)로 만드는 접미사(接尾辭). ¶쌀쌀~/가만~/심~/조속~/간곡~. ＊-이.

-히[2] 어미 〈옛〉 -도록. ¶이제 니르히 鈇鉞쓰던 짜히(到今用鈇地)《杜諺 Ⅵ：39》.

히그스 입자 【—粒子】 명 〔Higgs particle〕 〖물〗 〔20세기의 영국 물리학자 히그스(Higgs, Peter. W.)의 이름에서〕 게이지 이론에서 그 존재가 예상되고 있는 질량(質量)이 크고 매우 불안정한 가상의 입자. ＊기본 입자. 게이지 이론.

히기에이아 〔Hygieia〕 명 〖신〗 그리스 신화에 나오는 건강(健康)의 여신. 의술(醫術)의 신(神)인 아스클레피오스(Asklepios)의 딸로 최초의 간호사(看護師)임.

히:기 명 〈심마니〉 눈[5].

히끈 부 〈방〉 얼른.

히끗 부 〈방〉 흘끗.

히노키티올 〔hinokitiol〕 명 〖화〗 〔'히노키'는 노송나무의 일본말 ひのき〕 노송나무 등의 정유(精油)에서 얻어지는 성분. 항균성(抗菌性)이 있는데, 노송나무가 잘 썩지 않는 것은 이것이 함유되었기 때문이라고 함. $[C_{10}H_{12}O_2]$

히-늘어지다 자 〈방〉 휘늘어지다.

히니 조 〈옛〉 이니. ¶닐굽山 ᄊᆞ이ᄂᆞᆫ 香水 바다히니《月釋 Ⅰ：23》.

히다 형 ☞ 희다.

히:더니스트 〔hedonist〕 명 쾌락주의자(快樂主義者).

히:더니즘 〔hedonism〕 명 쾌락설(快樂說).

히드라[1] 〔그 Hydra〕 명 〖신〗 그리스 신화 중 지옥에서 죄있는 자를 괴롭히는 50개의 머리를 가진 괴사(怪蛇). 또는 아르고스(Argos)를 위협한 아홉 머리의 괴사. 머리 하나를 자르면 곧 머리 두 개가 생겼다고 함. 헤르쿨레스(Hercules)가 물리쳤음.

히드라[2] 〔hydra〕 명 〖동〗 [*Hydra vulgaris*] 히드로충류 히드라과에 속하는 강장 동물(腔腸動物). 몸은 길이 약 1cm의 통상(筒狀) 또는 원통상으로, 신축성이 많으며 한쪽 끝의 족반(足盤)으로 다른 물건에 부착하고, 다른 쪽 끝의 입 주위에 윤생(輪生)한 6-10개의 사상(絲狀)의 촉수(觸手)를 길게 벋어 수중의 미생물을 포식(捕食)함. 담수(淡水) 중의 나무나 돌 같은 데 붙어 생활하는데, 전세계에 분포함. 동물학 연구 재료로 씀.

〈히드라[2]〉

히드라-자리 〔라 Hydra〕 명 〖천〗 바다뱀자리.

히드라지드 〔hydrazide〕 명 〖약〗 결핵 특효약의 하나. 이소니코틴산 히드라지드. 하이드라지드.

히드라진 〔hydrazine〕 명 〖화〗 공기 중에서, 발연(發煙)하는 무색의 액체. 불안정하여 암모니아·질소·수소로 분해하기 쉬움. 유독(有毒)함. 환원제(還元劑)·로켓 연료 등에 쓰임. 하이드라진. $[N_2H_4]$

히드로 〔hydro〕 명 〖화〗 '수소를 포함하는' 또는 '수소를 가하여 된'의 뜻을 나타냄. 하이드로.

히드로게나아제 〔hydrogenase〕 명 〖화〗 산화 환원 효소계(酸化還元酵素系)의 하나. 수소(水素) 페레독신 산화 환원 효소의 상용명(常用名). 질소 고정 세균·수소 세균·광합성 녹조(光合成綠藻) 등의 미생물 중에서 볼 수 있음. 수소화 효소(水素化酵素).

히드로겐리아제 〔hydrogenlyase〕 명 〖화〗 산화 환원 효소계(酸化

還元酵素系)의 하나. 포름산을 수소와 이산화(二酸化) 탄소로 분해하는 반응을 가역적(可逆的)으로 촉매(觸媒)하는 효소(酵素).

히드로늄 이온 〔hydronium ion〕 명 〖화〗 수소 이온 H^+가 수용액(水溶液) 중에서 실제적으로는 용매(溶媒)의 물 분자(分子)와 결합하여 존재하는 'H_3O^+'의 일컬음.

히드로 방향족 화합물 【一芳香族化合物】 〔hydro〕 명 〖화〗 방향족 화합물에 수소를 첨가하여 생성한 화합물. 하이드로 방향족 화합물.

히드로솔 〔hydrosol〕 명 〖화〗 물을 분산매(分散媒)로 하는 교질 용액(膠質溶液).

히드로술파이트 〔hydrosulfite〕 명 〖화〗 디티온산 나트륨 특히 그 이수염(二水塩)의 속칭. 무색의 단사 정계(單斜晶系)의 주상(柱狀) 결정이며 환원력이 강하여 염료 합성·염색·산소 흡수제·표백제·환원제 등으로 이용됨. 히드로 아황산염(亞黃酸塩). 티오아황산염.

히드로 아황산 나트륨 【一亞黃酸一】 〔hydro ; natrium〕 명 〖화〗 '디티온산 나트륨'의 속칭.

히드로 아황산염 【一亞黃酸塩】 〔hydro〕 〔一념〕 명 〖화〗 금속을 알코올에 담가 이산화황을 통하여 얻어지는 물질. 결정은 무색, 무수물(無水物)은 안정하고 물에 잘 녹으며, 환원성(還元性)이 큼. 수용액은 가스 분석에 있어서 산소 흡수제·염료 합성 표백(染料合成漂白) 등에 쓰임. 하이드로 아황산염(hydro亞黃酸塩). 히드로술파이트.

히드로충-강 【一蟲綱】 〔hydro〕 명 〖동〗 〔Hydrozoa〕 유자포류(有刺胞類)에 속하는 한 강(綱). 몸 모양은 보통 폴립형(polyp型)·해파리형(型)의 두 가지 형을 동시에 갖추어, 세대 교체(世代交替)가 뚜렷하나 단지 한 가지의 형(型)만 갖추는 것이 있으며, 강장(腔腸)은 간단하여 구도(口道)와 격막(隔膜) 등이 없고 무성 생식(無性生殖)을 행함. 관(管)해파리목(目)·굳해파리목·나자목(裸子目) 등이 있으며, 히드라·해파리·고깔해파리 등이 이에 속함. *해파리강(綱).

히드로-퀴논 〔hydroquinone〕 명 〖화〗 이가 페놀(二價 phenol)의 하나로 레조르시놀(resorcinol) 및 카테콜(catechol)의 이성질체(異性質體). 아닐린(aniline)을 크롬산(酸)과 황산(黃酸)의 혼합액(混合液)으로 산화하거나 퀴논(quinone)을 아황산(亞黃酸)으로 환원시키어 만드는 무색 판상(板狀) 또는 주상(柱狀)의 결정(結晶). 승화성(昇華性)으로 수용액(水溶液)은 약간의 감미(甘味)가 있음. 환원력(還元力)이 강하며 사진 현상약·유기 합성(有機合成) 원료로 씀. 하이드로퀴논. [$C_6H_4(OH)_2$] * 레조르시놀·카테콜.

「나타내는 말.

히드록시 〔hydroxy〕 명 〖화〗 분자(分子) 중에 수산기(水酸基)가 있음을

히드록시-기 【一基】 명 〔hydroxyl group〕 〖화〗 수소 및 산소 원자(原子)로 이루어진 일가(一價)의 원자단(團) '-OH'의 이름. 무기(無機) 화합물에서는 히드록실아민(hydroxylamine)과 같이 공유 결합성(共有結合性)인 -OH를 갖는 것은 적음. 유기(有機) 화합물에서 중요한 것으로 알코올·페놀·카르복시산(酸) 등이 있음. 치환기(置換基)로서는 히드록시(hydroxy)라고 하며, 리간드(ligand)로서는 OH^- 이온으로 된 것으로 간주하여 히드록소(hydroxo)라고 함. 또한 유기 화합물에서 작용기(作用基)로서의 기능에 따라 수산기를 알코올성(性) 히도록시기, 페놀성(性) 히드록시기 등으로 일컫기도 함. 수산기(水酸基).

히드록시-산 【一酸】 명 〔hydroxy acid〕 〖화〗 1 분자 속에 카르복시기(基)와 알코올성(性) 히드록시기(基)를 가지고 있는 유기(有機) 화합물의 총칭. 알코올과 카르복시산(酸)의 성질을 아울러 지님. 젖산(酸)·타르타르산·시트르산 따위. 옥시카르복시산. 옥시산.

히드록시-염 【一塩】 명 〔hydroxy salt〕 〖화〗 탄소(炭素)와 결합하고 있는 수산기(水酸基)를 가진 유기(有機) 화합물의 총칭. 염기성염(塩基性塩)의 일종. 수산기가 탄화 수소기(基)와 결합하고 있는 형으로, 사슬식 화합물의 알코올·방향족(芳香族) 화합물의 페놀류(類) 등이 있음. *옥시염.

히드록실-아민 〔hydroxylamine〕 명 〖화〗 무색의 침정(針晶)으로 흡습 용해(吸濕溶解)되기 쉬운 약품. 화학적으로는 암모니아와 비슷하며, 수용액은 강알칼리성으로 소금을 만들고, 강력한 환원제(還元劑)임. 유독(有毒)함. [NH_2OH]

히드롤라아제 〔hydrolase〕 명 〖화〗 가수 분해 효소(加水分解酵素). 하이드롤라아제.

히드롤라이트 〔hydrolyte〕 명 〖화〗 가수 분해질(加水分解質). 가수 분해되기 쉬운 물질. 하이드롤라이트.

히드리아 〔hydria〕 명 그리스의 항아리의 한 형(形). 세로 방향으로 하나, 수평 방향으로 둘, 모두 세 개의 손잡이가 달린 물항아리.

히득-거리다 자 입을 볼썽 사납게 벌리어 가볍고 싱겁게 자꾸 웃다. > 해득거리다. 히득-히득 부. ——하다 자여불

히득-대다 자 히득거리다.

히들-거리다 자 입을 벌리며 건잡지 못하는 웃음을 싱겁게 자꾸 웃다. > 해들거리다. 히들-히들 부. ——하다 자여불

히들-대다 자 히들거리다.

히디기 명 〈심마니〉 눈⁵.

히뜩 부 ①언뜻 휘돌아보는 모양. ¶~ 돌아보고는 도망친다. ②맥없이 넘어지거나 동그라지는 모양. ¶~ 나자빠지다.

히뜩-거리다 자타 ①연해 언뜻 휘돌아보다. ②연해 맥없이 넘어지거나 동그라지다. 히뜩-히뜩 부. ——하다 자타여불

히뜩-대다 자타 히뜩거리다.

히라¹ 〔Hirā'〕 명 〖이슬람〗 메카 근교(近郊)에 있는 산. 마호메트가 이 산의 동굴(洞窟)에서 명상하여 하늘의 계시(啓示)에 접(接)했다 함.

히라² 조 〈옛〉 ㅎ 첨용어(添用語)에 쓰인 서술격형(敍述格形) 조사. ①이라. ¶土는 따히라 ≪月釋 序 Ⅳ≫. ②라. ¶國은 나라히라≪訓諺≫.

히라야마-동에등에 〔平山:ひらやま〕 명 〖충〗 〔*Stratiomyia hirayamae*〕 동에등엣과에 속하는 곤충. 몸길이 10-13 mm이고, 몸빛은 흑색에 금색(金色)을 띤 털로 덮이었으며, 흉부(胸部)의 복면(腹面)에는 황백색의 잔털이 밀생하고, 복부(腹部)는 원형이며 편평하고 복판(腹板)에는 은백색의 잔털이 밀생함. 한국·일본에 분포함.

히라와 조 〈옛〉 보다. =라와. ¶다른 ᄀ올히 녜 ᄀ올히라와 됴토다(他鄕勝故鄕)≪初杜諺 Ⅷ:35≫.

히라코테륨 〔Hyracotherium〕 명 가장 오래된 원시적인 말의 선조. 에오세 초기에 북(北)아메리카 및 유럽에 삶. 크기는 돼지만하며 뛰기에 알맞은 사지(四肢), 굽은 등허리, 앞뒤로 길고도 낮은 두골(頭骨) 등이 특징임.

히라쿠드 댐 〔Hirakud dam〕 명 〖지〗 인도 마하나디 강(Mahanadi江) 중류에 있는 다목적 댐. 1957년에 완공된 이 댐의 저수량은 83억 m^3이며 여기에 설치된 두 개의 발전소는 23만 kW의 최대 발전 능력을 갖춤.

히러시니 조 〈옛〉 이시더니. 시더니. ¶이 뻐 부텨 나히 닐흔 ᄒ나히러시니 穆王 마ᄂᆞᆫ 다ᄉᆞᆺ찻히 甲子ㅣ라≪釋譜 Ⅷ:1≫.

히:로 조 〈방〉 궐련.

히로ᄃᆡ 조 〈옛〉 이로되. ¶두서 자히로ᄃᆡ(數尺)≪楞嚴 Ⅸ:108≫.

히로뽕 〔Philopon〕 명 〖약〗 중추 신경의 흥분제인 메탐페타민의 상표명으로 각성제(覺醒劑)의 한 가지. 무색·무취의 결정 또는 흰 결정성 가루로, 알코올에 잘 녹음. 대량 투여하면 착란·환각·경련을 일으키며 계속해서 쓰면 정신 분열증 모양의 증상을 나타냄. 필로폰.

히로뽕 중독 【一中毒】 〔Philopon〕 명 〖의〗 히로뽕 남용에 의한 만성 중독. 신경 쇠약·불면증·식욕 부진 등이 나타남. 필로폰 중독.

히로소니 조 〈옛〉 이로소니. 이니. ¶숫두워리ᄂᆞᆫ 일홈난 모든 따히로소니(喧然名都會)≪杜諺 Ⅰ:38≫.

히로시마 〔広島:ひろしま〕 명 〖지〗 일본 히로시마 현(広島縣) 서부의 도시. 자동차·조선(造船)·기계 공업이 행해짐. 1945년 8월 6일 제2차 세계 대전 당시 미국 공군의 세계 최초의 원자탄(原子彈) 투하에 의하여 거의 전멸된 곳임. 사자(死者) 약 26만 명에 이름. [1,096,545 명(1996)]

히로시마 현 【一縣】 〔広島:ひろしま〕 명 〖지〗 일본 주고쿠(中国) 지방 중부, 세토나이카이(瀬戸内海)에 면한 현. 13 시(市) 15 군(郡). 산지(山地)가 많고 농경지가 적어 농업은 비교적 부진한 편으로, 귤·배·포도·복숭아 등을 산출함. 조선(造船)·기관차·자동차·금속 제련·전기(電機)·제철 공업이 발달함. 현청 소재지는 히로시마 시(市). [8,474.8 km^2 : 2,883,164 명(1996)]

히루딘 〔hirudin〕 명 〖의〗 거머리의 침샘에 함유되어 있는 혈액 응고 저지 물질(血液凝固沮止物質).

히르슈스프룽-병 【一病】 〔Hirschsprung〕 〔一뼝〕 명 〖의〗 〔발견자(發見者)인 덴마크의 의사 히르슈스프룽(Hirschsprung, Harald; 1830-1916)의 이름에서 유래〕 선천성 거대 결장증(先天性巨大結腸症).

히마르는 조 〈옛〉 이언마는. ¶西京이 셔울히마르는≪樂詞 西京別曲≫. *마르는.

히마티온 〔그 himation〕 명 고대 그리스인이 입던 몸에 감는 겉옷의 일반 명칭. 보통, 내의 위에 걸치는데, 남자는 겨드랑이 아래로 감아 늘어뜨리며, 여성은 머리로부터 뒤집어 쓰기도 함.

〈히마티온〉

히말라야 산맥 【一山脈】 〔Himalaya〕 명 〖지〗 인도와 중국 티베트 사이에 있는 산맥. 세계 최고의 에베레스트 산(Everest山)을 비롯해 7,200 m 이상의 고봉(高峰)이 50 개가 넘으며 빙하가 현저히 발달되었음. 인더스(Indus)·갠지스(Ganges)·브라마푸트라(Brahmaputra)의 세 강은 협곡(峽谷)을 이루어 이 산맥을 횡단함.

히말라야-삼나무 【一杉一】 〔Himalaya〕 명 〖식〗 〔*Cedrus deodora*〕 소나뭇과의 상록 교목. 높이 10 m 가량, 가지는 아래로 휘어 늘어짐. 침엽(針葉)의 길이 3 cm 가량 되며 적갈색의 장타원형 구과(毬果)는 길이 10 cm 내외임. 꽃은 노목(老木)이라야 비로소 피며, 수피(樹皮)는 회갈색임. 히말라야 산지 원산인데, 정원수(庭園樹)로 심음.

히말출리 산 【一山】 〔Himalchuli〕 명 〖지〗 네팔 중부에 있는 히말라야 산맥 중의 한 봉우리. 마나슬루 산(山)의 동남쪽 15 km 지점에 있음. [7,864 m]

〈히말라야삼나무〉

히메네스 〔Jiménez, Juan Ramón〕 명 〖사람〗 스페인의 시인. 음악과 색채의 시인으로, 세련된 시구와 신선한 감각이 특징임. 만년에는 미국에서 삶. 1956년 노벨 문학상 수상. 주요 시집으로 ≪슬픈 아리아≫·≪신혼(新婚) 시인의 일기≫ 등이 있고, 그가 사랑한 당나귀의 생활을 주제로 한 장편 산문시 ≪플라테로(Platero)와 나≫가 특히 유명함. [1881-1958]

히메지 〔姫路:ひめじ〕 명 〖지〗 일본 효고 현(兵庫縣) 하리마 평야(播磨平野) 중부의 상공업 도시. 철강·섬유·화학·전기(電機)·피혁 공업 등이 활발함. 히메지성(姫路城)이 있음. [469,305 명(1996)]

히멘¹ 〔hymen〕 명 〖생〗 처녀막(處女膜).

히멘² 〔그 Hymen〕 명 〖신〗 그리스 신화(神話)의 결혼의 신(神). 화관(花冠)을 쓰고 횃불을 손에 든 미소년(美少年)으로 묘사됨.

히며 조 〈옛〉 이며. ¶쇼훈 이 쇼히며(俗是俗)≪金三 Ⅳ:45≫.

히무릇-해파리 명 〖동〗 〔*Rhizophysa eysenhardtii*〕 히무릇해파릿과에 속하는 강장(腔腸) 동물의 하나. 해파리와 비슷한데, 몸은 기포(氣胞)와 세장(細長)한 줄기로 되었고, 기포체(氣胞體)의 높이 10-17 mm, 폭은 5-9 mm임. 몸빛은 대체로 담홍색이며, 군체(群體)로 된 줄기는 영양체(營養體)이고, 촉수(觸手)는 생식체로 됨.

히미 명 〈방〉 헤엄(전남·경북).

히바 〔Khiva〕 명 〖지〗 우즈베키스탄 공화국 서북부의 도시. 면화·벽돌·융단·가구 등을 산출함. 10세기의 아라비아 문헌에 나오는 고도(古都)로, 16세기 후반부터 히바 한국(汗國)의 도읍지로 번창함. [24,000명(1970 추계)]

히바 한국【一汗國】 〔Khiva〕 명 〖역〗 16세기 이후, 중앙 아시아에 번영했던 우즈베크족(族)의 왕국. 1873년 러시아의 보호국(保護國)이 되었다가 1920년에 멸망하였고, 그 영토는 우즈베키스탄 공화국에 편입됨.

히:브 〔Heib〕 명 〔home economist in business의 약칭〕 소비자의 가정을 찾아다니며, 그 기업의 상품이나 업무에 대한 정보를 가르치면서 수요(需要)의 개척을 꾀하는, 기업이나 단체의 전문직. 보통 가정학(家政學) 전공자로 충당하는데, 1970년대에 미국에서 생겨났음.

히브리 〔Hebrew〕 명 〖성〗 헤브루(Hebrew).

히브리-서【一書】 명 〔the Epistle to the Hebrews〕 〖성〗 신약 성서의 한 편. 80년경 어떤 무명의 신도가 쓴, 신앙을 권한 문장. 박해에 시달리고 신앙 생활에 지쳐, 의기 저상한 신도를 격려하고 있음.

히브리인들에게 보낸 편:지【一人一片紙】 명 〖성〗 히브리서(書).

히비스커스 〔hibiscus〕 명 〖식〗 아욱과 무궁화속에 속하는 식물의 총칭. 전세계의 열대·아열대·온대 지방에 약 200종이 있음. 원예에서는 목부용(木芙蓉)과 여기서 만들어진 3,000종 이상의 품종이 있고 꽃색도 백색·홍색·자홍색·적색·황색 등으로 다양한데 하와이의 대표적인 꽃임. 하이비스커스.

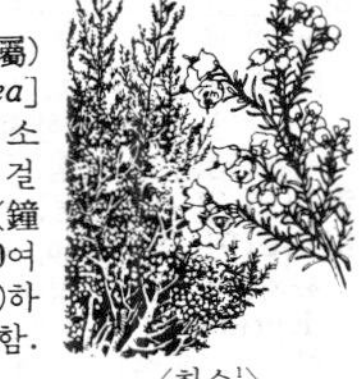
〈히스¹〉

히:스¹ 〔heath〕 명 〖식〗 ①석남과 에리카속(Erica屬)에 속하는 작은 관목의 총칭. ②〔*Erica cinerea*〕 석남과 에리카속에 속하는 관목의 하나. 잎은 소형(小形)이고 다수 밀집(密集)함. 겨울에서 봄에 걸쳐 꽃이 피는데, 보통 담홍색이나 백색에 종상(鐘狀)·통형(筒形)이고, 과실은 열개(裂開)함. 500여 종의 대다수가 남아프리카의 황야에 자생(自生)하고 지중해 연안에 수종, 북유럽에 1종이 분포함. *에리카(Erica).

히:스² 〔Heath, Edward Richard George〕 명 〖사람〗 영국의 정치가. 옥스퍼드 대학 졸업. 1950년 보수당 하원 의원, 1952년 하원 원내 총무(院內總務), 1959년 노동상(勞動相), 1963년 상무상(商務相)을 역임. 1965년에 당수(黨首)가 되고, 1970년에 수상(首相)에 취임함. 1974년 총선거에 패배하여 사임함. [1916-]

히스³ 〔His, Wilhelm〕 명 〖사람〗 ①스위스의 해부학자·발생(發生)학자. 태아(胎兒)의 발생 등을 정밀히 연구, 발생 기구학(發生機構學)의 기초를 다짐. [1831-1904] ②스위스의 의학자·생리학자. ❶의 아들. 포유류의 심장의 심방(心房)과 심실(心室) 사이에 있는 심근 섬유속(心筋纖維束)을 발견함. [1863-1934]

히:스로: 공항【一空港】 〔Heathrow〕 명 영국 런던 교외의 국제 공항. 런던 공항.

히스타민 〔histamin〕 명 〖화〗 여러 가지 동식물의 조직 중에 있으며, 대부분 산소·효소·세균에 의하여 단백질의 분해 산물(産物)인 히스티딘(histidin)으로부터 생성되는 물질. 동물체내에 과잉으로 유리되면 알레르기 증상을 일으킴. 동물체내의 작용은 혈관 확장·혈압 강하·기관지 경련·호흡 곤란 등임. [$C_5H_9N_3$]

히스테론 프로테론 〔그 hysteron proteron〕 명 〖철〗 논리 상(論理上)의 부당 가정(不當假定)의 허위(虛僞). 결론에 의하여 비로소 정해질 것을 미리 전제(前提)로 하는 논증 상(論證上)의 오류(誤謬).

히스테리 〔도 Hysterie〕 명 〖의〗 〔자궁(子宮)의 뜻〕 생리성(生理性)의 변질성 정신병의 하나. 가족의 정신병적 유전을 받아 일어나는데 여자에 많으며, 생식기(生殖器) 이상(異常) 또는 감동(感動)·정서(情緖)의 격발(激發)이나 실망 등이 원인이 되어 병적 징후를 나타냄. 그 신체상의 징후는 두통·경련·강직·규환(叫喚) 등이고 정신 상의 징후는 감동 변화·의식 혼탁(意識混濁)·기억 상실·기질(氣質) 변화 등임. 수시간 또는 수일 후에 회복됨.

히스테리성 마비【一性痲痺】 〔一썽一〕 명 〔hysterical paralysis〕 반사기능(反射機能)을 잃지 않은 근육(筋肉)의 약화(弱化)나 마비. 장기 신경(臟器神經)의 손상은 없고 정신 인자(精神因子)에 기인함.

히스테리시스 〔hysteresis〕 명 〖물〗 강자성체(强磁性體)를 자기장 가운데 넣어 자화(磁化)시킬 때, 자기장과 자화의 관계는 가역적(可逆的)이 아니며, 그 때까지의 자화 방법에 관계되는데, 이러한 일의 역사적 내지 경과(經過)에 관한 현상. 자기(磁氣)·탄성(彈性) 등의 이력(履歷) 현상.

히스테릭-하다 〔hysteric〕 형 여불 히스테리와 같은 성질이 있다. 히스테리적(的)이다.

히스토그램 〔histogram〕 명 〖수〗 통계에서, 도수 분포(度數分布)를 나타내는 기둥 모양의 그래프. 구용어:주상 도표(柱狀圖表).

히스토리 〔history〕 명 역사. 연혁(沿革). 유서(由緖).

히스톤 〔histone〕 명 〖생〗 단순 단백질의 하나. 아르기닌(arginine)·리진(lysine)이 풍부한 염기성(塩基性) 단백질로서, 동물 세포핵에서 누클레오히스톤(Nucleohiston)으로서 검출됨.

히스티딘 〔histidine〕 명 〖화〗 헤모글로빈 속에 대량으로 존재하는 결정성(結晶性) 염기성(塩基性) 아미노산(酸). 대부분의 단백질을 가수 분해(加水分解)하면 생성됨.

히스파니올라 섬 〔Hispaniola〕 명 〖지〗 쿠바 동남쪽의 섬. 정치적으로는 서부의 아이티 공화국, 동부의 도미니카 공화국으로 나뉨. 산이 많고, 기후는 비교적 온난함. 아이티 섬. [76,498km²]

히스퍼 빙하【一氷河】 〔Hisper〕 명 〖지〗 카슈미르(Kashmir) 북방, 카라코람(Karakoram) 산맥 서부의 빙하. 인더스 강의 지류인 훈자 강(Hunza江)의 원류(源流)의 하나.

히싱 〔hissing〕 명 라디오의 '쉬, 쉬'하는 잡음(雜音).

히아데스 〔Hyades〕 명 〖신〗 그리스 신화 중의 일곱 요정들. 아틀라스(Atlas)의 딸들로, 디오니소스(Dionysos)의 유모(乳母). 제우스(Zeus)에 의해 별이 되어, 황소자리의 일부가 되었다 함.

히아데스 성단【一星團】 〔Hyades〕 명 〖천〗 황소자리 부근에 있는 V자형의 산개(散開) 성단. 약 100개의 항성(恒星)이 모여 있으며, 직경은 약 50광년(光年), 거리는 130광년임.

히아신스¹ 〔Hyacinth〕 명 〖신〗 그리스 신화 중의 미소년 히아킨토스(Hyakinthos)의 영어명.

히아신스² 〔hyacinth〕 명 〖식〗 〔*Hyacinthus orientalis*〕 백합과에 속하는 다년초. 인경(鱗莖)에서 피침형의 잎이 총생(叢生)하고 초여름에 청색·자색·홍색·황색·백색 등의 꽃이 총상(總狀)으로 핌. 지중해(地中海) 연안 지방 원산인데, 관상용으로 재배함.

〈히아신스²〉

히아킨토스 〔Hyakinthos〕 명 〖신〗 그리스 신화 중의 미소년. 아폴론(Apollon)의 총애를 받았다가 그를 짝사랑하던 서풍(西風)의 신 제피로스(Zephyros)의 질투 때문에 죽임을 당하여, 그 피에서 히아신스가 피어나고 꽃잎에 비판의 글인, 그리스어로 슬픔에 우는 소리라는 뜻의 AiAi가 새겨졌다 함. 히아신스(Hyacinth).

히알로플라스마 〔도 Hyaloplasma〕 명 투명질(透明質).

히알루로니다아제 〔도 Hyaluronidase〕 명 〖생〗 히알루론산(酸)의 분해를 촉매(觸媒)하는 효소의 총칭.

히알루론-산【一酸】 명 〔hyaluronic acid〕 질소를 포함하는 다당류(多糖類)의 한 가지. 분자량 20만-40만. 관절액(關節液)·안구(眼球)의 유리체(琉璃體), 그 밖의 여러 가지 기관의 결합 조직에 단백질과 결합하여 널리 존재함. 윤활제의 구실을 하는 한편, 조직 구조의 유지 및 세균 침입의 방어를 함.

히알린 〔hyaline〕 명 〖생〗 투명 균질(透明均質)의 무정형 물질(無定形物質). 연골 기질(軟骨基質)·유리체(琉璃體)·글리코겐(glykogen) 등에서 발견됨.

히암 명 〈방〉 헤엄(전남).

히어나 조 〈옛〉 이거나. 거나. ¶아무란 모욜히어나 자시어나 ᄀ올히어나 나라히어나 뷘 수프리어나《釋譜 Ⅸ:40》.

히어늘 조 〈옛〉 이거늘. ¶ᄒ나히어늘 《楞嚴 Ⅰ:14》.

히어든 조 〈옛〉 이거든. ¶겨을히어든 《小諺 Ⅱ:9》.

히어로 〔hero〕 명 ①영웅(英雄). ②인기를 모으고 있는 사람. ③소설·희곡 등의 남주인공. ↔헤로인(heroine)❶.

히어로익 〔heroic〕 명 용감스런 모양. 영웅적(英雄的)인 모양. ——-하다 형 여불

히어링 〔hearing〕 명 외국어를 문자에 의하지 아니하고, 귀로 듣는 일. 또, 그 연습. 듣기. ↔리딩(reading).

히언마ᄅᆞᆫ 조 〈옛〉 이언마는. ¶호미도 놀히언마ᄅᆞᆫ《樂詞 思母曲》

히에라르키 〔도 Hierarchie〕 명 ①〖천주교〗 중세 유럽에서, 로마 교황이 모든 세속적 권력을 장악하고, 국가는 교회가 승인하는 범위내에서만 독립권을 행사한다고 하는 로마 가톨릭의 교의(敎義)와 제도. ②피라미드 모양으로 제약 구성된 신분상(身分上) 계층 조직(階層組織)의 총칭(總稱). 군대 조직(軍隊組織)·관료제(官僚制) 등도 포함됨. 하이어라키. ¶군대의 ~.

히에로글리프 〔hieroglyph〕 명 〖언〗 상형 문자(象形文字). 특히, 고대 이집트의 상형 문자.

히에로니무스 〔Hieronymus, Eusebius〕 명 〖사람〗 로마 교회의 교부(敎父)·성인. 베들레헴에 정주하여 신학 연구에 종사, 헤브라이·그리스의 신앙 유산(信仰遺產)을 라틴 세계에 전달한 공적이 큼. 구약 성서의 라틴어역(譯)인 '불가타(Vulgata)'를 완성함. 영어명은 성(聖) 제롬(Saint Jerome). [340?-420]

히에로클레스 〔Hierokles〕 명 〖사람〗 2세기 전반(前半)의 그리스 철학자. 후기 스토아파(派). 저서에 《윤리학 원론(倫理學原論)》·《의무론(義務論)》 등이 있음.

히에론 이:세【一二世】 〔Hieron Ⅱ〕 명 〖사람〗 시칠리아의 시라쿠사 참주(Siracusa僭主). 포에니(Poeni) 전쟁에서 처음에 카르타고와 동맹, 후에 로마 편에 붙음. 탁월한 농업·상업 정책을 펴 시라쿠사에 최후의 번영기를 가져옴. [306?-215 B.C.]

히에론 일세【一一世】 〔Hieron Ⅰ〕 〔一쎄〕 명 〖사람〗 시칠리아의 시라쿠사 참주(Siracusa 僭主). 형(兄)인 겔론(Gelon)의 사후(死後)에 세력을 크게 확장하였으며, 시모니데스(Simonides)·핀다로스(Pindaros) 등 시인(詩人)의 보호자로 유명함. [?-467 B.C.]

히에이 산【一山】 〔比叡:ひえい〕 명 〖지〗 일본 교토 시(京都市) 동북방에 있는 산. 천태종(天台宗)의 총본산(總本山)인 엔랴쿠사(延曆寺)가 있음. 산에는 강삭 철도(鋼索鐵道)가 있고, 산 위에는 공중 케이블카(cable car)가 있음. 천연 기념물(天然記念物)인 작은 새들의 번식지로서 이름이 높음. [848m]

히염 명 〈방〉 헤엄(전남).

히엘마이트 〔hjelmite〕 명 〖광〗 흑색의 광물. 이트륨·철(鐵)·망간·우라늄·칼슘·탄탈·텅스텐·콜럼븀의 산화물(酸化物)을 함유함. 방사(放射)로 인하여 분해된 결정(結晶) 구조로 존재함.

히오 조 〈옛〉 이요. ¶三은 세히오 十은 열히오《月釋 Ⅰ:15》.

히위-족【一族】 명 〔Hivites〕 〖성〗 가나안 칠족(七族) 중의 하나. 팔레스타인의 중앙을 차지하고 있다가 이스라엘족에게 정복되었음.

히읗 명 〖언〗 자음(子音) 글자 'ㅎ'의 이름.

히죽 [부] 만족한 태도로 무겁게 잠깐 웃는 모양. ¶저 총각 누굴 보고 ~ 웃을까. ㅆ히쭉. >해죽. ——-하다 [자][여불]

히죽-거리다 [자] 만족하여 무겁게 연해 웃다. ㅆ히쭉거리다. >해죽거리다². 히죽-히죽 [부]. ——-하다 [자][여불]

히죽-대다 [자] 히죽거리다.

히죽-이 [부] 만족하여 무겁게 지그시 웃는 모양. ¶~ 웃다. ㅆ히쭉이. >해죽이.

히즈라 〔아랍 Hijrah〕 [명] 〔이주(移住)의 뜻〕 헤지라.

히즈리다 [자] 〈옛〉 의지하다. 눕다. ¶프른 믌ᄀᆞᅀᅢ 가 히즈려셔 쉬요리라(偃息歸碧潯)≪初杜諺 XV:4≫.

히즐이다 [자] 〈옛〉 드러눕다. ¶시시예 나아가 쉬여 히즐이고 도라와 ᄒᆞᆫ가지로 말ᄒᆞ며 웃더라(時就休偃還共談笑)≪小諺 VI:77≫.

히지-부지 [부] 〈방〉 흐지부지(경상).

히:-짓다 [타] 〈방〉 희짓다.

히쭉 [부] 만족하여 무겁게 잠깐 웃는 모양. ¶오랫 만에 만났는데 그저 ~ 웃고 그만이야. ㅅ히죽. >해쭉. ——-하다 [자][여불]

히쭉-거리다 [자] 만족하여 무겁게 연해 웃다. ㅅ히죽거리다. >해쭉거리다. 히쭉-히쭉 [부]. ——-하다 [자][여불]

히쭉-대다 [자] 히쭉거리다.

히쭉-이 [부] 만족하여 무겁게 지그시 웃는 모양. ㅅ히죽이. >해쭉이.

히치콕 〔Hitchcock, Alfred〕 [명] 『사람』 미국의 영화 감독. 영국 태생으로, 1934년 ≪나는 비밀을 안다≫ 등을 비롯한 스릴러(thriller) 작가로서의 명성을 얻은 후, ≪나는 고백한다≫·≪이창(裏窓)≫ 등 서스펜스에 찬 수다한 작품으로 일류 감독의 지위를 얻었음. 또, 자신의 탐정 단편집도 내었음. [1899-1980]

히치하이크 〔미 hitchhike〕 [명] 지나가는 자동차에 편승(便乘)하는 일. 또, 그렇게 하는 도보 여행. ——-하다 [자][여불]

히칭스 〔Hitchings, George H.〕 [명] 『사람』 미국의 생화학자·약리학자. 워싱턴 대학 및 하버드 대학 졸업. 브라운 대학·노스캐롤라이나 대학 등에서 강의하고, 1974-77년 한국의 중앙(中央) 대학에 임상 약리학 교수로 재직했음. 암세포 내의 핵산 융합 억지제, 헤르페스 바이러스 감염증 치료약 등을 개발함. 엘리온과 함께 1988년 노벨 생리 의학상을 받음. [1905-98]

히콕 〔Hickok, James Butler〕 [명] 『사람』 미국 개척기의 보안관. 통칭 Wild Bill Hickok으로 알려짐. 남북 전쟁(南北戰爭)에 참가하고 전후(戰後)에는 서부 개척지(西部開拓地)의 연방 보안관(聯邦保安官)을 역임함. [1837-76]

히타이트 〔Hittites〕 [명] 인도 유럽 어족(語族)의 하나인 고대 시리아 민족. 기원전 1900년경부터 소(小)아시아에 진출하여 세력을 확장함. 말·전차(戰車)·철제(鐵製) 무기를 사용하여 보가즈쾨이(Boghazköi)를 수도(首都)로 오리엔트 최강 국가를 세움. 기원전 14세기에 전성기를 맞았으며, 기원전 12세기에 이웃 여러 민족의 침입을 받아 멸망함. *하티(Hatti).

히타이트 미술【一美術】〔Hittite〕 [명] 히타이트의 미술. 메소포타미아 고래(古來) 예술의 영향을 받아 동물의 부조(浮彫)·환조(丸彫)·금세공(金細工)·채색 토기(彩色土器) 등에 뛰어난 기술을 보임. 중동(中東)의 예술에 큰 영향을 미침.

히타이트-어【一語】〔Hittite〕 [명] 『언』 인도 유럽어(語)의 하나. 점토판(粘土板)에 설형 문자(楔形文字)로 쓰인 문서가 보가즈쾨이(Boghazköi)에서 많이 출토(出土)됨.

히타치 제:작소【一製作所】〔日立:ひたち〕 [명] 1910년 일본의 히타치 광산 기계 수리 공장으로 발족한 세계 유수의 전기 기기 제조 업체. 중전기(重電機)·가정 전기(家庭電器)·통신기 이외에 산업 기계·차량(車輛)·컴퓨터 등도 생산함.

히:터[1] 〔heater〕 [명] ①난방(暖房) 장치. ②난방기. 발열기(發熱機). 가열기(加熱機).

히터[2] 〔hitter〕 [명] 야구에서의 타자(打者).

히토르프 〔Hittorf, Johann Wilhelm〕 [명] 『사람』 독일의 물리학자·화학자. 뮌스터 대학 교수. 이온의 이동도(移動度)의 개념을 확립, 전기 화학의 기초를 닦음. 플뤼커(Plücker, J.)와 함께 진공 방전(眞空放電)을 연구, 음극선(陰極線)이 직진(直進)하고 자기장(磁氣場)에 따라 휜다는 것을 발견함. [1824-1914]

히트 〔hit〕 [명] ①야구에서, 안타(安打). ②명중(命中). 대성공(大成功). ——-하다 [자][여불]

히트(를) 치다 [구] 세상에 발표한 것이 크게 인기를 거두다.

히트 바이 피치 〔hit by pitch〕 [명] 데드 볼(dead ball).

히:트세트 인쇄【一印刷】〔heat-set〕 [명] 『인쇄』 히트세트 잉크를 사용하고, 인쇄 직후의 종이를 가열(加熱)하여 용제(溶劑)를 증발시키는 인쇄. 철판(凸板)·오프셋에 이용됨.

히:트세트 잉크 〔heat-set ink〕 [명] 변성(變成) 페놀 수지(樹脂) 등의 합성 수지를 용제(溶劑)로 용해하고, 여기에 안료(顔料)를 더하여 만든 속건성(速乾性) 인쇄 잉크.

히트 송 〔hit song〕 [명] 작품으로서 성공한 노래. 인기를 끈 노래.

히:트-실: 〔heat-seal〕 [명] 두 개 이상의 열가소성면(熱可塑性面)에 열과 압력을 가하여 접착(接着) 밀봉(密封)하는 일. 플라스틱 필름에 의한 진공(眞空) 포장 등에 널리 이용됨.

히:트 아일랜드 〔heat island〕 [명] 『기상』 도시 기상(都市氣象) 특징의 하나. 도시의 기온이 교외(郊外)보다 현저하게 높아지는 현상.

히트-앤드-런 〔hit-and-run〕 [명] 야구에서, 주자(走者)와 타자(打者)가 미리 약속하고, 투수(投手)가 투구 동작(投球動作)을 하자마자 주자는 다음 누(壘)로 달리고, 타자는 그 공을 치는 일.

히:트 파이프 〔heat pipe〕 [명] 열을 전도(傳導)하는 파이프. 알루미늄·강철·구리 등의 파이프 안쪽에 유리 섬유나 망상(網狀)의 동선(銅線) 따위 심재(心材)를 붙이고, 프레온·암모니아 등의 열매체(熱媒體)를 채운 다음, 공기를 뺀 파이프. 열 전도율이 구리의 1,000-1,500배로 높아, 폐열(廢熱) 회수 장치로 주목됨.

히트 퍼레이드 〔hit parade〕 [명] 히트(hit)한 작품·음악 등만을 모아서 상연·방송하는 프로그램.

히틀러 〔Hitler, Adolf〕 [명] 『사람』 독일의 정치가. 나치스(Nazis)의 수령. 1919년 나치스에 입당하고, 1921년 당수가 된 후 1923년 뮌헨 폭동을 기도하다가 실패하고, 감옥에서 헤스(Hess, R.)에게 ≪나의 투쟁(Mein Kampf)≫을 구술시킴. 1933년 독일 연방(聯邦)의 수상(首相)에 취임, 독재권(獨裁權)을 발휘하여 1934년 총통(總統)이 된 이래, 전체주의적 국가 조직을 확립하여 국내 정치를 파쇼 일색으로 하여 군비 증강(軍備增強)에 전념하다, 제2차 세계 대전을 야기하여 한때는 전유럽을 정복하였으나 연합군에 패하여 자살하였음. 유태인 말살 정책(抹殺政策)으로 수백만의 유태인을 학살함. [1888-1945]

히틀러 유:겐트 〔Hitler Jugend〕 [명] 나치스 독일의 전청소년단(全靑少年團). 1926년에 조직하여 소년·청년에게 나치스적인 정치적·군사적 교육을 하는 것을 그 목적으로 하였음.

히팅 〔hitting〕 [명] 야구에서, 공격 작전의 하나. 타자(打者)가 투구(投球)를 적극적으로 치고 나가는 일.

히파르코스 〔Hipparchos〕 [명] 『사람』 고대 그리스의 천문학자. 추리(推理)에 대하여 관측·실험에 의한 연구를 중시(重視), 최초의 태양표(太陽表)를 작성하고, 자신의 관측과 이전의 관측을 비교하여 세차(歲差)를 발견, 최초의 항성표(恒星表)(현재 전하지 않음)도 만들어 천문학의 원조(元祖)로 불림. [190?-125 B.C.]

히파리 [명] 〈방〉 『동』 해파리(경북).

히파티아 〔Hypatia〕 [명] 『사람』 고대 이집트의 신플라톤 학파의 여류 철학자. 미모로 유명하였고, 알렉산드리아의 대주교(大主敎)인 키릴로스(Kyrillos)의 선동으로 군중에게 맞아 죽었으며, 킹즐리(Kingsley, C.)의 동명(同名) 소설의 주인공임. [?-414]

히퍼크리트 〔hypocrite〕 [명] 위선자(僞善者). 언동(言動)에 표리(表裏)가 있는 사람.

히페르보레오스 〔Hyperboreos〕 [명] 『신』 그리스 신화에서, 전설적(傳說的)인 영민(靈民). 북풍(北風)이 불어오는 산 너머 저편에 살면서, 아폴론신(神)을 믿고 받들었다고 함. *히페르보레이.

히페르보레이 〔Hyperborei〕 [명] 『신』 그리스 신화 중의 낙토(樂土). 북풍(北風)이 불어 넘는 산너머 대지의 북쪽에 있으며, 백화 만발하고 항상 봄이라고 함. 아폴론(Apollon)이 즐겨 살았다고 함.

히페르텐시나아제 〔도 Hypertensinase〕 [명] 『의』 혈액 중에 함유하는 혈압 상승(血壓上昇) 물질인 히페르텐신(Hypertensin)을 분해(分解)하는 효소(酵素)의 총칭.

히페리온[1] 〔Hyperion〕 [명] 『천』 토성(土星)의 제7 위성. 1848년 9월에 발견. 궤도의 반장경(半長徑)은 토성 적도 반경(赤道半徑)의 24.5배, 주기(週期)는 21.3일, 광도(光度)는 14등임. 일반적으로 소행성(小行星)이나 위성은 그 근일점(近日點)이 전진하는데, 이 위성은 1년에 20°나 후퇴하는 현상을 나타내고 있음. 반경은 200 km.

히페리온[2] 〔Hyperion〕 [명] 『신』 그리스 신화 중의 거인(巨人). 우라노스(Ouranos)와 가이아(Gaia)의 아들이며, 헬리오스(Helios)·셀레네(Selene)·에오스(Eos)의 아버지임.

히펠 〔Hippel, Robert von〕 [명] 『사람』 독일의 형법(刑法)·형사 소송법학자(刑事訴訟法學者). 1891년 킬 대학 강사, 1895년 로스토크 대학 교수, 1899년 이래 괴팅겐 대학 교수. 그는 고의론(故意論)에서, 미필적(未必的) 고의와 인식(認識) 있는 과실(過失)과의 구별에 관한 인용설(認容說)과 개연성설(蓋然性說)에 대하여, 후자를 부정하고 전자에 이론적 밑받침을 준 공적이 큼. 주저에 ≪고의(故意)와 과실(過失)과의 한계≫ 등이 있음. [1866-1951]

히포케이메논 〔그 hypokeimenon〕 [명] 『철』 아리스토텔레스 철학의 용어로서, 기체(基體).

히포콘드리 〔도 Hypochondrie〕 [명] 『의』 신경질적(神經質的)인 불쾌(不快)·불안(不安)과 공포를 수반하며, 특히 자기의 경미(輕微)한 질환을 과대적(誇大的)으로 생각하는 정신 상태. 우울증(憂鬱症).

히포크라테스 〔Hippokrates〕 [명] 『사람』 고대 그리스의 의학자. 미신에서 떠난 실증(實證) 위주의 과학적 의학을 수립하여 '의학의 아버지'로 불림. 병은 네 종류의 체액(體液)의 혼합(混合)에 변조(變調)가 생겼을 때 일어난다고 하는 체액설(說)을 주창(主唱)함. [460?-375? B.C.]

히포크산틴 〔hypoxanthine〕 [명] 『화』 생체(生體)에 널리 존재하는 푸린 유도체(purine 誘導體). 아데닌(adenine)의 탈아미노화(脫amino化)에 의해 생기며, 이노신(inosine)의 가인산(加燐酸) 분해에 의해서도 생김. 핵산(核酸)의 염기(塩基)의 유사(類似) 물질로서 중요함. 무색(無色)의 침상 결정(針狀結晶). [$C_5H_4ON_4$]

히푸리카아제 〔도 Hippuricase〕 [명] 『화』 가수 분해 효소(加水分解酵素)의 하나. 히푸르산을 가수 분해하여 벤조산과 글리신(glycine)을 생성(生成)하는 반응을 촉매(觸媒)하는 효소. 신장(腎臟)·간장(肝臟)·췌장(膵臟)·근육(筋肉) 등의 동물 조직(動物組織)과 곰팡이류·세균에 함유됨.

히프 〔hip〕 [명] 엉덩이. 둔부(臀部).

히프노스 〔Hypnos〕 [명] 『신』 그리스 신화 중의 수면(睡眠)의 신(神). 지하의 암흑계(暗黑界)에 살며 수면과 꿈을 준다고 함.

히:프다 [형] 〈방〉 헤프다(전남·경상).

히프 렝스 〔hip length〕 [명] 길이가 히프까지 내려오는 재킷이나 코트.

히피 〔hippie〕 명 종래의 사회 통념(社會通念)이나 제도·관습 및 가치 관념(價値觀念)을 부정하고, 인간과 자연과의 직접적인 접촉을 표방하여 일상적이 아닌 반사회적인 행동을 하는 젊은이들. 어깨까지 늘어뜨린 장발(長髮)과 특이한 복장·행동 등이 특징임. 1967년경부터 미국을 중심으로 일어남. ¶ ～족(族).

히피 스타일 〔hippie style〕 명 히피족(族)들이 장발에 누더기를 걸치거나 꽃장식에 쇠사슬 벨트나 부츠 또는 보디 페인팅을 하는 따위의 별난 스타일을 하는 데서 나온 말.

히피아스 〔Hippias〕 명 〖사람〗 고대 그리스의 철학자. 소피스트의 대표자의 한 사람으로, 플라톤의 ≪대화편(對話篇)≫에 소개되어 있음. 저작은 단편만 남아 있음. 〔460?-? B.C.〕

히:-하다 자 좋아서 입을 바보스럽게 벌리고 웃다. >해하다·헤하다.

히혼 〔Gijon〕 명 〖지〗 스페인 북부, 비스케이 만(Biscay灣) 연안의 항구 도시. 식품 가공·도자기·유리 공업이 성함. 기원(起源)은 고대 로마 이전(以前)이며, 1552년 카를루스 1세에 의하여 항구(港口)가 건설됨. 〔255,969 명(1986)〕 「——-하다 자 여불

히히 부 남을 놀리듯이 해낙낙하여 꺼불거리며 웃는 소리. >해해²·헤헤.

히히-거리다 자 '히히' 소리를 잇따라 내며 웃다. >해해거리다·헤헤거리다.

히히-대다 자 히히거리다.

히힝 부 말 우는 소리.

힉소스 〔Hyksos〕 명 시리아 지방에 사는 셈계(Sem系) 종족(種族)의 하나. 기원전 1750년경 이집트에 침입하여 약 200년간 그 땅을 지배하였음. 한때 이집트 문화를 유린하여 암흑(暗黑) 시대를 가져왔으나, 후에 다시 이집트에서 축출(逐出)당함.

힉스 〔Hicks, John Richard〕 명 〖사람〗 영국의 경제학자. 영국 신고전학파와 오스트리아 학파를 비판적으로 발전시키고, 특히 국민 소득(國民所得) 이론에 탁월함. 1964년 이래 옥스퍼드 대학 교수. 일반 경제 균형(均衡) 이론과 복지(福祉) 이론에 선구적(先驅的)인 공헌으로, 애로(Arrow, K. J.)와 함께 1972년 노벨 경제학상을 받음. 저서에 ≪가치와 자본≫ 등이 있음. 〔1904-89〕

힌 조 〈옛〉 ㄴ. 는. ¶둘차힌 拘那含牟尼佛이시고 세차힌 迦葉波佛이시고… 다섯차힌 彌勒尊佛이 나시리라≪月釋 1:51≫.

힌고 조 〈옛〉 인고. ¶어드메 이 셔울힌고(何處是京華)≪初杜諺 XV:50≫.

힌놈의 골짜기 〔ㄱ Hinnom〕 〔—/—에—〕 명 〖성〗 ①구약 시대의 예루살렘 서남쪽으로 4-5리 가량 떨어진 곳. 어린 아이들을 불살라 우상(偶像)에게 제사하였으며, 쓰레기를 불사르는 곳이었음. ②고난(苦難)의 땅. 불타는 지옥.

힌데미트 〔Hindemith, Paul〕 명 〖사람〗 독일계의 미국 작곡가. 프랑크푸르트에서 작곡과 바이올린 연주로 명성을 얻음. 뒤에 나치스에 쫓겨 도미하였음. 19세기적 예술가를 부정하고 작곡가는 일종의 기술가라는 '실용(實用) 음악'을 주장, 종래의 장조(長調)·단조(短調) 등에 구애되지 않는 새로운 조성감(調性感) 위에서 극히 독자적(獨自的)인 작품을 발표하여, 현대의 대표적 작곡가로 일컬어짐. 작품으로는 ≪마리아(Maria)의 생애≫ 등이 있음. 〔1895-1964〕

힌덴부르크 〔Hindenburg, Paul von Beneckendorff und von〕 명 〖사람〗 독일의 장군·대통령. 제1차 세계 대전 때 타넨베르크(Tannenberg)의 싸움에서 러시아군에 대승, 독일 공화국의 제2대 대통령이 되었으나 만년에 나치스(Nazis)의 압력에 굴복하였음. 〔1847-1934〕

힌두-교 【—敎】 명 〔Hinduism〕 〖종〗 인도 사람이 신봉하는 민족 종교. 바라문교를 전신(前身)으로 하여, 각지의 토착 신앙을 흡수하여 4 세기경에 힌두교로서 확립됨. 주물 숭배(呪物崇拜)·애니미즘·조상 숭배·우상 숭배·범신론(汎神論) 철학 등의 여러 요소가 들어 있고 여러 종파(宗派)로 갈라짐. 인도교(敎).

힌두스타니 〔Hindustani〕 명 〖언〗 인도인(印度人)의 공통 언어. 페르시아어(Persia語)와 서부 인도 방언의 융합으로 되어 있으며, 인도 교도(敎徒)는 팔리 어계(Pali語系)의 문자를 사용하여 힌디(Hindi), 이슬람 교도는 아라비아 문자를 써서 우르두(Urdu)라고 부름.

힌두스탄 평원 【—平原】 〔Hindustan〕 명 〖지〗 인도 히말라야 산맥과 데칸 고원과의 중간에 있는 평원(平原). 동부와 중부는 갠지스 강의 유역(流域)이고, 서부는 인더스 강의 유역임. 아라비아 해(海)로부터 벵골 만(灣)까지 약 3,200km, 남북으로 250-300km나 되는 세계 유수(有數)의 대평원임.

힌두-족 【—族】 〔Hindu〕 명 인도인(印度人)의 한 종족(種族).

힌두쿠시 산맥 【—山脈】 〔Hindu Kush〕 명 〖지〗 중앙 아시아 파미르 고원의 남쪽으로부터 서방으로 달리어 아프가니스탄의 북부를 횡단하여 이란의 동경(東境)에 달하는 산맥. 최고봉은 해발 7,690m의 티리치미르(Tirich Mir)임.

힌디-어 【—語】 〔Hindi〕 명 〖언〗 인구 어족(印歐語族)의 인도·이란 어파(語派)에 속하는 언어. 인도 공화국의 공용어(公用語). 힌두스타니어(Hindustani語)로부터 분리 독립함. 문자는 범자(梵字)를 사용하며, 법어로부터의 차용어(借用語)가 늘어나는 경향이 있음.

힌셜우드 〔Hinshelwood, Cyril Norman〕 명 〖사람〗 영국의 물리화학자. 옥스퍼드 대학 교수. 단분자(單分子) 반응 이론·반응 속도, 특히 연쇄(連鎖) 반응에 관한 연구로 저명함. 이 밖에 생체(生體) 반응의 기구(機構)에 관한 연구도 있음. 1956년 세묘노프(Semyonov, N.)와 함께 노벨 화학상을 받음. 〔1897-1967〕

힌지 〔hinge〕 명 〖건〗 돌쩌귀. 경첩.

힌터:-란트 〔도 Hinterland〕 명 ①배후(背後)의 토지. 배후지(地). ②점령지(占領地)의 배후에 있는 미(未)점령지.

힌트 〔hint〕 명 암시(暗示)❶.

힐:[1] 〔heel〕 명 ①뒤꿈치. 흔히 신발의 뒤축을 말함. ②↗하이힐.

힐[2] 〔hill〕 명 언덕. 작은 산.

힐[3] 〔Hill, Archibald Vivian〕 명 〖사람〗 영국의 생리학자. 런던 대학 교수. 근육 수축의 경우에 생기는 열을, 전류로 바꾸어 측정하는 열전쌍렬(熱電雙列)을 고안, 에너지 대사(代謝)를 연구(硏究)함. 1922년 마이어호프(Meyerhof, O.)와 함께 노벨 의학상을 받음. 〔1886-1977〕

힐[4] 〔Hill, Octavia〕 명 〖사람〗 영국의 여류 사회 개혁가(改革家). 런던 빈민굴(貧民窟)의 주택 상태를 개량하였음. 〔1838-1912〕

힐[5] 〔Hill, Rowland〕 명 〖사람〗 영국의 교육가. 우정(郵政) 제도 개혁자. 균일 우편 요금 제도의 창시자로 알려지고 있으며, 우편 요금 선납(先納)의 증거로서 우표 발행도 그의 고안임. 이것을 페니(penny) 우편 제도라 하여, 1840년 영국에서 실시하여 우편을 보급·발전시키는 바탕이 됨. 〔1795-1879〕 「다 자 여불

힐거 【詰拒】 명 서로 힐난(詰難)하여 항거(抗拒)함. 힐항(詰抗). ——-하

힐겐펠트 〔Hilgenfeld, Adolf〕 명 〖사람〗 독일의 프로테스탄트 신학자(神學者). 예나 대학 교수(敎授). 신약 성서 신학, 유대의 묵시 문학(默示文學), 교부(敎父) 신학에 관한 연구가 있음. 〔1823-1907〕

힐굴 오아 【詰屈聱牙】 명 길굴 오아(佶屈聱牙). ——-하다 형 여불

힐금 부 경망스럽게 슬쩍 곁눈질하여 쳐다보는 모양. 쓰힐끔. >핼금. ——-하다 자 타 여불

힐금-거리다 자 타 자꾸 힐금 곁눈질하며 쳐다보다. 쓰힐끔거리다. >핼금거리다. 힐금-힐금 부. ——-하다 자 타 여불

힐금-대다 자 타 힐금거리다.

힐긋 부 ①눈에 슬쩍 띄는 모양. ②눈동자를 빠르게 굴려서 한 번 보는 모양. 1)·2): 쓰힐끗. >핼긋. ——-하다 자 타 여불

힐긋-거리다 자 타 눈동자를 빠르게 굴려서 연해 가로 쳐다보다. 쓰힐끗거리다. >핼긋거리다. 힐긋-힐긋 부. ——-하다 자 타 여불

힐긋-대다 자 타 힐긋거리다. 「핼끔. ——-하다 자 타 여불

힐끔 부 눈동자를 밉살맞게 흘겨 뜨고 한 번 바라보는 모양. 스힐금. >

힐끔-거리다 자 타 밉살맞게 눈동자를 흘겨 뜨고 연해 쳐다보다. ¶뭘 잘했다고 힐끔거리며 돌아서느냐. 스힐금거리다. >핼끔거리다. 힐끔-힐끔 부. ——-하다 자 타 여불

힐끔-대다 자 타 힐끔거리다.

힐끗 부 ①눈에 얼씬 띄는 모양. ②눈동자를 빠르게 굴려서 한 번 보는 모양. ¶ ～ 둘러보다. 1)·2): 스힐긋. >핼끗. ——-하다 자 타 여불

힐끗-거리다 자 타 눈동자를 빠르게 굴려서 연해 가로 쳐다보다. 스힐긋거리다. >핼끗거리다. 힐끗-힐끗 부. ——-하다 자 타 여불

힐끗-대다 자 타 힐끗거리다.

힐난 【詰難】 〔-란〕 명 힐문(詰問)하여 비난(非難)함. ——-하다 타 여불

힐-논의 【詰論議】 〔—론—/—론이〕 명 힐난(詰難)하는 논의. 힐문답(詰問答). ——-하다 자 여불

힐다-군 【—群】 〔Hilda〕 명 〖천〗 목성(木星)의 공전 주기(公轉週期)의 3분의 2의 부근, 곧 목성과 화성(火星) 궤도 사이에 있는 소행성(小行星)의 총칭. 1875년 발견된 153번 힐다에 의하여 여러 소행성의 존재가 분명하게 되어 이 이름이 붙음. *소행성.

힐단 【詰旦】 〔—딴〕 명 힐조(詰朝)❶.

힐데브란트 〔Hildebrand〕 명 〖사람〗 ①〔Adolf Ernst Robert von H.〕 독일의 조각가·미학자. ❷의 아들. 피렌체파(Firenze派)의 거장의 이상주의적 작품을 배우고, 형식(形式)을 존중하는 고전적 작품을 발표함. 그밖에 형식주의 미학(形式主義美學)에 관한 독자적인 저술도 있음. 〔1847-1921〕 ②〔Bruno H.〕 독일의 역사파 경제학자. 국민 경제의 역사성과 윤리성을 강조, 국가적인 경제 시책의 실현에도 공헌하였음. 주저(主著)는 ≪현재 및 미래의 국민 경제학≫ 등임. 〔1812-78〕

힐데브란트의 노래 〔—/—에—〕 명 〔Hildebrandslied〕 고대 독일의 영웅 서사시. 9 세기에 두 수사(修士)가 기도서의 표지 뒤에 쓴 68 행의 단편(斷片)이 남아 있음. 오랜 망명 생활을 한 디트리히왕(王)의 가신(家臣) 힐데브란트는, 아버지가 죽은 줄로 아는 그의 아들과 결투를 벌인다는 무사의 숙명을 노래함. 민족 이동 시대에 기원(起源)하는 이교적(異敎的) 영웅시로서는 유일한 현존 작품임.

힐뚝-눈이 명 〈방〉 사팔뜨기.

힐:라 몬스터 〔Gila monster〕 명 〖동〗 아메리카독(毒)도마뱀.

힐러리 〔Hillary, Edmund Percival〕 명 〖사람〗 뉴질랜드의 양봉가(養蜂家)·등산가·탐험가. 1953년 영국의 헌트(Hunt, J.) 탐험대에 참가하여 셰르파 텐싱(Tensing)과 함께 에베레스트의 정복(征服)에 성공, 작위(爵位)를 받았음. 〔1919- 〕

힐러 세:포 【—細胞】 명 〔HeLa cell : 힐러는 이 조직을 채취한 환자 헨리에타 랙스(Henrietta Lacks)의 약칭〕 〖생〗 1951 년에 사람의 자궁경암(子宮頸癌) 조직에서 채취(採取)된 이후 대를 이어 계속 배양·보존되고 있는 상피상(上皮狀)의 세포체(細胞體). 인체 조직 배양 세포주(細胞株)로서는 가장 오랜 것으로서 세계 각처의 연구실에서 유지되어, 세포의 영양 요구(營養要求)의 해석(解析), 세포 주기(週期), 세포 융합에 의한 잡종(雜種) 형성, 기타 광범위한 연구에 이용되고 있음.

힐레 〔ㄱ hyle〕 명 〖철〗 '질료(質料)'의 뜻.

힐로 〔Hilo〕 명 〖지〗 하와이의 동안(東岸)에 있는 호놀룰루 다음 가는 항구 도시. 킬라웨아 산(Kilauea山)에의 관광 기지임. 부근에 감자밭·파인애플 밭이 많으며, 하와이 토착 문화의 유품을 모아둔 박물관이 있음. 〔37,000 명(1980)〕 「——-하다 자 여불

힐론 【詰論】 명 힐난(詰難)하는 변론(辯論). 힐문(詰問)하는 의론(議論).

힐문 【詰問】 명 힐책(詰責)하여 물음. 책문(責問). ——-하다 타 여불

힐-문답 【詰問答】 명 힐책(詰責)하는 문답. 힐논의(詰論議). ——-하다 자 여불

힐문-조 【詰問調】 〔—쪼〕 명 힐문하는 말투.

힐베르숨 〔Hilversum〕 명 〖지〗 네덜란드 중부의 도시. 철도의 요지로,

전기(電機)·염료·가구(家具)·다이아몬드 연마 등의 공업이 성함. 휴양지로 요양소가 많음. [87,000명 (1985)]

힐베르트 [Hilbert, David] 명 〖사람〗 독일의 수학자. 괴팅겐 대학 교수. 그의 저서 ≪기하학의 기초≫에서 공리(公理)주의를 제창, 불변식론(不變式論)·대수적 정수론(代數的整數論)·적분(積分) 방정식 등을 연구하였음. 1900년 파리의 국제 수학자 회의에서 23 개의 미해결(未解決) 문제를 제출하여, 금세기(今世紀) 수학의 발전에 많은 시사(示唆)를 던짐. [1862-1943]

힐베르트 공간 【一空間】 명 [Hilbert space] 〖수〗 벡터(vector) 공간의 하나. 유클리드 공간을 무한 차원(無限次元)으로 확장한 것. 힐베르트(Hilbert, D.)가 적분(積分) 방정식과 푸리에 급수(Fourier級數)의 이론을 통일적으로 전개하기 위하여 도입한 것인데, 양자 역학(量子力學)에서도 중요함.

힐-빌리 [hillbilly] 명 〖악〗 컨트리 음악의 하나. 미국 중서부의 시골에서 불리는 향토색이 풍부한 민요의 하나로, 멜로디·가사가 모두 소박함. 3 박자·4 박자 등 여러 가지가 있음. ＊로커빌리.

힐: 아웃 [heel out] 명 럭비에서, 스크럼 속으로부터 공을 차내는 일.

힐우기다 타 〈옛〉 삐다. 접질리다. ¶좌우로 힐우기다(折挫) ≪漢清 Ⅳ: 47≫.

힐조 【詰朝】 [一쪼] 명 ①이른 아침. 조조(早朝). 힐단(詰旦). ②이튿날의 이른 아침. 명조(明朝). 명단(明旦).

힐주 【詰誅】 [一쭈] 명 힐책(詰責)하여 그 죄를 침. ——-하다 타여불

힐책 【詰責】 명 잘못을 트집잡아 책망함. ——-하다 타여불

힐척 【詰斥】 명 힐책(詰責)하여 배척(排斥)함. 꾸짖어 물리침. 힐거(詰拒). ——-하다 타여불

힐턴[1] [Hilton, Conrad N.] 명 〖사람〗 현대 미국의 호텔 왕(王). 1919년 텍사스의 한 여관에서 시작, 전세계에 걸쳐 250 개의 호텔을 소유하는 호텔 체인을 장악함. [1887-1979]

힐턴[2] [Hilton, James] 명 〖사람〗 영국 출생의 미국 소설가. 노교사의 추억인 ≪굿바이 미스터 칩스(Good-bye Mr. Chips)≫로 인기를 얻고, 이래 ≪잃어버린 지평선(地平線)≫·≪마음의 행로(行路)≫·≪투구 없는 기사(騎士)≫를 발표, 따뜻한 휴머니즘과 묘사의 매력으로 이름이 있음. [1900-54]

힐튼 호텔 [Hilton Hotel] 명 힐튼 호텔 회사(Hilton Hotels Corp.)가 경영하는 미국의 호텔 체인. 1924년 댈라스(Dallas)에 최초의 호텔을 세운 후 많은 호텔을 매수·증설하고, 해외 각국에 진출, 국내외에 많은 호텔을 가짐.

힐퍼:딩 [Hilferding, Rudolf] 명 〖사람〗 오스트리아 태생의 독일 경제학자·정치가. 독일 사회 민주당의 이론가. 주저(主著) ≪금융 자본론(金融資本論)≫에서 제국주의(帝國主義)의 본질적 특징의 하나인 금융 자본을 분석하여, 마르크스 경제학에 기여(寄與)함. 1923년과 1928년에 재무상(財務相)을 지냈으며 나치스에 쫓겨 망명(亡命)했다가 잡혀서 옥사(獄死)함. [1877-1941]

힐항[1] 【詰抗】 명 힐거(詰拒). ——-하다 자여불

힐항[2] 【頡頏】 명 길항(拮抗). ——-하다 자여불

힐호다 타 〈옛〉 힐난하다. 말썽부리다. ¶므슴아라 입힐훔 ᄒᆞ리오(要甚麽合口) ≪老乞 上 59≫.

힐후다 타 〈옛〉 힐난(詰難)하다. 말썽부리다. ¶法을 듣고 도로 당당이 힐후고(聽法還應難) ≪杜諺 XXⅡ:14≫.

힐훔 명 〈옛〉 힐난함. 말썽부림. ¶뎌 하ᄂᆞᆯ히 두루 힐후믈 사ᄅᆞ미 시러곰 알리아(彼蒼廻斡人得知) ≪初杜諺 X:42≫.

힐힐ᄒᆞ다 형 〈옛〉 후리후리하다. ¶ᄒᆞᆫ 킈 힐힐ᄒᆞ고(一箇細長身子兒) ≪朴解 中 52≫.

힗다 타 〈방〉 잃다(평안).

힘[1] 명 ①사람이나 동물이 몸에 갖추고 있으면서 스스로 움직이고 또는 다른 것을 움직일 수 있는 근육(筋肉)의 작용. ②[force] 〖물〗 정지(靜止) 상태의 물체에 운동을 일으키게 하거나, 움직이고 있는 물체의 속도를 변화시키거나 그 운동(運動)을 정지시키려 하는 작용. 곧, 압력·중력(重力)·인력(引力)·척력(斥力) 등임. 또는 전력(電力)·마력(馬力)과 같이 물체가 가지고 있는 능력(能力)을 표시하기 위하여 에너지나 일률(率), 곧 동력(動力)·공률(工率) 따위의 뜻으로도 사용함. ¶증기(蒸氣)의 ~. ③일을 하는 능력(能力). 역량(力量). ¶해치울 ~이 없다. ④견디거나 해낼 수 있는 한도(限度). ¶~ 자라는 한 끝까지 노력하겠습니다. ⑤알거나 깨달을 수 있는 학식(學識). 재주. ¶원서(原書)를 읽을 ~이 없다. ⑥세력(勢力)이나 권력(權力). ¶돈의 ~. ⑦도움이 되는 것. ¶큰 ~이 되다. ⑧은혜(恩惠). 은덕(恩德). ¶모두가 어머님의 ~이다. ⑨효력(効力). 효능(効能). ¶약의 ~으로 소생했다. ⑩폭력(暴力). ¶~을 ~으로 대항 말라.

[힘 많은 소가 왕 노릇 하나] 힘뿐만 아니라 지략(智略)도 있어야 한다는 말. [힘 모르고 강가 씨름 갈까] 자기 힘을 스스로 알아야 한다는 말. [힘 쓰기보다 꾀 쓰기가 낫다] 힘으로 우겨 달려들기보다 꾀를 잘 써야 효과가 더 잘 오른다는 말.

힘(에) 부치다 구 어떤 일에 힘이 모자라다.

힘:[2] 명 〈방〉 헤엄(강원·제주).

힘[3] 명 〈옛〉 힘줄. 근육(筋肉). ¶힘 爲筋 ≪訓例≫/갗과 고기와 힘과 뼈와ᄂᆞᆫ(皮肉筋骨) ≪圓覺 上 一之二 137≫/힘근(筋) ≪字會 下 9≫.

힘[4] [hymn] 명 〖기독교〗 찬송가(讚頌歌).

힘-겨룸 명 힘의 많고 적음을 서로 겨루는 일. ——-하다 자여불

힘-겹다 형ㅂ불 힘에 부쳐 능히 당해 내기 어렵다.

힘-껏 부 힘이 미치는 데까지. 있는 힘을 다 내어. 기운껏.

힘-꼴 명 ①약간의 완력(腕力). ¶~이나 쓴다. ②'힘'을 얕잡아서 이르는 말.

힘꼴 쓰다 구 힘깨나 쓰다.

힘-내기 명 힘으로 겨루는 내기.

힘-내다 자 ①힘을 내어 어떤 일에 당하다. ②꾸준히 힘을 써서 일을 행하다. 「마.

힘-닿다 [一다타] 자 힘이나 권세·위력 등이 미치다. ¶힘 닿는 한 해 보

힘-들다 자 ①힘이 소비(消費)되다. ¶힘드는 일. ②무슨 일에 애를 태울 만큼 마음이 쓰이다. 정신이 미치다. ¶힘들여 키운 자식. ③무슨 일이 쉽지 않고 어렵게 이루어지다. ¶알아보기 ~.

힘-들이다 자 ①힘이 들게 하다. ②마음이 미치게 하다. 생각을 깊게 하다. ¶힘들여 계획을 세우다.

힘러 [Himmler, Heinrich] 명 〖사람〗 나치스 독일의 지도자. 게슈타포(Gestapo)의 장관으로, 연합군에 잡혀 자살함. [1900-45]

힘력-변 【一力邊】 [一녁一] 명 한자(漢字) 부수의 하나. '劫'이나 '動' 등의 '力'의 이름.

힘ᄡᅮ다 자 〈옛〉 힘쓰다. =힘ᄡᅳ다. ¶반ᄃᆞ기 能히 힘ᄡᅮ미 져그리라(方能省力) ≪蒙法 3≫.

힘ᄡᅳᆯ디니 자 〈옛〉 힘쓸지니. '힘ᄡᅳ다'의 활용형. ¶제여곰 힘ᄡᅳᆯ디니(各努力) ≪初杜諺 XXⅢ:46≫.

힘ᄡᅳ다 자 〈옛〉 힘쓰다. =힘ᄡᅮ다. ¶善으로 힘ᄡᅳ샤(善以爲務) ≪永嘉 下 138≫/힘ᄡᅳᆯ 무(務) ≪字會 下 31≫.

힘ᄢᅥ오다 타 〈옛〉 힘쓰게 하다. =힘ᄢᅥ우다. ¶힘ᄢᅥ 學을 힘ᄢᅥ오샤 子細히 니ᄅᆞ시며 精誠으로 ᄒᆞ더시니(勉令務學諄切懇至) ≪內訓 下 56≫.

힘ᄢᅥ우다 자 〈옛〉 힘쓰게 하다. =힘ᄢᅥ오다. ¶佛道로 더욱 힘 ᄢᅥ우시고(勉之以佛道) ≪金剛 下 事實 3≫.

힘-부름 명 〈방〉 심부름. ——-하다 자

힘-부림 명 〈방〉 힘겨룸.

힘-빼물다 자 힘이 센 체하다. 힘 있는 태도를 보이다.

힘ㅅ줄 명 〈옛〉 심줄. ¶힘ㅅ줄(筋) ≪同文 上 17≫.

힘ᄭᆞᆺ 부 〈옛〉 힘껏. ¶힘ᄭᆞᆺ ᄒᆞ다(儘力) ≪漢清 Ⅵ:32≫.

힘ᄡᅴ우다 자 〈옛〉 힘쓰다. ¶그러나 또 모롬애 히여곰 그 힘 ᄡᅴ워 구틔여 ᄒᆞ야 잇브고 고로온 줄을 아디 몯ᄒᆞ시게 홀디니(又須使之不知其勉強勞苦) ≪小諺 Ⅴ:42≫.

힘ᄶᆞ장 부 〈옛〉 힘껏. ¶다 숨ᄶᅧ거나 다ᄆᆞᆺ 버혀ᄇᆞ렛거나 호ᄆᆞᆯ 힘ᄶᆞ장ᄒᆞ야(幷吞與割據極力) ≪杜諺 Ⅰ:35≫.

힘ᄶᆞ지 부 〈옛〉 힘껏. ¶項羽를 맛더 힘ᄶᆞ지 두러메어 ᄲᅢ티고뎌 離別 두즈 ≪古時調 博浪沙中≫.

힘-살 [一쌀] 명 〖생〗 근육(筋肉).

힘-세다 형 ①힘이 많다. 힘 있다. ②힘이 많아 빳빳하고 굳다. 억세고 세차다. ＊힘차다.

힘세이 부 〈옛〉 힘 세게. ¶힘세이 다토면 내 분에 올가마ᄂᆞᆫ 禁ᄒᆞ리 업슬 서 나도 두고 즐기노라 ≪蘆溪 莎堤曲≫.

힘술 명 〈방〉 심술.

힘ᄡᅴ우다 자 〈옛〉 힘 쓰게 하다. ¶그 달애며 추들며 닐와ᄃᆞ며 힘ᄡᅴ우며(其誘掖激勵) ≪飜小 Ⅸ:14≫.

힘-쓰다 자 ①힘을 다하다. ¶오로지 공부에만 ~. ②부지런히 일하다. ③힘을 들이어 일하다. ④남을 도와 주다. ¶내가 좀 힘써 주지. ⑤어려움과 괴로움을 참아 가며 꾸준히 행하다. ¶성공을 위해 ~.

힘-없다 [一업一] 형 힘이 없다. 기력이 없다. 무슨 일을 처리할 만한 능력이 없다. 무력하다.

힘-없이 [一업씨] 부 힘 없게.

힘의 균형 【一均衡】 [一/一에一] 명 [equilibrium of forces] 〖물〗 한 물체에 둘 이상의 힘이 작용하고 있을 때, 그 합력(合力) 및 힘의 모멘트가 영(零)이 되어 결국 아무 힘도 작용하지 않은 것과 같은 상태.

힘의 능률 【一能率】 [一뉼/一에一뉼] 명 〖물〗 힘의 모멘트(moment).

힘의 모:멘트 [一/一에一] 명 [moment of force] 〖물〗 한 점으로부터 힘의 작용선(作用線)에 내린 수선(垂線)의 길이와 그 힘의 크기의 곱. 힘의 능률.

힘의 삼각형 【一三角形】 [一/一에一] 명 〖물〗 힘의 평행 사변형에서 대각선(對角線)을 한 변으로 하는 삼각형.

힘의 작용선 【一作用線】 [一/一에一] 명 〖물〗 힘이 작용하는 방향에 그은 직선(直線). 곧, 힘을 표시하는 벡터(vector)를 뻗친 직선.

힘의 장 【一場】 [一/一에一] 명 ①[field of force] 〖물〗 힘이 작용하는 공간. 전기장이나 자기장은 각각 전기력·자기력의 장(場)이며, 지구 표면 부근은 중력(重力)의 장임. ②[forcefield] 〖심〗 심리학적인 힘의 유발성(誘發性)이나 반발성(反撥性)이 작용하는 공간. 곧, 요구(要求)·긴장(緊張)·충동(衝動)·의지(意志) 등이 활동하여 지배되는 심리학적인 장을 말함.

힘의 평행 사:변형 【一平行四邊形】 [一/一에一] 명 [parallelogram of forces] 〖물〗 한 점에 작용하는 두 힘을 합성할 경우의 작도법(作圖法). 곧, 한 점에서 두 힘을 표시하는 작용선을 그어, 이것을 두 변으로 하는 평행 사변형을 그리면 처음의 한 점을 통하는 대각선(對角線)이 합력(合力)을 나타냄. 힘에 한하지 않고 일반적으로 벡터(vector)는 이런 도법(圖法)으로 합성시킴.

힘의 합성 【一合成】 [一/一에一] 명 [composition of force] 〖물〗 한 점에서 서로 다른 방향으로 작용하는 두 힘의 합력(合力). 대개 힘의 평행 사변형에서 대각선(對角線)으로 표시하여 얻음.

힘-입다 [一닙一] 자 남의 신세를 지다. 남에게 어떤 일을 부탁하여 도움을 받다.

힘-있다 형 ①힘이 세다. ②어떤 일을 해 낼 능력이 있다.

힘-점 【一點】 [一쩜] 명 〖물〗 힘의 작용점(作用點). 착력점(着力點). 역점.

힘-주다 자 ①어려운 고비 등에 힘을 몰아 쓰다. ¶진통(陣痛) 때 ~. ② 어떠한 일이나 말을 강조(強調)하다. ¶힘주어 말하다.

힘준-대이름씨 【一代一】 명 〖언〗 '강세 대명사'의 풀어 쓴 이름.

힘-줄 [一쭐] 명 〖생〗 ①근육(筋肉)의 밑바탕이 되는 희고 질긴 살의 줄. ②혈관·혈맥(血脈) 등의 통칭. ③모든 물질의 섬유(纖維)로 이루어진 가는 줄. 1)-3):→심줄.

힘-줄기 [一쭐一] 명 ①〖생〗 힘줄. ②힘이 뻗친 줄기.

힘줌-말 명 힘을 준 말. 곧, 어떤 말에 소리를 조금 달리하거나, 더하여 그 말의 뜻을 강조(強調)하여 나타내는 말. '뻗지르다'에 대한 '뻗치다', '부딪다'에 대한 '부딪치다' 등.

힘-지다 형 힘이 있다. 힘이 들 만하다. ¶힘진 일 / 천 사람 만 사람의 천 마디 만 마디 말보다 더 힘지던 것이다.

힘-차다 형 ①매우 힘이 세차다. ¶힘찬 박수. ②힘이 많이 들어 벅차다.

힘힘이 부 〈옛〉 한가히. 심심히. ¶우리 모든 권당을 청ᄒᆞ야 힘힘이 안졋쟈(請咱們衆親眷閑坐的)≪老乞 下 30≫.

힘힘타 형 〈옛〉 심심하다. 할일 없다. 한가하다. =힘힘ᄒᆞ다. ¶힘힘타(閑)≪語錄 1≫.

힘힘히 부 〈옛〉 한가히. 심심히. ¶ᄀᆞ애 셔셔 힘힘히 보는 사ᄅᆞᆷ이 닐오ᄃᆡ(邊頭立地閑看的人說)≪老乞 下 12≫.

힘힘ᄒᆞ다 형 〈옛〉 한가(閑暇)하다. 심심하다. ¶힘힘ᄒᆞᆫ 사ᄅᆞᆷ들(閑人們)≪朴解 上 32≫.

힚ᄀᆞ장 부 〈옛〉 힘껏. ¶님금 셤기ᅀᆞ보ᄆᆞᆯ 힚ᄀᆞ장홀ᄊᆡ≪月釋 Ⅱ:63≫.

힙-본: 〔hipbone〕 명 1966년경부터 유행한, 엉덩이에 걸쳐 입게 된 힙본 스커트나 힙본 슬랙스의 일컬음.

힙소메트릭-도 【一圖】 〔hypsometric〕 명 〖지〗 등고도(等高度)의 선을 연결한 지도.

힙-합 〔hip hop〕 명 〖음〗 뉴욕의 흑인 소년이나 푸에르토리코 젊은이들이 1980 년대에 시작한 새로운 감각의 음악이나 춤.

힛ᄯᆞᆫ 조 〈옛〉 이야. ¶구스리 바회예 디신ᄃᆞᆯ 긴힛ᄯᆞᆫ 그츠리잇가≪樂詞 西京別曲≫.

힝[1] 명 〈방〉 형[1](兄)(경상).

힝[2] 一부 코를 푸는 소리. 二감 아니꼬워 코로 비웃는 소리.

힝그럭 명 유엽전(柳葉箭)의 촉(鏃).

힝이 명 〈방〉 형[1](兄)(경북).

힝-하니 부 ☞휭허니.

힝-하다 형 〈방〉 횡하다.

힝-힝 一부 잇따라 코를 푸는 소리. 二감 잇따라 코웃음치는 소리.

힝그럭 명 〈옛〉 힝그럭. ¶힝그럭 피(鈚)≪字會 中 29≫.

ᄒᆞ가냥ᄒᆞ다 타 〈옛〉 자랑하다. 잘난 체하다. =ᄒᆞ건양하다·잘가냥ᄒᆞ다. ¶念念에 ᄒᆞ가냥ᄒᆞ야 소교미 믈드로ᄆᆞᆯ 닙디 마오(念念不被憍誑染)≪六祖 中 24≫.

-ᄒᆞ간디라 미 〈옛〉 한 것이라. ¶讀誦受持ᄒᆞ리ᄯᆞ녀 이 사ᄅᆞ믄 如來ᄅᆞᆯ 頂戴ᄒᆞ간디라≪月釋 XVII:36≫.

ᄒᆞ건양ᄒᆞ다 타 〈옛〉 자랑하다. 잘난 체하다. =ᄒᆞ가냥ᄒᆞ다. ¶ᄉᆞᆯ진 ᄆᆞᆯ 타고 가ᄇᆡ야온 갓옷 닙어 ᄒᆞ건양ᄒᆞ야 ᄆᆞ올히 디나 ᄃᆞ니ᄂᆞ니(肥馬衣輕裘揚揚過閭里)≪小諺 V:24≫.

ᄒᆞ고져ᄒᆞ다 타 〈옛〉 하고자 하다. ¶慾은 ᄒᆞ고져홀 씨라≪釋譜 序 3, 訓民正音註解本≫.

ᄒᆞ나 명 〈옛〉 하나. =ᄒᆞᆫ나. ¶ᄒᆞ나ᄒᆞᆫ ᄆᆞᄅᆞᆫ 덕과 업과로 서ᄅᆞ 권호미오(一曰德業相勸)≪呂約 Ⅰ≫.

ᄒᆞ나콰 〈옛〉 하나와. 'ᄒᆞ나'의 공동격형(共同格形). ¶ᄒᆞ나콰 달옴과ᄅᆞᆯ 다 得디 몯홀 젼ᄎᆞ라(一異皆不可得故)≪圓覺 上 一之一 68≫.

ᄒᆞ나토 〈옛〉 하나도. 'ᄒᆞ나'에 조사 '도'가 붙은 말. ¶이 功德으로 알퓌 功德에 가ᄌᆞᆯ비건댄 百分千分 百千萬億分에 ᄒᆞ나토 몯미츠리니≪月釋 XVII≫.

ᄒᆞ나해 〈옛〉 하나에. 'ᄒᆞ나'의 처격형(處格形). ¶세흘 모도아 ᄒᆞ나해 가게 ᄒᆞ샤(會三歸一)≪妙蓮 Ⅵ:166≫.

ᄒᆞ나흐로 〈옛〉 하나로. 'ᄒᆞ나'의 조격형(造格形). ¶ᄒᆞ나흐로 ᄒᆞ여 보게 ᄒᆞ고(教一箇看着)≪老乞 上 35≫.

ᄒᆞ나히 〈옛〉 하나가. 'ᄒᆞ나'의 주격형(主格形). ¶ᄯᅩ ᄒᆞᆫ 모미 萬億身이 ᄃᆞ외야 잇다가 도로 ᄒᆞ나히 ᄃᆞ외며≪釋譜 Ⅵ:34≫.

ᄒᆞ나ᄒᆞ로 〈옛〉 하나로. =ᄒᆞ나흐로. ¶이는 ᄒᆞ나ᄒᆞ로 세흘 니ᄅᆞ고(是則一而論三)≪永嘉 下 14≫.

ᄒᆞ나ᄒᆞᆫ 〈옛〉 하나는. 'ᄒᆞ나'의 절대격형(絕對格形). ¶七淨은 ᄒᆞ나ᄒᆞᆫ 戒淨이오 둘흔 心淨이오 세흔 見淨이오 네흔 疑心 그츤 淨이오≪永嘉 序 9≫.

ᄒᆞ나ᄒᆞᆯ 〈옛〉 하나를. 'ᄒᆞ나'의 목적격형. ¶弟子 ᄒᆞ나ᄒᆞᆯ 주어시든 말 드러 이ᄅᆞ ᅀᆞᄫᆞ지이다≪釋譜 Ⅵ:22≫.

ᄒᆞᆫ낟재 수 〈옛〉 첫째. =ᄒᆞᆫ낫재. ¶ᄒᆞᆫ낟재 ᄀᆞ온 여ᄉᆞᆺ가짓 德이니(一曰六德)≪小諺 Ⅰ:12≫.

ᄒᆞᆫ낫재 수 〈옛〉 첫째. =ᄒᆞᆫ낟재. ¶ᄒᆞᆫ낫재ᄂᆞᆫ ᄀᆞ온 효도 아니ᄒᆞᄂᆞᆫ 형벌이오(一曰不孝之刑)≪小諺 Ⅰ:13≫.

ᄒᆞ녀걷다 자 〈옛〉 행보(行步)하다. ¶ᄒᆞ녀거러나며 들옴애(行步出入)≪小諺 Ⅵ:3≫.

ᄒᆞ녀셔 자 〈옛〉 다니면서. 'ᄒᆞ니다'의 활용형. ¶녯 늘그닌 ᄒᆞ녀셔 歎息ᄒᆞ거늘(故老行歎息)≪杜諺 V:33≫.

ᄒᆞ녁 명 〈옛〉 한 녘. 한 편. 한 쪽. ¶부텻 威神과 地藏菩薩 摩訶薩力을 받ᄌᆞ바 다 忉利예 와 ᄒᆞ녁 面에 셔니라≪月釋 XXI:114≫.

ᄒᆞ놀이다 타 〈옛〉 희롱(戲弄)하다. 놀리다. ¶偶然히 고ᄌᆞᆯ 디나가 빗나ᄆᆞᆯ ᄒᆞ놀이놋다(偶經花藥弄輝輝)≪杜諺 XVII:38≫.

-ᄒᆞ놋다 미 〈옛〉 -하는구나. ¶壯士ㅣ 슬허 驕慢호믈 몯ᄒᆞ놋다≪杜諺 V:31≫. *-놋다.

ᄒᆞᄂᆡᇰ다 보동 〈옛〉 하노이다. 하나이다. 하옵니다. ¶護彌 닐오ᄃᆡ 그리 아니라 부텨와 즁과ᄅᆞᆯ 請ᄒᆞᅀᆞᄫᆞ려 ᄒᆞᄂᆡᇰ다≪釋譜 Ⅵ:16≫.

ᄒᆞ놈 자 〈옛〉 행동함. 'ᄒᆞ니다'의 명사형. ¶ᄆᆞᅀᆞᄆᆞᆯ 다ᄒᆞ여 몸가져 ᄒᆞ뇨매 조ᅀᆞ로온 이리(盡心行己之要)≪飜小 Ⅹ:24≫.

ᄒᆞ니 어미 〈옛〉 'ᄒᆞ'와 '니'의 합성(合成)으로 어떠한 행동의 계속을 뜻하는 말. ¶世尊ㅅ말 듣ᄌᆞᆸ고 도라 보아ᄒᆞ니≪月釋 Ⅱ:48≫.

ᄒᆞ니다 자 〈옛〉 일하다. 동작하다. 하고 다니다. 다니다. ¶큰 빗바다ᄒᆞ로 ᄀᆡ여 ᄒᆞ니ᄂᆞ다 ᄒᆞᆫ ᄠᅳ디니≪月釋 Ⅰ:15≫.

-ᄒᆞ닝이다 어미 〈옛〉 -합니다. -하옵니다. ¶이 마올의 ᄒᆞᆫ돌의 녹 칠판 천 주는 벼슬이 머어시 잇ᄂᆞ뇨 좌위 ᄃᆡ왈 륙위란 벼슬이 그러ᄒᆞ닝이다≪太平 Ⅰ:7≫.

ᄒᆞᄂᆞ다 보동 〈옛〉 한다. ¶羅睺羅 ᄃᆞ려다가 沙彌 사모려 ᄒᆞᄂᆞ다홀ᄊᆡ≪釋譜 Ⅵ:1≫. *-ᄂᆞ다.

-ᄒᆞᄂᆞ로 미 〈옛〉 -하므로. ¶虞芮質成ᄒᆞᄂᆞ로 方國이 해 모ᄃᆞ나(虞芮質成方國多臻)≪龍歌 11 章≫.

-ᄒᆞᄂᆞ슨다 미 〈옛〉 -하느냐. -하는가. ¶어와 뎌 白鷗야 므슴 슈고ᄒᆞᄂᆞ슨다≪古詩調 金光煜≫.

-ᄒᆞᆫ닉 구 〈옛〉 -한 이의. -한 사람의. ¶시혹 病ᄒᆞᆫ닉 넉시 이 고ᄃᆡ 도라와≪釋譜 Ⅸ:31≫. *병ᄒᆞ다.

ᄒᆞ다[1] 자타 〈옛〉 ①하다. ¶古聖이 同符ᄒᆞ시니≪龍歌 1章≫/ᄒᆞ위(爲)≪類合上 24≫/ᄒᆞᆯ 위(爲)≪石千 2≫. ②말하다. ¶이제 부텨 나아 겨시니라 ᄒᆞ야ᄂᆞᆯ≪釋譜 Ⅵ:12≫.

ᄒᆞ다[2] 보동 〈옛〉 하다[2]. ¶五色이 사ᄅᆞᄆᆞ로 눈 멀에 ᄒᆞᄂᆞ다(五色令人目盲)≪圓覺 序 28≫.

ᄒᆞ다[3] 보형 〈옛〉 하다. ¶애와텨 앗겹직ᄒᆞ두다(爲可歎惜矣)≪楞嚴 Ⅲ:16≫.

-ᄒᆞ다 미 〈옛〉 -하다. ¶古聖이 同符ᄒᆞ시니(古聖同符)≪龍歌 1 章≫.

ᄒᆞ다가 부 〈옛〉 하다가. 만일. 만약. 어쩌다가. =ᄒᆞ타가. ¶ᄒᆞ다가 ᄲᆞᆯ리 ᄀᆞᆷ게 ᄒᆞ면(若令急合)≪楞嚴 Ⅳ:118≫.

-ᄒᆞ더든 미 〈옛〉 -하였더면. ¶내 아랫 뉘예 이 經을 바다 디녀 닐그며 외오며 ᄂᆞᆷᄃᆞ려 니르디 아니ᄒᆞ더든 阿耨多羅 三藐 三菩提ᄅᆞᆯ ᄲᆞᆯ리 得디 몯ᄒᆞ리러니라≪釋譜 XIX:34≫.

-ᄒᆞ두다 미 〈옛〉 -하도다. '-ᄒᆞ다'의 활용형. ¶그 人이 美ᄒᆞ고 ᄯᅩ 仁ᄒᆞ두다(其人美且仁)≪詩諺 V:8≫.

ᄒᆞ돗ᄒᆞ다 보형 〈옛〉 같다. 답다. ¶큰 구데 ᄠᅥ러디다호ᄆᆞᆫ 惡道애 ᄠᅥ디다 ᄒᆞ돗ᄒᆞᆫ 마리라≪釋譜 XIII:45≫.

ᄒᆞ란 조 〈옛〉 ①르랑. 랑은. ¶臣下란 忠貞을 勸ᄒᆞ시고 子息으란 孝道ᄅᆞᆯ 勸ᄒᆞ시고 나라ᄒᆞ란 太平을 勸ᄒᆞ시고 지브란 和호ᄆᆞᆯ 勸ᄒᆞ시고≪月釋 VIII:29≫. ②을랑. 을랑은. ¶노ᄑᆞᆫ ᄯᅡᄒᆞ란 노포ᄆᆞᆯ 므더니 너기고(高處任其高)≪金三 Ⅳ:45≫.

ᄒᆞ란ᄃᆡ 타 〈옛〉 할 것 같으면. 할진대. 하건대. 'ᄒᆞ다[1]'의 활용형. ¶엇뎨어뇨 ᄒᆞ란ᄃᆡ 如來三界相ᄋᆞᆯ 實다비 아라보아 生死ㅣ 므르며 나니 업스며≪月釋 XVII≫. *-란ᄃᆡ.

-ᄒᆞ려늘 미 〈옛〉 -할 것이어늘. ¶아비옷 이시면 우리ᄅᆞᆯ 어엿비 너겨 能히 救護ᄒᆞ려늘 이제 날ᄇᆞ리고 다른 나라 ○○○가 주그니≪月釋 XVII≫. *ᄒᆞ다.

ᄒᆞ로[1] 명 〈옛〉 하루. =ᄒᆞᄅᆞ. ¶ᄒᆞ롯날 남진이 그릇 ᄃᆞ외면 ᄇᆞ리고(一旦主翁失勢則捨之)≪正俗 7≫.

ᄒᆞ로[2] 조 〈옛〉 로. ¶그ᄃᆡ 能히 ᄀᆞᄂᆞᆫ 돌ᄒᆞ로 거를 ᄆᆡᆼᄀᆞ노니(子能渠細石)≪杜諺 VII:17≫.

ᄒᆞ르니다 자 〈옛〉 흘러 가다. ¶五道애 ᄒᆞ르닐ᄊᆡ(流浪五道)≪妙蓮 Ⅱ:225≫.

ᄒᆞ리다 자 〈옛〉 원기(元氣)가 다시 돌아오다. 병이 낫다. ¶굴머 브은 사ᄅᆞᆷ을 구완ᄒᆞ야 긔운이 ᄒᆞ리되(飢腫之人 依上法救療後 元氣充壯)≪救荒 3≫.

-ᄒᆞ리러니라 미 〈옛〉 -할 것이더니라. ¶내 아랫 뉘예 이 經을 바다 디녀 닐그며 외오며 ᄂᆞᆷᄃᆞ려 니르디 아니ᄒᆞ더든 阿耨多羅 三藐三菩提ᄅᆞᆯ ᄲᆞᆯ리 得디 몯ᄒᆞ리러니라≪釋譜 XIX:34≫.

ᄒᆞ릴ᄊᆡ 보동 〈옛〉 할 것이매. 'ᄒᆞ다[2]'의 활용형. ¶慈悲ㅅ 힝뎌글 ᄒᆞ야ᅀᅣ ᄒᆞ릴ᄊᆡ≪釋譜 Ⅵ:2≫. *-릴ᄉᆡ.

-ᄒᆞ릴ᄊᆡ 미 〈옛〉 -할 것이매. ¶슌티 아니ᄒᆞ릴ᄉᆡ네 司徒ㅣ 되연ᄂᆞ니(不遜汝作司徒)≪小諺 Ⅰ:10≫.

-ᄒᆞ링이다 미 〈옛〉 -하리이다. '-ᄒᆞ다'의 활용형. ¶잠싼 쉬여가미 해롭디 아니ᄒᆞ링이다ᄒᆞ고 치 몰 견마ᄅᆞᆯ 븟드러 ᄂᆞ리오고≪太平 Ⅰ:47≫. *-링이다.

ᄒᆞ링잇가 타 〈옛〉 하리이까. 'ᄒᆞ다[1]'의 활용형. ¶그 할미 닐오ᄃᆡ 힝혀 실신ᄒᆞ시면 맛당이 엇디ᄒᆞ링잇가≪太平 Ⅰ:13≫. *링잇가.

ᄒᆞᄅᆞ 명 〈옛〉 하루. =ᄒᆞ로. ¶ᄒᆞᄅᆞᆺ바미(一日一夜)≪佛頂 上 3≫.

ᄒᆞᄅᆞ거리고금 명 〈옛〉 하루거리. ¶잠ㅅ간 ᄀᆞᆺ브러 잇다가 도로 니러나미 ᄒᆞᄅᆞ거리고금 ᄀᆞᄐᆞ니(暫伏還起如隔日瘧)≪自警 19≫.

ᄒᆞᄅᆞ-사리 명 〈옛〉 하루살이. ¶ᄒᆞᄅᆞ사리 부(蜉), ᄒᆞᄅᆞ사리 유(蝣)≪字會 上 23≫.

ᄒᆞᄅᆞ옴 명 〈옛〉 하루씩. ¶四王天 목수미 人間앳 쉰히ᄅᆞᆯ ᄒᆞᄅᆞ옴 혜여 五百히니≪月釋 Ⅰ:38≫. *-옴·ᄒᆞᄅᆞ.

ᄒᆞ마 부 〈옛〉 ①이미. 벌써. ¶東寧을 ᄒᆞ마 아ᅀᆞ샤(東寧既取)≪龍歌 42 章≫. ②장차. ¶罪 ᄒᆞ마 일리러니(罪將垂及)≪龍歌 123 章≫.

ᄒᆞ마면 부 〈옛〉 거의. 조금만 하면. 하마터면. ¶三角山 第一峰이 ᄒᆞ마면 뵈리로다≪松江 關東別曲≫.

ᄒᆞ믈며 부 〈옛〉 하물며. ¶ᄒᆞ믈며 못다 핀 고지야 닐러 므슴ᄒᆞ리요≪古時調 兪應孚≫.

ᄒᆞ몰며 부 〈옛〉 하물며. ¶ᄒᆞ몰며 袞職 돕ᄉᆞ보려(況思補袞職)≪龍歌 121 章≫.

ᄒᆞᄫᆞᅀᅡ 부 〈옛〉 홀로. 혼자. =호오아·호온자·호온차. ¶ᄒᆞᄫᆞᅀᅡ 믈리조치샤(挺身陽北)≪龍歌 35章≫.

-ᄒᆞᄫᆞᆫ 미 〈옛〉 스러운. '흡다'의 활용형. ¶恭敬ᄒᆞᄫᆞᆫ ᄆᆞᅀᆞᆷ아니 내리도 잇ᄂᆞ니≪釋譜 XI:6≫.

ᄒᆞ샴 타 〈옛〉 하심. 'ᄒᆞ시다'의 명사형. ¶能히 一切有情을 여러 알에 ᄒᆞ샤미 쑴쑤다가 셰ᄃᆞᆺ ᄒᆞ며≪月釋 IX:13≫.

-ᄒᆞ시ᄂᆞ로 미 〈옛〉 -하시므로. ¶威化振旅ᄒᆞ시ᄂᆞ로 輿望이 다 몯ᄌᆞᄫᆞ나(威化振旅 輿望咸聚)≪龍歌 11章≫.

-ᄒᆞ시릴ᄊᆡ 미 〈옛〉 -하실 것이므로. -하실 것이매. ¶帝胄ㅣ中興ᄒᆞ시릴ᄊᆡ≪龍歌 29章≫.

-ᄒᆞᅀᆞᄫᅡᄂᆞᆯ 미 〈옛〉 -하옵거늘. '-ᄒᆞ다'의 활용형. ¶또 出家ᄅᆞᆯ 請ᄒᆞᅀᆞᄫᅡᄂᆞᆯ 부텨 또 듣디 아니ᄒᆞ신대≪月釋 X:17≫. *-ᅀᆞᄫᅡᄂᆞᆯ.

-ᄒᆞᅀᆞᄫᆞᆺ거늘 미 〈옛〉 -하와 있거늘. '-ᄒᆞ다'의 활용형. ¶天龍 夜叉人非人等 無量大衆이 恭敬ᄒᆞ야 圍繞ᄒᆞᅀᆞᄫᆞᆺ거늘≪釋譜 IX:1≫. *-ᅀᆞᄫᆞᆺ거늘.

-ᄒᆞᅀᆞᆸ고 미 〈옛〉 -하옵고. '-ᄒᆞ다'의 활용형. ¶大愛道ㅣ 머리 조ᅀᆞᄫᅡ 禮數ᄒᆞᅀᆞᆸ고 ᄉᆞᆯᄫᆞ되≪月釋 X:16≫. *-ᅀᆞᆸ고.

ᄒᆞ야 부 〈옛〉 ①하여금. ¶어루신이 나ᄅᆞᆯ ᄒᆞ야 아기ᄅᆞᆯ 뫼ᅀᆞ와(大人令我奉阿郞)≪三綱 烈寧≫. *ᄒᆞ여. ②더불어. ¶太子와 ᄒᆞ야 그 위에 決ᄒᆞ라 가려ᄒᆞ더니≪釋譜 VI:52≫.

ᄒᆞ야곰 부 〈옛〉 하여금. =ᄒᆞ여곰. ¶ᄒᆞ야곰 령(令)≪類合 下 9≫.

ᄒᆞ야ᄂᆞᆯ 타 〈옛〉 하거늘. 'ᄒᆞ다[1]'의 활용형. ¶이제 부텨 나아 겨시니라 ᄒᆞ야ᄂᆞᆯ≪釋譜 VI:12≫. *-야ᄂᆞᆯ.

ᄒᆞ야디다 자 〈옛〉 해어지다. ¶ᄆᆞᄎᆞᆷ내 서거 ᄒᆞ야디다 듣디 몯ᄒᆞ리니(終不聞爛壞)≪楞嚴 IV:80≫.

ᄒᆞ야ᄇᆞ리다 타 〈옛〉 헐어 버리다. =ᄒᆞ여ᄇᆞ리다. ¶싁싁히 아래ᄅᆞᆯ 臨ᄒᆞ샤ᄃᆡ ᄒᆞ야ᄇᆞ리디 아니ᄒᆞ실ᄊᆡ(嚴臨下而不毁傷)≪小諺 IV:25≫.

-ᄒᆞ야시뇨 미 〈옛〉 -하셨느뇨. -하셨는가. ¶如來 壽命 니ᄅᆞ실제 현맛 菩薩와 현맛 衆生이 功德 得ᄒᆞ야시뇨≪月釋 XVII:23≫.

-ᄒᆞ야시ᄂᆞᆯ 미 〈옛〉 -하시거늘. ¶부텨 成道ᄒᆞ야시ᄂᆞᆯ 梵天이 轉法ᄒᆞ쇼셔 請ᄒᆞᅀᆞᄫᅡᄂᆞᆯ≪釋譜 VI:18≫.

ᄒᆞ약 타 〈옛〉 하여서. 'ᄒᆞ다[1]'의 활용형. ¶工夫ᄅᆞᆯ ᄒᆞ약 ᄆᆞᅀᆞᄆᆞᆯ ᄡᅥ 話頭ᄅᆞᆯ 擧티 아니ᄒᆞ야도(做到不用心提話頭)≪蒙法 4≫. *-ㄱ.

-ᄒᆞ얀디 미 〈옛〉 -한 지. =-ᄒᆞ연디. ¶李生을 보디 못ᄒᆞ얀디 오라니(不見李生久)≪杜諺 XXI:42≫.

-ᄒᆞ얘 미 〈옛〉 -하여라. ¶이ᄃᆞᆼ에 彼美一人를 더욱 닛디 몯ᄒᆞ얘≪古時調 李滉≫. *-ᄒᆞ얘라.

-ᄒᆞ얘라 미 〈옛〉 -하여라. ¶江湖애 月白ᄒᆞ거든 더욱 無心ᄒᆞ얘라≪古詩調 李賢輔≫.

ᄒᆞ여 부 〈옛〉 하여금. ¶날로 ᄒᆞ여 ᄇᆡ호라 ᄒᆞᄂᆞ니라(教我學來)≪老乞 上 5≫. *ᄒᆞ야.

ᄒᆞ여곰 부 〈옛〉 하여금. =ᄒᆞ야곰. ¶ᄒᆞ여곰 령(令)≪類合 下 9≫/또 여긔 둘로 ᄒᆞ여곰 마라 도라오게 ᄒᆞ여(却著這裏的兩箇替廻來)≪老乞 上 51≫.

ᄒᆞ여ᄇᆞ리다 타 〈옛〉 헐어 버리다. =ᄒᆞ야ᄇᆞ리다. ¶내 조샹 명셩을 ᄒᆞ여ᄇᆞ리디 말고(自己祖上的名聲休壞了)≪老乞 下 43≫.

-ᄒᆞ연디 미 〈옛〉 -한 지. =-ᄒᆞ얀디. ¶그 겨집이 다른 사ᄅᆞᆷ의게 혼인ᄒᆞ연디 세히예 ᄌᆞ식 세흘 나핫더라≪太平 I:13≫.

ᄒᆞ오로 부 〈옛〉 홀로. ¶徵君이 ᄒᆞ마 나니거늘 ᄒᆞ오로 솔와 菊花ㅅ분 잇도소니(徵君已去獨松菊)≪重杜諺 IX:10≫.

ᄒᆞ오사 부 〈옛〉 홀로. 혼자. =ᄒᆞ오아·호오아. ¶ᄒᆞ오사 니디 아니ᄒᆞ시며(不孤起)≪楞嚴 VII:10≫.

ᄒᆞ오아 부 〈옛〉 혼자. 홀로. =ᄒᆞ오사. ¶ᄇᆞᄅᆞᆷ올 臨ᄒᆞ야 ᄒᆞ오아 머리ᄅᆞᆯ 돌아(臨風獨回首)≪重杜諺 I:29≫.

ᄒᆞ오야 부 〈옛〉 홀로. 혼자. ¶ᄒᆞ오야 안자셔 風霜ᄀᆞᆮᄒᆞᆫ 威嚴을 놀이놋다(獨坐飛風霜)≪重杜諺 I:55≫.

ᄒᆞ오와 부 〈옛〉 홀로. 혼자. ¶서르 조차 ᄒᆞ오와 네 왯도다(相隨獨爾來)≪重杜諺 VII:9≫.

ᄒᆞ오지러라 〈옛〉 홑이더라. ¶卒伍ㅣ 衣와 裳괘 ᄒᆞ오지러라(卒伍單衣裳)≪杜諺 I:53≫. *ᄒᆞ옻.

ᄒᆞ오치로다 〈옛〉 홑이로다. ¶옷고외 ᄒᆞ오치로다(衣裳單)≪杜諺 I:19≫. *ᄒᆞ옻.

ᄒᆞ온사 부 〈옛〉 혼자. 홀로. ¶ᄒᆞ온삿 ᄆᆞᅀᆞ미 煢煢ᄒᆞ야(孤心煢煢)≪內訓 II 下 17≫.

ᄒᆞ올겨집 명 〈옛〉 과부(寡婦). =ᄒᆞ올어미. ¶軍粮 바도매 ᄒᆞ올겨지비 설워 우ᄂᆞ니(誅求寡妻哭)≪初杜諺 XXV:45≫.

ᄒᆞ올로 부 〈옛〉 홀로. ¶ᄒᆞ올로 陰崖예 이셔셔 새지블 지옛도다(獨在陰崖結茅屋)≪杜諺 IX:8≫.

ᄒᆞ올어미 명 〈옛〉 홀어미. =호올겨집. ¶나ᄂᆞᆫ ᄒᆞ올어미라(余寡母)≪內訓 序 7≫.

ᄒᆞ올학 명 〈옛〉 홀로 된 학(鶴). ¶믌ᄀᆞᅀᅵ 玉陛예 뮈니 ᄒᆞ올鶴이 외오 ᄒᆞᆫ 번 소리ᄒᆞᄂᆞ니라(滄洲動玉陛寡鶴誤一響)≪杜諺 XXIV:38≫.

ᄒᆞ올 한아비 명 〈옛〉 홀로 된 할아비. 외로운 할아비. ¶ᄒᆞ올 한아비(獨叟)≪杜諺 II:32≫.

ᄒᆞ옷 명 〈옛〉 홑. =홋. ¶ᄒᆞ옷 議論이(單論)≪楞嚴 III:42≫.

ᄒᆞ옷몸 명 〈옛〉 홑몸. 단신(單身). ¶獨은 늘구되 子息 업서 ᄒᆞ옷모민 사ᄅᆞ미라≪釋譜 VI:13≫.

ᄒᆞ옷옷 명 〈옛〉 홑옷. ¶샤옹이 ᄒᆞ옷오ᄉᆞᆯ 우믈우희 더프면(取夫單衣蓋井上)≪救方 下 92≫.

ᄒᆞ옺 명 〈옛〉 홑. ¶單은 ᄒᆞ오지오 複은 겨비라≪楞嚴 VIII:15≫.

ᄒᆞ옻 명 〈옛〉 홑. ¶옷고외 ᄒᆞ오치로다(衣裳單)≪杜諺 I:19≫.

ᄒᆞ왁 명 〈옛〉 확. =호왁. ¶衆生이 ᄒᆞ왁 소배 이셔≪月釋 XXIII:78≫.

ᄒᆞ욤없다 형 〈옛〉 하염없다. ¶그 道ㅣ 괴외좀좀ᄒᆞ야 ᄒᆞ욤업스샤 堪忍에 教化ᄅᆞᆯ 비실ᄊᆡ≪月釋 XIV:54≫.

ᄒᆞ이다 타 〈옛〉 ①하게 하다. 시키다. ¶도원슈를 ᄒᆞ이시고(拜都元帥)≪九雲夢≫. ②입다. 당(當)하다. ¶그 傷ᄒᆞ인 사ᄅᆞᆷ이(其被傷人)≪無寃錄 III:19≫.

ᄒᆞ저즈르다 자 〈옛〉 작용(作用)하다. 행동(行動)하다. ¶熾然히 ᄒᆞ저즈로ᄃᆡ(熾然作用)≪蒙法 66≫.

ᄒᆞ져라 타 〈옛〉 하고 싶어라. 'ᄒᆞ져ᄒᆞ다'의 활용형. ¶우리 미처가 보ᅀᆞᄫᅡ ᄆᆞᅀᆞᄆᆞᆯ 훤히 너기시게 ᄒᆞ져라ᄒᆞ시고≪月釋 X:6≫.

ᄒᆞ져ᄒᆞ다 타 〈옛〉 하고자 하다. ¶이 劫 일후므란 賢劫이라 ᄒᆞ져≪月釋 I:40≫.

-ᄒᆞ져ᄒᆞ다 미 〈옛〉 -하고자 하다. ¶ᄒᆞᆷᄭᅴ 發行ᄒᆞ져 ᄒᆞᄂᆞ다(伺俱發)≪杜諺 I:8≫.

ᄒᆞ타가 부 〈옛〉 하다가. 만일(萬一). 만약(萬若). =ᄒᆞ다가. ¶ᄒᆞ타가 善男子 善女人이 이 ᄀᆞᆮᄒᆞᆫ 功德 잇고≪月釋 XVII≫.

ᄒᆞᆨ당 명 〈옛〉 학당(學堂). ¶ᄒᆞᆨ당 샹(庠), ᄒᆞᆨ당 셔(序), ᄒᆞᆨ당 교(校), ᄒᆞᆨ당 슉(塾)≪字會 中 34≫.

ᄒᆞᆨ문 명 〈옛〉 학문(學問). ¶ᄒᆞᆨ문을 됴히 너기며(好學)≪小諺 VI:11≫.

ᄒᆞᆫ[1] 관 〈옛〉 하나의. 한. ¶黑龍이 ᄒᆞᆫ 사래 주거(黑龍卽殪)≪龍歌 22章≫/ᄒᆞᆫ 일(一)≪字會 下 33, 類合 上 1≫.

ᄒᆞᆫ[2] 조 〈옛〉 은. 는. ¶ᄒᆞ나ᄒᆞᆫ 바ᄅᆞ래 누ᄫᅳ며≪月釋 I:17≫.

ᄒᆞᆫ가지로 부 〈옛〉 함께. ¶ᄒᆞᆫ 도ᄉᆞ] 흰 사ᄉᆞᆷ을 ᄐᆞ고 빗난 안개 소이로 ᄂᆞ려오거ᄂᆞᆯ 이공이 ᄒᆞᆫ가지로 절ᄒᆞ고 울며 고ᄒᆞ니(有道士乘白鹿馭 彩霞直降于島上 二公並拜而泣告)≪太平 I:54≫. 「I:65≫.

ᄒᆞᆫ갓 부 〈옛〉 한갓. 공연히. ¶ᄒᆞᆫ갓 그 일후미 잇거니(空有其名)≪楞嚴

ᄒᆞᆫ근 명 〈옛〉 한 끝. 한 끈. ¶이 ᄒᆞᆫ근 그른(此一段文)≪金剛 下 109≫.

ᄒᆞᆫᄀᆞᆯ마치 부 〈옛〉 한결같이. =ᄒᆞᆫᄀᆞᆯ마티. ¶ᄒᆞᆫᄀᆞᆯ마치 반ᄃᆞ시 누어 停泊ᄒᆞ야(一向仰臥停泊)≪無寃錄 I:37≫.

ᄒᆞᆫᄀᆞᆯ마티 부 〈옛〉 한결같이. ¶내 몸 許호ᄆᆞᆯ ᄒᆞᆫᄀᆞᆯ마티 ᄌᆞ모 어리여(許身一何愚)≪杜諺 II:32≫.

ᄒᆞᆫᄀᆞᆯᄀᆞᆮ다 형 〈옛〉 한결같다. ¶慈母ᄅᆞᆯ 親히 븟조차 화동홈이 ᄒᆞᆫᄀᆞᆯᄀᆞᆮ거ᄂᆞᆯ(親附慈母 雍雍若一)≪內訓 III:21≫.

ᄒᆞᆫᄀᆞᆯᄀᆞᆮ티 부 〈옛〉 한결같이. =ᄒᆞᆫᄀᆞᆯ마티. ¶ᄒᆞᆫᄀᆞᆯᄀᆞᆮ티 習히 吉ᄒᆞ거ᄂᆞᆯ(一習吉)≪書諺 III:50≫.

ᄒᆞᆫᄀᆞᆯᄌᆞᆺ티 부 〈옛〉 한결같이. =ᄒᆞᆫᄀᆞᆯ마치·ᄒᆞᆫᄀᆞᆯᄀᆞᆮ티. ¶뎌 殿에 ᄒᆞᆫᄀᆞᆯᄌᆞᆺ티 金龍이 얼거딘 木香기동이오(那殿一剗是纏金龍木香停柱)≪朴解 上 60≫.

ᄒᆞᆫᄀᆞᆯᄋᆞ티 부 〈옛〉 한결같이. ¶머리 돌아 ᄇᆞᄅᆞ오니 ᄒᆞᆫᄀᆞᆯᄋᆞ티 茫茫ᄒᆞ도다(回首一茫茫)≪杜諺 VII:10≫.

ᄒᆞᆫᄀᆞᆯ온ᄒᆞ다 형 〈옛〉 한결같다. ¶話頭ㅣ ᄒᆞᆫᄀᆞᆯ온ᄒᆞ면(話頭純一)≪蒙法 69, 法語 16≫.

ᄒᆞᆫ나 명 〈옛〉 하나. =ᄒᆞ나. ¶ᄒᆞᆫ나ᄒᆞᆫ ᄆᆞᄅᆞᆫ 덕과 업과로 서르 권호미오(一日德業相勸)≪呂約 1≫.

ᄒᆞᆫ낟곰 명 〈옛〉 한 낱씩. 한 개씩. ¶銀돈 ᄒᆞᆫ낟곰 받ᄌᆞᄫᆞ니라≪月釋 I:9≫. *-곰[2].

ᄒᆞᆫ낫 명 〈옛〉 한낱. 한 개. ¶ᄒᆞᆫ낫 ᄆᆞᆯᄀᆞᆫ 어르ᄆᆞᆯ(一段清冰)≪初杜諺 VIII:22≫.

ᄒᆞᆫ다마다 구 〈옛〉 하자마자. ¶찻납ᄋᆞᆯ 採取ᄒᆞᆫ다마다 주메 ᄆᆞᄃᆞ기 ᄒᆞ놋다(採栢動盈掬)≪初杜諺 VIII:66≫.

-ᄒᆞᆫ뎌이고 미 〈옛〉 -하구나. ¶江天의 혼쟈 셔셔 디ᄂᆞᆫ ᄒᆡᄅᆞᆯ 구버보니 님다히 消息이 더욱 아득ᄒᆞᆫ뎌이고≪松江 續美人曲≫.

ᄒᆞᆫ돗ᄭᅴᆺ일 명 〈옛〉 한자리의 일. ¶오직 當ᄒᆞᆫ날 ᄒᆞᆫ돗ᄭᅴᆺ이ᄅᆞᆯ 取ᄒᆞ샤미오(但取當日一席之事)≪圓覺 上 二之三 27≫.

ᄒᆞᆫ디위 명 〈옛〉 한 번. 한참. ¶블ᄯᅵ더 ᄒᆞᆫ디위만 ᄒᆞ면 닉ᄂᆞ니라(燒動火一霎兒熟了)≪老乞 上 20≫.

-ᄒᆞᆫ든 미 〈옛〉 -하건대. -컨대. ¶네 家門을 請ᄒᆞᆫ든 曾祖브터 닐오리니(汝門請從曾祖公說)≪杜諺 VIII:17≫.

ᄒᆞᆫᄃᆡ 부 〈옛〉 함께. 한데. ¶ᄒᆞᆫᄃᆡ 녀디 몯ᄒᆞ도다(未以偕行)≪永嘉 下 105≫.

ᄒᆞᆫᄢᅴ 부 〈옛〉 함께. 같은 때. =ᄒᆞᆫᄢᅧ. ¶모딘 즁ᄉᆡᆼ이 ᄒᆞᆫᄢᅧ 慈心을 가지며≪月釋 II:33≫.

ᄒᆞᆫᄢᅴ 부 〈옛〉 함께. =ᄒᆞᆫᄢᅧ. ¶ᄒᆞᆫᄢᅴ 成佛ᄒᆞ신 釋迦ㅣ 시니라≪月釋 II:55≫.

ᄒᆞᆫᄢᅴ롬 구 〈옛〉 함께임. 동시임. ¶實로 ᄆᆞ리며 비취욤 ᄒᆞᆫᄢᅴ로미 本來ㅅ 道ㅣ 론 젼ᄎᆞ라(良由遮照同時本之道也)≪永嘉 上 9≫.

ᄒᆞᆫ보로 부 〈옛〉 함부로. ¶張三李四ᄂᆞᆫ 張姓엣 세찻 사ᄅᆞ미며 李姓엣 네찻 사ᄅᆞ미라ᄒᆞᆫ 마리니 張개여 李개여 ᄒᆞᆫ보로 다 닐온 마리라 ≪金三 II:33≫.

ᄒᆞᆫ볼 명 〈옛〉 한 켜. ¶또 이 ᄒᆞᆫ볼 迷惑ᄒᆞᆫ ᄆᆞᅀᆞ미라(又是一重迷心)≪金剛 下 138≫.

ᄒᆞᆫᄢᅴ ㊀ 명 〈옛〉 한 끼니. ¶우리를 ᄒᆞᆫᄢᅴ 밥ᄡᆞᆯ과(糶與我一頓飯的米)≪老乞 上 47≫. ㊁ 부 〈옛〉 함께. ¶浚儀ㅅ陸雲과 ᄒᆞᆫᄢᅴ로다(同時陸浚儀)≪杜諺 XI:27≫.

ᄒᆞᆫ야ᇰᄋᆞ로 부 〈옛〉 한 모양으로. ¶ᄀᆞ저료ᄆᆞᆯ ᄒᆞᆫ야ᇰᄋᆞ로 ᄇᆞ려두어(一任攪淘)≪楞嚴 IV:90≫.

ᄒᆞᆫ양ᄀᆞᆮ다 형 〈옛〉 하나같다. 여일(如一)하다. ¶이에 內外化ᄅᆞᆯ 조차 옷 니부미 ᄒᆞᆫ양 ᄀᆞᆮᄒᆞ니(於是 內外從化 被服如一)≪內訓 II 上 56≫.

ᄒᆞᆫ자 부 〈옛〉 혼자. ¶ᄒᆞᆫ자 ᄆᆞ러 안자(獨危坐)≪飜小 X:6≫/술진 민아리를 ᄒᆞᆫ자 어이 머으리≪古時詩 鄭澈≫.

ᄒᆞᆫ적 부 〈옛〉 한때. 한번. ¶날로 ᄒᆞᆫ적식 음식 먹으니라(日一食)≪東國新

續三綱 孝子圖 Ⅱ:71 由性廬墓≫.
혼적곰 부 〈옛〉 한때씩. 한 번씩. ¶이 世界 여러번 고텨 ᄃᆞ외야ᅀᅡ 혼적곰 고텨ᄃᆞ욀씨≪月釋 Ⅰ:38≫. *-곰².
혼적곳 부 〈옛〉 한때만. ¶혼적곳 ᄢᅵ시른 휘면 고텨 삣기 어려우리 ≪古時調 鄭澈≫. *곳.
혼적 부 〈옛〉 한때. 한 번. ¶잠싼 긴 녈비예.道上無源水을 반만싼 딕혀 두고 쇼 혼젹 듀마ᄒᆞ고 엄섬이 ᄒᆞᄂᆞᆫ 말삼≪蘆溪 陋巷詞≫.
혼즘게 명 〈옛〉 한참·한 번 쉬는 거리(距離). ¶고올 몯미쳐 혼즘게ᄂᆞᆫ ᄒᆞ여셔(將至縣三十里)≪二倫 41 韓李更僕≫.
혼폴업다 형 〈옛〉 한팔 없다. 외롭다. ¶혼폴업슨 혈子≪字會 下 33≫.
홀¹ 명 〈옛〉 ↗ᄒᆞᄅᆞ. ¶홀ᄅᆞᆫ 아ᄎᆞ미 서늘ᄒᆞ고≪月釋 Ⅱ:51≫.
홀² 조 〈옛〉 을. 를. ¶나라홀 맛ᄃᆞ시릴씨(將受大東)≪龍歌 6章≫.
홀긋홀긋보다 자 〈옛〉 할깃거리다. ¶홀긋홀긋보다(賊眉鼠眼)≪漢淸 Ⅵ:4≫.
홀ᄂᆞᆫ 〈옛〉 하루는. '홀¹'의 절대격형(絶對格形). ¶홀ᄂᆞᆫ 쑴을 ᄭᅮ니(一日假寐)≪五倫 Ⅰ:61≫.
홀다 타 〈옛〉 할 것인가. 할 것이로구나. 할 것이다. ¶比屋可封이 이제도 잇다 홀다≪松江 關東別曲≫.
홀리 〈옛〉 하루이. 'ᄒᆞᄅᆞ'의 서술격형(敍述格形). ¶홀리어나(若一日)≪阿彌 17≫/萬古 홀리니≪古時調≫.
홀ᄅᆞᆫ 〈옛〉 하루는. 'ᄒᆞᄅᆞ'의 절대격형(絶對格形). ¶홀ᄅᆞᆫ 布와 깁 ᄑᆞᆯ리 ᄃᆞ니가거늘(有一日賣布絹的過去)≪朴解 中 27≫.
홀시 명 〈옛〉 하는 모양. 행동(行動). ¶그 홀시ᄅᆞᆯ ᄆᆞ장 未審히 너기ᄋᆞᆸ너≪新語 Ⅳ:3≫.
ᄒᆞᆰ 명 〈옛〉 흙. ¶ᄒᆞᆰ爲土≪訓例≫/여린 ᄒᆞᆯᄀᆞᆯ 하ᄂᆞᆯ히 구티시니(泥淖之地天爲之凝)≪龍歌 37章≫/ᄒᆞᆰ 니(泥), ᄒᆞᆰ 토(土)≪字會 上 4≫.
ᄒᆞᆰ무디 명 〈옛〉 흙무더기. ¶ᄒᆞᆰ무디 돈(墩)≪字會 中 9≫.
ᄒᆞᆰ무적 명 〈옛〉 흙덩어리. 흙뭉치. ¶ᄒᆞᆰ무적 괴(塊), ᄒᆞᆰ무적 벽(塥)≪字會 下 18≫.
ᄒᆞᆰ벽 명 〈옛〉 흙벽. 굽지 아니한 흙벽돌. ¶ᄒᆞᆰ벽 격(墼)≪字會 中 18≫.
ᄒᆞᆰ븨다 자 〈옛〉 비뚜로 뵈다. 가로 뵈다. ¶눈 젹이 ᄒᆞᆰ븨다(眼微斜)≪漢淸 Ⅵ:3≫.
ᄒᆞᆰ븨여기 명 〈옛〉 사팔뜨기. 사안(斜眼). ¶눈 ᄒᆞᆰ븨여기(斜眼)≪漢淸 Ⅵ:3≫.
ᄒᆞᆰ비 명 〈옛〉 흙비. ¶ᄒᆞᆰ비 미(霾)≪字會 下 1≫.
ᄒᆞᆰ빗다 자 〈옛〉 흙빚다. 흙을 빚어 사람 모양 같은 것을 만들다. ¶ᄒᆞᆰ비ᄌᆞᆯ 소(塑)≪字會 下 20≫.
ᄒᆞᆰ섬 명 〈옛〉 토계(土階). ¶堯와 虞舜괘 새로 니시고 ᄒᆞᆰ섬ᄒᆞ시며(唐堯虞舜茅茨土階)≪內訓 Ⅱ下 57≫.
ᄒᆞᆰ셩녕 명 〈옛〉 오지그릇 만드는 일. ¶ᄒᆞᆰ셩녕도(陶)≪類合 下 7≫.
ᄒᆞᆰ셩 명 〈옛〉 성(城) 이름. ¶至慈川泥城 ᄒᆞᆰ셩≪龍歌 Ⅰ:44≫.
ᄒᆞᆰ손 명 〈옛〉 흙손. ¶ᄒᆞᆰ손 오(杇)≪字會 中 16≫.
ᄒᆞᆷᄭᅴ 부 〈옛〉 함께. ¶乾坤이 날더려 니르기ᄅᆞᆯ ᄒᆞᆷᄭᅴ 늙쟈 ᄒᆞ더라 ≪古時調. 갓 버셔松枝에≫.
ᄒᆞᆷᄢᅴ 부 〈옛〉 함께. =ᄒᆞᆫᄢᅴ. ¶너희 무른 모미 일홈과 다ᄆᆞᆺ ᄒᆞᆷᄢᅴ 업스려니와(爾曹身與名具滅)≪重杜諺 ⅩⅥ:11≫.
ᄒᆞᆷᄢᅴ 부 〈옛〉 함께. =ᄒᆞᆫᄢᅴ. ¶너희 세히 ᄒᆞᆷᄢᅴ 다 내고(你三個一發都出了著)≪老乞 上 21≫/아모때나예수ᄒᆞᆷᄭᅴ겁업네≪찬양가:54≫.
-ᄒᆞᆸ다 미 〈옛〉 -스럽다. -스럽구나. =-ᄒᆞᆸ다. ¶恭敬ᄒᆞᆸ 모ᅀᆞᆷ 아니 내리도 잇ᄂᆞ니≪釋譜 Ⅺ:6≫.
ᄒᆞᆼ샹 부 〈옛〉 항상. ¶괴갈난사ᄅᆞᆷ ᄀᆞᆺ치 ᄒᆞᆼ샹드ᄅᆞ라네≪찬양가:23≫.
ᄒᆡ¹ 명 〈옛〉 해¹❶. ¶ᄒᆡᆫ 므지게 ᄒᆡ예 ᄢᅦ니이다(維時白虹橫貫于日)≪龍歌 50章≫/쥬ᄂᆞᆫᄒᆡ돗ᄃᆞ림ᄒᆞ샤 어둔거슬빗최쇼셔≪찬양가:5≫.
ᄒᆡ² 명 〈옛〉 해¹❷. ¶ᄒᆡ 디나며 ᄃᆞᆯ 파(經年累月)≪佛頂 中 7≫.
ᄒᆡ³ 조 〈옛〉 ①에. ¶우리 ᄆᆞᄋᆞᆯᄒᆡ 온지비 남더니(我里百餘家)≪杜諺 Ⅳ:11≫. ②의. ¶쥬의 坊이어나 쇼히 지비어나≪釋譜 ⅪⅩ:43≫.
ᄒᆡ귀엿골 명 〈옛〉 햇귀에 있는 고리. 햇무리. ¶ᄒᆡ귀엿골(日珥)≪同文 上 1≫.
ᄒᆡ그에 조 〈옛〉 에게. ¶부텻 우콰 大衆ᄃᆞᆯᄒᆡ그에 비호며≪釋譜 ⅩⅢ:12≫.
ᄒᆡᄀᆞᆯ외욤 명 〈옛〉 헷갈림. 혼란(混亂). ¶盜賊의 ᄒᆡᄀᆞᆯ외요미 甚히 갓가오니(盜賊縱橫甚密通)≪杜諺 Ⅶ:29≫.
ᄒᆡ다¹ 타 〈옛〉 시키다. ¶國語로 飜譯ᄒᆡ시고(譯以國諺)≪金剛 下跋 2≫.
ᄒᆡ다² 형 〈옛〉 희다. ¶ᄒᆡᆫ 므지게 ᄒᆡ예 ᄢᅦ니이다(維時白虹橫貫于日)≪龍歌 50章≫/ᄒᆡᆫ 빅(白), ᄒᆡᆯ 소(素)≪字會 中 29≫.
ᄒᆡ도디 명 〈옛〉 해돋이. ¶四月八日 ᄒᆡ도디예≪月釋 Ⅱ:35≫.
ᄒᆡᄃᆞᆯ 명 〈옛〉 해와 달. ¶그제ᅀᅡ ᄒᆡᄃᆞ리 처ᅀᅥᆷ 나니라≪月釋 Ⅰ:42≫.
ᄒᆡᄇᆞᄅᆞ기 명 〈옛〉 해바라기. ¶ᄒᆡᄇᆞᄅᆞ기(向日蓮)≪物譜 上篇 天生萬物 草木部 花卉 二之二≫.
ᄒᆡㅅ귀엣골 명 〈옛〉 햇귀에 있는 고리. 햇무리. ¶ᄒᆡㅅ귀엣골(日環)≪譯語 上 1≫.
ᄒᆡㅅ모로 명 〈옛〉 햇무리. ¶ᄒᆡㅅ모로(日暈)≪譯語 上 1, 同文 上 1≫.
ᄒᆡ샤 타 〈옛〉 시키시어. 'ᄒᆡ다¹'의 활용형. ¶羅睺羅ᄅᆞᆯ 出家ᄒᆡ샤 나라 니ᅀᅳ리ᄅᆞᆯ 긋게 ᄒᆞ시ᄂᆞ니≪釋譜 Ⅵ:7≫.
ᄒᆡ시ᄂᆞ다 타 〈옛〉 시키신다. 'ᄒᆡ다¹'의 활용형. ¶智慧神通力으로 에구든 모딘 衆生ᄋᆞᆯ 降服ᄒᆡ시ᄂᆞ다≪釋譜 Ⅺ:4≫.
ᄒᆡ아로비 명 〈옛〉 해오라기. ¶ᄒᆡ아로비 로(鷺)≪類合 上 11≫.
ᄒᆡ야곰 부 〈옛〉 하여금. ¶ᄒᆡ야곰 百揆애 宅ᄒᆞ야(使宅百揆)≪書諺 Ⅰ:16≫.
ᄒᆡ야디다 자 〈옛〉 해어지다. 닳아서 떨어지다. =ᄒᆡ여디다. ¶玉ᄀᆞᄐᆞᆫ 이ᄉᆞ레 신나못 수프리 ᄠᅳ드러 ᄒᆡ야디니(玉露凋傷楓樹林)≪杜諺 Ⅹ:33≫/ᄒᆡ야딜 패(敗)≪字會 下 22≫.
ᄒᆡ야ᄇᆞ리다 타 〈옛〉 해뜨리다. 헐어 버리다. =ᄒᆡ여ᄇᆞ리다. ¶쉬문을 다가 다 다딜어 ᄒᆡ야ᄇᆞ리고(把水門都衝壞了)≪朴解 上 9≫.
ᄒᆡ여 부 〈옛〉 하여금. ¶제 쓰거나 ᄂᆞᆷ ᄒᆡ여 쓰거나≪月釋 Ⅸ:39≫.
ᄒᆡ여곰 부 〈옛〉 하여금. ¶사ᄅᆞᆷᄋᆞ로 ᄒᆡ여곰(令人)≪杜諺 Ⅰ:37≫.
ᄒᆡ여디다 자 〈옛〉 해어지다. 닳아서 떨어지다. =ᄒᆡ야디다. ¶ᄂᆞᆺ 가족이 다 ᄒᆡ여딜 거시니 맛당티 아니ᄒᆞ니(凍面皮都打破了不中)≪朴解 中 30≫.
ᄒᆡ여ᄇᆞ리다 타 〈옛〉 헐어 버리다. =ᄒᆡ야ᄇᆞ리다. ¶ᄂᆞᄆᆡ것 ᄒᆡ여ᄇᆞ리디 말라(休壞了他的)≪老乞 上 17≫.
ᄒᆡ오다 타 〈옛〉 합하다. 계산하다. ¶통ᄒᆞ여 ᄒᆡ오니 언머고(通該多少), ᄒᆡ오니 셜흔낫 돈이오(該三十個錢)≪老乞 上 20≫.
ᄒᆡ오라비 명 〈옛〉 해오라기. ¶냇ᄀᆞ에 ᄒᆡ오라비 므스 일 셔 잇ᄂᆞᆫ다≪永言≫.
ᄒᆡ오리 명 〈옛〉 해오라기. ¶가마귀 漆ᄒᆞ야 검으며 ᄒᆡ오리 늙어 희랴≪古時調≫.
ᄒᆡ욤 형 〈옛〉 흼. 'ᄒᆡ다²'의 명사형. ¶ᄂᆞᆺ비치 ᄒᆡ요미 누니라와 더으더니(顏色白勝雪)≪杜諺 Ⅰ:5≫.
ᄒᆡ운 명 〈옛〉 해운¹. 연운(年運). ¶가ᄉᆡ 사ᄅᆞ미 가난ᄒᆞᆫ ᄒᆡ우ᄂᆞᆯ 만나 부모ᄅᆞᆯ 위ᄒᆞ야 모믈 다 버혀 ᄇᆞ사내며(假使有人遭飢饉劫 爲於爺孃盡己身臠割碎壞)≪恩重諺 18≫.
ᄒᆡ이다 타 〈옛〉 하게 하다. 시키다. ¶李廣의 諸侯ᄒᆡ이디 몯호ᄆᆞᆯ 어느 알리오(焉知李廣未封侯)≪初杜諺 ⅩⅪ:16≫.
ᄒᆡ여 부 〈옛〉 하여금. 시키어. ¶使ᄂᆞᆫ ᄒᆡ여 ᄒᆞᄂᆞᆫ 마리라, 사ᄅᆞᆷ마다 ᄒᆡᅇᅧ 수ᄫᅵ 니겨(欲使人人易習)≪訓諺≫.
ᄒᆡᄌᆞ 명 〈옛〉 해자(垓字). ¶ᄒᆡᄌᆞ ᄑᆡ다(空壕)≪譯語 上 8≫/ᄒᆡᄌᆞ 호(壕), ᄒᆡᄌᆞ 황(隍)≪字會 中 8≫.
ᄒᆡᆫ¹ 형 〈옛〉 흰. 'ᄒᆡ다²'의 활용형. ¶ᄒᆡᆫ 쇠져즐 取ᄒᆞ야(取白牛乳)≪楞嚴 Ⅶ:5≫.
ᄒᆡᆫ² 조 〈옛〉 엔. 에는. =핸. ¶네차ᄒᆡᆫ 釋迦牟尼佛이시니≪月釋 Ⅰ:51≫.
ᄒᆡᆫᄡᆞᆯ 명 〈옛〉 흰쌀. ¶白米曰漢菩薩≪鷄類≫. *ᄡᆞᆯ.
ᄒᆡᆫ새 명 〈옛〉 흰 새. 해오라기. 황새. =한새. ¶鷺曰漢賽≪鷄類≫.
ᄒᆡᆫ쇠 명 〈옛〉 흰 쇠. 은(銀). ¶銀曰漢歲≪鷄類≫.
ᄒᆡᆫᄒᆞᆰ 명 〈옛〉 흰 흙. 백토(白土). ¶ᄒᆡᆫᄒᆞᆰ 악(堊)≪字會 中 29≫.
ᄒᆡᆺ귀 명 〈옛〉 햇살. 햇귀. 햇그림자. ¶ᄒᆡᆺ귀 돈(暾), ᄒᆡᆺ귀 욱(旭)≪字會 下 1≫.
ᄒᆡᆺ모로 명 〈옛〉 햇무리. ¶ᄒᆡᆺ모로(日暈)≪字會 下 1 暈字註, 譯語 上 1≫.
ᄒᆡᆼᄌᆞ치마 명 〈옛〉 행주치마. =ᄒᆡᆼᄌᆞ쵸마. ¶ᄒᆡᆼᄌᆞ치마(扇裙子)≪譯語 上 47≫.
ᄒᆡᆼ뎍 명 〈옛〉 행적(行蹟). 행실. ¶모딘 ᄒᆡᆼ뎌글 ᄇᆞ리고 됴ᄒᆞᆫ 法을 닷가≪月釋 Ⅸ:32≫.
ᄒᆡᆼᄌᆞ 명 〈옛〉 행주. ¶ᄒᆡᆼᄌᆞ(抹布)≪字會 下 20 抹字註≫.
ᄒᆡᆼᄌᆞ쵸마 명 〈옛〉 행주치마. =ᄒᆡᆼᄌᆞ치마. ¶ᄒᆡᆼᄌᆞ쵸마 호(扇)≪字會 中 13≫.
ᄒᆡᆼ혀 부 〈옛〉 행여. 다행히. ¶내 子息을 두어 ᄒᆡᆼ혀 免호ᄆᆞᆯ 得ᄒᆞᆫᄃᆞᆯ ᄒᆞ오ᅀᅡ 義에 엇더ᄒᆞ뇨(存妾子幸而得免獨謂義)≪內訓 Ⅲ:53≫.
ᅘ (쌍히읗) 〈옛〉 옛 자모의 하나. 혀뿌리로 목젖의 앞쪽을 거의 마주 대내면서 쉬는 숨으로 그 자리를 세게 갈아 내는 소리. 곧, 'ㄱ' 소리 나는 자리를 약간 터 놓고 세게 마찰함. ¶ᅘᅧ爲引, ᅙ居ᅙᅮ終而爲ᅘᅧ≪訓例≫.
ᅘᅧ다¹ 타 〈옛〉 ①끌다. 당기다. ¶塵을 드려 ᅘᅧ믈≪楞嚴 Ⅲ:1≫. ②실을 뽑다. ¶經綸은 실 ᅘᅧᇙ씨니≪月釋 ⅩⅦ:18≫.
ᅘᅧ다² 타 〈옛〉 켜다¹❸. ¶토ᄇᆞ로 ᅘᅧ 주기니(鋸殺之)≪三綱 張輿≫.

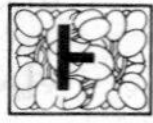

ㅏ [아] ①한글 자모(字母)의 열다섯째 글자. ②『언』 모음의 하나. 혀를 가장 낮추고 상하(上下) 턱의 각도(角度)를 아주 크게 벌리어 구강(口腔) 전부(前部)의 공간을 모음 중에 가장 넓게 하여 발음할 때 나는 단모음(單母音).

-ㅏㅎ다 回ⓗ불 끝 음절이 혀 낮은 모음으로 된 형용사의 어근(語根)에 붙어서 정도가 심함을 나타내는 말. ¶가ㅁ~/노ㄹ~/커다ㄹ~. *-ㅎ다.

ㅐ [애] ①한글 자모 'ㅏ'와 'ㅣ'의 합한 글자. ②『언』 모음의 하나. 혀를 'ㅏ' 소리 내는 위치보다 약간 높은 자리에서 조금 내어 밀고 입을 반만 벌리어 내는 단모음(單母音).

ㅑ [야] ①한글 자모의 열여섯째 글자. ②『언』 모음의 하나. 'ㅣ'와 'ㅏ'의 복모음(複母音). 혀를 'ㅣ' 소리를 낼 것같이 하여 가지고 잇따라 'ㅏ'로 옮기면서 내는 소리.

ㅒ [얘] ①한글 자모의 'ㅑ'와 'ㅣ'의 합한 글자. ②『언』 모음(母音)의 하나. 'ㅑ'와 'ㅣ'의 복모음(複母音). 혀를 'ㅣ' 소리를 낼 것같이 하여 가지고 잇따라 'ㅐ'로 옮기면서 내는 소리.

ㅓ [어] ①한글 자모의 열일곱째 글자. ②『언』 모음의 하나. 혀를 조금 올리고 입술을 보통으로 하고 입을 약간 크게 벌려 입 안의 안쪽을 넓게 하면서 내는 단모음(單母音).

-ㅓㅎ다 回ⓗ불 끝 음절(音節)이 혀 높은 모음으로 된 형용사의 어근(語根)에 붙어서 정도가 심함을 나타내는 말. ¶거ㅁ~/멀ㄱ~/누ㄹ~/퍼ㄹ~. *-ㅎ다.

ㅔ [에] ①한글 자모 'ㅓ'와 'ㅣ'의 합한 글자. ②『언』 모음의 하나. 혀를 'ㅓ' 소리 내는 위치보다 조금 높은 자리에서 앞으로 조금 내어 밀고 보통으로 입을 열어 입귀가 붙지 않을 정도로 하여 내는 단모음(單母音).

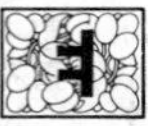

ㅕ [여] ①한글 자모의 열여덟째 글자. ②『언』 모음의 하나. 'ㅣ'와 'ㅓ'의 복모음(複母音). 혀를 'ㅣ' 소리를 낼 것같이 하여 가지고 잇따라 'ㅓ'로 옮기면서 내는 소리.

ㅖ [예] ①한글 자모 'ㅕ'와 'ㅣ'의 합한 글자. ②『언』 모음의 하나. 'ㅣ'와 'ㅔ'의 복모음(複母音). 혀를 'ㅣ' 소리를 낼 것같이 하여 가지고 잇따라 'ㅔ'로 옮기면서 내는 소리.

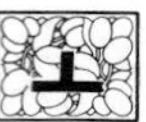

ㅗ [오] ①한글 자모의 열아홉째 글자. ②『언』 모음의 하나. 혀를 보통 위치에서 조금 뒤로 다가들이고 두 입술을 둥글게 하여서 내는 단모음(單母音). 음성학상 합구음(合口音)이라고 함.

ㅘ [와] ①한글 자모 'ㅗ'와 'ㅏ'의 합한 글자. ②『언』 모음의 하나. 'ㅗ'와 'ㅏ'의 복모음(複母音). 입술을 'ㅗ' 소리를 낼 것같이 하여 가지고 잇따라 'ㅏ'로 옮기면서 내는 소리.

ㅙ [왜] ①한글 자모 'ㅗ'와 'ㅏ'와 'ㅣ'의 합한 글자. ②『언』 모음의 하나. 'ㅗ'와 'ㅐ'의 복모음(複母音). 입술을 'ㅗ' 소리를 낼 것같이 하여 가지고 잇따라 'ㅐ'로 옮기면서 내는 소리.

ㅚ [외] ①한글 자모 'ㅗ'와 'ㅣ'의 합한 글자. ②『언』 모음의 하나. 혀를 보통 위치에서 앞으로 조금 밀어 내면서 두 입술을 좁혀 둥글리는 듯이 하면서 내는 단모음(單母音).

ㅛ [요] ①한글 자모의 스무째 글자. ②〖언〗 모음의 하나. 'ㅣ'와 'ㅗ'의 복모음(複母音). 혀를 'ㅣ' 소리를 낼 것같이 하여 가지고 잇따라 'ㅗ'로 옮기면서 내는 소리.

ㆇ [요] ①한글 자모 'ㅛ'와 'ㅏ'의 합한 글자. ②〖언〗 모음의 하나. 'ㅛ'와 'ㅏ'의 복모음. 혀는 'ㅣ' 소리, 입술은 'ㅗ' 소리를 낼 것같이 하여 가지고 잇따라 'ㅏ'로 옮기면서 내는 소리.

ㆈ [ᅊ] ①한글 자모 'ㅛ'와 'ㅏ'와 'ㅣ'의 합한 글자. ②〖언〗 모음의 하나. 'ㅛ'와 'ㅐ'의 복모음. 혀는 'ㅣ' 소리, 입술은 'ㅗ' 소리를 낼 것같이 하여 가지고 잇따라 'ㅐ'로 옮기면서 내는 소리.

ㆉ [ᅌ] ①한글 자모 'ㅛ'와 'ㅣ'의 합한 글자. ②〖언〗 모음의 하나. 'ㅛ'와 'ㅣ'의 복모음(複母音). 혀를 'ㅣ' 소리를 낼 것같이 하여 가지고 잇따라 'ㅚ'로 옮기면서 내는 소리.

ㅜ [우] ①한글 자모의 스물한째 글자. ②〖언〗 모음의 하나. 혀를 안으로 다가들이면서 혀뿌리를 가장 높이어 연구개(軟口蓋)에 가깝게 하고 두 입술을 둥글게 하여 내는 단모음(單母音). 음성학상(音聲學上) 합구음(合口音)이라고 하는데, 입술의 오므리는 정도와 앞으로 내미는 정도가 가장 크며 입안의 그 중 구석에서 나는 후부음(後部音)임.

ㅝ [워] ①한글 자모 'ㅜ'와 'ㅓ'의 합한 글자. ②〖언〗 모음의 하나. 'ㅜ'와 'ㅓ'의 복모음(複母音). 입술을 'ㅜ' 소리를 낼 것같이 하여 가지고 잇따라 'ㅓ'로 옮기면서 내는 소리.

ㅞ [웨] ①한글 자모 'ㅜ'와 'ㅓ'와 'ㅣ'의 합한 글자. ②〖언〗 모음의 하나. 'ㅜ'와 'ㅔ'의 복모음. 입술을 'ㅜ' 소리를 낼 것같이 하여 가지고 잇따라 'ㅔ'로 옮기면서 내는 소리.

ㅟ [위] ①한글 자모 'ㅜ'와 'ㅣ'의 합한 글자. ②〖언〗 모음의 하나. 입술을 'ㅜ' 소리를 낼 것같이 하여 가지고 잇따라 'ㅣ'로 옮기면서 내는 복모음(귀·위·갈퀴 같은 경우). 또는 혀를 'ㅣ' 소리를 내는 위치에서 약간 낮은 자리에 두고 입술을 좁히어 내는 단모음(單母音) (뉘·뒤·쥐 같은 경우).

ㅠ [유] ①한글 자모의 스물두째 글자. ②〖언〗 모음의 하나. 'ㅣ'와 'ㅜ'의 복모음(複母音). 혀를 'ㅣ' 소리를 낼 것같이 하여 가지고 잇따라 'ㅜ'로 옮기면서 내는 소리.

ㆊ [ᅯ] ①한글 자모 'ㅠ'와 'ㅓ'의 합한 글자. ②〖언〗 모음의 하나 'ㅠ'와 'ㅓ'의 복모음. 혀는 'ㅣ' 소리, 입술은 'ㅜ' 소리를 낼 것같이 하여 가지고 잇따라 'ㅓ'로 옮기면서 내는 소리.

ㆋ [ᅰ] ①한글 자모 'ㅠ'와 'ㅓ'와 'ㅣ'의 합한 글자. ②〖언〗 모음의 하나. 'ㅠ'와 'ㅔ'의 복모음. 혀는 'ㅣ' 소리, 입술은 'ㅜ' 소리를 낼 것같이 하여 가지고 잇따라 'ㅔ'로 옮기면서 내는 소리.

ㆌ [ᅱ] ①한글 자모 'ㅠ'와 'ㅣ'의 합한 글자. ②〖언〗 모음의 하나. 'ㅠ'와 'ㅣ'의 복모음(複母音). 혀를 'ㅣ' 소리를 낼 것같이 하여 가지고 잇따라 'ㅟ'로 옮기면서 내는 소리.

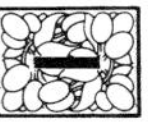

ㅡ [으] ①한글 자모의 스물셋째 글자. ②〖언〗 모음의 하나. 혀를 예사로 자연스럽게 편 채 가장 높이는 동시에 약간 뒤로 다가들이는 듯하면서 입술은 편편한 대로 얇게 열어 내는 단모음(單母音). 음성학상(音聲學上) 입술을 둥글리지 않는 개구음(開口音)임. ③〈옛〉 'ㅓ·ㅡ·ㅜ' 등에 따르는 종속적(從屬的)인 음절에 발음의 조절 작용으로 쓰이는 소리. ¶더는/구를/드르려/부는. ＊ㆍ.

ㅢ [의] ①한글 자모 'ㅡ'와 'ㅣ'의 합한 글자. ②〖언〗 모음의 하나. 'ㅡ'와 'ㅣ'의 복모음(複母音). 혀를 'ㅡ' 소리를 낼 것같이 하여 가지고 잇따라 'ㅣ'로 옮기면서 내는 소리.

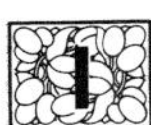

ㅣ[1] [이] ①한글 자모의 스물넷째 글자. ②〖언〗 모음의 하나. 혀의 앞 바닥과 중앙 부분의 양편 가장자리를 아주 높이어 경구개(硬口蓋)에 가장 가까이 접근시키고 입술을 편편한 대로 얇게 열고 입귀를 양편으로 당기는 듯이 하면서 내는 단모음(單母音). ③'ㅣ' 이외의 모든 모음(母

音) 뒤에 붙어 ㅐ·ㅒ·ㅔ·ㅖ·ㅙ·ㅞ·ㅚ·ㆌ·ㅟ·ㆋ·ㅢ·ㆎ 등의 소리를 이루는 글자. 이 경우에는 '딴이'라고 부름.

ㅣ[2] 조 〈옛〉 체언의 끝 음이 'ㅣ' 이외의 모음일 때 쓰이는 말. ①가[10]. ¶創業規模ㅣ 머르시니이다(創業規模是用遠大)≪龍歌 81章≫. ②와[5]. ¶몸 ᄇᆞ료미 微塵數ㅣ ᄀᆞᆮᄒᆞ야(捨身如微塵數) ≪金剛 下 101≫. ③의[8]. ¶公州ㅣ 江南ᄋᆞᆯ(公州江南)≪龍歌 15章≫.

ㅣ다 조 〈옛〉 이다. 모음(母音) 'ㅏ·ㅗ·ㆍ·ㅓ·ㅜ·ㅡ' 등으로 끝난 말에 씀. ¶乎ᄂᆞᆫ 아모그에 ᄒᆞᄂᆞᆫ 겨체 쓰는 字ㅣ라≪訓例≫/ᄂᆞᄆᆞᆫ 仇讎ㅣ라커늘≪龍歌 77章≫.

ㅣ라두 조 〈옛〉 이라도. ¶矛曰宥ㅣ라두 爾惟勿宥ᄒᆞ고≪書諺 V:35≫.

ㅣ라와 조 〈옛〉 보다. =라와. ¶비디온 礴礫ㅣ라와 重ᄒᆞ리라(價重百車渠)≪杜諺 IX:19≫.

ㅣ러니 조 〈옛〉 이러니. ¶聲教ㅣ 너브실ᄊᆡ 窮髮이 編戶ㅣ러니 革命ᄒᆞᆫ 後에 厚恩 그리ᅀᆞᄫᆞ니≪龍歌 56章≫.

ㅣᄯᆞ녀 조 〈옛〉 이랴. 이겠느냐. 일까보냐. ¶ᄒᆞᄆᆞᆯ며 文字ㅣᄯᆞ녀(況文字乎)≪圓覺 序 11≫.

ㅣ실ᄊᆡ 조 〈옛〉 이시므로. *ㄹᄊᆡ. ¶唱義班師ㅣ실ᄊᆡ 千里人民이 몬더니≪龍歌 9章≫.

ㅣ어나 조 〈옛〉 이거나. ¶比丘ㅣ어나≪楞嚴 Ⅶ:7≫.

ㅣ어늘 조 〈옛〉 이거늘. ¶冠攘이 毒痡ㅣ어늘 田制를 고티시니≪龍歌 73章≫.

ㅣ오 조 〈옛〉 이고. 이요. ¶아뫼오≪楞嚴 Ⅰ:7≫.

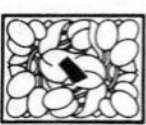

ㆍ [아래아] 〈옛〉 ①한글 옛 자모(字母)의 중성(中聲)의 첫째 글자. ②〖언〗 혀를 보통 위치보다 낮추어 뒤쪽으로 약간 다가들이고 입술을 보통 정도로 벌려 내는 단모음(單母音). ③'ㅏ·ㆍ·ㅗ' 등에 따르는 종속적인 음절에 발음의 조절 작용으로 쓰이는 소리. ¶나ᄂᆞᆫ/ᄋᆞᄉᆞᆫ/쇼ᄅᆞᆯ/가ᄂᆞ니. *ㅡ.

ᆡ [아래애] 〈옛〉 ①한글 옛 자모(字母)의 중성의 한 글자. ②〖언〗 모음의 하나. 'ㆍ'와 'ㅣ'의 복모음(複母音). 혀를 'ㆍ' 소리를 낼 것같이 하여 가지고 잇따라 'ㅣ'로 옮기면서 내는 소리.

부　　　록

차　례

한글 맞춤법

문교부 고시 제 88-1 호(1988. 1.)

제 1 장 총 칙

제 1 항 한글 맞춤법은 표준어를 소리대로 적되, 어법에 맞도록 함을 원칙으로 한다.

제 2 항 문장의 각 단어는 띄어 씀을 원칙으로 한다.

제 3 항 외래어는 '외래어 표기법'에 따라 적는다.

제 2 장 자 모

제 4 항 한글 자모의 수는 스물넉 자로 하고, 그 순서와 이름은 다음과 같이 정한다.

ㄱ(기역) ㄴ(니은) ㄷ(디귿) ㄹ(리을) ㅁ(미음)
ㅂ(비읍) ㅅ(시옷) ㅇ(이응) ㅈ(지읒) ㅊ(치읓)
ㅋ(키읔) ㅌ(티읕) ㅍ(피읖) ㅎ(히읗)
ㅏ(아) ㅑ(야) ㅓ(어) ㅕ(여) ㅗ(오)
ㅛ(요) ㅜ(우) ㅠ(유) ㅡ(으) ㅣ(이)

〔붙임 1〕 위의 자모로써 적을 수 없는 소리는 두 개 이상의 자모를 어울러서 적되, 그 순서와 이름은 다음과 같이 정한다.

ㄲ(쌍기역) ㄸ(쌍디귿) ㅃ(쌍비읍) ㅆ(쌍시옷) ㅉ(쌍지읒)
ㅐ(애) ㅒ(얘) ㅔ(에) ㅖ(예) ㅘ(와)
ㅙ(왜) ㅚ(외) ㅝ(워) ㅞ(웨) ㅟ(위)
ㅢ(의)

〔붙임 2〕 사전에 올릴 적의 자모 순서는 다음과 같이 정한다.

자음 ㄱ ㄲ ㄴ ㄷ ㄸ ㄹ ㅁ ㅂ ㅃ ㅅ ㅆ ㅇ ㅈ ㅉ
ㅊ ㅋ ㅌ ㅍ ㅎ

모음 ㅏ ㅐ ㅑ ㅒ ㅓ ㅔ ㅕ ㅖ ㅗ ㅘ ㅙ ㅚ ㅛ ㅜ
ㅝ ㅞ ㅟ ㅠ ㅡ ㅢ ㅣ

제 3 장 소리에 관한 것

제 1 절 된소리

제 5 항 한 단어 안에서 뚜렷한 까닭 없이 나는 된소리는 다음 음절의 첫소리를 된소리로 적는다.

1. 두 모음 사이에서 나는 된소리
   소쩍새 어깨 오빠 으뜸 아끼다 기쁘다 깨끗하다
   어떠하다 해쓱하다 가끔 거꾸로 부썩 어찌 이따금
2. 'ㄴ, ㄹ, ㅁ, ㅇ' 받침 뒤에서 나는 된소리
   산뜻하다 잔뜩 살짝 훨씬 담뿍 움찔 몽땅 엉뚱하다

다만, 'ㄱ, ㅂ' 받침 뒤에서 나는 된소리는, 같은 음절이나 비슷한 음절이 겹쳐 나는 경우가 아니면 된소리로 적지 아니한다.

국수 깍두기 딱지 색시 싹둑(~싹둑) 법석
갑자기 몹시

제 2 절 구개음화

제 6 항 'ㄷ, ㅌ' 받침 뒤에 종속적 관계를 가진 '-이(-)'나 '-히-'가 올 적에는 그 'ㄷ, ㅌ'이 'ㅈ, ㅊ'으로 소리나더라도, 'ㄷ, ㅌ'으로 적는다. (ㄱ을 취하고, ㄴ을 버림.)

ㄱ	ㄴ	ㄱ	ㄴ
맏이	마지	핥이다	할치다
해돋이	해도지	걷히다	거치다
굳이	구지	닫히다	다치다
같이	가치	묻히다	무치다
끝이	끄치		

제 3 절 'ㄷ' 소리 받침

제 7 항 'ㄷ' 소리로 나는 받침 중에서 'ㄷ'으로 적을 근거가 없는 것은 'ㅅ'으로 적는다.

덧저고리 돗자리 엇셈 웃어른 핫옷 무릇 사뭇
얼핏 자칫하면 뭇〔衆〕 옛 첫 헛

제 4 절 모 음

제 8 항 '계, 례, 몌, 폐, 혜'의 'ㅖ'는 'ㅔ'로 소리나는 경우가 있더라도 'ㅖ'로 적는다. (ㄱ을 취하고, ㄴ을 버림.)

ㄱ	ㄴ	ㄱ	ㄴ
계수(桂樹)	게수	혜택(惠澤)	헤택
사례(謝禮)	사레	계집	게집
연몌(連袂)	연메	핑계	핑게
폐품(廢品)	페품	계시다	게시다

다만, 다음 말은 본음대로 적는다.

게송(偈頌) 게시판(揭示板) 휴게실(休憩室)

제 9 항 '의'나, 자음을 첫소리로 가지고 있는 음절의 'ㅢ'는 'ㅣ'로 소리나는 경우가 있더라도 'ㅢ'로 적는다. (ㄱ을 취하고, ㄴ을 버림.)

ㄱ	ㄴ	ㄱ	ㄴ
의의(意義)	의이	닁큼	닝큼
본의(本意)	본이	띄어쓰기	띠어쓰기
무늬〔紋〕	무니	씌어	씨어
보늬	보니	틔어	티어
오늬	오니	희망(希望)	히망
하늬바람	하니바람	희다	히다
늴리리	닐리리	유희(遊戲)	유히

제 5 절 두음 법칙

제 10 항 한자음 '녀, 뇨, 뉴, 니'가 단어 첫머리에 올 적에는 두음 법칙에 따라 '여, 요, 유, 이'로 적는다. (ㄱ을 취하고, ㄴ을 버림.)

ㄱ	ㄴ	ㄱ	ㄴ
여자(女子)	녀자	유대(紐帶)	뉴대
연세(年歲)	년세	이토(泥土)	니토
요소(尿素)	뇨소	익명(匿名)	닉명

다만, 다음과 같은 의존 명사에서는 '냐, 녀' 음을 인정한다.

냥(兩) 냥쭝(兩-) 년(年)(몇 년)

〔붙임 1〕 단어의 첫머리 이외의 경우에는 본음대로 적는다.

남녀(男女) 당뇨(糖尿) 결뉴(結紐) 은닉(隱匿)

〔붙임 2〕 접두사처럼 쓰이는 한자가 붙어서 된 말이나 합성어에서, 뒷말의 첫소리가 'ㄴ' 소리로 나더라도 두음 법칙에 따라 적는다.

신여성(新女性) 공염불(空念佛) 남존여비(男尊女卑)

〔붙임 3〕 둘 이상의 단어로 이루어진 고유 명사를 붙여 쓰는 경우에도 붙임 2 에 준하여 적는다.

한국여자대학 대한요소비료회사

제 11 항 한자음 '랴, 려, 례, 료, 류, 리'가 단어의 첫머리에 올 적에는 두음 법칙에 따라 '야, 여, 예, 요, 유, 이'로 적는다. (ㄱ을 취하고, ㄴ을 버림.)

ㄱ	ㄴ	ㄱ	ㄴ
양심(良心)	량심	용궁(龍宮)	룡궁
역사(歷史)	력사	유행(流行)	류행
예의(禮儀)	례의	이발(理髮)	리발

다만, 다음과 같은 의존 명사는 본음대로 적는다.

리(里) : 몇 리냐?
리(理) : 그럴 리가 없다.

〔붙임 1〕 단어의 첫머리 이외의 경우에는 본음대로 적는다.

개량(改良) 선량(善良) 수력(水力) 협력(協力)
사례(謝禮) 혼례(婚禮) 와룡(臥龍) 쌍룡(雙龍)
하류(下流) 급류(急流) 도리(道理) 진리(眞理)

다만, 모음이나 'ㄴ' 받침 뒤에 이어지는 '렬, 률'은 '열, 율'로 적는다. (ㄱ을 취하고, ㄴ을 버림.)

ㄱ	ㄴ	ㄱ	ㄴ
나열(羅列)	나렬	분열(分裂)	분렬
치열(齒列)	치렬	선열(先烈)	선렬

비열(卑劣)	비렬	진열(陳列)	진렬
규율(規律)	규률	선율(旋律)	선률
비율(比率)	비률	전율(戰慄)	전률
실패율(失敗率)	실패률	백분율(百分率)	백분률

〔붙임 2〕 외자로 된 이름을 성에 붙여 쓸 경우에도 본음대로 적을 수 있다.

신립(申砬)　　최린(崔麟)　　채륜(蔡倫)　　하륜(河崙)

〔붙임 3〕 준말에서 본음으로 소리나는 것은 본음대로 적는다.

국련(국제연합)　　대한교련(대한교육연합회)

〔붙임 4〕 접두사처럼 쓰이는 한자가 붙어서 된 말이나 합성어에서 뒷말의 첫소리가 'ㄴ' 또는 'ㄹ' 소리로 나더라도 두음 법칙에 따라 적는다.

역이용(逆利用)　연이율(年利率)　열역학(熱力學)
해외여행(海外旅行)

〔붙임 5〕 둘 이상의 단어로 이루어진 고유 명사를 붙여 쓰는 경우나 십진법에 따라 쓰는 수(數)도 붙임 4에 준하여 적는다.

서울여관　신흥이발관　육천육백육십육(六千六百六十六)

제 12 항　한자음 '라, 래, 로, 뢰, 루, 르'가 단어의 첫머리에 올 적에는 두음 법칙에 따라 '나, 내, 노, 뇌, 누, 느'로 적는다. (ㄱ을 취하고, ㄴ을 버림.)

ㄱ	ㄴ	ㄱ	ㄴ
낙원(樂園)	락원	뇌성(雷聲)	뢰성
내일(來日)	래일	누각(樓閣)	루각
노인(老人)	로인	능묘(陵墓)	릉묘

〔붙임 1〕 단어의 첫머리 이외의 경우에는 본음대로 적는다.

쾌락(快樂)　극락(極樂)　거래(去來)　왕래(往來)
부로(父老)　연로(年老)　지뢰(地雷)　낙뢰(落雷)
고루(高樓)　광한루(廣寒樓)　동구릉(東九陵)
가정란(家庭欄)

〔붙임 2〕 접두사처럼 쓰이는 한자가 붙어서 된 단어는 뒷말을 두음 법칙에 따라 적는다.

내내월(來來月)　상노인(上老人)　중노동(重勞動)
비논리적(非論理的)

제 6 절　겹쳐 나는 소리

제 13 항　한 단어 안에서 같은 음절이나 비슷한 음절이 겹쳐 나는 부분은 같은 글자로 적는다. (ㄱ을 취하고, ㄴ을 버림.)

ㄱ	ㄴ	ㄱ	ㄴ
딱딱	딱닥	꼿꼿하다	꼿곳하다
쌕쌕	쌕색	놀놀하다	놀롤하다
씩씩	씩식	눅눅하다	눙눅하다
똑딱똑딱	똑닥똑닥	밋밋하다	민밋하다
쓱싹쓱싹	쓱삭쓱삭	싹싹하다	싹삭하다
연연불망(戀戀不忘)	연련불망	쌉쌀하다	쌉살하다
유유상종(類類相從)	유류상종	씁쓸하다	씁슬하다
누누이(屢屢-)	누루이	짭짤하다	짭잘하다

제 4 장　형태에 관한 것

제 1 절　체언과 조사

제 14 항　체언은 조사와 구별하여 적는다.

떡이	떡을	떡에	떡도	떡만
손이	손을	손에	손도	손만
팔이	팔을	팔에	팔도	팔만
밤이	밤을	밤에	밤도	밤만
집이	집을	집에	집도	집만
옷이	옷을	옷에	옷도	옷만
콩이	콩을	콩에	콩도	콩만
낮이	낮을	낮에	낮도	낮만
꽃이	꽃을	꽃에	꽃도	꽃만
밭이	밭을	밭에	밭도	밭만
앞이	앞을	앞에	앞도	앞만
밖이	밖을	밖에	밖도	밖만
넋이	넋을	넋에	넋도	넋만
흙이	흙을	흙에	흙도	흙만
삶이	삶을	삶에	삶도	삶만
여덟이	여덟을	여덟에	여덟도	여덟만
곬이	곬을	곬에	곬도	곬만
값이	값을	값에	값도	값만

제 2 절　어간과 어미

제 15 항　용언의 어간과 어미는 구별하여 적는다.

먹다	먹고	먹어	먹으니
신다	신고	신어	신으니
믿다	믿고	믿어	믿으니
울다	울고	울어	(우니)
넘다	넘고	넘어	넘으니
입다	입고	입어	입으니
웃다	웃고	웃어	웃으니
찾다	찾고	찾아	찾으니
좇다	좇고	좇아	좇으니
같다	같고	같아	같으니
높다	높고	높아	높으니
좋다	좋고	좋아	좋으니
깎다	깎고	깎아	깎으니
앉다	앉고	앉아	앉으니
많다	많고	많아	많으니
늙다	늙고	늙어	늙으니
젊다	젊고	젊어	젊으니
넓다	넓고	넓어	넓으니
훑다	훑고	훑어	훑으니
읊다	읊고	읊어	읊으니
옳다	옳고	옳아	옳으니
없다	없고	없어	없으니
있다	있고	있어	있으니

〔붙임 1〕 두 개의 용언이 어울려 한 개의 용언이 될 적에, 앞말의 본뜻이 유지되고 있는 것은 그 원형을 밝히어 적고, 그 본뜻에서 멀어진 것은 밝히어 적지 아니한다.

(1) 앞말의 본뜻이 유지되고 있는 것.

넘어지다　늘어나다　늘어지다　돌아가다　되짚어가다
들어가다　떨어지다　벌어지다　엎어지다　접어들다
틀어지다　흩어지다

(2) 본뜻에서 멀어진 것

드러나다　사라지다　쓰러지다

〔붙임 2〕 종결형에서 사용되는 어미 '-오'는 '요'로 소리나는 경우가 있더라도 그 원형을 밝혀 '오'로 적는다. (ㄱ을 취하고, ㄴ을 버림.)

ㄱ	ㄴ
이것은 책이오.	이것은 책이요.
이리로 오시오.	이리로 오시요.
이것은 책이 아니오.	이것은 책이 아니요.

〔붙임 3〕 연결형에서 사용되는 '이요'는 '이요'로 적는다. (ㄱ을 취하고, ㄴ을 버림.)

ㄱ	ㄴ
이것은 책이요, 저것은 붓이요, 또 저것은 먹이다.	이것은 책이오, 저것은 붓이오, 또 저것은 먹이다.

제 16 항　어간의 끝음절 모음이 'ㅏ, ㅗ'일 때에는 어미를 '-아'로 적고, 그 밖의 모음일 때에는 '-어'로 적는다.

1. '-아'로 적는 경우

나아	나아도	나아서
막아	막아도	막아서
얇아	얇아도	얇아서
돌아	돌아도	돌아서
보아	보아도	보아서

2. '-어'로 적는 경우

개어	개어도	개어서
겪어	겪어도	겪어서
되어	되어도	되어서

베어 베어도 베어서
쉬어 쉬어도 쉬어서
저어 저어도 저어서
주어 주어도 주어서
피어 피어도 피어서
희어 희어도 희어서

제 17 항 어미 뒤에 덧붙는 조사 '-요'는 '-요'로 적는다

읽어 읽어요
참으리 참으리요
좋지 좋지요

제 18 항 다음과 같은 용언들은 어미가 바뀔 경우, 그 어간이나 어미가 원칙에 벗어나면 벗어나는 대로 적는다.

1. 어간의 끝 'ㄹ'이 줄어질 적

갈다 : 가니 간 갑니다 가시다 가오
놀다 : 노니 논 놉니다 노시다 노오
불다 : 부니 분 붑니다 부시다 부오
둥글다 : 둥그니 둥근 둥급니다 둥그시다 둥그오
어질다 : 어지니 어진 어집니다 어지시다 어지오

〔붙임〕 다음과 같은 말에서도 'ㄹ'이 준 대로 적는다.

마지못하다 마지않다 (하)다마다 (하)자마자
(하)지 마라 (하)지 마(아)

2. 어간의 끝 'ㅅ'이 줄어질 적

긋다 : 그어 그으니 그었다
낫다 : 나아 나으니 나았다
잇다 : 이어 이으니 이었다
짓다 : 지어 지으니 지었다

3. 어간의 끝 'ㅎ'이 줄어질 적

그렇다 : 그러니 그럴 그러면 그럽니다 그러오
까맣다 : 까마니 까말 까마면 까맙니다 까마오
동그랗다 : 동그라니 동그랄 동그라면 동그랍니다 동그라오
퍼렇다 : 퍼러니 퍼럴 퍼러면 퍼럽니다 퍼러오
하얗다 : 하야니 하얄 하야면 하얍니다 하야오

4. 어간의 끝 'ㅜ, ㅡ'가 줄어질 적

푸다 : 퍼 펐다
끄다 : 꺼 껐다
담그다 : 담가 담갔다
따르다 : 따라 따랐다
뜨다 : 떠 떴다
크다 : 커 컸다
고프다 : 고파 고팠다
바쁘다 : 바빠 바빴다

5. 어간의 끝 'ㄷ'이 'ㄹ'로 바뀔 적

걷다〔步〕 : 걸어 걸으니 걸었다
듣다〔聽〕 : 들어 들으니 들었다
묻다〔問〕 : 물어 물으니 물었다
싣다〔載〕 : 실어 실으니 실었다

6. 어간의 끝 'ㅂ'이 'ㅜ'로 바뀔 적

깁다 : 기워 기우니 기웠다
굽다〔炙〕 : 구워 구우니 구웠다
가깝다 : 가까워 가까우니 가까웠다
괴롭다 : 괴로워 괴로우니 괴로웠다
맵다 : 매워 매우니 매웠다
무겁다 : 무거워 무거우니 무거웠다
밉다 : 미워 미우니 미웠다
쉽다 : 쉬워 쉬우니 쉬웠다

다만, '돕-, 곱-'과 같은 단음절 어간에 어미 '-아'가 결합되어 '와'로 소리나는 것은 '-와'로 적는다.

돕다〔助〕 : 도와 도와서 도와도 도왔다
곱다〔麗〕 : 고와 고와서 고와도 고왔다

7. '하다'의 활용에서 어미 '-아'가 '-여'로 바뀔 적

하다 : 하여 하여서 하여도 하여라 하였다

8. 어간의 끝음절 '르' 뒤에 오는 어미 '-어'가 '-러'로 바뀔 적

이르다〔至〕 : 이르러 이르렀다
노르다 : 노르러 노르렀다
누르다 : 누르러 누르렀다
푸르다 : 푸르러 푸르렀다

9. 어간의 끝음절 '르'의 'ㅡ'가 줄고, 그 뒤에 오는 어미 '-아/-어'가 '-라/-러'로 바뀔 적

가르다 : 갈라 갈랐다
거르다 : 걸러 걸렀다
구르다 : 굴러 굴렀다
벼르다 : 별러 별렀다
부르다 : 불러 불렀다
오르다 : 올라 올랐다
이르다 : 일러 일렀다
지르다 : 질러 질렀다

제 3 절 접미사가 붙어서 된 말

제 19 항 어간에 '-이'나 '-음/-ㅁ'이 붙어서 명사로 된 것과 '-이'나 '-히'가 붙어서 부사로 된 것은 그 어간의 원형을 밝히어 적는다.

1. '-이'가 붙어서 명사로 된 것

길이 깊이 높이 다듬이 땀받이 달맞이
먹이 미닫이 벌이 벼훑이 살림살이 쇠붙이

2. '-음/-ㅁ'이 붙어서 명사로 된 것

걸음 묶음 믿음 얼음 엮음 울음 웃음 졸음 죽음
앎 만듦

3. '-이'가 붙어서 부사로 된 것

같이 굳이 길이 높이 많이 실없이
좋이 짓궂이

4. '-히'가 붙어서 부사로 된 것

밝히 익히 작히

다만, 어간에 '-이'나 '-음'이 붙어서 명사로 바뀐 것이라도 그 어간의 뜻과 멀어진 것은 원형을 밝히어 적지 아니한다.

굽도리 다리〔髢〕 목거리(목병) 무녀리
코끼리 거름(비료) 고름〔膿〕 노름(도박)

〔붙임〕 어간에 '-이'나 '-음' 이외의 모음으로 시작된 접미사가 붙어서 다른 품사로 바뀐 것은 그 어간의 원형을 밝히어 적지 아니한다.

(1) 명사로 바뀐 것

귀머거리 까마귀 너머 뜨더귀 마감 마개 마중 무덤
비렁뱅이 쓰레기 올가미 주검

(2) 부사로 바뀐 것

거뭇거뭇 너무 도로 뜨덤뜨덤 바투 불긋불긋 비로소
오긋오긋 자주 차마

(3) 조사로 바뀌어 뜻이 달라진 것

나마 부터 조차

제 20 항 명사 뒤에 '-이'가 붙어서 된 말은 그 명사의 원형을 밝히어 적는다.

1. 부사로 된 것

곳곳이 낱낱이 몫몫이 샅샅이 앞앞이 집집이

2. 명사로 된 것

곰배팔이 바둑이 삼발이 애꾸눈이 육손이
절뚝발이/절름발이

〔붙임〕 '-이' 이외의 모음으로 시작된 접미사가 붙어서 된 말은 그 명사의 원형을 밝히어 적지 아니한다.

꼬락서니 끄트머리 모가치 바가지 바깥 사타구니
싸라기 이파리 지붕 지푸라기 짜개

제 21 항 명사나 혹은 용언의 어간 뒤에 자음으로 시작된 접미사가 붙어서 된 말은 그 명사나 어간의 원형을 밝히어 적는다.

1. 명사 뒤에 자음으로 시작된 접미사가 붙어서 된 것

값지다 홑지다 넋두리 빛깔 옆댕이 잎사귀

2. 어간 뒤에 자음으로 시작된 접미사가 붙어서 된 것

낚시 늙정이 덮개 뜯게질 갉작갉작하다 갉작거리다
뜯적거리다 뜯적뜯적하다 굵다랗다 굵직하다 깊숙하다
넓적하다 높다랗다 늙수그레하다 얽죽얽죽하다.

다만, 다음과 같은 말은 소리대로 적는다.

(1) 겹받침의 끝소리가 드러나지 아니하는 것

할짝거리다 널따랗다 널찍하다 말끔하다 말쑥하다
말짱하다 실쭉하다 실큼하다 얄따랗다 얄팍하다
짤따랗다 짤막하다 실컷

(2) 어원이 분명하지 아니하거나 본뜻에서 멀어진 것

넙치 올무 골막하다 납작하다

제 22 항 용언의 어간에 다음과 같은 접미사들이 붙어서 이루어진

말들은 그 어간을 밝히어 적는다.

1. '-기-, -리-, -이-, -히-, -구-, -우-, -추-, -으키-, -이키-, -애-'가 붙는 것

맡기다 옮기다 웃기다 쫓기다 뚫리다 울리다
낚이다 쌓이다 핥이다 굳히다 굽히다 넓히다
앉히다 얽히다 잡히다 돋구다 솟구다 돋우다
갖추다 곧추다 맞추다 일으키다 돌이키다 없애다

다만, '-이-, -히-, -우-'가 붙어서 된 말이라도 본뜻에서 멀어진 것은 소리대로 적는다.

도리다(칼로 ~) 드리다(용돈을 ~) 고치다
바치다(세금을 ~) 부치다(편지를 ~)
거두다 미루다 이루다

2. '-치-, -뜨리-, -트리-'가 붙는 것

놓치다 덮치다 떠받치다 받치다 밭치다 부딪치다
뻗치다 엎치다 부딪뜨리다/부딪트리다
쏟뜨리다/쏟트리다 젖뜨리다/젖트리다
찢뜨리다/찢트리다 흩뜨리다/흩트리다

〔붙임〕 '-업-, -읍-, -브-'가 붙어서 된 말은 소리대로 적는다.

미덥다 우습다 미쁘다

제 23 항 '-하다'나 '-거리다'가 붙는 어근에 '-이'가 붙어서 명사가 된 것은 그 원형을 밝히어 적는다. (ㄱ을 취하고, ㄴ을 버림.)

ㄱ	ㄴ	ㄱ	ㄴ
깔쭉이	깔쭈기	살살이	살사리
꿀꿀이	꿀꾸리	쌕쌕이	쌕쌔기
눈깜짝이	눈깜짜기	오뚝이	오뚜기
더펄이	더퍼리	코납작이	코납자기
배불뚝이	배불뚜기	푸석이	푸서기
삐죽이	삐주기	홀쭉이	홀쭈기

〔붙임〕 '-하다'나 '-거리다'가 붙을 수 없는 어근에 '-이'나 또는 다른 모음으로 시작되는 접미사가 붙어서 명사가 된 것은 그 원형을 밝히어 적지 아니한다.

개구리 귀뚜라미 기러기 깍두기 꽹과리 날라리
누더기 동그라미 두드러기 딱따구리 매미 부스러기
뻐꾸기 얼루기 칼싹두기

제 24 항 '-거리다'가 붙을 수 있는 시늉말 어근에 '-이다'가 붙어서 된 용언은 그 어근을 밝히어 적는다. (ㄱ을 취하고, ㄴ을 버림.)

ㄱ	ㄴ	ㄱ	ㄴ
깜짝이다	깜짜기다	속삭이다	속사기다
꾸벅이다	꾸버기다	숙덕이다	숙더기다
끄덕이다	끄더기다	울먹이다	울머기다
뒤척이다	뒤처기다	움직이다	움지기다
들먹이다	들머기다	지껄이다	지꺼리다
망설이다	망서리다	퍼덕이다	퍼더기다
번득이다	번드기다	허덕이다	허더기다
번쩍이다	번쩌기다	헐떡이다	헐떠기다

제 25 항 '-하다'가 붙는 어근에 '-히'나 '-이'가 붙어서 부사가 되거나, 부사에 '-이'가 붙어서 뜻을 더하는 경우에는 그 어근이나 부사의 원형을 밝히어 적는다.

1. '-하다'가 붙는 어근에 '-히'나 '-이'가 붙는 경우

급히 꾸준히 도저히 딱히 어렴풋이 깨끗이

〔붙임〕 '-하다'가 붙지 않는 경우에는 소리대로 적는다.

갑자기 반드시(꼭) 슬며시

2. 부사에 '-이'가 붙어서 역시 부사가 되는 경우

곰곰이 더욱이 생긋이 오뚝이 일찍이 해죽이

제 26 항 '-하다'나 '-없다'가 붙어서 된 용언은 그 '-하다'나 '-없다'를 밝히어 적는다.

1. '-하다'가 붙어서 용언이 된 것

딱하다 숱하다 착하다 텁텁하다 푹하다

2. '-없다'가 붙어서 용언이 된 것

부질없다 상없다 시름없다 열없다 하염없다

제 4 절 합성어 및 접두사가 붙은 말

제 27 항 둘 이상의 단어가 어울리거나 접두사가 붙어서 이루어진 말은 각각 그 원형을 밝히어 적는다.

국말이 꺾꽂이 꽃잎 끝장 물난리
밑천 부엌일 싫증 옷안 웃옷
젖몸살 첫아들 칼날 팥알 헛웃음
홀아비 홑몸 흙내
값없다 겉늙다 굶주리다 낮잡다 맞먹다
받내다 벋놓다 빗나가다 빛나다 새파랗다
샛노랗다 시꺼멓다 싯누렇다 엇나가다 엎누르다
엿듣다 옻오르다 짓이기다 헛되다

〔붙임 1〕 어원은 분명하나 소리만 특이하게 변한 것은 변한 대로 적는다.

할아버지 할아범

〔붙임 2〕 어원이 분명하지 아니한 것은 원형을 밝히어 적지 아니한다.

골병 골탕 끌탕 며칠 아재비 오라비
업신여기다 부리나케

〔붙임 3〕 '이〔齒, 虱〕'가 합성어나 이에 준하는 말에서 '니' 또는 '리'로 소리날 때에는 '니'로 적는다.

간니 덧니 사랑니 송곳니 앞니 어금니
윗니 젖니 톱니 틀니 가랑니 머릿니

제 28 항 끝소리가 'ㄹ'인 말과 딴 말이 어울릴 적에 'ㄹ' 소리가 나지 아니하는 것은 아니 나는 대로 적는다.

다달이(달-달-이) 따님(딸-님) 마되(말-되)
마소(말-소) 무자위(물-자위) 바느질(바늘-질)
부나비(불-나비) 부삽(불-삽) 부손(불-손)
소나무(솔-나무) 싸전(쌀-전) 여닫이(열-닫이)
우짖다(울-짖다) 화살(활-살)

제 29 항 끝소리가 'ㄹ'인 말과 딴 말이 어울릴 적에 'ㄹ' 소리가 'ㄷ' 소리로 나는 것은 'ㄷ'으로 적는다.

반짇고리(바느질~) 사흗날(사흘~) 삼짇날(삼질~)
섣달(설~) 숟가락(술~) 이튿날(이틀~)
잗주름(잘~) 푿소(풀~) 섣부르다(설~)
잗다듬다(잘~) 잗다랗다(잘~)

제 30 항 사이시옷은 다음과 같은 경우에 받치어 적는다.

1. 순 우리말로 된 합성어로서 앞말이 모음으로 끝난 경우

(1) 뒷말의 첫소리가 된소리로 나는 것

고랫재 귓밥 나룻배 나뭇가지 냇가 댓가지
뒷갈망 맷돌 머릿기름 모깃불 못자리 바닷가
뱃길 볏가리 부싯돌 선짓국 쇳조각 아랫집
우렁잇속 잇자국 잿더미 조갯살 찻집 쳇바퀴
킷값 핏대 햇볕 혓바늘

(2) 뒷말의 첫소리 'ㄴ, ㅁ' 앞에서 'ㄴ' 소리가 덧나는 것

멧나물 아랫니 텃마당 아랫마을 뒷머리
잇몸 깻묵 냇물 빗물

(3) 뒷말의 첫소리 모음 앞에서 'ㄴㄴ'소리가 덧나는 것

도리깻열 뒷윷 두렛일 뒷일 뒷입맛
베갯잇 욧잇 깻잎 나뭇잎 댓잎

2. 순 우리말과 한자어로 된 합성어로서 앞말이 모음으로 끝난 경우

(1) 뒷말의 첫소리가 된소리로 나는 것

귓병 머릿방 뱃병 봇둑 사잣밥
샛강 아랫방 자릿세 전셋집 찻잔
찻종 촛국 콧병 탯줄 텃세
핏기 햇수 횟가루 횟배

(2) 뒷말의 첫소리 'ㄴ, ㅁ' 앞에서 'ㄴ' 소리가 덧나는 것

곗날 제삿날 훗날 툇마루 양칫물

(3) 뒷말의 첫소리 모음 앞에서 'ㄴㄴ' 소리가 덧나는 것

가욋일 사삿일 예삿일 훗일

3. 두 음절로 된 다음 한자어

곳간(庫間) 셋방(貰房) 숫자(數字) 찻간(車間)
툇간(退間) 횟수(回數)

제 31 항 두 말이 어울릴 적에 'ㅂ' 소리나 'ㅎ' 소리가 덧나는 것은 소리대로 적는다.

1. 'ㅂ' 소리가 덧나는 것

댑싸리(대ㅂ싸리) 멥쌀(메ㅂ쌀) 볍씨(벼ㅂ씨)

입때(이ㅂ때) 입쌀(이ㅂ쌀) 접때(저ㅂ때)
좁쌀(조ㅂ쌀) 햅쌀(해ㅂ쌀)

2. 'ㅎ' 소리가 덧나는 것

머리카락(머리ㅎ가락) 살코기(살ㅎ고기) 수캐(수ㅎ개)
수컷(수ㅎ것) 수탉(수ㅎ닭) 안팎(안ㅎ밖)
암캐(암ㅎ개) 암컷(암ㅎ것) 암탉(암ㅎ닭)

제 5 절 준 말

제 32 항 단어 끝모음이 줄어지고 자음만 남은 것은 그 앞의 음절에 받침으로 적는다.

(본말)	(준말)	(본말)	(준말)
기러기야	기럭아	온가지	온갖
어제그저께	엊그저께	가지고, 가지지	갖고, 갖지
어제저녁	엊저녁	디디고, 디디지	딛고, 딛지

제 33 항 체언과 조사가 어울려 줄어지는 경우에는 준 대로 적는다.

(본말)	(준말)	(본말)	(준말)
그것은	그건	너는	넌
그것이	그게	너를	널
그것으로	그걸로	무엇을	뭣을/무얼/뭘
나는	난	무엇이	뭣이/무에
나를	날		

제 34 항 모음 'ㅏ, ㅓ'로 끝난 어간에 '-아/-어, -았-/-었-'이 어울릴 적에는 준 대로 적는다.

(본말)	(준말)	(본말)	(준말)
가아	가	가았다	갔다
나아	나	나았다	났다
타아	타	타았다	탔다
서어	서	서었다	섰다
켜어	켜	켜었다	켰다
펴어	펴	펴었다	폈다

〔붙임 1〕 'ㅐ, ㅔ' 뒤에 '-어, -었-'이 어울려 줄 적에는 준 대로 적는다.

(본말)	(준말)	(본말)	(준말)
개어	개	개었다	갰다
내어	내	내었다	냈다
베어	베	베었다	벴다
세어	세	세었다	셌다.

〔붙임 2〕 '하여'가 한 음절로 줄어서 '해'로 될 적에는 준 대로 적는다.

(본말)	(준말)	(본말)	(준말)
하여	해	하였다	했다
더하여	더해	더하였다	더했다
흔하여	흔해	흔하였다	흔했다

제 35 항 모음 'ㅗ, ㅜ'로 끝난 어간에 '-아/-어, -았-/-었-'이 어울려 'ㅘ/ㅝ, ㅘㅆ/ㅝㅆ'으로 될 적에는 준 대로 적는다.

(본말)	(준말)	(본말)	(준말)
꼬아	꽈	꼬았다	꽜다
보아	봐	보았다	봤다
쏘아	쏴	쏘았다	쐈다
두어	둬	두었다	뒀다
쑤어	쒀	쑤었다	쒔다
주어	줘	주었다	줬다

〔붙임 1〕 '놓아'가 '놔'로 줄 적에는 준 대로 적는다.

〔붙임 2〕 'ㅚ' 뒤에 '-어, -었-'이 어울려 'ㅙ, ㅙㅆ'으로 될 적에도 준 대로 적는다.

(본말)	(준말)	(본말)	(준말)
괴어	괘	괴었다	괬다
되어	돼	되었다	됐다
뵈어	봬	뵈었다	뵀다
쇠어	쇄	쇠었다	쇘다
쐬어	쐐	쐬었다	쐤다.

제 36 항 'ㅣ' 뒤에 '-어'가 와서 'ㅕ'로 줄 적에는 준 대로 적는다.

(본말)	(준말)	(본말)	(준말)
가지어	가져	가지었다	가졌다
견디어	견뎌	견디었다	견뎠다
다니어	다녀	다니었다	다녔다
막히어	막혀	막히었다	막혔다
버티어	버텨	버티었다	버텼다
치이어	치여	치이었다	치였다

제 37 항 'ㅏ, ㅕ, ㅗ, ㅜ, ㅡ'로 끝난 어간에 '-이-'가 와서 각각 'ㅐ, ㅖ, ㅚ, ㅟ, ㅢ'로 줄 적에는 준 대로 적는다.

(본말)	(준말)	(본말)	(준말)
싸이다	쌔다	누이다	뉘다
펴이다	폐다	뜨이다	띄다
보이다	뵈다	쓰이다	씌다

제 38 항 'ㅏ, ㅗ, ㅜ, ㅡ' 뒤에 '-이어'가 어울려 줄어질 적에는 준 대로 적는다.

(본말)	(준말)	(본말)	(준말)
싸이어	쌔어 싸여	뜨이어	띄어
보이어	뵈어 보여	쓰이어	씌어 쓰여
쏘이어	쐬어 쏘여	트이어	틔어 트여
누이어	뉘어 누여		

제 39 항 어미 '-지' 뒤에 '않-'이 어울려 '-잖-'이 될 적과 '-하지' 뒤에 '않-'이 어울려 '-찮-'이 될 적에는 준 대로 적는다.

(본말)	(준말)	(본말)	(준말)
그렇지 않은	그렇잖은	만만하지 않다	만만찮다
적지 않은	적잖은	변변하지 않다	변변찮다

제 40 항 어간의 끝음절 '하'의 'ㅏ'가 줄고 'ㅎ'이 다음 음절의 첫소리와 어울려 거센소리로 될 적에는 거센소리로 적는다.

(본말)	(준말)	(본말)	(준말)
간편하게	간편케	다정하다	다정타
연구하도록	연구토록	정결하다	정결타
가하다	가타	흔하다	흔타

〔붙임 1〕 'ㅎ'이 어간의 끝소리로 굳어진 것은 받침으로 적는다.

않다	않고	않지	않든지
그렇다	그렇고	그렇지	그렇든지
아무렇다	아무렇고	아무렇지	아무렇든지
어떻다	어떻고	어떻지	어떻든지
이렇다	이렇고	이렇지	이렇든지
저렇다	저렇고	저렇지	저렇든지

〔붙임 2〕 어간의 끝음절 '하'가 아주 줄 적에는 준 대로 적는다.

(본말)	(준말)	(본말)	(준말)
거북하지	거북지	넉넉하지 않다	넉넉지 않다
생각하건대	생각건대	못하지 않다	못지않다
생각하다 못해	생각다 못해	섭섭하지 않다	섭섭지 않다
깨끗하지 않다	깨끗지 않다	익숙하지 않다	익숙지 않다

〔붙임 3〕 다음과 같은 부사는 소리대로 적는다.

결단코 결코 기필코 무심코 아무튼 요컨대
정녕코 필연코 하마터면 하여튼 한사코

제 5 장 띄어쓰기

제 1 절 조 사

제 41 항 조사는 그 앞말에 붙여 쓴다.

꽃이 꽃마저 꽃밖에 꽃에서부터 꽃으로만
꽃이나마 꽃이다 꽃입니다 꽃처럼 어디까지나
거기도 멀리는 웃고만

제 2 절 의존 명사, 단위를 나타내는 명사 및 열거하는 말 등

제 42 항 의존 명사는 띄어 쓴다.

아는 것이 힘이다.	나도 할 수 있다.
먹을 만큼 먹어라.	아는 이를 만났다.
네가 뜻한 바를 알겠다.	그가 떠난 지가 오래다.

제 43 항 단위를 나타내는 명사는 띄어 쓴다.

한 개	차 한 대	금 서 돈
소 한 마리	옷 한 벌	열 살
조기 한 손	연필 한 자루	버선 한 죽
집 한 채	신 두 켤레	북어 한 쾌

다만, 순서를 나타내는 경우나 숫자와 어울리어 쓰이는 경우에는 붙여 쓸 수 있다.

두시 삼십분 오초	제일과	삼학년	육층
1446년 10월 9일	2대대	16동 502호	제 1실습실
80원	10개	7미터	

제 44 항 수를 적을 적에는 '만(萬)' 단위로 띄어 쓴다.

십이억 삼천사백오십육만 칠천팔백구십팔

12억 3456만 7898

제 45 항 두 말을 이어 주거나 열거할 적에 쓰이는 다음의 말들은 띄어 쓴다.

국장 겸 과장	열 내지 스물
청군 대 백군	책상, 걸상 등이 있다.
이사장 및 이사들	사과, 배, 귤 등등
사과, 배 등속	부산, 광주 등지

제 46 항 단음절로 된 단어가 연이어 나타날 적에는 붙여 쓸 수 있다.

그때 그곳 좀더 큰것 이말 저말 한잎 두잎

제 3 절 보조 용언

제 47 항 보조 용언은 띄어 씀을 원칙으로 하되, 경우에 따라 붙여 씀도 허용한다. (ㄱ을 원칙으로 하고, ㄴ을 허용함.)

ㄱ	ㄴ
불이 꺼져 간다.	불이 꺼져간다.
내 힘으로 막아 낸다.	내 힘으로 막아낸다.
어머니를 도와 드린다.	어머니를 도와드린다.
그릇을 깨뜨려 버렸다.	그릇을 깨뜨려버렸다.
비가 올 듯하다.	비가 올듯하다.
그 일은 할 만하다.	그 일은 할만하다.
일이 될 법하다.	일이 될법하다.
비가 올 성싶다.	비가 올성싶다.
잘 아는 척한다.	잘 아는척한다.

다만, 앞말에 조사가 붙거나 앞말이 합성 동사인 경우, 그리고 중간에 조사가 들어갈 적에는 그 뒤에 오는 보조 용언은 띄어 쓴다.

잘도 놀아만 나는구나!	책을 읽어도 보고…….
네가 덤벼들어 보아라.	강물에 떠내려가 버렸다.
그가 올 듯도 하다.	잘난 체를 한다.

제 4 절 고유 명사 및 전문 용어

제 48 항 성과 이름, 성과 호 등은 붙여 쓰고, 이에 덧붙는 호칭어, 관직명 등은 띄어 쓴다.

김양수(金良洙)	서화담(徐花潭)	채영신 씨
최치원 선생	박동식 박사	충무공 이순신 장군

다만, 성과 이름, 성과 호를 분명히 구분할 필요가 있을 경우에는 띄어 쓸 수 있다.

남궁억/남궁 억 독고준/독고 준 황보지봉(皇甫芝峰)/황보 지봉

제 49 항 성명 이외의 고유 명사는 단어별로 띄어 씀을 원칙으로 하되, 단위별로 띄어 쓸 수 있다. (ㄱ을 원칙으로 하고, ㄴ을 허용함.)

ㄱ	ㄴ
대한 중학교	대한중학교
한국 대학교 사범 대학	한국대학교 사범대학

제 50 항 전문 용어는 단어별로 띄어 씀을 원칙으로 하되, 붙여 쓸 수 있다. (ㄱ을 원칙으로 하고, ㄴ을 허용함.)

ㄱ	ㄴ
만성 골수성 백혈병	만성골수성백혈병
중거리 탄도 유도탄	중거리탄도유도탄

제 6 장 그 밖의 것

제 51 항 부사의 끝음절이 분명히 '이'로만 나는 것은 '-이'로 적고, '히'로만 나거나 '이'나 '히'로 나는 것은 '-히'로 적는다.

1. '이'로 나는 것

가붓이	깨끗이	나붓이	느긋이	둥긋이
따뜻이	반듯이	버젓이	산뜻이	의젓이
가까이	고이	날카로이	대수로이	번거로이
많이	적이	헛되이	겹겹이	번번이
일일이	집집이	틈틈이		

2. '히'로만 나는 것

극히	급히	딱히	속히	작히
족히	특히	엄격히	정확히	

3. '이, 히'로 나는 것

솔직히	가만히	간편히	나른히	무단히
각별히	소홀히	쓸쓸히	정결히	과감히
꼼꼼히	심히	열심히	급급히	답답히
섭섭히	공평히	능히	당당히	분명히
상당히	조용히	간소히	고요히	도저히

제 52 항 한자어에서 본음으로도 나고 속음으로도 나는 것은 각각 그 소리에 따라 적는다.

(본음으로 나는 것)	(속음으로 나는 것)
승낙(承諾)	수락(受諾), 쾌락(快諾), 허락(許諾)
만난(萬難)	곤란(困難), 논란(論難)
안녕(安寧)	의령(宜寧), 회령(會寧)
분노(忿怒)	대로(大怒), 희로애락(喜怒哀樂)
토론(討論)	의논(議論)
오륙십(五六十)	오뉴월, 유월(六月)
목재(木材)	모과(木瓜)
십일(十日)	시방정토(十方淨土), 시왕(十王), 시월(十月)
팔일(八日)	초파일(初八日)

제 53 항 다음과 같은 어미는 예사소리로 적는다. (ㄱ을 취하고, ㄴ을 버림.)

ㄱ	ㄴ	ㄱ	ㄴ
-(으)ㄹ거나	-(으)ㄹ꺼나	-(으)ㄹ지니라	(으)ㄹ찌니라
-(으)ㄹ걸	-(으)ㄹ껄	-(으)ㄹ지라도	(으)ㄹ찌라도
-(으)ㄹ게	-(으)ㄹ께	-(으)ㄹ지어다	(으)ㄹ찌어다
-(으)ㄹ세	-(으)ㄹ쎄	-(으)ㄹ지언정	(으)ㄹ찌언정
-(으)ㄹ세라	-(으)ㄹ쎄라	-(으)ㄹ진대	(으)ㄹ찐대
-(으)ㄹ수록	-(으)ㄹ쑤록	-(으)ㄹ진저	(으)ㄹ찐저
-(으)ㄹ시	-(으)ㄹ씨	-올시다	올씨다
-(으)ㄹ지	-(으)ㄹ찌		

다만, 의문을 나타내는 다음 어미들은 된소리로 적는다.

-(으)ㄹ까? -(으)ㄹ꼬? -(스)ㅂ니까?

-(으)리까? -(으)ㄹ쏘냐?

제 54 항 다음과 같은 접미사는 된소리로 적는다. (ㄱ을 취하고, ㄴ을 버림.)

ㄱ	ㄴ	ㄱ	ㄴ
심부름꾼	심부름군	귀때기	귓대기
익살꾼	익살군	볼때기	볼대기
일꾼	일군	판자때기	판잣대기
장꾼	장군	뒤꿈치	뒷굼치
장난꾼	장난군	팔꿈치	팔굼치
지게꾼	지겟군	이마빼기	이맛배기
때깔	땟갈	코빼기	콧배기
빛깔	빛갈	객쩍다	객적다

성깔	성갈	겸연쩍다	겸연적다

제 55 항 두 가지로 구별하여 적던 다음 말들은 한 가지로 적는다. (ㄱ을 취하고, ㄴ을 버림.)

ㄱ	ㄴ
맞추다(입을 맞춘다. 양복을 맞춘다.)	마추다
뻗치다(다리를 뻗친다. 멀리 뻗친다.)	뻐치다

제 56 항 '-더라, -던'과 '-든지'는 다음과 같이 적는다.

1. 지난 일을 나타내는 어미는 '-더라, -던'으로 적는다. (ㄱ을 취하고, ㄴ을 버림.)

ㄱ	ㄴ
지난 겨울은 몹시 춥더라.	지난 겨울은 몹시 춥드라.
깊던 물이 얕아졌다.	깊든 물이 얕아졌다.
그렇게 좋던가?	그렇게 좋든가?
그 사람 말 잘하던데!	그 사람 말 잘하든데!
얼마나 놀랐던지 몰라.	얼마나 놀랐든지 몰라.

2. 물건이나 일의 내용을 가리지 아니하는 뜻을 나타내는 조사와 어미는 '(-)든지'로 적는다. (ㄱ을 취하고, ㄴ을 버림.)

ㄱ	ㄴ
배든지 사과든지 마음대로 먹어라.	배던지 사과던지 마음대로 먹어라.
가든지 오든지 마음대로 해라.	가던지 오던지 마음대로 해라.

제 57 항 다음 말들은 각각 구별하여 적는다.

가름	둘로 가름
갈음	새 책상으로 갈음하였다.
거름	풀을 썩인 거름
걸음	빠른 걸음
거치다	영월을 거쳐 왔다.
걷히다	외상값이 잘 걷힌다.
걷잡다	걷잡을 수 없는 상태
겉잡다	겉잡아서 이틀 걸릴 일
그러므로(그러니까)	그는 부지런하다. 그러므로 잘 산다.
그럼으로(써)(그렇게 하는 것으로)	그는 열심히 공부한다. 그럼으로(써) 은혜에 보답한다.
노름	노름판이 벌어졌다.
놀음(놀이)	즐거운 놀음
느리다	진도가 너무 느리다.
늘이다	고무줄을 늘인다.
늘리다	수출량을 더 늘린다.
다리다	옷을 다린다.
달이다	약을 달인다.
다치다	부주의로 손을 다쳤다.
닫히다	문이 저절로 닫혔다.
닫치다	문을 힘껏 닫쳤다.
마치다	벌써 일을 마쳤다.
맞히다	여러 문제를 더 맞혔다.
목거리	목거리가 덧났다.
목걸이	금 목걸이, 은 목걸이
바치다	나라를 위해 목숨을 바쳤다.
받치다	우산을 받치고 간다. 책받침을 받친다.
받히다	쇠뿔에 받혔다.
밭치다	술을 체에 밭친다.
반드시	약속은 반드시 지켜라.
반듯이	고개를 반듯이 들어라.
부딪치다	차와 차가 마주 부딪쳤다.
부딪히다	마차가 화물차에 부딪혔다.
부치다	힘이 부치는 일이다. 편지를 부친다. 논밭을 부친다. 빈대떡을 부친다. 식목일에 부치는 글 회의에 부치는 안건 인쇄에 부치는 원고 삼촌 집에 숙식을 부친다.
붙이다	우표를 붙인다. 책상을 벽에 붙였다. 흥정을 붙인다. 불을 붙인다. 감시원을 붙인다. 조건을 붙인다. 취미를 붙인다. 별명을 붙인다.
시키다	일을 시킨다.
식히다	끓인 물을 식힌다.
아름	세 아름 되는 둘레
알음	전부터 알음이 있는 사이
앎	앎이 힘이다.
안치다	밥을 안친다.
앉히다	윗자리에 앉힌다.
어름	두 물건의 어름에서 일어난 현상
얼음	얼음이 얼었다.
이따가	이따가 오너라.
있다가	돈은 있다가도 없다.
저리다	다친 다리가 저리다.
절이다	김장 배추를 절인다.
조리다	생선을 조린다. 통조림, 병조림
졸이다	마음을 졸인다.
주리다	여러 날을 주렸다.
줄이다	비용을 줄인다.
하노라고	하노라고 한 것이 이 모양이다.
하느라고	공부하느라고 밤을 새웠다
-느니보다(어미)	나를 찾아 오느니보다 집에 있거라.
-는 이보다(의존 명사)	오는 이가 가는 이보다 많다.
-(으)리만큼(어미)	나를 미워하리만큼 그에게 잘못한 일이 없다.
-(으)ㄹ 이만큼(의존 명사)	찬성할 이도 반대할 이만큼이나 많을 것이다.
-(으)러(목적)	공부하러 간다.

-(으)려(의도)	서울 가려 한다.
-(으)로서(자격)	사람으로서 그럴 수는 없다.
-(으)로써(수단)	닭으로써 꿩을 대신했다.
-(으)므로(어미)	그가 나를 믿으므로 나도 그를 믿는다.
(-ㅁ, -음)으로(써)(조사)	그는 믿음으로(써) 산 보람을 느꼈다.

〔부 록〕 문장 부호

문장 부호의 이름과 그 사용법은 다음과 같이 정한다.

Ⅰ. 마침표〔終止符〕

1. 온점(.), 고리점(。)

가로쓰기에는 온점, 세로쓰기에는 고리점을 쓴다.

(1) 서술, 명령, 청유 등을 나타내는 문장의 끝에 쓴다.

젊은이는 나라의 기둥이다.
황금 보기를 돌같이 하라.
집으로 돌아가자.

다만, 표제어나 표어에는 쓰지 않는다.

압록강은 흐른다(표제어)
꺼진 불도 다시 보자(표어)

(2) 아라비아 숫자만으로 연월일을 표시할 적에 쓴다.

1919. 3. 1.(1919년 3월 1일)

(3) 표시 문자 다음에 쓴다.

1. 마침표 ㄱ. 물음표 가. 인명

(4) 준말을 나타내는 데 쓴다.

서. 1978. 3. 5.(서기)

2. 물음표(?)

의심이나 물음을 나타낸다.

(1) 직접 질문할 때에 쓴다.

이제 가면 언제 돌아오니?
이름이 뭐지?

(2) 반어나 수사 의문(修辭疑問)을 나타낼 때 쓴다.

제가 감히 거역할 리가 있습니까?
이게 은혜에 대한 보답이냐?
남북 통일이 되면 얼마나 좋을까?

(3) 특정한 어구 또는 그 내용에 대하여 의심이나 빈정거림, 비웃음 등을 표시할 때, 또는 적절한 말을 쓰기 어려운 경우에 소괄호 안에 쓴다.

그것 참 훌륭한(?) 태도야.
우리 집 고양이가 가출(?)을 했어요.

〔붙임 1〕 한 문장에서 몇 개의 선택적인 물음이 겹쳤을 때에는 맨 끝의 물음에만 쓰지만, 각각 독립된 물음인 경우에는 물음마다 쓴다.

너는 한국인이냐, 중국인이냐?
너는 언제 왔니? 어디서 왔니? 무엇하러?

〔붙임 2〕 의문형 어미로 끝나는 문장이라도 의문의 정도가 약할 때에는 물음표 대신 온점(또는 고리점)을 쓸 수도 있다.

이 일을 도대체 어쩌란 말이냐.
아무도 그 일에 찬성하지 않을 거야. 혹 미친 사람이면 모를까.

3. 느낌표(!)

감탄이나 놀람, 부르짖음, 명령 등 강한 느낌을 나타낸다.

(1) 느낌을 힘차게 나타내기 위해 감탄사나 감탄형 종결어미 다음에 쓴다.

앗!
아, 달이 밝구나!

(2) 강한 명령문 또는 청유문에 쓴다.

지금 즉시 대답해!
부디 몸조심하도록!

(3) 감정을 넣어 다른 사람을 부르거나 대답할 적에 쓴다.

춘향아!
예, 도련님!

(4) 물음의 말로써 놀람이나 항의의 뜻을 나타내는 경우에 쓴다.

이게 누구야!
내가 왜 나빠!

〔붙임〕 감탄형 어미로 끝나는 문장이라도 감탄의 정도가 약할 때에는 느낌표 대신 온점(또는 고리점)을 쓸 수도 있다.

개구리가 나온 것을 보니, 봄이 오긴 왔구나.

Ⅱ. 쉼표〔休止符〕

1. 반점(,), 모점(、)

가로쓰기에는 반점, 세로쓰기에는 모점을 쓴다.
문장 안에서 짧은 휴지를 나타낸다.

(1) 같은 자격의 어구가 열거될 때에 쓴다.

근면, 검소, 협동은 우리 겨레의 미덕이다.
충청도의 계룡산, 전라도의 내장산, 강원도의 설악산은 모두 국립 공원이다.

다만, 조사로 연결될 적에는 쓰지 않는다.

매화와 난초와 국화와 대나무를 사군자라고 한다.

(2) 짝을 지어 구별할 필요가 있을 때에 쓴다.

닭과 지네, 개와 고양이는 상극이다.

(3) 바로 다음의 말을 꾸미지 않을 때에 쓴다.

슬픈 사연을 간직한, 경주 불국사의 무영탑
성질 급한, 철수의 누이동생이 화를 내었다.

(4) 대등하거나 종속적인 절이 이어질 때에 절 사이에 쓴다.

콩 심으면 콩 나고, 팥 심으면 팥 난다.
흰 눈이 내리니, 경치가 더욱 아름답다.

(5) 부르는 말이나 대답하는 말 뒤에 쓴다.

얘야, 이리 오너라.
예, 지금 가겠습니다.

(6) 제시어 다음에 쓴다.

빵, 빵이 인생의 전부이더냐?
용기, 이것이야말로 무엇과도 바꿀 수 없는 젊은이의 자산이다.

(7) 도치된 문장에 쓴다.

이리 오세요, 어머님.
다시 보자, 한강수야.

(8) 가벼운 감탄을 나타내는 말 뒤에 쓴다.

아, 깜빡 잊었구나.

(9) 문장 첫머리의 접속이나 연결을 나타내는 말 다음에 쓴다.

첫째, 몸이 튼튼해야 된다.
아무튼, 나는 집에 돌아가겠다.

다만, 일반적으로 쓰이는 접속어(그러나, 그러므로, 그리고, 그런데 등) 뒤에는 쓰지 않음을 원칙으로 한다.

그러나 너는 실망할 필요가 없다.

(10) 문장 중간에 끼어든 구절 앞뒤에 쓴다.

나는, 솔직히 말하면, 그 말이 별로 탐탁하지 않소.
철수는 미소를 띠고, 속으로는 화가 치밀었지만, 그들을 맞았다.

(11) 되풀이를 피하기 위하여 한 부분을 줄일 때에 쓴다.

여름에는 바다에서, 가을에는 산에서 휴가를 즐겼다.

(12) 문맥상 끊어 읽어야 할 곳에 쓴다.

갑돌이가 울면서, 떠나는 갑순이를 배웅했다.
갑돌이가, 울면서 떠나는 갑순이를 배웅했다.
철수가, 내가 제일 좋아하는 친구이다.
남을 괴롭히는 사람들은, 만약 그들이 다른 사람에게 괴롭힘을 당해 본다면, 남을 괴롭히는 일이 얼마나 나쁜 일인지 깨달을 것이다.

(13) 숫자를 나열할 때에 쓴다.

1, 2, 3, 4

(14) 수의 폭이나 개략의 수를 나타낼 때에 쓴다.

5, 6 세기 6, 7 개

(15) 수의 자릿점을 나타낼 때에 쓴다.

14,314

2. 가운뎃점(·)

열거된 여러 단위가 대등하거나 밀접한 관계임을 나타낸다.

(1) 쉼표로 열거된 어구가 다시 여러 단위로 나누어질 때에 쓴다.

철수·영이, 영수·순이가 서로 짝이 되어 윷놀이를 하였다.

공주·논산, 천안·아산·천원 등 각 지역구에서 2 명씩 국회 의원을 뽑는다.

시장에 가서 사과·배·복숭아·고추·마늘·파, 조기·명태·고등어를 샀다.

(2) 특정한 의미를 가지는 날을 나타내는 숫자에 쓴다.

3·1 운동　　8·15 광복

(3) 같은 계열의 단어 사이에 쓴다.

경북 방언의 조사·연구

충북·충남 두 도를 합하여 충청도라고 한다.

동사·형용사를 합하여 용언이라고 한다.

3. 쌍점(:)

(1) 내포되는 종류를 들 적에 쓴다.

문장 부호 : 마침표, 쉼표, 따옴표, 물음표 등

문방사우 : 붓, 먹, 벼루, 종이

(2) 소표제 뒤에 간단한 설명이 붙을 때에 쓴다.

일시 : 1984 년 10 월 15 일 10 시

마침표 : 문장이 끝남을 나타낸다.

(3) 저자명 다음에 저서명을 적을 때에 쓴다.

정약용 : 목민심서, 경세유표

주시경 : 국어 문법, 서울 박문서관, 1910.

(4) 시(時)와 분(分), 장(章)과 절(節) 따위를 구별할 때나, 둘 이상을 대비할 때에 쓴다.

오전 10 : 20(오전 10 시 20 분)

요한 3 : 16(요한복음 3 장 16 절)

대비 65 : 60(65 대 60)

4. 빗금(/)

(1) 대응, 대립되거나 대등한 것을 함께 보이는 단어와 구, 절 사이에 쓴다.

남궁만/남궁 만　　백이십오 원/125 원

착한 사람/악한 사람　　맞닥뜨리다/맞닥트리다

(2) 분수를 나타낼 때에 쓰기도 한다.

3/4 분기　　3/20

Ⅲ. 따옴표〔引用符〕

1. 큰따옴표(" "), 겹낫표(『 』)

가로쓰기에는 큰따옴표, 세로쓰기에는 겹낫표를 쓴다.

대화, 인용, 특별 어구 따위를 나타낸다.

(1) 글 가운데서 직접 대화를 표시할 때에 쓴다.

"전기가 없었을 때는 어떻게 책을 보았을까?"

"그야 등잔불을 켜고 보았겠지."

(2) 남의 말을 인용할 경우에 쓴다.

예로부터 "민심은 천심이다."라고 하였다.

"사람은 사회적 동물이다."라고 말한 학자가 있다.

2. 작은따옴표(' '), 낫표(「 」)

가로쓰기에는 작은따옴표, 세로쓰기에는 낫표를 쓴다.

(1) 따온 말 가운데 다시 따온 말이 들어 있을 때에 쓴다.

"여러분! 침착해야 됩니다. '하늘이 무너져도 솟아날 구멍이 있다.'고 합니다."

(2) 마음 속으로 한 말을 적을 때에 쓴다.

'만약 내가 이런 모습으로 돌아간다면 모두들 깜짝 놀라겠지.'

〔붙임〕 문장에서 중요한 부분을 두드러지게 하기 위해 드러냄표 대신에 쓰기도 한다.

지금 필요한 것은 '지식'이 아니라 '실천'입니다.

'배부른 돼지'보다는 '배고픈 소크라테스'가 되겠다.

Ⅳ. 묶음표〔括弧符〕

1. 소괄호(( ))

(1) 원어, 연대, 주석, 설명 등을 넣을 적에 쓴다.

커피(coffee)는 기호 식품이다.

3·1 운동(1919) 당시 나는 중학생이었다.

'무정(無情)'은 춘원(6·25 때 납북)의 작품이다.

니체(독일의 철학자)는 이렇게 말했다.

(2) 특히 기호 또는 기호적인 구실을 하는 문자, 단어, 구에 쓴다.

(1) 주어　　(ㄱ) 명사　　(라) 소리에 관한 것

(3) 빈 자리임을 나타낼 적에 쓴다.

우리 나라의 수도는 ( )이다.

2. 중괄호({ })

여러 단위를 동등하게 묶어서 보일 때에 쓴다.

주격 조사{이, 가}　　국가의 3 요소{국토, 국민, 주권}

3. 대괄호(〔 〕)

(1) 묶음표 안의 말이 바깥 말과 음이 다를 때에 쓴다.

나이〔年歲〕　　낱말〔單語〕　　手足〔손발〕

(2) 묶음표 안에 또 묶음표가 있을 때에 쓴다.

명령에 있어서의 불확실〔단호(斷乎)하지 못함〕은 복종에 있어서의 불확실〔모호(模糊)함〕을 낳는다.

Ⅴ. 이음표〔連結符〕

1. 줄표(—)

이미 말한 내용을 다른 말로 부연하거나 보충함을 나타낸다.

(1) 문장 중간에 앞의 내용에 대해 부연하는 말이 끼어들 때 쓴다.

그 신동은 네 살에— 보통 아이 같으면 천자문도 모를 나이에—벌써 시를 지었다.

(2) 앞의 말을 정정 또는 변명하는 말이 이어질 때 쓴다.

어머님께 말했다가—아니, 말씀드렸다가—꾸중만 들었다.

이건 내 것이니까—아니, 내가 처음 발견한 것이니까—절대로 양보할 수가 없다.

2. 붙임표(-)

(1) 사전, 논문 등에서 합성어를 나타낼 적에, 또는 접사나 어미임을 나타낼 적에 쓴다.

겨울-나그네　　불-구경　　손-발

휘-날리다　　슬기-롭다　　-(으)ㄹ걸

(2) 외래어와 고유어 또는 한자어가 결합되는 경우에 쓴다.

나일론-실　　디-장조　　빛-에너지　　염화-칼륨

3. 물결표(~)

(1) '내지'라는 뜻에 쓴다.

9 월 15 일~9 월 25 일

(2) 어떤 말의 앞이나 뒤에 들어갈 말 대신 쓴다.

새마을 : ~ 운동　　~ 노래

-가(家) : 음악~　　미술~

Ⅵ. 드러냄표〔顯在符〕

1. 드러냄표(˚, ·)

·이나 ˚을 가로쓰기에는 글자 위에, 세로쓰기에는 글자 오른쪽에 쓴다.

문장 내용 중에서 주의가 미쳐야 할 곳이나 중요한 부분을 특별히 드러내 보일 때 쓴다.

한글의 본 이름은 훈민정음이다.

중요한 것은 왜 사느냐가 아니라 어떻게 사느냐 하는 문제이다.

〔붙임〕 가로쓰기에서는 밑줄(____, ﹏﹏)을 치기도 한다.

다음 보기에서 명사가 <u>아닌</u> 것은?

Ⅶ. 안드러냄표〔潛在符〕

1. 숨김표(××, ○○)
   알면서도 고의로 드러내지 않음을 나타낸다.
   (1) 금기어나 공공연히 쓰기 어려운 비속어의 경우, 그 글자의 수효만큼 쓴다.
      배운 사람 입에서 어찌 ○○○란 말이 나올 수 있느냐?
      그 말을 듣는 순간 ×××란 말이 목구멍까지 치밀었다.
   (2) 비밀을 유지할 사항일 경우, 그 글자의 수효만큼 쓴다.
      육군 ○○부대 ○○○명이 작전에 참가하였다.
      그 모임의 참석자는 김×× 씨, 정×× 씨 등 5명이었다.
2. 빠짐표(□)
   글자의 자리를 비워 둠을 나타낸다.
   (1) 옛 비문이나 서적 등에서 글자가 분명하지 않을 때에 그 글자의 수효만큼 쓴다.
      大師爲法主□□賴之大□薦(옛 비문)
   (2) 글자가 들어가야 할 자리를 나타낼 때 쓴다.
      훈민정음의 초성 중에서 아음(牙音)은 □□□의 석 자다.
3. 줄임표(……)
   (1) 할 말을 줄였을 때에 쓴다.
      "어디 나하고 한 번……."
      하고 철수가 나섰다.
   (2) 말이 없음을 나타낼 때에 쓴다.
      "빨리 말해!"
      "……."

표준어 규정

문교부 고시 제88-2호(1988. 1.)

제1부 표준어 사정 원칙

제1장 총 칙

제1항 표준어는 교양 있는 사람들이 두루 쓰는 현대 서울말로 정함을 원칙으로 한다.

제2장 외래어는 따로 사정한다.

제2장 발음 변화에 따른 표준어 규정

제1절 자 음

제3항 다음 단어들은 거센소리를 가진 형태를 표준어로 삼는다. (ㄱ을 표준어로 삼고, ㄴ을 버림.)

ㄱ	ㄴ	비 고
끄나풀	끄나불	
나팔-꽃	나발-꽃	
녘	녁	동~, 들~, 새벽~, 동틀~
부엌	부억	
살-쾡이	삵-괭이	
칸	간	1. ~막이, 빈 ~, 방 한 ~ 2. '초가삼간, 윗간'의 경우에는 '간'임.
털어-먹다	떨어-먹다	재물을 다 없애다.

제4항 다음 단어들은 거센소리로 나지 않는 형태를 표준어로 삼는다. (ㄱ을 표준어로 삼고, ㄴ을 버림).

ㄱ	ㄴ	비 고
가을-갈이	가을-카리	
거시기	거시키	
분침	푼침	

제5장 어원에서 멀어진 형태로 굳어져서 널리 쓰이는 것은, 그것을 표준어로 삼는다. (ㄱ을 표준어로 삼고, ㄴ을 버림.)

ㄱ	ㄴ	비 고
강낭-콩	강남-콩	
고삿	고샅	겉~, 속~
사글-세	삭월-세	'월세'는 표준어임.
울력-성당	위력-성당	떼를 지어서 으르고 협박하는 일

다만, 어원적으로 원형에 더 가까운 형태가 아직 쓰이고 있는 경우에는, 그것을 표준어로 삼는다. (ㄱ을 표준어로 삼고, ㄴ을 버림.)

ㄱ	ㄴ	비 고
갈비	가리	~구이, ~찜, 갈빗-대
갓모	갈모	1. 사기 만드는 물레 밑고리 2. '갈모'는 갓 위에 쓰는, 유지로 만든 우비
굴-젓	구-젓	
말-곁	말-겻	
물-수란	물-수랄	
밀-뜨리다	미-뜨리다	
적-이	저으기	적이-나, 적이나-하면
휴지	수지	

제6장 다음 단어들은 의미를 구별함이 없이, 한 가지 형태만을 표준어로 삼는다. (ㄱ을 표준어로 삼고, ㄴ을 버림.)

ㄱ	ㄴ	비 고
돌	돐	생일, 주기
둘-째	두-째	'제2, 두 개째'의 뜻
셋-째	세-째	'제3, 세 개째'의 뜻
넷-째	네-째	'제4, 네 개째'의 뜻
빌리다	빌다	1. 빌려 주다, 빌려 오다. 2. '용서를 빌다'는 '빌다'임.

다만, '둘째'는 십 단위 이상의 서수사에 쓰일 때에 '두째'로 한다.

ㄱ	ㄴ	비 고
열두-째		열두 개째의 뜻은 '열둘째'로
스물두-째		스물두 개째의 뜻은 '스물둘째'로

제7항 수컷을 이르는 접두사는 '수-'로 통일한다. (ㄱ을 표준어로 삼고, ㄴ을 버림).

ㄱ	ㄴ	비 고
수-꿩	수-퀑, 숫-꿩	'장끼'도 표준어임.
수-나사	숫-나사	
수-놈	숫-놈	
수-사돈	숫-사돈	
수-소	숫-소	'황소'도 표준어임.
수-은행나무	숫-은행나무	

다만 1. 다음 단어에서는 접두사 다음에서 나는 거센소리를 인정한다. 접두사 '암-'이 결합되는 경우에도 이에 준한다. (ㄱ을 표준어로 삼고, ㄴ을 버림.)

ㄱ	ㄴ	비 고
수-캉아지	숫-강아지	

수-캐	숫-개	
수-컷	숫-것	
수-키와	숫-기와	
수-탉	숫-닭	
수-탕나귀	숫-당나귀	
수-톨쩌귀	숫-돌쩌귀	
수-퇘지	숫-돼지	
수-평아리	숫-병아리	

다만 2. 다음 단어의 접두사는 '숫-'으로 한다.(ㄱ을 표준어로 삼고, ㄴ을 버림.)

ㄱ	ㄴ	비 고
숫-양	수-양	
숫-염소	수-염소	
숫-쥐	수-쥐	

제 2 절 모 음

제 8 항 양성모음이 음성모음으로 바뀌어 굳어진 다음 단어는 음성모음 형태를 표준어로 삼는다.(ㄱ을 표준어로 삼고, ㄴ을 버림).

ㄱ	ㄴ	비 고
깡충-깡충	깡총-깡총	큰말은 '껑충껑충'임.
-둥이	-동이	←童-이. 귀-, 막-, 선-, 쌍-, 검-, 바람-, 흰-
발가-숭이	발가-송이	센말은 '빨가숭이', 큰말은 '벌거숭이, 뻘거숭이'임.
보퉁이	보통이	
봉죽	봉족	←奉足. ~꾼, ~들다
뻗정-다리	뻗장-다리	
아서, 아서라	앗아, 앗아라	하지 말라고 금지하는 말
오뚝-이	오똑-이	부사도 '오뚝-이'임.
주추	주초	←柱礎. 주춧-돌

다만, 어원 의식이 강하게 작용하는 다음 단어에서는 양성모음 형태를 그대로 표준어로 삼는다.(ㄱ을 표준어로 삼고, ㄴ을 버림.)

ㄱ	ㄴ	비 고
부조(扶助)	부주	~금, 부좃-술
사돈(査頓)	사둔	밭~, 안~
삼촌(三寸)	삼춘	시~, 외~, 처~

제 9 항 'ㅣ'역행동화 현상에 의한 발음은 원칙적으로 표준 발음으로 인정하지 아니하되, 다만 다음 단어들은 그러한 동화가 적용된 형태를 표준어로 삼는다.(ㄱ을 표준어로 삼고, ㄴ을 버림).

ㄱ	ㄴ	비 고
-내기	-나기	서울-, 시골-, 신출-, 풋-
냄비	남비	
동댕이-치다	동당이-치다	

〔붙임 1〕 다음 단어는 'ㅣ'역행동화가 일어나지 아니한 형태를 표준어로 삼는다.(ㄱ을 표준어로 삼고, ㄴ을 버림.)

ㄱ	ㄴ	비 고
아지랑이	아지랭이	

〔붙임 2〕 기술자에게는 '-장이', 그 외에는 '-쟁이'가 붙는 형태를 표준어로 삼는다.(ㄱ을 표준어로 삼고, ㄴ을 버림.)

ㄱ	ㄴ	비 고
미장이	미쟁이	
유기장이	유기쟁이	
멋쟁이	멋장이	
소금쟁이	소금장이	
담쟁이-덩굴	담장이-덩굴	
골목쟁이	골목장이	
발목쟁이	발목장이	

제 10 항 다음 단어는 모음이 단순화한 형태를 표준어로 삼는다.(ㄱ을 표준어로 삼고, ㄴ을 버림.)

ㄱ	ㄴ	비 고
괴팍-하다	괴퍅-하다/괴팩-하다	
-구먼	-구면	
미루-나무	미류-나무	←美柳~.
미륵	미력	←彌勒. ~보살, ~불, 돌~
여느	여늬	
온-달	왼-달	만 한 달
으레	으레	
케케-묵다	켸켸-묵다	
허우대	허위대	
허우적-허우적	허위적-허위적	허우적-거리다

제 11 항 다음 단어에서는 모음의 발음 변화를 인정하여, 발음이 바뀌어 굳어진 형태를 표준어로 삼는다.(ㄱ을 표준어로 삼고, ㄴ을 버림.)

ㄱ	ㄴ	비 고
-구려	-구료	
깍쟁이	깍정이	1. 서울~, 알~, 찰~ 2. 도토리, 상수리 등의 받침은 '깍정이'임.
나무라다	나무래다	
미수	미시	미숫-가루
바라다	바래다	'바램〔所望〕'은 비표준어임.
상추	상치	~쌈
시러베-아들	실업의-아들	
주책	주착	←主着. ~망나니, ~없다
지루-하다	지리-하다	←支離.
튀기	트기	
허드레	허드래	허드렛-물, 허드렛-일
호루라기	호루루기	

제 12 항 '웃-' 및 '윗-'은 명사 '위'에 맞추어 '윗-'으로 한다.(ㄱ을 표준어로 삼고, ㄴ을 버림.)

ㄱ	ㄴ	비 고
윗-넓이	웃-넓이	
윗-눈썹	웃-눈썹	
윗-니	웃-니	
윗-당줄	웃-당줄	
윗-덧줄	웃-덧줄	
윗-도리	웃-도리	
윗-동아리	웃-동아리	준말은 '윗동'임.
윗-막이	웃-막이	
윗-머리	웃-머리	
윗-목	웃-목	
윗-몸	웃-몸	~운동
윗-바람	웃-바람	
윗-배	웃-배	
윗-벌	웃-벌	

윗-변	웃-변	수학 용어
윗-사랑	웃-사랑	
윗-세장	웃-세장	
윗-수염	웃-수염	
윗-입술	웃-입술	
윗-잇몸	웃-잇몸	
윗-자리	웃-자리	
윗-중방	웃-중방	

다만 1. 된소리나 거센소리 앞에서는 '위-'로 한다. (ㄱ을 표준어로 삼고, ㄴ을 버림.)

ㄱ	ㄴ	비 고
위-짝	웃-짝	
위-쪽	웃-쪽	
위-채	웃-채	
위-층	웃-층	
위-치마	웃-치마	
위-턱	웃-턱	~구름〔上層雲〕
위-팔	웃-팔	

다만 2. '아래, 위'의 대립이 없는 단어는 '웃-'으로 발음되는 형태를 표준어로 삼는다. (ㄱ을 표준어로 삼고, ㄴ을 버림.)

ㄱ	ㄴ	비 고
웃-국	윗-국	
웃-기	윗-기	
웃-돈	윗-돈	
웃-비	윗-비	~걷다
웃-어른	윗-어른	
웃-옷	윗-옷	

제 13 항 한자 '구(句)'가 붙어서 이루어진 단어는 '귀'로 읽는 것을 인정하지 아니하고, '구'로 통일한다. (ㄱ을 표준어로 삼고, ㄴ을 버림).

ㄱ	ㄴ	비 고
구법(句法)	귀법	
구절(句節)	귀절	
구점(句點)	귀점	
결구(結句)	결귀	
경구(警句)	경귀	
경인구(警人句)	경인귀	
난구(難句)	난귀	
단구(短句)	단귀	
단명구(短命句)	단명귀	
대구(對句)	대귀	~법(對句法)
문구(文句)	문귀	
성구(成句)	성귀	~어(成句語)
시구(詩句)	시귀	
어구(語句)	어귀	
연구(聯句)	연귀	
인용구(引用句)	인용귀	
절구(絶句)	절귀	

다만, 다음 단어는 '귀'로 발음되는 형태를 표준어로 삼는다. (ㄱ을 표준어로 삼고, ㄴ을 버림.)

ㄱ	ㄴ	비 고
귀-글	구-글	
글-귀	글-구	

제 3 절 준 말

제 14 항 준말이 널리 쓰이고 본말이 잘 쓰이지 않는 경우에는, 준말만을 표준어로 삼는다. (ㄱ을 표준어로 삼고, ㄴ을 버림.)

ㄱ	ㄴ	비 고
귀찮다	귀치 않다	
김	기음	~매다
똬리	또아리	
무	무우	~강즙, ~말랭이, ~생채, 가랑~, 갓~, 왜~, 총각~
미다	무이다	1. 털이 빠져 살이 드러나다. 2. 찢어지다
뱀	배암	
뱀-장어	배암-장어	
빔	비음	설~, 생일~
샘	새암	~바르다, ~바리
생-쥐	새앙-쥐	
솔개	소리개	
온-갖	온-가지	
장사-치	장사-아치	

제 15 항 준말이 쓰이고 있더라도, 본말이 널리 쓰이고 있으면 본말을 표준어로 삼는다. (ㄱ을 표준어로 삼고, ㄴ을 버림.)

ㄱ	ㄴ	비 고
경황-없다	경-없다	
궁상-떨다	궁-떨다	
귀이-개	귀-개	
낌새	낌	
낙인-찍다	낙-하다/낙-치다	
내왕-꾼	냉-꾼	
돗-자리	돗	
뒤웅-박	뒝-박	
뒷물-대야	뒷-대야	
마구-잡이	막-잡이	
맵자-하다	맵자다	모양이 제격에 어울리다.
모이	모	
벽-돌	벽	
부스럼	부럼	정월 보름에 쓰는 '부럼'은 표준어임.
살얼음-판	살-판	
수두룩-하다	수둑-하다	
암-죽	암	
어음	엄	
일구다	일다	
죽-살이	죽-살	
퇴박-맞다	퇴-맞다	
한통-치다	통-치다	

〔붙임〕 다음과 같이 명사에 조사가 붙은 경우에도 이 원칙을 적용한다. (ㄱ을 표준어로 삼고, ㄴ을 버림.)

ㄱ	ㄴ	비 고
아래-로	알-로	

제 16 항 준말과 본말이 다 같이 널리 쓰이면서 준말의 효용이 뚜렷이 인정되는 것은, 두 가지를 다 표준어로 삼는다. (ㄱ은 본말이며, ㄴ은 준말임.)

ㄱ	ㄴ	비 고
거짓-부리	거짓-불	작은말은 '가짓부리, 가짓불'임.
노을	놀	저녁~
막대기	막대	
망태기	망태	
머무르다	머물다	모음 어미가 연결될 때에는 준말의 활용형을 인정하지 않음.
서두르다	서둘다	
서투르다	서툴다	
석새-삼베	석새-베	
시-누이	시-뉘/시-누	
오-누이	오-뉘/오-누	

외우다	외다	외우며, 외워 : 외며, 외어
이기죽-거리다	이죽-거리다	
찌꺼기	찌끼	'찌꺽지'는 비표준어임.

제 4 절 단수 표준어

제 17 항 비슷한 발음의 몇 형태가 쓰일 경우, 그 의미에 아무런 차이가 없고 그 중 하나가 더 널리 쓰이면, 그 한 형태만을 표준어로 삼는다. (ㄱ을 표준어로 삼고, ㄴ을 버림.)

ㄱ	ㄴ	비 고
거든-그리다	거둥-그리다	1. 거든하게 거두어 싸다. 2. 작은말은 '가든-그리다'임.
구어-박다	구워-박다	사람이 한 군데서만 지내다.
귀-고리	귀엣-고리	
귀-띔	귀-틤	
귀-지	귀에-지	
까딱-하면	까땍-하면	
꼭두-각시	꼭둑-각시	
내색	나색	감정이 나타나는 얼굴빛
내숭-스럽다	내흉-스럽다	
냠냠-거리다	얌냠-거리다	냠냠-하다
냠냠-이	얌냠-이	
너〔四〕	네	～ 돈, ～ 말, ～ 발, ～ 푼
넉〔四〕	너/네	～ 냥, ～ 되, ～ 섬, ～ 자
다다르다	다닫다	
댑-싸리	대-싸리	
더부룩-하다	더뿌룩-하다/듬뿌룩-하다	
-던	-든	선택, 무관의 뜻을 나타내는 어미는 '-든'임. 가-든(지) 말-든(지), 보-든(가) 말-든(가)
-던가	-든가	
-던걸	-든걸	
-던고	-든고	
-던데	-든데	
-던지	-든지	
-(으)려고	-(으)ㄹ려고/-(으)ㄹ라고	
-(으)려야	-(으)ㄹ려야/-(으)ㄹ래야	
망가-뜨리다	망그-뜨리다	
멸치	며루치/메리치	
반빗-아치	반비-아치	'반빗' 노릇을 하는 사람, 찬비(饌婢). '반비'는 밥짓는 일을 맡은 계집종
보습	보십/보섭	
본새	뽄새	
봉숭아	봉숭화	'봉선화'도 표준어임.
뺨-따귀	뺌-따귀/뺨-따구니	'뺨'의 비속어임.
뻐개다〔斫〕	뻐기다	두 조각으로 가르다.
뻐기다〔誇〕	뻐개다	뽐내다
사자-탈	사지-탈	
상-판대기	쌍-판대기	
서〔三〕	세/석	～ 돈, ～ 말, ～ 발, ～ 푼
석〔三〕	세	～ 냥, ～ 되, ～ 섬, ～ 자
설령(設令)	서령	
-습니다	-읍니다	먹습니다, 갔습니다, 없습니다, 있습니다, 좋습니다 모음 뒤에는 '-ㅂ니다'임.
시름-시름	시늠-시늠	
씀벅-씀벅	썸벅-썸벅	
아궁이	아궁지	
아내	안해	
어-중간	어지-중간	
오금-팽이	오금-탱이	
오래-오래	도래-도래	돼지 부르는 소리
-올시다	-올습니다	
옹골-차다	공골-차다	
우두커니	우두머니	작은말은 '오도카니'임.
잠-투정	잠-투세/잠-주정	
재봉-틀	자봉-틀	발～, 손～
짓-무르다	짓-물다	
짚-북데기	짚-북세기	'짚북더기'도 비표준어임.
쪽	짝	편(便). 이～, 그～, 저～ 다만, '아무-짝'은 '짝'임.
천장(天障)	천정	'천정부지(天井不知)'는 '천정'임.
코-맹맹이	코-맹녕이	
흉-업다	흉-헙다	

제 5 절 복수 표준어

제 18 항 다음 단어는 ㄱ을 원칙으로 하고, ㄴ도 허용한다.

ㄱ	ㄴ	비 고
네	예	
쇠-	소-	-가죽, -고기, -기름, -머리, -뼈
괴다	고이다	물이 ～. 밑을 ～.
꾀다	꼬이다	어린애를 ～. 벌레가 ～.
쐬다	쏘이다	바람을 ～.
죄다	조이다	나사를 ～.
쬐다	쪼이다	볕을 ～.

제 19 항 어감의 차이를 나타내는 단어 또는 발음이 비슷한 단어들이 다 같이 널리 쓰이는 경우에는, 그 모두를 표준어로 삼는다. (ㄱ, ㄴ을 모두 표준어로 삼음.)

ㄱ	ㄴ	비 고
거슴츠레-하다	게슴츠레-하다	
고까	꼬까	～신, ～옷
고린-내	코린-내	
교기(驕氣)	갸기	교만한 태도
구린-내	쿠린-내	
꺼림-하다	께름-하다	
나부랭이	너부렁이	

제 3 장 어휘 선택의 변화에 따른 표준어 규정

제 1 절 고 어

제 20 항 사어(死語)가 되어 쓰이지 않게 된 단어는 고어로 처리하고, 현재 널리 사용되는 단어를 표준어로 삼는다.(ㄱ을 표준어로 삼고, ㄴ을 버림.)

ㄱ	ㄴ	비 고
난봉	봉	
낭떠러지	낭	
설거지-하다	설겆다	
애달프다	애닯다	
오동-나무	머귀-나무	
자두	오얏	

제 2 절 한자어

제 21 항 고유어 계열의 단어가 널리 쓰이고 그에 대응되는 한자어 계열의 단어가 용도를 잃게 된 것은, 고유어 계열의 단어만을 표준어로 삼는다.(ㄱ을 표준어로 삼고, ㄴ을 버림.)

ㄱ	ㄴ	비 고
가루-약	말-약	
구들-장	방-돌	
길품-삯	보행-삯	
까막-눈	맹-눈	
꼭지-미역	총각-미역	
나뭇-갓	시장-갓	
늙-다리	노닥다리	
두껍-닫이	두껍-창	
떡-암죽	병-암죽	
마른-갈이	건-갈이	
마른-빨래	건-빨래	
메-찰떡	반-찰떡	
박달-나무	배달-나무	
밥-소라	식-소라	큰 놋그릇
사래-논	사래-답	묘지기나 마름이 부쳐 먹는 땅
사래-밭	사래-전	
삯-말	삯-마	
성냥	화곽	
솟을-무늬	솟을-문(-紋)	
외-지다	벽-지다	
움-파	동-파	
잎-담배	잎-초	
잔-돈	잔-전	
조-당수	조-당죽	
죽데기	피-죽	'죽더기'도 비표준어임.
지겟-다리	목-발	지게 동발의 양쪽 다리
짐-꾼	부지-군(負持-)	
푼-돈	분-전/푼-전	
흰-말	백-말/부루-말	'백마'는 표준어임.
흰-죽	백-죽	

제 22 항 고유어 계열의 단어가 생명력을 잃고 그에 대응되는 한자어 계열의 단어가 널리 쓰이면, 한자어 계열의 단어를 표준어로 삼는다.(ㄱ을 표준어로 삼고, ㄴ을 버림.)

ㄱ	ㄴ	비 고
개다리-소반	개다리-밥상	
겸-상	맞-상	
고봉-밥	높은-밥	
단-벌	홑-벌	
마방-집	마바리-집	馬房~
민망-스럽다/면구-스럽다	민주-스럽다	
방-고래	구들-고래	
부항-단지	뜸-단지	
산-누에	멧-누에	
산-줄기	멧-줄기/멧-발	
수-삼	무-삼	
심-도두개	불-도두개	
양-파	둥근-파	
어질-병	어질-머리	
윤-달	군-달	
장력-세다	장성-세다	
제-석	젯-돗	
총각-무	알-무/알타리-무	
칫-솔	잇-솔	
포수	총-댕이	

제 3 절 방 언

제 23 항 방언이던 단어가 표준어보다 더 널리 쓰이게 된 것은, 그것을 표준어로 삼는다. 이 경우, 원래의 표준어는 그대로 표준어로 남겨 두는 것을 원칙으로 한다.(ㄱ을 표준어로 삼고, ㄴ도 표준어로 남겨 둠.)

ㄱ	ㄴ	비 고
멍게	우렁쉥이	
물-방개	선두리	
애-순	어린-순	

제 24 항 방언이던 단어가 널리 쓰이게 됨에 따라 표준어이던 단어가 안 쓰이게 된 것은, 방언이던 단어를 표준어로 삼는다.(ㄱ을 표준어로 삼고, ㄴ을 버림.)

ㄱ	ㄴ	비 고
귀밑-머리	귓-머리	
까-뭉개다	까-무느다	
막상	마기	
빈대-떡	빈자-떡	
생인-손	생안-손	준말은 '생-손'임.
역-겹다	역-스럽다	
코-주부	코-보	

제 4 절 단수 표준어

제 25 항 의미가 똑같은 형태가 몇 가지 있을 경우, 그 중 어느 하나가 압도적으로 널리 쓰이면, 그 단어만을 표준어로 삼는다.(ㄱ을 표준어로 삼고, ㄴ을 버림.)

ㄱ	ㄴ	비 고
-게끔	-게시리	
겸사-겸사	겸지-겸지/겸두-겸두	
고구마	참-감자	
고치다	낫우다	병을 ~.
골목-쟁이	골목-자기	
광주리	광우리	
괴통	호구	자루를 박는 부분
국-물	멀-국/말-국	
군-표	군용-어음	
길-잡이	길-앞잡이	'길라잡이'도 표준어임.
까다롭다	까닭-스럽다/까탈-스럽다	
까치-발	까치-다리	선반 따위를 받치는 물건
꼬창-모	말뚝-모	꼬챙이로 구멍을 뚫으면서 심는 모
나룻-배	나루	'나루〔津〕'는 표준어임.

납-도리	민-도리	
농-지거리	기롱-지거리	다른 의미의 '기롱지거리'는 표준어임.
다사-스럽다	다사-하다	간섭을 잘 하다.
다오	다구	이리 ~.
담배-꽁초	담배-꼬투리/담배-꽁치/담배-꽁추	
담배-설대	대-설대	
대장-일	성냥-일	
뒤져-내다	뒤어-내다	
뒤통수-치다	뒤꼭지-치다	
등-나무	등-칡	
등-때기	등-떠리	'등'의 낮은 말
등잔-걸이	등경-걸이	
떡-보	떡-충이	
똑딱-단추	딸꼭-단추	
매-만지다	우미다	
먼-발치	먼-발치기	
며느리-발톱	뒷-발톱	
명주-붙이	주-사니	
목-메다	목-맺히다	
밀짚-모자	보릿짚-모자	
바가지	열-바가지/열-박	
바람-꼭지	바람-고다리	튜브의 바람을 넣는 구멍에 붙은, 쇠로 만든 꼭지
반-나절	나절-가웃	
반두	독대	그물의 한 가지
버젓-이	뉘연-히	
본-받다	법-받다	
부각	다시마-자반	
부끄러워-하다	부끄리다	
부스러기	부스럭지	
부지깽이	부지팽이	
부항-단지	부항-항아리	부스럼에서 피고름을 빨아내기 위하여 부항을 붙이는데 쓰는 자그마한 단지
붉으락-푸르락	푸르락-붉으락	
비켜-덩이	옆-사리미	김맬 때에 흙덩이를 옆으로 빼내는 일, 또, 그 흙덩이
빙충-이	빙충-맞이	작은말은 '뱅충이'
빠-뜨리다	빠-치다	'빠트리다'도 표준어임.
뻣뻣-하다	왜긋다	
뽐-내다	느물다	
사로-잠그다	사로-채우다	자물쇠나 빗장 따위를 반 정도만 걸어 놓다.
살-풀이	살-막이	
상투-쟁이	상투-꼬부랑이	상투 튼 이를 놀리는 말
새앙-손이	생강-손이	
샛-별	새벽-별	
선-머슴	풋-머슴	
섭섭-하다	애운-하다	
속-말	속-소리	국악 용어 '속소리'는 표준어임.
손목-시계	팔목-시계/팔뚝-시계	
손-수레	손-구루마	'구루마'는 일본어임.
쇠-고랑	고랑-쇠	
수도-꼭지	수도-고동	
숙성-하다	숙-지다	
순대	골집	
술-고래	술-꾸러기/술-부대/술-보/술-푸대	
식은-땀	찬-땀	
신기-롭다	신기-스럽다	'신기-하다'도 표준어임.
쌍동-밤	쪽-밤	
쏜살-같이	쏜살-로	
아주	영판	
안-걸이	안-낚시	씨름 용어
안다미-씌우다	안다미-시키다	제가 담당할 책임을 남에게 넘기다.
안쓰럽다	안-슬프다	
안절부절-못하다	안절부절-하다	
앉은뱅이-저울	앉은-저울	
알-사탕	구슬-사탕	
암-내	곁땀-내	
앞-지르다	따라-먹다	
애-벌레	어린-벌레	
얕은-꾀	물탄-꾀	
언뜻	펀뜻	
언제나	노다지	
얼룩-말	워라-말	
-에는	-엘랑	
열심-히	열심-으로	
입-담	말-담	
자배기	너벅지	
전봇-대	전선-대	
주책-없다	주책-이다	'주착→주책'은 제11항 참조
쥐락-펴락	펴락-쥐락	
-지만	-지만서도	←-지마는
짓고-땡	지어-땡/짓고-땡이	
짧은-작	짜른-작	
찹-쌀	이-찹쌀	
청대-콩	푸른-콩	
칡-범	갈-범	

제5절 복수 표준어

제26항 한 가지 의미를 나타내는 형태 몇 가지가 널리 쓰이며 표준어 규정에 맞으면, 그 모두를 표준어로 삼는다.

복수 표준어	비고
가는-허리/잔-허리	
가락-엿/가래-엿	
가뭄/가물	
가엾다/가엽다	가엾어/가여워, 가엾은/가여운
감감-무소식/감감-소식	
개수-통/설거지-통	'설겆다'는 '설거지-하다'로
개숫-물/설거지-물	
갱-엿/검은-엿	
-거리다/-대다	가물-, 출렁-
거위-배/횟-배	
것/해	내 ~, 네 ~, 뉘 ~
게을러-빠지다/게을러-터지다	
고깃-간/푸줏-간	'고깃-관, 푸줏-관, 다림-방'은 비표준어임.
곰곰/곰곰-이	
관계-없다/상관-없다	
교정-보다/준-보다	

구들-재/구재	
귀퉁-머리/귀퉁-배기	'귀퉁이'의 비어임.
극성-떨다/극성-부리다	
기세-부리다/기세-피우다	
기승-떨다/기승-부리다	
깃-저고리/배내-옷/배냇-저고리	
꼬까/때때/고까	~신, ~옷
꼬리-별/살-별	
꽃-도미/붉-돔	
나귀/당-나귀	
날-걸/세-뿔	윷판의 쨀밭 다음의 셋째 밭
내리-글씨/세로-글씨	
넝쿨/덩굴	'덩쿨'은 비표준어임.
녘/쪽	동~, 서~
눈-대중/눈-어림/눈-짐작	
느리-광이/느림-보/늘-보	
늦-모/마냥-모	←만이앙-모
다기-지다/다기-차다	
다달-이/매-달	
-다마다/-고말고	
다박-나룻/다박-수염	
닭의-장/닭-장	
댓-돌/툇-돌	
덧-창/겉-창	
독장-치다/독판-치다	
동자-기둥/쪼구미	
돼지-감자/뚱딴지	
되우/된통/되게	
두동-무니/두동-사니	윷놀이에서, 두 동이 한데 어울려 가는 말.
뒷-갈망/뒷-감당	
뒷-말/뒷-소리	
들락-거리다/들랑-거리다	
들락-날락/들랑-날랑	
딴-전/딴-청	
땅-콩/호-콩	
땔-감/땔-거리	
-뜨리다/-트리다	깨-, 떨어-, 쏟-
뜬-것/뜬-귀신	
마룻-줄/용총-줄	돛대에 매어놓은 줄. '이어줄'은 비표준어임.
마-파람/앞-바람	
만장-판/만장-중(滿場中)	
만큼/만치	
말-동무/말-벗	
매-갈이/매-조미	
매-통/목-매	
먹-새/먹음-새	'먹음-먹이'는 비표준어임.
멀찌감치/멀찌가니/멀찍이	
멱통/산-멱/산-멱통	
면-치레/외면-치레	
모-내다/모-심다	모-내기/모-심기
모쪼록/아무쪼록	
목판-되/모-되	
목화-씨/면화-씨	
무심-결/무심-중	
물-봉숭아/물-봉선화	
물-부리/빨-부리	
물-심부름/물-시중	
물추리-나무/물추리-막대	
물-타작/진-타작	
민둥-산/벌거숭이-산	
밑-층/아래-층	

바깥-벽/밭-벽	
바른/오른〔右〕	~손, ~쪽, ~편
발-모가지/발-목쟁이	'발목'의 비속어임.
버들-강아지/버들-개지	
벌레/버러지	'벌거지, 벌러지'는 비표준어임.
변덕-스럽다/변덕-맞다	
보-조개/볼-우물	
보통-내기/여간-내기/예사-내기	'행-내기'는 비표준어임.
볼-따구니/볼-퉁이/볼-때기	'볼'의 비속어임.
부침개-질/부침-질/지짐-질	'부치개-질'은 비표준어임.
불똥-앉다/등화-지다/등화-앉다	
불-사르다/사르다	
비발/비용(費用)	
뾰두라지/뾰루지	
살-쾡이/삵	삵-피
삽살-개/삽사리	
상두-꾼/상여-꾼	'상도-꾼, 향도-꾼'은 비표준어임.
상-씨름/소-걸이	
생/새앙/생강	
생-뿔/새앙-뿔/생강-뿔	'쇠뿔'의 형용
생-철/양-철	1. '서양-철'은 비표준어임. 2. '生鐵'은 '무쇠'임.
서럽다/섧다	'설다'는 비표준어임.
서방-질/화냥-질	
성글다/성기다	
-(으)세요/-(으)셔요	
송이/송이-버섯	
수수-깡/수숫-대	
술-안주/안주	
-스레하다/-스름하다	거무-, 발그-
시늉-말/흉내-말	
시새/세사(細沙)	
신/신발	
신주-보/독보(櫝褓)	
심술-꾸러기/심술-쟁이	
씁쓰레-하다/씁쓰름-하다	
아귀-세다/아귀-차다	
아래-위/위-아래	
아무튼/어떻든/어쨌든/하여튼/여하튼	
앉음-새/앉음-앉음	
알은-척/알은-체	
애-갈이/애벌-갈이	
애꾸눈-이/외눈-박이	'외대-박이, 외눈-통이'는 비표준어임.
양념-감/양념-거리	
어금버금-하다/어금지금-하다	
어기여차/어여차	
어림-잡다/어림-치다	
어이-없다/어처구니-없다	
어저께/어제	
언덕-바지/언덕-배기	
얼렁-뚱땅/엄벙-뗑	
여왕-벌/장수-벌	
여쭈다/여쭙다	
여태/입때	'여직'은 비표준어임.
여태-껏/이제-껏/입때-껏	'여직-껏'은 비표준어임.
역성-들다/역성-하다	'편역-들다'는 비표준어임.

연-달다/잇-달다	
엿-가락/엿-가래	
엿-기름/엿-길금	
엿-반대기/엿-자박	
오사리-잡놈/오색-잡놈	'오합-잡놈'은 비표준어임.
옥수수/강냉이	~떡, ~묵, ~밥, ~튀김
왕골-기직/왕골-자리	
외겹-실/외올-실/홑-실	'홑겹-실, 올-실'은 비표준어임.
외손-잡이/한손-잡이	
욕심-꾸러기/욕심-쟁이	
우레/천둥	우렛-소리/천둥-소리
우지/울-보	
을러-대다/을러-메다	
의심-스럽다/의심-쩍다	
-이에요/-이어요	
이틀-거리/당-고금	학질의 일종임.
일일-이/하나-하나	
일찌감치/일찌거니	
입찬-말/입찬-소리	
자리-옷/잠-옷	
자물-쇠/자물-통	
장가-가다/장가-들다	'서방-가다'는 비표준어임.
재롱-떨다/재롱-부리다	
제-가끔/제-각기	
좀-처럼/좀-체	'좀-체로, 좀-해선, 좀-해'는 비표준어임.
줄-꾼/줄-잡이	
중신/중매	
짚-단/짚-뭇	
쪽/편	오른~, 왼~.
차차/차츰	
책-씻이/책-거리	
척/체	모르는 ~, 잘난 ~
천연덕-스럽다/천연-스럽다	
철-따구니/철-딱서니/철-딱지	'철-때기'는 비표준어임.
추어-올리다/추어-주다	'추켜-올리다'는 비표준어임.
축-가다/축-나다	
침-놓다/침-주다	
통-꼭지/통-젖	통에 붙은 손잡이
파자-쟁이/해자-쟁이	점치는 이
편지-투/편지-틀	
한턱-내다/한턱-하다	
해웃-값/해웃-돈	'해우-차'는 비표준어임.
혼자-되다/홀로-되다	
흠-가다/흠-나다/흠-지다	

제 2 부 표준 발음법

제 1 장 총 칙

제 1 항 표준 발음법은 표준어의 실제 발음을 따르되, 국어의 전통성과 합리성을 고려하여 정함을 원칙으로 한다.

제 2 장 자음과 모음

제 2 항 표준어의 자음은 다음 19 개로 한다.

ㄱ ㄲ ㄴ ㄷ ㄸ ㄹ ㅁ ㅂ ㅃ ㅅ ㅆ ㅇ ㅈ ㅉ ㅊ ㅋ ㅌ ㅍ ㅎ

제 3 항 표준어의 모음은 다음 21 개로 한다.

ㅏ ㅐ ㅑ ㅒ ㅓ ㅔ ㅕ ㅖ ㅗ ㅘ ㅙ ㅚ ㅛ ㅜ ㅝ ㅞ ㅟ ㅠ ㅡ ㅢ ㅣ

제 4 항 'ㅏ ㅐ ㅓ ㅔ ㅗ ㅚ ㅜ ㅟ ㅡ ㅣ'는 단모음(單母音)으로 발음한다.

〔붙임〕 'ㅚ, ㅟ'는 이중모음으로 발음할 수 있다.

제 5 항 'ㅑ ㅒ ㅕ ㅖ ㅘ ㅙ ㅛ ㅝ ㅞ ㅠ ㅢ'는 이중모음으로 발음한다.

다만 1. 용언의 활용형에 나타나는 '져, 쪄, 쳐'는 [저, 쩌, 처]로 발음한다.

가지어 → 가져[가저] 찌어 → 쪄[쩌] 다치어 → 다쳐[다처]

다만 2. '예, 례' 이외의 'ㅖ'는 [ㅔ]로도 발음한다.

계집[계:집/게:집] 계시다[계:시다/게:시다]
시계[시계/시게](時計) 연계[연계/연게](連繫)
메별[메별/메별](袂別) 개폐[개폐/개페](開閉)
혜택[혜:택/헤:택](惠澤) 지혜[지혜/지헤](智慧)

다만 3. 자음을 첫소리로 가지고 있는 음절의 'ㅢ'는 [ㅣ]로 발음한다.

늴리리 닁큼 무늬 띄어쓰기 씌어
틔어 희어 희떱다 희망 유희

다만 4. 단어의 첫음절 이외의 '의'는 [ㅣ]로, 조사 '의'는 [ㅔ]로 발음함도 허용한다.

주의[주의/주이] 협의[혀븨/혀비]
우리의[우리의/우리에] 강의의[강의의/강이에]

제 3 장 음의 길이

제 6 항 모음의 장단을 구별하여 발음하되, 단어의 첫음절에서만 긴소리가 나타나는 것을 원칙으로 한다.

(1) 눈보라[눈:보라] 말씨[말:씨] 밤나무[밤:나무]
많다[만:타] 멀리[멀:리] 벌리다[벌:리다]
(2) 첫눈[천눈] 참말[참말] 쌍동밤[쌍동밤]
수많이[수:마니] 눈멀다[눈멀다] 떠벌리다[떠벌리다]

다만, 합성어의 경우에는 둘째 음절 이하에서도 분명한 긴소리를 인정한다.

반신반의[반:신 바:늬/반:신 바:니]
재삼재사[재:삼 재:사]

〔붙임〕 용언의 단음절 어간에 어미 '-아/-어'가 결합되어 한 음절로 축약되는 경우에도 긴소리로 발음한다.

보아 → 봐[봐:] 기어 → 겨[겨:] 되어 → 돼[돼:]
두어 → 둬[둬:] 하여 → 해[해:]

다만, '오아 → 와, 지어 → 져, 찌어 → 쪄, 치어 → 쳐' 등은 긴소리로 발음하지 않는다.

제 7 항 긴소리를 가진 음절이라도, 다음과 같은 경우에는 짧게 발음한다.

1. 단음절인 용언 어간에 모음으로 시작된 어미가 결합되는 경우

감다[감:따] — 감으니[가므니]
밟다[밥:따] — 밟으면[발브면]
신다[신:따] — 신어[시너]
알다[알:다] — 알아[아라]

다만, 다음과 같은 경우에는 예외적이다.

끌다[끌:다] — 끌어[끄:러]
떫다[떨:따] — 떫은[떨:븐]
벌다[벌:다] — 벌어[버:러]
썰다[썰:다] — 썰어[써:러]
없다[업:따] — 없으니[업:쓰니]

2. 용언 어간에 피동, 사동의 접미사가 결합되는 경우

감다[감:따] — 감기다[감기다]
꼬다[꼬:다] — 꼬이다[꼬이다]
밟다[밥:따] — 밟히다[발피다]

다만, 다음과 같은 경우에는 예외적이다.

끌리다[끌:리다] 벌리다[벌:리다] 없애다[업:쌔다]

〔붙임〕 다음과 같은 복합어에서는 본디의 길이에 관계 없이 짧

게 발음한다.

밀-물 썰-물 쏜-살-같이 작은-아버지

제 4 장 받침의 발음

제 8 항 받침 소리로는 'ㄱ, ㄴ, ㄷ, ㄹ, ㅁ, ㅂ, ㅇ'의 7 개 자음만 발음한다.

제 9 항 받침 'ㄲ, ㅋ', 'ㅅ, ㅆ, ㅈ, ㅊ, ㅌ', 'ㅍ'은 어말 또는 자음 앞에서 각각 대표음 [ㄱ, ㄷ, ㅂ]으로 발음한다.

닦다[닥따] 키읔[키윽] 키읔과[키윽꽈] 옷[옫]
웃다[욷:따] 있다[읻따] 젖[젇] 빚다[빋따]
꽃[꼳] 쫓다[쫃따] 솥[솓] 뱉다[밷:따]
앞[압] 덮다[덥따]

제 10 항 겹받침 'ㄳ', 'ㄵ', 'ㄼ, ㄽ, ㄾ', 'ㅄ'은 어말 또는 자음 앞에서 각각 [ㄱ, ㄴ, ㄹ, ㅂ]으로 발음한다.

넋[넉] 넋과[넉꽈] 앉다[안따] 여덟[여덜]
넓다[널따] 외곬[외골] 핥다[할따] 값[갑]
없다[업:따]

다만, '밟-'은 자음 앞에서 [밥]으로 발음하고, '넓-'은 다음과 같은 경우에 [넙]으로 발음한다.

(1) 밟다[밥:따] 밟소[밥:쏘] 밟지[밥:찌]
밟는[밥:는 → 밤:는] 밟게[밥:께] 밟고[밥:꼬]
(2) 넓-죽하다[넙쭈카다] 넓-둥글다[넙뚱글다]

제 11 항 겹받침 'ㄺ, ㄻ, ㄿ'은 어말 또는 자음 앞에서 각각 [ㄱ, ㅁ, ㅂ]으로 발음한다.

닭[닥] 흙과[흑꽈] 맑다[막따] 늙지[늑찌]
삶[삼:] 젊다[점:따] 읊고[읍꼬] 읊다[읍따]

다만, 용언의 어간 말음 'ㄺ'은 'ㄱ' 앞에서 [ㄹ]로 발음한다.

맑게[말께] 묽고[물꼬] 얽거나[얼꺼나]

제 12 항 받침 'ㅎ'의 발음은 다음과 같다.

1. 'ㅎ(ㄶ, ㅀ)' 뒤에 'ㄱ, ㄷ, ㅈ'이 결합되는 경우에는, 뒤 음절 첫소리와 합쳐서 [ㅋ, ㅌ, ㅊ]으로 발음한다.

놓고[노코] 좋던[조:턴] 쌓지[싸치]
많고[만:코] 않던[안턴] 닳지[달치]

〔붙임 1〕 받침 'ㄱ(ㄺ), ㄷ, ㅂ(ㄼ), ㅈ(ㄵ)'이 뒤 음절 첫소리 'ㅎ'과 결합되는 경우에도, 역시 두 음을 합쳐서 [ㅋ, ㅌ, ㅍ, ㅊ]으로 발음한다.

각하[가카] 먹히다[머키다] 밝히다[발키다]
맏형[마텽] 좁히다[조피다] 넓히다[널피다]
꽂히다[꼬치다] 앉히다[안치다]

〔붙임 2〕 규정에 따라 'ㄷ'으로 발음되는 'ㅅ, ㅈ, ㅊ, ㅌ'의 경우에도 이에 준한다.

옷 한 벌[오탄벌] 낮 한때[나탄때]
꽃 한 송이[꼬탄송이] 숱하다[수타다]

2. 'ㅎ(ㄶ, ㅀ)' 뒤에 'ㅅ'이 결합되는 경우에는, 'ㅅ'을 [ㅆ]으로 발음한다.

닿소[다쏘] 많소[만:쏘] 싫소[실쏘]

3. 'ㅎ' 뒤에 'ㄴ'이 결합되는 경우에는 [ㄴ]으로 발음한다.

놓는[논는] 쌓네[싼네]

〔붙임〕 'ㄶ, ㅀ' 뒤에 'ㄴ'이 결합되는 경우에는, 'ㅎ'을 발음하지 않는다.

않네[안네] 않는[안는] 뚫네[뚤네 → 뚤레]
뚫는[뚤는 → 뚤른]

* '뚫네[뚤네 → 뚤레], 뚫는[뚤는 → 뚤른]'에 대해서는 제 20 항 참조

4. 'ㅎ(ㄶ, ㅀ)' 뒤에 모음으로 시작된 어미나 접미사가 결합되는 경우에는, 'ㅎ'을 발음하지 않는다.

낳은[나은] 놓아[노아] 쌓이다[싸이다]
많아[마:나] 않은[아는] 닳아[다라]
싫어도[시러도]

제 13 항 홑받침이나 쌍받침이 모음으로 시작된 조사나 어미, 접미사와 결합되는 경우에는, 제 음가대로 뒤 음절 첫소리로 옮겨 발음한다.

깎아[까까] 옷이[오시] 있어[이써]
낮이[나지] 꽂아[꼬자] 꽃을[꼬츨]
쫓아[쪼차] 밭에[바테] 앞으로[아프로]
덮이다[더피다]

제 14 항 겹받침이 모음으로 시작된 조사나 어미, 접미사와 결합되는 경우에는, 뒤엣것만을 뒤 음절 첫소리로 옮겨 발음한다. (이 경우, 'ㅅ'은 된소리로 발음함.)

넋이[넉씨] 앉아[안자] 닭을[달글] 젊어[절머]
곬이[골씨] 핥아[할타] 읊어[을퍼] 값을[갑쓸]
없어[업:써]

제 15 항 받침 뒤에 모음 'ㅏ, ㅓ, ㅗ, ㅜ, ㅟ' 들로 시작되는 실질형태소가 연결되는 경우에는, 대표음으로 바꾸어서 뒤 음절 첫소리로 옮겨 발음한다.

밭 아래[바다래] 늪 앞[느밥] 젖어미[저더미]
맛없다[마덥따] 겉옷[거돋] 헛웃음[허두슴]
꽃 위[꼬뒤]

다만, '맛있다, 멋있다'는 [마싣따], [머싣따]로도 발음할 수 있다.

〔붙임〕 겹받침의 경우에는, 그 중 하나만을 옮겨 발음한다.

넋 없다[너겁따] 닭 앞에[다가페] 값어치[가버치]
값있는[가빈는]

제 16 항 한글 자모의 이름은 그 받침 소리를 연음하되, 'ㄷ, ㅈ, ㅊ, ㅋ, ㅌ, ㅍ, ㅎ'의 경우에는 특별히 다음과 같이 발음한다.

디귿이[디그시] 디귿을[디그슬] 디귿에[디그세]
지읒이[지으시] 지읒을[지으슬] 지읒에[지으세]
치읓이[치으시] 치읓을[치으슬] 치읓에[치으세]
키읔이[키으기] 키읔을[키으글] 키읔에[키으게]
티읕이[티으시] 티읕을[티으슬] 티읕에[티으세]
피읖이[피으비] 피읖을[피으블] 피읖에[피으베]
히읗이[히으시] 히읗을[히으슬] 히읗에[히으세]

제 5 장 음의 동화

제 17 항 받침 'ㄷ, ㅌ(ㄾ)'이 조사나 접미사의 모음 'ㅣ'와 결합되는 경우에는, [ㅈ, ㅊ]으로 바꾸어서 뒤 음절 첫소리로 옮겨 발음한다.

곧이듣다[고지듣따] 굳이[구지]
미닫이[미다지] 땀받이[땀바지]
밭이[바치] 벼훑이[벼훌치]

〔붙임〕 'ㄷ' 뒤에 접미사 '히'가 결합되어 '티'를 이루는 것은 [치]로 발음한다.

굳히다[구치다] 닫히다[다치다] 묻히다[무치다]

제 18 항 받침 'ㄱ(ㄲ, ㅋ, ㄳ, ㄺ), ㄷ(ㅅ, ㅆ, ㅈ, ㅊ, ㅌ, ㅎ), ㅂ(ㅍ, ㄼ, ㄿ, ㅄ)'은 'ㄴ, ㅁ' 앞에서 [ㅇ, ㄴ, ㅁ]으로 발음한다.

먹는[멍는] 국물[궁물] 깎는[깡는]
키읔만[키응만] 몫몫이[몽목씨] 긁는[긍는]
흙만[흥만] 닫는[단는] 짓는[진:는]
옷맵시[온맵시] 있는[인는] 맞는[만는]
젖멍울[전멍울] 쫓는[쫀는] 꽃망울[꼰망울]
붙는[분는] 놓는[논는] 잡는[잠는]
밥물[밤물] 앞마당[암마당] 밟는[밤:는]
읊는[음는] 없는[엄:는] 값매다[감매다]

〔붙임〕 두 단어를 이어서 한 마디로 발음하는 경우에도 이와 같다.

책 넣는다[챙넌는다] 흙 말리다[흥말리다]
옷 맞추다[온맏추다] 밥 먹는다[밤멍는다]
값 매기다[감매기다]

제 19 항 받침 'ㅁ, ㅇ' 뒤에 연결되는 'ㄹ'은 [ㄴ]으로 발음한다.

담력[담:녁] 침략[침냑] 강릉[강능]
항로[항노] 대통령[대:통녕]

〔붙임〕 받침 'ㄱ, ㅂ' 뒤에 연결되는 'ㄹ'도 [ㄴ]으로 발음한다.

막론[막논 → 망논] 백리[백니 → 뱅니]
협력[협녁 → 혐녁] 십리[십니 → 심니]

제 20 항 'ㄴ'은 'ㄹ'의 앞이나 뒤에서 [ㄹ]로 발음한다.

(1) 난로[날:로] 신라[실라] 천리[철리]
광한루[광:할루] 대관령[대:괄령]

(2) 칼날[칼랄] 물난리[물랄리] 줄넘기[줄럼끼]
할는지[할른지]

〔붙임〕 첫소리 'ㄴ'이 'ㅀ', 'ㄾ' 뒤에 연결되는 경우에도 이에 준한다.

닳는[달른] 뚫는[뚤른] 핥네[할레]

다만, 다음과 같은 단어들은 'ㄹ'을 [ㄴ]으로 발음한다.

의견란[의:견난] 임진란[임:진난] 생산량[생산냥]
결단력[결딴녁] 공권력[공꿘녁] 동원령[동:원녕]
상견례[상견녜] 횡단로[횡단노] 이원론[이:원논]
입원료[이붠뇨] 구근류[구근뉴]

제 21 항 위에서 지적한 이외의 자음동화는 인정하지 않는다.

감기[감:기](×[강:기]) 옷감[옫깜](×[옥깜])
있고[읻꼬](×[익꼬]) 꽃길[꼳낄](×[꼭낄])
젖먹이[전머기](×[점머기]) 문법[문뻡](×[뭄뻡])
꽃밭[꼳빧](×[꼽빧])

제 22 항 다음과 같은 용언의 어미는 [어]로 발음함을 원칙으로 하되, [여]로 발음함도 허용한다.

되어[되어/되여] 피어[피어/피여]

〔붙임〕 '이오, 아니오'도 이에 준하여 [이요, 아니요]로 발음함을 허용한다.

제 6 장 경음화

제 23 항 받침 'ㄱ(ㄲ, ㅋ, ㄳ, ㄺ), ㄷ(ㅅ, ㅆ, ㅈ, ㅊ, ㅌ), ㅂ(ㅍ, ㄼ, ㄿ, ㅄ)' 뒤에 연결되는 'ㄱ, ㄷ, ㅂ, ㅅ, ㅈ'은 된소리로 발음한다.

국밥[국빱] 깎다[깍따] 넋받이[넉빠지]
삯돈[삭똔] 닭장[닥짱] 칡범[칙뻠]
뻗대다[뻗때다] 옷고름[옫꼬름] 있던[읻떤]
꽂고[꼳꼬] 꽃다발[꼳따발] 낯설다[낟썰다]
밭갈이[받까리] 솥전[솓쩐] 곱돌[곱똘]
덮개[덥깨] 옆집[엽찝] 넓죽하다[넙쭈카다]
읊조리다[읍쪼리다] 값지다[갑찌다]

제 24 항 어간 받침 'ㄴ(ㄵ), ㅁ(ㄻ)' 뒤에 결합되는 어미의 첫소리 'ㄱ, ㄷ, ㅅ, ㅈ'은 된소리로 발음한다.

신고[신:꼬] 껴안다[껴안따] 앉고[안꼬]
얹다[언따] 삼고[삼:꼬] 더듬지[더듬찌]
닮고[담:꼬] 젊지[점:찌]

다만, 피동, 사동의 접미사 '-기-'는 된소리로 발음하지 않는다.

안기다 감기다 굶기다 옮기다

제 25 항 어간 받침 'ㄼ, ㄾ' 뒤에 결합되는 어미의 첫소리 'ㄱ, ㄷ, ㅅ, ㅈ'은 된소리로 발음한다.

넓게[널께] 핥다[할따] 훑소[훌쏘] 떫지[떨:찌]

제 26 항 한자어에서, 'ㄹ' 받침 뒤에 연결되는 'ㄷ, ㅅ, ㅈ'은 된소리로 발음한다.

갈등[갈뜽] 발동[발똥] 절도[절또]
말살[말쌀] 불소[불쏘](弗素) 일시[일씨]
갈증[갈쯩] 물질[물찔] 발전[발쩐]
몰상식[몰쌍식] 불세출[불쎄출]

다만, 같은 한자가 겹쳐진 단어의 경우에는 된소리로 발음하지 않는다.

허허실실[허허실실](虛虛實實)
절절-하다[절절하다](切切-)

제 27 항 관형사형 '-(으)ㄹ' 뒤에 연결되는 'ㄱ, ㄷ, ㅂ, ㅅ, ㅈ'은 된소리로 발음한다.

할 것을[할꺼슬] 갈 데가[갈떼가]
할 바를[할빠를] 할 수는[할쑤는]
할 적에[할쩌게] 갈 곳[갈꼳]
할 도리[할또리] 만날 사람[만날싸람]

다만, 끊어서 말할 적에는 예사소리로 발음한다.

〔붙임〕 '-(으)ㄹ'로 시작되는 어미의 경우에도 이에 준한다.

할걸[할껄] 할밖에[할빠께]
할세라[할쎄라] 할수록[할쑤록]
할지라도[할찌라도] 할지언정[할찌언정]
할진대[할찐대]

제 28 항 표기상으로는 사이시옷이 없더라도, 관형적 기능을 지니는 사이시옷이 있어야 할(휴지가 성립되는) 합성어의 경우에는, 뒤 단어의 첫소리 'ㄱ, ㄷ, ㅂ, ㅅ, ㅈ'을 된소리로 발음한다.

문-고리[문꼬리] 눈-동자[눈똥자] 신-바람[신빠람]
산-새[산쌔] 손-재주[손째주] 길-가[길까]
물-동이[물똥이] 발-바닥[발빠닥] 굴-속[굴:쏙]
술-잔[술짠] 바람-결[바람껼] 그믐-달[그믐딸]
아침-밥[아침빱] 잠-자리[잠짜리] 강-가[강까]
초승-달[초승딸] 등-불[등뿔] 창-살[창쌀]
강-줄기[강쭐기]

제 7 장 음의 첨가

제 29 항 합성어 및 파생어에서, 앞 단어나 접두사의 끝이 자음이고 뒤 단어나 접미사의 첫음절이 '이, 야, 여, 요, 유'인 경우에는, 'ㄴ'음을 첨가하여 [니, 냐, 녀, 뇨, 뉴]로 발음한다.

솜-이불[솜니불] 홑-이불[혼니불]
막-일[망닐] 삯-일[상닐]
맨-입[맨닙] 꽃-잎[꼰닙]
내복-약[내봉냑] 한-여름[한녀름]
남존-여비[남존녀비] 신-여성[신녀성]
색-연필[생년필] 직행-열차[지캥녈차]
늑막-염[능망념] 콩-엿[콩녇]
담-요[담:뇨] 눈-요기[눈뇨기]
영업-용[영엄뇽] 식용-유[시굥뉴]
국민-윤리[궁민뉼리] 밤-윷[밤:뉻]

다만, 다음과 같은 말들은 'ㄴ'음을 첨가하여 발음하되, 표기대로 발음할 수 있다.

이죽-이죽[이중니죽/이주기죽]
야금-야금[야금냐금/야그먀금]
검열[검:녈/거:멸]
욜랑-욜랑[욜랑뇰랑/욜랑욜랑]
금융[금늉/그뮹]

〔붙임 1〕 'ㄹ' 받침 뒤에 첨가되는 'ㄴ' 음은 [ㄹ]로 발음한다.

들-일[들:릴] 솔-잎[솔립]
설-익다[설릭따] 물-약[물략]
불-여우[불려우] 서울-역[서울력]
물-엿[물렫] 휘발-유[휘발류]
유들-유들[유들류들]

〔붙임 2〕 두 단어를 이어서 한 마디로 발음하는 경우에도 이에 준한다.

한 일[한닐] 옷 입다[온닙따]
3 연대[삼년대] 먹은 엿[머근녇]
할 일[할릴] 잘 입다[잘립따]
1 연대[일련대] 먹을 엿[머글렫]
서른 여섯[서른녀섣] 스물 여섯[스물려섣]

다만, 다음과 같은 단어에서는 'ㄴ(ㄹ)' 음을 첨가하여 발음하지 않는다.

6·25[유기오] 3·1 절[사밀쩔]
송별-연[송:벼련] 등용-문[등용문]

제 30 항 사이시옷이 붙은 단어는 다음과 같이 발음한다.

1. 'ㄱ, ㄷ, ㅂ, ㅅ, ㅈ'으로 시작하는 단어 앞에 사이시옷이 올 때는 이들 자음만을 된소리로 발음하는 것을 원칙으로 하되, 사이시옷을 [ㄷ]으로 발음하는 것도 허용한다.

냇가[내:까/낻:까] 샛길[새:낄/샏:낄]
빨랫돌[빨래똘/빨랟똘] 콧등[코뜽/콛뜽]
깃발[기빨/긷빨] 대팻밥[대:패빱/대:팯빱]
햇살[해쌀/핻쌀] 뱃속[배쏙/밷쏙]
뱃전[배쩐/밷쩐] 고갯짓[고개찓/고갣찓]

2. 사이시옷 뒤에 'ㄴ, ㅁ'이 결합되는 경우에는 [ㄴ]으로 발음한다.

콧날[콛날 → 콘날] 아랫니[아랟니 → 아랜니]
툇마루[퇻:마루 → 퇸:마루] 뱃머리[밷머리 → 밴머리]

3. 사이시옷 뒤에 '이' 음이 결합되는 경우에는 [ㄴㄴ]으로 발음한다.

베갯잇[베갠닏 → 베갠닛]　깻잎[깬닙 → 깬닙]
나뭇잎[나묻닙 → 나문닙]　도리깻열[도리깯녈 → 도리깬녈]
뒷윷[뒫늇 → 뒨늇]

외래어 표기법

(문교부 고시 제 85-11 호 : 1986.1.7.)

제 1 장　표기의 기본 원칙

제 1 항　외래어는 국어의 현용 24 자모만으로 적는다.
제 2 항　외래어의 1 음운은 원칙적으로 1 기호로 적는다.
제 3 항　받침에는 'ㄱ, ㄴ, ㄹ, ㅁ, ㅂ, ㅅ, ㅇ'만을 쓴다.
제 4 항　파열음 표기에는 된소리를 쓰지 않는 것을 원칙으로 한다.
제 5 항　이미 굳어진 외래어는 관용을 존중하되 그 범위와 용례는 따로 정한다.

제 2 장　표기 일람표

외래어는 표 1~5 에 따라 표기한다.

표 1　국제 음성 기호와 한글 대조표

자음			반모음		모음	
국제 음성기호	한글 모음앞	한글 자음 앞 또는 어말	국제 음성기호	한글	국제 음성기호	한글
p	ㅍ	ㅂ, 프	j	이*	i	이
b	ㅂ	브	ɥ	위	y	위
t	ㅌ	ㅅ, 트	w	오, 우*	e	에
d	ㄷ	드			ø	외
k	ㅋ	ㄱ, 크			ɛ	에
g	ㄱ	그			ɛ̃	앵
f	ㅍ	프			œ	외
v	ㅂ	브			œ̃	욍
θ	ㅅ	스			æ	애
ð	ㄷ	드			a	아
s	ㅅ	스			ɑ	아
z	ㅈ	즈			ɑ̃	앙
ʃ	시	슈, 시			ʌ	어
ʒ	ㅈ	지			ɔ	오
ts	ㅊ	츠			ɔ̃	옹
dz	ㅈ	즈			o	오
tʃ	ㅊ	치			u	우
dʒ	ㅈ	지			ə**	어
m	ㅁ	ㅁ			ɚ	어
n	ㄴ	ㄴ				
ɲ	니*	뉴				
ŋ	ㅇ	ㅇ				
l	ㄹ, ㄹㄹ	ㄹ				
r	ㄹ	르				
h	ㅎ	흐				
ç	ㅎ	히				
x	ㅎ	흐				

* [j], [w]의 '이'와 '오, 우' 그리고 [ɲ]의 '니'는 모음과 결합할 때 제 3 장 표기 세칙에 따른다.
**독일어의 경우에는 '에', 프랑스 어의 경우에는 '으'로 적는다.

표 2　에스파냐 어 자모와 한글 대조표

	자모	한글 모음앞	한글 자음앞 어말	보기
자음	b	ㅂ	브	biz 비스, blandon 블란돈, braceo 브라세오
	c	ㅋ, ㅅ	ㄱ, 크	colcren 콜크렌, Cecilia 세실리아, coccion 콕시온, bistec 비스텍, dictado 딕타도
	ch	ㅊ	—	chicharra 치차라
	d	ㄷ	드	felicidad 펠리시다드
	f	ㅍ	프	fuga 푸가, fran 프란
	g	ㄱ, ㅎ	그	ganga 강가, geologia 헤올로히아, yungla 융글라
	h	—	—	hipo 이포, quehacer 케아세르
	j	ㅎ	—	jueves 후에베스, reloj 렐로
	k	ㅋ	크	kapok 카포크
	l	ㄹ, ㄹㄹ	ㄹ	lacrar 라크라르, Lulio 룰리오, ocal 오칼
	ll	이*	—	llama 야마, lluvia 유비아
	m	ㅁ	ㅁ	membrete 멤브레테
	n	ㄴ	ㄴ	noche 노체, flan 플란
	ñ	니*	—	ñoñez 뇨녜스, mañana 마냐나
	p	ㅍ	ㅂ, 프	pepsina 펩시나, plantón 플란톤
	q	ㅋ	—	quisquilla 키스키야
	r	ㄹ	르	rascador 라스카도르
	s	ㅅ	스	sastreria 사스트레리아
	t	ㅌ	트	tetraetro 테트라에트로
	v	ㅂ	—	viudedad 비우데다드
	x	ㅅ, ㄱㅅ	ㄱ스	xenón 세논, laxante 락산테, yuxta 육스타
	z	ㅅ	스	zagal 사갈, liquidez 리키데스
반모음	w	오·우*	—	walkirias 왈키리아스
	y	이*	—	yungla 융글라
모음	a	아		braceo 브라세오
	e	에		reloj 렐로
	i	이		Lulio 룰리오
	o	오		ocal 오칼
	u	우		viudedad 비우데다드

*ll, y, ñ, w의 '이, 니, 오, 우'는 다른 모음과 결합할 때 합쳐서 1 음절로 적는다.

표 3　이탈리아 어 자모와 한글 대조표

	자모	한글 모음앞	한글 자음앞 어말	보기
자음	b	ㅂ	브	Bologna 볼로냐, bravo 브라보
	c	ㅋ, ㅊ	크	Como 코모, Sicilia 시칠리아, credo 크레도
	ch	ㅋ	—	Pinocchio 피노키오, cherubino 케루비노
	d	ㄷ	드	Dante 단테, drizza 드리차
	f	ㅍ	프	Firenze 피렌체, freddo 프레도
	g	ㄱ, ㅈ	그	Galileo 갈릴레오, Genova 제노바, gloria 글로리아
	h	—	—	hanno 안노, oh 오
	l	ㄹ, ㄹㄹ	ㄹ	Milano 밀라노, largo 라르고, palco 팔코
	m	ㅁ	ㅁ	Macchiavelli 마키아벨리, mamma 맘마, Campanella 캄파넬라
	n	ㄴ	ㄴ	Nero 네로, Anna 안나, divertimento 디베르티멘토
	p	ㅍ	프	Pisa 피사, prima 프리마

	q	ㅋ	—	quando 콴도, queto 퀘토
	r	ㄹ	르	Roma 로마, Marconi 마르코니
	s	ㅅ	스	Sorrento 소렌토, asma 아스마, sasso 사소
음	t	ㅌ	트	Torino 토리노, tranne 트란네
	v	ㅂ	브	Vivace 비바체, manovra 마노브라
	z	ㅊ	—	nozze 노체, mancanza 만칸차
모	a		아	abituro 아비투로, capra 카프라
	e		에	erta 에르타, padrone 파드로네
	i		이	infamia 인파미아, manica 마니카
음	o		오	oblio 오블리오, poetica 포에티카
	u		우	uva 우바, spuma 스푸마

표 4　　일본어의 가나와 한글 대조표

가나					한글									
					어두					어중·어말				
ア	イ	ウ	エ	オ	아	이	우	에	오	아	이	우	에	오
カ	キ	ク	ケ	コ	가	기	구	게	고	카	키	쿠	케	코
サ	シ	ス	セ	ソ	사	시	스	세	소	사	시	스	세	소
タ	チ	ツ	テ	ト	다	지	쓰	데	도	타	치	쓰	테	토
ナ	ニ	ヌ	ネ	ノ	나	니	누	네	노	나	니	누	네	노
ハ	ヒ	フ	ヘ	ホ	하	히	후	헤	호	하	히	후	헤	호
マ	ミ	ム	メ	モ	마	미	무	메	모	마	미	무	메	모
ヤ	イ	ユ	エ	ヨ	야	이	유	에	요	야	이	유	에	요
ラ	リ	ル	レ	ロ	라	리	루	레	로	라	리	루	레	로
ワ	(ヰ)	ウ	(ヱ)	ヲ	와	(이)	우	(에)	오	와	(이)	우	(에)	오
ン										ㄴ				
ガ	ギ	グ	ゲ	ゴ	가	기	구	게	고	가	기	구	게	고
ザ	ジ	ズ	ゼ	ゾ	자	지	즈	제	조	자	지	즈	제	조
ダ	ヂ	ヅ	デ	ド	다	지	즈	데	도	다	지	즈	데	도
バ	ビ	ブ	ベ	ボ	바	비	부	베	보	바	비	부	베	보
パ	ピ	プ	ペ	ポ	파	피	푸	페	포	파	피	푸	페	포
キャ		キュ		キョ	갸		규		교	캬		큐		쿄
ギャ		ギュ		ギョ	갸		규		교	갸		규		교
シャ		シュ		ショ	샤		슈		쇼	샤		슈		쇼
ジャ		ジュ		ジョ	자		주		조	자		주		조
チャ		チュ		チョ	자		주		조	차		추		초
ヒャ		ヒュ		ヒョ	햐		휴		효	햐		휴		효
ビャ		ビュ		ビョ	뱌		뷰		뵤	뱌		뷰		뵤
ピャ		ピュ		ピョ	퍄		퓨		표	퍄		퓨		표
ミャ		ミュ		ミョ	먀		뮤		묘	먀		뮤		묘
リャ		リュ		リョ	랴		류		료	랴		류		료

표 5　　중국어의 주음 부호(注音符號)와 한글 대조표

성모(聲母)									
음의 분류	주음 부호	한어 병음 자모	웨이드식 로마자	한글	음의 분류	주음 부호	한어 병음 자모	웨이드식 로마자	한글
중순성(重脣聲)	ㄅ	b	p	ㅂ	설면성(舌面聲)	ㄐ	j	ch	ㅈ
	ㄆ	p	p'	ㅍ		ㄑ	q	ch'	ㅊ
	ㄇ	m	m	ㅁ		ㄒ	x	hs	ㅅ
*순치성	ㄈ	f	f	ㅍ	교설첨성(翹舌尖聲)	ㄓ	zh 〔zhi〕	ch 〔chih〕	ㅈ〔즈〕
설첨성(舌尖聲)	ㄉ	d	t	ㄷ		ㄔ	ch 〔chi〕	ch' 〔ch'ih〕	ㅊ〔츠〕
	ㄊ	t	t'	ㅌ		ㄕ	sh 〔shi〕	sh 〔shih〕	ㅅ〔스〕
	ㄋ	n	n	ㄴ		ㄖ	r 〔ri〕	j 〔jih〕	ㄹ〔르〕
	ㄌ	l	l	ㄹ		ㄗ	z 〔zi〕	ts 〔tzŭ〕	ㅉ〔쯔〕
설근성(舌根聲)	ㄍ	g	k	ㄱ	설치성(舌齒聲)	ㄘ	c 〔ci〕	ts' 〔tz'ŭ〕	ㅊ〔츠〕
	ㄎ	k	k'	ㅋ		ㄙ	s 〔si〕	s 〔ssŭ〕	ㅆ〔쓰〕
	ㄏ	h	h	ㅎ					

운모(韻母)									
음의 분류	주음 부호	한어 병음 자모	웨이드식 로마자	한글	음의 분류	주음 부호	한어 병음 자모	웨이드식 로마자	한글
단운(單韻)	ㄚ	a	a	아	결합운모(結合韻母)	ㄧㄢ	yan (ian)	yen (ien)	옌
	ㄛ	o	o	오		ㄧㄣ	yin (in)	yin (in)	인
	ㄜ	e	ê	어		ㄧㄤ	yang (iang)	yang (iang)	양
	ㄝ	ê	e	에		ㄧㄥ	ying (ing)	ying (ing)	잉
	ㄧ	yi (i)	i	이	합구류(合口類)	ㄨㄚ	wa (ua)	wa (ua)	와
	ㄨ	wu (u)	wu (u)	우		ㄨㄛ	wo (uo)	wo (uo)	워
	ㄩ	yu (u)	yü (ü)	위		ㄨㄞ	wai (uai)	wai (uai)	와이
복운(複韻)	ㄞ	ai	ai	아이		ㄨㄟ	wei (ui)	wei (uei,ui)	웨이 (우이)
	ㄟ	ei	ei	에이		ㄨㄢ	wan (uan)	wan (uan)	완
	ㄠ	ao	ao	아오		ㄨㄣ	wen (un)	wên (un)	원 (운)
	ㄡ	ou	ou	어우		ㄨㄤ	wang (uang)	wang (uang)	왕
부성운(附聲韻)	ㄢ	an	an	안		ㄨㄥ	weng (ong)	wêng (ung)	웡 (웅)
	ㄣ	en	ên	언	촬구류(撮口類)	ㄩㄝ	yue (ue)	yüeh (üeh)	웨
	ㄤ	ang	ang	앙		ㄩㄢ	yuan (uan)	yüan (üan)	위안
	ㄥ	eng	êng	엉		ㄩㄣ	yun (un)	yün (ün)	윈
*권설운	ㄦ	er (r)	êrh	얼		ㄩㄥ	yong (iong)	yung (iung)	융
결합운모 제치류(齊齒類)	ㄧㄚ	ya (ia)	ya (ia)	야					
	ㄧㄛ	yo	yo	요					
	ㄧㄝ	ye (ie)	yeh (ieh)	예					
	ㄧㄞ	yai	yai	야이					
	ㄧㄠ	yao (iao)	yao (iao)	야오					
	ㄧㄡ	you (ou, iu)	yu (iu)	유					

〔　〕는 단독 발음될 경우의 표기임.

(　)는 자음이 선행할 경우의 표기임.

* 순치성(脣齒聲), 권설운(捲舌韻)

제 3 장　표기 세칙

제 1 절　영어의 표기

표 1에 따라 적되, 다음 사항에 유의하여 적는다.

제 1 항　무성 파열음([p], [t], [k])

1) 짧은 모음 다음의 어말 무성 파열음([p], [t], [k])은 받침

으로 적는다.

보기 gap[gæp] 갭 cat[kæt] 캣 book[buk] 북

2) 짧은 모음과 유음·비음([l], [r], [m], [n]) 이외의 자음 사이에 오는 무성 파열음([p], [t], [k])은 받침으로 적는다.

보기 apt[æpt] 앱트 setback[setbæk] 셋백 act[ækt] 액트

3) 위 경우 이외의 어말과 자음 앞의 [p], [t], [k]는 '으'를 붙여 적는다.

보기 stamp[stæmp] 스탬프 cape[keip] 케이프 nest[nest] 네스트 part[pa:t] 파트 desk[desk] 데스크 make[meik] 메이크 apple[æpl] 애플 mattress[mætris] 매트리스 chipmunk[tʃipmʌŋk] 치프멍크 sickness[siknis] 시크니스

제 2 항 유성 파열음([b], [d], [g])

어말과 모든 자음 앞에 오는 유성 파열음은 '으'를 붙여 적는다.

보기 bulb[bʌlb] 벌브 land[lænd] 랜드 zigzag[zigzæg] 지그재그 lobster[lɔbstə] 로브스터 kidnap[kidnæp] 키드냅 signal[signəl] 시그널

제 3 항 마찰음([s], [z], [f], [v], [θ], [ð], [ʃ], [ʒ])

1) 어말 또는 자음 앞의 [s], [z], [f], [v], [θ], [ð]는 '으'를 붙여 적는다.

보기 mask[ma:sk] 마스크 jazz[dʒæz] 재즈 graph[græf] 그래프 olive[ɔliv] 올리브 thrill[θril] 스릴 bathe[beið] 베이드

2) 어말의 [ʃ]는 '시'로 적고, 자음 앞의 [ʃ]는 '슈'로, 모음 앞의 [ʃ]는 뒤따르는 모음에 따라 '샤', '섀', '셔', '셰', '쇼', '슈', '시'로 적는다.

보기 flash[flæʃ] 플래시 shrub[ʃrʌb] 슈러브 shark[ʃa:k] 샤크 shank[ʃæŋk] 섕크 fashion[fæʃən] 패션 sheriff[ʃerif] 셰리프 shopping[ʃɔpiŋ] 쇼핑 shoe[ʃu:] 슈 shim[ʃim] 심

3) 어말 또는 자음 앞의 [ʒ]는 '지'로 적고, 모음 앞의 [ʒ]는 'ㅈ'으로 적는다.

보기 mirage[mira:ʒ] 미라지 vision[viʒən] 비전

제 4 항 파찰음([ts], [dz], [tʃ], [dʒ])

1) 어말 또는 자음 앞의 [ts], [dz]는 '츠', '즈'로 적고, [tʃ], [dʒ]는 '치', '지'로 적는다.

보기 Keats[ki:ts] 키츠 odds[ɔds] 오즈 switch[switʃ] 스위치 bridge[bridʒ] 브리지 Pittsburgh[pitsbə:g] 피츠버그 hitchhike[hitʃhaik] 히치하이크

2) 모음 앞의 [tʃ], [dʒ]는 'ㅊ', 'ㅈ'으로 적는다.

보기 chart[tʃa:t] 차트 virgin[və:dʒin] 버진

제 5 항 비음([m], [n], [ŋ])

1) 어말 또는 자음 앞의 비음은 모두 받침으로 적는다.

보기 steam[sti:m] 스팀 corn[kɔ:n] 콘 ring[riŋ] 링 lamp[læmp] 램프 hint[hint] 힌트 ink[iŋk] 잉크

2) 모음과 모음 사이의 [ŋ]은 앞 음절의 받침 'ㅇ'으로 적는다.

보기 hanging[hæŋiŋ] 행잉 longing[lɔŋiŋ] 롱잉

제 6 항 유음([l])

1) 어말 또는 자음 앞의 [l]은 받침으로 적는다.

보기 hotel[houtel] 호텔 pulp[pʌlp] 펄프

2) 어중의 [l]이 모음 앞에 오거나, 모음이 따르지 않는 비음([m], [n]) 앞에 올 때에는 'ㄹㄹ'로 적는다. 다만, 비음([m], [n]) 뒤의 [l]은 모음 앞에 오더라도 'ㄹ'로 적는다.

보기 slide[slaid] 슬라이드 film[film] 필름 helm[helm] 헬름 swoln[swouln] 스월른 Hamlet[hæmlit] 햄릿 Henley[henli] 헨리

제 7 항 장모음

장모음의 장음은 따로 표기하지 않는다.

보기 team[ti:m] 팀 route[ru:t] 루트

제 8 항 중모음([ai], [au], [ei], [ɔi], [ou], [auə])

중모음은 각 단모음의 음가를 살려 적되, [ou]는 '오'로, [auə]는 '아워'로 적는다.

보기 time[taim] 타임 house[haus] 하우스 skate[skeit] 스케이트 oil[ɔil] 오일 boat[bout] 보트 tower[tauə] 타워

제 9 항 반모음([w], [j])

1) [w]는 뒤따르는 모음에 따라 [wə], [wɔ], [wou]는 '워', [wɑ]는 '와', [wæ]는 '왜', [we]는 '웨', [wi]는 '위', [wu]는 '우'로 적는다.

보기 word[wə:d] 워드 want[wɔnt] 원트 woe[wou] 워 wander[wɑndə] 완더 wag[wæg] 왜그 west[west] 웨스트 witch[witʃ] 위치 wool[wul] 울

2) 자음 뒤에 [w]가 올 때에는 두 음절로 갈라 적되, [gw] [hw], [kw]는 한 음절로 붙여 적는다.

보기 swing[swiŋ] 스윙 twist[twist] 트위스트 penguin[peŋgwin] 펭귄 whistle[hwisl] 휘슬 quarter[kwɔ:tə] 쿼터

3) 반모음 [j]는 뒤따르는 모음과 합쳐 '야', '얘', '여', '예', '요', '유', '이'로 적는다. '다만, [d], [l], [n] 다음에 [jə]가 올 때에는 각각 '디어', '리어', '니어'로 적는다.

보기 yard[ja:d] 야드 yank[jæŋk] 얭크 yearn[jə:n] 연 yellow[jelou] 옐로 yawn[jɔ:n] 욘 you[ju:] 유 year[jiə] 이어 Indian[indjən] 인디언 battalion[bətæljən] 버탤리언 union[ju:njən] 유니언

제 10 항 복합어

1) 따로 설 수 있는 말의 합성으로 이루어진 복합어는 그것을 구성하고 있는 말이 단독으로 쓰일 때의 표기대로 적는다.

보기 cuplike[kʌplaik] 컵라이크 bookend[bukend] 북엔드 headlight[hedlait] 헤드라이트 touchwood[tʌtʃwud] 터치우드 sit-in[sitin] 싯인 bookmaker[bukmeikə] 북메이커 flashgun[flæʃgʌn] 플래시건 topknot[tɔpnɔt] 톱놋

2) 원어에서 띄어 쓴 말은 띄어 쓴 대로 한글 표기를 하되 붙여 쓸 수도 있다.

보기 Los Alamos[lɔs æləmous] 로스 앨러모스/로스앨러모스 top class[tɔpklæs] 톱 클래스/톱클래스

제 2 절 독일어의 표기

표 1을 따르고 제 1 절(영어의 표기 세칙)을 준용한다. 다만, 독일어의 독특한 것은 그 특징을 살려서 다음과 같이 적는다.

제 1 항 [r]

1) 자음 앞의 [r]는 '으'를 붙여 적는다.

보기 Hormon[hɔrmo:n] 호르몬 Hermes[hɛrmɛs] 헤르메스

2) 어말의 [r]와 '-er[ər]'는 '어'로 적는다.

보기 herr[hɛr] 헤어 Razur[razu:r] 라주어 Tür[ty:r] 튀어 Ohr[o:r] 오어 Vater[fa:tər] 파터 Schiller[ʃilər] 실러

3) 복합어 및 파생어의 선행 요소가 [r]로 끝나는 경우는 2)의 규정을 준용한다.

보기 verarbeiten[fɛrarbaitən] 페어아르바이텐 zerknirschen[tsɛrknirʃən] 체어크니르셴 Fürsorge[fy:rzorgə] 퓌어조르게 Vorbild[fo:rbilt] 포어빌트 außerhalb[ausərhalp] 아우서할프 Urkunde[u:rkundə] 우어쿤데 Vaterland[fa:tərlant] 파터란트

제 2 항 어말의 파열음은 '으'를 붙여 적는 것을 원칙으로 한다.

보기 Rostock[rɔstɔk] 로스토크 Stadt[ʃtat] 슈타트

제 3 항 철자 'berg', 'burg'는 '베르크', '부르크'로 통일해서 적는다.

보기 Heidelberg[haidəlbɛrk, -bɛrç] 하이델베르크
Hamburg[hamburk, -burç] 함부르크

제 4 항 [ʃ]

1) 어말 또는 자음 앞에서는 '슈'로 적는다.

보기 Mensch[mɛnʃ] 멘슈 Mischling[miʃliŋ] 미슐링

2) [y], [ø] 앞에서는 'ㅅ'으로 적는다.

보기 Schüler[ʃyːlər] 쉴러 schön[ʃøːn] 쇤

3) 그 밖의 모음 앞에서는 뒤따르는 모음에 따라 '샤, 쇼, 슈' 등으로 적는다.

보기 Schatz[ʃats] 샤츠 schon[ʃoːn] 숀
Schule[ʃuːlə] 슐레 Schelle[ʃɛlə] 셸레

제 5 항 [ɔy]로 발음되는 äu, eu는 '오이'로 적는다.

보기 läuten[lɔytən] 로이텐
Fräulein[frɔylain] 프로일라인
Europa[ɔyroːpa] 오이로파
Freundin[frɔyndin] 프로인딘

제 3 절 프랑스 어의 표기

표 1에 따르고 제 1 절(영어의 표기 세칙)을 준용한다. 다만, 프랑스 어의 독특한 것은 그 특징을 살려서 다음과 같이 적는다.

제 1 항 파열음([p], [t], [k]; [b], [d], [g])

1) 어말에서는 '으'를 붙여서 적는다.

보기 soupe[sup] 수프 tête[tɛt] 테트
avec[avɛk] 아베크 baobab[baɔbab] 바오바브
ronde[rɔ̃ːd] 롱드 bague[bag] 바그

2) 구강 모음과 무성 자음 사이에 오는 무성 파열음('구강 모음＋무성 파열음＋무성 파열음 또는 무성 마찰음'의 경우)은 받침으로 적는다.

보기 septembre[sɛptɑ̃ːbr] 셉탕브르
apte[apt] 압트
octobre[ɔktɔbr] 옥토브르 action[aksjɔ̃] 악시옹

제 2 항 마찰음([ʃ], [ʒ])

1) 어말과 자음 앞의 [ʃ], [ʒ]는 '슈', '주'로 적는다.

보기 manche[mɑ̃ːʃ] 망슈 piège[pjɛːʒ] 피에주
acheter[aʃte] 아슈테 dégeler[deʒle] 데줄레

2) [ʃ]가 [ə], [w] 앞에 올 때에는 뒤따르는 모음과 합쳐 '슈'로 적는다.

보기 chemise[ʃəmiːz] 슈미즈 chevalier[ʃəvalje] 슈발리에
choix[ʃwa] 슈아 chouette[ʃwɛt] 슈에트

3) [ʃ]가 [y], [œ], [ø] 및 [j], [ɥ] 앞에 올 때에는 'ㅅ'으로 적는다.

보기 chute[ʃyt] 쉬트 chuchoter[ʃyʃɔte] 쉬쇼테
pêcheur[pɛʃœːr] 페쇠르 shunt[ʃœːt] 쇵트
fâcheux[faʃø] 파쇠 chien[ʃjɛ̃] 시앵
chuinter[ʃɥɛ̃te] 쉬앵테

제 3 항 비자음([ɲ])

1) 어말과 자음 앞의 [ɲ]는 '뉴'로 적는다.

보기 chmpagne[kɑ̃paɲ] 캉파뉴 dignement[diɲmɑ̃] 디뉴망

2) [ɲ]가 '아, 에, 오, 우' 앞에 올 때에는 뒤따르는 모음과 합쳐 각각 '냐, 녜, 뇨, 뉴'로 적는다.

보기 saignant[sɛɲɑ̃] 세냥 peigner[peɲe] 페녜
agneau[aɲo] 아뇨 mignon[miɲɔ̃] 미뇽

3) [ɲ]가 [ə], [w] 앞에 올 때에는 뒤따르는 소리와 합쳐 '뉴'로 적는다.

보기 lorgnement[lɔrɲəmɑ̃] 로르뉴망
baignoire[bɛɲwaːr] 베뉴아르

4) 그 밖의 [ɲ]는 'ㄴ'으로 적는다.

보기 magnifique[maɲifik] 마니피크
guignier[giɲje] 기니에
gagneur[gaɲœːr] 가뇌르
montagneux[mɔ̃taɲø] 몽타뇌
peignures[pɛɲyːr] 페뉘르

제 4 항 반모음[j]

1) 어말에 올 때에는 '유'로 적는다.

보기 Marseille[marsɛj] 마르세유
taille[tɑːj] 타유

2) 모음 사이의 [j]는 뒤따르는 모음과 합쳐 '예, 얭, 야, 양, 요, 용, 유, 이' 등으로 적는다. 단, 뒷 모음이 [ø], [œ]일 때에는 '이'로 적는다.

보기 payer[peje] 페예 billet[bijɛ] 비예
moyen[mwajɛ̃] 무아얭 pleiade[plejad] 플레야드
ayant[ɛjɑ̃] 에양 noyau[nwajo] 누아요
crayon[krɛjɔ̃] 크레용 voyou[vwaju] 부아유
cueillir[kœjiːr] 쾨이르 aïeul[ajœl] 아이욀
aïeux[ajø] 아이외

3) 그 밖의 [j]는 '이'로 적는다.

보기 hier[jɛːr] 이에르
Montesquieu[mɔ̃tɛskjø] 몽테스키외
champion[ʃɑ̃pjɔ̃] 샹피옹
diable[djɑːbl] 디아블

제 5 항 반모음[w]

[w]는 '우'로 적는다.

보기 alouette[alwɛt] 알루에트 douane[dwan] 두안
quoi[kwa] 쿠아 toi[twa] 투아

제 4 절 에스파냐 어의 표기

표 2에 따라 적되, 다음과 같은 특징을 살려서 적는다.

제 1 항 gu, qu

gu, qu는 i, e 앞에서는 각각 'ㄱ, ㅋ'으로 적고, o 앞에서는 '구, 쿠'로 적는다. 다만 a 앞에서는 그 a와 합쳐 '과, 콰'로 적는다.

보기 guerra 게라 queso 케소
antiguo 안티구오 Quorem 쿠오렘
Guipuzcoa 기푸스코아 quisquilla 키스키야
antiguo 안티구오 Quorem 쿠오렘
Nicaragua 니카라과 Quarai 콰라이

제 2 항 같은 자음이 겹치는 경우에는 겹치지 않은 경우와 같이 적는다.

단, -cc-는 'ㄱㅅ'으로 적는다.

보기 carrera 카레라 carreterra 카레테라
accion 악시온

제 3 항 c, g

c와 g 다음에 모음 e와 i가 올 때에는 c는 'ㅅ'으로, g는 'ㅎ'으로 적고, 그 외는 'ㅋ'과 'ㄱ'으로 적는다.

보기 Cecilia 세실리아 cifra 시프라
georgico 헤오르히코 giganta 히간타
coquito 코키토 gato 가토

제 4 항 x

x가 모음 앞에 오되, 어두일 때에는 'ㅅ'으로 적고, 어중일 때에는 'ㄱㅅ'으로 적는다.

보기 xilofono 실로포노 laxante 락산테

제 5 항 l

어말 또는 자음 앞의 l은 받침 'ㄹ'로 적고, 어중의 l이 모음 앞에 올 때에는 'ㄹㄹ'로 적는다.

보기 ocal 오칼 colcren 콜크렌
blandon 블란돈 Cecilia 세실리아

제 6 항 nc, ng

c와 g 앞에 오는 n은 받침 'ㅇ'으로 적는다.

보기 blanco 블랑코 yungla 융글라

제 5 절 이탈리아 어의 표기

표 3에 따르고, 다음과 같은 특징을 살려서 적는다.

제 1 항 gl

i 앞에서는 'ㄹㄹ'로 적고, 그 밖의 경우에는 '글ㄹ'로 적는다.

보기 paglia 팔리아 egli 엘리
gloria 글로리아 glossa 글로사

제 2 항 gn

뒤따르는 모음과 합쳐 '냐', '녜', '뇨', '뉴', '니'로 적는다.

보기 montagna 몬타냐 gneiss 녜이스

gnocco 뇨코 gnu 뉴
ogni 오니

제 3 항 sc

sce는 '셰'로, sci는 '시'로 적고, 그 밖의 경우에는 '스ㅋ'으로 적는다.

보기 crescendo 크레셴도 scivolo 시볼로
Tosca 토스카 scudo 스쿠도

제 4 항 같은 자음이 겹쳤을 때에는 겹치지 않은 경우와 같이 적는다. 다만, -mm-, -nn-의 경우는 'ㅁㅁ', 'ㄴㄴ'으로 적는다.

보기 Puccini 푸치니 buffa 부파
allegretto 알레그레토 carro 카로
rosso 로소 mezzo 메조
gomma 곰마 bisnonno 비스논노

제 5 항 c, g

1) c와 g는 e, i 앞에서 각각 'ㅊ', 'ㅈ'으로 적는다.

보기 cenere 체네레 genere 제네레
cima 치마 gita 지타

2) c와 g 다음에 ia, io, iu가 올 때에는 각각 '차, 초, 추', '자, 조, 주'로 적는다.

보기 caccia 카차 micio 미초
ciuffo 추포 giardino 자르디노
giorno 조르노 giubba 주바

제 6 항 qu

qu는 뒤따르는 모음과 합쳐 '콰, 퀘, 퀴' 등으로 적는다. 다만, o 앞에서는 '쿠'로 적는다.

보기 soqquadro 소콰드로 quello 퀠로
quieto 퀴에토 quota 쿠오타

제 7 항 l, ll

어말 또는 자음 앞의 l, ll은 받침으로 적고, 어중의 l, ll이 모음 앞에 올 때에는 'ㄹㄹ'로 적는다.

보기 sol 솔 polca 폴카
Carlo 카를로 quello 퀠로

제 6 절 일본어의 표기

표 4에 따르고, 다음 사항에 유의하여 적는다.

제 1 항 촉음(促音)〔ッ〕는 'ㅅ'으로 통일해서 적는다.

보기 サッポロ 삿포로 トットリ 돗토리
ヨッカイチ 욧카이치

제 2 항 장모음

장모음은 따로 표기하지 않는다.

보기 キュウシュウ(九州) 규슈 ニイガタ(新潟) 니가타
トウキョウ(東京) 도쿄 オオサカ(大阪) 오사카

제 7 절 중국어의 표기

표 5에 따르고, 다음 사항에 유의하여 적는다.

제 1 항 성조는 구별하여 적지 아니한다.

제 2 항 'ㅈ, ㅉ, ㅊ'으로 표기되는 자음(ㄐ, ㄓ, ㄗ, ㄑ, ㄔ, ㄘ) 뒤의 'ㅑ, ㅖ, ㅛ, ㅠ' 음은 'ㅏ, ㅔ, ㅗ, ㅜ'로 적는다.

보기 ㄐㄧㄚ 쟈 → 자 ㄐㄧㄝ 졔 → 제

제 4 장 인명, 지명 표기의 원칙

제 1 절 표기 원칙

제 1 항 외국의 인명, 지명의 표기는 제 1 장, 제 2 장, 제 3 장의 규정을 따르는 것을 원칙으로 한다.

제 2 항 제 3 장에 포함되어 있지 않은 언어권의 인명, 지명은 원지음을 따르는 것을 원칙으로 한다.

보기 Ankara 앙카라 Gandhi 간디

제 3 항 원지음이 아닌 제 3 국의 발음으로 통용되고 있는 것은 관용을 따른다.

보기 Hague 헤이그 Caesar 시저

제 4 항 고유 명사의 번역명이 통용되는 경우 관용을 따른다.

보기 Pacific Ocean 태평양 Black Sea 흑해

제 2 절 동양의 인명, 지명 표기

제 1 항 중국 인명은 과거인과 현대인을 구분하여 과거인은 종전의 한자음대로 표기하고 현대인은 원칙적으로 중국어 표기법에 따라 표기하되, 필요한 경우 한자를 병기한다.

제 2 항 중국의 역사 지명으로서 현재 쓰이지 않는 것은 우리 한자음대로 하고, 현재 지명과 동일한 것은 중국어 표기법에 따라 표기하되, 필요한 경우 한자를 병기한다.

제 3 항 일본의 인명과 지명은 과거와 현대의 구분 없이 일본어 표기법에 따라 표기하는 것을 원칙으로 하되, 필요한 경우 한자를 병기한다.

제 4 항 중국 및 일본의 지명 가운데 한국 한자음으로 읽는 관용이 있는 것은 이를 허용한다.

보기 東京 도쿄, 동경 京都 교토, 경도
上海 상하이, 상해 臺灣 타이완, 대만
黃河 황허, 황하

제 3 절 바다, 섬, 강, 산 등의 표기 세칙

제 1 항 '해', '섬', '강', '산' 등이 외래어에 붙을 때에는 띄어 쓰고 우리말에 붙을 때에는 붙여 쓴다.

보기 카리브 해, 북해, 발리 섬, 목요섬

제 2 항 바다는 '해(海)'로 통일한다.

보기 홍해, 발트 해, 아라비아 해

제 3 항 우리 나라를 제외하고 섬은 모두 '섬'으로 통일한다.

보기 타이완 섬, 코르시카 섬(우리 나라 : 제주도, 울릉도)

제 4 항 한자 사용 지역(일본, 중국)의 지명이 하나의 한자로 되어 있을 경우, '강', '산', '호', '섬' 등을 겹쳐 적는다.

보기 온타케 산(御岳) 주장 강(珠江)
도시마 섬(利島) 하야카와 강(早川)
위산 산(玉山)

제 5 항 지명이 산맥, 산, 강 등의 뜻이 들어 있는 것은 '산맥', '산', '강' 등을 겹쳐 적는다.

보기 Rio Grande 리오그란데 강
Monte Rosa 몬테로사 산
Mont Blanc 몽블랑 산
Sierra Madre 시에라마드레 산맥

인명용(人名用) 한자

(1991. 1., 1991. 3., 1994. 7., 1997. 12. 대법원 공포)

가	家佳街可歌加價假	계	癸季界計溪鷄系係	궤	軌	농	農濃
	架暇嘉嫁稼賈駕伽		戒械繼契桂啓階誡	귀	貴歸鬼龜	뇌	腦惱
	迦柯		烓	규	叫規閨圭奎揆珪逵	뉴	紐鈕
각	各角脚閣却覺刻珏	고	古故固苦考高告枯		窺葵	능	能
	恪殼		姑庫孤鼓稿顧敲叩	균	均菌昀鈞	니	泥
간	干間看刊肝幹簡姦		皐暠	귤	橘	다	多茶
	懇艮杆諫玕侃竿揀	곡	谷曲穀哭	극	極克劇剋隙	단	旦但丹單短團端段
	墾栞	곤	困坤昆崑琨錕	근	近勤根斤僅謹槿瑾		斷壇檀鍛緞
갈	渴葛	골	骨		墐漌嫤筋劤	달	達
감	甘減感敢監鑑勘堪	공	工功空共公孔供恭	금	金錦今琴禁禽衾襟	담	談淡潭擔譚膽澹覃
	瞰		攻恐貢珙控	급	及級給急汲 └吟	답	答畓踏
갑	甲鉀	과	果課科過戈瓜誇寡	긍	肯亘兢矜	당	堂當唐糖黨塘鐺撞
강	江降講強康剛鋼綱		菓	기	其基期旗己紀記起	대	大代待隊帶對貸臺
	堈岡崗姜橿杠彊慷	곽	郭廓		奇寄騎器旣技企氣		垈玳戴袋擡旲
개	改皆個開介慨槪蓋	관	官觀關館管貫慣冠		祈幾機畿豈忌飢棄	덕	德
	价凱愷漑		寬款琯灌瓘錧梡		欺淇琪璂棋祺錤騏	도	道導度渡島都桃圖
객	客	괄	括		麒玘杞崎琦綺錡箕		途到徒稻跳陶刀倒
갱	更坑	광	光廣鑛侊匡曠洸珖		岐汽沂圻耆璣磯冀		盜逃挑堵塗棹濤燾
거	去巨居車擧距拒據		桄眖		驥嗜暣埼譏伎		禱鍍蹈
	渠遽鉅炬	괘	掛	긴	緊	독	獨督篤讀毒
건	建乾件健巾虔楗鍵	괴	塊愧怪壞	길	吉佶桔姞	돈	豚敦墩惇暾燉頓
걸	傑杰	굉	宏	나	那娜奈柰拏	돌	突乭
검	儉劍檢	교	交校橋敎郊較巧矯	낙	諾	동	東凍同洞桐銅動童
게	憩揭		僑喬嬌膠	난	暖難煖		冬棟董潼垌瞳蝀
격	格擊激隔檄	구	九口求救究久句舊	날	捺	두	斗豆頭杜枓
견	犬見堅肩絹遣牽鵑		具俱區驅鷗苟拘狗	남	南男楠湳	둔	鈍屯遁
결	決結潔缺訣		丘懼龜構球坵玖矩	납	納	득	得
겸	兼謙鎌		邱銶鳩溝購軀耉枸	낭	娘	등	登燈等藤謄鄧騰
경	京景輕經庚耕敬驚	국	國菊局鞠	내	乃內奈耐柰	라	羅螺
	慶競竟境鏡頃傾硬	군	君郡軍群	녀	女	락	樂洛落絡珞酪
	警徑卿俓倞儆勁坰	굴	屈窟	년	年	란	卵亂蘭爛欄瀾瓓
	憬擎暻更涇炅璟瓊	궁	弓宮窮躬	념	念	람	藍覽濫
	耿莖鯨梗撤逕熲冏	권	卷權勸券拳圈眷	녕	寧	랑	郞浪朗廊琅瑯
	勍	궐	厥闕	노	奴努怒	래	來崍萊

음	한자
랭	冷
략	略掠
량	良凉(涼)兩梁量糧
	諒亮倆樑
려	旅麗慮勵呂侶黎閭
력	力歷曆
련	連蓮聯練鍊戀憐煉
	璉
렬	列烈裂劣洌
렴	廉濂簾斂
렵	獵
령	令領嶺零靈伶玲鈴
	齡姈昤怜
례	禮例
로	老勞路露爐魯盧鷺
록	祿綠錄鹿彔
론	論
롱	弄瀧瓏籠
뢰	雷賴瀨
료	料了僚遼
룡	龍
루	累樓屢淚漏
류	柳流留類琉劉瑠硫
륙	六陸
륜	倫輪侖崙綸
률	律栗率
륭	隆
름	凜
릉	陵綾菱稜
리	利梨里理裏離吏履
	李璃莉离俚悧俐
린	隣潾璘麟
림	林臨琳霖淋
립	立笠粒
마	馬麻磨瑪
막	莫漠幕
만	萬滿晩慢漫蠻曼蔓
	鏋万
말	末茉
망	亡妄忘忙望罔茫網
매	每梅妹埋媒賣買
맥	麥脈
맹	孟猛盟盲萌
면	面免勉綿眠冕棉
멸	滅
명	明名銘命鳴冥溟
모	模謀某募慕暮母毛
	矛貌冒摸牟謨
목	木沐牧目睦穆
몰	沒
몽	夢蒙
묘	卯妙苗墓廟描錨畝
무	戊茂武務霧無舞貿
	拇珷畝撫懋
묵	墨默
문	文門問聞汶紋炆
물	勿物
미	美未味米尾眉微迷
	渼彌薇嵄媚媄
민	民敏憫玟旻旼閔珉
	岷忞慜敃愍泯潣暋
	顐砇
밀	密蜜
박	朴博泊拍迫薄珀撲
	璞鉑舶
반	半班般盤反返叛飯
	伴潘畔磐頒
발	發拔髮鉢渤潑
방	方傍芳放倣訪防妨
	房邦坊彷昉龐榜
배	倍培拜配杯背排輩
	湃陪裵
백	白伯百栢佰帛
번	番飜繁煩蕃
벌	伐罰閥
범	凡汎犯範帆氾范机
법	法　└梵
벽	壁碧璧闢
변	變辨辯邊卞弁
별	別
병	丙兵病竝屛幷炳柄
	昞秉棅倂軿鉼甁
보	保報步普補譜寶堡
	甫輔菩潽
복	福復腹複卜伏服馥
본	本　└鍑
봉	鳳封奉逢峯(峰)蜂
	俸捧琫棒烽蓬鋒
부	富副付府符附夫扶
	部浮簿婦赴賦父膚
	負否腐孚芙溥敷傅
북	北　└復
분	分紛粉奔憤墳奮汾
	芬盆
불	不弗佛拂
붕	朋崩鵬
비	比批非悲妃備肥祕
	飛費鼻卑婢碑枇琵
	扉庇譬
빈	貧賓頻彬斌濱嬪玭
	穦儐璸
빙	氷聘憑
사	四士仕寺社思事史
	使私司詞巳祀師絲
	沙舍査射謝寫辭似
	斯斜賜詐捨死蛇邪
	泗娑糸砂紗徙奢嗣
삭	朔削　└赦
산	山產算散酸珊傘
살	殺薩
삼	三森參杉蔘衫
삽	揷
상	上相想霜祥詳床尙
	常裳賞償象像狀嘗
	桑商傷喪庠湘箱翔
새	塞　└爽塽
색	色索嗇穡
생	生
서	西書緖序敍徐庶暑
	署恕抒瑞棲曙舒誓
	壻偦諝
석	石夕昔惜席析釋碩
	奭汐淅晳錫鉐祏
선	仙善先宣鮮選船線
	旋禪扇渲瑄琁璿璇
	羨嬋銑墡愃膳繕珗
	嫙
설	雪說設舌卨楔薛
섬	暹蟾纖
섭	涉燮攝葉
성	成城誠盛省聖聲星
	性姓惺晟珹醒瑆娍
세	世歲洗勢細稅貰
소	小少召昭所素笑訴
	掃疎蘇蔬消燒騷沼
	紹邵韶巢疏炤遡柖
속	束速俗續屬粟　└玿
손	孫損遜巽
솔	率帥
송	松送訟頌誦宋淞
쇄	刷鎖
쇠	衰釗
수	水殊守秀壽數樹修
	須首受授收帥手隨
	遂需輸誰愁睡雖囚
	獸洙琇銖垂粹繡隋
	穗髓搜袖
숙	叔淑肅宿孰熟塾琡
	璹橚
순	順純旬瞬巡盾循脣
	殉洵珣荀筍舜淳諄
	錞醇焞
술	戌述術
숭	崇嵩
슬	瑟膝璱
습	習拾襲濕

음	한자
승	勝承昇升乘僧丞陞
	繩
시	時始是市侍詩試示
	視施矢柴恃
식	式植識息食飾埴殖
	湜軾寔栻
신	信新臣申伸神辛身
	晨愼紳莘薪迅訊
실	實室失悉
심	心深審尋甚沁沈
십	十什拾
쌍	雙
씨	氏
아	亞兒阿牙芽雅我餓
	娥峨衙妸
악	岳惡樂堊嶽
안	安案眼岸雁顔晏按
알	謁
암	巖(岩)暗庵菴
압	壓鴨押
앙	央仰殃昻鴦
애	愛涯哀厓崖艾
액	額厄液
앵	鶯櫻
야	野夜也耶冶
약	約藥若弱躍
양	陽楊揚羊洋養樣讓
	壤襄孃漾
어	魚漁語御於
억	億憶抑檍
언	言焉諺彦
엄	嚴奄俺掩
업	業業
여	予余餘與輿如汝
역	亦易役域譯驛疫逆
	暘
연	延研硯沿鉛演然燃
	煙宴燕緣軟衍淵姸
	娟涓筵沇瑌㜞
열	悅熱閱說
염	染炎鹽(塩)琰艶
엽	葉燁曄
영	永泳詠英營榮映迎
	影暎楹渶瀯煐瑛瑩
	盈鍈嬰穎瓔咏
예	豫藝譽銳叡預芮乂
오	五吾誤梧悟娛午烏
	嗚傲汚伍吳旿晤奧
옥	玉屋獄鈺沃 └珸
온	溫瑥穩媼
옹	翁雍壅擁
와	瓦臥
완	完緩浣婉玩琓琬莞
	垸婠宛
왈	曰
왕	王往旺汪枉
외	外畏
요	要搖謠遙腰堯曜耀
	瑤夭樂饒姚僥
욕	欲浴慾辱
용	用容勇庸溶鎔瑢榕
	蓉涌湧踊墉鏞茸埇
	甬
우	于宇雨羽遇愚偶憂
	優郵右友牛又尤祐
	佑寓禹瑀玗迂堣隅
	釪鍝雩盱
욱	旭昱煜郁頊彧
운	云雲運韻沄澐耘暈
울	蔚 └会
웅	雄熊
원	元院原源願員圓援
	遠園怨袁垣瑗媛沅
	洹苑轅愿婉嫄
월	月越
위	位偉緯圍衛爲委謂
	慰威胃危僞違尉暐
	渭瑋韋魏
유	乳有由油儒遺愈維
	惟唯酉幼幽悠柔誘
	猶遊裕侑宥庾兪楡
	洧喩瑜猷濡愉柚攸
	柚琟秞
육	肉育堉
윤	潤閏尹允玧鈗胤阭
융	融 └瀜
은	恩銀隱垠殷誾溵珢
을	乙
음	音陰吟飮淫
읍	邑泣
응	應膺鷹凝
의	義議儀衣依宜矣意
	醫疑倚誼毅擬懿
이	二貳以夷已耳異移
	而伊易彝怡爾珥弛
익	益翼翊瀷謚翌 └頤
인	人仁印因姻寅引忍
	認刃
일	一壹日逸溢鎰馹佾
임	壬任賃妊姙稔
입	入
잉	剩
자	子字者資姿姉玆慈
	紫自雌恣刺仔磁滋
	籍瓷
작	作昨爵酌灼芍雀鵲
잔	殘
잠	暫潛蠶箴
잡	雜
장	丈場長張章障壯裝
	莊墻將奬帳掌粧藏
	臟腸葬匠庄暲杖薔
	璋獎漳樟蔣
재	才材財再在載裁栽
	哉災宰梓縡齋渽
쟁	爭錚 「沮
저	著低貯底抵苧邸楮
적	的寂適摘滴積績蹟
	跡赤籍笛敵賊迪
전	全錢電展田前專傳
	轉典戰佺栓詮銓琠
	甸塡殿奠荃雋顚
절	切絶節折晢
점	占店漸點
접	接蝶
정	丁停亭訂頂井程定
	貞廷庭正政淨整征
	情靜精汀玎町呈姃
	偵湞幀楨禎珽挺綎
	鼎晶晸柾鉦淀錠鋌
	鄭靖桯珵靚鋥炡渟
	釘涏頲婷
제	制提題堤帝弟齊濟
	第製際諸除祭悌梯
	瑅
조	兆祖助組租調造操
	早條朝潮照燥鳥弔
	彫措晁窕曹祚肇詔
	釣趙遭眺
족	族足
존	存尊
졸	卒拙
종	宗種鐘從縱終倧琮
	淙棕鍾悰綜瑽
좌	左佐坐座
죄	罪
주	主住柱注周宙州洲
	走晝朱株舟酒胄奏
	湊炷註珠鑄疇週駐
	姝澍遒姝
죽	竹
준	俊準遵峻浚晙埈焌
	竣駿准濬雋儁畯埻
줄	茁 └隼
중	中仲重衆
즉	卽

즐 櫛
즙 汁 「烝
증 曾增贈證蒸憎症甑
지 地池之只止志誌持
指知智至紙支枝遲
旨沚址祉趾祗芝摯
鋕脂
직 直織職稙稷
진 眞鎭辰振進珍盡陳
陣晉津璡秦軫震塵
瑱瑨禛診縝塡賑抮
질 質秩姪疾瓆 └溱
집 集執什潗楫輯鏶
징 徵懲澄
차 次借且此差車叉瑳
착 着錯捉
찬 贊讚撰燦璨粲瓚澯
纂纘鑽
찰 察札
참 參慘塹
창 昌唱倉創蒼滄暢窓
廠敞彰昶菖
채 採彩菜債埰蔡采寀
책 策責冊 └綵
처 處妻悽
척 尺拓戚斥陟坧
천 川天千踐淺泉薦遷
賤仟阡
철 哲鐵徹喆澈撤轍綴
첨 添尖僉瞻
첩 妾帖捷
청 靑淸請晴廳聽
체 體替締遞諦
초 草初抄招超礎肖樵
촉 促燭觸 └焦蕉楚
촌 寸村
총 銃總聰寵叢
최 最催崔 「錐錘
추 追抽推秋醜楸樞鄒

축 丑畜祝縮築蓄逐軸
춘 春椿瑃賰
출 出
충 忠充衝蟲沖衷珫
췌 萃
취 取趣就吹臭醉翠聚
측 側測
층 層
치 治置値致齒稚恥熾
峙雉馳
칙 則勅
친 親
칠 七漆
침 針侵浸沈枕寢琛
칩 蟄
칭 稱秤
쾌 快夬
타 他打妥墮
탁 濯琢托濁卓倬琸託
鐸晫度擢拓
탄 炭彈歎呑坦灘誕
탈 脫奪
탐 探貪耽
탑 塔
탕 湯
태 太泰態怠殆兌汰台
胎邰
택 宅澤擇垞
토 土討兎吐
통 通統痛桶
퇴 退堆
투 投透鬪
특 特
파 波派頗罷播破巴把
琶芭坡杷
판 判板版販阪坂
팔 八
패 貝敗覇浿佩牌
팽 彭澎

편 便編篇遍片扁偏
평 平評坪枰泙
폐 幣廢閉肺弊蔽陛
포 布包抱胞飽浦捕葡
褒砲鋪
폭 暴爆幅
표 票標漂表杓彪豹驃
품 品稟
풍 豊風楓
피 皮被彼避疲
필 匹必筆畢泌弼珌苾
馝鉍佖
하 下河荷何夏賀廈昰
霞
학 學鶴
한 寒汗漢韓限閑旱恨
澣瀚翰閒
할 割轄
함 咸含陷函涵艦
합 合
항 抗航港巷恒項亢沆
姮
해 亥該奚海解害諧偕
楷
핵 核
행 行幸杏
향 向享響鄕香珦
허 許虛墟
헌 憲獻軒櫶
험 驗險
혁 革赫爀奕
현 玄弦絃現顯縣懸賢
峴晛泫炫玹鉉見呟
眩昡絢
혈 血穴
협 協脅俠峽浹挾
형 亨兄形螢刑型邢珩
泂炯衡瀅瑩馨熒
혜 惠慧兮蕙彗譓寭憓

호 乎呼互好戶毫豪浩
湖胡虎號護晧皓澔
昊淏濠灝扈鎬壺祜
琥瑚頀顥壕濩滸
혹 或惑
혼 昏婚混魂渾
홀 忽惚
홍 弘洪紅鴻泓烘虹鉷
화 化花貨和禾華火畫
話禍嬅樺
확 確穫擴
환 患換環還丸歡喚奐
渙煥晥幻桓鐶驩
활 活闊
황 黃皇況荒凰晃滉榥
煌媓堭熀
회 會回悔懷灰廻恢晦
檜澮繪誨
획 劃獲
횡 橫鐄
효 孝效曉涍爻驍斅
후 候侯喉厚後后逅垕
훈 訓勳焄熏薰壎塤燻
鑂
훤 喧暄萱
훼 毁
휘 揮輝彙徽暉煇
휴 休携烋
흉 胸凶
흑 黑
흔 欣炘昕
흘 屹
흠 欽
흡 吸洽恰翕
흥 興
희 熙喜希稀戲噫姬僖
嬉禧憙熹凞羲曦晞
熺橲爔俙
힐 詰

동식물 학명 찾아보기

(동은 동물, 식은 식물, 어는 어류, 조는 조류, 충은 곤충)

Abelia coreana 식 털댕강나무
Abelia insularis 식 섬댕강나무
Abelia mosanensis 식 댕강나무
Abelia tyaihyoni 식 줄댕강나무
Abeliophyllum distichum 식 미선나무
Abies holophylla 식 전나무
Abies koreana 식 구상나무
Abies nephrolepis 식 분비나무
Abietaceae 식 전나뭇과
Ablennes anastomella 어 동갈치
Ablennes hians 어 물동갈치
Abrus precatorius 식 홍두
Abudefduf notatus 어 동갈자돔
Abudefduf sordidus 어 줄자돔
Abutilon avicennae 식 어저귀
Acacia decurrens 식 아카시아
Acalypha australis 식 깨풀
Acalyphaceae 식 깨풀과
Acanthaceae 식 쥐꼬리망촛과
Acanthaclisis japonica 충 왕명주잠자리
Acanthocephala 동 구두충류
Acanthocepola krusensterni 어 먹줄홍갈치
Acanthocepola limbata 어 먹점홍갈치
Acanthocoris sordidus 충 파리허리노린재
Acanthocybium solandri 어 꼬치삼치
Acanthodei 동 극어류
Acanthodes armatus 동 솔잎게
Acanthogobius flavimanus 어 문절망둑
Acantholobus japonicus 충 가시모메뚜기 「무
Acanthopanax chiisanensis 식 지리산오갈피나
Acanthopanax koreanum 식 섬오갈피나무
Acanthopanax rufinerve 식 털오갈피나무
Acanthopanax seoulense 식 서울오갈피나무
Acanthopanax sessiliflorum 식 오갈피나무
Acanthopsetta nadeshnyi 어 가시가자미
Acanthopterygii 어 극기류
Acanthorhodeus asmussi 어 큰납지리
Acanthorhodeus gracilis 어 가시납지리
Acanthosoma forficula 충 집게노린재
Acanthosoma labiduroides 충 가위노린재
Acanthostoma insidiator 충 곤봉자루맵시벌
Acanthuridae 어 양쥐돔과
Acanthus mollis 식 아칸서스
Acarina 동 진드기목
Acarus siro 동 건락충
Accipiter gentilis 조 참매
Accipiter nisus nisosimilis 조 새매
Accipiter virgatus gularis 조 조롱이
Accipitridae 조 독수릿과
Acdes dorsalis 충 등줄모기
Aceraceae 식 단풍나뭇과
Acerata 동 무각류
Acer barbinerve 식 청시닥나무
Acer ginnala 식 신나무
Acer japonicum 식 참단풍나무
Acer koreanum 식 노인단풍
Acer lobulatum 식 만주고로쇠
Acer mandshuricum 식 복장나무
Acer micro-sieboldianum 식 아기단풍
Acer mono 식 고로쇠나무
Acer negundo 식 네군도단풍
Acer nudicarpum 식 서울단풍
Acer palmatum 식 단풍나무
Acer pseudo-sieboldianum 식 당단풍나무
Acer Pseudo-sieboldianum var. *ishidoyanum*
Acer saccharum 식 사탕단풍 ㄴ식 산단풍
Acer takesimense 식 섬단풍나무
Acer tegmentosum 식 산겨릅나무
Acer triflorum 식 나도박달
Acer tschonoskii 식 시닥나무
Acer ukurunduense 식 부게꽃나무
Acetes japonicus 동 보리새우
Acetes sp. 동 곤쟁이
Achaeus japonicus 동 아케우스게
Acheilognathus intermedia 어 납자루
Acheilognathus limbata 어 칼납자루
Acheilognathus signifer 어 묵납자루
Acheilognathus yamatsutae 어 줄납자루
Achillea mongolica 식 톱풀
Achillea paektusanense 식 큰톱풀
Achillea ptarmicoides 식 산톱풀
Achras zapota 식 사포딜라
Achudenia japonica 식 산풀퉁이
Achyranthes japonica 식 쇠무릎
Achyrophrus ciliatus 식 금혼초
Acila divaricate 조개 호두조개
Acinonyx jubatus 동 치타
Acipenser dabryanus 어 칼철갑상어
Acipenserida 어 철갑상어목
Acipenseridae 어 철갑상어과
Acipenser mikadoi 어 용상어
Acipenser sinensis 어 철갑상어
Acmaeops minuta 충 남빛꽃하늘소
Acoela 동 무장류
Aconitum arcuatum 식 키다리바꽃
Aconitum chiisanense 식 지리바곳
Aconitum chinense 식 바곳
Aconitum ciliare 식 놋젓가락나물
Aconitum japonicum 식 바곳
Aconitum koreanum 식 백부자
Aconitum monanthum 식 각시바곳
Aconitum netortuosum 식 참줄바곳
Aconitum proliferum 식 싹눈바곳
Aconitum pseudoproliferum 식 개싹눈바곳
Aconitum pulcherrimum 식 이삭바곳
Aconitum raddeanum 식 선줄바곳
Aconitum seoulense 식 진돌쩌기풀
Aconitum triphyllum 식 세잎돌쩌귀
Aconitum uchiyamai 식 그늘돌쩌귀
Aconitum umbsosum 식 선투구꽃
Aconitum villosum 식 가는돌쩌귀
Aconitum volubile 식 가는줄돌쩌귀
Acorus asiaticus 식 창포
Acorus gramineus 식 석창포
Acrida lata 충 방아깨비
Acrocephalus arundinaceus orientalis 조 개개 ㄴ비
Acroceridae 충 꼽추등엣과
Acrocicnus ambulator 충 긴꼬리뾰족맵시벌
Acronycta incretata 충 사과저녁나방
Acronycta rumicis 충 배저녁나방
Acrydium japonicus 충 모메뚜기
Actaea savignyi 동 옴부채게
Actaea spicata 식 노루삼
Actias artemis 충 긴꼬리산누에나방
Actinia equina 동 분홍말미잘
Actiniaria 동 말미잘목
Actinidia arguta 식 다래나무
Actinidia chinensis 식 키위
Actinidia kolomikta 식 쥐다래나무
Actinidia polygama 식 개다래나무
Actinidia rufa 식 섬다래나무
Actinophrys sol 동 태양충
Actinopoda 동 폭관족류
Actinopterygia 동 조기류
Actinostemma racemosum 식 뚜껑덩굴
Actipylavia 동 선공류
Acusta despecta sieboldiana 동 달팽이
Adansonia digitata 식 바오밥 「재
Adelphocoris variavilis 충 썽점박이장님노린
Adenocaulon himalaicum 식 멸가치
Adenophora coronopifolia 식 둥근잔대
Adenophora curvidens 식 톱잔대
Adenophora lamarkii 식 두메잔대
Adenophora liliifolia 식 가는잎잔대
Adenophora mandshurica 식 넓은잎잔대
Adenophora palustris 식 진퍼리잔대
Adenophora radiatifolia 식 층층잔대
Adenophora remotiflora 식 모싯대
Adenophora stricta 식 당잔대
Adenophora taquetii 식 섬잔대
Adenophora triphylla var. *tetraphylla* 식 잔 ㄴ대
Adenophora tyosenensis 식 왕잔대
Adiantaceae 식 공작고사릿과
Adiantum monochlamys 식 섬공작고사리
Adiantum pedatum 식 공작고사리
Adiniferidea 동 무대류
Adlumia asiatica 식 덩굴며느리주머니
Adonis amurensis 식 복수초
Adonis amurensis var. *ramosa* 식 가지복수초
Adoretus tenuimaculatus 충 주둥무늬풍뎅이
Adoxaceae 식 연복초과
Adoxa moschatellina 식 연복초
Aedes koreicus 충 각다귀
Aedes togoi 충 낮각다귀
Aedes vexans nipponii 충 금각다귀
Aegithalos caudatus caudatus 조 오목눈이
Aegithalos caudatus trivirgatus 조 제주오목 ㄴ눈이
Aegopodium alpestre 식 왜방풍
Aegypius monachus 조 독수리
Aelia fieberi 충 메추리노린재
Aeromachus inachus 충 글라이더팔랑나비
Aeschna juncea 충 별박이왕잠자리
Aeschnidae 충 왕잠자릿과
Aeschnophlebia longistigma 충 긴무늬왕잠자 ㄴ리
Aeschynomene indica 식 자귀풀
Aesculus hippocastanum 식 마로니에
Aesculus turbinata 식 칠엽수
Agabus conspicuus 충 검정머리땅콩물방개
Agabus japonicus 충 땅콩물방개
Agapanthus umbellatus 식 아가판투스
Agapedes halimede 충 흰뱀눈나비
Agaristidae 충 얼룩나방과
Agastache rugosa 식 배초향
Agathia carissima 충 지도무늬푸른자나방
Agavaceae 식 용설란과
Agave americana 식 용설란
Agave americana var. *marginata* 식 얼룩용설 ㄴ란
Agave sisalana 식 사이잘삼
Agelastica coerulea 충 오리나무잎벌레
Agelena limbata 동 들풀거미
Agelenidae 동 가게거밋과
Ageratum conyzoides 식 아게라툼
Agkistrodon halys 동 살무사
Aglaophis colobotheoides 충 흰테범하늘소
Aglia tau japonica 충 이른봄산누에나방
Aglossa dimidiata 충 쌀명충나방
Agnatha 어 무악류
Agonidae 어 날개줄고깃과
Agonomalus jordani 어 고양이고기
Agonum daimio 충 등줄먼지벌레
Agrammus agrammus 어 노래미
Agriidae 충 물잠자릿과
Agrimoniaceae 식 짚신나물과
Agrimonia coreana 식 산짚신나물
Agrimonia eupatoria 식 큰골짚신나물
Agrimonia pilosa var. *japonica* 식 짚신나물
Agriocnemis selenion 충 끝빨간실잠자리
Agrion calamorum 충 등검은실잠자리
Agrion convalescens 충 참실잠자리
Agriotes sericeus 충 방아벌레
Agriotypidae 충 물벌과
Agriotypus gracilis 충 물벌
Agropyrum semicostatum 식 개밀

Agrostis alba [식] 레드톱
Agrostis matsumurae [식] 겨이삭
Agrctis C-nigrum [충] 시무늬밤나방
Agylla gigantea [충] 앞선두리불나방
Ahlbergia ferrea [충] 쇳빛부전나비
Ailanthus altissima [식] 가죽나무
Ailuropoda melanoleucus [동] 자이언트 판다
Ailurus fulgens [동] 판다
Ainsliaea acerifolia [식] 단풍취
Ainsliaea apiculata [식] 좀딱취
Aiolopus tamulus [충] 청분홍메뚜기
Aix galericulata [조] 원앙
Ajuga multiflora [식] 조개나물
Ajuga spectabilis [식] 자난초
Akebia quinata [식] 으름덩굴
Akebia quinata var. *polyphylla* [식] 여덟잎으름
Alangiaceae [식] 박쥐나뭇과
Alauda arvensis japonica [조] 종다리
Alauda arvensis lönnbergi [조] 북방중종다리
Alauda arvensis pekinensis [조] 큰종다리
Alauda mongolica [조] 몽고종다리
Alaudidae [조] 종다릿과
Albizzia coreana [식] 왕자귀나무
Albizzia julibrissin [식] 자귀나무
Alcedinidae [조] 물총샛과
Alcedo atthis bengalensis [조] 물총새
Alces alces [동] 엘크
Alcichthys alcicornis [어] 빨간횟대
Alcidae [조] 바다오릿과
Alcides trifidus [충] 배자바구미
Alectis ciliaris [어] 실전갱이
Aletia flavostigma [충] 밤나방
Aleurites cordata [식] 유동
Aleurites moluccana [식] 쿠쿠이나무
Alisma canalliculatum [식] 택사
Alisma orientale [식] 질경이택사
Alismataceae [식] 택사과
Allecula melanaria [충] 썩덩벌레
Alleculidae [충] 썩덩벌렛과
Alligator mississipiensis [동] 앨리게이터
Alligator sinensis [동] 악어
Allium ascalonicum [식] 골파
Allium bakeri [식] 염교
Allium cepa [식] 양파
Allium fiistulosum [식] 파
Allium grayi [식] 산달래
Allium japonica [식] 산부추
Allium monanthum [식] 달래
Allium sativum [식] 마늘
Allium tuberosum [식] 부추
Allium victorialis [식] 산마늘
Allolepis hollandi [어] 청자갈치
Alnus borealis [식] 떡오리나무
Alnus firma [식] 사방오리
Alnus hirsuta [식] 물오리나무
Alnus japonica [식] 오리나무
Alnus maximowiczii [식] 두메오리나무
Alnus sibirica [식] 물갬나무
Alnus vermicularis [식] 설령오리나무
Alocasia watsoniana [식] 알로카시아
Aloe arborescens [식] 노회 「풀
Alopecurus aequalis var. *amurensis* [식] 뚝새
Alopex lagopus [동] 흰여우
Alopias pelagicus [어] 환도상어
Alpheidae [동] 딱총새웃과
Alpheus brevicristatus [동] 딱총새우
Alphitobius fagi [충] 구룡거저리
Alpinia japonica [식] 두약
Alpinia speciosa [식] 월도
Alseonax latirostris latirostris [조] 쇠솔딱새
Alsinaceae [식] 너도개미자릿과
Althaea rosea [식] 접시꽃
Alutera monoceros [어] 객주리
Amana edulis [식] 까치무릇
Amanita melleiceps [식] 파리버섯
Amanita muscaria [식] 광대버섯
Amara chalcites [충] 둥글먼지벌레
Amarantaceae [식] 비름과
Amaranthus caudatus [식] 줄맨드라미
Amaranthus gangeticus [식] 색비름
Amaranthus mangostanus [식] 비름

Amaryllis vittata [식] 아마릴리스
Amata fortunei [충] 애기나방
Amata germana [충] 노랑애기나방
Amatidae [충] 애기나방과
Amblygonum orientale [식] 노인장대
Amblygonum pilosum [식] 털여뀌
Amblyopsis spelaeus [어] 맹어
Amblyteles nükunii [충] 어리세줄맵시벌
Amblyteles vadatorium [충] 나방살이맵시벌
Ambrosia artemisiifolia var. *elatior* [식] 돼지풀
Ambulia sessiliflora [식] 구와말
Amelanchier asiatica [식] 채진목
Ameletus costalis [충] 검정가슴쌍꼬리하루살이
Amethystanthus excisus [식] 오리방풀
Amethystanthus inflexus [식] 산박하
Amethystanthus serra [식] 자주방아풀
Amethystea caerulea [식] 개차조기
Amitostigma gracilis [식] 병아리난초
Ammodytes personatus [어] 까나리
Ammodytidae [어] 까나릿과
Ammophila aemulans [충] 왕나나니
Ammophila clavus [식] 별나나니
Ammophila infesta [충] 나나니
Amniota [동] 유양막류
Amoeba limax [동] 아메바리막스
Amoeba proteus [동] 아메바프로테우스
Amoebida [동] 아메바류
Amomum xanthoides [식] 축사밀
Amorphophallus konjac [식] 구약나물
Ampelophaga rubiginosa [동] 포도박각시
Ampelopsis brevipedunculata [식] 개머루
Ampelopsis japonica [식] 가위톱
Amphibia [동] 개구리강
Amphidiscophora [동] 양반류
Amphineura [동] 쌍신경류
Amphiperae ovum [조개] 바다토끼고둥
Amphipoda [동] 단각목
Amphipyra corvina [충] 까마귀밤나방
Amsacta lactinea [충] 알붉은흰불나방
Amsonia elliptica [식] 정향풀
Amyda japonica [동] 자라
Anabantidae [어] 버들붕어과
Anacanthocoris concoloratus [충] 거문도허리노
Anacantini [어] 무극류 ㄴ린재
Anacardiaceae [식] 옻나뭇과
Anacardium occidentale [식] 캐슈
Anadara broughtonii [조개] 피조개
Anadara granosa bisennensis [조개] 꼬막
Anadara subcrenata [조개] 새꼬막
Anago anago [어] 꾀붕장어
Anahita fauna [동] 너구리거미
Anamnia [동] 무양막류
Ananas comosus [식] 아나나스
Anaphalis morii [식] 구름떡쑥
Anaphalis pterocaulon [식] 다북떡쑥
Anapsida [동] 결갑류
Anas acuta acuta [조] 고방오리
Anas crecca [조] 쇠오리
Anas falcata [조] 청머리오리
Anas formosa [조] 가창오리
Anas penelope [조] 홍머리오리
Anaspidacea [동] 아나스피데스류
Anas platyrhynchos [조] 청둥오리
Anas platyrhynchos domesticus [조] 집오리
Anas poecilorhyncha [조] 흰뺨검둥오리
Anastatica hierochuntina [식] 안산수
Anastatus bifasciatus [충] 벼룩좀벌
Anastoechus nitidulus [충] 털보재니등에
Anatidae [조] 오릿과
Anax nigrofasciatus [충] 먹줄왕잠자리
Anax parthenope [충] 왕잠자리
Ancistrocerus fukaianus [충] 후카이호리병벌
Ancylalomia chrysographella [충] 벼포충나방
Ancylostoma duodenale [동] 십이지장충
Ancylostomidae [동] 구충과
Andromeda polifolia var. *grandiflora* [식] 석남
Andropogon brevifolius [식] 쇠풀
Andropogon sorghum [식] 수수
Androsace cortusaefolia [식] 금강봄맞이
Androsace filiformis [식] 애기봄맞이
Androsace saxifragaefolia [식] 봄맞이

Anechura japonica [동] 좀집게벌레
Aneilema keisak [식] 사마귀풀
Anemarrhena asphodeloides [식] 지모
Anemone altaica [식] 국화바람꽃
Anemone amurensis [식] 들바람꽃
Anemone coronaria [식] 아네모네
Anemone koraiensis [식] 홀아비바람꽃
Anemone narcissiflora [식] 바람꽃
Anemone raddeana [식] 꿩의바람꽃
Anemone reflexa [식] 회리바람꽃
Anemone rossii [식] 쌍둥이바람꽃
Anemone stolonifera [식] 세바람꽃
Anemone umbrosa [식] 그늘바람꽃
Angelica anomala [식] 개구리때
Angelica cartilagino-marginata [식] 처녀바디
Angelica czernevia [식] 잔잎바디
Angelica dahurica [식] 구리때
Angelica decursiva [식] 바디나물
Angelica distans [식] 흰바디나물
Angelica fallax [식] 개강활
Angelica gigas [식] 참당귀
Angelica japonica [식] 갯강활
Angelica megaphylla [식] 큰바디
Angelica polyclada [식] 멧두릅
Angelica polymorpha [식] 궁궁이
Angelica purpuraefolia [식] 지리강활
Angelica refracta [식] 왜천궁
Angelica tenuissima [식] 고본
Angelica uchiyamana [식] 승검초
Angiospermeae [식] 속씨식물
Anguilla japonica [어] 뱀장어
Anguilla marmorata [어] 무태장어
Anguillida [어] 뱀장어목
Anguillidae [어] 참장어과
Anisia towadensis [충] 별풍뎅이파리
Anisodactylus signatus [충] 먼지벌레
Anisogomphus coreanus [충] 노랑배칡범잠자리
Anisogomphus maacki [충] 마키칡범잠자리
Anisogomphus melanopsoides [충] 실칡범잠자리
Anisolabiidae [충] 둥근가슴집게벌렛과
Anisolabis annulipes [충] 애흰수염집게벌레
Anisolabis marginalis [충] 흰수염집게벌레
Anisolabis maritima [충] 집게벌레
Anisomyaria [조개] 부등근류
Annelida [동] 환형 동물
Anoa depressicornis [동] 아노아
Anobiidae [충] 빗살수염벌렛과
Anodonta woodiana [조개] 펄조개
Anomala albopilosa [충] 청풍뎅이
Anomala cuprea [충] 구리풍뎅이
Anomala daimiana [충] 벚나무풍뎅이
Anomala rufocuprea [충] 땅풍뎅이
Anomia lischkei [조개] 개굴
Anomura [동] 변미류
Anopheles hyrcanus sinensis [충] 학질모기
Anopheles koreicus [충] 진학질모기
Anopla [동] 무침류
Anoplius fuscus [충] 육점박이대모벌
Anoplophora malasiaca [충] 알락하늘소
Anoplura [충] 이목
Anotogaster sieboldii [충] 장수잠자리
Anser albifrons albifrons [조] 쇠기러기
Anser caerulescens [조] 흰기러기
Anser cygnoid [조] 개리
Anser domesticus [조] 거위
Anser fabalis [조] 큰기러기
Anserida [조] 기러기목
Antennaria dioica [식] 백두산떡쑥
Antennaria leontopodioides [식] 들떡쑥
Antennarius tridens [어] 빨간씬벵이
Anthaxia proteus [충] 넓적비단벌레
Antheraea yamamai [충] 참나무산누에나방
Anthicidae [충] 뿔벌렛과
Anthidium septemspinosum [충] 열점가위벌붙
Anthocharis scolymus [충] 갈고리나비 ㄴ이
Anthocidaris crassispina [동] 성게
Anthomyiidae [충] 꽃파릿과
Anthophora florea [충] 흰줄벌
Anthopleura stella [동] 말미잘
Anthozoa [동] 산호강
Anthracias duellicus [충] 뿔거저리

Anthracophora rusticola [충] 알락풍뎅이
Anthrax putealis [충] 별검정날개재니등에
Anthrenus pimpinellae [충] 흰띠알락수시렁이
Anthrenus versbasci [충] 애알수시렁이
Anthribidae [충] 소바구밋과
Anthriscus menrorsus [식] 털전호
Anthriscus sylvestris [식] 전호
Anthurium andraeanum [식] 홍학꽃
Anthus campettris godlewskii [조] 쇠밭종다리
Anthus cervinus [조] 붉은가슴밭종다리
Anthus gustavi gustavi [조] 흰등밭종다리
Anthus gustavi mengbieri [조] 흰등쇠밭종다리
Anthus hodgsoni [조] 힝둥새
Anthus richardi richardi [조] 큰밭종다리
Anthus spinoletta japonicus [조] 밭종다리
Antiarchi [동] 동갑류
Antigius attilia [충] 물빛긴꼬리부전나비
Antigonia capros [어] 병치돔
Antilopinae antilope [동] 인도영양
Antipatharia [동] 각산호류
Antipathes japonicus [동] 개싸리
Antirrhinum majus [식] 금어초
Aotus trivirgatus [동] 올빼미원숭이
Apanteles glomerratus [충] 배추벌레고치벌
Apanteles liparidis [충] 독나방살이고치벌
Apatura ilia [충] 오색나비
Apatura iris [충] 번개오색나비
Apechthis sapporensis [충] 사향제비나비납작맵시벌
Aphantopus hyperantus [충] 가락지나비
Aphelochiridae [충] 물빈댓과
Aphelochirus vittatus [충] 물빈대
Aphididae [충] 진딧물과
Aphis gossypii [충] 목화진딧물
Aphis mali [충] 진딧물
Aphrophora costalis [충] 거품벌레
Aphrophora flavipes [충] 솔거품벌레
Aphrophora intermedia [충] 흰띠거품벌레
Aphyocypris chinensis [어] 왜몰개
Apidae [충] 꿀벌과
Apis indica [충] 꿀벌
Apium graveolens var. *dulce* [식] 셀러리
Apium graveolens var. *rapaceum* [식] 셀러리액
Aplacophora [동] 무판류
Aplodactylidae [어] 다동가릿과
Aplysia kurodai [동] 군소
Aplysiidae [동] 군솟과
Apocynaceae [식] 마삭나뭇과
Apocynum lancifolium [식] 개정향풀
Apodemus agrarius coreae [동] 등줄쥐
Apoderus jekeli [충] 거위벌레
Apoderus rubidus [충] 분홍거위벌레
Apodes [어] 무족류
Apogon doederleini [어] 세줄얼게비늘
Apogonidae [어] 동갈돔과
Apogon kiensis [어] 큰줄얼게비늘
Apogon lineatus [어] 열동가리돔
Apogon niger [어] 먹얼게비늘
Apogon taeniatus [어] 두동갈얼게비늘
Aponogeton fenestralis [식] 레이스초
Apophua bipunctoria [충] 쌍점박이납작맵시벌
Aporia crataegi [충] 상제나비
Aporia hippia [충] 눈나비
Apriona germari japonica [충] 뽕나무하늘소
Aptenodytes forsteri [조] 펭귄
Aptenodytes patagonica [동] 킹펭귄
Apterygidae [동] 키위과
Apterygota [충] 무시류
Apteryx owenii [조] 키위
Aptocyclus ventricosus [식] 뚝지
Aquarius polludum [충] 소금쟁이
Aquifoliaceae [식] 감탕나뭇과
Aquila chrysaëtos japonica [조] 검독수리
Aquilaria agallocha [식] 침향
Aquilegia japonica [식] 산매발톱
Aquilegia oxysepala [식] 매발톱꽃
Arabidopsis thaliana [식] 애기장대
Arabis columnalis [식] 참장대나물
Arabis gemmifera [식] 큰산장대
Arabis glauca [식] 바위장대
Arabis halleri [식] 산장대
Arabis longuifolia [식] 긴잎장대
Arabis nipponica [식] 털장대
Arabis pendula [식] 늘어진장대
Arabis takesimana [식] 섬장대
Araceae [식] 천남성과
Arachis hypogaea [식] 땅콩
Arachnoidea [동] 거미강
Aradidae [충] 넓적노린잿과
Aradus lugubris [충] 넓적노린재
Araeopidae [충] 멸굿과
Araliaceae [식] 두릅나뭇과
Aralia cordata [식] 땃두릅
Aralia elata [식] 두릅나무
Aranda epimenides [충] 알락그늘나비
Aranda schrenkii [충] 왕그늘나비
Araneina [동] 거미목
Araneus cornutus [동] 기생왕거미
Araneus quadratus [동] 점왕거미
Araneus ventricosus [동] 왕거미
Arapaima gigas [어] 피라루쿠
Araragi enthea [충] 긴꼬리부전나비
Araschnia burejana [충] 거꾸로여덟팔나비
Arca ocellata [조개] 돌조개
Archaeogastropoda [동] 원시 복족류
Archaeopteryx lithographica [조] 시조새
Archaloceti [동] 원경류
Archiannelida [동] 원환충류
Archioligochaeta [동] 물지렁이목
Archosauria [동] 공룡류
Arcidae [조개] 돌조갯과
Arcopagia diphana [조개] 은행빛조개
Arctia caja phaeosoma [충] 불나방
Arctiidae [충] 불나방과
Arctium edule [식] 우엉
Arctornis chrysorrhoea [충] 흰독나방
Arctornis L-nigrum [충] 엘무늬독나방
Arctoscopus japonicus [어] 도루묵
Arctous ruber [식] 홍월귤
Ardea cinerea jouyi [조] 왜가리
Ardea purpurea manilensis [조] 얼룩백로
Ardeidae [조] 백로과
Areca catechu [식] 빈랑나무
Arecaceae [식] 야자과
Aregelia spectabilis [식] 아레겔리아
Areliscus abbreviatus [어] 용서대
Arelicus interruptus [어] 칠서대
Areliscus joyneri [어] 참서대
Arenaria juncea [식] 벼룩이울타리
Arenaria serpyllifolia [식] 벼룩이자리
Arenga pinnata [식] 사탕야자
Arenga saccharifera [식] 광랑
Arge jonasi [충] 청등에잎벌
Arge mali [충] 사과등에잎벌
Arge nipponensis [충] 왜장미등에잎벌
Argentina semifasciata [어] 샛멸
Argentinidae [어] 샛멸과
Arge pagana [충] 장미등에잎벌
Argidae [충] 등에잎벌과
Argiope amoena [동] 호랑거미
Argiope bruennichii [동] 긴호랑거미
Argulus japonicus [동] 물고기진드기
Argusianus argus [조] 청란
Argynnis angarensis [충] 백두산표범나비
Argynnis cydippe [충] 은점표범나비
Argynnis nerippe [충] 왕은점표범나비
Argynnis paphia [충] 은줄표범나비
Argynnis sagana [충] 암검은표범나비
Argynnis selenis [충] 꼬마표범나비
Argyresthia conjugella [충] 사과좀나방
Argyroneta aquatica [동] 물거미
Argyronetidae [동] 물거밋과
Argyrosomus argentata [어] 보구치
Argyrosomus nibe [어] 흑조기
Arhopala bazalus turbata [충] 남방색꼬리부전나비
Ariamnes cylindrogaster [동] 꼬리거미
Arisaema amurense [식] 천남성
Arisaema amurense var. *typicum* [식] 둥근잎천남성
Arisaema heterophyllum [식] 두루미천남성
Arisaema peninsulae [식] 점박이천남성
Arisaema robustum [식] 넓은잎천남성
Aristolochiaceae [식] 쥐방울과
Aristolochia contorta [식] 쥐방울
Armeria vulgaris [식] 아르메리아
Armillaria edodes [식] 송이
Arnica montana [식] 아르니카
Arnoglossus japonicus [어] 목탁가자미
Arocatus sericans [충] 홍도리긴노린재
Aromia cyanicornis [충] 벚나무하늘소
Artemisia angustissima [식] 실제비쑥
Artemisia annua [식] 개똥쑥
Artemisia apiacea [식] 개사철쑥
Artemisia asiatica [식] 쑥
Artemisia aurata [식] 금쑥
Artemisia capillaris [식] 사철쑥
Artemisia cina [식] 세멘시나
Artemisia feddei [식] 뺑대쑥
Artemisia gigantea [식] 산쑥
Artemisia hallaisanensis [식] 섬쑥
Artemisia japonica [식] 제비쑥
Artemisia keiskeana [식] 맑은대쑥
Artemisia leucophylla [식] 명천쑥
Artemisia megalobotrys [식] 율무쑥
Artemisia nutantiflora [식] 황해쑥
Artemisia rubripes [식] 덤불쑥
Artemisia scoparia [식] 비쑥
Artemisia selengensis [식] 물쑥
Artemisia siebersiana [식] 흰쑥
Artemisia stelleriana [식] 산흰쑥
Artemisia stenophylla [식] 가는잎쑥
Artemisia stolonifera [식] 넓은외잎쑥
Artemisia sylvatica [식] 그늘쑥
Artemisia triroba [식] 비단쑥
Artemisia viridissima [식] 외잎쑥
Arthraxon hispidus var. *breviseta* [식] 조개풀
Arthropoda [동] 절지 동물
Artiodactyla [동] 소목
Artocarpus communis [식] 빵나무
Artopoëtes pryeri [충] 선녀부전나비
Aruedinella hirta [식] 야고초
Aruncus aethusifolius [식] 한라개승마
Aruncus americanus [식] 눈개승마
Arundinaria japonica [식] 설대
Asaraceae [식] 세신과(細辛科)
Asarcina porcina [충] 넓적꽃등에
Ascalaphidae [충] 뿔잠자릿과
Ascaridae [동] 회충과
Ascaris lumbricoides [동] 회충
Aschelminthes [동] 대형 동물
Ascidiacea [동] 해초목
Asclepiadaceae [식] 박주가릿과
Ascomycetes [식] 자낭균류
Asiasarum heterotropoides var. *mandshuricum* [식] 민족두리풀
Asiasarum heterotropoides var. *seoulense* [식] 족두리풀
Asiasarum maculatum [식] 개족두리풀
Asilidae [충] 파리맷과
Asio otus otus [조] 칡부엉이
Asotocerus nigripennis [충] 첫다리날도래
Asparagus lucidus [식] 호라지좆
Asparagus officinalis [식] 아스파라거스
Asparagus plumosus var. *nanus* [식] 플루모수스아스파라거스
Asparagus schoberioides [식] 비짜루
Aspasma ciconiae [어] 황학치
Aspergillus niger [식] 검은곰팡이
Aspergillus oryzae [식] 누룩곰팡이
Asperula odorata [식] 선갈퀴
Asphodelaceae [식] 무릇난과
Aspidiaceae [식] 꼬리고사릿과
Aspidiotus perniciosus [충] 배깍지진디
Aspidistra elatior [식] 엽란
Aspidobranchia [동] 전새류
Aspidobyctiscus lacunipennis [동] 포도잎말이바구미
Aspidomorpha transparipennis [충] 모시금자라쟁이
Asplenium incisum [식] 꼬리고사리
Aster ageratoides var. *genuinus* [식] 까실쑥부쟁이
Aster fastigiatus [식] 옹굿나물
Aster glehni [식] 섬쑥부쟁이
Aster hayatae [식] 개쑥부쟁이[2]
Aster hispidus [식] 개쑥부쟁이[1]
Aster holophyllus [식] 가는쑥부쟁이
Asterias amurensis [동] 불가사리

Asteriidae 동 불가사릿과
Asterina pectinifera 동 별불가사리
Aster incisus 식 가새쑥부쟁이
Asterinidae 동 별불가사릿과
Aster koraiensis 식 벌개미취
Aster lautureanus 식 쑥부쟁이
Aster maackii 식 좀개미취
Aster macrodon 식 큰개쑥부쟁이
Aster oharai 식 왕해국
Asteroidea 동 불가사리강
Aster pinnatifidus 식 버드쟁이나물
Aster scaber 식 참취
Aster spathulifolius 식 해국
Aster tataricus 식 개미취
Aster tripolium 식 갯개미취
Astilbe chinensis 식 노루오줌
Astilbe divaricata 식 진퍼리노루오줌
Astilbe koreana 식 숙은노루오줌
Astraceus hygrometricus 식 먼지버섯
Astragalus dahuricus 식 자주황기
Astragalus membranaceus 식 황기
Astragalus setsureianus 식 설령황기
Astragalus uliginosus 식 개황기
Astroconger myriaster 어 붕장어
Astrogalus sinicus 식 자운영
Astropecten scoparius 동 갯걸이
Astrophytum myriostigma 식 별선인장
Astrotetraxonida 동 성사축류
Asyneuma japonicum 식 염아자
Atelecyclidae 동 털겟과
Ateleopida 어 꼬리치목
Ateleopidae 어 꼬리칫과
Ateleopus japonicus 어 꼬리치
Aterion elymus 어 밀멸
Athalia japonica 충 왜무잎벌
Athene noctua 조 금눈쇠올빼미
Atherina bleekeri 어 색줄멸
Atherina tsurugae 어 은줄멸
Atherinidae 어 색줄멸과
Athyrium acutipinnulum 식 섬고사리
Athyrium coreanum 식 뱀고리고사리
Athyrium niponicum 식 개고사리
Athyrium vidalii 식 산개고사리
Atlanticus sinensis 충 검은반날개여치
Atlanticus ussuriensis 충 갈색여치
Atractomorpha bedeli 충 섬서구메뚜기
Atractylodes koreana 식 당삽주
Atractylodes lyrata 식 삽주
Atriplex gmelini 식 가는갯는쟁이
Atriplex tatarica 식 갯는쟁이
Atropa belladonna 식 벨라도나
Atropidae 충 분다듬이벌렛과
Atropus atropus 어 청전갱이
Attagenus japonicus 충 애수시렁이
Atypidae 동 땅거밋과
Atypus karschi 동 땅거미
Aucuba japonica 식 식나무
Aulacocephalus temmincki 어 황줄바리
Aulacochilus decoratus 충 버섯벌레
Aulacophora femoralis 충 외잎벌레
Aulichthys japonicus 어 실바늘치
Aulocochitus japonicus 충 좀어깨넓은버섯벌레
Aulorhynchidae 어 실바늘칫과
Aurelia aurita 동 무럼해파리
Auricularia polytricha 식 목이버섯
Autoserica japonica 충 홍우단풍뎅이
Auxis tapeinosoma 어 몽치다래
Auxis thazard 어 물치다래
Avena fatua 식 메귀리
Avena lfatua var. *glabrata* 식 애귀리
Avena sativa 식 귀리
Averrhoa bilimbi 식 빌림빙
Aves 조 새강
Axyris amaranthoides 식 나도댑싸리
Aythya fuligula 조 댕기흰죽지
Aythya marila mariloides 조 검은머리흰죽지
Azolla imbricata 식 물개구리밥
Azuma emmnion 어 괴도라치

Babirussa babirussa 동 바비루사
Bacillariophyta 식 규조 식물
Bacillus dysentericus 의 적리균
Bacillus sotto 식 졸도균
Bacillus subtilis 식 고초균
Bacteriophyta 식 세균 식물
Baetidae 충 꼬마하루살잇과
Baetis thermicus 충 꼬마하루살이
Bagridae 어 동자갯과
Balaenidae 동 참고랫과
Balaenoptera acutorostrata 동 고래
Balaenoptera borealis 동 멸치고래
Balaenoptera physalus 동 긴수염고래
Balaenoptera sieboldi 동 흰긴수염고래
Balaenopteridae 동 긴수염고랫과
Balanidae 동 따개빗과
Balanus amphitrite albicostatus 동 따개비
Balanus trigonus 동 삼각따개비
Balistes niger 어 파랑쥐치
Balistidae 어 쥐치복과
Balsaminaceae 식 봉선화과
Bambusaceae 식 댓과
Bangia fusco-purpurea 식 보라털
Banjos banjos 어 독돔
Banjosidae 어 독돔과
Baptria tibiale aterrima 충 흰띠검은물결나방
Barbarea sibilica 식 나도냉이
Barbatula toni 어 종개
Barbella pendula 식 여라
Baris reinii 충 흰점박이꽃바구미
Basidiomycetes 식 담자균류
Basommatophora 동 기안류
Bassus laetatorisus 충 등에살이뭉뚝맵시벌
Bathilda ruficauda 조 소문조
Batillaria multiformis 조개 갯고둥
Batocera lieolata 충 흰점박이회색하늘소
Batozonellus lacerticida 충 알락대모벌
Bdelloidea 동 질형류
Beckmannia erucaeformis 식 개피
Begoniaceae 식 추해당과
Begonia evansiana 식 추해당
Begonia maculata 식 점박이베고니아
Begonia rexhybrida 식 렉스베고니아
Begonia semperflorens 식 사철베고니아
Begonia tuberhybrida 식 알뿌리베고니아
Belamcanda chinensis 식 범부채
Bellis perennis 식 데이지
Belonida 어 동치목
Belonidae 어 동칫과
Belostomatidae 충 물장군과
Bembidion niloticum 충 무늬강변먼지벌레
Bembix niponica 충 왜코벌
Bembras japonicus 어 빨간양태
Bembridae 어 빨간양탯과
Benincasa hispida 식 동아
Benzoin angustifolium 식 뇌성목
Benzoin erythrocarpum 식 비목나무
Benzoin glaucum 식 백동백나무
Benzoin obtusilobum 식 생강나무
Benzoin sericeum 식 털조장나무
Berberidaceae 식 매자나뭇과
Berberis amurensis var. *japonica* 식 매발톱나무
Berberis amurensis var. *latifolia* 식 왕매발톱나무
Berberis amurensis var. *quelpaertensis* 식 섬매자나무
Berberis koreana 식 매자나무
Berberis koreana var. *ellipsoides* 식 연밥매자나무
Berberis poiretii var. *angustifolia* 식 당매자나무
Berchemia kunitakeana 식 먹년출
Berchemia racemosa 식 청사조
Berchemiella berchemiaefolia 식 망개나무
Bergenia pacifica 식 돌부채
Bero elegans 식 베로치
Berosus signaticollis punctiponnis 충 점박이물땅땅이
Berycida 어 금눈돔목

Berycidae 어 금눈돔과
Berytidae 충 실노린잿과
Beryx decadactylus 어 금눈돔
Beta vulgaris var. *cicla* 식 근대
Beta vulgaris var. *rapa* 식 사탕무
Betulaceae 식 자작나뭇과
Betula chinensis 식 개박달나무
Betula costata 식 거제수나무
Betula cyclophylla 식 대택자작나무
Betula davurica 식 물박달나무
Betula ermanii 식 고채목
Betula ermanii var. *acutifolia* 식 사스래나무
Betula fusenensis 식 부전자작이
Betula gmelini 식 좀자작나무
Betula paisanensis 식 덤불자작나무
Betula platyphylla 식 자작나무
Betula schmidtii 식 박달나무
Bibasis aquilina 충 독수리팔랑나비
Bibio japonica 충 왜털파리
Bibionidae 충 털파릿과
Bidens bipinnata 식 도깨비바늘
Bidens maximowicziana 식 구와가막사리
Bidens parviflora 식 까치발
Bidens tripartita 식 가막사리
Bifariaceae 식 동백나무겨우살잇과
Bifaria japonica 식 동백나무겨우살이
Bignoniaceae 식 능소화과
Bilderdykia convolvulus 식 나도닭의덩굴
Bilderdykia dentato-alata 식 큰닭의덩굴
Bilderdykia dumetora 식 닭의덩굴
Bilderdykia pauciflora 식 애기닭의덩굴
Billbergia pyramidalis 식 빌베르기아
Biota orientalis 식 측백나무
Bison bison 동 들소
Biston robustum 충 몸큰가지나방
Bistorta incana 식 흰범꼬리
Bistorta ochotensis 식 호범꼬리
Bistorta pacifica 식 참범꼬리
Bistorta suffulta 식 눈범꼬리
Bistorta tenuicaulis 식 이른범꼬리
Bistorta vivipara 식 씨범꼬리
Bistorta vulgaris 식 범꼬리
Bithyniidae 조개 쇠우렁잇과
Bivalvia 동 이매패류
Bixaceae 식 산유자나뭇과
Bladhia japonica var. *typica* 식 자금우
Bladhia lentiginose 식 백냥금
Bladhia villosa 식 산호수
Blastoidea 동 해뢰강(海蕾綱)
Blatta orientalis 충 잔날개바퀴
Blattella germanica 충 바퀴
Blattidae 충 바퀫과
Blennidae 어 청베도라칫과
Blennius yatabei 어 청베도라치
Blepsias cirrhosus draciscus 어 날개횟대
Bletilla striata 식 자란
Blyxa bicaudata 식 올챙이자리
Blyxa japonica 식 올챙이솔
Boarmia roboraria arguta 충 세줄날개가지나방
Bodianus bilunulatus 어 사당놀래기
Boehmeria frutescens 식 모시풀
Boehmeria holoserisea 식 왕모시풀
Bolbocerosoma nigroplagiatum 충 못난이금풍뎅이
Boleophthalmus chinensis 어 짱뚱어
Bolinopsis bolina mikado 동 감투해파리
Boloria iphigenia 충 은점선표범나비
Boloria thore hyperusia 충 산꼬마표범나비
Bombina orientalis 동 무당개구리
Bombus ignitus 충 호박벌
Bombus speciosus 충 띠호박벌
Bombus tersatus 충 어리노랑뒝벌
Bombycia argemteopicta 충 은점박이뾰족날개나방
Bombycidae 충 누에나방과
Bombycilla garrulus centralasiae 조 황여새
Bombycilla japonica 조 홍여새
Bombycillidae 조 여샛과
Bombyliidae 충 재니등엣과
Bombylius major 충 큰재니등에
Bombylius shibakawae 충 좀털보재니등에
Bombyx mori 충 누에나방
Bombyx mori mandarina 충 새누에나방

Cardamine fallax [식] 좁쌀냉이
Cardamine flexuosa [식] 황새냉이
Cardamine impatiens var. *typica* [식] 싸리냉이
Cardamine komarovi [식] 는쟁이냉이
Cardamine leucantha [식] 미나리냉이
Cardamine lyrata [식] 논냉이
Cardamine regeliana [식] 큰황새냉이
Cardamine valida [식] 왜갓냉이
Cardiidae [조개] 새조갯과
Cardiospermum halicacabum [식] 풍선덩굴
Carduelis flammea flammea [조] 홍방울새
Carduelis spinus [조] 검은방울새
Carduus crispus [식] 엉거시
Caretta caretta [동] 붉은거북
Caretta olivacea [동] 왕바다거북
Carex alterniflora [식] 선사초
Carex aphanandra [식] 두메사초
Carex aphanolepis [식] 골사초
Carex arenicola [식] 진퍼리사초
Carex atrata [식] 감둥사초
Carex biwensis [식] 솔입사초
Carex bostrichostigma [식] 길둑사초
Carex canescens [식] 산사초
Carex capillaris [식] 잔솔잎사초
Carex ciliato-marginata [식] 털대사초
Carex cincta [식] 비늘사초
Carex conica [식] 애기사초
Carex dickinsii [식] 도깨비사초
Carex dimorpholepis [식] 이삭사초
Carex dispalata [식] 삿갓사초
Carex distantiflora [식] 청피사초
Carex doniana [식] 흰사초
Carex erythrobasis [식] 한라사초
Carex forsicula [식] 산둑사초
Carex fusanensis [식] 애기감둥사초
Carex gibba [식] 나도별사초
Carex idzuroi [식] 좀도깨비사초
Carex incisa [식] 바랭이사초
Carex ischnostachya [식] 염주사초
Carex jaluensis [식] 참삿갓사초
Carex japonica [식] 개찌버리사초
Carex kingiana [식] 풀사초
Carex kobomugi [식] 보리사초
Carex koreana [식] 나도그늘사초
Carex laevirostris [식] 왕삿갓사초
Carex laevissima [식] 애괭이사초
Carex lanceolata [식] 그늘사초
Carex lasiolepis [식] 난사초
Carex leiorhyncha [식] 산괭이사초
Carex leucochloa [식] 청사초
Carex ligulata [식] 갈사초
Carex longerostreta [식] 피사초
Carex maackii [식] 타래사초
Carex maximowiczii [식] 왕비늘사초
Carex mollicula [식] 애기흰사초
Carex neo-filipes [식] 실사초
Carex nervata [식] 양지사초
Carex neurocarpa [식] 괭이사초
Carex onoei [식] 바늘사초
Carex paishanensis [식] 백산흑사초
Carex paniculigera [식] 가지삿갓사초
Carex peiktusani [식] 백두사초
Carex planiculmis [식] 그늘흰사초
Carex pumila [식] 좀보리사초
Carex remoliuscula [식] 층실사초
Carex scabrifolia [식] 천일사초
Carex schmidtii [식] 참둑사초
Carex shimidzuensis [식] 산꼬리사초
Carex siderosticta [식] 대사초
Carex taquetii [식] 왕밀사초
Carex tenuiflora [식] 별사초
Carex thunbergii [식] 둑사초
Carex transversa [식] 화살사초
Carex tristachya [식] 반들사초
Carex tuminensis [식] 중삿갓사초
Carex vesicaria [식] 새방울사초
Carex xiphium [식] 넓은잎피사초
Carica papaya [식] 파파이아
Carludovica palmata [식] 파나마풀
Carnivora [동] 식육류
Carpesium abrotanoides [식] 담배풀
Carpesium cernuum [식] 좀담배풀
Carpesium divaricatum [식] 긴담배풀
Carpesium glossophyllum [식] 천일담배풀
Carpesium rosulatum [식] 애기담배풀
Carpesium triste var. *manshuricum* [식] 두메담배풀
Carpinus cordata [식] 까치박달
Carpinus coreana [식] 소사나무
Carpinus eximia [식] 왕개서나무
Carpinus fauriei [식] 섬개서나무
Carpinus laxiflora [식] 서나무
Carpinus tschonoskii [식] 개서나무
Carpinus turczanino ii [식] 산서나무
Carpodacus erytirinus [조] 붉은양지니
Carthamus tinctorius [식] 잇꽃
Caryophyllacea [동] 정자충류
Caryopteris divaricata [식] 누린내풀
Caryopteris incana [식] 층꽃풀
Casarea ferruginea [조] 황오리
Cassia acutifolia [식] 센나
Cassia angustifolia [식] 센나
Cassia nomame [식] 차풀
Cassia occidentalis [식] 석결명
Cassia tora [식] 결명차
Cassida nebulosa [충] 남생이잎벌레
Castanea bungeana [식] 약밤나무
Castanea crenata [식] 밤나무
Castanea crenata var. *kusakuli* [식] 산밤나무
Castanopsis cuspidata [식] 모밀잣밤나무
Castanopsis cuspidata var. *sieboldii* [식] 구실잣밤나무
Castor fiber [동] 비버
Casuarius casuarius [조] 화식조
Catalpa ovata [식] 개오동나무
Catocala electa [충] 회색뒷붉은나방
Cattleya citirina [식] 카틀레야
Caucalis scabra [식] 개사상자
Caulophyllum robustum [식] 꿩의다리아재비
Cavia porcellus [동] 기니피그
Cedrela sinensis [식] 참죽나무
Cedrus deodara [식] 히말라야나무
Ceiba pentandra [식] 케이폭수
Celastraceae [식] 노박덩굴과
Celastrina argiolus [충] 푸른부전나비
Celastrus flagellaris [식] 푼지나무
Celastrus orbiculatus [식] 노박덩굴
Celastrus punctatus [식] 해변노박덩굴
Celastrus stephanotifolius [식] 털노박덩굴
Celes akitana [충] 홍날개메뚜기
Cellana toreuma [조개] 애기삿갓조개
Celosia argentea [식] 개맨드라미
Celosia argentea var. *cristata* [식] 맨드라미
Celosia cristata var. *childsii* [식] 창맨드라미
Celosia cristata var. *plumosa* [식] 피라미드맨드라미
Celtis aurantiaca [식] 산팽나무
Celtis bungeana [식] 좀풍개나무
Celtis choseniana [식] 검팽나무
Celtis cordifolia [식] 장수팽나무
Celtis edulis [식] 노란팽나무
Celtis jessoensis [식] 풍개나무
Celtis koraiensis [식] 왕팽나무
Celtis leveilleana [식] 좀왕팽나무
Celtis sinensis var. *japonica* [식] 팽나무
Centaurea cyanus [식] 수레국화
Centaurea monanthos [식] 뻐국채
Centaurea moschata [식] 스위트설탄
Centella asiatica [식] 병풀
Centipeda minima [식] 중대가리풀
Cephalanthera erecta [식] 은난초
Cephalanthera falcata [식] 금난초
Cephalochorda [동] 두삭류
Cephaloidae [충] 목대장과
Cephalonoplos segetum [식] 조뱅이
Cephaloon pallens [충] 목대장
Cephalopoda [동] 두족류
Cephaloscyllium umbratile [어] 복상어
Cephalotaxaceae [식] 개비자나뭇과
Cephalotaxus koreana [식] 개비자나무
Cephalotaxus nana [식] 눈개비자나무
Cephenius nitobei [충] 나나니등에
Cephidae [충] 나무벌과
Cephus nigripennis [충] 검정나무벌
Cepola schlegeli [어] 홍갈치
Cepphis advenaria [충] 노랑꼬마가지나방
Cerambycidae [충] 하늘솟과
Ceramium rubrum [식] 비단풀
Cerastium amurense [식] 각시통점나도나물
Cerastium brachypetalum [식] 좀점나도나물
Cerastium caespitosum var. *glandulosum* [식] 점나도나물
Cerastium caespitosum var. *hallaisanense* [식] 섬점나도나물
Cerastium fischerianum [식] 큰점나도나물
Cerastium koreanum [식] 북선점나도나물
Ceratia nirripennis [충] 검정오이잎벌레
Ceratocottus diceraus namiyei [어] 나횟대
Ceratophyllaceae [식] 붕어마름과
Ceratophyllum demersum [식] 붕어마름
Ceratopogon jezoensis [충] 눈에놀이
Ceratotherium simum [동] 흰무소
Cerceris arenaria [충] 떠노래기벌
Cerceris harmandi [충] 노래기벌
Cercis chinensis [식] 박태기나무
Cercopidae [충] 거품벌렛과
Cercopithecidae [동] 원숭잇과
Cercopithecinae [동] 긴꼬리원숭잇과
Cercopithecus aethiops [동] 긴꼬리원숭이
Ceriagrion melanurum [충] 노랑실잠자리
Cerorhinca moncerata [조] 흰수염바다오리
Certhia familiaris orientalis [조] 나무발바리
Certhiidae [조] 나무발바릿과
Certonardoa semiregularis [동] 빨강 불가사리
Ceruridae [충] 하늘나방과
Cervidae [동] 사슴과
Carvus dybowskii [동] 북사슴
Cervus elaphus xanthopygus [동] 백두산사슴
Cervus nippon hortulorum [동] 우수리사슴
Cervus nippon mantchuricus [동] 대륙사슴
Cervus nippon nippon [동] 사슴
Cervus unicolor [동] 물사슴
Ceryle lugubris lugubris [조] 뿔호반새
Cestidea [동] 띠해파리목
Cestoda monozoa [동] 단체촌충류
Cestoda polyzoa [동] 진정촌충류
Cestoidea [동] 촌충류
Cestum amphitrites [동] 띠해파리
Cetacea [동] 고래목
Cetonia pilifera [충] 꽃무지
Cetorhinidae [어] 돌묵상어과
Cetorhinus maximus [어] 돌묵상어
Cetraria islandica var. *orientalis* [식] 이슬란드이끼
Ceylonolestes gracilis [충] 가는묶은실잠자리
Chaenogobius annularis [어] 날망둑
Chaenogobius urotaenia [어] 꾹저구
Chaenomeles cathayensis [식] 참산당화
Chaenomeles maulei [식] 풀명자나무
Chaenomeles sinensis [식] 모과나무
Chaenomeles speciosa [식] 산당화
Chaenomeles trichogyna [식] 명자나무
Chaetodon collaris [어] 나비고기
Chaetodon modestus [어] 세동가리돔
Chaetodon nippon [어] 나비돔
Chaetodontidae [어] 나비고깃과
Chaetognatha [동] 모악 동물
Chaetopoda [동] 모족류
Chaetura caudacuta [조] 바늘꼬리칼새
Chaeturichthys hexanema [어] 도화망둑
Chaitophorus aceris [충] 산나무진딧물
Chalcididae [충] 수중다리좀벌과
Chalcophora japonica [충] 소나무비단벌레
Chamaecyparis obtusa [식] 노송나무
Chamaedaphne calyculata [식] 진퍼리꽃나무
Chamaeleon chamaeleon [동] 카멜레온
Chamaepericlymenum canadense [식] 풀산딸나무
Chamaerhodos erecta [식] 좀낭아초
Channa argus [어] 가물치
Channidae [어] 가물칫과
Charadrida [조] 도요목
Charadriidae [조] 물떼샛과
Charadrius alexandrinus dealbatus [조] 흰물떼새
Charadrius asiaticus [조] 큰물떼새
Charadrius dominicus fulvus [조] 검은가슴물떼새
Charadrius dubius [조] 작은물떼새
Charadrius dubius curonicus [조] 꼬마물떼새

Charophyta 식 차축조 식물
Charronia flavigula 동 목도리담비 「비
Charronia flavigula aterrima 동 대륙목도리담
Charronia flavigula koreana 동 노랑목도리담
Charybdea rastonii 동 등해파리 └비
Charybdis bimaculata 동 두점박이민꽃게
Charybdis japonica 동 민꽃게
Chasmichthys dolichognathus 어 점망둑
Chasmichthys gulosus 어 별망둑
Cheilanthes argentea 식 부싯깃고사리
Chelidoniaceae 식 애기똥풀과
Chelidonichthys kumu 어 성대
Chelidonium quadricolle 충 초록하늘소
Chelidonium sinense 식 애기똥풀
Chelidoperca hirundinacea 어 각시돔
Chelonia japonica 동 바다거북
Chelonidae 동 바다거북과
Chelonomorpha japona 충 얼룩나방
Chelonus munakatae 충 흰허리고치벌
Chelydridae 동 자랏과
Chenopis atrata 조 흑고니
Chenopodiaceae 식 명아줏과
Chenopodium acuminatum 식 버들명아주
Chenopodium album var. *centrorubrum* 식 명아주
Chenopodium aristatum 식 바늘명아주
Chenopodium bryniaefolium 식 좀명아주
Chenopodium distatum 식 섬명아주
Chenopodium glaucum 식 취명아주
Chenopodium hybridum 식 얇은명아주
Chenopodium stenophyllum 식 가는명아주
Chenopodium viridae 식 청명아주
Chilopoda 동 지네강
Chiloscyllium indicum 어 얼룩상어
Chilosia motodomariensis 충 별꽃등에
Chilo suppressalis 충 이화명나방
Chimaera phantasma 어 은상어
Chimaerida 어 은상어목
Chimaeridae 어 은상어과
Chimaphila japonica 식 매화노루발
Chimmarogale platycephala 동 물쥐
Chimonobambusa marmorea 식 자죽
Chimonobambusa quadrangularis 식 사방죽
Chinchilla laniger 동 친칠라
Chionaema hamata 동 붉은줄불나방
Chionanthus retusus 식 이팝나무
Chionoecetes opilio 동 대게
Chirocentridae 어 물멸과
Chirocentrus dorab 어 물멸
Chironomidae 충 모기붙잇과
Chironomus darsalis plumosus 충 모기붙이
Chiroptera 동 박쥐목
Chitonidae 조개 딱지조갯과
Chlaenius circumdatus 충 애노란테먼지벌레
Chlaenius costiger 충 줄먼지벌레
Chlaenius inops 충 노랑테먼지벌레
Chlaenius pallipes 충 풀색먼지벌레
Chlamys farreri 조개 파래가리비
Chlamys nobilis 조개 흔한가리비
Chlidonias leucoptera 조 흰죽지갈매기
Chloranthaceae 식 홀아비꽃댓과
Chloranthus spicatus 식 다란
Chloridolum thaliodes 충 풀색하늘소
Chloris sinica minor 조 장박새
Chloris sinica ussuriensis 조 방울새
Chloromonadia 동 클로로모나스목
Chlorophorus japonicus 충 땅범하늘소
Chlorophorus quinquefasciatas 충 노랑범하늘
Choerodon azurio 어 호박돔 └소
Choloepus didactylus 동 나무늘보
Chonda filum 식 끈말
Chondrichthyes 동 연골어류
Chordata 동 척색 동물
Chosenia bracteosa 식 새양버들
Chreonoma fortunei japonica 충 땅남날개하늘
Chromis notatus 어 자리돔 └소
Chrysanthemum burbankii 식 샤스타데이지
Chrysanthemum cinerariaefolium 식 제충국
Chrysanthemum coccineum 식 붉은제충국
Chrysanthemum coronarium 식 쑥갓
Chrysanthemum frutescens 식 마거리트
Chrysanthemum indicum 식 감국
Chrysanthemum indicum var. *hibernum* 식 한
Chrysanthemum lavandulaefolium 식 산국 └국
Chrysanthemum lineare 식 키큰산국
Chrysanthemum lucidum 식 울릉국화
Chrysanthemum pallasianum 식 솔인진
Chrysanthemum sibiricum 식 구절초
Chrysanthemum sibiricum var. *acutilobum* 식
Chrysididae 충 청벌과 └산구절초
Chrysis ignita 충 좀두쌍니청벌
Chrysis japonicus 충 쇠청벌
Chrysochraon japonicus 충 삽사리
Chrysochroa fulgidissima 충 비단벌레
Chrysolina virgata 충 보라잎벌레
Chrysolophus pictus 조 금계
Chrysomela aurichalcea 충 쑥잎벌레
Chrysomela populi 충 황철나무잎벌레
Chrysomela vigintipunctata 충 버드나무잎벌
Chrysomelidae 충 잎벌렛과 └레
Chrysomondidea 동 황단충류
Chrysopa cognatella 충 애풀잠자리
Chrysopa intima 충 풀잠자리
Chrysopa japonica 충 가보풀잠자리
Chrysopa septempunctata 충 칠성풀잠자리
Chrysophrys major 어 참돔
Chrysophta 식 황색 식물
Chrysopidae 충 풀잠자릿과
Chrysops suavis 충 대모등에붙이
Chrysosplenium alterni 식 육지괭이눈
Chrysosplenium baicalense 식 털괭이눈
Chrysosplenium barbatum 식 흰괭이눈
Chrysosplenium flagelliferum 식 애기괭이눈
Chrysosplenium grayanum 식 괭이눈
Chrysosplenium macrostemon 식 바위괭이눈
Chrysosplenium ramosum 식 가지괭이눈
Chrysosplenium trachyspermum 식 선괭이눈
Chrysotoxum festivum 충 좀넓적꽃등에
Chrysotropia japonica 충 민풀잠자리
Cicada dihamta 충 쇠깽깽매미
Cicadella ferruginea 충 끝검은말매미충
Cicadella viridis 충 말매미충
Cicadellidae 충 말매미충과
Cicadidae 충 매밋과
Cicadula fasciifrons 충 쌍점박이매미충
Cicadula masatonis 충 넉점박이매미충
Cichoriaceae 식 꽃상춧과
Cichorium intybus 식 치코리
Cicindela chinensis 충 길앞잡이
Cicindela gracilis 충 깔따구길앞잡이
Cicindela hybrida japonensis 충 뜰길앞잡이
Cicindela japana 충 좀길앞잡이
Cicindela laetescripta 충 강변길앞잡이
Cicindela nivicincta 충 흰테길앞잡이
Cicindela sachalinensis 충 산길앞잡이
Cicindela specularis 충 쇠길앞잡이
Cicindelidae 충 길앞잡잇과
Ciconia boyciana 조 황새
Ciconia ciconia nigra 조 먹황새
Ciconiidae 조 황샛과
Cicuta virosa 식 독미나리
Cilas pulchella 어 눈동미리
Cilias ommaturus 어 가실망둑
Ciliata 동 섬모충류
Ciliophora 동 유모류
Cimbex carinulata 충 배수중다리잎벌
Cimbicidae 충 수중다리잎벌과
Cimex lectularius 충 빈대
Cimicidae 충 빈댓과
Cimicifuga biternata 식 개승마
Cimicifuga davurica 식 눈빛승마
Cimicifuga foetida 식 황새승마
Cimicifuga heracleifolia 식 승마
Cimicifuga japonica 식 왜승마
Cimicifuga simplex 식 촛대승마
Cinara pinea 충 소나무큰진딧물
Cinchona officinalis 식 킨키나나무
Cinchona succirubra 식 기나수
Cinclidae 조 물까마귓과
Cinclus pallasii 조 물까마귀
Cinna latifolia 식 나도딸기광이
Cinnamomum camphora 식 녹나무
Cinnamomum cassia 식 계수나무
Cinnamomum japonicum 식 생달나무 「렁이
Cipangopaludina chinensis malleata 조개 논우
Circaea alpina 식 쥐털이슬
Circaea cordata 식 쇠털이슬
Circaea mollis 식 털이슬
Circus aeruginosus spilonotus 조 개구리매
Cirripedia 동 만각목
Cirsium leucanthum 식 흰꽃엉겅퀴
Cirsium maackii var. *koraiense* 식 엉겅퀴
Cirsium pendulum 식 큰엉겅퀴
Cirsium rhinoceros 식 바늘엉겅퀴
Cirsium schanterense 식 도깨비엉겅퀴
Cirsium setidens 식 고려엉겅퀴
Cirsium wlassovianum 식 흰잎엉겅퀴
Cirsium xanthacanthum 식 가시엉겅퀴
Cirsotrema perplexum 조개 실패고둥
Cissus japonica 식 거지덩굴
Cisticola juncidis 조 개개비사촌
Citharoides macrolepidotus 어 풀넙치
Citrullus colocynthis 식 콜로신스오이
Citrullus vulgaris 식 수박
Citrus aurantifolia 식 라임
Citrus aurantium 식 광귤나무
Citrus aurantium amara 식 등자나무
Citrus aurantium var. *junos* 식 유자나무
Citrus aurantium var. *poonensis* 식 뽕깡
Citrus aurantium var. *sinensis* 식 여름밀감
Citrus aurantium var. *tachibana* 식 귤나무
Citrus bergamia 식 베르가모트
Citrus deliciosa 식 홍귤나무
Citrus junos 식 산유자나무
Citrus limon 식 레몬
Citrus medica 식 시트론
Citrus medica var. *sarcodactylus* 식 불수감
Citrus nobilis 식 밀감 └나무
Citrus sinensis 식 당귤나무
Citrus unshu 식 온주귤
Cixiidae 충 장삼벌렛과
Cladium chinense 식 층층고랭이
Cladocera 충 지각류
Cladonia rangiferina 식 꽃이끼
Clangula hyemalis 조 바다꿩
Clanis bilineata 충 콩박각시
Clavalis fragilis 식 국수버섯
Clavaria botrytis 식 싸리버섯
Clavariaceae 식 싸리버섯과
Claviceps purpurea 식 맥각균
Cleisthenes pinetorum herzensteini 어 용가자
Clematis apiifolia 식 사위질빵 └미
Clematis brachyura 식 외대으아리
Clematis brevicaudata 식 좀사위질빵
Clematis chiisanensis 식 누른종덩굴
Clematis flabellata 식 요강나물
Clematis florida 식 위령선
Clematis fusca var. *mandshuricum* 식 검종덩
Clematis koreana 식 세잎종덩굴 └굴
Clematis mandshurica 식 으아리
Clematis mandshurica var. *koreana* 식 큰위
Clematis nobilis 식 산종덩굴 └령선
Clematis ochotensis 식 자주종덩굴
Clematis paniculata 식 참으아리
Clematis patens 식 큰꽃으아리
Clematis pierotii 식 작은사위질빵
Clematis serratifolia 식 개버머리
Clematis subtriternata 식 종덩굴
Clematis trichotoma 식 할미질빵
Clematis tubulosa 식 선목단풀
Clematis urticifolia 식 병조이풀
Cleridae 충 개미붙잇과
Clerodendron japonicum 식 당오동
Clerodendron trichotomum 식 누리장나무
Cletus trigonus 충 호리가시허리노린재
Clidoderma asperrimum 어 줄가자미
Clintonia udensis 식 제비옥잠
Clivia nobilis 식 군자란
Clivina castanea 충 애조롱박먼지벌레
Cloeon dipterum 충 두날개꼬마하루살이
Clonorchis sinensis 동 간디스토마
Clostridium botulinum 식 보툴리누스균
Clostridium tetani 식 파상풍균

Clubiona japonica [동] 왜염낭거미
Clubionidae [동] 염낭거미과
Clupeida [어] 청어목
Clupeidae [어] 청어과
Clupea pallasii [어] 청어
Clypeaster japonicus [동] 해연
Clytra laeviuscula [충] 넉점박이잎벌레
Cnaphalocrocis medinalis [충] 혹들명나방
Cnidaria [동] 유자포 동물
Cnidium davuricum [식] 사동미나리
Cnidium japonicum [식] 갯사상자
Cnidum monnieri [식] 벌사상자
Cnidium officinale [식] 천궁이
Cnidium tachiroei [식] 개회향
Cnidocampa flavescens [충] 노랑쐐기나방
Cnidosporilea [동] 유자사 포자충류
Cobitidae [어] 기름종갯과
Cobitis multifasciata [어] 수수미꾸리
Cobitis rotundicaudata [어] 새코미꾸리
Cobitis taenia [어] 기름종개
Cobresia bellardii [식] 좀바늘사초
Cobunus pallidiolus [충] 연맵시벌
Coccinella axyridis [충] 무당벌레
Coccinella septempunctata [충] 칠성무당벌레
Coccinellidae [충] 무당벌렛과
Coccolithophoridea [동] 원석 조류
Coccothraustes coccothraustes [조] 콩새
Cocculus trilobus [식] 댕댕이덩굴
Coccus cacti [충] 연지벌레
Cochlicopa lubrica [조개] 반딧불고둥
Cochlidionidae [충] 쐐기나방과
Cociella crocodila [어] 까지양태
Cocos nucifera [식] 야자나무
Codiaeum variegatum var. *pictum* [식] 크로톤
Codium fragile [식] 청각채
Codonopsis lanceolata [식] 더덕
Codonopsis pilosula [식] 만삼
Codonopsis ussuriensis [식] 소경불알
Coelenterata [동] 강장 동물
Coelioxys fenestratus [충] 뾰족벌
Coelioxys yanonis [충] 야노뾰족벌
Coelomaria [동] 진체강류
Coelomata [동] 체강 동물
Coelorhynchus japonicus [어] 꼬리민태
Coenagrioidae [충] 실잠자릿과
Coenonympha hero [충] 도시처녀 ⌐비
Coenonympha oedippus annulifer [충] 봄처녀나
Coera japonica [충] 일본털날도래
Coffee arabica [식] 커피나무
Coganargiope amoena [동] 색동호랑거미
Coilia ectenes [어] 웅어
Coilia mystus [어] 싱어
Coix agrestis [식] 율무
Coix lachryma-jobi [식] 염주
Cola acuminata [식] 콜라
Colasposoma dauricum [충] 고구마잎벌레
Colchicum autumnale [식] 콜키쿰
Coleocentrus excitator [충] 곤봉납작맵시벌
Coleoptera [동] 딱정벌레목
Colias aurora [충] 연주노랑나비
Colias erate [충] 노랑나비
Colias palaeno [충] 높은산노랑나비
Collembola [충] 톡토기목
Colletes collaris [충] 꿀벌붙이
Colletidae [충] 꿀벌붙잇과
Collichthys fragilis [어] 황강달이
Collichthys niveatus [어] 강달이
Collocalia fuciphaga [조] 금사연
Collybia velutipes [식] 팽나무버섯
Colocasia antiquorum var. *esculenta* [식] 토란
Cololabis saira [어] 꽁치
Colubridae [동] 뱀과
Columbae [조] 비둘기목
Columba janthina janthina [조] 흑비둘기
Columba livia rupestris [조] 양비둘기
Columba livia var. *domestica* [조] 집비둘기
Columbidae [조] 비둘깃과
Colydiidae [충] 길쭉벌렛과
Colymbidae [조] 아빗과
Colymbus stellatus [조] 아비
Comanthus japonicus [동] 갯고사리

Comarum palustre [식] 검은낭아초
Combretaceae [식] 사군자과
Commelinaceae [식] 닭의장풀과
Commelina communis [식] 닭의장풀
Commelina coreana [식] 좀닭의장풀
Commiphora myrrha [식] 몰약
Comopithecus hamadryas [동] 망토비비
Compositae [식] 국화과
Conandron ramondioides [식] 시화
Conger flavirostris [어] 먹붕장어
Conger japonicus [어] 검붕장어
Congiopodidae [어] 풀미역칫과
Congridae [어] 먹붕장어과
Coniferopsida [식] 침엽수류
Coniogramme intermedia [식] 고비고사리
Coniogramme japonica [식] 가지고비고사리
Conium maculatum [식] 헴록
Conjugatae [식] 접합 조류
Conocephalus chinensis [충] 쌕쌔기
Conocephalus gladiatus [충] 긴꼬리쌕쌔기
Conocephalus maculatus [충] 점박이쌕쌔기
Conopidae [충] 벌붙이파릿과
Conops curtulus [충] 벌붙이파리
Conosia irrorata [충] 상제각다귀
Constrictor constrictor [동] 보아
Convallariaceae [식] 은방울꽃과
Convallaria keiskei [식] 은방울꽃
Convolvulaceae [식] 메꽃과
Copaifera bracteata [식] 코파이바
Copepoda [동] 요각류
Copera annulata [충] 넓적다리실잠자리
Copris ochus [충] 뿔풍뎅이
Coptidipteris wilfordii [식] 황고사리
Coptosoma biguttula [충] 눈박이알노린재
Coptosoma punetissimum [충] 무당노린재
Coracida [조] 파랑새목
Coraciidae [조] 파랑샛과
Coralliidae [동] 산호충과
Corallium elatius [동] 연분홍산호
Corallium japonicum [동] 산호충
Corallium konojoi [동] 백산호
Corbicular elatior [조개] 한강재첩
Corbicular fluminea [조개] 재첩
Corbicular leana [조개] 참재첩
Corbiculidae [조개] 재첩과
Corceris japonica [충] 좀노래기벌
Corchoropsis psilocarpa [식] 까치깨
Corchoropsis tomentosa [식] 수까치깨
Corchorus capsularis [식] 황마²
Cordulegasteridae [충] 장수잠자릿과
Cordulia aenea [충] 청동잠자리
Cordyline terminalis [식] 홍죽
Coreana micdaelis [충] 금강산귤빛부전나비
Coreanomecon hylomeconoides [식] 매미꽃
Coreidae [충] 허리노린잿과
Coreobagrus brevicorpus [어] 꼬치동자개
Coreoperca herzi [어] 꺽지
Coreoperca kawamebari [어] 꺽저지
Coreopsis drummondii [식] 금계국
Coreopsis tinctoria [식] 기생초
Coriandrum sativum [식] 고수
Coriolus versicolor [식] 운지버섯
Corispermum stauntoni [식] 호모초
Corixidae [충] 물벌렛과
Cormophyte [식] 경엽 식물
Cornaceae [식] 층층나뭇과
Cornus alba [식] 흰말채나무
Cornus brachypoda [식] 곰의말채나무
Cornus controversa [식] 층층나무
Cornus coreana [식] 말채나무
Cornus officinalis [식] 산수유나무
Coronatae [동] 갓해파리목
Cortusa mattioli var. *pekinensis* [식] 종다리꽃
Corvidae [조] 까마귓과
Corvus corone corone [조] 까마귀
Corvus dauricus [조] 갈가마귀
Corvus frugilegus pastinator [조] 떼까마귀
Corvus levaillanti [조] 큰부리까마귀
Corydalidae [충] 뱀잠자릿과
Corydalis ambigua [식] 왜현호색
Corydalis decumbens [식] 좀현호색

Corydalis filistipes [식] 섬현호색
Corydalis fumariaefolia [식] 애기현호색
Corydalis incisa [식] 자주괴불주머니
Corydalis maximowiczii [식] 산괴불주머니
Corydalis ochotensis [식] 눈괴불주머니
Corydalis platycarpa [식] 갯괴불주머니
Corydalis ternata [식] 들현호색
Corydalis turtschaninovii [식] 현호색
Corydalis wilfordii [식] 염주괴불주머니
Corylus hallaisanensis [식] 병개암나무
Corylus heterophylla [식] 난티잎개암나무
Corylus heterophylla var. *thunbergii* [식] 개암
Corylus mandshurica [식] 물개암나무 └나무
Corylus sieboldiana [식] 참개암나무
Coryphaena equisetis [어] 줄만새기
Coryphaena hippurus [어] 만새기
Coryphaenidae [어] 만새깃과
Cosmos bipinnatus [식] 코스모스
Cossidae [충] 굴벌레나방과
Cossus japonica [충] 굴벌레나방
Coteidae [충] 조롱노린잿과
Cotoneaster wilsonii [식] 섬개야광나무
Cottida [어] 둑중개목
Cottidae [어] 둑중갯과
Cottiusculus gonez [어] 꼬마횟대
Cottus hangiongensis [어] 한둑중개
Cottus poecilopterus [어] 둑중개
Coturnix coturnix japonica [조] 메추라기
Crabro continus [충] 은주둥이벌
Crago affinis [동] 자주새우
Crambus obliterans [충] 흰꼬마명충나방
Craniophora ligustri [충] 쥐똥나무밤나방
Craspedometopon frontali [동] 방울동에등에
Craspedonotus tibialis [충] 딱정벌레붙이
Crassulaceae [식] 돌나물과
Crataegus maximowiczii [식] 아광나무
Crataegus pinnatifida [식] 산사나무
Cratiola violacea [식] 진땅고추풀
Cremastra variabilis [식] 약난초 ⌐미
Crematogaster sordidula osakensis [충] 주름개
Crematus biguttulus [충] 노랑배자루맵시벌
Creodonta [동] 육치류
Creophilus maxillosus [충] 왕반날개
Crepidula gravispina [조개] 참배고둥
Cricetulus triton nestor [동] 명주쥐
Crinum maritimum [식] 문주란
Criocephalus quadricostulatum [충] 왕검정하늘
Cristaria plicata [조개] 말조개 └소
Criuoidea [동] 바다나리류
Crocidura coreae [동] 고려땃쥐
Crocidura lasiura thomasi [동] 토머스땃쥐
Crocidura russula quelpartis [동] 제주땃쥐
Crocidura russula sodyi [동] 만포땃쥐
Crocidura suaveolens shantungenis [동] 땃쥐
Crocidura utsuryoensis [동] 울도땃쥐
Crocodilia [동] 악어목
Crocodilidae [동] 악어과
Crocodylus niloticus [동] 나일악어
Crocothemis servilia [충] 고추잠자리
Crocus sativus [식] 사프란
Crocus vernus [식] 크로커스
Croesus japonicus [충] 넓적다리잎벌
Crossopterygii [어] 총기류
Crossotarsus simplex [충] 제주긴나무좀
Crotalaria sessiliflora [식] 활나물
Crotalus adamenteus [동] 방울뱀
Croton tiglium [식] 파두
Crustacea [동] 갑각류
Cryphalus exignus [충] 쇠뽕나무좀
Cryphalus piceae [충] 쇠분비나무좀
Crypsinus hastatus [식] 고란초
Cryptanthus bivittatus [식] 우단애기아나나스
Cryptogamia [식] 은화 식물
Cryptomeria japonica [식] 삼목
Cryptomonadina [동] 은단충류
Cryptops japonicus [동] 꼬부랑다리장님지네
Cryptorrhynchus lapathi [충] 버들바구미
Cryptotaenia japonica [식] 반디나물
Cryptotaeniopsis tanakae [식] 반디미나리
Cryptotympana coreana [충] 말매미
Cryptozonia [동] 은대류

Crystallias matsushimae [어] 물미거지
Ctenichneumon haereticus [충] 박각시살이맵시벌
Ctenichneumon kawamurae [충] 가와무라맵시벌
Ctenocephalides canis [충] 개벼룩
Ctenocephalides felis [충] 괭이벼룩
Ctenolepisma longicaudata coreana [충] 반대좀
Ctenopharyngodon idellus [어] 초어
Ctenophora [동] 유즐 동물
Ctenotrypauchen microcephalus [어] 빨갱이
Cubomedusae [동] 모해파리목
Cucubalus baccifer [식] 덩굴별꽃
Cucujidae [충] 머리대장과
Cuculida [조] 두견이목
Cuculidae [조] 두견잇과
Cuculus canorus telephonus [조] 뻐꾸기
Cuculus fugax hyperythrus [조] 매사촌
Cuculus poliocephalus [조] 두견이
Cuculus saturatus [조] 벙어리뻐꾸기
Cucumaria japonica [동] 광삼
Cucumaridae [동] 광삼과
Cucumis koreana [식] 개구리참외
Cucumis melo [식] 참외
Cucumis melo var. *conomon* [식] 월과
Cucumis melo var. *reticulatus* [식] 멜론
Cucumis microsperma [식] 감참외
Cucumis sativus [식] 오이
Cucurbitaceae [식] 박과
Cucurbita moschata [식] 호박
Cudrania tricuspidata [식] 꾸지뽕나무
Culex bitaeniorhynchus [충] 카라토모기
Culex orientalis [충] 동양모기
Culex pipiens pallens [충] 홍모기
Culex sinensis [충] 세점박이모기
Culex tritaeniorhynchus [충] 좀홍모기
Culex whitmorei [충] 등흰모기
Culhamia simplex [식] 벽오동
Culicidae [충] 모깃과
Culter brevicauda [어] 백조어
Culter erythropterus [어] 강준치
Cultriculus eigenmanni [어] 치리
Cultriculus kneri [어] 살치
Cumacea [동] 공마목
Cuon alpinus [동] 승냥이
Cupedidae [충] 곰보벌렛과
Cupes anguliscutis [충] 곰보벌레
Cupido minimus [충] 꼬마부전나비
Curculio dentipes [충] 꿀꿀이바구미
Curculionidae [충] 바구밋과
Curcuma aromatica [식] 강황
Curcuma longa [식] 심황
Curcuma zedoaria [식] 봉아술
Curetis acuta paracuta [충] 뾰족부전나비
Cursores [조] 주금류
Cuscuta chinensis [식] 실새삼
Cuscuta japonica [식] 새삼
Cyaniris japonica [충] 검은띠꼬마잎벌레
Cyanophyta [생] 남조류
Cyanopica cyanus koreensis [조] 물까치
Cyanoptila cyanomelana [조] 큰유리새
Cyathocephalum schmidtii [식] 개담배
Cybiidae [어] 동갈삼칫과
Cybister brevis [충] 먹물방개
Cybister japonicus [충] 물방개
Cybister tripunctatus [충] 꼬마물방개
Cybium commersom [어] 동갈삼치
Cycadaceae [식] 소철과
Cycadeoidea ingens [식] 키카데오이데아
Cycas revoluta [식] 소철
Cyclamen persicum [식] 시클라멘
Cyclanthaceae [식] 파나마풀과
Cyclina sinensis [조개] 가막조개
Cyclobalanopsis acuta [식] 붉가시나무
Cyclobalanopsis gilva [식] 돌가시나무
Cyclobalanopsis glauca [식] 종가시나무
Cyclobalanopsis myrsinaefolia [식] 가시나무
Cyclobalanopsis stenophylla [식] 참가시나무
Cyclophorus herklotsi [조개] 산우렁이
Cyclopteridae [어] 도칫과
Cyclosorus acuminatus [식] 별고사리
Cyclostomata [동] 원구류
Cydippidea [동] 풍선해파리목
Cydnidae [충] 흙노린잿과
Cydonia oblonga [식] 마르멜로
Cygnus bewicki [조] 고니
Cygnus cygnus [조] 큰고니
Cygnus olor [조] 혹고니
Cymatophoridae [충] 뾰족날개나방과
Cymbidium ensifolium [식] 건란
Cymbidium kanran [식] 한란
Cymbidium virescens [식] 보춘화
Cymbopogon citratus [식] 레몬 그래스
Cymbopogon goeringii [식] 개솔새
Cynanchum amplexicaule [식] 솜아마존
Cynanchum ascyrifolium [식] 민백미꽃
Cynanchum atratum [식] 백미꽃
Cynanchum glabrum [식] 흑박주가리
Cynanchum inamoenum [식] 선백미꽃
Cynanchum nipponicum [식] 덩굴박주가리
Cynanchum sibiricum [식] 양반풀
Cynanchum wilfordi [식] 큰조롱
Cynara scolymus [식] 아티초크
Cynipidae [충] 혹벌과
Cynoglossidae [어] 참서댓과
Cynoglossus robustus [어] 개서대
Cyperaceae [식] 방동사닛과
Cyperus difformis [식] 알방동사니
Cyperus exaltatus [식] 왕골
Cyperus flavidus [식] 우산방동사니
Cyperus glomeratus [식] 물방동사니
Cyperus hakonensis [식] 병아리방동사니
Cyperus haspan [식] 모기방동사니
Cyperus iria [식] 참방동사니
Cyperus microiria [식] 금방동사니
Cyperus orthostachys [식] 쇠방동사니
Cyperus papyrus [식] 파피루스
Cyperus rotundus [식] 향부자
Cyphononyx dorsalis [충] 대모벌
Cypridina hilgendorfii [동] 갯반디
Cyprinida [어] 잉어목
Cyprinidae [어] 잉어과
Cyprinodontida [어] 송사리목
Cyprinodontidae [어] 송사릿과
Cyprinus carpio [어] 잉어
Cypripedium macranthum [식] 개불알꽃
Cyrtoclytus caprides [충] 감나무통호랑하늘소
Cyrtomium falcatum [식] 도깨비고비
Cyrtopogon pictipennis [충] 배털보파리매
Cystidia couaggaria [충] 매화가지나방
Cystidia stratonice [충] 잠자리가지나방
Cystoidea [동] 바다사과강
Cystopteris fragilis [식] 한들고사리
Cytisus scoparius [식] 금작화

Dactylis glomerata [식] 오리새
Dactylispa angulosa [충] 노랑테가시벌레
Dactyloptena orientalis [어] 죽지성대
Dactylopteridae [어] 죽지성댓과
Daemonorops draco [식] 기린갈
Dahlia pinnata [식] 달리아
Daicocus peterseni [어] 별죽지성대
Daimio tethys [충] 왕자팔랑나비
Damnacanthus indicum [식] 호자나무
Damnacanthus major [식] 수정목
Danaidae [충] 제주왕나빗과
Danaus tytia [충] 제주왕나비
Daphnaceae [식] 팥꽃나뭇과
Daphne genkwa [식] 팥꽃나무
Daphne kamtschatica [식] 두메닥나무
Daphne kiusiana [식] 백서향나무
Daphne odora [식] 서향
Daphnia pulex [동] 물벼룩
Daphniidae [동] 물벼룩과
Daphniphyllum glaucescens [식] 좀굴거리나무
Daphniphyllum macropodum [식] 굴거리나무
Dasson elegans [어] 앞동갈베도라치
Dasson trossulus [어] 두줄베도라치
Dasyatidae [어] 색가오릿과
Dasyatis akajei [어] 노랑가오리
Dasyatis kuhlii [어] 꽁지가오리
Dasychira locuples confusa [충] 콩독나방
Dasychira pudibunda [충] 사과독나방
Dasycottus japonicus [어] 고무꺽정이
Dasyphora fruticosa [식] 물싸리
Dasyprocta aguti [동] 아구티
Dasyscopelus asper [어] 얼비늘치
Datura tatula [식] 독말풀
Daubentonia madagascariensis [동] 아이아이
Daucus carota var. *sativa* [식] 당근
Davallia mariesii [식] 넉줄고사리
Davidius lunatus [충] 쇠측범잠자리
Decapoda [동] 십각목, 십완목
Decapterus maruadsi [어] 가라지
Decapterus muroadsi [어] 갈고등어
Deielia phaon [충] 밀잠자리붙이
Delichon urbica dasypus [조] 흰털발제비
Delphinidae [동] 돌고랫과
Delphinium ornatum [식] 참제비고깔
Delphinus delphis [동] 참돌고래
Deltocephalus dorsalis [충] 번개매미충
Demidovia tetragonoides [식] 번행초
Demigretta sacra ringeri [조] 흑로
Demodex folliculorum [동] 모낭충
Dendrobium monile [식] 석골풀
Dendrocopos hyperythus [조] 붉은배오색딱따구리
Dendrodenthamia japonica minor [식] 준딸나무
Dendrodenthamia japonica typica [식] 산딸나무
Dendrolagus ursinus [동] 나무캥거루
Dendrolimus spectabilis [충] 솔나방
Dendrolimus undans flaveola [충] 섭나방
Dendronanthus indicus [조] 물레새
Deracantha transversa [충] 민충이
Derbidae [충] 긴날개멸구과
Dere thoracica [충] 반디하늘소
Dermaptera [충] 집게벌레목
Dermestes cadaverinus [충] 굳은수시렁이
Dermestes tessellatocollis [충] 검정수시렁이
Dermestes vorax [충] 홍띠수시렁이
Dermestidae [충] 수시렁잇과
Dermochelidae [동] 장수거북과
Dermochelys coriacea [동] 장수거북
Dermoptera [동] 피익목
Derotrema [동] 새공류
Derris elliptica [식] 데리스
Deschampsia caespitosa [식] 우산대잔디
Descurainia sophia [식] 재쑥
Desmodium caudatum [식] 된장풀
Desmodium oldhami [식] 큰도둑놈의갈고리
Desmodium oxyphyllum [식] 도둑놈의갈고리
Desmodus rotundus [동] 피먹이박쥐
Deuteragenia secundus [충] 애검정대모벌
Deuterostomia [동] 후구 동물
Deutzia coreana [식] 매화말발도리
Deutzia glabrata [식] 물참대
Deutzia paniculata [식] 꼬리말발도리
Deutzia parviflora var. *amurensis* [식] 말발도리나무
Deutzia prunifolia [식] 바위말발도리
Deutzia tozawae [식] 해남말발도리
Deutzia triradiata [식] 삼지말발도리
Dexiadena arcta [충] 북극밤나방
Dexia flavipes [충] 왕풍뎅이파리
Dexiidae [충] 긴다리침파릿과
Dexistes rikuzenius [어] 눈가자미
Dianthus caryophyllus [식] 카네이션
Dianthus deltoides [식] 각시패랭이꽃
Dianthus japonicus [식] 개패랭이꽃
Dianthus littorosus [식] 섬패랭이꽃
Dianthus morii [식] 난쟁이패랭이꽃
Dianthus repens [식] 장백패랭이꽃
Dianthus sinensis [식] 패랭이꽃
Dianthus superbus [식] 술패랭이꽃
Diapensiaceae [식] 암맷과
Diapensia obovata [식] 암매
Diarthron linifolium [식] 아마풀
Diaspididae [식] 사철나무깍지벌렛과
Dibothriocephalus [동] 열두촌충류
Dibranchia [동] 이새류
Dicalyx prunifolia [식] 검은재나무

Dicentra spectabilis [식] 금낭화
Diceros bicornis [동] 아프리카검은코뿔소
Dichocrocis punctiferalis [충] 복숭아들명나방
Dichondra repens [식] 아욱메풀
Dichorragia neshimachus [충] 먹그림나비
Dichromia claripennis [충] 디크로수염나방
Dicotyledonea [식] 쌍떡잎 식물
Dicranocephalus adamsi [충] 사슴풍뎅이
Dicranopteris dichotoma [식] 발풀고사리
Dicranura lanigera [충] 검은띠나무눈하늘나방
Dicranura vinula [충] 나무눈하늘나방
Dicrostonyx hudsoius [동] 북극레밍
Dictamnus albus [식] 백선 「벌
Dictamptus nigropictus [충] 검정무늬지주맵시
Dictyna maculosa [동] 잎거미
Dictyoploca japonica [충] 밤나무산누에나방
Dictyosoma burgeri [어] 그물베도라치
Dicyema misakiense [동] 이배충
Didea alneti [충] 멍꽃등에
Didelphidae [동] 주머니쥣과
Didelphis virginiana [동] 주머니쥐
Diestrammena apicalis [충] 꼽등이
Diestrammena japonica [충] 알락꼽등이
Digenea [동] 이생류
Digenea simplex [식] 해인초
Digitalis purpurea [식] 디기탈리스
Digitaria adscendens [식] 바랭이
Dilipa fenestra [충] 유리창나비
Dilleniaceae [식] 다랫과
Dineutes orientalis [충] 왕물매암이
Dinoceras [동] 공각수
Dinodon rufozonatum [동] 능구렁이
Dinoferidea [동] 유대류
Dinoflagellata [동] 와편모충목
Dinogunnellus grigorjewi [어] 장갱이
Dinorhynchus dybowskyi [충] 청노린재
Diodon holacanthus [어] 가시복
Diodontidae [어] 가시복과
Diomedea albatrus [조] 신천옹
Diomedeidae [조] 신천옹과
Dionaea muscipula [식] 파리지옥풀
Diopatra neapolitana [동] 집갯지렁이
Dioscorea batatas [식] 마
Dioscoreaceae [식] 맛과
Dioscorea japonica [식] 참마
Dioscorea nipponica [식] 부채마
Dioscorea quinqueloba [식] 국화마
Dioscorea septemloba [식] 단풍마
Dioscorea tenuipes [식] 각시마
Dioscorea tokoro [식] 도코로마
Diospyros ebenum [식] 흑단
Diospyros kaki [식] 감나무
Diospyros lotus var. *typica* [식] 고욤나무
Diphylleia cymosa var. *grayi* [식] 산하엽
Diphyllobothrium latum [동] 넓은마디촌충
Diplazium japonicum [식] 진고사리
Diplomorpha insularis [식] 강화산닥나무
Diplomorpha trichotoma [식] 산닥나무
Diplonychus japonicus [충] 물자라
Diplopoda [동] 노래기강
Diploterygium glaucum [식] 풀고사리
Diplozoon nipponicum [동] 두가시
Dipneusti [어] 폐어
Diprinidae [충] 솔잎벌과
Dipsacaceae [식] 산토끼꽃과
Dipsacus japonicus [식] 산토끼꽃
Diptera [충] 파리목
Dipterocarpaceae [식] 용뇌향과
Discodermia calyx [동] 갑옷해면
Discoelius japonicus [충] 쌍줄호리병벌
Discoglossidae [동] 무당개구릿과
Disporum sessile [식] 윤판나물
Disporum smilacinum [식] 애기나리
Disporum viridescens [식] 큰애기나리
Distatomma cecilia [충] 노랑방울잠자리
Disteira spiralis melanocephala [동] 먹대가리바다뱀
Distenia gracilis [충] 깔따구하늘소
Distoleon tetragrammicus [충] 알락명주잠자리
Distylium racemosum [식] 조롱나무
Dithammus fraudator [충] 우단하늘소
Ditrema temminckii [어] 망성어
Ditylus laevis [충] 산하늘소붙이
Docoglossa [동] 주설류
Döderleinia berycoides [어] 눈볼대
Dolerus hordei [충] 애등빨간잎벌
Dolichopsyllidae [충] 가시벼룩과
Dolichos lablab [식] 까치콩
Dolichotis patagona [동] 마라
Dolichus halensis [충] 등빨간먼지벌레
Doliolidae [동] 환근목
Donacia provosti [충] 벼뿌리잎벌레
Dontostemon dentatus [식] 가는장대
Dontostemon hispidus [식] 큰장대
Dopatrium junceum [식] 등에풀
Dorcus hopei [충] 왕사슴벌레
Dorippe japonica [동] 조개치레
Dorippidae [동] 조개치렛과
Dorosomatidae [어] 전어과
Doryteuthis bleekeri [동] 화살오징어
Dosinia japonica [조개] 백합
Draba nemorosa var. *hebecarpa* [식] 꽃다지
Dracaena draco [식] 용혈수
Dracaena fragrans var. *massangeana* [식] 줄무늬드라세나 「세나
Dracaena fragrans var. *victoria* [식] 복륜드라
Dracaena sanderiana [식] 은잎드라세나
Draceata [동] 기관 동물
Dracocephalum argunense [식] 용머리
Draco volans maculatus [동] 날도마뱀
Drepanulidae [충] 갈고리나방과
Dromaeus novae-hollandiae [조] 에뮤
Dromia dehaani [동] 해면치레
Droseraceae [식] 끈끈이귀갯과
Drosera nipponica [식] 끈끈이귀개
Drosera ratundifolia [식] 끈끈이주걱
Drosophila melanogaster [충] 초파리
Drosophilidae [충] 초파릿과
Dryas octopetala [식] 담자리꽃나무
Dryobalarops aromatica [식] 용뇌수
Dryobates hyperythrus subrufinus [조] 붉은배오색딱따구리
Dryobates kizuki [조] 쇠딱따구리
Dryobates major hondoensis [조] 오색딱따구리
Dryobates major japonicus [조] 되오색딱따구리 「리
Dryobates minor nojidoensis [조] 쇠오색딱따구
Dryobates nanus doerriesi [조] 아무르쇠딱따구리
Dryocopus martius martius [조] 가막딱따구리
Dryocopus javensis richardsi [조] 크낙새
Dryomyzidae [충] 대모파릿과
Dryopteris bissetiana var. *sacrosancta* [식] 애기족제비고사리
Dryopteris crassirhizoma [식] 면마
Dryopteris lacera [식] 비늘고사리
Dryopteris maximowiczii [식] 진저리고사리
Dryopteris monticola [식] 왕지네고사리
Dryopteris takesimensis [식] 울릉고사리
Dryopteris varia [식] 족제비고사리
Ducetia japonica [충] 줄베짱이
Duchesnea indica [식] 뱀딸기
Dugong dugon [동] 듀공
Dunbaria villosa [식] 여우팥
Duretia longispica [식] 왜모시풀
Duretia paraspicata [식] 풀거북꼬리
Duretia platanifolia [식] 개모시풀
Duretia sieboldiana [식] 긴잎모시풀
Duretia spicata [식] 좀깻잎나무
Duretia tricuspis [식] 거북꼬리
Durio zibethinus [식] 두리안
Dussumieridae [어] 눈퉁멸과
Dutura alba [식] 흰독말풀
Dybowskyia reticulata [충] 빈대붙이
Dysdera crocata [동] 멧돼지거미
Dysodidae [충] 큰넓적노린잿과
Dystaenia takesimana [식] 섬바디
Dytiscidae [충] 물방갯과
Dytiscus dauricus [충] 어리물방개
Ebenaceae [식] 감나뭇과
Ecardiues [동] 무교류
Eccoilopus cotulifer [식] 기름새
Ecdyonurus yoshidae [충] 요시다꼬리하루살이
Ecdyuridae [충] 꼬리하루살잇과
Echeneida [어] 빨판상어목
Echeneidae [어] 빨판상어과
Echeneis naucrates [어] 빨판상어
Echidnophaga gallinacea [충] 새벼룩
Echinochloa crus-galli [식] 돌피
Echinochloa frumentacea [식] 피
Echinocnemus squameus [충] 벼바구미
Echinoderes masudai [동] 극피충
Echinodermata [동] 극피 동물
Echinoidea [동] 섬게강
Echinopsis tubiflora [식] 고습도치선인장
Echinops setifer [식] 절굿대
Echinorinchata [동] 에키노린카타
Echinosophora koreensis [식] 개느삼
Echiuroidea [동] 개불강
Ecklonia cava [식] 감태
Eckthrogaleus coleopterатus [동] 어슬
Eclipta prostrata [식] 한련초
Ectoprota [동] 외항류
Edentata [동] 빈치목
Edgeworthia papyrifera [식] 삼지닥나무
Egretta alba alba [조] 대백로
Egretta garzetta garzetta [조] 백로
Egretta intermedia intermedia [조] 중백로
Ehretiaceae [식] 송양나뭇과
Ehretia ovalifolia [식] 송양나무
Eichhornia crassipes [식] 부레옥잠
Eiphia parva albicilla [조] 흰꼬리딱새
Eisenia foetida [동] 줄지렁이
Elaeagnaceae [식] 보리수나뭇과 「무
Elaeagnus crispa var. *coreana* [식] 왕보리수나
Elaeagnus crispa var. *typica* [식] 보리수나무
Elaeagnus glabra [식] 덩굴볼레나무
Elaeagnus macrophylla [식] 보리밥나무
Elaeagnns maritima [식] 녹보리수나무
Elaeagnus nakaii [식] 왕볼레나무
Elaeagnus pungens [식] 볼레나무
Elaeagnus submacrophylla [식] 큰보리장나무
Elaeocarpus sylvestris var. *ellipticus* [식] 담팔수
Elaesis guineensis [식] 기름야자
Elagatis bipinnulata [어] 참치방어
Elaphe climacophora [동] 업구렁이
Elaphe conspicillata rufodorsata [동] 무자치
Elaphe dione [동] 누룩뱀
Elaphe quadrivirgata [동] 산무애뱀
Elaphe schrenckii [동] 구렁이
Elaphe taeniura taeniura [동] 줄꼬리뱀
Elaphurus davidianus [동] 사불상
Elasmobranchii [어] 판새류
Elateridae [충] 방아벌렛과
Elatinaceae [식] 물별과
Elatine orientalis [식] 물별
Elcysma westwoodi [충] 벚나무모시나방
Electrophorus electricus [명] 전기뱀장어
Eleginus navaga [어] 빨간대구
Eleocharis acicularis var. *langiseta* [식] 쇠털골
Eleocharis afflata [식] 물바늘골
Eleocharis japonica [식] 바늘골
Eleocharis kuroguwai [식] 올방개
Fleocharis laeviseta [식] 참바늘골
Eleocharis palustris [식] 물꼬챙이골
Eleocharis pileata [식] 올방개아재비
Eleocharis tetraquetra [식] 네모골
Eleocharis wichuroei [식] 좀네모골
Eleotridae [어] 구굴무칫과
Eleotris pisonis oxycephala [어] 구굴무치
Elephantinae [동] 코끼릿과
Elephas maximus [동] 인도코끼리
Eleusine indica [식] 왕바랭이 「무
Eleutherococcus koreanus [식] 왕가시오갈피나
Eleutherococcus senticosus [식] 가시오갈피나무
Eleutherozoa [동] 유재류
Elopidae [어] 당멸칫과
Elops machnata [어] 당멸치

Elsholtzia patrini 식 향유

Elsholtzia saxatilis 식 애기향유

Elsholtzia splendens 식 꽃향유

Elymus dahuricus 식 갯보리

Emberiza aureola ornata 조 검은머리촉새

Emberiza cioides castaneiceps 조 멧새

Emberiza cioides ijimae 조 섬멧새

Emberiza elegans elegans 조 노랑턱멧새

Emberiza fucata fucata 조 붉은뺨멧새

Emberiza jankowskii 조 점박이멧새

Emberiza leucocephalos leucocephalos 조 흰머리멧새

Emberiza pusilla 조 쇠붉은뺨멧새

Emberiza rustica latifascia 조 쑥새

Emberiza rutila 조 꼬까참새

Emberiza spodocephala 조 촉새

Emberiza sulphurata 조 무당새

Emberiza tristrami 조 흰배멧새

Emberiza variabilis 조 검은촉새

Embiotocidae 어 양망성어과

Embryophyta asiphonogama 식 무관유배식물

Embryophyta siphonogama 식 유관유배식물

Empetraceae 식 시로밋과

Empetrum nigrum 식 시로미

Endoprocta 동 내항 동물

Enedrias nebulosus 어 베도라치

Enemion leveilleanum 식 나도바람꽃

Engraulidae 어 멸칫과

Engraulis japonica 어 멸치

Engystomatidae 동 맹꽁잇과

Enhydra lutris 동 해달

Enopla 동 유침류

Entamoeba coli 동 대장아메바

Enterobius vermicularis 동 요충

Enteromorpha compressa 식 싱경이

Enteromorpha prolifera 식 가시파래

Enteropneusta 동 장새류

Enterozo 동 유장 동물

Enterpnosia inanulata 충 보리매미

Entomostraca 동 절갑류

Entosphenus japonica 어 칠성장어

Entosphenus reissneri 어 다묵장어

Eobia chinereipennis 충 잿빛하늘소붙이

Eophona migratoria migratoria 조 쇠밀화부리

Eophona personata magnirostris 조 큰부리밀화부리

Eophona personata personata 조 밀화부리

Eopsetta grigorjewi 어 물가자미

Eososmylus harmandinus 충 판날개풀잠자리

Epanerchodus orientalis orientalis 동 혁대노래기

Epeolus ventralis 충 흰줄알락꽃벌

Epeorus aesculus 충 새끄리하루살이

Epeorus curvatulus 충 굽은꼬리하루살이

Epeorus latifolium 충 엘무늬꼬리하루살이

Ephedra sinica 식 마황

Ephemera lineata 충 하루살이

Ephemera strigata 충 무늬하루살이

Ephemerella basalis 충 밑알락하루살이

Ephemerella rufa 충 알락하루살이

Ephemeridae 충 하루살잇과

Ephemeroptera 충 하루살이목

Ephialtes huhurculatus 충 혹마디꼬리맵시벌

Ephialtes manifestator 충 마디꼬리맵시벌

Epicauta chinensis 동 먹가뢰

Epicopeia mencia 충 두줄제비나방붙이

Epicopeidae 충 제비나방붙잇과

Epiglenea comes 충 노랑눈박이하늘소

Epilachna sparsa orientalis 충 이십팔점박이무당벌레

Epilobiaceae 식 바늘꽃과

Epilobium amurense 식 호바늘꽃

Epilobium angulatum 식 두메바늘꽃

Epilobium angustifolium 식 분홍바늘꽃

Epilobium cepalostigma 식 돌바늘꽃

Epilobium coreanum 식 흰털바늘꽃

Epilobium cylindristigma 식 명천바늘꽃

Epilobium davuricum 식 구름바늘꽃

Epilobium hirsutum 식 큰바늘꽃

Epilobium nudicarpum 식 넓은잎바늘꽃

Epilobium pyrrichlophum 식 바늘꽃

Epilobium tenue 식 장진바늘꽃

Epimedium violaceum 식 삼지구엽초

Epinephelus akaara 어 붉바리

Epinephelus chlorostigma 어 구실우럭

Epinephelus fario 어 별우럭

Epinephelus fasciatus 어 홍바리

Epinephelus megachir 어 알락우럭

Epinephelus moara 어 자바리

Epinephelus poecilonotus 어 닻줄바리

Epinephelus septemfasciatus 어 능성어

Epinephelus tsirimenara 어 우럭바리

Epipactis thunbergii 식 닭의난초

Epiphyllum hybridum 식 공작선인장

Epiphyllum oxypetalum 식 월하미인

Epiphyllum russellianum 식 크리스마스선인장

Episcapha taishoensis 충 왕버섯벌레

Episomus turritus 충 혹바구미

Epistrophe blateatus 충 날라리꽃등에

Epitheca marginata 충 언저리잠자리

Epitoniidae 조개 실패고둥과

Epitonium scalare 조개 큰실패고둥

Epophthalmia elegans 충 산잠자리

Eptatretus burgeri 어 먹장어

Eptesicus nilssonii parvus 동 생박쥐

Eptesicus serotinus pallens 동 고려박쥐

Equidae 동 말과

Equisetaceae 식 속샛과

Equisetum arvense 식 쇠뜨기

Equisetum hiemale var. *japonicum* 식 속새

Equisetum palustre 식 개쇠뜨기

Equisetum ramosissimum 식 개속새

Equus asinus 동 당나귀

Equus burchelli 동 얼룩말

Equus caballus orientalis 동 말

Equus caballus var. *ferus* 동 몽고말

Equus hemionus var. *hemionus* 동 쿨란

Equus hinnus 동 버새

Eragrostis ferruginea 식 그령

Eragrostis niwahokori 식 비노리

Eranthis stellata 식 너도바람꽃

Erebia ligea 충 높은산지옥나비

Erebia neriene 충 산지옥나비

Erebia rossii ero 충 관모산지옥나비

Erebia theano pawlowskyii 충 채일봉지옥나비

Erebus macrops 충 왕태극나방

Eremias argus 동 표범장지뱀

Eretes sticticus 충 재물방개

Eretmochelys imbricata 동 대모

Erica arborea 식 브라이어

Ericaceae 식 석남과

Erica cinerea 식 히스

Ericeruspala chauannes 충 백랍벌레

Erigeron annuus 식 개망초

Erigeron canadensis 식 망초

Erigeron linifolius 식 실망초

Erimacrus isenbeckii 동 털게

Erinaceidae 동 고슴도칫과

Erinaceus europaeus koreensis 동 고슴도치

Erinaceus orientalis 동 북고슴도치

Eriobotrya japonica 식 비파나무

Eriocaulaceae 식 곡정초과

Eriocaulon miquelianum 식 개수염

Eriocaulon parvum 식 검은개수염

Eriocaulon robustius 식 넓은잎개수염

Eriocaulon sieboldtianum 식 곡정초

Eriocaulon sikokianum 식 흰개수염

Eriocaulon tenuissimum 식 가는개수염

Eriocheir japonicus 동 동남참게

Eriocheir sinensis 동 참게

Eriophorum alpinum 식 애기황새풀

Eriophorum angustifolium 식 참황새풀

Eriophorum polystachyon 식 큰황새풀

Eriophorum vaginatum 식 황새풀

Eriopus juventina 충 어린이밤나방

Erisphex potti 어 풀미역치

Eristalomyia tenax 충 꽃등에

Erithacus akahige 조 붉은가슴울새

Eritrichium pectinatum 식 산지치

Ernogrammus hexagrammus 어 세줄베도라치

Erodium stephanianum 식 국화쥐손이

Erolia alpina sakhalina 조 민물도요

Erotylidae 충 버섯벌렛과

Errantia 동 유행류

Ertopus juventina 충 어린이밤나방

Erysimum aurantiacum 식 부지깽이나물

Erysimum cheiranthoides 식 쑥부지깽이

Erythria zonata 충 띠면애매미충

Erythrina rosea 조 양지니

Erythroneura limbata 충 넉점박이애매미충

Erythronium japonicum 식 얼레지

Erythroxylaceae 식 코카과

Erythroxylon coca 식 코카

Eschrichtiidae 동 쇠고랫과

Eschrichtius gibbosus 동 쇠고래

Eschscholzia colifornica 식 금영화

Estrilda cinerea 조 단풍새

Etelis carbunculus 어 꼬리돔

Etmopterus lucifer 어 가시줄상어

Etrumeus micropus 어 눈퉁멸

Euaspis basalis 충 주홍배뾰족벌

Eubacteriomycetes 생 진정세균류

Eubalaena sieboldi 동 참고래

Euborellia pallipes 충 노랑다리집게벌레

Eucalyptus globulus 식 유칼립투스

Eucaryote 생 진핵 생물

Eucera difficilis 충 수염줄벌

Eucharitidae 충 개미살이좀벌과

Euchresta japonica 식 만년콩

Eucirripedia 동 진정만각류

Eucommia ulmoides 식 두충

Eucopepoda 동 진정요각류

Eucosmetus albomarginatus 충 흰도리노린재

Eucrate crenata 동 무딘이빨게

Euglena acus 동 유글레나 아쿠스

Euglena oxyuris 동 유글레나 옥쉬리스

Euglena viridis 동 유글레나 비리디스

Euglenidae 동 유글레나과

Euglenoidea 동 유글레나목

Eugnathus distinctus 동 쌍무늬바구미

Eulamellibranchia 동 진정판새류

Eumantispa harmandi 충 사마귀붙이

Eumenes decoratus 충 호리병벌

Eumenes micado 충 애호리병벌

Eumetazoa 동 진정 후생 동물

Eumetopias jubata 동 바다사자

Eumicromus numcrosus 충 뱀잠자리붙이

Eumicrotremus orbis 어 도치

Eumycophyta 식 진균 식물

Eunectes murinus 동 아나콘다

Euonymus alatus for. *ciliatodentatus* 식 회잎나무

Euonymus alatus 식 화살나무

Euonymus alatus var. *latifolius* 식 넓은잎화살나무

Euonymus bungeanus 식 좀참빗살나무

Euonymus chibai 식 섬회나무

Euonymus japonica 식 사철나무

Euonymus pauciflorus 식 개회나무

Euonymus quelpaertensis 식 둥근잎참빗살나무

Euonymus sieboldiana 식 참빗살나무

Euonymus trapococcus 식 버들회나무

Euops splendida 충 유리거위벌레

Eupagurus trigonocheirus 조개 세모잡이게고둥

Eupatorium japonicum 식 등골나물

Eupatorium lindleyanum 식 골등골나물

Eupelmidae 충 벼룩좀벌과

Euphausia superba 동 크릴

Euphorbiaceae 식 대극과

Euphorbia humifusa 식 땅빈대

Euphorbia lathyris 식 속수자

Euphorbia pulcherrima 식 포인세티아

Euphorbia supina 식 애기땅빈대

Euphrasia coreanalpina 식 애기좁쌀풀

Euphrasia maximowiczii 식 좁쌀풀

Euphrasia mucronulata 식 산좁쌀풀

Euphrasia retrotricha 식 털좁쌀풀

Euphydryas aurinia mandschurica 충 금빛어리표범나비

Euphylopoda 동 진정엽각류

Euplectella oweni 동 오어니바다수세미

Euplexia lucipara 충 구리밤나방

Euprepocnemis shiraki 충 등검은메뚜기

Euproctis flava 충 독나방

Eupterygidae 충 애매미충과

Eurema hecabe 충 남방노랑나비

Eurema laeta 충 극남노랑나비

Eurya emarginata 식 우묵사스레피

Eurya japonica 식 사스레피나무

Euryale ferox [식] 가시연
Eurydema rugosa [충] 비단노린재
Eurynorhynchus pygmeus [조] 넓적부리도요
Eurypterida [동] 광익류
Eurystomus orientalis absundus [조] 파랑새
Eurytrachellelus platymelus [충] 넓적사슴벌레
Euscaphis japonica [식] 말오줌대
Euspongia officinalis [동] 목욕해면
Eutaeniichthys gilli [어] 댕기망둑
Eutelia geyeri [충] 비행기밤나방
Eutetrapha sedecimpunctata [충] 십육점박이하늘소
Eutettix disciguttus [충] 모무늬매미충
Euthynnus affinis yaito [어] 점다랑어
Eutolmus brevistylus [충] 분파리매
Euurobracon yokohamae [충] 말총벌
Euxoa segetis [충] 순무밤나방
Euxolus blitum [식] 개비름
Euxolus caudatus [식] 털비름
Evania appendigaster [충] 바퀴살이호리벌
Evaniidae [충] 호리벌과
Everes argiades [충] 제비부전나비
Evergestis extimalis [충] 연노랑들명나방
Eviota abax [어] 풀비늘망둑
Evodia danielii [식] 쉬나무
Evodia officinalis [식] 오수유
Evynnis japonica [어] 붉돔
Exeristesoides spectabilis [충] 송충끄리맵시벌
Exochorda serratifolia [식] 가침박달
Exochorda serratifolia var. *oligantha* [식] 털가침박달
Exocoetidae [어] 상날칫과
Exocoetus volitans [어] 상날치
Exoprosopa tantalus [충] 검정날개재니등에

Fagaceae [식] 참나뭇과
Fagara ailanthoides [식] 머귀나무
Fagara fauriei [식] 좀머귀나무
Fagara schinifolia var. *microphyllum* [식] 좀산초
Fagopyrum esculentum [식] 메밀
Fagus multinervis [식] 너도밤나무
Falcaria curvatula [충] 밤색갈고리나방
Falcata japonica [식] 새콩
Falco columbarius insignis [조] 쇠황조롱이
Falconida [조] 매목
Falconidae [조] 맷과
Falco peregrinus leucogenys [조] 매
Falco rusticola [조] 백송고리
Falco subbuteo [조] 새호리기
Falco tinnunculus [조] 황조롱이
Fannia canicularis [충] 애기집꽃파리
Fasciola hepatica [동] 간충
Fatoua villosa [식] 뽕모시풀
Fatsia japonica [식] 팔손이나무
Favia speciosa [동] 해화석
Favonius orientalis [충] 큰녹색부전나비
Felicola subrostrata [충] 괭이털니
Felidae [동] 고양잇과
Felis bengalensis manchurica [동] 살쾡이
Felis catus domestica [동] 고양이
Felis pardus orientalis [동] 표범
Felis tigris coreensis [동] 호랑이
Felis uncia [동] 애엽표
Ferula scorodosma [식] 아위
Festuca ovina var. *vulgaris* [식] 김의털
Festuca rubra [식] 왕김의털
Ficus benghalensis [식] 벵골보리수
Ficus carica [식] 무화과나무
Ficus elastica [식] 인도고무나무
Ficus erecta [식] 천선과나무
Ficus glomerata [식] 우담화
Ficus nipponica [식] 모람
Ficus religiosa [식] 보리수²
Ficus thunbergii [식] 애기모람
Filaria sanguinis hominis [동] 주혈사상충
Filibranchia [조개] 사새류²
Filicineae [식] 고사리류
Filifolium sibiricum [식] 실쑥
Filipendula glaberrima [식] 터리풀
Filipendula koreana [식] 붉은터리풀
Filipendula palmata [식] 단풍터리
Fimbristylis complanata [식] 어른지기
Fimbristylis dichotoma [식] 하늘지기
Fimbristylis ferruginea [식] 울챙이하늘지기
Fimbristylis kraussiana [식] 들하늘지기
Fimbristylis longispica [식] 큰하늘지기
Fimbristylis miliacea [식] 바람하늘지기
Fimbristylis squarrosa [식] 민하늘지기
Fimbristylis subbispicata [식] 꿀하늘지기
Fimbristylis torresiana [식] 큰애기하늘지기
Fistularia petimba [어] 홍대치
Fistularia serrata [어] 청대치
Fistulariidae [어] 대칫과
Fiwa japonica [식] 까마귀쪽나무
Flagellatae [식] 편모조류
Fluta alba [어] 두렁허리
Flutidae [어] 두렁허릿과
Foeniculum vulgare [식] 회향풀
Foraminifera [동] 유공충류
Forficula mikado [충] 노랑나비집게벌레
Forficula scudderi [충] 못뽑이집게벌레
Forficulidae [충] 집게벌렛과
Formica fusca japonica [충] 반불개미
Formica rufa [충] 홍개미
Formica sanguinea fusciceps [충] 불개미
Formicidae [충] 개밋과
Formionidae [어] 병치매가릿과
Formio niger [어] 병치매가리
Forsythia densiflora [식] 장수만리화
Forsythia koreana [식] 개나리
Forsythia ovata [식] 만리화
Forsythia saxatilis [식] 산개나리
Fragaria neglecta [식] 땃딸기
Fragaria nipponica [식] 흰땃딸기
Fragaria vesca [식] 양딸기
Francolinus pintadeanus [조] 자고
Frangula crenata [식] 산황나무
Franzia nobilis [어] 금강바리
Fraxinus americana [식] 미국물푸레
Fraxinus chiisanensis [식] 물들메나무
Fraxinus densata [식] 광릉물푸레나무
Fraxinus excelsior [식] 구주물푸레나무
Fraxinus mandshurica [식] 들메나무
Fraxinus ornus [식] 마나나무
Fraxinus rhynchophylla [식] 물푸레나무
Fraxinus rhynchophylla var. *angusticarpa* [식] 잔물푸레나무
Fraxinus sieboldiana [식] 쇠물푸레
Freesia refracta [식] 프리지어
Fregata ariel [조] 군함조
Fregatidae [조] 군함샛과
Fringilla montifringilla [조] 되새
Fringillidae [조] 참샛과
Fritillaria verticillata [식] 패모
Fuchsia hybrida [식] 푸크시아
Fulica atra atra [조] 물닭
Fulvia mutica [조개] 새조개
Fungia scutaria [동] 버섯속산호
Furcina oshimae [어] 무늬횟대
Fuziifilis pilosella [식] 잔고사리

Gadida [어] 대구목
Gadidae [어] 대구과
Gadus macrocephalus [어] 대구
Gaillardia publchella [식] 천인국
Galagidae [동] 갈라고과
Galanthus nivalis [식] 갈란투스
Galarhoeus esula [식] 흰대극
Galarhoeus fauriei [식] 두메대극
Galarhoeus helioscopia [식] 등대풀
Galarhoeus jolkini [식] 암대극
Galarhoeus pekinensis [식] 대극
Galarhoeus sieboldiana [식] 감수
Galeocerdo arcticus [어] 뱀상어
Galeola septentrionalis [식] 으름난초
Galeopsis bifida [식] 털향유
Galerida cristata coreensis [조] 뿔종다리
Galerida cristata leautungeusis [조] 만주뿔종다리
Galerucella distincta [충] 딸기잎벌레
Galerucida bifasciata [충] 잉어잎벌레
Galium aparine [식] 갈퀴덩굴
Galium gracilens [식] 좀네잎갈퀴
Galium kinuta [식] 민둥갈퀴
Galium koreanum [식] 참갈퀴덩굴
Galium paradoxum [식] 두메갈퀴
Galium pogonanthum [식] 산갈퀴
Galium pusillum [식] 애기솔나물
Galium trachyspermum [식] 네잎갈퀴덩굴
Galium trifidum [식] 가는네잎갈퀴
Galium verum var. *asiaticum* [식] 솔나물
Galium verum var. *intermedium* [식] 개솔나물
Galium verum var. *lacteum* [식] 봉자채
Gallicrex cinerea [조] 뜸부기
Gallida [조] 닭목
Gallinula chloropus indica [조] 쇠물닭
Gallus domesticus [조] 당닭
Gallus gallus [조] 야계
Gallus gallus domesticus [조] 닭
Gampsocleis inflata [충] 반날개여치
Gampsocleis sedakovi obscura [충] 여치
Gampsocleis ussuriensis [충] 긴날개여치
Ganoderma lucidum [식] 영지
Ganoide [어] 경린류
Garcinia mangostana [식] 망고스틴
Gardenia jasminoides [식] 치자나무
Gardneria insularis [식] 영주치자
Garrulus glandarius brandtii [조] 어치
Gasteromycetes [식] 복균류
Gasterosteida [어] 큰가시고기목
Gasterosteidae [어] 큰가시고깃과
Gasterosteus aculeatus [어] 큰가시고기
Gasterostomata [동] 복구류
Gastrimargus transversus [충] 콩중이
Gastrocopta armigerella [조개] 모래고둥
Gastrodia elata [식] 천마
Gastrodontella multivolvis [조개] 기장달팽이
Gastropacha quercifolia [충] 배버들나방
Gastrophilus intestinalis [충] 말파리
Gastropoda [동] 복족류
Gastroserica herzi [충] 줄우단풍뎅이
Gastrotricha [동] 복모류
Gaurotes doris [충] 청동꽃하늘소
Gavialis gangeticus [동] 가비알
Gazella gutturosa [동] 황양
Gekko japonicus [동] 도마뱀붙이
Gekkonidae [동] 도마뱀붙잇과
Gelasimus arcuatus [동] 농게
Gelastorrhinus bicolor [충] 딱따깨비
Gelechiidae [충] 곡식나방과
Gelidium amansii [식] 우뭇가사리
Gennaeus nycthemerus [조] 은계
Gennaeus swinhoii [조] 산닭
Gentianaceae [식] 용담과
Gentiana chosenica [식] 흰그늘용담
Gentiana jamesii [식] 비로용담
Gentiana lutea [식] 겐티아나
Gentiana scabra var. *buergeri* [식] 용담
Gentiana squarrosa [식] 구슬붕이
Gentiana triflora [식] 과남풀
Gentiana uchiyamana [식] 칼잎용담
Gentiana zollingeri [식] 큰구슬붕이
Geoclemys reevesii [동] 남생이
Geometridae [충] 자나방과
Geraniaceae [식] 쥐손이풀과
Geranium japonicum [식] 선이질풀
Geranium knuthii [식] 세잎쥐손이
Geranium koraiense [식] 참이질풀
Geranium koreanum [식] 둥근이질풀
Geranium maximowiczii [식] 분홍쥐손이
Geranium nepalense var. *thunbergii* [식] 이질풀
Geranium shikokianum var. *quelpaertense* [식] 섬쥐손이
Geranium sibiricum [식] 쥐손이풀
Geranium soboliferum [식] 삼쥐손이

Geranium yesoense var. *nipponicum* 식 우단쥐손이풀
Gerbera jamesoni 식 거베라
Germo alalunge 어 날개다랑어
Gerres oyena 어 게레치
Gerridae 충 소금쟁잇과
Gerris gracilicornis 충 좀등빨간소금쟁이
Gerris lacustris 충 애소금쟁이
Gesneriaceae 식 시홧과
Geum aleppicum 식 큰뱀무
Geum japonicum 식 뱀무
Gigantostraca 동 대갑류
Ginkgo biloba 식 은행나무
Giraffa camelopardalis 동 기린
Giraffidae 동 기린과
Girella punctata 어 벵에돔
Girellidae 어 벵에돔과
Gladiolus lemoinei 식 글라디올러스
Glareola pratincola maldivarum 조 제비물떼새
Glareolidae 조 제비물떼샛과
Glechoma hederacea 식 적설초 「풀
Glechoma hederacea var. *longituba* 식 긴병꽃
Gleditschia japonica 식 아재비과줄나무
Gleditschia japonica var. *koraiensis* 식 쥐엄
Gleditschia officinalis 식 조각자나무 L나무
Gleicheniaceae 식 풀고사릿과
Glenea relicta 동 흰점박이하늘소
Glenuroides japonicus 충 좀명주잠자리
Gloiopeltis furcata 식 풀가사리
Gloiopeltis tenax 식 참가사리
Glycine max 식 콩
Glycine soja 식 돌콩
Glycymeris albolineata 조개 속갈색조개
Glycyphana fulvistemma 충 검정꽃무지
Glycyrrhiza uralensis 식 감초
Glyphotaelius admorsus 충 우묵날도래
Glyptocephalus stelleri 어 기름가자미
Gnaphalium affine 식 떡쑥
Gnaphalium hypoleucum 식 금떡쑥
Gnaphalium japonicum 식 풀솜나물
Gnaphalium leontopodioides 식 다북떡쑥
Gnaphalium luteoalbum 식 흰떡쑥
Gnaphalium uliginosum 식 왜떡쑥
Gnathobdellae 동 턱거머리목
Gnathopogon coreanus 어 몰개
Gnathopogon machimae 어 긴몰개
Gnathopogon strigatus 어 줄몰개
Gnetaceae 식 마황과
Gobiidae 어 망둑어과
Gobiobotia brevibarba 어 돌상어
Gobiobotia macrocephalus 어 꾸구리
Gobiobotidae 어 돌상어과
Gobio gobio 어 모샘치
Gobius fuscus 어 무늬망둑
Gobius giurinus 어 갈문망둑
Gomphidae 충 부채장수잠자릿과
Gomphina aequilatera 조개 샙조개
Gomphina veneriformis 조개 마리조개
Gomphrena globosa 식 천일초
Gomphus nigripes 충 검정측범잠자리
Gomphus postocularis 충 어리측범잠자리
Gonepteryx rhamni amurensis 충 멧노랑나비
Gonia fuscipes 동 검정머리기생파리
Goniistius quadricornis 어 여덟동가리
Goniistius zonatus 어 아홉동가리
Gonocormus minutus 식 부채괴불이끼
Gonoprokopterus mylodon 어 어름치
Gonopsis affinis 충 중노린재
Gonorhynchidae 어 압칫과
Gonorhynchus abbreviatus 어 압치
Gordiacea 동 침금충류
Gordius quaticus 동 연가시
Gorgonacea 동 고르고니류
Gorgonocephalus caryi 동 삼천발이
Gorilla gorilla 동 고릴라
Gorytes grandis 충 큰줄나나니
Gorytes tricinctus 충 줄나나니
Gossypium nanking 식 목화
Gracilaria confervoides 식 꼬시대기
Gracula religiosa intermedia 조 구관조
Grallatores 조 섭금류
Gramineae 식 볏과
Grampus orca 동 범고래
Grantessa shimeji 동 싸리버섯해면
Graphium sarpedon 충 청띠제비나비
Graphoderes adamsi 충 아담스물방개
Graphomyia maculata 충 검정등꽃파리
Graphosoma rubrolineatum 충 홍줄노린재
Grapsidae 동 바위겟과
Graptopsaltria nigrofuscata 충 유지매미
Grateloupia elliptica 식 도박
Gressores 조 백로목
Grewia parviflora 식 장구밤나무
Grapholitha molesta 충 배속애기잎말이나방
Gruida 조 두루미목
Gruidae 조 두루밋과
Grus grus lilfordi 조 검은목두루미
Grus japonensis 조 두루미
Grus monacha 조 흑두루미
Grus vipio 조 재두루미
Gryllacridae 충 어리여칫과
Gryllacris japonica 충 어리여치
Gryllidae 충 귀뚜라밋과
Gryllodes sigillatus 충 희끗희끗귀뚜라미
Gryllotalpa africana 충 땅강아지
Gryllotalpidae 충 땅강아짓과
Gryllus mitratus 충 왕귀뚜라미
Guajacum officinale 식 유창목
Gueldenstaedtia longicarpa 식 팥애기자운
Gueldenstaedtia pauciflora 식 애기자운영
Gymnadenia conopsea 식 손바닥난초
Gymnelopsis brashnikovi 어 자갈치
Gymnoblastea 동 나자류
Gymnocanthus herzensteini 어 대구횟대
Gymnocranius griseus 어 까지돔
Gymnolaemata 동 나순류
Gymnonerius femoratus 충 민날개좀파리
Gymnophiona 동 나사류
Gymnopleurus mopsus 충 쇠똥구리
Gymnospermae 식 겉씨 식물
Gymnothorax hepatica 어 가지굴
Gymnothorax kidako 어 곰치
Gymnura japonica 어 나비가오리
Gynacantha japonica 충 잘록허리왕잠자리
Gynocardia odorata 식 대풍수
Gynostemma pentaphyllum 식 돌외
Gynura japonica 식 삼칠초
Gypaetus barbatus altaicus 조 수염수리
Gypsophila elegans 식 안개꽃
Gypsophila oldhamiana 식 대나물
Gypsophila perfoliata 식 가는대나물
Gyraulus hiemantium 조개 늦틀이명주말이
Gyrinidae 충 물매암잇과
Gyrinus japonicus 충 물매암이
Gyrophoraceae 식 석이과
Gyrophora esculenta 식 석이

Habrosyne dieckmanni 충 담홍색뾰족날개나방
「시벌
Hadrodactylus orientalis 충 연분홍배뭉뚝맵
Hadrojoppa cognatoria 충 검정맵시벌
Haemaphysalis flavao 동 진드기
Haematopinidae 충 짐승닛과
Haematopinus asini 충 말니
Haematopinus eurysternus 충 소이
Haematopinus suis 충 돼지이
Haematopus ostralegus 조 검은머리물떼새
Haematoxylon campechianum 식 로그우드나무
Haemodoraceae 식 지모과
Haemophilus pertussis 의 백일해균
Haemorrhagia fuciformis affinis 충 유리창어리박각시
Hagenomyia micans 충 명주잠자리
Halcyon coromanda 조 호반새
Halcyon pileata 조 청호반새
Halecomorphi 어 아미아류
Halenia corniculata 식 닻꽃
Haliaeëtus albicilla 조 흰꼬리수리 「리
Haliaeëtus pelagicus pelagicus 조 흰죽지참수
Halichoeres poecilopterus 어 용치놀래기
Halichoeres tenuispinis 어 놀래기
Halichoeres tremebundus 어 창놀래기
Halictidae 충 애꽃벌과
Halictus occidens 충 흰줄애꽃벌
Halieutaea stellata 어 빨강부치
Haliplidae 충 물진드깃과
Haliotidae 조개 전복과
Haliotis gigantea 조개 말전복
Halocynthia roretzi 동 멍게
Haloragaceae 식 개미탑과
Haloragis micrantha 식 개미탑
Halorhinus tobijei 어 매가오리
Halosauridae 어 발광멸과
Halosauropsis affinis 어 발광멸
Hamamelidaceae 식 조롱나뭇과
Hamatocactus uncinatus 식 갈고랑이선인장
Hanabusaya asiatica 식 금강초롱꽃
Hanabusaya latisepala 식 검산초롱꽃
Hanseniella sp. 동 좀지네
Hapalogenys mucronatus 어 군평서니
Hapalogenys nigripinnis 어 꼽새돔
Harengula zunashi 어 밴댕이
Harpalus capito 충 머리먼지벌레
Harpodon nehereus 어 물천구
Harpodontidae 어 물천구과
Hawaiia minuscula 조개 좁쌀고둥
Hedera tobleri 식 송악
Hedychium coronarium 식 진저
Hedysarum setigerum 식 나도황기
Helarctos malayanus 동 말레이곰
Helianthus annuus 식 해바라기
Helianthus debilis 식 각시해바라기
Helianthus tuberosus 식 뚱딴지
Helice tridens tridens 동 방게
Helicolenus dactytopterus 어 홍감펭
Heliocidaris crassispina 동 보라성게
Heliothis assulta 충 담배밤나방
Heliotropium arborescens 식 헬리오트로프
Heliozoa 충 태양충류
Helipterum manglesii 식 로단테
Helix pomatia 동 식용달팽이
Helleborus niger 식 크리스마스로즈
Helminthomorpha 동 연태류
Heloderma horridum 동 멕시코독도마뱀
Heloderma suspectum 동 아메리카독도마뱀
Helodidae 충 알꽃벼룩과
Helotidae 충 나무쑤시깃과
Hemerobiidae 충 뱀잠자리붙잇과
Hemerobius humuli 충 애뱀잠자리붙이
Hemerocallis aurantiaca 식 원추리
Hemerocallis middendorffii 식 큰원추리
Hemerophila atrilineata 충 뽕나무가지나방
Hemibarbus barbus 어 돌잉어
Hemibarbus labeo 어 누치
Hemibarbus longirostris 어 참마자
Hemichelidon sibirica 조 솔딱새
Hemichordata 동 반색 동물
Hemigrapsus penicillalus 동 풀게
Hemigrapsus sanguineus 동 무늬발게
Hemilepidotus gilberti 어 동갈횟대
Hemimetabola 충 외시류
Hemimyaria 동 반근목
Hemipodii 조 세가락메추라기목
Hemiptera 충 매미목
Hemiptereia davidii 식 스무나무
Hemiramphidae 어 학공칫과
Hemirhamphus sajori 어 학공치
Hemisalanx prognathus 어 벚꽃뱅어
Hemistepta lyrata 식 지칭개
Hemithea aestivaria 충 붉은선두리푸른자나방
Henicospilus ramidulus 충 어리별자루맵시벌
Heniochus acuminatus 어 두동가리돔
Hepatica asiatica 식 노루귀
Hepaticae 식 태류
Hepatica maxima 식 큰노루귀
Heptranchias perlo 어 꼬리기름상어
Heracleum moellendorffii 식 어수리
Hermyia beelzebul 충 검정수염꽃파리

Herpestes edwardsi [동] 몽구스
Herse convolvuli [충] 박각시나방
Hesperia florinda [충] 꽃팔랑나비
Hesperiidae [충] 팔랑나빗과
Hesper phanes campestris [충] 털숭이하늘소
Hestina assimilis [충] 홍점알락나비
Heterocera [충] 나방아목
Heterocoela [동] 이강목
Heterodontida [어] 괭이상어목
Heterodontidae [어] 괭이상어과
Heterodontus japonicus [어] 괭이상어
Heterodontus zebra [어] 삿징이상어
Heterogenea dentatatus [충] 자줏빛쐐기나방
Heteromeyenia bailey [동] 가와무라해면
Heterophleps fusca [충] 담홍색물결나방
Heterophyes heterophyes [동] 이형 흡충
Heteropilumnus ciliatus [동] 털보게
Heteropoda [동] 이족류
Heteropoda venatoria [동] 장수게거미
Heteroptera [충] 이시아목
Hevea brasiliensis [식] 파라고무나무
Hexacentrus japonicus [충] 베짱이
Hexactinellida [동] 육방 해면류
Hexagrammidae [어] 쥐노래밋과
Hexagrammos otakii [어] 쥐노래미
Hexapus sexpes [동] 여섯발게
Hexaradiata [동] 육방류
Hexasterophora [동] 육방성류
Hibiscus camabinus [식] 케나프
Hibiscus esculentus [식] 오크라
Hibiscus rosa sinensis [식] 불상화
Hibiscus manihot [식] 닥풀
Hibiscus mutabilis [식] 부용
Hibiscus sabdariffa [식] 로젤
Hibiscus syriacus [식] 무궁화나무
Hibiscus trionum [식] 수박풀
Hieracium coreanum [식] 껄껄이풀
Hieracium umbellatum [식] 조팝나물
Hierodula patellifera [충] 넓죽사마귀
Hijikia fusiforme [식] 녹미채
Hippobosca capensis [충] 개이파리
Hippobosca equina [충] 말이파리
Hippoboscidae [충] 이파릿과
Hippocampus coronatus [어] 해마
Hippocampus histrix [어] 가시해마
Hippoglossoides dubius [어] 홍가자미
Hippopotamus amphibius [동] 하마
Hippopus hippopus [조개] 차오
Hirudinea [동] 거머리강
Hirudinidae [동] 거머릿과
Hirudo nipponica [동] 거머리
Hirundinidae [조] 제빗과
Hirundo daurica japonica [조] 귀제비
Hirundo rustica gutturalis [조] 제비
Hirundo rustica mandschurica [조] 붉은배제비
Hister cadaverinus [충] 좀풍뎅이붙이
Histeridae [충] 풍뎅이붙잇과
Hister jekeli [충] 풍뎅이붙이
Histiophoridae [어] 돛새칫과
Histiophorus orientalis [어] 돛새치
Histiopteridae [어] 황줄돔과
Histiopterus typus [어] 황줄돔
Hocquartia manshuriensis [식] 등칡
Holictidae [충] 애굴벌과
Holocentridae [어] 얼게돔과
Holocentrus spinosissimus [어] 얼게돔
Holocephali [어] 전두류
Hololeiin maximowiczii [식] 께묵
Holothuria atra [동] 흑해삼
Holothurioidea [동] 해삼강
Holotricha [충] 전모류
Holotrichia diomphalia [충] 참검정풍뎅이
Holotrichia kiotoensis [충] 검정풍뎅이
Holotrichia morosa [충] 큰검정풍뎅이
Homalogonia obtusa [충] 네눈박이노린재
Hominidae [동] 사람과
Homocoela [동] 등강목
Homoeocerus dilatatus [충] 배허리노린재
Homoeogryllus japonicus [충] 방울벌레
Homoioceltis aspera [식] 푸조나무
Homo neanderthalensis [동] 네안데르탈인
Homopteryx nakaiana [식] 부전바디
Homo rhodesiensis [동] 로디지아인
Homorocoryphus lineosus [충] 매붙이
Homo sapiens [동] 사람 「맵시벌
Homotropus tarsatorius [충] 어리등에살이뭉뚝
Hoplobrotula armata [어] 붉은메기
Hordeum vulgare var. *hexastichon* [식] 보리
Hordeum sativum var. *vulgare* [식] 쌀보리
Horeites cantans [조] 휘파람새
Horistus gothicus [충] 노랑무늬장님노린재
Hormiphora palmata [동] 거품해파리
Hosta lancifolia [식] 산옥잠화
Hosta longipes [식] 비비추
Hosta plantaginea [식] 옥잠화
Hosta undulata [식] 개옥잠화
Houttuynia cordata [식] 약모밀
Hovenia dulcis [식] 호깨나무
Hucho ishikawae [어] 자치
Hugeria japonica [식] 산매자나무
Humulus japonicus [식] 환삼덩굴
Humulus lupulus [식] 홉
Hyacinthus orientalis [식] 히아신스
Hyaena hyaene [동] 하이에나
Hyalonema sieboldi [동] 상모끝
Hyas coarctatus alutaceus [동] 두꺼비게
Hyastenus diacantus [동] 뿔게
Hybris subjacans [충] 뿔잠자리
Hydaticus bowringiclark [충] 줄무늬물방개
Hydaticus grammicus [동] 꼬마줄물방개
Hydrangeaceae [식] 수국과
Hydrangea macrophylla [식] 수국
Hydrangea petiolaris [식] 등수국
Hydrangea serrata [식] 산수국
Hydra vulgaris [동] 히드라
Hydrilla verticillata [식] 검정말
Hydrobatidae [조] 바다제빗과
Hydrocharis asiatica [식] 자라풀
Hydrocharitaceae [식] 자라풀과
Hydrocotyle javanica [식] 큰피막이
Hydrocotyle sibthorpioides [식] 피막이풀
Hydrocotyle wilfordii [식] 선피막이
Hydrometra albolineata [충] 실소금쟁이
Hydrometridae [충] 실소금쟁잇과
Hydrophidae [동] 바다뱀과
Hydrophilidae [충] 물땡땡잇과
Hydrophilus affinis [충] 작은물땡땡이
Hydrophis cyanocinctus [동] 바다뱀
Hydropotes inermis argyropus [동] 고라니
Hydropsychidae [충] 줄날도랫과
Hydrosauria [동] 수척류
Hydrous acuminatus [충] 물땡땡이
Hydrozoa [동] 히드로충강
Hydrus platurus [동] 등검은물뱀
Hyla arborea japonica [동] 청개구리
Hyla selpheni [동] 거문도청개구리
Hylecoetus cossis [충] 통나무좀
Hylesimus tristis [충] 들메나무좀
Hylidae [동] 청개구릿과
Hylobates lar [동] 긴팔원숭이
Hylobius abietis haroldi [충] 솔곰보바구미
Hylomecon japonicum [식] 노랑매미꽃
Hylomecon vernale [식] 피나물
Hymenalia rufipennis [충] 홍날개썩덩벌레
Hymenolepis diminuta [동] 오묘촌충
Hymenolepis nana [동] 꼬마촌충
Hymenomycetes [식] 모균류
Hymenophyllaceae [식] 처녀이낏과
Hymenophyllum wrightii [식] 처녀이끼
Hymenoptera [충] 벌목
Hynobius nebulosus [동] 도롱뇽
Hyoscyamus niger [식] 사리풀
Hypericaceae [식] 물레나물과 「물
Hypericum ascyron var. *genuinum* [식] 물레나
Hypericum ascyron var. *longistylum* [식] 큰물
레나물
Hypericum attenuatum [식] 채고추나물
Hypericum confertissimum [식] 큰고추나물
Hypericum erectum [식] 고추나물
Hypericum gebleri [식] 애기물레나물
Hypericum japonicum [식] 애기고추나물
Hypericum laxum [식] 좀고추나물
Hypericum patulum [식] 금사매
Hypericum thunbergii [식] 등근애기고추나물
Hypericum vanioii [식] 다북고추나물
Hyperoartia [어] 완구개류
Hypertreta [어] 천구개류
Hyphantria cunea [충] 미국흰불나방
Hyphear tanakae [식] 꼬리겨우살이
Hypholoma sublateritium [식] 밤버섯
Hyphydrus japonicus [충] 알물방개
Hypneaceae [식] 가시우뭇과
Hypnea chroides [식] 가시우무
Hypnea japonica [식] 갈고리가시우무
Hypoderma bovis [충] 쇠파리
Hypodermatidae [충] 쇠파릿과
Hypodytes rubripinnis [어] 미역치
Hypomesus japonicus [어] 날빙어
Hypomesus olidus [어] 빙어
Hyponomeutidae [충] 사과좀나방과
Hypoptychus dybowskii [어] 양미리
Hypotrichida [동] 하모류
Hypsipetes amaurotis amaurotis [조] 제주직박구
리
Hypsipetes amaurotis hensoni [조] 직박구리
Hyracoidea [동] 바위너구리목
Hystricidae [동] 호저과
Hystrix cristata [동] 호저

Ibacus ciliatus [동] 부채새우
Icelus spiniger [어] 줄가시횟대
Ichneumon cyaniventris [충] 팔점박이보라맵시
벌
Ichneumon generosus [충] 알락맵시벌
Ichneumonidae [충] 맵시벌과
Ichthyornis [조] 어조
Ichthyosaurus [동] 어룡
Ictinogomphus clavatus [충] 방울잠자리
Iguana iguana [동] 이구아나
Iguanodon bernissartensis [동] 금룡
Ilema degenerella [충] 흰불나방
Ilex cornuta [식] 호랑가시나무
Ilex crenata var. *microphylla* [식] 꽝꽝나무
Ilex integra [식] 감탕나무
Ilex macropoda [식] 대팻집나무
Ilex rotunda [식] 먼나무
Ilisha elongata [어] 준치
Illicium anisatum [식] 붓순나무
Illoricata [동] 무갑류
Ilybius apicalis [충] 모래무지물방개
Ilyocoris exclamationis [충] 물둥구리
Impatiens balsamina [식] 봉선화
Impatiens noli-tangere [식] 노랑물봉선화
Impatiens sultanii [식] 아프리카봉선화
Impatiens textori [식] 물봉선화
Imperata cylindrica var. *koenigii* [식] 띠
Indigofera kirilowii [식] 땅비싸리
Indigofera koreana [식] 좀땅비싸리
Indigofera pseudo-tinctoria [식] 낭아초
Inegocia japonica [어] 점양태
Infusoria [생] 적충류
Inimicus japonicus [어] 쑤기미
Inocellia crassicornis [충] 약대벌레
Inocybe rimosa [식] 땀버섯
Insecta [동] 곤충강
Insectivora [동] 식충류
Inula britannica var. *japonica* [식] 금불초
Inula helenium [식] 목향
Inula lineariaefolia [식] 가는금불초
Inula salicina var. *asiatica* [식] 버들금불초
Invertebrata [동] 무척추 동물
Iozoste lancifolia [식] 육박나무
Iphiaulax imposter [충] 홍고치벌
Ipidae [충] 나무좀과
Ipomoea batatas var. *edulis* [식] 고구마
Ips typographus [충] 큰가문비나무좀
Iridaceae [식] 붓꽃과
Iris ensata var. *spontanea* [식] 꽃창포

Leontopodium japonicum 식 왜솜다리
Leontopodium leiolepis 식 산솜다리
Leonurus japonicus 식 송장풀
Leonurus sibiricus 식 익모초
Lepas antifera 동 조개삿갓
Lepidium macrocarpum 식 큰다닥냉이
Lepidium micranthum 식 다닥냉이
Lepidopsetta bilineata 어 까지가자미
Lepidoptera 충 나비목
Lepidosaphes ulmi 충 사과깍지벌레
Lepidosauria 동 인척류
Lepidotidae 어 새다랫과
Lepidotrigla guntheri 어 꼬마달재
Lepidotrigla microptera 어 달강어
Lepidotus brama 어 새다래
Lepismidae 충 반대좀과
Lepisorus onoei 식 애기일엽초
Lepisorus thunbergianus 식 다시마일엽초
Lepisorus ussuriensis 식 산일엽초
Leporidae 동 토낏과
Leptidea amurensis 충 기생나비
Leptoceridae 충 나비날도랫과
Leptocorixa varicornis 충 거미허리노린재
Leptogaster basilaris 충 각다귀파리매
Leptophlebiidae 충 밤색하루살잇과
Leptoptilus dubius 조 무수리
Leptorumohra miqueliana 식 왁살고사리
Leptoscarus japonicus 어 비늘돔
Leptostraca 동 협갑류
Leptothorax congruus 충 집개미
Leptura succedanea 충 붉은진꽃하늘소
Lepus sinensis coreanus 동 산토끼
Lepyrus japonicus 충 노랑쌍무늬바구미
Lernaeacy prinacea 동 닻벌레
Lespedeza bicolor var. *japonica* 식 싸리나무
Lespedeza cuneata 식 비수리
Lespedeza cyrtobotrya 식 참싸리
Lespedeza cytissides 식 땅비수리
Lespedeza daurica 식 호비수리
Lespedeza intermedia 식 풀싸리
Lespedeza kiusiana 식 밀대싸리
Lespedeza macrocarpa 식 꽃싸리
Lespedeza maritima 식 해변싸리
Lespedeza maximowiczii 식 조록싸리
Lespedeza maximowiczii var. *elongata* 식 늦싸리
Lespedeza maximowiczii var. *tricolor* 식 삼색싸리
Lespedeza melanantha 식 쇠싸리
Lespedeza pilosa 식 괭이싸리
Lespedeza robusta 식 고양싸리
Lespedeza tetraloba 식 속리산싸리
Lespedeza tomentosa 식 개싸리
Lespedeza trichocarpa 식 큰비수리
Lespedeza uyekii 식 해안싸리
Lespedeza virgata 식 좀싸리
Lestes japonica 충 좀청실잠자리
Lestes sponsa 충 청실잠자리
Lethe diana 충 먹그늘나비
Lethe sicelis 충 그늘나비
Lethrinidae 어 갈돔과
Lethrinus choerorhynchus 어 갈돔
Lethrinus haematopterus 어 구갈돔
Lethrinus nematacanthus 어 줄갈돔
Leucauge blanda 동 중백금거미
Leucojaceae 식 수선화과
Leucosia obtusifrons 동 주먹게
Leucosiidae 동 밤겟과
Leucospidae 충 밑들이벌과
Leucospis japonica 충 밑들이벌
Leucotermes speratus 충 흰개미
Leucozona lucorum 충 끝검정꽃등에
Leus esculenta 식 변두
Liatongus phanaeoides 충 참뿔풍뎅이
Libanotis coreana 식 털기름나물
Libellula angelina 충 대모잠자리
Libellula quadrimaculata 충 넉점박이잠자리
Libellulidae 충 잠자릿과
Librodor japonicus 충 네눈박이나무밑쑤시기
Liburnia oryzae 충 거먕멸구
Libythea celtis celtoides 충 뿔나비
Libytheidae 충 뿔나빗과
Lichenes 식 지의류
Ligularia fischeri 식 곰취
Ligularia jamesii 식 화살곰취
Ligularia pulchra 식 긴잎곰취
Ligularia speciosa 식 왕곰취
Ligularia stenocephala 식 곤달비
Ligularia taquetii 식 개취
Ligularia tussilaginea 식 털머위
Ligusticum acutilobum 식 왜당귀
Ligustrina fauriei 식 버들개회나무
Ligustrina reticulata 식 들정향나무
Ligustrina reticulata var. *mandshurica* 식 개회나무
Ligustrum acutissimum 식 산동쥐똥나무
Ligustrum foliosum 식 섬쥐똥나무
Ligustrum ibota var. *angustifolium* 식 쥐똥나무
Ligustrum ibota var. *glabrum* 식 청쥐똥나무
Ligustrum japonicum 식 광나무
Ligustrum lucidum 식 제주광나무
Ligustrum ovalifolium 식 왕쥐똥나무
Ligustrum salicinum 식 버들쥐똥나무
Liliaceae 식 백합과
Lilium amabile 식 털중나리
Lilium auratum 식 산나리
Lilium brounii 식 당개나리
Lilium buschianum 식 하늘나리
Lilium callosum 식 땅나리
Lilium cernum 식 솔나리
Lilium concolor var. *pulchellum* 식 하늘나리
Lilium distichum 식 말나리
Lilium hansonii 식 섬말나리
Lilium lancifolium 식 참나리
Lilium pseudotiginum 식 중나리
Limanda aspera 어 각시가자미
Limanda herzensteini 어 참가자미
Limanda punctatissima 어 층거리가자미
Limanda yokohamae 어 문치가자미
Limenitis camilla 충 줄나비
Limenitis helmanni 충 제일줄나비
Limenitis homeyeri 충 제삼줄나비
Limenitis moltrechiti 충 참줄나비
Limenitis populi ussuriensis 충 왕줄나비
Limenitis prattieximia 충 홍점줄나비
Limenitis sydyi 충 굵은줄나비
Limnodrilus gotoi 동 실지렁이
Limnophilidae 충 우묵날도랫과
Limnophilus correptus 충 모시우묵날도래
Limonium sinuatum 식 꽃갯길경
Limonium tetragonum 식 갯길경이
Limosa limosa melanuroides 조 흑꼬리도요
Linaceae 식 아마과
Linaria japonica 식 해란초
Linckiidae 동 빨강불가사릿과
Lindera strychnifolia 식 천태오약
Lindernia pyxidaria 식 밭둑외풀
Lineus fuscoviridis 동 연두끈벌레
Linguatulida 동 설충류
Lingula unguis 조개 개맛
Linnaea borealis 식 린네풀
Linognathus piliferus 충 개이
Linognathus stenopsis 충 염소이
Linum stelleroides 식 개아마
Linum usitatissimum 식 아마
Linuparus trigonus 동 왕새우
Linyphia marginata 동 접시거미
Liobagrus andersoii 어 퉁가리
Liobagrus mediodiposalis 어 자가사리
Liocola brevitarsis 충 흰점박이풍뎅이
Liolophura japonica 조개 딱지조개
Liopsetta obscura 어 강섬가자미
Liopsetta pinnifasiata 어 호수가자미
Liparis tanakai 어 꼼치
Lipocarpha microcephala 식 세대가리
Liquidambar orientalis 식 소합향
Liriope graminifolia 식 맥문동
Liriope koreana 식 개맥문동
Litchi chinensis 식 여지
Lithacodia stygia 충 지옥꼬마밤나방
Lithosia quadra 충 넉점박이불나방
Lithospermum arvense 식 개지치
Lithospermum erythrorhizon 식 지치
Lithospermum zollingeri 식 반디지치
Lithurgus collairs 충 우단뾰족벌
Littoraria intermedia 조개 두드럭총알고둥
Littorina brevicula 조개 총알고둥
Littorinidae 조개 총알고둥과
Lixus acutipennis 충 흰띠길쭉바구미
Lixus impressiventris 충 길쭉바구미
Liza haematocheila 어 가숭어
Lobelia chinensis 식 수염가래꽃
Lobelia erinus 식 로벨리아
Lobelia inflata 식 로벨리아
Lobelia sessilifolia 식 숫잔대
Lobotes surinamensis 어 백미돔
Lobotidae 어 백미돔과
Locusta migratoria danica 충 풀무치
Locusta migratoria migratoria 충 누리
Locustella fasciolata 조 붉은허리개개비
Locustidae 충 메뚜깃과
Loganiaceae 식 마전과
Loliginidae 동 오징어과
Loligo japonica 동 왜오징어
Loluim temulentum 식 독보리
Lomographa hyriaria 충 잔물결꼬마가시나방
Lonchura striata var. *domestica* 조 십자매
Lonicera caerulea var. *eduris* 식 댕댕이나무
Lonicera caerulea var. *emphyllocalyx* 식 개들쭉나무
Lonicera chrysantha var. *crassipes* 식 산괴불나무
Lonicera chrysantha var. *typica* 식 각시괴불나무
Lonicera coreana 식 순명다래나무
Lonicera harai 식 길맛가지나무
Lonicera insularis 식 섬괴불나무
Lonicera japonica 식 인동덩굴
Lonicera maackii var. *typica* 식 괴불나무
Lonicera monantha 식 볼레괴불나무
Lonicera praeflorens 식 올괴불나무
Lonicera ruprechtiana 식 물앵두나무
Lonicera sachalinensis 식 홍괴불나무
Lonicera subhispida 식 털괴불나무
Lonicera subsessilis 식 청괴불나무
Lonicera vesicaris 식 구슬댕댕이나무
Lonicera vidalii 식 왕괴불나무
Lophatherum eratum 식 조리대풀
Lophiida 어 아귀목
Lophiidae 어 아귓과
Lophiomus setigerus 어 아귀
Lophius litulon 어 황아귀
Lophobranchii 어 관새목
Lophopteryx capucina giraffina 충 기린하늘나방
Lophranthus rugosus 식 곽향
Lophura nycthemera 조 백한
Loranthaceae 식 참나무겨우살잇과
Loranthus yadoriki 식 참나무겨우살이
Lorica 동 유갑류
Loripes pissidium 조개 고간낙화조개
Lorisidae 동 늘보원숭잇과
Loris tardigradus 동 슬렌더로리스
Lorra amplipennis 충 홍띠윤구멍벌
Lota lota 어 모캐
Lotus corniculatus var. *japonicus* 식 벌노랑이
Loxia curvirostra 조 솔잣새
Loxoblemmus arietulus 충 알락귀뚜라미
Loxoblemmus doenitzi 충 모대가리귀뚜라미
Loxodonta africana 동 아프리카코끼리
Lucanidae 충 사슴벌렛과
Lucanus maculifemoratus 충 사슴벌레
Lucidina biplagiata 충 꽃반딧불이
Lucilia caesar 충 금파리
Luciogobius guttatus 어 미끈망둑
Luciola cruciata 충 반딧불이
Luciola lateralis 충 애반딧불이
Ludwigia prostrata 식 여뀌바늘
Luehdorfia puziloi coreana 충 이른봄애호랑이
Luffa cylindrica 식 수세미외
Lumbricomorpha 동 육구인류
Lunatica marmorata 조개 야광패
Lunda cirrhata 조 에투피리카
Lupinus hirsutus 식 푸른루핀
Lupinus luteus 식 노랑루핀
Lupinus perennis 식 루핀

Luscinia calliope calliope [조] 진홍가슴
Luscinia cyane [조] 쇠유리새
Luscinia megarhyncha [조] 나이팅게일
Luscinia sibilans [조] 울새
Lutjanus rivulatus [어] 물퉁돔
Lutjanus russeli [어] 점퉁돔
Lutra lutra lutra [동] 수달
Lutzia vorax [충] 범모기
Luzula capitata [식] 꿩의밥
Luzula macrocarpa [식] 별꿩의밥
Luzula multiflora [식] 산꿩의밥
Luzula oligantha [식] 구름꿩의밥
Luzula wahlen bergii [식] 좀꿩의밥
Lycaena phalaeas chinensis [충] 작은주홍부전나비
Lycaenidae [충] 부전나빗과
Lychnis cognata [식] 동자꽃
Lychnis fulgens [식] 털동자꽃
Lychnis githago [식] 선옹초
Lychnis laciniata [식] 가는동자꽃
Lychnis senno [식] 전추라
Lychnis wirfordii [식] 제비동자꽃
Lycidae [충] 홍반딧과
Lycium chinense [식] 구기자나무
Lycoctanum longicassidatum [식] 흰진범
Lycoctonum albo-violaceum [식] 줄바꽃
Lycoctonum gmelini [식] 노랑투구꽃
Lycoctonum pseudolaeve var. *erectum* [식] 오독
Lycodes nakamurae [어] 먹갈치 └도기
Lycodes tanakai [어] 벌레문치
Lycoperdon gemmatum [식] 말불버섯
Lycopersicon esculentum [식] 토마토
Lycopodiaceae [식] 석송과
Lycopodium alpinum [식] 산석송
Lycopodium chinense [식] 다람쥐꼬리
Lycopodium clavatum var. *nipponicum* [식] 석송
Lycopodium complanatum [식] 비늘석송
Lycopodium serratum [식] 뱀톱
Lycopus angustus [식] 애기쉽싸리
Lycopus coreanus var. *ramosissimus* [식] 개쉽
Lycopus lucidus [식] 쉽싸리 └싸리
Lycopus uniflorus [식] 털쉽싸리
Lycoris aurea [식] 개상사화
Lycoris radiata [식] 석산
Lycoris squamigera [식] 상사화
Lycostomus modestus [충] 홍반디
Lyctidae [충] 넓적나무좀과
Lyctus brunneus [충] 넓적나무좀
Lygaeidae [충] 긴노린잿과
Lygaeus cruciger [충] 십자무늬긴노린재
Lygodiaceae [식] 실고사릿과
Lygodium japonicum [식] 실고사리
Lymamtria dispar [충] 매미나방
Lymantridae [충] 독나방과
Lymexylidae [충] 통나무좀과
Lymnaea japonica [조개] 명주우렁이
Lymnaea pervia [조개] 고운명주우렁이
Lymnocryptes minima [조] 꼬마도요
Lynx lynx cervaria [동] 스라소니
Lyriothemis pachygastra [충] 넓적잠자리
Lyrurus tetrix ussuriensis [조] 멧닭
Lysimachia barystachys [식] 까치수염
Lysimachia clethroides [식] 큰까치수염
Lysimachia coreana [식] 참좁쌀풀
Lysimachia davurica [식] 좁쌀풀
Lysimachia fortunei [식] 진퍼리까치수염
Lysimachia japonica [식] 좀가지풀
Lysimachia leucantha [식] 물까치수염
Lysimachia mauritiana [식] 갯까치수염
Lythraceae [식] 부처꽃과
Lythrum anceps [식] 부처꽃
Lytta caraganae [충] 청가뢰

Maackia amurensis [식] 다릅나무
Maackia amurensis var. *buergeri* [식] 개물푸레
Maackia fauriei [식] 솔비나무 └나무
Macaca cyclopis [동] 대만원숭이
Macaca fuscata [동] 원숭이
Macaca mulatta [동] 벵골원숭이
Machilus japonica [식] 센달나무
Machilus rimosa var. *thunbergii* [식] 후박나무
Machimus scutellaris [충] 검정파리매
Macrobrachium nipponensis [동] 징거미
Macrocentrus gifuensis [충] 잎말이고치벌
Macrodorcus rectus [충] 애사슴벌레 ┌벌레
Macrodorcus rubrofemoratus [충] 홍다리사슴
Macrodorcus striatipennis [충] 줄사슴벌레
Macroglossum stellatarum [충] 꼬리박각시
Macrolepiota procera [식] 갓버섯
Macromia amphigena [충] 작산잠자리
Macronema radiatum [충] 줄날도래
Macrophthalmus japonicus [동] 칠게
Macrophya carbonaria [충] 말검정잎벌
Macrophya coxalis [충] 애황종아리잎벌
Macropodidae [동] 캥거루과
Macropodus chinensis [어] 버들붕어
Macropodus opercularis [식] 파라다이스피시
Macropus giganteus [동] 캥거루
Macrorhamphosidae [어] 대주둥칫과
Macrorhamphosus japonicus [어] 봉대물치
Macrorhamphosus sagifue [어] 대주둥치
Macroscytus japonensis [충] 강엿노린재
Macrosiphum rosae ibarae [충] 들장미진딧물
Macrua [동] 장미류
Mactra chinensis [조개] 개량조개
Mactra sachalinensis [조개] 함박조개
Mactra veneriformis [조개] 동죽조개
Mactridae [조개] 개량조갯과
Maculinea euphemus [충] 고운점박이푸른부전
Madreporaria [동] 석산호류 └나비
Magnoliaceae [식] 목련과
Magnolia denudata [식] 백목련
Magnolia kobus [식] 목련
Magnolia liliflora [식] 자목련
Magnolia obovata [식] 후박나무
Magnolia sieboldii [식] 함박꽃나무
Majanthemum bifolium [식] 두루미꽃
Makaira mazara [어] 녹새치
Makaira mitsukurii [어] 청새치
Malaceae [식] 능금나뭇과
Malacopoda [동] 연각류
Malacostraca [동] 연갑류
Malakichthys griseus [어] 눈퉁바리
Malampyrum ovalifolium [식] 알며느리밥풀
Malapterurus electricus [어] 전기메기
Mallambyx raddei [충] 참나무하늘소
Mallotus japonicus [식] 예덕나무
Malthopsis lutea [어] 꺽갈치
Malus asiatica [식] 능금나무
Malus micromalus [식] 개아그배나무
Malus pumila [식] 사과나무
Malus sieboldii [식] 아그배나무
Malvaceae [식] 아욱과
Malva sylvestris var. *mauritiana* [식] 당아욱
Malva verticillata [식] 아욱
Mamestra brassicae [충] 배추밤나방
Mammalia [동] 짐승강
Mammuthus primigenius [동] 매머드
Mandrillus sphinx [동] 만드릴
Mangifera indica [식] 망고
Manidae [동] 천산갑과
Manihot esculenta [식] 카사바
Manis pentadactyla [동] 천산갑
Mantidae [충] 사마귓과
Mantispa japonica [충] 애사마귀붙이
Mantispidae [충] 사마귀붙잇과
Mantis religiosa [충] 항라사마귀
Marchantia polymorpha [식] 우산이끼
Margaritifera margaritifera [조개] 방합
Margaronia indica [충] 인도명나방
Mariscus cyperoides [식] 방동사니아재비
Marlea platanifolia [식] 박쥐나무
Marmota marmota [동] 마멋
Marphysa sanguinea [동] 바위갯지네
Marrubium incisum [식] 흰꽃광대나물
Marsdenia tomentosa [식] 나도은조롱
Marsileaceae [식] 네가랫과
Marsilea quadrifolia [식] 네가래
Marsupialia [동] 유대류
Martes melampus coreensis [동] 산달
Martes zibellina [동] 검은담비
Maruca testulalis [충] 콩들명나방
Masakia radicans [식] 줄사철나무
Mastigophora [동] 편모충류
Mastodon americanus [동] 마스토돈
Matricaria chamomilla [식] 카밀레
Matricaria inodora [식] 개꽃
Matteuccia orientalis [식] 개면마
Matthiola incana [식] 스톡
Matuta lunaris [동] 금게
Mauritia mauritiana [조개] 자패
Maximowiczia chinensis [식] 오미자나무
Maximowiczia chinensis var. *glabrata* [식] 개
Maximowiczia nigra [식] 흑오미자 └오미자
Mazus japonicus [식] 주름잎
Mazus stachydifolius [식] 선주름잎
Mecopoda elongata [충] 철써기
Mecoptera [충] 밑들이벌레목
Mecostethus magister [충] 끝검은메뚜기
Mecynippus pubicornis [충] 단풍하늘소
Medicago denticulata [식] 거여목
Medicago lupulina [식] 잔개자리
Medicago minima [식] 개자리
Medicago ruthenica [식] 노랑개자리
Medicago sativa [식] 자주개자리
Meehania urticifolia [식] 벌깨덩굴
Meenoplidae [충] 줄강충잇과
Megachile humilis [충] 어리장미가위벌
Megachile nipponica [충] 장미가위벌
Megachile sculpturalis [충] 왕가위벌
Megachilidae [충] 가위벌과
Megaligia exotica [동] 갯강구
Megalotomus costalis [충] 개미허리노린재
Megapodius laperouse [조] 무덤새
Megaptera novaeangliae [동] 혹등고래
Megarcys ochracea [충] 그물강도래
Megaspis zonata [충] 왕꽃등에
Megaxyela gigantea [충] 호두칼잎벌
Meghimatium confusum [동] 민달팽이
Megopis sinica [충] 버드나무하늘소
Meimuna mongolica [충] 쓰름매미
Meimuna opalifera [충] 애매미
Melaleuca cajuputi [식] 카유푸티
Melalopa anastomosis [충] 버들하늘나방
Melampsalta pellosoma konoi [충] 노랑적찌기
Melampsalta pellosoma radiator [충] 풀매미
Melampyrum ciliare [식] 수염며느리밥풀
Melampyrum nakaianum [식] 새며느리밥풀
Melampyrum setaceum [식] 애기며느리밥풀
Melandrium capitatum [식] 분홍장구채
Melandrium firmum [식] 장구채
Melandrium firmum pubescens [식] 털장구채
Melandrium noctiflorum [식] 말냉이장구채
Melandrium seoulensis [식] 가는장구채
Melanitis leda [충] 먹나비
Melanitta fusca stejnegeri [조] 검둥오리사촌
Melanitta nigra americana [조] 검둥오리
Melastoma candidum var. *nobotan* [식] 들모란
Meleagris gallopavo [조] 칠면조
Meles meles melanogenys [동] 오소리
Melia azedarach var. *japonica* [식] 멀구슬나무
Meliaceae [식] 멀구슬나뭇과
Melilotus coerulea [식] 영릉향
Melilotus suaveolens [식] 전동싸리
Meliosma myriantha [식] 나도밤나무
Meliosma oldhami [식] 합다리나무
Melissa officinalis [식] 멜리사
Melitaea ambigua [충] 여름어리표범나비
Melitaea dictynna [충] 은점어리표범나비
Melitaea latefascia [충] 봄어리표범나비
Melitaea phoebe scotosia [충] 암어리표범나비
Melithoea flabellifera [동] 갯산호
Meloe corvinus [충] 둥글목남가뢰
Meloe violaceus [충] 왕남가뢰
Meloidae [충] 가룃과
Melolontha incana [충] 왕풍뎅이
Melopsittacus undulatus [조] 사랑새
Membrocidae [충] 뿔매밋과

Nassarius livescens [조개] 좁쌀무늬고둥
Natica janthostoma [조개] 구슬우렁이
Natrix tigrina [동] 율모기
Natrix vibakari [동] 대륙율모기
Naucoridae [충] 물둥구릿과
Naucrates indicus [어] 동갈방어
Naumburgia thyrsiflora [식] 버들까치수염
Nautiloidea [조개] 앵무조개목
Nautilus pompilius [조개] 앵무조개
Naxa seriaria [충] 별박이자나방
Nebalia bipes [동] 잎새우
Necrodes nigricornis [충] 수중다리송장벌레
Necrophorus concolor [충] 검정송장벌레
Necrophorus japonicus [충] 송장벌레
Nehalennia speciosa [충] 청동실잠자리
Neillia uyekii [식] 나도국수나무
Neisseria intrasellularis [식] 수막염구균
Nelumbo nucifera var. *macrorhizimata* [식] 연꽃
Nematalosa japonica [어] 대전어
Nemathelminthes [동] 선형 동물
Nematoda [동] 선충류
Nematognathi [동] 사악류
Nemertinea [동] 유형 동물
Nemipteridae [어] 실꼬리돔과
Nemipterus virgatus [어] 실꼬리돔
Nemoraea maculosa [충] 재가슴기생파리
Nemotaulius brevilinea [충] 줄우묵날도래
Nemoura sagittata [충] 민강도래
Nemouridae [충] 민강도랫과
Neodiprion sertifer [충] 솔노랑잎벌
Neoditrema ransonneti [어] 인상어
Neofinetia falcata [식] 풍란
Neohipparchus vallata [충] 애기줄푸른자나방
Neoitamus angusticornis [충] 광대파리매
Neolitsea aciculata [식] 흰새덕이
Neolitsea sericea [식] 참식나무
Neomeris phocaenoides [동] 쇠물돼지
Neooligochaeta [동] 지렁이목
Neope goschkevitschii [충] 왕알락그늘나비
Neopercis multifasciata [어] 열쌍동가리
Neopercis sexfasciatus [어] 쌍동가리
Neoperla nipponensis [충] 쌍눈박이강도래
Neosalanx andersoni [어] 도화뱅어
Neosalanx hubbsi [어] 실뱅어
Neothunnus macropterus [어] 황다랑어
Neotrichophorus plebejus [충] 길쭉방아벌레
Nepeta cataria [식] 개박하
Nepeta stewartiana [식] 간장풀
Nepherium longana [식] 용안
Nephila clavata [동] 무당거미
Nephotettix bipunctatus cincticeps [충] 끝검은매미충
Nepidae [충] 장구애빗과
Neptis aceris intermedia [충] 애기세줄나비
Neptis alwina [충] 왕세줄나비
Neptis coenobita [충] 두줄나비
Neptis philyra [충] 세줄나비
Neptis thisbe [충] 황세줄나비
Neptunea arthritica [조개] 관절매물고둥
Nereidae [동] 갯지렁잇과
Nereis japonica [동] 갯지렁이
Neriidae [충] 좀파리과
Nerita japonica [조개] 아롱꽃바구니고둥
Nerium indicum [식] 협죽도
Nesopeza geniculata [충] 말라깽이꾸정모기
Neuronia regina [충] 날도래
Neuroptera [충] 뿔잠자리목
Neurotoma iridescens [충] 무지개납작잎벌
Neverita didyma [조개] 큰구슬우렁이
Nezara antennata [충] 풀노린재
Nibea albiflora [어] 수조기
Nibea imbricata [어] 민어
Nibea mitsukurii [어] 동갈민어
Nicotiana tabacum [식] 담배
Nigella damascena [식] 니겔과
Nihonogomphus bifurcatus [충] 고려측범잠자리
Nihonogomphus minor [충] 꼬마측범잠자리
Nihonogomphus viridis [충] 푸른측범잠자리
Ninga deltoides [충] 큰날개잠자리붙이
Ninox scutulata scutulata [조] 솔부엉이
Niphanda fusca [충] 담흑부전나비

Niphon spinosis [어] 다금바리
Nipponia nippon [조] 따오기
Nisia atrovenosa [충] 줄강충이
Nitidulidae [충] 나무밑쑤시깃과
Noctiluca scintillans [동] 야광충
Noctuidae [충] 밤나방과
Noesalanx hubbsi [어] 실뱅어
Nomada japonica [충] 노랑알락꽃벌
Nomia punctata [충] 줄애꽃벌
Non-calcarea [동] 무석회해면류
Noteros japonicus [충] 자색물방개
Notiophilus impressifrons [충] 딱부리먼지벌레
Notonecta triguttata [충] 송장헤엄치개
Notonectidae [충] 송장헤엄치갯과
Notorhynchus platycephalus [어] 칠성상어
Notoxys daimio [충] 뿔벌레
Nucifraga caryocatactes macrorhynchus [조] 잣까마귀
Nudibranchia [동] 나새류
Numenius arquata orientalis [조] 마도요
Numenius phaeopus variegatus [조] 중부리도요
Numida galeata [조] 뿔닭
Nuphar coreanum [식] 참개연꽃
Nuphar pumilum [식] 왜개연꽃
Nycoperdaceae [식] 말불버섯과
Nyctaginaceae [식] 분꽃과
Nyctalus lasiopterus aviator [동] 산박쥐
Nyctea scandiaca [조] 흰올빼미
Nyctereutes procyonoides [동] 너구리
Nycteribiidae [충] 거미파릿과
Nycticorax nycticorax [조] 해오라기
Nymphaeaceae [식] 수련과
Nymphaea japonokoreana [식] 수련
Nymphaea minima [식] 각시수련
Nymphalidae [충] 네발나빗과
Nymphalis antiopa [충] 신부나비
Nymphalis io geisha [충] 공작나비
Nymphalis xanthomelas [충] 들신선나비
Nymphoides cristatum [식] 좀어리연꽃
Nymphoides indicum [식] 어리연꽃
Nymphoides peltata [식] 노랑어리연꽃
Nymphozanthus japonicus [식] 개연꽃
Nymphula fengwhanalis [충] 노랑물명나방

Oceanodroma castro [조] 바다제비
Ochlodes venata [충] 수풀떠들썩팔랑나비
Ochotona hyperborea coreana [동] 생토끼
Ochotonidae [동] 생토낏과
Ochrognesia difficta [충] 흰무늬푸른자벌레나방
Ochropleura praecox flavomaculata [충] 회색밤나방
Ochrops bivittatus [충] 황등에붙이
Ochrostigma manleyi [충] 줄참나무하늘나방
Octocoralla [동] 팔방류
Octopoda [동] 팔완목
Octopodae [동] 낙짓과
Octopus dofleini [동] 문어
Octopus ochellatus [동] 꼴뚜기
Octopus vulgaris [동] 낙지
Ocycrius japonicus [어] 연어병치
Ocynectes maschalis [어] 가시꺽정이
Ocypoda stimpsoni [동] 달랑게
Ocypodidae [동] 달랑겟과
Odobenus rosmarus [동] 해마
Odonata [충] 잠자리목
Odontamblyopus rubicundus [어] 개소경
Odontoceti [동] 치경류
Odynerus dantici [충] 별호리병벌
Odynerus trilobus [충] 세쪽호리병벌
Oebia undalis [충] 배추명나방
Oecanthus longicauda [충] 긴꼬리
Oecetis nigropunctata [충] 털나비날도래
Oedaleus infernalis [충] 팥중이
Oedaleus infernalis saussure [충] 콩중이붙이
Oedecnema dubia [충] 수중다리꽃하늘소
Oedemeridae [충] 하늘소붙잇과
Oenanthe javanica var. *japonica* [식] 개미나리
Oenanthe stolonifera [식] 미나리

Oeneis asamana [충] 참산뱀눈나비
Oenothera lamarckiana [식] 큰달맞이꽃
Oenothera odorata [식] 금달맞이꽃
Oenothera tetraptera [식] 달맞이꽃
Okapia johnstoni [동] 오카피
Oldenlandia crassifolia [식] 낚시돌풀
Oleaceae [식] 물푸레나뭇과
Olea europaea [식] 올리브
Olenecamptus cretaceus [충] 염소하늘소
Olethreutes arcuella [충] 왕무늬애기잎말이나방
Olethreutidae [충] 애기잎말이나방과
Oliarus apicalis [충] 장삼벌레
Oligochaeta [동] 지렁이강
Ommatius chinensis [충] 왕파리매
Omobranchus japonicus [어] 골베도라치
Omophron limbatus [충] 강변먼지벌레
Omphalodera puziloi [충] 넉점박이각시꽃하늘소
Omphalothrix longipes [식] 쌀파도풀
Oncocephalus philippinus [충] 어리알락침노린재
Oncorhynchus gorbuscha [어] 곱사송어
Oncorhynchus keta [어] 연어
Oncorhynchus macrostomus [어] 산천어
Oncorhynchus masou [어] 송어
Oncotympana coreana [충] 참매미
Ondatra zibethica [동] 머스크랫
Onocleaceae [식] 야산고사릿과
Onoclea sensibilis [식] 야산고사리
Onthophagus atripennis [충] 부치풍뎅이
Onthophagus lenzii [충] 렌츠부치풍뎅이
Onychium japonicum [식] 선바위고사리
Onychodactylus fischeri [동] 꼬리치레도롱뇽
Onychophora [동] 유조 동물
Opeas pyrgula [조개] 긴산보리고둥
Ophicephalida [어] 가물치목
Ophichthyidae [어] 물뱀과
Ophidia [동] 뱀목
Ophion pungens [충] 왕자주맵시벌
Ophiophagus hannah [동] 킹코브라
Ophioplocus japonicus [동] 거미불가사리
Ophiopogonaceae [식] 맥문아재빗과
Ophiopogon jafuran var. *latifolius* [식] 맥문아재비
Ophiopogon japonicus [식] 소엽맥문동
Ophiothela danae [동] 비단애거미불가사리
Ophiothrix koreana [동] 가시거미불가사리
Ophisurus macrorhynchus [어] 물뱀
Ophiuroidea [동] 거미불가사리강
Opisthobranchia [동] 후새류
Opisthocentrus zonope [어] 육점날개
Opisthogoneata [동] 후문류
Oplegnathidae [어] 돌돔과
Oplegnathus fasciatus [어] 돌돔
Oplegnathus punctatus [어] 강담돔
Oplismenus undulatifolius var. *japonicus* [식] 주름조개풀
Oplopanax elatum [식] 땃두릅나무
Opsariichthys bidens [어] 끄리
Opuntia microdasys [식] 금오모자
Opuntia tuna [식] 선인장
Oraesia excavata [충] 갈고리밤나방
Orchidaceae [식] 난초과
Orchis militaris [식] 샐렙
Orchis rupestris [식] 나비난초
Orectolobidae [어] 수염상어과
Orectolobus japonicus [어] 수염상어
Oriolidae [조] 꾀꼬릿과
Oriolus chinensis diffusus [조] 꾀꼬리
Orithyia sinica [동] 범게
Orixa japonica [식] 상산
Orizias latipes [어] 송사리
Ornithorhynchus anatinus [동] 오리너구리
Orostachys erubescens [식] 지부지기
Orostachys iwarenge [식] 바위솔
Orostachys malacophyllus [식] 둥근바위솔
Orostachys minutus [식] 좀바위솔
Orthetrum albistylum speciosum [충] 밀잠자리
Orthetrum japonicum [충] 중간밀잠자리
Orthetrum triangulare melania [충] 큰밀잠자리
Orthilia secunda [식] 새끼노루발
Orthobelus flavipes [충] 뿔매미
Orthodon angustifolium [식] 가는잎산들깨
Orthodon grosseserratum [식] 쥐깨

Pentatoma japonicum 충 분홍다리풀노린재
Pentatoma semiannulata 충 왕노린재
Pentatomidae 충 노린재과
Penthetria japonica 충 게피털파리
Penthoraceae 식 낙지다리과
Penthorum chinense 식 낙지다리
Percanthias japonicus 어 노랑벤자리
Percida 어 농어목
Percis japonica 어 네줄고기
Perdix fanbata 조 반시
Pericrocotus roseus 조 할미새사촌
Peridinium willei 동 페리디늄윌레이
Perilla frutescens var. *crispa* 식 차조기
Perilla frutescens var. *japonica* 식 들깨
Perinereis nuntia 동 검갯지렁이
Periophtalmidae 어 망둥어과
Periophthalmus cantonensis 어 말뚝망둥어
Periplaneta americana 충 이질바퀴
Periplaneta picea 충 먹바퀴
Perissodactyla 동 기제류
Peristedion orientale 어 황성대
Peristedion rieffeli 어 별성대
Peritricha 충 연모류
Perlidae 충 강도랫과
Perlodidae 충 그물강도랫과
Pernis apivorus neglectus 조 큰매
Persea americana 식 아보카도
Persicaria aestiva 식 민미꾸리낚시
Persicaria amphibia 식 물여뀌
Persicaria blumei 식 개여뀌
Persicaria bungeana 식 바늘여뀌
Persicaria conspicua 식 꽃여뀌
Persicaria fauriei 식 가시여뀌
Persicaria filiforme 식 이삭여뀌
Persicaria flaccida 식 바보여뀌
Persicaria foliosa 식 겨이삭여뀌
Persicaria hastato-sagittata 식 긴미꾸리낚시
Persicaria hydropiper var. *vulgaris* 식 여뀌
Persicaria japonica 식 흰꽃여뀌
Persicaria lapathifolia 식 흰여뀌
Persicaria lyrata 식 애기개메밀
Persicaria maackiana 식 나도미꾸리
Persicaria makinoi 식 큰끈끈이여뀌
Persicaria maximowiczii 식 가는개여뀌
Persicaria neo-filiforme 식 새이삭여뀌
Persicaria nepalensis 식 산여뀌
Persicaria nipponensis 식 넓은잎미꾸리낚시
Persicaria nodosum 식 명아자여뀌
Persicaria paludicola 식 버들겨이삭
Persicaria perfoliata 식 며느리배꼽
Persicaria posumbu 식 장대여뀌
Persicaria sagittata 식 미꾸리낚시
Persicaria senticosa 식 며느리미씨께
Persicaria thunbergii var. *coreana* 식 고마리
Persicaria trigonocarpa 식 붉은대동여뀌
Persicaria viscofera 식 끈끈이여뀌
Persicaria viscosa 식 기생여뀌
Perypylaria 동 다공류
Pesteurela pestis 식 페스트균
Petasites japonicus 식 머위
Petasites saxatilis 식 개머위
Petaurista leucogenys hintoni 동 날다람쥐
Petrocelinum sativum 식 파슬리
Petromyzonida 어 다목장어목
Petromyzonidae 어 다목장어과
Peucedanum coreanum 식 두메기름나물
Peucedanum deltoideum 식 산기름나물
Peucedanum elegans 식 가는기름나물
Peucedanum japonicum 식 갯기름나물
Peucedanum paishanense 식 두메방풍
Peucedanum terebinthaceum 식 기름나물
Phacellurus angustifolia 식 쇠치기풀
Phaeophyta 식 갈조 식물
Phaethontidae 조 열대조과
Phalacrocoracidae 조 가마우짓과
Phalacrocorax capillatus 조 바다가마우지
Phalacrocorax carbo 조 민물가마우지
Phalacrocorax pelagicus 조 쇠가마우지
Phalacrocorax urile 조 호가마우지
Phalanger maculalus 동 늘보주머니쥐
Phalaris arundinacea 식 리본초
Phaldusa tau 동 해녀물부리고둥
Phalera flavescens 충 장미하늘나방
Phanerogamae 식 현화 식물
Phaneroptera falcata 충 실베짱이
Phanerotoma flava 충 노랑고치벌
Phanerozonia 동 현대류
Pharbitis hispida 식 둥근잎나팔꽃
Pharbitis nil 식 나팔꽃
Phascolarctos cinereus 동 코알라
Phascolosoma japonica 동 별벌레
Phaseolus ganularis 식 팥
Phaseolus lunatus 식 리마콩
Phaseolus nipponensis 식 새팥
Phaseolus radiatus 식 녹두
Phaseolus vulgaris 식 강낭콩
Phasia analis 충 별파리
Phasianidae 조 꿩과
Phasianus colchicus karpowi 조 꿩
Phasianus colchicus pallasi 조 북꿩
Phasiidae 충 넓적꽃파릿과
Phasmidae 충 대벌렛과
Phegopteris decursive-pinnata 식 설설고사리
Phellodendron amurense 식 황벽나무
Phellodendron insulare 식 섬황경피나무
Phellodendron molle 식 털황경피나무
Phellodendron sachalinensis 식 화태황벽나무
Phellopterus littoralis 식 갯방풍
Pheretima koreana 동 참지렁이
Pheropsophus jessoensis 충 방귀벌레
Philadelphus koreanus 식 양덕고광나무
Philadelphus lasiogynus 식 흰털고광나무
Philadelphus mandshuricus 식 꼭지고광나무
Philadelphus pekinensis 식 각시고광나무
Philadelphus robustus 식 왕고광나무
Philadelphus scaber 식 섬고광나무
Philadelphus schrenckii 식 고광나무
Philadelphus tenuifolius 식 엷은잎고광나무
Philomachus pugnax 조 목도리도요
Philonthus japonicus 충 좀반날개
Philopota aenea 충 꼽추등에
Philudoria albomaculata 충 대나방
Philyra pisum 동 밤게
Phleum pratense 식 티머시
Phlomis koraiensis 식 산속단
Phlomis umbrosa 식 속단
Phlox paniculata 식 풀협죽도
Phoca hispida 동 물범
Phocidae 동 물범과
Phoenicopterus roseus 조 플라밍고
Phoenicurus auroreus 조 딱새
Phoenix dactylis 식 대추야자
Pholcidae 동 유령거밋과
Pholcus crypticolens 동 유령거미
Pholidae 어 황줄베도라칫과
Pholis taczanowskii 어 황줄베도라치
Phormium tenax 식 뉴질랜드삼
Phoronida 동 추충류
Phoronis australis 동 비벌레
Phoxinus phoxinus 어 연준모치
Phragamtobia fuliginosa 충 민들레불나방
Phragmites communis 식 갈대
Phragmites japonica 식 달뿌리풀
Phraortes elongatus 충 대벌레
Phraortes illepidus 충 긴수염대벌레
Phryganea japonica 충 끝검은날도래
Phryganea sordida 충 소요산날도래
Phryganeidae 충 날도랫과
Phrymaceae 식 파리풀과
Phryma leptostachya 식 파리풀
Phrynosoma cornutum 동 합개
Phtheirospermum japonicum 식 나도송이풀
Phthiridae 충 사면발잇과
Phthirius pubis 충 사면발이
Phycomycophyta 식 조균 식물
Phyllanthaceae 식 여우주머닛과
Phyllanthus urinaria 식 여우구슬
Phyllanthus ussuriensis 식 여우주머니
Phyllitis japonica 식 골고사리
Phyllium siccifolium 충 가랑잎벌레
Phyllodoce caerulea 식 가솔송
Phyllopoda 충 엽각목
Phylloscopus borealis xanthodryas 조 쇠솔새
Phylloscopus occipitalis coronatus 조 산솔새
Phylloscopus inornatus inornatus 조 노랑눈썹솔새
Phylloscopus tenellipes 조 되솔새
Phyllostachys bambusoides 식 왕대
Phyllostachys edulis 식 죽순대
Phyllostachys nigra 식 오죽
Phyllostachys nigra punctata 식 반죽
Phyllostachys nigra var. *henonis* 식 솜대
Phyllostachys reticulata 식 참대
Phylloxera vastatrix 충 포도나무뿌리진딧물
Phymatodes maacki kraatz 충 마키하늘소
Physalia physalis utriculus 동 고깔해파리
Physaliastrum echinatum 식 가시꽈리
Physalis alkekengi var. *francheti* 식 꽈리
Physalis angulata 식 땅꽈리
Physalis minima 식 애기땅꽈리
Physeter catodon 동 향유고래
Physeteridae 동 향유고랫과
Physocarpus insularis 식 섬국수나무
Phsocarpus ribesifolia 식 산국수나무
Physophora 동 유포류
Physostigma venenosum 식 칼라바르콩
Phytoecia rufiventris 충 국화하늘소
Phytoflagellata 동 식물성편모충류
Phytolacca americana 식 미국자리공
Phytolaccaceae 식 자리공과
Phytolacca esculenta 식 자리공
Phytolacca insularis 식 섬자리공
Pica pica serica 조 까치
Picea abies 식 독일가문비
Picea jezoensis 식 가문비나무
Picea koraiensis 식 종비나무
Picea pungsanensis 식 풍산가문비
Picidae 조 딱따구릿과
Picrasma ailanthoides 식 소태나무
Picris japonica 식 쇠서나물
Picus canus jessoensis 조 청딱따구리
Pidonia signifera 충 눈박이각시꽃하늘소
Pidorus glaucopis atratus 충 반딧불나방
Pieridae 충 흰나빗과
Pieris canidia 충 대만흰나비
Pieris japonica 식 마취목
Pieris napi 충 줄흰나비
Pieris rapae 충 배추흰나비
Pikea japonica 어 가시우럭
Pilea peploides 식 물통이
Pilea viridissima 식 모시물통이
Pimenta officinallis 식 올스파이스
Pimpinella anisum 식 아니스
Pimpinella calycina 식 참나물
Pimpinella gustavoheziana 식 노루참나물
Pimpla alboannulata 충 흰무늬끄리맵시벌
Pimpla plato 충 검정마디끄리맵시벌
Pinaceae 식 소나뭇과
Pinctada martensii 조개 진주조개
Pinellia ternata 식 반하
Pinna pectinata japonica 조개 키조개
Pinnidae 조개 키조갯과
Pinnipedia 동 기각류
Pinnotheres cyclinus 동 대합속살이게
Pinnotheres pholadis 동 섭속살이게
Pinnotheres sinensis 동 굴속살이게
Pinnotheridae 동 속살이겟과
Pinus banksiana 식 방크스소나무
Pinus bungeana 식 백송
Pinus densiflora 식 소나무
Pinus koraiensis 식 잣나무
Pinus palustris 식 왕솔나무
Pinus parviflora 식 섬잣나무
Pinus pumila 식 눈잣나무
Pinus pungens 식 푼겐스소나무
Pinus rigida 식 리기다소나무
Pinus strobus 식 스트로부스소나무
Pinus tabulaeformis 식 만주흑송
Pinus thunbergii 식 해송
Piperaceae 식 후춧과
Piper kadzura 식 바람등칡
Piper longum 식 필발
Piper nigrum 식 후추나무

Pipistrellus abramus abramus [동] 집박쥐
Pipistrellus pipistrellus [동] 양박쥐
Piratinera guianensis [식] 스네이크우드
Pisaura lama [동] 갈색마라톤거미
Pisces [동] 어류
Pissodes nitidus [충] 노랑무늬솔바구미
Pisum sativum [식] 완두
Pitta brachyura [조] 팔색조
Pittacus erithaccus [조] 회색앵무
Pittidae [조] 팔색조과
Pittosporaceae [식] 돈나뭇과
Pittosporum tobira [식] 돈나무
Pitylus laevis [충] 산하늘소붙이
Placentalia [동] 유태반류
Placophora [동] 유판류
Placosternum alces [충] 썩비리노린재
Plagiorhegma dubium [식] 깽깽이풀
Plagiospermum sinense [식] 빈추나무
Plagiostomi [어] 횡구류
Plagisdera verscolora [충] 버들청잎벌레
Planaria gonocephala [동] 플라나리아
Planetes puncticeps [충] 두점박이먼지벌레
Plantaginaceae [식] 질경잇과
Plantago asiatica var. *densiuscula* [식] 질경이
Plantago camtschatica [식] 개질경이
Plantago depressa [식] 털질경이
Plantago japonica [식] 왕질경이
Plantago lanceolata [식] 창질경이
Plantago sibirica [식] 긴잎질경이
Plantago yezomaritima [식] 갯질경이
Plasmodium [동] 말라리아 원충
Plasmodroma [동] 형주 동물
Platalea leucorodia major [조] 노랑부리저어새
Platalea leucorodia minor [조] 저어새
Platambus fimbriatus [충] 노랑테콩알물방개
Platanaceae [식] 플라탄과
Platanus occidentalis [식] 플라타너스
Platanus orientalis [식] 플라타너스
Plataspididae [충] 등근노린잿과
Platax pinnatus [어] 제비활치
Platichthys stellatus [어] 강도다리
Platycarya strobilacea [식] 굴피나무
Platycarya strobilacea var. *coreana* [식] 털굴피나무
Platycephalidae [어] 양탯과
Platycephalus indicus [어] 양태
Platycerium bifurcatum [식] 박쥐난
Platycerus delicatulus [충] 비단사슴벌레
Platycodon grandiflorum [식] 도라지
Platyhelminthes [동] 편형 동물
Platypleura kaempferi [충] 털매미
Platypoda [동] 광족류
Platypodidae [충] 긴나무좀과
Platyrhina sinensis [어] 목탁가오리
Platyrhinidae [어] 목탁가오릿과
Plebejus argus [충] 부전나비
Plecoglossidae [어] 은어과
Plecoglossus altivelis [어] 은어
Plecoptera [충] 강도래목
Plecotus auritus ognevi [동] 귀박쥐
Plectorhynchus cinctus [어] 어름돔
Plectorhynchus pictus [어] 청황돔
Plectrophenax nivalnis nivalis [조] 흰멧새
Plectropomus leopardus [어] 무늬바리
Plectrura metallica [충] 두꺼비하늘소
Pleidae [충] 동굴물벌렛과
Pleioblastus gramineus [식] 대명죽
Pleioblastus simoni [충] 해장죽
Plesiopidae [어] 육돈바릿과
Plesiops semeion [어] 육돈바리
Pleuriarum negishii [식] 섬천남성
Pleuroceridae [조개] 다슬깃과
Pleurogrammus azonus [어] 임연수어
Pleuronectida [어] 가자미목
Pleuronectidae [어] 붕넙칫과
Pleuronichthys cornutus [어] 도다리
Pleuropteropyrum ajanense [식] 긴개싱아
Pleuropteropyrum divaricatum [식] 왜개싱아
Pleuropteropyrum micranthum [식] 개싱아
Pleuropteropyrum microcarpum [식] 참개싱아
Pleuropteropyrum mollifolium [식] 얇은개싱아
Pleuropteropyrum ochreatum [식] 좀싱아
Pleuropteropyrum polymorphum [식] 싱아
Pleuropterus ciliinervis [식] 나도하수오
Pleuropterus multiflorus [식] 하수오
Pleurospermum kamtschaticum [식] 누룩치
Pleurotus ostreatus [식] 느타리
Pliasaurus [동] 절치룡
Plinachtus bicoloripes [충] 홍황다리허리노린재
Ploima [동] 유영류
Plotosidae [어] 쏠종갯과
Plotosus anguillaris [어] 쏠종개
Plumbaginaceae [식] 갯길경잇과
Plusia festata [충] 벼은무늬윗날개나방
Plutella maculipennis [충] 배추좀나방
Pluvialis dominicus [조] 가슴검은도요
Poaceae [식] 포아풀과
Podagrion chinensis [충] 사마귀끄리좀벌
Podiceps griseigena [조] 큰논병아리
Podiceps ruficollis poggei [조] 논병아리
Podicipidae [조] 논병아릿과
Podophyllum versipelle [식] 귀구
Podothecus gilberti [어] 길줄고기
Podothecus sachi [어] 날개줄고기
Podothecus thompsoni [어] 실줄고기
Poephila cincta [조] 금정조
Poephila gouldiae [조] 호금조
Pogonia japonica [식] 큰방울새난초
Pogonitis cumulata [충] 뒤쪽무늬끄마가시나방
Pogonocherus seminiveus [충] 흰어깨하늘소
Pogonophora [동] 유수강
Polbina tancrei [충] 잔물결박각시
Polemoniaceae [식] 꽃고빗과
Polemonium racemosum [식] 꽃고비
Polianthes tuberosa [식] 만향옥
Poliaspis pini [충] 소나무깍지진딧물
Polistes erythrocerus [충] 쌍살벌
Polistes japonicus jadwigae [충] 등검은쌍살벌
Polistes mandarinus [충] 노랑점쌍살벌
Pollia japonica [식] 나도생강
Polycarpa maximowiczii [식] 의나무
Polychaeta [동] 갯지렁이강
Polyclada [동] 다기장류
Polydactylus plebejus [어] 날가지숭어
Polygalaceae [식] 원지과
Polygala japonica [식] 애기풀
Polygala senega [식] 세네가
Polygala sibirica [식] 두메애기풀
Polygala tenuifolia [식] 원지
Polygala triphylla [식] 병아리풀
Polygonaceae [식] 마디풀과
Polygonatum falcatum [식] 죽대
Polygonatum humile [식] 각시둥굴레
Polygonatum involucratum [식] 용둥굴레
Polygonatum odoratum var. *pluriflorum* [식] 둥굴레
Polygonatum stenophyllum [식] 층층둥굴레
Polygonum aviculare [식] 마디풀
Polygonum equisetiforme [식] 개마디풀 「귀
Polygonum taquetii var. *minutulum* [식] 애기여
Polygonum tinctorium [식] 쪽
Polygraphus proximus [충] 애전나무좀
Polynemida [어] 기숭어목
Polynemidae [어] 날가지숭어과
Polyommatus icarus [충] 유럽푸른부전나비
Polyopisthocotylea [동] 다후구류
Polyphylla laticollis [충] 수염풍뎅이
Polypodium ensatum [식] 밤잎고사리
Polypodium veitchii [식] 층층고란초
Polypogon hiyegawari [식] 쇠돌피
Polyrhachis lamellidens [충] 가시개미
Polystichum craspedosorum [식] 낚시고사리
Polystichum polyblepharum [식] 나도히초미
Polytrichum juniperinum [식] 솔이끼
Pomacentridae [어] 점자돔과
Pomacentrus coelestis [어] 파랑돔
Pomacentrus violascens [어] 점자돔
Pomadasyidae [어] 하스돔과
Pomadasys hasta [어] 하스돔
Pompilidae [충] 대모벌과
Pompilus reflexus [충] 홍허리대모벌
Poncirus trifoliata [식] 탱자나무
Ponera japonica [충] 침개미
Pongidae [동] 유인원과
Pongo pygmaeus [동] 성성이
Pontederaceae [식] 물옥잠과
Pontia daplidice [충] 풀흰나비
Popillia indigonacea [충] 알풍뎅이
Populus alba [식] 은백양
Populus davidiana [식] 사시나무
Populus davidiana for. *laticuneata* [식] 긴잎사시나무
Populus glandulosa [식] 수원사시나무
Populus jesoensis [식] 왜사시나무
Populus koreana [식] 물황철나무
Populus maximowiczii [식] 황철나무
Populus monilifera [식] 미루나무
Populus nigra [식] 양버들
Populus simonii [식] 당버들
Porcellio scaber [동] 쥐며느리
Porifera [동] 해면 동물
Porphyra tenera [식] 김
Portulacaceae [식] 쇠비름과
Portulaca grandiflora [식] 채송화
Portulaca oleracea [식] 쇠비름
Portunus sanguinolentus [동] 점박이꽃게
Portunus trituberculatus [동] 꽃게
Porzana fusca erythrothorax [조] 쇠뜸부기사촌
Porzana noveboracensis exquisita [조] 알락뜸부기
Porzana paykulli [조] 조선뜸부기
Porzana pusilla pusilla [조] 쇠뜸부기
Potamobiidae [동] 가잿과
Potamogetonaceae [식] 가랫과
Potamogeton crispus [식] 말즘
Potamogeton cristatus [식] 가는가래
Potamogeton fluitans [식] 좀가래
Potamogeton franchetii [식] 가래
Potamogeton javanicus [식] 애기가래
Potamogeton malaianus var. *latifolius* [식] 대가래
Potamogeton oxyphyllus [식] 말
Potamogeton pusillus [식] 실말
Potamogeton subsessilifolius [식] 큰가래
Potentilla ancistrifolia [식] 당양지꽃
Potentilla chinensis [식] 딱지꽃
Potentilla cryptotaeniae [식] 물양지꽃
Potentilla dickinsii [식] 돌양지꽃
Potentilla discolor [식] 솜양지꽃
Potentilla fragarioides var. *typica* [식] 양지꽃
Potentilla freyniana [식] 세잎양지꽃
Potentilla kleiniana [식] 뱀혀
Potentilla matsumurae [식] 좀양지꽃
Potentilla nipponica [식] 넓은딱지
Potentilla nivea [식] 은양지꽃
Potentilla pacifica [식] 눈양지꽃
Potentilla paradoxa [식] 개쇠스랑개비
Potentilla yokusaiana [식] 민눈양지꽃
Pourthiaea brunnea [식] 떡윤노리나무
Pourthiaea coreana [식] 잔털윤노리나무
Pourthiaea laevis [식] 윤노리나무
Pourthiaea longipes [식] 꼭지윤노리나무
Pourthiaea villosa var. *laevis* [식] 민윤노리
Pourthiaea zollingeri [식] 털윤노리나무
Prenanthes ochroleuca [식] 왕씀배
Prenanthes tatarinowii [식] 개씀배
Priacanthidae [어] 뿔뿔돔과
Priacanthus hamruhr [어] 홍옥치
Priacanthus macracanthus [어] 홍치
Primates [동] 영장목
Primulaceae [식] 앵초과
Primula jesoana [식] 큰앵초
Primula modesta [식] 설앵초
Primula sachalinensis [식] 좀설앵초
Primula saxatilis [식] 돌앵초
Primula sieboldii [식] 앵초
Priocnemis irritabilis [충] 먹띠대모벌
Prionace glauca [어] 청새리상어
Prionurus microlepidotus [어] 쥐돔
Prionus insularis [충] 톱날하늘소
Pristiophoridae [어] 톱상어과
Pristiophorus japonicus [어] 톱상어
Pristomyrmex pungens [충] 그물등개미
Proboscidea [동] 장비목

Rallus aquaticus indicus 조 흰눈썹뜸부기
Ramesa straminea 충 노랑하늘나방
Rana amurensis coreana 동 조선산개구리
Rana catesbiana 동 식용개구리
Rana japonica 동 송장개구리
Rana nigromaculata 동 참개구리
Rana nigromaculata chosenica 동 금개구리
Rana rugosa 동 옴개구리
Rana temporaria dybowskii 동 북방산개구리
Rana temporaria ornativentris 동 산개구리
Ranatra chinensis 충 게아재비
Ranatra unicolor 충 방게아재비
Rangifer tarandus 동 순록
Ranidae 동 개구릿과
Ranina ranina 동 닭게
Raninidae 동 닭겟과
Ranunculaceae 식 미나리아재빗과
Ranunculus aconitifolius 식 라눙쿨루
Ranunculus acris 식 애기미나리아재비
Ranunculus acris var. *stevenii* 식 산미나리아
Ranunculus aquatilis 식 매화마름 └재비
Ranunculus borealis 식 구름미나리아재비
Ranunculus chinensis 식 젓가락나물
Ranunculus erucilobus 식 바위미나리아재비
Ranunculus franchetii 식 왜미나리아재비
Ranunculus japonicus 식 미나리아재비
Ranunculus quelpaertensis 식 왜젓가락나물
Ranunculus sceleratus 식 개구리자리
Ranunculus tachiroei 식 개구리미나리
Ranunculus zuccarini 식 개구리갓
Rapala arata 충 범부전나비
Rapana thomasiana 조개 피뿔고둥
Raphanus sativus 식 무
Raphia ruffia 식 라피아야자
Raphidiidae 충 약대벌렛과
Rattus norvegicus 동 시궁쥐
Rattus norvegicus norvegicus for. *albinus* 동
Rattus rattus alexandrinus 동 갈색쥐 └흰쥐
Rattus rattus rufescens 동 곰쥐
Reduviidae 충 침노린잿과
Regalecidae 어 산갈칫과
Regalecus russellii 어 산갈치
Regularia 동 정형목
Regulus regulus japonensis 조 상모솔새
Rehmannia glutinosa 식 지황
Reineckia carnea 식 길상초
Remora remora 어 대빨판이
Reniera japonica 동 귤빛화산해면
Reniera okadai 동 먹화산해면
Reptilia 동 뱀강
Reynoutria elliptica 식 호장
Reynoutria sachalinensis 식 왕호장
Rhabdiopteryx nohirae 충 메추리강도래
Rhabdocoelida 동 단장류
Rhachianectes gibbosus 동 쇠고래
Rhacophorus schlegelii arborea 동 산청개구리
Rhadinosa nigrocyanea 충 가시벌레
Rhagium inquisitor rigipenne 충 잿빛하늘소
Rhagium inquisitor rugidenne 충 소나무하늘
Rhamnaceae 식 갈매나뭇과 └소
Rhamnella franguloides 식 까마귀베개
Rhamnus davurica 식 갈매나무 「무
Rhamnus davurica var. *nipponica* 식 참갈매나
Rhamnus diamantiaca 식 산갈매나무
Rhamnus koraiensis 식 털갈매나무
Rhamnus parvifolia 식 돌갈매나무
Rhamnus schneideri 식 짝자래나무
Rhamnus schozyoensis 식 연밥갈매나무
Rhamnus taquetii 식 좀갈매나무
Rhantus punctatus 충 애기물방개
Rhaphiolepis liukiuensis 식 긴잎다정큼나무
Rhaphiolepis ovata 식 쪽나무
Rhaphiolepis umbellata 식 다정큼나무
Rhaphuma acutivittis 충 취범하늘소
Rhapis flabelliformis 식 관음죽
Rhapis humilis 식 종려죽
Rhea americana 조 레아
Rheum coreanum 식 장군풀
Rheum rhaponticum 식 루바브
Rheum undulatum 식 대황
Rhigophoraceae 식 홍수과

Rhina ancylostoma 어 목탁수구리
Rhinanthaceae 식 현삼과
Rhincodon typus 어 고래상어
Rhincodotidae 어 고래상엇과
Rhingia laevigata 충 진꽃등에
Rhinobatidae 어 수구릿과
Rhinobatos hynnicephalus 어 점수구리
Rhinobatos schlegeli 어 가래상어
Rhinoceros unicornis 동 인도코뿔소
Rhinocerotidae 동 코뿔솟과
Rhinogobius gymnauchen 어 날개망둑
Rhinogobius pflaumi 어 줄망둑
Rhinogobius similis 어 밀어
Rhinolophidae 동 관박쥣과
Rhinolophus ferrum-equinum 동 관박쥐
Rhinoplagusia japonica 어 흙대기
Rhiocephala 동 근두류
Rhipidoglossa 동 선설류
Rhipiphoridae 충 왕꽃벌렛과
Rhizophysa eysenhardtii 동 히무릇해파리
Rhizopoda 동 근족충류
Rhizopogon rubescens 식 송로
Rhizopus spp. 식 리조푸스
Rhizostoma 동 뿌리입해파리목
Rhodeus sericeus 어 납줄개
Rhodinia fugax 충 어린대고치산누에나방
Rhodiola elongata 식 돌꽃
Rhodiola tachiroei 식 바위돌꽃
Rhododendron chrysanthum 식 노랑만병초
Rhododendron dauricum 식 산진달래나무
Rhododendron fauriei var. *roseum* 식 홍만병초
Rhododendron fauriei var. *rufescens* 식 만병
Rhododendron indicum 식 영산백 └초
Rhododendron japonicum 식 연꽃진달래
Rhododendron micranthum 식 참꽃나무겨우살
Rhododendron mucronulatum 식 진달래 └이
Rhododendron parvifolium 식 황산차
Rhododendron schlippenbachii 식 철쭉나무
Rhododendron tetramerum 식 흰참꽃나무
Rhododendron yedoense 식 겹산철쭉
Rhododendron yedoense var. *poukhanense* 식 산
Rhodomyrtus tomentosa 식 도금양 └철쭉
Rhodophyceae 식 홍조 식물
Rhodoraceae 식 철쭉과
Rhodotypos scandens 식 병아리꽃나무
Rhoeo discolor 식 자금란
Rhomborrhina japonica 충 풍이
Rhomborrhina unicolor 충 청풍이
Rhopalocea 충 나비아목
Rhopaloscelis unifasciatus 충 고습도치하늘소
Rhopilema esculenta 동 해파리
Rhopophilus pekinensis pekinensis 조 끄리치레
Rhus chinensis 식 붉나무
Rhus succedanea 식 거망옻나무
Rhus sylvestris 식 산거망옻나무
Rhus trichocarpa 식 개옻나무
Rhus verniciflua 식 옻나무
Rhynchaenus excellens 충 오리나무바구미
Rhynchobatus djiddensis 어 동수구리
Rhynchobdellae 동 부리거머리목
Rhynchocymba nystromi 어 은붕장어
Rhynchosia volubilis 식 쥐눈이콩
Rhynchosperum verticillatum 식 추분취
Rhynchospora miyakeana 식 골풀아재비
Rhynchota 충 유문류
Rhynochetos jubatus 조 카구
Rhynocoris leucospilus sibiricus 충 흰무리침노린재
Rhyothemis fuligirosa 충 나비잠자리 「방
Rhyparioides amurensis 충 별박이안주홍불나
Rhyssa persuasoria 충 송곳벌레살이납작맵시벌
Rhythmonotus takagii 충 송충잡이자루맵시벌
Ribes burejense 식 바늘까치밥나무
Ribes diacantha 식 가시까치밥나무
Ribes fasciculatum 식 까마귀밥여름나무
Ribes grossularia 식 구스베리
Ribes horridum 식 까막바늘까치밥나무
Ribes mandshurica var. *villosum* 식 까치밥나무
Ribes maximowiczianum var. *umbrosum* 식 명
Ribes triste 식 눈까치밥나무 └자순
Ribes ussuriense 식 까막까치밥나무

Ricinus communis 식 피마자
Riparia riparia ijimae 조 갈색제비
Riptortus clavatus 충 톱다리허리노린재
Robinia hispida 식 꽃아까시나무
Robinia pseudo-acacia 식 아까시나무
Robus buergeri 식 겨울딸기
Roccella tinctoria 식 리트머스이끼
Rodentia 동 쥐목
Rodgersia podophylla 식 도깨비부채
Rodgersia tabularis 식 개병풍
Roeselia mandschuriana 충 만주불나방
Rorippa globosa 식 구슬갓냉이
Rorippa indica 식 개갓냉이
Rorippa palustris 식 속속이풀
Rosaceae 식 장미과
Rosa acicularis 식 민둥인가목
Rosa chinensis 식 월계화
Rosa davurica 식 생열귀나무
Rosa jackii 식 왕가시나무
Rosa kokusanensis 식 흑산가시나무
Rosa koreana 식 흰인가목
Rosalia betesi 충 베이츠하늘소
Rosa marretii 식 붉은인가목
Rosa maximowicziana 식 용가시나무
Rosa maximowicziana var. *adenocalyx* 식 돌가시나무
Rosa polyantha var. *genuina* 식 찔레나무
Rosa rugosa var. *typica* 식 해당화
Rosa silenidiflora 식 민생열귀나무 「인가목
Rosa spinosissima var. *pimpinellifolia* 식 둥근
Rosa taquetii 식 제주가시나무
Rosa wichuraiana 식 반들가시나무
Rosa xanthinoides 식 노란해당화
Rosmarinus officinalis 식 로즈메리
Rostratula benghalensis benghalensis 조 호사
Rotala leptopetala 식 물마디꽃 └도요
Rotala mexicana 식 가는마디꽃
Rotala uliginosa 식 마디꽃
Rotifera 동 윤충류
Rubia akane 식 꼭두서니
Rubiaceae 식 꼭두서닛과
Rubia chinensis 식 큰꼭두서니
Rubus arcticus 식 천도딸기
Rubus asper 식 거지딸기
Rubus buergeri 식 겨울딸기
Rubus chamaerorus 식 호로딸기
Rubus corchorifolius 식 수리딸기
Rubus coreanus 식 복분자딸기
Rubus crataegifolius 식 산딸기나무
Rubus croceacanthus 식 검은딸기
Rubus hirsutus 식 장딸기
Rubus hongnoensis 식 가시딸기
Rubus idaeus 식 나무딸기
Rubus idaeus var. *micro-phyllus* 식 멍덕딸기
Rubus longisepalus 식 맥도딸기
Rubus myriadenus 식 복딸나무
Rubus oldhamii 식 줄딸기
Rubus palmatus 식 단풍딸기
Rubus parvifolius var. *triphyllus* 식 멍석딸기
Rubus phoenicolasius 식 곰딸기
Rubus schizostylus 식 가시복분자딸기
Rubus takesimensis 식 섬나무딸기
Rubus taquetii 식 사슨딸기
Rubus tozawai 식 거제딸기
Rudarius ercodes 어 그물코쥐치
Rudbeckia spp. 식 루드베키아
Rumex acetosa 식 수영
Rumex acetosella 식 애기수영
Rumex aquaticus 식 토대황
Rumex conglomeratus 식 묵밭소리쟁이
Rumex coreanus 식 소리쟁이
Rumex domesticus 식 개대황
Rumex gmelini 식 호대황
Rumex japonicus 식 참소리쟁이
Rumex stenophyllus 식 가는잎소리쟁이
Ruminantia 동 반추류
Ruppia rostellata 식 줄말
Rutaceae 식 운향과
Ruta graveolens 식 루타
Rynchospora miyakeana 식 골풀아재비

Sabiaceae (식) 나도밤나뭇과
Sabina chinensis (식) 향나무
Sabina davurica (식) 단천향나무
Sabina pacifica (식) 섬향나무
Sabina sargentii (식) 눈향나무
Saccharosydne procerus (충) 풀멸구
Saccharum officinarum (식) 사탕수수
Sacciolepis indica (식) 좀물뚝새
Sachalinobia koltzei (충) 곰보하늘소
Sacura margaritacea (어) 꽃돔
Safole taeniura (어) 은잉어
Sageretia theezans (식) 상동나무
Sagina crassicaulis (식) 큰개미자리
Sagina japonica (식) 개미자리
Sagittaria aginashi (식) 보풀
Sagittaria longiloba (식) 가는벗풀
Sagittaria pygmaea (식) 올미
Sagittaria trifolia (식) 벗풀
Sagittaria trifolia var. sinensis (식) 쇠귀나물
Saimiri sciureus (동) 다람쥐원숭이
Sakakia ochnacea (식) 비쭈기나무
Salamandrella keyserlingii (동) 네발가락도롱뇽
Salamandridae (동) 도롱뇽과
Salangichthys microdon (어) 뱅어
Salangidae (어) 뱅어과
Salicaceae (식) 버드나뭇과
Salicornia herbacea (식) 퉁퉁마디
Salientia (동) 개구리목
Salisburyaceae (식) 은행나뭇과
Salix babylonica (식) 수양버들
Salix berberifolia var. genuina (식) 매자잎버들
Salix bicarpa (식) 쌍실버들
Salix blinii (식) 제주산버들
Salix brachypoda (식) 닥장버들
Salix dependens (식) 개수양버들
Salix floderusii (식) 여우버들
Salix floderusii var. fuscescens (식) 백산버들
Salix gilgiana (식) 넷버들
Salix glaciliglans (식) 눈갯버들
Salix glandulosa (식) 털왕버들
Salix glandulosa var. glabra (식) 왕버들
Salix gracilistyla (식) 갯버들
Salix hallaisanensis (식) 떡버들
Salix hultein (식) 호랑버들
Salix integra (식) 개키버들
Salix ishidoyana (식) 섬버들
Salix kangensis (식) 강계버들
Salix koreensis (식) 버드나무
Salix lackschewitziana (식) 분버들
Salix maximowiczii (식) 쪽버들
Salix methaformosa (식) 눈산버들
Salix orthostemma (식) 난쟁이버들
Salix pseudo-lasiogyne (식) 능수버들
Salix pseudolinearis (식) 육지꽃버들
Salix purpurea var. japonica (식) 고리버들
Salix roridaeformis (식) 좀분버들
Salix rotundifolia (식) 콩버들
Salix seriseo-cinerea (식) 큰산버들
Salix siuzevii (식) 참오글잎버들
Salix stipularis (식) 꽃버들
Salix subfragilis (식) 선버들
Salix subopposita (식) 들버들
Salmo grardnerii irideus (어) 무지개송어
Salmonella enteritidis (생) 게르트너균
Salmonidae (어) 연어과
Salomonia stricta (식) 병아리다리
Salpida (동) 살파류
Salsola collina (식) 솔장다리
Salsola komarovi (식) 수송나물
Salticidae (동) 깡충거밋과
Salvelinus fontinalis (어) 강송어
Salvelinus leucomaenis (어) 홍송어
Salvelinus malma (어) 곤들매기
Salvia chanroenica (식) 참배차조기
Salvia japonica (식) 둥근배차조기
Salvia miltriorrhiza (식) 단삼
Salvia officinalis (식) 샐비어
Salvia plebeia (식) 뱀차조기
Salvia splendens (식) 샐비어
Salvinaceae (식) 생이가랫과
Salvinia natans (식) 생이가래
Sambucus buergeriana var. miquelii (식) 지렁이나무
Sambucus latipinna (식) 넓은잎딱총나무
Sambucus pendula (식) 말오줌대
Sambucus sieboldiana (식) 덧나무
Sambucus velutina (식) 털지렁이나무
Sambucus williamsii (식) 딱총나무
Samia cynthia pryeri (충) 가죽나무산누에나방
Sanguisorba alpina (식) 큰오이풀
Sanguisorba argutidens (식) 구름오이풀
Sanguisorba glabularis (식) 구슬오이풀
Sanguisorba hakusanensis (식) 산오이풀
Sanguisorba obtusa (식) 두메오이풀
Sanguisorba officinalis (식) 오이풀
Sanguisorba parvifolia (식) 애기오이풀
Sanguisorba rectispica (식) 긴오이풀
Sanguisorba tenuifolia var. alba (식) 가는오이풀
Sanguisorba tenufolia var. purpurea (식) 자주가는오이풀
Sanguisorba unsanensis (식) 우산오이풀
Sanicula chinensis (식) 참반디
Sanicula rubriflora (식) 붉은참반디
Sanicula tuberculata (식) 애기참반디
Sanquinolaria olivacea (조개) 갯갈조개
Sansevieria cylindrica (식) 원통산세비에리아
Sansevieria laurentii (식) 복룡산세비에리아
Sansevieria nilotica (식) 산세비에리아
Santalaceae (식) 단향과
Santalum album (식) 백단향
Sapindaceae (식) 무환자나뭇과
Sapindus mukurossi (식) 무환자나무
Sapium sebiferum (식) 오구목
Sarcandra glaber (식) 죽절초
Sarcocheilichthys czerskii (어) 중고기
Sarcocheilichthys wakiyae (어) 참중고기
Sarcodina (동) 위족류
Sarcophaga carnaria (충) 쉬파리
Sarcophaga melanura (충) 애쉬파리
Sarcophagidae (충) 쉬파릿과
Sarcoptes scabiei (충) 옴벌레
Sarda orientalis (어) 줄삼치
Sardinia melanosticta (어) 정어리
Sargassaceae (식) 모자반과
Sargassum fulvellum (식) 모자반
Sargus nipponensis (충) 유리동애등에
Sarracenia drammondii (식) 사라세니아
Sasa coreana (식) 고려조릿대
Sasakia charonda (충) 왕오색나비
Sasa kurilensis (식) 섬대
Sasamorpha chiisanensis (식) 갓대
Sasamorpha purpurascens var. borealis (식) 조릿대
Sasa quelpaertensis (식) 제주조릿대
Sassafras albidum (식) 사사프라스
Satureia coreana (식) 층층이꽃
Satureia micrantha (식) 두메층층이
Satureia multicaulis (식) 탑꽃
Satureia umbrosa (식) 두메탑꽃
Saturniidae (충) 산누에나방과
Satyridae (충) 뱀눈나빗과
Saurida elongata (어) 날매퉁이
Saurida undosquamis (어) 매퉁이
Saurogobio dabryi (어) 두우쟁이
Saururaceae (식) 삼백초과
Saussurea alpicola (식) 두메분취
Saussurea conandrifolia (식) 담배취
Saussurea diamantiaca (식) 금강분취
Saussurea diamantiaca var. longifolia (식) 긴잎금강분취
Saussurea eriophylla (식) 솜분취
Saussurea grandifolia (식) 서덜취
Saussurea grandifolioides (식) 각시서덜취
Saussurea hoashi (식) 두메취
Saussurea japonica (식) 큰각시취
Saussurea mandshurica (식) 덥불취
Saussurea maximowiczii (식) 버들분취
Saussurea neoserrata (식) 산골취
Saussurea nutans (식) 당분취
Saussurea pseudogracilis (식) 은분취
Saussurea pulchella (식) 각시취
Saussurea saxatilis (식) 비단분취
Saussurea seoulensis (식) 분취
Saussurea taquetii (식) 해변취
Saussurea uchiyamana (식) 그늘취
Saussurea umbrosa (식) 산각시취
Saussurea ussuriensis (식) 구와취
Sawara koreanus (어) 평삼치
Sawara niphonia (어) 삼치
Saxicola torquatus stejnegeri (조) 검은딱새
Saxifragaceae (식) 범의귓과
Saxifraga cernua (식) 씨눈바위취
Saxifraga fortunei (식) 바위떡풀
Saxifraga fortunei var. glabrescens (식) 지리산바위떡풀
Saxifraga furumii (식) 범의귀
Saxifraga laciniata (식) 구름범의귀
Saxifraga manshuriensis (식) 흰바위취
Saxifraga oblongifolia (식) 참바위취
Saxifraga octopetala (식) 구실바위취
Saxifraga punctata (식) 톱바위취
Sayonara satsumae (어) 연붉돔
Scabiosa atropurpurea (식) 스카비오사
Scabiosa japonica (식) 체꽃
Scabiosa mansenensis (식) 솔체꽃
Scabiosa zuikoensis (식) 민둥체꽃
Scansores (조) 반금류
Scaphoideus albovittatus (충) 흰줄항라매미충
Scaphopoda (동) 굴족류
Scapsipedus aspersus (충) 귀뚜라미
Scapsipedus mandibularis (충) 애귀뚜라미
Scarabaeidae (충) 풍뎅잇과
Scarites pacificus (충) 긴조롱먼지벌레
Scatophaga mellipes (충) 왕똥파리
Scatophaga stercoraria (충) 똥파리
Scatophagidae (충) 똥파릿과
Scatopse fuscipes (충) 털파리붙이
Scatopsidae (충) 털파리붙잇과
Sceliphron deforme (충) 노랑점나나니
Sceliphron inflexum (충) 유리나나니
Scheuchzeriaceae (식) 장지채과
Scheuchzeria palustris (식) 장지채
Schistodesmus lampreyanus (조개) 예쁜두드럭
Schistomun haematobium (동) 주혈흡충
Schistosoma japonicum (동) 일본주혈흡충
Schizandraceae (식) 오미자과
Schizonepeta tenuifolia var. japonica (식) 형개
Schizopepon bryoniaefolia (식) 산오이
Schizophragma hydrangeoides (식) 바위수국
Schizophyta (식) 분열 식물
Schizopoda (동) 열각목
Schlechtendalia mimifushi (충) 오배자벌레
Sciadopity verticillata (식) 금송
Sciaenidae (어) 민어과
Scilla scilloides (식) 무릇
Scincidae (동) 도마뱀과
Scindapsus pictus var. argyraeus (식) 은빛담쟁이덩굴
Sciroophaga praelata (충) 흰날개꼬리벼명나방
Scirpus fuirenoides (식) 드문솔방울
Scirpus juncoides (식) 올챙이고랭이
Scirpus karuizawensis (식) 솔방울고랭이
Scirpus preslii (식) 송이고랭이
Scirpus tabernaemontani (식) 큰고랭이
Scirpus yagara maritimus (식) 매자기
Scirtes japonicus (충) 알꽃벼룩
Sciuridae (동) 다람쥣과
Sciurotamias davidianus (동) 석서
Sciurus vulgaris coreae (동) 청설모
Scolia aculata (충) 황띠배벌
Scolia japonica (충) 큰무늬배벌
Scolia oculata (충) 노랑띠배벌
Scolia tokyoensis (충) 호리무늬배벌
Scolia vittifrons (충) 노랑눈배벌
Scoliidae (충) 배벌과
Scoliodom walbeehmi (어) 편두상어
Scolopacidae (조) 도욧과
Scolopax rusticola rusticola (조) 누른도요
Scolopendra mulitans (동) 왕지네

Scolopsis inermis [어] 네동가리
Scolytoplatypus tycon [충] 타이콘나무좀
Scolytus japonicus [충] 섭나무좀
Scomber japonicus [어] 고등어
Scomberomorus sinensis [어] 재방어
Scomber tapeinocephalus [어] 점고등어
Scombridae [어] 고등어과
Scombropidae [어] 게르칫과
Scombrops boops [어] 게르치
Scopimera globosa [동] 방아게
Scopolia parviflora [식] 미치광이풀
Scorpaena izensis [어] 살살치
Scorpaena neglecta f. *neglecta* [어] 점감펭
Scorpaenidae [어] 양볼락과
Scorpaenopsis cirrhosa [어] 쑥감펭
Scorpididae [어] 범돔과
Scorpionida [동] 전갈류
Scorzonera albricaulis [식] 쇠채
Scorzonera austrica [식] 멱쇠채
Scotodes nipponicus [충] 좀긴썩덩벌레
Scrophularia buergeriana [식] 현삼
Scrophularia grayana [식] 개현삼
Scrophularia kakudensis [식] 큰개현삼
Scrophularia koraiensis [식] 토현삼
Scutellaria asperiflora [식] 다발골무꽃
Scutellaria baicalensis [식] 황금
Scutellaria dentata [식] 호골무꽃
Scutellaria dependens [식] 애기골무꽃
Scutellaria fauriei [식] 그늘골무꽃
Scutellaria indica [식] 골무꽃
Scutellaria insignis [식] 광릉골무꽃
Scutellaria japonica [식] 큰골무꽃
Scutellaria moniliorhiza [식] 구슬골무꽃
Scutellaria regeliana [식] 가는골무꽃
Scutellaria stachydifolia [식] 응달골무꽃
Scutellaria strigillosa [식] 참골무꽃
Scutellaria transitra [식] 산골무꽃
Scutigeridae [동] 그리맛과
Scylliorhinidae [어] 두툽상어과
Scylliorhinus torazame [어] 두툽상어
Scyphozoa [동] 해파리강
Scytodes thoracica [동] 아롱가죽거미
Sebastes hubbsi [어] 우럭볼락
Sebastes ijimae [어] 눌치볼락
Sebastes inermis [어] 볼락
Sebastes joyneri [어] 도화볼락
Sebastes oblongus [어] 황점볼락
Sebastes owstoni [어] 황볼락
Sebastes pachycephalus [어] 개볼락
Sebastes schlegeli [어] 조피볼락
Sebastes thompsoni [어] 동감펭볼락
Sebastes trivittatus [어] 세줄볼락
Sebastes vulpes [어] 누루시볼락
Sebastiscus albofasciatus [어] 붉감펭
Sebastiscus marmoratus [어] 쏨뱅이
Sebastolobus macrochir [어] 홍살치
Secale cereale [식] 호밀
Securinega subfruticosa [식] 광대싸리
Sedentaria [동] 관주목
Sedum aizoon [식] 가는기린초
Sedum aizoon var. *heterodontum* [식] 큰기린초
Sedum alboroseum [식] 꿩의비름
Sedum bulbiferum [식] 말똥비름
Sedum ellacombianum [식] 넓은잎기린초
Sedum kamtschaticum [식] 기린초
Sedum middendorffianum [식] 애기기린초
Sedum oryzifolium [식] 땅채송화
Sedum polystichoides [식] 바위채송화
Sedum sarmentosum [식] 돌나물
Sedum spectabile [식] 큰꿩의비름
Sedum takesimense [식] 섬기린초
Sedum telephium var. *purpureum* [식] 자주꿩의비름
Sedum viviparum [식] 새끼꿩의비름
Sedum zokuriensis [식] 속리기린초
Selaginellaceae [식] 부처손과
Selaginella pouzolziana [식] 부처손
Selaginella rupestris [식] 실사리
Selenops bursarius [동] 겹거미
Semestomiae [동] 기폭입해파리목
Semiaquilegia adoxoides [식] 개구리발톱

Semicossyphus reticulatus [어] 혹도미
Semisulcospira libertina [조개] 다슬기
Senecio argunensis [식] 쑥방망이
Senecio cruentus [식] 시네라리아
Senecio dahuricus [식] 삼잎방망이
Senecio koreanus [식] 국화방망이
Senecio nemorensis [식] 금방망이
Senecio phaeanthus [식] 바위솜나물
Senecio pierotii [식] 솜방망이
Senecio vulgaris [식] 개쑥갓
Sephisa dichroa princeps [충] 대왕나비
Sepia esculenta [동] 갑오징어
Septibranchia [동] 격새류
Sequoia gigantea [식] 세쿼이아
Sequoia sempervirens [식] 세쿼이아
Serrasalmus nattereri [어] 피라니아
Seren lacertina [동] 사이렌
Serica boops [충] 긴수염우단풍뎅이
Sericania fuscolineata [충] 어리광릉우단풍뎅이
Serica orientalis [충] 애우단풍뎅이
Sericinus telamon [충] 꼬리명주나비
Sericostomatidae [충] 털날도랫과
Serinus canarius [조] 카나리아
Seriola aureovittata [어] 부시리
Seriola purpurascens [어] 잿방어
Seriola quinqueradiata [어] 방어
Seriolina intermedia [어] 배지방어
Serranidae [어] 농어과
Serratia marcescens [식] 영균
Serratula koreana [식] 산비장이
Serratula manshurica [식] 한라산비장이
Serropalpidae [충] 긴썩덩벌렛과
Servillia luteola [충] 왕기생파리
Sesamum indicum [식] 참깨
Sesarma haematocheir [동] 도둑게
Sesarma intermedia [동] 붉은발말똥게
Sesarma picta [동] 사각게
Setaria italica [식] 조
Setaria lutescens [식] 금강아지풀
Setaria viridis [식] 강아지풀
Setaria viridis var. *purpurascens* [식] 자주강아지풀
Shorea robusta [식] 사라수
Siabla ferox [충] 테두리잎벌
Sialis sibirica [충] 어리뱀잠자리
Sibbaldia coreana [식] 너도양지꽃
Sieboldius albardae [충] 어리장수잠자리
Sieboldius japonicus [충] 말잠자리
Siegesbeckia glabrescens [식] 진득찰
Siegesbeckia pubescens [식] 털진득찰
Siganidae [어] 독가시칫과
Siganus fuscescens [어] 독가시치
Sigara distanti [충] 물벌레
Sigillaria [식] 봉인목
Silene armeria [식] 끈끈이대나물
Silene fasciculata [식] 한라장구채
Silene koreana [식] 끈끈이장구채
Silene macrostyla [식] 층층장구채
Silene oligantella [식] 흰장구채
Silene repens [식] 오랑캐장구채
Silene tenuis [식] 가는다리장구채
Siler divaricatum [식] 방풍나물
Sillaginidae [어] 보리멸과
Sillago japonica [어] 청보리멸
Sillago sihama [어] 보리멸
Silpha perforata [충] 넓적송장벌레
Silpha sinuata [충] 좀송장벌레
Silphidae [충] 송장벌렛과
Siluridae [어] 메깃과
Simarubaceae [식] 소태나뭇과
Sinanthropus pekinensis [동] 베이징 인
Siniperca scherzeri [어] 쏘가리
Sinningia speciosa [식] 글록시니아
Sinnovacula constricta [조개] 가리맛조개
Sinomalus komarovi [식] 이노리나무
Sinomenium acutum [식] 방기
Sinoxylon japonicum [충] 개나무좀
Sipalus hypocrita [충] 왕바구미
Siphia mugimaki [조] 노랑딱새
Siphlonuridae [충] 쌍꼬리하루살잇과
Siphlonurus sanukensis [충] 쌍꼬리하루살이

Siphonaptera [충] 벼룩목
Siphonophorae [동] 관해파리목
Siphonostegia chinensis [식] 절국대
Sipunculoidea [동] 별벌레강
Sirembo imberbis [어] 동갈메기
Sirenia [동] 바다소목
Siricidae [충] 송곳벌과
Sisymbrium luteum [식] 노란장대
Sisymbrium maximowiczii [식] 장대냉이
Sisyrinchuim angustifolium [식] 등심붓꽃
Sitophilus oryzae [충] 바구미
Sitotroga cerealella [충] 곡식나방
Sitta canadensis villosa [조] 큰조선동고비
Sitta enropaea [조] 동고비
Sitta europaea bedfordi [조] 붉은배동고비
Sittidae [조] 동고빗과
Sium cicutaefolium [식] 개발나물
Sium ninsi [식] 감자개발나물
Skimmia japonica [식] 인우
Smerinthus caecus [충] 버들박각시
Smilacaceae [식] 청미래덩굴과
Smilacina japonica [식] 풀솜대
Smilax china [식] 청미래덩굴
Smilax japonica [식] 팥청미래
Smilax oldhami [식] 밀나물
Smilax sieboldii [식] 청가시나무
Sogata furcifera [충] 흰등멸구
Solanaceae [식] 가짓과
Solanum japonense [식] 좁은잎배풍등
Solanum lyratum [식] 배풍등
Solanum melongena [식] 가지
Solanum nigrum [식] 까마종이
Solanum tuberosum [식] 감자
Soleidae [어] 양서댓과
Solenalantana carlesii [식] 분꽃나무
Solenidae [조개] 긴맛과
Solen strictus [조개] 긴맛
Solidago virga-aurea [식] 미역취
Sonchus arvensis [식] 사데풀
Sonchus asper [식] 큰방가지똥
Sonchus oleraceus [식] 방가지똥
Sophora angustifolia [식] 고삼
Sorbaria stellipila var. *glabra* [식] 청쉬땅나무
Sorbaria stellipila var. *glandulosa* [식] 점쉬땅나무
Sorbaria stellipila var. *incerta* [식] 털쉬땅나무
Sorbaria stellipila var. *typica* [식] 개쉬땅나무
Sorbus alnifolia [식] 팥배나무
Sorbus amurensis [식] 당마가목
Sorbus commixta [식] 마가목
Sorbus sambucifolia [식] 산마가목
Sorex caecutiens annexus [동] 뒤쥐
Sorex minutus gracillimus [동] 좀뒤쥐
Sorghum vulgare [식] 사탕옥수수
Sorghum vulgare var. *saecharatum* [식] 단수수
Soricidae [동] 땃쥣과
Spadella cephaloptera [충] 화살벌레
Sparganiaceae [식] 흑삼릉과
Sparganium ramosum [식] 흑삼릉
Sparidae [어] 감성돔과
Sparus aries [어] 청돔
Spatula clypeata [조] 넓적부리
Speiredonia japonica [충] 태극나방
Spermatophyta [식] 종자 식물
Sphaerophoria menthastri [충] 꼬마꽃등에
Sphaerozius nitidus [동] 비단부채게
Sphagnum cymbifolium [식] 물이끼
Sphecidae [충] 구멍벌과
Spheniscidae [조] 펭귄과
Sphenicomyia sexmaculatus [충] 광대파리
Sphex nigellus [충] 먹조롱박벌
Sphex umbrosus [충] 조롱박벌
Sphingidae [충] 박각싯과
Sphingonotus japonicus [충] 강변메뚜기
Sphoeroides albopumbeus [어] 흰점복
Sphoeroides chrysops [어] 눈불개복
Sphoeroides niphobles [어] 복섬
Sphoeroides ocellatus [어] 황복
Sphoeroides pardalis [어] 졸복
Sphoeroides porphyreus [어] 검복
Sphoeroides rubripes [어] 자지복

Sphoeroides spadicus [어] 밀복
Sphoeroides stictonotus [어] 까칠복
Sphoeroides vermicularis [어] 매리복
Sphoeroides xanthopterus [어] 까치복
Sphyraena japonica [어] 애꼬치
Sphyraena pinguis [어] 꼬치고기
Sphyraenidae [어] 꼬치고깃과
Sphyrna zygaena [어] 귀상어
Sphyrnidae [어] 귀상어과
Spicaria prasina [식] 녹강균
Spilopera debilis [충] 끝갈색흰가지나방
Spilosoma imparilis [충] 뽕자지불나방
Spilosoma nebulosa [충] 구름불나방
Spilosoma nivea [충] 박나방
Spilosoma punctaria [충] 점무늬불나방
Spinacia oleracea [식] 시금치
Spindasis takanonis [충] 쌍꼬리부전나비
Spiraea betulifolia [식] 둥근잎조팝나무
Spiraeaceae [식] 조팝나뭇과
Spiraea chartacea [식] 떡조팝나무
Spiraea chinensis [식] 당조팝나무
Spiraea koreana [식] 참조팝나무
Spiraea microgyna [식] 좀조팝나무
Spiraea obtusa [식] 산조팝나무
Spiraea prunifolia [식] 조팝나무
Spiraea pseudocrenata [식] 긴잎산조팝나무
Spiraea pubescens [식] 아구장나무
Spiraea sylvestris [식] 덤불조팝나무
Spiraea thunbergii [식] 가는잎조팝나무
Spiraea trichocarpa [식] 갈기조팝나무
Spiraea ulmifolia [식] 인가목조팝나무
Spiranthes amoena [식] 타래난초
Spirinchus verecundus [어] 별빙어
Spirodela polyrhiza [식] 개구리밥
Spirotricha [동] 선모류
Spizaetus japonensis [조] 뿔매
Spodiopogon sibiricus [식] 큰기름새
Spondylis buprestoides [충] 검정하늘소
Spondylus cruentus [조개] 분홍꽃가리비
Spongilla lacustris [동] 민물해면
Sporozoa [동] 포자충류
Spratelloides japonicus [어] 샛줄멸
Spuriopimpinella koreana [식] 가는참나물
Squalida [어] 곱상어목
Squalidae [어] 곱상어과
Squalus brevirostris [어] 모조리상어
Squalus mitsukurii [어] 돔발상어
Squalus suckleyi [어] 곱상어
Squamata [동] 뱀목
Squatarola squatarola [조] 개꿩
Squatina japonica [어] 전자리상어
Squatinidae [어] 전자리상어과
Squilla oratoria [동] 갯가재
Squillidae [동] 갯가잿과
Stachys japonica [식] 석잠풀
Stachys sieboldii [식] 두루미냉이
Stapelia grandiflora [식] 스타펠리아
Staphylea bumalda var. *typica* [식] 고추나무
Staphyleaceae [식] 고추나뭇과
Staphylinidae [충] 반날개과
Statilia maculata [충] 좀사마귀
Stauntonia hexaphylla [식] 멀꿀
Stauromedusae [동] 십자해파리목
Stegocephalia [동] 견두류
Stegodontinae [동] 스테고돈
Stellaria aquatica [식] 쇠별꽃
Stellaria bungeana [식] 큰별꽃
Stellaria diffusa [식] 애기가지별꽃
Stellaria friesiana [식] 가지별꽃
Stellaria longifolia [식] 긴잎별꽃
Stellaria media [식] 별꽃
Stellaria radicans [식] 왕별꽃
Stellaria uliginosa [식] 벼룩나물
Stellera rosea [식] 피뿌리꽃
Stemonaceae [식] 백부과
Stemona japonica [식] 파부초
Stenodryomyza formosa [충] 대모파리
Stenoloma chusanum [식] 이끼고사리
Stenopelmatidae [충] 꼽등잇과
Stenopsyche griseipennis [충] 수염치레강날도래
Stenopsychidae [충] 강날도랫과
Stentor polymorphus [동] 나팔벌레
Stenus alienus [충] 두눈박이반날개
Stenygrinum quadrinotatum [충] 네눈박이하늘소
Stephanandra incisa [식] 국수나무
Stephanandra quadrifissa [식] 개국수나무
Stephania japonica [식] 함바기
Stephanitis nashi [충] 배방패벌레
Stephanolepis cirrhifer [어] 쥐치
Sterculiaceae [식] 벽오동과
Stereolepis ischinagi [어] 돗돔
Sterna hirundo longipennis [조] 제비갈매기
Sternolophus rufipes [충] 애물땡땡이
Sterrha jakima [충] 갈색아기나방
Stethojulis kalosoma [어] 무지개놀래기
Stewartia koreana [식] 노각나무
Stichaeidae [어] 양장갱잇과
Stichopus japonicus [동] 해삼
Stigmatogaster japonica [동] 줄엽땅지네
Stigmatoneura singularis [충] 다듬이벌레
Stigmus filippovi [충] 호리꼬마구멍벌
Stilbula cynipiformis [충] 개미살이좀벌
Stilbum cyanurum [충] 청벌
Stilpnotia candida [동] 버들독나방
Stizus pulcherrimus [충] 어리코벌
Stokesia laevis [식] 스토케시아
Stolonifera [동] 근생류
Stomatopoda [동] 구각목
Stomoxys calcitrans [충] 침파리
Strangalia ochaceofasciata [충] 어리광대꽃하늘소
Stratiomyia hirayamae [충] 히라야마동애등에
Stratiomyia japonica [충] 줄동애등에
Stratiomyiidae [충] 동애등엣과
Strelitzia reginae [식] 극락조화
Streptococcus [식] 연쇄상구균
Streptococcus haemolyticus [식] 용혈성연쇄구균
Streptococcus viridans [식] 녹색연쇄구균
Streptolirion cordifolium [식] 덩굴닭의장풀
Streptopelia decaocto [조] 염주비둘기
Streptopelia orientalis [조] 멧비둘기
Streptopelia risoria var. *alba* [조] 은비둘기
Streptopus amplexifolius var. *pappillatus* [식] 죽대아재비
Strigidae [조] 올빼밋과
Strix aluco ma [조] 올빼미
Stromateidae [어] 샛돔과
Strongylocentrotus pulcherrimus [동] 말똥성게
Struthio camelus [조] 타조
Struthionidae [조] 타조과
Strychnos nux-vomica [식] 마전
Strymon eximia [충] 참까마귀부전나비
Sturmia sericariae [충] 누에기생파리
Sturnidae [조] 찌르레깃과
Sturnus cineraceus [조] 찌르레기
Sturnus philippensis [조] 쇠찌르레기
Styela clava [동] 미더덕
Stylommatophora [동] 병안류
Styphnolobium japonicum [식] 회화나무
Stypocladius appendiculatus [충] 좀파리
Styracaceae [식] 때죽나뭇과
Styrax japonica [식] 때죽나무
Styrax obassia [식] 쪽동백
Styrax shiraiana [식] 좀쪽동백
Suaeda glauca [식] 나문재
Suaeda japonica [식] 칠면초
Suaeda maritima [식] 해홍나물
Succingulum transvittatum [충] 흰띠침파리
Suctoria [동] 흡관충류
Suidae [동] 멧돼짓과
Sulculus diversicolor aquatilis [조개] 오분자기
Suncus murinus [동] 사향뒤쥐
Sus scrofa coreanus [동] 멧돼지
Sus scrofa domesticus [동] 돼지
Sus scrofa ussuricus [동] 대륙멧돼지
Suthora webbiana fulvicauda [조] 붉은머리오목눈이
Swertia chinensis [식] 자주쓴풀
Swertia tetrapetala [식] 네귀쓴풀
Swertia tosaensis [식] 개쓴풀
Swertia veratroides [식] 별꽃풀
Swertia wilfordii [식] 큰잎쓴풀
Swietenia mahagoni [식] 마호가니
Sybrida fasciata [충] 띠명나방
Sydaphera spengleriana [조개] 갑생이고둥
Syllepta balteata [충] 상수리들명나방
Syllepte derogata [충] 솜들명나방
Sylviidae [조] 휘파람샛과
Symbranchida [어] 두렁허리목
Sympecna paedisca [충] 묵은실잠자리
Sympetrum croceolum [충] 노랑잠자리
Sympetrum danae [충] 검정좀잠자리
Sympetrum darwinianum [충] 여름좀잠자리
Sympetrum frequens [충] 고추좀잠자리
Sympetrum infuscatum [충] 깃동잠자리
Sympetrum pedemontanum elatum [충] 노랑띠좀잠자리
Sympetrum uniforme [충] 진노랑잠자리
Symplocaceae [식] 노린재나뭇과
Symplocarpus buchenensis [식] 산부채
Symplocarpus renifolius [식] 앉은부채
Synechogobius hasta [어] 풀망둑
Syngnathida [어] 실고기목
Syngnathidae [어] 실고깃과
Syngnathus schlegeli [어] 실고기
Synodontidae [어] 매퉁잇과
Synodus variegatus [어] 꽃동멸
Synthliboramphus antipuus [조] 바다쇠오리
Synthliboramphus wumizusume [조] 뿔쇠오리
Synurus deltoides [식] 수리취
Synurus excelsus [식] 큰수리취
Synurus palmatopinnatifidus [식] 국화수리취
Syrichtus maculatus [충] 흰점팔랑나비
Syringa dilatata [식] 수수꽃다리
Syringa formosissima [식] 꽃개회나무
Syringa palibiniana [식] 정향나무
Syringa patula [식] 암개회나무
Syringa robusta [식] 짝짜개
Syringa velutina [식] 털개회나무
Syringa venosa [식] 섬개회나무
Syringa vulgaris [식] 라일락
Syrmaticus reevesii [조] 긴꼬리꿩
Syromastes marginatus [충] 조롱노린재
Syrphidae [충] 꽃등엣과
Syrphus serarius [충] 검정넓적꽃등에
Syrrhaptes paradoxus [조] 사막꿩
Syzygium aromatica [식] 정향나무

Tabanidae [충] 등엣과
Tabanus chrysurus [충] 왕소등에
Tabanus fulvus [충] 노랑등에
Tabanus mandarinus [충] 재등에
Tabanus trigonus [충] 소등에
Tachardia lacca [충] 라크깍지진디
Tachinidae [충] 기생파릿과
Tachyglossidae [동] 바늘두더짓과
Tachyglossus aculeatus [동] 바늘두더지
Taenia [동] 사흡반류
Taenia pisiformis [동] 개촌충
Taeniarhynchus saginatus [동] 민촌충
Taenia solium [동] 갈고리촌충
Taeniopterygidae [충] 메추리강도랫과
Taeniopygia castanotis [조] 금화조
Tagetes erecta [식] 전륜화
Taius tumifrons [어] 황돔
Takydromus amurensis [동] 아무르장지뱀
Takydromus auroralis [동] 장지뱀
Takydromus wolteri [동] 줄장지뱀
Talpa micrura coreana [동] 두더지
Talpa wogura kobeae [동] 큰두더지
Talpidae [동] 두더짓과
Tamandua tetradactyla [동] 애기개미핥기
Tamaricaceae [식] 위성류과
Tamarindus indica [식] 타마린드
Tamarix juniperina [식] 위성류
Tamias sibiricus [동] 다람쥐
Tanacetum boreale [식] 쑥국화
Tanaidacea [동] 주걱벌레붙이목
Tanakius kitaharai [어] 갈가자미

Tridacnidae 조개 참조갯과
Tridactylidae 충 좁쌀메뚜깃과
Tridactylus japonicus 충 좁쌀메뚜기
Tridentiger obscurus 어 검정망둑
Tridentiger trigonocephalus 어 두줄망둑
Trifolium lupinaster 식 달구지풀 「구지풀
Trifolium lupinaster var. *alpinum* 식 제주달
Trifolium pratense 식 붉은토끼풀
Trifolium repens 식 클로버
Triglidae 어 양성댓과
Triglochin maritimum 식 지채
Triglochin palustre 식 물지채
Triglops pingelibeani 어 눈퉁횟대
Triglops scepticus 어 골판횟대
Trigonella faenum-graecum 식 호로파
Trigonoplax unguiformis 동 세모게
Trigonotis coreana 식 좀꽃마리
Trigonotis icumae 식 덩굴꽃마리
Trigonotis nakaii 식 거센털개지치
Trigonotis peduncularis 식 꽃마리
Trigonotis radicans 식 참꽃마리
Trilgops scepticus 어 골판횟대
Trillium smallii 식 연령초
Trilobita 동 삼엽충류
Trilophidia annulata 충 두드러메뚜기
Trilophidia velnerata 충 두꺼비메뚜기
Trimeresurus flavoviridis 동 반시뱀
Tringa glareola 조 알락도요
Tringa incana brevipes 조 노랑발도요
Tringa ocrophus 조 삑삑도요
Tringa stagnatilis 조 쇠청다리도요
Tringa totanus eurhinus 조 붉은발도요
Triplogenius magnus 충 큰먼지벌레
Tripterospermum japonicum 식 덩굴용담
Tripterygiidae 어 가막베도라칫과
Tripterygion etheostoma 어 가막베도라치
Tripterygium regelii 식 메역순나무
Tripylaria 동 삼공류
Trisetum bifidum 식 잠자리피
Triticum aestivum 식 참밀
Tritonaria tritonis 조개 소라고둥
Tritonidae 조개 소라고둥과
Triturus pyrrhogaster 동 영원
Triumfetta japonica 식 고슴도치풀
Trochalopterum canorum 조 화미조
Trochelminthes 동 윤형 동물
Trochilidae 조 벌샛과
Trogium vulsatorium 충 분다듬이벌레
Troglodytes troglodytes fumigatus 조 굴뚝새
Troglodytidae 조 굴뚝샛과
Trogus arrogens 충 왕맵시벌
Trollius hondoensis 식 금매화
Trollius japonicus 식 아기금매화
Trollius macropetalum 식 큰금매화
Tromea chinensis 충 넓은날개잠자리
Tropaeolaceae 식 한련과
Tropaeolum majus 식 한련 「마귀
Trypanocorax frugilegus pastinator 조 떼까
Trypanosoma rotatorium 동 개구리트리파노소
Trypetidae 충 광대파릿과 ⌊마
Tsuga sieboldii 식 솔송나무
Tuberculatus stigmata 충 떡갈나무진딧물
Tubifera virgatus 충 수중다리꽃등에
Tubinares 동 관비목
Tubocapsicum anomalum 식 알꽈리
Tugali gigas 조개 개전복
Tulipa gesneriana 식 튤립
Tungidae 충 모래벼룩과
Turbellaria 동 와충류
Turbo cornutus 조개 소라
Turdidae 조 지빠귓과
Turdus aureus 조 호랑지빠귀
Turdus cardis 조 검은지빠귀
Turdus chrysolaus 조 붉은배지빠귀
Turdus hortulorum 조 되지빠귀
Turdus naumanni eunomus 조 개똥지빠귀
Turdus naumanni naumanni 조 노랑지빠귀
Turdus pallidus 조 흰배지빠귀
Turdus sibircus 조 흰눈썹지빠귀
Turibana macroptera 식 나래회나무
Turibana oxyphylla 식 참회나무
Turibana planipes 식 회나무
Turnicidae 조 세가락메추라깃과
Turnix tanki blanfordii 조 세가락메추라기
Turritis glabra 식 장대나물
Tursiops gilli 동 태평양돌고래
Tylophora floribunda 식 왜박주가리
Tylorrhynchus heterochaetus 동 실갯지렁이
Tylosurus annulatus 어 꽁치아재비
Typha angustata 식 애기부들
Typhaceae 식 부들과
Typha orientalis 식 부들
Tyrannosaurus 동 폭군룡

Uchida pallidum 충 닭니
Udea inornata 충 민무늬노랑명충나방
Ulaula sieboldii 어 자붉돔
Ulmaceae 식 느릅나뭇과
Ulmus coreana 식 참느릅나무
Ulmus davidiana 식 당느릅나무
Ulmus davidiana var. *japonica* 식 느릅나무
Ulmus laciniata 식 난티나무
Ulmus macrocarpa 식 왕느릅나무
Ulmus macrophylla 식 큰잎느릅나무
Ulmus mandshurica 식 비술나무
Ulvaceae 식 갈파랫과
Ulva lactuca 식 갈파래
Umbelliferae 식 미나릿과
Umbonium costatum 조개 비단고둥
Umbonium thomasi 조개 황해비단고둥
Undaria pinnatifida 식 미역
Ungulata 동 유제류
Unio douglasiae 조개 말조개
Unio douglasiae ploculosus 조개 꼳줄말조개
Unio douglasiae verrucifer 조개 사마귀말조개
Unionidae 조개 석패과
Upeneus bensasi 어 노랑촉수
Upeneus sulphureus 어 먹줄촉수
Upogebia major 동 쏙
Upupa epops saturata 조 후투티
Upupidae 조 후투팃과
Uraeginthus bengalus 조 청휘조
Uragoga ipecacuanha 식 토근
Uragus sibiricus 조 긴꼬리홍양지니
Uranoscopidae 어 통구멍과
Uranoscopus bicinctus 어 통구멩이
Uranoscopus japonicus 어 얼룩통구멍
Urechis unicinctus 동 개불
Uria aalge inornata 조 바다오리
Urocampus rikuzenius 어 풀해마
Urocerus antennatus 충 수염송곳벌
Urochela quadrinotata 충 두쌍무늬노린재
Urochorda 동 미색류 「까치
Urocissa erythrohyncha erythrohyncha 조 메
Uroctea compactillis 동 납거미
Urocteidae 동 납거밋과
Urodela 동 도롱뇽목
Urostylidae 충 상수리노린잿과
Urostylis westwoodi 충 섬노린재
Ursidae 동 곰과
Ursus arctos lasiotus 동 불곰
Ursus arctos mandchuricus 동 말곰
Ursus arctos yesoensis 동 큰곰
Ursus thibetanus 동 곰
Urtica angustifolia 식 가는잎쐐기풀
Urticaceae 식 쐐기풀과
Urtica laetevirens 식 애기쐐기풀
Urtica thunbergiana 식 쐐기풀
Usneaceae 식 소나무겨우살잇과
Usnea longissima 식 소나무겨우살이
Utricularia affinis 식 자주땅귀개
Utricularia bifida 식 땅귀개
Utricularia intermedia 식 개통발
Utricularia japonica 식 통발
Utricularia racemosa 식 이삭귀개

Vaccaria vulgaris 식 말뱅이나물
Vaccinium bracteatum 식 모새나무
Vaccinium koreanum 식 꽹나무
Vaccinium oldhami 식 정금나무
Vaccinium oldhami var. *glaucum* 식 지포나무
Vaccinium uliginosum 식 들쭉나무
Vaccinium vitis-idaea 식 월귤나무
Valerianaceae 식 마타리과
Valeriana coreana 식 좀쥐오줌
Valeriana fauriei 식 쥐오줌풀
Vallisneria asiatica 식 나사말
Vandellia serrata 식 논둑외풀
Vanellus vanellus 조 댕기물떼새
Vanessa cardui 충 작은멋쟁이나비
Vanessa indica 충 큰멋쟁이나비
Vanilla fragrans 식 바닐라
Varanus komodoensis 동 코모도왕도마뱀
Varanus salvator 동 큰도마뱀
Velifer hypselopterus 어 점매가리
Veliferidae 어 점매가릿과
Veliidae 충 깨알소금쟁이과
Vellitor centropomus 어 창치
Verasper moseri 어 노랑가자미
Verasper variegatus 어 범가자미
Veratrum dolichopetalum 식 푸른박새
Veratrum grandiflorum 식 박새
Veratrum japonicum 식 여로
Veratrum maximowiczii 식 파란여로
Verbenaceae 식 마편초과
Verbena officinalis 식 마편초
Verbena phlogiflora 식 버베나
Vermes 동 연형 동물
Veronica agrestis 식 개불알풀
Veronica anagallis-aquatica 식 큰물칭개나물
Veronica angustifolia 식 꼬리풀
Veronica arvensis 식 선개불알풀
Veronica kiusiana 식 여우꼬리풀
Veronica langrimsanensis 식 낭림투구꽃
Veronica luxurians 식 큰산꼬리풀
Veronica nakaiana 식 섬꼬리풀
Veronica pseudolongifolia 식 긴산꼬리풀
Veronica serpyllifolia 식 투구꽃
Veronica sibirica 식 냉초
Veronica spuria 식 산꼬리풀 「냉초
Veronicastrum sibiricum for. *albiflora* 식 흰털
Veronica undulata 식 물칭개나물
Veronica villosula 식 털꼬리풀
Verreo oxycephalus 어 사랑놀래기
Vertebrata 동 척추 동물
Vespa crabro 충 말벌
Vespa dybowskii 충 검정말벌
Vespa mandarinia 충 장수말벌
Vespa xanthoptera 충 황말벌
Vespertilio murinus murinus 동 북방애기박쥐
Vespertilio namiyei 동 애기박쥐
Vespertilionidae 동 박쥣과
Vespertilio superans 동 안주애기박쥐
Vespidae 충 말벌과
Vespula lewisii 충 땅말벌
Viburnum awabuki 식 아왜나무
Viburnum burejaeticum 식 산분꽃나무 「무
Viburnum dilatatum var. *pilosum* 식 가막살나
Viburnum erosum 식 덜꿩나무
Viburnum furcatum 식 분단나무
Viburnum koreanum 식 배나무
Viburnum sargentii 식 백당나무
Viburnum sargentii for. *sterile* 식 불두화나무
Viburnum wrightii 식 산가막살나무
Vicia amoena 식 갈퀴나물
Vicia angustifolia 식 가는살갈퀴
Vicia angustipinnata 식 가는갈퀴나물
Vicia cracca 식 등갈퀴나물
Vicia faba 식 누에콩
Vicia hirsuta 식 새완두
Vicia hirticalycina 식 나래완두
Vicia japonica 식 넓은잎갈퀴
Vicia nipponica 식 네잎갈퀴

Vicia pseudo-orobus [식] 큰등갈퀴
Vicia sativa [식] 살갈퀴
Vicia saxajuga [식] 선등갈퀴
Vicia subcapidata [식] 광릉갈퀴
Vicia tenuifolia [식] 가는등갈퀴
Vicia tetrasperma [식] 얼치기완두
Vicia tridentata [식] 들완두
Vicia unijuga [식] 나비나물
Vicia venosissima [식] 노랑갈퀴
Vicia villosa [식] 헤어리베치
Vierricula malaccensis pallida [동] 사향고양이
Vigna sinensis [식] 동부
Villa limbatus [충] 노랑털재니등에
Viola albida [식] 태백제비꽃
Viola biflora [식] 장백제비꽃
Viola blandaeformis [식] 엷은잎제비꽃
Viola boissieuana [식] 각시제비꽃
Violaceae [식] 제비꽃과
Viola chaerophylloides [식] 남산제비꽃
Viola collina [식] 둥근털제비꽃
Viola crassa [식] 구름털제비꽃
Viola diamantiaca [식] 금강제비꽃
Viola dissecta [식] 간도제비꽃
Viola epipsila [식] 누운제비꽃
Viola glabella [식] 털노랑제비꽃
Viola grypoceras [식] 낚시제비꽃
Viola hirtipes [식] 흰털제비꽃
Viola kamibayashii [식] 광릉제비꽃
Viola kapsanensis [식] 갑산제비꽃
Viola keiskei var. *okuboi* [식] 잔털제비꽃
Viola koraiensis [식] 참졸방제비꽃
Viola kusanoana [식] 큰졸방제비꽃
Viola lactiflora [식] 흰젖제비꽃
Viola mandshurica [식] 제비꽃
Viola meta-japonica [식] 왜제비꽃
Viola nipponica [식] 아욱제비꽃
Viola ovato-oblonga [식] 긴잎제비꽃
Viola pachyrhiza [식] 고깔제비꽃
Viola phalacrocarpa [식] 털제비꽃
Viola phalacrocarpoides [식] 민둥제비꽃
Viola premulifolia var. *glabra* [식] 흰제비꽃
Viola raddeana [식] 선제비꽃
Viola scabrida [식] 성긴털제비꽃
Viola selkirkii [식] 메제비꽃
Viola seoulensis [식] 서울제비꽃
Viola silvestriformis [식] 왜졸방제비꽃
Viola takesimana [식] 섬제비꽃
Viola tricolor var. *hontensis* [식] 팬지
Viola variegata [식] 알록제비꽃
Viola verecunda [식] 콩제비꽃
Viola websteri [식] 왕제비꽃
Viola xanthopetala [식] 노랑제비꽃
Viola yedoensis [식] 호제비꽃
Vipera berus sachalinensis [동] 북살무사
Viperidae [동] 살무삿과
Vireosa hanae [어] 청황문절
Virgularia gustaviana [동] 갯버들
Viscaceae [식] 겨우살잇과
Viscum album var. *coloratum* [식] 겨우살이
Vitaceae [식] 포도과
Vitex cannabifolia [식] 모형
Vitex chinensis [식] 좀모형
Vitex rotundifolia [식] 순비기나무
Vitis amurensis [식] 왕머루
Vitis flexuosa [식] 새머루
Vitis kaempferi var. *glabrescens* [식] 섬왕머루
Vitis thunbergii [식] 까마귀머루
Vitis vinifera [식] 포도나무
Vividia duodecimguttata [충] 흰점선무당벌레
Viviparidae [동] 우렁잇과
Volsella traili [조개] 종다리조개
Volucella nigricans [충] 검정꽃등에
Volucella tabanoides [충] 어리대모꽃등에
Volvocidae [동] 볼복스과
Volvocina [동] 볼복스류
Volvox globator [동] 볼복스글로바토르
Vombatus platyrrhinus [동] 웜뱃
Vorticella nebulifera [동] 종벌레
Vulpes fulva [동] 붉은여우
Vulpes kiyomasai [동] 불여우
Vulpes vulpes peculiosa [동] 여우
Vultur gryphus [조] 콘도르

Wahlenbergia marginata [식] 애기도라지
Wakiyus spinosus [어] 비늘양태
Waldsteinia ternata [식] 나도양지꽃
Wasabia koreana [식] 고추냉이
Watasea sivicola [어] 그물메기
Weigela florida var. *candida* [식] 흰병꽃나무
Weigela florida var. *glabra* [식] 붉은병꽃나무
Weigela hortensis [식] 골병꽃나무
Weigela praecox [식] 소영도리나무
Weigela subsessilis [식] 병꽃나무
Weigela toensis [식] 통영병꽃나무
Whitmania pigra [동] 말거머리
Winteraceae [식] 붓순나뭇과
Wistaria floribunda [식] 참등
Wistaria japonica [식] 등나무
Woodsia manchuriensis [식] 만주우드풀
Woodsia polystichoides var. *veitchii* [식]우드풀

Xanthidae [동] 부채겟과
Xanthium strumarium [식] 도꼬마리
Xanthochroa luteipennis [충] 하늘소붙이
Xanthochroa waerhousei [충] 청색하늘소붙이
Xantho exaratus [동] 부채게
Xanthoxalis corniculata [식] 괭이밥
Xenopsylla cheopis [충] 케오피스벼룩
Xeris spectrum [충] 긴송곳벌
Xiphias gladius [어] 황새치
Xiphiidae [어] 황새칫과
Xiphophorus helleri [어] 소드테일
Xiphophous maculatus [어] 문피시
Xiphosura [동] 검미류
Xyelidae [충] 칼잎벌과
Xylariopsis mimica [충] 흰목도리하늘소
Xyleborus atratus [충] 뽕나무좀
Xyleborus germanus [충] 오리나무좀
Xyleborus mutilatus [충] 녹나무좀
Xylocopa appendiculata [충] 어리호박벌
Xylosma congestum [식] 산유자나무
Xylotrechus chinensis [충] 호랑하늘소
Xylotrechus pyrrhoderus [충] 포도호랑하늘소
Xylotrupes dichotomus [충] 장수풍뎅이
Xysticus insulicola [동] 콩팥게거미
Xystrocera globosa [충] 청줄박이하늘소

Yemma exilis [충] 실노린재
Youngia japonica [식] 뽀리뱅이
Youngia sonchifolia [식] 고들빼기
Ypthima argus [충] 애물결나비
Ypthima motschulskyi [충] 물결나비
Yucca filamentosa [식] 실유카
Yucca recurvifolia [식] 실없는유카

Zacco platypus [어] 피라미
Zacco temmincki [어] 갈겨니
Zalanthias azumanus [어] 우각바리
Zalophus gillespii [동] 강치
Zamensis spinalis [동] 실뱀
Zanthopygia narcissina narcissina [조] 황금새
Zanthoxylum coreanum [식] 왕초피나무
Zanthoxylum piperitum [식] 초피나무
Zanthoxylum planispinum [식] 개산초나무
Zanthoxylum schinifolium [식] 산초나무
Zea mays [식] 옥수수
Zebrias fasciatus [어] 노랑각시서대
Zebrias japonicus [어] 각시서대
Zebrias zebra [어] 궁제기서대
Zeida [어] 달고기목
Zeidae [어] 달고깃과
Zelima coquilletti [충] 유리긴꽃등에
Zelima longa [충] 긴허리꽃등에
Zelima sapporensis [충] 홍다리꽃등에
Zelkova serrata [식] 느티나무
Zelkova serrata var. *longifolia* [식] 긴잎느티나무
Zenopsis nebulosus [어] 민달고기
Zeus japonicus [어] 달고기
Zingiberaceae [식] 생강과
Zingiber mioga [식] 양하
Zingiber officinale [식] 생강
Zinnia elegans [식] 백일초
Zizania caduciflora [식] 줄
Zizeeria maha [충] 남방부전나비
Zizyphus jujuba [식] 멧대추나무
Zizyphus jujuba var. *boeunensis* [식] 보은대추나무
Zizyphus jujuba var. *inermis* [식] 대추나무
Zoarces gillii [어] 등가시치
Zoarcidae [어] 등가시칫과
Zonitis japonica [충] 황가뢰
Zostera asiatica [식] 왕거머리말
Zosteraceae [식] 거머리말과
Zostera japonica [식] 애기거머리말
Zostera marina [식] 거머리말
Zosteropidae [조] 동박샛과
Zosterops erythropleura erythropleura [조] 조선동박새
Zosterops palpebrosa [조] 동박새
Zoysia japonica [식] 잔디
Zygaenidae [충] 알락나방과
Zygaenodes leucopis [충] 소바구미
Zygocactus truncactus [식] 게발선인장
Zygomycetes [생] 접합균류
Zygophyllaceae [식] 남가샛과

로마자 외래어의 한글 표기 찾아보기

외래어의 국명 표시 약호는 아래와 같다. 단, 지명·인명 등의 고유 명사와 영어는 따로 국명을 표시하지 않았다.

(그) 그리스어	(네) 네덜란드어	(노) 노르웨이어	(도) 독일어
(라) 라틴어	(러) 러시아어	(몽) 몽고어	(미) 미국어
(범) 범어	(벨) 벨기에어	(스) 스페인어	(아랍) 아라비아어
(이) 이탈리아어	(인) 인도어	(페) 페르시아어	(포) 포르투갈어
(폴) 폴란드어	(프) 프랑스어	(핀) 핀란드어	(헤) 헤브라이어

⊙ ( ) 안의 표기는 비표준 표기.

A, a 에이, (도) 아
A, α (그) 알파
AA 에이 에이
A.A.A. 에이 에이 에이
Aachen 아헨
AA group 에이 에이 그룹
AALA 아알라
Aalborg 올보르그
Aalto 알토
A.A.M. 에이 에이 엠
Aarne 아르네
Aaron 아론
Aaron-Mamby 아론맘비
AB 에이 비
abaca 아바카
Abadan 아바단
abaddon (그) 아바돈
Abarim 아바림
a battuta (이)아 바투타
Abba 아바
Abbado 아바도
abbandono (이) 아반도노
Abbās 아바스
Abbe 아베
A.B.C., ABC 에이 비 시
A.B.C.C. 에이 비 시 시
ABCDEF 에이 비 시 디 이 에프
Abd-el-Kadir 압둘카디르
Abd-el-Krim 압둘크림
Abd-er-Rahman 압두르라만
Abebe 아베베
Abegg 아베크
Abel 아벨
Abélard 아벨라르
Abenarius 아베나리우스
Abend (도) 아벤트
Abeokuta 아베오쿠타
Abercromby 애버크롬비
Aberdeen 애버딘
Aberdeen Angus 애버딘 앵거스
aberration 애버레이션
Abidjan 아비장
ability 어빌리티 「트
Ablaut (도) 아플라우트, 압라우
A.B.M 에이 비 엠
abnormal 애브노멀
ABO 에이 비 오
Aboukir 아부키르
Abraham 아브라함
Abram 아브람
Abruzzi 아브루치
ABS 에이 비 에스
Abseilen (도) 압자일렌
absinthe (프) 압생트
absolute music 애브설루트 뮤직
absolutism 애브설루티즘
absorbante (프) 압소르방트
abstract 애브스트랙트
abstract art 애브스트랙트 아트
abstract ballet 애브스트랙트 발레
Abt 아프트
ABU 에이 비 유
Abu 아부
Abu Dhabi 아부다비
Abuja 아부자

Abu-Simbel 아부심벨
Abydos 아비도스
Abyssinia 아비시니아
AC 에이 시
acacia 아카시아
academia (라) 아카데미아
academic 아카데믹 「덤
academic freedom 아카데믹 프리
Académie des Sciences (프) 아카
데미 데 시앙스 「미 프랑세즈
Académie Française (프) 아카데
academism 아카데미즘
academy 아카데미
acanthus 아칸서스
a capella (이) 아 카펠라
Acapulco 아카풀코
acarus 아카루스
accelerando (이) 아첼레란도
accelerator 액셀러레이터
accent 악센트
accentato (이) 아첸타토
acceptance 억셉턴스
acceptance rate 억셉턴스 레이트
acceptor 억셉터
accessory 액세서리
access time 액세스 타임
accident 액시던트 「이션
acclimatization 어클라이머타이제
accord (프) 아코르
accordéon (프) 아코르데옹
accordion 아코디언
accordion curtain 아코디언 커튼
accordion door 아코디언 도어
account executive 어카운트 이그
Accra 아크라 ⌊제큐티브
accumulator 어큐뮬레이터
ace 에이스
acenaphthene 아세나프텐
acetal 아세탈
acetaldehyde 아세트알데히드
acetamide 아세트아미드
acetanilide 아세트아닐리드
acetate 아세테이트
acetate film 아세테이트 필름
acetocarmine 아세토카민
aceton-butanol 아세톤부탄올
acetone 아세톤
acetonitrile 아세토니트릴
acetophenone 아세토페논
acetyl 아세틸
acetylase 아세틸라아제
acetylcellulose 아세틸셀룰로오스
acetylcholine 아세틸콜린
acetylcholine esterase 아세틸콜린
acetylene 아세틸렌 ⌊에스테라아제
acetylene gas 아세틸렌 가스
Achaea 아카이아, 아가야
Achaemenes 아케메네스
Achaeus 아케우스
Achernar 아케르나르
Acheson 애치슨
Acheul (프) 아쉴
achievement 어치브먼트 「트
achievement test 어치브먼트 테스
Achilles 아킬레스

Achilleus 아킬레우스 「오스
Achilleus Tatios 아킬레우스 타티
achromatic lens 애크로매틱 렌즈
acidosis 아시도시스
A class 에이 클래스
acmé (프) 아크메
Aconcagua 아콩카과
aconitine 아코니틴
Acosta 아코스타
Acousticon 어쿠스티콘
acre 에이커
acridine 아크리딘
acrinol 아크리놀
acrobate (프) 아크로바트
acrobatic 애크러배틱
acrobatic dance 애크러배틱 댄스
acrolein 아크롤레인
acromegaly 아크로메걸리
acromycin 아크로마이신
acryl 아크릴
acrylaldehyde 아크릴알데히드
acrylamide 아크릴아미드
acrylite 아크릴라이트
acrylonitrile 아크릴로니트릴
acrylonitrile-butadiene-styrene
아크릴로니트릴부타디엔스티렌
acrylonitrile-styrene 아크릴로니
트릴 스티렌
A.C.S.R. 에이 시 에스 아르
act 액트
Acta Diurna (라) 악타 디우르나
A.C.T.H., Acth 액스
acting 액팅
acting area 액팅 에어리어
actinide 악티니드
actinium 악티늄
actinometer 액티노미터
actinomyces 액티노마이시스
actinomycin 악티노마이신
actinoid 악티노이드
actinon 악티논
actinotrocha 악티노트로카
actinouranium 악티노우라늄
actinium K 악티늄 케이
action 액션
action drama 액션 드라마 「세즈
action française (프) 악시옹 프랑
actionism 액셔니즘
action painting 액션 페인팅
action research 액션 리서치
Actium 악티움
active 액티브
active sonar 액티브 소나
activism 액티비즘 「램
activity program 액티비티 프로그
actomyosin 액토미오신
actor 액터
actress 액트리스
actuary 액추어리
acyl 아실
A.D., AD 에이 디
Adad 아다드
adagietto (이) 아다지에토
adagio (이) 아다지오
adagio assai (이) 아다지오 아사이

adagio di molto (이) 아다지오 디
몰토 「몰토
adagio non molto (이) 아다지오 논
adagio non tanto (이) 아다지오 논
탄토
adagissimo (이) 아다지시모
Adalin (도) 아달린
Adam 아담, 애덤, 아당
Adam de la Halle 아당 드 라 알
Adamo 아다모
Adamov 아다모프
Adams 애덤스
adams 아담스
Adam Schall 아담 샬
adamsite 애덤자이트
Adam's Peak 애덤스 피크
Adams-Stokes 애덤스 스토크스
Adana 아다나
Adapa 아다파
adapt 어댑트
adaptation 애댑테이션
adapter 어댑터
Adar (헤) 아달
ADB 에이 디 비
ad balloon 애드벌룬
ad-car (미) 애드카
addendum 어덴덤
Addis Ababa 아디스 아바바
Addison 애디슨
add-pearl 애드펄
address 어드레스
address-book 어드레스북
ade 에이드
Adelaide 애들레이드
Aden 아덴
Adenauer 아데나워
adenine 아데닌
adenoid 아데노이드
adenosine 아데노신
adenovirus 아데노바이러스
adermin 아데르민
ADF 에이 디 에프
adhocracy 애드호크러시
adieu 아듀, (프) 아디외
Adige 아디제
adinole 아디놀
Adirondack 애디론댁
Aditi 아디티
Aditya 아디티아
ADIZ 에이디즈, 에이 디 아이 제
Adler 아들러 ⌊트
ad lib 애드 리브
ad libitum (라) 아드 리비툼
adman (미) 애드맨
admiral 애드미럴
Admiralty 애드미럴티
admission 어드미션
admittance 어드미턴스
ADN 에이 디 엔
adolescence 애덜레슨스
Adonis 아도니스
Adorm (도) 아도름
ADP 에이 디 피
ADPE 에이 디 피 이
ADPS 에이 디 피 에스

ADR 에이 디 아르
adrenaline 아드레날린
adrenochrome 아드레노크롬
Adria 아드리아
Adrian 에이드리언
Adrianople 아드리아노플
adult fantasy 어덜트 팬터지
Aduwa 아두와
advanced fusion 어드밴스트 퓨전
advance guard 어드밴스 가드
advantage 어드밴티지
advantage in 어드밴티지 인
advantage out 어드밴티지 아웃
advantage receiver 어드밴티지 리시버
advantage rule 어드밴티지 룰
advantage server 어드밴티지 서버
Adventist 애드벤티스트
adventure 어드벤처
advertisement 애드버타이즈먼트
advertiser 애드버타이저
advertising campaign 애드버타이징 캠페인
advertorial 애드버토리얼
advice 어드바이스
adviser 어드바이저
advocacy 애드버커시
ad-writer 애드라이터
Ady 오디
Aegean 에게
Aegina 아이기나
Aegir 아에기르
Ælfric 앨프릭
Aeneas 아이네아스
Aeneias 아이네이아스
Aeneis 아이네이스
aeration 에어레이션
aerial railway 에어리얼 레일웨이
aerobic dance 에어로빅 댄스
aerobic (미) 에어로빅
aerogram 에어로그램
Aerosol (도) 아에로졸
aerosol 에어로졸
Aeschines 아이스키네스
Aeschylos 아이스킬로스
Aesop 이솝
aestheticism 에스세티시즘
aesthetics 에스세틱
Aeta 아에타
Aētius 아에티우스
Aetōlia 아이톨리아
Afars & Issas 아파르 이사
AF 에이 에프
A.F.C. 에이 에프 시
affine 아핀
Afghan, afghan 아프간
Afghanistan 아프가니스탄
AFKN 에이 에프 케이 엔
AFL 에이 에프 엘
aflatoxin 아플라톡신
AFL-CIO 에이 에프 엘 시 아이 오
AFP 에이 에프 피
Africa 아프리카
Africanism 아프리카니즘
Africanize 아프리카나이즈
Africanthropus 아프리칸트로푸스
Afrikaans 아프리칸스
Afrikander 아프리칸더
Afrikaner 아프리카너
Afro-Asia 아프로아시아
Afro-Cuban 아프로큐반
Afro-Cuban rhythm 아프로큐반리듬
Afro-Eurasia 아프로유라시아
afterburner 애프터버너
aftercare 애프터케어
afternoon 애프터눈
afternoon dress 애프터눈 드레스
afternoon tea 애프터눈 티
after recording 애프터 리코딩
after service 애프터 서비스
after shoes 애프터 슈즈
Agama (범) 아함
Agamemnon 아가멤논
Agapanthus 아가판투스
agape (그) 아가페
agar 아가
agarose 아가로오스
Agassiz 아가시
AGC 에이 지 시
age 에이지
ageism 에이지즘
agency 에이전시
agency shop 에이전시 숍
agent 에이전트
ageratum 아게라툼
AGF 에이 지 에프
Agfa 아그파
Agfa colour 아그파 컬러
Agfa-Gevaert 아그파 게바르트
aghachi (몽고) 아가치
Agincourt 아쟁쿠르
agitation 애지테이션
agitato (이) 아지타토
agitator 애지테이터
aglucone 아글루콘
aglycone 아글리콘
AGM 에이 지 엠
Agnes 아녜스, 아그네스
Agni (범) 아그니
Agnon 아그논
agnosticisme (프) 아그노스티시슴
Agnus Dei (라) 아뉴스 데이
Agogik (도) 아고기크
agon 아곤
agora (그) 아고라
Agouti 아구티
Agra 아그라
Agram 아그람
agrément (프) 아그레망
agribusiness 애그리비즈니스
Agricola 아그리콜라
agriculture 애그리컬처
Agrigento 아그리젠토
Agrippa 아그리파
Agrippina 아그리피나
AGT 에이 지 티
Aguascalientes 아과스칼리엔테스
Agūda 아구다
Aguinaldo 아기날도
Agulhas 아굴라스
Agung 아궁
Ahimsā (범) 아힘사
aḥkām (아랍) 아흐캄
Ahlfors 알포르스
Ahmadabad 아마다바드
Ahmes 아메스
Ahmes papyrus 아메스 파피루스
Ahriman 아리만
Ahura Mazda 아후라 마즈다
Ahvāz 아바즈
Ahvenanmaa 아베난마
AI 에이 아이
Aias 아이아스
Aibak 아이바크
Aichinger 아이힝거
AID 에이 아이 디
Aïda 아이다
AIDMA 아이드마
AIDS 에이즈
Aigeus 아이게우스
Aigisthos 아이기스토스
Aigos Potamoi 아이고스포타모이
aiguille (프) 에귀유
Aimak 아이마크
Aimara 아이마라
aino 아이노
Ainu 아이누
Aiolos 아이올로스
Aion (그) 아이온
AIR 에이 아이 아르
air 에어
air bag 에어 백
airborne 에어본
air brake 에어 브레이크
air brush 에어 브러시
air bus 에어 버스
air car 에어 카
air castle 에어 캐슬
air cleaner 에어 클리너
air compressor 에어 컴프레서
air conditioner 에어 컨디셔너
air conditioning 에어 컨디셔닝
air curtain 에어 커튼
air cushion 에어 쿠션
air cycle system 에어 사이클 시스템
air dome 에어 돔
air door 에어 도어
air drill 에어 드릴
Airedale terrier 에어데일 테리어
airfield 에어필드
Air France 에어 프랑스, 에르 프랑스
air hammer 에어 해머
air hole 에어홀
air hostess 에어 호스티스
Air India 에어 인디아
airlift 에어리프트
airline 에어라인
airmail 에어메일
airman 에어맨
air micrometer 에어 마이크로미터
airplane 에어플레인
air pocket 에어 포켓
airport 에어포트
airport tax 에어포트 택스
air post 에어 포스트
air propeller 에어 프로펠러
air pump 에어 펌프
air rifle 에어 라이플
air service 에어 서비스
airship 에어십
air shooter 에어 슈터
air show 에어 쇼
air shower 에어 샤워
airsick 에어식
air stack 에어 스택
air station 에어 스테이션
air stewardess 에어 스튜어디스
air tank 에어 탱크
air taxi 에어 택시
air terminal 에어 터미널
air valve 에어 밸브
air varié (프) 에르 바리에
aisle 아일
Aisopos 아이소포스
Aitoff 아이토프
Airy 에어리
Aix-en-Provence (프) 엑상프로방스
Ajaccio 아작시오
Ajanta 아잔타
Ajax 아약스
Ajita 아지타
Ajmer 아지메르
Akademgorodok 아카뎀고로도크
Akbar 악바르
ākhirat (아랍) 아키라
Akkad 아카드
akmeizm (러) 아크메이즘
Akmolinsk 아크몰린스크
Akron 애크런
akropolis (그) 아크로폴리스
akroterion (그) 아크로테리온
Aksēnov 악쇼노프
Aktaion 악타이온
Aktinomykose (도) 악티노미코제
Akureyri 아쿠레이리
A-Ku-Ta 아쿠타
Akyab 아키아브
Alabama 앨라배마
alabamine 앨라배민
alabaster 앨러배스터
à la carte (프) 아 라 카르트
Alain 알랭
Alain-Fournier 알랭 푸르니에
Alam 알람
Alaman 알라만
Alamein 알라메인
Alamo 알라모
Alamode (도) 알라모드
à la mode (프) 아 라 모드
Alamogordo 앨러머고도
Alan 알란
Åland 올란드
alanine 알라닌
Alarcón 알라르콘
Alaric 알라리크
Alaska 알래스카
Alaska Highway 알래스카 하이웨이
Alaungpaya 알라웅파야
Alba 알바
Albania 알바니아
Albany 올버니
albatross 앨버트로스
albedo 알베도
Albee 올비
Albéniz 알베니스
Albert 앨버트
Alberta 앨버타
Alberti 알베르티
Albertus Magnus 알베르투스 마그누스
Albigeois 알비주아
albino 알비노
Albion 앨비언
Albireo 알비레오
ALBM 에이 엘 비 엠
Ålborg 올보르그
album 앨범
albumin 알부민
albuminoid 알부미노이드
albumose 알부모오스
Albuquerque 알부케르케, 앨버커키
alchemy 앨커미
ALC 에이 엘 시
ALCM 에이 엘 시 엠
ALCOA 알코아
Alcock 올콕
alcohol 알코올
alcohol burner 알코올 버너
alcohol lamp 알코올 램프
Alcott 올컷
alcôve (프) 알코브
Alcuin 앨퀸
Aldan 알단
Aldebaran 알데바란
aldehyde 알데히드
Alder 알더
aldose 알도오스
aldosterone 알도스테론
ale 에일
Aleixandre 알레익산드레
Aleksandr Nevskii 알렉산드르 네프스키
Aleksandrovsk-Sakhalinskii 알렉산드로프스크사할린스키
Alekseev 알렉세예프
Aleksei 알렉세이
Alemán 알레만
Aleppo 알레포
aletheia (그) 알레테이아
Aletschhorn 알레치호른
Aleut 알류트
Aleutian 알류샨
Alexander 알렉산더
Alexandr 알렉산드르
Alexandria, alexandria 알렉산드리아
alexandrite 알렉산드라이트
Alexandros 알렉산드로스
alexin 알렉신
alfalfa (미) 앨팰퍼
Alfa-Romeo 알파로메오
Alfieri 알피에리
al fine (이) 알 피네
Alfonso 알폰소
Alfred 앨프레드
Alfven 알벤
Algeciras 알헤시라스
Algenib 알게니브
Alger 알제
Algérie 알제리
algin, alginic 알긴
ALGOL 알골
Algol 알골
Algonkin 알곤킨
Algonkin-Wakashi 알곤킨와카시
algorithm 알고리듬

Alhambra 알람브라
Alhazen 알하젠
Ali 알리
alibi 알리바이
Alicante 알리칸테
Alice Springs 앨리스스프링스
alidade 앨리데이드, (프) 알리다드
Aligarh 알리가르
Alī Khān 알리 칸
aliment 앨리먼트
ALITALIA 알리탈리아
alizarin 알리자린
al ka'bah (아랍) 카바
Alkacid (도) 알카치트
Alkaios 알카이오스
alkali 알칼리
alkali calc 알칼리 칼크
alkali cellulose 알칼리 셀룰로오스
alkaloid 알칼로이드
alkalosis 알칼로시스
alkane 알칸
alkene 알켄
Alkestis 알케스티스
Alkibiades 알키비아데스
Alkiphron 알키프론
Alkmaar 알크마르
Alkmaion 알크마이온
Alkmān 알크만
alkyd 알키드
alkyl 알킬
alkylaluminium 알킬알루미늄
alkylbenzene 알킬벤젠 「폰
alkylbenzene sulfone 알킬벤젠 술
alkylphenol 알킬페놀
alkyl sulfate 알킬 설페이트
alkyne 알킨
alla breve (이) 알라 브레베
Allah 알라
Allahabad 알라하바드
alla marcia (이) 알라 마르치아
allargando (이) 알라르간도
allata 알라타
alla zingara (이) 알라 친가라
all-court pressing 올코트 프레싱
Allegheny 앨러게이니
allegory 알레고리
allegramente (이) 알레그라멘테
allegretto (이) 알레그레토
allegretto scherzando (이) 알레그레토 스케르찬도
allegrissimo (이) 알레그리시모
allegro (이) 알레그로
allegro agitato (이) 알레그로 아지타토 「이
allegro assai (이) 알레그로 아사
allegro assai vivo (이) 알레그로 아사이 비보 「브리오
allegro con brio (이) 알레그로 콘
allegro con fuoco (이) 알레그로 콘 푸오코
allegro di molto (이) 알레그로 디 몰토
allegro giusto (이) 알레그로 지우스토
allegro ma grazioso (이) 알레그로 마 그라치오소
allegro ma non troppo (이) 알레그로 마 논 트로포
allegro moderato (이) 알레그로 모데라토
allegro non tanto (이) 알레그로 논 탄토 「바체
allegro vivace (이) 알레그로 비
alleluia (라) 알렐루야
allemande (프) 알망드
Allen 알렌《앨런》
Allergen (도) 알레르겐
Allergie (도) 알레르기
allergy 앨러지
alley 앨리
all game 올 게임
alligator 앨리게이터
alliteration 얼리터레이션
allithiamine 알리티아민
all-night 올나이트
allophane 앨러페인
all-or-nothing 올 오어 너싱
Allosaurus 알로사우루스
all'ottava (이) 알로타바
Allport 올포트
all-purpose cut 올 퍼퍼스 컷
all right 올라이트
all risks 올 리스크스
all-round 올라운드
all-round player 올라운드 플레이
allspice 올스파이스 └어
all-star cast 올스타 캐스트
all-star game 올스타 게임
all-star team 올스타 팀
all steel car 올스틸 카
all talkie 올 토키
all wave 올 웨이브
all wave receiver 올 웨이브 리시
all weather 올 웨더 └버
allyl 알릴
allyl alcohol 알릴 알코올
Alma-Ata 알마아타
Almagest 알마게스트
Alma Mater (라) 알마 마터
Alma-Tadema 알마타데마
Almaty 알마티
Almería 알메리아
almighty 올마이티
almond 아몬드
almond cake 아몬드 케이크
Almqvist 알름크비스트
Alnico 알니코
aloe (라) 알로에
aloha 알로하
Aloha oe 알로하 오에
aloha shirts 알로하 셔츠
Alouette (프) 알루에트
Alp (도) 알프
alpaca 알파카
alpax 알팍스
Alpen (도) 알펜
Alpenhorn (도) 알펜호른
Alpenski (도) 알펜스키
Alpenstock (도) 알펜슈토크
alphabet 알파벳
alpha test 알파 테스트
Alpine 알파인
alpine club 알파인 클럽
alpine combined 알파인 컴바인드
Alpine ski 알파인 스키
Alpinism 알피니즘
alpinist 알피니스트
Alps 알프스
al-Qadhāfī 카다피
Alsace 알자스
Alsace-Lorraine 알자스로렌
al segno (이) 알 세뇨
Alt (도) 알트
Altai 알타이
Altair 알타이르
Altamira 알타미라
Altanbulak 알탄 불라크
Altdorfer 알트도르퍼
Alt-Heidelberg 알트하이델베르
Altigas 알티가스 └크
alto (이) 알토, 앨토
alto horn 알토 호른, 앨토 혼
alto sax 알토 색스
altruism 앨트루이즘
altruistic 앨트루이스틱
ALU 에이 엘 유
Al-Ubayyid 알우바이이드
alumel 알루멜
alumina 알루미나
aluminium 알루미늄
aluminium paint 알루미늄 페인트
aluminium sash 알루미늄 새시
alumino 알루미노
Aluminote 알루미노트
Alumite 알루마이트
Alundum 알런덤
Alvarez 앨버레즈
Alzheimer 알츠하이머
A.M., a.m. 에이 엠
amabile (이) 아마빌레
Amadeus 애머디어스
amalgam 아말감
Amana 아마나
amantadine 아만타딘
Amaravati 아마라바티
Amarna 아마르나
amaryllis 아마릴리스
amateur 아마추어
amateurism 아마추어리즘
Amati 아마티
amatol 아마톨
Amaya 아마야
Amazon 아마존
Amazonia 아마조니아
Amazonas 아마조나스
amber 앰버
ambition 앰비션
Ambler 앰블러
Amboina 암보이나
Ambon 암본
Ambrosius 암브로시우스
ambulance 앰뷸런스
ambulance car 앰뷸런스 카
Amen 아멘
amen (헤) 아멘
Amenhotep 아멘호테프
Amen-Ra 아멘라
amentia (라) 아멘티아
America 아메리카
American 아메리칸
American Ballet Theatre 아메리칸 발레 시어터
American crawl 아메리칸 크롤
American dream 아메리칸 드림
American football 아메리칸 풋볼
American frontier spirit 아메리칸 프런티어 스피릿
American Indian 아메리칸인디언
Americanism 아메리카니즘
Americanize 아메리카나이즈
American League 아메리칸 리그
American Legion 아메리칸 리전
American Mercury 아메리칸 머큐리
American organ 아메리칸 오르간
American Plan; AP 아메리칸 플
America's Cup 아메리카 컵 └랜
americium 아메리슘
Amerigo Vespucci 아메리고 베스푸치
Amerika 아메리카
Amerongen 아메롱겐
amethyst 애머시스트
Ami 아미
ami (프) 아미
amia 아미아
amidase 아미다아제
amide 아미드
amido 아미도
amidol 아미돌
Amiel 아미엘
Amiens 아미앵
Amın (아랍) 아민
amine 아민
amino 아미노
aminophenol 아미노페놀
aminopyrine 아미노피린
Amis 에이미스
AMM 에이 엠 엠
Amman 암만
ammeter 암미터
ammine 암민
ammon 암몬
ammonia 암모니아
ammonite 암모나이트
ammonium 암모늄
ammonium amalgam 암모늄 아말
Am ne Machin 암네마진 └감
Amnesty International 앰네스티 인터내셔널
amoeba 아메바
Amon 아몬
Amor 아모르
amore (이) 아모레
amor fati (라) 아모르 파티
amoroso (이) 아모로소
amorphous 어모퍼스
Amos 아모스
amour (프) 아무르
Amoy 아모이
Ampère 앙페르
ampere 암페어
amphetamine 암페타민
Amphiaraos 암피아라오스
Amphiktyonia (그) 암픽티오니아
amphithéâtre (프) 앙피테아트르
ample style 앰플 스타일
amplidyne 앰플리다인
amplifier 앰플리파이어
ampoule 앰풀
Amraphel 아므라벨
Amritsar 암리차르
Amsterdam 암스테르담
Amsterdam International 암스테르담 인터내셔널
Amu 아무
Amu Dar'ya 아무다리야
Amundsen 아문센
Amur 아무르
amusement 어뮤즈먼트
amyl 아밀
amyl alcohol 아밀 알코올
amylase 아밀라아제
amyloid 아밀로이드
amyloidsis 아밀로이드시스
amylopectin 아밀로펙틴
amylopsin 아밀롭신
amylose 아밀로오스
Amynodon 아미노돈
anabaena 애너비너
Anab missile 아나브 미사일
anachronism 아나크로니즘
anaconda 아나콘다
Anaconda 애너콘다
Anacreon 아나크레온
anagni 아나니
Anahuac 아나우악 「티스
analogia entis (라) 아날로기아 엔
Analogie (도) 아날로기
analogue, analog 아날로그
analog computer 아날로그 컴퓨터
analogy 아날로지
analysis 아날리시스
analyst 애널리스트
analyzer 애널라이저
anamnesis (그) 아남네시스
ananas (스) 아나나스
Anaphylaxie 아나필락시
anaphylaxis 아나필락시스
anarchism 아나키즘
anarchist 아나키스트
anarcho-syndicalisme (프) 아나르코생디칼리슴
anarchy 아나키
Anastigmat (도) 아나스티그마트
anastigmatic lens 아나스티그매틱
Anatahan 아나타한 └렌즈
Anathash 아나돗
Anatolia 아나톨리아
anatoxin 아나톡신
Anau 아나우
Anaxagoras 아낙사고라스
Anaximandros 아낙시만드로스
Anaximenes 아낙시메네스
anchor 앵커
Anchorage 앵커리지
anchor ball 앵커 볼
anchor bolt 앵커 볼트
anchor chain 앵커 체인
anchor man 앵커 맨
ancien régime (프) 앙시앵 레짐
ancre (프) 앙크르
AND, and 앤드
Andalusia 안달루시아
Andalusian 안달루시안

Andaman 안다만
andante (이) 안단테 「타빌레
andante cantabile (이) 안단테 칸
andante con moto (이) 안단테 콘 모토
andantino (이) 안단티노
Andersen 아네르센, 안데르센
Andersen Nexö 안데르센 넥쇠
Anderson 앤더슨
Andersson 안데르손
Andes 안데스
Andhra 안드라
Andhra Pradesh 안드라프라데시
Andizhan 안디잔
Andorra 안도라
Andreas 안드레
Andreev 안드레예프
Andrews 앤드루스
Andrić 안드리치
androgen 안드로겐
android 안드로이드
andrology 앤드롤로지
Andromache 안드로마케
Andromaque 앙드로마크
Andromeda 안드로메다
Andropov 안드로포프
Andros 안드로스
androsterone 안드로스테론
and run 앤드 런
anecdote 애넉도트
anemometer 애너모미터
anemone 아네모네
Anergie (도) 아네르기
aneroid 아네로이드
anethole 아네톨
Aneurin (도) 아노이린
Aneurinase (도) 아노이리나아제
Anfinsen 앤핀슨
ANFO 안포
Angara 앙가라
Angarsk 앙가르스크
Angaur 앙가우르
angel 에인절
angelfish 에인절피시
Angelico 안젤리코
Angell 에인절
Angelus 안젤루스
Angers 앙제
angina 앙기나
Angkor 앙코르
Angkor Thom 앙코르톰
Angkor Wat 앙코르와트
Angle 앵글
angle 앵글
angle shot 앵글 샷
angle valve 앵글 밸브
Anglican 앵글리컨
Anglican Church 앵글리컨 처치
Anglo-America 앵글로아메리카
Anglo-Arab 앵글로아랍
Anglo-Saxon 앵글로색슨
Anglo-Swiss style 앵글로스위스 스타일
Angola 앙골라
Angora 앙고라
Angra Mainyu 앙그라 마이뉴
angstrom 옹스트롬
Ångström 옹스트룀
anilide 아닐리드
aniline 아닐린
aniline black 아닐린 블랙
anima 아니마
animadocumentary 애니머다큐멘
animalism 애니멀리즘 ㄴ터리
animation 애니메이션
animatism 애니머티즘
animato (이) 아니마토
animatograph 애니매토그래프
animism 애니미즘
anion 아니온
anise 아니스
anisidine 아니시딘
anisole 아니솔
Anjou 앙주

Ankara 앙카라
anker 앵커
ankle boots 앵클 부츠
ankle length 앵클 렝스
ankylosaurus 안킬로사우루스
Anna 1 B 애너 원 비
Annaba 안나바
An Najaf 안 나자프
Anna Karenina 안나 카레니나
Annapolis 아나폴리스
Annapurna 안나푸르나
Annas 안나스
Anne 앤, 안네
annealing 어닐링
Anne Boleyn 앤 불린
anniversary 애니버서리
announce 아나운스
announcer 아나운서
anoa 아노아
anode 애노드
Anōkumene (도) 아뇌쿠메네
anomaloscope 아노말로스코프
anomie (프) 아노미
anomie 애노미
anonym 아노님
anopheles 아노펠레스
anorak 아노락
Anouilh 아누이
Anseilen (도) 안자일렌
Anselmus 안셀무스
Ansermet 앙세르메
an sich (도) 안지히
Antabus 앤터뷰스
antagonism 앤태거니즘
Antalkidas 안탈키다스
Antananarivo 안타나나리보
Antar 안타르
Antares 안타레스
Antelami 안텔라미
antenna 안테나
anthocyan 안토시안
anthology 앤솔러지
Anthony 앤터니
anthracene 안트라센
anthraquinone 안트라퀴논
Anthropologie (도) 안트로폴로기
Anthurium 안수리움
anthurium 앤수리엄
anti- 안티-, 앤티-
antiauxin 안티옥신
Antiberiberin (도) 안티베리베린
anticenter 안티센터
antichrist 안티크리스트
anticodon 안티코돈
anticorona 안티코로나
anticreeper 앤티크리퍼
Antifebrin 안티페브린
Antigone 안티고네
Antigonos 안티고노스
antiknock 앤티노크
Anti-Lebanon 안티레바논
Antilles 앤틸리스
antimagnetic 안티마그네틱
antimissile 앤티미사일
Antimon (도) 안티몬
antimony 안티모니
antinomy 안티노미
Antioch 안티오크
Antiochos 안티오코스
Antipodes 앤티퍼디스
antiproton 앤티프로톤
antipyrine 안티피린
antiquark 앤티쿼크
antique 앤티크
antique (프) 앙티크
anti-roman (프) 앙티로망
anti-Semitism 앤티세미티즘
Antisthenes 안티스테네스
anti-théâtre (프) 앙티테아트르
Antithese (도) 안티테제
antitoxin 안티톡신
antitrust 앤티트러스트
Antofagasta 안토파가스타
Antoine 앙투안

Antonello da Messina 안토넬로 다 메시나
Antoninus 안토니누스
Antoninus Pius 안토니누스 피우
Antonio 안토니오 ㄴ스
Antonioni 안토니오니
Antonius 안토니우스
Antony 앤터니
antonym 안토님
ANTU 안투
Antwerp 앤트워프
Antwerpen 안트베르펜
Anu 아누
Anubis 아누비스 「지히
an und für sich (도) 안 운트 퓌어
Anuradhapura 아누라다푸라
Anvers 앙베르
ANZUS 앤저스
ao dai 아오자이
AP 에이 피
Apache 아파치
apache (프) 아파슈
apache danse (프) 아파슈 당스
apartheid (네) 아파르트헤이트
apartment 아파트먼트 「스
apartment house 아파트먼트 하우
apatheia (그) 아파테이아
apathy 애퍼시
APEC 에이펙
apeiron (그) 아페이론
Apeldoorn 아펠도른
Apelles 아펠레스
Apennino 아펜니노
Apepi 아페피
apéritif (프) 아페리티프
aperto (이) 아페르토
aphorism 아포리즘
Aphrodite 아프로디테
aphtha 아프타
API 에이 피 아이
Apia 아피아
a piacere (이) 아 피아체레
Apis 아피스
Aplanat (도) 아플라나트
aplanat 애플러냇
aplite 애플라이트
A.P.O. 에이 피 오
Apo 아포
apochromat 애퍼크로맷
apochromatic lens 애퍼크로매틱
a poco (이) 아 포코 ㄴ렌즈
apocrine 아포크린
Apocrypha 아포크리파
Apollinaire 아폴리네르
Apollo 아폴로
Apollodoros 아폴로도로스
Apollon 아폴론
Apollonios 아폴로니오스
Apollonius 아폴로니우스
Apollos 아볼로
Apophis 아포피스
aporema (그) 아포레마
aporia (그) 아포리아
a posteriori (라) 아 포스테리오리
apostrophe 아포스트로피
Appalachia 애팔래치아
apparel 어패럴
appassionato (이) 아파시오나토
appeal 어필
appeasement policy 어피즈먼트 폴
Appel 아펠 ㄴ리시
appendix 어펜딕스
Appenzeller 아펜젤러
Appert 아페르
appetite 애피타이트
Appia 아피아
apple 애플
apple pie 애플 파이
Appleton 애플턴
appliqué (프) 아플리케
appoggiatura (이) 아포자투라
appreciation 어프리시에이션
approach 어프로치
approach shot 어프로치 샷

APRA 아프라
après (프) 아프레
après girl 아프레 걸
après-guerre (프) 아프레게르
apricot 애프리콧
April fool 에이프릴 풀
April Fools' Day 에이프릴 풀스데이
a priori (라) 아 프리오리
apron 에이프런
apron dress 에이프런 드레스
apron stage 에이프런 스테이지
apron style 에이프런 스타일
Apsu 압수
APT 에이 피 티
aptha 아프타
A.P.U. 에이 피 유
Apuleius 아풀레이우스
A.Q. 에이 큐
Aqaba 아카바
Aqino 아키노
aqua 아쿠아
aqualung 애퀄렁《아콰렁》
aquamarine 애쿼머린
aquapolis 애쿼폴리스
aquarobics 애쿼로빅스
aquatint 애쿼틴트
Aquinas 아퀴나스
Aquitaine 아키텐
Arab 아랍
Arab Emirates 아랍 에미리트
arabesque (프) 아라베스크
Arab guerilla 아랍 게릴라
Arabia 아라비아
Arabian Light 아라비안 라이트
Arabian Night 아라비안 나이트
arabinose 아라비노오스
Arabi Pasha 아라비 파샤
Arabistan 아라비스탄
Arachne 아라크네
Arad 아라드
Arafāt 아라파트
Arafura 아라푸라
Arago 아라고
Aragón 아라곤
Aragon 아라공
aragonite 아라고나이트
Araiza 아라이사
Arakan 아라칸
Aral 아랄
Aram 아람
ARAMCO 아람코
aramid 아라미드
Aran 애런
Arantius 아란티우스
Aranyaka 아라니아카
Ararat 아라라트, 아라랏
Araucan 아라우칸
Arawak 아라와크
Arbeit (도) 아르바이트
Arbeiter (도) 아르바이터
Arbeit Salon 아르바이트 살롱
Arbela 아르벨라
Arber 아르버
Arbor Day 아버 데이
Arbos (도) 아르보스
arbovirus 아르보바이러스
arc 아크
arcade 아케이드
Arcadelt 아르카델트
arcade store 아케이드 스토어
Arcadia 아르카디아
Arcadius 아르카디우스
arc balance 아크 밸런스
arch 아치
archaic 아케익
archaïque (프) 아르카이크
archaism 아케이즘
archaïsme (프) 아르카이슴
arch dam 아치 댐
Archer 아처
Archilochus 아르킬로쿠스
Archimedes 아르키메데스
Archipenko 아르키펭코

architecture 아키텍처
arch motion 아치 모션
archon (그) 아르콘
Archytas 아르키타스
Arcimboldi 아르침볼디
arc jet engine 아크 제트 엔진
arc lamp 아크 램프
arc light 아크 라이트
arco (이) 아르코
arc spectrum 아크 스펙트럼
arc spotlight 아크 스포트라이트
Arctic Ocean 아크틱 오션
Arcturus (라) 아르크투루스
Ardennes 아르덴
are (프) 아르
area 에어리어
Arecibo 아레시보
Aref 아레프
Aregelia 아레겔리아
arena (라) 아레나
Arenskii 아렌스키
Areopagitica (라) 아레오파지티카
Areopagos 아레오파고스
Arequipa 아레키파
Ares (그) 아레스
arete (그) 아레테
arête (프) 아레트
argali 아르갈리
Argelander 아르겔란더
Argentina 아르헨티나
Argentina tango 아르헨티나 탱고
Argentine 아르젠틴
Argerich 아르헤리치
arginase 아르기나아제
arginine 아르기닌
Argive 아르기브
Argo 아르고
argon 아르곤
Argonautai 아르고나우타이
argon gas 아르곤 가스
argon laser 아르곤 레이저
Argos 아르고스
Argun 아르군
Århus 오르후스
aria (이) 아리아
Ariadne 아리아드네
Arianne Rocket 아리안 로켓
Arica 아리카
Ariel 아리엘
arietta (이) 아리에타
Arikbukha 아리크부카
Arion 아리온
arioso (이) 아리오소
Ariosto 아리오스토
Aristarchos 아리스타르코스
Aristeides 아리스테이데스
Aristippos 아리스티포스
aristocracy 아리스토크라시
Aristophanes 아리스토파네스
Aristoteles 아리스토텔레스
Arius 아리우스
Arizona 애리조나
arizonite 애리조나이트
Arkansas 아칸소
Arkas 아르카스
Arkhangel'sk 아르항겔스크
arkhe (그) 아르케
arkosite 아르코사이트
Arkwright 아크라이트
Arland 아를랑
Arlberg 아를베르크
Arlberg ski 아를베르크 스키
arlecchino (이) 아를레키노
arlequin (프) 아를캥
Arles 아를
Arlington 알링턴
arm 암
Armada (스) 아르마다
armadillo 아르마딜로
Armagnacs 아르마냐크
armature 아마추어
armchair 암체어
Armenia 아르메니아
armeria 아르메리아
armhole 암홀
Arminius 아르미니우스
Armitage 아미티지
armlet 암릿
arm motion 암 모션
Armory Show 아머리 쇼
Armstrong 암스트롱
armure (프) 아르뮈르
army 아미
Arnauld 아르노
Arndt 아른트
Arnhem 아른헴
Arnhem Land 아넘랜드
arnica 아르니카
Arnim 아르님
Arno 아르노
Arnold 아널드
Arnoldson 아르놀드손
Arnoul 아르눌
Aromarama 아로마라마
Aron 아롱
Arowana 아로와나
Arp 아르프
arpa (이) 아르파
arpeggio (이) 아르페지오
arquerite 아케라이트
Arrabal 아라발
arraignment 어레인먼트
Arran 애런
arrange 어레인지
arrangement 어레인지먼트
Arrau 아라우
Arrhenius 아레니우스
Arrow 애로
ars (라) 아르스
Ars Amatoria 아르스 아마토리아
ars antiqua (라) 아르스 안티콰
arsine 아르신
ars nova (라) 아르스 노바
art 아트
Artaud 아르토
art déco (프) 아르 데코
art director 아트 디렉터
Artemis 아르테미스
arte povera (이) 아르테 포베라
art for art 아트 포 아트
art for life 아트 포 라이프
Arthaśāstra (범) 아르타샤스트라
Arthur 아서
artichoke 아티초크
artificial 아티피셜
artificial light 아티피셜 라이트
artisan (프) 아르티장
artist 아티스트
artiste (프) 아르티스트
art nouveau (프) 아르 누보
artotype 아토타이프
art paper 아트 페이퍼
art rock (미) 아트 록
Artsybashev 아르치바셰프
art theater 아트 시어터
art title 아트 타이틀
Aru 아루
Arya (범) 아리아
Āryabhāta 아리아바타
Aryan 아리안
Arzamas 아르자마스
AS 에이 에스
Asa 아사
ASA 아사
Asadi 아사디
Asam 아잠
asbesto (스) 아스베스토
asbestos 아스베스토스
asbestos cement 아스베스토스 시멘트
Asbjörnsen 아스비외른센
Ascension 어센션
asceticism 어세티시즘
Asch 애시
ASCII code 아스키 코드
Ascon, ascon 아스콘
ascot tie 애스컷 타이
ascription 어스크립션
ASEAN 아세안
Asgardh 아스가르드
Ashanti 아샨티
Ashkenazy 아슈케나지
Ashkhabad 아슈하바트
Ashley 애슐리
Ashmole 애슈몰
Ashtarte 아슈타르테
Ashton 애슈턴
Ashur 아슈르
Ashurbanipal 아슈르바니팔
Asia 아시아
Asiadollar 아시아달러
Asian dollar 아시안 달러
Asian Games 아시안 게임
Asiatic Russia 아시아틱 러시아
Asimov 아시모프
Asir 아시르
Aske 아스케
Asklepios 아스클레피오스
ASLO 아슬로
ASM 에이 에스 엠
Asmara 아스마라
Asoka 아소카
ASPAC 아스팍
asparaginase 아스파라기나아제
asparagine 아스파라긴
asparagus 아스파라거스
aspartame 아스파르테임
aspartase 아스파르타아제
Aspdin 애스프딘
aspect 애스펙트
aspect ratio 애스펙트 레이쇼
Aspergillus niger 아스페르길루스 니게르
Aspergillus oryzae 아스페르길루스 오리제
asphalt 아스팔트
asphalt concrete 아스팔트 콘크리트
asphalt felt 아스팔트 펠트
asphalt tile 아스팔트 타일
aspic (프) 아스피크
aspirator 아스피레이터
aspirin 아스피린
Aspite (도) 아스피테
Asquith 애스퀴스
'aṣr (아랍) 아스르
ASROC 애스록
assai (이) 아사이
Assam 아삼
Assassin 아사신
assemblage (프) 아상블라주
assembler 어셈블러
assembly 어셈블리
Asser 아세르
assignat (프) 아시냐
assignment 어사인먼트
Assisi 아시시
assist 어시스트
assistant 어시스턴트
Assmann 아스만
association 어소시에이션
Assur 아수르
Assyria 아시리아
Astaire 어스테어
astatine 아스타틴
aster 애스터
asteroid 아스테로이드
asteroxylon 아스테록실론
asthenosphere 아스세노스피어
Astley 애스틀리
Aston 애스턴
Astrakhan 아스트라한
astringent 아스트린젠트
astringent lotion 아스트린젠트 로션
Astrolabe (도) 아스트롤라베
astrolabium (라) 아스트롤라비움
Asturias 아스투리아스
Asunción 아순시온
Aśvaghoṣa (범) 아슈바고샤
Aswan 아스완
Aswan Dam 아스완 댐
Aswan High Dam 아스완 하이 댐
Asyūt 아시우트
Atacama 아타카마
Atahualpa 아타우알파
Atalante 아탈란테
ataman (러) 아타만
Atanasio 아타나시오
ataraxia (그) 아타락시아
atavism 애터비즘
Atbara 앗바라
at bat 애트 배트
ATC 에이 티 시
Ate 아테
Atebrin 아테브린
atelier (프) 아틀리에
a tempo (이) 아 템포
a tempo primo (이) 아 템포 프리모
Athabaska 애서배스카
Athanasios 아타나시오스
Athapaska 아타파스카
Atharva-Veda 아타르바베다
atheism 에이시이즘
Athena 아테나
Athenae 아테네
Athenai 아테나이
Athenaios 아테나이오스
Athene 아테네
Atherom (도) 아테롬
atheroma 아테로마
Athetose (도) 아테토오제
athetosis 아테토시스
Athine 아테네
athlete 애슬리트
athletics 애슬레틱스
at home 애트 홈
Athos 아토스
Atīṣa 아티샤
Atlan 아틀랑
Atlanta 애틀랜타
Atlantic 애틀랜틱
Atlantic City 애틀랜틱 시티
Atlantis 아틀란티스
Atlas, atlas 아틀라스
ATM 에이 티 엠
ātman (범) 아트만
atmosphere 애트머스피어
ATO 에이 티 오
atoll (프) 아톨
atom 아톰
atomic 아토믹
atomism 아토미즘
Atomistik (도) 아토미스티크
atomizer 애터마이저
Aton 아톤
Atonie (도) 아토니
atopy 아토피
ATP 에이 티 피
at random 애트 랜덤
Atreus 아트레우스
atropine 아트로핀
ATS 에이 티 에스
A.T.S. 에이 티 에스
ATT 에이 티 티
attacca (이) 아타카
attaché (프) 아타셰
attaché case 아타셰 케이스
attaching plug 어태칭 플러그
attachment 어태치먼트
attachment lens 어태치먼트 렌즈
attic 애틱
Attica 아티카
Attila 아틸라
Attis 아티스
attitude 애티튜드
Attlee 애틀리
atto 아토
attraction 어트랙션
attractive 어트랙티브
Attu 애투
Attwood 애트우드
aubade (프) 오바드
aubépine (프) 오베핀
Auber 오베르
Auburn 오번
Auckland 오클랜드
auction 오크션

auction bridge 오크션 브리지
Auden 오든
audio 오디오
audio fan 오디오 팬
audiometer 오디오미터
audiphone 오디폰
audition 오디션
Audubon 오더번
Auenbrugger 아우엔브루거
Auer 아우어
Auerbach 아우어바흐
Aufgabe (도) 아우프가베
Aufheben (도) 아우프헤벤
Auftakt (도) 아우프탁트
Augier 오지에
Augsburg 아우크스부르크
Augustinus 아우구스티누스
Augustus 아우구스투스
Aulard 올라르
aulos (그) 아울로스
Aung San 아웅 산
aural 오럴
auramine 아우라민
Aurangabad 아우랑가바드
Aurangzeb 아우랑제브
Aurelianus 아우렐리아누스
Aurelius 아우렐리우스
Aureomycin 오레오마이신
au revoir (프) 오르부아르
Auric 오리크
Auricularia 아우리쿨라리아
Aurignac 오리냐크
Auriol 오리올
Aurobindo Ghosh 오로빈도 고시
Aurora 오로라, 아우로라
aurora 오로라
Ausangate 아우상가테
Auschwitz 아우슈비츠 「폴
Ausdrucksvoll (도) 아우스드룩스
Ausgehalten (도) 아우스게할텐
Austen 오스틴
austenite 오스테나이트
Austerlitz 아우스터리츠
Austin 오스틴
Austral 오스트랄
Australasia 오스트랄라시아
Australia 오스트레일리아 「프스
Australia Alps 오스트레일리아 알
Australopithecus 오스트랄로피테쿠스, 아우스트랄로피테쿠스
Austria 오스트리아
Austria-Hungary 오스트리아헝가리 「아
Austria-Serbia 오스트리아세르비
Austroloid 오스트롤로이드
Autarkie (도) 아우타르키
authority 오소리티
Autobahn (도) 아우토반
auto-camping 오토캠핑
autoclave 오토클레이브
autoclutch 오토클러치
autocracy 오토크러시
auto-door 오토도어
auto genocide 오토 제노사이드
autogyro 오토자이로
automaker 오토메이커
automat 오토맷
automatic 오토매틱 「브
automatic drive 오토매틱 드라이
automation 오토메이션
automatisme (프) 오토마티슴
automaton 오토마톤
auto-nurse 오토너스
autopilot 오토파일럿
auto-radio 오토라디오
autoradiograph 오토라디오그래프
auto-reverse 오토리버스
auto show (미) 오토 쇼
autosome 오토솜
autostop 오토스톱
Autun (프) 오툉
autunite 오투나이트
Auvergne 오베르뉴
auxin 옥신

AV 에이 브이
Ava 아바
avant-garde (프) 아방가르드
avant-guerre (프) 아방게르
Avar 아바르
avec (프) 아베크
avec song 아베크 송
Avellaneda 아베야네다
Ave Maria (라) 아베 마리아
avenalin 아베날린
aventure (프) 아방튀르
avenue 애버뉴
average 애버리지
Averroës 아베로에스
Avesta (페르시아) 아베스타
AVF cyclotron 에이 브이 에프 사
Avicenna 아비센나 ㄴ이클로트론
Avignon 아비뇽
Avison 에이비슨
avocado 아보카도
Avogadro 아보가드로
avogram 아보그램
avoirdupois 애버더포이스
AWACS 에이왁스
away game 어웨이 게임
Axelrod 액설로드
axerophthol 악세로프톨
axion 액시온
Aya Sofia 아야 소피아
Āyāt (아랍) 아야트
aye-aye 아이아이
Ayer 에어
Aymé 에메
Ayrshire 에어셔
Ayrton 에어턴
Ayub Khan 아유브 칸
Ayutthaya 아유타야
Ayuthia 아유티아
Ayyūb 아이유브
Azad 아자드
azān (아랍) 아잔
Azaña 아사냐
Azazel 아사셀
Azeotropie (도) 아체오트로피
Azerbaidzhan 아제르바이잔
Azerbaijan 아제르바이잔
Azhar 아즈하르
azide 아지드
Azikiwe 아지키웨
Azil 아질
azione sacra (이) 아치오네 사크라
aziridine 아지리딘
Aznavour 아즈나부르
azo 아조
azobenzene 아조벤젠
azon 아존
Azores 아조레스
Azorín 아소린
Azotobacter 아조토박터
azotometer 아조토미터
azotometry 아조토메트리
Azov 아조프
Aztec 아스테카《아즈텍》
Azteca 아스테카
Aztec-Tano 아스텍타노
azurite 아주라이트

B, b 비
B.A. 비 에이
Baade 바데
Baal 바알
Baalbek 발베크
Bab 바브
Babbitt 배빗
Babbitt metal 배빗 메탈
Babel 바벨
Babel' 바벨
Bab al Mandab 바브 알 만다브
Babelon 바벨론

Baber 바베르
Babeuf 바뵈프
Babinski 바빈스키
babirussa 바비루사
Babism 바비즘
Babur 바부르
baby 베이비
baby bed 베이비 베드
baby face 베이비 페이스
baby food 베이비 푸드
baby golf 베이비 골프
Babylon 바빌론
Babylonia 바빌로니아
baby powder 베이비 파우더
baby set 베이비 세트
baby sitter 베이비 시터
baby star 베이비 스타
Bacău 바커우
baccalauréat (프) 바칼로레아
baccarat (프) 바카라
Baccelli 바첼리
bacchanale (프) 바카날
Bacchus 바커스, (라) 바쿠스
Bacchylides 바킬리데스
Bach 바흐
Bacharach 배커랙
Bachelard 바슐라르
bachelor 배철러 「츠
Bachelor of Arts 배철러 오브 아
Bachofen 바호펜(바흐오펜)
bacillus 바실루스
back 백, 빽
Backal (도) 바칼
backboard 백보드
backbone 백본
back center 백 센터
back charge 백 차지
backcourt 백코트
back dive 백 다이브
Backen (도) 바켄
Backfire, backfire 백파이어
backgammon 백개먼
back gear 백 기어
background 백그라운드 「직
background music 백그라운드 뮤
backhand 백핸드
Backhaus 박하우스
backless 배클리스
backlight 백라이트
back line 백 라인
back man 백 맨
backmirror 백미러
back music 백 뮤직
backnet 백네트
back noise 백 노이즈
back number 백 넘버
back order 백 오더
backpack 백팩
back pass 백 패스
back pass rule 백 패스 룰
back pressure 백 프레셔
back pressure turbine 백 프레셔
backrest 백레스트 ㄴ터빈
back row 백 로
backsaw 백소
back screen 백 스크린
backside 백사이드
backside kick 백사이드 킥
backsight 백사이트
backspace 백스페이스
backspace key 백스페이스 키
backstop 백스톱
backstretch 백스트레치
backstroke 백스트로크
backswing 백스윙
back toss 백 토스
backup 백업
backup file 백업 파일
backup system 백업 시스템
backwater 백워터
Bacolod 바콜로드
Bacon, bacon 베이컨
bacteria 박테리아
bacteria leaching 박테리아 리칭

bacteriochlorophyll 박테리오클로로
bacteriology 박테리올러지 ㄴ로필
bacteriophage 박테리오파지
bacteroid 박테로이드
Bactra 박트라
Bactria 박트리아
Badajoz 바다호스
Badalona 바달로나
Badami 바다미
Baden 바덴
Baden-Baden 바덴바덴
Baden-Powell 베이든파웰
badge 배지
badland 배드랜드
badminton 배드민턴
Badoglio 바돌리오
Baedeker (도) 베데커
Baekeland 베이클랜드
Baer 베어
Baeyer 바이어
Baez 바에즈
Baffin 배핀
Baffin Land 배핀랜드
bag 백, 빽
bagasse 버개스
bagatelle (프) 바가텔
Bagehot 배젓
baggy pants 배기 팬츠
baggy trouser 배기 트라우저
Bāgh 바그
Baghdad 바그다드
bagpipe 백파이프
baguette (프) 바게트
Baguio 바기오
bahada 바하다
Bahaism 바하이즘
Bahamas 바하마
Bahia 바이아
Bahía Blanca 바이아 블랑카
Bahman 바흐만
Bahrain 바레인
baht 바트
baião (포) 바이앙
Baiera 바이에라
Baïf 바이프
Baikal 바이칼
Baikonur 바이코누르
Bailey 베일리
Bairam 바이람
Baird 베어드
baiser (프) 베제
Baitu'llāh (아랍) 바이툴라
bajada (스) 바하다
Bajer 바이어
baked potato 베이크드 포테이토
Bakelite 베이클라이트
Baker 베이커
bakery 베이커리
baking powder 베이킹 파우더
Bakst 박스트
Baku 바쿠
Bakunin 바쿠닌
BAL 발
Balakirev 발라키레프
balalaika (러) 발랄라이카
balance 밸런스
balance of power 밸런스 오브 파워
balance sheet 밸런스 시트
balance weight 밸런스 웨이트
Balanchine 밸런친
Balaton 벌러톤
balazone 발라존
Balboa, balboa 발보아
Balch 볼치
balcon (프) 발콩
balcony 발코니
baldacchino (이) 발다키노
Balder 발데르
Baldovinetti 발도비네티
Baldwin 볼드윈
Baleares 발레아레스
Balfour 밸푸어
balgachi 발가치
Bali 발리

Balikpapan 발릭파판
balk 보크
Balkan 발칸
Balkhash 발하슈
balkline 보크라인
balkline game 보크라인 게임
Ball, ball 볼
ballade (프) 발라드
ballad opera 발라드 오페라
Ballarat 밸러랫
ballast 밸러스트
ball bearing 볼 베어링
ball count 볼 카운트
Balleny 밸러니
ballerina (이) 발레리나
ballet (프) 발레
ballet suite 발레 스위트
ball mill 볼 밀
ballo (이) 발로
ballon d'essai (프) 발롱 데세
balloon 벌룬
ballot 밸럿
ball pen 볼펜
ball-point pen 볼포인트 펜
ballroom 볼룸
ball umpire 볼 엄파이어
ball valve 볼 밸브
Balmer 발머
Bal'mont 발몬트
balsam 발삼
Balt 발트
Baltic 발틱
Baltimore 볼티모어
Baltoro 발토로
Baluchistan 발루치스탄
Baluchitherium 발루키테리움
Balzac 발자크
BAM 밤
Bamako 바마코
Ba Maw 바 모
Bamberg 밤베르크
Bāmiān 바미안
Banach 바나흐
banana 바나나
banana kick 바나나 킥
Banat 바나트
banco (스) 방코
Bancroft 밴크로프트
band 밴드
Banda 반다
Banda Atjeh 반다아체
bandage 밴디지
Bandar 'Abbās 반다르아바스
Bandaranaike 반다라나이케
Bandar Seri Begawan 반다르 세리 베가완
Bandar Shah 반다르샤
Bandjarmasin 반자르마신
bandmaster 밴드마스터
bandoneón (스) 반도네온
bandsman 밴드맨
Bandung 반둥
Banff 밴프
bang 뱅
Bangalo (도) 방갈로
Bangalore 방갈로르
Bangka 방카
Bangkok 방콕
Bangladesh 방글라데시
bang style 뱅스타일
Bangui 방기
Bani-Sadr 바니사드르
Banja Luka 바냐루카
banjo 밴조
Banjul 반줄
bank 뱅크
banker 뱅커
banking 뱅킹
banking system 뱅킹 시스템
bank loan 뱅크 론
Bank of America 뱅크 오브 아메리카
banks 방크스
banner 배너
bantam 밴텀
bantam weight 밴텀 웨이트
Banti 반티
Banting 밴팅
Bantu 반투
Bantu Homeland 반투 홈랜드
Bantustan 반투스탄
Banville 방빌
Bao Dai 바오 다이
baptism 뱁티즘
baptisma 밥티스마
Baptist 뱁티스트
B.A.R. 비 에이 아르
bar 바
Barabbas 바라바
Bárány 바라니
baraque (프) 바라크
Baratynskii 바라틴스키
Barbados 바베이도스
Barbaria 바르바리아
barbarism 바버리즘
barbaroi (그) 바르바로이
Barbary 바바리, 바르바리
barbecue 바비큐
barbell 바벨
Barber 바버
barber 바버
Barbeyrac 바르베라크
Barbirolli 바르비롤리
barbital 바르비탈
Barbizon (프) 바르비종
bar buoy 바 부이
Barbusse 바르뷔스
barcarola (이) 바르카롤라
barcarolle (프) 바르카롤
Barcelona 바르셀로나
Barchan 바르한
bar code 바 코드
Bardeen 바딘
Bardot 바르도
Bareilly 바레일리
Barenboim 바렌보임
Barents 바렌츠
bare top 베어 톱
bargain sale 바겐 세일
barge 바지
barge line 바지 라인
Bari 바리
bariquant (프) 바리캉
barisan 바리산
barite 바라이트
baritone 바리톤
baritone saxhorn 바리톤 색스혼
barium 바륨
Bar-Jesus 바예수
Bar-Jonah 바요나
Barkarole (도) 바르카롤레
Barker 바커
Barkla 바클라
Barlach 바를라흐
barn 반
Barnabas 바나바
Barnard 바너드
Barnaul 바르나울
barn dance 반 댄스
barocco (이) 바로코
Baroda 바로다
Baroja 바로하
barometer 바로미터
Barone 바로네
baroque 바로크
baroswitch 바로스위치
Barqah 바르카
Barquisimeto 바르키시메토
Barranquilla 바랑키야
Barrault 바로
barrel 배럴
barrel skirt 배럴 스커트
Barrès 바레스
barricade 바리케이드
Barrie 배리
barrier 배리어
barrister 배리스터
Barrow 배로
Barry 배리
bartender 바텐더
barter 바터
barter system 바터 시스템
Barth 바르트
Barthes 바르트
Bartholin 바르톨린
Bartholomaeus 바돌로매
Bartholomeu Dias 바르톨로뮤 디아스
Bartlett 바틀릿
Bartók 버르토크
Bartol'd 바르톨리드
Bartolommeo 바르톨롬메오
Bartolus 바르톨루스
Barton 바턴
Baruch 바루크
Barye 바리
baryon 바리온
baryta 바리타
base 베이스
baseball 베이스볼
base camp 베이스 캠프
base coat 베이스 코트
Basedow 바제도
Basel 바젤
base line 베이스 라인
base on balls 베이스 온 볼
base runner 베이스 러너
base umpire 베이스 엄파이어
base up 베이스 업
Bashi 바시
Bashkir 바슈키르
BASIC 베이식
Basic English 베이식 잉글리시
basic human needs 베이식 휴먼 니즈
basili 바실리
Basilica, basilica 바실리카
basilicon 바실리콘
Basilius 바실리우스
basket 바스켓
basket ball 바스켓 볼
Basket Maker 바스켓 메이커
Basov 바소프
Basque 바스크
Basra 바스라
bas-relief 바릴리프
Bass (도) 바스, 배스
bass 베이스
bass baritone 베이스 바리톤
bass clarinet 베이스 클라리넷
bass clef 베이스 클레프
bass drum 베이스 드럼
Bassein 바세인
bass flute 베이스 플루트
basso (이) 바소
bassoon 바순
basso ostinato 바소 오스티나토
bass trombone 베이스 트롬본
bass tuba 베이스 튜바
bass viol 베이스 비올
Bast 바스트
Bastia 바스티아
Bastian 바스티안
Bastien-Lepage 바스티앵르파주
Bastille 바스티유
Basutoland 바수톨란드
bat 배트
Bataan 바탄
Bataille 바타유
Batak 바타크
Batan 바탄
Batangas 바탕가스
Batavia 바타비아
bat boy 배트 보이
batch 배치
batcher plant 배처 플랜트
batch processing 배치 프로세싱
Bates 베이츠
Bateson 베이트슨
bath 배스
bath cape 배스 케이프
bathhouse 배스하우스
bathing suit 베이딩 슈트
bath mat 배스 매트
bathrobe 배스로브
bathroom 배스룸
bath towel 배스 타월
bathtub 배스터브
Bathurst 배서스트
bathyscaphe (프) 바티스카프
bathythermograph 배시서모그래프
batik 바티크
batiste (프) 바티스트
baton 배턴
bâton (프) 바통
baton girl 배턴 걸
Batoni 바토니
Baton Rouge 배턴루지
baton twirler 배턴 트월러
baton zone 배턴 존
Battani 바타니
Battelle 배틀
batten 배튼
batter 배터
Batterie (도) 바테리
batter in the hole 배터 인 더 홀
batter's box 배터 박스
battery 배터리
battik 배틱
batting 배팅
batting average 배팅 애버리지
batting cage 배팅 케이지
batting order 배팅 오더
Battle 배틀
battle jackets 배틀 재킷
Batu 바투
Batum 바툼
Batumi 바투미
Baty 바티
Bauch 바우흐
baud 보드
Baudelaire 보들레르
Bauer 바우어
Bauhaus (도) 바우하우스
Baumé, baumé (프) 보메
Baumeister 바우마이스터
Baumgarten 바움가르텐
Baum test (도) 바움 테스트
bauxite 보크사이트
Bavaria 바바리아
bavarois (프) 바바루아
Bayan 바얀
Bayer 바이어《바이에르》
Bayern 바이에른
Bayle 벨
Bayreuth 바이로이트
bay rum 베이 럼
bazaar 바자
Bazaine 바젠
Bazillus (도) 바칠루스
Bazin 바쟁
bazooka 바주카
BB 비 비
BBB 비 비 비
B.B.C. 비 비 시
BBS 비 비 에스
B.C. 비 시
BCG 비 시 지
BCL 비 시 엘
B class 비 클래스
BCS 비 시 에스
bdellium (라) 브델륨
beach 비치
beach gown 비치 가운
beach house 비치 하우스
beach parasol 비치 파라솔
beacon 비컨
Beadle 비들
beads 비즈
beagle 비글
beaker 비커
beam 빔
beam antenna 빔 안테나
beam compass 빔 컴퍼스
beam rider 빔 라이더
bean ball 빈 볼
bear away 베어 어웨이
Beard 비어드
Beardsley 비어즐리
bearing 베어링

bear top 베어톱
beat 비트
beater 비터
Beat Generation 비트 제너레이션
Beatles 비틀스
beatnik 비트니크
Beaton 비턴
Beatrice 베아트리체
Beaufort 보퍼트
Beaumarchais 보마르셰
Beaumont 보몬트, 보몽
beauty 뷰티
beauty contest 뷰티 콘테스트
beauty cycle 뷰티 사이클
beauty parlor 뷰티 팔러
beauty salon 뷰티 살롱
beauty spot 뷰티 스폿
Beauvoir 보부아르
beaver 비버
beaver cloth 비버 클로스
Bebel 베벨
bebop 비밥
Beccaria 베카리아
béchamel sauce (프) 베샤멜 소스
Béchar 베샤르
Becher 베허
Bechuanaland 베추아날란드
Becker 베커
Becket 베킷
Beckett 베케트
Beckford 벡퍼드
Beckmann 베크만
Becque 베크
Becquerel 베크렐
bed 베드
Beda 베다
Beddoes 베도스
Bede 비드
bed mark system 베드 마크 시스템
Bedouin 베두인
bedroom 베드룸
bed scene 베드 신
bed town 베드 타운
Beebe 비비
Beecham 비첨
beef 비프
beef cutlet 비프커틀릿
beefsteak 비프스테이크
Beelzeboub 바알세붑
Beelzeboul 바알세불
beer 비어
beer hall (미) 비어 홀
Beernaert 베르나르트
Beersheba 브엘세바, 베르셰바
beer stand 비어 스탠드
beet 비트
Beethoven 베토벤
begaton 베가톤
Begin 베긴
beginner 비기너
beginner's luck 비기너스 럭
begonia 베고니아
Begram 베그람
beguine 비긴
Behaim 베하임
Behan 비언《베한》
behaviorism 비헤이비어리즘
Behistun 베히스툰
Behrens 베렌스
Behring 베링
Behrman 베어먼
beige 베이지
Beira 베이라
Beirut 베이루트
Béjart 베자르
bekah (히) 베가
Békésy 베케시
Bel-Ami 벨아미
Belau 벨라우
belay 빌레이
belaying pin 빌레잉 핀
bel canto (이) 벨 칸토
Belebt (도) 벨렙트
Belemnite 벨렘나이트
Belfast 벨파스트
België 벨기에
Belgrade 벨그라드
Belinskii 벨린스키
Belisarius 벨리사리우스
belitung 벨리퉁
Belize 벨리즈
Bell, bell 벨
belladonna 벨라도나
Bellamy 벨러미
Bellatrix 벨라트릭스
bellboy 벨보이
belle (프) 벨
belle époque (프) 벨 에포크
Bellerophon 벨레로폰
Bellini 벨리니
Bellingshausen 벨링스하우젠
bell metal 벨 메탈
Belloc 벨록
Bellona 벨로나
Bellow 벨로
belly dance 벨리 댄스
belly roll 벨리 롤
Belmopan 벨모판
Belo Horizonte 벨로리존테
Belonite (도) 벨로니테
Belorus' 벨로루시
Below 벨로
belt 벨트
belt conveyor 벨트 컨베이어
beltline 벨트라인
beltline store 벨트라인 스토어
Beluchistan 벨루치스탄
Belukha 벨루하
Belyi 벨리
Bemberg (도) 벰베르크
ben (이) 벤
Benacerraf 베나세라프
Benares 베나레스
Benavente 베나벤테
Ben Bella 벤 벨라
bench 벤치
bench mark 벤치마크
benchmarking 벤치마킹
bench press 벤치 프레스
bench warmer 벤치 워머
bend 벤드
Benda 방다
Bendigo 벤디고
bending moment 벤딩 모멘트
Benedict 베네딕트, 베네딕토
Benedictus (라) 베네딕투스
beneficium (라) 베네피키움
Benelux 베네룩스
Beneš 베네시
Benét 베네
Bengal 벵골
bengala (네) 벵갈라
Bengasi 벵가지
Benguela 벵겔라
Ben-Gurion 벤구리온
Beni Hasan 베니 하산
Benin 베냉
Benin City 베닌시티
benjamin 벤저민
Ben Khedda 벤 헤다
Benn 벤
Bennett 베넷
Ben Nevis 벤네비스
bent 벤트
Bentham 벤담
benthos 벤토스
Bentley 벤틀리
Benton 벤턴
bentonite 벤토나이트
Benue 베누에
Benz 벤츠
benzaldehyde 벤즈알데히드
benzene 벤젠
benzidine 벤지딘
benzine 벤진
benzol 벤졸
benzopyrene 벤조피렌
benzoquinone 벤조퀴논
benzyl alcohol 벤질 알코올
Beograd 베오그라드
Beowulf 베어울프
Béranger 베랑제
Berber 베르베르
berceuse (프) 베르쇠즈
Berdyaev 베르댜예프
Berea 베레아
béret (프) 베레
Berg 버그, 베르크
Bergamo 베르가모
bergamote (프) 베르가모트
Bergen 베르겐
Bergengruen 베르겐그륀
Berger 베르거
Bergius 베르기우스
Bergman 버그먼, 베리만
Bergmann 베르크만
Bergson 베르그송
Bergström 베리스트룀
beriberi 베리베리
Bering 베링
Berio 베리오
Beriya 베리야
Berkeley 버클리
berkelium 버클륨
Berkshire 버크셔
Berlage 베를라헤
Berlin 베를린, 벌린
Berlin appeal 베를린 어필
Berlin blue 베를린 블루
Berliner Ensemble 베를리너 앙상블
Berlioz 베를리오즈
Bermuda pants 버뮤다 팬츠
Bermuda shorts 버뮤다 쇼츠
Bern 베른
Bernardin de Saint-Pierre 베르나르댕 드 생피에르
Bernal 버널
Bernanos 베르나노스
Bernard 베르나르
Berneux 베르뇌
Bernhardt 베르나르
Bernheim 베른하임
Bernina 베르니나
Bernini 베르니니
Bernoulli 베르누이
Bernstein 베른슈타인, 번스타인
berry set 베리 세트
berth 버스
Bertha 베르타
Berthelot 베르틀로
Berthollet 베르톨레
Bertillon 베르티용
Bertolucci 베르톨루치
Bertrand 베르트랑
beryllium 베릴륨
Berzelius 베르셀리우스
Bes 베스
Besançon 브장송
Bessarabia 베사라비아
Bessel 베셀
Bessemer 베서머
best 베스트
best dresser 베스트 드레서
best member 베스트 멤버
best seller 베스트 셀러
best ten 베스트 텐
beta 베타
beta-carotene 베타카로틴
beta-naphthol 베타나프톨
beta test 베타 테스트
betatron 베타트론
Betelgeuse 베텔게우스
Bethe 베테
Bethel 베델
Bethell 베셀
Bethesda 베데스다
Bethlehem 베들레헴
Bethmann-Hollweg 베트만홀베크
Bethsaida 벳새다
Betonend (도) 베토넨트
Bettany 베다니
better 베터
better half 베터 하프
Beust 보이스트
BEV 베브
Bevan 베번
bevatron 베바트론
bevel gear 베벨 기어
Beveridge 베버리지
Bevin 베빈
Beyer 바이어《바이에르》
beylisme (프) 벨리슴
BG 비지
BGM 비지엠
Bhagavadgītā (범) 바가바드기타
Bhakra Dam 바크라 댐
Bhamo 바모
bharal 바랄
Bharat 바라트
Bhārata Nātya (범) 바라타 나티아
Bhārhut 바르후트
Bhāsa 바사
Bhaskara 바스카라
Bhavabhūti 바바부티
BHC 비 에이치 시
Bhilsa 빌사
Bhopal 보팔
Bhutan 부탄
biacetyl 비아세틸
Biafo 비아포
Biafra 비아프라
Biak 비아크
Białystok 비아위스토크
Biarritz 비아리츠
bias 바이어스
bias tape 바이어스 테이프
biathlon 바이애슬론
bibi (프) 비비
Bible 바이블
bibliography 비블리오그래피
bibliomania 비블리오마니아
Bichat 비샤
bicology 바이콜로지
bicycle 바이시클
bidet (프) 비데
Biedermeier (도) 비더마이어
Biel 빌
Biela 비엘라
biennale (이) 비엔날레
bier (네) 비르
Bierce 비어스
Bi-Fi 바이파이
bifidus (라) 비피두스
big 빅
big band 빅 밴드
big bang 빅 뱅
Big Ben 빅벤
big business 빅 비즈니스
big game 빅 게임
big news 빅 뉴스
big science 빅 사이언스
big wheel 빅휠
Bihar 비하르
Bihari 비하리
Bikaner 비카네르
bike 바이크
bike motor 바이크 모터
Bikini, bikini 비키니
Bilbao 빌바오
bile 빌
Bielefeld 빌레펠트
biliverdin 빌리베르딘
bilirubin 빌리루빈
bilivaccine 빌리백신
biliverdin 빌리베르딘
Bill, bill 빌
billbergia 빌베르기아
Billboard 빌보드
bill broker 빌 브로커
billet 빌릿
billiard 빌리어드
Billiken 빌리켄
billing 빌링
billion electron volt 빌리언 일렉트론 볼트
Billiton 빌리톤
Bimbisāra (범) 빔비사라

bimetal 바이메탈
binder 바인더
Binding 빈딩
binding 바인딩
Binet 비네
Bingham 빙엄
bingo 빙고
Binig 비니히
Binswanger 빈스방거
Bintan 빈탄
bio 바이오
bioceramics 바이오세라믹스
biochip 바이오칩
biocomputer 바이오컴퓨터
biofeedback 바이오피드백
Biofermin 비오페르민
biography 바이오그래피
biohazard 바이오해저드
bioindustry 바이오인더스트리
biology 바이올로지
biomass 바이오매스
biome 바이옴
biomechanics 바이오메커닉스
biomekhanika (러) 비오메하니카
biometry 바이오메트리
Bion 비온
bionics 바이오닉스
Bionic Valley 바이오닉 밸리
biopak 바이오팩
Biophor (도) 비오포어
biophore 바이오포어
biopsy 바이옵시
bioreactor 바이오리액터
biorhythm 바이오리듬
BIOS 바이오스
bios 비오스
biosatellite 바이오새틀라이트
biosensor 바이오센서
biosonar 바이오소나
biosphere 바이오스피어
Biot 비오
biotechnology 바이오테크놀로지
biotin 비오틴, 바이오틴
biotonus (라) 비오토누스
biotron 바이오트론
biphenyl 비페닐
bipinnaria 비피나리아
biplane 바이플레인
bird man 버드 맨
bird's-eye 버즈아이
bird's-eye view 버즈아이 뷰
Birkeland 비르켈란
Birkenhead 버컨헤드
Birmingham 버밍엄
Birmingham 버밍햄
Birobidzhan 비로비잔
birr 비르
Biruni 비루니
birth control 버스 컨트롤
birthday 버스데이
birthday cake 버스데이 케이크
BIS 비 아이 에스
Biscay 비스케이
biscuit 비스킷
bisexual 바이섹슈얼
Bishbalik 비슈발리크
Bishkek 비슈케크
bishop 비숍
Bismarck 비스마르크
bismotor 비스모터
bismuth 비스무트
bison 바이슨
Bissau 비사우
bister 비스터
bit 비트
bite 바이트
bite holder 바이트 홀더
bit map 비트 맵
bivouac (프) 비부아크
Biwak (도) 비바크
Bizerte 비제르테
Bizet 비제
Bjerknes 비에르크네스
Björnson 비외른손

B/L 비 엘
Blache 블라슈
Black, black 블랙
blackboard 블랙보드
black box 블랙 박스
Blackburn 블랙번
black card 블랙 카드
black chamber 블랙 체임버
black coffee 블랙 커피
black comedy 블랙 코미디
Black Country 블랙 컨트리
black diamond 블랙 다이아몬드
Blackett 블래킷
black face 블랙 페이스
black ghetto (미) 블랙 게토
Black Hamburg 블랙 함부르크
Black Hand 블랙 핸드
Black Hills 블랙 힐스
black hole 블랙 홀
black humor 블랙 유머
blackjack 블랙잭
blackleg 블랙레그
blacklist 블랙리스트
black market 블랙 마켓
Black Monday 블랙 먼데이
Black Moslem 블랙 모슬렘
black nationalism 블랙 내셔널리즘
blackout 블랙아웃
Black Power 블랙 파워
Black Prince 블랙 프린스
black racket 블랙 라켓
Black Sea 블랙 시
black shaft 블랙 샤프트
Blackstone 블랙스톤
Black theater 블랙 시어터
blade 블레이드 「크
Blagoveshchensk 블라고베시첸스
Blake 블레이크
Blakiston 블래키스턴
Blanc 블랑
Blanchard 블랑샤르
Blanchot 블랑쇼
blank 블랭크
blanket 블랭킷
blanket area 블랭킷 에어리어
blanket clearance 블랭킷 클리어런
blanket stitch 블랭킷 스티치 ㄴ스
blank test 블랭크 테스트
blank verse 블랭크 버스
Blanqui 블랑키
Blanquisme (프) 블랑키슴
Blantyre 블랜타이어
Blasco-Ibáñez 블라스코이바녜스
Blasticidin S 블라스티시딘 에스
blazer 블레이저
blazer coat 블레이저 코트
bleach 블리치
bleachers 블리처스
bleach mask 블리치 마스크
bleach out jeans 블리치 아웃 진
bleomycin 블레오마이신
Blida 블리다
blind 블라인드
Blixen 블릭센
blizzard 블리자드
bloc 블록
Bloch 블로흐; 블로크
block 블록
block ball 블록 볼
block brake 블록 브레이크
block chain 블록 체인
block check 블록 체크
block copy 블록 카피
block diagram 블록 다이어그램
Blockflöte (도) 블록플뢰테
block gauge 블록 게이지
blocking 블로킹
blocking sign 블로킹 사인
block sign 블록 사인
block system 블록 시스템
Bloembergen 블룀버겐
Bloemfontein 블룸폰테인
blond 블론드
Blondel 블롱델

Blonskij 블론스키
blood bank 블러드 뱅크
bloodstone 블러드스톤
bloomer 블루머
Bloomfield 블룸필드
Bloomsbury Group 블룸즈버리 그룹
blotter 블로터
blotting pad 블로팅 패드
blotting paper 블로팅 페이퍼
blouse 블라우스
blow 블로
blowhole 블로홀
blowlamp 블로램프
blow molding 블로 몰딩
blown asphalt 블론 아스팔트
blue 블루
blueberry 블루베리
bluebird 블루버드
blue-black 블루블랙
blue book 블루 북
blue cheese 블루 치즈
blue chip 블루 칩
blue collar 블루 칼라
blue-denim 블루데님
blue film 블루 필름
bluegrass 블루그래스
blue jeans 블루 진
blue line 블루 라인
blue movie 블루 무비
Blue-pen glass 블루펜 글라스
blue-print 블루프린트
blue ribbon 블루 리본
blues 블루스
bluestocking 블루스타킹
Blum 블룸
Blumenbach 블루멘바흐
Blunden 블런든
Bluntschli 블룬칠리
BMD 비 엠 디
BMEWS 비뮤스
boa 보아
BOAC 비 오 에이 시
Boanerges 보아너게
board 보드
boarding bridge 보딩 브리지
Boas 보애스
boat 보트
boat deck 보트 덱
boatman 보트먼
boat neck 보트 넥
boat note 보트 노트
boat race 보트 레이스
boatswain 보슨
bob 보브
bobbin 보빈
Bobo-Dioulasso 보보디울라소
bobsleigh 봅슬레이
Boccaccio 보카치오
Boccherini 보케리니
Boccioni 보초니
Bochum 보훔
Böcklin 뵈클린
BOD 비 오 디
Bode 보데
Boden 보덴
bodice 보디스
Bodin 보댕
Bodo 보도
body 보디
body blow 보디 블로
body-builder 보디빌더
bodybuilding 보디빌딩
body check 보디 체크
bodyguard 보디가드
body language 보디 랭귀지
bodyline 보디라인
body lotion 보디 로션
body massage 보디 마사지
body painting 보디 페인팅
body press 보디 프레스
body shirt 보디 셔츠
body slam 보디 슬램
body suit 보디 슈트

body swing 보디 스윙
body wear 보디 웨어
bodywork 보디워크
Boeing 보잉
Boer 보어
Boerhaave 부르하페
Boethius 보에티우스
Bogart 보가트
Bogdanov 보그다노프
Bogen (도) 보겐
bogey 보기
Bogazköy 보가즈쾨이
Bogor 보고르
Bogotá 보고타
Bohemia 보헤미아
Bohemian 보헤미안
Böhm 뵘
Böhm-Bawerk 뵘바베르크
Böhme 뵈메
Bohr 보어
Boiardo 보이아르도
Boiëldieu 부아엘디외
boil down 보일 다운
Boileau 부알로
boiled 보일드
boiled egg 보일드 에그
boiled fish 보일드 피시
boiled ham 보일드 햄
boiler 보일러
boiler man 보일러 맨
boiler shell 보일러 셸
Boiotia 보이오티아
Bojer 보이에르
bold 볼드
boldface 볼드페이스
bolero (스) 볼레로
Bolivar 볼리바르
Bolivia 볼리비아
Böll 뵐
Bologna 볼로냐
bolometer 볼로미터
Bolsena 볼세나
Bolsheviki (러) 볼셰비키
Bolshevism (러) 볼셰비즘
Bol'shoi 볼쇼이
bolt 볼트
Bolton 볼턴
Boltzmann 볼츠만
Bolyai 보야이, 볼리아이
Bolzano 볼차노
Boma 보마
Bomarc 보마크
bombardon 봄바든, (프) 봉바르동
Bombay 봄베이
Bombe (도) 봄베
bona fide (라) 보나피데
bonang 보낭
bonanza 보난자
bonanzagram 보난자그램
Bonaparte 보나파르트
Bonapartisme (프) 보나파르티슴
Bonaventura 보나벤투라
bonbon (프) 봉봉
bond 본드
bonded fabric 본디드 패브릭
bonehead (미) 본헤드
boneless ham 본리스 햄
bonellia 보넬리아
bongo 봉고
Bonifacius 보니파키우스
Bonjour (프) 봉주르
Bonn 본
Bonnard 보나르
bonnet 보닛
Bonneville Dam 보너빌 댐
Bonomi 보노미
bon sens (프) 봉 상스
bonus 보너스
bonus quota 보너스 쿼터
booby 부비
booby trap 부비 트랩
boogaloo 부걸루
boogie 부기
boogie-woogie 부기우기
book band 북 밴드

bookcase 북케이스
book club 북 클럽
book cover 북 커버
bookend 북엔드
booking 부킹
bookkeeping 북키핑
booklet 부클릿
bookmaker 북메이커
bookmobile 북모빌
book review 북 리뷰
Boole 불
boom 붐
boomerang 부메랑
boom town 붐 타운
booster 부스터
bootee 부티
Booth 부스
booth 부스
Boothia 부시아
boots 부츠
Bopp 보프
bora 보라
borane 보란
borazon 보라존
Borchert 보르헤르트
Bordeaux 보르도
border 보더
border light 보더 라이트
border line 보더 라인
borderline case 보더라인 케이스
border print 보더 프린트
Border terrier 보더 테리어
Bordet 보르데
Boreas (그) 보레아스
borehole pump 보어홀 펌프
Borel 보렐
Borghese 보르게제
Borgia 보르지아
boring 보링
boring machine 보링 머신
Born 보른
Bōrne 뵈르네
Borneo 보르네오
Bornholm 보른홀름
Borobudur 보로부두르
Borodin 보로딘
Borodino 보로디노
borough 버러
Borromini 보로미니
Borrow 보로
Borstal system 보스틀 시스템
bort 보르트
bortz 보츠
borzoi 보르조이
Bosanquet 보즌킷
Bosch 보슈; 보스
Boskop 보스콥
Bosnia 보스니아
Bosnia Herzegovina 보스니아 헤르체고비나
boson 보손
Bosporus 보스포루스
boss 보스
bossa nova (포) 보사 노바
Bossuet 보쉬에
Boston 보스턴
Boston bag 보스턴 백
Boston marathon 보스턴 마라톤
Boston Tea Party 보스턴 티 파티
Boswell 보즈웰
Botallo 보탈로
botany 보터니
botão (포) 보탕
Bothe 보테
Bothnia 보트니아
Botocudo 보토쿠도
Botswana 보츠와나
Botticelli 보티첼리
bottle 보틀
bottom fashion 보텀 패션
botulinus 보툴리누스
Bouaké 부아케
Boucher 부셰
bougainvillaea 부겐빌레아
Bougainville 부갱빌; 부건빌

bougie 부지
bouillon (프) 부용
Boulanger 불랑제
Boulding 볼딩
boulevard (프) 불바르
Boulez 불레즈
Boulogne 불로뉴
Boulogne-Billancourt 불로뉴비양쿠르
Boumedienne 부메디엔
bounce flash 바운스 플래시
bound 바운드
bound pass 바운드 패스
bouquet (프) 부케
Bourbon 부르봉
bourbon 버번
bourbon whisky 버번 위스키
Bourdelle 부르델
Bourdieu 부르디외
Bourdon 부르동
bourgeois (프) 부르주아
bourgeoisie (프) 부르주아지
Bourges 부르주
Bourget 부르제
Bourgogne 부르고뉴
Bourguiba 부르기바
Bourke-White 버크화이트
bourrée (프) 부레
boutique (프) 부티크
Bouts 보우츠
Bouvines 부빈
bovarysme (프) 보바리슴
Boveri 보베리
Bovet 보베
bow 바우, 보
Bowen 보엔
bowgun 보건
Bowie 보이
bowing 보잉
bowknot 보노트
bowl 볼
bowler 볼러
bowling 볼링
bow thruster 바우 스러스터
bow tie 보 타이
box 박스; 복스
box calf 복스 카프
box coat 박스 코트
boxer 복서
boxing 복싱
boxing ring 복싱 링
box office 박스 오피스
box pleat 박스플리트
box spanner 박스 스패너
box style 박스 스타일
boy 보이
boycott 보이콧
Boyd Orr 보이드 오어
Boye 보예
Boyer 부아예
boy friend 보이 프렌드
Boyle 보일
Boyle-Charles' 보일샤를
Boyle-Mariotte's 보일마리오트
Boy Scouts 보이 스카우트
boy soprano 보이 소프라노
Boys Town 보이스 타운
Brabant 브라반트
brace 브레이스
bracelet 브레이슬릿
brachiation 브래키에이션
bracket 브래킷
Bradford 브래드퍼드
Bradley 브래들리
Bragg 브래그
Brahe 브라헤
Brahm 브람
Brāhma (범) 브라흐마
brahma 브라마
Brahman 브라만
Brahmagupta 브라마굽타
Brāhmana (범) 브라흐마나
Brahmaputra 브라마푸트라
Brāhma Samāj (범) 브라흐마 사마지
Brahms 브람스

braid 브레이드
Brăila 브러일라
Braille 브라유
Brailowsky 브라일로프스키
brain 브레인
brain pool 브레인 풀
brainstorming 브레인스토밍
brain trust 브레인 트러스트
brake 브레이크
brakeshoe 브레이크슈
Bramante 브라만테
Brâncuşi 브른쿠시
brand 브랜드
Brandenburg 브란덴부르크
Brandes 브란데스
Brando 브랜도
brandsten 브랜드스텐
Brandt 브란트
brandy 브랜디
branle (프) 브랑르
Branting 브란팅
Braque 브라크
Brasília 브라질리아
Braşov 브라쇼브
brass 브라스
brass band 브라스 밴드
brassiere 브래지어
Bratislava 브라티슬라바
Bratsk 브라츠크
Brattain 브래튼
Braun 브라운
Braunschweig 브라운슈바이크
bravo (이) 브라보
Brazil 브라질
Brazil coffee 브라질 커피
Brazil nut 브라질 너트
brazilwood 브라질우드
Brazza 브라자
Brazzaville 브라자빌
B.R.D. (도) 베 에르 데
break 브레이크
breaker 브레이커
breakfast 브렉퍼스트
Bream 브림
breast 브레스트
breaststroke 브레스트스트로크
Brecht 브레히트
breeder 브리더
Brel 브렐
Bremen 브레멘
Bremond 브레몽
Brendel 브렌델
Brentano 브렌타노
Brescia 브레시아
Breslau 브레슬라우
Bresson 브레송
Brest 브레스트
Brest-Litovsk 브레스트리토프스크
Bretagne 브르타뉴
Breton, breton (프) 브르통
Bretton Woods 브레턴 우즈
Breuer 브로이어
Brewster 브루스터
Brezhnev 브레주네프
Brezhnev Doctrine 브레주네프 독트린
Brezzinski 브레진스키
Briand 브리앙
briar, brier 브라이어
bridge 브리지
bridge crane 브리지 크레인
bridge law 브리지 로
Bridgeport 브리지포트
Bridges 브리지스
Bridgetown 브리지타운
Bridgman 브리지먼
briefcase 브리프케이스
briefing 브리핑
briefing room 브리핑 룸
briefs 브리프
Briggs 브리그스
Bright 브라이트
Brighton 브라이턴
bright stock 브라이트 스톡
brik (네) 브리크

brillante (이) 브릴란테
brilliant 브릴리언트
brilliant cut 브릴리언트 컷
brilliantine 브릴리언틴
brim 브림
brine 브라인
Brinell 브리넬
brioche (프) 브리오슈
Brisbane 브리즈번
Bristol 브리스틀
Britain 브리튼
Britannia 브리타니아
Britannic 브리태닉
British-American 브리티시아메리칸
British Columbia 브리티시컬럼비아
British folk 브리티시 포크
British General Electric 브리티시 제너럴 일렉트릭
British Honduras 브리티시혼듀러스
British Leyland 브리티시 레일랜드
Briton 브리턴
Brittany 브리타니
Britten 브리튼
Brno 브르노
broach 브로치
broaching machine 브로칭 머신
broad 브로드
broadcasting station 브로드캐스팅 스테이션
broadcloth 브로드클로스
broad gauge 브로드 게이지
broad jump 브로드 점프
Broad Peak 브로드 피크
Broadway 브로드웨이
Broca 브로카
brocade 브로케이드
broccoli 브로콜리
Broch 브로흐
Brocken 브로켄
Brockhaus 브로크하우스
Brod 브로트
Brodsky 브로츠키
broiler 브로일러
broken English 브로큰 잉글리시
broken heart 브로큰 하트
Broken Hill 브로컨힐
broker 브로커
Brom (도) 브롬
Bromberg 브롬베르크
bromide 브로마이드
Bromkali (도) 브롬칼리
bromlite 브롬라이트
Bromo 브로모
bromocriptine 브로모크립틴
bromoform 브로모포름
Bromural (도) 브로무랄
Brontë 브론테
Brontosaurus (라) 브론토사우루스
Brontotherium (라) 브론토테륨
bronze 브론즈
brooch 브로치
Brook 브룩
Brooke 브룩
Brooklyn 브루클린
Brooklyn Bridge 브루클린 브리지
Broome 브룸
broth 브로스
brother 브러더
Brouwer 브로우워
Brown 브라운
Brownie 브라우니
Browning 브라우닝
brown sauce 브라운 소스
Brown Séquard 브라운 세카르
Bruce 브루스
Brucella 브루셀라
Bruch 브루흐
brucine 브루신
Brücke 브뤼케
Bruckner 브루크너
Brückner 브뤼크너
Bruges 브뤼주
Brugge 브루게
Brugmann 브루크만

Bruguière 브뤼기에르
Brumaire (프) 브뤼메르
Brundage 브런디지
Brunei 브루나이
Brunetière 브뤼티에르
brunette 브루넷
Brüning 브뤼닝
Brunner 브루너
Bruno 브루노
brush 브러시
Brussel 브뤼셀
Brutus 브루투스
Bryan 브라이언
Bryant 브라이언트
Bryullov 브률로프
BSC 비 에스 시
BSI 비 에스 아이
BTN 비 티 엔
BTU 비 티 유
Buber 부버
bubble 버블
Bucaramanga 부카라망가
buccal 버컬
Buch 부흐
Buchanan 뷰캐넌
Bucharest 부카레스트
Bücher 뷔허
Buchner 부흐너
Buck 벅
bucket 버킷, 바께쓰
bucket conveyor 버킷 컨베이어
bucket elevator 버킷 엘리베이터
bucket pump 버킷 펌프
bucket seat 버킷 시트
Buckingham 버킹엄
Buckle 버클
buckle 버클
buckling 버클링
buckram 버크럼
buckskin 벅스킨
Bucureşti 부쿠레슈티
Budapest 부다페스트
Buddha Gaya 부다가야
budget 버짓
Buenaventura 부에나벤투라
Buenos Aires 부에노스아이레스
Buerger 버거
buff 버프
buffalo 버펄로
Buffalo Bill 버펄로 빌
buffer 버퍼
buffet (프) 뷔페
buffeting 버피팅
Buffon 뷔퐁
bug 버그
Bügel (도) 뷔겔
Bugi 부기
bugle 뷰글
bug patch 버그 패치
Bühnendrama (도) 뷔넨드라마
builder card 빌더 카드
building 빌딩
built-in 빌트인
built-in stabilizer 빌트인스태빌라이저
Buisson 뷔송
Buitenzorg 보이텐조르히
Bujumbura 부줌부라
Bukh 부크
Bukhara 부하라
Bukharin 부하린
Bukovina 부코비나
Bulawayo 불라와요
bulb 벌브
Bulganin 불가닌
Bulgaria 불가리아
bulk 벌크
bulk cargo 벌크 카고
bulk carrier 벌크 캐리어
bulk line 벌크 라인
bulk wine 벌크 와인
bulky 벌키
bulky sweater 벌키 스웨터
bulldog 불도그
bulldozer 불도저

bullfrog 불프로그
bull pen 불펜
bullpup 불펍
bullterrier 불테리어
bully 불리
Bülow 뷜로
Bultmann 불트만
bumper 범퍼(밤바)
Buna (도) 부나
Bunche 번치
bund 번드
bungalow 방갈로
bungee jump 번지 점프
Bunin 부닌
bunker 벙커
Bunker Hill 벙커 힐
Bunsen 분젠
Bunsen burner 분젠 버너
Bunsen-Kirchhoff 분젠키르히호프
bunt 번트
bunt and run 번트 앤드 런
bunt hit 번트 히트
Bunyan 버니언
buoy 부이
Buraida 부라이다
Burbank 버뱅크
Burberry 바바리
Burberry coat 바바리 코트
Burckhardt 부르크하르트
bureau 뷰로
bureaucracy 뷰로크라시
burette 뷰렛
Burgas 부르가스
Burgess 버제스
Burgos 부르고스
Burgtheater 부르크
Burgund 부르군트
Burgundy 버건디
Burke 버크
Burkina Faso 부르키나파소
burlesque 벌레스크
Burma 버마
Burma Route 버마루트
Burne-Jones 번존스
burner 버너
Burnet 버넷
Burnett 버넷
Burnham 버넘
Burns 번스
burnt sienna 번트 시에나
Burroughs 버로스
Burschenschaft (도) 부르셴샤프트
burst 버스트
Burton 버턴
Burundi 부룬디
Burushaski 부루샤스키
Buryat 부랴트
Buryat Mongol 부랴트 몽골
bus 버스(뻐스)
Busch 부슈
bus girl 버스 걸
Bush 부시
bush 부시
bushel 부셸
Bushire 부시르
Bushman 부시먼
business 비즈니스
business center 비즈니스 센터
business cost 비즈니스 코스트
business doctor 비즈니스 닥터
business game 비즈니스 게임
business girl 비즈니스 걸
businesslike 비즈니스라이크
businessman 비즈니스맨
Busoni 부조니
Busse 부세
bust 버스트
Bustamante 부스타만테
bus terminal 버스 터미널
bust line 버스트 라인
bust pad 버스트 패드
butadiene 부타디엔
butane 부탄
butane gas 부탄 가스

butanol 부탄올
Butenandt 부테난트
Butler 버틀러
Butor 뷔토르
butt 버트
Butte 뷰트
butte 뷰트
butter 버터
butterball 버터볼
butter color 버터 컬러
butter cream 버터 크림
butterfly 버터플라이
butterfly valve 버터플라이 밸브
buttering 버터링
butter knife 버터 나이프
buttermilk 버터밀크
butter peanuts 버터 피너츠
butter roll 버터 롤
butter yellow 버터 옐로
butting 버팅
button 버튼
button-down skirt 버튼다운 스커트
button switch 버튼 스위치
buttress 버트레스
buttress dam 버트레스 댐
butyl 부틸
butyl alcohol 부틸 알코올
butylene 부틸렌
Buwaih 부와이
Buxtehude 북스테후데
Buya 부야
buy American 바이 아메리칸
buyer 바이어
buyer's credit 바이어스 크레디트
buyer's market 바이어스 마켓
buzzer 버저
buzz session 버즈 세션
BWV 비 더블유 브이
Bydgoszcz 비드고슈치
bye 바이
bye-bye 바이바이, 빠이빠이
by-line 바이라인
by-pass 바이패스
byplay 바이플레이
byplayer 바이플레이어
Byrd 버드
Byrnes 번스
Byron 바이런
byte 바이트
byte machine 바이트 머신
Bytom 비톰
Byzantine 비잔틴
Byzantium 비잔티움

C, c 시
CA 시 에이
cabaletta (이) 카발레타
Cabanis 카바니스
cabaret (프) 카바레
cabbage 캐비지
Cabell 캐벌
Cabet 카베
cabin 캐빈
cabin class 캐빈 클래스
Cabinda 카빈다
cabinet 캐비닛, (프) 카비네
cable 케이블
cable car 케이블 카
cable crane 케이블 크레인
cable gram 케이블 그램
cable release 케이블 릴리스
cable stitch 케이블 스티치
cable television 케이블 텔레비전
Cabo Verde 카보베르데
cabochon (프) 카보숑
Cabot 캐벗
Cabral 카브랄
cabtyre cord 캐브타이어 코드
C.A.C. 시 에이 시

cacao (스) 카카오
Caccini 카치니
cache 캐시
cache mollet (프) 카슈 몰레
cachexy 커켁시
Cachin 카생
cachucha (스) 카추차
caciquismo 카시키스모
cacodyl 카코딜
cacotheline 카코텔린
cactus 캑터스
CAD 캐드, 시 에이 디
cadaverine 카다베린
caddie 캐디
cadenza (이) 카덴차
Cadillac 캐딜락
Cadiz 카디스
cadmium 카드뮴
cadmium lamp 카드뮴램프
cadmium red 카드뮴 레드
cadmium yellow 카드뮴옐로
cadre (프) 카드르
cadwaladerite 카드왈라데라이트
Caen 캉
Caesar 카이사르, 시저, 가이사
Caesarea 가이사랴, 카이사레아
café (프) 카페
café au lait (프) 카페 오 레
café noir (프) 카페 누아르
cafestol 카페스톨
cafeteria 카페테리아
caffeine 카페인
caffeol 카페올
caftan dress 카프탄 드레스
Cagayan 카가얀
Cage, cage 케이지
Cagliari 칼리아리
cahnite 카나이트
CAI 시 에이 아이
Caiaphas 가야바
Cailletet 카유테
Caillois 카유아
caiman (스) 카이만
Cain 가인, 카인
cairn 케른
Cairo 카이로
caisson 케이슨, (프) 케송
Cajetanus 카예타누스
Cajori 카조리
cajuputi 카유푸티
cake 케이크
cakewalk 케이크워크
caking 케이킹
Calabar 칼라바르
caladium 칼라디움
Calais 칼레
calamine 칼라민
Calamites (라) 칼라미테스
calando (이) 칼란도
calaverite 캘러버라이트
calc (라) 칼크
calcador (포) 칼카
calc alkali 칼크 알카리
calciferol 칼시페롤
calcimine 칼시민
calcitonin 칼시토닌
calcium 칼슘
calcium carbide 칼슘 카바이드
calcium cyanamide 칼슘 시아나미드
calcuit 칼킷
Calcutta 캘커타
Calder 콜더
Caldera (스) 칼데라
Calder-Hall 콜더홀
Calderón de la Barca 칼데론 데 라 바르카
Caldwell 콜드웰
Caledonia 칼레도니아
caledonian 칼레도니언
caledonite 칼리도나이트
calendar 캘린더
calender 캘린더
calf 카프
Calgary 캘거리

Calhoun 칼훈
Cali 칼리
calico 캘리코
calicot (프) 칼리코
Calicut 캘리컷
calidonian 캘리도니언
calif, caliph 칼리프
California 캘리포니아
californium 칼리포르늄
Caligula 칼리굴라
Calippus, Callipus 칼리푸스
calite 칼라이트
Calixtus 칼릭스투스
Caliz (포) 칼리스
call 콜
Callaghan 캘러헌
Callao 카야오
Callas 칼라스
call broker 콜 브로커
called game 콜드 게임
callgirl 콜걸
callipers 캘리퍼스
Callisto 칼리스토
call loan 콜론
call money 콜머니
callose 칼로스
Callot 칼로
call rate 콜 레이트
call sign 콜 사인
calltaxi 콜택시
Calmette 칼메트
Calmodulin 칼모듈린
Calmotin 칼모틴
calomel 칼로멜
Calonne 칼론
caloric 칼로릭
calorie 칼로리
calorimeter 칼로리미터
calotype 캘러타이프
Calpis 칼피스
calutron 칼루트론
Calvados (프) 칼바도스
Calvary 갈보리
Calvé 칼베
Calvin 칼뱅, 캘빈
calvin cycle 캘빈 사이클
Calvinism 칼뱅이즘
Calvinisme (프) 칼비니슴
calypso, Calypso (스) 칼립소
CAM, cam 캠
Camagüey 카마구에이
Camargo 카마르고
Cambay 캠베이
Cambodia 캄보디아
Cambria 캄브리아
Cambridge 케임브리지
camcorder 캠코더
Camden 캠던
camel 캐멀
camel hair 캐멀 헤어
cam engine 캠 엔진
cameo (라) 카메오
camera 카메라
camera angle 카메라 앵글
camera cable 카메라 케이블
camera chain 카메라 체인
camera eye 카메라 아이
camera lucida (라) 카메라 루시다
cameraman 카메라맨
camera obscura (라) 카메라 오브스쿠라
camera position 카메라 포지션
camera rehearsal 카메라 리허설
Camerarius 카메라리우스
camerata (이) 카메라타
camera work 카메라 워크
Cameroon 카메룬
camisole 캐미솔
camlet 캠릿
Camões 카모잉슈
camouflage (프) 카무플라주
camp 캠프
campaign 캠페인
Campanella 캄파넬라
Campania 캄파니아
campania (라) 캄파니아
Campbell 캠벨
Campbell-Bannerman 캠벨배너먼
Campbell-Stokes' 캠벨스토크스
Camp David 캠프데이비드
Camper 캄페르
campfire 캠프파이어
camphene 캄펜
camphor 캠퍼
camphor tincture 캠퍼 팅크
camphre (프) 캉프르
Campigli 캄필리
Campigny 캉피니
campin 캠핀
camping 캠핑
Campo Formio 캄포포르미오
Campomanes 캄포마네스
Campos 캄푸스
Campra 캉프라
camp site 캠프 사이트
Camptosaurus 캄프토사우루스
campus 캠퍼스
Camranh 캄란
camshaft 캠샤프트
Camus 카뮈
can 캔
Cana 가나
Canaan 가나안
Canada 캐나다
Canada balsam 캐나다 발삼
Canadian 캐나디언
canal 커낼
Canaletto 카날레토
canapé (프) 카나페
Canaria 카나리아
canaria 카나리아
canarin 카나린
Canaro 카나로
canavanine 카나바닌
Canberra 캔버라
cancan (프) 캉캉
cancel 캔슬
cancion (스) 칸시온
candela (라) 칸델라
C. & F. 시 앤드 에프
Candida (라) 칸디다
candle 캔들
Candolle 캉돌
candy 캔디
canequine (포) 카네킨
Canetti 카네티
canna 칸나
cannabidiol 칸나비디올
cannabis 칸나비스
Cannae 칸나에
Cannes 칸
cannibalism 캐니벌리즘
Canning 캐닝
Cannizzaro 칸니차로
cannon 캐넌
canoe 카누
canon 카논, (프) 카농
Canopus (라) 카노푸스
canopy 캐노피
Canossa (이) 카노사
canotier (프) 카노티에
Canova 카노바
cant 캔트
cantabile (이) 칸타빌레
Cantábrica 칸타브리카
Cantando (이) 칸탄도
cantata (이) 칸타타
canter 캔터
Canterbury 캔터베리
cantharidin 칸타리딘
cantharis 칸타리스
cantilena (이) 칸틸레나
cantilever 캔틸레버
canto (이) 칸토
canton 캔턴
cantor 칸토어
Canute 카뉴트
canvas 캔버스
canvas boat 캔버스 보트
canzone (이) 칸초네
canzonetta (이) 칸초네타
Cao Dai 카오 다이
cap 캡
Capa 카파《깜바》
capa (스) 가빠
Capablanca 카파블랑카
capacitance 커패시턴스
capacity 커패시티
cape 케이프
Cape Breton 케이프 브레턴
Cape Canaveral 케이프 캐나베럴
Capehart 케이프하트
Čapek 차페크
Cape Kennedy 케이프케네디
Capella 카펠라
Capernaum 가버나움
Capet 카페
Cape Town 케이프 타운
Cap-Haïtien 카프아이시앵
capital 캐피털
capital gain 캐피털 게인
capitalism 캐피털리즘
capitalist 캐피털리스트
cap-lamp 캡 램프
capo (이) 카포
Capo d'Istrias 카포 디스트리아스
Capogrossi 카포그로시
Capone 카포네
Capote 카포티
Cappadocia 카파도키아
cappella (이) 카펠라
Capra 캐프라
capreomycin 카프레오마이신
Capri 카프리
capriccio (이) 카프리치오
capriccioso (이) 카프리치오소
caprice (프) 카프리스
capriole 카프리올
Caprivi 카프리비
caprolactam 카프롤락탐
Capsa 캅사
capsaicin 캡사이신
capsid 캡시드
capstan 캡스턴
capsule 캡슐
captain 캡틴
captain ball 캡틴 볼
caption 캡션
caption video 캡션 비디오
Capua 카푸아
car 카
Caracalla 카라칼라
Caracas 카라카스
caracolite 캐러콜라이트
Caragiale 카라잘레
caramel 캐러멜, 캬라멜
caramelo (포) 카라멜로
caramel sauce 캐러멜 소스
carat 캐럿
carato (이) 카라토
Caravaggio 카라바조
caravan 캐러밴
caravane (프) 카라반
caraway 캐러웨이
carbaminohemoglobin 카르바미노헤모글로빈
carbazole 카르바졸
carbene (도) 카르벤
carbide 카바이드
carbide lamp 카바이드 램프
carbine 카빈
carbinol (도) 카르비놀
carbocyanine 카르보시아닌
Carboloy 카볼로이
carbomycin 카보마이신
carbon 카본
carbonado (스) 카르보나도
carbon arclamp 카본 아크램프
Carbonari (이) 카르보나리
carbonatite 카보나타이트
carbon bit 카본 비트
carbon black 카본 블랙
carbone 카르본
carbonite 카보나이트
carbonium ion 카르보늄 이온
carbon microphone 카본 마이크로폰
carbon paper 카본 페이퍼
carbon pile 카본 파일
carbonyl 카르보닐
carborane 카르보란
Carborundum 카보런덤
carboxy 카르복시
carboxyhemoglobin 카르복시헤모글로빈
Carboxylase (도) 카르복실라아제
carboxymethyl cellulose 카르복시메틸 셀룰로오스
carboxypeptidase 카르복시 펩티다아제
carboy 카보이
carburetor 카뷰레터
carbylamine 카르빌아민
carcel 카셀, (프) 카르셀
carcel lamp 카셀 램프
Carchemish 카르케미시
carcino embryonic 카르치노 엠브리오닉
carcinoid 카르시노이드
carcinophyllin 카르시노필린
Carco 카르코
car cooler 카 쿨러
card 카드
Cardano 카르다노
card case 카드 케이스
carde (프) 카르드
Cárdenas 카르데나스
cardiazole 카르디아졸
Cardiff 카디프
cardigan 카디건
Cardin 카르댕
cardinal 카디널, (프) 카르디날
carding 카딩
cardioid 카디오이드
cardiolipin 카르디올리핀
Card reader 카드 리더
card section 카드 섹션
card-system 카드시스템
Carducci 카르두치
car dumper 카 덤퍼
career 커리어
career file 커리어 파일
career plan 커리어 플랜
career system 커리어 시스템
car ferry 카페리
Carib 카리브
caricature 캐리커처
caries (라) 카리에스
carillon (프) 카리용
Carinii 카리니
Carissimi 카리시미
Carius 카리우스
Carlisle 칼라일
carlet 칼릿
Carlsbad Caverns 칼즈배드 캐번스
Carlyle 칼라일
Carl Zeiss (도) 카를 차이스
Carmel 카르멜
Carmen 카르멘
Carmichael 카마이클
carmin (프) 카르맹
Carmina Burana (라) 카르미나 부라나
carmine 카민
Carnac 카르나크
carnallite 카널라이트
Carnap 카르나프
Carnatic 카르나틱
carnation 카네이션
carnauba 카르나우바
carnaval (프) 카르나발
Carné 카르네
Carnegie 카네기
Carnegie Hall 카네기 홀
carnegieite 카네기아이트
Carnitine (도) 카르니틴
carnival 카니발
carnosine 카르노신
Carnot 카르노

carnotite 카노타이트
Caro 카로
carol 캐럴
Caroline 캐롤라인
Carolus 카롤루스
Caro mio ben (이) 카로 미오 벤
Carossa 카로사
Carothers 커러더스
carotin 카로틴
carotinoid 카로티노이드
Carpaccio 카르파초
car parade 카 퍼레이드
Carpathia 카르파티아
Carpeaux 카르포
Carpentaria 카펀테리아
Carpenter 카펜터
carpet 카펫
Carphato 카르파토
carpholite 카폴라이트
car-phone 카폰
Carpini 카르피니
car-pool 카풀
car port 카 포트
Carr 카
Carra 카라
Carracci 카라치
car radio 카 라디오
Carranza 카란사
Carrara 카라라
Carrel 카렐
Carreras 카레라스
car retarder 카 리타더
carriculum 커리큘럼
carrier 캐리어
Carrière 카리에르
carrier wave 캐리어 웨이브
Carrion 카리온
Carroll 캐럴
carry 캐리
carry-back 캐리백
carrying-ball 캐리잉볼
Carson 카슨
car stereo 카 스테레오
cart 카트
carta (포) 가루다
Cartagena 카르타헤나
Cartan 카르탕
cartel 카르텔
Carter 카터
Carthago 카르타고
carthamin (도) 카르타민
Cartier-Bresson 카르티에브레송
cartogram 카토그램
cartogramme (프) 카르토그람
carton 카턴, (프) 카르통
carton pack 카턴 팩
cartoon 카툰
cartouche (프) 카르투슈
cartridge 카트리지
cartridge camera 카트리지 카메라
cartridge filter 카트리지 필터
cartridge tape 카트리지 테이프
Cartwright 카트라이트
Caruso 카루소
carvacrol (도) 카르바크롤
Carver 카버
carvone 카르본
cascade shower 캐스케이드 샤워
Cavour 카부르
caryatid 카리아티드
carcinophyllin 카르시노필린
Casablanca 카사블랑카
Casadesus 카자드쉬
Casals 카잘스, 카살스
Casanova 카사노바
casba (프) 카스바
casbah (프) 카스바
cascade 캐스케이드
cascara sagrada (스) 카스카라 사그라다
case 케이스
case by case 케이스 바이 케이스
casein 카세인, 케이신
Casella 카셀라
casemate 케이스메이트
case study 케이스 스터디
casework 케이스워크
caseworker 케이스워커
cash 캐시
cashbook 캐시북
cash card 캐시 카드
cashew 캐슈
cashew apple 캐슈 애플
cashew nut 캐슈 너트
cashless checkless society 캐시리스 체크리스 소사이어티
Cashmere 캐시미어
cashmere 캐시미어
cashmere shawl 캐시미어 숄
Cashmilon 캐시밀론
cash register 캐시 레지스터
casing 케이싱
casinghead 케이싱헤드
casinghead tank 케이싱헤드 탱크
casino (프) 카지노
Casino de Paris 카지노 드 파리
Caspi 카스피
casquette (프) 카스케트
Cassado 카사도
Cassandre 카상드르
cassava 카사바
Cassel 카셀
casserole 카세롤
cassette 카세트
cassette deck 카세트 덱
cassette tape 카세트 테이프
cassette tape recorder 카세트 테이프 리코더
cassette VTR 카세트 브이 티 알
Cassin 카생
cassinet 카시넷
Cassini 카시니
Cassiodorus 카시오도루스
Cassiopeia 카시오페이아
Cassirer 카시러
Cassius 카시우스
cast 캐스트
Castagno 카스타뇨
castanets 캐스터네츠
castanin 카스타닌
caste 카스트
Castel Gandolfo 카스텔 간돌포
castella (포) 카스텔라
Castelnuovo-Tedesco 카스텔누오보 테데스코
Castelo Branco 카스텔루 브랑쿠
caster 캐스터
castidade (포) 카스티다데
Castiglione 카스틸리오네
Castilla 카스티야
casting 캐스팅
casting reel 캐스팅 릴
casting vote 캐스팅 보트
cast iron 캐스트 아이언
Castlereagh 캐슬레이
Castner 캐스트너
Castor (라) 카스토르
castor 카스터
castoreum (라) 카스토레움
castrato 카스트라토
Castro 카스트로
cast steel 캐스트 스틸
casual shoes 캐주얼 슈즈
casual water 캐주얼 워터
casual wear 캐주얼 웨어
C.A.T. 시 에이 티
catacomb 카타콤
catacomba (이) 카타콤바
catalogue 카탈로그
Catalonia 카탈로니아
Cataluña 카탈루냐
catamaran 캐터머랜
catamaran yacht 캐터머랜 요트
Catania 카타니아
cataplexy 캐터플렉시
catapult 캐터펄트
catarrh 카타르
catastrophe (프) 카타스트로프
catastrophisme (프) 카타스트로피슴
catch 캐치
catch ball 캐치 볼
catcher 캐처
catcher boat 캐처 보트
catcher's line 캐처스 라인
catchphone 캐치폰
catchphrase 캐치프레이즈
catechism 캐티키즘
catechu 카테큐
catecolamine 카테콜아민
category 카테고리
catenary 커티너리
catenation 캐티네이션
catering service 케이터링 서비스
caterpillar 캐터필러
caterpillar tractor 캐터필러 트랙터
Catharina 카타리나
catharsis 카타르시스
cathédral (프) 카테드랄
Cather 캐더
Catherine 캐서린
Catherine de Médicis 카트린 드 메디시스
cathetometer 캐시토미터
cathexis 커섹시스
cathode 캐소드
Catholic 가톨릭, 카톨릭
Catholicism 카톨리시즘
Catilina 카틸리나
cation 카티온
Cato 케이토
cats eye 캐츠 아이
Cattell 카텔
cattleya 카틀레야
Catullus 카툴루스
CATV 시 에이 티 브이
Caucasia 코카시아
Caucasus 코카서스
Cauchy 코시
cauliflower 콜리플라워
caulking 코킹
cavalier (프) 카발리에
Cavalieri 카발리에리
cavatina (이) 카바티나
cavea (라) 카베아
Cavendish 캐번디시
caviar 캐비아
cavinet (프) 카비네
cavitation 캐비테이션
Cavite 카비테
Cavour 카부르
Cawnpore 카운포르
Caxton 캑스턴
Cayenne 카옌
Cayley 케일리
CB 시 비
C.B.C. 시 비 시
C.B.R. 시 비 아르
C.B.S. 시 비 에스
C.C., cc 시 시
C.C.C. 시 시 시
CCIR 시 시 아이 아르
C-clamp 시클램프
CCTV 시 시 티 브이
C.D. 시 디
CDM 시 디 엠
CD-ROM 시디롬
CEA 시 이 에이
Ceauşescu 차우셰스쿠
Cebu 세부
Čech 체크
Cecil 세실
Cécil cut 세실 컷
cedar 시더
ceiling 실링
ceiling rosette 실링 로제트
ceilometer 실로미터
Cela 셀라
Celan 첼란
Celebes 셀레베스
celeriac 셀러리액
celery 셀러리
Celesta (도) 첼레스타
Celestina, La 셀레스티나
Céline 셀린
cell 셀
cellar 셀러
Cellini 첼리니
cellist 첼리스트
cell motor 셀 모터
cello 첼로
cellobiose 셀로비오스
cellophane 셀로판
cellophane tape 셀로판 테이프
celloyarn 셀로얀
cellulase 셀룰라아제
celluloid 셀룰로이드
cellulose 셀룰로오스
celo 셀로
celotex 셀로텍스
Celsius 셀시우스
Celt 켈트
cembalo (이) 쳄발로
Cemedine 세메다인
cement 시멘트
cementation 시멘테이션
cement concrete 시멘트 콘크리트
cement gun 시멘트 건
cementite 시멘타이트
cement mortar 시멘트 모르타르
cement silo 시멘트 사일로
cement tile 시멘트 타일
Cendrars 상드라르
Cennini 첸니니
censor 센서
census 센서스
cent 센트
centare 센타르
Centaur 센토
centaurea 센토레아
Centaurus 센타우루스
centavo 센타보
center, centre 센터
center circle 센터 서클
center-field 센터필드
center-fielder 센터필더
center fire pistol 센터 파이어 피스톨
center fly 센터 플라이
center forward 센터 포워드
center-half 센터하프
centering 센터링
center jump 센터 점프
centerless grinder 센털리스 그라인더
center line 센터 라인
center pillar 센터 필러
center-pole 센터폴
center punch 센터 펀치
center scrum 센터 스크럼
center vent 센터 벤트
center zone 센터존
centesimi (이) 첸테시미
centesimo 센테시모
centi 센티
centigram 센티그램
centilitre 센티리터
centime (프) 상팀
centimeter 센티미터
centimo 센티모
CENTO 센토
central 센트럴
central heating 센트럴 히팅
Central Park 센트럴 파크
central rate 센트럴 레이트
centre, center 센터
centre forward 센터 포워드
centre scrum 센터 스크럼
centroid 센트로이드
century 센추리
century series 센추리 시리즈
cephalin 세팔린
cephalosporin 세팔로스포린
Cepheid 세페이드
Cepheus (라) 세페우스
Ceram 세람
ceramic 세라믹
ceramic coating 세라믹 코팅
ceratosaurus (라) 케라토사우루스
Cerberus 서버러스
cercaria 세르카리아

cercomonas 세르코모나스
cerebroside 세레브로시드
ceremony 세리머니
Ceres 케레스
cerium 세륨
cermet 서멧
CERN 세른
Cerotin (도) 세로틴
certification 서티피케이션
cerulean blue 세룰리안 블루
cerussite 세루사이트
Cervantes 세르반테스
César (프) 세자르
cesium 세슘
cesium-ion engine 세슘이온 엔진
České Budějovice 체스케부데요비체
Cespedes 세스페데스
Cessna 세스나
Cetane 세탄
cetanol 세탄올
cetene 세텐
cetyl alcohol 세틸 알코올
Ceva 체바
Ceylon 실론
Cézanne 세잔
CF, cf. 시 에프
C.G.S. 시 지 에스
Chaadaev 차다예프
cha-cha-cha 차차차
Chaco 차코
chaconne (프) 샤콘
Chad 차드
chador (인도) 차도르
Chadwick 채드윅
Chagall 샤갈
Chagatai 차가타이
Chaghataitürk 차가타이튀르크
Chagos 차고스
Chaillot (프) 샤요
Chain 체인
chain 체인
chain belt 체인 벨트
chain block 체인 블록
chain conveyor 체인 컨베이어
chain letter 체인 레터
chain reaction 체인 리액션
chain saw 체인 소
chain smoker 체인 스모커
chain stitch 체인 스티치
chain store (미) 체인 스토어
chain system 체인 시스템
chainwall 체인월
chair 체어
chair lift 체어 리프트
chairman 체어맨
Chaironeia 카이로네이아
Chaitanya 차이타냐
chaitya 차이티아
Chakhar 차하르
Chakri 차크리
chalaza (라) 칼라자, 컬레이저
chalcogen 칼코겐
chalcone 캘콘
Chaldaea 칼데아
chalet (프) 샬레
Chaliapin 샬리아핀
chalk 초크
chalk stripe 초크 스트라이프
challenge 챌린지
challenger 챌린저
challenger round 챌린저 라운드
Chālukya 찰루키아
Cham 참
Chamaeleon 카멜레온
chamber 체임버
Chamberlain 체임벌린
Chamberlin 체임벌린
chamber music 체임버 뮤직
Chambers 체임버스
Chambord 샹보르
chameleon (라) 카멜레온
chamisso 샤미소
chamonix 샤모니
Chamorro 차모로
Champa 참파
Champagne 샹파뉴
champagne 샴페인
champagne cider 샴페인 사이다
Champaigne 샹페뉴
champion 챔피언
champion flag 챔피언 플래
championship 챔피언십
Champollion 샹폴리옹
Champs-Élysées 샹젤리제
chance 찬스
Chancelade 샹슬라드
chandelier (프)샹들리에
Chandernagore 《샹데르나고르》찬데르나고르
Chandigarh 천디가르
chandler 챈들러
Chandragupta 찬드라굽타
Chandrasekhar 찬드라세카르
Chanel 샤넬
Chanel look 샤넬 룩
change 체인지
change court 체인지 코트
change lever 체인지 레버
change of pace 체인지 오브 페이스
change-over 체인지오버
change up 체인지 업
Channel, channel 채널
channel lease 채널 리스
chanson (프) 샹송
chant 찬트
Chao Phraya 차오 프라야
Chapdelaine 샤프들렌
chapeau (프) 샤포
chapel 채플
chaperon (프) 샤프롱
chaplain 채플린
Chaplin 채플린
Chapman 채프먼
Chappe 샤프
Chaptal 샤프탈
Chapultepec 차풀테펙
character 캐릭터
charango (스) 차랑고
charcoal 차콜
charcoal filter 차콜 필터
charcoal grey 차콜 그레이
Charcot 샤르코
chardin 샤르댕
Chardonne 샤르돈
chardonnet 샤르도네
Charente 샤랑트
charge 차지
charged time 차지 타임
charging 차징
chariot 채리어트
charisma 카리스마
Charites 카리테스
charity 채리티
charity show 채리티 쇼
Charlemagne 샤를마뉴
Charles 찰스, 샤를
Charleston 찰스턴
charm 참
charmant (프) 샤르망
charming 차밍
charming school 차밍 스쿨
charm roller 참 롤러
charm school 참 스쿨
Charon 카론
Charpak 샤르파크
charpentier 샤르팡티에
charrat 샤라
charron 샤롱
chart 차트
charter 차터
charter base 차터 베이스
Chartered 차터드
charter flight 차터 플라이트
chartism 차티즘
Chartist 차티스트
Chartres 샤르트르
Charybdis 카리브디스
Chase Manhattan 체이스 맨해턴
chase pilot 체이스 파일럿
Chassériau 샤세리오
chassis (프) 섀시
Chastan 샤스탕
château (프) 샤토
Chateaubriand 샤토브리앙
Chatham 채텀
Chattanooga 채터누가
chatterbar 채터바
Chatterjee 차터지
Chatterton 채터튼
chauffeur 쇼퍼
Chaumont 쇼몽
Chausson 쇼송
chauvinism (프) 쇼비니즘
Chavannes 샤반
Chavez 차베스
Chavín 차빈
Chavín de Huántar 차빈 데 완타르
Cheap 치프
cheap government 치프 거번먼트
cheap labour 치프 레이버
Chebyshov 체비쇼프
check 체크
check card 체크 카드
checker 체커
checker flag 체커 플래
check-in 체크인
check-off 체크오프
check-out 체크아웃
check-out time 체크아웃 타임
check price 체크 프라이스
check protector 체크 프로텍터
checks and balances 체크 앤드 밸런스
check writer 체크 라이터
Cheddar cheese 체더 치즈
cheek 치크
cheek dance 치크 댄스
cheer girl 치어걸
cheerleader 치어리더
cheese 치즈
cheese cement 치즈 시멘트
cheetah 치타
cheiron 케이론
Cheka (러) 체카
Chekhov 체호프
chelate 킬레이트
chelometry 킬로미트리
Chelsea 첼시
Chelyabinsk 첼랴빈스크
chemical 케미컬
chemical lace 케미컬 레이스
chemical milling 케미컬 밀링
chemical refinery 케미컬 리파이너리
chemical shoes 케미컬 슈즈
chemical toilet 케미컬 토일릿
chemi-ground pulp 케미그라운드 펄프
cheminée (프) 슈미네
chemise (프) 슈미즈
chemi shoes 케미 슈즈
chemist 케미스트
chemistry 케미스트리
Chénier 셰니에
chenille 셰닐
Chenopodi (도) 헤노포디
cheopis (라) 케오피스
chequer 체커
Cherbourg 셰르부르
Cheremkhovo 체렘호보
Cheremis 체레미스
Cherenkov 체렌코프
Cherepnin 체레프닌
Chernenko 체르넨코
Chernigov 체르니고프
Chernobyl 체르노빌
Chernovtsy 체르노프치
chernozem 체르노젬
Chernyshevskii 체르니셰프스키
Cherokee 체로키
Cherrapunji 체라푼지
cherry 체리
cherry brandy 체리 브랜디
cherry picker 체리 피커
chert 처트
Cherubim (라) 게루빔, 케루빔
Cherubini 케루비니
Chervonets (러) 체르보네츠
Chesapeake 체서피크
chess 체스
chessboard 체스보드
chesterfield 체스터필드
Chesterton 체스터턴
chest pass 체스트 패스
chest voice 체스트 보이스
Chevalier 슈발리에
chevalier (프) 슈발리에
cheville (프) 슈비유
Cheviot 체비엇, 셰비엇
Chevrolet 시보레
chewing gum 추잉 검
Cheyenne 샤이엔
Cheyne-Stokes 체인 스토크스
Chiang mai 치앙마이
chiaroscuro 키아로스쿠로
Chiasma 키아스마
chibcha 치브차
chic (프) 시크
Chicago 시카고
Chicago Tribune 시카고 트리뷴
Chichén Itza 치첸이차
chicken 치킨
chicken cutlet 치킨 커틀릿
chicken nugget 치킨 너겟
chicken rice 치킨 라이스
chiclayo 치클라요
chicle 치클
Chicory 치코리
chief 치프
chief mate 치프 메이트
chief second 치프 세컨드
chiffon 시폰, (프) 시퐁
chiffon velvet 시폰 벨벳
chihuahua 치와와
Childe 차일드
Chile 칠레
Chillán 치얀
chilled 칠드
chilling 칠링
Chiloe 칠로에
Chilwa 칠와
Chimaira 키마이라
Chimborazo 침보라소
chime 차임
Chimera, chimera 키메라
chimerism 키메리즘
Chimkent 침켄트
chimney 침니
chimpanzee 침팬지
Chimú 치무
Chin 친
China 차이나
china 키나
China lobby 차이나 로비
Chinatown 차이나타운
Chinchilla (스) 친칠라
CHINCOM 친콤
chindwin 친드윈
Chinese 차이니스
Chinese collar 차이니스 칼라
Chingiz Khan 칭기즈칸
chinoform 키노포름
chinoiserie (프) 시누아즈리
chinook 치누크
chinook arch 치누크 아치
chip 칩
chipboard 칩보드
chippendale 치펜데일
chipping 치핑
chipping hammer 치핑 해머
chip technology 칩 테크놀로지
Chirico 키리코
chiropractic 카이로프랙틱
chisel 치즐
Chita 치타
chitarrone (이) 키타로네
chitin 키틴
Chittagong 치타공

chivalry 시벌리
chkalov 치칼로프
Chladni 클라드니
chlamydia 클라미디아
chlamydomonas 클라미도모나스
Chlor (도) 클로르
chloral 클로랄
Chloralase (도) 클로랄라제
chloramine 클로라민
Chloramine T 클로라민티
Chloramphenicol 클로람페니콜
chloranil 클로라닐
chlordane 클로르데인
chlorella 클로렐라
Chlorethyl 클로르에틸
chloride 클로라이드
chlorination 클로리네이션
chloritoid 클로리토이드
Chlorkali (도) 클로르칼리
Chlorkalium 클로르칼륨
Chlorkalk (도) 클로르칼크
chloroacetone 클로로아세톤
chlorobenzene 클로로벤젠
chlorobromide 클로로브로마이드
chlorodyne 클로로다인
chloroform 클로로포름
chloroethane 클로로에탄
chlorohydrin 클로로히드린
Chloromycetin 클로로마이세틴
chloronaphthalene 클로로나프탈린
chlorophyll 클로로필
chlorophyllase 클로로필라제
chlorophyllin 클로로필린
chloropicrin 클로로피크린
chloroprene 클로로프렌
chloroquine 클로로퀸 「이클린
chlorotetracycline 클로로테트라사
chlorothimol 클로로티몰
chlorothionite 클로로티오나이트
chlorotrifluoroethylene 클로로트리플루오로에틸렌
chloroxiphite 클로록시파이트
Chlorpromazine 클로르프로마진
chocker 초커
chocolate 초콜릿
chocolatero 초콜라테로
chode 코드
Chogolisa 초골리자
choir 콰이어
choke coil 초크 코일
cholera 콜레라
cholesterin 콜레스테린
cholesterol 콜레스테롤
choline 콜린
Cholon 숄롱, 촐론
Chomsky 촘스키
chondriosome 콘드리오솜
Cho Oyu 초 오유
chop 촙
Chopin 쇼팽
chopper 초퍼
chorale 코랄
choral prelude 코랄 프렐류드
chord 코드
chord name 코드 네임
choreographer 코레오그래퍼
choreography 코레오그래피
choros (그) 코로스
Chorübungen (도) 코뤼붕겐
chorus 코러스
chorus girl 코러스 걸
chou á la crème (프) 슈크림
chow-chow 차우차우
chowder 차우더 「트루아
Chrétien de Troyes 크레티앵 드
Christ 그리스도, 크라이스트, 크리스트
Christchurch 크라이스트처치
Christian 크리스천
Christiania 크리스티아니아
Christian name 크리스천 네임
christian school 크리스천 스쿨
Christian Science 크리스천 사이언스
Christian Science Moniter 크리스천 사이언스 모니터
Christie 크리스티
Christina 크리스티나 「피장
Christine de Pisan 크리스틴 드
Christmas 크리스마스
Christmas card 크리스마스 카드
Christmas Carol 크리스마스 캐럴
Christmas Eve 크리스마스 이브
Christmas oratorio 크리스마스 오라토리오
Christmas rose 크리스마스 로즈
Christmas seal 크리스마스 실
Christmas tree 크리스마스 트리
Christophorus 크리스토포루스
Christus 크리스투스
Christy 크리스티
chrofesima 크로페시마
chroma-key 크로마키
chromatic 크로매틱
chromatic harp 크로매틱 하프
chromatic scale 크로매틱 스케일
chromatin 크로마틴
chromatograph 크로마토그래프
Chromatographic 크로마토그래픽
chromatography 크로마토그래피
chromatron 크로마트론
chrome 크롬
chrome green 크롬 그린
chrome mangan 크롬 망간
chrome molybden 크롬 몰리브덴
chrome nickel 크롬 니켈
chrome orange 크롬 오렌지
chrome red 크롬 레드
chrome vanadium 크롬 바나듐
chrome yellow 크롬 옐로
chromium 크로뮴
chromizing 크로마이징
Chromogen (도) 크로모겐
chromomycin 크로모마이신
chromophyll 크로모필
chronaxie 크로낙시
chronicle 크로니클
chronicle play 크로니클 플레이
chronograph 크로노그래프
chronometer 크로노미터
chronometry 크로노메트리
chronoscope 크로노스코프
Chrysler 크라이슬러
Chrysostomus 크리소스토무스
chuck 척
Chudskoe 추트스코예
Chukot 추코트
Chukotskii 추코츠키
Chukovskii 추코프스키
church 처치
Church Army 처치 아미
Churchill 처칠
Chuvash-Türk 추바시 튀르크
Chymase (도) 키마아제
chymotrypsin 키모트립신
chymotrypsinogen 키모트립시노
C.I.A. 시 아이 에이 ㄴ겐
ciacona (이) 치아코나
Ciano 치아노
Ciao (이) 치아오
C.I.C. 시 아이 시
Cicero 키케로
Cicerone (이) 치체로네
C.I.D. 시 아이 디
cider 사이다
cidre (프) 시드르
CIE 시 아이 이
Cienfuegos 시엔푸에고스
C.I.F. 시 아이 에프
cigar 시가
cigar case 시가 케이스
cigarette 시가레트
cigarette case 시가레트 케이스
cigarette lighter 시가레트라이터
cigarette pants 시가레트 팬츠
Cilicia 실리시아
Cimabue 치마부에
Cimarosa 치마로자
Cimbri 킴브리
cimolite 시몰라이트
Cincinnati 신시내티
Cincinnati-hit 신시내티히트
Cinderella 신데렐라
Cinderella complex 신데렐라 콤플렉스
cinéaste (프) 시네아스트
cinecamera 시네카메라
cinecolour 시네컬러
Cine-Kodak 시네코닥
cinema 시네마
cinema drama 시네마 드라마
Cinema-Scope 시네마스코프
cinematograph 시네마토그래프
cinéma vérité (프) 시네마 베리테
cine-miracle 시네미러클
ciné-poème (프) 시네포엠
Cinerama 시네라마
cineraria 시네라리아
cinnamon 시나몬
C.I.O. 시 아이 오
Ciompi (이) 치옴피
CIOS 시오스
C.I.Q. 시 아이 큐
Circarama 서카라마
circle 서클
circle eight 서클 에이트
circuit 서킷
circuit braker 서킷 브레이커
circuit training 서킷 트레이닝
circular 서큘러
circular cape 서큘러 케이프
circular mil 서큘러 밀
circular skirt 서큘러 스커트
circulation 서큘레이션
circus 서커스
Cisalpino (이) 치잘피노
Ciskei 시스카이
Cité 시테
Citeaux 시토
Citlaltepetl 시틀랄테페틀
citral 시트랄
Citroēn 시트로엥
citron 시트론
citronellol 시트로넬롤
City, city 시티
Ciudad Juárez 시우다드후아레스
Ciudad Trujillo 시우다드트루히요
civex 시벡스
civic trust 시빅 트러스트
civilian 시빌리언
civilian control 시빌리언 컨트롤
civilization 시빌리제이션
civilized 시빌라이즈드
civil minimum 시빌 미니멈
Civitas (그) 키비타스
Civitavecchia 치비타베키아
cladding 클래딩
Cladius 클라디우스
cladosporium 클라도스포륨
claim 클레임
claim check 클레임 체크
Clair 클레르
Clairaut 클레로
Claisen flask 클라이젠 플라스크
clamp 클램프
clamshell 클램셸
Clara 클라라
clarain 클라레인
Clarendon 클라렌든
claret (프) 클라레
clarinet 클라리넷
clarion 클라리온
clarionet 클라리오넷
Clark 클라크
Clarke 클라크
class 클래스
classic 클래식
classical 클래시컬
classic ballet 클래식 발레
classicism 클래시시즘
classmate 클래스메이트
clathrate 클라드레이트
Claude 클로드
Claudel 클로델
Claude-Lorrain 클로드로랭
Claudius 글라우디오
clause 클로즈
Clausewitz 클라우제비츠
Clausius 클라우지우스
clavecin (프) 클라브생
clavichord 클라비코드
clay 클레이
clay court 클레이 코트
clay pigeon 클레이 피전
clean 클린
clean bill 클린 빌
clean energy 클린 에너지
cleaner 클리너
clean hand 클린 핸드
clean hit 클린 히트
cleaning 클리닝
clean loan 클린 론
cleanprint 클린프린트
clean room 클린 룸
cleanser 클렌저
clean ship 클린 십
cleansing cream 클렌징 크림
cleanup 클린업
cleanup trio 클린업 트리오
clearance 클리어런스
clearance sale 클리어런스 세일
clear lacquer 클리어 래커
clearstory 클리어스토리
cleat 클리트
cleek 클리크
cleft 클레프트
Clemenceau 클레망소
Clemens 클레멘스
Clément 클레망
Clementi 클레멘티
Clements 클레멘
Cleopatra 클레오파트라
clepsydra 클렙시드라
clerk 클러크
Clerk cycle 클러크 사이클
Clermont 클레르몽
Clermont-Ferrand 클레르몽페랑
Cleve 클레베
Cleveland 클리블랜드
click 클릭
client 클라이엔트
clientes 클리엔테스
Climax, climax 클라이맥스
climbing 클라이밍
climbing crane 클라이밍 크레인
climograph 클라이모그래프
clinch 클린치
clinic 클리닉
clinker 클링커
clinometer 클리노미터
Clinton 클린턴
clip 클립
clipper 클리퍼
clitoris 클리토리스
Clive 클라이브
cloak 클로크
cloakroom 클로크룸
cloche (프) 클로시
Clodius 클로디우스
clomiphene 클로미펜
clone 클론
cloning 클로닝
closed mortgage 클로즈드 모기지
closed shop 클로즈드 숍
closed stance 클로즈드 스탠스
close game 클로즈 게임
close-up 클로즈업
cloth 클로스
Clouet 클루에
Clouzot 클루조
clover 클로버
Clovis 클로비스
clown 클라운
club 클럽
clubhouse 클럽하우스
cluny 클뤼니

clusec 클루섹
clutch 클러치
clutch hitter 클러치 히터
clutter 클러터
Cluytens 클뤼이탕스
Clyde 클라이드
C.M. 시 엠
CMC 시 엠 시
CM cellulose 시 엠 셀룰로오스
CMOS 시모스
CM song 시 엠 송
CN 시 엔
CND 시 엔 디
CNN 시 엔 엔
coacervate 코아세르베이트
coacervation 코아세르베이션
coach 코치
coaching staff 코칭 스태프
coal 콜
Coalbrookdale 콜브룩데일
coal cutter 콜 커터
Coalite 콜라이트
coaltar 콜타르
coal tar enamel 콜타르 에나멜
Coase 코스
coaster 코스터
coaster brake 코스터 브레이크
coast league 코스트 리그
coat 코트
coat dress 코트 드레스
coated paper 코티드 페이퍼
coating 코팅
coaxing 콕싱
cobalt 코발트
cobalt blue 코발트 블루
cobalt carbonyl 코발트 카르보닐
cobalt green 코발트 그린
cobalt yellow 코발트 옐로
Cobb 카브
Cobden 코브던
COBOL 코볼
cobra 코브라
coca 코카
Coca-Cola 코카콜라
cocaine 코카인
Cocasoid 코카소이드
coccidium 콕시듐
coccolith 코콜리스
Cochabamba 코차밤바
Cochin (네) 코친
Cochin-China 코친차이나
cochineal 코치닐
Cochrane 코크런
cock 콕
Cockcroft 코크로프트
cocker spaniel 코커 스패니얼
cocktail 칵테일
cocktail dress 칵테일 드레스
cocktail glass 칵테일 글라스
cocktail hat 칵테일 해트
cocktail party 칵테일 파티
coco 코코
cocoa 코코아
COCOM 코콤
coconut 코코넛
cocoon 커쿤
Cocos 코코스
Cocteau 콕토
cocu (프) 코퀴
C.O.D. 시 오 디
Cod 코드
coda (이) 코다
code 코드
codetta (이) 코데타
coding 코딩
codon 코돈
co-ed 코에드
coeducation 코에듀케이션
coelacanth 실러캔스
coelostat 실로스탯
coesite 코자이트
Cœur 쾨르
coffee 커피
coffeehouse 커피하우스

coffeepot 커피포트
coffee set 커피 세트
coffeeshop 커피숍
coffee syrup 커피 시럽
coffin 코핀 「고 숨
cogito, ergo sum (라) 코기토 에르
Cognac 코냑
cognac (프) 코냑
Cohen 코언, 코헨
coherer 코히러
Cohn 콘
coil 코일
coil bobbin 코일 보빈
coil spring 코일 스프링
Coimbatore 코임바토르
Coimbra 코임브라
coin 코인
coining 코이닝
coin locker 코인 로커
coin television 코인 텔레비전
Coiter 코이터
coition 코이션
coitus (라) 코이투스
Coke 코크
cokeite 코카이트
coking 코킹
col (프) 콜
cola 콜라
Colbert 콜베르
Colbertisme 콜베르티슴
colchicum 콜키쿰
cold 콜드
cold chain 콜드 체인
cold colour 콜드 컬러
cold cream 콜드 크림
cold meat 콜드 미트
cold permanent 콜드 퍼머넌트
cold rubber 콜드 러버
cold shock 콜드 쇼크
cold strip mill 콜드 스트립 밀
cold type system; CTS 콜드 타이
cold war 콜드 워 └프 시스템
cold wave 콜드 웨이브
Cole 콜
Coleman 콜먼
Coleridge 콜리지
Colette 콜레트
coleus 콜레우스, 콜리어스
Colima 콜리마
coline esterase 콜린 에스테라아제
colistin 콜리스틴
collage (프) 콜라주
collagen 콜라겐
collant (프) 콜랑
colla parte (이) 콜라 파르테
collar 칼라
collecta (라) 콜렉타
collection 컬렉션
collection bill 컬렉션 빌
collectivism 컬렉티비즘
collect mania 컬렉트마니아
collector 컬렉터
college 칼리지
collége (프) 콜레주 「프랑스
Collége de France (프) 콜레주 드
college style 칼리지 스타일
col legno (이) 콜 레뇨
Collenia 콜레니아
collie 콜리
collimate 콜리메이트
collimator 콜리메이터
collins 콜린스
collodion 콜로디온
collodium (라) 콜로듐
colloid 콜로이드
colloid mill 콜로이드 밀
collophanite 콜로파나이트
collotype 콜로타이프
colocynth 콜로신스
Colombia 콜롬비아
Colombo 콜롬보
colombo 콜롬보
Colombo group 콜롬보 그룹

colon 콜론
colon 콜론, (프) 콜롱
colonatus 콜로나투스
colonia (라) 콜로니아
colonialism 콜로니얼리즘
colonial style 콜로니얼 스타일
colonnade 콜로네이드
colonus 콜로누스
colony 콜로니
color 컬러
Colorado 콜로라도
Colorado Springs 콜로라도 스프링스
coloratura (이) 콜로라투라
coloratura soprano (이) 콜로라투라 소프라노
color circle 컬러 서클
color conditioning 컬러 컨디셔닝
color dynamics 컬러 다이내믹스
colored 컬러드
color facsimile 컬러 팩시밀리
color film 컬러 필름
color filter 컬러 필터
colorful 컬러풀
colorist 컬러리스트
color negative film 컬러 네거티브 필름 「필름
color reversal film 컬러 리버설
color rinse 컬러 린스
color scanner 컬러 스캐너
color slide 컬러 슬라이드
color television 컬러 텔레비전
Colossae 골로새, 골로사이
Colosseum (라) 콜로세움
colossus 콜로서스
Colt 콜트
Coltrane 콜트레인
columbarium (라) 콜룸바리움
Columbia 컬럼비아
columbite 컬럼바이트
columbium 콜럼븀
Columbus 콜럼버스
Columella 콜루멜라
column 칼럼
columnist 칼럼니스트
COM 콤
coma 코마
Comanche 코만치
comber 코머
combination 콤비네이션 「러드
combination salad 콤비네이션 샐
combination tanker 콤비네이션 탱
combine 콤바인 └커
combined race 콤바인드 레이스
combined rush 콤바인드 러시
combing 코밍
combo 캄보
comeback 컴백
COMECON 코메콘
comedian 코미디언
Comédie Française (프) 코메디 프
comedy 코미디 └랑세즈
comedy relief 코미디 릴리프
Comenius 코메니우스
comet 코멧
comic 코믹
comical 코미컬
comic opera 코믹 오페라
comics 코믹스
comic song 코믹 송
Cominform 코민포름
comint 코민트
Comintern 코민테른
COMISCO 코미스코
comitia (라) 코미티아
comma 콤마
commedia dell'arte 코메디아 델라르테
Commando 코만도
comment 코멘트
commentator 코멘테이터
commerce 코머스
commercial 커머셜
commercial design 커머셜 디자인

commercialism 커머셜리즘 「지
commercial message 커머셜 메시
commercial paper 커머셜 페이퍼
commercial song 커머셜 송
commissar (러) 코미사르
commission 커미션
commissioner 커미셔너
commodity flow 커모디티 플로
commodo (이) 코모도
common language 코먼 랭귀지
common law 코먼 로
Commons 코먼스
Common sense 코먼 센스
common sense 코먼 센스
Commonwealth 코먼웰스
Commonwealth Games 코먼웰스 게임스
communalism 코뮤널리즘
commune 코뮨, (프) 코뮌
communication 커뮤니케이션
communion 커뮤니언
communiqué (프) 코뮈니케
communism 코뮤니즘
communist 코뮤니스트
community 커뮤니티
community center 커뮤니티 센터
community chest 커뮤니티 체스트
community organization 커뮤니티 오거나이제이션
community organization worker 커뮤니티 오거나이제이션 워커
community school 커뮤니티 스쿨
community sport 커뮤니티 스포츠
commuter service 커뮤터 서비스
Comorin 코모린
Comoro 코모로
compact 콤팩트
compact car 콤팩트 카
compact cassette 콤팩트 카세트
compact disc 콤팩트 디스크
compact disc player 콤팩트 디스크 플레이어
companion 컴패니언
company 컴퍼니
comparator 콤퍼레이터
compass 컴퍼스
compass north 컴퍼스 노스
compatible color television 콤패터블 컬러 텔레비전
complex 콤플렉스
complier 컴파일러 「템
component system 컴포넌트 시스
composite order 콤퍼짓 오더
composite sequence 콤퍼짓 시
composition 콤퍼지션 └퀀스
compote 콤포트
compound whisky 콤파운드 위스
compression 컴프레션 └키
compressor 컴프레서
Compton 콤프턴
compulsory 컴펄서리
computarization 컴퓨터리제이션
computer 컴퓨터
computer art 컴퓨터 아트
computer graphics 컴퓨터 그래픽스
computer mind 컴퓨터 마인드
computer virus 컴퓨터 바이러스
computopia 컴퓨토피아
computopolis 컴퓨토폴리스
COMSAT 콤샛
Comte, comte (프) 콩트
COMTRAC 콤트랙
con-A 콘에이
conakry 코나크리
Conant 코넌트
con brio (이) 콘 브리오
concentric 콘센트릭
Concepción 콘셉시온
conception 컨셉션
concert 콘서트
concertato (이) 콘체르타토
concert grand 콘서트 그랜드
concert hall 콘서트 홀

concertina 콘서티나
concertino (이) 콘체르티노
concertmaster 콘서트마스터
concerto (이) 콘체르토
concerto grosso (이) 콘체르토 그
concert pitch 콘서트 피치 ⌊로소
conchiolin 콘키올린
concise 콘사이스
Conclave (라) 콘클라베
Concord 콩코드
Concorde 콩코르드
concordance 콘코던스
concordat (프) 콩코르다
concours (프) 콩쿠르
concourse 콩코스
concrete 콘크리트
concrete block 콘크리트 블록
concrete bucket 콘크리트 버킷
concrete mixer 콘크리트 믹서
concrete pipe 콘크리트 파이프
concrete placer 콘크리트 플레이서
concrete pump 콘크리트 펌프
concrete science 콘크리트 사이언
condensation 콘덴세이션 ⌊스
condense 콘덴스
condensed milk 콘덴스트 밀크
condenser 콘덴서
condenser motor 콘덴서 모터
condenser speaker 콘덴서 스피커
Condillac 콩디야크
condition 컨디션
conditio sine qua non 콘디티오 시
condo 콘도 ⌊네 콰 논
condom 콘돔
condominium 콘도미니엄
condor (스) 콘도르
Condorcet 콩도르세
conduct 컨덕트
conductor 컨덕터
condyloma (라) 콘딜로마
cone 콘
cone crusher 콘 크러셔
Coney Island 코니아일랜드
confection (프) 콩펙숑
conference 콘퍼런스
con foco (이) 콘 포코
conformism 콘포미즘
congelifraction 컨젤리프랙션
congeliturbate 컨젤리터베이트
conglomerate 컨글로머릿
conglomerchant 콩글로머천트
Congo 콩고
Congo red 콩고 레드
congress 콩그레스
Congreve 콩그리브
conine 코닌
Conjugase (도) 콘주가아제
conjugate 콘주게이트
Connecticut 코네티컷
connectin 커넥틴
connecting 커넥팅
connecting rod 커넥팅 로드
connection 커넥션
connector 커넥터
conodont 코노돈트
conoscope 코노스코프
Conques 콩크 ⌈스
conquistadores (스) 콩키스타도레
Conrad 콘래드
consensus 컨센서스
consequent 콘시퀀트
conservative 콘서버티브
conservatoire (프) 콩세르바투아르
Consol 콘솔
console 콘솔
consommé (프) 콩소메
con sordino (이) 콘 소르디노
consortium 컨소시엄
Constable 콘스터블
Constant 콩스탕
constant 콘스턴트
Constanța 콘스탄차
constantan 콘스탄탄
Constantine 콘스탄틴
Constantinople 콘스탄티노플
Constantinus 콘스탄티누스
constitution 콘스티튜션
construction 컨스트럭션
consul 콘설
consultant 컨설턴트
consultant engineer 컨설턴트 엔지
consultation 컨설테이션 ⌊니어
contact 콘택트
contact lens 콘택트 렌즈
contact resin 콘택트 레진
container 컨테이너 ⌈션
containerization 컨테이너라이제이
containment 컨테인먼트
contano (이) 콘타노
Contax (도) 콘탁스
conte (프) 콩트
conté 콩테
contents 콘텐츠
contest 콘테스트
context 콘텍스트
Conti 콘티 ⌈렉퍼스트
continental breakfast 콘티넨털 브
continental look 콘티넨털 룩
continental plan 콘티넨털 플랜
continental rise 콘티넨털 라이스
continental tango 콘티넨털 탱고
contingency plan 컨틴전시 플랜
continuance 콘티뉴언스
continuity 콘티뉴이티
continuity promotion 콘티뉴이티
　프로모션
contrabass 콘트라베이스
contrabasso (이) 콘트라바소
contract 콘트랙트
contradiction 콘트러딕션
contrafagotto (이) 콘트라파고토
contralto (이) 콘트랄토
contraposto (이) 콘트라포스토
contra-propeller 콘트라프로펠러
contrast 콘트라스트
contredanse (프) 콩트르당스
control 컨트롤
controller 컨트롤러
control plane 컨트롤 플레인
control tower 컨트롤 타워
convention 컨벤션
conventionalism 컨벤셔널리즘
conversation 컨버세이션
convert 컨버트
converter lens 컨버터 렌즈
convertible 컨버터블
convertiplane 컨버티플레인
conveyor 컨베이어
conveyor system 컨베이어 시스템
convoy 콘보이
Cook, cook 쿡
cookie 쿠키
cooking 쿠킹
cooky 쿠키
cooler 쿨러
Cooley 쿨리
Coolidge 쿨리지
cooling-down 쿨링다운
cooling off 쿨링 오프
cooling system 쿨링 시스템
cool jazz 쿨 재즈
cool strip 쿨 스트립
cooly, coolie 쿨리
Cooper 쿠퍼 ⌈시스템
co-operative system 코오퍼러티브
coordinate look 코오디네이트 룩
coordination 코오디네이션
Copacabana 코파카바나
copaiba (라) 코파이바
copaiba balsam 코파이바 발삼
copal 코펄
Copán (스) 코판
Copeau 코포
copeck 코펙
Copenhagen 코펜하겐
Copernicus 코페르니쿠스
Copland 코플랜드
copo (포) 곱뿌
Coppée 코페
Coppélia (프) 코펠리아
Copper Belt 코퍼 벨트
Coppock 코포크
Coppola 코폴라
copra 코프라
Copt 콥트
Copts 콥트
copula 코퓰러
copy 카피
copyright 카피라이트
copywriter 카피라이터
Coquelin 코클랭
coquetry 코케트리
coquette (프) 코케트
coquille (프) 코키유
Coquimbo 코킴보
coquina (스) 코키나
cor (프) 코르
Coran 코란
cor anglais (프) 코르 앙글레
corban (그) 고르반
Corbiére 코르비에르
Corbillon 코르비용
cord 코드
Cordaites (프) 코르다이테스
corded 코르덴
cord foot 코드 풋
Cordier 코르디에
Cordillera 코르디예라
cordless phone 코드리스 폰
Cordoba 코르도바
cordovan 코도반
cord switch 코드 스위치
cordyline 코르딜리네
core 코어
core boring 코어 보링 ⌈럼
core curriculum (미) 코어 커리큘
core drill 코어 드릴
Corelli 코렐리
core system 코어 시스템
core-time 코어타임
Corfu 코르푸
Cori 코리
Corinth 코린트
Corinth game 코린트 게임
Coriolis 코리올리
cork 코르크
cork paint 코르크 페인트
cork tile 코르크 타일
Cormack 코맥
corn beef 콘 비프
corn belt 콘 벨트
corned beef 콘드 비프
Corneille 코르네유
Cornelia 코르넬리아
Cornelius 코르넬리우스
corner 코너
corner area 코너 에어리어
corner bead 코너 비드
corner flag 코너 플래그
corner hit 코너 히트
corner kick 코너킥
corner out 코너 아웃
corner stone 코너 스톤
corner work 코너 워크
cornet 코넷
Cornforth 콘포스
cornice 코니스
corn meal 콘 밀
corno (이) 코르노
corn soup 콘 수프
cornstarch 콘스타치
Cornwall 콘월
Cornwallis 콘월리스
Coromandel 코로만델
corona 코로나
coronagraph 코로나그래프
coronation 코로네이션
coronet 코로넷
coronizing 코로나이징
Corot 코로
corporation 코퍼레이션
corps 코
corps de ballet (프) 코르 드 발레
Corpus Christi 코퍼스크리스티
Correggio 코레조
Corregidor 코레히도르
Correns 코렌스
correspondence 코러스폰던스
correspondent 코러스폰던트
Corriedale 코리데일
Corrigan 코리건
corroboree 코로보리
corsage (프) 코르사주
Corse 코르스
corset 코르셋
Corsica 코르시카
Cortes 코르테스
Cortés 코르테스
Cortex 코텍스
Corti 코르티
corticosteroid 코르티코스테로이드
corticosterone 코르티코스테론
cortin 코르틴
cortisone 코르티손
Cortona 코르토나
Cortot 코르토
Corundum 커런덤
corvet 코르벳
corycium 코리슘
cosec 코세크
cosecant 코시컨트
Cosimo 코시모
cosine 코사인
cosmetic 코즈메틱
cosmopolitan 코즈머폴리턴
cosmopolitanism 코즈머폴리터니즘
cosmos 코스모스
cosmotron 코스모트론
COSPAR 코스파
Cossack 코사크
Cossotto 코소토
cost 코스트
Costa 코스타
Costa Rica 코스타리카
cost down 코스트 다운
cost inflation 코스트 인플레이션
costume 코스튬
costume jewel 코스튬 주얼
costume play 코스튬 플레이
cost up 코스트 업
cotangent 코탄젠트
cotat 코탯
Côte d'Azur 코트 다쥐르
Côte d'Ivoire 코트디부아르
Cotentin 코탕탱
cotillon (프) 코티용
Cotonou 코토누
Cotopaxi 코토팍시
cotta 코터
cottage 코티지
Cotte 코트
cotter 코터
cotter pin 코터 핀
Cottet 코테
cotton 코튼
Cottrell 코트렐
cotunnite 커터나이트
Coty 코티
Coubertin 쿠베르탱
coudé 쿠데
Coudenhove-Kalergi 쿠덴호페칼레
Coué 쿠에 ⌊르기
cougar 쿠거
couloir (프) 쿨루아르
Coulomb 쿨롱
coulomb 쿨롬
coulomb-meter 쿨롬미터
coumarin 쿠마린
coumarone 쿠마론
council 카운슬
counseling 카운슬링
counselor 카운슬러
count 카운트
countdown 카운트다운
counter 카운터
counterblow 카운터블로

counter culture 카운터 컬처
counter hodoscope 카운터 호도스
counter offer 카운터 오퍼 ⌊코프
counterpoint 카운터포인트
counter punch 카운터 펀치
counter purchase 카운터 퍼처스
counter rotation 카운터 로테이션
counter shaft 카운터 샤프트
countertenor 카운터테너
court-out 카운트아웃 ⌈웨스턴
country and western 컨트리 앤드
country club 컨트리 클럽
country-dance 컨트리댄스 ⌈터
country elevator 컨트리 엘리베이
country risk 컨트리 리스크
coup d'etat (프) 쿠데타
coupé (프) 쿠페
Couperin 쿠프랭
couple 커플
Couplet 커플릿
coupling 커플링
coupon 쿠폰
Courant 쿠랑
courante (프) 쿠랑트
Courbet 쿠르베
Cournand 쿠르낭
Cournot 쿠르노
course 코스
course line 코스 라인
course rope 코스 로프
court 코트
Courteline 쿠르틀린
court house 코트 하우스
Cousin 쿠쟁
Cousteau 쿠스토
Coutaud 쿠토
couvade (프) 쿠바드
Coventry 코번트리
cover 커버
Coverdale 커버데일
cover girl 커버 걸
cover glass 커버 글라스
covering 커버링
covert 커버트
Coward 카워드
cowboy 카우보이
Cowley 카울리
Cowper 쿠퍼
cox 콕스
coxsackie virus 콕사키 바이러스
coxswain 콕스웨인, 콕슨
coxswainless boat 콕슨리스 보트
coyote (스) 코요테
Cozymase (도) 코치마아제
C.P., c.p. 시 피
C.P.I. 시 피 아이
C.P.R. 시 피 아르
C.P.S. 시 피 에스
CPU 시 피 유
C.P.X. 시 피 엑스
CQ 시 큐
CQD 시 큐 디
CR 시 아르
crab bucket 크래브 버킷
crack 크랙
cracker 크래커
cracker bonbon 크래커 봉봉
cracking 크래킹
crackiing gas 크래킹 가스
craft design 크라프트 디자인
craft union 크라프트 유니온
Craig 크레이그
Craiova 크라이오바
Cram 크램
Crammer 크래머
Cranach 크라나흐
Crane, crane 크레인
crank 크랭크
crank in 크랭크 인
crankshaft 크랭크샤프트
crank up 크랭크 업
crape 크레이프
crash 크래시
Crassus 크라수스
crater 크레이터
cravate (프) 크라바트
Cravenette 크래버넷
crawl 크롤
crawling peg 크롤링 펙
crawl stroke 크롤 스트로크
crayon (프) 크레용
craypas 크레파스
crazing 크레이징
crazy 크레이지
cream 크림
creamer 크리머
cream sauce 크림 소스
cream soda 크림 소다
cream soup 크림 수프
cream sundae 크림 선디
Creangă 크레안거
creatine 크레아틴 ⌈전시
creative agency 크리에이티브 에이
creative selling 크리에이티브 셀링
creator 크리에이터
Crécy 크레시
Credé 크레데
credit 크레디트
credit card 크레디트 카드
credit crunch 크레디트 크런치
credit facility 크레디트 퍼실리티
credit line 크레디트 라인
credit tranche 크레디트 트랑슈
credo (라) 크레도
creek 크리크
creep 크리프
creepage 크리피지 ⌈션
creeping inflation 크리핑 인플레이
Crelle 크렐레
Cremer 크리머
Crémieux 크레미외
Cremona 크레모나
Creole 크리올
créole (프) 크레올
creosol 크레오솔
creosote 크레오소트
crêpe de Chine (프) 크레프 드 신
crepe paper 크레이프 페이퍼
crescendo (이) 크레셴도
cresol 크레졸
Creta 크레타
Crete 크레테
Creutzfeldt-Jakob 크로이츠펠트야코브
crevasse (프) 크레바스
crew 크루
Crick 크릭
cricket 크리켓
cridronograph 크라이드로노그래프
Crift 크리프트
Crimea 크리미아
crimson 크림슨
crimson lake 크림슨 레이크
crinoline 크리놀린
criollo (스) 크리오요
crisis 크라이시스
Crispi 크리스피
criss-cross pass 크리스크로스 패스
critic 크리틱
criticism 크리티시즘
Crivelli 크리벨리
Croatia 크로아티아
Croce 크로체
crochet (프) 크로셰
Crockett 크로켓
crocodile 크로코다일
crocus 크로커스
Croesus 크리서스
Crofts 크로프츠
croissant (프) 크루아상
Croix de Feu (프) 크루아 드 푀
Cro-Magnon 크로마뇽
Crome 크롬
Cromer 크로머
Crompton 크롬프톤
Cromwell 크롬웰
Cronaca 크로나카
Cronin 크로닌
Crookes 크룩스
crooksite 크룩사이트
crooner 크루너
croquet (프) 크로케
croquis (프) 크로키
Crosbie 크로즈비
cross 크로스
cross bar 크로스 바
cross belt 크로스 벨트
cross-country 크로스컨트리
cross-country race 크로스컨트리 레이스
cross court ball 크로스 코트 볼
crossection 크로스섹션
cross fire 크로스 파이어
crosshead 크로스헤드
cross kick 크로스 킥
cross lamina 크로스 라미나
crossover music 크로스오버 뮤직
cross pass 크로스 패스
cross-rate 크로스레이트
cross-stitch 크로스스티치
cross voting 크로스 보팅
crossword 크로스워드
crossword puzzle 크로스워드 퍼즐
Croton 크로톤
crouching start 크라우칭 스타트
croup 크루프
croûton (프) 크루통
crowding out 크라우딩 아웃
Crown, crown 크라운
Crown gear 크라운 기어
Croydon 크로이든
CRS 시 아르 에스
CRT display 시 아르 티 디스플레이
cruise 크루즈
Cruise missile 크루즈 미사일
cruiser 크루저
cruising 크루징
crusher 크러셔
crushing roll 크러싱 롤
Crusius 크루지우스
crust 크러스트
crutch 크러치
Cruz 크루스
cruz (스・포) 크루스
Cruzeiro 크루제이로
cryotron 크라이오트론
cryptotope 크립토토프
cryptoxanthin 크립토크산틴
crystal 크리스털
crystal diode 크리스털 다이오드
crystal glass 크리스털 글라스
crystal headphone 크리스털 헤드폰
crystal microphone 크리스털 마이크로폰
crystal pick-up 크리스털 픽업
crystal receiver 크리스털 리시버
crystal video 크리스털 비디오
Csiro-set 시로세트
CT 시 티
C.T.C. 시 티 시
C.T.S. 시 티 에스
Cuba 쿠바
Cuban heel 큐반 힐
cube 큐브
cubeba (스) 쿠베바
cubism 큐비즘
cubisme (프) 퀴비슴
cubit 큐빗
Cúcuta 쿠쿠타
Cudworth 커드워스
cue 큐
cue ball 큐볼
cue light 큐 라이트
Cuellar 케야르
Cuenca 쿠엥카
cuesta 케스타
cuffs 커프스
cuffs button 커프스 버튼
cuffs-cover 커프스커버
Cugat 쿠가트
Cugnot 퀴뇨
Culiacán 쿨리아칸
culottes (프) 퀼로트
culotte skirt 퀼로트 스커트
cultivator 컬티베이터
culture 컬처
cumarin 쿠마린
cumberland 컴벌랜드
cumbria 컴브리아
Cummings 커밍스
Cunard 큐나드
cunnilingus (라) 쿤닐링구스
cunning 커닝
cunning ball 커닝 볼
Cunningham 커닝엄
Cuore (이) 쿠오레
cup 컵
cupboard 커보드
cupcake 컵케이크
cupferron 쿠페론
Cupid 큐피드
Cupido (라) 쿠피도
cupola 큐폴라
Curaçao (네) 쿠라사우
curaçao (네) 큐라소
curare 쿠라레
curd 커드
curette (프) 퀴레트
Curie 퀴리
curie 퀴리
curite 큐라이트
Curitiba 쿠리티바
curium 퀴륨
curl 컬
curlash 컬래시
curler 컬러
curling 컬링
curling iron 컬링 아이언
curly hair 컬리 헤어
currant 커런트
currency 커런시
current 커런트
current line 커런트 라인
current news 커런트 뉴스
current pole 커런트 폴
current rip 커런트 리프
current topics 커런트 토픽스
curriculum 커리큘럼
curried rice 카레라이스
curry 카레
curry rice 카레 라이스
cursor 커서
curtain 커튼
curtain call 커튼 콜
curtain rail 커튼 레일
curtain raiser 커튼 레이저
curtain wall 커튼 월
Curtis 커티스
Curtis turbine 커티스 터빈
Curtius 쿠르티우스
curve 커브
curve ball 커브 볼
curve belt 커브 벨트
curvometer 커보미터
Curzon 커즌
Curzon Line 커즌 라인
Cusanus 쿠자누스
cuscus 쿠스쿠스
cusec 큐섹
Cush 쿠시
Cushing 쿠싱
cushion 쿠션
cushion ball 쿠션 볼
custard 커스터드
custard cream 커스터드 크림
custard pudding 커스터드 푸딩
custard sauce 커스터드 소스
custom 커스텀
custum car 커스텀 카
cut 커트, 컷
cutback 컷백
Cutch 쿠치
cut film 컷 필름
cut glass 컷 글라스
cuticle cream 큐티클 크림

cuticle pusher 큐티클 푸셔
cuticle remover 큐티클 리무버
cuticula 큐티쿨라
cutin 큐틴
cut-in 컷인
cut-in-play 컷인플레이
cutlet 커틀릿
cutline 커트라인
cutoff 컷오프
cutout 컷아웃
cutout switch 컷아웃 스위치
cut shot 커트 샷
cut step 커트스텝
cut stroke 커트 스트로크
Cuttack 쿠타크
cutter 커터
cutter loader 커터 로더
cutter shirts 커터 셔츠
cutter shoes 커터 슈즈
cutting 커팅
cutting ball 커팅 볼
cutwork 컷워크
Cuvier 퀴비에
Cuvilliés 퀴비예
Cuzco 쿠스코
CV cable 시 브이 케이블
CVS 시 브이 에스
CVT 시 브이 티
cyan 시안
cyanamid 시안아미드
cyanine 시아닌
cyano 시아노
cyanocobalamine 시아노코발라민
cyanogen 시아노겐
cyanogène (프) 샤노젠
cyanosis 사이아노시스
cybernetics 사이버네틱스
cyberpunk 사이버펑크
cyborg 사이보그
cycadeoidea 키카데오이데아
cyclamen 시클라멘
cycle 사이클
cycle count 사이클 카운트
cycle hits 사이클 히트
cyclic AMP 사이클릭 에이 엠 피
cycling 사이클링
Cyclo (도) 치클로
cyclobarbital 시클로바르비탈
cyclocytidin 사이클로시티딘
cyclohexane 시클로헥산
cyclohexanone 시클로헥사논
cycloid 사이클로이드
cycloid gear 사이클로이드 기어
cyclone 사이클론
cycloolefin 시클로올레핀
cyclopan 시클로판
cycloparaffin 시클로파라핀
cyclopentane 시클로펜탄
cyclopropane 시클로프로판
cycloserine 사이클로세린
cyclotron 사이클로트론
cylinder 실린더
cylinder gauge 실린더 게이지
cylinder grinder 실린더 그라인더
cylinder head 실린더 헤드
cylinder oil 실린더 오일
cylinder silhouette 실린더 실루엣
cymbale (프) 생발
cymbalo (이) 침발로
cymbals 심벌즈
cymène (프) 시멘
cynic 시닉
cynical 시니컬
cynicism 시니시즘
cynisme (프) 시니슴
Cyprus 사이프러스 「르주라크
Cyrano de Bergerac 시라노 드 베
Cyrenaica 키레나이카
Cyrill 키릴
Cyrus 키루스, 고레스
cysteine 시스테인
Cystin (도) 시스틴
cytidine 시티딘
cytochrome 시토크롬
cytokine 사이토카인
cytokinin 사이토카이닌
cytosine 시토신
Cy Young 사이 영
czardas 차르다시
Czech 체크
Czecho 체코
Czechoslovakia 체코슬로바키아
Czerny 체르니
Częstochowa 쳉스토호바

D, d 디
D.A. 디 에이
Dabit 다비
da capo (이) 다 카포 「네
da capo al fine (이) 다 카포 알 피
Dacca 다카
Dachshund (도) 닥스훈트
Dacia 다키아
Dacron 데이크론
dada 다다
dadaism 다다이즘
dadaist 다다이스트
Dadu 다두
Dagan 다간
Dagestan 다게스탄
dagoba 다고바
Daguerre 다게르
daguerreotype 다게레오타이프
dahana 다하나
Dahl 달
Dahlem 달렘
dahlia 달리아
Dahlmann 달만
Dahomey 다호메이
Daidalos 다이달로스
daily 데일리
Daily Express 데일리 익스프레스
Daily Mail 데일리 메일
Daily Mirror 데일리 미러
daily order entry system 데일리 오더 엔트리시스템
daily spread 데일리 스프레드 「프
Daily Telegraph 데일리 텔레그래
Daily Worker 데일리 워커
Daimler 다임러
Daimler-Benz 다임러 벤츠
daimonion (그) 다이모니온
daisy 데이지
Dakar 다카르
dakhmā (범) 다흐마
Daladier 달라디에
Dalai Lama 달라이 라마
D'Albert 달베르트
Dalcroze 달크로즈
Dale 데일
d'Alembert 달랑베르
Dalén 달렌
Dali 달리
Dallas 댈러스
Dallet 달레
Dalmatia 달마티아
dalmatica (라) 달마티카
dal segno (이) 달 세뇨
dal segno alla fine (이) 달 세뇨 알
Dalton 돌턴 ㄴ라 피네
Dalton plan 돌턴 플랜
Dam 담
dam 댐
Daman 다만
Damanhûr 다만후르
Damão (포) 다망
damaru 다마루
Damascus 다마스쿠스
damask 다마스크
Damia 다미아
Damien 다미앵
Damietta 다미에타
dammar 다마르
Dammeseq 다메섹
DAMN 담
Damocles 다모클레스
Damodar 다모다르
dämonisch (도) 데모니슈
damper 댐퍼
Dampier 댐피어
dam site 댐 사이트
DANA 다나
Dana 데이나
Danae 다나에
Da Nang 다낭
Danaos 다나오스
danburite 댄버라이트
dance 댄스
dance hall 댄스 홀
dance party 댄스 파티
dancer 댄서
dancing 댄싱
dancing girl 댄싱 걸
Dandin 단딘
dandy 댄디
dandyism 댄디이즘
Dane 데인
Daniel 다니엘
Daniell 다니엘
Danilevski 다닐레프스키
Danilova 다닐로바
Danke (도) 당케
Dannebrog (덴마크) 단네브로
Dannemann 다네만
Dannemora 단네모라
D'Annunzio 다눈치오, 단눈치오
danse de caractère (프) 당스 드 카
Dante 단테 ㄴ락테르
Danton 당통
Danube 다뉴브
Danzig 단치히
daonella 다오넬라
Daphne 다프네
Daphnis 다프니스
Darboux 다르부
darbucca (아랍) 다르부카
Darby 다비
Dardanelles 다르다넬스
Dareios 다레이오스
Dar es Salaam 다르 에스 살람
Dargomyzhski 다르고미슈스키
Darfo 다리오
Darius 다리우스
Darjeeling 다르질링
dark 다크
Dark Ages 다크 에이지
dark change 다크 체인지
dark curtain 다크 커튼
Darkhan 다르한
dark horse 다크 호스
dark open 다크 오픈
dark room 다크 룸
dark side 다크 사이드
dark stage 다크 스테이지
dark studio 다크 스튜디오
darling 달링
Darlington 달링턴
Darmstadt 다름슈타트
d'Arsonval 다르송발
Dart, dart 다트
darts 다츠
Dartmouth 다트머스
darughachi 다루가치
Darwin 다윈
Darwinism 다위니즘
Dasein (도) 다자인
DASH, dash 대시
dashboard 대시보드
dash pot 대시 포트
data 데이터
data bank 데이터 뱅크
data base 데이터 베이스
data base service 데이터 베이스 서비스
data bus 데이터 버스
data file 데이터 파일
data register 데이터 레지스터
data telephone 데이터 텔레폰
date 데이트
Daubigny 도비니
Däubler 도이블러
Daudet 도데
daughter 도터
Daumier 도미에
Dauphiné 도피네
Daur 다우르
Dausset 도세
Dauzat 도자
Davao 다바오
Daveluy 다블뤼
D'Avenent 대버넌트
David 다비드, 다윗 「필드
David Copperfield 데이비드 코퍼
David d'Angers 다비드 당제
da Vinci 다 빈치
Davis 데이비스
Davis Cup 데이비스 컵
Davisson 데이비슨
davit 대빗
Davos 다보스
Davy 데이비
Davy Crocket 데이비 크로켓
Davy lamp 데이비 램프
Dawes 도스
Dawson 도슨
day 데이
Dayak 다야크
Dayan 다얀
Dayan Khan 다얀 칸
day game 데이 게임
Dayton 데이턴
D.B.P. 디 비 피
D.C. 디 시
D. cock 디 콕
DD 디 디
D-day·D Day 디데이
D.D.D. 디 디 디
D.D.R. (도) 데 데 에르
D.D.T. 디 디 티
D.D.V.P. 디 디 브이 피
deacon 디컨
dead 데드
dead ball 데드 볼
deadball line 데드볼 라인
dead copy 데드 카피
dead dive 데드 다이브
dead end 데드 엔드 「레이션
dead-end generation 데드엔드 제너
dead heat 데드 히트
deadline 데드라인
deadlock 데드로크
dead man 데드 맨
dead point 데드포인트
dead rent 데드 렌트
Dead Sea 데드 시
dead weight 데드 웨이트
dead zone 데드 존
Deakin 디킨
dealer 딜러
dealer helps 딜러 헬프스
De Amicis 데 아미치스
Dean 딘
Dearborn 디어본
deathmask 데스마스크
Death Valley 데스 밸리
Debrecen 데브레첸
débris (프) 데브리
de Broglie 드 브로이
Debs 데브스
debug 디버그
Debussy 드뷔시
début (프) 데뷔
Debye 디바이
deca- 데카
décadence (프) 데카당스
décadent (프) 데카당
décadentisme (프) 데카당티슴
decagram 데카그램
décalcomanie (프) 데칼코마니
Decalin 데칼린
decaliter 데카리터

decalogue 데칼로그
Decameron 데카메론
decameter 데카미터
de Candolle 드 캉돌
Decapolis 데가볼리
decaracket 데카라켓
decare 데카르
decathlon 데카슬론
decatron 데카트론
Deccan 데칸
deci (라) 데시
deciare 데시아르
decibel 데시벨
decigram 데시그램
deciliter 데시리터
decimeter 데시미터
decision 디시전
decision room 디시전 룸
deciso (이) 데치소
deck 덱
deck chair 덱 체어
deck golf 덱 골프
declamation 데클러메이션
declaration 데클러레이션
decode 디코드
decoder 디코더
Decola 데콜라
décolletée (프) 데콜테
decoration 데커레이션
decoration cake 데커레이션 케이크
découpage (프) 데쿠파주
decrescendo (이) 데크레센도
décret-loi (프) 데크레루아
Decroly 데크롤리
Dedekind 데데킨트
dedendum 디덴덤
dedicate 데디케이트
Deep South 디프 사우스
de-escalation 디에스컬레이션
defence 디펜스
deficiendo (이) 데피치엔도
deflate 디플레이트
deflation 디플레이션
deflator 디플레이터
deflector 디플렉터
Defoe 디포
De Forest 드 포리스트
déformation (프) 데포르마시옹
dégagement (프) 데가주망
Degas 드가
De Gasperi 데 가스페리
de Gaulle 드골
degree 디그리
degreeday 디그리데이
Dehmel 데멜
dehydrogenase 데히드로게나아제
Dēianeira 데이아네이라
Deimos 데이모스
deism 디이즘
dekabrist (러) 데카브리스트
de Kooning 데 쿠닝
De Koven 드 코번
Delacroix 들라크루아
Delage 들라주
de la Mare 데 라 메어
Delaroche 들라로슈
Delaunay 들로네
de Laval 드 라발
Delaware 델라웨어
Delbrück 델브뤼크
Delcassé 델카세
Deledda 델레다
Delft 델프트
Delhi 델리
delicacy 델리커시
delicate 델리킷
delicato (이) 델리카토
Delicious 딜리셔스《델리셔스》
Delilah 델릴라
délit (프) 델리
Delius 델리어스
delivery order 딜리버리 오더
Dell 델
Dellinger 델린저
Delos 델로스
Delphi 델피
delphinine 델피닌
Delphoe 델포이
Delrin 델린
Delsarte 델사르트
Delta, delta 델타
Delta Dagger 델타 대거
Delta Dart 델타 다트
delta metal 델타 메탈
de luxe, deluxe 디럭스, 딜럭스
Delvaux 델보
Demag (도) 데마크
demagogism 데마고기즘
demagogos (그) 데마고고스
demagogue 데마고그
demagogy 데마고기
demand bus 디맨드 버스
demand pull inflation 디맨드 풀 인플레이션
Demavend 데마벤드
demerit 디메리트
Dēmētēr 데메테르
Demian (도) 데미안
De Mille 데밀
Deminform 데민포름
demi-tasse (프) 드미타스
dēmiourgos (그) 데미우르고스
democracy 데모크라시
democraflation 데모크라플레이션
democrat 데모크래트
Democritos 데모크리토스
demographic transition 데모그래픽 트랜지션
de Moivre 드 무아브르
demon 디먼
demonstration 데먼스트레이션
demonstrator 데먼스트레이터
De Morgan 드 모르간
Demosthenes 데모스테네스
Dempsey 뎀프시
denarii 데나리
dendrobium 덴드로븀
Deneb 데네브
Denebola 데네볼라
dengue 뎅기
Deneuve 드뇌브
denier 데니어
Deniker 드니케르
Denikin 데니킨
denim 데님
De Niro 드 니로
Denis 데니스, 드니
Denmark 덴마크
Denny 데니
denomination 디노미네이션
D'Entrecasteaux 당트레카스토
Denver 덴버
Deobibrio 데오비브리오
deoxyribose 디옥시리보오스
department store 디파트먼트 스토어 「늄
depleted uranium 디플리티드 우라
depot 데포
dépôt (프) 데포
depression 디프레션
Depsid (도) 데프지트
depth bomb 뎁스 봄
depth charge 뎁스 차지
depth gauge 뎁스 게이지
depurge 디퍼지
De Quincey 드 퀸시
Derain 드랭
Derby 더비
Derby tie 더비 타이
Dermatol (도) 데르마톨
derrick 데릭
Derrida 데리다
derris 데리스
Derzhavin 데르자빈
De Sanctis 데 상크티스
Desargues 데자르그
descant 데스캔트
Descartes 데카르트
descending ring 디센딩 링
Deschamps 데샹
De Sica 데 시카
desiccator 데시케이터
design 디자인
designer 디자이너
design promoter 디자인 프로모터
de Sitter 드 시테르
desk 데스크
desk plan 데스크 플랜
desktop 데스크톱
desktop computer 데스크톱 컴퓨터
desk work 데스크 워크
Des Moines 디모인
desmostylus 데스모스틸루스
Desmoulins 데물랭
Despiau 데스피오
despotism 데스포티즘
dessert 디저트, (프) 데세르
dessert course 디저트 코스
dessert party 디저트 파티
dessin (프) 데생
De Stijl (네) 드 스틸 「라시
Destutt de Tracy 데스튀트 드 트
desyatina (러) 데샤티나
détaché (프) 데타셰
detail 디테일
detective story 디텍티브 스토리
detector 디텍터
détente (프) 데탕트
deterioration 디티어리어레이션
determinant 디터미넌트
determinato (이) 데테르미나토
determinism 디터미니즘
detinue 데티뉴
detonation 데토네이션
Detroit 디트로이트
deuce 듀스
deuce again 듀스 어게인
Deukalion 데우칼리온
Deus (라) 데우스 「마키나
deus ex machina (라) 데우스 엑스
deuterium 듀테륨
deuteron 듀테론
Deutsch 도이치
Deutscher 도이처
Deutschland 도이칠란트
De Valera 데 벌레라
De Valois 드 밸루아
devaluation 디밸류에이션
Devanagari 데바나가리
developer 디벨로퍼
devil 데블
devitroceram 데비트로세람
devitroceramics 데비트로세라믹스
Devon 데번, 데본
Devonshire 데번셔
De Vries 드 브리스
Dewar 듀어
Dewey 듀이
De Witt 드 비트
DEW line 듀 라인
dextran 덱스트란
dextrin 덱스트린
Dezhnēv 데주네프
D.F. 디 에프 「락톤
D-glucuronolactone 디글루쿠로놀
DHA 디 에이치 에이
Dharan 다란
dhārani (범) 다라니
Dharmagupta 다르마굽타
Dharmapāla 다르마팔라
Dharma-sūtra (범) 다르마수트라
Dhaulagiri 다울라기리
d'Holbach 돌바크
d'Hondt 돈트
D.I. 디 아이
DIA 디아
dia 다이아
diabolo 디아볼로
Diadème (프) 디아뎀
diadochoi (그) 디아도코이
Diaghilev 디아길레프
diagram 다이어그램
Dial, dial 다이얼, 디알
dialect 다이얼렉트
dialectic 다이얼렉틱
Dialektik (도) 디알렉티크
dial gauge 다이얼 게이지
dial indicator 다이얼 인디케이터
dialogue 다이얼로그
Diamant (프) 디아망
diametral pitch 다이애미트럴 피치
diamond 다이아몬드
diamond bit 다이아몬드 비트
diamond boring 다이아몬드 보링
diamond dust 다이아몬드 더스트
diamond fog 다이아몬드 포그
diamond game 다이아몬드 게임
Diamond Head 다이아몬드 헤드
Diana 다이애나, 디아나
Diapason (프) 디아파종
diaphragm 다이어프램
diaphragm pump 다이어프램 펌프
diary 다이어리
Dias 디아스
Diaspora (그) 디아스포라
diaspore 다이어스포어
diastase 디아스타아제
Diathermie (도) 디아테르미
diatonic 다이어토닉
Diaz 디아스 「요
Diaz del Castillo 디아스 델 카스티
diazine 다이아진
diazo 디아조
diazole 디아졸
diazomethane 디아조메탄
diazomycin 디아조마이신
diazotype 디아조타이프
diborane 디보란
dice 다이스
Dicey 다이시
dichloroethane 디클로로에탄
Dick 딕
Dickens 디킨스
Dickinson 디킨슨
dictaphone 딕터폰
dictation 딕테이션
dictator (라) 딕타토르
dictionary 딕셔너리
Diderot 디드로
Didō 디도
didymium 디디뮴
die casting 다이 캐스팅
Diego-Suarez 디에고수아레스
dieldrin 디엘드린
Diels 딜스
Diel'vig 디엘비크
Dien (도) 디엔
Dien Bien Phu 디엔 비엔 푸
dies 다이스
Diesel 디젤
diesel car 디젤 카
diesel engine 디젤 엔진
Diesterweg 디스터베크
diet 다이어트
diet food 다이어트 푸드
Dietrich 디트리히
Dietzgen 디츠겐
Die Welt 디벨트
differential 디퍼렌셜
differential gear 디퍼렌셜 기어
diffusion index 디퓨전 인덱스
digest 다이제스트
Diggers 디거스
digital 디지털
digitalis 디기탈리스
digitoxin 디기톡신
dilatancy 다일레이턴시
dilemma 딜레마
dilettante (프) 딜레탕트
dilettantisme (프) 딜레탕티슴
Dili 딜리
Dilthey 딜타이
dime 다임
dime novel 다임 노블
dimension 디멘션

dimensional coloring 디멘셔널 컬러링
Dimetrodon 디메트로돈
diminuendo (이) 디미누엔도
diminuendo al pianissimo (이) 디미누엔도 알 피아니시모
diminuendo e ritardando (이) 디미누엔도 에 리타르단도
diminution 디미뉴션
Dimitrov 디미트로프
di molto (이) 디 몰토
dimple 딤플
DIN 디 아이 엔
dinar 디나르
Dinaric Alps 디나르 알프스
d'Indy 댕디
Diners Club 다이너스 클럽
Dines 다인스
dinghy 딩기
dingo 딩고
dining 다이닝
dining car 다이닝 카
dining kitchen 다이닝 키친
dining room 다이닝 룸
dining table 다이닝 테이블
dinner 디너
dinner coat 디너 코트
dinner dress 디너 드레스
dinner jacket 디너 재킷
dinner party 디너 파티
dinner suit 디너 슈트
dinosaur 디노사우르
Diocletianus 디오클레티아누스
diode 다이오드
Diogenes 디오게네스
diolefin 디올레핀
Diomedes 디오메데스
Dionysius 디오니시우스
Dionysos 디오니소스
Diophantos 디오판토스
diopter 디옵터
Dioptrie (도) 디옵트리
Dior 디오르
diorama (프) 디오라마
Dioskouroi 디오스쿠로이
diphosgene 디포스겐
diphosphine 디포스핀
diphtheria 디프테리아
Diphtherie (도) 디프테리
diplodocus 디플로도쿠스
diplomacy 디플로머시
dipole antenna 다이폴안테나
Dippel 디펠
dipper 디퍼
Dirac 디랙
direct kill 다이렉트 킬
direct mail 다이렉트 메일
director 디렉터
direct push 다이렉트 푸시
direct response marketing 다이렉트 리스폰스 마케팅
direct touch 다이렉트 터치
Diredawa 디레다와
Dirichlet 디리클레
dirt course 더트 코스
disclosure 디스클로저
disco 디스코
disco dance 디스코 댄스
disco girl 디스코 걸
discommunication 디스커뮤니케이
discothèque 디스코테크 └션
discount 디스카운트
discount house 디스카운트 하우스
discount sale 디스카운트 세일
discount store 디스카운트 스토어
Discoverer 디스커버러
discus 디스커스
discuss 디스커스
discussion 디스커션
disinflation 디스인플레이션
disk 디스크
disk brake 디스크 브레이크
disk clutch 디스크 클러치
disk drive 디스크 드라이브
diskette 디스켓
disk jockey 디스크 자키
Diskobolos 디스코볼로스
disk pack 디스크 팩
dislocation 디스로케이션
dismal science 디즈멀 사이언스
Disney 디즈니
Disneyland 디즈니랜드
Disney World 디즈니 월드
display 디스플레이
Displephone 디스플레폰
disposer 디스포저
Disraeli 디즈레일리
Disse 디세
dissonance 디서넌스
distance race 디스턴스 레이스
distemper 디스템퍼
Distillers 디스틸러스
distoma 디스토마
Dithane 다이세인
dithyramb 디시램브
Dittersdorf 디터스도르프
Diu 디우
diuretic hormone 다이우레틱 호르몬
Diuretin (도) 디우레틴
divan (프) 디방
dive 다이브
diver 다이버
diversity 다이버시티
diverter 다이버터
divertimento (이) 디베르티멘토
divertissement (프) 디베르티스망
dive tackle 다이브 태클
divided skirt 디바이디드 스커트
divider 디바이더
diving 다이빙
diving board 다이빙 보드
diving pass 다이빙 패스
divinidade (포) 디비니다데
divisi (이) 디비시
division line 디비전 라인
Dix 딕스
Dixie 딕시
Dixiecrat 딕시크래트
Dixieland 딕실랜드
Dixieland jazz 딕실랜드 재즈
DIY 디 아이 와이
D.J. 디 제이
Djibouti 지부티
Djokjakarta 족자카르타
D.K. 디 케이
D.K. group 디 케이 그룹
DKT 디 케이 티
D.L.F. 디 엘 에프
DMZ 디 엠 지
DNA 디 엔 에이
Dnepr 드네프르
Dnepropetrovsk 드네프로페트로프스크
Dnestr 드네스트르
D.O., DO 디 오
do (이) 도
D.O.A. 디 오 에이
Dobermann (도) 도베르만
Döblin 되블린
Dobrolyubov 도브롤류보프
Dobruja 도브루자
Dobson 도브슨
Dobzhansky 도브잔스키
dock 독
docking 도킹 「아
docta ignorantia 독타 이그노란티
doctor 닥터, 독터
doctor course 닥터 코스
doctor stop 닥터 스톱
doctrine 독트린
document 도큐먼트
Documenta 도쿠멘타
documentary 다큐멘터리 「치
documentary touch 다큐멘터리 터
documentation 도큐먼테이션
Dodecanese 도데카니스
Dodekaphonie (도) 도데카포니
Doderer 도데러
dodge 도지
dodge ball 도지 볼
dodging 도징
Dodgson 도지슨
dodo 도도
doek (네) 즈크
doeskin 도스킨
Dogger Bank 도거 뱅크
dog-leg 도그레그
dogma 도그마
dogmatic 도그매틱
dogmatism 도그머티즘
dog race 도그 레이스
Doha 도하
DOHC 디 오 에이치 시
Dohman 도만
Dohran (도) 도란
Doisy 도이지
Dokuchaev 도쿠차예프
Dolby system 돌비 시스템
dolce (이) 돌체
dolcissimo (이) 돌치시모
dolina 돌리나
doline 돌리네
Dolittle 돌리틀
doll 돌
dollar 달러
dollar bloc 달러 블록
dollar box 달러 박스
dollar clause 달러 클로즈
dollar shock 달러 쇼크
dollar usance 달러 유전스
Dollfuss 돌푸스
Dollond 돌런드
dolly 돌리
dolman sleeve 돌먼 슬리브
dolmen 돌멘
dolomite 돌로마이트
Dolomiti 돌로미티
doloroso (이) 돌로로소
dolphin 돌핀
dolphin kick 돌핀 킥
dolphin technic 돌핀 테크닉
Domagk 도마크
Domchor (도) 돔코르
dome 돔
Domenichino 도메니키노
Domesday Book 둠즈데이 북
domestic 더메스틱
domestic credit 더메스틱 크레디트
dominant 도미넌트
Domingo 도밍고
Dominic 도미니크
Dominica (라) 도미니카
Dominico 도미니코
Dominicus 도미니쿠스
dominion 도미니언
domino 도미노
Domitianus 도미티아누스
domra (러) 돔라
Don 돈
don (스) 돈
Donáni 도나니
Donatello 도나텔로
Donau 도나우
Donbas 돈바스
Don Bosco 돈 보스코
Don Carlos 돈 카를로스
donderglas (네) 돈드르글라스
Donets 도네츠
Donetsk 도네츠크
Dongen 동겐
Don Giovanni (이) 돈 조반니
Dong Son 동손
Donizetti 도니체티
Don Juan 돈 후안, 돈 유안, 동 쥐 └앙
donkey 동키
donkey pump 동키 펌프
Donnay 도네
Donne 던
Don Quixote (스) 돈키호테
Doolittle 둘리틀
door 도어
door boy 도어 보이
door chain 도어 체인
door check 도어 체크
door engine 도어 엔진
door man 도어 맨
door mat 도어 매트
D.O.P. 디 오 피
dope 도프
dope check 도프 체크
doping 도핑
doping test 도핑 테스트
Doppler 도플러
Doppler radar 도플러 레이더
Dopsch 도프슈
d'Orbigny 도르비니
Dordogne 도르도뉴
Dordrecht 도르트레히트
Doré 도레
do re mi (이) 도 레 미
do re mi fa (이) 도 레 미 파
Doria 도리아
Dorie 도리
Doris 도리스
Dornier 도르니어
Dortmund 도르트문트
Dortmund Ems 도르트문트 엠스
DOS 도스
dosimeter 도시미터
Dos Passos 도스 패소스
Dostoevski 도스토예프스키
dot 도트
dot map 도트 맵
Douala 두알라
double 더블
double barrel 더블 배럴
double base (미) 더블 베이스
double bass 더블 베이스
double bassoon 더블 바순
double bed 더블 베드
double bogey 더블 보기
double-breast 더블브레스트
double button 더블 버튼
double cast 더블 캐스트
double clutch 더블 클러치
double collar 더블 칼라
double cuffs 더블 커프스
double date 더블 데이트
double dribble 더블드리블
double exposure 더블 익스포저
double fault 더블 폴트
double flat 더블 플랫
double foul 더블 파울
doubleheader 더블헤더 「어
double helical gear 더블 헬리컬기
double nelson 더블 넬슨
double play 더블 플레이
double plot 더블 플롯
double printing 더블 프린팅
double punch 더블 펀치
double reed 더블 리드
double role 더블 롤
doubles 더블스
double score 더블 스코어
double sculls 더블 스컬
double sharp 더블 샤프
double sink 더블 싱크
double steal 더블 스틸
double stitch 더블 스티치
double stopping 더블 스토핑
doublet 더블릿
double tone 더블 톤
double tracking 더블 트래킹
doubt 다우트
doughnut 도넛
Douglas 더글러스 「트
Douglas DC 8 더글러스 디시 에이
Douglas DC 10 더글러스 디시 텐
Doumergue 두메르그
Douro 도우루
Dover 도버, 도브르
Dovzhenko 도브젠코
Dow Chemical 다우 케미컬
Dowden 다우든
Dow-Jones 다우존스
Dow metal 다우 메탈

down 다운
down beat 다운 비트
Downing 다우닝
down swing 다운 스윙
downtown 다운타운
down train 다운 트레인
Dowson 다우슨
doxa (그) 독사
doxology 독솔러지
doxorubicin 독소루비신
Doyle 도일
dozen 다스
D.P. 디 피
D.P.E. 디 피 이
D.P.T. 디 피 티
D quark 디 쿼크
drachma 드라크마
Drachmann 드라크만
Dracula 드라큘라
draft 드래프트
draft beer 드래프트 비어
draft system 드래프트 시스템
drag bunt 드래그 번트
drag chute 드래그 슈트
drag hit 드래그 히트
dragline 드래그라인
Drago 드라고
dragon 드래건
dragshovel 드래그셔블
drain cock 드레인 콕
Drake 드레이크
Drakensberg 드라켄즈버그
Drakon 드라콘
DRAM 드램, 디램
dram 드램
drama (그) 드라마
drama league 드라마 리그
Dramamine 드라마민
dramatic 드라마틱
dramatic tenor 드라마틱 테너
dramatist 드라마티스트
Dramaturgie (도) 드라마투르기
Drammen 드람멘
Draper 드레이퍼
drastic 드래스틱
Dravida 드라비다
draw ball 드로 볼
drawers 드로어즈
drawing 드로잉
drawing paper 드로잉 페이퍼
drawing room 드로잉 룸
drawn game 드론 게임
drawnwork 드론워크
Dreadnought 드레드노트
dream 드림
dredger 드레저
Dred Scott 드레드 스콧
Dreiser 드라이저
drencher 드렌처
Dresden 드레스덴
dress 드레스
dress down 드레스 다운
dress form 드레스 폼
dressing 드레싱
dressing gown 드레싱 가운
dressing room 드레싱 룸
dressmaker 드레스메이커
dress rehearsal 드레스 리허설
dress up 드레스 업
dressy 드레시
Dreyfus 드레퓌스
dribble 드리블
drier 드라이어
Drigo 드리고
drill 드릴
drill gauge 드릴 게이지
drilling 드릴링
drilling machine 드릴링 머신
drink 드링크
Drinkwater 드링크워터
drip 드립
dripping 드리핑
drive 드라이브
drive club 드라이브 클럽
drive-in 드라이브인
drive-in theater 드라이브인 시어터
driver 드라이버
driveway 드라이브웨이
driving range 드라이빙 레인지
drop 드롭
drop curve 드롭 커브
drop-forge 드롭포지
drop hammer 드롭 해머
dropkick 드롭킥
dropout 드롭아웃
dropped goal 드롭트 골
drops 드롭스
drop shot 드롭 샷
dropsonde 드롭존데
Droysen 드로이젠
Drucker 드러커
drug 드러그
drug store 드러그 스토어
Druid 드루이드
drum 드럼
drum brake 드럼 브레이크
drum can 드럼 캔
drumlin 드럼린
drummer 드러머
Drummond 드러먼드
Drury Lane Theatre 드루어리 레인 시어터
Druse 드루즈
dry 드라이
dryad 드라이어드
dry cleaning 드라이 클리닝
dry curry 드라이 카레
Dryden 드라이든
dry dock 드라이 독
dry flower 드라이 플라워
dry gin 드라이 진
dry ice 드라이 아이스
dry milk 드라이 밀크
drypoint 드라이포인트
dry rehearsal 드라이 리허설
D.S.C.S. 디 에스 시 에스
du 'ā' (아랍) 두아
dual mode 듀얼 모드
dual mode system 듀얼 모드 시스템
Dubai 두바이
dubbing 더빙
dubbing machine 더빙 머신
Dubček 둡체크 (두브체크)
Du Bellay 뒤 벨레
Dublin 더블린
Dublin system 더블린 시스템
Dubois 뒤부아
Du Bois-Reymond 뒤부아레몽
Dubos 뒤보스
ducado 두카도
Duccio 두치오
duce (이) 두체
Duchamp 뒤샹
ducking 더킹
duck pins 덕 핀스
Ducrey 듀크레이
Duden 두덴
Duero 두에로
due process of law 듀 프로세스 오브 로
duet 듀엣
Du Fay 뒤 페
duff 더프
duffle 더플
duffle coat 더플 코트
Dufy 뒤피
dugong 듀공
dugout 더그아웃
Duguit 뒤기
Duhamel 뒤아멜
Duhem 뒤엠
Dühring 뒤링
duim (네) 두임
Duisburg 뒤스부르크
Dukas 뒤카
duke 듀크
Dulbecco 둘베코
Dulcin 둘신
dull 덜
Dulles 덜레스
dull game 덜 게임
Dullin 뒬랭
Dulong 뒬롱
Dulong Petit 뒬롱 프티
Duluth 덜루스
Dulzin (도) 둘친
Duma (러) 두마
Dumas 뒤마
Dumbarton Oaks 덤바턴 오크스
dumbbell 덤벨
dumbwaiter 덤웨이터
dumdum 덤덤
dumka 둠카
dummy 더미
Dumoulin 뒤물랭
dump 덤프
dump car 덤프 카
dumper 덤퍼
dumping 덤핑
dump truck 덤프 트럭
dunamis (그) 뒤나미스
Dunant 뒤낭
Duncan 덩컨
Dundee 던디
dunk shoot 덩크 슛
dunk shot 덩크 샷
Dunlop 던롭
Dunlop Rubber 던롭 러버
Dunquerque 됭케르크
Dunsany 던세이니
Duns Scotus 던스 스코터스
Dunstable 던스터블
dunyā 둔야
duo 듀오
duomo (이) 두오모
Duparc 뒤파르크
Dupleix 뒤플렉스
Du Pont 뒤퐁
Dupré 뒤프레
Dur (도) 두어
Dura Europos 두라 유로포스
duralumin 두랄루민
Durant 듀랜트
Duras 뒤라스
Durban 더반
Dürenmatt 뒤렌마트
Dürer 뒤러
Durgā 두르가
durian 두리안
Durkheim 뒤르켐
Duroc-Jersey 두록저지
Durrell 더럴
Durrēs 두러스
Duse 두제
Dushanbe 두샨베
Dussek 두세크
Düsseldorf 뒤셀도르프
dust chute 더스트 슈트
duster 더스터
duster coat 더스터 코트
Dutch Guiana 더치 기아나
Dutch Harbor 더치 하버
Dutch pay 더치 페이
Dutch pessary 더치 페서리
Dutch wife 더치 와이프
du Vigneaud 듀 비뇨
Duvivier 뒤비비에
Dvina 드비나
Dvořák 드보르자크
Dyaus (범) 드야우스
Dylan 딜런
dynamic 다이내믹
dynamic meter 다이내믹 미터
dynamic microphone 다이내믹 마이크로폰
dynamic RAM 다이내믹 램
dynamics 다이내믹스
dynamic speaker 다이내믹 스피커
dynamis (그) 디나미스
dynamism 다이너미즘
dynamite 다이너마이트
dynamo 다이너모
dynamometer 다이너모미터
dyne 다인
Dynel 다이넬
dysprosium 디스프로슘
dystopia 디스토피아
dystrophy 디스트로피
Dwidag 디비다그
Dzungaria 중가리아

E, e 이, (도) 에

Ea 에아
EAC 이 에이 시
Eads 이즈
eagle 이글
Eakins 에이킨스
Earhart 에어하트
Early Bird 얼리 버드
Early English 얼리 잉글리시
earmark 이어마크
earned run 언드 런
earphone 이어폰
earring 이어링
earth 어스
earth dam 어스 댐
easel 이젤
east 이스트
East End 이스트 엔드
Easter 이스터
eastern grip 이스턴 그립
East London 이스트런던
Eastman 이스트먼
Eastman colour 이스트먼 컬러
Eastman Kodak 이스트먼 코닥
East Side 이스트 사이드
Eastwood 이스트우드
easy 이지
easychair 이지체어
easy coat 이지 코트
easy listening music 이지 리스닝 뮤직
easy money 이지 머니
easy order 이지 오더
easy payment 이지 페이먼트
eau de cologne (프) 오 드 콜로뉴
Ebbinghaus 에빙하우스
Ebert 에베르트
Ebion 에비온
Ebner-Eschenbach 에브너에셴바흐
E-boat 이보트
ebonite 에보나이트
Ebro 에브로
E.B.S. 이 비 에스
EC 이 시
ECA 이 시 에이
Eça de Queiroz 에사 데 케이로즈
ECAFE 에카페
ecce homo (라) 엑세 호모
eccentric 익센트릭
Eccles 에클스
ECCM 이 시 시 엠
eccrine 에크린
ECE 이 시 이
ecgonine 엑고닌
Echegaray 에체가라이
echinopluteus 에키노플루테우스
Echinorinchata 에키노링카타
Echo, echo 에코
echo machine 에코 머신
Eckermann 에커만
Eckert 에케르트
Eckhart 에크하르트
ECM 이 시 엠
Eco 에코
ecocide 에코사이드
école (프) 에콜
École de Paris (프) 에콜 드 파리
École normale supérieure 에콜 노르말 쉬페리외르
École Polytechnique 에콜 폴리테크니크
ecology fashion 이콜로지 패션
econometrics 이코노메트릭스
economic animal 이코노믹 애니멀

economics 이코노믹스 「트
Economist, economist 이코노미스
economizer 이코노마이저
Economo 에코노모
economy class 이코노미 클래스
écossaise (프) 에코세즈
ECPNL 이 시 피 엔 엘
écran (프) 에크랑
ECSC 이 시 에스 시
ecstasy 엑스터시
ectogony 엑토고니
ectoplasm 엑토플라즘
ECU 에큐
écu (프) 에퀴
Ecuador 에콰도르 「무브먼트
ecumenical movement 에큐메니컬
Ecumenism 에큐메니즘
ecumenopolis 에큐메노폴리스
EDC 이 디 시
Edda 에다
Eddington 에딩턴
Eddy 에디
Edelman 에덜먼
Edelweiss (도) 에델바이스
Eden 이든 ; 에덴
Edfu 에드푸
edge 에지
edge ball 에지 볼
Edgeworth 에지워스
Edinburgh 에든버러
Edirne 에디르네
Edison 에디슨
editor 에디터
editorial design 에디토리얼 디자인
Edmonton 에드먼턴
EDP 이 디 피
EDPM 이 디 피 엠
EDPS 이 디 피 에스
EDR 이 디 아르
Edward 에드워드
Edwardian 에드워디언
Edwards 에드워즈
EEA 이 이 에이
EEC 이 이 시
effect 이펙트
effect machine 이펙트 머신
Effner 에프너
EFTA 에프타, 이 에프 티 에이
Egbert 에그버트
egg 에그
egg fry 에그 프라이
egg milk 에그 밀크
Egk 에크
Egmont 에그몬트; 에흐몬트
ego (라) 에고
egocentric 에고센트릭
egoism 에고이즘
egoist 에고이스트
egoistic 에고이스틱
egotism 에고티즘
egotist 에고티스트
Egypt 이집트
EHF 이 에이치 에프
Ehrenburg 에렌부르크
Ehrenfest 에렌페스트
Ehrlich 에를리히
Eich 아이히
Eichendorff 아이헨도르프
Eichmann 아이히만
Eickstedt 아이크슈테트
Eidograph (도) 아이도그라프
Eidophor (도) 아이도포어
eidos (그) 에이도스
Eifel 아이펠
Eiffel 에펠
Eigen 아이겐
Eiger 아이거
eight 에이트
eight beat 에이트 비트
Eijkman 에이크만
eikonometer 아이코노미터
Eilat 에일라트
Eileithuia 에일레이투이아
Eindhoven 에인트호벤

Einem 아이넴
Einhard 아인하르트
Einleitung (도) 아인라이퉁
Einsatz (도) 아인자츠
Einstein, einstein 아인슈타인
Einstein elevator 아인슈타인 엘리베이터
Einsteinium 아인슈타이늄
Einthoven 에인트호벤
Eire 에이레
Eisbahn (도) 아이스반
Eisbein (도) 아이스바인
Eisen (도) 아이젠
Eisenhower 아이젠하워
Eisenmenger 아이젠멩거
Eishaken (도) 아이스하켄
ejection seat 이젝션 시트
ejector 이젝터
Ekaterina 예카테리나
Ekelöf 에켈뢰프
Ekhof 에크호프
Ekman 에크만
Ekman-Merz 에크만메르츠
EL 이 엘
Elam 엘람
eland 일런드
élan vital (프) 엘랑 비탈
elastica (라) 엘라스티카
élastique (프) 엘라스티크
elastomer 엘라스토머
Elba 엘바
Elbe 엘베
El'brus 엘브루스
Elburz 엘부르즈
El Cid 엘 시드
ELDO 엘도
El Dorado (스) 엘도라도
Elea 엘레아
Electone 엘렉톤
Electra 엘렉트라 「스
Electra complex 엘렉트라 콤플렉
electroceramics 일렉트로세라믹스
electrocardiogram 일렉트로카디오그램 「커뮤니케이션
electro communication 일렉트로
electrograph 일렉트로그래프
electrojet 일렉트로제트
electro luminescence 일렉트로루미네선스
electrometer 일렉트로미터
electromyogram 일렉트로미오그 「램
electron 일렉트론
electronic banking 일렉트로닉 뱅킹
electronics 일렉트로닉스
electronic smog 일렉트로닉 스모그
electron metal 일렉트론 메탈
electron volt 일렉트론 볼트
electro-optic 일렉트로 옵틱
electrotype 일렉트로타이프
elegance 엘리건스
elegant 엘리건트
elegante (이) 엘레간테
elegeia (그) 엘레게이아
elegiaco (이) 엘레지아코
élégie (프) 엘레지
Elektron 일렉트론
element 엘리먼트
elementary 엘리멘터리
Elephanta 엘레판타
Eleusis 엘레우시스
elevation 엘리베이션
elevator 엘리베이터
elevator girl 엘리베이터 걸
elf 엘프
Elgar 엘가
Elgin marbles 엘긴 마블스
Elia 엘리아 「라마 사박다니
Eli Eli lama sabachtani 엘리 엘리
Elijah 엘리야
eliminator 일리미네이터
Elin-Pelin 엘린펠린
elint 엘린트
Elinvar 엘린바

Eliot 엘리엇
Elisabethville 엘리자베트빌
Elisavetgrad 엘리자베트그라드
Elisavetpol' 엘리자베트폴
Elisha 엘리샤
élite (프) 엘리트
elixir 엘릭시르
Elizabeth 엘리자베스
elk 엘크
ell 엘
Ellesmere 엘즈미어
Ellington 엘링턴
Elliot 엘리엇
ellipsograph 일립서그래프
Ellis 엘리스
Ellison 엘리슨
Ellorā 엘로라
Ellsworth 엘즈워스
Ellsworth Land 엘즈워스랜드
Elman 엘먼
El Niño (스) 엘니뇨
El Obeid 엘 오베이드
elocution 엘러큐션
El Paso 엘패소
El Salvador 엘살바도르
Elsheimer 엘스하이머
Elster 엘스터
Elton 엘턴
Éluard 엘뤼아르
Elysée (프) 엘리제
Elysium 엘리시움
Elytis 엘리티스
EMA 이 엠 에이
emanatio (라) 에마나티오
Emanation (도) 에마나치온
emanation 에머네이션
Emaos 엠마오
Emba 엠바
embargo 엠바고
emblem 엠블럼
embryo 엠브리오
EMCF 이 엠 시 에프
Emden 엠덴
emerald 에메랄드
emerald green 에메랄드 그린
Emerson 에머슨
emery 에머리
emery board 에머리 보드
emery paper 에머리 페이퍼
emetine 에메틴
emeu 에뮤
EMF 이 엠 에프
EMI 에미
emigrant 에미그런트
emigration 에미그레이션
emigré (프) 에미그레
Émile (프) 에밀
Eminescu 에미네스쿠
emitter 이미터
Emmelt 에멜트
Emmy 에미
emollient 에몰리엔트
emotion 이모션
emotionalism 이모셔널리즘
Empedocles 엠페도클레스
empire (프) 앙피르
empire 엠파이어
empire cloth 엠파이어 클로스
Empire Games 엠파이어 게임스
Empire route 엠파이어 루트
Empire State Building 엠파이어 스테이트 빌딩
empire tube 엠파이어 튜브
empiricism 엠피리시즘
Empson 엠프슨
Ems 엠스
EMS 이 엠 에스
emu 에뮤
Emulsin (도) 에물진
emulsin 에멀신
emulsion 에멀션
emulsion paint 에멀션 페인트
enamel 에나멜
enamel paint 에나멜 페인트

Enceladus (라) 엥켈라두스
Encke 엥케
Enclosure 인클로저
encomienda (스) 엥코미엔다
encore (프) 앙코르
encyclopedia 엔사이클러피디어
encyclopédistes (프) 앙시클로페디스트
end 엔드
Enderby Land 엔더비랜드
Enders 엔더스
endless tape 엔드리스 테이프
end line 엔드 라인
end mill 엔드 밀
endorphin 엔도르핀
end run 엔드 런
Endymion 엔디미온
energeia (그) 에네르게이아
energico (이) 에네르지코
Energie (도) 에네르기
energisch (도) 에네르기슈
energy 에너지
energy beam 에너지 빔
energy census 에너지 센서스
energy winds 에너지 윈드
Enesco 에네스코
enfant terrible (프) 앙팡 테리블
Enfield 엔필드
Engadin 엥가딘
engagement (프) 앙가주망
Engel 엥겔
Engelmann 엥겔만
Engels 엥겔스
engine 엔진
engine brake 엔진 브레이크
engineer 엔지니어
engineering 엔지니어링
Engineering Constructor 엔지니어링 컨스트럭터
engineering plastic 엔지니어링플라스틱
engine oil 엔진 오일
England 잉글랜드
Engler 엥글러
Engler flask 엥글러 플라스크
English 잉글리시
english (미) 잉글리시 「스트
English breakfast 잉글리시 브렉퍼
English grip 잉글리시 그립
English horn 잉글리시 호른
engram 엔그램
enharmonic 엔하모닉
ENI 에니
ENIAC, eniac 에니악
enigma 에니그마
Enisei 예니세이
Eniseisk 예니세이스크
Eniwetok 에니웨톡
enjambement (프) 앙장브망
enjoy 엔조이
Enki 엔키
En-lil 엔릴
Ennius 엔니우스
ennui (프) 앙뉘
Enoch 에녹
enquête (프) 앙케트
enrich 엔리치
Enschede 엔스헤데
ensemble (프) 앙상블
ensilage 엔실리지, (프) 앙실라주
Ensinger 엔징거
Ensor 엔소르
entasis 엔타시스
Entebbe 엔테베
entelecheia (그) 엔텔레케이아
entelechy 엔텔러키
entente (프) 앙탕트
enterokinase 엔테로키나아제
Enterprise 엔터프라이즈
enthalpy 엔탈피
entitled two-base hit 엔타이틀드 투베이스 히트
entomonotis (라) 엔토모노티스
en-tout-cas (프) 앙투카

entracte (프) 앙트락트
entrechat (프) 앙트르샤
entrée (프) 앙트레
entremets (프) 앙트르메
entropy 엔트로피
entry 엔트리
entry book 엔트리 북
Enugu 에누구
Enzensberger 엔첸스베르거
enzyme 엔자임
Eoanthropus 에오안트로푸스
EOKA 에오카
Eolie 에올리에
eolith 이올리스
Eos 에오스
eosine 에오신
Eötvös 외트뵈시
EP 이 피
Epaminondas 에파미논다스
épaulette (프) 에폴레트
épée (프) 에페
ephedrine 에페드린
Ephesus 에페수스, 에베소
ephor 에포
EP hormone 이 피 호르몬
Ephraim 에브라임
ephyra 에피라
epic 에픽
Epicharmos 에피카르모스
Epicouros 에피쿠로스
Epictetos 에픽테토스
Epicurean 에피큐리언
Epicureanism 에피큐리어니즘
epigenesis (라) 에피게네시스
Epigonen (도) 에피고넨
epigram 에피그램
epilogue 에필로그
epinephrine 에피네프린
Epirus 에피루스
episode 에피소드
episome 에피솜
episteme (그) 에피스테메
Epistylium (라) 에피스틸리움
EPN 이 피 엔
epoch 에폭
epochē (그) 에포케
epoch-maker 에폭메이커
epoch-making 에폭메이킹
epokhe (그) 에포케
epos (그) 에포스
epoxy 에폭시
EPROM 이피롬
Epstein 엡스타인
EPU 이 피 유
EQ 이 큐
equal 이퀄
equalizer 이퀄라이저
equilibrium 이퀼리브리엄
equiparte 에퀴파르테
equites (라) 에퀴테스
equity 에퀴티
Erasmus 에라스무스
Erastus 에라스투스
Eratosthenes 에라토스테네스
erbium 에르븀
Erdenichao 에르데니차오
Erebus 에러버스
Erechtheion 에레크테이온
erepsin 에렙신
Erevan 예레반
Erfurt 에르푸르트
erg 에르그
ergocalciferol 에르고칼시페롤
ergograph 에르고그래프
ergonomics 에르고노믹스
Ergosterin (도) 에르고스테린
ergosterol 에르고스테롤
ergotamine 에르고타민
Erhard 에르하르트
Eric 에리크
Erica 에리카
Ericsson 에릭슨
Eridanus 에리다누스
Eridu 에리두
Erie 이리
erikite 에리카이트
Erikson 에릭슨
Erinyes 에리니에스
Eris 에리스
Eritrea 에리트레아
Eriugena 에리우게나
Erlanger 얼랭어
Erlebnis (도) 에를레프니스
Ermak 에르마크
Ermatinger 에르마팅거
ermine 어민
Ermitazh (러) 에르미타주
Erni 에르니
Ernst 에른스트
EROA 에로아, 이 아르 오 에이
Eroica 에로이카
eroico (이) 에로이코
Eros, eros (그) 에로스
erotic 에로틱
eroticism 에로티시즘
erotomania 에로토마니아
ERP 이 아르 피
error 에러
Erskine 어스킨
Ervine 어빈
Erwinia 에르위니아
erythrocruorin 에리트로크루오린
erythromycin 에리트로마이신
erythropoietin 에리트로포이에틴
Erz 에르츠
Erzberger 에르츠베르거
Erzurum 에르주룸
ESA system 이사 시스템
Esau 에서
Esbach 에스바크
Esbjerg 에스비에르그
ESC 이 에스 시
escadron (프) 에스카드롱
escalate (미) 에스컬레이트
escalation (미) 에스컬레이션
escalator 에스컬레이터
escalope (프) 에스칼로프
ESCAP 에스캅
escape 이스케이프
escape clause 이스케이프 클로즈
escargot (프) 에스카르고
Escoffier 에스코피에
Escorial 에스코리알
escort 에스코트
escrow barter 에스크로 바터
escudo 에스쿠도
Esenin 예세닌
eserine 에세린
esker 에스커
Eskimo 에스키모
Eskişehir 에스키셰히르
Eskola 에스콜라
Esmarch 에스마르히
ESP 이 에스 피
ESP card 이 에스 피 카드
espagnol (프) 에스파뇰
España (스) 에스파냐
Española 에스파뇰라
ESP card 이 에스 피 카드
Esperantist 에스페란티스트
Esperanto 에스페란토
Espinas 에스피나
espressivo (이) 에스프레시보
Esprit, esprit (프) 에스프리
esprit nouveau (프) 에스프리 누보
Espronceda 에스프론세다
Espy 에스피
Esquire 에스콰이어
esquisse (프) 에스키스
ESRO 에스로
ESSA 에사
essay 에세이
essayist 에세이스트
esse est percipi (라) 에세 에스트 페르키피
Essen 에센
essence 에센스
Essene 에세네
essentialist 에센셜리스트
Essex 에식스
ESSO 에소
estate 에스테이트
Este 에스테
ester 에스테르
esterase 에스테라아제
Esterházy 에스테르하지
Esther 에스더, 에스델
esthétique (프) 에스테티크
esthiomene 에스티오메네
Estonia 에스토니아
estoppel 에스토펠
Estournelles de Constant 에스투르넬 드 콩스탕
Estrada Doctrine 에스트라다 독트린
estradiol 에스트라디올
estriol 에스트리올
estrogen 에스트로겐
Estron 에스트론
estrone 에스트론
ESV 이 에스 브이
ET 이 티
ETA 이 티 에이
Etana 에타나
et cetera 에트 세트러
etching 에칭
ETD 이 티 디
eternal life 이터널 라이프
eternit pipe 이터닛 파이프
Etesian 에테시안
ethambutol 에탐부톨
ethanal 에탄알
ethane 에탄
ethanol 에탄올
ethanolamine 에탄올아민
ethene 에텐
ether 에테르
ethionamide 에티오나미드
Ethiopia 에티오피아
ethnocentrism 에스노센트리즘
ethnology 에스놀로지
ethology 에솔러지
ethos (그) 에토스
ethyl 에틸
ethyl alcohol 에틸 알코올
ethylamine 에틸아민
ethyl benzene 에틸 벤젠
ethyl cellulose 에틸 셀룰로오스
ethylene 에틸렌
ethylene glycol 에틸렌 글리콜
ethylene oxide 에틸렌 옥시드
ethyl ether 에틸 에테르
ethyl gasoline 에틸 가솔린
ethyl vanillin 에틸 바닐린
ethyne 에틴
étiquette (프) 에티켓
Etna 에트나
Etoile 에투알
Eton 이튼
Eton bob 이튼 보브
Eton collar 이튼 칼라
Eton College 이튼 칼리지
Eton jacket 이튼 재킷
Etorofu 에토로푸
étranger (프) 에트랑제
étrier (프) 에트리에
Etruria 에트루리아
étude (프) 에튀드
etupirika 에투피리카
etymology 에티몰러지
Euboea 에우보이아
eucalyptus 유칼립투스
Eucharist 유카리스트
Eucken 오이켄
Eucleides 에우클레이데스
Euclid 유클리드
eudiometer 유디오미터
Eugen 오이겐
Eugene 유진
eugenics 유제닉스
Eugénie Grandet (프) 외제니 그랑데
Eugenol (도) 오이게놀
eugenol 유제놀
Euglena 유글레나
Euhemeros 에우헤메로스
Euler 오일러
Euler-Chelpin 오일러켈핀
Euphausia 유파우시아
euphemism 유피미즘
euphonium 유포니움
euphony 유포니
Euphorion 에우포리온
Euphrates 유프라테스
Eupolis 에우폴리스
Eurafrica 유라프리카
Eurailpass 유레일패스
Eurasia 유라시아
Eurasian 유라시안
EURATOM 유라톰
Euripides 에우리피데스
Eurobond 유러본드
Eurocommunism 유러코뮤니즘
Eurocrat 유러크래트
Eurodollar 유러달러
Europa 유로파
Europe 유럽, (그) 에우로페
European plan 유러피언 플랜
Europe Russia 유럽 러시아
Europe Turkey 유럽 터키
Europide 오이로피데
europium 유로퓸
Europoort 유로포르트
Eurotunnel 유러터널
Eurovision 유러비전
Eustachio 유스타키오, 에우스타키오
Euterpe 에우테르페
euthanasie 유타나지
Evangeline 에반젤린
Evans 에번스
Evans-Pritchard 에번스프리처드
Evansville 에번즈빌
evaporated milk 이배퍼레이티드 밀크
Eve 이브
even 이븐
evening 이브닝
evening coat 이브닝 코트
evening dress 이브닝 드레스
Evening News & Star 이브닝 뉴스 앤드 스타
event 이벤트
ever 에버
Everest 에베레스트
Everglades 에버글레이즈
Eversoft 에버소프트
Everyman's Library 에브리맨스 라이브러리
Evgenii Onegin (러) 예브게니 오네긴《에프게니 오네긴》
Evian 에비앙
Evliya Chelebi 에블리야 첼레비
evolution 에벌류션
Évora 에보라
EVR 이 브이 아르
Evtushenko 예프투셴코
Evvia 에비아
Ewe 에웨
Ewing 유잉
ex 엑스
exa (그) 엑사
excavator 엑스커베이터
exchange 익스체인지
excimer laser 엑시머 레이저
exciting game 익사이팅 게임
excursion fare 익스커션 페어
executive 이그제큐티브
exedra (라) 엑세드라
exercise 엑서사이즈
Exeter 엑서터
exhaust 이그조스트
exhaust pipe 이그조스트 파이프
exhibition 엑시비션
exhibition game 엑시비션 게임
exhibitionist 엑시비셔니스트
exihos 에키호스
Exlan 엑슬란
ex-libris (라) 엑스리브리스

Exocet 엑조세
exorcist 엑소시스트
exotic 이그조틱
exoticism 이그조티시즘
expander 익스팬더
expedition 엑스피디션
experiment 익스페리먼트
expert 엑스퍼트
Explorer 익스플로러
Expo, EXPO 엑스포
exposition 엑스퍼지션
expression 익스프레션
expressionism 익스프레셔니즘
extasy 엑스터시
extension 익스텐션
extension cord 익스텐션 코드
extra 엑스트라
extract 엑스트랙트
extra inning 엑스트라 이닝
Extremadura 에스트레마두라
eye 아이
eye bank 아이 뱅크
eyebolt 아이볼트
eyebrow arch 아이브라우 아치
eyebrow pencil 아이브라우 펜슬
eye camera 아이 카메라
eye-catcher 아이캐처
eyelash curler 아이래시 컬러
eyelet 아일릿
eye line 아이 라인
eyeliner 아이 라이너
eye lotion 아이 로션
Eyemo 아이모
eyepiece 아이피스
eyeshade 아이셰이드
eye shadow 아이 섀도
eye shiner 아이 샤이너
eyesight 아이사이트
Eyre 에어
Eyring 아이링
Ezekiel 에스겔, 에제키엘
Ezra 에스라, 에즈라

F, f 에프
FA 에프 에이
fa (이) 파
Fabian 페이비언
Fabianism 페이비어니즘
Fabius 파비우스
fable 페이블
fabliaux 파블리오
Fabre 파브르 「우스
Fabricius 파브리치우스, 파브리키
Fabry-Perot 파브리페로
fabulas (프) 파불라스
façade (프) 파사드
face 페이스
face guarding 페이스 가딩
face lift 페이스 리프트
face-off 페이스오프
face value 페이스 밸류
Fackel 파켈
facsimile 팩시밀리
fact 팩트
factice 팩티스
factor 팩터
factoring 팩터링
factory 팩터리
factory law 팩터리 로
faculty 패컬티
fade ball 페이드 볼
Fadeev 파데예프
fade-in 페이드인
fade-out 페이드아웃
fader 페이더
fading 페이딩
fado (포) 파도
FAE 에프 에이 이
Faeroe 페로

fagott (도) 파곳
fagotto (이) 파고토
fahrenheit 파렌하이트
faïence (프) 파이앙스
faille (프) 파유
failsafe 페일세이프
fair 페어
Fairbanks 페어뱅크스
fair catch 페어 캐치
Fair Deal 페어 딜
fair fly 페어 플라이
fair ground 페어 그라운드
fair play 페어 플레이
fairway 페어웨이
fairy 페어리
fairyland 페어리랜드
fairy tale 페어리 테일
Faisal 파이잘
Faiyûm 파이윰
Fajans 파얀스
Fajans Soddy 파얀스 소디
fake 페이크
Fakfak 팍파크
Falange 팔랑헤
Falcon 팔콘
Falkland 포클랜드
fall 폴
Falla 팔랴
Fallopius 팔로피우스
fallout 폴아웃
Fall River 폴리버
falsetto 팔세토
Falstaff 폴스타프
Famagusta 파마구스타
family 패밀리
family size 패밀리 사이즈
fan 팬
fanatic 퍼내틱
fanaticism 퍼내티시즘
fancy 팬시
fancy ball 팬시 볼
fancy dress 팬시 드레스
fancy store 팬시 스토어
fandango (스) 판당고
fandelier 팬델리어
fanfare (프) 팡파르
fan heater 팬 히터
fan letter 팬 레터
Fanning 패닝
Fanon 파농
fantasia (이) 판타지아
fantastic 팬태스틱
fantasy 팬터지
Fantin-Latour 팡탱라투르
FAO 에프 에이 오
Farabi 파라비
farad 패럿
Faraday 패러데이
farandole 파랑돌
farce 파스
Farel 파렐
farm system 팜 시스템
farm team 팜 팀
Farrar 파라
Farrell 패럴
farthing 파딩
Fārūk 파루크
FAS 에프 에이 에스
Fascio (이) 파쇼
fascism 파시즘
Fascist, fascist 파시스트
fashion 패션
fashion book 패션 북
fashion business 패션 비지니스
fashion coordinator 패션 코오디네이터
fashion director 패션 디렉터
fashion model 패션 모델
fashion show 패션 쇼
Fashoda 파쇼다
fastback 파스트백
fastener 파스너
fast-food 패스트푸드
fatal 페이털

fatalism 페이털리즘
fatalist 페이털리스트
father 파더
fathom 패덤
Fatima 파티마
Fāṭima 파티마
Faulkner 포크너
fault 폴트
fauna 포너
Faunus 파우누스
Fauré 포레
Faust (도) 파우스트
fauve (프) 포브
fauvisme (프) 포비슴
favori (이) 파보리
FAX 팍스
fax 팩스
Fayol 파욜
FB 에프 비
FBI, F.B.I. 에프 비 아이
F.C.A. 에프 시 에이
F.C.S. 에프 시 에스
FEAF 에프 이 에이 에프
feather 페더
feather stitch 페더 스티치
featherweight 페더웨이트
feature 피처
feature syndicate 피처 신디케이트
Fechner 페히너
Fedchenko 페드첸코
federalism 페더럴리즘
federalist 페더럴리스트
federation 페더레이션
Federation Cup 페더레이션 컵
Fedrov 페드로프
feedback 피드백
feeder 피더
feeling 필링
feet 피트
Fehling 펠링
Feininger 파이닝거
feint 페인트
Felipe 펠리페
fellatio 펠라티오
Fellini 펠리니
felt 펠트
felt pen 펠트 펜
feminine 페미닌
femininity test 페미니니티 테스트
feminism 페미니즘
feminist 페미니스트
feminist art 페미니스트 아트
femto- (그) 펨토
FEN 에프 이 엔
fence 펜스
fencing 펜싱
fender 펜더
Fénelon 페늘롱
Fenrir 펜리르
Ferdinand 페르디난트, 퍼디낸드
Fergana 페르가나
Fermat 페르마
fermata (이) 페르마타
Fermi, fermi 페르미
fermium (도) 페르뮴
fermorite 페르모라이트
Fernandez 페르난데스
Fernando 페르난도
Fernando Po 페르난도포
feroce (이) 페로체
Féron 페롱
Ferón 페론
Ferrara 페라라
Ferrari 페라리
Ferréol 페레올
Ferrero 페레로
ferri 페리
ferrite 페라이트
ferro- 페로
ferroalloy 페로알로이
ferroaluminium 페로알루미늄
ferrocerium 페로세륨
ferronickel 페로니켈
ferrosilicon 페로실리콘

ferro Titan 페로티탄
ferrotungsten 페로텅스텐
ferrotype 페로타이프
ferrovanadium 페로바나듐
ferry 페리
ferry boat 페리 보트
Fersman 페르스만
FESCO 페스코
festival 페스티벌
Festus 베스도
fetish 페티시
fetishism 페티시즘
Fett (도) 페트
Feuchtwanger 포이히트방거
feudalism 퓨덜리즘
Feuerbach 포이어바흐
Feuermann 포이어만
Feulgen (도) 포일겐
Feyder 페데
Feynman 파인먼
Fèz 페스
Fezzan 페잔
FF 에프 에프
F.I. 에프 아이
FIA 에프 아이 에이
fiancé (프) 피앙세
fiancée (프) 피앙세
FIAT 피아트
fiber 파이버
fiberboard 파이버보드
fiber bread 파이버 브레드
fiber optics 파이버 옵틱스
fiberscope 파이버스코프
Fibiger 피비거
fibril 피브릴
fibrin 피브린
fibrinogen 피브리노겐
fibroin 피브로인
Fichte 피히테
Ficino 피치노
fiction 픽션
Fidelio 피델리오
Fiedler 피들러
Field, field 필드
field athletic 필드 애슬레틱
field glass 필드글라스
field goal 필드 골
field hockey 필드 하키
Fielding, fielding 필딩
field of play 필드 오브 플레이
Fields 필즈
field throw 필드 스로
fieldwork 필드워크
FIFA 피파
FIFO 에프 아이 에프 오
fifteen 피프틴
Figaro 피가로
fight 파이트
fighting 파이팅
fighting spirit 파이팅 스피릿
fight money 파이트 머니
figure 피겨
figure skating 피겨스케이팅
Fiji 피지
filament 필라멘트
filaria 필라리아
Filatov 필라토프
Filchner 필히너
file 파일
file book 파일 북
filibuster 필리버스터
filigrane 필리그란
filing system 파일링시스템
fillet 필릿
filling 필링
fill up right 필 업 라이트
film 필름
film badge 필름 배지
Filmer 필머
film library 필름 라이브러리
film noir (프) 필름 누아르
filmograph 필모그래프
filmon 필몬
filmophon 필모폰

filter 필터
filter paper 필터 페이퍼
filter press 필터 프레스
filter tube 필터 튜브
fin 핀
final set 파이널 세트
finale (이) 피날레
finance 파이낸스
financial analist 파이낸셜 애널리스트
finder 파인더
fine (이) 파인
fine ceramics 파인 세라믹스
fine chemical 파인 케미컬
fine chemistry 파인 케미스트리
fine play 파인 플레이
Finer 파이너
finger bowl 핑거 볼
fingering 핑거링
finger painting 핑거 페인팅
fingerprint 핑거프린트
finish 피니시
Finisterre 피니스테레
fin keel 핀 킬
Finland 핀란드
Finlandia 핀란디아
Finn 핀
Finno-Ugria 피노 우그리아
Finsen 핀센
FINSIDER 핀시데르
Finsteraarhorn 핀스터아어호른
FIR 에프 아이 아르
Firdausi 피르다우시
fire 파이어
fireman 파이어맨
Firenze 피렌체
fireplace 파이어플레이스
firm banking 펌 뱅킹
firmware 펌웨어
Firn (도) 피른
first 퍼스트
first base 퍼스트 베이스
first baseman 퍼스트 베이스맨
first class 퍼스트 클래스
first impression 퍼스트 임프레션
first lady 퍼스티 레이디
first love 퍼스트 러브
first mitt 퍼스트 미트
first name 퍼스트 네임
first run 퍼스트 런
first scene 퍼스트 신
Firth of Firth 퍼스 오브 퍼스
fiscal policy 피스컬 폴리시
Fischer 피셔
Fischer-Dieskau 피셔디스카우
fish croquette 피시 크로켓
fish meal 피시 밀
fish paper 피시 페이퍼
fishplate 피시플레이트
fish pump 피시 펌프
fishskin 피시스킨
Fiske 피스크
fission 피션
fit ball 피트 볼
Fitch 피치
Fittig 피팅
Fitzgerald , FitzGerald 피츠제럴드
FitzGerald-Lorentz 피츠제럴드로렌츠
Fiume 피우메
five-eighth 파이브에이스
fix 픽스
fixative 픽서티브
fixed rope 픽스트 로프
Fizeau 피조
fjord (노) 피오르드
flag 플래그
flag-carrier 플랙캐리어
flagioletto (이) 플라지올레토
Flaherty 플라어티
Flamand 플라망
flamboyant (프) 플랑부아양
flamenco (스) 플라멩코
Flamingo, flamingo 플라밍고
Flamsteed 플램스티드
Flanagan 플래너건
Flanders 플랜더스
Flandre 플랑드르
flange 플랜지
flannel 플란넬
flano 플라노
flap 플랩
flapper 플래퍼
flap pocket 플랩 포켓
Flare, flare 플레어
flare-skirt 플레어스커트
flash 플래시
flashback 플래시백
flash bulb 플래시 벌브
flasher 플래셔
flash gun 플래시 건
flash lamp 플래시 램프
flash light 플래시 라이트
flash over 플래시 오버
flash powder 플래시 파우더
flask 플라스크
flat 플랫
flat collar 플랫 칼라
flat race 플랫 레이스
flat spin 플랫 스핀
Flaubert 플로베르
flavin 플라빈
flavone 플라본
flavonoid 플라보노이드
Fleming 플레밍
Flemming 플레밍
Flensburg (도) 플렌스부르크
Flesch 플레시
Fletcher 플레처
Fletcherism 플레처리즘
fleuret (프) 플뢰레
flexible 플렉시블
flexible disk 플렉시블 디스크
flexography 플렉소그래피
flex-time 플렉스타임
flicker 플리커
flicker jab 플리커 잽
flicker test 플리커 테스트
flies 플라이스
flight 플라이트
flight number 플라이트 넘버
flight recorder 플라이트 리코더
flight simulator 플라이트 시뮬레이터
Flinders 플린더스
Flint, flint 플린트
flint glass 플린트 글라스
flip-flop 플립플롭
FLN 에프 엘 엔
float 플로트
float glass 플로트 글라스
floating 플로팅
float switch 플로트 스위치
floodlight 플러드라이트
floor 플로어
flooring 플로어링
floor price 플로어 프라이스
floor show 플로어 쇼
floor stand 플로어 스탠드
floor trader 플로어 트레이더
floppy disk 플로피 디스크
Flora, flora 플로라
Florence 플로렌스
Flores 플로레스
Florey 플로리
Florida 플로리다
florigen 플로리겐
florin 플로린
Flory 플로리
Flötner 플뢰트너
Flotow 플로토
flounce 플라운스
flow 플로
flow chart 플로 차트
flow diagram 플로 다이아그램
flow inflation 플로 인플레이션
flower 플라워
flower box 플라워 박스
flower design 플라워 디자인
flower tea 플라워 티
flow sheet 플로 시트
fluke 플루크
Fluor (도) 플루오르
flush door 플러시 도어
Flushing Meadow 플러싱 메도우
flute 플루트
fluting 플루팅
flutist 플루티스트
flux 플럭스
fly 플라이
fly ash 플라이 애시
fly ash cement 플라이 애시 시멘트
flying 플라잉
flying dutchman 플라잉 더치맨
flying fall 플라잉 폴
flying kick 플라잉 킥
flying mare 플라잉 메어
flying ring 플라잉 링
flying start 플라잉 스타트
fly weight 플라이 웨이트
flywheel 플라이휠
FM 에프 엠
FMS 에프 엠 에스
F number 에프 넘버
F.O. 에프 오
FOA 에프 오 에이
foam plastic 폼 플라스틱
foam rubber 폼 러버
F.O.B. 에프 오 비
FOBS 포브스
focal plane shutter 포컬 플레인 셔터
Foch 포슈
Focillon 포시용
focus 포커스
Fogazzaro 포가차로
Fogel 포겔
Föhn (도) 푄
foie gras (프) 푸아 그라
foil 포일
Fokine 포킨
folia (스) 폴리아
folic 폴릭
Folidol (도) 폴리돌
Folies-Bergère 폴리베르제르
folies d'Espagne (프) 폴리 데스파뉴
folk dance 포크 댄스
folklore 포크로
folk song 포크 송
follies 폴리스
follow scene 폴로 신
follow through 폴로 스루
Folsom 폴섬
Fomalhaut 포말하우트
Fonda 폰더
fondant (프) 퐁당
font 폰트
Fontaine 폰테인, 퐁텐
Fontainebleau 퐁텐블로
Fontana 폰타나
Fontane 폰타네
Font de Gaume 퐁 드 곰
Fontenelle 퐁트넬
Fonteyn 폰테인
food center 푸드 센터
food processor 푸드 프로세서
foolscap 풀스캡
foot 푸트
football 풋볼
Foote 푸트
foot fault 풋 폴트
foothold 풋홀드
footing 푸팅
foot light 푸트 라이트
footnote 푸트노트
foot-pound 풋파운드
foot press 풋 프레스
foot up 풋 업
footwork 풋워크
force out 포스 아웃
Ford 포드
Ford system 포드 시스템
forecast 포캐스트
forehand 포어핸드
Foreign Affairs 포린 어페어스
foreign version 포린 버전
Forel 포렐
foreman 포먼
forint 포린트
fork 포크
fork ball 포크 볼
forklift 포크리프트
forklift truck 포크리프트 트럭
form 폼
formaldehyde 포름알데히드
formal dress 포멀 드레스
formalin (도) 포르말린
formalism 포멀리즘
formalist 포멀리스트
format 포맷
formation 포메이션
forme (프) 포름
formic 포름
Formica 포마이커《호마이카》
Formosa 포모서
form stand 폼 스탠드
formular car 포뮬러 카
formula plan 포뮬러 플랜
formyl 포르밀
Foro Romano 포로 로마노
Forssmann 포르스만
Forst 포르스트
Forster 포스터
Forsyth 포사이스
Fort 포르
Fortaleza 포르탈레자
Fort-de-France 프르드프랑스
forte (이) 포르테
forte piano (이) 포르테 피아노
Fortin 포르탱
fortissimo (이) 포르티시모
fortississimo (이) 포르티시시모
Fort Lamy 포르 라미
FORTRAN 포트란
Fortuna 포르투나
Fortune 포춘
Fort Wayne 포트웨인
Fort William 포트윌리엄
Fort Worth 포트워스
forum 포럼, (라) 포룸
forum discussion 포럼 디스커션
forward 포워드
Fosbury-back flop 포스버리 백 플롭
Fossa Magna 포사 마그나
Foster 포스터
Foucault 푸코
Foucher 푸셰
Fouillée 푸예
foul 파울
foul ball 파울 볼
foul fly 파울 플라이
foul ground 파울 그라운드
foul hit 파울 히트
foul line 파울 라인
foul main 파울 메인
foul tip 파울 팁
foundation 파운데이션
fountain pen 파운틴 펜
Fouquet 푸케
four ball 포볼
Fourier 푸리에
Fourneyron 푸르네롱
Fournier 푸르니에
fourth 포스
Fowler 파울러
Fox, fox 폭스
Foxe 폭스
Foxfall 폭스폴
fox terrier 폭스 테리어
fox-trot 폭스트롯
FR 에프 아르
Fra Angelico 프라 안젤리코
Fra Bartolommeo 프라 바르톨롬메오
Fracastoro 프라카스토로
fraction 프랙션
fradiomycin 프라디오마이신
fragment 프래그먼트
Fragonard 프라고나르
fragrance 프레이그런스
fraise 프레이즈

G, g 지, (도) 게

Gallup 갤럽
Galois 갈루아
galop 갤럽
Galsworthy 골즈워디
Galton 골턴
Galvani 갈바니
galvanometer 갈바노미터
Galveston 갤버스턴
Galway 골웨이
Gama 가마
Gambetta 강베타
Gambia 감비아
Gambier 강비에, 갬비어
gamble 갬블
gamble sports 갬블 스포츠
gamboge 갬부지
game 게임
game count 게임 카운트
game deuce 게임 듀스
gamelan (인도네시아) 가믈란
game point 게임 포인트
games all 게임스 올
game set 게임 세트
gamma 감마
gamma field 감마 필드
gamma globulin 감마 글로불린
gammasonde 감마존데
gammil 가밀
Gamow 가모, 가모프
Gamow-Condon-Gurney 가모 콘든 ⌊거니
Gance 강스
Gand 강
Gandak 간다크
Gandhara 간다라
Gandhi 간디
Gandhiism 간디이즘
Gandzha 간자
GANEFO 가네포
Ganeša 가네샤
Ganesh Himal 가네시히말
gang 갱
Gangā 강가
gang age 갱 에이지
Ganges 갠지스
ganglioside 강글리오시드
gangster 갱스터
gang story 갱 스토리
Gangtok 강토크
ganophyllite 개노필라이트
gantlet 곤틀릿
gantry 갠트리
gantry crane 갠트리 크레인
Gantt chart 갠트 차트《간트 차트》
Ganymede 가니메데
Ganymedes 가니메데스
gap 갭
Gapon 가폰
garage (프) 가라주
Garand 개런드
Garbo 가르보
garbology 가볼러지
Garborg 가르보르그
Garcia 가르시아
García Lorca 가르시아 로르카
García Marquez 가르시아 마르케스
García Moreno 가르시아 모레노
García Robles 가르시아 로블레스
garçon (프) 가르송
garconne (프) 가르손
Garda 가르다
garden 가든
gardener 가드너
garden golf 가든 골프
garden party 가든 파티
garden tractor 가든 트랙터
Gardiner 가드너
Gardner 가드너
Garfield 가필드
Gargantua (프) 가르강튀아
garial 가리알
Garibaldi 가리발디
GARIOA 가리오아
Garland 갈런드

garlic 갈릭
Garmisch-Partenkirchen 가르미슈파르텐키르헨
garnet 가닛
garnet paper 가닛 페이퍼
Garnett, garnett 가넷
garnetting 가네팅
Garnier 가르니에
garnierite 가니어라이트
Garonne 가론
GARP 가프
Garrick 개릭
Garshin 가르신
Garter, garter 가터
garter belt 가터 벨트
Gärtner 게르트너
Gartok 가르토크
Gary 가리; 게리
Gary system 게리 시스템
gas 가스
gas black 가스 블랙
gas boiler 가스 보일러
Gasbombe (도) 가스봄베
gas burner 가스 버너
gas carbon 가스 카본
gas chromatography 가스 크로마 ⌊토그래피
Gascogne 가스코뉴
gas cokes 가스 코크스
gas cyclone 가스 사이클론
gas engine 가스 엔진
gas heater 가스 히터
Gaskell 개스켈
gasket 개스킷
gas lamp 가스 램프
gas lens 가스 렌즈
gaslight 가스라이트
gas lighter 가스 라이터
gas mantle 가스 맨틀
gas mask 가스 마스크
gas meter 가스 미터
gasogen 가소겐
gasohol 가소올《가소홀》
gas oil 가스 오일
gasoline 가솔린
gasoline car 가솔린 카
gasoline engine 가솔린 엔진
gasoline girl 가솔린 걸
gasoline pump 가솔린 펌프
gasoline stand 가솔린 스탠드
gasoline tank 가솔린 탱크
gas packing 가스 패킹
gas pipe 가스 파이프
gas pocket 가스 포켓
gas range 가스 레인지
Gassendi 가상디
Gasser 개서
gas stove 가스 스토브
gas table 가스 테이블
gas tank 가스 탱크
gastrin 가스트린
gastrinoma 가스트리노마
gastrocamera 가스트로카메라
gastroscope 가스트로스코프
gas turbine 가스 터빈
gate 게이트
gate ball 게이트 볼
gatekeeper 게이트키퍼
Gateshead 게이츠헤드
gather 개더
gathered skirt 개더 스커트
Gatling 개틀링
GATT 가트
GATT Kennedy 가트 케네디
Gatun 가툰
Gaucher 고셰
gaucho 가우초
Gaudí 가우디
Gaugamela 가우가멜라
gauge 게이지
gauge boson 게이지 보손
gauge glass 게이지 글라스
gauging 게이징
Gauguin 고갱
Gauhati 가우하티

Gaullism 골리즘
Gauri Sankar 가우리상카르
Gauss, gauss 가우스
Gautier 고티에
Gautma Siddhārtha 고타마 싯다 ⌊르타
gauze 거즈
gavial 가비알
Gävle 예블레
gavotte (프) 가보트
Gay 게이
Gaya 가야
Gay-Lussac 게이뤼삭
Gayne 가인
Gaza 가자
Gaze (도) 가제
Gaziantep 가지안테프
GCA 지 시 에이
G.C.M. 지 시 엠
Gdańsk 그단스크
GDP 지 디 피
Gdynia 그디니아
Gē (그) 게
gear 기어 ⌈신
gear cutting machine 기어 커팅 머
gear oil 기어 오일
gear pump 기어 펌프
Geelong 질롱
Geez 게즈
Gegenbaur 게겐바우어
Geibel 가이벨
Geiger 가이거
Geiger-Müller 가이거 뮐러
Geisericus 게이세리쿠스
Geissler 가이슬러
Geist (도) 가이스트
GEK 지 이 케이
Gel (도) 겔
gel 겔
Gelände (도) 겔렌데
Geländeski (도) 겔렌데스키
Gelände skier 겔렌데 스키어
Geländespringen (도) 겔렌데슈프 ⌊링겐
gelatin, gelatine 젤라틴
gelatinase 젤라티나아제
gelatine filter 젤라틴 필터
gelatine paper 젤라틴 페이퍼
gelatinobromide 젤라티노브로마이 ⌊드
Geld (도) 겔트
Gellius 겔리우스
Gell-Mann 겔만
GEM 젬
gem clip 젬 클립
Gemeinschaft (도) 게마인샤프트
Gemini 제미니
gemolite 제몰라이트
Gen (도) 겐
gendarme (프) 장다름
gĕnder 근데르
gene 진
general 제너럴 ⌈믹스
General Dynamics 제너럴 다이내
General Electric 제너럴 일렉트릭
General Foods 제너럴 푸드
generalissimo 제너럴리시모
general mortgage 제너럴 모기지
General Motors 제너럴 모터스
Generalpause (도) 게네랄파우제
Generalprobe (도) 게네랄프로베
general rule 제너럴 룰
general staff 제너럴 스태프
general strike 제너럴 스트라이크
generation 제너레이션
generator 제너레이터
Genêt 주네
Geneva 제네바
Genève 주네브
Gennesaret 게네사렛
Genoa 제노아
genocide 제노사이드
genome 게놈
genos (그) 게노스
Genossenschaft (도) 게노센샤프트
Genova 제노바
genre (프) 장르

Gent 겐트《헨트》
gentamycin 젠타마이신《겐타마이 ⌊신》
gentiana (라) 겐티아나
Gentile, (이) gentile 젠틸레
Gentile da Fabriano 젠틸레 다 파 ⌊브리아노
gentle 젠틀
gentleman 젠틀맨
gentlemanship 젠틀맨십
gentry 젠트리
Gény 제니
geodimeter 지오디미터
geoid 지오이드
geometric print 지오메트릭 프린트
Geopolitik (도) 게오폴리티크
Georg 게오르크
George 게오르게; 조지 ⌈운
George Town, Georgetown 조지타
Georgette 조젯
Georgia 조지아
Georgius 게오르기우스
Gera 게라
Géraldy 제랄디
geraniol 게라니올
geranium 제라늄
Gerasimov 게라시모프
Gerber 게르버
gerbera 거베라
Gerhardsen 게르하르센
Gerhardt 게르하르트
geriatrics 제리아트릭스
Géricault 제리코
Gerizim 그리심
Gerlach 게를라흐
German 저먼, (도) 게르만
germane 게르만
Germania 게르마니아
Germanicus 게르마니쿠스
Germanist (도) 게르마니스트
germanium 게르마늄
Germany 저머니
Germi 제르미
Germinal 제르미날
Germiston 저미스턴
Gérôme 제롬
gerrymandering 게리맨더링
Gershwin 거슈윈
Gertsen 게르첸
Gervinus 게르비누스
geschwind (도) 게슈빈트
Gesell 게젤
Gesellschaft (도) 게젤샤프트
Gesner 게스너
Gestalt (도) 게슈탈트
Gestapo (도) 게슈타포
gesture 제스처
Gethsemane 겟세마네
get set 겟 세트
getter 게터
get two 겟 투
Gettysburg 게티즈버그
Geusen (도) 고이젠
Gev 게브
Geyser 가이저
Geysir 가이저, 게이시르, 게이서
Gezelle 게젤레
G-gas 지가스
Ghana 가나
Ghats 고츠
Ghazan Khan 가잔 칸
Ghazna 가즈나
Ghazni 가즈니
Ghazzali 가잘리
Ghéon 게옹
Gheorghiu 게오르규
Gheorghiu-Dej 게오르기우데지
ghetto (이) 게토
Ghibelline (이) 기벨린
Ghirlandajo 기를란다요
ghost 고스트
ghost image 고스트 이미지
ghost pulse 고스트 펄스
ghost writer 고스트 라이터
G.H.Q. 지 에이치 큐
Ghūr 구르

ghusl 구슬
G.I. 지 아이
Giacometti 자코메티
Giacosa 자코사
Giaever 예이버
giant 자이언트
giant panda 자이언트 판다
giant slalom 자이언트 슬랄롬
Giauque 지오크
gibberellin 지베렐린
Gibbon, gibbon 기번
Gibbs 기브스
Gibraltar 지브롤터, 지브랄타르
Giddings 기딩스
Gide 지드
Gideon 기드온
Gielgud 길구드
Gierek 기에레크
Gierke 기르케
Gieseking 기제킹
Giffard 지파르
Giffen 기펜
gift 기프트
gift cheque 기프트 체크
gift item 기프트 아이템
gift shop 기프트 숍
gig 기그
giga- 기가-
gigabyte 기가바이트
Gigantomachia (그) 기간토마키아
Gigantopithecus 기간토피테쿠스
Gigantopteris 기간토프테리스
Gigantorhynchata (그) 기간토링카타
Gigas (그) 기가스
Gigli 질리
gigolette (프) 지골레트
gigolo (프) 지골로
gigue (프) 지그
Gihon 기혼
Gijon 히혼
Gila monster 힐라 몬스터
Gilbert, gilbert 길버트
Gilboa 길보아
Gilbreth 길브레스
gilding metal 길딩 메탈
Gilead 길르앗
Gilel's 길렐스
Giles 자일스
Gilgal 길갈
Gilgamesh 길가메시
Gilgit 길기트
gill 질
Gillespie 길레스피
Gilmore 길모어
Gilson 질송
gilt 길트
gilt-top 길트톱
gilt-type 길트타입
Gilyak 길랴크
gin 진
gin cocktail 진 칵테일
gin fizz 진 피즈
ginger 진저
ginger ale 진저 에일
ginger beer 진저 비어
ginger cake 진저 케이크
gingham 깅엄
Gini 지니
ginning 지닝
Ginsburg 긴즈버그
Ginzburg 긴즈부르그
Gioberti 조베르티
giocondo (이) 지오콘도
giocoso (이) 지오코소
Giolitti 졸리티
Giordano 조르다노
Giorgione 조르조네
Giotto di Bondone 조토 디 본도네
Girl Giovanni da Monte Corvino 조반니 다 몬테 코르비노
Gips (도) 깁스
Gips bed 깁스 베드
Gipskorsett (도) 깁스코르셋
Gipsy 집시
Girardon 지라르동
Giraudoux 지로두
girder 거더
girdle 거들
girl 걸
girl friend 걸 프렌드
Girl Guides 걸 가이드
Girl Scouts 걸 스카우트
Girodet-Trioson 지로데 트리오종
Gironde 지롱드
Girondins 지롱댕
G.I.S. 지 아이 에스
Giscard d'Estaing 지스카르 데스탱
Giselle (프) 지젤
Gish 기시
Gissing 기싱
Giulini 줄리니
give-and-take 기브앤드테이크
give-up 기브업
give way 기브 웨이
Giza 기자
Gizeh 기제
Gjellerup 겔레루프
GK 지 케이
GKB (러) 게 카 베
Glacier, glacier 글레이셔
gladiolus 글라디올러스
Gladstone, gladstone 글래드스턴
glam fashion 글램 패션
glamour 글래머
glamour girl 글래머 걸
glänzend (도) 글렌첸트
Glaser 글레이저
Glasgow 글래스고
Glashow 글래쇼
glasnost' (러) 글라스노스트
glass 글라스
glass block 글라스 블록
glass fiber 글라스 파이버
glassfiber pole 글라스파이버 폴
glass lining 글라스 라이닝
glass pen 글라스 펜
glass stage 글라스 스테이지
glass wool 글라스 울
glasswork 글라스워크
Glauber 글라우버
glaze 글레이즈
glazing 글레이징
Glazunov 글라주노프
glee 글리
glee club 글리 클럽
glider 글라이더
glider wax 글라이더 왁스
gliding 글라이딩
glim 글림
Glinka 글린카
gliotoxin 글리오톡신
glissade (프) 글리사드
glissando (이) 글리산도
Glisson 글리슨
global 글로벌
globe 글로브
globigerina 글로비게리나
globin 글로빈
Globule 글로뷸
globulin 글로불린
glochidium (라) 글로키듐
Glockenspiel (도) 글로켄슈필
Gloria (라) 글로리아
gloria 글로리아
glory hole 글로리 홀
glossy 글로시
Gloucester 글로스터
glove 글러브
Glover 글로버
glow 글로
glow lamp 글로 램프
glow plug 글로 플러그
glow starter 글로 스타터
gloxinia 글록시니아
glucagon 글루카곤
glucan 글루칸
glucitol 글루시톨
Gluck 글루크
glucogenesis 글루코제네시스
glucolipid 글루콜리피드
glucosamine 글루코사민
glucose 글루코오스
glucosidase 글루코시다아제
glucoside 글루코시드
glue 글루
gluon 글루온
glutamine 글루타민
glutathione 글루타티온
glutelin 글루텔린
gluten 글루텐
glutenin 글루테닌
glyceride 글리세리드
glycerin 글리세린
glycerol 글리세롤
glycine 글리신
glyco- 글리코-
glycogen 글리코겐
glycol 글리콜
glycol ether 글리콜 에테르
glycosamine 글리코사민
glycosidase 글리코시다아제
glyoxal 글리옥살
glyoxalase 글리옥살라아제
G.M. 지 엠
G-man 지맨
G.M.C. 지 엠 시
GMDSS 지 엠 디 에스 에스
Gmelin 그멜린
GMP 지 엠 피
G.M.T. 지 엠 티
G.N.E. 지 엔 이
Gneisenau 그나이제나우
Gneist 그나이스트
gnomon 노몬
gnōmōn (그) 그노몬
gnosis (그) 그노시스
G.N.P. 지 엔 피
GNP deflator 지엔피 디플레이터
go 고
Goa 고아
goal 골
goal area 골 에어리어
goal bar 골 바
goal crease 골 크리스
goal from the field 골 프롬 더 필드
goal getter 골 게터
goal in 골인
goal judge 골 저지
goalkeeper 골키퍼
goal kick 골 킥
goal line 골 라인
goal net 골 네트
goalpost 골포스트
goal shoot 골 슛
goal throw 골 스로
Gobat 고바
Gōbbels 괴벨스
go behind 고 비하인드
Gobelins (프) 고블랭
Gobi 고비
gocart 고카트
Goclenius 고클레니우스
Godard 고다르
Godavari 고다바리
Goddard 고더드
Godefroy de Bouillon 고드프루아 드 부용
Godesberg 고데스베르크
Godiva 고다이버
Godowsky 고도프스키
Godthaab 고트호프
Godwin 고드윈
Godwin Austen 고드윈 오스턴
Goebel 괴벨
Goes 구스
Goethals 고설스
Goethe 괴테
Gog 곡
Gogarten 고가르텐
goggles 고글
Gogh 고흐
gogo 고고
Gogol' 고골리
Goiás 고이아스
going my way 고잉 마이 웨이
Gokhale 고칼레
gold 골드
Goldberg 골트베르크
Gold Coast 골드 코스트
golden age 골든 에이지
golden collar 골든 칼라
golden disc 골든 디스크
Golden Gate 골든 게이트
Golden Globe 골든 글로브
Golden Horn 골든 혼
golden hour 골든아워
Golden Triangle 골든 트라이앵글
golden wave 골든 웨이브
golden wedding 골든 웨딩
Golding 골딩
Goldman 골드만
Goldoni 골도니
gold rush 골드러시
Goldschmidt 골트슈미트
Goldsmith 골드스미스
Goldstein 골트슈타인, 골드슈타인
gold tranche 골드트랑슈
Goldwyn 골드윈
golf 골프
golf club 골프 클럽
golf links 골프 링크
golf pants 골프 팬츠
Golgi 골지
Golgotha 골고다
Goliath 골리앗
Goliath crane 골리아스 크레인
Goltz 골츠
Gómez de la Serna 고메스 데 라 세르나
gomme (프) 고무
gomme band (프) 고무 밴드
gomme boat 고무 보트
gomme hose 고무 호스
gomme pipe 고무 파이프
gomme sac (프) 고무 색
gomme tape 고무 테이프
gomme tire 고무 타이어
Gomorrah 고모라
Gompers 곰퍼스
Gomułka 고무우카(고물카)
gonadotropin 고나도트로핀
Gonaïves 고나이브
Goncharov 곤차로프
Goncourt 공쿠르
Gond 곤드
gondola (이) 곤돌라
Gondwana 곤드와나
gong 공
Góngora 공고라
goniometer 고니오미터
goniophotometer 고니오포토미터
Gonokokken 고노코켄
González 곤살레스
good 굿
Good-bye 굿바이
good design 굿 디자인
Goodman 굿맨
Good morning 굿 모닝
Good night 굿 나이트
good shot 굿샷
Goodyear 굿이어
gooseberry 구스베리
Goossens 구슨스
Gorbachev 고르바초프
Gordon 고든
Gore 고어
Gores 고레스
Gorgias 고르기아스
Gorgo (그) 고르고
Gorgon 고르곤
Gorgones 고르고네스
gorilla 고릴라
Gorinth 고린토, 고린도
Gōring 괴링
Gor'kii 고리키

Gorky 고키
Görlitz 괴를리츠
Görres 괴레스
Gorter 호르터
Gosainthan 고사인탄
Gosāla 고살라
Gosbank (러) 고스방크
gospel 고스펠
gospel singer 고스펠 싱어
gospel song 고스펠 송
Gosplan (러) 고스플란
Gosse 고스
Gossec 고세크
Gossen 고센
Gosset 고셋
gossip 가십
gossipmonger 가십멍거
go stern 고 스턴
go stop 고 스톱
Göta 예타
Göteborg 예테보리
Goten (도) 고텐
Goth 고트
Gotha 고타
Gothic 고딕
gothique (프) 고티크
Gottfried von Strassburg 고트프리트 폰 슈트라스부르크
Gotthelf 고트헬프
Göttingen 괴팅겐
Gottland 고틀란드
Gottsched 고트셰트
Gottwald 고트발트
Goudsmit 하우트스미트
gouache (프) 구아슈
Gouges 구주
Goujon 구종
Goulburn 골번
Gould 굴드
Gounod 구노
Gourmont 구르몽
Gouvea 구베아
governor 거버너
Gower 가워
gown 가운
Goya 고야
Goyen 호이옌, 고이옌
Gozzoli 고촐리
GPALS 지펄스
GPS 지 피 에스
G.P.U. (러) 게 페 우
Graaf 그라프
Grabbe 그라베
Grabmann 그라프만
Gräbner 그레프너
Gracchus 그라쿠스
Grace (프) 그라스
gracile (이) 그라칠레
gradation 그러데이션
grade 그레이드
grader 그레이더
gradevole 그라데볼레
grading 그레이딩
Graebe 그레베
Graf (도) 그라프
graft 그래프트
Graham 그레이엄
Grahame 그레이엄
Graham Land 그레이엄랜드
Graiai 그라이아이
grain 그레인
grain check 그레인 체크
grain whisky 그레인 위스키
Gram 그람
gram 그램
gram calorie 그램 칼로리
gram-centimeter 그램센티미터
gramicidin 그라미시딘
gram ion 그램 이온
grammar 그래머
grammar school 그래머 스쿨
Gramme 그람
gramme 그램
Grammy 그래미
gramophone 그래머폰
grana 그라나
Granada 그라나다
Granados 그라나도스
Gran Chaco 그란 차코
Grand Bahama 그랜드바하마
Grand Bank 그랜드뱅크
Grand Canyon 그랜드캐니언
Grand Coulee Dam 그랜드쿨리 댐
Grande 그란데
Grande Dixence Dam 그랑드 디상스 댐
grand effect machine 그랜드 이펙트 머신
Granger 그레인저
Grandes Jorasses 그랑드조라스
grand grand slam 그랜드 그랜드 슬램
grand guignol (프) 그랑 기뇰
grandioso 그란디오소
grand opera 그랜드 오페라
grand piano 그랜드 피아노
grand prix (프) 그랑 프리
grand prix race 그랑 프리 레이스
Grand Rapids 그랜드 래피즈
Grand-Saint-Bernard 그랑생베르나르
grand slam 그랜드 슬램
grandstand 그랜드스탠드
grand style 그랜드 스타일
Grand Teton 그랜드티턴
grand touring car 그랜드 투어링 카
Granet 그라네
Granit 그라니트
granite 그래니트
granolith 그래놀리스
Gran Sasso d'Italia 그란사소디탈리아
Grant 그랜트
Granville-Barker 그랜빌바커
grape 그레이프
grapefruit 그레이프프루트
grape hyacinth 그레이프 히아신스
grape juice 그레이프 주스
graph 그래프
graphic 그래픽
graphic art 그래픽 아트
graphic design 그래픽 디자인
graphic designer 그래픽 디자이너
graphic panel 그래픽 패널
graphite 그래파이트
graphoscope 그래포스코프
grappier cement 그라피에 시멘트
Grass 그라스
grass court 그래스 코트
grasshopper 그래스호퍼
grasshopper fuse 그래스호퍼 퓨즈
Grassmann 그라스만
Gratiae 그라티아이
gratin (프) 그라탱
grave (이) 그라베
graver 그레이버
Graves 그레이브스
gravure 그래뷰어
gravy 그레이비
Gray, gray 그레이
gray scale 그레이 스케일
gray zone 그레이 존
Graz 그라츠
Grazer 그라처
grazioso (이) 그라치오소
grease 그리스
grease cup 그리스 컵
grease table 그리스 테이블
Great Australia 그레이트오스트레일리아
Great Barrier Reef 그레이트배리어리프
Great Basin 그레이트베이슨
Great Bear 그레이트베어
Great Britain 그레이트브리튼
Great Dane 그레이트 데인
Great Dividing 그레이트디바이딩
Great Eastern 그레이트이스턴
Great Northern 그레이트 노던
Great Plains 그레이트플레인스
Great Salt 그레이트솔트
Great Sandy 그레이트샌디
Great Slave 그레이트슬레이브
Great Smoky 그레이트스모키
Great Victoria 그레이트빅토리아
Greco, Grēco 그레코
Greco-Roman 그레코로만
Greece 그리스
Greed 그리드
Greek 그리크
Greely 그릴리
Green, green 그린
greenback 그린백
greenbelt 그린벨트
Green Beret 그린 베레
green border 그린 보더
green business 그린 비즈니스
green fee 그린 피
green flash 그린 플래시
greenhorn 그린혼
greenhouse 그린하우스
Greenland 그린란드
green laser 그린 레이저
green oil 그린 오일
green peas 그린 피스
green revolution 그린 레벌루션
Greensboro 그린즈버러
green tea 그린 티
Greenville 그린빌
Greenwich 그리니치
greeting card 그리팅 카드
Grégoire 그레구아르
Gregorian 그레고리안
Gregorio 그레고리오
Gregorios 그레고리오스
Gregorius (라) 그레고리우스
Gregory 그레고리
Grein 그라인
Grenada 그레나다
Grenfell 그렌펠
Grenoble 그르노블
Grenville 그렌빌
Gresham 그레셤
Greuze 그뢰즈
Grew 그루
Grey, grey 그레이
greyhound 그레이하운드
grey market 그레이 마켓
Griboedov 그리보예도프
grid 그리드
grid bias 그리드 바이어스
grid glow 그리드 글로
Grieg 그리그
Griffin 그리핀
Griffis 그리피스
Griffith 그리피스
griffithite 그리피사이트
Grignard 그리냐르
grill 그릴
Grillparzer 그릴파르처
grillroom 그릴룸
Grimaldi 그리말디
Grimm 그림
Grimmelshausen 그리멜스하우젠
Grimsby 그림즈비
Grin 그린
grinder 그라인더
grinding 그라인딩
grinding mill 그라인딩 밀
grip 그립
Grip Ball 그립 볼
Griqua 그리콰
Gris 그리스
grisaille (프) 그리자유
griseofulvin 그리세오풀빈
griseomycin 그리세오마이신
grit 그릿
grizzly 그리즐리
Grofé 그로페
groggy 그로기
Gromaire 그로메르
Gromyko 그로미코
Groningen 그로닝겐
groomed oar 그룸드 오어
Groote 호로테
Gropius 그로피우스
Gros 그로
gros-grain (프) 그로그랭
gross 그로스
Grossglockner 그로스글로크너
gross ton 그로스 톤
Grote 그로트
Grotefend 그로테펜트
grotesque (프) 그로테스크
Grotewohl 그로테볼
Grotius 그로티우스
Grotthuss 그로투스
ground 그라운드
ground boy 그라운드 보이
grounder 그라운더
grounding 그라운딩
ground manner 그라운드 매너
ground noise 그라운드 노이즈
ground rule 그라운드 룰
ground sheet 그라운드 시트
ground stroke 그라운드 스트로크
group 그룹
group dynamics 그룹 다이내믹스
groupie 그루피
group sound 그룹 사운드
grout 그라우트
grout curtain 그라우트 커튼
grout hole 그라우트 홀
grouting 그라우팅
Grove 그로브
Groznyi 그로즈니
Grundherrschaft (도) 그룬트헤어샤프트
Grundtvig 그룬트비
Grünewald 그뤼네발트
Grünwedel 그륀베델
Gruppe (도) 그루페
Gruziya 그루지야
Gryphius 그리피우스
GSI 지 에스 아이
GSP 지 에스 피
G.T. car 지 티 카
Guadalajara 과달라하라
Guadalcanal 과달카날
Guadalquivir 과달키비르
Guadalupe 과달루페
Guadeloupe 과들루프
Guadiana 과디아나
guaiacol 과이어콜
Guajakol (도) 구아야콜
Guam 괌
guanidine 구아니딘
guanine 구아닌
guano 구아노
Guantánamo 관타나모
guarana 과라나
guarantee 개런티
guard 가드
guard fence 가드 펜스
Guardi 과르디
Guardian 가디언
Guardini 과르디니
guard man 가드 맨
guardrail 가드레일
guard ring 가드 링
Guarini 과리니
Guarnieri 과르니에리
Guatemala 과테말라
Guatemala City 과테말라시티
Guayaquil 과야킬
guayule 과율
Gudrun 구드룬
Guéhenno 게노
Guelf 겔프
Guercino 구에르치노
Guericke 게리케
guerilla (스) 게릴라
Guérin 게랭
Guernica 게르니카
Guernsey 건지
Guesde 게드
guest 게스트
guest member 게스트 멤버
guêtre (프) 게트르

Guettard 게타르
Guevara 게바라
Guggenheim 구겐하임
Guiana 기아나
guidance 가이던스
guide 가이드
guidebook 가이드북
guided climbing 가이디드 클라이밍
guided missile 가이디드 미사일
guideline 가이드라인
guide number 가이드 넘버
guidepost 가이드포스트
guide rope 가이드 로프
guignol (프) 기뇰
guild 길드
guilder 길더
guild socialism 길드 소셜리즘
Guillain-Barré 길랑바레
Guillaume 기욤 「스
Guillaume de Lorris 기욤 드 로리
Guillaumin 기요맹
Guillemin 기유맹
guillotine (프) 기요틴; 길로틴
Guimet (프) 기메
Guinea 기니
Guinea-Bissau 기니비사우
guinea pig 기니 피그
Guinness 기네스
Guinness Book 기네스 북
guitar 기타
guitarist 기타리스트
Guitry 기트리
Guizot 기조
Gujarat 구자라트
Guldberg 굴베르그
gulden 굴덴
Gulf 걸프
Gulf Stream 걸프 스트림
Gulliver 걸리버
Gullstrand 굴스트란드
Gumplowicz 굼플로비치
gun 건
Gunādhya 구나디아
gunclub check 건클럽 체크
Gundolf 군돌프
Gunn 건
gun spray 건 스프레이
Gunter 건터
Gunther 건서
guppy 거피(구피)
Gupta 굽타
Gurkha 구르카
Gurla Mandhata 구를라만드하타
Gürsel 귀르셀
Gustaf Adolf 구스타브 아돌프
Gustaf Vasa 구스타브 바사
gut 거트
Gutenberg 구텐베르크 「트
Gutsherrschaft (도) 구츠헤어샤프
Guts Muths 구츠 무츠
gutta-percha (말) 구타페르카
gutter 거터
guy 가이
Guyana 가이아나
Guyau 귀요
guy derrick 가이 데릭
guyot (프) 기요
Güyük 구유크
Gwalior 괄리오르
Gwelo 궬로
Gymnasium (도) 김나지움
Gypsy 집시
gyro 자이로
gyrocompass 자이로컴퍼스
gyro horizon 자이로 호라이즌
gyropilot 자이로파일럿
gyroscope 자이로스코프
gyrostabilizer 자이로스태빌라이저
Gzhirgalantu 지르갈란투

H, h 에이치
HA 에이치 에이
Habakkuk 하바국
habanera (스) 하바네라, 아바네라
habeas corpus 헤이비어스 코퍼스
Haber 하버
Haber-Bosch 하버보시
Habermas 하버마스
habitation (프) 아비타숑
Haboob 하부브
Habsburg 합스부르크
Hachette 아셰트
hacienda (스) 아시엔다
hack 핵
hacker 해커
hacking 해킹
hackling 해클링
Hadamard 아다마르
Haddon 해든
Hades 헤이디스, 하데스
Hadhramaut 하드라마우트
Hadīth (아랍) 하디트
Hadrianus 하드리아누스
hadron 하드론
Haeckel 헤켈
haem 헴
Haffner 하프너
Ḥāfiz 하피즈
hafnium 하프늄
Hagar 하갈
Hagen 하겐
Hagenbeck 하겐베크
Haggai 학개, 하깨
Haghar 하갈
Hague 헤이그
Hahn 한
Hahnemann 하네만
Hahnium 하늄
Haides (그) 하이데스
Haifa 하이파
Haig 헤이그
Hailar 하일라르
Haile Selassie 하일레 셀라시에
Haiphong 하이퐁
hair 헤어
hair band 헤어 밴드
hairbrush 헤어브러시
haircloth 헤어클로스
hair cord 헤어 코드
hair cracks 헤어 크랙
hair cream 헤어 크림
hair dress 헤어 드레스
hair dryer 헤어 드라이어
hairdye 헤어다이
hair iron 헤어 아이론
hair lacquer 헤어 래커
hair liquid 헤어 리퀴드
hair lotion 헤어 로션
hairnet 헤어네트
hairpiece 헤어피스
hairpin 헤어핀
hairpin curve 헤어핀 커브
hair spray 헤어 스프레이
hairstone 헤어스톤
hairstyle 헤어스타일
hair-tonic 헤어토닉
hairy vetch 헤어리 베치
Haïti 아이티
Hajī (아랍) 하지
Hajj (아랍) 하즈
Haken (도) 하켄
Hakenkreuz (도) 하켄크로이츠
Hakka 하카
Hakluyt 해클루트
Halaf 할라프
halation 헐레이션
Haldane 홀데인
hale 헤일
Haler 할레르
Haley 헤일리
half 하프
halfback 하프백
half boots 하프 부츠
half camera 하프 카메라

half center 하프 센터
half coat 하프 코트
half court tennis 하프 코트 테니스
half line 하프 라인
half-made 하프메이드
half mirror 하프 미러
half nelson 하프 넬슨
half size 하프 사이즈 「라
half size camera 하프 사이즈 카메
half swing 하프 스윙
half-timber 하프팀버
half time 하프 타임
half-tone 하프톤
half-track 하프트랙
half volley 하프 발리
Halifax 핼리팩스
Hall, hall 홀
Halle 할레
hallelujah (헤) 할렐루야
Hallenkirche (도) 할렌키르헤
Haller 할러
Halley 핼리
Halle-Wittenberg 할레비텐베르크
hallo 핼로
Hall of Fame 홀 오브 페임
Hallstatt 할슈타트
Hallstein 할슈타인
hallucination 헐루시네이션
halma 핼머
halmahera 할마헤라
halo 헤일로
Halogen (도) 할로겐
halogen ion 할로겐 이온
Hals 할스
Hälsingborg 헬싱보리
halter brassiere 홀터 브러저
halter neckline 홀터 네크라인
halysites 할리시테스
Ham, ham 함, 햄
Hama 하마
Hamadan 하마단
Hamann 하만
Hamburg 함부르크
hamburg 햄버그
hamburg steak 햄버그 스테이크
hamburger 햄버거
ham egg 햄에그
Hamel 하멜
Hamilton 해밀턴
Hamlet 햄릿
Hammarskjöld 하마시욀드
Hammer 해머
hammer 하머
Hammerfest 함메르페스트
Hammer Klavier 하머 클라비어
hammerlock 해머록
Hammerstein 해머스타인
Hammett 해멧
hammock 해먹
Hammond organ 해먼드 오르간
Hammurabi 함무라비
Hampshire 햄프셔
Hampton 햄프턴
Hampton Court 햄프턴 코트
ham rice 햄라이스
ham salad 햄 샐러드
ham-sand 햄샌드
Ham Sem 햄셈
hamster 햄스터
Hamsun 함순
hand 핸드
handbag 핸드백
handball 핸드볼
handbook 핸드북
hand brake 핸드 브레이크
hand breaker 핸드 브레이커
handcar 핸드카
hand cream 핸드 크림
hand drill 핸드드릴
Händel 헨델
handhold 핸드홀드
handicap 핸디캡
handicap race 핸디캡 레이스
handicraft 핸디크래프트

Handie-Talkie 핸디토키
handkerchief 행커치프
handle 핸들
handling 핸들링
hand made 핸드 메이드
hand money 핸드 머니
hand-off 핸드오프
hand organ 핸드 오르간
handout 핸드아웃
handpress 핸드프레스
handsome 핸섬
hand tracter 핸드 트랙터
hand truck 핸드 트럭
Honduraz 온두라스
hand vice 핸드 바이스
handy 핸디
hanger board 행어 보드
hangglider 행글라이더
hang gliding 행글라이딩
hanky dress 행키 드레스
Hann 한
Hannibal 한니발
Hannover 하노버
Hanoi 하노이
Hanon 아농
Hanover 하노버
Hansa 한자
Hansen 한센, 핸슨
Hanslick 한슬리크
Hanson 핸슨
happening 해프닝
happy ending 해피 엔딩
happy smoke 해피 스모크
hapten 합텐
Haq 하크
Harappā 하라파
Harare 하라레
Harbin 하르빈
hard beach 하드 비치
hardboard 하드보드
hard-boiled 하드보일드
hard copy 하드 카피
hard court 하드 코트
hard disk 하드 디스크
Harden 하든
hard edge 하드에지
Hardenberg 하르덴베르크
hardhead 하드헤드
Hardie 하디
Harding 하딩
hard-luck 하드럭
hard rock 하드 록
hard silk 하드 실크
hardtop 하드톱
hard training 하드 트레이닝
hardware 하드웨어
Hardy 하디
Hardy-Weinberg 하디 바인베르크
Harer 하레르
Harem 하렘
Hargeisa 하르게이사
Hargreaves 하그리브스
Harlem 할렘
Harlequin 할리퀸
Harmagedon 아마겟돈
Harmand 아르망
harmattan 하르마탄
harmonica 하모니카
harmonics 하모닉스
harmonium 하모늄
harmonization 하모니제이션
harmony 하모니
Harnack 하르나크
harp 하프
Harper's 하퍼스
harpsichord 하프시코드
Hararr 하라르
Harrier 해리어
Harriman 해리먼
Harris 해리스
Harrisburg 해리스버그
Harrison 해리슨
Harrod 해러드
harrow 해로

Harrow School 해로 스쿨
Harsha 하르샤
hart 하트
Hartford 하트퍼드
Hartley 하틀리
Hartline 하틀라인
Hartmann 하르트만
Hartung 아르퉁
Harun-al-Rashid 하룬 알 라시드
Harvard 하버드
Háry János 하리 야노스
Harz 하르츠
Hašek 하셰크
Hasenclever 하젠클레버
hash 해시
Hashimite 하시미테 「단
Hashimite Jordan 하시미테 요르
hashish 해시시
Hasidism 하시디즘
Haskil 하스킬
Hasse 하세
Hassel 하셀
Hassler 하슬러
Hassuna 하수나
Hastelloy 하스텔로이
Hastings 헤이스팅스
hat 해트
hatch 해치
hatchback 해치백
hatch wall 해치 월
Hathor 하토르
Hatra 하트라
Hatta 하타
Hatti 하티
hat trick 해트 트릭
Hauff 하우프
Hauptmann 하우프트만
Hauriou 오류
Hausa 하우사
Hauser 하우저
Haushofer 하우스호퍼
haute couture (프) 오트 쿠튀르
Haute-Volta 오트볼타
Haüy 아위
Havana 아바나
Havas 아바스
Hawaii 하와이
Hawaiian guitar 하와이안 기타
Hawk 호크
Hawking 호킹
Hawkins 호킨스
Haworth 하워스
Hawthorn 호손
Hawthorne 호손
Hawwāh 하와
Hay 헤이
hay cube 헤이 큐브
Haydn 하이든
Hayek 하이에크
Hayes 헤이스
hay tedder 헤이 테더
Hayward 헤이워드
Hayworth 헤이워스
Hazard 아자르, 해저드
Hazlitt 해즐릿
HB 에이치 비
H-bomb 에이치 봄
HBS 에이치 비 에스
H cable 에이치 케이블
HDL 에이치 디 엘
HE 에이치 이
head 헤드
head coach 헤드 코치
header 헤더
headgear 헤드기어
heading 헤딩
head lamp 헤드 램프
headlight 헤드라이트
headline 헤드라인
headlock 헤드록
headphone 헤드폰
headphone stereo 헤드폰 스테레오
headquarters 헤드쿼터스
head scissors 헤드 시저스
head shell 헤드 셸
head sliding 헤드 슬라이딩
headstock 헤드스톡
head-up 헤드업
head voice 헤드 보이스
headwork 헤드워크
health club 헬스 클럽
hearing 히어링
Hearn 헌
Hearst 허스트
heart 하트
heartcam 하트캠
heater 히터
heart line 하트 라인
Heath, heath 히스
Heathrow 히스로
heat island 히트 아일랜드
heat pipe 히트 파이프
heat-seal 히트실
heat-set 히트세트
heatset ink 히트세트 잉크
Heaviside 헤비사이드
heavy 헤비
heavy-duty car 헤비듀티 카
heavy metal 헤비 메탈
heavy naphtha 헤비 나프타
heavy smoker 헤비 스모커
heavy truck 헤비 트럭
heavyweight 헤비웨이트
Hebbel 헤벨
Hēbē 헤베
Hébert 에베르
Hebrai (그) 헤브라이
Hebraism 헤브라이즘
Hebrew (그) 히브리, 헤브루
Hebrides 헤브리디스
Hebron 헤브론
Hecht 헤히트
hectare 헥타르
hecto (그) 헥토
hectogram 헥토그램
hectoliter 헥토리터
hectometer 헥토미터
Hedda Gabler 헤다 가블러
hedge 헤지
hedging 헤징
Hedin 헤딘
hedonic 헤도닉
hedonism 히더니즘
hedonist 히더니스트
heel 힐
heel out 힐 아웃
Hefner 헤프너
Hegel 헤겔
Hegemonie (도) 헤게모니
Hegira (아랍) 헤지라
Hehner 헤너
Heib 히브
Heidegger 하이데거
Heidelberg 하이델베르크
Heidenstam 헤이덴스탐
Heidi 하이디
Heifetz 하이페츠
heights 하이츠
Heil Hitler (도) 하일 히틀러
Heílōtes (그) 헤일로테스
Heim 하임
Heimat (도) 하이마트
Heimatkunst (도) 하이마트쿤스트
Heine 하이네
Heine-Medin 하이네 메딘
Heinlein 하인라인
Heinrich 하인리히
Heisenberg 하이젠베르크
Heitler 하이틀러
Hejaz 헤자즈
Hekabe 헤카베
Hekataios 헤카타이오스
Hekate 헤카테
Hekla 헤클라
Hektor 헥토르
Hel 헬
HeLa 힐러
held ball 헬드 볼
Helene 헬레나
Helgoland 헬골란트
Heliand (도) 헬리안트
heliborne 헬리본
helical gear 헬리컬 기어
helicity 헬리시티
helicon 헬리콘
helicopter 헬리콥터
helicorubin 헬리코루빈
Heligoland 헬리골랜드
heliograph 헬리오그래프
heliometer 헬리오미터
Helios 헬리오스
helioscope 헬리오스코프
heliostat 헬리오스탯
heliotrope 헬리오트로프
heliotropin 헬리오트로핀
heliotype 헬리오타이프
heliport 헬리포트
helium 헬륨
Hellas (그) 헬라스
hell dive 헬 다이브
Hellenes (그) 헬레네스
Hellenism 헬레니즘
Helmand 헬만드
helmet 헬멧
Helmholtz 헬름홀츠
Helmont 헬몬트
Helms 헬름스
Helot 헬롯
helper virus 헬퍼 바이러스
Helsingfors 헬싱포르스
Helsinki 헬싱키
Helvétius 엘베시우스
hematochrome 헤마토크롬
hematocrit 헤마토크릿
Hemingway 헤밍웨이
hemlock 헴록
hemoconia 헤모코니아
hemocyanin 헤모시아닌
hemoglobin 헤모글로빈
hemoglobin A 헤모글로빈 에이
hemosiderin 헤모지데린
hemotrophe 헤모트로페
hemstitch 헴스티치
Hench 헨치
Henderson 헨더슨
henequen 헤너킨
hen kai pan (그) 헨 카이 판
Henle 헨레
Henley Regatta 헨리 레가타
henna 헤나
Hennebique 엔비크
henotheism 헤너시이즘
Henri 앙리
Henrique 엔리케
Henry, henry 헨리
Hensen 헨젠
Heparin (도) 헤파린
Hepatoma 헤파토마
hepatotoxin 헤파토톡신
Hepburn 헵번
Hepburn style 헵번 스타일
Hephaistos 헤파이스토스
heptane 헵탄
heptose 헵토오스
Hepworth 헤프워스
Hēra 헤라
Hērakleidēs 헤라클레이데스
Hēraclēitos 헤라클레이토스
Hēraclius 헤라클리우스
Hērakles 헤라클레스
Herāt 헤라트
Herbart 헤르바르트
Herbert 허버트
Herbin 에르뱅
Herbst 헤르프스트
Herculaneum 헤르쿨라네움
Hercules 허큘리스, 헤르쿨레스
Herder 헤르더
Hérédia 에레디아
Hereford 헤리퍼드
Hering 헤링
Heritage 헤리티지
Hermaphroditos 헤르마프로디토스
Hermes 헤르메스
Hermite 에르미트
Hermosillo 에르모시요
Hernández 에르난데스
Hernani (프) 에르나니
Herne 헤르네
hernia 헤르니아
hero 히어로
Herod 헤롯
Herodes (라) 헤로데스
Herodotos 헤로도토스
heroic 히어로익
heroin 헤로인
heroine 헤로인
heroism 헤로이즘
Hērōn 헤론
Herophilos 헤로필로스
Hērōs 헤로스
Héroult 에루
herpes (라) 헤르페스
Herrick 헤릭
herringbone 헤링본
herringbone stitch 헤링본 스티치
Herriot 에리오
Herschel 허셜
Hersey 허시
Hershback 허시백
Hershey 허시
Hertwig 헤르트비히
Hertz (도) 헤르츠
Hertz antenna 헤르츠 안테나
Hertzsprung 헤르츠슈프룽
Hertzsprung-Russell 헤르츠슈프룽
Hervieu 에르비외 └러셀
Herzberg 헤르츠베르크
Herzegovina 헤르체고비나
Herzl 헤르츨
Herzog 에르조그, (도) 헤르초크
Hesiodos 헤시오도스
Hesperides 헤스페리데스
Hesperornis 헤스페로르니스
Hess 헤스
Hesse 헤세
Hessen 헤센
Hessian cloth 헤시언 클로스
Hestia 헤스티아
Heston 헤스턴
hetaerolite 헤테롤라이트 「필리케
hetairia philike (그) 헤타이리아
hetero 헤테로
heteroauxin 헤테로옥신
heterodyne 헤테로다인
heterokaryon 헤테로카리온
heterosis 헤테로시스
Heusler 호이슬러
Heuss 호이스
Hevesy 헤베시
Hewish 휴이시
hexa- (그) 헥사
hexachlorophene 헥사클로로펜
hexadecane 헥사데칸
hexadecen 헥사데센 「젠
hexachlorobenzene 헥사클로로벤
hexamethylenediamin 헥사메틸렌디아민 「렌테트라민
hexamethylenetetramine 헥사메틸
hexane 헥산
hexaphenylethane 헥사페닐에탄
Hexit (도) 헥시트
hexitol 헥시톨
hexose 헥소오스
hexylresorcin 헥실레조르신
hey 헤이
Heym 하임
Heymans 하이만스
Heyrovský 헤이로프스키
Heyse 하이제
HF 에이치 에프
H-hour 에이치 아워
hibiscus 히비스커스
Hickok 히콕
Hicks 힉스

Hidalgo 이달고
Hierarchie (도) 히에라르키
hierarchy 하이어라키
hieroglyph 히에로글리프
Hierokles 히에로클레스
Hieron 히에론
Hieronymus 히에로니무스
hi-fi 하이파이
higgs 히그스
highball 하이볼
high beam 하이 빔
highbrow 하이브라우
high-class 하이클래스
high collar 하이칼라
high contrast 하이 콘트라스트
high diving 하이 다이빙
high draft 하이 드래프트
higher 하이어
high fashion 하이 패션
high heeles 하이 힐
high hurdles 하이 허들
high jump 하이 점프
high-key 하이키
high-key tone 하이키 톤
highland 하이랜드
highlands 하이랜드
high-level 하이레벨
highlight 하이라이트
highlight sketch하이라이트스케치
high miss 하이 미스
high neck 하이 넥
high-neck deress 하이넥 드레스
high octane 하이옥탄
high pitch 하이 피치
high relief 하이 릴리프
high run 하이 런
high school 하이스쿨
high society 하이 소사이어티
high socks 하이 속스
high speed 하이 스피드
high speed steel 하이 스피드 스틸
high sulfur 하이 설퍼
high tech 하이 테크
high technology 하이 테크놀로지
highteen 하이틴
high tempo 하이 템포
High Velt 하이 벨트
High waist 하이 웨이스트
highway 하이웨이 「노시스
highway hypnosis 하이웨이 히프
highway patrol 하이웨이 패트롤
hijack 하이잭
hijacking 하이재킹
Hijrah (아랍) 히즈라
hiker 하이커
hiking 하이킹
hiking shoes 하이킹 슈즈
Hilbert 힐베르트
Hilda 힐다
Hildebrand 힐데브란트
Hilferding 힐퍼딩
Hilgenfeld 힐겐펠트
Hill 힐
hillbilly 힐빌리
Hillary 힐러리
Hilo 힐로
Hilton 힐턴
Hilton Hotel 힐튼 호텔
Hilversum 힐베르숨
Himalaya 히말라야
Himalchuli 히말출리
himation (그) 히마티온
Himmler 힘러
Hindemith 힌데미트
Hindenburg 힌덴부르크
Hindi 힌디
Hindu 힌두
Hindu Kush 힌두쿠시
Hindustan 힌두스탄
Hindustani 힌두스타니
hinge 힌지
Hinnom (그) 힌놈
hinokitiol 히노키티올
Hinshelwood 힌셜우드
hint 힌트
Hinterland (도) 힌터란트
hip 히프
hipbone 힙본
hip hop 힙 합
hip length 히프 렝스
Hippalos 히팔로스
Hipparchos 히파르코스
Hippel 히펠
Hippias 히피아스
hippie 히피
hippie style 히피 스타일
Hippocrates 히포크라테스
Hippuricase (도) 히푸리카제
Hirā' 히라
Hirakud dam 히라쿠드 댐
hire 하이어
H iron 에이치아이언
Hirschsprung 히르시쉬프룽
hirudin 히루딘
His 히스
Hispania 이스파니아
Hispaniola 히스파니올라
hispanomoresque (프) 이스파노모
레스크
Hisper 히스퍼
hissing 히싱
histamine 히스타민
histidine 히스티딘
histogram 히스토그램
histone 히스톤
history 히스토리
hit 히트
hit-and-run 히트앤드런
hit by pitch 히트 바이 피치
Hitchcock 히치콕
Hitchings 히칭스
hitchhike (미) 히치하이크
Hitler 히틀러
Hitler Jugend 히틀러 유겐트
hit parade 히트 퍼레이드
hit song 히트 송
hitting 히팅
Hittorf 히토르프
hitter 히터
Hittites 히타이트
hjelmite 히엘마이트
HLAZ 에이치 엘 에이 제트
HLCA 에이치 엘 시 에이
HLCK 에이치 엘 시 케이
HLKA 에이치 엘 케이 에이
HLKC 에이치 엘 케이 시
HLKJ 에이치 엘 케이 제이
HLKV 에이치 엘 케이 비
HLKY 에이치 엘 케이 와이
HLKX 에이치 엘 케이 엑스
HLQK 에이치 엘 큐 케이
HLQL 에이치 엘 큐 엘
HLQP 에이치 엘 큐 피
HLSA 에이치 엘 에스 에이
HLSG 에이치 엘 에스 지
HLSQ 에이치 엘 에스 큐
HLSR 에이치 엘 에스 아르
HLST 에이치 엘 에스 티
Hoa Binh 호아 빈
Hobah (그) 호바
Hobart 호바트
Hobbema 호베마
Hobbes 홉스
Hobhouse 홉하우스
Hoche 오슈
Hochhuth 호흐후트
hock (네) 혹
Hocke (도) 호케
hockey 하키
Hodeida 호데이다
Hoden (도) 호덴
Hodgkin 호지킨
Hodler 호들러
hodograph 호도그래프
hodology 호돌로지
hodoscope 호도스코프
Hof (도) 호프
Hoffman 호프만
Hoffmannsthal 호프만슈탈
Hofman 호프만
Hofmeister 호프마이스터
Hofstadter 호프스태터
Hogarth 호가스
Hogben 호그벤
hogweed 호그위드
Hohenlohe 호엔로에
Hohe Tauern 호에타우에른
Hohenstaufen (도) 호엔슈타우펜
Hohenzollern 호엔촐레른
Hohmann 호만
hoist 호이스트
hokum 호컴
Holbein 홀바인
hold 홀드
holder 홀더
Hölderlin 횔덜린
holding 홀딩
holding the ball 홀딩 더 볼
holdup 홀드업
hole 홀
hole in 홀 인
hole in one 홀 인 원
hole out 홀 아웃
Holguin 올긴
holiday 홀리데이
Holland 홀란드
Holley 홀리
hollow back 홀로 백
Hollywood 할리우드
Holmes 홈스
holmium 홀뮴
holography 홀로그래프
Holstein (네) 홀슈타인
holt 홀트
Holz 홀츠
Homate (도) 호마테
Home 홈
home 홈
home and away 홈 앤드 어웨이
home automation 홈 오토메이션
home banking 홈 뱅킹
home bar 홈 바
home base 홈 베이스
home drama 홈 드라마
home dress 홈 드레스
home game 홈 게임
home ground 홈 그라운드
home helper 홈 헬퍼
home in 홈 인
home made 홈 메이드
Homeopathie (도) 호메오파티
homeostasis 호메오스타시스
home plate 홈 플레이트
home project 홈 프로젝트
Homer 호머
homer 호머
home room 홈룸
Homeros 호메로스
home run 홈런
home-run derby 홈런 더비
home-run hit 홈런 히트
home section 홈 섹션
home security system 홈 시큐어
리티 시스템
home shopping 홈 쇼핑
home sick 홈 식
homespun 홈스펀
homestay 홈스테이
home steal 홈 스틸
homestretch 홈스트레치
Home, Sweet Home 홈 스위트 홈
home team 홈 팀
home-terminal 홈터미널
home trading 홈트레이딩
home wear 홈 웨어
homing 호밍
homing beacon 호밍 비컨
Homme Témoin (프) 옴 테무앵
Homo (라) 호모
homo 호모
homocysteine 호모시스테인
homocystinuria 호모시스틴
homodyne 호모다인 「코노미쿠스
Homo economicus (라) 호모 에
Homo erectus (라) 호모 에렉투스
homoerotism 호모에로티즘
Homo faber (라) 호모 파베르
Homogenholz (도) 호모겐홀츠
homogenizer 호모지나이저
Homo habilis (라) 호모 하빌리스
Homo movence (라) 호모모벤스
homonym 호머님
homophony 호모포니
Homo sapiens (라) 호모 사피엔스
homosexual 호모섹슈얼
Homs 홈스
Honduras 온두라스
Honecker 호네커
Honegger 오네게르
Honest John 어네스트존
honeycomb 허니콤
honeydew melon 허니듀멜론
honeymoon 허니문
Hongay 홍게이
Hongkong 홍콩
Hongkong Dollar 홍콩달러
Honiara 호니아라
Honigmann 호니크만
honnete homme (프) 오네톰
Honolulu 호놀룰루
honor 오너
Honorius 호노리우스
Hood, hood 후드
hook 훅
hook and eye 훅 앤드 아이
hook ball 훅 볼
Hooke 훅
hooking 후킹
hoop 후프
hooray 후레이
hootenanny 후트내니
Hoover 후버
Hoover Dam 후버 댐
Hoover Moratorium 후버 모라토
리엄
hop 홉
hopak (러) 호파크
Hope 호프
hope 호프
Hopkins 홉킨스
hop-o'-my-thumb 호퍼마이섬
Hopper, hopper 호퍼
hop step and jump 홉 스텝 앤드
점프
Horai (그) 호라이
Horatius 호라티우스
Horizont (도) 호리촌트
Horizont light 호리촌트 라이트
Hormon (도) 호르몬
hormone 호르몬
Hormuz 호르무즈
Horn (도) 호른
horn 혼
horn antenna 혼 안테나
Hornby 혼비
hornfels 혼펠스
horning 호닝
hornpipe 혼파이프
horn silver 혼 실버
Horowitz 호로비츠
hors concours (프) 오르 공쿠르
hors d'oeuvre (프) 오르 되브르
Horstmann 호르스트만
Horta 오르타
Hortensius 호르텐시우스
Horus 호루스
hosanna 호산나
hose 호스
Hosea 호세아
hospital 호스피털
Hospitalet 오스피탈레트
hospitalism 호스피털리즘
hospitality suite 호스피탤러티 슈트
host 호스트
hostel 호스텔
hostess 호스티스

hostia (폴) 오스티아
hot atom 핫 아톰
hot belt 핫 벨트
hot cake 핫케이크
Hotchkiss 호치키스
hot-corner 핫코너
hot dog 핫도그
hotel 호텔
hot flash 핫 플래시
hot jazz 핫 재즈
hot laboratory 핫 래버러토리
hot line 핫 라인
hot money 핫 머니
hot news 핫 뉴스
hot oil 핫 오일
hot pants 핫 팬츠
hot plate 핫 플레이트
hot spot 핫 스폿
hot strip 핫 스트립
Hottentot 호텐토트
hot war 핫 워
hot whisky 핫 위스키
Houbigant (프) 우비강
Houdan (프) 우당
Houdin 우댕
Houdon 우동
Hound Dog 하운드독
Hounsfield 하운스필드
hour 아워
hourglass silhouette 아워글라스 실루엣
House, house 하우스
house agency 하우스 에이전시
house bill 하우스 빌
houseboy 하우스보이
housedress 하우스드레스
housekeeper 하우스키퍼
housekeeping 하우스키핑
house organ 하우스 오건
housewife 하우스와이프
housing 하우징
Housman 하우스만
Houssay 우사이
Houston 휴스턴
Hovd 호브드
Hovercraft 호버크라프트
Howard 하워드
Howe 하우
Howells 하우얼스
Howrah 하우라
Hoxha 호자
HP 에이치 피
ḫPhags-pa 파스파
HR 에이치 아르
HSST 에이치 에스 에스 티
HST 에이치 에스 티
Huambo 우암보
hub 허브
hubba-hubba 허바허바
Hubble 허블
Hubel 허블
Hubertusburg 후베르투스부르크
Huddersfield 허더즈필드
Hudson 허드슨
Hue 후에
Hue 위에
Huelva 우엘바
Hufūf 후푸프
Huggins 허긴스
Hughes 휴스
Hugo 위고
Huguenot (프) 위그노
Hugues Capet 위그 카페
Huizinga 호이징가
Huk 후크
Hukbalahap 후크발라합
hula dance 훌라 댄스
Hulagu 훌라구
hula-hoop 훌라후프
hula-hula dance 훌라훌라 댄스
Hulbert 헐버트
Hull 헐
Hull House 헐 하우스
Hulme 흄
Hulun Nor 훌룬노르
hum 험
human 휴먼
human document 휴먼 도큐먼트
humane 휴메인
human engineering 휴먼 엔지니어링
humanism 휴머니즘
humanist 휴머니스트
humanistic 휴머니스틱
humanity 휴머니티
humanization 휴머니제이션
Human Relatians 휴먼 릴레이션스
humble 험블
Humboldt 훔볼트
Hume 흄
humming 허밍
humoresque 유머레스크, (프) 위모레스크
humorist 유머리스트
humorous 유머러스
humour 유머
hump 험프
Hun (라) 훈
Hund 훈트
Hundertwasser 훈데르트바서
Hungary 헝가리
hunger-strike 헝거스트라이크
Huns (도) 훈스
Hunt 헌트
hunter 헌터
hunting 헌팅
hunting cap 헌팅 캡
Huntington 헌팅턴
Huntsman 헌츠먼
hurdle 허들
hurdle race 허들 레이스
hurler derby 헐러 더비
Huron 휴런
hurray 후레이
hurricane 허리케인
Hus 후스
Husain-MacMahon 후사인맥마흔
husband 허즈번드
Hūsch 휘슈
husky 허스키
husky voice 허스키 보이스
Hussein 후세인
Husseini 후세이니
Husserl 후설
hustle 허슬
Hutcheson 허치슨
Hutchinson 허친슨
Hutchins 허친스
Hütte (도) 휘테
Hutten 후텐
Hutton 허턴
Huxley 헉슬리
Huyghens 호이겐스
Huysmans 위스망스
Hyacinth 히아신스
Hyades 히아데스
hyaena (라) 하이에나
Hyakinthos (그) 히아킨토스
hyaline 히알린, 하이얼린
Hyaloplasma (도) 히알로플라스마
hyaluron 히알루론
Hyaluronidase (도) 히알루로니다아제
hybrid 하이브리드
hybrid car 하이브리드 카
hybrid IC 하이브리드 아이 시
hybrid rocket 하이브리드 로켓
Hyde Park 하이드 파크
Hyderabad 하이데라바드
Hydra, hydra (그) 히드라, 휘드라
hydraulic jump 하이들롤릭 점프
hydrazide 히드라지드《하이드라지드》
hydrazine 히드라진《하이드라진》
hydria 히드리아
hydro 하이드로, 히드로(도)
hydrofoil 하이드로포일
hydrogenase 히드로게나아제
Hydrogenlyase (도) 히드로겐리아제
hydrograph 하이드로그래프
hydrolase 히드롤라아제
hydrolite 히드롤라이트
hydrometer 하이드로미터
hydronium ion 히드로늄 이온
hydropac 하이드로팩
hydrophone 하이드로폰
hydroplane 하이드로플레인
hydroplaning 하이드로플레이닝
hydroquinone 하이드로퀴논, 히드로퀴논
hydrosol 히드로솔
hydrosulfite 하이드로술파이트
hydroxy 히드록시
hydroxylamine 히드록실아민
Hygieia 히기에이아
hygienic cream 하이지닉 크림
hygromycin 하이그로마이신
Hyksos 힉소스
hyle 힐레
Hymen (그) 히멘
hymen 히멘
hymn 힘
Hyndman 하인드만
Hypatia 하이페이샤, 히파티아
Hyperborei 히페르보레이
Hyperboreos 히페르보레오스
hypercharge 하이퍼차지
hyperinflation 하이퍼인플레이션
Hyperion 히페리온
hypermedia 하이퍼미디어
hyperon 하이퍼론
hypersonic 하이퍼소닉
Hypertensinase (도) 히페르텐시나아제
hyphen 하이픈
Hypnos 히프노스
hypo 하이포
Hypochondrie (도) 히포콘드리
hypocrite 히퍼크리트
hypoid 하이포이드
hypokeimenon (그) 히포케이메논
hypoplaton 하이포플라톤
hypoxanthine 하이포크산틴
hypsometric 힙소메트릭
Hyracotherium 히라코테륨
Hyrax 하이랙스
Hysteresis (도) 히스테레지스
hysteresis 히스테리시스
hysteric 히스테릭
Hysterie (도) 히스테리
hysteron proteron (그) 히스테론 프로테론

I, i 아이
IAA 아이 에이 에이
Iacocca 아이아코카
IADB 아이 에이 디 비
I.A.E.A. 아이 에이 이 에이
IAF 아이 에이 에프
Iamblichos 이암블리코스
Iapetus 야페투스
Iason 이아손
Iași 이아시
IASY 아이 에이 에스 와이
IATA 아이아타
Ibadan 이바단
Ibagué 이바게
I-beam 아이빔
Iberia 이베리아
Ibert 이베르
IBF 아이 비 에프
Ibi Gamin 이비가민
Ibiza 이비사
IBM 아이 비 엠
Ibn Battutah 이븐 바투타
Ibn Khaldūn 이븐 할둔
Ibn Khurdādhbeh 이븐 후르다드베
Ibn Sa'ūd 이븐 사우드
Ibn Sina 이븐 시나
IBP 아이 비 피
I.B.R.D. 아이 비 아르 디
Ibsen 입센
Ibsenism 입세니즘
IC 아이 시
I.C.A. 아이 시 에이
I.C.A.O. 아이 시 에이 오
ICAO 이카오
I.C.B.M. 아이 시 비 엠
I.C.C. 아이 시 시
IC card 아이 시 카드
IC color television 아이 시 컬러 텔레비전
ice 아이스
ice apron 아이스 에이프런
ice atlas 아이스 아틀라스
ice axe 아이스 액스
ice bag 아이스 백
iceberg 아이스버그
icebox 아이스박스
ice cake 아이스 케이크
ice-candy 아이스캔디
ice coffee 아이스 커피
ice cone 아이스 콘
ice cream 아이스 크림
icecream cone 아이스크림 콘
ice-cream freezer 아이스크림 프리저
ice-cream soda 아이스크림 소다
ice-cream sundae 아이스크림 선디
ice dagger 아이스 대거
ice dancing 아이스 댄싱
ice-fall 아이스폴
ice hammer 아이스 해머
ice hockey 아이스 하키
Iceland 아이슬란드
ice pick 아이스 픽
ice pudding 아이스 푸딩
ice push 아이스 푸시
ice rink 아이스 링크
ice show 아이스 쇼
ice skate 아이스 스케이트
ice-smack 아이스스맥
ice tea 아이스 티
ice-technic 아이스테크닉
ice water 아이스 워터
ice yacht 아이스 요트
I.C.F.T.U. 아이 시 에프 티 유
Ich (도) 이히
Ich-Drama (도) 이히드라마
Ich-Roman (도) 이히로만
Ichthyol (도) 이히티올
ichthyosaurus (라) 익티오사우루스
ICI 아이 시 아이
I.C.J. 아이 시 제이
icon 아이콘
iconoclasm 아이코노클래즘
iconography 이코노그래피
iconology 아이코놀러지
iconoscope 아이코노스코프
ICOS 이코스
I.C.P.O. 아이 시 피 오
IC radio 아이 시 라디오
I.C.R.C. 아이 시 아르 시
I.C.S.U. 아이 시 에스 유
ICU 아이 시 유
ID 아이 디
id 이드
'Id (아랍) 이드
IDA 아이 디 에이
Idaho 아이다호
idea 아이디어, (그) 이데아
ideal 아이디얼
idealism 아이디얼리즘
idealist 아이디얼리스트
Idealismus (도) 이데알리스무스
idea man 아이디어 맨
Idee (도) 이데
idée (프) 이데
idée fixe (프) 이데 픽스
identity 아이덴티티
identify 아이덴티파이
Ideologie (도) 이데올로기
idéologues (프) 이데올로그
idiom 이디엄
idle cost 아이들 코스트
idle system 아이들 시스템

idle time 아이들 타임
idling 아이들링
idol 아이들
idola (라) 이돌라
idomeneus 이도메네우스
IDP 아이디 피
IDP system 아이 디 피 시스템
'Idu 'l-Aẓḥa (아랍) 이둘 아즈하
'Idu 'l-Fitr (아랍) 이둘 피트르
idyll 아이딜
IE 아이 이
IF 아이 에프
IFC 아이 에프 시
Ife 이페
Iffland 이플란트
IFLA 이플라
Ifni 이프니
IFO 아이 에프 오
I.F.T.U. 아이 에프 티 유
Ifugao 이푸가오
I.G. Farben (도) 이 게 파르벤
igloo 이글루
ignitron 이그나이트론
ignorance 이그너런스
ignoratio elenchi (라) 이그노라티
Igoreve 이고리 ㄴ오 엘렌키
Igorot 이고로트
Iguaçú 이과수
iguana 이구아나
iguanodon (라) 이구아노돈
I.G.Y. 아이 지 와이
iḥrām (아랍) 이흐람
I.I. 아이 아이
IIC 아이 아이 시
Ijssel (네) 에이셀
Ikaria 이카리아
Ikarios 이카리오스
Ikaros 이카로스
Ike 아이크
Ike Doctrine 아이크 독트린
Ikhwān al-safā' 이흐완 알사파
ikra (러) 이크라
Iktinos 익티노스
Île de France 일드프랑스
ileus 일레우스
Ili 일리
Iliad 일리아드
Ilias 일리아스
Iligkhan 일리그한
Il'in 일린
illegal pitch 일리걸 피치
illegally batted ball 일리걸리 배티
Illich 일리치 ㄴ드 볼
Illimani 일리마니
illinium 일리늄
Illinois 일리노이
Illuminati (라) 일루미나티
illuminatic effect 일류미너틱 이펙트
illumination 일류미네이션
illusion 일류전
illustration 일러스트레이션
illustrator 일러스트레이터
I.L.O. 아이 엘 오
Ilocano 일로카노
Iloilo 일로일로
Ilos 일로스
Ilotycin 아일로타이신
ILS 아이 엘 에스
Il Trovatore (이) 일 트로바토레
Il'yushin 일류신
image 이미지
image orthicon 이미지 오시콘
image scanner 이미지 스캐너
image training 이미지 트레이닝
imagination 이매지네이션
imagism 이미지즘
imām (아랍) 이맘
ımān (아랍) 이만
Imbert 앵베르
I.M.C. 아이 엠 시
IMCO 임코
I.M.F. 아이 엠 에프
Imhoff cone 임호프 콘
imhoff tank 임호프 탱크

imidazole 이미다졸
imide 이미드
Imido (도) 이미도
imine 이민
Imino (도) 이미노 「티
Imitatio Christi 이미타티오 크리스
imitation 이미테이션
Immanuel (그) 임마누엘
Immermann 이머만
immoralism 이모랄리즘
I.M.O. 아이 엠 오
IMP 아이 엠 피
impact 임팩트
impact crusher 임팩트 크러셔
impactite 임팩타이트
impact loan 임팩트 론
impassibilité (프) 앵파시빌리테
impasto (이) 임파스토
impedance 임피던스
impeller pump 임펠러 펌프
Imperator (라) 임페라토르
imperial 임피리얼
imperialism 임피리얼리즘
impersonal influence 임퍼스널 인
플루언스
Imphal 임팔
implicaton 임플리케이션
Impotenz (도) 임포텐츠
Impression 임프레션
impressionism 임프레셔니즘
impromptu (프) 앵프롱프튀
improvisation 임프로비제이션
impulse 임펄스
impulse turbine 임펄스 터빈
INAH 아이나
inboard engine 인보드 엔진
Inca 잉카
Incahuasi 잉카우아시
incarnation 인카네이션
incentive 인센티브
incline 인클라인
income 인컴
income gain 인컴 게인
inconel 인코넬
incorner 인코너
incoterms 인코텀스
incubator 인큐베이터
incunabula 인큐내뷸러
incurve 인커브
indamine 인다민
indan 인단
indanthrene 인단트렌
indépendants (프) 앵데팡당
index 인덱스
indexation 인덱세이션
index card 인덱스 카드
index counter 인덱스 카운터
India 인디아
Indian 인디언
Indiana 인디애나
Indianapolis 인디애나폴리스
Indianapolis race 인디애나폴리스
레이스
Indian club 인디언 클럽
Indian head 인디언 헤드
Indian red 인디언 레드
Indian sauce 인디언 소스
Indian summer 인디언 서머
Indian yellow 인디언 옐로
India paper 인디아 페이퍼
indicator 인디케이터
Indigirka 인디기르카
indigo 인디고
indigo blue 인디고 블루
indigo red 인디고 레드
indio 인디오
Indi race 인디 레이스
indium 인듐
individualism 인디비듀얼리즘
Indo-Arya 인도아리아
Indo-China 인도차이나
indoctrination 인독트리네이션
Indo-Eupope 인도유럽
Indo-German 인도게르만

Indo-Iran 인도이란
indole 인돌
Indo-Moslem 인도모슬렘
Indonesia 인도네시아
in door 인 도어
indoor games 인도어 게임
indoor sports 인도어 스포츠
Indo Pakistan 인도 파키스탄
indophenine 인도페닌
Indore 인도르
Indra 인드라
in drop 인드롭
inductance 인덕턴스
induction 인덕션
induction coil 인덕션 코일
induction motor 인덕션 모터
indulgence 인덜전스
Indus 인더스 「자인
industrial design 인더스트리얼 디
industrial dynamics 인더스트리얼
다이내믹스
industrial engineering 인더스트리
얼 엔지니어링
industrial park 인더스트리얼 파크
INF 아이 엔 에프
Infeld 인펠트
ieferiority compley 인피어리어리
티 콤플렉스
inferno (포) 인페르노
infield 인필드
infielder 인필더
infield fly 인필드 플라이
infight 인파이트
infighter 인파이터
inflation 인플레이션
influenza 인플루엔자 「스
influenza virus 인플루엔자 바이러
inflexion 인플렉션
informal 인포멀
informal group 인포멀 그룹
informant 인포먼트
information 인포메이션
information analyst 인포메이션 애
널리스트
informative 인포머티브
informel (프) 앵포르멜
infra-structure 인프라스트럭처
in-goal 인골
Ingold 잉골드
Ingolstadt 잉골슈타트
ingot 잉곳
Ingres 앵그르
Inguri Dam 인구리 댐
in high (미) 인 하이
inhouse on-line 인하우스 온라인
initial 이니셜
initiation 이니시에이션
initiative 이니셔티브
initiator 이니시에이터
injection 인젝션
injunction 인정크션
ink 잉크
ink eraser 잉크이레이저
inkstand 잉크스탠드
inland marine 인랜드 머린
inlay 인레이
in line 인 라인
in-line antenna 인라인 안테나
INMASAT 인마샛
In Memoriam 인 메모리엄
Inn 인
inner 이너
inner cabinet 이너 캐비닛
inner life 이너 라이프
Innocent 이노센트
innovation 이노베이션
Innsbruck 인스브루크
inoceramus (라)이노케라무스
Inōnū 이뇌뉘
Inosit (도) 이노지트
inositol 이노시톨
in play 인 플레이
in player 인 플레이어
input 인풋

inquisition 인퀴지션
I.N.S. 아이 엔 에스
insert 인서트
insertion 인서션
inshoot 인슈트
inside 인사이드
inside kick 인사이드 킥
insider 인사이더
inside work 인사이드 워크
inspect 인스펙트
inspector 인스펙터
inspiration 인스피레이션
inspire 인스파이어
inspirit 인스피릿
inst 인스트 「메라
instamatic camera 인스터매틱 카
instant 인스턴트
instant camera 인스턴트 카메라
instant coffee 인스턴트 커피
instep 인스텝
instep kick 인스텝 킥
institute 인스티튜트
institution 인스티튜션
instruction 인스트럭션
instrumentalism 인스트루멘털리즘
insulator 인슐레이터
insulin 인슐린
Insulinase 인슐리나아제
insulin shock 인슐린 쇼크
integral 인티그럴
intégralisme (프) 앵테그랄리슴
integrated receiver 인티그레이티
드 리시버
integration 인티그레이션
intellect 인텔렉트
intellectual 인텔렉추얼
intelligent apart 인텔리전트 아파
트
intelligent building 인텔리전트 빌
딩 「미널
intelligent terminal 인텔리전트 터
intelligentzia 인텔리겐치아
INTELSAT 인텔샛
inter 인테르
inter-bank 인터뱅크
inter-bank loan 인터뱅크 론
intercept 인터셉트
intercepting 인터셉팅
interchange 인터체인지
intercollege 인터칼리지
intercollegiate 인터칼리지트
Inter-cosmos 인터코스모스
intercourse 인터코스
intercut 인터컷
interdisciplinary 인터디시플리너리
intern 인턴
interenin 인테리닌
interest 인터레스트
interest group 인터레스트 그룹
interfere 인터피어
interferon 인터페론
interior 인테리어
interior design 인테리어 디자인
Interlaken 인터라켄
interlocking 인터로킹
interlude 인터루드
intermezzo (이)인테르메조
intern 인턴
international 인터내셔널
International Harvest 인터내셔널
하베스트
internationalism 인터내셔널리즘
interphone 인터폰
Interpol 인터폴 「마크
interrogation mark 인터러게이션
Inter Sputnik 인터 스푸트니크
intertype 인터타이프
interval 인터벌
interval training 인터벌 트레이닝
interview 인터뷰
Inter-vision 인터비전
inter zone 인터 존
in the hole 인 더 홀
intimisme (프) 앵티미슴

intimiste (프) 앵티미스트
intolerance 인톨러런스
intonation 인토네이션
in touch 인 터치
introduction 인트로덕션
intron 인트론
inulin 이눌린
Invar 인바르
invar (프) 인바
invention 인벤션
inventory 인벤토리
inventory finance 인벤토리 파이낸스
Invercargill 인버카길
Inverness 인버네스
Inverness cape 인버네스 케이프
Invertase 인베르타아제
inverter 인버터
invitation 인비테이션
in vitro 인비트로
in vivo (라) 인비보
invoice 인보이스
involute 인벌류트
involute gear 인벌류트 기어
I.O. 아이 오
Io 이오
I.O.C. 아이 오 시
I.O.C.U. 아이 오 시 유
iode(프), Jod(도), iodine(영) 요오드
iodine 아이어다인
iodoalkane 요오드알칸
iodoform 요오드포름
iodosobenzene 요오드소벤젠
iodoxybenzene 요독시벤젠
Ioffe 요페
I.O.J. 아이 오 제이
Iokaste 이오카스테
ion 이온
ion engine 이온 엔진
Ionesco 이오네스코
ion gauge 이온 게이지
Ionia 이오니아
ionium 이오늄
ionization chamber 아이어니제이션 체임버
ionomer 이오노머
ionone 이오논
ion pump 이온 펌프
ion rockets 이온 로켓
I.O.U. 아이 오 유
Iowa 아이오와
Iphigeneia 이피게네이아
I.P.I. 아이 피 아이
Ipoh 이포
I.P.R. 아이 피 아르
I.P.S.A. 아이 피 에스 에이
Ipswich 입스위치
I.P.U. 아이 피 유
I.Q. 아이큐
IQSY 아이 큐 에스 와이
Iquique 이키케
Iquitos 이키토스
I.R. 아이 아르
IRA 아이 아르 에이
Iráklion 이라클리온
Iran 이란
Iraq 이라크
I.R.B.M. 아이 아르 비 엠
IRC 아이 아르 시
Ireland 아일랜드
Ireland Kitchen 아일랜드 키친
I.R.F. 아이 아르 에프
IRI 아이 아르 아이, 이리
Irian 이리안
Iridium 이리듐
Iridium Project 이리듐 프로젝트
Iris 이리스
iris 아이리스
Irish 아이리시
Irish stew 아이리시 스튜
iris in 아이리스 인
iris out 아이리스 아웃
Irkutsk 이르쿠츠크
I.R.O. 아이 아르 오
iron 아이언, 아이론
iron club 아이언 클럽
iron curtain 아이언 커튼
irone 이론
ironical 아이로니컬
iron law 아이언 로
iron red 아이언 레드
irony 아이러니
irradiation 이레이디에이션
Irrawaddy 이라와디
irregular 이레귤러
irregular bound 이레귤러 바운드
Irrigator (도) 이리가토어
Irtysh 이르티시
Irving 어빙
ISA 아이 에스 에이
Isaac 이삭
Isabela 이사벨라
Isabella 이사벨라
Isaiah 이사야
Isatin (도) 이사틴
ISBN 아이 에스 비 엔
ISDN 아이 에스 디 엔
ISF 아이 에스 에프
Isfahān 이스파한
'ishā' (아랍) 이샤
Isherwood 이셔우드
Isidorus 위이시도루스
isinglass 아이징글라스
Isis (그) 이시스
Islam (아랍) 이슬람
Islamabad 이슬라마바드
Island 이슬란드
island kitchen 아이랜드 키친
ism 이즘
Ismailia 이스마일리아
Isma'il Pasha 이스마일 파샤
ISO 이소
I.S.O., ISO 아이 에스 오
iso- 이소-
isoamyl 이소아밀
isobutylene 이소부틸렌
Isokrates 이소크라테스
Isolator 아이솔레이터
Isoleucin 이솔로이신
isolith 아이솔리스
isomerate 아이소머레이트
isomorphism 이소모르피즘
isoniazid 이소니아지드
isonitrile 이소니트릴
isooctance 이소옥탄
isoprene 이소프렌
isopropanol 이소프로판올
isoquinoline 이소퀴놀린
isostasy 아이소스타시
isotope 아이소토프
isotype 아이소타이프
Isozym (도) 이소침
isozyme 아이소자임
ISP 아이 에스 피
Israel 이스라엘
issue 이슈
Issus 이수스
Issyk Kul 이식쿨
Istanbul 이스탄불
Istra 이스트라
Istria 이스트리아
ITA 아이 티 에이
Italia 이탈리아
Italian cloth 이탤리언 클로스
Italic 이탤릭
italic 이탤릭
ITAR TASS (러) 이타르 타스
item 아이템
it girl 이트 걸
I.T.I. 아이 티 아이
I.T.O. 아이 티 오
ITT 아이 티 티
I.T.U. 아이 티 유
ITV 아이 티 브이
I.U. 아이 유
IUCN 아이 유 시 엔
IUD 아이 유 디
IUPAC 아이 유 피 에이 시
I.U.P.A.P. 아이 유 피 에이 피
IUPN 아이 유 피 엔
Ivan 이반
Ivanhoe 아이반호
Ivanov 이바노프
Ivanovo 이바노보
Ives 아이브스
Ivigtut 이비그투트
ivory 아이보리
ivory black 아이보리 블랙
Ivory Coast 아이보리 코스트
ivory paper 아이보리 페이퍼
ivy 아이비
Ivy college 아이비 칼리지
Ivy league 아이비 리그
Ivy style 아이비 스타일
Iwo 이워
IWS 아이 더블유 에스
I.W.W. 아이 더블유 더블유
Ixia 익시아
Izba 이즈바
Izmir 이즈미르
Izvestiya 이즈베스티야

J, j 제이

jab 잽
Jabalpur 자발푸르
jabot (프) 자보
Jachymov 야히모프
jack 잭
jackal 재칼
Jacke (도) 야케
jacket 재킷
jack hammer 잭 해머
jackknife 잭나이프
Jackson 잭슨
Jacksonville 잭슨빌
Jacob 자코브
Jacobi 야코비
Jacobin 자코뱅
Jacobites 자코바이트
Jacobsen 야콥센
Jacquard 자카드, 자카르
Jaensch 옌시
Jagello 야겔로
Jahannam (아랍) 자한남
jaguar 재규어
Jāhiz 자히즈
Jahn 얀
jai-alai (스) 하이 알라이
Jaimini 자이미니
Jaina 자이나
Jaipur 자이푸르
Jairus 야이로
Jakarta 자카르타
Jakob 야곱
Jakobus 야고보
Jalandhar 잘란다르
jalousie 젤루지
Jaluit 잴루잇
jam 잼
Jamaica 자메이카
jamboree 잼버리
James 제임스
James Lange 제임스 랑게
Jamin 자맹
jam session (미) 잼 세션
Jamshedpur 잠셰드푸르
Jamuna 자무나
Janáček 야나체크
Jane Eyre 제인 에어
Janet 자네
Janizary 재니저리
Jannequin 잔캥
Jannings 야닝스
Jannu 자누
Jansen 얀센
Jansenisme (프) 장세니슴
Jansenius 얀세니우스
Janssen 얀센, 장상
Jansson 얀손
Janus 야누스
Jap 잽
Japan 재팬
Japanese 재퍼니스
Japheth 야벳
Jarmo 자르모
Jarmuth 야르뭇
Jarry 자리
Jarvis 자비스
jasmine 재스민
Jasper 재스퍼
Jaspers 야스퍼스
jataka (범) 자타카
Jaurés 조레스
Java 자바
Java saraça 자바 사라사
Javel 자벨
javelin 자벨린, 재블린
javelin throw 재블린 스로
jaw crusher 조 크러셔
jazz 재즈
jazz Age 재즈 에이지
jazz band 재즈 밴드
jazz dance 재즈 댄스
jazzman 재즈맨
jazz orchestra 재즈 오케스트라
jazz raga 재즈 라가
jazz samba 재즈 삼바
jazz singer 재즈 싱어
jazz song 재즈 송
JC 제이 시
jean 진
Jean Christophe (프) 장 크리스토프
Jeanne d'Arc 잔다르크
Jean Paul 장 파울
jeans 진스
Jean Valjean 장 발장
Jedda 제다
jeep 지프
Jeffers 제퍼스
Jefferson 제퍼슨
Jeffreys 제프리스
Jehovah 여호와, 예호바
jejum (포) 제줌
Jellinek 옐리네크
jelly (이) 젤리
jellybean 젤리빈
Jena 예나
Jenner 제너
Jenney 제니
Jensen 옌센, 옌젠
Jeremiah 예레미야
Jérez de la Frontera 헤레스 데 라 프론테라
Jeria 제리아
Jericho 예리코, 여리고, 제리코
jerk 저크
Jerne 예르네
Jerome 제롬
Jerrold 제럴드
jersey 저지
Jersey City 저지 시티
Jerusalem 예루살렘
Jespersen 예스페르센
Jessup 제섭
Jesuit 제주이트
Jesus 예수
Jesus Christ 예수 그리스도
jet 제트
jet cleaning 제트 클리닝
jet coaster 제트 코스터
jet engine 제트 엔진
jet nozzle 제트 노즐
jet pilot 제트 파일럿
jet propeler 제트 프로펠러
jet pump 제트 펌프
JETRO 제트로
jet ski 제트 스키
jet stream 제트 스트림
Jevons 제번스
Jew 주
Jezebel 이세벨
Jhering 예링
jib 지브
jibing 자이빙

jib sheet 지브 시트
jib stay 지브 스테이
Jidda 지다
jig 지그
jigsaw 지그소
jihād (아랍) 지하드
Jiménez 히메네스
Jingle Bell (미) 징글 벨
jingoism 징고이즘
jinks 징크스
Jinn 진
Jinnah 진나
jinx 징크스
Jirásek 이라세크
jitterbug 지르박
Joab 요압
Joachim 요하임
Joachimsthal 요아힘슈탈
Joan 요왕
João 주앙
João Pessoa 주앙 페소아
Job 욥
job rotation 조브 로테이션
jockey 자키
Jodkali 요오드칼리
Jodhpur 조드푸르
jodium (라) 요듐
Jodrell-Bank 조드렐뱅크
Joel 요엘
jogging 조깅
Johann, Johannes 요한
Johannes (라) 요한네스
Johannesburg 요한네스버그
Johannes Paulus 요한 바오로
Johannsen 요한센
John 존
John Bull 존 불
Johne 요네
Johnnie Walker 조니 워커
Johns 존스
Johns Hopkins 존스 홉킨스
Johnson 욘손, 존슨
Johnston 존스턴
Johore 조호르
Johore Bahru 조호르 바루
Joiakim 요야김
joint 조인트
joint recital 조인트 리사이틀
joint venture 조인트 벤처
Joinville 주앵빌
Jókai 요카이
joke 조크, 요크
joker 조커
Joliot-Curie 졸리오 퀴리
Jolivet 졸리베
Jolson 졸슨
Jonah 요나
Jonathan 요나단
Jones 존스
Jongkind 용킨트
Jönköping 옌체핑
Jonson 욘손
Jordaens 요르단스
Jordan 요르단, 조던, 조르당
Joseph 요셉, 요제프
Joséphine 조제핀
Josephson 조지프슨
Joshua 여호수아
Josiah 요시야
Josquin des Pres 조스캥 데 프레
Jost 요스트
jota (스) 호타
Jouffroy 주프루아
Jouhaux 주오
Joule, joule 줄
Joule-Thomson 줄 톰슨
journal 저널
journalism 저널리즘
journalist 저널리스트
journalistic 저널리스틱
journeymen 저니맨
Jouvet 주베
Jovellanos 호베야노스
Joyce 조이스

JRC 제이 아르 시
Juan Fernandez 후안 페르난데스
Juáres 후아레스
Judas 유다
Judd 저드
Judea 유대
judge flag 저지 플래그
judge lamp 저지 램프
judgement 저지먼트
judge peper 저지 페이퍼
Jugend (도) 유겐트
Jugendstill (도) 유겐트슈틸
juggle 저글
Juglar 쥐글라
Juglar cycle 쥐글라 사이클
Jugurtha 유구르타
juice 주스
juicer 주서
jukebox 주크박스
Juliana 율리아나
Julianus 율리아누스
Julien 쥘리앵
Julien Sorel 쥘리앵 소렐
Juliet 줄리엣
Julius 율리우스
Julius Caesar 줄리어스 시저
Julliard 줄리아드
Jullundur 절런더
Jum'ah (아랍) 주마
jumbo 점보
jumbotron 점보트론
jumbo jet 점보 제트
jump 점프
jump ball 점프 볼
jump circle 점프 서클
jumper 잠바
jumper skirt 점퍼 스커트
jumping 점핑
jumping ski 점핑 스키
jump turn 점프 턴
Juneau 주노
Jung 융
Junger 융거
Jungfrau 융프라우
Jungfraujoch 융프라우요흐
jungle 정글
jungle gym 정글 짐
Jungner 융그너
junior 주니어
junior-bantam 주니어 밴텀
junior college (미) 주니어 칼리지
junior-feather 주니어 페더
junior-fly 주니어 플라이
junior high school 주니어 하이스쿨
junior hurdle 주니어 허들
junior-light 주니어 라이트
junior-middle 주니어 미들
junior-welter 주니어 웰터
Junker (도) 융커
Junkers 융커스
Juno 주노
jupe pantalon (프) 쥐프 팡탈롱
Jupiter 주피터
jupon (프) 즈봉
Jura 쥐라
Jussieu 쥐시외
just 저스트
Justinianus 유스티니아누스
Justinus 유스티누스
just meet 저스트 미트
jute 주트
jute canvas 주트 캔버스
jute liner 주트 라이너
Jutland 유틀란트
Juvenalis 주베날리스

K, k 케이
ka 카
Kaaba 카바

Kabardino-Balkar 카바르디노 발카르
kabbālāh 카발라
Kabir 카비르
Kabru 카브루
Kabul 카불
Kachin 카친
Kádár 카다르
Kadet 카데트
Kadmos 카드모스
Kaempfelt 켐펠트
Kafir (아랍) 카피르
Kafka 카프카
Kaganovich 카가노비치
Kagu 카구
Kahn, kahn 칸
Kai 카이
Kailas 카일라스
kainite 카이나이트
Kaiser 카이저
Kaiser Wilhelm 카이저 빌헬름
KAIST 카이스트
Kakhovka 카호프카
KAL 칼
Kala-azar (도) 칼라아자르
Kalahari 칼라하리
Kalanchoe 칼랑코에
Kalchās 칼카스
kale 케일
Kalecki 칼레츠키
kaleidoscope 컬라이더스코프
Kalemi 칼레미
Kalevala 칼레발라
kalfax 칼팍스
Kalgoorlie 캘굴리
Kālī 칼리
kali (라) 칼리
Kalidasa 칼리다사
kalima' (아랍) 까리마
Kalinga 칼링가
Kalinin 칼리닌
Kaliningrad 칼리닌그라드
kalitype 칼리타이프
kalium (라) 칼륨
Kaliumamid (도) 칼륨아미드
kalium-argon 칼륨아르곤
Kallikrates 칼리크라테스
kallikrein 칼리크레인
Kallimachos 칼리마코스
Kallippos (그) 칼리포스
Kallus (도) 칼루스
Kalmar 칼마르
Kalmia 칼미아
Kalmuck 칼무크
Kalmyk 칼미크
kalogram 칼로그램
Kalpa-sūtra 칼파수트라
kalunite 칼루나이트
Kalver film 캘버 필름
Kalypsō (그) 칼립소
Kama 카마
Kāma 카마
kamacite 카마사이트
Kamares 카마레스
Kāmasūtra 카마수트라
Kambyses 캄비세스
Kamchatka 캄차카
Kamehameha 카메하메하
Kamenev 카메네프
Kamennaya baba 카멘나야 바바
Kamerlingh-Onnes 카메를링 오네스
Kamet 카메트
kamille (네) 카밀레
Kammermusik (도) 카머무지크
Kampala 캄팔라
Kampa (러) 캄파
Kampuchea 캄푸치아
Kanadeva 가나데바
Kanaka 카나카
kanamycin 카나마이신
Kanauji 카나우지
Kanchenjunga 칸첸중가
Kandahar 칸다하르
kandelaar (네) 칸데라

Kandinsky 칸딘스키
Kändler 켄들러
Kandy 캔디
kangaroo 캥거루
Kangli 캉글리
Kanishka 카니슈카
Kano 카노
Kanpur 칸푸르
Kansas 캔자스
Kansas City 캔자스 시티
Kant 칸트
kantharos (그) 칸타로스
Kant-Laplace 칸트 라플라스
Kantor (도) 칸토르
Kantorovich 칸토로비치
Kanūle (도) 카뉠레
Kaolack 카올라크
Kaolin (도) 카올린
kaolinite 카올리나이트
Kapellmeister (도) 카펠마이스터
kampen 캄펜
KAPF 카프
Kapila 카필라
Kapitsa 카피차
Kaplan 카플란
kapok 케이폭
Kapsel (도) 캅셀
Kapteyn 캅테인
Kar (도) 카르
Karabalgasun 카라발가순
Karabiner (도) 카라비너
Karachi 카라치
Karaganda 카라간다
Karajan 카라얀
Karakalpak 카라칼파크
Karakhan 카라한
Kara-Khitai 카라키타이
Karakhōjo 카라호조
Karakoram 카라코람
Karakorum 카라코룸
Karakorum Highway 카라코룸 하이웨이
Karakum 카라쿰
Karamazov 카라마조프
Karamzin 카람진
Karbala 카르발라
Karbohydrase (도) 카르보히드라제
Kareliya 카렐리야
Karen 카렌
Kārēz 카레즈
Kargan 카르간
Kariba Dam 카리바 댐
Kariera 카리에라
Karikal 카리칼
Karimata 카리마타
Karl 카를
Karl August 카를 아우구스트
Karle 칼
Karlfeldt 카를펠트
Karl-Fisher 카를피셔
Karlgren 카를그렌
Karl Martell 카를 마르텔
Karl Marx Stadt 카를 마르크스 슈타트
Karlovy Vary 카를로비바리
Karls 카를스
Karlsbad 카를스바트
Karlsruhe 카를스루에
Karman 카르만
Kármán 카르만
Karmin (도) 카르민
Karnak 카르나크
Karrenfeld (도) 카렌펠트
Karrer 카러
karroo 카루
Kars 카르스
Karssai (네) 카르사이
Karst (도) 카르스트
Karte (도) 카르테
Kartell (도) 카르텔
Kartvel 카르트벨
Karyocholose (도) 카리오콜로오제
karyosome 카리오솜
Kasack 카작
Kasai 카사이

Kasavubu 카사부부
Kaschin-Beck 카신벡
Kaschnitz 카슈니츠
Kashgar 카슈가르
Kashmir 카슈미르
Kassala 카살라
Kassandrā 카산드라
Kassandros 카산드로스
Kassel 카셀
Kassem 카셈
Kassiopeia 카시오페이아
Kassites 카시트
Kastler 카스틀레르
Kästner 케스트너
kata (그) 카타
Katalase (도) 카탈라아제
Katanga 카탕가
Katatonie (도) 카타토니
Kategorie (도) 카테고리
Kathepsin (도) 카텝신
Katheter (도) 카테터
Kathiawar 카티아와르
Katmai 카트마이
Katmandu 카트만두
Katowice 카토비체
Kattegat 카테가트
KATUSA 카투사
Katyusha 카튜샤
Katz 카츠
Kauai 카우아이
Kauffmann 카우프만
Kaunas 카우나스
Kaunda 카운다
kauri 카우리
kauri copal 카우리 코펄
Kautsky 카우츠키
Kavir 카비르
Kavkaz 카프카스
kavya (범) 카비아
Kawalerowicz 카발레로비치
Kay 케이
kayak 카약
Kayan 카얀
Kayes 케스
Kayseri 카이세리
Kazak (러) 카자크
Kazakh 카자흐
Kazakov 카자코프
Kazan' 카잔
Kazantzakis 카잔차키스
Kazbek 카즈베크
K band 케이 밴드
K.B.S. 케이 비 에스
K car 케이 카
K corona 케이 코로나
K-coronameter 케이 코로나미터
KD 케이디
KDI 케이 디 아이
KDP 케이 디 피
Keaton 키튼
Keats 키츠
keel 킬
keep 키프
keeper 키퍼
keeping 키핑
keep lane 키프 레인
keep out 키프 아웃
Keesom 케솜
Keiser, keiser 카이저
Keita 케이타
Keith-Flack 키드 플랙
Kekkonen 케코넨
Kékrops (그) 케크로프스
Kekule 케쿨레
Kelaniya 켈라니야
Keller 켈러
Kellermann 켈러만
Kellogg 켈로그
Kellogg-Briand 켈로그 브리앙
Kelly 켈리
kelmet 켈밋
keloid 켈로이드
kelp 켈프
Kelsen 켈젠
Kelvin, kelvin 켈빈
Kemal Atatürk 케말 아타튀르크
Kemal Pasha 케말 파샤
kemanche 케만체
Kempff 켐프
kenaf 케나프
Ken dall 켄들
kĕndang (인도네시아) 큰당
Kendari 켄다리
Kendrew 켄드루
Kennan 케넌
Kennedy 케네디
Kennedy Round 케네디 라운드
Kennelly 케넬리
Kennelly-Heaviside 케넬리 헤비사이드
kenotron 케노트론
Kent 켄트
Kentauros (그) 켄타우로스
Kentei 켄테이
Kenton 켄턴
Kentucky 켄터키
Kenya 케냐
Kenyatta 케냐타
Kenyon 케니언
Kenyon-knott 케니언 노트
Kephalin (도) 케팔린
Kepler 케플러
Kerala 케랄라
Keratin 케라틴
Keratomalacia (도) 케라토말라치아
Kerberos 케르베로스
Kerch' 케르치
Kerenskii 케렌스키
Kerguélen 케르겔렌
Kerkira 케르키라
Kerma 커마
Kermadec 케르마데크
Kerman 케르만
Kermanshah 케르만샤
Kern 컨
Kern (도) 케른
Kernig 케르니히
kerogen 케로겐
Kerosine 케로신
Kerouac 케루악
Kerr 커
Kerschensteiner 케르셴슈타이너
Kersey 커지
kerūbh (히) 그룹
Kerulen 케룰렌
Kessel 케셀
ketchup 케첩
ketene 케텐
ketoconazole 케토코나졸
ketoglutaric 케토글루타르
ketohexose 케토헥소오스
ketol 케톨
Ketolase (도) 케톨라아제
ketone 케톤
ketose 케토오스
ketosis 케토시스
kettle 케틀
kettledrum 케틀드럼
Kevlar 케블러
Kew 큐
kewpie 큐피
Key, key 키, 케이
keyboard 키보드
keyer 키어
key holder 키 홀더
key industry 키 인더스트리
keying 키잉
Keynes 케인스
keynote 키노트
key point 키 포인트
key pulse 키 펄스
key punch 키 펀치
key puncher 키 펀처
Keyserling 카이설링
key socket 키 소켓
key station 키 스테이션
key stone 키 스톤
key-to-disk 키투디스크
key-to-tape 키투테이프
Key West 키 웨스트
key word 키 워드
KGB 케이 지 비
Khabarovsk 하바로프스크
Khachaturian 하차투리안
Khaibar 카이바르
Khajuraho 카주라호
khaki (인) 카키
Khaki Cambell 카키 캠벨
khalifa (아랍) 할리파
Khalji 할지
Khalkha 할하
Khalkidhikē 칼키디키
khan 칸
Khanbalic 칸발릭
Khania 카니아
Khan Tengri 한텡그리
Khanty 한티
khaos (그) 카오스
Khara khoto 카라호토
Kharashahr 카라샤르
Khara Usu 하라우수
Khar'kov 하리코프
Kharoṣṭhi 카로슈티
Khartoum 하르툼
Khartoum North 하르툼 노스
Khasi 카시
khaṭib (아랍) 카티브
Khazar 하자르
Khellin 켈린
Khepera 케페라
Kherson 헤르손
Khios 키오스
Khiva 히바
Khmer 크메르
Khmer Rouge 크메르 루주
Khnum 크눔
Khodzhent 호젠트
Khoin 코인
Khoisan 코이산
Kholmsk 홀름스크
Khombu 콤부
Khomeini 호메이니
khong wong 콩웡
Khons 콘스
Khorana 코라나
Khorazm 호라즘
Khorezm 호레즘
khoros 코로스
Khorsābād 코르사바드
Khotan 호탄
Khrushchyov 흐루시초프
Khubilai 쿠빌라이
Khnum 크눔
khuriltai (몽) 쿠릴타이
Khuṭbah (아랍) 쿠트바
Khuzestan 후제스탄
Khuzistan 후지스탄
Khwarizmi 화리즈미
Khybar 하이버르, 카이버
kibble 키블
Kibbutz (히) 키부츠
kick 킥
kick and rush 킥 앤드 러시
kickball 킥볼
kick boxing 킥 복싱
kicker 키커
kicking 키킹
kickoff 킥오프
kickout 킥아웃
kick step 킥 스텝
kick turn 킥 턴
kid 키드
Kidd 키드
kidney punch 키드니 펀치
kidskin 키드스킨
Kiel 킬
Kienböck 킨뵉
kier 키어
Kierkegaard 키르케고르
Kieser 키저
Kiev 키예프
Kigali 키갈리
Kigoma 키고마
Kikladhes 키클라데스
Kikuyu 키쿠유
Kilauea 킬라우에아
Kilik 킬릭
Kilimanjaro 킬리만자로
Kilkenny 킬케니
kill 킬
killer 킬러
Killer T 킬러 티
Killian 킬리안
kilo (그) 킬로
kiloampere 킬로암페어
kilobar 킬로바
kilocalorie 킬로칼로리
kilocurie 킬로퀴리
kilocycle 킬로사이클
kilogram 킬로그램
kilogram calorie 킬로그램 칼로리
kilogram-meter 킬로그램미터
kilohertz 킬로헤르츠
kilohm 킬로옴
kilojoule 킬로줄
kiloliter 킬로리터
kilometer 킬로미터
kilometer lancé 킬로미터 랑세
kiloparsec 킬로파섹
kiloster 킬로스터
kilotex 킬로텍스
kiloton 킬로톤
kilovolt 킬로볼트
kilovolt-ampere 킬로볼트암페어
kilovoltmeter 킬로볼트미터
kilowatt 킬로와트
kilowatt-hour 킬로와트아워
kilt 킬트
Kilwa 킬와
Kimberley 킴벌리
kimberlite 킴벌라이트
kina (네) 키나
Kinabalu 키나발루
Kinase (도) 키나제
Kindi 킨디
kinema 키네마
kinema drama 키네마 드라마
kinema fan 키네마 팬
kinema news 키네마 뉴스
Kinematograph (도) 키네마토그라프
kineorama 키네오라마
kinepanorama 키네파노라마
kinescope recording 키네스코프 레코딩
kinesiology 키네시올로지
kinesis (그) 키네시스
kinetic art 키네틱 아트
kinetin 키네틴
kinetocamera 키네토카메라
kinetograph 키네토그래프
kinetophone 키네토폰
kinetoscope 키네토스코프
King, king 킹
king cobra 킹 코브라
kingdom 킹덤
King Kong 킹 콩
king penguin 킹 펭귄
king-size 킹사이즈
Kingsley 킹즐리
Kingston 킹스턴
King's Town 킹즈타운
kinin 키닌
kinine (네) 키니네
kink 킹크
kino-drama 키노드라마
kino-glass 키노글라스
Kinsey 킨제이
Kinshasa 킨샤사
kiosk 키오스크
Kipchak 킵차크
Kipling 키플링
Kipp 킵
Kircher 키르허
Kirchhoff 키르히호프
Kirchner 키르히너
Kirgizia 키르기지아

Kirgiz 키르기스
Kiribati 키리바시
Kirilenko 키릴렌코
Kiritimati 키리티마티
Kirké 키르케
Kirkuk 키르쿠크
Kirov 키로프
Kirovabad 키로바바드
Kirovograd 키로보그라드
Kiruna 키루나
Kirunavaara 키루나바라
Kisangani 키상가니
Kishinev 키시네프
Kisling 키슬링
kiss 키스
Kissinger 키신저
kissling 키슬링
KIST 키스트
Kistina 키스티나
Kitai 키타이
kitchen 키친
kitchen car 키치 카
Kitchener 키치너
kitch fashion 키치 패션
Kitchin cycle 키친 사이클
kithara (그) 키타라
kiton (그) 키톤
kitoon 카이툰
Kivi 키비
kiwi 키위
Kjeldahl 켈달
K.K.K. 케이 케이 케이
KL 케이 엘
Klabund 클라분트
Klagenfurt 클라겐푸르트
Klappe (도) 클라페
Klaproth 클라프로트
klaxon 클랙슨
Kleanthes 클레안테스
Klee 클레
Klein 클라인, 클레인
kleinite 클레이나이트
Kleist 클라이스트
Kleisthenes 클레이스테네스
Klemperer 클렘페러
Kleomenes 클레오메네스
Klinger 클링거
Klinker (도) 클링커
klinokinesis 클리노키네시스
Klippe 클리페
Klisthenes 클리스테네스
Klistier (도) 클리스티르
Klitzing 클리칭
Klondike 클론다이크
Klopstock 클롭슈톡
Klug 클루그
Kluckhohn 클럭혼
Klutaimnestra 클루타임네스트라
klydonograph 클로도노그래프
klystron 클라이스트론
Klyuchevskaya 클류체프스카야
KMAG 케이 엠 에이 지, 케이매그
K.N.A. 케이 엔 에이
Knapp 크나프
Knappertsbusch 크나퍼츠부슈
kneader 니더
knee-high boots 니하이 부츠
knee hold 니홀드
knee length 니 렝스
knen 니
knickerbockers 니커보커스
Knies 크니스
Knietsch 크니치
knife 나이프
knife edge 나이프에지
knife ridge 나이프 리지
knife switch 나이프 스위치
Knight, knight 나이트
knikers 니커스
knit 니트
knitting 니팅
knob 노브
knock 노크
knockdown 녹다운
knocker 노커
knocking 노킹
knocking on 노킹 온
knock-on 녹온
knockout 녹아웃
knockout blow 녹아웃 블로
Knoevenagel 크뇌베나겔
Knop 크놉
Knossos 크노소스
knot 노트
Knott 노트
know-how (미) 노하우
Knox 녹스
Knoxville 녹스빌
knuckle 너클
knuckle ball 너클볼
knuckle four 너클 포
knuckle part 너클파트
Knudsen cell 크누센 셀
Knudsen gauge 크누센 게이지
Knut 크누트
K.O. 케이 오
koala 코알라
Kobdo 콥도
Koblenz 코블렌츠
Kobolt 코볼트
K.O.C. 케이 오 시
Koch 코흐
Kochanowski 코하노프스키
Köchel 쾨헬
Kocher 코허
Kocher (도) 코헬
kodachrome 코다크롬
Kodak 코닥
Kodály 코다이
Kodein (도) 코데인
Kodiak 코디액
Kodok 코도크
Koenigswald 쾨니히스발트
Koeppen 쾨펜
Koestler 케스틀러
Koffka 코프카
Kogan 코간
Kohl 콜
Kohler 콜러
Köhler 쾰러
Kohlrausch 콜라우슈
Koinē 코이네
Kokand 코칸트
Koko Nor 코코노르
Kokoschka 코코슈카
Koks 코크스
Kolar 콜라르
Kolbe 콜베
Kolchizin (도) 콜히친
kolkhoz (러) 콜호스
Kölliker 쾰리커
Kollontai 콜론타이
Köln 쾰른
Kölreuter 쾰로이터
Kolyma 콜리마
Komandorskie 코만도르스키예
Komar 코마르
kombinat (러) 콤비나트
komintern (러) 코민테른
komodo 코모도
kompas (네) 콤파스
Komsomol (러) 콤소몰
Komsomol'sk 콤소몰스크
kona 코나
konarak 코나라크
Konastorm 코나스톰
Kondom (도) 콘돔
Kondratiev 콘드라티예프
Kondratiev cycle 콘드라티예프 사이클
Konide (도) 코니데
König 쾨니히
Königgrätz 쾨니히그레츠
Königsberg 쾨니히스베르크
konimeter 코니미터
Konkistador (스) 콘키스타도르
Konrad 콘라트
Konstantinopolis (그) 콘스탄티노폴리스
Konstanz 콘스탄츠
Kontrapunkt (도) 콘트라풍크트
Konwitschny 콘비치니
Konya 코니아
Konzern (도) 콘체른
Konzert (도) 콘체르트
Konzertstück (도) 콘체르트슈튀크
Koopmans 쿠프먼스
Kopp 코프
kopeika (러) 코페이카
Kōppen 쾨펜
Koran 코란
Kordofan 코르도판
Kore (그) 코레
Korea 코리아
Korea Fund 코리아 펀드
Korea Herald 코리아 헤럴드
Korean 코리안
Korean Air 코리안 에어
Korean Republic 코리안 리퍼블릭
Korean Repository 코리안 리포지터리
Korea Times 코리아 타임스
Kórinthos (그) 코린토스
Korkunov 코르쿠노프
Kornberg 콘버그
Kornilov 코르닐로프
Korolenko 코롤렌코
Koror 코로르
Korsakov 코르사코프
Kosciusko 코지어스코
Kościuszko 코시치우슈코
Košice 코시체
Kosminskii 코스민스키
kosmos (그) 코스모스
Kossel 코셀
Kossuth 코슈트
Kostroma 코스트로마
Kosygin 코시긴
Kotosh 코토시
KOTRA 코트라
Kotzebue 코체부
koumiss 쿠미스
Koussevitzky 쿠세비츠키
kousso 쿠소
Kovalevskaya 코발레프스카야
Kozane 코자네
Kozhikode 코지코드
Kozlov 코즐로프
KPK 케이 피 케이
Kra 크라
kraepelin 크레펠린
Krafft-Ebing 크라프트에빙
Kraft 크라프트
kraft 크라프트
kraft liner 크라프트 라이너
kraft pulp 크라프트 펄프
Krakatau 크라카타우
Kraków 크라쿠프
Krakowiak 크라코비아크
kramer 크레이머
Krasnodar 크라스노다르
Krasnovodsk 크라스노봇스크
Krasnoyarsk 크라스노야르스크
Kraus 크라우스
Krause 크라우제
Krebs 크레브스
Krefeld 크레펠트
Kreisler 크라이슬러
Kremer 크레메르
Kremlin 크렘린
Kremlinology 크렘리놀로지
Krepis (그) 크레피스
Kresilas 크레실라스
Kretschmer 크레치머
Kreutzberg 크로이츠베르크
Kreutzer Sonata 크로이처 소나타
Krieck 크리크
krill 크릴
Krishna 크리슈나
Kristiansand 크리스티안산
Krivoi Rog 크리보이록
Kroeber 크로버
Krogh 크로그
Krohn 크론
Kroisos 크로이소스
Krokodil 크로코딜
Krolow 크롤로
Krona 크로나
Krone (도) 크로네
Kronecker 크로네커
Kronor 크로노르
Kronos 크로노스
Kronshtadt 크론슈타트
Kronstadt 크론슈타트
Kropotkin 크로포트킨
Kṛṣṇa 크리슈나
krüger 크뤼거
Krung Thep 크룽테프
krupp 크루프
krupskaya 크루프스카야
Krylov 크릴로프
Krym 크림
krypton 크립톤
KS 케이 에스
Kshatriya 크샤트리아
KS mark 케이 에스 마크
kt 케이 티
Kuala Lumpur 쿨라룸푸르
Kubrick 큐브릭
Kubu 쿠부
Kuching 쿠칭
Kudrun 쿠드룬
Kuhn 쿤
Kuhnau 쿠나우
Kuhn Loeb 쿤 로브
Kuibyshev 쿠이비셰프
Kuiper 카이퍼
Ku-Klux-Klan 큐클럭스클랜
Kukryniksy (러) 쿠크리닉시
kukui (하와이) 쿠쿠이
kulak (러) 쿨라크
Kulan 쿨란
Kumārajīva 쿠마라지바
kumari 쿠마리
Kumasi 쿠마시
kumyz (러) 쿠미스
Kun 쿤
Kunashir 쿠나시르
Kundera 쿤데라
Kundt 쿤트
Kunst (도) 쿤스트
Kupang 쿠팡
Kuprin 쿠프린
Kur (도) 쿠르
Kurd 쿠르드
Kurdistan 쿠르디스탄
Kurgan (러) 쿠르간
Kuril 쿠릴
kurnakovite 커너코바이트
Kuropatkin 쿠로파트킨
Kursk 쿠르스크
Kusch 쿠시
Kushan 쿠샨
Kusinagara 쿠시나가라
Kutaraja 쿠타라자
Kutch 쿠치
Kutb Minār 쿠트브 미나르
Kuwait 쿠웨이트
Kuzbass 쿠즈바스
Kuznets 쿠즈네츠
Kuznets cycle 쿠즈네츠 사이클
Kuznetsk 쿠즈네츠크
kvas (러) 크바스
Kwakiutl 콰키우틀
Kyakhta 캬흐타
Kybele 키벨레
Kyd 키드
Kyklopes 키클로페스
Kyklops 키클로프스
kymograph 카이모그래프
Kynik (그) 키니크
Kynikos (그) 키니코스
kynurenine 키뉴레닌
Kyoga 키오가
Kypros 키프로스
Kyrene 키레네

Kyrie (그) 기리에
Kyrillos (그) 키릴로스
Kyros 키로스
Kyzylkum 키질쿰

L, l 엘
LA 엘 에이
Laban 라반
Labarraque 라바라크
label (프) 라벨, 레이블
labeling 레이블링
Labiche 라비슈
La Bohème (프) 라보엠
laboratory 래버러토리
Labor Day 레이버 데이
Labrador 래브라도
La Bruyère 라 브뤼예르
labyrinth 래버린스
Labyrinthos 라비린토스
labyrinthula 라비린툴라
lac 랙
Lacaille 라카유
lacca (포) 라카
Laccadive 래카다이브
lace 레이스
Lachmann 라흐만
Laclos 라클로
La Condamine 라 콩다민
Laconia 라코니아
Lacordaire 라코르데르
La Coruña 라코루냐
La Cosa Nostra (이) 라 코사 노스트라
Lacq 라크
lacquer 래커
Lacretelle 라크르텔
lacrosse 라크로스
lactam 락탐
lactase 락타아제
lactoflavin 락토플라빈
lactogen 락토겐
lactoglobulin 락토글로불린
lactone 락톤
lactose 락토오스
lac varnish 랙 니스
laddertron 래더트론
Ladenburg 라덴부르크
ladies and gentlemen 레이디스 앤드 젠틀멘
ladle 레이들
Ladoga 라도가
lady 레이디
lady first 레이디 퍼스트
lady-killer 레이디킬러
lady's calendar 레이디스 캘린더
Laënnec 라에네크
Lafargue 라파르그
La Fayette, Lafayette 라파예트
La Follette 러폴릿《라폴레트》
La Fontaine, Lafontaine 라퐁텐
Laforgue 라포르그
Lagash 라가시
Lage (도) 라게
Lager (도) 라거
lager beer 라거 비어
Lagerkvist 라게르크비스트
Lagerlöf 라게를뢰브
Lagos 라고스
Lagrange 라그랑주
La Guaira 라과이라
Lahore 라호르
Lahti 라티
laissez-faire (프) 레세페르
lake 레이크
Lakedaimon 라케다이몬
Lake school 레이크 스쿨
Lake Success 레이크 석세스
Laki 라키
Lakṣmi (범) 락슈미
Laktose (도) 락토오제
Lalande 랄랑드
Lalo 랄로
Lama 라마
La Madeleine (프) 라 마들렌
La Mancha 라만차
Lamarck 라마르크
Lamarckisme (프) 라마르키슴
La Marseillaise (프) 라 마르세예즈
Lamartine 라마르틴
La Mascotte (프) 라 마스코트
Lamaze 라마즈
Lamb, lamb 램
lambada 람바다
Lambaréné 랑바레네
lambda 람다
lambda phage 람다 파지
Lambert 람베르트; 램버트
Lambeth 램버스
lambskin 램스킨
Lamé 라메
lamé (프) 라메
lame duck 레임 덕
Lamennais 라메
lamentabile (이) 라멘타빌레
lamentoso (이) 라멘토소
La Mettrie 라 메트리
lamp 램프
lamphouse 램프하우스
Lamprecht 람프레히트
lamp shade 램프 셰이드
lamp stand 램프 스탠드
Lamut 라무트
LAN 랜
Lancashire 랭커셔
Lancaster 랭커스터
Lance Missile 랜스 미사일
lancers 랜서스
lancet 랜싯
lanceta (스) 란세타
Landau 란다우
land bridge 랜드 브리지
landing 랜딩
Ländler (도) 렌틀러
landmark 랜드마크
Landowska 란도프스카
Landrace 랜드레이스
Land Rover 랜드 로버
Landry 랑드리
Landsat 랜드샛
landscape 랜드스케이프
landslip 랜드슬립
Landsteiner 란트슈타이너《랜드스타이너》
lane 레인
Lang 랑; 랭
langage (프) 랑가주
Lange 랑게
Langerhans 랑게르한스
Langevin 랑주뱅
Langgässer 랑게서
Langhans 랑한스
Langland 랭글런드
Langlès 랑글레스
Langley 랭글리
Langmuir 랭뮤어
Langobard 랑고바르드
Langsam (도) 랑잠
langshan 랑산
language laboratory 랭귀지 래버러토리
langue (프) 랑그
Languedoc 랑그도크
Lanier 러니어
la niña (스) 라니냐
Lanital (이) 라니탈
lanolin 라놀린
Lansing 랜싱
Lanson 랑송
lantana 란타나
lantern 랜턴
Lanthan (도) 란탄
lanthanide 란타니드
lanthanium (라) 란타늄
Laodicea 라오디게아
Laokay 라오카이
Laokoon 라오콘
Laos 라오스
lap 랩
La Paz 라파스
lapboard 랩보드
lap dissolve 랩 디졸브
lapel 라펠
Laplace 라플라스
Lapland 라플란드
La Plata 라플라타
lapping 래핑
Laprade 라프라드
Laptev 랍테프
lap time 랩 타임
LARA 라라
Larbaud 라르보
lard 라드
largando (이) 라르간도
large ball 라지 볼
larghetto (이) 라르게토
larghissimo (이) 라르기시모
Largillière 라르질리에르
largo (이) 라르고
Larkin 라킨
La Rochefoucauld 라 로슈푸코
La Rochelle 라로셸
Larousse 라루스
l'art pour l'art (프) 라르 푸르 라르
l'art pour la vie (프) 라르 푸르 라비
La Sale, La Salle 라살
Las Casas 라스 카사스
Lascaux 라스코
La section d'or (프) 섹시옹 도르
laser 레이저
laser beam printer 레이저 빔 프린터
laser cutter 레이저 커터
laser diode 레이저 다이오드
laser disk 레이저 디스크
La Serena 라세레나
laser photo 레이저 포토
laser printer 레이저 프린터
laser radar 레이저 레이더
laser Raman radar 레이저 라만 레이더
laser scriber 레이저 스크라이버
LASH 래시
Lashio 라시오
Lask 라스크
Lasker-Schüler 라스커 쉴러
Laski 래스키
Las Palmas 라스팔마스
Laspeyres 라스파이레스
La Spezia 라스페치아
Lassa 라사
Lassalle 라살
lassan 라산
Lasso 라소
Lasswell 라스웰
last 라스트
Lastex 라스텍스
last heavy 라스트 헤비
last inning 라스트 이닝
last scene 라스트 신
last spurt 라스트 스퍼트
Las Vegas 라스베이거스
Latakia 라타키아
La Tène 라 텐
Lateran 라테란
laterite 라테라이트
Laterne (도) 라테르네
latest fashion 레이티스트 패션
latex 라텍스
lath 라스
lath-board 라스보드
lathe 레이드
latifundium (라) 라티푼디움
Latin 라틴
Latin America 라틴 아메리카
Latin American music 라틴 아메리칸 뮤직
Latin rhythm 라틴 리듬
latitude 래티튜드
Latium 라티움
La Tosca (프) 라 토스카
La Tour 라 투르
La Traviata (이) 라 트라비아타
Latvia 라트비아
lauan 라완
Laud 로드
Laue 라우에
Laufer 라우퍼
laumontite 로몬타이트
launch 론치《란치》
laundry 론드리
Lauper 로퍼
Laurana 라우라나
Laurasia 로라시아
laurel 로럴
Laurencin 로랑생
Laurens 로랑스
Lausanne 로잔
Lautal (도) 라우탈
Lautréamont 로트레아몽
Lautrec 로트레크
lava 라바
Laval 라발
La Vega 라베가
lavender 라벤더
Laveran 라브랑
Lavoisier 라부아지에
Law, law 로
Lawinebahn (도) 라비네반
Lawinenzug (도) 라비넨추크
lawn 론
lawn court 론 코트
lawn mower 론 모어
lawn ski 론 스키
lawn tennis 론 테니스
Lawrence 로렌스
lawrencium 로렌슘
Lawson 로슨
Laxator 락사토르
Laxness 락스네스
layered look 레이어드 룩
layoff 레이오프
layout 레이아웃
Lazarus 나사로
L/C 엘 시
L.C.M. 엘 시 엠
LD 엘 디
LDL 엘 디 엘
L-DOPA 엘도파
Leach 리치
lead 리드
leader 리더
leadership 리더십
lead guitar 리드 기타
leading batter 리딩 배터
leading hitter 리딩 히터
leadman 리드맨
leadoff 리드오프
lead-off man 리드오프 맨
leaflet 리플릿
leaf stitch 리프 스티치
league 리그
leaguer 리거
leak 리크
leakage 리키지
leak detector 리크 디텍터
Leakey 리키
Lean 린
Leandros 레안드로스
Lear 리어
lease 리스
leather 레더
leather cloth 레더 클로스
leather coat 레더 코트
Leavitt 리비트
Lebanon 레바논
Leben (도) 레벤
Lebesgue 르베그
Leblanc 르블랑
Le Bon 르 봉
Le Brun 르 브룅
Le Châtelier 르 샤틀리에
Le Châtelier-Braun 르 샤틀리에 브라운
Le Cid 르시드
lecirin 레시린
lecithin 레시틴

Leclanché 르클랑셰
Leconte de Lisle 르콩트 드 릴
Le Corbusier 르 코르뷔지에
lecture 렉처
Leda 레다
Lederberg 레더버그
Lederman 레더먼
Lee 리
Leeds 리즈
leek 리크
Leeuwenhoek 레벤후크
Leeward 리워드
Lefebvre 르페브르
Le Fort 르 포르
left 레프트
left back 레프트 백
left field 레프트 필드
left fielder 레프트 필더
left fullback 레프트 풀백
left half 레프트 하프
left inner 레프트 이너
left inside 레프트 인사이드
left jab 레프트 잽
left on base 레프트 온 베이스
left straight 레프트 스트레이트
left wing 레프트 윙
Legaspi 레가스피
legatissimo (이) 레가티시모
legato (이) 레가토
leg diving 레그 다이빙
legend 레전드
Legende (도) 레겐데
Le Gendre, Legendre 르장드르
Léger 레제
leggiero (이) 레지에로
leggings 레깅스
leg guard 레그 가드
Leghorn 레그혼
Legio Mariae (라) 레지오 마리에
legion (라) 레기온
Légion d'honneur (프) 레지옹 도
Legnica 레그니차 ⌊뇌르
legumin 레구민
leg warmer 레그 워머
Leh 레
Lehár 레하르
Le Havre 르아브르
Lehmann 레만
Lehmbruck 렘브루크
Lehn 렌
lei 레이
Leibl 라이블
Leibniz 라이프니츠
Leibowitz 레이보비츠
Leica (도) 라이카
Leica Kamera (도) 라이카 카메라
Leicester 레스터
Leiden 레이덴
Leigh 리
Leipzig 라이프치히
Leipzig Gewandhaus 라이프치히 게반트하우스
Leishmania 리슈마니아
leisure 레저
leisure boom 레저 붐
leisure house 레저 하우스
leisure land 레저 랜드
leisure sports 레저 스포츠
leisure stock 레저 스톡
Leitmotiv (도) 라이트모티프
Leloir 렐루아르
Lemaître 르메트르
Leman 레만
Le Mans 르망
lemberg 렘베르크
lemma (그) 렘마
lemniscate 렘니스케이트
Lemnitzer 렘니처
lemon 레몬
lemonade 레모네이드
Le Monde 르 몽드
lemon grass 레몬 그래스
lemon juice 레몬 주스
lemon rinse 레몬 린스

lemon squash 레몬 스쿼시
lemon tea 레몬 티
lemon yellow 레몬 옐로
Lena 레나
Lenard 레나르트
Lenau 레나우
Lenin 레닌
Leningrad 레닌그라드
Leningrad Philharmonic Orchestra 레닌그라드 필하모닉 오케스트라
leno (이) 레노
Lenoir 르누아르
Lenormand 르노르망
lens 렌즈
lens hood 렌즈 후드
lens shutter 렌즈 셔터
lens turret 렌즈 터릿
Lent 렌트
lentando (이) 렌탄도
lentissimo (이) 렌티시모
lento (이) 렌토
Lenz 렌츠
Leo 레오
León 레온 「사
Leonardo da Pisa 레오나르도 다 피
Leonardo da Vinci 레오나르도 다
Leoncavallo 레온카발로 ⌊빈치
Leonidas 레오니다스
Leonov 레오노프
Leontief 레온티에프
Leopardi 레오파르디
Leopold 레오폴트
Léopold 레오폴드
Léopoldville 레오폴드빌
leopon 레오폰
leotard 레오타드
Lepanto 레판토
Lepcha 렙차 「나
Lepidocyclina (라) 레피도시클리
Lepidus 레피두스
lepra (라) 레프라
lepton 렙톤
leptospira (라) 렙토스피라
Lermontov 레르몬토프
Lesage 르사주
lesbian 레스비언
Lesbos 레스보스
Lesedrama (도) 레제드라마
Leskov 레스코프
Les Misérables (프) 레 미제라블
Lesotho 레소토
Lesseps 레셉스
Lessing 레싱
lesson 레슨
Les sylphides 레 실피드
Les Temps Modernes (프) 레 탕
let 레트 ⌊모데른
Letchworth 레치워스
Lethe (그) 레테
Letina 레티나
Leto 레토
Lett 레트
letter 레터, (네) 레테르
letter box 레터 박스
letter file 레터 파일
lettering 레터링
letter paper 레터 페이퍼
leu (루마니아) 레우
leucine 류신
leucon 류콘
Leuckart 로이카르트
Leukippos 레우키포스
leukoplakia 류코플라키아
Leukoplakie (도) 로이코플라키
leukotriene 류코트리엔
Levallois 르발루아
Levant 레반트
level 레벨
lever 레버
leverage 레버리지
Leverrier 르베리에
Levi 레위
Leviathan 리바이어던

Levi-Civita 레비치비타
Levi-Montaltini 레비몬탈티니
levirate 레비레이트
Lévi-Strauss 레비스트로스
Lévy-Bruhl 레비브륄
Lewin 레빈
Lewis 루이스
Lewis gun 루이스 건
lewisite 루이사이트
lexicon 렉시콘
Lexington 렉싱턴
L'Express 렉스프레스
lex Ribuaria 렉스 리부아리아
lex Salica 렉스 살리카
Leyden 라이덴
Leyte 레이테
LF 엘 에프
Lhasa 라사
Lhote 로트
Lhotse 로체
L'Humanité 위마니테
liaison (프) 리에종
Libby 리비
Liber (라) 리베르
liberal 리버럴
liberal arts 리버럴 아트
liberalism 리버럴리즘
liberalist 리버럴리스트
Liberia 라이베리아《리베리아》
Liberman 리베르만
liberty 리버티
liberty cap 리버티 캡
liberty line 리버티 라인
Libido (도) 리비도
libitum (라) 리비툼
LIBOR 리보
library 라이브러리
libretto (이) 리브레토
Libreville 리브르빌
Libya 리비아
license 라이선스
Lichtenberg 리히텐베르크
Licinius 리키니우스
Lick 릭
lidar 라이다
Lidman 리드만
lidocaine 라이도케인
Lie 리
lie 라이
Liebe (도) 리베
Liebermann 리버만
Liebig 리비히
Liebknecht 리프크네히트
Liebmann 리프만
Liechtenstein 리히텐슈타인
Lied (도) 리트
lied 리드
Liedertafel (도) 리더타펠
Liège 리에주
Liegnitz 리그니츠
lien 리언
Liesegang 리제강
Lifar 리파르
Life, life 라이프
lifeboat 라이프보트
life cycle 라이프 사이클
life jacket 라이프 재킷
life science 라이프 사이언스
lifework 라이프워크
LIFO 엘 아이 에프 오
lift 리프트
lift up barge 리프트 업 바지
lift valve 리프트 밸브
ligand 리간드
ligase 리가아제
liger 라이거
light 라이트
light blue 라이트 블루
light change 라이트 체인지
light curtain 라이트 커튼
light delivery truck 라이트 딜리버
lighter 라이터 ⌊리 트럭
light heavyweight 라이트 헤비웨
light lunch 라이트 런치 ⌊이트

light open 라이트 오픈
light opera 라이트 오페라
light pen 라이트 펜
light plane 라이트 플레인
light red 라이트 레드
light table 라이트 테이블
light value 라이트 밸류
lightweight 라이트웨이트
light-year 라이트이어
ligne coccinelle (프) 리뉴 콕시넬
lignin 리그닌
lignocaine 리그노케인
Lignoid 리그노이드
ligroin 리그로인
lilac 라일락
lilas (프) 릴라
Lilienfeldt ski 릴리엔펠트 스키
Lilienthal 릴리언솔 ; 릴리엔탈
Liliom (헝가리) 릴리옴
Lille 릴
Lilliput 릴리펏
Lilongwe 릴롱궤
lily 릴리
lily yarn 릴리 얀
Lima 리마
lima bean 라이머 빈
Liman 리만
Limassol 리마솔
limbo 림보, (그) 임보
limbus (라) 림보
lime 라임
lime juice 라임 주스
limelight 라임라이트
Limerick 리머릭
limit 리밋
limit gauge 리밋 게이지
Limoges 리모주
limonade (프) 리모나드
limonene 리모넨
limousine (프) 리무진
Limpopo 림포포
linalool 리날로올
Lincoln 링컨
Lincoln Center 링컨 센터
lindane 린덴
Lindbergh 린드버그
Lindblad 린드블라드
Lindenbaum (도) 린덴바움
Linder 랭데
Lindgren 린드그렌
line 라인
lineament 리니어먼트
line and staff 라인 앤드 스태프
linear 리니어 「이터
linear accelerator 리니어 액셀러레
linear motor 리니어 모터
linear motorcar 리니어 모터카
linear programming 리니어 프로그래밍
line cross 라인 크로스
line drive 라인 드라이브
lineman 라인맨
linen 리넨
line network 라인 네트워크
line out 라인 아웃
line printer 라인 프린터
liner 라이너
line shaft 라인 샤프트
linesman 라인즈맨
line switch 라인 스위치
line-up 라인업
Ling 링
linga (범) 링가
Lingayata 링가야타
Lingayen 링가옌
lingerie (프) 란제리
lingerie look 란제리 룩
lingua franca 링궈 프랭커
Linguaphone 링궈폰
linguist 링귀스트
Linhof 린호프
linière 린네르
liniment 리니먼트
lining 라이닝

link 링크
linkage 링키지
link chain 링크 체인
linkman 링크맨
Linköping 린최핑
links 링크스
link store 링크 스토어
Link trainer 링크 트레이너
Linna 린나
Linné 린네
linoleum 리놀륨
Linotype 라이노타이프
linoxyn 리녹신
Linschoten 린스호텐
lint 린트
linter 린터
Linton 린턴
Linz 린츠
lion 라이온
Lions Club 라이온스 클럽
Liouville 리우빌
lip 립
Lipari 리파리
lipase 리파아제
Lipchitz 립시츠
Lipetsk 리페츠크
lip gloss 립 글로스
lip layered 립 레이어드
Lipmann 리프먼
lipoid 리포이드
liposome 리포솜
lipotropin 리포트로핀
Lippi 리피
Lippmann 리프만 ; 리프먼
Lippold 리폴드
lip pomade 립 포마드
Lipps 립스
Lipscomb 립스컴
lip service 립 서비스
lip shiner 립 샤이너
lipstick 립스틱
lip sync 립 싱크
Lipton 립턴
liqueur 리큐어
liquid rocket 리퀴드 로켓
lira (이) 리라
Lisbon 리스본
L'Isle-Adam 릴라당
LISP 리스프
Lissajous (프) 리사주
List, list 리스트
listening curtain 리스닝 커튼
listening room 리스닝 룸
Lister 리스터
listesso tempo 리스테소 템포
Liszt 리스트
Litanei (도) 리타나이
liter 리터
lithia 리티아
lithium 리튬
lithographie (프) 리토그라피
lithography 리소그래피
lithopone 리토폰
Lithuania 리투아니아
litigon 리티곤
litmus 리트머스
Little 리틀
Little America 리틀 아메리카
Little League 리틀 리그
little magazine 리틀 매거진 「스
little maid dress 리틀 메이드 드레
Little Rock 리틀 록
Littleton 리틀턴
Littré 리트레
Litvinov 리트비노프
live action 라이브 액션
live house 라이브 하우스
lively ball 라이블리 볼
liver 리버
live recording 라이브 리코딩
liver paste 리버 페이스트
Liverpool 리버풀
Liverpool sound 리버풀 사운드
living 리빙
living cost 리빙 코스트
living room 리빙 룸
Livingstone 리빙스턴
Livius 리비우스
Livorno 리보르노
livre (프) 리브르
Ljubljana 류블랴나
Ljungström turbine 융스트룀 터빈
L.L. 엘 엘
llama (스) 야마《라마》
Llanos (스) 야노스
Lloyd 로이드
Lloyd George 로이드 조지
Lloyd's 로이즈
Llullaillaco 유야이야코
LMC 엘 엠 시
L.M.G. 엘 엠 지
LNG 엘 엔 지
L.O. 엘 오
loader 로더
loading 로딩
loam 롬
loan 론
lob 로브
Lobachevski 로바체프스키
lobbing 로빙
lobby 로비
lobbying 로빙
lobbyist 로비스트
lobelia 로벨리아
Lobito 로비토
Lobos 로보스
lobotomy 로보토미
lobster 로브스터
local 로컬
local colour 로컬 컬러
local credit 로컬 크레디트
local L/C 로컬 엘시
local news 로컬 뉴스
local program 로컬 프로그램
local rule 로컬 룰
Locarno 로카르노
location 로케이션
location hunting 로케이션 헌팅
location set 로케이션 세트
lock 로크
Locke 로크
locker 로커
locket 로켓
Lockheed 록히드
locknut 로크너트
lockout 로크아웃
Lockyer 로켜
locomotive 로커모티브
lodge, Lodge 로지
Lodi 로디
Łódź 우치
Loeb 러브
loess 뢰스
Loewe 뢰베
Loewi 뢰비
Löffler 뢰플러
Lofoten 로포텐
loft 로프트
log 로그
Logan 로건
logarithm 로가리듬
loggia (이) 로지아
logic 로직
logical 로지컬
LOGO, logo 로고
logos (그) 로고스
logotype 로고타이프
logwood 로그우드
Lohengrin (도) 로엔그린
Loire 루아르
Loki 로키
Lolita complex 롤리타 콤플렉스
Lollobrigida 롤로브리지다
Lolo 롤로
L'Olympia (프) 올랭피아
Lombard 롬바드 ; 롬바르드
Lombardia 롬바르디아
Lombard rate 롬바드 레이트
Lombardy 롬버디
Lombok 롬보크
Lombroso 롬브로소
Lomé 로메
Lomonosov 로모노소프
London 런던
Londonderry 런던데리
London shrunk 런던 슈렁크
London Times 런던 타임스
Long, long 롱 「스티치
long and short stitch 롱 앤드 쇼트
Long Beach 롱비치
long boots 롱 부츠
Longchamp 롱샹
longcloth 롱클로스
long evening tank 롱 이브닝 탱크
Longfellow 롱펠로
longhair 롱헤어
Longhi 롱기
long hit 롱 히트
long hole 롱홀
Longinus 롱기누스
Long Island 롱아일랜드
long pass 롱 패스
Longs Peak 롱스 피크
long-playing 롱플레잉
long-playing record 롱플레잉 레코
long primer 롱 프리머 ㄴ드
long rail 롱 레일
long run 롱 런
long-run system 롱런 시스템
long seller 롱 셀러
long shoot 롱 슛
long shot 롱 숏
long skirt 롱 스커트
Longs Peak 롱스 피크
long stride 롱 스트라이드
long swing 롱 스윙
Long-Thibaud Concours 롱티보 콩쿠르
long ton 롱 톤
long torso 롱 토르소
longuette (프) 롱게트
Lŏn Nol 론 놀
Look, look 룩
loon 룬
loop 루프
loop antenna 루프 안테나
loop drive 루프 드라이브
loose 루스
loose ball 루스 볼
loose leaf 루스 리프
loose scrum 루스 스크럼
López 로페스
Lop Nor 로프노르
LORAN 로란
Lorca 로르카
Lord 로드
Lorelei (도) 로렐라이
Lorentz 로렌츠
Lorentz-Fitzgerald 로렌츠피츠제럴드
Lorenz 로렌츠
Lorenzetti 로렌체티 「치
Lorenzo de Medici 로렌초 데 메디
Lorenzo Monaco 로렌초 모나코
loris 로리스
Lorrain 로랭
Lorraine 로렌
Los Alamos 로스앨러모스
Los Angeles 로스앤젤레스
Loschmidt 로슈미트
loss 로스
loss time 로스 타임
lost ball 로스트 볼
Lost Generation 로스트 제너레이션
lot 로트
Loti 로티
lotion 로션
lot system 로트 시스템
Lotto 로토
Lotze 로체
loudspeaker 라우드스피커
Louis 루이스 ; 루이
Louisiana 루이지애나
Louis Philippe 루이 필리프
Louisville 루이빌
lounge 라운지
lounge chair 라운지 체어
lounge shirt 라운지 셔츠
lounge suit 라운지 슈트
lounge wear 라운지 웨어
Lourdes 루르드
loure (프) 루르
Lourenço Marques 로렌수 마르케
louver 루버 ㄴ스
Louvre 루브르
Louÿs 루이
love 러브
love affair 러브 어페어
love child 러브 차일드
love game 러브 게임
love letter 러브 레터
lover 러버
love scene 러브 신
love set 러브 세트
love sick 러브 식
love song 러브 송
love sound 러브 사운드
love story 러브 스토리
Low, low 로
low blow 로 블로
lowbrow 로브라우
low cost 로 코스트
Lowell 로웰
lower management 로어 매니지먼
low fat 로 패트 ㄴ트
low hurdle 로 허들
low-key 로키
low-key tone 로키 톤
low speed 로 스피드
low teen 로 틴
Loyola 로욜라
LP 엘 피
LPG 엘 피 지
Lp gas 엘피 가스
LSD 엘 에스 디
LSH 엘 에스 에이치
LSI 엘 에스 아이
L size 엘 사이즈
LST 엘 에스 티
Luanda 루안다
Luang Prabang 루앙프라방
Lubbock 러벅
Lübeck 뤼베크
Lublin 루블린
lubrication 루브리케이션
Lubumbashi 루붐바시
Lucanus 루카누스
Lucas 루가, 루카스
Lucas van Leyden 루카스 반 라이
Lucifer 루시퍼 ㄴ덴
luciferase 루시페라아제
luciferin 루시페린
Lucknow 러크나우
lucky 러키
lucky punch 러키 펀치
lucky seven 러키 세븐
lucky zone 러키 존
Lucretius 루크레티우스
Luddite 러다이트
Lüders 뤼더스
Ludhiana 루디아나
Ludwig 루트비히
Ludwigshafen am Rhein 루트비히스하펜 암라인
luffing 러핑
Luganda 루간다
Lugano 루가노
Lugansk 루간스크
luge 루지
Lugol 루골
Luke 누가, 루가
Lully 륄리
lumber paper 럼버 페이퍼
Lumbini (범) 룸비니
lumen 루멘
Lumière 뤼미에르

Luminal 루미날
luminescence 루미네선스
luminol 루미놀
lumisome 루미솜
Lumpen (도) 룸펜 「리겐치아
Lumpen intelligentsia 룸펜 인텔
Lumpenproletariat (도) 룸펜 프롤
Lumumba 루뭄바 ㄴ레타리아트
Luna 루나
Lunacharski 루나차르스키
Lunar Orbiter 루너 오비터
lunar park 루너 파크
lunch 런치
lunch hall 런치 홀
lunch time 런치 타임
lunga (이) 룽가
Lunge (도) 룽게
lunge 런지
lungi 룽기
Lunik 루니크
L'unita (이) 우니타
Lunokhod (러) 루노호트
Lupe (도) 루페
Lupin 뤼팽
lupine 루핀
Lurçat 뤼르사
lure 루어
Luria 루리아
Luristan 루리스탄
Lusaka 루사카
Lusitania 루시타니아
lustig (도) 루스티히
lute 류트
lutein 루테인
lutetium 루테튬
Luther 루터
Luthuli 루툴리
Luton 루턴
Lutoslawski 루토스와프스키
Lützen 뤼첸
LW 엘 더블유
lux 럭스
Luxembourg (프) 뤽상부르
Luxemburg 룩셈부르크
lux meter 럭스 미터
Luxor 룩소르
Luzern 루체른
Luzon 루손
L'vov 리보프
Lwoff 루오프
Lwów 르보프
Lyallpur 리알푸르
lyase 리아제
Lyautey 리오테
lycée (프) 리세
lycourgos 리쿠르고스
Lydia 리디아
Lyell 라이엘
Lyly 릴리
Lyman 라이먼
Lyme 라임
lymph 림프
lymphokine 림포카인
lynch 린치
Lynd 린드
Lynen 뤼넨
Lyon 리옹
Lyonnet 리오네
Lyot 리오
lyra (그) 리라
lyre 라이어
lyric 리릭
lyrical 리리컬
lyrical curtain 리리컬 커튼
lyricism 리리시즘
lyric soprano 리릭 소프라노
lyric tenor 리릭 테너
Lysenko 리센코
Lysias 리시아스
Lysin (도) 리진
lysine 리신
Lysippos 리시포스
Lysistrate 리시스트라테
Lysol (도) 리졸
lysosome 리소좀
lysostaphin 리소스타핀
Lysozym (도) 리조칩
lysozyme 라이소자임
Lytton 리턴

M, m 엠

M.A. 엠 에이
maacki 마키
Maar (도) 마르
Maas 마스
Maastricht 마스트리히트
Maat 마트
Maazel 마젤
macadam 머캐덤
Macao 마카오
Macapagal 마카파갈
macaron (프) 마카롱
macaroni (이) 마카로니
MacArthur 맥아더
MacArthur Line 맥아더 라인
Macaulay 매콜리
Macbeth 맥베스
MacBride 맥브라이드
Maccabean games 매커비언 게임스
MacDonald 맥도널드
MacDonnell Douglas 맥도널 더글
MacDowell 맥다월 ㄴ러스
Mace 메이스
Macedonia 마케도니아
macedonite 마세도나이트
Maceió 마세이오
Mach 마하 ; 마흐
Machado 마차도
Machaut 마쇼
Mache (도) 마헤
Machiavelli 마키아벨리
Machiavellism 마키아벨리즘
machine 머신
machine tool 머신 툴
machining center 머시닝 센터
Machu Picchu 마추픽추
Macintosh 매킨토시
MacIver 매카이버
Mackenzie 매켄지
Maclaurin 매클로린
Macleod 매클라우드
MacMahon 마크마옹
Macmillan 맥밀런
Macnin 마크닌
Macon 메이컨
maçon (프) 마송
macramé (프) 마크라메
macro 매크로, (프) 마크로
macrocosm 매크로코즘
macroengineering 매크로엔지니어링
macrolens 매크로렌즈
macroscopic 매크로스코픽
Macy 메이시
Madagascar 마다가스카르
madame (프) 마담
Madame Butterfly 마담 버터플라
Mädchen (도) 메트헨 ㄴ이
made in 메이드인
Madeleine 마들렌
mademoiselle (프) 마드무아젤
Madhva 마드바
Madison 매디슨
Madison Avenue 매디슨 애버뉴
Madjapahit 마자파히트
Madonna (이) 마돈나
Madras 마드라스
Madrid 마드리드
madrigal (프) 마드리갈
Madura 마두라
Madurai 마두라이
maestoso (이) 마에스토소
Maeterlinck 마테를링크
Mafeking 마페킹
Mafia (이) 마피아
Magadha 마가다
Magadi 마가디
magallanes 마가야네스
magazine 매거진
magazine rack 매거진 래크
Magdalena 마그달레나
Magdalena Maria 막달라 마리아
Magdeburg 마그데부르크
Magellan 마젤란
magenta 마젠타
Maggiore 마조레
Maghreb 마그레브
Maghreb-Vision 마그레브비전
maghrib (아랍) 마그립
Magi 마기
magic 매직
magic eye 매직 아이
magic glass 매직 글라스
magic hand 매직 핸드
Magic Ink 매직 잉크
magic mirror 매직 미러
magic number 매직 넘버
Magic Tape 매직 테이프
Maginot (프) 마지노
magma 마그마
Magna Charta (라) 마그나 카르타
magnaflux 마그나플럭스
Magna Graecia (라) 마그나 그라에키아
magnalium 마그날륨
Magnani 마냐니
magnesia 마그네시아 「트
magnesia cement 마그네시아 시멘
magnesite 마그네사이트
magnesium 마그네슘
magnet 마그넷
magnetic 마그네틱
magnetic plug 마그네틱 플러그
magnetic speaker 마그네틱 스피커
magnetite 마그네타이트
magnet ledger 마그넷 레저
magneto 마그네토
magneto diode 마그네토 다이오드
magnetograph 마그네토그래프
magnetron 마그네트론
Magnitogorsk 마그니토고르스크
magnitude 매그니튜드
magnox 마그녹스
Magnum Photos 매그넘 포토스
Magnus 마그누스
Magog 마곡
Magritte 마그리트
Magsaysay 막사이사이
Magwe 마그웨
magyar 마자르
Mahākāsyapa (범) 마하카시아파
Mahalla el Kubra 마할라엘쿠브라
Mahārāja (범) 마하라자
Mahāvamsa 마하밤사
Mahāvīra 마하비라
Mahdi 마디
Mahfuz 마흐푸즈
Mahler 말러
mahogany 마호가니
Mahomet 마호메트
maid 메이드
Maikop 마이코프
mail 메일
mail chute 메일 슈트
mail credit 메일 크레디트
mail day 메일 데이
Mailer 메일러
Maillol 마욜
Maimon 마이몬
Maimonides 마이모니데스
Main 마인
Mainades 마이나데스
main building 메인 빌딩
Main-Donau 마인 도나우
Maine 메인
Maine de Biran 멘 드 비랑
main event 메인 이벤트
mainmast 메인마스트
main office 메인 오피스
main pole 메인 폴
main road 메인 로드
mainsail 메인슬, 메인세일
main shaft 메인 샤프트
main stadium 메인 스타디움
main stage 메인스테이지
main stand 메인 스탠드
Main Street 메인 스트리트
main table 메인 테이블
main title 메인 타이틀
Mainz 마인츠
Maistre 메스트르
Maitland 메이틀런드
majolica 마졸리카
major 메이저
Majorca 마조르카
major foul 메이저 파울
major league 메이저리그
Majunga 마중가
Makalu 마칼루
Makarios 마카리오스
Makassar 마카사르
maker 메이커
make-up 메이크업
make-up Artist 메이크업 아티스트
Makeyevka 마케예프카
Makhachkala 마하치칼라
Makkabaios 마카바이오스
Makrokosmos (도) 마크로코스모
malabo 말라보 ㄴ스
Malacca 말라카
Malachi (헤) 말라기
malachite green 말라카이트 그린
Maladetta 말라데타
Málaga 말라가
Malagasy 말라가시
malagueña (스) 말라게냐
malā'ikah (아랍) 말라이카
malaria 말라리아
malathion 말라티온
Malawi 말라위
Malay 말레이
Malaya 말라야
Malayalam 말라얄람
Malaysia 말레이시아
Maldives 몰디브
Malé 말레
Mâle 말
Malebranche 말브랑슈
Malenkov 말렌코프
Malevich 말레비치
Malherbe 말레르브
Mali 말리
Malik 말리크
Malikshāh 말리크샤
Malinovski 말리노프스키
Malipiero 말리피에로
mall 몰
Mallarmé 말라르메
Malle 말
mallein 말레인
Mallorca 마요르카
Malmö 말뫼
Malory 맬러리
Malot 말로
Malpighi 말피기
Malraux 말로
malt 몰트
Malta 몰타
maltase 말타아제
Maltese 몰티즈
Malthus 맬서스
maltose 말토오스
malt whisky 몰트 위스키
Mama Cocha 마마 코차
mambo (스) 맘보
Mamluk 맘루크
mamma 마마
Mammon 마몬
mammon 맘몬
mammot (러) 마모트

mammoth 매머드《맘모스》
Mammoth Cave 매머드 케이브
man 맨
mana 마나
manage 매니지
management 매니지먼트 「임
management game 매니지먼트 게
management simulation 매니지먼
manager 매니저 ㄴ트 시뮬레이션
Managua 마나과
manaism 마나이즘
Manama 마나마
Manáos 마나우스
Manasarowar 마나사로와르
Manaslu 마나슬루
Manchester 맨체스터
Manchester Guardian 맨체스터 가
Mancini 멘시니 ㄴ디언
Manco Capac 망코 카파크
Mandalay 만달레이
mandamus proceeding 맨데이머스
mandarin 만다린 ㄴ프로시딩
mandarin collar 만다린 칼라
Mandela 만델라
Mandeville 맨더빌
Mandingo 만딩고
mandolin 만돌린
mandolone (이) 만돌로네
mandrel 맨드릴
mandrill 맨드릴
Manessier 마네시에
Manet 마네
Mangan (도) 망간
Manganin 망가닌
manganite 망가나이트
Mangano 망가노
mango 망고, 맹고
mangosteen 망고스틴
mangrove 맹그로브
Manhattan 맨해튼
Manhattan cocktail 맨해튼 칵테일
manhole 맨홀
Mani 마니
mania 마니아
manicure 매니큐어
Manier (도) 마니어
manière (프) 마니에르
maniérisme (프) 마니에리슴
manierismo (이) 마니에리스모
Manifest (도) 마니페스트
manifesto 매니페스토
manifold 매니폴드
Manihiki 마니히키
Manila 마닐라
Manila rope 마닐라 로프
manipulator 머니퓰레이터
Manitoba 매니토바
manitoism 매니토이즘
manitou 매니투
Manizales 마니살레스
Mankiewicz 맨키비츠
Mann 만 ; 맨
manna 만나
mannequin 마네킹
mannequin girl 마네킹 걸
manner 매너
mannerism 매너리즘
Mannhardt 만하르트
Mannheim 만하임
Mannheimer 만하이머
mannitol 만니톨
manometer 마노미터
Manon Lescaut 마농 레스코
ma non tanto (이) 마 논 탄토
ma non troppo (이) 마 논 트로포
manpower 맨파워
mansarde (프) 망사르드
Mansfield 맨스필드
Mansholt Plan 만스홀트 플랜
mansion 맨션
mansion house 맨션 하우스
Manson 맨슨
manteau (프) 망토
manteau de cour 망토 드 쿠르
Mantegna 만테냐
mantel 맨틀
mantelpiece 맨틀피스
mantilla (스) 만티야
mantle 맨틀
man-to-man 맨투맨 「스
man-to-man defence 맨투맨 디펜
Mantoux 망투
Mantovani 만토바니
Manu 마누
manual 매뉴얼
Manuel 마누엘
manufacture 매뉴팩처
manuscript 매뉴스크립트
Manzanillo 만사니요
Manzoni 만초니
Maori 마오리
M.A.P. 엠 에이 피
Maputo 마푸토
maquis (프) 마키
mara 마라
Maracaibo 마라카이보
maracas 마라카스
Maracay 마라카이
Marais 마레
Marajó 마라조
Maramba 마람바
maraschino 마라스키노
Marat 마라
Maratha 마라타
Marathi 마라티
Marathon, marathon 마라톤
marathon course 마라톤 코스
marble 마블
marbling 마블링
Marburg 마르부르크
Marc 마르크
marcato (이) 마르카토
Marcel 마르셀
March, march 마치
Marchand 마르샹
Märchen (도) 메르헨
marciale (이) 마르치알레
Marconi 마르코니
Marco Polo 마르코 폴로
Marcus 마르코, 마커스
Marcus Aurelius 마르쿠스 아우렐리우스
Marcuse 마르쿠제
Marduk 마르둑
Maréchal 마레샬
Marées 마레
Marett 매럿, 마레트
Marfan 마르팡
margarine 마가린
margin 마진
marginal man 마지널 맨
margin money 마진 머니
Margrete 마르그레테
marguerite 마거리트
Marguerite de Navarre 마르그리트
Maria 마리아 ㄴ드 나바르
mariachi (스) 마리아치
Maria Laach 마리아 라흐
Maria Magdalena 마리아 막달레나
Mariana 마리아나
Marianao 마리아나오
Maria Theresia 마리아 테레지아
Maribor 마리보르
Marie Antoinette 마리 앙투아네트
Marie Byrd Land 마리버드랜드
Marie Louise 마리 루이즈
marihuana 마리화나
marimba 마림바
Marin 매린, 마린
marina 마리나
Marine (미) 머린
marine beef 머린 비프
Marine Corps (미) 머린 코
marine look 머린 룩
Mariner 매리너
marinera (스) 마리네라
Marinetti 마리네티
Marini 마리니
marionette (프) 마리오네트
Mariotte 마리오트
Maritain 마리탱
Maritsa 마리차
Mariupol 마리우폴
Marius 마리우스
Marivaux 마리보
Mark 마가, 말구, (도) 마르크
mark 마크
Markab 마르카브
marker beacon 마커 비컨
market 마켓
market basket 마켓 바스켓
marketing 마케팅
marketing cost 마케팅 코스트
marketing research 마케팅 리서치
market leader 마켓 리더
market segment 마켓 세그먼트
market share 마켓 셰어
Markgrafschaft (도) 마르크그라프
Markham 마컴 ㄴ샤프트
Markov 마르코프
Markova 마코바
Markovnikov 마르코브니코프
mark reader 마크 리더
mark sheet 마크 시트
Mark Twain 마크 트웨인
Marlborough 말버러
Marlowe 말로
marmalade 마멀레이드
Marmara 마르마라
marmelo (포) 마르멜로
Marmolada 마르몰라다
marmot 마멋
marmotte (프) 마르모트
Marne 마른
marocain 매러케인
Marot 마로
Marquesas 마키저스
Marquet 마르케
Marquises 마르키즈
Marrakech 마라케시
marron (프) 마롱
marronnier (프) 마로니에
marrons glacés (프) 마롱 글라세
MARS 마르스
Mārs 마르스
Marseillaise (프) 마르세예즈
Marseille 마르세유, 마르세일
Marshak 마르샤크
marshal 마셜
Marshall 마셜
Marshall Plan 마셜 플랜
marshmallow 마시멜로
Marsokhod (러) 마르소호트
mart 마트
Marta 마르타
martelé (프) 마르틀레
martellato (이) 마르텔라토
martenot (프) 마르트노
martensite 마텐자이트
Martí 마르티
Martiālis 마르티알리스
Martin 마틴, 마르틴
Martin du Gard 마르탱 뒤 가르
Martini 마르티니
martini cocktail 마티니 칵테일
Martinique 마르티니크
Martinon 마르티농
Martinson 마르틴손
Martinū 마르티누
Martonne 마르톤
Marut 마루트
MARV 엠 에이 아르 브이, 마브
Marvell 마벌
Marx 마르크스
Marxism 마르크시즘
Marxist 마르크시스트
Marx-Lenin 마르크스 레닌
Mary 메리
Maryland 메릴랜드
Mary Stuart 메리 스튜어트
Masaccio 마사초
Masai 마사이
Masaryk 마사리크
Mascagni 마스카니
mascara 마스카라
Maschinen Ring (도) 마시넨 링
mascot 마스코트
Masefield 메이스필드
maser 메이저
Maseru 마세루
mash 매시
mashed potato 매시트 포테이토
Masherbrum 마셔브룸
masjid (아랍) 마스짓
mask 마스크
Maskerade (도) 마스케라데
masking 마스킹
mask play 마스크 플레이
mask ROM 마스크 롬
mask work 마스크 워크
masochism 마조히즘
Masochismus (도) 마조히스무스
Masolino 마솔리노
Mason 메이슨
Mason-Dixon 메이슨 딕슨
Maspero 마스페로
masques (프) 마스크
mass 매스
Massachusetts 매사추세츠
massage 마사지 「케이션
mass communication 매스 커뮤니
mass democracy 매스 데모크라시
mass dribble 매스 드리블
massé (프) 마세
Massenet 마스네
mass fashion 매스 패션
mass game 매스 게임
Massine 마신
mass leisure 매스 레저
mass media 매스 미디어
Masson 마송
mass production 매스 프로덕션
mass society 매스 소사이어티
mast 마스트
mastaba 마스타바
master 마스터
master course 마스터 코스
master key 마스터 키
Master of Arts 마스터 오브 아츠
Master of Law 마스터 오브 로
Master of Science 마스터 오브 사
masterpiece 마스터피스 ㄴ이언스
master plan 마스터 플랜
Masters 마스터스
Masters Tournament 마스터스 토너먼트
master-slave 마스터슬레이브
master station 마스터 스테이션
mastiff 마스티프
mastodon 마스토돈
Mastodonsaurus 마스토돈사우루스
masturbation 마스터베이션
Masudi 마수디
masurium 마수륨
mat 매트
Matadi 마타디
Matador 매터도어
matador 마타도어
Matagalpa 마타갈파
Mata Hari 마타 하리
Matamoros 마타모로스
Matanzas 마탄사스
match 매치
match play 매치 플레이
match point 매치 포인트
mate 메이트
matelassé (프) 마틀라세
matérialisme (프) 마테리알리슴
maternity dress 머터니티 드레스
mathématique (프) 마테마티크
Mathiez 마티에
matière (프) 마티에르
matinée (프) 마티네
matinée poétique (프) 마티네 포
Matisse 마티스 ㄴ에티크

Mato Grosso 마투그로수
matrix 매트릭스
matroos (네) 마트로스
matte 매트
Matteo Ricci 마테오 리치
Matterhorn 마터호른
Matthaeus 마태오
Matthew 마태, 마두, 마태오
Matthews 매슈스
mattress 매트리스
mat work 매트 워크
Maubant 모방
Maudgalyayana (범) 마우드갈리
아야나
Mauerhaken (도) 마우어하켄
Maugham 몸
Maui 마우이
maul 몰
Mau Mau 마우 마우
Mauna Kea 마우나케아
Mauna Loa 마우나로아
Maupassant 모파상
Maupertuis 모페르튀이
Maurer 마우러
Mauriac 모리아크
Mauritanie 모리타니
Mauritius 모리셔스
Mauritshuis 마우리츠후이스
Maurois 모루아
Maurras 모라스
Maury 모리
Maurya 마우리아
Maus (도) 마우스
Mauser 모제르
Mausoleum 마우솔레움
Max Factor 맥스 팩터
maxi 맥시
Maxim, maxim 맥심
Maximilian 막시밀리안
maximum 맥시멈
maxi skirt 맥시 스커트
Max Planck 막스 플랑크
Maxwell 맥스웰
Maya 마야
Māyā (범) 마야
Mayakovski 마야코프스키
Mayapan 마야판
May Day 메이 데이
Mayer 마이어《메이어》
Mayflower 메이플라워
Mayflower Compact 메이플라워 콤
Mayo 메이요 ⌊팩트
Mayon 마욘
mayonnaise (프) 마요네즈
Maypole 메이폴
May queen 메이 퀸
Mazarin 마자랭
Mazda 마즈다
mazurka 마주르카
Mazzarello 마자렐로
Mazzini 마치니
Mbabane 음바바네
Mbandaka 음반다카
MBC 엠 비 시
MBS 엠 비 에스
MC 엠 시
McBurney 맥버니
McCarran 매캐런
McCarthy 매카시
McCarthyism 매카시즘
McCartney 매카트니
McClintok 매클린톡
McClung 매클렁
McCormick 매코믹
McCullers 매컬러스
McDiarmid 맥더미드
McDougall 맥두걸
McGraw Hill 매그로 힐
McKinley 매킨리
McLuhan 매클루언
McMahon 맥마흔
McMahon line 맥마흔 라인
McMillan 맥밀런
McNamara 맥나마라
McQueen 매퀸
M-day 엠데이
M.D.S. 엠 디 에스
M.E. 엠 이
Mead 미드
Meade 미드
meal 밀
meaning 미닝
Meany 미니
measure 메저 「메스 실린더
measuring cylinder 메저링 실린더,
measuring flask 메저링 플라스크,
meat 미트 ⌊메스 플라스크
Mecca 메카
mechanic 메커닉
mechanical 메커니컬
mechanical automation 메커니컬
오토메이션
mechanical pulp 메커니컬 펄프
mechanical seal 메커니컬 실
mechanism 메커니즘
mechatronics 메커트로닉스
Mechelen 메헬렌
Mechnikov 메치니코프
Mecklenburg 메클렌부르크
médaillon (프) 메다용
medal 메달
medalist 메달리스트
medal play 메달 플레이
Medan 메단
Medawar 메더워
M.E.D.C. 엠 이 디 시
Medeia 메데이아
Medellin 메데인 「템포
medesimo tempo (이) 메데시모
Media 메디아
media 미디어
media mix 미디어 믹스
median 메디안
mediante (이) 메디안테
medias (스) 메디아스
Medical Center 메디컬 센터
medical electronics 메디컬 일렉트
로닉스
medical science 메디컬 사이언스
Medici 메디치
medicine ball 메디신 볼
Medina 메디나
MEDIOS 메디오스
meditation 메디테이션
medium 미디엄
medium shot 미디엄 숏
medley 메들리
medley race 메들리 레이스
medley relay 메들리 릴레이
MEDO 메도
Médoc 메도크
Medusa 메두사
meehanite 미하나이트
meehanite metal 미하나이트 메탈
Meerschaum (도) 메르샤움
Meerut 메루트
meet 미트
meeting 미팅
mega 메가
megabar 메가바
megabit 메가비트
megabyte 메가바이트
megacycle 메가사이클
megadeath 메가데스
mega DRAM 메가디램
megadyne 메가다인
megahertz 메가헤르츠
megalopa 메갈로파
megalopolis 메갈로폴리스
Meganthropus 메간트로푸스
megaphone 메가폰
Megara 메가라
megaron 메가론
Megasthenes 메가스테네스
megatherium 메가테리움
megaton 메가톤
megaton energy 메가톤 에너지
megawatt 메가와트
me generation 미 제너레이션
megger 메거
Megiddo 메기도
megohm 메그옴
Mehlis 멜리스
Mehmet 메메트
Mehmet Ali 메메트 알리
Mehring 메링
meias (포) 메이야스
Meibom 마이봄
Meier-Graefe 마이어그레페
Meierkhol'd 메이에르홀드
Meillet 메예
Meinecke 마이네케
Mein Kampf (도) 마인 캄프
Meinong 마이농
Meir 메이어
Meissner 마이스너
Meister (도) 마이스터 「람
Meister Bertram 마이스터 베르트
Meistergesang (도) 마이스터게장
Meistersinger (도) 마이스터징거
Meitner 마이트너
Meker burner 메커 버너
Meknes 메크네스
Mekong 메콩
Mekong Delta 메콩 델타
melamine 멜라민
melancholia 멜랑콜리아
melancholic 멜랑콜릭
melancholy 멜랑콜리
Melanchthon 멜란히톤
Melanesia 멜라네시아
melanin 멜라닌
melatonin 멜라토닌
Melba 멜바
Melbourne 멜버른
Melchizedek (라) 멜기세덱
Meleagros 멜레아그로스
melena 멜레나
Méliès 멜리에스
melilite 멜릴라이트
Melilla 멜리야
melinite 멜리나이트
melisma (그) 멜리스마
melissa 멜리사
Mellon 멜런
melodion 멜로디언
melodioso (이) 멜로디오소
melodrama 멜로드라마
melody 멜로디
melon 멜론
melos (그) 멜로스
Melozzo da Forli 멜로초 다 포를리
melton 멜턴
Melville 멜빌
member 멤버
membership 멤버십
même (프) 멤
Memlinc 멤링크
Memnon 멤논
memo 메모
mémoire (프) 메무아르
memorandum 메모랜덤
memory 메모리
memory book 메모리 북
memory dump 메모리 덤프
Memphis 멤피스
Menado 메나도
Menam 메남
Menandros 메난드로스
Mencken 멩컨
Menchú 멘추
Mendel 멘델
Mendeleev 멘델레예프
mendelevium 멘델레븀
Mendelism 멘델리즘
Mendelsohn 멘델존
Mendelssohn 멘델스존
Menderes 멘데레스
Mendès-France 망데스프랑스
Mendoza 멘도사
Menelaos 메넬라오스
Menelik 메넬리크
Menes 메네스
Menger 멩거
Menghin 멩긴
Mengs 멩스
menhaden 멘헤이든
Menhir (도) 멘히르
Ménière 메니에르
meno (이) 메노
meno allegro (이) 메노 알레그로
meno mosso (이) 메노 모소
Menon 메논
Menorca 메노르카
Menotti 메노티
menses (라) 멘세스
Mensheviki (러) 멘셰비키
Menshevism 멘셰비즘
Menshikov 멘시코프
Menstruation (도) 멘스, 멘스트루
mental 멘탈 ⌊아치온
mental philosophy 멘탈 필로소피
mental science 멘탈 사이언스
mental test 멘탈 테스트
Mentawai 멘타와이
menthol 멘톨
menu 메뉴
Menuett (도) 메누에트
Menuhin 메뉴인
Menzel 멘첼
Menzies 멘지스
mēon (그) 메온
Mephisto 메피스토
Mephistopheles 메피스토펠레스
mercantilism 머컨틸리즘
mercaptan 메르캅탄
Mercator 메르카토르
Mercedario 메르세다리오
Mercedes-Benz 메르세데스벤츠
Mercer 머서
mercerization 머서리제이션
merchandising 머천다이징
merchandising rights 머천다이징
merchant 머천트 ⌊라이츠
Merchant Adventurers 머천트 어
드벤처러스
merci (프) 메르시
Mercouri 메르쿠리
Mercurius 메르쿠리우스
Mercurochrome 머큐로크롬
Mercury, mercury 머큐리
Meredith 메러디스
Merezhkovski 메레슈코프스키
Mérimée 메리메
merino 메리노
merinos (스) 메리노스
merit 메리트
merit promotion program 메리트
프로모션 프로그램
merit system 메리트 시스템
Merkel 메르켈
Merkmal (도) 메르크말
Merleau-Ponty 메를로퐁티
mermaid line 머메이드 라인
Meroë 메로에
merogony 메로고니
Merriam 메리엄
Merry Christmas 메리 크리스마스
merry-go-round 메리고라운드
Merry Widow 메리 위도
Mersen 메르센
Mersenne 메르센
Merton 머턴
Merz 메르츠
mes (네) 메스
mesa (스) 메사
Mesabi Range 메사비레인지
mescaline 메스칼린
mesh 메시
Meshed 메셰드
Mesmer 메스머
mesmerism 메스머리즘
mesoamerica 메소아메리카
meso 메소
mesohippus 메소히푸스
mesomerism 메소머리즘

meson 메손
Mesopotamia 메소포타미아
mesosaurus 메소사우루스
mesothorium 메소토륨
mesotomy 메소토미
mesotron 메소트론
message 메시지
Messe 메세
messenger 메신저
messenger boy 메신저 보이
messenger-RNA 메신저 아르 엔 에
Messerschmitt 메서슈미트 └이
Messiaen 메시앙
Messiah 메시아
Messianism 메시아니즘
Messier 메시에
Messina 메시나
Messpipette (도) 메스피펫
mestizo (스) 메스티소
mesto (이) 메스토
meta 메타
metacenter 메타센터
metachromasy 메타크로머시
metafora (포) 메타포라
metal 메탈
metal back 메탈 백
metal ceramics 메탈 세라믹
metaldehyde 메타알데히드
metal form 메탈 폼
metal haloid lamp 메탈 할로이드
metal ketyl 메탈 케틸 └램프
metal lath 메탈 라스
metal lens 메탈 렌즈
metallic 메탈릭
metallic colour 메탈릭 컬러
metallicon 메탈리콘
metalloid 메탈로이드
metal ski 메탈 스키
metal tape 메탈 테이프
Metamorphose (도) 메타모르포제
métamorphose (프) 메타모르포즈
Metamorphoses (라) 메타모르포세
metaphor 메타포 └스
metaphysics 메타피직스
metapsychology 메타사이콜로지
Metasequoia 메타세쿼이아
metaxenia 메타크세니아
metaxylene 메타크실렌
métayer (프) 메테예
metazoea 메타조에아
meter 미터
meter glass 미터 글라스
methacrylic 메타크릴
methanal 메탄알
methane 메탄
methane gas 메탄 가스
methanization 메타니제이션
methanol 메탄올
methionine 메티오닌
method 메서드
Methode (도) 메토데
Methodism 메서디즘
Methodist 메서디스트
methoxyl 메톡실
methyl 메틸
methyl alcohol 메틸 알코올
methylamine 메틸아민
methyl cellulose 메틸 셀룰로오스
methylene blue 메틸렌 블루
methyl ether 메틸 에테르 ┌톤
methyl ethyl ketone 메틸 에틸 케
methylnaphthalene 메틸나프탈렌
methyl orange 메틸 오렌지
methyl red 메틸 레드
methyl violet 메틸 바이올렛
métier (프) 메티에
Metis 메티스
METO 메토
metol 메톨
Meton 메톤
mètre (프) 메트르
Metrik (도) 메트리크
métro 메트로
Metro-Goldwyn-Mayer 메트로 골드윈 메이어
metronome 메트로놈
metropolis 메트로폴리스
Metropolitan 메트로폴리탄
Metropolitan Opera House 메트로폴리탄 오페라 하우스
Metsu 메추
Metternich 메테르니히
Metz 메스
Metzinger 메챙제
Meulengracht 모일렌그라흐트
Meumann 모이만
Meunier 뫼니에
meunière (프) 뫼니에르
MeV 메브
Mexicali 멕시칼리
Mexico 멕시코, 메히코
Mexico City 멕시코 시티
Mexico dollar 멕시코 달러
Meyer 마이어
Meyerbeer 마이어베어
Meyer-Förster 마이어 푀르스터
Meyerhof 마이어호프
mezza voce (이) 메차 보체
mezzo (이) 메조
mezzo forte (이) 메조 포르테
mezzo piano (이) 메조 피아노
mezzo-rilievo (이) 메조릴리에보
mezzo-soprano (이) 메조소프라노
mezzo-staccato (이) 메조스타카토
mezzotint 메조틴트
MF 엠 에프
MFA 엠 에프 에이
MGM 엠 지 엠
M.H.D. 엠 에이치 디
mho 모
Miami 마이애미
mica 마이카
mica condenser 마이카 콘덴서
micadon 마이카돈
Micah 미가
micanite 마이카나이트
micelle 미셀
micell-colloid 미셀콜로이드
Michael 미가엘
Michaux 미쇼
Michel 미헬
Michelangeli 미켈란젤리
Michelangelo 미켈란젤로
Michelet 미슐레
Michelin 미슐랭
Michelozzo di Bartolommeo 미켈로초 디 바르톨롬메오
Michels 미헬스
Michelson 마이컬슨
Michelson-Morley 마이컬슨 몰리
Michener 미치너
Michigan 미시간
Michurin 미추린
Mickiewicz 미츠키에비치
M.I.C.R. 엠 아이 시 아르
micro 마이크로, (프) 미크로
microbalance 마이크로밸런스
microbus 마이크로버스
microcard 마이크로카드 ┌더
microcard reader 마이크로카드 리
microcomputer 마이크로컴퓨터
microcosm 마이크로코즘
microcurie 마이크로퀴리
microelectronics 마이크로일렉트로닉스
microfarad 마이크로패럿
microfiche 마이크로피시
microfilm 마이크로필름
microgram 마이크로그램
microgramme (프) 미크로그람
microhm 마이크로옴
microindicator 마이크로인디케이
micro-layer 마이크로레이어 └터
microlens 마이크로렌즈
micrometer 마이크로미터
micromicro-farad 마이크로마이크로패럿
micro-micron 마이크로미크론
micromicron (프) 미크로미크롱
micromodule 마이크로모듈
micron 미크론
Micronesia 미크로네시아
microphone 마이크로폰 ┌터
microphotometer 마이크로포토미
microprocessor 마이크로프로세서
microprogram 마이크로프로그램
micropyrometer 마이크로파이로미터
microreader 마이크로리더
microscopic 마이크로스코픽
microsecond 마이크로세컨드
microsome 마이크로솜
microtome 마이크로톰
microwave 마이크로웨이브
micrurgy 마이크러지
Midas 미다스
middle 미들
middle class 미들 클래스
middle four 미들 포
middle heavy 미들 헤비
middle hole 미들 홀
middle iron 미들 아이언 ┌먼트
middle management 미들 매니지
Middlesbrough 미들즈브러
middle school 미들 스쿨
Middlesex 미들섹스
middle teen 미들 틴
middleweight 미들웨이트
middy 미디
middy jacket 미디 재킷
middy skirt 미디 스커트
midfield 미드필드 ┌가르트
Midgard 미드가르드, (도) 미트
midget 미제트
Midhat 미드하트
MIDI 미디
Midian 미디안
midinette (프) 미디네트
Midland 미들랜드
midnight 미드나이트
Midway 미드웨이 ┌로에
Mies van der Rohe 미스 반 데어
MIG 미그
migmatite 미그마타이트
Mignard 미냐르
Mignet 미녜
Mignon 미뇽
migraenin 미그레닌
Miguel 미겔
mikado 미카도
Mikhailovski 미하일로프스키 ┌프
Mikhail Romanov 미하일 로마노
Mikoyan 미코얀 ┌스
Mikrokosmos (도) 미크로코스모
Mikrotom (도) 미크로톰
Mikulicz 미쿨리치
mil 밀
Milano 밀라노
mild coffee 마일드 커피
mile 마일
milepost 마일포스트
miler 마일러
Milestone 마일스톤
Miletos 밀레토
miletus 밀레투스
Milford 밀퍼드
Milhaud 미요
milieu (프) 밀리외
militarism 밀리터리즘
militarist 밀리터리스트
military look 밀리터리 룩
military march 밀리터리 마치
milk 밀크
milk caramel 밀크 캐러멜
milker 밀커
milk food 밀크 푸드
milk hall 밀크 홀
milk plant 밀크 플랜트
milk shake 밀크 셰이크
milky hat 밀키 해트
Mill 밀
Millais 밀레이
Miller 밀러
Milles 밀레스
Millet 밀레
milli 밀리
milliammeter 밀리암미터
milliampere 밀리암페어
millibar 밀리바
millicurie 밀리퀴리
milligal 밀리갈
milligram 밀리그램
Millikan 밀리컨
milliliter 밀리리터
millimeter 밀리미터
millimicron 밀리미크론
millimol 밀리몰
milling 밀링
milling machine 밀링 머신
million 밀리언
millionaire 밀리어네어 ┌레코드
million seller record 밀리언 셀러
Millirӧntgen (도) 밀리뢴트겐
millivolt 밀리볼트
milliwatt 밀리와트
Millon 밀롱
Mills 밀스
Milne 밀른
Milo 밀로
milonga (스) 밀롱가
Milos 밀로스
Milosz 밀로시
Miłosz 미워시
Milstein 밀스타인; 밀스테인
Miltiades 밀티아데스
Milton 밀턴
Milwaukee 밀워키
Milyukov 밀류코프
Mimamsa 미맘사
Mimas 미마스
mime 마임
mimeograph 미미어그래프
mimesis (그) 미메시스
mimic 미믹
Mimir 미미르
mimollet (프) 미몰레
mimosa 미모사
Minangkabau 미낭카바우
minaret 미너렛
mince 민스
mince beef 민스 비프
mince eggs 민스 에그스
mince pie 민스 파이
mind 마인드
Mindanao 민다나오
mindoro 민도로
mineral 미네랄
mineralogy 미네랄로지
mineral water 미네랄 워터
Minerva 미네르바
minette (프) 미네트
mini 미니 ┌튀르
miniature 미니어처, (프) 미니아
miniature car 미니어처 카
miniature set 미니어처 세트
minicamera 미니카메라
minicar 미니카
mini communication 미니 커뮤니케이션
minicomputer 미니컴퓨터
minidress 미니드레스
minifly 미니플라이
minimal art 미니멀 아트
minimax 미니맥스
minimeter 미니미터
minimum 미니멈
minimum essentials 미니멈 에센
minion 미니언 └셜스
miniskirt 미니스커트
mini soccer 미니 사커
minister 미니스터
Ministeriale (도) 미니스테리알레
Mini Tel (프) 미니텔
minium 미늄
mink 밍크
Minke 밍크

Minkowski 민코프스키
Minneapolis 미니애폴리스
Minnesang (도) 미네장
Minnesänger (도) 미네젱거
Minnesinger (도) 미네징거
Minnesota 미네소타
Miño 미뇨
Minōa 미노아
minor 마이너
Minorca 미노르카
minority 마이노리티
minor league 마이너 리그
Minos 미노스
Minot 마이넛
Minotauros 미노타우로스
Minsk 민스크
minstrel 민스트럴
minstrel show 민스트럴 쇼
minuet 미뉴에트
minus 마이너스
Minusinsk 미누신스크
Minuteman 미니트맨
mir (러) 미르
Mira 미라
Mirabeau 미라보
miracidium 미라시듐
miracle 미러클
miracle margarine 미러클 마가린
Mirage (프) 미라주
mirage (프) 미라주
Mirak 미라크
Miran 미란
Mirbeau 미르보
Miri 미리
mirnyi 미르니
Mirő 미로
mirra (포) 미라
mirror 미러
mirror ball 미러 볼
M.I.R.V. 엠 아이 아르 브이
MIS 미스
M.I.S. 엠 아이 에스
misanthrope (프) 미장트로프
misanthropisme (프) 미장트로피슴
miscast 미스캐스트
misérable (프) 미제라블
Mises 미제스
misjudge 미스저지
Miskolc 미슈콜츠
mislead 미스리드
misogamist 미소거미스트
misogynist 미소지니스트
misprint 미스프린트
Miss 미스
miss 미스
missa (라) 미사
Miss Asia 미스 아시아
missa solemnis (라) 미사 솔렘니스
missing link 미싱 링크
Miss International 미스 인터내셔널
mission 미션
missionary 미셔너리
mission school 미션 스쿨
Mississippi 미시시피
Miss Korea 미스 코리아
Missouri 미주리
Miss Universe 미스 유니버스
Miss World 미스 월드
Miss Young International 미스 영 인터내셔널
mist 미스트
mistake 미스테이크
Mister, Mr. 미스터
misterioso (이) 미스테리오소
Misti 미스티
Mistral 미스트랄
mistral (프) 미스트랄
mistress 미스트리스
Misurata 미수라타
Mitchell 미첼
Mithra 미트라
Mithridates 미트리다테스
Mitin 미틴
mitochondria 미토콘드리아
mitogen 미토겐
mitomycin 마이토마이신, 미토마이신
Mitropoulos 미트로풀로스
Mitscherlich 미처리히
mitt 미트
mitten 미튼
Mitterrand 미테랑
mix 믹스
mixed doubles 믹스트 더블스
mixer 믹서
Mixteca 미스테카
mixture 믹스처
Miz 미즈
Mizar 미자르
MK 엠 케이
MKS 엠 케이 에스
MKSA 엠 케이 에스 에이
M.L. 엠 엘
M.M.C. 엠 엠 시
M.N. 엠 엔
moa 모아
Moab 모아브, 모압
mob 모브
Mobile 모빌
mobile 모빌, (이) 모빌레
mobile eye 모빌 아이
mobile ham 모빌 햄
mobility 모빌리티
mobillage 모빌리지
Möbius 뫼비우스
MOBS 엠 오 비 에스
mob scene 모브 신
Moby Dick 모비 딕
moccasin 모카신
Mocha coffee 모카 커피
Mochica 모치카
mock turtleneck 목 터틀넥
mock-up 목업
mode (영) (프) 모드
model 모델
model case 모델 케이스
model change 모델 체인지
model house 모델 하우스
modéliste (프) 모델리스트
modelling 모델링
model school 모델 스쿨
model set 모델 세트
MODEM 모뎀
Modena 모데나
moderato (이) 모데라토
moderator 모더레이터
modern 모던
modern art 모던 아트
modern ballet 모던 발레
modern craft 모던 크라프트
modern dance 모던 댄스
modern design 모던 디자인
modernism 모더니즘
modernist 모더니스트
modernity 모더니티
modern jazz 모던 재즈
modernology 모더놀로지
modern stage 모던 스테이지
modified American plan 모디파이드 아메리칸 플랜
Modigliani 모딜리아니
Modjokerto 모조케르토
mods look 모즈 룩
modulation 모듈레이션
module 모듈
modular 모듈러
modular programming 모듈러 프로그래밍
modulor (프) 모뒬로르
modus vivendi (라) 모두스 비벤디
moellon 모엘론
moeritherium (라) 메리테리움
Moffet 모펫
Mogadishu 모가디슈
Mogol 모골
mogol (포) 몰
mohair 모헤어
mohair fleece 모헤어 플리스
mohair plush 모헤어 플러시
Mohammed 모하메드
Moharram 모하람
Mohenjo-Daro 모헨조다로
Moholy-Nagy 모호이너지
Mohr pipet 모어 피펫
Mohs 모스
Moï 모이
Moirai 모이라이
moiré (프) 무아레
Moissan 무아상
moisture 모이스처
Mojave 모하비
mol 몰
Moldau 몰다우
Moldavia 몰다비아
Moldova 몰도바
Molech 몰렉
molectronics 몰렉트로닉스
Molecular sieves 몰레큘러 시브
Molière 몰리에르
Molina 몰리나
Molinism 몰리니즘
Molisch 몰리슈
Moll (도) 몰
Mollendo 모옌도
Möllendorf 묄렌도르프
Möller-Barlow 묄러 발로
Mollet 몰레
Mollweide 몰바이데
Molnár 몰나르
Molnya 몰냐
Moloch 몰록
Molokai 몰로카이
Molony 몰로니
Molotov 몰로토프
Moltke 몰트케
molto (이) 몰토
molto adagio (이) 몰토 아다지오
Moluccas 몰루카
Molybdän (도) 몰리브덴
moment 모멘트
momentalism 모멘털리즘
moment musical 모멘트 뮤지컬
Mommsen 몸젠
Momos (그) 모모스
Mon 몬
Monaco 모나코
monad 모나드
monadnock 모나드녹
monadology 모나돌로지
Mona Lisa 모나리자
mon ami (프) 모나미
Monarchianism 모나르키아니즘
monarchism 모너키즘
monarchy 모너키
monaural 모노럴
monaural record 모노럴 레코드
monaz 모나즈
monazite 모나자이트
Monday 먼데이
Mond gas 몬드 가스
Mond nickel 몬드 니켈
Mondriaan 몬드리안
Monel metal 모넬 메탈
monera 모네라
Monet 모네
Moneta 모네타
monetarist 머니터리스트
monetary survey 머니터리 서베이
money 머니
money flow 머니 플로
money loan 머니 론
money supply 머니 서플라이
Monge 몽주
Mongol 몽골
Mongolia 몽골리아
Mongolian 몽골리안
Mongolism 몽골리즘
Mongolismus (도) 몽골리스무스
Mongoloid 몽골로이드
mongoose 몽구스
Monilia 모닐리아
monism 모니즘
monitor 모니터
monitor television 모니터 텔레비전
Moniz 무니스
monkey 멍키
monkey dance 멍키 댄스
monkey spanner 멍키 스패너
monkey wrench 멍키 렌치
Mon-Khmer 몬 크메르
Monna Vanna (이) 몬나 반나
Monnet Plan 모네 플랜
Monnier 모니에
monoamine 모노아민
monoamine oxidase 모노아민 옥시다아제
monochord 모노코드
monochromator 모노크로메이터
monochrome 모노크롬
monocle 모노클
monoclonal 모노클로널
monocolor 모노컬러
monoculture 모노컬처
Monod 모노
monodrama 모노드라마
Monogamy 모노거미
monogram 모노그램
monograph 모노그래프
monologue 모놀로그 「테리외르
monologue intérieur 모놀로그 앵테리외르
monomania 모노마니아
monomer 모노머
monophony 모노포니
monoplane 모노플레인
monopoly 모노폴리
monorail 모노레일
monoscope 모노스코프
mono sex 모노 섹스
monotheism 모노시이즘
Monotheletismus (도) 모노텔레티스무스
monotone 모노톤
Monotype 모노타이프
Monroe 먼로
Monrovia 몬로비아
monsieur (프) 무슈
monsignor 몬시뇰
monsoon 몬순
monster 몬스터
monstera 몬스테라
montage 몬타지, (프) 몽타주
montagnards (프) 몽타냐르
Montaigne 몽테뉴
Montale 몬탈레
Montana 몬태나
Montand 몽탕
Montanus 몬타누스
Mont Blanc 몽블랑
Mont Blanc Tunnel 몽블랑 터널
Monte Carlo 몬테 카를로
Monte Cassino 몬테 카시노 「디슨
Montecatini Edison 몬테카티니 에디슨
Montecristo 몬테크리스토
Montelius 몬텔리우스
Montenegro 몬테네그로
Monte Rosa 몬테로사
Monterrey 몬테레이
Montesquieu 몽테스키외
Montessori 몬테소리
Monteux 몽퇴
Monteverdi 몬테베르디
Montevideo 몬테비데오
Monte Viso 몬테비소
Montezuma 몬테수마
Montfort 몽포르
Montgolfier 몽골피에
Montgomery 몽고메리
Montherlant 몽테를랑
monthly 먼슬리
monti 몬티
Monticelli 몽티셀리
Montmartre 몽마르트르
montmorillon 몬모릴론
montmorillonite 몬모릴로나이트
Montparnasse 몽파르나스
Montpellier 몽펠리에
Montreal 몬트리올

Mont-Saint-Michel 몽 생 미 셸
monument 모뉴먼트
Monzoni 몬조니
mood 무드
mood conditioning 무드 컨디셔닝
mook 무크
moon 문
moon fish 문 피시
moonlight 문라이트
Moonlight Sonata 문라이트 소나타
moon stone 문 스톤
Moor 무어
Moore 무어
mop 몹
moped 모페드
moquette 모켓
mora 모라
moraine 모레인
moral 모럴
moralist 모럴리스트
moraliste (프) 모랄리스트
morality 모랠리티
morality play 모럴 플레이
moral risk 모럴 리스크
moral sense 모럴 센스
moral support 모럴 서포트
moratorium 모라토리엄
Morava 모라바
Moravia 모라비아
Mordent (도) 모르덴트
Mordova 모르도바
More 모어
Moréas 모레아스
Moreau 모로
Morelia 모렐리아
Morelli 모렐리
morendo (이) 모렌도
Moreno 모레노
mores 모레스
Morgagni 모르가니
Morgan 모건; 모르강
Morgarten 모르가르텐
Morgenstern 모르겐슈테른
Morgenthau 모건소
morgue (프) 모르그
Móricz 모리츠
Mōrike 뫼리케
Morin (프) 모랭
Mormon 모르몬
Mormonism 모르모니즘
mormorando (이) 모르모란도
morning 모닝
morning call 모닝 콜
morning coat 모닝 코트
morning coffee 모닝 커피
morning cup 모닝 컵
morning dress 모닝 드레스
morning show 모닝 쇼
Morning Star 모닝 스타
Moro 모로
Morocco 모로코
morphine 모르핀
morphology 모폴로지
Morris 모리스
morris dance 모리스 댄스
Morrison 모리슨
Morse 모스
mortar 모르타르
mortgage 모기지
Morton 모턴
MOS 모스
mosaic 모자이크
mosaic glass 모자이크 글라스
Mosca 모스카
Moscow 모스코
Mose 모세
Moseley 모즐리
Moselle (프) 모젤
Moser 모저
moshav 모샤브
Moshi 모시
MOS IC 모스 아이 시
Moskva 모스크바
Moslem 모슬렘
mosque 모스크
mosquito 모스키토
Mossadegh 모사데크
Mōssbauer 뫼스바우어
moss green 모스 그린
MOS transister 모스 트랜지스터
Mosul 모술
Moszkowski 모슈코프스키
motel 모텔
motetto (이) 모테토
mother 머더
mother country 머더 컨트리
mother tongue 머더 텅
motif 모티프
motion 모션
motion picture 모션 픽처
motion-tracer 모션 트레이서
motivation 모티베이션
motivation research 모티베이션 리
motive 모티브 ㄴ서치
motivism 모티비즘
moto (이) 모토
moto-cross 모토크로스
motor 모터
motorbicycle 모터바이시클
motorbike 모터바이크
motorboat 모터보트
motorboat race 모터보트 레이스
motorcar 모터카
motor coach 모터 코치
motorcycle 모터사이클
motor fan 모터 팬 「진
motor fire engine 모터 파이어 엔
motor grader 모터 그레이더
motorization 모터리제이션
motor oil 모터 오일
motor pool (미) 모터 풀
motor scooter 모터 스쿠터
motor ship 모터 십
motor show 모터 쇼
motor siren 모터 사이렌
motor sports 모터 스포츠
Mott 모트
motto 모토
moujik (프) 무지크
moulding 몰딩
Moulin Rouge (프) 물랭 루주
Moulmein 모울메인
Moulton 몰턴
mound 마운드
mount 마운트
mountain bicycle 마운틴 바이시클
mountain bike 마운틴 바이크
mountain music 마운틴 뮤직
Mousa 무사
mouse 마우스
mouse unit 마우스 유닛
mousse (프) 무스
mousseline (프) 모슬린
Moustier 무스티에
mouthpiece 마우스피스
mouvement (프) 무브망
movement 무브먼트
movie 무비
movie camera 무비 카메라
moving picture 무빙 픽처
moviola 무비올라
mower 모어
Mozambique 모잠비크
Mozárabe (스) 모사라베
Mozart 모차르트
MP 엠 피
M.P.C. 엠 피 시
m.p.h. 엠 피 에이치
MQ 엠 큐
M/R 엠 아르
Mr. 미스터
MRA 엠 아르 에이
Mravinskii 므라빈스키
MRBM 엠 아르 비 엠
M.R.C.A. 엠 아르 시 에이
MRI 엠 아르 아이
Mrs. 미시즈
M.R. series 엠 아르 시리즈
Ms., Ms 미즈
M.S. 엠 에스
M.S.A. 엠 에스 에이
M.Sc. 엠 에스 시
M.S.R. 엠 에스 아르
MT 엠 티
M.T.P. 엠 티 피
MTR 엠 티 아르
Muawiyah 무아위야
mucin 뮤신
mucoid 뮤코이드
mudéjar (스) 무데하르
muff 머프
muff bag 머프 백
muffin 머핀
muffle 머플
muffler 머플러
Mughul 무굴
Muhammad 무하마드
Mukden 묵덴
mulching 멀칭
mule 뮬
Mūlheim 뮐하임
Mulhouse 뮐루즈
Muller 멀러
Mūller 뮐러
Mulliken 멀리컨
mullite 멀라이트
Multan 물탄
multichannel 멀티채널
multiflash 멀티플래시
multiple art 멀티플 아트
multiple foul 멀티플 파울 「글라스
multiple layer glass 멀티플 레이어
multiple pages 멀티플 페이지
multiple throw 멀티플 스로
multiscreen 멀티스크린
multiway 멀티웨이
multiway speaker system 멀티웨이 스피커 시스템
multiwindow 멀티윈도
Mumford 멈퍼드
mu'min (아랍) 무민
mummy 머미
Mun 먼
Munch 뭉크
Mūnch 뮌슈
Mūnchen 뮌헨
Munda 문다
Munich 뮤닉
Munk 뭉크
Mūnster 뮌스터
Mūnsterberg 뮌스터베르크
Munter (도) 문터
Mūnzer 뮌처
muon 뮤온
Muratori 무라토리 「아무르스키
Muraviyov-Amurskii 무라비요프
Murcia 무르시아
Murdoch 머독
Murdock 머독
Murillo 무리요
Murmansk 무르만스크
Murphy 머피
Murray 머리
Murrumbidgee 머럼비지
Murry 머리
Mururoa 무루로아
Musaios 무사이오스
muscari (라) 무스카리
muscarine 무스카린
muscarufin 무스카루핀
Muscat 무스카트
muscat 머스캣
Muscat & Oman 무스카트 오만
muscone 무스콘
Muse 뮤즈
Mūseion 무세이온
musette (프) 뮈제트
museum 뮤지엄
music 뮤직 「비아타
musica arabiata (이) 무지카 아라
musica da camera (이) 무지카 다
musical 뮤지컬 ㄴ카메라
musical comedy 뮤지컬 코미디
musical play 뮤지컬 플레이
musical saw 뮤지컬 소
musical show 뮤지컬 쇼
music book 뮤직 북
music center 뮤직 센터
music drama 뮤직 드라마
music hall 뮤직 홀
musician 뮤지션
music library 뮤직 라이브러리
music master 뮤직 마스터
music minus one 뮤직 마이너스 원
Musil 무질 「크레트
musique concrète (프) 뮈지크 콩
musk 머스크
muskmelon 머스크멜론
muskrat 머스크랫
Muslim (아랍) 무슬림
Mussorgsky 무소르크스키
Muspelheim 무스펠헤임
Musset 뮈세
Mussolini 무솔리니
mustang 무스탕
mustard 머스터드
mustard gas 머스터드 가스
mustard sauce 머스터드 소스
Mut 무트
Mutanabbi 무타나비
Mutare 무타레
mutation theory 뮤테이션 시어리
Mutel 뮈텔
Muti 무티
Mutter (도) 무터
mutton 머튼
muumuu 무무
muzhik (러) 무지크
MVP 엠 브이 피
MWD 엠 더블유 디
MWS 엠 더블유 에스
MX missile 엠 엑스 미사일
Myanmar 미얀마
Myaskovskii 먀스코프스키
Mycenae 미케네
mycillin 마이실린
mycin 마이신
mycoplasma 미코플라스마
mycotoxin 미코톡신
Myitkyina 미치나
Mykonos 미코노스
mylodon 밀로돈
mylonite 밀로나이트
myoglobin 미오글로빈
myosin 미오신
Myrdal 뮈르달
myriameter 미리어미터
Myron 미론
myrrha (라) 미르라
Mysore 마이소르
mystery 미스터리
mystery circle 미스터리 서클
mystery hunter 미스터리 헌터
mystery story 미스터리 스토리
mystic 미스틱
mysticism 미스티시즘
mythology 미솔로지
Mythos (도) 뮈토스

N, n 엔
nabam 나밤
nabi (아랍) 나비
Nabis (프) 나비
Nablus 나블루스
Nabokov 나보코프
Nabopolassar 나보폴라사르
nacelle 나셀
Nachtigal 나흐티갈, 나하티갈
Nadar 나다르
Nader 네이더
Nadezhdin 나데주딘

NADGE 나지
Nadir Shah 나디르 샤
Naga 나가
Nāgabodgi (범) 나가보디
Nāgārjuna (범) 나가르주나
Nagasena (범) 나가세나
Nägeli 네겔리
Nagorno-Karabakh 나고르노카라바흐
Nagpur 나그푸르
Naguib 나기브
Nagy 너지
Nahal 나할
Nahas Pasha 나하스 파샤
Nahuel Huapí 나우엘 우아피
Nahum 나훔
Naias 나이아스
Naidu 나이두
nail 네일
nail enamel 네일 에나멜
nail polish 네일 폴리시
Naiman 나이만
Nairobi 나이로비
naïve (프) 나이브
Najaf 나자프
Najas (라) 나자스
nak 나크
Nakhimov 나히모프
Nakhodka 나홋카
Nakhon Ratchasima 나콘 라차시마
Nakhon Si Thammarat 나콘시탐마라트
nakṣatra (범) 나크샤트라
Nakuru 나쿠루
Nālandā 날란다
Namcha Barwa 남차 바르와
Nam Tso 남초
name 네임
name plate 네임 플레이트
name value 네임 밸류
Namibia 나미비아
NANA 나나
Nana 나나
Nancy 낭시
Nanai 나나이
NAND 낸드
Nanda 난다
Nanda Devi 난다데비
Nanga Parbat 낭가파르바트
nano- 나노-
Nansen 난센
Nantes 낭트
napalm 네이팜
nape line 네이프 라인
naphtha 나프타
naphthalene 나프탈렌
naphthene 나프텐
naphthiomate 나프티오메이트
naphthol 나프톨
naphthylamine 나프틸아민
Napier 네이피어
napkin 냅킨
Naples 네이플스
Napoléon, napoléon 나폴레옹, (프) 나폴레옹
Napoléon collar 나폴레옹 칼라
Napoli 나폴리
Naram-Sin 나람신
Narbada 나르바다
Narcisse (프) 나르시스
narcissism 나르시시즘
narcissist 나르시시스트
narcolepsy 나르콜렙시
narcotine 나르코틴
Narkissos (그) 나르키소스
Narmada 나르마다
Narodniki 나로드니키
narratage (프) 나라타주
narration 내레이션
narrator, narrator 내레이터
Narses 나르세스
Narváez 나르바에스
Narvik 나르비크
NASA 나사
NASAKOM 나사콤
NASARR 나사르
Naseby 네이즈비
Nash 내시
Nashville 내슈빌
Nasik 나시크
Nassau 나소, 나사우
Nasser 나세르
Nasserism 나세리즘
Nastika 나스티카
Nasution 나수티온
Nat 나트
Natal 나탈
Nathan 나단 ; 네이선
Nathans 네이선스
Nathanael 나다나엘
Nation, nation 네이션
national 내셔널
national assembly 내셔널 어셈블리
national atlas 내셔널 아틀라스
National Bank, national bank 내셔널 뱅크
National Cash Register 내셔널 캐시 레지스터
National Gallery 내셔널 갤러리
national game 내셔널 게임
National Geographic Magazine 내셔널 지오그래픽 매거진
national interest 내셔널 인터레스트
nationalism 내셔널리즘
nationalist 내셔널리스트
nationality 내셔낼리티
nationalization 내셔널리제이션
National League 내셔널 리그
national minimum 내셔널 미니멈
National Press Club 내셔널 프레스 클럽
NATM 나틈, 엔 에이 티 엠
NATO 나토
NATO-A 나토에이
Natorp 나토르프
Natrium (도) 나트륨
Natriumacetylid 나트륨아세틸리드
Natriumalkoholat 나트륨알코올라트
Natriumamalgam 나트륨아말감
Natriumamid 나트륨아미드
Natriumäthoxyd 나트륨에톡시드
Natrium lamp 나트륨 램프
Natriummethoxyd 나트륨메톡시드
natrolite 나트롤라이트
Natta 나타
Nattier 나티에
Natuf 나투프
Natuna 나투나
natural 내추럴
natural cheese 내추럴 치즈
naturalism 내추럴리즘
naturalist 내추럴리스트
natural science 내추럴 사이언스
natural selection 내추럴 실렉션
natural tone 내추럴 톤
nature 네이처
naturism 네이처리즘
Nātya-śāstra 나티아샤스트라
Naumann 나우만
nauplius 노플리우스
Nauru 나우루
Nautilus 노틸러스
Navaho 내바호
Navajo 나바호
naval review 네이벌 리뷰
Navarino 나바리노
Navarra 나바라
navel 네이블
navel orange 네이블 오렌지
Návpaktos 나프팍토스
navy blue 네이비 블루
Naxos 낙소스
Nazareth 나사렛
Nazarus 나사로
Nazca 나스카
Nazi (도) 나치
Nazis (도) 나치스
Nazism 나치즘
NBC 엔 비 시
N.B.R. 엔 비 아르
NC 엔 시
N.D. 엔 디
N.D.B. 엔 디 비
N'Djamena 은자메나
Neanderthal (도) 네안데르탈
near ball 니어 볼
near miss 니어 미스
neat dresser 니트 드레서
Nebraska 네브래스카
Nebuchadnezzar 느부갓네살, 네부카드네자르
nebula 네뷸러
Necho 네코
neck 넥
Neckar 네카어
Necker 네케르
neckerchief 네커치프
necking 네킹
necklace 네크리스
necklet 네크릿
neckline 네크라인
necktie 넥타이
necktie pin 넥타이핀
neckwear 넥웨어
NECOLIM 네콜림
necromantism 네크로맨티즘
necrophobia 네크로포비아
nectar 넥타
necton 넥톤
N.E.D. 엔 이 디
Needham 니덤
needle 니들
Néel 네엘
Nefertum 네페르툼
Nefud 네푸드
nega film 네거 필름
negative 네거티브
negative list 네거티브 리스트
nagative system 네거티브 시스템
négligé (프) 네글리제
negotiation 니고시에이션
Negri 네그리
Negrillo 니그릴로
Negrito 니그리토
Negro 니그로 ; 네그로, 네그루
Negroid 니그로이드
Negro minstrels 니그로 민스트럴
Negros 네그로스
Negro spiritual 니그로 스피리추얼
Nehemiah 느헤미야
Nehru 네루
Neill 닐
Neilson 닐슨
Nein 나인
Neisse 나이세
Neisser 나이서
Nejd 네지드
Nekrasov 네크라소프
nektar (그) 넥타르
Nēleus 넬레우스
nelson, Nelson 넬슨
Nematoda 네마토다
Němcová 넴초바
Nemea 네메아
Nemesis 네메시스
Nemirovich-Danchenko 네미로비치단첸코
Nenni 넨니
neo 네오
Neo-Classicism 네오클래시시즘
neo-colonialism 네오콜로니얼리즘
neo-dada 네오다다
Neo-Darwinism 네오다위니즘
Neodym (도) 네오딤
neodymium 네오디뮴
Neo-Freudism 네오프로이디즘
Neo-Humanism 네오휴머니즘
néo-idéalisme (프) 네오이데알리슴
Neo-Impressionism 네오임프레셔니즘
Neo-Lamarckism 네오라마르키즘
néologie (프) 네올로지
néologisme (프) 네올로지슴
néologiste (프) 네올로지스트
Neo-Malthusianism 네오맬슈지어니즘
Neo-Marxism 네오마르크시즘
Neo-Mendelism 네오멘델리즘
Neo-Mercantilism 네오머컨틸리즘
neo-muscat 네오머스캣
neomycin 네오마이신
neon 네온
Neo-Nazism 네오나치즘
neon lamp 네온램프
neon sign 네온 사인
néo-plasticisme (프) 네오플라스티시즘
Neo-Platonism 네오플라토니즘
neoprene 네오프렌
Neo-Realism 네오리얼리즘
neo-realismo (이) 네오레알리스모
Neo-Romanticism 네오로맨티시즘
Neosalvarsan (도) 네오살바르산
Neoschwagerina (라) 네오슈와게리나
Neo-Thomism 네오토미즘
NEP 네프
Nepal 네팔
nephron 네프론
Nephrose (도) 네프로제
Nephthys 네프티스
nepotism 네포티즘
Neptune 넵튠
neptunium 넵투늄
Neptunus 넵투누스
Nerchinsk 네르친스크
Nereus 네레우스
Nergal 네르갈
Nernst 네른스트
Nero 네로
neroli 네롤리
Nerthus 네르투스
Neruda 네루다
Nerva 네르바
Nerval 네르발
NESA 네사
Nesmeyanov 네스메야노프
Ness 네스
Nessler 네슬러
nest 네스트
Nestor 네스토르
Nestorius 네스토리우스
Nestroy 네스트로이
net 네트
netball 네트볼
Netherlands 네덜란드
net in 네트 인
nethinim (그) 느디님
net out 네트 아웃
net over 네트 오버
net play 네트 플레이
net price 네트 프라이스
net ton 네트 톤
net touch 네트 터치
network 네트워크
Neuchâtel 뇌샤텔
Neue Rundschau (도) 노이에 룬트샤우
Neue Sachlichkeit (도) 노이에 자흘리히카이트
Neue Tanz 노이에 탄츠
Neuilly (프) 뇌이
neuma (라) 네우마
Neumann 노이만
Neumann-Kopp 노이만 코프
neuro computer 뉴로 컴퓨터
neuron 뉴런
Neuron (도) 노이론
Neurose (도) 노이로제
Neusiedler 노이지들러
Neutra 노이트러
neutral corner 뉴트럴 코너
neutrality 뉴트랠리티
neutral zone 뉴트럴 존
neutrino 뉴트리노
neutrodyne 뉴트로다인
neutron 뉴트론
Neva 네바
Nevada 네바다
never 네버
nevermind 네버마인드

new 뉴
New Amsterdam 뉴암스테르담
Newark 뉴어크
New Atlantis 뉴아틀란티스
New Bedford 뉴베드퍼드
New Britain 뉴브리튼
New Brunswick 뉴브런즈윅
New Caledonia 뉴칼레도니아
New Castle 뉴캐슬
Newcastle upon Tyne 뉴캐슬어폰
new ceramics 뉴 세라믹스 └타인
new cinema 뉴 시네마
Newcomb 뉴컴
Newcomen 뉴커먼
new criticism 뉴 크리티시즘
New Deal 뉴 딜
New Delhi 뉴델리
New England 뉴잉글랜드
New English Dictionary 뉴 잉글리
new face 뉴 페이스 └시 딕셔너리
new fashion 뉴 패션
New Foundation 뉴 파운데이션
Newfoundland 뉴펀들랜드
Newfoundland Bank 뉴펀들랜드
New Frontier 뉴 프런티어 └뱅크
New Fund 뉴 펀드
Newgate 뉴게이트
New Georgia 뉴조지아
New Guinea 뉴기니
new hair style 뉴 헤어 스타일
New Hampshire 뉴햄프셔
New Hanover 뉴해노버
New Haven 뉴헤이번
new hair style 뉴 헤어 스타일
new heavy 뉴 헤비
New Hebrides 뉴헤브리디스
Ne Win 네 윈
New Ireland 뉴아일랜드
new jazz 뉴 재즈
New Jersey 뉴저지
Newlands 뉼런즈
New Left 뉴 레프트
New London 뉴런던
new long 뉴 롱
new look 뉴 룩
new magnetics 뉴 마그네틱스
Newman 뉴먼
New Mexico 뉴멕시코
new mode 뉴 모드
New Naturalism 뉴 내추럴리즘
New Netherland 뉴네덜란드
New Orleans 뉴올리언스
Newport 뉴포트 ┌페스티벌
Newport Jazz Festival 뉴포트 재즈
New Providence 뉴프로비던스
new rating (미) 뉴 레이팅
New Realism 뉴 리얼리즘
New Republic 뉴 리퍼블릭
New Right 뉴 라이트
new rock 뉴 록
news 뉴스
news analyst 뉴스 애널리스트
news camera 뉴스 카메라
news caster 뉴스 캐스터
News Chronicle 뉴스 크로니클
news desk 뉴스 데스크
news letter 뉴스 레터
news magazine 뉴스 매거진
News of the World 뉴스 오브 더
new soul 뉴 솔 └월드
New South Wales 뉴사우스웨일스
New Spain 뉴스페인
newspaper 뉴스페이퍼
news reel 뉴스 릴
news room 뉴스 룸
news sense 뉴스 센스
news show 뉴스 쇼
news source 뉴스 소스
New Statesman 뉴 스테이츠먼
news ticker 뉴스 티커
news story 뉴스 스토리
new style 뉴 스타일
news value 뉴스 밸류
Newsweek 뉴스위크
Newton, newton 뉴턴
Newton-John 뉴턴존
Newton's ring 뉴턴 링
new town 뉴 타운
New York 뉴욕
New York Central 뉴욕 센트럴
New York City 뉴욕시티
New York Daily News 뉴욕 데일리 뉴스
New Yorker 뉴요커
New York Herald Tribune 뉴욕 헤럴드 트리뷴
New York Times 뉴욕 타임스
New Zealand 뉴질랜드 ┌스
New Zealand Alps 뉴질랜드 알프
New Zealand-White 뉴질랜드화이
Nexö 넥쇠 └트
next 넥스트
next batter's box 넥스트 배터스 박스
Nezval 네즈발
N.G. 엔 지
Ngami 응가미
N.G.C. 엔 지 시
NGL 엔 지 엘
Ngo Dinh Diem 고 딘 디엠
NHK 엔 에이치 케이
niacin 니아신《나이아신》
Niagara 나이아가라
Niagara Falls 나이아가라 폴스
Niamey 니아메
Nias 니아스
Nibelungen (도) 니벨룽겐
Nicaea 니케아
Nicaragua 니카라과
niccolite 니콜라이트
Nice 니스
nice 나이스
Niceno (이) 니체노
nice play 나이스 플레이
niche 니치
Nicholas 니콜러스
Nicholson 니콜슨
nichrome 니크롬
nichrome heater 니크롬 히터
nick 닉
nickel 니켈
nickel-cadmium 니켈 카드뮴
nickel carbonyl 니켈 카르보닐
nickel-chrome 니켈 크롬
nickel silver 니켈 실버
Nicklisch 니클리슈
nickname 닉네임
Nicobar 니코바르
Nicodemos 니고데모
Nicol 니콜
Nicolaus 니콜라우스 ┌누스
Nicolaus Cusanus 니콜라우스 쿠사
Nicolle 니콜
Nicol prism 니콜 프리즘
Nicopolis 니코폴리스
Nicosia 니코시아
nicotine 니코틴
NICs 닉스
Niebuhr 니부어
niello (이) 니엘로
Nielsen 닐센
Niemeyer 니마이어
Niepce 니엡스
NIEs 니스
Nietzsche 니체
Nietzscheism 니체이즘
Nieuwland 뉼런드
nife 니페
Niflheim 니플헤임
nigella 니겔라
Niger 나이저, 니제르
Nigeria 나이지리아
night 나이트
nightcap 나이트캡
night club 나이트 클럽
night cream 나이트 크림
nightdress 나이트드레스
nighter 나이터
night game 나이트 게임
nightgown 나이트가운 ┌일
Nightingale, nightingale 나이팅게
night latch 나이트 래치
night show 나이트 쇼
night table 나이트 테이블
nigrosine 니그로신
nihil (라) 니힐
nihilism 니힐리즘
nihilist 니힐리스트
nihilistic 니힐리스틱
Niihau 니하우
Nijinska 니진스카
Nijinsky 니진스키
Nijmegen 네이메겐
Nike 나이키
Nikē 니케
Nike-Ajax 나이키에이잭스
Nike-Hercules 나이키허큘리스
Nike-Zeus 나이키지우스
Nikisch 니키슈
Nikolaev 니콜라예프
Nikolaeva 니콜라에바
Nikolaevsk-na-Amure 니콜라예프스크나아무레
Nikolai 니콜라이
Nikomachos 니코마코스
Nikon 니콘
Nile 나일
nilgai 닐가이
Nilot 닐로트《나일로트》
Nilsson 닐손
Nilssonia 닐소니아
Nimbārka 님바르카
Nimbus 님버스
NIMBY syndrome 님비 신드롬
Nîmes 님
Nimitz 니미츠
nine 나인
ninepins 나인핀스
nineteenth hole 나인틴스 홀
Nineveh 니네베, 니느웨
Ninib 니니브
Niob (도) 니오브
Niobe 니오베, 나이오비
niobium 니오븀
nipa 니파
Nipigon 니피곤
Nipkow 닙코
nipper 니퍼
Nipponites (라) 니포니테스
Nippur 니푸르
NIRA 니라
Nirenberg 니런버그
Nirvāna (범) 니르바나
Nishapur 니샤푸르
NIST 엔 아이 에스 티
nit 니트
nitramine 니트라민
NITREX 니트렉스
nitrile 니트릴
nitrilotriacetic 니트릴로트리
nitro 니트로
nitrobenzene 니트로벤젠
nitrobenzol 니트로벤졸
nitrocellulose 니트로셀룰로오스
nitrogen mustard 나이트로젠 머스터드
nitroglycerin 니트로글리세린
nitroguanidine 니트로구아니딘
nitromin 나이트로민
nitron 니트론
nitrophenol 니트로페놀
Nitrophoska (도) 니트로포스카
nitroso 니트로소
nitrosyl 니트로실
nitrotoluene 니트로톨루엔
Niue 니우에
Nivkhi 니브히
Nixon 닉슨
Nixon Doctrine 닉슨 독트린
Niya 니야
nīyat (아랍) 니야트
Nizami 니자미
Nizan 니장 ┌트
Nizhnii Novgorod 니주니 노브고로
Nizhnii Tagil 니주니 타길
Njegoš 네고시
Njord 뇨르드
Nkrumah 은크루마
NNP 엔 엔 피
no 노
NOAA 노아
Noah 노아
Nob 놉
Nobel 노벨
nobelium 노벨륨
Nobile 노빌레
nobilitas 노빌리타스
noble 노블
NOC 엔 오 시
no carbon 노 카본
no comment 노 코멘트
no control 노 컨트롤
no count 노 카운트
noctovision 녹토비전
nocturne 녹턴
no cut 노 커트
Nodier 노디에
no down 노 다운
nodular 노듈러
nodule 노듈
noegenesis 노에제네시스
Noël (프) 노엘
Noel-Baker 노엘베이커
Noema (도) 노에마
noēma (그) 노에마
no error 노 에러
Noesis (도) 노에시스
noēsis (그) 노에시스
Noether 뇌터
no game 노 게임
no goal 노 골
no-good 노굿
no guard 노 가드
no head 노 헤드
no hit (미) 노 히트
no hit flinging (미) 노 히트 플링잉
no hit no run (미) 노 히트 노 런
no hit no run game (미) 노 히트 노 런 게임
noil 노일
noil cloth 노일 클로스
Noin Ula 노인 울라
noise 노이즈
noise limiter 노이즈 리미터
noise reduction 노이즈 리덕션
Nolascus 놀라스쿠스
Nolde 놀데
Nöldeke 뇔데케
no mark 노마크
nombre (프) 농브르
Nome 놈
nominal 노미널
nominal damage 노미널 대미지
nominalism 노미널리즘
nominal rate 노미널 레이트
nominate 노미네이트
nomination 노미네이션
nomogram 노모그램
nomograph 노모그래프
no money 노 머니
Nomonhan 노몬한
no more 노 모어 ┌시마
No more Hiroshimas 노 모어 히로
nomos (그) 노모스
non 논, (프) 농
nonchalant (프) 농샬랑
non cling 논클링
no necktie 노넥타이
nonecktie shirt 노넥타이 셔츠
nonet 노네트
nonetto (이) 노네토
nonfiction 논픽션
non-figuratif (프) 농피귀라티프
non-in 논인
Nonius (도) 노기스

Nonnos 논노스
nonpareil (프) 농파레유
nonpro 논프로
non-run stocking 논런 스타킹
non sect 논 섹트
non section 논 섹션
nonsense 난센스
nonsense book 난센스 북
nonsense boy 난센스 보이
nonsense comedy 난센스 코미디
nonstop 논스톱
nonsuit 논슈트
non tanto (이) 논 탄토
nontitle 논타이틀
nontitle match 논타이틀 매치
non troppo (이) 논 트로포
noodle 누들
no out 노 아웃 「어티
no paper society 노 페이퍼 소사이
no parking 노 파킹
no play 노 플레이
no price 노 프라이스
NOR 노어
Nora 노라
NORAD 노라드
noradrenalin 노르아드레날린
Noraism 노라이즘
Nordenskjöld 노르덴시욀드
nordic 노르딕
Nordide 노르디데
Nordkapp 노르카프
Nord Ostsee 노르트오스트제
Nordrhein-Westfalen 노르트라인베스트팔렌
Nord-vision 노르트비전
norepinephrine 노르에피네프린
Norfolk 노퍽
Norfolk jacket 노퍽 재킷
Norm (도) 노름
norma (러) 노르마
normal 노멀
Normal (도) 노르말
normal (프) 노르말
normal butane 노멀 부탄 「코올
normal butyl alcohol 노멀 부틸 알
normal school 노멀 스쿨
normal tone 노멀 톤
Norman 노르만
Normandie 노르망디
norme (프) 노름
Nornen 노르넨
Norris 노리스
Norris Dam 노리스 댐
Norrish 노리시 「아
Norris-La Guardia 노리스 라 가디
Norrköping 노르쵠핑
North American Rockwell 노스 아메리칸 록웰
Northampton 노샘프턴
North Carolina 노스 캐롤라이나
Northcliffe 노스클리프
North Dakota 노스다코타
norther 노더
Northern 노던
Northern Territory 노던 테리토리
Northrop 노스럽
Northumberland Durham 노섬벌랜드 더럼
Northumbria 노섬브리아
Northwest 노스웨스트
no run 노 런
Norway 노르웨이
nose dive 노즈 다이브
nose veil 노즈 베일
no side 노 사이드
Noske 노스케
no sleeve 노 슬리브
no smoking 노 스모킹
Nossack 노사크
nostalgia 노스탤지어
nostalgie (프) 노스탈지
no step 노 스텝
no stocking 노스타킹
Nostradamus 노스트라다무스

NOT 나트
notch 노치
note 노트
note book 노트 북
No, thank you 노 생큐
nothing 너싱
Nothosaurus 노토사우루스
notice 노티스
no tie 노타이
notie shirt 노타이 셔츠
no time 노 타임
no tip 노 팁
no touch 노 터치
not out 낫 아웃
Notre-Dame (프) 노트르담
Notre-Dame de Paris 노트르담 드 파리 「랭스
Notre-Dame de Reims 노트르담 드
Nottingham 노팅엄
notturno (이) 노투르노
Nouakchott 누악쇼트
nougat (프) 누가
Nouméa 누메아
nourishing cream 너리싱 크림
nous 누스
nouveau (프) 누보 「보 누보 로망
nouveau nouveau roman (프) 누
nouveau roman (프) 누보 로망
nouvelle (프) 누벨
Nouvelle Calédonie 누벨칼레도니
nouvelle vague (프) 누벨바그
nova 노바
Novalis 노발리스
Nova Lisboa 노바리스보아
Nova Scotia 노바스코샤
Novaya Zemlya 노바야젬랴
novel 노벨
novelization 노블라이제이션
Novellette (도) 노벨레테
novelty 노벨티
Noverre 노베르
Novgorod 노브고로트
Novial 노비알
Novicow 노비코프
Novikov 노비코프
Novi Sad 노비사드
Novocain 노보카인
Novoe Vremya 노보에 브레먀
Novokuznetsk 노보쿠즈네츠크
novolak 노볼락
Novosibirsk 노보시비르스크
Novotný 노보트니 「가눔
Novum Organum (라) 노붐 오르
Nowa Huta 노바후타
NOx 엔 오 엑스
noy 노이
nozzle 노즐
NPT 엔 피 티
NR 엔 아르
N.R.A. 엔 아르 에이
N.R.F. (프) 엔 에르 에프
NTP 엔 티 피
NTSC 엔 티 에스 시
nuance (프) 뉘앙스
Nubia 누비아
nuclease 뉴클레아제
nuclein 뉴클레인
nucleohistone 뉴클레오히스톤
nucleonics 뉴클레오닉스
nucleoside 뉴클레오시드
nucleotide 뉴클레오티드
nude 누드
nude dancer 누드 댄서
nude look 누드 룩
nude model 누드 모델
nude show 누드 쇼
nude stocking (미) 누드 스타킹
nude studio 누드 스튜디오
nudist 누디스트
nugget 너깃
nuisance 뉴슨스
Nukuʻalofa 누쿠알로파
number 넘버
numbering 넘버링

numbering machine 넘버링 머신
number one 넘버 원
number plate 넘버 플레이트
numéraire (프) 뉘메레르
Numidia 누미디아
Nun 눈
nunatak 누나탁
Nuptse 눕체
Nureyev 누레예프
Nurmi 누르미
Nürnberg 뉘른베르크
nurse 너스
nursery 너서리
nursery school 너서리 스쿨
nursery tale 너서리 테일
Nut 누트
nut 너트
nutmeg 너트메그
nutria 뉴트리아
Nyasa 니아사
Nyasaland 니아살랜드
Nydrazid 나이드라지드
Nyerere 니에레레
Nygren 니그렌
nylon 나일론
nymph 님프
nymphomania 님포마니아
Nystad 니스타드
nystatin 니스타틴(나이스타틴)

O, o 오
OA 오 에이
Oahu 오아후
oak 오크
Oakland 오클랜드
Oak Ridge 오크리지
Oaks 오크스
OANA 오 에이 엔 에이
O.A.O. 오 에이 오
OAPEC 오아펙
O.A.S., OAS 오 에이 에스
oasis 오아시스
oat 오트
oatmeal 오트밀
OAU 오 에이 유
Oaxaca 오악사카
O.B., OB 오 비
Ob' 오브
Obadiah 오바디아
obbligato (이) 오블리가토
obelisk 오벨리스크
Oberhausen 오버하우젠
Oberon 오베론
Oberth 오베르트
object 오브젝트
object ball 오브젝트 볼
objet (프) 오브제
oblato (포) 오블라토
obligation 오블리게이션
Oblomov 오블로모프
oboe (이) 오보에
oboe d'amore (이) 오보에 다모레
Oborin 오보린
Obote 오보테
Obrecht 오브레흐트
Obruchev 오브루체프
obscene book 오브신 북
obscene picture 오브신 픽처
Observer, The 옵서버
observer 옵서버
obshchina 오브시치나
obstruction 오브스트럭션
OBV 오 비 브이
OCA 오 시 에이
ocarina 오카리나
O'Casey 오케이시
Occam 오컴
Occident 옥시던트
occult 오컬트

occultism 오컬티즘
Ocean 오션
Oceania 오세아니아
Oc-Éo 오케오
ocher 오커
Ochoa 오초아
Ockeghem 오케겜
O'Connell 오코넬
O'Connor 오코너
OCR 오 시 아르
ocre (프) 오크르
octane 옥탄
octant 옥탄트
octave 옥타브
Octavia 옥타비아
Octavianus 옥타비아누스
octavo 옥타보
octet 옥텟
oculi cancri (라) 오쿨리캉크리
OD 오 디
odalisque (프) 오달리스크
Oddi (이) 오디
ode 오드
Odense 오덴세
Oder 오데르
Oder-Neisse 오데르 나이세
Odessa 오데사
Odets 오데츠
Odin 오딘
Odoacer 오도아케르
odometer 오도미터
Odysseia (그) 오디세이아
Odysseus (그) 오디세우스
Odyssey 오디세이
Oecolampadius 외콜람파디우스
O.E.C. 오 이 시
O.E.C.D. 오 이 시 디
O.E.D. 오 이 디
Oedipus 에디퍼스 「스
Oedipus Complex 에디퍼스 콤플렉
OEED 오 이 이 디
Oehlenschläger 욀렌슐레거
OEM 오 이 엠
Oersted 외르스테드
oersted 에르스텟
O.F. cable 오 에프 케이블
off 오프
off-body style 오프보디 스타일
off-Broadway 오프브로드웨이
Offenbach 오펜바흐
offence 오펜스
offer 오퍼
office 오피스
office automation 오피스 오토메이션
officer 오피서
office wife 오피스 와이프
official 오피셜
off limits 오프 리미츠
off-line 오프라인
off-line system 오프라인 시스템
off-off-Broadway 오프오프브로드웨이
offset 오프셋
offshore center 오프쇼어 센터
offshore fund 오프쇼어 펀드
offshore gas 오프쇼어 가스
offshore oil 오프쇼어 오일
off-shoulder 오프숄더
offside 오프사이드
off-site 오프사이트
off the record 오프 더 레코드
Ogbomosho 오그보모쇼
Ogden 오그던
ogive (프) 오지브
O.G.L. 오 지 엘
OGO 오고
Ogooué 오고우에
Ogotai 오고타이
Ogpu 오그푸
O'Hara 오하라
O.Henry 오헨리
Ohio 오하이오
Ohlin 올린

Ohm 옴
ohm 옴
OHP 오 에이치 피
Ohrid 오흐리드
Oidipous 오이디푸스
Oidipous Complex 오이디푸스 콤
oil 오일 └플렉스
oil ball 오일 볼
oil bath 오일 배스
oil burner 오일 버너
oil close 오일 클로즈
oilcloth 오일클로스
oil damper 오일 댐퍼
oil dollar 오일 달러
oil engine 오일 엔진
oil facility 오일 퍼실리티
oil fence 오일 펜스
oil gas 오일 가스
oilless bearing 오일레스 베어링
oil penicillin 오일 페니실린
oil pump 오일 펌프
oil sand 오일 샌드
oilseed 오일시드
oil shale 오일셰일
oil shampoo 오일 섐푸
oil shock 오일 쇼크
oil silk 오일 실크
oilskin 오일스킨
oilskin stain 오일스킨 스테인
oil stain 오일 스테인
oilstone 오일스톤
oilstove 오일스토브
oil tanker 오일 탱커
oil yellow 오일 옐로
Oimyakon 오이먀콘
Oirat 오이라트
OIRT 오 아이 아르 티
Oise 우아즈
Oistrakh 오이스트라흐
OIT 오 아이 티
OJT 오 제이 티
O.K. 오케이
okapi 오카피
Okeanos 오케아노스
Oken 오켄
Okha 오하
Okhotsk 오호츠크
Oklahoma 오클라호마
Oklahoma city 오클라호마시티
okra 오크라
Ökumene (도) 외쿠메네
O.L. 오 엘
Olaf 올라프
Öland 욀란드
Olbers 올버스
Olbrich 올브리히
old 올드
Old Black Joe 올드 블랙 조
old boy 올드 보이
Oldenburg 올덴부르크
old fashion 올드 패션
Old Guard 올드 가드
Oldham 올덤
old liberalist 올드 리버럴리스트
old maid 올드 메이드
old rose 올드 로즈
oldtimer 올드타이머
Olduvai 올두바이
Old Vic 올드 빅
oleandomycin 올레안도마이신
olefin 올레핀
olein 올레인
Olenyok 올레뇨크
oleodamper 올레오댐퍼
oleometer 올레오미터
oleoresin 올레오레진
Olesha 올레샤
oleyl alcohol 올레일 알코올
oligodynamie 올리고디나미
oligomer 올리고머
olive 올리브
Oliver filter 올리버 필터
Oliver Twist 올리버 트위스트
olivette 올리베트
Olivier 올리비에
Ollenhauer 올렌하워
olm 올름
Olmütz 올뮈츠
Olobon 올로본
Olomouc 올로모우츠
Olympia 올림피아
Olympiad 올림피아드
Olympic 올림픽
Olympic Cup 올림픽 컵
Olympic Recognition 올림픽 레코
Olympos 올림포스 └그니션
OM 오 엠
OMA 오 엠 에이
Oman 오만
Ombilin 옴빌린
ombre 옴버
ombudsman 옴부즈맨
Omdurman 옴두르만
omega 오메가
omega system 오메가 시스템
omelet 오믈렛
omelet rice 오므라이스
omit 오밋 ⌐홈
Om mani padme hum 옴마니밧메
omnibus 옴니버스
Omni-directional range beacon 옴니레인지 비콘
omnirange 옴니레인지
OMR 오 엠 아르
OMR card 오 엠 아르 카드
Omsk 옴스크
Onan 오난
Onanie (도) 오나니
onanisme (프) 오나니슴
once more 원스 모어 ⌐노
Ondot Martenot (프) 옹도 마르트
one 원
one all 원 올
one-base hit 원베이스 히트
one brush three touch make-up 원 브러시 스리 터치 메이크업
Onega 오네가
Onegin (러) 오네긴
O'Neill 오닐
one-man 원맨
one-man bus 원맨 버스
one-man car 원맨 카
one-man control 원맨 컨트롤
one-man show 원맨 쇼
one-man team 원맨 팀
one on 원 온
one out 원 아웃
one-piece 원피스
one-piece dress 원피스 드레스
one point look 원 포인트 룩
one-room system 원룸 시스템
one-seater 원시터
one set 원 세트
one-shot camera 원숏 카메라
one-sided game 원사이드 게임
Onesimos 오네시모
one-step 원스텝
one touch 원 터치
one-two 원투
one-writing system 원 라이팅 시
Ongul 옹굴 └스템
on limits 온 리미츠
on-line 온라인
on-line banking system 온라인 뱅킹 시스템
on-line-real-time system 온라인리얼타임 시스템
on-line system 온라인 시스템
only 온리
Onnes 오네스
on off 온 오프
onomatopée (프) 오노마토페
onomatopoeia 오노매토피어
Onon 오논
on parade 온 퍼레이드
on record 온 레코
Onsago 온사거
onside 온사이드
Ontario 온타리오
on the mark 온 더 마크
on the record 온 더 레코드
on the rocks 온 더 록
Ontologie (도) 온톨로기
ontos on (그) 온토스 온
on your mark 온 유어 마크
onyx 오닉스
O.O.C. 오 오 시
Oort 오르트
O.P. 오 피
Opacifier 오패시파이어
opal 오팔
Oparin 오파린
op art 옵 아트
OPEC 오펙
OPEC 오 피 이 시
open 오픈
open account 오픈 어카운트
open air 오픈 에어
open caisson 오픈 케이슨
open car 오픈 카
open collar 오픈 칼라
open course 오픈 코스
open credit 오픈 크레디트
open display 오픈 디스플레이
open door 오픈 도어 ⌐지
open-end mortgage 오픈엔드 모기
opener 오프너
open fastener 오픈 파스너
open game 오픈 게임
open golf 오픈 골프
open-hand service 오픈핸드 서비스
opening 오프닝 ⌐오퍼레이션
open-market operation 오픈마켓
opening night 오프닝 나이트
opening number 오프닝 넘버
open plan 오픈 플랜
open policy 오픈 폴리시
open primary 오픈 프라이머리
open reel 오픈 릴
open sandwich 오픈샌드위치
open school 오픈 스쿨
open set 오픈 세트
open shirt 오픈 셔츠
open shop 오픈 숍
open space 오픈 스페이스
open stance 오픈 스탠스
open system 오픈 시스템
open ticket 오픈 티켓
Open tournament 오픈 토너먼트
Oper (도) 오퍼
opera 오페라
opera bag 오페라 백
opera buffa (이) 오페라 부파
opéra comique (프) 오페라 코믹
opera glass 오페라 글라스
opera hat 오페라 해트
opera house 오페라 하우스
opera seria (이) 오페라 세리아
operating system 오퍼레이팅 시
operation 오퍼레이션 └스템
operation research 오퍼레이션 리
operator 오퍼레이터 └서치
operetta (이) 오페레타
operon 오페론
Ophelia 오필리아
ophiolite 오피올라이트
opinion 오피니언
opinion leader 오피니언 리더
Opitz 오피츠
opium 오피엄
Opole 오폴레
Oporto 오포르토
opossum 어포섬
Oppanol 오파놀
Oppenheimer 오펜하이머
Oppert 오페르트
opportunism 오퍼튜니즘
opportunist 오퍼튜니스트
Ops 옵스
opsonin 옵소닌
OPTACON 옵타콘
optical art 옵티컬 아트
optical flat 옵티컬 플랫 ⌐미터
optical pyrometer 옵티컬 파이로
optic chiasma 옵틱 키아스마
optima 옵티마
optimates 옵티마테스
optimeter 옵티미터
optimism 옵티미즘
optimist 옵티미스트
option 옵션
opus (라) 오푸스
OR 오 아르
oracle 오러클
Oradea 오라데아
oral approach 오럴 어프로치
oral method 오럴 메소드
Oran 오랑
orange 오렌지
orangeade 오렌지에이드
orange juice 오렌지 주스
orang-utan (말레이) 오랑우탄
Oranje 오라녜
oratio (라) 오라티오
oratorio (이·라) 오라토리오
oratory 오러토리
ORB 오 아르 비
Orbitolina (라) 오르비톨리나
Orcagna 오르카냐
orchard grass 오처드 그래스
orchestra 오케스트라
orchestra box 오케스트라 복스
orchestration 오케스트레이션
orchil 오칠
Orchomenos 오르코메노스
orcine 오르신
orcinol 오르시놀
Orczy 오르치
order 오더
order made 오더 메이드
Ordos 오르도스
Ordovice 오르도비스
ordre (프) 오르드르
Ordzhonikidze 오르조니키드제
Öre (스웨덴) 외레
Örebro 외레브로
Oregon 오리건
Orenburg 오렌부르크
Oreopithecus 오레오피테쿠스
Oresteia 오레스테이아
Orestes 오레스테스
Orff 오르프
organ 오르간
organdy 오건디
organism 오거니즘
organization 오거나이제이션
organizer 오거나이저
organon (그) 오르가논
organum 오르가눔
orgasm 오개즘
orgasme (프) 오르가슴
orgel (네) 오르골
Orient (라) 오리엔트
oriental 오리엔탈
orientalism 오리엔탈리즘
Orientalist 오리엔탈리스트
orientation 오리엔테이션 ⌐링
orienteering (스웨덴) 오리엔티어
orifice meter 오리피스 미터
origanum 오리거넘
Origarchy 오리가키
Origen 오리겐
Origenes 오리게네스
origin 오리진
original 오리지널
original calorie 오리지널 칼로리
original interlock 오리지널 인터로
originality 오리지낼리티 └크
original print 오리지널 프린트
original program 오리지널 프로그램
original scenario 오리지널 시나리오
original sound track 오리지널 사
O-ring 오링 └운드 트랙
Orinoco 오리노코
Orion 오리온

Orissa 오리사
Orizaba 오리사바
Orkhon 오르콘
Orkney 오크니
Orléans 오를레앙
Orlon 올론
Ormandy 오르만디
Ormazd 오르마즈드
Ormuz 오르머즈
ornament 오너먼트
Orochon 오로촌
Oroks 오로크
Orozco 오로스코
Orphée (프) 오르페
Orpheus 오르페우스
Orphism 오르피즘
Orpington 오핑턴
orquesta 오르케스타
orquesta tippica (스) 오르케스타 티피카
orris 오리스
Orsk 오르스크
Ortega y Gasset 오르테가 이 가세트
Ortelius 오르텔리우스
Orthicon 오르티콘
ortho- 오르토-
Orthochrom 오르토크롬
Orthodox (도) 오르토독스
orthodox 오서독스
orthodox rubber 오서독스 러버
orthohelium 오르토헬륨
orthopan film 오서팬 필름
orthotest 오서테스트
ortho-xylene 오르토크실렌
Oruro 오루로
Orwell 오웰
oryol 오룔
oryzanin 오리자닌
O.S. 오 에스
Osborn 오즈번
Osborne 오즈번
Oscar 오스카
oscillograph 오실로그래프
oscilloscope 오실로스코프
Osgood 오스굿
Osgood-Schlatter 오스굿슐라터
Oshogbo 오쇼그보
Osijek 오시예크
Osiris 오시리스
Osler 오슬러
Oslo 오슬로
Os Lusiadas (포) 오스 루시아다스
Osman 오스만
Osmanli 오스만리
Osman Turks 오스만 투르크
osmiridium 오스미리듐
osmium 오스뮴
Osnabrück 오스나브뤼크
OSO 오소, 오 에스 오
Osorno 오소르노
osram 오스람
O.S.S. 오 에스 에스
osseine 오세인
Osset 오세트
Ossian 오시안
Ossietzky 오시에츠키
Ostade 오스타데
Ostende 오스탕드
Ostfries 오스트프리스
Ostia 오스티아
Ostpreußen 오스트프로이센
ostracism 오스트라시즘
ostrakismos (그) 오스트라키스모스
Ostrava 오스트라바
Östron (도) 외스트론
Ostrovskii 오스트로프스키
Ostwald 오스트발트
Ostwalt 오스트발트
Ostyak 오스탸크
O.T.C. 오 티 시
Otfrid von Weissenburg 오트프리트 폰 바이센부르크
Othello 오셀로
Othello game 오셀로게임
OTHR 오 티 에이치 아르
OTI 오 티 아이
Otis 오티스
O'Toole 오툴
Otranto 오트란토
Ottawa 오타와
otter board 오터 보드
otter hound 오터 하운드
otter trawl 오터 트롤
Otto 오토
Otto cycle 오토 사이클
Ottoman 오토만
ottoman 오토만
ottrelite 오트렐라이트
Ottrez (도) 오트레츠
Ouagadougou 와가두구
Ouchy 우시
Oud 아우트
oui (프) 우이
Oujda 우지다
ounce 온스
Ouranos 우라노스
Ousely 우즐리
ousia (그) 우시아
out 아웃
outboard engjne 아웃보드 엔진
out bounds 아웃 바운즈
out-boxing 아웃복싱
outcorner 아웃코너
outcourse 아웃코스
outcurve 아웃커브
outdoor 아웃도어
outdoor set 아웃도어 세트
outdoor sports 아웃도어 스포츠
outdrop 아웃드롭
outfield 아웃필드
outfielder 아웃필더
outfighting 아웃파이팅
out focus 아웃 포커스
outgroup 아웃그룹
outlaw 아우트로
outline 아우트라인
outline stitch 아우트라인 스티치
outlook 아우트룩
out-of-bounds 아웃오브바운즈
out-of-date 아웃오브데이트
out-of-fashion 아웃오브패션
out-of-play 아웃오브플레이
outplayer 아웃플레이어
output 아웃풋
outrigger 아우트리거
out-sex 아웃섹스
outshoot 아웃슈트
outside 아웃사이드
outside kick 아웃사이드 킥
outside pocket 아웃사이드 포켓
outsider 아웃사이더
outside shoot 아웃사이드 슈트
outsize 아웃사이즈
out-to-in 아웃투인
out-to-out 아웃투아웃
oven 오븐
oventoaster 오븐토스터
over 오버
overaction 오버액션
overall 오버올
Overbeck 오버벡
overblouse 오버블라우스
over-borrowing 오버보로잉
overbridge 오버브리지
over check 오버 체크
overcoat 오버코트
over draft 오버 드래프트
overdrive 오버드라이브
overeat 오버이트
overflow 오버플로
overhand 오버핸드
overhand throw 오버핸드 스로
overhang 오버행
overhaul 오버홀
overhead kick 오버헤드 킥
overhead projector 오버헤드 프로젝터
overheat 오버히트
overkill 오버킬
Överland 외베를란
overlap 오버랩
overlay 오버레이
overlay transistor 오버레이 트랜지스터
overload 오버로드
overloan 오버론
over net 오버 네트
overpass 오버패스
overproof 오버프루프
overrapping 오버래핑
overrun 오버런
overrunning 오버러닝
over sense 오버센스
overshoes 오버슈즈
overskirt 오버스커트
over sweater 오버 스웨터
over the fence 오버 펜스
overthrow 오버스로
overtime 오버타임
overtone 오버톤
over tonnage 오버 토니지
overture 오버추어
overwork 오버워크
Ovidius 오비디우스
Oviedo 오비에도
Owen 오언
oweni 오어니
Owenism 오어니즘
Owens 오언스
Owen Stanley 오언 스탠리
own court 온 코트
owner 오너
owner driver 오너 드라이버
Oxalis 옥살리스
Oxford 옥스퍼드
oxford 옥스퍼드
oximeter 옥시미터
oxtail 옥스테일
Oxus 옥수스
oxy 옥시
oxycarbon 옥시카본
oxychrome 옥시크롬
oxycyan 옥시시안
oxydant 옥시던트
oxydase 옥시다아제
oxydol 옥시돌
Oxyful 옥시풀
oxyhemoglobin 옥시헤모글로빈
oxytetracycline 옥시테트라사이클린
oxytocin 옥시토신
oxytrol system 옥시트롤 시스템
oyster drill 오이스터 드릴
Ozenfant 오장팡
ozocerite 오조세라이트
ozokerite 오조케라이트
ozone 오존
ozone hole 오존 홀
ozonide 오조니드

P, p 피
P.A. 피 에이
Paasche 파셰
Pabst 팝스트
Pacaraima 파카라이마
pace 페이스
pacemaker 페이스메이커
Pacheco 파체코
Pacher 파허
Pacific Coast League 퍼시픽 코스트 리그
pacific converter 퍼시픽 컨버터
Pacino 파치노
pack 팩
package 패키지
package girl 패키지 걸
package program 패키지 프로그램
package show 패키지 쇼
package tour 패키지 투어
packaging 패키징
Packard 패카드
packet 패킷
packing 패킹
packing case 패킹 케이스
packing paper 패킹 페이퍼
pad 패드
Padang 파당
paddle 패들
paddle tennis 패들 테니스
paddling 패들링
paddock 패덕
Paderewskii 파데레프스키
Padmasambhava 파드마삼바바
Padova 파도바
Padua 파두아
Páez 파에스
Pagan 파간
Paganini 파가니니
paganism 페이거니즘
page 페이지
pageant 패전트
page boy 페이지 보이
Pageos 파지오스
page printer 페이지 프린터
Pagnol 파뇰
pagoda 파고다
Pago Pago 파고 파고
Pahlevi 팔레비
pain clinic 페인 클리닉
Paine 페인
Painlevé 팽르베
paint 페인트
Painter 페인터
painter 페인터
paintex 페인텍스
painting knife 페인팅 나이프
Paionios 파이오니오스
pair 페어
pairring 페어링
pair skating 페어 스케이팅
Paisiello 파이지엘로
Paiwan 파이완
pajamas 파자마
Pajou 파주
Pakistan 파키스탄
Pakudha 파쿠다
PAL 팔
Pal 팔
Pāla 팔라
palace 팰리스
Palacio Valdés 팔라시오 발데스
Palacký 팔라츠키
Palade 펄레이드
Palais des Nations (프) 팔레 데 나숑
Palau 팔라우
Palaung 팔라웅
Palawan 팔라완
palazzo (이) 팔라초
Palembang 팔렘방
Palermo 팔레르모
Pales 팔레스
Palestina 팔레스티나
Palestine 팔레스타인
Palestine guerilla 팔레스타인 게릴라
Palestrina 팔레스트리나
palette (프) 팔레트
palette-knife 팔레트나이프
Pali 팔리
Palladio 팔라디오
palladium 팔라듐
Pallas 팔라스
Pallava 팔라바
pallet 팰릿
Palma 팔마
Palma de Mallorca 팔마데마요르카
palmate 팰미트
Palma Vecchio 팔마 베키오
palm ball 팜볼
Palm Beach 팜 비치
Palmerston 파머스턴
Palmerston North 파머스턴 노스
palmette 팔메트
palmitin (도) 팔미틴
Palmyra 팔미라

Palomar 팔로마
Palos 팔로스
Pamir 파미르
pampas 팜파스
pamphlet 팸플릿
Pamplona 팜플로나
Pan 판
pan 팬
PANA 파나
Pan-Africanism 팬아프리카니즘
Panaitios 파나이티오스
Panama 파나마
Panama City 파나마 시티
panama cloth 파나마 클로스
panama hat 파나마 해트
Pan-American Highway 팬아메리칸 하이웨이
Pan-Americanism 팬아메리카니즘
Pan-Arabism 팬아라비즘
Pan-Asianism 팬아시아니즘
Panay 파나이
pancake 팬케이크
Pañcatantra (범) 판차탄트라
Pan-čhen bla-ma 판첸 라마
panchro 팬크로
panchro film 팬크로 필름
panchromatic 팬크로매틱
panchromatic film 팬크로매틱 필름
panda 판다
Pandit 판딧
Pandōra 판도라
Pandorina 판도리나
Pāndya 판디아
panel 패널
panel discussion 패널 디스커션
panel heater 패널 히터
panel heating 패널 히팅
panelist 패널리스트
Panelite 패널라이트
panel lighting 패널 라이팅
panel show 패널 쇼
panel skirt 패널 스커트
panel technique 패널 테크닉
panethite 파네타이트
pan-focus 팬포커스
pangea 판게아
pangen 판겐
Pangenesis (도) 판게네시스
Pan-German 판저먼
Pan-Germanism 판저머니즘
panic 패닉
Pānini 파니니
Panipat 파니파트
panja (포) 판야
pankration (그) 판크라티온
Pankreatin (도) 판크레아틴
Pankreozymin 판크레오치민
panning 패닝
Panofsky 파노프스키
panorama 파노라마
panorama camera 파노라마 카메라
panpipe 팬파이프
panstick 팬스틱
pansy 팬지
panta-court (프) 팡타쿠르
pantagraph 팬터그래프
Pantagruel (프) 팡타그뤼엘
pantalon (프) 판탈롱, 팡탈롱
panta rhei (그) 판타 레이
Pantelleria 판텔레리아
pantheism 팬시이즘
Pantheon 판테온
panties 팬티스
pantograph 팬터그래프
pantomime 팬터마임
Pantopon (도) 판토폰
pantry 팬트리
pants 팬츠
pants boots 팬츠 부츠
panty 팬티
panty girdle 팬티 거들
panty hose 팬티 호스
panty stocking 팬티 스타킹
pão (포) 빵

pap 파프
Papa (포) 파파
papa 파파
papain 파파인
Papanin 파파닌
papaverine 파파베린
papaya 파파야
Papeete 파페에테
Papen 파펜
paper 페이퍼
paperback 페이퍼백
paper chromatography 페이퍼 크로마토그래피
paper holder 페이퍼 홀더
paper knife 페이퍼 나이프
paperless 페이퍼리스
paper plan 페이퍼 플랜
paper sculpture 페이퍼 스컬프처
paper test 페이퍼 테스트
papier collé (프) 파피에 콜레
Papin 파팽
Papini 파피니
paprika (헝가리) 파프리카
Papua 파푸아
Papua New Guinea 파푸아뉴기니
papyrus 파피루스
par 파
para- (그) 파라-
paraacetaldehyde 파라아세트알데히드
para-amino benzensulfon amido 파라아미노 벤젠술폰 아미도
para-aminosalic acid 파라아미노살리실산
parabiosis 파라비오시스
parabola antenna 파라볼라 안테나
paraboloid 파라볼로이드
Paracel 파라셀
Paracelsus 파라켈수스
parachute 파라슈트, 패러슈트
Paraclete 패러클리트
parade 퍼레이드 「벤젠
paradichlorobenzene 파라디클로로
paradigm 패러다임
paradise 파라다이스
paradise fish 파라다이스 피시
Paradise Lost 파라다이스 로스트
paradox 패러독스
paradoxical 패러독시컬
paraffin 파라핀
paraform 파라포름
paraglider 패러글라이더
para gomme 파라고무
paragraph 패러그래프
Paraguay 파라과이
parahelium 파라헬륨
parahormone 파라호르몬
paraíso (포) 파라이소 「레알
paraíso terreal (포) 파라이소 테
paraldehyde 파라알데히드
parallel 패럴렐
parallel action 패럴렐 액션
parallelism 패럴렐리즘
Paralympic 파랄림픽
Paramaribo 파라마리보
paramedical 파라메디컬
parameter 파라미터
parametron 파라메트론
Paramount 패러마운트
Paraná 파라나
Paranoia (라) 파라노이아
Paranthropus 파란트로푸스
paraoxyazobenzene 파라옥시아조
parapack 파라팩 └벤젠
paraphrase 패러프레이즈
parapsychology 파라사이콜러지
parared 파라레드
paras (터키) 파라스
para-sailing 패러세일링
parashock 파라쇼크
parasol (프) 파라솔
Parathion (도) 파라티온
parathormone 파라토르몬
para-toner 파라토너

Paratyphus (도) 파라티푸스
paraxanthine 파라크산틴
paraxylene 파라크실렌
parchment 파치먼트
parchment paper 파치먼트 페이퍼
Paré 파레
Parenthese (도) 파렌
parenthesis 퍼렌시시스
Pareto 파레토
parfait (프) 파르페
Paricutin 파리쿠틴
Parima 파리마
Pariñas 파리냐스
Parini 파리니
Paris 파리, 파리스
Paris Club 파리 클럽
Paris Commune 파리 코뮌
Paris-Dakar Rally 파리다카르 랠
Parisien (프) 파리지앵 └리
Parisienne (프) 파리지엔
Paris list 파리 리스트
Paris Match 파리 마치
Paris Opéra 파리 오페라
parity 패리티
parity check 패리티 체크
Park, park 파크
parka 파카
park and ride 파크 앤드 라이드
Parker 파커
parkerizing 파커라이징
Parkes 파크스
parking 파킹
parking meter 파킹 미터
Parkinson 파킨슨
parkway 파크웨이
parlando (이) 파를란도
Parlement (프) 파를러망
parlor 팔러
Parma 파르마
Parmenides 파르메니데스
Parmesan cheese 파르메산 치즈
Parmigianino 파르미지아니노
Parnaíba 파르나이바
Parnasse (프) 파르나스
parnassiens (프) 파르나시앵
Parnassos 파르나소스
Parodie (도) 파로디
parody 패러디
parole (프) 파롤
parotin 파로틴
par-play 파플레이
Parrington 패링턴
parrying 패링
parsec 파섹
parsee 파르시
parsi 파시
parsley 파슬리
Parsons 파슨스
Parsons turbine 파슨스 터빈
part 파트
Partei (도) 파르타이
Parthenon 파르테논
Parthia 파르티아
participation oil 파티시페이션 오일
particle board 파티클 보드
partizan 파르티잔
partita (이) 파르티타
partner 파트너 「트
Partnerschaft (도) 파르트너샤프
parton 파톤
part talkie 파트 토키
part-time 파트타임
part-timer 파트타이머
party 파티
Parzival 파르치발
PAS 파스
pas (이) 파
Pasadena 패서디나
Pascal, pascal 파스칼
pascha (라) 바스카
Pascin 파스킨
Pascoli 파스콜리
pas de deux (프) 파 드 되
pas de trois (프) 파 드 트루아

pasha 파샤
Pashto 파슈토
paso doble (스) 파소 도블레
Pasolini 파솔리니
pass 패스
passacaglia 파사칼리아
passage 패시지, (프) 파사주
Passarowitz 파사로비츠
pass ball 패스 볼
passed ball 패스트 볼
passepied (프) 파스피에
passimeter 패시미터
passing-shot 패싱샷
Passion (프) 파숑
passion 패션
passionate 패셔닛
passive 패시브
passometer 패소미터
passport 패스포트
pass work 패스 워크
Passy 파시
past 패스트
Pasta (도) 파스타
pasta (이) 파스타
paste 페이스트
pastel 파스텔
pastel colour 파스텔 컬러
pastel tone 파스텔 톤
Pasternak 파스테르나크
Pasteur 파스퇴르
pasteurization 패스터라이제이션
Pasto 파스토
pastorale (프) 파스토랄, (이) 파스토랄레 「니
Pastoral Symphony 파스토랄 심포
pastourelle (프) 파스투렐
pat 패트
PATA 파타
Patagonia 파타고니아
Pātaliputra 파탈리푸트라
Patan 파탄
Patañjali 파탄잘리
patch 패치
patch pocket 패치 포켓
patch test 패치 테스트
patchwork 패치워크
pâté (프) 파테
pâte de verre 파트 드 베르
Patel 파텔
patent 패턴트
patent leather 패턴트 레더
Pater 페이터
paternalism 퍼터널리즘
Paterson 패터슨
Pathān 파탄
Pathé 파테
Pathé Baby 파테 베이비
pathetic 퍼세틱
pathetic drama 퍼세틱 드라마
Pathet Lao 파테트 라오
pathos 페이소스, (그) 파토스
patio (스) 파티오
Patjitan 파티탄
Patmos 밧모
Patna 파트나
PATO 파토
Pátrai (그) 파트레
Patras 파트라스
patriarch 페이트리아크
patrici (라) 파트리키
patrician 패트리션
Patriot 패트리엇
patrol (이) 파트롤
patrol 패트롤
patrol car 패트롤 카
patron (프) 파트롱
patron 패트런
Patrone (도) 파트로네, 하도롱
Pattani 파타니
pattern 패턴
pattern book 패턴 북
pattern on pattern 패턴 온 패턴
Pattinson 패틴슨
Pauker 파우케르

Paul 바울, 파울
Paul et Virginie 폴 에 비르지니
Paulhan 폴랑
Pauli 파울리
Pauling 폴링
Paulsen 파울젠
Paulus 파울루스
Pausanias 파우사니아스
pause 포즈
Paustovskii 파우스토프스키
pavane (프) 파반
Pavarotti 파바로티
pavement 페이브먼트
pavilion 파빌리온
Pavlov 파블로프
Pavlova 파블로바
Pax Americana (라) 팍스 아메리카나
Pax Romana (라) 팍스 로마나
Pax Russo-Americana (라) 팍스 루소아메리카나
pay 페이
payday 페이데이
paysage (프) 페이자주
Paz 파스
Pazyryk 파지리크
PBC 피 비 시
PBEC 피벡
P.B. Report 피 비 리포트
PC 피 시, 페 체
PCB 피 시 비
PC concrete 피 시 콘크리트
PCM 피 시 엠
P.C.P. 피 시 피
PCS 피 시 에스
PD 피 디
peace 피스
Peace Corps 피스 코
peach black 피치 블랙
pea coat 피 코트
Peacock 피콕
peacock blue 피콕 블루
peak 피크
peak cut 피크 컷
Peano 페아노
peanut 피넛
peanut butter 피넛 버터
pear 페어
pearl 펄
Pearl Harbor 펄 하버
pearlite 펄라이트
Pearson 피어슨
Peary 피어리
peasant 페전트
peasant art 페전트 아트
peasant blouse 페전트 블라우스
peasant shirt 페전트 셔츠
peasant skirt 페전트 스커트
peat 피트
peccary 페커리
pechka (러) 페치카
Pechora 페초라
Pechstein 페히슈타인
Peck 펙
Pécs 페치
pectin 펙틴
pedagogics 페더고직스
pedal (이) 페달
pedal cymbal 페달 심벌
pedal pusher 페달 푸셔
pedant 페던트
pedantic 페댄틱
pédantisme (프) 페당티슴
pedantry 페던트리
pedicure 페디큐어
Pedionite (도) 페디오니테
pedometer 페도미터
pedophilia 페도필리아
Pedro 페드로
Peel, peel 필
peeler 필러
Peer Gynt 페르 귄트
peewee golf 피위 골프
Pegasus 페가수스, 페거서스
pegmatite 페그마타이트
Pegu 페구
Péguy 페기
Peierls 파이에를스
Peipsi 페이프시
Peirce 퍼스
Peisistratos 페이시스트라토스
Pekinese 페키니스
Pelagius 펠라기우스
Pelé 펠레
Pelée 플레
Peleus 펠레우스
pelican 펠리컨
Pelican Books 펠리컨 북스
Pellagra (도) 펠라그라
pellet 펠릿
pelletizing 펠레타이징
Pelliot 펠리오
Pelopidas 펠로피다스
Peloponnesos 펠로폰네소스
Pelops 펠롭스
Peltier 펠티에
Pelton 펠톤
pemmican 페미컨
pen 펜
penalty 페널티
penalty area 페널티 에어리어
penalty box 페널티 박스
penalty bully 페널티 불리
penalty corner 페널티 코너
penalty goal 페널티 골
penalty kick 페널티 킥
penalty stroke 페널티 스트로크
pence 펜스
pencil 펜슬
pencil silhouette 펜슬실루엣
pencil stripe 펜슬 스트라이프
Penck 펭크
PEN club 펜 클럽
pendant 펜던트
pendant switch 펜던트 스위치
Penderecki 펜데레츠키
pending 펜딩
pendulum 펜듈럼
Penelope 페넬로페
pen friend 펜 프렌드
penguin 펭귄
Penguin books 펭귄 북스
penholder 펜홀더
penholder grip 펜홀더 그립
penicillin 페니실린
penicillin Allergie 페니실린 알레르기
penicillin shock 페니실린 쇼크
penicillium 페니실륨
penimy 페니마이
penis (라) 페니스
Penk 펭크
penknife 펜나이프
penmanship 펜맨십
Penn 펜
pen name 펜 네임
pennant 페넌트
pennant race 페넌트 레이스
Pennine 페나인
Pennine Alps 페나인 알프스
penninite 페니나이트
Pennsylvania 펜실베이니아
penny 페니
penny-paper 페니페이퍼
penny weight 페니 웨이트
pen pal 펜 팔
Pensées (프) 팡세
pension (프) 팡숑
penstock 펜스톡
pentachlorophenol 펜타클로로페놀
pentaerythritol 펜타에리트리톨
Pentagon 펜타곤
pentane 펜탄
penta-prism 펜타프리즘
pentatonic 펜타토닉
pentecoste (라) 펜테코스테
Penthesileia 펜테실레이아
penthrite 펜트라이트
pentomic 펜토믹
pentosan 펜토산
pentose 펜토오스
pentotal 펜토탈
Penza 펜자
people 피플
Peoria 피오리아
peplos 페플로스
peplum 페플럼
pepper 페퍼
Pepper Fog 페퍼 포그
pepper game 페퍼 게임
peppermint 페퍼민트
pepsin 펩신
pepsinase 펩시나아제
pepsinogen 펩시노겐
peptide 펩티드
peptization 펩티제이션
peptone 펩톤
PER 피 이 아르
percolator 퍼콜레이터
percent 퍼센트
percentage 퍼센티지
perceptron 퍼셉트론
percolator 퍼컬레이터
percussion 퍼커션
percylite 퍼실라이트
perdendosi (이) 페르덴도시
Pereda 페레다
perestroika (러) 페레스트로이카
Pérez de Ayala 페레스 데 아얄라
Pérez Esquivel 페레스 에스키벨
Pérez Galdós 페레스 갈도스
perfect 퍼펙트
perfect game 퍼펙트 게임
perforation 퍼포레이션
Pergamon 페르가몬
Pergola (도) 페르골라
pergola 퍼걸러
Pergolesi 페르골레시
perigordino (이) 페리고르디노
Pericles 페리클레스
perillartine 페릴라르틴
perimeter 페리미터
perioe 페리오
perioikoi (그) 페리오이코이
Peripatos 페리파토스
peripteros (그) 페리프테로스
periscope 페리스코프
Perkin 퍼킨
Perlman 펄만
Perlohrke 펄로크
Perm' 페름
permalloy 퍼멀로이
permanant 퍼머넌트
permanent press 퍼머넌트 프레스
permanent wave 퍼머넌트 웨이브
permill 퍼밀
permutation 퍼뮤테이션
Permutite 퍼뮤티트
Pernambuco 페르남부쿠
Pernik 페르니크
Perón 페론
perpendicular style 퍼펜디큘라 스타일
Perpignan 페르피냥
Perrault 페로
Perret 페레
Perrin 페랭
Perry 페리
per se (라) 페르세
Persephone 페르세포네
Persepolis 페르세폴리스
Perseus 페르세우스
pershing 퍼싱
Persia 페르시아
Persius Flaccus 페르시우스 플라쿠스
persona (라) 페르소나
persona grata (라) 페르소나 그라타
personal 퍼스널
personal computer 퍼스널 컴퓨터
personal foul 퍼스널 파울
personal influence 퍼스널 인플루언스
personality 퍼스낼리티
persona non grata (라) 페르소나 논 그라타
perspective 퍼스펙티브
PERT 퍼트, 피 이 아르 티
Perth 퍼스
Peru 페루
Perugia 페루자
Perugino 페루지노
Perutz 페루츠
Peruzzi 페루치
pesante (이) 페잔테
Pescadores 페스커도리스
peseta (스) 페세타
Peshawar 페샤와르
peso (스) 페소
pessary 페서리
pessimism 페시미즘
pessimist 페시미스트
pest 페스트
Pestalozzi 페스탈로치
Peste (프) 페스트
PET 페트
pet 페트
peta (그) 페타
Pétain 페탱
petalite 페탈라이트
Peter 베드로, 피터
Peterloo 피털루
Peter Pan 피터 팬
Peterburg 페테르부르크
pet food 페트 푸드
Petipa 프티파
Petit 프티
petit bourgeois (프) 프티 부르주아
petitio principii (라) 페티티오 프린키피
Petit Palais 프티 팔레
Petra 페트라
Petrarca 페트라르카
Petri (도) 페트리
Petrie 피트리
Petrograd 페트로그라드
petrolatum 페트롤레이텀
Petronius 페트로니우스
Petropavlovsk 페트로파블로프스크
Petropavlovsk-Kamchatski 페트로파블로프스크캄차츠키
Petros 베드로
Petrouchka 페트루슈카
Petrozavodsk 페트로자봇스크
Petrus 베드로
Petrus Lombardus 페트루스 롬바르두스
Pettenkofer 페텐코퍼
petticoat 페티코트
petting 페팅
Petty 페티
Petty-Clark 페티클라크
pettycoat 페티코트
petunia 피튜니아
Pevsner 페프스너
pewter 퓨터
pf. 피 에프
Pfalz 팔츠
Pfeffer 페퍼
Pfennig (도) 페니히
Pfitzner 피츠너
Pflugbogen 플루크보겐
Pflugfahren (도) 플루크파렌
PH 피 에이치
pH 페하, 피 에이치
Phaëthon 파에톤
phaeton 페이톤
phallicism 팰리시즘
phallus 팰러스
Pham Van Dong 팜 반 동
Phantasie (도) 판타지
Phantasiestück (도) 판타지스튀크
phantom 팬텀
Pharaoh 파라오
Pharisees 바리새
pharmacy 파머시
Phèdre 페드르
Pheidias 페이디아스
phenacetin 페나세틴
phenakistoscope 페나키스토스코프
Phenanthrene 페난트렌
phenazine 페나진

phenobarbital 페노바르비탈
phenol 페놀
phenol ether 페놀 에테르
Phenolnatrium (도) 페놀나트륨
phenolphthalein 페놀프탈레인
phenol red 페놀 레드
phenol resin 페놀 레진
phenthiol 펜디올
phenyl 페닐
phenylalanine 페닐알라닌
phenyl mercaptan 페닐 메르캅탄
pheromone 페로몬
Phibun 피분
Phidias 피디아스
Philadelphia 필라델피아
Philatelist 필라텔리스트
Philemon 빌레몬, 필레몬
philharmonic 필하모닉
Philharmony 필하모니
Philhellenism 필헬레니즘
Philip 필립
Philippe 필리프
Philippi 빌립보, 필립비
Philippine 필리핀
Philippos 필리포스
Philistia 필리스티아
philistine 필리스틴
Phillips 필립스
Philoktetes 필로크테테스
Philolaos 필롤라오스
philology 필롤로지
Philon 필론
Philopon 히로뽕
philosopher 필로서퍼
philosophy 필로소피
phlogiston 플로지스톤
phlox 플록스
phlycten 플릭텐
Phnompenh 프놈펜
Phobos 포보스
Phoenicia 페니키아
Phoenix, phoenix 피닉스
phon 폰
phone 폰
phoneme 포님
phonème (프) 포넴
phonetics 포네틱스
phonetic sign 포네틱 사인
phon meter 폰 미터
phonograph 포노그래프
phono moter 포노 모터
phonon 포논
phonoscope 포노스코프
phosgen 포스겐
Phosphatase (도) 포스파타아제
phosphine 포스핀
phosphorylase 포스포릴라아제
phot 포트
photo 포토
photocell 포토셀
photochromic 포토크로믹
photoetching 포토에칭
photogénie (프) 포토제니
photogram 포토그램
photograph 포토그래프
Photokina 포토키나
photo-map 포토맵
photomontage (프) 포토몽타주
photon 포톤
photonews 포토뉴스
photoorder 포토오더
photoplay 포토플레이
photoplayer 포토플레이어
photo resist 포토 레지스트
photostat 포토스탯
photo story 포토 스토리
photostudio 포토스튜디오
photo-transistor 포토트랜지스터
phototype 포토타이프
Phouma 푸마
phrase 프레이즈
phrenology 프리놀로지
Phrygia 프리지아
P.H.T. 피 에이치 티

phthal 프탈
phycocyanin 피코시아닌
phycoerythrin 피코에리트린
phyllosoma 필로소마
Physica 피시카
physical 피지컬
physics 피직스
physiocracy 피지오크러시
physiocrat 피지어크랫
physiology 피지올러지
physis 피시스
physostigmine 피소스티그민
phytochrome 피토크롬
phytoncide 파이톤사이드
Piaf 피아프
Piaget 피아제
pianino (이) 피아니노
pianissimo (이) 피아니시모
pianississimo (이) 피아니시시모
pianist 피아니스트
piano 피아노
piano accordion 피아노 아코디언
pianoforte (이) 피아노포르테
Pianola 피아놀라
piano quartet 피아노 쿼텟
piano quintet 피아노 퀸텟
piano-score 피아노스코어
piano sonata 피아노 소나타
piano trio 피아노 트리오
piaster 피아스터
Piatigorsky 피아티고르스키
Piatti (이) 피아티
Piazzetta 피아체타
Piazzi 피아치
pica 파이카
Picabia 피카비아
Picard 피카르
Picardie 피카르디
picaresque (프) 피카레스크
Picasso 피카소
Piccadilly 피커딜리
Piccadilly Circus 피카딜리 서커스
Piccard 피카르
piccolo 피콜로
piccolo-flute 피콜로플루트
Pic du Midi corona 픽뒤미디 코로나
pick 픽
pickel 피켈
Pickering 피커링
picket 피켓
picketing 피케팅
picket line 피켓 라인
pickle 피클
pick off play 픽 오프 플레이
pickpocket 픽포켓
pickup 픽업
pickup team 픽업 팀
pickup truck 픽업 트럭
picnic 피크닉
pico- (스) 피코
Pico della Mirandola 피코 델라 미란돌라
picosecond 피코세컨드
picot (프) 피코
pictogram 픽토그램
picture 픽처
picture in picture 픽처 인 픽처
picul 피컬
pidgin 피진
pie 파이
piece 피스
piecework 피스워크
Piedmont 피드몬트
Piemonte 피에몬테
pier 피어
Pierné 피에르네
Piero della Francesca 피에로 델라 프란체스카
Piéron 피에롱
Pierre 《피에르》 피어
pierrot (프) 피에로
Pietà (이) 피에타
Pietermaritzburg 피터매리츠버그
pietism 파이어티즘
piezo 피에조
pig 피그

Pigalle 피갈
piggyback 피기백
PIGMI 피그미
Pigmy 피그미
Pigou 피구
Pikes Peak 파이크스 피크
pilaf 필래프
pilaster 필라스터
Pilatus 빌라도
pile 파일
pile driver 파일 드라이버
pile hammer 파일 해머
Pilgrim Fathers 필그림 파더스
pilidum 필리듐
pill 필
pilling 필링
Pil'nyak 필리냑
pilocarpine 필로카르핀
Pilon 필롱
pilot 파일럿
pilot boat 파일럿 보트
pilot farm 파일럿 팜
pilotis (프) 필로티
pilot lamp 파일럿 램프
pilot plant 파일럿 플랜트
Pilsen 필젠
Piltdown 필트다운
piment (프) 피망
pimiento 피멘토
pimp 펨프
pin 핀
pinang 피낭
pincette (프) 핀셋
pinch 핀치
pinchcock 핀치콕
pinchers 펜치, 뻰찌
pinch hitter 핀치 히터
pinch runner 핀치 러너
pin curl 핀 컬
pincushion 핀쿠션
Pindaros 핀다로스
Pindhos 핀도스
pin dot 핀 도트
pine 파인
pineapple 파인애플
pine juice 파인 주스
pinel 피넬
Pinen (도) 피넨
Pinero 피네로
ping-pong 핑퐁
pinhole 핀홀
pinhole camera 핀홀 카메라
pinhole collar 핀홀 칼라
pinion 피니언
pink 핑크
pinking 핑킹
pin-lever watch 핀레버 워치
Pinocchio 피노키오
Pinos 피노스
pint 파인트
Pinter 핀터
pin tuck 핀 턱
pin-up 핀업
pin-up girl 핀업 걸
Pinzón 핀손
pio 비오
pion 파이온
pioneer 파이어니어
PIP 피 아이 피
Pipa 피파
pipe 파이프
pipe cut 파이프 커트
pipeline 파이프라인
pipe organ 파이프 오르간
piperazine 피페라진
piperonal 피페로날
pipe scale 파이프 스케일
pipe still 파이프 스틸
pipe tap 파이프 탭
pipette 피펫
pipe wrench 파이프 렌치
Pippin 피핀
piqué (프) 피케
Piraeus 피레우스

Piraiévs 피레에프스
Pirandello 피란델로
Piraruku 피라루쿠
Pire 피르
Pirenne 피렌
pirouette (프) 피루엣
Pirquet 피르케
Pisa 피사
Pisanello 피사넬로
Pisano 피사노
Piscator 피스카토르
Pissarro 피사로
piste (프) 피스트
pistol 피스톨
piston 피스톤
piston-crank 피스톤 크랭크
piston pin 피스톤 핀
piston pump 피스톤 펌프
piston ring 피스톤 링
Piston rod 피스톤 로드
pit 피트
Pitcairn 피트케언
pitch 피치
pitch and run 피치 앤드 런
pitchblende 피치블렌드
pitch cokes 피치 코크스
pitcher 피처
pitcher in the hole 피처 인 더 홀
pitcher's mound 피처즈 마운드
pitcher's plate 피처즈 플레이트
pitch gauge 피치 게이지
pitching 피칭
pitching machine 피칭 머신
pitching wedge 피칭 웨지
pitch-stone 피치스톤
Pithecanthropus erectus 피테칸트로푸스 에렉투스
Pitoëff 피토에프
piton 피턴
Pitt 피트
Pittsburgh 피츠버그
pituitrin 피튜이트린
Piura 피우라
Pius 피우스
pivot 피벗
Pizarro 피사로
Pizzetti 피체티
pizzicato (이) 피치카토
P.K. 피 케이
PKF 피 케이 에프
PKO 피 케이 오
placard 플래카드
place 플레이스
placebo 플라세보
place hit 플레이스 히트
placekick 플레이스킥
placode 플라코드
plain 플레인
plain concrete 플레인 콘크리트
plain soda 플레인 소다
plan 플랜
planaria 플라나리아
planchette (프) 플랑셰트
Planck 플랑크
planer 플레이너
Planetarium (도) 플라네타륨
planetary 플래니터리
planimeter 플래니미터
plankton 플랑크톤
plankton net 플랑크톤 네트
planner 플래너
planning 플래닝
plant 플랜트
Plantagenet 플랜태저넷
plantation 플랜테이션
plant layout 플랜트 레이아웃
planula 플라눌라
plaque 플라크
plasma 플라스마
plasmadisplay 플라스마디스플레이
plasmagene 플라스마진
plasma jet 플라스마 제트
plasma rocket 플래즈마 로켓

plasmid 플라스미드
Plasmochin (도) 플라스모힌
Plassey 플라시
plaster 플라스터
plasterboard 플라스터보드
plastic 플라스틱
plastic cement 플라스틱 시멘트
plasticity 플라스티시티
plastic model 플라스틱 모델
plastic money 플라스틱 머니
plastomer 플라스토머
plastosome 플라스토좀
plataan 플라탄
plataan (네) 플라탄
Plataea 플라테, 플러티어
Plataiai 플라타이아이
platanus 플라타너스
plate 플레이트
plateau 플래토
plate tectonics 플레이트 텍토닉스
platform 플랫폼
platina 플래티나
platinite 플라티나이트
platinoid 플라티노이드
Plato 플라토
Platon 플라톤
platonic 플라토닉
platonic love 플라토닉 러브
Platonism 플라토니즘
Platonov 플라토노프
Plautus 플라우투스
play 플레이
playa 플라야
play ball 플레이 볼
Playboy, playboy 플레이보이
player 플레이어
play guide 플레이 가이드
play off 플레이 오프
play sculpture 플레이 스컬프처
plaza (스) 플라자
please 플리즈
pleats 플리츠
plebiscite 플레비사이트
plebs 플레브스
plectrum 플렉트럼
pléiade (프) 플레이아드
Pleiades (그) 플레이아데스
Pleiku 플레이쿠
Plekhanov 플레하노프
Plesianthropus 플레시안트로푸스
plesiosaurus 플레시오사우루스
Pleton 플레톤
Pleven 플레벤
Plinius 플리니우스
P.L.O. 피 엘 오
Ploieşti 플로이에슈티
plot 플롯
plotter 플로터
Plotinos 플로티노스
plough, plow 플라우
Plouton (그) 플루톤
Plovdiv 플로브디브
Plücker 플뤼커
plug 플러그
plug gauge 플럭 게이지
plum 플럼 「스파라거스
plumosus asparagus 플루모수스 아
plunger 플런저
plunger pump 플런저 펌프
pluralism 플루랄리즘
plus 플러스
plus alpha 플러스 알파
plush 플러시
plus minus 플러스 마이너스
Plutarch 플루타르크
Plutarchos 플루타르코스
Pluteus 플루테우스
Pluto 플루토
plutonium 플루토늄
plutonium recycle 플루토늄 리사이클
Plymouth 플리머스
plywood 플라이우드
Plzeň 플젠

P.M., p.m. 피 엠
pn 피 엔
PNC 피 엔 시
PN decibel 피 엔 데시벨
Pneuma (도) 프노이마
pneuma (그) 프네우마
pneumatic caisson 뉴매틱 케이슨
pneumatic hammer 뉴매틱 해머
pneumocystis carinii 뉴머시스티스 카리니
PNL 피 엔 엘
P.O. 피 오
Po 포
poa (그) 포아
pocket 포켓
pocket book 포켓 북
pocket camera 포켓 카메라
pocket money 포켓 머니
Poclain (프) 포클레인
poco (이) 포코
poco a poco (이) 포코 아 포코
Podgorny 포드고르니
podophyllotoxin 포도필로톡신
podophyllum (라) 포도필룸
podzol 포드졸
Poe 포
poem 포임
poéme (프) 포엠
poéme symphonique (프) 포엠 생
Poeni 포에니 └포니크
poésie (프) 포에지
poésie pure (프) 포에지 퓌르
poetic diction 포에틱 딕션
poetics 포에틱스
poetry 포이트리
Poggendorff 포겐도르프
poiesis (그) 포이에시스
Poincaré 푸앵카레
Poinsetia 포인세티아
point 포인트
Point Barrow 포인트배로
Pointer 포인터
Point Four 포인트 포
pointillisme (프) 푸앵티이슴
point man 포인트 맨
point of view 포인트 오브 뷰
poise 푸아즈
Poisson 푸아송
Poitier 푸아티에
poker 포커
poker face 포커 페이스
Poland 폴란드
Poland-China 폴란드차이나
polar front 폴러 프론트
Polaris (라) 폴라리스
polarography 폴라로그래피
Polaroid 폴라로이드
Polaroid camera 폴라로이드 카메라
Polaroid Land camera 폴라로이드
polder 폴더 └랜드 카메라
pole 폴
pole jump 폴 점프
polemik (그) 폴레믹
pole sign 폴 사인
police 폴리스
police box 폴리스 박스
policy 폴리시
policy mix 폴리시 믹스
Polignac 폴리냑
polio 폴리오
poliovirus 폴리오바이러스
polis 폴리스
POLISARIO 폴리사리오
polish remover 폴리시 리무버
Politburo (러) 폴리트뷰로
political apathy 폴리티컬 애퍼시
political fiction 폴리티컬 픽션
political machine 폴리티컬 머신
politics 폴리틱스
polivision 폴리비전
Poliziano 폴리치아노
Polk 포크
polka 폴카
polka dot 폴카 도트

Pollini 폴리니
Pollock 폴록
Pollux 폴룩스
polo 폴로
polonaise (프) 폴로네즈
polonium 폴로늄
polo shirt 폴로 셔츠
Poltava 폴타바
polyacetal 폴리아세탈
polyacrylonitrile 폴리아크릴로니
polyamide 폴리아미드 └트릴
polyamine 폴리아민
polyandry 폴리앤드리
Polybios 폴리비오스
polybutene 폴리부텐
polycarbonate 폴리카보네이트
polycentrism 폴리센트리즘
Polycleitos 폴리클레이토스
Polydeukes 폴리데우케스
Polyene 폴리엔
polyester 폴리에스테르
polyether 폴리에테르
polyethylene 폴리에틸렌
polyethylene terephthalate 폴리에틸렌 테레프탈레이트
polygamy 폴리가미 「노토스
Polygnotos 폴리그노토스, 폴리그
polygraph 폴리그래프
polyisoprene 폴리이소프렌
polymer 폴리머
polymeter 폴리미터
Polynesia 폴리네시아
polyolefin 폴리올레핀
polyot (러) 폴료트
polyp 폴립
poly-pharmacy 폴리파머시
Polyphemos 폴리페모스
polyphony 폴리포니
polypropylene 폴리프로필렌
polyrhythm 폴리리듬
polystyrene 폴리스티렌 「이퍼
polystyrene paper 폴리스티렌 페
Polystyrol (도) 폴리스티롤
polysulfone 폴리술폰
polytechnism 폴리테크니즘
polytheism 폴리시이즘
polyurethane 폴리우레탄
polyvinyl alcohol 폴리비닐 알코올
pomade 포마드
pomato 포마토
Pomerania 포메라니아
Pomeranian 포메라니안
pomp (네) 폼프
Pompadour 퐁파두르
Pompei 폼페이
Pompeius 폼페이우스
Pompidou 퐁피두
Pomponazzi 폼포나치
pompon dahlia 퐁퐁 달리아
pomposo 폼포소
Ponape 포나페
Ponchielli 퐁키엘리
poncho 판초
pond (네) 폰드
Pondicherry 퐁디셰리
pongee 폰지
Pons 퐁스
pons (네) 폰스
Pontianak 폰티아나크
Pontoppidan 폰토피단
Pontormo 폰토르모
Pontos 폰토스
pony 포니
pony-tail 포니테일
pood 푸드
poodle 푸들
pool 풀
pool point system 풀 포인트 시스템
Poona 푸나
poop deck 푸프 덱
poor 푸어
P.O.P. 피 오 피
pop art 팝 아트
popcorn (미) 팝콘

Pope 포프
pope 포프
pop fly 폽 플라이
pop jazz (미) 팝 재즈
poplar 포플러
poplin 포플린
pop music (미) 팝 뮤직
Popocatepetl 포포카테페틀
Popov 포포프
Popper 포퍼
poppy 포피
pops (미) 팝스
pop song (미) 팝 송
popular 포퓰러
popular music 포퓰러 뮤직
popular song 포퓰러 송
populisme (프) 포퓔리슴
poral 포럴
porch 포치
Pori 포리
pork 포크
pork cutlet 포크 커틀릿
pork sauté 포크 소테
pornography 포르노그라피
porphyrin 포르피린
port 포트
Porta 포르타
portable 포터블
portable radio 포터블 라디오
portamento (이) 포르타멘토
Port Arthur 포트아서
Port-au-Prince 포르토프랭스
Port Darwin 포트다윈
Port Elizabeth 포트엘리자베스
porteña 포르테냐
porter 포터
portfolio selection 포트폴리오 셀
Port Gentil 포르장티 └렉션
Port Hamilton 포트해밀턴
portion 포션
Portland 포틀랜드
Portland cement 포틀랜드 시멘트
port-lap 포트랩
Port Louis 포트루이스
Port Moresby 포트 모르즈비
Porto Alegre 포르투알레그레
Port of Spain 포트 오브 스페인
Porto Novo 포르토노보
Porto-Riche 포르토리슈
Porto Rico 포르토리코
portrait 포트레이트
Port Said 포트사이드
Portsmouth 포츠머스
Port Sudan 포트수단
Portugal 포르투갈
Portunus 포르투누스
port wine 포트 와인
P.O.S. 피 오 에스
Posaune (도) 포자우네
pose 포즈
Poseidon 포세이돈
Posen 포젠
Pos'et 포시에트
position 포지션
position paper 포지션 페이퍼
positive 포지티브
positive list 포지티브 리스트
positivism 포지티비즘
positron 포지트론
positronium 포지트로늄
possibility 포시빌리티
possible 포시블
post 포스트
postal franker 포스털 프랭커
postapollo 포스트아폴로
post card 포스트 카드
poster 포스터
poster colour 포스터 컬러
poster value 포스터 밸류
postmodernism 포스트모더니즘
post play 포스트 플레이
post scoring 포스트 스코어링
posture 포스처
pot 포트

potage (프) 포타주
Potala 포탈라
potasse (프) 포타스
potassium 포타슘
potato 포테이토
potato chip 포테이토 칩
potato digger 포테이토 디거
potential 퍼텐셜
potential energy 퍼텐셜 에너지
potentiometer 퍼텐쇼미터
Potomac 포토맥
Potosi 포토시
Potsdam 포츠담
Potyomkin 포톰킨
pouch 파우치
Poulenc 풀랭크
Pound, pound 파운드
poundal 파운달
pound block 파운드 블록
pound cake 파운드 케이크
pound sterling 파운드 스털링
pour prendre congé 푸르 프랑드르
P.O.W. 피 오 더블유 ㄴ콩제
powder 파우더
powder puff 파우더 퍼프
Powell 파웰
power 파워
power boat race 파워 보트 레이스
power brake 파워 브레이크
power electronics 파워 일렉트로닉스
power elite 파워 엘리트
power handle 파워 핸들
power lifting 파워 리프팅
power politics 파워 폴리틱스
power shovel 파워 셔블
power steering 파워 스티어링
power unit 파워 유니트
Poznań 포즈나니
pp 피 피
ppb 피 피 비
PPC 피 피 시
pphm 피 피 에이치 엠
PPM, ppm 피 피 엠
PR 피아르
practical 프랙티컬
Prado 프라도
Praesepe 프레세페
praetor 프라에토르
Praetorius 프레토리우스
pragmatism 프래그머티즘
Prague 프라그
Praha 프라하
Prairie 프레리
Prakrit 프라크리트
Prandtl 프란틀
Prāparat (도) 프레파라트
Prasad 프라사드
Praseodym (도) 프라제오딤
praseodymium 프라세오디뮴
Pravda (러) 프라우다
praxis (그) 프락시스
Praxiteles 프락시텔레스
P.R. car 피 아르 카
preanimism 프리애니미즘 「리트
precast concrete 프리캐스트 콘크
precook rice 프리쿡 라이스
predella 프리델러
prefab 프리패브
Pregl 프레글
pregnance 프레그넌스
prejudice 프레주디스
Prelog 프렐로그
prelude 프렐류드
premier show 프레미어 쇼
premium 프리미엄
prenier (프) 프르니에
pre-Olympic 프레올림픽
prepact concrete 프리팩트 콘크리트
preparation 프레퍼레이션
prepolymer 프레폴리머
prerecording 프리리코딩
Presbyterian 프레즈비티리언
prescore 프레스코어
prescoring 프레스코어링
prescoring 프리스코어링
preselling 프리셀링
present 프레젠트
presentation 프레젠테이션
president 프레지던트
Presley 프레슬리
Prespa 프레스파
Press, press 프레스
Pressburg 프레스부르크
press camera 프레스 카메라
press campaign 프레스 캠페인
press center 프레스 센터
press defence 프레스 디펜스
pressing 프레싱
press kit 프레스 키트
pressure group 프레셔 그룹
Prester John 프레스터 존
prestissimo (이) 프레스티시모
presto (이) 프레스토
Preston 프레스턴 「트 콘크리트
prestressed concrete 프리스트레스
prêt à porter (프) 프레타포르테
Pretoria 프리토리아
Preussen 프로이센
Prévert 프레베르
Preveza 프레베자
preview 프리뷰
Prévost 프레보
Priamos 프리아모스
Pribilof 프리빌로프
price 프라이스
price leader 프라이스 리더
price line 프라이스 라인
pride 프라이드
Priene 프리에네
Priestley 프리스틀리
Prigogine 프리고진 「리나
prima ballerina (이) 프리마 발레
prima donna (이) 프리마 돈나
primary 프라이머리 「더
primary glider 프라이머리 글라이
primary school 프라이머리 스쿨
primer 프라이머
prime rate 프라임 레이트
prime time 프라임 타임
priming 프라이밍
primitif (프) 프리미티프
primitive 프리미티브
primitive art 프리미티브 아트
primo (이) 프리모
Primo de Rivera 프리모 데 리베라
primo uomo (이) 프리모 우오모
primrose 프림로즈
primula 프리뮬러
Prince, prince 프린스
Prince Edward 프린스 에드워드
Prince Harald 프린스 해럴드
prince melon 프린스 멜론
Prince of Walse 프린스 오브 웨일스
princeps (라) 프린켑스
Prince Rupert 프린스 루퍼트
princess 프린세스
princess coat 프린세스 코트
princess line 프린세스 라인
Princeton 프린스턴
principal 프린시펄
principatus (라) 프린키파투스
Principia (라) 프린키피아
principle 프린시플
print 프린트
printer 프린터
printing 프린팅
priority 프라이오리티
prism 프리즘
Prisma (도) 프리스마
prismatic compass 프리즘 콤파스
prism glass 프리즘 글라스
prism spectrum 프리즘 스펙트럼
privacy 프라이버시
private 프라이빗
private brand 프라이빗 브랜드
private room 프라이빗 룸
prize 프라이즈
pro 프로
probability 프로버빌리티
problem method 프로블럼 메소드
Procain (도) 프로카인
procento (포) 프로센토
process 프로세스 「메이션
process automation 프로세스 오토
process cheese 프로세스 치즈
Procopios 프로코피오스
Procyon 프로키온
producer 프로듀서
producer system 프로듀서 시스템
product design 프로덕트 디자인
production 프로덕션
production team 프로덕션 팀
product life cycle 프로덕트 라이프 사이클
product manager 프로덕트 매니저
profession 프로페션
professional 프로페셔널
professionalism 프로페셔널리즘
professor 프로페서
profile 프로필
profilit 프로필리트
Profintern (러) 프로핀테른
progesterone 프로게스테론
program 프로그램
program director 프로그램 디렉터
programmer 프로그래머
programming 프로그래밍
program music 프로그램 뮤직
program overture 프로그램 오버처
program picture 프로그램 픽처
program test 프로그램 테스트
progressive 프로그레시브 「즈
progressive jazz 프로그레시브 재
progressive rock 프로그레시브 록
progressivism 프로그레시비즘
project 프로젝트
project engineering 프로젝트 엔지니어링 「브 매스매틱스
projective mathematics 프로젝티
projector 프로젝터
project team 프로젝트 팀
Prokhorov 프로호로프
Proklos 프로클로스
Prokop'evsk 프로코페프스크
Prokofiev 프로코피에프
Prokroustes 프로크루스테스
prolactin 프롤락틴
prolamin 프롤라민
Prolan (도) 프롤란
Proletariat (도) 프롤레타리아트
prolétariat (프) 프롤레타리아
prolétariat réalisme (프) 프롤레타리아 레알리슴
PROLOG 프롤로그
prologue 프롤로그
PROM 피롬
Prome 프롬
promenade (프) 프롬나드 「트
promenade concert 프롬나드 콘서
Promētheus 프로메테우스
promethium 프로메튬
promille (포) 프로밀
promine 프로민
prominence 프로미넌스
promoter 프로모터
prompt 프롬프트
prompter 프롬프터
prompter box 프롬프터 박스 「처
Prompton mixture 프롬프턴 믹스
Prontosil (도) 프론토질
proof 프루프
proof coin 프루프 코인
proof spirit 프루프 스피릿
propaganda 프로파간다
propane 프로판
propane gas 프로판 가스
propanol 프로판올
propeller 프로펠러
propeller break 프로펠러 브레이크
propeller pump 프로펠러 펌프
proper 프로퍼
proper course 프로퍼 코스
Propertius 프로페르티우스
proper way 프로퍼 웨이
proportion 프로포션
propose 프로포즈
Propulaia 프로퓰라이아
propylaeon (그) 프로필라이온
propyl alcohol 프로필 알코올
propylene 프로필렌
propylene glycol 프로필렌 글리콜
prosaïque (프) 프로자이크
proscenium 프로시니엄
proscenium arch 프로시니엄 아치
prose 프로즈
Proserpina 프로세르피나
prosit (라) 프로짓
pro sports 프로 스포츠
Prossia 프로시아
prostaglandin 프로스타글란딘
prostitute 프로스티튜트
prosumer 프로슈머
protactinium 프로트악티늄
Protagoras 프로타고라스
Protamin (도) 프로타민 「리아
Prot-Australia 프로트오스트레일
protease 프로테아제
protector 프로텍터
protein 프로테인
proteos 프로테오스
protest 프로테스트
Protestant 프로테스탄트
Protestantism 프로테스탄티즘
protest song 프로테스트 송
Proteus 프로테우스
Prothrombin (도) 프로트롬빈
protium 프로튬
protoactinium 프로토악티늄
Protoceratops 프로토케라톱스
Protocol, protocol 프로토콜
Proton, proton 프로톤
protoplast 프로토플래스트
Protopterus 프로토프테루스
prototype 프로토타입
Proudhon 프루동
Proust 프루스트
Provence 프로방스
Providence 프로비던스
provincia 프로빈키아
provincialism 프로빈셜리즘
provitamin 프로비타민
provokator (러) 프로보카토르
pro wrestling 프로 레슬링
Proxima Centauri 프로시마 켄타
PRT 피 아르 티 ㄴ우리
prunier (프) 프뤼니에
Prussia 프러시아
Prussian blue 프러시안 블루
Przemyśl 프셰미실
Przewalski 프르제발스키
P.S., PS 피 에스
PS concrete 피 에스 콘크리트
psi 프사이, 프시
psig 프사이그
psilophyton 프실로피톤
P.S.T. 피 에스 티
Psyche 사이키, 프시케
psychedelic 사이키델릭
psychedelic art 사이키델릭 아트
psychoanalysis 사이코아날리시스
psychodrama 사이코드라마
psychograph 사이코그래프
psychokinesis 사이코키네시스
Psycho-Lamarckisme (프) 프시코라마르키슴
psychologist 사이콜로지스트
psychology 사이콜로지
psychon 사이콘
P.T.A. 피 티 에이
Ptah 프타
pteranodon 프테라노돈
pterodactylus 프테로닥틸루스
pterosaurus 프테로사우루스

Ptolemaios 프톨레마이오스
Ptolemy 프톨레미
ptomaine 프토마인
ptyalin 프티알린
pub 퍼브
Pubes (도) 푸베스
public 퍼블릭
public acceptance 퍼블릭 억셉턴스
public corporation 퍼블릭 코퍼레
public course 퍼블릭 코스 ㄴ이션
publicity 퍼블리시티 「스
publicity release 퍼블리시티 릴리
public relations 퍼블릭 릴레이션스
public school 퍼블릭 스쿨
public space 퍼블릭 스페이스
Puccini 푸치니
puck 퍽
pud (러) 푸드
pudding 푸딩
Pudovkin 푸도프킨
Puebla 푸에블라
Puebla de Zaragosa 푸에블라 데 사라고사
Pueblo 푸에블로
Pueblo Indian 푸에블로 인디언
Puerto Cabello 푸에르토카베요
Puerto Montt 푸에르토몬트
Puerto Plata 푸에르토플라타
Puerto Rico 푸에르토리코
Puerulus 푸에룰루스
Pufendorf 푸펜도르프
puff 퍼프
puffed rice 퍼프트 라이스
puff sleeve 퍼프 슬리브
Pugachyov 푸가초프
Puget 퓨젓
Puget Sound 퓨젓 사운드
Pugwash 퍼그워시
Puket 푸케트
Pulfrich 풀프리히
Pulitzer 퓰리처
pulley 풀리
pullover 풀오버
pull switch 풀 스위치
pulp 펄프
pulpit 풀핏
pulp magazine 펄프 매거진
pulpstone 펄프스톤
Puls (도) 풀스
pulsar 펄서
pulse 펄스
pulse code 펄스 코드
pulse-jet 펄스제트
pulse laser 펄스 레이저
pulverizer 펄버라이저
puma 퓨마
pump 펌프
pumping 펌핑
pumps 펌프스
Punakha 푸나카
Punch, punch 펀치
punch card 펀치 카드 「템
punch-card system 펀치카드 시스
puncher 펀처
punching bag 펀칭 백
punching ball 펀칭 볼
punching machine 펀칭 머신
punctuation 펑크추에이션
pungens 푼겐스
Punjab 펀자브
punk rock 펑크 록
punk style 펑크 스타일
punt 펀트
Punta Arenas 푼타아레나스
Punta del Este 푼타델에스테
punt kick 펀트 킥
Pupin 푸핀
Puppis (라) 푸피스
Purana 푸라나
Purcell 퍼셀
pure 퓨어
pure color 퓨어 컬러
purée (프) 퓌레
Purex 퓨렉스
purge 퍼지
Puri 푸리
purine 푸린, 퓨린
purisme (프) 퓌리슴
Puritan 퓨리턴
Puritanism 퓨리터니즘
Purkinje (도) 푸르키녜
purser 퍼서
Puruṣa 푸루샤
Pūṣan 푸샨
push 푸시
push button 푸시 버튼
pusher barge 푸셔 바지
pushing 푸싱
Pushkin 푸슈킨
push lock 푸시 로크
push-pull 푸시풀
pushrod 푸시로드
Pushtu 푸슈투
Puszta 푸스터
put together look 풋 투게더 룩
putt 퍼트
putter 퍼터
putting 퍼팅
putting green 퍼팅 그린
putty 퍼티
Puvis de Chavannes 퓌비 드 샤반
Puyuma 푸유마
puzzle 퍼즐
puzzle tower 퍼즐 타워
PVC 피 브이 시
PWR 피 더블유 아르
PX 피엑스
pycnometer 피크노미터
Pydna 피드나
Pygmalion 피그말리온
Pygmy 피그미
pylon 파일론
pylōn (그) 필론
Pym 핌
Pyotr 표트르
pyracantha 피라칸타
Pyramid 피라미드
Pyramidon (도) 피라미돈
pyranose 피라노스
pyrazinamide 피라지나마이드
Pyrénées 피레네
pyrenoid 피레노이드
pyrethrin 피레트린
Pyrex 파이렉스
pyridine 피리딘
pyridoxal 피리독살
pyridoxamine 피리독사민
pyridoxin 피리독신
Pyrimidine 피리미딘
pyrine 피린
pyro 피로
pyrogallol 피로갈롤
pyrometer 파이로미터
pyrophylite 파이로필라이트
Pyrrhon (그) 피론
Pyrrhonism 피로니즘
pyrrole 피롤
Pythagoras 피타고라스
Python 피톤, 파이손

Q, q 큐
qādi (아랍) 카디
Qajar 카자르
qanāt (아랍) 카나트
Q & A 큐 앤드 에이
Qantas 칸타스
qānūn (아랍) 카눈
Qatar 카타르
Qattara 카타라
Q-boat 큐보트
QC 큐 시
QC circle 큐 시 서클
Qibla 키블라
Q.M. 큐엠
Q mark 큐 마크
Qomul 코물
Q-ship 큐십
QSTOL 큐스톨
quad 쿼드 「제시모 안노
Quadragesimo anno (라) 쿠아드라
quadrille (프) 카드리유
Quafir 콰피르
Quaker 퀘이커
Quang Ngai 광가이
quantum (라) 콴툼
Quantz 크반츠
quark 쿼크
quart 쿼트
quarter 쿼터
quarterback 쿼터백
quarter-final 쿼터파이널
quarterly 쿼털리
quartermaster 쿼터마스터
quarter nelson 쿼터 넬슨
quarter-time 쿼터타임
quartette (프) 콰르테트
Quartier Latin 카르티에 라탱
quarto 쿼토
quartz 쿼츠
quasar 퀘사
quasi (이) 콰지
Quasimodo 콰지모도
quass 크바스
Quebec 퀘벡
Quechua 케추아
queen 퀸
Queen Charlotte 퀸샬럿
Queen Elizabeth 퀸 엘리자베스
Queensland 퀸즐랜드
Queen Mary 퀸 메리
Queen Maud Land 퀸모드랜드
quena (스) 케나
Queneau 크노
Quercia 퀘르치아
Que sais-je? (프) 크 세주
que será, sera (스) 케 세라 세라
Quesnay 케네
question 퀘스천
question mark 퀘스천 마크
Quételet 케틀레
Quetta 퀘타
Quezaltenango 케살테낭고
Quezon 케손
Quezon City 케손 시티
quick 퀵
quick-carrier 퀵캐리어
quick-change 퀵체인지
quick-lunch 퀵런치
quick return pitch 퀵 리턴 피치
quicksand 퀵샌드
quickstep 퀵스텝
Quidde 크비데
quiétisme (프) 퀴에티슴
quilting 퀼팅
quinaldine 퀴날딘
Quine 콰인
Qui Nhon 퀴논
quinhydrone 퀸히드론
quinidine 퀴니딘
quinine 퀴닌, (프) 키닌
quinoid 퀴노이드
quinoline 퀴놀린
quinone 퀴논
quinquina 킨키나
quintal 퀸틀
quintet 퀸텟
quintette 퀸테트
Quintilianus 퀸틸리아누스
Quirino 키리노
Quirinus 퀴리누스
Quito 키토
quiz 퀴즈
quiz contest 퀴즈 콘테스트
quiz show 퀴즈 쇼
Qum 쿰
Qumran 쿰란
Quonset 퀀셋
quota 쿼터
quota system 쿼터 시스템
quotation 쿼테이션
quotation mark 쿼테이션 마크
Quo Vadis (라) 쿠오 바디스
Quran (아랍) 쿠란

R, r 아르
Raabe 라베
rabāb (아랍) 라바브
Rabat 라바트
Rabaul 라바울
rabbi (헤) 랍비, 라비
rabbit 래빗
rabbit antenna 래빗 안테나
rabbit ball 래빗 볼
rabbit punch 래빗 펀치
rabboni (그) 랍오니
rabeca (포) 라베카
Rabelais 라블레
Rabi 라비
Racan 라캉
race 레이스
race course 레이스 코스
racer 레이서
Rachel 라헬
Racine 라신
racing car 레이싱 카
racism 레이시즘
rack 래크
racket 라켓
racket over 라켓 오버
rack rail 래크 레일
racon 레이콘
racquetball 라켓볼
rad 래드
RADA 라다
radar 레이더
radar echo 레이더 에코
radar set 레이더 세트
radarsonde 레이더존데
Radbruch 라트브루흐
Radcliffe 래드클리프
Radcliffe-Brown 래드클리프브라운
Radhakrishnan 라다크리슈난
radial tire 레이디얼 타이어
radian 라디안
radiation 라디에이션
radiator 라디에이터
radical 라디칼, 래디컬
radicalism 래디컬리즘
radicalist 래디컬리스트
Radiguet 라디게
radio 라디오
radioactinium 라디오악티늄
radioautography 라디오오토그래피
radio beacon 라디오 비컨
radio buoy 라디오 부이
radio car 라디오 카
radiocarbon dating 라디오카본 데이팅
Radio City 라디오 시티
Radio City Music Hall 라디오 시티 뮤직 홀
radio code 라디오 코드
radio comedy 라디오 코미디
radio compass 라디오 컴퍼스
radio control 라디오 컨트롤
radiodetector 라디오디텍터
radio drama 라디오드라마
radio duct 라디오 덕트
radio fan 라디오 팬
radiogram 라디오그램
radiogramophone 라디오그래머폰
radiograph 라디오그래프
radio interview 라디오 인터뷰
radioisotope 라디오아이소토프
radiolaria 라디올라리아
radiolocator 라디오로케이터

Radiometal 라디오메탈
radiometer 라디오미터
radionews 라디오뉴스
radiophone 라디오폰
radio play 라디오 플레이
radiopress 라디오프레스
radio range 라디오 레인지
radio recital 라디오 리사이틀
radio set 라디오 세트
Radiosonde (도) 라디오존데
radio station 라디오 스테이션
radiotelegram 라디오텔레그램
radiotelephone 라디오텔레폰
radiothorium 라디오토륨
Radio Wasser (도) 라디오 바서
radish 래디시
radium 라듐
radium emanation 라듐에머네이션
Radiumemanation 라듐에마나치온
radius 라디우스
Radom 라돔
radome 레이돔
radon 라돈
Raeti 라에티
Raffaello 라파엘로
Raffles 래플스
rafflesia 라플레시아
rafting 래프팅
rāga 라가
raglan 래글런
raglan sleeve 래글런 슬리브
Ragnarōk 라그나뢰크
ragtime 래그타임
Rahman 라만
Rahmen (도) 라멘
Rahner 라너
Rāhula (범) 라훌라
Rāhulata (범) 라훌라타
RAI 아르 에이 아이
rail 레일
rail bond 레일 본드
rail bus 레일 버스
railgun 레일건
railway 레일웨이
Raimund 라이문트
rain 레인
raincoat 레인코트
rain hat 레인 해트
Rainier 레이니어
rain shoes 레인 슈즈
Rainwater 레인워터
raisin 레이진
raison d'État (프) 레종 데타
raison d'être (프) 레종 데트르
Rāja 라자
Rājagṛha 라자그리하
Rajasthan 라자스탄
Rajasthani 라자스타니
Rajkot 라지코트
Rājpūt 라지푸트
Rajputana 라지푸타나
rake 레이크
Rakhmaninov 라흐마니노프
Rákosi 라코시
Raleigh 롤리
Ralik 랄리크
rallentando (이) 랄렌탄도
rally 랠리
ram 램
Rāma 라마
Ramadan (아랍) 라마단
Ramakrishna 라마크리슈나
Raman 라만
Ramann 라만
Ramat Gan 라마트간
Rāmāyana (범) 라마야나
Rambert 램버트
Rambouillet 랑부예
Rambouillet Merino 랑부예 메리노
Rameau 라모
Rames 라메스
ramie 라미
ramjet 램제트
Rām Mohan Roy 람 모한 로이
Ramón y Cajal 라몬 이 카할
ramp 램프
ramp-way 램프웨이
Ramsar 람사르
Ramsay 램지
Ramses 람세스
Ramus (라) 라무스
ranāt (타이) 라나트
ranchera 란체라
RAND, rand 랜드
R&B 아르 앤드 비
R & D 아르 앤드 디
random 랜덤
random sampling 랜덤 샘플링
random walk 랜덤 워크
Raney nickel 레이니 니켈
range 레인지
range beacon 레인지 비컨
range finder 레인지 파인더
ranger 레인저
Rangoon 랑군
rank 랭크
rank and file 랭크 앤드 파일
Ranke 랑케
Rankine 랭킨
Rankine cycle 랭킨 사이클
ranking 랭킹
ranking player 랭킹 플레이어
Ransom 랜섬
ranunculus 라눙쿨루스
Raoult 라울
rap 랩
Rapallo 라팔로
rapcon 랍콘
Raphael 라파엘
rapidamente (이) 라피다멘테
rapport (프) 라포르
RAS 래스
Rashnu 라슈누
Rasht 라슈트
Raskol'nikov 라스콜리니코프
Rasmussen 라스무센
Rasputin 라스푸틴
Rastatt 라슈타트
raster 래스터
Rasūl (아랍) 라술
Rasumovsky 라주모프스키
Ratak 라타크
ratchet 래칫
rate 레이트
Rateau 라토
Rathenau 라테나우
ratio (라) 라티오
ration 레이션
rational 래셔널
rationalism 래셔널리즘
rationalization 래셔널리제이션
Ratte (도) 라테
Rattigan 래티건
rattle 래틀
Ratzel 라첼
Rau 라우
Rauchen (도) 라우헨
Ravaisson-Mollien 라베송몰리앵
Ravel 라벨
Ravenna 라벤나
ravioli (이) 라비올리
Rawalpindi 라왈핀디
rawin 레이윈
rawinsonde 레이윈존데
Rawlinson 롤린슨
Rawls 롤스
Ray 레이; 라이
Ray Ban 라이 반
Rayleigh 레일리
Raymond 레이먼드
Raynaud 레이노, 레노
rayon 레이온, (프) 레용
rayonnant (프) 레요낭
rayon pulp 레이온 펄프
Razin 라진
raznochintsy (러) 라즈노친치
razor 레이저
razor cut 레이저 커트
razor grinder 레이저 그라인더
RBE 아르 비 이
RCA 아르 시 에이
RDF 아르 디 에프
re (이) 레
reach 리치
reactance 리액턴스
reaction 리액션
reactor 리액터
reactor-grade zirconium 리액터그레이드 지르코늄
Read 리드
Reade 리드
reader 리더
Reader's Digest 리더스 다이제스트
readiness 레디니스
reading 리딩
ready 레디
ready-made 레디메이드
ready-mix 레디믹스
ready-to-wear 레디투웨어
Reagan 레이건
Reaganomics (미) 레이거노믹스
real 리얼
realism 리얼리즘
realist 리얼리스트
realistic 리얼리스틱
réalité (프) 레알리테
reality 리얼리티
realize 리얼라이즈
ream 림
reamer 리머
reaper 리퍼
rear-car 리어카
rear-engine bus 리어엔진 버스
rear-window wiper 리어윈도 와이퍼
reason 리즌
reasonable 리즈너블
Réaumur 레오뮈르
rebab 리바브
rebate 리베이트
rebop (미) 리밥, 리봅
rebound 리바운드
rebound shot 리바운드 샷
recall 리콜
receipt 리시트
receive 리시브
receiver 리시버
reception 리셉션
receptum (라) 레켑툼
recession 리세션
Recife 레시페
recipient 리시피언트
recital 리사이틀
recitation 레시테이션
recitative 레시터티브
recitativo (이) 레치타티보
Recklinghausen 레클링하우젠
Reclam (도) 레클람
reclining seat 리클라이닝 시트
Reconquista (스) 레콩키스타
reconstruction 리컨스트럭션
record 레코드
record-breaking 레코드브레이킹
record cabinet 레코드 캐비닛
record concert 레코드 콘서트
Recorde 레코드
recorder 리코더
record holder 레코드 홀더
recording 리코딩
record player 레코드 플레이어
recovery shot 리커버리 샷
recreation 레크리에이션
re-creation 리크리에이션
recycling 리사이클링
red 레드
redaction 리댁션
Red Data Book 레드 데이터 북
red-eye 레드아이
Redi 레디
redia 레디아
redlichia 레들리키아
Redon 르동
red power 레드 파워
red purge 레드 퍼지
redtop 레드톱
reduction gear 리덕션 기어
Redwood 레드우드
Reed, reed 리드
reed organ 리드 오르간
reel 릴
referee 레퍼리
referee ball 레퍼리 볼
referee position 레퍼리 포지션
referee stop 레퍼리 스톱
referee stop contest 레퍼리 스톱 콘테스트
referee time 레퍼리 타임
reference groups 레퍼런스 그룹
reference service 레퍼런스 서비스
referendum 레퍼렌덤
refill 리필
refine 리파인
refinery gas 리파이너리 가스
reflation 리플레이션
reflector 리플렉터
reflex 리플렉스
reflex camera 리플렉스 카메라
reform 리폼
reformation 레퍼메이션
reforming 리포밍
refrain 리프레인
refreshment 리프레시먼트
Regalien (도) 레갈리엔
regatta 레가타
régence (프) 레장스
Regensburg 레겐스부르크
regent 리젠트
Reger 레거
reggae 레게
Regge pole 레제폴
Reggio di Calabria 레조 디 칼라브리아
Reggio nell'Emilia 레조 넬에밀리아
Regiomontanus 레기오몬타누스
regionalism 리저널리즘
Régis 레지스
régisseur (프) 레지쇠르
register 레지스터
registration 레지스트레이션
Regnault 르뇨
Régnier 레니에
regular 레귤러
regular coffee 레귤러 커피
regular member 레귤러 멤버
regular player 레귤러 플레이어
regular position 레귤러 포지션
regular way 레귤러 웨이
regulation game 레귤레이션 게임
regulator 레귤레이터
Regulus (라) 레굴루스
rehabilitation 리허빌리테이션
rehearsal 리허설
Reich 라이히
Reichardt 라이하르트
Reichenbach 라이헨바흐
Reichsautobahn (도) 라이히스아우토반
Reichsbank (도) 라이히스방크
Reichsmark (도) 라이히스마르크
Reichstein 라이히슈타인
Reid 레이드; 리드
Reil 라일
Reims 랭스
Reinach 라이나흐
Reinecke 라이네케
Reineke Fuchs (도) 라이네케 푹스
Reiner 라이너
Reinhardt 라인하르트
Reis 라이스
Reischauer 라이샤워
relation 릴레이션
relax 릴랙스
Relay, relay 릴레이
release 릴리스
release print 릴리스 프린트
releaser 릴리서
relief 릴리프

robe décolletée (프) 로브 데콜테
robe montante (프) 로브 몽탕트
Robertson 로버트슨
Robespierre 로베스피에르
Robin Hood 로빈 후드
robinia 로비니아
Robinson 로빈슨
Robinson Crusoe 로빈슨 크루소
robolution 로볼루션
robot 로봇
Roca 로카
Roche 로시
Rochelle 로셸
Rochester 로체스터
rock 록
rock-a-billy 로커빌리
rock and roll (미) 록 앤드 롤
rock beat (미) 록 비트
rock-climbing 록클라이밍
Rockefeller 록펠러
Rockefeller Center 록펠러 센터
rocket 로켓
rocket antenna 로켓 안테나
rocket engine 로켓 엔진
rock festival (미) 록 페스티벌
rock fiber 록 파이버
rock-fill dam 록필 댐
rock garden 록 가든
rock group (미) 록 그룹
rocking motion 로킹 모션
rock'n'roll (미) 로큰롤
rockoon 로쿤
Rockwell 록웰
Rockwell International 록웰 인터내셔널
Rocky 로키
rococo (프) 로코코
rod 로드
rod antenna 로드 안테나
Rodbertus 로트베르투스
Rodenbach 로덴바흐
rodeo (미) 로데오
Rodgers 로저스
Rodin 로댕
rod mill 로드 밀
Rodopi 로도피
Rodos 로도스
Rodrigues 로드리게스
Rodzinski 로진스키
Roe 로
roed-zak (네) 루데삭
Roger Wagner 로저 와그너
Rohillá 로힐라
Rohrer (도) 로러
Rojas-Zorrilla 로하스소리야
ROK 록, 아르 오 케이
ROKA 로카, 아르 오 케이 에이
rokh (아랍) 로크
Rokitansky 로키탄스키
Rokossovski 로코소프스키
role-playing 롤플레잉
Rolex 롤렉스
roll 롤
Rolland 롤랑
Roll-Back 롤백
roll-call 롤콜
roll collar 롤 칼라
roll crusher 롤 크러셔
Rolle 롤
rolled cabbage 롤드 캐비지
Rolleiflex 롤라이플렉스
roller 롤러
roller bearing 롤러 베어링
roller blade 롤러 블레이드
roller canaria 롤러 카나리아
roller coaster 롤러 코스터
roller mill 롤러 밀
roller skate 롤러 스케이트
roller skating 롤러 스케이팅
roll film 롤 필름
roll-in 롤인
rolling 롤링
rolling mill 롤링 밀
rolling offence 롤링 오펜스
Rollo 롤로
roll over 롤 오버
Rolls-Royce 롤스로이스
ROM 롬
Roma 로마
Roma Club 로마 클럽
Romains 로맹
roman (프) 로망
Romance 로맨스
romance 로맨스
Romanesque 로마네스크
roman fleuve (프) 로망 플뢰브
Romanist 로마니스트
romanize 로마나이즈
Roman nose 로만 노즈
Romano 로마노
Romanov 로마노프
romantic 로맨틱
romanticism 로맨티시즘
romanticist 로맨티시스트
romantisme (프) 로망티슴
Romberg 롬베르크
Romeo 로메오
Rõmer 뢰메르
Rommel 로멜
Romney Marsh 롬니 마시
romper room 롬퍼 룸
rompers 롬퍼스
Romulo 로물로
Romulus 로물루스
rondada 론다다
rondeau (프) 롱도
rondo (이) 론도
rondo sonata 론도 소나타
Rong 롱
Rongbuk 롱북
Ronsard 롱사르
Ronson 론슨
Röntgen 뢴트겐
Röntgen meter 뢴트겐 미터
Röntgen television 뢴트겐 텔레비전
roof 루프
roof garden 루프 가든
roofing 루핑
rookie (미) 루키
room 룸
room lamp 룸 램프
room light 룸 라이트
roommate 룸메이트
room salon 룸 살롱
room service 룸서비스
roomy line 루미 라인
Roosevelt 루스벨트
Root 루트
root 루트
Roots 루츠
Roozeboom 로제봄
rope 로프
rope brake 로프 브레이크
ropeway 로프웨이
Roquefort Cheese 로크포르 치즈
Rorschach test 로르샤흐 테스트
Rosa 로사
rosaniline 로자닐린
Rosario 로사리오
rosario (포) 로사리오
Roscellinus 로스켈리누스
Roscher 로셔
Roscius 로스키우스
Rose 로제
rose 로즈
Roseau 로조
Rosebery 로즈버리
Rosegger 로제거
roselle 로젤
rosemary 로즈메리
Rosenberg 로젠버그 ; 로젠베르크
Rosenbusch 로젠부슈
Rosenstock 로젠스톡
Rosetta 로제타
rosette 로제트
rosin 로진
rosin bag 로진 백
Rosmini-Serbati 로스미니세르바티
Ross 로스
Rossby 로스비
Rosse 로스
Rossellini 로셀리니
Rossetti 로세티
Rossini 로시니
Rostand 로스탕
Rostov 로스토프
Rostovtzeff 로스토프체프
Rostow 로스토
Rostropovich 로스트로포비치
Rot 로트
Rota 로타
rotameter 로터미터
rotary 로터리
rotary boring 로터리 보링
Rotary Club 로터리 클럽
rotary engine 로터리 엔진
rotary offset 로터리 오프셋
rotary photogravure 로터리 포토그라비어
rotary pump 로터리 펌프
rotary stacker 로터리 스태커
rotary switch 로터리 스위치
rotation 로테이션
ROTC 아르 오 티 시
rotenone 로테논
Roth 로트
Rothschild 로스차일드
rotogravure 로토그라비어
rotonda (이) 로톤다
rotor 로터
rotor pump 로터 펌프
Rotterdam 로테르담
Rouault 루오
Roubaix 루베
rouble 루블
Rouché 루셰
Rouen 루앙
rouge (프) 루주
Rouget 루제
rough 러프
rough paper 러프 페이퍼
Rougon-Macquart 루공마카르
roulette 룰렛
round 라운드
Roundheads 라운드헤즈
round number 라운드 넘버
round table 라운드 테이블
Rous 라우스
Rousseau 루소
Roussel 루셀
route 루트
route map 루트 맵
Roux 루
rover 로버
Rowland 롤런드
Roxas 로하스
Royal Academy 로열 아카데미
royal box 로열 박스
Royal Court 로열 코트
Royal Dutch Shell Group 로열 더치 셸 그룹
Royal Festival Hall 로열 페스티벌 홀
Royal Institution 로열 인스티튜션
royal jelly 로열 젤리
Royal Philharmonic Orchestra 로열 필하모닉 오케스트라
royal road 로열 로드
Royal Shakespeare 로열 셰익스피어
Royal Society 로열 소사이어티
royalty 로열티
Royce 로이스
Roze 로즈
Rozenberg 로젠베르크
Rozhdestvensky 로제스트벤스키
r.p.m. 아르 피 엠
RPV 아르 피 브이
RR 아르 아르
RRR 아르 아르 아르
R.S.C. 아르 에스 시
RTO 아르 티 오
RTS 아르 티 에스
Rubā'ıyāt 루바이야트
rubashka (러) 루바슈카
rubato (이) 루바토
rubber 러버
rubber cement 러버 시멘트
rubber racket 러버 라켓
rubber shoes 러버 슈즈
rubber silk 러버 실크
rubber sole 러버 솔
Rubbia 루비아
Rubens 루벤스
Rubicon 루비콘
rubidium 루비듐
rubidium strontium 루비듐 스트론튬
Rubik's Cube game 루빅 큐브 게임
Rubinstein 루빈슈타인 ; 루빈스타인
rubl' (러) 루블
Rubruck 루브루크
ruby 루비
ruck 럭
Rucker plan 러커 플랜
rucksack 룩색, 룩색
rudbeckia 루드베키아
Rude 뤼드
Rudin 루딘
Rudolf 루돌프
ruffle 러플
rug 러그
Rugby 럭비
Rugby football 럭비 풋볼
rugger 러거
rugger-man 러거맨
Ruhr 루르
Ruisdael 뢰이스달
rukū 루쿠
rule 룰
ruler 룰러
rum 럼
Rumania 루마니아
rumba (스) 룸바
Rumelia 루멜리아
Rumsey 럼지
run 런
rune 룬
Runeberg 루네베리
Runge 룽게
runner 러너
running 러닝
running broker 러닝 브로커
running catch 러닝 캐치
running cost 러닝 코스트
running homer 러닝 호머
running mate 러닝 메이트
running pass 러닝 패스
running royalty 러닝 로열티
running shirt 러닝 셔츠
running shoes 러닝 슈즈
running shoot 러닝 슛
running shot 러닝 샷
running stitch 러닝 스티치
running stock 러닝 스톡
runs batted in 런스 배티드 인
rupee 루피
rupiah 루피아
rurban 러번
Rurik 루리크
Ruse 루세
rush 러시
rush hour 러시 아워
rush line 러시 라인
Rushmore 러시모어
rush print 러시 프린트
rush tactics 러시 택틱스
Rusk 러스크
rusk 러스크
Ruskin 러스킨
Ruskin College 러스킨 칼리지
Russell 러셀
russell 러셀
Russia 러시아
Russian ballet 러시아 발레
Russian roulette 러시안 룰렛
Russolo 루솔로
rusticana (이) 루스티카나

rustico (이) 루스티코
ruta 루타
Ruth 루스; 룻
Ruthenia 루테니아
ruthenium 루테늄
Rutherford 러더퍼드
rutherford 러더퍼드
rutile 루틸
rutin 루틴
Ruwenzori 루웬조리
Ružička 루지치카
Rwanda 르완다
Ryazan' 랴잔
Rybinsk 리빈스크
Rydberg 리드베리
Rydberg-Schuster 리드베리슈스터
Rykov 리코프
Ryle 라일
rythmique (프) 리트미크
Ryurik 류리크

S, s 에스
SA 에스 아
Saadi 사디
Saanen (도) 자넨
Saar 자르
Saarbrücken 자르브뤼켄
Saarinen 사리넨
Saarland 자를란트
Sabah 사바
Sabang 사방
sabão (포) 사보텐
sabão (포) 샤봉
Sabatier 사바티에
Sábato 사바토
Sabbath 사바스
sabbatical leave 서배티컬 리브
sabel (네) 사벨
saber jet (미) 세이버 제트
Sabinus 사비누스
Sabin vaccine 세이빈 백신
Sable, sable 세이블
sablé (프) 사블레
sabot (프) 사보
sabotage (프) 사보타주
sabre (프) 사브르
saccharase 사카라아제
saccharimeter 사카리미터
saccharin 사카린
saccharometer 사카로미터
saccharomyces 사카로미세스
saccharose 사카로오스
Saccheri 사케리
Sacchetti 사케티
Sacher Masoch 자허 마조흐
Sachs 작스
Sachsen 작센
Sachsen Spiegel 작센 슈피겔
sack 색
sack coat 색 코트
sack dress 색 드레스
Sackville-West 색빌웨스트
sacrament 새크러먼트
Sacramento 새크라멘토
sacrifice 새크리파이스
sacrifice bunt 새크리파이스 번트
sacrifice hit 새크리파이스 히트
sadanga (인) 사당가
Sadat 사다트
saddleback 새들백
saddle bag 새들 백
saddle leather 새들 레더
saddle oxford 새들 옥스퍼드
saddle shoes 새들 슈즈
Sadducees 사두개
Saddukaios 사두가이
Sade 사드
sadism 사디즘
sadist 사디스트
Sadko 사드코
Sadler's Wells 새들러스 웰스
Sadler's Wells Ballet 새들러스 웰스 발레
Sadoveanu 사도베아누
Sadowa 자도바
safari 사파리
safari look 사파리 룩
safari park 사파리 파크
safari race 사파리 레이스
Safavi 사파비
safe 세이프
safeguard 세이프가드
safe hit 세이프 히트
safe in 세이프 인
safety 세이프티
safety bunt 세이프티 번트
safety factor 세이프티 팩터
safety first 세이프티 퍼스트
safety island 세이프티아일런드
safety razor 세이프티 레이저
safety valve 세이프티 밸브
safety week 세이프티 위크
safety zone 세이프티 존
Saffar 사파르
saffraan (네) 사프란
safranine 사프라닌
safrole 사프롤
saga 사거
Sagan 사강, 세이건
SAGE, sage 에스 에이 지 이, 세이지
Sahagún 사하군
Sahara 사하라
Saharanpur 사하란푸르
Saida 사이다
Said Pasha 사이드 파샤
Saigon 사이공
sailing 세일링
sailing boat 세일링 보트
Saillant 사양
sailor 세일러
sailor hat 세일러 해트
sailor look 세일러 룩
sailor pants 세일러 팬츠
Saint, saint 세인트
Saint Augustine 세인트 오거스틴
Saint Bernard 세인트 버나드
Saint Bernard 생베르나르
Saint Bride 세인트브라이드
Saint Brides 세인트브라이즈
Saint Christopher 세인트크리스토퍼
Saint Christopher and Nevis 세인트 크리스토퍼 네비스
Saint Clair 세인트클레어
Saint-Cyr-l'École 생시르레콜
Saint-Denis 생드니
Sainte-Beuve 생트뵈브
Saint Elias 세인트일라이어스
Saint-Étienne 생테티엔
Saint-Exupéry 생텍쥐페리
Saint George 세인트조지
Saint-Germain 생제르맹
Sanint-Germain-des-Prés 생제르맹데프레
Saint-Germain-en-Laye 생제르맹앙레
Saint-Gotthard 생고타르
Saint Helena 세인트헬레나
Saint Helens 세인트헬렌스
Saint-Hilaire 생틸레르
Saint John 세인트존
Saint-John Perse 생종 페르스
Saint John's 세인트존스
Saint-Just 생쥐스트
Saint Kitts 세인트키츠
Saint-Laurent 생로랑
Saint Lawrence 세인트로렌스
Saint Louis 세인트루이스
Saint-Louis 생루이
Saint Louis Blues 세인트루이스 블루스
Saint Lucia 세인트루시아
Saint Moritz 생모리츠
Saint-Nazaire 생나제르
Saint Paul 세인트폴, 생폴
Saint Peter 세인트 피터
Saint Petersburg 세인트 피터즈버그
Saint-Pierre 생피에르
Saint-Saëns 생상스
Saintsbury 세인츠버리
Saint-Simon 생시몽
Saint Sophia 세인트 소피아
Saint Thomas 세인트토머스
Saint Vincent 세인트빈센트
Saint Vincent and the Grenadines 세인트빈센트 그레나딘
Saipan 사이판
Saisiyat 사이시야트
Sakai 사카이
Sakhalin 사할린
Sakharov 사하로프
Śakuntala (인) 샤쿤탈라
Sakya 사캬
Śakyamuni (범) 석가모니
Salacrou 살라크루
salad 샐러드
salad dressing 샐러드 드레싱
Saladin 살라딘
salad oil 샐러드 오일
Salamanca 살라망카
salamander 샐러맨더
salami 살라미
Salamis 살라미스
salami sausage 살라미 소시지
Salammbô 살람보
salary 샐러리
salary day 샐러리 데이
salary man 샐러리 맨
salary woman 샐러리 우먼
Sala y Gomez 살라이고메스
Salazar 살라자르
sale 세일
Saleilles 살레유
Salem 세일럼
salep 살렙
Salerno 살레르노
sales engineer 세일즈 엔지니어
salesgirl 세일즈걸
Salesio 살레지오
salesman 세일즈맨
sales promotion 세일즈 프로모션
salic 살릭
Salica 살리카
salicin 살리신
salicyl 살리실
salicyl alcohol 살리실 알코올
Salier 잘리어
Salietai 살리타
saligenin 살리게닌
Salii 살리
salina 살리나
Salinger 샐린저
Salisbury 솔즈베리
Salk 소크
Salk vaccine 소크 백신
Sallal 살랄
Sal-log 살로그
Sallustius 살루스티우스
salmon 새먼
Salmonella (라) 살모넬라
Salmonella enteritidis 살모넬라 엔테리티디스
Salmonella oraniennburg (라) 살모넬라 오라니엔부르그
salmonsite 살몬사이트
Salol 잘롤
Salome 살로메
Salomé (프) 살로메
salon (프) 살롱
Salon d'Automne (프) 살롱 도톤
salon deck 살롱 덱
Salon de Mai (프) 살롱 드 메
Salon des Artistes Indépendants 살롱 데 자르티스트 쟁데팡당
Salon des Réalités nouvelles (프) 살롱 데 레알리테 누벨
Salon des Tuileries (프) 살롱 데 튀일리
Salonika 살로니카
salon music 살롱 뮤직
saloon 설룬
salpa 살파
salsa 살사
salsoline 살솔린
SALT 솔트
salt 솔트
saltando (이) 살탄도
saltarello (이) 살타렐로
saltato (이) 살타토
Salten 잘텐
Salt Lake City 솔트레이크시티
Salto 살토
Salton 솔턴
salute 설루트
Salvador 살바도르
salvage 샐비지
salvage vessel 샐비지 베슬
Salvarsan (도) 살바르산
Salvation Army 샐베이션 아미
salvia 샐비어
Salvini 살비니
Salween 살윈
Salyut (러) 살류트
Salzburg 잘츠부르크
Salzmann 잘츠만
SAM 샘
Samain 사맹
Samar 사마르
Samara 사마라
Samaranch 사마란치
Samarang 사마랑
Samaria 사마리아
Samarinda 사마린다
samarium 사마륨
Samarkand 사마르칸트
Sāma-Veda 사마베다
samba 삼바
sambo (러) 삼보
Samen (도) 자멘
Sāmkhya (범) 삼키아
Sāmkhyakārikā (범) 삼키아 카리카
Sāmkhya Yoga (범) 삼키아 요가
Sammartini 삼마르티니
Samoa 사모아
Samodii 사모디
Samos 사모스
Samothrace 사모트라케
samovar (러) 사모바르
Samoyed 사모예드
sampan 샘팬
sample 샘플
sample card 샘플 카드
sampler 샘플러
sample room 샘플 룸
sampling 샘플링
Samrong sen 삼롱센
Samson 삼손
Samuel 사무엘
Samuelson 새뮤얼슨《사무엘슨》
Samuelsson 사무엘손
San'a 사나
San Andreas 산 안드레아스
San Antonio 샌안토니오《산안토니오》
sanatorium (라) 사나토리움, 새너토리엄
Sānchī 산치
Sancho 산초
Sancho Panza 산초 판사
San Cristobal 산크리스토발
Sanctuary 생크추어리
sanctus (라) 상투스
Sand 상드
sand 샌드
sandal 샌들
sandarac gum 산다락 고무
sandbag 샌드백
sandblast 샌드블라스트
Sandburg 샌드버그
sand cay 샌드 케이
sander 샌더
sand green 샌드 그린
Sandia 산디아
San Diego 샌디에이고
sand-iron 샌드아이언

sand mill 샌드 밀
sand-mixer 샌드믹서
sandpaper 샌드페이퍼
sand pile 샌드 파일
sand-pump 샌드펌프
sand-ski 샌드스키
sandstone 샌드스톤
sand trap 샌드 트랩
sand-wedge 샌드웨지
sandwich 샌드위치
sandwich man 샌드위치 맨
sandwich panel 샌드위치 패널
Sandy 샌디
Sanforize (미) 샌퍼라이즈
sanforizing 샌퍼라이징
San Francisco 샌프란시스코
Sangallo 상갈로
Sanger 생어
Sangerism 생어리즘
Sangihe 상기에
San Giorgio 산 조르조
Sangita-Ratnakāra 상기타라트나카라
sanhedrin (헤) 산헤드린
Sanin 사닌
saninism 사니니즘
sanitarium 새니테어리엄
Sañjaya 산자야
San Jose 새너제이
San José 산호세
San Juan 산후안; 샌환
Sankt Gallen 장크트갈렌
Sankt Peterburg 상트페테르부르크
Sankt-Peterburg Philharmonic Orchestra 상트페테르부르크 필하모닉 오케스트라
Sankt Pölten 장크트푈텐
San Luis Potosí 산루이스포토시
San Marco 산 마르코
San Marino 산마리노
San Martin 산 마르틴
San Miguel de Tucumán 산미겔데투쿠만
San Pietro 산 피에트로
sanpla 산플라
sanplatina 산플라티나
San Remo 산레모
San Salvador 산살바도르
sans-culotte (프) 상퀼로트
San Sebastián 산세바스티안
sansevieria 산세비에리아
Sanskrit (범) 산스크리트
Sanson 상송
Sanson Flamsteed 상송 플램스티드
Sansovino 산소비노
Sans-souci 상수시
San Stefano 산스테파노
Santa (포·스·이) 산타
Santa Ana 산타아나, 산타애나
Santa Anna 산타아나
Santa Barbara 샌타바버라
Santa Clara 산타클라라
Santa Claus 산타 클로스 「즈
Santa Cruz 산타크루스, 산타크루
Santa Cruz de Tenerife 산타크루스데테네리페
Santa Fe 산타페, 샌타페이
santalin 산탈린
santalol 산탈롤
Santa Lucia 산타 루치아
Santa Maria 산타 마리아
Santa Maria del Fiore 산타 마리아 델 피오레 「마조레
Santa Maria Maggiore 산타 마리아
Santa Maria Novella 산타 마리아 노벨라
Santa Marta 산타마르타
Santa Monica 샌타모니카
Santander 산탄데르
Santayana 산타야나
Sant'Elia 산텔리아
Santiago 산티아고
Santiago de Compostela 산티아고데콤포스텔라
Santiago de Cuba 산티아고데쿠바
Santillana 산티야나
Santo Domingo 산토도밍고
santonin 산토닌
Santorio 산토리오
Santos 산투스
Santos-Dumont 산투스뒤몽
San Vitale 산비탈레
sanza 산자
São Francisco 상프란시스쿠
São Luís 상루이스
Saône 손
São Paulo 상파울루
São Tomé 상투메
São Tomé & Principe 상투메 프린
saphir 사피르 ⌊시페
Sapir 사피어
Sapir-Whorf 사피어워프
sapodilla 사포딜라
saponin 사포닌
Sapper 자퍼
sapphire 사파이어
Sapphism 사피즘
Sappho 사포
Saqqara 사카라
saraband 사라반드
saraça (포) 사라사
Saracen 사라센
Saragat 사라가트
Sarah 사라
Sarai 사라이
Sarajevo 사라예보
Saran 사란
sārangi 사랑기
Saransk 사란스크
Sarasate 사라사테
Sarasvati 사라스바티
sarāt 사라트
Saratoga 새러토가 「스
Saratoga Springs 새러토가 스프링
Saratov 사라토프
Sarawak 사라와크
sarcoglia 사르코글리아
sarcoid 사르코이드
sarcoidosis 사르코이도시스
sarcomycin 사르코마이신《자르코마이신》
sarcosine 사르코신
Sardegna 사르데냐
Sardes 사르데스
sardine 사딘
sardonyx 사도닉스
Sardou 사르두
saree 사리
Sargasso 사르가소
Sargent 사전트
Sargon 사르곤
sari 사리
Sāriputra (범) 사리푸트라
Sarmat 사르마트
Sarmiento 사르미엔토
Sārnāth 사르나트
sarod 사로드
saron 사론
sarong 사롱
sarong apron 사롱 에이프런
saros 사로스
Saroyan 사로얀
sarracenia 사라세니아
Sarraute 사로트
sarrussophone (프) 사뤼소폰
Sart 사르트
Sarto 사르토
Sarton 서턴
sartorite 사르토라이트
Sartre 사르트르
SAS 에스 에이 에스
Sasan 사산
sash 새시
Saskatchewan 서스캐처원
Saskatoon 새스커툰
Sasolburg 사솔버그
Sassafras 사사프라스
Sassoon 서순
Sastroamidjojo 사스트로아미조요
Satan (그) 사탄
Sātavāhana 사타바하나
satellite 새틀라이트
satellite studio 새틀라이트 스튜디
Satie 사티 ⌊오
satin 새틴
satin stitch 새틴 스티치
satire 새타이어
Saturday 새터데이
Saturday Evening Post 새터데이
Saturn 새턴 ⌊이브닝 포스트
Saturnus 사투르누스
Saturoi 사투로이
Satyagraha (인) 사티아그라하
Satyros 사티로스
sauce 소스
saucer 소서
Saudi Arabia 사우디아라비아
Sauer 자우어
Saul 사울
Sault Sainte Marie 수세인트마리
ṣaum (아랍) 사움
sauna 사우나
sausage 소시지
Saussure 소쉬르
sauté 소테
Sava 사바
savage touch 새비지 터치
Savai'i 사바이
savanna 사바나
Savannah 서배너
savarin (프) 사바랭
Savart 사바르
save 세이브
savenergy 세이베너지
save point 세이브 포인트
Savery 세이버리
Savignac 사비냐크
Savigny 사비니
saving 세이빙
Savinkov 사빈코프
Savitr 사비트르
Savoia 사보이아
Savoie 사부아
Savonarola 사보나롤라
Savoy 사보이
Sax 색스
saxhorn 색스혼
Saxon 색슨
Saxonia 삭소니아
Saxony, saxony 색스니
saxophone 색소폰
Say 세
Sayan 사얀
Sayce 세이스
Saydā 사이다
Sazonov 사조노프
SBR 에스 비 아르
SB spot 에스 비 스폿
scab (미) 스캐브
scabiosa 스카비오사
Scala 스칼라
Scalapino 스칼라피노
scalar 스칼라
scale 스케일
scaler 스케일러
Scaliger 스칼리제르
scaling 스케일링
scallop 스캘럽
scamp 스캠프
scandal 스캔들
Scandinavia 스칸디나비아
scandium 스칸듐
Scanlon plan 스캔런 플랜
scanner 스캐너
scanning 스캐닝
SCAP 스캡
Scapa Flow 스캐파플로
scapegoat 스케이프고트
scapolite 스카폴라이트
scar 스카
scarab 스캐러브
scarabée (프) 스카라베
scaramouche (프) 스카라무슈
scarf 스카프
Scarlatti 스카를라티
scarlet 스칼릿
Scarron 스카롱
scat 스캣
scenario 시나리오
scenario writer 시나리오 라이터
scene 신
sceptic 스켑틱
scepticism 스켑티시즘
Schacht 샤흐트
Schadow 샤도
Schaffhausen 샤프하우젠
Schale (도) 샬레
Schall 샬
Schaller 섈러
Schall von Bell 샬 폰 벨
Schally 섈리
Schamotte (도) 샤모테
Schanz 샨츠
Schanze (도) 샨체
Schär 셰어
Scharoun 샤룬
Schaudinn 샤우딘
Schawlow 숄로
schedule (미) 스케줄
Scheele 셸레
Scheherazade (프) 셰에라자드; 셰헤라자드
Scheidemann 샤이데만
Scheidt 샤이트
Scheiner 샤이너
Scheler 셸러
Schell 셸
Schelling 셸링
Schema (도) 셰마
Schere (도) 셰레
Scherenbogen (도) 셰렌보겐
Schering 셰링
scherzando (이) 스케르찬도
scherzo (이) 스케르초
scherzoso (이) 스케르초소
Schiaparelli 스키아파렐리
Schick 시크
Schickele 시켈레
Schi Heil (도) 시 하일
Schiller 실러
Schilling 실링
Schinkel 싱켈
Schipa 스키파
Schisma (라) 시스마
Schlafsack (도) 슐라프자크
Schlagintweit 슐라긴트바이트
Schlegel 슐레겔
Schleicher 슐라이허
Schleiden 슐라이덴
Schleiermacher 슐라이어마허
Schlesien (도) 슐레지엔
Schlesinger 슐레징어
Schleswig 슐레스비히
Schleswig-Holstein 슐레스비히홀
Schlick 슐리크 ⌊슈타인
Schlieffen 슐리펜
Schliemann 슐리만
Schlieren (도) 슐리렌
Schlosser 슐로서
Schlund (도) 슐룬트
Schlüter 슐뤼터
Schmalenbach 슈말렌바흐
Schmalkalden 슈말칼덴
Schmidt 슈미트
Schmidtbonn 슈미트본
Schmidt camera 슈미트 카메라
Schmidt net 슈미트 네트
Schmidt-Rottluff 슈미트로틀루프
Schmitt 슈미트
Schmoller 슈몰러
Schnabel 슈나벨
Schnack 슈나크
Schneider 슈나이더, (프) 슈네데르
Schnitzler 슈니츨러

Schnorchel (도) 슈노르헬
Schnurre 슈누레
Schobert 쇼베르트
Schofield 스코필드
schola (라) 스콜라
scholarship 스칼러십
Schönbein 쇤바인
Schönberg 쇤베르크
Schöne (도) 쇠네
Schongauer 숀가우어
school 스쿨
schoolboy 스쿨보이
school bus 스쿨 버스
school colour 스쿨 컬러
school dance 스쿨 댄스
school days 스쿨 데이스
school figure 스쿨 피겨
schoolgirl 스쿨걸
schooling 스쿨링
school master 스쿨 마스터
schoolmate 스쿨메이트
schooner 스쿠너
schop (네) 스홉
Schopenhauer 쇼펜하우어
Schottische (도) 쇼티셰
schottische 쇼티시
Schreier 슈라이어
Schreker 슈레커
Schrieffer 슈리퍼
Schröder 슈뢰더
Schrödinger 슈뢰딩거
Schrund (도) 슈룬트
Schub (도) 슈프
Schubert 슈베르트
Schulthess 슐트헤스
Schultz 슐츠
Schultz-Charlton 슐츠찰턴
Schultze 슐체
Schulze 슐체
Schulze-Delitzsch 슐체델리치
Schumacher 슈마허
Schuman 쉬망
Schumann 슈만
Schumann-Heink 슈만하잉크
Schuman Plan 쉬망 플랜
Schumpeter 슘페터
Schürer 쉬러
Schütz 쉬츠
Schwabe 슈바베
Schwaben 슈바벤
Schwagerina (라) 시와게리나
Schwalbe 슈발베
Schwanengesang (도) 슈바넨게장
Schwann 슈반
Schwartz 슈바르츠
Schwarzkopf 슈바르츠코프
Schwarzschild 슈바르츠실트
Schwarzwald 슈바르츠발트
Schweitzer 슈바이처
Schweiz 슈바이츠
Schwenkfeld 슈벵크펠트
Schwinger 슈윙거
Schwung (도) 슈붕
Science 사이언스
science fiction 사이언스 픽션
scientific 사이언티픽
scientist 사이언티스트
scinticamera 신티카메라
scintigram 신티그램
scintillation 신틸레이션
scintillation counter 신틸레이션 카운터
scintiscanner 신티스캐너
Scipio 스키피오
scirocco (이) 시로코
scissors 시저스
scissors jump 시저스 점프
scissors pass 시저스 패스
scolite 스콜라이트
scoop 스쿠프
scooter 스쿠터
scope 스코프
scopolamine 스코폴라민
Score 스코어
score 스코어
scoreboard 스코어보드
scorebook 스코어북
scorer 스코어러
scoria 스코리아
scoring 스코어링
scoring paper 스코어링 페이퍼
scoring position 스코어링 포지션
Scorpion 스코피언
Scotch 스카치, 스코치
Scotch egg 스카치 에그
Scotch tape 스카치 테이프
Scotch terrier 스카치 테리어, 스코치 테리어
Scotch whisky 스카치 위스키
Scotland 스코틀랜드
Scotland Yard 스코틀랜드 야드
scotophobin 스코토포빈
Scott 스콧
scout 스카우트
SCR 에스 시 아르
scramble 스크램블
scrambled egg 스크램블드 에그
Scranton 스크랜턴
scrap 스크랩
scrap and build 스크랩 앤드 빌드
scrapbook 스크랩북
scraper 스크레이퍼
scratch 스크래치
scratch noise 스크래치 노이즈
scratch player 스크래치 플레이어
screen 스크린
screen grid 스크린 그리드
screen play 스크린 플레이
screen process 스크린 프로세스
screen quota 스크린 쿼터
screen star 스크린 스타
screw 스크루
screw ball 스크루 볼
screw cap 스크루 캡
screw conveyer 스크루 컨베이어
screwdriver 스크루드라이버
screw kick 스크루 킥
screw press 스크루 프레스
Scribe 스크리브
Scripps-Howard 스크립스하워드
script 스크립트
scripter 스크립터
script girl 스크립트 걸
script writer 스크립트 라이터
scrum 스크럼
scrum formation 스크럼 포메이션
scrum half 스크럼 하프
scrum leader 스크럼 리더
scrum try 스크럼 트라이
scrum work 스크럼 워크
scrupel (네) 스크루펠
Scryabin 스크랴빈
scuba 스쿠버
scuba diving 스쿠버 다이빙
Scud 스커드
Scudéry 스퀴데리
scull (미) 스컬
scupper 스커퍼
Scutari 스쿠타리
Scythai 스키타이
SDI 에스 디 아이
S.D.R. 에스 디 아르
SE 에스 이
sea anchor 시 앵커
sea berth 시 버스
Seaborg 시보그
seal 실
Sea Land 시랜드
seal skin 실 스킨
seamless 심리스
searchlight 서치라이트
sea-scout 시스카우트
seasick 시식
season 시즌
season off 시즌 오프
season ticket 시즌 티켓
seat 시트
seat belt 시트 벨트
seat cover 시트 커버
seat knock 시트 노크
SEATO 시토
Seattle 시애틀
sébi 세비
Sébillot 세비요
sebkha 세브카
sec 세크
SECAM 세캄
secant 시컨트
Secchi 세키
secession 시세션
Seconal 세코날
second 세컨드
secondary glider 세컨더리 글라이더
second base 세컨드 베이스
second baseman 세컨드 베이스맨
second-hand 세컨드핸드
second mate 세컨드 메이트
second row 세컨드 로
second run 세컨드 런
second serve 세컨드 서브
secret 시크릿
Secreta (라) 세크레타
secretary 세크레터리
secretin 세크레틴
secret service 시크릿 서비스
sect 섹트
section 섹션
sectionalism 섹셔널리즘
section paper 섹션 페이퍼
sector 섹터
Sedan 스당
sedan (미) 세단
Sedov 세도프
Seebeck 제베크
Seeckt 제크트
seed 시드
seeing 시잉
Seele (도) 젤레
Seeley 실리
Seeliger 젤리거
seersucker 시어서커
seesaw 시소
seesaw game 시소 게임
see-through look 시스루 룩
Seferis 세페리스
Segal 시걸
Segantini 세간티니
Seger 제게르
Segesta 세제스타
Seghers 제거스
segment 세그먼트
Segni 세니
segno (이) 세뇨
Segonzac 스공자크
Segovia 세고비아
Segrè 세그레
seguidilla (스) 세기디야
Ségur 세귀르
Seidel 자이델
Seifert 사이페르트
Seignobos 세뇨보스
Seil (도) 자일
Seilenos 세일레노스
Sein (도) 자인
Seine 센
Seipel 자이펠
Seiren 세이렌
Seked, Sekhet 세케트
Sekhmet 세크메트
selah (헤) 셀라
selection 실렉션
selector 실렉터
Selene 셀레네
Selenga 셀렝가
selenium 셀레늄
Seleucos 셀레우코스
Seleukia 셀레우키아
self 셀프
self-control 셀프컨트롤
selfish 셀피시
self-service 셀프서비스
self-timer 셀프타이머
Seligman 셀리그먼
Selim 셀림
Seljuk 셀주크
Seljuk Turks 셀주크 투르크
seller 셀러
Sellers 셀러스
selsyn 셀신
selsyn motor 셀신 모터
Selvas 셀바스
Selvinskii 셀빈스키
Selznick 셀즈닉
Sem 셈
Semang 세망
semantics 시맨틱스
Semarang 스마랑
Semele 세멜레
semen cinae (라) 세멘시나
Semeroe 세메루
Sem-Ham 셈함
semi 세미
semicolon 세미콜론
semicompreg 세미콤프레그
semi-diesel 세미디젤
semidocumentary 세미다큐멘터리
semi-dull 세미덜
semi-evening 세미이브닝
semifinal 세미파이널
semikilled 세미킬드
Seminar (도) 제미나르
seminar 세미나
seminary 세미너리
Semipalatinsk 세미팔라틴스크
semipro 세미프로
semiprofessional 세미프로페셔널
semisoft collar 세미소프트 칼라
semisteel 세미스틸
semi-tone 세미톤
Semmelweis 제멜바이스
Semonides 세모니데스
Sempach 젬파흐
Semper 젬퍼
semplice (이) 셈플리체
semplicemente (이) 셈플리체멘테
sempre (이) 셈프레
Semyonov 세묘노프
Sénancour 세낭쿠르
sendalloy 센달로이
Seneca 세네카
Senefelder 제네펠더
senega 세네가
Sénégal 세네갈
Senghor 생고르
Senior, senior 시니어
senior high school 시니어 하이 스쿨
senna 센나
Senoi 세노이
señor (스) 세뇨르
señora (스) 세뇨라
señorita (스) 세뇨리타
sensation 센세이션
sensational 센세이셔널
sensationalism 센세이셔널리즘
sense 센스
sensibility 센시빌리티
sensibility training 센시빌리티 트레이닝
sensible 센시블
sensitive item 센시티브 아이템
sensor 센서
sensual 센슈얼
sensualism 센슈얼리즘
sentence 센텐스
sentiment 센티먼트
sentimental 센티멘털
sentimentalism 센티멘털리즘
sentimentalist 센티멘털리스트
senza tempo (이) 센차 템포
sepak takraw 세파크 타크로
separate 세퍼릿
separate course 세퍼릿 코스
separates 세퍼리츠
separate stereo 세퍼릿 스테레오
sepia 세피아
Sepoy 세포이
septet 셉텟
sequence 시퀀스

Sequoia 세쿼이아
sérac (프) 세락
Serafimovich 세라피모비치
seraphim 세라핌
Serb 서브
Serbia 세르비아
Serenade (도) 세레나데
sérénade (프) 세레나드
Seres 세레스
serge 서지, 세루, (프)세르주
Serica 세리카
sericin 세리신
série (프) 세리
series 시리즈
serif 세리프
serioso (이) 세리오소
seriplane 세리플레인
Serkin 서킨, 제르킨
Serlio 세를리오
serotonin 세로토닌
servant 서번트
serve 서브
serve keep 서브 키프
server 서버
serve side-out 서브 사이드아웃
Serveto 세르베토
service 서비스
service ace 서비스 에이스
service area 서비스 에어리어
service band 서비스 밴드
service box 서비스 박스
service court 서비스 코트
service day 서비스 데이
service girl 서비스 걸
service hole 서비스 홀
service line 서비스 라인
service mark 서비스 마크
service sale 서비스 세일
service station 서비스 스테이션
service yard 서비스 야드
servo 서보
servobrake 서보브레이크
Servo-Croat 세르보크로아트
servomotor 서보모터
Set, set 세트
set all 세트 올
sētār (페르시아) 세타르
set bill 세트 빌
set offence 세트 오펜스
Seton 시턴
set point 세트 포인트
set position 세트 포지션
set score 세트 스코어
set scrum 세트 스크럼
sets in use 세츠 인 유스
setter 세터
setting 세팅
settlement 세틀먼트
Setúbal 세투발
setup 세트업
Seurat 쇠라
Sevastopol' 세바스토폴
seven 세븐
seven-eighth 세븐에이스
seven system 세븐 시스템
seventeen 세븐틴
Seventh Avenue 세븐스 애버뉴
Severance 세브란스
severe storm 시비어 스톰
Severini 세베리니
Sévigné 세비녜
Sevilla 세비야
sevillana (스) 세비야나
Sèvres (프) 세브르
Seward 슈어드, 수어드
Sewell 슈얼
sex 섹스
sex appeal 섹스 어필
sex check 섹스 체크
sexosophy 섹소소피
sextant 섹스턴트
sextet 섹스텟
sex therapist 섹스 세러피스트
Sextus Empiricus 섹스투스 엠피리쿠스
sexual 섹슈얼
sexy 섹시
Seychelles 세이셸
Seyfert 세이퍼트
Seyhūl-Islām (터) 샤이훌이슬람
Sezession (도) 제체시온
SF 에스 에프
Sforza 스포르차
sforzando (이) 스포르찬도
sforzato (이) 스포르차토
sfumato (이) 스푸마토
Shaba 샤바
Shackleton 섀클턴
Shaddock 샤독
shade 셰이드
shadow 섀도
shadowboxing 섀도복싱
shadow cabinet 섀도 캐비닛
shadow mask 섀도 마스크
shadow play 섀도 플레이
shadow stripe 섀도 스트라이프
Shadwell 섀드웰
shaft 샤프트
Shaftesbury 샤프츠버리
shaggy carpet 섀기 카펫
Shah Jahan 샤 자한
Shahn 샨
Shah Name 샤나메
shake hand 셰이크 핸드
shakehand grip 셰이크핸드 그립
shaker 셰이커
Shakespeare 셰익스피어
shale 셰일
shamal 샤말
shaman 샤먼
shamanism 샤머니즘
shampoo 샴푸
Shan 샨
shank 생크
Shannon 섀넌, 샤논
SHAPE, Shape 셰이프
shaper 셰이퍼
Shapiro 샤피로
Shapley 섀플리
Shapur 샤푸르
share 셰어
shari'ah (아랍) 샤리아
Shark 샤크
shark's fin 삭스핀
sharkskin 샤크스킨
sharp 샤프
sharp pencil 샤프 펜슬
Shasta 섀스타
Shasta daisy (미) 섀스타 데이지
shaver 셰이버
shaving 셰이빙
shaving brush 셰이빙 브러시
shaving cream 셰이빙 크림
Shaw 쇼
shawl 숄
Shchedrin 시체드린
Shcherbatskoi 시체르바츠코이
shear 시어
Shearer 시어러
shearing 시어링
shear pin 시어 핀
Shedd 셰드
sheepskin 시프스킨
sheet 시트
sheet bar 시트 바
sheeting 시팅
sheet pile 시트 파일
Sheffield 셰필드
sheik dollar 셰이크 달러
shell 셸
shellac 셸락
Shelley 셸리
shell mould 셸 몰드
shelter 셸터
sheltered workshop 셸터드 워크숍
Shemya 셰먀
Shenandoah 셰넌도어
shepherd 셰퍼드
shepherd ckeck 셰퍼드 체크
Sheraton 셰러턴
Sheraton Hotel 셰러턴 호텔
sherbet 셔벗
Sheridan 셰리든
sheriff 셰리프
Sherlock Holmes 셜록 홈스
Sherman 셔먼
Sherpa 셰르파
Sherrington 셰링턴
sherry 셰리
sherry glass 셰리 글라스
Shēr Shāh 셰르 샤
Sherwood 셔우드
Shestov 셰스토프
shetland 셰틀랜드
S.H.F. 에스 에이치 에프
Shiah 시아
shield 실드
shift (미) 시프트
shift down 시프트 다운
shift dress 시프트 드레스
shift plays (미) 시프트 플레이
shilling 실링
Shillong 실롱
shipper's usance 시퍼스 유전스
shipplane 십플레인
shipton 십턴
Shiraz 시라즈
Shirley 셜리
shirring (미) 셔링
shirt 셔츠, 샤쓰
shirt blouse 셔츠 블라우스
Shishkov 시슈코프
Shklovski 슈클로프스키
shock 쇼크
shock cord 쇼크 코드
shocking 쇼킹
Shockley 쇼클리
shoes 슈즈
shoeshine 슈샤인
shoeshine boy 슈샤인 보이
Sholapur 숄라푸르
Sholokhov 숄로호프
shoot 슈트, 슛
shooter 슈터
shooting 슈팅
shooting script 슈팅 스크립트
shop 숍
shopgirl 숍걸
shopping 쇼핑
shopping bag 쇼핑 백
shopping center 쇼핑 센터
shopping mall 쇼핑 몰
shoran 쇼랜
Shore 쇼어
short 쇼트
short approach 쇼트 어프로치
short ball 쇼트 볼
short bound 쇼트 바운드
shortcake 쇼트케이크
short-circuit 쇼트서킷
short cut 쇼트 커트
shortening 쇼트닝
short field 쇼트 필드
short hair 쇼트 헤어
short hole 쇼트 홀
shorthorn 쇼트혼
short iron 쇼트 아이언
short pants 쇼트 팬츠
short pass 쇼트 패스
short program 쇼트 프로그램
short punt 쇼트 펀트
short ski 쇼트 스키
short skirt 쇼트 스커트
shortstop 쇼트스톱
short story 쇼트 스토리
short time 쇼트 타임
short ton 쇼트 톤
short track 쇼트 트랙
shorty 쇼리
Shostakovich 쇼스타코비치
shot 샷, 숏
shot peening 숏 피닝
shoulder bag 숄더 백
shoulder blocking 숄더 블로킹
shoulder pad 숄더 패드
shoulder pass 숄더 패스
shovel 셔블
shovel loader 셔블 로더
show 쇼
showboat 쇼보트
showcase 쇼케이스
showdown (미) 쇼다운
shower 샤워
shower bath 샤워 배스
showgirl 쇼걸
showman 쇼맨
showmanship 쇼맨십
showroom 쇼룸
show window 쇼 윈도
shredder 슈레더
shredding 슈레딩
Shrenk 슈렌크
shrink 슈링크
shroud 슈라우드
Shu 슈
shuba (러) 슈바
Shufeldt 슈펠트
shuffle 셔플
shunt 션트
shutout 셧아웃
shutter 셔터
shuttle 셔틀
shuttle bus 셔틀 버스
shuttlecock 셔틀콕
Shvartz 슈바르츠
Shvernik 슈베르니크
Shylock 샤일록
S.I., SI 에스 아이
si (이) 시
sial 시알
Sialk 시알크
Sialkot 시알코트
Siam 시암《샴》, 사이앰
Sibelius 시벨리우스
Siberia 시베리아
Sibir 시비르
Sibir-Khan 시비르칸
Sibylla (그) 시빌라
Sicher (도) 지허
Sicherung (도) 지혜룽
Sicilia 시칠리아
siciliana (이) 시칠리아나
siciliano (이) 시칠리아노
Sicily 시실리
Sickel 지켈
Sickingen 지킹겐
Siddhārtha (범) 싯다르타
Siddons 시든스
side 사이드
side-arm throw 사이드암 스로
sideboard 사이드보드
side brake 사이드 브레이크
side business 사이드 비즈니스
sidecar 사이드카
side drum 사이드 드럼
side-dumping car 사이드덤핑 카
side light 사이드 라이트
sideline 사이드라인
side mirror 사이드 미러
side out 사이드 아웃
side player 사이드 플레이어
side pocket 사이드 포켓
side pole 사이드 폴
siderostat 시데로스탯
sideslip 사이드슬립
side step 사이드 스텝
side stepping 사이드 스테핑
side stride 사이드 스트라이드
side stroke 사이드 스트로크
side table 사이드 테이블
side throw 사이드 스로
side title 사이드 타이틀
side vents 사이드 벤츠
side walk 사이드 워크
Sidewinder 사이드와인더
side work 사이드 워크

Sidney 시드니
Sidon 시돈
Siebold 지볼트
Siedlung (도) 지들룽
Siegbahn 시그반
siege tactics 시지 택틱스
Siegfried 지크프리트
Siegmund 지크문트
Siemens 지멘스
Siemens-Martin 지멘스마르탱
Siem Reap 시엠레아프
Siena 시에나
Sienkiewicz 시엔키에비치
Sierra Leone 시에라리온
Sierra Madre 시에라마드레
Sierra Maestra 시에라마에스트라
Sierra Morena 시에라모레나
Sierra Nevada 시에라네바다
Sievers 지페르스
sievert 시버트
Sieyès 시에예스
sight bill 사이트 빌
sight L/C 사이트 엘 시
Sigiriya 시기리야
Sīgismund 지기스문트
sigmatron 시그마트론
sign 사인
Signac 시냐크
signal 시그널
signal music 시그널 뮤직
signal tracer 시그널 트레이서
signbook 사인북
sign curve 사인 커브
sign-gestalt 사인게슈탈트
signifiant (프) 시니피앙
signifié (프) 시니피에
Signorelli 시뇨렐리
sign pen 사인 펜
sign play 사인 플레이
Sihanouk 시아누크
Sikh 시크
Sikhote Alin 시호테알린
Sikkim 시킴
Sikkim Himalaya 시킴히말라야
Sikorsky 시코르스키
sikussak 시쿠삭
silage 사일리지
silane 실란
Silcher 질허
silence 사일런스
silencer 사일런서
Silēnos (그) 실레노스
silent 사일런트
silent picture 사일런트 픽처
silent play 사일런트 플레이
Silesia 실레지아
silhouette (프) 실루엣
silica 실리카
silica cement 실리카 시멘트
silica gel 실리카 겔
silicon 실리콘
silicon carbide 실리콘 카바이드
silicon chip 실리콘 칩
silicon diode 실리콘 다이오드
silicone 실리콘
silicone oil 실리콘 오일 「터
silicon transistor 실리콘 트랜지스
Silicon Valley 실리콘 밸리
silicon waper 실리콘 웨이퍼
silikal'cit (러) 실리칼리치트
silk 실크
silkette 실켓
silk glue 실크 글루
silk hat 실크 해트
silk print 실크 프린트
Silk Road 실크 로드
silkscreen 실크스크린
silk wool 실크 울
Sillanpää 실란패
Sillitoe 실리토
silo 사일로
Silone 실로네
silumin 실루민
Silvanus 실바누스

silver 실버
silver-grey 실버그레이
silver screen 실버 스크린
silver streak 실버 스트리크
silver time 실버 타임
silverton 실버톤
silver wedding 실버 웨딩
sima 시마
Simenon 심농
Simferopol' 심페로폴
Simiand 시미앙
simile (이) 시밀레
Simla 심라
Simmel 지멜
Simmenthal (도) 지멘탈
Simmental 심멘탈
Simmonds 시먼즈
Simon 사이먼, 시몬, 시몽
Simonides 시모니데스
Simonov 시모노프
simoon 시문
simple 심플
simple life 심플 라이프
simplex 심플렉스
simplify 심플리파이
Simplon 심플론
Simpson 심프슨
Simson 심슨
simulation 시뮬레이션
simulator 시뮬레이터
simulcast 사이멀캐스트
simultanéisme (프) 시뮐타네이슴
Sin 신
sin 사인
Sinai 시나이, 시내
Sinanthropus (라) 시난트로푸스
Sinanthropus pekinensis 시난트로푸스 페키넨시스
Sinatra 시나트라
sincerity 신세리티
Sinclair 싱클레어
Sindbad 신드바드
sine 사인
sine curve 사인 커브
Singakademie (도) 징아카데미
Singapore 싱가포르
Singer, singer 싱어
singeress 싱어리스
singer-songwriter 싱어송라이터
single 싱글
single bed 싱글 베드
single-breast 싱글브레스트
single hand 싱글 핸드
single-hit 싱글히트
single player 싱글 플레이어
singles 싱글스
single scull 싱글 스컬
single seater 싱글 시터
Singspiel (도) 징슈필
singularism 싱귤러리즘
singularity 싱귤래리티
Sinhalese 신할리즈
sink 싱크
sinker 싱커
sinology 시놀로지
Sinopoli 시노폴리
sinus 시누스, 사이너스
Sion 시옹, 사이언, 시온
siphon 사이펀
siproteron acetate 시프로테론 아세 「테이트
Siqueiros 시케이로스
Siracusa 시라쿠사
siren 사이렌
Sirius 시리우스
sisal 사이잘
Sisley 시슬레
Sismondi 시스몽디
sister 시스터
Sistina 시스티나
Sisyphos 시시포스
SIT 에스 아이 티
sitār (페르시아) 시타르
SITC 에스 아이 티 시
sit-down 싯다운

sit-down strike 싯다운 스트라이크
sitting room 시팅 룸
situation 시추에이션
situation drama 시추에이션 드라마
Sitwell 시트웰
Siva 시바
Sivas 시바스
Six, six 식스
sixain (프) 시쟁
size 사이즈
size control 사이즈 컨트롤
sizing 사이징
Sjælland 셸란
Skagerrak 스카게라크
skald 스칼드
Skarn (도) 스카른
skate 스케이트
skateboard 스케이트보드
skater 스케이터
skater's waltz 스케이터스 왈츠
skating 스케이팅
skating rink 스케이팅 링크
skavla (노르웨이) 스카블라
skeet 스키트
skeleton 스켈리턴
Skelton 스켈턴
sketch 스케치
Sketch Book 스케치 북
sketchbook 스케치북
sketcher 스케처
sketch map 스케치 맵
skew gear 스큐 기어
SKF 에스 케이 에프
ski 스키
skid 스키드
ski dépôt (프) 스키 데포
skier 스키어
skiing 스키잉
skill 스킬
skim milk 스킴 밀크
skin 스킨
skin diving 스킨 다이빙
skin food 스킨 푸드
skin lotion 스킨 로션
Skinner 스키너
skinship 스킨십
skiograph 스키오그래프
skip 스킵
skipper 스키퍼
skipping step 스키핑 스텝
skirt 스커트
Skobelev 스코벨레프
Skopas 스코파스
Skopje 스코페
Skrimir 스크리미르
skunk (미) 스컹크
skunk 스컹크
sky 스카이
sky blue 스카이 블루
sky cover 스카이 커버
skydiver 스카이다이버
skydiving 스카이다이빙
Skyhawk 스카이호크
skyhook 스카이훅
skyjack 스카이잭
sky kite 스카이 카이트
Skylab 스카이래브
skylight 스카이라이트
skyline 스카이라인
Skylla (그) 스킬라
sky lounge 스카이 라운지
Skynet 스카이네트
sky noise 스카이 노이즈
sky parking 스카이 파킹
Skyraider 스카이레이더
Skyray 스카이레이
Skyscraper 스카이스크레이퍼
sky serve 스카이서브
sky-ship 스카이십
skysign 스카이사인
Skywarrior 스카이워리어
skyway 스카이웨이
slab 슬래브

slab oil 슬래브 오일
slacks 슬랙스
slag 슬래그
slag brick 슬래그브릭
slag cement 슬래그 시멘트
slag wool 슬래그 울
slake 슬레이크
slalom (노르웨이) 슬랄롬
slang 슬랭
slapstick comedy 슬랩스틱 코미디
slate 슬레이트
Slater 슬레이터
Slav 슬라브
slave 슬레이브
Slavkov 슬라프코프
Slavofil 슬라보필
Slavonia 슬라보니아
SLBM 에스 엘 비 엠
S.L.C.M. 에스 엘 시 엠
sleek 슬리크
sleek style 슬리크 스타일
sleeper 슬리퍼
sleeping bag 슬리핑 백
sleeve 슬리브
sleeveless 슬리브리스
slender loris 슬렌더로리스
slentando (이) 슬렌탄도
Slezak 슐레자크
slice 슬라이스
slice ball 슬라이스 볼
slicker 슬리커
slidac 슬라이댁
slide 슬라이드
slide calipers 슬라이드 캘리퍼스
slide fastner 슬라이드 파스너
slide glass 슬라이드 글라스
slider (미) 슬라이더
slide rule 슬라이드 룰
sliding 슬라이딩
sliding boat 슬라이딩 보트
sliding scale 슬라이딩 스케일
sliding seat 슬라이딩 시트
sliding system 슬라이딩 시스템
sliding tackle 슬라이딩 태클
slim 슬림
slime 슬라임
sliming 슬라이밍
slim skirt 슬림 스커트
sling (미) 슬링
sling pumps 슬링 펌프스
slip 슬립
slip down 슬립 다운
slipper 슬리퍼
slipping 슬리핑
slip ring 슬립 링
slit 슬릿
slit camera 슬릿 카메라
sliver 슬리버
slog 슬로그
slogan 슬로건
slope 슬로프
slot 슬롯
slot machine 슬롯 머신
slotter 슬로터
slotting machine 슬로팅 머신
Slovakia 슬로바키아
Slovenia 슬로베니아
slow 슬로
Slowacki 슬로바키
slow ball 슬로 볼
slow cranking 슬로 크랭킹
slow curve 슬로 커브
slowdown 슬로다운
slow loris 슬로로리스
slow-motion 슬로모션 「테이프
slowmotion video tape 슬로 비디오
slow virus 슬로 바이러스
slub 슬러브
sludge 슬러지
slugger (미) 슬러거
slum 슬럼
slum clearance 슬럼 클리어런스
slump 슬럼프
slur 슬러

Talos 탈로스
Talweg 탈베크
tamarind 타마린드
Tamatave 타마타브
Tamayo 타마요
tambour 탬부어
tambourin (프) 탕부랭
tambourine 탬버린
Tambov 탐보프
Tamburin (도) 탐부린
Tamil 타밀
Tamil Nadu 타밀나두
Tamm 탐
Tammany Hall 태머니 홀
Tammuz 타무즈
Tampa 탬파
Tampere 탐페레
Tampico 탐피코
tamping plug 탬핑 플러그
tamping roller 탬핑 롤러
Tampon (도) 탐폰
Tam-tam (도) 탐탐
Tana 타나
Tanagra 타나그라
Tanais 타나이스
Tananarivo 타나나리보
tanbūr (아랍) 탄부르
tandem 탠덤
tandem race 탠덤 레이스
Tanga 탕가
Tanganyika 탕가니카
tangent 탄젠트
Tánger 탕헤르
tango 탱고
Tangut 탕구트
Tanguy 탕기
Tanimbar 타님바르
tank 탱크
tanker 탱커
tank farm 탱크 팜
Tank-killer 탱크킬러
tank lorry 탱크 로리
tank top 탱크 톱
Tannalbin (도) 타날빈
tannase 타나아제
Tannenberg 탄넨베르히
Tannhäuser (도) 탄호이저
tannin (도) 타닌
Tannu-Ola 탄누올라
Tannu Tuva 탄누 투바
Tanta 탄타
Tantal (도) 탄탈
tantalite 탄탈라이트
Tantalos 탄탈로스
tantalum (라) 탄탈룸
tantra 탄트라
Tanzania 탄자니아
tap 탭
tap dance 탭 댄스
tape 테이프
tape deck 테이프 덱
tape library 테이프 라이브러리
tape mark 테이프 마크
tape measure 테이프 메저
tape moniter 테이프 모니터
taper 테이퍼
taper gauge 테이퍼 게이지
taper pin 테이퍼 핀
taper reamer 테이퍼 리머
tape recorder 테이프 리코더
tapestry 태피스트리
taping 테이핑
tapioca 타피오카
tapisserie (프) 타피스리
tappet 태핏
tapping 태핑
tar 타르
tār 타르
Tarabulus 타라불루스
Tarakan 타라칸
tarantella (이) 타란텔라
tarantism 태런티즘
Taranto 타란토
Tarawa 타라와
Tarbagatai 타르바가타이
Tarde 타르드
Tardenois 타르드누아
Tarentum 타렌툼
target 타깃
target angle 타깃 앵글
target pattern 타깃 패턴
target timing 타깃 타이밍
target zone 타깃 존
Tarim 타림
Tarkington 타킹턴
tar macadam 타르 머캐덤
tar oil 타르 오일
tarot (프) 타로
tarot card 타로 카드
tar paste 타르 페이스트
Tarrasa 타라사
Tarrega 타레가
tar sand 타르 샌드
Tarski 타르스키
Tarsus 《타르수스》 다소
tart 타트
Tartaglia 타르탈리아
tartan 타탄
tartan check 타탄 체크
tartan track 타탄 트랙
tartar 타르타르
Tartaros 타르타로스
Tartini 타르티니
Tartuffe (프) 타르튀프
Tarzan 타잔
Tashkent 타슈켄트
Tasman 타스만
Tasmania 태즈메이니아
TASS (러) 타스
Tassili 타실리
Tasso 타소
taste 테이스트
T.A.T. 티 에이 티
Tata 타타
Tatar 타타르
Tate Gallery 테이트 갤러리
Tatlin 타틀린
Tatlinism 타틀리니즘
tatting 태팅
Tatum 테이텀
tau 타우
Taube 토브
Tauler 타울러
Taupo 타우포
taurine 타우린
Taurus 타우루스
Tausig 타우지히
Taussig 타우식
Taut 타우트
tautology 토톨러지
Tavoy 타보이
Tawnay 토니
tax haven 택스 헤이븐
taxi 택시
taxi driver 택시 드라이버
taxi-girl 택시걸
taximeter 택시미터
taxis 택시스
Tayal 타얄
tayammum (아랍) 따이얌뭄
Taylor 테일러
Taylor system 테일러 시스템
Tazi (페) 타지
TB 티 비
T.B. (도) 테 베
T.B.C. 티 비 시
Tbilisi 트빌리시
TBM 티 비 엠
T bolt 티 볼트
T.B. one 티 비 원
TC 티 시
T.C.A. 티 시 에이
TCDD 티 시 디 디
Tchaikovsky 차이코프스키
T.C.P. 티 시 피
TDX 티 디 엑스
tea 티
tea bag 티 백
tea ball 티 볼
teacher 티처
teach-in (미) 티치인
teaching machine 티칭 머신
teak 티크
team 팀
team colour 팀 컬러
team game 팀 게임
team play 팀 플레이
team race 팀 레이스
Team Spirit 팀 스피리트
team teaching 팀 티칭
teamwork 팀워크
tea party 티 파티
teapot 티포트
tear bottle 티어 보틀
tearoom 티룸
teaser 티저
tea set 티 세트
teaspoon 티스푼
tea time 티 타임
technetium 테크네튬
technetron 테크네트론
technetronic 테크네트로닉
technic 테크닉
technical 테크니컬
technical foul 테크니컬 파울 「웃
technical knockout 테크니컬 녹아
technical school 테크니컬 스쿨
technical term 테크니컬 텀
technician 테크니션
technicolor 테크니컬러
technirama 테크니라마
techno 테크노
technocracy (미) 테크노크라시
technocrat 테크노크라트
technology 테크놀로지
technology art 테크놀로지 아트
technology transfer 테크놀로지 트랜스퍼
technomist 테크노미스트
technopolis 테크노폴리스
techno-pop 테크노팝
teclu burner 테클루 버너
tectonics 텍토닉스
tectonite 텍토나이트
tectonometer 텍토노미터
Te Deum (라) 테 데움
TEE 티 이 이
tee 티
tee ground 티 그라운드
tee mark 티 마크
teeming 티밍
teen 틴
teen-ager 틴 에이저
tee off 티오프
tee shot 티 샷
tee up 티업
Teflon 테플론
Tefnut 테프누트
Tegnér 테그네르
Tegucigalpa 테구시갈파
Teheran 테헤란
Tehuantepec 테우안테펙
Teiresias 테이레시아스
Teisserenc de Bort 테스랑 드 보르
tektite 텍타이트
Tel Aviv 텔아비브
Tel Aviv-Jaffa 텔아비브야파
telebank system 텔레뱅크 시스템
telecast 텔레캐스트
tele-control 텔러콘트롤
telefax 텔레팩스
telefission 텔레피션
telegony 텔레고니
telegram 텔레그램
telegraph 텔레그래프
Telemann 텔레만
Télémaque (프) 텔레마크
telemark 텔레마크
tele-marketing 텔레마케팅
télématique (프) 텔레마티크
telemedicine 텔레메디신
telemer 텔레머
telemeter 텔레미터
telemetering 텔러미터링
Teleologie (도) 텔레올로기
telepathy 텔레파시
telephone 텔레폰 「트
telephone request 텔레폰 리퀘스
telephotograph 텔레포토그래프
telepix 텔레픽스
teleprinter 텔레프린터
telescope 텔레스코프
Telesio 텔레지오
Teletext 텔레텍스트
Teletype 텔레타이프
teletypewriter 텔레타이프라이터
television 텔레비전
television antenna 텔레비전 안테나
television camera 텔레비전 카메라
television channel 텔레비전 채널
television drama 텔레비전 드라마
television network 텔레비전 네트워크
television screen 텔레비전 스크린
television talent 텔레비전 탤런트
telewriter 텔레라이터
telex 텔렉스
Tell, tell (아랍) 텔
Teller 텔러
Teller-Redlich 텔러레들리히
Tellur (도) 텔루르
tellurium (라) 텔루륨
Tellus 텔루스
telogen 텔로젠
Telop 텔롭
telos (그) 텔로스
telpher 텔퍼
Telpos 텔포스
Telstar 텔스타
Telugu 텔루구
Temin 테민
tempera (이) 템페라
temperament 템퍼러먼트
temperance society 템퍼런스 소사
tempering 템퍼링 ㄴ이어티
tempero (포) 덴뻬라
Tempest 템페스트
tempesto (이) 템페스토
temple 템플
Templeton 템플턴
tempo (이) 템포
tempo comodo (이) 템포 코모도
tempo di (이) 템포 디
tempo giusto (이) 템포 주스토
tempo primo (이) 템포 프리모
Tempo rubato (이) 템포 루바토
Temposchwung (도) 템포슈붕
temptation 템프테이션
ten 텐
tender 텐더
tenderloin 텐더로인
tenderloin steak 텐더로인 스테이크
tendon 텐돈
ten gallon hat 텐 갈론 해트
Tengger 텡게르
Tengri Nor 텡그리노르
Tenian 테니언
Teniers 테니르스
Tennessee 테네시
ten nines 텐 나인
tennis 테니스
tennis court 테니스 코트
tennis elbow 테니스 엘보
Tennyson 테니슨
Tenor (도) 테노르
tenor 테너
tenor baritone 테너 바리톤
tenore leggiero (이) 테노레 레지에로
tenor sax 테너 색스
Tenosin (도) 테노진
tense 텐스
tension 텐션
tensor 텐서
tent 텐트
tent silhouette 텐트 실루엣

tenuto (이) 테누토
ten-yard line 텐야드 라인
Teotihuacán 테오티와칸
tephra 테프라
tephrite 테프라이트
TEPP 텝
tequila 테킬라
tera (그) 테라
teraphim 터러핌
terbium (라) 테르붐
Terborch 테르보르흐
TERCOM 테르콤
terebene 테레빈
terebinthina (프) 테레빈티나
Terentius 테렌티우스
terepthalic 테레프탈
teresa 테레사
teresa de Jesus 테레사 데 헤수스
Tereshkova 테레시코바
term 텀
terminal 터미널
terminal station 터미널 스테이션
terminator 터미네이터
term loan 텀 론
Ternifine 테르니핀
Terpen (도) 테르펜
Terpentin (도) 테르펜틴
terpentine 터펜틴
terpin 테르핀
Terpineol (도) 테르피네올
terpinolene 테르피놀렌
terrace 테라스
terrace house 테라스 하우스
terra cotta (이) 테라 코타
Terramycin 테라마이신
terrarium 테라리움
terra rossa 테라 로사
terrazzo (이) 테라초
terre verte (프) 테르 베르트
Terrier, terrier 테리어
territory 테리터리
Terror (도) 테로르
terror 테러, 테로
terrorism 테러리즘
terrorist 테러리스트
Terylene 테릴렌
terzetto (이) 테르체토
tesla 테슬라
Tesla coil 테슬라 코일
Tess 테스
test 테스트
testament 테스터먼트
testamento (포·스) 테스타멘토
Testamentum Domini (라) 테스타멘툼 도미니
test case 테스트 케이스
tester 테스터
testosterone 테스토스테론
test pattern 테스트 패턴
test-piece 테스트피스
test pilot 테스트 파일럿
Tetanie (도) 테타니
tetanolysin 테타놀리진
tetanospasmin 테타노스파즈민
tête-à-tête (프) 테타테트
Têthys 테티스, (그) 테튀스
Tetoron 테토론
tetra (그) 테트라
tetraborane 테트라보란
TETRAC 테트락
tetrachloroethane 테트라클로로에탄
tetrachloroethylene 테트라클로로에틸렌
tetrachord 테트라코드
tetracordo (이) 테트라코르도
tetracosane 테트라코산
tetracycline 테트라시클린
tetradymite 테트라디마이트
tetraethyl 테트라에틸
tetrafluoroethylene 테트라플루오로에틸렌
tetramethyl 테트라메틸
Tetra Pak 테트라 팩
tetrapod 테트라포드
tetrazene 테트라젠
tetrodotoxin 테트로도톡신
tetrose 테트로오스
tetryl 테트릴
Tetuán 테투안
Teutoburg 토이토부르크
Teuton 튜턴
tex 텍스
Texas 텍사스
Texas hit 텍사스 히트
Texas leagure 텍사스 리거
text 텍스트
textbook 텍스트북
textile 텍스타일
texture 텍스처
TGV 테 제 베
Thackeray 새커리
Thaer 테어
Thailand 타일란드, 타이
Thais 타이스
Thakin 타킨
thalassemia 탈라세미아
Thaler 탈러
Thales 탈레스
Thalidomide 탈리도마이드
thallium 탈륨
Thames 템스
thanatos (그) 타나토스
thank you 생큐
Thar 타르
Tharaud 타로
Thatcher 대처
thaumatrope 소머트로프
Theatre Arts 시어터 아츠
Theatre Guild 시어터 길드
théâtre (프) 테아트르
Théâtre des Nations (프) 테아트르 데 나시옹
Thebae 테베
Theiler 타일러
theine 딘, 테인
theism 시이즘
thema (라) 테마
thema music 테마 뮤직
thema song 테마 송
Themis 테미스
Themistokles 테미스토클레스
theobromine 테오브로민
theodolite 세오돌라이트
Theodora 테오도라
Theodoric 테오도리크
Theodosius 테오도시우스
Theognis 테오그니스
Theokritos 테오크리토스
Theophilus 테오빌로
Theophrastos 테오프라스토스
theophylline 테오필린
Theorell 테오렐
theorist 시어리스트
theory 시어리
Therblig 서블리그
theremin 테레민 「데케루
Thérèse Desqueyroux (프) 테레즈
theriaca (라) 테리아카
thermal 서멀
thermal black 서멀 블랙
thermal starter 서멀 스타터
thermidor (프) 테르미도르
thermistor 서미스터
Thermit (도) 테르밋
thermo-colour 서모컬러
thermoconcrete 서모콘크리트
Thermopylae 테르모필레
thermostat 서모스탯
thesaurus 시소러스
These (도) 테제
Theseus 테세우스
Thespis 테스피스
Thessalia 테살리아 「니카
Thessalonica 데살로니가, 테살로
Thetis 테티스
Thiaminase 티아미나아제
thiamine 티아민
Thibaud 티보
Thibaudet 티보데
Thibaut 티보
thick 식
Thienemann 티네만
Thierry 티에리
Thiers 티에르
Thimbu 팀부
think tank 싱크 탱크
thinner 시너
thio 티오
Thioalkohol 티오알코올
thiocarbamide 티오카르바미드
Thioether (도) 티오에테르
thioindigo 티오인디고
Thiokol 티오콜
thiol 티올
Thionaphthene 티오나프텐
thiophene 티오펜
thiophenol 티오페놀
thiotepa 티오테파
third 서드
third base 서드 베이스
third baseman 서드 베이스맨
thirty 서티
thixotropy 틱소트로피
tholeiite 톨레이아이트
Tholoide (도) 톨로이데
Thoma 토마
Thomas 토마스, 토머스, 토마, 도마 「스
Thomas a Kempis 토마스 아 켐피
Thomas Aquinas 토마스 아퀴나스
Thomasius 토마지우스
Thomas slag 토머스 슬래그
Thomism 토미즘
Thompson 톰프슨
Thomsen 톰센
Thomson 톰슨
Thonburi 톤부리
Thor 소어, 토르
Thoreau 소로
Thorez 토레즈
thorite 토라이트
thorium 토륨
Thorndike 손다이크
Thoron 토론
thoroughbred 서러브레드
Thorvaldsen 토르발센
Thotmes 토트메스
Thracia 트라키아
three 스리
three A 스리 에이
three-bagger 스리배거
three-base hit 스리베이스 히트
three bunt 스리 번트
three cushions 스리 쿠션
three-foot line 스리푸트 라인
Three Kings 스리 킹스
Three Mile 스리 마일
three-piece 스리피스
three-quarter 스리쿼터
three-quarter back 스리쿼터 백
three R's 스리 아르스
three run 스리 런
three-run homer (미) 스리런 호머
three second rule 스리 세컨드 룰
threesome 스리섬 「레이어
three-speed player 스리스피드 플
three way speaker 스리 웨이 스피
Threonin (도) 트레오닌 [커
thrill 스릴
thriller 스릴러
thrilling 스릴링
thrombin (도) 트롬빈
thrombogen (도) 트롬보겐 「제
Thrombokinase (도) 트롬보키나아
thrombokinase 트롬보카이네이스
thromboplastin 트롬보플라스틴
thrombosthenin 트롬보스테닌
throttle 스로틀
through 스루
through pass 스루 패스
through the green 스루 더 그린
throw 스로
throw forward 스로 포워드
throw-in 스로인
throwing 스로잉
throw-off 스로오프
thrust 스러스트
Thrym 트림
Thoukydides 투키디데스
Thule 툴레
Thulium (도) 툴륨
thumb hold 섬 홀드
Thunberg 툰베리
Thunderchief 선더치프
Thünen 튀넨
Thurber 서버
Thüringen 튀링겐
Thüringer Wald 튀링거발트
Thurnwald 투른발트
thymine 티민
thymol 티몰
thyratron 사이러트론
thyristor 사이리스터
thyristor chopper 사이리스터 초퍼
thyroxine 티록신
Tiahuanaco 티아와나코
Tiamat 티아마트
Tiberias 디베랴
Tiberius 티베리우스
Tibesti 티베스티
Tibet 티베트
Tibet-Burma 티베트 버마
Tibion (도) 티비온
Tibullus 티불루스
ticker 티커
ticket 티켓
ticket girl 티켓 걸
tide crack 타이드 크랙
tie 타이
Tieck 티크
tied arch 타이드 아치
tied loan 타이드 론
tie game 타이 게임
Tiele 틸레
tiepin 타이핀
tieplate 타이플레이트
Tiepolo 티에폴로
tie-record 타이레코드
Tierra del Fuego 티에라 델 푸에
tie score 타이 스코어 [고
tie tack 타이 택
tie-up 타이 업
tiffin 티핀
Tiflis 티플리스
tiger 타이거
tight 타이트
tights 타이츠
tight scrum 타이트 스크럼
tight skirt 타이트 스커트
tigon 타이곤
Tigris 티그리스
Tijuana 티후아나
Tikhonov 티호노프
Tilak 틸라크
Tilburg 틸부르흐
Tilden 틸덴
tile 타일
Tillich 틸리히
Tilsit 틸지트
tilt-down 틸트다운
tilt-up 틸트업
Timat 티아마트
Time, time 타임
time capsule 타임 캡슐
time card 타임 카드
time charter 타임 차터
time-end 타임엔드
timekeeper 타임키퍼
time lag 타임 래그
timely 타임리 「저
timely disclosure 타임리 디스클로
timely error 타임리 에러
timely hit 타임리 히트
time machine 타임 머신
time-out 타임아웃

timer 타이머
time race 타임 레이스
time record 타임 레코드
time recorder 타임 리코더
Times 타임스
time sharing 타임 셰어링
time sharing labor 타임 셰어링 레이버
time sharing system 타임 셰어링 시스템
time spirit 타임 스피릿
Times Square 타임스 스퀘어
time stamp 타임 스탬프
time study 타임 스터디
time switch 타임 스위치
time table 타임 테이블
time trial 타임 트라이얼
time up 타임업
time-watch 타임워치
time work 타임 워크
timing 타이밍
Timiryazev 티미랴제프
Timişoara 티미쇼아라
Timon 티몬
Timor 티모르
Timotheos 디모테오
Timothes 디모데
timothy 티머시
timpani (이) 팀파니
timpanist 팀파니스트
Timur 티무르
Tinbergen 틴버겐, 틴베르헨
tincalconite 틴캘코나이트
tincture 팅크처
Ting 팅
Tinguely 팅겔리
tint 틴트
Tintoretto 틴토레토
Tiomkin 티옴킨
tip 팁
tipping 티핑
tippler 티플러
Tirana 티라나
Tîrgu Mureş 티르구 무레시
Tirich Mir 티리치미르
Tirol 티롤
Tirolean hat 티롤리언 해트
TIROS 타이로스
Tirpitz 티르피츠
Tiruchirapalli 티루치라팔리
Tiryns 티린스
Tischbein 티슈바인
Tiselius 티셀리우스
tissue paper 티슈 페이퍼
Tisza 티서
Titan 타이탄, (도) 티탄
titania 티타니아
Titanic 타이태닉
titanite 티타나이트
titanium (라) 티타늄
Titanomachia (그) 티타노마키아
Titan white 티탄 화이트
Titchener 티치너
Titicaca 티티카카
title 타이틀
title back 타이틀 백
title match 타이틀 매치
title page 타이틀 페이지
Tito 티토
Titoism 티토이즘
Titus 디도, 티투스
Tiziano 티치아노
Tjenderawasih 첸드라와시
Tjirebon 치레본
TKO 티 케이 오
TM 티 엠
T-man 티맨
T.M.T. system 티 엠 티 시스템
TNT 티엔티
T.O. 티 오
toast 토스트
toaster 토스터
Toba 토바
tobaccism 타바키즘
tobacco mosaic virus 타바코 모자이크 바이러스
Tobacco Road 타바코 로드
Tobin 토빈
toboggan 터보건
Tobol'sk 토볼스크
tobralco 토브랄코
Tocantins 토칸틴스
toccata (이) 토카타
Toch 토흐
Tochara 토하라
tocopherol 토코페롤
Tocqueville 토크빌
Toda 토다
Todd 토드
Todd-A.O. 토드 에이 오
toe dance 토 댄스
TOEFL 토플
toe hold 토 홀드
toe kick 토킥
toeshoes 토슈즈
Toffler 토플러
toga 토가
toga party 토가 파티
Toggenburg 토겐부르크
toggle switch 토글 스위치
Togliatti 톨리아티
Togo 토고
toile (프) 트왈
toilet 토일릿
toilet case 토일릿 케이스
toilet paper 토일릿 페이퍼
toilet powder 토일릿 파우더
toilet room 토일릿 룸
toilet soap 토일릿 소프
token 토큰
Tokhara 토하라
Toland 톨란드
Toledo 톨레도
Toller 톨러
tollgate 톨게이트
Tolstoi 톨스토이
Tolstoyism 톨스토이이즘
Tolteca 톨테카
Toluca 톨루카
toluene 톨루엔
toluidine 톨루이딘
Toluol (도) 톨루올
tomahawk 토마호크
tomate purée (프) 토마토 퓌레
tomato 토마토
tomato juice 토마토 주스
tomato ketchup 토마토 케첩
tomato sauce 토마토 소스
tombac 톰백
Tombaugh 톰보
tombolo 톰볼로
Tombouctou 통북투
Tom Cat 톰 캣
Tom Jones 톰 존스
Tomsk 톰스크
tom-tom 톰톰
ton 톤
tonakai 토나카이
tonality 토낼리티
tone 톤
tone arm 톤 암
Tonga 통가
tongara 통가라
Tongariro 통가리로
Tongatapu 통가타푸
tongue rail 텅 레일
tonguing 텅잉
tonic 토닉
tonic sol-fa 토닉 솔파
Tönnies 퇴니에스
Tonika (도) 토니카
Tonio Kröger 토니오 크뢰거
ton kilo 톤 킬로
ton-kilometer 톤킬로미터
Tonking 통킹
Tonleiter (도) 톤라이터
Tonle Sap 톤레삽
Tonmalerei (도) 톤말레라이
Tono-Bungay 토노벙게이
tonometer 토노미터
tontine 톤틴
tool 툴
tool grinder 툴 그라인더
tool holder 툴 홀더
tooth 투스
toothbrush 투스브러시
tooth paste 투스 페이스트
tooth powder 투스 파우더
Toowoomba 터움바
top 톱
top ball 톱볼
top batter 톱 배터
top class 톱 클라스
topcoat 톱코트
Topeca 토피카
Topelius 토펠리우스
top group 톱 그룹
top hat 톱 해트
top heavy 톱 헤비
topic 토픽
topica (라) 토피카
topless 토플리스
top-level 톱레벨
top light 톱 라이트
top management 톱 매니지먼트
top mode 톱 모드
top news 톱 뉴스
Topologie (도) 토폴로기
topology 토폴로지
topper 토퍼
toppercoat 토퍼코트
topping 토핑
top secret 톱 시크릿
top seller 톱 셀러
top spin 톱 스핀
top star 톱 스타
top swing 톱 스윙
Toqtamish 토크타미시
toque 토크
Tor 토르
Toradja 토라자
torbanite 토바나이트
Torbay 토베이
torch 토치
torch lamp 토치 램프
Tordesillas 토르데시야스
toreador (스) 토레아도르
Toreador pants 토레아도르 팬츠
Torelli 토렐리
Torenia 토레니아
Torino 토리노
tornado 토네이도
Toronto 토론토
Toros 토로스
torque 토르크, 토크
torque converter 토르크 컨버터
torque motor 토르크 모터
Torr 토르
Torrens 토런스
Torreón 토레온
Torres 토러스
Torricelli 토리첼리
torsion balance 토션 밸런스
torso (이) 토르소
torus 토러스
Tory 토리
Tosca (이) 토스카
Toscana 토스카나
Toscanelli 토스카넬리
Toscanini 토스카니니
toss 토스
toss batting 토스 배팅
Tosti 토스티
tosto 토스토
total 토털
total diplomacy 토털 디플로머시
total look 토털 룩
total system 토털 시스템
total war 토털 워
totem 토템
totemism 토테미즘
totem pole 토템 폴
totem post 토템 포스트
totocalcio 토토칼치오
totschka (러) 토치카
touch 터치
touchdown 터치다운
touch football 터치풋볼
touch judge 터치 저지
touchline 터치라인
touch net 터치 네트
touch out 터치 아웃
touch up 터치업
touch switch 터치 스위치
tough 터프
Toul 툴
Toulon 툴롱
Toulouse 툴루즈
tour 투어
Tourane 투렌
Touré 투레
touring 투어링
touring car 투어링 카
tourist 투어리스트
tourist bureau 투어리스트 뷰로
tourist class 투어리스트 클라스
tourist girl 투어리스트 걸
tourmaline (프) 투르말린
tournament 토너먼트
Tourner 터너
Tours 투르
Tours-Poitier 투르 푸아티에
tovarishch (러) 타바리시치
towel 타월
tower 타워
Tower Bridge 타워 브리지
tower crane 타워 크레인
tower parking 타워 파킹
town 타운
Townes 타운스
Townsend 타운센드
Townshend 타운센드
Townsville 타운즈빌
town wear 타운 웨어
toxin 톡신
toxohormone 톡소호르몬
toxoid 톡소이드
toxoplasma (라) 톡소플라즈마
Toynbee 토인비
T.P.O. 티 피 오
T.Q.C. 티 큐 시
trabecula 트라베쿨라
Trabzon 트라브존
trace 트레이스
tracer 트레이서
Trachodon 트라코돈
Trachom (도) 트라홈
trachoma 트라코마
tracing paper 트레이싱 페이퍼
track 트랙
track back 트랙 백
Tracker 트래커
tracking 트래킹
track up 트랙 업
traction 트랙션
traction tube 트랙션 튜브
tractor 트랙터
tractor loader 트랙터 로더
tractor shovel 트랙터 셔블
tractrix 트랙트릭스
Tracy 트레이시
trade 트레이드
trademark 트레이드마크
trade money 트레이드 머니
trade name 트레이드 네임
trade off 트레이드 오프
trade union 트레이드 유니온
trade unjonism 트레이드 유니어니즘
tradition 트레디션
Trafalgar 트라팔가르
tragacanth 트래거캔스
tragacanth gum 트래거캔스 고무
tragedy 트래지디
tragic 트래직
tragi-comedy 트래지코미디
trailer 트레일러

trailer-bus 트레일러버스
trailer truck 트레일러 트럭
train 트레인
trainer 트레이너
training 트레이닝
training camp 트레이닝 캠프
training pants 트레이닝 팬츠
training shirts 트레이닝 셔츠
training shoes 트레이닝 슈즈
Trajanus 트라야누스
Trakhtenberg 트라하텐베르그
Trakl 트라클
Tralium (도) 트랄리움
tramp 트램프
tramper 트램퍼
trampoline 트램펄린
tramway 트램웨이
trance 트랜스
tranquillo (이) 트란퀼로
tranquilizer 트랭퀼라이저
trans 트랜스
transaction telephone (미) 트랜잭션 텔레폰
transaminase 트랜스아미나아제
transceiver 트랜스시버
transducer 트랜스듀서
transept 트랜셉트
transfer 트랜스퍼
transfer machine 트랜스퍼 머신
transform 트랜스폼
transformer 트랜스포머
Trans-Himalaya 트랜스히말라야
transistor 트랜지스터
transistor chip 트랜지스터 칩
transistor girl 트랜지스터 걸
transister motor 트랜지스터 모터
transistor radio 트랜지스터 라디오
transistor television 트랜지스터 텔
transit 트랜싯 ⌊레비전
Transjordan 트란스요르단
translation 트랜슬레이션
translator 트랜슬레이터
transmission 트랜스미션
transmitter 트랜스미터
transport 트랜스포트 「션 푸어
transportation poor 트랜스포테이
Transvaal 트란스발
Trans World 트랜스 월드
Transylvania 트란실바니아
Transylvania Alps 트란실바니아알프스
transzendental (도) 트란스첸덴탈
trap 트랩, (네) 타라프
trapeze line 트러피즈 라인
trappiste (프) 트라피스트
trapshooting 트랩슈팅
Trasimeno 트라지메노
Traube's 트라우베
trauma 트라우마
travée (프) 트라베
traveler 트래블러
traveler's check 트래블러스 체크
travelling 트래블링
travel loan 트래블 론
traverse 트래버스
trawl 트롤
trawl winch 트롤 윈치
tread 트레드
treadmill 트레드밀
treasury cheque 트레저리 체크
Tredyakovskii 트레댜코프스키
tree firm 트리 펌
tree test 트리 테스트
trehalose 트레할로오스
Treitschke 트라이치케
trekking 트레킹
tremie 트레미
tremolo (이) 트레몰로
trench 트렌치
trench coat 트렌치 코트
trencher 트렌처
Trent 트렌트
Trento 트렌토
Trenton 트렌턴
trepak (러) 트레파크
Tret'yakov 트레티야코프
Trevelyan 트레벨랸
Trevi 트레비
Trevithick 트레비딕
triad 트라이어드
Triade (도) 트리아데
trial 트라이얼
trial and error 트라이얼 앤드 에러
trialvision (미) 트라이얼비전
triangle 트라이앵글
Trianon 트리아농
triathlon 트라이애슬론
Tribonianus 트리보니아누스
tribune 트리뷴
tribus (라) 트리부스
triceratops 트리케라톱스
Trichinopoly 트리치노폴리
trichlene 트리클렌
trichloroethylene 트리클로로에틸렌
trichoderma (라) 트리코데르마
trichomonas (라) 트리코모나스
trichomycin 트리코마이신
trick 트릭
trick jump 트릭 점프
trick play 트릭 플레이
trick work 트릭 워크
tricolore (프) 트리콜로르
tricolor picture tube 트라이컬러 픽처 튜브
tricot (프) 트리코, 트리콧
tricouni (프) 트리쿠니
Trident 트라이던트
triennale (이) 트리엔날레
Trient 트리엔트
Trier 트리어
Trieste 트리에스테
trigonia 트리고니아
trihalomethane 트리할로메탄
Trikora 트리코라
trill 트릴
triller 트릴러
trillo (이) 트릴로
trim 트림
trimethylenetrinitramine 트리메틸렌트리니트라민
trimetoquinol 트리메토키놀
trimmer 트리머
trimming 트리밍
trimming tank 트리밍 탱크
trim tab 트림 태브
Trincomalee 트링코말리
Trinidad 트리니다드 「토바고
Trinidad and Tobago 트리니다드
trinitron 트리니트론
trinitrotoluene 트리니트로톨루엔
trinity 트리니티
trio 트리오
triose 트리오스
trio sonata 트리오 소나타
trip 트립
trip charter 트립 차터
triple 트리플
triple crown 트리플 크라운
triple jump 트리플 점프
triple play 트리플 플레이
triple steal 트리플 스틸
triplet 트리플렛
tripod 트라이포드
Tripoli 트리폴리
Tripolitania 트리폴리타니아
Tripper (도) 트리퍼
tripping 트리핑
triptych 트립틱
Tristan da Cunha 트리스탄 다 쿠나
triste (이) 트리스테
Tristram Shandy 트리스트럼 섄디
tritium 트리튬
Triton, triton 트리톤
tritonus (라) 트리토누스
triunity 트라이유니티
Trivandrum 트리반드룸
trivialism 트리비얼리즘
Tri-X film 트라이엑스 필름
Troas 드로아
Trobriand 트로브리안드
troche 트로치, 트로키
trochoid 트로코이드
trochophore 트리코포어
Troea 트로이아
Troeltsch 트뢸치
troika (러) 트로이카
Troilos 트로일로스
Troja 트로야
trolley 트롤리
trolley bus 트롤리 버스
trolley conveyer 트롤리 컨베이어
trolley pole 트롤리 폴
trolling 트롤링
Trollope 트롤로프
trombone 트롬본
trommel 트로멜
trompe-l'œil (프) 트롱프뢰유
Trona (도) 트로나
Trondheim 트론헤임
Trophonios 트로포니오스
trophy 트로피
tropical 트로피컬
tropical band 트로피컬 밴드
tropical drink 트로피컬 드링크
tropical worsted 트로피컬 우스티
tropism 트로피즘 ⌊드
tropocollagen 트로포콜라겐
tropolone 트로폴론
tropomyosin 트로포미오신
troppo (이) 트로포
trot 트로트
Trotskii 트로츠키
Trotskyist 트로츠키스트
troubadour (프) 트루바두르
trouble 트러블
troublemaker 트러블메이커
trouble shot 트러블 숏
trouvère (프) 트루베르
Troy, troy 트로이
Troyes 트루아
Troyon 트루아용
troy ounce 트로이 온스
troy pound 트로이 파운드
Trucial Oman 트루시알 오만
truck 트럭
truck mixer 트럭 믹서
truck scale 트럭 스케일
truck system 트럭 시스템
truck terminal 트럭 터미널
Trud (러) 트루드
Trudeau 트뤼도
Trujillo 트루히요
Truk 트루크
Truman 트루먼
Truman Doctrine 트루먼 독트린
trump 트럼프
trumpet 트럼펫
trunk 트렁크
trunk group 트렁크 그룹
trunkroom 트렁크룸
trunks 트렁크스
truss 트러스
trussed girder 트러스트 거더
trust 트러스트
truth 트루스
try 트라이
try out 트라이 아웃
trypaflavine 트리파플라빈
Trypanosoma (라) 트리파노소마
Trypasonoma rotatorium 트리파소노마 로타토륨
trypsin (라) 트립신
trypsinogen 트립시노겐
tryptophan(e) 트립토판
TS 티 에스
Tsangpo 창포
tsar (러) 차르
Tsaritsyn 차리친
tsarizm (러) 차리즘
Tschermak 체르막
Tselinograd 첼리노그라드
tsetse 체체
T shirts 티셔츠
Tshombé 촘베
Tsimlyansk 침랸스크
Tsiolkovskii 치올코프스키
T.T. 티 티
TTC 티 티 시
T.T.L. camera 티 티 엘 카메라
T.T. rate 티 티 레이트
T.T.T. 티 티 티
TU 티 유
Tuamotu 투아모투
Tuareg 투아레그
Tuati 투아티
tuba 튜바
tubbing 터빙
tube 튜브
tubeless tire 튜브리스 타이어
tube mill 튜브 밀
Tuberkulin (도) 투베르쿨린
Tuberkulose (도) 투베르쿨로제
tuberose 투베로즈
Tübingen 튀빙겐
Tubuai 투부아이
tubular silhouette 튜뷸러 실루엣
T.U.C. 티 유 시
Tucholsky 투홀스키
tuck 턱
Tucker 터커
tuck-in blouse 턱인 블라우스
Tucson 투손
Tucumán 투쿠만
Tudor 튜더
Tugan-Baranoeskij 투간바라노프스키
tugboat 터그보트
Tughluq 투글루크
Tuileries 튀일리
Tukhachevski 투하체프스키
Tula 툴라
tulip 튤립
tulle 튈
Tului 툴루이
tumbler 텀블러
tumbler switch 텀블러 스위치
tumbling 텀블링
Tumshuk 툼슈크
tuna 튜너
tundra 툰드라
tuner 튜너
Tungalloy 텅갈로이
tungsten 텅스텐
tungsten filament 텅스텐 필라멘트
tungsten lamp 텅스텐 램프
Tungu 퉁구
Tungus 퉁구스
tunic 튜닉
tunic coat 튜닉 코트
tuning 튜닝
Tunis 튀니스
Tunisie 튀니지
tunnel 터널
tunnel diode 터널 다이오드
Tuonela 투오넬라
Tupi 투피
tupik 투피크
Tupolev 투폴레프
Tupungato 투풍가토
Turan 투란
Turati 투라티
turban 터번
turbidostat 터비도스탯
turbine 터빈
turbine pump 터빈 펌프
Turbinia 터비니아
turbocharger 터보차저
turbo drill 터보 드릴
turbofan 터보팬
turbojet engine 터보제트 엔진
turboprop engine 터보프롭 엔진
turf 터프
turf course 터프 코스
turf ski 터프 스키

Turgenev 투르게네프
Turgot 튀르고
Turing machine 튜링 머신
Türk 튀르크
Turkestan 투르케스탄
Turkey, turkey 터키
Turkey Greece 터키 그리스
Türkischrotöl (도) 튀르키슈로트욀
Turkistan 투르키스탄
Turkmanchai 투르크만차이
Turkmenistan 투르크메니스탄
Turku 투르쿠
turn 턴
turnbuckle 턴버클
turnbull blue 턴불 블루
turning mill 터닝밀
Turner 터너
turning 터닝
turning point 터닝 포인트
turning shoot 터닝 슛
turnip 터닙
turn-key 턴키
turnpike 턴파이크
turntable 턴테이블
turret 터릿
turtleneck 터틀넥
Tuscan 터스컨
Tuscany 터스커니
Tuscarora 터스커로라
Tutankhamen 투탕카멘
Tuticorin 투티코린
Tutokain (도) 투토카인
tutor 튜터
tutti (이) 투티
tutto (이) 투토
Tutu 투투
tutu (프) 튀튀
Tutuila 투투일라
Tuva 투바
Tuvalu 투발루
tuxedo (미) 턱시도
Tuz 투즈
T.V. 티 브이
TVA 티 브이 에이
TV dinner 티브이 디너
Tver 트베리
TV Guide 티브이 가이드
Twain 트웨인
tweed 트위드
tweeter 트위터
TWI 티 더블유 아이
twilight 트와일라이트
twin 트윈
twin bed 트윈 베드
Twining 트와이닝
twin style 트윈 스타일
twist 트위스트
twist drill 트위스트 드릴
twist style 트위스트 스타일
two 투
two-base hit 투베이스 히트
two by four 투 바이 포
two pairs 투 페어
two-piece 투피스
two platoon system (미) 투 플래툰 시스템
two step 투 스텝
two step test 투 스텝 테스트
two-ten-jack 투텐잭
two-tone color 투톤 컬러
Tyche 튀케
tycon 타이콘
Tylor 타일러
tympan (프) 탱팡
tympanum 팀파눔
Tyndale 틴들
Tyndall 틴들
type 타입
type face 타이프 페이스
typewriter 타이프라이터
typhoon 타이푼
typhus 티푸스
typical 티피컬
typing 타이핑
typist 타이피스트
typography 타이포그래피
Tyr 티르
tyrant 타이런트
tyre 타이어
tyrosine 티로신
Tyrrhenia 티레니아
Tyrus 티루스
Tyumen' 튜멘
Tyutchev 튜체프
Tzara 차라
tzaung (버마) 사웅

U, u 유

Ubangi 우방기
Ubangi-Shari 우방기샤리
U Ba Swe 우 바 스웨
Uber 유버
Übermensch (도) 위버멘슈
U-boat 유보트
Ubon 우본
Ucayali 우카얄리
Uccello 우첼로
ud (아랍) 우드
Udayagiri 우다야기리
Udet 우데트
Udmurt (러) 우드무르트
Udokan 우도칸
U.D.T. 유 디 티
UFA (도) 우파
Ufa 우파
Uffizi 우피치
UFO 유 에프 오, 유포
Uganda 우간다
Ugarit 우가리트
UHF 유 에이치 에프
UHF television 유 에이치 에프 텔레비전
Uhland 울란트
UICC 유 아이 시 시
Uighur 위구르
Uintatherium 윈타테륨
UIT 위 이 테
Ujiji 우지지
U.K. 유 케이
uklad (러) 우클라드
Ukraina 우크라이나
Ukraine 유크레인
ukulele (미) 우쿨렐레
Ulan Bator 울란바토르
Ulan Bator Khoto 울란바토르호토
Ulanova 울라노바
Ulan Ude 울란우데
Ulbricht 울브리히트
Ulfilas 울필라스
Ullr 울르
Ulm 울름
Ulpianus 울피아누스
ulster 얼스터
ulster coat 얼스터 코트
ultimatum 얼티메이텀
ultra 울트라
ultra C 울트라 시
ultramarine 울트라마린
ultramodern 울트라모던
ultramontanism 울트라몬타니즘
ultranationalism 울트라내셔널리즘
Ul'yanovsk 울리야노프스크
Ulysses 율리시스
'Umar 오마르
'Umar Khayyām 오마르하이얌
Umayya 우마이야
Umayya mosque 우마이야 모스크
umber 엄버
Umbria 움브리아
Umlaut (도) 움라우트
UMP 유 엠 피
umpire 엄파이어
'umrah (아랍) 우무라
Umtali 움탈리
UN 유엔
una corda (이) 우나 코르다
Unalaska 우날래스카
Unamuno 우나무노
unanimisme (프) 위나니미슴
unbalance 언밸런스
UNC 유 엔 시
UNCACK 언캐크
uncle 엉클
Uncle Sam 엉클 샘
Uncle Tom's Cabin 엉클 톰스 캐빈
UNCOK 언코크
UNCTAD 운크타드
UNCURK 언커크
uncut 언컷
UN Day 유엔 데이
under 언더
under blouse 언더 블라우스
undercut 언더컷
underground 언더그라운드
underhand pass 언더핸드 패스
underline 언더라인
under par 언더 파
under proof 언더 프루프
undershirts 언더셔츠
underspin 언더스핀
understand 언더스탠드
under-throw 언더스로
underwear 언더웨어
underwood 언더우드
underworld 언더월드
underwriter 언더라이터
UNDP 유 엔 디 피
Undset 운세트
UNESCO 유네스코
UNESCO coupon 유네스코 쿠폰
Ungaretti 운가레티
Ungarische Rhapsodien 헝가리안 랩소디
UNICEF 유니세프
uniform 유니폼
union 유니언
Union Carbide 유니언 카바이드
Union Jack 유니언 잭
union labour 유니언 레이버
Union of Soviet Socialist Republics 유니온 오브 소비에트 소셜리스트 리퍼블릭스
union shop 유니언 숍
unique (프) 유니크
UNISCAN 유니스칸
unisex 유니섹스
unison 유니즌
unit 유닛
Unitarians 유니테어리언
unit card system 유닛 카드 시스템
United Artists 유나이티드 아티스츠
united front 유나이티드 프론트
United Kingdom 유나이티드 킹덤
United Press 유나이티드 프레스
United States 유나이티드 스테이츠
United States Lines 유나이티드 스테이츠 라인즈
United States of America 유나이티드 스테이츠 오브 아메리카
unit kitchen 유닛 키친
Unit One 유닛 원
unit pattern 유닛 패턴
unit pricing 유닛 프라이싱
unit system 유닛 시스템
unity 유니티
UNIVAC 유니백
universal 유니버설
Universal Edition 유니버설 에디션
Universalism 유니버설리즘
Universalist 유니버설리스트
universality 유니버샐리티
universal milling machine 유니버설 밀링 머신
universal space 유니버설 스페이스
universal time 유니버설 타임
universe 유니버스
Universiade 유니버시아드
university 유니버시티
UNKCAC 언캐크
Unkiar Skelessi 운키아르 스켈레시
UNKRA 운크라
unlucky net 언러키 네트
Unna 우나
UN observer 유엔 옵서버
unplugged 언플러그드
un poco (이) 운 포코
UNRRA 운라
UNSC 유 엔 에스 시
Unter (도) 운터
Unter-den-Linden (도) 운터덴린덴
untouchable 언터처블
U Nu 우 누
U.P. 유 피
up and under 업 앤드 언더
Upanişad (범) 우파니샤드
Updike 업다이크
up hair 업헤어
UPI 유 피 아이
Upolu 우폴루
uppercut 어퍼컷
Uppsala 웁살라
upright 업라이트
upright piano 업라이트 피아노
upright swing 업라이트 스윙
UPS 유 피 에스
upside 업사이드
upstart 업스타트
up style 업스타일
up-to-date 업투데이트
UPU 유 피 유
Ur 우르
Ural 우랄
Ural-Altai 우랄알타이
uralite 우랄라이트
Ural'sk 우랄스크
Uran (도) 우란
Urania 우라니아
uranism 우라니즘
uranium 우라늄
Uranus 유러너스
uranyl 우라닐
Urbain 위르뱅
Urbanism 어버니즘
Urbanus 우르바누스
Urdu 우르두
ureaform 우레아포름
urease 우레아제
urethane 우레탄
Urey 유리
Urga 우르가
Uricase (도) 우리카제
urochrome 우로크롬
urotropine 우로트로핀
Uruguay 우루과이
Uruguay Round 우루과이 라운드
Uruk 우루크
Urundi 우룬디
Uruppu 우루푸
urushiol 우루시올
US 유 에스
USA 유 에스 에이
USAID 유세이드
usance 유전스
usance bill 유전스 빌
Uşas 우샤스
USASI 유 에스 에이 에스 아이
USB 유 에스 비
Ushabti (이집트) 우샵티
Ushinskii 우신스키
USIA 유 에스 아이 에이
USIS 유 에스 아이 에스
Üsküdar 위스퀴다르
US Line 유 에스 라인
USM 유 에스 엠
USO 유 에스 오
USOM 유 솜
Uspallata 우스파야타
Uspenskii 우스펜스키

Uspulun (도) 우스풀룬
USSR 유 에스 에스 아르
Ussuri 우수리
Ussurisk 우수리스크
Ustinov 우스티노프
UT 유 티
Utah 유타
Uṭārid 우타리드
U.T.C. 유 티 시
U Thant 우 탄트
Utica 유티카
utilitarianism 유틸리테리어니즘
utility 유틸리티
UTM 유 티 엠
Utopia 유토피아
Utopian 유토피안
utopianism 유토피아니즘
Utrecht 위트레흐트《유트렉트》
Utrillo 위트릴로
Utu-napishtim 우투나피시팀
U-turn 유턴
U.U.M. 유 유 엠
Uusikaupunki 우시카우풍키
UV 유 브이
Uva-Ursi 우바우르시
UV filter 유 브이 필터
Uxmal 우즈말
Uyghur 위구르
Uzbek 우즈베크

V, v 브이
Vaasa 바사
vacance (프) 바캉스
vacation 버케이션
vaccine 백신
vacuum 배큐엄
vacuum car 배큐엄 카
vacuum cleaner 배큐엄 클리너
vacuum concrete 배큐엄 콘크리
트
Vadim 바딤
Vaduz 파두츠
vagabond 배거본드
vagabondism 배거본디즘
vagina (라) 바기나
Vaihinger 파이힝거
Vaiont Dam 바이온트 댐
vaiśeṣika (범) 바이셰시카
vaiśya (범) 바이샤
Vakzin (도) 박친, 왁친
Valadon 발라동
Valdai 발다이
Valencia 발렌시아
valentine 발렌타인
Valentine Day 발렌타인 데이
Valeri 발레리
Valéry 발레리
Valhalla 발할라
valine 발린
Valkyrie 발키리
Valla 발라
Valladolid 바야돌리드
Vallentino 발렌티노
Vallès 발레스
Valletta 발레타
Vallois 발루아
Valmy 발미
Valois 발루아
Valour 밸러
Valparaiso 발파라이소
valse (프) 발스
value 밸류
valve 밸브
valve trombone 밸브 트롬본
vamp 뱀프
vampire 뱀파이어
VAN, van 밴
Vanadin (도) 바나딘
vanadium 바나듐
Van Allen 밴 앨런
Vancouver 밴쿠버
Vandal 반달
vandalism 반달리즘
Van de Graaff 밴 더 그래프
Vandenberg 반덴버그
van der Waals 반 데르 발스
Van Doren 밴 도런
Van Dyck 반 다이크
Vane 베인
Vanel 바넬
Vānern 베네른
Van Eyck 반 에이크
vanilla 바닐라
vanilla essence 바닐라 에센스
vanillin 바닐린
vanishing cream 배니싱 크림
vanity 배니티
vanity case 배니티 케이스
Vanity Fair 배니티 페어
Van Loon 반 룬
vantage 밴티지
van't Hoff 반트 호프
Vanua Levu 바누아 레부
Vanuatu 바누아투
Van Vleck 밴 블렉
vapor lock 베이퍼 록
var 바
Varanasi 바라나시
Vardhamāna 바르다마나
Vardhana 바르다나
Varèse 바레즈
Varga 바르가
Vargas 바르가스
variante (이) 바리안테
variation 바리에이션, 베리에이션
variation route 바리에이션 루트
variété (프) 바리에테
variety 버라이어티
variety show 버라이어티 쇼
Variotin 바리오틴
Variscan 바리스칸
varistor 배리스터
Varna 바르나
varnish 니스, 바니시《와니스》
Varro 바로
varsoviana (이) 바르소비아나
varsovienne (프) 바르소비엔
Vasari 바사리
Vasco da Gama 바스코 다 가마
Vaseline 바셀린
Vasilevskaya 바실레프스카야
vasopressin 바소프레신
vat 배트
Vatican 바티칸
Vaticanism 바티카니즘
Vaticano 바티카노
Vauban 보방
vaudeville (프) 보드빌
vault 볼트
Vauvenargues 보브나르그
Vavilov 바빌로프
Vazov 바조프
V belt 브이 벨트
V block 브이 블록
VCR 브이 시 아르
V-Day 브이데이
VDP 브이 디 피
VE 브이 이
veal 빌
Veber 베베르
Veblen 베블런
Vector, vector 벡터
vector potential 벡터 퍼텐셜
Veda 베다
Vedda 베다
Vega 베가
vehicle 비이클
veil 베일
Velázquez 벨라스케스
Velde 벨데
veloce (이) 벨로체
velocity microphone 벨로시티 마
velodrome 벨로드롬 ⌊이크로폰
velour 벨루어
veludo (포) 비로드
velvet 벨벳
Vendée 방데
vendor 벤더
veneer 비니어
Venetian 베니션
Venetian blind 베니션 블라인드
Venezia 베네치아
Veneziano 베네치아노
Venezuela 베네수엘라
Venice 베니스
Venizelos 베니젤로스
Venn 벤
Venn diagram 벤 다이어그램
vent 벤트
ventilator 벤틸레이터
Ventris 벤트리스
venture business 벤처 비즈니스
venture capital 벤처 캐피털
Venturi 벤투리
Venturi meter 벤투리 미터
Venus 베누스, 비너스
Veracruz 베라크루스
veranda 베란다
verbena 버베나
Verbiest 페르비스트
Verde 베르데
Verdi 베르디
Verdun 베르됭; 버던
Verga 베르가
Vergilius 베르길리우스
verglas (프) 베르글라
Verhaeren 베르하렌
verismo (이) 베리즈모
Verkhoyansk 베르호얀스크
Verlaine 베를렌
vermiculite 버미큘라이트
vermilion 버밀리언
Vermont 버몬트
vermouth (프) 베르무트
Vernadski 베르나츠키
vernalization 버널리제이션
Verne 베른
Verner 베르너
Vernet 베르네
Verneuil 베르뇌유
vernier 버니어
vernier calipers 버니어 캘리퍼스
Verona 베로나
Veronal (도) 베로날
Veronese 베로네제
veronica 베로니카
Verrocchio 베로키오
Versailles 베르사유
Verschuer 페르슈어
verse 버스
vers libre (프) 베르 리브르
vertical 버티컬
Verworn 페르보른
Vesalius 베살리우스
Vespasianus 베스파시아누스
Vespucci 베스푸치
vest 베스트
Vesta 베스타
vest kodak (미) 베스트 코닥
vest sweater 베스트 스웨터
Vesuvio 베수비오
Vesuvius 베수비어스
vétéran (프) 베테랑
veto 비토
V.G. record 브이 지 레코드
V.H.F. 브이 에이치 에프
vibrante (이) 비브란테
vibraphone 비브라폰
vibration 바이브레이션
vibrato (이) 비브라토
vibrator 바이브레이터
vibrio (라) 비브리오
vice 바이스
Vichy 비시
Vickers 비커스 「롱
Vickers Armstrong 비커스 암스트
Vico 비코
victim 빅팀
victor 빅터
Victor Emmanuel 빅토르 엠마누엘
Victoria 빅토리아
Victoria Land 빅토리아 랜드
Victorianism 빅토리아니즘
victorium 빅토륨
victory 빅토리
vicuna 비큐나
video 비디오
video art 비디오 아트
video camera 비디오 카메라
video cartridge recorder 비디오 카
트리지 리코더
video cassette 비디오 카세트
video cassette tape 비디오 카세트
테이프
video disc 비디오디스크「레이어
video disc player 비디오 디스크 플
videocomp 비디오컴프
video game 비디오 게임
videometer 비디오미터
Videomovie 비디오무비
video tape 비디오테이프
video tape recorder 비디오 테이프
videotex 비디오텍스 ⌊리코더
vidicon 비디콘
Vidor 비더
vidro (포) 비드로
Vienna 비엔나
Vienna sausage 비엔나 소시지
Vienna waltz 비엔나 왈츠
Vientiane 비엔티안
Vietcong 베트콩
Viète 비에트
Vietminh, Viet-minh, Viet Minh
베트민
Vietnam 베트남
Viëtor 피에토어
viewer 뷰어
Vigeland 비겔란
Vigny 비니
Vigo 비고
vigorosamente (이) 비고로사멘테
vigour 비거
vihara 비하라
Vijayanagar 비자야나가르
Viking 바이킹
Vila 빌라
Vila Nova de Gaia 빌라 노바 데 가
Vilar 빌라르 ⌊이아
Vildrac 빌드라크
Villa 비야《빌랴》
villa 빌라
Villa d'Este 빌라 데스테
Villafranca 빌라프란카
Villa-Lobos 빌라로보스
Villani 빌라니
Villeurbanne 빌뢰르반
Villon 비용
Vilnius 빌뉴스
vimāna (범) 비마나
vinā 비나
Viña del Mar 비냐델마르
vinaigrette sauce 비네그레트 소스
Vinci 빈치
vincristine 빈크리스틴
vinegar 비니거
Vinitron 비니트론
Vinogradoff 비노그라도프
Vinson 빈슨
vinyl 비닐
vinylacetylene 비닐아세틸렌
vinyl alcohol 비닐 알코올
vinyl house 비닐 하우스
vinylidene 비닐리덴
vinylon 비닐론
vinyl paint 비닐 페인트
Vinyon 비니온
viny-tile 비니타일
viol 비올
viola (이) 비올라
viola da gamba (이) 비올라 다 감바
viola d'amore (이) 비올라 다모레
violation 바이얼레이션
violent dig 바이얼런트 디그

violento (이) 비올렌토
violet 바이올렛
violin 바이올린
violinist 바이올리니스트
violino (이) 비올리노
violin sonata 바이올린 소나타
Viollet-le-Duc 비올레르뒤크
violon (프) 비올롱
violoncello (이) 비올론첼로
viomycin 바이오마이신
Viotti 비오티
VIP, V.I.P. 브이 아이 피, 비프
Virchow 피르호
Virgil 버질
Virgin, virgin 버진
virginal 버지널
Virginia plan 버지니아 플랜
virgin soil 버진 소일
viroid 바이로이드
Virtanen 비르타넨
virtuoso (이) 비르투오소
Virus (도) 비루스
virus 바이러스
vis (프) 비스
visa 비자
Visaya 비사야
Visconti 비스콘티
viscose 비스코스
viscose sponge 비스코스 스펀지
viscose rayon 비스코스 레이온
viscount 바이카운트
vise 바이스
Vishakhapatnam 비샤카파트남
vision 비전
visiting team 비지팅 팀
visitor 비지터
Visla (러) 비슬라
Viṣṇu (범) 비슈누
vista dome 비스타 돔
Vista Vision 비스타 비전
visto (이) 비스토
visual communication 비주얼 커뮤니케이션
visual design 비주얼 디자인
visualization 비주얼라이제이션
visual language 비주얼 랭귀지
visual show 비주얼 쇼
vitacamphor 비타캠퍼
Vitaglass 바이타글라스
vitalamp 바이타램프
vitalism 바이털리즘
vitalisme (프) 비탈리슴
vitality 바이탤리티
Vitallium 비탈륨, 바이탈륨
vital signs 바이털 사인
vitamin 비타민, 바이타민
Vitascope 바이타스코프
Vitebsk 비텝스크
Viti Levu 비티레부 「리오
Vitruvius Pollio 비트루비우스 폴
Vittorio Emanuele 비토리오 에마
Vityaz 비티아즈 L누엘레
vivace (이) 비바체
vivacissimo (이) 비바치시모
Vivaldi 비발디
Vivekānanda 비베카난다
Vives 비베스
Viviani 비비아니
vivo (이) 비보
Vladimir 블라디미르
Vladivostok 블라디보스토크
Vlaminck 블라맹크
VLBI 브이 엘 비 아이
VLF 브이 엘 에프
Vlorë 블로러
V.M. record 브이 엠 레코드
V narod (러) 브나로드
V.O.A. 브이 오 에이
vocabulary 버캐뷸러리
vocabulist 버캐뷸리스트
vocal 보컬
vocalist 보컬리스트
vocal music 보컬 뮤직
vocal solo 보컬 솔로

vocoder 보코더
vodka (러) 보드카
VOGAD 보가드
Vogt 포크트
vogue (프) 보그
Vogul 보굴
voile 보일
voile shirt 보일 셔츠
volante (이) 볼란테
volcano 볼케이노
volée (프) 볼레
Volga 볼가
Volgograd 볼고그라드
Volkelt 폴켈트
Volksbühne (도) 폴크스뷔네
Volkswagen (도) 폴크스바겐
volley 발리
volley ball 발리 볼
volley kick 발리 킥
volley shoot 발리 슛
volt 볼트
Volta 볼타
Voltaire 볼테르
voltameter 볼타미터
volt-ammeter 볼트암미터
volt-ampere 볼트암페어
voltmeter 볼트미터
volume 볼륨
volunteer 볼런티어
Volvo 볼보
volvox 볼복스
von Braun 폰 브라운
von Neumann 폰 노이만
Vo Nguyen Giap 보 구엔 지압
V.O.R. 브이 오 아르
Vorlage (도) 포어라게
Voronezh 보로네슈
Voronoff 보로노프
Voroshilov 보로실로프
Voroshilovgrad 보로실로브그라드
Vorspiel (도) 포어슈필
VORTAC 보르탁
vorticism 보티시즘
Voskhod (러) 보스호트
Vostok (러) 보스토크
Votyak 보탸크
voucher 바우처
voucher system 바우처 시스템
Vouet 부에
Voyager 보이저
Voznesenski 보즈네센스키
Vrangel' 브랑겔
V sign 브이 사인
V/STOL 브이 스톨
VTOL 브이톨
VTR 브이 티 아르
Vulcan 벌컨 「이버
vulcanized fiber 벌커나이즈드 파
Vulcano 불카노
Vulcanus (라) 불카누스
vulva 벌버
VU meter 브이 유 미터
Vyshinski 비신스키

W, w 더블유

Waals 발스
wacecreter 워세크리터
Wackenroder 바켄로더
wadding 워딩
wade 웨이드
Wadjak 와자크
Wafd 와프트
wafer 웨이퍼
waffle (미) 와플
wage 웨이지
Wagga Wagga 워가워가
Wagner 바그너, 와그너
Wagner von Jauregg 바그너 폰 야
wagon 왜건 L우레크
Wahhab 와하브

Waikiki 와이키키
Waikiki shirt 와이키키 셔츠
Wain 웨인
waist 웨이스트
waist coat 웨이스트 코트
waistline 웨이스트라인
waist nipper 웨이스트 니퍼
waiter 웨이터
waiting 웨이팅
waiting circle 웨이팅 서클
waiting room 웨이팅 룸
waitress 웨이트리스
Waitz 바이츠
waiver 웨이버
Wajda 바이다
Wājib (아랍) 와집
Wake, wake 웨이크
Waksman 왁스먼
Walachia 왈라키아
Walcott 월코트
Wald 월드
Walden 월든
Waldheim 발트하임
Wales 웨일스
Wałęsa 바웬사
Walker 워커
walkers 워커
walkie-lookie 워키루키
walkie-talkie 워키토키
walkie-talkie-lookie 워키토키루키
walking 워킹
walking dictionary 워킹 딕셔너리
walking part 워킹 파트
walking race 워킹 레이스
walking shoes 워킹 슈즈
walking step 워킹 스텝
walking suit 워킹 슈트
Walkman 워크맨
walkout 워크아웃
Wall 월
wallaby 왈라비
Wallace 월리스
Wallach 발라흐
Wallas 월라스
Wallasey 월러시
Wallenstein (도) 발렌슈타인
Wallis 월리스
Wallon 왈론
Walloon 왈론
Wall Street 월 스트리트
Wall Street Journal 월 스트리트 저널
Walpole 월폴
Walras 발라
Walsall 월솔
Walser 발저
Walsingham 월싱검
Waltari 왈타리
Walter 발터
Waltham 월섬
Walther 발터
Walther von der Vogelweide 발터 폰 데어 포겔바이데
Walton 월턴
waltz 왈츠
Walvis Bay 월비스베이
Wampas (미) 웜퍼스
Wampas girl 웜퍼스 걸
Wampas star 웜퍼스 스타
Wanamaker 와너메이커
Wand (도) 반트
Wanderung (도) 반더룽
Wandervogel (도) 반더포겔
Wanganui 웡가누이
Wan Waithayakon 완 와이타야콘
war baby 워 베이비
Warburg 바르부르크
ward robe 워드 로브
warm colour 웜 컬러
warming-up 워밍업
Warner Brothers 워너브러더스
Warner Brothers Seven Arts 워너 브러더스 세븐 아트
Warren 워런

Warsaw 와르소
Warszawa 바르샤바
Wartburg 바르트부르크
war widow 워 위도
Wasatch 워새치
wash 워시
wash and wear 워시 앤드 웨어
washer 와셔
Washington 워싱턴
Washington Post 워싱턴 포스트
washstand 워시스탠드
Wassermann 바서만
waste 웨이스트
wasteball 웨이스트볼
watch 워치
watch master 워치 마스터
water 워터
water bath 워터 배스
water boiler 워터 보일러
Waterbury 워터베리
water chute 워터 슈트
water closet 워터 클로짓
water color 워터 컬러
water cooler 워터 쿨러
water crane 워터 크레인
Waterford 워터퍼드
water frame 워터 프레임
water gas 워터 가스
Watergate 워터게이트
water gauge 왜터 게이지
water glass 워터 글라스
water hazard 워터 해저드
water ice 워터 아이스
water jacket 워터 재킷
Waterloo 워털루
watermelon 워터멜론
water polo 워터 폴로
water proof 워터 프루프
water ski 워터 스키
water tube boiler 워터 튜브 보일러
Watling 워틀링
Watson 웟슨
watt 와트
watteau 와토
Watters 워터스
Wattman 와트만
wattmeter 와트미터
Wat Tyler 와트 타일러
Waugh 워
wave 웨이브
wave guide 웨이브 가이드
Waverley 웨이벌리
way 웨이
Wayne 웨인
W.B.A. 더블유 비 에이
W.B.C. 더블유 비 시
W.C. 더블유 시
W.C.C. 더블유 시 시
WCOTP 더블유 시 오 티 피
weak boson 위크 보손
weak point 위크 포인트
wear 웨어
wearing 웨어링
weather all coat 웨더 올 코트
weaving 위빙
web 웨브
Webb 웹
Weber 베버
weber 웨버
Webern 베베른
Webster 웹스터
Weddell 웨들
wedding 웨딩
wedding cake 웨딩 케이크
wedding dress 웨딩 드레스
wedding march 웨딩 마치
wedding ring 웨딩 링
Wedekind 베데킨트
Wedeln (도) 베델른
wedge sole 웨지 솔
week 위크
weekday 위크데이
weekend 위크엔드
weekly 위클리

Wegener 베게너
Weidenreich 바이덴라이히
Weierstrass 바이어슈트라스
weight 웨이트
weight lifting 웨이트 리프팅
Weil 베유, 바일
Weil-Felix 바일 펠릭스
weill 와일
Weimar 바이마르
Weinberg 와인버그
Weinberger 와인버거
Weingartner 바인가르트너
Weismann 바이스만
Weismannism 바이스마니즘
Weisshorn 바이스호른
Weissmuller 와이즈뮬러
Weitling 바이틀링
Weizmann 바이츠만
Weizsäcker 바이츠제커
welcome 웰컴
well dresser 웰 드레서
Weller 웰러
Wellington 웰링턴
well made play 웰 메이드 플레이
Wells 웰스
Wels 벨스
welter 웰터
welterweight 웰터웨이트
Weltpolitik (도) 벨트폴리틱
Weltschmerz (도) 벨트슈메르츠
Werfel 베르펠
Werner 베르너
Wernicke 베르니케
Wertheimer 베르트하이머
Werther 베르테르
Wertherismus 베르테리스무스
Wesker 웨스커
Wesley 웨슬리
Wessex 웨섹스
West 웨스트
Westermarck 웨스터마크
Western, western 웨스턴
Western Australia 웨스턴 오스트레일리아
western grip 웨스턴 그립
Western movie (미) 웨스턴 무비
Western music (미) 웨스턴 뮤직
Western style 웨스턴 스타일
Westfalen 베스트팔렌
Westinghouse 웨스팅하우스
Westminster 웨스트민스터
Weston 웨스턴
Westphalia 웨스트팔리아
West Point 웨스트포인트
West Side 웨스트사이드
West Side Story 웨스트 사이드 스토리
West Virginia 웨스트버지니아
wet 웨트
wet core 웨트 코어
wet mat 웨트 매트
W.E.U. 더블유 이 유
Weyden 바이덴
Weyl 바일
W.F.C. 더블유 에프 시
W.F.S. 더블유 에프 에스
W.F.T.U. 더블유 에프 티 유
Wharton 워튼
Wheatstone 휘트스톤
Wheatstone bridge 휘트스톤 브리지
wheel 휠
wheel base 휠 베이스
wheelchair 휠체어
wheelchair light 휠체어 라이트
Whig 휘그
whipped cream 휩트 크림
whipped margarine 휩트 마가린
Whipple 휘플
Whisker 위스커
whisky 위스키
whisky glass 위스키 글라스
whist 휘스트
whistle 휘슬
Whistler 휘슬러
white 화이트
white Christmas 화이트 크리스마스
white cokes 화이트 코크스
white-collar 화이트칼라
white gold 화이트 골드
Whitehall 화이트홀
Whitehead 화이트헤드
White House 화이트 하우스
white metal 화이트 메탈
white noise 화이트 노이즈
white paper 화이트 페이퍼
white sauce 화이트 소스
Whitley 휘틀리
Whitman 휘트먼
Whitney 휘트니
Whittier 휘티어
Whittle 휘틀
W.H.O. 더블유 에이치 오
who 후
Whorf 워프
who's who 후즈 후
Whymper 휨퍼
Wichita 위치토
wicket 위킷
wicketkeeper 위킷키퍼
Wicksell 빅셀
Widal 비달
wide 와이드
wide ball 와이드 볼
widebody 와이드보디
wider look 와이더 룩
wide screen 와이드 스크린
wide television 와이드 텔레비전
Widia (도) 비디아
Wiechert 비헤르트
Wiedemann 비데만
Wiegenlied (도) 비겐리트
Wieland 빌란트
Wien 빈
Wien appeal 빈 어필
Wiener 위너
Wiesbaden 비스바덴
Wiese 비제
Wiesel 비젤
Wieser 비저
wife 와이프
Wigman 비그만
Wigner 위그너
Wilberforce 윌버포스
Wilcox 윌콕스
wild 와일드
wildcat strike 와일드캣 스트라이크
Wilde 와일드
Wilder 와일더
wild makeup 와일드 메이크업
wild pitch 와일드 피치
Wilhelm 빌헬름
Wilhelmina 빌헬미나
Wilhelm Meister (도) 빌헬름 마이스터
Wilhelmshaven 빌헬름스하펜
Wilhelm Tell 빌헬름텔
Wilkes Land 윌크스랜드
Wilkins 윌킨스
Wilkinson 윌킨슨
Willem 빌렘
willemite 윌레마이트
Willemstad 빌렘슈타트
Willes 윌스
William 윌리엄
Williams 윌리엄스
William Tell 윌리엄 텔
Willstätter 빌슈테터
willy-willy 윌리윌리
Wilm 빌름
Wilmington 윌밍턴
Wilson 윌슨
Wilton 윌턴
Wilton carpet 윌턴 카펫
Wimbledon 윔블던
Wimshurst 윔즈허스트
winch 윈치
Winchester 윈체스터
wind 윈드
windbreaker 윈드브레이커
wind cruiser 윈드 크루저
wind crust 윈드 크러스트
Windermere 윈더미어
wind fan 윈드 팬
Windhoek 빈트후크
Windjacke (도) 빈트야케
wind jacket 윈드 재킷
wind jumper 윈드 점퍼
windlass 윈들러스
windmill 윈드밀
window 윈도
window cleaner 윈도 클리너
window dressing 윈도 드레싱
window glass 윈도 글라스
windowless 윈도리스
windowpane 윈도페인
window-shopping 윈도쇼핑
window system 윈도 시스템
wind rose 윈드 로즈
Windscheid 빈트샤이트
windshield wiper 윈드실드 와이퍼
wind slab 윈드슬라브
Windsor 윈저
Windsor tie 윈저 타이
wind surfer 윈드 서퍼
wind surfing 윈드 서핑
windup 와인드업
Windward 윈드워드
wine 와인
wineglass 와인글라스
wing 윙
wing pump 윙 펌프
wink 윙크
Winkler 빈클러
winning 위닝
winning ball 위닝 볼
winning shot 위닝 숏
Winnipeg 위니펙
Winnipegosis 위니페고시스
winter 윈터
winter coat 윈터 코트
winter league 윈터 리그
winter sports 윈터 스포츠
Winterthur 빈터투르
wipe-out 와이프아웃
wiper 와이퍼
wiping 와이핑
wire 와이어
wire gauge 와이어 게이지
wire glass 와이어 글라스
wireless 와이어리스
wire memory 와이어 메모리
wire rope 와이어 로프
WISC 위스크
Wisconsin 위스콘신
Wisła 비스와
Wislicenus 비슬리체누스
Wismut (도) 비스무트
Wissenschaft (도) 비센샤프트
Wissler 위슬러
wit 위트
witch 위치
Wittenberge 비텐베르게
Wittfogel 비트포겔
Wittgenstein 비트겐슈타인
Witwatersrand 위트워터스랜드
Witz 비츠
Wodehouse 우드하우스
Wöhler 뵐러
Wolf 볼프
Wolfe 울프
Wolff 볼프
Wolf-Ferrari 볼프페라리
Wölfflin 뵐플린
Wolfram (도) 볼프람
Wolfram von Eschenbach 볼프람 폰 에센바흐
Wolfsburg 볼프스부르크
Wollaston 울러스턴
Wollongong 울런공
Wollstonecraft 울스턴크래프트
Wolverhampton 울버햄턴
woman 우먼
womanpower 우먼파워
wombat 웜뱃
Women's Lib 우먼 리브
Women's Liberation 우먼 리버레이션
Wonder 원더
wonderful 원더풀
wonderland 원덜랜드
Wood, wood 우드
wooden club 우든 클럽
wood gas 우드 가스
wood plastic 우드 플라스틱
wood pulp 우드 펄프
wood's metal 우드 메탈
wood tar 우드 타르
Woodward 우드워드
Woodworth 우드워드
woofer 우퍼
wool 울
wool blend mark 울 블렌드 마크
Wooley 울리
Woolf 울프
wool grease 울 그리스
wool mark 울 마크
wooly nylon 울리 나일론
Worcester 우스터
Worcester sauce 우스터 소스
word 워드
word processor 워드 프로세서
Wordsworth 워즈워스
work 워크
workability 워커빌리티
workbook 워크북
work design 워크 디자인
Work sampling 워크 샘플링
workshop 워크숍
workstation 워크스테이션
World Car 월드 카
World Cup 월드컵
World Cup Ski 월드 컵 스키
world enterprise 월드 엔터프라이즈
World Games 월드 게임스
World Series (미) 월드 시리즈
worm gear 웜 기어
Worms 보름스
Worringer 보링거
worsted 우스티드
Wouk 워크
Wozzeck 보체크
wrap 랩
wraparound skirt 랩어라운드 스커트
wrap coat 랩 코트
wrecker 레커
Wren 렌
wrench 렌치
wrestler 레슬러
wrestling 레슬링
Wright 라이트
writer 라이터
writing bureau 라이팅 뷰로
writing desk 라이팅 데스크
Wroclaw 브로츨라프
Wulumchi 우루무치
Wundt 분트
Wuppertal 부퍼탈
Würm (도) 뷔름
Württemberg 뷔르템베르크
Würzburg 뷔르츠부르크
wuzū' (아랍) 우두
WWF 더블유 더블유 에프
Wyatt 와이어트
Wycherley 위철리
Wycliffe 위클리프
Wyeth 와이어스
Wyler 와일러
Wyndham 윈덤
Wyoming 와이오밍

X, x 엑스
xanthene 크산텐

Xanthin (도) 크산틴
Xanthippe 크산티페
Xanthogen (도) 크산토겐
xanthomycin 크산토마이신
Xanthon (도) 크산톤
xanthone 잰톤
xanthophyll (도) 크산토필
Xanthoprotein (도) 크산토프로테인
Xanthoxytase (도) 크산톡시타제
Xaverius 사베리오
Xavier 사비에르
Xenakis 크세나키스
xenia (라) 크세니아
Xenokrates 크세노크라테스
xenon (도) 크세논
Xenophanes 크세노파네스
Xenophon 크세노폰
xerography 제로그래피
Xerox 제록스
Xerox journalism 제록스 저널리즘
Xerxes 《크세르크세스》 크세륵세스
X ray 엑스 레이
XXX 엑스 엑스 엑스
XY 엑스 와이
xylène (프) 크실렌
Xylenol (도) 크실레놀
xylenol orange 크실레놀 오렌지
xylidine 크실리딘
xylol 자일롤
Xylol (도) 크실롤
Xylolemusk (도) 크실롤레무스크
Xylophon (도) 크실로폰
xylophone 자일로폰, 실로폰
xylose 크실로오스

Y, y 와이

Yablonovyi 야블로노비
yacht 요트
yacht harbour 요트 하버
yachting 요팅
yacht race 요트 레이스
Yacon 야콘
Yaffa 야파
Yafete 야페테
Yahweh (헤) 야훼
Yājñavalkya 야즈냐발캬
Yajur-Veda 야주르베다
Yak, yak 야크
Yakut 야쿠트
Yakutsk 야쿠츠크
Yalta 얄타
Yale 예일
Yallow 얠로
Yalu 얄루
Yamal 야말
Yami 야미
Yana 야나
Yanam 야남
Yang 양
Yangon 양곤
Yankee 양키
Yankee bond 양키 본드
Yankeeism 양키이즘
Yankee style 양키 스타일
Yao 야오
Yaoundé 야운데
Yap 야프
Yapetus 야페투스
yard 야드
yard pound 야드파운드
Yarkand 야르칸드
yarn 얀
Yaroslav 야로슬라프
Yaroslavl 야로슬라블
Yaroslavl' 야로슬라블
yarovi (러) 야로비
yarovizatsiya (러) 야로비자치야
Yasenskij 야센스키
yawing 요잉
year book 이어북
yeast 이스트
Yeats 예이츠
yellow 옐로
Yellow Book 옐로 북
yellow cake 옐로 케이크
yellow card 옐로 카드
yellow-dog contract 옐로도그 콘트랙트
yellow journalism 옐로 저널리즘
yellow paper 옐로 페이퍼
yellow press 옐로 프레스
Yellowstone 옐로스톤
Yeltsin 옐친
Yemen 예멘
Yemen Arab 예멘 아랍
Yenangyaung 예난지아웅
yeoman 요먼
Yerkes 여키즈
yes-man 예스맨
Yiddish 이디시
Yima 이마
yippie (미) 이피
ylang ylang 일랑일랑
ylem 아일럼
Y level 와이 레벨
Y.M.C.A. 와이 엠 시 에이
Ymir 이미르
yobel (히) 요벨
yodel 요들
yodel song 요들 송
yoga (범) 요가
Yoga-sūtra (범) 요가 수트라
yogurt 요구르트
yohimbé 요힘베
yohimbine 요힘빈
yo-ho 야호
yoni (범) 요니
York 요크
Yorkshire 요크셔
Yorkshire terrier 요크셔 테리어
Yorktown 요크타운
Yoruba 요루바
Yosemite 요세미티
you 유
Young, young 영
younger church 영거 처치
young generation 영 제너레이션
Youngstown 영스타운
youth hostel 유스 호스텔
yoyo 요요
ypérite (프) 이페리트
Ypsilanti 입실란티
Y punch 와이 펀치
Y teen club 와이 틴 클럽
ytterbium (라) 이테르븀
yttria 이트리아
yttrium (라) 이트륨
Yucatan 유카탄
Yugoslavia 유고슬라비아
Yukaghir 유카기르
yukar (아이누) 유카라
Yukawa 유카와
Yukon 유콘
yurta (러) 유르타
Y.W.C.A. 와이 더블유 시 에이

Z, z 제트

Zabrze 자브제
Zabūr (아랍) 자부르
Zachow 차호
Zacke (도) 차케
Zadar 자다르
Zadkine 자킨
Zadruga 자드루가
Zagazig 자가지그
Zagreb 자그레브
Zagros 자그로스
Zaharoff 자하로프
Zaïre 자이르
Zaisan 자이산
zakāt (아랍) 자카트
Zakavkaz 자카프카즈
zakuska (러) 자쿠스카
Zama 자마
Zambezi 잠베지
Zambia 잠비아
zamboa (포) 자몽
zamboanga 삼보앙가
Zamenhof 자멘호프
Zamīndār (힌두) 자민다르
Zamyatin 자미아틴
Zanella 자넬라
Zanuck 재넉
Zanzibar 잔지바르
Zapadniki (러) 자파드니키
Zapata 사파타
zapateado (스) 사파테아도
Zaporozhe 자포로제
Zapotec 사포텍《자포텍》
Zapoteca (스) 사포테카
Zaragoza 사라고사
Zarathustra 자라투스트라, 차라투스트라
Zarov 자로프
Zasulich 자술리치
Zátopek 자토페크
Zavattini 자바티니
Zayton 자이톤
Zdarsky 즈다르스키
Zealand 질란드
zebra 제브라
zebra zone 제브라 존
zebu 제부
Zechariah 즈가리야
Zeeman 제만
Zeffirelli 제피렐리
Zeiss 차이스
Zeitgeist (도) 차이트가이스트
Zeller 첼러
zeloso (이) 젤로소
Zeltsack (도) 첼트작
Zemlya Frantsa Iosifa 젬랴 프란차 이오시파
zemstvo (러) 젬스트보
Zend-Avesta (페) 젠드아베스타
Zeno 제노
Zenon 제논
zeolite 제올라이트
Zephaniah 스바니야
zephyr 제퍼
zephyros (그) 제피로스
Zeppelin 체펠린
Zermatt 체르마트
Zermelo 체르멜로
Zernike 제르니케
zero 제로
zero base 제로 베이스
zero defects 제로 디펙츠
zero game 제로 게임
Zeromski 제롬스키
zero reader 제로 리더
zero vector 제로 벡터
ZETA 제타
Zetkin 체트킨
Zeus 제우스
Zeuxis 제욱시스
Zhdanov 주다노프
Zhukov 주코프
Zhukovskii 주코프스키
Ziegler 치글러
Zigeunerweisen (도) 치고이너바이젠
ziggurat 지구라트
Zigoma 지고마
zigzag (프) 지그재그
Zigzag Frieze 지그재그 프리즈
Zimbabwe 짐바브웨
Zimbalist 짐발리스트
Zimmermann 치머만
Zimmerwald 치머발트
zinc 징크
Zinin 지닌
Zinjanthropus boisei (라) 진잔트로푸스 보이세이
Zink (도) 칭크
zinkenite 징케나이트
Zinn 친
Zinne (도) 치네
Zinoviev 지노비예프
Zion 시온
Zionism 시오니즘
Zionist 시오니스트
Zipernovsky 지페르노프스키
zipper 지퍼
zipper skirt 지퍼 스커트
zircon 지르콘
zirconium 지르코늄
Zirgalanto 지르갈란토
Zirkel 지르켈
Zither (도) 치터
Zittel 치텔
Ziya Gök Alp 지야 괴크 알프
Zlatoust 즐라토우스트
Z marker 제트 마커
Znaniecki 즈나니에츠키
zoëa 조에아
zoetrope 조이트로프
Zola 졸라
Zolacoat 졸라코트
zolaïsme (프) 졸라이슴
Zöllner 횔너
Zomba 좀바
Zond 존드
zone 존
zone defence 존 디펜스
zone line 존 라인
zone melting 존 멜팅
zoning 조닝
Zonta Club 존타 클럽
zoo 주
zoology 줄로지
zoom camera 줌 카메라
zooming 주밍
zoom lens 줌 렌즈
zoon politikon (그) 존 폴리티콘
Zorn 소른
Zoroaster 조로아스터
Zorrilla y Moral 소리야 이 모랄
Zsigmondy 지그몬디
Zuckmayer 추크마이어
Zugspitze 추크슈피체
Zuider 주이데르
Zululand 줄룰란드
Zunft (도) 춘프트
Zungaria 중가리아
Zuni 주니
Zupančič 주판치치
Zurbarán 수르바란
Zürich 취리히
ZW 제트 더블유
Zweig 츠바이크
Zwickau 츠비카우
Zwingli 츠빙글리
Zworykin 즈보리킨
Zyanose (도) 치아노제
Zymase (도) 치마아제

북한 행정 구역 총람(北韓行政區域總覽)

참고 자료 : 북한 지지 요람(1993년 11월 통일원 발행)
북한의 지리와 지명 편람(1991년 5월 25일 내무부 발행)

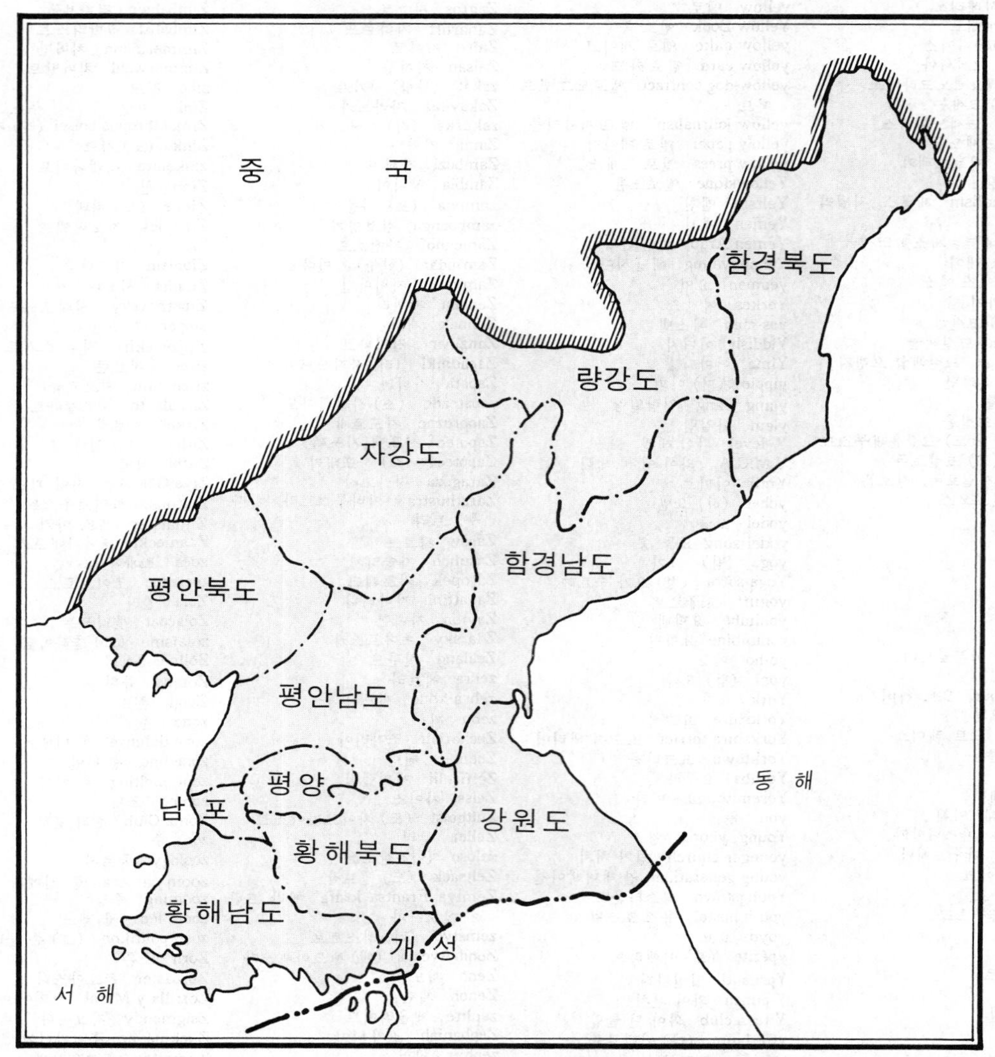

행정 구역 현황

구 분	시(구역)	군(읍)	리	동	로동자구
평양특별시	(18)	4(4)	131	250	5
남포직할시	(5)	1(1)	34	64	–
개성직할시	1	3(3)	63	23	–
평 안 남 도	5	14(14)	372	40	36
평 안 북 도	2(3)	23(23)	511	55	26
자 강 도	3	15(15)	245	59	16
량 강 도	1	11(11)	154	22	49
황 해 남 도	1	19(19)	409	25	9
황 해 북 도	2	14(14)	277	44	6
함 경 남 도	3(6)	15(15)	478	131	31
함 경 북 도	4(6)	13(13)	275	117	37
강 원 도	2	15(15)	393	39	11
계	24(38)	147(147)	3,342	869	227

평양 특별시(平壤特別市)

〔18 구역(區域) 4 군(郡)〕

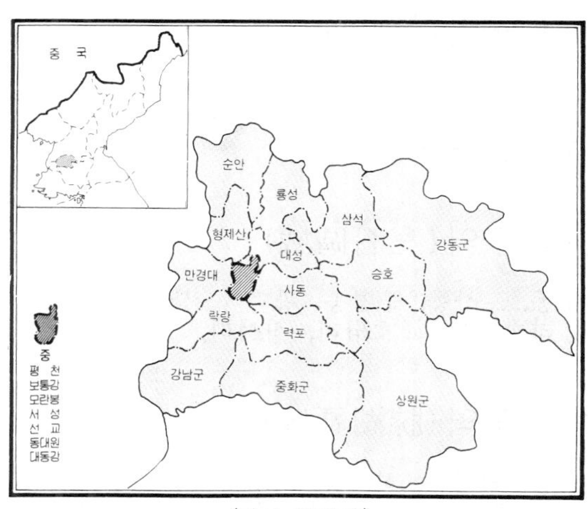

〈평양 특별시〉

중구역(中區域)

경상동, 경림동, 창전동, 신암동, 남문동, 중성동, 보통문동, 종로동, 만수동, 유성동, 역전동, 오탄동, 교구동, 해방산동, 동흥동, 서창동, 동성동, 창광동, 신서동, 동안동, 대동문동, 서성동, 신양동, 외성동, 서문 1 동, 서문 2 동, 련화 1 동, 련화 2 동.

평천 구역(平川區域)

북성동, 간성동, 봉지동, 정평동, 봉학동, 해운동, 봉남동, 갈송동, 평천 1 동, 평천 2 동, 륙교 1 동, 륙교 2 동, 안산 1 동, 안산 2 동, 새마을 1 동, 새마을 2 동.

보통강 구역(普通江區域)

석암동, 서재동, 락원동, 경흥동, 대보동, 봉화동, 세거리동, 운하동, 신원동, 서장 1 동, 서장 2 동, 대타령 1 동, 대타령 2 동, 보통강 1 동, 보통강 2 동, 붉은거리 1 동, 붉은거리 2 동.

모란봉 구역(牡丹峰區域)

평화동, 북색동, 서흥동, 월향동, 진흥동, 항미동, 칠성문동, 전우동, 흥부동, 전승동, 개선동, 민흥동, 장현동, 성북동, 인흥 1 동, 인흥 2 동, 비파 1 동, 비파 2 동, 긴마을 1 동, 긴마을 2 동.

서성 구역(西城區域)

장산동, 상흥동, 석봉동, 상신동, 서천동, 와산동, 평원동, 연못동, 하신동, 남교동, 긴재동, 청계동, 장경 1 동, 장경 2 동, 중신 1 동, 주신 2 동, 서산 1 동, 서산 2 동.

선교 구역(船橋區域)

대흥동, 영제동, 웃메동, 률곡 1 동, 률곡 2 동, 강안 1 동, 강안 2 동, 남신 1 동, 남신 2 동, 산업 1 동, 산업 2 동, 장충 1 동, 장충 2 동, 선교 1 동, 선교 2 동, 선교 3 동, 등메 1 동, 등메 2 동.

동대원 구역(東大院區域)

대신동, 률동, 신리동, 새살림동, 삼마 1 동, 삼마 2 동, 문신 1 동, 문신 2 동, 냉천 1 동, 냉천 2 동, 동대원 1 동, 동대원 2 동, 신흥 1 동, 신흥 2 동, 신흥 3 동, 동신 1 동, 동신 2 동, 동신 3 동, 사곡 1 동, 사곡 2 동, 소룡 1 동, 소룡 2 동.

대동강 구역(大同江區域)

의암동, 대동강동, 사동, 문수 1 동, 문수 2 동, 북수 1 동, 북수 2 동, 탑재 1 동, 탑재 2 동, 동문 1 동, 동문 2 동, 문흥 1 동, 문흥 2 동, 릉라 1 동, 릉라 2 동, 청류 1 동, 청류 2 동, 청류 3 동, 옥류 1 동, 옥류 2 동, 옥류 3 동.

사동 구역(寺洞區域)

미림동, 휴암동, 장천동, 삼골동, 송화동, 남산동, 송신 1 동, 송신 2 동, 두루 1 동, 두루 2 동, 동창리, 리현리, 오류리, 대원리, 덕동리, 금탄리, 칠불리.

대성 구역(大聖區域)

대성동, 룡북동, 삼신동, 림흥동, 고산동, 룡남동, 미암동, 안학동, 청호동, 미산 1 동, 미산 2 동, 룡흥 1 동, 룡흥 2 동, 청암리.

만경대 구역(萬景臺區域)

광복동, 칠골동, 오류동, 당상동, 선내동, 팔골동, 금천동, 봉수동, 대평동, 만경대동, 옷고개동, 궁골 1 동, 궁골 2 동, 축전동, 룡산리, 원로리, 망일리, 룡봉리.

형제산 구역(兄弟山區域)

상당동, 석전동, 중당동, 하당 1 동, 하당 2 동, 신간 1 동, 신간 2 동, 신간 3 동, 서포 1 동, 서포 2 동, 서포 3 동, 천남리, 학산리, 제산리, 형산리, 신미리.

룡성 구역(龍城區域)

화성동, 마산동, 어은동, 중이동, 룡문동, 림원동, 대천동, 룡성 1동, 룡성 2동, 룡추 1동, 룡추 2동, 룡궁 1동, 룡궁 2동.

삼석 구역(三石區域)

성문동, 로산동, 문영동, 광덕리, 삼성리, 도덕리, 원흥리, 원신리, 호남리, 삼석리.

승호 구역(勝湖區域)

남강동, 앞새동, 화천동, 독골동, 승호 1동, 승호 2동, 금옥리, 리천리, 립석리, 봉도리, 광정리, 삼청리, 만달리.

력포 구역(力浦區域)

소신동, 능금동, 력포동, 대현동, 장진 1동, 장진 2동, 류현리, 양음리, 석정리, 추당리, 무진리, 소삼정리, 세우물리.

락랑 구역(樂浪區域)

정백동, 토성동, 락랑동, 정오동, 동산동, 원암동, 두단동, 송남리, 보성리, 류소리, 남사리, 중단리, 금대리, 벽지도리, 룡호리, 긴골리.

순안 구역(順安區域)

〔옛 평안 남도 평원군(平原郡) 동암면(東岩面)・순안면(順安面)・양화면(兩花面)〕

순안동, 역전동, 신완동, 신성동, 석박동, 남산동, 오산리, 성주리, 구서리, 안흥리, 택암리, 산양리, 상송리, 상서리, 용복리, 오금리, 재경리, 천동리, 대양리, 동산리.

강남군(江南郡)

〔옛 중화군(中和郡) 신흥면(新興面)・당정변(唐井面)〕

강남읍, 고읍리, 문암리, 동정리, 룡곡리, 신흥리, 상암리, 룡포리, 신정리, 고천리, 당곡리, 장교리, 마정리, 룡교리, 류포리, 이산리, 영진리, 간천리, 석호리.

중화군(中和郡)

〔옛 중화군(中和郡) 해압면(海鴨面)・양정면(楊井面)・중화면(中和面)〕

중화읍, 관봉리, 삼성리, 금산리, 장산리, 채송리, 마장리, 룡산리, 어룡리, 명월리, 삼흥리, 충룡리, 건산리, 물동리, 백운리, 진광리, 동산리.

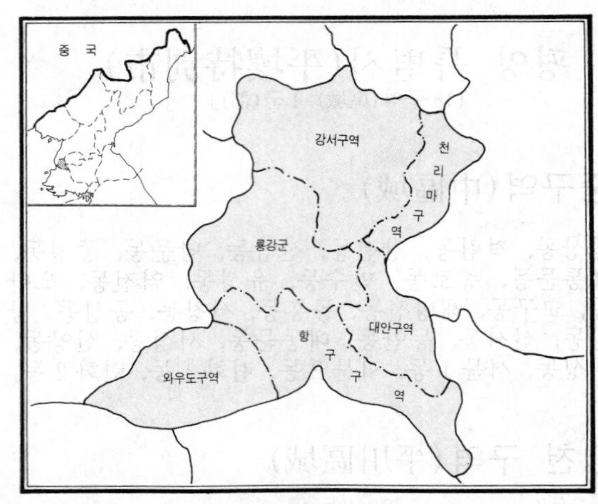

〈남포 직할시〉

상원군(祥原郡)

〔옛 중화군(中和郡) 상원면(祥原面)・천곡면(天谷面)・수산면(水山面)・풍동면(楓洞面)・간동면(看洞面)〕

상원읍, 대동리, 령천리, 로동리, 룡선리, 대천리, 금성리, 흑우리, 대흥리, 번동리, 전산리, 룡곡리, 귀일리, 사기리, 장리, 중리, 신원리, 장항리, 식송리, 수산리, 은구리, 명당 로동자구.

강동군(江東郡)

〔옛 강동군 강동면(江東面)・고천면(高泉面)・봉진면(鳳津面)〕

강동읍, 봉화리, 문흥리, 향목리, 동리, 맥전리, 룡흥리, 명의리, 삼등리, 송석리, 향단리, 구빈리, 란산리, 태잠리, 문화리, 순창리, 화강리, 대리 로동자구, 송가 로동자구, 흑령 로동자구, 하리 로동자구, 고비 로동자구

남포 직할시(南浦直轄市)

〔5 구역(區域) 1 군(郡)〕

강서 구역(江西區域)

새길동, 산업동, 샘물동, 기양동, 문화동, 락원동, 봉상동, 기산동, 서학동, 탄포동, 남산동, 문천동, 관포동, 달마동, 원정동, 강서동, 삼묘리, 약수리, 청산리, 대성리, 잠진리, 수산리, 덕흥리.

천리마 구역(千里馬區域)

보산동, 봉화동, 상봉동, 역전동, 포구동, 싸리동, 새거리동, 전진동, 천내동, 중동, 강철동, 천리마동, 보봉리, 고창리.

대안 구역(大安區域)

대안동, 충성동, 금산동, 옥수동, 덕성동, 은덕동, 대정동, 오신리, 월매리, 다미리.

항구 구역(港口區域)

항구동, 류사동, 한두동, 마사동, 마산동, 지산동, 남흥동, 룡정동, 문화동, 역전동, 해안동, 전국동, 선창동, 후포동, 룡수동, 억량기동, 상대두동, 중대두동, 하대두동, 상비석동, 중비석동, 하비석동, 신흥리, 어호리, 우산리, 덕해리, 갈천리, 동전리, 지사리, 검산리.

와우도 구역(臥牛島區域)

와우도동, 남산동, 회창동, 새길동, 서흥동, 진도동, 대대동, 화도리, 소강리, 신령리, 령남리.

룡강군(龍岡郡)

〔옛 용강군(龍岡郡) 양곡면(陽谷面)·삼화면(三和面)·성암면(城岩面)의 일부(一部)〕

룡강읍, 애원리, 포성리, 립송리, 성암리, 양곡리, 삼화리, 룡흥리, 옥도리, 룡호리, 후산리.

개성 직할시(開城直轄市)

〔1 시(市) 3 군(郡)〕

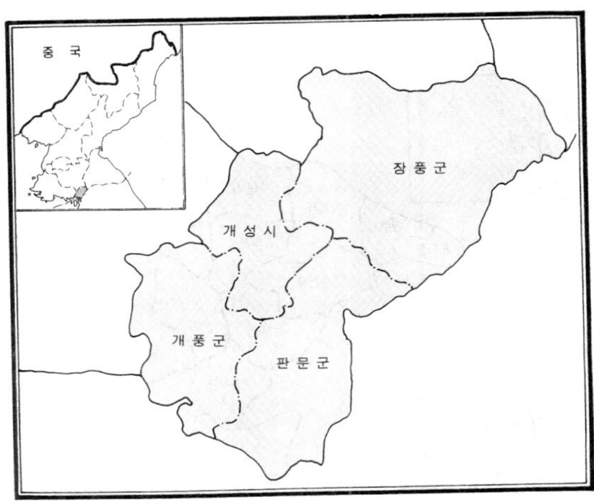

〈개성 직할시〉

개성시(開城市)

부산동, 만월동, 고려동, 역전동, 태평동, 자남동, 북안동, 관훈동, 동현동, 룡산동, 남안동, 선죽동, 해운동, 보선동, 남산동, 송악동, 남문동, 사직동, 룡흥동, 승전동, 동흥동, 성남동, 운학 1 동, 운학 2 동, 손하리, 덕암리, 삼거리, 박연리.

개풍군(開豊郡)

〔옛 경기도 개풍군(開豊郡) 청교면(靑郊面)·토성면(土城面)·서면(西面)·대성면(大聖面)·영북면(嶺北面), 장단군(長湍郡) 진서면(津西面)·대강면(大江面)〕

개풍읍, 묵산리, 연릉리, 해선리, 고남리, 광덕리, 오산리, 묵송리, 연강리, 신서리, 삼성리, 남포리, 신광리, 광수리, 의포리, 신성리, 도원리, 해평리, 려현리.

판문군(板門郡)

〔옛 경기도 개풍군(開豊郡) 청교면(靑郊面)·토성면(土城面)·서면(西面)·대성면(大聖面)·영북면(嶺北面), 장단군(長湍郡) 진서면(津西面)·대강면(大江面)〕

판문읍, 진봉리, 대련리, 상도리, 화곡리, 령정리, 신흥리, 월정리, 조강리, 림한리, 덕수리, 대룡리, 동창리, 삼봉리, 평화리, 선적리, 전제리, 판문점리.

장풍군(長豊郡)

〔옛 경기도 장단군(長湍郡) 장단면(長湍面)·대강면(大江面)·강상면(江上面)·대남면(大南面)·소남면(小南面), 개풍군(開豊郡) 영남면(嶺南面)〕

장풍읍, 덕적리, 자하리, 구화리, 석촌리, 장좌리, 가곡리, 십탄리, 월고리, 서암리, 사시리, 고읍리, 국화리, 림강리, 석둔리, 솔현리, 귀존리, 랭정리, 가천리, 장학리, 사암리, 라부리, 항동리, 세골리.

평안 남도(平安南道)

〔5 시(市) 14 군(郡)〕

평성시(平城市)

〔옛 순천군(順川郡) 후탄면(厚灘面)·사인면(舍人面)·자산면(慈山面) 일부, 대동군(大同郡) 용악면(龍岳面) 일부〕

배산동, 봉학동, 상차동, 하차동, 덕산동, 평성동, 옥전동, 삼화동, 냉천동, 학수동, 보덕동, 구월동, 문화동, 오리동, 지경동, 송령동, 덕성동, 주례동, 두무동, 은덕동, 중덕동, 양지동, 경신리, 률화리, 하단리, 청옥리, 삼룡리, 월포리, 후탄리, 자산리, 고천리, 백송리, 화포리, 운흥리, 어중리.

순천시(順川市)

〔옛 순천군(順川郡) 후탄면(厚灘面)·사인면(舍人面)·자산면(慈山面)·내남면(內南面)·북창면(北倉面)·선소면(仙沼面)·신소면(新沼面)·신창면(新倉面)·은산면(殷山面)〕

순천동, 동암동, 련표동, 용악동, 금천동, 응봉동, 강선동, 수양동, 용흥동, 신동, 구봉동, 천성동, 성산동, 증산동, 직동, 평리, 북창리, 오봉리, 룡봉리, 원상리, 밀전리, 강포리, 내남리, 신리, 신흥

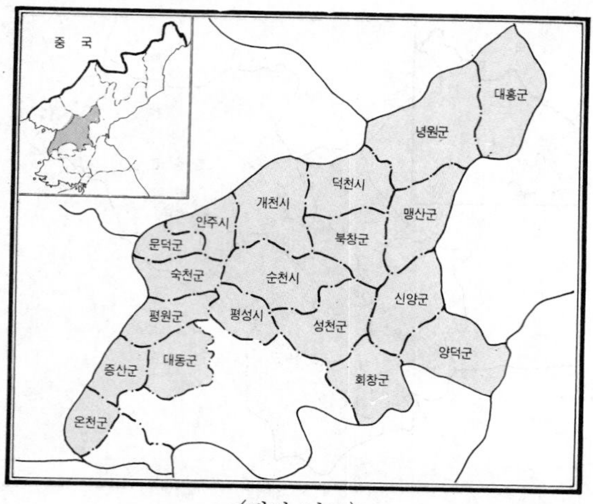

〈평안 남도〉

리, 신덕리, 룡지리, 풍덕리, 서남리, 제현리, 숭화리, 연합리, 룡화리, 수덕리, 망일리, 신창리, 수원리, 류정리, 동삼리.

안주시(安州市)

〔옛 안주군 안주읍(安州邑)·신안주면(新安州面)·운곡면(雲谷面)·동면(東面)〕〕

안주동, 미상리, 선흥리, 장천리, 룡연리, 원풍리, 송학리, 남칠리, 청송리, 운송리, 운학리, 창송리, 룡계리, 연풍리, 운흥리, 평률리, 상서리, 송암리, 룡전리, 중흥리, 룡복리, 구룡리, 반룡리, 립석리, 룡담리, 룡화리, 송도리, 룡흥리, 신안주 로동자구, 남흥 로동자구.

개천시(价川市)

〔옛 개천군(价川郡)전부〕

개천동, 준혁리, 외서리, 도화리, 보부리, 청룡리, 광도리, 대각리, 룡운리, 구읍리, 내동리, 외동리, 람전 로동자구, 룡담 로동자구, 조양 로동자구, 삼봉 로동자구, 북원 로동자구, 군우 로동자구, 룡진 로동자구, 알일 로동자구, 묵방 로동자구.

덕천시(德川市)

〔옛 덕천군 덕천면(德川面)·일하면(日下面)·풍덕면(豊德面)·성양면(城陽面)〕

덕천동, 남양리, 운흥리, 구장리, 무창리, 풍곡리, 신풍리, 안동리, 장동리, 삼흥리, 신성 로동자구, 상덕 로동자구, 남덕 로동자구, 제남 로동자구, 청송 로동자구, 형봉 로동자구, 장상 로동자구.

대동군(大同郡)

〔옛 대동군 김제면(金祭面)·임원면(林原面)·남형제산면(南兄弟山面)·고평면(古平面)·대보면(大寶面)〕〕

대동읍, 장산리, 원천리, 대보산리, 팔청리, 순화리, 반석리, 가장리, 연곡리, 성삼리, 성칠리, 금정리, 마산리, 덕화리, 서제리, 학수리, 고산리, 와우리, 상서리, 판교리, 중석화리, 오금리, 시정 로동자구.

온천군(溫泉郡)

〔옛 용강군(龍岡郡) 서화면(瑞和面)·귀성면(貴城面)·해운면(海雲面)·용월면(龍月面)〕

온천읍, 룡월리, 마영리, 송현리, 서화리, 한현리, 안석리, 석치리, 운하리, 성현리, 금성리, 귀성리, 금곡리, 금당리, 대령리, 보림 로동자구, 원읍 로동자구, 증악 로동자구.

증산군(甑山郡)

〔옛 강서군(江西郡) 증산면(甑山面)·쌍룡면(雙龍面)·성태면(星台面)〕

증산읍, 무본리, 락생리, 광제리, 룡덕리, 석다리, 적송리, 금송리, 사천리, 문동리, 림성리, 청산리, 신흥리, 이압리, 풍정리, 발산리, 함종리, 만풍리.

평원군(平原郡)

〔옛 평원군 평원면(平原面)·공덕면(公德面)·덕산면(德山面)·청산면(青山面)·동송면(東松面)〕

평원읍, 량교리, 신성리, 룡상리, 룡이리, 원암리, 송림리, 원화리, 석암리, 삼봉리, 월일리, 송석리, 대암리, 대정리, 석교리, 매전리, 운룡리, 청룡리, 운봉리, 문흥리, 상송리, 덕제리, 남산리, 청보리, 심원리, 덕포리, 송화리, 신송리, 화진리, 어파 로동자구.

문덕군(文德郡)

〔옛 안주군(安州郡) 대니면(大尼面)·용화면(龍花面)·입석면(立石面)·연호면(燕湖面)〕

문덕읍, 상북동리, 금계리, 남상계리, 룡남리, 어룡리, 풍년리, 만흥리, 룡담리, 마산리, 룡반리, 룡중리, 성법리, 룡흥리, 립석리, 룡림리, 서호리, 룡북리, 신리, 인흥리, 동림리, 룡오리, 상팔리, 동사리, 남이리, 청남 로동자구.

성천군(成川郡)

〔옛 성천군 성천면(成川面)·사규면(四珪面)·통선면(通仙面)·영천면(靈泉面)·삼덕면(三德面)·쌍룡면(雙龍面)〕

성천읍, 룡흥리, 암포리, 향풍리, 상하리, 남원리, 온정리, 대봉리, 류동리, 대양리, 룡산리, 지창리, 문옥리, 신풍리, 금평리, 계석리, 창전리, 장상리, 운봉리, 덕암리, 삼덕리, 남옥리, 거흥리, 삭창리, 군자 로동자구, 백원 로동자구, 은곡 로동자구, 장림 로동자구, 신성천 로동자구.

숙천군(肅川郡)

〔옛 평원군(平原郡) 숙천면(肅川面)·서해면(西海面)·검산면(檢山面)·조운면(朝雲面)〕

숙천읍, 홍오리, 장홍리, 룡덕리, 검홍리, 대성리, 검산리, 백암리, 평화리, 쌍운리, 금풍리, 해빛리, 신풍리, 약전리, 사산리, 칠리, 광천리, 창동리, 송덕리, 운정리, 평산리, 남양 로동지구.

녕원군(寧遠郡)

〔옛 덕천군(德川郡) 문곡면(文谷面)·덕천면(德川面)·영락면(永樂面)·성룡면(成龍面)·용북면(龍北面)·태극면(太極面)〕
〔옛 영원군 영원면(寧遠面)·온화면(溫和面)·신성면(新城面)·덕화면(德化面)〕

녕원읍, 장산리, 룡성리, 신대리, 신리리, 신막리, 마산리, 문곡리 풍전리, 송산리, 영창리, 내창리, 화순리, 도평리, 승룡리, 중삼리, 신흥리, 온양리, 회양리, 수하리, 도삼리, 창산리, 대성리, 룡대리, 청산리, 순호리.

북창군(北倉郡)

〔옛 맹산군(孟山郡) 학천면(鶴泉面)·동면(東面)·옥천면(玉泉面)〕

북창읍, 수옥리, 남양리, 송사리, 매현리, 신석리, 삼룡포리, 회안리, 송림리, 원평리, 잠상리, 석산리, 룡산리, 대평리, 관하리, 연류리, 남상리, 광로리, 신복리, 소창리, 신평리, 가평리, 상하리, 봉창리, 풍곡 로동자구, 북창 로동자구, 송남 로동자구, 인포 로동자구.

맹산군(孟山郡)

〔옛 맹산군 맹산면(孟山面)·원남면(元南面)·애전면(藹田面)·학천면(鶴泉面)〕

맹산읍, 새마을리, 장동리, 송광리, 매향리, 정평리, 수전리, 신상리, 주포리, 기양리, 인흥리, 시억리, 대흥리, 평지리, 지성리, 신흥리, 룡암리, 송산리, 광화리, 양산리, 온포리, 풍림리, 유승리, 령운리, 중흥리.

양덕군(陽德郡)

〔옛 양덕군 양덕읍(陽德邑)·온천면(溫泉面)·동양면(東陽面)〕

양덕읍, 은하리, 온정리, 태흥리, 봉계리, 운창리, 상신리, 삼계리, 거상리, 일암리, 룡통리, 룡암리, 상성리, 동양리, 추마리, 룡동리, 사기리, 구룡리, 수덕리.

회창군(檜倉郡)

〔옛 성천군(成川郡) 구룡면(九龍面)·숭인면(崇仁面)·대곡면(大谷面)·삼흥면(三興面)·능중면(陵中面)〕

회창읍, 신성리, 덕련리, 대봉리, 송동리, 내동리, 내덕리, 양춘리, 구룡리, 가운리, 회운리, 대곡리, 지동리, 택인리, 정산리, 문어리, 화심리, 숭인리.

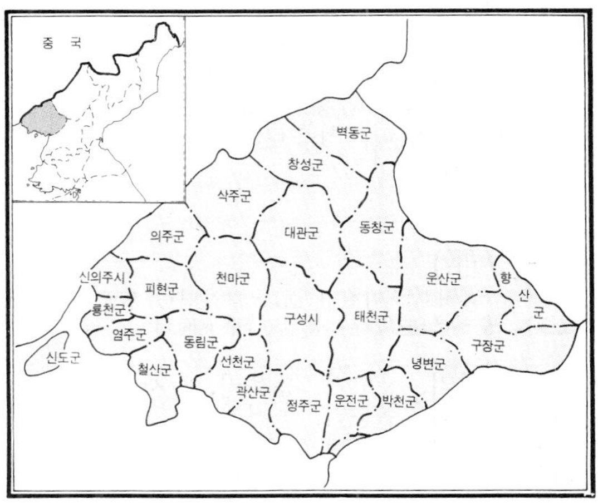

〈평안 북도〉

신양군(新陽郡)

〔옛 양덕군(陽德郡) 쌍룡면(雙龍面)·오강면(吳江面)·화촌면(化村面)〕

신양읍, 지동리, 장산리, 송전리, 광흥리, 쌍룡리, 백석리, 사개리, 창계리, 문명리, 장성리, 운봉리, 룡운리, 룡연리, 관성리, 덕흥리, 송동리, 인평 로동자구.

대흥군(大興郡)

〔옛 영원군(寧遠郡) 대흥면(大興面)·소백면(小白面)·신성면(新城面)·덕화면(德化面)〕

대흥읍, 랑림리, 평화리, 소백리, 대동리, 인룡리, 복흥리, 흑수리, 광릉리, 룡평리, 운홍리, 창현리, 덕흥리, 신남리, 문삼리, 도흥리, 금성리, 경수 로동자구.

평안 북도(平安北道)

〔2 시(市) 23 군(郡)〕

신의주시(新義州市)

〔옛 의주군(義州郡) 위원면(威遠面)·함북면(咸北面)·고성면(古城面)을 합병(合併)〕

압강동, 개혁동, 남하동, 신원동, 백운동, 남중동, 남서동, 본부동, 평화동, 동하동, 백사동, 근화동, 신포동, 동중동, 청송동, 역전동, 민포동, 채하동, 미륵동, 남상동, 친선동, 수문동, 해방동, 남송동, 관문동, 신남동, 동상동, 방직동, 락원동, 상단리, 하단리, 선산리, 송한리, 석하리, 중재리, 삼교리, 삼룡리, 백토리, 토성리, 성서리, 남민리, 류초리.

구성시(龜城市)

〔옛 구성군(龜城郡)〕

서산동, 과일동, 리구동, 상단동, 운양동, 양하동, 방현동, 상석동, 백운동, 차흥 1 동, 차흥 2 동, 신흥 1 동, 신흥 2 동, 금풍리, 동산리, 룡풍리, 남산리 오봉리, 기룡리, 남흥리, 조양리, 청송리, 발산리, 원진리, 대안리, 청룡리, 중방리, 백상리, 운풍리, 신풍리, 왕인리.

피현군(郡)

〔옛 의주군(義州郡) 피현면(面)·월화면(月華面)·위원면(威遠面), 용천군(龍川郡) 동상면(東上面)〕

피현읍, 하단리, 상고리, 룡운리, 동서리, 룡흥리, 북삼리, 화삼리, 추봉리, 농건리, 로중리, 당후리, 정산리, 광리리, 룡유리, 룡계리, 충렬리, 송정리, 동상리, 성동리, 대평리, 삼상리, 량책 로동자구, 백마 로동자구.

룡천군(龍川郡)

〔옛 용천군(龍川郡) 용암포읍(龍岩浦邑)·양하면(楊下面)·양서면(楊西面)·동하면(東下面)〕

룡천읍, 산두리, 서북리, 동신리, 신암리, 룡송리 양서리, 견일리, 룡연리, 쌍학리, 수성리, 덕흥리, 서석리, 덕승리, 장산리, 인흥리, 학흥리, 쌍룡리, 동하리, 오홍리, 북중 로동자구, 룡암포 로동자구, 진흥 로동자구.

염주군(塩州郡)

〔옛 용천군(龍川郡) 내중면(內中面)·외상면(外上面)·외하면(外下面), 철산군(鐵山郡) 서림면(西林面)〕

염주읍, 인광리, 향봉리, 삼개리, 련산리, 서림리, 룡산리, 동성리, 반곡리, 내중리, 련곡리, 도봉리, 룡북리, 신정리, 외하리, 남압리, 반궁리, 중호리, 주의리, 학소리, 하석리, 동발리, 다사 로동자구.

철산군(鐵山郡)

〔옛 철산군 철산면(鐵山面)·백량면(栢梁面)·부서면(扶西面)·여한면(餘閑面)〕

철산읍, 동천리, 동평리, 월봉리, 령삭리, 명암리, 수부리, 검암리, 근천리, 동창리, 선암리, 기봉리, 보산리, 풍천리, 오봉리, 선주리, 금산리, 학산리, 리화리, 성암리, 문봉리, 가산리, 원세평리, 련수리, 가도리, 대화리, 가봉 로동자구, 장송 로동자구.

동림군(東林郡)

〔옛 선천군(宣川郡) 심천면(深川面)·수청면(水淸面), 용연면(龍淵面), 철산군(鐵山郡) 참면(站面)〕

동림읍, 고군영리, 인두리, 부황리, 월곡리, 마성리, 청송리, 안산리, 산성리, 청강리, 보성리, 룡연리, 삼성리, 은봉리, 인풍리, 상수리, 월안리, 잠봉리, 룡산리, 오봉리, 풍천리, 남삼리, 신곡 로동자구.

선천군(宣川郡)

〔옛 선천읍(宣川邑)·동면(東面)·군산면(郡山面)·남면(南面)·대산면(臺山面)·신부면(新府面)〕

선천읍, 월천리, 백현리, 안상리, 인암리, 수청리, 고성리, 원봉리, 삼봉리, 석화리, 삼성리, 고부리, 장공리, 효자리, 연봉리, 로하리, 인곡리, 송현리, 일봉리, 장요리, 진도리, 약수리, 원창리, 문사리, 운종리.

곽산군(郭山郡)

〔옛 정주군(定州郡) 곽산면(郭山面)·안흥면(安興面)·옥천면(玉泉面)·관주면(觀舟面)〕

곽산읍, 남단리, 석동리, 렴호리, 로하리, 원하리, 원포리, 천대리, 초장리, 룡경리, 관상리, 고현리, 삼단리, 안의리, 암죽리, 문장리, 군산리, 당상리, 월옥리, 장룡리.

정주군(定州郡)

〔옛 정주군 정주읍(定州邑)·갈산면(葛山面)·덕언면(德彥面)·고안면(高安面)·남안면(南安面)〕

정주읍, 서주리, 상단리, 서호리, 보산리, 남호리, 남양리, 월양리, 신천리, 침향리, 신봉리, 세마리, 일해리, 흑록리, 광동리, 오산리, 대산리, 석산리, 오성리, 원봉리, 대송리, 신안리, 오룡리, 연봉리, 고현리, 룡포리, 암두리, 독장리, 일신리, 애도리, 애도 로동자구.

운전군(雲田郡)

〔옛 정주군(定州郡) 마산면(馬山面)·대전면(大田面)·고덕면(古德面)〕
〔옛 반천군(博川郡)의 용계면(龍溪面)·가산면(嘉山面)·덕안면(德安面)·서면(西面)〕

운전읍, 서삼리, 송학리, 가산리, 금계리, 학산리, 옥야리, 운하리, 운전리, 원서리, 대오리, 덕암리, 관해리, 덕원리, 월현리, 동창리, 신오리, 청정리, 룡봉리, 삼광리, 북일리, 대연리, 봉덕리, 동삼리, 구련리, 보석리.

박천군(博川郡)

〔옛 박천군 박천면(博川面)·양가면(兩嘉面)·동남면(東南面)·청룡면(靑龍面)〕

박천읍, 봉흥리, 봉성리, 중남리, 원남리, 상추리, 덕삼리, 송석리, 석계리, 기송리, 상양리, 맹중리, 맹하리, 대령리, 률곡리, 청산리, 단산리, 신평리, 청룡리, 삼봉리, 삼화리.

녕변군(寧邊郡)

〔옛 영변군 고성면(古城面)·봉산면(鳳山面)·팔원면(八院

面)・서위면(西位面). 오리면(梧里面)〕

녕변읍, 룡포리, 서산리, 동남리, 오봉리, 송강리, 세죽리, 서화리, 대천리, 연화리, 룡화리, 서위리, 남등리, 화평리, 송화리, 룡추리, 관화리, 구성리, 봉산리, 구산리, 망일리, 명덕리, 옥창리, 룡성리, 하초리, 남산리, 구항리, 팔원리, 팔원 로동자구.

구장군(球場郡)

〔옛 영변군(寧邊郡) 용산면(龍山面)・남신현면(南新峴面)・고성면(固城面)〕

구장읍, 수구리, 룡연리, 신흥리, 룡철리, 운흥리, 소민리, 귀상리, 상이리, 운룡리, 송호리, 묵시리, 상초리, 하초리, 우현리, 대풍리, 조산리, 개화리, 도관리, 하장리, 상구리, 사오리, 삼봉리, 중초리, 로현리, 상로리, 가좌리, 룡성리, 사오리, 석창리, 불무리, 룡성리, 등림 로동자구, 룡등 로동자구, 룡문 로동자구.

향산군(香山郡)

〔옛 영변군(寧邊郡) 봉산면(鳳山面)・팔원면(八院面)・북신현면(北新峴面)・연산면(延山面)・백령면(百嶺面)〕

향산읍, 향암리, 림흥리, 관하리, 태평리, 신화리, 북신현리.

운산군(雲山郡)

〔옛 운산군(雲山郡) 전부〕

운산읍, 부흥리, 도청리, 삼산리, 방어리, 풍양리, 영웅리, 상원리, 봉지리, 마상리, 좌리, 마장리, 성봉리, 연하리, 응봉리, 남산리, 조양리, 구읍리, 룡흥리, 전승리, 고성리, 룡호리, 월양리, 제인리, 화옹리, 니답리, 평화리, 답상리, 운봉리, 조산리, 구두리, 상서리, 하서리, 림석리, 북진 로동자구.

태천군(泰川郡)

〔옛 태천군(泰川郡) 전부〕

태천읍, 송태리, 룡상리, 래하리, 운룡리, 림천리, 신봉리 덕흥리, 은흥리, 송원리, 신광리, 안흥리, 취홍리, 환현리, 마현리, 진남리 룡홍리, 상단리, 학봉리, 학당리, 덕화리, 천계리, 풍림리, 마평리, 은덕리, 덕천리, 룡전리, 양자리, 개혁리.

천마군(天摩郡)

〔옛 구성군(龜城郡) 사기면(沙器面)・이서면(利西面)・천마면(天摩面)〕

천마읍, 신창리, 관동리, 조악리, 삼송리, 비화리, 백자리, 구암리, 송현리, 신시리, 지경리, 소관리, 대우리, 송림리, 대하리, 삼봉리, 일녕리, 영산리, 서고리, 동고리, 천산리, 금골 로동자구.

의주군(義州郡)

〔옛 의주군 의주읍(義州邑)・수진면(水鎭面)・송장면(松長面)・고관면(古館面)・위원면(威遠面)・가산면(加山面)〕

의주읍, 홍남리, 대산리, 서호리, 룡운리, 어적리, 룡계리, 미송리, 수진리, 대화리, 연무리, 운천리, 금광리, 대문리, 중단리, 춘산리, 추리, 삼하리, 연하 로동자구, 덕현 로동자구.

삭주군(朔州郡)

〔옛 삭주군 수풍면(水豊面)・삭주면(朔州面)・구곡면(九曲面)〕
〔옛 의주군(義州郡) 광평면(廣坪面)・옥상면(玉尙面)〕

삭주읍, 대대리, 룡암리, 금부리, 신서리, 연삼리, 구곡리, 신풍리, 천감리, 도령리, 옥강리, 방산리, 내옥리, 당목리, 북사리, 중대리, 좌리, 부평리, 판막리, 상광리, 수풍 로동자구, 청성 로동자구, 청수 로동자구.

대관군(大館郡)

〔옛 삭주군(朔州郡) 외남면(外南面)・양산면(兩山面)・남서면(南西面)〕

대관읍, 신광리, 송남리, 운창리, 운림리, 수원리, 명상리, 신온리, 오봉리, 원풍리, 료하리, 량산리, 덕연리, 답풍리, 룡산리, 룡창리, 남장리, 대안리, 로홍리, 청계리, 금창리, 평화리, 신상리, 덕하리, 룡성리, 수동리, 송평 로동자구,

창성군(昌城郡)

〔옛 창성군 창성면(昌城面)・신창면(新倉面)〕

창성읍, 금야리, 옥포리, 달산리, 의산리, 인산리, 약수리, 봉천리, 유평리, 어신리, 신평리, 락성리, 연풍리, 풍덕리, 회덕리, 완풍리, 유전 로동자구.

동창군(東倉郡)

〔옛 창성군(昌城郡) 동창면(東倉面)・대창면(大倉面)・청산면(青山面)〕

동창읍, 리천리, 대동리, 두룡리, 신안리, 화풍리, 창암리, 학성리, 봉룡리, 구룡리, 고직리, 학송리, 룡두리, 률곡리, 청룡리, 학봉리, 회상리, 대유 로동자구.

벽동군(碧潼郡)

〔옛 벽동군 전부, 단(但) 운시면(雲時面)은 자강도(慈江道)에〕

벽동읍, 동주리, 대동리, 영풍리, 남서리, 마전리, 동하리, 사창리, 룡평리, 권창리, 대풍리, 남하리, 남중리, 성하리, 성상리, 송 2 리, 송 3 리, 송 4 리, 송련리, 권상리.

신도군(薪島郡)

〔옛 용천군(龍川郡)의 일부〕

신도읍, 황금평리, 비단섬 로동자구, 구호 로동자구.

자강도(慈江道)

〔3 시(市) 15 군(郡)〕

강계시(江界市)

〔옛 평안 북도 강계군(江界郡) 강계읍(江界邑)〕

고당동, 석조동, 북문동, 연풍동, 류동, 부창동, 동문동, 석현동, 강서동, 내룡동, 외룡동, 공인동, 신문동, 인풍동, 남산동, 만수동, 대응동, 홍주동, 공귀동, 서산동, 동부동, 야학동, 수척동, 연주동, 남문동, 향로동, 남천동, 장자동, 연석동, 고영동, 두흥리, 인가리.

만포시(滿浦市)

〔옛 평안 북도 강계군(江界郡) 만포읍(滿浦邑)〕

고개동, 군막동, 강안동, 세검동, 샘물동, 봉화동, 관문동, 새마을동, 문악동, 구오동, 별오동, 미타리, 고산리, 남상리, 연하리, 연상리, 건하리, 건중리, 등공리, 송하리, 송학리, 함부리, 삼강리, 연포리, 십리동리.

희천시(熙川市)

〔옛 평안 북도 희천군 희천읍(熙川邑)・동면(東面)・서면(西面)・남면(南面)・북면(北面)〕

청하리, 청상리, 관대리, 명대리, 극성리, 상서리, 류중리, 부흥리, 남신리, 송지리, 갈현리, 마선리, 동문리, 장평리, 향천리, 역평동, 솔모루동, 역전동, 청천동, 남천동, 서문동, 대흥동, 추평 1 동, 추평 2 동, 매봉동, 갈골동, 전평동, 전신동, 지신동, 풍산동, 신흥동, 금산동, 평원동.

장강군(長江郡)

〔옛 평안 북도 강계군(江界郡) 공북면(公北面)・종남면(從南面)・종서면(從西面)〕

장강읍, 종포리, 신성리, 명신리, 장평리, 혁신리, 무덕리, 성장리, 원평리, 향하리, 장항리, 오일 로동자구, 랑림 로동자구.

화평군(和坪郡)

〔옛 평안 북도 후창군(厚倉郡) 남신면(南新面)・칠평면(七坪面)〕

화평읍, 리평리, 진송리, 송덕리, 회중리, 양계리,

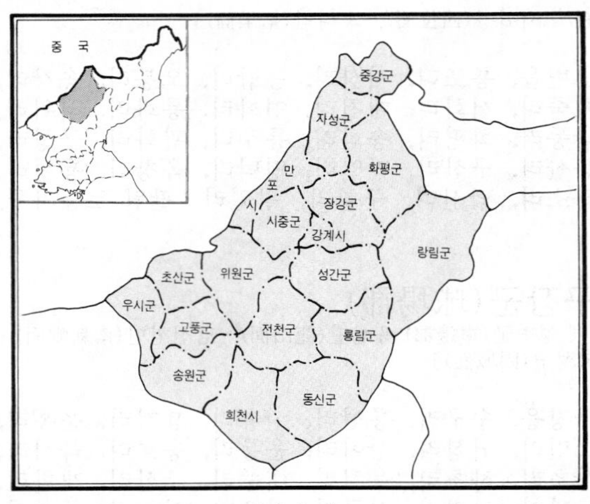

〈자강도〉

가림리, 부남리, 혹수리, 소북리, 대흥리, 가산 로동자구, 장백 로동자구, 중흥 로동자구.

랑림군(狼林郡)

〔옛 함경 남도 장진군(長津郡) 북면(北面) 및 상남면(上南面) 일부〕

랑림읍, 운수리, 삼포리, 장성리, 서중리, 서상리, 황포리, 문악리, 중흥리, 련화리, 중강리, 대흥리, 갈점리, 인산리, 신전리, 류벌리, 신원 로동자구.

시중군(時中郡)

〔옛 평안 북도 강계군(江界郡) 시중면(時中面)・어뢰면(漁雷面)〕

시중읍, 상청리, 쌍신리, 의진리, 쌍부리, 안찬리, 연평리, 천성리, 천장리, 풍룡리, 종인리, 풍청리, 로남리, 심귀리, 약수리, 홍판리, 리남리.

자성군(慈城郡)

〔옛 평안 북도 자성군 자성면(慈城面)・삼풍면(三豊面)・자하면(慈下面)〕

자성읍, 연풍리, 법동리, 송암리, 화전리, 호례리, 삼거리, 대남리, 관평리, 귀인리, 상평리, 수침리, 자작리, 구중영리, 류삼리, 신풍리, 량덕리, 역수리, 운봉 로동자구.

중강군(中江郡)

〔옛 평안 북도 자성군(慈城郡)・중강면(中江面)・장토면(長土面)〕

중강읍, 중상리, 건하리, 장흥리, 상장리, 중덕리, 장성리, 토성리, 오수리, 호하 로동자구.

위원군(渭原郡)

〔옛 평안 북도 위원군(渭原郡) 위원면(渭原面)・화창면(和昌面)・대덕면(大德面)・숭정면(崇正面)・위송면(渭松面)〕

위원읍, 월평리, 도봉리, 락민리, 신연리, 고성리, 송진리, 향양리, 고보리, 덕암리, 구암리, 룡탄리, 개원리, 화창리, 어곡리, 광천리, 창평리, 축포리, 대야리, 삼락리, 지산리, 부흥리, 량강 로동자구, 룡연 로동자구.

초산군(楚山郡)

〔옛 평안 북도 초산군 초산면(楚山面)·동면(東面)·남면(南面)〕

초산읍, 앙토리, 련풍리, 리산리, 운평리, 장토리, 련무리, 룡상리, 안찬리, 수침리, 와인리, 직리, 구룡리, 신양송리, 화신리, 화건리, 구평리, 충상리, 송묘리.

우시군(雩時郡)

〔옛 평안 북도 벽동군(碧潼郡) 가별면(加別面)·우시면(雩時面)·벽동면(碧潼面)〕
〔옛 평안 북도 초산군(楚山郡) 동면(東面)〕

우시읍, 금성리, 금양리, 우상리, 우중리, 시하리, 시상리, 별하리, 별상리, 가하리, 가중리, 평상리, 대평리, 상평리, 하평리, 부흥리, 북하리, 북상리, 오상리, 오하리, 룡해리, 하창리, 발은 로동자구.

고풍군(古豊郡)

〔옛 평안 북도 초산군(楚山郡) 고면(古面)·풍면(豊面)·강면(江面)〕

고풍읍, 방성리, 삼평리, 월명리, 문덕리, 룡당리, 룡대리, 룡풍리, 룡곡리, 신창리, 룡성리, 동도리, 석상리.

송원군(松源郡)

〔옛 평안 북도 초산군(楚山郡) 송면(松面)·판면(板面)·도원면(桃源面)〕

송원읍, 송파리, 판평리, 판삼리, 상거리, 월숭리, 신흥리, 중풍리, 원대리, 차평리, 월현리, 창덕리, 양지리, 명문리, 회양리, 전창리, 송관리, 송천리.

성간군(城干郡)

〔옛 평안 북도 강계군(江界郡) 성간면(城干面)·간북면(干北面)〕

성간읍, 백암리, 백자리, 무채리, 무선리, 북리, 신청리, 부지리, 외서리, 쌍방리, 동산리, 외중 로동자구, 창평 로동자구.

전천군(前川郡)

〔옛 평안 북도 강계군(江界郡) 전천면(前川面)·입관면(立館面)·화경면(化京面)〕

전천읍, 무평리, 장림리, 창덕리, 회덕리, 와운리, 창평리, 리만리, 진평리, 운포리, 화룡리, 신계리, 고인 로동자구, 화암 로동자구, 운송 로동자구.

동신군(東新郡)

〔옛 평안 북도 희천군(熙川郡) 장동면(長洞面)·동창면(東倉面)·신풍면(新豊面)〕

동신읍, 경흥리, 원흥리, 룡평리, 생리리, 동흥리, 백산리, 석포리, 약수리, 서양리, 온천리, 문화리, 수전리, 금석리, 청운리.

룡림군(龍林郡)

〔옛 평안 북도 강계군(江界郡) 용림면(龍林面)·입관면(立館面)〕

룡림읍, 신창리, 구룡리, 남흥리, 광성리, 남상리, 룡운리, 신흥리, 후지리, 두문리, 룡문리, 천산리, 도양리.

량강도(兩江道)

〔1 시(市) 11 군(郡)〕

혜산시(惠山市)

〔옛 함경 남도 혜산군(惠山郡) 혜산읍(惠山邑)및 별동면(別東面)·운흥면(雲興面) 일부〕

혜산동, 혜화동, 혜흥동, 신흥동, 혜신동, 혜정동, 혜명동, 탑성동, 성후동, 련두동, 강안동, 연풍동, 련봉 1 동, 련봉 2 동, 영흥동, 송봉동, 강구동, 춘동, 마선동, 혜탄동, 혜장동, 검산동, 로중리, 신장리, 장안리, 운룡리, 위연리, 중리.

김정숙군(金貞淑郡)

〔옛 함경 남도 삼수군(三水郡) 삼수면(三水面)·자서면(自西面)·삼서면(三西面)·신파면(新坡面)〕

김정숙읍, 신상리, 삼포동리, 풍양리, 상대리, 장항리, 자서리, 목서리, 황철리, 거룡리, 원동리, 하원동리, 차보리, 성동리, 삼서리, 송지리, 저풍리, 포덕리, 도룡덕리, 태양리, 석평리, 강하리, 송정리, 룡하 로동자구, 신흥 로동자구.

보천군(普天郡)

〔옛 함경 남도 혜산군(惠山郡) 보천면(普天面)·대진면(大鎭面)〕

보천읍, 가산리, 화전리, 의화리, 신흥리, 운남리, 대신리, 홍성리, 보홍리, 백자리, 대홍리, 문암리, 내곡리, 송봉리, 상룡리, 룡덕, 호산리, 청림리, 대진평 로동자구, 대평 로동자구.

삼지연군(三池淵郡)

〔옛 함경 남도 혜산군(惠山郡) 보천면(普天面) 일부와 함경 북도 무산군(茂山郡) 삼장면(三長面) 일부〕

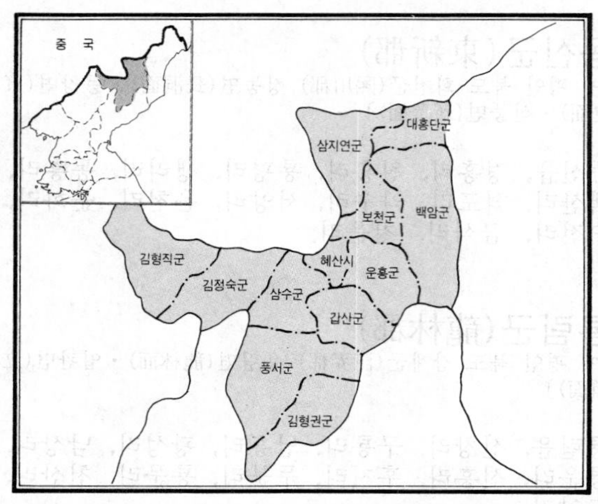

〈량강도〉

삼지연읍, 리명수 로동자구, 포태 로동자구, 무봉 로동자구, 소백산 로동자구, 신무성 로동자구, 중흥 로동자구, 보서 로동자구, 룡남 로동자구, 홍계수 로동자구.

백암군(白岩郡)

〔옛 함경 북도 무산군(茂山郡) 삼사면(三社面)·삼장면(三長面)의 일부〕

백암읍, 황토리, 양곡리, 서두리, 신전리, 상담리, 대택 로동자구, 유평 로동자구, 덕립 로동자구, 동계 로동자구, 백암 로동자구, 박천 로동자구, 산양 로동자구, 양흥 로동자구, 천수 로동자구.

갑산군(甲山郡)

〔옛 갑산군 갑산면(甲山面)·진동면(鎭東面)·회린면(會麟面)〕

갑산읍, 사장리, 창동리, 양흥리, 평화리, 추풍리, 남평리, 림동리, 삼봉리, 사평리, 상흥리, 송암리, 대중리, 회린리, 중천리, 천성리, 금화리, 사동리, 신정리, 금풍리, 창송리, 동점 로동자구, 삼일 로동자구.

풍서군(豊西郡)

〔옛 함경 남도 풍산군(豊山郡) 풍산면(豊山面)·웅이면(熊耳面)〕

풍서읍, 청서리, 로흥리, 문조리, 림서리, 룡문리, 속신리, 석우리, 관흥리, 유상하리, 내포리, 신덕리, 무하리, 귀복리, 신명리, 신창리, 우포리, 상리, 회은리, 약수 로동자구, 서창 로동자구.

김형권군(金亨權郡)

〔옛 함경 남도 풍산군(豊山郡) 풍산면(豊山面)·안수면(安水面)·안산면(安山面)〕

김형권읍, 직설리, 신원리, 사아리, 지경리, 하지경리, 광덕리, 리포리, 양평리, 장안리, 내중리, 동흥리, 파발리, 로은리, 황수원리, 미감리, 수동리, 장평리, 평산 로동자구.

김형직군(金亨稷郡)

〔옛 평안 북도 후창군(厚昌郡) 후창면(厚昌面)·동신면(東新面)·동흥면(東興面)의 일부〕

김형직읍, 월탄리, 령저리, 운중리, 회양리, 죽전리, 금창리, 부전리, 연포리, 두지리, 련송리, 무창리, 라죽리, 대웅리, 련하리, 로탄 로동자구, 고읍 로동자구, 남사 로동자구, 록림 로동자구.

삼수군(三水郡)

〔옛 함경 남도 삼수군(三水郡) 삼수면(三水面)·관흥면(館興面)·금수면(襟水面)과 호인면(好仁面) 일부〕

삼수읍, 동수리, 반룡기리, 중평장리, 신양리, 원동리, 천남리, 관동리, 례흥리, 관흥리, 관서리, 청수리, 간령리, 심포동리, 일자봉리, 개운성리, 룡복동리, 삼곡리, 령성리, 포성리, 신전리, 희골리, 관평리, 광생리, 번포리.

운흥군(雲興郡)

〔옛 함경 남도 혜산군(惠山郡) 봉두면(鳳頭面)·운흥면(雲興面)〕

운흥읍, 동포리, 대하리, 대중리, 심포리, 복안리, 장항리, 신중리, 대덕리, 동평리, 상산리, 잠운리, 대오시천 로동자구, 대동 로동자구, 령하 로동자구, 대전평 로동자구, 남중 로동자구, 생장 로동자구, 일건 로동자구, 룡암 로동자구, 룡포 로동자구.

대홍단군(大紅湍郡)

〔옛 함경 북도 무산군(茂山郡) 삼장면(三長面)·삼사면(三社面)의 일부〕

대홍단읍, 신덕 로동자구, 서두 로동자구, 원봉 로동자구, 농사 로동자구, 신흥 로동자구, 흥암 로동자구, 대홍단 로동자구, 삼장 로동자구, 삼봉 로동자구.

황해 남도(黃海南道)

〔1 시(市) 19 군(郡)〕

해주시(海州市)

옥계동, 구제동, 연하동, 양사동, 선산동, 장춘동, 영광동, 부용동, 사미동, 해운동, 해청동, 광하동, 광석동, 새거리동, 승마동, 대곡동, 룡당동, 서애동, 석천동, 석미동, 결성동, 남산동, 읍파동, 학현동, 산성동, 영양리, 신광리, 장방리, 작천리.

벽성군(碧城郡)

〔옛 벽성군 장곡면(壯谷面)·고산면(高山面)·나덕면(羅德

面)·서석면(西席面)·월록면(月祿面)·가좌면(茄佐面)·검단면(檢丹面)·미률면(彌栗面)〕

벽성읍, 옥정리, 장현리, 석동리, 서원리, 상림리, 월현리, 룡정리, 죽천리, 쌍암리, 백운리, 대성리, 월봉리, 안곡리, 내호리, 도현리, 통산리, 원평리, 사현리, 석담리.

강령군(康翎郡)

〔옛 벽성군(碧城郡) 해남면(海南面)〕〔옛 옹진군(甕津郡) 부민면(富民面)·용연면(龍淵面)·동남면(東南面)〕

강령읍, 부민리, 광천리, 금수리, 오봉리, 인봉리, 룡연리, 신암리, 삼봉리, 봉오리, 송현리, 내동리, 사연리, 동포리, 동강리, 순위리, 향죽리, 평화리, 식여리, 등암리, 쌍교리, 어화도리, 수압리, 부포 로동자구.

옹진군(甕津郡)

〔옛 옹진군 옹진읍(甕津邑)·북면(北面)·용천면(龍泉面)〕

옹진읍, 수대리, 랭정리, 로호리, 립석리, 장송리, 서해리, 본영리, 삼산리, 국봉리, 해방리, 송월리, 구랑리, 진해리, 은동리, 만진리, 련봉리, 전산리, 대기리, 룡천리, 제작리, 기린도리, 창린도리, 룡호도리, 옹진 로동자구, 남해 로동자구, 구곡 로동자구.

태탄군(苔灘郡)

〔옛 장연군(長淵郡) 후남면(候南面)·속달면(速達面)〕

태탄읍, 성남리, 대진리, 옥암리, 수동리, 의거리, 류정리, 지촌리, 운산리, 학천리, 공세리, 목감리, 삼봉리, 광탄리, 기암리, 부양리.

장연군(長淵郡)

〔옛 장연군 장연읍(長淵邑)·낙도면(樂道面)·순택면(蓴澤面)〕

장연읍, 산천리, 명천리, 박산리, 산수리, 샘물리, 광천리, 금사리, 백촌리, 삼산리, 창파리, 학림리, 눌산리, 화원리, 추화리, 청계리, 선정리, 세마리, 석장리, 락홍리, 락연 로동자구.

룡연군(龍淵郡)

〔옛 장연군(長淵郡) 대구면(大救面)·해안면(海安面)·용연면(龍淵面)〕

룡연읍, 룡호리, 룡정리, 근록리, 석교리, 평촌리, 몽태리, 순계리, 몽금포리, 산리, 오차진리, 등산리, 사원리, 구미리, 가평리, 선포리, 곡정리, 위조리, 고현리, 향초리, 남창리.

삼천군(三泉郡)

〔옛 신천군(信川郡) 초리면(草里面)·문화면(文化面)·궁흥면(弓興面)·문무면(文武面)〕〔옛 송화군(松禾郡) 봉래면(蓬萊面)·장양면(長陽面)·도원면(桃源面)〕

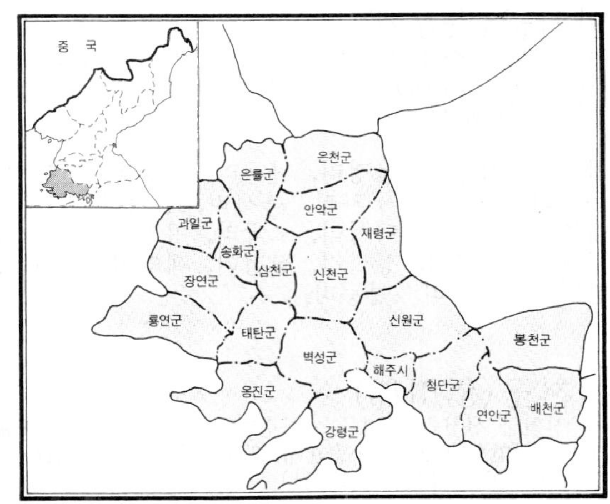

〈황해 남도〉

삼천읍, 수장리, 덕천리, 고현리, 추릉리, 달천리, 도명리, 신명리, 궁흥리, 금천리, 월봉리, 룡암리, 룡천리, 수교리, 방남리, 군산리, 탑평리, 도봉리, 련평리, 괴정리.

송화군(松禾郡)

〔옛 송화군 송화면(松禾面)·연방면(蓮芳面)·운유면(雲遊面)·진풍면(眞風面)·상리면(上里面)·하리면(下里面)〕

송화읍, 약산리, 홍암리, 룡호리, 수증리, 명례리, 다암리, 구탄리, 관양리, 온천리, 원당리.

과일군(郡)

〔옛 송화군(松禾郡)의 일부〕

과일읍, 신평리, 수풍리, 신대리, 염전리, 포구리, 덕안리, 월사리, 오정리, 장암리, 송곡리, 룡학리, 사기리, 운산리, 률리, 산수리, 초도리, 석도리, 세교리, 천남리, 주촌리, 북창리, 논벌리.

은률군(殷栗郡)

〔옛 은률군(殷栗郡)의 전부〕

은률읍, 연암리, 산승리, 락천리, 구월리, 원평리, 은혜리, 산동리, 삼리, 운성리, 가천리, 대조리, 관산리, 서곡리, 서해리, 금천리, 송관리, 이도포리, 철산리, 관해리, 장련리, 률리, 금복리, 금산포 로동자구.

은천군(銀泉郡)

〔옛 안악군(安岳郡) 은홍면(銀紅面)·대행면(大杏面)·서하면(西河面)·용문면(龍門面)·안곡면(安谷面)〕

은천읍, 초교리, 덕양리, 신창리, 남산리, 매화리, 동창리, 제량리, 학천리, 안리, 학월리, 정동리, 덕천리, 초정리, 마두리, 복두리, 제도리, 량담리, 송봉리, 삼산리.

안악군(安岳郡)

〔옛 안악군 안악읍(安岳邑)·대원면(大遠面)·용순면(龍順面)·용문면(龍門面)·문산면(文山面)〕
〔옛 신천군(信川郡) 용진면(用珍面)〕

안악읍, 평정리, 남정리, 판륙리, 금강리, 신촌리, 유성리, 엄곳리, 구와리, 복사리, 봉성리, 원룡리 대추리, 굴산리, 덕성리, 오국리, 마명리, 경지리, 월산리, 룡산리, 강산리, 월정리, 패엽리, 월지리, 한월리, 로암리, 연등리.

신천군(信川郡)

〔옛 신천군 신천읍(信川邑)·가련면(加蓮面)·두라면(斗羅面)·온천면(溫泉面)·남부면(南部面)·용문면(龍門面)·북부면(北部面)·가산면(加山面)〕

신천읍, 원암리, 우룡리, 석당리, 청산리, 우산리, 새날리, 명석리, 백석리, 송오리, 장재리, 룡당리, 명사리, 동령리, 발산리, 월성리, 새길리, 서원리, 근로자리, 석교리, 호암리, 반정리, 화산리, 룡산리, 건산리, 사창리, 복우리, 도락리, 리목리, 랭정리, 지남리, 온천리.

재령군(載寧郡)

〔옛 재령군 재령읍(載寧邑)·북률면(北栗面)·남률면(南栗面)·삼강면(三江面)〕

재령읍, 삼지강리, 룡교리, 석탄리, 봉오리, 서림리, 양계리, 천마리, 장국리, 서원리, 청천리, 신곳리, 부덕리, 벽산리, 고산리, 재천리, 신환포리, 강교리, 굴해리, 김제원리, 동신흥리, 북지리, 남지리, 래림리, 고잔리, 봉천리, 금산 로동자구.

신원군(新院郡)

〔옛 벽성군(碧城郡) 장곡면(壯谷面)
〔옛 재령군(載寧郡) 하성면(下聖面)·신원면(新院面)〕

신원읍, 검촌리, 신흥리, 무학리, 화석리, 계남리, 가려리, 백우리, 염탄리, 자하리, 령월리, 신창리, 률라리, 장금리, 수원리, 청석두리, 운양리, 월당리, 아양리, 신덕리.

봉천군(奉川郡)

〔옛 평산군(平山郡) 세곡면(細谷面)·적암면(積岩面)·마산면(馬山面)·용산면(龍山面)·문무면(文武面)〕
〔옛 연백군(延白郡) 괘궁면(掛弓面)·온정면(溫井面)〕

봉천읍, 행정리, 한정리, 신답리, 신명리, 황룡리, 원산리, 백석리, 연홍리, 룡촌리, 송정리, 봉암리, 대룡리, 군동리, 루천리, 죽동리, 응촌리, 주답리, 성기리, 한촌리, 가동리, 화촌리, 석사리, 광암리.

배천군(白川郡)

〔옛 연백군(延白郡) 금산면(金山面)·화성면(花城面)·은천면(銀川面)·유곡면(柳谷面)·해룡면(海龍面)〕

배천읍, 강호리, 석산리, 도태리, 정촌리, 창포리, 화산리, 오봉리, 일곡리, 대아리, 화양리, 홍현리, 신월리, 룡동리, 수복리, 수원리, 금성리, 향정리, 봉화리, 추정리, 방현리, 금곡리, 류천리, 운산리, 금산리, 문산리, 역구도리, 봉량 로동자구

연안군(延安郡)

〔옛 연백군(延白郡) 연안읍(延安邑)·호동면(湖東面)·호남면(湖南面)·해성면(海城面)·해월면(海月面)·봉북면(鳳北面)·봉서면(鳳西面)〕

연안읍, 자양리, 소정리, 호남리, 라진포리, 개안리, 장곡리, 룡호리, 해월리, 소아리, 고포리, 봉덕리, 아현리, 창덕리, 도남리, 천태리, 발산리, 부흥리, 풍천리, 정촌리, 오현리, 와룡리, 청화리, 호서리, 송호리, 화양리, 신양리, 해남리, 염전 로동자구.

청단군(青丹郡)

〔옛 벽성군(碧城郡) 추화면(秋花面)·내성면(來城面)·동운면(東雲面)·영천면(泳泉面)·금산면(錦山面)·일신면(日新面)〕

청단읍, 룡포리, 구월리, 영산리, 남촌리, 신생리, 소정리, 금학리, 화산리, 갈산리, 칠봉리, 삼정리, 운곡리, 동대리, 덕달리, 화양리, 홍산리, 청정리, 심평리.

황해 북도(黃海北道)

〔2 시(市) 14 군(郡)〕

사리원시(沙里院市)

구천 1동, 구천 2동, 구천 3동, 구천 4동, 산업동, 동 1동, 동 2동, 북 1동, 북 2동, 북 3동, 북 4동, 운하 1동, 운하 2동, 신양동, 철산동, 상매 1동, 상매 2동, 원주동, 신흥동, 상하동, 서리동, 대성동, 어수동, 도림동, 광성동, 경암동, 구룡리, 신창리, 미곡리, 만금리, 해서리.

송림시(松林市)

〔옛 겸이포(兼二浦)〕

대흥동, 신흥동, 송산동, 오류동, 월봉동, 산서동, 운곡동, 동송동, 철산동, 사포 1동, 사포 2동, 석탑동, 전동, 삼가동, 새마을동, 네길동, 꽃핀동, 새살림동, 당산리, 석탄리, 신성리, 마산리, 서송리, 신량리.

황주군(黃州郡)

〔옛 황주군 황주읍(黃州邑)·주남면(州南面)·청룡면(青龍面)·구성면(九聖面)·청수면(淸水面)·도치면(都峙面)·흑교면(黑橋面)·삼전면(三田面)·천주면(天柱面)〕

황주읍, 신상리, 선봉리, 순천리, 침촌리, 구포리,

포남리, 청룡리, 대동리, 삼전리, 철도리, 장천리, 삼정리, 석산리, 룡궁리, 청운리, 석정리, 인포리, 광천리, 장사리, 금석리, 흑교리, 룡천리, 고연리, 내외리, 외상리, 삼훈리, 천주리, 은성리.

연탄군(燕灘郡)

〔옛 황주군(黃州郡) 구락면(龜洛面)·도치면(都峙面)·인교면(仁橋面)〕
〔옛 서흥군(瑞興郡) 세평면(細坪面)·도면(道面)·소사면(所沙面)·율리면(栗里面)〕

연탄읍, 미산리, 월룡리, 금봉리, 도치리, 성산리, 칠봉리, 수봉리, 창매리, 봉재리, 풍답리, 신흥리, 신금리, 오봉리, 문화리, 성매리, 장운리, 송죽리.

봉산군(鳳山郡)

〔옛 봉산군(鳳山郡) 토성면(土城面)·동선면(洞仙面)·구연면(龜淵面)·산수면(山水面)·문정면(文井面)·사인면(舍人面)·만천면(萬泉面)·영천면(靈泉面)〕

봉산읍, 가촌리, 토성리, 지탑리, 송산리, 선정리, 대룡리, 봉의리, 문현리, 정방리, 독정리, 천덕리, 오봉리, 류정리, 관정리, 구연리, 청계리, 마산리, 청룡리, 구읍리.

은파군(銀波郡)

〔옛 봉산군(鳳山郡) 서종면(西鍾面)·기천면(岐川面)·초와면(楚臥面)·덕재면(德在面)·쌍산면(雙山面)〕

은파읍, 초구리, 대청리, 묘송리, 례로리, 류정리, 양동리, 옥현리, 구련리, 기산리, 묵천리, 갈현리, 신촌리, 전산리, 적성리, 금대리, 강안리, 광명 로동자구.

린산군(麟山郡)

〔옛 평산군(平山郡) 세곡면(細谷面)·인산면(麟山面)·신암면(新岩面)·상월면(上月面)〕

린산읍, 지택리, 안창리, 평화리, 상하리, 다전리, 석교리, 석련리, 동사리, 상월리, 룡석리, 대풍리, 진천리, 수현리, 련풍리, 기린리, 백천리, 대초리, 랭정리, 주암리.

서흥군(瑞興郡)

〔옛 서흥군(瑞興郡) 신막읍(新幕邑)·서흥면(瑞興面)·내덕면(內德面)·구포면(九圃面)·매양면(梅陽面)·목감면(木甘面)·용평면(龍坪面)〕

서흥읍, 남한리, 거문리, 가창리, 락촌리, 양사리, 청포리, 화봉리, 송월리, 신당리, 운천리, 자작리, 화곡리, 고성리, 백암리, 범안리, 봉하리, 금릉리, 문무리, 삼천리, 수곡리, 은정리, 대평리, 양암리.

수안군(遂安郡)

〔옛 수안군 수안면(遂安面)·대성면(大城面)·천곡면(天谷面)·대오면(大梧面)·율계면(栗界面)〕

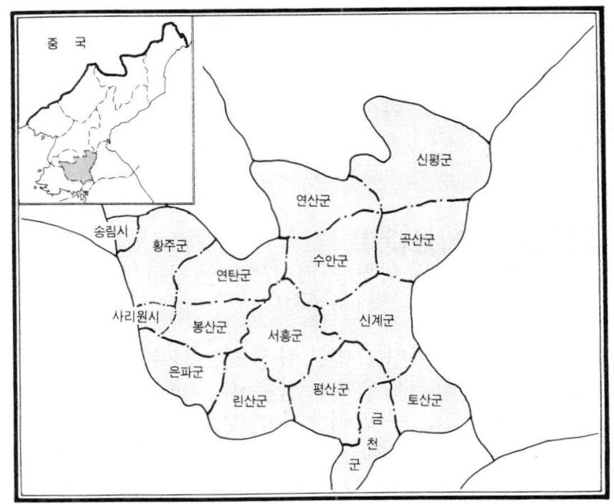

〈황해 북도〉

수안읍, 석담리, 서평리, 신대리, 좌위리, 상덕리, 수덕리, 철산리, 석교리, 산북리, 천암리, 룡포리, 주경리, 룡현리, 평원리, 도전리, 옥치리, 성교리, 남정 로동자구.

연산군(延山郡)

〔옛 수안군(遂安郡) 수구면(水口面)·도소면(道所面)·공포면(公浦面)·연암면(延岩面)〕

연산읍, 홀동리, 상곡리, 대평리, 도치리, 신락리, 반천리, 송산리, 대산리, 공포리, 방정리, 송촌리, 대룡리, 옥덕리, 생금리, 대군리, 홀동 로동자구.

신평군(新坪郡)

〔옛 곡산군(谷山郡) 상도면(上圖面)·하도면(下圖面)·이령면(伊寧面)·화촌면(花村面)·멱미면(覓美面)〕

신평읍, 평화리, 고읍리, 광천리, 룡산리, 장암리, 대지리, 석암리, 선암리, 미송리, 남천리, 추란전리, 도음리, 거리소리, 생양리, 만년 로동자구, 멱미 로동자구.

곡산군(谷山郡)

〔옛 곡산군(谷山郡) 곡산면(谷山面)·운중면(雲中面)·청계면(淸溪面)〕
〔옛 신계군(新溪郡) 촌면(村面)〕

곡산읍, 송림리, 호암리, 문양리, 청송리, 고성리, 계수리, 초평리, 병술리, 룡암리, 동산리, 세림리, 사현리, 월양리, 서촌리, 무갈리, 계림리, 평암리, 률리, 오리포리, 현암리.

신계군(新溪郡)

〔옛 신계군(新溪郡) 고면(古面)·다미면(多美面)·마서면(麻西面)·적여면(赤餘面)·사지면(沙芝面)〕

신계읍, 마산리, 릉수리, 태을리, 천개리, 정봉리, 왕당리, 중산리, 금성리, 추천리, 부용리, 선성리, 가무리, 백곡리, 침교리, 구락리, 지석리, 은점리, 천곡리, 대정리, 화야리, 사정리, 대평리, 화성리, 원교리, 대성리, 해포리, 신흥리.

평산군(平山郡)

〔옛 평산군(平山郡) 남천읍(南川邑)·평산면(平山面)·금암면(金岩面)·안성면(安城面)〕

평산읍, 월천리, 탄교리, 림산리, 산수리, 기탄리, 례성리, 평화리, 복수리, 삼룡리, 산성리, 한포리, 옥촌리, 룡궁리, 주포리, 봉탄리, 해월리, 청수리, 봉천리, 삼천리, 와현리, 상암리, 청학 로동자구.

금천군(金川郡)

〔옛 금천군(金川郡) 금천면(金川面)·고동면(古東面)·우봉면(牛蜂面)·웅덕면(雄德面)〕

금천읍, 백양리, 신강리, 백마리, 남정리, 룡성리, 현내리, 원명리, 문명리, 월암리, 계정리, 덕산리, 강북리, 강남리, 량합리.

토산군(兎山郡)

〔옛 금천군(金川郡) 외류면(外柳面)·토산면(兎山面)·서천면(西泉面)·합탄면(合灘面)·구이면(口耳面)〕

토산읍, 양사리, 룡암리, 월성리, 북포리, 안봉리, 황강리, 매봉리, 하남리, 봉불리, 수합리, 합탄리, 문성리, 미당리, 송세리, 백화리, 송천리, 석봉리.

함경 남도(咸鏡南道)

〔3시(市) 6구역(區域) 15군(郡)〕

함흥시(咸興市)

동흥산 구역(東興山區域)

반룡동, 해방동, 룡마동, 서흥동, 새별동, 구흥동, 여위동, 덕성동, 만세동, 지장동, 송흥동, 서상동, 운흥 1동, 운흥 2동, 서운 1동, 서운 2동, 신상 1동, 신상 2동, 류정리, 부민리, 풍호리.

성천 구역(城川區域)

동문동, 중앙동, 금사동, 성천동, 련지동, 서문동, 삼일동, 광화동, 상신흥동, 하신흥동, 통남 1동, 통남 2동, 남문 1동, 남문 2동, 신흥 1동, 신흥 2동, 룡흥 1동, 룡흥 2동.

회상 구역(會上區域)

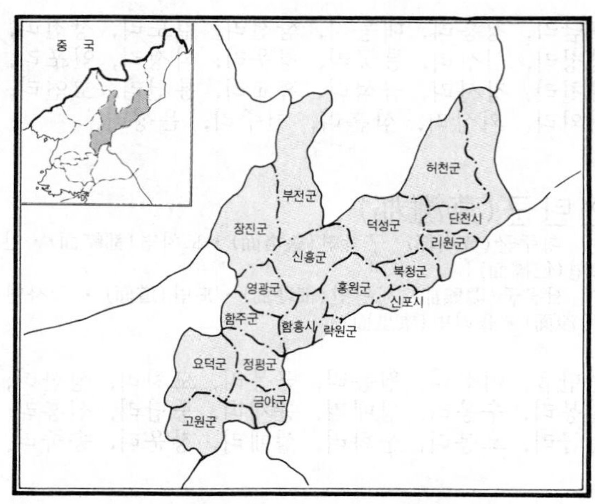

〈함경 남도〉

덕산동, 송흥동, 리화동, 회양동, 경흥동, 평수동, 금실동, 정성동, 세거리동, 치마 1동, 치마 2동, 치마 3동, 회상 1동, 회상 2동, 회상 3동, 회상 4동, 금사리, 풍경리, 쌍봉리, 동흥리, 수동리, 중호리, 대흥리, 광덕리, 성원리, 하덕리, 풍흥리, 령봉리.

사포 구역(沙浦區域)

수변동, 영호동, 보전동, 룡흥동, 룡연동, 흥북동, 영광동, 연못동, 은덕동, 궁서동, 상수동, 룡신동, 흥서동, 소나무동, 사포 1동, 사포 2동, 사포 3동, 당보 1동, 당보 2동, 본궁 1동, 본궁 2동, 본궁 3동, 흥덕 1동, 흥덕 2동, 흥덕 3동, 흥덕 4동, 창흥리, 초운리, 련흥리.

해안 구역(海岸區域)

은빛동, 룡암동, 송흥동, 금빛동, 운중 1동, 운중 2동, 룡성 1동, 룡성 2동, 운성 1동, 운성 2동, 덕풍리, 수도리, 풍동리.

흥남 구역(興南區域)

하덕리, 내호동, 후농동, 작도동, 덕동, 풍흥동, 송상동, 호남동, 천기동, 응봉 1동, 응봉 2동, 서호 1동, 서호 2동, 류정 1동, 류정 2동, 류정 3동, 마전리, 릉동리, 새마을리.

신포시(新浦市)

〔옛 북청군(北青郡) 신포읍(新浦邑)·속후면(俗厚面)·양화면(陽化面), 홍원군(洪原郡) 용원면(龍源面) 일부〕

어항동, 포항동, 해산동, 광복동, 신흥동, 영무동, 마양동, 풍어동, 련호동, 동호동, 륙태 1동 륙태 2동, 룡중리, 신풍리, 보주리, 신호리, 부창리, 양화리, 호남리, 중흥리, 남흥리, 서흥리, 광천리, 금호리, 오매리, 호만포리, 강상리.

단천시(端川市)

〔옛 단천군(端川郡) 단천읍(端川邑)·하다면(何多面)·이중면(利中面)·광천면(廣泉面)·남두일면(南斗日面)·북두일면(北斗日面)〕

단천동, 직절동, 해안동, 항구동, 광천동, 금골동, 백금산동, 포거동, 영웅동, 룡대동, 대흥동, 동암동, 돈삼동, 문화동, 두언동, 문호리, 신호리, 령산리, 복평리, 오몽리, 룡연리, 장내리, 백산리, 련대리, 달전리, 양평리, 송파리, 가원리, 신동리, 쌍용리, 정동리, 석우리, 삼거리, 돌산리, 답동리, 가응리, 화장리, 두연리, 덕주리, 문암리, 와동리, 운천리, 룡잠리, 영평리, 룡덕리, 증산리, 리파리, 신평리, 신풍리, 송정리, 리풍리, 봉화리.

함주군(咸州郡)

〔옛 함주군(咸州郡) 상조양면(上朝陽面)·주지면(朱地面)·삼평면(三平面)〕

함주읍, 운동리, 수흥리, 항수리, 신덕리, 송정리, 부흥리, 수동리, 련지리, 련포리, 포구리, 포항리, 신경리, 재안리, 운봉리, 동봉리, 로동리, 추상리, 흥봉리, 풍송리, 상창리, 동원리, 신상리, 신하리, 구상리, 풍성리, 원동리, 주서리, 동암리, 상중리, 지석리, 흥서리, 룡안리, 고양리, 조양리, 홍보리, 천원리, 신성리.

락원군(樂園郡)

〔옛 함주군(咸州郡) 퇴조면(退潮面) 및 홍원군(洪原郡) 삼호면(三湖面) 일부〕

락원읍, 사동리, 장흥리, 홍서리, 려호리, 서중리, 홍상리, 상송리, 천중리, 세포리, 신풍리, 송해리, 삼호 로동자구.

정평군(定平郡)

〔옛 정평군(定平郡) 정평면(定平面)·광덕면(廣德面)·장원면(長原面)·귀림면(歸林面)·신상면(新上面)〕

정평읍, 구창리, 고양리, 태양리, 독산리, 다호리, 봉대리, 호남리, 구읍리, 향동리, 장흥리, 신천리, 률성리, 장천리, 장동리, 문창리, 부평리, 서경리, 호중리, 남창리, 창신리, 선덕리, 동호리, 삼도리, 화동리, 복흥리, 조양리, 하남리, 동하리, 신평리, 내동리, 문흥리, 문봉리, 동천리, 기산리, 풍양리, 관평리, 용흥리, 중평리, 사수리, 초원리, 광흥리, 신풍리, 신성리, 신상 로동자구.

금야군(金野郡)

〔옛 영흥군(永興郡) 진평면(鎭坪面)·억기면(憶岐面)·순녕면(順寧面)·덕흥면(德興面)·고령면(古寧面)·호도면(虎島面)·인흥면(仁興面)〕

금야읍, 사현리, 룡원리, 문하리, 상중리, 중남리, 영풍리, 새동리, 솔밭리, 긴재리, 풍남리, 평화리, 봉흥리, 량탄리, 덕산리, 성재리, 해중리, 구룡리, 진흥리, 흥평리, 정동리, 신성리, 수원리, 봉산리, 비단리, 금풍리, 청동리, 풍동리, 백산리, 동흥리, 지인리, 작동리, 온정리, 송재리, 범포리, 대응리, 삼봉리, 왕장리, 중동리, 신당리, 진수리, 룡산리, 광덕리, 독구미리, 원평리, 안동리, 련동리, 청백리, 호도리, 갈전 로동자구, 인흥 로동자구, 가진 로동자구.

고원군(高原郡)

〔옛 고원군(高原郡) 고원읍(高原邑)·상산면(上山面)·군내면(郡內面)·산곡면(山谷面)·수동면(水洞面)〕

고원읍, 상산리, 락천리, 남흥리, 중평리, 문하리, 하평리, 송천리, 황송리, 군내리, 신창리, 다천리, 미둔리, 덕지리, 수산리, 성남리, 죽전리, 운흥리, 천을리, 룡평리, 운산리, 관평리, 천성리, 장량리, 성내리, 축전리, 삼평리, 회평리, 풍남리, 전탄리, 원봉리, 송흥리, 부래산 로동자구, 수동 로동자구, 장동 로동자구, 산곡 로동자구, 운곡 로동자구, 팔흥 로동자구, 원거 로동자구, 덕사 로동자구.

요덕군(耀德郡)

〔옛 영흥군(永興郡) 장흥면(長興面)·요덕면(耀德面)·선흥면(宣興面)〕

요덕읍, 룡상리, 룡천리, 룡남리, 룡암리, 향봉리, 성리, 완산리, 성천리, 문암리, 인화리, 흥상리, 인흥리, 룡평리, 평전리, 립석리, 대숙리, 구읍리, 천흥리, 송도리, 동산리, 량수리, 평원리, 미삼리, 운흥리.

장진군(長津郡)

〔옛 장진군(長津郡) 상남면(上南面)·장진면(長津面)·북면(北面)〕

장진읍, 도내리, 신대리, 축전리, 백암리, 신흥리, 풍류리, 청량리, 갈전리, 속사리, 메물리, 룡호리, 서목리, 림산리, 류담리, 양묘리, 늪수리, 황초 로동자구, 양지 로동자구, 만풍 로동자구.

부전군(赴戰郡)

〔옛 장진군(長津郡) 서한면(西閑面)·중남면(中南面) 및 신흥군(新興郡) 동상면(東上面)〕

부전읍, 백암리, 문천리, 이팔리, 문암리, 광대리 서늪리, 동늪리, 한대리, 산수리, 개화리, 여운리, 룡구리, 안기리, 은하리, 차일 로동자구, 호반 로동자구.

영광군(榮光郡)

〔옛 함주군(咸州郡) 기곡면(岐谷面)·주북면(州北面)·선덕면(宣德面)〕

영광읍, 풍호리, 인다리, 봉흥리, 룡동리, 동양리, 쌍송리, 신상리, 상통리, 산창리, 상중리, 풍상리, 자동리, 관수리, 전동리, 천불산리, 기상리, 동중리, 신덕리, 삼흥리, 화장리, 중상리, 홍봉리, 후주리, 장흥리, 수전 로동자구.

신흥군(新興郡)

〔옛 신흥군(新興郡) 동상면(東上面)을 제외한 전부(全部)〕

신흥읍, 리전리, 흥복리, 원동리, 중평리, 서남리, 우상리, 창서리, 대동리, 길봉리, 동흥리, 부연리, 경흥리, 영고리, 기린리, 상원천리, 서곡리, 동곡리, 반석리, 하원천리, 축상리, 영웅리, 흥경리, 발전 로동자구, 부흥 로동자구.

홍원군(洪原郡)

〔옛 홍원군(洪原郡) 홍원읍(洪原邑)·운학면(雲鶴面)·삼호면(三湖面)·경흥면(景興面)·보현면(普賢面)〕

홍원읍, 방동리, 남산리, 고읍리, 호남리, 룡운리, 관흥리, 룡덕리, 산양리, 장풍리, 남풍리, 부상리, 보현리, 구룡리, 원덕리, 동상리, 방평리, 광명리, 학송리, 경포리, 신성리, 경흥리, 운상리, 삼성리, 룡포리, 동중리, 운하리, 중은리, 중서리, 룡신리, 룡삼리, 운포 로동자구.

북청군(北青郡)

〔옛 북청군(北青郡) 신창읍(新昌邑)·신포읍(新浦邑)·신북청면(新北青面)·속후면(俗厚面)·거산면(居山面)〕

북청읍, 서리, 죽상리, 중평리, 청흥리, 장항리, 량가리, 안곡리, 신상리, 룡전리, 당우리, 지만리, 문동리, 부동리, 오평리, 종산리, 초리, 마산리, 중리, 봉의리, 라흥리, 라하대리, 만춘리, 덕음리, 예승리, 청해리, 토성리, 경안대리, 양천동리, 양천서리, 동도리, 하호리, 보천리, 평리, 하세동리, 상세동리, 상립석리, 반송리, 건자리, 신북청 로동자구, 신창 로동자구.

덕성군(德城郡)

〔옛 북청군(北青郡) 덕성면(德城面)·성대면(星垈面)·상거서면(上車書面)·하거서면(下車書面)〕
〔옛 이원군(利原郡) 남송면(南松面)〕

덕성읍, 수서리, 락원리, 주의동리,양승리, 장흥리, 동중리, 보성리, 창성1리, 창성2리, 삼기리, 송중리, 인동리, 중동리, 직동리, 덕우대리, 임자동리, 신흥리, 월근대리, 엄동리, 엄서리, 중돌리, 상돌리, 신태리, 철산 로동자구.

리원군(利原郡)

〔옛 이원군(利原郡) 차호읍(遮湖邑)·동면(東面)·이원면(利原面)·남송면(南松面)〕
〔옛 단천군(端川郡) 복귀면(福貴面)〕

리원읍, 장축리, 청산리, 대덕리, 성곡리, 풍암리, 학사대리, 곡구리, 구읍리, 룡북리, 하전리, 송동리, 문앙리, 원사리, 곡창리, 송정리, 염성리, 다보리,중평리, 유성리, 기암리, 라흥 로동자구, 차호 로동자구.

허천군(虛川郡)

〔옛 단천군(端川郡) 수하면(水下面)·신만면(新滿面)〕

허천읍, 운승리, 하농리, 중평리, 은흥리, 황곡리, 수의리, 장평리, 통흥리, 금창리, 와포리, 신흥리, 홍군리, 슬암리, 상남리, 황명리, 신평리, 양음평리, 사탑리, 화장리, 룡원 로동자구, 만덕 로동자구, 상농 로동자구, 상산 로동자구.

함경 북도(咸鏡北道)

〔4 시(市) 6 구역(區域) 13 군(郡)〕

청진시(清津市)

청암 구역(青岩區域)

정산동, 해방동, 역전동, 락양동, 직하동, 부거리, 교원리, 마전동, 연진동, 룡재동, 사구리, 련천리, 금바위동, 청암 1 동, 청암 2 동, 반죽 1 동, 반죽 2 동, 인곡 1 동, 인곡 2 동.

포항 구역(浦港區域)

남향동, 북향동, 산업동, 청송 1 동, 청송 2 동, 청송 3 동, 수원 1 동, 수원 2 동, 남강 1 동, 남강 2 동, 남강 3 동, 수북 1 동, 수북 2 동, 수북 3 동.

신암 구역(新岩區域)

교동, 근화동, 천마동, 신암동, 신진동, 관해동, 명성동, 서흥리, 포항리, 동서 수라리, 대서 수라리.

수남 구역(水南區域)

어항동, 신향동, 추평동, 청남동, 추목동, 수남 1 동, 수남 2 동, 말음 1 동, 말음 2 동.

송평 구역(松坪區域)

송평동, 송향동, 사봉동, 남포동, 강덕동, 은정동, 유성동, 제철동, 송림동, 서항 1 동, 서항 2 동, 월포리, 룡호리, 남석리, 송곡리, 근동리.

라남 구역(羅南區域)

평화동, 리곡동, 풍곡동, 라성동, 신흥동, 라북동, 락원동, 은덕동, 가양동, 고성 1 동, 고성 2 동, 라

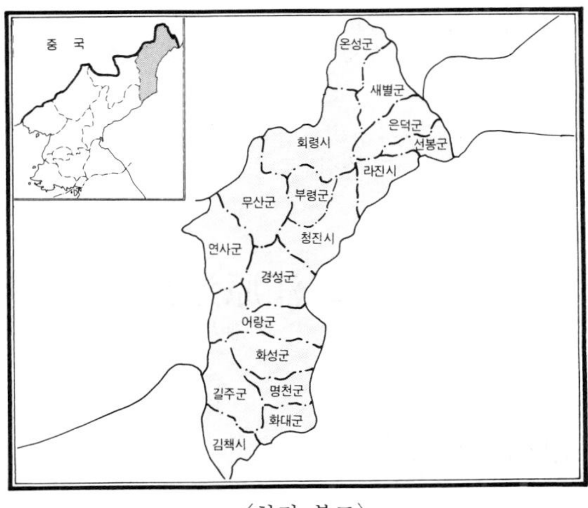

〈함경 북도〉

홍 1 동, 라홍 2 동, 새거리동, 룡암리, 봉암리, 회향리, 어유리, 부윤 로동자구.

김책시(金策市)

〔옛 성진시(城津市)〕
〔옛 학성군(鶴城郡) 학동면(鶴東面)・학남면(鶴南面)・학중면(鶴中面)・학서면(鶴西面)〕

쌍암동, 쌍화동, 신평동, 한천동, 련호동, 수원동, 청학동, 성남동, 송암동, 금천동, 송령동, 학성동, 탄소동, 업억동, 진범동, 해안동, 역전동, 장현동, 쌍포 1 동, 쌍포 2 동, 만춘리, 달리리, 은호리, 송중리, 홍평리, 옥천리, 풍년리, 상평리, 송홍리, 호통리, 방학리, 수동리, 림명리, 춘동리, 학동리, 룡호리, 석호리, 동흥리, 성상리, 탑하리, 원평리, 덕인리, 세천리.

라진시(羅津市)

〔옛 나진시(羅津市)〕
〔옛 부령군(富寧郡) 부거면(富居面)・관해면(觀海面)〕

청계동, 신흥동, 역전동, 창평동, 유현동, 치경동, 관곡공, 안화동, 동명동, 안주동, 남산동, 신해동, 신안동, 방진동, 락산동, 리률동, 라석동, 관해동, 삼해동, 무창리, 후창리, 서리, 로창리.

회령시(會寧市)

〔옛 회령군(會寧郡)의 전부(全部)〕
〔옛 종성구(鍾城郡) 종성면(鍾城面)・풍곡면(豊谷面)・용계면(龍溪面)・화방면(華方面)〕

회령동, 망양동, 궁심동, 세천동, 중봉동, 중도동, 유선 1 동, 유선 2 동, 풍산리, 무산리, 창효리, 덕흥리, 오봉리, 대덕리, 창태리, 학포리, 락생리, 금생리, 원산리, 신흥리, 사을리, 인계리, 남산리, 영수리, 행영리, 방원리, 굴산리, 계하리, 계상리, 송학리, 룡천리, 벽성리, 홍산리, 오류리, 성동리, 성북리.

무산군(茂山郡)

〔옛 무산군(茂山郡) 무산읍(茂山邑)・어하면(漁下面)・연상면(延上面)・동면(東面)・서하면(西下面)〕

무산읍, 서호리, 지초리, 새골리, 칠성리, 독소리, 풍산리, 차유리, 오봉리, 허언리, 온천리, 박천리, 상창리, 문암리, 홍암리, 림강리, 창렬 로동자구, 강선 로동자구, 마양 로동자구, 남산 로동자구, 삼봉 로동자구, 주초 로동자구.

경성군(鏡城郡)

〔옛 경성군(鏡城郡) 주을읍(朱乙邑)・경성면(鏡城面)〕

경성읍, 룡현리, 중평리, 온대진리, 일향리, 상온포리, 룡산리, 관모리, 매향리, 대향리, 하면리, 화하리, 오상리, 남석리, 정평리, 독연리, 생기령 로동자구, 승암 로동자구, 룡천 로동자구, 박충 로동자구, 하온포 로동자구.

길주군(吉州郡)

〔옛 길주군(吉州郡) 덕산면(德山面)・장백면(長白面)・웅평면(雄坪面)〕

길주읍, 쌍룡리, 봉암리, 평륙리, 상하리, 온천리, 금송리, 홍수리, 룡천리, 탑양리, 룡성리, 남양리, 덕신리, 청암리, 문암리, 금천리, 합포리, 십일리, 목성리, 신동리, 풍계리, 춘흥리, 영북 로동자구, 일신 로동자구, 주남 로동자구, 룡담 로동자구.

화대군(花臺郡)

〔옛 명천군(明川郡) 상가면(上加面)・하고면(下古面)・하가면(下加面)〕
〔옛 길주군(吉州郡) 동해면(東海面)〕

화대읍, 금성리, 석성리, 창촌리, 룡원리, 불로리, 룡포리, 자가리, 석현리, 장덕리, 양촌리, 송동리, 사포리, 토원리, 주의리, 정문리, 교항리, 하평리, 증산리, 무수단리, 목진리.

명천군(明川郡)

〔옛 명천군(明川郡) 아간면(阿間面)・상고면(上古面)〕

명천읍, 고참리, 만호리, 황곡리, 사리, 독포리, 양정리, 다호리, 허의리, 연덕리, 락동리, 포중리, 포하리, 보촌리, 황진리, 룡암 로동자구.

화성군(化城郡)

〔옛 명천군(明川郡) 상우북면(上雩北面)・상우남면(上雩南面)・하우면(下雩面)・동면(東面)・서면(西面)〕

화성읍, 화룡리, 광암리, 신양리, 호남리, 삼포리, 량화리, 양천리, 립석리, 명남리, 호산리, 백록리, 근동리, 함진리, 하우리, 하평리, 룡동리, 룡덕리, 상장리, 하월리, 청룡리, 고성리, 부암리, 부화리, 극동 로동자구, 룡반 로동자구.

어랑군(漁郎郡)

〔옛 경성군(鏡城郡) 주을읍(朱乙邑)· 어랑면(漁郎面)·주남면(朱南面)〕

어랑읍, 회문리, 룡평리, 무계리, 량견리, 수남리, 지방리, 팔경대리, 봉강리, 이엄리, 소요리, 부평리, 부암리, 룡전리, 이향리, 삼향리, 칠향리, 화룡리, 룡연리, 두남리, 운곡리, 어대진 로동자구.

연사군(延社郡)

〔옛 무산군(茂山郡) 연사면(延社面)·삼장면(三長面)·연상면(延上面)〕

연사읍, 연수리, 신북리, 신장리, 팔소리, 남작리, 광양리, 석수리, 삼포리, 로평리, 삼하리, 신양 로동자구.

온성군(穩城郡)

〔옛 온성군(穩城郡)의 전부(全部)〕

온성읍, 풍리리, 풍서리, 세선리, 향당리, 룡남리, 왕재산리, 미산리, 월파리, 강안리, 영강리, 풍천리, 하삼봉리, 창평리, 풍계리, 동포리, 남양 로동자구, 상화 로동자구, 주원 로동자구, 풍인 로동자구, 온탄 로동자구, 삼봉 로동자구, 종성 로동자구, 산성 로동자구.

새별군(郡)

〔옛 경원군(慶源郡) 경원면(慶源面)·안농면(安農面)·동원면(東原面)·용덕면(龍德面)〕

새별읍, 훈융리, 사수리, 중영리, 안농리, 량동리, 금동리, 동림리, 신건리, 룡현리, 룡문리, 룡남리, 룡신리, 연산리, 봉산리, 종산리, 룡계리, 성내리, 농포리, 안원리, 룡당리, 후석리, 고건원 로동자구, 룡북 로동자구, 하면 로동자구.

은덕군(恩德郡)

〔옛 경흥군(慶興郡) 아오지읍 (阿吾地邑)·경흥면(慶興面), 종성군(鍾城郡) 화방면(華方面), 경원군(慶源郡) 유덕면(有德面)·아산면(阿山面)〕

은덕읍, 원정리, 하여평리, 화회리, 태양리, 학송리, 송학리, 신아산리, 장평리, 귀락리, 죽기리, 박상리, 안길리, 금송리, 록야리, 오봉 로동자구, 룡연 로동자구.

선봉군(先鋒郡)

〔옛 경흥군(慶興郡) 웅기읍(雄基邑)·경흥면(慶興面)·노서면(蘆西面)〕

선봉읍, 홍의리, 사회리, 조산리, 부포리, 굴포리, 우암리, 백학리, 철주리, 두만강 로동자구, 웅상 로동자구.

부령군(富寧郡)

〔옛 부령군(富寧郡) 부령면(富寧面)·서상면(西上面)·석막면(石幕面)〕

부령읍, 석막동, 사하리, 금랑리, 형제리, 최현리, 무수리, 창평리, 고무산 로동자구.

강원도(江原道)

〔2 시(市) 15 군(郡)〕

원산시(元山市)

〔옛 함경 남도 원산시〕

관풍동, 탑동, 신풍동, 률동, 와우동, 덕성동, 평화동, 해방 1 동, 해방 2 동, 양지동, 송흥동, 봉춘동, 개선동, 승리동, 봉수동, 석우동, 원석동, 명석동, 상동, 광석동, 산제동, 중청동, 삼봉동, 원남동, 신흥동, 해안동, 남산동, 장촌동, 룡하동, 갈마동, 내원산동, 방하산동, 장산동, 복박동, 려도동, 적천동, 송천동, 세길동, 룡천리 현동리, 춘산리, 락수리, 삼태리, 중평리, 석현리, 장림리, 영삼리, 신성리, 죽산리, 수상리, 칠봉리, 남천리, 상자리.

문천시(文川市)

〔옛 함경 남도 문천군(文川郡) 문천면(文川面)·덕원면(德源面)·북성면(北城面)〕

문천동, 가은리, 남창리, 교성리, 부방리, 룡정리, 룡탄리, 신안리, 삼동리, 삼일리, 답촌리, 덕흥리, 석전리, 삼화리, 송죽리, 신송리, 문평 로동자구, 가평 로동자구, 옥평 로동자구, 고암 로동자구.

천내군(川內郡)

〔옛 함경 남도 문천군(文川郡) 문천읍(文川邑)·운림면(雲林面)과 명구면(明龜面) 일부〕

천내읍, 승전리, 회복리, 동흥리, 인흥리, 장풍리, 신흥리, 로운리, 룡루리, 수치리, 구포리, 신암리, 금성리, 풍전리, 당치리, 염전리, 화라 로동자구, 신산 로동자구, 룡담 로동자구.

안변군(安邊郡)

〔옛 함경 남도 안변군(安邊郡) 안변면(安邊面)·안도면(安道面)·서곡면(瑞谷面)·신모면(新茅面)〕

안변읍, 옥리, 비산리, 륙화리, 과평리, 중평리, 오계리, 상음리, 월랑리, 사평리, 학천리, 봉산리, 배양리, 배화리, 송산리, 수락동리, 룡성리, 동포리, 풍화리, 천삼리, 화산리, 남계리, 미현리, 모풍리, 신화리, 령신리, 문수리, 삼성리, 내산리, 룡대 로동자구, 앞강 로동자구.

고산군(高山郡)

〔옛 함경 남도, 안변군(安邊郡) 석왕사면(釋王寺面)·신고산면(新高山面)〕

고산읍, 주천리, 구읍리, 위남리, 성북리, 부평리, 룡지원리, 사현리, 란정리, 남산리, 금리, 연호리, 구령리, 신현리, 설봉리, 광명리, 금풍리, 해방리, 봉련리, 량사리, 혁창리, 죽근리, 산양리, 산탄리, 금천리.

통천군(通川郡)

〔옛 통천군(通川郡) 전부(全部)〕

통천읍, 장진리, 자산리, 군산리, 하수리, 화통리, 명고리, 룡천리, 보호리, 풍산리, 리목리, 대곡리, 패천리, 강동리, 장대리, 로상리, 송전리, 거성리, 보탄리, 봉호리, 미평리, 룡수리, 구읍리, 신흥리, 방포리, 신림리, 중천리, 벽암리, 신대리, 가흥리, 금란리.

고성군(高城郡)

〔옛 고성군(高城郡) 장전읍(長箭邑)·고성읍(高城邑)·외금강면(外金剛面)〕

고성읍, 은정리, 금천리, 주둔리, 순학리, 월비산리, 봉화리, 구읍리, 삼일포리, 장포리, 해방리, 운곡리, 종곡리, 성북리, 남애리, 운전리, 두포리, 복송리, 렴성리, 룡동리, 신봉리, 해금강리, 고봉리, 초구리.

금강군(金剛郡)

〔옛 회양군(淮陽郡)·인제군(麟蹄郡)·양구군(楊口郡)의 일부(一部)〕

금강읍, 신원리, 현리, 현동리, 하회리, 소곤리, 청두리, 이포리, 속사리, 순갑리, 북점리, 내강리, 병무리, 금천리, 단풍리, 금풍리, 룡암리, 안미리, 화천리, 방목리, 세동리, 풍미리, 산월리, 곡산리, 신교리, 신읍리.

창도군(昌道郡)

〔옛 김화군(金化郡) 창도면(昌道面)·원북면(遠北面)·금성면(金城面)·통구면(通口面)의 전부(全部), 임남면(任南面)·근북면(近北面)의 일부(一部), 양구군(楊口郡) 수입면(水入面), 회양군(淮陽郡) 사동면(泗東面)의 일부(一部)〕

창도읍, 당산리, 도화리, 장현리, 신성리, 사동리, 금산리, 지석리, 대백리, 판교리, 성도리, 기성리, 두목리, 면천리, 임남리, 대정리, 천리, 인패리, 오천리, 철벽리, 송거리, 백현리, 문등리.

김화군(金化郡)

〔옛 김화군(金化郡) 김화읍(金化邑)·금성면(金城面) 부근〕

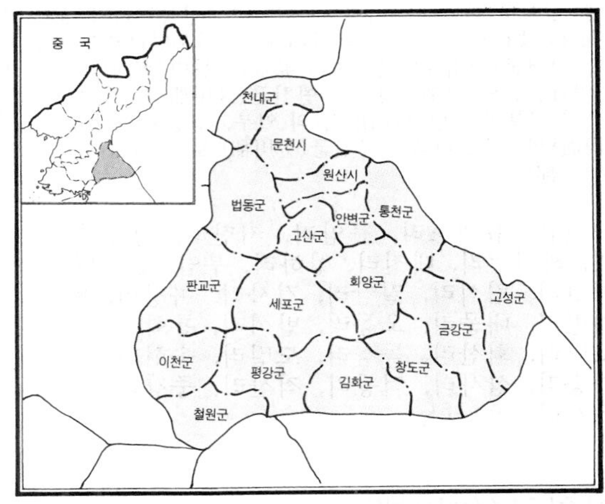

〈강원도〉

김화읍, 창도리, 신창리, 원북리, 당현리, 법수리, 신풍리, 탑거리, 성산리, 성산리, 건천리, 초서리, 구봉리, 수태리, 근동리, 원남리, 원동리, 룡현리, 상판리, 어호리, 학방 로동자구.

회양군(淮陽郡)

〔옛 회양군(淮陽郡) 회양면(淮陽面)·상북면(上北面)·하북면(下北面)·난곡면(蘭谷面)〕

회양읍, 소풍리, 하교리, 강돈리, 전항리, 광전리, 교주리, 신동리, 신안리, 구룡리, 송포리, 추전리, 포천리, 봉포리, 선대리, 금곡리, 금철리, 신계리, 마전리, 룡포리, 전곡리, 오랑리, 기정리, 도납리, 신명리, 명우리.

세포군(洗浦郡)

〔옛 평강군(平康郡) 유진면(楡津面)·세포면(洗浦面), 회양군(淮陽郡) 난곡면(蘭谷面) 일부

〔옛 함경 남도 안변군(安邊郡) 신고산면(新高山面)의 일부〕

세포읍, 대곡리, 삼방리, 성평리, 북평리, 신동리, 상술리, 유연리, 대문리, 천기리, 후평리, 내평리, 서하리, 중평리, 약수리, 백산리, 신생리, 성산리, 원남리, 리목리, 신평리, 현리, 유읍리, 귀락리, 오봉리.

평강군(平康郡)

〔옛 평강군(平康郡) 평강읍(平康邑)·목전면(木田面)·현내면(縣內面)·남면(南面)〕

평강읍, 복계리, 신정리, 문산리, 리덕수리, 압동리, 해방리, 전승리, 자원리, 가곡리, 천암리, 랑하리, 하송리, 산송관리, 상원리, 송포리, 하주리, 상갑리, 봉래리, 남양리, 화암리, 랑월리, 정동리, 중삼리, 기산리, 복만리, 옥동리, 문봉리, 금곡리, 정산리, 내천리, 장촌 로동자구.

철원군(鐵原郡)

〔옛 철원군(鐵原郡) 마장면(馬場面)·인목면(寅目面)·내문면(乃文面)의 전부와 북면(北面)·어운면(於雲面)의 일부, 이천군(伊川郡) 안협면(安峽面)·동면(東面)의 전부와 서면(西面)의 일부, 경기도 연천군(漣川郡)의 삭령면(朔寧面)의 전부와 서남면(西南面)의 일부, 평강군(平康郡) 서면(西面)의 일부, 황해도 금천군(金川郡) 토산면(兎山面)의 일부(一部)〕

철원읍, 류대포리, 문암리, 저탄리, 정동리, 월암리, 하식점리, 대전리, 상하리, 부압리, 삭녕리, 상마산리, 립석리, 밀암리, 검사리, 마장리, 왕피리, 마방리, 내문리, 오동리, 반석리, 룡학리, 외학리, 보막리, 회산리, 독검리, 도밀리, 송현리, 갈현리, 가승리, 삼사리, 적동리, 적산리, 중강리, 강산리, 유정리, 오탄리.

이천군(伊川郡)

〔옛 이천군(伊川郡) 이천면(伊川面)·학봉면(鶴鳳面)의 전부와 서면(西面)·산내면(山內面)·용포면(龍浦面)의 일부〕

이천읍, 개천리, 신당리, 문동리, 산지리, 무릉리, 건설리, 회산리, 축동리, 산참리, 우미리, 룡정리, 신흥리, 학봉리, 오현리, 사청리, 은행정리, 심동리, 장동리, 송정리, 상하리, 장재리, 성북리.

판교군(板橋郡)

〔옛 이천군(伊川郡) 방장면(方丈面)·판교면(板橋面)·용포면(龍浦面)·산내면(山內面)·낙양면(樂壤面)〕
〔옛 평강군(平康郡) 유진면(楡津面)〕

판교읍, 천암리, 사동리, 하린원, 상린원, 금평리, 구당리, 룡지리, 리하리, 리상리, 경도리, 풍현리, 룡천리, 명덕리, 룡포리, 개련리, 구봉리, 지하리, 지상리, 군한리, 룡당리, 룡흥리, 상두리.

법동군(法洞郡)

〔옛 함경 남도 문천군(文川郡) 풍상면(豊上面)·풍하면(豊下面) 및 이천군(伊川郡) 웅탄면(熊灘面)〕

법동읍, 상서리, 감둔리, 룡포리, 마전리, 작동리, 령저리, 도찬리, 여해리, 률동리, 백일리, 추암리, 장안리, 어유리, 금구리, 로탄리, 금평리, 구룡리, 건자리, 해랑리.

북한말 모음

1989 년 5 월 10 일 학술원 부설 국어 연구소에서 발행한 '남북한 언어 차이 조사'를 바탕으로 하고, 1981 년 간행의 사회 과학원 언어학 연구소 편 '현대 조선말 사전', 1992 년 간행의 사회 과학원 언어 연구소 편 '조선말 대사전'을 참고하여 북한에서만 쓰이는 것으로 생각되는 말들을 모은 것이다.

1. 어휘 배열의 순서는 우리 나라 국어 사전에서 현재 쓰이는 방식에 따랐다.
2. 표제어에 올려진 북한말의 맞춤법과 발음은 북한식대로 하였다.
3. 어휘의 뜻풀이는 되도록 간략하게 하고, 그 말의 쓰임새를 알기 쉽도록 많은 예구(例句)와 용례를 실었다. 이 경우의 체재는 '국어 대사전' 본문의 체제를 그대로 따랐다.

ㄱ

가강-하다 【加強—】 형 여불 더욱 완강하다. ¶가강한 투쟁을 벌이다.

가내-로력 【家內勞力】 명 가내 작업반에 적(籍)을 두고 일하는 노력(勞力).

가내-작업반 【家內作業班】 명 부양 가족(扶養家族)들이 공장에서 대주는 원료·자재(資材)·반제품(半製品)들을 가져다가 가공(加工)하여 제품을 생산하는 생산 조직. 가내반(家內班).

가녘 명 가장자리나 언저리. 변두리나 한 쪽 모퉁이. ¶운동장의 한 쪽 ~ / ~이 희부연 구름장.

가느직-하다 형 여불 꽤 가늘다.

가늠-교예 【—巧藝】 명 몸의 가늠힘을 이용하여 갖가지 재주를 부리는 곡예(曲藝)의 한 가지. 밧줄타기·어깨재주·사다리재주 따위.

가늠-대 【—臺】 명 〖체육〗 평균대(平均臺). 평형대(平衡臺).

가늠-힘 명 평형 유지를 가늠하는 능력.

가듯-하다 형 여불 좀 가는 듯하다.

가다-들다 자 ↗가드라들다. ¶팔다리가 가다드는 쫄라병.

가다리-굴 【—窟】 명 원굴에서 곁으로 파들어간 굴. 곁굴(窟).

가담-가담 부 이따금. ¶~ 모래 언덕에 부서지는 파도 소리.

가대기-군 [—꾼] 명 역이나 부두 같은 데서 등짐을 지는 일을 맡은 노동자.

가두-녀성 【街頭女性】 명 도시나 노동자구(勞動者區)에서, 직장에 다니지 않고 가정에 있는 여성. ¶남편을 도와 나선 이 곳 탄광 도시들의 ~들이 삽과 곡괭이를 들고 나와 신이 나서 자동찻길을 닦고 있었다.

가두-배추 명 결구(結球) 배추. ¶ ~국/ ~ 김치.

가두-세포 【街頭細胞】 명 도시나 노동자구에서 직장의 당조직에 망라(網羅)되지 않은 당원들을 망라시켜 가두에 조직하는 세포.

가드라-들다 자 ①빳빳하게 되면서 오그라들다. ¶추워서 손발이 ~. ②몸가짐이나 심리 상태가 긴장하여 펴이지 못하게 되다. ¶걸음이 굳어지고 가드라들었다/신경이 ~. 준가다들다.

가들기 명 경련(痙攣).

가따나 부 가뜩이나. ¶~ 긴 속눈썹이 더 섬벅거린다.

가라-지다 자 기운이 숙어 들어 힘이 약해지다. ¶가라진 목소리.

가락-기름 명 점성(粘性)이 적은 윤활유(潤滑油)의 하나. 회전 속도가 높고 무게가 작은 부분품에 쓰임. 방추유(紡錘油).

가락-꼬치 명 실을 자을 때 실이 감기는 쇠꼬챙이. 가락.

가락-윷 [—눋] 명 네 개의 가락으로 만든 윷짝.

가락-장갑 【—掌匣】 명 손가락을 제대로 다 낸 장갑. ¶~과 벙어리 장갑.

가락지-빵 〔포 pão〕 명 도너츠.

가락지-삭뼈 명 〖생〗 환상 연골(環狀軟骨).

가래-겉 명 가래나무의 껍질.

가래-노 【—櫓】 명 가래와 비슷하게 생긴 노. 주로, 작은 나무배를 젓는 데 쓰임.

가려-놓다 [—노타] 타 땔나무나 곡식단을 차곡차곡 쌓아 놓다.

가렬처절-하다 【苛烈悽絕—】 형 여불 싸움이 몹시 세차고 말할 수 없이 치열하다.

가로-골 명 〖지〗 횡곡(橫谷).

가로-떨기 명 〖물〗 횡진동(橫振動).

가로-보다 타 옆으로 흘겨보다. ¶아니꼽게 ~.

가로-세우다 타 몹시 놀라거나 성났을 때, 눈동자가 바로 있지 않게 눈을 뜨다. ¶눈알을 ~.

가로-자리표 【—標】 명 〖수〗 가로 좌표(座標).

가로-지기 명 긴 짐을 가로 방향으로 되게 지는 짓. ¶~로 지고 가다.

가루-국 [—꾹] 명 ①밀가루를 푼 물. ¶풋김치 단지에 ~을 붓다. ②국수물.

가루-밥 명 가루를 섞어 지은 밥.

가루-소젖 명 분유(粉乳).

가루약-숯 【—藥—】 명 〖화〗 빨아들이는 성질이 강한, 주로 탄소(炭素)로 된 물질. 활성탄(活性炭).

가루-젖 명 분유(粉乳).

가름-재 명 두 지역이 갈라지는 경계에 있는 등성이나 고개.

가리-여울 명 물고기가 알을 스는 여울.

가마-가맣다 [—마타] 형 ㅎ불 아주 가맣다.

가마-후렁 명 가마밑굽이 들어갈 만한 크기로 가마를 걸 수 있게 쌓아 올린 빈 공간. ¶~을 넓히다.

가만-사뿐 부 발소리가 나지 않도록 가만히 가볍게. ¶~ 걸어가는 어린 무용수.

가목 【架木】 명 총의 나무로 된 부분. 총가목(銃架木).

가무-이야기 【歌舞—】 명 간단한 생활적 이야기를 노래와 춤·연기 등의 표현 수단을 통하여 형상하는 군중적 무대 예술의 한 형태.

가문-흐름량 【—量】 명 〖지〗 한 해 동안에 강물이 가장 적을 때의 물이 흐르는 양. 갈수량(渴水量).

가물-끝 명 가물이 든 뒤끝.

가물-때[1] 명 가물이 계속되는 때.

가물-때[2] 명 가물로 말미암아 농작물이 입은 영향. ¶~를 벗다.

가밋가밋-하다 형 여불 빛깔이 점점이 좀 새뜻하게 검은 듯하다. ¶얼굴이 가밋가밋한 처녀.

가뿍 부 가득하게 잔뜩. ¶~ 채우다.

가새 명 동해 바닷가에서, 동쪽에서 불어 오는 바람.

가새-갱도 【—坑道】 명 〖광〗 개발 갱도에서부터 광체(鑛體)나 탄층(炭層)까지 뚫은 수평 갱도(坑道). 짐을 나르고 사람이 다니는 주요한 길이며, 굴 안의 통풍(通風)·배수 등에 이용됨. 탁동갱.

가새비 명 ↗가시아비.

가스-집 〔gas〕 명 강철이 굳어질 때 밖으로 나오지 못한 가스 때문에 중심부에 이루어진 거품 구멍. 기포(氣泡).

가슴-노리 명 가슴의 맥박이 뛰는 부분. ¶~가 두근거리다.

가슴-뜨거이 부 절절한 심정이 가슴에 사무치게. ¶~ 받아 안다/~ 솟구쳐 오르다.

가슴-띠 명 브래지어.

가슴-막 【—膜】 명 〖생〗 늑막(肋膜).

가슴-벽 【—壁】 명 ①가슴통을 이루는 둘레의 벽. ②〖토목〗 제방·방파제 등의 윗부분에 설치하여 물결 압력이 벽체(壁體)에 적게 미치게 하는 벽. 흉벽(胸壁).

가슴안-보개 명 〖의〗 흉강 내시경(胸腔內視鏡).

가슴-옷자락 명 가슴에 닿는 부분의 옷자락. ¶~을 여미어 쥐고…….

가슴-조임증 【—症】 [—쯩] 명 〖의〗 협심증(狹心症).

가슴-치기 명 가슴노리에 이르는 높이. ¶~로 빙 둘러 쌓인 벼낟가리.

가슴-헤염 명 평영(平泳).

가시가죽-동물 【—動物】 명 〖동〗 극피(棘皮) 동물.

가시-넝쿨 명 가시나무의 넝쿨. 가시덩굴.

가시-물 명 개숫물.

가시-바퀴 명 톱니바퀴.

가시시-하다 형 여불 짧은 털이 꽤 거칠게 거슬러 일어나 있다.

가시-아버지 명 장인(丈人).

가시-어머니 명 장모(丈母).

가시-장 【—欌】 명 가신 음식 그릇이나 음식을 넣어 두는 부엌 세간의 하나. 찬장(饌欌).

가시-주름 명 잔주름. ¶이마에 ~이 박히다.

가원 【街園】 명 거리를 장식하고 사람들이 휴식할 수 있게 만든 작은 공원. 가로 공원(街路公園).

가위 의명 ①어떤 무렵이나 때. ¶ 그런 ~에 며칠 전에 친구가 찾아왔다. ②어떤 정황이나 조건. ¶힘든 ~에 공연히 기력을 소모하지 말라.

가위-손 명 ①삿자리 둘레에 돌려댄 천. ②그릇의 손으로 잡을 수 있는 가장자리 부분. ¶장독 ~.

가을-나무살 [—라—] 명 추재(秋材).

가을-놓이 [—롷—] 명 가을에 받기로 하고 외상으로 상품을 파는 일. 또, 그 상품. ——-하다 타 여불

가을-붙임 [—부침] 명 가을에 씨를 뿌리는 일. 추파(秋播). ——-하다 자 타 여불

가족휴양-각 【家族休養閣】 명 노동자·사무원·협동 농장원 등이 가족과 함께 휴양하기 위해 드는 건물. 가족각(家族閣).

가지[1] 명 나뭇 가지를 휘어 노끈을 매어 놓고 거기에 매가 앉으면 튕겨서 발이 옭매이게 하여 매를 잡는 도구. 매가지.

가지[2] 부 금방. 처음으로 ¶~ 떠나다/ 우리 직장에 ~ 온 동무.

가지-가위 명 전정(剪定) 가위.

가지-묻기 명 휘묻이. ¶~법.

가짜-뼈 【假—】 명 〖생〗 가골(假骨).

가쯘-거리다 타 가장자리를 일매지게 가지런히 맞추다. ¶원고지를 가쯘거려 묶었다.

가창-시위 【歌唱示威】 명 정치 선전과 선동을 목적으로 노래를 부르며 거리를 행진하는 시위.

각광 【角廣】 명 〖군〗 전에 '상사(上士)'를 이르던 말. *각삼(角三).

각별-나다 【各別—】 [—라—] 형 각별한 데가 있다.

각삼 【角三】 명 〖군〗 전에 '중사(中士)'를 이르던 말. *각이(角二).

각이 【角二】 명 〖군〗 전에 '하사'를 이르던 말. *각일(角一).

각일 【角一】 명 〖군〗 전에 '상등병(上等兵)'을 이르던 말. *각광(角廣).

각-자갈【角—】명〔토〕깬 자갈. 쇄석(碎石).
각쟁이 명 갈퀴. ¶ ~로 솔잎을 긁어모으다.
각탁【角卓】명 위판이 네모지게 만든 다리가 긴 상. ¶ 원탁과 ~.
간고-분투【艱苦奮鬪】명 몹시 어려운 곤란과 고생스런 시련을 이겨내면서 있는 힘을 다하여 떨쳐나서 싸움. ——-하다 자여불
간-동태【—凍太】명 소금에 절여 간을 한 동태.
간막-종이 명 종이함(函) 따위의 칸살을 막는 종이.
간부-공장【幹部工場】명 좋은 노동자를 많이 받아 숙련공과, 기술자 및 관리 간부를 키워 해당 분야의 다른 공장·기업소 들에 필요한 가술자들과 관리 간부를 보내 주는 모체(母體) 공장.
간부-군대【幹部軍隊】명 일단 유사시에 전체 인민을 무장시킬 수 있도록, 한 등급 이상의 직무를 담당 수행할 수 있는 전투 기능과 정치 의식 수준이 높은 간부들과 군인들로 꾸려진 일당백(一當百)의 혁명 군대.
간선-길【幹線—】[—낄] 명 간선로(幹線路).
간식-쌀【間食—】명 어린이들에게 간식을 해 먹이는 데 드는 쌀.
간위-제제【肝胃製劑】명〔약〕집짐승의 간과 위를 섞어 만든 밤색의 가루약. 악성 빈혈에 주로 씀.
간종【肝腫】명〔의〕간이 붓는 병증. 간붓기.
간책-질【奸策—】명 간사하고 악독하게 책동하는 짓. ——-하다 자여불
간판-놀음【看板—】명 ①어떤 자격을 가지고 있다는 것을 자랑삼아 내대는 짓. ②실속 없이 겉치레만 하면서 어떤 명성만을 얻어 보려는 행동.
갇히우다 [가치—] 자 '가두다'의 피동형. 갇히다. ¶ 감옥에 ~.
갈개다 자 ①마구 사납게 행동하다. ¶ 함부로 갈개지 못하도록 고삐를 바로잡다. ②남을 해롭게 하며 소란스럽게 난동을 부리다. ③날씨가 몹시 사납게 굴다. ¶ 눈보라가 갈개던 날. ④잠을 잘 때, 마구 이리 굴고 저리 굴며 돌아가다. ⑤병이 몹시 심하게 번져서 생명을 위태롭게 하다. ¶ 홍역이 ~. ⑥꿈이 무섭고 불길하게 보이다. ¶ 꿈이 몹시도 갈갠다.
갈개-잠 명 갈개며 자는 잠.
갈개-질 명 잠잘 때 갈개는 짓. ¶ ~이 심한 아이. ——-하다 자여불
갈구렁-그믐달 [—딸] 명 갈고리처럼 몹시 이지러진 그믐달.
갈구렁-호미 명 갈고리같이 꼬부라진 작은 호미.
갈-노전【—蘆簟】[—로—] 명 갈대로 결어 만든 삿자리.
갈등-선【葛藤線】[—뜽—] 명〔문〕갈등 관계의 흐름.
갈람-하다 형여불 갸름하고 호리호리하다. ¶ 갈람한 얼굴.
갈래-나무 명 계통수(系統樹).
갈래-악보【—樂譜】명〔악〕총보(總譜)에서 개별적인 악기 또는 같은 성부(聲部)의 집단이 맡아 하는 부분만을 적은 악보.
갈리다 자 목이 쉬어 소리가 거칠어지다. ¶ 갈린 목소리.
갈마-쥐다 타 ①다른 손에 바꾸어 쥐다. ②쥐고 있는 것을 놓고 다른 것을 갈아 쥐다.
갈마-치다 자 세게 갈마들다. ¶ 격분과 복수심이 ~.
갈마-타다 자 번갈아 가며 올라 타다.
갈매-층【—層】명 갈매화(化)된 흙의 층.
갈매-화【—化】명〔농〕산소가 잘 통하지 않는 누진 땅에서 유기 물질이 분해될 때 토양 속에 있는 철·망간을 비롯한 광물질이 환원(還元)되어 이산화물로 변하는 일. ——-하다 자여불
갈수-년【渴水年】[—쑤—] 명 가문 해.
갈아-번지다 타 땅을 갈아서 흙을 뒤번져 놓다. ¶ 논을 ~.
갈음-옷 명 외출복(外出服). 갈음.
갈이-땅 명 갈아서 농사짓기에 알맞은 땅. 농작물은 심어 가꾸는 땅.
갈이-하다 자여불 물고기가 강바닥에 몸을 비비대면서 알을 슬다.
갈-지붕 명 갈대로 이엉을 인 지붕.
갈팡-거리다 자 자꾸 갈팡질팡하다. ¶ 갈팡거리는 배.
갈-품 명 갈게가 내뿜는 마른 거품. ¶ ~ 같은 게거품.
갉-지르다 [각—] 자르불 날카로운 손톱 끝 따위로 되게 허비다.
감[1] 명 ①밭갈이와 파종(播種)을 하기에 알맞은 땅의 상태. ¶ ~이 좋다/~이 나쁘다. ②짠 물을 대어 소금을 생산하는 데 알맞은 소금밭의 상태.
감[2] 명 (주로, '내다'와 함께 쓰이어) 일을 선뜻 손대어 해 보려는 마음. ¶ ~을 못 내다.
감긴-손 명〔식〕덩굴손.
감는-자 명 줄자.
감-물다 타 입술을 감아 빨아 들여서 꼭 물다.
감분【甘粉】명 감자가루. 감자녹말.
감:-새[1] 명 무엇을 만들기 위한 거리. ¶ ~가 넉넉하다.
감:-새[2] 명 논밭을 갈 때의 흙이 부스러지기 쉽게 물기를 머금은 상태. 또, 그 정도. ¶ ~가 좋다.
감실-하다 형여불 조금 거무스름하다. ¶ 감실하게 탄 얼굴.
감-씹다 타 ①감칠맛 있게 씹다. 여무지게 씹다. 안타깝게 씹다. ②마음의 충격을 참기 위하여 입술을 감물고 씹다.
감은-바닥 명 땅에 덮인 눈이 녹아서 땅바닥이 드러나 보이는 곳.
감자-부대 명 화전(火田)으로 일군 감자밭.
감쳐-돌다 자 ①무엇에 바싹 닿거나 감기어 돌아가다. ¶ 빗물이 혀끝에 ~. ②생각·느낌이 머리나 마음 속에 얽히어 돌아가다.
감초-간장【甘草—醬】명 감초즙(汁)을 넣은 간장. 음식맛을 돋구는 데 씀.
감투-끈 명 (주로, '무슨' '모르다' 등의 말과 함께 쓰이어) 까닭을 모르거나 갈피를 잡을 수 없음을 나타내는 말. ¶ 무슨 ~인지 모르겠다.
감풍【減風】명 드러나 보이지 않도록 대강 가리거나 막음. ——-하다 자여불
감회-롭다【感懷—】형ㅂ불 매우 감회가 깊다.
갑삭 부 ①고개나 몸을 가볍게 조금 숙이는 모양. ¶ ~ 인사를 하다. ②몹시 가벼워 보이는 모양. ¶ 돌이 ~ 들리다.
갑신 부 고개나 몸을 가볍게 숙이는 모양.
갑자르다 자르불 ①힘이 들거나 뜻대로 되지 않아 낑낑거리다. ¶ 신을 신느라 끙끙 ~. ②말을 하기가 어렵거나 거북하여 낑낑거리다. ¶ 끙끙 갑자르면서 웃다.
갑작-변이【—變異】명〔생〕돌연 변이.
갑작-부자【—富者】명 벼락부자. 졸부(猝富).
갑작-수【—手】명 갑자기 꾸며 낸 수나 방법. ¶ ~를 쓰다.
갑작-흐름 명〔물〕전깃줄이 서로 닿았을 때 갑자기 생기는 큰 전류. 돌류(突流).
값같은-선【—線】[갑—] 명〔지〕등치선(等値線).
갓-병아리 명 갓 까나온 병아리. ¶ ~와 햇병아리.
강건느기-경기【江—競技】명〔체육〕단체별로 일정한 강을 한 명도 뒤떨어지지 않고 건너가는 것을 겨루는 체육 경기.
강-겨레【江—】명〔지〕강의 본류(本流)와 지류(支流)를 포함한 체계.
강구다 타 주의하여 듣기 위해 귀를 기울이다. ¶ 귀를 ~/이야기를 강구어 듣다.
강굴-강굴 부 ①가늘고 긴 것이 고불고불 잘게 감겨 있는 모양. ②종이나 천·나뭇잎 등이 한 귀가 잘게 말려 있는 모양. ¶ ~ 말린 잎사귀.
강-굽인돌이【江—】명 강이 굽이도는 곳.
강-깎기【江—】명〔지〕하식(河蝕).
강내림-물고기【江—】[—꼬—] 명〔어〕강하어(降河魚).
강-넓【江—】명 강역(江域). ¶ ~의 모래밭.
강-다물다 타 입을 이악스럽게 꽉 다물다.
강대 명 강대나무.
강대-나무 명 선 채로 말라서 저절로 껍질이 벗겨져 죽은 나무. 강대.
강대나무-통【—桶】명 강대나무의 구새먹은 통.
강대-잎 명 강대나무에 붙어 있는 마른 잎.
강도-낚시【強盜—】명 미끼를 쓰지 않고 물고기가 낚시를 건드리는 순간 줄을 잡아채어 물고기가 갈고리낚시에 걸리게 하는 낚시. 또, 그것으로 하는 낚시질.
강-띠【鋼—】명 강철로 띠 모양으로 만든 것. 강철띠.
강목-다짐 명 우격다짐. ¶ ~도 분수가 있다.
강물쌓인-층【江—層】명〔지〕하성층(河成層).
강물쌓인-흙【江—】[—흑] 명〔지〕하성토(河成土).
강-물다 타 암팡지게 입을 꼭 다물다.
강변-산골【江邊山—】[—꼴] 명 강가에 잇닿은 구석진 산골.
강-뿔【鋼—】명〔광〕마광기(磨鑛機)나 분쇄기에 쓰이는, 광물을 잘게 부스러뜨리는 둥근 뿔 모양의 강철 덩이.
강산-같다【江山—】형 눈 따위가 헤아릴 수 없이 내려 굉장히 많다. ¶ 눈이 강산같은 겨울.
강-서리 명 된서리.
강-섶【江—】명 강줄기나 강기슭의 옆. ¶ ~으로 난 길.
강실【講室】명 강의실(講義室). ¶ ~과 훈련장.
강심-살이 명 고생살이. ¶ ~에 시달리다.
강유력-하다【強有力—】형여불 매우 강하고 힘있다. ¶ 대중 교양의 강유력한 수단인 영화 예술.
강자-대회【強者大會】명 성적이 좋은 단체나 선수들끼리 모여서 진행하는 경기 대회.
강자리-호수【江—湖水】[—짜—] 명〔지〕하적호(河跡湖).
강좌-장【講座長】명 고등 교육 기관이나 간부 양성 기관에서 강좌(講座) 사업을 책임진 교원.
강파-롭다 형ㅂ불 꽤 강파른 데가 있다. ¶ 키가 작고 강파로와 보이는 군인.
강파르다 형르불 ①매우 가파르다. ②몸에 살이 없다. ¶ 강파른 얼굴. ③성격이 괙하고 깐깐하다. ¶ 성미가 ~.
강판-글【鋼板—】명 줄판에 대고 강필(鋼筆)로 쓰는 글. ¶ ~ 쓰는 소리.
강필【鋼筆】명 철필(鐵筆).
강-항구【江港口】명 강항(江港).
갖-바리 명 어린 가지가 서너 대 뻗어 나간 산삼(山蔘).
갖풀-갑【—匣】명 교갑(膠匣). 캡슐.
갖풀-섬유【—纖維】명 교원 섬유(膠原纖維).
같기-기관【—器官】명〔생〕상동 기관(相同器官).
같기-표【—標】명〔수〕등호(等號).
같은-시간성【—時間性】[—썽] 명 등시성(等時性).
같은자리-각【—角】명〔수〕등위각(等位角).
개-고 [—꼬] 명 간석지 같은 데의 갯바닥에 낸 물고. ¶ ~ 공사.
개-곬 [—꼴] 명 간석지에 깔려 있는 감탕판에 골짜기처럼 패어 나간 곬.
개:-꼬리 명 강냉이의 수꽃이 피는 꽃이삭.
개끼다 자 음식을 먹거나 담배를 피우다가 갑자기 재치기하듯 연거푸 기침을 하다. 사레들리다.
개:-노릇 명 '앞잡이 노릇'을 얕잡아 이르는 말.
개-도랑 [—또—] 명 땅이 길게 골이 져서 물이 흐르는 도랑.
개-돌 [—똘] 명 재래종의 벌통을 받치는 밑돌.
개:-물 명 개의 먹이. ¶ ~를 주다/~ 그릇.
개미-역사【—役事】명 많은 사람이 한 곳에 달라붙어 야금야금 해제끼는 방식으로 하는 일.
개:-바르다 타르불 ①되는 대로 바르다. ¶ 옷에 흙탕을 ~. ②되는 대로 실속없이 써부렁거리다.
개-병【—病】[—뼝] 명〔의〕'펠라그라'를 속되게 이르는 말.
개선-주【凱旋柱】명 적과의 싸움에서 이기고 돌아온 것을 기념하는 뜻으로 만들어 세운 기둥 모양의 것.
개시시 부 게슴츠레.
개-어름 명 몇 갈래의 냇물이나 강물이 한데 합쳐 흐르게 되는 길목. ¶

~에 설치한 도선장.

개울-거리다 [자타] 자꾸 가볍게 기울이다. 또, 기울어지다. ¶ 비행기가 날개를 ~.

개울-버덩 [명] 개울 가의 높고 평평한 거친 들.

개인-농【個人農】[명]〖농〗자작농(自作農). 자기 땅에서 제 힘으로 농사짓는 농민. 또, 그러한 농사.

개인-전호【個人戰壕】[명] 개별적인 전투원이 적에게 보이지 않게 사격하기 위하여 땅에 판 호. 개인호.

개인-탕【個人湯】[명] 혼자 이용할 수 있게 된 목욕탕. ¶ ~과 대중탕.

개잖다 [—잔타] [형] ①신통치 않다. ②마음이 꼬이어 언짢다. ¶ 그를 가잖게 쏘아 보다.

개준【改悛】[명] 개전(改悛). ——-하다 [타][여불]

개-질 [명] 적의 앞잡이 노릇이나 그러한 노릇을 하는 짓. 개짓. ¶ 왜놈의 ~. ——-하다 [자][여불]

개:-짓 [명] ①막되거나 못된 행동. ②개질. ——-하다 [자][여불]

개채머리-없다 [—업—] [형] 채신없다. 개채없다.

개-치 [명] 두 개울의 물이 합쳐지는 곳.

개통-벌【開通伐】[명] 40-60 년 자란 나무들 가운데에서 배게 선 나무를 솎아 베는 일.

개:-파리 [명] 짐을 실어 나르는, 개가 끄는 발구 모양의 운반 도구.

개-풀리다 [자] ①덩이진 것이나 가루 따위가 물이나 기름에 골고루 잘 풀리다. ②눈을 앓거나 졸리거나 하여, 눈이 몽개져 풀리다. ¶ 눈이 ~.

개피다 [자] ①배앓이로 똥에 곱 같은 것이 섞이면서 뒤가 무직하여 잘 나오지 않다. ¶ 개피는 데는 아편이 약이란다. ②늪이나 웅덩이 같은 데 물이 흐르지 않고 고여 있다.

개핌-증【—症】[—쯩] [명] 배가 아프면서 뒤가 무직하고 희멀건 곱이 섞여 나오는 병. 또, 그 증세.

갤:갤 [부] 늘 앓거나 몸이 불편한 모양.

갤-돌 [명] 약재나 그림칠감을 가루로 만드는 데 쓰는 도구. 돌 또는 사기로 만든 대접 비슷한 통과 빻는 자루로 이루어짐. ＊막자사발.

갤:-칼 [명]〖미술〗물감을 개는 칼. 팔레트 나이프.

갤-판【—板】[명]〖미술〗조색판(調色板). 팔레트.

갬 [명] 개펄에서 흙에 돋은 소금. ¶ ~이 돋다.

갱충머리-없다 [—업—] [형] 채신머리없다. 개체머리없다.

갱핏-하다 [형][여불] 몸집이나 생김새가 여윈 듯하고 선이 날카롭다. ¶ 갱핏하고 가무잡잡한 얼굴.

갸웃드름:-하다 [형][여불] 좀 갸우듬하다.

거꾸로-서기 [명] 물구나무서기. 도립(倒立).

거꿀-반응【—反應】[명]〖화〗역반응(逆反應).

거꿀-흐름 [명] 역류(逆流).

거낫 [명] 자루를 길게 하여 먼뎃것을 잡아당길 수 있도록 만든 낫. 걸낫.

거느:시 [부] 건들거리며 흐트러진 자세로. ¶ 지게를 ~ 지다.

거느즉:-이 [부] 힘이 없이 느슨하게 긴장이 풀린 상태로. 거느즉하게. ¶ ~ 넘겨다보다.

거님-길 [—낌] [명] 산보 같은 것을 하며 거닐 수 있게 만든 길. 유보도(遊步道).

거두매 [명] 하던 일이나 벌려 놓은 것을 거두어서 마무리하는 일. ——-하다 [타][여불]

거드치다 [타] 위로 걷어 올리다. ¶ 소매를 ~.

거들먹-지다 [형] 거드름스럽게 거들거리는 티가 있다.

거들어-넣다 [—너타] [타] 아무 상관도 없는 일에 끌어들이다.

거르기-종이 [명] 거름종이. 여과지(濾過紙).

거름-놓이 [명] 논밭에 거름을 골고루 펴 놓는 일. ——-하다 [자][여불]

거름-무지 [명] 거름을 무더기로 쌓아 놓은 더미.

거리-길 [—낄] [명] 양옆에 건물들이 줄지어 서 있는 도시의 길. 가로(街路).

거리-변죽【—邊—】[명] 거리의 가장자리 또는 변두리의 구석진 곳.

거리-집 [—찝] [명] 길거리에 있는 집. ¶ 늘 붐비는 ~.

거머-거멓다 [—머타] [형][ㅎ불] 아주 거멓다.

거먹-구름 [명] 비를 머금은 거무칙칙한 구름.

거밋거밋-하다 [형][여불] 여러 군데가 거무스름하다.

거부기-잔등 [명] 거북의 잔등. 거부기등. ¶ 가물에 ~같이 갈라진 땅.

거북상-스럽다 [형][ㅂ불] 거북살스럽다. 거북상-스레 [부]

거:-세차다 [형] 몹시 세차다.

거-쉬다 [형] 목소리가 쉰 듯하면서 좀 거칠고 굵다. ¶ 거쉰 목소리.

거울-알 [명] 거울틀에 맞춰진 유리.

거의-없이 [부] 거의 예외로 되는 것이나 안 된 것이 없이 다. ¶ ~ 자기 계획을 넘쳐 하였다.

거저:기 [명] 거적.

거짓-스럽다 [형][ㅂ불] 거짓을 부리는 태도가 있다. 거짓-스레 [부]

거-차다 [형] 크고 세차다. ¶ 인민들의 거찬 흐름.

거충-다짐 [명] 내용이 없이 형식이나 갖추고 눈가림이나 하면서 겉만 번지르르하게 대강대강 하는 일. ¶ ~으로 일하는 형식주의.

거치르다 [형] 거칠다. ¶ 성미가 ~.

거친-솜 [명] 목화의 씨를 빼내어 만든 솜. 조면(繰綿).

거푸시-하다 [형][여불] 털이나 머리카락 같은 것이 윤기가 없이 거칠고 엉성하다. ¶ 거푸시한 해묵은 마른 풀들.

거품-김 [명] 액체로 된 것이 거품을 내면서 뿜는 김. ¶ 밥가마에서 ~이 내뿜다.

거품-돌 [—똘] [명] 속돌.

거품-채 [명] 휘저어서 달걀의 거품을 내는 기구. 거품기(器).

거품-치다 [자] 거품을 세게 일으키다. ¶ 거품치며 흘러 내리는 여울목.

건국-미【建國米】[명] 해방 후, 나라를 세우는 데 이바지하고자 농민들이 자원하여 나라에 바치던 쌀. ¶ ~과 애국미.

건너-닮기 [—담끼] [명]〖언〗한 소리가 다른 소리의 영향을 받아 그 소리를 닮을 때 그 두 소리 사이에 제삼의 소리가 끼어 있을 경우의 동화(同化). '무더기'가 '무데기'로, '병풍'이 '평풍'으로 되는 따위. 간극 동화(間隙同化).

건너-집 [명] 건넛집. 건넌집.

건네우다 [타] '건느다'의 사역형(使役形). 건네다. ¶ 배로 사람을 ~.

건-논 [명] 땅이 걸어서 기름진 논. ¶ 거친 땅과 ~.

건늠-길 [—낄] [명] 횡단 보도(橫斷步道). 횡단로(路). ¶ ~ 초소/지하 ~.

건둥 [부] 볼꼴 사납게 공중 높이 들어 올린 모양. ¶ 두 손을 ~ 쳐들다.

건둥-치다 [자] 시키는 일을 하지 않고 땡땡이를 부리다.

건드릴-힘 [명]〖천〗섭동력(攝動力).

건들다 [타] ↗건드리다.

건-먹이 [명] 농후 사료(濃厚飼料).

건사 [명] 집안 식구나 아이들 또는 제 몸을 뒷 바라지하거나 교양하는 일. ——-하다 [타][여불]

건설자-절【建設者節】[—짜—] [명] 건설 부문 일꾼들의 명절. 5 월 21 일.

건성-질 [명] 건성으로 헤덤비는 짓. ——-하다 [자][여불]

건성-하다 [형][여불] 건성을 부리는 태도가 있다.

건숭-맞다 [형] 실속있게 차근차근 하지 않고 대강대강 하는 데가 있다.

건-욕【—辱】[명] 험하고 모진 욕. ¶ ~을 퍼붓다.

걷-묻다 [자] 이내 뒤따라서 덧붙다. ¶ 친구의 소식을 듣자 옛 정이 걷묻어 일어났다.

걸개-바지 [명] ①고리바지. ②멜끈을 서로 엇걸어서 입게 된 작업복 바지.

걸-거치다 [자] 일하는 데 방해가 되게 걸리어 거치적거리다. ¶ 걸거칠 것이 없다.

걸고-들다 [자타] ①시비를 일으켜 대들다. ②상대방을 시비나 싸움에 끌어 들이다.

걸구 [명] 걸귀(乞鬼).

걸-그림 [명] 괘도(掛圖).

걸기 [명] ①〖농〗후치질에 쓰이는 보습이 둘인 농기구. ②써레.

걸-단추 [명] 호크(hock).

걸-등 [—뜽] [명] 평평한 곳에 걸려 있는 것처럼 높이 턱이 진 곳. ¶ ~이 지다.

걸써 [부] ①대수롭지 않게 여겨 소홀한 태도로. ¶ 남의 말처럼 ~ 듣다. ②단단하게 자리잡지 못하고 불안정한 상태로. ¶ 배낭을 ~ 메고.

걸썽-걸썽 [부] ①다리를 가볍게 높이 들면서 내디디는 모양. ¶ ~ 걸어가다. ②성격이나 행동이 시원스럽고 빠른 모양.

걸음-길 [—낄] [명] 인도(人道). 보도(步道).

걸음마-차【—車】[명] 아이들이 잘 서고 걷도록 하기 위하여 나무로 만든 말. 아이를 그 등에 태울 수 있음.

걸음-발 [—빨] [명] 걸음걸이. ¶ ~이 뜨다.

걸음-어김 [명] 농구에서, 워킹 바이얼레이션. 걸음반칙.

걸이-대 [—때] [명]〖농〗두엄을 옮길 때 쓰는, 세 갈래나 네 갈래로 된 농기구. ¶ ~와 쇠스랑.

걸-창 [명] 방죽 따위를 쌓을 때 말뚝을 총총히 박아 흙이 잘 걸려 있도록 만든 물건.

걸침-사이 [명]〖토〗경간(徑間).

걸키다 [자] 움직일 때 무엇에 콱 걸리다. ¶ 어깨에 멘 총이 나무에 ~.

걸탐-스럽다 [형][ㅂ불] 무엇을 받아들이려는 의욕이 몹시 강하다. ¶ 걸탐스럽게 먹다. 걸탐-스레 [부]

걸판-지다 [형] 너부죽하고 듬직하다. ¶ 얼굴이 걸판지게 생기다.

걸핏 [부] 얼핏. 피뜩. ¶ 역에 나가는 길에 ~ 들르다.

검댕이-병【—病】[—뼝] [명] 탄저병(炭疽病).

검-바위 [명] 거뭇거뭇하고 큼직한 바위.

검발【檢髮】[명] 이발한 뒤끝에 다듬는 손질. ——-하다 [자][여불]

검-밝기 [—발끼] [명]〖물〗명도(明度).

검병【檢病】[명]〖의〗환자의 병을 검사하는 일. 진찰(診察). 진단(診斷). ——-하다 [타][여불]

검-시르다 [형] 질을 정도로 거뭇하다.

검시르-하다 [형][여불] 거무스레하다. 검스름하다.

검은-금【—金】[명] '석탄'을 비겨 이르는 말.

검정-검정 [부] 겅중겅중. ¶ ~ 걸어가다.

검-죽다 [자] 살갗 조직이 죽어 거무스름하게 되다.

겁 [명] 거푸집. 주형(鑄型).

겁-만들기 [명] 조형(造型).

겁석 [부] ①고개나 몸을 가볍고 크게 숙이는 모양. ¶ ~ 인사를 하다. ②눈을 매우 가볍고 내숭스럽게 한 번 감았다 뜨는 모양. ③몹시 가벼워 보이는 모양. ¶ 돌이 ~ 들리다.

겁-스럽다【劫—】[형][ㅂ불] 무던히 겁이 많다. 겁-스레【劫—】[부]

겁-틀 [명] 거푸집. 주형(鑄型).

것 [명] ↗들것.

겉-것 [명] 겉곡식.

겉-그늘 [명] ①흐릿한 그림자. ②〖물〗반영(半影).

겉-깍대기 [명] 겉껍질.

겉-따르다 [자타] ①무턱대고 따르다. ②속을 주지 않고 겉으로만 따르다.

겉-뜨이다 [자] 겉으로 나타나 눈에 뜨이다.

겉-질【—質】[명]〖생〗피질(皮質).

겉-호통 [명] 내용이 없는 빈 호통. ¶ ~을 치다.

게나른:-하다 [형][여불] 좀 께나른하다. ¶ 온 몸이 게나른해지다.

게-드레 명 물깊이 40-70 m 정도 되는 바다의 감탕 바닥에 설치하여, 게잡이에 쓰는 홀림 어구(漁具).
게-목 명 거위의 목소리. 듣기 싫은 목소리의 비유. ¶ ~을 지르다.
게-바라다니다 자 게처럼 함부로 이리저리 돌아다니다.
게-바르다 타르불 지저분하게 마구 바르다. ¶ 분을 ~
게-밥 명 게가 입으로 내보내는 거품.
게-분【一粉】명 게딱지를 잘게 부스러뜨린 가루. 비료나 사료로 쓰임.
게사니-걸음 명 거위가 걷는 것처럼 어기적거리며 걷는 걸음.
게사니-영장 명 거위 영장.
게실-게실 부 여기저기 널려서 지저분한 모양. ¶ 가위밥이 ~ 흩어지다.
게움-멎이약【一藥】명 진토제(鎮吐劑). 제토제(制吐劑).
게잘싸:-하다 형여불 몹시 너절하고 지저분하다.
게지레 부 침·코 같은 것을 흘리는 것이 더럽고 보기 싫은 모양. ¶ 침을 ~ 흘리다.
게질-거리다 타 ①질깃한 것을 보기 흉하게 입을 놀리며 씹다. ②내키지 않은 음식을 억지로 씹다.
게틀레:-하다 형여불 몸가짐이나 차림새가 게을러빠져 너저분하다.
겔-겔 부 ①허기져서 비실비실하는 모양. ②요구되는 것이 모자라거나 없어서 게걸스럽게 돌아치는 모양. ③뜻대로 되지 않아 쩔쩔 매는 모양. ④침이나 코 따위를 보기 싫게 흘리는 모양.
겨눔-못 명〔군〕총(銃)의 조준 장치의 못. 가늠쇠.
겨눔-문【一門】명〔군〕조문(照門). 가늠구멍.
겨눔-술【一術】명〔군〕조준술(照準術).
겨눔-표【一標】명 ①측량 표지의 삼각점. ②〔해〕도표(導標).
겨울-나이〔一라一〕명 월동(越冬). 과동(過冬) ¶ ~ 차비/~ 물자. ——-하다 자여불
겨울나이-성【一性】〔一라一썽〕명 내한성(耐寒性). 월동성(越冬性). 과동성(過冬性).
겨울-붙임〔一부칩〕명〔농〕늦가을이나 이른봄에 씨를 뿌리는 일. ——-하다 자타여불
겨웁다 형〈시〉겹다.
겨-절임 명 단무지. 무우겨절임.
겨깍지-열매 명〔식〕영과(穎果).
겨-깡치 명 밑에 가라앉은 겨의 찌끼.
격동-적【激動的】〔一쩍〕명관 격동하거나 격동할 만한 것. 또, 그 모양. ¶ ~인 글.
격-륜작【隔輪作】〔一뉸一〕명 한 해 걸러서 하는 윤작.
격리-차【隔離車】〔一니一〕명 위험한 짐을 실은 차량을 기관차나 또는 객차와 떨어지게 하기 위하여 사이에 끼워서 다는 차. 사이두기차.
견디여-배기다 타 끝까지 견디거나 감히 견디다. ¶ 사무실에 앉아서 견디여배기지 못하는 성미.
견시-항법【見視航法】〔一뻡〕명 땅이나 바다 위에 있는 방위 목표와 지형 지물(地形地物)을 보면서 비행기를 조종하는 항법.
견인-팔【牽引一】명 기관차들이 갔다가 돌아오며 운행하는 일정한 구간(區間).
결결-하다 형여불 성격이 지나치게 결곡하다.
결-바르다 형르불 성격이나 마음씨가 곧고 바르다.
결복【結卜】명 짐짝을 묶음. ——-하다 타여불
결산-분배【決算分配】〔一싼一〕명 농업 협동 농장에서 연간 생산·재정 활동을 결산하고 수입을 확정하여 농장원들에게 분배하는 일.
결산-선거【決算選擧】〔一싼一〕명 일정한 조직의 사업을 결산하고 다음 임기(任期) 동안의 새 지도 기관을 선거하는 일.
결의-과제【決意課題】명 스스로 맡아 할 것을 결의하여 수행하는 과제.
결정-살창【結晶一】〔一쩡一〕명〔물〕결정 격자(結晶格子).
결-패【一覇】명 우물쭈물하지 않고 결단성 있게 행동하는 패기나 결기. ¶ ~가 세다/ ~군.
결패-스럽다【一覇一】형ㅂ불 ①결기와 패기가 있는 듯하다. ②성미가 좀 팩하고 우락부락하다.
결함-보따리【缺陷一】명 결함에 대한 자료(資料)를 잔뜩 들추어 내어 묶은 것을 아유조로 비겨 이르는 말.
겹-가름줄〔一쭐〕명〔악〕겹세로줄. 복종선(複縱線).
겹겹-하다 형여불 여러 겹으로 겹쳐 있다. ¶ 겹겹한 포위.
겹-들다 자 겹쳐서 생기거나 일어나다. ¶ 병까지 겹들어…….
겹-리자【一利子】〔一니一〕명 복리(複利).
겹-분수【一分數】〔一쑤〕명〔수〕번분수(繁分數).
겹-비【一比】명〔수〕복비(複比).
겹-섶 명 앞섶이 겹으로 놓이게 만든 양복 형태의 하나. ¶ 홑섶과 ~.
겹-접 명 옷을 지을 때 겹으로 되게 접는 일. ——-하다 타여불
겻-디디다 자 발을 가볍게 떼어서 딛다.
경기-걷기【競技一】명〔체육〕경보(競步).
경기-돛배【競技一】명 요트(yacht).
경기-헤염【競技一】명 수영 경기(水泳競技).
경-땅크【輕一】〔tank〕명 약 25 톤까지의 경전차(輕戰車).
경리[1]【經理】명 ①경제적으로 경영하고 관리함. ¶ 농촌 ~/사회주의 ~/~ 단위. ②기관·사업소에서, 성원(成員)들의 생활과 관련된 일이나 물자를 관리하는 사무. ¶ ~일군.
경리[2]【輕利】명 ①이익이 적어 하찮은 것으로 봄. ②병장기(兵仗器) 같은 것이 가볍고 예리함. ③도구나 기구가 가볍고 편리함. ——-하다 자여불
경리-사관【經理士官】명〔군〕중대 안의 후방 경리 사업을 맡아 수행하는 사관.
경보【輕步】명 가벼운 걸음으로 빨리 걸음. 또, 그 걸음. ——-하다 자여불
경상【景狀】명 몰골. ¶ 참혹한 ~.
경석【硬席】명 열차(列車)의 의자 바닥이 단단한 자리. 일반석(一般席).
경외-공【境外一】명 구기(球技) 경기에서, 정한 금의 밖으로 나간 공. 바깥공.
경우-맞춤【境遇一】명 어떤 일관된 원칙 없이 그 때 그 때의 조건이나 환경에 맞추어서 행동하는 일. ¶ 능란하게 ~으로 살아 가는 사람.
경제-깜빠니야【經濟一】〔러 kampaniya〕명 당면하여 제기된 경제 과업을 짧은 시일 안에 수행하기 위한 투쟁.
경제-명맥【經濟命脈】명 나라의 경제 발전을 규정하는 인민 경제의 기본 부문.
경제-사【經濟士】명 대학 과정을 마치고 경제 분야의 전문 지식을 소유한 사람에게 국가가 주는 자격. 또, 그 자격을 받은 사람.
경치-그림【景致一】명 산수화(山水畫).
경판【境板】명 탁구 경기에서, 경기장과 경기장 사이에 공이 튀어 나가는 것을 막기 위하여 세워 놓은 판. 공막이판.
곁 명 나무를 나타내는 일부 단어의 어근(語根)에 붙어, 나무의 껍질을 이르는 말. ¶ 가래~/ 피~.
곁-가다 자 곧바로 가지 않고 도중에 딴 길로 가다.
곁-개 명 원갈래에서 갈라져 흐르는 개울. ¶ 원개와 ~.
곁낫-질 명 옆쪽으로 낫을 내려치는 일. ——-하다 자타여불
곁다리-하다 자타여불 기본적인 것이 진행되는 김새에 곁붙어서 함께 하다.
곁-들이 명 ①주되는 음식에 조화되게 어울려 놓은 음식. ②곁에서 함께 거드는 사람.
곁-바다 명 연해(沿海).
곁-발 명〔농〕거름 따위를 실어 나르기 위하여 소 잔등의 양옆에 대는 새끼로 발처럼 엮은 꾸러미.
곁-방망이 명 ①방망이로 두드릴 때 함께 곁따라 두드리는 방망이. ②남이 방망이로 얻어맞을 때 곁따라 얻어맞는 방망이. ③남에게 언짢게 하는 말에 함께 곁따라 하는 말.
곁방-살림【一房一】명 곁방살이. ——-하다 자여불
곁방-집【一房一】〔一찝〕명 곁방살이를 하는 집.
곁-선【一線】명〔운수〕측선(側線).
곁-손질 명 무엇을 알리는 뜻으로 곁사람에게 가만히 하는 손짓. ——-하다 자타여불
곁-수【一數】명〔수〕계수(係數).
곁-아지〔견一〕명 곁가지.
계급-교양【階級教養】명 노동 계급의 계급 의식으로 무장하기 위한 교양.
계급-페절【階級廢絕】명 온갖 계급적 차이를 없앰.
계기-높이【計器一】명 항공기가 하늘을 날 때 계기가 가리키는 높이.
계단-승강기【階段昇降機】명 에스컬레이터. 자동 계단.
계란-소【鷄卵素】명 단백질(蛋白質).
계절-조【季節鳥】〔一쪼〕명 철새. 후조(候鳥).
계주-봉【繼走棒】명〔체육〕바통. 이음대.
계획-리윤【計劃利潤】〔一니一〕명 국영 기업소나 경제 기관들의 재정 계획에 미리 예견(豫見)한 이윤.
계획-세포【計劃細胞】명 일원화(一元化) 계획 체계에서, 각 기관·기업소의 말단(末端) 계획 부서.
고개-그물〔一끄一〕명 그물을 비탈지게 놓아 물고기가 이 그물을 타고 올라가 통그물에 들어가게 하는 데 쓰는 그물. 승망(昇網).
고개-놀이〔一갠一〕명 농악(農樂)에서, 고개를 돌려 상모를 돌리는 일.
고개-방아〔一빵一〕명 졸 때 방아를 찧듯이 고개를 끄덕끄덕하는 일.
고급-공【高級工】명 고급 기능공(技能工).
고급-중학교【高級中學校】명 초급 중학교를 마치고 입학하는 3 년제 중등 학교.
고기-간장【一醬】명 고기를 넣고 졸이거나 고기즙(汁)을 넣어서 만든 간장.
고기-기지【一基地】명 고기를 생산하는 기지.
고기-떡 명 어묵. 물고기떡.
고기-마룩 명 고기를 끓인 국물.
고기-목장【一牧場】명 고기를 내는 것을 주목적으로 경영하는 목장.
고기-못 명 양어장의 물고기를 기르는 못.
고기-밸〔一뺄〕명 물고기의 밸.
고기-부꺼리 명 그물에 잡힌 물고기가 한데 모이는 곳. 봇장.
고기-종【一種】명 고기를 얻기 위하여 기르는 가축의 품종. 육용종(肉用種).
고까-신 명 꼬까신.
고깔-밥 명 감투밥.
고깔-불 명 여러 개의 나무토막을 위 끝이 모이게 해 놓고 피우는 불.
고깔-살 명〔생〕승모근(僧帽筋).
고깨 명 바지락조개를 까는 데 쓰는 기구.
고달-걸음 명 바로 걷지 못하고 탈탈거리며 안타깝게 걷는 걸음.
고동-구호【鼓動口號】명 사기(士氣)를 고무하고 격려하기 위하여 부르는 구호.
고등-기술전문학교【高等技術專門學校】명 '고등 전문 학교'의 전신(前身).
고등-전문학교【高等專門學校】명 고등 중학교를 마친 학생을 받아 일정 부문의 준기사(準技師)로 키우는 학교.
고등-중학교【高等中學校】명 인민 학교를 마친 학생에게 중등 일반 교육을 시키는 6 년제 학교.
고르-롭다 형ㅂ불 한결같게 고른 느낌이 있다. ¶ 고르로운 기계 소리.
고르-잡다 타 고르게 바로잡다. ¶ 일그러진 톱니를 ~.
고름-가슴 명〔의〕늑막염(肋膜炎).
고름-균【一菌】명〔경〕화농균(化膿菌).

고름-끈 명 옷고름.
고리-고리 부 몹시 고린내가 나는 모양. ¶ ~ 역한 냄새. ——-하다 형 여불
고리-뚝 명 사방으로부터 큰물이 넘어 들어올 수 있는 낮은 지대에 고리 모양으로 빙 둘러 쌓은 둑.
고리-매듭 명 〖동〗 환절(環節). 고리 마디.
고리-삭뼈 명 환상 연골(環狀軟骨).
고리-운동 【—運動】 명 〖체육〗 링(ring) 운동. 고리 체조.
고리-틀 명 〖체육〗 안마(鞍馬).
고리-해가림 명 〖천〗 금환식(金環蝕).
고모-사촌 【姑母四寸】 명 고모의 아들딸. ¶ ~과 이모사촌.
고모-아버지 【姑母—】 명 고모부(姑母夫).
고모-어머니 【姑母—】 명 고모(姑母).
고물-다락 명 선미루(船尾樓).
고밀-고밀 부 꼼꼼하고 찬찬한 모양. ¶ ~한 솜씨. ——-하다 형 여불
고뿌 명 〔cup〕 물컵. 물잔.
고사리-밥 명 갓 돋아난 고사리의 잎. ¶ ~ 같은 손.
고사리-수염 【—鬚髥】 명 〖식〗 감김손. 권수(卷鬚).
고삭다 자 곯아서 썩거나 삭아 빠지다. ¶ 녹이 슬고 고삭아서 부실부실한 쇳조각.
고시르다 타 르불 일이 뜻대로 되지 않아 좀스럽게 마음을 썩이다. ¶ 안타까운 생각을 ~.
고심-겹다 【苦心—】 형 ㅂ불 견디기 어려울 정도로 매우 고심스럽다.
고아-대다 자 ①큰소리로 시끄럽게 마구 떠들다. ②호통치며 시끄럽게 떠들다. ③일판을 벌이고 야단 법석하다.
고열-로동 【高熱勞動】 명 매우 높은 열(熱)의 영향을 직접 받으면서 하는 육체 노동.
고요-전기 【—電氣】 명 정전기(靜電氣).
고용-간첩 【雇傭間諜】 명 돈으로 매수(買收)되어 앞잡이노릇을 하는 간첩.
고입 명 들어가는 어귀. ¶ 마을 ~.
고자-바치다 타 고자질하여 일러바치다.
고중 【高中】 명 ↗고등 중학교.
고중-반 【高中班】 명 인민 학교와 고등 중학교가 함께 있는 학교에서, 고등 중학교에 해당하는 학급(學級).
고즈근:-하다 형 여불 ①비어 있듯이 잠잠하다. ②아무 말 없이 조용하다.
고지식-이 부 고지식하게.
고촉-등불 【高燭燈—】 [—뿔] 명 촉수가 높은 전등불.
고추-꼬투리 명 고추나무의 열매. 고추알.
고층-살림집 【高層—】 [—찝] 명 고층 주택(高層住宅).
고포 【古布】 명 누더기. 헌 천. 낡은 천.
고포-직 【古布織】 명 헌 천을 섬유로 재생(再生)하여 짠 천.
곡산-공장 【穀産工場】 명 낟알을 종합적으로 가공하여 여러가지 식료품을 생산하는 공장.
곡식-무지 【穀食—】 명 곡식을 쌓아 놓은 더미.
곤들-곤들 부 ①졸려서 고개를 깜찍스레 앞뒤로 흔들며 고갯방아를 찧는 모양. ②매달리거나 떠 있는 작은 것이 가볍게 이리저리 흔들거리는 모양.
곤청 【—靑】 〔일 こん(紺)〕 명 감청(紺靑).
곧아-지기 명 강직(強直).
곧은-달림길 [—낄] 명 〖체육〗 육상 경기에서, 직선(直線) 코스.
곧은-박이 명 이러저런 경위를 고려하지 않고 외곬으로만 생각하고 말하거나 내미는 일. 또, 그렇게 하는 사람. ¶ 자기류의 ~ 말만 한다.
곧은-밸 명 〖생〗 직장(直腸).
골-개 명 좁은 골짜기로 흐르는 개울.
골개-논 명 좁은 골짜기에 푼 논.
골-막바지 명 골짜기의 막다른 곳의 맨 끝.
골-받이 [—바지] 명 머릿골로 힘껏 받는 일. 골질. ¶ ~로 넘어뜨리다.
골뱅이-걸음 명 느리고 굼뜬 걸음.
골-벽 【—壁】 명 〖지〗 골짜기의 양쪽에 늘어서 있는 벼랑. 곡벽(谷壁).
골빈-장 【—場】 〔coal bin〕 명 〖광〗 석탄·광석 등을 싣는 데 편리하게 필요한 시설을 갖추어 놓은 곳.
골숨-하다 [—쑴—] 형 여불 좀 골막하다. ¶ 한 종발이 골숨한 미음.
골-시내 명 산골짜기를 흐르는 시내.
골짜기-치기 명 골짜기의 마지막 끝난 곳. ¶ ~에 서린 안개.
골-째기 명 밭고랑을 하는 일. ——-하다 타 여불
골탄 명 '골타르' 곧 '콜타르'를 통속적으로 이르는 말. ¶ ~칠.
곰:곰-하다 형 여불 이리저리 헤아리며 깊이 생각하는 태도가 찬찬하고 자세하다. ¶ 곰곰한 사람. **곰:곰-히** 부
곰방 부 금방. ¶ 지금 ~.
곱가마-질 명 한 개의 솥으로 밥을 지어 내고, 잇따라서 거기에 국을 끓이거나 반찬을 만드는 일. ——-하다 자 여불
곱-밸 명 〖동〗 소의 작은 밸. 곱창.
곱상-스럽다 형 ㅂ불 꽤 곱살스럽다.
곱-싸리다 타 김을 맬 때에 자기가 매는 이랑을 먼저 다 맨 사람이 뒤에서 매어 나오는 사람을 도와 그의 이랑을 매주지 않고 다시 새 이랑을 잡아 돌아오다.
곱-쟁이 명 '곱사등이'를 낮잡아 이르는 말.
곱-저고리 명 겉과 안을 다 얇은 천으로 지어 여름에 입는 여자들의 저고리.
곱-침 명 핸드볼·농구 등에서, 공을 거듭 치면서 모는 일. 드리블.
곱-평균 【—平均】 명 상승 평균(相乘平均).
곱하는-수 【—數】 명 〖수〗 곱수. 승수(乘數).
곱해질-수 【—數】 명 〖수〗 곱하임수. 피승수(被乘數).
공격-마당 【攻擊—】 명 〖체육〗 구기(球技)에서, 공격을 진행하는 구역.
공격-살표 【攻擊—標】 명 〖군〗 부대의 공격 발향이나 지점을 화살표로 그려서 나타낸 것.
공격-어김 【攻擊—】 명 축구에서, 오프사이드(offside).
공구르다 타 르불 선 자리에서 바닥이 울리게 발을 들었다 놓았다 하며 디디거나 구르다.
공군-절 【空軍節】 명 1947년에 8월 20일 첫 비행대(飛行隊)가 창설된 날을 기념하는 공군의 명절. 8월 20일.
공그르다 타 르불 바닥의 높낮이가 없도록 반반하게 하다. ¶ 웅덩이를 흙으로 ~.
공글러-뛰다 자 ①뛰어 오르듯 발을 동동 구르며 뛰다. ②딴딴한 물건이 다른 딴딴한 물체에 부딪치면서 굴러 떨어지거나 굴러 가다.
공기-갈이 【空氣—】 명 환기(換氣). ¶ ~창(窓). ——-하다 자 여불
공기-배 【空氣—】 명 고무나 방수포(防水布) 따위로 만들어, 몸체에 공기를 채워서 물 위에 뜨도록 장치한 배. 고무 보트.
공기-변 【空氣瓣】 명 공기판(空氣瓣). 공기 밸브.
공기-보총 【空氣步銃】 명 〖군〗 압축 공기의 힘을 이용하여 탄알을 발사하는 보병총(步兵銃).
공기-식힘 【空氣—】 명 냉각(冷却).
공기-옷 【空氣—】 명 압축 공기가 흐르는 고무관(管)을 넣어 만든 옷. 고열(高熱) 작업을 하는 노동자들이 입음.
공동-운동장 【共同運動場】 명 둘 또는 그 이상의 기관이나 조직·단체에서 공동으로 이용하는 운동장. ¶ 공설 운동장과 ~.
공동-일 【共同—】 명 공동으로 하는 일. 공동 작업.
공동축적-폰드 【共同蓄積—】 〔러 fond〕 명 고정 재산을 늘리기 위해 협동 농장들이 연간 총수입 가운데에서 떼어 두는 기금. 공동 축적 기금.
공로-메달 【功勞—】 〔medal〕 명 인민 경제 부문에서 훌륭한 성과를 거둔 사람에게 수여하는 메달.
공로-칭호 【功勞稱號】 명 사회주의 건설 부문에서 특출한 공훈을 세운 노동자·농민·사무원에게 주는 명예 칭호. 표창장과 함께 국기 훈장 제1급 또는 노력 훈장을 줌. 공훈 간호원·공훈 교원·공훈 기관사·공훈 체육인·공훈 광부·공훈 이발사 등등.
공-먹기 【空—】 명 공짜로 먹는 일.
공-몰기 명 축구·농구 등에서, 드리블.
공무-동력 【工務動力】 명 공장·기업소의 생산 설비의 정비 보수에 필요한 부속품을 생산·보장하는 설비. 또, 그러한 단위(單位).
공미 【恐美】 명 미(美)제국주의를 두려워함.
공민-전쟁 【公民戰爭】 명 일정한 계급의 정치 지배권을 확립·고수하기 위하여 벌이는 국내 전쟁.
공민-증 【公民證】 [—쯩] 명 17세 이상의 공민에게 내어 주는 증명 문건(文件).
공방-살이 【空房—】 명 남편 없이 혼자 지내는 생활 ——-하다 자 여불
공병-가위 【工兵—】 명 〖군〗 공병 작업에 쓰이는 가위.
공부-군 【工夫—】 [—꾼—] 명 공부를 이악하게 꾸준히 하는 사람.
공-불 【空—】 명 군불.
공산-국제 【共産國際】 명 '국제 공산당'을 이르던 말.
공산-대학 【共産大學】 명 공산당의 지방 당 간부의 양성 및 재교육을 하는 대학. 각 도에 있음.
공산주의-아바이 【共産主義—】 명 공산주의적으로 일하며 생활하는 나이 많은 남자를 다정하게 이르는 말.
공산주의-어머니 【共産主義—】 명 공산주의적으로 일하며 생활하는 나이 많은 여자를 다정하게 이르는 말.
공산주의적-청년핵심 【共産主義的靑年核心】 명 공산주의적 세계관이 확고하여 공산주의를 위하여 싸울 각오가 굳건히 선 청년.
공-소리 【空—】 명 빈 소리.
공수 【工數】 [—쑤] 명 어떤 일에 들인 노력의 가치를 숫자로 나타낸 것. ¶ 노력(勞力) ~.
공업-기업소 【工業企業所】 명 공업 생산물을 직접 생산하는 기업소.
공작-조 【工作組】 명 공작 임무를 수행하는 작은 집단.
공장-당 【工場黨】 명 공장을 중심으로 조직된 당조직.
공장-대학 【工場大學】 명 큰 공장·기업소에 설치된 기술 대학. 일하면서 전문 기술을 배움. ¶ ~생.
공조 【空釣】 명 ①미끼 없는 낚시. 빈 낚시. ②미늘 없는 낚시. 민낚시. 공조낚시.
공-죽음 【空—】 명 보람없이 헛되이 죽음. ——-하다 자 여불
공중-관 【空中管】 명 속이 빈 관.
공중-다리 【空中—】 명 구름다리.
공중대공중-미싸일 【空中對空中—】 〔missile〕 명 〖군〗 공대공(空對空) 미사일.
공중-뿌리 【空中—】 명 〖식〗 기근(氣根).
공중-지치기 【空中—】 명 〖항공〗 공중 활주(滑走).
공증-소 【公證所】 명 공증을 다루는 국가 기관.
공-차비 【空車費】 명 쓸 데 없이 쓰는 차비.
공청 【共靑】 명 ↗공산주의 청년 동맹. ¶ ~원(員).
공통-약수 【共通約數】 명 〖수〗 공약수(公約數).
공화국-영웅 【共和國英雄】 명 조국 방위를 위한 무력 강화나 적과의 전투에서 영웅적 위훈(偉勳)을 세운 사람에게 주는 칭호. 표창장과 국기 훈장 제1급 및 금별 메달을 줌.
공-회전 【空回轉】 명 공전(空轉). 헛돌이.
과극-하다 【過極—】 형 여불 지나치게 과분하다. ¶ 과극한 대접.
과다-들다 자 빳빳하게 오그라들다. ¶ 과다들었던 가슴을 쭉 펴다.
과따-대다 자 몹시 떠들어 대다. ¶ 운동장에서 과따대는 학생들.
과따-치다 자 몹시 떠들며 소리치다.
과일-단물 【果—】 명 과일에서 짜낸 즙에 설탕을 넣어 달게 만든 물. 과

실 단물. 과즙수(果汁水). 「덕.
과일-동산【果一】명 여러 가지 과일들이 주렁주렁 열려 있는 산이나 언
과일-물【果一】명 과일에서 짜낸 시원한 물. 과실물.
과일-칼【果一】명 과도(果刀).
과자-곽【菓子一】[一꽉] 명 과자를 담는 곽. 과자 상자.
과자-방【菓子房】[一빵] 명 과자점(菓子店).
과정-안【課程案】명 교육 과정(教育課程).
곽-밥 명 밥곽에 담은 밥. 도시락밥.
곽-삽【一鍤】명 삽날이 넙적하고 끝 부분이 모가 진 삽. 주로, 석탄 등을 퍼 담는 데 씀.
곽-쇠 명 방문 같은 데의 손잡이와 자물 장치를 한 틀에 끼워 맞춘 쇠판.
관-묶음【管一】명〔식〕관다발. 유관속(維管束).
관통-연습【貫通演習】명 총연습(總練習). 리허설. 관통련습.
관-틀개【管一】명 관(管)이나 관 부속품을 잇거나 뜯어낼 때에 이것들을 잡아 트는 데 쓰는 손공구(工具).
관-풍금【管風琴】명〔음〕파이프 오르간.
괄괄-스럽다 형(ㅂ불) 성질이 거세고 괄괄한 데가 있다. **괄괄-스레** 부
괄랭이 명 말괄량이. 말괄량이.
괄아-먹다 자 누긋한 맛이 없이 단단하게 되다. ¶억세고 괄아먹은 떨기나무 덩굴.
괄-익다 자 불이 괄아서 지나치게 익다. ¶괄익은 질그릇.
광부-절【鑛夫節】명 광부들의 명절. 해마다 7월 1일.
광석-싹【鑛石一】명〔광〕노두(露頭).
광석-앙금【鑛石一】명〔광〕광니(鑛泥).
광선-술【光線術】명 광선을 이용하는 요술의 한 형식.
광-포전【廣圃田】명 기계가 들어가서 작업할 수 있게 정리된 넓은 논밭.
괘씸-스럽다 형(ㅂ불) 보기에 매우 괘씸한 데가 있다.
괜-스럽다 형(ㅂ불) [↗공연스럽다] 쓸데없고 부질없다.
괴:나리-보따리 명 괴나리봇짐.
괴여-오르다 자(르불) 괴어오르다.
괴죄죄:-하다 형(여불) 꾀죄죄하다.
괴:-짚다 타 팔을 바닥에 괴어 버티면서 짚다. ¶비스듬히 한 쪽 팔을 괴짚고 누웠다. 「일. 갈아꽂기.
교식【校植】명 짜놓은 활자판에서 틀리거나 못쓰게 된 활자를 갈아꽂는
교양-원【教養員】명 유치원 선생.
교양원-대학【教養員大學】명 유치원 선생을 양성하던 3년제 대학. 1972년에 교원 대학으로 개편됨.
교양-자【教養者】명 교양 있는 사람이나 조직체.
교역-수매【交易收買】명 수매 상품에 대한 값을 돈으로 치르지 않고 생산자가 요구하는 공업 상품으로 치러 주는 방식.
교예【巧藝】명 사람의 육체적인 기교 동작을 형상 수단으로 하는 곡예(曲藝). 공중 교예, 지상 교예, 빙상(氷上) 교예, 수중 교예로 나누며, 동물 교예나 요술 등도 포함됨. ¶～ 극장/～단.
교원-대학【教員大學】명 인민 학교 교원과 유치원 교양원을 키워 내는 3년제 대학.
교육-절【教育節】명 교육 부문 종사자와 학생들의 명절. 매년 9월 5일.
교편-물【教鞭物】명 교수(教授) 사업에 이용되는 각종 실물·기구·장치·출판물 등의 총칭.
교화-소【教化所】명 교도소(矯導所).
교화-살이【教化一】명 죄인이 교화소에서 교화를 받는 생활.
구간-질【苟艱一】명 구차스러워 남에게 궁상을 떨거나 무엇을 좀 돌려 달라거나 하는 짓. ¶～과 투정질. ——-하다 타(여불)
구간-쪽【球竿一】명〔체육〕역도 경기에 쓰는 기구의 하나. 쇠붙이를 둥글게 만들어 바벨에 끼우게 되어 있음. 디스크. 들대쪽.
구겨-박다 타 함부로 처박다. ¶턱을 가슴팍에 ～.
구경-값 [一깝] 명 무엇을 구경하는 데 드는 값.
구구-절【99節】명 조선 민주주의 인민 공화국의 창건 기념일. 9월 9일.
구구종종-거리다 자 닭이 구구 소리를 하며 자꾸 종알거리다.
구금-소【拘禁所】명 구금장(拘禁場).
구내-길【構內一】[一낄] 명 공장·기업소의 울 안에 있는 길.
구답-시험【口答試驗】명 구두(口頭) 시험. 「이르는 말.
구두-쟁이 명 구들을 놓거나 뜯어고치는 일을 업으로 하는 사람을 홀하게
구두-호천【口頭呼薦】명 선거할 때 입후보자를 구두로 추천함. 구두 공천. ——-하다 자(여불)
구들-목 명 방 안의 아랫목. ¶따뜻한 ～.
구들-비 명 구들을 쓰는 비. 방비. ¶～와 마당비.
구라파대-인종【歐羅巴帶人種】명 유럽 대륙과 그에 인접한 지역에 분포되어 있는 인종.
구렁-창 명 ①더러운 물이 고인 구렁. ¶진흙 ～. ②벗어나기 어려운 험악한 환경의 비유.
구레 명 낮아서 물이 늘 괴어 있는 땅바닥.
구레-논 명 바닥이 깊고 물길이 좋은 기름진 논. 고래논. 고래실.
구름-돌 [一똘] 명 물에 오래 씻겨 둥글둥글하게 생긴 돌덩이.
구멍-노리 명 뚫린 구멍이 있는 그 언저리. ¶～가 깨어진 단추.
구멍-성【一性】[一썽] 명 다공성(多孔性).
구멍-수 명 애로나 난관을 해결할 만한 수단이나 방도. ¶～를 찾다 /빠져나올 ～가 생기다.
구미 명〔지〕바닷가나 강가의 곶이 길게 뻗고 후미지게 휘어진 곳.
구분-대【區分隊】명 군대의 전술적 조직의 단위. 대대(大隊) 및 그 아랫단위들을 통틀어 이르는 말.
구불-밸 명〔생〕회장(回腸).
구석-기발【一旗一】[一빨] 명 축구 경기장의, 코너 플랙.
구석-차기 명 축구에서, 코너킥. 모서리공.
구시시:-하다 형(여불) 머리가 보기 흉하게 헝클어져 있다.
구역-감【嘔逆感】명 메스꺼운 느낌.
구접지근:-하다 형(여불) 좀 구저분하다.
구접지레:-하다 형(여불) 꽤 구지레하다.
구질다 형 날씨가 맑게 개지 못하고 비나 눈이 와서 구저분하다.
구층-같다【九層一】형 아득하게 높다.
구풀-거리다 자타 자꾸 굼틀거리다. ¶야심과 계략이 ～.
구핏-하다 타(여불) 조금 굽은 듯하게 하다. ¶눈썹을 구핏하며 성을 내다.
구호-대【口號隊】명 군중들 속에서 구호를 먼저 부르기 위하여 만든 대
구홍【口紅】명 입술 연지. └오(隊伍).
구환【舊圜】명 묵은 빚. ¶～ 처리.
국가-가격【國家價格】명 국가에서 정한 가격.
국가-기업소【國家企業所】명 국가가 조직하고 관리 경영하는 기업소.
국가-연회【國家宴會】명 국가 수반(首班) 또는 그의 위임을 받은 간부가 공식적으로 차리는 국가적 규모의 연회.
국가-주택【國家住宅】명 국가 재정으로 짓고 국가 소유로 되어 있는 살림집. 「되는 돈.
국고-권【國庫券】[一꿘] 명 국가의 재정(財政)을 담보로 발행되고 유통
국기-훈장【國旗勳章】명 나라의 자유와 독립, 발전을 위하여 특출한 공훈을 세운 사람과 집단에게 국가적으로 표창하기 위하여 수여하는 훈장. 제1급, 제2급, 제3급이 있음.
국내-수역【國內水域】명 영해를 제외한 하천·호수·운하·내해(內海)·항만(港灣) 등으로 구성되는 나라 안의 수역.
국내-품【國內品】명 국산품.
국령【國令】[一녕] 명 나라의 명령이나 법령.
국례【國禮】[一녜] 명 국가적인 예절.
국문-뒤풀이【國文一】명 국문 글자의 차례를 좇아 가면서 풀어 나가는 뒤풀이.
국백【國百】명 ↗국영 백화점(國營百貨店). 「공산당.
국제-당【國際黨】명 ①제1, 제2, 제3 국제 공산당의 합칭. ②↗국제
국제-려관【國際旅館】명 외국 손님을 대상으로 하는 여관. 국제 호텔.
국제-부녀절【國際婦女節】명 세계 근로 여성의 단결을 강화하기 위한 여성들의 국제적 명절. 3월 8일. 국제 여성의 날. 「일.
국제-아동절【國際兒童節】명 어린이들의 국제적 명절. 해마다 6월 1
국제-어음학기호【國際語音學記號】명 국제 음성 기호.
국토-완정【國土完整】명 한 나라의 영토를 단일한 주권 밑에 완전히 통일하는 일.
군견-수【軍犬手】명 군견을 길들이고 다루는 사람.
군공-메달【軍功一】〔medal〕명 무력 강화나 적과의 전투에서 공로를 세운 군인에게 주는 메달.
군당-학교【郡黨學校】명 군(郡)당 위원회가 초급 간부를 양성하거나 재교육하는 상설적(常設的)인 학교.
군대-어른【軍隊一】명 늙은이들이 '인민 군대' 또는 '인민 군대 군관'을 대접하여 이르는 말.
군둑-거리다 타 자꾸 덜컥거리며 움직이다.
군무【軍舞】명 군사 무용(軍事舞踊).
군무-자【軍務者】명 군대에 종사하는 사람.
군사-깡패【軍事一】명 군사적 폭력으로 인민을 탄압하고 미쳐 날뛰는 파쇼 악당.
군사-무용【軍事舞踊】명 전쟁에 나가는 병사들의 모습과 전투 모양을 형상한 무용.
군사-물자【軍事物資】[一짜] 명 군수(軍需) 물자.
군사-아따쉐【軍事一】[러 attashe] 명 대사관의, 무관(武官).
군상【軍商】명 군인 상점(軍人商店).
군숨-스럽다 형(ㅂ불) 매우 궁상기가 있다.
군-식【一食】명 끼니때 밖에 먹는 음식. ¶～으로 먹는 고구마.
군-아침 명 가외로 짓는 아침밥. 또, 끼니때 외에 먹는 아침밥.
군용-밥통【軍用一筒】명 군인들이 지니고 다니기 간편하게 알루미늄 따위로 만든 밥통.
군의-소【軍醫所】명 부대나 연합 부대의 치료 기관.
군인-상점【軍人商店】명 피엑스.
군정-간부【軍政幹部】명 군사 간부와 정치 간부의 합칭.
군중-가요【群衆歌謠】명 대중 가요.
군중-성【群衆性】[一썽] 명 대중성(大衆性).
군패【軍牌】명 병사와 하급 무관들의 군대 복무를 증명하는 패. 숫자와 글자로 부대 이름과 병사들의 개인 번호를 표시함.
굳은-껍질 명 각피(角皮).
굴-간【窟間】[一깐] 명 ①굴(窟). ②〔광〕길이 짧고 방처럼 생긴 갱도
굴-개 명 롤러(roller). └(坑道).
굴다 자 배가 물결에 따라 가로 흔들려 움직이다.
굴-대 [一때] 명 굴조개를 잡아 내기 위한 갈퀴.
굴-덕 명 굴 양식장(養殖場)에 매어 놓은 덕대.
굴뚝-메 명 굴뚝과 벽(壁) 사이. 또, 그 부근. ¶～를 손질하다.
굴러-나다 자 굴러서 본래 있던 자리에서 물러나다. ¶길에서 굴러난 자
굴레-바퀴 명 굴렁쇠. └동차.
굴려-뜨리다 타 굴러가게 하다. 세게 굴리다.
굴려-차기 명 축구에서, 공을 땅바닥으로 굴러가게 차는 일.
굴-아구리【窟一】명 굴 속으로 드나드는 구멍의 어귀.

굴-어구【窟—】 명 ①굴에 드나드는 어귀. ②〖광〗 굿문(門).
굴-젖【窟—】 명 석회굴 같은 데에 젖꼭지 모양으로 내리드리운 돌고드름. 종유석(鍾乳石).
굴포 명 ①민물이 들어왔다가 나가지 못하고 괴어 있는 웅덩이. ②논밭에 물을 대기 위하여 파놓은 웅덩이.
굵다라니 [국—] 부 굵다랗게.
굵은-밸 명〖생〗 대장(大腸).
굵지다 [국—] 형 굵직하다.
굼뉘 명 바람이 불지 않을 때에 치는 큰 물결.
굼-때다 타 ①불충분한 대로 이럭저럭 해 나가다. ②어떤 위기를 모면하기 위하여 슬쩍 둘러맞추거나 대강 치르다. 굼때우다.
굼뜬뜬-하다 형여불 굼튼튼하다.
굼불다 자 구르다.
굼-졸다 자 굼틀거리며 졸다. ¶등잔불이 굼조는 야학당.
굽돌이 명 굽이도는 곳. 굽인돌이. ¶산길의 ~를 돌아가다.
굽석 부 몸을 크게 한 번 푹 숙이는 모양. ¶~ 절을 하다.
굽어본-그림 명 조감도(鳥瞰圖). 부감도(俯瞰圖).
굽이-길 [—낄] 명 굽이진 곳으로 돌게 된 길. 커브길.
굽인-돌이 명 굽돌이.
굽-절다 자 굽신거리며 숙어들다. ¶죽을지언정 남에게 굽절지 않는 성미.
굽-종이 명 굽도리지(紙).
굿-놀음 명 굿을 하는 일.
굿-놀이 명 굿을 하며 노는 미신적인 놀이.
굿-등 명〖광〗 굴의 둔덕.
굿-밭 명 외따로 움푹하게 된 산(山)지대에 있는 밭.
궁둥-춤 명 엉덩춤.
궁싯-거리다 자 ①잠이 오지 않아 누워서 자꾸 몸을 이리저리 뒤척이다. ②어찌할 바를 몰라 이리저리 머뭇거리다.
궁치-방아 명 방아채의 뒤끝에 구유처럼 생긴 물통이 달려 거기에 물이 차면 그 무게로 방앗공이가 올라가게 된 물방아. 구유방아.
귀고름-흐르기 명〖의〗 이루(耳漏).
귀-마무리 명 가장자리나 모서리를 잘 맞추어 마무리하는 일. ¶아직 ~를 하지 않은 가마니. ——-하다 자여불
귀밀-눈 [—룬] 명 갤쭉하게 생긴 작은 눈.
귀-박죽 [—빡—] 명 '귓바퀴'를 속되게 이르는 말.
귀-방울 [—빵—] 명 귓불.
귀-뺨 명 귀가 붙은 뺨의 언저리. ¶~을 치다.
귀-서리 명 귀퉁이 가까운 곳의 모서리. ¶밭을 갈면 ~ 하나 없이 갈군하였다.
귀속-다짐 [—쏙—] 명 귓속말로 하는 다짐. ——-하다 자타여불
귀-쌈 명 귀싸대기. ¶~을 얻어맞다.
귀-잡이 명 논밭을 갈 때에, 갈리지 않고 모서리 부분의 남은 생땅.
귀접지근-하다 형여불 별스럽게 구저분하다.
귀지-마개 명 귓구멍에 귀지가 모여 마개를 이룬 것.
귀집 명 추위를 막으려고 귀를 덮어 씌우는 털붙이 물건.
균-무지【菌—】 명 균류(菌類)나 미생물 세포의 무더기.
균-죽이기【菌—】 명 살균(殺菌).
그 명 한글 자모 'ㄱ'의 딴이름.
그네 명 감탕 바닥을 긁어 내어 대합조개를 캐는 데 쓰는 도구.
그늘-대 [—때] 명 짚자리나 삿자리 등으로 볕을 가리기 위해 만든 물건. ¶~를 세우다.
그늘-지붕 명 햇볕을 가려 밑에 그늘을 지우기 위한 지붕.
그니럽다 형ㅂ불 근지러운 느낌이 있다.
그닥잖다 [—잔타] 형 그리 대단하지 않다. ¶그닥잖게 생각하다.
그-달음으로 부 도중에 쉬거나 멎지 않고내친 그 걸음으로. ¶~ 뛰어가다.
그러-매다 타 두 끝을 그러당겨서 잡아매다. ¶신끈을 ~.
그럼-하다 형여불 그러루하다.
그렁-하다 형여불 ①액체가 많이 괴어 가장자리까지 찰듯 말듯 하다. ②눈물이 조금 글썽하다.
그루-높이 명〖임〗 벤 나무의 그루터기의 높이. 벌근고(伐根高).
그루-돌림 명 윤작(輪作). 그루바꿈.
그루빠 [러 gruppa] 명 그룹.
그루-잠 명 깨었다가 다시 든 잠.
그릇-가지 명 그릇에 속하는 여러 가지 물건. 그릇붙이.
그릇-개비 명 보잘 것 없는 그릇이나 그릇붙이.
그림-장【—張】[—짱] 명 그림을 그린 종잇장. 종잇장에 그린 그림.
그마마:-하다 형여불 그 정도만하다.
그물-귀 [—뀌] 명 다른 것과 잇기 위하여 그물 모서리에 낸 코.
그물-추기 명 그물에 든 고기를 들어올리기 위하여 그물을 끌어 올리어 걷는 일. 그물걷기. 그물올리기. 양망(揚網).
그믐-한달 명 보름달이 된 때부터 다시 보름달이 되는 사이. 그 기간은 29일 12시간 44분 3초임. 삭망월(朔望月).
그슬음-내 명 그슬어진 물건에서 나는 냄새. 그을음내.
그을음-돌 [—똘] 그을음이 올라 거멓게 된 돌.
그을음-물 명 굴뚝 같은 데서 흘러 내리는 거무죽죽한 물.
그이다 타 (비틀) 긋다.
그자리-뜀 명〖체육〗 제자리넓이뛰기.
그쯘-하다 형여불 ①빠짐없이 다 갖추어져 있다. ¶집세간을 그쯘하게 차려 놓고 살아가고 있다. ②빠진 데 없이 어디나 다 미끈하고 번뜻하다. ¶몸이 아래위 그쯘하고 우둥퉁하게 생기다. ③층이 지지 않고 가지런하다. ¶모를 층하 없이 그쯘하게 기르다.
극상-하다【極上—】 형여불 ('극상해서' 또는 '극상해야'의 꼴로 쓰이어) 기껏해서. 가장 잘된 경우라야. ¶극상해야 3미터면 충분하다.
극-올종【極—種】[—쫑] 명 가장 이른 조생종(早生種).
근로-인테리【勤勞—】[글—] 명 사무직 근로자. ¶~와 부르주아 인텔리.
근위-공장【近衛工場】 명 근위 칭호를 받은 공장.
근위-칭호【近衛稱號】 명 특수한 공을 세운 부대(部隊)나 단위(單位)에 국가에서 수여하는 영예 칭호.
근적-거리다 타 자꾸 조금씩 긁다.
근터구 명 근거나 구실. ¶서로 미워할 아무 ~가 없다.
글-가락 [—까—] 명 얼마간의 글. ¶~이나 쓰는 사람.
글-뒤주 [—뛰—] 명 실천과 동떨어진 글공부를 하는 사람을 놀림조로 일컫는 말.
글-때 명 글을 읽거나 글씨를 쓰는 일이 몸에 배는 일. ¶~가 오르다.
글씨-고누기 명 누가 글씨를 잘 쓰는가 겨루는 일.
글-씨름 명 서로 글을 지어 이기고 짐을 겨루는 일.
글줄-채자기【—採字機】[—쭐—] 명 자동 식자기(自動植字機).
긁어-치기 명 서로 흠을 들추어 내어 긁어 내리는 짓.
금-구뎅이【金—】[—꾸—] 명 금을 캐는 구덩이.
금-나락【金—】 명 황금 나락. ¶~ 물결치는 농장벌.
금방아-기계【金—機械】 명 ①금광석을 찧어 바수는 기계. 금방아. ②광석을 찧는 기계.
금별-메달【金—】[medal] 명 오각(五角)별을 새겨 넣은 금메달. 공화국 영웅 칭호를 받은 사람에게 수여함. 금별 훈장.
금-살【金—】[—쌀] 명 금빛으로 번쩍이는 빛발.
금속-로동자절【金屬勞動者節】 명 금속 부문 노동자들의 명절. 해마다 10월 9일.
금실-거리다 자 자꾸 느리고 폭넓게 물결치다.
금-싸락【金—】 명 금의 작은 알갱이. 금싸래기. 금싸라기.
금야【金野】 명 황금빛의 벌. ¶~ 천리.
금요-로동【金曜勞動】 명 정신 노동을 하는 사무원들이 매주 금요일에 정규적으로 참가하는 육체 노동.
금전【金廛】 명 수공업적으로 금을 캐는 광산. 금점(金店).
금줄-박이【金—】 명 견장(肩章) 등에 금줄을 박은 것. 또, 그런 견장을 단 사람.
금-흙【金—】[—흑] 명 사금광에서 캐낸 금이 섞인 흙. 감흙.
급동【急凍】 명 제품을 빨리 얼림. ¶~과 냉동. ——-하다 타여불
급래【急來】[—내] 명 전보문 같은 데에서 '급히 오라'의 뜻으로 쓰는 말. ——-하다 자여불
급-스럽다【急—】 형ㅂ불 매우 급하다.
급양-사업【給養事業】 명 집단 급식(集團給食).
급전-사령【給電司令】 명 전력의 계획적 생산과 분배를 통제 지도하고, 사고가 났을 때 응급 대책을 세우는 체계. 또, 그 일을 맡아 보는 사람.
급-출발【急出發】 명〖체육〗 선 자리에서 급히 떠나 달림. 갑작달리기.
급해-맞다【急—】 형 매우 다급하다.
긍-부정【肯否定】 명 긍정과 부정.
기겁-초풍【氣怯—風】 명 갑작스레 겁을 먹고 풍을 일으킬 정도로 몹시 놀람. ——-하다 자여불
기계-다리【機械—】 명 ①이발기(理髮器)의 손으로 쥐는 부분. ②축구 경기 등에서, 공을 정확하고 교묘하게 다루는 사람의 다리.
기계-분【機械粉】 명 동력 장치를 한 국수 분틀.
기계-절【機械節】 명 기계 공업 부문 일꾼들의 명절. 해마다 2월 20일.
기계-좀【機械—】 명〖의〗 기계총.
기-공구【器工具】 명 기구와 공구.
기관차-사령【機關車司令】 명 기관차 운행표에 의하여 기관차의 운영을 지휘하는 철도 운수 부문 일꾼.
기구-수【器具手】 명 포(砲)사격을 위한 여러 가지 제원(諸元)을 계산하는 기구를 다루는 기술 인원. ¶장탄수와 ~.
기근【寄根】 명〖식〗 기생근(寄生根).
기급-광량【基級鑛量】 명 채굴(採掘) 공업 부문에서 굴뚫기의 첫 단계인 기본 굴뚫기로 마련되는 광량.
기념-날【記念—】 명 기념일.
기능공-학교【技能工學校】 명 중등 교육을 마치고 생산 부문에 진출하는 자를 기능공으로 키우는 학교.
기능-전수학교【機能專修學校】 명 중등 의무 교육제를 실시하기 전의 시기에 1-2년 동안 기술 교육을 베풀어 기능공을 양성하던 학교.
기:다라니 부 기다랗게. ¶~ 늘어선 아파트 거리.
기다림-선【—線】 명 차량을 머물게 하여 두는 선로.
기대-기둥【旗—】[—때—] 명 큰 기를 높이 걸기 위하여 기둥처럼 만든 시설.
기동-포【機動砲】 명 진지를 기동력 있게 재빨리 옮기면서 쏘는 포.
기둥-신 명 기둥을 기초에 고정시키며 기둥 밑에 전달된 힘을 기초면(面)에 갈라 나누어 주기 위하여 만든 지지틀. 주로, 강철 기둥에서 쓰임.
기레-속 명〖생〗 비수(脾髓).
기료-품【機料品】 명 방직(紡織) 설비에 장비되어 쓰이는 특수한 부속 자재(資材). 북·피대 따위.
기름-가락지 명 기름이 새지 않도록 끼워 맞추는 고무 가락지.
기름-길 [—낄] 명 ①기계에서 기름이 흘러 들어가는 길. 또, 기름을 끌어들이는 길. ②기름 원료에서 기름이 흘러 나오는 길. 유로(油路).
기름나무-숲 명 기름 원료를 얻기 위하여 가꾸는 숲. ¶소년단 ~.
기름-도이 명 기름을 먹여서 반질반질하게 길 내는 일.
기름-막【—膜】 명 유막(油膜).
기름-박【—粕】 명 유박(油粕). 기름깻묵.
기름-밥 [—빱] 명 기름에 볶은 밥. ¶~과 김밥.
기름-사탕【—砂糖】 명 캐러멜.

기름-주개 명 기계의 마찰면에 기름을 치는 데 쓰는 기구. 주유기(注油器).
기름-쥐 명 살살 새어 다니며 매끄럽게 구는 사람.
기름-흙 [-흑] 명 유토(油土).
기마-바지【騎馬-】명 말타기에 편리하도록 만든 바지. 승마 바지.
기본-바람【基本-】명 일정한 지역에 늘 불어 오는 바람. 주풍(主風).
기산-선【起算線】명 영해(領海)의 폭을 결정할 때 기준으로 삼게 될 해안의 출발선.
기세-차다【氣勢-】형 기세가 매우 드높거나 힘차다.
기술-비결【記述祕訣】명 비법(祕法). 노하우(know-how).
기술-역【技術驛】명 차량의 검사와 정비, 화물을 싣고 부리는 일들을 할 수 있도록 시설을 갖춘 철도역.
기술적-개건【技術的改建】[-쩍-] 명 새로운 현대적 기술로 장비(裝備)하는 일.
기슭-도리 [-슥-] 명 기슭의 둘레. ¶바지의 ~.
기슭-막이 [-슥-] 명 개울이나 산기슭, 둑기슭 등이 패이는 것을 막기 위하여 기슭이나 물 흐르는 방향에 평행되게 만든 구조물.
기슭-바다 [-슥-] 명 연해안(沿海岸).
기슭-선【-線】[-슥-] 명 옷자락이나 이불 자락 등에 덧대는 좁은 천.
기슭-품 [-슥-] 명 옷의 자락이나 소매·가랑이 같은 것의 아랫 부분의 둘레.
기슭-흐름 [-슥-] 명 연안류(沿岸流).
기승-차다【氣勝-】형 몹시 기승스럽다.
기업-소【企業所】명 기업체(企業體).
기요【機要】명 ①중요한 기밀. ②기관·기업소 안의 중요한 문서를 다루고 보관하는 일을 직책으로 하는 사람. 기요원(員).
-기우- 미 단어의 줄기가 'ㄱ, ㄷ, ㅁ, ㅅ, ㅈ, ㅊ'으로 끝난 동사에 쓰이어, 피동 또는 사동(使動)을 강조하는 접미사. ¶감~다/쫓~다.
기우개-질 명 무엇을 깁는 일. 깁개질.
기운-중심【-中心】명〔물〕경심(傾心).
기울떡 부 몹시 흉할 정도로 한쪽으로 세게 기울어지는 모양.
기울임-차【-車】명 차체(車體)를 좌우로 기울여서 짐을 부리게 된 밀차(車).
기읔 명 한글 자모 'ㄱ'의 이름. 기역.
기일-제【忌日祭】[-쩨] 명 기제(忌祭).
기재-요술【器材妖術】명〔교예〕요술 장치가 되어 있는 기재를 이용하여 진행하는 요술.
기지-떡 명 기주(起酒)떡. 증(蒸)편.
기침-엿 명 질경이씨·아편대를 주원료로 만든 약의 하나. 감기·기침·기관지염에 식후에 먹음.
기통-수【機通手】명 기밀 통신을 취급하고 전달하는 업무를 맡은 군인.
기호-치다【旗號-】자 깃발 신호를 힘차게 하다.
기-화선【機貨船】명 기계 동력을 장치한 짐배. 기계 짐배.
기후-료양소【氣候療養所】명 좋은 기후 조건을 이용하여 병을 치료하기에 알맞은 요양소.
긴-걸상【-床】[-쌍] 명 여러 명이 앉을 수 있게 길게 만든 의자. 장의자(長椅子).
긴-골 명〔생〕연수(延髓).
긴날-병【-病】[-뼝] 명 만성이 되어 오래 앓는 병.
긴낮-남새 명〔농〕하루의 일조(日照) 시간을 많이 요구하는 야채. 배추·무·홍당무 따위.
긴-뇌【-腦】명〔생〕연수(延髓).
긴-련락【-連絡】[-렬-] 명 농구에서, 롱패스.
긴바람-흐름 명 바람이 바다면에 작용하면서 생긴 끌어당기는 힘에 의하여 이루어지는 바닷물의 흐름. 취송류(吹送流).
긴장-사격【緊張射擊】명〔군〕적을 위압하기 위하여 쉴새없이 계속 긴장된 상태로 하는 사격.
길-갈림 명 길이 여러 갈래로 갈라진 곳. ¶~에 세운 말뚝.
길-끊개 [-끈캐] 명〔전〕단로기(斷路器).
길-나들이[1] [-라-] 명 길목.
길-나들이[2] [-라-] 명 먼 길을 가는 나들이. ¶~를 떠나다.
길-날 [-랄] 명 철길·도로·물길 등의 좁고 긴 구조물의 세로 방향의 중심선.
길-녘 [-력] 명 길 옆이나 길 가까이. 길섶.
길-등【-燈】[-뜽] 명 밤길을 걸을 때 들고 다니는 등.
길-뚝 명 길 옆을 따라 두둑하게 둑으로 된 곳. ¶~에 올라서다.
길-량식【-糧食】명 먼 길을 갈 때에 가지고 다니는 양식. 길식량.
길-보짐 [-찜] 명 먼 길을 떠날 때 꾸리는 봇짐.
길-복【-福】[-뽁] 명 길을 많이 걷거나 자꾸 걷게 되는 일을 놓으로 이르는 말. ¶~이 터지다.
길-사람 [-싸-] 명 길가에서 만나는 낯모르는 사람.
길쑴-하다 형여불 시원스럽게 좀 기름하다. ¶길쑴한 말상(相).
길이-재개 명 기계의, 검척기(檢尺器).
길잡이-바퀴 명 굽은 찻길을 지나가기 쉽게 하는, 기관차 동륜(動輪) 앞에 있는 작은 바퀴. 선도륜(先導輪).
길잡이-별 명 밤에 방향을 알려 주는 별. 북극성·북두 칠성 따위.
길지막:-하다 [-찌-] 형여불 꽤 길찍하다.
길-차림 명 길을 걷는 데 좋게 차린 몸차림. ——-하다 자여불
길-턱 명 길섶과 비탈면(面)이 이어지는 선.
길-표【-標】명 단선 철도에서, 통표(通標). 태블릿(tablet).
김:-군 [-꾼] 명 김을 매는 사람. 김매기군.
김:-발 [-빨] 명 물길이 공중에 엉기어 서린 현상. ¶~이 서리다.
김-약【-藥】명 제초제(除草劑).
김치-움 명 겨울철에 김장독을 묻어 두기 위해 만든 움.
깁개-질 명 옷가지를 깁는 일. ——-하다 자여불
깃-받이 [-바지] 명 ①맞섶 양복의 목깃에 대는 좁고 긴 천. 목달개. ②목을 여미는 양복 저고리나 와이셔츠의 깃.
깃-방석【-方席】명 새털로 속을 넣은 방석.
깃-베개 명 속에 새털을 넣은 베개. 깃털베개.
깉다 자 먹거나 쓰거나 한 뒤에 나머지가 있게 되다. ¶그릇에 깉은 밥.
깉이다 [기치-] 타 먹거나 쓰거나 한 뒤에 나머지를 남기다. ¶먹다가 깉인 떡.
깊이다 타 깊게 하다.
깊이-자 명 물깊이를 재는 자.
까끈-하다 형여불 성질이나 태도가 깐깐하고 자세하다. ¶까끈하게 묻다.
까날-선【-線】〔러 kanal〕명〔물〕양극선(陽極線).
까-눕히다 타 때리거나 쳐서 쓰러뜨리다.
까대 명 깔개.
까드라-지다 자 빳빳하게 되면서 오그라들다. ¶손발이 ~/말라 까드라진 명태.
까드리다 타 몸·팔·다리를 움츠리거나 꼬부리다. ¶다리를 ~.
까들다 자 빳빳하게 오그라들다.
까르르-하다 형여불 무엇이라고 꼭 집어 말할 수 없게 아리숭하다.
까리까리-하다 형여불 아리숭하다.
까부라-치다 타 까부라뜨리다.
까부랑-번개 명 방전(放電) 불꽃이 직선이 아니라 까부라져 보이는 번개.
까부리다 타 좀 작게 꼬부리다.
까불짝-거리다 자타 좀 방정맞게 자꾸 까불다.
까스스-하다 형여불 털 같은 것이 좀 거칠게 나서 거세거나 빳빳하다.
까-제끼다 타 때리거나 쳐서 제껴 버리다. ¶곰을 까제끼기에는 그의 힘이 모자랐다.
까치-밤 명 해가 진 뒤 태양이 지평선 아래로 12도쯤 내려간 때. 대체로 해가 진 뒤 한 시간쯤 지난 때임.
깍두기-판 명 질서 없이 뒤범벅이 된 판.
깎개-질 명 깎음질. ——-하다 자타여불
깎음-밥 명 쇠붙이를 절삭(切削) 기계로 베거나 깎아 낼 때 생기는 부스러기.
깐-줄기 명 ①말이나 글에서, 겉으로 직접 드러내지 않고 속에 깔려 있게 하는 표현. ¶~를 치다. ②일정한 조건이 성숙될 때까지 겉으로 직접 드러내지 않고 바탕에 깔려 있게 하는 내용.
깔개-나무 명〔임업〕나뭇길이 패이지 않도록 바닥에 깐 나무.
깔개-짚 명 가축 우리의 바닥에 깃으로 깔아 주는 짚.
깔끄랑이 명 깔끄러운 물건.
깔따구 명 볼품없이 살이 여윈 사람.
깔리-우다 자 ①'깔다'의 피동형. 깔리다. ②어떤 대상보다 못하여 짝이 지게 되거나 기가 꺾이어 눌리다.
깔복개 명 화강석 가공에서 필요없는 부분을 크게 떼거나 정확하게 떼는 데 쓰는 용구의 하나. 필요한 곳에 이것을 대고 망치로 침.
깔이-흙 [-흑] 명〔농〕객토(客土).
깜부기 명 낚시찌.
깜빠니야-식【-式】〔러 kampannya〕명 정상적으로 하지 아니하고 단기간에 집중적으로 하는 방식.
깜장-콩알 명 '감장 콩알'을 세게 이르는 말로, 총알. ¶~을 먹이다.
깝진-하다 형여불 좀 끈적끈적하게 들러붙는 성질이 있다.
깡 명 ①토관(土管). ②뗏목을 묶을 때 통나무를 마주 잇는 데 쓰는 말발굽 모양의 쇠못.
깡증-하다 형여불 몹시 깡지근하다.
깡지 명 바닥에 가라앉은 찌끼나 눌어 붙은 것. ¶물~를 닦아 내다/밥~를 긁어 내다.
깡지근-하다 형여불 오금을 쓰기 싫어하고 게을러 빠지다.
깡치 명 밑에 가라앉은 찌끼나 앙금.
깨고소-하다 형여불 ①맛이 볶은 깨처럼 고소하다. ②언짢게 여겨 오던 사람이 잘못되는 것이 마음에 아주 고소하다.
깨기-군 [-꾼] 명 파업 투쟁이 벌어지고 있는 공장이나 기업에 새로 고용되어 일하는 노동자.
깨꾸막-질 명 앙감질. ——-하다 자여불
깨도 명 ①깨달아 알아차리는 짐작. ¶여러 번 되풀이해서 이야기했더니 ~가 간 모양이다. ②까무러친 상태에서 깨어나 조금 정신을 차림. ¶헛소리를 치던 환자는 좀 ~가 있는 모양이다.
깨물기-살 명〔생〕교근(咬筋).
깨성 명 병이 나으면서 제대로 기운을 차리게 되는 일. ¶몸을 푼 뒤에 ~이 되다.
깨우기 명 사진 건판이나 필름을 약물에 담가서 거기에 찍힌 영상이 나타나게 하는 일. 현상(現像).
깨움-종이 명 현상지(現像紙).
깰-머리 명 잠에서 깨어날 때의 기분 상태, 또, 그 무렵. ¶~가 맑다.
깰-힘 명〔광〕깨뜨려 바수는 힘. 파쇄력(破碎力).
깽깽-이 명〔악〕깡깡이.
꺼꺼부정:-하다 형여불 키가 크고 허리가 매우 꾸부정하다.
꺼끔-하다 형여불 좀 뜸하다. ¶저녁때가 되자 좀 꺼끔해졌다.
꺼룩:-하다 형여불 좀 걸쭉하다.
꺼무럭-거리다 타 좀 느리고 멋없게 눈을 자꾸 껌벅이다.
꺼무숙:-하다 형여불 좀 꺼뭇하다.
꺼밋-하다 형여불 좀 꺼무스름하다.
꺽두룩-하다 형여불 키가 멋없이 크다.
꺾쇠-뼈 명〔생〕쇄골(鎖骨).
꺾음-자 명 접었다 폈다 할 수 있게 만든 자. 접자.
꺾인-선【-線】명〔수〕꺾은선(線).
껄껄-이 명 까끄라기나 북데기 같은 것이 살에 닿아서 껄끔거리는 가시랭이.

껍진-하다 형 여불 ①끈적끈적하게 들러붙는 느낌이 있다. ②성질이 끈끈하고 검질기다.
껍질-겁 명 모래와 물유리를 섞어서 껍질 형태로 만든 거푸집.
껍질-기계【一機械】명 낟알·과일 등의 껍질을 벗기는 기계. 탈피기(脫皮機).
껍질-벗기 명〖동〗탈피(脫皮).
껑청-하다 형 여불 키가 큰데다가 다리가 멋없이 길다.
께끈-하다 형 여불 지저분하고 더럽다.
껭껭이-뼈 명〈속〉등골뼈.
껴나름-파【一波】명〖물〗반송파(搬送波).
껴-따르다 자 함께 끼어서 따르다. ¶물놀이에 강아지도 ~.
껴-떨기 명〖전〗공진(共振).
껴-앙금앉기 [一안끼] 명 공침(共沈).
껴-울림 명 공명(共鳴).
꼬리-운【一韻】명〖문〗각운(脚韻).
꼬리-잡이 명 ①남의 뒤꼬리를 따라잡는 일. ②차례를 기다리며 줄지어 서 있는 일.
꼬리-초리 명 꼬리의 가는 끝 부분.
꼬마-계획【一計劃】명 소년단원들이 좋은 일하기 운동의 목표를 내걸고 그것을 수행하기 위하여 세운 계획.
꼭두-점【一點】[一쩜] 명〖수〗꼭지점(點).
꼰대 명 '군대'의 은어.
꼰지다 자타 위에서 아래로 박히듯이 내려가거나 떨어지다. ¶바다 속으로 내리 꼰졌다.
꼴-문【一門】(goal) 명 축구 등에서, 공을 차 넣는 문. 골(goal).
꼼바지런-하다 형 여불 꼼꼼하고 바지런하다.
꽁지다 타 꽁꽁 동이거나 작게 꾸려 묶다. ¶돈을 꽁져 넣어 두다.
꽃-갓 명〖식〗꽃부리.
꽃-기둥 명〖식〗화주(花柱).
꽃-나이 명 젊고 꽃다운 시절의 나이.
꽃-보라 명 ①떨어져서 바람에 날리는 많은 꽃잎. ②경사스러운 일을 축하할 때 뿌리는 여러가지 아름다운 빛깔의 작은 종잇조각.
꽃-송아리 명 '꽃송이'를 사랑스럽게 이르는 말.
꽃술-머리 명〖식〗주두(柱頭).
꽃싼-잎 [一닙] 명〖식〗포(苞).
꽈드러-지다 자 마르거나 굳어지거나 하여 빳빳하게 되다. ¶말라 꽈드러진 명태.
꽛꽛-하다 형 여불 어지간히 굳어서 거칠게 단단하다. ¶꽛꽛한 적삼.
꽝-포【一砲】명 허풍. 거짓말. ¶~쟁이.
꽤-짜 명 꽤 괜찮게 솜씨를 부리거나 흥미를 끄는 말·행동을 하는 사람. 꽤짜리.
꾸덩꾸덩-하다 형 여불 매우 꾸덕꾸덕하다.
꿀-깡치 명 꿀을 냈을 때 통에 남아 있는 찌꺼기.
꿀-비 명 농작물에 알맞게 때맞추어 내리는 단비. 약비.
꿀-원천【一源泉】명 밀원(蜜源).
꿈만:-하다 형 여불 무엇을 대하는 데서, 대수롭지 않게 여기어 크게 마음을 쓰는 것이 없다. ¶꿈만하게 생각하다.
꿈틀-벌레 명〖동〗연충(蠕蟲). 윤충.
꿍지다 타 ①되는 대로 구겨박거나 뭉치다. ¶한 구석에 꿍져 두다. ②마구 동이거나 묶거나 또는 싸다. ¶짐을 ~.
끄 명 한글의 합성 자모 'ㄲ'의 딴이름.
끄-당기다 타 (↗끌어당기다) 꺼당기다. ¶이불을 끄당겨 덮다.
끄무리다 자 끄무러지다.
끄-잡다 타 ↗끌어 잡다. ¶끄잡아 일으키다.
끈끈-스럽다 형 ㅂ불 보기에 성질이 매우 끈끈하다.
끈터구 명 문제로 삼거나 의거할 만한 조건이나 근거로 되는 요소(要素). ¶아무런 ~도 잡아 쥐지 못했다.
끌-기관차【一機關車】명 견인 기관차(牽引機關車).
끌끌-스럽다 형 ㅂ불 보기에 매우 끌끔하다.
끌-물길 [一낄] 명 도수로(導水路).
끌:-신 명 슬리퍼.
끌어-올리기 명 역도(力道)에서, 인상(引上).
끓어-번지다 자 어떤 심리 작용이나 흥분된 분위기가 걷잡을 수 없이 몹시 설레어 움직이다. ¶적에게 타격을 안길 일념으로 끓어번졌다.
끓-이다 자 벌레나 짐승 같은 것이, 많이 성하다. 끓다. ¶진딧물이 ~.
끓인-젖 명 끓여서 가공한 젖.
끓임-돌 [一똘] 명 비석(沸石).
끝-역【一驛】[一녁] 명 종착역(終着驛).
끼랴 감 이랴. 이러.
끼-식【一食】명 끼니. ¶~을 끓이다.
끼움-약【一藥】명 좌약(座藥).
낄-가방 [一까一] 명 겨드랑이에 끼고 다닐 수 있게 된 작은 가방. ¶~과 들가방.

ㄴ

나가-곤드라지다 자 잠자리도 펴지 않고 아무렇게나 쓰러져 정신 없이 잠이 들다.
나가-눕다 자 ㅂ불 어떤 일을 단념하거나 못 하겠다고 버티다.
나가-번지다 자 나가면서 뒤집어지다. ¶울타리가 ~.
나귀-군 [一꾼] 명 나귀를 부리거나 끄는 것을 맡아 하는 사람.
나꾸-채다 타 나꾸어 채다.
나-넘어지다 자 나가 넘어지다. ¶벌렁 ~.
나누일-수【一數】[一쑤] 명 피제수(被除數). 나뉨수(數).
나눔-수【一數】명 제수(除數). 나눗수(數).
나뉜-옷 명 양장에서, 투피스.
나들-개 명 피스톤(piston).
나들-문【一門】명 사람이 드나드는 문.
나듦-성【一性】[一썽] 명 장애물에 구멍을 내거나 뚫지 않고 비치어 지나는 성질. 투과성(透過性).
나-떨어지다 자 나가떨어지다.
나-뜨다 자 ①공중이나 물 위에 뜨다. ②빗나가서 공중에 뜨다. ¶가래날이 자꾸 나뜨기만 한다. ③나와 다니거나 나타나다.
나라-길 [一낄] 명 국도(國道).
나라-밥 [一빱] 명 ①국가에서 주는 식량. ②국가의 혜택.
나라-세간살이 명 나라의 살림살이
나래-치다 자 힘차게 기세를 떨치다.
나리-옷 명 아래위가 맞달린 여자 어린이 옷의 하나. 드레스.
나:마 부 일정한 기준이나 한도보다 조금 넘게. ¶10년 ~.
나무-갓 명 수관(樹冠).
나무갓-불 명 수관(樹冠) 부분만을 태우면서 지나가는 산불. 수관화(樹冠火).
나무-그루 명 나무의 밑둥이나 그루터기.
나무-글 명 ↗나무그루.
나무-기와 명 너새. 동기와.
나무-동아리 [一똥一] 명 곧게 벋어 올라간 나무 줄기의 한 부분.
나무-드덜기 명 나무글. ¶~에 걸터앉다.
나무-드무 명 나무로 만든 크고 넓적한 독.
나무랍다 형 ㅂ불 대하는 태도나 말 따위가 못마땅하고 섭섭하게 생각되어 언짢다. ¶나무라운 어조(語調).
나무-모랭이 명 작은 통나무를 파서 만든 그릇. ¶~에 담은 조밥.
나무-몰이 명 떼를 만들지 않고 그냥 통나무를 센 물살에 떠내려 보내는 일. 관류(貫流). ——-하다 자 여불
나무-무지 명 나무를 쌓아 놓은 더미. ¶집채 같은 ~.
나무-밥 명 나무를 가공할 때 나오는 톱밥이나 대팻밥 따위. 목삭(木削)밥.
나무-밭 명 ①나무가 많이 들어선 곳. ②나무를 베는 산판.
나무베기-공【一工】명 벌목을 전문으로 하는 노동자. 벌목공.
나무-살 명 나무의 껍질을 제외한 나머지 부분.
나무-새김 명 목각(木刻). 목판(木板).
나무-소【一素】명〖화〗리그닌(lignin).
나무-아지 명 나무의 가느다란 가지.
나무-알콜 (alcohol) 명〖화〗목정(木精). 메탄올.
나무-쪼박 명 나무를 깎거나 벨 때 나오는 부스러기.
나무-초리 명 우둠지나 나뭇가지의 가느다란 끝 부분. ¶~에 앉은 새.
나박지 명 무를 얄팍얄팍하게 썰어서 담근 김치나 깍두기.
나-번지다 자 ↗나가번지다.
나비-뼈 명〖생〗설상골(楔狀骨).
나-비치다 자 나타나서 어리대거나 참견하다.
나비-탄【一彈】명 비행기나 기구(氣球)에서 떨어뜨려 설치하는 반보병(反步兵) 지뢰(地雷). 떨어뜨리면 나비 모양이 됨.
나슥-하다 형 여불 약간 차지 못하다.
나주막 명 부 나중. ¶~에 송장까지 치다.
나지다 자 잃었던 것이나 보이지 않던 것이 나타나다. ¶언덕에 오르자 작은 시내가 나졌다.
나지래기 명 ①등급이나 지위가 낮은 사람을 얕잡아 이르는 말. ②〈속〉등급이 낮은 물건.
낙낙-찮다 [一찬타] 형 만만할 정도로 힘이 없지 않다.
낙낙-하다 형 여불 만만하여 다루기 쉽다.
난치-나이【難治一】명 고치기 어려운 병을 낫게 하는 일. 또는 그러한 치료법. ¶~에 능한 의사.
낟알-밭 명 낟알을 심어 가꾸는 밭. ¶~과 남새밭.
낟알-털이 명 탈곡(脫穀). 추수(秋收).
날-거리[1] 명 ①하루의 일감. ②하루씩 걸러서 진행되는 일.
날-거리[2] 명 날씨. ¶~가 자꾸 좋아진다.
날-겁 명 만든 다음에 말리지 않고 그대로 쇳물을 부어 넣는 거푸집. 생형(生型).
날-깃 명〖조〗날개의 깃.
날-나이 [一라一] 명 동식물이 자란 날짜수. 일령(日齡).
날력-하다 형 여불 재빠르고 세차다. ¶날력한 동작.
날-매 명 날고 있는 매.
날면-들면 부 나왔다 들어왔다 하는 모양. ——-하다 자 여불
날-문【一門】명〖생〗유문(幽門).
날-바다 명 아무 것도 거칠 것이 없는 바다.
날-새 [一쌔] 명 날아 다니는 새.
날아-나다 자 ①안에 있던 것이 날아서 밖으로 나가거나 나오다. ②사방으로 날아서 흩어지다. ¶폭발로 집이 ~. ③돈이나 재물이 다 없어지다. ④액체 등이 기체가 되어 흩어져 없어지다. ¶휘발유가 ~.
날음-기【一機】명 천을 짜기 위하여 날실을 필요한 올의 수만큼 평행이 되게 도투마리에 감는 기계. 정경기(整經機).
날음-질 명 날아 다니는 짓. ¶박새가 ~ 치다.
날-창【一槍】명 소총(小銃) 끝에 꽂은 창. 총검(銃劍). 대검(帶劍).
날-총각【一總角】명 몹시 난봉을 부리는 총각.
날파람-스럽다 형 ㅂ불 날파람이 일 정도로 행동이 매우 빠르고 민첩하다.
날파람-차다 형 날파람이 세차게 일도록 날쌔다.
남-나중 명 남보다 나중. ¶~을 차지하다.
남-동무【男一】명 남자인 동무. ¶~와 여동무.
남-볼상 [一쌍] 명 '남이 보는 얼굴'이라는 뜻으로 남을 대한 체면을 이

르는 말. ¶～이 사납다.
남-석【南一】명 햇볕이 잘 드는 남쪽으로 구석진 땅. ¶그늘석과 ～.
남-스럽다 형ㅂ불 남남 사이처럼 느껴져서 서먹서먹하다.
납-주레기 명 품질이 낮은 물건. ¶～만 남다.
낮-뒤 명 한낮이 지난 뒤부터 저녁때까지의 동안.
낯-살 명 낯에 있는 살. 곧, '얼굴'을 이르는 말. ¶～을 찌푸리다.
내-곬 [-꼴] 명 냇물이 흐르는 물골.
내구럽다 형ㅂ불 냅다.
내굴-감 [-깜] 명 작은 알갱이들이 연무(煙霧) 모양으로 공중에 떠 있게 하여 병해충을 없애는 약.
내굴-관【一管】명 연관(煙管).
내굴-막【一幕】명 연막(煙幕).
내굴-무뿌개 명 연무기(煙霧機).
내굴-찜 명 훈제(燻製).
내굴-칸 명 연실(煙室).
내-딸구다 타 〈속〉 내쫓다.
내려-먹기 명 좌천(左遷).
내려-쓰기 명 글자의, 세로쓰기.
내리-굴【一窟】명〔광〕아래에서 캔 광석을 위로 끌어 올리기 위하여 수직으로 뚫은 굴. ¶～과 올리굴.
내리-꼰지다 자 높은 곳에서 갑자기 아래로 쏜살같이 내려오다.
내리는-물고기 [-꼬-] 명 강하성(降河性) 어류.
내리-먹다 자 ①위의 명령·지시 등이 아래에 침투되어 잘 받아들이게 되다. ②낮은 직위로 떨어지다.
내리본-그림 명 조감도(鳥瞰圖).
내리-조기다 타 ①냅다 두들기거나 때리다. ②냅다 쳐부수다. ③되게 비판하다. ④일자리가 나게 세차게 해제끼다.
내리-짓모다 타 호되게 짓부수거나 짓패다.
내림-받이 [-바지] 명 내리받이. ¶～길.
내림-수채 명 지붕의 물이 모여 흘러 내리도록 만든 수채.
내:-먹다 타 가루를 내어 먹다.
내무-기관【內務機關】명 '사회 안전 기관'의 구칭.
내무-부【內務部】명 도(道)의 '사회 안전부'의 구칭.
내무-서【內務署】명 시(市)·군(郡)의 '사회 안전부'의 구칭.
내무-일군【內務一】[-꾼] 명 '사회 안전부 일군'의 구칭.
내민-대【一臺】명 발코니. 「그런 성질.
내밀-성【一性】[-썽] 명 일을 세게 추진시키거나 해제끼는 능력이나
내-바닥 [-빠-] 명 내의 바닥. ¶～에 깔린 돌.
내:-발리다 자 ①마음이나 태도가 겉으로 드러나게 되다. ②겉으로 환히 드러나 보이다.
내:-불리다 자 ①서리나 성에가 밖으로 생기다. ②소금버캐 같은 것이 겉면에 내돋다. ③꽃망울 같은 것이 밖으로 약간 도드라져 나오다. ④감정 따위가 겉에 나타나다.
내-속 [-쏙] 명 ①속마음. ②남몰래 은근히 차지하려는 속셈. ¶～을 채우다. ③속내. ¶기계의 ～을 모르다.
내시기-그물 명 작은 고깃배에서 쓰는 회그물의 딴이름.
내심-있다【內心一】형 속이 깊고 참을성이 많다.
내-우기다 타 계속 덮어놓고 냅다 우기다.
내우다 타 ①'낳다'의 사동형. ¶토끼 새끼를 많이 ～. ②가축이나 물고기를 기르다. ¶못에서 물고기를 ～.
내장-품【內臟品】명 짐승이나 물고기의 내장으로 만든 식료품.
내-절로 부 자기 스스로. 자기의 힘으로. 저절로. ¶～ 해보다.
내:쳐-두다 타 되는 대로 버려 두다. 「성질.
내칠-성【一性】[-썽] 명 주저하지 않고 대담하게 내쳐서 하는 활달한
냄새막이-약【一藥】명 방취제(防臭劑).
냅뜰-성【一性】[-썽] 명 ①망설이거나 어물거리지 않고 활발하고 견딜성 있는 성질. ②참견하지 않을 일에 불쑥불쑥 참견하여 나서는 성질.
냉동-고【冷凍庫】명 냉장고.
너들너들-하다 자여불 ①분수없이 히죽히죽 웃으면서 까불다. ②두렵거나 병적으로, 볼꼴 없이 떨다.
너럭-배 명 강이나 호수 등에서 크고 무거운 짐이나 많은 사람을 건네어 주는 배. 배밑이 넓적함.
너렁-배미 명 넓은 논배미.
너렁청-하다 형여불 확 트이고 시원스럽게 넓다. ¶너렁청한 방안.
너울-거리다 자 가지고 싶거나 하고 싶은 생각이 넘쳐날 듯해서 자꾸 들
너비-뛰기 명 멀리뛰기. ㄴ썽거리다.
너수룩-하다 형여불 힘이 빠져 잠잠하거나 어수룩하다. ¶너수룩하게 앉아 있다.
너절청-하다 형여불 넓고 으리으리하다. ¶너절청한 대청.
넉 명 탄화(炭化) 작용을 적게 받은 석탄. 곧, 이탄(泥炭). 「는 말.
넉-셈 명 더하기·빼기·곱하기·나누기의 네 가지 셈법을 통틀어 이르
넉-적다 형 민망한 것을 모르고 뻔뻔스럽다. ¶비위 좋고 넉적은 짓.
넌덕-넌덕 부 물체가 맥없이 물러지거나 자꾸 힘없이 처지는 모양. 넌적넌적. ¶～ 해진 옷.
넌짓 부 넌지시. ¶～ 바라보다.
널-구름다리 명 널판으로 만든 구름다리. ¶쇠구름다리와 ～.
널린-별떼 명〔천〕산개 성단(散開星團).
널-모랭이 명 통나무를 파서 만든 작은 함지.
널-짝 명 〈속〉 널판지.
널-쪼박 명 널판지의 조각.
널-판장 명 널판대기.
넘겨-박다 자 ①넘어뜨리면서 바닥쪽으로 내리치다. ②꾀를 써서 남을
넘겨-치다 타 무엇을 넘어서 때리거나 후려치다. ㄴ골려 주다.
넘-나다 타 넘어나다. ¶물이 턱을 ～. 「다.
넘넘지러니 부 여기저기 마구 되는 대로. ¶돌이 강 속으로 ～ 떨어지
넘스레 명 고비 같은 식물의 잎대에 난 부르르한 솜털 같은 것.
넣는-사람 [넌-] 명 야구의 투수(投手).
네:-굽 명 네모진 물건의 네 굽도리. ¶밥상의 ～을 닦다.
네:굽-질 명 ①네발짐승이 네 발로 내젓는 짓. ②〈속〉 사람이 네 활개를 젓는 짓. ——-하다 자여불
네:모-박이 명 네모가 진 물건. ¶～로 된 함.
네:모-줄칸 명 바른 네모가 나게 가로세로 그은 줄칸. ¶～이 찍혀진 학습장. 「었음.
네모-풍 명 네모진 모기장 모양의 천막(天幕). 항일 무장 투쟁 때 쓰이
넥타이-꽂개 〔necktie〕명 넥타이핀.
녀-동무【女一】명 여자인 동무.
녀맹【女盟】명 ↗녀성 동맹. ¶～원(員).
년로-금【年老金】[녈-] 명 일정한 근속 노동 연한을 가진 근로자가 늙었을 경우에 주는 연금. 년로년금(年老年金).
년장-아【年長兒】명 큰 아이.
녑녑-하다 형여불 사람됨이 상냥하고 삽삽하다.
노그라-들다 자 온 몸을 가누기 어려울 정도의 지경에 잠겨 들다.
노근-하다 형여불 노곤하다.
노라-노랗다 [-라타] 형ㅎ불 아주 노랗다.
노라-발갛다 [-가타] 형ㅎ불 노란 색을 띠면서 발갛다.
노랑-물 명 기회주의적인 사상을 비유하는 말. ¶～을 먹다.
노래춤-묶음 명 토막극·노래·춤 등 다양하게 묶은 무대 작품의 하나.
노로 부 담거나 묶거나 하지 않고 흩어져 있는 대로 그냥. ¶감자를 ～
노름-하다 형여불 노르스름하다. ㄴ실어 가다.
노방 부 언제나 늘. 줄곧. 노상. ¶현장에 ～ 나가 살다.
노방-으로 부 걷잡을 수 없이 계속. ¶비는 ～ 샜다.
노-뼈【橈一】명〔생〕요골(橈骨).
노:엽히다 타 노엽게 하다. ¶할머니를 ～.
노-요선【橈搖船】명 노를 저어 가게 된 배.
노을-돌 [-똘] 명〔지〕화석(化石).
노죽 명 남의 마음에 들기 위하여 말·표정·몸짓·행동 등을 일부러 지어내어 하는 짓. ¶～을 부리다/～을 피우다/～을 떨다.
노질-노질 [-로-] 부 종달새가 지저귀는 소리나 모양. ¶종달새가 ～
노치 명 노티. ㄴ노래를 부른다.
녹장-나다 자 다시 추설 수 없거나 완전히 제 구실을 할 수 없는 상태로 되다.
놀가지 명 '대오(隊伍)에서 떨어져 달아난 자'를 비유하여 이르는 말.
농마 명 녹말. 전분(澱粉).
농마-찌기 명 전분박(澱粉粕).
농맹【農盟】명 ↗농민동맹(農民同盟). ¶～과 직맹(職盟).
농산-작업반【農産作業班】명 주로 알곡을 생산하는 작업반. ¶～과 축산 작업반.
농업-군【農業郡】명 농업 생산이 큰 비중을 차지하는 군(郡).
농업근로자-절【農業勤勞者節】[-글-] 명 농업 근로자들의 명절. 1946년 3월 5일 토지 개혁 법령을 발포한 날을 기념하는 날. 해마다 3월 5일.
농조【農組】명 ↗농민조합(農民組合).
농촌-건설대【農村建設隊】[-때] 명 농촌에서 농가, 농촌 문화 후생 시설 등을 맡아 건설하는 국영 전문 건설 기업체. 「는 말.
농촌기계화-초병【農村機械化哨兵】명 '뜨락또르 운전수'를 비겨 이르
농피-고【膿皮膏】명〔약〕살가죽이 곪는 병에 쓰는 연고.
높-뛰기 명 ↗높이뛰기.
높은-물높기 명 고수위(高水位). 「대. ¶백두 ～.
높은-벌 명〔지〕해발(海拔) 500 m 이상의 높이를 가진 넓고 밋밋한 지
높이-선【一線】명 지도의 등고선(等高線).
높이-중심【一中心】명〔수〕수심(垂心).
뇌심【惱心】명 마음속으로 괴로워함. ——-하다 자여불
뇌이다 타 뇌다. ¶혼잣말처럼 ～.
누게 명 비바람이나 피할 수 있게 간단히 얽어서 지은 자그만 막(幕)집. 누게막(幕).
누게-바위 명 누게 대신으로 들어가 비를 그을 수 있게 생긴 바위.
누기-견딜성【漏氣一性】[-썽] 명 내습성(耐濕性).
누기-풀림【漏氣一】명〔화〕조해(潮解).
누기-풀림성【漏氣一性】[-썽] 명 조해성(潮解性).
누덕-쪼박 명 누더기의 조각.
누렁-체【一體】명〔생〕황체(黃體). ¶～ 호르몬.
누룩-약【一藥】명〔약〕효모성(酵母性) 소화약의 하나. 소화 불량증, 만성적인 위장병에 씀. 약누룩.
누르-익다 자 곡식이나 과일이 누르게 익다.
누리 명 사슴·범 따위에서, 큰 종(種)에 속하는 짐승.
누운-공후【一箜篌】명〔음〕와공후(臥箜篌).
누운-헤염 명〔체육〕배영(背泳).
누지근-하다 형여불 좀 누지다.
눅-거리 명 ①값이 눅은 물건. ¶～ 반지. ②내용이 없고 보잘 것 없는 것. ¶～ 사랑. ③헐하고 쉬운 일. ¶～ 시험.
눅-잦다 자 누그러져 가라앉거나 잦아들다. ¶눅잦은 목소리.
눈-가량【一假量】[-까-] 명 눈으로 보아 대강 짐작하는 것.

눈-가물 명 졸리거나 힘이 지친 때, 눈꺼풀이 자꾸 내리덮여 눈을 깜작거리는 짓. ¶ ~을 치다.
눈-가위 명 눈 가장자리. 눈가장.
눈-갈기 명 말갈기처럼 흩날리는 눈보라. ¶ 후려치는 ~를 헤치다.
눈-갈망 명 눈을 맞지 않도록 여러 가지 방법으로 대책을 세움. ¶ 장작더미에 ~을 하다. ——-하다 자여불
눈-갓 명 눈의 윗 눈까풀.
눈-거울 [—꺼—] 명 검안경(檢眼鏡).
눈-고패 명 눈사태.
눈-굽 [—꿉] 명 눈구석이나 눈의 가장자리. ¶ ~이 뜨거워지다.
눈금-통 【—桶】[—끔—] 명 메스 실린더.
눈-기 【—氣】[—끼] 명 눈치. 눈정기. ¶ ~가 좋다/빠른 ~.
눈기-질 【—氣—】[—끼—] 명 눈짓. 눈기짓.
눈기-짓 【—氣—】[—끼—] 명 눈짓. 눈기질. ——-하다 자여불
눈-까비 명 진눈깨비. ¶ ~가 날리다.
눈:-매닥질 명 눈으로 매대기를 치는 짓.
눈먼-총질 【—銃—】 명 제대로 겨누지 못하고 아무렇게나 되는 대로 쏘는 총질.
눈:-무지 명 눈으로 되어 있는 더미.
눈물받이-사마귀 [—바지—] 명 눈구석에 난 사마귀.
눈물-씨름 명 흐르는 눈물을 자꾸 씻는 일.
눈물-이랑 명 눈물이 줄지어 흘러 내린 자국.
눈-바닥 [—빠—] 명〖생〗눈알의 내면. 안저(眼底).
눈-바래움 명 눈으로 바래는 일. ¶ ~을 하다. ——-하다 타여불
눈:-발구 명 눈 위로 끌 수 있게 만든 발구. ¶ ~를 타다.
눈-발림 명 실속이 없이 눈으로 보기에만 그럴 듯하게 발라맞추는 일. ¶ 입발림과 ~. ——-하다 자여불
눈:-봉우리 [—뽕—] 명 ①눈이 덮인 산봉우리. ②눈벌판에 봉우리처럼 도드라진 눈 무더기.
눈-부리 [—뿌—] 명 '눈귀의 길게 째진 부분'을 새의 부리에 비겨 이르는 말.
눈빗-질 명 눈으로 살살이 살피거나 찾는 일. ——-하다 자타여불
눈섭-지붕 [—썹—] 명 현대식 건물에서 문 위에 덧댄 지붕.
눈-셈 명 말 없이 눈으로 세어 보는 셈. ——-하다 자여불
눈-심지 명 무엇을 찾아 내려고 밝히는 시신경(視神經). ¶ ~를 돋우다.
눈알-나오기 명 토안(兎眼).
눈-얼림 명 실속이 없으면서 보기에만 그럴 듯하게 꾸미는 일. ——-하다 자타여불
눈-자 명 쌓인 눈의 높이를 재는 자. 적설척(積雪尺).
눈-자리 [—짜—] 명 눈길을 집중하여 본 것을 자국이 생긴 것으로 이르는 말. ¶ ~가 나게 쏘아보다.
눈-전호 【—戰壕】 명 쌓인 눈을 파고 다져서 만든 전호.
눈-지방 [—찌—] 명 아래위의 눈시울. ¶ ~을 붙이다.
눈:-짐 [—찜] 명 건설물 지붕의 단위 수평 면적에 쌓이는 눈의 하중. 설하중(雪荷重).
눈총-싸움 명 적의(敵意)를 품고 서로 날카로운 눈으로 쏘아보거나 노려보는 일.
눈치-차림 명 남의 눈치를 보아 가면서 그에 맞춰 행동하는 일. 눈치놀음. ——-하다 자여불
눈-통 명 눈알과 그것이 들어 있는 부분. ¶ ~이 쏘다/~을 때리다.
눈:-퉁구리 명 눈이 크게 뭉쳐진 덩어리. ¶ ~를 빚어 눈사람을 만들다.
눈-힘 명 바라보는 눈길의 힘.
눌러-붙이기 [—부치—] 명 단접(鍛接).
눌러-우림 명〖화〗고체 물질 안의 필요한 성분을 물 또는 여러 가지 용액으로 우려 내는 기술 공법.
눕다 타ㅂ불 무명·모시 따위를 잿물에 누이다.
눞 의명 풀을 베어 한 손과 낫으로 잡을 수 있는 양을 세는 단위. ¶ 풀을 한 ~ 두 ~ 베어 놓다.
뉘뉘-하다 형여불 썩거나 변하여 냄새가 누리척지근하다. ¶ 뉘뉘한 비린내.
뉘엿-이 부 해가 지려고 서쪽으로 기울어지는 모양. ¶ ~ 기울다.
뉘우다[1] 타 '눕다'의 사역형. 누이다.
뉘우다[2] 사동 오줌을 누이다.
뉘지다 형 성미나 태도가 검질기게 추근추근하다. ¶ 뉘지게 달라붙다.
느 명 한글 자모 'ㄴ'의 딴이름.
느근-거리다 자 느글거리다.
느낌-낮추기 명〖생〗느낌 상태를 없애거나 낮추는 일. 탈감각(脫感覺).
느렁-망태 명 행동이 빠르지 못하고 느른한 사람을 놓으로 일컫는 말.
느릅-결 명 느릅나무의 껍질.
느릅-쟁이 명 느릅나무 껍질이나 뿌리 껍질의 가루.
느리-배기 명 행동을 느리게 하는 일. 또, 그런 사람. ¶ ~를 부리다.
느실-느실 부 ①좀 느리게 움직이거나 걷는 모양. ②비가 느릿느릿 내리는 모양.
느즈-목 명 물매가 느리고 밋밋하게 된 길목. 또, 그런 지대.
느침 명 끈적끈적하고 길게 흐르는 침. ¶ 소는 ~을 흘리고 서 있다.
는-새려 조 는커녕. ¶ 타기~ 걸어서도 못 간다.
늘늘-하다 [—를—] 형여불 수량이나 기한이 넉넉하다. ¶ 늘늘히 날짜를 잡다.
늘음-성 【—性】[—썽] 명〖물〗연성(延性).
늘찐-늘찐 부 고무줄 따위가 질기게 자꾸 늘어났다 줄어들었다 하는 모양.
늘-차다 형 ①능란하고 재빠르다. ¶ 늘찬 일솜씨. ②늘씬하게 길다.
늘치분-하다 형여불 맥이 빠져 몹시 느른하다.
늘크데-하다 형여불 패기와 정열이 없고 느른하고 맥이 없다.
늠씰 부 좀 깜짝 놀라는 모양.
능금-볼 명 능금빛과 같이 불그레한 볼.
능굿-이 부 능글맞게. 능청스럽게. ¶ ~ 웃다.
능-기와 명 돌기와. 너새. ¶ ~와 동기와.

능달 명 응달.
능-먹다 자 일을 오래 하는 과정에, 실속 있게 일을 하지 않고 요령을 부리다.
능지 명 응달.
능-쪽 명 햇빛이 들지 않고 늘 그늘이 지는 쪽.
늦-달 명 밤늦게 뜨는, 음력 하순의 달.
늦-아침 [늗—] 명 ①늦은 아침때. ②늦은 조반.
늦음-성 【—性】[—썽] 명 만숙성(晩熟性).
늦-종 【—種】 명 늦품종. 늦게 여무는 품종.
늦-줄 명 동여맨 줄이 좀 늦추어진 것. 늑줄.

ㄷ

ㄷ형-강 【—形鋼】[디귿—] 명 구형강(溝形鋼).
다계단-로케트 【多階段—】〔rocket〕 명 다단식(多段式) 로켓.
다과-빼다 타 ①세차게 다그쳐 끝내다. ¶ 건설 공사를 다과빼야 한다. ②잽싸게 다른 데로 빼다. ¶ 사람들이 다가오자 다과빼기 시작했다.
다관-포 【多管砲】 명〖군〗다연장 로켓포(多連裝 rocket 砲).
다금-다금 부 ①잇달아 놓은 사이가 밭은 모양. ②터울이 밭게 잇달린 모양. ¶ 아이를 ~ 낳다.
다-기대 【多機臺】 명 여러 기계. 또, 그 설비. ¶ ~공(工)/~ 작업.
다기대-운동 【多機臺運動】 명 생산량을 증대시키기 위해 많은 기계·설비를 맡아 보기 위한 대중적인 혁신 운동.
다님-표 【—表】 명 기차나 자동차의, 운행표(運行表).
다듬-기다 동 '다듬다'의 피동형·사역형.
다듬질-치차 【—齒車】 명〖기〗톱니바퀴를 완성 가공하기 위한 공구의 한 가지. 쉐벨.
다락-갈이 명〖농〗비탈진 땅에 층층으로 논밭을 만들어 가는 일.
다락-밭 명〖농〗계단식 밭.
다랑구 명 종자로 쓸 옥수수·수수 따위를 묶어 매달아 놓은 것.
다랑치-논 명 다랑논.
다려-소리 [—쏘—] 명 그물을 당기면서 가락맞춰 부르는 소리.
다른꽃-가루받이 [—바지] 명〖식〗타화 수분(他花受粉). 딴꽃가루받이.
다른꽃-수정 【—受精】 명〖식〗타화 수정(他花受精). 딴꽃정받이.
다른나이-숲 명 이령림(異齡林).
다른데-것 [—껏] 명 다른 나라나 다른 곳에 있는 것. 다른 데서 나거나 만든 것.
다른모양-짝씨 【—貌樣—】 명〖생〗이형 배우자(異形配偶者).
다른종-기생 【—種寄生】 명〖생〗이종(異種) 기생.
다른형-꽃술대 【—形—】[—때] 명〖식〗이형 화주(異形花柱).
다른형-섞붙임 【—形—】[—부침] 명〖생〗이계 교배(異系交配).
다리-기중기 【—起重機】 명〖기〗천장 기중기. 천장 주행(走行) 기중기.
다리-대 [—때] 명 ①건너 다니기 위하여 건너지른 통나무나 건널대. ②물건을 받쳐 놓기 위하여 가로지르는 막대기. ¶ 시루를 ~ 위에 놓다.
다리-마댕이 명 다릿마디.
다리-매 명 다리의 생긴 모양새. ¶ ~가 미끈하다.
다리미-발 [—빨] 명 다리미질을 받아 빳빳하고 반드러워진 겉모양새. ¶ ~이 잘 서다.
다리-발 [—빨] 명 교각(橋脚).
다리우다 자 처지거나 늘어지다. ¶ 짐이 ~.
다리-질 명 함부로 다리를 차거나, 버릇처럼 다리를 놀리며 움직이는 짓. ¶ 팔짓과 ~.
다리-헤기 명 다리만을 써서 하는 헤엄. 다리헤엄.
다림-발 [—빨] 명 ↗다리미발.
다-몰다 타 정신을 차릴 사이 없이 내몰다.
다무-적 【多務的】 명관〖법〗셋 이상의 조직이나 단체 또는 나라들이 조약이나 계약을 맺었을 때 서로 조약이나 계약 내용을 이행할 의무를 지니는 일. ¶ ~ 협정.
다-밀다 자 사람들이 물밀듯이 다그쳐 밀리다. ¶ 다밀어 드는 시위 군중.
다-바쁘다 형 몹시 바쁘다.
다방골 잠이냐 【茶坊—】[—꼴—] 구 늦잠을 자는 사람에게 농조로 하는 말.
다방-조약 【多邦條約·多方條約】 명〖법〗다변(多邊) 조약. 다수국간(多數國間) 조약.
다-밭다 형 몹시 짧고 밭다.
다-베기 명 개벌(皆伐).
다-부르다 타 ①빠른 속도로 다그치다. ②몹시 조르거나 재촉하다.
다부작 【多部作】 명〖문〗둘 또는 그 이상의 부로 이루어진 문학 예술 작품.
다불렀다-빼다 타 일을 빠른 속도로 힘있게 다그쳐 나가다.
다불렀다-세우다 타 저지른 잘못에 대하여 매우 심하게 꾸짖어 혼줄을 내다.
다색-단 【多色緞】 명 여러 색깔의 비단. 고급 비단의 하나.
다수-가결 【多數可決】 명 다수결. ¶ ~ 원칙.
다-숙이다 타 푹 숙이다. ¶ 머리를 다숙이고 앉았다.
다스러-지다 자 ①물건이 쓸리어 갈리거나 모지라지다. ¶ 다스러져 보풀이 인 책뚜껑. ②물건의 표면이 매끈하게 닳아지다. ¶ 반들반들 다스러진 임도(林道).
다심-다정 【多心多情】 명 다심하고 다정함. ¶ ~한 눈으로 딸을 바라보다. ——-하다 형여불
다우쳐-대다 타 다그치며 들이대다.
다-우클라드 【多—】〔러 uklad〕 명 여러 경제 형태. ¶ ~적(的).
다운-병 【—病】〔Down〕[—뼝] 명〖의〗다운 증후군(Down 症候群).

다인-선반【多刃旋盤】명〖기〗여러 개의 바이트가 동시에 깎는 선반. 여러바이트선반.

다-자꾸 부 무턱내고 자꾸. 다짜고짜로 막. ¶~ 함께 가자고 조르다.

다정자-수정【多精子受精】명〖생〗다정 수정(多精受精). 여러정자 수 ⌊정.

다좇다 타 다그쳐 재촉하다. ¶얼른 대라고 다좇는 바람에.

다좇아-가다 타 다그쳐 좇아 가다. 「부진 몸집.

다지우다 자 어떤 일에 부대껴 단련되고 굳세어지다. ¶노동에 다지운 다

다짐-기【一機】명 땅바닥을 닦거나 콘크리트를 칠 때 흙·모래·자갈 등을 다지는 기계.

다추-공【多錘工】명 혼자서 규정된 것보다 더 많은 방추를 다루는 기술 수준이 높은 정방공(精紡工).

다추-다기대운동【多錘多機臺運動】명 한 사람의 노동자가 방추 또는 직기를 더 많이 맡아서 노동 생산 능률을 높이는 대중적 혁신 운동.

다층-지대【多層地帶】명 4-6 층의 살림집들이 들어서 있는 지대.

다함-없다 [一업一] 형 그지없이 크거나 많다. ¶다함없는 감사를 드리다.

다후다 〔프 taffetas〕명 태피터. 다후다지(地). 다후다직(織).

닥달리다[1] 자 닥달을 받다. ¶되게 ~.

닥달리다[2] 자 부딪치게 되다. ¶딴 생각을 하면서 오다가 닥달린 것이다.

닦개-질 명 닦음질.

단각-술【斷角術】명 가축의 뿔을 자르는 방법.

단간-막【單間幕】명 단 한 칸으로 된 자그마한 막사(幕舍).

단간-종【短幹種】명〖생〗일부 식물에서 줄기가 짧은 종류.

단광물-암【單鑛物岩】명 한 가지 광물로 이루어진 암석. 대리석(大理石)·석영(石英)으로 이루어진 규암(珪岩) 따위.

단-교대【單交代】명 한 대(代)거리로 그 날 일을 끝내는 일. ¶~와 2 교대와 3 교대. 「을 잘 하다.

단-김 명 음식물의 본바탕의 달거나 좋은 맛. ¶~이 빠지지 않게 뚜껑

단능-공작기계【單能工作機械】명 한 가지 치수의, 한 가지 형태의 제품을 만드는 공작 기계. 「機臺).

단능-설비【單能設備】명 정해진 한 가지 일만을 하는 설비. 단능 기대

단니 명 닻과 비슷한 모양으로 만든 낚시. 겨울에 얼음 구멍을 뚫고 드리워서 잉어·숭어 등 비교적 큰 고기를 낚음.

단도-사격【短刀射擊】명 가까운 거리에 근접한 적에게 한 방향으로 기습적으로 하는 사격.

단독-선【單獨線】명 공장이나 사업장·기관이 단독으로 쓰게 되어 있는 전기선. 또는 그러한 선로(線路).

단-마디【單一】명 한 마디. ¶~로 잘라 말하다.

단마디-명창【單一名唱】명 ①한두 마디의 짧은 말로 그럴 듯하게 표현하는 말. ②자세히 말할 것을 한두 마디의 말로 당치도 않게 불쑥 하는 말. ③한 사람이 늘 판박이로 부르는 한 가지 노래.

단맛-약【一藥】명 감미제(甘味劑).

단매-소【單一】명 단 한 마리밖에 없는 소.

단매-손【單一】명 혼잣손. ¶~으로 어린아이를 키우다.

단매-질【單一】명 단 한 번의 동작. ¶~로 부싯깃에 불을 당겼다.

단-묵 명 젤리(jelly).

단문-포【單門砲】명〖군〗단독으로 행동하는 한 문의 포.

단-물약【一藥】명 시럽제(syrup劑).

단-물질【一物質】[一찔] 명 당분(糖分)이 많이 들어 있는 물질.

단백-계【蛋白計】명〖의〗용액 안에 섞이어 있는 단백질의 양을 측정하는 기구.

단백-풀【蛋白一】명〖식〗단백질이 많은 식물. 호박·비름·동과 따위. ¶논두렁에 ~을 심다.

단벌-가다 구 오직 하나뿐이다. 유일 무이하다. ¶세계에서 단벌가는 가장 좋은 기계.

단벌-치기【單一】명 ①단 한 벌로 입는 옷. ②단벌. ¶~옷

단부-제【單部制】명 이(二)부제·삼(三)부제가 아니고 모든 학급이 같은 시간에 수업을 받는 것. 일부제.

단사-률【斷絲率】[一율] 명〖공〗단위 시간에 실이 끊어지는 빈도수.

단삭식-삭도【單索式索道】명〖광〗한 가닥의 밧줄에 매달린 운반기에 짐을 실어 나르는 삭도. 단선 케이블(單線 cable). 준단삭도(單索道).

단-세대【單世帶】명 한 세대. ¶~집.

단-수면【段水面】명〖토〗동뚝 같은 것으로 강을 막았을 때 단을 짓게 되는 위쪽과 아래쪽의 수면.

단-수수 명 사탕수수. 「아(單純花芽).

단순-꽃눈【單純一】명〖식〗잎이 피지 않고 꽃만 피는 꽃눈. 단순 화

단순-목욕【單純沐浴】명〖의〗보통물을 쓰는 목욕 치료. 비만증·신경통 등에 좋다고 함. 단순욕(單純浴).

단순-물질【單純物質】[一찔] 명〖화〗홑원소 물질. 단체(單體).

단-시합【單試合】명 단식 경기(單式競技).

단식-겹잎【單式一】[一닙] 명〖식〗단신 복엽(單身複葉). 홑잎새겹잎. 단식 복엽. 단신 겹잎.

단심-줄【丹心一】[一쭐] 명 붉은 기둥에 빛깔이 다른 열셋의 줄을 드리우고 13 명의 어린이들이 이 줄끝을 잡고 노래하면서 추는 춤. 단심줄춤.

단-알약【一藥】명 당의정(糖衣錠).

단야-간【鍛冶間】[一깐] 명 단야 작업을 하게끔 꾸려진 칸.

단-얼음 명 얼음을 갈아 사탕·과즙 등을 섞은 것. 빙수. 단물얼음.

단업【短業】명 조업 단축(操業短縮). ——하다 자타여불

단위-자【單位一】명〖건〗건축물과 그 부분 및 건축 설비들의 규격 치수를 정하거나 비율을 정하는 데에 쓰이는 자. ¶~ 체계.

단추-전화기【一電話機】명 버튼식 전화기.

단-침 명 군침. ¶~이 돌다.

닫긴-곡선【一曲線】명〖수〗폐곡선(閉曲線).

닫긴-깃 명 젖히지 않고 닫게 된 양복 저고리의 깃.

닫긴깃-양복【一洋服】명 깃과 앞섶이 젖혀지지 않고 위에서 아래까지 여미게 된 상의. 주로 남자가 입으며, 단추를 다섯 개 닮. 닫긴옷. 닫긴식옷. 「음.

닫긴-모음【一母音】명〖언〗폐모음(閉母音). 고모음(高母音). 닫힌모

닫긴-열매 명〖식〗폐과(閉果).

닫긴-전선【一前線】명〖기상〗폐색 전선(閉塞前線). 닫힌전선.

닫긴-호수【一湖水】명〖지〗비방수호(非放水湖).

닫김-소리 명〖언〗폐색음(閉塞音).

닫는-살 명〖동〗조개 따위의 폐각근(閉殼筋).

닫아-매다 타 ①문이나 창문을 밖에서 열지 못하게 단단히 닫아 걸다. ②입을 다물다. ¶입을 굳게 ~.

닫힌-회로【一回路】[다친一] 명〖물〗폐색(閉塞) 회로.

닫힘-생태계【一生態系】[다침一] 명〖생〗인공 위성이나 우주 로켓에서와 같이 외부와 단절된 상태에서 사람이 살 수 있게 되어 있는 환경.

달가니 명 강이나 바다에서 갑자기 푹 빠져 깊어진 곳.

달거리-아픔 명〖의〗월경통(月經痛).

달-경【一頃】명 한 달쯤.

달고-수리【一修理】명 차량을 열차 편성에서 떼지 않고 진행하는 수리. 무해차 수리(無解車修理).

달고-치다 타 ①달아 매고 친다는 뜻으로, 사정없이 마구 때리다. ②바짝 따지며 죄어대다.

달구어-빼다 타 ①짐승굴 같은 것의 아가리를 달구어서 안에 있는 짐승이 빠져 나오게 하다. ②일을 힘차게 다그쳐 나가다. ③견디기 어렵게 몹시 달구어 맥(脈)을 빼게 하다.

달-길 [一낄] 명〖천〗달이 하늘에서 지나는 길. 백도(白道).

달-나이[1] [一라一] 명〖천〗월령(月齡). 「나이.

달-나이[2] [一라一] 명 동식물이 나서 자란 동안을 달수로 따져서 세는

달라진-바위 명〖지〗변성암(變成岩).

달라질-성【一性】[一썽] 명〖물〗변이성(變異性).

달래 부 다른 까닭이 있어서. ¶~ 그런 것이 아니라. 「~.

달롱-하다 형여불 옷이 조금 들려 있는 것처럼 보일 정도로 짧다. ¶치마가

달름 부 ①옷 같은 것이 들려 보이는 모양. ¶~ 들린 치마. ②무겁지 않게 매달린 모양. ¶전공이 전봇대에 ~ 매달려 있다.

달리우다 자 ①졸음이나 피곤이 무겁게 실리다. ¶눈시울에 무겁게 달리우는 졸음. ②일이 제대로 되지 않아 몰리다. ③먹은 것이 소화되지 않아 내려가지 않다.

달린-바다 명 부속해(附屬海).

달린-옷 명 윗도리와 아랫도리가 하나로 잇달린 여자 옷.

달림-곡【一曲】명〖악〗푸가(fuga). 둔주곡(遁走曲).

달림-선【一線】명 ①육상 경기의, 코스(course). 경주로(競走路). ¶100 미터 ~ / 400 미터 ~. ②기관차나 열차가 다니는 데 전문적으로 쓰이는 선로.

달망-지다 형 보기보다 실하고 단단하다. ¶짐이 달망지게 무겁다.

달못찬-아이 명 미숙아(未熟兒).

달-물결 [一껼] 명 달빛이 은은히 비낀 물결.

달-미세기 명 달의 기조력(起潮力)에 의하여 일어나는 미세기. 태음조.

달-붙다 자 ↗달라붙다. ⌊(太陰潮)

달아-다니다 자 빠른 걸음으로 다니다. ¶오금에 바람이 일게 ~.

달아-빼다 자 '달아나다'를 얕잡아 이르는 말.

달장-간【一間】[一짱一] 명 거의 한 달이 되는 동안.

달쿠다 타 '달구다'를 세게 이르는 말.

닭고기-목장【一牧場】[닥一] 명 닭고기 생산을 전문으로 하는 목장.

닭-공장【一工場】[닥一] 명 양계장(養鷄場). ¶~과 오리 공장.

닭-관리공【一管理工】[닥괄一] 명 닭사육자(飼育者).

닭-놀이터 [닥一] 명 목장이나 양계장에서 기르는 닭이 마음대로 놀 수 있게 해 놓은 곳.

닭-놓이 [닥一] 명 ①닭을 놓아 기르는 일. ②닭을 치는 일.

닭-목장【一牧場】[닥一] 명 닭을 전문으로 기르는 목장.

닭알-공장【一工場】[달갈一] 명 달걀을 전문으로 생산하는 공장.

닭알-낟가리 [달갈一] 명 달걀을 가려 쌓을 수 없다는 뜻으로, 도저히 이루어질 수 없는 공상. 「원형.

닭알둥근-모양【一貌樣】[달갈一] 명 둥근달걀꼴. 난원형(卵圓形). 타

닭알-모양【一貌樣】[달갈一] 명 달걀꼴. 난형(卵形). 닭알형.

닭알-옷 [달갈一] 명 달걀을 얇게 지져서 음식물에 입힌 것. ¶~을 입힌 비빔밥.

닭알-침 [달갈一] 명 목구멍으로 단번에 꿀떡 넘기는 많은 양의 침. ¶~을 꿀꺽 삼키다.

닭의-가리 [달기一] 명 닭의 어리.

닭의-살 [달기一] 명 거칠게 오톨오톨한 살갗. 닭살. ¶~이 돋다.

닭-종자【一種子】[닥一] 명 닭의 품종. 「기.

닭털-술 [닥一] 명 닭털의 하나하나의 가닥. ¶~이 하르르 나부끼는 제

닳음-견딜성【一性】[一썽] 명 내마모성(耐摩耗性).

담방-지다 형 키가 알맞고 다부지다. ¶담방진 키.

담배질-군 [一꾼] 명 애연가(愛煙家).

담배-칸 명 담배를 피우도록 따로 설치한 방이나 칸. 흡연실.

담수-경운법【淡水耕運法】[一뻡] 명 논에 물을 대고 여러 번 논갈이와 써레질을 하여 소금기를 우려 내는 방법. 담수갈이법.

담-지다【膽一】형 겁이 없고 대담하고 다기지다.

담-집 [—찝] 명 흙담을 쌓고 그 위에 지붕을 덮어 지은 집. 흙담집.

-답데 어미 무슨 일을 똑똑히 알리면서 감동하는 느낌을 나타내는 말. ¶ 소설을 썼~. 「람. 답사자.

답사-생 【踏査生】 명 ①답사하는 청년 학생들. ¶ ~ 대열. ②답사하는 사

답새기다 타 두드려 패거나 족치다. 답새다.

답숙 부 털이나 풀 따위가 촘촘하면서 밴 모양.

답실그레-하다 형 여불 보기에 답실답실한 느낌이 있다.

답실-답실 부 머리카락이나 수염 등이 거뭇거뭇하게 꽤 돋아나 있는 모양. ——-하다 형 여불

답-쌓이다 자 한 군데로 들이덮쳐 쌓이다.

답쌔기 명 많이 답쌓인 것. ¶ 마당의 ~에 모닥불이 타는 연기.

답-쌔다 자 ↗답쌓이다.

답-인사 【答人事】 명 답례로 하는 인사. ——-하다 자 여불

당간부-사업 【黨幹部事業】 명 간부를 장악하고 선발 배치하며 교육시키는 당의 사업.

당교양-망 【黨敎養網】 명 당원·근로자를 교양하기 위한 여러 수단과 조직 체계. 또, 이러한 체계에 속한 조직들.

당근-질 명 단근질.

당길-마음 명 당길심.

당길-속 [—쏙] 명 바라거나 가지고 싶은 속마음.

당김-시험 【—試驗】 명 〖물〗 인장(引張) 시험.

당김-용수철 【—龍鬚鐵】 명 코일 스프링(coil spring).

당-단체 【黨團體】 명 당조직(黨組織).

당-대렬 【黨隊列】 [—열] 명 당원으로 이루어진 조직된 부대.

당두리 명 당도리. 당도리선(船).

당문 【黨門】 명 '당에서 당원을 새로 받아들이는 길'을 이르는 말. ¶

당-밭 명 평지가 아닌 높은 곳에 있는 밭. ∟~을 열다.

당분-작물 【糖分作物】 명 사탕무·사탕수수와 같은 사탕 원료를 뽑는 작물. 「은 조직체.

당-분조 【黨分組】 명 당세포 성원들을 두 개 이상으로 갈라서 조직한 작

당사상-사업 【黨思想事業】 명 당의 지도 사상을 선전하고 당원과 근로자를 사상적으로 무장시키고 교양하는 사업.

당사상-생활 【黨思想生活】 명 당원들이 정치 생명을 유지하기 위하여 당 사상을 수련하여 자기의 것으로 만들어 가는 정치 생활.

당생활-총화 【黨生活總和】 명 일정 기간의 당생활을 검토하고, 결함의 원인과 교훈을 사상적으로 분석·비판하고 그것을 고치기 위한 방도를 강구하는 모임. 「되는 어린 물고기.

당세-어 【當歲魚】 명 그 해 겨울을 나기 전의, 부화(孵化)한 지 얼마 안

당-세포 【黨細胞】 명 당원의 당생활을 지도하며, 당원·군중을 조직·동원하여 당 노선·정책을 관철시키는 당의 기초 조직.

당-소조 【黨小組】 명 당원이 세 명이 안 되는 특수한 경우에 조직되는 당의 기층 조직의 하나.

당원-군중 【黨員群衆】 명 ①당원들로 이루어진 군중. ②수많은 당원들.

당장성-사업 【黨長成事業】 명 당원을 늘리고 질적(質的) 향상을 도모하는 사업.

당적-분공 【黨的分工】 [—쩍—] 명 당이 당원들에게 부여하는 과업(課業). 고정 분공과 임시 분공이 있음.

당정책-가요 【黨政策歌謠】 명 당의 노선·정책·방침·구호 등을 반영시킨 혁명적이고 통속적인 가요. '10 대 정강의 노래' 따위가 있음.

당-책벌 【黨責罰】 명 당이 당원에게 내리는 책벌.

당혼-감 【當婚—】 [—깜] 명 결혼할 나이가 된 신랑감이나 신부감.

닻-머물기 명 배가 닻을 내리고 머무는 일. 묘박(錨泊).

닻-보이기 명 배가 떠나기 위하여 내렸던 닻을 걷어 올리는 일. 발묘(拔

닻-터 명 닻을 내리고 배가 머무르는 곳. 묘박장(錨泊場). ∟錨).

닿아-굽힘성 【—性】 [—썽] 명 〖생〗 굴촉성(屈觸性).

닿아-기울성 【—性】 [—썽] 명 〖생〗 경촉성(傾觸性).

닿이-선 【—線】 명 〖수〗 접선(接線).

닿이-점 【—點】 [—쩜] 명 〖수〗 접점(接點).

대-가치 [—까—] 명 댓개비. 「우는 짓.

대갈-놀음 명 ①때리며 싸우는 짓. ②짐승들이 대가리나 뿔로 받거나 싸

대격 【對格】 [—껵] 명 〖언〗 목적격(目的格). ¶ ~토.

대-결 [—껼] 명 대나무의 나뭇결. ¶ 마음 속이 ~같이 바르다.

대-고비 【大—】 명 큰 고비. 결정적인 고비.

대-고조 【大高潮】 명 투쟁이나 건설에서 기세가 앙양되고 왕성한 상태. ¶ 혁명적 ~를 세차게 일으키는 노동 계급.

대교-지 【對校紙】 명 〖출판〗 신문 인쇄에서 신문의 한 면을 조판한 뒤에 교정지와 대보기 위하여 간단하게 박아 낸 종이.

대구 부 잇따라 거듭하여. ¶ ~ 떠들어 대다.

대구-입 【大口—】 명 유난히 큰 입. 또, 입이 큰 사람.

대국-배타주의 【大國排他主義】 명 대국이랍시고 다른 나라를 깔보고 배척하는 민족 이기주의적 사상·경향.

대기-려관 【待機旅館】 명 철도역 가까이에 있는, 손님이 차를 기다리는 동안 쉴 수 있게 만든 여관.

대대-부 【大隊部】 명 대대 본부(大隊本部).

대대-적 【大隊的】 명 관 대대와 관련되거나 그 범위가 같은. 또, 그러한 것. ¶ ~인 사업과 중대적인 사업.

대량-현상 【大量現象】 명 〖경〗 질이 같은 여러 개 단위로 이루어져 있는, 통계 관찰의 대상으로 되는 사회적 현상.

대렬 【隊列】 [—열] 명 일정한 활동을 위하여 이루어진 조직체나 집단. ¶ 철도 ~/노동 계급의 ~/~ 합창.

대렬-감사 【隊列感謝】 [—열—] 명 군인들에게 주는 표창의 하나. 군인의 모범적인 사실에 대하여 대열 앞에서 지휘관의 이름으로 감사를 선포함. 「비행기.

대렬-기 【隊列機】 [—열—] 명 비행기 편대에서 주도기의 지휘를 받는

대륙-판 【大陸坂】 명 〖지〗 대륙붕 밖에 있는 급한 경사면. 륙붕애(陸棚

대미 명 약과·만두·다식·타래과를 통틀어 이르는 말. ∟崖).

대-미쳐 부 그 즉시로. ¶ 부고를 받자 ~ 상가로 가다.

대-밑 명 ①나무의 뿌리 쪽에 가장 가까운 부분. 대밑동. ②어떤 대상의 아래 기슭이나 밑단에 바싹 잇따랐거나 가장 가까운 곳. ¶ 금강산 ~에 자리잡은 농장. ③대목. ¶ 명절 ~.

대-바르다 형 르불 ①주견이 똑바르고 세다. ¶ 대바른 소리. ②마음이 곧고 바르다. ¶ 대바른 청년.

대방 【貸方】 명 〖경〗 대변(貸邊). 오른쪽.

대-방창 【大傍唱】 명 〖악〗 가극(歌劇)에서의, 대합창(大合唱).

대-분해 【大分解】 명 완전 분해. 특별 분해. ——-하다 타 여불

대사-극 【臺詞劇】 명 가극·무용극들과 구별하여 '연극'을 이르는 말.

대-사리 【大—】 명 한사리. 대조(大潮).

대상-설계 【對象設計】 명 어떤 하나의 건설물만을 대상으로 하는 설계.

대성 【大星】 명 〖군〗 군사 등급을 나타내기 위하여, 장령(將領)들의 견장(肩章)이나 금장(襟章)에 다는 별. ¶ ~과 중성.

대수 부 대강. 대충. ¶ ~ 알아보다.

대숨-에 부 단숨에.

대심-박이 【大心—】 명 심지가 굵은 초.

대안의 사업체계 【大安—事業體系】 명 공장·사업체들이 당의 지도 하에 생산자를 부추기어 경제적 과업을 수행하는 경제 관리 체계. 대안 체계.

대안-측미계 【對眼測微計】 명 〖물〗 광학계의 초점면에서 천체나 다른 물체의 위치를 미세한 거리까지 정확히 재기 위한 기구.

대역-절환기 【帶域切換器】 명 〖물〗 한 대역으로부터 다른 대역으로 주파수를 바꾸어 흐르게 하는 장치.

대오 【隊伍】 명 대렬(隊列). 「도록 지도 통제하는 일.

대오-관리 【隊伍管理】 [—괄—] 명 대오 안에서의 질서와 규율을 지키

대용-가죽 【代用—】 명 인조 피혁(人造皮革). 의혁(擬革).

대우 명 기름을 먹이거나 닦고 잘 다루어 윤이 나게 길들인 것. ¶ ~가 잘 된 장판방.

대우식-통기 【對偶式通氣】 명 광산에서 공기를 바꾸는 방식. 들어가는 통기공(通氣孔)과 나오는 통기공이 먼 거리에 마주 있음.

대-저조 【大低潮】 명 간조(干潮) 때의 해면(海面).

대조 【大調】 명 〖악〗 장음계(長音階).

대조-도 【對照度】 명 텔레비전 수상기에서, 화면의 제일 밝은 부분과 어두운 부분의 비.

대조-쌍 【對照雙】 명 〖전〗 케이블의 속 줄을 구별하기 위하여 각각 빛깔을 다르게 한 것. 「컬음.

대-주기 【大週期】 명 〖화〗 주기율표의 제4, 제5, 제6, 제7 주기의 일

대중적-기술혁신운동 【大衆的技術革新運動】 [—쩍—] 명 생산자들이 자각적으로 널리 참여하는 기술 혁신 운동.

대중적-영웅주의 【大衆的英雄主義】 [—쩍—] 명 집단적으로 발휘하는 희생적인 투쟁 정신과 행동. 집단 영웅주의. 「르는 중창.

대-중창 【大重唱】 명 〖악〗 가극에서 등장 인물과 합창단원들이 함께 부

대-중합제 【大重合劑】 명 〖약〗 중조(重曹)·대황팅크(大黃tincture)·박하유(薄荷油)·알코올 등을 넣어 만든 물약의 한 가지.

대-차다 형 성미가 곧고 꿋꿋하며 세차다. ¶ 대찬 젊은 일꾼.

대찬 【大讚】 명 큰 칭찬. ——-하다 타 여불

대척 명 대꾸. ¶ ~도 않다.

대천-바다 【大千—】 명 아주 넓은 바다.

대철-길 【大鐵—】 [—낄] 명 광궤 철로(廣軌鐵路).

대추잎-알약 【—藥】 명 〖약〗 대춧잎을 달인 다음, 진달래꽃 가루와 녹말을 넣고 반죽한 알약. 고혈압에 씀.

대충 【大衝】 명 〖천〗 화성이 아주 가깝게 지구에 접근하는 때. 15 ~ 17 년마다 되풀이됨.

대탐식-구 【大貪食球】 명 〖생〗 대식세포(大食細胞).

대폭-기 【大幅機】 명 〖기〗 넓은 폭의 천을 짜는 방직 기계.

대학생-부대 【大學生部隊】 명 일정한 목적을 위하여 대학생들로 조직된 부대.

대할-공 【大割工】 명 돌이나 광석 같은 것을 일정한 크기로 큼직큼직하게 잘라 내는 일을 하는 노동자.

대형-전기버스 【大型電氣—】 (bus) 명 무궤도(無軌道) 버스.

대호 【代號】 명 군(軍)부대의 정식 이름 대신으로 쓰는 부대의 번호나 암

대화-창 【對話唱】 명 〖악〗 아니리. ∟호.

대황-팅크 【大黃—】 (tincture) 명 〖약〗 대황 가루를 40% 알코올로 우려낸 약. 건위(健胃)·소화 불량(消化不良)·체한 데에 씀.

댓다 부 덮어놓고 막. 심하게 마구. ¶ ~ 몰아 내다.

댕공-하다 형 여불 바지나 치마 같은 것을 바싹 추켜 입어 가뜬하다. ¶ 댕공하게 추켜 입다.

댕금-하다 형 여불 ①둘레에 거칫거리는 것이 없이 홀로 덩그렇다. ¶ 빈 방에 댕금하니 앉아 있다. ②옷이 몸에 맞지 않게 짧다.

댕기-운동 【—運動】 명 리본(ribbon) 체조.

댕댕-이 명 머리가 아플 때 머리를 동이는 데 쓰는 천. ¶ ~를 동여 매다.

더께-지다 자 더께가 앉다.

더넘이 명 ①더넘. 넘겨 맡은 걱정거리. ¶ ~를 쓰다. ②장사치들이 물건을 팔 때 선심 쓰는 체하면서 더 주는 일.

더-덜기 명 더하기와 덜기, 더하기와 빼기. ¶유치원에서 ~를 곧잘 하여 칭찬받다.
더듬-다리 [—따—] 명 문어 따위의 입 둘레를 둘러싸고 있는 다리. 밖으로부터의 자극을 느끼기도 하고 먹이를 붙잡기도 함. 촉(觸)발.
더미-구름 명 적운(積雲).
더미다 타 겹쳐 올리어 더미를 짓다. ¶더민 거름.
더벅-거리다 자 힘없는 걸음으로 맥없이 자꾸 걷다.
더벙-하다 형여불 어지간히 더부룩하다. ¶머리가 ~.
더부쳐-업다 타 마구 덮쳐서 업다.
더부쳐-잡다 타 여럿이 겹겹이 잡다. ¶대장의 손을 한꺼번에 더부쳐잡았다.
더수구니 명 〈속〉 덜미. ¶~가 섬뜩하다.
더수기 명 〈속〉 덜미. ¶~를 긁다.
더운공기-뭉치 【—空氣—】 명 〖기상〗 온난 기단(溫暖氣團). 더운공기떼.
더운-권 【—圈】 [—꿘] 명 〖기상〗 열권(熱圈).
더운내굴찜-법 【—法】 명 〖의〗 온훈법(溫燻法).
더운-느낌 명 온감(溫感).
더운물-미역 명 온도 38-39℃의 더운 물로 하는 목욕 치료.
더운-빛 명 온색(溫色). 더운색.
더운-전선 【—前線】 명 〖기상〗 온난 전선(溫暖前線).
더운-흐름 명 난류(暖流).
더큰-보임새 명 클로즈업(close-up).
더틀-더틀 부 두틀두틀.
더펄-춤 명 규정된 춤가락이 따로 없이 마구잡이로 팔을 벌려 더펄더펄 추는 춤.
덕-걸이 명 명태를 말리려고 덕에 거는 일.
덕금어미-잠 명 '아주 버릇으로 되어 버린 게으름'을 이르는 말.
덕대-판 명 덕대처럼 아래위가 많은 다락으로 이루어진 지대. ¶~에 심은 감자.
덕-땅 명 주변 지대보다 높이 두드러진 평탄한 땅.
덕땅-형 【—形】 명 〖지〗 큰 산맥이나 고원·평원과 같이 규모가 큰 지형.
덕수 【—水】 명 ①곧추 쏟아지는 작은 폭포. ②단련이나 치료를 위해서 떨어지는 물을 맞는 일. ¶ ~를 맞다.
덕지 명 더데. 더뎅이. ¶~가 앉다/~를 긁다.
덕-판 명 더기의 밋밋한 땅. ¶마을은 높은 ~ 위에 자리잡고 있다/~마을.
덜덜-이 명 덜렁이.
덜렁-수캐 명 침착하지 못하고 헤덤비면서 이리저리 돌아다니기 좋아하는 남자를 농으로 이르는 말.
덜수-갈림 【—數—】 명 〖생〗 감수 분열(減數分裂).
덜짠물-호수 【—湖水】 명 반함수호(半鹹水湖).
덜퉁-하다 형여불 성질·행동 등이 찬찬하고 깐깐하지 못하다.
덟기 [덤끼] 명 ①더럽게 때가 묻는 것. ②독해물(毒害物)이나 방사성 물질이 덮이거나 묻어 있음.
덟은-지구 【—地區】 명 〖농〗 가축의 전염병이 없어졌지만 그 발생 원인이 완전히 해결될 때까지 방역 대책을 세우는 지구.
덟이다 타 더럽혀지게 하다. ¶옷을 덟이겠다. 조심해라.
덤벼-때리다 자 '덤벼치다'를 강조하여 이르는 말.
덤벼-치다 자 ①헤덤비며 돌아치다. ¶출장 준비에 ~. ②분별없이 날치다.
덤볐다-치다 자 '덤벼치다'를 세게 이르는 말.
덤정-대 [—때] 명 굳은 나무로 만든 지렛대의 하나.
덥히개 명 보일러.
덧-걸이 명 이미 있는 집에 덧붙여 지어 사람이 살 수 있게 만든 살림칸.
덧관-식 【—管式】 명 더운 물과 찬물을 함께 쓸 수 있도록 수도관을 두 줄로 설치하는 식.
덧-굳히다 [—구치—] 자 한결 더 굳어지거나 한층 더 세어지다.
덧-궂히다 [—구치—] 자타 ①제대로 잘 되지 않는 일을 더욱 그르치게 하다. ②비나 눈이 계속 내려 날씨가 더욱 나빠지다.
덧-대 명 〖의〗 부목(副木).
덧-먹이 명 가축의 보충 사료(補充飼料).
덧물-보호법 【—保護法】 [—뻡] 명 〖공〗 거푸집 위에 더 부어 놓은 쇳물의 열이 밖으로 나가지 못하게 막아 주거나 그것에 열을 더 보태 주는 방법.
덧붙인-돈 [—부친—] 명 부가금(附加金).
덧붙임-반응 【—反應】 [—부침—] 명 〖화〗 첨가(添加) 반응. 부가(附加) 반응.
덧-살 명 두드러지게 오른 살. ¶손바닥에 생긴 ~.
덧-선 【—線】 명 〖악〗 덧줄. 가선(加線).
덧-이 [—니] 명 덧니. ¶~박이.
덧-집 명 집이나 시설물을 에워싸게 지은 집.
덧-쪼각 명 덧조각. 덧대거나 덧붙이는 조각.
덧-탄 【—炭】 명 〖공〗 가탄(加炭).
덩-거칠다 형 솜씨·성미 등이 세밀하지 못하고 거칠다.
덩굴-덕대 명 덩굴 식물을 올릴 수 있게 만든 시설물. 휴식장 등에 나무·철·콘크리트 등으로 만들어 베푸는데, 그늘을 지게 하며 장식용도 됨.
덩그렁-하다 형여불 ①우뚝 솟아 높다. ¶덩그렁한 기와집. ②휑하게 비어 있다.
덩더러-꿍 부 장구나 북 따위를 어울러서 두드리는 소리.
덩어리-돈 명 목돈. ¶~을 쥐다.
덩어리-비누 명 덩어리로 된 비누. ¶~와 가루 비누.
덩이-기름 명 굳기름.
덩이-배합먹이 【—配合—】 명 〖농〗 고형 배합 사료(固形配合飼料).
덩이-쇠 명 괴철(塊鐵).
덩이-짐 명 광석·석탄 따위와 같이 덩이로 되어 있어 포장하지 않은 채로 나를 수 있는 짐.
덩이-탄 【—炭】 명 괴탄(塊炭). 덩어리탄.
덩지-기름 명 된 기름으로 덩어리지게 만든 머릿기름. 지꾸.
덮-쓰다 명 덮어쓰다. ¶모자를 ~.
덮쳐-잡다 타 갑자기 들이닥쳐 위에서 눌러 움켜잡다. ¶덩치 큰 새를 ~.
덮치 명 덮치기.
데-김치 명 야채를 살짝 데쳐서 담근 김치.
데뚝-하다 형여불 예리하고 우뚝하다. ¶데뚝한 콧날.
데룩-하다 형여불 눈알이 불룩하게 나와 있다.
데바빠-하다 자여불 몹시 바빠하다.
데-바쁘다 형 몹시 바쁘다. ¶데바쁜 걸음.
데설-웃음 명 시원치 않게 약간 웃는 웃음. ¶~을 치다.
데식데식-하다 형여불 매우 서먹서먹하거나 미적지근하다. ¶데식데식해진 이 집 분위기.
데-지이 명 이가 없는 노인들을 위하여 무 따위를 데쳐서 담근 김치.
데친-회 【—膾】 명 숙회(熟膾).
도-가락 [—까—] 명 윷놀이에서 윷가락을 던지기 전에 잘못하여 윷짝이 하나 흘러 떨어졌을 때 도밖에 나오지 않을 징조라고 하여 그 짝을 농으로 이르는 말.
도간-도간 부 공간적·시간적으로 조금씩 공간을 두고 잇따르는 모양. ¶놀이터에서 셈을 세는 소리가 ~ 들려 온다.
도-감독 【都監督】 명 자본주의 사회에서, 감독의 우두머리. 도십장(都什長).
도골 【到骨】 명 뼛속에 이른다는 뜻으로 골수에 사무침을 이르는 말. ¶기한(飢寒)이 도골한 것처럼 보이다. ——하다 자여불
도골도골-하다 형여불 눈정기가 있고 영리하다. ¶도골도골한 눈알.
도글-도글 부 ①낟알 따위가 탱탱하고 실속있게 여문 모양. ¶~ 여문 벼. ②좀 잔 알들이 모여 있거나 매달려 있는 모양. ¶감이 ~ 매달린 가지. ③별 따위가 반짝반짝 빛나며 떠 있는 모양. ¶~ 익은 별들이 떠 있다. ④달빛 따위가 물면 위에 내리비쳐 구슬이 구르는 듯이 반짝이는 모양. ¶달빛이 반짝이며 ~ 뛰놀다.
도깨비-감투 명 ①전설에서, 머리에 쓰면 자기의 몸이 남의 눈에 보이지 않는다는 환상적인 감투. ¶~를 쓰다. ②무슨 영문인지도 모르고 뒤집어쓰는 누명. ③신기한 조화를 부리는 사람이나 사물.
도깨비감투를 뒤집어쓰다 구 똑똑히 알지도 못할 억울한 누명을 뒤집어쓰다.
도끼-모태 명 모탕.
도끼-목수 【—木手】 명 ①주로 도끼와 같은 간단한 연장으로 일하는 목수. ②기술이 별로 능하지 않은 목수.
도끼-입질 명 도끼로 내리찍듯이 투박하고 인정 없이 하는 말.
도끼-집 명 도끼로 나무를 쳐서 지은 집이란 뜻으로 서투르고 거칠게 지은 집을 이르는 말.
도끼-탕 명 도끼로 마구 찍거나 때려 산산히 짓부셔 버리거나 짓이겨 놓는 일. ¶~을 치다.
도는-네거리 명 로터리(rotary).
도는-다리 명 선개교(旋開橋).
도달-거리다 자 남이 알아들을 수 없게 불평하는 말을 자꾸 신경질적으로 하다.
도당-학교 【道黨學校】 명 도 안의 당·행정 경제 기관·근로 단체 일꾼들을 양성·재교육하던 학교.
도둠-발 명 발도둠을 한 발.
도드리 명 ①살갗의 겉면에 콩알보다 작게 도드라져 나온 것. 돌기(突起). ②오똑하게 내밀거나 도드라진 것. ¶해삼의 몸에는 고르지 않은 도드리가 많이 있다.
도듬 명 공동으로 맡아서 함께 하는 방식. ¶두 ~으로 하다.
도래-굽이 [—꿉—] 명 바위나 산을 안고 돌아가게 생긴 굽이. ¶~를 지나자 마을이 한눈에 들어온다.
도래-자 명 줄자.
도로기 명 추운 지방에서, 털가죽의 털이 안으로 가게 만든 겨울신의 하나.
도루-메기 명 ①본래의 생활이나 방식대로 되돌아가는 일. ¶시궁창으로 ~가 되어 돌아가려느냐. ②제대로 되던 일이 다시 잘못되는 일. ¶수리한 시계가 다시 ~가 되다.
도리[1] 명 도리머리. ¶~를 치다/~를 젓다.
도리[2] 명 바구니·중절모 따위 둥근 물건의 둘레. ¶바구니의 ~.
도리깨-찜질 명 도리깨로 마구 때리는 짓. ¶~을 안기다.
도리깨-후치 명 멍에채와 극젱이의 연결부가 자유롭게 돌아갈 수 있게 만든 극젱이. 외가대기.
도리-풍 명 가운데 기둥을 세우고 그를 중심으로 빙 둘러친 천막의 하나.
도말-표본 【塗抹標本】 명 피나 고름, 대변 등을 유리판에 발라 만든 현미경 표본.
도망-짐 【逃亡—】 [—찜] 명 도망칠 때 가지고 가려고 꾸려 놓은 짐. ¶~을 뒤지다.
도-맡기다 타 도맡게 하다.
도맡아-나서다 타 혼자서 도맡아 앞장서다. ¶바쁜 일을 ~.
도매-치기 【都賣—】 명 도매로 팔아 치우는 것. ¶~로 넘기다.
도면-말이 【圖面—】 명 도면을 만 것. 또는 그 도면. ¶큰 ~와 두툼한 서류를 앞에 놓고….
도상-다짐 【道上—】 명 자갈다짐. ¶~기(機).
도새 명 주로 동해안에서, 봄과 가을의 흐린 날씨에 부는 안개 섞인 찬 바닷바람. ¶~가 불다.
도-소재지 【道所在地】 명 도청 소재지.
도손-도손 부 오손도손.
도손-거리다 자 겨우 알아들을 수 있는 낮은 목소리로 자꾸 정답게 말하다.
도-십장 【都什長】 명 도감독.
도용 【陶俑】 명 토용(土俑).
도움-토 명 〖언〗 보조사(補助詞).
도-일군 【道—】 [—꾼] 명 도급(道級)의 당·행정 경제·과학 문화 기관

및 근로 단체 등에서 일하는 일꾼.

도자기-흙【陶瓷器―】[―흑] 명 도토(陶土).

도적-가지【盜賊―】명 '헛가지'를 속되게 이르는 말. ¶ 목화의 ~를 따주다.

도적괭이-놀음【盜賊―】명 사람들의 눈을 속여 가며 몰래 나쁜 짓을 하는 행동. ――하다 자여불

도적-빨래【盜賊―】명 남의 눈에 띄지 않게 몰래 하는 빨래. ――하다 자타여불

도적-잠【盜賊―】명 자야 할 시간·장소가 아닌 데서 남몰래 자는 잠. 도둑잠.

도적-촌【盜賊村】명 도둑촌.

도-정신¹【―精神】명 ①한동안 정신을 잃었다가 다시 정신을 차리는 것. ¶ 정신 없던 환자가 ~을 하다. ②정신 상태가 불건전해졌다가 다시 건전한 상태로 돌아오는 것. ¶ 여러 친구들의 충고로 ~을 했는데, 그때부터 그는 왜놈이라면 눈에 든 가시처럼 미워했다. ――하다 자여불

도-정신²【都精神】명 정신을 집중하는 것. ――하다 자여불

도제 부 도저히. ¶ ~ 움직일 수 없어.

도주-병【逃走兵】명 탈주병(脫走兵). 도망병.

도체【屠體】명 잡은 집짐승의, 지육(脂肉). ¶ ~의 무게.

도체-량【屠體量】명 지육량(脂肉量).

도틀이 없다 [―업―] 구 성격이 싹싹하지 못하고 무뚝뚝하다.

독감【獨監】명 독감방.

독-감방【獨監房】명 독거 감방(獨居監房). 독방(獨房). 독감.

독경-식【讀經式】명 내용을 새겨서 그 참뜻을 알지 못하고 기존 명제나 이론, 남의 경험들을 기계적으로 따르는 방식. ¶ ~ 사업 방법.

독립-산【獨立山】[―닙―] 명 근방에 다른 산이 없이 외따로 떨어져 있는 산. ¶ ~을 끼고 있는 마을.

독립-수【獨立樹】[―닙―] 명 외따로 서 있는 나무. ¶ 한 그루의 ~.

독막이-안경【毒―眼鏡】명 독물질이 눈에 들어가지 않게 하는 보호 안경. 항독 안경.

독보【讀報】명 신문을 비롯한 여러 가지 교양 자료를 여러 사람에게 알리기 위해 소리내어 읽는 것. 또는 그런 선전 활동. ¶ 시사 ~/신문 ~.

독보-회【讀報會】명 비교적 적은 범위의 사람들 앞에서 신문을 비롯한 교양 자료를 소리내어 읽으면서 당정책과 시사 문제 같은 것을 제때에 기동성 있게 해설 주지시키는 간단한 모임.

독-부자【毒富者】명 혼자만 잘 살려는 독살스러운 부자. ¶ 그들을 악착하게 착취하여 배불리던 ~.

독사-뱀【毒蛇―】명 독사. ¶ ~술.

독-샤와【獨―】(shower) 명 한 사람씩 쓰게 되어 있는 샤워.

독서-행군【讀書行軍】명 계획에 따라 미리 정해 놓은 목표와 기한 안에 해당한 책을 어김없이 계속하여 읽도록 하는 대중적인 사업. ¶ 대학생들의 ~.

독서-회【讀書會】명 소위 진보적 출판물들을 서로 돌려 읽고 배우며 연구하고 보급하는 방법으로 사람들에게 혁명적 세계관을 교양하고 각성시키는 좌익 세력의 비합법적 조직. 독서 모임.

독-연극【獨演劇】명 독연(獨演)하는 연극. 독백극.

독-이【毒―】[―니] 명 독니. 독아(毒牙). 독이발.

독-이발【毒―】[―빨] 명 독이.

독자-력【獨自力】명 남에게 의존하지 않고 자체로 풀어 나가거나 살아 나가는 능력. ¶ ~이 크다.

독점-거두【獨占巨頭】명 자본주의 사회에서 지배적 지위를 차지하고 있는 극소수의 큰 독점 자본가.

독채【獨採】명 ①↗독립 채산제. ②독립 채산제를 실시하는 상업 유통 부문의 한 단위. ¶ ~ 책임자/~ 지배인.

독-치마 명 김장독이나 장독이 얼지 않도록 볏짚으로 엮어서 독의 둘레에 두르는 이엉.

독풀이-약【毒―藥】명 해독제(解毒劑).

돈:-거리 [―꺼―] 명 팔아서 약간의 돈을 얻을 수 있는 물건. ¶ ~를 장만하다.

돈:-낟가리 명 돈더미.

돈:낟가리를 쌓다 구 도저히 실현될 수 없는 재물을 꿈꾸는 공상을 하다.

돈:낟가리에 앉다 구 돈더미 위에 올라앉다.

돈-넣기 [―너키] 명 입금(入金).

돈:-덩어리 [―떵―] 명 돈뭉치.

돈:-몫 [―목] 명 ①각자에게 몫으로 배당되는 돈. ②생산량을 돈으로 계산해 부르는 것. ¶ 공장을 잘 꾸려야 ~이 올라간다.

돈:-벌거지 [―뻘―] 명 돈만 아는 저속하고 인색한 자. 돈벌레.

돈:-시세【―時勢】명 돈의 실제적인 이용 가치.

돈-쌈지 명 돈을 넣어 두는 쌈지.

돈-자리 [―짜―] 명 은행의 구좌(口座). 계좌(計座).

돈-종이 [―쫑―] 명 종이 돈을 찍는 데 쓰는 질이 좋은 특수한 종이.

돈-팔이 명 학문이나 기술을 오직 돈벌이하는 데 써 먹으려고 힘쓰는 일. ――하다 타여불

돋-나다 형 인품이 두드러지게 뛰어나다. ¶ 돋난 인물.

돋우 부 위로 돋아서 높게. 실제보다 높거나 좋게.

돋우-뛰다 자 한껏 높이 뛰다.

돋우-앉다 [―안따] 자 궁둥이에 발을 괴고 높이 앉다.

돋을-조형【―造型】명 얇은 금속판을 형타(型打)로 눌러 요구되는 부분들만을 돋아오르게 하는 형단조(型鍛造) 조작.

돌가루-물 [―까―] 명 돌가루가 씻겨 내려가는 물.

돌가름-기계【―機械】명 낟알 속에 섞인 돌을 갈라 내는 데 쓰는 기계. 석발기(石拔機).

돌:-가마 명 임시로 돌을 괴고 건 가마. ¶ ~를 걸다.

돌-가위-보【―褓】명 가위바위보.

돌각담-밭 명 군데군데 돌무더기가 있는 밭. 돌각밭.

돌-강【―江】명 돌이 차 있는 긴 골짜기.

돌-겻 [―겯] 명 돌곁. ¶ ~잠.

돌:-굿 명 감자 따위를 구워 먹기 위하여 돌로 쌓은 구덩이.

돌기 의명 평면으로 죽 돌아가며 한 번 깔리거나 펴인 것을 나타내는 말. ¶ 김칫 독에 무를 한 ~ 깔다/소금을 한 ~ 치다.

돌-나무 [―라―] 명 나무 줄기 모습을 그대로 보존하고 있는 화석(化石).

돌-너덜 [―러―] 명 돌이 많이 있는 비탈. ¶ ~길.

돌-넣기 [―러키] 명 조개류나 바다풀이 붙어 살도록 돌을 넣는 일. 투석(投石).

돌:-동뚝 명 돌로 쌓은 동둑.

돌따-보다 자타 돌아다보다. ¶ 돌따보면서 대답하다.

돌려-나다 자 따돌림을 받다.

돌려다-붙이다 [―부치―] 타 ①자기의 책임이나 허물을 딴 데로 밀다. ②말을 딴 데로 돌려 맞추다.

돌려-맺히다 [―매치―] 자 모습이나 자세가 흠잡을 데나 나무랄 데 없이 갖추어지다. ¶ 온 몸이 돌처럼 돌려맺혔다는 것을 새삼스레 느끼다.

돌려-읽기 [―일끼] 명 글을 여러 사람이 차례로 돌려 가며 읽는 일.

돌림-눈 명 눈두덩이 붓고 눈곱이 많이 끼며 흰자위에 피가 서서 벌개지며 눈이 시어서 눈을 제대로 뜨지 못하는 눈병. 돌림눈병.

돌림-눈병【―病】[―뼝] 명 돌림눈.

돌림-솔 [―쏠] 명 빙빙 돌리면서 대상물의 겉면을 깨끗하게 다듬는 데 쓰는 솔.

돌림-차례【―次例】명 윤번(輪番). ¶ ~로 경비를 서다.

돌림-틀 명 팔·다리·몸통을 써서 돌릴 수 있게 된 둥근 테 모양의 운동 기구의 하나. 후프(hoop).

돌-망 명 돌로 만든 맷돌. 망돌.

돌-매 명 상모(象毛).

돌:-먼지 명 돌가루가 날려 생긴 먼지. ¶ 남포 터질 때 일어나는 ~.

돌:-모루 명 바위로 둘러싸인 산모퉁이.

돌:-무지 명 쌓여 있는 돌의 무더기. ¶ ~와 흙무지.

돌무지-밭 명 돌무지가 있는 밭.

돌-물¹ 명 지형에 따라 일정한 곳에서 소용돌이치는 물의 흐름.

돌:-물² 명《지》용암(熔岩).

돌-물길 [―낄] 명 산허리에 설치하는 모래막이 시설물인, 돌로 쌓은 물길.

돌-바다 명 2,000 m 안팎의 높은 산지의 바위와 돌로 덮인 넓은 지대. 관모봉(冠帽峰) 등의 산지에서 볼 수 있음. 암해(岩海).

돌:-바위 명 바위. ¶ ~ 고지.

돌:바위-산【―山】명 나무는 적고 바위가 많은 산.

돌:-바탕 명 돌이 온통 깔린 땅바닥. ¶ 골짜기로 들어가는 길은 온통 ~이다.

돌:박-산【―山】명 나무는 잘 자라지 않고 돌과 바위가 많이 깔려 있는 산.

돌:-버럭 명 광산에서 나오는 쓸모 없는 잡돌. ¶ ~을 실어 내는 광차.

돌-벼락 명 ①갑자기 많이 날아 오거나 굴러 내리는 돌사태. ②돌에 얻어맞는 것. ¶ ~을 안기다.

돌:-벼랑 명 돌만이 드러난 벼랑.

돌:-사람 명 ①돌을 쪼아 사람처럼 만든 상(像). ②말이 없고 좀처럼 감정을 나타내지 않는 사람.

돌-사태【―沙汰】명 ①돌이 무더기로 무너져 쏟아지는 것. ¶ ~가 쏟아져 내리다. ②돌벼락.

돌-서덕 명 돌이 많은 강이나 내의 바닥. ¶ ~이 훤히 들여다보이는 맑은 강물.

돌-서덜 명 서덜. ¶ 비탈진 ~ 사이에 띄엄띄엄 있는 밭.

돌-성냥 명 딱성냥.

돌:-수건【―手巾】명 말을 못 하게 또는 소리치지 못 하게 자갈을 물리기 위한 돌을 싼 천. ¶ ~을 입에 틀어 넣었다.

돌-수제【―水堤】명 돌로 쌓은 물동이나 둑.

돌-심지【―心―】명 타지 않는 물질로 돌처럼 굳게 만든 석유 풍로의 심지.

돌아-싸다 자 사방에서 빙 둘러 싸다. ¶ 안개가 집을 ~.

돌:-울타리 명 ①돌로 쌓아 만든 울타리. ②《지》바람이나 바닷물에 깎이고 씻기어 울타리같이 된 바위. 암책(岩柵).

돌음-길 [―낄] 명 곧장 가지 않고 멀리 돌거나 에돌아서 가는 길. ¶ 지름길과 ~.

돌음-돌이 명 바삐 돌아치면서 돌아다니는 일.

돌-잡놈【―雜―】명 아주 몹쓸 잡놈.

돌-장군【―將軍】명 힘센 사나이. ¶ 자네 같은 ~이 이번 씨름에서 우승하지 못한다면 누가 우승하겠는가!

돌-증【―症】[―쯩] 명 석증(石症). 담석증.

돌:-짝 명 넓적한 큰 돌. ¶ ~ 같은 손.

돌쩍-스럽다 형ㅂ불 능청스럽고 엉터리를 부리는 데가 있다.

돌:-쪼박 명 돌의 조각.

돌-쪼이 명 돌쪼시. 석수(石手).

돌찌 명 베나 무명 같은 천으로 만든 소매가 짤막한 재래식의 적삼. 앞은 단추를 채우게 되어 있고, 목깃은 따로 없음.

돌창-물 명 도랑창에 흐르는 물.

돌-총【―銃】명 때리거나 부시기 위해, 돌을 세게 던지는 일. ¶ ~을 놓다/~을 쏘다.

돌-탄【―炭】명 ①돌이 많이 섞인 탄. ②돌처럼 덩이지고 굳어진 무연탄.

돌:-탕 명 돌로 함부로 때려서 짓이겨 버리거나 짓부숴 버리는 일. ¶ ~을 맞다/~을 치다.

돌-포장【―鋪裝】명 바닥에 돌을 깔아서 하는 포장. ¶ 시골길의 ~. ――하다 자타여불

돌피-잡이 명 돌피를 가려 내어 뽑는 일. ¶～에 효과가 있는 농약.

돌-흙막이 명 산흙이 패어 나가는 것을 막기 위한 모래막이 구조물.

돌-화독【―火―】명 돌을 쌓아 화덕처럼 만든 것.

돗-지적 명 돗자리.

동-가리 명 단으로 묶은 것을 동으로 가려 쌓아 놓은 무더기. ¶벼～들이 줄지어 늘어서 있다.

동갑-또래【同甲―】명 같은 나이 또래.

동갑-짜리【同甲―】명 동갑이 되는 사람.

동강 명 논밭의 한 덩이로 된 큰 뙈기.

동개다 타 바닥에 앉을 때에 다리를 겹쳐 포개다. ¶책상다리로 동개고 앉다.

동격-서습【東擊西襲】명 동쪽을 치는 척하면서 서쪽을 치거나, 또는 동쪽도 치고 서쪽도 치는 것.

동구-길【洞口―】[―낄] 명 동네의 어구를 나드는 길. ¶순회가 ～에 들어서다.

동그랭이 명 팥죽의 새알심.

동글-하다 형여불 보기에 꽤 동글다.

동-떼다 타 둘 사이의 거리나 연계(連繫)를 동떨어지게 하다.

동력-뿌무개【動力―】명 원동기의 힘으로 약물을 뿜는 기계.

동맹-비【同盟費】명 맹비(盟費).

동맹-생활【同盟生活】명 근로 단체나 사회 단체에 속하여 생활하는 맹원이 동맹의 규약상 의무를 수행하는 활동. 맹생활(盟生活).

동물-교예【動物巧藝】명 조건 반사로 형성된 동물의 행동을 형상 수단으로 하는 곡예.

동물-숯【動物―】명 동물탄(動物炭).

동반-사격【同伴射擊】명〘체육〙이동 목표를 따라 가면서 하는 사격.

동발-막【―幕】명 동발을 쌓아 두는 막.

동봉【動蜂】명 일벌. 로동벌.

동북-사투리【東北―】명 함경남북도와 량강도(兩江道)에서 쓰는 사투리.

동산-마루 명 동산의 가장 높은 등성이. ¶～에 솟아오른 아침해.

동성-서격【東聲西擊】명 적을 유인 기만하여 이쪽을 공격하는 체하다가 그 반대 쪽을 감쪽같이 치는 것.

동시라니 부 동시랗게. ¶～ 틀어 얹은 머리.

동시랗다 [―라타] 형ㅎ불 보기에 동그스름하다. ¶동시랗게 생긴 얼굴.

동실-하다 형여불 동그스름하다. ¶동실한 얼굴.

동아-바 명 동아줄.

동약【東藥】명 한약(韓藥).

동약-국【東藥局】명 동약이나, 또는 동약재를 처방에 따라 지어서 환자에게 내주거나 파는 약국. 한약국.

동요-분자【動搖分子】명 사상이나 입장이 철저하지 못하여 이리저리 흔들리는 자.

동의【東醫】명 ①동의학(東醫學). ②동의사(東醫師).

동의-과【東醫科】명 동의학적 방법으로 치료 사업을 하는 의학의 한 분과. 또는 병원의 그 부서.

동의-사【東醫師】명 한의사(韓醫師).

동의-약【東醫藥】명 동약(東藥).

동의-학【東醫學】명 한의학(韓醫學).

동이-깨비 명 질그릇의 깨진 조각.

동자-박 명 부엌일에 쓰는 바가지.

동자-손 명 부엌일을 하는 일손.

동자-재개【瞳子―】명 동공계(瞳孔計).

동전-잎【銅錢―】[―닢] 명 ①낱낱의 동전. ②몇 잎의 동전. ¶～이나 생기다.

동전-푼【銅錢―】명 몇 푼의 동전.

동-집게 명 족집게.

동충-서돌【東衝西突】명 좌충우돌(左衝右突).

동틀 명 물가의 풀이 우거진 진펄.

동틀-개 명 바다 속의 미역을 뜯어 내는 데 쓰는 도구. 긴 대 끝에 뿔이 달렸음.

동-홰불 [―뿔] 명 큰 횃불.

돛대-등【―燈】명 배의 돛대 윗부분에 설치하여 선수 방향을 비추는 흰색 등불.

돛-천 명 돛을 만드는 천. 돛베.

돛-폭【―幅】명 ①돛의 너비. ②돛을 이루고 있는 넓은 천.

돼지-거름 명 돼지 우리에 넣은 짚·북데기 따위가 돼지의 똥오줌과 섞이어 된 거름. 돼지두엄.

돼지-곱 명 돼지의 기름 덩이.

돼지-공장【―工場】명 기계화된 현대적 설비를 갖추고 공업적인 방법으로 돼지를 기르는 종합적인 기업체. 또는 그 건물. ¶닭공장과 ～.

돼지-목장【―牧場】명 돼지를 전문으로 기르는 목장. ¶～과 오리목장.

돼지-바우 명 우둔하고 미욱하여 인정머리 없이 무뚝뚝한 사람을 홀하게 이르는 말.

돼지-생활【―生活】명 사람답게 살지 못하고 밥이나 먹고 되는 대로 살아 나가는 것. 또는 그런 생활.

돼지-칸 명 돼지 우리.

되-나르기 명 반복 수송(反復輸送).

되넘이-장사 명 되넘기 장사.

되-받이 [―바지] 명 ①얻어들은 말을 다시 다른 사람에게 옮기는 일. ②남에게서 받았다가 돌려 준 것을 다시 받는 일. ――-하다 타여불

되-사정【―事情】명 사정을 하는 사람에게 도리어 이쪽에서 사정하는 것. 또는 그런 사정. ――-하다 자타여불

되여-먹다 자 '말이나 하는 짓이 도리에 어긋나지 않고 마땅하다'를 얕잡아 이르는 말.

되잡아-묻다 자타ㄷ불 '되묻다'를 세게 이르는 말.

되-창【―窓】명 벽에 조그맣게 낸 창. ¶～으로는 별들이 빛나는 밤하늘이 내다보였다. 되창문.

되-창문【―窓門】명 되창.

되쳐-묻다 자타ㄷ불 되짚어서 다시 묻다.

된-걱정 명 무겁고 큰 걱정. ¶아들에 대한 어머니의 ～.

된-경 명 되게 혼나는 것. ¶～을 치르다/～ 맞다.

된:-고비 명 매우 어려운 고비. ¶～를 겪다/～를 넘기다.

된-기윽 명 쌍기역(ㄲ).

된-김 명 압력이 높아 되게 나는 김. ¶～이 날 때까지 뜸을 들이다.

된:-꾸중 명 되게 하는 모진 꾸중.

된-디읃 명 쌍디귿(ㄸ).

된:-매 명 ①군사적·정치 사상적인 호된 타격. ②강한 비판이나 추궁.

된:-머리기름 [―끼―] 명 포마드(pomade).

된:-방망이 명 호되게 때리는 매.

된방:을 놓다 [―노타] 구 무엇을 세차게 벌이다.

된방:을 맞다 구 호되게 얻어맞다.

된:-벼락 명 몹시 호되게 들씌우는 큰 타격. ¶～이 내리다/～을 맞다/～을 안기다.

된:-병【―病】명 몹시 심한 병.

된:-비탈 명 급경사(急傾斜). 된비알.

된빔-실 명 빔을 많이 먹인 실.

된-살 명 치명상을 입게 바로 맞힌 화살. ¶～을 맞다.

된-소나기 명 억수로 퍼붓는 소나기. ¶한줄금 ～가 내릴 것만 같다.

된-식전【―食前】명 꽤 이른 식전.

된:-여울 명 강물이 물매가 급한 강바닥을 따라 매우 빠르게 물결 치면서 흐르는 곳. 급단(急湍).

된:-욕【―辱】명 ①매우 심한 욕설. ¶～을 퍼붓다. ②매우 심한 고생이나 수고.

된-입쓰리 명 임신 오조(姙娠惡阻).

된:-주먹 명 ①몹시 호되게 갈기는 타격. ¶～을 안기다. ②틀어쥐는 아귀가 센 손아귀의 힘.

된혼이 빠지다【―魂―】구 되게 혼나다.

될-수록 [―쑤―] 부 되도록. ¶～ 더 가까이 다가가다.

될-됨 명 됨됨이.

두간-두간 부 ①시간적·공간적으로 일정한 동안을 두고 잇달리는 모양. ¶그의 말소리는 ～ 끊어졌다./논 가운데 ～ 있는 볏단. ②일정한 동안을 두고 사이사이. ¶선동 연설을 ～ 섞어 가며 오락회를 지휘했다.

두간-하다 형여불 드물지 않거나 잦다. ¶그는 두간하게 이 곳을 찾아온다.

두거지 명 논 사이나 큰 둑 아래쪽에 있는 논바닥보다 높고 일정한 넓이를 가진 뙈기밭. 채소나 곡식을 심음.

두-겸상【―兼床】명 두 사람이 한 상에서 먹도록 차리는 음식상. ¶～으로 차리다.

두겹-날개 명 두 겹으로 된 날개. 또, 그런 날개를 가진 비행기.

두글-두글 부 ①크고 무거운 물건이 자꾸 가볍게 구르는 모양. ②과일이나 감자 따위가 보기 좋게 굵직굵직한 모양.

두-꺾기 명 무날을 셀 때, 음력으로 초엿새와 스무하루를 이르는 말.

두덕-두덕 부 소리가 약하게 들릴 정도로 가볍게 자꾸 두드리는 모양.

두덩-뼈 명〘생〙치골(恥骨).

두둑-이다 타 가볍게 두드리다.

두드려-먹다 타 함부로 다 먹어 없애거나 소비하다.

두드려-보기 명 타진(打診).

두렁 명 독이나 단지 따위를 놓기 위하여 부엌 한 쪽에 턱을 지어 쌓은 단(壇).

두렁-치기 명 두렁을 짓고 도랑을 치는 일.

두레-두레 부 두리번거리며 사방을 둘러보는 모양.

두루-거리 명 두루 한데 어울리는 일. ¶～로 저녁을 먹다.

두루풍 명 추위를 막기 위하여 덧입는 웃옷의 하나. 노인이 방안에 있을 때 입음.

두룽-치마 명 여자들이 집에서 막 입는 통치마의 하나.

두름-길 [―낄] 명 둘러서 가는 길. ¶지름길과 ～.

두리-둥둥 부 북소리를 가락 맞게 울리는 소리.

두리-쟁반【―錚盤】명 둥그런 쟁반.

두리쳐-업다 타 둘쳐업다.

두릿두릿-하다 형여불 눈이 둥그렇고 보기 좋게 억실억실하다.

두메-고장 [―꼬―] 명 두메 산골의 지방.

두메-골 [―꼴] 명 ↗두메 산골.

두메-내기 명 두메에 사는 사람을 홀하게 이르는 말.

두벌-감자 명〘농〙한 해에 두 벌 심어서 거두는 감자.

두벌-놀음 [―롤―] 명 쓸데없이 거듭하여 두 번씩이나 하는 짓.

두벌-혼사【―婚事】명 두 번째로 하는 혼사.

두부-껍질【豆腐―】명 두부의 더껑이. ¶～ 비빔.

두부-발【豆腐―】[―빨] 명 두부물이 엉겨서 순두부가 생기는 상태. ¶～이 서다.

두상-태기【頭上―】명 남자 늙은이를 홀하게 이르는 말.

두선-거리다 자 겨우 알아들을 수 있는 낮은 목소리로 자꾸 말을 주고받다.

두설-두설 부 낮은 목소리로 간간이 시원스럽게 들려 오는 말소리. 또는 그 모양. ¶밤새껏 ～ 이야기 소리가 그치지 않았다.

두세-두세 부 약간의 동안을 두고 서로 말을 띄엄띄엄 주고받는 소리. 또, 그 모양. ¶～ 말을 주고받는 소리.

두손-깍지 명 깍지 낀 두 손. ¶～로 뒷머리를 받치다.

두-쉼 명 ①일을 하거나 먼 길을 걸어 가다가 두 번째로 쉬는 일. ¶～을 쉬다. ②두 번을 쉬는 동안.

두시간-학습【一時間學習】명 김일성의 지시로 날마다 두 시간씩 정규적으로 하는 학습. 이 학습은 간부들과 일꾼들 속에서 정치 이론 수준과 기술 실무 수준을 높임.
두알-박이 명 밤송이나 마늘통 따위에서 알이 두 알 들어 있는 것. 두톨박이.
두엄-물 명 집짐승의 우리나 두엄 더미에서 흘러 나오는 거름물.
두터-이 명 두터운 정도. ¶ 철판의 ~를 재다.
두판-치다 자 서로 다른 두 가지 또는 두 군데의 대상과 관계를 가지다. ¶ 두판치는 약은 수.
두피 명 날짐승을 잡는 도구의 하나. 광주리 같은 것을 괴어 놓고 날짐승이 다치기만 하면 내리덮쳐서 잡게 됨. ¶ 매~를 놓다.
둔-스럽다【鈍—】형ㅂ불 둔한 느낌이 있다. ¶ 그가 생기긴 둔스럽게 생겼어도…. 둔-스레【鈍—】부
둔총【鈍聰】명 무딘 총기.
둘러멨다-꽂다 타 둘러메었다 세게 내리꽂다.
둘레-안 명〖생〗연체 동물의 외투강(外套腔).
둘-지기 명〖축산〗새끼를 밸 시기가 되어도 새끼 낳기를 못하는 일. 불임증(不姙症).
두-지다 형 암컷이 새끼를 낳지 못하는 형편에 있다. ¶ 둘진 암소.
둘쳐-업다 타 둘러업다. 두리쳐업다.
둘치다 타 ①끈이나 띠 따위를 힘주어 세게 두르다. ¶ 밧줄을 허리에 둘쳐 매다. ②아무렇게나 두르다.
둥근-걸상【—床】[—쌍] 명 빙빙 돌아가는 둥근 모양의 걸상. ¶ 둥근 책상과 ~. 둥글걸상.
둥근-자리길 [—낄] 명〖천〗한 천체가 다른 천체의 둘레를 공전(公轉)하면서 둥글게 그리는 궤도(軌道).
둥근-줄기 명〖식〗구경(球莖).
둥근-형【—形】명 원형.
둥글-걸상【—床】[—쌍] 명 둥근걸상.
둥글-모자【—帽子】명 베레모(帽).
둥글-상【—床】[—쌍] 명 위판이 모나지 않고 둥글게 생긴 상. 둥근상.
둥글-소 [—쏘] 명 다 자란 수소. 둥글황소.
둥글-톱 명 둥근 원판으로 된 톱. 톱니가 목재를 세로로 켜는 것과 가로로 자르게 된 것이 있음.
둥글-파 명〖식〗양파. 옥(玉)파.
둥글-하다 형여불 둥그렇다.
둥글-황소 명 둥글소. ¶ ~로 제 땅을 갈며….
둥기-둥기 부 다리나 팔을 홍겹게 놀리면서 춤을 추는 모양.
둥둥-이 명 아이를 둥둥 어를 때, 어린 아이를 귀엽게 이르는 말.
둥시러니 부 둥시렇게.
둥시렇다 [—러타] 형ㅎ불 좀 둥그스름하다.
둥실-하다 형여불 좀 둥그스름하다.
둥지-뜨기 명〖조〗새의 새끼가 깨어 나오자마자 둥지를 떠나는 일. 이소(離巢).
뒤:-거두매 [—꺼—] 명 일의 뒤끝을 거두어 마무리하는 일. ¶ ~를 잘 하다/~가 잽싸고 알뜰하다.
뒤:-걷이 [—꺼지] 명 뒤를 거두는 일. ——-하다 타여불
뒤-곁 [—껻] 명 뒤꼍. ¶ ~ 밭.
뒤-고방【—房】[—꼬—] 명 ①뒤골방. ②드러나지 않은 은밀한 장소. ¶ ~에 앉아 모의를 꾸미다.
뒤:-골방【—房】[—꼴—] 명 뒤쪽에 있는 골방. 뒤고방(房).
뒤:골-질 [—꼴—] 명 뒷머리로 받는 짓. ——-하다 자여불
뒤-구령【—口令】[—꾸—] 명 동령(動令).
뒤그루-농사【—農事】[—끄—] 명 뒷그루로 짓는 농사. ¶ ~에 힘을 쏟다.
뒤냉기-치다 자 여러 가지 착잡한 감정이 서로 엇바뀌면서 떠올랐다 사라졌다 하다. ¶ 뒤냉기치는 감정.
뒤-넘이 명 뒤로 넘는 것.
뒤넘이(를) 치다 구 ㉠재주를 부려 몸을 뒤로 뒤집다. ㉡몸을 뒤로 한 바퀴 뒤집어 엎다. ㉢여러 가지 생각이 머리에 떠올라 마구 엇바뀌다. ㉣뒤집어서 차례가 바뀌게 하다.
뒤-더수기 [—떠—] 명 뒷덜미.
뒤-덕 [—떡] 명 뒤에 있는 덕 지대. ¶ 부대가 자리잡은 ~에 큰 바위가 있다.
뒤-되다 자 ①뒤집어 엎어지다. ②뒤로 밀려 나거나 남보다 뒤떨어지다. ¶ 늙어 갈수록 뒤되지 않도록 조심했다.
뒤-둥그렇다 [—러타] 형ㅎ불 온통 둥글다. ¶ 뒤둥그렇게 돋은 땀방울.
뒤-떨기 명〖광〗긴 벽 막장에서 석탄을 캘 때, 막장에 오는 짐을 덜기 위하여 캐낸 공간 뒷 부분의 천반(天盤)을 아주 무너뜨리는 일.
뒤떨쳐-나서다 자 여럿이 모두 한꺼번에 세차게 떨쳐 나서다.
뒤-떨치다 자 몹시 떨치다.
뒤-뜨락 명 집채 뒤에 있는 뜰.
뒤-마음 [뒨—] 명 일이 끝난 뒤에 가지게 되는 마음이나 생각. ¶ ~을 가지지 말고 잘 새기다.
뒤-막【—幕】[뒨—] 명 ①뒷면 또는 뒤쪽에 친 막. ②〖연극〗에필로그.
뒤-맥【—脈】[뒨—] 명 일의 뒤끝에 가서 내는 기운이나 힘. ¶ ~을 추지 못하다.
뒤-멀어지다 자 눈이 몹시 멀어지다.
뒤-모임 [뒨—] 명 모임이나 예식이 있은 끝에 다시 간단히 가지는 모임.
뒤문-거래【—門去來】[뒨—] 명 뒷거래. ¶ ~로 빼내다/~로 사다.
뒤문-치기【—門—】[뒨—] 명 내놓고 하는 것이 아니라 남몰래 슬그머니 하는 것. ¶ ~에 버릇되다.
뒤묻어-가다 자 ①뒤에 함께 묻어가거나 따라가다. ②주견 없이 남의 뒤를 무턱대고 따라가다.
뒤-물 [뒨—] 명 ①물결이나 물고기떼들이 지나간 뒤에 출렁이는 물흐름새. ②여러 차례 나는 큰물에서 뒤에 난 물.
뒤:-바라지 [—빠—] 명 방의 뒷벽에 나 있는 바라지문(門).
뒤:-바람 [—빠—] 명 ①등 뒤에서 불어 오는 바람. ②북쪽에서 불어 오는 바람.
뒤-받다 타 남이 한 말의 뒤를 이어받아서 말하다. ¶ 뒤받아 넘기다.
뒤:-받치다 타 ①남이 한 말에 받쳐서 더 보태다. ¶ 어머니의 말을 할머니까지 뒤받쳤다. ②일을 뒤에서 지지하고 도와 주다.
뒤:-발치 [—빨—] 명 뒤쪽이나 뒤끝에 해당하는 곳. 또, 그 부근. ¶ 사람들의 ~에 우두커니 서 있다.
뒤배-앓이 [—빼알—] 명 훗배앓이.
뒤-보깨다 자 속이 몹시 보깨다.
뒤:-보름 [—뽀—] 명 후(後)보름. ¶ 앞보름과 ~.
뒤-부시다 타 마구 부시다. 뒤부수다.
뒤:-붙이 [—뿌치] 명〖언〗접미사(接尾辭).
뒤-뿌려치다 타 마구 뿌려서 내던지거나 때리다. ¶ 흙덩이를 쥐어 힘껏 ~.
뒤-살피다 타 이모저모 두루 살피다. ¶ 사방을 ~.
뒤-설레 명 서두르며 수선스럽게 구는 짓. ¶ ~를 놓다/~를 떨다/~를 치다.
뒤-속 [—쏙] 명 겉으로 드러나지 않고 뒤에 감추어진 속내.
뒤-솟구다 타 눈알을 뒤집어 위로 솟게 하면서 노려보다. ¶ 눈알을 허옇게 뒤솟구며 으르대다.
뒤-수갑【—手匣】[—쑤—] 명 팔을 등쪽으로 돌려 수갑을 채우는 것.
뒤-시비【—是非】[—씨—] 명 어떤 일에 대해 관계자가 없는 데서 하는 시비. 또는 뒤끝에 하는 시비. ¶ ~를 하는 경향을 극복하다/~질. ——-하다 자타여불
뒤-시중 [—씨—] 명 ①뒤를 돌보아 주며 시중하는 것. ¶ 아들의 ~에 모든 것을 바치는 어머니. ②기계·설비 등을 제대로 가동하도록 살피는 것. ——-하다 자타여불
뒤쓰레-질 명 일을 한 뒤에 뒷마무리를 하는 일. ——-하다 자타여불
뒤여-지다 자 뒈지다.
뒤-욕【—辱】[뒨뇩] 명 ①일이 끝난 뒤에 하는 욕. ②본인이 없는 데서 하는 욕. 또는 본인이 못 듣게 하는 욕. ¶ ~을 삼가다. ——-하다 자타여불
뒤-울리다 자 세차게 마구 울리다.
뒤-익기 명〖농〗씨앗의, 후숙(後熟).
뒤자리-숲 [—짜—] 명 숲이 파괴된 뒷자리에 이루어지는 숲.
뒤-잡다 타 마구 꽉 잡다. ¶ 손을 뒤잡아 흔들다.
뒤:-잡이 명 뒤에서 일을 거들어 주며 뒷바라지하는 일. 또, 그렇게 하는 사람. ——-하다 타여불
뒤:-재 [—째] 명 집이나 마을의 뒤에 있는 재.
뒤-재기 명 거꾸로 뒤집어엎는 일. ——-하다 타여불
뒤-재기다 타 여러 가지 것을 한데 뒤적이며 섞다. 뒤재다. ¶ 원료를 뒤재겨 반죽하다.
뒤-재주【—才—】[—째—] 명 ①몸을 이리저리 묘하게 뒤치는 재주. ②뒤에서 부정적인 꾀를 부리거나 책동을 부리는 것.
뒤재주(를) 치다 구 ㉠마구 이리저리 뒤집다. ㉡함부로 뒤집어 놓아 꺼꾸로 처박히게 하다. ㉢물건을 마구 내던지다.
뒤적-질 명 무엇을 자꾸 뒤적이는 짓. ——-하다 타여불
뒤-정신【—精神】[—쩡—] 명 자기가 한 행동을 뒤에 기억해 내는 총기. ¶ ~이 좋다/~이 없다.
뒤-젖몸 [—쩐—] 명 소의 젖몸 뒤쪽에 특별히 짧은 털로 덮인 부분. 유경(乳鏡).
뒤주식-자동차【—式自動車】명 뒤주차.
뒤주식-창고【—式倉庫】명 뒤주창고. ¶ 탈곡장 부근에 ~를 짓다.
뒤주-차【—車】명 겉곡식을 그릇에 담지 않은 채로 실어 나를 수 있게 만든 자동차. 뒤주식자동차.
뒤주-창고【—倉庫】명 뒤주로 된 창고. 뒤주식창고.
뒤주춤-하다 자여불 어찌할 바를 몰라 한쪽 구석이나 뒤에서 망설이다.
뒤:-죽지 [—쭉—] 명 등쪽의 어깻죽지. ¶ ~에 타박을 받다.
뒤-지대【—地帶】[—찌—] 명 일정한 고장을 기준으로 북쪽에 있는 지대. ②나라의 북쪽 지대. ¶ 우리 나라의 ~인 온성, 새별, 은덕,….
뒤-짊다 [—짐따] 타 ①짐을 되는 대로 마구 짊다. ②짐을 등에 질 수 있도록 짊다. ¶ 나무짐을 ~.
뒤:-짐작【—斟酌】[—찜—] 명 ①어떤 일의 안속을 몰라 뒤에서 미루어 하는 짐작. ¶ ~으로 눈치를 차리다. ②앞으로 닥쳐올 뒷일에 대한 짐작. ¶ ~이 들어맞다. ③앓고 있는 병의 앞으로 짐작되는 징조. ¶ ~이 좋다.
뒤-채기다 자 몸을 세게 뒤치다. 뒤채다.
뒤쳐-나오다 타 ①뛰어서 밖으로 나오다. ②집에서 아주 나와 버리다.
뒤쳐-눕다 자ㅂ불 ①다른 사람과 몸을 등지고 눕다. ②누웠던 자세에서 몸을 뒤집어 눕다.
뒤쳐-쓰다 타 머리까지 뒤집어 쓰다. ¶ 이불을 ~.
뒤-탈다 타 이리저리 비비꼬아 비틀다. ¶ 뒤탈리고 구부러진 향나무.
뒤:-폭【—幅】명 ①옷에서 뒤가 되는 폭. ¶ 바지 ~/저고리 ~. ②나무로 된 집세간 등의 뒤쪽에 대는 널조각.
뒤-흐름 [—트—] 명 ①일정한 흐름의 뒤에 오는 흐름. ②날아 가는 비행기 따위의 추진기 뒤에 생기는 공기 흐름.
뒤:-힘 [—팀] 명 ①등댈 만한 힘. ¶ ~을 믿다. ②어떤 일을 계속 끌고 나가거나 견뎌 나가는 힘. ¶ ~이 있다.
드-내다 타 들어서 내 놓다. ¶ 풍로에서 냄비를 ~.
드-놀다 자 ①흔들리고 들썩이며 움직이다. ¶ 바위가 ~. ②의지·견해·생각·각오 따위가 굳건히 자리잡히지 못하고 이리저리 기울어지거

나 흔들리다. ¶억만년 드놀 줄 모르는 신념.

드-놓다 [—노타] 타 〔↗들놓다〕 들었다 놓다.

드-다루다 타 ①들어서 다루다. ¶드다루기 조심스러운 유리 그릇. ②'다루다'를 세게 이르는 말. ¶기계를 능란하게 ~.

드-닫이 [—다지] 명 위로 들어 열게 되어 있는 문. ¶여닫이와 ~.

드덜기 명 등걸. ¶~를 캐 내다.

드렁-내다 자타 마구 짓부수어 없애 버리다. ¶마음을 아주 드렁낼 작정이구려.

드레-줄 [—쭐] 명 두레박줄.

드림-버들 명 〖식〗 수양버들.

드림-자락 [—짜—] 명 매달려서 길게 아래로 드리워진 부분. ¶문발 ~.

드림-줄 [—쭐] 명 〖수〗 현수선(懸垂線).

드립따 부 들입다. ¶~ 밀다.

드-몰리다 자 몹시 세게 몰리다. ¶폭풍에 드몰린 난파선.

드문-하다 형여불 자주 있다. ¶새벽에 떠나는 일이 ~.

드뭇-하다 형여불 사이가 배게 많다. ¶별들이 ~.

드-밀리다 자 몹시 밀리다. ¶사람들이 ~.

드-바쁘다 형 몹시 바쁘다. ¶드바쁜 사람.

드살 명 ①살아 움직이는 힘을 이루는 원기나 정력을 속되게 이르는 말. ¶~이 센 남자. ②사람을 휘어잡아 다루는 힘. ¶~이 뻗친 일솜씨/~이 센 여자.

드-설레이다 자 몹시 설레다. ¶드설레이는 바다.

드-소문 【—所聞】 명 소문이 널리 퍼지는 일. 또, 그 소문. ¶~한 깡패 두목. ——-하다 자여불

드팀-장치 【—裝置】 명 차동장치(差動裝置).

드팀-없다 [—업—] 형 조금도 드티거나 틀리는 일이 없다. ¶드팀없는 일솜씨.

든-바다 명 뭍에서 멀지 않은 바다. 근해(近海).

든-장 명 통나무를 굴려 내리거나 옮겨 놓을 때 쓰는 도구의 하나. 단단한 긴 막대기로, 쇠갈고리가 달린 것도 있음.

든장-질 명 ①든장으로 통나무를 들어 옮기거나 굴려 내리는 일. ②충동질하는 일. ——-하다 타여불

들-가방 [—까—] 명 들고 다니게 된 가방. ¶~과 멜가방.

들-고간 【—庫間】 [—깐] 명 들판에 마련한 낟알 창고.

들고-꿰다 타 통달하여 훤하게 속속들이 잘 알다. ¶실정을 ~.

들-고장 [—꼬—] 명 ①들이 많거나 들로 이루어진 고장. ②논밭이 많은 넓은 고장. 「다.

들-곡식 【—穀食】 명 들판의 논밭에서 자라는 곡식. ¶~을 거두어 들이

들-나다 [—라—] 자 ↗드러나다. ¶삼각산이 가을 하늘에 뚜렷이 ~.

들-내놓다 [—래노타] 타 마구 밖에 드러내 놓다.

들-대 [—때] 명 〖체육〗 역도 경기에서, 원반을 끼워 손으로 들게 된 쇠

들-때리다 타 몹시 때리다. ¶가슴을 ~. ㄴ막대.

들-뚝 명 들에 있는 둑.

들렁-하다 형여불 떠들썩하다.

들레이다 자 감정과 흥분으로 가슴이 들썩거리고 고동치다.

들름-하다 형여불 꽤 어둡거나 무거운 느낌이 나게 덜름하다. ¶들름하게 서 있는 집.

들리우다 ㊀피동 들리다. ¶냉큼 들리워 넘어가다. ㊁사동 들리다. ¶손에 들리우고 가다. ㊂타 무엇을 말끔히 털리다. ¶살림이 ~.

들림-성 【—性】 [—썽] 명 필요한 소리가 방안의 모든 곳에서 잘 들리는가를 종합적으로 표현하는 성질. ¶군중 집회실은 ~이 높아야 한다. 성취성(聲取性).

들-마당질 명 들에서 하는 마당질. ——-하다 자여불

들면-날면 부 들어갔다 나갔다 하는 모양.

들-문 【—門】 명 〖생〗 분문(噴門).

들-바 [—빠] 명 물건을 들어 올리는 데 쓰는 밧줄. 들바줄.

들-바람 [—빠—] 명 바다에서 육지로 들이부는 바람.

들벙-질 명 마구 뒤집어 엎으며 되는 대로 돌아다니는 짓. ¶돼지가 구유통을 뒤집어엎으며 ~을 하다. ——-하다 자여불

들-붙다 자 ①끈덕지게 붙다. ②열성껏 달라붙다.

들-비비다 자 들입다 비비다.

들살이-식물 【—植物】 명 야생 식물.

들-솟다 자 들입다 솟다. ¶맑은 물이 ~.

들어-보기 명 〖의〗 청진(聽診).

들어-엎디다 자 ①안에 들어가 엎디다. ②나와 일은 하지 않고 집안에 박혀 있다.

들어-치우다 타 들어내거나 파헤쳐서 없애 치우다.

들을-힘 명 청력(聽力).

들-의자 【—椅子】 명 접어서 들고 다니기 편리하게 만든 걸상.

들이-긋다 타ㅅ불 숨·연기 등을 들이켜다. ¶담배 연기를 ~.

들이-내뜨리다 타 들입다 내뜨리다. ¶들이내뜨린 돌에 맞다.

들이-답새다 타 세차게 두들겨 부수거나 치다.

들장-나다 [—짱—] 자 ①다 털어먹거나 다 써서 끝장이 나다. ②감추거나 숨겼던 것이 낱낱이 드러나다. ¶그의 도주(逃走)가 들장났다.

들장-내다 [—짱—] 타 ①다 털어먹거나 털어가서 거덜을 내다. ¶앉은 자리에서 엿 한 판을 ~. ②어떤 일의 끝장을 보다. ¶오늘 밤 이 문제를 들장냅시다.

들-저울 [—쩌—] 명 저울대를 들고 무게를 달게 된 저울.

들-쪼이다 자 들입다 쬐다. ¶들쪼이는 햇빛.

들-쪽 명 〖체육〗 구간(球竿)쪽. 들대쪽.

들쭉-단물 명 들쭉으로 만든 단물. 들쭉시롭.

들:쭉-잼 〔jam〕 명 들쭉으로 만든 잼.

들-채 명 ①들것. ②들것에 달려 있는 채.

들춤-질 명 위로 쳐들리었다 내려앉았다 하며 들까부는 동작. ¶~을 하면서 달리는 자동차.

들켜-나다 자 '들키다'를 세게 이르는 말.

들크무레-하다 형여불 ①조금 들큼하다. ¶들크무레한 칡뿌리. ②생각이나 마음이 조금 달콤하다.

들키우다 피동 남에게 들킴을 당하다. 들키다.

들-턱 명 집들이를 한다고 한턱 차려 대접하는 일. ¶~을 내다.

등-갑 【—甲】 명 일부 동물의, 등딱지나 등껍데기.

등-걸상[1] 【籐—床】 [—쌍] 명 등의자(籐椅子).

등-걸상[2] 【—床】 [—쌍] 명 등받이걸상.

등-걸음 명 등쪽으로 걷는 걸음. 「다.

등걸음을 치다 구 ㉠덜미 잡히어 끌려 가다. ㉡시체가 되어 들리어 가

등걸-잠뱅이 명 등걸이와 잠방이를 아울러 일컫는 말. ¶무명 ~.

등겁 명 질겁. ——-하다 자여불

등-깔대기 명 잔등의 껍질을 속되게 이르는 말. ¶~를 발가내다.

등-꽃 명 제책(製冊)에서, 속장의 아래위 모서리에 붙인 헝겊. 헤드 밴드(head band). 꽃천.

등-놀이 【燈—】 명 등불놀이.

등대-목 명 등디목. 「대.

등디 명 추운 지방의 집에서, 정짓간 구석에 흙으로 쌓아 만든 화덕. 등

등디-목 명 정지가 있는 집 구조에서, 부엌에서 정짓간으로 나드는 가마목 옆의 자리. 등대목.

등반-오르기 【登攀—】 명 〖체육〗 등반줄이나 등반봉 등에 매달려 오르는 운동.

등반-줄 【登攀—】 [—쭐] 명 오름줄.

등받이-걸상 【—床】 [—바지—쌍] 명 등받이 의자.

등-배기 [—빼—] 명 등. ¶도끼의 ~.

등불-놀이 【燈—】 [—뿔—] 명 명절·경사 때 등불을 많이 켜 달고 노는 놀이. 등놀이.

등불-떼 【燈—】 [—뿔—] 명 〖해양〗 불을 켜게 장치해서 물에 띄운 표지(標識)떼. 배를 붙들어 맬 수도 있음. 계등부표.

등-빛 【橙—】 [—삗] 명 감빛.

등-뼈대 명 척추(脊椎).

등산-치료 【登山治療】 명 예방 치료를 목적으로, 비탈진 곳을 걷거나 가볍게 달리는 치료법.

등-새발 명 등성이에 있는 새밭.

등-써레 명 〖농〗 써레등이 아래로 가게 살써레를 뒤집어서 치는 써레.

등-장대 【燈長—】 [—때] 명 등을 매다는, 등대.

등-지게 명 '지게'를 달리 이르는 말.

등-쨈 명 물고기를 요리할 때 등쪽을 째는 일. ——-하다 자여불

등-통 명 〈속〉 등. ¶~이 달다/~이 쑤시다.

등판-지기 명 등판으로 되어 있는 땅.

등피-갓 【燈皮—】 명 등피 위에 씌우는 갓.

등피-알 【燈皮—】 명 남포등 등피를 이르던 말.

등-헤엄 명 배영(背泳).

디굴-거리다 자 ①물건이 잇따라 마구 굴러 가다. ②눈을 부릅뜨고 자꾸 눈알을 크게 굴리다.

디대 명 계단(階段).

디대-뜰 명 계단 위의 뜰. 「機).

디딤-기계 【—機械】 명 발로 디디는 힘으로 돌리는 기계. 족답기(足踏

디딤-단 【—壇】 [—딴] 명 높이가 다른 두 바닥 사이를 오르내릴 때 디디도록 만든 단.

디뚝-거리다 자타 뒤뚝거리다.

디룩-거리다 자타 뒤룩거리다.

디읃 명 한글 자모 'ㄷ'의 이름.

따- 부 '땅'의 뜻을 나타냄. ¶~벌/~꽃.

따개-질 명 물고기의 밸을 따는 일. ——-하다 자타여불

따-군 [—꾼] 명 땅꾼.

따기 명 소매치기. ——-하다 타여불

따기를 맞다 구 소매치기를 당하다.

따기-군 [—꾼] 명 소매치기《사람》.

따로-외우다 타 암송하다. 외다. ¶학습한 내용을 ~.

따를-성 【—性】 [—썽] 명 〖생〗 추성(趨性).

따름-곡 【—曲】 명 〖악〗 카논(canon).

따름-성 【—性】 [—썽] 명 가까이 붙좇아 따르는 성질. ¶~이 좋은 귀여운 아이.

따바리 명 ①또아리. ②따발총. ㊥따발.

따발 명 ↗따바리.

따-벌 [—뻘] 명 땅벌.

따웅 부 범이 사납게 울부짖는 소리. ——-하다 자여불

따지다 자 바느질하거나 꿰맨 자리가 터지다.

딱따구리-망치 명 딱따구리의 부리처럼 끝이 뾰족한 망치.

딱딱-히 부 정확하고 분명하게. ¶~ 알아보다. ㊥딱히.

딱실-하다 형여불 아주 확실하다. ¶딱실한 근거. 딱실-히 부

딱정-쇠 명 ①'온순한 맛이 없이 딱딱한 사람'을 홀하게 이르는 말. ② '마음씨가 사납고 고집이 센 사람'을 홀하게 이르는 말.

딱-친구 【—親舊】 명 서로 속을 터 놓고 지내는 단짝 친구.

딱-히 부 ↗딱딱히.

딴-가마 명 딴솥.

딴-눈 명 ①의안(義眼). ②한눈. ¶ ~을 팔다. ③의혹을 품고 색다르게 보는 눈. ¶ ~으로 보다.
딴-숨 명 집단의 의사와는 다르게 사고하고 행동하는 것.
딴숨(을) 쉬다 구 겉으로는 함께 행동하는 것처럼 하면서 속으로는 딴 생각을 하거나, 뒤에 가서는 딴짓을 하다.
딴-아궁 명 함실아궁이.
딸구다 타 ①뒤떨어지게 하거나 뒤에 처져 있게 하다. 떨구다. ②뒤에서 쫓거나 쫓아 버리다. ¶ 병아리들을 딸구는 개.
딸-회사 【一會社】 명 자회사(子會社).
땀-발 [一빨] 명 땀이 내돋아 흐르는 줄기.
땀발이 서다 구 땀발이 생기다.
땀-벌창 명 땀을 몹시 흘려서 후줄근하게 된 상태. ¶ ~이 된 이마.
땅-검 [一껌] 명 ↗땅거미.
땅-기슭 [一끼슥] 명 강·호수·바다 등의 물이 뭍과 닿는 곳.
땅-끊임 명 〖지〗 단층(斷層).
땅-따름성 【一性】 [一썽] 명 〖생〗 땅굽성. 향지성(向地性).
땅속-길 [一쏙一] 명 지하도.
땅속-도랑 [一쏙一] 명 암거(暗渠).
땅속-물 [一쏙一] 명 지중수(地中水).
땅속물-잡이 [一쏙一] 명 수원(水源)을 얻기 위하여 우물을 파거나 펌프관을 박거나 하여 지하수가 모이게 하는 일.
땅속-불 [一쏙一] 명 땅 속에서 일어나는 불. 이탄층이나 부식층에서 일어나는데, 나무 뿌리를 죽임.
땅속-식물 【一植物】 [一쏙一] 명 지중(地中) 식물.
땅속-열매맺기 [一쏙一] 명 지하 결실(地下結實).
땅속-호 【一湖】 [一쏙一] 명 동굴에 있는 호수.
땅웃-물 명 지상수(地上水).
땅-주름 명 습곡(褶曲).
땅-테 명 〖지〗 지각을 이루는 지구의 가장 바깥 부분에 있는 층. 윗부분은 퇴적암, 가운데 부분은 화강암, 밑부분은 현무암으로 되어 있음.
때-끼 명 때마다 먹는 끼니. ¶ ~를 마련하다.
때리기 명 〖배구〗 스파이크(spike).
때-맞추 부 어떤 때에 알맞게.
때-벗이 명 세련되어 때를 벗음. ——-하다 자여불
때-식 【一食】 명 아침·점심·저녁에 먹는 끼니. ¶ ~을 끓이다.
때여-가다 타 끼니를 그럭저럭 이어 가다. ¶ 끼니를 ~.
땜-모 명 모를 낸 논이나 밭에서 빠진 자리를 메꾸어 심는 모. 사이모. 새모.
땡강-종 【一鐘】 명 땡강땡강 울리는 종. 땡땡이종.
떠-곤지다 타 뜨거나 들어서 내동댕이치다.
떠다-심다 [一따] 타 있던 자리에서 뽑거나 떼 내어서 다른 데에 옮겨 심다. ¶ 고추모를 ~.
떠돌이-감탕 명 부니(腐泥).
떠들어-치다 자 마구 떠들어대다.
떠따-고다 자 큰 소리로 떠들다.
떠떠-밀치다 타 마구 힘주어 밀치다.
떠떠-거리다 자타 말소리를 몹시 떠듬거리다.
떠-박지르다 타르불 힘껏 떠밀거나 걷어차다.
떠살이-동물 【一動物】 명 부유(浮游) 동물.
떠살이-식물 【一植物】 명 부유(浮游) 식물.
떠-안다 [一따] 타 ①(어떤 물건을) 떠서 안다. ②떠맡다.
떠-오르기 명 이륙(離陸).
떡가루-병 【一病】 [一뼝] 명 〖농〗 백분병(白粉病).
떡-개 명 낱개의 떡덩이나 떡조각. ¶ ~가 크다.
떡-구유 명 통나무를 파서 구유 비슷하게 만든 떡을 치는 그릇.
떡-눈 명 물기를 머금어서 척척 들러붙는 눈송이.
떡-대가리 명 ①'떡조각'을 하찮게 이르는 말. ②'하찮게 여기는 것'을 얕잡아 이르는 말. ¶ 구장이고 ~고.
떡-동발 명 나무 동발 다리를 윗반과 아랫반 사이에 받쳐 세운 동발.
떡-보숭이 명 떡고물. 보숭이.
떡-쇠 명 탄소 성분이 많고 품질이 낮은 무쇠.
떡-죽 【一粥】 명 너무 되게 쑤어 한데 엉기는 죽.
떡-짝 명 큼직한 떡조각.
떨-개 명 〖물〗 진동자(振動子).
떨기 명 ①〖물〗 진동(振動). ¶ ~ 주기/~ 회로/ ~판(板). ②〖악〗 비브라토(vibrato). ③〖의〗 진전(震顫).
떨기-너비 명 〖물〗 진폭(振幅).
떨기-일굼 명 〖전자〗 여진(勵振).
떨렁-밥 명 그릇에 안친 쌀을 그대로 끓는 가마에 넣어 짓는 밥. 딸랑밥.
떨림-소리 명 〖악〗 전음(顫音).
떨-채 명 〖악〗 장구의 채편 주법의 하나. 채편을 칠 때 채를 떨며 침으로써 짧은 소리를 연이어 냄.
떼-논 명 한 물꼬에 붙어 여러 배미로 크게 떼지어 있는 논.
떼-다리 명 뗏목다리.
떼-닮다 [一담따] 타 꼭같게 닮다. ¶ 제 아버지를 떼닮은 아이.
떼-동갱이 명 떼바뚝.
떼매기-터 명 물에 떠내려 가지 않도록 뗏목을 매 두는 곳.
떼-무이 명 통나무들을 일정한 형식과 크기로 무어 떼를 만드는 일. ——-하다 자여불
떼-바뚝 명 떼를 엮기 위해 몇 개의 통나무들로써 엮어 놓은 떼의 토막 지은 한 부분. 바뚝. 떼동갱이.
떼-불 명 〖수산〗 떼에 설치한 불. 그물이나 양식 시설의 위치를 밤에 볼 수 있게 하거나 불을 좋아하는 물고기들이 모이게 하는 데 씀.
떼-사정 【一事情】 명 어떤 요구를 실현시키려고 짓궂게 떼를 쓰며 사정하는 것. ——-하다 자여불
떼-싸개 명 그물 안에 든 물고기가 윗벼리를 뛰어 넘지 못하도록 떼를 그물로 둘러싸는 것. 또는 그 그물.
떼질 명 마구 떼를 쓰는 짓. ——-하다 자여불
떼질-군 [一꾼] 명 떼쟁이.
떼-풀이 명 엮었던 떼를 푸는 일. ——-하다 자여불
뗑기다 타 ①세게 튀기어서 움직이게 하다. ¶ 가야금줄을 ~. ②눈치챌 수 있을 정도로 넌지시 일러 주다.
뗑-하다 형여불 얼떨떨하거나 속이 울리게 아프다. ¶ 머리가 ~.
뙤-살 명 한 덩이로 뭉쳐 있는 알짜 살.
뙹-별 명 뙤약별.
뚜꺼-먹다 타 직장이나 학교, 모임 같은 데에, 정당한 이유 없이 나가지 않다.
뚜껑-열매 명 〖식〗 개과(蓋果).
뚜르레기 명 ①따발총. ②착암기.
뚜지다 타 ①꼬챙이 등으로 쑤셔서 파다. ②땅을 파 뒤집다. ¶ 묵은 데를 ~.
뚜-하다 형여불 뚱하다. ¶ 뚜한 얼굴.
뚝-매질 명 논둑의 잡풀을 없애기 위하여 흙으로 매질하는 것. ——-하다 자타여불
뚝-바우 명 무뚝뚝하고 융통성이 없는 사람.
뚝박-새 명 무뚝뚝하고 융통성이 없으며 상냥스럽지 못한 사람.
뚝-보 명 무뚝뚝한 사람.
뚫어-맞히다 [一마치一] 타 아주 정확하게 알아맞추다.
뚱뚜무레-하다 형여불 보기에 조금 뚱뚱하다.
뛰뛰-하다 형여불 말이나 소문의 내용이 확실한 근거가 없고 미덥지 못하다.
뛰염 명 뜀. ¶ ~을 뛰다.
뛰염-치다 자 힘차게 뜀을 뛰다. ¶ 뛰염치며 노는 처녀애.
뜀줄-운동 【一運動】 [一쭐一] 명 줄체조.
뜨개-질 명 남의 마음속을 떠 보는 짓. ——-하다 타여불
뜨더-국 [一꾹] 명 가루 반죽을 끓는 장국에 조금씩 뜯어 넣어 익힌 음식.
뜨리 명 〖의〗 작은마마. 수두(水痘).
뜨아-하다 형여불 뜨악하다.
뜨지근-하다 형여불 좀 뜨스한 느낌이 있다.
뜬-금 명 ①물건값이 일정하지 않고 그때 그때의 시세에 따라 달라지는 값. ¶ ~으로 팔아 넘기다. ②직접 보지 않고 머리에 남아 있는 기억만 가지고의 뜻. ¶ ~으로 외다.
뜬-김 명 서려 오르는 뜨거운 김.
뜬-다리 명 부교(浮橋).
뜬뜬-쟁이 명 하는 짓이 푼푼하지 못하고 지나치게 인색한 사람.
뜬-소리 명 ①뜬 소문. ②앓는 사람의 헛소리.
뜯개-말 명 ①잘 알지 못하는 남의 나라 말을 한두 마디씩 뜨덤뜨덤 하는 말. ②아직 말을 채 배우지 못한 어린애가 한두 마디씩 뜨덤뜨덤 하는 말.
뜯겡이 명 뜯경이.
뜯어-읽다 [一익一] 명 글을 서투르게 떠듬떠듬 읽다.
뜰-힘 명 〖물〗 부력(浮力).
뜸-장 [一짱] 명 뜸을 뜨기 위하여 약쑥을 비벼서 일정한 크기의 고깔 모양으로 만들어 놓은 것. 뜸보.
뜻같은-말 명 동의어(同義語).
띄운-간장 【一醬】 명 발효(醱酵) 간장.
띄움-표 명 부표(浮標).
띠여-보다 타 눈결에 잠깐 보다.
띠-활자 【一活字】 [一짜] 명 한 토막의 글을 한 덩어리로 새긴 활자.

ㄹ

라북 【羅北】 명 나침반이 가리키는 북쪽.
라삥-반 【一盤】 〔lapping〕 명 연마반(硏磨盤).
락광 【落鑛】 명 발파하여 광석을 떨어뜨리는 일. ——-하다 타여불
락맥 【落脈】 명 큰 산맥에서 갈라져 뻗은 산맥. 지맥(地脈). ¶ 낭림 산맥의 여러 ~들.
락산 【落產】 명 ①조산(早產). ②낙태(落胎). ——-하다 자타여불
락서 【落緖】 명 실이 끊어져서, 켜지던 고치가 떨어지는 일.
락종-머리 【落種一】 명 파종을 시작할 무렵.
락제-국 【落第一】 [一꾹] 명 '낙제'를 농으로 이르는 말.
락제국을 먹다 구 낙제를 하다.
란간-이마 【欄干一·欄杆一】 명 정수리는 판판하고 툭 두드러져 나온 이마.
란벌 【亂伐】 명 남벌(濫伐). 막베기. ——-하다 타여불
란-판 【亂一】 명 〔↗란장판〕 난장판.
람-도벌 【濫盜伐】 명 '남벌'과 '도벌'을 아울러 이르는 말. ——-하다 타여불
랍상 【蠟霜】 명 〖생〗 식물의 줄기나 열매의 겉껍질에 붙어 있는 밀랍.
랭박 【冷粕】 명 낮은 온도 상태에 있는 콩깻묵. ¶ 콩을 ~으로 처리하여 두부를 만들다.
랭박-하다 【冷薄一】 형여불 인정미가 없이 쌀쌀하고 박하다. ¶ 부녀지정이 ~.

랭압【冷壓】[명] 열리는 방법으로 압력을 가함. ¶두부를 ～하다. ——하다 [타][여불]
랭-압연【冷壓延】[명]〔공〕냉간 압연(冷間壓延). ——하다 [타][여불]
랭-온상【冷溫床】[명]〔농〕차가운 기운과 따뜻한 기운을 알맞게 배합해 주어 식물을 기르는 것. 또는 그 시설. 주로 남새모기르기에 씀.
량권【糧券】[—꿘] [명] 국가 기관에서 발행한 식량을 대신하는 증표.
량다리-치기【兩—】[명] 양다리 걸치기.
량면-분자【兩面分子】[명] 양면주의적 행동을 하는 자. ¶안팎이 다른 ～.
량면-주의【兩面主義】[명] 서로 다른 제도나 사회 정치 세력에 다리를 걸치고 원칙 없이 행동하는 기회주의적 사상 경향이나 태도.
량면-치기【兩面—】[명] ①이러저러한 정황이나 조건에서 다 통할 수 있게 하는 것. ②양면주의적으로 행동하는 것.
량설【良說】[명] 참된 이야기. ¶그의 말은 다 ～이라고 믿을 수도 있다.
량용-호리【兩用—】[명] 논밭을 갈 때 흙밥을 왼쪽 또는 오른쪽으로 뒤집을 수 있는 호리.
량적-예보【量的豫報】[—쩍—] [명]〔기상〕수치 예보(數値豫報).
량태-머리 [명] 가랑머리. ¶～를 땋아 늘인 처녀.
량통-집【兩通—】[—찝] [명] 종마루 밑을 사이로 하고 평행하게 양쪽으로 방을 만든 집. 겹집.
량표【糧票】[명] 쌀표나 량권(糧券)과 같은 식량표.
량-품【兩—】[명] 웃옷의 앞품과 뒤품을 아울러 이르는 말.
려객-기술역【旅客技術驛】[명] 객차의 편성과 그 기술 작업을 하는 역.
려객-사령【旅客司令】[명] 철도 부문에서 여객 수송 사업을 통일적으로 지휘하는 직책. 또는 그 직책에 있는 사람.
려과-담배【濾過—】[명] 필터 담배.
력서-장【曆書帳】[—짱] [명] ①달력의 하나하나의 장. ②달력.
력일-시간【曆日時間】[명] 최대한으로 가능한 설비 가동 시간. 1개월의 력일 시간은 '24시간×30(또는 31)일'로 계산함.
련결-농기계【連結農機械】[명] 트랙터에 연결시켜서 쓰는 농기계.
련결-떼【連結—】[명] 둘 이상의 떼를 이은 뗏목.
련공【聯共】[명] 다른 정치 세력이 공산주의자들과 힘을 합치고 연합하는 일.
련속-수【連續繡】[명] 같은 형태의 무늬를 되풀이하여 놓는 손수.
련속-화【連續畫】[명] 하나의 이야기를 여러 장면으로 잇따라 보여 주게 그린 그림.
련유-암【煉乳—】[명] 연유에 암죽 가루를 넣어 끓인 암죽.
련주-등【連珠燈】[명] 긴 줄에 여러 개를 매달아 켠 등.
련토-기【煉土機】[명] 흙을 이기는 기계.
련-포군【聯砲軍】[명] 포병 화력이 연합된 것.
련합-사령【聯合司令】[명] 철도역과 중요 공장·기업체가 연합하여 하는 수송을 통일적으로 지휘하는 직무. 또는 그 직무에 있는 사람.
련합-역【聯合驛】[명] 철도 시설들이 집결되어 있는 철도역.
련환【聯歡】[명] 둘 이상의 집단이 함께 모여 즐기는 일. ¶～ 모임/～ 대회.
렬씨-척도【列氏尺度】[명] 열씨 한란계(列氏寒暖計).
렬차-구【列車區】[명] 철도 기관에서 열차의 운전과 관리에 관한 일을 맡아 보는 곳.
렬차-사령【列車司令】[명] 일정한 구간의 열차 운행을 지휘하는 직무. 또는 그 직무를 맡은 사람.
렬차-상업【列車商業】[명] 철도로 여행하는 근로자들에게 필요한 상품을 공급하여 주는 소매 상업의 한 형태.
렬차-포【列車砲】[명] 특수한 구조의 열차 차량 위에 설치하여 궤도로 운행하면서 전투에 쓰는 포.
령군-술【領軍術】[명] 군사를 거느리고 지휘하는 능력과 수완.
령-길【嶺—】[—낄] [명] 영으로 오르내리는 길.
령세-수송【零細輸送】[명] 여러 고장에 보낼 자질구레한 짐으로 열차를 편성하여 하는 수송. ——하다 [타][여불]
령장[1]【靈將】[명] 탁월한 군사적 지도자.
령장[2]【領章】[명] 군복이나 그 밖의 일정한 제복의 옷깃이나 소매에 붙이는 표지.
례상-일【例常—】[명] 예삿일. 예상사(例常事).
례총【禮銃】[명] 예를 나타내기 위하여 쏘는 총.
로동-가축【勞動家畜】[명] 사람이 부리며 일을 시키는 가축. 소·말·당나귀 따위. 역축(役畜).
로동-개미【勞動—】[명] 일개미.
로동-벌【勞動—】[명] 일벌.
로동-보호【勞動保護】[명] 노동 과정에서의 사고를 예방하고 문화 위생적인 노동 조건을 만들어 줌으로써 근로자의 생명과 건강을 보호 증진시키는 일.
로동-부류【勞動部類】[명] 노동 직종을 힘든 일과 헐한 일, 어려운 일과 쉬운 일 등 여러 가지 징표에 따라 갈라 놓은 갈래.
로동-영양【勞動營養】[명] 노동할 때 소모된 에너지량과 생산성 유해(有害) 인자에 의하여 잃은 영양소를 보상하기 위한 영양.
로동자-구【勞動者區】[명] 주민이 주로 노동자로 구성된 행정 구역의 맨 아래 단위의 하나. 시·군 밑에 둠.
로동-지불【勞動支拂】[명] 노동을 한 데 대하여 주는 보수.
로라-미장【—匠】〔roller〕[명] 롤러로 하는 페인트칠.
로라-다짐기〔roller〕[명] 지면(地面)과 도로 포장층을 다지는 롤러. 로라식 다짐기.
로력-값【勞力—】[—갑] [명] ①일정한 생산물의 생산 또는 작업 수행에 들인 노동의 가치. ②로력비(勞力費).
로력-공수【勞力工數】[—쑤] [명] 일정한 제품을 생산하거나 일정한 종류의 작업을 수행하는 데 들인 노동의 크기를 표시하는 척도.
로동-류동【勞動流動】[명] 한 기업체·부문·지방으로부터 다른 기업체·부문·지방으로의 노동력의 자연 발생적인 이동.
로력-비【勞力費】[명] 사람의 노동에 대하여 지불하는 비용. 로력값.
로력-수첩【勞力手帖】[명] 협동 농장에서 농장원들이 번 로력공수(勞力工數)를 적어 두는 법적 증거 서류.
로력-폰드【勞力—】〔러 fond〕[명] 일정한 기관·기업체가 가질 수 있는 노동자의 수.
로력-후비【勞力後備】[명] 앞날의 노동력 수요를 충족시키기 위해 육성하거나 육성되는 사회 성원.
로천-개발【露天開發】[명] 굴을 뚫지 않고 석탄이나 광물이 나올 때까지 땅 겉층을 파 내는 일.
로페-우【老廢牛】[명] ①늙다리소. ②늙어서 쓸모 없이 된 사람.
로-포탑【露砲塔】[명] 군함의 선체에 고정시켜 시설한 포탑.
록음-자두【錄音磁頭】[명]〔전자〕헤드(head). 자두(磁頭).
록음-띠【錄音—】[명] 녹음 테이프(tape).
롤-강【—鋼】〔roll〕[명] 회전하는 여러 개의 굴대로 금속을 운반하는 기계.
료양-생【療養生】[명] 요양소에서 치료를 받고 있는 환자.
룡-올림【龍—】[명]〔기상〕용오름.
루정【樓亭】[명] 정원·유원지·명승지 등에 세우는 누각과 정자.
류동-보초【流動步哨】[명]〔군〕동초(動哨).
류동-아지트【流動—】[명]〔아지트는 agitation point에서〕정황에 따라 옮기는 아지트.
류동-작전【流動作戰】[명] 여러 곳으로 이동하면서 적을 치는 작전.
류동-재산【流動財産】[명]〔경〕한 번의 생산 순환 과정에 완전히 소비되어 생산물에 자기의 가치 또는 가치 형태 전부를 옮겨 놓는 사회주의 기업체의 생산 재산. 원료·자재·연료·사들인 반제품·자체 반제품 등이 이에 속함. 류동폰드(fond).
류동-한계【流動限界】[명] 재료가 힘을 받아 변형되다가 힘의 증가 없이 변형이 급격히 커지게 되는 때의 응력.
류린안-비료【硫燐安肥料】[명] 인산질 비료와 질소 비료인 유안 비료가 혼합된 화학 비료. 류린안.
류산근-비료【硫酸根肥料】[명] 황산기(黃酸基) 비료.
류체-기계【流體機械】[명] 물·기름·공기 및 가스 등의 유체를 매질로 하여 일하는 기계.
류통면-현금【流通面現金】[명]〔경〕유통 중인 현금량 가운데서 은행에 보관되어 있는 일정 한도의 현금.
류통-재산【流通財産】[명]〔경〕유통 분야에서 기능하는 사회주의 기업체의 재산. 생산 기업체에서 생산되어 판매하기로 예정되어 있는 완제품과 원료, 자재·연료의 구입 및 생활비 지급을 위한 화폐 자금과 같은 것이 이에 속함.
류황-꽃【硫黃—】[명]〔화〕유황화(硫黃華).
륙상-모【陸床—】[명]〔농〕밭 또는 마른 논에서 물을 대지 않고 키우는 모. 륙모.
륙상-모판【陸床—板】[명]〔농〕밭못자리.
륙자-배기【六字—】[명] '팔다리를 쭉 뻗고 드러눕거나 엎어진 모양, 곧 六자와 같은 모양'을 달리 이르는 말.
륙지-동결수【陸地凍結水】[—쑤] [명] 계절적으로나 영구적으로 얼어 있는 땅 위의 얼음.
륙지-섬【陸地—】[명] 육도(陸島).
륜-운동【輪運動】[명] 후프(hoop) 체조.
륜-체조【輪體操】[명] 링(ring) 운동.
리상-봉【理想峰】[명] 이상이 되는 가장 높은 목표. ¶우리의 ～을 향하여 나아가다.
리용-생산【利用生産】[명] 상업 자체에서 예비와 가능성을 동원하여 마련한 원료와 간단한 설비로 소비품을 가공하거나 만드는 일. 또는 그러한 생산 조직.
리용-시설【利用施設】[명] 리용생산을 위한 시설.
리용-작【利用作】[명] 토지 이용률을 높이기 위하여 원그루 사이사이에 다른 작물들을 심는 일.
리용-작물【利用作物】[명] 원그루 사이사이에 심는 작물.
리용-편의【利用便宜】[명] 근로자들의 그때그때의 요구를 충족시키기 위하여 일정한 시설을 갖추어 놓은 장소. 또는 물품을 빌려 주는 편의 봉사의 한 가지.
리익-공제금【利益控除金】[명]〔경〕기업체의 이윤 총액 가운데서 기업체 자체의 생산 확대를 위한 기본 시설, 자체의 유통 자금의 증가 및 기업체 기금 등 자체의 자금 수요에 돌려지고 남은 부분. 국가 예산에 돌려짐.
린-빛【燐—】[—삗] [명] 인광(燐光).
림산-철도【林産鐵道】[—또] [명] 산림 지대에서 원목을 나르기 위하여 놓은 철도. 림산철길. [준]림철(林鐵).
림시-로력【臨時勞力】[명] 기구(機構)의 정원 외에 임시로 쓰는 노력. ¶～을 쓰다.
림시-심기【臨時—】[—끼] [명]〔농〕모를 밭에 옮겨 심기 전에 기본 모판에 임시로 심는 일. 가식(假植).
림철【林鐵】[명] ↗림산철도(林産鐵道).
림파-매듭【淋巴—】[명]〔생〕림프절(lymph節).
림파-알【淋巴—】[명]〔생〕림프구(lymph球).
림형【林型】[명] 나무 종류 구성을 비롯한 동식물상(相)이나 성장 조건이 비슷한 데 따라 나눈 산림의 유형.
립도-선광【粒度選鑛】[명]〔광〕덩어리의 크기차를 이용하는 선광.
립체-다리【立體—】[명] 입체 교차로의 다리.

ㅁ

마가담-포장【—鋪裝】〔macadam〕[명] 길을 포장하는 방법의 한 가지. 처음에는 큼직큼직하게 깬 돌들을 서로 엇물리게 깔고 다진 다음에 점차로 더 잔 돌들을 펴고 다져서 빈틈이 없게 함. 머캐덤 포장.

마가리 [명] 막처럼 비바람이나 막을 수 있게 간단히 꾸민 집. 오막살이.

마-가을 [명] 늦가을.

마구-다지 [명] 마구잡이.

마깜-잖다 [—잔타] [형] '마깜지 않다'의 준말로서, 마음이 맞지 않아 기분이 좋지 않다.

마닐마닐-하다 [형][여불] 말랑말랑하고 만만하다. ¶무르익은 복숭아가 ~/ 열을 받은 비닐판이 ~.

마디-다리 [명] 절족(節足). 절지(節肢).

마디-새 [명]〖악〗악구(樂句)·악절(樂節) 등과 같이, 음악 작품 구조의 부분 또는 이러저러한 원칙에서 나누어지는 부분들의 한계.

마디-선【—線】[명]〖악〗마딧줄. 소절선(小節線).

마록-마록 [부] 말똥말똥. ——-하다 [형][여불]

마루-줄 [—쭐] [명] ①배의 닻을 달아 내리고 올리고 하는 줄. ②주낙에서 낚시가 달리는 기다란 줄.

마루-차【—車】[명] 지붕과 벽이 없이 평평한 마룻바닥뿐인 짐칸.

마른-땀 [명] 긴장하였거나 그 긴장이 확 풀리게 될 때에 나는 땀.

마른-삶이 [명] 물을 대지 않고 논을 삶는 일. 건삶이. ——-하다 [자][여불]

마른-얼음 [명] 드라이 아이스(dry ice).

마름-형【—形】[명] 마름모. 능형(菱形).

마삯-군【馬—】[—삭—] [명] 마바리꾼.

마스다 [타] 부수다. ¶적 탱크를 ~/ 신비주의를 ~/ 세계 기록을 ~.

마-여름 [명] 늦여름.

마음-새 [—쌔] [명] 마음을 쓰는 본새. 마음성.

마-쟁이 [명] 장마당에서 쌀을 사고 팔고 하면서 떼어먹는 중간 착취자.

마치다 [타] 더러운 것을 묻히어 못쓰게 만들다. ¶새옷을 ~.

마티다 [자] 쓴맛 단맛 다 겪으면서 온갖 시련을 견디어 내다. ¶반생을 고생 속에서 살아오면서 마틸 대로 마틴 우리 할아버지.

막-끝 [명] 일정한 지역이나 지대의 맨 끝. ¶우리 나라 ~까지 오다.

막난-눈 [명]〖식〗막눈. 부정아(不定芽).

막난-뿌리 [명]〖식〗막뿌리. 부정근(不定根).

막-낳이 [명] 마구 짜서 품질이 좋지 못한 무명.

막-동 [명] 윷놀이에서 '넉동'을 마지막째의 동이란 뜻으로 이르는 말.

막-머리 [명] 기르지 않고 빡빡 깎은 머리. ¶~로 깎다.

막-모 [명] 허튼모.

막-물 [명] 끝물. ¶~ 고추/~ 조기.

막-바우 [명] 교양이 부족하여 말과 행동이 거친 사람을 별명조로 이르는 말.

막-벌[1] [명] 여러 번에 걸치거나 거듭하는 것 가운데서 마지막 벌. ¶~ 논김을 매다.

막-벌[2] [명] 나들이 옷이 아닌 마구 입는 옷가지.

막-베기 [명] 남벌(濫伐).

막살-혹 [명] 뼈·림프 등에 생기는 악성 암종. 육종(肉腫).

막-쇠돌 [—쐬—] [명]〖광〗캐어 낸 그대로의 철광석.

막장-판 [명] 어떤 일이나 놀이가 끝날 무렵 또는 그러한 때.

막-참【—站】[명] 길을 가거나 일을 하다가 마지막으로 쉬는 동안. 또는 그때 먹는 식사. ¶~을 먹다.

막힌-꽃차례【—次例】[명]〖식〗유한 꽃차례.

만갑다 [형][ㅂ불] 무엇을 움직이기가 가분가분하다.

만년-먹기【萬年—】[명] 만년묵이. 만년치기.

만능-당【萬能當】[명] 온갖 것이 다 잘 들어맞거나 온갖 것을 다 당할 수 있음.

만든-꽃 [명] 조화(造花).

만만-하다【漫漫—】[형][여불] 끝이 없이 지루하다. 만만-히【漫漫—】[부]. ¶헤아리기 어려울 만치 아득한 고생대(古生代)는 매우 ~ 흘러 갔다.

만문-하다 [형][여불] ①만만하고 무르다. ¶만문한 음식. ②다루기 쉽게 호락호락하다. ¶어디다 대고 삿대질이야. 만문하게 보이는 모양이지. 만문-히 [부]

만세-식【萬歲式】[명] 일을 실속 있게 하지 않고도 잘되어 가는 것처럼 여기면서 허풍치는 방식.

만속【滿速】[명] ↗만속력.

만-속력【滿速力】[명] 자동차·기차·배·비행기 따위가 낼 수 있는 가장 빠른 속도. (준)만속.

만:약-시【萬若時】[명][부] 만약의 경우.

만장 [명] 고미다락.

만쟁이 [명] 뱃머리가 뻬죽한 큰 나무배의 한 가지.

만풍【滿豐】[명] 모든 낟알과 열매가 잘 여물고 잘 되는 일. ¶~의 나락.

만-풍년【滿豐年】[명] 대풍년.

만화-거리【漫畫—】[—꺼—] [명] 남의 웃음거리로 될 만한 재료.

맏-사람 [명] '맏아들'을 점잖게 이르는 말.

맏-웃방 [명] 맨 윗방.

맏-자라다 [자] 마디지고 옹골차게 자라다.

말-공부【—工夫】[—꽁—] [명] 어떤 문제의 해결이나 실천에 도움을 주지 못하는, 부질없는 빈말을 일삼는 일. 또, 그런 말. ——-하다 [자][여불]

말구다 [타] 옷감 따위를 마르다.

말-구멍 [—꾸—] [명] '말문'을 홀하게 이르는 말. ¶~이 막히다.

말-군[1] [—꾼] [명] 말몰이꾼. ¶~과 짐꾼.

말-군[2] [—꾼] [명] 마을꾼.

말-깃 [명] 말결. ¶~을 달다.

말:-꼭지 [명] 말의 첫머리. ¶~를 떼다.

말:-꽁무니 [명] '말꼬리'를 홀하게 이르는 말.

말:-끄트머리 [명] 말끝.

말-놀이 [—롤—] [명] 말놀음. ——-하다 [자][여불]

말-대접【—待接】[명] ①대접하는 뜻을 말로 나타내는 일. ②상대방의 말을 존중하여 표시하는 대접. ¶그 할아버지에 대한 ~으로라도 한 번 찾아가 봅시다. ——-하다 [자][여불]

말뚝-모 [명] 꼬창모. ¶~를 내다.

말라-차다 [타] ①필요한 것을 미리 갖추어 가지고 있다. ②필요한 만큼 마련하여 가지고 있다.

말-말 [명] 이런 말 저런 말. ¶~ 끝에. ——-하다 [자][여불]

말-맥【—脈】[명] 말의 조리. ¶~이 똑똑치 않다.

말-바로 [부] 말한 그대로 정확하게. ¶~ 들어맞다.

말-밥 [—빱] [명] 좋지 못한 이야깃거리의 대상. ¶~에 얹다/~에 오르내리다.

말복-물【末伏—】[명] 말복 무렵에 장마가 져서 나는 큰물.

말:-뺌 [명] 서로 이야기하다가 제 말에 약점이 있어 그 이야기에서 피하여 빠져 나옴. ——-하다 [자][여불]

말:-수더구 [명] ①늘어놓는 말마디의 수. ¶~가 적다. ②늘어놓은 말솜씨. ¶~가 늘다.

말:-씨름 [명] 입씨름. ——-하다 [자][여불]

말아-먹다 [타] 송두리째 망쳐 버리다.

말-양푼 [명] 큰 양푼.

말-자루 [—짜—] [명] 말의 주도권. ¶~를 잡다.

말-지【—紙】[—찌] [명] 담배 마는 종이.

말-초리 [명] 말꼬리에 있는 긴 털. 또는 그 하나 하나의 털.

말:-추렴 [명]〔←말출렴(出斂)〕다른 사람들이 말하는 데 한몫 끼어드는 일. ¶~을 들다. ——-하다 [자][여불]

말-품앗이 [명] 서로 말을 교대로 주고 받음. ——-하다 [자][여불]

맑은-띠 [명]〖생〗새의 알에서, 두번째의 막.

맑은-쇠 [명] '가늠쇠'를 달리 이르던 말.

맑은쇠를 띠다 [구] 기미를 잘 알아차리는 재주를 가지다.

맑-지다 [막—] [형] ①맑은 티가 있다. ¶진달래꽃의 맑진 향내. ②소리가 또렷하다. ¶맑진 나팔소리. ③마음이나 태도에 맑은 티가 있다. ¶맑진 간호원의 마음.

맛내기-소금 [명] 맛소금.

맛-스럽다 [형][ㅂ불] ①맛이 있다. ②(문체론적 수법의 하나로 쓰여) 맛이 변변치 못하거나 만들어 놓은 물건이나 제품 등이 잘되지 못하다. ¶맛스럽지만 명태 생선국을 좀 드세요/무슨 장난감을 그렇게 맛스럽게 만들었어요. 맛-스레 [부]

망 [명] 망돌. 맷돌.

망고-살 [명] 연을 띄울 때, 다 풀려 드러난 줄을 잡아맨 얼레의 살.

망-밥 [—빱] [명] 맷돌이 돌아갈 때 조금씩 넣어 주는 낟알.

망-손 [명] 맷돌의 손잡이. 맷손.

망아-간【—間】[—깐] [명] 망아지를 넣어 기르는 외양간.

망원【網員】[명] 간첩이나 정보원 같은 비밀 조직에 속해 있는 자.

망-질 [명] 맷돌질. ——-하다 [자][타][여불]

망탕 [부] 되는 대로 마구. ¶~ 쓰지 않고 아껴 쓰다.

망태기 [명] '전혀 쓸모없이 되어 버린 상태'를 이르는 말. ¶장난감을 밟아 ~를 만들다.

망패-질 [명] 줄팔매질. ——-하다 [자][타][여불]

맞다-들다 [자][타] 정면으로 마주치거나 직접 부닥치다. ¶불의의 정황에 ~.

맞-닿이 [명]〖전〗단락(短落).

맞-들이 [명] ①맞잡이. ②들것.

맞-맞다 [자] 서로 맞다. ¶계산이 꼭 ~.

맞머리-못 [명] 리벳(rivet).

맞문-각【—角】[명]〖수〗맞꼭지각.

맞물림-무역【—貿易】[명] 바터(barter) 무역.

맞-섶 [명] ①남자 양복 저고리형의 한 가지. 깃을 목에서 잠그게 되어 있음. ¶~ 양복. ②섶을 어기지 않고 맞서게 만든 옷.

맞은-각【—角】[명]〖수〗맞각.

맞은-변【—邊】[명]〖수〗맞변.

맞-접【—椄】[명] 합접(合椄).

맡이다 [마치—] [사동] 냄새 따위를 맡게 하다.

매기단 [명] 일의 뒤끝을 깨끗이 마무리하거나 맺는 일. ——-하다 [타][여불]

매깨비 [명] 속이 옹졸하고 마음이 넓지 못한 사람을 욕으로 이르는 말.

매-다루다 [타] 논밭의 김을 매여 잘 다루다.

매닥-질 [명] 함부로 매대기를 치는 짓. ¶눈과 흙으로 ~을 한 버선. ——-하다 [자][타][여불]

매단단-하다 [형][여불] 야무지고 단단하다. ¶옹이처럼 매단단한 처녀/ 매단단한 볏모.

매대【賣臺】[명] ①상점에서 물건을 놓고 파는 자리. ②한 상점 안에서 몇 개로 가른 판매 부서. 코너(corner). ¶식료품 ~/ 일용품 ~.

매:미-옷 [명] 아래위를 통짜로 간편하게 만든 어린이옷.

매삼-매삼 [부] 초조하거나 다급하여 안절부절 못하고 이리저리 왔다갔다 하는 모양.

매삼-치다 [자] ①초조하여 안절부절 못하고 이리저리 왔다갔다 하다. ②바람 같은 것이, 맴돌며 휘몰아치다. ¶귓전에 매삼치는 바람 소리.

매시시 [부] 온몸에 힘이 없고 나른한 모양. ¶손맥이 ~ 풀리다/ 팔다리

가 ~ 풀리다. ——-하다 형여불

매우다 자 남에게 눌리거나 얽매임을 당하다. 매이다. ¶매워 살다.

매운맛-감 명 신미료(辛味料).

매조지다 타 ①동여매서 단단히 매듭짓다. ②일의 끝을 단단히 맺어 마무리다. 매조지하다.

매지 명 망아지.

매-질 명 맥질. 매흙질. ¶벽에 ~하다/방바닥을 ~하다. ——-하다 자타여불

매초【埋草】명 엔실리지(ensilage). 매장 사료(埋藏飼料). 풀절임. 풀김치.

매출-하다 형여불 흠이나 거침새없이 곧고 밋밋하다. ¶매출한 봇나무.

매틀-하다 형여불 냄새가 산뜻하지 못하고 매캐하고 트릿하다.

매포-하다 형여불 약간 맵싸하다. ¶매포한 풋고추를 따오다.

매표【買票】명 어떤 물건을 살 수 있는 표. ¶~제(制).

맥꼴【脈一】명 '맥살'을 강조하여 이르는 말.

맥-뛰【脈一】명 ①박동(搏動). ②〖전〗맥동(脈動). ¶~ 전류.

맥살【脈一】명 '몸을 움직여 활동하는 기운이나 힘 또는 의욕'을 이르는 말. ¶~이 나다/ ~이 풀리다/~을 놓다.

맨-구들 명 아무 것도 깔지 않은 구들. ¶방석을 밀어 놓고 ~에 앉다.

맨-버선 명 신발이 없이 버선만 신은 발. ¶~으로 뛰어나오다.

맨-삶이 명 고기나 생선을 간하지 않고 푹 삶거나 찌거나 데치는 일. 또는 그와 같이 만든 음식. ¶잉어 ~. ——-하다 자타여불

맨-씨뿌리기 명 거름을 주지 않고 씨를 뿌리는 일. 백파(白播).

맹물-단지 [-딴-] 명 '말과 행동이 여무진 데 없이 묽고 싱거운 사람'을 홀하게 이르는 말. ¶~ 같은 사람.

맹비【盟費】명 동맹원이 동맹 규약의 요구에 따라 조직에 바치는 돈. 동맹비. ¶달마다 ~를 바치다.

맹-생활【盟生活】명 동맹(同盟)생활.

맹적[1]【盟籍】명 맹원(盟員)으로 등록되어 있는 적(籍).

맹-적[2]【盟的】[-쩍] 명관 동맹적. ¶~인 사업/~ 입장에서 보다.

맹증【盟證】[-쯩] 명 동맹원임을 나타내는 증명서. 맹원증(盟員證).

머드럭-판 명 땅이 좀 질퍽하고 모래가 섞인 곳.

머리가슴-껍데기 명〖생〗두흉갑(頭胸甲).

머리가슴-부【一部】명〖생〗두흉부(頭胸部).

머리건조-선풍기【一乾燥扇風機】명 헤어 드라이어.

머리-고랑 [-꼬-] 명 밭고랑의 윗머리에 가로 낸 고랑.

머리-꼬리 명 땋은 머리의 꼬리.

머리꼭대기-눈 명〖생〗두정안(頭頂眼).

머리모양-꽃【一模樣一】명〖식〗두상화(頭狀花).

머리모양-꽃차례【一模樣一次例】명〖식〗두상(頭狀) 꽃차례.

머리-받기 명〖축구〗헤딩(heading).

머리-수화기【一受話器】명 전화 수신용 헤드폰(headphone).

머리-아픔 명 두통(頭痛).

머리-임 명 짐을 머리에 이는 일. 또는 머리에 이는 짐. ¶~을 이다.

머리-태 명 길게 타래진 머리털.

머무죽-하다 자여불 내리던 눈비나 불던 바람이 멎을 듯하다. ¶밖에서는 머무죽하던 눈이 다시 내리기 시작했다.

머물기 명〖배구〗홀딩(holding).

머물-새 [-쌔] 명 텃새. 유조(留鳥).

머주-하다 형여불 무안을 당하거나 하여 머쓱하다.

먹고-닮다 [-담따] 구 아주 비슷하게 닮다.

먹-도장【一圖章】명〖축산〗집짐승을 조사 기록하기 위하여 귀에 일정한 숫자나 표시를 찍는 기구. 보통 집게 모양으로 되었으며, 먹물을 이용함.

먹석-이 명 먹보. 식충이.

먹이-구멍 명 기계나 장치 따위에 물·기름 같은 것을 부어 넣는 구멍.

먹이-떼돌이 명〖어〗먹이 회유(回游). 색이(索餌) 회유.

먹이-밭 명 사료전(飼料田).

먹이-쌈 명〖동〗식포(食胞).

먹임-약【一藥】명〖농〗독이 벌레의 주둥이를 통해서 내장에 들어가 중독시켜서 죽이는 약.

먼:-눈치 명 멀리서 살피는 눈치. ¶~로 살피다.

먼-말 명 멀리 돌려서 하는 말. ¶~로 슬쩍 비치다.

먼-바로 부 멀리 정면으로. ¶~ 바라보이는 저 건물.

먼-발 명 먼발치. ¶~로 듣다/~에서 스쳐 보다.

먼-보임새 명〖영화〗원사(遠寫).

먼장 명 좀 멀리 떨어져 있는 곳. ¶일손을 멈추고 ~을 바라보다.

먼저-차기 명〖축구〗선축(先蹴). ——-하다 타여불

먼전:으로 돌다 구 어떤 일에 관심을 가지고 있으면서도 직접 관계하려 하지 않고 테밖에서 대하다. 먼전을 보다.

먼-조【一調】명〖악〗원격조(遠隔調).

먼지-발 [-빨] 명 사람이나 차 같은 것이 지나가면서 일으켜 길게 날리는 먼지.

먼지폐-증【一肺症】[-쯩] 명 진폐증(塵肺症).

먼-총질【一銃一】명 먼발치에서 하는 총질. ——-하다 자여불

멀거니-증【一症】[-쯩] 명〖의〗정신 활동과 운동 기능이 몹시 억제되고 바깥 자극에 대한 반응이 둔해진 정신병 증세.

멀기 명 파장이 길고 물매가 느린 바다의 큰 물결.

멀:리-헤기 명 원영(遠泳).

멀짝-하다 형여불 밥이나 그 밖의 음식물이 물기가 많아 질다.

멀퉁-하다 형여불 ①눈에 정치가 없다. ②감자·포도 등이 알이 굵다.

멋-따기 명 실속은 없으면서 멋이나 부리는 짓. ¶~ 놀음.

멍에-가【一歌】명 농부들이 소를 몰고 가며 부르는 민요의 하나.

멍에-줄 [-쭐] 명 극젱이의 앞에 있는 멍에의 구실을 하는 줄. 흔히 사람이 극젱이를 끌 때 두 어깨에 멨음.

멍에-채 명 ①마소에 메워 연자매를 돌리는 긴 대. ②마소의 멍에.

멎은-화산【一火山】명 휴화산(休火山).

메 명 개미·쥐·게 같은 것이 주로 구멍을 뚫으려고 갉아서 파내 놓은 흙. ¶~를 내어 쌓다.

메-등 [-뚱] 명 산등. 산등성이.

메뚜기-채 명 자치기의 긴 막대기.

메뚜기-치기 명 자치기.

메밀-눈 [-룬] 명 작고 세모진 눈을 비겨 이르는 말.

메-밭 [-빧] 명 산속에 일군 밭.

메사-하다 형여불 어울리지 않게 싱겁고 쑥스럽다.

메-소 [-쏘] 명 빌려다 기르면서 부리는 소. 도지소.

메-숲 명 산의 우거진 숲.

메-싹 명 메꽃의 줄기 또는 뿌리.

메우개 명 나무 쐐기.

메우다 타 남새·산나물 같은 것을 양념을 넣어 버무리다. 무치다. ¶시금치를 ~.

메작-하다 형여불 잘 정돈되지 못하여 엉성하다. ¶메작한 방 안.

메주-균【一菌】명 메주를 띄우는 누룩곰팡이의 한 가지. 녹말이 많은데서 자라면서 녹말을 당분으로 전환시키는 작용을 함.

메주-볼 명 살져서 축 늘어진 볼.

메주-씨 명 ①장 원료로 잘 뜬 메주. ②메주균.

메-흙 [-흑] 명〖농〗양토(壤土).

멜란지-실 〔러 melanzh〕명 실을 켜기에 앞서 원료에 여러 가지 물색을 들여 켜 낸 알락달락한 실.

멜-바 [-빠] 명 멜빵.

멜지 [-찌] 명 짐수레가 경사에서 미끄러지는 것을 막기 위해 소의 목에 돌려 대는 짚으로 만든 띠.

멜-채 명 멜대.

멧-마당 명 밭 가운데 만들어 놓은 탈곡장.

며리 의명 (-ㄹ형의 규정어 다음에 쓰이어) 까닭이나 필요. ¶무슨 일을 한 가지도 도와 드리지 못하면서 시비를 캘 ~는 없습니다.

멱-길 명 장기에서 말이나 상(象)이 다닐 수 있는 길. 멱.

멱살미 명 옷의 멱살.

멱-주머니 명〖조〗멀떠구니. 소낭(嗉囊).

면도-발【面刀一】[-빨] 명 면도를 하고 나서 얼마 동안 퍼렇게 표가 나는 털이나 수염이 깎인 자리.

면-모달리【綿毛一】명 천의 양쪽 또는 한 쪽에 솜털을 일군 면직물.

면:-바로【面一】부 ①바로 정면으로. ¶저기 ~ 보이는 집. ②어떤 겨냥이나 판단이 어김이 없이 똑바로. ¶~ 맞췄네.

멸독-소【滅毒素】명〖의〗몸안에서 어떤 독성을 없애는 기능을 하는 요소.

명암-호광【明暗互光】명〖해〗시간적으로 밝았다 어두웠다 하는 신호 불빛의 한 가지.

명예-위병대【名譽衛兵隊】명 국가적인 큰 의식이나 다른 나라의 중요한 대표를 맞거나 보내거나 할 때에 경의를 표하기 위하여 일정한 격식으로 배치되는 군인 대오. 의장대(儀仗隊).

명예-칭호【名譽稱號】명 영웅 칭호·인민 예술가·공훈 과학자 칭호 등의 여러 가지 칭호.

명-전환【明轉換】명〖연〗명전(明轉).

명주-바람【明紬一】명 '부드럽고 화창한 바람'을 비겨 이르는 말.

명-통【命一】명 몸에서 목숨과 관련되는 가장 중요한 부위를 이르는 말.

명통을 찌르다 구 어떤 문제의 요진통을 찌르다.

모개미 명 곡식의 이삭이 달린 부분. 모개.

모개-지다 형 흩어지지 않고 한 무더기로 모아져 있다.

모경【毛莖】명〖생〗모간(毛幹). 털줄기.

모-군 [-꾼] 명 ①모내기와 관련된 일을 하는 사람. ②직접 모를 꽂는 사람.

모-그네 명 옆으로 나가는 그네.

모금-모금 명부 한 모금 한 모금마다. ¶마른 목을 수정 샘물로 ~ 추기다.

모기-풀 명 모깃불을 피우는 데 쓰는 풀.

모-까래 명 모를 뜰 때에 깔고 앉는 물건.

모-나이 명 모가 자란 정도. 잎이 몇 개인가에 따라 표시함. 잎이 셋이면 모나이는 3매임.

모다-들다 자 어떤 일을 위하여 일정한 곳에 모여들다.

모다-붙다 자 ①여럿이 함께 힘을 합쳐 달라붙다. ¶모다붙어 도와 주다. ②여럿이 한데 바싹 들러붙다.

모-달리【毛一】명 안팎 또는 한쪽면에 잔털이 돋게 짠 직물. 융(絨).

모대기 명 괴롭거나 안타깝거나 하여 이리저리 몸을 뒤트는 일.

모대기(를) 치다 구 몹시 모대기다.

모대기다 자타 ①괴롭거나 안타깝거나 하여 몸을 이리저리 뒤틀며 움직이다. ②어떤 문제나 생각이 풀리지 않아 이리저리 애써 생각하다.

모두-매 명 여럿이 대들어 한꺼번에 때리는 뭇매. ¶~를 안기다/~를 맞다.

모두매-판 명 모두매를 치는 판.

모두-발 명 모둠발.

모두-숨 명 몰아쉬는 숨.

모둥키다 ㊀ 자 모여서 한데 뒤섞여 얽히다. ㊁ 타 그러모아 움키다.

모-뜨기 명 모찌기. ——-하다 자여불

모라기 의명 바람 같은 것이 한 번 몰아쳐 부는 일. ¶한 ~의 산뜻한 바람.

모래 명 나무 그릇의 한 가지. 전이 없고 함지보다 훨씬 작음.

모래-감탕 명〖지〗모래가 많은 감탕. 사니(砂泥).

모래-겁 명 모래에다 찰흙을 좀 섞어 만든 거푸집.

모래막이-공사【一工事】명 사방 공사(砂防工事).

모래-메흙 [-흑] 명 사양토(砂壤土).

모래-복닥질 명〖농〗닭이나 오리 같은 것이 이나 벼룩을 떨기 위하여 모래를 파고 들어가서 비비는 짓. 사욕(沙浴). ——-하다 자여불

모래-부리 명 바닷가의 좁고 긴 모래 언덕. 사취(砂嘴).

모래-불 명 ①모래톱. ②사취(砂嘴).
모래-쇠 명 사철(砂鐵).
모래-자갈 명 쌀알만한 크기로부터 굵은 콩알만한 크기를 가진 매우 잔 자갈.
모래잡이-동뚝 【—垌—】 명 사방 언제(砂防堰堤).
모래잡이-못 명 침사지(沈砂池).
모래-초반 【—礎盤】 명 〖토〗 기초 밑에 설치된 모래 지반. 무른 지층을 들어내고 거기에 모래를 다져 넣은 다음 그 위에 기초를 설치함.
모래-터 명 ①모래를 펴 놓거나 무더기져 놓은 놀이터나 씨름터. ②모래가 많이 쌓여 있는 곳.
모래-함지 명 작은 함지의 한 가지. 길쭉하며 전이 있음. 모랭이.
모롱-곳 【—串】 명 곶의 끝이 휘어 돌아간 곳.
모루-뼈 명 머리뼈의 한 부분. 침골(枕骨).
모릅지기 부 모르긴 몰라도. 아마.
모리 명 밭의 모서리나 가운데 있는 짧은 이랑.
모-매듭 명 곡식의 모의 마디.
모-박이 명 모처럼 빽빽하게 들어선 상태. ¶운동장에는 학생들이 ~로 들어차 있다.
모-비론 【毛—】 명 모와 비슷한 성질을 가진 폴리 염화 비닐로 만든 섬유의 한 가지.
모-살이 명 옮겨 심은 모가 뿌리를 내려서 사는 일. 사름. ——-하다 자여불
모색 【貌色】 명 얼굴의 생김새나 차린 모습.
모서리-공 명 〖축구〗 구석차기. 코너킥(cornerkick).
모성-로동자 【母性勞動者】 명 어린애를 가지고 있는 여성 노동자.
모아실이-차 【—車】 명 〖운수〗 한 역 또는 여러 역으로 가는 적은 짐들을 모아 싣고 해당 역이나 도중 분기역까지 운행하는 화차. 합적차(合積車).
모양-군 【模樣—】 [—꾼] 명 '멋없이 겉모양만을 내는 사람'을 놀림조로 이르는 말.
모양-글자 【模樣—字】 [—짜] 명 상형 문자(象形文字).
모양다른-꽃 【模樣—】 명 〖식〗 이형화(異形花).
모양다른-잎 【模樣—】 명 〖식〗 이형엽(異形葉).
모양-닮기 【模樣—】 [—담끼] 명 의태(擬態).
모양본딴-말 【模樣—】 명 〖언〗 의태어(擬態語).
모양-질 【模樣質】 명 〖생〗 형질(形質).
모여-붙기 명 〖화〗 회합(會合).
모연 【募捐】 명 어떤 사회적인 일을 위하여 돈이나 물건을 스스로 내게 하거나 거두어 들이는 일. ¶~금/~ 물자. ——-하다 자여불
모의-발성법 【模擬發聲法】 [—썽뻡] 명 여러 가지 동물들의 소리를 흉내내는 법.
모이-탁 【—卓】 명 새에게 먹이를 뿌려 주도록 만든, 새둥지에 잇달아 놓은 작은 판대기.
모인-열매 명 〖식〗 딸기처럼 모여 있는 열매. 복과(複果).
모임-떼 명 〖생〗 군취(群聚). 군집(群集).
모임-론 【—論】 명 〖수〗 집합론(集合論).
모임-상태 【—狀態】 명 〖화〗 물질의 삼태(三態). 곧, 고체·액체·기체의 상태.
모-자갈 명 모난 자갈.
모자-로 【—字—】 [—짜—] 부 약간 옆으로 비스듬히. ¶~ 앉다.
모자-선 【母子線】 명 〖인쇄〗 굵은 선과 가는 선으로 된 이중 괘선(罫線). 모자괘(母子罫).
모지랑-수염 【—鬚髥】 명 볼품없이 몽탁하게 난 수염.
모지름 명 괴로움을 이겨 내려고 기를 쓰는 일. ¶~을 쓰다.
모탁 【母託】 명 어머니를 닮음. 외탁. ——-하다 자여불
모터찌클 〔러 mototsikl〕 명 모터사이클(motorcycle).
목갑-총 【木匣銃】 명 '모제르 총'을, 나무로 만든 집에 넣은 권총이라는 데서 이르는 말.
목-고개 명 고개. ¶~를 숙이다.
목-깃 명 목이 닿는 부분이라는 뜻을 강조하여 '깃'을 이르는 말. ¶~을 올리다.
목-다심 명 물을 좀 마시거나 기침을 하여 목구멍을 고르게 하는 일. ——-하다 자여불
목-달개 명 맞섶 양복 깃에 대는 좁은 천. 칼라(collar).
목달이-구두 명 신울이 발목 위까지 올라가는 목이 긴 구두. 편상화(編上靴). 목구두.
목대 명 〈속〉 모가지.
목대(가) 세다 구 고집이나 주견이 세다.
목대(를) 세우다 구 목에 핏대를 세우다.
목대(를) 잡다 구 어떤 일이나 사람들을 휘어잡고 거느리다.
목-사지 【木—】 〔serge〕 명 무명실로 서지처럼 짠 천. 목세루.
목삭-밥 【木削—】 명 목재 가공 과정에서 나오는 톱밥이나 대팻밥 같은 것. 나무밥.
목삭-판 【木削板】 명 목삭밥을 가열 압착하여 만든 나무판. 나무밥판.
목-살 명 〖의〗 목과 혀의 운동을 지배하는 힘살.
목-쇠 명 농기구 같은 것의 자루목이 터지지 않도록 감거나 끼우는 고리쇠. 갱기.
목안-소리 [—쏘—] 〖언〗 인두음(咽頭音).
목자 【木—】 명 면직(綿織). ¶ ~ 양말.
목자-천 【木—】 명 무명. ㉦목천.
목-저패 명 소나 개의 목에 두른 끈 또는 그 끈이 돌아간 목의 부분. ¶~에 단 소방울 소리.
목-줄[1] 명 목줄띠.
목-줄[2] 명 연의 네 귀에 매는 줄.
목-지름 명 길목을 지르는 일. ——-하다 자여불
목창 【木槍】 명 ①나무를 깎아 만든 창. ②죽창(竹槍).
목책 【木冊】 명 수첩.
목-천[1] 명 이발소에서 머리를 깎을 때 목에 감는 좁은 천. 목띠.
목-천[2] 【木—】 명 ↗목(木)자천.
목-코 명 그물의 여러 개의 코를 한데 묶은 코.
목-탈 【目—】 명 〖민〗 탈춤에서 쓰는 탈의 한 가지. 중의 눈을 풍자하여 만든 것임.
목-테 명 목도리.
몰림 명 편석(偏析).
몰-막기 명 배구 경기에서 두 서너 사람이 함께 막는 일.
몰-막다 자 여럿이 한데 몰아서 막다.
몰몰 부 냄새·김 같은 것이 조금씩 약하게 피어 오르는 모양.
몰-붓다 타ㅅ불 ①한 군데에 집중하여 붓다. ②눈길 같은 것을 한 군데에 집중하다. ¶용해공들은 일시에 눈길을 노(爐)에 몰부었다.
몰-붙다 자 한 군데에 몰려서 붙다. ¶사과나무의 몰붙은 꽃눈을 솎다.
몰-사격 【沒射擊】 명 일제 사격.
몰상-스럽다 【沒常—】 [—쌍—] 형ㅂ불 말과 행동이 상스럽고 버릇이 없다. ¶몰상스러운 말. **몰상-스레** 【沒常—】 [—쌍—] 부
몰-숨 명 한꺼번에 몰아 내보내는 큰 숨. ¶~이 나가다.
몰이-바퀴 명 구동륜(驅動輪).
몰-짙음도 【—度】 〔mol〕 명 〖화〗 몰농도(濃度).
몰키다 자 한 곳에 배게 모이다. ¶길이 막혀 사람들이 한데 ~.
몸-갖춤 명 옷·신발 같은 것을 제대로 갖추어 몸을 차리는 일. ¶~이 잘 되다. ——-하다 자여불
몸-거울 [—꺼—] 명 체경(體鏡).
몸-고리 명 〖생〗 체환(體環).
몸닦달-질 명 ①건강하기 위하여 몸을 단련하는 일. ②옷매무시를 단정하게 하기 위해 손질하고 매만지는 일. ——-하다 자여불
몸-덩이 [—떵—] 명 〈속〉 몸뚱이.
몸-뒤짐 명 몸수색(搜索). ——-하다 타여불
몸마디-동물 【—動物】 명 〖동〗 체절 동물(體節動物).
몸무게-급 【—級】 [—끕] 명 체급(體級). 무게급.
몸밖-수정 【—受精】 명 〖생〗 몸밖 정받이. 체외 수정.
몸-살 명 몸을 이루는 살. 또는 몸에 붙은 살. ¶조개의 연한 ~.
몸안-수정 【—受精】 명 〖생〗 몸안 정받이. 체내 수정.
몸-앓이 [—알—] 명 달거리나 아이를 밴 증세로 앓는 병. ——-하다 자여불
몸-어루러기 명 어루러기.
몸-주제 명 몸의 거둠새. ¶봉순이와 금희는 자기네들의 ~에 주의가 미쳤다.
몸-줄 [—쭐] 명 뗏목이 놓거나 떼가 말리는 것을 막기 위하여 떼의 네 귀를 대각선 방향으로 연결하는 줄.
몸짓-극 【—劇】 [—찓—] 명 무언극.
몸-체 【—體】 명 몸이 되는 부분. ¶노(爐)의 육중한 ~.
몸-틀 명 ①그림·조각용의 인체 모형. ②마네킹(mannequin).
몸풀-달 [—딸] 명 해산달. 산월(産月).
몸-풀이 명 ①해산(解產). ②과로한 몸을 보통 상태로 돌아가도록 긴장을 푸는 일. ¶~ 운동. ——-하다 자여불
못소 명 해삼의 배 속에 고기 소를 넣고 밀가루와 달걀을 묻혀서 기름에 지진 음식.
몽당-발 명 발가락이 없어진 발.
몽둥이-부림 명 몽둥이를 마구 휘두르는 일.
몽드라-지다 형 끝이 뾰족하지 않고 무디다. ¶끝이 몽드라진 지팡이.
묘준 【瞄準】 명 조준(照準). ¶~ 연습/~ 사격. ——-하다 타여불
무개-보 【—褓】 명 조각보.
무거운-물 명 〖화〗 중수(重水). 무게물.
무거운-수소 【—水素】 명 〖화〗 중수소(重水素).
무게-급 【—級】 [—끕—] 명 체급(體級). 몸무게급.
무게-동뚝 【—垌—】 명 중력식 언제(重力式堰堤).
무날-셈 명 간만의 차에 따라 밀물 썰물의 현상을 미리 알아내는 셈법.
무너-나다 자 ①이어서 맞춘 자리가 어긋나다. ②옷 같은 것이 해지다.
무너-앉다 [—안따] 자 무너져서 내려앉다.
무-넘이 명 무넘기.
무늬-살 명 〖생〗 가로무늬근(筋).
무닭 [—닥] 명 장닭.
무더기-비 명 집중 호우. ¶~가 쏟아지다.
무덕-불 명 검불이나 잎 같은 것을 무더기로 모아 놓고 피우는 불. ¶~을 피우다.
무덤안-길 [—낄] 명 〖고고학〗 널길. 연도(羨道).
무데기-나기 명 총생(叢生).
무두룩-하다 형여불 물건이 더미를 이루어 수북이 쌓여 있다. **무두룩-히** 부
무둑-하다 형여불 무더기로 쌓인 모양이 제법 두두룩하다. ¶무둑한 흙더미. 무둑-히 부
무득-하다 형여불 일정하게 쌓인 것이 수북하다.
무딘-각 【—角】 명 〖수〗 둔각(鈍角).
무라지 명 〖민〗 시집간 딸이 사흘 만에 집에 돌아올 때 가지고 오는 음식.
무른-강철 【—鋼鐵】 명 연강(軟鋼).
무른-고약 【—膏藥】 명 연고(軟膏).
무른-입천장 【—天障】 명 〖생〗 연구개(軟口蓋).
무른-활 명 연궁(軟弓).
무릎-노리 명 무릎 마디가 있는 자리. ¶~까지 눈이 쌓이다.
무릎-밀이 명 꿇어앉아서 무릎을 내밀어 걷는 일. ——-하다 자여불
무릎-바지 명 반바지.
무릎-힘줄 [—쭐] 명 〖생〗 슬개건(膝蓋腱).
무리-떼 명 무리를 지어 다니는 떼. 떼무리. ¶~를 짓다/~를 이루다.
무리-매[1] 명 뭇매.
무리-매[2] 명 줄팔매.

무리-등【一燈】명 여러 개의 전등알이나 갖가지 모양의 형광등으로 이루어진 큰 조명등. 꽃등.
무리-섬 명 군도(群島).
무리-체【一體】명〔생〕군체(群體).
무봉-관【無縫管】명 이음줄이 없게 만든 관. 무봉 강관(鋼管).
무선-수【無線手】명 전파 통신 기사. 무전수(無電手).
무쇠-철마【一鐵馬】명 트랙터(tractor). 무쇠말.
무쇠-황소【一黃一】명 트랙터(tractor).
무수인-등대【無守人燈臺】명 무인(無人) 등대.
무수-장삼【舞袖長衫】명 민속춤을 출 때 입는 긴 소매가 달린 옷.
무심도-기초【無深度基礎】명〔건〕땅을 얕게 파거나 파지 않고 설치한 기초.
무앙무앙-하다 형여불 성질이 외곬으로 곧고 융통성이 없다.
무역-편차금【貿易偏差金】명〔경〕수출입품의 국내 가격과 국제 시장에서 판 가격 간의 차로서 국가에 의하여 보상되거나 회수되는 금액.
무연-하다 형여불 아득하게 너르다. ¶무연한 벌판. 무연-히 부
무엿-무엿 부 김이나 내가 무럭무럭 나는 모양. ¶김이 ~ 나는 여물.
무우-겨절임 명 단무지.
무우-밑 명 무의 밑동.
무은-보【一褓】명 조각보. 무개보.
무음-조직【一組織】명〔생〕결체(結締) 조직.
무이 명 여럿이 하나로 무어진 것. 또는 여럿을 하나로 묶는 일. ¶쪽~.
무이다 타 ①하던 일을 중간에서 끊어서 무지르다. ¶중(中)동을 ~. ②어떤 일을 끊어서 거절하다. ¶부탁을 ~.
무자리-논 명 물이 잘 빠지지 않고 늘 고여 있는 논.
무잠-이 명 물 속으로 잠겨 들어가는 짓. 또, 물 속에서 일하는 사람.
무장-춤【武將一】명 총을 가지고 추는 군사 무용의 한 가지.
무져-놓다 [一노타] 타 무더기로 쌓아 놓다. ¶북데기를 ~.
무조직-천【無組織一】명 부직포(不織布). 무직포(無織布).
무죽-하다 형여불 ①짓눌린 듯한 느낌이 좀 세게 무직하다. ¶가슴이 ~. ②소화가 되지 않아 배가 무거운 느낌이 있다. ¶배가 ~.
무지 ㊀ 명 무더기로 쌓여 있는 더미. ¶무연탄 ~/ 거름 ~. ㊁ 의명 더미를 세는 단위. ¶석탄 한 ~.
무지개-다리 명 아치교(arch橋).
무지개-막【一膜】명〔생〕홍채(虹彩). 눈조리개.
무지개-발 [一빨] 명 무지개의 빛이 여러 가닥으로 뻗친 줄기.
무지개-살 [一쌀] 명 무지개에서 부챗살처럼 퍼져 비쳐 나가는 빛줄기. ¶~이 퍼지다.
무지다 타 무더기로 쌓아 놓다. ¶석탄을 무져 놓은 더미.
무-질 명 일하기 위하여 물 속에 잠겨 들어가는 일. 잠수(潛水).
무-철알【一鐵一】명 사냥총에 탄알로 넣는 작은 무쇠알.
무치개 명 떡고물. 고물.
무한-모임【無限一】명〔수〕무한 집합(集合).
무한-합렬【無限合列】명〔수〕무한 급수(級數).
무해-로동【無害勞動】명 건강에 아무런 해도 주지 않는 노동.
묵-나물 명 뜯어다 두었다가 이듬해 봄에 먹는 산나물.
묵-무덤 명 묵은 무덤.
묵-사리 명 해안 가까이 밀려든 조기들이 알을 슬려고 머무르는 일. 또는 그 때.
묵-솜 명 묵은 솜.
묵어-나다 자 제때에 처리되지 못하고 묵어서 남아 있다.
묵-재 명 불이 꺼지고 남은 식은 재.
묶음-경기【一競技】명 혼성(混成) 경기. 혼합 경기.
묶음-곡【一曲】명〔악〕모음곡(曲). 조곡(組曲).
묶음-떼 명 통나무를 단으로 묶어 만든 떼.
묶음-말 명〔언〕한 문장에서 같은 성질의 문장 성분을 하나로 묶어 나타내는 말. 이를테면 '청춘도, 생명도 모든 것을 다 바쳐…'에서 '모든 것을'이 묶음말임.
묶음-법칙【一法則】명〔수〕결합칙(結合則). 결합률(結合律).
묶음-용접【一鎔接】명 두 개 이상의 용접봉을 하나로 묶어서 하는 고속도 용접.
묶음-운동【一運動】명 여러 가지 동작을 합쳐서 잇따라 하는 운동.
문건-놀음【文件一】[一껀一] 명 문서(文書)놀음.
문-길【門一】[一낄] 명 문으로 드나들 때 지나는 자리.
문-내 명 ①물고기 같은 것이 떠서 상한 냄새. ②돌배 같은 것이 물어서 나는 향기로운 냄새.
문-녘【門一】명 문가나 문옆. ¶~에 서서 바람을 쏘이다.
문-다락【門一】명 대문 위에 있는 다락.
문문 부 냄새·김 같은 것이 서리어 오르는 모양. ¶김이 ~ 피어 오르는 함지.
문배-내 명 취한 사람에게서 나는 술냄새. 문배의 냄새와 비슷함.
문서-놀음【文書一】명 현지에 나가 일을 처리하지 않고 문서나 내려 보내고 받아 올리는 식으로 일을 하는 형식주의적인 사업 방법. 문서질. 문건(文件)놀음. ——-하다 자여불
문어-소왜【文魚一】명 문어를 낚는 도구의 한 가지. 벌린 활줄에 네 개의 낚시를 걸었음.
문자-명【文字名】[一짜一] 명〔악〕로마자(字)로 표시하는 음의 이름. C, D, E, F, G, A, B 등임.
문-차기【門一】명〔축구〕골 킥(goal kick).
묻힘-약【一藥】[무침一] 명〔농〕벌레에 묻히는 접촉제(接觸劑).
물가꿈-법【一法】[一뻡] 명〔농〕수경법(水耕法).
물가-선【一線】[一까一] 명〔지〕정선(汀線).
물-갈기[1] 명 큰 호수나 바다에서 흰 거품을 일으키며 갈기처럼 굽이쳐 밀려 오는 물결.
물-갈기[2] 명 늪이나 강의 물을 다른 물로 바꾸어 넣는 일.
물-갓 명 물기슭 또는 물가. ¶노를 저어서 ~으로 나오다.
물개 명 기계 장치의 어떤 부분을 움직이지 않게 죄거나 물고 있는 역할을 하는 부분.
물-견딜성【一性】[一썽] 명 내수성(耐水性).
물결-길이 [一껼一] 명〔해〕파장(波長).
물결-높이 [一껼一] 명〔해〕파고(波高).
물결막이-뚝 [一껼一] 명 방파제(防波堤).
물결-속도【一速度】[一껼一] 명〔해〕파속(波速).
물-겹바지 명 호아서 지은 겹바지.
물-겹저고리 명 호아서 지은 겹저고리.
물고기-가루 [一꼬一] 명 어분(魚粉). 고기가루.
물고기-거름 [一꼬一] 명 어비(魚肥).
물고기-떡 [一꼬一] 명 어묵. 고기떡.
물고기-못 [一꼬一] 명 양어장에서 물고기가 자라는 곳.
물고기-춤 [一꼬一] 명 물고기들의 생활을 형상화한 춤.
물-구름 명〔기상〕①물방울로 이루어진 구름. ②비구름.
물굳음-성【一性】[一썽] 명 수경성(水硬性).
물-굳힘 [一구침] 명 물을 뿌리거나 물 속에 넣어 두거나 하여 굳어지게 하는 일. ¶콘크리트를 ~하다. ——-하다 타여불
물-그림자 명 어떤 물체가 물에 비치는 그림자.
물-기슭 [一끼슥] 명 강·호수·바다 같은 것의 물이 육지와 닿는 기슭.
물기슭-벽【一壁】[一끼슥一] 명 안벽(岸壁).
물길-다리 [一낄一] 명 산골짜기나 도로·철길 위로 물길이 건너가게 놓은 다리.
물-김 명 ①물에서 서려 오르는 김. ②〔물〕기체 상태의 물.
물-깡치 명 물 밑에 가라앉은 찌끼나 앙금. 물티.
물꺼림-성【一性】[一썽] 명〔화〕소수성(疎水性).
물-꽃밭 명 연꽃·창포 같은 것을 심어 아름답게 가꾼 못.
물-나들이 [一라一] 명 물이 나가고 들어오는 곳. ¶~를 찾아 내다.
물-나무 [一라一] 명 ①물가에서 떠내려 오는 걸린 것들을 주어서 해 오는 땔나무. ②생나무.
물-나팔【一喇叭】[一라一] 명 물 속에서 장난으로 숨을 내쉬며 꾸르륵 소리를 내는 일.
물-남【一南】[一람] 명 동서로 이어진 강의 남쪽 지역.
물-내기 [一래一] 명 물을 많이 내는 일. 곧, '큰물'을 이르는 말. ¶~ 때의 마을의 처참한 광경.
물-녘 [一력] 명 물가.
물논-씨붙임 [一론一부침] 명 무논에 직접 벼씨앗을 심어 가꾸는 벼농사법.
물-돌[1] [一똘] 명 강에 있는 둥글둥글한 돌.
물-돌[2] [一똘] 명 물이 흐르는 도랑. 물도랑. ¶~을 내다.
물-둥지 명 그리 크지 않은 수원지.
물-드무 명 물을 길어두는, 크고 아가리가 넓적하게 생긴 독.
물들-실 명〔생〕염색사(染色絲).
물-들이 명 두 갈래 이상의 물줄기가 만나서 합치는 곳.
물들-체【一體】명〔생〕염색체(染色體).
물-떼기 명〔농〕벼가 다 익어 물을 빼는 일.
물뚝-섬 명 강물에 밀린 모래가 이루는 삼각주 또는 섬.
물-란【一亂】명 물난리.
물렁-감 명 연감. 연시(軟柿).
물렁-병【一病】[一뼝] 명 무름병.
물레-걸음 명 천천히 걷는 걸음.
물려-놓다 [一노타] 타 제기된 문제를 계획이나 과제 등에 포함시키도록 하여 놓다. ¶계획에 ~.
물림 명 양철 그릇이나 사기 그릇 같은 것의 겉에 사기물을 입히는 일. ¶사기옷 ~을 한 그릇.
물림-간【一間】[一깐] 명〔건〕물림. 퇴(退).
물-마당질 명 물타작. 진타작. ——-하다 자타여불
물막이-감 [一깜] 명 방수제(防水劑).
물막이-뚝 명 방수(防水) 둑.
물막이-성【一性】[一썽] 명 방수성(防水性).
물막이-숲 명 방수림(防水林).
물막이-옷 명 방수복(防水服).
물막이-천 명 방수포(防水布).
물막이-층【一層】명 방수층(防水層).
물망-질 명 물에 불린 낟알을 물과 함께 맷돌로 가는 일. ——-하다 자타여불
물-매 명 매흙을 물에 묽게 타서 벽이나 방바닥 같은 데에 바르는 일.
물매-길 [一낄] 명 비탈이 진 철길.
물-매듭 명 밧줄의 한 끝을 다른 물체나 밧줄에 이을 때 쓰는 매듭의 한 가지. 밧줄 끝을 두 번 겹쳐 감고 풀리지 않도록 코를 지음.
물-멀기 명 ①큰 물결. ②난관에 찬 시련을 비겨 이르는 말.
물-메 명〔물〕액체가 가득 차서 흐르는 관에서 흐름을 갑자기 멈출 때 생기는 유체의 급격한 압력의 변동.
물물 부 냄새·김 같은 것이 느리게 많이씩 피어 오르는 모양. ¶김이 ~ 나는 더운 밥.
물밀려-들다 자 생각이나 감정이 몰아쳐 떠오르거나 느껴지다. ¶일을 빨리 끝내야겠다는 생각이 물밀려들었다.
물-바래 명 물보라.

물-반【一盤】명 수평기(水平器). 수준기(水準器).
물-반구【一半球】명〘지〙수반구(水半球).
물받이-숲 [一바지一] 명 수원 함양림(水源涵養林).
물-방구 명 물 밑에서 가스가 물 위로 나올 때 물소리가 나는 일.
물-방치 명 빨랫방망이.
물-배 [一빼] 명 수조선(水槽船).
물-북【一北】명 동서로 뻗은 강의 북쪽.
물-빨기 명 흡수(吸水).
물빼기-감 [一깜] 명 탈수제(脫水劑). 물빼기약.
물뿌림-기【一器】명 살수기(撒水器).
물뿌림-차【一車】명 살수차(撒水車).
물-사태【一沙汰】명 비가 많이 오거나 물이 넘쳐나 온통 물천지가 된 것. ¶ ~가 일어나다.
물-사품 명 여울목 같은 데로 세차게 흐르는 물살. ¶ ~이 있다.
물살이-동물【一動物】명 수서 동물(水棲動物).
물색-옷【一色一】[一쌕一] 명 무색옷.
물속-식물【一植物】[一쏙一] 명 수중 식물. 수생 식물.
물스밈-성【一性】명〘지〙투수성(透水性). 투과성(透過性).
물스밈-층【一層】명〘지〙투수층(透水層).
물-실이 명 논밭에 물을 대는 일.
물-쏘대 명 소방차에 달려 있는, 물을 내쏘는 관의 앞에 달려 있는 물건. ¶ ~를 휘두르다.
물-앉다 [一안따] 자 ①폴썩 주저앉거나 내려앉다. ②신총이나 신뒤축이 일그러지게 눌려 꺾이다. ¶ 짚신의 신총이 다 ~.
물-어름 명 갈라져 흐르던 강과 강, 내와 내가 합쳐지는 곳.
물어-먹다 타 남을 헐뜯고 모략을 꾸며 해치다.
물-역 명 강이나 내 또는 못의 언저리. ¶ ~ 마을.
물-열매 명〘식〙장과(漿果).
물-잡이 명 논밭에 물을 대거나 또는 그것을 위하여 물을 모아 두는 일. ¶ ~ 우물 / ~ 수문(水門).
물잡이-논 명 저수답(貯水畓).
물잡이-량【一量】명 저수량(貯水量).
물-장【一醬】명 묽은 된장.
물-장단【一長短】명 '가락 맞게 첨벙첨벙 물소리를 내는 것'을 이르는 말.
물-접시 명〘건〙지층 안의 차진 흙이 접시 모양으로 되어서 땅속 물이 괸 곳.
물-종개 명 물수제비. 종개. 물찰찰이.
물-주리 명 물부리.
물-중태 명 물에 흠뻑 젖어 볼꼴 사납게 된 상태. 또는 그런 사람. ¶ ~가 되다.
물질적-향리품【物質的享利品】[一찔쩍一] 명 물질적 부(富).
물집-고약【一膏藥】[一찝一] 명〘의〙발포고(發疱膏).
물-차관【一茶罐】명 물이나 찻물을 담는 주전자.
물-찰찰이 명 물수제비. 물종개.
물-참봉【一參奉】명 '물에 함빡 젖은 상태 또는 그런 사람'을 이르는 말. ¶ …모두 ~이 된데다가 진탕을 뒤집어썼다.
물-창 명 물이 질퍽질퍽하게 괴어 있는 곳. ¶ ~에 뛰어 들다.
물창-논 명 늘 물이 질척질척 고여 있는 논.
물침-법【一沈法】[一뻡] 명 물고기를 소금에 절이는 방법의 한 가지. 일정한 농도의 소금물에 절임.
물커짐-병【一病】[一뼝] 명〘식〙무름병. 부란병(腐爛病).
물-크림 [cream] 명 액체 상태인 크림. 로션.
물-키 명〘물〙수두(水頭).
물-탑【一塔】명 물통을 높이 올려놓은 탑.
물-탕 명 물장구.
물통-줄기【一桶一】명 물통줄.
물-통배기 명 ①물통나무. ②물통이.
물-판 명 ①물이 얇고 넓게 퍼진 곳. ②물바다.
물풀림-액【一液】명〘화〙수용액(水溶液).
물-행깃 명 논에서 일할 때 살갗을 보호하기 위하여 발목에서 무릎까지 끼는 물건.
물-홈채기 명 물웅덩이.
물-후치 명 무논에서 쓰는 극젱이.
물-힘 명 수력(水力).
물힘-발파【一發破】명 물을 채운 발파 구멍 안에 폭약을 채워 넣고 폭발시키는 폭파 방법. 공장·중요 시설물 가까이에서나 도시 안에서 발파할 때 씀.
묽은-음식【一飮食】명 유동식(流動食).
묽히기 [물키一] 명〘화〙희석(稀釋).
뭉그리다 타 ①뭉뚱그리다. ¶ 새끼를 ~. ②말끝을 두리뭉실하게 마무르다. ¶ 말끝을 ~.
뭉기다 타 엉겨서 무더기를 이루다. ¶ 비를 맞은 분탄(粉炭)더미는 한데 뭉기어 한 무더기를 이루었다.
뭉침 명〘화〙엉김. 응결(凝結).
뭉투러-지다 자 굵직한 물건의 끝이 닳아서 무디다. ¶ 삿대 끝이 ~/ 뭉투러진 망치.
뭍가-잔바람 명 육연풍(陸軟風).
뭍-그림자 명 바다 멀리 그림자처럼 보이는 뭍의 모양새.
뭍-물 명 육수(陸水).
뭍-반구【一半球】명〘지〙육반구(陸半球).
뭍쌓인-층【一層】명〘지〙육성층(陸成層).

미끄럼-면【一面】명〘지〙활면(滑面).
미끌-액【一液】명〘생〙활액(滑液).
미끗-이 부 미끗하게.
미끗-하다 형여불 모양이 거칠 데 없이 미끈하다.
미닥-치다 타 밀고 당기고 하여 복대기치다. ¶ 서로 ~.
미-당기다 타 밀었다당겼다하다. ¶ 통나무에 톱을 걸고 ~.
미두리 명 원래의 밑천이나 의거할 근거. ¶ ~가 없다.
미레 명 떡미레.
미루 명 밋밋하게 널리 펼쳐져 있는 들이나 벌판 또는 등판. ¶ ~들/ ~벌.
미루-등 명 꽤 너른 밋밋하고 번번한 등판.
미루-메 명 밋밋하게 등판이 진 땅.
미룩-하다 형여불 어지럽게 쌓이고 얽혀서 답답하다. ¶ 보기만 해도 미룩하던 헛간 구석.
미리-막이 명 예방(豫防). ——-하다 타여불
미리-살이 명 미리 마련하여 둔 살림살이. ¶ ~로 2년 전에 끊어온 천.
미시리 명 어딘지 모자라고 시룽시룽하는 사람. ¶ ~ 같은 사람/~ 같이 굴다.
미알 명〘민〙미얄. 미얄할미.
미역-밭 명 미역 양식장.
미역-춤 명 한 손으로 쥘 만한 미역의 양. ¶ ~이 크다.
미우다 타 따돌리고 멀리하여 언짢게 대하다. ¶ 이웃을 미우고는 못 산다네.
미음 명 봄철이나 가을철에 생나무의 껍질과 나무 속 사이에 생기는 물기가 많고 진득진득한 물질.
미장-칼【一匠一】명 흙손.
미츠러-지다 자 미끄러지다.
미츳미츳-하다 형여불 시원스럽게 밋밋하다. ¶ 미츳미츳한 자작나무 장작.
미친개-몽둥이 명 미친 개를 때리는 몽둥이란 뜻으로, 마구 생긴 몽둥이를 이르는 말.
미친-바람 명 비오기 전에 일정한 방향없이 마구 부는 바람.
미투리-코투리 부 미주알고주알. ¶ ~ 따져묻다.
민둥-씨름 명 살바 없이 하는 씨름.
민-변두리 명〘식〙전연(全緣).
민-손 명 맨손.
민숭맨숭-이 명 아무런 반향도 나타내지 않는 덤덤한 사람을 놓조로 이르는 말.
민지 명 미늘.
민지-그물 명 통그물에 들어간 물고기가 되돌아 빠져 나오지 못하도록 덧대는 그물.
민출-하다 형여불 모양새가 미끈하고 밋밋하다.
민-틀 명 민물에서 잔고기를 잡는 기구의 한 가지. 반달 모양으로 된 테두리에 그물이 드리워져 있으며 가운데에 앞으로 밀게 된 긴 손잡이가 달려 있음.
민-판【一版】명〘출판〙책을 찍을 판(版) 가운데서 내용의 본문이 하나도 없는 판.
밀-가을 명 밀 수확. ——-하다 자여불
밀각-질 명 제기된 일을 자기가 하지 않고 다른 사람에게 서로 자꾸 미는 일. ——-하다 자여불
밀-걸레 명 몹(mop).
밀-것 [一껃] 명 밀가루로 만든 음식.
밀기-내기 명 물러서지 않으면서 서로 상대편을 밀어뜨려 이기고 짐을 겨루는 일. ——-하다 자여불
밀-맡기다 타 일이나 책임 같은 것을 밀어서 도맡기다.
밀-몰다 타 ①한 곳으로 밀어서 몰다. ②따로 나누거나 갈라 놓지 않고 한 묶으로 치다.
밀물막이-뚝 명 방조제(防潮堤).
밀-시장【密市場】명 암시장.
밀-썰물 명 밀물과 썰물을 아울러 이르는 말. 미세기.
밀양-싸움【密陽一】명 승부가 나지 않고 오래 끄는 싸움을 이르는 말.
밀어-뽑기 명 압출(壓出).
밀어-올리기 명〘역도〙추상(推上).
밀어-치기 명〘탁구〙공이 탁구대에 맞고 튀어 오를 때 채를 비껴 앞으로 내밀면서 공을 밀어서 치는 동작.
밀-차【一車】명 공장·공사장 같은 데서, 철길 위로 밀고 다니는 작은 짐차. ¶ ~로 벼력을 나르다.
밀차-떡 명 밀가루로 찰기가 있게 만든 떡.
밑-감 명 원료(原料).
밑-그루 명〘농〙①간작(間作)할 때 이미 심어 놓은 기본이 되는 그루. ②곡식을 베고 남은 그루터기.
밑-두리 명 둘레의 밑부분.
밑-들이 명 밑이 든 정도. ¶ 감자의 ~가 좋다.
밑-말 명 남에게 청을 하거나 주의를 시키거나 할 때에, 미리 다짐하여 일러두는 말.
　밑말을 심어 두다 구 미리 다짐하여 일러두다.
밑-심 명 꾸준하고 끈기 있게 내미는 힘.
밑-웃길이 [민一] 명 치마나 바지를 마를 때 다리를 제외한 허리까지의 길이.
밑-자라기 명〘생〙밑부분이 길어지거나 굵어지면서 생물체가 자라는 일. 기부 생장(基部生長).
밑턱-축【一軸】명〘공〙캠축(cam軸).

ㅂ

바가지-모 명 바가지에 담아 가지고 다닐 정도로 썩 어린 모.
바가지-장단 【一長短】 명 소박한 군중 놀이 등에서, 바가지를 물 위나 맨바닥에 엎어 놓고 치는 장단.
바가지-짝 명 하나하나의 바가지.
바가지-톱 명 바가지 모양의 톱. 판형 소재를 둥글게 켬.
바그라-지다 자 짜임이 물러나면서 쫙 벌어지다.
바깥-사위 명 〔무용〕 윗몸·팔의 동작에서, 팔을 밖으로 휘감아 돌리는
바꾸개 명 〔기〕 변환기. └동작.
바늘-나사 【一螺絲】 [一라一] 명 재봉 바늘을 바늘대에 꽂거나 뺄 때에 죄었다 풀었다 하게 된 나사. ┌다.
바늘-뜸 명 바느질에서, 바늘이 간 하나하나의 실의 자국. 땀. ¶～이 곱
바늘-모 명 영양이 모자라서 대가 실하지 못하고 바늘처럼 가늘게 자
바늘-뼈 명 몸이 가늘고 호리호리한 사람의 뼈. └란 모.
바다-가녘 명 바닷가.
바다-물러나기 명 〔지〕 해퇴(海退).
바다-살 [一쌀] 명 바다에서 살거나 바다에서 일하면서 오른 살. ¶～이
바다-소 【一沼】 명 〔지〕 해연(海淵). └오르다.
바다-잠기기 명 〔지〕 해침(海浸).
바다-풀 명 식용하지 않는 해초.
바다-홈 명 〔지〕 해구(海溝).
바다-흐름 명 해류(海流).
바닥-그림 명 ①조감도. ②평면도.
바닥-뜨기 명 〔해〕 강·호수·바다 밑바닥의 물리적 및 화학적 조성 연구를 위하여 밑바닥 앙금의 시험감을 떠내는 일.
바닥문-식 【一門式】 명 짐차에서 바닥의 고리를 벗기면 열리어 짐을 부리게 된 방식. ¶～ 짐차.
바닥-밭 명 비탈밭에 상대하여, 바닥에 있는 밭.
바닥-창 명 신발의 밑창.
바-돌 [一똘] 명 그물을 가라앉게 하는 물건. 납·쇠·오지·시멘트 따위로 길둥글게 만들어 아랫벼리에 닮. 침자(沈子).
바들짝-바들짝 명 작은 몸을 자꾸 움직이며 팔다리를 연달아 세게 벌려
바뚝 명 떼바뚝. └젓는 모양. ——-하다 자타여불
바뚝-치기 명 〔임학〕 떼바뚝을 만드는 일.
바라-나오다 자 ①이리저리 마구 쏟아져 나오다. ②'나오다'를 속되게 이르는 말. ¶개들이 한꺼번에 우르르 ～.
바라-다니다 자 이리저리 마구 돌아다니거나 싸다니다. ¶비가 오는데 어디를 자꾸 바라다니느냐?
바라-오르다 자르불 ①가파롭거나 높은 곳을 애써 더듬어 오르거나 기어 오르다. ¶벼랑을 ～/밤나무에 ～. ②일정한 지위나 등수에 올라가다. ③오르다.
바람-갈이 명 환기(換氣). 공기갈이. ——-하다 자타여불
바람-꽃 명 열이 몹시 나는 병을 앓을 때 살갗에 내돋는 발긋발긋한 도드라기나 얼룩점. ¶～이 내돋다.
바람나름-꽃 명 〔식〕 풍매화(風媒花). ┌바람막이 바자.
바람-바자 명 바람의 피해를 막기 위하여 둘러친 울타리. 방풍원(垣)
바람-새 [一쌔] 명 부는 바람의 정도나 상태 또는 모양새. 바람씨. ¶잔잔한 ～.
바람-씨 명 ①바람새. ¶～가 사나운 날. ②바람세(勢).
바람-아래 명 바람이 불어가는 쪽. ↔바람우.
바람-우 명 바람이 불어오는 쪽. ↔바람아래.
바람-재개 명 풍향 풍속계. 바람계.
바람-증 【一症】 [一쯩] 명 ①해산 후 등에, 바람을 쏘이지 않도록 조심하지 않아서 생긴 병. ②풍(風).
바래움 명 떠나는 사람을 바래는 일. 바램. ¶친구의 ～을 받다.
바룩-하다 형여불 귀나 코 또는 움푹한 물건의 전이 밖으로 조금 바라져 있다. ¶토끼의 바룩한 귀.
바른-사각형 【一四角形】 명 〔수〕 정사각형.
바빠-나다 자 ①몹시 바쁘게 되다. ¶그도 바빠나서 부랴부랴 달려온다. ②형편이 딱하게 되어 몹시 거북하거나 급하게 되다.
바빠-맞다 형 ①몹시 급한 형편이나 상태에 놓여 있다. ②형편이 딱하게 되어 몹시 거북하거나 급한 처지에 놓여 있다.
바실-바실 부 ①물건이 몹시 잘게 바스러지기 쉽거나 엉키지 않고 흩어지는 모양. ¶분쇄기에 넣어 ～ 바스라뜨린다. ②제멋대로 흩어져 움직이는 모양. ¶돈잎 같은 잎사귀들이 햇빛에 무늬를 돋치며 ～ 설렌다. ——-하다 형여불
바위-불 [一뿔] 명 〔↗바위부리〕 바위의 삐죽 내민 부분.
바위-츠렁 명 바위가 겹겹으로 많이 쌓여 있는 험한 곳.
바이올린-기호 【一記號】 〔violin〕 명 〔악〕 높은음자리표. '쏠'음 기호.
바자-날 [一잔一] 명 바자를 세워서 엮은 대.
바퀴-쌍 【一雙】 명 차축 양 끝에 차바퀴를 세게 눌러 맞춰 고정시킨 철도 차량의 한 부분.
박사-원 【博士院】 명 박사·준박사를 양성하기 위해 설치한 고등 교육 체계 다음에 있는 높은 급의 양성 기구. 보통 준박사반과 박사반이 있음.
박아-디디다 자 발끝에 힘을 주어 디디다. ¶박아디디며 조용히 걷다.
박죽 명 밥·죽을 푸는 데 쓰는 주방 기구.
박죽-코 명 박죽처럼 넓적하고 낮은 코.
반-놈 【半一】 명 '바보나 머저리'를 홀하게 이르는 말.
반달-꽃전 【半一煎】 명 지짐판 위에 동그랗게 빚은 떡반죽을 놓고 납작하게 눌러 돌버섯·대추쪽·국화 잎을 곱게 붙여 뒤집은 다음 참깨소를 놓고 절반으로 접어 지져낸 전의 한 가지.
반달-바돌 【半一】 [一똘] 명 반달 모양의 추나 바돌.
반-동이 【半一】 명 보통 동이의 반 정도 되는 자그마한 동이.
반-두루마기 【半一】 명 솜을 둔 짧은 두루마기. 반두루지.
반-두점 【半一點】 명 세미콜론. 쌍반점(雙半點).
반디-돌 [一똘] 명 〔광〕 형석(螢石).
반디-빛 [一삧] 명 〔물〕 형광(螢光).
반-땅크 【反一】 〔tank〕 명 (일정한 명사 앞에 쓰이어) 적의 탱크나 자동포 등을 부수는 일. 반전차. ¶～ 방어/～ 대책.
반-량식 【半糧食】 명 알곡은 아니나 먹는 문제 해결에 중요한 위치를 차지하는 음식물. ¶김장은 겨울에는 ～이라고 할 수 있다.
반류-환 【半硫丸】 명 〔의〕 반하(半夏) 뿌리와 황을 각각 가루내어 만든 둥근 알약. 변비증에 씀.
반숭-건숭 부 ①이것도 저것도 아닌 어중간한 모양. ②벌여 놓은 일을 어중간한 상태에서 내버려 두는 모양. ¶일할 바에는 ～ 손을 댈 것이 아니라…. ——-하다 타여불
반숭-스럽다 형ㅂ불 ①이것도 저것도 아니게 어중간해서 반지빠르다. ②벌여 놓은 일을 끝맺지 않아 어중간하다.
반자 【斑煮】 명 고치가 골고루 삶아지지 않은 것.
반죽-약 【一藥】 명 〔약〕 알약을 만들 때 약가루를 반죽하여 빚기 위하여 덧넣는 재료. 흔히 꿀·과일즙·물·글리세린 따위를 씀. 결합제.
받개-질 명 머리나 뿔 같은 것으로 세차게 떠받는 짓. ¶～을 하는 뿔이 난 황소. ——-하다 자여불
받-기다 피동 받히다. 받기우다. ¶소한테 ～.
받-대접 【一待接】 명 반자를 해 주는 대접. ¶친정 어머니는 내가 무슨 ～을 받자고 왔겠느냐. 아이들이 보고 싶어 왔지. 다른 걱정은 아예 말라고 손을 내저었다. ——-하다 타여불
발가-먹다 타 ①껍질을 벗기고 속의 살을 내어 먹다. ¶밤을 ～. ②남의 재물을 깡그리 빼앗아 제 배를 채우다.
발가-지다 자 ①딱딱한 껍질이 바깥쪽으로 잦혀지거나 벗겨지다. ②바르집어서 비밀 따위가 드러나게 되다. ③사람이 지나치게 약삭빠르고 되바라지다. ¶발가져서 버릇없이 놀다.
발개-돌이 명 촐랑대며 발그러지게 행동하는 아이.
발그라-지다 자 ①어린아이가 지나치게 당돌하고 되바라지다. ¶발그라진 소녀. ②깊이나 무게가 없이 매우 가볍게 드러내다.
발깃발깃-하다 형여불 새뜻하게 발그스름하다. ¶발깃발깃한 소녀의 얼굴.
발-대 [一때] 명 〔건〕 비계.
발딱-코 명 콧마루가 낮고 콧구멍이 들여다보이게 생긴 코. 들창코.
발-밀이 명 발을 바닥에 댄 채로 앞으로 밀고 나가는 일. ¶황소 얼음판 건듯 ～로 도랑을 넘어서다. ——-하다 자타여불
발바리-차 【一車】 명 ①소형차. ②지프차. 1)·2) : 발바리.
발편-잠 명 근심이나 걱정이 없어져서 마음을 놓고 편안히 쉬는 잠.
밟아-달리기 명 도움닫기. 조주(助走).
밤-내 부 온 밤 동안 계속하여. ¶～ 비가 오다.
밤빛-벌레 【一삧一】 명 야광충. 시거리.
밤오줌-증 【一症】 [一쯩] 명 〔의〕 야뇨증.
밤-청대 【一青一】 명 밤을 송이째 구워서 까먹는 일.
밥-공장 【一工場】 명 밥을 비롯한 여러 가지 주식물을 공업적인 방법으로 지어서 근로자들에게 공급하는 공장.
밥상-칼 【一床一】 명 양식용(洋食用)의 나이프.
밥알-과자 【一菓子】 명 밥풀 과자.
밥-자루 명 ①거지들이 가지고 다니는, 밥을 빌어서 넣는 동냥 자루. ②밥이나 축내면서 제 구실을 하지 못하는 자. 밥부대(負袋).
밥-줴기 명 둥글게 뭉쳐 놓은 밥덩어리.
방-거두매 【房一】 명 방을 깨끗이 거두는 일. 또는 그런 솜씨나 거둠새.
방울-나무 [一라一] 명 〔식〕 플라타너스. └¶～를 잘하다.
방치 명 빨래·다듬이질 같은 것에 쓰이는 방망이. ┌의하다.
방침-적 【方針的】 [一쩍] 명관 방침으로 되는 모양. ¶～인 문제를 토
발랭상-모 【一冷床一】 [一냉一] 명 밭에다 만든 냉상 모판에서 키운 벼모.
밭시루식-관수 【一式灌水】 명 땅 밑에 구멍이 송송 난 관을 묻어 놓고 관에서 물이 스며 새어나와 밭을 적시게 하는 물대기.
밭최-뚝 명 밭 언저리의 풀이 나 있는 둑.
밭-후치 명 밭에서 이랑에 북을 주면서 김을 매는 쟁기.
배경-대 【背景臺】 명 카드 섹션.
배경-책 【背景冊】 명 카드 섹션에 쓰이는, 매 장이 한 색 또는 여러 색깔로 되어 있는 책.
배-그네 명 주로 어린이들이 올라타고 놀 수 있게 쇠나 나무로 만든 배 모양의 그네.
배길-표식 【一標識】 [一낄一] 명 〔해〕 항로 표지.
배대기-떼 명 계류 부표(繫留浮標).
배-매기 명 계류(繫留).
배맬-바 [一빠] 명 계류삭(繫留索)
배맬-터 명 계선장(繫船場).
배-물 [밴一] 명 〔의〕 복수(腹水).
배밀어-기기 명 포복(匍匐).
배비-변경 【配備變更】 명 무력과 장비의 바치를 비꾸는 일. ¶～을 신

속히 끝내다. ——-하다 [타][여불]
배워-주다 [타] 가르쳐서 알게 해 주다. ¶기술을 ～/ 사업 방법을 ～.
배음-사【配音士】[명]〖영화〗번역 영화를 만들 때 등장 인물의 입의 움직임에 맞게 자기 나라 말로 대사를 꾸미는 전문가.
배-장 [—짱] [명] 나무배의 밑바닥. ¶～에 앉다.
배전-띠 [—쩐—] [명] 뱃전이 부두 앞면에 부딪힐 때 배와 부두 앞면을 보호하기 위하여 배 또는 부두 앞면에 대는 물건. 흔히 나무나 고무로 만듦. 방현재(防舷材).
배-집 [—찝] [명] 배통. 뱃구레. ¶뚱뚱한 ～.
배치-장【配置狀】[—짱] [명] 임명장. 사령장.
배-코숭이 [명] 이물. 뱃머리. ¶～에서 물이 하얗게 갈라지며 갑판 위까지 파도가 들씌워졌다.
배타래-날개 [명]〖해〗암차(暗車).
배-후리 [명] 후릿그물의 일종. 후릿그물보다 작고 끝줄이 짧음.
백날-가물【百—】[명] 몇달 동안 계속되는 심한 가뭄.
백날-왕가물【百—王—】[명] 몇달 동안 심하게 계속되는 큰 가뭄.
백다-마【白多馬】[명] '흰말'을 적다마에 상대하여 이르는 말.
밴-흐름 [명]〖해〗밀도류(密度流).
밸-굽 [—꿉] [명] '밸'을 얕잡아 이르는 말. ¶～이 울컥 동하다.
 밸굽이 뒤집히다 [구] 밸이 꼬이다.
 밸굽이 뒤틀리다 [구] 밸이 뒤틀리다.
밸-뼈 [명]〖생〗골반뼈의 윗부분. 부채 모양으로 되어 있으며 창자를 받쳐 줌. 장골(腸骨).
밸:-통 [명] '심통·배짱'의 뜻을 속되게 이르는 말. ¶～이 세다/ ～이 사납다.
버럭-질 [명] ①쓸데없는 일판을 벌여 놓고 품을 들이는 짓. ②어떤 일판을 벌여 놓고 치닥거리하는 짓. ——-하다 [자][여불]
번지다 [一] [타] ①종잇장을 한 장씩 넘기다. ¶책장을 ～. ②시간이나 역사 등을 지내 보내거나 새기어 넘기다. ¶그 다음날부터 낮과 밤을 직장에서 번지며 침식을 미루었다. ③일정한 동안을 두고 정상적으로 진행되는 일이나 생활을 제대로 하지 않고 건너거나 거르다. 또는, 일의 차례나 순서를 어기다. ¶점심을 번지고 일하다/그는 아침마다 학습을 하루도 번진 날이 없다/ 차례를 ～. ④말로 옮기어 말하거나 글로 쓰다. 또는 한 언어를 다른 언어로 옮기어 번역하거나 통역하다. ¶어린아이가 말을 번지기 시작하다/ 우리 말을 영어로 ～. ⑤물건을 제끼거나 뒤집다. ¶철수는 탐스럽게 알알이 여문 벼춤을 한쪽으로 번지며 베어 나갔다. [二] [자] ①엎어지거나 뒤집히다. ¶아차차, 배 번져진다. ②사람의 모습이나 됨됨이가 자라면서 달라지다. ¶곱게 ～. ③사람의 내면 세계나 일의 형세·정세 따위가 이제까지와는 다르게 변하다. ¶지난날을 생각하니 마음이 이상하게 ～/ 사태는 일시에 험악하게 번져졌다. ④어떤 병이 다른 병으로 변하다. ¶기관지염이 폐렴으로 ～.
벋장 [명] ①무엇이 넘어지지 않게 버티는 물건. ②〖건〗놓은 막대기가 짐을 많이 받으면서 휘지 않도록 버티어 주는 비탈지게 놓은 막대. 주로 나무 구조물에서 많이 씀.
벌건-진흙 [—흑] [명]〖지〗홍토(紅土).
벌-날음 [—랄—] [명] 벌이 날아가는 듯한 모양새. 또는 그런 자세로 쏜살같이 내달리는 일. ¶～을 쳐서 달려 내려오다.
벌-넣기【罰—】[—너키] [명]〖농구〗프리 스로.
벌-도망【—逃亡】[—또—] [명] 지레 겁을 먹거나, 또는 몹시 놀라서 도망침. ¶～을 치다.
벌떡-사발【—沙鉢】[명] 윗부분이 너부죽한 사발.
벌레쫓는-약【—藥】[명] 기피제(忌避劑).
벌-묻이 [—무지] [명] 가을에 캔 감자나 무를 움에 넣기 전에 밭에 쌓아 놓고 임시로 흙을 덮어 묻어 놓는 일. 또는 그런 더미.
벌-방 [명] 들이 넓고 논밭이 많은 고장. ¶～에 살다.
벌-술 [명] 풋술.
벌-지대【—地帶】[명] 넓은 벌판으로 된 지대. 벌방 지대.
벌-차기【罰—】[명] 축구에서, 프리 킥.
벌컬 [명] 밀물에 들어왔던 고기가 썰물에 밀려나가는 길을 막아서 잡는 그물의 한 가지. 지형 조건에 따라 모양은 여러 가지인데, 그물 양 끝에 올가미를 달아 고기를 그물로 유도하여 잡음.
벌-풀 [명] 벌꿀이 나무순과 꽃술에서 뒷다리에 묻혀 가져오는 진. 꿀벌들은 이것으로 벌통의 짬이나 구멍을 메우며 평탄하지 못한 부분을 고르기도 하며 봉방 가름대를 벌통에 고착시키거나 함. 봉랍(蜂蠟). 밀랍.
범벅-사람 [명] 사상적 선(線)이 분명하게 서 있지 않은 뒤범벅이 된 사람.
법석-구니 [명] 법석 떠드는 일. ¶～를 놓다.
벗김-시료【—試料】[명] 광물체에서 따내는 화학 실험 자료의 한 가지.
벗은-줄 [명]〖전〗나선(裸線).
베-감투 [명] 두건(頭巾).
베개-도리 [명]〖건〗벽체(壁體) 위에 놓인 도리. 서까래나 대공 등의 받침임.
베-돌찌 [명] 베천으로 지은 소매가 짤막한 재래식 적삼의 한 가지. 앞은 쪽 터져 단추를 채우게 되어 있으며 목깃은 따로 없는 것이 보통임.
베루개-호미 [명] 논김을 매는 데 쓰는 작은 호미의 하나. 날·자루·목쇠로 이루어졌는데 자루가 짧고 날끝이 뭉툭함.
벨-나이 [명] 베어 쓰게 된 나무들의 나이.
벼랑-톱 [명] 벼랑들이 쭉 늘어선 곳. ¶밀려온 파도가 ～에 부딪쳐 하얗게 안개를 뿜는다.
벼모-살이 [벼—] [명] 옮긴 볏모가 뿌리를 내리어 제대로 살아나게 되는 일. ¶～가 잘 되다.
벼락-줄 [명] 피뢰선(避雷線).
벼락-촉【—鏃】[명] 피뢰침(避雷針).
벼랑밀-돌무지 [명]〖지〗애추(崖錐). 벼랑 돌무지.
벼루-상【—床】[—쌍] [명] 연상(硯床). ¶～에서 꺼낸 붓.
벼짚-솜 [—찝—] [명] 볏짚으로 만든 솜 상태의 섬유.
변두 [명] 볏. ¶수탉의 빨간 ～.
별:-꼬니 [명] 다이아몬드 게임.
별-보라 [명] 갠 밤하늘에 많은 별들이 깔려 있는 상태.
별:-찌 [명] 별똥.
별:찌-돌 [명] 운석(隕石).
볏쇠-호미 [명] 논김을 매는 데 쓰이는 날끝이 뾰족한 호미. 자루가 짧음.
병견딜-성【病—性】[—썽] [명]〖생〗내병성(耐病性).
병-젖【甁—】[명] 여자의 병처럼 생긴 긴 젖. ¶～과 자루젖.
병파【並播】[명] 줄을 맞추어 나란히 씨를 뿌리는 일.
볕-소금 [명] 천일염.
보-그물【褓—】[명] 민물고기를 잡는 작은 그물의 하나. 보자기 모양으로 생겼는데, 자루의 한쪽 끝을 그물 채에 꿰고 다른쪽 끝을 눌러 들어올리는 방법으로 잡음. 주로 양어장에서 작은 물고기를 잡는 데 씀.
보-돌 [—똘] [명] ①아궁이의 좌우쪽에 세우는 돌. ¶～과 구들돌. ②너새를 깐 위에 얹는 돌.
보리-길금 [명] 엿기름. 맥아.
보리-동 [—똥] [명] 햇보리가 날 때까지의 보릿고개를 넘기는 동안. ¶그날그날 버는 좁쌀 됫박으로 끼니를 겨우 이어나가는데 ～을 대기가 여간 큰일이 아니었다.
보리저녁-때 [명] 보리밥을 짓는데, 보리쌀을 안쳐야 할 저녁 무렵. 곧 해가 지기 조금 전의 이른 저녁 무렵.
보-밭 [명] 보습으로 갈 수 있는, 경사가 급하지 않은 밭. ¶～을 소형 트랙터로 갈다.
보스-대다 [자][타] ①가만히 있지 않고 보스락보스락 소리를 내거나 자꾸 꼬무락꼬무락 움직이다. ②의젓하지 못하고 자꾸 들썽거리거나 좀스럽게 자부락거리다.
보시닥-보시닥 [부] 가만히 있지 않고 몸을 움직움직하며 좀스럽게 부산을 피우는 모양. ¶유치원 애들은 자기들도 선물을 타는 날이라고 ～ 소동을 피웠다. ——-하다 [자][타][여불]
보위-색【保衛色】[명] ①군복이나 군사 기재들의 색깔로, 풀빛이나 누런 풀빛에 잿빛이 섞인 색. ¶～ 군복. ②적들로부터 자신을 가리기 위하여 입거나 두르는 옷이나 천 또는 기재의 색깔.
보임-말 [명]〖언〗문장에서 중요하다고 생각되는 어느 한 성분이나 부분을 강조하기 위하여 특별히 따로 내세워 보여 주는 말. '자력 갱생, 이 기치를 높이 들고 나아갈 때……'에서 '자력 갱생'과 같은 것. 제시어(提示語).
보채-줄 [—쭐] [명] 주낙에서, 원줄에 낚시를 잇는 가는 줄.
보쿠 [명] 너테.
보탬-약【—藥】[명]〖농〗구충제나 살균제의 효과를 높이는 재료. 농작물에 약이 잘 묻게 하는 비누나 진흙, 약의 세기를 낮추며 골고루 뿌려지게 하는 소석회나 돌 같은 것들이 이에 속함.
보탬-체【—體】[명]〖생〗보체(補體).
보호-기둥【保護—】[명]〖광〗광석·석탄을 캔 다음에 생긴 공간 위의 지층이 내려앉는 것을 막기 위하여 일부 석탄층이나 광체를 다 캐지 않고 남겨둔 것. 보안 잔주(保安殘柱).
보화-롭다【寶貨—】[형][ㅂ불] 보배롭다. ¶금은 보화 가득 찬 보화로운 나라.
복-지경【伏地境】[명] 복더위가 한창인 무렵. ¶～ 날씨에 먼 길을 걸어왔는데 목이라도 추기라고 냉수 한 그릇을 떠왔다.
볼-구멍 [—꾸—] [명] 감시창(監視窓)의 구멍. 시창구.
볼-샘 [명] '보조개'를 달리 이르는 말.
봄-뜻 [명] ①봄철에 품은 뜻. ¶～을 크게 가지다. ②봄을 만나 새로이 힘차게 자라나려는 자연의 기운. ¶대동강 기슭의 버들은 벌써 파릇파릇 ～을 머금었다.
봄봄-이 [명] 겉으로 드러나 보이는 바깥 차림새. ¶～부터 교원답게 단정해 보이다.
봄-세파【—細—】[명] 봄에 가꾸어 먹는 가는 파. ¶～와 여름파.
봇장 [명] 그물에 든 물고기가 한데 모이는 곳. 부꺼리. ¶돌아오는 고깃배의 ～마다에 고기떼가 넘친다.
부덕-쥐 [명] 시궁창이나 쓰레기통 같은 어지러운 곳에 사는 쥐. 짧은꼬리집쥐.
부들-털 [명]〖생〗융모(絨毛).
부름-종【—鐘】[—쫑] [명] 초인종.
부리-촉【—鏃】[명] 가막부리. 오구(烏口).
부숙-법【腐熟法】[명]〖임학〗주로 가래·호두·은행 등과 같은 견과(堅果)를 누기 있는 곳에 무더기로 쌓고 썩여서 알맹이를 뽑아 내는 방법.
부스레기-암【—岩】[명]〖지〗쇄설암.
부엌-거두매 [명] 부엌을 거두는 일, 또는 그 모양새. ¶～를 깨끗이 하다.
부조-조사【浮槽繰絲】[명] 고치가 가마물 위에 뜨도록 하여 실을 켜는 일.
부진-부진 [부] 하라거나 시키지도 않았는데 짓궂게 부득부득 하고 나서는 모양. ¶싫다는데 ～ 따라다닌다. ——-하다 [형][여불]
부추-개 [명]〖기〗지그(jig).
부추리 [명] 조류의 날개 깃.
부픈-밥 [명] 흰쌀과 잡곡을 쪄서 다시 물을 두고 끓인 밥. 소화가 잘 되고 밥의 양이 불음.
부혁【附革】[명] 늘였다 줄였다 할 수 있는 고리 달린 총의 끈. 주로 멜빵 구실을 함. ¶총～.
북-걸이 [명] 솥을 걸 때 솥이 부뚜막에 걸리도록 받침으로 대는 길쭉한 쇠붙이나 돌 같은 것.
북덕-장【—醬】[명] 메주에서 간장을 뽑고 난 찌끼에 양념을 넣어서 끓인 된장.
북-망치 [명] 북채. ¶～를 휘둘러 올려 둥하고 북소리를 울리다.
북-치기 [명]〖방직〗천을 짤 때 북길 안으로 씨실을 쳐넣는 일. 또는 그렇게 하기 위하여 북을 치는 직기의 한 기구.
북침-대 [—때] [명]〖방직〗북을 좌우로 오가게 하기 위하여 쳐 주는 막대기.
북-하늘 [명] 방직기나 베틀의 북 속에 넣은 실꾸리가 솟아 나오지 못하게 눌러 놓는 물건.
분간-휴식【分間休息】명 농구나 배구에서, 차지 타임.
분공【分工】명 여러 가지 일 중에서 구체적 과업을 나누어 맡김. 또는 맡겨진 과업. ¶정치적 ~/행사에 참가할 데 대한 ~을 받다. ──하다 타여불 「은 산줄기.
분기-산줄기【分岐山─】[─쭐─] 명〔지〕기본 산줄기에서 갈라진 작
분도-곽【分度─】명 ①분도기를 넣는 갑. ②〔지〕지도의 테두리선의 한 종류. 경도와 위도망의 눈금이 표시되어 있음.
분-떡【粉─】명 입쌀을 가루내어 시루에 쪄서 둥그렇게 빚어 흰 가루를 바른 떡. ¶~과 같은 얼굴. 「는 부품.
분-살 [─쌀] 명 쟁기의 보습 뒤에 붙어 이랑을 넓혀 주며 흙을 갈아 주
분-상점【分商店】명 분점(分店). ¶주민 봉사를 잘하기 위해 마련된 ~.
분장【分場】명 본농장 등에 소속되어 있으면서 거기서 떨어진 곳에 있는 농장이나 목장. 또는 그 밖의 그런 시험 생산 단위. ¶국영 농장 ~/농업 과학 연구소의 ~.
분조【分組】명 ①일정한 조직체에서, 기본 조직 아래에 조직하는 작은 단위. ¶작업반과 ~. ②협동 농장에서 작업반 밑의 기층 작업 단위. ¶농산 ~/과수 ~/담배 ~. ③명수의 단위로 쓰임. ¶1~/5~.
분주-소【分駐所】명 파출소. 지서. ¶농촌리 ~.
분주-탕【奔走─】명 (주로 '피우다', '치다'와 함께 쓰이어) 몹시 분주하고 야단스럽게 소란을 피우는 짓.
　분주탕을 피우다 구 몹시 분주하고 야단스럽게 굴다. ¶얼마나 반가웠던지 서로 얼싸안고 돌아가며 분주탕을 피우고 있었다.
불개 명 밥밑. ¶~를 안치고 지은 구수한 밥.
불겅 명 붉은 빛깔이나 붉은 빛 물감.
불광 [─광] 명 밝은 불빛이나 빛발. ¶장안의 ~.
불-구름 명 ①불빛과 같이 붉게 물든 구름. ¶~을 허리에 두르고 높이 솟은 무쇠탑. ②'뭉게구름이 피어오르듯 검은 연기를 솟구치며 세찬 불길이 휘날려 오르는 것'을 비겨 이르는 말. ¶마을이 ~에 휩싸이다.
불구지 명〔어〕새끼나 좀 자라서 중치가 된 누치.
불꽃-잡이 명 용선로에서 주철을 녹일 때 대기 속으로 날아가는 가스의 속도를 줄이며 그 방향을 변화시켜 먼지를 밑에 떨어지게 하는 장치. 흔히 용선로의 굴뚝 위에 설치함.
불끌-탄【─彈】명 소화탄(消火彈).
불당길-점【─點】[─쩜] 명〔화〕인화점(引火點).
불당김-성【─性】[─썽] 명 인화성. ¶~ 물질. 「는 쇠관.
불-대 [─때] 명 시험 재료의 화학 성분을 불길로 검사하여 알아낼 때 쓰
불-덕 명 ①대장간에서 풀무로 불을 피워 쇠를 불리기 위하여 쌓은 덕. ¶~에 불을 지피다. ②화덕. ¶~에 옷을 말리다.
불-무지 명 화톳불이나 모닥불을 피워 놓은 무더기. ¶~ 곁에서 밤을 지새우다.
불-물 명 쇠붙이 따위가 높은 열에 녹아서 이글거리는 액체. 쇳물.
불-방치 명 ①불이 붙은 방망이. ¶~를 지붕에 던지다. ②몽둥이 끝에 솜뭉치나 천 따위를 싸서 불이 댕길 수 있게 만든 것. 또는 거기에 불을 붙인 것. 불망치.
불심지-뢰관【─心─雷管】명〔광〕심지의 불꽃에 의하여 터지면서 폭약을 폭발시키는 뇌관. 가스가 없는 탄광이나 광산에서 씀.
불-역 명 큰 강이나 바닷가의 모래톱. 또는 그 언저리. ¶~에 매어 놓은 돛배.
불-주머니 [─쭈─] 명 방고래 안의 찬 바람이 부넘기를 통해서 거꾸로 나오지 못하도록 부넘기 안쪽 밑으로 오목히 판 부분.
　불주머니를 터트리다 구 참아오던 성을 버럭 내다.
불-찌 명 불티나 불똥. ¶~가 날리다/~를 흘리며 타오르는 불길.
불초리-줄 [─쭐] 명 긴 그물들에서 그물의 뒤끝에 있는 고기를 퍼내는 구멍을 막는 줄.
불-칸 명 화실(火室).
불-탄【─彈】명 신호하거나 목표물에 불을 지르기 위해 쏘는 탄알.
불탈-가스〔gas〕명〔화〕가연성 가스.
불탈-성【─性】[─썽] 명 가연성.
붉어-지기 명〔의〕발적(發赤).
붉은-편지【─片紙】명 전체 당원들과 근로자(勤勞者)들을 불러일으킬 목적 밑에 당중앙 위원회 이름으로 전체 당원들에게 호소하여 보내는 편
붉은-피알 명 적혈구. 붉은피톨. ㄴ지.
붓-빨이 명 필세(筆洗). 붓빨개.
붙는-뿌리 명〔생〕부착근. 붙임뿌리.
붙어살이-동물【─動物】명〔동〕기생 동물.
붙어살이-식물【─動物】명〔식〕기생 식물.
붙은-물 명 부착수(附着水). 흡습수.
붙을-힘 명 부착력.
붙임-쪽지 [부침─] 명 부전(附箋). 부전지.
비-갈망 명 비를 맞지 않도록 대책을 세우는 일. ¶비가 억수로 퍼부어 우산이 ~을 못 하다.
비-괴탄【B塊炭】명 무연탄층에서 덩이로 나오는 석탄의 한 가지. 매우 굳고 높은 온도에서 불이 당기며 많은 열을 냄.
비-꼬치 명 떨어지는 비의 하나하나의 방울. ¶점점 세게 떨어지는 ~.
비-꽃 명 ↗비꼬치.
비늘-나무 [─라─] 명〔식〕인목(鱗木).
비단층-구름【緋緞層─】명〔기상〕권층운.
비듬다 타 비다듬다. ¶양복을 옷솔로 ~.
비린-청 명 듣기에 비위에 거슬리게 쨍쨍하고 어색하게 소리 내는 목청. ¶~ 으로 외치다.
비물-골 [빈─] 명〔지〕우곡(雨谷).
비반충-포【非反衝砲】명〔군〕무반동포.
비살-치다 [─쌀─] 자 ①빗발 치다. ②매우 급하게 걷거나 뛰는 것을 비겨 이르는 말. ¶비살치듯 뛰다.
비스감치 부 비슷이. ¶~ 기대다.
비자항-선【非自航船】명 동력 설비가 없어 절로 항해할 수 없는 선박.
비제비 명 국수 같은 것을 누를 때에 국수 분통에서 공이의 뒤로 비죽이 삐어져 나오는 것.
비탈-땅주름 명〔지〕경사 습곡(傾斜褶曲).
비폰드-물자【非─物資】〔러 fond〕[─짜] 명〔경〕국가 계획 항목에 예견하지 않은 문자.
빈-줄 명 개방현(開放絃).
빗줄-짜임 명〔방직〕능직(綾織).
빚은-탄【─炭】명 연탄·조개탄과 같이 빚어서 만든 탄을 통틀어 이르
빚-줄 명 빚을 갚지 못해 얽매인 빚올가미. ¶~에 매이다. ㄴ는 말.
빛걸음-차【─差】명〔천〕광행차(光行差).
빛내는-물체【─物體】명 발광체.
빛느낌-막【─幕】명〔화〕감광막.
빛느낌-성【─性】[─썽] 명 감광성.
빛느낌-종이 명 감광지.
빛따르-성【─性】[─썽] 명 추광성(趨光性).
빛-량자【─量子】[─냥─] 명〔물〕광양자(光量子).
빛-묶음 명〔물〕광속(光束).
빛-쏠리개 명〔물〕편광기(偏光器).
빛-재개 명〔물〕광도계(光度計).
빛-줄 명 현미경으로 얇은 조각을 볼 때 굴절률이 서로 다른 두 물질의 접촉부에 나타나는 가느다란 밝은 선.
빛-중심【─中心】명〔물〕광심(光心).
빛-지레 명〔물〕광학(光學) 지레.
빛-힘 [─힘] 명〔물〕광력(光力). ¶탐조등의 ~.
빠는-약【─藥】명〔화〕다른 물질을 빨아들이는 물질. 숯·산성 백토·규조토 등이 이에 속함. 흡수제(吸收劑).
빠짐-길 [─낄] 명 빠져 나가는 길. ¶~이 나지다.
빡-하다 자 ①정신을 못 차릴 정도로 몹시 즐기거나 마음이 쏠리다. ¶축구라면 빡하는 체육 애호가. ②격한 감정이 몹시 치밀다. ¶빡하고 대들다.
빨기-높이 명 펌프로 빨아들이는 물의 수면부터 펌프까지의 높이의 차. ¶펌프의 ~.
빨래-방치 명 빨랫방망이. 물방치.
빨-위【─胃】명〔생〕일부 무척추 동물의 소화기의 한 부분. 영양 물질을 빨아들이는 작용을 함. 흡수위(胃).
빼써: 부 ①한쪽으로 좀 가울어질 듯하게. ¶옥순이는 고개를 ~ 기울이고 방안을 들여다보았다. ②문이 조용히 조금 열리게. ¶문을 ~ 열다.
빽빽-이 명 ①아이들 장난감의 하나. 짤막한 댓가지 토막 끝에 혀가 붙어 있어서 다른 한 끝을 입에 물고 불면 빽빽 소리가 남. ②↗빽빽이
빽빽이-차【─車】명 '협궤차'를 흘하게 이르는 말. ㄴ차.
뺄:물-길 [─낄] 명 배수로(排水路).
뺄-헤염 명 크롤 스트로크.
뻐스-화【─化】〔bus〕명 ①필요한 모든 곳에 버스가 다니도록 하는 일. ¶~가 실현되다. ②↗농촌 뻐스화. ──하다 타여불
뻔두룩-하다 형여불 물건이 풀기가 세거나 굳고 꿋꿋하다. ¶뻔두룩하게 버티고 서다/총이 센 머리카락이 뻔두룩하게 일어서 가지고…….
뻔질러-서다 자 빳빳이 버티어 서다.
뻬름-기【─期】명〔Permian Period〕〔지〕페름기.
뼈-글 명 글자가 새겨진 점(占)뼈. 옛사람들이 점치는 데 쓰던 도구.
뼈-어김 명〔의〕탈구(脫臼).
뽀라지 명 베천을 짜고 남은 거친 삼 섬유나 베실 토막 따위. ¶남은 ~로는 베실을 꼬아 만들어서 토스레를 짠다.
뽀잇-하다 형여불 색깔이 은근하게 좀 뽀얗다.
뽐 명 뼘. 손뼘. ¶~으로 재다.
뽐다 [─따] 타 뼘다.
뽕 명〔민〕그네뛰기에서, 그네에 타고 올라 발끝에 닿도록 높이 달아맨 방울.
뿌리나래-활촉【─鏃】명〔고고학〕뿌리와 날개가 있는 활촉. 몸체의 아래쪽에는 화살에 꽂을 뿌리가 길게 나 있고 몸체의 가운뎃 부분은 끝이 뾰족한 날개로 되어 있어 닻 모양을 이루고 있음.
뿌리-남새 명 근채(根菜). 뿌리 채소.
뿌리둘레-미생물【─微生物】명 식물의 뿌리 둘레에 모여 사는 미생물. 식물에 필요한 영양 물질을 보충해 주기도 하나 해로운 물질을 만들어 내기도 함.
뿌리-잎 명〔생〕근생엽. 근엽.
뿌무개 명 분무기. 안개뿜이. ¶~로 사과나무를 소독하다.
뿌무개-질 명 분무기로 뿌리는 일. ¶과일나무를 소독하느라 ~을 하는 처녀. ──하다 자타여불
뿌무-질 명 입이나 분무기 따위로 뿜어내는 일. ¶~로 마른 옷을 추겨서 손질하다. ──하다 자타여불
뿔-돌 명〔토〕간지석(間知石). 견치석.
뿔-활 명〔고고학〕각궁(角弓).
삐뚤서 [─써] 부 좀 삐뚤게. ¶의자에 ~ 기대어 앉다.
삐써: 부 ①한쪽으로 좀 기울어질 듯하게. ¶~ 비켜서다. ②문이 조용히 열리게. ¶문을 ~ 열다.

ㅅ

사각-마스크【四角―】〔mask〕 명 입과 코 부근을 넉넉하게 가릴 수 있도록 네모나게 만든 마스크.
사공【寺工】명 《역》 절을 짓는 일을 맡던 장인(匠人).
사공-놀이【沙工―】명 뱃사공들이 잡은 물고기를 요리하여 먹어 가며 흥겹게 노는 놀이.
사과-단묵【沙果―】명 사과 젤리.
사과-단물【沙果―】명 사과 주스.
사과-단졸임【沙果―】명 사과 잼.
사관-장【士官長】명 중대장의 보조자로서 사관들 중에서 제일 높은 직무.
사구려-판 명 장사꾼이 자기 상품을 사라고 외치면서 물건을 파는, 복닥거리는 판.
사-군데【四―】명 '여러 군데'를 동·서·남·북 네 군데라는 뜻으로 이르는 말.
사귀다 자 서로 엇갈려 지나다. 교차(交叉)하다.
사귐-각【―角】명 《수》 교각(交角).
사귐-길〔―낄〕명 ①교차로(交叉路). ②도로의 교차점(交叉點).
사귐-선【―線】명 《수》 교선(交線).
사귐-점【―點】〔―쩜〕명 《수·천》 교점(交點).
사귐-축【―軸】명 《기》 두 축을 늘이면 한 점에서 교차하는 축.
사그리다 타 사그라뜨리다.
사기【沙器】명 타일(tile).
사기-꽃종이【沙器―】명 사기 그릇에 치레하기 위하여 붙이는 꽃종이. 그림·꽃 등 여러 가지임.
사기-옷【沙器―】명 법랑(琺瑯). 또, 법랑막(膜).
사기옷-그릇【沙器―】명 법랑을 입혀서 구워 만든 그릇.
사기-칠물【沙器漆物】명 사기물. 사기옷칠물.
사나이-놀음 명 으레 남자가 할 떳떳한 일을 남자의 기개에 비겨 이르는 말. ¶잘못을 허심하게 고치는 게 ~이지. ㊀사내놀음.
사날 명 장이 서지 않는 날.
사남 명 사납게 행패를 부리는 일. ¶~을 피우다.
사내-번지기 명 말괄량이.
사내-싸다 형 사내답게 씩씩하여 사내라고 할 만하다.
사내체-것〔―껃〕명 사내라고 이름 붙인 것이라는 뜻으로, 하잘 것 없는 사내를 홀하게 이르는 말.
사냥군-조【―組】〔―꾼―〕명 적의 비행기·탱크 등을 격추·파괴하기 위하여 군인들로 조직된 조.
사냥-비행【―飛行】명 적의 목표물을 공격하기 위하여 하는 비행.
사는-조건【―條件】〔―껀〕명 서식(棲息) 조건.
사다리-살 명 《생》 사각근(斜角筋).
사달 명 사고(事故)나 탈. ¶~이 나다.
사대-비요【四大備要】명 혁명 투쟁에서 갖추어야 할 네 가지 중요한 것. 곧 정력·인력·합심·단결.
사돌 명 조그마한 배를 타고 물안경(眼鏡)을 쓰고 직접 물밑을 내려다보면서 창·갈고리·낫 같은 것으로 찌르거나 걸어서 해산물(海産物)을 따는 일. ¶~배/~ 어업. ——-하다 자타여불
사돌-공【―工】명 사돌을 하여 해산물을 얻는 일을 전문으로 하는 사람.
사득 명 디디면 푹푹 빠지는 진펄. ¶~에 빠지다.
사득-그물 명 물고기를 떠서 잡는 그물. 고깔이나 삼태기 모양이며, 밤에 불빛을 비쳐 물고기를 모여들게 하고 잡음.
사득-판 명 밑바닥이 매우 무르고 질컥하여 빠지면 나오기 어려운 진펄. 흔들레판.
사라락-거리다 자타 자꾸 가볍고 느리게 쓸리거나 맞부딛치는 소리가 나거나 소리를 내다.
사락-거리다 자타 자꾸 가볍게 쓸리거나 맞부딪치는 소리가 나거나 소리를 내다.
사람-따름법【―法】〔―뻡〕명 《법》 속인법(屬人法).
사람-비김법【―法】〔―뻡〕명 《문》 의인법(擬人法).
사람-세【―稅】명 인두세(人頭稅).
사:람-잡이 명 ①사람을 함부로 잡아 가두거나 죽이는 일. ②사람을 해치는 일. ——-하다 자여불
사람-전염병【―傳染病】〔―뼝〕명 사람이 전염원이 되어 사람들 사이에서만 옮겨 퍼지는 전염병. 홍역(紅疫)·콜레라·유행성 감기·발진 티푸스 따위.
사랑-겹다 형ㅂ불 몹시 사랑스럽다. ¶사랑겨운 어린 동생.
사랑-둥이 명 사랑을 받는 사람을 귀엽게 이르는 말. 사랑받이. ¶~ 손녀.
사령【司令】명 교통 운수 기관이나 일부 생산 직장에서 현장의 운영 사업을 지휘하는 직위. 또, 그 직위에 있는 사람. ¶철도 ~/운전 ~.
사령련동-장치【司令連動裝置】명 열차(列車) 사령이 자기 담당 구간의 모든 역들의 전철기(轉轍機)와 신호기(信號機)를 직접 조종하고 열차를 운행하는 연동 장치. 열차 운행 과정을 자동화하는 한 수단임.
사령-원【司令員】명 교통 운수 기관에서 사령의 직무를 맡아보는 사람.
사령-장【司令長】명 철도 같은 데서, 사령 업무를 하는 부서의 책임자.
사령-전화【司令電話】명 생산과 기업 활동에서, 직접적이고 통일적인 지휘를 하기 위하여 쓰는 전화. 철도·광산 기타 기간 공업 등의 여러 분야의 사령 지휘 통신에 쓰임.
사로청【社勞青】명 ↗조선 사회주의 로동 청년 동맹. ¶~ 생활/~원.
사로청-림【社勞青林】명 사로청이 책임지고 가꾸는 숲.
사르-디디다 타 조심스럽게 살며시 디디다. ¶아픈 다리로 ~.
사르락-거리다 자 물건이 조금씩 쓸리면서 끊기는 소리가 자꾸 나다.
사르시 부 살며시.
사름-통【―筒】명 낟알을 까부른 다음에 다시 싸라기를 따로 흔들어 떨어뜨리기 위하여 사르는 데 쓰는 통.
사-모리 명 가는 모래와 시멘트와 물을 섞어 반죽한 것. 또, 그렇게 하는 일. 사모래. ——-하다 타여불
사-목도【四―】명 네 사람이서 메는 목도.
사무리다 타 햇볕 같은 것에 눈이 부실 때 눈을 찌푸리고 가늘게 뜨다. ¶눈을 ~.
사무실적-사업방식【事務室的事業方式】〔―쩍―〕명 일꾼들이 현실에 파고들지 않고 현실과는 동떨어진 사무실에 들어앉아 주관적으로 일을 처리하는 형식주의적인 사업 방식.
사문-과석【蛇紋過石】명 《농》 과석에 사문석(蛇紋石) 가루를 섞어 만든 비료.
사물-거리다[1] 자 스멀거리다.
사물-거리다[2] 자 아리숭한 것이 눈 앞에 아른거리다.
사민【私民】명 민간인.
사민-복【私民服】명 사복(私服).
사발-깨비【沙鉢―】명 사발의 깨어진 조각.
사발-들이【沙鉢―】명 술 같은 것을 사발로 들이켜는 것. ——-하다 자타여불
사발-춤【沙鉢―】명 사발을 손에 들거나 머리에 이고 추는 춤.
사방야계-공사【砂防野溪工事】명 산골짜기와 산개울로 밀려내리는 흙 모래와 돌 들을 막으며, 홍수 피해를 입지 않도록 하천을 정리하는 일.
사백팔십분-로동시간【四百八十分勞動時間】명 노동자·사무원들이 어김없이 의무적으로 지켜야할 노동 시간.
사범-공【師範工】명 기술이 아직 익지 못한 직공들에게 기술을 가르쳐 줄 만한 기능공.
사법-일군【司法―】〔―꾼〕명 사법 기관에 종사하면서 법을 해석 적용하고 집행하는 사람.
사별【篩別】명 《광》 체질. ¶~기(機)/~장(場)/~ 시설. ——-하다 타여불
사복-대【私服隊】명 필요에 따라 사복을 입고 행동하는 소조(小組)나 소부대 또는 그 성원. ¶~원(員).
사복-철조망【蛇服鐵條網】〔―쪼―〕명 구불구불 기어가는 모양의 철조망.
사-사리다 자 무엇을 노리면서 몸을 사리다. 도사리다.
사-사막【沙沙漠·砂砂漠】명 모래로 이루어진 사막.
사사-모사 부 이러저러한 여러 가지 일로.
사사-오취【四捨五取】명 반올림. 사사 오입.
사상-균【思想菌】명 사람들의 머릿속에 있는 이러저러한 불건전한 사상을 병을 퍼뜨리는 병균에 비유하여 이르는 말.
사상-동원【思想動員】명 ①무엇을 하려고 하는 사상이 적극적인 움직임. ②혁명과 건설에서 과업을 성과적으로 수행하는 데 적극 나서도록 사상적으로 준비를 갖추도록 하는 일. ——-하다 타여불
사상-병【思想病】〔―뼝〕명 사상이 불건전한 상태를 이르는 말. ¶~에 걸리다.
사상-여독【思想餘毒】명 불건전한 사상 독소의 찌꺼기.
사상의지적-통일【思想意志的統一】명 일정한 조직의 성원들이 하나의 사상 및 의지로 굳게 뭉치는 일.
사상적-알맹이【思想的―】〔―쩍―〕명 작품의 내용을 규정하고 형상을 기초지으며 그 생명을 담보하는 기본 요인. 사상적 핵(思想的核).
사상적-요새【思想的要塞】〔―쩍―〕명 공산주의 사회를 건설하기 위하여 사상적 면에서 이룩하여야 할 목표.
사상적-일색화【思想的一色化】〔―쩍―〕명 오직 하나의 사상으로 사회의 모든 성원들을 무장시키고 그 사상의 요구대로 자연과 사회를 개조해 나가는 일.
사스락 부 가는 꼬챙이 같은 것이 종이 위를 가볍게 쓸리면서 나는 소리. ¶시험장에서는 오직 연필이 달리는 ~ 소리만이 들린다. ——-하다 자여불
사스래-물 명〔―랟―〕사스래나무 껍질에 홈을 파서 받아 마시는 물.
사슬-시계【―時計】명 ①회중(懷中) 시계. ②추가 달린 사슬이 내려가면서 작동하는 시계.
사슬-알균【―菌】명 《생》 연쇄상 구균(連鎖狀球菌).
사슬-판【―板】명 무한 궤도를 이루는 하나하나의 판.
사십구호-보양소【四十九號保養所】명 정신 병원(精神病院).
사양-관리공【飼養管理工】〔―괄―〕명 양계장·양돈장의 사육사(飼育士).
사업-마당【事業―】명 어떤 분야의 사업이 직접 벌어지는 곳. 사업장.
사위-콩 명 알이 길둥글고 넓적한 큰 콩. 만생종(晩生種)의 콩임.
사이-가락〔―까―〕명 사이사이에 끼이는 장단.
사이-골목 명 샛골목.
사이-그루 명 간작(間作).
사이-극【―劇】명 막간극(幕間劇).
사이넣기-법【―法】〔―너키뻡〕명 《수》 수표(數表)에 나 있지 않은 값을 나와 있는 값들에 의하여 계산해 내는 방법. 근사 계산법(近似計算法).
사이-대〔―때〕명 《인쇄》 인테르(inter). 사이띄우개.
사이-때 명 새때.
사이-밥〔―빱〕명 끼니와 끼니 사이에 먹는 밥. 샛밥.

사이-섞음그루 (명) 간혼작(間混作).
사이-질【一質】(명)〔생〕간질(間質).
사이-체조【一體操】(명) 일하는 사이에 간단히 하는 체조.
사이-하다 (자)(여불) 사이를 두다.
사지-판【死地一】(명) 죽을 지경의 매우 위태로운 판.
사진-액틀【寫眞額一】(명) 사진틀.
사진-종이【寫眞一】(명) 인화지(印畫紙).
사출-신발【射出一】(명) 사출기에서 원료를 쏘아서 통짜로 만드는 신발. 고무 장화 따위.
사탕-알약【砂糖一藥】(명) 당의정(糖衣錠).
사탕-옷【砂糖一】(명)〔의〕당의(糖衣).
사태-밥【沙汰一】[一빱] (명) 사태가 져서 밀려 쌓인 흙.
사태-자【四胎子】(명) 네쌍둥이.
사품 (명) ①여울목 같은 데서 세차게 흐르는 물살. ②비좁게 붐비는 사이나 틈.
사품-질 (명) 물이 소용돌이치는 일. ——-하다 (자)(여불)
사품-치다 (자) ①물살이 계속 부딪치며 세차게 흐르다. ②비유하여, 마음이 세차게 부딪쳐 움직이다. 구품치다. ¶해 솟는 바다처럼 마음이 사품치며 설레었다.
사회-교양기관【社會教養機關】(명) 학교 이외의 교양 기관. 학생 소년 궁전·소년단 야영소(野營所)·아동 도서관 따위.
사회-교통안전원【社會交通安全員】(명) 교통 경찰관. 교통 안전원.
사회-급양【社會給養】(명) 여러 가지 음식물을 생산하여 국민에게 공급하는 사회주의 상업의 한 부분. 식당·밥공장 운영 따위.
사회-동원【社會動員】(명) 사회적으로 필요한 일에 참가하는 일.
사회-로력【社會勞力】(명) 다른 기관 소속의 사람 또는 일반 주민을 동원한 노력(勞力). 사회적 노력.
사회-사람【社會一】[一싸一] (명) 민간인. 사민(私民).
사회안전-기관【社會安全機關】(명) 정권과 혁명의 이익을 해치려는 자들을 진압하고 사회의 안전 질서를 유지하는 국가 관리 기관. 중앙·도·시 군에 사회 안전부가 있음.
사회-안전원【社會安全員】(명) 사회 안전 사업을 담당 수행하는 사람. 안전원.
사회적-애국로동【社會的愛國勞動】(명) 명예나 보수를 바라지 않고 바치는 근로자의 애국 노동.
사회주의-농업근로자【社會主義農業勤勞者】[一글一] (명) 농민·협동농장원·국영 농목장(農牧場) 등의 국가 기관·기업소 들의 근로자·기술자·사무원 들의 총칭. 사회주의 근로 농민.
사회주의-상업【社會主義商業】(명) 근로자의 복리 증진과 생활상 편의를 보장하기 위한 공급·봉사 사업을 하는 사회주의 경제 부문. 국가 및 협동 단체가 행함.
사회주의적-대가정【社會主義的大家庭】(명) 사회주의 사회를 가정에 비긴 말.
삭-갈리다 (자) 헷갈리다. 섞갈리다. ¶정신이 ~.
삭도-바가지【索道一】(명) 삭돗줄에 걸어 물건을 나르는 바가지.
삭도-화【索道化】(명) 물건을 나르는 일을 삭도로 하도록 하는 일. 관화(管化)·컨베이어화(化)와 함께 삼화(三化) 수송 방침의 하나임.
삭-뼈 (명)〔생〕연골(軟骨).
삭뼈-물고기 [一꼬一] (명) 연골어류(軟骨魚類). ¶~와 굳은뼈물고기.
삭아-앉다 [一따] (자) 푸석푸석하게 삭아서 잦아들거나 내려앉다.
삭음 (명) 부식(腐蝕).
삭음-견딜성【一性】[一썽] (명) 내식성(耐蝕性).
삭음-막이 (명) 방식(防蝕).
삭음막이-감 (명) 방식제(防蝕劑).
삭음막이-약【一藥】(명) 방부제(防腐劑).
삭임-돌 [一똘] (명)〔조〕조류(鳥類)의 모래주머니 안에 든 돌조각과 굵은 모래.
산견딜-강【酸一鋼】(명) 내산강(耐酸鋼).
산견딜성-세균【酸一性細菌】[一썽一] (명) 항산성 세균(抗酸性細菌).
산-굽인돌이【山一】[一꿉一] (명) 산의 구부러진 곳. 산굽이.
산-날【山一】(명) 산등성이.
산-도랑【山一】[一또一] (명) ①빗물을 빼기 위하여 산턱에 판 도랑. ②철길이나 길 안으로 빗물·눈석임물이 흘러드는 것을 막기 위하여 산비탈면 위쪽에 파놓은 도랑.
산독-기재【散毒器材】(명) 전쟁에서 여러 가지 유독성 화학 물질로써 상대측의 사람·생물을 대량적으로 살상하기 위하여 만들어낸 독해물 적용 수단.
산등-판【山一】[一뜽一] (명) 산의 등마루의 편편한 곳.
산들-방글 (부) 간드러지게 방글거리는 모양. ¶~ 웃다.
산-로동【一勞動】(명)〔경〕물질적 부(富)의 생산 과정에서 사람이 직접 들이는 노동.
산림-철【山林鐵】[살一] (명) 임산 지대의 소철도(小鐵道). 림철.
산-무게 (명) 살아 있는 짐승의 몸무게.
산-물질【一物質】[一찔] (명)〔생〕생물체의 기초를 이루고 있으며 물질 대사를 하는 물질.
산-발【山一】[一빨] (명) 여러 갈래로 뻗은 산줄기. ¶험한 ~을 굽어보다.
산-버덩【山一】[一뻐一] (명) 산의 높고 편편한 땅.
산보-구【散步區】[一뽀一] (명) 휴식과 소풍을 위하여 거니는 지역. 공원·유원지의 조용한 곳에 거닐기 좋게 만든 구역.
산-불 (명) 불길이 활활 타오르거나 이글이글 피어오르는 불. ¶차는 ~에 달여야 좋다.
산불막이-대【山一隊】[一뿔一] (명) 산불 소방대(消防隊).
산불막이-선【山一線】[一뿔一] (명) 산불 방화선(防火線).
산-비릇【産一】(명) 아이를 낳으려고 비릇는 일. ——-하다 (자)(여불)
산-빼기【酸一】(명) 탈산법(脫酸法).
산-사람 (명) 혁명과 건설에 쓸모 있는 사람.
산-사업【一事業】(명) 구체적인 대상과 실정에 맞게 창조적으로 하는 사업.
산삼-군【山蔘一】[一꾼] (명) 심마니.
산생【産生】(명) 생겨 나온 일. ——-하다 (자)(타)(여불)
산생-률【産生率】(명) 아이를 낳을 수 있는 여자수에 대한 출생수의 비.
산소-꺼림성【酸素一性】[一썽] (명) 혐기성(嫌氣性).
산소-따름성【酸素一性】[一썽] (명) 향기성(向氣性).
산소-떼기【酸素一】(명) 탈산(脫酸).
산소부화-공기【酸素富化空氣】(명) 산소의 양적 비율을 높인 공기.
산소-빼기【酸素一】(명) 탈산(脫酸).
산소빼기-감【酸素一】[一깜] (명) 탈산제(脫酸劑).
산소-즐김성【酸素一性】[一썽] (명) 호기성(好氣性).
산식-과수【散植果樹】(명) 마을 둘레와 산과 들에 한 그루 또는 몇 그루씩 널려져 있는 과일나무.
산-썩음【酸一】(명) 산패(酸敗).
산-어구【山一】(명) 산으로 올라가거나 들어가는 어귀.
산업-독【産業毒】(명) 생산 과정에 생기는 적은 양으로도 건강 장애를 일으키는 중독 물질.
산욕【酸浴】(명) 일부 공업 분야에서 원료 같은 것을 산의 액체 속에 담가 처리하는 일. 또, 그 산의 액체. ——-하다 (타)(여불)
산울림-치다【山一】(자) 메아리치다.
산유-법【散油法】[一뻡] (명)〔해〕센 파도를 만났을 때 배 둘레의 물위에 기름을 뿌리어 물결을 약화시키는 방법.
산장-밭【山莊一】(명) 산 속의 집에 딸려 있는 밭.
산-줄 (명)〔전〕전압이 걸려 있는 전깃줄.
산줄-작업【一作業】(명)〔전〕전압이 걸려 있는 상태에서 하는 일.
산-지도【一指導】(명) 실속 있는 지도.
산차【産次】(명) 축산에서, 암컷이 새끼를 낳은 번수.
산취-법【散取法】[一뻡] (명)〔농〕뽕나무 등의 가지를 사방으로 구부려 묻어서 뿌리를 내리게 하는 방법.
산-탁【山一】(명) ①산기슭으로 바짝 올라붙은 땅. ②산턱.
산-티【産一】(명) 산모의 얼굴에 나타나는 병적인 기색.
산-홈타기【山一】(명) 산골짜기의 홈이 진 곳.
살-가림 (명) 옷을 입어 맨살이 드러나지 않게 가리는 일. ——-하다 (자)(여불)
살가죽밑-주사【一注射】[一까一] (명) 피하 주사(皮下注射).
살결-물【一결一】(명) 로션(lotion). 미안수(美顔水).
살고-나다 (자) 좋은 기회가 이루어져서 불리하던 데로부터 벗어나 활기를 띠게 되다.
살-고무래 (명) 짧은 살이 촘촘히 박힌 고무래.
살-골집 [一찝] (명) 돼지고기를 썰어 넣은 순대.
살구나무-고무〔프 gomme〕(명) 살구나무의 액체가 흘러나와 굳어진 것을 완전히 말린 것. 유탁제(乳濁劑)로 씀.
살구다 (타) 어깨 같은 것을 위로 으쓱 돋구다. ¶어깨를 살구고 힘있게 대답했다.
살-나래 [一라一] (명) 바닥을 고르는 데 쓰는 살이 달린 나래. 트랙터로 끎.
살-대 [一때] (명)〔체육〕늑목(肋木)에 가로질러서 끼운 일정한 굵기의 둥근 나무. 늑목봉(肋木棒).
살대-운동【一運動】[一때一] (명)〔체육〕살대를 잡고 하는 운동.
살대-틀 [一때一] (명)〔체육〕늑목(肋木).
살락-히 (부) 가볍게 가만히.
살룩-살룩 (부) 다리를 가볍게 조금씩 저는 모양.
살름-거리다 (자)(타) 걸을 때에 가볍게 조금 절름거리다.
살맹이 (명) 멧대추.
살-멱 (명) 멱살.
살-물결 [一껼] (명) 깊지 않은 수면 위에 일어나는 작은 물결.
살-밭다 (형) 가족·친척 관계에서, 매우 가깝다. ¶살밭은 일가.
살번지-질 (명)〔농〕살이 달린 번지로 논밭의 겉면을 고르게 하는 일. ¶~을 한 모판. ——-하다 (자)(타)(여불)
살-벼리 (명) 그물을 붙이는 밧줄들 가운데서 그물이 직접 달린 밧줄.
살-열매 (명) 육과(肉果). 살진 열매.
살-웃음 (명) 살짝 웃는 웃음. ¶~을 치다.
살진대-꽃차례【一次例】(명)〔식〕육수(肉穗) 꽃차례.
살짝-공 (명) 배구에서, 페인트(feint). 또, 그 공.
살찌우기-못 (명) 양어장(養魚場)에서, 살찌우기 위해 따로 마련한 못.
살-채 (명) 바퀴살 같은 것의 긴 대.
살-틀 (명) 직선 부재(直線部材)를 사용한 트러스(truss) 구조.
살틀-다리 (명) 트러스교(truss橋).
살틀-하다 (형)(여불) 아끼고 위하는 마음이 지극하고 정답다. ¶살틀한 마음씨.
살-푸둥이 (명) ①몸에 살이 많고 적은 정도. ¶~가 좋다. ②몸에 살이 많은 사람을 놓으로 이르는 말.
삵의-웃음 [살기一] (명) 몹시 교활하고 사나운 빛을 띤 웃음.
삶은-김치 (명) 무를 약간 삶은 다음 양념하여 익힌 김치.
삼각-벌【三角一】(명) 삼각주(三角洲).
삼각-살【三角一】(명)〔생〕삼각근(三角筋).

심심-하다【深深—】형 여불 깊고 깊다.
심장-살【心臟—】명〖생〗심근(心筋). ¶ ～층.
심장-소리【心臟—】명〖생〗심음(心音).
심증【心症】[—쯩] 명 화증(火症).
싱갱-이 명 승강(昇降)이. ¶ ～질. ——-하다 자 여불
싱검-둥이 명 싱거운 짓이나 싱거운 소리를 잘 하는 사람을 놀림조로 이르는 말. 신건이. 싱검쟁이. 신검바우.
싱겅싱겅-하다 형 여불 방 안이 서늘할 정도로 차다. 「증세.
싱숭-증【—症】[—쯩] 명 마음이 들떠서 싱숭생숭한 느낌이 일어나는
싸개-질 명 여럿이 모여들어 에워싸고 승강이질하는 일. 싸개. ——-하
싸-대다 타 함부로 불을 지르다. └다 자 여불
싸락-쌀 명 싸라기. 싸래기.
싸리다 타 아프게 때리거나 날카롭게 치다. 쌔리다.
싸-박이 명 바느질에서, 천의 가를 올이 풀리지 않게 하거나 보기 좋게 하기 위하여 다른 천으로 싸서 박는 일.
싸움놀이-비행기【—飛行機】명 놀이 시설의 하나. 높이 세운 기둥을 축으로 여러 개의 비행기를 매달아 빙빙 돌게 되어 있음. 회전비행기.
싹-비늘 명〖식〗아린(芽鱗).
싹-뿌리 명〖식〗유근(幼根). 어린뿌리.
싹-잎 [—닙] 명〖식〗떡잎. 자엽(子葉).
싹잎-집 [—닙—] 명〖식〗자엽초(子葉鞘). 유아초(幼芽鞘).
싹-줄기 명〖식〗유경(幼莖). 어린줄기.
싹트는-률【—率】명〖식〗발아률(發芽率).
싹티운-먹이 명 발아 사료(發芽飼料). 발아먹이.
쌀-기름 [—끼—] 명 미강유(米糠油). 쌀겨기름.
쌀-깨묵 명 쌀겨에서 기름을 짜고 남은 찌끼.
쌀-미대【—米袋】명 쌀을 넣어가지고 다니는 길쭉한 주머니.
쌀-중태 명 '쌀주머니'를 홀하게 이르는 말. 쌀중태기.
쌈-바르다 형 르불 눈썰미 있고 재빠르다.
쌍날개-류【雙—類】명〖충〗파리목(目). 쌍시류(雙翅類).
쌍대-배기【雙—】명 쌍으로 이루어진 물건. ¶ ～ 사냥총.
쌍동 부 물건이 단번에 가볍게 잘라지거나 썰어지는 모양.
쌍-드레【雙—】명 두 사람이 마주 끈을 잡고 물을 풀 수 있게 된 두레박. ¶ ～질. 「차게 전진하는 일.
쌍마-전진【雙馬前進】명 두 가지 부문에서 다 천리마를 탄 기세로 힘
쌍-붙다【雙—】자 교잡(交雜)하다.
쌍태-머리【雙—】명 가랑머리. 양태머리.
쌓인-광석밭【—鑛石—】명 퇴적 광상(堆積鑛床).
쌓인-벌 명 퇴적 작용으로 이루어진 벌.
쌓인-층【—層】명 퇴적층(堆積層).
쌩-하다 형 여불 아주 멋있다.
써-나다 타 자꾸 써버릇하다.
써레기 명 ①칼로 썬 담배. 살담배. 썬담배. ② ↗써레기김치.
써레기-김치 명 섞박지. 막김치. 준써레기.
썩-박 명 죽어서 썩거나 삭아빠진 나무그루나 나뭇가지.
썩-삭다 자 ① 썩고 벌레먹어서 삭다. ②녹쓸어서 삭다.
썩-살 명 굳은살.
썩새 명 나뭇잎·새풀·삭정이 같은 것이 썩어서 덧쌓인 것.
썩새-흙 [—흑] 명 부엽토(腐葉土). ¶ ～층.
썩은데-살이 명〖생〗부생(腐生).
썩음막이-약【—藥】명 방부제(防腐劑).
쏘-구역【—區域】[러 co] 명 포탄이나 총탄이 집중적으로 떨어지는 위험한 지역. 「다.
쏘아-갈기다 타 냅다 쏘아서 갈기다. ¶ 기어오르는 적을 ～. 준쏴갈기
쏘아-넣다 [—너타] 타 ①일정한 구멍에 차 넣다. ¶ 상대편 골에 ～. ②기체나 액체 등을 센 압력으로 불어 넣다. ¶ 압축 공기를 ～.
쏘알-쏘알 부 알아들을 수 없는 말을 찌껄이는 모양. ¶ 계집애들이 ～ 지껄이며 웃어댄다. ——-하다 자 여불 「었다.
쏘여-들다 자 무엇이 한 곳으로 몰려 들다. ¶ 창문으로 찬 공기가 쏘여들
쏘임-길 [—낄] 명 베어낸 나무를 나르기 위하여 가파른 산비탈에 도랑을 파거나 번번하게 만들어서 낸 길.
쏜-치다 타 쏜뜨리다. 쏜다.
쏠라닥-쏠라닥 부 ①쥐 등이 물건을 쏠고 못쓰게 만드는 모양. ②가위로 베어내는 소리나 모양. ③남의 눈을 피해 가며 자꾸 못된 장난을 하거나 해로운 짓을 하는 모양. 준쏠닥쏠닥·쏠락쏠락. ——-하다 자타 └여불
쏠림-빛 [—빋] 명〖물〗편광(偏光). 빛쏠림.
쏠림-하중【—荷重】명〖물〗편심(偏心) 하중.
쏠-세포【—細胞】명〖생〗자세포(刺細胞).
쏠-실 명〖생〗자사(刺絲).
쏠쏘리 명 장난이 심한 조무래기.
쏠-장 [—짱] 명 광산에서, 막장을 파들어가기 전에 박아 넣어서 그 보호 밑에 작업하는 널판이나 철판.
쏭기다 자타 쏠리거나 몰리다. 또, 쏠리게 하거나 몰리게 하다.
쏭알-쏭알 부 잘 알아듣지 못할 목소리로 좀 낮게 자꾸 지껄이는 모양. ——-하다 자 여불 「질군.
쐐:기-군 [—꾼] 명 사람들 사이에 쐐기를 박아 이간시키는 사람. 쐐기
쐐기-뼈 명〖생〗설상골(楔狀骨).
쐬다 자 한쪽으로 삐딱하게 기울다.
쐭심-하다 형 여불 남자의 목소리가 쉬고 굵다.
쑤걱-쑤걱 부 ①말없이 매우 꾸준하게 일하는 모양. ②수굿하고 아무 말 없이 걷기만 하는 모양.
쑤시개-질 명 ①무엇을 자꾸 쑤셔 내는 일. ②있는 일, 없는 일 등을 들추어 내는 일. 쑤심질. ——-하다 자타 여불
쑥덕-질 명 가만히 쑥덕거리는 짓. ——-하다 타 여불
쑥-바구니 명 긴 머리털이 어지럽게 헝클어진 상태를 비겨 이르는 말.
쓰고-나다 타 누구의 모습이나 성질을 꼭 그대로 닮고 태어나다.
쓰고-살다 타 어떤 집을 차지하고 거기에서 살다. ¶ 기와집을 ～.
쓰레 명 빗물 같은 것에 쓸리어 나간 민틋한 땅.
쓰리 명 음식을 씹다가 볼을 깨물어서 생긴 상처.
쓰릿-하다 형 여불 좀 쓰린 느낌이 있다.
쓰임-쓰임 명 씀씀이.
쓸림 명〖물〗마찰(摩擦). ¶ ～ 전기(電氣)/ ～ 용접/ ～ 손실.
쓸림-곁수【—數】명〖물〗마찰 계수(摩擦係數). 마찰곁수.
쓸림-축물개【—軸—】명〖물〗마찰 클러치. 마찰 크라치. 쓸림카프링.
쓸림-힘 명〖물〗마찰력(摩擦力).
쓸-말 명 꼭 필요한 말. 쓸소리.
쓸어-나오다 자 한꺼번에 마구 몰려 나오다.
쓸어-들다 자 한꺼번에 몰려 들다.
쓸어-맞춤 명〖공〗기계나 기구를 보다 정밀하게 만들기 위해 부분품의 겉면을 깎아 내거나 긁어 내는 마무리 작업. 섭합(摺合). 습합.
쓸어-안다 [—따] 타 마구 부둥켜 안다.
쓸어-엎다 타 마구 무찔러 버리다.
쓸어-일어나다 자 한꺼번에 우 일어나다.
쓸치다 자 ①두 물체가 닿아 문질리거나 스치어 비벼지다. ②살이 몹시 문질리어 살갗이 벗겨지다.
씁씁-하다 형 여불 짐짓 모르는 체하여 시치미를 떼는 태도가 있다.
씌운-줄 명 피복선(被覆線).
씌움-감 [—깜] 명 피복재(被覆材).
씨글-씨글 부 득시글득시글. ——-하다 자 여불
씨-나락 명 볍씨. 벼씨. 「는 일.
씨-넣기 [—너키] 명 밭이랑에 일정한 간격으로 씨앗을 뿌리거나 박아 넣
씨-다구 명〈속〉씨. ¶ ～도 먹어 버리다.
씨루다 자타 입가나 얼굴 근육을 실룩실룩 움직이다. 또, 움직이게 하다. 실룩하다. ¶ 얼굴을 ～.
씨만-하다 형 여불 좀 불만스럽고 맞갖잖거나 쾌씸하다.
씨벌-이다 자타 '말하다'·'지껄이다'를 낮잡아 이르는 말.
씨-붙임 [—부침] 명 ①파종(播種). ②씨앗이 땅에 뿌리를 내리고 싹이
씨-수【—數】명〖수〗소수(素數). └트는 일. 씨붙음.
씨실-코 명 씨실이 잘못 꼬이어 천의 겉면에 나타난 흠집. 씨실코흠.
씨앗-모 명 실생묘(實生苗).
씨앗속-껍질 명〖식〗내종피(內種皮).
씨앗-숲 명 실생림(實生林).
씨엉-씨엉 부 시원시원한 걸음걸이로 기운차게 걷는 모양. ——-하다
씰그다 명 씰그러뜨리다. └형 여불
씰그렁 부 함부로 씰그러지는 모양. ¶ ～하고 벽이 무너지다. ——-하
씻음-약【—藥】명 세척제(洗滌劑). 씻는약. └다 자 타 여불

ㅇ

아가미-활 명 새궁(鰓弓). 활뼈.
아-공석강【亞共析鋼】명 탄소가 0.02～0.85% 들어 있는 강철.
아구【鵝口】명 정 따위를 대고 구멍을 뚫을 때, 밀려나지 않게 얕게 파 놓은 구멍.
아구탕-이 명 두루마기·속곳 등의 혼 솔기를 터 놓은 구멍. 아귀.
아궁-돌 [—똘] 명 아궁이에 걸쳐 댄 돌. 아궁이돌.
아궁-불 [—뿔] 명 아궁이에 때는 불. 아궁이불.
아궁-재 [—째] 명 아궁이 속의 재. 아궁이재.
아귀-눈 명 아귀에서 싹트는 눈. 측아(側芽). 곁눈. 액아(腋芽).
아귀-차다 자 ①입 안에 가득 차다. ②휘어잡기 어려울 만큼 벅차다.
아글-바글 부 많은 사람이나 동물들이 좁은 데서 몹시 붐비거나 뒤끓는 모양. ——-하다 자 여불
아글-타글 부 무엇을 이루려고 몹시 애를 쓰거나 기를 쓰고 달라붙는 모양. ——-하다 자 여불 「는 부분. 아귀.
아금 명 ①물건의 갈라지거나 금이 간 곳. 아귀. ②씨의 싹이 터서 나오
아금박-하다 형 여불 ①탐탁하고 살뜰하다. ②이악하고 깐깐하다.
아금-스럽다 형 ㅂ불 이악하고 탐탁한 데가 있다. 아금박-스레 부
아낙-각【—角】명 내각(內角).
아낙-닿이 명 내접(內接).
아낙닿이-원【—圓】명〖수〗내접원(內接圓).
아낙-마디 명〖수〗내항(內項).
아낙-면【—面】명 내면(內面). 안쪽면.
나낙-불칸 명 증기 기관차 보일러에서 연료가 타는 곳. 내화실(內火室).
아늑-감【—感】명 아늑한 느낌. 「사람.
아다모끼 명 마구잡이나 생억지. 또, 마구잡이로 하거나 생억지를 쓰는
아달맹-이 명 야무지고 주견(主見)이 똑바르며 똑똑한 어린아이.
아당-지다 형 몸집이 작달막하며 딱 바라지고 야무지다.
아뒤-섶 명 돛천의 아래 뒷섶에 덧천을 붙이고 고리를 단 모서리.
아들-손자【—孫子】명 친손(親孫).
아래-가름대 [—때] 명〖어업〗긴 그물의 아가리를 벌려 버티는 나무대.
아래-간【—間】[—깐] 명 ①아랫방. ②아래칸.

아래길-다리 [―낄―] 명 하로교(下路橋).
아래-불 [―뿔] 명 〖임학〗 멧갓 밑에서 땅 겉면을 붙어 나가는 산불의 한 형태.
아래-우 명 아래위.
아래-질【―質】[―찔] 명 아랫길.
아래층-구름【―層―】명 〖기상〗 하층운(下層雲).
아래-틀 명 기계 따위의 아래쪽 틀.
아로-지니다 타 마음 속 깊이 아로새겨 지니다.
아록아록-하다 형여불 좀 연하게 알록알록하다.
아름-지다 형 한 아름에 가깝다.
아리무던-하다 형여불 사람됨·마음씨가 곱살하고 무던하다.
아마-깨묵【亞麻―】명 아마박(亞麻粕). 아마씨 깻묵.
아마씨-기름【亞麻―】명 아마인유(亞麻仁油).
아마-천【亞麻―】명 아마직(亞麻織).
아막아막-하다 형여불 자국이나 자리가 꼭꼭 찍은 듯이 나다. ¶손자국이 ~.
아무리다 타 ①오므리다. ②마무르다.
아부재기 명 ①아우성. ②야단스런 엄살. 「타여불
아삭-바삭 부 아삭거리고 바삭거리는 소리. 또, 그 모양. ――-하다 자
아선-하다【牙善―】형여불 소리가 맑고 곱다. ¶아선한 노랫소리.
아스라-하니 부 아스라이.
아스랗다 [―라타] 형ㅎ불 ↗아스라하다.
아스런-하다 형여불 아득하게 멀어 희미하다. 아스런-히 부
아스무레 부 좀 아슴프레한 모양. ――-하다 형여불
아슬-하니 부 아슬하게.
아슬-하다 형여불 ①몸이 아스스하여 소름이 끼칠 만큼 차갑거나 추운 느낌이 있다. ②잘못될 것같이 위태로워 보이거나 조마조마한 느낌이 있다.
아시-김 명 애벌 김. ¶~과 두벌 김.
아시-저녁 명 초저녁.
아식-보총【A式步銃】명 총신이 긴 '러시아제 보병총'을 이르던 말.
아울러-쓰다 타 ①겸하여 쓰다. ②공동으로 같이 쓰다. ¶공구를 ~.
아이-낳이 명 해산(解産). ――-하다 자여불
아이-보개 명 아이 보는 사람.
아작-얼음 명 밟으면 아작아작 소리는 나되 꺼지지는 않는 얼음.
아장귀 명 가장귀.
아주박이-저고리 명 거죽과 안을 아주 박은 겹저고리.
아지-따기 명 ①〖임학〗 베어낸 나무의 가지를 따는 일. ②〖농〗 강냉이 등 작물의 이삭이 생기지 않는 가지를 따 주는 일.
아지-마디 명 〖농〗 분얼(分蘖)을 할 수 있는 마디. 분얼절(分蘖節).
아지-밀 명 이삭에서 분얼(분蘗)하는 밀.
아지-비료【―肥料】명 농작물이 분얼을 잘 하도록 주는 비료.
아지-치기 명 〖농〗 분얼(分蘖).
아지치는-때 명 〖농〗 분얼기(分蘖期).
아짜아짜-하다 형여불 순간적으로 매우 위태로워서 마음이 죄어들게 아슬아슬하다.
아차아차-하다 형여불 순간적으로 매우 위태로워서 아슬아슬하다.
아츠랗다 [―라타] 형ㅎ불 ①매우 아슬아슬하게 높다. ¶아츠랗게 높은 철탑. ②매우 멀어 아득하다.
아츠럽다 형ㅂ불 ①애처롭다. ②소리가 역겨울 만큼 듣기 싫고 날카롭다.
아치-조금 명 아츠조금.
아침-대거리【―代―】[―때―] 명 아침 교대.
아침-동자 명 아침밥을 짓는 일.
아침-바라기 명 아침에 바다가 고요해지는 현상. 아침뜸.
아침-빛 [―삧] 명 아침 햇빛.
아파-나다 자 아프지 않던 것이 아프게 되다.
아포-과【芽胞果】명 〖생〗 물에 사는 양치 식물의 포자(胞子)가 모여 뭉쳐서 잎 밑에 붙은 것.
악-다물다 타 악물리도록 꼭 다물다.
악-마구리 명 〖동〗 참개구리. 악머구리.
악마디-지다【惡―】형 마디가 울툭불툭하게 두드러지다.
악물-스럽다【惡物―】형ㅂ불 성질이 매우 악독하다. 악물-스레【惡物―】부
악-바르다 형르불 이악하고 영리하다.
악-스럽다【惡―】형ㅂ불 보매 악한 데가 있다. 악-스레【惡―】부
악-악 부 ①몹시 기를 쓰며 자꾸 내지르는 소리. ②세찬 기세로 일을 해내거나 밀고 나가는 모양. ――-하다 자여불
악청 명 악을 내지르는 목청.
안-갈이 명 보습에 갈아지는 흙이 안쪽으로 넘어가게 되는 일.
안같기-기호【―記號】명 〖수〗 부등호(不等號).
안같기-식【―式】명 〖수〗 부등식(不等式).
안:개-발 [―빨] 명 발처럼 길게 뻗어 있거나 퍼져 있는 안개.
안-겁 명 주물 속에 빈 곳을 내기 위해 거푸집 안의 공간에 두는 형틀. 심형(心型).
안겨-깨우기 명 모계 부화(母鷄孵化).
안겨-오다 자 ①품에 안기어 오다. ②한 눈에 환히 보이다. ③머리 속에 똑똑히 들어오거나 마음 속 깊이 느껴지다. ④보는 듯이 눈앞에 뚜렷이 떠오르다. ⑤바람·비·눈·빛·냄새 등이 함빡 앞으로 닥치듯 느껴지다. ¶냄새가 ~.
안겨-주다 타 ①무엇을 가슴에 품게 하여 주다. ②임무·과업을 맡아 하도록 하여 주다. ③고무하거나 북돋아 주어 지니도록 하다. ④영예·행복·자유 등을 베풀어 주어 누리게 하다.
안-골짜기 [―꼴―] 명 안쪽 골짜기. 안골.
안-굽 [―꿉] 명 안쪽의 깊숙한 구석.
안-내기 명 씨름에서, 안낚시.
안-녘 명 안쪽.
안달다 자 안달하다.
안-당기다 타 시간·날짜를 미리 앞당기다.
안-도리 명 식용 짐승의 내포(內包). 내장(內臟).
안땅 명 〖악〗 민족 음악 장단의 한 가지. 4분의 4박자로 된 장단으로 '옹헤야'에 잘 어울림. 옹헤야장단. 안땅장단.
안마당-지기 명 야구에서, 내야수(內野手).
안마르는-기름 명 불건성유(不乾性油).
안-목 명 안쪽의 자리. ¶방의 ~에 앉다.
안-바다 [―빠―] 명 〖지〗 내해(內海).
안바른-꽃 명 〖생〗 부정제화(不整齊花).
안반-뒤지기 명 서로 엎치락뒤치락 하면서 안고 돌아가는 일. ――-하다 자여불
안-받침 명 어떤 일·이론 등을 내적(內的)으로 받쳐 주는 일. ――-하다 타여불
안-붙임 [―부침] 명 썩거나 닳는 것을 막으려고 관·그릇·간단한 동력 기계 등의 안쪽에 썩지 않는 재료를 붙이는 것.
안-살 [―쌀] 명 안주인의 친척인 사람.
안-속 [―쏙] 명 ①겉으로 드러나지 않은 속이나 어떤 테두리의 안. ¶~이 눈같이 희다. ②어떤 일·사물 등 현상의 범위 안이나 본질 또는 내용. ③품고 있는 속마음. ④속으로 차리는 잇속이나 실속.
안-실 [―씰] 명 겹천이나 홑천에서 안쪽에 놓은 실.
안음-새 명 무엇을 안은 상태나 모양새.
안일부화-하다【安逸浮華―】형여불 일하기 싫어하고 편안하게만 지내려 하며, 도덕 생활에서 들뜨고 건전하지 못하다.
안전-고리【安全―】명 안전못을 뽑기 쉽도록 달아 놓은 고리.
안전-그물【安全―】명 높은 데서 일하는 사람이나 서커스 같은 것을 하는 사람이 안전하도록 밑에 치는 그물. 안전망(安全網).
안전-못【安全―】명 안전 장치 역할을 하는 못. 안전핀. ¶수류탄의 ~.
안전-부【安全部】명 안전 장치를 한 부분.
안전-원【安全員】명 ①사회 안전원. ②사건·사고 등을 예방하는 분야에서 일하는 사람. ¶교통 ~.
안정-관【安定管】명 〖전〗 안정되고 고른 전압 및 전류를 얻기 위하여 쓰는 전자 기구.
안-직경【―直徑】명 안지름. 내경(內徑).
안쪽마디-턱 명 발의 안쪽 복사뼈. 내과(內踝).
안쪽-발 명 ①두 다리가 안쪽으로 휘어 발끝이 안쪽으로 향한 발. ¶~과 안짱다리. ②안쪽에 놓인 발.
안-층【―層】명 내층(內層).
안-침 명 안쪽으로 쑥 들어간 곳. 속침. ¶마을 ~에 있는 양계장.
안침-지다 형 안쪽으로 치우쳐 아늑하고 구석지다.
안침-하다 형여불 안쪽으로 치우쳐 아늑하다.
안-칸 명 〖고고학〗 옛 무덤에서 시체를 두는 방. 현실(玄室).
안팎-려비【―旅費】명 안팎 노자(路資). 왕복 여비.
안풍-하다【安風―】형여불 바람이 막히어 아늑하고 바람이 없다.
앉아-버티기 명 연좌(連坐) 데모.
앉아-버티다 자 ①앉아서 버티다. ②연좌 데모하다.
앉은-그네 명 앉아서 뛰는 그네.
앉은방아-질 명 앉은 채 궁둥이를 들썩이는 짓. ――-하다 자여불
앉은-잠 명 앉아서 자는 잠.
앉은키-자 명 앉은 키를 재는 자.
알-가리 명 물고기가 알을 낳는 일. ¶붕어의 ~. ――-하다 자여불
알-가마 명 아주 작은 가마.
알-간장【―醬】명 가루로 된 간장을 일정한 크기·모양으로 빚은 간장. 필요할 때 물에 타서 씀.
알-갈림 명 〖생〗 난할(卵割).
알-고추장【―醬】명 말려서 알로 만든 고추장. 물에 풀어서 먹음.
알곡-기지【―穀基地】명 알곡 생산에서 중요한 자리를 차지하는 곳.
알곡-작물【―穀作物】명 알곡을 내는 작물. 벼·옥수수·밀·보리·수수·콩·팥 따위.
알기 명 바다에서 고기를 잡기 위하여 그물을 칠 때 그물 테두리에 표지로 달아 놓는 물건.
알까기-하다 자여불 부화(孵化)하다.
알-깍지 명 알껍데기. 알껍질.
알-깨우기 명 ①부화(孵化). ②최청(催靑).
알-꽂개 명 계란판.
알끈-하다 형여불 ①좀 알짝지근하다. ②알뜰하고 깔끔하다.
알-낳이 명 산란(産卵). ¶~철. ――-하다 자여불
알낳이-닭 [―닥] 명 알을 낳는 닭. 산란계(産卵鷄). 알암닭. 알닭.
알-대가리 명 맨대가리.
알-동이 명 썩 작은 동이.
알-된장【―醬】명 ①말려서 알처럼 만든 된장. ②순전한 된장.
알땅구 명 삼발이의 하나. 오각(五角)별 모양인데 넓고 납작하며 등쪽은 불룩하고 배는 평평함. 오각삼발이.
알-똥 명 알 모양으로 싸는 똥.
알라꿍-달라꿍 부 보기 싫게 몹시 알락달락한 모양. ――-하다 형여불
알-로친네【―老親―】명 ①키와 몸집이 작은 노파를 홀하게 이르는 말. ②여자 애늙은이.

알록 [명] 작은 얼룩.
알-류【—類】[명] 달걀·오리알 등 여러 가지 알을 통틀어 일컫는 말.
알림-판【—板】[명] 게시판(揭示板).
알-망나니 [명] 알짜 망나니. 또, 아주 심한 망나니.
알맞음-증【—症】[—쯩] [명] 적응증(適應症).
알맞춤-하다 [형][여불] 비슷하게 알맞다. **알맞춤-히** [부]
알맹이-지다 [자] 내용이 실속 있게 여물다.
알받이-종【—種】[—바지—] [명] 알을 받기 위해 기르는 가금(家禽).
알-밥 [명] ①알주머니에서 털어 낸 명태알의 알갱이. ②알밥젓.
알밥-젓 [명] 알밥으로 담근 젓. 알밥.
알-비료【—肥料】[명] ①낟알이 잘 달리고 잘 여물게 하는 비료. ②알 모양의 비료.
알-새 [명] 열매나 과일알의 크기나 모양새.
알-쌈[1] [명] 총알을 몇 개씩 끼워 하나의 묶음으로 만드는 물건.
알-쌈[2] [명]〖생〗여포(濾胞). 난포(卵胞).
알-쓸이 [명] 물고기·벌레 등의 알을 낳는 일. 산란(產卵). ——-하다 [자][여불]
알쓸이-못 [명] 산란지(產卵池).
알씬-하다 [형][여불] 코를 찌르게 알알한 느낌이 있다.
알-알 [명] 여럿 가운데 하나하나의 알.
알알-샅샅이 [—사치] [부] 하나도 빼놓지 않고 어느 구석이나 모두 다. ¶~ 뒤지다.
알약-기계【—藥機械】[명] 알약을 만드는 기계. 제환기(製丸機). 환제기(丸製機).
알약-옷【—藥—】[명]〖약〗당의(糖衣).
알음-하다 [자][타][여불] 알은 체하여 관계하다.
알-자국 [명] 착근(着根)이 잘 되도록 씨앗을 놓을 자리를 밟아 놓은 자국.
알-종【—種】[명] 난용종(卵用種).
알-지다 [형] ①알의 살이 많이 올라 있다. ②가치나 실속이 있다.
알집-관【—管】[—찝—] [명] 벌레의 알집을 이루는 관.
알쭌-하다 [형][여불] 순수하거나 순전하다. **알쭌-히** [부]
알찌근-하다 [형][여불] 좀 알짝지근하다.
알찍-하다 [형][여불] 알찌근하다.
알탄-기【—炭機】[명] 알탄을 빚는 기계.
알-풀개 [명] 달걀 따위가 고루 풀리어 섞이도록 휘젓는 도구.
앓은-병【—病】[명]〖의〗기왕력(旣往歷).
암:-가루 [—까—] [명] 암죽을 쑬 수 있게 가공한 가루.
암꽃술-잎 [—립] [명]〖식〗심피(心皮).
암-물 [명] 암죽 또는 암죽의 물. 암죽물.
암시-경【暗示鏡】[명] 전자 망원경.
암-차다 [형] 암팡지고 세차다.
암-추도【暗隧道】[명]〖건〗땅 속 깊이 패어 있고 굴 안에 물이 가득 차 있는 어두운 수도(隧道).
암탉-걸음 [—탁—] [명] 씨암탉 걸음.
암통-하다 [형][여불] ①앙큼하고 심술 사납다. ②머리가 틔지 못하고 막히어 생각하는 것이 답답하다.
암팍-지다 [형] 매우 암팡지다.
암해-분자【暗害分子】[명] 남의 눈을 속이고 몰래 해독 행위를 하는 적대 분자.
암행어사-식【暗行御史式】[명] 몰래 남의 허물만 캐고 들춰 내는 낡은 사업 방식을 비겨 이르는 말.
압철【壓鐵】[명] 중기관총의, 탄알이 나가도록 누르는 장치.
압형-유리【壓型琉璃】[명] 프레스로 눌러서 만든 유리.
앗기-우다 [피동] 남에게 앗음을 당하다. 앗기다.
앗아-빼다 [타] 빼앗아 내다.
앙가바틈-하다 [형][여불] 좀 앙바틈하다.
앙가-풀이 [명] 앙갚음.
앙금-약【—藥】[명] 침전제(沈澱劑).
앙기작-거리다 [자][타] 되똥거리며 귀엽게 걷다. **앙기작-앙기작** [부]. ——-하다 [자][타][여불]
앙-다물다 [타] 힘주어 꽉 다물다.
앙-바라지다 [형] 앙바틈하게 바라지다.
앙상-쟁이 [명] '앙상한 사람'을 홀하게 이르는 말.
앙탈-쟁이 [명] '앙탈을 잘 부리는 사람'을 홀하게 이르는 말.
앞-강토【—強土】[명]〖건〗물이 새지 않고 둑이 든든해지도록 물 있는 쪽에 덧쌓는 흙이나 돌 같은 것.
앞-걸음 [명] 발끝이 향한 쪽으로 걷는 걸음. 뒷걸음에 상대하는 말. ——-하다 [자][여불]
앞-기미【—幾微·—機微】[명] 전조(前兆).
앞-깃 [명] 앞으로 여미게 된 깃.
앞-나서다 [자] 앞으로 나서거나 앞장을 서다.
앞-눈 [명] 앞등. ¶자동차의 ~.
앞뒤 같은 잎 [명]〖식〗등면엽(等面葉).
앞뒤-치기 [명] 어떤 일을 하다가 환경과 조건이 달라지면 그에 맞게 다른 일을 하는 식으로 서로 다른 두 가지 일을 다 하는 일. ——-하다 [자][여불]
앞뒤-하다 [一][자][여불] 시간적으로 연이어 하다. ¶체육 대회와 예술 경연이 앞뒤하여 열리다. [二][타][여불] 일정한 때를 중심으로 하여 하다. ¶명절을 앞뒤하여 새 영화가 상연되다.
앞-등【—燈】[명] 자동차·기관차 등의 차 앞에 달린 등. 앞눈. 전조등(前照燈).
앞-막【—幕】[명]〖연〗면막(面幕).
앞-맵시 [명] 앞쪽 맵시. 뒷맵시에 상대하는 말.
앞-물 [명] 떼의 속도가 물보다 빠르기 때문에 나무나 떼를 내려보내기 전에 미리 수문을 열어 내려보내는 물.
앞-벌이줄 [—쭐] [명] 쌍돛배나 세돛배에서, 맨 앞 돛대의 강도를 유지하게 하는 벌이줄.
앞-불칸 [명] 타는 속도가 느리거나 발열량이 적은 탄(炭)을 연소실에 넣기 전에 가열하여 그 효율을 높이는 장치. 전화실(前火室).
앞-붙이 [—부치] [명]〖언〗접두사.
앞-설겆이 [명] 일을 치르기 전에 미리 하는 설거지. ——-하다 [자][여불]
앞-세기 [명]〖의〗피부병의 한 가지. 풍진(風疹).
앞-차림 [명] 제 앞에 당한 일을 스스로 가려서 해 내는 일. 앞채기. ——-하다 [자][여불]
앞천장-소리【—天障—】[명]〖언〗경구개음(硬口蓋音).
앞-치닥거리 [명] ①앞장 서서 일을 보살피면서 뒤에 하는 사람에게 도움이 되게 해 주는 일. ②앞치레❷. ——-하다 [자][여불]
앞-치레 [명] ①몸의 앞 부분을 꾸미는 치레. ②제 앞에 당한 일을 치러 내는 일. 앞치닥거리. ——-하다 [자][여불]
앞-코 [명] ①신의 맨 앞 코. ②앞코숭이. ③행동이나 차례 등의 맨 첫머리.
앞-코숭이 [명] 맨 앞 끝.
앞-턱 [명] 앞쪽에 있는 턱. 앞탁. ¶큰길로 들어오는 ~에 기념비가 있다.
애-가지 [명] 봄철에 새로 돋는 어린 나뭇가지.
애-간【—肝】[명] 애간장.
애개 [감] 애개.
애고-땜 [명] 원통하거나 억울하다는 넋두리를 하며 울고 떠드는 일. ¶~을 늘어놓다.
애고-롭다【哀苦—】[형][ㅂ불] 슬프고 괴롭다. **애고-로이**【哀苦—】[부]
애국-미【愛國米】[명] 해방 후 토지 개혁에 의하여 땅의 주인이 된 농민들이 새 조국 건설을 돕기 위하여 국가에 바친 쌀.
애국-주의【愛國主義】[명] 사회주의적 애국주의. ¶~ 교양.
애-군 [—꾼] [명] 늘 애를 먹이는 사람.
애기-과자【—菓子】[명] 애기들이 먹는 질좋은 과자의 한 종류.
애-기름 [명] 간유(肝油).
애기-사탕【—砂糖】[명] 어린애들이 먹기 좋게 만든 알사탕의 한 가지.
애기집-가르기 [명]〖의〗제왕 절개 수술(帝王切開手術).
애기-차【—車】[명] 유모차(乳母車).
애-낳이 [명] ↗아이낳이. ——-하다 [자][여불]
애동-호박 [명] 애호박.
애-돼지 [명] 애돝.
애-모쁘다 [형] ①마음에 사무치게 정겹고 그립다. ②뜻대로 되지 않아 애타고 안타깝다.
애발-스럽다 [형][ㅂ불] 보기에 매우 애바르다. **애발-스레** [부]
애벌-종이 [명] 초배지.
애비-품종【—品種】[명]〖축산〗교잡(交雜)시킨 수컷의 품종.
애-솔나무 [—라—] [명] 어린 소나무.
애-어리다 [형] 아주 어리다.
애-잎 [명] 어린 잎.
애잡짤-하다 [형][여불] 가슴이 미어지듯 안타깝다. 또는 안타까워서 애가 타는 듯하다. ¶애잡짤한 설움이 가슴속에 서리다.
애저녁-달 [명] 초저녁달.
애-지우기 [명] 인공 유산(人工流產). [준]애지기.
애-태【—太】[명] 어린 명태. 노가리. 애기태.
애통-스럽다【哀痛—】[형][ㅂ불] 애통한 마음이 간절하다.
애형-강【—形鋼】[명] 에이치(H)형강.
액-풀이【厄—】[명] 액막이.
야기 [명] 주로 아이들이, 불만스러워서 떠들어 대는 일. ¶~를 부리다/~를 쓰다.
야단독판-치다【惹端獨—】[자] 남을 무시하고 혼자서 마구 행동하다. 야단독장(惹端獨場)치다.
야단-받이【惹端—】[—바지] [명] 남에게 야단·꾸지람을 받는 일. 또, 그런 사람.
야단-질【惹端—】[명] 몹시 야단치는 일. ——-하다 [자][여불]
야드럽다 [형][ㅂ불] 야들야들한 데가 있다.
야쁘장-스럽다 [형][ㅂ불] '이쁘장스럽다'를 귀엽게 이르는 말. **야쁘장-스레** [부]
야쁘장-하다 [형][여불] '이쁘장하다'를 귀엽게 이르는 말.
야싸-하다 [형][여불] ①당하는 느낌이 좀 벅차게 자극이 세다. ¶야싸하게 맵다. ②좀 후회되게 아쉽다. ¶야싸하게 졌다.
야영-각【野營閣】[명] 야영생들이 들어 생활하는 집.
야영-생【野營生】[명] 야영하는 사람.
야외-등【野外燈】[명] 옥외등. 외등. 야외 등불.
야장-공【冶匠工】[명] 대장장이.
야장-일【冶匠—】[명] 대장일. ——-하다 [자][여불]
야전-밥통【野戰—桶】[명] 반합(飯盒).
야전-콘센터【野戰—】〔concenter〕[명] 야전 군부대의 중심·집결지. 또는 그 건물. 야전군 센터.
야즐-거리다 [자] ①무엇이 반사되어 아물거리다. ②좀 아니꼽게 지부럭거리다.
야지랑 [명] 얄밉고 능청스러운 태도.
약간-하다【若干—】[형][여불] (주로 '약간한'으로 쓰여) '얼마간'·'얼마 안 되는'의 뜻을 나타냄. ¶약간한 간식을 가지고.
약-갈이【藥—】[명]〖약〗유발(乳鉢).
약-맥주【弱麥酒】[명] 아직 다 익지 않은 맥주. 풋맥주.
약-바르다 [형][르불] ①매우 약고 영리하다. ¶나이는 어리지만 누구보다도 약바른 아이. ②약삭빠르다. 약빠르다.

약새-질 【藥—】 명 약시시. ——-하다 자여불

약-심지 【藥心—】 명 ①도화선(導火線). ②〖의〗 고름집 등에 넣어 약작용이 오래되도록 약처리를 한 심지. 약봉(藥封).

약통-물개 【藥筒—】 명 소총의 노리쇠뭉치, 대포의 폐쇄기 등의 갈퀴. 사격 후 후퇴하는 탄피(彈皮)를 물고 나옴.

얄죽-하다 [—쭉—] 형여불 얄찍하다.

얄포름:-하다 형여불 비칠 정도로 연하게 얇다. 얄포름-히 부

얄핏-하다 형여불 좀 얇은 듯하다. 얄팍하다.

얇히다 [얄피—] 타 얇게 하다.

양간-하다 형여불 투박하지 않고 맵시 있다.

양국-놈 【洋國—】 명 양놈.

양말-바지 【洋襪—】 명 ①바짓가랑이에 양말이 달린 바지. ②팬티 스타킹.

양복-사 【洋服士】 명 양복을 만드는 기술자. 양복장이.

양산-치마 【陽繖—】 명 플레어 스커트.

양산-풍 【陽傘—】 명 비치 파라솔.

양삼-밭 【養蔘—】 명 인삼밭.

얕추다 타 얕게 하다.

얘질-얘질 부 얄밉고 깜찍하게 구는 모양. ¶생긋생긋하며 ~ 말하다. ——-하다 자여불

어간-어간 【於間於間】 명 시간이나 공간에서의 일정한 사이 사이. ¶아파트 거리의 ~에는.

어긋-지다 ㊀ 형 서로 어긋나 있다. ㊁ 자 서로 어긋나게 되다.

어긋-틀다 타 어그러지게 밀어제끼며 틀다.

어기-채기 명 서로 번갈아 엇바꾸는 일. ——-하다 자타여불

어기-채다 자타 어기치다.

어기-치다 자타 ①서로 방향이 어긋나게 걸치거나 지나치다. ¶어기쳐 지나가는 사람. ②서로 방향이 어긋나게 나란히 돋아나다. ¶어기친 톱니. ③서로 번지다. ¶하나씩 둘씩 ~.

어김-다리 [—따—] 명 두 철길이나 길이 엇갈린 곳에 놓은 다리.

어깨-끈 명 멜빵.

어깨-받치개 명 무엇을 멜 때에 어깨에 받치는 물건.

어깨-사다리 명 여러 사람이 어깨 위에 계속 올라서서 사다리 모양을 만든 것.

어깨-성 【—城】 명 어깨끼리 잇대어 성처럼 둘러싼 것.

어깨-울음 명 어깨를 들먹이며 우는 울음.

어깨-저울 명 받침점이 가운데에 있고 양쪽 팔의 길이가 같은 지렛대를 이용한 세밀한 저울.

어깨-채 명 양쪽 끝에 짐을 걸어 메게 된 채.

-어다 조 이음을 나타내는 토의 하나. ¶깨끗이 쓸~ 내버리다.

-어다가 조 -어다.

어-독 【—毒】 명 언 상처에 든 독기.

어두-진미 【魚頭珍味】 명 어두 일미(魚頭一味).

어둑-서니 명 어두운 밤에 아무 것도 없는데 있는 것처럼 잘못 보이는 물체나 헛것. 어둑귀신.

어둑선-하다 형여불 똑똑히 가려볼 수 없을 만큼 싫게 어둑하다. ¶어둑선한 골목길.

어둑스레-하다 형여불 매우 어둡거나 어두운 느낌이 있다.

어둑시그레:-하다 형여불 ①똑똑히 가려볼 수 없을 만큼 좀 어둡다. ②질서가 없고 뒤떨어진 상태에 있다.

어둠-점 【—點】 [—쩜] 명 〖생〗 맹점(盲點).

어둠-탄 【—炭】 명 광택 조성 성분이 거의 없든가 있더라도 회분이 많은 석탕의 한 종류. 암탄(暗炭).

어떻거다 [—떠커—] 자타 어떡하다.

어뜩-잠 명 자기도 모르는 사이에 잠깐 드는 잠.

어렵-성 【—性】 [—썽] 명 어려워하는 성질.

어루-비치다 자타 좀 연하고 희미하게 비치다.

아루-쓰다듬다 [—따—] 타 어루만지며 쓰다듬다. 어루만지다.

어른-싸다 형 어른스러운 데가 있거나 어른에 못지 않다.

어리-궂다 형 매우 어리광스럽다.

어리-손 명 남의 환심을 사려고 어벌쩡하게 행동하는 일. 엉너리. ¶~을 치다.

어린-둥이 명 '어린아이'를 홀하게 이르는 말.

어망결-에 [—결—] 부 얼떨결에.

어망처망-하다 형여불 너무도 어마어마하고 끔찍하다.

어머니-공장 【—工場】 명 ①새로운 공장을 만들 때 모체로 되는 공장. ②아래에 중소 규모의 분공장(分工場)을 두고 지도 관리하는 기본 공장.

어머니-당 【—黨】 명 '조선 노동당'을 이르는 말.

어머니-조국 【—祖國】 명 어머니와 같다는 뜻으로 '조국'을 이르는 말.

어미-선 【—線】 명 〖수〗 모선(母線).

어미-액 【—液】 명 〖화〗 모액(母液).

어벌 명 (주로 '크다'와 함께 쓰여) 생각하는 구상이나 배포. ¶~큰 소리를 하다.

어벌-뚝지 명 '어벌'을 세게 이르는 말.

어설-궂다 형 매우 어설프다.

어성버성-하다 형여불 분위기가 서먹서먹하고 버성기다.

어스러-가다 자 날이 어슬어슬 저물어 가다.

어스무레 부 좀 어슴푸레한 모양. ——-하다 형여불

어스벙-거리다 자 사람이나 짐승이 연해 느리게 어물어물 움직이며 벙벙해 있다. 어스벙-어스벙 부. ——-하다 자여불

어스크레:-하다 형여불 꽤 어둑어둑하다.

어슨-띠 명 양복이나 셔츠 등의 안쪽의 일정한 부위를 혼 솔기를 감싸 박을 때 쓰는 길고 가는 천오리. 어슨천.

어슬-녘 [—력] 명 어슬어슬한 즈음이나 때.

어슬-막 명 어슬어슬 해가 질 무렵.

어슬핏-하다 형여불 조금 어스레하다.

어시다 형 반지빠르게 모자라다.

어쓱비쓱-하다 형여불 서로 몹시 어긋매끼거나 비뚤어져서 가지런하지 못하다.

어여번듯-하다 형여불 아주 어엿하고 번듯하다.

어용-나팔수 【御用喇叭手】 명 '반동 집단의 앞잡이가 되어 그 선전을 일삼는 자'를 이르는 말.

어자:-하다 자타여불 어하다.

어제-날 [—젠—] 명 지난날.

어찌-가다 부 우연한 기회에 때때로. 간혹.

어투리 명 기본적인 얼거리나 틀.

억-다물다 타 ①몹시 굳게 다물다. ¶입을 ~. ②감정 따위를 억누르다.

억-다짐 명 ↗억지 다짐.

억대우-같다 【—大牛—】 구 몸집이 크고 뼈대가 굵으며 힘꼴이 세어 보이다. 억대바위 같다.

억벌-로 부 억지로. 우격다짐으로.

억사-철사 【億絲鐵絲】 명 여러 가닥의 쇠사슬. ¶~로 결박하다.

억-하다 형여불 감정이 북받쳐서 가슴이 막히는 듯하다.

언거-번거 부 말이 번잡하고 수다스러운 모양. ——-하다 형여불

언덕-굽이 명 언덕의 굽이진 곳.

언-둥이 명 '똑똑하지 못하고 어리벙벙한 사람'을 홀하게 이르는 말.

언-손질 명 꼼꼼하지 못하고 어설프게 하는 손질. ——-하다 자타여불

얻어-만나다 타 우연히 만나거나 당하다.

얼굴-바대기 [—빠—] 명 낯바대기. 얼굴바닥. 낯바닥.

얼굼-피해 【—被害】 명 동해(凍害).

얼기-견딜성 【—性】 [—썽] 명 내동성(耐凍性).

얼-더듬다 [—따] 타 ↗어루더듬다.

얼-되다 형 사람됨이 좀 모자라다.

얼떠름:-하다 형여불 좀 얼떨떨한 데가 있다. 얼떠름-히 부

얼러-쓰다 타 어울러서 쓰다.

얼러-추다 타 그럴 듯하게 둘러대어 추어 주다.

얼레-달 [—딸] 명 얼레빗처럼 생긴 반달. 조각달.

얼마만-하다 형여불 잘 모르거나 밝혀 말할 필요가 없는 수량이나 정도만하다. ㊔얼마마하다.

얼-말리다 타 얼려 가며 말리다. ¶얼말린 동태.

얼-뱅이 명 좀 얼뜬 사람.

얼빤:-하다 형여불 똑똑하지 못하고 어리벙벙하다. 얼빤-히 부

얼울-하다 형여불 일이 어그러져서 마음이 불안하다.

얼음-가시 명 얼음이나 성에 같은 것에서 가시처럼 비죽비죽하게 모가 난 것. ¶~처럼 뾰족하다.

얼음깎기-골 명 〖지〗 빙식곡(氷蝕谷).

얼음-떼 명 강·바다에 떼지어 흐르는 얼음장.

얼음-보숭이 명 아이스크림.

얼음-비늘 명 물을 얼리어서 작은 비늘 조각처럼 만든 것.

얼음-석임물 명 이른 봄에 겨우내 얼었던 얼음이 녹아서 흐르는 물.

얼음-이발 [—빨] 명 몹시 사나운 추위.

얼음-지다 자 얼음이 얼다.

얼-죽음 명 반죽음. 반주검. 반사(半死).

얽음-새 명 문학 예술 작품에서, 등장 인물들의 상호 관계 및 사건 발전의 일관된 체계. 슈제트.

엄고-하다 【嚴固—】 형여불 어찌할 수 없이 견고하다.

엄중-성 【嚴重性】 [—썽] 명 엄중한 특성. ¶과오의 ~.

엄지 명 새끼나 알을 낳을 수 있는 다 자란 짐승. ¶~닭/~돼지/~새.

엄지-고기 명 다 자라서 알을 낳을 수 있는 물고기.

엄지-별 명 〖천〗 쌍성(雙星) 가운데서 더 밝은 별. 주성(主星).

엄지-뿌리 명 〖식〗 주근(主根).

엄지-자 명 아들자에 상대하여, 어미자.

업간-체조 【業間體操】 명 일하는 쉴 참에 하는 체조.

업수임 명 업수이 보거나 여김. ¶~을 당하다/~을 받다. ㊔업심.

업어-넘기다 타 얼렁수를 써서 속여 넘기다.

업혀-살다 자 얹혀 살다.

엇-가로 부 엇비슷하게 가로.

엇가로-지르다 자르불 엇비스듬히 가로지르다.

엇-갈다 자타 서로 엇바뀌게 번갈다.

엇걸이 명 집 본채의 벽에 의지하여 한쪽으로 물매지게 붙여 지은 칸. 의지간.

엇-깎이다 피동 엇비스듬히 깎이다.

엇-박다 타 ①엇비스듬하게 박다. ②서로 엇바꾸어 박다.

엇-절이 명 ①소금에 약간 절인 것. 얼간. ②멋없이 잘난 체하나 실지로는 머저리 구실을 하는 사람. 얼간이.

엇-조 【—調】 명 (주로 '엇조로'로 쓰여) 엇서거나 엇나가는 말투. ¶~로 대답하다.

엇-차다 타 ①엇바꾸어 발로 차다. ②옆으로 비슥이 발길질하다. ③엇바꾸어 가며 달아매거나 끼워서 지니다. ④비슥이 옆에 달아매거나 지니다.

엉겨-굳기 명 〖화〗 응고(凝固).

엉겨굳음-열 【—熱】 명 〖물〗 응고열.

엉겨굳음-점 【—點】 [—쩜] 명 〖물〗 응고점(凝固點).

엉-그름 명 땅바닥의 흙이 말라 터져서 금이 가고 틈이 벌어진 곳.

엉긴-피 명 응혈(凝血).

엉-버티다 자타 잔뜩 버티다. ¶두 다리를 엉버티고 서다.

에돌림-선 【—線】 명 우회선(迂廻線).

읽히-우다 [일키-] 사동 피동 읽히다.
임경【賃耕】명 삯밭갈이. 곧, 일정한 삯을 받고 논밭을 갈아 줌. ──-하다 타 여불
입갑-기【入匣機】명 일정한 제품을 갑 속에 규격대로 넣도록 된 기계.
입결-에 부 입을 벌려 말하는 결에.
입-나팔【一喇叭】[임ー] 명 ①손을 입에 대고 나팔을 부는 것같이 소리를 내는 일. ②멀리까지 들리도록 소리를 크게 지를 때, 손바닥을 오그려 입에 대는 일. 손나팔.
입-뇌리 [임ー] 명 앓거나 고달픈 때에 입술 가장자리에 물집이 생기거나 입술이 허는 일.
입-대포【一大砲】명 가까이 맞서 있는 적군을 향하여 큰 소리로 선동하는 일.
입사-증【入舍證】[ー쯩] 명 어떤 정해진 국가 주택에 들어 사는 것을 인정하는 증명서.
입-살 명 악다구니가 세거나 드센 입심.
입-싸움 명 말싸움. 입씨름. ¶~질. ──-하다 자 여불
입-쓰리 명〖의〗입덧. 임신 구토. ──-하다 자 여불
입-연지【一臙脂】명 ↗입술 연지.
입-재주【一才一】명 ①입으로 부리는 재주. ②곡예(曲藝) 종목의 한 가지. 입으로 가늠을 잡으면서 하는 재주.
입-증【一症】명 입에 생기는 염증.
입-풀무 명 주로 불을 살릴 때, 바람을 불어 넣을 때의 입 또는 바람을 입으로 불어 넣는 일.
잇-놓다 [ー노타] 타 이어 놓다.
잎-망울 명 이른 봄에 잎눈이 부풀어서 곧 피어날 듯한 잎.
잎모양-줄기 명〖생〗엽상경(葉狀莖).
잎-산【一酸】명〖화〗엽산(葉酸). 폴산(酸).
잎-새 명 하나하나의 잎이나 꽃잎.
잎-아귀 [입ー] 명 엽액(葉腋).

ㅈ

자가리 명 모판에서 볏모를 길러 논에 내지 않고 논에 직접 볍씨를 뿌리는 일. ¶~를 넣다. 준자갈. ──-하다 자 여불
자가-생【自家生】명 '제 집에서 다니는 학생'을 '기숙사생'이나 '합숙생'에 상대하여 이르는 말. 자택생(自宅生).
자갈-다짐 명 도로나 철길 바닥에 깐 자갈을 다지는 일.──-하다 자 여불
자감【自感】명 배우나 연기자가 어떤 감정 세계를 자신의 감정으로 재현하고 느끼는 일. 또, 그 느낌. ──-하다 자 타 여불
자개박이-공예【一工藝】명 나전 공예.
자개박이-소반【一小盤】명 자개 소반.
자개박이-옻칠공예【一漆工藝】명〖미술〗나전 칠공예.
자건-품【煮乾品】명 삶아 말린 제품. 삶아 말린 것.
자공-자급【自供自給】명 자기에게 필요한 물건을 스스로 마련하여 씀. ──-하다 자 타 여불
자국-걸음 명 한 발짝씩 조심스레 옮겨 디디는 걸음.
자국-따르개 명 다음 번 트랙터가 줄을 똑바로 잡아 씨를 뿌려 나가도록 금을 그어 주는 연결 농기계에 딸린 장치.
자기-일굼【磁氣一】명 여자(勵磁). 자화(磁化).
자기일굼-줄토리【磁氣一】명 자화(磁化) 코일.
자기-포기【自己拋棄】명 자포자기. ──-하다 자 여불
자-끝 명 자로 잴 때, 자막대기의 끄트머리. 또는 끄트머리 치수. ¶~을 속이다.
자동-보총【自動步銃】명 개인 휴대용 자동식 보병총. 자동 소총(小銃).
자동-입갑기【自動入匣機】명 자동적으로 갑에 넣는 기계. 자동입곽기.
자드락-화전【一火田】명 산기슭의 경사진 땅에 일군 화전.
자랑-기【一氣】[ー끼] 명 자랑스럽게 여기는 기색.
자래-우다 사동 자라게 하다.
자루-눈 명〖생〗유병안(有柄眼).
자루-목 명 ①자루 속에 넣은 물건이 나오지 못하도록 비끄러매는 아가리의 바로 밑부분. ②사방이 둘리어 막힌 어느 지역으로 들어가는 길목을 비겨 이른 말.
자름-면【一面】명 절단면.
자름면-그림【一面一】명 절단 도면. 자름도.
자름면-넓이【一面一】명 단면적.
자름-자름 부 여럿이 다 잘고 짧은 모양. 잘름잘름. ──-하다 형 여불
자름-질 명 무엇을 자르는 일. ──-하다 자 타 여불
자름-하다 형 여불 좀 짧거나 알맞게 짤막하다.
자리-길 [ー낄] 명〖물〗궤적(軌跡).
자리-지기 명〖체〗야구 경기에서, 포수(捕手). 캐처.
자리-차다 형 성미나 행동이 드세고 세차다.
자리-헐미 명 욕창(褥瘡).
자립적-단어【自立的單語】명〖언〗자립어(自立語).
자막-구호【字幕口號】명 ①글자를 한 자 한 자 따내서 따로따로 벌여 세워 놓은 구호. ②자막으로 비치는 구호.
자백-운동【自白運動】명 당과 혁명 앞에 죄를 지은 자가 죄과를 뉘우치고 자백하여 죄를 씻어 재생하는 운동.
자별-나다【自別一】[ーㄹ라ー] 형 자별하다.
자비-간【一間】[ー깐] 명 가마와 같은 탈것을 넣어 두는 곳.
자빠듬-하다 형 여불 뒤로나 옆으로 자빠질 듯이 비스듬하다. ¶자빠듬한 울타리. 자빠듬-히 부
자빠라-지다 자 자빠지다.
자빡 명 왜정 때, 가마니나 마대에 담긴 알곡을 검사한 후 등급을 나타내기 위하여 찍는 검사 도장.
자살-궂다 형 성미나 하는 짓이 잘고 곰상궂다.
자생-자결【自生自決】명 자기의 살길을 자신의 결심과 자체의 힘으로 개척해 나가는 일. ──-하다 자 여불
자수-사업【自首事業】명 죄를 지은 자들이 잘못을 뉘우치고 스스로 해당 기관에 찾아와서 자백하도록 하는 사업.
자아-수양【自我修養】명 자체수양.
자연-되살이【自然一】명〖임학〗나무를 벤 뒷자리 임지(林地)에 다시 산림이 이루어지는 일.
자연-먹이【自然一】명 자연계에서 절로 나는 짐짐승의 식물성 먹이.
자연-방목【自然放牧】명 가축을 여름에 산야에 방목하는 일. ──-하다 타 여불
자연-방사【自然放飼】명 물고기 새끼를 자연 수역(水域)에 놓아 기르는 일. ──-하다 타 여불
자연-부원【自然富源】명〖경〗사람들의 경제 생활에 이용되고 있거나 이용될 수 있는 자연계의 유용물.
자연-섞붙임【自然一】[ー부침] 명 자연 교잡(交雜). ──-하다 타 여불
자연-숲【自然一】명 자연림(自然林).
자연풀-먹이【自然一】명 자연계에 절로 난 풀에서 얻는 먹이.
자오선-지나기【子午線一】명〖천〗자오선 통과(通過). 남중(南中).
자욱-포수【一砲手】명 짐승의 발자국을 잘 찾아가며 사냥하는 포수.
자융【煮絨】명 천끓이기.
자자부레-하다 형 여불 ↗자잘부레하다.
자작-권총【自作拳銃】명 자작으로 만든 권총.
자작-업【自作業】명 자체로 하는 학습·연구·실습 등. ¶~ 계획서.
자잘구레-하다 형 여불 시시하고 잘다. 자질구레하다.
자-잘못 명 잘잘못.
자잘부레-하다 형 여불 하찮고 자디잘다. ¶자잘부레한 물건들. 준자자부레하다.
자장-그네 명 아기를 잠재우는 그네. 요람.
자-지방【自地方】명 ↗자기 지방.
자질다 형 빠르고 잦다.
자-짠지 명 장아찌.
자체-수양【自體修養】명 자기 자신의 훌륭한 정신 도덕적 풍모를 쌓아 나가기 위하여 수양하는 일. ¶~을 쌓다.
자총【自銃】명 제가 제 몸에 총을 쏘는 일. ¶~질. ──-하다 자 여불
자취-화석【一化石】명 동물의 발자취 등이 있는 화석. 흔적 화석.
자택-생【自宅生】명 '기숙사생'·'합숙생'에 상대하여, 제 집에서 다니는 학생. 자가생(自家生).
자판-수【一水】명 고인 물.
자-풀이【字一】명 해자(解字). 파자(破字). ──-하다 타 여불
자행-부선【自行浮船】명 제 동력으로 움직일 수 있는 끌림배. 자행선(自行船).
자행-준첩선【自行浚渫船】명 제 동력으로 움직이는 준설선.
자행-포【自行砲】명 자주포(自走砲).
작대기-찜질 명 작대기로 두들겨 패는 일.──-하다 자 타 여불
작살-포【一砲】명 고래 작살을 쏘는 포. ¶~로 고래를 잡는 어로공.
작시미 명 지게 작대기. ¶지게에 ~를 받치다.
작식【作食】명 식사를 마련하는 일. ──-하다 자 여불
작식-대【作食隊】명 식사를 마련하는 대오.
작아-맞다 자 옷·신·모자 같은 것이 좀 작을싸하게 겨우 들어맞다.
작업-신【作業一】명 작업화(靴).
작업-옷【作業一】명 작업복.
작의-형제【作義兄弟】명 결의 형제.
잔-갈 명 굵지 않은 작고 가는 갈대.
잔공【殘孔】명 남폿구멍 중 발파 후에도 그냥 남아 있는 구멍.
잔-달음 명 발을 좁게 자주 떼어 놓으면서 급히 달음질을 쳐 가는 일.
잔달음-질 명 잔달음으로 걷는 일. ──-하다 자 타 여불
잔당-분자【殘黨分子】명 잔당의 무리에 속하는 자.
잔등-팍 명 '잔등판'을 세게 이르는 말.
잔등-판 명 잔등의 넓적한 바닥.
잔말-꾸러기 명 잔소리꾼. 잔말쟁이.
잔-메 명 야산(野山).
잔-살기 명 잔사설이 많은 늙은이.
잔-손짐 [ー찜] 명 수화물(手貨物). 간짐. 손짐.
잔-식구【一食口】명 데리고 사는 나이 어린 식구. ¶올망졸망한 ~가 한 구들 그득하다.
잔-입질 명 ①입을 작게 벌리며 입맛을 다시거나 쩝쩝거리는 일. ②약간의 음식으로 자주 하는 군입질. ③자질구레한 이야기를 듣고 다니면서 하는 말질. ──-하다 자 여불
잔-주르다 타 르불 조심스럽게 더듬적거리며 벼르거나 머뭇거리다.
잔-즈리다 자 타 흐트러진 것을 차곡차곡 가리고 가지런하게 거두다.
잔침질-하다【一鍼一】자 여불 침으로 얕게 여러 번 찌르다.
잘루-목 명 산줄기나 골짜기의 잘룩하게 된 곳. 또, 그런 길목.
잘리-우다 피동 잘리다.

잘망-궂다 형 매우 잘망하거나 잘망한 데가 있다.
잘망-하니 부 잘망한 데가 있게.
잘망-하다 형여불 하는 짓이나 모양새가 잘고 얄밉거나 또는 얄밉게 잘다. ¶잘망한 눈알을 깜박거리다.
잘못-꽂기 명〔인쇄〕오식(誤植).
잘-새 [-쌔] 명 밤이 되어 자러 보금자리를 찾아드는 새.
잠긴-선【-線】명 흘수선 (吃水線).
잠-나라 명 잠이 든 상태를 멋스럽게 이르는 말. 꿈나라. ¶~로 가다.
잠-막【-幕】명 잠을 잘 수 있게 마련한 천막(天幕).
잡-사상【雜思想】명 노동 계급의 혁명 사상과 어긋나는 잡스러운 사상. ¶~에 물들지 않도록.
잡-생각【雜-】명 쓸데 없는 이런저런 생각.
잡아-가두다 타 물 따위를 고여 있게 가두다.
잡아-제끼다 타 ①손으로 잡고 엎어치우거나 젖히다. 잡아젖히다. ②잡아서 처리하다.
잡-춤【雜-】명 무용이 기본 규범을 무시하고 생각나는 대로 마구 추는 춤.
잡탕-말【雜湯-】명 여러 외국어들이 마구 뒤섞여 언어의 민족적 특성을 잃은 말.
잡히우다 피동 잡히다.
장[1] 명 장치기에서 쓰는 소나무 옹이로 깎아 만든 공.
장[2] 부 ①언제나 늘. ¶듣기 좋은 말도 ~ 들으면 싫다. ②계속하여 줄곧. 장장. ¶그 해 여름에 ~ 한 달을 장마가 계속되었다.
장-가락【長-】명 가운뎃손가락.
장-가시【醬-】[-까-] 명 장에 생기는 구더기.
장-가지【長-】명 나무에서 길게 뻗은 줄기 가지.
장간-방【長間房】[-빵] 명 가운데 벽이 없이 탁 트인 긴 방.
장-균【醬菌】명 된장·간장을 만들 때 삭이는 작용을 하는 균.
장-길이【長-】명 세로나 가로 긴 쪽의 길이.
장끼【長-】명 장기(長技).
장난-궂다 형 장난기가 있거나 매우 많다. ¶장난궂게 생기다.
장난-바치 명 장난꾸러기.
장-달음 명 줄달음. ¶~을 놓다/~을 치다.
장달음-질 명 줄달음질. ¶~을 놓다/~을 치다. ——-하다 자여불
장-대기【長-】[-때-] 명 장대.
장마-나무 명 장마 철에 때기 위한 나무.
장막-물【長幕物】명 장막으로 된 희곡·연극·가극 등. ㊟장막.
장-바【長-】명 긴 밧줄. 쇠고삐에 이어 쓰기도 함.
장사-날【葬事-】명 장례일.
장-손가락【長-】[-까-] 명 가운뎃손가락.
장-솔가지【長-】[-까-] 명 큰 소나무에서 뻗은 굵은 가지.
장수-힘【將帥-】명 엄청나게 센 장수와 같은 힘.
장승-목신【-木神】명 나무로 깎아 세운 장승.
장쑤 명 땅을 파 들어갈 때 목표하는 대상물까지의 깊이를 헤아리는 정도. ¶~가 깊지 않아서.
장-알【掌-】명 손바닥에 박힌 굳은 살.
장입【裝入】명 노(爐) 같은 것에 연료나 원료를 차례로 쌓이게 재여 넣는 일. ——-하다 타여불
장족지-세【長足之勢】명 '빠른 속도로 전진하는 형세'를 이르는 말.
장지-가락【長指-】[-까-] 명 가운뎃손가락. 장지(長指).
장-콩【醬-】명 메주 콩.
장통【長通】명 아래위칸의 사이가 막히지 않고 트이어 길게 통으로 된 것. ¶두 칸 ~으로 된 구들.
장통-방【長通房】명 아래위칸이 막히지 않고 트이어 통으로 된 긴 방.
잦아듦-떨기 명〔물〕감쇠 진동(減衰振動).
잦은-발 명 잦은 걸음. ¶~로 걷다.
재간-껏【才幹-】부 재주껏.
재-개비 [-깨-] 명 불에 탄 재의 티끌.
재결-원【裁決員】명〔법〕사회주의 국가의 기관·기업체·단체들 사이에 국민 경제 계획 수행을 위하여 맺은 계약과 관련하여 일어나는 의견 차이나 분쟁을 심의하고 해결할 임무를 지는 중재원.
재끼다 타 제끼다. ¶뒤로 재끼고 걷다/적들을 한 놈 한 놈 재껴 치웠다.
재-등 [-뜽] 명 재나 고개의 등성이. ¶~길/~마루.
재롱-치다【才弄-】자 재롱을 부리거나 피우다.
재-마루 [잳-] 명 재의 마루터기.
재:-밤 명 주로 '재밤에'의 형으로 쓰이어, 깊은 밤. 한밤. 한밤중. ¶~에 긴급 지령을 내리다.
재배-먹이【栽培-】명 심어 가꾸는 집짐승의 먹이.
재봉기-틀【裁縫機-】명 재봉기를 설치하는 틀. 재봉틀.
재산-수용【財産收容】명〔법〕국가가 전국가적인 견지에서 불가피하거나 필요한 경우에 개인 또는 기관·단체의 재산을 유상으로 자기 소유로 넘기거나 또는 일시적 이용에 넘기는 행정적 조치.
재생-직【再生織】명 낡은 섬유를 원료로 다시 짠 천.
재:세【-勢】명 자세(藉勢). ¶주인 ~를 하려 들다/~를 부리다/~를 피우다.
재-우리 명 재를 모아 두는 헛간. 잿간.
재움-약【-藥】명 발파 구멍이나 발파 굴에 재워 넣는 화약.
재직-일군【在職-】[-꾼] 명 일정 직무를 맡고 일정한 직장에 일하는 사람. ¶~ 교육 체계.
재치다[1] 타 ①거치적거리지 않도록 치우다. ¶한구석으로 재쳐 버리다. ②어떤 대상이나 한 무리에서 빼다.
재치다[2] 타 ↗재우치다.
잽씨-줄 명 씨를 재에 버무려 심는 일. ——-하다 자여불
쟁개비-열정【-熱情】[-쩡] 명 ('쟁개비'는 냄비의 뜻) 한동안 바그르르 끓다가 마는 열정. ¶시험 때에 와서야 ~을 피우다.
쟁기다 타 끈이나 줄 같은 것을 걸거나 묶거나 하다. ¶볏단을 ~/나뭇단을 ~.
쟁반-국수【錚盤-】명 국수를 기름에 버무려 냄비에 깔고 그 위에 꾸미를 놓은 국수.
저겨-디디다 자타 발끝을 조심스럽게 옮겨 디디다.
저겨-짚다 자타 발끝으로 조심스럽게 옮겨 짚다.
저그마-하다 형여불 좀 적거나 적은 듯하다.
저녁-녘 명 저녁 무렵.
저녁-동자 명 저녁 끼니를 짓는 부엌일.
저녁-켠 명 저녁이 되어 가는 때.
저레 부 뒤로 미루지 않고 무엇을 하거나 생각한 기회에 아예. ¶비가 올 듯하기에 ~ 자재를 다 날라 왔네.
저리-김치 명 제철이 아닌 때에 심어 가꾼 야채로 담근 김치. 중갈이 김치.
저-마끔 부 저마다. ¶ ~ 몇 마디씩 하다.
저무-도록 부 ①저물도록 내내. ¶~ 차를 몰다. ②그치지 않고 줄곧. ¶~ 지켜보다.
저-바:로 명부 저쯤 좀 떨어진 데. ¶~에 있던 것/~ 떨어져 일하다.
저서-동물【低棲動物】명 저생 동물(低生動物). 바닥살이동물.
저서-식물【低棲植物】명 저생 식물. 바닥살이식물.
저수-교【低水橋】명〔건〕높지 않아서 조금만 물이 불어도 물에 잠기는 다리.
저수-답【貯水畓】명 가을걷이가 끝난 뒤 다음 해 모내기에 쓸 물을 모아두는 논. 물잡이논.
저수-식물【貯水植物】명 물을 많이 모아 두어 가뭄에 잘 견디고 오랫동안 말라 죽지 않는 식물.
저승-객【-客】명 황천객. 망자(亡者).
저열-탄【低熱炭】명 발열량이 작은 석탄. ¶~ 발전소.
저-저끔 부 제각기. 저마다. 저저마다.
저-저마다 부 '저마다'의 힘줌말. ¶~ 앞을 다투어 나서다.
적극-범【積極犯】명〔법〕작위범(作爲犯). ¶~과 소극범.
적기 적작【適期適作】명 적기에 알맞은 작물을 심어 가꾸는 일.
적색-화【赤色化】명 적화(赤化).
적시-거리【適視距離】명 텔레비전·영화의 화면에서 보기에 알맞은 거리.
적위-대【赤衛隊】명 ①항일(抗日) 무장 투쟁 시기에, 유격대 근거지를 보위하기 위해 생산 노동을 하고 있는 청년들로 조직한 반(半)군사 조직. ② ↗로농(勞農)적위대. ③일부 나라에서 나라를 지키기 위하여 조직한, 생산 노동에 참가하고 있는 근로자들로 구성된 군사 조직.
적은-당【-糖】명〔화〕과당(寡糖).
적은-이 명 ①친척 관계에서 시동생뻘이 되거나 허물 없이 지내는 사이에서 나이가 아래인 사람을 다정히 부르는 말. ②남자 어른들 속에서 '남동생'을 가리켜 이르는 말.
적지-적기【適地適期】명〔농〕농업에서, 가장 높은 소출을 낼 수 있는 알맞은 땅과 농사일에 알맞은 철.
전각-형【前角形】명 앞이 뾰족하게 지은 대형.
전권-당【全權黨】[-꿘-] 명 국가의 일체 권력을 장악하고 있는 정당.
전기-대【電氣-】[-때] 명 전주(電柱). 전봇대.
전기-면도칼【電氣面刀-】명 전기 면도기.
전기-밥가마【電氣-】명 전기 밥솥.
전기-알【電氣-】명 전등알.
전기-여닫개【電氣-】명 전기 개폐기. 스위치.
전기이끌음-률【電氣-率】명 유전율(誘電率).
전기-잇개【電氣-】명 계전기(繼電機).
전-다리 명 절름절름 저는 다리. 또, 그런 사람.
전-들기름【全-】명 순수한 들기름.
전령-관【傳令管】[절-] 명 명령을 전달하는 관.
전도-주시【前道注視】명〔운수〕자동차 운전자의 전방 주시(前方注視).
전망-탑【展望塔】명 사방을 전망할 수 있는 탑. ¶~에 오르다.
전문-공장【專門工場】명 어떤 품종을 전문적으로 생산하는 공장.
전문-병【專門兵】명 특수한 전투 기술 기재를 가지고 전투에 참여하는 병과(兵科). 또, 거기에 속한 군인. 공병·화학병·통신병·운전병 따위.
전문-차【專門車】명 일정한 물품을 전문적으로 나르게 되어 있는 차.
전민-고등교육화【全民高等敎育化】명 사회의 모든 성원들이 의무적으로 고등 교육 체계에 망라되어 교육을 받게 하는 일. ——-하다 타여불
전민-방위체계【全民防衛體系】명 군대와 함께 전체 인민이 동원되어 침략을 물리칠 수 있도록 세운 방위 체제.
전민-소유【全民所有】명 전 인민적 소유.
전반-사상【全般思想】명 글이나 이야기 같은 데서, 처음부터 마지막까지 내용 전반에 관통하고 있는 사상. ¶~을 파악하다.
전반적-련쇄【全般的連鎖】[-쩍-] 명 사물 현상 전반에 걸쳐 맺어진 연쇄. ¶사회주의 건설의 ~.
전반적-십일년제의무교육【全般的十一年制義務敎育】[-쩍-련-] 명 1년 동안의 학교 전 교육과 4년제 인민 학교와 6년제 고등 중학교 교육을 하는 의무 교육.
전번-날【前番-】[-뻔-] 명 지난번의 날. ¶~에 한 부탁.

전병-모자【煎餠帽子】명 '캡'의 통속적 일컬음.
전사-복【戰士服】명 사병들이 입는 군대의 정복.
전수-이【全數—】부 ①전적으로. ¶살림을 ~ 맡기다. ②있는 대로 다. ¶~ 날라 가다.
전신-당【前身黨】명 어떤 당의 창립시에 모체였던 당.
전-야근【前夜勤】명 밤일을 전후 두 교대로 나누어 할 때, 앞의 야근.
전야-작업【田野作業】명 들에서 하는 일. 주로 농사일을 말함.
전연【前緣】명 전방의 맨 앞 진지. 최전방(最前方). ¶~ 부대.
전연-히【全然—】부 전혀. 전연.
전위-당【前衛黨】명 노동 계급의 전위대로서의 당.
전-일체【全一體】명 전체가 하나로 되거나 하나와 같이 결합되어 있는 것. 또, 그런 조직체.
전자-가마【電子—】명 전자 레인지.
전자-묶음【電子—】명〖전〗전자속(電子束).
전자-풍금【電子風琴】명 전자 오르간.
전-작물【前作物】명 앞그루로 심은 농작물. ↔후작물.
전쟁-동이【戰爭童—】명 전쟁 중에 태어난 아이.
전쟁-두목【戰爭頭目】명 전쟁을 일으킨 우두머리.
전쟁-미치광이【戰爭—】명 '전쟁을 일으키고자 미쳐 돌아가는 자'를 욕하는 말.
전쟁-방화자【戰爭放火者】명 전쟁을 일으킨 자.
전쟁-판【戰爭—】명 전쟁이 벌어지고 있는 곳.
전전푼푼-이【錢錢—】부 돈을 한푼 한푼씩. 1전 1전씩. ¶~ 모은 돈.
전주-대【電柱—】[—때] 명 전주로 세운 기둥. 전기대. 전선대. 전선주. 전봇대.
전주-편 명 찹쌀 가루 반죽을 지지면서 소를 넣고 말아 식힌 다음 일정한 크기로 썬 떡.
전차-줄【電車—】[—쭐] 명 전차에 전류를 보내는 줄.
전-책【傳冊】명 '홍길동전'·'신유복전' 등과 같이 '전'자가 붙은 옛이야기 책.
전-침【—鍼】명 참대로 만든 침의 한 가지.
전투-소보【戰鬪小報】명 전투 상황을 신속하게 간단히 적어 알리는 짧은 글.
전투-속보【戰鬪速報】명 새 전투 상황을 재빨리 알리는 속보. 호소성(呼訴性)이 강하고 대중을 선동하여 혁명적 열의를 불러일으키게 하는 수단으로 씀. ¶~를 내다.
전투적-련대성【戰鬪的連帶性】[—썽] 명 공동의 적을 반대하는 정의의 투쟁에서 모든 것을 바쳐 서로 돕고 지지하며 밀접한 연계를 가지고 단결하는 특성.
전투조-법【戰鬪組法】[—뻡] 명 전투시 부대·각종 무기 및 전투 기술 기재들이 제 위력·성능을 발휘하도록 배치하고 지휘하여 움직이는 법.
전하-사【戰下士】명 전사와 하사. 하전사(下戰士).
전호【戰壕】명 참호.
전화-종【電話鐘】명 전화 벨. ¶~이 울리다.
전화-직일【電話直日】명 밖에서 걸려 오는 전화를 받고 처리하거나 필요한 대책을 세우기 위하여 서는 당번. 전화 당번.
절가【節歌】명〖악〗같은 선율에 여러 개의 서로 다른 가사를 붙여서 부르도록 만들어진 절로 된 노래.
절견-기【絕繭機】명〖공〗견방직의 준비 공정에서 섬유를 헤쳐 주면서 곧바로 펴고 동시에 일정한 길이로 자르는 기계.
절단-지대【絕斷地帶】[—딴—] 명 강이나 내, 또는 골짜기와 같은 것에 의해서 뚝 끊겨 행군이나 전진에 장애를 조성하는 지대.
절대-역【絕對閾】[—때—] 명〖심〗비로소 감각을 일으킬 수 있는 가장 작은 자극량. 자극역(刺戟閾). ¶~과 차이역.
절두-목【截頭木】[—뚜—] 명〖임학〗토막 나무.
절박-도살【切迫屠殺】명 집짐승이 앓거나 쓸모 없이 될 때, 고기로 이용하기 위하여 죽기 전에 급하게 잡는 일.
절반-길【折半—】[—낄] 명 목적지까지의, 절반쯤 되는 길.
절반못보기-증【折半—症】[—쯩] 명〖의〗반맹증(半盲症).
절삭-밥【切削—】[—싹—] 명 ①쇠를 깎거나 자를 때 나오는 쇠부스러기. 쇠밥. ②나무 같은 것을 깎을 때에 나오는 부스레기. ③'흙밥'을 달리 이르는 말.
절-인사【—人事】명 절을 하며 하는 인사. ——-하다 자여불
절임 명 소금·장·술찌끼·설탕·쌀겨 등의 절임제를 써서 절이는 일. 또, 그렇게 한 식료품. ——-하다 타여불
절임-류【—類】명 절임한 종류나 부류.
절임-제【—劑】명 소금·장·술찌끼·설탕·쌀겨 등 절임에 쓰이는 감.
절임-품【—品】명 절임한 식료품.
절충-모【折衷—】명〖농〗처음에는 마른 대로 기르다가 잎이 두세 개 나온 다음에는 물을 대고 기르는 볏모.
절충-모판【折衷—板】명 절충모를 키우는 모판. 절충못자리.
점-굴리개【點—】명 테바퀴를 굴리어 점선을 치는 기구.
점-글자【點—字】[—짜] 명 점자(點字).
점심-곽【點心—】[—꽉] 명 도시락.
점심-녘【點心—】명 점심을 먹을 무렵.
점:잔-하다 형여불 점잖다.
점잖-잖다 [—잔찬타] 형 ↗점잖지 않다.
점장【店長】명 큰 점포의 행정 우두머리.
점-적다 형 점직하다.
점점-하다【點點—】형여불 여기저기 점을 찍은 듯이 흩어져 있거나 널려 있다. ¶밤 바다에 점점한 불빛.
점-찍개【點—】명 돌조각에서, 석고 조각 원형을 돌에 옮길 때 기준점을 찍는 기구.
점확-관【漸擴管】명 유체(流體)를 흘려 보내면서 그것의 절단면(切斷面)을 점차 넓혀 주는 관.
접-가지【椄—】명 접지(椄枝).
접가지-나무【椄—】명 접수(椄穗).
접-그루【椄—】명 대목(臺木). 접목(椄木).
접-모【椄—】명 접을 붙여 키우는 나무모.
접-밑동【椄—】명 접붙일 때에 밑동이 되는 나무.
접속-구【接續口】명〖전〗소켓.
접이-걸상【摺—床】[—쌍] 명 접의자.
접이-식【摺—式】명 접고 펼 수 있는 방식. ¶~ 다리.
접이-자【摺—】명 접자.
접이-침대【摺—寢臺】명 접침대.
접지-고무 명〖화〗고무 분자에 여러 가지 비닐 화합물을 묻히어 만든 고무.
젓갈-품【—品】명 젓갈 식료품.
젓-개 명 젓개질하는 데 쓰이는 도구.
젓개-질 명 뒤섞어 젓는 짓. ——-하다 자여불
젓기-배 명 카누(canoe).
젓-물 명 젓국.
정강-다리 명 정강이.
정굽을-성【正—性】[—썽] 명〖식〗굴성(屈性).
정기-보조금【定期補助金】명 생활 연금(生活年金).
정-대 [—때] 명 ①'정'의 통속적 이름. ¶~로 남포 구멍을 뚫다. ②정에서 머리와 끝 사이의 부분.
정률-세【定率稅】[—쎄] 명 비례세(比例稅).
정-망치 명 앞끝이 뾰족한 망치. 돌을 다듬는 데 씀.
정망치-질 명 남폿구멍 같은 것을 뚫기 위하여 정대를 대고 메로 휘둘러 치는 일. ——-하다 타여불
정-머리 명 정에서, 망치로 때리는 부분.
정목-널【正木—】명 널판의 면이 나이테와 수직이거나 수직에 가깝게 켠 널판.
정무-원【政務院】명 조선 민주주의 인민 공화국의 최고 주권 기관의 행정적인 집행 기관.
정-바르다 형르불 옳고 바르다. 정직하고 올바르다. ¶정바른 생각.
정방형-강【正方形鋼】명〖금속〗절단면이 정사각형인 강재.
정배-살이【定配—】명 귀양살이. ——-하다 자여불
정벼림-기계【—機械】명 착암기·착정기 등의 정을 벼리는 기계.
정상-물결【定常—】[—껼] 명 물결 모양이 이동하지 않고 마루와 골이 한 자리에서 주기적으로 바뀌는 물결형. 정상파(定常波).
정서-교양【情緖敎養】명 정서를 키워 주는 교양.
정성-예보【定性豫報】명〖기상〗앞으로 있을 일기 현상이나 날씨의 경향만을 알리는 예보.
정성-운동【精誠運動】명 북한에서 보건 일꾼들을 공산주의적으로 교양 개조하는 사업과 의료 봉사에서 집단적 혁신을 이룩하기 위한 사업을 유기적으로 결합시킨 보건 부문에서의 대중적 혁신 운동.
정신안정-약【精神安定藥】명〖의〗신경 안정제.
정악-단【正樂團】명〖악〗줄풍류.
정양-권【靜養券】[—꿘] 명 정양소에 들어가 정양할 수 있는 권리를 증명하는 문건.
정예-롭다【精銳—】형ㅂ불 ①매우 용맹스럽고 위력한 데가 있다. ②성능이 좋고 위력이 센 데가 있다. 정예-로이【精銳—】부
정원-과수【庭園果樹】명 집 주위나 공공 건물 둘레에 심는 과일나무.
정일성-식물【定日性植物】[—썽—] 명〖생〗정한낮식물.
정자-솔【亭子—】명 정자 나무인 소나무.
정전-담판【停戰談判】명 정전 회담.
정점강하-경기【定點降下競技】[—쩜—] 명 하늘 높이 날고 있는 비행기에서 낙하산을 지고 뛰어 내려 3초 안에 낙하산을 편 다음 지정된 표지 안에 정확히 내리기를 겨루는 경기.
정주-왕밤【定州王—】명 북한 서북부 일부 지방에서 나는 늦품종의 굵은 밤.
정지 명 일부 살림집 구조에서, 부엌과 방 사이에 벽이 없이 부뚜막과 방바닥이 한데 잇달린 곳. ¶~에서 부엌으로 내려가다.
정지-간【—間】[—깐] 명 정지로 된 방. 정주간(鼎廚間).
정지-구들 명 ①정지의 구들. ②정지로 된 구들방.
정지-목 명 정지간에서 가마목 가까이의 자리. ¶잘잘 끓는 ~.
정지-방【—房】[—빵] 명 정지로 된 방.
정-차다【情—】형 몹시 정답거나 정이 가득 차 있다.
정채-롭다【精彩—】형ㅂ불 정채가 가득 차서 빛나다.
정-춤【精—】명〖무용〗사람들의 사상 감정과 생활을 다른 사물 현상을 통하여 형상하는 춤.
정치-간부【政治幹部】명 정치 사상 사업을 전문으로 맡아 하는 간부.
정치-상학【政治上學】명 정치 이론 수준을 높이기 위한 학습.
정치-일군【政治—】[—꾼] 명 정치 활동을 하거나 정치 사업을 하는 사람.
정치-자망【定置刺網】명 그물을 한곳에 정치시켜 놓고 물고기를 잡는 자망. 고정 자망.
정치적-수령【政治的首領】명 ①혁명을 영도하고 나라의 정치를 지도하는 노동 계급의 수령과 그의 영도를 받는 당. ②수령.
정치-학교【政治學校】명 정치 간부 양성을 목적으로 하는 학교.
정치-학습【政治學習】명 정치에 대한 학습.

정치-학원【政治學院】명 정치 간부 양성을 목적으로 하는 학원.
정탐-식【偵探式】명 정탐하는 것과 같은 방식. 곧, 남몰래 뒤를 캐서 알아 내는 식.
정한낮-식물【定一植物】명 낮 시간의 일정한 범위, 곧 12～13시간 정도만 꽃이 피는 식물. 사탕수수·달리아 등. 정일성 식물(定日性植物).
정화【停火】명 일정한 조건 밑에 교전 쌍방이 전투 행동을 멈추는 일. ——-하다 자여불
정황-지도【情況地圖】명 쌍방간의 무력의 배치 상태와 그 움직임을 비롯한 여러 가지 전투 정황을 적어 놓은 지도.
젖가름-기계【一機械】명 젖을 크림과 기름을 뺀 젖으로 가르는 기계.
젖가슴-띠 명 브래지어. 가슴띠.
젖-관【一管】명 유관(乳管).
젖-균【一菌】명 젖 속에 들어 있으면서 여러 병을 일으킬 수 있는 미생물.
젖기름-사탕【一砂糖】명 설탕·물엿·연유 또는 분유를 기본 원료로 한 사탕의 한 가지.
젖-다듬다 [一따] 타 뒤로 좀 젖혀지게 다듬다.
젖-두부【一豆腐】명 젖을 쉬게 하고 젖물을 짜내는 방법으로 얻은 젖제품.
젖-때 명 ①수유기(授乳期). ②수유 시간.
젖-량【一量】[一냥] 명 분비되는 젖의 양. 유량(乳量).
젖-류【一類】[一뉴] 명 젖의 부류의 통칭. 유류(乳類).
젖-몸 명 젖꼭지를 중심으로 하고 살이 불룩하여 두드러져 나온 부분.
젖몸-앓이 [一알一] 명 젖몸의 병. ——-하다 자여불
젖-밸 명 몹시 심하게 돋아오르는 밸. ¶～이 치밀다.
젖-부리 명 젖꼭지의 뾰족한 부리.
젖-싸개 명 브래지어. 가슴띠.
젖-약【一藥】[一냑] 명 젖제.
젖-제【一劑】명 유제(乳劑).
젖-줄기 명 젖줄.
젖-진【一津】명 유액(乳液).
젖-집 명 젖몸이나 젖통 또는 그것을 가리고 있는 옷의 가슴 부분.
젖-탈【一頉】명 젖앓이·젖몸살·젖몸앓이 등 젖에 나는 탈.
젖힘-다리 명 도개교(跳開橋).
제-가다리 ㊀명 저대로 따로 나거나 갈라진 갈래. ㊁부 (주로 '제가다리로' 형으로 쓰이어) 저마다. 저대로.
제-감량 명 제앞치레.
제갑-기【製匣機】명 갑을 만드는 기계.
제고물-천장【一天障】명 제고물로 되어 있는 천장.
제곱-어깨수【一數】명〖수〗제곱에서 인수(因數) 개수를 보여 주는 수. 곧, 6^3에서 3과 같은 수. 제곱 지수(指數).
제길-할 감 제기랄. 제길.
제김-에 부 다른 영향을 받지 않고 혼자서 저절로 ¶～ 놀라다.
제깍 부 제꺽. ¶집에～ 갔다 오다.
제꺽-하면 부 걸핏하면. 툭하면.
제껴-놓다 [一노타] 타 제껴서 한 쪽에 밀어 놓다. ¶계획에 없는 것은 제껴놓고.
제껴-치우다 타 제껴서 처리하거나 없애다. ¶일을 본때 있게 ～.
제-꽃 명 제 줄기·가지에서 핀 꽃. 자화(自花).
제끼다 타 ①일을 해 내다. ¶일을 솜씨 있게 ～. ②겨루는 상대편을 이겨 내다. ¶여러 선수들을 제끼고. ③맞서는 적을 잡아치우거나 죽여 없애다. ¶적들을 순식간에 제껴 버리다. ④셈에서, 빼내다. ¶우수리를 제끼고도. ⑤젖히다.
제낀-깃 명 바깥쪽으로 제껴지고 목과 앞가슴 쪽이 벌어지게 만든 깃. ¶～ 양복.
제낀-형【一形】명 제낀깃을 한 형태. ¶～의 양복 저고리.
제낄-문【一門】명 위로 열어 제끼게 되어 있는 문.
제낄-손 명 일을 해 제끼는 솜씨·능력. ¶～ 있는 동작.
제낌-개폐기【一開閉器】명〖전〗제껴서 전기 회로를 여닫는 개폐기.
제낌-표【一標】명 'V' 모양의 표시. 주로 해결됐거나 처리된 것 등의 표시로 쓰임. 체크 표시.
제대-장【除隊狀】[一짱] 명 제대증.
제-도루메기 명 본래의 상태로 되돌아가 버린 것. 도로아미타불.
제동-구두【制動一】명〖운수〗철도 차량의 제동 부분품의 하나.
제동-차침【制動車枕】명 달리는 짐차의 속도를 조절하거나 해당 장소에 세우는 제동 수단의 하나.
제-마끔 부 저마끔. ¶～ 말하다.
제-물 명 진솔.
제바닥-물 명 빗물이나 제바닥에서 새어 나오는 물. ¶장마 때면 ～만 해도 호수가 차고 넘는다.
제-발 명 ①제 몸에 달려 있는 발. ②('제발로'의 꼴로 쓰이어) 절로. 자기 스스로. ¶～로 나서서 애쓰다.
제병-기【製瓶機】명 병 만드는 기계.
제부림-차【一車】명 덤프차.
제:비-국 [一꾹] 명 칼제비국. 칼국수.
제비귀-사개 명 사개맞춤법의 한 가지. 뾰족한 각(角)이 박이도록 엇갈리게 물리게 함. 제비추리 사개.
제비-당반 명 제비집 밑에 제비똥을 받으려고 달아 놓은 받침.
제비-비행기【一飛行機】명 모양이 제비처럼 생긴 분사식 비행기.
제비-칼 명 접이칼.
제빠듬:-하다 형여불 '자빠듬하다'를 얕잡아 이르는 말. 제빠듬-히 부
제뿔-내기 [一래一] 명 (주로 '제뿔내기로'의 꼴로 쓰여) 제각기 제나름으로. ¶사람들은 ～로 흩어져 가고.
제-뿔뿔이 부 제각기 따로따로. ¶～ 흩어지다.
제사 대 ①'제야'의 뜻. 단수 1인칭 대명사 '저'의 특수형의 강조어. ¶～ 뭐 아는 것이 있나요? ②'제가'의 뜻의 강조어. ¶노인의 손을 잡고 오히려 ～ 울상이 되어 애원하듯 말하였다.
제섬【製纖】명 자연 섬유 원료에서 섬유를 갈라 내거나 뽑아 내는 일. ——-하다 자여불
제승-기【製繩機】명 새끼틀.
제앞-구실【一口實】명 제 앞에 닥친 일을 스스로 헤아려 해 내는 일.
제앞-차림 명 제 앞에 닥친 일을 스스로 감당해서 처리하는 일. ¶～을 똑똑히 하다. ——-하다 자여불
제앞-채기 명 ①제 앞에 부닥치는 일을 스스로 치러나가는 일. ②자기의 잇속만을 채우는 일. ——-하다 자여불
제앞-처리【一處理】명 제앞에 닥친 일을 제 힘으로 원만하게 처리하는 것. ——-하다 자여불
제앞-치레 명 제 앞에 닥친 일을 솜씨 있고 매끈하게 처리하는 일. ——-하다 자여불
제일-에【第一一】부 첫째로. 무엇보다도.
제-자름 명〖식〗자절(自切).
제자리-너비뛰기 명 제자리멀리뛰기. 입폭도(立幅跳).
제자리-눈 명〖식〗정아(定芽). 제눈.
제자리-뿌리 명〖식〗정근(定根). 제뿌리.
제자리-삼단뛰기【一三段一】명〖체육〗달리지 않고 선 자리에서 앞으로 힘껏 세 걸음 멀리 뛰어 나가는 일.
제자리-접【一椄】명〖농〗모를 캐지 않고 겨울을 났거나 이듬해 봄에 캐지 않은 상태에서 직접 접을 붙이는 일.
제-잡이 명 스스로 자기 자신을 망치게 하거나 잡는 일. ——-하다 자여불
제-중독【一中毒】명 자가 중독.
제철-목화【一木花】명 된서리가 오기 전에 딴 목화.
제편-잡이【一便一】명 부정적 대상들이 제편을 해쳐 죽이거나 상하게 하는 일. 또, 제편에 손해를 끼치거나 망조가 들게 하는 일. ——-하다 자여불
젠-척하다 자여불 젠체하다.
조각-수복【彫刻修復】명 손상을 입었거나 파괴된 조각을 본래 상태로 만드는 일.
조개-가루 [一까一] 명 조가비를 빻은 가루. 한국화의 흰색 감으로 씀.
조개-턱 명 끝이 뾰족하게 생긴 턱. 또는 그런 사람. ¶하관이 빤 ～을 까불다.
조건-타발【條件一】[一껀一] 명 부닥치는 온갖 난관을 제 힘으로 혁명적으로 뚫고 나가는 대신 이러저러한 객관적 조건을 구실로 내세우거나 탓하는 일. ——-하다 자여불
조-겨 [一껴] 명 좁쌀을 내고 남은 조의 겨.
조겨-대다 타 ①마구 조기거나 힘있게 조기다. ¶적들을 깊은 골 안에 끌어들여 ～. ②일을 걸차고 시원스럽게 해치우다.
조괴-벽돌【造塊甓一】명〖금속〗강철 쇳물을 부을 쇳물냄비나 쇳물길을 만드는 데 쓰는 벽돌.
조-교원【助教員】명 강사(講師).
조구-통 명 저탄장 등에서 광석이나 석탄 또는 버럭돌 같은 것을 채웠다가 한 아가리로 뽑아 내리게 만든 장치.
조국-전쟁【祖國戰爭】명 ①외국 무력 침략자들의 침략으로부터 조국과 인민을 지키기 위하여 싸우는 정의의 전쟁. ②조국해방전쟁.
조국해방-전쟁【祖國解放戰爭】명 외래 침략자들을 물리침으로써 나라를 해방하고 조국의 자유와 독립을 수호하는 정의의 전쟁.
조그매-지다 자 조그맣게 되다.
조금-차【一差】명 조금 때의 밀물과 썰물의 물면의 차. 소조차(小潮差)이다.
조금치-도 부 ↗조그마치도.
조기다 타 ①마구 두들기거나 패다. ②일한 자리가 나게 치러 내거나 해치우다. ¶일을 본때 있게 ～. ③써서 없애 치우거나 또는 사정 없이 들이다.
조꼬말다 [一마타] 형ㅎ불 ↗조꼬마하다. ¶몸이 조꼬만 사람.
조꼬맹-이 명 '조꼬마한 사람'을 홀하게 이르는 말.
조끼-바지 명 조끼가 잇달린 바지.
조끼-치마 명 ①조끼가 잇달린 치마. ②조끼허리가 달린 치마.
조끼-허리 명 조끼처럼 어깨에 걸게 된 말기.
조-다짐 명 '조밥 먹는 일'을 속되게 이르던 말. ——-하다 자여불
조동【調動】명 조직적 조치나 행정적 조치로 직장을 옮기는 일. ——하다 자타여불
조랑-망아지 명 조랑말의 새끼.
조림야계-공사【造林野溪工事】명 나무를 심어 숲을 만들고 강바닥을 파고 뚝을 쌓는 자연 개조 공사.
조마구 명 ①작은 주먹. ②조무래기.
조마-롭다 형ㅂ불 매우 조마조마하거나 조마조마한 데가 있다. ¶조마로운 마음으로 지켜 보다.
조막-다시 명 '조막'을 홀하게 이르는 말.
조-맞댐【調一】명 음악 작품의 진행 도중에서 조를 바꿀 때 서로 다른 두 개의 조가 직접 맞대이게 하는 현상.
조무락-거리다 자타 좀스럽게 자꾸 주무르다. 조무락-조무락 부. ——-하다 자타여불
조문-척【照門尺】명 '가늠자'를 이르던 말.
조반-술【朝飯一】[一쑬] 명 아침밥을 먹는 밥숟가락. ¶～을 들다/～을 놓다.
조-방아 명 조를 찧는 방아.
조뼛 부 ①물건의 끝이 빨게 배쭉 솟아나는 모양. ②입술 끝을 배쭉배쭉 내미는 모양. ③두렵거나 호젓하여 머리카락이 조금 꼿꼿이 일어서는 듯

쭝-하다 [자][여불] 마음이 긴장하거나 놀라서 주춤하다.
쯔 [명] 한글 자모 'ㅉ'의 딴이름.
찌궁 [부] 대문 같은 것이 가까스로 열리는 소리나 모양. ——-하다 [자][타][여불]
찌꺼분-하다 [형][여불] '지꺼분하다'를 세게 이르는 말.
찌꺽 [부] 느슨한 틀이나 묶인 짐 같은 것이 몹시 쓸리면서 나는 소리. ——-하다 [자][타][여불]
찌겁찌겁-하다 [형][여불] 눈이나 살가죽이 진무르고 눈곱이나 진물이 많이 나와 매우 더럽다.
찌끼다 [자][타] 두 물체의 틈새에 끼어 들어가 치이거나 으스러지다. ¶손이 문틈에 ~/차에 ~.
찌다 [자] ①밀물이 바다 쪽으로 나가다. ②괸 물이 줄어들거나 없어지다. ¶늪의 물이 ~.
찌드러기 [명] ①몹시 찌들어 버린 물건. ②떼를 쓰면서 몹시 성가시게 구는 아이·사람.
찌부럭-찌부럭 [부] 자꾸 실없는 말이나 행동으로 남을 몹시 귀찮게 구는 모양. ㅅ지부럭지부럭. ——-하다 [자][여불]
찌부리다 [타] ①물체의 너붓한 면을 우묵하게 찌그리다. ②못마땅하여 얼굴 근육을 펴지 않고 잔뜩 우무러지게 하다. ¶상을 ~. >짜부리다.
찌뿌둥-하다 [형][여불] ①마음에 맞갖잖아 꽤 찌뿌드드하다. ②몸이 고달파서 무겁다. ③날씨가 개지 않고 잔뜩 흐리다.
찍-개 [명] 무엇을 찍는 데 쓰는 물건.
찍을-반두 [명] 물고기를 후려갈겨서 긁어 잡는 고기잡이 도구의 한 가지.
찐-벼 [명] 덜 여문 벼를 쪄서 말린 것.
찜-하다 [형][여불] ↗찜찜하다.
찝다 [자][타] 무엇이라고 또는 어떻다고 분명하게 짚어서 가리키다. ¶딱히 어디라고 찝을 수는 없었다.
찝찌레-하다 [형][여불] 좀 찝찔하다. >짭짜래하다.

차-가르기 【車―】 [명] 조차(操車).
차가름-역 【車―驛】 [명] 〖운수〗 조차장(操車場).
차-갈이 【車―】 [명] 환차(換車).
차거 【硨磲】 [명] ①〖조개〗 거거(硨磲). ②보석과 같은 아름다운 돌의 한 가지.
차거-조개 [명] 〖조개〗 거거(硨磲).
차-군 【車―】 [―꾼] [명] 마차·우차 등을 모는 사람을 홀하게 이르는 말.
차-굴 【車窟】 [―꿀] [명] 차가 다니는 굴. 터널. ¶기차가 ~을 지나다.
차급-화물 【車扱貨物】 [명] 〖운수〗 차판짐.
차-넘치다 [자] 넘칠 정도로 가득 차다.
차-떡 [명] 찰떡. ¶조~/흰~.
차-떼기 【車―】 [명] 열차에서 기관차를 떼는 일.
차례-무이 【次例―】 [명] ①줄을 이루게 차례로 모아 놓은 것. ②순열(順列).
차림-대 【―臺】 [명] 음식 따위를 차려 놓는 대.
차림-차리 [명] 차림새. ¶갖가지 ~를 하고 행렬을 지어….
차-마당 【車―】 [명] 주차장.
차-멎기 【車―】 [명] 정차(停車).
차비-새 【差備―】 [명] 차비하는 일. ¶~를 다그쳐 끝내고 그날 밤으로 떠나갔다.
차-수수 [명] 찰수수.
차요-시 【次要視】 [명] 부차적인 것으로 여기는 것. ——-하다 [타][여불]
차요-하다 【次要―】 [형][여불] 중요하지 못하고 부차적인 자리에 있다. ¶차요한 부문.
차통 【車筒】 [명] 원형으로 된 차판. 기름과 같은 액체를 싣는 데 쓰임.
차-판 【車―】 [명][의명] 짐자동차의 적재함이나 화물 열차의 짐 싣는 칸. 또, 그 수를 세는 단위. ¶열 ~의 짐.
차판-짐 【車―】 [명] 〖운수〗 한 짐차에 실은 것을 한 건의 운송장으로 나르는 짐. 차급화물(車扱貨物).
차-풀이 【車―】 [명] 〖운수〗 열차 편성의 해체. ——-하다 [자][여불]
착발-선 【着發線】 [명] 〖운수〗 열차가 와 닿고 떠나는 데 쓰이는 선로. 나들선.
착취-사회 【搾取社會】 [명] 착취 계급이 국가 권력과 생산 수단을 쥐고 대중을 압박·착취하는 사회.
찬-곽 【饌―】 [명] 반찬을 담는 곽.
찬-국수 [명] 냉면.
찬-눈 [명] 쌀쌀한 눈매.
찬-단물 [명] 냉차(冷茶). ¶~을 마시다.
찬물-미역 [명] 냉수욕(冷水浴).
찬-밀제비국 [―꾹] [명] 끓는 물에 삶아 낸 밀국수를 찬물에 헹구어 찬 맑은 장국에 말고 꾸미를 놓은 칼국수.
찬-빛 [명] 찬색.
찬-전선 【―前線】 [명] 〖기상〗 한랭 전선.
찰갑 【札甲】 [명] 〖고고학〗 갑옷 미늘.
찰-범벅 [명] 찰기가 있는 것으로 만든 범벅.
찰흙-질 [―흑―] [명] 찰흙을 바르는 일. ——-하다 [자][여불]
참-껍질 [명] 진피(眞皮).
참대-곰 [명] 팬더. 고양이곰.
참-때 [명] 밀물의 물 높이가 가장 높은 때.
참모-일군 【參謀―】 [―꾼] [명] 참모 일을 맡아 보는 일꾼.
참심 【參審】 [명] 〖법〗 참심제.
참-젖 [명] 영양분이 많고 어린이 발육에 좋은 젖.
참참-하다 [형][여불] 아주 참하다. ¶참참한 학생.
창-가림 【窓―】 [명] 커튼. ¶~을 치다.
창경 【窓鏡】 [명] ①밖을 내다보게 창문에 붙인 자그마한 유리. ②물안경.
창경-알 【窓鏡―】 [명] 창문에 창경으로 대거나 끼운 유리.
창발 【創發】 [명] 처음으로 또는 새롭게 내놓거나 밝혀 내는 것. ¶~의 푸른 싹/~력(力).
창의고안-권 【創意考案權】 [명] 〖법〗 창의 고안한 사람이 가지는 인격적 및 재산적 권리.
창의창발-성 【創意創發性】 [―썽] [명] 처음으로 새롭게 생각하고 새롭게 밝혀 내거나 내놓는 의견이 담겨져 있는 특성.
창작-뛰기 【創作―】 [명] 〖체육〗 널뛰기 경기의 한 가지. 기구 없이 또는 기구를 가지고 여러 가지 동작을 하면서 뜀.
채과-상 【菜果商】 [명] 청과상(靑果商).
채과-점 【菜果店】 [명] 청과점.
채-구멍 [―꾸―] [명] ①체의 구멍. ②다공상 천공.
채굴-공업 【採掘工業】 [명] 광업.
채눈-종이 [명] 방안지. 모눈종이.
채-다리 [명] 쳇다리.
채-머리 [명] 체머리.
채목-장 【採木場】 [명] 목재를 생산하는 산판.
채-바퀴 [명] 쳇바퀴.
채불 [명] 쳇불.
채-뼈 [명] 사골(篩骨).
채양-천막 【―陽天幕―】 [명] 일면 천막의 앞머리에 채양이 달리게 친 천막.
채움-감 [―깜] [명] 충전물(充塡物). 충전제(充塡劑).
채-잡이 [명] ①채를 잡는 것. 또는 그 사람. ②어떤 일을 하는 데서 주동이 되거나 방향을 잡는 것. 또는 그 사람. ——-하다 [자][여불]
채찍-비 [명] 채찍처럼 굵은 줄기로 좍좍 쏟아지는 비.
책등-포 【冊―布】 [명] 책등을 씌운 천.
책-뚜껑 【冊―】 [명] 책표지. 책가위.
책-받치개 【冊―】 [명] 책받침.
책상-볼반 【冊床―盤】 [명] 〔볼반은 Bohrbank 에서〕 상 위에 설치하여 놓고 쓰는 작은 형의 보르반. 탁상볼반.
책상-빼람 【冊床―】 [명] 책상 서랍.
책임-비서 【責任祕書】 [명] 조선 노동당의 군당위원회·도당위원회, 또는 이와 같은 급의 당위원회의 전반 사업을 책임지고 지도하는 당조직의 책임적인 지휘 성원. 또는 그 지위.
책임-일군 【責任―】 [―꾼] [명] 책임적인 지휘 성원.
책책 [부] ①차곡차곡. ②차례차례.
챌-낚 [―락] [명] 낚싯대를 쓰지 않고 물고기가 물리면 낚싯줄을 채어 끌어 내는 낚시 도구. 칠낚.
챙챙 [부] ①붕대·끈 등을 홰홰 돌려 감거나 동여매는 모양. 친친. ②남의 환심을 사려고 살랑거리며 돌아치는 모양.
챙챙-하다 [형][여불] 소리가 되알지고 맑다. 칭칭하다. ¶챙챙한 목소리로 부르다.
처녀-꼴 【處女―】 [명] 처녀다운 모습이나 됨됨이. ¶~이 나다.
처등 [명] 나무를 물에 띄워 나를 때 떠내려가던 통나무들이 장애물에 걸려 겹쳐 쌓여서 물길을 막는 현상을 이르는 말.
처마-물 [명] 낙숫물.
처방-종이 【處方―】 [명] 〖의〗 처방전(處方箋).
처음-역 【―驛】 [명] ①시발역. ②기차·자동차 등이 가다가 처음 서는 역.
처음-점 【―點】 [―쩜] [명] 〖수〗 원점.
척지근-하다 [형][여불] ①척척한 느낌이 있다. ②싸하게 코를 찌르는 썩고 매캐한 냄새가 있다. ¶누기 찬 곰팡내가 척지근하게 풍기다.
천-낳이 [명] 손으로 천을 짜는 일. ——-하다 [자][여불]
천리마-기수 【千里馬騎手】 [철―] [명] 천리마 운동에서 앞장서 나아가는 사람. 또는 천리마 작업반 칭호를 받은 작업반의 성원(成員)을 이르는 말.
천리마-운동 【千里馬運動】 [철―] [명] 경제와 문화, 사상과 도덕의 모든 분야에서 온갖 뒤떨어진 것을 쓸어 버리고 사회주의 건설을 최대한으로 다그치기 위한 전인민적인 운동.
천리마-작업반 【千里馬作業班】 [철―] [명] 천리마 운동에 궐기한 작업반 중에서 작업을 모범적으로 수행한 집단에 주던 영예 칭호 및 그 칭호를 받은 작업반.
천리마-체 【千里馬體】 [철―] [명] 〖출판〗 인쇄 글씨체의 한 가지. 모든 획들의 굵기가 같게 도안화된 글씨체.
천발 【闡發】 [명] 드러내어 밝히는 것. ——-하다 [타][여불]
천-불 【天―】 [명] 저절로 일어난 불.
천상-배필 【天上配匹】 [명] 천생 배필.
천상-연분 【天上緣分】 [명] 천생 연분.
천애-이역 【天涯異域】 [명] 매우 먼 남의 나라.
천연기념-식물 【天然紀念植物】 [명] 천연 기념물로 보호하는 식물.
천장-군 【遷葬―】 [―꾼] [명] 무덤을 옮겨 묻는 사람.
천장-창 【天障窓】 [명] 지붕창.

천-쪼박 명 천의 작은 조각.
철-가마【鐵―】명 쇠로 만든 가마.
철-가시【鐵―】명 쇠줄이나 쇠꼬챙이 등이 가시처럼 삐죽삐죽 돋은 것.
철갑-소이탄【鐵甲燒夷彈】명 철갑으로 보호된 목표를 소멸하며 그 안의 기재들을 불태워 버리는 데 쓰이는 포탄 또는 총탄.
철군【鐵軍】명 강철같이 굳센 군대.
철근-만곡기【鐵筋彎曲機】명 철근을 구부리는 기계. 철근구부리개.
철근-앙카【鐵筋―】〔anchor〕명〖건〗철근 콘크리트 부재들을 조립할 때 그것들을 용접의 방법으로 단단히 연결시킬 수 있도록 부재의 연결 부위에 노출되어 나오게 한 철근이나 철판 조각.
철길건늠-길【鐵―】[―낄―낄] 명 철로 횡단로.
철길건늠-다리【鐵―】[―낄―] 명 과선교(跨線橋).
철길-다리【鐵―】[―낄―] 명 철교. 철다리.
철길-대【鐵―隊】[―낄―] 명〖운수〗일정 담당 구간의 철길을 보수 정비하는 일을 하는 철도 운수의 경영 단위.
철길-뚝【鐵―】[―낄―] 명 철로둑. 철둑.
철길-립체다리【鐵―立體―】[―낄―] 명 기차와 자동차·사람이 동시에 아래위로 다니게 교차되는 다리.
철길-차【鐵―車】[―낄―] 명 철길을 돌아보고 철길 수리를 위하여 공구 따위를 싣고 다니는 작은 전동차. 모터카.
철-껍질【鐵―】명 철이 산화되어 그 겉면이 껍질처럼 일어나는 조각. 철피(鐵皮). 쇠껍질.
철-다리【鐵―】[―따―] 명 철교. 철길다리.
철도-절【鐵道節】[―또―] 명 1954 년 5 월 11 일부터 해마다 5 월 11 일을 철도 운수 부문 종사자들의 명절로 이르는 말.
철도-판【鐵道―】[―또―] 명 철도 공사에서 품팔이를 하는 노동판. 철로판.
철-때기 명 철딱서니. 철. ¶～ 없다.
철로-판【鐵路―】명 철도판.
철-바람 명 계절풍.
철바람-기후【―氣候】명 계절풍형 기후.
철바람-숲 명 계절풍림.
철부지-하다【―不知―】형여불 사리를 모르고 철없다. ¶그런 철부지한 것은 그만두어라.
철선-가위【鐵線―】[―썬―] 명 철선을 끊는 가위.
철-알【鐵―】명 '총알'·'탄알'의 별칭.
철-음식【―飮食】명 계절 음식.
철-쟁이【鐵―】명 철(鐵) 관계의 일에 오래 종사해 온 사람.
철조-선【鐵條線】[―쪼―] 명 가시철사. 가시쇠줄.
철직【撤職】[―찍] 명 파면. 면직.
철진【鐵陣】[―찐] 명 견고한 진지. ¶적의 ～을 돌파하다.
철차【鐵車】명 ①'철재를 전문으로 나르는 차'를 이르는 말. ②기차. ¶～를 탑승하다. ③〖역〗전차(戰車).
철추-던지기【鐵椎―】명〖체육〗투해머(投 hammer). 추던지기.
철피【鐵皮】명 철껍질.
첨입【尖入】명 적의 방어나 공격하는 적의 전투 서열을 한 지점에서 뚫고 들어가는 전투 행동. ¶～ 전투. ――-하다 자여불
첩-데기【妾―】명 '첩'의 낮춤말.
첫날-옷 명 여자의 결혼식날 옷.
첫닭-울이 [―닥―] 명 첫닭 울 무렵의 이른 새벽.
첫-돌림 명 ①동력으로 움직이는 기계가 처음으로 움직이거나 도는 것. ②새로 나온 영화를 처음으로 돌리는 것. 봉절(封切).
첫돐-제사【―祭祀】[―돌―] 명 소상(小祥).
첫-마수걸이 명 '마수걸이'를 힘주어 이르는 말.
첫-사리 명 그 해에 처음으로 잡힌 고기. 또는 그 해에 처음 난 것.
첫-젖 명 초유(初乳).
첫-차기 명 시축(始蹴). 킥오프.
첫-칠【―七】명 '아이가 나서 첫이레째 되는 날'을 기쁜 날로 쳐서 이르던 말.
청-갈【靑―】명 채 여물지 않은 푸른 갈. 집짐승의 먹이로 쓰임.
청결-날【淸潔―】[―랄] 명 청결을 하도록 정해진 날.
청결-차【淸潔車】명 청소차.
청기와-장사【靑―】명 기술·방법 등을 자기만 알고 남에게 알려 주지 않는 사람.
청년-근위대【靑年近衛隊】명 ↗붉은청년근위대.
청년-전위【靑年前衛】명 혁명 투쟁과 건설 사업의 앞장에 서서 선진적이며 적극적인 역할을 하는 청년. 또는 그러한 청년들의 집단.
청년-절【靑年節】명 북한 청년들의 명절. 매년 8 월 28 일.
청당【淸黨】명 당 안의 순결성을 보장하고 당의 사상 의지적 통일과 단결을 강화하기 위하여 당 안에 숨어든 적대 분자와 불순 분자, 우연 분자들을 당에서 몰아내는 일. ――-하다 자여불
청-도깨비【靑―】명 낮도깨비.
청뒹-오리 명 청둥오리.
청-보석【靑寶石】명 푸른 색깔의 보석.
청봉-체【靑奉體】명〖출판〗붓글씨를 원형으로 했다는 북한식의 고전적인 서체. 그들의 감정과 기호에 맞는다 하여 제목글·본문글에 많이 쓰임. 1 호체에서 4 호체까지 있음.
청-사료【靑飼料】명 푸른먹이.
청소【淸沼】명 깊고 푸른 못.
청-솔【靑―】명 푸른 솔. 청송(靑松). 창송.
청수-기【淸水機】명 청수제조기.
청수-제조기【淸水製造機】명 청수기. 정수기(淨水機).
청심-박이【靑心―】명 청심촉. ¶～ 대초를 켜놓다.
청-오동【靑梧桐】명 청오동나무.
청오동-나무【靑梧桐―】명 벽오동나무. 청오동.
청천-대낮【靑天―】명 밝은 대낮.
청춘-과원【靑春果園】명 수확이 한창때인 과수원.
청-호밀【靑胡―】명 덜 여물어서 물기가 있는 호밀.
체것 [―껏] 명 (주로 명사 다음에 쓰이어 그 명사가 나타내는 대상의) '명색을 띤 물건이나 사람'이라는 뜻을 얕잡아 이르는 말. ¶ 사내～이 그것도 못 한담!
체력-교예【體力巧藝】명 사람의 몸의 움직임을 기본으로 한 곡예. 곡예의 기본형임.
체메 명 ①자기의 주견이 없이 남의 장단에 놀아나는 일. ②남에게 속거나 말려드는 것.
체메(에) 들다 구 자기의 주견이 없이 남의 장단에 말려들어가다.
체메-군 [―꾼] 명 '남의 체메에 들어 줏대 없이 행동하는 어리석은 사람'을 홀하게 이르는 말. ¶그 애들의 ～ 노릇을 하잔 말인가?
체-병【―病】[―뼝] 명 실지는 그렇지 않으면서도 겉으로는 일부러 그러는 체하는 병폐. ¶모르면서 아는 체하는 ～.
체-수【體―】명 몸을 잴 때의 치수. ¶～ 맞춰 옷 마르고 꼴 보고 이름 짓는다.
체신-소【遞信所】명 우체국.
체육-명수【體育名手】명 국제 경기에서 뛰어난 기록을 냈거나 해당한 급의 기준을 돌파함으로써 나라의 체육 발전에 공훈을 세운 체육 선수에게 주는 영예 칭호. 또는 그 칭호를 받은 사람.
체육-모자【體育帽子】명 운동 모자.
체육-소조【體育小組】명 체육에 취미를 가진 청소년 학생들과 근로자들로 모은 사회적인 체육 조직.
체육-절【體育節】명 해마다 10 월 둘째 일요일을 체육인의 명절로 이르는 말.
체육-촌【體育村】명 경기장·체육 훈련장 및 그 부대 시설이 갖추어진 선수촌.
체조-깔개【體操―】명 체조용 깔개. 매트리스.
체조-대【體操隊】명 집단 체조의 구성 부분의 하나. 대형·조형·율동으로 사상적 내용을 표현하는 기본 대오.
체조-발판【體操―板】명 뜀틀의 발판.
체조-봉【體操棒】명 체조용 곤봉.
체화【體化】명 물체에로의 변화. ――-하다 자타여불
체화-로동【體化勞動】명〖경〗이미 생산물 속에 들어가 있는 노동, 곧 생산물을 만들 때 들어간 노동.
쳐-넣기 [―너키] 명 배구·테니스·탁구 등에서, 서브.
초가-마가리 명 허술한 오막살이 초가집.
초가-막【草家幕】명 풀·나뭇가지로 어설프게 지은 집.
초고-중【初高中】명 '초중'과 '고중'의 병칭. ¶～ 학생.
초군-초군 부 하는 짓이 아주 꼼꼼하고 느릿느릿한 모양. ――-하다 형여불
초급-간부【初級幹部】명 당·행정 경제 기관 및 근로 단체의 맨 아랫단위의 지도 간부. 초급일군.
초급-단체【初級團體】명 사회 단체에서 동맹원들의 조직 생활을 조직하며 상급 동맹의 결정과 지시를 직접 집행하는 하부 조직. ¶직맹 ～.
초급당【初級黨】명 ↗초급당위원회.
초급-선동원【初級宣動員】명 맨 아랫단위에서 선동 사업을 맡아 하는 초급 일꾼.
초급-일군【初級―】[―꾼] 명 초급간부.
초급-정치일군【初級政治―】[―꾼] 명 당·근로 단체 같은 정치 조직의 초급 일꾼.
초급-지휘성원【初級指揮成員】명 당·행정 경제 기관 및 근로 단체의 맨 아랫단위를 책임지고 지도하는 지휘 성원. 초급지휘원❶.
초급-지휘원【初級指揮員】명 ①초급지휘성원. ②'사관'을 이르던 말.
초급-학교【初級學校】명 조총련의 초등 교육 학교. 6 년제임.
초기[1] 명 심한 시장기. ¶～가 오다/～를 만나다.
초기[2]【超期】명 기일·기한을 초과함. ¶～ 복무. ――-하다 자타여불
초기-증【―症】[―쯩] 명 초기(심한 시장기) 때의 심한 무력감 증세.
초-다듬【初―】명 ↗초다듬이. ――-하다 자타여불
초-다듬이【初―】명 초다듬이질. ――-하다 자타여불
초다듬이-질【初―】명 ①초벌로 하는 다듬이질. ②우선 초벌로 남을 몹시 때리는 일. 초다듬이. ――-하다 자타여불
초다듬-질【初―】명 ↗초다듬이질.
초-담배【草―】명 '잎담배'의 별칭.
초당-성【超黨性】[―썽] 명 ①놓여진 구체적인 환경과 조건, 사람들의 준비 정도 등을 잘 타산하지 않고 '초혁명적인 구호나 말' 로 이른바 '당성'을 나타내는 반혁명적인 행동이나 사상 관점. ②당의 이익과 입장을 초월하는 특성. 당의 영도적 역할을 부인하는 자들의 궤변을 가리어 주는 표현임.
초-랭동【初冷凍】명 초벌로 얼리는 것. ――-하다 타여불
초롱-그물【―籠―】명 초롱덤장에서 물고기가 들어가 마지막에 몰리는 초롱처럼 생긴 그물. 이것을 추어서 물고기를 잡음.
초롱-덤장【―籠―】명 초롱처럼 생긴 그물을 쳐서 물고기를 잡는 덤장.
초롱-소매【―籠―】명 잔주름을 많이 잡아 소매끝이 초롱처럼 부풀게 만든 소매.
초리-털 명 편모(鞭毛).

초물【草物】명 그릇을 만드는 짚·왕골·버들가지·싸리 같은 것. ¶~제품.
초물-공예【草物工藝】명 풀공예.
초물-모자【草物帽子】명 밀짚·왕골 등으로 결어 만든 모자.
초벌-죽음【初―】명 초죽음.
초복-물【初伏―】명 초복 무렵에 나는 큰물.
초-시기【初時期】명 첫시기. 처음.
초-어스름【初―】명 어슴푸레 땅거미가 지기 시작할 무렵.
초-이엉【草―】명 짚·새의 이엉.
초-절임【初―】명 초벌 절임. ――-하다 타여불
초조-롭다【焦燥―】형ㅂ불 초조한 데가 있다. ¶초조로운 생각.
초조-스럽다【焦燥―】형ㅂ불 매우 초조한 데가 있다.
초학년-생【初學年生】명 초학생.
초-학도【初學徒】명 초학생.
초-학생【初學生】명 지식·기술을 처음으로 배우거나 소유하기 시작한 학생. 초학도. 초학년생.
초혁명적-구호【超革命的口號】명 모험적이며 극단적인 좌경 기회주의자들의 반혁명적 구호.
촉각-기뢰【觸角機雷】명 조금만 다쳐도 쉽게 터지는 뿔 모양의 기뢰.
촉-살【鏃―】명 두 널이나 각재에 홈을 파서 그 홈 속에 넣어 밀착시키는 살.
촉살-띠【觸殺―】명〖임학〗나무 줄기의 일정한 높이에 띠 모양으로 돌려 바른 끈끈한 약. 나무 해충이 붙어서 죽음.
촉-집게【鏃―】명 끝에 뾰족한 촉이 달린 집게.
촌-맛【村―】명 농촌 마을이나 농촌 생활에서 느끼는 독특한 향취.
촌-바우【村―】[―빠―] 명 ①문화 수준이 뒤떨어지는 농촌 사람. ②활발치 못하고 어리석게 노는 사람.
촌-벌【寸―】[―뻘] 명 촌수가 닿는 친척 관계.
촌식【村式】명 ①농촌 그대로의 형식이나 방식. ②새로운 식이 못 되고 도시에 비해 아직 뒤떨어진 농촌의 형식이나 방식.
총가-목【銃架木】[―까―] 명 총개머리.
총결【總結】명 지금까지 한 일을 묶어서 총화짓는 것. ――-하다 자여불
총괄-어【總括語】명〖언어〗묶음말.
총-다리【銃―】[―따―] 명 총을 받치기 위해 다리처럼 뻗치는 것. ¶기관총의 ~.
총-닦개【銃―】명 ①총을 닦는 도구. ②수입포(手入布).
총련【總聯】명 ↗재일본조선인총련합회.
총-마개【銃―】명 총알받이.
총-박죽【銃―】명 '총탁(銃托)'을 박죽에 비겨 이르는 말.
총-방향【總方向】명 일정한 일을 옳게 해 나가기 위한 총체적인 방향.
총-배기 명 색천 같은 것을 넣어 곱게 딴 신총.
총-부혁【銃負革】명 총의 멜빵. 총끈.
총-불【銃―】[―뿔] 명 총의 발사 때 총구에서 나가는 불.
총-비서【總祕書】명 ①조선 노동당 중앙 위원회와 전당을 총책임지고 이끄는 사람. 또는 그 지위. ②일부 나라들에서 일정한 정당이나 사회 단체의 책임적인 직위에 있는 사람. 또는 그 직위. 총서기. ③ 비서 중 책임적인 직위에 있는 비서.
총-세우개【銃―】명 총가(銃架).
총신-강【銃身腔】명 총신 안의 빈 공간.
총-악보【總樂譜】명〖악〗총보(總譜).
총알-방패【銃―防牌】명 ①적탄을 막기 위해 만든 물건. ②제국주의자·침략자들이 앞에 총알받이로 내세워 희생물로 삼는 고용 군대.
총-쟁이【銃―】명 포수.
총칼-부림【銃―】명 ①총칼을 쓰는 것. ②남을 해치려고 총칼을 함부로 내두르는 짓. ③총칼을 함부로 써서 인민들을 살륙하고 억압하는 짓.
총-타발【銃―】명 총이 마음에 들지 않는다고 맞갖지 않게 여겨 투덜거리는 것. 총타박. ――-하다 자여불
총탁【銃托】명 총개머리.
총탁-판【銃托板】명 총개머리판.
총화【總和】명 사업이나 생활의 진행 상황과 그 결과를 분석하고 결속지으며 앞으로의 사업과 생활에 도움이 될 경험과 교훈을 찾는 것. ――-하다 타여불
최고-강령【最高綱領】명 최종적인 투쟁 목적과 과업과 그 실현 방도를 규정한 강령.
최고-뇌수【最高腦髓】명 사회 정치적 생명체의 생명 활동을 통일적으로 지휘하는 유일한 중심.
최고-인민회의【最高人民會議】명 선거에 의해 선출된 인민의 대표인 대의원들로 구성된 북한의 최고 주권 기관. 또는 그 기관이 여는 회의. 임기는 4년이며 입법권을 행사함.
최저-강령【最低綱領】명 당면한 투쟁 목적과 과업을 규정한 강령.
최-전연【最前緣】명 적과 가장 가까운 전연. ¶~에서 수행하는 전투 임무.
최후-결사전【最後決死戰】[―싸―] 명 ①마지막 판가름하는 피어린 전투. ②모든 힘을 다 바쳐 마지막까지 벌이는 투쟁. 최후결전.
추긴-죄【―罪】명 교사죄(敎唆罪).
추김 명 ①남을 꾀어서 무엇을 하도록 하는 것. ②〖물〗여기(勵起).
추덕-추덕 부 빗방울·낙숫물이 동안 뜨게 뚝뚝 떨어지는 모양. ――-하다 자여불
추동【推動】명 ①어떤 일을 밀고 나가도록 부추기거나 고무하는 것. ②밀어서 앞으로 움직여 나가는 것. ――-하다 타여불
추동-력【推動力】명 추동하는 힘.
추드림-선【錘―線】명 추선(錘線).
추락-논【隧落―】명〖농〗논벼가 처음에는 잘 자라다가 결실이 나빠지는 논.
추미-주의【追尾主義】명 사업에서 앞장서서 대중을 이끌지 못하고 군중의 뒤꼬리를 따라다니는 보수주의적 사상 경향이나 태도.
추세-군【趨勢―】[―꾼] 명 자기의 입장과 원칙이 없이 큰 세력에 붙좇아 맹목적으로 추종하는 자.
추세우다[1] 사동 추서도록 하다. ¶앓는 몸을 ~/기세를 ~.
추-세우다[2] 타 추켜세우다.
추어-서다 자 추서다.
추어-세우다 사동 추서도록 하다. ¶약해진 몸을 ~.
추어-전【追漁戰】명 물고기 떼를 따라가며 잡는 것. ¶~을 벌리다.
추위-견딜성【―性】[―썽] 명 내한성. 추위견딤성.
축급-증【縮急症】명 쫄라병.
축로【築爐】명 노쌓기.
축-받치개【軸―】명 기계의 축을 받쳐 주는 물건.
축방【築防】명 방축.
축복-무늬【祝福―】명 장수·행복을 상징한 무늬.
축상【軸上】명 축으로 놓여 있는 곳의 위쪽. ¶거리의 ~.
축-이을손【軸―】[―쏜] 명〖기〗축과 축, 또는 축과 다른 장치를 이어 주는 부분품.
축추-란【縮皺卵】명〖양잠〗주름알.
춘황【春荒】명 봄철에 양식이 떨어지고 햇곡식이 나지 않아 농촌이 황폐화되는 것.
출공-진지【出攻陣地】명 공격으로 나아갈 준비로 차지한 진지.
출몰무실-하다【出沒無實―】형여불 자유 자재하여 그 종적을 알 수 없다.
출문-증【出門證】[―쯩] 명 반출증.
출미-률【出米率】[―율] 명 겉곡을 찧어서 쌀이 나온 양의 비.
출발-틀【出發―】명 육상 경기에서, 스타팅 블록.
출수-갱【出水坑】[―쑤―] 명〖광〗굴 안에 괸 물을 뽑아 내기 위해 뚫는 굴.
출입-실【出入室】명 나들칸.
출출 부 ①물 같은 것이 많이 넘치는 모양. ②비 같은 것이 짓궂게 계속 많이 내리는 모양.
춤-바구니 명〖무용〗춤출 때 소도구로 이용되는 바구니.
춤-수건【―手巾】명〖무용〗춤출 때 손에 들고 추는 수건.
춤-신발 명〖무용〗춤출 때 신는 신발.
춤-칼 명〖무용〗칼춤에 쓰이는 소도구. 쌍칼과 목부러진 칼이 특이하다.
충족리유의 법칙【充足理由―法則】명 충족 이유율(充足理由律).
충충[1] 부 걸음을 크게 떼어 급히 걷는 모양.
충충[2] 부 물 같은 것이 많이 괴어 있는 모양.
충혈【忠血】명 충성을 다하여 흘리는 피.
취기-법【吹氣法】[―뻡] 명〖음〗관악기에 입김을 불어 넣는 법.
취-떡 명 참취·곰취 등의 잎을 넣고 만든 떡.
취소-주의【取消主義】명 ①이미 이루어 놓았거나 존재하는 것을 덮어놓고 없애거나 부인하려는 그릇된 사상이나 태도. ②노동 계급의 혁명적인 당건설 원칙을 어기고 당장성 사업을 방해하며 덮어놓고 책벌을 주어 당의 존재 자체를 위태롭게 하는 좌경적이며 반혁명적인 사상이나 태도.
취수-보【取水洑】명 물을 잡기 위해 막은 둑.
취수-정【取水井】명 물을 잡기 위해 만든 우물. 물잡이우물.
취인-소【取引所】명〖경〗거래소.
취입-구【吹入口】명 공기 따위를 불어 넣는 구멍·문.
취풍-기【吹風機】명 바람을 불어 내는 기계.
츠럼-츠럼 부 물이나 물기가 얼마간 그득히 차 있는 모양.
츠렁-바위 명 험하게 겹쌓인 큰 바위.
츠렁-츠렁 부 ①그득 찬 물이 막 넘치려고 하는 모양. ②꽤 길게 드리운 물건이 부드럽게 흔들거리는 모양. 치렁치렁. ――-하다 형여불
츠름-츠름 부 그럭저럭 하는 사이에 시간이 흐르는 모양. ¶~ 옷 한 벌이 보름이나 걸렸다.
측량-배【測量―】명 측량선.
측병【側兵】명 행군 때에 좌우편 경비를 맡은 부대. 또는 그 병사.
측심-삭【測深索】명 물 깊이를 재는 기계에 달려 물속에 늘여 놓는 줄. 깊이재기바줄.
측온-반도체【測溫半導體】명〖물〗온도 변화에 예민한 반도체.
측제【側題】명〖출판〗신문·잡지 등의 출판물에서, 본문 옆자리에 다는 제목.
층-거리【層距離】명 ①층과 층 사이의 거리. ②층이 지게 달라지는 것. ¶중세도 ~가 나게 좋아졌다.
층-결【層―】[―껼] 명〖지질〗층리(層理).
층-구름【層―】명 층운.
층-균렬【層龜裂】명〖지질〗금이 생긴 면이 지면과 평행으로 된 균열.
층대-돌【層臺―】[―똘] 명 층층대를 만든 돌. 층돌.
층더미-구름【層―】명 층적운(層積雲).
층-돌【層―】[―똘] 명 층대돌.
층-사귐【層―】명〖운수〗입체 교차(立體交叉).
층사이-물【層―】명 층간수(層間水).
층층-계【層層階】명 층층대.

층층-계단【層層階段】명 여러 층으로 된 계단.
층층-다락【層層―】명 여러 층으로 된 다락.
층층-단【層層段】명 여러 층으로 된 단.
치-개다 타 무엇을 마주 대어 세게 자꾸 문지르거나 비비다. ¶반죽을~/풀자루를 ~.
치-걷다[1] 타 위로 바싹 걷어올리다. ¶팔소매를 치걷고.
치-걷다[2] 자ㄷ불 위쪽을 향하여 걷다. ¶산 언덕으로 ~.
치곧아-오르다 자 추위로 몸이 아래로부터 위로 얼어들면서 빳빳해지다.
치근-하다 형여불 귀찮게 지분거리는 것이 짓궂다.
치기 명 골진 구석이나 막바지. ¶이 골짜기는 손가락 짬같이 ~가 깊었는데.
치기-영 감 목도질 같은 것을 할 때 힘을 맞추려고 내는 소리. ¶~ 소리/어기영 ~.
치-달다 타 ①아래에서부터 위로 올려 달다. ¶단추를 ~. ②세게 높이 달다.
치달아-내리다 자 ①힘차게 냅다 달려내리다. ②기세 좋게 죽 뻗어내리다.
치달아-오르다 자르불 ①아래에서 위로 향해 오르다. ②감정·생각이 치밀어서 솟구쳐 오르다. ③힘차게 냅다 달려 오르다.
치대-줄 [―쭐] 명 떼의 앞바뚝이 일정한 각도 이상 돌지 않게 치대어 매는 밧줄.
치레-거리 [―꺼―] 명 치레로 삼는 것.
치레-소리 명〔악〕음악에서 흥취를 돋구어 주기 위하여 쓰이는 음.
치료-체육【治療體育】명〔의〕병치료를 목적으로 하는 체육. 체조·산보·등산·헤엄·일광욕·냉수 마찰·노동 요법 등이 있음.
치마-고름 [―꼬―] 명 치마끈
치마-귀 [―뀌] 명 치맛자락의 귀. ¶~로 눈물을 훔치다.
치마-기슭 [―슥] 명 치맛자락의 끝부분. ¶~을 박다.
치마-도리 [―또―] 명 치마의 아랫부분.
치마-받이 [―바지] 명 낮은 곳에서 높은 곳으로 올라가는 언덕길.
치벽-하다 【―僻―】형여불 외진 곳에 치우쳐서 벽지다.
치-사랑 명 손아랫사람이 윗사람을 사랑하는 것. ――하다 타여불
치원【置怨】명 원망하는 것.
치절【齒切】명〔기〕톱니바퀴의 이를 깎는 일.
치여-나다 자 어떤 환경 속에서 일정한 시달림을 겪어 나다. ¶사회의 갖은 풍파에 ~.
친-부형【親父兄】명 친아버지와 친형.
친-살붙이【親―】[―부치] 명 친혈육.
칠갑【七甲】명 예순 살을 '환갑'이라고 하는 데 맞추어 '일흔 살'을 이르는 말. ¶~을 맞다/~과 팔갑. 진갑.
칠낚 [―락] 명 챌낚.
칠색-송어【七色―】[―쌕―] 명 무지개송어.
칠판-닦개【漆板―】명 칠판 지우개.
칡-매끼 [칙―] 명 칡끈. 묶는 데 씀.
침-놓이【鍼―】명 침을 놓는 것. ――하다 자여불
침-받개 명 타구.
칩-뜨다 자 몸을 힘있게 솟구어 높이 떠오르다. ¶이리같이 날뛰고 범같이 ~.

ㅋ

칼-국 명 칼제비국.
칼날-폭풍【―暴風】[―랄―] 명 겨울에 북쪽에서 불어오는, 칼로 살을 에는 듯한 매운 바람.
칼날-여닫이 [―랄―다지] 명〔전〕칼날같이 얇고 띠 모양으로 된 전극으로 전기 회로를 여닫게 된 기구. 칼날개폐기.
칼-덤 명 통나무를 가로 잘라서 만든 둥그런 칼도마.
칼-도마 [―또―] 명 도마.
칼리움 〔도 Kalium〕명〔화〕칼리.
칼-바람 명 칼로 살을 에는 듯한 몹시 매운 바람.
칼-바위 명 칼날처럼 날카롭고 뾰족뾰족한 바위.
칼-벼랑 명 칼로 깎아지른 듯한 험한 벼랑.
칼-손질 명 ①칼로 다듬고 손질하는 일. ②칼을 갈거나 자루를 맞추는 등 칼을 손질하는 일. ――하다 자타여불
칼시움 [calcium] 명〔화〕칼슘.
칼-자리 [―짜―] 명 칼자국.
칼제비-국 [―꾹] 명 밀가루·메밀가루 등으로 국수를 만들어 장국에 끓인 음식. 칼국수. 칼국. 칼제비. 밀국수.
칼칼-히 부 칼칼하게.
칼-탕 명 칼로 여러 번 찍거나 다지거나 하는 것. 또는 찍히거나 다져진 것. ¶~ 소리/~을 만들다/~을 맞다.
캄캄-칠야【―漆夜】명 아주 캄캄한 밤.
커-맞다 형 좀 큰 듯하게 맞다.
케 명 어떤 일이 되어 가는 형편이나 싹수. 낌새나 눈치. ¶중간에 끼어서 ~를 보다/~가 틀리다.
켕길-힘 명 줄이나 막대기, 판을 잡아당길 때 당기는 방향에 수직이 되는 단면(斷面)의 양쪽에서 작용하는 힘.
코-기름 [―끼―] 명 콧등에서 나오는 기름기.
코-날개 [콘―] 명 콧방울.
코-밀이 명 엎어지거나 다치거나 하여 콧등이 벗겨지는 일. ――하다 자여불
코안-소리 [―쏘―] 명 콧소리.
코-장구 [―짱―] 명 ① 콧방귀. ②코로 장구치듯 킁킁하는 소리. ¶~를 치다.
코-장단【―長短】명 콧방귀로 맞추는 장단. ¶입장단과 ~.
코-집 [―찝] 명 코를 이룬 살덩어리.
코집이 틀리다 구 일이 장차 잘되기는 다 글러지다.
코큰-소리 명 흰소리를 치며 배짱 부리는 말. ――하다 자여불
코-타령【―打令】명 콧소리로 흥얼거리는 타령. ¶~을 부르다.
코-투레 명 말이 코를 불며 투투 소리를 내는 것. ――하다 자여불
코투레-질 명 말이 연해 코투레하는 짓. ――하다 자여불
코-판 명〔축산〕짐승들에서, 털이 거의 없고 피부면만으로 된 코끝 부위(部位).
코-판대기 명 코판.
콩-갈반병【―褐斑病】[―뼝] 명〔농〕콩잎에 밤색 점이 생기어 말라 떨어지는 병.
콩-끓이 명 콩죽.
콩-노굿 명 콩노굿. ¶~이 패다.
콩-된장【―醬】명 콩을 기본 원료로 한 된장. ¶맛좋은 ~.
콩-또래 명 콩깻묵.
콩물-국 [―꾹] 명 콩국.
콩물-젖 명 콩우유.
콩-우유【―牛乳】명 두유(豆乳). 콩물젖. 콩젖.
콩-윷 [―뉻] 명 당콩으로 만든 윷. ¶~을 치다.
콩-자반병【―紫斑病】[―뼝] 명〔농〕콩의 잎·줄기·꼬투리에 보랏빛이 나는 분홍색 얼룩 무늬가 생기는 병.
콩-청대【―青―】명 청대콩을 불에 그슬러 익힌 것. 청대.
콩팥-관【―管】명〔생〕신관(腎管).
콩팥-염【―炎】명〔의〕신장염.
콩팥-잔관【―管】명〔생〕세뇨관(細尿管).
콩풀-칠 명 콩댐. ――하다 자여불
쾌심-스럽다【快心―】형ㅂ불 통쾌하고 즐겁게 느껴지는 마음이 있다.
쾌쾌-하다 형여불 ①몹시 고리타분하다. ②하는 짓이나 생김새가 쬐쬐하고 잘다.
퀘퀘-하다 형여불 비위에 거슬릴 정도로 구리터분하다.
퀴지근-하다 형여불 냄새가 좀 퀴퀴하다.
크 명 한글 자모 'ㅋ'의 딴이름.
크낙-하다 형여불 매우 크다. 크나크다.
큰골-반쪽【―骨半―】명〔생〕대뇌반구.
큰골-수질【―骨髓質】명〔의〕대뇌(大腦) 수질.
큰길-거리 [―꺼―] 명 큰길을 낀 거리.
큰-날다라미 명 하늘다람쥐.
큰댁-네【―宅―】명 남을 높이어 그 '본처'를 이르는 말.
큰-덕 명 높고 평평한 지대. 대지(臺地).
큰-되 명 열흡들이 되. ¶~와 작은 되.
큰-말 명 열되들이 말. 대두(大斗).
큰물-때 명 큰물이 나는 때.
큰물-피해【―被害】명 수재(水災).
큰보임-새 명〔영화〕클로즈업.
큰-사리 명 윷놀이에서 '윷'이나 '모'를 달리 이르는 말.
큰-삼촌【―三寸】명 삼촌 중 가장 나이 많은 삼촌.
큰-성【―姓】명 대성(大姓).
큰성-받이【―姓―】[―바지] 명 큰성을 가진 사람.
큰-씨름 명 상씨름.
큰-짐승 명 몸집이 큰 짐승.
클클-증【―症】[―쯩] 명 클클한 느낌이나 생각.
클클-하다 형여불 ①뱃속이 좀 빈 듯하고 텁텁하여 무엇을 시원하게 마시거나 먹고 싶은 생각이 있다. ¶속이 ~. ②마음이 시원스럽게 트이지 못하고 좀 답답하거나 궁금한 생각이 있다. ③마음이 서글프다.
키-낮다 형 높이가 낮다. ¶키낮은 울바자.
키-높다 형 키가 크다. ¶키높은 백양나무.
키-높이 명 키. ¶~를 재다. 二 부 키가 높게. ¶~ 자란 소나무.
키다리-증【―症】[―쯩] 명〔의〕몸이 보통 사람보다 엄청나게 크게 자라는 병.
키-다툼 명 ①키높이를 다투는 것. ②서로 앞서거니 뒤서거니 경쟁하는 것. ――하다 자여불
키대 명 키의 생김생김이나 모양새. ¶~가 큼직하다.
키-손 명 키를 쥐는 손잡이. ¶~을 잡다.
키-솟음 명 키를 높이려고 몸을 위로 솟구치는 것. ――하다 자타여불
키이다[1] 피동 켜이다. ¶물이 ~.
키이다[2] 자 ①무엇이 마음에 들거나 내키다. ¶정이 ~/마음이 ~. ②무엇이 마음에 걸리다. ¶동무들의 모양이 마음에 키여서….
키크기-운동【―運動】명 키가 크게 자라고 체격이 조화 있게 발달되도록 하기 위한 운동.
키-춤[1] 명 키를 가지고 추는 춤.
키-춤[2] 명 발돋움.
키-통【―筒】명 배의 키를 다는 부분.

때, 여러 정당·사회 단체·군대 및 그 밖의 조직체들의 하층 군중과 이루는 행동 통일.

학교-나이【學校—】명 학교에 들어갈 나이. 학령(學齡).

학급-장【學級長】명 반장.

학생-물림【學生—】명 학생 생활을 마치고 갓 나온, 현실에 어둡고 산 경험이 없는 사람. ¶소박한 ~의 병사.

학생소년-궁전【學生少年宮殿】명 학생 소년들을 위한 종합적인 과외 교육 교양 기관. 또, 그 건물.

학생-소조【學生小組】명 학생들로 조직된 소조.

학생소조-활동【學生小組活動】명 문화적 소양을 지니기 위해 학과목 또는 부문별로 소조를 모아 진행하는 학생들의 과외 활동.

학습-제강【學習提綱】명 학습할 내용을 체계를 세워서 적은 제강.

학직【學職】명〖교〗대학 및 과학 연구 기관에서 교수 교양 사업과 과학 간부 양성 사업에 복무하는 사람들에게 그의 공로와 업적을 평가하여 주는 칭호. 북한에서 학직은 교수와 부교수로 가름. ¶교수 ~/부교수 ~/학위 ~.

한-가득 부 빈 데 없이 꽉 차도록 가득. 하나 가득. ¶사과를 전동차에 ~ 실었다. ——-하다 형여불

한가-스럽다【閑暇—】형ㅂ불 한가한 느낌이 들다. **한가-스레**【閑暇—】부

한-것은 부 그 까닭은. 왜냐하면. ¶우리는 학습 제일주의 구호를 더욱 높이 들어야 한다. ~ 우리가 학습을 기본 혁명 과업으로 삼고 있는 학생이기 때문이다.

한갓-지다 형 으슥하고 구석지다. ¶그의 집은 마을에서도 한갓진 산기슭에 있었다.

한계-구배【限界勾配】명 길의 일정한 구간에서 허용할 수 있는 가장 큰 「구배.

한-굽 명 ↗한구비.

한굽(을) **죽이다** 구 많은 일 중에서 큰 부분을 해치움으로써 일을 많이 완화하다.

한그루-짓기 명 1년에 한 가지 곡식을 한 번만 짓는 농사짓기 방법.

한데-가마 명 한뎃솥.

한도-행표【限度行票】명〖경〗자기 계좌에 설정된 일정한 금액 상의 한도 안에서 발행되는 행표.

한-모라기 명 ①모락모락 한 번씩 피어 오르는 연기·김·냄새의 한 번. ②바람 같은 것이 한 번 산뜻 부는 일. ¶~의 산뜻한 바람.

한물[1] 명 큰물. ¶~이 지다.

한물[2] ㊀명 미세기에서, 육지로 바닷물이 한 번 들어왔다가 나가는 동안. 또는 그 동안의 바닷물. ㊁부 한층. 한결. ¶품위가 ~ 오르다.

한물-철 명 물고기·채소 등이 한창인 철.

한-바다 명 ①매우 깊고 넓은 바다. ②'매우 넓고 방대한 것'의 비유.

한-생【一生】명 일생. 한평생. ¶과학에 ~을 바치다.

한-소리 명 크게 지르는 한 마디 소리.

한-순【一瞬】명 ↗한 순간. ¶~이 지나다.

한-쉼 명 한 동안 쉼. ¶~을 쉬다. ——-하다 자여불

한죽-하다 형여불 한창이던 기세나 숨소리 같은 것이 한풀 죽어 조용하거나 낮게 고르다. ¶숨이 ~.

한칸-자방【一子房】명〖생〗단실 자방(單室子房).

할복-공【割腹工】명 고기 밸을 따는 일을 하는 노동자.

할복-기【割腹機】명 밸을 따는 기계.

할복-대【割腹臺】명 물고기 따위를 올려 놓고 밸을 따는 대.

할복-장【割腹場】명 물고기 같은 것의 밸을 따는 곳.

함거【函渠】명 함(函)도랑.

함께-살이 명 공생(共生).

함-도랑【函—】명 함처럼 위를 덮게 만든 도랑. 함거(函渠).

함수-먹이【含水—】명 물이 들어 있는 먹이.

함정-골【陷穽—】[—꼴] 명 한 번 들어가면 벗어 나올 수 없는 함정과 같은 골짜기.

함지-막【—幕】명 전날에, 산에서 함지를 만들 때 쓰던 간단한 막.

함칫 부 몸을 갑자기 움직이며 조금 놀라는 모양.

함탄-징후【含炭徵候】명〖지질〗일정한 지역에 탄층이 있을 수 있는 것을 시사해 주는 징후.

합렬【合列】[—녈] 명 ①열을 합침. ②〖수〗열을 이루고 있는 수나 항수들을 더하기 기호로 이어 놓음. ——-하다 자타여불

합법적-맑스주의【合法的—主義】(Marx) [—막—] 명 19세기 90년대에 러시아에서 나타난 기회주의적·수정주의적 조류의 한 가지.

합법적-투쟁【合法的鬪爭】명 자본주의 사회에서 법질서나 규정들을 이용하여 공개적으로 벌이는 혁명 투쟁. ¶~과 비합법적 투쟁.

합상【合像】명 두 사람 이상의 초상이 한데 어울리어 있는 그림·사진.

합성-략어【合成略語】명〖언〗복합어 명사를 간략화하여 이룬 명사. '사회주의로동청년동맹'이 '사로청'이 된 따위.

합성-먹이【合成—】명 합성 사료.

합수-목【合水—】명 흐르는 냇물이 합치는 물목이나 그 이름.

합영【合營】명 서로 다른 기업체·회사들이 공동 출자하여 기업을 운영하는 일. 또는 그런 기업. ——-하다 타여불

합영-공업【合營工業】명 합영하여 운영하는 공업.

합영-법【合營法】[—뻡] 명 자기 나라 법인과 다른 나라 법인 또는 자연인 사이에 공동으로 회사를 조직·운영하는 것과 관련하여 발생하는 사회 관계를 규제한 법.

합적【合適】명 꼭 알맞음. ¶어떤 요건에 ~한 지식. ——-하다 형여불

합적-차【合積車】명〖운수〗모아실이차.

합창【合漲】명 큰물이 나서 몇 갈래의 강물이 합하여 넘쳐 흐르는 일. ——-하다 자여불

합친-꽃【合—】명〖생〗합판화(合瓣花).

합친-말【合—】명 합성어(合成語).

합-판자【合板子】명 합판으로 되어 있는 판자.

항공-륙전대【航空陸戰隊】명 수송기에 의하여 상대측 지대에 투하되어 전투하는 부대. 공수(空輸) 특전 부대.

항공-역【航空驛】명 공항(空港).

항구-역【港口驛】명 짐을 실어 내고 들이기 위해 항구에 시설한 역.

항-사령【港司令】명 항구의 사령, 곧 항구에서 배의 운행과 부두 작업을 조직 지휘하는 일. 또, 그 일을 맡아 하는 일꾼. ¶~과 역사령.

항생-소【抗生素】명 항생 물질.

해가까운-점【—點】명 근일점(近日點).

해-가늠 명 해짐작. ——-하다 자여불

해-가림 명 햇볕을 가리어 주는 일. ——-하다 자타여불

해가림-발 [—빨] 명 햇빛을 가리는 발. 해발.

해-감탕 명 바닷물이나 강물 속의 감탕.

해-걸음 명 '하루해가 지나가는 것'을 걸음을 옮기는 데 비겨 이르는 말. ¶~이 밭은 겨울 날.

해군-닻【海軍—】명 큰 군함에서 흔히 쓰는, 갈고리가 두 가닥인 닻.

해-그늘 명 햇빛이 가려진 그늘.

해-그림자 명 ①어떤 물체가 햇빛을 가려서 생기는 그림자. ②물·렌즈 그 밖의 물체에 비친 해의 모습.

해-깝다 형ㅂ불 행실이나 언행이 아주 가볍다.

해-덧 명 해가 지는 그 동안. ¶~이 짧다/~이 없다/~이 길다.

해-돌이 명 나이테. 연륜(年輪).

해먼-점【—點】명 원일점(遠日點).

해바라기-옷 명 아래윗도리가 잇달린 어린아이들의 여름옷. 소매가 없어 햇빛을 많이 받음.

해-발 명 해를 가리는 발. 해가림발.

해방-구【解放區】명 해방된 지구.

해방-군【解放軍】명 인민을 해방하는 군대.

해방-연【解放宴】명 해방의 기쁨을 경축하는 연회.

해방-전쟁【解放戰爭】명 나라와 인민을 해방하기 위한 전쟁. 해방전.

해-비 명 여우비.

해빛-소독【—消毒】[—삗—] 명 일광 소독.

해상-례【海上禮】명 해상에서, 한 나라의 해군이 다른 나라의 해군 기지 또는 해군 함선에 가까이 갔을 때에 예포나 신호기 같은 것으로 하는 공식적인 인사.

해수-크링카【海水—】(clinker) 명 바닷물에서 얻어 낸 클링커.

해양-려관【海洋旅館】명 주로 어부와 선원들이 들 수 있게 항구 도시에 꾸려 놓은 여관.

해양-하다 형여불 햇빛을 잘 받고 양지바르다. ¶우리 나라는 해양하기 때문에 온갖 곡식이 다 잘 된다.

해운-구락부【海運俱樂部】명 해운 부문에서 일하는 노동자·기술자·선원들을 위한 구락부.

해정-술【解酲—】[—쑬] 명 해장술.

해정-탕【解酲湯】명 해장국.

해-제끼다 타 ①어떤 일을 결말을 맺게 해 버리다. ¶밀렸던 일을 본때 있게 ~. ②'죽이다'의 딴말. ¶적 보초놈을 끽 소리없이 ~. ¶돼지 한 마리를 ~. ③'잡아먹다'의 딴말.

해족 부 흐뭇한 태도로 살며시 귀엽게 웃는 모양. ——-하다 자타여불

해-종일【—終日】명 온종일.

해-짐작【—斟酌】명 ①해를 보고 하루해가 얼마나 남았는지를 짐작함. ¶~을 하고 길을 떠나다. ②해를 보고 시간을 헤아려 짐작함. 해가늠. ——-하다 자여불

해초-국【海草—】[—꾹] 명 먹을 수 있는 해초로 끓인 국.

해침-놓임새【海浸—】명〖지〗뭍이 바다에 잠길 때 생기는 지층의 놓임새.

해퇴-놓임새【海退—】명〖지〗바다가 물러갈 때 생기는 지층의 놓임새.

해판 명 바닷가의 간석지에 깔려 있는 감탕판.

핵-공갈【核恐喝】명 핵무기를 가지고 하는 공갈. ——-하다 타여불

핵심-골간【核心骨幹】명 어떤 조직체의 핵심적인 구성 부분·요소.

핵심-진지【核心陣地】명 혁명 투쟁에서, 핵심들로 이루어진 대열. ¶~를 튼튼히 꾸리다.

햇-가지 명 그 해에 새로 자라는 가지.

햇-강아지 명 ①그 해에 나서 자란 강아지. ②난 지 얼마 안 된 강아지.

햇-낟알 명 햇곡식을 바심한 낟알.

햇-남새 명 그 해에 새로 난 남새.

햇-내기 명 경험이 없이 일에 서투른 사람.

햇-순【—筍】명 새해에 돋은 순. ¶~이 돋아나다.

햇순-남새【—筍—】명 어린 새순을 먹는 남새.

햇쌀-밥 명 햅쌀밥.

행성-별구름【行星—】명 은하계 안에 있는 성운의 한 가지.

행세-거리【行勢—】[—꺼—] 명 행세하기에 좋은 거리나 밑천.

행세식-공산주의자【行勢式共產主義者】명 혁명의 앙양기에는 공산주의자 행세를 하기 위하여 혁명적인 언사를 쓰면서 멋을 부리고 돌아다니나 적들의 탄압이 가해지고 시련을 겪게 되면 겁을 집어먹고 투쟁을 포기하고 시정배로 굴러 떨어져 혁명을 배반하는 기회주의자.

행세식-맑스주의자【行勢式—主義者】(Marx) [—막—] 명 혁명 앙양기에는 혁명가 행세를 하며 맑스주의적인 언사를 부리나 적의 탄압이

가해지면 겁을 먹고 배반하는 기회주의자.

행세-옷【行勢—】명 '나들이옷'을 달리 이르는 말.

행진간-사격【行進間射擊】명 엎드리거나 앉지 않고 순간적으로 서서 사격하고 다시 전진하는 사격 동작.

행처【行處】명 간 곳. 가는 곳. ¶~를 모르다.

행탱이 명 ①〔광〕 행탕이. ②물밑에 가라앉는 감탕.

행투리 명 '행티'를 홀하게 이르는 말. ¶소갈머리 없는 여자의 ~.

행패-받이【行悖—】[—바지] 명 행패를 받아 주는 일. 또는 그런 사람. ¶~에 골머리가 빠지다.

행표【行票】명〔경〕 제정된 기일 안에는 그에 기입된 금액을 언제나 지불함을 은행이 담보하는 경제 문서. 행표는 용도에 따라 무현금 행표와 찾는 행표로 구분됨.

향기-물【香氣—】명〔약〕 방향유(芳香油)를 푼 용액. 물약을 먹기 좋게 하는 데 씀.

향-담배【香—】명 향기롭고 맛좋은 고급 담배.

향리-품【享利品】명 생활에 이롭고 쓸모 있는 물품. 복리품. ¶물질적 ~.

향-보시기【香—】명 향을 태우는 보시기.

향-비늘【香—】명〔생〕 수컷 나비류의 날개에 있는 향내나는 비늘 가루. 이 냄새를 맡고 암컷이 찾아옴. 향린(香鱗).

향열-성【向熱性】[—썽] 명 생물체가 열이 나는 쪽으로 끌리거나 열로부터 멀리 물러나는 성질.

향-오동【香梧桐】명〔식〕 벽오동.

향-참외【香—】명〔식〕 멜론.

향-패랭이꽃【香—】명〔식〕 카네이션.

허갈【虛竭】명 속이 텅 비고 물자가 고갈하는 일. ——-하다 자여불

허거프다 형 허전하고 어이 없다. ¶허거프게 웃다.

허곡【虛穀】명 ①낟알 껍데기나 쭉정이. ②알속이 없는 낟알.

허궁[1] 명 '허공'을 이르는 말.
허궁을 짚다 구 허방을 짚다.

허궁[2] 부 ①어떤 물체가 공중에 번쩍 떠들렸다가 떨어지는 모양. ¶낭떠러지에 ~ 떨어지다/~ 떠들리다. ②어떤 사물이나 현상이 아주 터무니없이 없어지거나 보람 없이 되어 버리는 모양. ¶안 오는 사람을 기다리며 3시간을 ~ 떼었다.

허궁-다리 명 적교(吊橋).

허궁-잡이 명 공중제비.

허궁-총【—銃】명 보람 없이 허공에 쏘는 총. ¶소용 없는 ~을 쏘다.

허궁-치기 명 어떤 일을 하는 데서, 계획성 없이 무턱대고 하는 일. ¶일을 ~로 하다. ——-하다 자여불

허리-바 [—빠] 명 높은 데서 일할 때 노동 안전을 위해 허리에 매는 바.

허리-증【—症】[—쯩] 명 허리가 아픈 신경통.

허망 명 허방. ¶~을 짚다.

허위-목표【虛僞目標】명 적을 혼란시키려고 가짜로 만들어 놓은 목표물.

허위-포【虛僞砲】명 적을 속이기 위한 가짜 포.

허접-스럽다 형ㅂ불 허름하고 잡스럽다. 허저부레하다. ¶허접스러운 물건.

허접-스레 부 허접스러운 모양. ¶~한 찌꺼기. ——-하다 형여불

허튼-돈 명 힘들이지 않고 허투루 생기는 돈.

허파-잎 명〔생〕 폐잎. 폐엽(肺葉).

허허-넓다【虛虛—】[—넙—] 형 텅 비게 거치장스러운 것이 없이 넓다.

허허-들판 명 가없이 넓은 들판.

험상-쟁이【險相—】명 '험상스럽게 생긴 사람'을 낮잡아 이르는 말.

헛-가지 명〔식〕 도장지(徒長枝).

헛-곳 명 쓸데 없는 헛된 곳. ¶~으로 가 버리다.

헛-길 명 ①목적을 이루지 못하고 걷는 길. ¶~을 걷다. ②방향이 어긋나게 잘못 잡은 길. ¶~을 잡다.

헛-나발 명 '빈소리'·'헛소리'·'허튼소리'를 홀하게 이르는 말. ¶~을 불다.

헛-눈 명 한눈. 딴눈.
헛눈(을) 팔다 구 한눈을 팔다.

헛눈-질 명 한눈을 파는 짓. ——-하다 자타여불

헛-대포【—大砲】명 ①명중하지 못하게 쏜 대포. ¶~를 쏘다. ②'허풍 치는 일'을 이르는 말. ¶~쟁이/~를 놓다.

헛-들다 자 길을 잘못 들다.

헛-아지 [헏—] 명 헛자란 가지. 무효아지.

헛-알 [헏—] 명 ①벼 같은 것이 잘 여물지 않았거나 전혀 속이 들지 않은 알. ②빗나간 탄알. ③시늉으로만 재우는 총알·탄알.

헛-얼【—孼】[헏—] 명 남의 일이나 근거 없는 일 때문에 받게 되는 손해. ¶~을 입다.

헛-자라다 자 ①헛되게 보람 없이 자라다. ②식물이 연하고 마디 사이가 길어지다.

헛-침 명 '군침'을 달리 이르는 말.

헛-하다 타여불 ①일을 하였으나 보람이 없게 하다. ②해야 할 일을 하지 않고 쓸데 없는 일을 공연히 하다.

헤-가르다 타르불 헤쳐지도록 가르다. ¶물결을 ~/밤하늘을 헤가르며 요란한 총소리가 울리더니….

헤기 명 헤엄을 치는 일.

헤기-우다 자 헤우다. ¶쇠밧줄이 팽팽하게 헤기우면서….

헤-벌리다 타 입 같은 것을 어울리지 않게 정신 없이 넓게 벌리다. ¶입을 ~

헤엄-옷 명 수영복.

헤염-장【—場】명 수영장.

헤우다 자타 ①줄 같은 것이 팽팽하게 당기어지다. 또는 당기다. ¶빨랫줄이 ~. ②마음의 긴장이 더욱 조여지다. 또는 그렇게 조이다. ¶긴장된 분위기를 한층 더 팽팽히 헤워 놓았다.

헤프-쟁이 명 ①돈이나 물건의 씀씀이가 헤픈 사람. ②성질이 모질지 못하고 인정이 많으며 조금만 건드려도 눈물이 앞서는 사람.

헴 명 셈. ¶~을 차리다/~이 들다/~이 나다.

혀-그물 명 그물에서, 물고기를 통그물 안에 잘 들어가게 하고 들어간 물고기가 잘 나오지 못하게 다는 그물.

혀-이끼 명 설태(舌苔).

혀-접【—椄】명〔농〕 접그루와 접가지의 굵기가 비슷할 때 혀를 만들어 붙이는 접방법.

혀-튀김 명 피리와 같은 목관 악기의 연주에서, 혀로 튀기는 연주법.

혁-띠【革—】명 혁대.

혁명-소조【革命小組】명 ↗삼대혁명소조.

현물-분배【現物分配】명 협동 농장에서, 현물로 주는 분배. ——-하다 자타여불

현물-우대제【現物優待制】명 우대 기준을 넘게 한 일을 돈으로가 아니라 현물로 나누어 가지는 우대제. 주로 협동 농장에서 실시함.

현물-평가제【現物評價制】[—까—] 명〔경〕 사회주의 사회에서, 건설 기업체 내부 단위들에서 건설 계획 수행을 대상별·공정별로 현물 지표에 따라 평가하고 사회주의 분배 원칙을 적용하는 제도.

현정미-기【玄精米機】명 '현미기'와 '정미기'를 아울러 이르는 말.

현-줄【絃—】[—쭐] 명 현악기의 낱낱의 줄.

현지-강의【現地講義】명〔교〕 교원들이 학생들이 있는 현지에 나가서 하는 강의. ——-하다 타여불

현지-교시【現地敎示】명 현지 지도하면서 준 교시.

현지-재판【現地裁判】명〔법〕 범죄가 감행된 장소와 범죄자가 살던 곳 또는 원고·피고가 살고 있는 곳에 나가서 많은 군중의 참가 하에 진행하는 재판.

혈압낮춤-약【血壓—藥】명 혈압 강하제.

혈액-금고【血液金庫】명 혈액 은행.

혈연-단신【孑然單身】명 혈혈 단신.

혈연적-련계【血緣的連繫】[—쩍—] 명 끊을래야 끊을 수 없는 매우 밀접한 연계.

혈전-만리【血戰萬里】[—쩐—] 명 피흘리며 싸워 온 머나먼 길.

혈전-판【血戰—】[—쩐—] 명 혈전이 벌어지고 있는 싸움판.

혈조【血潮】명 ①얼굴에 치밀어 오르는 핏기. ②'손구치거나 쏟아져 나오는 피'를 비겨 이르는 말.

혈투-사【血鬪史】명 혈투를 벌여 온 역사.

혐오-스럽다【嫌惡—】형ㅂ불 ①혐오하는 데가 있다. ¶혐오스러운 빛이 가득 찬 눈. ②밉살스럽다.

협동-농민【協同農民】명 협동 농장에 들어 일하는 농민.

협동-농장【協同農場】명 농민들이 자원적 의사에 따라 토지를 비롯한 생산 수단 등을 통합하고 공동 노동에 기초하여 농업 생산을 진행하는 사회주의적 집단 경영 농장.

협동-벌【協同—】[—뻘] 명 협동 농장의 논밭들이 펼쳐져 있는 벌. ¶황금 나락 물결치는 ~.

협동-생산【協同生産】명〔경〕 여러 부문 또는 기업체들 사이, 기업체 안의 여러 직장들 사이에 생산적 연계를 맺고 일정한 제품을 만들어 내는 생산 조직 형태. 또는 그렇게 생산하는 일.

형-단조【型鍛造】명〔금속〕 제품과 똑같은 모양을 가진 금형(金型)을 망치나 프레스에 설치하고 그것으로 소재에 소성 변형을 일으켜 요구되는 형태와 치수를 가진 제품을 얻는 단조.

형동-사【形動詞】명〔언〕 일부 언어에서 동사와 형용사의 특성을 다 가지고 있는 동사의 한 형태.

형률【形率】명〔임학〕 서 있는 나무의 가슴 높이의 굵기에 대한 상대적 위치에서의 굵기의 비율. 나무 줄기의 밋밋한 상태를 표시함.

형벌-량정【刑罰量定】명〔법〕 형법에 규정된 범위 안에서 범죄자에게 줄 형벌의 종류와 정도를 결정하는 재판소의 활동. ——-하다 자여불

형삭【型削】명 가공하려는 소재에 바이트를 대고 밀어서 소재를 깎는 일. 또, 그런 장치. ——-하다 타여불

형장-개비【刑杖—】[—깨—] 명 형장으로 쓰는 막대기. 또, 그 부러진 토막.

형제-당【兄弟黨】명 공산당 및 노동당들을 같은 목적을 위해 손잡고 나아가는 계급적 형제라는 뜻으로 이르는 말.

형타【型打】명〔기〕 금형(金型).

형태-부【形態部】명〔언〕 단어에서 뜻을 가지고 있는 가장 작은 단위. 형태소(素).

형-투리【形—】명 어떤 물건의 모양과 테두리. ¶도면의 ~를 잡다.

호강-살이 명 호강스럽게 지내는 생활. ——-하다 자여불

호골-술【虎骨—】명 범뼈·백작약(白芍藥) 등을 일정 기간 담가서 우린 술. 신경통·류머티즘성 관절염 등에 씀. 호골주.

호랑이-수염【虎—鬚髥】명 굵고 빳빳한 털의 끝이 위로 올라간 수염.

호령-기【號令氣】[—끼] 명 호령을 하는 것과 같은 기운이나 기세. ¶~ 어린 말투.

호맹이 명 산등에서 골짜기로 홈통처럼 패어 내린 곳.

호박-과자【—菓子】명 호박을 기본 원료로 만든 과자.

호박-섶 명 호박 덩굴이 뻗도록 만들어 준 섶이나 거기에 덮인 호박 덩굴.

호박-손 명 ①호박 덩굴이 뻗으면서 다른 물체에 감기는 덩굴손. ¶~이 뻗다. ②호박 덩굴이 잘 뻗게 놓아 주는 나무나 새끼.

호박-지지개 명 호박을 잘게 썰어서 된장과 물을 조금 두고 지진 반찬.

호:상【互相】一명 상호(相互). 二부 서로.

호상-간【互相間】명 상호간. ¶동지 ~의 방조.

호상-동화【互相同化】명〔언〕 상호 동화.

호상-반칙【互相反則】명〔체육〕 두 단체의 선수가 함께 범한 반칙. 상호 반칙.

호상방위-조약【互相防衛條約】명 상호 방위 조약.

호상-성【互相性】[-썽] 명 상호성. ¶ ~의 원칙.
호소【號召】명 ①어떤 사업으로 대중을 불러일으키는 일. ¶ 당의 ~를 높이 받들다. ②어떤 일에 참가할 것을 힘차게 호응함. ——-하다 자타 여불
호소-문【號召文】명 호소하는 내용을 담은 글. ¶ 학생들에게 보내는 ~.
호송-포【護送砲】명 공격하는 보병의 전투 서열 안에서 보병과 탱크의 돌격을 직접 지원하는 포.
호양-성【好陽性】[-썽] 명 〔생〕 볕을 좋아하는 생물의 성질이나 특성.
호온-성【好溫性】[-썽] 명 〔생〕 생물이 더운 온도를 좋아하는 특성. ¶ ~ 식물/~ 물고기.
호용-소리【豪勇-】[-쏘-] 명 호기롭고 용감한 소리.
호조-반【互助班】명 작업·학습 등을 서로 돕기 위하여 조직한 반.
호-판【好-】명 좋은 판국. ¶ ~을 만나다. ——-하다 형 여불
호호-망망【浩浩茫茫】명 끝없이 넓어 아득함. ¶ ~ 너른 천지.
호호-바다【浩浩-】명 허허바다. ¶ ~를 돛배로 건너 가다.
혹낸-돌 명 가장자리는 반반하게 다듬고 가운데는 우툴두툴하게 혹을 낸 돌. 바깥 벽체를 쌓는 데 씀.
혼-맹이【魂-】명 '혼'을 속되게 이르는 말.
　혼맹이(가) 빠지다 구 넋이 나가다.
　혼맹이 나다 구 혼나다.
　혼맹이를 빼다 구 혼이 빠지게 하다.
　혼맹이를 뽑다 구 몹시 혼나게 하다.
혼-바람【魂-】[-빠-] 명 ('나다'와 같은 말과 함께 쓰이어) 나가는 혼의 뜻을 강조하는 말.
　혼바람(이) 나다 구 몹시 혼나다.
혼석【混石】명 자갈과 모래가 섞인 것. ¶ 자동찻길에 ~을 깔다.
혼성-호【混成湖】명 〔지〕 여러 원인이 한꺼번에 작용하여 된 호수.
혼인-장식【婚姻裝飾】명 〔동〕 수컷치레.
혼자-나다 자 ①과부가 되다. ②남편과 헤어져 혼자 있게 되다. 혼자되다.
혼자-속 [-쏙] 명 저 혼자의 속생각이나 마음속.
혼자-씨름 명 ①혼자서 속으로 이리저리 따져 보고 재어 보는 일. ②무슨 일을 혼자서 붙들고 애쓰는 일. ——-하다 자 여불
혼주【混酒】명 ↗혼성주(混成酒).
홀가-매다 타 천 같은 데 구멍 난 곳을 덧천을 대고 깁지 않고 맞걸어 꿰매다.
홀개-바람 명 홀태바지를 입은 차림새. 또, 홀태바지 바람.
홀개-바지 명 홀태바지.
홀곤:-하다 형 여불 매우 곤하다.
홀림-낚시 명 미끼와 비슷한 모양과 색깔을 가진 가짜 미끼로 물고기를 홀리어 낚는 낚시. 루어(lure) 낚시.
홀림-미끼 명 홀림낚시의 미끼. 가짜 미끼.
홀-짐승 명 암수의 짝이 없는 짐승.
홈 (form) 명 〔↗플래트홈〕 폼.
홈-막이 명 산허리에 있는 홈채기가 패이는 것을 막거나 또는 계단식 사방 공사를 할 때에 위에서 내려오는 흙과 모래를 멈추기 위하여 만드는 구조물. 물홈을 파고 돌을 쌓거나 콘크리트를 함.
홈-채기 명 움푹하게 패어진 자리나 곳.
홍-달구다 타 몹시 달구치다. ¶ 그들을 아무리 홍달구어도 이렇다 할 건덕지를 잡을 수 없었다.
홍-무【紅-】명 〔↗홍당무우〕 홍당무.
홍찌【紅-】명 '피똥'을 달리 이르는 말.
홑-결정【-結晶】[-쩡] 명 〔화〕 단결정(單結晶).
홑-도르래 명 단활차(單滑車).
홑-매듭 명 단 한 번 걸어서 홀쳐 내는 가장 간단한 매듭.
홑-모음【-母音】명 〔언〕 단모음(單母音). 홑홑소리.
홑-배후리 명 배 한 척으로 끄는 후릿그물의 한 가지. 일척선 예망.
화경-알【火鏡-】명 볼록 렌즈 알.
화기-병【火氣病】[-뼝] 명 화기로 앓는 병.
화뜰 부 몹시 놀랐을 때에 몸을 갑자기 크게 떠는 모양. ——-하다 자타 여불
화면-얼굴【畫面-】명 영화의 화면으로 창조된 인물 형상의 얼굴.
화면-형상【畫面形象】명 〔영화〕 글로 씌어진 문학적 형상을 화면에 조형적·입체적으로 옮긴 직관 형상.
화살-춤 명 〔춤〕 활을 들고 추는 우리 나라 옛 춤의 한 가지.
화선-길【火線-】[-낄] 명 화선으로 가거나 화선에 나 있는 길. ¶ ~을 헤치고 달려온 전사.
화선-병사【火線兵士】명 화선에 있는 병사. 최전방의 병사.
화수-경【花穗梗】명 〔생〕 꽃이삭의 꼭지.
화승-대【火繩-】명 화승총.
화식-기재【火食器材】명 군대에서의 취사용 기구. 화식 도구.
화식-병【火食兵】명 '취사병'을 달리 이르는 말.
화식-부【火食夫】명 '취사병'을 이르던 말.
화식-장【火食長】명 취사반장.
화식-화【火食化】명 불에 익힌 음식이나 먹이를 먹이거나 먹게 되는 일. ¶ 야생 동물의 ~. ——-하다 자타 여불
화용-구【畫用具】명 화구(畫具).
환등-모임【幻燈-】명 환등극 같은 것을 보는 모임.
환따지아 (fantasia) 명 〔악〕 판타지아. 환상곡(幻想曲).
환원-불길【還元-】[-낄] 명 〔화〕 환원 불꽃. 환원성 불꽃. 속불꽃.
환자【換資】명 〔경〕 외국환(外國換). 외환. ¶ ~ 시세 / ~ 평가(評價).
환희-롭다【歡喜-】형 ㅂ불 반갑고 즐겁다.
활개-춤 명 두 팔을 내저으며 추는 춤.
활기-롭다【活氣-】형 ㅂ불 활기에 차 있다. ¶ 활기롭게 웃다.
활발랄-하다【活潑剌-】형 여불 활발하고 발랄하다.
활발발-하다【活潑潑-】형 여불 더없이 활발하다.
활엽-숲【闊葉-】명 활엽수림. 넓은잎나무숲.
활자-추기【活字-】[-짜-] 명 〔출판〕 채자(採字). 문선(文選).
활주-정【滑走艇】[-쭈-] 명 쾌속정(快速艇).
활-짓 명 바이올린 등 현악기에서 연주하느라고 활로 켜는 짓. ——-하다 타 여불
활-호【-壕】명 지상 또는 공중의 습격을 막기 위하여 참호벽(塹壕壁)에 활등 모양으로 우묵이 판 홈.
황금-나락【黃金-】명 누렇게 익은 벼이삭.
황금-벌【黃金-】[-뻘] 명 누렇게 익은 벼가 가득한 벌판.
황금-벼【黃金-】[-뼈] 명 누렇게 익은 벼.
황물-현상【黃-現象】명 적조 현상(赤潮現象).
황새-병【-甁】명 목이 긴 병.
황소-부림【黃-】명 황소의 몸부림이란 뜻으로, '크게 치는 몸부림'을 비겨 이르는 말.
황-치기 명 그물을 꿰매어 잇는 방법의 한 가지. 그물의 한 끝을 기둥 같은 데 걸고, 맞잇는 그물의 혼솔과 마주 대고 그물실로 감쳐서 꿰맴.
황-치다 타 그물을 이어 꿰매다. ¶ 그물 조각들을 그물실로 ~.
홰기 명 벼·수수·갈대 같은 것의 이삭이 달린 줄기.
홰-보【-褓】[-뽀] 명 횃댓보. 홰대보.
홰불-봉【-棒】[-뿔-] 명 횃불을 켜는 막대기.
홰불-춤 [-뿔-] 명 횃불 또는 횃불 형상의 소도구를 들고 추는 춤.
홰-싸움 명 〔↗홰불싸움〕 횃불 싸움. ——-하다 자 여불
횅창 부 달빛이 유난스레 환하게 밝은 모양. ¶ 달은 더욱 ~ 밝았다.
회-갓【膾-】[-깓] 명 횟감.
회-국수【膾-】명 생선을 회쳐서 꾸미로 얹은 국수.
회-그물 명 반두처럼 된 들그물의 한 가지.
회도리-목 명 길이나 시냇물 등에서 굽이도는 좁은 목. ¶ 물방앗간 밑 ~을 지나갈 때…….
회-돌【灰-】[-똘] 명 석회석.
회-박【灰-】[-빡] 명 회됫박. 회되박. ¶ ~을 뒤집어쓰다.
회색-적【灰色的】[-쩍] 명 관 '주로 정치적인 면에서, 입장이 모호한 회색과 같은 (것)'을 비겨 이르는 말. ¶ ~ 행동.
회오리 명 ①〔물〕 유체 속에서 어떤 가상적인 축을 중심으로 빨리 도는 유체의 부분. ¶ ~ 바람. ②무용 동작의 한 가지. 회오리 바람처럼 돌아가면서 춤추는 동작.
회전-말【回轉-】명 회전 목마.
회춤 명 ①'회첨(會檐)'을 달리 이르는 말. ②골목.
회충-산【蛔蟲散】명 가루 회충약.
횡진-수【橫進水】명 배의 이물과 고물이 같이 물 속에 들어가도록 하는 진수. ——-하다 자타 여불
횡취【橫取】명 남의 것을 불법적으로 가로채는 일. ——-하다 타 여불
횡:-하다 형 여불 ①날아가거나 지나가 버리는 것이 바람이 횅 일 만큼 매우 빠르다. ②고달프거나 어지럽거나 머리가 아플 때 정신을 차릴 수 없을 만큼 핑하다. ③횅하다.
효과-사【効果士】[-꽈-] 명 영화나 연극 같은 데서 무대나 장면의 효과를 맡아 보는 사람. ¶ 분장사와 ~.
효도-롭다【孝道-】형 ㅂ불 효도하는 마음이 많다.
효력-반경【効力半徑】명 한 발의 폭발물이 파열할 때 거기에 있는 목표가 50% 이상 격파되는 면적의 반경.
후:과【後果】[-꽈] 명 뒤에 나타나는 좋지 못한 결과나 영향. ¶ ~가 없도록 하다.
후-남편【後男便】[혼-] 명 재혼했을 때의 그 남편.
후담-에【後-】부 다음 번에. 또는 훗날에.
후덥다 형 ㅂ불 ①훗훗하게 덥다. ¶ 후더운 방 안 공기. ②느끼는 감정이 절절하고 뜨겁다. ¶ 후더워 오르는 감정. ③남에 대하여 쓰는 마음이 후하고 따뜻하다. ¶ 후더운 인간성.
후들기다 타 되는 대로 막 흔들다. ¶ 자는 사람들을 후들겨 깨우다.
후렁-하다 형 여불 어떤 공간이 거기에 들어갈 물체에 비하여 크고 넓어서 헐렁하다. ¶ 적삼이 ~.
후렁후렁-하다 형 여불 몹시 후렁하거나 모두가 다 후렁하다. ¶ 옷이 ~.
후려-닫다 타 힘을 주어 마구 휘둘러 닫다. ¶ 출입문을 ~.
후려-잡다 타 ①가는 나뭇가지 따위를 후리어서 잡다. ②다른 사람을 그럴 듯한 방법으로 자기 손아귀에 넣다.
후리 명 산줄기가 휘어들어 크게 안쪽으로 굽이돈 곳.
후리가래-질 [-까-] 명 논둑이나 밭둑 등을 후려 깎는 가래질.
후-맛【後-】[훋-] 명 뒷맛.
후방-가족【後方家族】명 조국 보위에 나선 군인들의 가족.
후방-사업【後方事業】명 사회의 모든 성원들이 자기의 일터에서 맡은 일을 더 잘 할 수 있도록 그들의 먹고 입고 쓰고 사는 문제를 잘 보살펴 주고 생활상 편의를 돌보아 주는 일.
후보-닭【候補-】[-닥] 명 〔축산〕 앞으로 알 생산에 쓸 어린 닭. 알낳이후보닭·종자후보닭이 있음.
후보-당원【候補黨員】명 입당하여 아직 정당원이 되지 못한 사람. 선거권·피선거권·결의권이 없음.
후보-돼지【候補-】명 앞으로 종자 돼지로 쓸 어린 돼지.
후보-먹이【候補-】명 후보닭·후보 돼지 같은 것에게 주는 먹이.
후보-소【候補-】명 앞으로 종우로 쓰거나 고기와 젖을 내기 위하여 따로 기르는 소.
후보-우리【候補-】명 후보닭이나 후보돼지 같은 것을 기르는 우리.
후-아버지【後-】[훋-] 명 의붓아버지.

후-야근【後夜勤】명 밤작업을 두 교대로 나누어 할 때에 나중번의 밤교대 근무.
후-어머니【後—】[훋—] 명 계모. 의붓어머니.
후여-후여 감 새나 날짐승을 쫓는 소리.
후연-하다 형여불 훤하다. ¶후연한 벌판이 보이다.
후-입맛【後—】명 뒷맛. ¶~이 좋다.
후주른:-하다 형여불 후줄근하고 느른하다. ¶후주른한 무명 치마.
후치다 타 후치질을 하다.
후치-질 명 극젱이로 밭고랑을 가는 일. 중경(中耕). ——하다 자타여불
훈제-가마【燻製—】명 훈제품을 만들기 위한 가마.
훔친-범【—犯】명 절도범.
훔키다 타 세게 움키다.
훨쑥-하다 형여불 쑥 빼어지게 훨씬 크다. ¶키가 훨쑥하게 크다.
휘-가르다 타르불 휘잡아 가르다. ¶번개는 연방 하늘을 눈부시게 휘가르고….
휘갑 명 ①천·멍석·돗자리 등의 가장자리를 풀리지 않게 얽어서 꾸미는 일. 또, 그 꾸밈새. ②너저분한 일을 잘 마무르는 일. ——하다 타여불
휘-넓다 [—널따] 형 탁 트인 듯이 아주 넓다.
휘-놀다 자 물고기 따위가 제멋대로 돌아다니며 놀다.
휘느른-하다 형여불 심하게 느른하다.
휘-돌기 명 기계 체조의 대차륜(大車輪).
휘-돌아보다 타 ①사방을 휘 돌아보다. ②일정한 범위를 자꾸 돌아다니면서 보다. ③아니꼬운 태도나 감정으로 일부러 돌아보다. ¶휘돌아보는 눈이 곱지 않다. ④냉혹하게 돌아보다. ¶자기를 휘돌아보고 깊이 뉘우치다. ⑤관심을 가지고 돌보다. ¶언제나 다정히 휘돌아보는 조장.
휘-살피다 타 휘둘러 살피다.
휘여-안다 [—따] 타 ①팔을 휘어서 안다. ②따뜻한 온정으로 사람을 보살피다.
휘연-하다 형여불 훤한 듯하다. ¶시루봉 위는 휘연하게 트이고.
휘우청-거리다 자타 좀 느리고 크게 휘청휘청 몸을 자꾸 흔들다. ¶몸을 휘우청거리며 이마의 땀을 씻었다. **휘우청-휘우청** 부. ——하다 자타여불
휘틀 명 콘크리트 혼합물을 넣어 콘크리트 구조물을 만들기 위한 형틀. 나무·강철 따위로 만듦.
휴식-참【休息站】명 잠깐 쉬는 동안이나 사이. ¶~의 오락회.
휴양-권【休養券】[—꿘] 명 휴양소에 가서 휴양 생활을 할 수 있는 증명서.
휴양-생【休養生】명 사회 보험의 일환으로 휴양권을 가지고 휴양소에서 휴양하는 사람.
흉-스럽다【凶—】형ㅂ불 흉한 데가 있게 느껴지다. **흉-스레**【凶—】부
흐 명 한글 자모 'ㅎ'의 딴이름.
흐늑-이다 자 부드럽게 흐늘흐늘 흔들리다.
흐둥-하둥 부 말이나 행동이 실없고 성의가 없는 모양. ¶평소에 ~ 지내다가 나중에야 후회한다.
흐름-량【—量】명 유량(流量).
흐름-모래 명 유사(流砂).
흐름-속도【—速度】명 유속(流速).
흐름식-생산【—式生産】명 컨베이어 시스템 생산.
흐름-체【—體】명 유체(流體).
흐림-도【—度】명 혼탁도(混濁度). 탁도(濁度).
흐림-수【—手】명 어물쩍해서 넘기는 속임수. ¶~를 쓰다.
흐릿-이 부 흐릿하게.
흑심-꾸러기【黑心—】명 흑심이 매우 많은 사람을 얄미워 이르는 말.
흘게-눈 명 흘겨보는 눈. ¶~으로 노려보다.
흘흘 부 숨이 차서 느끼며 숨을 고르지 못하게 쉬는 모양. ¶~ 느껴 운다. ——하다 자여불
흙-구이 [흑—] 명〔농〕흙을 불에 굽는 일. 구운 흙을 거름으로 씀. ¶~ 가마. ——하다 자타여불
흙-깔이 [흑—] 명〔농〕객토(客土). ——하다 자타여불
흙매닥-질 [흑—] 명 진흙 따위로 매대기를 치는 일. ¶아랫도리는 온통 ~을 하고 들어왔다. ——하다 자타여불
흙매-질 [흑—] 명 흙물을 바르는 일. ——하다 자타여불
흙-살 [흑—] 명 ①돌이 섞이지 않은 흙의 부드러운 정도나 상태. ¶~이 부드럽다. ②흙을 다루어서 살갗이 트고 거칠어진 부풋한 것.
흠치레 부 좀 흠치르르한 모양.
흠-하다【欠—】타여불 흠으로 여기어 언짢아하거나 말하다. ¶흠할 데 없는 설계.
흡-뜨다 타 ①성이 나서 눈을 부릅뜨다. ¶눈을 ~. ②놀라서 눈을 크게 뜨다. ③까무러칠 때와 같이 눈알을 뒤집으며 무섭게 뜨다.
흡진-갑진 부 ①세월 가는 줄 모르고 이러쿵저러쿵 이야기하거나 흥정하는 모양. ②그리할 듯 말 듯 애매한 태도를 취하여 쓸데없이 시간만 끄는 모양. ¶~ 흥정할 사이가 없다. ——하다 자여불
흥류【興流】명 '흥성하는 흐름'이라는 뜻으로 어떤 사회적 운동이 일어나 잘 번져 나가는 것을 '흐름'에 비긴 말.
흥심【興心】명 흥겨운 마음. 또, 그런 마음이 일어나는 일. ¶~ 없이 내꾸하다. ——하다 자여불
흥-주머니【興—】[—쭈—] 명 '흥이 들어 있는 주머니'라는 뜻으로 '흥이 나게 하는 곳'을 비겨 이르는 말.
흥클-하다 형여불 엉뚱하게 능글맞다. ¶흥클한 수작.
희롱-지거리【戱弄—】명 '희롱질'을 속되게 이르는 말. ——하다 자여불
희무스름:-하다 형여불 흰빛이 좀 돌고 어렴풋하다. ¶희무스름한 하늘. **희무스름-히** 부
희밋-하다 형여불 희끗희끗하고 어렴풋하다. **희밋-이** 부
희바래-지다 자 희게 바래어지다. ¶희바래진 빨래.
희벗-하다 형여불 희끄무레한 듯하다. ¶희벗한 하늘.
희-붉다 [—북—] 형 좀 희면서 붉다.
희슥-하다 형여불 색깔이 좀 허옇다. ¶희슥하게 떠돌던 안개가 걷히다.
희-짓다 타ㅅ불 남의 일에 방해가 되게 하다. ¶남의 일에 희짓고만 다니다.
흰곱-리질【—痢疾】명 백리(白痢).
흰-목 명 ①옷에 가리어져 살색이 흰 목. ②희떱게 으스대며 잔뜩 빼 휘두르는 목.
 흰목(을) 뽑다 구 희떱게 뽐내며 목을 빼 휘두르다. 흰목(을) 빼다.
 흰목(을) 쓰다 구 일부러 흰목을 쓰다.
흰-물 명 천이나 종이 같은 것에 물로 들이는 하얀 색깔. ¶~을 들이다.
흰-사기【—沙器】명 백자(白瓷). 백사기.
흰-버짐 명 백선(白癬).
흰자위-막【—膜】명〔생〕공막(鞏膜).
흰-함【—函】명 선거에서 검은 함과 함께 놓았을 경우 찬성표를 넣는 흰 색깔의 함.
히뭇:-이 부 눈에 잘 뜨이지 않게 히죽이. ¶~ 웃다.
히-살【—煞】명 '살(煞)'의 강조어.
히살-스럽다 형ㅂ불 몹시 살기 있고 독살스럽다. ¶히살스러운 작자의 눈총. **히살-스레** 부
히-질기다 형 매우 질기다.
힘-다리 명 '힘을 내도록 받쳐 주고 키워 주는 것'을 비겨 이르는 말.
힘-받이 [—바지] 명 가하여지는 힘을 받아 내어 버티는 일. 또, 그런 물건이나 장치.
힘받이-벽【—壁】[—바지—] 명 조립식 건설에서 방과 방 사이를 막으며 바깥벽과 맞닿아 있는 벽. 지지벽(支持壁).
힘받이-천 [—바지—] 명 몸을 움직일 때 옷에 힘을 받은 부분에 덧댄 천.

국어대사전

1961년 2월 28일 초 판 발행
1994년 3월 25일 제3판 발행
1998년 9월 10일 제3판 수정판 발행
2025년 1월 10일 수정판 제28쇄 발행

編 者 李 熙 昇
發行人 金 哲 煥

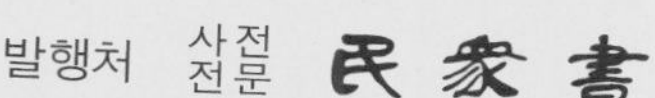
발행처 사전전문 民衆書林

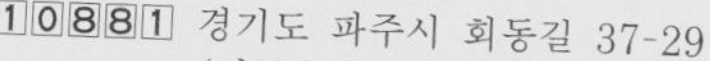
10881 경기도 파주시 회동길 37-29
(파주출판문화정보산업단지)
전화 (영업) 031) 955-6500~6 (편집) 031) 955-6507
Fax (영업) 031) 955-6525 (편집) 031) 955-6527
E-mail editmin@minjungdic.co.kr (편집)
홈페이지 http: // www.minjungdic.co.kr
등록 1979. 7. 23. 제2-61호

정가 220,000원 ISBN 978-89-387-0101-5

가나다순 찾아보기

	ㅏ	ㅑ	ㅓ	ㅕ	ㅗ	ㅛ	ㅜ	ㅠ	ㅡ	ㅣ
ㄱ	1	135	135	179	234	369	383	475	480	533
ㄲ	596	605	605	609	609		620		625	629
ㄴ	632	704	704	716	717	758	758	771	775	783
ㄷ	792	898	898	915	915	993	993	1015	1015	1036
ㄸ	1045		1054		1058		1060		1063	1065
ㄹ	1069	1085	1086	1097	1098	1111	1111	1117	1118	1119
ㅁ	1134	1211	1211	1234	1250	1289	1292	1355	1355	1357
ㅂ	1400	1520	1520	1561	1584		1640	1713	1713	1724
ㅃ	1768	1773	1773	1776	1776	1778	1778	1781		1781
ㅅ	1786	1970	1973	2076	2078	2142	2143	2213	2218	2250
ㅆ	2350	2359	2359	2360	2360		2362		2364	2365
ㅇ	2370	2493	2527	2592	2690	2789	2811	2895	2959	2998
ㅈ	3148	3264	3265	3430	3431	3497	3497	3568	3569	3579
ㅉ	3668		3672	3673	3674		3676		3677	3677
ㅊ	3681	3718	3718	3774	3774	3803	3803	3834	3834	3840
ㅋ	3864	3889	3889	3898	3899		3921	3928	3928	3947
ㅌ	3954	3992	3992	4006	4006	4037	4037	4046	4046	4060
ㅍ	4067	4107	4107	4121	4141	4162	4168	4186	4186	4206
ㅎ	4228	4332	4337	4360	4389	4493	4495	4513	4518	4539
모음	4548	4548	4548	4548	4548	4549	4549	4549	4549	4549